白 흰백 1502
皮 가죽피 1515
皿 그릇명 1518
目 눈목(罒) 1527
矛 창모 1555
矢 화살시 1557
石 돌석 1561
示 보일시(礻) 1588
禸 짐승발자국유 1607
禾 벼화 1608
穴 구멍혈 1633
立 설립 1646
· 歺 죽을사(歹) 1146
· 氺 물수(水) 1174
· 罒 그물망(网) 1786
· 衤 옷의(衣) 2051

6 획

竹 대죽 1652
米 쌀미 1695
糸 실사 1709
缶 장군부 1783
网 그물망(罒·四·罓) 1786
羊 양양(⺷) 1795
羽 깃우 1804
老 늙을로(耂) 1813
而 말이을이 1817
耒 쟁기뢰 1818
耳 귀이 1821
聿 붓율 1831
肉 고기육(月) 1833
臣 신하신 1870
自 스스로자 1872
至 이를지 1876
臼 절구구(臼) 1878
舌 혀설 1882
舛 어그러질천 1885
舟 배주 1886
艮 머무를간 1893
色 빛색 1894
艸 초두(艹) 1896
虍 범호밑 1994
虫 벌레충 2001
血 피혈 2041
行 다닐행 2045
衣 옷의(衤) 2051
襾 덮을아 2081

7 획

見 볼견 2086
角 뿔각 2095
言 말씀언 2103
谷 골곡 2168
豆 콩두 2170
豕 돼지시 2173
豸 발없는벌레치 2179
貝 조개패 2184
赤 붉을적 2209
走 달아날주 2212
足 발족(⻊) 2224
身 몸신 2253
車 수레거 2256
辛 매울신 2281
辰 별진 2285
辵 책받침(辶) 2286
邑 고을읍(阝) 2328
酉 닭유 2350
釆 분별할변 2365
里 마을리 2367
· 臼 절구구(臼) 1878
· 镸 길장(長) 2427

8 획

金 쇠금 2371
長 길장(镸) 2427
門 문문 2430
阜 언덕부(阝) 2449
隶 미칠이 2479
隹 새추 2480
雨 비우 2492
靑 푸를청 2512
非 아닐비 2516

9 획

面 낯면 2517
革 가죽혁 2520
韋 다룸가죽위 2531
韭 부추구 2536
音 소리음 2536
頁 머리혈 2539
風 바람풍 2559
飛 날비 2566
食 밥식(飠) 2567
首 머리수 2586
香 향기향 2588

10 획

馬 말마 2590
骨 뼈골 2612
高 높을고 2619
髟 터럭발밑 2623
鬥 싸울투 2630
鬯 술창 2631
鬲 솥력 2632
鬼 귀신귀 2634
魚 물고기어 2639
鳥 새조 2658
鹵 소금밭로 2686
鹿 사슴록 2688
麥 보리맥 2693
麻 삼마 2696

12 획

黃 누를황 2698
黍 기장서 2701
黑 검을흑 2703
黹 바느질할치 2710

13 획

黽 맹꽁이맹 2711
鼎 솥정 2713
鼓 북고 2714
鼠 쥐서 2716

14 획

鼻 코비 2718
齊 가지런할제 2720

15 획

齒 이치 2722

16 획

龍 용룡 2728
龜 거북귀 2732

17 획

龠 피리약 2733

· 는 부수의 변형임

漢韓大字典

民衆書林 編輯局 編

제3판

[全面改訂·增補版]

辭典專門

民衆書林

제3판을 내면서

우리나라 한자자전(漢字字典)의 자취를 살펴보면, 조선 초기부터 중국 특정 운서(韻書)의 색인(索引) 구실을 하는 옥편이 나오다가 정조(正祖) 때에 〈전운옥편(全韻玉篇)〉이 간행되었다. 이때 비로소 한자(漢字)마다 한글로 음(音)을 달고 뜻과 사성(四聲)의 운자(韻字)를 붙여 자전(字典)의 효시(嚆矢)를 이루게 되었으며, 이후 한자의 음과 뜻을 한글로 단 옥편들이 나오기 시작했다.

광복 후, 여러 종류의 사전이 출판됨에 따라 옥편이나 자전도 사전식이어야 한다는 인식이 높아 갔다. 당시 민중서림의 전신(前身)인 민중서관에서는 1960년 초부터 표제자의 음과 뜻에 그 출전 문헌을 보이고, 표제자가 앞에 오는 숙어(熟語)도 실어, 명실상부한 한자사전으로서의 면모를 갖춘 자전 편찬에 착수하여 1966년 드디어 〈漢韓大字典〉이 빛을 보게 된 것이다. 이 자전이 1997년 전면 개정을 거치면서 현대 자전의 표본으로서 많은 독자들의 사랑을 받아 왔음은 결코 지나친 자찬(自讚)은 아닐 것이다.

한때, 한자에 대한 소양(素養)에 소홀했던 때도 있었으나, 현재는 한문이 정식으로 교과 과정에 오르고, 일반인들에게도 한자의 중요성에 대한 새로운 인식이 널리 확산되어 가고 있다. 이에 우리는 자전도 한자 학습과 한문 이해에 보다 가까이 다가갈 수 있도록 해야겠다는 판단 아래 이번에 제3판을 펴내게 되었다 .

제3판에서는 자원란(字源欄)을 설정하여 갑골문(甲骨文)·금문(金文) 및 〈說文(설문)〉에 실려 있는 전문(篆文)·별체(別體)·고문(古文)·주문(籀文) 등을 실어 자형의 변화를 보이고, 육서(六書)와 문자의 구성 및 원뜻을 밝혔다. 그리고 사성(四聲)과 운자(韻字) 다음에는 반절(反切)을 표기하여 한자의 본음을 정확히 알 수 있게 하였으며, 중국어를 공부하는 학생들을 위하여 한어 병음 자모(漢語拼音字母)와 간체자(簡體字)를 병기(倂記)하였고, 더불어 초서(草書)도 함께 수록하였다.

또한, 중요 한자에는 필순(筆順)을 보임으로써 보다 쉽게 한자에 접할 수 있도록 하는 동시에, 표제자도 더욱 보충하여 약 21,000여 자를 실어 명실공히 대자전(大字典)의 면모를 갖추었다.

아무쪼록 이 개정판이 독자들의 한자 소양 증진에 좋은 벗이 되기를 바라면서, 계속 강호 제위(江湖諸位)의 편달(鞭撻)을 바라는 바이다.

2009년 1월　　일

민중서림 편집국

머 리 말(초판)

중국에서 우리나라에 한자(漢字)가 전래(傳來)한 것은 멀리 고조선 시대(古朝鮮時代)의 옛일로 추정(推定)된다고 한다. 그 후 수천 년 동안을 내려오면서 한자는 우리나라의 문화의 중요한 기둥으로서 큰 구실을 하여 왔으며, 오늘날에 있어서도 우리 민족 고유(固有)의 한글과 함께 국자(國字)로서 소화(消化)되고 있는 것이 엄연한 사실이다. 그런즉, 한자에 관한 지식은 비단 중국 문화의 이해(理解)에 관련하는 요건(要件)일 뿐 아니라, 우리나라의 문화의 발자취를 더듬고 나아가서는 장래의 한국 문화의 건전한 전개(展開)를 위하여서도 수유(須臾)도 등한히 할 수 없는 일이라고 보겠다.

근자에 항간에는 한글의 전용(專用)과 한자의 폐지(廢止)를 부르짖는 소리가 제고(提高)되고 있고, 또 한편에서는 상용한자(常用漢字)의 제한과 점진적(漸進的)인 한글 전용을 주장하는 의견이 양립(兩立)하여 의론이 분분(紛紛)한 바 있거니와, 그에 대한 시비(是非)는 잠깐 논외(論外)로 한다 하더라도, 위의 양론(兩論)의 어느 경우나 한자가 우리의 일상생활 위에 현실적으로 중대한 영향력을 가지고 있음을 부인(否認)하지는 못할 것이다. 그러므로 설혹 한자를 완전히 폐지한다 하더라도, 우리 민족의 고전(古典)을 해독(解讀)하고 이해하며 나아가서는 민족 문화의 올바른 진로를 모색(摸索)하자면 그럴수록에 더욱 한자와 한문학(漢文學)에 대한 전문적(專門的)인 깊은 연찬(研鑽)이 촉구(促求)될 것으로 여겨지는 터이다. 우리는 이와 같은 뜻에서 해방(解放) 후 이제껏 등한시되어 온 이 면(面)을 늦게나마 헤쳐 보려는 의욕에서 이 자전(字典)의 편찬을 기획(企劃)하였던 것이다.

그런데 한자(漢字)의 특색은 문자가 곧 「말」인 점에 있다. 한자가 곧 말이므로 일자 일자(一字一字)가 그대로 문화를 표상(表象)하고 있는 것이며, 따라서 한자는 문화의 진전(進展)에 따라 발달 증가(增加)하여 그 총수(總數)는 수만(數萬)에 이르렀고 한 문자의 훈의(訓義)도 수십(數十)에 이르는 것조차 생기게 되었다.

이렇게 복잡한 구조(構造)와 수다(數多)한 자수(字數)를 가진 한자에 대하여 완벽(完璧)하고 방대(尨大)한 거편(巨篇)의 자전을 이룩하기에는 여러 모로 벅찬 현실(現實)이므로 우리는 우선 그 수록(收錄) 한자의 범위에 있어서 일만 이천 자(一萬

二千字) 정도로 좁히고, 주로 그 글자들의 자해(字解)에 주력(主力)을 기울이기로 하였다. 이를 위하여서는 우리나라의 신자전(新字典), 중국의 강희자전(康熙字典)·사해(辭海) 등을 비롯한 정평(定評) 있는 여러 자전을 종합하여 알기 쉽고 자세한 내용을 담기에 힘썼다. 또 이 자전이 아래로는 중등학교(中等學校) 학생을 비롯해서 위로는 일반 사회인까지도 널리 쓰일 수 있도록 하기 위하여 일상생활에 직결된 한어(漢語)는 물론 여러 고전(古典) 문적(文籍)에 나오는 숙어(熟語)·성어(成語) 들도 되도록 망라(網羅) 채록(採錄)하고자 힘썼다.

위와 같은 의도(意圖)로 엮어진 이 책이 우리의 미력(微力)으로 해서 어느 정도의 성과(成果)를 거두었는지는 이 책을 이용하는 여러분의 비판에 맡기겠거니와, 앞으로 애용자 여러분의 교시(敎示)를 기다려 수시로 깁고 고쳐 더욱 나은 자전으로 키워 나갈 것을 다짐하며, 이 책이 우리 문화의 올바른 이해와 국학(國學)의 연구를 지향(志向)하는 학도(學徒)에게 비익(裨益)되고 일반 사회인의 실용(實用)에 이바지 되기를 바란다.

끝으로, 이 자전이 고려대학교의 이상은(李相殷) 교수님의 지도로 편찬(編纂) 감수(監修)되었음을 특기하고 심심한 사의(謝意)를 드린다.

1965년 4월 일

편자 씀

일 러 두 기

〈漢韓大字典〉은 현행(現行) 각급 학교 국어·한문 교과서는 물론 사서(四書) 등을 비롯한 고전(古典)에 나오는 일체의 한자(漢字)를 망라(網羅)하여 정확하고 자세한 뜻을 매기고, 또 그 글자를 첫머리에 가지는 숙어를 간결하게 해석하여 '가나다' 순으로 편집하였다.

이 책에 표제자로 수록한 한자는 대체로 강희자전(康熙字典)에 준거(準據)하였지만, 오늘날 이미 폐자(廢字)되어 버린 글자는 싣지 않고, 강희자전에 들어 있지 않은 글자라도 오늘날 널리 쓰이는 글자는 그것이 와자(訛字)이건 속자(俗字)이건 간에 모두 보충하여 실었으며, 우리나라에서 만든 글자도 되도록 많이 채록하였다. 또, 학습에나 일반 사회의 실용에 지장이 없도록 국어·고전어 및 일상의 생활 한어(生活漢語)를 망라하고, 거기에 인명·지명·서명(書名)·왕조명(王朝名)·고사성어(故事成語) 등도 널리 엄선하여 곁들였으므로, 종합적인 한한사전(漢韓辭典)으로서 본래의 사명을 충분히 다할 수 있게 되어 있다. 이 책을 이용하는 데 꼭 알아 두어야 할 점은 다음과 같다.

Ⅰ. 표제자(表題字)의 해설(解說)

(1) **표제자의 배열** 강희자전(康熙字典)에 따라 부수순(部首順)·획수순(畫數順)으로 하였으며, 같은 획수일 경우에는 자형상(字形上) 그 소속 부수가 놓인 차례, 관·변·방·각(冠偏旁脚), 곧 상·좌·우·하의 차례로 배열하였다.

(2) **표제자의 개괄적 해설**

① **표제자** 표제자는 큰 활자로 실어 [ ]로 묶었다.

② **획수 및 총획** 표제자 왼쪽에 부수를 뺀 획수를 밝혔고, 총획은 그 아래 원 안에 숫자로 표시하였다.

③ 표제자가 중학교 교육한자, 고등학교 교육한자인 경우 붉은색을 넣고 [中人] [高人] 약물로 표시하였다.

④ 우리나라에서만 쓰이는 한자 및 우리나라에 특유한 음을 가지는 한자에는 그 음 다음에 ㊊, 현대에 와서 새로 만든 표제자에는 ㊎을 표시하였다.

⑤ 표제자의 음은 현재 널리 쓰이는 음을 표준음으로 내세우고, 그 본음(本音)을 (㊍), 속음(俗音)을 (㊏)으로 표시하였다.

⑥ 운자(韻字) 한자의 음(音)에 바로 이어 그 표제자가 속하는 운목(韻目)을 표시하였다. 그리고, 그 사성(四聲)의 구별은 ㊥ ㊤ ㊦ ㊧으로 각각 나타내었다.

㉠ 평성(平聲)…억양이 없는 평평한 음

㉡ 상성(上聲)…어미가 세고 끝이 올라가는 음

㉢ 거성(去聲)…어두가 세고 끝이 올라가는 음

㉣ 입성(入聲)…짧고 빨리 거두어들이는 음

⑦ 반절(反切)과 병음(拼音)을 표기하여 한자의 중국음을 정확히 알도록 하였다. 또, 간체자(簡體字)와 초서(草書)를 참고로 실었다.

2
⑨ [計] [中人] 계 ㊦霽 古詣切 jì 计 计

[筆順] 二 亖 言 言 言 言 言一 計

(3) **필순(筆順)**

중학교·고등학교의 교육용 기초 한자, 중요 한자, 부수자(部首字)에는 필순을 보였다.

(4) **자해(字解)**

① 훈(訓)과 음(音)을 고딕체 활자로 표시하고, 그 뒤에 한자어(漢字語)를 용례로 보이고 그 출전(出典)을 밝혔다.

② 음(音)과 훈(訓)이 다를 경우에는 ■■ ■…으로 구별하였다.

③ 훈(訓)이 둘 이상 있을 경우에는 ① ② ③…으로 구분하였다.

(5) **자원(字源)**

먼저 육서(六書)로써 문자(文字)의 구성(構成)을 표시한 다음, 그 글자의 자원(字源)을 간결하게 해설하고, 금문(金文)·전문(篆文)·주문(籀文)·고문(古文) 등을 보여, 그 글자의 전거(典據)를 확실히 하였다.

4
⑥ [伍] [人名] 오 ㊤麌 疑古切 wǔ 伍

[字解] ……

[字源] 篆文 伍 形聲. 亻(人)+五〔音〕. '五오'는 '다섯'의 뜻. 오인조(五人組)의 뜻을 나타냄.

① 상형(象形)……눈으로 볼 수 있는 것의 모양에서 그 특징을 강조해서 나타내는 글자 형성법. 소의 뿔을 강조하여 나타낸 '牛' 따위.
② 지사(指事)……'一, 二'나 '上, 下'와 같이 추상적인 것을 기호로 나타내는 글자 형성법.
③ 회의(會意)……둘 이상의 글자를 합쳐서 한 글자를 만들고, 본디의 각 글자와는 음(音) 및 뜻이 다른 별개의 것을 나타내는 글자 형성법. '人'과 '言'을 합쳐 '信'을 만드는 따위.
④ 형성(形聲)……두 글자를 합쳐서 된 새 글자의 한쪽 부분이 음을, 다른 한쪽 부분이 뜻을 나타내는 글자 형성법. '靑'으로 음을 나타내고 '氵=水'로 뜻을 나타내어, '淸'을 만드는 따위.
⑤ 가차(假借)……음(音)만을 빌려서 본디의 뜻과는 다른 의미를 나타내는 글자 형성법. '길다'의 뜻을 가진 '長'을 '장관(長官)'의 뜻으로 사용하는 따위.
⑥ 전주(轉注)……한 글자를 다른 뜻으로 전용(轉用)하는 글자 사용법. 풍류를 나타내는 '樂(악)'을 '즐겁다'의 뜻인 '樂(락)'으로 쓰는 따위.

(6) 참고(參考)

參考에서는 그 표제자의 본자(本字)·약자(略字)·동자(同字)·속자(俗字) 등을 밝혔다.

6 ⑧ [來] 中人 래 平灰 落哀切 lái 去隊 洛代切 lài 来 来

字解 ……

字源 ……

參考 来(木部 三畫)는 俗字

(7) 속자·약자·동자(同字)·와자(訛字)

속자·약자·동자·와자 등은 그 본자(本字)가 속해 있는 쪽수를 밝혔다.

6 ⑨ [浅] 〔천〕 淺(水部 八畫〈p. 1251〉)의 俗字

II. 숙어(熟語)와 그 풀이

(1) 숙어의 배열

① 자수(字數)의 다소(多少)에 관계없이 음의 가나다순에 따라 배열하였다.
② 음이 같을 때에는, 둘째 한자의 획수의 적고 많은 순서에 따랐다.

(2) 숙어의 풀이 뜻이 둘 이상 있을 경우에는 ㉠ ㉡ ㉢…으로 구별하고, 우리나라에 특유한 뜻을 가진 것에는 (韓) 표시를 하였다.

[伴倘 반당] (韓) ㉠ 옛날 서울의 각 관청에서 부리던 사환(使喚). ㉡ 중국에 가는 사신이 자비(自費)로 데리고 가던 하인.

(3) 참고 숙어(參考熟語)

표제자를 말 끝에 가지는 숙어를 그 표제자 항목의 맨 끝에 ◉표 다음에 가나다순으로 배열하여 놓음으로써, 이 자전(字典)의 활용도(活用度)를 더욱 높였다.

5 ⑦ [佐] 高人 좌 去箇 則箇切 zuǒ 上哿 子我切 zuǒ 佐

字解 ……

字源 ……

[佐攻 좌공] 도와서 공격함.
◉匡佐. 規佐. 輔佐. 毗佐. 書佐. 屬佐….

(4) 삽도(插圖)

표제자 또는 숙어의 이해(理解)를 돕기 위하여 예기(禮器)·악기(樂器)·관복(冠服)·병기(兵器)·천문(天文)·건축(建築)·선거(船車)·잡기(雜器) 등에 관한 삽도를 해당 항목에 실었다.

III. 색인(索引)의 이용법

부록에 총획 색인(總畫索引)·자음 색인(字音索引) 등을 첨부하였고, 또 〈인명용 한자표〉를 실어 작명(作名)에 도움이 되게 하였다. 앞뒤의 면지(面紙)에는 부수 색인(部首索引)을 실어 본문을 찾아보는 데 편리하도록 하였다.

(1) 총획 색인(總畫索引) 이 책에 수록된 모든 표제자를 부수(部首)에 의하지 않고 획수만으로도 찾아볼 수 있도록 총획수에 따라 대별(大別)하고, 다시 부수순으로 배열하였다.

(2) 자음 색인(字音索引)

① 이 책에 수록된 모든 표제자를 가나다순으로 배열하고, 같은 음의 글자는 부수·획수순으로 늘어놓았다.
② 한 글자가 몇 개의 음을 가질 때에는 각 음마다 실었다. 또, 본음·속음도 각각 그 음 자리에 실었다.

(3) 부수 색인(部首索引)

앞면지 1, 2면과 뒷면지 2, 3면에 각각 부수 색인을 붙여, 그 부수가 시작되는 쪽수를 표시하였다.

한자(漢字)의 필순(筆順)

필순이란 점(點)과 획(畫)이 차례로 거듭되어 하나의 글자를 다 쓸 때까지의 차례를 말한다. 필순은 전체의 글자 모양이 정돈되고 구조적(構造的)으로도 바르며, 또 무리 없이 쓸 수 있도록 오랜 동안에 걸쳐서 연구(硏究)되고, 오늘날까지 전해 내려온 것이므로 그에 따라서 쓰는 것이 능률적이고도 효과적이다.

필순은 원칙적으로 각 글자마다 일정한 차례로 정해져 있지만, 개중에는 예외적인 필순이 일반적으로 인정되고 있는 것도 있다. 또, 한 글자에 두 가지 또는 그 이상의 필순이 있는 것도 있다. 이 경우에 다른 필순은 서로 다를 뿐, 어느 한쪽이 틀린 것이 아님을 명심해야 한다.

(1) 위로부터 아래로 써 내려간다.

보기 三… 一 二 三
言… 亠 言 言

(2) 왼쪽에서부터 오른쪽으로 써 나간다.

보기 川… 丿 川 川
例… 亻 伢 例

(3) 가로획을 먼저 쓴다.

▷ 가로획과 세로획이 교차(交叉)할 때에는 일반적으로 가로획을 먼저 쓴다.

보기 十… 一 十
土… 一 十 土
無… 仁 無 無

〔주의〕 '無'에는 두 가지의 필순이 있다.

㉠ 𠂉 𠂉 無 無 無 〈필기식(筆記式)〉
㉡ 𠂉 𠂉 𠂉 無 無 〈서예식(書藝式)〉

(4) 가운데를 먼저 쓴다.

보기 小… 亅 小 小
水… 亅 才 水 (=丞·蒸)
樂… 白 𢆶 𢆶 樂

〔주의〕 가운데를 나중에 쓰는 것

보기 火… 丶 丷 火 (=炎·灰)
性… 丷 忄 性 (=惟)

(5) 바깥쪽을 먼저 쓴다.

▷ 에워싸는 꼴을 취하는 것

보기 同… 丨 冂 冂 同 (=司)
國… 丨 冂 國 國 (=圍·固·圓)

〔주의〕 區… 一 𠮛 品 區
匹… 一 𠃊 兀 匹

(6) 왼쪽 삐침을 먼저 쓴다.

▷ 왼쪽 삐침과 오른쪽 삐침이 만나는 것

보기 文… 亠 ナ 文
父… 八 ク 父 (=支·叉)

▷ 만나지 않을 때도 왼쪽 삐침을 먼저 쓴다.

보기 人… 丿 人
入… 丿 入
欠… 𠂊 ケ 欠
金… 丿 人 金 (=合)

〔주의〕 '必'은 두 가지의 필순이 있다.

㉠ 丶 丿 乂 必 必
㉡ 丿 乂 乂 必 必

본디 '必'은 '弋'과 '八'이 합쳐서 된 글자인데도 불구하고, 명조(明朝) 활자(活字)의 서체(書體)로는 마치 '心'에 '丿'을 더한 것처럼 보여, 일반 사람이 '心丿'의 필순으로 쓰지만, 역시 ㉠의 필순이 가장 좋은 필순이라고 하겠다.

(7) 가로획과 왼쪽 삐침

▷ 가로획이 길고 왼쪽 삐침이 짧은 글자는 왼쪽 삐침을 먼저 쓴다.

보기 右… 丿 ナ 右
有… 丿 ナ 有
希… 丿 乄 㐅 肴 希

▷ 가로획이 짧고 왼쪽 삐침이 긴 글자는 가로획을 먼저 쓴다.

보기 左… 一 ナ 左
友… 一 ナ 友

存… 一 𠂇 𠂇 存
在… 一 𠂇 在

[참고] '右'와 '左'는 자원(字源)에 있어서 글자 모양이 다르기 때문에 좌우 삐침의 차례가 달라진 것이다.

㉠ 右 … ('有'·'布'도 마찬가지)

㉡ 左 …

다만, '希'는 자원에 관계 없이 '右'의 필순을 따르고 있으며, '左'의 필순을 따르는 것에는 '友'(자원이 '右'에 속하므로 초서(草書)에서는 자원대로의 필순으로 쓴다)·'存'·'在'가 있다.

[주의] 먼저 쓰는 왼쪽 삐침

보기 九… 丿 九
及… 丿 乃 乃 及

[주의] 나중에 쓰는 왼쪽 삐침

보기 力… ㇇ 力
万… 一 丂 万
方… 亠 亐 方

(8) 좌우로 꿰뚫은 획은 맨 나중에 쓴다.

▷ 글자 전체를 가로 꿰뚫은 것

보기 女… 𡿨 夊 女
母… 𠃍 口 母 母
子… 乛 了 子
舟… 冂 冃 舟

[예외] 世… 一 卄 廿 世

(9) 아래위로 꿰뚫린 획은 맨 나중에 쓴다.

▷ 글자 전체를 꿰뚫은 것

보기 中… 口 中 (=半·申)
車… 一 百 亘 車
事… 一 亖 事

▷ 위 또는 아래가 막혀도 맨 나중에 쓴다.

보기 手… 三 手
平… 一 六 平

[주의] 원칙적으로는 아래가 막힌 세로획은 먼저 쓴다.

보기 虫… 口 中 虫

▷ 아래위가 모두 막힌 세로획은 윗부분·세로획·아랫부분의 차례로 쓴다. 따라서, 맨 밑의 가로획을 마지막에 쓴다.

보기 里… 旦 甲 里
重… 二 亩 重 重

(10) 오른쪽 어깨의 '丶'은 나중에 찍는다.

보기 犬… 一 大 犬
伐… 代 伐 伐
博… 十 恒 博 博

(11) '走·免·是'는 맨 먼저 쓴다.

보기 起… 土 丰 丰 走 起
勉… ⺈ 白 免 免 勉
題… 日 旦 早 是 是 題

(12) '辶·廴·乚'는 맨 나중에 쓴다.

보기 近… 厂 斤 斤 近
建… コ 亖 聿 建
直… 一 十 冇 有 直

(13) 특수한 자형의 필순의 보기

보기 凸… 丨 丄 ⺊ 凸 凸 (5획)
凹… 丨 ⺊ 凹 凹 凹 (5획)
亞… 一 丅 丆 亞 亞 亞 亞 亞 (8획)

(14) '止·耳·感·盛·興' 등은 일반적으로 두 가지의 필순이 있으나, ㉠을 주로 쓴다.

보기
止 ㉠ 丨 卜 止
止 ㉡ 一 卜 止

耳 ㉠ 丅 E 耳
耳 ㉡ 丌 耳 耳

感 ㉠ 后 咸 感
感 ㉡ 后 咸 感

興 ㉠ 𦥑 𦥯 興
興 ㉡ 𦥑 𦥯 興

부수(部首)에 대하여

한자를 주로 자형의 성립에 따라 분류하는 방법이 있다. 그 분류된 무리들을 각각 부(部)라고 하며, 그 대표 문자를 부수라고 한다. 이를테면, '糸部'에는 '系(계)'·'素(소)'·'紙(지)'·'細(세)'·'絹(견)'·'線(선)' 등과 같이 '糸(사)'를 바탕으로 해서 이루어진 글자를 모으고, '糸(사)'를 '부수(部首)'로 삼고 있다.

부수(部首)와 부(部) 속의 한자는 일반적으로 뜻에 연관이 있다. 이를테면, '糸部'에 속하는 글자는 '糸'에 관계가 있고, '水部'에 속하는 글자는 '水'에 관계가 있다.

부수에 해당하는 한자가 다른 글자 속에 포함될 때는 보통은 모양이 조금 변한다. 이것을 '변·방'이라고 한다.

주요한 부수(部首)와 '변·방'의 보기

○ 人部(인부) 〔사람과 관계가 있음〕
- 亻(사람인변)의 글자…位(위)·休(휴)·信(신) 따위

○ 刀部(도부) 〔칼붙이·날붙이·베다 따위와 관계가 있음〕
- 刂(칼도방)의 글자…刊(간)·別(별)·前(전) 따위

○ 力部(역부) 〔힘·일하다 따위와 관계가 있음〕
- 力(력)·加(가)·助(조)·勞(로) 따위

○ 口部(구부) 〔입·먹다·마시다 따위와 관계가 있음〕
- 口(입구변)의 글자…味(미)·吸(흡)·唱(창) 따위

○ 土部(토부) 〔흙·지형(地形) 따위와 관계가 있음〕
- 土(흙토변)의 글자…地(지)·場(장) 따위

○ 心部(심부) 〔사람의 마음과 관계가 있음〕
- 忄(심방변)의 글자…快(쾌)·性(성)·情(정) 따위

○ 手部(수부) 〔손이나 손으로 하는 일과 관계가 있음〕
- 扌(재방변)의 글자…打(타)·投(투)·持(지) 따위

○ 水部(수부) 〔물·강·액체 따위와 관계가 있음〕
- 氵(삼수변)의 글자…河(하)·漢(한)·池(지) 따위

○ 火部(화부) 〔불·빛·열 따위와 관계가 있음〕
- 火(불화변)의 글자…燒(소)·燈(등)·燃(연) 따위
- 灬(연화발)의 글자…照(조)·熱(열)·無(무) 따위

○ 糸部(사부) 〔실·천 따위와 관계가 있음〕
- 糸(실사변)의 글자…紙(지)·細(세)·絹(견) 따위

○ 艸部(초부) 〔식물과 관계가 있음〕
- 艹(초두밑)의 글자…花(화)·草(초)·葉(엽) 따위

○ 雨部(우부) 〔기상과 관계가 있음〕
- 雨(비우부)의 글자…雲(운)·雪(설)·電(전) 따위

부수(部首)의 수는 여러 가지 분류법이 있어 일정하지 않지만, 가장 대표적인 분류법으로는 214의 부수를 들고 있다.

'변·방'이란 '변'·'방'·'머리'·'발'·'몸'·'밑'·'받침' 등 일곱 종류의 형을 대표해서 가리키는 말이다.

① 변 女(계집녀변)…姉(자)·妹(매) 따위
車(수레거변)…轉(전)·輪(륜) 따위

② 방 彡(터럭삼·삐친석삼)…形(형) 따위
隹(새추)…雜(잡)·難(난) 따위

③ 머리 宀(갓머리)…安(안)·宮(궁) 따위
竹(대죽머리)…筆(필)·菅(관) 따위

④ 발 灬(연화발)…照(조)·熱(열) 따위
皿(그릇명받침)…益(익)·盟(맹)·監(감) 따위

⑤ 몸 囗(에운담몸·큰입구몸)…國(국)·園(원) 따위
門(문문)…開(개)·關(관) 따위

⑥ 밑 厂(민엄호밑)…原(원)·厚(후) 따위
广(엄호밑)…店(점)·庭(정) 따위

⑦ 받침 走(달아날주변)…起(기) 따위
辶(책받침)…進(진)·近(근) 따위

一 (1획) 部

〔한일부〕

0 ①［一］ 中·人 일 ㊀質 於悉切 yī

字解 ①한 일, 하나 일 ㉠수의 처음. '一人'. '擧一而廢百'《孟子》. ㉡단독. 단지 하나. '一手獨拍, 雖疾無聲'《韓非子》. ㉢처음. 근본. '務一不尙繁密'《顏延之》. ㉣순전(純全). 순수. '純一'. '維精維一'《書經》. '天得一以淸'《老子》. ㉤같음. 동일(同一). '一樣'. '一色'. '先聖後聖, 其揆一也'《孟子》. ㉥전일(專一). '一心'. '一意'. '用心一也'《淮南子》. ②하나로할 일 ㉠합침. '人主者,一力以共戴之'《韓非子》. ㉡동일하게 함. '一度量, 平權衡'《呂氏春秋》. ㉢고르게 함. '靜生民之業, 而一其俗'《史記》. ㉣통일함. '孰能一之'《孟子》. ③첫째 일 제일. '一等'. '治爲天下第一'《漢書》. ④온통 일 전부. 전체. '一國'. '一軍皆驚'《史記》. ⑤낱낱 일 하나하나. '逐一點檢'《朱子語錄》. ⑥한번 일 1회. '人一能之, 己百之'《中庸》. '目所一見, 輒誦于口'《後漢書》. ⑦만일 일 만약. '一旦'. '彼一見秦王, 秦王必相之'《戰國策》. ⑧오로지 일 외곬으로. 전혀. '一遵蕭何之約束'《史記》. '賞利一從上出'《韓非子》. ⑨모두 일 다. 빠짐없이. '一切'. '一可以爲法則'《荀子》. ⑩어느 일 어떤. '一日'. '一說'. '一夕自恨死'《柳宗元》. ⑪어조사 일 어세(語勢)를 강하게 하는 조사(助辭). '一遊一豫, 爲諸侯度'《孟子》. ⑫성 일 성(姓)의 하나.

字源 甲骨文 金文 篆文 古文 弌 갖은자 壹 指事. 가로의 한 획으로 수(數)의 '하나'의 뜻을 나타냄. 수(數)의 첫째인 데서 '처음·근본'의 뜻도 가리킴. 또 둘 이상의 것이 아닌 하나의 뜻에서, '같다·오로지'의 뜻을 나타내며, 둘 이상으로 나뉘지 않고 합쳐져 있는 전체의 뜻을 나타냄.

[一架 일가] ㉠시렁 하나. 한 시렁. ㉡시렁 가득히.

[一家 일가] ㉠한 가옥. 한 집. ㉡한 가족. 한집안. ㉢한 가지 학문이나 기예에 대한 성가(成家). ㉣한 학파(學派). 한 유파(流派).

[一家團欒 일가단란] 한집안 식구가 무릎을 모아 둘러앉는다는 뜻으로, 한집안 식구가 화목하게 지냄을 이름.

[一家富貴千家怨 일가부귀천가원] 한 집이 부귀를 누리면, 천 집이 이를 시기하고 미워함.

[一家言 일가언] 일가견(一家見).

[一家之言 일가지언] 자가 독특(自家獨特)의 학설. 자신의 설. 또, 그 저작.

[一角 일각] ㉠한 뿔. 뿔 하나. ㉡한 모퉁이. 일우(一隅).

[一刻 일각] ㉠1시간의 4분의 일. 곧, 십오 분. ㉡매우 짧은 시간.

[一刻千金 일각천금] 일각(一刻)의 짧은 시간도 아깝기가 천금(千金)과 같음. 또, 썩 즐거운 경우를 이름.

[一竿 일간] 장대 하나. 낚싯대 하나.

[一間 일간] ㉠가운데에 한 사람이 끼여 있는 정도의 거리라는 뜻으로, 약간의 차이를 이름. ㉡집의 기둥과 기둥과의 사이.

[一竿風月 일간풍월] 낚싯대 하나를 벗 삼아 풍월(風月)을 즐기는 일. 낚시질을 하며 자연의 풍경(風景)을 즐기는 일.

[一喝 일갈] 한 번 큰 소리로 꾸짖음.

[一葛 일갈] 갈포(葛布)로 지은 여름옷 한 벌.

[一龕 일감] 하나의 감실(龕室). 하나의 사탑(寺塔).

[一鑑 일감] 거울 하나.

[一个 일개] ㉠하나. 한 개. ㉡한 사람. 일개(一介).

[一介 일개] ㉠한 사람. ㉡약간. 근소.

[一個 일개] 하나. 일개(一箇).

[一箇 일개] 일개(一個).

[一槪 일개] ㉠한데 아우름. ㉡같음. 동일함. ㉢모두. 일률적으로.

[一概 일개] 일개(一槪).

[一介不取 일개불취] 욕심이 아주 없음을 이름.

[一介書生 일개서생] 보잘것없는 한 사람의 서생.

[一噱 일갹] 한 번 크게 웃음. 한 번 웃음.

[一炬 일거] 횃불 하나.

[一擧 일거] ㉠한 번 날아오름. ㉡한 번 행함. 또, 한 번의 일. ㉢한 번 희생(犧牲)을 죽여 제기(祭器)에 담음.

[一去無消息 일거무소식] 한 번 간 뒤에 아주 소식이 없음.

[一擧手一投足 일거수일투족] 손 한 번 들고 발 한 번 내디딘다는 뜻으로, 동작 하나하나를 이름.

[一擧兩得 일거양득] 한 가지 일을 하여 두 가지 이득을 봄. 일석이조(一石二鳥).

[一擧一動 일거일동] 사소한 동작.

[一去一來 일거일래] 갔다 왔다 함.

[一劍 일검] 칼 한 자루.

[一劍之任 일검지임] 척살(刺殺) 또는 결투 등에 의하여 일을 결말지어야 할 임무.

[一擊 일격] 한 번 침.

[一見 일견] ㉠한 번 봄. 또, 언뜻 봄. 잠깐 봄. ㉡한 번 만남. ㉢처음으로 만남. 초대면(初對面)함.

[一見如舊 일견여구] 일면여구(一面如舊).

[一犬吠形百犬吠聲 일견폐형백견폐성] 한 마리의 개가 사람이나 물건의 형상을 보고 짖으면 이 소리를 들은 여러 개는 덩달아 짖는다는 뜻으로, 한 사람이 거짓말을 하면 이 말을 들은 여러 사람들은 모두 이를 곧이듣고 남에게 전함을 비유한 말. 일인전허만인전실(一人傳虛萬人傳實).

[一決 일결] 단번에 결단함.

[一闋 일결] 한 곡(曲)의 음악이 끝나는 일.

[一傔 일겸] 하인 한 사람. 종 한 사람. 일복(一僕).

[一更 일경] 오후 여덟 시경. 초경(初更).

[一經 일경] ㉠한 경서(經書). 한 가지의 경서. ㉡경서 한 권.

[一莖九穗之瑞 일경구수지서] 한 줄기에서 아홉 개의 이삭이 나왔다는 상서로운 곡초(穀草).

[一經博士 일경박사] 경서(經書) 한 가지만 연구하여 된 박사. 박사는 학예를 맡은 벼슬임.

[一系 일계] 한 계통. 같은 계통.

[一計 일계] 한 가지 꾀. 한 꾀.

[一階半級 일계반급] 하찮은 벼슬. 낮은 벼슬.
[一考 일고] 한 번 생각함.
[一鼓 일고] 진군(進軍)할 때 처음에 북을 한 번 침.
[一篙 일고] ㉠한 상앗대. ㉡한 상앗대의 길이만큼의 물의 깊이.
[一顧 일고] ㉠한 번 뒤돌아봄. ㉡조금 돌봄.
[一顧傾國 일고경국] 절세(絕世)의 미인임을 이름.
[一顧傾城 일고경성] 일고경국(一顧傾國).
[一曲 일곡] ㉠한 물굽이. ㉡한 굴곡. ㉢한 모퉁이. 일우(一隅). ㉣음악 한 곡(曲).
[一孔 일공] ㉠한 구멍. ㉡한 점(點)·한 장소 등의 뜻.
[一空 일공] 텅 빔. 모두 없어짐.
[一過 일과] ㉠한 번 지나감. ㉡한 번 읽음. ㉢한 가지 과실.
[一顆 일과] 한 덩어리. 둥근 것을 세는 데 씀.
[一貫 일관] ㉠한 이치(理致)로 만사를 꿰뚫음. ㉡종시 변하지 아니함. 뜻을 굽히지 아니함. ㉢같음.
[一括 일괄] 한데 묶음. 또, 그것. 한 묶음. 일속(一束).
[一匡 일광] 어지러운 천하(天下)를 바로잡아 다스림.
[一塊 일괴] 한 덩어리.
[一塊肉 일괴육] 한 덩어리의 고기라는 뜻으로, 살아남은 오직 한 사람의 자손을 이름.
[一塊土 일괴토] 한 덩어리의 흙.
[一口 일구] ㉠한 입. 한 사람의 입. 전(轉)하여, 같은 말. 같은 소리. ㉡한 사람. ㉢한 입. 음식 같은 것을 먹을 때에 한 번 놀리는 입. ㉣한 말. 말 한 마디. 일언(一言). ㉤칼 한 자루. ㉥한 마리. 한 개. 새·짐승·기구 등의 입이 있는 것을 세는 데 쓰는 말.
[一句 일구] 문장의 한 구.
[一具 일구] 한 벌. 의복·기구 등을 세는 데 쓰는 말.
[一區 일구] 한 구획의 땅.
[一口難說 일구난설] 한 말로는 다 설명할 수 없음.
[一口二言 일구이언] 한 입으로 두 가지의 말을 함. 곧, 약속을 어김.
[一裘一葛 일구일갈] 여름에 입는 갈포(葛布)로 만든 옷 한 벌과 겨울에 입는 가죽으로 만든 옷 한 벌. 전(轉)하여, 가난한 살림. 빈한한 생활.
[一邱一壑 일구일학] 때로는 언덕에 올라가 소풍하고 때로는 골짜기의 시내에서 낚시질한다는 뜻으로, 속세(俗世)를 떠나 자연을 벗 삼으며 몸을 고상하게 가짐을 이름.
[一丘之貉 일구지학] 한 언덕에서 같이 사는 오소리라는 뜻으로, 동류(同類)의 비유로 쓰임.
[一局 일국] 바둑 한 판.
[一匊 일국] 일국(一掬).
[一掬 일국] ㉠한 움큼. ㉡좌우 두 손에 하나 가득.
[一國 일국] 한 나라. 온 나라. 전국(全國).
[一局棊 일국기] 바둑 한 판. 일국(一局).
[一掬淚 일국루] 두 손에 가득히 괸 눈물. 많은 눈물.
[一掬土 일국토] 두 손으로 한 번 움켜쥔 흙. 한 움큼의 흙.
[一軍 일군] ㉠주대(周代)의 제도에서 군대 1만2천5백 명의 일컬음. ㉡온 군대. 전군(全軍).
[一群 일군] 한 떼.
[一弓 일궁] ㉠한 활. 활 하나. ㉡땅을 측량할 때의 길이로 8척(尺)의 일컬음. 일설(一說)에는, 7척 2촌이라 함. ㉢궁술상(弓術上)의 거리로 6척(尺)의 일컬음.
[一卷石 일권석] 한 덩이의 돌.
[一蹶 일궐] 한 번 넘어짐.
[一軌 일궤] ㉠통일함. 통일하여 다스림. 일통(一統). ㉡같은 길. 같은 경로. 같은 법칙. 일철(一轍). ㉢같음. 동일함.
[一簣 일궤] 한 삼태기의 흙.
[一饋而十起 일궤이십기] 하(夏)나라의 우왕(禹王)이 지극히 백성을 사랑하여 한 번 식사하는 동안에도 열 번이나 일어나 그들을 걱정한 고사(故事).
[一揆 일규] 같은 길. 같은 경로. 같은 법칙. 일철(一轍).
[一鈞 일균] 30근(斤).
[一琴一鶴 일금일학] 거문고 하나와 학 한 마리가 전 재산이라는 뜻으로, 벼슬아치의 청렴(清廉)함을 이름.
[一己 일기] 자기 한 사람. 오직 자기만.
[一技 일기] 한 가지의 기예. 한 가지의 재주.
[一紀 일기] 열두 해. 12년.
[一氣 일기] ㉠천지(天地)의 원기(元氣). 음양으로 나뉘지 않은 기(氣). ㉡한숨. 단숨.
[一基 일기] 한 자리. 하나. 무덤·비석(碑石) 같은 것을 세는 데 쓰는 말.
[一期 일기] ㉠일기(一朞). ㉡어떤 시기(時期)를 몇에 나눈 그 하나. 또, 그 최초의 시기. ㉢《佛教》평생. 일생(一生).
[一朞 일기] 한 돌. 일주년(一周年).
[一騎 일기] 한 사람의 말 탄 군사.
[一氣呵成 일기가성] 단숨에 글을 지음. 전(轉)하여, 한숨에 일을 해냄.
[一騎當千 일기당천] 일인당천(一人當千).
[一己之欲 일기지욕] 오직 자기 한 사람만을 위하는 욕심.
[一諾 일낙] 한 번 승낙함.
[一諾千金 일낙천금] 한 번 승낙한 것은 값이 천금이나 된다는 뜻으로, 약속은 굳게 지켜야 함을 비유한 말.
[一年 일년] ㉠한 해. 12개월. ㉡세기(世紀)·연호(年號)의 첫 해. ㉢어느 해.
[一年三百六十日 일년삼백육십일] 1년 내내. 1년 중.
[一年之計莫如樹穀 일년지계막여수곡] 1년간의 계획을 하는 데는 곡식을 심는 것이 제일임.
[一年之計在于春 일년지계재우춘] 모든 일은 만일에 대비하기 위하여 미리 계획하여야 하므로, 한 해의 방침은 첫봄에 세워야 함.
[一年草 일년초] 해마다 씨에서 새싹이 돋아나는 풀. 당년초(當年草).
[一年虛渡秋 일년허도추] 추석날 밤에 하늘에 구름이 끼어 달을 볼 수 없는 것을 탄식한 시구(詩句).
[一念 일념] ㉠한결같은 마음. 일심(一心). ㉡한 마음. 하나의 마음. ㉢짧은 시간.
[一念不生 일념불생] 《佛教》 화엄(華嚴)의 오의(奧義)로서, 조금도 잡념(雜念)이 생기지 아니함을 이름.
[一念三千 일념삼천] 《佛教》 사람의 마음속에 3천

의 법계(法界)를 갖추고 있다는 뜻으로, 사람의 마음이 곧 전체의 우주(宇宙)라는 말.
[一念唱名 일념창명]《佛敎》일념칭명(一念稱名).
[一念稱名 일념칭명]《佛敎》일심(一心)으로 아미타불(阿彌陀佛)을 믿고 나무아미타불(南無阿彌陀佛)을 부름.
[一念通天 일념통천] 마음만 한결같이 먹으면 어떠한 어려운 일이라도 이룰 수 있음.
[一怒而安天下 일노이안천하] 성인(聖人)은 한번 노하면 어지러운 세상을 바로잡아 천하를 편안하게 함.
[一能 일능] 한 가지의 재능.
[一茶頃 일다경] 차 한 잔 마시는 시간. 전(轉)하여, 잠시(暫時).
[一旦 일단] ㉠어느 날 아침. 하루 아침. 또, 어느 날. ㉡한번. 만일. 일조(一朝). ㉢잠시. 잠깐.
[一段 일단] 한층. 한층 더.
[一端 일단] ㉠한끝. 한 부분. ㉡포백(布帛)의 길이 2장(丈).
[一團 일단] 한 덩어리. 한 떼.
[一簞食一豆羹 일단사일두갱] 대나무로 만든 밥그릇 하나에 담은 밥과 제기(祭器) 하나에 담은 국이라는 뜻으로, 소량의 음식을 이름.
[一簞食一瓢飮 일단사일표음] 대나무로 만든 밥그릇 하나에 담은 밥과 표주박 하나에 담은 음료라는 뜻으로, 빈한한 사람의 간소한 소량의 음식을 이름.
[一旦有急 일단유급] 일조유사시(一朝有事時)에는.
[一旦有緩急 일단유완급] 일단유급(一旦有急).
[一團和氣 일단화기] 단합되어 원만한 화기. 주위를 둘러싸고 있는 온화한 공기.
[一旦豁然貫通 일단활연관통] 장구한 세월을 사리(事理)를 연구하느라고 정신을 집중한 결과 하루아침에 모든 의문이 풀려 이치를 환히 깨달음.
[一黨 일당] 목적과 행동을 같이하는 무리. 같은 당파.
[一當百 일당백] 하나가 백을 당함.
[一代 일대] ㉠일평생. 일생(一生). ㉡그 시대. 당대(當代). ㉢군주가 왕위에 있는 동안. ㉣호주가 가계(家系)를 계승하고 있는 동안.
[一帶 일대] ㉠한 줄기. ㉡부근 전체. 어느 지역의 전부.
[一隊 일대] 한 떼.
[一對 일대] 한 쌍.
[一大劫 일대겁]《佛敎》성겁(成劫)·주겁(住劫)·괴겁(壞劫)·공겁(空劫)을 각각 일소겁(一小劫)이라 하고, 이 사소겁(四小劫)을 합친 기간을 일대겁(一大劫)이라 함. 대단히 긴 시간을 이름.
[一大事 일대사] 한 큰 일. 용이하지 아니한 일. 중대한 일.
[一大事因緣 일대사인연]《佛敎》부처가 중생 제도(衆生濟度)의 큰 일을 위하여 이 세상에 나타나는 일.
[一代楷模 일대해모] 일세(一世)의 모범.
[一德 일덕] 순일(純一)의 덕. 순수한 덕.
[一刀 일도] 칼 한 자루.
[一度 일도] ㉠한 번. ㉡한때.
[一途 일도] 같은 길. 같은 이치. 같은 방법.
[一道 일도] ㉠한 가지 이치. 일리(一理). ㉡한 줄. 한 가닥. ㉢한 통. 편지·서류 등을 세는 말.
[一刀三禮 일도삼례]《佛敎》불상(佛像)을 새길 때 부처에게 경의(敬意)를 표하기 위하여 세 번 절하는 일.
[一刀兩斷 일도양단] ㉠칼로 베어 단번에 둘로 냄. ㉡과단성 있게 일을 처리함.
[一讀 일독] 한번 읽음. 죽 읽음.
[一頓 일돈] ㉠한 번. 일차(一次). ㉡한 번 휴식함. 잠시 쉼. 일식(一息).
[一同 일동] ㉠모든 사람. 전체(全體). ㉡100리 사방(四方).
[一動一靜 일동일정] 때로는 움직이고 때로는 정지함. 활동하기도 하고 정지하기도 함.
[一頭 일두] 한 마리.
[一斗粟尙可舂 일두속상가용] 얼마 안 되는 양식이라도 찧어서 서로 나누어 먹어야 한다는 뜻으로, 형제의 우애(友愛)가 좋아야 함을 이름. 한(漢)나라 문제(文帝)가 아우와 불목(不睦)한 것을 기자(譏刺)한 민요(民謠)의 한 구임.
[一得一失 일득일실] ㉠한 가지 이익이 있으면 한 가지 손해가 따름. 이해가 상반함. 일리일해(一利一害). ㉡한쪽은 좋고 딴 쪽은 서투름.
[一等 일등] ㉠첫째의 등급. ㉡같음. 마찬가지임.
[一等國 일등국] 국력이 강대하여 국제상(國際上) 가장 우세(優勢)한 나라.
[一樂 일락] ㉠삼락(三樂) 중의 첫째가는 즐거움. 곧, 부모가 구존(俱存)하고 형제가 무고한 일. ㉡한 가지 즐거움.
[一覽 일람] 한 번 봄. 죽 봄.
[一覽不忘 일람불망] 한 번 보면 잊지 아니함.
[一覽輒記 일람첩기] 한 번 보면 곧 기억함. 총기(聰氣)가 썩 좋음.
[一覽表 일람표] 여러 가지 사항을 죽 보아 바로 그 내용을 알 수 있도록 꾸민 표.
[一臘 일랍] ㉠사람이 태어나서 이레 되는 날. ㉡《佛敎》중이 득도(得道)한 후의 한 해. 일법랍(一法臘).
[一兩 일량] ㉠한둘. 한두. 일이(一二). ㉡일량(一輛).
[一輛 일량] 수레 한 대.
[一旅 일려] 주대(周代)의 제도(制度)에서 군사 5백 명의 일컬음.
[一力 일력] 한 사람의 하인. 일복(一僕).
[一聯 일련] ㉠시문(詩文) 중의 한 대구(對句). 한 연구(聯句). ㉡하나의 연속.
[一臠 일련] 고기 한 점. 고기 한 조각.
[一蓮托生 일련탁생] 죽은 후에 같이 극락정토(極樂淨土)의 연꽃 위에서 남. 전(轉)하여, 남과 운명을 같이함.
[一列 일렬] ㉠한 줄. ㉡첫째 줄.
[一令 일령] 한 번 명령함. 또, 한 번의 명령.
[一領 일령] 옷 한 벌.
[一齡 일령] 누에의 처음 슬어 놓은 때로부터 첫잠을 잘 때까지의 동안.
[一例 일례] ㉠한결같음. ㉡한 가지 예(例). 하나의 예증(例證).
[一勞永逸 일로영일] 한때 고생하고 오랫동안 안락하게 지냄.
[一路平安 일로평안] 여행하는 사람을 전송할 때 인사하는 말로, 무사히 여행하기를 바란다는 뜻.
[一弄 일롱] ㉠한 곡(曲)을 연주함. ㉡일롱(一哢).
[一哢 일롱] 새가 한 번 지저귐.
[一壟 일롱] ㉠밭 한 뙈기. ㉡한 둔덕. 한 언덕.

[一龍一蛇 일룡일사] 혹은 용이 되어 하늘로 올라가고 혹은 뱀이 되어 못 속에 숨는다는 뜻으로, 치세(治世)에는 나가 입신양명(立身揚名)하고 난세에는 숨어 명철보신(明哲保身)함을 이름.
[一龍一豬 일룡일저] 한 사람은 용이 되고 한 사람은 돼지가 된다는 뜻으로, 지위 또는 현우(賢愚)의 차이가 현격(懸隔)하여짐을 이름.
[一樓 일루] ㉠한 누각(樓閣). ㉡온 누각.
[一縷 일루] ㉠한 오리의 실. ㉡간신히 유지하는 연속.
[一縷之任係千鈞之重 일루지임계천균지중] 몹시 위태로움의 형용.
[一流 일류] ㉠일등의 지위. ㉡한 유파(流派). ㉢한 학파.
[一類 일류] 같은 종류. 한 종류.
[一輪車 일륜거] 바퀴가 하나 달린 수레.
[一輪明月 일륜명월] 하나의 둥글고 밝은 달.
[一輪月 일륜월] 하나의 둥근 달.
[一律 일률] ㉠같은 음률(音律). 같은 음악의 가락. ㉡같은 방법. 같은 내용.
[一里 일리] 이정(里程)의 단위. 360보(步). 우리나라에서는 한 마장.
[一利 일리] 한 가지 이로움. 한 가지 이익.
[一理 일리] 한 가지 이치.
[一犁雨 일리우] 밭 갈기에 알맞게 온 비.
[一利一害 일리일해] ㉠한 가지 이와 한 가지 해. ㉡이가 있는 대신 해도 있음. 이해가 서로 상반(相半)함.
[一里一堠 일리일후] 1리(里)마다 이정(里程)을 표시하기 위하여 쌓은 돈대.
[一馬不被兩鞍 일마불피양안] 한 마리의 말의 등에 안장 둘을 얹지 못한다는 뜻으로, 한 여자가 두 남자를 섬길 수 없음을 비유한 말.
[一抹 일말] ㉠한 번 칠함. ㉡한 번 길게 칠한 것 같은 연기 등의 모양을 이름.
[一望無涯 일망무애] 일망무제(一望無際).
[一望無際 일망무제] 아득하게 끝없이 멀어 눈을 가리는 것이 없음.
[一網打盡 일망타진] 한 그물에 물고기를 모두 잡듯이 한꺼번에 모조리 잡아서 처치함.
[一枚 일매] ㉠한 개. 1개(個). ㉡《韓》 한 장(張).
[一脈 일맥] 한 맥락(脈絡). 한 줄.
[一盲引衆盲 일맹인중맹] 《佛教》 한 소경이 여러 소경을 인도한다는 뜻으로, 한 어리석은 자가 여러 어리석은 자를 그릇된 곳으로 인도함을 이름.
[一面 일면] ㉠한 방면. 한 지방. ㉡온 면(面). 전면(全面). ㉢한 번의 면회. 한 번의 대면. ㉣한편에서는.
[一面交 일면교] 일면식(一面識).
[一面識 일면식] 한 번 서로 대하여 본 사이.
[一面如舊 일면여구] 서로 처음으로 만나 보고서 옛 벗과 같이 친밀함.
[一名 일명] ㉠한 사람. ㉡따로 부르는 이름. 별명. 별칭(別稱). ㉢과거(科擧)에서 첫째의 급제. 장원 급제(壯元及第). 또, 장원 급제한 사람.
[一命 일명] ㉠처음으로 벼슬하는 일. 초사(初仕). 또, 그 최하급의 벼슬. ㉡목숨. 일(一)은 어세(語勢)를 강하게 하기 위하여 첨가한 말.
[一鳴驚人 일명경인] 한 새가 있는데 이 새는 한 번 울기만 하면 사람을 놀라게 한다는 뜻으로, 한번 일을 착수하기만 하면 사람을 놀라게 할 만한 큰 사업을 함을 비유한 말.
[一毛 일모] ㉠한 가닥의 털. ㉡지극히 가벼운 것의 비유.
[一眸 일모] 한 번 보는 일. 일견(一見).
[一暮 일모] 하룻밤. 일석(一夕).
[一毛不白 일모불백] 일발불백(一髮不白).
[一木 일목] 한 나무. 나무 한 그루.
[一目 일목] ㉠한 눈. 눈 하나. ㉡애꾸눈. 척안(隻眼). ㉢한 번 보는 일. 일견(一見). ㉣바둑돌 한 개.
[一沐 일목] 한 번 머리를 감음.
[一目十行 일목십행] 글 열 줄을 동시에 본다는 뜻으로, 독서력이 비상하여 대단히 속독(速讀)함을 이름.
[一目瞭然 일목요연] 한 번 언뜻 보아 환히 알 수 있음.
[一目之羅 일목지라] 눈이 하나 있는 그물.
[一木之枝 일목지지] 나무 한 그루의 가지.
[一無可觀 일무가관] 하나도 볼 만한 것이 없음.
[一文 일문] ㉠한 편(篇)의 문장(文章). ㉡한 점의 무늬.
[一門 일문] ㉠한집안. 일가. 동족(同族). ㉡같은 종류. 동류. 일류(一類). ㉢대포 하나.
[一門普門 일문보문] 《佛教》 한 교리(敎理)를 통하면 모든 교리를 다 쉽게 통할 수 있다는 말.
[一文不知 일문부지] 글자 하나도 읽지 못함. 눈뜬 소경임. 판무식. 일자무식(一字無識).
[一文不通 일문불통] ㉠서로 편지를 한 번도 하지 아니함. ㉡일문부지(一文不知).
[一問一答 일문일답] 한 가지의 물음과 한 가지의 대답. 한 번의 문의와 한 번의 대답.
[一物 일물] ㉠한 물건. ㉡한 건(件).
[一物一累 일물일루] 물건 하나가 있으면 반드시 이에 따르는 누(累)가 한 가지 있음.
[一味 일미] ㉠음식의 맛이 같음. ㉡한 가지 음식. ㉢《韓》 썩 좋은 맛.
[一味雨 일미우] 《佛教》 한결같이 오는 비라는 뜻으로, 불설(佛說)이 일반에 유포(流布)함의 비유로 쓰임.
[一泊 일박] 일숙(一宿).
[一半 일반] 절반(折半).
[一般 일반] ㉠같음. 동일함. ㉡보통. 통상(通常). 특별(特別)의 대(對). ㉢온통. 모두. 일체(一切).
[一班 일반] ㉠한 줄. 일렬(一列). ㉡한 지위. 한 계급.
[一斑 일반] 여러 아롱진 무늬 중의 한 점. 전(轉)하여, 일부분. 일단(一端).
[一飯 일반] ㉠한 입의 밥. ㉡한 번의 식사(食事).
[一飯三吐哺 일반삼토포] 주공(周公)이 어진 이를 구(求)하는 데 열심이어서, 한 끼의 식사에 세 번이나 입에 넣은 밥을 뱉고 일어나 손을 영접한 고사(故事). '토포악발(吐哺握髮)' 참조.
[一飯恩 일반은] 일반지덕(一飯之德).
[一飯之德 일반지덕] 한 끼니의 밥을 얻어먹은 은덕(恩德).
[一飯之報 일반지보] 한 끼니의 밥을 얻어먹은 데 대한 보은(報恩). 아주 작은 은혜에 대한 보은.
[一飯千金 일반천금] 한신(韓信)이 표모(漂母)한테 한 끼니의 밥을 얻어먹고 후에 천금을 주어 그 은혜를 갚은 일.
[一發 일발] 활 또는 총포를 한 번 쏨.

[一髮 일발] ㉠한 가닥의 머리털. 한 머리카락. ㉡한 가닥의 머리털을 놓은 것처럼 먼 데 있는 산이 희미하게 보이는 것을 형용하는 말.
[一髮不白 일발불백] 늙은이의 머리가 하나도 세지 아니함. 일모불백(一毛不白).
[一髮引千鈞 일발인천균] 한 가닥의 머리카락으로 3만 근이나 되는 무거운 물건을 끌어당긴다는 뜻으로, 극히 위험하거나 무모한 일을 비유하는 말.
[一方 일방] ㉠한편. 한쪽. ㉡저쪽.
[一方之藝 일방지예] 한 방면에 뛰어난 기예.
[一方之任 일방지임] 한 지방을 통치하는 직임(職任).
[一放砲手 일방포수] 일자포수(一字砲手).
[一杯 일배] ㉠한 잔. 또, 한 잔에 채울 만한 분량. 곧, 소량(少量). ㉡한 잔의 술. 전(轉)하여, 술.
[一輩 일배] 한 패. 한 동아리.
[一杯酒 일배주] 한 잔 술.
[一百五日 일백오일] 동짓날부터 105일째 되는 날. 곧, 한식날.
[一番 일번] ㉠한 번. ㉡종이 같은 것의 한 장.
[一帆 일범] ㉠돛 하나. ㉡돛단배 한 척. 범선(帆船) 한 척.
[一碧 일벽] 똑같은 푸른색.
[一癖 일벽] 한 버릇.
[一碧萬頃 일벽만경] 푸른 수면(水面)이 한없이 넓은 모양.
[一變 일변] 아주 달라짐. 또, 아주 변경시킴.
[一別 일별] 한 번 이별함. 한 번 작별함. 또, 한 번의 이별.
[一瞥 일별] 한 번 흘긋 봄.
[一別三春 일별삼춘] 작별한 지 3년이 된다는 뜻으로, 오래 만나지 않아 그리운 마음이 간절함을 이름.
[一別如秦胡 일별여진호] 진(秦)과 호(胡)와 같이 서로 멀리 떨어져 있음.
[一餠 일병] 한 덩이. 한 조각. 일편(一片).
[一步 일보] 한 걸음.
[一報 일보] 한 번의 보고. 통지.
[一步一喘 일보일천] 한 번 걷고 한 번 헐떡거린다는 뜻으로, 험준한 비탈을 가는 것을 형용하는 말.
[一伏時 일복시] 일주야(一晝夜).
[一封 일봉] 봉한 편지, 또는 서류 한 통.
[一篷 일봉] 한 척의 거룻배.
[一夫 일부] ㉠한 사람. 일인(一人). ㉡한 남편. ㉢한 사내. ㉣폭군(暴君)을 이름.
[一部 일부] ㉠한 부분. ㉡책 한 벌.
[一夫多妻 일부다처] 한 남편이 둘 이상의 아내를 거느림.
[一夫當關萬夫莫開 일부당관만부막개] 한 사람의 파수병(把守兵)이 관문(關門)을 지키면 만 명의 적병을 막아낸다는 뜻으로, 지세(地勢)가 극히 험준(險峻)하여 수비하기 아주 용이함을 이름.
[一夫一婦 일부일부] 한 남편에 한 아내.
[一夫從事 일부종사] 한 남편을 섬김.
[一夫終身 일부종신] 남편이 죽은 뒤에 후살이 가지 않고 일생을 마침.
[一傅衆咻 일부중휴] 한 사람이 가르치는 데 여러 사람이 이를 잘 듣지 않고 떠들어 댄다는 뜻으로, 성공하지 않음의 비유로 쓰임.
[一抔土 일부토] ㉠한 줌의 흙. ㉡천자(天子)의 무덤. 능(陵).
[一分 일분] ㉠기장〔糯黍〕 한 알의 길이. ㉡한 시간의 60분의 1. 60초.
[一佛淨土 일불정토] 《佛敎》 같은 불계(佛界). 같은 정토(淨土).
[一悲一喜 일비일희] 슬퍼하기도 하고 기뻐하기도 함.
[一臂之力 일비지력] 조그마한 힘. 조그마한 조력(助力).
[一貧一富 일빈일부] 가난하여지기도 하고 부자가 되기도 함.
[一嚬一笑 일빈일소] 얼굴을 찡그리기도 하고 웃기도 함. 혹은 근심하고 혹은 기뻐함.
[一死 일사] ㉠한 번 죽음. ㉡죽음. 사(死).
[一事 일사] 한 일. 한 사건.
[一舍 일사] 30리(里).
[一絲 일사] 한 오리의 실. 전(轉)하여, 조금. 약간. 없음.
[一事無成 일사무성] 한 가지 일도 이룬 것이 없음.
[一絲不挂 일사불괘] 옷을 하나도 걸치지 아니함. 발가숭이로 있음.
[一絲不亂 일사불란] 질서(秩序)가 정연(整然)하여 조금도 어지러운 데가 없음.
[一蛇二首 일사이수] 조정(朝廷)에 권력이 있는 신하(臣下)가 두 사람 있음의 비유.
[一死一生乃知交情 일사일생내지교정] 참다운 우정(友情)은 살아 있는 때보다 죽은 후에 알 수 있다는 말.
[一絲一毫 일사일호] 한 오리의 실과 한 가닥의 털.
[一瀉千里 일사천리] ㉠강물의 물살이 빨라서 한 번 흘러 천 리 밖에 다다름. 전(轉)하여, 일을 빨리 하는 모양. ㉡문장·언론 등이 힘차고 거침이 없는 모양.
[一朔 일삭] 한 달.
[一殺多生 일살다생] 《佛敎》 많은 사람을 살리기 위하여 한 사람을 죽이는 일. 여러 사람을 위하여 한 사람을 희생시키는 일.
[一三昧 일삼매] 《佛敎》 잡념(雜念)을 떨고 열심히 수행(修行)하는 일.
[一霎 일삽] 한바탕 내리는 비. 일삽우(一霎雨). 전(轉)하여, 잠시(暫時). 일삽시(一霎時).
[一霎時 일삽시] 잠시(暫時).
[一霎雨 일삽우] 한바탕 내리는 비.
[一上 일상] 한 번 올라감. 한 번 낢.
[一牀書 일상서] 한 침상 위의 책이란 뜻으로, '얼마 되지 않는 책'을 이름.
[一狀案過 일상안과] 한 사람마다 죄상(罪狀)을 조사하여 처결(處決)하지 않고 여러 사람을 동시에 처결하는 일. 일상영과(一狀領過).
[一狀領過 일상영과] 일상안과(一狀案過).
[一觴一詠 일상일영] 때로는 술을 마시고, 때로는 시가(詩歌)를 읊음.
[一上一下 일상일하] 혹은 올라가고 혹은 내려옴.
[一色 일색] ㉠똑같은 빛. ㉡《韓》 뛰어난 미인.
[一生 일생] ㉠살아 있는 동안. 평생. ㉡한 유생(儒生). 한 서생.
[一眚 일생] ㉠일시(一時)의 과실. 조그마한 과실. ㉡조그마한 흠.
[一生不犯 일생불범] 《佛敎》 일평생 불계(佛戒)를 지켜 여자를 범(犯)하지 아니함.

[一生一死 일생일사] 한 번 나고 한 번 죽는 일.
[一書 일서] ㉠한 책. ㉡어떤 책. 딴 책. 이본(異本). ㉢한 통의 서면.
[一黍 일서] 기장 한 알의 중량. 최소의 중량. 아주 적은 무게.
[一緖 일서] 한 줄.
[一曙 일서] 하루 아침. 일단(一旦). 일조(一朝).
[一夕 일석] ㉠하루 저녁. 하룻밤. ㉡어느 저녁. 어느 밤. ㉢밤새도록.
[一石 일석] ㉠120근(斤). 사균(四鈞). ㉡열 말. ㉢돌 한 개.
[一昔 일석] 하룻밤. 일석(一夕). 일야(一夜).
[一石二鳥 일석이조] 일거양득(一擧兩得).
[一夕話 일석화] 하룻밤의 이야기. 전(轉)하여, 간단한 이야기. 짧은 이야기. 또, 그 책.
[一說 일설] ㉠한 설(說). 한 가지의 설. ㉡딴 설. 이설(異說).
[一舌之任 일설지임] 변설(辯舌)로 일을 처리하는 임무.
[一閃 일섬] 한 번 번쩍함.
[一成 일성] ㉠10리 사방의 땅. ㉡음악이 한 곡 끝나는 일.
[一聲 일성] 하나의 소리. 또는 한 마디의 말.
[一盛一衰 일성일쇠] 성하는 때도 있고, 쇠하는 때도 있음. 한 번 성하면 한 번 쇠함. 일영일락(一榮一落).
[一世 일세] ㉠30년. ㉡평생. 일평생. 일생(一生). ㉢그 시대. 당세(當世). ㉣군주가 왕위에 있는 동안. ㉤호주가 가계(家系)를 계승하고 있는 동안.
[一洗 일세] ㉠한 번 씻음. ㉡깨끗이 씻어 버림. 모조리 없애 버림. 일소(一掃).
[一歲 일세] ㉠1년(年). ㉡어느 해.
[一世冠 일세관] 그 시대의 우두머리. 당세(當世)의 수령(首領).
[一歲九遷 일세구천] 한 해 동안에 아홉 번이나 승진한다는 뜻으로, 제왕의 총애를 받음을 이름.
[一世紀 일세기] 서력(西曆) 연대의 한 구획으로, 100년의 일컬음.
[一歲所 일세소] 1년쯤.
[一世之雄 일세지웅] 그 시대에 가장 뛰어난 인물.
[一笑 일소] ㉠한 번 웃음. 단지 웃는 뜻으로도 쓰임. ㉡비웃음. ㉢웃음거리.
[一宵 일소] 일석(一夕).
[一掃 일소] 죄다 쓸어 버림. 모조리 없애 버림.
[一粟 일속] 한 알의 좁쌀. 지극히 작은 것의 비유로 쓰임.
[一水 일수] ㉠한 하천(河川). ㉡물 한 방울.
[一手 일수] ㉠한 손. ㉡같은 수. 동일한 방법.
[一睡 일수] 한 잠.
[一穗 일수] ㉠한 이삭. ㉡촛불 따위, 모양이 이삭과 같은 것을 셀 때의 그 하나.
[一手獨拍雖疾無聲 일수독박수질무성] 한 손으로는 암만 빨리 쳐도 소리가 안 난다는 뜻으로, 군주는 현명한 신하(臣下)를 얻어야 대업(大業)을 이룰 수 있고, 신하는 명철한 군주를 만나야 재능을 발휘할 수 있음의 비유.
[一樹百穫 일수백확] 나무 한 그루를 심으면 100의 수확이 있다는 뜻으로, 인재(人材)를 길러 내면 사회에 막대한 이익이 있음을 비유한 말.
[一樹蔭一河流 일수음일하류] 《佛敎》 같은 나무 밑에서 묵고 같은 강에서 물을 긷는 것도 모두 전세(前世)의 인연(因緣)이라는 뜻으로, 사소한 일에도 깊은 인연이 있음을 비유한 말.
[一宿 일숙] 하룻밤을 잠.
[一旬 일순] 열흘. 10일. 10일간.
[一瞬 일순] ㉠눈 한 번 깜짝하는 일. 전(轉)하여, 눈 한 번 깜짝하는 사이. 일순간(一瞬間). ㉡한 번 보는 일. 일견(一見).
[一襲 일습] 옷 한 벌.
[一乘 일승] ㉠수레 한 대. 일량(一輛). ㉡《佛敎》 성불(成佛)할 수 있는 유일(唯一)의 도(道). 법화경(法華經)만을 지칭(指稱)하는 때도 있음.
[一勝一負 일승일부] 이기기도 하고 지기도 하여 승부의 결말이 아니 남.
[一時 일시] ㉠한때. 한동안. 잠시(暫時). ㉡같은 때. 동시(同時). ㉢그때. 당시(當時). ㉣한 시대. 일시대(一時代). ㉤춘·하·추·동의 각각 3개월간.
[一視同仁 일시동인] 피아(彼我)의 차별이 없이 똑같이 사랑함.
[一時雄兒 일시웅아] 일대(一代)의 영웅. 일세지웅(一世之雄).
[一是一非 일시일비] 한 사람은 옳다고 하고 한 사람은 그르다고 한다는 뜻으로, 시비(是非)의 단정(斷定)이 아직 내려지지 않음을 이름.
[一息 일식] ㉠잠시 쉼. ㉡한숨. 숨. 한 호흡.
[一食頃 일식경] 한 번 식사하는 시간. 잠시(暫時).
[一食萬錢 일식만전] 한 번의 식사에 많은 돈을 들인다는 뜻으로, 극히 호화로움을 이름.
[一身 일신] ㉠자기 한 몸. 자신. ㉡온몸. 전신(全身). ㉢몸.
[一新 일신] 아주 새롭게 함. 또, 아주 새로워짐.
[一神敎 일신교] 전지전능(全知全能)한 신(神) 하나만을 인정하고 이를 믿는 종교. 기독교·회교 등이 이에 속함. 다신교(多神敎)의 대(對).
[一身都是膽 일신도시담] 온몸이 담 덩어리라는 뜻으로, 사람이 아주 대담함을 이름.
[一身兩役 일신양역] 한 몸에 두 가지 일을 맡아 함.
[一伸一縮 일신일축] 늘어나기도 하고 줄어들기도 함.
[一室 일실] ㉠한 방. 하나의 방. ㉡어떤 방. ㉢같은 방.
[一實 일실] 《佛敎》 ㉠진실(眞實)의 이치. 평등(平等)의 실상(實相). 진여(眞如). ㉡일승(一乘)의 실교(實敎).
[一實圓頓 일실원돈] 일승(一乘)의 실교(實敎)인 법화경(法華經)에 의하여 원만돈오(圓滿頓悟)의 경지에 다다른다는 천태종(天台宗)의 교리(敎理).
[一心 일심] ㉠한마음. 같은 마음. 동심(同心). ㉡한결같은 마음. 전일(專一)한 마음. 전심(專心). 일념(一念). ㉢마음.
[一心可以事百君 일심가이사백군] 신하(臣下)는 한결같은 진심(眞心)만 있으면 어떤 군주라도 섬길 수 있음.
[一心萬能 일심만능] 어떤 일이든지 전심전력하면 불가능한 것이 없음.
[一心百君 일심백군] 일심가이사백군(一心可以事百君).
[一心不亂 일심불란] 《佛敎》 오직 한 가지 일에만

마음을 씀.
[一心三觀 일심삼관]《佛教》천태종(天台宗)에서 말하는 오도법(悟道法)으로서, 자기의 마음을 공(空)이며 가(假)이며 중(中)이라고 보는 일. 이 삼관(三觀)을 일심(一心)에 구유(具有)하면 생사(生死)·번뇌(煩惱)를 벗어나 열반(涅槃)·보리(菩提)의 경지(境地)에 도달한다 함.
[一雙 일쌍] 한 쌍.
[一握 일악] ㉠한 줌. ㉡조금. 약간.
[一安 일안] 한결같이 편안함.
[一眼 일안] ㉠한 눈. 한쪽 눈. ㉡애꾸눈. 척안(隻眼).
[一夜 일야] ㉠하룻밤. ㉡어느 밤.
[一躍 일약] 한 번 뜀.
[一陽 일양] 동지(冬至). 동짓달.
[一樣 일양] ㉠같음. 동일함. ㉡모두 다.
[一陽來復 일양내복] ㉠음력 시월은 음(陰)이 가장 왕성한 때여서 양(陽)이 하나도 없다가 동짓달이 되어 비로소 일양(一陽)이 처음 생김. 전(轉)하여, 동지(冬至). 동짓달. ㉡겨울이 가고 봄이 옴. 또, 신년(新年). 새해. ㉢흉(凶)한 것이 가고, 길(吉)한 것이 돌아옴. ㉣사물(事物)이 호운(好運)으로 향함.
[一語頃 일어경] 잠시 이야기하는 사이.
[一魚濁水 일어탁수] 한 마리의 고기가 물을 흐린다는 뜻으로, 한 사람의 잘못으로 여러 사람이 그 피해를 받게 됨을 비유하는 말.
[一言 일언] ㉠한 말. ㉡한 자(字). ㉢한 구(句). ㉣한 번 말함.
[一言可破 일언가파] 여러 말을 하지 않고 한 마디의 말만으로도 논파(論破)할 수 있음.
[一言半句 일언반구] 아주 짧은 말, 또는 글귀.
[一言半辭 일언반사] 아주 짧은 말.
[一言而非駟馬不能追 일언이비사마불능추] 한번 입 밖에 나간 말은 말 네 필이 끄는 빠른 수레로도 따를 수 없음. 곧, 말은 조심하여야 한다는 말.
[一言而蔽之 일언이폐지] 한 말로 전체의 뜻을 총괄하여 말함.
[一言一句 일언일구] ㉠하나하나의 말, 또는 글귀. ㉡일언반구(一言半句).
[一言一行 일언일행] 사소한 언행(言行).
[一言千金 일언천금] 한 마디의 말이 천금(千金)의 가치가 있음.
[一如 일여]《佛教》㉠순일(純一)한 진여(眞如)의 이치. ㉡동일함. 틀리지 아니함.
[一與一奪 일여일탈] 혹은 주기도 하고 혹은 빼앗기도 함.
[一葉 일엽] ㉠오동나무의 한 잎. ㉡한 잎. 잎 하나. ㉢한 거룻배. ㉣한 장(張).
[一葉知秋 일엽지추] 오동나무 잎이 하나 떨어지는 것을 보고 가을이 다가오는 것을 안다는 뜻으로, 사소한 일을 보고 장차 올 큰 일을 미리 짐작한다는 말.
[一榮一落 일영일락] 일성일쇠(一盛一衰).
[一藝 일예] ㉠육예(六藝)의 하나. ㉡한 가지 기예(技藝) 또는 재능.
[一往 일왕] ㉠오로지. 외곬으로. ㉡《佛教》대충 말하면.
[一往一來 일왕일래] 왔다 갔다 함.
[一羽 일우] ㉠깃 하나. ㉡극히 가벼운 것의 비유.
[一宇 일우] 한 건물. 사묘(寺廟)·전당(殿堂) 등을 이름.
[一隅 일우] 한 모퉁이. 한구석.
[一遇 일우] 한 번 만남.
[一牛鳴地 일우명지] 소의 우는 소리가 들릴 만한 가까운 땅.
[一韻到底 일운도저] 고시(古詩)에서, 처음부터 끝까지 같은 운(韻)을 다는 일.
[一元 일원] ㉠만물(萬物)이 아직 나뉘기 전의 처음. ㉡원년(元年). ㉢역법(曆法)에서 4,560세(歲)의 일컬음. ㉣중국 화폐(貨幣)의 이름. 우리나라의 원(圓)에 해당함.
[一原 일원] ㉠처음. 길. ㉡하나의 근원(根原).
[一員 일원] 어떤 단체를 구성한 한 사람.
[一元大武 일원대무] 소[牛]의 별칭.
[一元論 일원론] 우주 만물의 근원은 유일(唯一)하다고 하는 학설.
[一月 일월] ㉠정월(正月). ㉡한 달. 1개월.
[一月九遷 일월구천] '일세구천(一歲九遷)'을 보라.
[一月三舟 일월삼주]《佛教》같은 달도 배의 동지(動止)에 따라 달리 보인다는 뜻으로, 똑같은 부처도 중생(衆生)의 신앙의 정도에 따라 각각 달리 보임을 비유한 말.
[一位 일위] ㉠첫째. 제1번. 수위(首位). ㉡한 사람. 한 분.
[一葦 일위] 한 작은 배.
[一游一豫 일유일예] 한 번 놀고, 한 번 즐거움.
[一戎衣 일융의] 한 번 군복(軍服)을 입는 일.
[一陰一陽 일음일양] 음양(陰陽)의 두 원리.
[一應 일응] ㉠한 번 응함. ㉡모두. 일체(一切).
[一意 일의] 일심(一心) ❶.
[一儀 일의] 한 일. 한 건(件). 또는, 한 법칙.
[一衣帶水 일의대수] 한 줄기의 띠와 같은 좁은 냇물.
[一二 일이] 한둘.
[一人 일인] ㉠한 사람. ㉡어떤 사람. ㉢천자(天子). 군주.
[一因 일인] ㉠한 원인. 원인 중의 하나. ㉡《佛教》만물은 모두 같은 근본에서 나오므로 다 평등(平等)하다는 이치.
[一人當千 일인당천] 한 사람이 천 사람의 적을 당한다는 뜻으로, 위인(爲人)이 대단히 용감함을 이름.
[一人有慶兆民賴之 일인유경조민뢰지] 군주(君主)의 선악은 만민(萬民)의 행불행에 관계되므로, 군주는 정사를 하는 데 신중을 기하지 않으면 안 된다는 뜻.
[一人敵 일인적] 검(劍). 또는, 검술(劍術).
[一人傳虛萬民傳實 일인전허만민전실] 한 사람이 거짓말을 전하면, 이를 들은 모든 사람이 참말로 알고 전함.
[一人稱 일인칭] 남에 대하여 자기의 일컬음.
[一一 일일] ㉠낱낱이. 죄다. 일일이. ㉡한 사람 한 사람. 각자(各自). 모두.
[一日 일일] ㉠하루. 종일(終日). ㉡어느 날. 모일(某日). ㉢요사이. 작금(昨今). ㉣달의 첫째 날. 초하루.
[一日計在晨 일일계재신] 그날 할 일은 그날 아침에 짜 놓아야 함을 이름.
[一日九遷 일일구천] 하루 동안에 아홉 번 벼슬이 오른다는 뜻으로, 군주의 총애를 대단히 받음을 이름. 일설(一說)에는, 일월구천(一月九遷)의 잘못이라 함.
[一日難再晨 일일난재신] 하루에 새벽이 두 번 오

지 않는다는 뜻으로, 이미 지난 시간은 다시 오지 않음을 이름.

[一溢米 일일미] 한 줌의 쌀.

[一日不作百日不食 일일부작백일불식] 농부가 하루 경작(耕作)을 쉬면 100일간 먹을 수확이 줄어듦.

[一日三秋 일일삼추] 하루만 만나지 않아도 3년이나 만나지 않은 것같이 생각된다는 뜻으로, 사람을 사모하는 마음이 대단히 간절함을 이름. 일일천추(一日千秋).

[一日二日萬幾 일일이일만기] 군주(君主)를 경계한 말로서, 단 하루 이틀 사이에 만 가지 일의 기틀이 싹트므로 군주는 조금이라도 정사(政事)를 태만히 하여서는 안 된다는 뜻.

[一日程 일일정] 하루 걸리는 노정(路程).

[一日之雅 일일지아] 하루의 교제. 전(轉)하여, 조금 사귄 교제. 깊지 않은 교유(交遊). 아(雅)는 평소의 사귐이라는 뜻.

[一日之長 일일지장] ㉠하루 먼저 태어남. 조금 나이가 많음. ㉡조금 나음.

[一日千里 일일천리] ㉠말의 걸음이 빠름. ㉡물의 흐름이 빠름. ㉢진보(進步)가 빠름.

[一日千秋 일일천추] '일일삼추(一日三秋)'를 보라.

[一日片時 일일편시] 잠시(暫時).

[一日暴之十日寒之 일일폭지십일한지] 하루 동안 따뜻하게 하고 열흘 동안 식힌다는 뜻으로, 학업 같은 것을 닦는 데 힘쓸 때는 적고 게을리할 때가 많음을 비유한 말.

[一稔 일임] ㉠곡물이 1년에 한 번 여물어 익음. ㉡일년(一年).

[一任 일임] 전적(全的)으로 맡김.

[一入 일입] ㉠한 번 들어감. ㉡옷감을 물들이기 위하여 물감을 탄 물에 담금. 또, 그렇게 물들인 옷감.

[一字 일자] 한 글자.

[一資半級 일자반급] 낮은 벼슬. 일계반급(一階半級).

[一字不說 일자불설] 《佛教》 부처의 오도(悟道)의 내용은 언어나 문자로는 설명할 수 없음.

[一字不識 일자불식] 글자를 한 자도 모름.

[一字三禮 일자삼례] 《佛教》 경문(經文) 한 자를 베낄 때마다 세 번 절함.

[一字一珠 일자일주] 노랫소리가 구슬같이 아름답다는 말.

[一字之師 일자지사] 겨우 한 자만 배운 선생. 시 또는 글 중에서 온당치 않은 한 자를 고쳐 주어 명편(名篇)이 되게 하여 준 사람을 존경하여 이르는 말. 오대(五代) 때 제기(齊己)라는 중이 자기가 지은 조매(早梅)의 시(詩) '前村深雪裏, 昨夜數枝開'의 글귀를 정곡(鄭谷)에게 보이니 그가 평하기를, 수지(數枝)는 조매(早梅)에 적당하지 않으니 일지(一枝)로 고치는 것이 좋다고 하였는데, 제기가 이 평에 감복(感服)하여 일어나 정곡에게 절을 하였다는 고사(故事)에서 유래(由來)함.

[一字千金 일자천금] 한 자(字)의 값이 천금에 해당한다는 뜻으로, 의미가 심장(深長)하여 지극히 가치가 있는 시문(詩文)을 이름. 진(秦)나라 사람 여불위(呂不韋)가 〈여씨춘추(呂氏春秋)〉를 짓고 그 첨삭(添削)을 한 자마다 천금(千金)의 상(賞)을 걸어 구(求)한 고사(故事)에서 나온 말.

[一字砲手 일자포수] 한 방으로 바로 맞히는 명포수(名砲手).

[一字褒貶 일자포폄] 공자(孔子)의 저서 〈춘추(春秋)〉의 서법(書法)으로서, 한 자(字)에도 포폄(褒貶)의 뜻이 있는 일. 예컨대, 칭찬할 때는 그 사람의 자(字)를, 깎아 말할 때는 그 사람의 이름을 쓰는 따위.

[一字行 일자행] 똑바로 감. 일직선으로 감. 직행(直行)함.

[一勺 일작] ㉠액체(液體)를 구기 같은 것으로 한 번 뜨는 일. 또, 그 분량. ㉡분량의 단위의 하나. 1홉(合)의 10분의 1.

[一盞茶時 일잔다시] 일다경(一茶頃).

[一匝 일잡] 한 바퀴 돎. 일주(一周).

[一壯 일장] 뜸질 한 번 하는 일.

[一張 일장] ㉠짐승의 가죽 한 장. ㉡현악기(絃樂器)를 세는 말. ㉢현악기의 줄을 겲.

[一場 일장] ㉠한 번. 한바탕. ㉡그때뿐. 잠시(暫時).

[一將功成萬骨枯 일장공성만골고] 다수의 병졸이 죽고 공은 오직 대장 한 사람이 차지하는 것을 개탄한 말.

[一場說話 일장설화] 한바탕의 이야기.

[一長一短 일장일단] 장점도 있고 단점도 있음.

[一張一弛 일장일이] 활시위를 죄었다 늦추었다 한다는 뜻으로, 나라를 다스리는 데도 백성을 적당히 쉬게 하며 혹은 엄하게 하고 혹은 너그럽게 하여야 한다는 말.

[一場春夢 일장춘몽] 꾼 그때뿐이고 꾼 후에는 아무 흔적도 남기지 않는 봄밤의 꿈이라는 뜻으로, 인생의 영고성쇠(榮枯盛衰)가 덧없음을 비유한 말. 일취지몽(一炊之夢). 남가일몽(南柯一夢).

[一場風波 일장풍파] 한바탕의 소란.

[一再 일재] 한두 번. 일이 회.

[一再行 일재행] 일재(一再).

[一滴 일적] 한 방울.

[一敵國 일적국] 나에게 필적(匹敵)하는 한 나라라는 뜻으로, 경시(輕視) 못할 상대방을 이름.

[一廛 일전] 하나의 주택(住宅).

[一戰 일전] 한 싸움.

[一錢 일전] 돈 한 푼. 한 푼의 돈.

[一轉 일전] 아주 변함. 완전히 달라짐. 일변(一變).

[一轉語 일전어] ㉠《佛教》 선(禪)의 수행(修行)을 할 때 지금까지 말한 바와 느닷없이 의미가 다른 한 말. ㉡지금까지 말한 것과는 생각하는 바가 갑자기 다른 한 말.

[一轉悟 일전오] 깨달아 다시 생각함.

[一切 일절] 아주. 도무지(사물을 부인하거나 금할 때 씀).

[一節 일절] ㉠일의 한 부분. ㉡문장(文章) 한 편(篇)을 여러 장(章)으로 나누고, 다시 이 장을 소분(小分)한 것의 하나. ㉢끝까지 변하지 않는 절개. 종시일관(終始一貫)한 지조.

[一點 일점] ㉠한 점. ㉡오직 하나. 하나. ㉢조금. 근소(僅少).

[一點淚 일점루] 눈물 한 방울.

[一點鐘 일점종] ㉠한 시간. ㉡한 시. 곧, 오전 1시나 오후 1시.

[一點紅 일점홍] ㉠여럿 중에서 오직 하나만이 특별히 뛰어난 것. ㉡여러 남자 중에 섞이어 있는 오직 한 사람의 여자. ㉢기녀(妓女)의 별칭(別稱). ㉣석류(石榴)의 별칭.

[一定 일정] ㉠하나로 정함. 또, 하나로 정하여짐. ㉡정하여져 변하지 않음. 확정됨. 또, 그렇게 함.
[一丁字 일정자] 글자 한 자(字). 일자(一字).
[一定之論 일정지론] 만세불변(萬世不變)의 확론(確論).
[一齊 일제] ㉠같은 때. 동시(同時). ㉡같음. 서로 다른 것이 없음.
[一條 일조] ㉠한 일. 일건(一件). ㉡한 줄기. ㉢한 조목(條目).
[一朝 일조] ㉠하루 아침. 어떤 날 아침. ㉡잠시간. 일시(一時). ㉢한 번. 만일. 일단(一旦). ㉣한 조정(朝廷). 온 조정. 조정 전체의 사람.
[一遭 일조] 한 번. 일차(一次).
[一朝富貴 일조부귀] 빈천(貧賤)한 사람이 갑자기 부귀를 누리게 되는 일.
[一朝一夕 일조일석] ㉠단시일(短時日). ㉡요사이. 작금(昨今).
[一朝之忿 일조지분] 감정이 복받쳐 일어난 일시의 분노.
[一族 일족] 같은 겨레붙이. 일가(一家).
[一簇 일족] 한 떨기. 한 떼. 일총(一叢).
[一存一亡 일존일망] 존재하기도 하고 멸망하기도 함.
[一宗 일종] 일족(一族).
[一終 일종] 12년(年).
[一種 일종] ㉠한 종류. 동일한 종류. 동종(同種). ㉡딴 종류. 별종(別種).
[一坐 일좌] ㉠한자리에 앉은 모든 사람. ㉡산·종묘(宗廟)·솥 같은 것을 세는 말.
[一座 일좌] 일좌(一坐) ❶.
[一肘 일주] 가운뎃손가락 끝에서 팔꿈치까지의 길이.
[一周 일주] 한 바퀴 돎.
[一炷 일주] ㉠한 심지. 한 등심(燈心). ㉡한 번 분향(焚香)함. 또, 그 향.
[一籌 일주] ㉠한 개의 산가지. ㉡한 계책. 일책(一策).
[一周忌 일주기] 소상(小祥) 날.
[一晝一夜 일주일야] 일주야(一晝夜).
[一尊 일준] 술 그릇 하나. 일준(一樽). 일준(一罇).
[一樽 일준] 일준(一尊).
[一罇 일준] 일준(一尊).
[一枝 일지] 한 가지.
[一紙 일지] ㉠한 종이. 같은 종이. ㉡종이 한 장. ㉢한 장의 문서.
[一知半解 일지반해] 하나쯤 알고 반쯤 이해함. 곧, 수박 겉 핥기로 앎.
[一之爲甚 일지위심] 한 번 그르친 일은 돌이키기 힘들다는 뜻으로, 한 번 저지른 과오는 다시 되풀이하지 말라는 말.
[一枝春 일지춘] 이미 봄의 정취(情趣)가 나타나는 한 가지의 매화(梅花). 전(轉)하여, 매화.
[一陣 일진] ㉠1회의 싸움. ㉡한바탕. ㉢선봉. 선진(先陣). ㉣한 군대. 또, 그 전부의 군사.
[一塵 일진] 티끌 하나. 전하여, 극히 적은 분량, 또는 사물.
[一陣狂風 일진광풍] 한바탕 부는 사나운 바람.
[一塵起天地收 일진기천지수] 《佛教》 심중에 조금이라도 욕념(欲念)이 생기면 전심(全心)이 흐려짐의 비유.
[一塵不染 일진불염] 《佛教》 티끌만큼도 물욕(物慾)에 물들어 더럽혀져 있지 않음.
[一進一退 일진일퇴] 앞으로 나아갔다 뒤로 물러났다 함.
[一陣清風 일진청풍] 한바탕 부는 시원한 바람.
[一陣寒 일진한] 한바탕의 추위.
[一帙 일질] 한 질(帙)의 책.
[一秩 일질] 10년.
[一次 일차] ㉠처음. 최초(最初). 첫째. ㉡한 번. 한 차례.
[一粲 일찬] 흰 이를 드러내고 웃음. '粲'은 쓿은 쌀의 뜻. 일소(一笑).
[一札 일찰] 글씨를 쓴 한 장의 종이.
[一倡三歎 일창삼탄] ㉠주(周)나라 문왕(文王)의 종묘(宗廟)에서 아뢰는 풍류는 고상하여서 이를 좋아하는 사람이 얼마 안 되기 때문에 한 사람이 발성(發聲)하면 겨우 세 사람이 탄미(歎美)하여 화창(和唱)할 뿐임. ㉡뛰어난 시문을 격찬하여 이르는 말. 일창삼탄(壹倡三歎)으로도 씀.
[一策 일책] 한 계책. 일계(一計).
[一妻多夫 일처다부] 한 아내에 둘 이상의 남편이 있는 일.
[一妻一妾 일처일첩] 한 아내와 한 첩.
[一隻 일척] ㉠배 한 척. ㉡새 한 마리. ㉢한 쌍을 이룬 것의 한쪽.
[一擲 일척] ㉠생명을 내던짐. 생명을 아낌없이 버림. ㉡돈을 내던짐. 금전을 아낌없이 씀.
[一擲賭乾坤 일척도건곤] 천하(天下)를 걸고 큰 도박을 한다는 뜻으로, 천하를 차지하느냐 못 하느냐의 운명을 건 판가름 싸움을 함을 이름.
[一擲百萬 일척백만] 일척천금(一擲千金).
[一隻眼 일척안] ㉠눈 하나. 한 눈. ㉡비범한 식견(識見).
[一擲千金 일척천금] 막대한 돈을 물 쓰듯이 씀. 호유(豪遊)함.
[一尺布尙可縫一斗粟尙可舂 일척포상가봉일두속상가용] 얼마 안 되는 베와 조도 형제가 서로 나누어 입고 먹고 함.
[一天 일천] ㉠온 하늘. 만천(滿天). ㉡같은 하늘. 동일한 하늘. ㉢천자(天子). ㉣하루. 어느 날.
[一喘 일천] ㉠헐떡거리는 한숨. 한숨. ㉡짧은 시간.
[一天萬乘 일천만승] 천자(天子). 천자의 자리. 주대(周代)에 천자는 병거(兵車) 만승(萬乘)을 소유하고 있었으므로 이름.
[一天四海 일천사해] 천하(天下). 온 세상. 온 세계.
[一轍 일철] 같은 수레의 수레바퀴 자국이라는 뜻으로, '같은 길, 같은 이치, 같은 법칙' 등의 뜻으로 쓰임.
[一青螺 일청라] 한 푸른 산.
[一切 일체] ㉠모두. 다. 남김없이. ㉡모든 것.
[一體 일체] ㉠한 몸. 동체(同體). ㉡같은 관계. 동류(同類).
[一切經音義 일체경음의] 책 이름. 당(唐)나라 현응(玄應)의 찬(撰). 25권. 또, 혜림(慧琳)이 찬(撰)한 것. 100권.
[一切有情 일체유정] 일체중생(一切衆生).
[一切藏經 일체장경] 《佛教》 불전(佛典)의 전부. 경(經)·율(律)·논(論)의 삼장(三藏)의 총칭. 모두 7천여 권임. 약(略)하여 '일체경(一切經)'이라고도 함.
[一切種智 일체종지] 《佛教》 삼지(三智)의 하나. 부처의 지혜로, 일체의 제불(諸佛)의 도법(道法)을 아는 일. 또, 일체중생(一切衆生)의 인종

(因種)을 아는 일.
[一切衆生 일체중생]《佛敎》 ㉠지옥(地獄)·아귀(餓鬼)·축생(畜生)·수라(修羅)·인간(人間)·천상(天上)의 육도(六道)에 있는 모든 생물. ㉡이 세상에 살고 있는 인류·동물 등의 모든 생물.
[一寸 일촌] ㉠1척(尺)의 10분의 1. ㉡지극히 가까운 거리. ㉢지극히 짧은 시간. ㉣지극히 작음.
[一寸光陰不可輕 일촌광음불가경] 아주 짧은 시간도 헛되이 보내지 말라는 뜻.
[一叢 일총] 한 떨기. 한 떼. 일족(一簇).
[一撮 일촬] 한 움큼. 한 줌. 전(轉)하여, 조금. 극소량(極小量).
[一撮土 일촬토] 한 줌의 흙.
[一軸 일축] 한 폭(幅). 축(軸)을 달아 꾸민 서화(書畫)를 세는 말.
[一出而不可反者言也 일출이불가반자언야] 한번 입 밖에 낸 말은 다시 돌이킬 수 없다는 뜻으로, 말을 삼가야 한다는 말.
[一炊之夢 일취지몽] '한단지몽(邯鄲之夢)'과 같음.
[一醉千日 일취천일] 한 번 마시면 1,000일을 취함. 술이 대단히 좋음을 이름.
[一層 일층] ㉠한결. 더. ㉡겹.
[一致 일치] ㉠같은 취지(趣旨). ㉡서로 맞음. 부합(符合)함. ㉢협력하여 일을 함. 협동(協同)함.
[一則 일칙] 한 조목(條目).
[一針 일침] 한 바늘. 일침(一鍼).
[一朶 일타] 한 가지. 일지(一枝). 한 떨기.
[一彈 일탄] 한 탄알.
[一彈指 일탄지]《佛敎》 손가락을 한 번 튀기는 시간. 아주 짧은 시간.
[一彈丸地 일탄환지] 한 탄알만한 땅. 아주 협소한 땅.
[一通 일통] 한 문서. 한 편지.
[一統 일통] 하나로 합침. 또, 하나로 합쳐짐.
[一把 일파] 한 줌. 일악(一握).
[一派 일파] ㉠본류(本流)로 흐르는 한 물줄기. 한 지류(支流). ㉡종교(宗敎)·학설(學說) 등의 한 파(派).
[一波纔動萬波隨 일파재동만파수] 한 물결이 조금 움직이면 천만의 물결이 이에 따라 움직인다는 뜻으로, 조그마한 일이라도 그 영향이 여러 군데로 파급(波及)함을 이름.
[一瓣香 일판향] 한 줌의 향. 남을 공경(恭敬)할 때에 피움.
[一敗塗地 일패도지] 싸움에 한 번 패하여 간(肝)과 뇌(腦)가 땅바닥에 으깨어진다는 뜻으로, 여지없이 패하여 재기 불능(再起不能)하게 됨.
[一片 일편] ㉠한 조각. ㉡한편. 한쪽.
[一偏 일편] 한쪽에 치우침. 치우쳐 바르지 아니함.
[一遍 일편] 한 번. 1회(回).
[一篇 일편] ㉠시(詩) 한 수(首). 또는 문장 하나. ㉡책의 일부(一部).
[一片丹心 일편단심] 한 조각의 정성된 마음. 마음속에서 우러나오는 성의(誠意).
[一片氷心 일편빙심] 지극히 맑은 마음.
[一片月 일편월] 한 조각의 달. 하나의 달.
[一幅 일폭] ㉠포백(布帛) 같은 것의 한 폭(幅). ㉡서화(書畫) 같은 것의 한 폭. 일축(一軸).
[一暴十寒 일폭십한] 일일폭지십일한지(一日暴之十日寒之).
[一品 일품] ㉠하나의 물품. ㉡특히 뛰어난 물품. ㉢벼슬의 품계(品階)의 첫째.
[一彼一此 일피일차] 혹은 저것을 따르기도 하고 혹은 이것을 따르기도 한다는 뜻으로, 항상 일정하지 않음을 이름.
[一匹 일필] ㉠4장(丈)의 길이. 네 길. ㉡포백(布帛) 2단(端). 길이가 4장(丈) 되는 포백. ㉢한 마리.
[一筆 일필] ㉠붓 한 자루. ㉡한 번의 운필(運筆). ㉢짧은 한 편(篇)의 문장. ㉣같은 필적. ㉤전답·터의 한 필지.
[一筆勾之 일필구지] 붓으로 선을 죽 그어서 글자를 지워 버림.
[一筆難記 일필난기] 한 붓으로는 이루 적을 수 없음.
[一筆書 일필서] 한 번의 운필(運筆)로 죽 내리쓴 글씨.
[一筆畫 일필화] 한 번의 운필(運筆)로 단숨에 그린 간단한 그림.
[一筆揮之 일필휘지] 한숨에 죽 내리씀.
[一下 일하] 명령·분부 등이 한번 내림.
[一何 일하] 어찌. 일(一)은 어세(語勢)를 강하게 하는 조사(助辭).
[一寒 일한] 대단히 가난함. 일(一)은 어세(語勢)를 강하게 하는 조사(助辭).
[一合一離 일합일리] 혹은 합치고 혹은 떨어짐. 어느 때는 합하고 어느 때는 떨어짐.
[一闔一闢 일합일벽] 닫았다 열었다 한다는 뜻으로, 변화가 심함을 이름.
[一解 일해] 고시(古詩)의 1장(章)을 이름.
[一行 일행] ㉠동행(同行)하는 사람 전체. ㉡한 행위(行爲). ㉢한 줄. ㉣한 번 감. ㉤혼자 감. ㉥벼슬의 직책을 감당(堪當)하는 일. ㉦6개월(個月).
[一行爲吏 일행위리] 한번 관도(官途)에 발을 들여놓아 벼슬아치가 됨.
[一向 일향] 한결같이. 꾸준히. 오로지.
[一餉 일향] 한 번의 식사(食事). 전(轉)하여, 짧은 시간. 한 식경(食頃).
[一向專念 일향전념]《佛敎》 정신을 집중하여 염불(念佛)을 함.
[一虛一實 일허일실] 일허일영(一虛一盈).
[一虛一盈 일허일영] 있는가 하면 없고, 없는가 하면 있음. 곧, 변화가 무쌍함.
[一驗 일험] 한 효험(効驗).
[一絃琴 일현금] 줄이 하나인 거문고.
[一毫 일호] 한 가닥의 터럭. 전(轉)하여, 조금. 근소.
[一壺 일호] ㉠병 하나. ㉡표주박 하나. 호(壺)는 호(瓠).
[一豪 일호] 일호(一毫).
[一狐裘三十年 일호구삼십년] 제(齊)나라의 재상(宰相) 안영(晏嬰)이 절검역행(節儉力行)을 숭상하여 호구(狐裘) 하나를 30년간 입은 고사(故事).
[一呼再諾 일호재락] 한 번 부르는데 두 번 대답함. 사람이 비굴하여 아유구용(阿諛苟容)하며 무조건 복종함을 이름. 일설(一說)에는, 노복(奴僕)이 주인 명령에 공손히 복종하는 뜻이라 함.
[一狐之腋 일호지액] 한 마리의 여우의 겨드랑 밑의 털. 아주 귀하여 값이 비싼 물건의 비유.
[一壺千金 일호천금] 표주박 하나도 파선(破船)하였을 때에는 이것을 가지고 물 위에 뜰 수 있으므로 천금(千金)의 값이 나감.

[一笏之地 일홀지지] 아주 협소(狹小)한 땅. 일탄환지(一彈丸地). 한 홀(笏)의 길이는 두 자 여섯 치이므로, 협소한 것을 형용한 말.
[一話一言 일화일언] 한 이야기와 한 마디의 말이라는 뜻으로, 일상(日常) 쓰는 자질구레한 말을 이름.
[一攫千金 일확천금] 단번에 많은 재물을 얻음.
[一丸泥封函谷關 일환니봉함곡관] 한 덩이의 진흙으로 함곡관(函谷關)을 봉(封)한다는 뜻으로, 적(敵)의 문호(門戶)를 봉쇄하는 데 과히 힘들지 않음을 이름.
[一晦一明 일회일명] 밤에는 어두워지고 낮에는 밝아짐.
[一薰一蕕十年尙猶有臭 일훈일유십년상유유취] 좋은 일은 잘 잊혀지나, 나쁜 일은 오래도록 전하여 내려온다는 뜻. 훈(薰)은 향초(香草). 유(蕕)는 취초(臭草).
[一興 일흥] ㉠한 번 흥함. 한 번 일어남. ㉡한 흥. 한 흥취(興趣).
[一喜一憂 일희일우] 기뻐하기도 하고 근심하기도 함.
◉歸一. 均一. 單一. 大一. 同一. 萬不失一. 萬一. 百不失一. 不一. 三一. 小一. 守一. 純一. 臣一. 寧一. 徼倖萬一. 唯一. 惟精惟一. 六一. 理氣合一. 專一. 正一. 精一. 靜一. 齊一. 終始如一. 主一. 知行合一. 執一. 尺一. 初一. 總一. 逐一. 太一. 泰一. 統一. 抱一. 混一. 畫一.

1 ② [丁] 中人 정 ①-⑥(平)青 當經切 dīng ⑦-⑬(平)庚 中莖切 zhēng

筆順 一 丁

字解 ①넷째천간 정 십간(十干)의 제4위(第四位). 오행(五行)으로는 화(火)에 속하고, 방위로는 남방에 배당함. '太歲在一, 曰彊圉'《爾雅》. ②성할 정, 셀 정 왕성함. 강성함. '一者謂萬物之一壯'《史記》. ③장정 정 ㉠성년(成年)의 남자. '一男'. '赤手募一修險隘'《劉克莊》. ㉡부역(賦役)에 징집(徵集)되는 남자. '一役'. '每月役一, 二百萬人'《隋書》. ④일꾼 정 하인. 노동자. '庖一'. '馬一'. '畦一負籠至'《杜甫》. ⑤당할 정 일을 만남. 조우(遭遇)함. '一憂'. '其兄斑一內艱'《五代史》. ⑥성 정 성(姓)의 하나. ⑦벌목소리 정 나무를 찍는 소리. '伐木一一, 鳥鳴嚶嚶'《詩經》. ⑧말뚝박는소리 정 '椓之一一'《詩經》. ⑨바둑두는소리 정 '宜園棊, 子聲一一然'《王禹偁》. ⑩거문고타는소리 정 거문고·비파(琵琶) 같은 현악기를 타는 소리. '但聞琴聲一一然'《捫蝨新語》. ⑪물방울소리 정 물방울이 떨어지는 소리. '一一漏向盡'《白居易》. ⑫문두드리는소리 정 '一一啄門疑啄木'《韓愈》. ⑬옥소리 정 옥(玉)이 울리는 소리. '雙璫一一聯尺素'《李商隱》. ※속(俗)에 '고무래 정'으로 훈(訓)함은 잘못.

字源 甲骨文 金文 篆文 象形. 甲骨文·金文은 못을 대가리 위에서 본 모양. 뒤에 옆에서 본 형태를 본떠, '못'의 뜻을 나타냄.

[丁艱 정간] 부모의 상(喪)을 당함.
[丁彊 정강] 젊고 기운이 있는 사람.
[丁口 정구] 인구(人口)·호구(戶口).
[丁男 정남] 장정. 청년.
[丁女 정녀] 정년(丁年) 이상의 여자. 한창때의 여자.
[丁年 정년] ㉠남자의 만 20세. ㉡태세(太歲)의 천간(天干)이 정(丁)으로 된 해.
[丁寧 정녕] ㉠군중(軍中)에서 쓰는 정(鉦) 비슷한 악기. 전시(戰時)에 쳐서 군사들이 경계(警戒)를 게을리 하지 않도록 함. 전(轉)하여, 재삼 고함. 되풀이하여 알림. ㉡정중(鄭重)함. 친절함.
[丁當 정당] 정동(丁東).
[丁璫 정당] 정동(丁東).
[丁冬 정동] 정동(丁東).
[丁東 정동] ㉠옥(玉) 같은 것이 서로 부딪쳐 나는 소리. ㉡풍경(風磬) 같은 것이 울리는 소리.
[丁力 정력] 한 사람 몫의 일을 할 만한 힘. 장정의 힘.
[丁零 정령] 북방의 만족(蠻族)의 이름. 한대(漢代)에 지금의 시베리아의 예니세이 강(Enisei江)의 상류로부터 바이칼 호의 남방에 걸쳐 살던 터키 종족. 후에 흉노(匈奴)의 속국이 됨.
[丁抹 정말] 유럽의 서북부에 있는 나라. 덴마크.
[丁斑魚 정반어] 물고기 이름. 송사리.
[丁方 정방] 24방위(方位)의 하나. 정남(正南)에서 서쪽으로 15도(度)째 되는 방위.
[丁夫 정부] 장정. 젊은이.
[丁賦 정부] 정년(丁年)에 달한 자에게 과(課)하는 구실. 정은(丁銀).
[丁算 정산] 정부(丁賦).
[丁夜 정야] 오야(五夜)의 하나. 지금의 오전 2시. 사경(四更).
[丁役 정역] 부역(賦役)의 적령자(適齡者).
[丁徭 정요] 부역(賦役).
[丁憂 정우] 부모의 상(喪)을 당함. 정간(丁艱).
[丁銀 정은] 정부(丁賦).
[丁子 정자] 올챙이.
[丁匠 정장] 관아(官衙)의 공장(工匠).
[丁壯 정장] ㉠왕성함. ㉡정년(丁年) 이상의 기력이 왕성한 연령. 또, 그 사람. 청장년(靑壯年).
[丁丁 정정] 자해(字解) ❼ 이하(以下)를 보라.
[丁祭 정제] 공자에게 지내는 제사. 석전(釋奠).
[丁香 정향] 물푸레나뭇과에 속하는 낙엽 관목(落葉灌木). 열대(熱帶)에서 남. 열매는 향료(香料) 및 약재(藥材)로 쓰임.
◉吉丁. 東丁. 馬丁. 白丁. 梵丁. 兵丁. 付丙丁. 不識丁. 成丁. 押丁. 役丁. 零丁. 五丁. 園丁. 六丁. 肉丁. 紫花地丁. 壯丁. 正丁. 添丁. 庖丁. 畦丁.

1 ② [丂] 고 ㊤晧 kǎo

字解 기뻗으려하다막힐 고 기(氣)가 뻗어 오르려고 하다 장애물에 막히어 고부라지는 모양. '一, 氣欲舒出. 勹, 上礙於一也'《說文》.

字源 象形. 꼬부라진 조각칼의 모양을 본뜸.

1 ② [七] 中人 칠 (入)質 親吉切 qī

筆順 一 七

字解 ①일곱 칠 여섯에 하나를 보탠 수. '一旬'. '一書'. '摽有梅, 其實一兮'《詩經》. ②일

곱번 칠 7회. '一擒一縱'《蜀志》. ③문체이름 칠 한문의 한 체(體). 곧, 문대(問對). 초사(楚辭)의 '一諫'에서 시작되어, 매승(枚乘)의 '一發', 조식(曹植)의 '一啓' 등이 있음. '一者文章之一體也'《文體明辯》. ④성 칠 성(姓)의 하나.

字源 甲骨文 十 金文 十 篆文 ち 강자 柒 指事. 칼로 가로세로 벤 모양에서 '베다'의 뜻을 나타냄. '切'의 원자(原字). 가차(假借)하여 수사(數詞)로 써서 '일곱'의 뜻을 나타냄.

參考 예전엔 금전(金錢)의 기재 따위에서, 그 개변(改變)을 막기 위해 '柒·漆' 따위의 글자를 빌려 쓰기도 했음.

[七覺支 칠각지]《佛敎》일곱 가지 각지(覺支). 곧, 택법(擇法)·정진(精進)·희(喜)·제(除)·사(捨)·정(定)·염(念). 각지(覺支)는 수도(修道)할 때 그 진위선악(眞僞善惡)을 관찰하여 깨닫는 일.

[七去 칠거] 유교(儒敎)에서 아내를 내쫓아야 할 일곱 가지 조건. 곧, 불순구고(不順舅姑)·무자(無子)·음행(淫行)·질투(嫉妬)·악질(惡疾)·구설(口舌)·도절(盜竊).

[七去之惡 칠거지악] 칠거(七去).

[七見 칠견]《佛敎》부정한 일곱 가지 견해. 곧, 사견(邪見)·아견(我見)·단견(斷見)·상견(常見)·계도견(戒盜見)·과도견(果盜見)·의견(疑見).

[七經 칠경] 일곱 가지 경서. 고래(古來)로 여러 설이 있는데, 후한서(後漢書) 장순전(張純傳)의 주(註)에는 시경(詩經)·서경(書經)·예기(禮記)·악기(樂記)·주역(周易)·춘추(春秋)·논어(論語). 소학감주(小學紺珠)에는 주역(周易)·서경(書經)·시경(詩經)·의례(儀禮)·주례(周禮)·예기(禮記)·춘추(春秋). 또는 서경(書經)·시경(詩經)·춘추(春秋)·의례(儀禮)·주례(周禮)·예기(禮記)·논어(論語). 칠경소전(七經小傳)에는 서경(書經)·시경(詩經)·의례(儀禮)·주례(周禮)·예기(禮記)·공양전(公羊傳)·논어(論語).

[七古 칠고] 칠언 고시(七言古詩)의 약칭(略稱).

[七敎 칠교] ㉠사람이 지켜야 할 일곱 가지 가르침. 곧, 부자(父子)·형제(兄弟)·부부(夫婦)·군신(君臣)·장유(長幼)·붕우(朋友)·빈객(賓客)의 도의(道義). ㉡백성을 다스리는 일곱 가지 근본의 가르침. 곧, 경로(敬老)·존치(尊齒)·악시(樂施)·친현(親賢)·호덕(好德)·오탐(惡貪)·염양(廉讓).

[七垢 칠구]《佛敎》일곱 가지의 마음의 때. 곧, 욕(欲)·견(見)·의(疑)·만(慢)·교(憍)·타면(惰眠)·간(慳).

[七國 칠국] ㉠칠웅(七雄). ㉡'오초칠국(吳楚七國)'과 같음.

[七竅 칠규] ㉠사람의 얼굴에 있는 일곱 구멍. 곧, 귀·눈·코의 각각 두 구멍과 입의 한 구멍. ㉡사람의 가슴에 있다는 일곱 구멍.

[七氣 칠기] 일곱 가지 심기(心氣). 곧, 희(喜)·노(怒)·비(悲)·은(恩)·애(愛)·경(驚)·공(恐).

[七難 칠난]《佛敎》일곱 가지 재난(災難). 법화경(法華經)에는 화난(火難)·수난(水難)·나찰난(羅刹難)·도장난(刀杖難)·귀난(鬼難)·가쇄난(枷鎖難)·원적난(怨賊難). 약사경(藥師經)에는 인중역질난(人衆疫疾難)·타국침핍난(他國侵逼難)·자계반역난(自界叛逆難)·성수변성난(星宿變性難)·일월박식난(日月薄蝕難)·비시풍우난(非時風雨難)·과시불우난(過時不雨難). 인왕반야경(仁王般若經)에는 일월실도난(日月失度難)·성수실도난(星宿失度難)·재화난(災火難)·우수변이난(雨水變異難)·악풍난(惡風難)·항양난(亢陽難)·악적난(惡賊難).

[七難八苦 칠난팔고] 갖은 고난(苦難).

[七年之病求三年之艾 칠년지병구삼년지애] 7년 동안 고생한 병에 뜸질하려고 3년 동안 말린 쑥을 구한다는 뜻으로, 평소에 미리 갖추어 놓지 않고 소용이 있을 때 급히 구하려 하면 얻지 못한다는 말.

[七堂 칠당]《佛敎》삼문(三門)·불전(佛殿)·법당(法堂)·주방(廚房)·승당(僧堂)·욕실(浴室)·동사(東司)가 완비(完備)된 절의 당우(堂宇).

[七大 칠대]《佛敎》사대(四大)에 삼대(三大)를 보탠 것. 곧, 지대(地大)·수대(水大)·화대(火大)·풍대(風大)·공대(空大)·견대(見大)·식대(識大).

[七德 칠덕] ㉠무(武)의 일곱 가지 덕(德). 곧, 금포(禁暴)·즙병(戢兵)·보대(保大)·정공(定功)·안민(安民)·화중(和衆)·풍재(豐財). ㉡시(詩)의 일곱 가지 덕. 곧, 식리(識理)·고고(高古)·전려(典麗)·풍류(風流)·정신(精神)·질간(質幹)·체재(體裁).

[七德舞 칠덕무] 당태종(唐太宗)이 지은 무곡(舞曲)의 이름. 본이름은 진왕파진악(秦王破陣樂)이라 함.

[七略 칠략] 전한(前漢) 사람 유향(劉向)이 아들 유흠(劉歆)과 같이 작성한 서적의 목록 칠종(七種). 곧, 집략(輯略)·육예략(六藝略)·제자략(諸子略)·시부략(詩賦略)·병서략(兵書略)·술수략(術數略)·방기략(方伎略).

[七律 칠률] ㉠칠언 율시(七言律詩)의 약칭(略稱). ㉡칠음(七音)❶.

[七里結界 칠리결계]《佛敎》㉠7리(里) 사방에 경계를 만들어 방해물을 방어함. ㉡사물(事物)을 꺼려서 접근을 못하게 함.

[七望 칠망] 음력 열이렛날에 드는 망(望).

[七廟 칠묘] 주대(周代)의 천자(天子)의 종묘(宗廟). 곧, 태조(太祖)의 종묘와 삼소(三昭)·삼목(三穆)의 총칭.

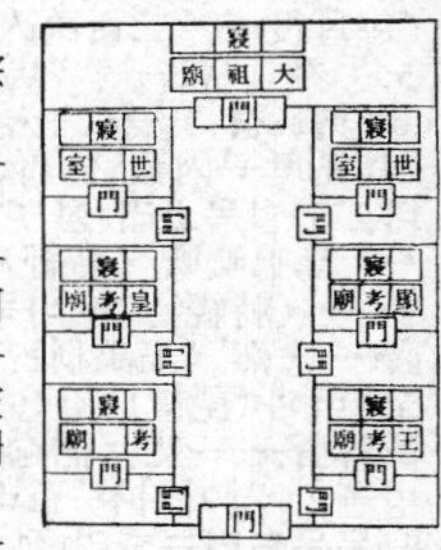

[七廟]

[七寶 칠보]《佛敎》㉠일곱 가지 보배. 아미타경(阿彌陀經)에는 금(金)·은(銀)·유리(瑠璃)·파려(玻瓈)·거거(硨磲)·산호(珊瑚)·마노(瑪瑙). 반야경(般若經)에는 금·은·유리·거거·마노·호박(琥珀)·산호. 항수경(恒水經)에는 금·은·유리·진주(眞珠)·거거·명월주(明月珠)·마니주(摩尼珠). 법화경(法華經)에는 금·은·마노·유리·거거·진주·매괴(玫瑰). ㉡전륜성왕(轉輪聖王)이 가지고 있는 일곱 가지 보배. 곧, 윤보(輪寶)·상보(象寶)·마보(馬寶)·여의주보(如意珠寶)·여보(女寶)·장보(將寶)·주장신보(主藏臣寶).

[七寶牀 칠보상] 칠보로 장식한 평상(平牀).

[七寶莊嚴 칠보장엄]《佛敎》칠보로 장중(莊重)하게 꾸밈.

[七步才 칠보재] 일곱 걸음 걷는 사이에 시 한 수를 짓는 재능이라는 뜻으로, 걸작의 시문을 빨리 짓는 재주를 이름. 위(魏)나라 문제(文帝) 조비(曹丕)가 그의 아우 조식(曹植)을 꺼려서 '일곱 걸음 걷는 동안에 시 한 수를 지어라. 만일 못 지으면 처형하겠다.' 고 명하니, 조식이 즉석에서 '煮豆持作羹, 漉菽以爲汁, 萁在釜下然, 豆在釜中泣, 本是同根生, 相煎何太急' 이라는 시를 지어, 형으로서 아우를 죽이는 것은 너무 무정한 일이라고 풍자한 고사(故事)에서 나온 말.

[七佛 칠불] 《佛敎》 과거에 나타난 일곱 부처. 곧, 비바시(毘婆尸)·시기(尸棄)·비사부(毘舍浮)·구류손(拘留孫)·구나함모니(俱那含牟尼)·가섭(迦葉)·석가(釋迦).

[七佛藥師 칠불약사] 《佛敎》 약사여래(藥師如來)가 중생(衆生)을 제도(濟度)하기 위하여 변화분신(變化分身)하여 나타나는 일곱 불체(佛體). 곧, 선칭명길상왕여래(善稱名吉祥王如來)·보월지엄광음자재왕여래(寶月智嚴光音自在王如來)·금색보광묘행성취여래(金色寶光妙行成就如來)·무우최승길상여래(無憂最勝吉祥如來)·법해뇌음여래(法海雷音如來)·법해승혜유희신도여래(法海勝慧遊戲神道如來)·약사유리광여래(藥師瑠璃光如來).

[七死七生 칠사칠생] 《佛敎》 일곱 번 죽고 일곱 번 다시 태어남.

[七色 칠색] 일곱 가지 빛. 곧, 적(赤)·청(青)·황(黃)·녹(綠)·자(紫)·감(紺)·화(樺).

[七生 칠생] 《佛敎》 일곱 번 다시 태어남. 몇 번이고 다시 태어남. 이 세상에 다시 태어날 수 있는 한 영원히 언제까지나의 뜻.

[七書 칠서] ㉠삼경(三經)과 사서(四書). 곧, 주역(周易)·서경(書經)·시경(詩經)·논어(論語)·맹자(孟子)·중용(中庸)·대학(大學). ②일곱 가지 병서(兵書). 곧, 손자(孫子)·오자(吳子)·사마법(司馬法)·울료자(尉繚子)·삼략(三略)·육도(六韜)·이위공문대(李衛公問對). 무경칠서(武經七書).

[七夕 칠석] 명절의 하나. 음력 칠월 초이렛날. 이날 저녁에 은하(銀河) 동쪽에 있는 견우성(牽牛星)이 서쪽에 있는 직녀성(織女星)과 오작교(烏鵲橋)에서 만난다고 함. 고래로 이날 걸교전(乞巧奠)을 행하는 풍습이 있음.

[七星 칠성] ㉠북두칠성(北斗七星). ㉡피부에 난 일곱 개의 별 모양으로 된 점.

[七聲 칠성] 칠음(七音) ❶.

[七星劍 칠성검] 춘추 시대(春秋時代)의 초(楚)나라 사람 오자서(伍子胥)가 차던 명검(名劍).

[七順 칠순] 덕(德)을 높이는 일곱 가지 순종(順從)하는 도(道). 곧, 순천(順天)·순지(順地)·순민(順民)·순리(順利)·순덕(順德)·순인(順仁)·순도(順道).

[七十二疑冢 칠십이의총] 위(魏)나라의 조조(曹操)가 죽은 후에 자기의 무덤을 발굴당할까 염려하여 가짜로 만든 일흔두 기(基)의 무덤.

[七十二弟子 칠십이제자] 공자(孔子)의 제자 중에서 육예(六藝)에 통한 일흔두 사람의 일컬음. 일설(一說)에는, 일흔일곱 사람이라고도 함.

[七十二候 칠십이후] 1년의 기후를 일흔둘로 나눈 것의 일컬음. 오일(五日)을 일후(一候), 삼후(三候)를 일기(一氣), 육후(六候)를 1개월로 함. 칠십이후의 이름은 다음 표와 같음.

月名	二十四氣	七十二候
正月	立春	東風解凍. 蟄蟲始振. 魚上氷.
	雨水	獺祭魚. 鴻雁來. 草木萌動.
二月	驚蟄	桃始華. 倉庚鳴. 鷹化爲鳩.
	春分	玄鳥至. 雷乃發聲. 始電.
三月	清明	桐始華. 田鼠化爲鴽. 虹始見.
	穀雨	萍始生. 鳴鳩拂其羽. 戴勝降于桑.
四月	立夏	螻蟈鳴. 蚯蚓出. 王瓜生.
	小滿	苦菜秀. 靡艸死. 麥秋至.
五月	芒種	螳蜋生. 鶪始鳴. 反舌無聲.
	夏至	鹿角解. 蜩始鳴. 半夏生.
六月	小暑	溫風始至. 蟋蟀居壁. 鷹乃學習.
	大暑	腐艸爲螢. 土潤溽暑. 大雨時行.
七月	立秋	涼風至. 白露降. 寒蟬鳴.
	處暑	鷹祭鳥. 天地始肅. 禾乃登.
八月	白露	鴻雁來. 玄鳥歸. 羣鳥養羞.
	秋分	雷始收聲. 蟄蟲坏戶. 水始涸
九月	寒露	鴻雁來賓. 爵入大水爲蛤. 鞠有黃華.
	霜降	豺乃祭獸戮禽. 草木黃落. 蟄蟲咸俯.
十月	立冬	水始氷. 地始凍. 雉入大水爲蜃.
	小雪	虹藏不見. 天氣上騰, 地氣下降. 閉塞而成冬.
十一月	大雪	鶡旦不鳴. 虎始交. 荔挺出.
	冬至	蚯蚓結. 麋角解. 水泉動.
十二月	小寒	雁北鄕. 鵲始巢. 雉始雊.
	大寒	鷄乳. 征鳥厲疾. 水澤腹堅.

[七十子 칠십자] 칠십이 제자(七十二弟子).

[七言 칠언] 한 구(句)가 일곱 자로 된 한시(漢詩).

[七言古詩 칠언고시] 칠언(七言)으로 된 고시(古詩). 구(句)의 수가 일정하지 아니함. 항우(項羽)의 '해하가(垓下歌)', 한고조(漢高祖)의 '대풍가(大風歌)' 따위. 칠고(七古).

[七言古風 칠언고풍] 칠언 고시(七言古詩).

[七言排律 칠언배율] 칠언 율시(七言律詩)의 연구(聯句) 여섯 구 이상으로 된 한시(漢詩).

[七言律詩 칠언율시] 칠언(七言) 여덟 구로 되고, 제3구·제4구와 제5구·제6구가 대구(對句)를 이룬 한시(漢詩). 칠률(七律).

[七言絶句 칠언절구] 칠언(七言) 네 구로 된 한시(漢詩). 칠절(七絕).

[七葉 칠엽] 일곱 대(代). 칠세(七世).

[七曜 칠요] ㉠해·달과, 화(火)·수(水)·목(木)·금(金)·토(土)의 다섯 별. 칠정(七政). ㉡일주일. 이레에 칠요(七曜)를 할당한 일컬음. 곧, 일요·월요·화요·수요·목요·금요·토요.

[七曜星 칠요성] 북두성(北斗星).

[七雄 칠웅] 전국 시대(戰國時代)의 일곱 강국(強國). 곧, 진(秦)·초(楚)·연(燕)·제(齊)·조(趙)·위(魏)·한(韓). 웅(雄)은 수장(首長)의 뜻임. 칠국(七國).

[七緯 칠위] ㉠해·달과, 화·수·목·금·토의 다섯 별. ㉡일곱 가지 위서(緯書). 곧, 역위(易緯)·서위(書緯)·시위(詩緯)·예위(禮緯)·악위(樂緯)·춘추위(春秋緯)·효경위(孝經緯).

[七音 칠음] ㉠음악의 일곱 가지 가락. 곧, 궁(宮)·상(商)·각(角)·치(徵)·우(羽)의 오음

(五音)과 반치(半徵)·반상(半商). ㉡음운상(音韻上)에 있어서의 일곱 가지 성음(聲音). 곧, 순음(脣音)·설음(舌音)·아음(牙音)·치음(齒音)·후음(喉音)·반설음(半舌音)·반치음(半齒音).
[七才子 칠재자] ㉠명(明)나라의 재치 있는 시인(詩人) 일곱 사람. 곧, 이몽양(李夢陽)·하경명(何景明)·서정경(徐禎卿)·변공(邊貢)·강해(康海)·왕구사(王九思)·왕정상(王廷相). ㉡명나라의 재사(才士) 일곱 사람. 곧, 왕세정(王世貞)·이반룡(李攀龍)·사진(謝榛)·종신(宗臣)·양유예(梁有譽)·서중행(徐中行)·오국륜(吳國倫).
[七顚八倒 칠전팔도] ㉠일어났다가는 넘어지고, 또 일어났다가는 넘어져 마침내 일어나지 못함. ㉡고통을 참지 못하여 몸부림을 침. ㉢분란(紛亂)이 심함. 대단히 어지러움.
[七絶 칠절] ㉠칠언 절구(七言絶句)의 약칭(略稱). ㉡절구(絶句) 일곱 수(首).
[七政 칠정] ㉠해·달과, 화·수·목·금·토의 다섯 별. 그 운행이 절도(節度)가 있어 국가의 정사(政事)와 비슷하므로 이름. ㉡북두칠성(北斗七星). 칠성(七星). ㉢이십팔수(二十八宿) 중의 사방에 각각 일곱씩 있는 별.
[七情 칠정] 일곱 가지 감정(感情). 유학(儒學)에서는 희(喜)·노(怒)·애(哀)·구(懼)·애(愛)·오(惡)·욕(欲). 또는 희·노·애·낙(樂)·애·오·욕. 불가(佛家)에서는 희(喜)·노(怒)·우(憂)·구(懼)·애(愛)·증(憎)·욕(欲).
[七條 칠조] 《佛敎》 삼의(三衣)의 하나. 일곱 폭(幅)으로 만든 가사(袈裟). 「손.
[七族 칠족] 증조·조부·부친·자기·아들·손자·증
[七宗 칠종] 《佛敎》 율(律)·법상(法相)·삼론(三論)·화엄(華嚴)·천태(天台)·진언(眞言)·선(禪)의 일곱 종파(宗派).
[七縱七擒 칠종칠금] 적(敵)을 일곱 번 석방하였다가 일곱 번 사로잡음. 제갈공명(諸葛孔明)이 맹획(孟獲)을 사로잡은 고사(故事). 금(擒)은 금(禽)으로도 씀.
[七衆 칠중] 《佛敎》 불제자(佛弟子)의 일곱 종류의 사람. 곧, 비구(比丘)·비구니(比丘尼)·사미(沙彌)·사미니(沙彌尼)·식사미니(式沙彌尼)·우바새(優婆塞)·우바이(優婆夷).
[七重寶樹 칠중보수] 《佛敎》 극락정토(極樂淨土)에 있다고 하는 일곱 줄로 늘어선 일곱 종류의 보수(寶樹). 곧, 금수(金樹)·은수(銀樹)·유리수(瑠璃樹)·파리수(玻璃樹)·산호수(珊瑚樹)·마노수(瑪瑙樹)·거거수(硨磲樹).
[七支 칠지] 《佛敎》 십악(十惡) 중에서 살생(殺生)·투도(偸盜)·사음(邪淫)·망어(妄語)·기어(綺語)·악구(惡口)·양설(兩舌)의 일곱 가지. 십악(十惡)에서 갈려 나간 것이므로 지(支)라 함.
[七志 칠지] ㉠책(冊)의 분류법(分類法)의 한 가지. 곧, 경전(經典)·제자(諸子)·문한(文翰)·군서(軍書)·음양(陰陽)·예술(藝術)·도보(圖譜). ㉡송(宋)나라 사람 왕검(王儉)이 유흠(劉歆)의 칠략(七略)을 본떠 작성하고, 도불편(道佛篇)을 부록(附錄)으로 한 책.
[七珍 칠진] 칠보(七寶).
[七秩 칠질] 일흔 살. 70세. 일질(一秩)은 10년.
[七札 칠찰] 갑옷미늘 일곱 매(枚).
[七尺去不蹋師影 칠척거부답사영] 제자(弟子) 된 자는 항상 스승을 존경하여 수행(隨行)할 때에도 스승의 그림자를 밟지 않도록 조심하라는 훈계.
[七尺之軀 칠척지구] 신장이 7척 되는 몸.
[七出 칠출] 칠거(七去).
[七七 칠칠] 사람이 죽은 지 49일째 되는 날을 이름. 중음(中陰).
[七香車 칠향차] 일곱 가지 향나무로 만든 수레.
[七賢 칠현] ㉠춘추 시대(春秋時代)의 일곱 현인(賢人). 곧, 백이(伯夷)·숙제(叔齊)·우중(虞仲)·이일(夷逸)·주장(朱張)·소련(少連)·유하혜(柳下惠). ㉡'죽림칠현(竹林七賢)'과 같음.
[七絃琴 칠현금] 일곱 줄로 된 거문고.
[七花八裂 칠화팔렬] 여러 갈래로 갈라짐. 산산조각이 남.
◉累七. 陽七. 陰七. 齊七. 週七.

2 ③ [三] 中人 삼 ①-③㊥覃 蘇甘切 sān ④㊋勘 蘇暫切 sàn

筆順 一 二 三

字解 ①석 삼 셋. '一冬'. '不孝有一'《孟子》. ②세번 삼 3회. '一拜'. '一思而後行'《論語》. ③성 삼 성(姓)의 하나. ④자주 삼 여러 번. '湯一使往聘之'《孟子》.

字源 甲骨文 金文 篆文 古文 갖은자 參 指事. 세 개의 가로획으로 수(數)의 '셋'의 뜻을 나타냄.

參考 특히 금전상(金錢上)의 숫자 표시에서 그 변개(變改)를 막기 위해 '參'을 갖은자로 씀.

[三加 삼가] 가관(加冠)의 예(禮). 먼저 치포관(緇布冠)을 쓰고, 다음에 피변(皮弁)을 가(加)하고, 그 다음에 작변(爵弁)을 가하므로 이름.
[三家 삼가] 춘추 시대(春秋時代)의 노(魯)나라의 삼대부(三大夫). 곧, 맹손씨(孟孫氏)·숙손씨(叔孫氏)·계손씨(季孫氏). 삼환(三桓).
[三駕 삼가] 세 번 군사를 일으킴.
[三迦葉 삼가섭] 《佛敎》 우루빈라가섭(憂樓頻螺迦葉)·나제가섭(那提迦葉)·가야가섭(伽耶迦葉)의 삼 형제. 불〔火〕을 숭배하는 교(敎)인 사화외도(事火外道)의 수장(首長)인데, 후에 석가(釋迦)를 섬겼음.
[三角 삼각] 세 모.
[三恪 삼각] 왕자(王者)가 선왕(先王)을 공경하는 일. 주(周)나라의 무왕(武王)이 우(虞)·하(夏)·은(殷) 삼대(三代)의 후손(後孫)을 봉(封)하여 '三恪'이라 한 고사(故事)에서 나옴. 恪(각)은 敬(경)의 뜻임.
[三覺 삼각] 《佛敎》 ㉠본각(本覺)·시각(始覺)·구경각(究竟覺). ㉡자각(自覺)·타각(他覺)·각행원만(覺行圓滿).
[三角關係 삼각관계] ㉠세 사람 또는 세 단체 사이의 관계. ㉡남녀 관계에 있어서 일남 이녀(一男二女) 혹은 이남 일녀(二男一女) 사이에 맺어진 연애(戀愛) 관계.
[三角同盟 삼각동맹] 삼국(三國) 또는 삼자의 동맹(同盟).
[三角法 삼각법] 삼각형(三角形)의 변(邊)과 각(角)과의 관계를 연구하는 수학(數學).
[三角鬚 삼각수] 두 뺨과 턱에 세 갈래로 난 수염.
[三角形 삼각형] ㉠세모진 형상. ㉡세 개의 직선(直線)으로 된 평면형(平面形). 세모꼴.

[三竿 삼간] 대나무 장대 셋가량을 이은 길이. 정오(正午)경에 해가 높이 뜸을 이름.
[三監 삼감] ㉠주(周)나라 무왕(武王)이 은(殷)나라의 유민(遺民)을 주왕(紂王)의 아들 무경(武庚)에게 다스리게 하고 그를 감독하게 한 세 사람. 곧, 관숙(管叔)·채숙(蔡叔)·곽숙(霍叔). ㉡옛날에 제후(諸侯)의 나라를 감독하기 위하여 각 나라마다 둔 세 사람의 벼슬아치. ㉢《佛教》 유교(儒教)의 삼종(三從)과 뜻이 같음.
[三鑑 삼감] 동경(銅鏡)을 보면 의관(衣冠)을 단정히 할 수 있고, 고대(古代)를 거울 삼으면 흥체(興替)를 알 수 있으며, 사람을 거울 삼으면 득실(得失)을 알 수 있으므로 이 셋을 세 거울이라고 이른 말.
[三江 삼강] 장쑤 성(江蘇省)의 대호(大湖)에서 흘러 내려가는 송강(松江)·누강(婁江)·동강(東江). 또는, 오송강(吳淞江)·전당강(錢塘江)·포양강(浦陽江).
[三綱 삼강] 유교(儒教)의 도덕(道德)에 있어서 기본 되는 세 가지 강(綱)으로서 임금과 신하, 어버이와 자식, 남편과 아내 사이에 마땅히 지켜야 할 도리. 곧, 군위신강(君爲臣綱)·부위자강(父爲子綱)·부위부강(夫爲婦綱).
[三綱領 삼강령] '삼강령팔조목(三綱領八條目)'을 보라.
[三綱領八條目 삼강령팔조목] 대학(大學) 한 편(編)의 정신인 명명덕(明明德)·친민(親民)·지어지선(止於至善)의 삼강령과 격물(格物)·치지(致知)·성의(誠意)·정심(正心)·수신(修身)·제가(齊家)·치국(治國)·평천하(平天下)의 팔조목.
[三綱五倫 삼강오륜] 삼강과 오륜. 오륜은 군신유의(君臣有義)·부자유친(父子有親)·부부유별(夫婦有別)·장유유서(長幼有序)·붕우유신(朋友有信).
[三綱五常 삼강오상] 삼강과 오상. 강상(綱常). 오상은 인(仁)·의(義)·예(禮)·지(智)·신(信).
[三愆 삼건] 어른을 모실 때의 세 가지 과실(過失). 곧, 묻기도 전에 말함〔躁〕. 물어도 대답하지 않음〔隱〕. 안색도 살피지 않고 멋대로 말함〔瞽〕. 〈논어(論語)〉에 나옴.
[三傑 삼걸] 세 사람의 뛰어난 인물. 곧, 한(漢)나라의 소하(蕭何)·장량(張良)·한신(韓信).
[三更 삼경] 하룻밤을 다섯으로 나눈 셋째의 경(更). 곧, 자정(子正) 전후.
[三庚 삼경] 삼복(三伏).
[三徑 삼경] 은사(隱士)의 문정(門庭). 한(漢)나라의 은사 장후(蔣詡)의 정원(庭園)에 좁은 길이 셋 있던 고사(故事)에서 나온 말.
[三卿 삼경] 주대(周代)의 세 벼슬. 곧, 사도(司徒)·사마(司馬)·사공(司空).
[三經 삼경] 세 경서(經書). ㉠주역(周易)·시경(詩經)·춘추(春秋). ㉡서경(書經)·시경(詩經)·주례(周禮). ㉢시경(詩經)·서경(書經)·주역(周易). ㉣논어(論語)·맹자(孟子)·대학(大學) 및 중용(中庸).
[三戒 삼계] ㉠일생에 지켜야 할 세 가지 계(戒). 곧, 청년 시대에는 여색을, 장년(壯年) 시대에는 투쟁을, 노년 시대에는 이욕(利慾)을 경계하라는 공자(孔子)의 교훈. ㉡《佛教》 재가계(在家戒)·출가계(出家戒)·도속공수계(道俗共守戒)의 세 가지 계.
[三季 삼계] 하(夏)·은(殷)·주(周) 삼대(三代)의 계세(季世).
[三計 삼계] 1년·10년·종신(終身)을 목표로 한 계획. 곧, 수곡(樹穀)·수목(樹木)·수인(樹人).
[三界 삼계] 《佛教》 ㉠중생(衆生)이 생사(生死)·윤회(輪廻)하는 삼종(三種)의 세계(世界). 곧, 욕계(慾界)·색계(色界)·무색계(無色界). ㉡과거·현재·미래의 삼세계(三世界). 삼세(三世). ㉢삼천 세계(三千世界).
[三階 삼계] 삼층(三層).
[三界一心 삼계일심] 《佛教》 삼계(三界)는 모두 마음의 현상(現象)으로서 마음 외에 물질이 없다는 뜻.
[三界火宅 삼계화택] 《佛教》 삼계(三界)는 화염(火炎)에 싸인 집과 같아서 고뇌(苦惱)가 한이 없다는 뜻.
[三古 삼고] 고대(古代)를 셋으로 나눈 상고(上古)·중고(中古)·하고(下古)의 일컬음.
[三考 삼고] 벼슬아치의 정적(政績)을 9년간에 세 번 조사하여, 그 사람의 현부(賢否)·득실(得失)을 상고함.
[三孤 삼고] 주대(周代)에 천자(天子)를 보좌하던 삼공(三公) 다음가는 벼슬. 곧, 소사(少師)·소부(少傅)·소보(少保). 삼소(三少).
[三苦 삼고] 《佛教》 고(苦)의 인연(因緣)에서 생기는 고고(苦苦)와 즐거움이 깨져 생기는 괴고(壞苦)와 무상(無常)에서 생기는 행고(行苦).
[三鼓 삼고] ㉠북·갈고(羯鼓)·종고(鐘鼓). ㉡삼경(三更).
[三顧 삼고] 촉한(蜀漢)의 임금 유비(劉備)가 제갈공명(諸葛孔明)의 집을 세 번 찾은 고사(故事). 전(轉)하여, 군주나 장상(長上)에게 특별한 신임이나 우대를 받는 일.
[三骨 삼골] 《韓》 신라(新羅) 시대의 왕족(王族)과 귀족의 세 가지 혈통. 곧, 성골(聖骨)·진골(眞骨)·제이골(第二骨).
[三公 삼공] ㉠가장 높은 세 가지 벼슬. 곧, 주(周)나라의 태사(太師)·태부(太傅)·태보(太保). 전한(前漢)의 승상(丞相)·태위(太尉)·어사대부(御史大夫). 후(後)에 대사도(大司徒)·대사마(大司馬)·대사공(大司空)으로 개칭. 후한(後漢)의 태위(太尉)·사도(司徒)·사공(司空). ㉡《韓》 조선 시대의 가장 높은 세 가지 벼슬. 곧, 영의정(領議政)·좌의정(左議政)·우의정(右議政)의 삼정승(三政丞).
[三空 삼공] 《佛教》 아공(我空)·법공(法空)·아법이공(我法二空).
[三公九卿 삼공구경] 《韓》 조선 시대의 삼정승(三政丞)과 구경(九卿). 곧, 영의정(領議政)·좌의정(左議政)·우의정(右議政), 의정부 좌우참찬(議政府左右參贊)·육조 판서(六曹判書)·한성판윤(漢城判尹)을 이름. 삼괴구극(三槐九棘).
[三公六卿 삼공육경] 《韓》 조선 시대의 영의정(領議政)·좌의정(左議政)·우의정(右議政)과 육조(六曹)의 각 판서(判書).
[三公兄 삼공형] 《韓》 조선 시대의 각 고을의 호장(戶長)·이방(吏房)·수형리(首刑吏)의 세 관속(官屬).
[三過 삼과] 《佛教》 몸〔身〕·입〔口〕·뜻〔意〕이 저지르는 세 가지 과실.
[三寡 삼과] 양생법(養生法)의 하나. 사려(思慮)를 적게 하여 신(神)을 쉬게 하고, 기욕(嗜欲)을 적게 하여 정(精)을 쌓으며, 언어(言語)를 적게 하여 기(氣)를 기르는 일.

[三觀 삼관]《佛敎》공(空)·가(假)·중(中)의 삼제(三諦)를 관찰하는 일.
[三光 삼광] 일(日)·월(月)·성(星)의 세 빛. 삼정(三精).
[三魁 삼괴] 과거(科擧)에 첫째로 급제한 장원(壯元)과 둘째로 급제한 방안(榜眼)과 셋째로 급제한 탐화(探花)의 일컬음.
[三槐 삼괴] ㉠주대(周代)에 외조(外朝)에 심은 홰나무 세 그루. ㉡삼공(三公)이 이 세 그루의 홰나무를 향하여 앉았으므로 삼공(三公)을 이름.
[三槐九棘 삼괴구극] 삼공구경(三公九卿).
[三敎 삼교] 유교(儒敎)·불교(佛敎)·도교(道敎)의 세 교(敎).
[三丘 삼구] 삼신산(三神山).
[三垢 삼구]《佛敎》탐욕(貪欲)·진에(瞋恚)·우치(愚癡). 삼독(三毒).
[三驅 삼구] ㉠옛날에 천자(天子)가 사냥을 할 때 삼면(三面)을 터놓고 오직 한 방면에서 오는 조수(鳥獸)만을 잡던 일. ㉡사냥의 예절(禮節).
[三九之位 삼구지위] 삼공구경(三公九卿)의 지위.
[三國 삼국] ㉠후한말(後漢末)에 일어난 촉(蜀)·위(魏)·오(吳)의 세 나라. ㉡《韓》신라(新羅)·고구려(高句麗)·백제(百濟)의 세 나라.
[三國鼎立 삼국정립] 세 나라가 솥발과 같이 서로 대립함. 삼분정족(三分鼎足).
[三國志 삼국지] 진(晉)나라 진수(陳壽)가 편찬한 삼국 시대(三國時代)의 역사책. 위지(魏志)는 30권, 촉지(蜀志)는 15권, 오지(吳志)는 20권으로 모두 65권임.
[三軍 삼군] ㉠주대(周代)에 대제후(大諸侯)가 소유한 상군(上軍)·중군(中軍)·하군(下軍)의 일컬음. 각 군은 12,500명임. ㉡다수의 군대. 대군(大軍). ㉢전군(全軍). ㉣육군·해군·공군의 총칭.
[三軍可奪帥也匹夫不可奪志也 삼군가탈수야필부불가탈지야] 삼군(三軍)은 군사의 수효가 대단히 많으나, 각자의 마음이 일치하지 않으면 그 장수를 빼앗을 수도 있는데, 필부(匹夫)는 비록 미력(微力)한 사람이지만 그의 지조가 굳으면 그 지조를 빼앗을 수 없다는 뜻으로, 지조의 존엄성(尊嚴性)을 강조한 말.
[三軍門 삼군문] 조선 시대의 훈련도감(訓鍊都監)·금위영(禁衛營)·어영청(御營廳)의 세 군문. 삼영문(三營門).
[三宮 삼궁] 명당(明堂)·벽옹(辟雍)·영대(靈臺).
[三窮 삼궁] 사람이 궁하면 거짓말을 하고, 짐승이 궁하면 움켜쥐고, 새가 궁하면 쫌.
[三權 삼권] 국가 통치(統治)의 세 가지 권력. 곧, 입법권(立法權)·행정권(行政權)·사법권(司法權).
[三歸 삼귀] ㉠아내를 셋 두는 일. 귀(歸)는 가(嫁). ㉡관중(管仲)이 지은 대사(臺榭) 이름. ㉢《佛敎》불(佛)·법(法)·승(僧)의 삼보(三寶)에 귀의(歸依)하는 일.
[三極 삼극] 하늘과 땅과 사람. 천(天)·지(地)·인(人). 삼재(三才).
[三器 삼기] ㉠나라를 다스리는 데 필요한 세 가지 권력. 곧, 호령(號令)·부월(斧鉞)·녹상(祿賞). ㉡천문(天文)을 관측하는 데 필요한 세 가지 기구. 곧, 혼천의(渾天儀)·동후의(銅候儀)·혼천상(渾天象).
[三南 삼남]《韓》충청도(忠淸道)·전라도(全羅道)·경상도(慶尙道)의 세 도의 총칭.
[三年耕必有一年之食 삼년경필유일년지식] 3년간 농사에 힘쓰면 1년간 먹을 양식을 저축할 수 있음.
[三年大比 삼년대비] 3년마다 지방의 벼슬아치나 처사(處士)의 재능을 조사하여 등용하는 일.
[三年無改於父之道可謂孝 삼년무개어부지도가위효] 부친이 죽은 후 3년간 부친이 생전에 하던 일을 그대로 두고 조금도 변경하지 않는 것은 효도(孝道)라고 일컬을 수 있음.
[三年不弔 삼년부조] 상기(喪期) 3년 동안에 조상(弔喪)을 하지 못하거나 아니함.
[三年不窺園 삼년불규원] 3년 동안이나 문 밖에 나가서 정원을 보지 않는다는 뜻으로, 방에 꼭 들어박혀 학문에 열중함을 이름.
[三年不蜚 삼년불비] 새가 3년 동안이나 날지 않는다는 뜻으로, 사람이 후일에 웅비(雄飛)할 기회를 기다림을 이름. '일명경인(一鳴驚人)'을 참고하라.
[三年喪 삼년상] 삼년지상(三年之喪).
[三年有成 삼년유성] 나를 써서 나라를 다스리게 한다면 3년 후에는 치적(治績)을 올려 반드시 성취(成就)하는 바가 있을 것이라고 공자(孔子)가 한 말.
[三年之喪 삼년지상] 3년 동안의 거상(居喪). 곧, 부모의 거상.
[三年通一經 삼년통일경] 3년간 공부하여 경서(經書) 1권의 뜻에 통달함.
[三多 삼다] 문장(文章)에 숙달(熟達)하는 세 가지 조건. 곧, 간다(看多)〈많이 읽는 일〉·주다(做多)〈많이 짓는 일〉·상량다(商量多)〈많이 구상하는 일〉.
[三端 삼단] 문사(文士)의 필단(筆端), 무사(武士)의 봉단(鋒端), 변사(辯士)의 설단(舌端). 모두 군자(君子)가 삼가야 할 것임.
[三段敎授 삼단교수] 교수의 과정을 직관(直觀)·총괄(總括)·응용(應用)의 3단으로 나누어 가르치는 교수법.
[三段論法 삼단논법] 대전제(大前提)·소전제(小前提)·단안(斷案)의 3단으로 배열하여 추리하는 논리(論理)의 방식.
[三達德 삼달덕] 세 가지 높은 덕(德). 곧, 지(智)·인(仁)·용(勇).
[三達尊 삼달존] 세 가지 존귀한 것. 곧, 조정(朝廷)에서는 작위(爵位), 향리(鄕里)에서는 연령, 사회에서는 덕(德).
[三大 삼대]《佛敎》진여(眞如)의 체대(體大)〈본체〉·상대(相大)〈현상〉·용대(用大)〈작용〉의 세 가지. 진여는 광대하여 만물을 포용(包容)하므로 대(大)라 함.
[三代 삼대] ㉠조부와 아비와 아들, 또는 아비와 아들과 손자의 세 대. ㉡하(夏)·은(殷)·주(周)의 세 왕조(王朝).
[三德 삼덕] ㉠정직(正直)·강극(剛克)·유극(柔克). ㉡지(智)·인(仁)·용(勇). 삼달덕(三達德). ㉢지덕(至德)·민덕(敏德)·효덕(孝德). ㉣천덕(天德)·지덕(地德)·인덕(人德). ㉤삼정(三正)의 덕(德). ㉥《佛敎》은덕(恩德)〈여래(如來)가 중생을 구제하는 덕〉. 단덕(斷德)〈여래가 일체의 번뇌를 끊는 덕〉. 지덕(智德)〈여래가 평등(平等)의 지혜로 일체의 법(法)을 비추는 덕〉. ㉦《佛敎》법신덕(法身德)〈깨달음의 본체(本體)〉·반야덕(般若德)〈절대 평등의 슬기〉·해탈

덕(解脫德)〈무애자재(無碍自在)의 덕〉.

[三刀 삼도] 고을주 자, 주(州)를 이름. 진(晉)나라 사람 왕준(王濬)이 어느 날 밤에 칼 석 자루를 들보에 걸어 놓았는데, 그날 밤 꿈에 칼 한 자루를 더 걸어 놓은 꿈을 꾸고 불길하게 생각하였으나, 주부(主簿) 이의(李毅)가 말하기를 삼도(三刀), 곧 '刕'는 고을주 자인데 한 칼을 더하니 익주(益州)가 된다. 그러니 자네가 익주의 태수(太守)가 될 길조(吉兆)일 것이라고 하였더니, 후에 과연 익주의 태수가 되었다는 고사(故事)에서 나온 말. 전(轉)하여 천관(遷官) 또는 영전의 뜻으로 쓰임.

[三到 삼도] 독서하는 데 주의하여야 할 세 가지. 곧, 구도(口到)·안도(眼到)·심도(心到). 독서삼도(讀書三到).

[三島 삼도] 신선(神仙)이 산다는 봉래(蓬萊)·방장(方丈)·영주(瀛洲)의 세 섬. 삼신산(三神山).

[三途 삼도]《佛敎》 화도(火途) 곧 지옥도(地獄道), 도도(刀途) 곧 아귀도(餓鬼道), 혈도(血途) 곧 축생도(畜生道)의 일컬음. 삼도(三塗).

[三都 삼도] 송(宋)나라의 개봉부(開封府)·귀덕부(歸德府)·하남부(河南府).

[三道 삼도] 삼행(三行)❶.

[三塗 삼도] 삼도(三途).

[三塗川 삼도천]《佛敎》 지극히 악하지도 않고 지극히 착하지도 않은 사람이 죽은 후 저승으로 가는 도중에 건너는 내. 삼도내.

[三毒 삼독]《佛敎》 사람의 성명(性命)에 해독이 되는 세 가지. 곧, 탐욕(貪慾)·진에(瞋恚)·우치(愚癡).

[三冬 삼동] 겨울의 석 달. 곧, 음력 시월의 맹동(孟冬), 동짓달의 중동(仲冬), 섣달의 계동(季冬).

[三洞 삼동] 도교(道敎)에서, 그 경전(經典)을 불교(佛敎)의 삼장(三藏)을 모방하여 나눈 것. 곧, 동진부(洞眞部)〈대승(大乘)〉·동현부(洞玄部)〈중승(中乘)〉·동신부(洞神部)〈소승(小乘)〉.

[三斗塵 삼두진] 많은 먼지.

[三樂 삼락] 군자의 세 가지 낙(樂). 곧, 부모가 모두 생존하고 형제가 무고함과, 하늘과 사람에게 부끄러워할 것이 없는 것과, 천하(天下)의 영재(英才)를 얻어 교육하는 일.

[三略 삼략] 한(漢)나라 사람 장량(張良)이 황석공(黃石公)에게서 받았다는 병서(兵書). 상략(上略)·중략(中略)·하략(下略)의 세 권으로 되었으며, 육도(六韜)와 병칭(倂稱)됨.

[三靈 삼령] 천(天)·지(地)·인(人)의 신령.

[三令五申 삼령오신] 자주 되풀이하여 훈령(訓令)을 내려 신칙한다는 뜻으로, 성의를 다하여 타이름을 이름.

[三禮 삼례] 고례(古禮)를 기록한 세 가지 책. 곧, 의례(儀禮)·주례(周禮)·예기(禮記).

[三老 삼로] ㉠한 마을 중의 장로(長老). ㉡연로(年老)하여 한 마을의 교화(敎化)를 맡은 사람. ㉢세 가지 노인. 곧, 공로(工老)·상로(商老)·농로(農老). 또, 상수(上壽)·중수(中壽)·하수(下壽). ㉣뱃사공.

[三老五更 삼로오경] 고대(古代)에 천자(天子)가 부형의 예로써 우대한 노인으로서 한 마을의 교화를 맡았음. 삼로(三老)와 오경(五更)이 각각 한 사람임. 일설(一說)에는, 삼로는 세 사람, 오경은 다섯 사람이라 함.

[三論 삼론]《佛敎》 삼론종(三論宗)의 전거(典據)가 되는 세 가지 책. 곧, 용수보살(龍樹菩薩)이 지은 중론(中論)과 십이문론(十二門論) 및 그의 제자 제바(提婆)가 지은 백론(百論).

[三倫 삼륜] 군주(君主)와 관원(官員)과 근시(近侍)의 신하(臣下).

[三輪 삼륜]《佛敎》 ㉠삼업(三業). ㉡지하(地下)에서 대지(大地)를 받들고 있다는 금륜(金輪)과 수륜(水輪)과 풍륜(風輪).

[三稜 삼릉] 세 모서리. 세 모. 삼각(三角).

[三稜鏡 삼릉경] 광선을 분석(分析)하는 삼각주(三角柱)의 유리. 프리즘.

[三稜筋 삼릉근] 팔 윗마디 뼈와 어깻죽지를 연하여 팔뚝 위로 펴서 움직이게 하는 심줄. 삼각근(三角筋).

[三稜針 삼릉침] 세모진 침.

[三吏 삼리] 삼공(三公).

[三利 삼리] 세 가지 이익. 곧, 곡식을 심는 1년의 이익과 나무를 심는 10년의 이익과 덕(德)을 심는 100년의 이익.

[三忘 삼망] 장사(將士)가 출전(出戰)할 때 잊어야 할 세 가지 일. 곧, 망가(忘家)·망친(忘親)·망신(忘身).

[三昧 삼매]《佛敎》 범어(梵語) samadhi의 음역(音譯). 오직 한 가지 일에만 마음을 집중시키는 경지(境地).

[三昧境 삼매경]《佛敎》 삼매(三昧).

[三昧堂 삼매당]《佛敎》 삼매(三昧)를 닦는 당(堂)이라는 뜻으로, 대개는 법화 삼매(法華三昧)·염불 삼매(念佛三昧)를 닦는 당을 이름.

[三昧僧 삼매승]《佛敎》 법화 삼매(法華三昧) 또는 염불 삼매(念佛三昧)를 닦는 중.

[三脈法 삼맥법] 삼맥술(三脈術).

[三脈術 삼맥술] 오른손 또는 왼손의 맥박과 하악(下顎) 양측(兩側)의 맥박의 정부(整否)에 의하여 길흉(吉凶)을 점치는 술법.

[三藐三菩提 삼막삼보리]《佛敎》 정편지(正遍智) 또는 정편각(正遍覺)이라 번역함. 죽음의 미혹(迷惑)을 버리고 빠짐없이 일체의 법(法)을 깨닫는 일.

[三明 삼명] ㉠해·달·별. 일(日)·월(月)·성(星). ㉡《佛敎》 아라한(阿羅漢)의 세 가지 밝은 지혜(智慧). 곧, 숙명통(宿命通)〈과거의 일에 통함〉·천안통(天眼通)〈미래의 일에 통함〉·누진통(漏盡通)〈현재의 일에 통함〉. ㉢후한(後漢)의 단기명(段紀明)·황보위명(皇甫威明)·장연명(張然明)의 세 사람. ㉣진(晉)나라의 제갈도명(諸葛道明)·순도명(荀道明)·채도명(蔡道明)의 세 사람.

[三木 삼목] 옛날의 형구(刑具) 세 가지. 곧, 머리와 손과 발에 끼우는 틀로서 우리나라의 칼·차꼬·족쇄 따위.

[三苗 삼묘] 요순 시대(堯舜時代)에 있던 남방의 오랑캐. 사흉(四凶)의 하나임.

[三廟 삼묘] ㉠세 사당(祠堂). ㉡대부(大夫)의 사당(祠堂). 곧, 일소(一昭)·일목(一穆)과 시조(始祖)를 모신 사당.

[三務 삼무] 춘(春)·하(夏)·추(秋)의 농사일.

[三無私 삼무사] 세 가지의 무사(無私). 곧, 천무사복(天無私覆)·지무사재(地無私載)·일월무사조(日月無私照).

[三門 삼문] ㉠중앙과 좌우에 정문(正門)과 동협문(東夾門)·서협문(西夾門)의 세 문이 나란히

연하여 한 문을 이룬 대궐(大闕)의 문. ㉡사람의 마음씨에 따라 들어가는 데가 다른 세 문. 곧, 금문(禽門)·인문(人門)·성문(聖門). ㉢《佛教》 절의 본당(本堂) 앞의 다락문. 공문(空門)·무상문(無相門)·무작문(無作門)의 세 해탈문(解脫門)에 비겨 이른 말. 산문(山門). ㉣《佛教》 지혜문(智慧門)·자비문(慈悲門)·방편문(方便門). ㉤《佛教》 교(教)·율(律)·선(禪).

[三物 삼물] ㉠백성에게 가르치는 세 가지 일. 곧, 육덕(六德)·육행(六行)·육예(六藝). ㉡맹약(盟約)을 할 때 피를 쓰기 위하여 잡는 닭·개·돼지.

[三民主義 삼민주의] 손문(孫文)이 제창한 민족주의(民族主義)·민권주의(民權主義)·민생주의(民生主義)의 총칭. 중국 국민당(國民黨)의 지도 정신임.

[三密 삼밀]《佛教》 부처의 신밀(身密)〈불신(佛身)의 상(相)〉·구밀(口密)〈입으로 말하는 바〉·의밀(意密)〈마음속에 생각하는 바〉. 모두 비오심밀(祕奧深密)하여 알기 어려우므로 이름.

[三拜 삼배] 세 번 절함.

[三百 삼백] 많은 수를 이름.

[三白食 삼백식]《佛教》 중이 먹는 세 가지 흰 음식. 곧, 젖·타락(駝酪)·밥.

[三法司 삼법사] 명대(明代)의 형옥(刑獄)을 맡은 세 관아(官衙). 곧, 형부(刑部)·도찰원(都察院)·대리시(大理寺).

[三辟 삼벽] 하(夏)·은(殷)·주(周) 삼대(三代)의 형법(刑法). 곧, 하의 우형(禹刑), 은의 탕형(湯刑), 주(周)의 구형(九刑).

[三兵 삼병] ㉠세 가지 병기(兵器). 곧, 활·창·칼〔劍〕. ㉡세 종류의 전투병. 곧, 보병·포병·기병.

[三輔 삼보] 한무제(漢武帝) 태초 원년(太初元年)에 세 구역으로 나눈 장안(長安) 부근의 땅의 지방 장관. 곧, 장안(長安) 이동(以東)의 경조윤(京兆尹), 장릉(長陵) 이북(以北)의 좌풍익(左馮翊), 위성(渭城) 이서(以西)의 우부풍(右扶風).

[三寶 삼보] ㉠도가(道家)에서 이르는 귀·입·눈. ㉡토지(土地)·인민(人民)·정치(政治). ㉢자(慈)·검(儉)·겸(謙). ㉣《佛教》 불보(佛寶)·법보(法寶)·승보(僧寶). 불법승(佛法僧). ㉤부처의 별칭(別稱). 불타(佛陀).

[三伏 삼복] 하지(夏至) 후의 셋째 경일(庚日)인 초복(初伏)과 넷째 경일인 중복(中伏)과 입추(立秋) 후의 첫째 경일인 말복(末伏). 복(伏)은 금기복장(金氣伏藏), 곧 가을의 기운인 쇠가 여름의 기운인 불을 무서워하여 엎드려 숨는다는 뜻.

[三復 삼복] 여러 번 되풀이함. 자주 되풀이하여 송독(誦讀)함을 이름.

[三福田 삼복전]《佛教》 복덕(福德)이 생기는 세 가지 착한 행위. 곧, 삼보(三寶)의 덕(德)을 공경하는 경전(敬田), 부모의 은혜를 갚는 은전(恩田), 빈고(貧苦)를 불쌍하게 여기는 비전(悲田). 또는 부모·사장(師長)을 공경하는 보은복전(報恩福田), 삼보(三寶)를 공경하는 공덕복전(功德福田), 빈궁한 사람을 불쌍히 여기는 빈궁복전(貧窮福田).

[三本 삼본] 천지(天地)와 선조(先祖)와 군사(君師).

[三府 삼부] ㉠한대(漢代)의 삼공(三公)의 관부(官府). ㉡삼도(三都).

[三賦 삼부] 세 가지 조세(租稅). 곧, 조(租)·용(庸)·조(調).

[三部經 삼부경]《佛教》 특별히 존중하는 세 부(部)의 불경. 정토 삼부경(淨土三部經)을 위시하여 법화(法華)·대일(大日)·진호국가(鎭護國家)·미륵(彌勒) 등 여러 삼부경이 있음. 정토 삼부경은 무량수경(無量壽經)·관무량수경(觀無量壽經)·아미타경(阿彌陀經).

[三釜之養 삼부지양] 박봉(薄俸)을 마다하지 않고 부모를 봉양하기 위하여 벼슬살이를 하는 일. 삼부(三釜)는 엿 말 넉 되.

[三分五裂 삼분오열] 여러 갈래로 갈라짐.

[三墳五典 삼분오전] 고서(古書)의 이름. 삼분(三墳)은 삼황(三皇)의 책이고, 오전(五典)은 오제(五帝)의 책인데, 지금 전하지 않음.

[三分鼎立 삼분정립] 천하(天下)를 삼분(三分)하여 서로 대립함.

[三分鼎足 삼분정족] 삼분정립(三分鼎立).

[三不去 삼불거] 아내를 내쫓을 수 없는 세 가지 경우. 곧, 아내가 나가서 의지할 곳이 없거나, 부모의 거상(居喪)을 같이 치렀거나, 장가들 때 가난하다가 후에 부귀(富貴)하게 된 경우.

[三不祥 삼불상] ㉠나라를 위하여 상서롭지 못한 세 가지 일. 곧, 나라에 어진 이가 있는 것을 모르는 일, 어진 이인 줄 알면서도 등용하지 않는 일, 등용하고서도 신임(信任)하지 않는 일. ㉡일신(一身)을 위하여 상서롭지 못한 세 가지 일. 곧, 나이가 어리면서도 연장자를 섬기려고 하지 않는 일, 천(賤)하면서도 귀(貴)한 이를 섬기려고 하지 않는 일, 불초(不肖)하면서도 어진 이를 섬기려고 하지 않는 일.

[三不幸 삼불행] 세 가지 불행한 일. 곧, 소년(少年)에 대과(大科)에 급제하는 일, 부형의 덕으로 미관(美官)을 얻는 일, 고재(高才)가 있어 문장을 잘 짓는 일.

[三不惑 삼불혹] 혹(惑)하지 말아야 할 세 가지. 곧, 음주(飮酒)·여색(女色)·재물(財物)의 삼욕(三欲).

[三不孝 삼불효] ㉠맹자(孟子)의 오불효(五不孝) 중의 셋째. 곧, 재화(財貨)를 좋아하고 아내만을 사랑하며 부모의 은혜를 잊는 일. ㉡세 가지 불효. 곧, 부모를 불의(不義)에 빠지게 하는 일과, 부모가 늙고 집이 가난하여도 벼슬하지 아니하는 일과, 자식이 없어 세사(世祀)를 끊게 하는 일.

[三不朽 삼불후] 영구히 썩지 않는 세 가지. 곧, 입덕(立德)·입공(立功)·입언(立言).

[三四 삼사] ㉠셋이나 넷. 적은 수를 이름. ㉡서너 번. ㉢서너 개.

[三史 삼사] 세 가지 사서(史書). 곧, 〈사기(史記)〉·〈한서(漢書)〉·〈동관기(東觀記)〉. 〈동관기〉가 산일(散逸)된 후에는 〈후한서(後漢書)〉를 넣음.

[三司 삼사] ㉠삼공(三公). ㉡송(宋)나라의 이재(理財)의 벼슬. 곧, 염철(鹽鐵)·호부(戶部)·탁지(度支). ㉢《韓》 조선 시대의 사헌부(司憲府)·사간원(司諫院)·홍문관(弘文館).

[三事 삼사] ㉠삼공(三公). ㉡임금·부친·스승. 곧, 군(君)·부(父)·사(師)를 섬기는 일. ㉢나라를 다스리는 데 중요한 세 가지 일. 곧, 정덕(正德)·이용(利用)·후생(厚生). ㉣벼슬아치가 지켜야 할 세 가지 중요한 일. 곧, 청렴(淸廉)·근신(謹愼)·근면(勤勉). ㉤춘·하·추 삼시

(三時)의 농사. 일설(一說)에는, 고원(高原)·저습(低濕)·평지(平地)의 농사라 함.
[三思 삼사] ㉠세 번 생각함. 여러 번 생각함. 숙고(熟考)함. ㉡너무 지나치게 생각함.
[三徙 삼사] 삼천(三遷).
[三赦 삼사] 주(周)나라 때 죄를 범하여도 형(刑)을 면한 세 종류의 사람. 곧, 일곱 살 이하의 유약자(幼弱者), 여든 살 이상의 노인(老人) 및 천치.
[三事戒 삼사계]《佛敎》몸을 삼가고, 말을 조심하며, 마음을 깨끗이 하는 일.
[三事大夫 삼사대부] 삼공(三公)과 경대부(卿大夫). 곧, 공경대부(公卿大夫).
[三沙彌 삼사미]《佛敎》연령별로 나눈 세 가지 사미. 곧, 구오사미(驅烏沙彌)〈일곱 살부터 열세 살까지〉·응법사미(應法沙彌)〈열네 살부터 열아홉 살까지〉·명자사미(名字沙彌)〈이십 세 이상〉.
[三三五五 삼삼오오] 3~4 인 혹은 4~5 인씩 떼지어 여기저기 흩어져 있는 모양. 삼삼오오(參參伍伍).
[三上 삼상] 시문(詩文)을 구상하기 좋은 세 곳. 곧, 마상(馬上)·침상(枕上)·측상(廁上).
[三象 삼상] 주공(周公)이 지은 풍류 이름.
[三殤 삼상] 성년(成年)이 되기 전에 죽은 사람의 나이에 따라 구별한 세 가지. 곧, 장상(長殤)〈열여섯 살부터 열아홉 살까지〉·중상(中殤)〈열두 살부터 열다섯 살까지〉·하상(下殤)〈여덟 살부터 열한 살까지〉.
[三生 삼생]《佛敎》사람이 태어나는 과거·현재·미래의 세상. 곧, 전생(前生)·현생(現生)·후생(後生).
[三牲 삼생] ㉠세 가지 희생(犧牲). 곧, 소·양·돼지. ㉡미식(美食). 성찬(盛饌).
[三生緣分 삼생연분] 삼생에 걸쳐 끊어질 수 없는 가장 깊은 인연. 곧, 부부간(夫婦間)의 인연.
[三善 삼선] 세 가지 착한 일. 곧, 부자(父子)의 도(道), 군신(君臣)의 의(義), 장유(長幼)의 절(節)〈예절〉.
[三聖 삼성] ㉠복희씨(伏羲氏)·문왕(文王)·공자(孔子). ㉡요(堯)·순(舜)·우왕(禹王). ㉢우왕(禹王)·주공(周公)·공자(孔子). ㉣문왕(文王)·무왕(武王)·주공(周公). ㉤노자(老子)·공자(孔子)·안자(顏子). ㉥노자(老子)·공자(孔子)·석가(釋迦). ㉦석가(釋迦)·공자(孔子)·기독(基督). ㉧《韓》환인(桓因)·환웅(桓雄)·환검(桓儉).
[三聖祠 삼성사]《韓》㉠황해도(黃海道) 구월산(九月山)에 있었던 환인(桓因)·환웅(桓雄)·환검(桓儉)을 모신 사당(祠堂). ㉡제주도(濟州道) 제주시에 있는 탐라(耽羅)를 개국(開國)한 고(高)·부(夫)·양(良) 삼을나(三乙那)를 제사지내는 신사(神祠).
[三世 삼세] ㉠삼대(三代)❶. ㉡《佛敎》과거·현재·미래, 또는 전세(前世)·현세(現世)·내세(來世).
[三少 삼소] 삼고(三孤).
[三笑 삼소] 진(晉)나라의 중 혜원 법사(慧遠法師)가 호계(虎溪)를 건너지 않겠다고 맹세하였는데, 어느 날 찾아온 도연명(陶淵明)·육수정(陸修靜) 두 사람을 배웅하다가 이야기에 정신이 팔려 자기도 모르는 사이에 호계를 건너 버려 세 사람이 대소(大笑)하였다는 고사(故事). 호계삼소(虎溪三笑).
[三蘇 삼소] 북송(北宋)의 삼대 문장가(三大文章家)인 소순(蘇洵)과 그의 아들 소식(蘇軾)·소철(蘇轍) 형제. 순(洵)을 노소(老蘇), 식(軾)을 대소(大蘇), 철(轍)을 소소(小蘇)라고도 하여 구별함.
[三蘇熟喫羊肉 삼소숙끽양육] 송(宋)나라 때 삼소(三蘇)의 문장이 널리 애독(愛讀)되었으므로, 그의 문장을 숙독하면 과거(科擧)에 급제하여 양의 고기를 먹을 수 있는 신분(身分)이 된다는 뜻.
[三損友 삼손우] 사귀어서 해로운 세 가지 벗. 곧, 편벽(便辟)한 벗, 선유(善柔)한 벗, 편녕(便佞)한 벗. 손자삼우(損者三友).
[三獸渡河 삼수도하]《佛敎》같이 부처의 설법(說法)을 들어도 깨닫는 정도에 심천(深淺)이 있음을 코끼리·말·토끼의 세 짐승이 강을 건너는데 비유한 말. 곧, 코끼리의 발이 물의 밑바닥까지 닫는 것은 보살(菩薩)에, 말의 발이 물속에 있는 것은 연각(緣覺)에, 토끼의 발이 물 위에 떠 있는 것은 성문(聲聞)에 비유함.
[三旬 삼순] ㉠상순(上旬)·중순(中旬)·하순(下旬). ㉡30일간.
[三旬九食 삼순구식] 30일에 아홉 끼니밖에 못 먹는다는 뜻으로, 가세(家勢)가 지극히 가난함을 이름.
[三乘 삼승]《佛敎》성문(聲聞)·연각(緣覺)·보살(菩薩).
[三升布 삼승포] 석새삼베.
[三尸 삼시] 삼시충(三尸蟲).
[三始 삼시] 세시(歲始)이고 월시(月始)이며 일시(日始)라는 뜻으로, 정월 초하루의 아침을 이름. 널리 정월 초하루의 뜻으로 쓰임.
[三施 삼시]《佛敎》세 가지 보시(布施). 곧 재시(財施)·법시(法施)·무외시(無畏施).
[三時 삼시] ㉠농사짓는 데 중요한 세 철. 곧 봄·여름·가을. ㉡아침과 낮과 밤. ㉢《佛敎》정법시(正法時)·상법시(像法時)·말법시(末法時). ㉣《佛敎》천태종(天台宗)의 종(種)·숙(熟)·탈(脫). 삼시교(三時敎). ㉤《佛敎》법상종(法相宗)의 아함(阿含)·반야(般若)·심밀(深密).
[三時敎 삼시교] 삼시(三時)㉣.
[三豕金根 삼시금근] 문자(文字)를 오독(誤讀)·오용(誤用)함을 이름. 기해(己亥)의 자형(字形)을 잘못 보고 삼시(三豕)라고 읽고, 금은(金銀)을 잘못이라 하여 금근(金根)이라고 고친 고사(故事)에서 나온 말.
[三豕渡河 삼시도하] 문자(文字)를 오독(誤讀)·오용(誤用)함을 이름. 기해도하(己亥渡河)를 삼시도하(三豕渡河)로 잘못 읽은 고사(故事)에서 나온 말. '삼시금근(三豕金根)'을 보라.
[三尸蟲 삼시충] 도가(道家)에서 이르는, 사람의 배 속에 있는 세 마리의 벌레. 경신(庚申)날 밤에 나와 사람의 음사(陰事)를 천제(天帝)에게 고발한다 함.
[三辰 삼신] 해·달·별. 일(日)·월(月)·성(星). 삼광(三光).
[三身 삼신] ㉠《佛敎》부처의 본체(本體)인 법신(法身)과, 법신(法身)의 과보(果報)에 의하여 나타나는 중덕원만(衆德圓滿)의 몸인 보신(報身)과, 중생(衆生)을 제도(濟度)하기 위하여 나타나는 몸인 응신(應身). ㉡과거·현재·미래의 삼신(三身).

[三神 삼신] ㉠천(天)·지(地)·인(人)의 세 신(神). ㉡《韓》 상고 시대에 조선(朝鮮)의 국토를 열었다는 세 신. 곧, 환인(桓因)·환웅(桓雄)·환검(桓儉).
[三神山 삼신산] 신선(神仙)이 산다는 세 산. 곧, 봉래(蓬萊)·방장(方丈)·영주(瀛洲).
[三心 삼심]《佛敎》 삼심구족(三心具足)을 보라.
[三心具足 삼심구족]《佛敎》 지성심(至誠心)·심심(深心)·발원심(發願心)을 갖추는 일. 이 삼심을 갖추면 정토(淨土)에 왕생(往生)한다 함.
[三十講 삼십강]《佛敎》 법화경(法華經) 28권의 앞에 무량의경(無量義經) 1권과 끝에 보현관경(普賢觀經) 1권을 넣은 30권을 30일간 강(講)하는 일. 조석(朝夕)으로 1권씩 15일간에 강하는 수도 있음.
[三十棒 삼십봉]《佛敎》 선승(禪僧)이 제자를 가르칠 때 곤봉으로 때리는일. 전(轉)하여, 과오를 알리는 뜻으로 쓰임.
[三十三神 삼십삼신]《佛敎》 관세음보살(觀世音菩薩)의 서른세 가지의 화신(化身).
[三十三天 삼십삼천]《佛敎》 ㉠수미산(須彌山) 꼭대기의 네 봉우리에 각각 있는 팔천(八天)과, 중앙에 있어서 이것을 통치하는 제석천(帝釋天). 도리천(忉利天). ㉡욕계 육천(欲界六天)·색계 십팔천(色界十八天)·무색계 구천(無色界九天)의 총칭.
[三十六計 삼십육계] 서른여섯 가지 꾀. 많은 계책(計策).
[三十六計不如逃 삼십육계불여도] 삼십육책주위상계(三十六策走爲上計).
[三十六宮 삼십육궁] 한대(漢代)의 궁전(宮殿)의 수. 전(轉)하여, 제왕(帝王)의 궁전의 수.
[三十六鱗 삼십육린] 잉어〔鯉〕의 별칭(別稱). 육륙린(六六鱗).
[三十六策走爲上計 삼십육책주위상계] 삼십육계 줄행랑이 제일이란 말과 같은 뜻. 곧, 딴 계책을 강구하는 것보다는 우선 도망하여 화를 피한 연후에 방책을 서서히 세우는 것이 제일 상책이라는 말. 전(轉)하여, 비겁한 자를 조소하는 뜻으로 쓰임.
[三十輻共一轂 삼십폭공일곡] 바퀴의 서른 개의 살이 모두 한 바퀴통에 모여 수레가 달릴 수 있는데, 이 바퀴통은 속이 비었기 때문에 이런 중요한 구실을 할 수 있다는 뜻으로, 군주(君主)는 허공무위(虛空無爲)를 중히 여겨야 한다는 것을 비유한 말.
[三椏 삼아] 삼지닥나무. 삼아나무. 껍질은 종이의 원료로 쓰임.
[三惡道 삼악도] 자기가 한 악업(惡業) 때문에 죽은 후에 가는 곳. 곧, 지옥도(地獄道)·아귀도(餓鬼道)·축생도(畜生道). 삼도(三途).
[三惡聲 삼악성] 세 가지 듣기 싫고 흉한 소리. 곧, 초혼(招魂)하는 소리, 불이 나서 불이야 하고 외치는 소리, 도둑을 튀기는 소리.
[三惡趣 삼악취] 삼악도(三惡道).
[三養 삼양] 복(福)·기(氣)·재(財) 세 가지를 길러 늘리는 일. 곧, 분수(分數)에 만족하고, 위(胃)를 너그럽게 하고 마음을 크게 가지며, 씀씀이를 절약하는 일.
[三壤 삼양] 세 가지 전지. 곧, 상전(上田)·중전(中田)·하전(下田).
[三業 삼업]《佛敎》 ㉠신업(身業)·구업(口業)·의업(意業)의 세 가지. ㉡탐욕(貪慾)·진에(瞋恚)·우치(愚癡)의 세 가지 죄업(罪業).
[三餘 삼여] 겨울(해의 나머지)과 밤(날의 나머지)과 음우(陰雨)(때의 나머지)로서 학문을 하는 데 가장 좋은 세 가지 여가(餘暇).
[三易 삼역] 삼종(三種)의 역(易). 곧, 하(夏)나라의 연산(連山)과 은(殷)나라의 귀장(歸藏)과 주(周)나라의 주역(周易).
[三逆 삼역]《佛敎》 부친·모친·아라한(阿羅漢)을 죽이는 일.
[三緣 삼연]《佛敎》 친연(親緣)·근연(近緣)·증상연(增上緣).
[三營門 삼영문] 삼군문(三軍門).
[三五 삼오] ㉠삼황오제(三皇五帝)를 이름. ㉡삼신(三辰)과 오성(五星). ㉢삼신(三辰)과 오행(五行). ㉣30세와 500세. 30세에 조금 변하고, 500세에 크게 변함. ㉤삼심 오주(三心五噣). 곧, 심(心)·유(柳)의 두 성수(星宿). ㉥음력 보름날. ㉦음력 보름날 밤. 또, 음력 팔월 보름날 밤.
[三五之隆 삼오지륭] 삼황오제(三皇五帝) 시대의 융성(隆盛)한 세상.
[三五七言詩 삼오칠언시] 한 구(句) 중에 삼언구(三言句) 둘과 오언구(五言句) 둘과 칠언구(七言句) 둘을 갖춘 시(詩). 예컨대, 이백(李白)의 '秋風淸, 秋月明, 落葉聚還散, 寒鴉棲復驚, 相思相見知何日, 此時此夜難爲情'.
[三瓦戒 삼와계] 지붕을 이는데 일부러 기와 석 장을 모자라게 하여 충족(充足)을 경계하는 일.
[三浣 삼완] 삼한(三澣).
[三王 삼왕] 하(夏)나라의 우왕(禹王)과 은(殷)나라의 탕왕(湯王)과 주(周)나라의 문왕(文王)·무왕(武王). 문왕과 무왕은 부자(父子)이므로 한 임금으로 봄.
[三畏 삼외] 군자(君子)가 두려워하여 삼가야 할 세 가지 일. 곧, 천명(天命)·대인(大人)·성인지언(聖人之言).
[三慾 삼욕]《佛敎》 세 가지 욕심. 곧, 음식욕(飮食慾)·수면욕(睡眠慾)·음욕(淫慾).
[三浴三薰 삼욕삼훈] 몸에 자주 향(香)을 바르고 자주 목욕을 함.
[三友 삼우] ㉠유익한 세 종류의 벗. '삼익우(三益友)'를 보라. 또, 해로운 세 종류의 벗. '삼손우(三損友)'를 보라. ㉡거문고·술·시. 금(琴)·주(酒)·시(詩). ㉢소나무·대나무·매화나무. 송(松)·죽(竹)·매(梅). 세한삼우(歲寒三友). ㉣산수(山水)·난죽(蘭竹)·금주(琴酒).
[三虞 삼우] 장사(葬事) 지낸 후 세 번째 지내는 제사(祭祀).
[三元 삼원] ㉠천(天)·지(地)·인(人) 삼재(三才). ㉡정월 초하루. 삼시(三始). ㉢정월 보름인 상원(上元)과 칠월 보름인 중원(中元)과 시월 보름인 하원(下元). ㉣진사(進士)〈중국의 대과(大科)〉에 삼 등 안으로 급제한 세 사람. 또, 향시(鄕試)·회시(會試)·정시(廷試)에 수석을 차지한 사람. 곧, 해원(解元)·회원(會元)·장원(狀元).
[三垣 삼원] 상원(上垣)·중원(中垣)·하원(下垣)의 총칭. 고대의 천문학에서 북극(北極)을 이름.
[三怨 삼원] 사람에게 원망을 당하는 세 가지. 곧, 작위(爵位)가 높으면 사람에게 원망을 당하고, 관직(官職)이 크면 임금에게 원망을 당하며, 녹(祿)이 후하여도 원망을 당함.

[三願 삼원] 세 가지 소원. 곧, 세상의 호인(好人)·호서(好書)·호산수(好山水)를 모두 알고자 하는 소원.

[三位一體 삼위일체] ㉠《佛敎》 부처는 법신(法身)·응신(應身)·보신(報身)의 삼위(三位)로 구분되나, 본래는 일체라는 뜻. ㉡기독교(基督敎)에서 성부(聖父)·성자(聖子)·성령(聖靈)의 삼위(三位)를 한 몸으로 보는 교의(敎義).

[三宥 삼유] ㉠주대(周代)에 죄를 용서하는 세 가지 조건. 곧, 불식(不識)·과실(過失)·유망(遺亡). ㉡왕족(王族)이 죄를 범하였을 때 왕이 세 번 용서한 뒤에 형을 과하는 법.

[三揖一辭 삼읍일사] 군자(君子)는 벼슬길에 나아가는 데는 신중(愼重)하고, 벼슬을 물러나는 데는 간이(簡易)하다는 뜻.

[三衣 삼의] 《佛敎》 중이 입는 세 가지 가사(袈裟). 곧, 대의(大衣)·칠조(七條)·오조(五條).

[三宜休 삼의휴] 사람이 마땅히 쉬어야 할 세 가지 경우. 재주가 얼마나 있나 헤아리고, 제 분수에 맞나 헤아리고, 늙어서 귀가 먹었을 때를 이름. 당(唐)의 사공도(司空圖)의 고사에서 온 말.

[三易 삼이] 문장을 쉽게 짓는 세 가지 방법. 곧, 보기 쉽게 쓰고, 쉬운 자를 쓰며, 읽기 쉽게 씀.

[三益 삼익] 삼익우(三益友).

[三益友 삼익우] ㉠사귀어서 자기에게 도움이 되는 세 가지 벗. 곧, 곧은 벗, 믿음직한 벗, 문견이 많은 벗. 익자삼우(益者三友). 삼우(三友). ㉡화제(畫題)에서 쓰는 말로 매화(梅花)나무·대나무·돌의 일컬음.

[三益主義 삼익주의] 영업 단체의 이익은 자본가와 경영자와 노동자가 삼분(三分)하여야 한다는 주장.

[三仁 삼인] 은(殷)나라 말년의 세 사람의 충신(忠臣). 곧, 미자(微子)·기자(箕子)·비간(比干).

[三人成市虎 삼인성시호] 한두 사람이 거리에 범이 있다고 말하면 곧이듣지 않으나, 세 사람까지 그렇게 말하면 곧이듣는다는 뜻으로, 무근(無根)한 일도 이야기하는 사람이 많으면 자연히 믿게 됨을 비유한 말.

[三人爲一龍 삼인위일룡] 세 사람의 극친한 벗의 비유.

[三人行必有我師 삼인행필유아사] 자기와 딴 두 사람이 일을 같이할 때에는 선악간(善惡間)에 반드시 스승으로서 배울 만한 사람이 있음.

[三日哭 삼일곡] ㉠사흘 동안 곡함. 사당(祠堂)이 탔을 때의 예(禮)임. ㉡오랫동안 곡함.

[三日僕射 삼일복야] 진(晉)나라 사람 주의(周顗)가 상서성(尙書省)의 장관(長官)인 복야(僕射)가 되었을 때 주야로 술만 마시고 정사(政事)는 돌보지 않은 고사(故事). '삼일'은 집정(執政)한 날이 적다는 뜻.

[三日不讀書語言無味 삼일부독서어언무미] 불과 3일간이라도 독서를 하지 않으면 마음이 비열(卑劣)하여져서 하는 말도 자연히 아치(雅致)가 없다는 말.

[三日不飮酒覺形神不相親 삼일불음주각형신불상친] 사흘 동안 술을 마시지 않으면 육체와 정신이 서로 떨어진 것과 같은 심경(心境)이라는 뜻.

[三日三夜 삼일삼야] 삼주야(三晝夜).

[三日雨 삼일우] 사흘 동안 계속하여 내리는 비.

[三日葬 삼일장] 죽은 지 사흘 만에 지내는 장사.

[三日點考 삼일점고] 《韓》 수령(守令)이 부임한 지 사흘 만에 관속(官屬)을 점고하는 일.

[三日天下 삼일천하] 짧은 동안 정권(政權)을 잡았다가 곧 축출당함을 이름.

[三子 삼자] ㉠노자(老子)·장자(莊子)·열자(列子). ㉡맹자(孟子)·순자(荀子)·양자(楊子).

[三長 삼장] 사가(史家)가 되는 데 필요한 세 가지 장점. 곧, 재지(才智)·학문(學問)·식견(識見).

[三章 삼장] ㉠한고조(漢高祖)가 제창한 세 조목의 법률. ㉡간명한 규칙.

[三障 삼장] 《佛敎》 정도(正道)와 선심(善心)을 방해하는 세 가지 장애(障礙). 곧, 번뇌장(煩惱障)·업장(業障)·보장(報障).

[三藏 삼장] 《佛敎》 ㉠불타(佛陀)의 설법(說法)을 결집(結集)한 경장(經藏)과, 승속(僧俗)의 계율(戒律)과 위의(威儀)를 결집한 율장(律藏)과, 교리(敎理)의 논석(論釋)을 모은 논장(論藏)의 세 가지. 또, 이에 통효(通曉)한 고승(高僧). ㉡성문장(聲聞藏)·연각장(緣覺藏)·보살장(菩薩藏). ㉢천태종(天台宗)에서 소승(小乘)의 별칭(別稱).

[三才 삼재] ㉠하늘과 땅과 사람. 천(天)·지(地)·인(人). ㉡천지간(天地間)의 만물. ㉢세 사람의 재사(才士).

[三災 삼재] 《佛敎》 ㉠수재(水災)·화재(火災)·풍재(風災). ㉡도병재(刀兵災)·질병재(疾病災)·기근재(飢饉災).

[三災八難 삼재팔난] 삼재(三災)와 팔난(八難). 곧, 모든 재난.

[三傳 삼전] 공자(孔子)가 저술한 춘추(春秋)의 세 가지 해설서(解說書). 곧, 〈좌씨전(左氏傳)〉·〈공양전(公羊傳)〉·〈곡량전(穀梁傳)〉.

[三戰三北 삼전삼배] 세 번 싸워 세 번 패배함. 자주 싸움에 패(敗)함. 삼전 삼패(三戰三敗).

[三戰三走 삼전삼주] 세 번 싸우고 세 번 패하여 달아남.

[三戰神 삼전신] 《佛敎》 전쟁을 맡은 세 신(神). 곧, 마리지천(摩利支天)·대흑천(大黑天)·비사문천(毘沙門天).

[三絶 삼절] ㉠세 번 끊어짐. ㉡세 가지의 뛰어난 일, 또는 재주.

[三折肱爲良醫 삼절굉위양의] 쓰라린 경험을 여러 번 겪어야만 명의(名醫)가 됨.

[三正 삼정] ㉠천(天)·지(地)·인(人) 삼재(三才)의 정도(正道). ㉡군신(君臣)·부자(父子)·부부(夫婦)의 도(道)인 삼강(三綱)이 바름. ㉢역법(曆法)의 술어(術語)로서, 하(夏)·은(殷)·주(周) 삼대(三代)의 달력, 또는 자(子)·축(丑)·인(寅)의 일컬음. 하(夏)나라의 달력은 인(寅)의 달을, 은(殷)나라의 달력은 축(丑)의 달을, 주(周)나라의 달력은 자(子)의 달을 정월(正月)로 하였으므로 이름.

[三精 삼정] 해·달·별. 일(日)·월(月)·성(星).

[三諦 삼제] 《佛敎》 천태종(天台宗)에서 말하는 세 가지 진리. 곧, 제법(諸法)을 모두 공(空)이라고 보는 공제(空諦)와, 제법을 모두 유(有)라고 보는 가제(假諦)와, 공도 아니고 유도 아니라고 보는 중제(中諦). 제(諦)는 진리(眞理).

[三諦卽是 삼제즉시] 삼제(三諦)는 하나이면서도 셋이고, 셋이면서도 하나임.

[三朝 삼조] ㉠삼시(三始). ㉡초사흗날 아침. ㉢주대(周代)의 내조(內朝)〈천자가 휴식하는

곳〉·치조(治朝)〈천자가 정사(政事)를 보는 곳〉·외조(外朝)〈군신(君臣)이 회의하는 곳〉. ㉣삼대(三代)의 왕조(王朝). 또, 삼대의 군주(君主). ㉤세 번의 입조(入朝). 공자(孔子)가 노(魯)나라에서 세 번 벼슬한 것을 이름.

[三條椽下 삼조연하]《佛敎》 선당(禪堂) 안의 한 사람이 앉을 만한 자리를 이름.

[三族 삼족] ㉠부모·형제·처자. ㉡부친·아들·손자. 부(父)·자(子)·손(孫). ㉢부친의 곤제(昆弟), 자기의 곤제, 아들의 곤제. ㉣부족(父族)·모족(母族)·처족(妻族).

[三足烏 삼족오] ㉠해 속에 산다는 세 발 가진 까마귀. ㉡태양(太陽)의 별칭.

[三尊 삼존] ㉠존앙(尊仰)하여야 할 세 사람. 곧, 군주·부친·스승. 군(君)·부(父)·사(師). ㉡《佛敎》 미타(彌陀)·관음(觀音)·세지(勢至). 미타 삼존(彌陀三尊). ㉢《佛敎》 석가(釋迦)·문수(文殊)·보현(普賢). 석가 삼존(釋迦三尊). ㉣《佛敎》 약사여래(藥師如來)·일광천(日光天)·월광천(月光天). 약사 삼존(藥師三尊).

[三尊來迎 삼존내영]《佛敎》 미타(彌陀)·관음(觀音)·세지(勢至)의 삼존(三尊)이 출현하여 정토(淨土)로 인도함.

[三宗 삼종]《佛敎》 세 종파(宗派). 곧, 화엄종(華嚴宗)·삼론종(三論宗)·법상종(法相宗). 또는 천태종(天台宗)·진언종(眞言宗)·법상종(法相宗).

[三從 삼종] ㉠여자가 지켜야 할 세 가지 도덕. 곧, 어렸을 때에는 어버이를, 시집가서는 남편을, 남편을 여읜 뒤에는 아들을 좇는 일. 삼종지의(三從之義). ㉡삼종형제(三從兄弟).

[三種世間 삼종세간]《佛敎》 중생세간(衆生世間)·국토세간(國土世間)·오온세간(五蘊世間).

[三從兄弟 삼종형제] 고조(高祖)가 같고 증조(曾祖)가 다른 형제. 팔촌(八寸).

[三晝夜 삼주야] 만 3일. 삼일삼야(三日三夜).

[三知 삼지] 천분(天分)의 고하(高下)로 인한 도(道)를 깨닫는 힘의 세 층등(層等). 곧, 태어나면서부터 아는 생지(生知)와, 배워서 아는 학지(學知)와, 애써서 아는 곤지(困知).

[三智 삼지]《佛敎》 부처의 슬기의 세 구분. 곧, 진여(眞如)를 해득(解得)하는 진지(眞智)와, 무명(無明)을 깨닫는 내지(內智)와, 세사(世事)에 통효(通曉)하는 외지(外智).

[三旨相公 삼지상공] 무능한 재상을 조소(嘲笑)하는 말. 우리나라의 '지당 대신'과 뜻이 같음. 송(宋)나라의 재상(宰相) 왕규(王珪)가 일(一)에도 성지(聖旨)가 지당하고, 이(二)에도 성지가 지당하며, 삼(三)에도 성지가 지당하다고 하여 무슨 일에나 천자(天子)의 뜻만 좇은 고사(故事)에 의함.

[三枝之禮 삼지지례] 비둘기는 예의를 지켜 어미새가 앉은 가지에서 세 가지 아래 되는 데 앉는다는 말.

[三枝槍 삼지창] 끝이 세 갈래 진 창(槍).

[三秦 삼진] ㉠옹(雍)·새(塞)·적(翟)의 세 나라. 항우(項羽)가 진(秦)나라를 멸(滅)하고 그 영토를 나누어 진나라의 항장(降將) 장한(章邯)·사마흔(司馬欣)·동예(董翳)를 왕으로 봉(封)하였으므로 이름. ㉡십육국 시대(十六國時代)의 전진(前秦)·후진(後秦)·서진(西秦)의 세 나라.

[三晉 삼진] 전국 시대(戰國時代)의 한(韓)·위(魏)·조(趙)의 세 씨(氏). 이들의 선조(先祖)는 본시 진(晉)나라를 섬겼는데, 후에 진나라를 분할하여 각각 독립하였으므로 이름.

[三徵七辟 삼징칠벽] 세 번 천자(天子)가 부르고 일곱 번 주군(州郡)에서 부른다는 뜻으로, 자주 임관시키려고 조정에서나 지방 관아(地方官衙)에서 부름을 이름.

[三叉 삼차] 세 갈래.

[三車 삼차] 양차(羊車)·녹차(鹿車)·우차(牛車).

[三倉 삼창] 자서(字書)의 총칭(總稱). 한대(漢代)에는 창힐편(倉頡篇)·원력편(爰曆篇)·박학편(博學篇)을 이르고, 위진(魏晉) 이후에는 창힐편(倉頡篇)·훈찬편(訓纂篇)·방희편(滂喜篇)도 일컬음.

[三尺 삼척] ㉠삼척법(三尺法). ㉡칼. 검(劍). 길이가 석 자이므로 이름.

[三尺童子 삼척동자] 대여섯 살의 어린아이.

[三尺法 삼척법] 법. 법률. 옛날에 길이가 석 자 되는 죽찰(竹札)에 법문(法文)을 적었으므로 이름.

[三尺秋水 삼척추수] 서슬이 시퍼런 칼. 삼척(三尺)은 칼의 길이, 추수(秋水)는 칼의 빛을 형용한 말.

[三天 삼천]《佛敎》 마리지천(摩利支天)·대흑천(大黑天)·변재천(辨財天).

[三遷 삼천] 삼천지교(三遷之敎).

[三千大千世界 삼천대천세계]《佛敎》 ㉠소천세계(小千世界)·중천세계(中千世界)·대천세계(大千世界)의 총칭(總稱). 수미산(須彌山)을 중심으로 하여 해와 달과 사천하(四天下)를 한 세계라 이르고, 이것을 천 배한 것을 소천세계(小千世界), 소천세계를 천 배한 것을 중천세계(中千世界), 중천세계를 천 배한 것을 대천세계(大千世界)라 함. 삼천 세계(三千世界). ㉡전 세계. 넓은 세계.

[三千世界 삼천세계] 삼천 대천세계(三千大千世界).

[三遷之敎 삼천지교] 맹자(孟子)의 어머니가 맹자를 가르치기 위하여 집을 세 번 옮긴 일. 좋은 환경을 택하기 위하여 처음에 묘지(墓地) 옆에서 살다가 저잣거리로, 저잣거리에서 또 학교 옆으로 옮겼음.

[三千寵愛 삼천총애] 여러 시녀(侍女)가 받는 총애.

[三淸 삼청] 도교(道敎)에서 옥청(玉淸)·상청(上淸)·태청(太淸)을 이름(신선이 산다는 궁의 이름).

[三諦 삼체] 삼제(三諦).

[三體 삼체] ㉠세 가지 체형(體形). ㉡진(眞)·행(行)·초(草)의 세 서체(書體). ㉢고체(固體)·액체(液體)·기체(氣體).

[三體詩 삼체시] 송말(宋末)에 주필(周弼)이 당대(唐代)의 시인 167인의 시를 칠언 절구(七言絶句)·칠언 율시(七言律詩)·오언 율시(五言律詩)의 삼체(三體)로 나누어 편찬한 시집. 총 6권.

[三焦 삼초] 한방(漢方)에서 이르는 육부(六腑)의 하나로서 상초(上焦)·중초(中焦)·하초(下焦)의 총칭. 상초는 심장 아래에, 중초는 위(胃) 속에, 하초는 방광(膀胱) 위에 있어서 수분(水分)의 배설(排泄)을 맡는다고 함.

[三寸不律 삼촌불률] 붓[筆]의 별칭(別稱). 삼촌(三寸)은 붓의 길이. 불률(不律)의 합음(合音)은 필(筆).

[三寸舌 삼촌설] ㉠혀. 삼촌(三寸)은 혀의 길이. ㉡언어(言語)·변설(辯舌)을 이름.

[三秋 삼추] ㉠가을의 3개월. 곧, 음력 7월의 초

추(初秋), 음력 8월의 중추(仲秋), 음력 9월의 만추(晩秋). ㉡9개월. 춘·하·추·동은 각각 3개월씩이므로 이름. 삼계(三季). ㉢3개년. 3개년 동안에 가을이 세 번 돌아오므로 이름.

[三秋之思 삼추지사] 하루만 만나지 않아도 3년 동안이나 만나지 않은 것같이 생각된다는 뜻으로, 사람을 사모하는 마음이 대단히 간절함을 이름. 일설(一說)에, 삼추(三秋)는 9개월. 일일삼추(一日三秋).

[三春 삼춘] ㉠봄의 3개월. 곧, 음력 정월의 맹춘(孟春), 음력 2월의 중춘(仲春), 음력 3월의 계춘(季春). ㉡3개년. 3개년 동안에 봄이 세 번 돌아오므로 이름. 삼추(三秋).

[三蟲 삼충] 삼시충(三尸蟲).

[三層樓 삼층루] 삼 층의 건물.

[三致意 삼치의] 깊이 마음을 씀. 대단히 관심을 둠.

[三親 삼친] ㉠부자(父子)·부부(夫婦)·형제(兄弟). ㉡부족(父族)·모족(母族)·처족(妻族).

[三七日 삼칠일] 해산(解産)한 지 스무하루 되는 날.

[三嘆 삼탄] 여러 번 찬탄(讚嘆)함.

[三台 삼태] ㉠자미궁(紫微宮)의 주위에 있는 상태(上台)·중태(中台)·하태(下台)의 각각 두 별씩 도합 여섯 별. ㉡삼공(三公)의 뜻.

[三台星 삼태성] 삼태(三台) ㉠.

[三宅 삼택] '삼택삼준(三宅三俊)'을 보라.

[三宅三俊 삼택삼준] 삼택(三宅)은 상백(常伯)·상임(常任)·준인(準人)의 지위. 삼준(三俊)은 삼택이 될 만한 덕(德)이 있는 사람.

[三通 삼통] 이름에 통(通)의 글자가 든 세 책. 곧, 당(唐)나라 사람 두우(杜佑)가 지은 〈통전(通典)〉, 송(宋)나라 사람 정초(鄭樵)가 지은 〈통지(通志)〉, 송나라 사람 마단림(馬端臨)이 지은 〈문헌통고(文獻通考)〉.

[三巴 삼파] 파(巴)라는 글자가 든 세 고을. 후한(後漢)의 파(巴)·파동(巴東)·파서(巴西)를 이름.

[三品 삼품] 그림의 세 가지 품위. 곧, 신품(神品)·묘품(妙品)·능품(能品).

[三風十愆 삼풍십건] 세 가지 나쁜 풍습. 곧, 무풍(巫風)·음풍(淫風)·난풍(亂風)과 그 세목(細目)인 열 가지 허물. 곧, 항무(恆舞)·감가(酣歌)·순화(殉貨)·순색(殉色)·항유(恆遊)·항전(恆畋)·모성언(侮聖言)·역충직(逆忠直)·원기덕(遠耆德)·비완동(比頑童).

[三河 삼하] ㉠황하(黃河)·회하(淮河)·낙하(洛河). ㉡한대(漢代)의 하내(河內)·하남(河南)·하동(河東)의 세 군(郡)을 이름. ㉢황하(黃河). 하동·하남·하북의 세 군을 흐르므로 이름.

[三夏 삼하] ㉠여름의 3개월. 곧, 음력 4월의 맹하(孟夏), 음력 5월의 중하(仲夏), 음력 6월의 계하(季夏). 구하(九夏). ㉡3개년. 3개년 동안에 여름이 세 번 돌아오므로 이름.

[三學 삼학] ㉠당대(唐代)의 국자학(國子學)·태학(太學)·사문학(四門學). 송대(宋代)에는 태학을 외사(外舍)·중사(中舍)·상사(上舍)로 나누어 이를 삼학이라 하였음. ㉡문학(文學)·무학(武學)·종학(宗學). ㉢《佛敎》 수업승(修業僧)이 닦아야 할 세 가지 학문. 곧, 계학(戒學)·정학(定學)·혜학(慧學).

[三澣 삼한] 달의 상·중·하순의 일컬음. 한(澣)은 본래 씻는다는 뜻이나 한당(漢唐)의 제도에, 관리는 열흘마다 휴가를 얻어 목욕하였으므로, 전(轉)하여 십 일의 뜻으로 쓰임. 삼순(三旬). 삼완(三浣).

[三韓 삼한]《韓》 전한(前漢) 초에 우리나라 남부에 일어난 세 나라. 곧, 마한(馬韓)·진한(辰韓)·변한(弁韓).

[三寒四溫 삼한사온] 겨울철에 한국·만주 등지에서 사흘가량 추운 날씨가 계속되다가 그 다음에 나흘가량 따스한 날씨가 계속되는 주기적(週期的)인 기후 현상.

[三解脫 삼해탈] 세 가지 해탈(解脫). 곧, 공(空)·무상(無想)·무원(無願).

[三行 삼행] ㉠자식으로서 어버이에게 행하여야 할 세 가지 행위. 곧, 양친(養親)·치상(治喪)·봉제사(奉祭祀). ㉡사람이 중히 여겨야 할 세 가지 행위. 곧, 부모를 섬기는 효행(孝行), 군자(君子)를 존경하는 우행(友行), 사장(師長)을 섬기는 순행(順行).

[三革 삼혁] ㉠가죽으로 만드는 세 가지 무기. 곧, 갑옷·투구·방패. ㉡개원(改元)의 이유가 된 세 혁명. 곧, 갑자혁명(甲子革命)·무진혁명(戊辰革命)·신유혁명(辛酉革命).

[三絃 삼현] 삼현금(三絃琴).

[三賢 삼현]《佛敎》 대승(大乘)의 십주(十住)·십행(十行)·십회향(十回向)의 세 보살(菩薩).

[三絃琴 삼현금] 줄 셋을 맨 거문고.

[三絃琴]

[三峽 삼협] 촉(蜀) 땅의 세 협곡(峽谷). 곧, 무협(巫峽)·구당협(瞿塘峽)·서릉협(西陵峽). 일설(一說)에는, 서릉협·귀향협(歸鄕峽)·무협(巫峽).

[三慧 삼혜]《佛敎》 세 가지 지혜. 곧, 견문하여 얻는 문혜(聞慧), 사유(思惟)하여 얻는 사혜(思慧), 수행(修行)하여 얻는 수혜(修慧).

[三壺 삼호] 해중(海中)에 있는 신선(神仙)이 산다는 세 산. 곧, 봉호(蓬壺)·방호(方壺)·영호(瀛壺). 산의 모양이 병과 같다 하여 이른 말. 삼신산(三神山). 삼도(三島).

[三魂 삼혼]《佛敎》 ㉠사람의 몸 가운데 있는 세 가지 정혼(精魂). 곧, 태광(台光)·상령(爽靈)·유정(幽精). ㉡업상(業相)·전상(轉相)·현상(現相).

[三桓 삼환] 춘추 시대(春秋時代)의 노(魯)나라의 삼경(三卿). 곧, 맹손씨(孟孫氏)·계손씨(季孫氏)·숙손씨(叔孫氏). 모두 환공(桓公)의 자손이므로 이름. 삼가(三家).

[三皇 삼황] 중국 고대의 천자(天子). 곧, 복희씨(伏羲氏)·신농씨(神農氏)·황제(黃帝), 또는 수인씨(燧人氏). 일설(一說)에는, 포희씨(包犧氏)·여왜씨(女媧氏)·신농씨(神農氏). 또 일설에는, 천황씨(天皇氏)·지황씨(地皇氏)·인황씨(人皇氏).

[三皇五帝 삼황오제] 삼황(三皇)과 오제(五帝). 오제는 소호(少昊)·전욱(顓頊)·제곡(帝嚳)·요(堯)·순(舜). 《사기(史記)》에는 소호(少昊) 대신 황제(黃帝)로 되어 있음.

[三會 삼회]《佛敎》 ㉠미륵(彌勒)이 나타나 용화수(龍華樹) 밑에서 세 번 설법(說法)하는 일. 이를 용화삼회(龍華三會)라 함. ㉡흥복사(興福寺)의 유마회(維摩會), 약사사(藥師寺)의 최승회(最勝會), 금중(禁中)의 어재회(御齋會). 이를 남경(南京)의 삼회(三會)라 함. ㉢원종사

(圓宗寺)의 법화회(法華會)·최승회(最勝會), 법승사(法勝寺)의 대승회(大乘會). 이를 북경(北京)의 삼회라 함.
[三回忌 삼회기]《佛教》3년째의 기일(忌日). 대상(大祥) 날. 대상기(大祥忌).
[三孝 삼효] 세 가지 효행. 곧, 첫째는 존친(尊親), 둘째는 불욕(弗辱), 셋째는 능양(能養).
[三釁三浴 삼흔삼욕] 삼욕삼훈(三浴三薰).
[三犧 삼희] 삼생(三牲).
◉擧一反三. 九三. 達尊三. 務三. 無二無三. 文體三. 民生三. 什二三. 五三. 再三. 朝四暮三. 重三. 初三.

2 ③ [下] 中人 하 ①-②㊤馬 胡雅切 xià ③-⑥㊦禡 胡駕切 xià

筆順 一 丁 下

字解 ①아래 하 ㉠위의 대(對). '上一'. '一層'. '一臨無地'《王勃》. ㉡낮은 곳. '猶水之就一'《孟子》. ㉢밑. 바닥. '地一'. '出魚乎十仞之一'《呂氏春秋》. ㉣물건의 머리와 반대되는 쪽 끝. '一文'. '若河決一流而東注'《韓愈》. ㉤뒤. 후세. '千歲之一'《歷代名畫記》. '上自唐虞, 一至秦繆'《十八史略》. ㉥열등. '一劣'. '厥賦一上'《書經》. ㉦두 사물(事物) 중의 경(輕)한 쪽. '上以安主體, 一以便萬民'《漢書》. ㉧낮은 지위. 낮은 사람. '一嫁'. '在一不怨'《孝經》. ㉨부하. '手一'. '強將之一無弱兵'《蘇軾》. ㉩백성. 서민. '上之化一, 得其道'《韓愈》. ㉪곁. 가. '數州之土壤, 皆在衽席之一'《柳宗元》. ㉫산기슭. '采苦采苦, 首陽之一'《詩經》. ㉬땅. '禱爾于上一神祇'《論語》. ㉭어의(語意)를 강하게 하기 위하여 조사(助辭)와 같이 씀. '但見古來盛名一, 終日坎壈纏其身'《杜甫》. ㉮자기의 사물에 관한 겸칭(謙稱). '一懷'. '一走將歸延陵之墓'《漢書》. ②낮을 하 아래임. 미치지 못함. '一位'. '一等'. '一王后一等'《詩經序》. ③ 내릴 하 ㉠낮은 데로 옮음. 내려감. '一車'. '一山'. '浮西河而一'《史記》. 또, 낮은 데로 옮김. '糟糠之妻不一堂'《後漢書》. ㉡비가 옴. '陰雲曀兮雨未一'《曹丕》. 또, 비가 오게 함. '天油然作雲, 沛然一雨'《孟子》. ㉢명령이 나옴. '制一'《十八史略》. 또, 명령을 냄. '一命'. '趣使使一令'《史記》. ㉣착수함. 손을 댐. '一手'. '將軍一筆開生面'《杜甫》. ④ 떨어질 하 ㉠낙하함. '慷慨傷悵, 泣數行一'《史記》. ㉡함락함. 항복함. '齊城不一者兩城耳'《史記》. ⑤ 떨어뜨릴 하 함락시킴. 항복받음. '憑軾一東藩'《魏徵》. ⑥ 낮출 하 ㉠겸손함. '卑一'. '以貴一賤, 大得民也'《易經》. ㉡감함. 적게 함. '歲登一其損益之數'《周禮》.

字源 甲骨文 〔 〕 金文 〔 〕 古文 〔 〕 篆文 〔 〕 指事. 甲骨文·金文·古文은 기준(基準)되는 가로획 밑에 짧은 가로획을, 篆文은 기준되는 가로획 밑에 긴 세로획을 긋고, '밑·아래'의 뜻을 나타냄.

[下嫁 하가] 군주(君主)의 딸이 신하(臣下)에게 시집감. 하강(下降).
[下疳 하감] 성병(性病)의 한 가지. 음식창(陰蝕瘡). 감창(疳瘡).
[下瞰 하감] 내려다봄. 부감(俯瞰).
[下降 하강] ㉠아래로 내려옴. ㉡하가(下嫁).
[下車 하거] ㉠수레에서 내림. ㉡고을 원 따위의 벼슬아치가 임소(任所)에 부임함.
[下計 하계] 졸렬한 계책. 제일 좋지 않은 계책. 하책(下策).
[下界 하계]《佛教》사람이 사는 이 세상. 천상계(天上界)의 대(對).
[下工 하공] 서투름. 졸렬함.
[下官 하관] ㉠지위가 낮은 벼슬아치. 속리(屬吏). ㉡관리의 겸칭(謙稱). 소관(小官).
[下棺 하관] 관을 광중(壙中)에 내려놓음.
[下管 하관] 당하(堂下)에서 연주하는 관악(管樂). 이때 당상(堂上)에서는 녹명(鹿鳴)을 노래 부름.
[下顴 하관] 얼굴의 아래쪽 턱 부분.
[下卦 하괘] 팔괘(八卦) 중의 두 괘(卦)가 겹친 괘. 곧, 육효(六爻)로 된 괘 중의 아래 괘. 상괘(上卦)의 대(對).
[下交 하교] 자기보다 신분이 낮은 사람과의 사귐.
[下教 하교] ㉠윗사람이 아랫사람에게 가르쳐 줌. ㉡《韓》왕의 명령. 전교(傳教).
[下國 하국] ㉠온 세상. 천하(天下). ㉡경사(京師)에서 떨어진 곳. 지방(地方). 상국(上國)의 대(對). ㉢자기 나라의 겸칭(謙稱). 폐국(敝國).
[下卷 하권] 두 권 또는 세 권으로 된 책의 맨 끝 권.
[下剋上 하극상] 아래가 위를 능범(凌犯)한다는 뜻으로, 신하(臣下)가 군주보다 권력이 셈을 이름.
[下根 하근]《佛教》하등의 근성(根性). 열등의 기근(機根). 하기(下機). 상근(上根)의 대(對).
[下級 하급] 아래의 계급, 또는 등급.
[下氣 하기] 기운을 가라앉힘. 기운을 내리게 함.
[下機 하기]《佛教》하근(下根).
[下女 하녀] ㉠계집 하인. ㉡재야(在野)의 현인(賢人)을 비유하여 이르는 말.
[下年 하년] 뒤에 오는 해. 후년(後年).
[下念 하념] 윗사람이 아랫사람에 대하여 염려함.
[下奴 하노] ㉠하인. 종. ㉡남을 욕하여 이르는 말. 고놈. ㉢자기를 낮추어 이르는 말. 소인(小人).
[下端 하단] 아래쪽의 끝.
[下壇 하단] 단에서 내려옴.
[下丹田 하단전] 도가(道家)에서 이르는 삼단전(三丹田)의 하나. 배꼽 아래 한 치쯤 되는 곳.
[下達 하달] 윗사람의 뜻이 아랫사람에게 미치어 이름.
[下答 하답] 윗사람이 아랫사람에게 대답함.
[下待 하대] 낮게 대우함.
[下道 하도] 샛길. 간도(間道).
[下等 하등] ㉠나쁜 물품. ㉡낮은 등급, 또는 계급.
[下等動物 하등동물] 진화의 정도가 낮아서 조직(組織)이 지극히 간단한 동물. 아메바 따위.
[下等植物 하등식물] 진화의 정도가 낮아서 조직이 지극히 간단한 식물. 세균류(細菌類) 따위.
[下落 하락] ㉠내림. 떨어짐. ㉡값이 떨어짐. ㉢등급이 떨어짐.
[下略 하략] ㉠이하(以下)를 생략한다는 뜻으로, 문장의 아랫부분을 빼고 쓰지 않는 일. ㉡하계(下計).
[下諒 하량] 윗사람이 아랫사람의 사정을 살피어 알아줌.
[下慮 하려] 하념(下念).
[下廉 하렴] 발을 내림.
[下令 하령] ㉠명령을 내림. ㉡《韓》왕세자(王世子)가 영지(令旨)를 내림.

[下隷 하례] 하인(下人). 「하관(下官).
[下僚 하료] 지위가 낮은 벼슬아치. 말료(末僚).
[下流 하류] ㉠하등의 계급. 낮은 지위(地位). 하위(下位). ㉡하천(河川)의 아래 편. 하유(下游).
[下陸 하륙] 짐을 땅으로 옮기어 내림.
[下陵上替 하릉상체] 아랫사람이 윗사람을 능범(陵犯)하여 윗사람의 권위가 땅에 떨어짐. 능체(陵替).
[下吏 하리] 낮은 벼슬아치. 하료(下僚).
[下里 하리] ㉠죽은 사람의 혼(魂)이 모이는 곳. ㉡시골. 촌.
[下俚 하리] ㉠천함. 상스러움. ㉡상스러운 노래.
[下痢 하리] 설사(泄瀉). 또, 설사를 함.
[下里巴人 하리파인] 상스러운 속요. 유행가.
[下臨 하림] ㉠하감(下瞰). ㉡고귀한 사람이 비천한 사람을 방문함. ㉢신(神)이 하늘에서 내려옴. 강림(降臨).
[下馬 하마] 말에서 내림.
[下馬坊 하마방] 능묘(陵墓)·종묘(宗廟) 등에 세우는, 누구든지 그 앞을 지날 때에는 말에서 내리라는 뜻을 적은 푯말.
[下馬碑 하마비] 누구든지 그 앞을 지날 때에는 말에서 내리라는 뜻을 새긴 푯돌.
[下錨 하묘] 닻을 내림. 배를 항구에 댐. 정박(碇泊)함. 「文).
[下文 하문] 아래의 글. 다음의 문장. 후문(後
[下門 하문] 보지. 음문(陰門).
[下問 하문] ㉠아랫사람에게 물음. ㉡윗사람의 물음을 높이어 이르는 말.
[下物 하물] 하주물(下酒物).
[下米 하미] 품질이 낮은 쌀.
[下民 하민] ㉠하토(下土)의 백성. 백성. 국민. 세상 사람. ㉡아래에 있는 사람.
[下膊 하박] 팔의 팔꿈치에서 손목까지의 부분. 전박(前膊).
[下薄石 하박석] 비(碑)·탑(塔) 등의 맨 아래에 까는 돌. 「(對).
[下半 하반] 둘로 나눈 아래쪽. 상반(上半)의 대
[下班 하반] 아래의 반열(班列). 아래의 석차(席次). 말반(末班).
[下飯 하반] 반찬. 부식물.
[下半天 하반천] 오후(午後). 「間界).
[下方 하방] ㉠아래쪽. ㉡낮은 곳. ㉢인간계(人
[下服 하복] 하체(下體)에 행하는 형벌. 곧, 음부(陰部)를 자르는 형벌. 궁형(宮刑). 상복(上服)의 대(對).
[下僕 하복] ㉠하인. 종. ㉡자기의 겸칭(謙稱). 하노(下奴).
[下付 하부] 관아(官衙) 또는 귀인(貴人)이 아랫사람에게 내려 줌. 또, 그것. 하부(下附).
[下附 하부] 하부(下付).
[下部 하부] 아래쪽의 부분.
[下卑 하비] 하천(下賤).
[下士 하사] ㉠국군의 부사관 계급의 하나. 병장의 위, 중사의 아래. ㉡초야(草野)에 있는 선비.
[下賜 하사] 고귀(高貴)한 사람이 내려 줌.
[下山 하산] ㉠산에서 내려옴. ㉡절에서 수업(修業)을 끝내고 돌아감.
[下三連 하삼련] 한시(漢詩)에서 동성(同聲)의 글자를 석 자 연용(連用)하는 일. 보통 이를 꺼림. 「학교.
[下庠 하상] 주대(周代)에 서민(庶民)이 배우던
[下霜 하상] 서리가 내림.
[下殤 하상] 요사(夭死). 여덟 살부터 열한 살까지의 사이에 죽는 일. '삼상(三殤)'을 보라.
[下生 하생] 《佛教》 부처가 이 세상에 태어나는
[下書 하서] 웃어른이 보낸 글월. 「일.
[下穸 하석] 무덤의 구덩이. 광(壙).
[下船 하선] 배에서 내림.
[下泄 하설] 하리(下痢).
[下世 하세] ㉠이 세상을 버리고 땅속에 들어감. 곧, 죽음. ㉡후세(後世).
[下屬 하속] 부하(部下). 「냄.
[下送 하송] 윗사람이 아랫사람에게 물건을 보
[下手 하수] 손을 댐. 착수(着手)함.
[下水 하수] ㉠물을 아래쪽으로 흘러가게 함. ㉡흐름을 따라 내려감.
[下垂 하수] 아래로 처짐. 축 늘어짐.
[下壽 하수] 사람의 수명을 상·중·하의 셋으로 나눈 중의 최하의 수명. 《장자(莊子)》에는 예순 살, 《좌전(左傳)》에는 여든 살.
[下旬 하순] 그 달의 스무하루부터 그믐날까지의 동안. 하한(下澣).
[下詢 하순] 군주(君主)가 신하(臣下)에게 물음.
[下濕 하습] 땅이 낮고 습기가 많음.
[下乘 하승] ㉠굼뜬 말. 노둔한 말. 노마(駑馬). ㉡《佛教》 비근(卑近)한 교리(教理). 평범한 교리. 소승(小乘). 상승(上乘)의 대(對).
[下視 하시] 하감(下瞰).
[下顎骨 하악골] 아래턱의 뼈.
[下壓力 하압력] 물체가 그 중량(重量)으로 인해서 밑으로 내리누르는 힘.
[下野 하야] 관직에서 물러나 민간으로 돌아감. 정계(政界)에서 은퇴함.
[下若酒 하약주] 미주(美酒)의 이름.
[下陽 하양] 춘추 시대(春秋時代)의 북위(北魏)의 도읍. 지금의 산시 성(山西省) 평륙현(平陸縣)의 땅.
[下劣 하열] 비열(卑劣)함. 누열(陋劣).
[下午 하오] 오후(午後). 상오(上午)의 대(對).
[下獄 하옥] 옥에 갇힘. 또, 옥에 가둠.
[下浣 하완] 하순(下旬).
[下舂 하용] 황혼(黃昏).
[下愚 하우] 대단히 미련함. 또, 그 사람. 천치. 지우(至愚). 대우(大愚). 「라.
[下元 하원] 음력 10월 15일. '삼원(三元)'을 보
[下院 하원] 양원제(兩院制) 의회 제도에서 국민의 직접 선거에 의하여 선출된 의원(議員)으로 구성되는 입법 기관.
[下位 하위] ㉠낮은 지위. 낮은 벼슬. ㉡아래쪽. 하방(下方).
[下帷 하유] 발을 친다는 뜻으로, ㉠집에 들어앉아 독서(讀書)함. ㉡글방을 차리고 글을 가르침.
[下游 하유] 하천(河川)의 아래 편. 하류(下流). 또, 그 부근의 땅. 그 지방. 「稱).
[下儒 하유] ㉠쓸모없는 학자. ㉡학자의 겸칭(謙
[下意 하의] 아랫사람의 마음. 백성의 의사. 민의(民意). 상의(上意)의 대(對).
[下人 하인] ㉠지위가 낮은 사람. ㉡마음이 비열한 사람. ㉢종. 노복(奴僕).
[下載 하재] 배에서 짐을 내림.
[下箸 하저] 음식을 먹음.
[下田 하전] 척박한 전지(田地). 상전(上田)의 대(對).

[下節 하절] 그달 열엿새부터 그믐날까지의 동안.
[下情 하정] ㉠백성의 마음. 백성의 사정. 민심(民心). 민정(民情). ㉡자기의 심사의 겸칭(謙稱).
[下情上達 하정상달] 백성의 뜻이 위에 미침.
[下第 하제] ㉠시험에 떨어짐. 급제(及第)하지 못함. 낙제(落第). 낙방(落榜). ㉡열등(劣等). 하등(下等).
[下劑 하제] 설사(泄瀉)를 시키는 약.
[下從 하종] 아내가 남편의 뒤를 따라 자결(自決)함.
[下種 하종] ㉠씨를 뿌림. 파종(播種). ㉡《佛敎》부처가 중생(衆生)에게 성불득도(成佛得道)의 씨를 내림.
[下坐 하좌] 아랫자리. 낮은 자리. 말석(末席). 말좌(末坐). 상좌(上坐)의 대(對).
[下座 하좌] 하좌(下坐). 말석(末席).
[下走 하주] ㉠심부름꾼. 하인. 하노(下奴). ㉡자기의 겸칭(謙稱).
[下酒物 하주물] 술안주.
[下肢 하지] 발. 다리. 상지(上肢)의 대(對).
[下陳 하진] ㉠뒷줄. 후열(後列). ㉡궁녀(宮女)가 있는 방. 후궁(後宮). 전(轉)하여 궁녀.
[下秩 하질] ㉠낮은 지위. 하위(下位). ㉡첩(妾).
[下車 하차] 하거(下車).
[下策 하책] 졸렬한 계책. 하계(下計). 상책(上策)의 대(對).
[下妻 하처] 첩(妾).
[下泉 하천] ㉠폭포(瀑布). 비천(飛泉). ㉡저승. 황천(黃泉).
[下賤 하천] ㉠천(賤)한 사람. 하천인(下賤人). 비천(卑賤). ㉡손아랫사람에게 겸양(謙讓)함.
[下遷 하천] 벼슬자리가 떨어짐. 좌천(左遷).
[下體 하체] ㉠몸의 아랫부분. 아랫도리. ㉡식물의 뿌리와 줄기. ㉢절개(節槪)를 굽힘.
[下焦 하초] '삼초(三焦)'를 보라.
[下矚 하촉] 내려다봄. 하감(下瞰).
[下層 하층] ㉠아래층. ㉡아래의 계급.
[下値 하치] 헐한 값. 싼 값. 또, 값을 헐하게 함. 염가(廉價).
[下鍼 하침] 침(鍼)을 놓음.
[下澤車 하택차] 바퀴통이 짧은 수레.
[下土 하토] ㉠땅. 지면(地面). 하계(下界). 상천(上天)의 대(對). ㉡낮은 땅. 저지(低地).
[下腿 하퇴] 종아리.
[下版 하판] 《佛敎》 절의 큰방의 아랫목. 항두(桁「頭).
[下篇 하편] 두 편 또는 세 편으로 된 책의 맨 마지막 편.
[下平 하평] 한자의 운(韻) 사성(四聲) 중의 평성(平聲) 서른 운을 상하로 양분한 그 아래의 반(半). 곧, 선(先)·소(蕭)·효(肴)·호(豪)·가(歌)·마(麻)·양(陽)·경(庚)·청(靑)·증(蒸)·우(尤)·침(侵)·담(覃)·염(鹽)·함(咸)의 열다섯 운. 상평(上平)의 대(對).
[下品 하품] ㉠나쁜 물품. ㉡낮은 지위. 낮은 계급. ㉢《佛敎》 구품 정토(九品淨土) 중의 최하(最下)의 삼품(三品).
[下風 하풍] ㉠바람이 부는 방향. 상풍(上風)의 대(對). ㉡다른 사람의 아래. 인후(人後).
[下筆 하필] 붓을 댐. 서화(書畫)를 그림. 또, 시문(詩文)을 지음. 낙필(落筆).
[下筆成章 하필성장] 붓을 들면 막힘이 없이 죽죽 글을 써 내려감.
[下下 하하] 아래의 아래. 최하.
[下學 하학] ㉠비근(卑近)한 데서부터 배움. 인사(人事)를 배움. ㉡정도가 낮은 학문. ㉢공부를 끝내고 학교에서 집으로 돌아감.
[下學上達 하학상달] 아래로 인사(人事)를 배운 후에 위로 천리(天理)에 도달한다는 뜻으로, 비근(卑近)한 사물을 배운 후에 점차로 깊은 학리(學理)에 나아감을 이름.
[下澣 하한] 하순(下旬).
[下鄕 하향] 시골로 내려감.
[下弦 하현] 음력 22~23일경의 반원(半圓)의 달. 상현(上弦)의 대(對).
[下血 하혈] 항문(肛門) 또는 하문(下門)에서 피가 나옴.
[下戶 하호] ㉠주량(酒量)이 적은 사람. ㉡가난한 사람. 빈민(貧民).
[下火 하화] 《佛敎》 화장(火葬).
[下化冥暗 하화명암] 《佛敎》 하화중생(下化衆生).
[下化衆生 하화중생] 《佛敎》 중생(衆生)을 교화하여 제도(濟度)함.
[下回 하회] 다음 회. 차회(次回).
[下懷 하회] 하정(下情)[ㄴ].
[下恤 하휼] 아랫사람을 구휼(救恤)함.
◉却下. 脚下. 閣下. 降下. 轂下. 瓜田李下. 群下. 闕下. 貴下. 廊下. 駑下. 帶下. 登泰山小天下. 燈下. 馬上得天下. 幕下. 目下. 眇天下. 門下. 放下. 旁下. 配下. 凡下. 普天之下. 俛出胯下. 負下. 部下. 盆下. 不出戶知天下. 卑下. 殺下. 上下. 聲淚俱下. 銷金帳下. 手下. 膝下. 臣下. 惡濕居下. 言下. 輦轂下. 輦下. 汙下. 五行并下. 牛口下. 宇下. 雨下. 轅下. 月下. 流下. 遺下. 潤下. 以下. 一上一下. 低下. 殿下. 節下. 足下. 注下. 地下. 直下. 稷下. 擲下. 千里行始足下. 千載之下. 天下. 天下天下之天下. 泉下. 墜下. 趨下. 治國平天下. 沈下. 吐下. 版築下. 陛下. 豐下. 閤下. 形而下. 麾下. 休下. 戲下.

2 ③ [万] [人名] [一] 만 [去]願 無販切 wàn [二] 묵 [入]識 莫北切 mò

[筆順] 一 丂 万

[字解] [一] 일만 만 萬(艸部 九畫)의 俗字. [二] 성 묵 '一俟'는 오랑캐의 복성(複姓).
[參考] '万'은 卍(十部 四畫)의 변형으로, 예로부터 '萬'의 통용자(通用字)로 쓰이었음.

[万俟 묵기] 오랑캐의 복성(複姓).

2 ③ [丈] [高·人] 장 [上]養 直兩切 zhàng

[筆順] 一 ナ 丈

[字解] ①장 장 길이의 단위의 하나. 열 자. 10척(尺). ②길이 장 긴 정도. '屬役賦一'《左傳》. ③어른 장 장자(長者)의 존칭(尊稱). '富鄭公稱范文正公, 曰范十二一'《長編》. ④지팡이 장 杖(木部 三畫)과 통용. '老人持杖, 故曰一人'《六書正譌》. ⑤성 장 성(姓)의 하나.
[字源] [篆文] 象形. 긴 막대기를 손에 든 모양을 본떠, 막대로 잰 신장(身長), 10척(尺)의 뜻을 나타냄.

[丈勘 장감] 장량(丈量).
[丈量 장량] 토지의 면적을 측량함.
[丈六 장륙] ㉠1장(丈) 6척(尺). ㉡길이가 1장 6척 되는 불상(佛像). 장륙불(丈六佛).
[丈六佛 장륙불] 장륙(丈六)㉡.
[丈母 장모] 아내의 친어머니. 빙모(聘母).
[丈夫 장부] ㉠장성한 남자. ㉡남편.
[丈夫女 장부녀] 남자 못지않은 여자. 남자같이 걸걸한 여자.
[丈夫淚 장부루] 절의(節義)를 위하여 우는 남자의 눈물.
[丈夫非無淚不灑離別間 장부비무루불쇄이별간] 남자라고 하여 눈물이 없는 것은 아니지만, 이별과 같은 소소한 일에는 눈물을 흘리지 아니함.
[丈夫爲志窮當益堅 장부위지궁당익견] 남자가 일단 뜻을 세운 바에는 궁하면 궁할수록 더욱 뜻을 견고히 하여야 함.
[丈夫子 장부자] 사내. 남자.
[丈室 장실] 사방이 1장(丈) 되는 방.
[丈人 장인] ㉠장로(長老). ㉡노인(老人). ㉢아내의 친아버지. 악부(岳父). ㉣주인(主人). ㉤죽은 할아버지. 조고(祖考).
[丈人峯 장인봉] 태산(泰山)의 꼭대기에 있는 봉우리의 이름.
[丈人行 장인행] ㉠장인뻘. ㉡장로(長老)의 존자(尊者).
[丈丈 장장] 손윗사람. 존장(尊丈).
[丈尺 장척] ㉠길이. ㉡길이가 1장(丈) 되는 자.
[丈八 장팔] 1장(丈) 8척(尺).
◉光燄萬丈. 老丈. 墨丈. 方丈. 百丈. 査丈. 石丈. 食前方丈. 我丈. 岳丈. 嶽丈. 吾丈. 尺丈. 淸丈. 函丈.

2 ③ [丌] 기 ㊥支 居之切 jī

字解 ①상(床) 기 물건을 받쳐서 내는 소반같이 된 제구. '典從冊在一上'《書經 註》. ②其(八部 六畫)의 古字. ③성 기 성(姓)의 하나.

字源 金文 丌 篆文 丌 象形. 밑에 다리가 달린, 물건을 얹어 놓는 받침을 나타냄.

[扌] 〔수〕 手部(p. 843)를 보라.

[廾] 〔공〕 部首(p. 713)를 보라.

2 ③ [上] 中人 상 ①-⑧㊤漾 時亮切 shàng ⑨㊤養 時掌切 shǎng

筆順 丨 ⺊ 上

字解 ①위 상 ㉠높은 데. '天一'. '輟耕之壠一'《史記》. ㉡존귀한 데. 높은 계급. '賢者在一'《呂氏春秋》. ㉢꼭대기. '頂一'. '藏寶符於常山一'《史記》. ㉣하늘. '格于一下'《書經》. ㉤거죽. 표면. '地一'. '猶燕之巢于幕一'《左傳》. ㉥손윗사람. 존장. '長一'. '忠順不失以事其一'《孝經》. ㉦천자(天子). 군주. '一意'. '主一'. '一自將而往'《史記》. ㉧조정(朝廷). '一無名君'《史記》. 또, 조정에 있는 사람. '居下位, 而不獲於一'《孟子》. ㉨처음. 앞. '一卷'. '誦一篇'《南史》. ㉩옛날. 이전. '一古'. '自此以一者'《呂氏春秋》. ㉪다른 것보다 나은 쪽. '一等'. '未有得一策者也'《漢書》. ㉫둘 있는 사물 중의 중요한 쪽. '一以安主體, 下以便萬民'《漢書》. ②가상 곁. 변두리. '江一'. '子在川一'《論語》. ③숭상할 상 尙(小部 五畫)과 통용. '一賢'《漢書》. ④성 상 성(姓)의 하나. ⑤바랄 상 尙(小部 五畫)과 통용. '一愼旃哉'《詩經》. ⑥가할 상 尙(小部 五畫)과 통용. '草一之風必偃'《論語》. ⑦오를 상 ㉠아래에서 위로 감. '一天'. '搏扶搖羊角而一者九萬里'《莊子》. ㉡탈것을 탐. '天子呼來不一船'《杜甫》. ㉢그 장소에 감. '一途'. '一厠'. ⑧올릴 상 ㉠높게 함. '毋一於面'《儀禮》. ㉡드림. 진헌(進獻)함. '一訴'. '向一書及所著文'《韓愈》. ㉢기재(記載)함. '一梓'. '翻經一蕉葉'《張籍》. ⑨상성 상 사성(四聲)의 하나.

字源 甲骨文 二 金文 二 古文 二 篆文 丄 指事. 甲骨文·金文은 기준선(基準線) 위에 짧은 가로획을 그어, '위'의 뜻을 나타냄.

[上價 상가] 비싼 값. 고가(高價).
[上監 상감]《韓》임금의 존칭(尊稱).
[上甲 상갑] 초하루. 삭일(朔日).
[上客 상객] 상등의 손님. 중요한 손님. 상빈(上賓). 존객(尊客).
[上件 상건] 위에 말한 사건.
[上格 상격] 뛰어난 자격. 높은 격식(格式).
[上京 상경] ㉠천자(天子)의 수도(首都). 서울. ㉡서울로 올라감.
[上卿 상경] 상위(上位)의 경(卿).
[上界 상계]《佛敎》부처가 있는 곳. 천상계(天上界). 하계(下界)의 대(對).
[上計 상계] ㉠뛰어난 계책. 가장 좋은 꾀. 상책(上策). ㉡계책을 올림. ㉢한대(漢代)에 군국(郡國)에서 매년 회계 장부를 조정(朝廷)에 올리던 일.
[上啓 상계] 문서로 천자(天子)에게 아룀. 상서(上書). 계상(啓上).
[上古 상고] 아주 오랜 옛날. 태고(太古). 상세(上世).
[上告 상고] ㉠윗사람에게 고함. ㉡제이심(第二審)의 판결에 불복하여 판결의 파기(破棄) 또는 변경을 상급 재판소에 신청하는 행위.
[上考 상고] 벼슬아치의 성적(成績)의 최상(最上).
[上工 상공] 뛰어난 의원. 명의(名醫).
[上公 상공] ㉠오등작(五等爵)의 첫째인 공작(公爵)의 존칭(尊稱). ㉡한(漢)나라의 제도에서, 태보(太保)·태부(太傅)의 일컬음. 지위가 삼공(三公)의 위이므로 이름.
[上官 상관] 윗자리의 벼슬아치. 상급(上級)의 관리. 상사(上司).
[上卦 상괘] 팔괘(八卦) 중의 두 괘(卦)가 겹친 괘, 곧 육효(六爻)로 된 괘 중 위의 괘. 하괘(下卦)의 대(對).
[上交 상교] ㉠손윗사람과의 사귐. ㉡친밀한 사귐. 친교(親交).
[上求菩提 상구보리]《佛敎》위로 향하여 보리(菩提)의 도(道)를 구함. 하화중생(下化衆生)의 대(對).
[上求材臣殘木 상구재신잔목] 임금이 재목을 구하면 신하가 그의 뜻을 맞추려고 큰 나무를 함부로 남벌(濫伐)하기에 이름. 곧, 임금의 호오(好惡)가 신하의 태도에 곧장 반영됨을 이름.
[上局 상국] 상사(上司).
[上國 상국] ㉠춘추 시대(春秋時代)에 중원(中

原), 곧 황하 유역(黃河流域)의 땅을 이름. ㉡속국(屬國)이 종주국(宗主國)을 일컫는 말. ㉢경사(京師)에 가까운 나라. 근기(近畿). 상방(上方).
[上卷 상권] 두 권 또는 세 권으로 된 책의 첫째 권.
[上根 상근]《佛敎》뛰어난 근성(根性). 뛰어난 기근(機根). 하근(下根)의 대(對).
[上級 상급] 위의 등급. 높은 등급.
[上機 상기]《佛敎》상근(上根).
[上納 상납] 조세(租稅) 등을 바침.
[上年 상년] 지난해. 작년.
[上端 상단] 위의 끝. 하단(下端)의 대(對).
[上丹田 상단전] 도가(道家)에서 이르는 삼단전(三丹田)의 하나로서 뇌(腦)를 이름.
[上達 상달] ㉠진보함. 숙달(熟達). ㉡웃어른에게 말이나 글로 여쭈어 알게 함.
[上答 상답] 웃어른에게 대답함.
[上堂 상당]《佛敎》㉠선사(禪寺)에서 식사를 하기 위하여 식당에 감. ㉡도사(導師)가 설법(說法)을 하기 위하여 법당(法堂)에 올라감.
[上代 상대] 상고(上古).
[上德 상덕] ㉠최상의 덕. 더할 나위 없이 훌륭한 덕. ㉡군주(君主)의 행위.
[上德不德 상덕부덕] 최상의 덕이 있는 사람은 덕이 있는 체하지 아니함.
[上途 상도] 길을 떠남. 출발함. 상도(上道).
[上都 상도] 서울. 경사(京師).
[上道 상도] 상도(上途).
[上頓 상돈] 대주가(大酒家). 주호(酒豪). 상호(上戶).
[上冬 상동] 겨울의 처음 달. 곧, 음력 10월. 맹동(孟冬).
[上棟 상동] 마룻대를 올림.
[上棟下宇 상동하우] 마룻대를 올리고 서까래를 얹어 집을 지음.
[上頭 상두] 여자가 열다섯 살에 비녀를 꽂고, 남자가 관(冠)을 쓰는 일.
[上等 상등] ㉠가장 뛰어남. 뛰어나게 좋음. ㉡위의 등급. ㉢높은 등급.
[上騰 상등] 올라감. 떠오름. 상승(上升).
[上洛 상락] 서울로 올라감. 상경(上京).
[上覽 상람] 임금이 보심. 천람(天覽).
[上略 상략] ㉠글이나 말의 윗부분을 생략함. 전략(前略). ㉡훌륭한 계책. 썩 좋은 계책. 상책(上策).
[上梁文 상량문] 상량식(上梁式)의 축문(祝文).
[上漏下濕 상루하습] 지붕에서는 비가 새고 밑에서는 습기가 올라온다는 뜻으로, 허술한 집이나 빈한한 가정의 형용.
[上流 상류] ㉠하천(河川)의 수원(水源)에 가까운 부분. ㉡높은 자리. 좋은 지위(地位). ㉢높은 신분(身分).
[上陸 상륙] 육지로 오름.
[上馬 상마] ㉠상등(上等)의 말. 좋은 말. 준마(駿馬). ㉡말을 탐.
[上面 상면] 위쪽의 겉면. 윗면.
[上命 상명] 군주(君主)의 명령. 군명(君命).
[上木 상목] 상재(上梓).
[上文 상문] 위의 글. 전술(前述)한 글.
[上聞 상문] 임금의 귀에 들어감. 임금이 들음. 또, 임금이 들어 알게 함. 임금에게 알림. 상청(上聽).
[上文右武 상문우무] 문무(文武)를 모두 숭상함.
[上米 상미] 품질이 좋은 쌀.
[上味 상미] 좋은 맛.
[上膊 상박] 팔의 어깨부터 팔꿈치까지의 부분. 하박(下膊)의 대(對).
[上半 상반] 절반으로 나눈 위쪽.
[上方 상방] ㉠위쪽. ㉡산 위의 절. 산사(山寺). ㉢천자(天子)가 쓰는 물건을 만들고, 또 이것을 저장하는 관아(官衙). 상방(尙方). ㉣북방과 동방. 양기(陽氣)가 나오는 곳이므로 이름.
[上番 상번] ㉠첫째. 제일번(第一番). 당(唐)나라 사람의 방언(方言)임. ㉡벼슬아치가 출근 또는 숙직을 함.
[上輔 상보] 재상(宰相). 상재(上宰).
[上服 상복] 상체(上體)에 행하는 형벌. 곧, 의형(劓刑)과 묵형(墨刑). 하복(下服)의 대(對).
[上峯 상봉] 높은 산봉우리.
[上奉下率 상봉하솔] 부모를 봉양하고 처자를 거느림.
[上部 상부] 위쪽 부분.
[上賓 상빈] 상등의 손님. 중요한 손님. 귀빈(貴賓). 상객(上客).
[上士 상사] ㉠덕(德)이 뛰어난 사람. ㉡주대(周代)에 사(士)를 상·중·하의 세 등급으로 나눈 중의 상위(上位)의 계급. ㉢《佛敎》보살(菩薩). ㉣부사관 계급의 하나(중사의 위, 원사(元士)의 아래).
[上巳 상사] 음력 3월의 첫 번의 사일(巳日). 계제사(禊祭祀)를 지내어 상서롭지 못한 기운을 떨어 버리는 풍습이 있었고, 또 곡수연(曲水宴)도 베풀었음. 후세(後世)에는 3월 3일의 명절. 곧, 삼짇날. 중삼(重三).
[上司 상사] ㉠한대(漢代)에 삼공(三公)을 이름. ㉡상급 관청. 또, 상관(上官).
[上庠 상상] 고대(古代)에 귀인(貴人)의 자제가 배우던 대학. 우학(右學).
[上相 상상] ㉠군주(君主)의 곁에 있어 예(禮)를 돕는 수석(首席)의 벼슬아치. ㉡재상(宰相)의 존칭(尊稱). ㉢별 이름.
[上賞 상상] 최상의 상. 일등 상.
[上序 상서] 상상(上庠).
[上書 상서] ㉠자기의 의견을 써서 천자(天子) 또는 귀인(貴人)에게 올림. 또, 그 글. 상표(上表). 상소(上疏). 상전(上牋). ㉡《韓》조신(朝臣)이 동궁(東宮)에게 글을 올림. 또, 그 글.
[上席 상석] 윗자리. 높은 자리. 상좌(上坐).
[上仙 상선] 상선(上僊).
[上船 상선] 배를 탐. 승선(乘船).
[上僊 상선] ㉠하늘로 올라가 신선(神仙)이 됨. ㉡이 세상을 떠남. 죽음.
[上善 상선] 최상의 선(善).
[上聲 상성] 사성(四聲)의 하나. 발음이 높고 맹렬한 소리. 동(董)·종(腫)·강(講)·지(紙)·미(尾)·어(語)·우(麌)·제(薺)·해(蟹)·회(賄)·진(軫)·문(吻)·원(阮)·한(旱)·산(潸)·선(銑)·소(篠)·교(巧)·호(皓)·가(哿)·마(馬)·양(養)·경(梗)·형(迥)·유(有)·침(寢)·감(感)·염(琰)·함(豏)의 스물아홉 운(韻)이 이에 속함.
[上世 상세] 상고(上古).
[上訴 상소] ㉠군주(君主) 또는 관부(官府)에 하소연함. 또, 그 하소연. ㉡판결에 불복(不服)하여 그 취소 또는 변경을 상급 법원에 요구하는 행위.
[上疏 상소] 상서(上書) ㉠.
[上手 상수] ㉠교묘한 솜씨. 또, 그 솜씨를 가진 사람. ㉡착수(着手)함.

[上水 상수] 물이 거꾸로 흐름. 역류(逆流)함.
[上首 상수] 《佛敎》 ㉠국사(國師)의 존칭(尊稱). 수좌(首座). ㉡출가(出家).
[上壽 상수] ㉠사람의 수명을 상·중·하 셋으로 나눈 중의 최상의 수명. 《장자(莊子)》에는 100세, 《좌전(左傳)》에는 120세. ㉡장수(長壽)를 비는 뜻으로 술잔을 올림. 헌수(獻壽).
[上熟 상숙] 잘 여묾. 잘 익음.
[上旬 상순] 초하루부터 열흘까지의 동안. 상한(上澣).
[上脣 상순] 윗입술.
[上述 상술] 위에 진술함. 앞에 말함.
[上術 상술] 좋은 수단. 좋은 방법.
[上升 상승] 위로 올라감. 떠오름.
[上昇 상승] 상승(上升).
[上乘 상승] ㉠말 네 필로 끄는 수레. ㉡좋은 말. 준마(駿馬). ㉢《佛敎》 심원(深遠)한 교리(敎理). 대승(大乘). 하승(下乘)의 대(對).
[上食 상식] 상가(喪家)에서 조석으로 궤연(几筵)에 올리는 음식.
[上申 상신] 웃어른이나 관청 등에 의견이나 사정을 여쭘.
[上謁 상알] 명함을 올려 배알(拜謁)하기를 청함. 전(轉)하여 배알함. 윗사람과 면회함.
[上壓力 상압력] 액체가 물체를 위로 밀어 올리는 힘.
[上葉 상엽] 상고(上古). 상세(上世).
[上午 상오] 오전(午前). 하오(下午)의 대(對).
[上浣 상완] 상순(上旬).
[上腕 상완] 상박(上膊).
[上用目則下飾觀 상용목즉하식관] 윗사람이 너무 지나치게 살피면 아랫사람이 외관(外觀)을 꾸민다는 뜻으로, 너무 살피면 도리어 진상(眞相)을 잘 모르게 된다는 말.
[上雨 상우] ㉠때에 알맞게 잘 오는 비. ㉡비가 샘.
[上愚 상우] 대단히 미련함. 또, 그 사람. 천치. 하우(下愚).
[上雨旁風 상우방풍] 위에서는 비가 새고, 옆에서는 바람이 불어 들어온다는 뜻으로, 허술한 집을 형용한 말.
[上元 상원] 명절의 하나. 정월 보름날. 대보름날.
[上苑 상원] 천자(天子)의 정원. 대궐(大闕) 안의 동산.
[上院 상원] 양원 제도(兩院制度)의 국회(國會)에 있어서, 주로 귀족·관선 의원 등으로 조직된 의원(議院).
[上援下推 상원하추] 위에 있는 사람이 끌어올리고 밑에 있는 사람이 밀어주어 벼슬에 취임함. 일설(一說)에는, 위에 있는 사람은 아랫사람을 끌어올리고 아래에 있는 사람은 윗사람을 추대(推戴)함.
[上位 상위] 높은 자리. 높은 지위.
[上游 상유] ㉠상류(上流). 또, 그 부근의 땅. 그 지방. ㉡중요한 곳. ㉢높은 지위. 또, 지위가 높은 사람.
[上腴 상유] 토지가 비옥함. 땅이 걺.
[上諭 상유] 조칙(詔勅).
[上遊星 상유성] 화성(火星)·목성(木星)·토성(土星)·천왕성(天王星)·해왕성(海王星)의 일컬음.
[上衣 상의] ㉠겉에 입는 옷. ㉡《韓》저고리.
[上意 상의] 임금의 마음. 천자(天子)의 뜻.
[上醫 상의] 뛰어난 의원. 명의(名醫).
[上人 상인] 《佛敎》 ㉠지덕(智德)이 뛰어난 중. 성인(聖人). ㉡법안(法眼)에 다음가는 중의 지위. ㉢중의 존칭(尊稱).
[上日 상일] 초하루. 삭일(朔日). 일설(一說)에는 상순(上旬).
[上梓 상자] 상재(上梓).
[上長 상장] 지위가 위인 사람. 장상(長上).
[上章 상장] ㉠십이지(十二支) 중의 경(庚)의 별칭(別稱). ㉡군주(君主) 또는 정부에 표문(表文)을 올림. 또, 그 표문. ㉢앞에 있는 장(章). 전장(前章).
[上將 상장] ㉠상위(上位)의 장군. 상장군(上將軍). ㉡별 이름. ㉢중국 장성 계급의 하나. 중장의 위.
[上將軍 상장군] 상장(上將) ㉠.
[上才 상재] 뛰어난 재능(才能). 또, 뛰어난 인물.
[上宰 상재] ㉠재상(宰相)의 일컬음. 상보(上輔). ㉡별 이름.
[上梓 상재] 문서를 출판함. 옛날에 가래나무〔梓〕를 판목(版木)으로 썼으므로 이름.
[上裁 상재] ㉠군주(君主)의 재결(裁決). ㉡귀인(貴人)의 재결.
[上田 상전] 상등의 전지(田地). 하전(下田)의 대(對).
[上牋 상전] 상서(上書) ㉠.
[上程 상정] ㉠여정(旅程)에 오름. ㉡의안(議案)을 회의에 내놓음.
[上帝 상제] ㉠하늘. 또, 하느님. 천제(天帝). ㉡조물주(造物主). 조화(造化). ㉢천자(天子). ㉣상고(上古)의 제왕(帝王).
[上第 상제] 위의 등급. 높은 등급. 상등(上等).
[上製 상제] 상등의 제조.
[上足 상족] 뛰어난 제자. 수제자(首弟子). 고족제자(高足弟子).
[上蔟 상족] 누에를 발이나 섶에 올림.
[上尊 상존] ㉠위에 있어 존귀(尊貴)함. ㉡'상준(上尊)'을 보라.
[上佐 상좌] 《佛敎》 ㉠속인(俗人)으로서 절에 들어가 불도(佛道)를 연구하는 사람. 행자(行者). ㉡사승(師僧)의 대를 이을 여러 사람 중에서 가장 높은 사람.
[上坐 상좌] 윗자리. 높은 자리. 상좌(上座). 상석(上席).
[上座 상좌] ㉠상좌(上坐). ㉡《佛敎》 절의 식당(食堂)에 안치한 문수보살(文殊菩薩), 또는 빈두로존자(賓頭盧尊者)의 상(像).
[上酒 상주] 상등의 술. 좋은술.
[上奏 상주] 천자(天子)에게 의견 또는 사실을 아룀. 상소(上疏).
[上柱國 상주국] 전국 시대(戰國時代)의 초(楚)나라의 벼슬 이름. 발군(拔群)의 전공(戰功)을 세운 공신에게 수여하였는데, 명대(明代)에 이르기까지 최고의 훈위(勳位)였음. 단지 주국(柱國)이라고도 함.
[上尊 상준] 상등의 술. 좋은 술. 또, 남이 보낸 술.
[上衆 상중] 귀(貴)한 사람. 귀인(貴人).
[上旨 상지] 천자(天子)의 뜻. 상의(上意). 상지(上指).
[上地 상지] 상등의 땅. 곡식이 잘 여무는 땅.
[上志 상지] 상고(上古)의 기록. 고기(古記). 지(志)는 지(誌).
[上知 상지] 가장 뛰어난 슬기. 선천적(先天的)으로 탁월한 지혜. 또, 그 슬기가 있는 사람.

[上肢 상지] 손. 팔. 하지(下肢)의 대(對).
[上枝 상지] 형(兄)의 별칭(別稱).
[上指 상지] ㉠상지(上旨). ㉡위를 가리킴.
[上智 상지] 상지(上知).
[上之所好下必甚焉 상지소호하필심언] 윗사람이 좋아하는 것은 아랫사람이 한층 더 좋아하게 된다는 뜻으로, 윗사람이 하는 일은 아랫사람이 대개 본받게 된다는 말.
[上池水 상지수] 이슬.
[上知與下愚不移 상지여하우불이] 보통 사람의 성질은 경우와 교육 여하에 따라서 변하지만, 선천적으로 슬기가 아주 뛰어난 사람과 아주 미련한 사람은 절대로 변하지 아니함.
[上陳 상진] 상신(上申).
[上僭 상참] 아랫사람이 자기 분수에 넘치는 참람(僭濫)한 짓을 함.
[上策 상책] 상계(上計).
[上天 상천] ㉠하늘. 하토(下土)의 대(對). ㉡하느님. 천제(天帝). 조물주(造物主). ㉢사천(四天)의 하나. 겨울의 하늘. ㉣하늘로 올라감. 승천(升天).
[上天下地 상천하지] 하늘과 땅. 천지(天地).
[上聽 상청] 상문(上聞).
[上體 상체] 몸의 윗부분. 윗도리.
[上焦 상초] '삼초(三焦)'를 보라.
[上秋 상추] 초가을. 음력 7월. 초추(初秋).
[上春 상춘] 초봄. 음력 정월. 초춘(初春).
[上衝 상충] 위로 치밀어 오름.
[上厠 상측] 뒷간에 감. 뒤보러 감.
[上層 상층] ㉠위층(層). ㉡위의 계급.
[上濁下不淨 상탁하부정] 윗물이 흐리면 아랫물도 자연히 깨끗하지 못함. 윗물이 맑아야 아랫물이 맑음.
[上通天文下達地理 상통천문하달지리] 천문과 지리에 모두 통달함. 천지 만물의 이치를 모두 환히 앎.
[上篇 상편] 두 권 또는 세 권으로 된 책의 첫째 권.
[上平 상평] 한자의 운(韻) 사성(四聲) 중의 평성(平聲) 서른 운을 상하로 양분한 그 위의 반(半). 곧, 동(東)·동(冬)·강(江)·지(支)·미(微)·어(魚)·우(虞)·제(齊)·가(佳)·회(灰)·진(眞)·문(文)·원(元)·한(寒)·산(刪)의 열다섯 운. 하평(下平)의 대(對).
[上幣 상폐] ㉠주옥(珠玉). ㉡금. 황금.
[上表 상표] 군주(君主)에게 의견서(意見書)를 올림. 또, 그 의견서. 상서(上書). 상소(上疏).
[上品 상품] ㉠상류의 계급. 상류 사회. ㉡《佛教》 극락정토(極樂淨土)의 상·중·하 세 등급의 최상급.
[上風 상풍] 바람이 부는 반대 방향. 하풍(下風)의 대(對).
[上下 상하] ㉠위와 아래. ㉡높음과 낮음. 높은 데와 낮은 데. ㉢하늘과 땅. 천지(天地). ㉣임금과 신하. 또, 치자(治者)와 피치자(被治者). 조야(朝野). ㉤윗사람과 아랫사람. 높은 사람과 낮은 사람. 귀한 사람과 천한 사람. ㉥올라갔다 내려갔다 함.
[上下相蒙 상하상몽] 윗사람과 아랫사람이 서로 속임.
[上下一致 상하일치] 윗사람과 아랫사람이 마음을 합침. 상하가 협력함.
[上下之分 상하지분] 윗사람과 아랫사람의 분별.
[上下天光 상하천광] 위의 하늘과 아래의 호수(湖水)가 서로 비치는 하늘빛.
[上學 상학] 학교에 감.
[上澣 상한] 상순(上旬).
[上合 상합] 유성(遊星) 또는 위성(衛星)이 태양(太陽)과 같은 방향으로 와서, 태양보다 멀리 있을 때의 일컬음.
[上玄 상현] 하늘. 또, 하느님.
[上弦 상현] 음력 7~8일경의 반원(半圓)의 달. 반월(半月). 현월(弦月). 하현(下弦)의 대(對).
[上賢 상현] ㉠뛰어나게 현명함. 아주 어짊. 또, 그 사람. ㉡어진 이를 숭앙함.
[上血 상혈] 피를 토함. 토혈(吐血).
[上刑 상형] 가장 중한 형벌. 중형(重刑). 극형(極刑). 사형(死刑).
[上戶 상호] 대주가(大酒家). 주호(酒豪). 대호(大戶). 호대(戶大). 부자(富者).
[上皇 상황] ㉠양위(讓位)한 천자(天子)의 존칭(尊稱). 태상황(太上皇). ㉡상고(上古)의 제왕(帝王). ㉢천제(天帝). 상제(上帝).
◉公上. 君上. 極上. 謹上. 今上. 無上. 番上. 鼻孔上. 史上. 三上. 世上. 霄上. 垂千鈞鳥卵上. 身上. 眼睛上. 若在掌上. 燕巢幕上. 炎上. 零上. 蝸牛角上. 運之掌上. 以上. 以鴻毛燎爐炭上. 作文三上. 長上. 掌上. 呈上. 頂上. 尊上. 主上. 奏上. 至上. 地上. 紙上. 直上. 進上. 天上. 最上. 太上. 苔上. 霸上. 蔽上. 豐上. 形而上.

2 [𠀃] 〔차·조〕
③ 且(一部 四畫〈p. 41〉)의 古字

3 [不] 中·人 一 불 ㉮物 分勿切 bù
④ 二 부 ㉯尤 甫鳩切 fōu
三 비 ㉯虞 風無切 pī

筆順 一 丆 不 不

字解 一 ①아니 불 아님. '一可'. '一利'. '雖一中, 一遠'《大學》. ②아니할 불 '一爲'. '我四十一動心'《孟子》. 二 ①아닌가 부 의문(疑問)의 미정사(未定辭). '借問有酒一'《杜甫》. ②성 부 성(姓)의 하나. 三 클 비 丕(一部 四畫)와 통용(通用). '一顯惟德'《詩經》.

字源 甲骨文 金文 篆文 象形. 꽃의 암술의 씨방의 뜻. 가차(假借)하여 부정(否定)의 말로 쓰임.

參考 '아니불'은 뒤에 오는 자(字)의 초성(初聲)이 'ㄷ, ㅈ'일 때에는 '不當부당', '不正부정'처럼 '부'로 읽음.

[不斷 부단] 결단력이 없음.
[不達時變 부달시변] 시세의 변화에 따르지 못함. 곧, 완고하여 변통성이 없음.
[不達時宜 부달시의] 부달시변(不達時變).
[不當 부당] 이치(理致)에 맞지 아니함. 정당하지 아니함.
[不當利得 부당이득] 정당하지 못한 방법에 의하여 남에게 손해를 끼치면서 얻는 이익.
[不大不小 부대불소] 크지도 작지도 않고 알맞음.
[不德 부덕] ㉠도덕에 어그러짐. ㉡덕(德)이 없음.

[不道 부도] 도덕에 어그러짐. 무도(無道).
[不圖 부도] 뜻밖에. 우연히.
[不倒翁 부도옹] 장난감의 한 가지. 오뚝이.
[不導體 부도체] 열(熱)·전기(電氣) 등을 전하지 못하는 물체(物體).
[不同 부동] 같지 아니함.
[不動 부동] ㉠물건이 움직이지 아니함. ㉡마음이 외계(外界)의 사물(事物)로 인하여 움직이지 아니함. ㉢《佛敎》 부동존(不動尊)의 약칭(略稱).
[不動明王 부동명왕] 《佛敎》 부동존(不動尊).
[不動產 부동산] 움직여서 옮길 수 없는 재산. 곧, 토지·가옥 등.
[不同意 부동의] 동의하지 아니함. 찬성하지 아니함. 불찬성(不贊成).
[不同日論 부동일론] 양자(兩者)의 차이(差異)가 심하여 함께 논(論)할 수가 없음.
[不動尊 부동존] 《佛敎》 오대 명왕(五大明王)의 하나. 밀교(密敎)에서 이르기를 대일여래(大日如來)가 일체의 악마를 항복시키기 위하여 이 세상에 변신(變身)하여 나타난 것이라 함. 부동명왕(不動明王).
[不凍港 부동항] 겨울에도 얼지 아니하는 항구(港口).
[不得其位 부득기위] 실력은 충분하나, 그 실력을 펴볼 적당한 자리를 얻지 못함.
[不得不 부득불] 불가불(不可不). 「去).
[不得不失 부득불실] 《佛敎》 불래불거(不來不
[不得要領 부득요령] 요령을 잡을 수 없음.
[不得意 부득의] 뜻을 이루지 못함.
[不得已 부득이] 마지못하여. 하는 수 없이.
[不得志 부득지] 품은 뜻을 펼 기회를 얻지 못함.
[不等 부등] 같지 아니함. 부동(不同).
[不實 부실] ㉠몸이 튼튼하지 못함. ㉡셈속이 넉넉지 못함. ㉢믿음성이 적음. ㉣일에 성실하지 못함.
[不貲 부자] ㉠많아서 이루 셀 수 없음. ㉡자산(資產)이 많음.
[不訾 부자] ㉠꾸짖지 아니함. 헐뜯지 아니함. ㉡부자(不貲). 자(訾)는 자(貲).
[不慈 부자] 아들을 사랑하지 아니함.
[不自量 부자량] 자기를 자기가 스스로 헤아리지 못함.
[不自然 부자연] 자연스럽지 못함.
[不自由 부자유] 구속(拘束)을 받아 자유롭지 못함.
[不杖朞 부장기] 오복(五服)의 하나. 자최(齊衰)만 입고 상장(喪杖)을 짚지 않는 1년 동안 만 입는 복(服).
[不藏怒 부장노] 성낸 마음을 언제까지나 가슴에 품어 두지 아니함. 화를 쉬 풂.
[不才 부재] 재주가 없음.
[不在 부재] 있지 아니함.
[不在投票 부재투표] 특별한 사정으로 선거(選擧) 당일(當日)에 투표소(投票所)에 못 나갈 사람에게 미리 그 뜻을 증명하여 신고하게 하고, 정한 투표일(投票日)에 투표케 하는 제도.
[不適當 부적당] 적당하지 아니함.
[不腆 부전] 후(厚)하지 않다는 뜻으로, 남에게 물건을 보낼 때 겸사(謙辭)로 쓰는 말.
[不絕 부절] 끊이지 아니함.
[不絕如帶 부절여대] 부절여선(不絕如綫).
[不絕如縷 부절여루] 부절여선(不絕如綫).
[不絕如髮 부절여발] 부절여선(不絕如綫).
[不絕如綫 부절여선] 가는 실이나 머리털처럼 끊어질 듯 끊어질 듯하면서도 겨우 지탱한다는 뜻으로, 지극히 위태로움을 형용한 말.
[不正 부정] 바르지 아니함.
[不定 부정] ㉠일정하지 아니함. ㉡《佛敎》 믿기 어려움. 덧없음.
[不貞 부정] 여자가 정조(貞操)를 지키지 아니함.
[不庭 부정] 내조(來朝)하지 아니함. 조공(朝貢)하지 아니함.
[不逞 부정] 불령(不逞).
[不淨 부정] 깨끗하지 못함.
[不精 부정] 조촐하거나 깨끗하지 못하고 거칠거나 지저분함.
[不正當 부정당] 정당하지 아니함.
[不淨行 부정행] 《佛敎》 정사(情事).
[不正確 부정확] 정확하지 아니함.
[不弟 부제] 형에게 공손하지 아니함.
[不悌 부제] 부제(不弟).
[不第 부제] 합격하지 못함. 낙제(落第). 낙방(落榜).
[不齊 부제] 가지런하지 아니함.
[不弔 부조] ㉠조상(弔喪)하지 않음. ㉡좋지 못함. 불선(不善).
[不祧之典 부조지전] 나라에 큰 공훈이 있는 사람의 신주(神主)를 영구히 사당(祠堂)에 모시고 제사 지내게 하는 특전.
[不調和 부조화] 서로 잘 조화되지 아니함. 어울리지 않음.
[不足 부족] ㉠모자람. ㉡넉넉하지 못함.
[不足掛齒 부족괘치] 더불어 말할 가치가 없음.
[不足論 부족론] 논할 거리가 못 됨.
[不足數 부족수] 하찮아서 셈속에 넣을 것이 못 됨. 하찮아서 들어 말할 것이 못 됨.
[不從 부종] 따르지 아니함.
[不注意 부주의] 조심을 아니함.
[不卽不離 부즉불리] 붙지도 아니하고 떨어지지도 아니함. 찬성도 하지 아니하고 그렇다고 반대도 하지 아니함. 따르지도 아니하고 배반도 하지 아니함.
[不增不減 부증불감] 《佛敎》 제법(諸法)은 공(空)이므로 증감(增減)이 없음.
[不知 부지] 알지 못함.
[不知甘苦 부지감고] 닮과 씀을 분별(分別) 못한다는 뜻으로, 극히 알기 쉬운 이치도 알지 못함의 비유.
[不知去處 부지거처] 간 곳을 모름.
[不知其數 부지기수] 많아서 그 수효를 알 수가 없음.
[不躓山躓垤 부지산지질] 사람은 산에는 걸려 넘어지지 아니하나 개밋둑에는 걸려 넘어진다는 뜻으로, 큰 일에는 신중(愼重)을 기하므로 실패가 적으나, 작은 일은 그렇지 아니하므로 실패하기 쉬움을 이름.
[不知所向 부지소향] 갈 곳을 알지 못함.
[不知手之舞足之蹈 부지수지무족지도] 기뻐 날뜀. 매우 기뻐하는 모양.
[不知肉味 부지육미] 고기 맛을 알지 못함. 곧, 한 일에 열중(熱中)하여서, 마음이 딴 데에 팔리지 아니함을 말함.
[不知人間有羞恥事 부지인간유수치사] 파렴치(破廉恥)한 사람을 조롱하는 말.

[不知寢食 부지침식] 생활에 제일 중한 침식(寢食)을 잊음의 뜻. 어떤 일에 열중함을 이름.
[不知痛痒 부지통양] 아프지도 가렵지도 않음. 아무런 감각이 없음. 이해관계가 없는 것.
[不知何歲月 부지하세월] 언제나 될지 그 기한을 알지 못함.
[不職 부직] 임무를 감당하지 못함.
[不振 부진] 떨치지 못함.
[不進 부진] 앞으로 나아가지 아니함.
[不盡 부진] 다하지 아니함.
[不可 불가] ㉠옳지 아니함. 나쁨. ㉡안 됨. 못함.
[不可干以私 불가간이사] 사삿일로 윗사람에게 청탁하여서는 안 됨.
[不可缺 불가결] 없어서는 안 됨.
[不可近 불가근] 가까이할 것이 못 됨.
[不可能 불가능] ㉠할 수 없음. ㉡힘이 미치지 못함.
[不可當 불가당] 당하여 낼 수 없음.
[不可無 불가무] 없어서는 안 됨.
[不可分 불가분] 나누려야 나눌 수가 없음.
[不可不 불가불] 아니하여서는 안 되겠으므로 마땅히.
[不可不念 불가불념] 꼭 염두(念頭)에 두어야 함.
[不可思議 불가사의] 사람의 생각으로는 미루어 생각할 수 없이 이상야릇함. 불가해(不可解).
[不可說 불가설] 《佛敎》 참된 이치는 증과(證果)에 의하여 체득(體得)할 것이지 말로는 설명할 수 없음.
[不可勝數 불가승수] 하도 많아서 이루 셀 수가 없음.
[不可信 불가신] 믿을 수가 없음.
[不可以無鼠而養不捕之猫 불가이무서이양불포지묘] 쥐가 없다고 쥐를 잡지 못하는 고양이를 길러서는 안 된다는 뜻으로, 쓸데없는 자를 공연(空然)히 먹여 살려서는 안 된다는 말.
[不可入性 불가입성] 두 물체가 동시에 같은 공간(空間)을 점유(占有)할 수 없는 일.
[不可知 불가지] 알 수가 없음.
[不可知論 불가지론] 알 수 없는 실재(實在)를 인정하고, 또 궁극의 실재(實在)는 알 수 없는 것이라고 하는 철학설(哲學說).
[不可侵 불가침] 침범하여서는 안 됨.
[不可廢 불가폐] 폐(廢)하여 버릴 수가 없음.
[不可避 불가피] 피하려야 피할 도리가 없음.
[不可抗力 불가항력] 천재(天災)·지이(地異)와 같이 사람의 힘으로 어찌 할 수가 없는 힘.
[不可解 불가해] 이해할 수 없음.
[不可形言 불가형언] 형용(形容)하여 말할 수 없음.
[不可諱 불가휘] 사람의 죽음을 이름. 죽음은 사람으로서 피할 수 없다는 뜻임.
[不恪 불각] 삼가지 아니함. 조심하지 아니함. 공손하지 아니함. 불경(不敬).
[不刊之書 불간지서] 영구히 전하여 없어지지 않는 양서(良書). 불후(不朽)의 책.
[不堪 불감] ㉠직무를 감당 못함. ㉡견딜 수 없음. ㉢형용사 뒤에서 정도의 심함을 나타냄.
[不敢 불감] 감히 하지 못함.
[不敢當 불감당] 감히 그 일을 감당하여 해내지 못함.
[不敢生心 불감생심] 불감생의(不敢生意).
[不敢生意 불감생의] 힘에 겨워서 감히 할 생각도 내지 못함.
[不敢贊一辭 불감찬일사] 너무 훌륭하여 감히 칭찬의 말을 한 마디도 못함.
[不開港 불개항] 외국 통상이 허가되지 않은 항구.
[不潔 불결] ㉠깨끗하지 못함. 더러움. 또, 더러운 것. 오물(汚物). ㉡마음이 더러움.
[不結轍 불결철] 수레가 되돌아오지 않음을 이름.
[不經 불경] ㉠정도(正道)에 어그러짐. 또, 그러한 죄인(罪人). ㉡겪지 않음.
[不敬 불경] 공손(恭遜)하지 못함. 공경하지 아니함. 존엄한 자리에 무례함.
[不經之說 불경지설] 도덕에 어그러진 말.
[不計 불계] ㉠시비(是非)나 이해를 생각하지 아니함. ㉡수효의 차가 심하여 셀 필요가 없음.
[不繫之舟 불계지주] 매어 놓지 않은 배라는 뜻으로, 속세(俗世)를 초월한 허심탄회한 마음. 또는 정처 없이 방랑하는 몸의 비유로 쓰임.
[不辜 불고] 죄 없는 사람. 무고(無辜)한 사람.
[不顧 불고] 돌아보지 아니함.
[不顧家事 불고가사] 집안일을 돌아보지 아니함.
[不顧廉恥 불고염치] 염치를 돌아보지 아니함.
[不顧利害 불고이해] 이해를 가려 따지지 아니함.
[不顧體面 불고체면] 체면(體面)을 돌아보지 아니함.
[不穀 불곡] 불선(不善)이라는 뜻으로, 왕후(王侯)의 겸칭(謙稱). 과인(寡人).
[不共 불공] ㉠공손하지 않음. 불공(不恭). ㉡준비하지 않음.
[不恭 불공] 공손하지 아니함.
[不共戴天 불공대천] 한 하늘 아래에서 같이 살지 못함. 곧, 살려 둘 수 없다는 뜻.
[不共戴天之讎 불공대천지수] 함께 한 하늘 아래에서 살 수 없는 원수(怨讎). 살려 둘 수 없는 원수. 아주 큰 원수.
[不攻自破 불공자파] 치지 아니하여도 스스로 깨어짐.
[不公正 불공정] 공정하지 아니함.
[不公平 불공평] 공평하지 아니함.
[不過 불과] 지나지 아니함. 넘지 아니함.
[不關 불관] 관계하지 아니함.
[不關之事 불관지사] 상관없는 일.
[不愧屋漏 불괴옥루] 사람이 보지 아니하는 곳에 있어도 행동을 신중히 하고 경계하므로, 귀신에게도 부끄럽지 아니함을 이름.
[不久 불구] 오래지 아니함.
[不拘 불구] 거리끼지 아니함.
[不具 불구] ㉠갖추어지지 아니함. 모자람. 부족함. ㉡몸의 어느 부분에 결함이 있음. ㉢편지 끝에 써서, 충분히 쓰지 못하였다는 뜻을 나타내는 말. 불비(不備).
[不俱戴天 불구대천] 불공대천(不共戴天).
[不求聞達 불구문달] 세상에 이름이 떨치기를 바라지 아니함.
[不拘小節 불구소절] 자질구레한 예절에 얽매이지 아니함.
[不求甚解 불구심해] 뜻을 통하기 어렵고 의문이 많은 곳은 무리(無理)하게 그 뜻을 밝히려 들지 않음.
[不具者 불구자] 몸의 어느 부분에 고장이 있는 사람. 병신.
[不君 불군] 임금 노릇을 못함. 임금으로서 할 도리를 하지 아니함.
[不群 불군] 여럿 속에서 훨씬 뛰어남. 발군(拔群).

[不屈 불굴] 뻗대고 굽히지 아니함.
[不軌 불궤] ㉠법을 지키지 아니함. ㉡모반(謀反)을 꾀함.
[不軌之心 불궤지심] 모반(謀反)을 꾀하는 마음.
[不歸 불귀] 돌아오지 아니함.
[不歸客 불귀객] 죽은 사람.
[不規則 불규칙] 규칙이 서지 아니함.
[不龜手之藥 불균수지약] 손이 터지지 않는 약.
[不均衡 불균형] 균형이 잡히지 아니함.
[不勤 불근] 부지런하지 못함.
[不近人情 불근인정] 인정에 벗어남.
[不根持論 불근지론] 나무에 뿌리가 없는 것 같은 확실하지 않은 설(說)을 지론(持論)으로 함.
[不禁 불금] 금하지 아니함.
[不禁而自禁 불금이자금] 금하지 아니하여도 스스로 그만둠.
[不及 불급] 미치지 못함.
[不急 불급] 급하지 아니함.
[不急官 불급관] 급히 두지 않아도 괜찮은 벼슬. 당장 필요하지 않은 벼슬.
[不急之察 불급지찰] 필요 없는 성찰(省察).
[不肯 불긍] 즐기어 하고자 하지 아니함.
[不起 불기] 병으로 드러누워 영영 일어나지 못함.
[不器 불기] 그릇과 같이 한 군데에만 쓰이는 것이 아님. 어디든지 쓰임. 군자(君子)를 이름.
[不羈 불기] ㉠매이지 않음. 아무 속박도 받지 아니함. ㉡재능이나 학식이 뛰어나 거리낌 없이 행동함. 또, 그 사람.
[不欺闇室 불기암실] 사람이 보지 않는 암실(闇室)에서도 행동(行動)을 삼가 양심을 속이는 일을 하지 아니함.
[不期而會 불기이회] 우연히 만남.
[不起人 불기인] 죽어 가는 사람. 죽은 사람.
[不緊 불긴] 긴하지 아니함. 긴요(緊要)하지 아니함.
[不緊之事 불긴지사] 긴하지 않은 일.
[不吉 불길] 길(吉)하지 아니함. 상서롭지 못함. 불상(不祥).
[不吉之兆 불길지조] 불길한 일이 일어날 징조. 불상지조(不祥之兆).
[不耐煩 불내번] ㉠번거로운 일에 견디지 못함. ㉡귀찮아서 못 견딤.
[不念舊惡 불념구악] 남의 예전 허물을 괘념(掛念)치 않음.
[不佞 불녕] ㉠구변이 없음. 말이 서투름. ㉡재능이 없음. ㉢자기의 겸칭(謙稱).
[不農不商 불농불상] 농사도 장사도 아니하고 놀고먹음.
[不撓 불뇨] 불요(不撓).
[不能 불능] ㉠재능이 없음. 무능(無能). ㉡힘에 겨움. 할 수 없음.
[不能分馬鹿 불능분마록] 말과 사슴의 구별(區別)을 하지 못함. 지극히 어리석음을 이름.
[不能贊一辭 불능찬일사] 한 마디의 말도 덧붙일 수가 없음. 극히 명문(名文)임을 이름.
[不來不去 불래불거] 《佛敎》 불법(佛法). 법(法)은 원래 공(空)으로서, 얻는 것도 없고 잃는 것도 없으며, 오는 것도 없고 가는 것도 없다는 뜻.
[不良 불량] 착하지 못함. 또, 그 사람.
[不慮 불려] ㉠생각하지 아니함. ㉡뜻밖.
[不廉 불렴] 값이 싸지 아니함. 비쌈.
[不躐等 불렵등] 등급이나 순서를 뛰어넘지 아니함.
[不逞 불령] ㉠아무 거리낌 없이 함부로 행동함. ㉡불쾌하게 여김. 불만을 품음.
[不逞之徒 불령지도] 불량배(不良輩).
[不例 불례] 평상시와 다름.
[不老不死 불로불사] 늙지도 죽지도 아니함.
[不老長生 불로장생] 늙지 않고 오래 삶.
[不老草 불로초] 사람이 먹으면 늙지 않는다는 풀. 선경(仙境)에 있다 함.
[不祿 불록] ㉠사(士)의 죽음. 녹(祿)을 다 타지 못하고 죽는다는 뜻임. ㉡대부(大夫)의 요사(夭死). ㉢제후(諸侯)의 죽음을 타국(他國)에 고(告)할 때 겸손하여 쓰는 말.
[不了事 불료사] 사리(事理)를 환히 깨닫지 못함.
[不聊生 불료생] 마음 놓고 살 수가 없음.
[不類 불류] ㉠불선(不善). ㉡나쁜 사람. 악인.
[不倫 불륜] ㉠인륜(人倫)에 어긋남. ㉡인도에 어그러짐.
[不律 불률] ㉠붓의 이칭(異稱). 삼촌불률(三寸不律)을 보라. ㉡규칙을 지키지 아니하는 자(者).
[不利 불리] ㉠이롭지 못함. 해로움. ㉡전쟁에 짐.
[不立文字 불립문자] 《佛敎》 문자에 의하여 교(敎)를 세우지 않는다는 뜻으로, 진여(眞如)는 마음에서 마음으로 전하는 것이라는 선종(禪宗)의 교의(敎義)임.
[不磨 불마] 마멸(磨滅)하지 아니함. 없어지지 아니함.
[不忘 불망] 잊지 아니함.
[不忘記 불망기] 잊지 않기 위하여 적어 두는 글발.
[不忘之恩 불망지은] 잊지 못할 은혜.
[不昧 불매] ㉠어둡지 아니함. 환함. ㉡물욕(物欲)에 마음이 흐려지지 아니함.
[不眠 불면] 자지 아니함. 잠이 오지 아니함.
[不眠不休 불면불휴] 자지도 아니하고 쉬지도 아니함. 곧, 조금도 쉬지 않고 힘써 함.
[不滅 불멸] 멸망하지 아니함.
[不明 불명] ㉠밝지 아니함. ㉡분명하지 아니함. 확실하지 아니함. 불명량(不明亮). ㉢마음이 흐림. 어리석음.
[不明亮 불명량] 분명하지 않음. 불명(不明).
[不名譽 불명예] 명예스럽지 못함.
[不毛 불모] 토지가 메말라 초목이 나지 아니함. 또, 그 토지. 불모지지(不毛之地).
[不侮闇室 불모암실] 사람이 보지 않는 암실(闇室)에서도 행동(行動)을 삼감. 불기암실(不欺闇室).
[不謀而同 불모이동] 의논하지 않고서도 의견(意見)이 서로 같음.
[不毛之地 불모지지] 초목이 나지 않는 척박한 땅.
[不睦 불목] 일가 사이에 화목(和睦)하지 아니함.
[不文 불문] ㉠문사(文事)에 어두움. 학문이 없음. 글자를 모름. ㉡글로 쓰지 아니함. 불성문(不成文). 성문(成文)의 대(對).
[不問 불문] ㉠묻지 아니함. ㉡묻지 않고 덮어둠. 추궁하지 않고 내버려 둠.
[不問可知 불문가지] 묻지 않아도 알 수가 있음.
[不問曲直 불문곡직] 옳고 그른 것을 묻지 아니함.
[不文法 불문법] 불문율(不問律).
[不文律 불문율] 문서(文書)로 공포(公布)되지 아니하였으나, 관례상(慣例上) 인정된 법률. 불문법(不文法).

[不文憲法 불문헌법] 성문법(成文法)의 형식을 갖추지 아니한 헌법. 현재 영국(英國)에만 있음.
[不美 불미] 아름답지 못함.
[不敏 불민] 둔하여 민첩(敏捷)하지 못함. 노둔(魯鈍)함. 어리석음.
[不拔 불발] 든든하여 빠지지 아니함. 움직이지 아니함. 확고부동함.
[不發 불발] ㉠폭발(爆發)하지 아니함. ㉡계발(啓發)되지 아니함. ㉢떠나지 아니함.
[不凡 불범] 평범하지 아니함. 보통이 아님.
[不犯 불범] ㉠침범하지 아니함. ㉡《佛敎》 여자를 범(犯)하지 않는다는 뜻으로, 색욕(色欲)을 끊는 일. 대처(帶妻)를 하지 않는 일.
[不凡子 불범자] 비범(非凡)한 아들. 남의 아들을 칭찬하는 말.
[不法 불법] 법에 어그러짐. 비법(非法).
[不法監禁 불법감금] 법률에 의하지 아니하고 남을 감금(監禁)함.
[不法行爲 불법행위] 고의(故意) 또는 과실(過失)로 인하여 남의 권리(權利)를 침해(侵害)하는 행위.
[不辨 불변] 분변(分辨)하지 못함.
[不變 불변] 변하지 아니함. 고쳐지지 아니함. 불역(不易).
[不變色 불변색] 오래도록 변하지 아니하는 빛깔.
[不辨菽麥 불변숙맥] 콩과 보리를 구별하지 못함. 아주 어리석음을 이름.
[不辨咫尺 불변지척] 지척(咫尺)을 분간 못함. 코앞을 볼 수 없음.
[不寶金玉 불보금옥] 군자(君子)는 금옥(金玉)을 보배로 여기지 아니함.
[不服 불복] ㉠복종하지 아니함. ㉡복죄(服罪)하지 아니함.
[不卜日 불복일] 택일(擇日)을 하지 않고 혼인(婚姻)·장사(葬事)를 급히 지냄.
[不分東西 불분동서] 동서를 분별 못한다는 뜻으로, 어리석어 사리를 분간(分揀) 못함을 이름.
[不分明 불분명] 분명하지 아니함.
[不憤不啓不悱不發 불분불계불비불발] 학문을 하는 데는 우선 분발(憤發)하는 마음이 있어야만 계발(啓發)이 된다는 말.
[不分上下 불분상하] 상하 귀천(貴賤)을 분간(分揀)하지 못함.
[不分勝負 불분승부] 승부를 가릴 수 없음.
[不分晝夜 불분주야] 밤낮을 가리지 않고 힘씀.
[不備 불비] 다 갖추지 못하였다는 뜻으로, 편지 끝에 써서 충분히 쓰지 못한 것을 나타내는 말.
[不費之惠 불비지혜] 자기에게 손해 없이 남에게 베풀어 주는 은혜.
[不貧 불빈] 가난하지 아니함.
[不賓之士 불빈지사] 임금에게 복종하지 않는 선비. 인신(人臣) 이상의 예우(禮遇)를 받는 사람.
[不死 불사] 죽지 아니함. 무량수(無量壽).
[不仕 불사] 벼슬을 시켜도 하지 아니함.
[不似 불사] 비슷하지 아니함. 닮지 아니함.
[不竢 불사] 기다리지 아니함.
[不死不滅 불사불멸] 천주교(天主敎)에서 말하는 신(神)의 특성의 한 가지. 죽지도 아니하고 없어지지도 아니함. 사멸(死滅)하지 아니함.
[不事事 불사사] 해야 할 일을 하지 아니함.
[不死之藥 불사지약] 사람이 먹으면 죽지 않는다고 하는 약. 선경(仙境)에 있다 함.
[不死永生 불사영생] 죽지 않고 영원히 삶.
[不思議 불사의] 불가사의(不可思議).
[不死鳥 불사조] 이집트 신화(神話)에 나오는 신조(神鳥). 500~600년마다 스스로 소사(燒死)하고, 그 재 속에서 새끼 새가 되어 다시 재생(再生)한다 함. 불사영생(不死永生)의 뜻으로 쓰임. 피닉스.
[不死草 불사초] 백합과에 속하는 다년초(多年草). 맥문동(麥門冬). 겨우살이풀.
[不三宿桑下 불삼숙상하] 불자(佛者)는 은애(恩愛)의 정이 생길까 두려워하여 뽕나무 밑에서 사흘 밤을 계속하여 묵지 아니함.
[不祥 불상] 불길(不吉)함. 상서롭지 못함.
[不詳 불상] ㉠자세(仔細)하지 아니함. 상세히 알지 못함. 잘 모름. ㉡불상(不祥).
[不相見 불상견] 의사가 맞지 아니하여 서로 만나지 아니함.
[不相能 불상능] 사이가 좋지 못함.
[不相得 불상득] 서로 마음이 맞지 아니함.
[不祥事 불상사] 상서롭지 못한 일.
[不相容 불상용] 서로 용납하지 않음.
[不相杵 불상저] 절구질하는 자가 너무 슬퍼서 절구질할 때 부르는 노래를 부르지 아니함. 상(相)은 절구질할 때 부르는 노래.
[不祥之兆 불상지조] 상서롭지 못한 징조. 불길지조(不吉之兆).
[不生不滅 불생불멸] 나지도 죽지도 아니함. 곧, 상주 불변(常住不變)한 열반(涅槃)의 경계(境界).
[不惜 불석] 아끼지 아니함.
[不釋卷 불석권] 항상 책을 손에서 떼지 않음. 항시 독서(讀書)를 함. 불폐권(不廢卷).
[不惜身命 불석신명] 《佛敎》 신명(身命)을 아끼지 않고 불도(佛道)에 힘을 씀.
[不惜千金 불석천금] 많은 돈을 아끼지 아니함.
[不宣 불선] 다 말하지 못하였다는 뜻으로, 편지 끝에 쓰는 말.
[不善 불선] 착하지 아니함. 좋지 아니함. 또, 그 일.
[不鮮明 불선명] 또렷하지 않음.
[不善人善人之資 불선인선인지자] 착하지 않은 사람은 착한 사람이 그의 언행(言行)을 보고 반성하고 경계하므로, 도(道)를 닦는 데 도움이 됨.
[不屑 불설] 탐탁하게 여기지 아니함. 우습게 여겨 마음에 두지 아니함.
[不屑不潔 불설불결] 더러운 행위를 함을 떳떳이 여기지 아니함.
[不設城府 불설성부] 흉금(胸襟)을 터놓음.
[不屑之敎誨 불설지교회] 가르치는 것을 탐탁하게 여기지 않고, 가르치지 않는 것이 도리어 그 사람을 위하여 좋은 교훈이 되는 수가 있다는 말.
[不贍 불섬] 넉넉하지 못함.
[不成 불성] 이루어지지 아니함.
[不成文 불성문] 문서로 되어 있지 아니함.
[不成文律 불성문율] 불문율(不文律).
[不誠實 불성실] 성실하지 못함.
[不成人 불성인] 병신. 불구자(不具者). 또, 미성인(未成人). 전(轉)하여, 예의를 모르는 사람의 비유.
[不省人事 불성인사] 정신이 혼미(昏迷)하여 인

사(人事)를 차리지 못함. 「勞).
[不世之功 불세지공] 세상에 드문 큰 공로(功
[不世之才 불세지재] 세상에 썩 드물게 뛰어난 재주. 또, 그 사람.
[不世出 불세출] 세상에 여간하여 나오지 아니함. 곧, 극히 드묾.
[不少 불소] 적지 아니함.
[不孫 불손] 불손(不遜).
[不遜 불손] 겸손(謙遜)하지 아니함. 거만함. 건방짐.
[不首 불수] 복죄(服罪)하지 아니함.
[不隨 불수] 불인(不仁)❷.
[不數年 불수년] 수삼 년이 지나지 아니함.
[不須多言 불수다언] 여러 말을 할 필요가 없음.
[不隨意 불수의] 뜻대로 잘되지 아니함. 불여의(不如意).
[不輸租田 불수조전] 구실을 바치지 않는 전지.
[不淑 불숙] ㉠마음이 착하지 않아 실덕(失德)함. ㉡나라가 망함. ㉢재능이 없음. ㉣사람이 죽음. ㉤생이별(生離別).
[不熟 불숙] ㉠과실(果實)·곡식 등이 익지 아니함. ㉡음식이 익지 아니함. ㉢사이가 나쁨. 불화(不和). ㉣익숙하지 아니함. 서투름. 미숙(未熟).
[不宿諾 불숙낙] 승낙(承諾)한 것은 곧장 실행(實行)함.
[不純 불순] 순수하지 못함.
[不順 불순] ㉠순종하지 아니함. ㉡순조(順調)롭지 못함. 「안.
[不崇朝 불숭조] 아침을 넘기지 아니함. 아침 동
[不拾遺 불습유] ㉠나라가 잘 다스려져 결백하여서 길바닥에 떨어진 물건을 주워 갖지 아니함. ㉡법률이 엄하여 백성이 두려워하여서 길바닥에 떨어진 물건을 주워 갖지 못함.
[不勝杯杓 불승배작] 과음(過飮)하여 그 이상 술을 더 마실 수 없음.
[不勝桮杓 불승배작] 불승배작(不勝杯杓).
[不勝數 불승수] 너무 많아서 이루 다 셀 수 없음.
[不時 불시] ㉠뜻하지 아니함. 뜻밖임. ㉡때가 되지 아니함. 제때가 아님. ㉢기후가 일정하지 아니함. 「식.
[不時之需 불시지수] 때 아닌 때에 먹게 된 음
[不時着陸 불시착륙] 비행기가 사고·기후 관계 등으로 인하여 불시에 착륙하는 일.
[不食 불식] 먹지 아니함.
[不息 불식] 쉬지 아니함.
[不識不知 불식부지] 깨닫지 못하는 사이에. 어느 틈에. 부지불식간(不知不識間)에.
[不食自逋 불식자포] 횡령하지 아니하였는데도 공금(公金)이 저절로 축남.
[不息之工 불식지공] 쉬지 않고 꾸준히 하는 일.
[不食之報 불식지보] 부조(父祖)의 음덕(蔭德)으로 자손(子孫)이 잘되는 보응(報應).
[不食之地 불식지지] 개간할 수 없는 땅.
[不臣 불신] 신하 노릇을 못함. 신하의 도리에 어그러짐.
[不信 불신] ㉠신의가 없음. 허위가 많음. ㉡믿지 아니함.
[不實 불실] 실(實)답지 아니함.
[不信任 불신임] 신임하지 아니함. 믿고 맡기지 아니함.
[不臣之心 불신지심] 신하로서 섬기려고 하지 않는 마음. 임금을 배반하려고 하는 마음.
[不悉 불실] 할 말을 충분히 쓰지 못하였다는 뜻으로, 편지 끝에 쓰는 말.
[不失其本 불실기본] 근본을 잃지 아니함. 본분을 지킴.
[不失本色 불실본색] 본색을 지켜 잃지 아니함.
[不失正鵠 불실정곡] 과녁을 빗나가지 아니함. 핵심을 벗어나지 아니함.
[不失尺寸 불실척촌] 법도·규격에 꼭 맞아 조금도 어긋나지 아니함.
[不失錙銖 불실치수] 조금도 틀리지 아니함.
[不審 불심] 자세히 알지 못함. 잘 모름. 불상(不詳).
[不安 불안] 마음이 편안(便安)하지 아니함. 마음에 걸림. 걱정이 됨. 「함.
[不安枕席 불안침석] 걱정이 있어 편히 자지 못
[不夜城 불야성] ㉠동래군(東萊郡) 불야현(不夜縣)에 있었던 성(城). 그곳에 밤에 해가 나타난 일이 있어 이름 지었다고 함. ㉡밤에도 낮과 같이 환한 곳. ㉢환하게 비치는 등불 같은 것의 형용.
[不夜侯 불야후] 차(茶)의 별칭(別稱). 많이 마시면 잠이 오지 아니하므로 이름.
[不若 불약] 도깨비. 요괴(妖怪).
[不言可知 불언가지] 말을 아니하여도 알 수 있음.
[不言不語 불언불어] 말을 하지 아니함.
[不言實行 불언실행] 아무 말없이 착한 일을 함. 말을 내세우지 않고 실지로 행함.
[不言之教 불언지교] 무위(無爲)로써 자연에 동화(同化)시키는 교(教)라는 뜻으로, 노자(老子)·장자(莊子)의 교를 이름.
[不言之化 불언지화] 무언중에 미치게 하는 감화. 곧, 덕(德)에 의한 감화.
[不言之花 불언지화] 복숭아꽃 또는 자두 꽃. 곧, 도화(桃花)·이화(李花)의 별칭(別稱).
[不如歸 불여귀] 두견(杜鵑)의 별칭(別稱).
[不如意 불여의] 뜻과 같이 되지 아니함.
[不易 불역] ㉠변하지 아니함. 변경할 수 없음. 불변(不變). ㉡평온하지 아니함. 소란함. 불온(不穩).
[不易之論 불역지론] 변경할 수 없는 바른말.
[不易之典 불역지전] 변경할 수 없는 법(法).
[不易糊 불역호] 썩지 않게 방부제(防腐劑)를 넣어 만든 풀.
[不然 불연] ㉠명령을 좇지 아니함. 또, 그 사람. ㉡그렇지 아니함.
[不豫 불예] ㉠기뻐하지 아니함. 불쾌하게 여김. ㉡임금의 병환(病患).
[不五鼎食五鼎烹耳 불오정식오정팽이] 공명(功名)을 세워 영화(榮華)를 누리지 못할 바에는, 멋대로 굴어서 죄를 얻어 죽는 것이 소망임.
[不穩 불온] 평온하지 아니함. 험악(險惡)함.
[不完全 불완전] 완전하지 못함. 충분하지 아니함.
[不枉法 불왕법] 국법(國法)을 굽히지 아니함.
[不枉法贓 불왕법장] 나라의 법은 굽히지 않고 뇌물을 받은 죄.
[不撓 불요] 굽히지 아니함. 흔들리지 않음.
[不辱君命 불욕군명] 임금의 명령을 욕되게 하지 않는다는 뜻으로, 외국으로 사신(使臣) 가서 사명(使命)을 완수함을 이름.
[不用 불용] ㉠쓰지 아니함. ㉡소용이 없음.

[不容刀 불용도] 강이 좁아 작은 배도 들어가지 못함. 도(刀)는 도(舠).
[不用說 불용설] 말할 필요도 없음. 물론(勿論).
[不用意 불용의] 궁리하여 인공(人工)을 가하지 아니함. 자연(自然).
[不遇 불우] 때를 만나지 못함. 불운(不運)하여 재능을 가지고도 세상에 쓰이지 아니함.
[不虞 불우] ㉠미처 생각지도 못함. 예기(豫期)하지 아니함. ㉡뜻밖의 재난.
[不耦 불우] 불우(不遇).
[不遇時 불우시] 제때를 만나지 못함.
[不虞之變 불우지변] 뜻밖에 생기는 변고(變故).
[不虞之備 불우지비] 뜻밖의 일에 대한 준비.
[不虞之患 불우지환] 뜻밖에 생기는 환난.
[不運 불운] 운수가 나쁨. 불행함.
[不遠 불원] ㉠멀지 아니함. ㉡오래지 아니함.
[不遠千里 불원천리] 천 리(里)를 멀다 아니함.
[不怨天不尤人 불원천불우인] 어떠한 역경(逆境)에 처하여도 팔자가 기박(奇薄)하다고 하늘을 원망하거나 세상 사람들이 자기를 몰라준다고 탓하지 않고 태연히 도(道)를 닦음.
[不遺餘力 불유여력] 있는 힘을 남기지 않고 다 씀.
[不遊環 불유환] 그릇의 두 쪽 귀에 고착되어 놀지 않는 고리.
[不允 불윤] 임금이 용허(容許)하지 아니함.
[不乙 불을] 불실(不悉).
[不應 불응] 응하지 아니함.
[不意 불의] ㉠뜻밖. 의외(意外). ㉡마음에 두지 않음. 유의하지 않음.
[不義 불의] 의리(義理)에 어그러짐. 인도(人道)에 어긋남.
[不意之變 불의지변] 뜻밖의 변고(變故). 「부귀.
[不義之富貴 불의지부귀] 부정한 수단으로 얻은
[不義之財 불의지재] 부정한 수단으로 얻은 재물(財物).
[不疑何卜 불의하복] 점을 침은 의심을 풀기 위한 것이므로, 의심이 없을 때는 점을 칠 필요가 없다는 말.
[不二 불이] ㉠둘도 없음. ㉡둘이 아님. 단지 하나임. ㉢같음. ㉣둘로 하지 아니함. 달리하지 아니함.
[不二價 불이가] 에누리 없는 값. 정가(正價).
[不貳過 불이과] 잘못을 두 번 다시 저지르지 아니함. 같은 잘못을 되풀이하지 아니함.
[不易得 불이득] 얻기 쉽지 아니함.
[不夷不惠 불이불혜] 백이(伯夷)와 같이 편벽되지도 않고 유하혜(柳下惠)와 같이 불공(不恭)하지도 않아 출처 진퇴(出處進退)가 언제나 시의(時宜)에 맞음.
[不二法門 불이법문] 8만 4천의 법문(法門) 중에서 그 제일의제(第一義諦)를 이름.
[不以人廢言 불이인폐언] 옳은 말이면 말한 사람의 신분이 낮다 할지라도 결코 버려서는 안 됨.
[不仁 불인] ㉠어질지 아니함. 잔인함. ㉡수족(手足)이 마비(痲痺)됨.
[不忍 불인] 차마 하지 못함.
[不忍見 불인견] 차마 볼 수 없음.
[不忍聞 불인문] 차마 들을 수 없음.
[不忍言 불인언] 차마 말할 수 없음.
[不因人熱 불인인열] 독립하여 남의 힘을 빌리지 않는다는 뜻.
[不忍正視 불인정시] 차마 바로 볼 수가 없음.
[不忍之心 불인지심] 차마 할 수 없는 마음.
[不忍之政 불인지정] 대단히 가혹한 정치.
[不一 불일] ㉠한결같지 아니함. 고르지 아니함. ㉡불을(不乙).
[不日 불일] ㉠날짜를 정하지 아니함. 기한을 두지 아니함. ㉡일광이 보이지 아니함. ㉢며칠 걸리지 아니함. ㉣며칠 안으로. 불일내(不日內)로.
[不一其端 불일기단] 일의 실마리가 한둘이 아님.
[不日成之 불일성지] 며칠 안으로 이룩함.
[不日送之 불일송지] 며칠 안으로 보냄.
[不一而足 불일이족] 하나만이 아님. 대단히 많음. 자주 나타남.
[不一致 불일치] 일치하지 아니함.
[不入虎穴不得虎子 불입호혈부득호자] 범의 굴에 들어가지 아니하면 범의 새끼를 잡지 못한다는 뜻으로, 위험을 무릅쓰지 않고서는 큰 이익을 얻을 수 없다는 말.
[不次 불차] ㉠순서·순번에 의하지 아니함. ㉡불선(不宣).
[不借 불차] 짚신의 이칭(異稱). 초혜(草鞋).
[不次擢用 불차탁용] 벼슬의 차례를 밟지 않고 발탁하여 씀.
[不贊成 불찬성] 찬성하지 아니함.
[不察 불찰] 자세(仔細)히 살펴보지 못하여 저지른 잘못.
[不天 불천] 하늘의 도움을 받지 못함.
[不遷怒 불천노] 갑(甲)에게 대한 분노를 을(乙)에게 풀지 아니함. 엉뚱한 사람에게 화풀이하지 아니함.
[不踐迹 불천적] 종래(從來)의 관례(慣例)에 따르지 아니하고 자기 의사대로 행함.
[不撤薑食 불철강식] 생강은 몸에 유익하므로 공자(孔子)가 식사(食事)할 때에 언제나 생강을 가려내지 아니하고 먹었다는 고사(故事).
[不撤晝夜 불철주야] 밤낮을 가리지 아니하고 일에 힘씀.
[不聽 불청] 듣지 아니함.
[不請客 불청객] 청하지 아니한 손.
[不逮 불체] 미치지 못함.
[不肖 불초] ㉠아버지를 닮지 않아 미련함. ㉡미련함. ㉢자기의 겸칭(謙稱).
[不肖孤 불초고] 부모가 죽은 뒤 졸곡(卒哭) 때까지 상제가 자기를 일컫는 말.
[不肖子 불초자] 아들이 부모에게 대하여 자기를 일컫는 말. 불초남(不肖男).
[不觸 불촉] 손으로 건드리지 아니함.
[不出凡眼 불출범안] 범인(凡人)의 눈으로 보아서도 알 만큼 선악이 환함.
[不出所料 불출소료] 미리 생각한 바와 틀리지 아니함.
[不出戶知天下 불출호지천하] 집 속에 있어 천하의 일을 앎. 들어앉아서 세상일을 앎. 심오한 도리(道理)를 깨친 사람의 경지(境地)를 이름.
[不忠 불충] ㉠충성을 다하지 아니함. 신하(臣下)의 도리를 다하지 아니함. 임금을 배반함. ㉡남을 위하여 정성을 다하지 아니함.
[不取 불취] 취하지 아니함.
[不就 불취] 어떠한 일에 대하여 나서지 아니함.
[不揣其本而齊其末 불취기본이제기말] 근본을

헤아리지 아니하고 끝만 가지런히 한다는 뜻으로, 근본을 추구(推究)하지 아니하고 지엽적인 것만 따지는 잘못을 지적한 말.
[不娶同姓 불취동성] 성이 같은 사람끼리는 혼인(婚姻)을 아니함.
[不測 불측] 미루어 생각하기 어려움. 알기 어려움. 알 수 없음.
[不測之變 불측지변] 뜻밖에 일어나는 사변(事變).
[不測之淵 불측지연] 깊이를 알지 못하는 못이라는 뜻으로, 위험한 곳, 불안한 것의 비유(譬喩)로 쓰임.
[不治 불치] 병이 낫지 아니함.
[不齒 불치] ㉠호적(戶籍)에 수록(收錄)하지 않음. 옛날에는 연치(年齒)의 순서대로 사람을 호적부(戶籍簿)에 기록하였으므로 이름. ㉡동등하게 취급(取扱)하지 않음.
[不治病 불치병] 고칠 수 없는 병. 고질(痼疾).
[不侈不儉 불치불검] 사치하지도 검소하지도 않고 수수함.
[不痴不聾不成姑公 불치불롱불성고공] 며느리에 대하여 바보나 귀머거리가 되지 않으면 좋은 시어머니라 말할 수 없음.
[不直一錢 불치일전] 한 푼의 값어치도 없음. 무능(無能)함을 비꼬는 말.
[不恥下問 불치하문] 자기보다 학식(學識)이 낮은 사람에게 모르는 것을 묻는 것을 부끄럽게 여기지 아니함.
[不親切 불친절] 친절하지 아니함.
[不快 불쾌] ㉠마음이 상쾌하지 아니함. 기분이 좋지 아니함. ㉡병(病).
[不托 불탁] 물만두. 일설(一說)에는 떡국.
[不通 불통] ㉠통하지 아니함. ㉡연락이 끊어짐. ㉢글 또는 말을 알지 못함.
[不憚煩 불탄번] 번잡(煩雜)을 마다하지 아니함. 번잡한 것을 꺼리지 않음.
[不退轉 불퇴전] ㉠《佛教》 일심(一心)으로 부처를 믿어, 이미 얻은 공덕(功德)을 잃지 않음. ㉡일심불란(一心不亂)함. 꾸준히 힘씀.
[不便 불편] 편리하지 아니함. 거북스러움.
[不偏不黨 불편부당] 어느 쪽에도 치우치지 아니함.
[不平 불평] ㉠공평하지 아니함. ㉡마음에 불만스럽게 생각함.
[不平等 불평등] 평등하지 못함.
[不廢卷 불폐권] 불석권(不釋卷).
[不蔽風雨 불폐풍우] 집이 헐어서 비바람을 가리지 못함.
[不避湯火 불피탕화] 물불을 가리지 아니함.
[不避風雨 불피풍우] 비바람을 무릅쓰고 일함.
[不必要 불필요] 필요하지 아니함.
[不必再言 불필재언] 다시 말할 필요가 없음.
[不必他求 불필타구] 다른 데에 구할 필요가 없음.
[不下 불하] ㉠못하지 아니함. 어떤 수 이하에 내려가지 아니함. ㉡항복하지 아니함.
[不下一杖 불하일장] 매 한 대도 치지 않았다는 뜻으로, 죄인이 매 한 대도 맞기 전에 미리 자백함을 이름.
[不學 불학] 배우지 아니함. 학문이 없음.
[不學亡術 불학무술] 학문도 없고 책략(策略)도 없음. 불학 무술(不學無術).
[不學無識 불학무식] 배운 것이 없어 아는 것이 없음.
[不閑 불한] 《佛教》 불도(佛道)를 열심히 닦느라고 조금도 겨를이 없음.
[不汗黨 불한당] 떼를 지어 돌아다니는 강도.
[不寒不熱 불한불열] 기후(氣候)가 춥지도 않고 덥지도 아니함.
[不咸 불함] ㉠마음에 차지 않음. ㉡뜻이 맞지 않음. 또, 그런 것.
[不合 불합] ㉠뜻에 맞지 아니함. ㉡뜻이 서로 맞지 않음. 화합하지 아니함.
[不合格 불합격] ㉠합격(合格)하지 못함. ㉡격식(格式)에 맞지 아니함.
[不合理 불합리] 이치에 맞지 아니함.
[不合意 불합의] ㉠뜻에 어그러짐. ㉡의사가 맞지 아니함.
[不解衣帶 불해의대] 옷을 벗지 아니함.
[不幸 불행] ㉠운수가 나빠서 언짢은 일을 당함. ㉡사람이 죽음. 사망함.
[不享 불향] 불공(不共).
[不許 불허] 허락하지 아니함.
[不許葷酒入山門 불허훈주입산문] 《佛教》 훈채(葷菜)는 부정(不淨)하고 술은 정념(淨念)을 어지럽히기 때문에 청정(淸淨)한 사찰(寺刹) 안으로 들여옴을 허락하지 아니함. 절의 문곁의 계단석(戒壇石)에 새기는 글임.
[不見齒 불현치] 이를 나타내지 않음. 곧, 웃지 않음을 이름.
[不血食 불혈식] 희생(犧牲)을 올려 제사를 지내지 못한다는 뜻으로, 나라가 망함을 이름.
[不愜 불협] 뜻이 맞지 아니함.
[不挾長 불협장] 재능·기예 등이 뛰어난 것을 뽐내지 아니함.
[不慧 불혜] 부재(不才).
[不好 불호] 좋아하지 아니함.
[不惑 불혹] ㉠미혹(迷惑)하지 아니함. ㉡40세의 일컬음. 불혹지년(不惑之年). 공자(孔子)가 40세 때부터 세상일에 미혹하지 않았다고 한 데서 나온 말.
[不惑之年 불혹지년] 불혹(不惑) ❶.
[不和 불화] 사이가 서로 화합(和合)하지 못함.
[不確定 불확정] 확정되지 아니함.
[不患人之不己知 불환인지불기지] 남이 자기 재덕(才德)을 몰라주더라도 조금도 개의하지 아니함.
[不遑啓處 불황계처] 집 안에서 편히 쉴 겨를이 없음.
[不獲命 불획명] 어명(御命)을 얻지 못함. 윤허(允許)가 내리지 아니함.
[不孝 불효] ㉠자식(子息)이 부모를 잘 섬기지 아니함. ㉡아들이 상중(喪中)에 있을 때의 자칭(自稱). 청조(淸朝)의 초기부터 쓰였음.
[不孝子 불효자] 부모를 잘 섬기지 아니하는 자식.
[不朽 불후] 썩어서 없어지지 아니함. 영구히 전함.
[不朽之功 불후지공] 영구히 전하는 큰 공(功).
[不朽之盛事 불후지성사] ㉠영구히 썩지 않고 남는 성대(盛大)한 사업(事業). ㉡문장(文章)을 이름.
[不諱 불휘] ㉠군부(君父)의 함자(銜字)를 함부로 씀. ㉡꺼리지 않고 간함. 직간(直諫)함. ㉢불가휘(不可諱).
[不恤緯 불휼위] 주(周)나라 때 베를 짜는 과부가 씨줄이 모자라는 것을 걱정하지 않고 나라

가 망하는 것을 근심하였다는 고사(故事). 전(轉)하여, 자기 몸을 돌보지 않고 나랏일을 근심함을 이름.
[不歆非類 불흠비류] 귀신은 그 족류(族類)가 아닌 자가 지내는 제사는 흠향(歆饗)하지 아니함.

3 ④ [丐] 개 ㉮泰 古太切 gài

字解 ①빌 개 달라고 함. '納干一取士'《唐書》. ②빌릴 개 빌려 줌. '飢寒無所貸一'《唐書》. ③거지 개 비렁뱅이. '皁隸傭一, 皆得上父母之邱墓'《柳宗元》.
參考 ①丏(次條)과는 別字. ②匃(勹部 三畫)가 匄(勹部 三劃)로 변화하고, 다시 변형(變形)된 자형(字形)이 '丐'임.

[丐乞 개걸] ㉠빌어먹음. ㉡거지.
[丐食 개식] 빌어먹음.
[丐子 개자] 구걸하는 자. 거지.
[丐取 개취] 졸라 대어 손에 넣음.
[丐戶 개호] 장쑤 성(江蘇省)·저장 성(浙江省) 일대에 살았던 하층 계급의 사람의 이름. 개자(丐子).
◉干丐. 歛丐. 乞丐. 貸丐. 士丐. 要丐. 流丐. 遊丐.

3 ④ [丏] 면 ㉯銑 彌殄切 miǎn

字解 ①가릴 면 엄폐(掩蔽)하여 보이지 않게 함. '一, 不見也'《說文》. ②살막이토담 면 '一, 避箭短牆也'《字彙》.
字源 篆文 象形. 사람이 가면(假面)을 쓴 모양을 본떠서, '덮어 가리다', '보이지 않다'의 뜻을 나타냄.
參考 丐(前條)와는 別字.

3 ④ [丈] 〔장〕
丈(一部 二畫〈p. 26〉)의 俗字

3 ④ [丘] 〔구〕
丘(一部 四畫〈p. 41〉)와 同字
參考 공자(孔子)의 휘(諱)를 피(避)하여 만든 글자.

3 ④ [丂] 하 ㉰歌 虎何切 hē

字解 기쁨을 하 맺혔던 기(氣)가 뻗어 나옴.
字源 指事. '一'로 막히어 맺혔던 기운의 뜻인 '丂고'의 모양을 거꾸로 함.

3 ④ [丑] 中·人 축 (추㊍) ㉯有 敕久切 chǒu

筆順 ㇆ ㇆丨 丑 丑

字解 ①둘째지지 축 십이지(十二支) 중의 제이위(第二位). 시간으로는 오전 1시부터 3시까지의 사이. 방위로는 자(子)와 인(寅) 사이. 곧, 북동(北東). 띠로는 소. '一時'. '一方'. 달로는 음력 12월. ②수갑 축 고랑. ③성 축 성(姓)의 하나.
字源 甲骨文 金文 篆文 象形. 손가락에 잔뜩 힘을 주어 비트는 모양을 나타냄. 가차(假借)하여, 십이지(十二支)의 둘째로 쓰임.

[丑末 축말] 축시(丑時)의 마지막. 곧, 오전 3시경.
[丑方 축방] 이십사방위(二十四方位)의 하나. 정북(正北)으로부터 동으로 30도(度) 되는 방위를 중심으로 한 좌우 15도의 방위.
[丑時 축시] 오전 1시부터 3시까지.

[卅] 〔삽〕
十部 二畫(p. 296)을 보라.

3 ④ [与] 〔여〕
與(臼部 七畫〈p. 1880〉)의 俗字
字源 篆文 象形. 본디는 牙와 같은 자(字)로 맞물린 이〔齒〕의 象形. 동아리를 짜서 주고받는 뜻을 나타냄.

3 ④ [与] 〔여〕
與(臼部 七畫〈p. 1880〉)의 俗字
參考 与(前條)의 변형(變形).

4 ⑤ [丙] 中·人 병 ㉯梗 兵永切 bǐng

筆順 一 丆 冂 丙 丙

字解 ①셋째천간 병, 남녘 병 십간(十干) 중의 제삼위(第三位). 방위로는 남쪽, 오행(五行)으로는 불에 배당함. '一丁'. ②셋째 병 세 번째. '遂出貴人姊妹置一舍'《後漢書》. ③불 병 '付一'은 불에 던져 태운다는 뜻. '共付一丁'《王守仁》. ④강(剛)할 병 굳셈. 단단함. '一, 剛'《廣雅》. ⑤빛날 병 밝음. 환함. '一, 炳也. 物生炳然, 皆著見也'《釋名》. ⑥성 병 성(姓)의 하나.
字源 甲骨文 金文 篆文 象形. 다리가 내뻗친 상의 모양을 본뜸. 가차(假借)하여 십간(十干)의 셋째로 쓰임.

[丙科 병과] 시험 성적의 셋째 등급.
[丙吉 병길] 전한(前漢)의 선제(宣帝) 때의 재상(宰相). 무제(武帝) 재위 중에 옥리(獄吏)로 있을 때 선제(宣帝)가 위태자(衛太子)의 일로 옥에 갇힌 것을 동정하여 보양(保養)한 공으로 선제가 즉위한 후 박양후(博陽侯)에 봉후(封候)되고 승상(丞相)으로 승진하였음.
[丙吉牛喘 병길우천] 전한(前漢)의 명상(名相) 병길(丙吉)이 소가 헐덕거리는 것을 보고 시후(時候)가 조화(調和)를 잃은 것을 알아 천하(天下)의 정치에 더욱 주의한 고사(故事).
[丙部 병부] 자류(子類)의 서적. 자서(子書). 제자류(諸子類). 당대(唐代)에 경(經)·사(史)·자(子)·집(集)의 사부(四部)의 서적을 갑·을·병·정으로 구분하였으므로 이름.
[丙舍 병사] ㉠궁중(宮中)의 제3등의 사(舍). ㉡묘막(墓幕).
[丙夜 병야] 밤을 갑·을·병·정·무의 오야(五夜)로 나눈 것 중의 셋째 시각. 오후 12시경. 삼경(三更).
[丙午丁未 병오정미] 시속(時俗)에 병오년과 정미년의 두 해를 액년(厄年)이라 하여 재액이 많다고 꺼림.

[丙魏 병위] 전한(前漢) 선제(宣帝) 때의 명상(名相) 병길(丙吉)과 위상(魏相).

[丙丁 병정] 병(丙)과 정(丁)은 모두 오행(五行)의 불에 배당하므로, 불의 뜻으로 쓰임.

4 ⑤ [世] [中·人] [一] 세 [去]霽 舒制切 shì [二] 생 [平]庚 師敬切 shēng 

[筆順] 一 十 卄 廿 世

[字解] [一] ①인간 세 '一界'. '一上'. '辟一之士'《論語》. ②시세 세 때. 시대. '與一推移'《史記》. ③세대 세 30년. '必一而後仁'《論語》. ④대 세 ㉠한 왕조(王朝)의 계속하는 동안. '夏后之一'《詩經》. ㉡부자(父子)의 상속(相續). '君子之澤五一而斬'《孟子》. ⑤해 세 한 해. '去國三一'《禮記》. ⑥평생 세 일생. '沒一不忘也'《大學》. ⑦대대로 세 여러 대를. 누대(屢代). '一襲'. '一有哲王'《詩經》. ⑧대이을 세 대대로 계속함. '凡周之士, 不顯亦一'《詩經》. ⑨성 세 성(姓)의 하나. [二] 날 생 生(部首)과 同字. '皮膚爪髮隨一隨落'《列子》.

[字源] 金文  篆文  會意. 본래 '十'을 세 개 합쳐서 '30, 30년, 오랜 시간의 흐름'의 뜻을 보이며, 전(轉)하여 '세상'의 뜻도 나타냄.

[世家 세가] 대대로 국록(國祿)을 타 먹는 집안. 작록(爵祿)을 세습(世襲)하는 집안. 곧, 제후(諸侯)·왕 등의 집안.

[世間 세간] ㉠이 세상. 인간(人間). 인세(人世). ㉡《佛敎》 중생(衆生)이 서로 의지하며 살아가는 세상. 출세간(出世間)의 대(對).

[世降俗末 세강속말] 세상이 내려갈수록 못되어져서 풍속이 어지러움.

[世居 세거] 대대로 삶.

[世卿 세경] 세습(世襲)의 경(卿). 춘추 시대(春秋時代)의 제도에서 대대로 경(卿)이 되는 사람.

[世系 세계] 대대의 계통. 대대로 계승하는 혈통(血統).

[世界 세계] ㉠이 세상. 세간(世間). ㉡이 세상 사람. 세인(世人). ㉢지구상의 모든 나라. 만국(萬國). ㉣천지(天地). 우주(宇宙). ㉤지구(地球). 사해(四海). ㉥나라. 토지. ㉦같은 종류의 것의 모임. 사회(社會). ㉧구역. 범위. ㉨《佛敎》 과거·현재·미래의 삼세(三世)를 세(世)라 하고 동서·남북·상하를 계(界)라 함. 곧, 시간과 공간의 전체. 객관적 현상(現象)의 온 범위.

[世界觀 세계관] 세계의 본질(本質)과 의의(意義)에 관한 견해.

[世界記錄 세계기록] 세계에서 가장 우수한 경기 성적의 기록.

[世界語 세계어] 온 세상 사람이 다 같이 공통으로 쓸 수 있게 하기 위하여 만든 말. 에스페란토 같은 것. 국제어(國際語).

[世界主義 세계주의] 민족이나 국가를 도외시하고 온 세계의 인류를 한 덩어리로 하는 세계 국가를 구성하여 세계의 평화적 발전을 도모(圖謀)하려고 하는 주의. 국제주의(國際主義). 국가주의(國家主義)의 대(對).

[世告 세고] 모든 번국(蕃國). 옛날에 구주(九州) 밖의 번국(蕃國)의 수장(首長)은 그 자리에 오를 때마다 반드시 조근(朝覲)하여 천자(天子)에게 그 뜻을 아뢰게 되어 있었으므로 이름.

[世故 세고] 세상일. 세속(世俗)의 일.

[世官 세관] 대대로 하는 같은 벼슬. 세습(世襲)의 벼슬.

[世交 세교] 대대로 사귀어 온 교분(交分).

[世敎 세교] 사회의 풍교(風敎).

[世仇 세구] 대대로 내려오는 원수. 세수(世讎).

[世局 세국] 세상의 되어 가는 형편, 시대의 정세. 시국(時局).

[世規 세규] 사회의 규율(規律).

[世及 세급] 세습(世襲).

[世紀 세기] ㉠100년. 100년간. ㉡서력(西曆)으로 기원 원년부터 세어 100년씩 나눈 기간의 칭호(21세기는 2001~2100년). ㉢시대. 연대(年代).

[世紀末 세기말] 19세기(世紀) 말기(末期)에 과학의 진보에 의하여 재래의 이상주의적 인생관이 타파(打破)되고 퇴폐적(頹廢的)·회의적인 풍조(風潮)가 인심(人心)을 지배한 시기. 전(轉)하여, 사회가 몰락기(沒落期)에 들어가 퇴폐적인 사회 현상이 나타나는 시기를 이름.

[世難 세난] 세상살이의 어려움.

[世年 세년] 세월(歲月).

[世念 세념] 세상살이에 관한 생각. 세속(世俗)일에 관한 생각. 속념(俗念).

[世代 세대] ㉠시대. 세상(世上). ㉡대(代). 연대(年代)의 층(層).

[世途 세도] ㉠세상(世上). ㉡처세(處世)의 방법. 처세술. 세로(世路).

[世塗 세도] 세도(世途).

[世道 세도] 세상 사람이 지켜야 할 도덕. 세상의 도의(道義). 사회 도덕.

[世道人心 세도인심] 세상의 도의(道義)와 사람의 마음. 풍교(風敎).

[世篤忠貞 세독충정] 대대로 독실히 충성을 다함.

[世羅 세라] 세상의 그물이라는 뜻으로, 국법(國法) 또는 정치(政治)를 이름. 황강(皇綱).

[世亂識忠臣 세란식충신] 세상이 어지러운 연후에 비로소 누가 충신인지 알 수 있음.

[世路 세로] 세도(世途).

[世祿 세록] 대대로 타는 녹봉. 세습(世襲)의 국록(國祿). 또, 그 녹을 탐.

[世祿之臣 세록지신] 대대로 국록(國祿)을 타는 신하(臣下). 세신(世臣).

[世論 세론] ㉠세상의 의론. 여론(輿論). 물론(物論). 물의(物議). ㉡불교 신자가 유교(儒敎)를 가리켜 이르는 말.

[世累 세루] 세속(世俗)의 번거로운 일. 속루(俗累).

[世吏 세리] 대대로 벼슬아치가 될 자격이 있는 사람. 세습(世襲)에 의하여 임용되는 벼슬아치. 세습의 관리.

[世網 세망] 세상의 그물이라는 뜻으로, 세상의 계루(係累), 곧 세루(世累)를 이름. 세승(世繩).

[世母 세모] 큰어머니. 백모(伯母).

[世務 세무] 당세에 할 일. 시무(時務).

[世門 세문] 세가(世家).

[世味 세미] 세상의 맛. 세태인정(世態人情).

[世法 세법] 이 세상의 법. 속세(俗世)의 법.

[世範 세범] 세상의 모범.

[世變 세변] ㉠세상의 변천. ㉡세상의 어지러움. 세상의 변란(變亂).
[世譜 세보] 대대의 계보(系譜).
[世父 세부] 큰아버지. 백부(伯父). 세(世)는 대(代)를 잇는다는 뜻임.
[世婦 세부] 고대(古代)에 부인(婦人) 다음가는 후궁(後宮)의 여관(女官). 비빈(妃嬪)에 해당함.
[世紛 세분] 세상의 분란(紛亂).
[世祀 세사] 대대로 전하여 내려오며 지내는 제사.
[世事 세사] ㉠세상일. 세속(世俗) 일. 세고(世故). ㉡당세에 할 일. 세무(世務).
[世嗣 세사] 제후(諸侯)의 사자(嗣子). 세자(世子).
[世上 세상] 사람이 살고 있는 땅 위. 세간(世間).
[世相 세상] 세태(世態).
[世說 세설] 세상의 풍설(風說).
[世世 세세] 대대로. 대대(代代).
[世世相傳 세세상전] 대대로 전하여 내려옴.
[世世生生 세세생생]《佛敎》몇 번이고 다시 환생(幻生)하는 일.
[世俗 세속] ㉠세상의 풍속. ㉡세상(世上). ㉢세상의 속인(俗人). 세상 사람. 보통 사람.
[世孫 세손] 세자(世子)의 사자(嗣子).
[世守 세수] 대대로 지켜 내려옴.
[世數 세수] 대(代)의 수.
[世讎 세수] 대대로 내려오는 원수. 세구(世仇).
[世襲 세습] 작위·재산 등을 대대로 이어받음. 세급(世及).
[世繩 세승] 세망(世網).
[世臣 세신] 대대로 섬기는 신하. 세록지신(世祿之臣).
[世室 세실] 천자(天子)의 종묘(宗廟).
[世諺 세언] 세상에서 널리 쓰는 이언(俚諺). 속담(俗談).
[世業 세업] 대대로 내려오는 가업(家業).
[世緣 세연] 이 세상의 인연(因緣). 속연(俗緣).
[世染 세염] 세상의 너저분한 일. 속세(俗世)의 일.
[世榮 세영] 세상의 영예.
[世譽 세예] 세상의 명예.
[世外 세외] ㉠세속(世俗)을 떠난 깨끗한 땅. 별세계(別世界). 선경(仙境). ㉡속세(俗世)의 누(累)를 벗어난 경우(境遇).
[世運 세운] 세상의 운수. 시세(時世)의 변천.
[世雄 세웅]《佛敎》부처의 존호(尊號). 부처는 가장 웅맹심(雄猛心)이 많아 모든 번뇌(煩惱)를 끊으므로 이름.
[世儒 세유] ㉠세상에서 떠받드는 유학자. 세속(世俗)의 유학자. 속유(俗儒). ㉡대대로 가학(家學)을 전하는 유학자.
[世蔭 세음] 좋은 문벌(門閥).
[世誼 세의] 대대로 사귀어 내려온 정의(情誼).
[世醫 세의] 대대로 의약(醫藥)을 업으로 하는 일. 또 그 의원(醫員).
[世議 세의] 세상의 의론. 세평(世評).
[世人 세인] 세상 사람.
[世子 세자] 천자(天子)의 후사(後嗣). 후세(後世)에는 오로지 제후(諸侯)나 왕(王)의 후사의 뜻으로 쓰이고 천자의 후사인 태자(太子)와 구별하게 되었음. 세사(世嗣).
[世子嬪 세자빈] 세자의 아내.
[世爵 세작] 세습(世襲)의 작위(爵位).
[世箴 세잠] 세상의 교훈(敎訓).
[世葬 세장] 어느 장소에 대대로 장사 지냄.
[世才 세재] 처세(處世)하는 재능.
[世嫡 세적] 집의 대(代)를 잇는 사람. 적사(嫡嗣). 총적(冢嫡).
[世傳 세전] 대대로 전함. 세세상전(世世相傳).
[世傳之物 세전지물] 대대로 전하여 내려오는 물건.
[世情 세정] ㉠세상의 물정(物情). 세태인정(世態人情). ㉡세속(世俗) 일에 대하여 쓰는 마음.
[世諦 세제]《佛敎》속세(俗世)의 실상(實狀)에 따라서 알기 쉽게 설명한 진리. 속제(俗諦).
[世濟其美 세제기미] 후대 사람이 대대로 전대 사람을 계승하여 그 미덕(美德)을 완성함.
[世族 세족] 세가(世家).
[世尊 세존]《佛敎》석가모니(釋迦牟尼)의 존칭(尊稱). 석가모니는 세간(世間)·출세간(出世間)의 사람이 모두 존경한다는 뜻임.
[世主 세주] 임금. 군주(君主).
[世胄 세주] ㉠세가(世家). ㉡맏아들. 사자(嗣子).
[世中 세중] 세상. 사회.
[世塵 세진] 세상의 귀찮고 너저분한 일. 세속(世俗)의 일.
[世諦 세체] 세제(世諦).
[世忠 세충] 대대의 충성(忠誠).
[世稱 세칭] 세상에서의 일컬음.
[世態 세태] 세상의 형편. 세정(世情).
[世態炎涼 세태염량] 세정(世情)의 성쇠(盛衰).
[世態人情 세태인정] 세상의 형편과 인심의 동태(動態).
[世澤 세택] 조상이 남긴 은택.
[世統 세통] 세계(世系).
[世波 세파] 세상의 풍파. 험난(險難)한 세상.
[世評 세평] 세상의 평판.
[世標 세표] 세범(世範).
[世嫌 세혐] 대대로 지녀 내려오는 혐원(嫌怨).
[世兄 세형] 벗의 아들의 경칭(敬稱).
◉家世. 慨世. 蓋世. 擧世. 隔世. 經世. 季世. 繫世. 高世. 曲學阿世. 過世. 曠世. 救世. 近世. 今世. 金玉世. 金革世. 亂世. 來世. 累世. 短世. 當世. 遯世. 晩世. 萬世. 末世. 沒世. 拔山蓋世. 百世. 辟世. 竝世. 本支百世. 逢世. 浮世. 不世. 三世. 上世. 先世. 盛世. 聖世. 世世. 俗世. 衰世. 夙世. 叔世. 宿世. 時世. 身世. 阿世. 歷世. 列世. 閱世. 厭世. 永世. 往世. 澆世. 憂世. 遺世. 人世. 一世. 前世. 轉世. 絕世. 濟世. 早世. 中世. 塵世. 創世. 處世. 淸世. 超世. 出世. 治世. 濁世. 平世. 奕世. 現世. 幻世. 後世.

4 ⑤ [丗] 世(前條)와 同字

[未] 〔미〕 木部 一畫(p. 1027)을 보라.

[末] 〔말〕 木部 一畫(p. 1028)을 보라.

[本] 〔본〕 木部 一畫(p. 1025)을 보라.

4 ⑤ [且] 中人 一 차 ㊤馬 七也切 qiě
二 저 (平)魚 子魚切 jū
三 조 ㊤語 此與切 qù

筆順 丨 冂 冃 月 且

字解 一 ①또 차 ㉠그 위에 또한. '孔子貧一賤'《史記》. '一爾言過矣'《論語》. ㉡…까지도 또한. '臧獲一羞與之同名矣《史記》. ㉢…하면서. '飮一食兮'《韓愈》. '一馳一射'《漢書》. ㉣그러함에도 불구하고 또한. '行雖修而不顯於衆, 猶一月費俸錢'《韓愈》. ㉤우선. 잠시. '一以喜樂, 一以永日'《詩經》. ㉥가설(假設)의 말. 비록. '一予縱不得大葬, 予死於道路乎'《論語》. ②만일 차 만약. '一如'로 연용(連用)하기도 함. '君一欲霸王, 非吏吾, 不可'《史記》. ③장차 차 장차 …하려 함. '城一拔矣'《戰國策》. ④이 차 此(止部 二畫)와 뜻이 같음. '匪一有一'《詩經》. ⑤구차스러울 차 고식적(姑息的)임. '與物一者, 其身不容, 焉能容人'《莊子》. ⑥성 차 성(姓)의 하나. 二 ①머뭇거릴 저 망설임. 趄(走部 五畫)와 同字. '其行次一'《易經》. ②많을 저 많은 모양. '籩豆有一'《詩經》. ③어조사 저 어세(語勢)를 강하게 하는 조사(助辭). '不見子都, 乃見狂一'《詩經》. ④공경스러울 저 공근(恭謹)한 모양. '有萋有一'《詩經》. 三 도마 조, 적대 조 俎(人部 七畫)와 同字. '俎本作一'《正字通》.

字源 甲骨文 金文 篆文 古文 象形. 받침 위에 신(神)에게 바칠 희생을 겹쳐 쌓은 모양을 본떠서 '도마'의 뜻을 나타냄. '俎'의 원자(原字). '또한', '장차 …하려 하다' 따위 뜻의 조사(助辭)로도 전용(轉用)함.

[且看 차간] 잠시 봄.
[且驚且喜 차경차희] 한편으로 놀라고 한편으로는 기뻐함.
[且得 차득] 그것은 그렇다 치더라도. 차희(且喜).
[且夫 차부] 그리고 또한. 전문(前文)에 이어 다음 글을 강하게 말할 때의 발어사(發語辭).
[且月 차월] 음력 6월의 별칭(別稱).
[且戰且走 차전차주] 한편으로 싸우며 한편으로는 달아남.
[且千 차천] 수가 많은 모양.
[且喜 차희] 《佛敎》 그것은 그렇다 치더라도. 차득(且得).
◉姑且. 苟且. 卽且. 次且. 巴且.

4 ⑤ [丕] 人名 비 (平)支 敷悲切 pī

字解 ①클 비 '一業'. '嘉乃一績'《書經》. ②으뜸 비 원시(元始). 첫째. '是有一子之責于天'《詩經》. ③받들 비 봉행(奉行)함. '一天之大律'《漢書》. ④엄숙할 비 장중함. '一, 莊也'《小爾雅》. ⑤성 비 성(姓)의 하나.

字源 金文 篆文 形聲. 一+不〔音〕. '不부'는 불룩히 부푼 씨방을 본뜬 모양에서 '부풀고 큰'의 뜻을 나타내는데, '不'가 부정사(否定詞)로 쓰이게 되자 '一'을 덧붙여 그것과 구별했음.

[丕構 비구] 비업(丕業).
[丕基 비기] 제왕(帝王)의 큰 기업(基業). 홍기(鴻基). 대기(大基).
[丕圖 비도] 큰 계획. 홍도(鴻圖).
[丕烈 비렬] 비열(丕烈).
[丕命 비명] 천자(天子)의 명령. 군주의 명령. 대명(大命). 군명(君命).
[丕丕 비비] 큰 모양.
[丕丕基 비비기] 비기(丕基).
[丕緖 비서] 비적(丕績).
[丕承 비승] 천자(天子)가 제업(帝業)을 계승(繼承)함.
[丕業 비업] 큰 사업. 대업(大業). 홍업(洪業). 위업(偉業). 비구(丕構).
[丕烈 비열] 비적(丕績).
[丕子 비자] 천자(天子)의 적장자(嫡長子). 원자(元子). 태자(太子).
[丕績 비적] 큰 공적. 대공(大功).
[丕祚 비조] 천자(天子)의 지위. 보조(寶祚). 성조(聖祚).
[丕址 비지] 큰 기지(基址). 큰 기초.
[丕祉 비지] 큰 복(福). 대행(大幸).
[丕闡 비천] 크게 나타남.
[丕顯 비현] 크게 밝음. 크게 나타남.
[丕顯德 비현덕] 크게 밝은 덕. 훌륭한 덕.
[丕訓 비훈] 큰 교훈. 큰 훈계.
[丕休 비휴] 큰 경사(慶事).
[丕欽 비흠] 몹시 공경(恭敬)함.

4 ⑤ [丘] 高人 구 (平)尤 去鳩切 qiū

筆順 ノ 厂 斤 斤 丘

字解 ①언덕 구 구릉(丘陵). '一山'. '降一宅土'《書經》. ②메 구, 산 구 산악(山嶽). '崑崙山爲無熱一'《水經注》. ③마을 구 방일리(方一里)의 16배 되는 촌락. 4읍(邑) 128가(家)가 삶. '一井'. '四井爲邑, 四邑爲一'《漢書》. ④무덤 구 분묘. '一壟'. '爲宮室, 不斬一木'《禮記》. ⑤클 구 '一, 大也'《廣韻》. ⑥손윗사람 구 '過其一嫂食'《漢書》. ⑦모일 구 '一, 聚也'《釋名》. ⑧빌 구 공허함. '一墟'. '寄居一亭'《漢書》. ⑨성 구 성(姓)의 하나.

字源 甲骨文 金文 篆文 古文 象形. 甲骨文에서 알 수 있듯이 언덕을 본뜬 모양으로, '언덕'의 뜻을 나타냄. 능(陵)에 비해 작음.

[丘軻 구가] 공자(孔子)와 맹자(孟子). 구(丘)는 공자의 이름, 가(軻)는 맹자의 이름.
[丘甲 구갑] 한 구(丘), 곧 128집에서 징수(徵收)하는 세법(稅法).
[丘岡 구강] 언덕. 구릉(丘陵).
[丘壟 구롱] ㉠언덕. 구릉(丘陵). ㉡무덤. 분묘(墳墓).
[丘隴 구롱] 구롱(丘壟).
[丘陵 구릉] 언덕.
[丘里之言 구리지언] 시골 사람의 말. 이속(里俗)의 말. 상말. 비언(鄙諺). 구언(丘言).
[丘木 구목] 무덤 위에 난 나무.
[丘墓 구묘] 무덤. 분묘(墳墓).
[丘墓之鄕 구묘지향] 선산(先山)이 있는 시골. 추향(楸鄕).
[丘民 구민] ㉠많은 백성. ㉡시골 사람. 전부야인(田夫野人).

[丘封 구봉] 언덕. 구릉(丘陵).
[丘阜 구부] 언덕. 구릉(丘陵).
[丘賦 구부] 128집이 사는 한 구(丘)의 백성에게 부과하는 구실. 말 한 필과 소 세 마리를 냄.
[丘墳 구분] ㉠무덤. 분묘(墳墓). ㉡언덕. 구릉(丘陵). ㉢〈구구(九丘)〉와 〈삼분(三墳)〉. 모두 고서(古書)의 이름.
[丘史 구사] 공(功)이 있는 신하에게 임금이 내려준 지방의 관노비(官奴婢).
[丘索 구삭] 〈구구(九丘)〉와 〈팔삭(八索)〉. 모두 고서(古書)의 이름.
[丘山 구산] ㉠언덕과 산. ㉡많은 물건의 비유. ㉢조용히 정지하는 형용.
[丘山臺 구산대] 물건을 높이 쌓은 더미.
[丘壻 구서] 죽은 딸의 남편.
[丘首 구수] 여우는 한평생 언덕에 굴을 파고 살기 때문에 죽을 때에 머리를 반드시 언덕 쪽으로 두고 죽는다는 뜻으로, 근본을 잊지 않거나 또는 고향을 생각함을 이름.
[丘嫂 구수] 큰형수. 맏형수.
[丘隰 구습] 고지(高地)와 저지(低地).
[丘言 구언] 구리지언(丘里之言).
[丘塋 구영] 무덤. 구묘(丘墓).
[丘隅 구우] 언덕의 모퉁이.
[丘園 구원] ㉠언덕진 동산. 언덕의 동산. ㉡언덕과 동산. 은거(隱居)하는 땅을 이름.
[丘坻 구저] 언덕. 구릉(丘陵).
[丘井 구정] 마을. 촌락(村落). 1정(井)은 1리 사방(四方)의 여덟 집이 사는 마을. 1구(丘)는 16정(井)이 사는 마을.
[丘亭 구정] 빈 집. 공가(空家).
[丘兆 구조] 무덤. 구묘(丘墓).
[丘垤 구질] 언덕과 개밋둑. 부질(阜垤).
[丘冢 구총] 무덤. 구묘(丘墓).
[丘塚 구총] 구총(丘冢).
[丘坂 구판] 언덕과 산비탈.
[丘壑 구학] 언덕과 골짜기. 속세(俗世)를 떠난 곳.
[丘墟 구허] ㉠큰 언덕. ㉡성터. 성지(城址). ㉢빈 터. 또, 공허(空虛).
◉介丘. 葵丘. 陵丘. 東家丘. 旄丘. 方丘. 蓬丘. 比丘. 山丘. 三丘. 小丘. 首丘. 崇丘. 阿丘. 圜丘.

4 ⑤ [㐀] 丘(前條)와 同字

4 ⑤ [业] 〔업〕 業(木部 九畫〈p. 1090〉)의 簡體字

5 ⑥ [両] 〔량〕 兩(入部 六畫〈p. 204〉)의 俗字

5 ⑥ [丙] 첨 ㊤琰 他點切 ㊥豔 他念切 tiàn

字解 ①혀모양 첨 '一, 舌皃'《說文》. ②핥을 첨 혀끝을 드러내어 핥음. '一, 以舌鉤取也'《六書正譌》.
字源 象形. 입에서 혀를 내민 모양을 본뜸.

5 ⑥ [甶] 〔기〕 箕(竹部 八畫〈p. 1669〉)의 古字

5 ⑥ [丽] 〔려·리〕 麗(鹿部 八畫〈p. 2691〉)의 古字

5 ⑥ [丕] 〔불·부〕 不(一部 三畫〈p. 30〉)의 本字

[再] 〔재〕 冂部 四畫(p. 222)을 보라.

[西] 〔서〕 襾部(p. 2081)를 보라.

[而] 〔이〕 部首(p. 1817)를 보라.

[百] 〔백〕 白部 一畫(p. 1506)을 보라.

[吏] 〔리〕 口部 三畫(p. 345)을 보라.

5 ⑥ [丞] 人名 ㊀ 승 ㊥蒸 署陵切 chéng ㊁ 증 ㊤迥 蒸之上聲 zhěng

筆順 ⁻ 了 了 孑 孑 丞

字解 ㊀ ①도울 승 보좌함. '一天子'《漢書》. 또, 돕는 사람. 장관(長官)을 보좌하는 사람. '遺一請還'《古詩》. ②받들 승 承(手部 四畫)의 古字. '一上指'《史記》. ③벼슬이름 승 장관의 뜻을 받들어 사무를 처리하는 벼슬. '一史'. '有六一'《漢書》. ㊁ ①나아갈 증 향상(向上)하는 모양. 蒸(艸部 十畫)·烝(火部 六畫)의 古字. '一一治不至姦'《史記》. ②구할 증, 도울 증 구원함. 원조함. 拯(手部 六畫)과 통용. '一民於農桑'《揚雄》. ※'승' 음은 인명자로 쓰임.
字源 甲骨文 金文 篆文 會意. 甲骨文은 廾+卩+凵. 廾는 양손을 나타낸 모양. 卩은 무릎 꿇은 사람의 형상. 凵은 함정의 상형(象形). 함정에 빠진 사람을 두 손으로 건져 올리는 모양에서, '돕다'의 뜻을 보임.

[丞史 승사] 승(丞)과 사(史). 모두 장관(長官)의 속료(屬僚)임.
[丞相 승상] 천자(天子)를 보좌하는 대신. 정승(政丞). 재상(宰相).
[丞掾 승연] 승(丞)과 연(掾). 모두 장관(長官)의 속료(屬僚)임.
[丞丞 증증] ㉠사물이 왕성하게 일어나는 모양. ㉡나아가는 모양. 향상(向上)하는 모양. 증증(烝烝). 증증(蒸蒸).
◉郡丞. 御史中丞. 驛丞. 縣丞.

5 ⑥ [丟] 주 ㊥尤 丁羞切 diū

字解 ①아주갈 주 한번 가면 돌아오지 않음. '一, 一去不還也'《字彙》. ②던질 주 '一下'. ③《現》 잃어버릴 주.
字源 會意. 一+去. 한번 떠나가 버리다, 던지다, 잃어버리다의 뜻을 나타냄.

[丟巧針 주교침] 음력 7월 칠석날 저녁에 부녀(婦女)들이 직녀성(織女星)에게 바늘을 물에 띄워 바느질을 잘할 수 있게 하여 달라고 빌던 일.

5 [北] 〔구〕
⑥ 丘(一部 四畫〈p. 41〉)의 本字

[亙] 〔세〕
十部 四畫(p. 304)을 보라.

[更] 〔경〕
日部 三畫(p. 972)을 보라.

6 [所] 〔소〕
⑦ 所(戶部 四畫〈p. 840〉)의 俗字

6 [两] 〔량〕 兩(入部 六畫〈p. 204〉)의 俗字·
⑦ 簡體字

6 [丣] 〔유〕
⑦ 酉(部首〈p. 2350〉)의 古字

參考 丣(戶部 三畫〈p. 839〉)는 別字.

6 [丽] 〔려·리〕
⑦ 麗(鹿部 八畫〈p. 2691〉)의 簡體字

[事] 〔사〕
亅部 七畫(p. 70)을 보라.

7 [並] 高入 〔병〕
⑧ 竝(立部 五畫〈p. 1647〉)과 同字

筆順 丶 丷 䒑 丫 丫 丫 並 並

7 [丽] 〔려·리〕
⑧ 麗(鹿部 八畫〈p. 2691〉)의 古字

8 [並]
⑨ 並(前前條)과 同字

10 [豆]
⑪ 두 ㊄宥 徒口切 dòu

字解 ①술그릇 두 옛날에 술을 담는 예기(禮器)의 하나. '鐙, 一'《說文》. ②구기 두 술을 푸는 제구. 斗(部首)와 同字.

12 [憂] 〔우〕
⑬ 憂(心部 十一畫〈p. 808〉)의 俗字

12 [虞] 〔우〕
⑬ 虞(虍部 七畫〈p. 1999〉)의 俗字

13 [虧] 〔휴〕
⑭ 虧(虍部 十一畫〈p. 2000〉)의 俗字

14 [壼] 〔곤〕
⑮ 壼(士部 十畫〈p. 475〉)의 俗字

丨 (1획) 部

〔뚫을곤부〕

0 [丨]
① 곤 ㊤阮 古本切 gǔn

筆順 丨

字解 위아래로통할 곤 상하(上下)를 통함.

字源 篆文 丨 指事. 세로의 한 획으로, 상하(上下)로 통하는 뜻을 보이는데, '丨'이 독립된 문자로 쓰이는 예는 없음. 문자 정리상 부수로 침.

1 [丩] ㊀ 구 ㊥尤 居求切 jiū
② ㊁ 교 ㊤篠 巨夭切

字解 ㊀ 얽힐 구 서로 얽힘. '一, 相糾繚也. 一曰, 瓜瓠結丩起'《說文》. ㊁ 얽힐 교 ㊀과 뜻이 같음.

字源 象形. 끈이 서로 얽혀 있는 모양을 본뜸.

1 [卜] 〔복〕
② 卜(部首〈p. 311〉)의 古字

2 [个]
③ 개 ㊄箇 古賀切 gè

字解 ①낱 개, 개 개 물건의 수를 세는 말. 箇(竹部 八畫)·個(人部 八畫)와 同字. '一一'. '搢三一挾一一'《儀禮》. ②곁방 개 몸채의 사면(四面)에 있는 좁은 방. 편실(偏室). '君居右一'《禮記》. ③한사람 개 1인. 介(人部 二畫)와 同字. '又弱一一焉'《左傳》.

字源 象形. 본디 대나무의 줄기를 본뜬 모양. 수효를 세는 말로 쓰임.

參考 個(人部 八畫)·箇(竹部 八畫)의 簡體字.

[个个 개개] 하나하나. 한 개 한 개.
[个人 개인] 한 사람. 개인(個人).
◉一个.

2 [丫]
③ 아 ㊥麻 於加切 yā

字解 ①가닥 아, 가장귀 아 물건의 가닥진 형상. 또, 나뭇가지의 아귀. '一叉'. '一, 象物開之形'《廣韻》. ②총각 아 어린아이의 머리를 두 가닥으로 나누어 땋아서 머리의 양쪽에 뿔 모양으로 잡아맨 것. '徒使蒼頭一髻, 巨扇揮颺'《歐陽修》. ③《現》 포크 아 두 가닥진 삼지창.

字源 象形. 물건의 위가 두 가닥으로 갈라진 모양을 본떠, 두 갈래, 두 가닥 뿔 모양으로 둥글게 묶어 올린 머리의 뜻을 나타냄.

[丫髻 아계] 총각(總角)으로 땋은 머리. 전(轉)하여 소녀(少女). 또 계집종. 비녀(婢女).
[丫童 아동] 아동(兒童). 소년.
[丫頭 아두] 아계(丫髻).
[丫丫 아아] 머리를 총각(總角)으로 땋은 모양.
[丫叉 아차] ㉠팔짱을 낌. ㉡가장귀.
[丫鬟 아환] 아계(丫髻).

3 [中] 中人 중 ①-⑬㊥東 陟弓切 zhōng
④ ⑭-⑯㊄送 陟仲切 zhòng

筆順 丨 ㄇ 口 中

字解 ①가운데 중 ㉠속. 내부. '美在其一'《易經》. ㉡한가운데. 중앙. '一心'. '洛陽居天下之一'《李格非》. 또, 한가운데에 있음. '一天下而立'《孟子》. ㉢상하·대소·전후 등의 사이. 중

간. '一旬' '上一下'. '其書始言一理, 一散爲萬事, 末復合爲一理'《中庸》. ㉣동아리. 반려(伴侶). '軍一'. '在市屠一'《史記》. ②안 중 내측(內側). '一外'. '一表'. '若錐之處囊一'《史記》. ③중 중 ㉠과불급(過不及)이 없는 도(道). 중용의 도. '一庸'. '執允厥一'《書經》. ㉡치우치지 않은 순정(純正)의 덕(德). '一也者天下之大本也'《中庸》. ㉢천지(天地)의 정기(正氣). '民受天地之一以生'《左傳》. ④마음 중 심정. 충심(衷心). '情動於一'《史記》. ⑤몸 중 신체. '文子其一退然如不勝衣'《禮記》. ⑥대궐안 중 금중(禁中). 또, 정부. '其事留一'《後漢書》. ⑦반 중 절반. 반분(半分). '一途'. '得亦一, 失亦一'《列子》. ⑧곧을 중, 바를 중 '頭頸必一'《禮記》. ⑨찰 중 분량에 참. '一二千石'('比二千石'의 대)《漢書》. ⑩고를 중 균등함. '鬭摯必一'《禮記》. ⑪뚫을 중 꿰뚫음. '一其莖'《周禮》. ⑫버금 중 仲(人部 四畫)과 통용. '一兄'. '律中一呂'《禮記》. ⑬성 중 성(姓)의 하나. ⑭맞을 중 ㉠과녁에 맞음. '百發百一'. '射一則得爲諸侯'《禮記》. ㉡예언·점 같은 것이 맞음. '所言多一'《蜀志》. '靈竹占屢一'《魏書》. ㉢계책이 맞음. '是秦之計一也'《戰國策》. ㉣뜻에 맞음. '未嘗不一吾志'《左傳》. ㉤적당함. '刑罰一則民畏死'《尹文子》. ㉥일치함. '從容一道'《中庸》. ㉦응(應)함. '律一大簇'《禮記》. ㉧몸의 독이 됨. 몸이 상함. '一風'. '一毒'. '一身當心則爲病'《莊子》. ㉨합격함. '武成親試之, 皆一'《北齊書》. ⑮맞힐 중 전항의 타동사. '危法一之'(죄에 빠뜨림)《唐書》. ⑯격할 중 사이에 둠. '一年'. '一月而禫'《儀禮》.

字源 甲骨文 金文 篆文 古文 指事. 어떤 것을 하나의 선(線)으로 꿰뚫어 '속·안'의 뜻을 나타냄. 甲骨文·金文에서 특히 군대의 중앙에 세운 깃발 모양으로, '속'의 뜻을 보임. '맞다, 맞히다'의 뜻일 때에는, 속으로 들어가는 뜻을 나타냄.

[中間 중간] ㉠가운데, 사이. ㉡소개(紹介).
[中堅 중견] ㉠정예(精銳)한 군사가 모인 중군(中軍). ㉡장군(將軍)의 칭호.
[中京 중경] ㉠중하(中夏)❶. ㉡남조(南朝)에서 당대(唐代)까지의 낙양(洛陽)의 일컬음. ㉢당(唐)나라의 발해현덕부(渤海顯德府), 요(遼)나라의 대정부(大定府), 금(金)나라의 금창부(金昌府)의 일컬음. ㉣《韓》 고려(高麗)의 서울 개성(開城)의 일컬음.
[中徑 중경] 지름. 직경(直徑).
[中景 중경] 그림의 전경(前景)과 원경(遠景)과의 중간의 부분.
[中經 중경] 경서(經書)를 분량에 의하여 대·중·소로 나눈 것 중의 중간 것으로서 시경(詩經)·의례(儀禮)·주례(周禮)의 총칭.
[中扃外閉 중경외폐] 마음속의 욕심을 밖에 나타내지 않고, 외부의 사악(邪惡)을 마음속에 들어오지 못하게 하는 일. 경(扃)은 폐(閉).
[中計 중계] 중책(中策).
[中古 중고] ㉠상고(上古)와 근세(近世)와의 사이. 중세(中世). ㉡약간 헒. 또, 그 물건.
[中古主義 중고주의] 중세(中世)에 구주(歐洲)에서 일어난 개인의 해방, 신생활의 요구를 주장한 주의. 중세주의(中世主義).
[中空 중공] ㉠중천(中天). ㉡속이 빔.
[中官 중관] ㉠환관(宦官). 중인(中人). ㉡지방관(地方官)에 대하여 조정(朝廷)에서 근무하는 벼슬아치. 조관(朝官).
[中冓 중구] ㉠궁중(宮中)의 깊숙한 곳. 또, 부부(夫婦)가 거처하는 방. 내실(內室). ㉡음란(淫亂)한 일.
[中國 중국] ㉠세계의 중앙에 있는 나라라는 뜻. 중국 사람이 자기 나라를 일컫는 말. 중주(中州). ㉡나라의 중앙.
[中軍 중군] 상·중·하 삼군(三軍)의 중앙의 군대. 주장(主將)이 거느리는 정예(精銳)한 군대임. 중권(中權).
[中帬 중군] 속옷. 내의(內衣).
[中宮 중궁] ㉠황후(皇后)의 일컬음. ㉡북극성(北極星). ㉢《韓》 중궁전(中宮殿).
[中宮殿 중궁전] 《韓》 왕비(王妃)의 존칭(尊稱).
[中權 중권] 중군(中軍).
[中權後勁 중권후경] 삼군(三軍) 중에서 중군(中軍)은 주장(主將)이 있는 군대로서 권모(權謀)를 쓰고, 후군(後軍)은 정병(精兵)을 모은 군대로서 용감히 싸워 강함.
[中饋 중궤] 주부(主婦)가 부엌 안에서 한집안의 식사(食事)를 주장(主掌)하는 일. 전(轉)하여, 아내의 일컬음.
[中貴人 중귀인] 궁중(宮中)에서 굄을 받는 사람. 후세(後世)에는 오로지 환관(宦官)을 이름.
[中逵 중규] 한길의 가운데.
[中氣 중기] ㉠중풍(中風). ㉡동지(冬至)를 기점(起點)으로 하여 다음의 동지까지의 기간을 12등분(等分)한 구분점(區分點). 곧, 동지(冬至)·대한(大寒)·우수(雨水)·춘분(春分)·곡우(穀雨)·소만(小滿)·하지(夏至)·대서(大暑)·처서(處暑)·추분(秋分)·상강(霜降)·소설(小雪).
[中男 중남] ㉠둘째 아들. 차남(次男). ㉡당대(唐代)에서 17세 이상 20세 이하의 남자.
[中年 중년] ㉠청년과 노년과의 사이의 연령. 곧, 40세 전후의 원기가 왕성한 나이. ㉡중세(中世). ㉢풍년도 흉년도 아닌 수확이 보통인 해. 평년(平年). ㉣한 해를 격(隔)함.
[中農 중농] 대지주와 소작인의 중간층의 농민. 머슴을 두고 자작(自作)하는 농민.
[中單 중단] 《韓》 남자의 상복(喪服) 속에 입는 소매가 넓은 두루마기.
[中斷 중단] 중간이 끊어짐. 또, 중간을 끊음. 중절(中絕).
[中堂 중당] ㉠중앙의 궁전(宮殿). ㉡재상(宰相)이 정사(政事)를 보는 곳. ㉢재상(宰相)의 별칭(別稱). ㉣당상(堂上)의 남북의 중간.
[中唐 중당] ㉠종묘(宗廟)의 문에서 종묘로 가는 중정(中庭)의 길. ㉡시학상(詩學上) 시체(詩體)의 변천에 따라서 당대(唐代)를 초당(初唐)·성당(盛唐)·중당(中唐)·만당(晩唐)의 네 기간으로 구분한 것 중의 셋째. 대종(代宗)의 대력(大曆) 4년, 서기 762년부터 헌종(憲宗)의 원화(元和) 15년, 서기 840년까지의 70여 년 간으로서, 백거이(白居易)·한유(韓愈)·유종원(柳宗元) 등을 배출(輩出)하였음.
[中隊 중대] 육군과 해병대의 부대 편제상(部隊編制上)의 이름. 셋 내지 네 소대(小隊)로 구성된 부대.
[中臺 중대] 《佛敎》 중존(中尊)을 안치(安置)하는 대(臺).

[中途 중도] ㉠가는 길의 중간. ㉡하는 일의 중간. 반도(半途). ㉢길의 한가운데. 길의 복판. 중도(中道).
[中都 중도] 지명(地名). 지금의 산둥 성(山東省) 문상현(汶上縣). 공자(孔子)가 일찍이 이곳의 재(宰)가 된 일이 있음.
[中道 중도] ㉠과불급(過不及)이 없는 중용(中庸)의 도(道). 중정(中正)의 도. ㉡길의 한가운데. 길의 복판. ㉢일의 중간. 중도(中途).
[中塗 중도] 중도(中道)❷.
[中道而廢 중도이폐] 일을 하다가 중간에서 그만둠.
[中毒 중독] 음식물이나 약 같은 것의 독성(毒性)에 치어서 기능(機能)의 장애(障礙)를 일으키는 일.
[中等 중등] 상등과 하등, 또는 고등과 초등의 사이.
[中郎 중랑] ㉠중랑장(中郎將). ㉡동진(東晉)·남북조 시대(南北朝時代)의 여러 공부(公府) 및 장군(將軍)의 속관(屬官). 수(隋)나라 이후에 폐(廢)하였음.
[中郎將 중랑장] 진대(秦代)부터 당대(唐代) 이전까지 전문(殿門)과 숙위(宿衛)의 일을 맡은 마을의 장관(長官). 약하여 단지 '중랑'이라고도 함.
[中略 중략] 중간의 글귀를 생략함.
[中呂 중려] 십이율(十二律)의 하나. 달로는 4월에 배당하므로, 전(轉)하여 음력 4월의 별칭(別稱)으로 쓰임. 중려(仲呂).
[中老 중로] 초로(初老), 곧 40세 전후의 사람에 대하여 50~60세 전후의 사람을 이름. 중늙은이.
[中路 중로] ㉠길의 한가운데. 길의 복판. ㉡다니는 길의 중간. 중도(中途).
[中論 중론] 책 이름. 후한(後漢) 사람 서간(徐幹)의 찬(撰). 2권 20편.
[中牢 중뢰] 소뢰(少牢)의 별칭(別稱).
[中壘 중루] ㉠한대(漢代)의 집금오(執金吾)의 속관(屬官). ㉡한대(漢代)에 북군 누문(北軍樓門)의 안을 맡고, 또 서좌(西座)도 관리하던 벼슬.
[中流 중류] ㉠하천(河川)의 중앙. ㉡중등. 중위(中位).
[中霤 중류] ㉠방 가운데. 방의 중앙. 경대부(卿大夫)의 집에서는 토신(土神)을 제사 지내는 곳임. 옛날에 혈거(穴居)하였을 때 위에 구멍을 뚫고 채광(採光)을 하였는데, 비 올 때 그곳에서 낙숫물이 떨어졌으므로 이름. ㉡가옥을 지키는 신(神).
[中流擊楫 중류격즙] 굳은 결심을 보이느라고 강의 한복판에서 노로 뱃전을 침.
[中流砥柱 중류지주] 허난 성(河南省) 산저우(陜州)에서 동쪽으로 40리 되는 황하(黃河)의 중류에 있는 주상(柱狀)의 돌. 위가 판판하여 숫돌 같으며, 격류(激流) 속에서 우뚝 솟아 꼼짝도 하지 않으므로, 난세(亂世)에 처하여 의연(毅然)히 절개를 지키는 선비의 비유로 쓰임.
[中立 중립] ㉠양자의 어느 쪽에도 치우치지 아니함. 중정 독립(中正獨立). ㉡곧아 한쪽으로 기울지 아니함. ㉢교전국(交戰國)의 어느 쪽에도 편들지 아니함.
[中立國 중립국] 교전국(交戰國)의 어느 쪽에도 편들지 않고, 또 전쟁에 영향을 끼치는 행동을 일체 피하는 나라. 국외(局外) 중립국과 영세(永世) 중립국의 두 가지가 있음.
[中立不偏 중립불편] 한가운데에 있어 어느 쪽에도 치우치지 아니함.
[中無所主 중무소주] 줏대가 없음. 주견(主見)이 없음.
[中門 중문] 대궐(大闕)의 가운데 문.
[中民 중민] 중산 계급(中產階級)의 백성.
[中飯 중반] ㉠점심. 오찬(午餐). ㉡밥을 먹을 때. 식사 중.
[中枋 중방] 중인방(中引枋).
[中保 중보] 두 쪽 사이에 서서 일을 주선하는 사람.
[中伏 중복] 삼복(三伏)의 하나. 하지(夏至) 뒤의 넷째 경일(庚日). '삼복(三伏)'을 보라.
[中腹 중복] 산의 중턱. 산복(山腹).
[中部 중부] 가운데 부분.
[中僨 중분] 중간쯤 해서 일어남.
[中分 중분] 가운데에서 나눔. 둘로 똑같게 가름. 절반함.
[中士 중사] ㉠사(士)를 상·중·하의 세 계급으로 나눈 것의 둘째. ㉡하사관 계급의 하나(상사의 아래, 하사의 위).
[中使 중사] 궁중(宮中)에서 보내는 사신(使臣). 내밀(內密)히 보내는 사신. 내사(內使).
[中射 중사] 전국 시대(戰國時代)에 제후(諸侯)의 궁성(宮城)을 수비하던 무인(武人).
[中謝 중사] ㉠신하가 천자(天子)에게 올리는 표문(表文)에 '성황성구돈수돈수(誠惶誠懼頓首頓首)'의 여덟 자를 쓴 것을 나중에 베끼는 경우에 이를 생략하는 표시로 쓰는 말. ㉡임관(任官)의 명(命)을 받고 입궐(入闕)하여 사례(謝禮)함.
[中產 중산] 중등의 재산.
[中產階級 중산계급] 유산자와 무산자의 중간에 있는 사회층(社會層). 곧, 중소 상공업자·소지주·봉급생활자의 계급.
[中山 중산] ㉠유구(琉球)의 별칭(別稱). ㉡전국 시대(戰國時代)의 나라 이름. 지금의 허베이 성(河北省) 정현(定縣)의 땅. ㉢당(唐)나라의 지명(地名). 고래로 품질이 썩 좋은 붓을 산출함. 지금의 안후이 성(安徽省) 의성현(宜城縣). ㉣광둥 성(廣東省) 남부의 현명(縣名). 고명(古名)은 향산(香山)인데 현내의 취형촌(翠亨村)이 손문(孫文)의 출생지인 까닭에 그의 호(號)를 따서 민국(民國) 14년에 중산현으로 개칭하였음.
[中山酒 중산주] 술 이름. 취기가 오래 깨지 않는 좋은 술이라 함.
[中商 중상] 되넘기장사도 하고, 남의 거간(居間)도 하는 장수.
[中傷 중상] 사실무근(事實無根)의 말을 하여 남의 명예를 손상시킴.
[中殤 중상] 열두 살부터 열다섯 살까지에 죽는 일. 요사(夭死).
[中庶 중서] 《韓》 중인(中人)과 서얼(庶孼).
[中書 중서] ㉠궁중(宮中)에서 천자(天子)의 조명(詔命) 등을 맡은 벼슬. 후세(後世)에는 대정(大政)을 총리(總理)하는 내각(內閣)이 되었음. ㉡궁중의 비부(祕府)의 서적. 천자(天子)가 비장(祕藏)하는 서적.
[中暑 중서] 더위 먹는 일. 더위로 인하여 생기

는 병.
[中書君 중서군] 붓〔筆〕의 아칭(雅稱).
[中書令 중서령] 중서성(中書省)의 장관(長官).
[中書門下 중서문하] 당(唐)나라 개원(開元) 11년에 정사당(政事堂)을 고친 이름. 구제(舊制)에 재상(宰相)이 항상 문하성(門下省)에서 정사(政事)를 의논하였는데, 이를 정사당이라 하였음.
[中書省 중서성] 기무(機務)·조명(詔命)·비기(祕記) 등을 관장(管掌)하는 관서(官署).
[中書侍郞 중서시랑] 중서성(中書省)의 한 벼슬. 중서랑(中書郞).
[中夕 중석] 한밤중. 정밤중. 야반(夜半). 중야(中夜). 중소(中宵).
[中昔 중석] 중석(中夕).
[中性 중성] ㉠이것도 저것도 아닌 중간의 성질. ㉡남성(男性)도 여성(女性)도 아닌 성(性). ㉢산성(酸性)도 염기성(鹽氣性)도 아닌 성.
[中城 중성] 주장(主將)이 있는 내성(內城). 아성(牙城).
[中聲 중성] ㉠높지도 낮지도 않은 소리. ㉡중국 음악에서 상(商)의 가락. ㉢홀소리.
[中世 중세] ㉠고대와 현대, 또는 상대(上代)와 근세(近世)와의 사이의 시대. ㉡역사상의 시대 구분의 하나. 중고(中古). 중국에서는 진(秦)나라의 통일부터 당(唐)나라의 멸망까지, 우리나라에서는 고려 건국 초부터 그 멸망까지의 시대.
[中歲 중세] ㉠풍년도 흉년도 아닌 수확이 보통인 해. 평년(平年). 중년(中年). ㉡장정(壯丁)의 나이. 중년(中年).
[中宵 중소] 중석(中夕).
[中霄 중소] 중천(中天).
[中壽 중수] 중위(中位)의 수명(壽命). 80세. 일설에는 100세. '상수(上壽)'를 보라.
[中宿 중숙] 이틀 밤의 숙박. 이박(二泊). 신숙(信宿).
[中旬 중순] 한 달의 11일부터 20일까지의 열흘 동안.
[中試 중시] ㉠시험을 대·중·소의 세 등급으로 나눈 것 중의 중간의 것. ㉡시험에 합격함. 급제함.
[中始祖 중시조] 《韓》 쇠퇴한 집안을 중흥(中興)시킨 조상.
[中食 중식] ㉠점심. 주식(晝食). ㉡식중독에 걸림.
[中身 중신] ㉠중년(中年) ❶. ㉡몸의 중간.
[中室 중실] 방 안. 중류(中霤).
[中心 중심] ㉠마음속. 심중(心中). 중정(中情). ㉡한가운데. 복판. 중앙(中央). ㉢중요한 데. 중추(中樞). ㉣사물이 모이는 곳. ㉤직선의 양단, 또 원주(圓周)·구면(球面) 등의 모든 점에서 같은 거리(距離)에 있는 점. 중심(重心)·원심(圓心)·구심(球心) 따위.
[中丞相 중승상] 환관(宦官)으로서 승상(丞相)의 지위에 있는 자의 일컬음. 예컨대, 조고(趙高) 같은 사람.
[中岳 중악] 숭산(嵩山)의 별칭(別稱).
[中嶽 중악] 중악(中岳).
[中央 중앙] ㉠한가운데. 복판. ㉡중요한 위치. 중추(中樞).
[中央銀行 중앙은행] 전국의 모든 은행의 중심이 되어 금융(金融)의 통제를 하며, 은행의 자금 공급의 원천(源泉)이 되는 은행. 우리나라의 한국은행 따위.
[中央政府 중앙정부] 전국의 행정(行政)을 통할(統轄)하는 행정 관청.
[中央集權 중앙집권] 한 나라의 정치 권력을 중앙 정부에 집중하여, 지방의 관리는 단지 중앙의 지휘·명령에 복종하는 권력 조직.
[中夜 중야] 한밤중. 정밤중. 야반(夜半). 중석(中夕). 중소(中宵).
[中嚴 중엄] 궁성(宮城)의 경비(警備).
[中涓 중연] 궁중(宮中)의 청소(淸掃)를 맡은 사람. 또, 천자(天子)를 측근(側近)에서 모시는 사람.
[中熱 중열] 중서(中暑).
[中葉 중엽] ㉠중세(中世) ❶. 엽(葉)은 세(世). ㉡어느 시대의 중간쯤 되는 시대.
[中午 중오] 오정. 정오(正午).
[中浣 중완] 중순(中旬).
[中外 중외] ㉠안과 밖. 내외(內外). ㉡국내와 국외. ㉢조정(朝廷)과 민간. 조야(朝野).
[中庸 중용] ㉠과불급(過不及)이 없는 중정(中正)의 도(道). ㉡보통의 재능. 범상(凡常). ㉢책 이름. 사서(四書)의 하나. 공자(孔子)의 손자 자사(子思)의 저(著). 1권. 중용불편(中庸不偏)의 덕을 설명하였음. 원은 예기(禮記) 49편 중의 제31편임.
[中庸之道 중용지도] 중용(中庸) ❶.
[中元 중원] 삼원(三元)의 하나. 음력 7월 15일. 백중(百中)날.
[中原 중원] ㉠들. 원야(原野). ㉡한족(漢族)의 발상지(發祥地)인 황하 유역을 이름. 지금의 북지(北支), 곧, 허베이(河北)·허난(河南)·산둥(山東)·산시 성(陝西省) 지방. ㉢천하(天下)의 중앙의 땅. 변방(邊方)이나 만국(蠻國)에 대하여 이름.
[中原之鹿 중원지록] 여러 사냥꾼이 한 마리의 사슴을 잡으려고 중원(中原)을 치구(馳驅)하는 모양을 군웅(群雄)이 제왕의 자리를 얻으려고 다투는 데 비유한 데서 나온 말로, 천자(天子)의 자리 또는 경쟁의 목적물을 이름.
[中尉 중위] ㉠경사(京師)를 경호(警護)하는 벼슬. 한무제(漢武帝) 때 집금오(執金吾)라고 고쳤음. ㉡《韓》 육·해·공군의 위관(尉官)의 제2위.
[中有 중유] 《佛教》 사람이 죽어 다음의 생(生)을 받을 때까지의 49일 동안. 생유(生有)·본유(本有)·사유(死有)와 함께 사유(四有)의 하나.
[中允 중윤] 벼슬 이름. 동궁(東宮)의 속관(屬官)으로서 시종(侍從)·의례(儀禮) 등을 맡음.
[中陰 중음] 《佛教》 중유(中有).
[中耳 중이] 귀청의 속. 청기(聽器)의 일부로서 고실(鼓室)과 이관(耳管)으로 이루어짐.
[中二千石 중이천석] 한대(漢代)의 제도에서, 관계(官階)를 석(石)으로 나타냈는데 이천석(二千石)은 최고의 벼슬이고, 중이천석은 이에 다음가는 벼슬임. 중(中)은 만(滿).
[中人 중인] ㉠지식·재주 등이 보통인 사람. 범상한 사람. 상인(常人). ㉡중류 생활을 하는 사람. ㉢체력이 보통인 사람. ㉣환관(宦官). ㉤귀(貴)하고 권세가 있는 사람. ㉥중개(仲介)하는 사람. 중인(仲人). ㉦《韓》 양반(兩班)과 상인(常人)의 중간의 계급에 있는 사람. 과거하여 벼슬할 자격은 없으나, 내의원

(內醫院)·사역원(司譯院) 등의 잡직(雜職)을 할 수 있음.
[中引枋 중인방] 벽 가운데에 가로지르는 인방(引枋).
[中子 중자] 아들 셋 중의 둘째 아들. 차자(次子).
[中將 중장] 육·해·공군 장관(將官)의 제2위.
[中腸 중장] 중정(中情).
[中材 중재] 보통의 재능.
[中典 중전] 중하지도 경하지도 않은 중간의 형(刑).
[中殿 중전]《韓》중궁전(中宮殿).
[中絶 중절] 중단(中斷).
[中節 중절] 기율(紀律)에 맞음. 적당하여 도(道)에 어긋나지 아니함.
[中正 중정] ㉠치우치지 않고 바름. ㉡한가운데. 복판. 중앙(中央). ㉢삼국(三國)의 위(魏)나라 때 지방의 인재(人材)를 가려내어 추거(推擧)하는 벼슬.
[中庭 중정] 한 집의 바깥채와 안채의 사이에 있는 뜰. 정중(庭中).
[中情 중정] 속마음. 내심(內心).
[中朝 중조] ㉠조정(朝廷). 내조(內朝). ㉡중국(中國). ㉢중엽(中葉).
[中尊 중존]《佛敎》중앙의 존상(尊像). 곧, 석가불(釋迦佛), 삼존(三尊) 중의 아미타여래(阿彌陀如來), 오불(五佛) 중의 대일여래(大日如來), 오대명왕(五大明王) 중의 부동명왕(不動明王). 중대존(中臺尊).
[中主 중주] 범상(凡常)한 군주. 용주(庸主).
[中州 중주] ㉠중국(中國). ㉡허난 성(河南省)의 일컬음.
[中洲 중주] 하천 복판의 사주(沙洲).
[中酒 중주] ㉠잔치를 하는 중. 잔치가 한창 때. ㉡술에 곤드레만드레가 됨. 숙취(宿醉)함.
[中州集 중주집] 책 이름. 금(金)나라 원호문(元好問)의 편(編). 금대(金代)의 시(詩)를 집록(集錄)하고, 아울러 작자(作者)의 소전(小傳)을 적었음.
[中止 중지] 중도에서 그만둠.
[中指 중지] 가운뎃손가락.
[中智 중지] 상지(上智)와 하지(下智)의 중간인 보통의 슬기.
[中直 중직] 가운데가 곧음.
[中策 중책] 중등의 계책. 보통의 꾀.
[中天 중천] 하늘의 한복판.
[中千世界 중천세계]《佛敎》삼천세계(三千世界)의 중위(中位)의 세계. 소천세계(小千世界)의 천 배이고, 대천세계(大千世界)의 1,000분의 1임.
[中焦 중초] '삼초(三焦)'를 보라.
[中秋 중추] 음력 8월. 중추(仲秋). 또, 음력 8월 보름. 추석(秋夕).
[中樞 중추] 사물(事物)의 중심이 되는 중요한 부분이나 자리.
[中軸 중축] ㉠복판에 있는 축(軸). ㉡중앙. 중심.
[中針 중침] 굵지도 가늘지도 않은 바늘.
[中台 중태] 삼태(三台)의 하나. 사도(司徒)의 벼슬. 교육(敎育)을 맡음. 지금의 교육부 장관(長官)에 해당함.
[中台座 중태좌] 재상(宰相)이 앉는 자리. 전(轉)하여, 재상의 지위.
[中土 중토] ㉠중국(中國). ㉡중원(中原).
[中篇 중편] 상·중·하 세 편으로 나눈 책의 가운데 편.
[中表 중표] 내외종(內外從).
[中表兄弟 중표형제] 내외종(內外從) 형제.
[中品 중품] ㉠가운데 품위(品位). ㉡《佛敎》구품정토(九品淨土)의 중간 자리에 있는 삼품(三品). 곧, 상(上)의 중품(中品), 중의 중품, 하의 중품.
[中風 중풍] 반신·전신 또는 팔·다리 등이 마비되는 병.
[中夏 중하] ㉠여름의 한창 때. 곧 음력 5월. 중하(仲夏). ㉡세계의 중앙에 있는 대국(大國)이라는 뜻으로, 중국 사람이 자기 나라를 일컫는 말. 중화(中華).
[中賀 중하] 신하가 천자(天子)에게 올리는 하표(賀表)에 '성환성변돈수돈수(誠懽誠忭頓首頓首)'의 여덟 자를 쓴 것을 나중에 베끼는 경우에 이를 생략하는 표시로 쓰는 말. '중사(中謝)' 참조(參照).
[中河失船一壺千金 중하실선일호천금] 표주박은 값이 싼 것이지만 중류(中流)에서 배가 파선(破船)되었을 때에는 이것을 껴안고 물 위에 뜰 수 있으므로 천금(千金)에 견줄 만한 가치가 있다는 뜻으로, 평상시에는 아무 소용없는 것 같은 물건도 큰 위난(危難)을 당하였을 때 아주 긴요하게 쓰일 수도 있다는 말. 또 귀천(貴賤)이 무상(無常)함의 비유로도 쓰임.
[中學 중학] ㉠보통의 배우는 방법. ㉡중학교(中學校).
[中寒 중한] 추위로 팔다리가 뻣뻣하여지거나 심장에 동통(疼痛)을 느끼거나 인사불성에 빠지는 병. 중한증(中寒症).
[中澣 중한] 중순(中旬).
[中行 중행] ㉠가는 길의 중간. 중도(中途). ㉡중용(中庸)의 행위. 과불급(過不及)이 없는 행위. 또, 그 행위를 하는 사람.
[中火 중화] 길을 가다가 먹는 점심.
[中和 중화] ㉠치우치지 않고 과불급(過不及)이 없는 바른 성정(性情). ㉡알맞음. 과불급이 없음. 치우치지 아니함. ㉢이성(異性)의 물질, 특히 산(酸)과 알칼리의 용액(溶液)을 혼합하였을 때 그 각각의 특성(特性)을 잃는 일.
[中華 중화] 세계의 중앙에 있는 문명국이라는 뜻으로, 중국 사람이 자기 나라를 일컫는 말.
[中華民國 중화민국] 청(淸)나라의 선통(宣統) 3년 10월에 신해혁명(辛亥革命)이 일어나 동년 12월에 혁명군이 난징(南京)에 임시 중앙정부를 세우고 그 이듬해의 1월 1일에 공포(公布)한 중국의 국호(國號).
[中和節 중화절] 당대(唐代)의 명절(名節)의 하나. 처음에는 정월 그믐날이었다가, 후에 2월 초하루로 바뀌었음.
[中丸 중환] 탄환에 맞음.
[中懷 중회] 중정(中情).
[中興 중흥] 쇠퇴한 국가나 집안 등이 다시 흥함.
[中興之主 중흥지주] 쇠퇴한 나라를 중흥시킨 임금.

◉居中. 雞鳴天上犬吠雲中. 空中. 關中. 壙中. 巧發奇中. 口中. 彀中. 國中. 軍中. 宮中. 閫中. 貴中. 閨中. 禁中. 給事中. 其中. 忌中. 南中. 郎中. 襄中. 談言當中. 大中. 途中. 道中. 命中. 夢中. 門中. 微中. 盤中. 房中. 百發百中. 百中. 病中. 伏中. 服中. 府中. 射中. 桑中. 喪中. 暑中. 石火光中. 船中. 省中. 術中. 蝨處褌中. 市中. 侍中.

時中. 試中. 心中. 暗中. 夜中. 陽中. 魚游釜中. 億中. 弇中. 域中. 熱中. 曳尾塗中. 五里霧中. 伍中. 渦中. 宇中. 禺中. 偶中. 雲中. 隆中. 意中. 陰中. 人中. 日中. 場中. 掌中. 在中. 的中. 折中. 接中. 正中. 卒中. 宗中. 座中. 座春風中. 地中. 集中. 車中. 天中. 天下英雄入吾彀中. 村中. 叢中. 畜火井中. 就中. 醉中. 治中. 胎中. 寒中. 漢中. 陷中. 行中. 鄕中. 虛中. 湖中. 壺中. 會中. 懷中. 胸中.

3 ④ [丰] 봉 ㊥冬 敷容切 fēng ㊥東 符風切

字解 ①어여쁠 봉 얼굴이 토실토실 살찌고 아름다운 모양. '一容'. '子之一兮'《詩經》. ②우거질 봉 풀이 무성한 모양. '羅一茸之遊樹兮'《司馬相如》.

字源 金文 篆文 象形. 초목(草木)이 잘 우거진 모양을 본떠, 풍성하게 무성함의 뜻. 전(轉)하여, 용자(容姿)의 풍만함을 나타냄.

參考 豐(豆部 十一畫)의 간체자(簡體字). 또, 丯(次條)는 別字.

[丰神 봉신] 봉용(丰容).
[丰容 봉용] 토실토실한 아름다운 얼굴.
[丰茸 봉용] 풀이 무성함. 또, 풀이 우거져 널리 퍼진 모양.
[丰儀 봉의] 봉용(丰容).
[丰姿 봉자] 아름다운 모습. 예쁜 자태(姿態).
[丰采 봉채] 아름다운 모습. 또, 자태. 풍자(風姿). 풍채(風采).
◉淸丰. 風丰.

3 ④ [丯] 개 ㊤ 古拜切 jiè

字解 풀어지럽게날 개 '一, 艸蔡也, 象艸生之散亂也'《說文》.

字源 金文 篆文 象形. 풀이 어지럽게(彡) 나서 길(丨)을 막는 모양. 일설에는, 나뭇조각, 대쪽·뼛조각 따위(丨)에 칼집(彡)을 낸 모양.

參考 丰(前條)은 別字.

3 ④ [丮] 극 ㊦陌 几劇切 jí

字解 잡을 극 물건을 손으로 잡는 모양. '一, 持也'《說文》.

字源 象形. 막대 모양의 물건(丨)을 손에 쥔 모양을 본뜸.

3 ④ [书] 〔서〕 書(曰部 六畫〈p.1007〉)의 簡體字

[弔] 〔조〕 弓部 一畫(p.718)을 보라.

4 ⑤ [丱] 관 ㊤諫 古患切 guàn

字解 총각 관 어린아이의 머리를 두 가닥으로 나누어 땋아서 머리의 양쪽에 뿔 모양으로 잡아맨 것. 또 그 모양. '總角一兮'《詩經》. 전(轉)하여 어림·동남동녀(童男童女)의 뜻으로 쓰임.

字源 象形. 어린아이의 머리를 좌우로 갈라, 머리 위에 두 개의 뿔같이 잡아맨 모양을 본떠, '총각'의 뜻을 나타냄.

[丱角 관각] 어린아이의 뿔 모양으로 잡아맨 머리. 총각(總角). 전(轉)하여, 어린아이. 「이.
[丱女 관녀] 총각(總角) 머리를 한 어린 계집아
[丱童 관동] 총각(總角) 머리를 한 어린아이.
[丱歲 관세] 머리를 뿔같이 두 가닥으로 묶어 올릴 나이. 유년(幼年). 관치(丱齒).
[丱齒 관치] 어린 나이. 유년(幼年).
◉丱丱. 童丱. 方丱.

6 ⑦ [串] 人名 一 천 ㊤霰 樞絹切 chuàn 二 찬 ㊤潸 初限切 chàn 三 관 ㊤諫 古患切 guàn 四 곶 ㊥韓

字解 一 ①꿰미 천 엽전(葉錢) 한 꿰미를 '一一'이라 함. ②어음 천 수형(手形). '官一宜每里一本也'《未信篇》. 二 꼬챙이 찬, 꼬치 찬 丳(次條)의 오용(誤用). 三 익을 관 慣(心部 十一畫)과 통용. '一童'. '一夷載路'《詩經》. 四《韓》곶 곶 지명(地名)으로서의 갑(岬)을 나타내는 말. '長山一'. ※'관·곶' 음은 인명자로 쓰임.

字源 象形. 두 물건을 세로로 꿰는 모양을 본떠 '꿰뚫다'의 뜻을 나타냄. 또 어떤 일을 관철하다, 익숙해지다의 뜻도 나타냄.

[串童 관동] 가무(歌舞)에 익숙한 아이.
[串數 관삭] 익숙하여 자주 함.
[串狎 관압] 흉허물 없이 사귐.
[串戲 관희] 가무(歌舞)의 놀이. 가극(歌劇).
[串子 천자] 영수증(領收證).
[串票 천표] 천자(串子).
◉貫串. 大串. 魚串. 月串. 長山串. 親串.

7 ⑧ [丳] 찬 ㊤潸 初限切 chàn

字解 ①꼬챙이 찬, 꼬치 찬 고기를 꿰어 굽는 꼬챙이. '如以肉貫一'《韓愈》. ②꿸 찬 꼬챙이에 꿤.

字源 象形. 두 개의 물건을 두 개의 꼬챙이로 꿴 모양을 본떠, '꼬챙이'의 뜻을 나타냄.

參考 串(前條)과는 별자(別字). 다만 우리나라에서는 '串'을 오용(誤用)하여 '丳'의 뜻으로 씀.

8 ⑨ [举] 〔거〕 擧(手部 十四畫〈p.912〉)의 簡體字

11 ⑫ [𠁩] 〔귀〕 龜(部首〈p.2732〉)의 古字

丶 (1획) 部

〔점주부〕

0 ① [丶] 주 ㊤麌 知庾切 zhǔ

筆順 丶

字解 ①심지 주, 등불 주 炷(火部 五畫)의 古字. ②점 주, 점찍을 주 구두점. 또, 구두점을 찍음. '一有所絕止, 而識之也'《說文》.

字源 篆文 指事. 멈추는 곳에 찍는 표시. 또, 象形. 불타고 있어 움직이지 않는 불꽃을 본뜬 모양.

參考 부수(部首)로 세워지며, 문자 구성 요소로서는 작은 것을 나타내는 부호로 쓰임.

2
③ [丸] 高·人 환 ㊤寒 胡官切 wán

筆順 丿 九 丸

字解 ①알 환 ㉠방울 같은 장난감의 하나. 모양이 둥글고 잘 구름. '弄一'《莊子》. ㉡모양이 작고 둥근 것. '一藥'. '猶如阪上走一'《漢書》. ㉢새의 알. 조란(鳥卵). '有鳳之一'《呂氏春秋》. ②탄알 환 ㉠튀기는 활의 알. '從臺上彈人, 而觀其避一也'《左傳》. ㉡총알. '彈一'. ③자루 환 먹을 세는 수사(數詞). '墨一一'《宋史》. ④둥글게할 환 둥글게 만듦. '使婢一藥'《晉書》. ⑤구를 환, 굴릴 환 '挺挏萬物, 揣一變化'《淮南子》. ⑥전동(箭筒) 환 화살통. '弓韃韇一'《後漢書》. ⑦곧을 환 나무가 꼿꼿한 모양. '松柏一一'《詩經》. ⑧성 환 성(姓)의 하나.

字源 篆文 會意. 乙+匕. '乙을'은 양 끝에 날이 있는 조각칼을 본뜬 모양, '匕비'는 '비수'를 나타냄. 날붙이로 둥글린 둥근 알의 뜻을 나타냄. 일설에는, '기울다'의 뜻을 가진 '仄측'의 반대의 모양으로, '구르다'의 뜻을 나타낸다고 함.

[丸髻 환계] 어린아이가 트는 둥근 상투.
[丸泥 환니] 진흙 덩어리. 소수(小數)의 군사의 비유.
[丸都 환도] 고구려(高句麗)의 구도(舊都).
[丸藥 환약] 알약.
[丸劑 환제] 환약(丸藥).
[丸丸 환환] 나무가 꼿꼿한 모양.
●睾丸. 蠟丸. 弄丸. 牢丸. 雷丸. 犢丸. 搏丸. 飛丸. 詩丸. 藥丸. 一丸. 紫丸. 推丸. 彈丸. 探丸. 阪上走丸.

2
③ [丮] 丸(前條)의 本字

[之] 〔지〕 丿部 三畫(p. 54)을 보라.

3
④ [为] 〔위〕 爲(爪部 八畫〈p. 1366〉)의 俗字·簡體字

3
④ [丹] 中·人 단 ㊤寒 都寒切 dān

筆順 丿 冂 冃 丹

字解 ①주사 단 파촉 지방(巴蜀地方)에서 주로 나는 일종의 광물로서, 수은(水銀)과 유황(硫黃)이 화합(化合)한 것. 진사(辰砂)·단사(丹砂)라고도 함. '礪砥砮一'《書經》. 도가(道家)가 이것을 원료로 하여 장생불사(長生不死)의 약을 만들려고 하였으므로, 전(轉)하여 정련(精鍊)한 장생불사의 영약(靈藥)의 뜻으로 쓰임. '返魂一'. '仙一'. '授以神一'《列仙傳》. 또, 양신(養神)하는 도가(道家)의 법(法)의 뜻으로 쓰임. '談一者之祖'《沈一貫》. ②붉을 단, 붉은빛 단 ㉠적색. '一靑'. '曉霜楓葉一'《謝靈運》. ㉡성실(誠實)함의 비유. '旣秉一石心, 寧流素絲涕'《謝朓》. ③붉게할 단 붉은 채색을 칠함. '朱一其轂'《揚雄》. ④성심 단 단심(丹心). 적심(赤心). '剖心輸一'《李白》. ⑤성 단 성(姓)의 하나.

字源 金文 篆文 古文 古文 象形. 단사(丹砂)를 채굴하는 우물을 본뜬 것으로, '붉은빛'의 뜻을 나타냄.

[丹慊 단겸] 성의. 성심(誠心).
[丹款 단관] 단심(丹心).
[丹丘 단구] 신선(神仙)이 사는 곳. 밤도 낮같이 환하다 함.
[丹邱 단구] 단구(丹丘).
[丹闕 단궐] 단폐(丹陛).
[丹禁 단금] 붉은 칠을 한 궁성(宮城).
[丹氣 단기] 붉은빛의 운기(雲氣). 아침놀의 빨간 연무(煙霧).
[丹臺 단대] 신선(神仙)이 사는 궁전(宮殿).
[丹毒 단독] 헌데나 상처로 균(菌)이 들어가서 생기는 급성 전염병. 전신에 높은 열이 나고 피부가 붉어지며 붓고 차차 퍼져서 종창(腫瘡)·동통(疼痛)을 일으킴.
[丹彤 단동] 붉은 칠.
[丹良 단량] 개똥벌레〔螢〕의 별칭(別稱).
[丹礫 단력] 단사(丹砂).
[丹樓 단루] 붉은 칠을 한 누각(樓閣).
[丹木 단목] 콩과에 속하는 열대산 상록 교목(常綠喬木). 목재는 탄력이 있어서 활을 만들며, 속의 붉은 부분은 깎아서 홍색의 염료(染料)로 씀. 다목. 소방목(蘇方木).
[丹礬 단반] 황산동(黃酸銅).
[丹方 단방] 도가(道家)에서 단약(丹藥)을 만드는 방법.
[丹房 단방] ㉠신선(神仙)이 있는 곳. ㉡단약(丹藥)을 만드는 곳.
[丹碧 단벽] 붉은빛과 푸른빛. 단청(丹靑).
[丹壁 단벽] 붉은 절벽(絶壁).
[丹府 단부] 단심(丹心).
[丹粉 단분] 빛이 붉은 가루.
[丹砂 단사] 수은(水銀)과 유황(硫黃)의 화합물. 적색 채료(彩料)의 원료로 쓰임. 진사(辰砂). 주사(朱砂).
[丹山 단산] 단사(丹砂)가 나는 산.
[丹書 단서] 단사(丹砂)로 만든 채료(彩料)로 붉게 씀. 또, 그 문서.
[丹石 단석] ㉠붉은 서조(瑞兆)의 돌의 하나. ㉡마노(瑪瑙).
[丹石心 단석심] 단심(丹心).
[丹誠 단성] 속에서 우러나는 정성. 적성(赤誠).
[丹霄 단소] 저녁놀 때와 같은 붉은 하늘.
[丹脣 단순] ㉠붉은 입술. 미인(美人)의 입술. ㉡소년의 입술. 전(轉)하여, 소년.
[丹脣皓齒 단순호치] 붉은 입술과 흰 이. 미인(美人)의 용모의 형용.
[丹實 단실] ㉠성심(誠心). 진실된 마음. ㉡붉은 열매.

[丹心 단심] 속에서 우러나는 참된 마음. 지성(至誠)이어서 거짓이 없는 마음. 성심(誠心). 적심(赤心).
[丹心照萬古 단심조만고] 속에서 우러나는 지성스러운 마음은 영원히 빛남.
[丹鵶 단아] 태양(太陽)의 별칭(別稱).
[丹堊 단악] 붉은 칠을 한 벽.
[丹崖 단애] ㉠단사(丹砂)가 나는 낭떠러지. ㉡적색의 낭떠러지.
[丹崖青壁 단애청벽] 붉은 바위의 낭떠러지와 푸른 돌의 벽. 고상한 인품(人品)의 비유.
[丹液 단액] 장생불사(長生不死)의 약. 선약(仙藥).
[丹若 단약] 석류(石榴)의 별칭(別稱).
[丹藥 단약] 단사(丹砂)를 이겨 만든 환약. 장생불사 약(長生不死藥).
[丹鉛 단연] 단사(丹砂)와 연분(鉛粉). 모두 문자의 교정(校訂)에 쓰이므로, 전(轉)하여 '교정'의 뜻으로 쓰임.
[丹淵集 단연집] 송(宋)나라 문동(文同)의 시문집(詩文集). 40권.
[丹鉛總錄 단연총록] 책 이름. 27권. 명(明)나라 양신(楊愼)의 찬(撰). 잡사(雜事)를 모은 책으로서 천문(天文)·지리(地理)·시서(時序)·화목(花木) 등 스물여섯 목(目)으로 나뉨.
[丹艶 단염] 붉은빛.
[丹英 단영] 붉은 꽃.
[丹楹 단영] 붉은 칠을 한 기둥. 단주(丹柱).
[丹悃 단우] 자기의 성의(誠意)의 겸칭(謙稱).
[丹元 단원] 정기(精氣).
[丹扆 단의] 천자(天子)가 제후(諸侯)를 대할 때에 뒤에 치는 붉은 머릿병풍.
[丹赭 단자] 붉은 흙.
[丹牆 단장] 붉은칠을 한 담.
[丹田 단전] 배꼽 아래로 한 치쯤 되는 곳. 아랫배. 여기에 힘을 주어 항상 심신(心身)의 정기(精氣)를 모아 두면 몸이 건강해져서 장수(長壽)한다 함.
[丹情 단정] 단성(丹誠).
[丹頂 단정] 단정학(丹頂鶴)의 약칭(略稱).
[丹鼎 단정] 도가(道家)에서 단약(丹藥)을 넣어 두는 그릇.
[丹頂鶴 단정학] 백두루미.
[丹劑 단제] 단약(丹藥).
[丹鳥 단조] ㉠개똥벌레[螢]의 별칭(別稱). ㉡봉황(鳳凰)의 별칭. 단봉(丹鳳).
[丹詔 단조] 조칙(詔勅). 조서(詔書).
[丹竈 단조] 도사(道士)가 단약(丹藥)을 고는 부엌.
[丹朱 단주] ㉠붉은빛. 적색. 또, 적색의 채료(彩料). ㉡요(堯)임금의 아들의 이름.
[丹柱 단주] 붉은 칠을 한 기둥.
[丹脂 단지] 연지(臙脂).
[丹墀 단지] 붉은 칠을 한 궁전(宮殿)의 지대(址臺). 전(轉)하여, 궁전. 대궐. 단폐(丹陛).
[丹之所藏者赤 단지소장자적] 붉은 흙에 들어가면 붉어진다는 뜻으로, 환경(環境)의 감화(感化)로 성질이 변함을 비유한 말.
[丹采 단채] 붉은빛. 적색.
[丹青 단청] ㉠빨간빛과 푸른빛. ㉡채료(彩料). ㉢채색하여 그린 그림.
[丹忠 단충] 단심(丹心)에서 우러나는 충성.
[丹漆 단칠] 붉은 옻칠. 또, 붉은 옻칠을 함.
[丹陛 단폐] 붉은 칠을 한 대궐(大闕)의 섬돌. 전(轉)하여, 대궐. 궁전(宮殿).
[丹楓 단풍] ㉠단풍 든 단풍나무. 홍풍(紅楓). ㉡《韓》 가을에 붉게 변한 나뭇잎.
[丹霞 단하] 햇빛에 비치는 붉은 운기(雲氣). 저녁놀의 구름.
[丹壑 단학] 붉은빛의 골짜기.
[丹穴 단혈] 단사(丹砂)가 나는 구덩이.
[丹血 단혈] 빨간 피. 성혈(腥血).
[丹花 단화] 빨간 꽃.
[丹雘 단확] 고운 빨간 빛깔의 흙. 일설(一說)에는, 단사(丹砂)라 함.
[丹曦 단희] 붉은 태양. 일출(日出)·일몰(日沒) 때의 해.
◉激丹. 卷丹. 契丹. 金丹. 內丹. 木丹. 牡丹. 美丹. 山丹. 賽丹. 仙丹. 神丹. 渥丹. 鉛丹. 煉丹. 外丹. 紫丹. 朱丹. 還丹.

4 ⑤ [主] 中人 주 ㊤麌 之庾切 zhǔ

筆順 丶 亠 亠 十 主

字解 ①등불 주 등잔의 불. ②임금 주 군왕(君王). '君—'. '聖—'. '—倡而臣和, —先而臣從'《史記》. ③주인 주 ㉠가장(家長). '盜憎—人, 民惡其上'《左傳》. ㉡빈객(賓客)을 대하는 사람. 내방을 받는 사람. '賓爲賓焉, —爲—焉'《禮記》. ㉢자기가 섬기는 사람. '—公'. '狗吠非其—'《戰國策》. ㉣임자. 소유자. '地—'. '物各有—'《蘇軾》. ④주장 주 ㉠주동자. 중심인물. '謀—'. '不敢爲—'《老子》. ㉡두목. 지배자. '盟—'. '使道心常爲一身之—'《朱熹》. ⑤공주 주 천자(天子) 또는 제후(諸侯)의 딸. '弘入見, —坐屛後'《十八史略》. 또, 부인(婦人)의 경칭(敬稱)으로 쓰임. '—孟啗我'《國語》. ⑥공경대부(公卿大夫) 주 '六曰, —以利得民'《周禮》. ⑦신주 주 위패(位牌). '木—'. '措之廟, 立之—'《禮記》. ⑧주 주 ㉠근본. 주장. 기요(機要). '—眼'. '樞機之發, 榮辱之—也'《易經》. ㉡신(神). 신기(神祇). '三曰兵—, 祠蚩尤'《史記》. ㉢기독교에서 하나님, 또는 그리스도. '天—'. '救—'. ⑨주로할 주 숭상함. 존중함. '—知說'. '陽子剛而—能'《國語》. ⑩주장할 주 맡음. 관장(管掌)함. '—宰'. '自陝以西, 召公—之'《史記》. ⑪앉을 주 '居不—奧'《禮記》. ⑫주로 주 주장삼아서. '—爲趙李報德復怨'《漢書》. ⑬지킬 주 '—, 守也'《廣雅》. ⑭성 주 성(姓)의 하나.

字源 篆文 象形. 등잔 접시 위에 불이 타고 있는 모양을 본뜸. '炷주'의 원자(原字). 불꽃이 정지(靜止)된 채 타고 있는 뜻에서, 전(轉)하여 일정 기간 동안 머물러 책임을 지는 자, 당자, 주인 등의 뜻을 나타냄.

[主家 주가] 주인의 집.
[主幹 주간] 주장(主掌)하여 처리함. 또, 그 사람.
[主客 주객] ㉠주인과 손. ㉡중요한 일과 경미(輕微)한 일. ㉢빈객의 접대를 맡은 벼슬.
[主客顚倒 주객전도] ㉠주인과 손의 자리가 바뀜. ㉡사물(事物)의 경중·선후 등이 뒤바뀜.
[主客之誼 주객지의] 주인과 손의 정의(情誼).
[主格 주격] 문장(文章)의 주어(主語)를 나타내

는 격(格).
[主見 주견] 주장되는 의견.
[主敬存誠 주경존성] 공경(恭敬)을 존중하고 성의(誠意)를 보존함. 송유(宋儒)는 이를 수신(修身)의 근본으로 삼았음.
[主計 주계] 회계(會計)를 맡음. 또, 그 벼슬.
[主顧 주고] 단골손님. 고객(顧客).
[主公 주공] ㉠섬기는 사람. 주인(主人). ㉡임금. 주군(主君).
[主管 주관] 주장(主掌)하여 관리함.
[主觀 주관] ㉠대상(對象)을 인식(認識)·사고(思考)하는 주체(主體). 객관(客觀)의 대(對). ㉡물건 그 자체.
[主國 주국] 서로 사신(使臣)을 교환하고 있는 나라.
[主君 주군] ㉠임금. 군주(君主). ㉡자기가 섬기는 주인을 부르는 경칭(敬稱).
[主權 주권] 국가를 통치하는 최고·독립·절대적인 권력. 군주국에서는 군주, 공화국에서는 국민 또는 의회(議會)의 권력을 이름.
[主饋 주궤] 가정에서 음식에 관한 일을 주관하는 여자.
[主器 주기] 사당(祠堂)·종묘(宗廟)의 제기(祭器)를 맡아 간수하는 일. 이 일은 장자(長子)가 맡으므로, 전(轉)하여, 장자의 뜻으로 쓰임.
[主腦 주뇌] 수뇌(首腦).
[主櫝 주독] 신주(神主)를 모시는 독.
[主動 주동] 어떤 일에 주장이 되어 행동함.
[主力 주력] 주장되는 힘. 중심이 되는 세력.
[主領 주령] 두목. 수령(首領).
[主流 주류] ㉠흐르는 큰 물의 주장되는 줄기. ㉡사조(思潮)의 근본되는 줄기.
[主吏 주리] 서기(書記).
[主盟 주맹] 맹세를 할 때 주장(主掌)이 되는 사람. 맹주(盟主).
[主命 주명] ㉠주인의 명령. ㉡군주(君主)의 명령. ㉢천주(天主)의 명령.
[主名不知 주명부지] 살인(殺人)한 하수인이 누구인지 판명이 되지 아니함.
[主母 주모] 첩이 본처(本妻)를 부르는 말. 주부(主父)의 대(對).
[主謀 주모] 주장하여 계교(計巧)를 부림.
[主文 주문] ㉠글을 맡았다는 뜻으로, 과거(科擧)의 시관(試官)을 이름. ㉡《韓》 대제학(大提學)의 별칭(別稱).
[主犯 주범] 범죄 행위를 실행한 자. 정범(正犯).
[主法 주법] 권리·의무의 내용을 규정한 법률. 민법·상법·형법 따위. 조법(助法)의 대(對).
[主壁 주벽] ㉠좌우로 벌여 앉은 자리의 한가운데의 주되는 자리. 또, 그 자리에 앉는 사람. ㉡사원(祀院)에 모신 신주(神主) 가운데에서 으뜸되는 신주.
[主僕 주복] 주인과 종. 상전과 하인.
[主峯 주봉] 주산(主山)의 봉우리.
[主父 주부] ㉠한집안의 어른. 가장(家長). ㉡첩(妾)이 남편을 부르는 말. 주모(主母)의 대(對).
[主婦 주부] ㉠한집안의 주인의 아내. ㉡한집안의 제사(祭祀)를 받드는 사람의 아내.
[主簿 주부] 문서·장부를 맡은 한대(漢代) 이후의 벼슬.
[主父偃 주부언] 한(漢)나라 때 학자. 임치(臨淄) 사람. 주역(周易)·춘추(春秋) 백가(百家)에 통하였으며, 무제(武帝)의 신임을 받았음.
[主賓 주빈] ㉠주장되는 손님. ㉡주인과 손님. 주객.
[主司 주사] 과거(科擧)의 시관(試官).
[主事 주사] ㉠일을 주장(主掌)함. 또, 그 사람. ㉡선종(禪宗)의 승직(僧職)의 이름.
[主使 주사] 범죄의 모주(謀主)가 되어 남을 부려 죄를 범하게 하는 사람.
[主査 주사] 주장이 되어 조사함. 또, 그 사람.
[主辭 주사] 명제(命題)의 주격(主格)이 되는 말.
[主山 주산] ㉠북쪽의 높은 산. 안산(按山). 객산(客山)의 대(對). ㉡한 산맥 중에서 중심이 되는 가장 큰 산. ㉢산수화(山水畫)에서 중심이 되는 가장 큰 산.
[主產物 주산물] 어떤 지방에서 가장 많이 생산되는 물건.
[主上 주상] 임금. 천자(天子).
[主書 주서] 문서를 맡은 벼슬.
[主席 주석] ㉠연회 등을 주재(主宰)하는 사람. ㉡주인의 자리. ㉢단체(團體)나 합의체(合議體)의 통솔자(統率者). ㉣정부(政府)에서 제1위의 자리. 또, 나라를 대표하는 사람 중에서 주된 사람.
[主成分 주성분] 어떤 물질을 구성하는 주요한 성분.
[主勢 주세] 군주(君主)로서의 권력.
[主帥 주수] 주장(主將).
[主臣 주신] 신하(臣下)가 임금에게 아뢸 때 임금을 부르는 말.
[主審 주심] 경기의 심판원의 우두머리.
[主眼 주안] 주가 되는 점. 중요한 점.
[主語 주어] 한 문장에서 주격(主格)이 되는 말.
[主役 주역] ㉠주요한 역할. ㉡영화·연극의 주요 인물. 또, 주요한 역(役)을 맡아 하는 배우.
[主演 주연] 연극·영화에서 주인공으로 분장하여 연기(演技)를 함.
[主媼 주온] 늙은 주부(主婦).
[主翁 주옹] 주인옹(主人翁).
[主要 주요] 주(主)되고 중요(重要)로움.
[主辱臣死 주욕신사] 신하는 임금의 치욕을 씻기 위하여 목숨을 바침.
[主位 주위] ㉠중요한 지위. ㉡중요한 위치. 중요한 장소.
[主恩 주은] ㉠군주(君主)의 은혜. 군은(君恩). ㉡주인의 은혜. ㉢천주(天主)의 은혜.
[主意 주의] ㉠군주(君主)의 생각. ㉡중요한 뜻. 주지(主旨). ㉢의지(意志)를 주로 함.
[主義 주의] ㉠의(義)를 주장삼음. ㉡굳게 지키어 변하지 않는 일정한 주장이나 방침. 주지(主旨)로 삼아 주장하는 표준.
[主人 주인] ㉠한집안의 주장이 되는 사람. 가장(家長). ㉡섬기는 사람. 고용주(雇傭主). ㉢아내가 남편을 가리키어 일컫는 말.
[主因 주인] 주되는 원인·이유.
[主人公 주인공] ㉠주인(主人)의 경칭(敬稱). ㉡사건 또는 소설·희곡 중의 중요 인물.
[主人翁 주인옹] 주인공(主人公)❶.
[主一無適 주일무적] 마음을 한군데에 집중하여 잡념(雜念)을 버리는 일. 정주(程朱) 이후의 송유(宋儒)의 수양설(修養說)임.
[主任 주임] 어떤 임무를 주장하여 담당함. 또, 그 사람.

[主子 주자] ㉠천자(天子). ㉡주인(主人).
[主者 주자] 일을 주장(主掌)하는 사람.
[主張 주장] ㉠굳게 내세우는 의견. 지설(持說). ㉡주재(主宰).
[主將 주장] ㉠여러 장군을 지휘 통솔하는 으뜸이 되는 장수. ㉡운동 경기에 있어서 팀을 통솔하는 사람.
[主掌 주장] 목대 잡아 맡음.
[主宰 주재] 주장(主掌)하여 처리함. 또, 그 사람.
[主裁 주재] 주재(主宰).
[主戰 주전] 전쟁하기를 주장함.
[主政 주정] 정권(政權)을 잡은 사람.
[主靜 주정] 마음을 가라앉혀 외계(外界)의 유혹에 움직이지 않는 일. 송유(宋儒)의 수양법임.
[主題 주제] ㉠주되는 제목. ㉡작품의 중심이 되는 사상 내용. 테마.
[主從 주종] ㉠주인(主人)과 종자(從者). ㉡주체(主體)와 종속(從屬).
[主旨 주지] 중요한 뜻. 주의(主意).
[主知說 주지설] 행위·경험보다 지성(知性)과 이론적(理論的)인 것을 중히 여기는 설(說).
[主著 주착] 확실하게 정한 생각.
[主唱 주창] 앞장서서 창도(唱道)함.
[主鬯 주창] 울창주(鬱鬯酒)를 맡았다는 뜻인데, 울창주는 종묘(宗廟)에서 제사 지낼 때 태자(太子)가 올리므로, 전(轉)하여 태자를 이름.
[主體 주체] ㉠군주(君主)의 몸. ㉡사물(事物)의 주장이 되는 부분.
[主催 주최] 어떠한 행사나 회합(會合)을 주장하여 엶. 또는 그 당자.
[主治 주치] 병을 주장(主掌)하여 다스림.
[主澤 주택] 주군(主君)의 은혜.
[主辦 주판] 어떤 사무를 주장하여 취급함. 또, 그 사람.
[主筆 주필] 신문사나 잡지사(雜誌社) 등에서 기자(記者)의 수위(首位)에 앉아, 주요 기사·사설·논설 등을 집필하는 이.
[主婚 주혼] 혼사(婚事)를 주관(主管)함.
◉家主. 公主. 救主. 舊主. 國主. 鬼主. 金主. 吉主. 匱主. 大長公主. 貸主. 萬機主. 萬乘主. 盟主. 謀主. 木主. 無主. 伯主. 百川主. 法主. 兵主. 副主. 北道主. 上公主. 常主. 塞主. 城主. 聖主. 世主. 宿主. 神主. 心主. 心肺主. 暗主. 弱主. 女主. 英主. 領主. 翁主. 窩主. 王主. 庸主. 幼主. 誼主. 議主. 人主. 自主. 長公主. 嫡長公主. 典主. 亭主. 帝主. 祭主. 宗主. 座主. 地主. 眞主. 震主. 天主. 天下主. 親主. 太公主. 統主. 賢主. 戶主. 火主.

[永] 〔영〕
水部 一畫(p.1179)을 보라.

[以] 〔이〕
人部 三畫(p.99)을 보라.

4
⑤ [丼] 〔정〕
井(二部 二畫〈p.80〉)과 同字

4
⑤ [𠁿] 〔단〕
丹(丶部 三畫〈p.49〉)의 古字

丿 (1획) 部
〔삐침부〕

0
① [丿] 별 [入]屑 普蔑切 piě

[筆順] 丿
[字解] 삐칠 별 오른편에서 왼편으로 삐친 형상.
[字源] 篆文 丿 指事. 오른쪽 위에서 왼쪽 아래로 구부려 그은 모양을 나타내어, 우(右)에서 좌(左)로 굽혀 삐치는 모양을 보임. 부수(部首)로 세워지며, 독립한 문자로 쓰이는 예는 없음. 서법(書法)에서, 붓을 왼쪽으로 삐치는 것을 '별(撇)'이라고 함.

0
① [乀] 불 [入]物 敷勿切 fú

[字解] 삐칠 불 왼편에서 오른편으로 삐친 형상.
[字源] 篆文 乀 指事. '丿'을 반대로 한 모양으로, 왼쪽에서 오른쪽으로 그어 구부리는 뜻을 나타냄. 독립한 문자로 쓰이는 예는 없음.

0
① [乁] 〔급〕
及(又部 二畫〈p.328〉)의 古字

1
② [乂] [人名] [一] 예 [去]隊 魚肺切 yì
[二] 애 [去]泰 牛蓋切 ài

[筆順] 丿 乂
[字解] [一] ①깎을 예, 벨 예 풀을 깎음. 刈(刀部 二畫)·艾(艸部 二畫)와 同字. ②다스릴 예 나라를 다스림. '有能俾一'《書經》. ③다스려질 예 나라가 잘 다스려짐. '一安'. '政乃一'《書經》. ④평온할 예 무사 안온함. '朝野安一'《北史》. ⑤어진이 예 현명한 사람. 현재(賢才). '俊一在官'《書經》. ⑥적적할 예, 쓸쓸할 예 '山澤含哀, 天地肅一'《陸雲》. [二] 징계할 애 징치(懲治)함. 경계함. '屢懲一而不改'《劉向》. ※'예' 음은 인명자로 쓰임.
[字源] 甲骨文 篆文 象形. 풀을 베는 가위를 본뜬 모양으로, 풀을 베는 뜻을 나타냄.

[乂寧 예녕] 예안(乂安).
[乂安 예안] 잘 다스려져 편안함.
[乂淸 예청] 잘 다스려져 조용함.
◉康乂. 保乂. 蕭乂. 安乂. 英乂. 俊乂. 創乂. 統乂.

[九] 〔구〕
乙部 一畫(p.58)을 보라.

1
② [乃] [中][人] [一] 내 [上]賄 奴亥切 nǎi
[二] 애 [上]賄 依亥切 ǎi

[筆順] 丿 乃
[字解] [一] ①이에 내 ㉠이리하여. '一命羲和'《書經》. ㉡곧. 즉. '見一謂之象'《易經》. ②어조사 내 두 가지 사물을 들어 말할 때 어세(語勢)를

고르게 하기 위하여 쓰는 말. '一武一文'. '一聖一神'《書經》. ③너 내 汝(水部 三畫)와 뜻이 같음. '嘉一丕績'《書經》. ④그 내 ㉠其(八部 六畫)와 뜻이 같음. '惟一祖一父'《書經》. ㉡그 사람. '是自其所以一'《莊子》. ⑤아무 내 아무개. 모(某). '祝稱卜葬虞, 子孫曰哀, 夫曰一'《禮記》. ⑥ 접때 내 이전에. '一昔'으로 연용(連用)하기도 함. '一者過柱山'《戰國策》. ⑦ 다스릴 내 治(水部 五畫)와 뜻이 같음. '五月一瓜'《大戴禮》. ⑧ 성 내 성(姓)의 하나. ▣ 뱃노래 애 '欸一'는 배를 저어 가며 부르는 노래. 뱃노래. '欸一一聲山水綠'《柳宗元》.

字源 甲骨文 金文 篆文 古文 籀文 象形. 모태 내(母胎內)에서, 아직 손발의 모양도 불분명한 채 몸을 동그랗게 구부린 태아(胎兒)를 본뜬 모양. '孕잉'의 원자(原子). 가차(假借)하여 '너'나 '이에'의 뜻으로서 옛 금문(金文)의 시대로부터 사용됨.

[乃公 내공] ㉠너의 임금이라는 뜻으로, 군주(君主)가 신하(臣下)에 대하여 쓰는 자칭(自稱). ㉡아버지가 아들에 대하여 쓰는 자칭. ㉢자기의 과칭(誇稱). 나.
[乃今 내금] 지금. 이마적.
[乃武乃文 내무내문] 문무(文武)를 모두 갖추었다는 뜻으로, 천자(天子)가 덕(德)이 있다고 칭송하는 말. 윤문윤무(允文允武).
[乃父 내부] ㉠너의 아버지. 그대의 아버지. 전(轉)하여, 널리 아버지의 뜻으로 쓰임. ㉡아버지가 아들에 대하여 쓰는 자칭(自稱). 내옹(乃翁).
[乃昔 내석] 접때. 이전에.
[乃心 내심] 너의 마음.
[乃翁 내옹] ㉠아버지가 아들에 대하여 쓰는 자칭(自稱). 내부(乃父). ㉡노인(老人)의 자칭. 「나.
[乃往 내왕] 이전(以前). 기왕(旣往).
[乃者 내자] 접때. 이전에.
[乃祖 내조] 너의 선조. 그대의 선조. 전(轉)하여, 널리 선조의 뜻으로 쓰임.
[乃至 내지] ㉠무엇부터 무엇무엇에 이르기까지라는 뜻으로, 중간을 생략할 때 쓰는 말. ㉡혹은. 또는.
[乃後 내후] 너의 자손. 그대의 자손. 전(轉)하여, 널리 자손의 뜻으로 쓰임.
◉無乃. 欸乃. 若乃.

1 ② [乄] ▣ 갈 ㊁月 居謁切 jié
▣ 진 ㊤銑 徒典切 tiǎn

字解 ▣ 움직일 갈 '乢一'은 움직이는 모양. '乢一, 動貌'《字彙補》. ▣ 殄(歹部 五畫〈p. 1148〉)의 古字.

2 ③ [久] 中人 구 ㊤有 擧有切 jiǔ

筆順 ノ ク 久

字解 ①오랠 구 ㉠시간을 경과하여도 변하지 아니함. 오래감. '恆一'. '道乃一'《老子》. '不息則一'《中庸》. ㉡시간을 많이 경과함. '一遠'. '忘戰日一'《後漢書》. ②오래기다릴 구 '是以一子'《左傳》. ③오래머무를 구 '可以一則一'《孟子》. ④막을 구, 가릴 구 '冪用疏布一之'《儀禮》. ⑤성 구 성(姓)의 하나.

字源 篆文 象形. 병으로 누워 있는 사람의 등뒤에서 뜸[灸]을 뜨는 모양을 본떠, '뜸'의 뜻을 나타냈음. '灸'의 原字. 파생(派生)하여, '시간이 길다'·'오래다'의 뜻을 나타냄.

[久敬 구경] 오래 사귈수록 더욱 존경(尊敬)함.
[久故 구고] 오랫동안 사귄 친한 사이.
[久困 구곤] 오랫동안 고생함.
[久曠 구광] ㉠벼슬자리 등을 오랫동안 비워 둠. ㉡세월을 오랫동안 허송(虛送)함. 광일미구(曠日彌久).
[久久 구구] 오랫동안. 긴 세월. 유구(悠久).
[久耐 구내] 오래 견딤. 오래 변하지 아니함. 오래감.
[久例 구례] 옛날부터 내려오는 전례(前例).
[久勞 구로] 오래 힘씀. 오래 수고함.
[久留 구류] 오래 머무름.
[久痢 구리] 오래된 이질.
[久離 구리] 오래 이별함. 오래 만나지 못함. 구별(久別).
[久聞 구문] 오랫동안 들었다는 뜻으로, 고명(高名)함을 이름.
[久別 구별] 오래 떨어져 있음. 또, 오랜 이별.
[久病 구병] 구질(久疾).
[久泄 구설] 오래된 설사.
[久世 구세] 세상을 오래 삶. 장수(長壽).
[久習 구습] ㉠오래 익힘. ㉡오래된 관습(慣習).
[久視 구시] 오래 삶. 장수(長壽)함.
[久安 구안] 오래 편안함. 영구히 태평(泰平)함.
[久約 구약] 오랫동안 곤궁함.
[久仰 구앙] 전부터 성화(聲華)는 익히 듣고 있음. 초대면(初對面)의 인사에 쓰이는 말.
[久仰大名 구앙대명] 구앙(久仰).
[久淹 구엄] 구류(久留). 엄(淹)은 엄류(淹留).
[久延 구연] 오래 끎.
[久要 구요] 옛날의 약속. 구약(久約).
[久雨 구우] 장마.
[久怨 구원] 오래된 묵은 원한. 구원(舊怨).
[久遠 구원] ㉠아득하게 멀고 오램. 시세(時世)가 멀리 떨어짐. ㉡널리 퍼져 큼. ㉢《佛敎》 시간이 무궁(無窮)함.
[久遠實成 구원실성] 《佛敎》 지극히 먼 과거에 이미 성불(成佛)한 사람.
[久淫 구음] 오래 놂. 오래 머무름.
[久佚 구일] 구일(久逸).
[久逸 구일] 오랫동안 편안히 지냄. 오랫동안 안일(安逸)한 생활을 함. 「遠).
[久長 구장] 오래고 깊. 지극히 오램. 구원(久
[久阻 구조] 소식이 오랫동안 막힘.
[久住 구주] 오래 머물러 삶.
[久之 구지] 잠시(暫時). 또, 시간이 조금 지남. 지(之)는 조사(助辭).
[久疾 구질] 병을 오래 앓음. 또, 오래된 병.
[久次 구차] 오랫동안 같은 벼슬에 머물러 있어 승진(昇進)하지 못함.
[久滯 구체] ㉠오랫동안 일이 정체(停滯)함. ㉡구류(久留). ㉢《韓》 오래된 체증. 또, 만성 위장병.
[久旱逢甘雨 구한봉감우] 오랜 가뭄 끝에 비가 온다는 뜻으로, 인생의 가장 기쁜 일을 이름.
[久闊 구활] 오래 만나지 못함.
[久懷 구회] 오래전부터 품은 생각.

◉稽久. 曠日彌久. 耐久. 彌久. 耶久. 良久. 淹久. 永久. 迂久. 悠久. 長久. 積久. 積日累久. 遲久, 天長地久. 恆久.

2
③ [乆] 久(前條)의 訛字

2
③ [乇] 탁(척[本]) [入]陌 陟格切 zhè

[字解] ①풀잎 탁 일설에는, 풀의 꽃이 늘어져 있는 모양. '一, 艸葉也'《說文》. ②부탁할 탁 託(言部 三畫)의 訛字.
[字源] 篆文 象形. 篆文의 '一'은 땅, 그 밑의 구부러져 있는 것은 뿌리, 위로 나와 늘어져 있는 것은 잎이 늘어진 모양을 나타냄. 땅 위에 나오기 시작한 풀의 잎. 일설(一說)에는, '화초'라고도 함.

2
③ [乂] 〔의〕 義(羊部 七畫〈p. 1799〉)의 俗字·簡體字

2
③ [么] 〔요〕 幺(部首〈p. 689〉)의 俗字

[千] 〔천〕 十部 一畫(p. 300)을 보라.

3
④ [乌] 〔오〕 烏(火部 六畫〈p. 1330〉)의 簡體字

[夭] 〔요〕 大部 一畫(p. 498)을 보라.

[壬] 〔임〕 士部 一畫(p. 473)을 보라.

[午] 〔오〕 十部 二畫(p. 303)을 보라.

3
④ [之] [中·人] 지 [平]支 止而切 zhī

[筆順] 丶 亠 ㇇ 之

[字解] ①갈 지 ㉠도달함. '將一楚'《孟子》. ㉡향함. 향방(向方)을 정함. '天下貿貿焉, 莫知所一'《十八史略》. ㉢부임(赴任)함. '皇甫謐有從姑子梁柳, 爲城陽太守, 將一官'《世說》. ㉣변(變)하여 감. 주역(周易)의 서법(筮法)에서 괘(卦)가 변함을 이름. '遇觀一否'《左傳》. ②이를 지 다른 데에 미침. '一死矢靡他'《詩經》. ③이 지 是(日部 五畫)와 뜻이 같음. '一子于歸'《詩經》. ④어조사 지 ㉠사물을 지시(指示)하는 뜻을 나타내는 조사(助辭). '老者安一, 朋友信一, 少者懷一'《論語》. ㉡도치법(倒置法)에서 목적어(目的語)가 동사 위에 올 때 목적어와 동사 사이에 끼우는 조사. '父母唯其疾一憂'《論語》. ㉢어세(語勢)를 고르게 하는 조사. '皮一不存, 毛將何傅'《左傳》. ㉣성과 이름 사이에 끼우는 무의미한 조사. '孟一反'《論語》. ㉤무의미한 조사. '久一'. '頃一'. '日有食一'《春秋》. ⑤의 지 소유·소재 등을 나타내는 접속사. '大學一道'. '游於舞雩一下'《論語》. ⑥및 지 …과. 與(臼部 七畫)와 뜻이 같음. '惟有司一牧夫'《書經》. ⑦끼칠 지 후세에 남김. '一後世君子'《揚子法言》. ⑧쓸 지 사용함. '一其所短'《戰國策》. ⑨성 지 성(姓)의 하나.
[字源] 甲骨文 金文 篆文 指事. 止+一. '止지'는 '발'의 뜻. 가로획 '一'은 출발선을 보임. 출발선에서 막 한 발짝 내딛고자 함을 나타냄. '가다'의 뜻. 가차(假借)하여, 지시사(指示詞) '이'의 뜻으로도 쓰임.

[之江 지강] 절강(浙江)의 별칭(別稱). 강이 갈지자(之) 모양으로 꼬불꼬불하므로 이름.
[之無 지무] 갈지자(之)와 없을무자(無). 몇 자 안 되는 글자라는 뜻. 또, 무식한 사람을 업신여겨 불식지무(不識之無)라 함. 곧, 갈지자와 없을무자 같은 쉬운 글자도 모른다는 뜻.
[之死靡他 지사미타] 죽어도 마음이 변치 않음.
[之子 지자] 이 애. 이 사람.
[之字路 지자로] 갈지자(之)와 같이 꼬불꼬불한 길.
◉可使由之不可使知之. 騏驥之衰也駑馬先之. 斷而敢行鬼神避之. 鳴鼓攻之. 目逆而送之. 無日忘之. 說大人則藐之. 由是觀之. 人一能之己百之. 一言以蔽之. 日月欲明浮雲掩之. 一人有慶兆民賴之. 一日暴之十日寒之. 自侮人侮之. 自我得之自我損之. 將欲奪之必固與之. 叢蘭欲茂秋風敗之.

4
⑤ [乎] [中·人] 호 [平]虞 戶吳切 hū(hú)

[筆順] 一 ㇒ ㇒㇏ 乊 乎

[字解] ①그런가 호 ㉠의문사(疑問辭). '禮後一'《論語》. ㉡의문의 반어(反語). '可謂孝一'《史記》. ㉢감탄의 반어. '不亦樂一'《論語》. ②오흡다할 호 감탄사. '於一小子'《詩經》. ③어조사 호 于(二部 一畫)·於(方部 四畫)와 뜻이 같음. '浴一沂'(기수(沂水)에서 목욕함)《論語》. '攻一異端'(이단을 침)《論語》. '莫大一尊親'(어버이를 존경하는 것보다 더 큰 것이 없음)《孟子》.
[字源] 甲骨文 金文 篆文 象形. 호각판(板)을 본뜬 모양. 위의 작은 점(點)이 그 혀를 본뜸. '부르다'의 뜻을 나타냄. '呼호'의 원자(原字). 나중에 조사(助辭)로 쓰임.

◉斷乎. 牢乎. 純乎. 鬱乎. 嗟乎. 確乎. 煥乎. 噫乎.

4
⑤ [乏] [人名] 핍 [入]洽 房法切 fá

[字解] ①떨어질 핍 물자가 다 없어짐. '窮一'. '一盡'. '振一絕'《禮記》. ②빌 핍 인원이 차지 못함. 또, 벼슬의 빈자리. '不敏攝官承一'《左傳》. ③모자랄 핍 힘이 부족함. '足力一不能拜而先止'《五代史》. ④폐할 핍 폐기(廢棄)함. '不敢以一國事'《戰國策》. ⑤살가림 핍 화살을 쏠 때 살이 맞고 안 맞는 것을 알리는 사람이 살을 막는 가죽으로 만든 물건. '事僕大射共三一'《周禮》.

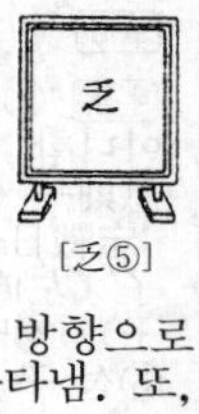

[乏⑤]

[字源] 篆文 指事. '足족'(正)을 반대 방향으로 써서, '모자라다'의 뜻을 나타냄. 또,

'法'의 고문(古文)과 글자 모양이 비슷하여, 법(法)에 비추어 폐(廢)하다의 뜻도 나타냄.

[乏困 핍곤] 가난하여 고생함. 또, 그 사람.
[乏匱 핍궤] 물자가 떨어짐.
[乏氣 핍기] 기력(氣力)이 부족함.
[乏餒 핍뇌] 양식이 떨어져 배를 주림.
[乏頓 핍돈] 양식이 떨어지고 고달픔. 지쳐서 쓰러짐.
[乏劣 핍렬] 모자라고 빠짐. 재능이 떨어짐.
[乏迫 핍박] 핍곤(乏困).
[乏少 핍소] 식량 같은 것이 모자람.
[乏厄 핍액] 핍곤(乏困).
[乏戹 핍액] 핍곤(乏困).
[乏月 핍월] 음력 4월의 별칭(別稱). 양식이 떨어지는 달. 곧, 보릿고개의 달이라는 뜻임.
[乏人 핍인] 인재(人材)가 결핍함.
[乏材 핍재] 핍인(乏人).
[乏錢 핍전] 돈이 떨어짐.
[乏絕 핍절] 양식 같은 것이 아주 떨어짐.
[乏盡 핍진] 다 없어짐.
◉缺乏. 罄乏. 困乏. 空乏. 寡乏. 窶乏. 窮乏. 闕乏. 匱乏. 耐乏. 勞乏. 貧乏. 承乏. 餓乏. 人乏. 絕乏. 波乏. 懸乏. 欠乏.

4⑤ [乍] [人名] [一] 사 [去]禡 鋤駕切 zhà
[二] 작 [入]藥 即各切 zuò 

[字解] [一] ①언뜻 사 졸지에. 갑자기. '今人乍見孺子入於井'《孟子》. ②잠깐 사 잠시. '燈滅而乍明'《淮南子》. ③차라리 사 '可'와 연용(連用)하여 寧(宀部 十一畫)의 뜻으로 씀. '乍可沈爲香, 不能浮作瓠'《元稹》. ④성 사 성(姓)의 하나. [二] 일어날 작 作(人部 五畫)과 통용(通用). '乍, 說文, 起也'《集韻》. ※'사' 음은 인명자로 쓰임.

[字源] 甲骨文 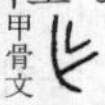 金文 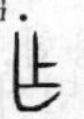 篆文  指事. 亡(亾)+一. 亾은 '달아나다'의 뜻. 달아나는 사람을 불러 멈추게 하는 소리의 뜻으로 봄. 甲骨文은 匕+レ로서 비수〔匕〕로 'レ' 꼴로 '베다'의 뜻을 나타내는 象形. '作작'의 原字. 싹 베다의 뜻에서, '갑자기'의 뜻을 나타냄.

[失] 〔실〕
大部 二畫(p.499)을 보라.

4⑤ [乐] 〔악·락·요〕
樂(木部 十一畫〈p.1104〉)의 簡體字

5⑥ [乒] [現] 핑 娉平聲 pīng

[字解] ①의성어(擬聲語) 핑 총소리 따위를 나타냄. ②핑퐁 핑 '一乓'은 탁구(卓球)의 영어 핑퐁(ping-pong)의 음역(音譯).

[字源] '兵'의 중국어 음 '핑'에 가까운 음(音)을 나타내는 의성어(擬聲語)로, '兵'의 한 획(畫)을 떼어 내어 '乒'으로 함.

5⑥ [乓] [現] 팡 音雱 pāng

[字解] ①의성어(擬聲語) 팡 총소리나 물건이 부딪치는 소리 따위를 나타냄. ②핑퐁 팡 '乒一'은 탁구의 영어 핑퐁(ping-pong)의 음역(音譯).

[字源] '兵'의 중국어 음 '펑'에 가까운 음을 나타내는 의성어(擬聲語)로, '兵'의 한 획을 떼어 내어 '乓'으로 함.

5⑥ [丢] 〔주〕
丟(一部 五畫〈p.42〉)의 俗字

5⑥ [乔] 〔교〕
喬(口部 九畫〈p.393〉)의 簡體字

5⑥ [乑] 〔중〕
重(里部 二畫〈p.2367〉)의 俗字

5⑥ [𠂤] 퇴 [平]灰 都回切 duī

[字解] 작은산 퇴 堆(土部 八畫)의 本字. '一, 小𠂤也'《說文》.

[字源] 形聲. 작은 언덕의 모양을 본뜸. '阜부'보다 작으므로, '阜'의 모양으로 나타낸 것임.

[囟] 〔신〕
囗部 三畫(p.422)을 보라.

6⑦ [乕] 〔호〕
虎(虍部 二畫〈p.1994〉)의 俗字

[囱] 〔창〕
囗部 四畫(p.423)을 보라.

7⑧ [乖] [人名] 괴 [平]佳 古懷切 guāi 

[字解] ①어그러질 괴 ㉠빗나가서 틀어짐. '一剌'. '家道窮必一'《易經傳》. ㉡생각과는 달라짐. 틀림. 맞지 아니함. '一舛'. '機失而謀一'《後漢書》. ②거스를 괴 거역함. 배반함. '一忤'. '楚執政衆而一'《左傳》. ③떨어질 괴 분리됨. 나누임. '一別'. '官失學微, 六家分一'《漢書》. ④가를 괴 구별함. 차별함. '法者所以齊衆異, 亦所以一名分'《尹文子》.

[字源] 篆文  象形. 양(羊)의 뿔과 등이 서로 등져 어그러지거나 떨어진 형상을 본떠, '어긋남, 어김'의 뜻을 나타냄.

[乖角 괴각] 성질이 비꼬임.
[乖隔 괴격] 멀리 떨어짐. 분리됨.
[乖睽 괴규] 어그러짐.
[乖亂 괴란] 어그러지고 어지러움.
[乖剌 괴랄] 어그러짐. 빗나가 틀어짐.
[乖濫 괴람] 어그러지고 외람(猥濫)됨.
[乖戾 괴려] ㉠어그러짐. ㉡성질(性質)이 비꼬임.
[乖繆 괴류] 틀림. 맞지 아니함.
[乖離 괴리] 배반하여 떨어져 나감.
[乖彎 괴만] 활 모양으로 휨. 뒤틀려 활 모양으로 됨.
[乖叛 괴반] 배반함. 반역(叛逆).
[乖背 괴배] 배반함. 배치(背馳)함.
[乖僻 괴벽] 성질(性質)이 비꼬임. 괴팍하고 편벽됨.
[乖別 괴별] 흩어짐. 떨어짐. 이별함.
[乖散 괴산] 배반하여 이산(離散)함. 배반하여 흩어져 달아남.
[乖常 괴상] 상리(常理)에 어긋남.
[乖疏 괴소] 등져 멀리함. 소원(疏遠)해짐.

[乖失 괴실] 떨어져 나가 잃음. 잃음.
[乖惡 괴악] 성질이 비꼬여 나쁨.
[乖逆 괴역] 괴반(乖叛).
[乖忤 괴오] 배반하여 거역함.
[乖迕 괴오] 서로 틀림.
[乖越 괴월] ㉠어그러져 틀림. 괴위(乖違). ㉡정도에 지나쳐 인도(人道)에 어그러짐.
[乖違 괴위] 어그러져 틀림. 틀림.
[乖歪 괴의] 비틀어짐.
[乖異 괴이] 서로 어긋남. 틀림.
[乖貳 괴이] 배반함. 이심(二心)을 품음.
[乖張 괴장] ㉠틀림. 어긋남. ㉡성질이 비꼬임. ㉢뽐냄. 잘난 체함.
[乖爭 괴쟁] 서로 틀려 다툼.
[乖絶 괴절] 사이가 틀어져 교제하지 않음.
[乖差 괴차] 어긋남. 틀림.
[乖錯 괴착] ㉠실패함. ㉡어긋남. 틀림.
[乖舛 괴천] 어그러짐. 이치에 어긋남. 틀림.
[乖愎 괴팍] 성질이 비꼬이고 별남.
[乖悖 괴패] 이치에 어그러짐.
[乖謔 괴학] 남의 비위를 거슬러 희학질함. 약을 올리며 조롱함.
[乖候 괴후] 괴상한 기후.
◉睽乖. 分乖. 中乖. 醜乖.

[垂] 〔수〕
土部 五畫(p. 442)을 보라.

8 ⑨ [乗] 乘(次次條)의 俗字

8 ⑨ [㑒] 〔관〕
管(竹部 八畫〈p. 1671〉)의 俗字

9 ⑩ [乘] [中·人] 승 ①-⑧㊥蒸 食陵切 chéng
⑨-⑭㊦徑 實證切 shèng 

[筆順] 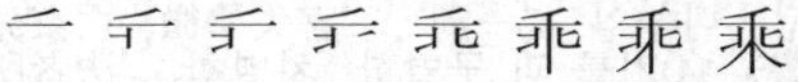

[字解] ①탈 승 ㉠거마(車馬) 등을 탐. '一馬'. '婦人不立一'《禮記》. ㉡기회를 탐. '一機'. '一虛'. '雖有知慧, 不如一勢'《孟子》. ②태울 승 타게 함. '風一我耶, 我乘風乎'《列子》. ③오를 승 ㉠올라감. '一城'. '俱一高臺'《列子》. ㉡올라가 손질함. '亟其一屋'《詩經》. ④이길 승 지게 함. 승리함. '一人不義'《國語》. ⑤업신여길 승 능모(凌侮)함. '侵一君子'《漢書》. ⑥헤아릴 승, 꾀할 승 계획함. '一其事'. '一其財用之出入'《周禮》. ⑦곱할 승, 곱셈 승 배함. 또, 그 셈. '一法'. '加減一除'. '因其成數, 以三一之'《漢書 註》. ⑧성 승 성(姓)의 하나. ⑨탈것 승 거마(車馬) 따위. '駑蹇之一'(노둔한 승용의 말). '今一輿已駕矣'《孟子》. 또, 병거(兵車)에 탄 전사(戰士). '卒一輯睦'《左傳》. ⑩대 승 차량을 세는 수사(數詞). '後車數十一'《孟子》. ⑪한쌍 승 쌍대(雙對). '雙雁曰一'《揚子方言》. ⑫넷 승 원은 사마(駟馬)가 끄는 수레 한 대의 일컬음. 전(轉)하여, 같은 물건 넷으로 한 벌을 이룬 것의 일컬음. '一壺酒'《禮記》. '發一矢而後反'《孟子》. ⑬사기 승 역사책. '史一'. '家一'. '晉之一'《孟子》. ⑭법 승《佛敎》중생(衆生)을 싣고 생사(生死)의 고해(苦海)를 떠나 열반(涅槃)의 피안(彼岸)에 이르게 하는 교법(敎法). '小一'. '大一'. '此心卽佛曰最上一'《傳燈錄》.

[字源] 甲骨文  金文  篆文  古文  會意. 大+舛+木. '大대'는 양 손발을 벌린 사람의 형상. '舛천'은 두 발을 벌린 모양을 본뜸. 나무에 붙들어 매어진 사람의 모습에서, 사람이 배·말·수레·기회 따위를 '타다'의 뜻을 나타냄.

[乘間 승간] 승극(乘隙).
[乘客 승객] 배나 수레를 탄 손님.
[乘居 승거] 두 마리(자웅)의 새가 나란히 있음.
[乘堅策肥 승견책비] 견고한 수레를 타고 살진 말을 채찍질함.
[乘廣 승광] 병거(兵車).
[乘轎 승교] 가마.
[乘隙 승극] 틈을 탐.
[乘機 승기] 기회를 탐.
[乘騎 승기] 말을 탐. 승마(乘馬).
[乘龍 승룡] ㉠용을 타고 하늘로 올라감. 때를 만나 귀(貴)하게 됨을 이름. ㉡동한(東漢) 때 황헌(黃憲)과 이응(李膺)을 사위로 삼은 환숙원(桓叔元)의 두 딸을 당시 사람들이 평(評)하기를 용을 탔다고 한 고사(故事)에서 나온 말로, 훌륭한 사위를 얻음을 이름. 또, 전(轉)하여 사위를 이름.
[乘馬 승마] ㉠말을 탐. 또, 타는 말. 승용(乘用) 말. ㉡한 수레를 끄는 네 마리의 말. 사마(駟馬).
[乘望風旨 승망풍지] 윗사람의 비위를 잘 맞춤.
[乘冪 승멱] 둘 이상의 같은 수(數)나 식(式)을 서로 곱한 수.
[乘牡 승모] 승마(乘馬)❶.
[乘法 승법] 곱하여 계산하는 방법.
[乘算 승산] 승법(乘法).
[乘船 승선] 배를 탐.
[乘城 승성] 성에 올라감.
[乘勢 승세] 유리한 형세를 이용함.
[乘乘 승승] 움직이는 것 같으면서도 움직이지 않는 모양.
[乘勝 승승] 이긴 기회를 탐.
[乘矢 승시] 네 개 한 묶음으로 된 화살.
[乘時 승시] 때를 탐. 기회를 이용함.
[乘夜 승야] 밤을 탐. 밤중을 이용함.
[乘輿 승여] ㉠탈것의 총칭(總稱). ㉡천자(天子)가 타는 수레. 대가(大駕). ㉢행행(行幸) 중의 천자(天子)를 이름.
[乘運 승운] 좋은 운수를 이용함.
[乘雲 승운] ㉠구름에 오름. 속세를 떠남의 비유. ㉡전(轉)하여, 고위(高位)에 오름.
[乘韋 승위] 넉 장의 가죽.
[乘人之車者載人之患 승인지거자재인지환] 남의 은혜를 입으면, 또한 그 사람의 근심을 떠맡아 힘을 쓰지 않으면 아니 됨의 비유.
[乘積 승적] 둘 이상의 수나 식을 곱하여 얻은 수나 식.
[乘田 승전] 춘추 시대(春秋時代)에 노(魯)나라에서 가축(家畜)의 사육(飼育)을 맡은 낮은 벼슬아치.
[乘傳 승전] 역참(驛站)에서 비치(備置)하는 네 마리의 말이 끄는 수레. 또, 그 수레를 타고 급행함.
[乘除 승제] ㉠곱하기와 나누기. ㉡계산(計算). ㉢혹은 더하고 혹은 덜함. 좋아졌다 나빠졌다 함. 서로 득실(得失)이 있음. ㉣적당히 조절

함. 가감(加減)함.
[乘志 승지] 사서(史書), 또는 기록.
[乘車 승차] ㉠수레를 탐. ㉡차를 탐.
[乘弊 승폐] 피폐(疲弊)한 틈을 탐. 피폐한 기회를 이용함.
[乘風先影 승풍선영] 바람을 타고 그림자를 앞선다는 뜻으로, 대단히 신속함을 이름.
[乘風破浪 승풍파랑] 풍운(風雲)을 타고 세상에 나와 수완을 부려 대업(大業)을 이룬다는 뜻으로, 원대한 뜻이 있음을 이름.
[乘匹 승필] 승마(乘馬)㉠.
[乘鶴 승학] 학을 타고 하늘로 올라감. 신선(神仙)이 되어 승천(昇天)함.
[乘閒 승한] 승간(乘間).
[乘虛 승허] 적(敵)의 허술한 틈을 탐. 적의 허(虛)를 찌름. 마음 놓고 있을 때 쳐들어감.
[乘軒 승헌] 수레를 탐. 헌(軒)은 대부(大夫)가 타는 수레.
[乘號 승호] 곱셈의 부호. 곧 '×'.
[乘黃 승황] ㉠신마(神馬). ㉡수레 한 대를 끄는 네 마리의 말. 사마(駟馬).
[乘興 승흥] 흥이 나서 마음이 내킴.
◉家乘. 駕乘. 騎乘. 驚乘. 大乘. 萬乘. 陪乘. 百乘. 副乘. 史乘. 三乘. 上乘. 相乘. 小乘. 帥乘. 野乘. 臆乘. 五乘. 寓乘. 二乘. 一乘. 日乘. 自乘. 傳乘. 卒乘. 坐乘. 驂乘. 千乘. 超乘. 最上乘. 侵乘. 退凡下乘. 便乘. 下乘.

9 ⑩ [乑] 〔수〕
垂(土部 五畫〈p. 442〉)의 古字

9 ⑩ [乗] 〔겸〕
兼(八部 八畫〈p. 220〉)의 正字

10 ⑪ [晉] 〔관〕
管(竹部 八畫〈p. 1671〉)의 俗字

10 ⑪ [乖] 괴 [平]佳 古懷切 guāi

[字解] ①등뼈 괴 '一, 背呂也'《說文》. ②乖(丿部 七畫)의 古字.
[字源] 象形. '亻'는 등뼈가 사람의 한가운데 있는 모양. '仌'은 좌우의 갈비뼈의 모양임.

10 ⑪ [乘] 〔수〕
手(部首〈p. 842〉)의 古字

乙(乚) (1획) 部
〔새을부〕

0 ① [乙] [中人] 을 [入]質 於筆切 yǐ

[筆順] 乙

[字解] ①둘째천간 을 십간(十干)의 제2위. 방위로는 남방에, 오행(五行)으로는 목(木)에 배당함. '甲一'. '太歲在一曰旃蒙'《爾雅》. ②둘째 을 제2위. 갑(甲)의 다음. '一種'. '一科'. ③표할 을 ㉠문장의 구절이 끊어지는 곳에 표를 함. 구두점(句讀點) 같은 것을 찍음. '朔初上書, 人主從上方讀之, 止輒一其處'《史記》. ㉡탈자(脫字)를 방기(旁記)하고 그 들어갈 자리에 갈고리 모양의 표시를 함. '唐詩士, 字有遺脫, 句其旁而增之曰一'《康熙字典》. ㉢글자의 선후가 전도(顚倒)된 것을 갈고리 모양의 표시를 하여 바로잡음. '韓文公讀鹖冠子, 一者三滅者二十二, 注者十有二字'《徐氏筆精》. ④굽을 을 굴곡함. 초목의 싹이 구부러져 나오는 모양. '一屈也'《京房易傳》. ⑤생선창자 을 물고기의 장(腸). 일설(一說)에는, 물고기의 아가미의 뼈. 모두 만곡(彎曲)하여 을자형(乙字形)임. '魚去一'《禮記》. ⑥아무 을 아무개. '長子建, 次子甲, 次子一, 次子慶'《史記》. ⑦삐걱거릴 을 '一, 軋也'《廣雅》. ⑧을골 을 범의 가슴 양쪽의 피하(皮下)에 있는 을자형(乙字形)의 뼈. 이것을 차면 벼슬하는 사람은 위엄(威嚴)이 있고, 벼슬하지 않는 사람은 남에게 미움을 받지 않는다 함. 위골(威骨). '得如虎挾一'《蘇軾》. ⑨성 을 성(姓)의 하나.
[字源] 甲骨文 金文 篆文 象形. 갈지자형의 것의 모양을 본뜨며, 사물이 원활히 나아가지 않는 상태를 나타냄. 가차(假借)하여, 십간(十干)의 제2위(位)로 쓰임.

[乙骨 을골] 자해(字解)❽을 보라.
[乙科 을과] ㉠과거(科擧)의 시험에서 둘째로 어려운 과목. 최고의 어려운 과목은 갑과(甲科)라 함. ㉡시험 성적의 제2위(位). 갑과(甲科)의 다음. ㉢과거의 시험 중의 향시(鄕試)에 합격한 사람. 곧, 거인(擧人). 전시(殿試)에 급제한 진사(進士)를 갑과(甲科)라 함의 대(對). 을방(乙榜).
[乙禽 을금] 제비. 을조(乙鳥).
[乙覽 을람] 을야지람(乙夜之覽)의 약칭(略稱).
[乙方 을방] 24방위(方位)의 하나. 정동(正東)으로부터 남쪽으로 15도째의 방위를 중심으로 한 15도의 각도 안.
[乙榜 을방] 거인(擧人). 을과(乙科)㉢을 보라.
[乙部 을부] 서적을 갑〈경(經)〉·을〈사(史)〉·병〈자(子)〉·정〈집(集)〉의 네 종류로 구분한 사부(四部)의 둘째. 곧, 역사류(歷史類)의 서적을 이름. 사부(史部).
[乙夜 을야] 하룻밤을 갑·을·병·정·무의 오야(五夜)로 나눈 것 중의 둘째. 지금의 오후 10시의 전후(前後) 두 시간. 이경(二更).
[乙夜之覽 을야지람] 천자(天子)의 독서. 천자가 정무(政務)를 끝내고 취침(就寢)하기 전인 10시경에 독서를 하므로 이름.
[乙乙 을을] ㉠싹 같은 것이 땅 위로 삐져 나가려고 하는데 삐져 나가기 힘든 모양. ㉡낱낱. 일일(一一).
[乙第 을제] 별장(別莊).
[乙種 을종] 둘째 종류. 갑종(甲種)의 다음.
◉甲乙. 涂乙. 某乙. 不乙. 太乙.

0 ① [乚] 을 [入]質 於筆切 yǐ

[字解] 제비 을 연작류(燕雀類)에 속하는 철새. 현조(玄鳥). '一, 燕燕, 一鳥也'《說文》.
[字源] 甲骨文 篆文 別體 象形. 《說文》에서는 제비가 나는 모양을 나타낸다고 하지만, 실은 '乙을'과 동일어(同一語). '乙'이

십간(十干)의 둘째로 쓰이게 되매, 그와 구별하기 위하여 '乙'로 쓰게 됨.

[乙鳥 을조] 제비〔燕〕의 별칭(別稱).

0 ① [乚] 은 ㊤吻 於謹切 yǐn

字解 숨을 은, 숨길 은 隱(阜部 十四畫)의 古字. '一, 匿也'《說文》.

字源 篆文 指事. '隱'의 古字. 篆文의 모양처럼, 몸을 웅크리어 '숨다'의 뜻을 나타냄.

1 ② [乜] 먀 ㊤馬 彌也切 ①miē, ③niè

字解 ①사팔뜨기 먀 사시(斜視). '一, 眼一斜也'《字彙》. ②무당 먀 굿을 하는 여자. '西夏語, 以巫爲厮一'《遼史》. ③성 먀 성(姓)의 하나. '一, 蕃姓'《萬姓統譜》.

字源 指事. '也야' 자(字)에서 'ㅣ'의 한 획을 없애어 '乜'로 했으며, 본래 중국어(中國語)에서 음절(音節)로 존재하지 않는 '먀' 음을 나타내어, 부자연스러운 '사팔뜨기'나 이민족의 성(姓)으로 쓰임.

1 ② [九] 中人 ㊀ 구 ㊤有 擧有切 jiǔ ㊁ 규 ㊥尤 渠尤切 jiū

筆順 丿 九

字解 ㊀ ①아홉 구 여덟에 하나를 보탠 수. 전(轉)하여, 많은 수의 뜻으로 쓰임. '一牛一毛'. '叛者一國'《公羊傳》. ②아홉번 구 9회. '一死一生'. '腸一日而一廻'(대단히 걱정함)《司馬遷》. ③성 구 성(姓)의 하나. ㊁ ①모을 규 糾(糸部 二畫)와 통용. '桓公一合諸侯'《論語》. ②모일 규 鳩(鳥部 二畫)와 통용. '一, 與鳩同, 聚也'《字彙》.

字源 甲骨文 金文 篆文 갖은자 玖 象形. 굴곡되어 끝나는 모양을 본뜸. 수(數)가 다하여 끝나는 '아홉'의 뜻을 나타냄. '久구'와 통하여 '오래다'의 뜻도 나타냄.

參考 금전(金錢)의 기재 따위에는 그 개변(改變)을 막기 위해 玖(玉部 三畫) 자(字)를 빌려 쓰기도 함.

[九江 구강] 동정호(洞庭湖)의 구명(舊名). 원(沅)·점(漸)·원(元)·진(辰)·서(漵)·유(酉)·예(澧)·자(資)·상(湘)의 아홉 강이 흘러 들어가므로 이름.

[九蓋草 구개초] 현삼과(玄蔘科)에 속하는 다년초(多年草). 수뤼나물.

[九去法 구거법] 어떤 정수(整數)를 9로 나눈 나머지를 구하는 간편한 방법. 곧, 그 나머지는 그 수의 각 자리의 수의 합(合)을 9로 나눈 나머지와 같음.

[九乾 구건] 구천(九天).

[九卿 구경] ㉠아홉 사람의 장관(長官). 시대에 따라 이름이 다름. 주(周)나라에서는 소사(少師)·소보(少保)·소부(少傅)의 삼고(三孤)와 총재(冢宰)·사도(司徒)·종백(宗伯)·사마(司馬)·사구(司寇)·사공(司空)의 육경(六卿). 한(漢)나라에서는 대상(大常)·광록훈(光祿勳)·대홍려(大鴻臚)·대사농(大司農)·위위(衛尉)·태복(太僕)·정위(廷尉)·종정(宗正)·소부(少府). 북제(北齊)에서는 대상(大常)·광록훈(光祿勳)·위위(衛尉)·태복(太僕)·대리(大理)·종정(宗正)·대홍려(大鴻臚)·대사농(大司農)·대부(大府). 청(淸)나라에서는 대구경(大九卿)과 소구경(少九卿)이 있는데, 대구경은 태자태사(太子太師)·태자태부(太子太傅)·태자태보(太子太保) 및 육부상서(六部尙書), 소구경은 대상(大常)·태복(太僕)·대리(大理)·홍려(鴻臚)·광록(光祿) 오시(五寺)의 경(卿)과 통정사사(通政使司)·국자감(國子監)·한림원(翰林院)·도찰원(都察院)의 장관(長官). ㉡《韓》의정부 좌우 참찬(議政府左右參贊)과 육조 판서(六曹判書) 및 한성 판윤(漢城判尹).

[九經 구경] ㉠아홉 가지 경서(經書). 곧, 주례(周禮)·의례(儀禮)·예기(禮記)·좌전(左傳)·공양전(公羊傳)·곡량전(穀梁傳)·역경(易經)·서경(書經)·시경(詩經). 또는 역경·시경·서경·예기·효경(孝經)·춘추(春秋)·논어(論語)·맹자(孟子)·주례(周禮). ㉡천하(天下)를 다스리는데 필요한 아홉 가지 도(道). 곧, 수신(修身)·존현(尊賢)·친친(親親)·경대신(敬大臣)·체군신(體君臣)·자서민(子庶民)·내백공(來百工)·유원인(柔遠人)·회제후(懷諸侯).

[九經庫 구경고] 구경(九經)에 정통(精通)함을 이름. 고(庫)는 온축(蘊蓄)이 깊다는 뜻.

[九皐 구고] 으슥한 소택(沼澤).

[九穀 구곡] 아홉 가지 곡식. 곧, 메기장〔黍〕·찰기장〔稷〕·차조〔秫〕·벼〔稻〕·깨〔麻〕·콩〔大豆〕·팥〔小豆〕·보리〔大麥〕·밀〔小麥〕.

[九曲肝臟 구곡간장] 깊은 마음속.

[九功 구공] 아홉 가지 공적(功績). 곧, 양민(養民)의 기본인 수(水)·화(火)·목(木)·금(金)·토(土)·곡(穀)의 육부(六府)와 선정(善政)의 근본인 정덕(正德)·이용(利用)·후생(厚生)의 삼사(三事)를 닦는 공적.

[九空 구공] 구천(九天).

[九功舞 구공무] 당태종(唐太宗) 때의 춤의 이름.

[九官 구관] ㉠순(舜)임금 때의 아홉 대관(大官). 주(周)나라 이후의 구경(九卿)에 해당함. 곧, 사공(司空)·후직(后稷)·사도(司徒)·사(士)·공공(共工)·우(虞)·질종(秩宗)·전악(典樂)·납언(納言). ㉡찌르레깃과에 속하는 새. 구관조(九官鳥). 진길료(秦吉了).

[九九 구구] ㉠옛날의 산법(算法)의 한 가지. 또, 아홉은 기수(基數) 중에서 가장 큰 수이고 구배(九倍)는 최대수(最大數)의 최대배(最大倍)로서 수의 극진(極盡)한 것이므로 수법(數法)의 대표어(代表語)로 쓰임. ㉡하나로부터 아홉까지의 수 중의 두 수를 곱하는 산법(算法). 이 외에도 나누기·개평(開平)·개립(開立)에 각각 구구가 있음. 구구법(九九法). ㉢아홉에 아홉을 곱한 수. 곧 여든하나. 81. ㉣동지(冬至)의 다음 날부터 81일째의 날. 또 그 기간.

[九丘 구구] 구주(九州), 곧 중국 본토의 지리(地理)책.

[九衢 구구] 천자(天子)의 도읍(都邑) 중에 있는 아홉의 한길. 전(轉)하여 도읍. 경사(京師). 서울.

[九國 구국] ㉠전국 시대(戰國時代)의 아홉 나라. 곧, 제(齊)·초(楚)·연(燕)·조(趙)·한(韓)·위(魏)·송(宋)·위(衛)·중산(中山). ㉡중국 전토(全土). 구주(九州). ㉢여러 나라. 많은 나라.

[九軍 구군] ㉠천자(天子)의 육군(六軍)과 제후(諸侯)의 삼군(三軍). ㉡천자의 군대.
[九逵 구규] 사통오달(四通五達)하는 도시의 가로(街路).
[九竅 구규] 사람의 몸에 있는 아홉 구멍. 곧, 눈·귀·코의 각각 두 구멍씩 여섯 구멍과 입·항문(肛門)·요도(尿道)의 세 구멍.
[九棘位 구극위] ㉠궁중(宮中)에 심어 놓은 아홉 그루의 가시나무의 왼쪽에 앉는 고(孤)·경(卿)·대부(大夫)와 오른쪽에 앉는 공(公)·후(侯)·백(伯)·자(子)·남(男)의 자리. 외조(外朝)를 이름. ㉡구경(九卿)의 지위. 대신.
[九禁 구금] 아홉 겹으로 세운 금문(禁門)이라는 뜻으로, 금중(禁中), 곧 대궐(大闕)을 이름.
[九氣 구기] 사람의 아홉 가지 감정. 곧, 노(怒)·공(恐)·희(喜)·비(悲)·경(驚)·사(思)·노(勞)·한(寒)·열(熱)에 의하여 움직이는 감정의 변화.
[九旗 구기] 존비귀천(尊卑貴賤)을 표시하는 아홉 가지 기(旗).
[九畿 구기] 주대(周代)에 왕기(王畿)를 천 리 사방(千里四方)으로 하고, 그 주위를 좌우 각각 500리마다 1기(畿)로 구획하여, 후기(侯畿)·전기(甸畿)·남기(男畿)·채기(采畿)·위기(衛畿)·만기(蠻畿)·이기(夷畿)·진기(鎭畿)·번기(蕃畿)로 한 일컬음. 구복(九服).
[九年面壁 구년면벽] '면벽(面壁)'을 보라.
[九年之蓄 구년지축] 9년간의 저축.
[九丹 구단] 도가(道家)가 단사(丹砂)를 고아 만든 선약(仙藥).
[九達 구달] 도로(道路)의 이름.
[九德 구덕] ㉠사람이 마땅히 지켜야 할 아홉 가지 덕. 곧, 관이율(寬而栗)·유이립(柔而立)·원이공(愿而恭)·난이경(亂而敬)·요이의(擾而毅)·직이온(直而溫)·간이렴(簡而廉)·강이색(剛而塞)·강이의(彊而義). ㉡충(忠)·신(信)·경(敬)·강(剛)·유(柔)·화(和)·고(固)·정(貞)·순(順).
[九道 구도] ㉠학문의 아홉 가지 도(道). 곧, 도덕(道德)·음양(陰陽)·법령(法令)·천관(天官)·신징(神徵)·기예(技藝)·인정(人情)·계기(械器)·처병(處兵). ㉡달이 다니는 길.
[九冬 구동] 겨울의 90일간의 일컬음.
[九連環 구련환] 장난감의 한 가지. 수수께끼 고리.
[九禮 구례] 관(冠)·혼(婚)·조(朝)·빙(聘)·상(喪)·제(祭)·빈주(賓主)·향음주(鄕飮酒)·군려(軍旅)의 아홉 가지 예.
[九黎 구려] 중국 상고(上古)의 소호씨(少昊氏) 때의 제후(諸侯). 후의 삼묘씨(三苗氏).
[九龍吐水 구룡토수] 《佛敎》 석가모니(釋迦牟尼)가 탄생할 때 아홉 마리의 용이 물을 뿜어 목욕을 시켰다는 일.
[九流 구류] 한대(漢代)의 아홉 학파. 곧, 유가(儒家)·도가(道家)·음양가(陰陽家)·법가(法家)·명가(名家)·묵가(墨家)·종횡가(縱橫家)·잡가(雜家)·농가(農家).
[九旒冕 구류면] 전후에 아홉 개의 옥을 꿴 장식 끈을 늘어뜨린 면류관(冕旒冠). 제후(諸侯)가 쓰는 것임.
[九六 구륙] 아홉과 여섯. 또, 양(陽)과 음(陰). 전(轉)하여, 음양판합만물생생(陰陽判合萬物生生)의 도(道)를 이름.
[九輪 구륜] 《佛敎》 불탑(佛塔)의 노반(露盤) 위에 있는 높은 기둥의 장식. 노반 위의 청화(請花)와 맨 꼭대기의 수연(水煙) 사이에 있는 아홉 개의 테 장식. 상륜(相輪) 참조.
[九里香 구리향] 물푸레나무, 곧 목서(木犀)의 별칭(別稱).
[九萬里 구만리] 거리가 대단히 먼 것을 이름.
[九陌 구맥] 한(漢)나라 서울 장안(長安)의 성(城) 안에 있던 아홉 한길.
[九貊 구맥] 사방의 오랑캐. 일설(一說)에는, 중국 동북방에 있었다고 하는 구종(九種)의 오랑캐.
[九命 구명] 주대(周代)의 관작(官爵)의 아홉 등급. 최하는 일명(一命), 최고는 구명(九命)임.
[九牧 구목] ㉠구주(九州)의 장관. ㉡구주(九州).
[九門 구문] 대궐(大闕)의 주위의 아홉 문. 곧, 노문(路門)·응문(應門)·치문(雉門)·고문(庫門)·고문(皐門)·성문(城門)·근교문(近郊門)·원교문(遠郊門)·관문(關門). 노문(路門) 참조.
[九尾狐 구미호] ㉠청구국(靑丘國)에 있다고 하는 꼬리가 아홉 달린 여우. 사람을 잘 속인다 함. ㉡간사하고 아첨 잘하는 사람의 비유. 교활한 사람.
[九民 구민] 여러 계급의 백성. 각종의 직업에 종사하는 백성.
[九旻 구민] ㉠가을의 하늘. ㉡구천(九天).
[九拜 구배] ㉠아홉 가지 절. 곧, 계수(稽首)·돈수(頓首)·공수(空首)·진동(振動)·길배(吉拜)·흉배(凶拜)·기배(奇拜)·포배(褒拜)·숙배(肅拜). ㉡여러 번 절함.
[九百 구백] 어리석은 사람, 모자라는 사람을 일컫는 은어(隱語).
[九伯 구백] 구패(九伯).
[九法 구법] ㉠구주(九疇). ㉡주대(周代)에 대사마(大司馬)가 나라를 다스리는 데 준수(遵守)하여야 할 아홉 가지 법칙. 곧, 제기봉국(制畿封國)·설의변위(設儀辨位)·진현흥공(進賢興功)·건목입감(建牧立監)·제군힐금(制軍詰禁)·시공분직(施貢分職)·간계향민(簡稽鄕民)·균수평칙(均守平則)·비소사대(比小四大).
[九服 구복] 주대(周代)에 왕기(王畿)를 천 리 사방(千里四方)으로 하고 그 주위를 상하좌우(上下左右) 각각 500리마다 1기(畿)로 구획하여, 후복(侯服)·전복(甸服)·남복(男服)·채복(采服)·위복(衛服)·만복(蠻服)·이복(夷服)·진복(鎭服)·번복(蕃服)으로 한 것의 일컬음. 복(服)은 천자(天子)에게 복종한다는 뜻. 구기(九畿).

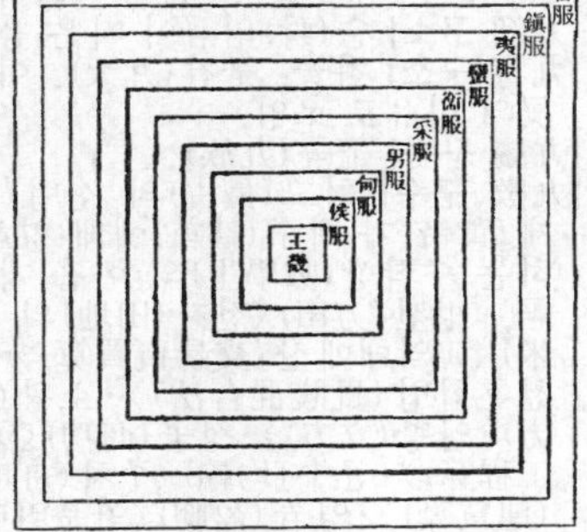

[九服]

[九府 구부] ㉠주대(周代)에 재화(財貨)를 맡은 아홉 관부(官府). 곧, 대부(大府)·옥부(玉府)·내부(內府)·외부(外府)·천부(泉府)·천부

(天府)·직내(職內)·직금(職金)·직폐(職幣). ㉡구주(九州)의 보배를 저장한 곳집. 전국(全國)의 보고(寶庫).
[九賓 구빈] 아홉 사람의 접대계(接待係). 천자(天子)가 귀빈(貴賓)을 우대할 때의 예(禮).
[九嬪 구빈] 주대(周代)의 제도에서, 천자(天子)가 둘 수 있는 아홉 사람의 빈(嬪). 빈(嬪)은 궁중(宮中)의 여관(女官)의 한 계급.
[九思 구사] 군자(君子)가 항상 유의(留意)하고 반성하여야 할 아홉 가지 생각. 곧, 시사명(視思明)·청사총(聽思聰)·색사온(色思溫)·모사공(貌思恭)·언사충(言思忠)·사사경(事思敬)·의사문(疑思問)·분사난(忿思難)·견득사의(見得思義).
[九死一生 구사일생] ㉠거의 죽을 뻔하다가 겨우 살아남. ㉡대단히 위태로움. 거의 살 가망이 없음.
[九山 구산] ㉠구주(九州)의 각 지방의 아홉 명산(名山). 《사기(史記)》에는 견(汧)·호구(壺口)·지주(砥柱)·태행(太行)·서경(西傾)·웅이(熊耳)·파총(嶓冢)·내방(內方)·기(岐). 《회남자(淮南子)》에는 회계(會稽)·태산(泰山)·왕옥(王屋)·수산(首山)·태화(太華)·기산(岐山)·태행(太行)·양장(羊腸)·맹문(孟門). ㉡많은 산. 여러 산.
[九暑 구서] 여름의 90일간의 더위.
[九錫 구석] 천자(天子)가 특히 공로가 있는 사람에게 하사하는 아홉 가지 물품. 곧, 거마(車馬)·의복(衣服)·악칙(樂則)·주호(朱戶)·납폐(納陛)·호분(虎賁)·궁시(弓矢)·부월(鈇鉞)·거창(秬鬯).
[九成 구성] ㉠음악 아홉 곡을 연주하는 일. 음악 한 곡이 끝나는 것을 일성(一成)이라 함. 구주(九奏). ㉡구소(九霄).
[九星 구성] ㉠하도(河圖)·낙서(洛書)에 도시(圖示)된 아홉 개의 별. 곧, 일백(一白)·이흑(二黑)·삼벽(三碧)·사록(四綠)·오황(五黃)·육백(六白)·칠적(七赤)·팔백(八白)·구자(九紫). 이것을 오행(五行)·방위(方位)·간지(干支)에 배당하여 점(占)을 침. ㉡《佛教》구요(九曜). ㉢북두성(北斗星)을 이름. ㉣성(星)·신(辰)·일(日)·월(月)·사시(四時)·세(歲).
[九世同居 구세동거] 당(唐)나라 사람 장공예(張公藝)의 구대(九代)가 한집안에서 산 고사(故事)에서 나온 말로, 집안이 화목함을 이름.
[九韶 구소] 순(舜)임금이 지은 음악 이름.
[九霄 구소] 하늘. 구천(九天). 아주 멀거나 높은 곳의 비유로 쓰임.
[九屬 구속] 구족(九族).
[九數 구수] 최고(最古)의 산법(算法)으로서 황제(黃帝)가 예수(隷首)에게 명하여 만들었다고 하는 수학상(數學上)의 아홉 가지 법식(法式). 곧, 방전(方田)〈전지(田地)의 측량〉·속미(粟米)〈교역매매산(交易賣買算)〉·쇠분(衰分)〈귀천혼합법(貴賤混合法)〉·소광(少廣)〈평방(平方)·입방(立方)〉·상공(商功)〈공력공정산(工力工程算)〉·균수(均輸)〈주차(舟車) 등의 운임산(運賃算)〉·영뉵(盈朒)〈안분비례(按分比例)〉·방정(方程)〈방정식〉·구고(句股)〈삼각법〉. 구장산술(九章算術).
[九藪 구수] 구택(九澤).
[九寺 구시] 당송 시대(唐宋時代)에 특수한 사무를 취급하던 아홉 관아(官衙). 곧, 태상시(太常寺)·광록시(光祿寺)·위위시(衛尉寺)·종정시(宗正寺)·태복시(太僕寺)·대리시(大理寺)·홍려시(鴻臚寺)·사농시(司農寺)·태부시(太府寺). 그 장관은 모두 경(卿)이므로 구경(九卿)이라 합칭(合稱)함.
[九式 구식] 주대(周代)의 왕실(王室) 재정(財政) 지출의 아홉 가지 조목. 곧, 제사(祭祀)·빈객(賓客)·상황(喪荒)·수복(羞服)·공사(工事)·폐백(幣帛)·추말(芻秣)·비반(匪頒)·호용(好用). 구부(九賦)로써 이 비용을 충당하였는데, 액수에 일정한 절도(節度)가 있었음.
[九十六外道 구십육외도] 《佛教》 인도(印度)에서 불교를 제외한 96파의 종교를 이름. 외도(外道)는 불교의 정도(正道)에 대하여 이른 말.
[九十春光 구십춘광] 90일간의 화창한 봄 경치.
[九野 구야] ㉠구주(九州)의 들. 구주(九州). ㉡하늘의 아홉 분야(分野). 구천(九天).
[九陽 구양] ㉠해. 태양(太陽). ㉡해가 돋는 곳. ㉢순수한 양기(陽氣). ㉣하늘. 구천(九天)의 끝.
[九御 구어] ㉠후궁(後宮)의 아홉 궁녀(宮女). ㉡궁녀 아홉이 임금을 곁에서 모심.
[九域 구역] 구주(九州).
[九譯 구역] 아홉 번 다시 통역하지 않으면 의사가 통하지 않을 만큼 아주 먼 땅을 이름.
[九埏 구연] 천지(天地)의 끝. 구은(九垠).
[九淵 구연] ㉠아홉 겹의 못. 아주 깊은 웅덩이. ㉡아홉의 못. 아홉의 웅덩이.
[九列 구열] 구경(九卿)의 지위.
[九五 구오] 구(九)는 주역(周易)에서 양(陽)의 수. 오(五)는 괘(卦)의 오효(五爻), 곧 밑에서 세어 다섯 번째의 양효(陽爻). 이 괘효(卦爻)는 천자(天子)의 자리임. 전(轉)하여, 천자의 지위(地位).
[九五之位 구오지위] 구오지존(九五之尊).
[九五之尊 구오지존] 천자의 지위(地位).
[九醞酒 구온주] 전국 술.
[九曜 구요] 《佛教》 일요(日曜)·월요(月曜)·화요(火曜)·수요(水曜)·목요(木曜)·금요(金曜)·토요(土曜)·계도(計都)·나후(羅喉)의 아홉 개의 별. 구성(九星).
[九牛一毛 구우일모] 여러 마리의 소의 털 중에서 한 가닥의 털. 곧, 대단히 많은 것 중의 대단히 적은 부분. 없어져도 아무 표가 나지 않는 극소 부분. 대해(大海)의 일적(一滴).
[九京 구원] 구원(九原).
[九原 구원] ㉠전국 시대(戰國時代)의 진(晉)나라 경대부(卿大夫)의 묘지(墓地). ㉡묘지. 황천(黃泉).
[九月九日 구월구일] 명절(名節)의 하나. 중양(重陽). 중양절(重陽節).
[九圍 구위] 구주(九州).
[九有 구유] 구주(九州). 「나락(奈落).
[九幽 구유] 대지(大地)의 밑바닥. 지저(地底).
[九垠 구은] ㉠구천(九天)의 끝. 천지(天地)의 끝. ㉡구주(九州)의 끝.
[九疑 구의] 산(山) 이름. 후난 성(湖南省) 영릉현(零陵縣)의 북쪽에 있음.
[九儀 구의] ㉠귀천(貴賤)·상하(上下)의 품등(品等)을 바로잡는 일. ㉡천자(天子)가 제후(諸侯)·대부(大夫) 등 아홉 등급의 빈객을 접대하는 의식. 구빈(九賓).
[九夷 구이] ㉠상고(上古)에 동방(東方)에 있던 구종(九種)의 오랑캐. 곧, 견이(畎夷)·우이(于

夷)·방이(方夷)·황이(黃夷)·백이(白夷)·적이(赤夷)·원이(元夷)·풍이(風夷)·양이(陽夷). ㉡많은 오랑캐. 여러 오랑캐. ㉢미개한 나라. 야만국(野蠻國).

[九夷八蠻 구이팔만] 모든 오랑캐.

[九仞功虧一簣 구인공휴일궤] 높이가 구인(九仞), 곧 72척의 산을 쌓는데 한 삼태기의 흙을 쌓아 올리면 완성하는 최후의 순간에 가서 실패한다는 뜻으로, 적년(積年)의 공을 들인 일도 한 번의 실수로 허사로 돌아감의 비유.

[九日 구일] 9월 9일.

[九紫 구자] 9성(星)의 하나. 화성(火星)을 이름.

[九腸 구장] 온 창자. 창자 전부.

[九藏 구장] 오장(五臟)에 위(胃)·방광(膀胱)·대장(大腸)·소장(小腸)을 합친 것. 장(藏)은 장(臟).

[九章算術 구장산술] ㉠구수(九數). ㉡책 이름. 저자 미상. 총 9권. 구장산술의 산법(算法)을 수록(收錄)한 최고(最古)의 수학책.

[九轉靈砂 구전영사] 수은(水銀)에 유황(硫黃)을 넣어 아홉 번 고아 만든 약. 어린아이의 간기(癎氣) 약으로 쓰임.

[九折 구절] ㉠꼬불꼬불한 비탈길. ㉡꼬불꼬불함.

[九折臂 구절비] 명의(名醫)가 되기까지 아홉 번 팔꿈치를 꺾었다는 뜻으로, 열력(閱歷)·경험(經驗)이 많음을 이름.

[九節草 구절초] 국화과에 속하는 다년초. 잎은 약용. 관상용으로도 심음.

[九鼎 구정] 우왕(禹王) 때 주조(鑄造)한 솥. 하은주(夏殷周) 삼대(三代) 상전(相傳)의 보배임.

[九鼎大呂 구정대려] 구정(九鼎)과 대려(大呂). 모두 극히 소중한 주묘(周廟)의 보기(寶器)이며, 또 썩 무거우므로, 전(轉)하여 중한 지위의 비유로 쓰임. 생략하여 '정려(鼎呂)'라고도 함.

[九族 구족] 고조(高祖)·증조(曾祖)·조부(祖父)·부모(父母)·자기·아들·손자·증손·현손. 일설(一說)에는, 부족(父族) 넷, 곧 고모의 자녀·자매의 자녀·딸의 자녀 및 자기의 동족과 모족(母族) 셋, 곧 외할아버지·외할머니·이모의 자녀와 처족(妻族) 둘, 곧 장인·장모.

[九州 구주] 중국 전토(全土)를 아홉으로 구분한 일컬음. 요순우(堯舜禹) 때는 기(冀)·연(兗)·청(靑)·서(徐)·형(荊)·양(揚)·예(豫)·양(梁)·옹(雝), 은(殷)나라 때는 기(冀)·예(豫)·옹(雝)·양(揚)·형(荊)·연(兗)·서(徐)·유(幽)·영(營), 주(周)나라 때는 양(揚)·형(荊)·예(豫)·청(靑)·연(兗)·옹(雝)·유(幽)·기(冀)·병(幷). 중국 전토.

[九疇 구주] 천하(天下)를 다스리는 아홉 가지 대법(大法). 본시 우왕(禹王)이 천계(天啓)에 의하여 얻은 것으로서 대대로 전(轉)하여 기자(箕子)에 이르러 기자가 무왕(武王)의 물음에 대답한 후 비로소 세상에 알려졌다 함. 곧, 오행(五行)·오사(五事)·팔정(八政)·오기(五紀)·황극(皇極)·삼덕(三德)·계의(稽疑)·서징(庶徵)·오복(五福). 오행은 수(水)·화(火)·목(木)·금(金)·토(土). 오사는 모(貌)·언(言)·시(視)·청(聽)·사(思). 팔정은 식(食)·화(貨)·사(祀)·사공(司空)·사도(司徒)·사구(司寇)·빈(賓)·사(師). 오기는 세(歲)·월(月)·일(日)·성신(星辰)·역수(曆數). 삼덕은 정직(正直)·강극(剛克)·유극(柔克). 계의는 우(雨)·제(霽)·몽(蒙)·역(驛)·극(克)·정(貞)·회(悔). 서징은 우(雨)·양(暘)·오(燠)·한(寒)·풍(風)·시(時). 오복은 수(壽)·부(富)·강녕(康寧) 유호덕(攸好德)·고종명(考終命). 구법(九法). 홍범구주(洪範九疇).

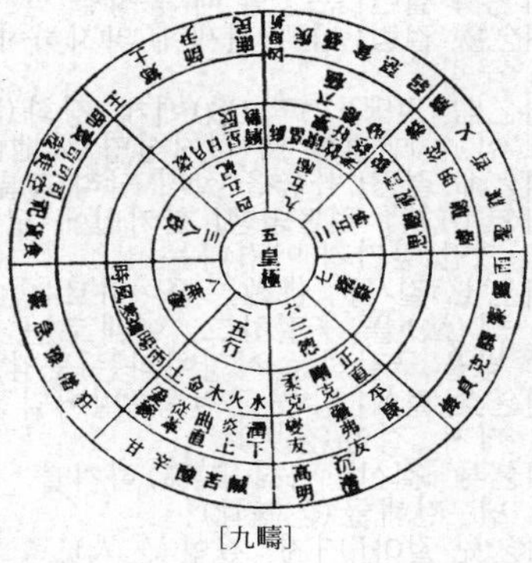
[九疇]

[九重 구중] ㉠아홉 겹. ㉡하늘. 구천(九天). ㉢궁중(宮中). 궁궐(宮闕).

[九重天 구중천] ㉠하늘의 가장 높은 곳. 천상(天上). 구천(九天). ㉡궁정(宮廷).

[九地 구지] ㉠땅의 가장 낮은 곳. 구천(九天)의 대(對). ㉡작전상(作戰上)의 아홉 종류의 땅. 곧, 산지(散地)〈사졸이 흩어지기 쉬운 땅〉·경지(輕地)〈적지에 들어가서 아직 깊숙하지 않은 땅〉·쟁지(爭地)〈피아 쌍방이 서로 다투는 땅〉·교지(交地)〈피아 쌍방이 서로 교통하는 땅〉·구지(衢地)〈왕래의 통로가 되는 땅〉·중지(重地)〈적지 깊숙이 들어간 땅. 경지(輕地)의 대〉·비지(圮地)〈험준한 땅〉·위지(圍地)〈막다른 골목 같이 앞이 꽉 막힌 땅〉·사지(死地)〈필사(必死)의 땅〉. ㉢적(敵)이 발견하기 어려운 땅.

[九枝 구지] 구지등(九枝燈).

[九枝燈 구지등] 아홉의 가지가 나와서 그곳에 초 같은 것을 꽂게 된 등(燈). 우리나라 사람이 구지등수(九枝燈樹)를 가지고 있었다는 것이 〈개원유사(開元遺事)〉에 기재되어 있음.

[九職 구직] ㉠요(堯)임금 때의 아홉 가지 벼슬. 곧, 사도(司徒)·사마(司馬)·사공(司空)·전주(田疇)·악정(樂正)·공사(工師)·질종(秩宗)·대리(大理)·구금(毆禽). ㉡주대(周代)의 아홉 가지 직업.

[九眞藤 구진등] 다년생(多年生) 만초(蔓草)의 하나. 새박덩굴. 박주가리.

[九秩 구질] 아흔 살. 90세.

[九采 구채] ㉠구목(九牧). ㉡아홉 가지 채색(彩色). 구색(九色).

[九川 구천] 구주(九州)의 중요한 강 아홉. 곧, 양쯔 강(揚子江)·황허(黃河)·한수이(漢水)·지수이(濟水)·화이수이(淮水)·웨이수이(渭水)·뤄수이(洛水)·뤄수이(弱水)·헤이수이(黑水).

[九天 구천] ㉠하늘을 중앙·사정(四正)·사우(四隅)의 아홉 분야(分野)로 나눈 칭호. 중앙을 균천(鈞天), 동방을 창천(蒼天), 동북을 민천(旻天), 북방을 현천(玄天), 서북을 유천(幽天), 서방을 호천(昊

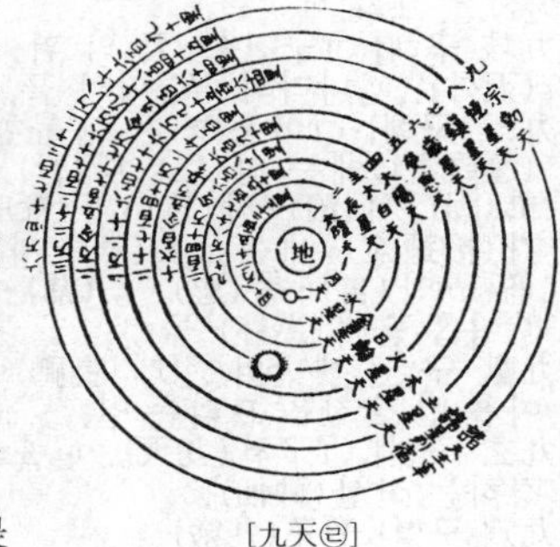
[九天㉣]

天), 서남을 주천(朱天), 남방을 염천(炎天), 동남을 양천(陽天)이라 함. 구야(九野). ㉡하늘의 가장 높은 곳. 또, 하늘. 구지(九地)의 대(對). ㉢궁중(宮中). 구중(九重). ㉣《佛教》지구를 중심으로 하여 도는 아홉 천체(天體). 곧, 월천(月天)·수성천(水星天)·금성천(金星天)·일륜천(日輪天)·화성천(火星天)·목성천(木星天)·토성천(土星天)·항성천(恆星天)·종동천(宗動天).

[九泉 구천] ㉠구지(九地)의 밑에 있는 샘. 전(轉)하여 황천(黃泉). 저승. ㉡땅. 대지(大地).

[九天直下 구천직하] 하늘에서 땅을 향하여 일직선으로 떨어진다는 뜻. 일사천리(一瀉千里)의 형세를 이름.

[九天玄女 구천현녀] 황제(黃帝)가 치우(蚩尤)와 싸울 때 그에게 병법(兵法)을 내려 주었다는 선녀(仙女). 현녀(玄女).

[九招 구초] 시경(詩經)에 빠진 시편(詩篇), 곧 고일시(古逸詩)의 하나. 제곡(帝嚳) 때에 함묵(咸墨)이 노래 부른 것이라 함.

[九秋 구추] 가을의 90일간.

[九春 구춘] 봄의 90일간.

[九層之臺起於累土 구층지대기어누토] 9층의 고대(高臺)도 처음에 얼마 안 되는 흙으로 쌓아 올리기 시작하여 이룬 것이라는 뜻으로, '진합태산(塵合泰山)'과 같은 말.

[九澤 구택] 아홉의 소택(沼澤). 곧, 대륙(大陸)·뇌하(雷夏)·맹제(孟諸)·하택(荷澤)·영택(滎澤)·대야(大野)·팽려(彭蠡)·진택(震澤)·운몽(雲夢).

[九土 구토] ㉠구주(九州). ㉡아홉 가지 지세(地勢). ㉢아홉 가지 토질(土質).

[九通 구통] 역대(歷代)의 제도를 적은 아홉 가지 서적. 곧, 통전(通典)·통지(通志)·문헌통고(文獻通考)·황조문헌통고(皇朝文獻通考)·황조통전(皇朝通典)·황조통지(皇朝通志)·속통지(續通志)·속통전(續通典)·속문헌통고(續文獻通考).

[九伯 구패] 구주(九州)의 장(長). 패(伯)는 지방장관. 구백(九伯).

[九品 구품] ㉠구경(九卿). ㉡위(魏)나라 때 인재(人才)의 우열(優劣)에 의하여 관리(官吏)를 전형(詮衡)하던 아홉 등급. ㉢벼슬의 아홉 품계(品階). ㉣《佛教》극락왕생(極樂往生)의 아홉 등급.

[九夏 구하] ㉠여름의 3개월 90일간. 구서(九暑). ㉡주대(周代)에 조정(朝廷)에서 연주하던 아홉 가지 주악(奏樂).

[九合 구합·규합] ㉠아홉 번 회합함. ㉡규합(九合)을 보라.

[九垓 구해] ㉠구천(九天)의 위. 하늘의 밖. 천외(天外). ㉡나라의 끝. 땅의 끝. 구해(九陔).

[九行 구행] ㉠아홉 가지 훌륭한 행위. 〈일주서(逸周書)〉에는 인(仁)·행(行)·양(讓)·신(信)·고(固)·치(治)·의(義)·의(意)·용(勇). 〈습유기(拾遺記)〉에는 효(孝)·자(慈)·문(文)·신(信)·언(言)·충(忠)·공(恭)·용(勇)·의(義). ㉡아홉 순배(巡杯) 돎.

[九獻 구헌] 옛날의 향례(饗禮)에 주객(主客)이 아홉 번 술잔을 드리는 일.

[九玄 구현] ㉠구천(九天). ㉡도교(道教)에서 존경하는 신선(神仙).

[九穴 구혈] 구규(九竅).

[九刑 구형] ㉠주대(周代)의 아홉 가지 형벌. 곧, 묵형(墨刑)·의형(劓刑)·비형(剕刑)·궁형(宮刑)·대벽(大辟)·유형(流刑)·속형(贖刑)·편형(鞭刑)·복형(扑刑). ㉡형서(刑書)의 이름.

[九華 구화] ㉠산 이름. 안후이 성(安徽省) 청양현(青陽縣) 서남 40리에 있음. 왕양명(王陽明)이 이 산중에서 독서하였다 함. ㉡궁전(宮殿)이나 기물(器物)에 아름다운 장식을 한 것을 이름. 구(九)는 많다는 뜻.

[九華帳 구화장] 여러 가지 꽃무늬를 놓은 아름다운 장막.

[九廻腸 구회장] ㉠창자가 아홉 번 비틀릴 정도로 몸부림치며 괴로워함. ㉡꼬불꼬불한 것의 형용.

[九合 규합] 일을 꾸미려고 사람을 모음. 규합(糾合).

◉三九. 上九. 十中八九. 十八九. 陽九. 重九. 初九. 出九.

2 ③ [乞] [高·入] [一] 걸 [入]物 去訖切 qǐ 
[二] 기 [去]未 丘既切 qì

[筆順] ノ 𠂉 乞

[字解] [一] ①빌 걸 구걸함. '一人'. '行一于市'《史記》. ②청할 걸, 구할 걸 청구함. 요구함. '一求'. '三王有一言'《禮記》. ③청컨대 걸 바라건대. '一以此骨付之有司, 投諸水火'《韓愈》. ④거지 걸 걸식하는 사람. '外舍家寒一'《宋書》. ⑤청 걸 요청. 소청. '安得金丹從爾一'《張羽》. ⑥성 걸 성(姓)의 하나. [二] 줄 기 내줌. '一與'. '以墅一汝'《晉書》.

[字源] 假借. 본디 운기(雲氣)의 모양을 본떠 기체(氣體)의 뜻을 나타냈으나, 음형(音形)이 '祈기'에 가까워, 빌려서 '빌다'의 뜻으로 쓰임.

[乞假 걸가] ㉠휴가를 얻어 쉼. 가(假)는 가(暇)의 고자(古字). ㉡금전 같은 것을 대여(貸與)함.

[乞丐 걸개] ㉠거지. 걸인(乞人). ㉡구걸(求乞)함.

[乞匃 걸개] 걸개(乞丐).

[乞巧 걸교] 칠석(七夕)날 밤에 부녀자가 견우(牽牛)·직녀(織女) 두 별에게 길쌈과 바느질 솜씨가 늘기를 비는 제사.

[乞巧棚 걸교붕] 걸교(乞巧)를 할 때 제전(祭奠)을 올려놓는 시렁.

[乞求 걸구] 청함. 구함.

[乞郡 걸군] 조선 시대 문과(文科)에 급제한 자로서 어버이는 늙고 집안이 가난한 경우에 수령(守令) 자리를 주청(奏請)하는 일.

[乞憐 걸련] 곤궁할 때 동정을 받으려고 생각함.

[乞靈 걸령] 남의 권세에 의지하여 자기의 이익을 구함.

[乞盟 걸맹] ㉠적(敵)에게 강화(講和)하기를 청함. ㉡맹세할 때 천지신명(天地神明)에게 고함.

[乞命 걸명] 목숨을 살려 달라고 빎.

[乞不竝行 걸불병행] 한꺼번에 달라는 사람이 많으면 얻기가 어렵다는 말.

[乞士 걸사] 《佛教》중. 위로는 제불(諸佛)에게 법(法)을 구걸하고, 아래로는 시주(施主)에게 밥을 구걸하는 사람이라는 뜻임.

[乞食 걸식] 밥을 구걸함. 빌어먹음. 또, 그 사람. 거지. 걸인(乞人).

[乞身 걸신] 사직(辭職)하기를 청함. 사직원을 냄. 걸해골(乞骸骨).

[乞兒 걸아] 거지. 걸인(乞人).

[乞言 걸언] 노인(老人)에게 좋은 말을 하여 달라고 청함.
[乞人 걸인] 거지. 비렁뱅이.
[乞借 걸차] 빎. 빌어 얻음. 차용(借用)함.
[乞請 걸청] 간절히 바람. 열망함.
[乞貸 걸특] 걸차(乞借). 특(貸)은 특(貣).
[乞骸 걸해] 걸신(乞身).
[乞骸骨 걸해골] 걸신(乞身).
[乞火不若取燧 걸화불약취수] 남에게서 불을 얻기보다는 자기 스스로 부시를 쳐서 불을 일으키는 것이 좋음. 남에게 의지하기보다는 자기 스스로 해 나가는 것이 좋음을 이름.
[乞與 기여] 줌. 시여(施與)함.
◉丐乞. 求乞. 陳乞. 寒乞. 行乞.

2 ③ [也] 中·人 ㊀ 야 ㊤馬 羊者切 yě ㊦禡 羊謝切 ㊁ 이 ㊤紙 演爾切 yí

筆順 ㇆ 㔾 也

字解 ㊀ ①어조사 야 ㉠구말(句末)에 써서 결정의 뜻을 나타내는 조사. '廟有二主, 自桓公始一'《禮記》. ㉡어간(語間)에 넣어 병설(竝說)하는 조사. '野馬一, 塵埃一, 生物之以息相吹一'《莊子》. ㉢이름을 부를 때 이름 아래에 쓰는 조사. '回一其庶乎'《論語》. ㉣의문에 쓰이는 조사. '寡人之民不加多何一'《孟子》. ㉤반어(反語)에 쓰이는 조사. '君子何患乎無兄弟一'《論語》. ㉥감탄의 뜻을 나타내는 조사. '何其智之明一'《史記》. ㉦어세(語勢)를 강하게 하는 조사. '必一狂狷乎'《論語》. ㉧형용의 의미를 강하게 하는 조사. '始作翕如一'《論語》. ㉨무의미한 조사. '禮與其奢一寧儉'《論語》. ㉩탄식의 뜻을 나타내는 조사. …도다. …구나. 哉(口部 六畫)와 뜻이 같음. '惜一, 不如多與之邑'《左傳》. ②이를 야 …라 이르는. '孝弟一者, 其爲仁之本歟'《論語》. ③성 야 성(姓)의 하나. ④또 야 ㉠시(詩) 또는 속어(俗語)에서 亦(亠部 四畫)과 같은 뜻으로 쓰임. '靑袍一自公'《杜甫》. ㉡발어(發語)하는 말로 쓰임. '一知鄕信日應疏《岑參》. '一知造物有深意'《蘇軾》. ㊁ 이 이 이것. 迆(辵部 三畫)와 同字. '一, 詞也. 斯也'《集韻》.

字源 金文 篆文 象形. 《說文》은 여자의 생식기를 본뜬 것으로 봄. 그러나 실제로 그 뜻으로 쓰이는 일은 없음. 가차(假借)하여 조사(助辭)로 쓰임.

[也速該 야속해] 원(元)나라 열조(烈祖) 성길사한(成吉思汗)의 부친(父親). 타타르 사람에게 독살당함.
[也有 야유] 또한 있음. …도 있음.
[也已 야이] 단정(斷定)의 조사(助辭). 단지 그것「뿐.
[也哉 야재] ㉠강한 단정(斷定)의 뜻을 나타내는 조사(助辭). ㉡반어(反語)의 뜻을 나타내는 조사(助辭).
[也乎 야호] 강조의 조사(助辭).
[也乎哉 야호재] ㉠감탄의 뜻을 나타내는 조사(助辭). ㉡의문 또는 반어(反語)의 뜻을 나타내는 조사.

2 ③ [乬] 韓 굴

字解 《韓》 뜻은 없음.
字源 '굴' 음(音)을 나타내기 위하여, '九구'와 '乙을'을 포개어 만듦.

3 ④ [乣] 규 jiǔ

字解 군대이름 규 '一軍'은 요(遼)·금(金) 시대의 궁전(宮殿)을 지키는 군대의 이름. '金有護衛一軍. 疑卽糺字'《字彙補》.

3 ④ [乷] 韓 살

字解 《韓》 뜻은 없음.
字源 '살' 음(音)을 나타내기 위하여, '士사'와 '乙을'을 포개어 만듦.

3 ④ [乤] 韓 할

字解 《韓》 뜻은 없음.
字源 '할' 음(音)을 나타내기 위하여, '下하'와 '乙을'을 포개어 만듦.

3 ④ [乥] 人名 韓 울

字解 《韓》 뜻은 없음.
字源 '울' 음(音)을 나타내기 위하여, '于우'와 '乙을'을 포개어 만듦.

[孔] 〔공〕
子部 一畫(p. 555)을 보라.

4 ⑤ [乯] 韓 글

字解 《韓》 뜻은 없음.
字源 '글' 음(音)을 나타내기 위하여, '文문'과 '乙을'을 포개어 만듦.

4 ⑤ [乧] 韓 둘

字解 《韓》 뜻은 없음.
字源 '둘' 음(音)을 나타내기 위하여, '斗두'와 '乙을'을 포개어 만듦.

4 ⑤ [乪] 韓 올

字解 《韓》 뜻은 없음.
字源 '올' 음(音)을 나타내기 위하여, '五오'와 '乙을'을 포개어 만듦.

4 ⑤ [㐃] 〔야·이〕
也(乙部 二畫〈p. 63〉)의 古字

4 ⑤ [乴] 이 ㊥支 余支切 yí

字解 오랑캐이름 이 광둥(廣東) 지방에 살던 만족(蠻族)의 하나. '一, 粤中猺種'《類篇》.

[戹] 〔액〕
戶部 一畫(p. 839)을 보라.

5 ⑥ [乫] 人名 韓 갈

字解 《韓》 땅이름 갈 지명(地名)에 쓰임. '一

波知'.
字源 '갈' 음(音)을 나타내기 위하여, '加가'와 '乙을'을 포개어 만듦.

5
⑥ [乬] 韓 걸

字解 《韓》 걸 걸 걸어 둠. '一麪床' 《喪禮補》.
字源 '걸' 음(音)을 나타내기 위하여 '巨거'와 '乙을'을 포개어 만듦.

5
⑥ [乩] 계 ㊥齊 堅奚切 jī

字解 ①무꾸리할 계, 점 계 쟁반에 담은 모래 위에 송곳 모양의 막대로 글자를 써서 길흉화복(吉凶禍福)을 점침. '一筆'. ②상고할 계 생각함. 稽(禾部 十畫)와 통용. '마, 一日, 考也. 或作一, 通作稽' 《集韻》.
字源 會意. 占+乚. '占'은 '무꾸리·점'의 뜻. '乚'은 갈지자 꼴을 본뜬 모양. 갈지자 모양으로 길흉(吉凶)을 점치는 뜻을 나타냄.

5
⑥ [乪] 〔비〕 飛(部首〈p. 2566〉)의 略字

5
⑥ [乱] 〔시〕 始(女部 五畫〈p. 522〉)의 古字

5
⑥ [乫] 韓 놀

字解 《韓》 뜻은 없음.
字源 '놀' 음(音)을 나타내기 위하여, '奴노'와 '乙을'을 포개어 만듦.

5
⑥ [乭] 韓 돌

字解 《韓》 뜻은 없음.
字源 '돌' 음(音)을 나타내기 위하여, '冬동'과 '乙을'을 포개어 만듦.

5
⑥ [乯] 韓 졸

字解 《韓》 뜻은 없음.
字源 '졸' 음(音)을 나타내기 위하여, '召소'와 '乙을'을 포개어 만듦.

5
⑥ [乮] 韓 묠

字解 《韓》 땅이름 묠 지명(地名)에 쓰임. '一山'.
字源 '묠' 음(音)을 나타내기 위하여 '卯묘'와 '乙을'을 포개어 만듦.

[乭] 〔돌〕 石部 一畫(p. 1565)을 보라.

6
⑦ [乱] 〔란〕 亂(乙部 十二畫〈p. 67〉)의 俗字

6
⑦ [乲] 韓 놀

字解 《韓》 뜻은 없음.
字源 '놀' 음(音)을 나타내기 위하여, '老노'와 '乙을'을 포개어 만듦.

7
⑧ [乷] 韓 둘

字解 《韓》 뜻은 없음.
字源 '둘' 음(音)을 나타내기 위하여, '豆두'와 '乙을'을 포개어 만듦.

7
⑧ [乳] 高人 유 ㊤麌 而主切 rǔ

筆順 乳

字解 ①젖 유 ㉠젖퉁이. 유방(乳房). '一汁'. '文王四一' 《白虎通》. ㉡젖퉁이에서 분비하는 액체. '牛一'. '乳人乏一' 《南史》. ㉢젖퉁이 또는 젖꼭지같이 생긴 물건. '鐘四帶有一' 《康熙字典》. 또, 젖퉁이처럼 늘어진 것. '鍾一石'. ㉣젖과 같이 희고 부연 액체. '石灰一'. '池一交巖脈' 《韓愈》. ②젖먹일 유 젖을 먹임. '一養'. '虎一之' 《左傳》. ③기를 유 양육함. 또, 사랑함. '阿一'. '皇子棄不一, 椒房抱羌渾' 《李商隱》. ④낳을 유 분만함. '瓶一乃得歸' 《十八史略》. ⑤어머니 유, 어버이 유 모친 또는 양친. '兄弟共一而生' 《唐書》.
字源 篆文 會意. 爪+子+乙. '爪조'는 손을 아래로 향해 쥐는 모양을 나타냄. '乙을'은 유방(乳房)을 본뜬 모양. 젖먹이로 하여금 젖을 향하게 하는 모양에서, '젖, 젖을 먹이다'의 뜻을 나타냄.

[乳柑 유감] 운향과(芸香科)에 속하는 상록 관목(常綠灌木). 인도차이나 원산(原產). 흰 꽃이 피고 향기가 높음. 열매는 밀감(密柑) 비슷함.
[乳嫗 유구] 유모(乳母).
[乳氣 유기] 어린아이의 태.
[乳糖 유당] 젖 속에 포함된 당분.
[乳道 유도] 젖이 나오는 분비선.
[乳犢 유독] 젖 먹는 송아지.
[乳頭 유두] ㉠젖꼭지. ㉡젖꼭지 같은 돌기(突起). 혀의 표면에 있는 작은 돌기 같은 것.
[乳酪 유락] 우유 중의 지방분을 굳힌 것. 버터.
[乳名 유명] 아명(兒名).
[乳母 유모] 젖어머니.
[乳母子 유모자] 유모의 아들.
[乳木 유목] 《佛敎》 호마(護摩)를 할 때에 불사르는 나무.
[乳糜 유미] ㉠먹은 음식이 위 속에서 소화되어 젖 모양의 액체로 된 것. ㉡유락(乳酪).
[乳鉢 유발] 약을 이기거나 또는 갈아서 가루로 만드는 데 쓰는 그릇. 막자사발.
[乳房 유방] 젖. 젖퉁이.
[乳餠 유병] 우유를 굳혀 만든 과자.
[乳棒 유봉] 유발(乳鉢)에 약을 넣고 갈 때에 쓰는 막자.
[乳婢 유비] 유모(乳母).
[乳酸 유산] 썩은 젖에서 생기는 산(酸).
[乳石 유석] 종유석(鍾乳石)의 별칭(別稱).
[乳首 유수] 젖꼭지. 유두(乳頭).
[乳兒 유아] 젖먹이.
[乳癌 유암] 부인(婦人)의 젖에 생기는 암종(癌腫).
[乳液 유액] 식물체(植物體)의 유관(乳管) 및 유기(乳器) 중에 포함되어 있는 액체(液體).
[乳藥 유약] ㉠백색(白色)의 약. ㉡독약(毒藥).
[乳養 유양] 젖을 먹여 기름.
[乳燕 유연] 새끼를 기르는 제비. 또, 제비 새끼.

[乳媼 유온] 유모(乳母).
[乳癰 유옹] 유종(乳腫).
[乳牛 유우] 젖소.
[乳醫 유의] ㉠젖의 병을 고치는 의원. ㉡산과의(産科醫). 또, 산파(産婆).
[乳人 유인] 유모(乳母).
[乳子 유자] 젖먹이. 갓난아기.
[乳牸 유자] 새끼를 가진 암소. 젖이 나오는 암소.
[乳雀 유작] 새끼를 가진 참새. 새끼를 기르는 참새.
[乳漿 유장] 젖의 한 성분으로서 단백질(蛋白質)과 지방(脂肪)을 제하고 남은 부분.
[乳腫 유종] 젖이 곪는 종기.
[乳汁 유즙] 젖.
[乳雛 유추] ㉠조류(鳥類)가 새끼를 기름. ㉡새 새끼.
[乳臭 유취] 젖내. 젖내가 남. 전(轉)하여, 아직 나이가 어려서 경험이 적은 사람을 낮잡아 이름.
[乳齒 유치] 젖니. 배냇니.
[乳痛 유통] 유현증(乳懸症).
[乳抱 유포] 젖을 빨리고 안음. 아이나 새끼를 기름.
[乳哺 유포] 젖을 먹여 기름. 포유(哺乳).
[乳香 유향] 감람과(橄欖科)에 속하는 열대 식물인 유향수(乳香樹)의 분비액을 말려 만든 수지(樹脂). 종기·복통 등의 약재로 씀.
[乳懸症 유현증] 산후(産後)에 양편 젖이 늘어져서 아랫배까지 내려오는 병.
[乳虎 유호] 새끼를 가진 범. 새끼가 있는 범은 평시보다 훨씬 사나우므로, 대단히 사나운 사람의 비유로 쓰임.
◉桐乳. 馬乳. 兔乳. 母乳. 褓乳. 孚乳. 粉乳. 産乳. 西施乳. 石乳. 石鍾乳. 石灰乳. 援乳. 阿乳. 羊乳. 煉乳. 王乳. 牛乳. 字乳. 孳乳. 羝乳. 鍾乳. 竹乳. 天乳. 草鍾乳. 哺乳. 孩乳.

7 ⑧ [乯] ㊫ 올
[字解] 《韓》 뜻은 없음.
[字源] '올' 음(音)을 나타내기 위하여, '吾오'와 '乙을'을 포개어 만듦.

7 ⑧ [乷] [人名] ㊫ 살
[字解] 《韓》 뜻은 없음.
[字源] '살' 음(音)을 나타내기 위하여, '沙사'와 '乙을'을 포개어 만듦.

8 ⑨ [乿] 〔란〕
亂(乙部 十二畫〈p. 67〉)과 同字

8 ⑨ [⿱其乙] ㊫ 길
[字解] 《韓》 뜻은 없음.
[字源] '길' 음(音)을 나타내기 위하여, '其기'와 '乙을'을 포개어 만듦.

8 ⑨ [⿱拘乙] ㊫ 굴
[字解] 《韓》 뜻은 없음.
[字源] '굴' 음(音)을 나타내기 위하여, '拘구'와 '乙을'을 포개어 만듦.

8 ⑨ [⿰求乚] 구 (平)尤 渠尤切 qiú
[字解] ①바를 구 남녀(男女)의 도리가 바름. 음란하지 않음. '初一, 謹於嬰一, 初貞, 後寧'《太玄經》. ②원수 구 '仇, 說文, 讎也. 或作一'《集韻》. ③성 구 성(姓)의 하나.

8 ⑨ [乺] ㊫ 솔
[字解] 《韓》 ①솔 솔 풀칠할 때 쓰는 도구. ②땅이름 솔 지명(地名)에 쓰임.
[字源] '솔' 음(音)을 나타내기 위하여 '所소'와 '乙을'을 포개어 만듦.

8 ⑨ [乻] [一] ㊫ 얼 [二] ㊫ 늘
[字解] 《韓》 [一] 뜻은 없음. '얼'은 '얼기'의 표기에 쓰임. [二] 뜻은 없음. '늘'은 주로 인명·지명 표기에 쓰임. [一] '얼' [二] '늘' 음(音)을 나타내기 위하여 '於어'와 '乙을'을 포개어 만듦.

8 ⑨ [乹] 〔건〕
乾(乙部 十畫〈p. 65〉)의 俗字

8 ⑨ [乼] ㊫ 줄
[字解] 《韓》 줄 줄 묶거나 동이는 데 쓰는 노끈·새끼 따위.
[字源] '줄' 음(音)을 나타내기 위하여 '注주'와 '乙을'을 포개어 만듦.

9 ⑩ [乽] ㊫ 잘
[字解] 땅이름 잘 지명(地名)에 쓰임. '一山'.
[字源] '잘' 음(音)을 나타내기 위하여 '者자'와 '乙을'을 포개어 만듦.

10 ⑪ [⿸庫乙] ㊫ 골
[字解] 《韓》 뜻은 없음.
[字源] '골' 음(音)을 나타내기 위하여, '庫고'와 '乙을'을 포개어 만듦.

10 ⑪ [⿱浮乙] ㊫ 뜰
[字解] 《韓》 뜻은 없음.
[字源] '뜰' 음(音)을 나타내기 위하여, '浮부'와 '乙을'을 포개어 만듦.

10 ⑪ [乾] [中·人] 건(⑤- (平)先 渠焉切 qián ⑧간(本)) (平)寒 古寒切 gān 干

[筆順] 十 𠫓 㐆 直 卓 𠦝 𠦝乞 乾

[字解] ①하늘 건 상천(上天). '一坤'. '一命'. '一, 天地'《易經》. ②건괘 건 ㉠팔괘(八卦)의 하나. 곧, ☰. 순양(純陽)의 괘(卦). 곤괘(坤卦)의 대(對)로서, 하늘·위 등 양성(陽性)·남성(男性)의 것을 뜻하며, 방위로는 서북간에 배당함. '一, 西北之卦也'《易經》. ㉡육십사괘(六十四卦)의 하나. 곧, ䷀〈건하(乾下), 건상(乾上)〉. 강건불식(剛健不息)의 상(象). '一, 元亨利貞'《易經》. ③임금 건 군주. 제왕. 또, 제위(帝位). '一統'. '握一綱而子萬姓'《沈約》. ④굳셀 건, 부지런할 건 강함. 또, 쉬지 않고 부지런히 힘쓰는 모양. '一, 健也'《易經》. '君子終日一一'《易經》. ⑤마를 건 ㉠습기가 없음. '一燥'. '嘆其一

矣'《詩經》. '朝曝夕乃一'《周禮》. ㉡물이 마름. '碧海有 一'《梁元帝》. ㉢목이 마름. '一喉燋脣, 仰天而歎'《說苑》. ㉣결핍함. 모자람. 생기가 없어짐. '供給軍需, 民力一'《華功武義兵行》. ⑥말릴 건 ㉠마르게 함. '將被髮而一'《莊子》. 또, 말린 것. 말린 음식. '以竹貫魚爲一'《集韻》. ㉡물을 말리듯이 죄다 거두어들임. 마구 몰수함. '始爲小吏一沒'《史記》. ⑦건성 건, 건성으로할 건 겉으로만 그러함. 겉으로만 함. '一兒'. '何須一啼溫笑'《北史》. ⑧성 건 성(姓)의 하나.

字源 金文 篆文 籀文 象形. 金文은 긴 깃대를 본뜬 모양. 위로 나오다, 위로 나오는 것, 하늘의 뜻을 나타냄. ❺이하는'暵한'과 통하여 '마르다'의 뜻을 나타냄. 《說文》에서는 形聲으로, 乙+倝〔音〕.

[乾葛 건갈] 말린 칡뿌리. 갈근(葛根).
[乾竭 건갈] 말라 없어짐.
[乾剛 건강] 굳세어 굴(屈)하지 않는 덕(德). 굴하지 않고 쉬지 않는 강건(剛健)한 덕.
[乾綱 건강] ㉠하늘이 만물을 주재(主宰)하는 대본(大本). ㉡천자(天子)가 만기(萬機)를 주재하는 대본(大本). 군주(君主)의 대권(大權).
[乾薑 건강] 말린 생강. 약재(藥材)로 씀.
[乾疥 건개] 마른옴.
[乾乾 건건] 쉬지 않고 나아가는 모양. 조금도 쉬지 않고 부지런히 힘쓰는 모양. 자강불식(自強不息).
[乾啓 건계] 하늘의 도움. 하늘의 가르침.
[乾谿 건계] 지금의 안후이 성(安徽省) 박현(亳縣)에 있던 지명. 초(楚)나라 영왕(靈王)이 나라가 망한 뒤에 달아나 죽은 곳이라 함.
[乾固 건고] 말라서 굳어짐.
[乾枯 건고] ㉠마름. 또, 말림. ㉡나무가 말라 죽음. 고사(枯死)함.
[乾皐 건고] 앵무(鸚鵡)의 별칭(別稱).
[乾穀 건곡] 말린 곡식.
[乾坤 건곤] ㉠하늘과 땅. 천지(天地). 우주(宇宙). ㉡건괘(乾卦)와 곤괘(坤卦). ㉢양(陽)과 음(陰). 음양(陰陽). ㉣건방(乾方)과 곤방(坤方). 서북방과 서남방.
[乾坤日夜浮 건곤일야부] 천지의 만물이 밤낮 수면(水面)에 떠 있음. 동정호(洞庭湖)의 수면이 바다와 같이 넓은 것을 형용한 말.
[乾坤一擲 건곤일척] 흥하느냐 망하느냐, 성공하느냐 파멸하느냐를 운에 맡기고 단번에 일을 결정함.
[乾坤鑿度 건곤착도] 책 이름. 역위(易緯) 팔종(八種)의 하나. 상하 2편 2권으로 됨.
[乾坤淸氣 건곤청기] 천지간에 가득 찬 맑은 기운.
[乾坤洞然 건곤통연] 천지(天地)가 광활하여 아무 장애(障礙)가 없음.
[乾霍亂 건곽란] 토사(吐瀉)를 하지 않는 곽란.
[乾卦 건괘] 자해(字解)❷를 보라.
[乾嘔 건구] 건으로 나오는 구역. 헛구역. 건구역.
[乾基 건기] 제왕(帝王)의 기업(基業). 제업(帝業)의 터전. 제기(帝基).
[乾娘 건낭] 남의 모친의 경칭(敬稱). 자당(慈堂).
[乾斷 건단] 천자(天子)가 스스로 정사(政事)를 재결(裁決)함.
[乾端坤倪 건단곤예] 하늘의 끝과 땅의 끝. 천지의 끝.
[乾闥婆城 건달바성]《佛敎》신기루(蜃氣樓).
[乾德 건덕] ㉠건건(乾乾)의 덕. 곧, 강건(剛健)하여 쉬지 않는 덕. 조금도 쉬지 않고 부지런히 힘쓰는 덕. ㉡천자(天子)의 덕. 황후의 덕(德)인 곤덕(坤德)의 대(對).
[乾道 건도] 지강지건(至剛至健)의 도(道). 강건하여 쉬지 않는 도. 하늘의 도. 곤도(坤道)의 대(對).
[乾圖 건도] 하늘의 그림. 하늘의 형상. 천상(天象).
[乾道成男 건도성남] 지강지건(至剛至健)한 건도(健道)를 얻은 것이 남성(男性)이 됨. 건(乾)은 하늘로서 양(陽)에 속함.
[乾酪 건락] 우유를 정제(精製)하여 말려 굳힌 식료품. 치즈.
[乾糧 건량] ㉠식료(食料). 음료(飮料)의 대(對). ㉡말린 밥. 건반(乾飯).
[乾靈 건령] ㉠하늘의 신(神). 천신(天神). ㉡양(陽)의 정기(精氣).
[乾麪 건면] ㉠밀가루. ㉡말린 면류(麪類). 말린 국수.
[乾命 건명] 천명(天命).
[乾木 건목] 마른 나무. 마른 재목.
[乾沒 건몰] ㉠돈을 벌기 위하여 매점(買占) 같은 것을 하여 이(利)를 보기도 하고 손해를 보기도 함. ㉡물을 말려 없애듯이, 백성 또는 남의 재물을 마구 횡령·몰수함.
[乾飯 건반] 말린 밥. 건후(乾餱).
[乾杯·乾盃 건배] ㉠잔의 술을 마셔 비움. ㉡서로 술잔을 들어 경사(慶事)나 건강의 축배를 올림.
[乾符 건부] 천자(天子)가 될 상서(祥瑞). 제왕의 부서(符瑞).
[乾符坤珍 건부곤진] 천자(天子)가 될 상서(祥瑞). 천신(天神)과 지기(地祇)가 수여하므로 이름.
[乾蔘 건삼] 말린 인삼.
[乾澁 건삽] 말라서 윤기(潤氣)가 없음.
[乾象 건상] 천체(天體)의 형상. 천문(天文). 천상(天象).
[乾石魚 건석어] 말린 조기. 굴비.
[乾癬 건선] 마른버짐.
[乾城 건성] 건달바성(乾闥婆城).
[乾星照濕土 건성조습토] 반짝반짝 빛나는 별이 습한 땅에 비친다는 뜻으로, 물건은 상반(相反)되어야 서로 소용이 된다는 말.
[乾笑 건소] 건성으로 웃음.
[乾嗽 건수] 가래가 나오지 않는 기침. 마른기침.
[乾愁 건수] 아무 소용없는 근심을 함.
[乾濕 건습] 건조함과 습함.
[乾柹 건시] 곶감.
[乾時 건시] 춘추 시대(春秋時代)의 제(齊)나라의 땅. 지금의 산둥 성(山東省) 박흥현(博興縣)의 남쪽에 있었음.
[乾屎橛 건시궐] 똥을 씻는 막대기.
[乾兒 건아] 명의상(名義上)의 아들. 문하(門下)에 두고 먹여 살리는 사람.
[乾艾 건애] 말린 쑥. 뜸쑥.
[乾魚 건어] 말린 물고기. 건어물(乾魚物).
[乾曜 건요] 태양(太陽)의 별칭(別稱).
[乾浴 건욕] 밤에 잠을 잘 때 두 손으로 몸을 마찰하는 일종의 양생법(養生法).
[乾元 건원] 하늘. 상천(上天). 하늘의 이치. 천리(天理). 원(元)은 대(大).
[乾圓 건원] 하늘이 둥긂.
[乾維 건유] 하늘이 떨어지지 않게 매어 놓는 큰 바. 하늘을 유지하는 대본(大本).
[乾肉 건육] 말린 고기. 포(脯).
[乾儀 건의] 하늘의 법(法). 전(轉)하여, 천자(天子)의 법.

[乾咽 건인] 먹고 싶어하여 군침을 삼킴.
[乾鵲噪而行人至 건작조이행인지] 까치가 요란하게 울면 원행(遠行)의 손이 찾아온다는 속설(俗說).
[乾材 건재] 정제(精製)하지 않은 약재(藥材).
[乾淨 건정] 건조하고 정결하게 함.
[乾淨地 건정지] 편안하고 정결한 땅.
[乾啼 건제] 건성으로 욺.
[乾燥 건조] ㉠마름. 또, 말림. ㉡재미가 없음.
[乾坐巽向 건좌손향] 서북방에서 동남방을 바라보는 좌향.
[乾竹 건죽] 말라 죽은 대나무. 고사(枯死)한 대나무.
[乾草 건초] 베어서 말린 풀. 또, 말라 죽은 풀.
[乾芻 건추] 베어서 말린 풀. 말린 꼴.
[乾竺 건축] ㉠하늘. ㉡'천축(天竺)'과 같음.
[乾縮 건축] 말라서 줆.
[乾雉 건치] 말린 꿩의 고기.
[乾則 건칙] 자연의 법칙. 천칙(天則).
[乾唾 건타] 치욕을 참는 일. 당(唐)나라 사람 누사덕(婁師德)이 그의 아우에게 남이 네 얼굴에 침을 뱉으면 닦지 말고 그냥 마르게 하라고 한 고사(故事)에서 나온 말.
[乾打碑 건타비] 탑본(搨本)을 하는 데 쓰는 먹.
[乾統 건통] 제왕(帝王)의 계통(系統). 천자(天子)의 혈통(血統).
[乾涸 건학] 하천이나 호수의 물이 졸아 말라붙음.
[乾暵 건한] 건학(乾涸).
[乾鞋 건혜] 마른날 신는 가죽신.
[乾喉 건후] 목이 쉬도록 지껄임.
[乾吃 건흘] 말을 더듬음.
◉九乾. 九燥脣乾. 口血未乾. 未乾. 抔土未乾. 桑乾. 析乾. 連乾. 靈乾. 萎乾. 折乾. 風乾. 旱乾. 暵乾. 皇乾.

10 ⑪ [亀] 〔구·균·귀〕
龜(部首〈p. 2732〉)의 俗字

11 ⑫ [乹] 〔건·간〕
乾(乙部 十畫〈p. 65〉)의 俗字

12 ⑬ [亂] [高·人] 란 ㊄翰 郞段切 luàn 乱

[筆順] 爫 爫 𤔔 𤔔 𤔔 𤔔 𤔔 亂

[字解] ①어지러울 란 ㉠흩어짐. 산란함. 이산(離散)함. '散―'. '收敗―之兵'《史記》. ㉡뒤섞임. 혼잡함. '―雜'. '紛然殽―'《漢書》. ㉢다스려지지 아니함. 질서가 문란함. '―國'. '昭公奔齊, 魯―'《朱熹》. ㉣난리·폭동 같은 것으로 세상이 시끄러움. '騷―'. ㉤마음이 어수선함. '―心不―'. '春思―如麻'《鮑照》. ㉥행실이 난잡함. '―暴'. ㉦일이 아직 정하여지지 아니함. '夫婦方―'《禮記》. ②어지럽힐 란 어지럽게 함. '―法'. '誅魯大夫―政者少正卯'《史記》. '近理而大―眞矣'《朱熹》. ③다스릴 란 어지러운 것을 바로잡음. '―民'. '予有―臣十人'《書經》. ④간음할 란 사통(私通)함. '常與太后私―'《史記》. ⑤건널 란 강을 건넘. '―流'. '―于河'《書經》. ⑥난리 란 전쟁·폭동·반란 등. '兵―'. '平晉―'《漢書》. ⑦음행 란 음란한 행위. '東門之墠刺―也'《詩經 鄭風東門之墠 序》. ⑧풍류끝가락 란 음악의 종장(終章). '―辭'. '關雎之―'《論語》.

[字源] 篆文 形聲. 乙+𤔔〔音〕. '𤔔란'은 '어지러워지다'의 뜻. '乙을'은 헝클어진 실의 끝을 본뜸. '亂치'와 혼동(混同)하여, '어지러워지다'의 뜻을 나타냄. '다스리다'의 뜻도 나타냄.

[亂家 난가] 화목(和睦)하지 못하여 소란한 집.
[亂擊 난격] 서로 어지러이 뒤섞이어 침.
[亂階 난계] 어지러워지는 단서(端緒).
[亂曲 난곡] 가락에 맞지 않는 노래.
[亂供 난공] 난초(亂招).
[亂蛩 난공] 여기저기서 시끄럽게 우는 귀뚜라미.
[亂撾 난과] 북을 세게 마구 침. 북을 난타(亂打)함.
[亂魁 난괴] 난적(亂賊)의 괴수. 난수(亂首).
[亂攪 난교] 어지러워 시끄러움. 또, 어지럽혀 시끄럽게 함.
[亂局 난국] 어지러운 판국.
[亂國 난국] 어지러운 나라. 난방(亂邦).
[亂君 난군] 무도(無道)한 군주(君主). 폭군(暴君).
[亂軍 난군] ㉠서로 뒤섞이어 하는 싸움. 혼전(混戰). 난전(亂戰). ㉡혼란한 군대.
[亂潰 난궤] 혼란하여 무너짐. 질서가 없어 혼란함.
[亂今 난금] 어지러운 현재.
[亂氣 난기] 어지러운 감정.
[亂踏 난답] 함부로 짓밟음.
[亂黨 난당] 난리·소란을 일으키는 무리.
[亂刀 난도] 함부로 쓰는 칼.
[亂道 난도] ㉠사설(邪說)로써 도(道)를 어지럽힘. ㉡난잡하게 말함. 또, 난잡한 말. ㉢졸렬한 시문을 지음. 또, 그 시문. 자기가 지은 시문(詩文)의 겸칭(謙稱).
[亂擣 난도] 짓이김.
[亂讀 난독] 순서도 체계(體系)도 없이 함부로 읽음.
[亂動 난동] 문란한 행동.
[亂頭 난두] 봉두난발(蓬頭亂髮)을 함.
[亂略 난략] 어지러워지는 시정(施政).
[亂流 난류] ㉠하천을 건넘. ㉡물이 본류(本流) 밖으로 터져 나와 아무 데로나 흘러감.
[亂倫 난륜] 인륜(人倫)을 어지럽게 함. 주로 남녀의 관계에 관하여 이름.
[亂離 난리] ㉠나라가 어지러워서 백성이 뿔뿔이 흩어짐. ㉡전쟁.
[亂立 난립] 질서 없이 뒤섞이어 섬.
[亂麻 난마] 이리저리 얽힌 여러 가닥의 삼실. 혼란한 세상, 또는 혼란한 사물의 비유.
[亂脈 난맥] 어지러워 조리가 서지 아니함. 난잡함.
[亂命 난명] 거의 죽게 되어 정신이 혼미(昏迷)할 때에 하는 유언(遺言). 치명(治命)의 대(對).
[亂舞 난무] 아무 질서 없이 뒤섞이어 춤을 춤.
[亂民 난민] ㉠사회의 질서를 어지럽히는 백성. 국법을 어지럽히는 백성. ㉡백성을 다스림.
[亂發 난발] ㉠함부로 발행함. ㉡함부로 쏨. 함부로 발사함.
[亂髮 난발] 흩어진 머리.
[亂邦 난방] 난국(亂國).
[亂罰 난벌] 함부로 처벌함.
[亂法 난법] 법을 문란하게 함. 법을 어김.
[亂峯 난봉] 여기저기 솟은 고저(高低)가 고르지 않은 산봉우리. 난산(亂山).
[亂憤 난분] 제정신을 잃다시피 몹시 성을 냄.
[亂飛 난비] 질서 없이 뒤섞이어 낢.
[亂射 난사] 함부로 쏨. 화살·탄환 같은 것을 겨

냥도 하지 않고 함부로 발사함.
[亂辭 난사] 노래의 끝에 전편(全篇)의 대지(大旨)를 요약하여 설명한 말. 초사(楚辭)에 많은데, '亂曰云云'으로 되어 있는 것은 곧 이것임.
[亂山 난산] 여기저기 솟은 고저가 고르지 않은 산. 난봉(亂峯).
[亂插 난삽] 질서 없이 아무 데나 꽂음.
[亂想 난상] 두서(頭緖)없는 생각. 부질없는 생각. 엉뚱한 생각.
[亂序 난서] 순서를 문란하게 함. 또, 순서가 문란함.
[亂書 난서] 난필(亂筆).
[亂緖 난서] 난계(亂階).
[亂蟬 난선] 여기저기서 요란하게 우는 매미.
[亂世 난세] 어지러운 세상. 혼란한 세상.
[亂世之英雄 난세지영웅] 재략(才略)이 뛰어나고 권모술수(權謀術數)에 능하여 어지러운 세상에 큰 공을 세우는 영웅.
[亂俗 난속] 어지러운 풍기(風紀). 어지러운 풍속. 또, 풍기·풍속을 어지럽게 함.
[亂首 난수] 반란(反亂)의 수괴(首魁). 모반(謀反)의 장본인.
[亂愁 난수] 얽힌 수심(愁心).
[亂時 난시] 어지러운 때. 소란한 시대.
[亂視 난시] 굴절 이상(屈折異常)으로 광선이 망막(網膜) 위의 한 점에 모이지 아니하여 물체가 바로 보이지 아니함. 또, 그 눈. 난시안(亂視眼).
[亂臣 난신] ㉠나라를 어지럽게 하는 신하. ㉡나라를 잘 다스리는 신하.
[亂臣賊子 난신적자] 난신과 적자. 나라를 어지럽게 하고 군부(君父)를 죽이는 악인(惡人). 무부무군(無父無君)한 악인.
[亂心 난심] 착란한 마음. 미친 마음.
[亂鴉 난아] 질서 없이 뒤섞이어 나는 까마귀.
[亂鶯 난앵] 여기저기서 우는 꾀꼬리.
[亂弱 난약] 어지러워 약함.
[亂言 난언] 난폭(亂暴)한 말.
[亂餘 난여] 전란(戰亂)이 끝난 뒤. 전후(戰後). 난후(亂後).
[亂逆 난역] 모반(謀叛). 반역(反逆).
[亂獄 난옥] 부정한 옥사(獄事). 불공평한 재판.
[亂搖 난요] 어지럽게 움직임. 또, 어지럽게 요동시킴.
[亂雲 난운] ㉠어지러이 뒤섞이어 떠도는 구름. ㉡온 하늘을 두껍게 뒤덮은 모양이 일정치 않은 구름. 비구름.
[亂人 난인] ㉠나라를 어지럽게 하는 사람. 소동을 일으키는 사람. 반역(反逆)하는 사람. ㉡미친 사람.
[亂入 난입] 난폭하게 뛰어 들어감.
[亂子 난자] 부모를 부모로 여기지 않는 패륜의 자식. 부모의 말에 따르지 않는 자식.
[亂刺 난자] 아무 데나 함부로 찌름.
[亂斫 난작] 마구 찍음.
[亂雜 난잡] 뒤섞이어 질서가 없음.
[亂賊 난적] 세상을 어지럽게 하는 악인. 역적(逆賊).
[亂戰 난전] 서로 뒤섞이어 싸움. 혼전(混戰)함.
[亂颭 난점] 바람이 불어 물결이 읾.
[亂政 난정] 문란한 정치. 난폭한 정치.
[亂梯 난제] 난계(亂階).
[亂噪 난조] 질서 없이 시끄럽게 떠듦.
[亂鐘 난종] 연달아 치는 종소리.
[亂主 난주] 무도한 임금. 폭군(暴君).
[亂酒 난주] 너무 지나치게 술을 많이 마심.
[亂中 난중] 난리가 벌어지고 있는 동안.
[亂帙 난질] 난잡하게 늘어놓은 책.
[亂次 난차] 차례를 어지럽힘. 순서를 문란하게 함.
[亂招 난초] 죄인(罪人)이 신문에 대하여 함부로 하는 공초(供招).
[亂草 난초] ㉠거친 풀. ㉡함부로 갈겨쓴 초서.
[亂礁 난초] 질서 없이 여기저기 있는 암초(暗礁).
[亂抽 난추] 책을 손이 닿는 대로 아무것이나 뽑음.
[亂醉 난취] 정신을 차릴 수 없도록 대단히 취함. 대취(大醉)함.
[亂打 난타] 함부로 침. 마구 때림.
[亂鬪 난투] 서로 뒤섞이어 싸움.
[亂暴 난폭] 무법(無法)하게 거칠고 사나움. 또, 그 행위.
[亂筆 난필] 함부로 쓴 글씨.
[亂虐 난학] 난폭하고 잔학(殘虐)한 짓을 함.
[亂行 난행] 음란한 행동. 난폭한 행위.
[亂惑 난혹] 혼란하고 미혹(迷惑)함. 또, 혼란하게 하고 미혹하게 함.
[亂鴻 난홍] 질서 없이 어지러이 나는 기러기.
[亂花 난화] 어지러이 핀 꽃.
[亂後 난후] 난리가 끝난 뒤. 전란(戰亂)의 뒤.
◉居治不忘亂. 傾亂. 霍亂. 慣亂. 聒亂. 狂亂. 誑亂. 壞亂. 攪亂. 寇亂. 內亂. 惱亂. 當斷弗斷反受其亂. 動亂. 亡言則亂. 耗亂. 瞀亂. 貿亂. 紊亂. 迷亂. 泯亂. 悶亂. 剝亂. 叛亂. 勃亂. 撥亂. 煩亂. 變亂. 兵亂. 紛亂. 拂亂. 散亂. 喪亂. 衰亂. 恚亂. 逆亂. 歷亂. 零亂. 撓亂. 嬈亂. 繞亂. 繚亂. 擾亂. 勇無禮則亂. 淫亂. 鷹多鳥亂. 離亂. 一心不亂. 殘亂. 雜亂. 沮亂. 戰亂. 靖亂. 濟亂. 酒極則亂. 酒亂. 酒無禮則亂. 错亂. 唱亂. 醉亂. 治亂. 波涌雲亂. 悖亂. 誖亂. 暴亂. 駭亂. 胡亂. 惑亂. 昏亂. 混亂. 禍亂. 猾亂. 荒亂. 淆亂. 殽亂. 喜亂.

12 ⑬ [亄] 의 ㊀寘 乙冀切 yì

字解 탐할 의, 인색할 의 '荊汝江湘之郊, 凡貪而不施, 謂之一'《揚子方言》.

字源 形聲. 乙+壹〔音〕

15 ⑯ [⿱鋤乙] ㊥ 설

字解 《韓》 ①설쇠〔⿱鋤乙金〕 설 석쇠. ②설자(⿱鋤乙煮) 설 기름에 띄어서 지진 음식을 건져 내는 데 쓰는, 철사로 그물처럼 만든 기구.

字源 '설' 음(音)을 나타내기 위하여, '鋤서'와 '乙을'을 포개어 만듦.

18 ⑲ [⿰𠦝乙] 〔건·간〕
乾(乙部 十畫〈p. 65〉)의 籒文

18 ⑲ [乬] ㊀ ㊥ 들 ㊁ ㊥ 걸

字解 《韓》 ㊀ 뜻은 없음. '들'은 '擧거'의 훈. '들다'의 어간 '들'에 '乙을'을 첨가하여 만듦. ㊁ 뜻은 없음. '거' 음(音)을 나타내기 위하여 '擧거'와 '乙을'을 포개어 만듦.

亅 (1획) 部
〔갈고리궐부〕

0 ① [亅] 궐 ㉧月 其月切 jué

筆順 亅

字解 갈고리 궐 갈고랑이.

字源 篆文 象形. 갈고리를 본뜬 모양. 문자의 구성 요소(構成要素)로는 되지만, 이 자(字) 자체의 단독 용례는 없음.

0 ① [𠄌] 궐 ㉧月 居月切 jué

字解 갈고리표 궐 갈고리 표지(表識). '一, 鉤識也'《說文》.

字源 指事. 갈고리 표지를 나타냄.

0 ① [乚] ㊕ 장

字解 《韓》 장지 장 가운뎃손가락. 장지(長指). 악보(樂譜) 기호로 쓰는 글자의 하나. 장자(長字)의 생략체.

0 ① [⺁] 〔내〕
乃(丿部 一畫〈p. 52〉)의 本字

1 ② [了] 高·人 료 ㊤篠 盧鳥切 liǎo, ⑥le(liǎo)

筆順 ㇇ 了

字解 ①깨달을 료 명확히 앎. 이해함. '一解'. '武帝曰, 卿殊不一事'《南史》. ②똑똑할 료 ㉠혜민(慧敏)함. '小而一一, 大未必奇'《後漢書》. ㉡분명함. '明一'. '事總則難一'《後漢書》. ③끝날 료 다 이루어짐. '未一'. '責一矣'《北史》. ④마칠 료 끝냄. '完一'. '便足一一生'《世說》. ⑤마침내 료 마지막에. 결국. 속어(俗語)에 쓰임. '一復何益'《唐書》. ⑥어조사 료 결정 또는 과거·완료 등의 뜻을 나타내기 위하여 어미(語尾)에 첨가(添加)하는 조사(助辭). 속어에 쓰임. '忘一'. '道一'. '讀一後, 又只是此等人'《程子》. '不是知行的本體一'《傳習錄》.

字源 篆文 象形. '子자'의 자형(字形)에 양손이 없는 모양으로, 손발이 모두 감싸인 젖먹이 모양을 본뜸. 감싸는 모양에서, 하나의 일이 끝남의 뜻을 나타냄. 또 '瞭'와 통하여 '뚜렷하다'의 뜻도 나타냄.

[了覺 요각] 깨달음. 요해(了解).
[了勘 요감] 끝을 막음. 결정함.
[了決 요결] 요감(了勘).
[了得 요득] 요해(了解).
[了諾 요락] 승낙함. 들어줌.
[了了 요료] ㉠똑똑한 모양. 약은 모양. ㉡분명한 모양. 요연(了然).
[了不得 요부득] 감당할 수 없음. 견딜 수 없음.
[了事 요사] ㉠사리(事理)를 환히 깨달아 앎. ㉡일을 끝냄. 일의 결말을 지음.
[了承 요승] 알아들음. 승낙함.
[了役 요역] 역사를 끝냄. 필역(畢役).
[了然 요연] 분명한 모양. 명백한 모양. 요연(瞭然). 요료(了了).
[了悟 요오] ㉠환히 깨달음. 요해(了解). ㉡《佛教》진리를 깨달음.
[了因 요인] 《佛教》이인(二因)의 하나. 근본의(根本義)를 깨닫는 일.
[了知 요지] 깨달아 앎. 확실히 앎.
[了叉 요차] 팔짱을 낌.
[了察 요찰] 남의 사정을 잘 살펴 헤아림.
[了畢 요필] 끝남. 또, 끝냄. 마침.
[了解 요해] 환히 깨달음. 분명히 이해함.
◉幹了. 校了. 訖了. 讀了. 滿了. 魅了. 明了. 未了. 分了. 不了. 修了. 閱了. 完了. 議了. 照了. 終了. 秦吉了. 聽了. 解了. 曉了.

2 ③ [𠄎] ㊕ 마

字解 《韓》 ①망치 마 철추(鐵鎚). 쇠몽둥이. ②땅이름 마 '胡名見野史初本粟, 名擎子一赤粟, 見農事直說'《輿地勝覽》.

[于] 〔우〕
二部 一畫(p. 73)을 보라.

3 ④ [予] 高·人 여 ①㊤語 余呂切 yǔ ②㊥魚 以諸切 yú

筆順 ㇇ ㇇ 𠃋 予

字解 ①줄 여 與(臼部 七畫)와 同字. '一奪'. '何錫一之'《詩經》. ②나 여 余(人部 五畫)와 同字. '一一人'. '一豈好辯哉'《孟子》.

字源 甲骨文 篆文 象形. 베틀의 씨실을 자유로이 왔다 갔다 하게 하기 위한 제구. 북을 본뜬 모양으로, 이쪽에서 저쪽으로 밀어 보냄의 뜻에서, 전(轉)하여 '주다'의 뜻을 나타냄. 평성(平聲)일 때에는 가차(假借)하여 '나'의 뜻으로 쓰임.

參考 현재 豫(豕部 九畫)의 俗字로 쓰임.

[予告 여고] 한대(漢代)에 관리(官吏)가 휴가를 얻어 귀향(歸鄕)하는 일. 여고(與告).
[予勽 여구] 천자(天子)가 상주문(上奏文)에 대하여 비준(批准)함.
[予寧 여령] 휴가(休暇)를 얻어 부모(父母)의 상(喪)을 치르는 일.
[予小子 여소자] ㉠옛날에 천자(天子)가 상중(喪中)에 있을 때의 자칭(自稱). ㉡천자의 자칭.
[予一人 여일인] 천자(天子)의 자칭(自稱). 여소자(予小子).
[予奪 여탈] 줌과 빼앗음. 전(轉)하여, 상벌(賞罰)의 뜻으로 쓰임. 여탈(與奪).
◉起予. 付予. 分予. 賜予. 錫予. 施予. 天生德予. 蟲臂鼠肝隨天付予. 取予.

5 ⑥ [争] 〔쟁〕
爭(爪部 四畫〈p. 1365〉)의 俗字

5 ⑥ [𠄏] 〔내·애〕
乃(丿部 一畫〈p. 52〉)의 籀文

7 ⑧ [事] 中·人 사 ①-⑤㊀寘 鉏吏切 shì ⑥㊀寘 側吏切 zì

筆順 一 丆 亓 亖 亖 亖 亖 事

字解 ①일 사 ㉠사건. '萬一'. '一物'. '物有本末, 一有始終'《大學》. ㉡행위. 생업(生業). '一業'. '先一後得'《論語》. ㉢임무. '一務'. '三一就緖'《詩經》. ㉣사고. 변고. '無一'. '一變'. '秦有荊軻之一'《史記》. ㉤반역. 모반. '因以此發謀, 欲擧一'《史記》. ②섬길 사 ㉠받들어 모심. '一父'. '夫孝, 始於一親, 中於一君, 終於立身'《孝經》. ㉡벼슬을 함. '皆高年不一者, 人慕之'《唐書》. ③부릴 사 사역(使役)함. '一國人'《史記》. ④일삼을 사 종사함. 경영함. 힘씀. '賓客見參不一事'《史記》. ⑤성 사 성(姓)의 하나. ⑥찌를 사, 꽂을 사 剚(刀部 八畫)와 통용. '不能一刃於公之腹者, 畏秦法也'《漢書》.

字源 甲骨文 金文 篆文 古文 象形. 신(神)에 대한 기원(祈願)의 말을 써서 나뭇가지 따위에 맨 팻말을 손에 든 모양을 본뜸. 제사(祭祀)에 종사하는 사람의 모양에서, '일'·'섬기다'의 뜻을 나타냄. 《說文》은 史+之〔音〕의 形聲文字로 봄.

[事件 사건] ㉠일. 일거리. ㉡뜻밖에 일어난 일. ㉢새나 짐승의 내장.
[事戒 사계] 《佛敎》 밖으로 모든 계행(戒行)을 지키는 일.
[事故 사고] ㉠뜻밖의 변고(變故). ㉡까닭. 사정(事情).
[事功 사공] 공. 공로(功勞).
[事君 사군] 임금을 섬김.
[事貴神速 사귀신속] 일은 신속히 하는 것이 좋음.
[事根 사근] 일의 근원.
[事機 사기] 기회(機會).
[事端 사단] 일의 단서. 일의 실마리.
[事大 사대] 약자(弱者)가 강자(強者)를, 또는 소국이 대국을 섬김.
[事大黨 사대당] 세력이 강대한 나라를 붙좇는 당파.
[事大主義 사대주의] 일정한 주견(主見)이 없이 세력이 강한 나라나 사람을 붙좇아 자기의 존재를 유지하려고 하는 주의.
[事力 사력] 일을 힘써 하는 사람. 곧, 하인. 종.
[事例 사례] 일의 전례(前例). 전례의 사실. 실례(實例).
[事理 사리] ㉠일의 이치. ㉡《佛敎》 상대적이며 차별이 있는 현상(現象)과 절대적이며 평등한 법성(法性). 천차만별(天差萬別)의 제법(諸法)과 유일법성(惟一法性)의 진여(眞如). 현상과 본체.
[事脈 사맥] 일의 내맥(來脈). 일의 갈피.
[事務 사무] 맡아보는 일. 직무(職務).
[事無二成 사무이성] 두 가지 일을 양쪽 다 성공시킬 수는 없음.
[事文類聚 사문유취] 책 이름. 전집(前集) 60권, 후집(後集) 50권, 속집(續集) 28권, 별집(別集) 32권의 사집(四集)은 송(宋)나라 축목(祝穆)의 편찬. 신집(新集) 36권, 외집(外集) 15권의 2집(集)은 원(元)나라 부대용(富大用)의 편찬. 유집(遺集) 15권은 원나라 축연(祝淵)의 편찬. 군서(群書)의 요어(要語), 고금(古今)의 사실·시문 등을 모아 유별(類別)하여 모은 유서(類書)임.
[事物 사물] ㉠일과 물건. ㉡무형(無形)과 유형(有形). ㉢세속(世俗)의 일. 속사(俗事). 세사(世事).
[事物紀原 사물기원] 책 이름. 송(宋)나라 고승(高丞)의 편찬. 총 10권. 천지(天地)·산천(山川)·조수(鳥獸)·초목(草木)·음양(陰陽)·오행(五行)·예악(禮樂)·제도(制度)를 55부(部)로 나누어 사물의 유래를 상세히 설명한 유서(類書)임.
[事半功倍 사반공배] 들인 힘은 적고 성과(成果)는 많음.
[事煩 사번] 일이 번거로움.
[事變 사변] ㉠천재지이(天災地異)와 같은 큰 변고(變故). ㉡폭동·소동과 같은 나라의 중대한 변사(變事). 변란(變亂). ㉢선전 포고(宣戰布告) 없는 전쟁.
[事本 사본] 일의 근본.
[事不如意 사불여의] 일이 뜻대로 되지 아니함.
[事事 사사] ㉠할 일을 함. 일에 힘씀. ㉡모든 일. 매사(每事).
[事事無成 사사무성] 한 가지 일도 이루지 못함. 모든 일에 실패함.
[事事物物 사사물물] ㉠모든 사물. ㉡무슨 일이나 무슨 물건이나.
[事事如意 사사여의] 매사(每事)가 뜻대로 됨.
[事上 사상] 웃어른을 섬김.
[事狀 사상] 일의 상태.
[事上磨鍊 사상마련] 실무(實務)를 맡아보며 정신의 수양과 의지의 단련을 쌓음.
[事緖 사서] 일의 첫 시작. 일의 발단.
[事勢 사세] 일의 형세(形勢). 일의 추세(趨勢).
[事勢固然 사세고연] 일의 형세로 보아 그러함이 당연함.
[事勢當然 사세당연] 사세고연(事勢固然).
[事守 사수] 일. 업무. 직무(職務).
[事實 사실] 실제로 있는 일. 거짓이 아닌 일. 일의 진상.
[事業 사업] 일. 하는 일.
[事緣 사연] 사정과 연유(緣由).
[事由 사유] 일의 까닭. 사정(事情).
[事育 사육] 어버이를 섬기고 아들딸을 기름.
[事宜 사의] 일이 마땅함. 일이 잘됨.
[事以密成 사이밀성] 모든 일은 치밀히 하여야 이루어짐.
[事已至此 사이지차] 일이 이미 이렇게 됨.
[事因 사인] 일이 일어난 원인.
[事障 사장] 지장. 장애.
[事跡 사적] 사적(事蹟).
[事蹟 사적] 일의 자취. 사적(事跡). 사적(事迹).
[事前 사전] 일이 벌어지기 전.
[事情 사정] ㉠일의 정상(情狀). 일의 형편. ㉡사유(事由).
[事際 사제] 사변이 일어난 기회.
[事蹤 사종] 사적(事蹟).
[事酒 사주] 어떤 일이 있을 때 마시는 술.
[事體 사체] 일의 형편. 일의 대체(大體).
[事親 사친] 부모를 섬김.
[事態 사태] 일의 상태.
[事弊 사폐] 일의 폐단.
[事必歸正 사필귀정] 만사(萬事)는 반드시 정리(正理)로 돌아감.
[事項 사항] 일의 조항.
[事效 사효] 공(功). 또, 공효(功效).
[事後 사후] 일이 지난 뒤.

[事後承諾 사후승낙] 급한 경우에 우선 일을 처리하고 뒤에 관계자에게 승낙을 받는 일.
◉家事. 幹事. 檢事. 慶事. 啓事. 古事. 故事. 工事. 公事. 口事. 國事. 軍事. 今事. 紀事. 記事. 機事. 吉事. 吉祥善事. 樂事. 難事. 內事. 錄事. 農事. 能事. 多事. 大事. 咄咄怪事. 同平章事. 萬事. 武事. 無事. 文事. 美事. 民事. 百事. 法事. 兵事. 服事. 本事. 封事. 父事. 佛事. 不祥事. 不朽盛事. 祕事. 鄙事. 私事. 師事. 三事. 常事. 庶事. 敍事. 成事. 省事. 盛事. 世事. 細事. 歲事. 小事. 俗事. 屬辭比事. 遂事. 崇事. 勝事. 時事. 臣事. 神事. 心事. 餘事. 歷事. 聯事. 年中行事. 五事. 王事. 往事. 外事. 用事. 韻事. 有事. 遺事. 六事. 戎事. 陰事. 疑事. 議事. 理事. 人事. 因人知政事. 逸事. 軼事. 日常茶飯事. 子事. 蠶事. 前事. 政事. 情事. 諸事. 從事. 主事. 卽死. 知事. 指事. 職事. 珍事. 塵事. 執事. 參知政事. 天事. 靑事. 廳事. 椿事. 炊事. 致事. 他事. 通事. 判事. 學事. 閒事. 海事. 行事. 兄事. 刑事. 好事. 火事. 宦事. 後事. 凶事.

7
⑧ [㐨] 서 ㊤語 象呂切 xù

[字解] ①물고기이름 서 '堪—'는 물고기의 이름. '山海經, 犲山無草木, 其下多水, 其中多堪—之魚'《正字通》. ②어란 서 물고기의 알. '—, 一曰, 魚子'《集韻》.

二 (2획) 部
〔두이부〕

0
② [二] [中·人] 이 [去]寘 而至切 èr 

[筆順] 一 二

[字解] ①두 이 ㉠둘. 하나에 하나를 보탠 수. '—三'. '一生—'《老子》. ㉡두 가지. '—色'. '權出於—者弱'《荀子》. ㉢짝. 대등. 비견(比肩). '功無—於天下'《史記》. ②다음 이 둘째. '君行一臣行—'《韓詩外傳》. ③버금 이 차석(次席). 부이(副貳). '惟卜之日, 稱—君'《禮記》. ④두가지마음 이 이심(異心). '有死無—'《左傳》. ⑤두번 이 재차. '—敗而三勝'《蘇洵》. ⑥두가지로할 이 ㉠다르게 함. '不—價'《後漢書》. ㉡의심하게 함. '—人主之心'《韓非子》. 또, 의심함. '臣共而不—'《左傳》. ⑦이단(異端) 이 다른 옳지 못한 설(說). '抍一而不—'《荀子》.

[字源] 甲骨文 二 金文 二 篆文 二 古文 弍 갖은자 貳 指事. 두 개의 가로획으로 수사(數詞)의 '둘'의 뜻을 나타냄.

[參考] 금전상(金錢上)의 액수 기재에서 그 개변(改變)을 막기 위해 갖은자 '貳'를 씀.

[二更 이경] 하룻밤을 오경(五更)으로 나눈 둘째의 경(更). 곧, 오후 9시부터 11시까지. 을야(乙夜).
[二京 이경] 동경(東京)〈뤄양(洛陽)〉과 서경(西京).
[二季 이계] ㉠봄과 가을. ㉡여름과 겨울.
[二鼓 이고] 이경(二更).
[二極 이극] 남극과 북극.
[二氣 이기] 음(陰)과 양(陽)의 두 기운.
[二難 이난] ㉠두 가지의 난처한 일. ㉡두 가지 얻기 힘든 것. 곧, 현명한 임금〔賢主〕과 훌륭한 손님〔嘉賓〕. ㉢두 가지의 성사(成事)하기 어려운 일.
[二南 이남] 시경(詩經)의 주남(周南)과 소남(召南)의 두 편(篇).
[二塗 이도] 두 길.
[二桃殺三士 이도살삼사] 기계(奇計)로써 사람을 자살(自殺)케 하는 일. 제(齊)나라 경공(景公)의 신하에 공손접(公孫接)·전개강(田開疆)·고야자(古冶子)의 세 장사(壯士)가 있었는데, 공(功)을 믿고 방자스러운 짓이 많아 경공이 골치를 앓던 중, 안자(晏子)의 계교를 받아들여서 복숭아 두 개를 세 장사에게 내어 주고, 공로 많은 자가 먹으라 하니, 처음에는 세 사람이 서로 싸우다가 나중에는 서로 양보하고 마침내 모두 자살하여 죽었다는 고사(故事)에서 나온 말.
[二等 이등] 둘째의 등급(等級).
[二齡 이령] 누에의 첫잠을 잔 뒤로부터 두 잠 잘 때까지의 동안.
[二陸 이륙] ㉠진(晉)나라의 육기(陸機)와 육운(陸雲). 형제가 함께 시문(詩文)을 잘했음. ㉡송(宋)나라의 육구령(陸九齡)과 육구연(陸九淵) 형제.
[二六時中 이륙시중] 일주야. 종일. 전(轉)하여, 밤낮. 항상.
[二利 이리] 《佛教》 자리(自利)와 이타(利他).
[二毛 이모] 반백(斑白)의 머리. 또, 반백이 되는 연기(年紀)의 노인.
[二毛之年 이모지년] 흰 머리털이 나기 시작하는 나이. 곧, 서른두 살.
[二傅 이부] 태부(太傅)와 소부(少傅).
[二府 이부] ㉠한대(漢代)의 승상(丞相)과 어사(御史)의 일컬음. ㉡송(宋)나라 때, 중서성(中書省)·추밀원(樞密院)의 일컬음.
[二柄 이병] 군주(君主)가 신하(臣下)를 제어(制御)하는 두 가지 권병(權柄). 곧, 형벌과 덕(德).
[二分 이분] ㉠둘로 나눔. 또, 둘로 나뉨. ㉡춘분(春分)과 추분(秋分).
[二三 이삼] ㉠두셋. 소수(小數). ㉡지조(志操)가 굳지 않아 변절을 잘함.
[二三其德 이삼기덕] 지키지 않고 절개(節概)를 자주 바꿈.
[二三子 이삼자] ㉠스승이 두서넛의 제자를 부르는 말. ㉡임금이 두서넛의 대부(大夫)를 부르는 말.
[二色 이색] 두 가지의 빛.
[二鼠嚙藤 이서교등] 《佛教》 오욕(五欲)에 집착(執着)하여 벗어나지 못함의 비유. 이서(二鼠)는 달과 해, 등(藤)은 생명을 가리킴.
[二姓 이성] 두 가지의 성(姓).
[二聖 이성] ㉠문왕(文王)과 무왕(武王). ㉡주공(周公)과 공자(孔子). ㉢대우(大禹)와 공자(孔子).
[二姓之合 이성지합] 성(姓)이 다른 남자와 여자가 혼인(婚姻)하는 일.
[二世 이세] 《佛教》 현세(現世)와 내세(來世).
[二疏 이소] 한(漢)나라의 소광(疏廣)·소수(疏受) 두 사람의 일컬음.
[二手 이수] 두 손. 양수(兩手).
[二豎 이수] 병. 질병. 또, 병마(病魔). 진(晉)나

라 경공(景公)이 병으로 누워 있을 때 병마(病魔)가 아이 둘로 화신(化身)하여 왔다는 고사(故事)에서 나온 말.

[二叔 이숙] 주(周)나라의 관숙(管叔)과 채숙(蔡叔). 이 두 사람은 주공단(周公旦)의 공(功)을 시새워 유언(流言)을 퍼뜨리고 반란을 일으켰음.

[二乘 이승] 성문승(聲聞乘)과 연각승(緣覺乘). 대승(大乘)과 소승(小乘).

[二信 이신] 신의(信義)를 두 가지로 함. 곧, 이심(二心)을 품음.

[二心 이심] 두 가지 마음. 배반(背叛)하고자 하는 마음.

[二十 이십] 스물.

[二十四氣 이십사기] 15일(日)을 1기(氣)로 하여 1년을 24분(分)한 칭호. 이십사절기.

기(氣)	양 력(陽曆)
입춘(立春)	2월 4 ~ 5일
우수(雨水)	2월 19 ~ 20일
경칩(驚蟄)	3월 5 ~ 6일
춘분(春分)	3월 21 ~ 22일
청명(淸明)	4월 5 ~ 6일
곡우(穀雨)	4월 20 ~ 21일
입하(立夏)	5월 6 ~ 7일
소만(小滿)	5월 21 ~ 22일
망종(芒種)	6월 6 ~ 7일
하지(夏至)	6월 21 ~ 22일
소서(小暑)	7월 7 ~ 8일
대서(大暑)	7월 23 ~ 24일
입추(立秋)	8월 8 ~ 9일
처서(處暑)	8월 23 ~ 24일
백로(白露)	9월 8 ~ 9일
추분(秋分)	9월 23 ~ 24일
한로(寒露)	10월 8 ~ 9일
상강(霜降)	10월 23 ~ 24일
입동(立冬)	11월 7 ~ 8일
소설(小雪)	11월 22 ~ 23일
대설(大雪)	12월 7 ~ 8일
동지(冬至)	12월 22 ~ 23일
소한(小寒)	1월 6 ~ 7일
대한(大寒)	1월 20 ~ 21일

[二十四氣節 이십사기절] 이십사기(二十四氣).

[二十四番花信風 이십사번화신풍] 이십사기(二十四氣)의 소한(小寒)에서 곡우(穀雨)까지의 사이의 일후(一候). 곧, 닷새마다 새로운 꽃이 피는 것을 알려 주는 바람.

[二十四番花信風]

[二十四史 이십사사] 이십이사(二十二史) 중의 당서(唐書)와 오대사(五代史)를 각각 신구(新舊) 두 종류로 나누어 일컫는 말.

[二十四節氣 이십사절기] 이십사기(二十四氣).

[二十四節候 이십사절후] 이십사기(二十四氣).

[二十四孝 이십사효] 대순(大舜)·한문제(漢文帝)·증삼(曾參)·민손(閔損)·중유(仲由)·동영(董永)·염자(剡子)·강혁(江革)·육적(陸績)·당부인(唐夫人)·오맹(吳猛)·왕상(王祥)·곽거(郭巨)·양향(楊香)·주수창(朱壽昌)·유검루(庾黔婁)·노래자(老萊子)·채순(蔡順)·황향(黃香)·강시(姜詩)·왕포(王褒)·정난(丁蘭)·맹종(孟宗)·황정견(黃庭堅) 등 24인(人)의 효자. 또, 그들의 행적을 적은 책. 원(元)나라 곽거업(郭居業)의 찬(撰).

[二十世紀 이십세기] 서력기원 1901년부터 2000년까지의 사이.

[二十五菩薩 이십오보살] 부처 다음가는 유덕자(有德子) 25인의 일컬음. 곧, 관세음(觀世音)·대세지(大勢至)·약왕(藥王)·약상(藥上)·보현(普賢)·법자재왕(法自在王)·다라니(陀羅尼)·허공장(虛空藏)·백상왕(白象王)·보장(寶藏)·덕장(德藏)·금장(金藏)·광명왕(光明王)·금강장(金剛藏)·산해혜(山海慧)·화엄왕(華嚴王)·일조왕(日照王)·월광왕(月光王)·중보왕(衆寶王)·삼매왕(三昧王)·사자후(獅子吼)·정자재왕(定自在王)·대위덕왕(大威德王)·대자재왕(大自在王)·무변신왕(無邊身王).

[二十五史 이십오사] 이십사사(二十四史)에 중화민국(中華民國)의 가소민(柯劭忞)이 찬한 〈신원사(新元史)〉를 더한 것.

[二十五絃 이십오현] 줄이 스물다섯 있는 큰 거문고.

[二十二史 이십이사] 중국 상대(上代)부터 명(明)나라까지의 22종(種)의 사서(史書).

책 명	편 찬 자
사 기(史 記)	사마천(司馬遷)
한 서(漢 書)	반 고(班固)
후한서(後漢書)	범 엽(范曄)
이상 삼사(三史)	
삼국지(三國志)	진 수(陳壽)
진 서(晉 書)	방현령(房玄齡)
송 서(宋 書)	심 약(沈約)
남제서(南齊書)	소자현(蕭子顯)
양 서(梁 書)	요사렴(姚思廉)
진 서(陳 書)	요사렴(姚思廉)
후위서(後魏書)	위 수(魏收)
북제서(北齊書)	이백약(李百藥)
주 서(周 書)	영호덕분(令狐德棻)
수 서(隋 書)	위 징(魏徵)
남 사(南 史)	이연수(李延壽)
북 사(北 史)	이연수(李延壽)
당 서(唐 書)	구양수(歐陽修)
오대사(五代史)	구양수(歐陽修)
이상 십칠사(十七史)	
요 사(遼 史)	탁극탁(托克托)
금 사(金 史)	탁극탁(托克托)
송 사(宋 史)	탁극탁(托克托)
원 사(元 史)	송 렴(宋濂)
이상 이십일사(二十一史)	
명 사((明 史)	장정옥(張廷玉)
이상 이십이사(二十二史)	

[二十一史 이십일사] '이십이사(二十二史)'를 보라.

[二十八宿 이십팔수] 옛날 천문학(天文學)에서 하늘을 사궁(四宮)〈사신(四神)〉으로 나누고, 다시 각 궁(宮)마다 일곱 성수(星宿)로 나눈 것의 일컬음.

사궁	사신	이십팔수
동	청룡(靑龍)	각(角)·항(亢)·저(氐)·방(房)·심(心)·미(尾)·기(箕)
서	백호(白虎)	규(奎)·누(婁)·위(胃)·묘(昴)·필(畢)·자(觜)·삼(參)
남	주작(朱雀)	정(井)·귀(鬼)·유(柳)·성(星)·장(張)·익(翼)·진(軫)
북	현무(玄武)	두(斗)·우(牛)·여(女)·허(虛)·위(危)·실(室)·벽(壁)

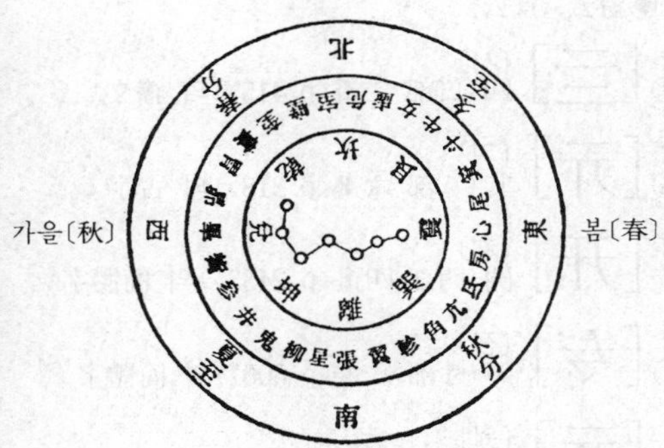

[二雅 이아] 시경(詩經)의 대아(大雅)와 소아(小雅).

[二五 이오] 음양(陰陽)과 오행(五行).

[二王 이왕] ㉠두 임금. ㉡진(晉)나라의 서성(書聖) 왕희지(王羲之)와 그의 아들 왕헌지(王獻之). ㉢진(晉)나라의 청담(淸談)의 선비로서 유명한 왕융(王戎)과 왕연(王衍). ㉣《佛教》불법(佛法) 수호(守護)의 신(神)으로서 절문의 좌우에 세우는 금강역사(金剛力士)의 상(像). 인왕(仁王).

[二曜 이요] 해와 달. 일월(日月).

[二元論 이원론] 우주(宇宙)의 근본(根本) 실재(實在)를 단지 하나라고만 하지 않고, 반대(反對)되는 두 가지의 원리(原理)로 되었다고 하는 학설(學說).

[二月 이월] 1년 중 두 번째 드는 달.

[二酉 이유] 후난 성(湖南省)에 있는 대유(大酉)와 소유(小酉)의 두 산. 산 밑의 동굴(洞窟)에 고서(古書) 1,000권의 장서(藏書)가 있었으므로, 전(轉)하여 장서가 많음을 이름.

[二律背反 이율배반] 논리(論理)에서 타당(妥當)하다고 보는 두 개의 명제(命題)가 서로 모순되는 일.　「儀).

[二儀 이의] 하늘과 땅. 음(陰)과 양(陽). 양의(兩

[二人 이인] ㉠두 사람. ㉡양친(兩親).

[二日 이일] ㉠이틀. ㉡이튿날.

[二日瘧 이일학] 이틀 걸러 일어나는 학질(瘧疾). 당고금. 이틀걸이.

[二藏 이장] 《佛教》대승경(大乘經)과 소승경(小乘經).　「典).

[二典 이전] 상서(尙書)의 요전(堯典)과 순전(舜

[二程 이정] 송대(宋代)의 대유(大儒)인 정호(程顥)와 정이(程頤) 형제.

[二程全書 이정전서] 책 이름. 68권. 송(宋)나라의 정호(程顥)·정이(程頤) 형제의 유저(遺著).

[二諦 이제] 《佛教》진제(眞諦)와 속제(俗諦).

[二帝三王 이제삼왕] 이제(二帝)〈당요(唐堯)·우순(虞舜)〉와 삼왕(三王)〈하(夏)나라의 우왕(禹王)·은(殷)나라의 탕왕(湯王) 및 주(周)나라의 문왕(文王)·무왕(武王)〉.

[二尊 이존] ㉠양친(兩親). 어버이. ㉡《佛教》석가(釋迦)와 미타(彌陀).

[二周 이주] 중국 주대(周代)의 동주(東周)와 서

[二重 이중] 두 겹.　「주(西周).

[二重過歲 이중과세] 음력(陰曆)과 양력(陽曆)의 설을 두 번 쇠는 일.

[二重意識 이중의식] 동시(同時)에 두 가지로 작용하는 의식(意識).

[二重人格 이중인격] 인격(人格)을 통일(統一)하는 힘이 없어져서 앞뒤가 모순(矛盾)된 행동을 하는 병적(病的) 인격(人格).

[二至 이지] 동지(冬至)와 하지(夏至).

[二志 이지] 이심(二心).　「線).

[二至線 이지선] 하지선(夏至線)과 동지선(冬至

[二天 이천] 남의 특별한 은혜를 하늘에 비겨 이르는 말.

[二千里外故人心 이천리외고인심] 달을 쳐다보면서 멀리 떨어진 친구를 그리는 마음.

[二千石 이천석] ㉠태수(太守)의 이칭(異稱). 한대(漢代)에 그 녹(祿)이 2천 석(石)이었으므로 이름. ㉡지방 장관(地方長官).

[二七天癸至 이칠천계지] 여자가 14세가 되면 경수(經水)가 통한다는 말.

[二八 이팔] ㉠한 줄이 여덟 사람인 무악(舞樂)의 두 줄. ㉡이(二)와 팔(八)의 승수(乘數), 곧 열여섯. ㉢팔원(八元)과 팔개(八愷).　「은이.

[二八靑春 이팔청춘] 열여섯 살 전후(前後)의 젊

[二合絲 이합사] 두 올을 겹으로 꼰 실.

◉九二. 莫二. 無二. 百二. 凡聖不二. 不二. 異二. 臣一主二. 什二. 六二. 知其一未知其二.

1 ③ [于] 中人 우 ①-⑥㊥虞 羽俱切 yú ⑦㊥魚 休居切 xū

筆順 一 二 于

字解 ①어조사 우 ㉠목적과 동작, 또는 장소와 동작의 관계를 나타냄. '志一學'《論語》. '去之一岐山之下居焉'《孟子》. ㉡발어사(發語辭). '一以采蘋'《詩經》. ㉢비교를 나타냄. '介一石'《書經》. ②할 우 동작을 함. '宜之一假'《儀體》. ③갈 우 향하여 감. '予翼以一'《書經》. ④클 우 광대한 모양. '易則易, 一則一'《禮記》. ⑤굽힐 우 迂(辵部 三畫)와 통용. '況一其身, 以善其身乎'《禮記》. ⑥성 우 성(姓)의 하나. ⑦탄식할 우 吁(口部 三畫)와 통용. '一嗟麟兮'《詩經》.

字源 甲骨文 甲骨文 金文 篆文 象形. 트집 간 활을 바로잡는 제구를 본뜬 모양. 일설(一說)에, 자루가 굽은 인두를 본뜬 꼴. 가차(假借)하여, 조자(助字)로 쓰임.

[于謙 우겸] 명(明)나라 전당(錢塘) 사람. 선종(宣

宗)을 섬겨 크게 공(功)을 세워 벼슬이 병부상서(兵部尙書)에 이르렀음. 후에 영종(英宗) 때 참소를 입어 죽음을 당하였음.
[于公 우공] 한(漢)나라의 동해(東海) 사람. 공평하고 자비로운 판관(判官)이었음. 일찍이 대문을 높고 크게 하여 거마(車馬) 통행에 지장이 없도록 하여 이르되 내 후손 중에 반드시 흥(興)하는 자 나오리라 하였더니, 과연 그 아들 정국(定國)이 크게 되어 승상(丞相)이 되었음.
[于嘔 우구] 구역질. 느글거림.
[于歸 우귀] 신부가 처음으로 시집에 들어가는 일.
[于今 우금] 지금까지.
[于禁 우금] 위(魏)나라 조조(曹操) 수하(手下)의 용장(勇將).
[于禮 우례] 우귀(于歸).
[于飛 우비] 부부(夫婦)의 의(誼)가 좋음의 비유. 봉황(鳳凰) 한 쌍이 사이좋게 날아간다는 시(詩)에서 유래(由來)함. 「양.
[于思 우사] 수염이 많은 모양. 또, 머리가 흰 모
[于役 우역] ㉠부역(賦役) 나감. ㉡임금의 명령을 받들어 다른 나라에 사신으로 감.
[于于 우우] ㉠보행하는 모양. ㉡만족하는 모양.
[于喁 우우] 앞과 뒤의 소리가 서로 가락이 맞음.
[于越 우월] 월(越)나라. 우(于)는 발어사.
[于闐 우전] 한대(漢代)의 서역(西域)의 나라 이름. 지금의 신장(新疆) 화전성(和闐城).
[于定國 우정국] 한(漢)나라 동해(東海) 사람. 우공(于公)의 아들. 선제(宣帝) 때 정위(廷尉)가 되어 옥사(獄事)의 처결(處決)이 자못 공평하였음. 뒤에 승상(丞相)이 되었음.
[于嗟 우차] '아' 하고 소리를 내어 탄식함. 또, 그 소리.
◉單于. 錞于. 友于. 諸于.

1 ③ [亐] [一] 于(前條)의 本字 [二] 〔휴·규〕虧(虍部 十一畫〈p. 2000〉)의 簡體字

1 ③ [亍] [一] 촉 [入]沃 丑玉切 chù [二] 마 [韓]
[字解] [一] ①멈출 촉 걸음을 멈춤. '澤馬一阜'《左思》. ②외발로걸을 촉 오른발 하나로 걷는 모양. '步爲彳, 右步爲亍, 合之, 則爲行字'《正字通》. [二]《韓》땅이름 마 지명(地名).
[字源] 篆文 亍 指事. 나아가는 뜻을 나타내는 '彳척'의 모양을 반대로 하여 되돌아와 멈춤의 뜻을 나타냄. '彳亍척촉'은 '躑躅척촉'과 같이 왔다 갔다 하는 모양.

2 ④ [云] [中·人] 운 [平]文 王分切 yún
[筆順] 一 二 テ 云
[字解] ①이를 운 말함. ㉠남의 말을 간접적으로 말할 때 많이 쓰임. '牢曰, 子一, 吾不試, 故藝'《論語》. ㉡스스로말함. '一, 言也'《廣韻》. '我舊一, 刻子'《書經》. ②운행할 운 회전(回轉)함. 運(辵部 九畫)의 古字. '四時一下, 而萬物化'《管子》. ③돌아갈 운 귀부(歸附)함. '其誰一之'《左傳》. ④어조사 운 어조(語調)를 맞추는 말. '伊誰一憯'《詩經》. ⑤운운 운 다른 글이나 말을 인용할 때 끝을 생략하여 '이러이러하다'는 뜻으로 쓰는 말. '武帝曰, 吾欲一一'《史記》. ⑥성(盛)할 운 芸(艸部 四畫)과 통용. '萬物一一'《抱朴子》. ⑦구름 운 구름. 雲(雨部 四畫)의 古字. ⑧성 운 성(姓)의 하나.
[字源] 雲의 古文 云 象形. 구름이 뭉게뭉게 피어오르는 모양을 본뜸. '雲'의 原字. 가차(假借)하여, '말하다, 이에'의 뜻을 나타냄.

[云云 운운] ㉠여러 가지 말. 소문. 또, 여러 가지 이야기를 함. 소문을 서로 전함. ㉡언어·문장을 생략할 때 쓰는 말. 여차여차함. 자해(字解) ❺를 보라. ㉢물건이 많은 모양. ㉣말이 많은 모양. ㉤빙 돌려 퍼지는 모양. ㉥성(盛)한 모양. 자해(字解) ❻을 보라.
[云爲 운위] ㉠말과 행동. 언행(言行). ㉡세태(世態)와 인정(人情).
[云爾 운이] 문장의 끝에 써, 위에 말한 바와 같다는 뜻을 나타내는 말.
[云何 운하] '여하(如何)'와 같음.
◉紛云. 言云.

2 ④ [亖] 〔사〕 四(口部 二畫〈p. 415〉)의 籀文

2 ④ [亓] 〔기〕 其(八部 六畫〈p. 218〉)의 古字

2 ④ [开] 〔개〕 開(門部 四畫〈p. 2433〉)의 簡體字

2 ④ [专] 〔전〕 專(寸部 八畫〈p. 606〉)의 簡體字

[元] 〔원〕 儿部 二畫(p. 189)을 보라.

2 ④ [互] [高·人] 호 [去]遇 胡誤切 hù
[筆順] 一 ㄏ 万 互
[字解] ①어긋매낄 호 교차함. '一生'《漢書》. '一, 差互'《廣韻》. ②번갈아들 호 갈마듦. 교대함. '周遊晦明一'《宋之問》. ③서로 호 함께 다 같이. '一選'. '一讓'. '一有得失'《何晏》. ④뒤섞일 호 '宗族磐一'《漢書》. ⑤고기시렁 호 고기를 거는 시렁. '凡祭祀, 供其牛牲之一'《周禮》. ⑥울짱 호 목책(木柵). '國中宿一欜者'《周禮》.

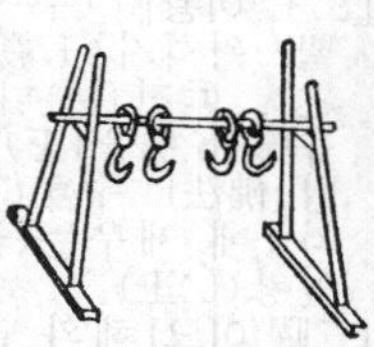
[互⑤]

[字源] 古文 互 篆文 笠 象形. 古文은 나무틀을 어긋매겨 짜 놓은 새끼 감는 틀의 모양을 본떠, '서로'의 뜻을 나타냄. 篆文은 그것이 대나무로 만들어진 데서 '竹죽'을 덧붙였음.

[互角 호각] 둘이 서로 낫고 못하고가 없음. 백중(伯仲).
[互跪 호궤] 좌우의 무릎을 번갈아 바닥에 대어 꿇어앉음. 오래 앉을 때의 좌법(座法).
[互物 호물] 딱딱한 껍데기가 있는 생물의 총칭. 패류(貝類)·갑각류(甲殼類) 따위.
[互相 호상] 서로. 상호(相互).
[互生 호생] ㉠식물의 잎이 줄기나 가지의 각 마

디에 한 개씩 어긋매껴 남. ㉡바둑을 둘 때 서로 삶.
[互選 호선] 피선거권(被選擧權)이 있는 사람들이 모여 그들끼리 서로 투표하여 선출하는 방법.
[互送 호송] 피차(彼此)에 서로 보냄.
[互市 호시] ㉠무역(貿易). ㉡소인(小人)들이 서로 결탁하여 이익(利益)을 도모하는 일.
[互讓 호양] 서로 사양함.
[互用 호용] 서로 넘나들며 씀.
[互有長短 호유장단] 서로 장처(長處)와 단처(短處)가 있음.
[互助 호조] 서로 도움.
[互稱 호칭] 서로 일컫는 이름.
[互惠條約 호혜조약] 대등(對等)의 지위(地位)에 있는 나라와 나라가 서로 수입품(輸入品)에 최저 관세율을 물리어 상호 간의 이익(利益)을 꾀하고자 하여 맺는 조약.
◉交互. 磐互. 紛互. 相互. 連互. 障互. 錯互. 參互. 舛互.

2
④ [五] 中人 오 ㊤麌 疑古切 wǔ

筆順 一 丅 五 五
字解 ①다섯 오 넷에 하나를 보탠 수. '—音'. '天數—, 地數—'《易經》. ②다섯번 오 5회. '—勝'. '—戰於秦'《蘇洵》. ③다섯번할 오 5회 함. '良馬—之'《詩經》. ④성 오 성(姓)의 하나.
字源 甲骨文 金文 篆文 古文 강자 伍 指事. '二'는 천지(天地), 'ㄨ'는 교차(交差)를 가리켜, 천지간(天地間)에 번갈아 작용하는 다섯 원소(元素)(木·火·土·金·水)의 뜻에서, 수(數)의 '다섯'의 뜻을 나타냄.
參考 금전(金錢)의 기재 따위에서는, 개변(改變)을 막기 위해 伍(人部 四畫) 자(字)를 빌려 쓰기도 함.

[五稼 오가] 오곡(五穀).
[五家法 오가법] 행정상 편의를 위하여 다섯 집을 한 반(班)으로 해서 연대(連帶)하여 공무(公務)를 부담시키던 제도.
[五角 오각] 다섯모가 진 형상.
[五覺 오각] 《佛敎》 다섯 가지 깨달음. 곧, 시각(始覺)·본각(本覺)·상사각(相似覺)·수분각(隨分覺)·구경각(究竟覺). 또, 중생각(衆生覺)·성문각(聲聞覺)·삼승각(三乘覺)·보살각(菩薩覺)·불각(佛覺).
[五諫 오간] 다섯 가지의 간(諫). 곧, 휼간(譎諫)·장간(戇諫)·강간(降諫)·직간(直諫)·풍간(諷諫).
[五感 오감] 오관(五官)의 감각. 곧, 시각(視覺)·청각(聽覺)·후각(嗅覺)·미각(味覺)·촉각(觸覺).
[五蓋 오개] 《佛敎》 심식(心識)을 가려서 정도(正道)에 밝지 못하게 하는 다섯 가지의 번뇌. 곧, 탐욕(貪欲)·진에(瞋恚)·수면(睡眠)·의법(疑法)·도산(掉散).
[五車 오거] 오차(五車).
[五車韻瑞 오거운서] 책 이름. 160권. 명(明)나라 능치륭(凌稚隆) 편(編). 경(經)·사(史)·자(子)·집(集)·부(賦)의 다섯 부(部)로 나누고, 매부(每部)에 두 자(字), 석 자, 넉 자의 숙자(熟字)를 뽑아, 그 출전(出典)을 낱낱이 밝혔음. 〈패문운부(佩文韻府)〉는 이 책을 기초로 만든 것임.
[五車之書 오거지서] 수레 다섯에 가득 실을 만큼 많은 장서(藏書).
[五劍難名 오검난명] ㉠월왕(越王) 구천(句踐)이 설촉(薛燭)으로 하여금 다섯 자루의 보검(寶劍)을 감정(鑑定)케 하였을 때 그 어느 것도 다 명검(名劍)이었으므로 양부(良否)를 판별치 못한 일. ㉡시비(是非)를 가리기 어려움.
[五更 오경] ㉠경험을 많이 쌓은 장로(長老). ㉡오야(五夜). ㉢오야(五夜)의 최종. 곧, 오전 3시부터 5시까지의 사이.
[五經 오경] ㉠다섯 가지 경서(經書). 역경(易經)·서경(書經)·시경(詩經)·춘추(春秋)·예기(禮記). ㉡다섯 가지의 예(禮). 곧, 길(吉)·흉(凶)·군(軍)·빈(賓)·가(嘉)의 오례(五禮).
[五經庫 오경고] 독서를 많이 하여 경서(經書)에 정통한 사람을 비유한 말.
[五經博士 오경박사] ㉠오경의 문의(文義)에 통한 박사. ㉡한(漢)나라 무제(武帝)가 둔 오경의 각 전문 박사.
[五經笥 오경사] 오경고(五經庫). 사(笥)는 네모진 대상자.
[五經掃地 오경소지] 오경이 쇠퇴하여 없어짐. 성인(聖人)의 가르침이 창달되지 않음을 한탄하여 이른 말.
[五戒 오계] 불교(佛敎)에서 지키는 다섯 가지 계율(戒律). 곧, 불살생(不殺生)·불투도(不偸盜)·불사음(不邪淫)·불망어(不妄語)·불음주(不飮酒). 이 오계(五戒)를 범(犯)함을 오악(五惡)이라 함.
[五季 오계] 후량(後梁)·후당(後唐)·후진(後晉)·후한(後漢)·후주(後周)의 오대(五代)를 일컬음.
[五古 오고] 한 구가 오언(五言)으로 된 고시(古詩).
[五苦 오고] 《佛敎》 ㉠인생의 다섯 가지 괴로움. 곧, 생고(生苦)·노고(老苦)·병고(病苦)·사고(死苦)·애별리고(愛別離苦). 일설(一說)에는, 생로병사고(生老病死苦)·애별리고(愛別離苦)·원증회고(怨憎會苦)·구부득고(求不得苦)·오성음고(五盛陰苦). 오통(五痛). ㉡미계(迷界)의 다섯 가지 괴로움. 곧, 제천고(諸天苦)·인도고(人道苦)·축생고(畜生苦)·아귀고(餓鬼苦)·지옥고(地獄苦).
[五穀 오곡] 다섯 가지 곡식. 그 명목에 여러 설(說)이 있는데, 주로 벼·보리·콩·조·기장을 말하며, 전(轉)하여, 곡식의 총칭으로도 쓰임.
[五穀不升 오곡불승] 흉년이 듦.
[五果 오과] 다섯 종류의 과실. 곧, 자두·살구·대추·복숭아·밤.
[五官 오관] ㉠사람의 다섯 가지 감각 기관(器官). 곧, 시각(視覺)의 눈, 청각(聽覺)의 귀, 미각(味覺)의 입, 후각(嗅覺)의 코, 촉각(觸角)의 피부. ㉡오감(五感)의 작용(作用).
[五交 오교] 다섯 가지 좋지 아니한 교제(交際). 곧, 세교(勢交)·회교(賄交)·논교(論交)·궁교(窮交)·양교(量交).
[五敎 오교] 오상(五常)의 가르침.
[五權憲法 오권헌법] 중국 국민 정부(國民政府)의 헌법(憲法)의 일컬음. 통치권(統治權)을 행정(行政)·사법(司法)·입법(立法)·고시(考試)·감찰(監察)의 오권(五權)으로 나누었음.
[五均 오균] ㉠왕망(王莽) 때의 제도(制度)로서, 정부에서 물가를 균일하게 하여 겸병(兼倂)을

억제하고 빈부(貧富)의 차가 현격히 나지 않도록 하는 다섯 가지 정책(政策). ㉡오성(五聲)의 가락.

[五極 오극] 사람이 행하여야 할 가장 착한 일. 오상(五常)의 지극(至極)한 일.

[五根 오근] ㉠외계(外界)를 인식하는 다섯 가지 기관. 곧, 안근(眼根)·이근(耳根)·비근(鼻根)·설근(舌根)·신근(身根). ㉡일체(一切)의 선법(善法)을 낳게 하는 근본이 되는 신근(信根)·근근(勤根)·염근(念根)·정근(定根)·혜근(慧根).

[五金 오금] 금(金)·은(銀)·동(銅)·철(鐵)·석(錫).

[五禽之戲 오금지희] 도가(道家)에서 다섯 종류의 짐승의 자세를 본떠서, 손을 펴고 발을 뻗고 몸을 굽히고 머리를 들어 근골(筋骨)을 부드럽게 하며 혈액을 잘 순환하게 하는 양생법(養生法).

[五紀 오기] 세(歲)·월(月)·일(日)·성신(星辰)·역수(曆數)의 총칭.

[五氣 오기] ㉠오방(五方)의 기운. 동·서·남·북·중앙의 기운. ㉡비 오고, 볕 나고, 덥고, 춥고, 바람 부는 다섯 가지 일기. ㉢한(寒)·열(熱)·풍(風)·조(燥)·습(濕)의 병증(病症)의 다섯 가지 기운. ㉣희(喜)·노(怒)·욕(欲)·구(懼)·우(憂)의 오정(五情). ㉤오장(五臟)의 기운.

[五內 오내] 오장(五臟).

[五段教授 오단교수] 예비(豫備)·제시(提示)·연결(連結)·통괄(通括)·응용(應用)의 다섯 가지 단계(段階)로 나누어 하는 교수 방법.

[五疸 오달] 황달(黃疸)·곡달(穀疸)·주달(酒疸)·황한(黃汗)·여로달(女勞疸)의 다섯 가지 달병(疸病).

[五達 오달] 길이 다섯 군데로 통함.

[五大 오대] 《佛教》 오진(五塵)에서 생기는 지(地)·수(水)·화(火)·풍(風)·공(空)의 다섯 가지.

[五代 오대] ㉠당(唐)·우(虞)·하(夏)·상(商)·주(周). ㉡황제(黃帝)·요(堯)·순(舜)·우(禹)·탕(湯). ㉢송(宋)·제(齊)·양(梁)·진(陳)·수(隨)(전오대). ㉣후량(後梁)·후당(後唐)·후진(後晉)·후한(後漢)·후주(後周). 후오대(後五代). 오계(五季).

[五大夫 오대부] ㉠작위(爵位)의 하나. 진(秦)나라 때 유공자에게 주었음. 한대(漢代)에도 이 제도를 답습하였음. ㉡소나무〔松〕의 아칭(雅稱). 진시황(秦始皇)이 태산(泰山)에 올라갔을 때 그 밑에서 폭풍우를 피했던 소나무를 봉(封)하여 오대부(五大夫)로 한 고사(故事)에서 나옴.

[五代史 오대사] 책 이름. 신구(新舊) 양종(兩種)이 있음. 구(舊)오대사는 송태종(宋太宗) 때 설거정(薛居正)의 찬(撰). 150권. 인종(仁宗) 때 구양수(歐陽修)가 수정(修正)을 가하여 75권으로 함. 이것을 신(新)오대사라 함.

[五代十二國 오대십이국] 후오대(後五代) 때 중국 본토에서 할거(割據)하여 흥망한 열두 나라. 곧, 전촉(前蜀)·기(岐)·오(吳)·연(燕)·남한(南漢)·남평(南平)·오월(吳越)·초(楚)·민(閩)·남당(南唐)·후촉(後蜀)·북한(北漢).

[五大洋 오대양] 다섯 대양(大洋). 곧, 태평양(太平洋)·대서양(大西洋)·인도양(印度洋)·남빙양(南氷洋)·북빙양(北氷洋).

[五大洲 오대주] 전 세계의 육지(陸地)를 다섯으로 구분한 이름. 곧, 아시아 주·유럽 주·아프리카 주·오세아니아 주·아메리카 주. 또, 아시아 주, 유럽 주, 아프리카 주, 북아메리카 주, 남아메리카 주.

[五德 오덕] ㉠사람의 다섯 가지 덕(德). 곧, 총명예지(聰明叡智)·관유온유(寬裕溫柔)·발강강의(發強剛毅)·제장중정(齊莊中正)·문리밀찰(文理密察). ㉡장군(將軍)의 다섯 가지 덕(德). 곧, 지(智)·신(信)·인(仁)·용(勇)·엄(嚴). ㉢《佛教》 비구(比丘)가 중히 여기는 포마(怖魔)·걸사(乞士)·정계(淨戒)·정명(淨命)·파악(破惡).

[五度 오도] 분(分)·촌(寸)·척(尺)·장(丈)·인(引).

[五斗米 오두미] 얼마 안 되는 녹(祿).

[五等 오등] ㉠다섯 등급의 작(爵). 곧, 공(公)·후(侯)·백(伯)·자(子)·남(男). ㉡남편(男便)이 있는 부인(婦人)의 다섯 가지 등급. 곧, 후(后)·부인(夫人)·유인(孺人)·부인(婦人)·처(妻). ㉢사망(死亡)을 일컫는 다섯 등급의 말. 곧, 붕(崩)·훙(薨)·졸(卒)·불록(不祿)·사(死).

[五等爵 오등작] 오작(五爵).

[五樑 오량] 보를 다섯 줄로 놓아 두 칸 넓이가 되게 짓는 집의 구조(構造).

[五力 오력] 《佛教》 수행(修行)하는 데 필요한 다섯 가지 힘. 곧, 신(信)·염(念)·정진(精進)·정(定)·혜(慧).

[五齡 오령] 누에의 네 번째 잠을 잔 뒤로부터 상족(上蔟)할 때까지의 동안.

[五靈 오령] 다섯 가지 영물(靈物). 곧, 기린(麒麟)·봉황(鳳凰)·거북〔龜〕·용(龍)·백호(白虎).

[五靈脂 오령지] 산박쥐의 똥. 산전(產前)·산후(產後)의 혈증(血症)에 씀.

[五禮 오례] ㉠다섯 가지 예(禮). 곧, 길례(吉禮)〈제사(祭死)〉·흉례(凶禮)〈상제(喪祭)〉·빈례(賓禮)〈빈객(賓客)〉·군례(軍禮)〈군려(軍旅)〉·가례(嘉禮)〈관혼(冠婚)〉. ㉡공(公)·후(侯)·백(伯)·자(子)·남(男) 오등 제후(五等諸侯)의 예(禮).

[五鹿 오록] 허베이(河北) 땅 내(內)의 한 지명(地名). 진(晉)나라 문공(文公)이 유랑 중(流浪中) 이곳에서 한 그릇의 밥을 빌 때 야인(野人)이 토괴(土塊)를 바치었던 바 흙을 얻음은 나라를 보전(保全)할 징조라 하여 받았다 함.

[五龍 오룡] 모두 준재(俊才)인 오형제(五兄弟).

[五倫 오륜] 다섯 가지의 인륜(人倫). 곧, 부자(父子)의 친애(親愛), 군신(君臣)의 의리(義理), 부부(夫婦)의 분별(分別), 장유(長幼)의 차서(次序), 붕우(朋友)의 신의(信義). 친(親)·의(義)·별(別)·서(序)·신(信).

[五輪 오륜] ㉠《佛教》 오대(五大). ㉡《佛教》 오체(五體). ㉢왼쪽으로부터 청색·황색·흑색·녹색·적색의 순서로 연결된 다섯 개의 고리. 올림픽기(旗)의 기폭에 그림. 올림픽 마크.

[五輪大會 오륜대회] 올림픽의 경기대회(競技大會).

[五輪塔 오륜탑] 《佛教》 밑에서부터 지(地)·수(水)·화(火)·풍(風)·공(空)의 오대(五大)를 상징(象徵)한 방형(方形)과 원형(圓形)의 다섯 개의 돌을 쌓아 올려 만든 탑.

[五輪塔]

[五律 오률] 오율(五律).

[五吏 오리] 문사(文事)를 맡은 벼슬아치.

[五里霧中 오리무중] 널리 낀 짙은 안

개 속에서 길을 찾아 헤맨다는 뜻. 무슨 일에 관하여 알 길이 없거나 마음을 잡지 못하여 허둥지둥함을 이름.

[五淋 오림] 다섯 가지 임질. 곧, 기림(氣淋)·노림(勞淋)·혈림(血淋)·고림(膏淋)·석림(石淋).

[五粒松 오립송] 잣나무.

[五馬 오마] 태수(太守)의 수레는 다섯 필의 말이 끌었으므로, 전(轉)하여 태수의 별칭으로 쓰임.

[五魔 오마] 《佛敎》 사람의 마음을 해치는 다섯 가지의 악마(惡魔). 곧, 천마(天魔)·죄마(罪魔)·행마(行魔)·뇌마(惱魔)·사마(死魔).

[五望 오망] 음력(陰曆) 보름날에 드는 망(望).

[五明 오명] ㉠고대(古代)의 인도(印度)에서 바라문족(婆羅門族)이 연구한 다섯 가지 학술. 곧, 성명(聲明)·공교명(工巧明)·의방명(醫方明)·인명(因明)·내명(內明). ㉡부채〔扇〕의 이칭(異稱).

[五廟 오묘] 제후(諸侯)의 태조(太祖)와 이소(二昭)·이목(二穆)의 다섯 묘(廟).

[五廟]

[五味 오미] 다섯 가지 맛. 곧, 매운맛·신맛·짠맛·쓴맛·단맛. 신(辛)·산(酸)·함(鹹)·고(苦)·감(甘).

[五美 오미] 다섯 가지의 미덕(美德). 곧, 혜이불비(惠而不費)·노이불원(勞而不怨)·욕이불탐(欲而不貪)·태이불교(泰而不驕)·위이불맹(威而不猛).

[五民 오민] 사(士)·농(農)·공(工)·상(商)·고(賈). 일설(一說)에는, 오방(五方)의 백성.

[五方 오방] ㉠동·서·남·북·중앙(中央)의 다섯 방면. ㉡중국(中國)과 사방(四方)에 있는 이적(夷狄)의 나라.

[五百 오백] ㉠백의 다섯 곱. ㉡벽제(辟除)를 맡은 별배(別陪).

[五百戒 오백계] 《佛敎》 여승(女僧)이 지켜야 할 모든 계법(戒法).

[五百羅漢 오백나한] 《佛敎》 5백 명의 아라한(阿羅漢). 곧, 석가(釋迦)의 사후(死後) 그의 유경(遺經)을 모으기 위하여 모였던 제자(弟子)들.

[五百生 오백생] 《佛敎》 몇 번이고 자꾸 태어남을 일컫는 말.

[五兵 오병] 다섯 가지의 무기. 과(戈)·수(殳)·극(戟)·추모(酋矛)·이모(夷矛). 또는 궁(弓)·수(殳)·모(矛)·과(戈)·극(戟). 또는 도(刀)·검(劍)·모(矛)·극(戟)·시(矢). 오융(五戎).

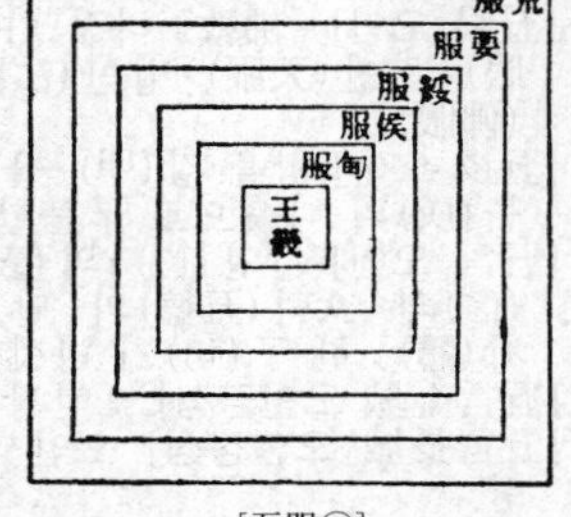

[五服㉠]

[五服 오복] ㉠왕기(王畿)를 중심으로 하여 주위(周圍)를 순차적(順次的)으로 나눈 다섯 구역(區域). 상고(上古)에는 전복(甸服)·후복(侯服)·수복(綏服)·요복(要服)·황복(荒服), 주대(周代)에는 후복(侯服)·전복(甸服)·남복(男服)·채복(采服)·위복(衞服)인데, 한 복(服)은 각각 500리임. ㉡다섯 등급의 상복(喪服). 참최(斬衰)〈3년〉·자최(齊衰)〈주년(周年)〉·대공(大功)〈9개월〉·소공(小公)〈5개월〉·시마(緦麻)〈3개월〉. ㉢천자(天子)·제후(諸侯)·경(卿)·대부(大夫)·사(士)의 의복(衣服).

[五福 오복] 다섯 가지 복(福). 곧, 수(壽)·부(富)·강녕(康寧)·유호덕(攸好德)·고종명(考終命). 또는 수(壽)·부(富)·귀(貴)·강녕(康寧)·자손중다(子孫衆多).

[五父 오부] 아버지로서 공경(恭敬)하여야 할 다섯 사람. 곧, 실부(實父)·양부(養父)·계부(繼父)·의부(義父)·사부(師父).

[五府 오부] 후한(後漢)의 태부(太傅)·태위(太尉)·사도(司徒)·사공(司空)·대장군(大將軍).

[五部 오부] 조선 시대에 서울 안을 나눈 다섯 구획(區劃). 곧, 중부(中部)·동부(東部)·서부(西部)·남부(南部)·북부(北部).

[五不取 오불취] 아내로 삼을 수 없는 다섯 가지 조건. 곧, 역가자(逆家子)〈반역자를 낸 집 딸〉·난가자(亂家子)〈가정이 어지러운 집 딸〉·세유형인(世有刑人)〈대대로 형벌을 받은 집 딸〉·세유악질(世有惡疾)〈대대로 악질이 있는 집 딸〉·상부장녀(喪夫長女)〈과부의 맏딸, 곧 아비가 없어 멋대로 자란 여자〉.

[五不孝 오불효] 다섯 가지 불효(不孝)의 행위(行爲). 곧, 타기사지불고부모지양(惰其四支不顧父母之養)·박혁호음주불고부모지양(博奕好飮酒不顧父母之養)·호화재사처자불고부모지양(好貨財私妻子不顧父母之養)·종이목지욕이위부모륙(從耳目之欲以爲父母戮)·호용투한이위부모(好勇鬪很以危父母). 또는 거처부장(居處不莊)·사군불충(事君不忠)·이관불경(涖官不敬)·붕우불신(朋友不信)·전진무용(戰陣無勇).

[五士 오사] 옛날 민간에서 준재(俊才)를 선발하여 가르치고 업(業)을 마친 뒤에 임관시키는 다섯 가지의 사(士). 곧, 수사(秀士)·선사(選士)·준사(俊士)·조사(造士)·진사(進士).

[五史 오사] 다섯 사관(史官). 곧, 태사(太史)·소사(小史)·내사(內史)·외사(外史)·어사(御史).

[五事 오사] ㉠홍범구주(洪範九疇)의 하나. 예절상(禮節上) 다섯 가지의 중요한 일. 곧, 모(貌)·언(言)·시(視)·청(聽)·사(思). ㉡세(歲)·월(月)·일(日)·성신(星辰)·역수(曆數). ㉢병법(兵法)에서 중요한 근본 조건. 곧, 도(道)·천(天)·지(地)·장(將)·법(法). ㉣오기(五紀). ㉤오시(五始). ㉥《佛敎》 일상생활에 항상 조심하여야 할 다섯 가지 일. 곧, 심(心)·신(身)·식(息)·면(眠)·식(食).

[五蛇 오사] 다섯 마리의 뱀. 진문공(晉文公)을 따라 천하를 주유(周遊)한 호언(狐偃)·조최(趙衰)·위무자(魏武子)·사공계자(司空季子)·개지추(介之推)의 다섯 사람을 이름. 문공을 용(龍)으로 비유하여 일컬은 말.

[五山 오산] ㉠다섯의 명산(名山). 곧, 화산(華山)·수산(首山)·태실(太室)·대산(岱山)·동래(東萊). ㉡발해(渤海)의 동쪽에 있는 신선이 산다는 다섯의 산. 곧, 대여(代輿)·원교(員嶠)·방호(方壺)·영주(瀛洲)·봉래(蓬萊). ㉢다섯의 절. 인도에서는 기원정사(祇園精舍)·죽림정사(竹林精舍)·대림정사(大林精舍)·서다림정사

(誓多林精舍)·나란타사(那蘭陀寺). 중국에서는 경산사(經山寺)·육왕사(育王寺)·천룡사(天龍寺)·영은사(靈隱寺)·정자사(淨慈寺).

[五三 오삼] ㉠다섯과 셋. 너더댓 개. 너더댓 사람. ㉡오제(五帝)와 삼왕(三王).

[五常 오상] ㉠사람으로서 항상 지켜야 할 다섯 가지의 도리(道理). 곧, 인(仁)·의(義)·예(禮)·지(智)·신(信). 또, 부의(父義)·모자(母慈)·형우(兄友)·제공(弟恭)·자효(子孝). ㉡오륜(五倫). ㉢《佛敎》 오계(五戒).

[五色 오색] 다섯 가지의 정색(正色). 곧, 청(靑)·황(黃)·적(赤)·백(白)·흑(黑).

[五色無主 오색무주] 지나친 공포(恐怖) 때문에 안색(顔色)이 가지가지로 변하고 있음을 말함.

[五色玲瓏 오색영롱] 오색이 영롱함. 여러 가지 빛이 한데 섞이어 찬란(燦爛)하게 비침.

[五色筆 오색필] 문재(文才) 또는 문재가 있는 사람을 이름. 강엄(江淹)의 고사(故事)에서 나온 말.

[五牲 오생] 다섯 가지 희생(犧牲). 곧, 소·양·돼지·개·닭.

[五瑞 오서] 천자(天子)가 공(公)·후(侯)·백(伯)·자(子)·남(男)의 오등(五等)의 제후(諸侯)에게 봉작(封爵)의 증거로 주는 홀(笏). 곧, 환규(桓圭)·신규(信圭)·궁규(躬圭)·곡벽(穀璧)·포벽(蒲璧). 오옥(五玉).

[五性 오성] 사람의 다섯 가지 성정(性情). 곧, 희(喜)·노(怒)·욕(欲)·구(懼)·우(憂).

[五星 오성] 오행(五行)의 정(精)이라고 일컫는 다섯 별. 곧, 목성(木星)〈세성(歲星)〉·화성(火星)〈형혹성(熒惑星)〉·금성(金星)〈태백성(太白星)〉·수성(水星)〈신성(辰星)〉·토성(土星)〈진성(鎭星)〉.

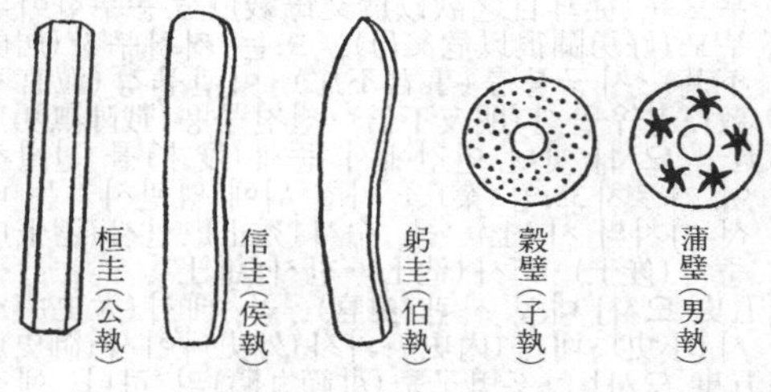

[五瑞]

[五聖 오성] ㉠다섯 성인(聖人). 곧, 황제(黃帝)·요(堯)·순(舜)·우(禹)·탕(湯). ㉡문묘(文廟)에 합사(合祀)하는 공자(孔子)·안자(顔子)·증자(曾子)·자사(子思)·맹자(孟子).

[五聲 오성] 오음(五音).

[五細 오세] 다섯 가지 천한 행실이 있는 자. 곧, 천(賤)한 자가 귀(貴)한 이를 방해하며, 어린 사람이 어른을 업신여기며, 소원(疏遠)한 사람으로 친한 사이를 갈라놓으며, 신참(新參)으로서 오래된 사람을 제쳐 놓으며, 작으면서 큰 것을 범하는 자.

[五俗 오속] 시(詩)를 짓는 데 있어서의 다섯 가지 속습(俗習). 곧, 속체(俗體)·속의(俗意)·속구(俗句)·속자(俗字)·속운(俗韻).

[五獸不動 오수부동] 고양이·개·닭·사자·범의 다섯 짐승이 한 곳에 모이면 서로 무서워서 움직이지 않음.

[五銖錢 오수전] 무게가 다섯 수(銖) 나가는 돈.

[五乘 오승] 《佛敎》 교법(敎法)의 다섯 종별. 곧, 인승(人乘)·천승(天乘)·성문승(聲聞乘)·연각승(緣覺乘)·보살승(菩薩乘).

[五銖錢]

[五侍 오시] 《佛敎》 장로(長老) 좌우에 모시고 있는 다섯 사람. 곧, 시향(侍香)·시장(侍狀)·시객(侍客)·시약(侍藥)·시의(侍衣).

[五始 오시] 다섯 가지 사물(事物)의 시초. 곧, 원(元)·춘(春)·왕자(王者)·정월(正月)·즉위(卽位). 원은 기(氣)의 시초, 봄은 사시(四時)의 시초, 왕자는 수명(受命)의 시초, 정월은 정교(政敎)의 시초, 즉위는 일국(一國)의 시초임.

[五時敎 오시교] 《佛敎》 석가여래(釋迦如來)의 일생(一生)의 설교(說敎)를 연대에 의하여 오기(五期)로 나눈 천태종(天台宗)의 교판(敎判). 곧, 화엄시(華嚴時)·아함시(阿含時)·방등시(方等時)·반야시(般若時)·법화열반시(法華涅槃時).

[五識 오식] 《佛敎》 오근(五根)에 의하여 일어나는 색(色)·성(聲)·향(香)·미(味)·촉(觸)의 다섯 가지 심식(心識). 곧, 안(眼)·이(耳)·비(鼻)·설(舌)·신(身)의 지각 작용.

[五辛菜 오신채] 오훈채(五葷菜).

[五心熱 오심열] 위경(胃經) 속에 화기(火氣)가 뭉치어 몸 특히 수족(手足)이 몹시 더워지는 병(病).

[五十步百步 오십보백보] 오십보소백보(五十步笑百步).

[五十步笑百步 오십보소백보] 오십 보를 달아난 사람이 백 보를 달아난 사람을 보고 웃었는데, 실상 도망간 것은 마찬가지라는 뜻으로, 피차(彼此)의 차이(差異)가 그다지 심하지 아니함을 이르는 말. 대동소이(大同小異).

[五十而知四十九年非 오십이지사십구년비] 오늘에야 비로소 전일(前日)의 잘못을 깨달았다는 말.

[五岳 오악] 오악(五嶽).

[五惡 오악] 《佛敎》 오계(五戒)를 지키지 않는 일. 곧, 살생(殺生)·투도(偸盜)·사음(邪淫)·망어(妄語)·음주(飮酒).

[五樂 오악] 다섯 가지 음악. 곧, 금슬(琴瑟)·생우(笙竽)·고(鼓)·종(鐘)·경죽(磬竹). 또는 고(鼓)·종(鐘)·탁(鐸)·경(磬)·도(鞀).

[五嶽 오악] 다섯 높은 산(山). 곧, 태산(泰山)〈동악(東嶽), 산둥 성(山東省)〉·화산(華山)〈서악(西嶽), 산시 성(陝西省)〉·형산(衡山)〈남악(南嶽), 후난 성(湖南省)〉·항산(恒山)〈북악(北嶽), 산시 성(山西省)〉·숭산(嵩山)〈중악(中嶽), 허난 성(河南省)〉. 오악(五岳).

[五眼 오안] 《佛敎》 다섯 가지의 눈. 곧, 육안(肉眼)·천안(天眼)·법안(法眼)·혜안(慧眼)·불안(佛眼).

[五夜 오야] 밤을 갑(甲)·을(乙)·병(丙)·정(丁)·무(戊)의 다섯으로 구분한 칭호. 오경(五更).

[五言 오언] ㉠인(仁)·의(義)·예(禮)·지(智)·신(信)의 오덕(五德)의 말. ㉡한시(漢詩)의 한 체(體). 한 구(句)가 다섯 자(字)씩으로 된 것.

[五言金城 오언금성] 오언장성(五言長城).

[五言長城 오언장성] 오언시(五言詩)에 능한 사람.

[五逆 오역] 《佛敎》 무간지옥(無間地獄)에 떨어질 다섯 가지 큰 죄악. 곧, 해부(害父)·해모(害母)·해나한(害羅漢)·파승(破僧)·출불신혈(出

佛身血).
[五葉松 오엽송] 잣나무.
[五玉 오옥] ㉠오색(五色)의 옥(玉). 곧, 창옥(蒼玉)·적옥(赤玉)·황옥(黃玉)·백옥(白玉)·현옥(玄玉). ㉡오서(五瑞).
[五蘊 오온]《佛教》일체(一切)의 유위 번뇌(有爲煩惱)를 섭취(攝取)하는 색(色)·수(受)·상(想)·행(行)·식(識)의 다섯 가지.
[五壅 오옹] 군주의 총명(聰明) 또는 위령(威令)이 신하 때문에 막혀 가려지거나 행하여지지 않는 다섯 가지 사정(事情). 곧, 신폐기주(臣閉其主)·신제재리(臣制財利)·신천행령(臣擅行令)·신득행의(臣得行義)·신득수인(臣得樹人).
[五欲 오욕] ㉠이(耳)·목(目)·구(口)·비(鼻)의 욕과 마음의 애정(愛情)의 욕. ㉡《佛教》색(色)·성(聲)·향(香)·미(味)·촉(觸)의 다섯 가지의 정욕(情慾). 오진(五塵). ㉢《佛教》재욕(財欲)·색욕(色欲)·음욕(飮欲)·명욕(名欲)·수면욕(睡眠欲).
[五友 오우] 벗으로 삼을 만한 다섯 가지. ㉠다섯 가지 절조(節操) 있는 식물. 곧, 죽(竹)·매(梅)·난(蘭)·국(菊)·연(蓮). ㉡다섯 가지 뛰어난 벗. 곧, 도우(道友)〈명월청풍(明月淸風)〉·의우(義友)〈고금전문(古今典文)〉·자래우(自來友)〈고운야학(孤雲野鶴)〉·오락우(娛樂友)〈괴석유수(怪石流水)〉·상보우(相保友)〈산과상률(山果橡栗)〉.
[五月 오월] 1년 중 다섯 번째 드는 달.
[五月爐 오월로] 필요(必要)는 없어도 없애면 마음에 서운한 물건을 이르는 말.
[五月雨 오월우] 매우(梅雨).
[五律 오율] 한 구(句)가 다섯 자로 된 율시(律「詩).
[五戎 오융] ㉠오병(五兵). ㉡다섯 가지의 병거(兵車). 곧, 융로(戎路)·광거(廣車)·궐거(闕車)·평거(苹車)·경거(輕車).
[五音 오음] 음율(音律)의 기본(基本)이 되는 궁(宮)·상(商)·각(角)·치(徵)·우(羽)의 다섯 음계(音階).
[五義 오의] 다섯 가지의 중요한 도의(道義). 곧, 부의(父義)·모자(母慈)·형우(兄友)·제공(弟恭)·자효(子孝).
[五儀 오의] ㉠공(公)·후(侯)·백(伯)·자(子)·남(男)의 다섯 등급(等級)의 작(爵). ㉡다섯 등급(等級)의 인품(人品). 곧, 용인(庸人)·사인(士人)·군자(君子)·현인(賢人)·성인(聖人). ㉢수사(秀士)·선사(選士)·준사(俊士)·조사(造士)·진사(進士). 오사(五士).
[五日京兆 오일경조] 한(漢)나라 장창(張敞)이 경조윤(京兆尹)에 임명되었다가 며칠 후에 면직된 고사(故事)에서 나온 말로, 오래 계속하지 못하는 것의 비유로 쓰임.
[五日一風十日一雨 오일일풍십일일우] 오풍십우(五風十雨).
[五日葬 오일장] 초상(初喪)난 지 닷새 만에 지내는 장사(葬事).
[五子 오자] 도학(道學)의 정종(正宗)이라고 일컬어지는 다섯 사람의 송유(宋儒). 곧, 주돈이(周敦頤)·정호(程顥)·정이(程頤)·장재(張載)·주희(朱熹).
[五爵 오작] 다섯 등급의 작위(爵位). 곧, 공(公)·후(侯)·백(伯)·자(子)·남(男). 오등작(五等爵).
[五葬 오장] 다섯 가지 장사(葬事). 곧, 토장(土葬)·수장(水葬)·화장(火葬)·야장(野葬)·임장(林葬).
[五藏 오장] 오장(五臟).
[五臟 오장] 폐장(肺臟)〈백(魄)을 장(藏)함〉·심장(心臟)〈정신(精神)을 장(藏)함〉·비장(脾臟)〈의(意)를 장(藏)함〉·간장(肝臟)〈혼(魂)을 장(藏)함〉·신장(腎臟)〈지(志)를 장(藏)함〉. 오내(五內). 오중(五中). 오창(五倉).
[五丈原 오장원] 지명(地名). 지금의 산시 성(陝西省) 미현(郿縣) 서남 지방. 촉한(蜀漢)의 제갈공명(諸葛孔明)이 위(魏)나라 사마의(司馬懿)와 대진(對陣)하던 중에 병몰(病歿)한 고전장(古戰場).
[五臟六腑 오장육부] 내장(內臟)의 총칭(總稱). 곧, 오장(五臟)과 육부(六腑). 장부(臟腑).
[五障罪 오장죄]《佛教》여인(女人)은 죄장(罪障)이 많아 범천왕(梵天王)·제석천(帝釋天)·마왕(魔王)·전륜성왕(轉輪聖王)·불신(佛身)의 다섯으로 되는 데 장애(障礙)가 있다는 인연(因緣).
[五材 오재] 다섯 가지 재료. 곧, 금(金)·목(木)·수(水)·화(火)·토(土). 또는 금(金)·목(木)·피(皮)·옥(玉)·토(土).
[五典 오전] 오상(五常)의 가르침.
[五絶 오절] 한 구(句)가 다섯 자씩의 절구(絕「句).
[五鼎 오정] 소·양·돼지·물고기·순록을 담아 제사 지내는 다섯 개의 솥. 전(轉)하여, 미식(美食)의 뜻.
[五情 오정] 다섯 가지 감정(感情). 희(喜)·노(怒)·애(哀)·오(惡)·욕(欲). 또는 희(喜)·노(怒)·애(哀)·낙(樂)·욕(欲).
[五鼎食 오정식] 대부(大夫)의 제사에는 오정(五鼎)의 고기를 올리므로, 관위(官位)의 영진(榮進)의 뜻으로 쓰임.
[五帝 오제] ㉠삼황(三皇)의 다음으로 대를 이은 다섯 사람의 성천자(聖天子). 곧, 소호(少昊)·전욱(顓頊)·제곡(帝嚳)·요(堯)·순(舜). 또는 황제(黃帝)·전욱(顓頊)·제곡(帝嚳)·요(堯)·순(舜). ㉡천상(天上)에 있어서 동·서·남·북·중앙의 오방(五方)을 주재(主宰)하는 신(神). 곧, 창제(蒼帝)·적제(赤帝)·황제(黃帝)·백제(白帝)·흑제(黑帝). ㉢춘·하·추·동·중앙의 오시(五時)의 기(氣).
[五宗 오종] ㉠고조(高祖)·증조부(曾祖父)·조부(祖父)·자(子)·손(孫). ㉡《佛教》대승(大乘)의 다섯 종파(宗派). 곧, 천태(天台)·화엄(華嚴)·법상(法相)·삼륜(三輪)·율(律).
[五種 오종] ㉠다섯 가지. 다섯 종류. ㉡오곡(五「穀).
[五中 오중] 오장(五臟).
[五重塔 오중탑] 다섯 층으로 된 탑(塔). 오륜탑(五輪塔).
[五指 오지] 다섯 손가락. 곧, 무지(拇指)·식지(食指)·중지(中指)·무명지(無名指)·소지(小指).
[五塵 오진]《佛教》중생(衆生)의 진성(眞性)을 더럽히는 다섯 가지 오염(汚染). 곧, 색(色)·성(聲)·향(香)·미(味)·촉(觸).
[五車 오차] ㉠성수(星宿)의 이름. ㉡오거지서(五車之書).
[五借物 오차물]《佛教》중생이 빌려서 사는 다섯 가지 물질(物質). 곧, 흙과 물과 불과 바람과 공기.
[五車韻瑞 오차운서] 오거운서(五車韻瑞).

[五車之書 오차지서] 오거지서(五車之書).
[五鑿 오착] 이(耳)·목(目)·구(口)·비(鼻)·심(心)의 다섯 구멍.
[五倉 오창] 오장(五臟).
[五采 오채] 다섯 가지의 채색(彩色). 곧, 청(靑)·황(黃)·적(赤)·백(白)·흑(黑). 오채(五彩).
[五彩 오채] 오채(五采).
[五菜 오채] 오미(五味)에 적응(適應)하는 다섯 가지 채소. 곧, 아욱·콩잎·염교·파·부추.
[五體 오체] ㉠머리와 수족(手足). 전(轉)하여, 사람의 온몸. 전신(全身). ㉡근(筋)·맥(脈)·육(肉)·골(骨)·모피(毛皮)의 일컬음. ㉢전(篆)·예(隸)·진(眞)·행(行)·초(草)의 다섯 가지 글씨체(體).
[五寸 오촌] ㉠다섯 치. ㉡종숙(從叔). 또는 종질(從姪).
[五寸之鍵制開闔之門 오촌지건제개합지문] 작은 열쇠로 큰 대문(大門)을 열고 닫는다는 뜻으로, 미소(微小)한 자라도 요로(要路)에 있으면 그 세력(勢力)의 미치는 바가 광대(廣大)하다는 비유.
[五畜 오축] ㉠다섯 가지 가축(家畜). 곧, 소·양·돼지·닭·개. ㉡말·소·양·돼지·개.
[五蟲 오충] 다섯 종류의 벌레. 곧, 인충(鱗蟲)·우충(羽蟲)·모충(毛蟲)·나충(裸蟲)·개충(介蟲).
[五臭 오취] 다섯 가지 냄새. 곧, 전(羶)〈노린내〉·초(焦)〈탄내〉·향(香)〈향내〉·성(腥)〈비린내〉·후(朽)〈썩는내〉.
[五濁 오탁] 《佛敎》 이 세상의 다섯 가지 더러운 것. 곧, 겁(劫)·견(見)·명(命)·번뇌(煩惱)·중생(衆生)의 오탁(汚濁).
[五濁惡世 오탁악세] 《佛敎》 오탁(五濁)이 있는 좋지 않은 세상. 전(轉)하여, 말세(末世).
[五土 오토] 다섯 가지의 토지. 곧, 산림(山林)·천택(川澤)·구릉(丘陵)·분연(墳衍)·원습(原隰).
[五伯 오패] ㉠삼대(三代) 때 제후(諸侯)의 맹주(盟主)로 임명된 다섯 사람. 곧, 하(夏)나라의 곤오(昆吾), 상(商)나라의 대팽(大彭), 주(周)나라의 시위(豕韋), 제(齊)나라의 환공(桓公), 진(晉)나라의 문공(文公). ㉡오패(五霸).
[五霸 오패] 춘추 시대(春秋時代)의 제후(諸侯)의 맹주(盟主) 다섯 사람. 곧, 제환공(齊桓公)·진문공(晉文公)·진목공(秦穆公)·송양공(宋襄公)·초장왕(楚莊王).
[五品 오품] 인륜상(人倫上)의 다섯 가지 차별. 곧, 부(父)·모(母)·형(兄)·제(弟)·자(子).
[五風十雨 오풍십우] 닷새에 한 번 바람이 불고, 열흘에 한 번 비가 온다는 뜻으로, 기후가 아주 고름을 이름. 세상이 태평함을 이름.
[五虐 오학] 다섯 가지 혹형(酷刑). 곧, 이(刵)·의(劓)·월(刖)·부(腐)·묵(墨).
[五學 오학] ㉠삼대(三代) 때의 학교 제도에서 동학(東學)·서학(西學)·남학(南學)·북학(北學)·태학(太學). ㉡육예(六藝) 중의 주역(周易)을 뺀 악기(樂記)·시경(詩經)·예기(禮記)·서경(書經)·춘추(春秋)의 다섯 가지.
[五害 오해] 흉년(凶年)의 다섯 가지 해(害). 수해(水害)·한해(旱害)·풍무해(風霧害)·박상해(雹霜害)·여해(厲害).
[五行 오행] ㉠우주 간(宇宙間)에 쉬지 않고 운행(運行)하는 다섯 원소(元素). 곧, 금(金)·목(木)·수(水)·화(火)·토(土). 이 오행의 상생상극(相生相剋)에 의하여 만물이 소장(消長)·생존한다 함. ㉡오상(五常).
[五行俱下 오행구하] 오행(五行)을 동시에 읽어 내린다는 뜻. 독서(讀書)의 빠름을 이름. 십행구하(十行俱下).
[五行相剋 오행상극] 오행(五行)이 서로 이기는 이치. 곧, 목극토(木剋土)·토극수(土剋水)·수극화(水剋火)·화극금(火剋金)·금극목(金剋木).
[五行相生 오행상생] 오행(五行)이 서로 순환하여 생(生)하여 주는 이치. 곧, 목생화(木生火)·화생토(火生土)·토생금(土生金)·금생수(金生水)·수생목(水生木).
[五行草 오행초] 쇠비름.
[五絃琴 오현금] 다섯 줄로 된 옛날 거문고.
[五刑 오형] 다섯 가지 형벌. 시대에 따라 일정하지 아니함. ㉠우순(虞舜) 때의 오형은 묵(墨)·의(劓)·비(剕)·궁(宮)·대벽(大辟). ㉡주(周)나라 때는 우순 때와 같으며, 그 밖에 야형(野刑)〈농사를 해친 죄〉·군형(軍刑)〈군중에서 명령 불복종죄〉·향형(鄕刑)〈불효 기타 비위죄〉·관형(官刑)〈관리로서 책임 불이행죄〉·국형(國刑)〈신민으로서 불충죄〉이 있음. ㉢진(秦)나라 때는 경(黥)·의(劓)·참(斬)·참좌우지(斬左右趾)·효수(梟首). ㉣후주(後周) 때는 장형(丈刑)·편형(鞭刑)·도형(徒刑)·유형(流刑)·사형(死刑). ㉤수(隋)나라 때는 태형(笞刑)·장형(杖刑)·도형(徒刑)·유형(流刑)·사형(死刑)으로서 후세에는 이를 따랐음.
[五胡 오호] 한(漢)·진(晉) 무렵 서북방에서 중국 본토에 이주한 다섯 민족. 곧, 몽고의 흉노(匈奴)·갈(羯), 몽고계와 퉁구스계의 혼혈(混血)인 선비(鮮卑), 티베트계의 저(氐)·강(羌).
[五胡十六國 오호십육국] 진(晉)나라 말엽부터 남북조(南北朝) 시대에 이르기까지 오호(五胡)가 세운 열세 나라와 한족(漢族)이 세운 세 나라. 곧, 오호(五胡)는 흉노(匈奴)·갈(羯)·선비(鮮卑)·저(氐)·강(羌), 십육국(十六國)은 전조(前趙)·성한(成漢)·후조(後趙)·전량(前涼)·전연(前燕)·전진(前秦)·후연(後燕)·후진(後秦)·서진(西秦)·후량(後涼)·남연(南燕)·서량(西涼)·남량(南涼)·북량(北涼)·대하(大夏)·북연(北燕).
[五虎將軍 오호장군] 중국 삼국 시대에 촉(蜀)나라 유비(劉備) 막하의 호랑이같이 무서운 다섯 장군(將軍). 곧, 관우(關羽)·장비(張飛)·조운(趙雲)·마초(馬超)·황충(黃忠).
[五孝 오효] 신분에 따라 다른 다섯 가지 효도. 곧, 천자(天子)·제후(諸侯)·경대부(卿大夫)·사(士)·서인(庶人)의 효(孝).
[五葷菜 오훈채] 다섯 가지의 자극성이 있는 채소. 불가(佛家)에서는 마늘·달래·무릇·김장파·세파, 도가(道家)에서는 부추·자총이·마늘·평지·무릇 따위로, 음욕·분노가 유발된다고 금식(禁食)함.
◉九五. 端五. 三三五五. 三五. 什五. 六五. 二五.

2
④ [井] 中人 정 ㊤梗 子郢切 jǐng 井

筆順 一 二 𠀃 井

字解 ①우물 정 물을 긷는 설비 '一底蛙'. ②우물난간 정 우물을 둘러막은 난간(欄干). 또는 그 형상. '圓 一吐葩'《張協》. ③정전 정 중국의 고대에 일리(一里) 사방(四方), 곧 900 묘(畝)의 전지(田地)를 정자형(井字形)으로 9 등분한 것의 일컬음. '一田'. '方里而一, 一九百畝'《孟子》. ④별이름 정 이십팔수(二十八宿)의 하나. '仲夏之月, 日在東一'《禮記》. ⑤정괘 정 육십사괘(六十四卦)의 하나. 곧, ䷯〈손하(巽下), 감상(坎上)〉. 통용(通用)하여 변하지 않는 상(象). ⑥간반듯할 정 구획이 반듯하여 정제(整齊)한 모양. 질서정연한 모양. '一然'. '一一兮其有條理也'《荀子》. ⑦성 정 성(姓)의 하나.

字源 甲骨文 井 金文 井 篆文 丼 象形. 우물 난간을 본뜬 모양으로, 우물의 틀을 나타냄.

[井間 정간] 바둑판 따위와 같이 종횡으로 여러 줄을 그어 '井' 자 모양으로 된 각각의 칸살. 사란(絲欄).
[井幹 정간] ㉠우물 난간. 정형(井桁). ㉡우물 난간의 형상. 우물 난간의 꼴.
[井間紙 정간지] 글씨를 쓸 때에 종이 밑에 받치는 '井' 자 모양으로 줄 친 받침.
[井綆 정경] 두레박줄.
[井觀瑣言 정관쇄언] 고실(故實)을 고증(考證)한 책. 명(明)나라 정원(鄭瑗)의 찬(撰). 전부 3권.
[井臼之役 정구지역] 물을 긷고 절구질을 하는 일. 전(轉)하여, 살림살이의 수고로움을 이름.
[井欄 정란] 우물의 난간. 정형(井桁).
[井樓 정루] 전쟁 때 척후(斥候)로 하여금 적(敵)을 정찰하게 하기 위하여 수레 위에 세운 망루(望樓).
[井渫不食 정설불식] 재능(才能)이 있으나, 세상에 쓰이지 않음의 비유. '渫'은 '潔'의 뜻.
[井稅 정세] 정전(井田)에 부과(賦課)하는 세(稅).
[井宿 정수] 이십팔수의 하나. 남방(南方)에 있음.
[井市 정시] 거리. 시정(市井).
[井魚 정어] 정저와(井底蛙).
[井然 정연] 정정(井井) ㉠.
[井蛙 정와] 정저와(井底蛙).
[井邑 정읍] 마을. 읍리(邑里).
[井底蛙 정저와] 우물 안의 개구리라는 뜻으로, 견문(見聞)이 좁아 세상 형편을 모르는 사람의 비유로 쓰임.
[井田 정전] 전지(田地) 사방(四方) 1리(里)의 일컬음. 은(殷)·주(周) 2대(代)의 전제(田制)로서 900 묘(畝)의 전지(田地)를 정자형(井字形)으로 9등분(等分)하여 주위를 여덟 집에 나누어 경작하고, 중앙을 공전(公田)으로 하여 여덟 집이 공동으로 경작하여 그 수확을 국가(國家)에 바쳤음.

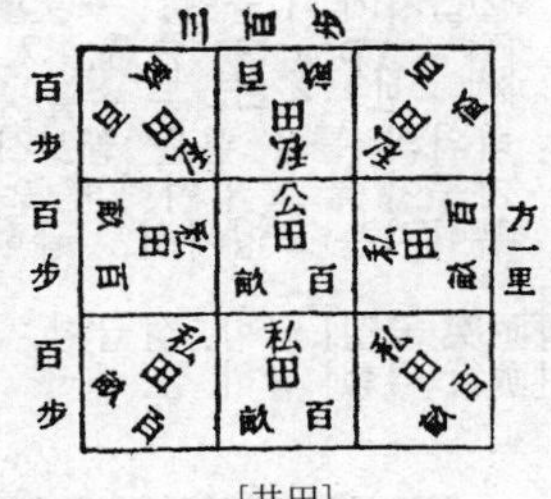

[井田]

[井井 정정] ㉠구획(區劃)이 바른 모양. 또, 질서정연한 모양. 정연(井然). ㉡정결하고 고요한 모양.
[井竈 정조] ㉠우물과 화덕. 생활에 필요한 것을 말함. ㉡고향의 집.
[井中視星 정중시성] 우물 안에서 하늘의 별을 보면 별이 몇 개밖에 보이지 않음. 곧, 사심(私心)에 가려지면 보는 바가 한쪽에 치우쳐서 좁음의 비유.
[井地 정지] 정전(井田).
[井泉 정천] 우물. 또, 우물물.
[井桁 정형] 우물 난간. 정란(井欄).
[井戶 정호] 도회지(都會地) 안의 집. 옛날 우물을 중심으로 주택이 모인 일에서 나온 말.
[井華水 정화수] 이른 새벽에 길은 우물물.
◉埳井. 枯井. 橘井. 綺井. 同井. 東井. 四井. 水井. 市井. 鹽井. 眢井. 油井. 藻井. 天井. 湯井. 火井.

[匀] 〔균〕 勹部 二畫(p. 286)을 보라.

3 ⑤ [击] 〔격〕 擊(手部 十三畫〈p. 908〉)의 簡體字

[示] 〔시〕 部首(p. 1588)를 보라.

[丼] 〔정〕 丶部 四畫(p. 52)을 보라.

4 ⑥ [亘] 人名 ㊀ 선 ㊥先 荀緣切 xuān ㊁ 환 ㊥寒 胡官切 huán ㊂ 긍 ㊦徑 古鄧切 gèn(gèng)

筆順 一 厂 冂 巨 亘 亘

字解 ㊀ 구할 선 요구함. ㊁ 桓(木部 六畫)과 同字. ㊂ 건널 긍 건넘. 亙(次條)과 同字. ※대법원 지정 인명용 한자.

字源 甲骨文 篆文 象形. 선회(旋回)하는 모양을 본떠서, '돌다'의 뜻을 나타냄.

4 ⑥ [亙] 人名 긍 ㊦徑 古鄧切 gèn(gèng)

筆順 一 丆 万 万 亙 亙

字解 ①건널 긍 강을 배를 타고 건넘. '跨川一隰'《水經注》. ②뻗칠 긍, 걸칠 긍 널리 뻗음. '一之秬秠'《詩經》. ③극진할 긍 끝에 닿음. '川塗所一'《王勃》. ④넓이 긍, 길이 긍 연장. '經一數千里'《後漢書》. ⑤성 긍 성(姓)의 하나.

字源 金文 古文 指事. 金文은 '二'와 '月'로서, 달이 하늘의 한쪽에서 다른 한쪽으로 '건너다'의 뜻을 나타냄.

[亙帶 긍대] 널리 뻗어 빙 두름.
◉經亙. 綿亙. 連亙. 聯亙.

4 ⑥ [亚] 〔아·압〕 亞(二部 六畫〈p. 82〉)의 簡體字

5 ⑦ [况] 황 ㊦漾 許訪切 kuàng

字解 발어사 황 발어(發語)의 조사(助辭). '一也永歎'《詩經》.
參考 况(冫部 五畫)·況(水部 五畫)은 別字.

5 ⑦ [亜] 〔아·압〕
亞(二部 六畫〈p. 82〉)의 俗字

5 ⑦ [亘] 〔선·긍〕
亘(二部 四畫〈p. 81〉)의 本字

5 ⑦ [亙] 〔항·긍〕
恆(心部 六畫〈p. 776〉)의 古字

5 ⑦ [些] 人名 사 ①平麻 寫邪切 xiē ②去箇 蘇箇切 suò

字解 ① 적을 사 많지 않음. 잔닮. '一少'. '一事'. '酒癖而今較減一'《辛棄疾》. ② 어조사 사 어세(語勢)를 강하게 하는 조사(助辭). '何爲乎四方一'《楚辭》.

字源 篆文 會意. 此+二. '둘뿐의'·'이것들'의 뜻에서, '조금, 약간, 사소하다'의 뜻을 나타냄.

[些末 사말] 조금. 약간.
[些微 사미] 조금. 약간.
[些些 사사] 근소함. 또, 하찮음.
[些事 사사] 조그마한 일. 하찮은 일.
[些細 사세] 약간. 근소. 또, 하찮음.
[些少 사소] 약간. 근소(僅少).

6 ⑧ [亞] 高·人 ■ 아 去禡 衣嫁切 yà 平麻 於加切 yā ■ 압 入洽 烏甲切 yā 亚

筆順 一 丅 丆 丙 丙 亞 亞

字解 ■ ①버금 아 다음 되는 자리. '一卿'. '一聖'. '管蕭一匹'《蜀志》. ②동서 아 동서(同壻)끼리 서로 부르는 말. 婭(女部 八畫)와 통용. '瑣瑣姻一'《詩經》. ③무리 아 동아리. '一流'. '顏冉之一'《後漢書》. ④곱사등이 아 타배(駝背). ⑤아세아 아 아세아(亞細亞)의 생략. '東一'. ⑥성 아 성(姓)의 하나. ⑦아귀 아 가닥. '物之岐者, 曰一'《六書本義》. ■ 누를 압 壓(土部 十四畫)과 同字. '花蕊一枝紅'《杜甫》.

字源 甲骨文 金文 篆文 象形. 고대(古代)의 묘실(墓室)을 위에서 본 모양을 본뜸. 선조(先祖)의 무덤을 만들어 제사 지내는 다음 세대를 의미해서인지, '버금가는 것'의 뜻을 나타냄.

[亞卿 아경] 경(卿)의 다음가는 벼슬.
[亞灌木 아관목] 관목(灌木)과 초본(草本)과의 중간에 있는 식물(植物). 싸리 따위.
[亞歐 아구] 아세아(亞細亞)와 구라파(歐羅巴).
[亞當 아당] 아담(Adam)의 음역(音譯). 하나님이 최초(最初)에 흙으로 지은 사람의 이름. 그의 아내 하와의 권고로 먹지 말라는 선악과(善惡果)를 따 먹고 에덴 낙원에서 쫓겨났음.
[亞旅 아려] 상대부(上大夫)의 별칭.
[亞流 아류] ㉠동아리. 같은 무리. ㉡둘째가는 사람. ㉢어떤 학설이나 주의(主義)의 뒤를 따르는 사람. 유아(流亞).
[亞麻 아마] 아마과에 속하는 일년초. 껍질의 섬유는 피륙을 짜고 씨는 아마인(亞麻仁)이라 하여 기름을 짜며 약재(藥材)로도 쓰임.
[亞麻油 아마유] 아마의 씨로 짠 기름.
[亞母 아모] 기른 어머니.
[亞父 아부] 아버지 다음으로 존경하고 친애하는 사람이라는 뜻으로, 군주(君主)가 보좌하는 공신(功臣)을 부르는 존칭. 특히, 초(楚)나라의 항우(項羽)가 그의 신하 범증(范增)을 부른 말.
[亞弗利加 아불리가] '아프리카'의 음역(音譯).
[亞砒酸 아비산] 비소(砒素)·산소·수소의 화합물. 말라리아열(熱) 또는 치과용의 약품으로 쓰임.
[亞相 아상] 어사대부(御史大夫)의 이칭(異稱).
[亞壻 아서] 동서(同壻).
[亞聖 아성] 성인(聖人)인 공자(孔子)에 버금가는 대현인(大賢人). 거의 성인(聖人)의 역(域)에 달한 대현인(大賢人). 곧, 안연(顏淵) 또는 맹자(孟子)를 일컬음.
[亞歲 아세] 동지(冬至)의 별칭.
[亞細亞 아세아] 아시아(Asia)의 음역(音譯). 오대주(五大洲)의 하나. 동반구(東半球)의 동북부에 위치하여 동(東)은 태평양, 북은 북극해, 남은 인도양에 면하고, 서는 유럽 및 아프리카에 접하며, 동남부는 말레이 반도가 돌출하여 오세아니아 주(洲)와 대함. 전 육지의 약 3분의 1을 차지함.
[亞鉛 아연] 딱딱하고 부서지기 쉬운 청백색의 광택을 띤 금속. 철이나 강철에 도금하여 산화를 방지함.
[亞鉛華 아연화] 산화아연(酸化亞鉛)의 가루. 의약(醫藥)·안료(顏料) 등으로 쓰임.
[亞熱帶 아열대] 열대와 온대와의 중간 지대.
[亞子 아자] 둘째 아들. 차자(次子).
[亞字欄 아자란] '亞' 자 모양으로 짠 난간.
[亞將 아장] 버금 장수. 부장(副將). 비장(裨將).
[亞州 아주] 아세아주(亞細亞州)의 약칭.
[亞炭 아탄] 탄화(炭化)의 정도가 낮은 석탄.
[亞匹 아필] 필적할 만한 사람. 제배(儕輩). 동아리. 필아(匹亞).
[亞寒帶 아한대] 한대와 온대와의 중간 지대.
[亞獻 아헌] 제사(祭祀) 때 초헌(初獻)에 이어 잔을 올리는 일.
◉歐亞. 南亞. 東亞. 西亞. 流亞. 姻亞. 匹亞.

6 ⑧ [亟] ■ 극 入職 紀力切 jí ■ 기 去寘 去吏切 qì

字解 ■ ①빠를 극 급속함. '經始勿一'《詩經》. ②급히 극, 빨리 극 급속히. '乃一去之'《左傳》. ③성급할 극 조급함. '公孫之一也'《左傳》. ④중해질 극 革(部首)과 同字. '夫子之病一矣'《禮記》. ■ ①자주 기 누차. '仲尼一稱於水'《孟子》. ②갑자기 기 돌연. '一, 遽也'《廣韻》.

字源 金文 篆文 會意. 人+口+又+二. '又우'는 손을 본뜬 모양. '二이'는 아래위의 틀을 본뜬 꼴. 사람을 일정한 틀 안에 가두어 놓고 입이나 손으로 다그치어 나무라고 볶아치는 모양에서, '급하다'의 뜻을 나타냄.

[亟疾 극질] 급함. 성급함. 화급함.
[亟行 극행] 급히 감.

亠 (2획) 部
[돼지해밑부]

0
② [亠] 두 ㊥尤 徒鉤切 tóu

筆順 ' 亠

字解 두 자의 미상(字義未詳).

字源 문자 정리(文字整理)의 필요에서 부수(部首)로 올려진 문자로, 본래 음(音)도 뜻도 없었으나, 이것이 문자의 머리〔頭〕가 되므로 편의적으로 '頭두'라 읽게 됨. 우리나라에서는 '돼지해밑'이라 불림.

1
③ [亡] 中人 ■ 망 ㊥陽 武方切 wáng ■ 무 ㊥虞 微夫切 wú

筆順 ' 亠 亡

字解 ■ ①잃을 망 없어짐. 분실(紛失)함. '一失'. '一逸'. '楚人一弓'《孔子家語》. ②멸할 망 멸망함. 멸망시킴. '一國'. '國家將一'《中庸》. ③달아날 망 도망함. '一命'. '一匿'. '蕭何聞信一, 自追之'《漢書》. ④죽을 망 '一父'. '一友'. '一者有靈'《風俗通》. ⑤죽일 망 살해함. '楚已一龍且'《史記》. ⑥업신여길 망 경멸(輕蔑)함. '一其言'《史記》. ⑦없을 망 ㉠존재하지 아니함. '今也則一'《論語》. ㉡부재(不在)함. '時其一而往拜之'《論語》. ⑧잊을 망 忘(心部 三畫)과 통용. '必其憂矣, 曷維其一'《詩經》. ⑨빠질 망 탐닉(耽溺)함. '樂酒無厭謂之一'《孟子》. ■ 없을 무 無(火部 八畫)와 同字. '一慮'. '一而爲有'《論語》.

字源 甲骨文 金文 篆文 象形. 굽혀진 사람의 시체(屍體)에 무엇인가를 더한 모양을 본떠, '사람이 죽다'의 뜻을 나타냄.

[亡家 망가] ㉠집안을 결딴냄. 집안을 망침. ㉡결딴난 집. 망한 집.
[亡缺 망결] 망궐(亡闕).
[亡骨 망골] 언행(言行)이 주책없는 사람.
[亡國 망국] 망(亡)한 나라.
[亡國之大夫不可以圖存 망국지대부불가이도존] 망한 나라의 대부는 나라의 존립(存立)을 꾀할 자격이 없음.
[亡國之民 망국지민] 망하여 없어진 나라의 백성.
[亡國之本 망국지본] 나라가 망할 근본(根本).
[亡國之聲 망국지성] 망국지음(亡國之音).
[亡國之音 망국지음] 망(亡)한 나라의 음악(音樂)이란 뜻. 음란(淫亂)한 음악 또는 애상적(哀傷的)인 음악을 이름.
[亡闕 망궐] 잃어버려 갖추지 못함. 일부를 망실함. 망일(亡逸). 망결(亡缺).
[亡年交 망년교] 재덕(才德)으로써 사귀어, 나이의 장유(長幼)를 가리지 않는 교우(交友). 망년우(亡年友).
[亡匿 망닉] 달아나 숨음.
[亡靈 망령] 죽은사람의 영혼.
[亡隷 망례] 도망쳐 숨은 죄인(罪人). 포도(逋徒).
[亡虜 망로] 달아난 포로(捕虜).
[亡滅 망멸] 망함. 멸망(滅亡).
[亡命 망명] ㉠명적(名籍)을 이탈(離脫)하고 달아남. ㉡혁명 또는 그 밖의 이유로 자기 나라에 살지 못하고 타국으로 몸을 피함.
[亡命客 망명객] 망명한 사람.
[亡命逃走 망명도주] 망명하여 달아남.
[亡母 망모] 죽은 어머니.
[亡物 망물] ㉠아주 몹쓸 놈. ㉡《佛教》 죽은 중의 유물(遺物).
[亡夫 망부] 죽은 남편.
[亡父 망부] 죽은 아버지.
[亡妣 망비] 죽은 어머니. 망모(亡母).
[亡思不服 망사불복] 은덕을 사모하여 복종하지 아니하는 자가 없음.
[亡散 망산] 달아나 흩어짐. 또, 그 사람.
[亡僧 망승] 죽은 중.
[亡臣 망신] 국외로 달아난 신하. 망명(亡命)한 신하.
[亡身 망신] 자기의 지위와 명망(名望)을 망침.
[亡失 망실] 잃어버림. 없어짐.
[亡室 망실] 죽은 아내. 망처(亡妻).
[亡羊得牛 망양득우] 양을 잃고 소를 얻음. 곧, 작은 손해(損害)를 보고 큰 이익(利益)을 얻음. 손해를 본 것이 도리어 이익이 됨.
[亡羊補牢 망양보뢰] 양이 달아난 뒤에 울을 고친다는 뜻으로, '소 잃고 외양간 고치기'란 말과 뜻이 같음.
[亡陽症 망양증] 몸의 양기(陽氣)가 없어지는 병. 땀이 많이 나는 것과 안 나는 것의 두 가지가 있음.
[亡羊之歎 망양지탄] 도망한 양을 쫓는데 갈림길이 많아서 마침내 잃어버리고 탄식하였다는 뜻으로, 학문의 길이 다방면이어서 진리를 깨닫기가 어려움을 한탄하는 것을 비유한 말.
[亡友 망우] 죽은 벗.
[亡運 망운] 망(亡)할 운수(運數).
[亡義 망의] '불의(不義)'와 같음.
[亡人 망인] ㉠타국으로 도망한 사람. 망명(亡命)한 사람. ㉡죽은 사람.
[亡日 망일] 죽은 날.
[亡軼 망일] 흩어져 없어짐.
[亡逸 망일] ㉠망일(亡軼). 산일(散逸). ㉡달아남. 도주함.
[亡子 망자] 죽은 아들.
[亡者 망자] ㉠죽은 사람. ㉡《佛教》 죽은 사람으로서 아직 성불(成佛)하지 못하고 명도(冥途)에 있는 자.
[亡弟 망제] 죽은 아우.
[亡兆 망조] 망(亡)할 징조(徵兆).
[亡卒 망졸] ㉠도망한 병졸. ㉡전사(戰死)한 병졸.
[亡終 망종] 사람이 죽은 때. 인생의 마지막.
[亡種 망종] 아주 몹쓸 놈의 종자.
[亡走 망주] 도주(逃走)함. 도망.
[亡酒 망주] 술자리를 피하여 달아남.
[亡徵敗兆 망징패조] 결딴날 징조.
[亡竄 망찬] 망닉(亡匿).
[亡妻 망처] 죽은 아내.
[亡祝 망축] 《佛教》 죽은 사람의 명복을 비는 일.
[亡八 망팔] 인(仁)·의(義)·예(禮)·지(智)·효(孝)·제(悌)·충(忠)·신(信)의 여덟 도덕(道德)을 잃었다는 뜻으로, 오입쟁이. 또, 전(轉)하여 갈보집을 이름. 망팔(忘八).
[亡逋 망포] 달아남. 도망함. 또, 그 사람.
[亡兄 망형] 죽은 형.
[亡魂 망혼] ㉠죽은 사람의 영혼(靈魂). ㉡혼비백산(魂飛魄散)함.
[亡後 망후] 사람이 죽은 뒤. 사후(死後). 몰후(歿後).
[亡慮 무려] '무려(無慮)'와 같음.
[亡賴 무뢰] '무뢰(無賴)'와 같음.

[亡聊 무료] '무료(無聊)'와 같음.
[亡狀 무상] '무상(無狀)'과 같음.
[亡是公 무시공] 이 공(公)이 없다는 뜻으로, 가설(假設)의 인명(人名)으로 쓰임. 오유선생(烏有先生).
◉缺亡. 梏亡. 逃亡. 滅亡. 死亡. 散亡. 脣亡. 往亡. 危急存亡. 遺亡. 人琴俱亡. 存亡. 陣亡. 敗亡. 荒亡. 興亡.

2 ④ [亢] 人名 항 ①㊥陽 古郎切 gāng ②-⑫㊤漾 苦浪切 kàng

筆順 ' 亠 亢 亢

字解 ①목 항 ㉠목덜미. '搤其—'《史記》. ㉡목구멍. '—, 咽也'《正字通》. ㉢요해처(要害處). '批—擣虛'《史記》. ②지나칠 항 너무 지나침. 태과(太過)함. '—陽'. '土潤蘇—旱'《劉銑》. ③극진히할 항 極(木部 八畫)과 뜻이 같음. '可以—寵'《左傳》. ④가릴 항 안 보이도록 가림. 엄폐(掩蔽)함. '鄭太叔曰, 吉不能—身, 焉能—宗'《左傳》. ⑤겨룰 항 필적(匹敵)함. 抗(手部 四畫)과 同字. '料敵制勝, 威謀靡—'《揚雄》. ⑥굳셀 항 강직함. 비굴(卑屈)하지 않음. '—直'. '崔信明蹇—以門望自負'《唐書》. ⑦거만할 항 오만함. '—傲'. '—顏'. '高論怨誹爲—而已矣'《莊子》. ⑧올라갈 항 높이 올라감. '—龍有悔'《易經》. ⑨막을 항 항거(抗拒)함. '戎—其下'《左傳》. ⑩마룻대 항 집의 용마루 밑에 서까래가 걸리게 된 재목. '有四阿中—重廊'《北史》. ⑪별 이름 항 이십팔수(二十八宿)의 하나. 동쪽에 있음. '仲夏之月, 日在東井, 昏—中, 且危中'《禮記》. ⑫성 항 성(姓)의 하나.

字源 篆文 別體 象形. 人 모양으로 속이 비고 솟아오른 결후(結喉) 또는 경동맥(頸動脈)의 모양을 본떠, '목, 높아지다'의 뜻을 나타냄.

[亢答 항답] 응대(應對).
[亢羅 항라] 명주실·모시실·무명실 등으로 짠 피륙의 한 가지. 씨를 세 올이나 다섯 올마다 걸러서 구멍이 송송 뚫어지게 한 여름 옷감.
[亢禮 항례] 대등(對等)한 예로써 대(對)하여 굽히지 않음. 항례(抗禮).
[亢龍有悔 항룡유회] 하늘 끝까지 올라가 내려올 줄 모르는 용은 반드시 후회할 때가 있다는 뜻으로, 극히 존귀한 지위에 올라간 자가 조심하고 겸퇴(謙退)할 줄 모르면 반드시 패가망신하게 됨을 비유하는 말.
[亢滿 항만] 신분이 존귀하고 재산이 풍족함. 부귀(富貴).
[亢奮 항분] 흥분함. 격(激)함.
[亢鼻 항비] 높은 코. 융비(隆鼻).
[亢星 항성] 이십팔수(二十八宿)의 하나. 동방(東方)에 위치함.
[亢顏 항안] 거만한 얼굴. 방약무인(傍若無人)한 행동.
[亢陽 항양] 항한(亢旱).
[亢傲 항오] 오만(傲慢)함. 교오(驕傲).
[亢燥 항조] 땅이 높고 건조함.
[亢直 항직] 강직(剛直)하여 남에게 굽히지 않음. 항직(抗直).
[亢進 항진] 자꾸 높아짐. 심하여짐.
[亢秩 항질] 가장 높은 품계(品階).
[亢扞 항한] 적대(敵對)하여 막음. 대항(對抗)함.
[亢旱 항한] 대단한 가뭄.
◉強亢. 蹇亢. 騫亢. 高亢. 矯亢. 久亢. 重亢.

2 ④ [亣] 〔대·태〕 大(部首〈p. 483〉)의 籀文

[六] 〔륙〕 八部 二畫(p. 212)을 보라.

[卞] 〔변〕 卜部 二畫(p. 311)을 보라.

[文] 〔문〕 部首(p. 943)를 보라.

[主] 〔주〕 丶部 四畫(p. 50)을 보라.

[市] 〔시〕 巾部 二畫(p. 667)을 보라.

[玄] 〔현〕 部首(p. 1410)를 보라.

[立] 〔립〕 部首(p. 1646)를 보라.

4 ⑥ [交] 中人 교 ㊥肴 古肴切 jiāo

筆順 ' 亠 亣 六 㐬 交

字解 ①사귈 교 교유(交遊)함. '—際'. '—款'. '與朋友—, 而不信乎'《論語》. ②합할 교 합동함. '上下—'《易經》. 또, 합하는 곳. '戰于河謂之—'《班固》. ③섞일 교 ㉠섞여짐. '—流'. '兵刃既—'《孟子》. ㉡참가함. '章—公車'《漢書》. ④엇걸릴 교 교차함. '—錯'. ⑤엇걸 교 교차시킴. '—臂歷指'《莊子》. ⑥오고갈 교 왕래함. '—易爲言'《公羊傳》. ⑦주고받을 교 수수(授受)함. '男女不—爵'《禮記》. ⑧서로 교 '—互'. '上下—征利而國危矣'《孟子》. ⑨벗 교 붕우(朋友). '以軀借—報仇'《史記》. ⑩흘레할 교 '—尾'. '虎始—'《禮記》. ⑪어름 교 달이나 계절이 바뀔 때. '春夏之—'. '十月之—'《詩經》. ⑫옷깃 교 '衿謂之—'《揚子方言》. ⑬성 교 성(姓)의 하나.

字源 金文 篆文 象形. 사람이 정강이를 엇걸어 꼬는 모양을 본떠서, '교차함, 섞임, 사귐'의 뜻을 나타냄.

[交加 교가] ㉠뒤섞임. ㉡왕래함. 교제(交際)함.
[交感 교감] 서로 접촉되어 감응(感應)함.
[交感神經 교감신경] 고등 척추동물의 척추 양측에 달린 한 쌍의 줄기와, 거기에서 내장(內臟)의 제기관(諸器官)에 퍼진 자율 신경의 하나.
[交蓋 교개] '경개(傾蓋)'를 보라.
[交結 교결] 서로 맺어 사귐. 교제(交際).
[交更 교경] 교대(交代).
[交頸 교경] ㉠서로 목을 엇겲. 서로 목을 비벼댐. ㉡전(轉)하여, 부부 금슬이 좋음.
[交契 교계] 교분(交分).
[交界 교계] 땅의 경계(境界). 접경(接境).

[交骨 교골] 여성(女性)의 치골(恥骨).
[交款 교관] 교환(交驩).
[交關 교관] 왕래함.
[交交 교교] 새가 뒤섞여 나는 모양.
[交媾 교구] ㉠성교(性交). ㉡음양(陰陽)이 상교(相交)함.
[交構 교구] 교묘하게 꾸며 댐. 「衛).
[交戟 교극] ㉠창을 교차(交叉)시킴. ㉡수위(守
[交拏 교나] 서로 드잡이하고 싸움.
[交單 교단] 금전의 영수증.
[交黨 교당] 사귀어 한 당파를 이룸.
[交代 교대] 갈마듦. 교체(交替).
[交道 교도] 사귀는 길. 교제의 방법.
[交頭結尾 교두결미] 수미(首尾)가 교결(交結)한다는 뜻으로, 한쪽의 끝이 한쪽의 시작(始作)이 되어 순환(循環)하는 일.
[交頭接耳 교두접이] 귀에다 입을 대고 속삭거림. 밀담(密談)함.
[交領 교령] ㉠옷깃. ㉡받음. 영수(領收)함.
[交龍 교룡] ㉠두 용(龍)이 서로 얽힌 그림. 용틀임. ㉡교룡(蛟龍).
[交流 교류] ㉠근원을 달리한 물이 서로 만나서 흐름. ㉡강도(強度)와 방향이 일정한 시간을 주기(周期)로 하여 반대로 변하는 전류(電流).
[交隣 교린] 이웃 나라와의 교제.
[交貿 교무] 교역(交易).
[交尾 교미] 흘레. 자미(孳尾).
[交拜 교배] 혼인(婚姻) 때 신랑(新郞)과 신부(新婦)가 서로 절함.
[交配 교배] 종류(種類)가 다른 자웅(雌雄)의 배합(配合). 「番).
[交番 교번] 번을 갈아 듦. 체번(遞番). 윤번(輪
[交兵 교병] 교전(交戰).
[交鋒 교봉] 교전(交戰).
[交付 교부] 내어 줌. 내리어 줌.
[交分 교분] 친구(親舊) 사이의 정의(情誼). 교계(交契). 교의(交誼).
[交紛 교분] 뒤섞임.
[交朋 교붕] 교우(交友).
[交臂 교비] ㉠경의를 표하여 깍지를 낌. 공수(拱手). 교수(交手). ㉡친밀한 정을 표하여 서로 손을 마주 잡음. 파비(把臂). ㉢두 손을 뒤로 묶음.
[交聘 교빙] 나라와 나라 사이에 서로 사신(使臣)을 보냄.
[交牀 교상] 교의(交椅).
[交喪 교상] 서로 상대(相對)를 잃음. 서로 따로 떨어짐.
[交噬 교서] 서로 묾. 서로 다툼.
[交涉 교섭] ㉠서로 의논하여 일을 처결함. 절충함. ㉡관계함.
[交疏 교소] 엇갈려 통함. '疏'는 '通'의 뜻. '一一結綺窓'《古詩》.
[交手 교수] ㉠씨름. ㉡손과 손을 마주 쥠. 접근함. ㉢깍지를 낌. 공수(拱手).
[交收 교수] 받아들임. 손에 넣음. 교부(交付)의 대(對).
[交授 교수] 수수(授受).
[交綏 교수] 양군(兩軍)이 다 같이 물러감.
[交酬 교수] 예물(禮物)의 교환.
[交詢 교순] 신실(信實)로써 사귐.
[交承 교승] 인계(引繼)함. 전임자가 갈려 가고 후임자가 그 자리에 앉음.
[交市 교시] 교역(交易).
[交識 교식] 사귀어 앎. 사귐.
[交讓 교양] 호양(互讓).
[交讓木 교양목] 대극과(大戟科)에 속하는 상록활엽 교목(常綠闊葉喬木). 굴거리나무.
[交易 교역] ㉠물건을 서로 팔고 사고 하여 바꿈. 거래(去來)를 함. ㉡왕래(往來).
[交午 교오] 서로 뒤섞임.
[交友 교우] ㉠벗. 친구(親舊). ㉡벗을 사귐. 친구와 교제(交際)함.
[交遊 교유] ㉠사귀어 놂. 교제(交際)하여 왕래(往來)함. ㉡교우(交友).
[交倚 교의] 교의(交椅). 
[交椅 교의] 다리가 교차(交叉)되어 접을 수 있게 된 의자(椅子). 호상(胡床).

[交椅]

[交誼 교의] 교분(交分).
[交引 교인] 송대(宋代)에 쓰이던 어음의 한 가지.
[交印 교인] 연명(連名)하여 날인(捺印)함.
[交一臂 교일비] 우연히 만나 잠시 사귐을 이름.
[交子 교자] 송대(宋代)의 지폐(紙幣).
[交雜 교잡] 뒤섞임.
[交腸症 교장증] 오줌에 대변(大便)이 섞여 나오는 부인병(婦人病).
[交戰 교전] 서로 싸움. 교병(交兵). 교봉(交鋒). 교화(交火).
[交戰國 교전국] 서로 전쟁하는 나라.
[交節 교절] 철이 바뀜. 환절(換節).
[交絕不出惡聲 교절불출악성] 절교는 하여도 상대방을 욕하지 아니함.
[交點 교점] 교차점(交叉點).
[交接 교접] ㉠서로 접촉함. 사귐. ㉡교유(交遊). ㉢성교(性交).
[交情 교정] 사귄 정(情). 우정(友情).
[交精 교정] 푸른백로. 교청(鵁鶄).
[交際 교제] ㉠예물(禮物)을 증답(贈答)하고 사귐. ㉡교유(交遊). 사귀어 가까이함.
[交捽 교졸] 서로 맞서서 버티며 다툼. 대항(對抗)함.
[交趾 교지] 한(漢)나라 때의 군명(郡名). 지금의 월남(越南) 북부(北部)의 통킹·하노이 지방.
[交織 교직] 명주실로 날을 삼고 무명실로 씨를 삼아 짠 피륙. 또는 두 가지 이상의 실을 섞어서 짠 피륙.
[交迭 교질] 교체(交替).
[交叉 교차] 종횡(縱橫)으로 엇걸림.
[交叉點 교차점] 교차(交叉)된 곳.
[交錯 교착] 서로 뒤섞이어 엇걸림. 또, 뒤섞이어 혼잡함.
[交參 교참] 서로 엇걸림.
[交窓 교창] 창살을 '井' 자 모양으로 짜지 않고 '爻' 자 모양으로 짠 창.
[交淺言深 교천언심] 사귄 지 얼마 안 되는데 자기 속을 털어 이야기함.
[交睫 교첩] 잠을 자기 위하여 눈을 감음. 접목(接目).
[交替 교체] 갈마듦. 교질(交迭).
[交鈔 교초] 금(金)·원(元) 시대의 지폐(紙幣).
[交泰 교태] 음양(陰陽)이 조화(調和)하여 만물이 안태(安泰)함.
[交態 교태] 교제(交際)하는 꼴.
[交通 교통] ㉠서로 오고 가는 일. 내왕(來往). ㉡섞어 통하게 함. ㉢사람의 왕복, 화물의 운

반, 의사(意思)의 전달 등의 총칭.
[交片 교편] 청조(淸朝) 시대에 군기처(軍機處)에서 각 아문(衙門)에 조회(照會)하던 공용 문서(公用文書).
[交合 교합] 성교(性交).
[交響樂 교향악] 교향곡·교향시 등 관현악을 위하여 만든 음악의 총칭. 보통 네 악장(樂章)으로 되었음. 심포니.
[交互 교호] ㉠서로 어긋매낌. ㉡번갈아듦. 교대함. 교대(交代).
[交婚 교혼] 서로 바꾸어 혼인(婚姻)을 맺음.
[交火 교화] 교전(交戰).
[交換 교환] ㉠서로 바꿈. ㉡서로 주고받음. 증답(贈答)함. ㉢경제적(經濟的)인 방법에 의한 재화(財貨)의 수수(授受).
[交歡 교환] 교환(交驩).
[交驩 교환] 서로 사이좋게 사귀며 즐김.
[交會 교회] ㉠서로 사귐. 서로 섞임. ㉡서로 만나는 곳. 모이는 곳. ㉢교자(交子)와 회자(會子). 모두 송대(宋代)의 지폐(紙幣).
◉結交. 管鮑之交. 膠漆之交. 舊交. 國交. 金蘭之交. 金石之交. 亂交. 蘭交. 南交. 斷交. 斷金之交. 莫逆之交. 亡年之交. 面交. 刎頸之交. 文字交. 貧交. 貧賤之交. 死交. 私交. 社交. 上交. 石交. 善交. 勢利之交. 素交. 修交. 市交. 深交. 烏集之交. 外交. 爾汝交. 隣交. 一面之交. 絕交. 定交. 情交. 至交. 直交. 靑雲之交. 締交. 親交. 布衣之交. 下交.

4 ⑥ **[亥]** [中人] 해 ㊤賄 胡改切 hài

[筆順] 丶 亠 亡 玄 亥 亥

[字解] ①열두째지지 해 십이지(十二支)의 끝. 시간(時間)으로는 오후 9시부터 11시까지의 사이. 방위(方位)로는 술(戌)과 자(子) 사이. 곧, 서북(西北)과 북(北)과의 사이. 달로는 음력 10월의 일컬음. 띠로는 돼지. ②성 해 성(姓)의 하나.

[字源] 甲骨文 金文 篆文 古文 象形. 甲骨文에서 잘 알 수 있듯이 멧돼지를 본뜬 모양. 가차(假借)하여 십이지(十二支)의 제십이위(第十二位)의 뜻으로 쓰임.

[亥末 해말] 해시(亥時)의 마지막 시각(時刻). 오후 11시경.
[亥方 해방] 24 방위(方位)의 하나. 서북(西北)과 북(北)과의 사이.
[亥市 해시] 하루 걸러 서는 장. 일설(一說)에는, 해일(亥日)에 서는 장.
[亥豕 해시] 해시지와(亥豕之譌).
[亥豕之譌 해시지와] 문자(文字)의 오사(誤寫). '亥'와 '豕'는 고문(古文)의 자체(字體)가 비슷하여 잘못 쓴 고사(故事). 노어지오(魯魚之誤).
[亥月 해월] 음력(陰曆) 10월의 별칭.
◉三豕己亥.

4 ⑥ **[亦]** [中人] [一] 역 [入]陌 羊益切 yì [二] 혁(역[本])

[筆順] 丶 亠 亣 亣 亦 亦

[字解] [一] ①또한 역 ㉠이것도 저것도 마찬가지로. '怨不在大, 一不在小'《書經》. '丘一恥之'《論語》. ㉡又(部首)와 뜻이 비슷하나, 별 뜻 없이 가볍게 첨가하여 쓰는 말. '尙一有利哉'《大學》. '學而時習之, 不一說乎'《論語》. ②모두 역 總(糸部 十一畫)과 뜻이 같음. '一行有九德'《書經》. ③다스릴 역 '一, 治也'《廣雅》. ④쉬울 역 '二者一知'《列子》. ⑤성 역 성(姓)의 하나. [二] 클 혁 奕(大部 六畫)의 古字. '一服爾耕'《詩經》.

[字源] 甲骨文 金文 篆文 指事. 사람의 양쪽 겨드랑이에 점(點)을 더하여 '겨드랑이'의 뜻을 나타냄. 가차(假借)하여 '또한'의 뜻을 보임. 나중에 '겨드랑이'의 뜻으로는 '腋액'이 쓰이게 됨.

[亦是 역시] 또한. 마찬가지로.
[亦然 역연] 역시 그러함.
[亦參其中 역참기중] 어떤 일에 참여함.

[衣] 〔의〕 部首(p. 2051)를 보라.

5 ⑦ **[亨]** [高人] [一] 형 [平]庚 許庚切 hēng(héng) [二] 향 ㊤養 許兩切 xiǎng [三] 팽 [平]庚 披庚切 pēng

[筆順] 丶 亠 亠 古 古 亨 亨

[字解] [一] 형통할 형 뜻과 같이 잘됨. 아무 지장 없이 잘되어 나감. '元一利貞'《易經》. [二] 드릴 향 享(亠部 六畫)과 통용. '公用一于天子'《易經》. [三] 삶을 팽 烹(火部 七畫)과 同字. '一煮'. '大一以養聖賢'《易經》.

[字源] 象形. 조상신(祖上神)을 모신 장소를 본뜬 모양으로, 받들다, 바치다, 신의(神意)에 어긋나지 않아 일이 형통함의 뜻을 나타냄. 본디, '享향'과 동일어(同一語).

[亨熟 팽숙] 삶음. 삶아서 익힘. 또, 삶아짐.
[亨人 팽인] 주대(周代)의 관명(官名). 취사(炊事)를 맡음. 팽인(烹人).
[亨煮 팽자] 삶음.
[亨醢 팽해] 사형(死刑)에 처해짐. '醢해'는 사체(死體)를 소금에 절이는 일.
[亨侑 향유] 주식(酒食)을 권함. 향응(饗應)함. 향유(享侑).
[亨嘉 형가] 좋은 때를 만남.
[亨途 형도] 평탄한 길.
[亨運 형운] 순조로운 운명.
[亨通 형통] ㉠모든 일이 뜻과 같이 잘됨. ㉡운(運)이 좋아서 출세함.
◉吉亨. 彭亨. 豐亨.

5 ⑦ **[㐬]** [一] 류 [平]尤 九求切 liú [二] 황 [平]陽 呼光切 huāng

[字解] [一] 깃발 류 旒(方部 九畫)와 同字. '旒, 旌旗之旒也. 或省'《集韻》. [二] 거칠 황 荒(艸部 六畫)과 同字. '一, 與荒同'《字彙補》.

5 ⑦ **[亩]** 〔묘〕 畝(田部 五畫〈p. 1465〉)의 簡體字

[辛] 〔신〕 部首(p. 2281)를 보라.

6 ⑧ [享] 高人 향 ㊤養 許兩切 xiǎng ㊥庚 虛庚切 hēng

筆順 ' 亠 亠 古 古 亨 享 享

字解 ①드릴 향 진헌(進獻)함. '賓服者—'《國語》. ②제사지낼 향 제사를 드림. '—祀'. '—于西山'《易經》. ③잔치할 향 잔치를 베풂. '—侑'. '止而—之'《左傳》. ④흠향할 향 제사를 받음. '百神—之'《孟子》. ⑤누릴 향 차지함. '—有'. '桓公之—國也'《公羊傳》. ⑥잔치 향 연향(宴饗). '—以訓恭儉, 燕以示慈惠'《左傳》.

字源 甲骨文 金文 籀文 篆文 象形. 甲骨文·金文에서 알 수 있듯이, 기초가 되는 대상(臺上)에 세워진 조상을 모신 곳을 본뜬 모양으로, 조상신(神)에게 음식물을 바침의 뜻을 나타냄. 篆文은 곽(郭)의 篆文 의 방(旁) 비슷한 모양으로, 나중에 이 하부(下部)가 잘못되어 '子'로 변형(變形)되어서 '享'의 자형(字形)을 이루게 되었음. '享'은 '亨'과 같은 말이었으나, '享'은 사람이 바치는 뜻을, '亨'은 신(神)이 받아들여 일이 형통(亨通)함의 뜻을 각기 분담하기에 이름.

[享官 향관] 제관(祭官).
[享國 향국] 나라를 향유(享有)하여 재위(在位)함. 또, 군주(君主)의 재위 연수(在位年數).
[享年 향년] ㉠이 세상에 존속(存續)함. 이 세상에 생존(生存)함. ㉡한평생에 누린 나이. 행년(行年).
[享樂 향락] 즐거움을 누림.
[享樂主義 향락주의] 주(主)로 육체(肉體)의 쾌락을 인생의 목적으로 삼는 주의.
[享福 향복] 복(福)을 누림.
[享祀 향사] 제사(祭祀). 향제(享祭).
[享嘗 향상] 제수(祭需)를 차리고 제사를 지냄.
[享受 향수] 받아 누림.
[享壽 향수] 오래 사는 복(福)을 누림. 장수(長壽)함.
[享宴 향연] 잔치. 향연(饗宴).
[享右 향우] ㉠신(神)에게 주식(酒食)을 권함. ㉡향유(享侑).
[享祐 향우] 신(神)의 도움을 받음.
[享有 향유] 누리어 가짐. 몸에 받아 지님.
[享侑 향유] 주식(酒食)을 권함. 향응(饗應)함.
[享儀 향의] 제례(祭禮). 일설(一說)에는, 제사 때 쓰는 장식물.
[享祭 향제] 제사(祭祀). 향사(享祀).
[享祉 향지] 향복(享福).
[享春客 향춘객] 봄을 향락(享樂)하는 사람.
◉來享. 大享. 配享. 不享. 聘享. 世享. 朝享. 春享. 孝享. 歆享.

6 ⑧ [京] 中人 ■ 경 ㊥庚 擧卿切 jīng ■ 원 ㊥元 愚袁切 yuán

筆順 ' 亠 亠 古 古 亨 京 京

字解 ■ ①서울 경 수도(首都). '—師'. '驛召至—'《唐書》. ②언덕 경 높은 언덕. '如坻如—'《詩經》. ③클 경 '—觀'. '—, 大也'《爾雅》. ④높을 경 '燎—薪'《張衡》. ⑤천만 경 조(兆)의 10배. 또, 조(兆)의 만 배. ⑥고래 경 鯨(魚部 八畫)과 同字. '騎—魚'《揚雄》. ⑦곳집 경 창고. '見建家—下方石'《史記》. ⑧가지런할 경 '八世之後莫之與—'《左傳》. ⑨근심할 경 걱정함. '憂心——'《詩經》. ⑩성 경 성(姓)의 하나. ■ 언덕 원 原(厂部 八畫)과 통용. '從先大夫於九—'《禮記》.

字源 甲骨文 金文 篆文 象形. 높은 언덕 위에 서 있는 집 모양을 본떠, '높은 언덕·수도(首都)'의 뜻을 나타내고, 전(轉)하여 '크다'의 뜻도 나타냄.

參考 亰(亠部 七畫)은 同字.

[京間 경간] 한 간(間)을 곡척(曲尺) 여섯 자 세 치, 또는 여섯 자 다섯 치의 길이로 함.
[京京 경경] 대단히 근심하는 모양.
[京官 경관] 서울에서 근무하는 관원.
[京觀 경관] 큰 구경거리라는 뜻으로, 전공(戰功)을 보이기 위하여 적의 시체(屍體)를 높이 쌓고 크게 봉분(封墳)한 것.
[京郊 경교] 서울의 교외(郊外).
[京國 경국] 경사(京師).
[京闕 경궐] 서울의 대궐. 전(轉)하여, 경사(京師). 서울.
[京劇 경극] ㉠경사(京師)의 번화(繁華)한 곳. 일설(一說)에는, 경사의 바쁜 임무. 연극(輦劇). ㉡북경(北京)의 극(劇)이란 뜻으로, 청(淸)나라 때에 시작된 중국의 구극(舊劇). 희문(戲文)을 개편 각색(脚色)한 것을 각본으로 삼는 가극 같은 연극. 가창(歌唱)을 주로 하는 문희(文戲), 몸짓을 주로 하는 무희(武戲), 양자(兩者)를 합친 문무희(文武戲) 등이 있음. 본래는 장치 없는 무대에서 하였음. 경희(京戲).
[京圻 경기] 경기(京畿).
[京畿 경기] 서울을 중심으로 한 가까운 지역(地域). 전(轉)하여, 경사(京師). 서울.
[京都 경도] 경사(京師).
[京童 경동] 서울의 아이들.
[京洛 경락] 경사(京師).
[京輦 경련] 경사(京師).
[京陵 경릉] 높고 큰 언덕.
[京耗 경모] 서울 소식. 경신(京信).
[京坊 경방] 서울의 동(洞).
[京本 경본] 지방에서 출판되는 책에 대해, 서울에서 출판되는책의 일컬음.
[京府 경부] 경사(京師).
[京師 경사] 경(京)은 대(大), 사(師)는 중(衆), 곧 대중(大衆)이 사는 곳이라는 뜻. 임금의 궁성(宮城)이 있는 곳.
[京山 경산] 서울 근처에 있는 산.
[京城 경성] ㉠궁성(宮城). 대궐. 전(轉)하여, 경사(京師). ㉡《韓》 우리나라의 수도(首都) 서울의 옛 이름.
[京信 경신] 서울에서 온 편지 또는 소식.
[京室 경실] 왕실(王室).
[京樣 경양] 서울의 풍속. 또, 서울티.
[京魚 경어] ㉠고래. '京'은 '鯨'과 같음. ㉡큰 물고기.
[京外 경외] 서울의 밖. 수도(首都) 이외의 땅.
[京尹 경윤] 경조윤(京兆尹).
[京邑 경읍] 경사(京師).
[京兆 경조] ㉠경사(京師). ㉡경조윤(京兆尹). ㉢옛 군(郡)의 이름. 지금의 산시 성(陝西省) 장안현(長安縣)의 서북쪽.
[京調 경조] ㉠서울의 풍속(風俗)과 습관(習慣). ㉡《韓》 서울에서 특별히 부르는 시조(時調)의

창법(唱法).
[京兆眉 경조미] 아내를 위하여 눈썹을 그렸다는 장창(張敞)의 고사(故事).
[京兆尹 경조윤] 경사(京師)의 태수(太守). 수도(首都)의 장관(長官).
[京中 경중] 경사(京師) 안. 서울 안.
[京職 경직] 수도(首都)에서 근무하는 벼슬. 조정(朝廷)에 출사(出仕)하는 관직(官職).
[京倉 경창] ㉠미속(米粟)을 저장하는 큰 창고. ㉡서울에 있는 미속(米粟)을 저장하는 창고.
[京峙 경치] 높은 언덕.
[京風 경풍] 경양(京樣).
[京鄕 경향] 서울과 시골.
[京華 경화] 경사(京師).
[京戲 경희] 경극(京劇).
◉九京. 舊京. 歸京. 洛京. 三京. 上京. 神京. 離京. 入京. 帝京. 出京. 華京. 皇京.

6 ⑧ [亯] 〔극〕
克(儿部 五畫〈p.195〉)의 本字

6 ⑧ [亩] 〔름〕
廩(广部 十三畫〈p.710〉)과 同字

[夜] 〔야〕
夕部 五畫(p.481)을 보라.

7 ⑨ [亭] 高人 정 ㊥靑 特丁切 tíng

筆順 丶 亠 亠 亣 亨 亭 亭 亭

字解 ①주막집 정 여인숙. 여관(旅館). '敗官一民舍'《漢書》. ②역말 정 역참(驛站). 또, 역참이 있는 곳. '驛一'. '郵一'. '十里一一, 十一一鄕'《後漢書》. ③정자 정 경치가 좋은 곳에 놀려고 지은 집. '園一'. '一榭'. '起齋一'《北齊書》. ④기를 정 화육(化育)함. '一之毒之'《老子》. ⑤평평하게할 정 ㉠평탄하게 함. '決河一水'《史記》. ㉡공평하게 처리함. '平一疑法'《漢書》. ⑥고를 정 조화(調和)됨. '甘立而五味一'《淮南子》. ⑦곧을 정 바름. '以征不一'《史記》. ⑧이를 정 어느 시간에 이름. '羲和一午'《孫綽》. ⑨머무를 정 停(人部 九畫)과 同字. '其水一居'《漢書》. ⑩가를 정 형상(形象)을 이루어 가름. '一之, 如字. 別也'《釋文》. ⑪빼어날 정 뛰어남. '嶺無一菊'《袁宏》. ⑫우뚝솟을 정 '一一長松'. '干雲霧而上達, 狀一一以苕苕'《張衡》. ⑬성 정 성(姓)의 하나.
字源 篆文 形聲. 高〈省〉+丁〔音〕. '高고'는 높은 건물의 뜻. '丁정'은 못을 쳐 박아 안정(安定)시킴의 뜻. 사람들이 자리 잡고 앉아 편히 쉬는 장소, '정자'의 뜻.

[亭閣 정각] 정자(亭子).
[亭館 정관] 높은 전각(殿閣).
[亭居 정거] 정지(停止)함. 체류(滯留)함. 정(亭)은 停(人部 九畫)과 같음.
[亭毒 정독] 정육(亭育).
[亭林文集 정림문집] 청(淸)나라 고염무(顧炎武)의 문집(文集). 정림(亭林)은 그의 호(號). 6권. 변론(辯論)·서(序)·서(書)·기(記)·묘지명(墓誌銘)을 실었음.
[亭父 정부] 정장(亭長).
[亭榭 정사] 정자(亭子)와 전망대.
[亭燧 정수] 망루(望樓)를 만들어 적(敵)을 발견하면 봉화(烽火)를 올리도록 한 곳.
[亭然 정연] 우뚝 솟은 모양.
[亭午 정오] 한낮. 오정(午正).
[亭宇 정우] 고루(高樓). 전각(殿閣).
[亭育 정육] 양육(養育)함.
[亭子 정자] 산수(山水)가 좋은 곳에 놀거나 쉬기 위하여 지은 집.
[亭長 정장] 역정(驛亭)의 장.
[亭障 정장] 변방(邊方)의 요새(要塞)에 설치하여 사람의 출입을 검사하는 관문(關門).
[亭亭 정정] ㉠우뚝 솟은 모양. ㉡아름다운 모양. 예쁜 모양.
[亭主 정주] 여관(旅館)의 주인. 전(轉)하여, 한 집안의 주인.
[亭次 정차] 역정(驛亭).
[亭戶 정호] 당대(唐代)에 관(官)에서 명(命)하여 소금을 백성에게 팔게 하던 집.
[亭候 정후] 변경(邊境)에 쌓은 적정(敵情)을 살피기 위한 망루(望樓).
◉客亭. 官亭. 丘亭. 旗亭. 短亭. 山亭. 申明亭. 野亭. 旅亭. 料亭. 郵亭. 子亭. 長亭. 齋亭. 池亭. 青亭. 平亭.

7 ⑨ [亮] 人名 량 ①-⑤㊤漾 力讓切 liàng ⑥㊥陽 呂張切 liáng

筆順 丶 亠 亠 亣 亨 亨 亭 亮

字解 ①밝을 량 '一月'. '一察'. '輝煥朝日一'《韓愈》. ②도울 량 익찬(翊贊)함. '翼一三世'《晉書》. ③미쁠 량 신의(信義)가 있음. '君子不一, 惡乎執'《孟子》. ④참으로 량 진실로. '君一執高節'《古詩》. ⑤성 량 성(姓)의 하나. ⑥거상(居喪)입을 량 '一陰'은 천자(天子)가 상중(喪中)에 있는 일. '王宅憂一陰'《書經》.
字源 篆文 會意. 儿(人)+高〈省〉. 사람이 높은 곳에 있는 모양에서, 사물에 밝다의 뜻을 나타냄. 일설에는, '亮'은 본래 '倞'으로, '倞'은 形聲. 人+京〔音〕. '京'은 높고 상쾌하며 '밝다'의 뜻을 나타냄.

[亮達 양달] 총명(聰明)하여 사리(事理)에 통달(通達)함. 명달(明達).
[亮明 양명] 밝음.
[亮拔 양발] 마음이 밝아 남보다 뛰어남.
[亮然 양연] 밝은 모양. 맑은 모양.
[亮月 양월] 밝은 달. 교월(皎月).
[亮遺巾幗 양유건괵] 중국 삼국 시대(三國時代), 촉(蜀)의 제갈공명(諸葛孔明)과 위(魏)의 사마의(司馬懿)가 위수(渭水)에서 대진(對陣)했을 때, 의(懿)가 자중하여 움직이지 않았으므로 공명이 건괵(巾幗)〈여성의 머리 장식〉을 보내어 의(懿)의 소심함을 놀렸다는 고사(故事).
[亮陰 양음] 임금이 상중(喪中)에 있음. 양암(諒闇).
[亮節 양절] 깨끗한 절개(節概).
[亮濟 양제] 밝아서 막힘이 없음.
[亮直 양직] 마음이 공명정대(公明正大)함.
[亮察 양찰] 남의 사정을 잘 살펴 줌. 동정(同情)함. 명감(明鑒).
[亮許 양허] 허락함. 허용함.
◉高亮. 明亮. 劉亮. 翼亮. 貞亮. 直亮. 淸亮. 忠亮.

7 ⑨ [亰] 〔경·원〕
京(亠部 六畫〈p.87〉)과 同字

7 ⑨ [亯] [一]〔향〕享(亠部 六畫〈p.87〉)의 籒文
[二]〔형〕亨(亠部 五畫〈p.86〉)과 同字

7 ⑨ [亱] 〔야〕
夜(夕部 五畫〈p.481〉)의 俗字

[哀] 〔애〕
口部 六畫(p.372)을 보라.

[兗] 〔연〕
儿部 七畫(p.198)을 보라.

8 ⑩ [亳] 박 [入]藥 傍各切 bó(bò)

[字解] ①은나라서울 박 은(殷)나라의 탕왕(湯王)이 도읍한 곳. 지금의 허난 성(河南省) 귀덕부(歸德府) 상추 현(商邱縣). ②성 박 성(姓)의 하나.

[字源] 甲骨文 金文 篆文  形聲. 高〈省〉+乇〔音〕. '乇탁'은 또 '갈라 트다'의 뜻. 고지(高地)를 터서 살 수 있게 만든 곳. 옛날에는 보통 높은 곳을 안주(安住)하는 곳으로 삼았음.

8 ⑩ [亮] 〔량〕
亮(亠部 七畫〈p.88〉)의 俗字

8 ⑩ [亭] 〔정〕
亭(亠部 七畫〈p.88〉)의 俗字

[高] 〔고〕
部首(p.2619)를 보라.

[畝] 〔묘〕
田部 五畫(p.1465)을 보라.

9 ⑪ [亰] 〔극〕
克(儿部 五畫〈p.195〉)의 古字

10 ⑫ [高] 경 [上]梗 犬穎切 qǐng

[字解] 작은집 경 '一, 小堂也'《集韻》.

[字源] 形聲. 高〈省〉+冋〔音〕

11 ⑬ [亶] [人名] [一] 단 [上]旱 多旱切 dǎn, ④dàn
[二] 천 [去]霰 時戰切 shàn
[三] 선 [平]先 時連切 chán

[字解] [一] ①미쁨 단 신의(信義). '誕告用—'《書經》. ②진실로 단 참으로. '—其然乎'《詩經》. ③클 단 '逢天—怒'《詩經》. ④다만 단 단지. 但(人部 五畫)과 同字. '非—倒懸而已'《漢書》. ⑤성 단 성(姓)의 하나. [二] 오로지 천 擅(手部 十三畫)과 同字. '相國之於勝人之勢, —有之'《荀子》. [三] 날 선 날아오름. '堪巖—翔'《揚雄》.
※'단' 음은 인명자로 쓰임.

[字源] 篆文 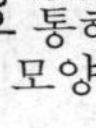 形聲. 亩+旦〔音〕. '旦단'은 '多다'와 통하여 '많다'의 뜻. '亩'는 쌀 창고를 본뜬 모양. '곡물이 많다, 풍족'의 뜻을 나타냄.

[亶亶 단단] 평탄한 모양. 탄탄(坦坦).
[亶父 단보] 주문왕(周文王)의 조부(祖父), 태왕(太王)의 이름.
◉屯亶. 非亶.

[雍] 〔옹〕
隹部 五畫(p.2485)을 보라.

[齊] 〔제〕
部首(p.2720)를 보라.

19 ㉑ [亹] 亹(次條)의 俗字

20 ㉒ [亹] [一] 미 [上]尾 無匪切 wěi
[二] 문 [平]元 莫奔切 mén

[字解] [一] ①부지런할 미 부지런히 힘쓰는 모양. 근면(勤勉)한 모양. '成天下之——'《易經》. ②흐를 미 시간이나 물 같은 것이 쉬지 않고 흐르는 모양. '淸流——'《左思》. ③달릴 미 달려가는 모양. '——孤獸騁'《陸機》. ④아름다울 미 '—, 美也'《廣韻》. [二] 골어귀 문 물이 산과 산 사이를 흘러 양쪽 언덕이 우뚝 솟아 문처럼 서로 마주 대한 데. '鳧鷖在—'《詩經》.

[字源] 會意. 高〈省〉+興〈省〉+且. '興흥'은 힘을 합쳐 무엇을 들어 올림의 뜻. '且차'는 무엇을 쌓아 올리기 위한 받침대(臺)의 뜻. 높은 쪽으로 무엇을 들어 올리는 모양에서, '힘쓰다'의 뜻을 보임. '美미'와 통하여 '아름답다'의 뜻. 또, '門문'과 통하여 양쪽 기슭의 산이 문같이 바싹 접근해 있는 곳의 뜻도 나타냄.

[亹亹 미미] ㉠부지런히 힘쓰는 모양. ㉡나아가는 모양. 흐르는 모양. ㉢달려가는 모양.

人(亻)(2획) 部

〔사람인부〕

0 ② [人] [中人] 인 [平]眞 如隣切 rén

[筆順] ノ 人

[字解] ①사람 인 ㉠인간. '—生'. '惟—萬物之靈'《書經》. ㉡백성. 신민(臣民). '—民'. '國—皆曰可殺'《孟子》. ㉢어떤 사람. '使—謂子胥'《史記》. ㉣제구실을 하는 사람. '俾至於成—'《歐陽修》. ㉤뛰어난 사람. 현인(賢人). '子無謂秦無—'《左傳》. ㉥인품. 성질. '爲—'. '讀其文, 其—可知'《歐陽修》. ㉦사람의 모양으로 만든 상(像). '金—'. '帝寧能爲石—邪'《史記》. ㉧사람을 세는 수사(數詞). '五—'. '三—行必有我師'《論語》. ㉨사람이 하는 일. 하늘이 하는 일인 자연에 대하여 부자연을 이름. '牛馬四足, 是謂天, 落馬首穿牛鼻, 是謂—'《莊子》. ②사람마다 인 매인(每人). 매인이. '家給—足'. '—給家足'《史記》. ③남 인 타인(他人). '正己而不求於—則無怨'《中庸》. ④성 인 성(姓)의 하나.

[字源] 甲骨文 金文 篆文  象形. 옆에서 본 사람을 본뜬 모양으로, '사람'의 뜻을

나타냄.

[參考] 부수(部首)로 세워지며, '人·亻'을 의부(意符)로 하여, 사람의 성질이나 상태 따위를 나타내는 글자를 이룸.

[人家 인가] 사람이 사는 집.
[人各有能有不能 인각유능유불능] 사람은 각기 재능이 달라 능한 일과 능치 못한 일이 있음.
[人各有耦 인각유우] 사람은 제각기 알맞은 배우자(配偶者)를 구하여야 한다는 뜻.
[人間 인간] ㉠사람. ㉡세상(世上). 속세(俗世).
[人間萬事塞翁馬 인간만사새옹마] 인생(人生)의 화복(禍福)이 전변무상(轉變無常)함을 이름.
[人間性 인간성] 사람의 본성(本性).
[人間行路難 인간행로난] 사람의 세상 살아 나가기가 어려움을 이름.
[人綱 인강] 인륜(人倫)의 대본(大本).
[人皆有一癖 인개유일벽] 사람은 누구든지 한 가지 버릇은 가지고 있음.
[人傑 인걸] 걸출(傑出)한 인재(人材). 걸물(傑物).
[人傑地靈 인걸지령] 출생(出生)한 인물은 걸출(傑出)하고, 토지(土地)의 형세(形勢)는 수려(秀麗)함.
[人格 인격] ㉠사람의 품격(品格). ㉡도덕적 행위의 주체(主體)로서의 개인.
[人格者 인격자] 인격이 있는 사람.
[人格化 인격화] 사람이 아닌 사물(事物)을 사람과 같이 의사(意思)가 있는 것으로 봄.
[人絹 인견] 인조견(人造絹).
[人境 인경] 사람이 사는 곳. 곧, 이 세상.
[人界 인계] 이 세상. 인간계(人間界).
[人骨 인골] 사람의 뼈.
[人工 인공] 사람이 하는 일. 사람이 자연(自然)에 가공(加工)하는 일. 인위(人爲).
[人巧 인교] 사람의 정교(精巧)한 솜씨.
[人口 인구] ㉠어떠한 지역(地域) 안에 사는 사람의 수효. ㉡여러 사람의 입길. 세평(世評).
[人君 인군] 임금.
[人權 인권] 사람이 사람으로서 당연히 가지는 기본적인 권리. 곧, 사람의 자유와 평등의 권리.
[人鬼 인귀] 죽은 사람의 영혼.
[人鬼相半 인귀상반] 죽을 지경에 이르러서 형용(形容)이 반쯤 귀신같이 됨.
[人琴之歎 인금지탄] 사람이 죽어 그 사람이 쓰던 거문고의 가락이 맞지 않게 된 탄식이라는 뜻으로, 사람의 죽음을 몹시 슬퍼하는 정(情)을 이름.
[人給家足 인급가족] 물자(物資)가 풍부하여 집집마다 부족(不足)이 없음. 가급인족(家給人足).
[人紀 인기] 사람이 행하여야 할 길. 사람의 도리.
[人器 인기] 사람의 기국(器局). 사람의 됨됨이.
[人饑不食烏喙 인기불식오훼] 사람은 굶주려도 오두(烏頭)풀은 먹지 않음. 한때 공복(空腹)을 채울지는 모르나, 중독(中毒)되면 아사(餓死)와 다를 바 없기 때문임.
[人棄我取 인기아취] 남이 버리는 것을 나는 씀.
[人奴 인노] 종. 노복(奴僕).
[人德 인덕] 남의 도움을 많이 받는 복(福).
[人道 인도] ㉠사람이 행하여야 할 도덕. 인륜(人倫). ㉡세상 사람의 인정(人情). 세정(世情). ㉢인류 생존(人類生存)의 길. ㉣부부간(夫婦間)의 성교(性交). ㉤사람이 다니는 길.
[人道教 인도교] 프랑스의 콩트가 제창(提唱)한 윤리설(倫理說). 종교·애정(愛情)을 기초로 하고, 인류의 행복(幸福)의 증진(增進)을 주로 함.
[人道橋 인도교] 사람이 다니는 다리.
[人道惡盈而好謙 인도오영이호겸] 사람은 으레 영만(盈滿)한 자를 미워하고, 겸손한 사람을 좋아한다는 뜻.
[人道主義 인도주의] 인종(人種)·국가(國家)·종교(宗教) 등을 초월(超越)하여, 인류 전체의 행복을 향상시키고자 하는 것을 이념(理念)으로 하는 박애주의(博愛主義).
[人力 인력] 사람의 힘.
[人力車 인력거] 사람을 태우고, 사람이 끄는 두 바퀴 달린 수레.
[人籟 인뢰] 사람이 만들어 내는 소리. 곧, 피리·퉁소를 불거나, 거문고·비파 등을 타는 소리. 천뢰(天籟)·지뢰(地籟)의 대(對).
[人類 인류] 사람을 다른 생물과 구별하여 일컫는 말.
[人類愛 인류애] 인류로서의 사랑.
[人倫 인륜] ㉠사람과 사람과의 관계에 있어서의 도의적인 일정한 질서. ㉡사람. 인류(人類). ㉢인물(人物)을 비평(批評)하는 일. 인물평.
[人里 인리] 사람이 많이 사는 동네.
[人利 인리] 인민의 이익.
[人理 인리] 사람의 도리. 인도(人道).
[人立 인립] 동물이 사람이 서는 것처럼 섬.
[人馬 인마] 사람과 말.
[人馬絡繹 인마낙역] 인마의 왕래(往來)가 끊이지 않는다는 뜻으로, 번화(繁華)한 도시(都市)를 형용한 말.
[人莫知其子惡 인막지기자악] 사람은 애정(愛情)에 눈이 멀어 아들이 악하여도 악한 줄 모름.
[人莫躓於山而躓於垤 인막지어산이지어질] 작은 일을 소홀히 하므로 도리어 실패하기 쉽다는 말.
[人萬物之靈 인만물지령] 사람은 만물의 영장(靈長)임.
[人望 인망] ㉠사람들이 모두 바라는 것. ㉡세상 사람이 존경하고 신뢰하는 덕망(德望).
[人面獸心 인면수심] 얼굴은 사람이나 마음은 짐승과 다름이 없음. 곧, 남의 은혜(恩惠)를 모르는 사람, 또는 행동이 흉악(凶惡)한 사람을 욕하는 말.
[人名 인명] 사람의 이름.
[人命 인명] 사람의 목숨.
[人命在天 인명재천] 사람의 수명(壽命)은 하늘에 달려 있음.
[人謀 인모] 사람의 머리에서 짜낸 꾀.
[人牧 인목] 백성을 기르고 다스리는 사람이란 뜻으로, 제후(諸侯)·지방 장관 또는 임금을 이름.
[人文 인문] ㉠인류 사회(人類社會)의 문화(文化). ㉡인물(人物)과 문물(文物).
[人文主義 인문주의] 유럽 중세기(中世紀)에 교권(教權)의 구속(拘束)에 반대하고, 고대 문예(古代文藝)의 자유로운 연구(研究)를 주(主)로 한 주의.
[人文地理 인문지리] 각국(各國)의 자연환경(自然環境)에 관련하여 발달된 인문(人文) 현상. 곧, 국가(國家)·경제(經濟)·교통(交通)·인구(人口)·취락(聚落) 등을 지역적(地域的)으로 연구하는 학문.
[人物 인물] ㉠사람. ㉡사람의 됨됨이. 인격(人格). 인품(人品). ㉢뛰어난 사람. 인재(人材). ㉣사람과 물건. ㉤사람의 허울. 모습.

[人民 인민] 백성. 창생(蒼生).
[人別 인별] 호적(戶籍).
[人本主義 인본주의] 일체의 진리(眞理) 및 인식(認識)은 모두 절대적인 것이 아니며, 반드시 인간의 요구(要求)·선택(選擇)·평가(評價)에 의해서 상대적(相對的)으로 생기고, 또한 제약(制約)당한다고 하는 설(說).
[人夫 인부] ㉠막벌이꾼. ㉡부역(賦役)에 나가 일하는 사람.
[人糞 인분] 사람의 똥.
[人非木石 인비목석] 사람은 목석(木石)과 달라서 인정(人情)이 있음.
[人士 인사] 교양(敎養) 또는 지위가 있는 사람. 신분이 좋은 사람.
[人事 인사] ㉠사람의 하는 일. ㉡세상일. 세태(世態). ㉢남에게 보내는 예물(禮物). ㉣개인의 신분(身分)과 능력(能力)에 관계되는 일. ㉤알지 못하던 사람끼리 서로 성명을 통함. ㉥안부(安否)를 묻고 동작(動作)으로 예(禮)를 표함. ㉦사람 사이에 지켜야 할 언행(言行).
[人師 인사] 덕행(德行)을 구비하여 남의 모범이 될 만한 사람.
[人事蓋棺定 인사개관정] 사람의 행한 일의 시비선악(是非善惡)은, 그 사람이 죽은 뒤에야 비로소 그 진가(眞價)가 가려진다는 뜻.
[人事不省 인사불성] ㉠중병(重病)이나 중상(重傷) 등에 의하여 의식(意識)을 잃고 인사(人事)를 모름. ㉡사람으로서 지킬 예절(禮節)을 차릴 줄 모름.
[人山人海 인산인해] 사람으로 이룬 산과 바다란 뜻으로, 사람이 몹시 많이 모여 있음을 이르는 말.
[人蔘 인삼] 두릅나뭇과(科)에 속하는 숙근초(宿根草). 뿌리는 황백색의 인형(人形)으로 생겼는데, 강장제(強壯劑)로 유명함.
[人相 인상] 사람의 얼굴 모양. 용모.
[人生 인생] ㉠사람. ㉡사람의 목숨. 사람의 생존. ㉢사람이 세상에서 사는 동안.
[人生感意氣 인생감의기] 사람은 남과 의기가 상투(相投)하면 감격하여 생명까지도 희생(犧牲)하기를 아끼지 아니함.
[人生觀 인생관] 인생의 목적(目的)·가치(價値) 등에 관하여 가지는 견해.
[人生得意須盡懽 인생득의수진환] 세상에 태어나 뜻을 이루었을 때에는 최대한으로 인생을 즐겨야 함.
[人生莫作婦人身 인생막작부인신] 사람은 모름지기 여자로 태어나지 말 것이라는 뜻.
[人生識字憂患始 인생식자우환시] 인생은 글자를 아는 것이 우환의 시초라는 뜻. 글자를 알면 글을 읽어 지식이 생겨서 인생의 여러 가지 모순(矛盾)을 알게 되어 저절로 근심 걱정이 생기므로 이름.
[人生若寓 인생약우] 사람의 일생은 남의 집에 우거(寓居)하는 것과 다름없어서, 죽음이 느닷없이 옴.
[人生如朝露 인생여조로] 인생의 무상(無常)함은 아침 이슬이 사라지는 것 같음.
[人生如風燈 인생여풍등] 사람의 목숨은 풍전등화(風前燈火)와 같아서 내일을 기약(期約)할 수 없다는 뜻.
[人生五十愧無功 인생오십괴무공] 인생은 50살쯤의 짧은 기간에 아무 공적(功績)도 남기지 못함은 남자로서 부끄러운 일이라는 뜻.
[人生自古誰無死 인생자고수무사] 사람은 누구나 다 죽게 마련이므로, 충성을 다하여 이름을 후세에 남겨야 한다는 뜻.
[人生七十古來稀 인생칠십고래희] 인생은 짧은 것으로, 70까지 사는 자는 옛날부터 드물다는 말. 당(唐)나라 시인(詩人) 두보(杜甫)의 〈곡강시(曲江詩)〉의 한 글귀.
[人生行樂耳 인생행락이] 인생은 무상(無常)하므로 그 덧없는 짧은 동안만이라도 모름지기 향락하여야 함.
[人庶 인서] 백성. 서민.
[人選 인선] 사람을 가리어 뽑음.
[人性 인성] 사람의 성품.
[人聲 인성] 사람의 음성(音聲).
[人世 인세] 세상(世上).
[人所不堪 인소불감] 사람의 마음이나 힘으로는 견딜 수 없는 형편.
[人數 인수] 사람의 수효(數爻).
[人勝 인승] 정월 초이레, 곧 인일(人日)에 하는 부인(婦人)의 머리꾸미개.
[人時 인시] 백성의 생업(生業)에 필요한 시기(時期). 곧, 봄에 갈고, 여름에 매고, 가을에 거두는 각각 적당한 시기. 민시(民時).
[人臣 인신] 신하(臣下).
[人身 인신] ㉠사람의 몸. ㉡남의 신분(身分).
[人身攻擊 인신공격] 남의 신상(身上)에 대한 공격(攻擊).
[人身賣買 인신매매] 사람을 짐승과 같이 팔고 사는 일.
[人心 인심] ㉠사람의 마음. ㉡백성의 마음. ㉢사람의 물욕(物欲)에서 나오는 마음. 사심(私心). 도심(道心)의 대(對).
[人心難測 인심난측] 사람의 마음은 헤아리기 어려움.
[人心世態 인심세태] 인심(人心)과 세상의 형편.
[人心所關 인심소관] 인심과 관계되는 바.
[人心如面 인심여면] 사람의 마음이 각각 같지 아니한 것은 그 얼굴이 각각 다른 것과 같음.
[人心險於山川 인심험어산천] 사람의 마음은 산천(山川)보다도 험하여 매섭다는 뜻.
[人我 인아] 남과 자기. 또 남도 나도.
[人我之相 인아지상] 《佛敎》 나는 나, 남은 남으로 차별을 두어 남을 업신여기고 나를 중히 여기는 마음.
[人魚 인어] ㉠양서류(兩棲類)에 속하는 동물. 모양은 도마뱀과 비슷하고, 두 쌍의 다리가 있으며, 숲의 낙엽 밑 등에 서식함. 도롱뇽. ㉡상반신은 여자의 몸이고, 하반신은 물고기 같으며, 갓난아이의 울음소리를 낸다는 상상상(想像上)의 동물.
[人語 인어] 사람의 말. 사람이 하는 말. 인언(人言).
[人言 인언] ㉠사람의 말. 사람이 하는 말. 인어(人語). ㉡남의 말. 남의 평판. ㉢비석(砒石)의 이칭(異稱).
[人烟 인연] 인연(人煙).
[人煙 인연] 사람의 집에서 불을 때는 연기(煙氣). 전(轉)하여 인가(人家). 인연(人烟).
[人影 인영] 사람의 그림자.
[人王 인왕] 임금. 군주.
[人外 인외] 사람의 도리에 벗어남. 사람이 아님.
[人妖 인요] 상도(常道)에 벗어난 짓을 하는 사람. 여자가 사내로 변복하고, 사내가 여자로 행

세하는 따위.
[人妖物怪 인요물괴] 요사하고 간악한 사람.
[人欲 인욕] 사람의 욕심. 물욕(物欲)에서 나오는 사심(私心).
[人員 인원] ㉠사람의 수효. ㉡단체(團體)를 이룬 여러 사람.
[人爲 인위] 사람이 하는 일. 사람의 행위.
[人爲刀俎我爲魚肉 인위도조아위어육] 남은 식칼과 도마가 되고, 나는 어육(魚肉)이 되었다는 뜻으로, 남이 칼자루를 쥔 것을 비유한 말.
[人爲淘汰 인위도태] 인공(人工)에 의하여 어떤 생물을 일정한 방향으로 변화시키거나 개량하거나 하는 일. 자연도태(自然淘汰)의 대(對).
[人乳 인유] 사람의 젖.
[人肉市場 인육시장] 매음부들이 몸을 파는 거리나 지대.
[人意 인의] 사람의 뜻.
[人義 인의] 사람으로서 행하여야 할 도리(道理).
[人人 인인] 사람사람. 사람마다.
[人日 인일] 음력 정월 초이레의 아칭(雅稱). 고대에 이날의 기후(氣候) 여하로 그해의 길흉을 점쳤다 함.
[人一能之己百之 인일능지기백지] 자기는 남보다 몇 갑절 더 공부하여야 한다는 뜻.
[人子 인자] 사람의 아들.
[人作 인작] 인공(人功)으로 만듦. 인조(人造). 천작(天作)의 대(對).
[人爵 인작] 관위(官位). 작위(爵位).
[人才 인재] 재능(才能)이 있는 사람.
[人材 인재] 인재(人才).
[人迹 인적] 인적(人跡).
[人跡 인적] 사람의 발자취. 사람의 왕래.
[人迹不到處 인적부도처] 인적(人迹)이 이르지 아니한 곳.
[人丁 인정] ㉠성년(成年)된 남자. ㉡사람의 수효. 인구(人口).
[人定 인정] 사람이 자는 시각(時刻). 곧, 오후(午後) 10시경.
[人情 인정] ㉠사람의 정욕(情慾). ㉡세상 사람의 마음. 민심(民心). ㉢선물(膳物). ㉣남을 동정(同情)하는 따뜻한 마음.
[人情所不能免 인정소불능면] 인정상(人情上) 마땅히 있을 법한 일.
[人定鐘 인정종] 인정(人定) 때 울리는 종.
[人造 인조] 사람의 힘으로 만듦.
[人造絹 인조견] 인조(人造) 섬유소(纖維素)로 천연 비단처럼 짠 피륙.
[人種 인종] ㉠사람의 씨. ㉡인류의 종별(種別).
[人主 인주] 임금.
[人中 인중] ㉠코와 윗입술 사이에 우묵하게 들어간 곳. ㉡사람 가운데. 인간계(人間界).
[人中騏驥 인중기기] 뛰어나게 잘난 인물.
[人中白 인중백] 오줌버캐.
[人中獅子 인중사자] 비범(非凡)한 인물.
[人衆者勝天 인중자승천] 사람이 많아 세력이 강하면 하늘도 이김. 악운(惡運)이 세어서 천벌(天罰)도 받지 않음.
[人中尊 인중존] 《佛敎》 사람 중에서 가장 존귀한 사람. 곧, 부처·보살(菩薩).
[人中之龍 인중지룡] 비범(非凡)한 인걸(人傑).
[人中之末 인중지말] 사람 가운데 행실이나 인품이 가장 못난 사람.
[人智 인지] 사람의 슬기. 사람의 지능(知能).
[人之常情 인지상정] 사람의 보편적(普遍的)인 인정(人情).
[人地生疎 인지생소] 아는 사람도 없거니와, 땅도 생소하여 지리에 어두움.
[人之水鏡 인지수경] 맑고 깨끗한 마음의 비유.
[人之將死其言也善 인지장사기언야선] 사람이 바야흐로 죽으려 할 때에는 본심(本心)으로 돌아가서 그 하는 말도 착하다는 뜻.
[人之準繩 인지준승] 남의 모범. 모범 인물(模範人物).
[人天 인천] ㉠사람과 하늘. ㉡군주(君主)의 이칭(異稱).
[人天眼目 인천안목] 《佛敎》 슬기가 지극히 뛰어난 사람.
[人彘 인체] '돼지 같은 사람'이란 뜻. '체(彘)'는 암돼지. 여태후(呂太后)가 한고조(漢高祖)의 총희(寵姬) 척부인(戚夫人)의 수족을 자르고 눈을 빼내고 귀를 지지고 벙어리가 되는 약을 먹인 후 뒷간에서 살게 하고 '인체(人彘)'라고 하였음.
[人體 인체] 사람의 신체. 몸.
[人總 인총] 인구(人口).
[人畜 인축] 사람과 가축(家畜).
[人波 인파] 많이 모인 사람의 동작이 물결처럼 보이는 상태(狀態).
[人便 인편] 사람이 오고 가는 편.
[人表 인표] 사람의 모범(模範).
[人品 인품] ㉠사람의 품격(品格). ㉡용모(容貌). 외모.
[人皮 인피] 사람의 가죽.
[人必自侮然後人侮之 인필자모연후인모지] 사람은 스스로를 멸시(蔑視)하여 몸을 닦지 않으므로 남에게 모멸(侮蔑)을 받게 됨.
[人形 인형] ㉠사람의 형상(形像). ㉡사람의 형상(形像)과 같이 만든 물건.
[人戶 인호] 인가(人家). 민가(民家).
[人豪 인호] 호걸(豪傑).
[人和 인화] 인심(人心)이 화합(和合)함. 마음이 서로 맞음.
[人禍 인화] 사람의 원망.
[人寰 인환] 인경(人境).
[人皇 인황] 중국의 태고 초매(草昧)의 세상에 순차로 계승하였다고 하는 제3대의 제왕.
[人稀地廣 인희지광] 사람은 적고 땅은 넓음.
◉佳人. 家人. 歌人. 奸人. 監人. 江湖散人. 個人. 巨人. 擧人. 故人. 高人. 藁人. 穀人. 公人. 寡人. 官人. 倌人. 館人. 狂人. 校人. 驕人. 求備一人. 舊人. 九品官人. 軍人. 君子人. 弓人. 宮人. 窮人. 饋人. 今人. 金人. 金鍼度人. 己所不欲勿施於人. 奇人. 畸人. 吉人. 亂人. 南極老人. 南人. 浪人. 內人. 老成人. 路人. 農人. 廩人. 凌雲閣上人. 凌人. 短人. 端人. 達人. 當人. 黨人. 大人. 度外人. 陶人. 盜人. 道人. 讀書人. 咄咄逼人. 東西南北人. 東野人. 同人. 東人. 斗南一人. 斗筲之人. 萬人. 蠻人. 亡人. 妄人. 盲人. 名人. 謀及婦人. 木人. 牧人. 沒人. 無位眞人. 武人. 舞人. 文人. 聞人. 未亡人. 美人. 民人. 傍若無人. 方人. 坊人. 邦人. 百年苦樂只依人. 白玉樓中人. 凡人. 病人. 卜人. 本人. 封人. 夫人. 浮人. 婦人. 不愧天不怍人. 不怨天不尤人. 卑人. 鄙人. 貧人. 氷人. 紗籠中人. 寺人. 舍人. 死人. 私人. 詞人. 絲人. 山人. 散人.

殺人. 上人. 相人. 商人. 常人. 象人. 生人. 西人. 庶人. 石人. 昔人. 碩人. 仙人. 先人. 船人. 善人. 先制人. 舌人. 成人. 聖人. 歲月不待人. 世人. 細人. 小人. 宵人. 訴人. 騷人. 俗人. 松菊主人. 囚人. 狩人. 順天應人. 矢人. 時人. 詩人. 信人. 神人. 新人. 心中人. 我輩人. 牙人. 惡人. 惡其罪不惡其人. 樂人. 眼中人. 艾人. 愛人. 野人. 良醫門多疾人. 良人. 養形人. 御人. 如夫人. 女人. 旅人. 餘人. 輿人. 麗人. 矛一人. 力人. 涓人. 英雄忌人. 英雄欺人. 佞人. 藝人. 吾人. 玉人. 王門伶人. 外人. 要人. 友人. 羽人. 偶人. 虞人. 遠人. 月下老人. 月下氷人. 偉人. 乳人. 流人. 幽人. 孺人. 嬬人. 輪人. 義人. 以貌取人. 泥塑人. 以言取人. 二人. 里人. 易人. 異人. 仁人. 忍人. 一人. 逸人. 慈老人. 作人. 丈人. 才人. 適人. 全人. 覘人. 正人. 貞人. 精人. 諸人. 罪人. 主人. 舟人. 酒人. 竹夫人. 準人. 中人. 衆人. 曾參殺人. 證人. 至人. 知人. 津人. 眞人. 陳人. 撰人. 槧人. 讒人. 天道無親常與善人. 天人. 鐵石人. 鐵人. 哲人. 寸馬豆人. 寸鐵殺人. 治人. 他人. 貪人. 太夫人. 通人. 使人. 嬖人. 廢人. 庖人. 胞人. 風流人. 風月主人. 下人. 何人. 閒人. 寒人. 函人. 恆人. 海夫人. 海人. 行人. 眩人. 賢人. 形人. 胡人. 豪人. 閹人. 畫眉人. 化飯道人. 化人. 畫人. 訓人.

0 [亻] 人(前條)이 변으로 쓰일 때의 자체(字體)
②

1 [亼] 집 ⓐ緝 籍入切 jí
③

字解 모일 집 한데 모임.

字源 象形. 세 개의 물건이 모이는 모양을 본뜸.

[个] 〔개〕
丨部 二畫(p.43)을 보라.

2 [仑] 〔륜〕
④ 侖(人部 六畫〈p.124〉)의 簡體字

2 [仓] 〔창〕
④ 倉(人部 八畫〈p.146〉)의 簡體字

2 [从] 〔종〕
④ 從(彳部 八畫〈p.746〉)의 本字

字源 篆文 會意. 人+人. 두 사람이 나란히 있는 모양에서, 다른 것에 붙좇아 따르다의 뜻을 나타냄. '從'의 本字.

2 [今] 中人 금 ㊥侵 居吟切 jīn
④

筆順 ノ 人 亼 今

字解 ①이제 금 ㉠지금. 현재. '去來一'. '一釋弗繫, 此所謂養虎自遺患也'《史記》. ㉡발어(發語)의 조사(助辭). '一夫'. '一有殺人者'《孟子》. ㉢지금 세상. 현대. '一之爲民者六'《韓愈》. ㉣오늘. 금일. '一夕'. '覺一是而昨非'《陶潛》. ②곧 금 바로. '一時'. '方一'. '吾一召君矣'《史記》. ③성 금 성(姓)의 하나.

字源 甲骨文 金文 篆文 指事. 어떤 것을 덮어 싸서 포함하는 모양을 나타내며, '陰음'·'含함' 따위와 뜻이 통하는 것이었을 테지만, 가차(假借)하여 '지금'의 뜻으로 쓰임.

[今古 금고] 지금과 예. 금석(今昔).
[今年 금년] 올해. 당년(當年). 금자(今玆).
[今年生 금년생] 올해에 낳은 아이. 올해에 낳은 것.
[今年花落顔色改 금년화락안색개] 올해의 꽃도 다 떨어지고 사람의 얼굴도 시들어 변함.
[今年花似去年好 금년화사거년호] 금년에 핀 꽃은 작년에 핀 꽃과 같이 아름다움.
[今旦 금단] 오늘 아침. 금효(今曉).
[今代 금대] 지금의 시대(時代). 현대.
[今道心 금도심]《佛敎》새로 참예(參詣)한 도심자(道心者).
[今冬 금동] 올겨울.
[今晩 금만] 오늘 저녁.
[今明間 금명간] 오늘 내일 사이.
[今文 금문] 현대의 문자(文字).
[今方 금방] 이제 곧. 바로 이제.
[今番 금번] 이번.
[今夫 금부] 발단(發端)의 말. 발어사(發語辭).
[今上 금상] 현재의 천자(天子).
[今生 금생] ㉠지금 세상. ㉡살고 있는 동안. 생존 중(生存中).
[今夕 금석] 오늘 저녁.
[今昔 금석] 금고(今古).
[今昔之感 금석지감] 이제와 예가 너무도 틀림을 보고 받는 깊은 느낌.
[今夕何夕 금석하석] 오늘 밤은 얼마나 좋은 밤인가.
[今世 금세] 지금 세상. 당세(當世). 현세(現世). 현대(現代).
[今歲 금세] 금년(今年).
[今宵 금소] 오늘 밤. 금석(今夕).
[今時 금시] 지금.
[今時發福 금시발복] 당장에 부귀(富貴)를 누리게 됨.
[今是昨非 금시작비] 과거의 과오를 오늘 처음 깨달음.
[今時初見 금시초견] 이제야 처음 봄.
[今時初聞 금시초문] 이제야 처음으로 들음.
[今也 금야] 지금. 오늘.
[今夜 금야] 오늘 밤. 금석(今夕).
[今如古 금여고] 예나 이제나 같음.
[今吾 금오] 지금의 나. 오늘의 자기.
[今友 금우] 새로 사귄 벗.
[今月 금월] 이달. 당월(當月).
[今人 금인] 지금 세상의 사람. 지금 생존하고 있는 사람.
[今日 금일] ㉠오늘. ㉡지금.
[今日之顔子 금일지안자] 지금 세상의 안회(顔回)라는 뜻으로, 어진 사람을 칭찬하는 말.
[今者 금자] 지금. 요즈음. 근자.
[今玆 금자] 금년(今年). 내년(來年)을 내자(來玆)라고 함의 대(對).
[今纔 금재] 이제 겨우.
[今帝 금제] 지금의 천자. 금상(今上).
[今朝 금조] 오늘 아침.
[今週 금주] 이 주일(週日).

[今體 금체] 현대의 체재. 현대의 양식.
[今秋 금추] 올가을.
[今春 금춘] 올봄.
[今夏 금하] 올여름.
[今回 금회] 이번.
[今曉 금효] 오늘 새벽.
[今後 금후] 이 뒤.
◉去來今. 古今. 當今. 目今. 方今. 如今. 而今. 一彈指頃去來今. 自今. 昨今. 卽今. 只今. 現今.

2 ④ [介] 高·人 개 ㊄卦 古拜切 jiè

筆順 ノ 𠆢 个 介

字解 ①낄 개 사이에 낌. '一在'. '一入'. '一居二大國之間'《左傳》. ②격할 개 격리(隔離)함. '後一大河'《漢書》. ③도울 개, 도움 개 돕는 사람. '一佐'. '一輔'. '爲此春酒, 以一眉壽'《詩經》. ④클 개 큼. 또, 크게 함. '一圭'. '一福'. '神之聽之, 一爾景福'《詩經》. ⑤작을 개 '一丘'. '莅于一次'《周禮》. ⑥인(因)할 개 의뢰함. 의지함. '一人之寵, 非勇也'《左傳》. ⑦소개할 개 '一紹'. '紹一'. '媒一'. 또, 소개하는 사람. 중간에 든 사람. '士無一不見'《孔叢子》. ⑧버금 개 다음가는 차례나 벼슬. '一卿'. '一貳'. 또, 그 사람. '嗟嗟保一'《詩經》. ⑨모실 개 '一其側'. ⑩홀로 개 고독(孤獨). '一特'. '一獨'. '惡乎一也'《莊子》. ⑪굳을 개 견고함. '一石'. '六二一于石'《易經》. ⑫묵을 개 유숙함. 머무름. '攸一攸止'《詩經》. ⑬절개 개 절조(節操). 지조(志操). '狷一'. '柳下惠不以三公易其一'《孟子》. ⑭갑옷 개 싸움을 할 때 입는 옷. '一冑'. '一士'. ⑮갑옷입을 개 '太子與五人一'《史記》. ⑯딱지 개 갑각(甲殼). 또, 갑각류의 동물. '一蟲'. '一鱗'. '非常鱗凡一之品彙匹儔也'《韓愈》. ⑰가 개 변두리. '悲江一之遺風'《楚辭》. ⑱상고대 개 나무나 풀에 내려 눈같이 된 서리. 목가(木稼). 수빙(樹氷). '名木氷爲木一'《漢書》. ⑲쓰레기 개 진개(塵芥). 芥(艸部四畫)와 통용. '不以往事爲纖一'《漢書》. ⑳가까이할 개 '不以難一我國也'《穀梁傳》. ㉑착할 개, 좋을 개 '一, 善也'《爾雅》. ㉒낱 개 수요를 세는 단위. 개(個). '若有一一臣'《書經》. ㉓성 개 성(姓)의 하나.

字源 甲骨文 篆文 象形. 갑옷 속에 들어가 있는 사람을 본뜬 모양으로, '갑옷, 구획 짓다, 중개하다, 중매 서다'의 뜻을 나타냄.

[介殼 개각] 패각(貝殼). 갑각(甲殼).
[介甲 개갑] ㉠갑옷. ㉡게나 거북의 딱딱한 껍데기. 단단한 등딱지.
[介介 개개] 고립(孤立)하여 이 세상에 맞지 않는 모양. 일설(一說)에는, 마음에 걸려 잊을 수 없는 모양.
[介居 개거] ㉠사이에 끼여 있음. ㉡아무 도움도 받지 못하고 외따로 떨어져 있음.
[介潔 개결] 성질이 단단하고 깨끗함.
[介卿 개경] 경(卿)에 버금가는 지위. 지금의 차관(次官). 차경(次卿).
[介丘 개구] ㉠작은 언덕. ㉡큰 산. 태산(泰山).
[介圭 개규] 큰 홀(笏).
[介獨 개독] 고립무원(孤立無援)함.
[介鱗 개린] 어패(魚貝).
[介立 개립] ㉠홀로 섬. 고립무원(孤立無援). 독립(獨立). ㉡굳게 절개를 지킴.
[介馬 개마] 갑옷을 입은 말. 무장한 말.
[介僻 개벽] 견개(狷介)함. 외고집.
[介輔 개보] 개좌(介佐).
[介福 개복] 큰 복. 개지(介祉).
[介夫 개부] 개사(介士).
[介婦 개부] 첩(妾).
[介儐 개빈] 빈객(賓客)의 응접(應接)을 맡은 사람. 접대계(接待係).
[介士 개사] ㉠갑옷을 입은 무사(武士). ㉡절개가 굳은 사람. 기개(氣槪) 있는 사람.
[介使 개사] 부사(副使).
[介駟 개사] 갑옷을 입고 병거(兵車)를 끄는 네 마리의 말.
[介山 개산] ㉠산시 성(山西省) 개휴현(介休縣)에 있는 산. 춘추(春秋) 때, 개지추(介之推)가 그 어머니와 같이 숨은 곳. 면산(緜山). ㉡산시 성(山西省) 만천현(萬泉縣)에 있는 산. 한무제(漢武帝)가 이 산에서 후토(后土)에 제사 지냈음. 분산(汾山).
[介石 개석] 돌보다 단단하다는 뜻으로, 절개(節槪)를 굳게 지킴을 이름.
[介壽 개수] 장수(長壽)를 돕는다는 뜻으로, 축수(祝壽)할 때 쓰는 말.
[介心 개심] 큰 마음. 대지(大志). 또, 굳은 마음.
[介然 개연] ㉠잠깐 동안. 잠시. ㉡고립(孤立)한 모양. 굳게 지켜 변하지 않는 모양. ㉢께적지근한 모양. 걱정이 되는 모양. ㉣견고한 모양.
[介于石 개우석] 개석(介石).
[介意 개의] 마음에 둠. 걱정이 됨.
[介入 개입] 어떤 일에 끼어듦.
[介者 개자] ㉠개사(介士)❶. ㉡발을 잘린 사람.
[介者不拜 개자불배] 갑옷을 입은 자(者)는 배례(拜禮)를 하지 않음. 군중(軍中)에 있어서는 마음을 오로지 군사(軍事)에만 쏟아 다른 일을 돌보지 않음을 이름.
[介子推 개자추] 개지추(介之推).
[介在 개재] 끼여 있음. 중간에 있음. 개거(介居).
[介弟 개제] 남의 아우의 존칭. 대제(大弟). 현제(賢弟).
[介佐 개좌] 보좌(輔佐)함. 또, 그 사람. 개보(介輔).
[介冑 개주] 갑옷과 투구. 갑주(甲冑).
[介冑生蟣蝨 개주생기슬] 갑옷과 투구에 서캐가 끓음. 전쟁이 오래 계속됨을 이름.
[介祉 개지] 개복(介福).
[介之推 개지추] 춘추 시대(春秋時代)의 사람. 개자추(介子推)라고도 함. 진문공(晉文公)을 따라 19년 동안 망명 생활을 하였으나, 문공(文公)이 귀국(歸國)하여 왕이 된 후에 봉록(封祿)을 주지 않았으므로, 그 어머니와 함께 면산(緜山)에 숨었음. 문공(文公)이 뒤에 그를 찾았으나 못 찾고, 산(山)을 불질러 마침내 지추는 불타 죽었음. 그 뒤 면산을 개산(介山)이라고 칭하였음.
[介次 개차] 작은 역참(驛站).
[介蟲 개충] 갑각(甲殼)을 가진 벌레. 딱정벌레 따위. 갑충(甲蟲).
[介特 개특] 고립무원(孤立無援)함. 또, 그 사람. 개독(介獨).
[介懷 개회] 개의(介意).
◉剛介. 狷介. 耿介. 孤介. 科介. 矯介. 勤介.

謹介. 單介. 媒介. 凡介. 保介. 副介. 常鱗凡介. 纖介. 紹介. 魚介. 隱介. 鱗介. 一介. 節介. 操介. 走介. 仲介. 錙介. 偏介. 抱介. 傴介. 崄介.

2④ [仄] 人名 측 ㉧職 阻力切 zè

字解 ①기울 측 ㉠한쪽으로 기욺. '一斜'. '一, 側傾也'《說文》. ㉡해가 서쪽으로 기울어짐. 昃(日部 四畫)과 同字. '一日'. '日一乃罷'《後漢書》. ②치솟을 측 '險道傾一'《漢書》. ③어렴풋할 측 희미함. 또, 어렴풋이. '一聞屈原兮, 自湛汨羅'《賈誼》. ④곁 측 側(人部 九畫)과 통용. '旁一素餐之人'《漢書》. ⑤미천할 측 천함. 또, 좁음. '一, 一陋'《廣韻》. ⑥측운 측 운(韻)의 이대별(二大別)한 하나. 곧, 상(上)·거(去)·입(入)의 삼성(三聲). 평(平)의 대(對). '平一'. '上去入爲一聲'《沈約》.

字源 篆文 籀文 會意. 亻(人)+厂. '厂한'은 '벼랑'의 뜻. '사람이 위험한 벼랑에서 몸을 비스듬히 기대다, 기울이다'의 뜻. 籀文은 厂+夨〔音〕의 形聲. '夨'은 또 머리를 기울인 사람을 본뜬 모양으로, 역시 '기울이다'의 뜻.

[仄徑 측경] 가파른 비탈의 오솔길.
[仄起 측기] 한시(漢詩)에서 기구(起句)의 둘째 글자가 측자(仄字)임을 이름. 평기(平起)의 대(對).
[仄陋 측루] 낮은 신분(身分). 측루(側陋).
[仄目 측목] 눈을 돌림. 정면으로 보지 않음. 측목(側目).
[仄聞 측문] 어렴풋이 들음. 남의 전(傳)하는 말을 들음.
[仄微 측미] ㉠신분이 낮고 미천함. 낮고 미천한 신분. ㉡쇠(衰)함.
[仄斜 측사] 기욺. 경사(傾斜).
[仄聲 측성] 한자(漢字)의 상(上)·거(去)·입(入)의 삼성(三聲)을 합한 76운(韻).
[仄室 측실] ㉠경대부(卿大夫)의 서자(庶子). ㉡첩(妾). 측실(側室).
[仄韻 측운] 사성(四聲) 중에서 상성(上聲)·거성(去聲)·입성(入聲)에 속하는 운(韻). 평운(平韻)의 대(對).
[仄日 측일] 지는 해. 석양(夕陽).
[仄入 측입] 시(詩)의 변격(變格)으로서 율시(律詩) 여덟 구의 첫째 글자를 측운(仄韻)으로 쓰는 일.
[仄字 측자] 측운(仄韻)의 글자.
[仄慝 측특] 음력 초하루에 달이 동쪽에 보이는 「일.
[仄行 측행] 모로 걸음. 측행(側行).
◉傾仄. 攲仄. 反仄. 旁仄. 湢仄. 稲仄. 幽仄. 平仄.

2④ [什] 人名 ㊀ 십 ㉧緝 是執切 shí ㊁ 집(십㊉)

筆順 ノ 亻 仁 什

字解 ㊀ ①열사람 십, 열집 십 십 명. 또, 십가(十家). '一百'. '遊弩往來, 一伍俱前'《漢書》. ②열 십 十(部首)과 통용. '一二'. '逐一一之利'《史記》. ③성 십 성(姓)의 하나. ㊁ ①시편 집 시경(詩經)에서 아(雅)와 송(頌)은 대개 열 편(篇)을 한 권(卷)으로 하였으므로, 시(詩) 또는 시편(詩編)을 이르게 되었음. '篇一'. '詩一'. '珠玉傳新一'《白居易》. ②세간 집 식기(食器) 따위의 일용 기구(器具). '一器'. '一物謂常用者, 其數非一, 故曰一'《史記 註》.

字源 篆文 形聲. 亻(人)+十〔音〕. 십인(十人) 일조(一組)의 뜻을 나타냄.

[什六 십륙] 10분의 6. 곧, 과반수.
[什吏 십리] 군사 10인의 장(長). 십장.
[什麽 십마] '무엇' 또는 '어떻게'의 뜻의 속어(俗語).
[什麽生 십마생] 십마(什麽).
[什百 십백] 열 명 내지 백 명의 군사(軍士)의 일조(一組)를 이룬 대오(隊伍).
[什佰 십백] ㉠열 배 혹은 백 배. ㉡십백(什百).
[什佰之器 십백지기] 보통 사람의 열 배 백 배나 될 만큼의 기량(器量).
[什襲 십습] 열 겹의 뜻으로, 여러 겹으로 싸서 소중히 보관하여 둠을 이름. 진장(珍藏).
[什襲藏之 십습장지] 귀중(貴重)한 물건을 잘 간직하여 둠.
[什伍 십오] 열 명 또는 다섯 명의 군사(軍士) 한 조(組).
[什二 십이] 10분의 2. 전(轉)하여, 장사의 이익을 이름.
[什二三 십이삼] 10분의 2, 또는 10분의 3.
[什一 십일] 10분의 1.
[什長 십장] ㉠군사(軍士) 열 사람의 두목. ㉡열 집 한 조의 장(長).
[什八九 십팔구] 열 가운데 여덟이나 아홉. 십중팔구(十中八九).
[什具 집구] 집물(什物).
[什器 집기] 집물(什物).
[什物 집물] ㉠세간살이에 쓰이는 온갖 기구(器具). 가구(家具). ㉡비장(祕藏)의 보물(寶物).
[什寶 집보] 가보(家寶)로서 비장(祕藏)한 보물.
◉家什. 近什. 小什. 詩什. 新什. 章什. 篇什.

2④ [仁] 中人 인 ㉥眞 如隣切 rén

筆順 ノ 亻 亻 仁

字解 ①어질 인, 어짊 인 ㉠애정. 동정. 친애(親愛). '一愛'. '樊遲問一, 子曰愛人'《論語》. ㉡특히 유교(儒敎)에서는 인도(人道)의 극치(極致), 또는 도덕의 지선(至善)을 이름. '一義'. '一人之安宅也'《孟子》. 또, 어진 풍속. 인정이 두터운 풍속. '里一爲美'《論語》. ②어진이 인 유덕(有德)한 사람. '愛衆而親一'《論語》. ③자네 인 친애하는 사람의 호칭(呼稱). '今說, 一諦聽'《無量壽經》. ④사람 인 人(部首)과 同字. '井有一焉'《論語》. ⑤사람마음 인 마음의 본체(本體). 본성(本性). '一, 人心也'《孟子》. ⑥참을 인 '一, 忍也. 好生惡殺'《釋名》. ⑦씨 인 핵과(核果)의 씨. '桃一'. '單服杏一'《顏氏家訓》. ⑧사랑할 인 친애(親愛)함. '一此者也'《荀子》. ⑨불쌍히여길 인 가련하게 여겨 동정함. '將大其聲, 疾呼而望其一之也'《韓愈》. ⑩성 인 성(姓)의 하나.

字源 甲骨文 篆文 古文 古文 形聲. 亻(人)+二〔音〕. '二이'는 '尼니'와 통하여, 친근하게 구는 애정의 뜻을 나타냄. 또, 전(轉)하여 과실(果實)의 씨 속에 있어

싹이 되는 보드라운 부분의 뜻으로도 쓰임.

[仁簡 인간] 인자(仁慈)하고 까다롭지 아니함.
[仁公 인공] 남을 부르는 존칭(尊稱). 명공(明公).
[仁敎 인교] 어진 가르침. 인덕(仁德) 있는 가르침.
[仁君 인군] 어진 임금.
[仁矜 인긍] 인정이 많음.
[仁德 인덕] 어진 덕(德). 인자하여 동정심이 많은 덕.
[仁篤 인독] 인정이 있고 친절함.
[仁里 인리] 풍속이 아름다운 시골.
[仁免 인면] 불쌍히 여겨 죄(罪)를 용서함.
[仁聞 인문] 어질다는 소문.
[仁祠 인사] 절(寺)의 이칭(異稱).
[仁山智水 인산지수] 산과 물. 산수(山水). 「줌.
[仁恕 인서] 인자하여 남의 딱한 사정을 잘 알아
[仁瑞 인서] 성인(聖人)이 세상을 다스릴 때 나타난다는 상서로운 조짐.
[仁善 인선] 어질고 착함. 인휘(仁徽).
[仁聖 인성] 재덕(才德)이 아주 뛰어난 사람.
[仁壽 인수] 인덕이 있고 수명이 김.
[仁獸 인수] 기린(麒麟) ❶의 별칭.
[仁順 인순] 어질고 순(順)함.
[仁術 인술] ㉠인덕(仁德)을 베푸는 방법. ㉡의술(醫術).
[仁信智勇嚴 인신지용엄] 대장(大將) 되는 자가 마땅히 갖춰야 할 인(仁)·신(信)·지(智)·용(勇)·엄(嚴)의 다섯 가지 덕(德).
[仁心 인심] 인자(仁慈)한 마음. 어진 마음.
[仁愛 인애] 자애(慈愛).
[仁弱 인약] 어질고 약함. 너무 순함.
[仁王 인왕] ㉠백성을 사랑하는 어진 임금. ㉡《佛敎》'이왕(二王)'과 같음.
[仁勇 인용] 인자하고 용감함.
[仁威 인위] ㉠진(陳)나라·수(隋)나라 무렵에 둔 군단(軍團)의 이름. 또, 그 장군의 칭호. ㉡은애(恩愛)와 위신(威信).
[仁柔 인유] 인자하고 유순함.
[仁育 인육] 사랑하여 기름.
[仁恩 인은] 자애(慈愛)와 은혜.
[仁義 인의] 인(仁)과 의(義). 박애(博愛)와 정의(正義).
[仁誼 인의] 인의(仁義).
[仁義禮智 인의예지] 사람의 마음에 선천적으로 갖춘 인(仁)과 의(義)와 예(禮)와 지(智)의 사덕(四德).
[仁義禮智信 인의예지신] 사람의 마음에 선천적으로 갖춘 인(仁)과 의(義)와 예(禮)와 지(智)와 신(信)의 오상(五常).
[仁人 인인] 인자(仁者).
[仁人之安宅也 인인지안택야] 인(仁)은 사람의 더없이 편안한 주택(住宅)이라는 뜻으로, 사람이 마음이 어질면 마음이 지극히 편안함을 이른 말.
[仁人之言其利博 인인지언기리박] 인자(仁者)가 말하는 바는, 그 이익(利益)되는 바가 넓고 큼.
[仁者 인자] ㉠어진 사람. ㉡사람으로서의 도(道)를 완전히 갖춘 사람. 인인(仁人).
[仁慈 인자] 인후(仁厚)하고 자애(慈愛)로움.
[仁者無敵 인자무적] 어진 사람은 모든 사람이 그를 따르므로 천하에 적이 없음.
[仁者不憂 인자불우] 어진 사람은 안빈낙도(安貧樂道)하므로 마음에 걱정이 없음.
[仁者樂山 인자요산] 어진 사람은 모든 일을 도의(道義)에 따라서 하여, 행동이 신중하기가 태산(泰山) 같으므로 산을 좋아함.
[仁者之勇 인자지용] 의(義)를 위하여 죽음을 두려워하지 않는 용기.
[仁漸義摩 인점의마] 백성을 다스리는 데 인혜(仁惠)로써 젖어들게 하고, 정의(正義)로써 갈고 닦게 한다는 뜻으로, 백성을 점차 인의(仁義)의 길에 들게 함을 이름.
[仁政 인정] 어진 정사(政事).
[仁悌 인제] 인자하고 공손함.
[仁鳥 인조] 봉황(鳳凰)의 별칭.
[仁智 인지] ㉠인자스럽고 슬기가 있음. 또, 인자한 마음과 슬기. ㉡산과 물, 곧 산수(山水)를 이 「름.
[仁親 인친] 인애(仁愛).
[仁澤 인택] 은택(恩澤).
[仁風 인풍] ㉠인덕(仁德)의 교화(教化). ㉡부채〔扇〕의 아칭(雅稱).
[仁賢 인현] ㉠인자(仁慈)하고 현명함. ㉡인자(仁者)와 현자(賢者).
[仁俠 인협] 인정이 많고 협기(俠氣)가 있음.
[仁兄 인형] 친구(親舊)의 존칭(尊稱).
[仁惠 인혜] 어질고 은혜로움.
[仁化 인화] 인덕(仁德)의 감화.
[仁孝 인효] 동정심이 많고 부모에게 효도가 지극함.
[仁厚 인후] 어질고 후덕(厚德)함.
[仁徽 인휘] 인선(仁善).
[仁恤 인휼] 인애(仁愛)로써 구휼(救恤)함.
[仁洽 인흡] 어진 자애로움이 널리 미침.
◉姦仁. 曲惠小仁. 觀過知仁. 寬仁. 能仁. 同仁. 輔仁. 婦人仁. 不仁. 殺身成仁. 三仁. 上仁. 宋襄之仁. 礰仁. 柔仁. 以友輔仁. 里仁. 一視同仁. 慈仁. 至仁. 杏仁.

2
④ [仆] 부 ㉮遇 芳遇切 fù / ㉮宥 敷救切 pū

字解 ①넘어질 부 ㉠쓰러짐. '一伏'. '黍稷一於中田'《陸雲》. ㉡쓰러져 죽음. '一斃'. '應弦而一'《唐書》. ②엎어질 부 전복함. '輿一植僵'《唐書》. ③넘어뜨릴 부 '引弓射一之, 乃朽木也'《唐書》.

字源 篆文 形聲. 亻(人)+卜〔音〕. '卜복'은 의성어(擬聲語). '사람이 픽 쓰러지다'의 뜻을 나타냄.

[仆僵 부강] 넘어짐. 쓰러짐.
[仆倒 부도] 넘어짐.
[仆頓 부돈] 넘어짐. 부도(仆倒).
[仆伏 부복] 넘어짐. 엎드러짐.
[仆死 부사] 쓰러져 죽음. 또, 그 사해(死骸).
[仆偃 부언] 넘어뜨림. 쓰러뜨림. 또, 넘어짐. 쓰러짐.
[仆臥 부와] 쓰러져 누움.
[仆顚 부전] 넘어짐. 엎드러짐.
[仆斃 부폐] 쓰러져 죽음. 폐사(斃死).
◉僵仆. 頓仆. 偃仆. 殪仆. 曳仆. 蹎仆. 顚仆. 推仆. 醉仆.

2
④ [仂] 륵 ㉰職 ①盧則切 lè / ②林直切 lì

字解 ①나머지 륵 셈한 나머지. 일설(一說)에는, 10분의 1. 또, 3분의 1. '祭用數之一'《禮

記》. ②힘쓸 륵 근면하게 일함.
字源 形聲. 亻(人)+力〔音〕

2④ [仇] 人名 구 ㊥尤 巨鳩切 chóu ㊥虞 恭于切
字解 ①짝 구 좋은 짝. '一匹'. '君子好一'《禮記》. ②원수 구 원한이 되는 사람. '一讎'. '一敵'. '與子同一'《詩經》. ③적으로여길 구 원수로 여김. 원망함. 미워함. '一, 惡也'《廣雅》. '萬姓一予'《書經》. ④해칠 구 해를 가(加)함. '葛伯一餉'《孟子》. ⑤거만할 구 오만한 모양. '執我一一'《詩經》. ⑥성 구 성(姓)의 하나. ⑦잔질할 구 잔에 술을 따름. '賓載手一'《詩經》.
字源 篆文 形聲. 亻(人)+九〔音〕. '九구'는 '逑구'와 통하여 구하여 찾는 상대의 뜻. '상대방·짝'의 뜻을 나타냄.

[仇家 구가] 원한이 있는 집. 또, 원수(怨讎).
[仇校 구교] 두 종류 이상의 이본(異本)을 대조(對照)하여 틀린 데를 고침. 교수(校讎).
[仇仇 구구] 오만한 모양. 오연(傲然).
[仇隙 구극] 사이가 나쁨. 불화.
[仇厲 구려] 의기가 충천하여 격렬함.
[仇方 구방] 원수(怨讎)의 나라.
[仇讎 구수] 원수(怨讎). 구적(仇敵).
[仇視 구시] 적(敵)으로 봄. 적대시함. 적시(敵視).
[仇英 구영] 명(明)나라 중기(中期)의 화가(畫家). 자(字)는 실부(實父). 호(號)는 십주(十洲). 장쑤(江蘇) 태창(太倉) 사람. 화풍(畫風)이 세밀 염려(細密艷麗)하여 송대(宋代) 이후 제1인자로 일컬어짐. 당송(唐宋) 고화(古畫)의 모사(模寫)와 금벽 산수(金碧山水) 및 누각(樓閣)을 잘 그렸음.
[仇惡 구오] 원수로 여겨 미워함.
[仇偶 구우] 짝. 배우(配偶).
[仇怨 구원] 원한(怨恨).
[仇人 구인] 원수(怨讎). 구가(仇家).
[仇敵 구적] 원수(怨讎). 구수(仇讎).
[仇剽 구표] 원수(怨讎)로 여겨 표략(剽掠)함.
[仇匹 구필] 짝. 동배(同輩).
[仇恨 구한] 원한(怨恨). 구원(仇怨).
◉強仇. 同業相仇. 報仇. 雪仇. 世仇. 讎仇. 惡女仇. 怨仇. 好仇.

2④ [仍] 人名 잉 ㊥蒸 如乘切 réng
字解 ①인할 잉 그대로 따름. 인순(因循)함. '一舊'. '一舊貫如之何'《論語》. ②기댈 잉 몸을 의지함. '凶事一几'《周禮》. ③오히려 잉 여전히. '太史公一父子相續'《史記》. ④자주 잉 누차. '晉一無道'《國語》. ⑤거푸 잉 연거푸. '饑饉一臻'《漢書》. ⑥이에 잉 乃(丿部 一畫)와 뜻이 같음. '一父子再亡國'《史記》. ⑦칠대손 잉 현손(玄孫)의 증손(曾孫). '昆孫之子爲一孫'《釋名》. ⑧성 잉 성(姓)의 하나.
字源 篆文 形聲. 亻(人)+乃〔音〕. '乃내'는 태아(胎兒)를 본뜬 모양. 성인(成人)과 태아와 세대(世代)가 겹치는 모양에서, '거듭하다, 겹치다, 인하다'의 뜻을 나타냄.

[仍舊 잉구] 그전에 의함. 전처럼. 의연(依然)히.
[仍舊貫 잉구관] 전례(前例)에 의지하여 고치지 아니함.
[仍多 잉다] 그 위에 더 많음.
[仍世 잉세] 대대(代代). 누대(累代).
[仍孫 잉손] 곤손(昆孫)의 아들. 곧, 칠대손(七代孫).
[仍襲 잉습] 그대로 따름.
[仍然 잉연] 역시. 원래대로. 변함없이.
[仍用 잉용] 이전 것을 그대로 씀.
[仍任 잉임] 임기(任期)가 찬 관원(官員)을 계속하여 임명함.
[仍仍 잉잉] 실의(失意)한 모양.
[仍存 잉존] 예전 그대로 둠.
◉累仍. 連仍. 雲仍. 因仍. 荐仍. 重仍.

2④ [仉] 장 ㊤養 止兩切 zhǎng
字解 성 장 성(姓)의 하나. '一, 見姓苑, 周孟子母一姓'《萬姓統譜》.

2④ [仃] 정 ㊥青 當經切 dīng
字解 외로이걸을 정 行(彳部 二畫)과 同字.

2④ [仏] 〔불·필〕
佛(人部 五畫〈p.120〉)의 古字

2④ [仅] ㊀ 付〔부〕(人部 三畫〈p.102〉)와 同字 ㊁ 奴〔노〕(女部 二畫〈p.513〉)와 同字 ㊂ 僅〔근〕(人部 十一畫〈p.173〉)의 簡體字

[化] 〔화〕
匕部 二畫(p.289)을 보라.

2④ [仐] 〔산〕
傘(人部 十畫〈p.164〉)의 略字

3⑤ [仚] 선 ㊥先 許延切 xiān
字解 날듯할 선 몸이 가벼워 날 듯한 모양. '鳥一魚躍'《鮑照》.
字源 篆文 會意. 亻(人)+山. 사람이 산(山) 위에 있는 모양. '높이 오르다'의 뜻을 나타냄.

3⑤ [令] 中人 령 ①-④㊥庚 呂貞切 líng ⑤-⑫㊤敬 力政切 lìng
筆順 丿 人 亼 今 令
字解 ①하여금 령 시킴. …로 하여금 …하게 함. '一人知之'. '臣能一君勝'《史記》. ②부릴 령 사역(使役)함. '使一於前'《孟子》. 또, 그 사람. 하인. '寺人之一'《詩經》. ③가령 령 이를테면. 가사(假使). '假一'. '一事成歸王'《史記》. ④방울소리 령 개의 목에 단 방울의 소리. '盧一一'《詩經》. ⑤법 령 법률. '律一'. '犯邦一'《周禮》. ⑥영 령 ㉠명령. '從父之一'《孝經》. ㉡교훈. 경계. '謹聞一'《戰國策》. ㉢포고(布告). '發號施一'《書經》. ㉣지휘. 호령. '軍中聞將軍之一, 不聞天子之詔'《史記》. ⑦영내릴 령 전항의 동사. '一之曰, 汝知而心與左右手背乎'《史記》. '其所一反其所好而民不從'《大學》. ⑧피할 령 '一, 避也'《廣雅》. ⑨장관 령 관아(官衙)의 장(長). '中書一'. '卜皮爲縣一'《韓非子》. ⑩

착할 령, 아름다울 령 선량함. 또, 좋음. '一德'. '一聞一望'《詩經》. 전(轉)하여, 남의 친족에 대한 경칭(敬稱)으로 쓰임. '一郎'. '一兄'. '峨峨一妹, 應期誕生'《左思》. ⑪철 령 시절(時節). '月一'. ⑫성 령 성(姓)의 하나.

字源 甲骨文 金文 篆文 會意. 亼+卩(㔾). '亼'은 '모으다'의 뜻이라고도 하고, 머리 위에 쓰는 관(冠)을 본뜬 형태라고도 함. '卩'은 사람이 무릎을 꿇은 형상. 사람이 무릎을 꿇고 신의(神意)를 듣는 모양을 나타내며, '명(命)하다'의 뜻을 나타냄.

[令監 영감] ㉠《韓》정삼품(正三品)·종이품(從二品) 관원을 일컫던 말. ㉡좀 나이 많은 남편이나 남자 늙은이를 일컫는 말.
[令甲 영갑] 법령(法令)의 제1장.
[令价 영개] 남의 집 하인의 경칭(敬稱).
[令格 영격] 규칙(規則).
[令公 영공] 중서령(中書令)의 존칭(尊稱).
[令嬌 영교] 남의 딸의 존칭(尊稱). 영애(令愛).
[令君 영군] 한말(漢末) 이후, 상서령(尙書令)의 이칭(異稱).
[令眷 영권] 영정(令正).
[令閨 영규] 남의 부인의 경칭(敬稱). 영부인(令夫人).
[令器 영기] 훌륭한 그릇. 뛰어난 인재(人材).
[令女之節 영녀지절] 영녀(令女)는 조문숙(曹文叔)의 아내의 이름. 남편이 죽은 후 집에서 딴데 재가(再嫁)시키려고 하자, 스스로 귀와 코를 끊고서 이에 좇지 않아 마침내 그 정절(貞節)을 온전히 지킨 고사(故事).
[令堂 영당] 남의 어머니의 존칭.
[令德 영덕] 훌륭한 덕(德). 미덕(美德).
[令圖 영도] 좋은 계책. 영유(令猷).
[令娘 영랑] 영애(令愛).
[令郞 영랑] 남의 아들의 존칭. 영윤(令胤). 영식(令息).
[令令 영령] 개의 목에 단 방울 소리.
[令望 영망] 좋은 명망(名望).
[令妹 영매] 남의 누이동생의 존칭.
[令名 영명] 좋은 명예(名譽). 좋은 명성(名聲). 영문(令聞). 영예(令譽).
[令母 영모] 남의 어머니의 존칭(尊稱).
[令謨 영모] 영유(令猷).
[令聞 영문] 훌륭한 평판. 영명(令名).
[令伯 영백] 남의 큰아버지·큰어머니의 존칭.
[令僕 영복] 상서령(尙書令)과 복야(僕射).
[令夫人 영부인] 남의 아내의 존칭.
[令士 영사] 훌륭한 선비. 선사(善士).
[令史 영사] ㉠장관(長官)과 속관(屬官). ㉡문서(文書)를 관장(管掌)하는 하급 관리.
[令嗣 영사] 후사(後嗣)의 경칭(敬稱).
[令色 영색] 남의 비위를 맞추려고 아첨하는 얼굴빛.
[令書 영서] ㉠황족(皇族)이 보내는 서장(書狀). ㉡《韓》왕세자(王世子)가 왕을 대신하여 정사를 다스릴 때 내리던 영지(令旨).
[令壻 영서] 남의 사위의 존칭.
[令緖 영서] ㉠영사(令嗣). ㉡훌륭한 공업(功業).
[令孫 영손] 남의 손자의 존칭.
[令叔 영숙] 남의 숙부(叔父)·숙모(叔母)의 존칭.
[令淑 영숙] 착함. 훌륭함.
[令諡 영시] 시호(諡號).
[令息 영식] 남의 아들의 존칭.
[令辰 영신] 좋은 때. 좋은 날.
[令室 영실] 영부인(令夫人).
[令愛 영애] 남의 딸의 존칭.
[令孃 영양] 남의 딸의 존칭. 영애(令愛). 영원(令媛). 영랑(令娘).
[令嚴 영엄] ㉠명령의 엄함. ㉡남의 아버지의 경칭(敬稱). 존부(尊父). 존대인(尊大人).
[令譽 영예] 좋은 명예(名譽).
[令媛 영원] 영애(令愛).
[令月 영월] 음력 2월의 별칭.
[令猷 영유] 좋은 계책. 영모(令謨).
[令尹 영윤] ㉠주대(周代)의 초(楚)나라의 관명(官名). 상경(上卿). ㉡지방 장관의 별칭(別稱). 진(秦)·한(漢) 이래 현지사(縣知事)를 현령(縣令)이라 하고, 원대(元代)에는 현윤(縣尹)이라 하였으므로, 영(令)과 윤(尹)을 합쳐 부른 것임.
[令胤 영윤] 남의 아들의 존칭.
[令潤 영윤] 충분히 적심. 비가 충분히 오는 일.
[令尹子文 영윤자문] 춘추 시대(春秋時代)의 초(楚)나라 사람. 본 성명은 투곡어도(鬪穀於菟). 세 번이나 영윤(令尹)의 직(職)에 임명(任命)되고 세 번 파직(罷職)당했으되 조금도 희온(喜慍)하는 빛을 보이지 않았다고 하며, 공자(孔子)가 이를 칭탄(稱歎)해 마지않았음.
[令儀 영의] 올바른 예의. 예절에 맞은 언행(言行).
[令人 영인] 훌륭한 사람. 좋은 사람.
[令日 영일] 길일(吉日). 가신(佳辰).
[令子 영자] ㉠훌륭한 아들. ㉡남의 아들의 경칭. 영식(令息). 영랑(令郞).
[令姊 영자] 남의 손위 누이의 경칭.
[令姿 영자] 아름다운 자태.
[令慈 영자] ㉠남의 어머니의 경칭. ㉡훌륭한 자애(慈愛). 깊은 애정.
[令狀 영장] 관청(官廳)에서 내보내는 출두(出頭) 명령서(命令書).
[令箭 영전] 군령(軍令)을 전(傳)하는 화살.
[令節 영절] 좋은 시절(時節). 좋은 철. 가절(佳節). 영신(令辰).
[令正 영정] 영부인(令夫人).
[令政 영정] 영정(令正).
[令弟 영제] 훌륭한 아우. 원래는 자기 아우의 경칭이었으나, 후세에 남의 아우의 경칭으로 되었음.
[令族 영족] 훌륭한 평판과 인망(人望)이 있는 일족(一族).
[令尊 영존] 남의 아버지의 존칭.
[令準 영준] 훌륭한 모범.
[令旨 영지] ㉠황태후(皇太后)의 명령. ㉡《韓》왕세자의 명령서.
[令姪 영질] 남의 조카의 존칭(尊稱).
[令妻 영처] ㉠훌륭한 아내. 양처(良妻). ㉡영부인(令夫人). 영정(令正).
[令寵 영총] 남의 첩(妾)의 존칭.
[令飭 영칙] 명령(命令)을 내려 신칙(申飭)함.
[令稱 영칭] 영명(令名).
[令抱 영포] 남의 손자의 존칭.
[令閤 영합] 영실(令室).
[令兄 영형] 남의 형(兄)의 존칭.
[令慧 영혜] 슬기로움. 총명함.
[令狐德棻 영호덕분] 당초(唐初)의 문관(文官). 화원(華原) 사람. 널리 문사(文史)에 통하여, 항상 고조(高祖)의 측근에서 문치(文治) 행정(行政)에 참획(參畫)하고, 또 무덕(武德)·정관(貞

觀) 2대(代)에 걸치는 양(梁)·진(陳)·주(周)·제(齊)·수(隋)의 〈오대사(五代史)〉의 관찬(官撰) 사업을 추진(推進)시켰음.

[令狐綯 영호도] 당(唐)나라 중기(中期)의 재상(宰相). 자(字)는 자직(子直). 화원(華原) 사람. 재상(宰相) 영호초(令狐楚)의 아들. 문학(文學)으로 널리 알려지고 벼슬이 홍문관 교서랑(弘文館校書郞)·호주 자사(湖州刺史) 등을 거쳐 병부시랑 동 중서문하 평장사(兵部侍郞同中書門下平章事)에 이르렀음.

[令狐楚 영호초] 당(唐)나라 중기(中期)의 재상(宰相). 자(字)는 각(殼). 화원(華原) 사람. 젊어서부터 문장(文章)에 능하여 특히 전주(牋奏)·제령(制令)을 잘 지었음. 내외(內外)의 요직(要職)을 역임(歷任), 팽양군개국공(彭陽郡開國公)에 봉(封)함을 받았음.

◉苛令. 家令. 假令. 格令. 戒令. 功令. 教令. 口令. 軍令. 禁令. 急急如律令. 德令. 命令. 發令. 法令. 司令. 使令. 辭令. 三令. 設令. 笑令. 手令. 守令. 時令. 暗令. 嚴令. 月令. 威令. 違令. 遺令. 律令. 頤令. 一令. 傳令. 政令. 條令. 詔令. 縱令. 指令. 徵令. 勅令. 布令. 憲令. 縣令. 懸令. 號令. 訓令.

3 ⑤ [今] 令(前條)의 俗字

3 ⑤ [仨] 사 sā

字解 셋 사 3개. 북쪽 지역의 방언(方言)임. '一, 北方語音, 數詞, 三個也'《辭海》.

3 ⑤ [仝] 〔동〕 同(口部 三畫〈p. 345〉)의 古字

3 ⑤ [仺] 〔금〕 今(人部 二畫〈p. 93〉)의 俗字

3 ⑤ [从] 〔총〕 叢(又部 十六畫〈p. 333〉)의 簡體字

3 ⑤ [以] 中·人 이 ㊤紙 羊已切 yǐ

筆順 丨 𠄌 𠃊 以 以

字解 ①써 이 ㉠ …으로써. …을 써서. '一羊易之'《孟子》. ㉡ …에 의하여. …때문에. '習習谷風一陰一雨'《詩經》. ㉢ …고. '城高一厚'(성은 높고 두꺼움)《史記》. ㉣ …에도 불구하고. …이면서도. '可一人而不如鳥乎'《大學》. ㉤위의 구(句)를 받는 말. '作奇技淫巧一悅婦人'《書經》. ㉥어조(語調)를 돕기 위하여 쓰는 말. '可一託六尺之孤, 可一寄百里之命'《論語》. ②써할 이 …으로써 함. 사용함. '殺人一梃與刃'《孟子》. ③쓸 이 사용함. 임용함. '不使大臣怨乎不一'《論語》. ④할 이 행위를 함. '觀其所一'《論語》. ⑤말 이 그침. 已(己部)와 뜻이 같음. '無一則王乎'《孟子》. ⑥거느릴 이 인솔함. '一其族行'《左傳》. ⑦생각할 이 생각건대. '伏一, 佛者夷狄之一法耳'《韓愈》. ⑧함께 이 …와. 함께 함. '之子之歸, 不我一'《詩經》. ⑨닮을 이 비슷함. '箕子一之'《易經》. ⑩까닭 이 원인. 이유. '必有一也'《詩經》. ⑪부터 이 …로부터. '一長沙往'《史記》. ⑫심히 이 대단히. '不一急乎'《孟子》. ⑬이미 이 벌써. '此心一馳于彼'《王右軍》. ⑭성 이 성(姓)의 하나.

字源 甲骨文 金文 篆文 象形. 甲骨文에서 알 수 있듯이, 쟁기를 본뜬 모양으로, '쟁기로 갈다'의 뜻에서, 전(轉)하여 '쓰다〔用〕'의 뜻을 나타냄. '目'는 '以'의 古字. '以'는 形聲으로 亻(人)+㠯(目의 변형).

[以降 이강] 이후(以後).

[以羈而御駻突 이기이어한돌] 고삐 하나만으로 사나운 말을 다룸. 경한 방법으로 타락(墮落)한 시세(時世) 또는 영악(獰惡)한 사람을 제어(制御)함의 비유.

[以南 이남] 여기서 남(南)쪽. 거기서 남(南)쪽.

[以內 이내] 일정한 범위(範圍) 안.

[以德報怨 이덕보원] 원한(怨恨)이 있는 자에게 보복하지 않고 도리어 은덕(恩德)을 베풂.

[以毒制毒 이독제독] 독을 없애는 데 다른 독을 씀. 악인(惡人)을 물리치는 데 다른 악인을 이용함의 비유.

[以東 이동] 여기서 동(東)쪽. 거기서 동(東)쪽.

[以頭濡墨 이두유묵] 초서(草書)의 명인(名人)인 장욱(張旭)이 대취(大醉)하여 머리에 먹을 묻혀 글씨를 쓴 고사(故事).

[以頭搶地 이두창지] ㉠머리를 땅에 부딪치며 대로(大怒)함. ㉡땅에 엎드려 애걸(哀乞)함.

[以卵投石 이란투석] 극히 무른 물건을 극히 단단한 것에 던진다는 뜻으로, 아무리 하여도 소용없음의 비유.

[以蠟代薪 이랍대신] 땔나무 대신 초를 씀. 곧, 사치(奢侈)가 매우 심함을 이름. 진(晉)나라 석숭(石崇)의 고사(故事).

[以來 이래] 어느 일정한 때부터 그 후.

[以蠡測海 이려측해] 표주박으로 바다를 잼. 곧, 옅은 식견(識見)으로 심대(深大)한 사리(事理)를 추측(推測)한다는 뜻.

[以毛相馬 이모상마] 털빛으로 말의 좋고 나쁨을 판단함. 겉만 보고 사물을 판단하는 것은 잘못임을 이름.

[以貌取人 이모취인] 용모(容貌)로써 사람을 채용(採用)하고, 재덕(才德)은 묻지 아니함.

[以目 이목] 두려워하여 말을 하지 못하고 눈짓으로 알림.

[以聞 이문] 신하가 천자에게 아룀. 상주(上奏)함. 상문(上聞).

[以文會友 이문회우] 학문을 연구하기 위하여 벗을 모음.

[以微知明 이미지명] ㉠작은 일을 모두 궁구(窮究)하여 큰 일을 미루어 환히 앎. ㉡사소한 일을 통하여 위대한 진리(眞理)를 터득함. ㉢시작을 보고서 결과까지 추측(推測)하여 앎.

[以辯飾知 이변식지] 말재주로써 모자라는 지식(知識)을 은폐(隱蔽)함.

[以北 이북] 여기서 북(北)쪽. 거기서 북(北)쪽.

[以上 이상] 어느 일정한 한도의 위.

[以色交 이색교] 아름다운 용모(容貌)로써 사귐.

[以西 이서] 여기서 서(西)쪽. 거기서 서(西)쪽.

[以西御者不盡馬之情 이서어자부진마지정] 무슨 일이나 실지로 연구하지 않으면 쓸모가 없음을 이름.

[以石投水 이석투수] ㉠흔적(痕迹)이 반드시 남음을 이름. ㉡간(諫)하는 말을 잘 받아들임을

이름.
[以隋珠彈雀 이수주탄작] 수주(隋珠)는 귀(貴)한 구슬. 참새는 작은 새. 비용이 많이 들고 소득(所得)이 적음의 비유(比喩).
[以升量石 이승양석] 되〔升〕로 섬〔石〕 되는 분량을 된다는 뜻으로, 우자(愚者)가 현인(賢人)의 마음을 헤아리기 불가능함을 이름.
[以食爲天 이식위천] 백성이 살아가는 데 먹는 것이 가장 소중함. 식자민지본(食者民之本).
[以身殉利 이신순리] 이익(利益)을 위하여 목숨을 내던짐.
[以身役物 이신역물] 물욕(物慾)에 사로잡혀서 몸이 물건에 사역(使役)당함.
[以心傳心 이심전심] 마음에서 마음으로 전(傳)함. 곧, 문자(文字)나 언어(言語)를 쓰지 않고 타인(他人)에게 깨닫게 한다는 뜻으로, 심오(深奧)한 이치는 언어로는 설명하기 어려우니까 마음으로 깨닫게 함을 이름.
[以羊易牛 이양역우] 큰 소 대신 작은 양을 씀. 크고 작은 차이는 있지만, 같은 행위에 속한다는 뜻. 맹자 양혜왕편(孟子梁惠王篇)에, 양혜왕이 종(鐘)에 피를 바르고자 소를 죽이려고 함을 보고, 불쌍히 여기어 소 대신 양을 쓰도록 명령한 고사(故事)에서 나온 말.
[以言取人 이언취인] 사람을 그의 언론(言論)만을 듣고 가려 씀.
[以往 이왕] 이래(以來).
[以外 이외] 일정한 범위 밖.
[以遠 이원] (그곳에서) 보다 먼 곳.
[以爲 이위] 생각건대. 생각하기를.
[以謂 이위] 이위(以爲).
[以類聚 이유취] 같은 무리끼리 모임. 끼리끼리 모임.
[以肉去蟻 이육거의] 고기로써 개미를 쫓음. 곧, 제거(除去)하는 방법(方法)이 틀렸다는 뜻.
[以義制事 이의제사] 올바른 도리(道理)에 의하여 일을 처리(處理)함.
[以夷攻夷 이이공이] 적(敵)을 이용하여 적을 침.
[以夷制夷 이이제이] 이이공이(以夷攻夷).
[以人爲鑑 이인위감] 남의 선악(善惡)을 보고 스스로 본보기로 삼아 경계함.
[以一警百 이일경백] 한 가지 작은 일로써 큰 일의 본보기로 삼아 경계함. 한 사람의 악(惡)을 징계하여 뭇사람을 경계함.
[以一簣障江河 이일궤장강하] 삼태기 하나로 양쯔 강(揚子江)·황허(黃河)의 물을 막음. 곧, 미력(微力)으로써 큰 일을 하고자 함의 비유.
[以逸待勞 이일대로] 편안하게 있으면서 기운을 돋운 아군(我軍)을 거느리고 멀리서 오는 피로(疲勞)한 적(敵)을 대기함.
[以一知萬 이일지만] 한 가지 비근(卑近)한 일의 이치를 알고, 이를 미루어 만사를 앎.
[以長擊短 이장격단] 나의 장점(長點)을 이용하여 남의 단점(短點)을 침.
[以長補短 이장보단] 남의 장점(長點)을 거울삼아 나의 단점(短點)을 보충(補充)함.
[以赤手障江河 이적수장강하] 맨손으로 양쯔 강이나 황허의 흐름을 막음. 곧, 혼자 힘으로 큰 일을 함을 이름.
[以前 이전] ㉠어느 일정한 때부터 그 전. ㉡그 전. 왕시(往時).
[以此以彼 이차이피] 이렇게 하든지 저렇게 하든지. 어차어피(於此於彼).
[以千鈞弩潰癰 이천균노궤옹] 강한 힘으로 상대방의 피로(疲勞)한 기회를 타서 공격하면, 이를 격파하기가 퍽 수월함의 비유. 옹(癰)은 등창.
[以錐刀墮泰山 이추도타태산] 송곳으로 태산(泰山)을 허문다는 뜻으로, 작은 힘으로 대적(大敵)에 항전(抗戰)하여도 무찌르기는 불가능함의 비유(比喩).
[以湯沃沸 이탕옥비] 화란(禍亂)을 더욱더 조장(助長)함을 이름.
[以湯澆雪 이탕요설] 쉬운 일을 이름.
[以湯止沸 이탕지비] 이탕옥비(以湯沃沸).
[以暴易暴 이포역포] 난폭(亂暴)한 자를 없애기 위하여 난폭한 행위를 함.
[以下 이하] 어느 일정한 한도의 아래.
[以血洗血 이혈세혈] 피로써 피를 씻음. 곧, 악(惡)을 악(惡)으로써 갚거나 거듭거듭 나쁜 일을 한다는 뜻.
[以鴻毛燎於爐炭上 이홍모요어노탄상] 기러기 털을 화로(火爐)의 숯불 위에 불사름. 지극(至極)히 하기 쉬운일의 비유(比喩).
[以還 이환] 이래(以來). 이후(以後).
[以孝傷孝 이효상효] 효성(孝誠)이 지극한 나머지 부모의 죽음을 너무 슬퍼하고 사모(思慕)하여 병(病)이 나거나 혹은 죽기까지에 이르는 일.
[以後 이후] 어느 일정한 때부터 그 후.
◉所以. 是以. 意以. 何以.

3 ⑤ **[仔]** 人名 자 ㊤紙 卽里切 ②zǐ, ③zǎi ㊥支 子之切 ①zī

筆順 ノ 亻 仔 仔 仔

字解 ①견딜 자 임무(任務)를 잘 견디어 해 나감. '佛時一肩'《詩經》. ②자세할 자 '一詳'. '世路風波一細諳'《白居易》. ③《現》 새끼 자 어린 것. 주로, 벌레·물고기 등에 쓰임. '一蟲'.

字源 金文 篆文 形聲. 亻(人)+子〔音〕

[仔肩 자견] 책임. 부담. 또, 책임을 짐. 감당해 냄.
[仔俸 자봉] 서장(西藏;티베트)의 관명(官名). 재정(財政)을 관리하는 상상(商上)이라는 관청의 사무관(事務官).
[仔詳 자상] 자세(仔細).
[仔細 자세] ㉠상세함. ㉡일. 자세한 사정. ㉢자초지종(自初至終). 처음부터 끝까지. ㉣지장(支障).
[仔蟲 자충] 벌레의 새끼. 애벌레. 유충(幼蟲).
◉肩仔. 蛤仔.

3 ⑤ **[仕]** 中人 사 ㊤紙 鉏里切 shì

筆順 ノ 亻 仁 什 仕

字解 ①벼슬 사 벼슬살이. '一宦'. '退而致一'《公羊傳》. ②벼슬할 사 벼슬살이를 함. '四十曰強而一'《禮記》. ③섬길 사 ㉠임금을 섬김. '其後累世, 皆一漢'《十八史略》. ㉡주인을 섬김. '一于家曰僕'《禮記》. ④살필 사 명찰(明察)함. '弗問弗一, 勿罔君子'《詩經》. ⑤일삼을 사 事(亅部 七畫)와 통용. '武王豈不一'《詩經》. ⑥

성 사 성(姓)의 하나.
字源 金文 篆文 形聲. 亻(人)+士〔音〕. '士사'는 왕사(王事)·군사(軍事)에 종사하는 남자의 뜻. '人'을 덧붙여, 사환(仕宦)하여 섬기다의 뜻을 나타냄.

[仕家 사가] 벼슬을 할 수 있는 가문(家門).
[仕官 사관] 사환(仕宦). 출사(出仕).
[仕國 사국] 섬길 만한 가치가 있는 나라.
[仕途 사도] 벼슬길. 관도(官途).
[仕歷 사력] 여러 벼슬을 역임(歷任).
[仕路 사로] 벼슬길.
[仕非爲貧 사비위빈] 벼슬하는 사람은 도(道)를 천하에 펴기 위함이지, 가난하기 때문에 벼슬하는 것은 아님.
[仕進 사진] 벼슬을 함. 또, 벼슬하여 입신(立身)함. 사환(仕宦).
[仕退 사퇴] 관원(官員)이 직소(職所)에서 파(罷)하여 나옴.
[仕學 사학] 사환(仕宦)하는 일과 학문하는 일. 사환하면서 한편으로 학문하는 일.
[仕學竝長 사학병장] 관리(官吏)로서의 수완과 학문이 모두 뛰어남.
[仕宦 사환] 벼슬을 함.
[仕宦家 사환가] 대대(代代)로 벼슬을 하는 집안.
◉強仕. 徼仕. 貴仕. 給仕. 祿仕. 膴仕. 奉仕. 筮仕. 養仕. 縱仕. 進仕. 出仕. 致仕.

3 ⑤ [他] 中·人 타 ㊥歌 託何切 tā ㊤箇 唐佐切 tuó

筆順 ノ 亻 仂 仲 他

字解 ①남 타 ㉠자기 이외의 사람. '妬一心似火, 燒我鬢如霜'《白居易》. ㉡골육(骨肉) 이외의 사람. '兄弟匪一'《詩經》. ②다를 타 같지 않음. 한 사물이 아님. '一說'. '一邦'. ③딴일 타 다른 일. 타사. '人知其一, 莫知其一'《詩經》. '王顧左右而言一'《孟子》. ④딴곳 타 다른 곳. 타처. '光遠而自一有耀者也'《左傳》. ⑤딴마음 타 이심(異心). '之死矢靡一'《詩經》. ⑥간사할 타 마음이 사곡(邪曲)함. '君子正而不一'《揚子法言》. ⑦《現》그 타 그 사람. '一也道好'《朱子語錄》. ⑧짐실을 타 가축(家畜)에 짐을 실음. '馱, 畜負物也. 或作一'《集韻》.
字源 形聲. 亻(人)+也〔音〕. 佗(人部 五畫)의 俗字. '자기 자신이 아닌 자, 다른'의 뜻으로 쓰임.

[他家 타가] ㉠남의 집. ㉡그. 그 사람.
[他客 타객] ㉠초대하지 아니한 손. ㉡만 손. 그 밖의 손.
[他界 타계] ㉠다른 세계(世界). ㉡인간계(人間界)를 떠나 다른 세계로 감. 곧, 서거(逝去)함. 주로 귀인(貴人)의 죽음을 이름. ㉢《佛敎》십계(十界) 가운데 인간계(人間界) 이외의 세계. 곧, 천상계(天上界)·지옥계(地獄界)·아귀계(餓鬼界)·수라계(修羅界)·불계(佛界) 등을 이름.
[他故 타고] 다른 까닭. 다른 사정.
[他國 타국] 다른 나라.
[他郡 타군] 다른 고을.
[他弓莫挽 타궁막만] 남의 활은 당겨 쏘지 말라는 뜻으로, 자기가 닦는 바를 지키고 마음을 딴 데 쓰지 말라는 말.
[他岐 타기] 딴 갈림길.
[他年 타년] 다른 해. 딴 해.
[他念 타념] 다른 생각. 타심(他心). 여념(餘念).
[他端 타단] 딴 좋은 생각. 다른 수단.
[他道 타도] 다른 도(道).
[他洞 타동] 다른 동네.
[他動 타동] 동작(動作)이 다른 데에 미치는 일. 곧, 다른 사물을 처리하는 동작. 자동(自動)의 대(對).
[他慮 타려] 다른 염려(念慮).
[他力 타력] ㉠남의 힘. 남의 도움. ㉡《佛敎》중생(衆生)을 구제하는 아미타여래(阿彌陀如來)의 본원(本願)의 힘.
[他力敎 타력교] 《佛敎》여래(如來)의 원력(願力)에 의뢰하여 구제(救濟)되기를 바라는 종지(宗旨).
[他力門 타력문] 타력교(他力敎).
[他力本願 타력본원] 아미타여래(阿彌陀如來)의 본원(本願)에 의뢰하여 정토(淨土)에 왕생(往生)함.
[他律 타률] 타율(他律).
[他門 타문] 남의 문중(門中). 혈통(血統)이 다른 남의 집.
[他聞 타문] 남이 들음. 남의 귀에 들어감. 외문(外聞).
[他物 타물] 다른 물건. 딴것.
[他方 타방] 다른 방면. 다른 쪽.
[他邦 타방] 타국(他國).
[他事 타사] 다른 일.
[他山之石 타산지석] 다른 산에서 나는 나쁜 돌도 자기의 아름다운 옥(玉)을 가는 데 소용이 된다는 뜻으로, 다른 사람의 하찮은 언행(言行)일지라도 자기의 지덕(智德)을 연마하는 데 도움이 된다는 말.
[他殺 타살] 남이 죽임.
[他色 타색] 다른 빛.
[他生 타생] 《佛敎》㉠금생(今生) 이외의 전생(前生)이나 후생(後生)의 세상. ㉡내세(來世)에 다시 태어남.
[他書 타서] 다른 서적.
[他席 타석] 남의 좌석. 다른 자리.
[他說 타설] 딴 설(說). 이설(異說).
[他姓 타성] 다른 성(姓). 이성(異姓).
[他世 타세] 《佛敎》미래의 세계. 내세(來世).
[他時 타시] 다른 때.
[他心 타심] 다른 생각. 딴생각.
[他心智通 타심지통] 《佛敎》육통(六通)의 하나. 남의 마음속을 속속들이 다 아는 심력(心力).
[他愛主義 타애주의] 자기(自己)를 돌아보지 않고 남을 위하여 이익(利益)·행복(幸福) 등을 꾀하는 주의. 애타주의(愛他主義).
[他言 타언] 남의 말. 남이 하는 말.
[他用 타용] 다른 곳에 씀.
[他律 타율] 자의(自意)가 아니고 남의 지배나 속박에 의하여 행동하는 일.
[他邑 타읍] 다른 읍. 딴 고을.
[他意 타의] 다른 생각. 딴마음.
[他人 타인] 다른 사람. 남.
[他日 타일] ㉠이전. 전날. ㉡나중. 후일.
[他腸 타장] 딴 악의(惡意). 딴마음.
[他族 타족] 딴 겨레.
[他座 타좌] 타석(他席).
[他罪 타죄] 다른 죄(罪).

[他志 타지] 딴마음. 이심(異心).
[他處 타처] 다른 곳. 딴 곳.
[他薦 타천] 후보자로 남이 추천함.
[他出 타출] 밖에 나감. 외출(外出).
[他他 타타] 많이 쌓인 모양.
[他行 타행] 밖에 나감. 집에 없음.
[他鄕 타향] 고향(故鄕)이 아닌 곳.
[他鄕遇故知 타향우고지] 타향에 가서 옛 지기(知己)를 만남. 인생(人生)의 기쁜 일의 한 가지.
◉覺他. 顧左右言他. 排他. 負他. 愛他. 由他. 利他. 自他. 從他.

3 ⑤ [仗] 人名 장 ㊀漾 直亮切 zhàng ㊤養 直兩切

字解 ①병장기 장 검극(劍戟) 같은 무기(武器). '兵—'. '開—'. '被甲持—'《晉書》. ②호위 장 궁성 또는 임금의 호위(護衛). '朝罷放—'《唐書》. ③기댈 장 의지함. '—策謁天子'《魏徵》. ④지팡이 장 杖(木部 三畫)과 통용.
字源 形聲. 亻(人)+丈〔音〕. 음(音)을 나타내는 '丈장'은 지팡이를 손에 쥔 모양을 본뜸. 지팡이 같은 무기(武器)를 가진 사람의 뜻을 나타냄.

[仗劍 장검] 칼을 지팡이 삼아 짚는다는 뜻으로, 경계 호위함을 이름. 장검(杖劍).
[仗氣 장기] 혈기만 믿고 무모하게 덤빔.
[仗隊 장대] 의장(儀仗)의 대열(隊列). 의식(儀式)에 참가하여 호위하는 군사의 대열.
[仗馬 장마] 의장(儀仗)의 말. 의식(儀式)에 쓰이는 말.
[仗身 장신] 호위의 군사.
[仗義 장의] 의(義)에 의(依)함. 의리(義理)를 행동의 기본으로 삼음. 정도(正道)를 행(行)함. 의의(依義).
[仗策 장책] 말채찍을 지팡이 삼아 짚음.
◉開仗. 鎧仗. 據仗. 器仗. 兵仗. 憑仗. 信仗. 委仗. 倚仗. 儀仗. 停仗. 玄仗.

3 ⑤ [付] 高人 부 ㊀遇 方遇切 fù

筆順 ノ 亻 仁 付 付

字解 ①줄 부 남에게 넘겨줌. '交—'. '—與'. '分—諸客'《漢書》. ②부탁할 부 당부하여 맡김. '—託'. '—囑'. '以首領相—矣'《後漢書》. ③붙을 부 附(阜部 五畫)와 통용. ④성 부 성(姓)의 하나.
字源 金文 篆文 會意. 亻(人)+寸. '寸촌'은 '손'의 뜻. '손으로 무엇을 주다, 부탁하다, 붙이다'의 뜻을 나타냄.

[付度 부도] 넘겨줌.
[付渡 부도] 부도(付度).
[付命 부명] 천명(天命)을 부여함. 부명(孚命). 부명(附命).
[付壁 부벽] 벽(壁)에 붙이는 글씨 또는 그림.
[付壁書 부벽서] 벽에 붙이는 글씨.
[付丙 부병] 불에 살라 버린다는 뜻으로, 비밀의 편지 끝에 쓰이는 말.
[付書 부서] 편지를 부침.
[付送 부송] 물건을 부쳐서 보냄.
[付授 부수] 수여함. 줌.
[付予 부여] 부여(付與).
[付與 부여] 줌.
[付議 부의] 의논(議論)에 부침. 심의(審議)에 부침.
[付梓 부재] 책을 출판함.
[付種 부종] 씨를 뿌림. 파종(播種).
[付屬 부촉] 부촉(付囑).
[付囑 부촉] ㉠의뢰함. ㉡맡김.
[付託 부탁] 의뢰(依賴)함. 당부함.
[付火 부화] ㉠불을 지펴 태워 버림. 소각(燒却). ㉡불을 놓음. 방화(放火).
◉交付. 給付. 寄付. 納付. 配付. 分付. 送付. 手付. 阿付. 委付. 依付. 責付. 天付. 添付. 貼付. 囑付. 託付. 下付. 還付.

3 ⑤ [仙] 中人 선 ㊥先 相然切 xiān

筆順 ノ 亻 仆 仙 仙

字解 ①신선 선 ㉠장생불사(長生不死)하는 사람. '—人'. '—女'. '美往世之登—'《楚辭》. ㉡속세(俗世)를 초월한 사람. '飮中八—'. '自稱臣是酒中—'《杜甫》. ②신선될 선 죽은 사람을 애석히 여겨 신선이 되어 갔다는 뜻으로 씀. '—化'. '—逝'. ③선교 선 신선(神仙)이 되고자 하여 닦는 도(道). 황제(黃帝)·노자(老子)를 조(祖)로 하며, 불로장생(不老長生)의 술(術)을 배움. 후세에는 도교(道敎)와 혼합되어 그 별칭(別稱)이 됨. '釋—論一卷'《宋史》. ④날듯할 선 몸이 가벼워 날 듯한 모양. '行遲更覺—'《杜甫》. ⑤뛰어날 선 ㉠비범함. 아름다움. '自是君身有—骨'《杜甫》. ㉡시가(詩歌)·서화(書畫) 따위에 뛰어난 사람. '詩—'. ⑥《現》센트 선 미국의 화폐 단위 센트의 약기(略記). 1불(弗)은 100선(仙). ⑦성 선 성(姓)의 하나.
字源 會意. 亻(人)+山. 두 자(字)를 합하여, 산(山)에 사는 사람, 곧 신선의 뜻을 나타냄. 僊(人部 十一畫)의 略字.

[仙家 선가] ㉠선교(仙敎)를 체득(體得)한 사람. ㉡선교(仙敎)를 닦는 사람. ㉢신선(神仙)이 사는 집.
[仙駕 선가] 신선 또는 천자(天子)가 타는 수레.
[仙客 선객] ㉠신선(神仙). ㉡학(鶴)의 이칭(異稱). 선금(仙禽). ㉢두견(杜鵑)의 이칭(異稱).
[仙境 선경] ㉠신선(神仙)이 사는 곳. ㉡속계(俗界)를 떠난 경치가 좋은 곳.
[仙界 선계] 선경(仙境).
[仙桂 선계] 월계수(月桂樹). 이것을 얻는 것을 과거에 급제하는 일의 비유로 씀.
[仙骨 선골] 신선(神仙)의 골격(骨格).
[仙官 선관] 선경(仙境)의 관원(官員).
[仙敎 선교] 신선(神仙)이 되고자 하여 닦는 도(道). 황제(黃帝)·노자(老子)를 조(祖)로 하며, 불로장생(不老長生)의 술(術)을 배움. 후세에는 도교(道敎)와 혼합되어 그 별칭(別稱)이 됨.
[仙窟 선굴] 신선이 산다는 곳. 또, 속세를 떠난 데 지은 집.
[仙宮 선궁] 신선(神仙)의 궁전(宮殿).
[仙禽 선금] 학(鶴)의 이칭(異稱).
[仙女 선녀] 여자 신선. 선경(仙境)에 있는 여자.
[仙丹 선단] 신선(神仙)이 만든 장생불사(長生不死)한다고 하는 환약(丸藥). 금단(金丹).
[仙桃 선도] 선경(仙境)에 있는 복숭아.

[仙洞 선동] 신선이 산다는 산골.
[仙童 선동] 선경(仙境)에 있는 아이.
[仙佛 선불] 선교(仙敎)와 불교(佛敎).
[仙山 선산] 신선이 산다는 산.
[仙鼠 선서] 박쥐, 곧 편복(蝙蝠)의 별칭.
[仙聖 선성] 도통(道通)한 신선.
[仙手 선수] 절묘한 수완(手腕).
[仙娥 선아] 선녀(仙女).
[仙樂 선악] ㉠신선(神仙)의 풍악(風樂). ㉡아름다워 듣기 좋은 음악을 칭찬(稱讚)하는 말.
[仙掖 선액] 대궐의 뜰. 궁액(宮掖).
[仙藥 선약] 항상 복용하면 신선이 된다는 영약(靈藥). 불로불사(不老不死)의 약. 「御).
[仙馭 선어] 천자(天子)가 세상을 떠남. 붕어(崩
[仙輿 선여] 신선이 타는 수레. 전(轉)하여, 천자(天子)가 타는 수레.
[仙緣 선연] 신선과의 인연(因緣).
[仙翁 선옹] 늙은 신선(神仙).
[仙人 선인] ㉠인간계(人間界)를 떠나 산중(山中)에 살며 장생불사(長生不死)·신변 자재(神變自在)의 술법(術法)을 얻었다고 하는 사람. 신선(神仙). ㉡《韓》 고구려(高句麗) 때의 벼슬 이름. 선인(先人).
[仙人飯 선인반] 백합과(百合科)에 속하는 다년초(多年草). 둥굴레.
[仙人杖 선인장] 가짓과(科)에 속하는 낙엽 관목(落葉灌木). 구기자나무.
[仙人掌 선인장] 선인장과(仙人掌科)에 속하는 다년초. 줄기는 넓적하고 두꺼우며, 바늘처럼 변태한 잎이 많고 꽃은 황색·백색·적색 등임. 사막(沙漠)에 많이 남. 사보텐.
[仙姿 선자] 속기(俗氣)가 없는 모습.
[仙姿玉質 선자옥질] 신선 같은 모습과 옥 같은 바탕이라는 뜻으로, 고상한 미인(美人)을 형용하는 말.
[仙莊 선장] 신선(神仙)이 사는 곳.
[仙才 선재] ㉠신선이 될 천품(天稟). ㉡뛰어난 재주.
[仙籍 선적] 신선의 명적(名籍).
[仙寢 선침] 능(陵).
[仙風道骨 선풍도골] 신선(神仙)의 풍채(風采)와 도인(道人)의 골격(骨格)이라는 뜻으로, 고상한 풍채를 형용하는 말.
[仙筆 선필] 청일(淸逸)한 시문(詩文)의 비유.
[仙蹕 선필] 신선(神仙)이 다닐 때의 벽제(辟除). 전(轉)하여, 천자(天子)의 거둥. 행행(行幸).
[仙鶴 선학] 학(鶴). 두루미.
[仙鄕 선향] 선경(仙境). 「름.
[仙化 선화] 노인(老人)이 병(病) 없이 죽음을 이
[仙寰 선환] 선경(仙境).
◉金仙. 大仙. 登仙. 鳳仙. 飛仙. 飛行仙. 上仙. 水仙. 睡仙. 昇仙. 詩仙. 飮中八仙. 謫仙. 酒仙. 酒中仙. 地行仙. 草本威靈仙. 胎仙. 筆仙. 花仙. 花中神仙. 希仙.

3 ⑤ [仞] 인 ㊄震 而振切 rèn

字解 ①길 인 8척(尺). '九—'. '千—'. '築宮—有三尺'《禮記》. ②잴 인 높이나 깊이를 잼. '—溝洫'《左傳》. ③깊을 인, 높을 인 '峭—聳巍巍'《鄭谷》. ④찰 인, 채울 인 가득 참. 가득 채움. 牣(牛部 三畫)과 통용. '充—其中'《司馬相如》. ⑤알 인 인정함. 認(言部 七畫)과 통용. '天地萬物不相離, 一而有之者惑也'《列子》.

字源 篆文 形聲. 亻(人)+刃〔音〕. '刃인'은 '칼날'의 뜻. 높이를 잴 때 오른손을 위로, 왼손을 아래로 뻗어, 마치 칼날을 세운 것 같은 모양이 되는 데서, 높이·깊이를 재는 단위의 이름을 나타냄.

◉九仞. 肯仞. 萬仞. 育仞. 千仞. 峭仞.

3 ⑤ [仭] 仞(前條)의 俗字

3 ⑤ [仟] 人名 천 ㊀先 蒼先切 qiān

筆順 ノ 亻 亻 仁 仟

字解 ①천사람어른 천 천 명의 우두머리. '俛仰—佰之中'《史記》. ②일천 천 千(十部 一畫)과 통용. '有—佰之利'《漢書》. ③밭두둑 천 阡(阜部 三畫)과 통용. '開—伯'《漢書》. ④무성할 천 초목이 무성한 모양. '遠樹暖——'《謝朓》.

字源 形聲. 亻(人)+千〔音〕. 음(音)을 나타내는 '千천'은 수(數)의 '천'의 뜻. 천 명의 집단(集團)의 통솔자의 뜻을 나타냄.

參考 千(十部 一畫)의 갖은자.

[仟眠 천면] 광원(廣遠)한 모양. 또, 어슴푸레한 모양.
[仟伯 천백] ㉠천전(千錢)과 백전(百錢). 천백(千百). ㉡밭 사이의 길. 밭두둑. 남북(南北)을 '仟', 동서(東西)를 '伯'이라 함.
[仟佰 천백] 천 명의 우두머리와 백 명의 우두머리. 「芊).
[仟仟 천천] 초목(草木)이 우거진 모양. 천천(芊

3 ⑤ [仡] ■ 흘 ㊅物 許訖切, 魚迄切 yì
■ 올 ㊅月 五忽切 wù

字解 ■ ①날랠 흘 용감하고 씩씩한 모양. 용장(勇壯)한 모양. '——勇夫'《書經》. ②높을 흘 고대(高大)한 모양. '崇墉——'《詩經》. ③머리 들 흘 '—以佁儗兮'《史記》. ■ 흔들릴 올 동요하여 위태로운 모양. '巨舟軒昂——還環'《柳宗元》.

字源 篆文 形聲. 亻(人)+乞(气)〔音〕. '气기·걸'은 '활기(活氣)'의 뜻. 사람이 '씩씩하고 용감하다'의 뜻을 나타냄.

[仡仡 올올] 흔들려 불안한 모양.
[仡然 흘연] 용감한 모양.
[仡仡 흘흘] 용감한 모양. 끌밋한 모양. 또, 높고 큰 모양.

3 ⑤ [仢] ■ 작 ㊅藥 市若切 zhuó
■ 박 ㊅覺 弼角切 bó

字解 ■ 외나무다리 작 한 개의 나무쪽이나 통나무로 놓은 다리. ■ 불별 박 별똥별. 彴(彳部 三畫)과 同字.

字源 篆文 形聲. 亻(人)+勺〔音〕. '勺작'은 '국자'. 사람이 국자를 가진 것 같은 모양을 한 '별똥별'의 뜻을 나타냄.

3 ⑤ [代] 中人 대 ㊄隊 徒耐切 dài

[筆順] 丿 亻 仁 代 代

[字解] ①대신할 대 ㉠남이 할 일을 함. '一理'. '巨伯曰, 友人有疾, 不忍委之, 寧以我身一友人命'《世說》. ㉡남의 지위에 섬. '彼可取而一也'《史記》. ②바꿀 대 변경함. '歲一處'《漢書》. ③번갈아들 대 교체함. '迭一'. '及瓜而一'《左傳》. ④번갈아 대 교체하여. '如日月之一明'《中庸》. ⑤대 대 ㉠세상. 시세(時世). '古一'. '現一'. '亂臣賊子, 何一無之'《十八史略》. ㉡한 왕조(王朝)의 계속하는 동안. '唐一'. '明一'. '古之王者易一改號, 取法五行'《孔子家語》. ㉢한 사람이 생존하는 동안. '一一'. '百一'. ⑥대대로 대 여러 대를 계속하여. '家一隆盛'《隋書》. ⑦성 대 성(姓)의 하나. ⑧《韓》 값 대 대가(代價). '一金'.

[字源] [篆文] 形聲. 亻(人)+弋〔音〕. '弋익'은 두 개의 나무를 교차(交叉)시켜 만든 말뚝 형태를 본뜬 모양. 사람이 갈마들게 되다, 바뀌다의 뜻을 나타냄.

[參考] 수량(數量)의 범위를 가리키는 '대'는 연령·연수(年數)에 관해서는 '代', 금액·시간·건수(件數) 따위에 대해서는 '臺'를 씀. '二十代', '壹萬원臺', '三十分臺'.

[代講 대강] 대신 강론함.
[代哭 대곡] 대신하여 곡함.
[代金 대금] 물건 값.
[代代 대대] 거듭된 세대(世代). 여러 대. 또, 여러 대를 계속하여.
[代讀 대독] 축사(祝辭)·식사(式辭) 같은 것을 대신 읽음.
[代勞 대로] 남을 대신하는 수고.
[代理 대리] 남을 대신(代身)하여 일을 처리함.
[代理官 대리관] 다른 관리를 대신하여 그 맡은 직무를 처리하는 관리.
[代理權 대리권] 대리인에게 부여된 권리.
[代理人 대리인] 남을 대리하는 사람. 「일.
[代立 대립] 공역(公役)에 사람을 대신 보내는
[代命 대명] ㉠남을 대신하여 죽음. ㉡대살(代殺).
[代番 대번] 남을 대신하여 번(番)을 듦. 「理).
[代辨 대변] 남을 대신하여 일을 처리함. 대리(代
[代捧 대봉] 꾸어 준 금전(金錢)·물품(物品) 대신에 다른 것을 받음.
[代不乏人 대불핍인] 어느 시대나 인재(人材)가 없지 아니함. 「함.
[代謝 대사] 새것이 와서 묵은 것을 대신함. 변천
[代謝機能 대사기능] 세포 안의 원형질이 노폐물(老廢物)을 내보내고 다시 자양분을 섭취하여 그 부족을 채우는 작용. 신진대사(新陳代謝).
[代殺 대살] 살인(殺人)한 사람을 사형(死刑)에 처함.
[代償 대상] ㉠다른 물건으로 대신 물어 줌. ㉡남을 대신하여 갚아 줌.
[代書 대서] 남을 대신하여 글씨를 씀. 또, 그 글씨. 대필(代筆).
[代署 대서] 남을 대신하여 서명(署名)함.
[代訴 대소] 남을 대신하여 송사(訟事)를 일으킴.
[代贖 대속] 남의 죄(罪)를 대신하여 자기가 당
[代送 대송] 대신 보냄. ⌊함.
[代囚 대수] 죄인이 병이나 사고가 있어서 구금(拘禁)·복역(服役)을 할 수 없거나, 또는 진범인(眞犯人)을 잡을 때까지 그 관계자(關係者) 또는 근친자(近親者)를 대신 가두어 둠.
[代數 대수] 숫자만을 쓰지 않고 숫자를 대표(代表)하는 문자(文字)를 써서 수 및 계산에 관한 법칙(法則)을 구하는 수학.
[代身 대신] 남을 대리(代理)함.
[代語 대어] 《佛敎》 스승의 말에 대한 응답이 없을 때, 스승이 대신하여 답하는 말. 또, 공안(公案)에 대해서 스승이 대신 해석(解釋)하는 것.
[代言 대언] 다른 사람을 대신(代身)하여 말함.
[代用 대용] 대신(代身)으로 씀. 또, 쓰임.
[代遠 대원] 세대(世代) 수가 멂.
[代議 대의] 의원(議員)이 국민(國民)을 대표하여 입법(立法)에 참여함.
[代人 대인] 다른 사람을 대신함.
[代印 대인] 남을 대신(代身)하여 도장을 찍음.
[代赭石 대자석] 적철광(赤鐵鑛)의 하나. 붉은 물감으로 쓰임.
[代作 대작] ㉠번갈아 나옴. ㉡대신(代身)하여 글을 지음.
[代田 대전] 해마다 장소를 바꾸어 경작하는 토지(土地).
[代錢 대전] ㉠물건 대신으로 주는 돈. ㉡대금(代金).
[代聽 대청] 《韓》 왕세자(王世子)가 왕(王)을 대신하여 정치(政治)를 행함.
[代替 대체] 다른 것으로 바꿈.
[代促 대촉] 세대(世代)의 햇수가 짧음.
[代充 대충] 딴것을 대신 채움.
[代土 대토] ㉠땅을 팔고 대신 사는 땅. ㉡소작권을 옮기고 대신 주는 땅.
[代播 대파] 모를 내지 못한 논에 대신 다른 곡식의 씨를 뿌림.
[代辦 대판] 남을 대신하여 일을 처리함.
[代表 대표] 여러 사람을 대신하여 어떠한 사실(事實)에 책임을 지고 나서는 일. 또, 그 사람. 대표자(代表者).
[代筆 대필] 대서(代書).
[代行 대행] 대신하여 행(行)함.
[代換 대환] 바꿈. 또, 바뀜.
[代興 대흥] 번갈아 흥(興)함.

●更代. 古代. 冠代. 交代. 近代. 累代. 屢代. 當代. 萬代. 末代. 綿代. 明代. 百代. 三代. 上代. 先代. 聖代. 世代. 韶代. 時代. 歷代. 年代. 永代. 五代. 往代. 一代. 前代. 絕代. 中代. 重代. 迭代. 千代. 遞代. 初代. 濁代. 奕代. 混元代. 換代. 後代. 希代.

3 ⑤ [仞] 〔신〕 信(人部 七畫〈p. 144〉)의 古字

3 ⑤ [伏] 대 [去]泰 徒蓋切 dài

[字解] 섬이름 대 섬 이름.
[參考] 伏(人部 四畫〈p. 109〉)과는 別字.

4 ⑥ [企] [高人] 기 [去]寘 去智切 qǐ [上]紙 丘弭切 企

[筆順] 丿 人 个 个 企 企

[字解] ①발돋움할 기 ㉠발돋움하고 섬. '其踵一'《爾雅》. ㉡발돋움하고 바라봄. '日夜一而望歸'《漢書》. ②도모할 기 기도(企圖)함. '一及'. '一

畫'. '可以一之'《唐書》. 또, 도모하는 일. 계획. '希一逸而遠矣'《晉書》. ③돋 기 마음속에 넣고 잊지 아니함. '仰一碧霞仙'《賈島》.

字源 甲骨文 篆文 古文 會意. 亻(人)＋止. '止지'는 발을 본뜬 모양. 발돋움하고 발을 곧 뻗어 멀리 바라보다의 뜻을 나타냄. 전(轉)하여, '꾀하다, 기도(企圖)하다'의 뜻을 나타냄.

[企及 기급] 기도(企圖)하여 미침. 할 수 있음.
[企待 기대] 발돋움하여 기다림. 또, 바라고 기다림.
[企圖 기도] 일을 꾸며 내려고 꾀함.
[企望 기망] 발돋움하고 바라봄. 또, 계획하여 되기를 바람.
[企羨 기선] 바라고 그리워함.
[企業 기업] ㉠사업(事業)을 계획(計劃)함. ㉡영리(營利)를 목적으로 하여 생산 요소(生産要素)를 종합하여 계속적으로 경영하는 경제적 사업(事業).
[企踵 기종] 발뒤꿈치를 올리다, 발돋움하다, 크게 대망(待望)하다, 바라다의 뜻.
[企畫 기획] 일을 계획함.
◉翹企. 隥企. 發企. 竦企. 仰企. 延企. 鶴企. 鵠企.

4 ⑥ [会] 〔회〕
會(曰部 九畫〈p. 1011〉)의 俗字

[合] 〔합〕
口部 三畫(p. 348)을 보라.

4 ⑥ [众] 一 음 ㊥侵 魚琴切 yín
二 중 ㊀送 之仲切 zhòng

字解 一 여럿이설 음 사람이 많이 섬. 二 衆(血部 六畫〈p. 2043〉)의 簡體字.

4 ⑥ [仰] 中人 앙 ①-④㊤養 魚兩切 yǎng
⑤㊥陽 魚剛切 áng
⑥㊀漾 魚向切 yǎng

筆順 ノ 亻 亻 仰 仰 仰

字解 ①우러러볼 앙 ㉠고개를 쳐들고 봄. '一視'. '一以觀于天文'《易經》. ㉡그리워함. 사모(思慕)함. '景一'. '一慕'. '百姓一望'《史記》. ②마실 앙 독약 같은 것을 마심. '一鴆死'《唐書》. ③영 앙 상관이 하관에게 내리는 명령. '一議'. ④성 앙 성(姓)의 하나. ⑤높을 앙 '低'의 대(對). '一一一低'《摯虞》. ⑥의뢰할 앙 부탁함. '衣食一給縣官'《史記》.

字源 篆文 形聲. 亻(人)＋卬〔音〕. '卬앙'은 '바라다, 구하다'의 뜻. 원자(原字)는 '卬'이었으나 뒤에 '人'을 붙였음.

[仰角 앙각] 높은 데에 있는 물건을 관측할 때, 시선(視線)과 지평선이 이루는 각도.
[仰感俯愧 앙감부괴] 우러러보아 남의 덕이 높은 데 감격하고, 굽어보아 자기의 용렬함을 부끄러이 여김.
[仰見 앙견] 우러러봄. 쳐다봄. 앙관(仰觀). 앙시(仰視).
[仰告 앙고] 우러러보고 여쭘.
[仰高 앙고] 높음을 우러름. 학덕(學德)이 높은 사람을 우러러 사모함.
[仰款 앙관] 우러러 바람.
[仰觀 앙관] 앙견(仰見).
[仰觀俯察 앙관부찰] 우러러 하늘을 보고, 굽어 땅을 살핌.
[仰給 앙급] 나라로부터 급여(給與)를 받음.
[仰企 앙기] 우러러봄. 사모하여 따름.
[仰禱 앙도] 우러러보고 빎.
[仰騰 앙등] 물건 값이 많이 오름. 등귀(騰貴).
[仰聯 앙련] 음식(飮食)을 높이 괼 때 두꺼운 종이나 색(色)종이로 접시 둘레와 같이 싸붙여 올리고 그 속에 쌀을 넣은것.
[仰弄 앙롱] 나이 많은 사람에게 실없이 굶.
[仰秣 앙말] 마초를 먹으면서 고개를 듦. 말이 소리에 귀를 기울이는 일.
[仰望 앙망] 우러러봄. 존경하여 따름.
[仰望不及 앙망불급] 우러러보아도 미치지 못함.
[仰面 앙면] 얼굴을 쳐듦.
[仰眄 앙면] 우러러봄.
[仰慕 앙모] 우러러보고 사모함. 존경하고 따름.
[仰奉 앙봉] 숭배하며 섬김.
[仰仆 앙부] 벌렁 쓰러짐.
[仰釜日晷 앙부일구] 앙부일영(仰釜日影).
[仰釜日影 앙부일영] 해의 그림자로 시각(時刻)을 헤아리는 해시계(時計)의 한 가지. 모양이 가마 같고 안에 이십사절기선(二十四節氣線)을 그리어 선(線) 위에 비치는 해의 그림자의 소장(消長)으로 시각(時刻)을 알게 되었음.
[仰不愧於天 앙불괴어천] 자신에 잘못이 없다면 사람의 마음속을 아는 하느님에 대하여 부끄러울 것이 없음.
[仰射 앙사] 높은 곳을 향하여 발사(發射)함.
[仰事俯育 앙사부육] 위로 부모(父母)를 섬기고, 아래로 처자(妻子)를 보살핌.
[仰羨 앙선] 우러러 선망(羨望)함.
[仰成 앙성] ㉠남의 손안에서 놂. ㉡고개를 쳐들고 성공하기를 간절히 바람.
[仰訴 앙소] 윗사람에게 하소연함.
[仰首 앙수] 고개를 쳐듦.
[仰承 앙승] 우러러 받듦.
[仰視 앙시] 우러러봄.
[仰仰 앙앙] 의기(意氣)가 용감한 모양.
[仰臥 앙와] 배와 가슴을 위로 하고 반듯이 누움.
[仰友 앙우] 재주와 학식(學識)이 자기보다 나은 벗.
[仰願 앙원] 우러러 원함.
[仰議 앙의] 군신(群臣)에게 명(命)하여 의논하게 함.
[仰帳 앙장] 천장이나 상여(喪輿) 위에 치는 장막(帳幕).
[仰障 앙장] 종이 반자. 또는 반자틀의 총칭.
[仰奏 앙주] 천자(天子)에게 아뢺.
[仰止 앙지] 우러러봄. 전(轉)하여, 우러러 사모함. 지(止)는 조자(助字).
[仰之彌高 앙지미고] 공자(孔子)의 덕이 높고 커서 도저히 미칠 수 없음을 탄식한 말.
[仰嗟 앙차] 앙탄(仰歎).
[仰天 앙천] 하늘을 쳐다봄. 위로 향함.
[仰天大笑 앙천대소] 하늘을 우러러 크게 웃음.
[仰天而唾 앙천이타] 하늘을 우러러 침 뱉는다는 뜻으로, 남을 해치려다 도리어 자기가 해를 당함의 비유.
[仰天祝手 앙천축수] 하늘을 우러러 빎.
[仰瞻 앙첨] 쳐다봄. 우러러봄.

[仰請 앙청] 우러러 청함.
[仰靑雲 앙청운] 푸른 구름을 우러른다는 뜻으로, 신선(神仙)의 도(道)를 닦으려는 뜻을 품음을 이름.
[仰祝 앙축] 우러러 축하함.
[仰歎 앙탄] 하늘을 우러러 탄식(歎息)함. 앙차(仰嗟).
[仰土 앙토] 서까래 사이에 바르는 흙.
[仰哺 앙포] 부모를 자손이 봉양함.
[仰婚 앙혼] 자기보다 문벌(門閥) 높은 사람과 혼인함. 강혼(降婚)의 대(對).
[仰欽 앙흠] 흠앙(欽仰). 앙모(仰慕).
◉渴仰. 景仰. 敬仰. 高仰. 俛仰. 俯仰. 信仰. 偃仰. 宗仰. 鑽仰. 瞻仰. 鄕仰. 欽仰.

4 ⑥ [伛] 〔구〕 傴(人部 十一畫〈p.171〉)의 俗字·簡體字

4 ⑥ [份] 人名 ■ 분 現 fèn ■ 빈 平眞 府巾切 bīn
字解 ■《現》부분 분. ■ 彬(彡部 八畫〈p.734〉)과 同字. ※ '빈' 음은 인명자로 쓰임.
字源 形聲. 亻(人)+分〔音〕

4 ⑥ [伕] 〔장〕 仗(人部 三畫〈p.102〉)의 訛字

4 ⑥ [佡] 〔중〕 眾(目部 六畫〈p.1541〉)의 本字

4 ⑥ [仲] 高人 중 去送 直衆切 zhòng
筆順 ノ 亻 亻 伄 伊 仲
字解 ①버금 중 형제(兄弟) 중에서 둘째 사람. 차형(次兄). '伯一叔季'. '一兄'. '一氏吹篪'《詩經》. ②가운데 중 中(丨部 三畫)과 통용. '一介'. '一春之月'《禮記》. ③성 중 성(姓)의 하나.
字源 甲骨文 金文 篆文 形聲. 亻(人)+中〔音〕. '中'은 무엇〔口〕의 한가운데를 한 획이 꿰뚫는 모양에서 '가운데'의 뜻을 나타냄. 뒤에, 맏아들〔伯〕과 막내〔季〕와의 사이의 아들의 뜻을 특히 나타내기 위해 '人인'을 덧붙였음.

[仲介 중개] 제삼자(第三者)로서 두 당사자(當事者) 사이에 들어 어떤 일을 주선(周旋)하는 일.
[仲尼之徒 중니지도] 공자(孔子)의 문인(門人)들. 공자(孔子)의 학문을 숭봉(崇奉)하는 사람들. 중니(仲尼)는 공자의 자(字)임.
[仲冬 중동] 음력 11월.
[仲呂 중려] ㉠십이율(十二律)의 하나. 음력 4월에 배당함. ㉡음력 4월의 별칭.
[仲買 중매] 되넘기장사. 중상(中商).
[仲媒 중매] 양가 사이에 들어 혼인(婚姻)을 이루게 하는 일.
[仲父 중부] 아버지의 아우. 숙부(叔父).
[仲朔 중삭] 음력 2월·5월·8월·11월. 중월(仲月).
[仲商 중상] 음력(陰曆) 8월의 별칭. 상(商)은 추(秋).
[仲氏 중씨] 형제 중의 둘째 사람.
[仲陽 중양] 중춘(仲春).
[仲月 중월] 중삭(仲朔).
[仲子 중자] 둘째 아들. 차남(次男).
[仲裁 중재] 다툼질의 사이에 들어 화해(和解)시킴.
[仲秋 중추] 음력(陰曆) 8월. 중상(仲商).
[仲秋節 중추절] 추석(秋夕)을 명절로서 일컫는 말.
[仲春 중춘] 음력(陰曆) 2월.
[仲夏 중하] 음력(陰曆) 5월.
[仲兄 중형] 둘째 형(兄).
◉伯仲. 翁仲.

4 ⑥ [仳] 비 上紙 匹婢切 pǐ 平支 房脂切 pí
字解 ①떠날 비 이별(離別)함. '有女一離'《詩經》. ②못생긴여자 비 추녀(醜女). '嫫母一倠'《淮南子》.
字源 篆文 形聲. 亻(人)+比〔音〕. '比비'는 사람이 떨어져 서다의 뜻. 일체(一體)이던 것이 '헤어져 떠나다'의 뜻을 나타냄.

[仳離 비리] 헤어져 떠남. 이산(離散).
[仳倠 비휴] 못생긴 여자. 추녀(醜女).

4 ⑥ [仵] 오 ①-③上麌 疑古切 wǔ ④去遇 五故切
字解 ①짝 오 필적(匹敵)한 사람. 상대. '一, 偶敵'《廣韻》. '一, 偶也'《集韻》. ②검시(檢屍)할 오 '一作'은 검사 담당의 관원. ③성 오 성(姓)의 하나. ④같을 오 동일함. '以觭偶不一之辭相應'《莊子》.
字源 形聲. 亻(人)+午〔音〕

4 ⑥ [件] 高人 건 上銑 其輦切 jiàn
筆順 ノ 亻 亻' 仁 仁 件
字解 ①구분할 건 구별함. '具一階級數'《北史》. ②것 건 물건·일·사건·조건 등. '一一'. '一名'. ③건 건 벌. 가지. '一一'. '二一'.
字源 篆文 會意. 亻(人)+牛. 사람이나 소 따위를 개개(個個)의 것으로서 세는 단위(單位)의 양사(量詞)로 쓰임.
參考 仵(前條)는 別字.

[件件 건건] 이 일 저 일. 모든 일.
[件數 건수] 사물(事物)의 가짓수.
◉物件. 事件. 要件. 用件. 人件. 條件.

4 ⑥ [仯] ■ 초 去效 初敎切 chào ■ 묘 上篠 弭沼切 miǎo
字解 ■ 작을 초 작은 모양. '一, 小皃'《集韻》. ■ 작을 묘 ■과 뜻이 같음.
字源 形聲. 亻(人)+少〔音〕

4 ⑥ [价] 人名 개 去卦 古拜切 jiè
筆順 ノ 亻 亻' 仒 价 价
字解 ①착할 개, 클 개 마음이 착함. 일설(一說)에는, 큼. '一人維藩'《詩經》. '一, 善也'《廣韻》.

②갑옷입은사람 개 무장 군인. ③중개할 개 '一, 又侶价也'《廣韻》. ④사령 개 심부름하는 사람. '使一'. '走一馳書來詣'《宋史》.

字源 篆文 形聲. 亻(人)+介〔音〕. '介개'는 '갑옷'의 뜻. 갑옷을 입은 사람의 뜻.

[价人 개인] 큰사람.
◉使价.

4 ⑥ [任] 高人 임 ①-⑦㊀沁 汝鴆切 rèn ⑧-⑯㊥侵 如林切 rén

筆順 ノ亻仁仟任任

字解 ①맡길 임 ㉠일을 맡김. '委一'. '一屬'. '陳平智有餘, 然難獨一'《史記》. ㉡관직을 수여함. '一命'. '求人一賢'《史記》. ②마음대로할 임 방종함. '縱一不拘'《晉書》. ③임소 임 임지(任地). '赴一'. '君莅其一, 視民如傷'《潘岳》. ④일 임 임무. 직책. '仁以爲己一'《論語》. '有司惰一'《後漢書》. ⑤세울 임 공을 세움. '以一百官'《周禮》. ⑥쓸 임 사용함. '此一物亦必悖矣'《呂氏春秋》. ⑦애밸 임 姙(女部 六畫)·妊(女部 四畫)과 통용. '紂刳一者, 觀其胎產'《史記註》. ⑧멜 임 등에 멤. '是一是負'《詩經》. ⑨보따리 임 등에 메는 보따리. '門人治一將歸'《孟子》. ⑩미쁠 임 벗에게 신의(信義)가 있음. '仲氏一只'《詩經》. ⑪견딜 임 감내(堪耐)함. '病不一行'《史記》. ⑫당할 임 당해 냄. 저항함. '衆怒難一'《左傳》. ⑬간녕할 임 간사하고 아첨을 잘함. '難一人'《書經》. ⑭보증할 임 틀림없음을 책임짐. '不能一其必孝也'《淮南子》. ⑮보증 임 보(保). '以宗家一爲郞'《史記》. ⑯성 임 성(姓)의 하나.

字源 金文 篆文 形聲. 亻(人)+壬〔音〕. '壬임'은 장시간에 걸쳐 지속적(持續的)으로 어떤 무게 있는 물건을 지니다의 뜻. 사람이 짊어지다, 지탱하다의 뜻을 나타냄.

[任幹 임간] 감당하여 해냄.
[任擧 임거] 책임을 지고 천거(薦擧)함.
[任官 임관] 관직(官職)에 임명함.
[任氣 임기] 사나이다운 협기(俠氣). 또, 용기에 내맡겨 행동함.
[任寄 임기] 맡김. 위임함.
[任期 임기] 임무(任務)를 맡아보고 있는 일정한 기한(期限).
[任能 임능] 재능(才能) 있는 사람을 임용(任用)함.
[任達 임달] 방일(放逸)하여 예의를 지키지 아니함.
[任大責重 임대책중] 임무(任務)가 크고 책임(責任)이 무거움.
[任滿 임만] 임기(任期)가 참.
[任免 임면] 임관(任官)과 면관(免官). 임용(任用)과 파면(罷免).
[任命 임명] 관직에 명함. 직무(職務)를 맡김.
[任務 임무] 맡은 일. 맡은 사무 또는 업무. 직무(職務).
[任放 임방] ㉠예의에 구애하지 않고 마음대로 행함. ㉡방종함. 내버려둠. 방임함.
[任昉 임방] 남조(南朝) 양(梁)나라 박창(博昌) 사람. 자(字)는 언승(彥昇). 처음에 제(齊)나라에서 벼슬살이를 시작하여 태학 박사(太學博士)가 되고, 왕검(王儉)·심약(沈約) 등의 칭찬을 들음. 뒤에 양나라에서 벼슬살이를 하여, 의흥(義興)·신안(新安)의 태수(太守)가 되었음. 지은 책으로 〈문장연기(文章緣起)〉, 〈술이기(述異記)〉 등이 있음.
[任辯 임변] 말 잘한다고 허투루 지껄임.
[任負 임부] ㉠등에 짐. 멤. ㉡짐을 실음.
[任使 임사] 책임(責任)을 지워 부림.
[任所 임소] 지방 관원이 근무하는 직소(職所).
[任率 임솔] 성품이 간솔(簡率)하여 조금도 꾸밈이 없음.
[任術 임술] 책략(策略)을 씀. 꾀를 써 일을 함. 협술(挾術).
[任用 임용] ㉠직무를 맡겨 씀. ㉡관리로 등용(登用)함.
[任員 임원] 단체의 일을 맡아 처리하는 사람.
[任委 임위] 맡김. 위임함.
[任意 임의] 마음대로 함.
[任人 임인] 간사하고 아첨 잘하는 사람.
[任子 임자] 부조(父祖)의 훈공(勳功)에 의하여 관직에 임명된 자손.
[任子之典 임자지전] 부조(父祖)의 훈공(勳功)을 갚기 위하여 그 자손(子孫)에게 벼슬을 내리는 은전(恩典).
[任從 임종] 임타(任他).
[任縱 임종] 방종(放縱)함.
[任重道遠 임중도원] 임무가 무겁고, 또 이를 수행하는 노정도 멂.
[任地 임지] 관원(官員)으로서 임무를 행하는 곳. 봉직(奉職)하는 곳.
[任職 임직] 직무를 맡김.
[任眞 임진] 천연(天然)이나 자연(自然) 그대로 내버려둠.
[任天 임천] 하늘에 맡김.
[任屬 임촉] 맡김. 위촉(委囑)함.
[任置 임치] 남에게 금전(金錢)·물품을 맡기어 둠.
[任他 임타] 조금도 개의(介意)하지 아니함. 방임(放任)함.
[任便 임편] 편(便)할 대로 함.
[任賢 임현] 현인(賢人)을 임용함. 어진 사람에게 일을 맡김.
[任賢使能 임현사능] 인재(人材)를 등용(登用)함.
[任俠 임협] 호협한 기개. 협기(俠氣).
◉幹任. 兼任. 闡任. 槐鼎任. 歸任. 擔任. 大任. 獨任. 棟梁任. 萬里任. 放任. 背任. 保任. 補任. 復任. 負任. 赴任. 事任. 辭任. 常任. 敍任. 選任. 所任. 信任. 新任. 歷任. 榮任. 外任. 委任. 留任. 離任. 一劍任. 一任. 自任. 杖任. 在任. 再任. 載任. 適任. 前任. 專任. 轉任. 縱任. 主任. 重任. 職任. 責任. 千里任. 寵任. 就任. 親任. 退任. 解任. 後任.

4 ⑥ [优] 우 ㊥尤 于求切 yóu

字解 ①쓿을 우 오곡(五穀)을 정백(精白)하여 노인의 머리처럼 희게 함. '一, 五穀精如人髮白也'《篇海類編》. ②優(人部 十五畫)의 簡體字.

4 ⑥ [仿] 방 ①-③㊤養 妃兩切 fǎng ④㊥陽 符方切 páng

字解 ①비슷할 방 상사(相似)함. 닮음. '一佛'. '無物堪比一'《楊基》. ②흐릴 방, 어렴풋할 방 '一佛其若夢'《揚雄》. ③본뜰 방 모방함. 倣(人部 八畫)과 통용. '一宋本'. ④배회할 방 이리

저리 왔다 갔다 하며 방황함. 헤맴. '一, 同彷. 一偟, 猶徘徊'《正字通》.

字源 篆文 籒文 形聲. 亻(人)+方〔音〕. '方방'은 '나란히 하다'의 뜻. '남과 나란히 하려 하다, 본뜨다, 닮다'의 뜻을 나타냄.

[仿古 방고] ㉠고인(古人)의 작품을 모방함. ㉡예전 방식을 본뜸.
[仿佛 방불] ㉠어렴풋이 보이는 모양. 또, 아주 비슷함. ㉡흐린 모양. 어렴풋한 모양.
[仿像 방상] 본뜸. 서로 비슷함.
[仿宋本 방송본] 송(宋)나라 때의 간행본(刊行本)을 모방하여 다시 간행한 서책.
[仿佯 방양] 어슬렁거리며 배회하는 모양.
[仿偟 방황] 배회함. 헤맴.
[仿效 방효] 본뜸.
◉比仿.

4 ⑥ [仸] 요 ㊤篠 於兆切 yǎo

字解 약할 요 '一, 尫弱謂之一'《集韻》.

4 ⑥ [伔] 담 ㊤感 徒感切 dàn

字解 ①머리늘어질 담 머리가 늘어진 모양. 髧(髟部 四畫)과 同字. ②멈출 담 그침. '一, 止也'《正字通》.

4 ⑥ [伈] 심 ㊤寢 斯甚切 xǐn ㊦沁 七鴆切

字解 두려워할 심 공구(恐懼)함. '一一俔俔, 爲民吏羞'《韓愈》.

字源 形聲. 亻(人)+心〔音〕

[伈伈 심심] 두려워하는 모양.

4 ⑥ [伉] 人名 항 ①-⑧㊦漾 苦浪切 kàng ⑨㊥陽 居郎切 gāng

字解 ①짝 항 배우자(配偶者). '不能庇其一儷'《左傳》. ②겨룰 항 필적함. 맞섬. 대적(對敵)함. '天下莫之能一'《戰國策》. ③굳셀 항 강건(強健)함. '一健習騎射者'《漢書》. ④질직할 항 솔직하고 정직함. '事勝辭則一'《揚子法言》. ⑤교만할 항 오만함. '太子輕而庶子一'《韓非子》. ⑥높을 항 고대(高大)한 모양. '皐門有一'《詩經》. ⑦올릴 항 올림. 또 궁구함. '正身行, 一隆高'《荀子》. ⑧성 항 성(姓)의 하나. ⑨정직할 항 굳세고 곧은 모양. '爲人簡一'《宋史》.

字源 篆文 形聲. 亻(人)+亢〔音〕. '亢항'은 '나란히 늘어서다'의 뜻. 사람이 늘어서다. 또, 같은 부류·짝·배우자의 뜻을 나타냄.

[伉健 항건] 굳세고 건장함. 호건(豪健). 경건(勁健).
[伉厲 항려] 굳세고 엄함. 의기(意氣)가 충천함.
[伉儷 항려] 짝. 배필(配匹).
[伉禮 항례] 동등(同等)의 예(禮). 또, 그 예로써 서로 대(對)함.
[伉直 항직] 곧아 의(義)를 굽히지 아니함. 강직(剛直).
[伉行 항행] 교만한 거동.
[伉俠 항협] 권력에 항거하여 굴(屈)하지 않음. 강한 의협심(義俠心). 임협(任俠).
◉簡伉. 驕伉. 比伉.

4 ⑥ [伊] 人名 이 ㊥支 於脂切 yī

筆順 ノ 亻 仃 伊 伊 伊

字解 ①저 이 '이'의 대(對). '所謂一人, 在水一方'《詩經》. ②이 이 '저'의 대(對). '一年暮春'《揚雄》. ③어조사 이 ㉠발어(發語)의 조사(助辭). '一余來墍'《詩經》. ㉡어조(語調)를 고르게 하는 조사. '嘉薦一脯'《儀禮》. ④인(因)할 이 '維士與女, 一其相謔'《詩經》. ⑤물이름 이 허난 성(河南省) 노씨현(盧氏縣) 웅이산(熊耳山)에서 발원(發源)하여 동북(東北)으로 흘러 이양(伊陽)·뤄양(洛陽)을 거쳐 뤄수이(洛水) 강으로 흘러드는 강. '一水'. '宏農盧氏縣東有熊耳山, 一水所出'《漢書》. ⑥《韓》 이태리 이 이탈리아의 음역(音譯) 이태리(伊太利)의 약어. ⑦성 이 성(姓)의 하나.

字源 甲骨文 金文 篆文 古文 形聲. 亻(人)+尹〔音〕. '尹윤'은 '다스리다'의 뜻. 다스리는 사람의 뜻을 나타냈으나, 가차하여 '저·그·이'의 뜻을 나타냄.

[伊皐 이고] 은(殷)나라의 명상(名相) 이윤(伊尹)과 당우(唐虞)의 명상(名相) 고요(皐陶).
[伊霍之事 이곽지사] 은(殷)나라의 명상(名相) 이윤(伊尹)이 태갑(太甲)을 동궁(桐宮)으로 내쫓아 악행을 고치게 하고, 전한(前漢)의 곽광(霍光)이 창읍왕(昌邑王) 하(賀)를 폐(廢)하고 효선제(孝宣帝)를 영립(迎立)한 고사(故事). 전(轉)하여, 폐립(廢立)하는 일.
[伊管 이관] 은(殷)나라의 명상 이윤(伊尹)과 제(齊)나라의 현상(賢相) 관중(管仲).
[伊洛 이락] ㉠이수이(伊水) 강과 뤄수이(洛水) 강. ㉡정자(程子)와 주자(朱子) 등이 주장한 유교(儒教).
[伊呂 이려] 은(殷)나라의 명상 이윤(伊尹)과 주(周)나라의 명상 여상(呂尙), 곧 태공망(太公望).
[伊望 이망] 이려(伊呂).
[伊伐飡 이벌찬] 《韓》 신라(新羅) 17관등(官等)의 첫째 위계(位階) 이름. 각간(角干).
[伊傅 이부] 은(殷)나라의 명상 이윤(伊尹)과 부열(傅說).
[伊昔 이석] 옛날. 재석(在昔).
[伊昔紅顏美少年 이석홍안미소년] (이렇게 늙었지만) 그 옛날에는 젊고 아름다운 얼굴의 미청년(美青年)이었다의 뜻.
[伊水 이수] 자해(字解)❺를 보라.
[伊時 이시] 그때. 기시(其時).
[伊吾 이오] 글 읽는 소리. 또는 시(詩) 같은 것을 읊거나 신음하는 소리.
[伊優 이우] 아첨하는 모양. 일설(一說)에는, 신음하는 소리.
[伊鬱 이울] ㉠우울한 모양. 가슴이 답답한 모양. 또, 노(怒)한 모양. ㉡무더운 모양.
[伊威 이위] 갑각류(甲殼類)에 속하는 작은 절지동물(節肢動物)의 하나. 쥐며느리.
[伊人 이인] 저 사람.
[伊周 이주] 은(殷)나라 명상 이윤(伊尹)과 주(周)나라의 명상 주공(周公).

[伊川先生 이천선생] 만년(晚年)에 용문(龍門) 이수(伊水) 가에서 살았던 송(宋)나라의 학자 정이(程頤)의 일컬음.
[伊太利 이태리] Italia의 음역.
◉皐伊. 木乃伊. 軋伊. 呂伊. 吾伊. 郁伊. 鬱伊.

4 ⑥ [伋] [人名] 급 [入]緝 ①-③居立切 jí ④極人切

[字解] ①생각할 급 '孔—'은 공자(孔子)의 손자 자사(子思)의 이름. 이 글자가 생각한다는 뜻이므로 자(字)가 자사(子思)임. ②바쁠 급 급함. '—, 與急同'《字彙》. ③성 급 성(姓)의 하나. ④거짓 급 허위. 허사(虛詐). '朝廷多擧—'《後漢書》.
[字源] 篆文 形聲. 亻(人)+及〔音〕. '急급'과 통하며 '바쁘다'의 뜻.

4 ⑥ [伍] [人名] 오 [上]麌 疑古切 wǔ

[筆順] 丿 亻 仁 仃 伍 伍
[字解] ①다섯사람 오 '大夫五人爲—'《周禮》. ②항오 오 ㉠다섯 사람을 한 조(組)로 한 군대 편제상(軍隊編制上)의 단위. '軍—'. '先偏後—'《左傳》. ㉡대열. 군대. '全—爲上'《孫子》. ③다섯집 오 다섯 호(戶)를 한 반(班)으로 한 지방 행정상(地方行政上)의 단위. '—長'. '五家爲—'《管子》. ④다섯 오 五(二部 二畫)와 통용. ⑤섞일 오, 섞을 오 '與噲等—'《史記》. ⑥성 오 성(姓)의 하나.
[字源] 篆文 形聲. 亻(人)+五〔音〕. '五오'는 '다섯'의 뜻. 오인조(五人組)의 뜻을 나타냄.
[參考] 五(二部 二畫)의 갖은자.

[伍伴 오반] 동아리. 반려(伴侶).
[伍伯 오백] ㉠오장(伍長). ㉡귀인(貴人)의 거마(車馬)를 선도(先導)하고 벽제(辟除)하는 사람.
[伍符 오부] 군오(軍伍)의 부신(符信).
[伍列 오열] 군오(軍伍)의 대열(隊列).
[伍長 오장] ㉠주대(周代)의 제도(制度)로서 군대의 오인(五人) 한 조(組)의 우두머리. ㉡송대(宋代)의 제도(制度)로서 다섯 집 한 반(班)의 우두머리.
[伍籍 오적] 주대(周代)의 제도(制度)로서, 다섯 집 한 조(組)로 된 조합(組合)의 호적(戶籍).
[伍候 오후] 백성에게 조합을 만들게 하여, 그 상황을 살펴 의외의 일이 일어나지 않게 경계하는 것. 조합.
◉軍伍. 群伍. 落伍. 隊伍. 兵伍. 保伍. 部伍. 比伍. 士伍. 什伍. 閭伍. 燕雀伍. 曹伍. 卒伍. 陣伍. 偏伍. 行伍.

4 ⑥ [伎] [人名] 기 ①-③[上]紙 渠綺切 jì ④[平]支 巨支切 qí

[筆順] 丿 亻 仁 什 伎 伎
[字解] ①재주 기 ㉠기술상의 재능. '人多—巧'《老子》. ㉡재능. '無他—能'《史記》. ②기생 기, 광대 기 妓(女部 四畫)와 同字. '—妾'. '名姝異—'《唐書》. ③함께 기, 동아리 기 '—, 與也'《說文》. '—, 侶也'《廣韻》. ④천천히걸을 기 서행(徐行)하는 모양. '維足——'《詩經》.
[字源] 篆文 形聲. 亻(人)+支〔音〕. '支지'는 나뭇가지를 받쳐 들다의 뜻. 나뭇가지를 들고 연기(演技)하는 광대의 뜻.

[伎工 기공] 가무(歌舞)를 하는 사람.
[伎巧 기교] 교묘한 기술이나 솜씨.
[伎伎 기기] 천천히 걷는 모양.
[伎能 기능] 재능(才能). 수완(手腕).
[伎倆 기량] 기능(伎能).
[伎術 기술] 솜씨. 기술(技術).
[伎癢 기양] 재주를 품고 펼 곳이 없어 안타까운 모양.
[伎藝 기예] 교묘한 솜씨. 기예(技藝).
[伎妾 기첩] ㉠기생 첩. ㉡기생(妓生).
[伎戲 기희] 가무음곡(歌舞音曲) 등의 놀이.
◉工伎. 方伎. 聲伎.

4 ⑥ [伏] [中人] [一] 복 [入]屋 房六切 fú [入]職 鼻墨切 [二] 부 [去]宥 扶富切 fù

[筆順] 丿 亻 仁 什 伏 伏
[字解] [一] ①엎드릴 복 부복(俯伏)함. '—拜'. '—謁'. '寢毋—'《禮記》. ②숨을 복 몸을 감춤. '—兵'. '—匿'. '嘉言罔攸—'《書經》. ③숨길 복 감춤. '—匿'. 또, 숨긴 죄(罪). '發奸摘—如神'《漢書》. ④굴복할 복 자백함. 복종함. '—罪'. '旣—其罪矣'《左傳》. ⑤기댈 복 '—櫺檻而頫聽'《張衡》. ⑥지날 복, 거칠 복 '—, 歷也'《廣韻》. ⑦시령(時令)이름 복 초복·중복·말복의 삼복(三伏). 초복은 하지(夏至) 후 제3의 경(庚)의 날, 중복은 하지 후 제4의 경의 날, 말복은 입추(立秋) 후 제1의 경의 날. 6월의 심한 더위에는 입추(立秋)의 금기(金氣)도 복장(伏藏)한다는 뜻임. '六月三—之節, 始自秦德公, 周時無—'《史記 註》. ⑧길 복 匐(勹部 九畫)과 통용. '膝行蒲—'《史記》. ⑨성 복 성(姓)의 하나. [二] 안을 부 날짐승이 알을 품음. '雄雞—子'《漢書》.
[字源] 金文 篆文 會意. 亻(人)+犬. 개가 사람을 따라다니다의 뜻. 또, 개같이 배를 땅에 깔고 엎드리다의 뜻을 나타냄.

[伏甲 복갑] 숨어 있는 무장한 군사. 복병(伏兵).
[伏乞 복걸] 엎드려 빎.
[伏劍 복검] 칼 위에 엎드러져 죽음. 칼로 자진(自盡)하여 엎드러짐.
[伏寇 복구] 숨어 있는 구적(寇賊).
[伏念 복념] 삼가 엎드려 생각함. 복이(伏以).
[伏匿 복닉] 엎드려 숨음. 또, 숨김.
[伏臘 복랍] 삼복(三伏)과 납일(臘日).
[伏龍 복룡] 숨어 있는 용. 전(轉)하여, 숨은 재사(才士)나 호걸.
[伏龍肝 복룡간] 아궁이 속에서 오랫동안 불에 탄 누른 흙. 지혈제(止血劑)·진토제(鎭吐劑)로 쓰임.
[伏流 복류] 땅속으로 스미어 흐르는 물.
[伏鱗 복린] 깊이 숨어 있는 물고기.
[伏魔殿 복마전] ㉠악마(惡魔)가 숨어 있는 곳. 악마(惡魔)의 소굴(巢窟). ㉡나쁜 일을 꾸미는 자(者)들이 모여 있는 곳. 화(禍)의 근원지(根源地).
[伏望 복망] 엎드려 바람. 웃어른의 처분을 바람.
[伏慕 복모] 웃어른을 공손히 사모함.

[伏拜 복배] 엎드려 절함.
[伏白 복백] 엎드려 사뢰. 공손히 사뢰.
[伏法 복법] 복주(伏誅).
[伏兵 복병] 적병(敵兵)을 불시(不時)에 치기 위하여 요지(要地)에 군사(軍士)를 숨겨 둠. 또, 그 군사.
[伏士 복사] 잠복하여 두는 군사. 복병(伏兵).
[伏死 복사] 목숨을 버림. 또, 쓰러져 죽음.
[伏射 복사] 엎드려 총을 쏨.
[伏謝 복사] 엎드려 사죄함.
[伏暑 복서] 더위를 먹음. 음서(飮暑).
[伏線 복선] ㉠뒷일에 대비하여 미리 남모르게 베푸는 준비. ㉡소설에서 뒤에 일어날 일을 미리 넌지시 암시(暗示)하여 두는 기교.
[伏侍 복시] 시중듦.
[伏屍 복시] 엎드러진 시체(屍體).
[伏息 복식] 자취를 감추어 없어짐.
[伏軾 복식] 수레 위에서 경례(敬禮)하기 위하여 수레 앞쪽의 가로나무를 어루만지며 기대어 섬.
[伏審 복심] 삼가 살핌.
[伏謁 복알] 부복하여 배알(拜謁)함.
[伏熱 복열] 복염(伏炎).
[伏炎 복염] 삼복(三伏) 동안의 더위. 경염(庚炎).
[伏願 복원] 엎드려 바람. 웃어른에게 공손히 바람.
[伏爲 복위] 《佛教》 영혼이 극락세계로 가도록 그 자손이나 부모가 부르는 소리.
[伏惟 복유] 공손히 엎드려 생각하옵건대.
[伏戎 복융] 군사를 매복(埋伏)함. 또, 그 복병(伏兵).
[伏隱 복은] 엎드려 숨음. 잠복함.
[伏以 복이] 삼가 엎드려 생각하옵건대.
[伏刃 복인] 칼로 자살(自殺)함.
[伏日 복일] 삼복(三伏)의 날. 복날. 전(轉)하여, 혹서(酷暑)의 날.
[伏藏 복장] 복닉(伏匿).
[伏在 복재] 드러나지 않고 숨겨져 있음.
[伏節 복절] ㉠삼복(三伏)이 든 철. ㉡절개(節槪)를 지킴.
[伏罪 복죄] 죄에 대한 형벌을 복종하여 받음. 복죄(服罪).
[伏奏 복주] 천자(天子)의 앞에서 엎드려 사뢰.
[伏誅 복주] 형벌(刑罰)에 복종하여 죽음을 받음. 복법(伏法).
[伏中 복중] 초복(初伏)에서 말복(末伏)까지의 사이.
[伏地 복지] 땅 위에 엎드림.
[伏竄 복찬] 잠복함. 자취를 감춤.
[伏處 복처] 순라군이 지키는 요소.
[伏醋 복초] 복날에 술을 삭혀서 만든 초.
[伏祝 복축] 엎드려 축원함. 삼가 축원함.
[伏兎 복토] 수레의 굴대의 좌우 양단(兩端)에 있어서 차체(車體), 곧 차상(車箱)과 굴대를 연결하는 물건. 중앙에 있는 것을 당토(當兎)라고 함.

[伏兎]

[伏虎 복호] 웅크려 엎드려 있는 범.
[伏羲 복희] 상고 시대(上古時代)의 제왕(帝王). 삼황(三皇) 중의 한 사람으로서 백성에게 어렵(漁獵)·농경·목축을 가르쳤으며, 처음으로 팔괘(八卦)와 문자(文字)를 만들었다 함.
[伏鷄 부계] 알을 품은 닭.
◉傴伏. 屈伏. 跪伏. 歸伏. 起伏. 踏伏. 埋伏. 拜伏. 俯伏. 覆伏. 三伏. 棲伏. 說伏. 消伏. 首伏. 睡伏. 馴伏. 慴伏. 承伏. 厭伏. 畏伏. 冤伏. 委伏. 淪伏. 隱伏. 倚伏. 雌伏. 潛伏. 藏伏. 折伏. 調伏. 竄伏. 慙伏. 沈伏. 蟄伏. 歎伏. 匍伏. 蒲伏. 降伏.

4 ⑥ [伐] 中·人 벌 ㉧月 房越切 fá

筆順 ノ 亻 仁 代 伐 伐

字解 ①칠 벌 ㉠죄(罪) 있는 자를 침. '征—'. '奮—荆楚'《詩經》. ㉡적(敵)을 침. '—敵'. '附於晉則楚來—'《史記》. ㉢물건을 두드림. '—鼓淵淵'《詩經》. ㉣힐난함. '黨學相—'《廣川題跋》. ②벨 벌 ㉠나무를 벰. '—木'. '—採'. '勿剪勿—'《詩經》. ㉡베어 죽임. 참살함. '四—五—'《書經》. ③공 벌 공적(功績). '—閱'. '且旌君—'《左傳》. ④자랑할 벌 공적을 자랑함. '孟之反不—'《論語》. ⑤방패 벌 적의 화살 따위를 피하는 무기. '蒙—有苑'《詩經》. ⑥간흙 벌 갈아 일으킨 땅. '一耦之—'《周禮》. ⑦성 벌 성(姓)의 하나.

字源 甲骨文 金文 篆文 會意. 亻(人)+戈. '戈과'는 창(槍)의 뜻. 사람을 창으로 베다, 치다의 뜻을 나타냄.

[伐柯 벌가] 도끼 자루로 쓸 나무를 벤다는 뜻으로, 그 자르는 나무의 길이는 손에 쥔 도끼 자루를 표준으로 하므로 표준이 눈앞에 있음을 이름.
[伐擊 벌격] ㉠공격함. ㉡힐난함. 공박함.
[伐鼓 벌고] 북을 침.
[伐斷 벌단] 쳐 끊음. 베어 끊음.
[伐木 벌목] 나무를 베어 냄.
[伐氷 벌빙] 얼음장을 떠냄.
[伐氷之家 벌빙지가] 주대(周代)에 장사나 제사 때 얼음을 쓸 자격이 있는 경대부(卿大夫) 이상의 집. 전(轉)하여, 고귀한 집. 문벌이 높은 집.
[伐喪 벌상] 남의 땅에 투장(偸葬)하는 사람을 두들겨 몰아냄.
[伐善 벌선] 자기의 선행(善行)이나 장점(長點)을 자랑함.
[伐性之斧 벌성지부] 목숨을 끊는 도끼라는 뜻으로, 여색(女色) 또는 속악(俗樂)을 비유하여 이른 말.
[伐閱 벌열] 공로와 경력. 또, 지체. 가문(家門). 벌열(閥閱).
[伐齊爲名 벌제위명] 연(燕)나라 장수 악의(樂毅)가 제(齊)나라를 쳤을 때 제(齊)나라의 장수 전단(田單)이 반간(反間)을 놓아 '악의가 벌제(伐齊)한 후 제왕(齊王)이 되려 한다.'고 퍼뜨려 연왕(燕王)이 악의를 소환한 고사(故事)에서 나온 말로, 어떤 일을 하는 체하고 속으로는 딴 짓을 함을 이름.
[伐挫 벌좌] 적(敵)을 쳐 그 기세를 꺾음.
[伐採 벌채] 나무를 베고 섶을 깎음.
[伐草 벌초] 산소(山所)의 잡초(雜草)를 베어서 깨끗이 함.
◉擊伐. 功伐. 攻伐. 克伐. 剋伐. 矜伐. 濫伐. 盜伐. 放伐. 殺伐. 攘伐. 自伐. 殘伐. 翦伐.

戰伐. 征伐. 誅伐. 斬伐. 采伐. 採伐. 侵伐. 討伐.

4 ⑥ [伶] 一 검 ㊀鹽 其淹切 qián 二 긍 ㊀蒸 居陵切 jīng 三 금 ㊁沁 渠禁切

字解 一 악공 검 '一侏'는 악공(樂工). '一侏, 古樂人'《集韻》. 二 자랑할 긍, 삼갈 긍 矜(矛部 四畫)과 통용. 三 오랑캐풍류 금 북쪽 오랑캐의 음악. '一侏兜離, 罔不具集'《後漢書》.

4 ⑥ [伂] 패 ㊁泰 博蓋切 pèi

字解 넘어질 패 '顚一'는 넘어지는 일. 沛(水部 四畫)와 통용. '顚一, 仆也'《集韻》.

字源 形聲. 亻(人)+市〔音〕

4 ⑥ [佽] 〔흠·검〕 欠(部首〈p. 1126〉)과 同字

4 ⑥ [休] 中人 一 휴 ㊀尤 許尤切 xiū 二 후 ㊁遇 吁句切 xǔ

筆順 ノ 亻 亻 什 休 休

字解 一 ①쉴 휴 ㉠휴식(休息)함. '一憩'. '汔可小一'《詩經》. ㉡일을 잠시 중단함. '一職'. '是月也, 霜始降, 則百工一'《呂氏春秋》. ㉢한가하게 지냄. '且一計事'《史記》. ㉣잠을 잠. '暮一早起'《王褒》. ㉤벼슬을 그만두고 한가히 지냄. 퇴직함. '退一'. '官因老病一'《杜甫》. ㉥그만둠. 하지 않음. '一言'. '家貧一種汶陽田'《劉滄》. ②그칠 휴 중지함. '店香風起時, 村白雨一時'《溫憲》. ③편안할 휴 '我心則一'《詩經》. ④기뻐할 휴 좋아함. '爲晉一戚'《國語》. ⑤좋을 휴 훌륭함. 선미(善美)함. '一命'. '惟王受命, 無疆惟一'《書經》. ⑥놓을 휴 용서함. '雖一勿一'《書經》. ⑦검소할 휴 검약(儉約)함. '戒之以一'《書經》. ⑧휴가 휴, 말미 휴 휴일. 또, 사가(賜暇). '歸一'. '一所繇來久'《漢書》. ⑨기쁨 휴, 경사 휴 길경(吉慶). '天之一'. '實萬世無疆之一'《書經》. ⑩넓을 휴 넉넉함. 관대(寬大)함. '其心一一焉'《書經》. ⑪말 휴 금지하는 말. '一問梁園舊賓客'《李商隱》. ⑫성 휴 성(姓)의 하나. 二 ①따스하게할 후 김을 불어 따뜻하게 함. 咻(口部 六畫)와 同字. '一於氣'《周禮》. ②슬퍼할 후 '民人痛疾, 而或燠一之'《左傳》.

字源 甲骨文 金文 篆文 別體 會意. 亻(人)+木. 사람이 나무에 기대어 쉬다의 뜻을 나타냄. 또 파생(派生)하여, 심신(心身)의 안식(安息)의 뜻에서, '행복·보람'의 뜻도 나타냄.

[休暇 휴가] 학업(學業) 또는 근무를 일정한 기간 쉬는 일. 또, 그 겨를.
[休嘉 휴가] 경사스러움. 또, 경사스러운 일. 경사(慶事).
[休刊 휴간] 신문·잡지 등의 정기 간행물의 발행을 한때 쉬는 일.
[休講 휴강] 강의(講義)를 쉼.
[休憩 휴게] 잠깐 쉼. 휴식(休息).
[休慶 휴경] 경사(慶事).
[休告 휴고] 휴목(休沐).
[休光 휴광] 큰 공(功). 뛰어난 공적.
[休校 휴교] 학교의 공부를 한동안 쉼.
[休咎 휴구] 길흉(吉凶). 복(福)과 화(禍).
[休期 휴기] 좋은 때.
[休德 휴덕] 훌륭한 덕(德). 미덕(美德).
[休圖 휴도] 좋은 꾀. 양도(良圖).
[休燈 휴등] 전등(電燈) 사용을 한동안 중지함.
[休名 휴명] 좋은 평판. 미명(美名).
[休命 휴명] 선미(善美)한 명령. 천명(天命) 또는 군명(君命)을 이름.
[休明 휴명] 썩 밝음. 대명(大明).
[休沐 휴목] 관리의 휴가(休暇). 한(漢)나라 때에는 닷새에 하루, 당(唐)나라 때에는 열흘에 하루씩 집에서 쉬며 목욕(沐浴)을 한 일에서 나온 말.
[休美 휴미] 훌륭함. 아름다움.
[休範 휴범] 훌륭한 본보기. 선미(善美)한 모범.
[休兵 휴병] 군사(軍士)를 쉬게 하여 사기(士氣)를 돋움.
[休否 휴부] ㉠운이 나쁠 때 좋은 일을 행함. ㉡운수가 막힘.
[休祥 휴상] 길(吉)한 상서(祥瑞). 길상(吉祥).
[休說 휴설] '말하는 것을 그만두시오.'의 뜻.
[休盛 휴성] 아름답고 성(盛)한 모양.
[休息 휴식] 쉼. 또, 쉬게 함. 휴게(休憩).
[休息痢 휴식리] 더쳤다 그쳤다 하고 여러 해가 되도록 낫지 아니하는 이질(痢疾).
[休神 휴신] 휴심(休心).
[休心 휴심] 안심(安心)함.
[休養 휴양] ㉠심신(心身)을 쉬며 몸을 보양(保養)함. ㉡조세(租稅)를 경감하여 백성의 재력(財力)을 넉넉하게 함.
[休言 휴언] 말을 하지 않음.
[休偃 휴언] 쉼. 휴식함.
[休業 휴업] 업을 한동안 쉼.
[休浴 휴욕] 휴목(休沐).
[休祐 휴우] 휴지(休祉).
[休意 휴의] 휴심(休心).
[休日 휴일] 쉬는 날. 노는 날.
[休典 휴전] 훌륭한 모범. 아름다운 법칙.
[休戰 휴전] 전쟁(戰爭)을 중지함.
[休廷 휴정] 재판 도중에 쉼.
[休停 휴정] 쉼. 또, 쉬게 함.
[休兆 휴조] 상서로운 조짐. 길조(吉兆).
[休蹤 휴종] 큰 공적. 뛰어난 공적.
[休止 휴지] ㉠쉼. 쉬게 함. ㉡끝남. 끝나게 함. 그만둠.
[休祉 휴지] 행복. 경사.
[休職 휴직] 일정한 기간 동안 현직(現職)의 복무를 쉼.
[休診 휴진] 병원에서 한동안 진찰을 하지 아니함.
[休徵 휴징] 휴조(休兆).
[休暢 휴창] 경사스럽게 널리 퍼짐.
[休戚 휴척] 기쁨과 근심 걱정. 희우(喜憂).
[休致 휴치] 벼슬아치가 노쇠(老衰)했다는 이유로 사표(辭表)를 내고 그만둠.
[休惰 휴타] 휴태(休怠).
[休怠 휴태] 쉬면서 게으름을 핌.
[休退 휴퇴] ㉠직(職)에서 물러나와 쉼. 휴가(休暇). ㉡사직(辭職)함. 퇴휴(退休).
[休罷 휴파] 사직(辭職)함. 휴퇴(休退).
[休廢 휴폐] 그침. 또, 그만둠.
[休學 휴학] 학업(學業)을 한동안 쉼.

[休歇 휴헐] 쉼. 휴식함.
[休火山 휴화산] 옛날에 분화(噴火)하였으나, 지금은 분화하지 아니하는 화산(火山).
[休會 휴회] ㉠회의 도중에 쉼. ㉡회의체(會議體)가 자의(自意)로 일정 기간 그 활동을 쉼.
[休勳 휴훈] 선미(善美)한 공훈.
[休休 휴휴] ㉠안한(安閑)한 모양. ㉡선미(善美)한 모양.
◉更休. 告休. 公休. 歸休. 萬事休. 無休. 浮休. 不眠不休. 丕休. 旬休. 偃休. 連休. 燕休. 燠休. 運休. 天休. 退休. 罷休. 行休.

4
⑥ [仔] [韓] 격

[字解] 《韓》 칠 격 침. 擊(手部 十三畫)의 俗字. '僧統和尙出入時, 一大鐘式'《日用集》.

4
⑥ [伀] 종 [平]冬 職容切 zhōng

[字解] ①허겁지겁할 종 당황함. '瀾沐征一'《揚子方言》. ②공 종 공적(公的)임. 일반 대중. '一, 志及衆也'《說文》. ③두려워할 종 공구함. 겁냄. '卒奉大略一矇狼狽'《周魴》.
[字源] 篆文  形聲. 亻(人)+公〔音〕. '公공'은 '공변되다'의 뜻.

4
⑥ [伙] 화 [上]哿 讀如火 huǒ

[字解] 세간 화 가구(家具). '傢一'.
[字源] 形聲. 亻(人)+火〔音〕

4
⑥ [伃] 〔여〕
妤(女部 四畫〈p.520〉)와 同字

4
⑥ [伌] 〔개〕
個(人部 八畫〈p.149〉)의 略字

4
⑥ [伤] 〔상〕
傷(人部 十一畫〈p.171〉)의 簡體字

4
⑥ [伇] 〔흘·올〕
仡(人部 三畫〈p.103〉)의 本字

4
⑥ [役] 〔역〕
役(彳部 四畫〈p.736〉)의 古字

4
⑥ [伖] 〔가〕
假(人部 九畫〈p.157〉)의 俗字

4
⑥ [伜] 〔쉬〕
倅(人部 八畫〈p.149〉)의 俗字

4
⑥ [伝] 〔전〕
傳(人部 十一畫〈p.169〉)의 俗字

5
⑦ [余] [中人] 여 [平]魚 以諸切 yú

[筆順] ノ 𠆢 亼 佘 佘 余 余

[字解] ①나 여 자기. '一, 我也'《爾雅》. ②사월 여 음력 4월의 일컬음. '一月'. ③나머지 여, 남을 여 餘(食部 七畫)와 同字. '凡其一, 聚以待頒賜'《周禮》. ④성 여 성(姓)의 하나.
[字源] 甲骨文 金文 篆文  象形. 끝이 날카로운 제초구(除草具)를 나타낸 모양으로, 자유로이 뻗다의 뜻을 나타내는데, 가차(假借)하여 인칭 대명사(人稱代名詞)인 '나'의 뜻으로 쓰임.

[余輩 여배] 우리네.
[余月 여월] 음력 4월의 이칭(異稱).
◉比余. 接余.

5
⑦ [佥] 〔첨〕
僉(人部 十一畫〈p.168〉)의 簡體字

[坐] 〔좌〕
土部 四畫(p.439)을 보라.

[巫] 〔무〕
工部 四畫(p.663)을 보라.

[夾] 〔협〕
大部 四畫(p.502)을 보라.

5
⑦ [伯] [高人] [一] 백 [入]陌 博陌切 bó, ⑤bǎi
[二] 맥 [入]陌 莫白切 mò
[三] 패 [去]禡 必駕切 bà 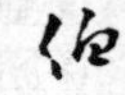

[筆順] ノ 亻 亻' 亻' 伯 伯 伯

[字解] [一] ①맏 백 맏형. '一仲叔季'. '一氏吹壎'《詩經》. ②큰아버지 백 아버지의 형. '一父'. '一旣如此'《南史》. ③백작 백 오등작(五等爵)의 셋째. '公侯一子男'. '小國稱一子男'《公羊傳》. ④남편 백 '一也執殳'《詩經》. ⑤시아주버니 백 남편의 형. '稱夫之弟爲叔, 則夫之兄亦可爲一也'《陔餘叢考》. ⑥우두머리 백 장(長). 수장(首長). '匠一不顧, 遂行不輟'《莊子》. ⑦말의귀신 백 말〔馬〕의 귀신 또는 그 귀신의 제사(祭祀). '旣一旣禱'《詩經》. ⑧성 백 성(姓)의 하나. [二] 거리 맥 陌(阜部 六畫)과 통용. '置一格長'《史記》. [三] 두목 패 맹주(盟主). 霸(雨部 十三畫)와 同字. '五一之霸也, 勤而撫之'《左傳》. 또, 고석(古昔)의 오관(五官)인 사도(司徒)·사마(司馬)·사공(司空)·사사(司士)·사구(司寇)의 장(長). '五官之長曰一'《禮記》.
[字源] 甲骨文 金文 篆文 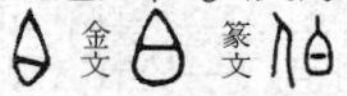 形聲. 亻(人)+白〔音〕. '白백'은 '父부'와 통하여, 일족(一族)의 통솔자의 뜻. 우두머리 되는 사람의 뜻을 나타냄.

[伯強 백강] 악마(惡魔). 악귀(惡鬼). 역병신(疫病神).
[伯舅 백구] ㉠어머니의 오빠. 큰외삼촌. ㉡천자(天子)가 이성(異姓)의 제후(諸侯)를 부르는 존칭.
[伯娘 백낭] 맏딸.
[伯樂 백락] ㉠천마(天馬)를 맡은 별의 이름. ㉡중국 진(秦)나라 때 사람. 본명은 손양(孫陽). 말〔馬〕의 감정(鑑定)을 잘하였으므로, 널리 말에 관한 일에 밝은 사람의 뜻으로 쓰임.
[伯樂一顧 백락일고] 좋은 말이 백락(伯樂)을 만나 세상에 알려져 그 값이 십 배로 올랐다는 고사(故事)에서, 명군(名君)·현상(賢相)에게 지우(知遇)를 받음의 비유로 쓰임.

[伯勞 백로] 참새류(類)에 속하는 새. 때까치. 개고마리.
[伯母 백모] ㉠부모의 누이. 고모 또는 이모. ㉡백부의 아내. 큰어머니.
[伯父 백부] ㉠큰아버지. ㉡천자(天子)가 동성(同姓)의 제후(諸侯)를 부르는 존칭.
[伯叔 백숙] ㉠형과 아우. 형제. ㉡백부와 숙부.
[伯氏 백씨] 맏형.
[伯牙絶絃 백아절현] 자기를 알아주는 참다운 벗의 죽음을 슬퍼함을 이름. 백아(伯牙)는 거문고를 잘 타고 종자기(鍾子期)는 이 거문고 소리를 잘 들었었는데, 종자기(鍾子期)가 죽은 뒤 백아(伯牙)는 절망(絶望)한 나머지 자기의 거문고 소리를 들을 만한 사람이 없다고 거문고 줄을 모두 끊어 버리고, 다시는 거문고를 타지 않았다는 고사(故事)에서 나온 말.
[伯牛之疾 백우지질] 훌륭한 사람이 못된 병(病)에 걸림을 이름.
[伯夷叔齊 백이숙제] 형 백이(伯夷)와 아우 숙제(叔齊). 모두 은(殷)나라 고죽군(孤竹君)의 아들. 무왕(武王)이 은(殷)나라를 치자 이를 간(諫)하였으며, 무왕이 천하를 손안에 넣으매, 백이·숙제 형제는 주(周)나라의 곡식 먹기를 부끄러이 여겨 수양산(首陽山)으로 도망가서 채미(采薇)하고 살다가 마침내 굶어 죽었음.
[伯姊 백자] 맏누이.
[伯爵 백작] 오등작(五等爵)의 하나. 후작(侯爵)의 다음, 자작(子爵)의 위.
[伯仲 백중] ㉠맏형(兄)과 그 다음. ㉡서로 비슷하여 우열(優劣)이 없음.
[伯仲叔季 백중숙계] 형제(兄弟)의 순서. 장(長)을 백(伯), 그 다음을 중(仲), 그 다음을 숙(叔), 말제(末弟)를 계(季)라 함.
[伯仲之間 백중지간] 서로 어금지금하여 낫고 못함이 없음.
[伯兄 백형] 맏형(兄). 장형(長兄).
[伯道 패도] 패도(覇道).
[伯主 패주] 제후(諸侯)의 두목. 패자(覇者).
◉都伯. 道伯. 杜伯. 冥伯. 方伯. 詞伯. 水伯. 詩伯. 伍伯. 匠伯. 長伯. 州伯. 風伯. 河伯. 火伯. 畫伯. 侯伯.

5 ⑦ [佅] ㊀ 매 ㊄卦 莫話切 mài
㊁ 말 ㊅曷 摩葛切 mò

字解 ㊀ 오랑캐풍류 매 동이(東夷)의 음악(音樂). '佅—兜離, 罔不具集'《班固》. ㊁ 오랑캐풍류 말 ㊀과 뜻이 같음.

5 ⑦ [估] 고 ㊤麌 公戶切 gū, gǔ

字解 ①값 고 물가. '—價'. '高鹽價, 賤帛—'《唐書》. ②값놓을 고 값을 매김. 값의 평정(評定)을 함. '先令工人—價'《五代史》. ③팔 고 물건을 팖. 장사함. '—之哉, —之哉, 我待賈者也'《論語》. ④장수 고 상인. '商—交入'《北史》.
字源 形聲. 亻(人)+古〔音〕. '古고'는 '價가'와 통하여 '값'의 뜻. 장사하는 사람, 값의 뜻을 나타냄.

[估價 고가] ㉠값. 가격. ㉡값을 매김. 평가(評價).
[估客 고객] 상인(商人).
[估賣 고매] 물건을 팖.
[估稅 고세] 상품(商品)에 부과(賦課)하는 세금(稅金). 영업세(營業稅).
[估衒 고현] 스스로 자기의 재주나 기술을 자랑하여 선전함.
◉價估. 擡估. 帛估. 商估. 市估.

5 ⑦ [佋] 소 ①㊥蕭 市昭切 zhāo
②㊤篠 市沼切 shào

字解 ①소목(昭穆) 소 종묘·사당의 신주의 서차(序次)에서 목(穆)의 위. 昭(日部 五畫)와 통용. '廟—穆, 父爲—, 南面, 子爲穆, 北面'《說文》. ②도울 소, 소개할 소 남을 도와줌. 또, 중간에 들어 주선함. 紹(糸部 五畫)와 통용. '—介'. '士爲—擯'《禮記》.
字源 金文 篆文 形聲. 亻(人)+召〔音〕. 소목(昭穆)의 '昭소'와 통하여 '밝다'의 뜻을 나타냄.

5 ⑦ [伴] 高人 반 ①-③㊤旱 蒲旱切 bàn
④㊄翰 普半切 pàn

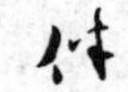

筆順 ノ 亻 亻' 亻ᐟ 亻ᐟ 伫 伴

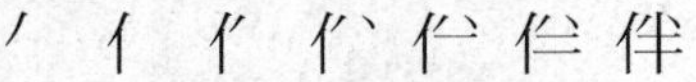

字解 ①짝 반 상대. 동반자(同伴者). '—侶'. '燕似尼姑, 有—方行'《李義山雜纂》. ②모실 반 배종(陪從)함. '隨—'. '—食'. '須賓客自—'《北史》. ③의지할 반 의뢰함. '—弛張之信期'《楚辭》. ④한가할 반 틈이 있는 모양. '—奐爾游矣'《詩經》.
字源 篆文 形聲. 亻(人)+半〔音〕. '半반'은 '절반'의 뜻. 좋은 반쪽, '짝'의 뜻을 나타냄.

[伴倘 반당]《韓》㉠옛날 서울의 각 관청에서 부리던 사환(使喚). ㉡중국에 가는 사신이 자비(自費)로 데리고 가던 하인.
[伴當 반당] 상가(商家)의 하인 중의 우두머리.
[伴讀 반독] ㉠귀족(貴族)의 자제의 상대(相對)가 되어 책을 같이 읽는 일. ㉡송대(宋代)의 벼슬 이름. 종실(宗室)의 교육을 맡았음.
[伴侶 반려] 짝이 되는 동무.
[伴生 반생] 수반(隨伴)하여 발생함.
[伴送 반송] 다른 물건에 붙여서 함께 보냄.
[伴隨 반수] 따라감. 배종(陪從)함.
[伴食 반식] 주빈(主賓)을 모시고 음식 대접을 받음. 전(轉)하여, 무능(無能)한 대관(大官)을 비꼬는 말.
[伴偶 반우] 짝. 배우(配偶).
[伴吟 반음] 따라 읊조림.
[伴接 반접] 손님을 접대함. 접반(接伴).
[伴奏 반주] 기악(器樂)이나 성악(聲樂)의 주주부(主奏部)에 맞추어 다른 악기로 보조적으로 연주하는 일.
[伴直 반직] 두 사람이 함께 숙직함.
[伴寢 반침] 한방(房)에서 같이 잠. 동숙(同宿).
[伴行 반행] 길을 같이 감. 동행(同行).
[伴奐 반환] 한가함. 종이(縱弛).
◉夥伴. 待伴. 道伴. 同伴. 相伴. 隨伴. 詩伴. 侶伴. 臥雲伴. 接伴. 酒伴. 行伴. 火伴.

5 ⑦ [佘] 사 ㊥麻 視遮切 shé

字解 ①산이름 사 상하이 시(上海市) 청포현(靑浦縣)의 남동쪽에 있는 산. 난순산(蘭筍山). ②

성 사 성(姓)의 하나.
參考 余(人部 五畫)는 別字.

5 ⑦ [㑃] 〔갑〕
甲(田部 無畫〈p. 1459〉)의 古字

5 ⑦ [伶] 人名 령 ㊥青 郎丁切 líng

筆順 ノ 亻 亻 亻 伶 伶 伶

字解 ①악공 령 음악을 직업으로 하는 사람. '一人'. '一官'. '制新曲敎女一'《唐書》. ②하인 령 부리는 사람. '府一喚呼爭先到'《白居易》. ③영리할 령 똑똑함. '一俐'. ④외로울 령 고독함. '形影何一仃'《魏觀》. ⑤노리개 령 장난감. '瓦一口頰欲謾誰'《馬元來》. ⑥성 령 성(姓)의 하나.
字源 金文 篆文 形聲. 亻(人)+令〔音〕. '令령'은 신의(神意)를 듣다의 뜻. 음악을 연주하여 신의(神意)를 듣는 악공(樂工)의 뜻.

[伶工 영공] 영관(伶官).
[伶官 영관] 음악을 맡은 벼슬아치.
[伶倫 영륜] 황제(黃帝)의 신하(臣下). 해곡(嶰谷)의 대나무로 악률(樂律)을 만들었다 함.
[伶俐 영리] 약고 민첩(敏捷)함. 똑똑하고 재주가 많음. 소재(小才)가 있음.
[伶俜 영빙] ㉠외로운 모양. 방랑하는 모양. ㉡영락(零落)한 모양.
[伶樂 영악] 음악(音樂).

5 ⑦ [伸] 高人 신 ㊥眞 失人切 shēn

筆順 ノ 亻 亻 亻 伸 伸 伸

字解 ①펼 신 ㉠넓게 함. 길게 함. 곧게 함. '一縮'. '引一'. '引而一之'《易經》. ㉡마음을 놓음. '一眉'. '愁眉始得一'《釋曇遷》. ㉢일이 펴임. 성공 발전함. '終當大一'《南史》. ㉣곧지 못한 것을 곧게 다스림. '一寃'. ②펴질 신 넓어짐. 길어짐. '鉤不一'《列子》. ③기지개켤 신 '欠一'. '志倦則欠, 體倦則一也'《儀禮註》. ④《現》말할 신 사룀. '追一'. ⑤성 신 성(姓)의 하나.
字源 篆文 形聲. 亻(人)+申〔音〕. '申신'은 '펴지다'의 뜻. '人'을 더하여, '펴지다, 자라다, 늘이다'의 뜻을 나타냄.

[伸頸 신경] 목을 길게 뺌.
[伸眉 신미] 수미(愁眉)를 폄.
[伸雪 신설] 신원설치(伸寃雪恥).
[伸曳 신예] 잡아 늘임. 늘여서 조화시킴.
[伸寃 신원] 가슴에 맺힌 원한을 풀어 버림.
[伸寃雪恥 신원설치] 원한을 풀고 치욕을 씻어 버림.
[伸長 신장] 길게 벋어남.
[伸張 신장] 늘이거나 뻗어 넓힘. 또, 늘거나 뻗어 넓어짐.
[伸展 신전] ㉠늘이어 펼침. ㉡세력이나 사업이 뻗어 커짐. 또, 뻗어 커지게 함.
[伸縮 신축] 펴짐과 오그라짐. 늘어남과 줄어듦. 또, 늘임과 줄임.
[伸欠 신흠] 기지개와 하품.

◉屈伸. 目伸. 眉伸. 熊經鳥伸. 引伸. 蹄伸. 欠伸.

5 ⑦ [伹] ■ 저 ㊥魚 七余切 qū ■ 조 ㊤麌 千胡切 zù

字解 ■ 서투를 저, 둔할 저 서틂. 둔함. 또, 둔한 사람. '一, 鈍也'《廣雅》. ■ 얕을 조 깊지 않음. '一, 淺也'《廣韻》.
字源 形聲. 亻(人)+且〔音〕

5 ⑦ [伺] 人名 사 ㊦寘 相吏切 sì, ②cì ㊥支 息玆切

字解 ①엿볼 사 ㉠다른 사람이 모르게 가만히 봄. '一窺'. '夜一之'《水經 注》. ㉡몰래 정상(情狀)을 살핌. '使人微一之'《史記》. ㉢몰래 기회를 엿봄. '密一其過'《魏書》. ②찾을 사 높은 사람을 방문함. '一侯車駕'《漢書》. ③살필 사 ㉠살펴 앎. '明一晷度'《魏書》. ㉡추측함. 헤아림. '潛一太子意, 因用解之'《冊府元龜》.
字源 篆文 形聲. 亻(人)+司〔音〕. '司사'는 '맡다, 관장(管掌)하다'의 뜻. 남의 신변(身邊)을 돌보는 사람의 뜻을 나타내며, 또 남의 진의(眞意)를 살피다의 뜻을 나타냄.

[伺間 사간] 틈을 노림. 사극(伺隙).
[伺窺 사규] 슬며시 정상(情狀)을 엿봄.
[伺隙 사극] 틈을 노림. 틈을 엿봄.
[伺望 사망] 엿봄. 관찰함.
[伺晨鳥 사신조] 새벽에 먼저 우는 새.
[伺應 사응] 뜻을 살펴 응함.
[伺察 사찰] 엿보아 살핌. 규찰(窺察).
[伺候 사후] ㉠동정을 엿봄. ㉡윗사람을 방문함. 윗사람을 찾아가 안부를 물음. 또, 옆에서 받듦.
◉窺伺. 闞伺. 眄伺. 奉伺. 掩伺. 狙伺. 偵伺. 諦伺. 候伺.

5 ⑦ [伻] 팽 ㊥庚 普耕切 bēng

字解 ①㉠부릴 팽 사람을 부림. '一, 使人也'《廣韻》. ㉡사자 팽 심부름하는 사람. '一來, 以圖及獻卜'《書經》. ②하여금 팽 …로 하여금 …하게 함. 시킴. '一從王于周'《書經》. ③따를 팽 좇음. '一, 從也'《爾雅》.
字源 形聲. 亻(人)+平〔音〕

5 ⑦ [似] 高人 사 ㊤紙 詳里切 sì ㊦寘 相吏切

筆順 ノ 亻 亻 亻 似 似 似

字解 ①같을 사 ㉠상사(相似)함. '類一'. '酷一'. '東門有人, 其顙一堯'《史記》. ㉡그럴듯함. 그럴듯하게 보임. '壹一重有憂者'《禮記》. ②흉내낼 사 남의 언행을 그대로 옮겨서 함. '吳語我能一'《陸游》. ③이을 사 상속(相續)함. '一續'. '以一以續'《詩經》. ④보일 사 갖다 보임. 보냄. '今日把一君, 誰有不平事'《賈島》. ⑤성 사 성(姓)의 하나.
字源 金文 金文 篆文 形聲. 亻(人)+以(目)〔音〕. 金文은 司+目. '司사'는 '嗣사'와 통하여, 선조(先祖)의 뒤를 잇다의 뜻. 조상의 뒤를 잇는 사람, 흉내 내는

사람의 뜻에서, '닮다'의 뜻을 나타냄.

[似類 사류] 서로 비슷함. 유사(類似)함. 또, 그것.
[似摹 사모] 본떠 그 모양대로 쓰거나 그림.
[似續 사속] ㉠뒤를 이음. 상속함. ㉡자손(子孫).
[似而非 사이비] 겉은 비슷하나 속은 같지 않음.
[似而非者 사이비자] 언뜻 보아 같지만, 잘 보면 다른 것. 의심스러운 것.
[似虎 사호] ㉠겉은 비슷하지만, 실제는 다른 것의 비유. 얼룩소가 겉은 범과 비슷하지만 아닌 것 따위. ㉡고양이〔猫〕의 별칭.
◉擧似. 近似. 無似. 辨似. 寫似. 相似. 象似. 類似. 擬似. 肖似. 匹似. 嫌似. 酷似. 渾不似.

5 ⑦ [伽] 人名 가 ㊥歌 求迦切 qié, ③jiā

筆順 ノ 亻 仂 仂 伽 伽 伽

字解 ①절 가 범어(梵語) gha(가)의 음역(音譯). '一藍'은 절. 사찰. ②가지 가 茄(艸部 五畫)와 통용. '盛冬育筍, 舊菜增一'《揚雄》. ③《現》 음역자 가 '가' 음(音)의 음역자(音譯字). '伽利略(갈릴레오)'.

字源 形聲. 亻(人)＋加〔音〕. 梵語 '가'의 음(音)을 한자(漢字)로 쓸 때 사용됨. '人인'은 외래어(外來語)의 한역음(漢譯音)에 붙이는 것.

[伽那 가나] 코끼리〔象〕의 별칭.
[伽羅 가라] 《佛敎》 범어(梵語) kālaaguru의 음역(音譯). ㉠침향(沈香)의 별칭(別稱). ㉡선가(禪家)에서 쓰는 가사(袈裟)의 한 가지. ㉢가야(伽倻).
[伽藍 가람] 《佛敎》 범어(梵語) samghârâma의 음역(音譯). 절의 별칭(別稱). 사찰(寺刹).
[伽耶 가야] ㉠코끼리〔象〕의 별칭. ㉡인도(印度) 남부의 도시. 가야(Gaya)의 음역(音譯). 그 남쪽 30리에 불타(佛陀)가 성도(成道)한 땅 불타가야(佛陀伽耶)가 있음. ㉢가야(伽倻).
[伽倻 가야] 낙동강(洛東江) 하류 지역인 변한(弁韓)에서, 1세기경에 금관가야(金官伽倻)·대가야(大伽倻)·소가야(小伽倻)·아라가야(阿羅伽倻)·성산가야(星山伽倻)·고령가야(古寧伽倻)의 육 가야(六伽倻)로 통일된 나라. 가라(伽羅). 가락국(駕洛國). 가야(伽耶).
[伽倻琴 가야금] 신라 진흥왕(眞興王) 때 가야국(伽倻國) 가실왕(嘉實王)이 악사(樂師) 우륵(于勒)을 시켜 만든 십이현금(十二絃琴).

[伽倻琴]

[伽子 가자] 가지. 가자(茄子).
[伽陀 가타] 《佛敎》 범어(梵語) gāthā의 음역(音譯). 부처를 찬미(讚美)하는 노래.
◉迦陵頻伽. 棱伽. 摩伽. 僧伽. 阿伽. 郁伽. 瑜伽.

5 ⑦ [伾] 비 ㊥支 敷悲切 pī ㊤紙 部鄙切

字解 ①힘셀 비 힘이 셈. '以車一一'《詩經》. ②많을 비 수효가 많음. 또, 떼 지어 가는 모양. ③성 비 성(姓)의 하나.

字源 篆文 形聲. 亻(人)＋丕〔音〕. '丕비'는 붕긋이 부푼 씨방을 본뜬 모양. 또, '크다'의 뜻. 큰 사람의 힘이 억세다의 뜻을 나타냄.

[伾伾 비비] 힘이 센 모양.

5 ⑦ [佃] 人名 전 ㊥先 徒年切 tián ㊦霰 堂練切 ③diàn

字解 ①밭갈 전 밭을 경작함. '竝一竝守'《晉書》. ②밭 전 개척(開拓)한 밭. '募人耕一'《宋書》. ③소작인 전 소작하는 사람. '一戶'. '訂其主一'《宋史》. ④사냥할 전 수렵(狩獵)함. '一漁'. '以一以漁'《易經》.

字源 金文 篆文 形聲. 亻(人)＋田〔音〕. '田전'은 '사냥·경작지(耕作地)'를 본뜬 모양. 사냥·경작지를 관리 경작하는 사람의 뜻이나, 그 관리용의 수레의 뜻을 나타냄.

[佃客 전객] 전호(佃戶).
[佃具 전구] 농구(農具).
[佃器 전기] 농구(農具).
[佃夫 전부] 농부(農夫).
[佃漁 전어] 사냥하고 고기를 잡음. 사냥과 고기잡이.
[佃作 전작] 경작(耕作)함. 소작 농업에 종사함. 농사(農事).
[佃戶 전호] 소작인(小作人). 전객(佃客).
◉耕佃. 竝佃.

5 ⑦ [伷] 주 ㊦宥 直祐切 zhòu

字解 맏아들 주 장자(長子). '胄, 或作一'《集韻》.

5 ⑦ [但] 中人 ㊀ 단 ㊤旱 徒旱切 dàn ㊁ 탄 ㊦翰 徒案切 dàn

筆順 ノ 亻 亻 仴 仴 但 但

字解 ㊀ ①다만 단 단지. ㉠그것만. '一服湯, 二旬而復故'《史記》. ㉡특히 그것만 일부러. '匈奴匿其壯士肥牛馬, 一見老弱羸畜'《史記》. ㉢오로지. '爲人君者, 一當退小人之僞朋, 用君子之眞朋'《歐陽修》. ㉣한갓. 헛되이. '一唯笑而已'《通鑑綱目》. ㉤그러나. '一恨無過王右軍'《杜甫》. ㉥무의미의 조사(助辭). '一看古來歌舞地'《劉廷芝》. ②성 단 성(姓)의 하나. ㊁ 거짓 탄 誕(言部 七畫)과 통용. '媒一者非學謾也'《淮南子》.

字源 篆文 形聲. 亻(人)＋旦〔音〕. '旦단'은 지평선(地平線) 위에 태양이 나타나는 모양을 본뜸. 사람이 어깨를 드러내다, 윗도리를 벗다의 뜻을 나타냄. 가차(假借)하여, '다만'의 뜻으로 쓰임.

[但書 단서] 본문 다음에 단(但) 자를 붙여 어떤 조건이나 예외의 뜻을 나타내는 말.
[但只 단지] 다만. 겨우. 오직. 한갓.
◉非但.

5 ⑦ [佇] 人名 저 ㊤語 直呂切 zhù

字解 ①우두커니설 저 정지함. 잠시 멈춰 섬.

'一立以泣'《詩經》. ②기다릴 저 바라고 기다림. '虛襟以一'《陸贄》.

字源 篆文 形聲. 亻(人)+宁〔音〕. '宁저'는 물건을 저장해 두는 기구(器具)를 본뜬 모양으로, '정착(定着)하다, 멈춰 서다'의 뜻. 안정된 꼴로 놓인 '宁'처럼, 사람이 어떤 곳에 움직이지 않고 서 있다, 멈춰 서다의 뜻을 나타냄.

[佇見 저견] 정지하여 봄.
[佇眷 저권] 정지하여 뒤돌아봄.
[佇念 저념] 정지하여 생각함.
[佇立 저립] 우두커니 섬. 정지함.
[佇眄 저면] 정지하여 바라봄.
[佇想 저상] 정지하여 생각함.
◉眷佇. 企佇. 夢佇. 延佇. 凝佇. 臨佇. 停佇. 躊佇. 鶴佇. 欽佇.

5 ⑦ [佈] 人名 포 ㊀遇 博故切 bù

字解 《現》펼 포 布(巾部 二畫)와 통용. '一告'.

字源 形聲. 亻(人)+布〔音〕. '布포'는 '敷부'와 통하여 '펴다'의 뜻. 사람들 사이에 널리 펴다의 뜻을 나타냄.

[佈告 포고] ㉠일반에게 널리 알림. ㉡정부(政府)가 국민에게 국가의 결의 사항 등을 선포(宣布)하여 널리 알림.
[佈置 포치] ㉠시문(詩文)이나 서화(書畫)의 구상(構想)·구도(構圖)를 정함. ㉡배치함. 준비함. 포치(布置).

5 ⑦ [佌] 차 ㊤紙 雌氏切 cǐ

字解 ①작을 차 조그마함. '一一彼有屋'《詩經》. ②나란히일매질 차 줄지어 나란한 모양. 또, 장단(長短)이 고르지 못한 모양. '一, 一一, 猶言差'《六書故》.

字源 形聲. 亻(人)+此〔音〕. '此차'는 '작다'의 뜻.

[佌佌 차차] 작은 모양.

5 ⑦ [位] 中·人 위 ㊀寘 于愧切 wèi

筆順 ノ 亻 亻' 亻亠 亻亣 位 位

字解 ①자리 위 ㉠좌립(坐立)의 장소. '一置'. '揖人必違其一'《禮記》. ㉡벼슬자리. 관직의 등급. '官一'. '爵一已極'《漢書》. ㉢임금의 자리. '帝一'. '卽一'. '朕在一七十載'《唐書》. ㉣고하(高下). 계급. '一次'. '一序'. '同功而異一'《易經》. ㉤순서. 차례. '順一'. '以定月一'《後漢書》. ㉥방각(方角). '方一'. '火一在南'《論衡》. ②자리잡을 위 ㉠자리를 정함. 위치함. '天地一焉'《中庸》. ㉡바른 위치에 있음. 있어야 할 곳에 있음. '一, 正也'《廣韻》. ③분 위 인원(人員)의 경칭. '各一'. '諸一'. ④성 위 성(姓)의 하나.

字源 金文 篆文 會意. 亻(人)+立. '立립'은 '서다'의 뜻. 사람이 어떤 위치에 서다의 뜻을 나타냄. 金文은 象形으로, '立'과 같은 꼴이며, 사람이 어떤 위치에 서는 모양을 본뜸.

[位階 위계] 벼슬의 등급(等級).
[位高金多 위고금다] 지위가 높고 재산이 많음. 부귀를 누림.
[位高望重 위고망중] 지위가 높고 명망이 큼.
[位極人臣 위극인신] 신하(臣下)로서 최고의 지위에 오름.
[位記 위기] 서위(敍位)하는 취지를 쓴 기록.
[位畓 위답] 《韓》수확(收穫)을 향사(享祀) 등의 일정한 목적에 사용하기 위하여 설정한 논.
[位望 위망] 지위(地位)와 명망(名望).
[位目 위목] 《佛敎》성현이나 혼령의 이름을 종이에 쓴 것.
[位不期驕 위불기교] 귀한 지위에 오르면 자연히 교만한 마음이 생김.
[位卑 위비] 벼슬의 계급이 낮음.
[位卑言高 위비언고] 지위는 낮으나 말은 높다는 뜻으로, 곧 낮은 지위에 있으면서 대신(大臣)의 정치까지도 이렇다 저렇다 비평(批評)함을 이름.
[位序 위서] 지위(地位).
[位勢 위세] 지위와 세력.
[位爵 위작] 위(位)와 작(爵). 벼슬.
[位田 위전] 《韓》수확(收穫)을 향사(享祀) 등의 일정한 목적에 쓰기 위하여 설정한 전지(田地).
[位次 위차] 지위의 고하(高下)에 의한 자리의 차례.
[位置 위치] 놓여 있는 자리.
[位土 위토] 위전(位田)과 위답(位畓).
[位版 위판] 위패(位牌).
[位牌 위패] 죽은 사람의 계명(戒名)·속명(俗名)을 써서 불단(佛壇)에 안치(安置)한 나무패.
[位品 위품] 벼슬의 품계(品階).
[位號 위호] 작위(爵位)와 명호(名號).
◉各位. 客位. 高位. 空位. 官位. 九五位. 國位. 闕位. 祿位. 大位. 盜位. 等位. 名位. 班位. 方位. 拜位. 寶位. 復位. 本位. 備位. 賓位. 三九位. 上位. 相位. 敍位. 禪位. 攝位. 星位. 盛位. 勢位. 紹位. 遜位. 殊位. 崇位. 尸位. 神位. 兩位. 讓位. 宴位. 榮位. 靈位. 王位. 優位. 六位. 閏位. 爵位. 潛位. 在位. 儲位. 轉位. 竊位. 正位. 鼎位. 帝位. 諸位. 朝位. 座位. 主位. 重位. 卽位. 贈位. 地位. 職位. 次位. 簒位. 踐位. 體位. 寵位. 充位. 貪位. 退位. 廢位. 表位. 品位. 下位. 學位. 虛位. 顯位.

5 ⑦ [低] 中·人 저 ㊥齊 都奚切 dī

筆順 ノ 亻 亻一 亻匚 亻氏 低 低

字解 ①낮을 저 높지 아니함. '高一'. '一地'. ②숙일 저 수그림. 또, 축 처짐. '一頭'. '一首'. '黍熟頭一, 麥熟頭昂'《談藪》. ③머무를 저 자리잡고 머무름. '一, 舍也'《廣雅》. '軒鯨旣一'《楚辭》.

字源 篆文 形聲. 亻(人)+氐〔音〕. '氐저'는, 사물의 가장 아래의 뜻. 사람 중에서 키가 작다의 뜻을 나타냄.

[低價 저가] 싼 값. 헐한 값.
[低減 저감] ㉠등수가 낮아짐. 또, 등수를 낮게

함. ㉡값이 쌈. 또, 값을 싸게 함.
[低空 저공] 낮은 하늘.
[低空飛行 저공비행] 비행기가 낮게 떠서 낢.
[低級 저급] 낮은 등급(等級).
[低氣壓 저기압] ㉠주위의 기압(氣壓)에 비하여 낮은 기압. 온도의 증가 또는 수증기가 많아짐에 따라 생기며, 흔히 바람이 일어남. ㉡사회의 형세에 불온한 변동이 일어나려는 상태.
[低能 저능] 지능(知能)이 보통 사람보다 낮음. 또, 그런 사람.
[低頭 저두] ㉠머리를 숙임. ㉡머리를 숙여 절함. ㉢복종함. 또, 두려워하는 모양.
[低落 저락] 값이 떨어짐.
[低廉 저렴] 값이 쌈.
[低利 저리] 싼 이자(利子).
[低眉 저미] ㉠아래로 처진 눈썹. ㉡눈을 내리깖.
[低迷 저미] ㉠안개 같은 것이 낮게 떠돌아다님. ㉡멍한 모양. 또, 헤매는 모양. ㉢나쁜 상태에서 헤어나지 못한 채 헤매는 일.
[低庳 저비] 낮음.
[低聲 저성] 낮은 목소리.
[低俗 저속] 품격이 낮고 속됨.
[低垂 저수] 늘어짐. 또, 늘어뜨림.
[低濕 저습] 땅이 낮고 축축함.
[低卬 저앙] 저앙(低昂).
[低昂 저앙] 낮았다 높았다 함. 내려갔다 올라갔다 함.
[低語 저어] 낮은 소리로 이야기함.
[低熱 저열] 온도가 낮은 열.
[低溫 저온] 낮은 온도(溫度).
[低窪 저와] 낮고 우묵함.
[低原 저원] 지형이 낮은 벌판.
[低率 저율] 낮은 비율(比率).
[低音 저음] 낮게 내는 소리.
[低潮 저조] 가장 낮은 간조(干潮). 고조(高潮)의 대(對).
[低唱 저창] 낮은 소리로 노래함.
[低態 저태] 머리를 숙인 모양.
[低下 저하] 낮아짐.
[低陷 저함] 낮아서 우묵하게 빠짐.
[低回 저회] ㉠고개를 숙이고 배회함. 저회(低徊). ㉡길 같은 것이 빙 돈 모양.
◉高低. 最低. 下低.

5 ⑦ [住] 中人 주 ㊀遇 持遇切 zhù 中句切

筆順 ノ 亻 亻' 亻 住 住 住

字解 ①머무를 주 ㉠머묾. 머물러 삶. '移—'. '權牽船於岸上—'《齊書》. 또, 그곳. 거처. '應戀嵩陽—'《于武陵》. ㉡사는 사람. '君是故鄕人, 同作他鄕—'《高啓》. ㉢정지함. '淸道而行, 擇地而—'《潘岳》. ②그칠 주 중지함. 멈춤. 그만둠. '兩岸猿聲啼不—'《李白》. ③설 주, 세울 주 柱(木部 五畫)와 통용. '—, 立也'《集韻》. '輒停車—節'《後漢書》. ④성 주 성(姓)의 하나.

字源 形聲. 亻(人)+主〔音〕. '主주'는 '머무르다'의 뜻. 사람이 장기간(長期間) 머물다, 살다의 뜻을 나타냄.

[住家 주가] 주택(住宅).
[住居 주거] 주택(住宅).
[住劫 주겁] 《佛敎》 사겁(四劫)의 하나. 이 세상이 존재하는 기간. 그동안 이십겁(二十劫)이 경과(經過)한다고 함.
[住民 주민] 그 땅에 사는 백성.
[住房 주방] 주거(住居). 거처(居處).
[住所 주소] 살고 있는 곳.
[住人 주인] 주민(住民).
[住止 주지] 머물러 삶. 거주함.
[住址 주지] 주소(住所).
[住持 주지] 《佛敎》 한 절을 주관(主管)하는 중.
[住職 주직] 《佛敎》 주지(住持)의 직무. 전(轉)하여, 주지를 이름.
[住着 주착] 한 곳에 머물러 삶.
[住處 주처] 주소(住所).
[住宅 주택] 사람이 들어 사는 집.
◉去住. 居住. 寄住. 勒住. 屯住. 無住. 搬住. 常住. 安住. 庵住. 遏住. 永住. 營住. 留住. 移住. 在住. 轉住. 定住. 停住. 抱住.

5 ⑦ [佐] 高人 좌 ㊀箇 則箇切 zuǒ ㊤哿 子我切 zuǒ

筆順 ノ 亻 亻 仁 佐 佐 佐

字解 ①도울 좌 보좌함. 보필함. '—命'. '翼—'. '—戴武宣公'《史記》. ②도움 좌 보필(輔弼). 또, 보필하는 사람. '有伯瑕以爲—'《左傳》. ③속료 좌 속관(屬官). '—僚'. '功高元帥, 賞卑下—'《晉書》. ④권할 좌 '召之使—食'《國語》. ⑤다스릴 좌 '廉於其事上也, 以—其下'《大戴禮》. ⑥엿볼 좌 '—, 覗也'《廣雅》. ⑦성 좌 성(姓)의 하나.

字源 形聲. 亻(人)+左〔音〕. '左좌'는 '돕다'의 뜻. '左'의 '왼쪽'의 뜻과 구별하기 위해 '人'을 붙여, 사람이 서로 돕다의 뜻을 나타냄.

[佐車 좌거] 전쟁 또는 사냥 때 여벌로 따라가는 수레. 이거(貳車). 부거(副車).
[佐攻 좌공] 도와서 공격함.
[佐僚 좌료] 상관을 보좌하는 벼슬아치. 속관(屬官). 좌리(佐吏).
[佐吏 좌리] 상관(上官)을 돕는 관원. 속관(屬官).
[佐理 좌리] 군주를 도와 나라를 다스림. 좌치(佐治).
[佐命 좌명] 천자(天子)를 도움. 또 천명(天命)을 받아 천자가 될 사람을 도움.
[佐史 좌사] 주(州) 또는 현(縣)의 속관(屬官).
[佐事 좌사] 보좌하여 섬김.
[佐戎 좌융] 대부(大夫). 또, 대부가 되어 군주를 보필함.
[佐貳 좌이] 보좌관(補佐官). 부관(副官).
[佐酒 좌주] 술 상대를 시킴.
[佐疾 좌질] 병의 원인이 되는 것.
[佐治 좌치] 좌리(佐理).
◉匡佐. 規佐. 輔佐. 毗佐. 書佐. 屬佐. 良佐. 王佐. 僚佐. 寮佐. 翼佐. 將佐. 折衝佐. 酒佐. 贊佐. 參佐. 弼佐. 賢佐.

5 ⑦ [佑] 人名 우 ㊀宥 于救切 yòu ㊤有 云九切 yǔ

筆順 ノ 亻 亻 仁 什 佑 佑

字解 ①도울 우 보좌함. '—啓'. '—助' '—, 佐也'《廣韻》. '常—之'《漢書》. ②도움 우 '天—'. '靈威神—'《班固》.

字源 形聲. 亻(人)＋右〔音〕. '右우'는 '돕다'의 뜻. '右'가 '오른쪽'의 뜻으로 쓰이게 되자, 구별하기 위해 '人'을 붙이게 됨.

[佑啓 우계] 도와서 계발(啓發)함.
[佑國軍 우국군] 당(唐)나라의 군명(軍名). 군(軍)은 행정 구획(行政區劃)의 이름. 지금의 산시 성(陝西省) 시안 시(西安市).
[佑命 우명] 하늘의 도움을 받음. 천우(天佑).
[佑助 우조] 도와줌. 도움.
◉啓佑. 保佑. 孚佑. 神佑. 擁佑. 隣佑. 佐佑. 贊佑. 天佑.

5 ⑦ [佒] 앙 ㊥陽 烏郎切 yǎng 於良切 yāng

字解 ①몸거북할 앙 '偃―'은 몸이 불편하여 웅크린 모양. '―, 偃―, 體不伸皃'《集韻》. ②우러를 앙 위를 쳐다봄. '緣循偃―'《莊子》. ③즐길 앙 '―, 樂也'《詳校篇海》.
字源 形聲. 亻(人)＋央〔音〕

5 ⑦ [佊] 피 ㊤紙 甫委切 bǐ ㊦寘 彼義切

字解 간사할 피 바르지 못함. '―, 埤倉云, ―, 邪也'《廣韻》.

5 ⑦ [体] 분 ㊤阮 蒲本切 bèn

字解 ①용렬할 분 못생김. '―漢'. ②상여꾼 분 상여를 메는 사람. '―夫'. ③거칠 분 笨(竹部 五畫)과 同字.
字源 形聲. 亻(人)＋本〔音〕
參考 예로부터 통속적으로 體(骨部 十三畫)의 略字로 쓰임.

[体夫 분부] 상여(喪輿)를 메는 사람. 상여꾼.
[体漢 분한] 어리석은 사람. 둔한(鈍漢). 치한(癡漢).

5 ⑦ [佢] 거 qú

字解 그 거 제3인칭 대명사로, 그 사람. 월동(粵東) 곧 지금의 광둥 성(廣東省)의 말. '―, 俗字. 粵東稱他爲―'《中華大字典》.

5 ⑦ [伿] 一 지 ㊦寘 支義切 yì 二 이 ㊦寘 以豉切

字解 一 게을리할 지 '―, 惰也'《說文》. 二 게을리할 이 一과 뜻이 같음.
字源 形聲. 亻(人)＋只〔音〕

5 ⑦ [佔] 一 점 ㊥鹽 丁兼切 chān ㊦陷 陟陷切 zhàn 二 첨 ㊥鹽 處占切 chān

字解 一 ①엿볼 점 覘(見部 五畫)과 同字. '今之教者呻其―畢'《禮記》. ②늘어뜨릴 점 帖(巾部 五畫)과 뜻이 같음. '俛首―耳'《韓愈》. ③《現》차지할 점 점령함. 점거(占據)함. 二 속삭거릴 첨 가는 목소리로 속삭임. '令喋喋而――'《史記》.

字源 形聲. 亻(人)＋占〔音〕. '占점'은 '점치다'의 뜻.

[佔耳 점이] 귀를 늘어뜨림.
[佔畢 점필] 책의 글자만 읽을 뿐이고, 그 깊은 뜻은 통하지 못함. 필(畢)은 간책(簡冊).
[佔佔 첨첨] 속삭거리는 모양. 귓속말을 하는 모양.

5 ⑦ [何] 中·人 하 ㊥歌 胡歌切 hé, ⑥hè

筆順 丿 亻 亻 仃 何 何 何

字解 ①어찌 하 ㉠의문사(疑問辭). '且許子―不爲陶冶'《孟子》. ㉡반어사(反語辭). '參不敏, ―足知之'《孝經》. ㉢감탄사(感嘆辭). '歸遺細君, 亦―仁也'《漢書》. ②무엇 하 ㉠알지 못하는 사물(事物). '禹曰―'《書經》. ㉡부정(不定)의 사물. 또, 부정의 사람. '―事非君, ―使非民'(누구를 섬긴들 임금이 아니며, 누구를 부린들 백성이 아니랴.)《孟子》. ③어느 하 ㉠어느 것. '吾―執, 執御乎, 執射乎'《論語》. ㉡어느 곳. '天下如―, 欲―之'《孔叢子》. ㉢어느 누구. '陸遜陸抗, 是君―人也'《吳志》. ④왜냐하면 하 설명하는 말. '―者'·'―則'으로 연용(連用)하기도 함. '―則有其具者易其備'《王褒》. ⑤잠시 하 잠깐. '居無―, 使者果召參'《史記》. ⑥멜 하 등에 짐. 荷(艸部 七畫)와 同字. '―戈與祋'《詩經》. ⑦꾸짖을 하 질책함. 訶(言部 五畫)와 통용. '大譴大―'《漢書》. ⑧성 하 성(姓)의 하나.
字源 甲骨文 金文 篆文 甲骨文은 象形으로, 사람이 멜대를 어깨에 멘 모양을 본뜸. '荷하'의 원자(原子). 가차(假借)하여, 平聲일 때 '무엇'의 뜻으로 쓰임. 金文부터는 形聲으로, 亻(人)＋可〔音〕.

[何暇 하가] 어느 겨를.
[何幹 하간] 무슨 용무. 무슨 볼일.
[何居 하거] 의심스러워 묻는 말. 무슨 까닭. 어째서.
[何渠 하거] 어찌하여.
[何詎 하거] 어찌하여.
[何遽 하거] 어찌하여. 어째서.
[何景明 하경명] 명대(明代)의 시인(詩人). 자(字)는 중묵(仲默). 벼슬이 섬서제학부사(陝西提學副使)에 이름. 시(詩)·고문(古文)을 잘하여 이몽양(李夢陽)과 함께 복고(復古)의 학(學)을 제창(提唱)하여 크게 유행했음. 저서(著書)에 〈대복집(大復集)〉이 있음.
[何故 하고] 무슨 까닭.
[何關 하관] 무슨 상관.
[何其 하기] 앞의 글을 받아 일전(一轉)하여 문세(文勢)를 머무르게 하는 경우에 쓰는 말. 어찌하여 그렇게.
[何等 하등] 무엇이.
[何樓 하루] 물건의 조잡(粗雜)함을 이름. 조송(趙宋) 때, 서울에 하루(何樓)라는 가게가 있어, 그곳에서 파는 것은 엉터리 물품이 많았다는 고사에서 나옴.
[何面目 하면목] 무슨 면목(面目).
[何物 하물] 무슨 물건. 어떠한 물건.
[何不食肉糜 하불식육미] 부자(富者)가 가난한 사람에게 왜 고기를 안 먹느냐고 묻는다는 뜻

으로, 남의 사정(事情)에 어두움을 이르는 말.
[何事 하사] 무슨 일. 어떠한 일.
[何所 하소] 어느 곳. 어디.
[何遜 하손] 남조(南朝) 양(梁)나라의 문호(文豪). 자(字)는 중언(仲言). 일찍이 시문(詩文)에 뛰어난 재주가 인정되어 무제(武帝) 때 벼슬이 상서수부랑(尙書水部郎)에 이르렀으나, 뒤에 임금의 뜻을 거슬러 관직을 삭탈당하였음. 저서(著書)에 〈하수부집(何水部集)〉 1권이 있음.
[何誰 하수] 누구냐. 무엇하는 자냐.
[何首烏 하수오] 박주가릿과(科)에 속하는 다년생 만초(蔓草). 뿌리는 강장제(強壯劑)로 쓰임. 새박덩굴. 박주가리.
[何時 하시] 어느 때. 언제.
[何晏 하안] 삼국 시대(三國時代)의 위(魏)나라 사람. 자(字)는 평숙(平叔). 공주(公主)에게 장가들어 벼슬이 시중상서(侍中尙書)에 이름. 어려서부터 용자(容姿)가 아름답고 재능(才能)이 뛰어났으며 청담(淸談)을 즐겼음. 뒤에 조상(曹爽) 등과 반역(叛逆)을 꾀하다가 사마의(司馬懿)에게 복주(伏誅)되었음. 시문(詩文)에 능하며, 저서(著書)에 〈논어집해(論語集解)〉가 있음.
[何也 하야] ㉠무엇 때문이냐. 왜 그러냐. ㉡무엇 때문이냐 하면. 왜 그러냐 하면.
[何若 하약] 하여(何如).
[何如 하여] ㉠어떻게. 어찌. ㉡어떠하냐. 어떤고.
[何如間 하여간] 어찌하였든지. 어쨌든. 하여튼.
[何爲 하위] ㉠어찌하여. 어째서. ㉡무엇을 하는가. 의문의 말. ㉢무엇이 될까. 무슨 도움이 될 수 있으랴. 반어(反語)의 말.
[何爲者 하위자] 무엇하는 자냐. 누구냐.
[何以 하이] ㉠무엇으로써. 무슨 일로써. ㉡어찌하여. 왜.
[何有 하유] 무엇이 있으랴. 아무 어려움도 없다. 아무 지장도 없다.
[何者 하자] 왜냐하면. 그 이유는.
[何罪 하죄] 무슨 죄.
[何則 하즉] 위의 글을 받아 일전(一轉)하여 그 이유를 설명하는 말. 왜냐하면.
[何處 하처] 어디. 어느 곳.
[何秋濤 하추도] 청(淸)나라 중기(中期)의 학자(學者). 복건(福建) 사람. 도광(道光) 때에 진사(進士). 서북(西北)의 지리(地理)에 밝았음. 저서(著書)에 〈삭방비승(朔方備乘)〉·〈우공정씨약례(禹貢鄭氏略例)〉 등이 있음.
[何特 하특] 어찌 특히.
[何必 하필] 어찌 반드시. 무슨 필요가 있어서.
[何許 하허] 어느 곳. 어디.
[何許人 하허인] 어떠한 사람. 그 누구.
[何況 하황] 하물며.
◉幾何. 奈何. 那何. 無幾何. 誰何. 若何. 如何. 云何.

5 ⑦ [佖] 人名 필 ㊅質 毗必切 bì 房密切

筆順 ノ 亻 亻 佖 佖 佖 佖

字解 ①점잖을 필 위의(威儀)가 있음. 일설(一說)에는, 취(醉)하여 치신사나운 모양. '威儀——'《詩經》. ②가득할 필 '駢衍—路'《揚雄》. ③견줄 필 '—, 叚借爲比'《說文》.

字源 篆文 形聲. 亻(人)+必〔音〕

5 ⑦ [佗] 타 ㊥歌 託何切 tuō, ②tuó ㊤箇 吐臥切 tuò ㊤哿 待可切 tuō

字解 ①다를 타 他(人部 三畫)와 同字. '君子正而不—'《揚子法言》. ②짊어질 타 馱(馬部 三畫)와 통용. '以一馬自—負三十日食'《漢書》. ③성 타 성(姓)의 하나. ④더할 타 보탬. '舍彼有罪, 予之—矣'《詩經》. ⑤풀 타 머리를 풂. '醮洒—髮'《史記》. ⑥끌 타 拕(手部 五畫)와 同字. '拕, 引也. 或作—'《集韻》.

字源 金文 篆文 形聲. 亻(人)+它〔音〕. '它타'는 金文에서도 명백하듯이 뱀의 모양으로, '괴이하다, 괴짜'의 뜻. 낯선 타인(他人)의 뜻을 나타냄. 속(俗)에 '他'로 씀. 또, '駝'·'馱'로 써서, '짊어지다'의 뜻을 나타냄.

[佗境 타경] 객지의 땅. 고향 이외의 땅. 타향(他鄕).
[佗髮 타발] 머리를 풀어 헤침. 산발함.
[佗負 타부] 등에 짊어짐.
[佗人 타인] 다른 사람. 자기 이외의 사람. 타인.
[佗佗 타타] 옹용(雍容)한 모양. 자득(自得)한 모양.
◉不佗. 委佗.

5 ⑦ [佤] 一 과 ㊥麻 苦瓜切 kuā 二 괘 ㊥佳 空媧切

字解 一 관계끊을 과 '—邪'는 관계를 끊고 헤어지는 모양. '—邪, 離絕之皃'《廣韻》. 二 바르지아니할 괘 '—拉, 猶言不正之婦也'《名義考》.

5 ⑦ [佚] 人名 一 일 ㊅質 夷質切 yì 二 질(절㊍) ㊅屑 徒結切 dié

字解 一 ①편할 일 편안함. '—樂'. '安—'. '樂—遊'《論語》. ②숨을 일 은둔(隱遁)함. '—民'. '遺—而不怨'《孟子》. ③허물 일 과실(過失). '惟予一人有—罰'《書經》. ④예쁠 일 자태가 아름다움. '見有娀之—女'《楚辭》. ⑤없어질 일 '散—'. '—書'. ⑥잃을 일 '遏—前人光'《書經》. ⑦달아날 일 도망함. '熊—出圈'《漢書》. ⑧줄춤 일 佾(人部 六畫)과 통용. '其—則接芬錯—'《揚雄》. ⑨성 일 성(姓)의 하나. 二 ①흐릴 질 ㉠성품이 흐리터분함. 방탕함. '爲人簡易—蕩'《漢書》. ㉡느슨함. 대범함. '—愓, 緩也'《揚子方言》. ②갈마들 질 번갈아듦. 迭(辵部 五畫)과 同字. '四國—興'《史記》.

字源 篆文 形聲. 亻(人)+失〔音〕. '失실'은 '벗어나다'의 뜻. 진실된 생활에서 벗어난 사람, 또 그러한 생활의 뜻을 나타냄.

[佚居 일거] 별로 하는 일 없이 편안하게 삶.
[佚女 일녀] 미인(美人). 미녀(美女).
[佚道 일도] 백성을 편안케 하는 길.
[佚樂 일락] 편안하게 즐김.
[佚老 일로] 은둔(隱遁)한 노인.
[佚民 일민] ㉠은둔(隱遁)한 백성. ㉡달아나는 백성.
[佚罰 일벌] 허물. 죄.
[佚書 일서] 흩어져 없어진 책. 세상에 전하지 않는 책.

[佚遊 일유] 즐겁게 놂. 일유(逸遊).
[佚畋 일전] 재미로 사냥을 함.
[佚忽 일홀] 일을 소홀히 함.
[佚蕩 질탕] 대중없이 멋대로 방탕하게 놂. 질탕(跌宕).
◉久佚. 奢佚. 安佚. 遺佚. 淫佚. 沈佚. 豐佚.

5 ⑦ [佛] [中·人] [一] 불 [入]物 符弗切 fó
[二] 필 [入]質 薄宓切 bì
[三] 발 [入]月 薄没切 bó

[筆順] ノ 亻 仁 佇 佇 侢 佛

[字解] [一] ①부처 불 ㉠범어(梵語) Buddha의 음역(音譯). 불교의 대도를 깨달은 성인(聖人). 특히, 석가모니(釋迦牟尼)를 이름. '一陀'. '西方有神, 名曰一'《後漢書》. ㉡불상(佛像). '一師'. '燒臂照一'《南史》. ㉢자비심이 두터운 사람. '宋余崇守九江, 秋不雨, 擧家蔬食爲民禱祈, 而雨遂有秋, 民擧手加額, 呼余爲一'《呂氏加塾記》. ②불교 불 세계 3대 종교의 하나. '一者夷狄之一法耳'《韓愈》. ③어그러질 불 괴려(乖戾)함. 拂(手部 五畫)과 同字. '荒乎淫, 一乎正'《揚子法言》. ④비틀 불 바싹 꼬며 틂. '獻鳥者一其首'《禮記》. ⑤성 불 성(姓)의 하나. [二] 도울 필 弼(弓部 九畫)과 同字. '一時仔肩'《詩經》. [三] 성할 발 勃(力部 七畫)·浡(水部 七畫)과 통용. '一然平世之俗起焉'《荀子》.

[字源] 篆文 形聲. 亻(人)+弗〔音〕. '仿佛방불'이라는 숙어(熟語)로, 그것 같기는 하되 확실히 보이지 않는 모양을 나타내는 의태어(擬態語)로 쓰임. 또, 범어(梵語) Buddha의 음역(音譯)의 생략형으로서, '부처'의 뜻으로 쓰임.

[參考] '仏(人部 二畫)'은 송·원대(宋元代)부터 쓰이고 있는 속자(俗字)임.

[佛然 발연] 흥기(興起)하는 모양. 발연(勃然).
[佛家 불가] ㉠중. 승려. ㉡절. 사원(寺院).
[佛閣 불각] 절. 사원(寺院).
[佛龕 불감] 불상(佛像)을 안치(安置)하는 장(欌). 감실(龕室).
[佛偈 불게] 부처를 찬미한 시가(詩歌). 대개 4구(句)로 되었으므로 사구게(四句偈)라 함.
[佛經 불경] ㉠불교(佛敎)의 경전(經典). 불서(佛書). ㉡불상과 경전.
[佛戒 불계] 불도(佛道)의 계율(戒律).
[佛界 불계] 제불(諸佛)이 사는 세계. 또, 제불(諸佛)의 경계(境界).
[佛曲 불곡] 경문(經文)을 독송(讀誦)하는 방법. 전(轉)하여, 경문에 장단을 붙인 것처럼 독송하는 노래.
[佛骨 불골] 부처의 유골(遺骨). 사리(舍利).
[佛工 불공] 불사(佛師).
[佛供 불공] 부처 앞에 올리는 공양(供養). 향화(香花)·등명(燈明)·음식 따위.
[佛果 불과] 《佛敎》 성불(成佛)의 증과(證果).
[佛敎 불교] 기원전(紀元前) 5세기경 인도(印度)의 석가모니(釋迦牟尼)가 세운 종교(宗敎). 전미개오(轉迷開悟)와 성불득탈(成佛得脫)을 교지(敎旨)로 함. 불도(佛道). 불법(佛法). 석교(釋敎).
[佛具 불구] 불기(佛器).
[佛國 불국] 부처의 나라. 극락정토(極樂淨土).
[佛國記 불국기] 책 이름. 1권. 동진(東晉)의 중 법현(法顯)이 장안(長安)에서 천축(天竺)에 갔다가, 30여 국을 거쳐 돌아와서 이 책을 썼음.
[佛紀 불기] 백 년을 일기(一紀)로 한 불가(佛家)에서 쓰는 연기(年紀).
[佛器 불기] 불사(佛事)에 쓰는 그릇.
[佛壇 불단] 부처·위패(位牌) 등을 모신 단(壇).
[佛堂 불당] 부처를 모신 대청. 불전(佛殿).
[佛徒 불도] 불교를 믿는 신도(信徒).
[佛道 불도] 불교(佛敎).
[佛圖 불도] 불탑(佛塔).
[佛頭放糞 불두방분] 부처 머리에 똥을 깔긴다는 뜻으로, 무지(無智)한 소인(小人)이 유덕(有德)한 군자(君子)를 헐뜯어도 군자는 조금도 개의치 않고 그 하는 대로 내버려 둠의 비유.
[佛頭着糞 불두착분] 부처의 이마에 똥칠한다는 말로, 좋은 저서(著書)에 변변치 않은 서문(序文)이나 평어(評語)를 쓰는 것을 비유하여 이름.
[佛燈 불등] 부처에게 올리는 등.

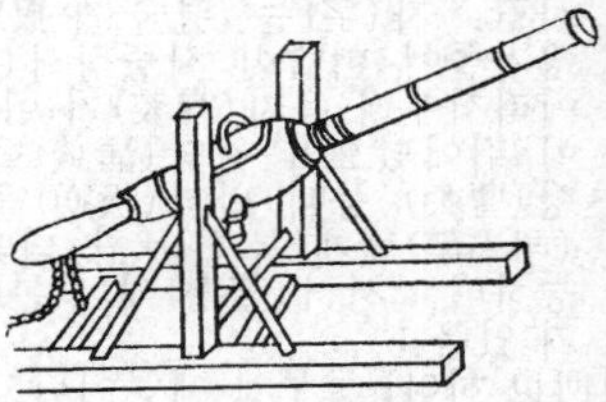
[佛郞機 ㉡㉯]

[佛郞機 불랑기] ㉠프랑크 족(Frank族). 프랑크 사람. ㉡㉮명(明)나라 때 중국에 통상하러 온 포르투갈 및 스페인 사람을 일컬은 말. ㉯또 그때 그들이 가지고 온 총(銃)의 일컬음.
[佛糧 불량] 불공(佛供)에 쓰는 양곡(糧穀).
[佛廬 불려] 절. 불사(佛寺).
[佛力 불력] 부처의 힘. 부처의 공력.
[佛老 불로] 석가(釋迦)와 노자(老子).
[佛律 불률] ㉠중이 지켜야 할 계율(戒律). ㉡번쩍번쩍하며 고운 모양.
[佛滅 불멸] 불타(佛陀)의 입멸(入滅).
[佛名 불명] ㉠부처의 이름. ㉡법(法)을 이름. 부처는 법(法)에서 태어난다는 데서 이름.
[佛母 불모] 석가여래(釋迦如來)의 어머니. 곧, 마야 부인(摩耶夫人). 정반왕(淨飯王)의 비(妃).
[佛門 불문] 부처의 길. 석문(釋門).
[佛米 불미] 부처 앞에 올릴 밥을 짓는 쌀.
[佛鉢 불발] 부처 앞에 밥을 담아 올리는 굽이 달린 그릇.
[佛鉢宇 불발우] 불발을 받쳐 들고 다니는 쟁반.
[佛罰 불벌] 부처가 내리는 벌(罰).
[佛法 불법] ㉠불교(佛敎). ㉡부처의 교법(敎法).
[佛法僧 불법승] 여래(如來)와 교법(敎法)과 승려(僧侶)의 삼보(三寶).
[佛菩薩 불보살] 부처와 보살.
[佛寺 불사] 절. 불우(佛宇).
[佛事 불사] 불가(佛家)에서 행하는 모든 일. 법사(法事).
[佛師 불사] 불상(佛像) 또는 불구(佛具)를 만드는 사람. 불공(佛工).
[佛祠 불사] 절. 사원(寺院).
[佛舍利 불사리] 《佛敎》 석가모니의 유골(遺骨).
[佛像 불상] 부처의 상(像).
[佛生日 불생일] 석가모니의 탄생일. 곧, 음력 사월 초파일.
[佛生會 불생회] 관불회(灌佛會).

[佛書 불서] 불경(佛經).
[佛說 불설] 부처의 가르친 말. 불교의 설(說).
[佛性 불성] 《佛教》 부처의 본성(本性). 진여(眞如)의 법성(法性).
[佛所 불소] ㉠부처가 있는 곳. 곧, 극락세계. ㉡불상을 안치한 곳.
[佛樹 불수] 보리수(菩提樹)의 이명(異名). 석가모니가 이 나무 밑에서 도를 깨친 데서 이름.
[佛手柑 불수감] 운향과(芸香科)에 속하는 상록관목(常綠灌木). 열매는 유자(柚子) 비슷함. 불수감나무.
[佛乘 불승] 중생(衆生)을 성불(成佛)시키기 위한 길을 가르치는 교법(敎法).
[佛式 불식] ㉠불교의 의식(儀式). ㉡불교의 방식(方式).
[佛身 불신] 《佛教》 부처의 몸. 불교의 이상(理想)을 나타낸 부처의 화신(化身).
[佛室 불실] ㉠불상 또는 위패(位牌)를 안치한 방. ㉡절. 사원.
[佛心 불심] 부처의 자비(慈悲)한 마음.
[佛心印 불심인] 부처의 심인. 심인(心印)은 인가(印可) 또는 인증(印證)의 뜻.
[佛眼 불안] 오안(五眼)의 하나. 제법실상(諸法實相)을 비추는 눈. 또, 불교를 깨달은 사람의 안목(眼目)과 식견(識見).
[佛語 불어] ㉠부처의 말. ㉡불교의 전문어(專門語). ㉢'프랑스 어'의 한자 이름.
[佛緣 불연] 부처의 인연(因緣).
[佛宇 불우] 불당(佛堂).
[佛鬱 불울] 근심으로 울적한 모양. 우울한 모양.
[佛願 불원] ㉠부처가 중생(衆生)을 건지고자 하는 소원. ㉡중생이 부처에게 구원받고자 하는 기원(祈願).
[佛恩 불은] 부처의 은혜.
[佛義 불의] 불법(佛法)의 의의(意義).
[佛儀 불의] ㉠불교의 의식(儀式). 불식(佛式). ㉡부처님의 모습. 불상(佛像).
[佛子 불자] 《佛教》 ㉠불계(佛戒)를 받은 사람. 불문(佛門)의 제자. ㉡불성(佛性)을 갖춘 자. 곧, 일체중생(一切衆生). ㉢불교를 믿는 사람. 불교도(佛敎徒).
[佛者 불자] 불교에 귀의(歸依)한 사람. 중. 승려(僧侶).
[佛葬 불장] 불교식으로 지내는 장사.
[佛藏 불장] 불상(佛像)을 모셔 둔 곳.
[佛齋 불재] 불사(佛事)할 때 중에게 올리는 식사. 또, 절에서 신도에게 주는 식사.
[佛跡 불적] 석가(釋迦)의 유적(遺跡).
[佛典 불전] 불경(佛經).
[佛前 불전] 부처의 앞. 불단(佛壇)의 앞.
[佛殿 불전] 불당(佛堂).
[佛錢 불전] 부처 앞에 바치는 돈.
[佛弟子 불제자] ㉠석가모니의 제자. ㉡불교(佛敎)에 귀의(歸依)한 사람.
[佛祖 불조] ㉠불교(佛敎)의 개조(開祖). 곧, 석가모니. ㉡불교 종파(宗派)의 시조(始祖). 조사(祖師). ㉢불타와 조사.
[佛鐘 불종] 절에 있는 종.
[佛座 불좌] ㉠불당(佛堂) 안의 부처를 모신 자리. 연대(蓮臺). ㉡좌선(坐禪)할 때의 앉는 모양. 곧, 결가부좌한 모습.
[佛智 불지] 《佛教》 부처의 지혜. 원만 구족(圓滿具足)한 지혜. 최승 무상(最勝無上)의 지혜. 부처의 지혜.
[佛刹 불찰] 절. 불각(佛閣).
[佛處士 불처사] 호인(好人).
[佛天 불천] 부처. 불타(佛陀).
[佛勅 불칙] 부처의 말씀.
[佛陀 불타] 범어(梵語) Buddha의 음역으로, 각자(覺者)라 번역함. 부처. 석가(釋迦). 부도(浮屠).
[佛卓 불탁] 불상(佛像)을 모신 탁자.
[佛塔 불탑] ㉠절의 탑(塔). ㉡불당(佛堂).
[佛土 불토] 부처가 사는 국토(國土). 정토(淨土).
[佛學 불학] 불교에 관한 학문.
[佛海 불해] 광대무변(廣大無邊)한 바다와 같은 불도(佛道). 법해(法海).
[佛享 불향] 불공(佛供).
[佛號 불호] ㉠부처의 이름. ㉡불교에 귀의한 사람의 호(號). 중의 호.
[佛畫 불화] 불교에 관한 것을 그린 그림.
[佛會 불회] ㉠부처나 보살이 모여 있는 곳. 곧, 정토(淨土). ㉡법사(法事).
◉見佛. 見性成佛. 古佛. 灌佛. 金佛. 南無阿彌陀佛. 老佛. 大佛. 銅佛. 得佛. 木佛. 仿佛. 凡夫卽佛. 奉佛. 生佛. 石佛. 成佛. 繡佛. 神佛. 念佛. 佞佛. 禮佛. 浴佛. 儒佛. 溺佛. 丈六佛. 卽身成佛. 卽身是佛. 卽心是佛. 持佛.

5
⑦ [作] [中·人] [一] 작 (⑪자[本]) [二] 저 [入]藥 則落切 zuò [去]箇 則箇切 zuò [去]御 莊助切 zǔ

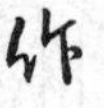

[筆順] ノ 亻 亻 亻 作 作 作

[字解] [一] ①지을 작 ㉠만듦. 제조함. '一成'. '造一'. '若一酒醴, 爾惟麴糵'《書經》. ㉡농사를 지음. '耕一'. '一人'. '命農勉一'《禮記》. ㉢세움. 건축함. '一于楚宮'《詩經》. ㉣처음으로 만듦. 창정(創定)함. '一者之謂聖'《禮記》. ㉤시문을 지음. '一詩'. '帝庸一歌'《書經》. ②일으킬 작 ㉠행함. 일을 일으킴. '一亂'. ㉡진흥(振興)함. '一興'. '一新民'《大學》. ③일어날 작 ㉠잠에서 깸. '夜寐蚤一'《弟子職》. ㉡기립함. '坐一'. '雖少者必一'《論語》. ㉢흥기(興起)함. '聖人一而萬物覩'《易經》. ㉣생김. '大夫懼罪而禍一'《史記》. ④일할 작 일을 함. '日出而一, 日入而息'《帝王世紀》. ⑤움직일 작 ㉠감동함. '一而自問之'《禮記》. ㉡변함. 변동(變動)함. '顏色變一'《戰國策》. ⑥경작 작 농사. '平秩東一'《書經》. ⑦공사 작 건축. 토목 공사. '不急之一'《鹽鐵論》. ⑧저작 작 저술. '田舍翁火爐頭之一'《江南野錄》. ⑨비로소 작 처음으로. '萊夷一牧'《書經》. ⑩성 작 성(姓)의 하나. ⑪작용 작 공용(功用). '人之用一'《論衡》. [二] 저주할 저 詛(言部 五畫)와 통용. '侯一侯祝'《詩經》.

[字源] 甲骨文 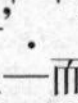 金文 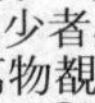 篆文  形聲. 亻(人)+乍〔音〕. 甲骨文은 '乍'. '乍작'은 시경(詩經)에서 나무를 베어 없애는 뜻의 '柞작'에서 알 수 있듯이, 나무의 작은 가지를 베어 제거하는 모양을 본떠, '만들다'의 뜻을 나타냄. 그것이 사람의 작위(作爲)에 의한 데서, 뒤에 '人'을 덧붙였음.

[作家 작가] ㉠문예 작품(文藝作品)의 저작자(著作者). 사장(詞章)을 짓는 사람. ㉡집안일을 다스림. 치가(治家). ㉢《佛教》 선가(禪家)에서,

대기용자(大機用者)의 일컬음. 곧, 상등근기(上等根機)의 사람.
[作歌 작가] 노래를 지음. 또, 그 노래.
[作奸 작간] 간사(奸詐)한 짓을 함.
[作客 작객] 타향(他鄕)이나 남의 집에 묵고 있음.
[作梗 작경] 도리에 맞지 않는 행동을 함. 방해함.
[作故 작고] 죽음.
[作曲 작곡] 노래 곡조(曲調)를 지음.
[作窠 작과] 인물(人物)을 등용(登用)하기 위하여 현임자(現任者)를 사면(辭免)시킴.
[作壙 작광] 무덤의 자리를 파 구덩이를 만듦.
[作斤 작근] 한 근(斤)씩 되게 만듦.
[作農 작농] 농사(農事)를 지음.
[作獺 작달] 남의 어장(漁場)을 침범함.
[作畓 작답] 《韓》 토지(土地)를 개간(開墾)하여 논을 만듦.
[作黨 작당] 떼를 지음.
[作隊 작대] 대오(隊伍)를 지음.
[作圖 작도] ㉠그림을 그림. 설계도 등을 그림. ㉡기하학(幾何學)에서 일정한 기구와 방법으로써 어떤 조건에 알맞은 평면 도형을 그림.
[作頭 작두] 공인(工人)·목수(木手)의 우두머리.
[作亂 작란] 난리(亂離)를 일으킴.
[作略 작략] 계략(計略).
[作力 작력] 일을 힘써 함.
[作例 작례] 시가(詩歌)·문장(文章) 따위를 짓는 본보기.
[作勞 작로] 경작의 수고. 농작(農作)의 노력.
[作路 작로] 미리 갈 길을 정함.
[作僚 작료] 동료가 됨.
[作隣 작린] 이웃이 되어 삶.
[作麼 작마] 어찌하여.
[作麼生 작마생] 어떤고.
[作末 작말] 가루를 만듦.
[作名 작명] 이름을 지음.
[作文 작문] 글을 지음. 또, 지은 글.
[作門 작문] 파수병을 두어 출입을 단속하는 군영(軍營)의 문.
[作物 작물] 농작물(農作物).
[作米 작미] 벼를 찧어 쌀을 만듦.
[作伴 작반] 동행(同行)함.
[作坊 작방] 일터. 작업장.
[作配 작배] 짝을 지음. 배필(配匹)을 정함.
[作伐 작벌] 혼인의 중매(中媒)를 함.
[作法 작법] ㉠글 같은 것을 짓는 법. ㉡법칙을 만듦.
[作變 작변] 변란(變亂)을 일으킴.
[作別 작별] 서로 헤어짐.
[作病 작병] 꾀병.
[作福 작복] 남에게 은혜(恩惠)를 베풂.
[作事 작사] 일을 만들어 행함. 또, 그 이룬 일.
[作査 작사] 사돈(査頓)의 관계를 맺음.
[作詞 작사] 가사(歌詞)를 지음.
[作舍道傍 작사도방] 길가에 집을 짓는다는 뜻으로, 의견(意見)이 많아서 결정(決定)을 짓지 못함을 이르는 말.
[作史三長 작사삼장] 사서(史書)를 저작(著作)하는 자에게 필요한 세 가지 장점(長點). 곧, 재지(才智)·학문(學問)·식견(識見).
[作色 작색] 불쾌(不快)한 안색(顔色)을 드러냄.
[作石 작석] 곡식을 한 섬으로 만듦.
[作善 작선] 《佛敎》 선(善)을 위하여 행하는 모든 행위.
[作善降之百祥 작선강지백상] 사람이 한 가지 착한 일을 하면 하늘은 그에게 많은 복을 내림.
[作成 작성] 만듦. 지음.
[作詩 작시] 시(詩)를 지음.
[作新 작신] 고무하고 격려함. 백성을 분발시켜 도덕적으로 훌륭하게 함.
[作心 작심] 마음을 단단히 먹음.
[作心三日 작심삼일] 한 번 결심(決心)한 것이 오래 가지 못함.
[作業 작업] 일.
[作擾 작요] 야단을 일으킴. 싸움을 시작함.
[作用 작용] ㉠동작되는 힘. ㉡어떠한 물건(物件)이 다른 물건에 미치는 영향(影響).
[作俑 작용] 좋지 못한 전례(前例)를 처음으로 만듦.
[作用言 작용언] 동사(動詞).
[作爲 작위] 지음. 만듦.
[作意 작의] ㉠글 같은 것을 지은 뜻. ㉡무엇을 꾸미려는 마음.
[作人 작인] ㉠농사(農事)짓는 사람. ㉡인재(人材)를 양성함.
[作者 작자] ㉠제도(制度)를 처음으로 제정(制定)하는 사람. ㉡은거(隱居)하는 사람. ㉢사장(詞章)을 짓는 사람. 저술을 하는 사람. ㉣공예품을 만드는 사람.
[作者文 작자문] 기교를 부려 짓는 산문(散文).
[作作 작작] 눈부시게 빛나는 모양.
[作場 작장] 일하는 곳. 일터.
[作田 작전] ㉠밭을 경작함. ㉡경작하는 밭.
[作錢 작전] 물건을 팔아 돈을 장만함.
[作戰 작전] 싸움을 하는 방법과 계략(計略).
[作定 작정] 일을 결정함.
[作罪 작죄] 죄(罪)를 저지름.
[作證 작증] 증거가 되게 함. 증거로 삼음.
[作之不已 작지불이] 끊임없이 있는 힘을 다하여 함.
[作什 작집] 시문(詩文)을 지음. 또, 그 시문.
[作輟 작철] 일을 함과 그만둠.
[作妾 작첩] 첩(妾)을 삼음. 첩(妾)을 얻음.
[作態 작태] 태도(態度)를 부림. 몸맵시를 냄.
[作破 작파] 어떤 계획이나 하던 일을 그만 치워버림.
[作弊 작폐] 폐단(弊端)을 만듦. 폐를 끼침.
[作品 작품] ㉠제작한 물품. ㉡시(詩)·소설(小說)·회화(繪畫)·조각(彫刻) 등의 창작품(創作品).
[作解 작해] 과실을 용서함.
[作嫌 작혐] 서로 혐의(嫌疑)를 지음.
[作丸 작환] 약(藥) 가루로 환약(丸藥)을 만듦.
[作興 작흥] ㉠떨쳐 일으킴. 진흥(振興). ㉡일어남. 성(盛)해짐.
[作戱 작희] 남의 일을 방해(妨害)함.
◉佳作. 間作. 改作. 傑作. 耕作. 工作. 功作. 近作. 勞作. 農作. 多作. 大作. 代作. 東作. 動作. 末作. 名作. 發作. 輩作. 聖作. 細作. 小作. 所作. 手作. 述作. 習作. 新作. 力作. 役作. 連作. 營作. 傭作. 輪作. 僞作. 擬作. 賃作. 自作. 將作. 著作. 佃作. 制作. 製作. 造作. 操作. 拙作. 坐作. 振作. 創作. 處女作. 天作. 築作. 土作. 豐作. 合作. 偕作. 行作. 凶作. 興作. 戱作.

5 ⑦ [佣] 용 yòng

字解 ①구전 용 '一金'은 구전(口錢). ②傭(人部 十一畫)의 簡體字.

5 ⑦ [佞] 녕 ㊀徑 乃定切 nìng

字解 ①재주있을 녕 '我不一, 雖不識義亦不可惑'《國語》. ②말재주있을 녕 구변이 있음. '焉用一'《論語》. ③아첨할 녕 마음이 곧지 못하고 말재주가 있어서 남에게 아첨을 잘함. '一辯'. '惡夫一者'《論語》. 또, 그 사람. '友便一損矣'《論語》. ④사특할 녕 부정(不正)함. '以邪導人, 謂之一'《鹽鐵論》. ⑤위선(僞善) 녕 '一之見一'《國語》.

字源 篆文 形聲. 女+仁〔音〕. 여자가 무람없이 가깝게 굴다의 뜻에서, '아첨'의 뜻을 나타냄. 일설에는, 女+信〈省〉. 여자의 신(信)은 아첨에 가깝다는 뜻에서, '아첨하다'의 뜻.

[佞姦 영간] 겉은 정직하게 보이나 마음이 간사함. 또, 그 사람.
[佞巧 영교] ㉠구변이 좋음. ㉡아첨을 잘하고 약빠름.
[佞口 영구] 영설(佞舌).
[佞給 영급] 교묘한 말로 아첨함.
[佞祿 영록] 군주에게 아첨하여 녹(祿)을 받음. 또, 그 녹.
[佞物 영물] 영인(佞人).
[佞辯 영변] 구변 좋게 아첨함. 또, 그 변설(辯舌). 변녕(辯佞).
[佞史 영사] 아첨하는 언어를 많이 사용하여 쓰는 역사가(歷史家).
[佞士 영사] 영자(佞者). 영신(佞臣).
[佞邪 영사] 아첨을 잘하고 간사함. 또, 그 사람.
[佞舌 영설] 아첨. 영구(佞口).
[佞宋 영송] 송판(宋版)의 서적(書籍)을 지나치게 좋아하여 모음.
[佞臣 영신] 간사하여 아첨 잘하는 신하.
[佞惡 영악] 마음이 간사하고 악함. 또, 그 사람.
[佞哀 영애] 아첨하여 함께 슬퍼한다는 뜻으로, 윗사람의 마음에 들기 위하여 아첨함을 이름. 옛날 신(新)나라의 왕망(王莽)이 남교(南郊)에서 곡(哭)하였을 때 아첨하여 함께 곡한 사람은 모두 낭관(郎官)이 된 고사(故事)에서 나온 말임.
[佞言 영언] 아첨하는 말.
[佞人 영인] 구변이 좋아 아첨 잘하는 사람.
[佞者 영자] 영인(佞人).
[佞才 영재] 구변이 좋아 남에게 아첨하는 재주가 있음. 또, 그 재주가 있는 사람.
[佞枝 영지] 황제(黃帝)의 뜰에 난 풀로, 영인(佞人)이 입조(入朝)하면 그를 가르켰다 함.
[佞諂 영첨] 아첨함.
[佞幸 영행] 아첨하여 임금의 총애를 받음. 또, 그 사람.
[佞倖 영행] 영행(佞幸).
[佞險 영험] 구변은 좋은데 마음이 검음.
[佞慧 영혜] 구변(口辯)이 좋고 잔꾀가 있음.
[佞惑 영혹] 아첨하여 유혹(誘惑)함.
[佞猾 영활] 구변이 좋고 교활함. 또, 그 사람.
◉奸佞. 姦佞. 巧佞. 權佞. 辨佞. 不佞. 卑佞. 邪佞. 纖佞. 婉佞. 柔佞. 讒佞. 諂佞. 便佞.

5 ⑦ [佁]
㊀ 애 ㊤賄 夷在切 ǎi
㊁ 이 ㊤紙 羊已切 yǐ
㊂ 치 ㊀寘 丑吏切 chì
㊃ 시 ㊤紙 象齒切 sì

字解 ㊀ 어리석을 애 '一, 癡也'《廣韻》. ㊁ 어리석을 이 ㊀과 뜻이 같음. ㊂ 밀릴 치 앞으로 나아가지 않는 모양. '一, 固滯貌'《正字通》. ㊃ ①이를 시 紿(糸部 五畫)와 통용. '一, 至也'《集韻》. ②생각할 시 깊이 생각하는 모양. '一美, 然後有輝'《管子》.

字源 形聲. 亻(人)+台〔音〕

5 ⑦ [佝] 구(①후 ㊀有 呼漏切 gōu(kòu) 本) ㊥虞 恭于切 jū

字解 ①곱사등이 구 꼽추. '一僂承蜩'《列子》. ②어리석을 구 怐(心部 五畫)와 통용. '怐, 一愗, 愚也'《集韻》. ③약할 구 '一瞀, 羸也'《集韻》. ④잡을 구 拘(手部 五畫)와 통용.

字源 篆文 形聲. 亻(人)+句〔音〕. '句구'는 몸시 굽다의 뜻. 등이 굽은 사람, 곧 '꼽추'의 뜻.

[佝僂 구루] 곱사등이. 구루(傴僂). 구루(痀瘻).
◉僂佝.

5 ⑦ [佉] 거 ㊥魚 丘於切 qū

字解 땅이름 거 '一沙'는 옛날 서역(西域)의 나라 이름. 지금의 카슈가르 지방. 또, 그 땅 이름. 소륵(疏勒).

[佉沙 거사] 옛날 서역(西域)의 나라 이름. 지금의 카슈가르 지방. 또, 그 땅이름. 소륵(疏勒).

5 ⑦ [佀] 〔사〕
似(人部 五畫〈p. 114〉)와 同字

5 ⑦ [佡] 〔이〕
你(次條)의 本字

5 ⑦ [你]
佡(前條)의 俗字

5 ⑦ [佶] 〔강〕
剛(刀部 八畫〈p. 260〉)의 古字

5 ⑦ [但] 〔강〕
剛(刀部 八畫〈p. 260〉)의 古字

5 ⑦ [佲] 〔모〕
侮(人部 七畫〈p. 135〉)의 古字

5 ⑦ [佴] 〔방〕
仿(人部 四畫〈p. 107〉)의 籒文

5 ⑦ [体]
㊀ 体(人部 五畫〈p. 118〉)의 俗字
㊁ 體(骨部 十三畫〈p. 2618〉)의 俗字

5 ⑦ [休] 〔휴〕
休(人部 四畫〈p. 111〉)의 訛字

5 ⑦ [你] 〔니〕
爾(爻部 十畫〈p. 1369〉)의 俗字

字源 形聲. 亻(人)+尔〔音〕. '尔이'는 '爾이'의 약체(略體)로, '너'의 뜻. '爾'가 여러 가지 뜻으로 쓰이기 때문에, 구별하여 '人'을 덧붙

여, 인칭(人稱)으로서 쓰임.

5 ⑦ [佬] 〔탁〕 侂(人部 六畫〈p. 129〉)의 俗字

5 ⑦ [佂] 人名 정 ㊥庚 諸盈切 zhēng

字解 황급할 정 또, 황급히 가는 모양. 怔(心部 五畫)과 同字. '江湘之間, 凡窘猝怖遽, 或謂之一伀'《揚子方言》.

字源 形聲. 亻(人)+正〔音〕

[佂伀 정종] ㉠두려워서 허둥지둥함. ㉡황급히 가는 모양.

5 ⑦ [佟] 퉁 ㊥冬 徒冬切 tóng

字解 성 퉁 성(姓)의 하나. '一豆蘭'은 여진족으로 조선조(朝鮮朝)의 개국 공신인 이지란(李之蘭)을 말함.

[攸] 〔유〕 攴部 三畫(p. 923)을 보라.

6 ⑧ [侖] 人名 륜 ㊥眞 力迍切 lún

筆順 丿 人 亼 亽 仒 侖 侖 侖

字解 ①생각할 륜 '一, 思也'《說文》. ②순서세울 륜 조리를 세움. '一, 敍也'《正字通》.

字源 篆文 籀文 會意. 亼+冊. '亼집'은 세 직선(直線)이 만나는 모양으로, 모으다의 뜻. '冊'은 문자를 쓰는 대쪽의 뜻. 기록을 적은 대쪽을 차례대로 모으다의 뜻에서, 조리 있게 생각을 정리하다의 뜻을 나타냄.

6 ⑧ [來] 中人 래 ㊥灰 落哀切 lái ㊦隊 洛代切 lài

筆順 一 ㄏ 𠀁 双 双 ⽊ 來 來

字解 ①올 래 ㉠이리로 옴. '一往'. '一賓'. '往而不一, 非禮也'《禮記》. ㉡장차 옴. '一者'. '一日'. ②돌아올 래, 이를 래 갔다 옴. '一歸'. '使者未一'《戰國策》. ③부를 래 불러옴. '一百工'《中庸》. ④미칠 래 '一, 及也'《廣韻》. ⑤미래 래 ㉠전도. 향후(向後). '擧往以明一'《漢書》. ㉡미래. 후세. '無去一今'《圓覺經》. ⑥이래 래 그 이후. '入秋一, 眠食何似'《韓愈》. ⑦어조사 래 어세(語勢)를 강하게 하거나, 권유의 뜻을 나타내기 위하여 어미(語尾)에 붙이는 조사(助辭). '盍歸乎一'《孟子》. '歸去一兮'《陶潛》. ⑧보리 래 맥류(麥類). '貽我一牟'《詩經》. ⑨오대손 래 현손(玄孫)의 아들. ⑩성 래 성(姓)의 하나. ⑪위로할 래 오는 사람을 위로함. '勞一'. '勞之一之'《孟子》.

字源 甲骨文 金文 篆文 象形. 호밀 모양을 본뜸. 가차(假借)하여, '오다'의 뜻을 나타냄.

參考 来(木部 三畫)는 俗字.

[來駕 내가] 남의 내방(來訪)의 경칭(敬稱).
[來簡 내간] 내서(來書).
[來客 내객] 찾아오는 손. 손님.
[來去 내거] 오고 감. 오감. 내왕.
[來車 내거] 내가(來駕).
[來格 내격] ㉠옴. 이름. ㉡바람이 불어옴.
[來貢 내공] 외국(外國) 또는 속국(屬國)에서 와서 공물(貢物)을 바침.
[來觀 내관] 와서 봄. 보러 옴.
[來寇 내구] 외적(外敵)이 쳐들어와 해침.
[來歸 내귀] ㉠돌아옴. ㉡의뢰하여 옴. ㉢출가한 여자가 이혼당하여 친정으로 돌아옴.
[來覲 내근] 와서 면회함.
[來紀 내기] 내년(來年).
[來來年 내내년] 다음다음 해. 후년(後年).
[來來月 내내월] 다음다음 달.
[來年 내년] 올 다음에 오는 해. 명년(明年). 내자(來玆).
[來談 내담] 와서 이야기함. 또, 그 이야기.
[來到 내도] 와서 닿음.
[來同 내동] 와 모임. 내회(來會).
[來來年 내래년] 내내년(來來年).
[來來月 내래월] 내내월(來來月).
[來歷 내력] ㉠겪어 온 자취. 그 사람의 지금까지의 학업(學業)·직업(職業) 등. 경력(經歷). 열력(閱歷). ㉡겪어 온 경로(經路). 유래(由來). 내유(來由). ㉢전례(前例).
[來龍 내룡] 풍수지리(風水地理)에 쓰는 말로, 종산(宗山)에서 내려온 산줄기.
[來莅 내리] 제사(祭祀) 같은 때에 귀신(鬼神)이 임(臨)함.
[來臨 내림] 찾아오심. 내가(來駕).
[來脈 내맥] ㉠일이 되어 온 경로(經路). ㉡내룡(來龍).
[來命 내명] 남이 와서 말한 일의 경칭.
[來明年 내명년] 다음다음 해. 후년(後年). 내내년(來來年).
[來牟 내모] 밀과 보리. 모맥(牟麥).
[來訪 내방] 찾아옴. 내신(來訊).
[來報 내보] ㉠와서 알림. 또, 그 알린 것. ㉡내세(來世)의 응보(應報).
[來服 내복] 내부(來附).
[來復 내복] 본디로 돌아옴.
[來附 내부] 와 붙좇음. 귀순(歸順).
[來奔 내분] 도망하여 옴.
[來賓 내빈] ㉠와서 머무름. ㉡빈객(賓客)으로서 옴. 또, 그 빈객.
[來聘 내빙] 예물(禮物)을 가지고 찾아옴. 내공(來貢).
[來生 내생]《佛敎》삼생(三生)의 하나. 죽은 후에 다시 태어난 일생(一生). 후생(後生). 내세(來世).
[來書 내서] 내신(來信).
[來世 내세] ㉠후세(後世). 내엽(內葉). ㉡《佛敎》내생(來生).
[來歲 내세] 이듬해. 내년(來年).
[來蘇 내소] 임금의 은택(恩澤)이 백성에게 널리 미침을 이름.
[來孫 내손] 현손(玄孫)의 아들. 곧, 오대손(五代孫).
[來襲 내습] 뜻밖에 와서 침.
[來信 내신] 남에게서 온 편지(便紙).
[來訊 내신] 내방(來訪).
[來謁 내알] 와서 뵘.
[來陽 내양] 내춘(來春).

[來如 내여] 옴. '如'는 조사(助辭).
[來緣 내연] 내세(來世)의 인연(因緣).
[來葉 내엽] 후세(後世). 후대(後代).
[來迎 내영] ㉠마중 나옴. ㉡《佛敎》 불교를 믿는 교도가 죽을 때 불보살(佛菩薩)이 와서 극락정토(極樂淨土)에 인도함.
[來裔 내예] 후세(後世)의 자손. 후손(後孫). 내윤(來胤).
[來銳 내예] 쳐들어오는 적(敵)의 정예(精銳).
[來王 내왕] ㉠오랑캐가 귀순(歸順)함. 화외(化外)의 백성이 와서 붙좇음. ㉡속국(屬國)의 왕이 새 천자(天子)가 즉위하였을 때 와서 알현(謁見)함.
[來往 내왕] 오고 감. 왕래(往來).
[來援 내원] 와서 도움. 도우러 옴.
[來月 내월] 새 달. 다음 달.
[來由 내유] 유래(由來).
[來遊 내유] 와서 놂. 놀러 옴.
[來諭 내유] 주신 편지의 가르치심. 남의 편지로 전해 온 사연의 경칭(敬稱).
[來胤 내윤] 후세(後世)의 자손(子孫). 내예(來裔).
[來意 내의] 온 뜻.
[來儀 내의] 훌륭한 모습을 하고 옴. 또, 널리 오는 뜻으로도 쓰임.
[來日 내일] ㉠오늘의 다음 날. 명일(明日). ㉡뒤에 오는 날. 후일(後日).
[來者 내자] ㉠장래(將來). 금후(今後). ㉡귀순(歸順)하는 사람. ㉢후진(後進). 후배(後輩).
[來玆 내자] 내년(來年).
[來者可追 내자가추] 이미 지나간 일은 어찌 할 수 없으나, 미래(未來)의 일은 조심하여 지금까지와 같은 과실(過失)을 범(犯)하지 않을 수 있다는 뜻.
[來者不拒去者不追 내자불거거자불추] 오는 사람이나 가는 사람이나 제각기 자유에 맡겨 거절도 하지 아니하고 쫓아가지도 아니함.
[來籍 내적] 후래(後來)의 서적(書籍). 후세(後世)의 사적(史籍).
[來電 내전] 온 전보(電報).
[來庭 내정] 조정(朝廷)에 와서 천자(天子)를 뵘. 귀순(歸順)함.
[來朝 내조] ㉠제후(諸侯) 또는 속국(屬國)의 임금이나 사신(使臣)이 조정(朝廷)에 와서 천자(天子)를 뵘. ㉡외국 사신이 찾아옴. ㉢여러 강(江)의 물이 모이어 바다로 흘러 나감.
[來俊臣 내준신] 당(唐)나라 측천무후(則天武后) 때의 혹리(酷吏). 섬서(陝西)의 만년(萬年) 사람. 밀고(密告)로써 무후(武后)의 환심을 사서 시어사(侍御史)·어사중승(御史中丞)을 역임하였음. 성질이 포악하여 제 뜻에 거슬리는 자(者)는 무실(無實)의 죄(罪)를 씌워 잔혹(殘酷)한 형(刑)을 가(加)했으므로 세인(世人)이 몹시 두려워했음. 뒤에 반역(反逆)을 꾀하다가 주살(誅殺)되었음.
[來至 내지] 옴. 이름.
[來旨 내지] 편지에 쓰여진 사연. 써 보내 온 취지(趣旨).
[來軫 내진] 뒤에 오는 수레.
[來着 내착] 와서 닿음. 내도(來到).
[來處 내처] 출처(出處).
[來聽 내청] 와서 이야기를 들음.
[來秋 내추] 내년 가을.
[來春 내춘] 내년 봄.
[來侵 내침] 침범(侵犯)해 옴.
[來賀 내하] 와서 하례(賀禮)함.
[來學 내학] ㉠스승한테 와서 배움. ㉡후세(後世)의 학자(學者).
[來翰 내한] 내서(來書).
[來降 내항] 와서 항복(降服)함.
[來航 내항] 외국(外國)에서 배로 옴.
[來享 내향] 조공(朝貢)함.
[來現 내현] 와서 나타남.
[來會 내회] 와서 모임. 모여서 옴.
[來後年 내후년] 내년(來年)의 다음다음 해. 후년(後年)의 다음 해.
◉去來. 頃來. 古來. 觀往知來. 光來. 舊來. 捲土重來. 近來. 勞來. 到來. 渡來. 登來. 晩來. 未來. 舶來. 別來. 復來. 本來. 賁來. 飛來. 山歸來. 生來. 送往迎來. 襲來. 神來. 夜來. 如來. 往來. 外來. 元來. 原來. 遠來. 由來. 以來. 爾來. 子來. 自來. 將來. 在來. 傳來. 朝來. 從來. 卽來. 直來. 嗟來. 千客萬來. 天來. 招來. 推來. 出來. 惠來. 後來.

6 ⑧ [佩] 人名 패 ㊄隊 蒲昧切 pèi

筆順 ノ 亻 亻 仉 仉 佩 佩 佩

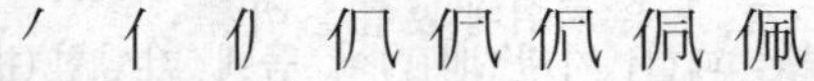

字解 ①노리개 패 띠에 차는 장식용(裝飾用) 옥(玉). 옛날에 조복(朝服)에 이것을 찼는데, 천자(天子)는 백옥(白玉), 공후(公侯)는 현옥(玄玉), 대부(大夫)는 창옥(蒼玉) 등 계급(階級)에 따라 옥(玉)의 종류도 달랐음. '玉—'. '雜—以贈之'《詩經》. ②찰 패 ㉠끈을 달아 몸에 참. '—刀'. '古之君子必—玉'《禮記》. ㉡몸에 지님. '農夫—耒耜, 工匠—斧'《白虎通》. ③마음먹을 패 마음속에 간직함. '—服'. '感—'. ④두를 패 위요함. '北—謙澤'《水經注》. ⑤성 패 성(姓)의 하나.

[佩①]

字源 金文 篆文 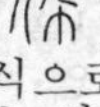 會意. 亻(人)+凡+巾. '凡범'은 '꼭 차다', '巾건'은 장식으로 늘어뜨리는 천. 사람이 띠에 늘어뜨려 차는 장식 천의 뜻을 나타내며, 전(轉)하여, 그 노리개, 또 '차다'의 뜻을 나타냄.

[佩珂 패가] 패옥(佩玉).
[佩巾 패건] 허리에 차는 수건.
[佩劍 패검] 칼을 허리에 참. 또, 그 칼.
[佩玖 패구] 의복(衣服)의 장식으로 다는 보석(寶石).
[佩刀 패도] 허리에 차는 칼.
[佩犢 패독] 칼을 차는 대신 송아지를 기름. 곧, 무사(武事)를 그만두고 식산(殖産)에 종사(從事)함.
[佩文韻府 패문운부] 책명(冊名). 청(淸)나라 성조(聖祖)의 칙명(勅命)에 의하여 장옥서(張玉書) 등 76인이 편찬. 정집(正集)·습유(拾遺) 각 444권. 〈운부군옥(韻府羣玉)〉·〈오거운서(五車韻瑞)〉의 두 책을 크게 증보(增補)하고, 성어(成語)를 106운(韻)의 순서로 배열하여 그 출

전(出典)을 밝혔음. 고전(古典)과 시문(詩文) 어휘(語彙)의 사전(辭典). 패문(佩文)은 청제(淸帝)의 서재(書齋) 이름.
[佩文齋書畫譜 패문재서화보] 청초(淸初)에 강희제(康熙帝)의 칙명(勅命)을 받들어 손악반(孫岳頒) 등이 편찬(編纂)한 서화(書畫) 관계 문헌(文獻)의 일대집성(一大集成). 100권.
[佩文齋詠物詩選 패문재영물시선] 책 이름. 청(淸)나라 성조(聖祖)의 어선(御選). 모두 486권. 한위(漢魏)에서 원명(元明)까지의 영물시(詠物詩)를 채록(採錄)했음.
[佩物 패물] 몸에 차는 장식물.
[佩服 패복] 깊이 마음속에 느낌. 깊이 감복(感服)함.
[佩綬 패수] 인끈을 참. 벼슬아치가 됨.
[佩玉 패옥] 허리에 차는 옥. 특히 조복(朝服)의 좌우(左右)에 늘이어 차는 옥(玉).
[佩用 패용] 몸에 닮. 몸에 차는 데 씀.
[佩韋 패위] 전국 시대(戰國時代)의 위(魏)나라의 서문표(西門豹)가 자기의 성급한 마음을 고치기 위하여 항상 무두질한 부드러운 가죽을 차고 반성한 고사(故事). '패현(佩弦)' 참조.
[佩恩 패은] 입은 은혜를 잊지 아니함.
[佩紫 패자] 자색(紫色) 인수(印綬)를 찬다는 뜻으로, 높은 지위에 오름을 이름.
[佩鐵 패철] 지관(地官)이 몸에 지남침(指南針)을 가짐.
[佩瓢 패표] 쪽박을 찬다는 뜻으로, 가난하여 빌어먹는다는 말.
[佩香 패향] 향(香)을 넣어 허리에 차는 주머니. 향주머니. 향낭(香囊).
[佩弦 패현] 춘추 시대(春秋時代)의 진(晉)나라의 동안우(董安于)가 자기의 느린 마음을 고치기 위하여 항상 시위를 팽팽하게 맨 활을 몸에 차고 반성한 고사(故事). '패위(佩韋)' 참조.
[佩環 패환] 허리에 띠는 옥(玉)의 고리.
[佩觿 패휴] 송(宋)나라 곽충서(郭忠恕)가 지은 자학서(字學書).
◉感佩. 銘佩. 服佩. 玉佩. 韋弦佩.

6 ⑧ [佯] [人名] 양 [平]陽 與章切 yáng

[字解] ①속일 양 기만함. '此善爲詐一者也'《淮南子》. ②거짓 양 사실 아닌 것을 사실같이. '一哭狂而爲怒'《史記》. ③노닐 양 헤맴. 徉(彳部 六畫)과 同字. '仿一'. '仿一無倚'《楚辭》.
[字源] 形聲. 亻(人)+羊〔音〕. '羊양'은 '樣양'과 통하여, 어떤 상태의 뜻. 인위적(人爲的)으로 어떤 모양 비슷하게 만들다. 속이다의 뜻을 나타냄.

[佯哭 양곡] 거짓 곡함. 곡하는 체함.
[佯狂 양광] 미친 체함.
[佯怒 양노] 성난 체함.
[佯名 양명] 이름을 속임. 또, 거짓 이름.
[佯北 양배] 거짓 달아남. 패(敗)한 체하며 달아남.
[佯病 양병] 아픈 체함. 꾀병을 함. 칭병(稱病).
[佯死 양사] 죽은 체함.
[佯睡 양수] 자는 체함.
[佯啞 양아] 벙어리인 체함.
[佯若不知 양약부지] 모르는 체함.
[佯言 양언] 거짓말함. 또, 그 거짓말.
[佯愚 양우] 어리석은 체함.
[佯允 양윤] 거짓 용서함.
[佯醉 양취] 취한 체함.
[佯敗 양패] 진 체함. 지는 체함.
◉仿佯. 詐佯. 倘佯. 相佯. 翔佯. 倚佯. 倡佯.

6 ⑧ [佰] [人名] [一] 백 [入]陌 莫白切 bǎi(bó) [二] 맥 [入]陌 莫白切 mò

[筆順] ノ 亻 亻 亻 仃 佰 佰 佰

[字解] [一] ①백사람어른 백 백 명의 두목. '俛仰仟一之中'《史記》. ②일백 백 百(白部 一畫)과 통용. [二] 길 맥, 거리 맥 陌(阜部 六畫)과 통용. '南以閩一爲界'《漢書》.
[字源] 篆文 形聲. 亻(人)+百〔音〕. 백 명, 또 백 명의 장(長)의 뜻을 나타냄.
[參考] 百(白部 一畫)의 갖은자.

◉仟佰

6 ⑧ [佳] [中人] 가 [平]佳 古膎切 jiā

[筆順] ノ 亻 仁 仕 仕 佳 佳 佳

[字解] ①아름다울 가 '一人'. '一景'. ②좋을 가 '一作'. '一節'. '如汝言亦復一'《世說》. ③좋아할 가 '夫一兵者, 不祥之器也'《老子》. ④성 가 성(姓)의 하나.
[字源] 篆文 形聲. 亻(人)+圭〔音〕. '圭규'는 균형(均衡)이 잡혀 있다의 뜻. 균형이 잡혀 아름다운 사람의 뜻.

[佳佳 가가] 극히 좋음.
[佳客 가객] ㉠좋은 손님. 반가운 손님. 가객(嘉客). 가빈(佳賓). ㉡서향(瑞香)의 이칭(異稱).
[佳景 가경] 아름다운 경치. 승경(勝景).
[佳境 가경] ㉠재미있는 곳. 흥미 있는 부분. ㉡맛이 있는 부분. ㉢경치가 좋은 곳.
[佳公子 가공자] 점잖은 귀공자(貴公子).
[佳果 가과] 맛 좋은 과실. 가실(佳實).
[佳句 가구] 아름다운 글귀. 훌륭한 글귀.
[佳妓 가기] 아름다운 기생. 염기(艶妓).
[佳氣 가기] ㉠산천(山川)의 곱고 맑은 기운. ㉡경사스러운 구름기.
[佳期 가기] ㉠좋은 시절(時節). ㉡미인(美人) 또는 애인과 만나는 때. ㉢혼인날.
[佳器 가기] ㉠좋은 그릇. ㉡뛰어난 인물(人物). ㉢훌륭한 자제(子弟).
[佳對 가대] 가우(佳偶).
[佳郞 가랑] ㉠얌전한 신랑(新郞). ㉡얌전한 소년(少年).
[佳良 가량] 좋음. 양호(良好)함.
[佳麗 가려] 용모(容貌) 또는 경치가 아름다움.
[佳麗地 가려지] 번화한 장소.
[佳例 가례] 좋은 예(例). 좋은 관례(慣例).
[佳論 가론] 훌륭한 의론.
[佳名 가명] 좋은 명예. 좋은 평판, 가문(佳聞). 영명(令名).
[佳茗 가명] 좋은 차(茶).
[佳木 가목] 좋은 나무. 가수(佳樹).
[佳夢 가몽] 좋은 꿈. 상서로운 꿈.
[佳墨 가묵] 좋은 먹.
[佳文 가문] 좋은 글. 잘 지은 문장.

[佳聞 가문] 가명(佳名).
[佳味 가미] 좋은 맛. 또, 맛 좋은 것.
[佳美 가미] 대단히 아름다움. 썩 훌륭함.
[佳芳 가방] 좋은 향기. 가향(佳香).
[佳配 가배] 좋은 짝. 좋은 배필.
[佳寶 가보] 특별히 가치 있는 보배.
[佳婦 가부] 재질이 뛰어나고 범절이 얌전한 신부(新婦).
[佳朋 가붕] 좋은 벗. 양우(良友).
[佳賓 가빈] 가객(佳客).
[佳士 가사] 교양이 있고 품행이 단정한 선비.
[佳詞 가사] 잘 지은 시문(詩文).
[佳壻 가서] 재주와 성품이 뛰어난 사위.
[佳夕 가석] 좋은 저녁. 양소(良宵).
[佳城 가성] 산소(山所)의 미칭(美稱). 무덤의 견고함을 성에 비유하여 이름.
[佳樹 가수] 좋은 나무. 가목(佳木).
[佳勝 가승] 명성이 높은 사람.
[佳辰 가신] 가일(佳日). 길일(吉日).
[佳實 가실] 가과(佳果).
[佳兒佳婦 가아가부] 훌륭한 아들과 며느리.
[佳夜 가야] 좋은달밤. 양야(良夜).
[佳約 가약] 가인(佳人)과 만날 언약.
[佳釀 가양] 맛 좋은 술. 가주(佳酒).
[佳言 가언] 좋은 말. 가언(嘉言).
[佳容 가용] 아름다운 용모(容貌).
[佳偶 가우] 좋은 짝. 어울리는 부부(夫婦).
[佳月 가월] 좋은 달.
[佳音 가음] 아름다운 소리. 듣기 좋은 소리. 호음(好音).
[佳意 가의] 가취(佳趣).
[佳人 가인] ㉠미인(美人). 미녀(美女). ㉡미남(美男). ㉢사모(思慕)하는 사람. ㉣시부(詩賦) 등에서, 신하가 군주(君主)를 가리켜서 이름.
[佳人薄命 가인박명] 미인(美人)은 팔자(八字)가 대개 기박(奇薄)함.
[佳日 가일] 좋은 날. 길일(吉日). 가신(佳辰).
[佳子弟 가자제] 훌륭한 젊은이.
[佳作 가작] 잘 된 작품(作品).
[佳適 가적] 쾌적(快適)함. 기분이 좋음. 또, 좋은 기분.
[佳傳 가전] 훌륭한 언행(言行)을 쓴 전기(傳記).
[佳絶 가절] 뛰어나게 좋음. 절가(絶佳).
[佳節 가절] 좋은 명절(名節). 좋은 때. 가일(佳日).
[佳政 가정] 바르고 착한 정치. 선정(善政).
[佳兆 가조] 좋은 징조(徵兆).
[佳酒 가주] 맛 좋은 술. 가양(佳釀).
[佳什 가집] 잘된 시문(詩文).
[佳饌 가찬] 맛좋은 음식.
[佳處 가처] 좋은 곳.
[佳趣 가취] 재미있는 흥취(興趣).
[佳稱 가칭] 좋은 명칭. 또, 좋은 평판.
[佳篇 가편] 훌륭한 시문(詩文).
[佳品 가품] 좋은 물품.
[佳謔 가학] 남에게 해가 되지 않는 농담.
[佳行 가행] 아름다운 행실. 선행(善行).
[佳香 가향] 가방(佳芳).
[佳俠 가협] 아름다움. 고움.
[佳惠 가혜] 남에게서 받은 좋은 선사.
[佳花 가화] 아름다운 꽃.
[佳話 가화] 재미있는 이야기. 좋은 이야기.
[佳會 가회] 즐거운 모임. 풍류스러운 모임. 훌륭한 연회(宴會).
[佳肴 가효] 맛 좋은 안주.
[佳興 가흥] 뛰어난 흥취
◉殊佳. 兩佳. 麗佳. 尤佳. 柔佳. 幽佳. 絶佳.

6 ⑧ **[併]** 〔병〕
併(人部 八畫〈p. 149〉)의 俗字

6 ⑧ **[佴]** [一] 이 [去]寘 仍吏切 èr
[二] 내 [去]隊 奴代切 nài

[字解] [一] ①이을 이 나란히 놓음. '僕又―之蠶室'《司馬遷》. ②버금 이 '―, 貳也'《爾雅》. [二] ①이을 내 '―, 次也'《集韻》. ②성 내 성(姓)의 하나.
[字源] 篆文 形聲. 亻(人)+耳〔音〕. '耳이'는 귀를 본뜬 모양. 양쪽 귀처럼 나란히 있다의 뜻.

6 ⑧ **[佶]** [人名] 길 [入]質 巨乙切 jí, ③jié

[筆順] ノ 亻 亻 什 仕 佳 佶 佶
[字解] ①바를 길 사람의 언행이 바름. ②헌걸찰 길 장건(壯健)함. '―閑'. '四牡旣―'《詩經》. ③굽을 길 굴곡함. 詰(言部 六畫)과 통용. '―屈聱牙'.
[字源] 篆文 形聲. 亻(人)+吉〔音〕. '吉길'은 '충실하여 좋다'의 뜻. '바르다, 건장하다'의 뜻을 나타냄.

[佶屈聱牙 길굴오아] 글이 몹시 어려워서 읽기 힘듦.
[佶閑 길한] 말이 헌걸차서 부리기 좋음.
◉旣佶.

6 ⑧ **[佸]** 활 [入]曷 戶括切 huó
古活切

[字解] ①이를 활 옴. 닿음. '曷其有―'《詩經》. ②만날 활 모임. 또, 만나게 함.
[字源] 篆文 形聲. 亻(人)+舌(𠯑)〔音〕. '𠯑괄'은 '會회'와 통하여, '만나다'의 뜻. 사람이 만나다의 뜻을 나타냄.

6 ⑧ **[佹]** 궤 [上]紙 過委切 guǐ

[字解] ①포갤 궤 겹침. '―, 重累也'《集韻》. '連卷欐―'《司馬相如》. ②의지할 궤 '―, 一曰, 依也'《集韻》. ③어그러질 궤 괴려(乖戾)함. '蚤爪不相―'《周禮 註》. ④괴이할 궤 괴상함. 기괴함. '爭爲―辯'《淮南子》.
[字源] 形聲. 亻(人)+危〔音〕

[佹辯 궤변] '궤변(詭辯)'과 같음.
◉僪佹. 倔佹.

6 ⑧ **[㑥]** 융 [平]東 如融切 róng

[字解] 오랑캐 융 서방(西方)의 만족. 戎(戈部 二畫)과 同字. '―人, 身有三角也'《廣韻》.

6 ⑧ **[佭]** 강 [平]江 胡江切 xiáng

[字解] 뻣뻣할 강 굽히지 않고 뻗댐. '㑎―, 不伏也'《字彙》.

6 ⑧ [佫] 격 [入]陌 古伯切 gé

[字解] ①이를 격 이름. 佫(彳部 六畫)과 同字. '佫, 至也, 或作—'《集韻》. ②성 격 성(姓)의 하나.

6 ⑧ [侊] 〔광〕 光(儿部 四畫〈p.194〉)의 古字

6 ⑧ [侉] [一] 夸(大部 三畫〈p.500〉)와 同字 [二] 誇(言部 六畫〈p.2124〉)와 同字

6 ⑧ [侞] 여 [平]魚 人余切 rú

[字解] ①같을 여 차이가 없이 고름. 또, 고르게 함. '—, 均也'《集韻》. ②온순할 여 순종함. '欲安遠方, 當先順—其近'《孔穎達》.

[字源] 形聲. 亻(人)+如〔音〕

6 ⑧ [佺] [人名] 전 [平]先 此緣切 quán

[筆順] 丿 亻 亼 佡 佺 佺 佺 佺

[字解] 이름 전 '偓—'은 신선(神仙)의 이름. 또, '沈—期'는 당대(唐代)의 시인(詩人)의 이름.

[字源] 篆文 形聲. 亻(人)+全〔音〕

◉偓佺.

6 ⑧ [佻] [一] 조 [平]蕭 吐彫切 tiāo(tiáo) [二] 요 [平]蕭 餘韶切 yáo

[字解] [一] ①경박할 조 경조부박(輕佻浮薄)함. '—志'. '躁—反覆謂之智'《韓非子》. ②가볍고빠를 조 '—, 疾'《揚子方言》. ③도둑질할 조 절취(竊取)함. '—天之功, 以爲己力'《國語》. ④고달플 조 길을 가는데 매우 고단한 모양. 일설(一說)에는, 혼자 가는 모양. '——公子, 行彼周行'《詩經》. ⑤구차할 조 군색스러움. '惡其—巧'《楚辭》. [二] ①늦출 요 연기함. '—其期日'《荀子》. ②걸 요 '—, 懸也'《廣雅》.

[字源] 篆文 形聲. 亻(人)+兆〔音〕. '兆조'는 '跳도'와 통하여, '뛰어오르다'의 뜻. '침착하지 못한 모양, 경박하다'의 뜻을 나타냄.

[佻巧 조교] 경박하고 약삭빠른 모양. 전(轉)하여, 구차하게 미봉(彌縫)함. 겉치레만 잘하고 경박함.
[佻薄 조박] 인정이 없음. 경박(輕薄)함.
[佻佻 조조] ㉠혼자 가는 모양. 또, 가다가 피로(疲勞)한 모양. ㉡경박(輕薄)한 모양.
[佻志 조지] 경박한 마음.
[佻險 조험] 경박(輕薄)하고 음험함. 부험(浮險).
◉輕佻. 不佻. 猜佻. 愚佻. 躁佻.

6 ⑧ [佼] [人名] 교 ①-⑥[上]巧 古巧切 jiǎo ⑦-⑧[平]肴 古肴切 jiāo

[字解] ①예쁠 교 아름다움. 姣(女部 六畫)와 同字. '—童'. '—人僚兮'《詩經》. ②업신여길 교 경시(輕視)함. 뽐냄. '燕雀—之'《淮南子》. ③속일 교 교활함. 狡(犬部 六畫)와 통용. '好—反而行私請'《管子》. ④나을 교 평범한 사람 중에서 조금 나음. '—, 庸人之敏'《廣韻》. ⑤어지럽힐 교, 어지러울 교 攪(手部 二十畫)와 통용. ⑥성 교 성(姓)의 하나. ⑦사귈 교 또, 사귐. 交(亠部 四畫)와 同字. '群臣皆忘主而趨私—'《管子》. ⑧줄 교 열(列). '宜爲上—'《史記》.

[字源] 篆文 形聲. 亻(人)+交〔音〕. '交교'는 '姣교'와 통하여, 아름다운 여성의 뜻. '아름답다'의 뜻을 나타냄. 평성(平聲)인 때에는, '사귀다'의 뜻.

[佼佼 교교] 예쁜 모양. 뛰어난 모양.
[佼童 교동] 미소년(美少年).
[佼反 교반] 속여 배반함.
[佼人 교인] 미인(美人). 가인(佳人).
[佼黠 교활] 교활함.
[佼好 교호] 아름다움.
◉肥佼. 壯佼.

6 ⑧ [佽] 차 [去]寘 七四切 cì

[字解] ①잴 차 몸이 가볍고 빠름. '募—飛射士'《漢書》. ②도울 차 보조함. '人無兄弟, 胡不—焉'《詩經》. ③나란할 차 벌여 놓은 것이 가지런함. '決拾既—'《詩經》. ④번갈아 차 '—, 代也'《廣雅》.

[字源] 篆文 形聲. 亻(人)+次〔音〕. '次차'는 '齊제'와 통하여, '가지런하다'의 뜻. 사람이 가지런히 모여 있음에서, '나란히 서다, 나란히 서서 힘을 빌려 주다, 돕다'의 뜻을 나타냄.

[佽飛 차비] 몸이 가뿐하여 날램. 몸이 잼.
[佽助 차조] 도움. 도와줌.

6 ⑧ [佾] [人名] 일 [入]質 夷質切 yì

[筆順] 丿 亻 亻 伀 佾 佾 佾 佾

[字解] 줄춤 일 가로줄, 즉 열(列)과 세로줄, 즉 행(行)의 인원이 같은 춤. 주제(周制)에서, 천자(天子)는 팔일(八佾), 곧 팔열 팔행(八列八行)의 64인(人), 제후(諸侯)는 육일(六佾)의 36인, 대부(大夫)는 사일(四佾)의 16인, 사(士)는 이일(二佾)의 4인임. 일설에는, 일일(一佾)이 팔인이므로, 육일은 48인, 이하(以下) 이에 준(準)한다고 함. '八—舞於庭'《論語》.

[字源] 篆文 形聲. 亻(人)+肙〔音〕. '肙'은 8인의 인체(人體)의 뜻. 무악(舞樂)에서 일열(一列)의 인수(人數)가 8인으로 되는 뜻을 나타냄.

◉四佾. 六佾. 二佾. 八佾.

6 ⑧ [使] [中·人] 사 [上]紙 踈士切 shǐ [去]寘 踈吏切

[筆順] 丿 亻 仁 仁 佢 佢 使 使

[字解] ①부릴 사 일을 시킴. 또, 사용함. '—役'. '—用'. '—民以時'《論語》. ②하여금 사 ㉠…로 하여금 …하게 함. 명령의 말. '王—人問疾'《孟子》. ㉡…로 하여금 …하게 한다면. 가설(假說)의 말. '—武安侯在者族矣'《史記》. ③사신 사

임금의 명령을 받들어 나가서 일에 당하는 사람. '吳使一問仲尼'《史記》. ④심부름꾼 사 하인. '一令'. '留一女盧瓊在家'《列仙傳》. ⑤사신갈 사 사신으로 나감. '一于四方, 不辱君命'《論語》. ⑥사신보낼 사, 심부름보낼 사 '一使欲與連和俱西'《史記》. ⑦벼슬이름 사 조정(朝廷)에서 파견되어 지방의 사무를 맡아보는 벼슬. '節度一'. '按察一'. '少正一之數'《文獻通考》. ⑧성 사 성(姓)의 하나.

[字源] 甲骨文  金文  篆文 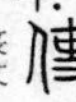 形聲. 亻(人)+吏〔音〕. '吏리'는 甲骨文에서는 '事사'와 동형(同形)으로, 사(事)는 정치적 사명을 띠고 파견되는 자의 뜻을 나타냄. 일반적으로 '쓰다, 부리다, 사신(使臣), 심부름꾼'의 뜻.

[使介 사개] 사자(使者).
[使君 사군] ㉠사신(使臣)의 존칭. 칙사(勅使). ㉡한대(漢代)의 주(州)의 장관(長官), 곧 자사(刺史)의 존칭.
[使鬼錢 사귀전] 귀신을 부리는 돈. 재력(財力)이 극히 큼을 이름.
[使氣 사기] 자기의 기세(氣勢)를 부림. 멋대로 굶. 콧대가 셈.
[使驥捕鼠 사기포서] 천리마(千里馬)로 하여금 쥐를 잡게 한다는 뜻으로, 사람을 쓰는 길을 그르쳐 현인(賢人)을 하찮은 관직(官職)에 앉히는 비유(比喩).
[使徒 사도] 예수가 그 제자 중에서 복음(福音)을 전하게 하였던 열두 사람. 십이제자(十二弟子).
[使途 사도] 용도(用途).
[使令 사령] ㉠부리어 일을 시킴. ㉡심부름을 함. 또, 그 사람. ㉢《韓》 각 관아(官衙)에서 심부름하는 사람.
[使料 사료] 사용료(使用料).
[使命 사명] ㉠사자(使者)가 받는 명령(命令). ㉡자기에게 부과(賦課)된 직무(職務). ㉢칙사(勅使).
[使無訟 사무송] 잘 다스리어 송사(訟事) 또는 시비가 없도록 함.
[使符 사부] 사자(使者)가 가지고 가는 부절(符節).
[使聘 사빙] 사자(使者)를 보내어 안부를 물음.
[使相 사상] ㉠당대(唐代)에 훈공(勳功)이 있는 절도사(節度使)로서 중서문하평장사(中書門下平章事) 등 재상(宰相)의 벼슬을 겸한 사람의 일컬음. ㉡송대(宋代)에 훈공(勳功) 있는 노신(老臣), 또는 덕망(德望)이 있는 전직(前職) 재상(宰相)으로서 절도사(節度使)의 벼슬을 겸한 사람의 일컬음.
[使性 사성] 화를 냄.
[使星 사성] 천자(天子)의 사신(使臣)의 일컬음. 한화제(漢和帝) 때 이합(李郃)이 천문(天文)을 보고서 두 사람의 사신(使臣)이 오는 것을 안 고사(故事)에서 나옴. 성사(星使).
[使臣 사신] 임금의 명령(命令)을 받들어 외국(外國) 또는 외지(外地)로 가는 사자(使者). 사절(使節).
[使羊將狼 사양장랑] 양으로 하여금 이리를 거느리게 함. 약자(弱者)를 강자(強者)의 장(長)이 되게 함.
[使役 사역] 부리어 일을 시킴. 또, 남이 시키는 일을 함.
[使譯 사역] 사자(使者)와 통역(通譯). 또, 통역.
[使驛 사역] ㉠사자(使者)와 통역(通譯). 사역(使譯)의 잘못이라고도 함. ㉡역참(驛站)을 중계하여 서신(書信)을 가져오는 사자(使者).
[使用 사용] ㉠물건(物件)을 씀. ㉡사람을 부림.
[使人 사인] 사자(使者).
[使者 사자] ㉠사명(使命)을 띤 사람. ㉡심부름을 하는 사람.
[使節 사절] ㉠사자(使者)가 가지고 다니는 부절(符節). 전(轉)하여, 사자(使者). ㉡임금 또는 정부(政府)의 대표가 되어 외국(外國)에 가 있는 사람.
[使丁 사정] 심부름하는 남자. 사환(使喚).
[使程 사정] 사신(使臣) 가는 또는 심부름 가는 길.
[使主 사주] 절도사(節度使).
[使酒 사주] 술을 먹은 김에 기세를 부림.
[使嗾 사주] 남을 부추기어 시킴. 사촉(唆囑).
[使軺 사초] 사신(使臣)이 타는 수레.
[使幣 사폐] 사신(使臣)이 가지고 가는 예물(禮物).
[使喚 사환] ㉠일을 시킴. 부림. ㉡사인(私人)의 집에서 부리는 사람.
◉假使. 間使. 介使. 客使. 輕使. 公使. 官使. 觀察使. 郊使. 驅使. 國使. 軍使. 權使. 急使. 給使. 器使. 勞使. 大使. 僮使. 髦節使. 目使. 密使. 汎使. 邊使. 報使. 僕使. 奉使. 副使. 膚使. 臂使. 上使. 星使. 小使. 巡使. 巡察使. 信使. 雁使. 按察使. 役使. 譯使. 驛使. 頤使. 人使. 一介使. 任使. 轉運使. 節度使. 正使. 制使. 縱使. 走使. 重使. 指使. 持節使. 天使. 招討使. 樞密使. 馳使. 勅使. 探花使. 特使. 布政使. 行使. 華使. 花鳥使. 皇使.

6
⑧ **[侂]** 탁 [入]藥 他各切 tuō 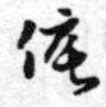

[字解] ①사람이름 탁 '韓一冑'는 송대(宋代)의 사람. ②부탁할 탁, 의탁할 탁 '一, 寄也'《說文》. ③헐 탁 부숨. '一, 毁也'《廣韻》.
[字源] 篆文  形聲. 亻(人)+乇〔音〕. '乇탁'은 '宅택'의 古字. '託탁'과 같은 뜻으로, '부탁하다, 의탁하다'의 뜻을 나타냄.

6
⑧ **[侃]** [人名] 간 [上]旱 空旱切 kǎn [去]翰 苦旰切 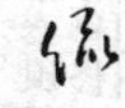

[筆順] 丿 亻 亻 伊 伊 伊 侃 侃
[字解] 강직할 간 마음이 굳세고 곧은 모양. 일설(一說)에는, 화락(和樂)한 모양. '一誾'. '朝與下大夫言, 一一如也'《論語》.
[字源] 金文  篆文  會意. 㐰+巛. '㐰'은 '信신'의 古字. '巛천'은 물이 흘러 그침이 없다의 뜻. 믿음이 '왕성하다'의 뜻으로, 언제까지나 굳세고 바르다의 뜻을 나타냄.

[侃侃 간간] 강직(剛直)한 모양. 일설(一說)에는, 화락(和樂)한 모양. 간연(侃然).
[侃諤 간악] 강직(剛直)하여 기탄(忌憚)없이 직언(直言)하는 모양.
[侃然 간연] 간간(侃侃).
[侃直 간직] 굳세고 바름. 강직한 모양.

6
⑧ **[偘]** 侃(前條)과 同字

6
⑧ **[侇]** 이 [平]支 延知切 yí

[字解] ①무리 이 같은 또래. 또, 같은. '一, 儕也, 等也'《正字通》. ②줄지을 이 죽 늘어놓음. '士擧, 男女奉尸一于堂'《儀禮》. ③옮을 이 '一, 一之言, 移也'《集韻》.
[字源] 形聲. 亻(人)+夷〔音〕. '夷이'는 '尸시'와 통하여, 사체를 늘어놓다의 뜻. '人'을 덧붙여 사람의 시체(屍體)를 죽 늘어놓다의 뜻을 나타냄.

6
⑧ [侈] [人名] 치 ㊤紙 尺氏切 chǐ

[字解] ①사치할 치 분에 넘치게 호사함. '一奢'. '公患三桓之一'《左傳》. ②오만할 치 거만함. 뽐냄. '一傲'. '於是晉侯一'《左傳》. ③방자할 치 멋대로 굶. 난잡함. 사악(邪惡)함. '放辟邪一'《孟子》. ④클 치 형체가 큼. 또, 넓음. '莽爲人一口'《漢書》. ⑤많을 치 넉넉함. '不陳庶一'《國語》. ⑥벌릴 치 펴서 엶. '哆兮一兮'《詩經》. ⑦호사 치 사치. '奢一'. '崇一恣情'《舊唐書》. ⑧떠날 치 誃(言部 六畫)와 통용. '四方之國, 有一離之德'《荀子》.
[字源] [篆文] 形聲. 亻(人)+多〔音〕. '多다'는 '많다'의 뜻. 재화(財貨)가 많은 사람의 뜻에서, '사치 부리다'의 뜻을 나타냄.

[侈口 치구] 큰 입.
[侈端 치단] 사치(奢侈)의 시작.
[侈大 치대] 광대(廣大)함.
[侈濫 치람] 사치(奢侈)하여 분수(分數)에 넘침.
[侈麗 치려] 넓고 아름다움.
[侈論 치론] 관대(寬大)한 의론(議論).
[侈靡 치미] 분수에 지나친 사치(奢侈).
[侈放 치방] 오만하고 방종함.
[侈費 치비] 쓸데없는 비용. 객쩍은 비용.
[侈奢 치사] 사치(奢侈).
[侈飾 치식] 사치스러운 차림. 호화로운 꾸밈새.
[侈心 치심] 사치를 좋아하는 성미.
[侈傲 치오] 오만함.
[侈侈 치치] 풍부한 모양. 많은 모양.
[侈泰 치태] '사치(奢侈)'와 같음.
[侈風 치풍] 사치스러운 풍속.
◉驕侈. 浮侈. 邪侈. 奢侈. 庶侈. 傲侈. 饒侈. 雄侈. 踰侈. 淫侈. 專侈. 汰侈. 泰侈. 弘侈. 華侈.

6
⑧ [侁] [人名] 신 [平]眞 所臻切 shēn

[字解] ①갈 신 '一, 行皃'《說文》. ②떼지어갈 신 말들이 떼를 지어 앞을 다투는 모양. 또, 낙역부절(絡繹不絶)한 모양. '一一征夫'《詩經》. ③성 신 성(姓)의 하나.
[字源] [篆文] 形聲. 亻(人)+先〔音〕. '先선'은 '앞서다'의 뜻. 남에 앞서서 가는 모양을 나타냄.

[侁侁 신신] 왕래(往來)가 끊임없는 모양. 중다(衆多)한 모양. 낙역(絡繹).

6
⑧ [侅] 해 [平]灰 苦哀切 gāi / ㊤賄 胡改切 hài

[字解] ①이상할 해 기이함. 비상함. '奇一'. '非常曰一事'《揚子方言》. ②목멜 해 목이 막힘. '一溺於馮氣'《莊子》.
[字源] [篆文] 形聲. 亻(人)+亥〔音〕. '亥해'는 돼지를 본뜬 모양. 돼지 같은 사람, 보통이 아니다의 뜻을 나타냄. 또, '亥'는 목이 메었을 때의 소리를 나타내는 의성어(擬聲語). 목이 메다의 뜻을 나타냄.

[侅事 해사] 기이(奇異)한 일.
◉奇侅.

6
⑧ [侄] [人名] 질 [入]質 之日切 zhí

[字解] ①어리석을 질 '一, 癡也'《正字通》. ②단단할 질 굳음. '一, 堅也'《廣雅》. ③머무를 질 '一, 一仡, 不前也'《正字通》. ④조카 질 姪(女部 六畫)의 俗字.
[字源] 形聲. 亻(人)+至〔音〕. '至지'는 '鐵철'과 통하여, '단단하다'의 뜻. 머리가 굳은 사람, 어리석은 자(者)의 뜻을 나타냄.

6
⑧ [侊] [人名] 광 [平]陽 古黃切 guāng / [平]庚 古橫切

[筆順] ノ 亻 亻' 亻'' 亻⺌ 㑌 侊 侊

[字解] 성찬 광 '一飯'은 잘 차린 음식. 성찬(盛餐). '一飯不及壺飧'《國語》.
[字源] [篆文] 形聲. 亻(人)+光〔音〕. '光광'은 '크다'의 뜻. 사람이 크고 성(盛)한 모양의 뜻을 나타냄.

[侊飯 광반] 잘 차린 음식. 성찬(盛餐).

6
⑧ [例] [中人] 례 [去]霽 力制切 lì

[筆順] ノ 亻 仁 伢 伢 伢 例 例

[字解] ①법식 례 규정(規定). '一規'. '法一'. '規一'. '凡處事者, 當上合古義下準今一'《晉書》. ②전례 례 이전부터 있던 사례. '古一'. '慣一'. '隨一迎候'《南史》. ③전고 례 고실(故實). '欲依蔡謨一事'《南史》. ④본보기 례 전거(典據)와 표준이 되기에 족한 것. '凡一'. '用一'. '發凡以言一'《杜預》. ⑤인증 례 인용하는 증거. '不以一求經'《眞德秀》. ⑥비류(比類) 례 같은 종류. 비슷한 종류. '臣子一一'《史記》. ⑦대개 례 거의 다. '家有舊書, 一皆殘蠹'《南史》. ⑧성 례 성(姓)의 하나.
[字源] [篆文] 形聲. 亻(人)+刿(列)〔音〕. '刿열'은 '連련'과 통하여, '나란히 하다'의 뜻. 동렬(同列)에 나란히 세울 수 있는 사람의 뜻에서, 같은 유(類), 선례의 뜻을 나타냄.

[例刻 예각] 항례(恒例)로 되어 있는 시각.
[例格 예격] 전례(前例)로 해 온 격식(格式).
[例規 예규] 예법(例法).
[例年 예년] ㉠매년(每年). ㉡《韓》 여느 해.
[例文 예문] 예로서 드는 글.
[例法 예법] 관례(慣例)의 방법. 항상 일정한 방법.
[例事 예사] 세상에 보통 있는 일.
[例示 예시] 예(例)를 들어서 보임.
[例時 예시] 예각(例刻).
[例式 예식] 정례(定例)에 따른 격식.
[例言 예언] 일러두기. 범례(凡例).
[例外 예외] 규정(規定)이나 정례(定例)에 어긋

나는 일.
[例月 예월] 매월(每月).
[例祭 예제] 항례(恒例)로 행하는 제사(祭祀).
[例題 예제] ㉠정례(定例)로 내리는 제사(題辭). ㉡연습(練習)을 위하여 보기로 내는 문제(問題).
[例證 예증] 증거(證據)로 되는 전례(前例).
[例出 예출] 다른 사람과 같은 예(例)로 중앙 정부(中央政府)에서 추방(追放)되어 지방관(地方官)으로 좌천됨.
[例解 예해] 예(例)를 들어 풀이함.
[例話 예화] 예(例)를 들어서 하는 이야기.
◉家例. 嘉例. 古例. 慣例. 舊例. 吉例. 斷例. 凡例. 法例. 比例. 事例. 赦例. 常例. 先例. 善例. 實例. 惡例. 用例. 流例. 類例. 義例. 引例. 一例. 典例. 前例. 定例. 條例. 準例. 通例. 特例. 判例. 品例.

6 ⑧ [侍] 高人 시 ㊀寘 時吏切 shì

筆順 ノ 亻 仁 什 仕 佳 侍 侍

字解 ①모실 시 높은 사람의 옆에서 시중듦. '一坐'. '一從'. '閔子一側'《論語》. 또, 그 사람. '解官充一'《唐書》. '不置妾一'《唐書》. ②기를 시 양육함. '以養疾一老也'《呂氏春秋》. ③임(臨)할 시 '大胥一之'《禮記》. ④권할 시 권면함. '一以節財儉用'《史記》. ⑤따를 시 '一, 從也'《廣韻》. ⑥부릴 시, 쓸 시 부림. 사용함. '一, 使也'《廣雅》. ⑦다가갈 시 가까이 감. '一, 近也'《廣雅》. ⑧성 시 성(姓)의 하나.

字源 篆文 形聲. 亻(人)+寺〔音〕. '寺사'는 '止지'와 통하여, '멈춰 서다'의 뜻. 윗사람 가까이에 머물러 봉사하는 사람의 뜻.

[侍講 시강] 임금 또는 동궁(東宮) 앞에서 경서(經書) 등의 강의(講義)를 하는 일. 또, 그 벼슬아치. 시독(侍讀).
[侍見 시견] 곁에 가서 뵘.
[侍官 시관] 천자(天子)를 가까이 모시는 벼슬. 시중(侍中)·상시(常侍) 같은 벼슬.
[侍女 시녀] 시비(侍婢).
[侍讀 시독] 시강(侍講).
[侍僮 시동] 옆에서 시중드는 아이.
[侍郞 시랑] ㉠진(秦)·한(漢) 때 궁중(宮中)의 수호를 맡은 벼슬. ㉡당대(唐代)의 중서(中書)·문하(門下)의 두 성(省)의 장관(長官). ㉢후대(後代)의 육부(六部)의 차관(次官).
[侍立 시립] 좌우에 모시고 섬.
[侍奉 시봉] 부모를 모시고 있음.
[侍奉趨承 시봉추승] 웃어른을 모시고 마음에 들도록 섬기는 일.
[侍婢 시비] 옆에서 시중드는 계집.
[侍士 시사] 시인(侍人).
[侍史 시사] ㉠좌우(左右)에 시좌(侍坐)하는 서기(書記). ㉡좌우에 모시는 속료(屬僚). 비서관(祕書官). ㉢편지 겉봉에 공경하는 뜻으로 받는 이의 이름 아래에 쓰는 말.
[侍生 시생] 웃어른에게 대한 자기의 겸칭.
[侍率 시솔] 어른을 모시고 아랫사람을 거느림.
[侍豎 시수] 시동(侍僮).
[侍食 시식] 웃어른을 모시고 같이 음식(飮食)을 먹음. 배식(陪食)함.
[侍臣 시신] 임금을 가까이 모시는 신하(臣下).
[侍兒 시아] 시녀(侍女).
[侍養 시양] 시중들며 봉양함.
[侍御 시어] ㉠천자(天子)를 모심. 또 그 사람. 시종(侍從). ㉡청대(淸代)의 어사(御史)의 통칭(通稱).
[侍御史 시어사] 관명(官名). 주(周)의 주하사(柱下史)를 진(秦)나라 때 고친 이름. 한(漢)나라 이후에는 치서시어사(治書侍御史)·전중(殿中)시어사·감찰(監察)시어사로 나뉨. 모두 비법(非法)을 검찰(檢察)하던 벼슬아치.
[侍衛 시위] 임금을 모시어 호위(護衛)함. 또, 그 무관(武官).
[侍飮 시음] 웃어른을 모시고 같이 술을 마심.
[侍醫 시의] 궁중(宮中)에서 섬기는 의원(醫員).
[侍人 시인] 곁에서 모시는 사람. 근시(近侍).
[侍子 시자] ㉠천자(天子)한테 입시(入侍)하는 제후(諸侯) 또는 속국(屬國)의 임금의 아들. ㉡시봉(侍奉)하는 아들.
[侍者 시자] 귀인(貴人)의 옆에서 시중드는 사람.
[侍丁 시정] 집에 머물러 있어 부모를 돌보는 젊은 사람.
[侍從 시종] 임금을 가까이 모심. 또, 그 벼슬아치.
[侍坐 시좌] 웃어른을 모시고 옆에 앉음.
[侍姝 시주] 옆에서 시중을 드는 미녀(美女).
[侍中 시중] ㉠진(秦)나라 때 궁중(宮中)의 주사(奏事)를 맡은 벼슬. ㉡위(魏)·진(晉) 이후의 문하성(門下省)의 장관(長官).
[侍妾 시첩] 시비(侍婢). 또, 첩(妾).
[侍湯 시탕] 부모(父母)의 병환(病患)에 약(藥) 시중하는 일.
[侍下 시하] 부모 또는 조부모가 생존한 사람.
[侍見 시현] 옆에 가까이 모시거나 알현함.
[侍姬 시희] 시녀(侍女).
◉供侍. 近侍. 禁侍. 內侍. 防侍. 陪侍. 奉侍. 扶侍. 嬪侍. 尙侍. 常侍. 隨侍. 嚴侍. 娛侍. 衛侍. 媵侍. 慈侍. 執筆侍. 妾侍. 趨侍. 偏侍. 俠侍. 宦侍. 環侍. 姬侍.

6 ⑧ [侏] 人名 주 ㊥虞 章俱切 zhū 追輸切

字解 ①난쟁이 주 '一儒'는 왜인(矮人). '一儒百工'《禮記》. ②광대 주 배우. 난쟁이들이 많이 광대가 되므로 이름. '優倡一儒'《史記》. ③동자기둥 주 쪼구미. '欂櫨一儒'《韓愈》. ④속일 주 거짓말함. 侜(人部 六畫)와 통용. ⑤거미 주 '蠾蝓者, 一儒語之轉也'《揚子方言》. ⑥클 주 '一, 大也'《集韻》. ⑦성 주 성(姓)의 하나.

字源 形聲. 亻(人)+朱〔音〕. '朱주'는 '株주'와 통하여, '그루터기'의 뜻. 베어 낸 나무 그루터기처럼 키가 작은 사람, 짧다의 뜻을 나타냄.

[侏離 주리] ㉠뜻이 통하지 않는 만이(蠻夷)의 소리. ㉡서이(西夷)의 음악(音樂).
[侏儒 주유] ㉠난쟁이. 주유(朱儒). ㉡광대. 배우(俳優). ㉢동자기둥. 쪼구미. 주유(株儒).

6 ⑧ [侐] 人名 혁 ㊂職 況逼切 xù

字解 고요 혁, 쓸쓸할 혁 적막. 정숙(靜肅). '閟宮有一'《詩經》.

字源 篆文 形聲. 亻(人)+血〔音〕. '血혈'은 몸속을 조용히 흐르는 '피'의 뜻. '人'

을 덧붙여, '고요하다'의 뜻을 나타냄.

6
⑧ [佬] 료 ㊥蕭 力彫切 liáo

字解 클 료 큰 모양. '一, 侼一也, 大皃'《玉篇》.
字源 形聲. 亻(人)+老〔音〕

6
⑧ [侤] ㊛고

字解 《韓》다짐둘 고 다짐함.
字源 形聲. 亻(人)+考〔音〕. '考고'는 조사하여 밝히다의 뜻. 죄지은 사람을 신문하여 그 죄상을 밝히고, 다시는 그런 일을 하지 않겠다는 다짐을 받아 두다의 뜻을 나타냄.

6
⑧ [侑] 人名 유 ㊧宥 于救切 yòu

筆順 ノ 亻 亻 仠 仠 侑 侑 侑

字解 ①도울 유 음식을 들 때에 음악을 연주하여 흥(興)을 도움. '膳夫以樂一食'《周禮》. ②권할 유 권면함. '一酬'. '執板奏歌一觴'《齊東野語》. ③배식할 유 시식(侍食)함. '凡一食不盡食'《禮記》. ④갚을 유 보답함. 보수(報酬). '民有報一'《宋史》. ⑤용서할 유 너그러움. 용대(容貸)함. 宥(宀部 六畫)와 통용. '文有三一, 武無一赦'《管子》. ⑥나란히설 유 나란히 경작함. 姷(女部 六畫)와 통함. '一, 耦也'《說文》.
字源 姷의 別體 形聲. 亻(人)+有〔音〕. '有유'는 고기를 집어 들고 권하다의 뜻. 또, '右우'와 통하여, '돕다'의 뜻. '人'을 붙여, '사람의 곁에서 권하다, 돕다'의 뜻을 나타냄.

[侑觴 유상] 술잔을 권함.
[侑酬 유수] 주식(酒食)을 권함.
[侑食 유식] ㉠웃어른을 모시고 식사를 함. ㉡여흥(餘興) 등을 하여 식사를 즐거이 들게 함.
[侑宴 유연] 향응(饗應)의 주연(酒宴). 향연(饗宴).
[侑飮 유음] 술을 권함.
[侑歡 유환] 기쁜 마음을 도움. 기쁘게 함.
◉勸侑. 獨侑. 璧侑. 報侑. 享侑.

6
⑧ [侔] 모 ㊥尤 莫浮切 móu

字解 ①같을 모 같음. 가지런함. 고름. '一, 齊等也'《說文》. '行山者欲一'《周禮》. ②따를 모 좇음. '畸於人, 而一於天'《莊子》. ③취할 모, 꾀할 모 '靜默以一免'《管子》. ④벌레이름 모 뿌리를 잘라 먹는 거염벌레 따위. ⑤성 모 성(姓)의 하나.
字源 篆文 形聲. 亻(人)+牟〔音〕

[侔莫 모막] 힘씀. 노력(努力).

6
⑧ [侗] ㊀통 ㊥東 徒紅切 tóng
㊁동 ㊧送 徒弄切 dòng

字解 ㊀ ①미련할 통 어리석음. '侗一'. '一而不愿'《論語》. 또, 그 사람. '在後之一, 敬迓天威'《書經》. ②클 통 '一, 大貌'《說文》. ③아플 통 恫(心部 六畫)과 통함. '神罔時一'《詩經》. ④성 통 성(姓)의 하나. ㊁ 정성 동 성실(誠實). '翛然而往, 一然而來'《莊子》.
字源 篆文 形聲. 亻(人)+同〔音〕. '同동'은 '筒통'과 통하여, '텅 비고 어리석다'의 뜻. 속이 비고 어리석은 사람의 뜻을 나타냄.

[侗然 동연] 성실(誠實)한 모양.
◉倥侗. 儱侗. 憁侗.

6
⑧ [侘] 차 ㊧禡 丑亞切 chà
㊥麻 敕加切

字解 ①자랑할 차 '即欲以一鄙縣'《史記》. ②낙망할 차 실망함. 뜻이나 의욕을 잃음. '余一傺兮'《楚辭》.
字源 形聲. 亻(人)+宅〔音〕. '宅택'은 몸을 의지하다, 기대다의 뜻. 자신(自身)을 의지하다, 자랑하다의 뜻을 나타냄. 또, '宅'은 몸을 맡기다의 뜻. 사람이 자기 자신의 의지를 작동시키지 않는 상태. '뜻을 잃다'의 뜻도 나타냄.

[侘傺 차체] 낙망하는 모양.

6
⑧ [供] 高人 공 ㊥冬 九容切 gōng
㊧宋 居用切 gòng

筆順 ノ 亻 仁 仕 供 供 供 供

字解 ①이바지할 공 ㉠줌. '一億'. '一給資費'《魏志》. ㉡올림. 바침. 드림. '一奉'. '凡所資一, 一無所受'《南史》. 또, 주거나 바친 물품. '一日之一, 以錢二萬爲限'《晉書》. ②받들 공 받들어 모심. '一奉'. '一養日寡矣'《詩經 箋》. ③기를 공 '一, 養也'《廣雅》. ④갖추어질 공 구비됨. '王祭不一'《左傳》. ⑤베풀 공 설비함. '一帳東都門外'《漢書》. ⑥공초(供招)할 공 죄인이 범죄 사실을 진술함. '一述'. '口一'. ⑦공손할 공 교만하지 않음. '貴而不驕, 富而能一'《孔子家語》. ⑧성 공 성(姓)의 하나.
字源 篆文 形聲. 亻(人)+共〔音〕. '共공'은 '바치다, 이바지하다'의 뜻. '共'에는 '함께하다'의 뜻이 있으므로, '人'을 덧붙여, 주로 '바치다'의 뜻으로 쓰임.

[供貢 공공] 공물(貢物)을 바침.
[供具 공구] ㉠연회(宴會)에 쓰는 기물(器物). 전(轉)하여 음식. ㉡《佛敎》 부처·보살의 공양(供養)을 위해 쓰이는 불구(佛具).
[供饋 공궤] 음식(飮食)을 줌.
[供給 공급] ㉠물건을 바쳐 쓰도록 함. ㉡수요(需要)에 응하여 물품을 제공(提供)함.
[供單 공단] 공술(供述)한 조서(調書).
[供頓 공돈] ㉠술상을 차려 손님을 잘 대접함. ㉡길가에 임시로 차린 휴식소(休息所).
[供米 공미] 신불(神佛) 앞에 올리는 쌀.
[供奉 공봉] ㉠물건을 바침. ㉡천자(天子)를 호종(扈從)함. 또, 그 행렬.
[供事 공사] ㉠일을 함. ㉡청대(清代)에 서기(書記)·통역 따위의 사무를 관장하던 벼슬.
[供辭 공사] 죄인(罪人)이 범죄(犯罪) 사실을 진술(陳述)하는 말. 공초(供招).
[供膳 공선] 식사(食事). 또, 식사를 올림.
[供贍 공섬] 무엇을 베풀어 부족을 메움. 재물을 베풀어 도움.
[供需 공수] ㉠물화(物貨)의 공급과 수요(需要).

㉡절에서 손님에게 무료(無料)로 대접하는 식사(食事).
[供述 공술] 소송상(訴訟上)의 신문(訊問)에 대하여 진술(陳述)함.
[供案 공안] 죄인(罪人)의 공사(供辭)를 기록한 서류.
[供養 공양] ㉠부모를 봉양함. ㉡웃어른에게 음식물을 드림. ㉢《佛敎》 부처 또는 죽은 이의 영전(靈前)에 음식을 올림.
[供御 공어] 임금에게 물건을 바침.
[供億 공억] 어려운 사람에게 의식(衣食)을 주어 편안하게 생활케 함.
[供帳 공장] 연회를 열기 위하여 물건을 준비하고 막(幕)을 침.
[供濟 공제] 무엇을 주어 구제함.
[供進 공진] 천자(天子)께 식사(食事)를 올림.
[供饌 공찬] 밥상을 바침. 음식을 내놓아 대접함.
[供薦 공천] 신령이나 부처에게 음식물 등을 차려 올림.
[供招 공초] 공사(供辭).
[供出 공출] ㉠자백함. ㉡국가의 수요(需要)에 의하여 국민이 곡식이나 기물(器物)을 공정 가격(公定價格)에 의하여 의무적으로 정부(政府)에 내어 놓는 일.
[供托 공탁] 물건을 제공(提供)하고 그 보관(保管)을 위탁(委託)함.
[供華 공화] 사자(死者)나 불전(佛前)에 꽃을 바침. 또, 그 꽃.
◉口供. 給供. 茶供. 法供. 上供. 午供. 應供. 異供. 自供. 資供. 齋供. 正供. 提供. 祖供. 珍供. 獻供.

6 ⑧ [侜] 주 ㊥尤 張流切 zhōu

字解 ①가릴 주 가려서 보이지 않게 함. '誰—予美'《詩經》. ②속일 주 거짓말을 함. 譸(言部 十四畫)와 同字. '誰—余美'《詩經》.
字源 篆文 形聲. 亻(人)+舟〔音〕. '舟주'는 '주고받다'의 뜻. 말을 주고받는 중에 사물의 본질(本質)로부터 사람의 눈을 덮어 가리다, 속이다의 뜻을 나타냄.

6 ⑧ [㑋] 궁 ㊥送 去仲切 qiòng

字解 ①작을 궁 작은 모양. '—小皃'《集韻》. ②원망할 궁 '怨高陽之相寓兮, —顓頊而宅幽'《張衡》. ③추울 궁 '—, 一曰, 寒皃'《集韻》. ④굽힐 궁 몸을 굽힘. 기를 펴지 못함. '—, 一曰, 屈也'《集韻》.
字源 會意. 亻(人)+曲. '曲곡'은 '굽다'의 뜻. 몸을 굽혀 '작다'의 뜻을 나타냄.

6 ⑧ [依] 中人 의 ㊥微 於希切 yī ㊤尾 隱豈切 yǐ

筆順 ノ 亻 亻 亻 仁 𠇍 依 依

字解 ①의지할 의 ㉠물건에 기댐. '是旣登乃—'《詩經》. ㉡의뢰함. '—附'. '—託'. '知小人之—'《書經》. 또, 기댈 곳. 의탁할 데. '似無—洋洋'《班固》. ②좇을 의 따름. '—準'. '—於仁'《論語》. ③우거질 의 수목이 무성한 모양. '—彼平林'《詩經》. ④사랑할 의 '有—其士'《詩經》. ⑤도울 의 '聲—咏, 律和聲'《玉篇》. ⑥그대로 의 이전 그대로. 의연(依然). ⑦성 의 성(姓)의 하나. ⑧편안할 의, 편안히할 의 '于京斯—'《詩經》. ⑨비유(比喩) 의 '不學博—, 不能安詩'《禮記》. ⑩머릿병풍 의 扆(戶部 六畫)와 同字. '天子設斧—于戶牖之間'《儀禮》.
字源 甲骨文 篆文 形聲. 亻(人)+衣〔音〕. 甲骨文은 사람 몸에 휘감긴 의복의 모양을 본뜸. 달라붙어 가까이하다, 의지하다의 뜻을 나타냄.

[依據 의거] ㉠증거(證據)대로 함. ㉡근거(根據)로 삼음. ㉢산이나 물에 의지하여 웅거(雄據)함.
[依舊 의구] 옛날과 다름이 없음. 본래대로 따름.
[依歸 의귀] 의뢰(依賴).
[依戴 의대] 친구로서 의지하고, 윗사람으로서 떠받듦.
[依例 의례] 전례(前例)에 의(依)함.
[依賴 의뢰] 남에게 의지(依支)함. 남에게 부탁(付託)함.
[依幕 의막] 임시로 거처(居處)하게 된 곳.
[依倣 의방] 모방함.
[依傍 의방] 서로 가까이함.
[依法 의법] 법(法)에 의지(依支)함.
[依屛 의병] 머릿병풍(屛風).
[依附 의부] 의지하여 붙음.
[依庇 의비] 의탁(依託).
[依憑 의빙] 의의(依倚).
[依事 의사] 일을 핑계댐.
[依訴 의소] 의지하여 호소함.
[依數 의수] 일정한 수대로 함.
[依恃 의시] 믿고 의지함.
[依施 의시] 청원(請願)에 의하여 허가(許可)함.
[依仰 의앙] 의지(依支)하고 앙모(仰慕)함.
[依約 의약] ㉠어딘지 모르게 그렇게 보이는 모양. 의희(依稀). 방불(髣髴). ㉡붙좇음. 추종함.
[依樣畫胡蘆 의양화호로] 옛날 사람의 그림 양식(樣式)에 따라 호리병을 그림. 곧, 옛사람을 본뜨기만 하고 새로운 생각을 창안(創案)해 내지 못함을 이름.
[依然 의연] 전과 다름이 없는 모양.
[依緣 의연] 의뢰함.
[依願 의원] 소원에 의함.
[依韋 의위] 음조(音調)가 조화함.
[依違 의위] ㉠마음이 확정(確定)되지 아니한 모양. 꾸물거려 망설이는 모양. ㉡독단하지 않음. 겸허한 태도를 이름.
[依隱 의은] ㉠조정(朝廷)에 벼슬살이를 해도 은퇴의 의사가 있어 안정되지가 않음. ㉡기댐. 기대어 의지함.
[依依 의의] ㉠무성(茂盛)한 모양. ㉡사모(思慕)하는 모양. 차마 떨어지기 어려워하는 모양. ㉢확실하지 아니한 모양.
[依倚 의의] 의지(依支)하여 기댐.
[依因 의인] 의뢰함.
[依存 의존] 의지(依支)하고 있음.
[依準 의준] 준거(準據)함.
[依止 의지] 의지(依支)하고 머무름.
[依支 의지] ㉠남을 의뢰(依賴)함. ㉡몸을 기댐.
[依草附木 의초부목] ㉠요귀(妖鬼)가 초목(草木) 따위의 물건에 붙어 있음. 전(轉)하여, 남의 권세에 기대어 나쁜 짓을 함의 비유. ㉡《佛敎》 영혼(靈魂)이 갈 곳을 못 정하고 초목(草木)에 붙어 있음. 전(轉)하여, 아직 철저(徹底)히 깨닫

지 못함의 비유.
[依就 의취] 몸을 의지함.
[依則 의칙] 본보기로 하여 따름.
[依託 의탁] 의뢰(依賴)함. 부탁함.
[依投 의투] 의탁(依託).
[依怙 의호] 믿고 의지(依支)함. 전(轉)하여, 의지하는 것. 부모(父母).
[依懷 의회] 의지하여 따름.
[依稀 의희] ㉠햇갈릴 만큼 비슷한 모양. 방불(彷彿)한 모양. ㉡어렴풋이 보이는 모양.
◉歸依. 博依. 輔車相依. 斧依. 馮依. 屬依. 因依. 遵依. 瞻依.

6 ⑧ [侙] 칙 [入]職 恥力切 chì

[字解] ①두려워할 칙, 조심할 칙 恜(心部 六畫)과 同字. '於其心一然'《國語》. ②마음동할 칙 마음이 움직임. '一, 慣'《廣雅》.
[字源] 篆文 形聲. 亻(人)+式〔音〕

[侙然 칙연] 공구하여 조심하는 모양.

6 ⑧ [侎] 미 [上]紙 母婢切 mǐ

[字解] 어루만질 미 위무(慰撫)함. 敉(攴部 六畫)와 同字. '掌一栽兵'《周禮》.
[字源] 篆文 形聲. 亻(人)+米〔音〕. '米미'는 '民민'과 통하여, 많은 백성의 뜻. 백성을 어루만져 긍휼히 여기다의 뜻을 나타냄.

6 ⑧ [佮] [一] 갑 [入]合 古沓切 gé
[二] 탑 [入]合 他合切
[三] 압 [入]合 烏合切 é

[字解] [一] 합칠 갑 합쳐 가짐. '一, 併一, 聚也'《廣韻》. [二] 합칠 탑 [一]과 뜻이 같음. [三] 성 압 성(姓)의 하나.
[字源] 形聲. 亻(人)+合〔音〕

6 ⑧ [㑌] 왕 [平]陽 烏光切 wāng

[字解] 절름발이 왕 발을 저는 불구자. '賤之如一'《荀子》.
[字源] 形聲. 亻(人)+匡〔音〕. '尪왕'과 통하여, 보행이 부자유한 사람의 뜻을 나타냄.

6 ⑧ [侀] 형 [平]靑 戶經切 xíng

[字解] ①형벌 형 刑(刀部 四畫)과 同字. ②이룰 형 성취함. '一, 成也'《集韻》. ③거푸집 형 型(土部 六畫)과 同字. ④형상 형 形(彡部 四畫)과 통용.
[字源] 形聲. 亻(人)+刑〔音〕

6 ⑧ [佪] 〔회〕
徊(彳部 六畫〈p.740〉)와 同字
[字源] 形聲. 亻(人)+回〔音〕. '回'는 '돌다'의 뜻. 사람이 방황하다의 뜻을 나타냄.

6 ⑧ [侚] 〔순〕
徇(彳部 六畫〈p.739〉)과 同字
[字源] 甲骨文 篆文 形聲. 亻(人)+旬〔音〕

6 ⑧ [佷] 〔한〕
很(彳部 六畫〈p.740〉)과 同字
[字源] 形聲. 亻(人)+艮〔音〕. '艮'은 제자리에 머물러, 나아가지 않다, 어기다의 뜻.

6 ⑧ [侉] 〔과〕
誇(言部 六畫〈p.2124〉)와 同字
[字源] 篆文 形聲. 人+夸〔音〕. '夸과'는 '誇과'와 동일자로, 자랑하다의 뜻을 나타냄.

6 ⑧ [侠] 〔협〕
俠(人部 七畫〈p.144〉)의 俗字

6 ⑧ [侮] 〔모〕
侮(人部 七畫〈p.135〉)와 同字

6 ⑧ [侫] 〔녕〕
佞(人部 五畫〈p.123〉)의 俗字

6 ⑧ [価] 〔가〕
價(人部 十三畫〈p.180〉)의 俗字

6 ⑧ [㑁] 〔숙〕
夙(夕部 三畫〈p.481〉)의 古字

6 ⑧ [㐺] 〔우〕
虞(虍部 七畫〈p.1999〉)의 古字

[舍] 〔사〕
舌部 二畫(p.1883)을 보라.

[命] 〔명〕
口部 五畫(p.366)을 보라.

7 ⑨ [俞] 〔유〕
兪(入部 七畫〈p.206〉)의 俗字

[食] 〔식〕
部首(p.2567)를 보라.

7 ⑨ [俎] [人名] 조 [上]語 側呂切 zǔ

[字解] ①도마 조 식칼질할 때 받치는 나무 널. '鼎一'. '如今人方爲刀一, 我爲魚肉'《史記》. ②적대(炙臺) 조 제향(祭享) 또는 향연(饗宴) 때 희생이나 음식을 담아 받치는 대(臺). '一實'. '一載牲之器'《後漢書 註》. ③성 조 성(姓)의 하나.

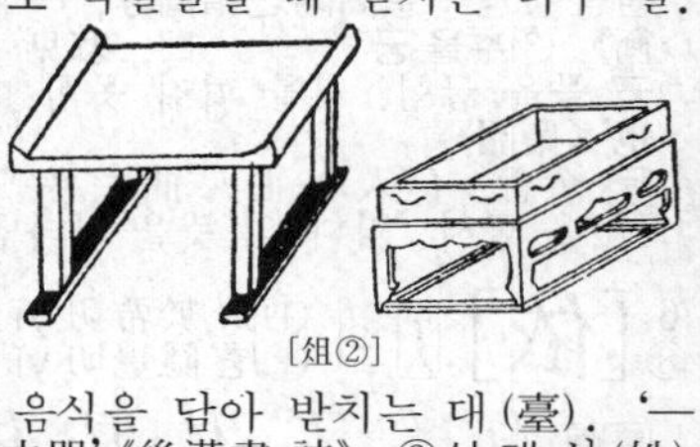
[俎②]

[字源] 甲骨文 篆文 形聲. 仌+且〔音〕. '仌'는 희생을 반으로 쪼개 놓은 모양. '且조'는 고기를 담아 얹는 받침을 본뜬 모양. 제기(祭器) 가운데에서 고기를 얹는 받침의 뜻을 나타냄.
[參考] 爼(爻部 五畫)는 俗字.

[俎刀 조도] 도마와 식칼.
[俎豆 조두] ㉠제사 때, 음식을 담는 제기(祭器). ㉡열(列)에 들어감.
[俎上肉 조상육] 도마 위에 오른 고기라는 뜻으로, 운명(運命)이 다하여 죽음을 면(免)할 수 없는 사람의 비유.
[俎實 조실] 적대(炙臺)에 담은 음식.
[俎尊 조준] 적대(炙臺)와 술 그릇.
◉嘉俎. 牢俎. 刀俎. 登俎. 芳俎. 燔俎. 素俎. 越俎. 雜俎. 折俎. 鼎俎. 阻俎. 彫俎. 尊俎. 樽俎.

7 ⑨ [侮] 高人 모 ㊤麌 文甫切 wǔ

字解 ①업신여길 모 경멸(輕蔑)함. '一辱'. '陵一'. '無一老成人'《書經》. 또, 업신여기는 일. 경멸(輕蔑). '無啓寵納一'《書經》. ②능멸할 모 업신여기어 조롱함. '淮陰少年有一信者'〈신(信)은 한신(韓信)〉《史記》.
字源 篆文 古文 形聲. 亻(人)+每〔音〕. '每매'는 '晦회'와 통하여, '어둡다'의 뜻. 어두워서 시야(視野)에도 들어오지 않는 사람의 뜻에서, '업신여기다, 얕보다'의 뜻을 나타냄.

[侮弄 모롱] 업신여기어 조롱함.
[侮慢 모만] 거만스러운 태도로 남을 업신여기고 제 스스로만 높은 체함.
[侮罵 모매] 업신여기어 꾸짖음.
[侮蔑 모멸] 업신여기고 얕봄.
[侮笑 모소] 업신여기어 비웃음.
[侮狎 모압] 업신여기어 함부로 굶.
[侮言 모언] 업신여기는 말.
[侮翫 모완] 깔보고 농락함.
[侮辱 모욕] 깔보고 욕보임.
[侮易 모이] 얕보아 우습게 봄.
[侮謔 모학] 업신여기어 놀림.
◉倨侮. 輕侮. 啓寵納侮. 內侮. 凌侮. 陵侮. 慢侮. 卑侮. 狎侮. 御示侮. 外侮. 抵侮. 賤侮. 侵侮. 戲侮.

7 ⑨ [侯] 高人 후 ㊥尤 戶鉤切 hóu

筆順 ノ 亻 亻 亻 亻 侯 侯 侯

字解 ①후작 후 오등작(五等爵)의 둘째. 공(公)의 아래이고, 백(伯)의 위임. '公一伯子男'. '其餘大國稱一'《公羊傳》. ②제후 후 천자(天子)에게 조공(朝貢)하는 작은 나라의 임금. '利建一'《易經》. 후세에는, 단지 경칭(敬稱)으로 쓰이는 수도 있음. '楊一去時'《韓愈》. ③아름다울 후 '洵直且一'《詩經》. ④오직 후 발어사(發語辭). 惟(心部 八畫)·維(糸部 八畫)와 뜻이 같음. '一誰在矣'《詩經》. ⑤사포(射布) 후 활을 쏘는 표적(標的)으로 거는 베. 과녁. '一鵠'. '乃張一'《儀禮》. ⑥후복(侯服) 후 오복(五服)의 하나. 왕성(王城) 주위로부터 오백 리에서 천 리 사이의 땅. '五百里一服'《書經》. ⑦어찌 후 의문사. 何(人部 五畫)와 뜻이 같음. '君乎君乎, 一不邁哉'《漢書》. ⑧어조사 후 무의미의 조사(助辭). 兮(八部 二畫)와 뜻이 같음. '高祖過沛詩, 有三一之章'《史記》. ⑨살필 후 엿봄. 候(人部 八畫)와 통용. '將事一禳禱祠之祝號'《周禮》. ⑩성 후 성(姓)의 하나.

[侯⑤]

字源 甲骨文 金文 篆文 古文 象形. 甲骨文·金文은 과녁을 살피고 활시위를 당기는 모양을 본떠, 과녁·문후(問候)의 뜻을 나타냄. 변경(邊境)에 있어 왕실(王室)을 위해 사기(邪氣)의 침입을 살피고 제거(除去)하는 자의 뜻에서, 제후(諸侯)의 뜻이 파생(派生)되었음. 篆文은 '矦'로, 刀(人)+厂+矢. 뒤에, '人인'을 덧붙인 '侯'가 주로 '살피다, 찾아뵈다·문후하다'의 뜻을 나타내게 됨.

[侯景 후경] 남북조 시대(南北朝時代)의 삭방(朔方) 사람. 자(字)는 만경(萬景). 힘이 장사이고 기사(騎射)를 잘하였음. 후위(後魏) 때 사도행대(司徒行臺)가 되어 하남(河南)에서 전제(專制)하다가 양무제(梁武帝)에 항복하여 하남왕(河南王)이 되었음. 이윽고 배반하여 무제를 아사(餓死)케 하고 간문제(簡文帝)를 세웠다가 다시 시해(弑害)하고 자립(自立)하여 한제(漢帝)라 칭하였는데, 얼마 후 왕승변(王僧辯) 등에게 토평(討平)당하였음.
[侯鵠 후곡] 사적(射的)과 정곡(正鵠). 과녁과 과녁의 한가운데의 점.
[侯公 후공] 제후(諸侯). 공후(公侯).
[侯畿 후기] 후복(侯服)에 속하는 사방(四方) 오백 리의 땅.
[侯邏 후라] 순찰하는 병정. 순라군(巡邏軍).
[侯牧 후목] 제후(諸侯)와 주목(主牧). 곧, 지방장관(地方長官).
[侯伯 후백] ㉠후작(侯爵)과 백작(伯爵). ㉡제후(諸侯).
[侯白侯黑 후백후흑] 민족(閩族)에 후백(侯白)이라는 간지(奸智)에 뛰어난 도적(盜賊)이 있던 바 후흑(侯黑)이란 악부(惡婦)를 만나 감쪽같이 속아 넘어갔다는 고사(故事)에서 '위에는 위가 있다.', '기는 놈 위에 나는 놈 있다.'는 뜻으로 쓰임.
[侯服 후복] ㉠오복(五服)의 하나. 상고(上古) 때는 왕기(王畿)의 주위로부터 오백 리에서 천 리 사이의 땅. 전복(甸服)과 수복(綏服)의 사이임. 주대(周代)에서는 왕기(王畿) 주위의 오백 리 안의 땅. ㉡구복(九服)의 하나. 왕기(王畿) 주위의 오백 리 안의 땅.
[侯服玉食 후복옥식] 제후(諸侯)의 의복을 입고 귀하고 맛있는 음식을 먹음. 호화로운 생활을 함.
[侯禳 후양] 행복은 맞이하고 재앙은 물리침. 또, 그 제사.
[侯王 후왕] 한 나라의 군주(君主). 왕후(王侯). 제후(諸侯).
[侯王將相寧有種乎 후왕장상영유종호] 왕이나 대장(大將)·재상(宰相)이 되는 데 씨가 따로 있는 것은 아님. 누구나 노력 여하로 그렇게 될 수 있음.
[侯爵 후작] 오등작(五等爵)의 둘째. 공작(公爵)

의 다음이고 백작(伯爵)의 위.
[侯甸 후전] 후복(侯服)과 전복(甸服).
[侯鯖 후정] 대단한 진미(珍味).
[侯鯖錄 후정록] 잡기(雜記). 송(宋)나라 조영치(趙令畤)의 편(編). 모두 8권. 선배(先輩)의 유사(遺事)·시화(詩話)·문평(文評) 등 338조(條)로 됨.
◉管城侯. 君侯. 大侯. 萬里侯. 萬戶侯. 孟侯. 藩侯. 辟侯. 封侯. 射侯. 小侯. 素侯. 陽侯. 列侯. 王侯. 熊侯. 諸侯. 卽墨侯. 徹侯. 通侯. 好畤侯.

7 ⑨ [侲] 진 ㊀震 章刃切 zhèn ㊥眞 側鄰切 zhēn

字解 ①아이 진 동자(童子). '一子萬童'《張衡》. ②착할 진 '一僮逞材'《張衡》. ③말기르는사람 진 '虜儌一'《後漢書》.
字源 篆文 形聲. 亻(人)+辰〔音〕. '辰진'은 '振진'과 같은 뜻으로, '움직이다'의 뜻. 움직이기 잘하는 '아이'의 뜻을 나타냄.

[侲僮 진동] 사동(使童). 또, 착한 동자(童子).
[侲子 진자] 아이. 동자(童子).

7 ⑨ [侵] 高人 침 ①-⑥㊥侵 七林切 qīn ⑦㊤寢 七稔切 qǐn

筆順 ノ 亻 亻 亻 亻 侵 侵 侵

字解 ①침노할 침 침략(侵略)함. '一掠'. '齊師一魯'《史記》. ②엄습할 침 불의에 습격함. '負固不服, 則一之'《周禮》. ③침범할 침 ㉠능멸(凌蔑)함. '一侮'. '語一之'《漢書》. ㉡침해함. '加以風雨所一'《北齊書》. ㉢법을 어김. '一臣事小察以折法令'《管子》. ④차츰나갈 침 점진(漸進)함. '天子始巡郡縣, 一尋泰山'《史記》. ⑤흉년 침 풍년의 대(對). '五穀不登, 謂之大一'《穀梁傳》. ⑥성 침 성(姓)의 하나. ⑦모침(貌侵)할 침 키가 작고 못생김. 寢(宀部 十一畫)과 同字. '貌一而體弱'《漢書》.
字源 甲骨文 金文 篆文 會意. 亻(人)+又+帚〈省〉. '又우'는 손을 본뜬 모양. '帚추'는 빗자루를 나타냄. 사람이 빗자루를 손에 들고 쓸면서 점점 앞으로 나아가다의 뜻에서, '침범하다'의 뜻을 나타냄.

[侵加 침가] 침범함.
[侵刻 침각] 침해(侵害).
[侵疆 침강] 국경을 침범하여 땅을 빼앗음. 침경(侵境).
[侵據 침거] 침범하여 그곳에 웅거함.
[侵擊 침격] 적지(敵地)에 침입하여 공격(攻擊)함.
[侵境 침경] 국경(國境)을 침범하여 빼앗음. 남의 나라를 침입함.
[侵困 침곤] 침범하여 괴롭힘.
[侵攻 침공] 침입하여 공격함. 쳐서 빼앗음.
[侵寇 침구] 침범하여 도둑질함.
[侵盜 침도] 침범하여 도둑질함.
[侵毒 침독] 침범하여 해(害)침.
[侵黷 침독] 침범하여 더럽힘.
[侵略 침략] 침범하여 약탈함.
[侵掠 침략] 침략(侵略).
[侵掠如火不動如山 침략여화부동여산] 적지를 침략하는 형세는 열화(烈火)와 같아야 하며, 적(敵)이 이를 막아 혼란에 빠뜨리려 하여도 산과 같이 부동하여야 함.
[侵擄 침로] 침범하여 약탈함. 침노함. 침략(侵略).
[侵陵 침릉] 침모(侵侮).
[侵罔 침망] 대권(大權)을 침범함.
[侵牟 침모] 침탈(侵奪).
[侵冒 침모] 침범(侵犯).
[侵侮 침모] 능모(陵侮)함.
[侵紊 침문] 침범하여 문란케 함.
[侵迫 침박] 침범하여 핍박함.
[侵伐 침벌] 침범하여 침.
[侵犯 침범] 남의 국토나 신체·재산·명예 등에 해를 끼침.
[侵削 침삭] 남의 영토(領土)를 침범하여 삭탈(削奪)함.
[侵齧 침설] 물결이 언덕을 침식(侵蝕)하듯이 파괴함.
[侵損 침손] 침해(侵害).
[侵蝕 침식] 조금씩 조금씩 개먹어 들어감.
[侵尋 침심] 점점 앞으로 나아감.
[侵軋 침알] 서로 세력을 다투어 침핍(侵逼)함.
[侵漁 침어] 어부가 고기를 잡듯, 차례로 남의 것을 빼앗음. 침탈(侵奪).
[侵撓 침요] 침노하여 어지럽힘. 침범하여 굴복시킴.
[侵擾 침요] 침범하여 소요(騷擾)를 일으킴.
[侵辱 침욕] 침범하여 욕보임.
[侵欲 침욕] 침범하여 빼앗으려는 욕망.
[侵冤 침원] 학대(虐待)함.
[侵越 침월] 경계(境界)를 넘어 침입함.
[侵淫 침음] ㉠차차로 쳐들어감. 또, 물에 빠져 젖어 듦. ㉡차차 넘쳐흐름.
[侵易 침이] 침범하고 깔봄.
[侵入 침입] 침범하여 들어감.
[侵恣 침자] 남의 권리(權利)를 침범하여 방자함.
[侵殘 침잔] 침범하여 해침. 남의 권리(權利)를 침해(侵害)함.
[侵雜 침잡] 상하(上下)의 분한(分限)을 침범하여 어지럽힘.
[侵竊 침절] 침도(侵盜).
[侵占 침점] 빼앗아 차지함. 침탈(侵奪)하여 점령(占領)함.
[侵地 침지] 침범하여 빼앗은 땅. 약탈(掠奪) 또는 가로챈 곳.
[侵踐 침천] 침범하여 유린함.
[侵抄 침초] 침략(侵略).
[侵奪 침탈] 침범하여 빼앗음. 침어(侵漁).
[侵蔽 침폐] 침범하여 은폐함.
[侵暴 침포] 침학(侵虐).
[侵逼 침핍] 침범하여 핍박(逼迫)함.
[侵虐 침학] 침범하여 포학(暴虐)을 행함. 침포(侵暴).
[侵害 침해] 침범하여 손해를 끼침.
[侵毁 침훼] 침범하여 훼손함.
◉輕侵. 欺侵. 來侵. 大侵. 不可侵. 不侵. 襲侵. 貪侵.

7 ⑨ [侸] ㊀ 수 ㊀遇 殊遇切 shù ㊁ 두 ㊥尤 當侯切 dōu

字解 ㊀ 설 수 직립(直立)함. 豎(豆部 八畫)와 同字. '一, 立也'《說文》. ㊁ 늘어질 두, 마를 두 '佔一'는 아래로 축 늘어져 있는 모양. 일설(一

說)에는, 몹시 여윈 모양. '佔—, 下垂也, 一曰疲劇'《集韻》.

[字源] 甲骨文 篆文 形聲. 亻(人)+豆〔音〕. '豆두'는 굽 달린 제기(祭器)의 모양을 본뜸. '세우다'의 뜻을 나타냄.

7 ⑧ **[侶]** [人名] 려 ㊤語 力擧切 lǚ

[筆順] 丿 亻 … 侶 侶

[字解] ①짝 려, 벗 려 동무. 동류(同類). '—儔'. '伴—'. '相與結—'《王褒》. ②벗할 려 벗으로 삼음. '—魚蝦, 而友麋鹿'《蘇軾》. ③동반할 려 동무 삼아 같이 감. '麟不—行'《陸機》.

[字源] 篆文 形聲. 亻(人)+呂〔音〕. '呂려'는 척추(脊椎)가 죽 이어져 있는 모양으로, '이어지다'의 뜻. 같은 줄에 나란히 늘어선 사람, 동무의 뜻을 나타냄.

[侶伴 여반] '반려(伴侶)'와 같음.
[侶儔 여주] 동무. 벗.
[侶行 여행] 동무 삼아 같이 감.
◉故侶. 官侶. 挂侶. 宮侶. 斷金侶. 徒侶. 同侶. 伴侶. 方外侶. 法侶. 賓侶. 受業侶. 僧侶. 詩侶. 僚侶. 羽化侶. 遊侶. 義侶. 儔侶. 塵縛侶. 醉侶. 緇侶. 親侶. 行侶. 好侶. 花下侶. 會心侶.

7 ⑨ **[侻]** 탈 [入]曷 他括切 tuō

[字解] ①가벼울 탈 경박함. '劉表以王粲體弱而通—, 不甚重也'《魏志》. ②대범할 탈 성질이 까다롭지 않음. 잘게 굳지 않음. '其行—而順情'《淮南子》. ③옳을 탈 이치에 합당함. 도리에 맞음. '荀卿非數家之書—也'《揚子法言》. ④교활할 탈 '—, 狡也'《集韻》. ⑤추할 탈 못생김. '貌—陋'《唐書》.

[字源] 形聲. 亻(人)+兌〔音〕

[侻陋 탈루] 용모(容貌)가 보기 싫음. 얼굴이 못생김.
[侻失 탈실] 깜빡 잊음. 또, 경솔하게 틀림.

7 ⑨ **[便]** [中·人] [一] 편 [去]霰 婢面切 biàn / [平]先 房連切 pián [二] 변 [去]霰 婢面切 biàn

[筆順] 丿 亻 … 便 便

[字解] [一] ①편할 편 ㉠편안함. '—安'. '養病而私自—'《漢書》. ㉡편리함. '—宜'. '百姓爲—'《後漢書》. ②편의 편 ㉠유리한 방법. '士莫敢言一朝之—, 皆有終歲之計'《國語》. ㉡유리한 기회. '據五勝之—, 而列六國'《吳越春秋》. ③소식 편 음신. '信—'. '行雨東南, 思假飛山之—'《徐陵》. ④쉴 편 휴식함. '—殿'. '憩—房以偃息'《潘尼》. ⑤익힐 편, 익을 편 숙달함. '—習'. '謹其所—'《大戴禮》. ⑥뚱뚱할 편 비대함. '—腹'. '腹——'《後漢書》. ⑦말잘할 편 '——言'《論語》. ⑧아첨 편 아유. '友—佞損矣'《論語》. ⑨성 편 성(姓)의 하나. [二] ①곧 변, 문득 변 즉(卽). '卽—'으로 연용(連用)하기도 함. '—是堯舜氣象'《朱熹》. ②오줌 변 '小—'. ③오줌눌 변 소변을 봄. '郎有醉—殿上者'《漢書》. ④똥 변 '大—'. '經月—溺皆蜜'《輟耕錄》.

[字源] 篆文 會意. 亻(人)+㪅(更). '㪅경'은 힘을 가해서 바꾸다의 뜻. 사람에게 편리하도록 바꾸다의 뜻에서, '편리하다'의 뜻을 나타냄. 또, 그것을 보고 나면 시원해지는 대소변의 뜻도 나타냄.

[便器 변기] 대소변을 받아 내는 그릇.
[便祕 변비] 대변(大便)이 잘 나오지 아니하는 병. 비결(祕結).
[便所 변소] 뒷간.
[便是 변시] 다를 것이 없이 바로 곧 이것임.
[便液 변액] 똥물.
[便計 편계] 편리한 계책.
[便官 편관] ㉠그 사람에게 적합한 벼슬. ㉡사무(事務)가 바쁘지 않은 벼슬. 한직(閑職).
[便巧 편교] ㉠교묘하게 남의 비위를 맞춤. ㉡몸이 잼. ㉢편리함.
[便轎 편교] 산(山)에서 타는 가마.
[便口 편구] 말이 술술 나옴. 구변(口辯)이 좋음.
[便佞 편녕] 구변이 좋고 심술이 바르지 않아 아첨을 잘함. 또, 그 사람.
[便道 편도] 지름길. 편리한 길. 첩경(捷徑).
[便覽 편람] 잠깐 보아서 얼른 알도록 만든 책. 열람에 편리한 책.
[便利 편리] ㉠편하고 쉬움. ㉡재빠름. 몸이 잼.
[便蒙 편몽] 초학자(初學者)가 알기 쉬운 책.
[便門 편문] 뒷문.
[便敏 편민] 약음. 민첩함.
[便房 편방] 휴게실(休憩室).
[便法 편법] 간편한 방법.
[便辟 편벽] 남의 비위를 맞춰 알랑거림. 또, 그렇게 하는 사람. '편(便)'은 남의 좋아하는 바에 붙좇음. '벽(辟)'은 남의 싫어하는 바를 피한다는 뜻.
[便服 편복] 평상시에 입는 옷.
[便腹 편복] 뚱뚱한 배.
[便私 편사] 자기 한 사람만의 편의.
[便辭 편사] 교묘하게 남의 비위를 맞추는 언사(言辭).
[便姍 편산] 옷자락이 춤추듯이 올라가는 모양. 편안한 걸음걸이를 이름.
[便船 편선] ㉠편을 이용할 수 있는 배. ㉡경편(輕便)한 배.
[便旋 편선] ㉠배회함. 빙빙 돌며 거닒. ㉡소변(小便)을 함.
[便習 편습] 익숙해짐. 일에 익음.
[便乘 편승] ㉠남을 따라 한자리에 탐. ㉡세태나 남의 세력을 이용하여 자신의 이익(利益)을 거둠.
[便時 편시] 형편이 좋은 때. 편리한 때.
[便室 편실] 쉬는 방. 별실(別室).
[便安 편안] ㉠무사하여 심신이 편함. ㉡편히 쉼.
[便言 편언] 구변(口辯)이 좋음. 편어(便語).
[便姸 편연] ㉠용자(容姿)의 나긋나긋하고 아리따운 모양. ㉡춤추는 모양. 또, 가볍게 나는 모양. ㉢화려함. 우아함.
[便衣 편의] 편복(便服).
[便宜 편의] ㉠편리하고 마땅함. ㉡형편(形便). 또, 형편을 살핌. ㉢값이 쌈. 염가(廉價).
[便易 편이] 편하고 쉬움.
[便益 편익] 편리하고 유익(有益)함.
[便人 편인] 일에 익은 사람.

[便章 편장] ㉠나누어 분명히 함. ㉡간편한 몸차림. 약복(略服).
[便殿 편전] 임금이 휴식하는 궁전. 임금이 평상시에 거처하는 대궐.
[便戰 편전] 편싸움.
[便程 편정] 일을 알맞게 과(課)함. 일의 분량을 적당히 배당함.
[便坐 편좌] ㉠편히 앉음. ㉡쉬는 방. 편방(便房). 휴게실.
[便地 편지] 편리한 땅. 유리(有利)한 땅.
[便紙 편지] 소식을 알리거나 용건을 전하는 글. 서간(書簡).
[便捷 편첩] 몸이 날램. 편민(便敏).
[便廳 편청] 관청 안의 휴식하는 곳.
[便就 편취] 순식간에 됨.
[便便 편편] ㉠살진 모양. 비대(肥大)한 모양. ㉡유창(流暢)하게 변명(辨明)하는 모양. ㉢한아(閒雅)한 모양.
[便嬖 편폐] 아첨을 잘하여 임금의 총애(寵愛)를 받는 시신(侍臣).
[便風 편풍] 순풍(順風).
[便幸 편행] 좌우의 근시(近侍). 측근.
[便嬛 편현] 편연(便姸).
◉簡便. 檢便. 輕便. 巧便. 權便. 近便. 大便. 方便. 不便. 善巧方便. 船便. 小便. 溲便. 勝便. 信便. 安便. 兩便. 用便. 郵便. 隱便. 利便. 因利乘便. 人便. 舟楫便. 車便. 快便. 行旅便. 形便.

7
⑨ [俉] 人名 오 ㊄遇 五故切 wù

字解 맞이할 오 접대함. '其人逢一化言'《史記》.
字源 形聲. 亻(人)+吾〔音〕. '吾오'는 '迎영'과 통하여 '맞이하다'의 뜻.

7
⑨ [俁] 우 ㊤麌 虞矩切 yǔ

字解 클 우 용모(容貌)가 큰 모양. '碩人一一'《詩經》.
字源 篆文 形聲. 亻(人)+吳〔音〕

[俁俁 우우] 용모(容貌)가 큰 모양.

7
⑨ [係] 高人 계 ㊄霽 古詣切 xì 系

筆順 亻 亻 仠 伾 俘 係 係 係

字解 ①맬 계 ㉠잡아맴. 이음. 연결함. '以朱絲一玉二瑴'《左傳》. ㉡묶음. 결박(結縛)함. '一輿人, 以圍商密'《左傳》. ②매일 계 계속(繫屬)함. '一小子失丈夫'《易經》. ③끌 계 질질 끎. 걸침. '一履而見魏王'《莊子》. ④성 계 성(姓)의 하나. ⑤계 계《韓》사무 분담의 구분에 있어 가장 아래의 단위(單位). '一長'. '一員'.
字源 篆文 形聲. 亻(人)+系〔音〕. '系계'는 '이어지다, 연계(連繫)'의 뜻. 사람과 사람을 잇다, 연계의 뜻을 나타냄.

[係羈 계기] 매어 놓음.
[係戀 계련] 몹시 연연(戀戀)함. 안타깝게 그리워 잊지 못함.
[係虜 계로] 포로(捕虜).
[係累 계루] ㉠얽어맴. 결박함. 또, 얽매임. ㉡처자 권속(妻子眷屬).
[係纍 계루] 계루(係累).
[係嗣 계사] 후사(後嗣).
[係紲 계설] 맴. 잡아맴.
[係瑣 계쇄] 사슬로 매어 놓음.
[係數 계수] 대수(代數)에서, 단항식(單項式)을 수(數)와 문자(文字)의 곱으로 구분할 때의 수(數). 수계수(數係數)라고도 함.
[係仰 계앙] 마음이 끌리어 우러러 사모함.
[係員 계원]《韓》한 계(係)에 속하는 인원(人員).
[係長 계장]《韓》관청이나 회사의 한 계(係)의 책임자.
[係爭物 계쟁물] 당사자간(當事者間)에 분쟁(紛爭)된 목적물(目的物). 곧, 소송(訴訟)의 목적물.
[係蹄 계제] 짐승의 발을 옭는 올가미.
[係風捕影 계풍포영] '계풍포영(繫風捕影)'과 같음.
[係獲 계획] 잡힘.
◉關係.

7
⑨ [俙] 人名 희 ㊥微 香衣切 xī ㊤尾 虛豈切

字解 ①송사할 희 소송(訴訟)함. '一, 訟面相是也'《說文》. ②아첨할 희 비위를 맞춤. '一, 謂內爭而外順也'《說文》. ③느낄 희 감동(感動)하는 모양. '一然'. '於是天子一然改容'《司馬相如》. ④비슷할 희 방불(彷彿)함. '僾一, 仿佛也'《集韻》. ⑤풀 희 '一, 解也'《玉篇》.
字源 篆文 形聲. 亻(人)+希〔音〕

7
⑨ [促] 高人 ㊀ 촉 ㊅沃 七玉切 cù ㊁ 착 ㊅覺 測角切 chuò

筆順 ノ 亻 𠆢 但 伻 伻 促 促

字解 ㊀ ①절박할 촉 시기나 기한이 가까이 닥침. '吳國之命斯一矣'《吳越春秋》. ②급할 촉 빠름. '大絃聲遲小絃一'《歐陽修》. ③재촉할 촉 빨리 하도록 죄침. '催一'. '督一'. '一, 催也'《字彙》. ④좁을 촉 협소함. '窘路狹且一'《後漢書》. ⑤이를 촉 '一, 至也'《廣韻》. ⑥짧을 촉 단소함. 또, 줄어듦. '聞冬夜之恒長, 何此夕一一'《潘岳》. ⑦바쁠 촉 분주함. '民年急而歲一'《鹽鐵論》. ㊁ 악착스러울 착 齪(齒部 七畫)과 통용. '踵常途之一一'《韓愈》.
字源 篆文 形聲. 亻(人)+足〔音〕. '足족'은 '速속'과 통하여, '빠르다'의 뜻. 사람을 재촉하여 빨리 시키다의 뜻에서, '촉구(促求)하다'의 뜻을 나타냄.

[促促 착착] 소소한 속사(俗事)에 심신(心身)을 기울여 힘쓰는 모양. 악착스럽게 일하는 모양.
[促遽 촉거] 급히 서두름. 허둥지둥함.
[促急 촉급] ㉠가깝게 박두(迫頭)하여 몹시 급함. ㉡재촉함. 독촉함.
[促迫 촉박] 촉급(促急).
[促步 촉보] 총총히 걸음. 또, 총총걸음.
[促數 촉삭] 예의(禮儀)가 번거로움.
[促成 촉성] 재촉하여 빨리 이루어지게 함.
[促壽 촉수] 죽기를 재촉하다시피 하여 목숨이 짧아짐.
[促膝 촉슬] 바싹 다가앉아 무릎이 서로 접근함.
[促訾慄斯 촉자율사] 남의 안색(顏色)을 살펴 기

분을 맞춤.
[促杵 촉저] 쿵쿵 자주 찧는 공이 소리.
[促坐 촉좌] 바싹 다가앉음.
[促織 촉직] 가을밤 집 안에서 우는 곤충의 하나. 귀뚜라미. 길쌈을 재촉하느라고 운다는 뜻에서 이름.
[促進 촉진] 재촉하여 빨리 나아가게 함.
[促徵 촉징] 독촉하여 거둬들임.
◉局促. 窘促. 急促. 短促. 督促. 煩促. 歲促. 刺促. 切促. 戚促. 催促. 追促. 褊促. 偪促. 逼促. 惶促.

7 ⑨ [俌] 人名 보 ㊤麌 方矩切 fǔ 芳武切
字解 도울 보 보필함. 輔(車部 七畫)와 同字.
字源 篆文 形聲. 亻(人)＋甫〔音〕. '甫보'는 '돕다'의 뜻. '輔보'와 동일어(同一語) 이체자(異體字)로서, '돕다'의 뜻을 나타냄.

7 ⑨ [俄] 人名 아 ㊥歌 五何切 é(⑤è)
字解 ①잠시 아 ㉠잠깐 동안. '一頃'. '一刻'. ㉡잠시 후에. 얼마 안 되어. '一而季梁之疾自瘳'《列子》. ②갑자기 아 급작스럽게. '一然'. '一有群女, 持酒'《列仙傳》. ③기울 아 峨(山部 七畫)와 同字. '側弁之一'《詩經》. ④높을 아, 높일 아 '一軒冕雜衣裳'《揚雄》. ⑤아라사 아 아라사(俄羅斯), 곧 러시아의 약칭. '一館'.
字源 篆文 形聲. 亻(人)＋我〔音〕

[俄刻 아각] 갑자기. 아이(俄爾).
[俄頃 아경] 잠깐 동안. 잠시.
[俄館 아관] 《韓》 아라사(俄羅斯)의 공사관(公使館).
[俄國 아국] 아라사(俄羅斯).
[俄羅斯 아라사] 노서아(露西亞)의 구칭(舊稱).
[俄然 아연] 갑자기. 급히.
[俄爾 아이] 아각(俄刻).
◉傀俄.

7 ⑨ [俅] 구 ㊥尤 巨鳩切 qiú
字解 공순할 구 '一一'는 공손하고 온순한 모양. 일설(一說)에는, 관(冠)의 장식(裝飾)의 모양. '戴弁一一'《詩經》.
字源 篆文 形聲. 亻(人)＋求〔音〕. '求구'는 동그랗게 공손하게 몸을 굽히다의 뜻을 나타냄.

[俅俅 구구] 자해(字解)를 보라.

7 ⑨ [俊] 高人 준 ㊦震 子峻切 jùn(zùn)
筆順 亻 亻 亻 亻 亻 俊 俊 俊
字解 ①뛰어날 준, 준걸 준 재주와 슬기가 뛰어남. 걸출함. 또, 그 사람. '一士'. '一材'. '贊桀一'《禮記》. ②클 준, 높을 준 峻(山部 七畫)과 통용. '克明一德'《書經》. ③성 준 성(姓)의 하나.
字源 篆文 形聲. 亻(人)＋夋〔音〕. '夋준'은 '出출' 따위와 통하여, '나다'의 뜻. '뛰어난 사람'의 뜻을 나타냄.

[俊健 준건] 걸출하고 강건함.
[俊傑 준걸] 재주와 슬기가 뛰어난 사람.
[俊骨 준골] 준수(俊秀)하게 생긴 골격(骨格).
[俊器 준기] 뛰어난 기국(器局). 또, 그러한 사람.
[俊達 준달] 성질(性質)이 빼어나 사리(事理)에 통달(通達)함.
[俊德 준덕] 고덕(高德). 준덕(峻德).
[俊童 준동] 뛰어나게 슬기로운 소년.
[俊良 준량] 뛰어나게 어진 사람.
[俊邁 준매] 걸출하고 고매함.
[俊髦 준모] 재덕이 뛰어난 선비. 모(髦)는 장모(長毛).
[俊茂 준무] 재학(才學)이 뛰어남. 또, 그 사람.
[俊物 준물] 준수(俊秀)한 사람.
[俊味 준미] 뛰어난 맛. 또, 그것.
[俊民 준민] 재학이 뛰어난 재야(在野)의 인사.
[俊敏 준민] 재주와 슬기가 뛰어나고 민첩함. 수민(秀敏).
[俊拔 준발] 재주와 슬기가 남보다 뛰어남. 준수(俊秀).
[俊法 준법] 준엄(峻嚴)한 법규(法規). 또, 법률을 엄하게 함.
[俊辯 준변] 뛰어난 변설. 웅변(雄辯).
[俊士 준사] ㉠주대(周代)의 학제(學制)에서 서인(庶人)의 자제(子弟) 중 도덕이 뛰어난 사람으로서 대학(大學) 입학을 허가받은 사람. ㉡준수(俊秀)한 사람.
[俊爽 준상] 재덕(才德)이 남보다 뛰어남.
[俊選 준선] 선출한 준수한 사람.
[俊聲 준성] 뛰어난 명망(名望).
[俊秀 준수] 재주와 슬기가 뛰어남. 또, 그 사람. 준매(俊邁).
[俊語 준어] 훌륭한 말.
[俊彦 준언] 재주와 슬기가 뛰어난 사람. '언(彦)'은 남자의 미칭(美稱).
[俊穎 준영] 재주와 슬기가 뛰어남. 또, 그러한 사람.
[俊乂 준예] 뛰어난 사람. 현재(賢才).
[俊偉 준위] 뛰어나게 큼. 괴위(魁偉).
[俊游 준유] 뛰어난 벗.
[俊異 준이] 재주가 남보다 특별히 뛰어남. 또, 그 사람. 이재(異才).
[俊逸 준일] 뛰어나게 훌륭함. 또, 그러한 사람.
[俊才 준재] 뛰어난 재주. 또, 그 사람. 영재(英才).
[俊材 준재] 뛰어난 재주를 가진 사람. 준재(俊才).
[俊造 준조] 준사(俊士)와 조사(造士). 전(轉)하여, 뛰어난 인물.
[俊智 준지] 뛰어난 슬기.
[俊彩 준채] 뛰어나게 빛을 발(發)하는 인물.
[俊哲 준철] 준수하고 어짊. 또, 그 사람.
[俊弼 준필] 뛰어난 보좌(補佐). 또, 그 사람.
[俊賢 준현] 뛰어나고 어짊. 또, 그 사람.
[俊兄 준형] 자기 형(兄)의 존칭(尊稱).
[俊慧 준혜] 뛰어나고 지혜가 있음. 또, 그 사람.
[俊豪 준호] 준걸(俊傑).
◉傑俊. 輕俊. 洛中俊. 髦俊. 敏俊. 巖穴俊. 良俊. 英俊. 雄俊. 才俊. 青衿俊. 寒俊. 豪俊.

7 ⑨ [俇] 광 ㊤養 求往切 guàng, kuāng ㊦漾 居況切 guàng
字解 ①허둥지둥할 광 황망(遑忙)한 모양. '魂一一而南征'《楚辭》. ②원행할 광 멀리 감. '一, 遠行也'《說文》.

字源 篆文 形聲. 亻(人)+狂〔音〕

7⑨ [俋] 읍 ㊀緝 於十切 yì

字解 ①날쌜 읍 날래고 씩씩한 모양. ②밭갈 읍 '——'은 전지(田地)를 가는 모양. '——乎耕而不顧'《莊子》.
字源 形聲. 亻(人)+邑〔音〕. '邑읍'은 '마을'의 뜻. 마을 사람의 모양에서, 밭을 가는 모양을 나타냄.

[俋俋 읍읍] 자해(字解)❷를 보라.

7⑨ [俍] 량 ㊥陽 呂張切 liáng

字解 어질 량, 잘할 량 良(艮部 一畫)과 同字. '工乎天, 而—乎人者, 惟全人能之'《莊子》.
字源 形聲. 亻(人)+良〔音〕. '良량'은 '어질다'의 뜻.

7⑨ [俜] 빙 ㊥青 普丁切 pīng

字解 ①부릴 빙, 쓸 빙 사용함. '—, 使也'《說文》. ②호협할 빙 '—, 俠也'《廣雅》. ③헤맬 빙 '伶—'은 똑바로 가지 못하고 비실비실함. 竮(立部 九畫)과 통용.
字源 篆文 形聲. 亻(人)+甹〔音〕

7⑨ [俏] ㊀ 초 ㊁嘯 七肖切 qiào, ①xiào ㊁ 소 ㊥蕭 思邀切 xiāo

字解 ㊀ ①닮을 초 비슷함. '迷生於—'《列子》. ②예쁠 초 용모가 아름다움. ㊁ 거문고돌려놓는 소리 소 '孔子—然反琴而絃歌'《莊子》.
字源 形聲. 亻(人)+肖〔音〕. '肖초'는 '닮다'의 뜻.

[俏然 소연] 거문고를 돌려 놓는 소리의 형용.

7⑨ [俐] 人名 리 ㊁寘 力至切 lì

字解 똑똑할 리 영리(伶俐)함. '今方言謂黠慧曰伶—'《康熙字典》.
字源 形聲. 亻(人)+利〔音〕. '利리'는 '날카롭다'의 뜻. 머리가 예민한 사람의 뜻을 나타냄.

◉伶俐.

7⑨ [俑] 人名 용 ㊤腫 余隴切 yǒng

字解 목우(木偶) 용 순장(殉葬)하는 사람의 대신으로 쓰는 인형(人形). '始作—者, 其無後乎'《孟子》.
字源 篆文 形聲. 亻(人)+甬〔音〕. '甬용'은 벽용(擗踊)의 '踊용'과 통하여, 발로 땅을 치며 몹시 슬퍼하다의 뜻. 사람의 죽음을 애도하여 부장(副葬)하는 인형의 뜻.

◉爲俑. 作俑.

7⑨ [俔] 人名 ㊀ 현 ㊤銑 胡典切 xiàn ㊁ 견 ㊁霰 苦甸切 qiàn

字解 ㊀ ①엿볼 현 몰래 봄. ②염탐꾼 현 간첩. '—, 諜也, 卽今細作也'《字彙》. ③바람개비 현 배〔船〕위의 풍향계(風向計). '辟若—之見風也, 無須臾之間定矣'《淮南子》. ④두려워할 현 공구함. '伈伈——'《韓愈》. ㊁ 비유할 견 '—天之妹'《詩經》. ※'현' 음은 인명자로 쓰임.
字源 篆文 形聲. 亻(人)+見〔音〕. '見견'은 '보다'의 뜻. '엿보다'의 뜻을 나타냄.

[俔俔 현현] 두려워하는 모양. 현현(睍睍).

7⑨ [俙] 방 ㊤講 武項切 mǎng

字解 꼬장꼬장할 방 아첨하지 않음. '—俙, 不媚也'《集韻》.

7⑨ [俗] 中人 속 ㊀沃 似足切 sú

筆順 亻 亻 亻' 亻𠆢 亻父 亻谷 俗 俗

字解 ①풍습 속 풍속과 습관. '時—'. '世—'. '入國問—'《禮記》. ②시속 속 당세의 속된 풍습. 또, 속세(俗世). '性不協—'《吳志》. ③범속할 속 평범하고 용속(庸俗)함. '—人'. '—主虧情'《呂氏春秋》. ④속될 속 고상하지 못하고 천하게 보임. '雅'의 대. '—惡'. '—學'. '然多鄙—'《後漢書》. ⑤속인 속 ㉠평범한 사람. '不和於—'《戰國策》. ㉡중이 아닌 보통 사람. '世祖命使還—'《宋書》. ⑥바랄 속 '—, 欲也'《釋名》.
字源 金文 篆文 形聲. 亻(人)+谷〔音〕. '谷곡'은 '浴욕'과 통하여, 입 모양의 것에 들어가다의 뜻. 사람이 한정된 틀에 들다, 관습의 뜻을 나타냄.

[俗家 속가] ㉠속인(俗人)의 집. 불교를 믿지 아니하는 사람의 집. ㉡중이 중 되기 전에 태어난 집.
[俗歌 속가] 속(俗)된 노래. 유행가.
[俗間 속간] 속(俗)된 세상. 민간(民間). 속세간(俗世間).
[俗客 속객] ㉠세속 사람. 무식하고 속된 사람. ㉡자두꽃의 별칭(別稱).
[俗格 속격] 보통 세상의 격식.
[俗見 속견] ㉠옷차림이나 예법을 갖추지 않고 만나 봄. ㉡세속(世俗)의 생각. 속인(俗人)의 견식(見識).
[俗境 속경] ㉠속지(俗地). ㉡속인(俗人)의 경지(境地).
[俗界 속계] ㉠속인(俗人)의 세계(世界). 종교계(宗教界)의 대(對). ㉡비천(卑賤)하고 더러운 일이 행해지고 있는 장소. 속경(俗境). ㉢무풍류(無風流)한 장소.
[俗曲 속곡] ㉠일반에서 널리 부르는 가곡(歌曲). ㉡속가(俗歌).
[俗骨 속골] 평범(平凡)한 골격(骨格). 범골(凡骨).
[俗教 속교] 시속의 가르침. 관습.
[俗襟 속금] 세속(世俗)의 먼지가 묻은 옷깃. 전(轉)하여, 속진(俗塵)에 찌든 마음. 속정(俗情).
[俗忌 속기] 세속에서 꺼리는 일.
[俗氣 속기] 세속의 기풍. 속된 기풍.
[俗念 속념] 세속에 얽매인 생각. 속된 생각. 속정(俗情).
[俗談 속담] ㉠세속(世俗) 이야기. ㉡옛적부터 내려오는 민간(民間)의 격언(格言).

[俗慮 속려] 속정(俗情).
[俗例 속례] 세속의 관례(慣例).
[俗禮 속례] 풍속에서 일어난 예절.
[俗論 속론] ㉠세속의 의론. 속인의 의견. ㉡하찮은 의견.
[俗了 속료] 비속(鄙俗)해짐. 속화(俗化)함.
[俗陋 속루] 속(俗)되고 천함.
[俗累 속루] 세상(世上)살이에 얽매인 너저분한 일. 진루(塵累).
[俗流 속류] 아담한 맛이 없는 평범한 무리. 속배(俗輩).
[俗吏 속리] 절개나 식견이 없는 관리. 사리에 통하지 않는 관리. 속된 관리.
[俗名 속명] ㉠중이 되기 전의 이름. 법명(法名)의 대(對). ㉡민간에서 부르는 이름. 통칭(通稱).
[俗目 속목] 속안(俗眼).
[俗務 속무] 세속의 잡무(雜務).
[俗文 속문] ㉠알기 쉬운 통속(通俗)의 글. ㉡하찮은 글.
[俗文學 속문학] 예술적 가치가 적은 속된 문학.
[俗物 속물] ㉠속된 물건. ㉡식견이 없거나 풍류를 모르는 사람. 속된 사람.
[俗輩 속배] 속류(俗流).
[俗煩 속번] 속세(俗世)의 번거로움. 세루(世累). 속루(俗累).
[俗不可醫 속불가의] 속기(俗氣)가 있는 사람은 제도(濟度)할 수 없음.
[俗鄙 속비] 천함. 비속(鄙俗)함.
[俗士 속사] 속된 선비. 식견이나 안목이 낮은 사람. 범용한 선비.
[俗事 속사] 속세(俗世)의 일.
[俗思 속사] 일반 사람의 생각.
[俗師 속사] 학식이 옅은 선생.
[俗殺 속살] 속살(俗煞).
[俗煞 속살] 평범하게 되어 버림. 속되게 되어 버림. '살(煞)'은 조사(助辭). 속료(俗了).
[俗尙 속상] 세속(世俗)의 기호(嗜好).
[俗書 속서] ㉠불경(佛經)이 아닌 책. ㉡속된 책. 보잘것없는 책.
[俗說 속설] 세속 사람의 통설.
[俗姓 속성] ㉠세간(世間)에서 보통 불려지는 성. ㉡중이 되기 전의 성(姓).
[俗性 속성] 속(俗)되고 천한 성질.
[俗世 속세] 일반 사회. 이 세상.
[俗世間 속세간] 속세(俗世).
[俗所謂 속소위] 속담(俗談)에 이른바.
[俗習 속습] 세속의 풍습.
[俗僧 속승] 속태(俗態)를 벗지 못한 중. 불도(佛道)를 잘 모르는 중. 「음.
[俗心 속심] 속된 마음. 명예나 이욕에 끌리는 마
[俗惡 속악] 속되고 나쁨. 비속(卑俗)하고 열악(劣惡)함.
[俗樂 속악] 속(俗)된 음악. 일반에서 널리 부르는 노래.
[俗眼 속안] 시속(時俗)의 안목(眼目).
[俗語 속어] ㉠품격(品格)이 낮은 말. 천한 말. ㉡일상 쓰이는 말. 아어(雅語)의 대(對).
[俗言 속언] 속어(俗語).
[俗諺 속언] 민간(民間)에 돌아다니는 상말. 이언(俚諺). 비언(鄙諺).
[俗緣 속연] 《佛敎》 속세(俗世)의 인연(因緣). 이승의 인연(因緣).
[俗謠 속요] 유행가. 민요(民謠).
[俗冗 속용] 세상(世上)의 온갖 번잡(繁雜)한 일.
[俗韻 속운] 고상하지 아니한 음조(音調).
[俗儒 속유] 속(俗)된 유생(儒生). 식견이 없는 유학자(儒學者).
[俗音 속음] 세상에서 통속적으로 잘못 쓰는 한자(漢字)의 음(音).
[俗意 속의] 속된 의미(意味). 속된 의견(意見).
[俗議 속의] 속론(俗論).
[俗耳 속이] 속인(俗人)의 귀. 풍류를 이해 못하는 귀. 이이(俚耳).
[俗人 속인] ㉠풍류를 이해(理解)하지 못하는 속(俗)된 사람. ㉡일반 사람. ㉢중이 중 아닌 사람을 가리키는 말.
[俗字 속자] 세상에서 통속적으로 쓰이는, 자획(字畫)이 바르지 않은 한자.
[俗腸 속장] 속정(俗情).
[俗才 속재] 세상살이에 뛰어난 재주.
[俗材 속재] 평범한 인물.
[俗傳 속전] 민간에 전하여 내려옴. 세상에 널리 전함.
[俗情 속정] 세속적인 생각. 명리(名利)에만 급급한 고아하지 아니한 마음.
[俗諦 속제] 《佛敎》 속세의 실상에 따라서 알기 쉽게 설명한 진리. 자타(自他)의 차별이 있는 현실의 세계에 기초를 둔 가르침. 진제(眞諦)의 대(對).
[俗調 속조] 저속(低俗)한 가락.
[俗主 속주] 평범(平凡)한 군주(君主). 「智).
[俗智 속지] 평범한 지혜. 세상에 관한 재지(才
[俗塵 속진] 속세(俗世)의 티끌. 전(轉)하여 속사(俗事).
[俗唱 속창] 속가(俗歌).
[俗體 속체] ㉠중이 아닌 속인의 태도. ㉡고상(高尙)하지 아니한 속(俗)된 체제(體制).
[俗臭 속취] 세속(世俗)의 냄새.
[俗趣 속취] 세속(世俗)의 취미(趣味).
[俗稱 속칭] ㉠세속(世俗)에서 흔히 부르는 이름. ㉡속명(俗名).
[俗態 속태] 아담스럽지 못한 모양. 세속의 티.
[俗套 속투] 세속(世俗)의 격식(格式). 속습(俗習).
[俗學 속학] 속되고 고상(高尙)하지 아니한 학문.
[俗漢 속한] 언행(言行)이 속된 놈. 보잘것없는 놈.
[俗解 속해] 속인(俗人)에게 알기 쉽게 한 풀이. 언해(諺解).
[俗好 속호] 시속(時俗)의 기호(嗜好). 유행(流行). 시호(時好).
[俗化 속화] ㉠세속(世俗)의 교화(敎化). ㉡속(俗)되게 변(變)함. 나쁜 풍속에 감화되어 감.
[俗畫 속화] 속된 그림.
[俗話 속화] 세속(世俗)의 이야기.
[俗懷 속회] 속정(俗情).
◉改俗. 牽俗. 獷俗. 拘俗. 舊俗. 國俗. 歸俗. 陋俗. 同聲異俗. 蠻俗. 末俗. 亡民俗. 美俗. 民俗. 拔俗. 方俗. 凡俗. 負俗. 卑俗. 世俗. 疏俗. 殊俗. 習俗. 僧俗. 時俗. 雅俗. 厲俗. 汙俗. 謠俗. 庸俗. 元輕白俗. 流俗. 遺俗. 異俗. 俚俗. 離俗. 在俗. 低俗. 絕俗. 塵俗. 賤俗. 超俗. 脫俗. 貪俗. 土俗. 通俗. 風俗. 還俗.

7
⑨ [俘] 부 [平]虞 芳無切 fú

字解 ①사로잡을 부 산 채로 잡음. '一諸江南'《左傳》. 또, 그 사람. 포로. '一虜'. '歸齊一'《春秋》. ②빼앗을 부 탈취함. '胡子盡一楚邑之近胡者'《左傳》. 또, 전리품(戰利品). '一, 軍所獲也'《說文》. ③가질 부 취(取)함. '一厥寶玉'《書經》. ④벌(罰) 부 '一, 罰也'《小爾雅》.

字源 甲骨文 金文 篆文 形聲. 亻(人)+孚〔音〕. '孚부'는 '젖먹이를 껴안다'의 뜻. 성인(成人)을 푹 싸서 잡다, 포로로 하다의 뜻을 나타내며, 파생(派生)되어, 전리품(戰利品)의 뜻도 나타냄. 甲骨文은 '彳+孚〔音〕. '彳척'은 전쟁에 나가다의 뜻. 전쟁에 나가 잡다, 빼앗다의 뜻을 나타냄.

[俘馘 부괵] ㉠부급(俘級). ㉡적을 잡아 그 귀를 벰.
[俘級 부급] 포로와 수급(首級).
[俘隷 부례] 생포당하여 노예로 편입됨. 또, 그 사람.
[俘虜 부로] 사로잡은 적군(敵軍). 포로(捕虜).
[俘纍 부루] 사로잡아 묶임.
[俘殺 부살] 사로잡아 죽임.
[俘囚 부수] 부로(俘虜).
[俘斬 부참] 사로잡음과 베어 죽임.
[俘醜 부추] 사로잡은 무리. 포로들.
[俘獲 부획] 포로. 부로(浮虜).
◉禽俘. 生俘. 囚俘. 執俘. 獻俘.

7 ⑨ [俚] 人名 리 ㊤紙 良士切 lǐ

筆順 亻 亻 们 们 伯 但 俚 俚

字解 ①속될 리 상스러움. 촌스러움. 비속(鄙俗)함. '一俗'. '一言' '質而不一'《漢書》. ②시골 리 '國之下邑曰一'《一切經音義》. ③속요 리 상스러운 노래. 이요(俚謠). '謬承巴一和'《孟浩然》. ④의뢰 리 의지. '其畫無一之至耳'《漢書》.

字源 篆文 形聲. 亻(人)+里〔音〕. '里리'는 '시골'의 뜻. 촌리(村里)의 사람의 뜻에서, '상스럽다, 촌스럽다'의 뜻을 나타냄. 또, '賴뢰'와 통하여, '의지하다'의 뜻도 나타냄.

[俚歌 이가] 민간(民間)에 유행하는 노래. 속된 노래. 이요(俚謠).
[俚近 이근] 촌스럽고 속됨. 비근(卑近).
[俚婦 이부] 속된 부인. 시골의 부인.
[俚鄙 이비] 속되고 야비함. 비속함.
[俚辭 이사] 세속(世俗)의 말.
[俚俗 이속] 야비(野卑)하고 속(俗)됨.
[俚室 이실] 시골집.
[俚語 이어] 이언(俚諺).
[俚言 이언] 세속(世俗)의 말.
[俚諺 이언] 항간(巷間)에 퍼져 있는 속담.
[俚謠 이요] 유행가. 속요(俗謠).
[俚儒 이유] 시골 학자. 촌학구(村學究).
[俚醫 이의] 돌팔이 의원(醫員).
[俚耳 이이] 속인(俗人)의 귀. 풍류를 이해하지 못하는 귀. 속이(俗耳).
[俚淺 이천] 속되고 천박함. 비천(鄙淺).
◉蕪俚. 鄙俚. 哇俚. 庸俚. 淺俚. 巴俚. 下俚.

7 ⑨ [俜] 〔비〕
俾(人部 八畫〈p.148〉)의 俗字

7 ⑨ [俈] 〔곡〕
嚳(口部 十七畫〈p.413〉)과 同字

7 ⑨ [㑴] 〔기〕
企(人部 四畫〈p.104〉)의 古字

7 ⑨ [㑷] 기 ㊥支 巨支切 qí

字解 가지런하지않을 기 '一, 參差也'《廣韻》.

7 ⑨ [俛] 一 부 二 면 (俗) ㊤麌 匪父切 fǔ ㊤銑 亡辨切 miǎn

字解 一 숙일 부 고개를 숙임. 구푸림. 俯(人部 八畫)와 同字. '一視'. '在一仰之間耳'《漢書》. 二 힘쓸 면 勉(力部 七畫)과 同字. '一焉日有孶孶'《禮記》.

字源 篆文 會意. 亻(人)+免. '免면'은 아이를 낳기 위해 몸을 굽히다의 뜻. 사람이 고개를 숙이다의 뜻을 나타냄.

[俛勉 면면] 힘씀. 노력함.
[俛仰 면앙] '부앙(俛仰)'과 같은 뜻.
[俛焉 면언] 부지런히 힘쓰는 모양.
[俛詘 부굴] 몸을 굽힘. 전(轉)하여, 뜻을 굽힘.
[俛起 부기] 엎드렸다 일어났다 함. 전하여, 생활함.
[俛僂 부루] ㉠등을 굽힘. ㉡꼽추. 곱사등이.
[俛首 부수] 고개를 숙임.
[俛首帖耳 부수첩이] 머리를 숙이고 귓불을 처뜨린다는 뜻으로, 아첨(阿諂)하는 꼴.
[俛拾地芥 부습지개] 몸을 굽혀 흙이나 쓰레기를 주움. 사물의 얻기 쉬움의 비유.
[俛視 부시] 굽어봄. 부시(俯視).
[俛仰 부앙] 굽어봄과 우러러봄.
[俛仰之間 부앙지간] 굽어보았다 우러러보았다 하는 잠시 동안.
[俛出胯下 부출과하] 한신(韓信)이 굴욕을 참고 남의 사타구니 밑을 기어 나간 고사(故事).
◉眉俛. 僶俛. 拜俛. 偃俛.

7 ⑨ [俆] 서 ㊥魚 似魚切 xú, ②shū

字解 ①느릴 서 천천함. '一, 緩也'《說文》. ②고을이름 서 '一州'는 옛 설(薛)나라로, 지금의 산둥 성(山東省) 등현(滕縣). ③성 서 성(姓)의 하나.

字源 形聲. 亻(人)+余〔音〕

7 ⑨ [俾] 폐 ㊤薺 傍禮切 bì

字解 팔자걸음걸을 폐 발을 벌리고 걸음. '一倈, 開脚行也'《廣韻》.

7 ⑨ [保] 中人 보 ㊤皓 博抱切 bǎo

筆順 亻 亻 们 们 但 保 保 保

字解 ①보설 보 보증(保證)을 섬. '一人'. '令五家爲比, 使之相一'《周禮》. ②보전할 보 보호하여 안전하게 함. '一安'. '一護'. '不一四禮'《孟子》. ③도울 보 보좌함. '天迪格一'《書經》. ④기를 보 보호하여 양육(養育)함. '若一赤子'

《孟子》. ⑤알 보 인식함. 판단함. '羌不可一也'《楚辭》. ⑥지킬 보 의지하여 수비함. '走一平原'《魏志》. ⑦편안할 보 편함. '南土是一'《詩經》. ⑧믿을 보 의지함. '一君父之命'《左傳》. ⑨부릴 보 씀. 사용함. '一, 使也'《廣雅》. ⑩클 보 크게 함. 褒(衣部 十一畫)와 통용. '象曰, 順相一也'《易經》. ⑪머슴 보 고용인. '爲酒家一'《史記》. ⑫반 보 옛날에 일정한 호수(戶數)로 조직하여 그 조직 안에서 공무(公務)에 관하여 연대 책임을 지던 조합(組合). '制五家爲一, 有長'《隋書》. ⑬보증 보 보. 또, 보서는 사람. '使原差押出取一'《未信編》. ⑭보루 보 堡(土部 九畫)와 통용. '四鄙入一'《禮記》. ⑮포대기 보 褓(衣部 九畫)와 통용. '一介之御間'《禮記》. ⑯성 보 성(姓)의 하나.

字源 甲骨文 金文Ⓐ 金文Ⓑ 篆文 古文 古文 形聲. 篆文은 人+孚〈省〉〔音〕. '孚부'는 또 爫+子로서, 金文Ⓑ를 직접 이어받은 자형(字形)임. 또, 甲骨文은 人+子의 會意字임. 어른이 젖먹이를 업든가 안든가 하여 '지키다, 보전하다'의 뜻. '孚'는 뒤에 '呆보'가 됨.

[保家 보가] 한 집안을 보전하여 감.
[保甲 보갑] 지방의 안녕질서를 유지함을 목적으로 한 의용병(義勇兵). 왕안석(王安石)의 신법(新法)의 하나.
[保介 보개] 주대(周代)의 권농(勸農)하는 벼슬.
[保據 보거] 보전하여 웅거(雄據)함.
[保健 보건] 건강을 보전(保全)함.
[保界 보계] 경계(境界)를 유지(維持)함.
[保管 보관] 물건을 보호하고 관리함.
[保菌 보균] 병균을 몸에 지니고 있음.
[保寧 보녕] 편안하게 함.
[保鑾 보란] 천자(天子)의 수레를 보호하는 사람이라는 뜻으로, 천자(天子)의 친병(親兵). 금병(禁兵). '난(鑾)'은 '난(鸞)'이라고도 쓰는데, 천자의 수레 위에 다는 방울로서 '난(鸞)'을 상형(象形)했음.
[保留 보류] 결정을 뒤로 미루어서 머물러 둠.
[保釐 보리] 편안히 다스림.
[保隣 보린] 이웃끼리 서로 도움.
[保馬法 보마법] 신법(新法)의 하나. 송(宋)나라 왕안석(王安石)이 백성들로 하여금 조(組)를 조직(組織)하게 하여 말을 사양(飼養)케 한 법(法).
[保命 보명] 목숨을 보전(保全)함.
[保母 보모] 보모(保姆).
[保姆 보모] 어린아이를 돌보는 부인(婦人).
[保傅 보부] 어린아이를 돌보는 사람.
[保庇 보비] 비호(庇護)함.
[保社 보사] 서로 보호하는 조합(組合).
[保線 보선] 철도의 선로 등을 보전함.
[保守 보수] ㉠보전하여 지킴. ㉡구습(舊習)을 지킴. 진보(進步)의 대(對).
[保守黨 보수당] 현상 유지(現狀維持)를 목적으로 하고, 옛 전통(傳統)·역사(歷史)·관습(慣習)·사회 조직(社會組織) 등을 고수(固守)하는 주의(主義)를 신봉(信奉)하는 정당(政黨).
[保守主義 보수주의] 옛날의 전통(傳統)을 보수(保守)하는 주의.
[保息 보식] 편히 쉬게 함.
[保身 보신] 몸을 보전(保全)함.
[保身之策 보신지책] 몸을 보전하는 계책(計策).
[保安 보안] 사회(社會)의 안녕질서(安寧秩序)를 보전(保全)함.
[保眼 보안] 눈을 보호(保護)함.
[保艾 보애] 보예(保乂).
[保養 보양] 몸을 건강하게 보전(保全)하여 기름. 양생(養生).
[保乂 보예] 편안하게 기름.
[保伍 보오] 십오(什伍)의 제도에 의하여 역내(域內)의 일을 스스로 처리하는 조합.
[保溫 보온] 일정한 온도를 잃지 않도록 간직함.
[保庸 보용] ㉠공로자를 편안하게 함. ㉡고용인(雇傭人).
[保傭 보용] 고용인(雇傭人).
[保右 보우] 보우(保佑).
[保佑 보우] 보호(保護)하고 도움.
[保衛 보위] 보호하여 지킴.
[保有 보유] 보전(保全)하여 가짐. 가지고 있음.
[保育 보육] 어린아이를 보호하여 기름.
[保人 보인] 보증인(保證人).
[保子 보자] 젖먹이. 갓난아이.
[保障 보장] ㉠성채(城砦). 보루(堡壘). ㉡세금을 경감하여 백성을 보호하는 정치. ㉢보호하여 위해가 없도록 함.
[保全 보전] 보호(保護)하여 안전(安全)하게 함.
[保定 보정] 편안하게 함. 무사 안태(無事安泰)하게 함.
[保存 보존] 잘 지니어 보전(保全)함.
[保佐 보좌] 도움.
[保重 보중] 몸을 아끼어 잘 보전(保全)함.
[保證 보증] 틀림이 없음을 책임짐.
[保證人 보증인] 보증을 선 사람. 보인(保人).
[保持 보지] 보전(保全)하여 유지함.
[保眞 보진] 천성(天性) 그대로 보존(保存)함. 천진난만(天眞爛漫)함을 잃지 않음.
[保聚 보취] 지켜 보전하기 위하여 백성을 집합시킴.
[保弼 보필] 보좌(保佐).
[保合 보합] 시세(市勢)에 변동(變動)이 없음.
[保險 보험] ㉠험준한 땅에 웅거(雄據)함. ㉡위험하지 않도록 지킴. ㉢재산이나 신체에 재난(災難)을 당하였을 때를 보장하기 위하여 일정한 적립금(積立金)을 마련하고 보상 계약(報償契約)을 맺는 제도.
[保衡 보형] 은대(殷代)의 재상(宰相)의 일컬음. 이 사람에 의하여 천하가 태평해진다는 뜻. 아형(阿衡).
[保惠 보혜] 편안하게 하고 은혜를 베풂. 은혜를 베풀어 도와줌.
[保護 보호] 돌보아 지킴.
[保護國 보호국] 강대국(強大國)의 보호에 의하여 그 독립을 유지하는 나라. 그 강대국에 의하여 내정(內政) 특히 외교(外交)에 제한을 받음.
[保護貿易 보호무역] 국내 산업(國內産業)을 보호하기 위하여 외국 무역(外國貿易)에 제한(制限)을 가(加)하는 일.
[保護色 보호색] 적(敵)의 눈에 잘 나타나지 않는, 주위 환경과 비슷한 동물의 몸빛.
[保護鳥 보호조] 학술의 연구, 품종의 희귀, 산업상 유익 등의 이유로 법률로써 잡지 못하도록 보호하는 새.
[保恤 보휼] 편안케 하고 구휼(救恤)함.

◉康保. 襁保. 格保. 擔保. 師保. 城保. 收保. 神保. 牙保. 阿保. 連保. 永保. 靈保. 庸保. 留保. 隣保. 任保. 全保. 定保. 酒保. 天保.

合保. 惠保. 護保. 確保. 懷保.

7 ⑨ [俟] [一] 사 ㊤紙 牀史切 sì [二] 기 [平]支 渠之切 qí

[字解] [一] ①기다릴 사 오는 것을 바람. '一我於城隅'《詩經》. ②떼지어갈 사 떼를 지어 천천히 가는 모양. '儦儦一一'《詩經》. ③클 사 '儦儦一一'《詩經》. ④성 사 성(姓)의 하나. [二] 성 기 성(姓)의 하나. '万一'는 오랑캐의 복성(複姓).

[字源] 篆文 形聲. 亻(人)+矣〔音〕. '矣이'는 '待대'와 통하여, '기다리다'의 뜻.

[俟望 사망] 바라고 기다림. 대망(待望).
[俟命 사명] 천명(天命)을 기다림. 또, 명령을 기다림.
[俟俟 사사] 많은 사람이 떼를 지어 천천히 걷는 모양.
[俟河淸 사하청] 언제나 흐려서 누런 황허(黃河)의 물이 맑기를 기다린다는 뜻으로, 되지 않을 일을 기대함을 이름.

7 ⑨ [俠] [人名] 협 [入]葉 胡頰切 xiá

[筆順] 亻 仁 仁 仁 仸 仸 俠 俠

[字解] ①호협할 협 협기(俠氣)가 있음. 의협심이 많음. '一客'. '義一'. '任一有名'《漢書》. ②가벼울 협 경망함. '喜武非一也'《淮南子》. ③젊을 협 젊은이. '安壯養一'《呂氏春秋》. ④패할 협 '一, 敗也'《廣雅》. ⑤멋대로굴 협 방자함. '人臣肆意陳欲, 曰一'《韓非子》. ⑥낄 협 挾(手部 七畫)과 통용. '一侍'. '殿下郞中一陛'《漢書》.

[字源] 篆文 形聲. 亻(人)+夾〔音〕. '夾협'은 '겨드랑이에 끼다'의 뜻. 약자(弱者)를 감싸고 포용력이 있는 사람, '협기(俠氣)'의 뜻을 나타냄.

[俠客 협객] 의협심(義俠心)이 있는 남자. 협자(俠者).
[俠骨 협골] 호협(豪俠)한 기상(氣像).
[俠魁 협괴] 협객의 우두머리.
[俠氣 협기] 호협(豪俠)한 기상(氣像). 의협심(義俠心).
[俠烈 협렬] 호협(豪俠)하고 과격한 기상(氣像).
[俠士 협사] 협객(俠客).
[俠侍 협시] 좌우에서 모심.
[俠勇 협용] 호협하고 용감함.
[俠任 협임] 호협하여 남아(男兒) 다움.
[俠刺 협자] 좌우에서 찔러 죽임.
[俠者 협자] 협객(俠客).
◉佳俠. 姦俠. 輕俠. 氣俠. 大俠. 鋒俠. 勇俠. 游俠. 義俠. 任俠. 節俠. 抗俠. 豪俠. 凶俠.

7 ⑨ [信] [中人] 신 ①-⑮[去]震 息晉切 xìn ⑯-⑰[平]眞 升人切 shēn

[筆順] 亻 亻 仁 仁 信 信 信 信

[字解] ①미쁠 신 믿음성이 있음. 신의(信義)가 있음. '一人'. '一言'. ②믿음 신 신의. '仁義禮智一'. '朋友有一'《孟子》. ③믿을 신 의심하지 않음. 신용(信用)함. '一任'. '盡一書, 則不如無書'《孟子》. ④인 신, 신표 신 도장. 부계(符契). '印一'. ⑤밝힐 신 자세히 밝힘. '一罪之有無'《左傳》. ⑥알 신 '一於異衆也'《淮南子》. ⑦따를 신 '師尊則言一矣'《呂氏春秋》. ⑧공경할 신 '一, 敬也'《廣雅》. ⑨이틀밤잘 신 재숙(再宿)함. '一宿'. '于女一處'《詩經》. ⑩음신(音信) 신 '一書'. '一息'. '多以爲登科之一'《劇談錄》. ⑪행인(行人) 신 사자(使者). '一臣'. '聞一至'《晉書》. ⑫조수 신 조석(潮汐). '其起落大小之一, 亦如之'《名山記》. ⑬맡길 신 하는 대로 내버려 둠. '歸帆但一風'《王維》. ⑭진실로 신 참으로. '東都雖一多才士'《韓愈》. ⑮성 신 성(姓)의 하나. ⑯펼 신 伸(人部 五畫)과 통용. '屈而不一'《孟子》. ⑰몸 신 身(部首)과 통용. '侯執一圭'《周禮》.

[字源] 篆文 古文 古文 形聲. 亻(人)+口+辛〔音〕. '辛신'은 바늘의 상형(象形)으로, '형벌(刑罰)'의 뜻. 발언(發言)에 미덥지 못한 데가 있으면 형(刑)을 받을 것임을 맹세하는 모양에서, '진실'의 뜻을 나타냄.

[信脚 신각] 발 닿는 대로 감. 발길이 향하는 대로 감.
[信慤 신각] 신실(信實)하고 성의가 있음.
[信客 신객] 약속을 잘 지켜 신용이 있는 사람.
[信管 신관] 탄환에 장치한 도화관(導火管). 작약(灼藥)에 불이 붙어 폭발하게 되었음.
[信教 신교] 종교(宗教)를 믿음.
[信口 신구] 말을 함부로 함.
[信圭 신규] 오서(五瑞)의 하나로, 후작(侯爵)이 갖는 홀.

[信圭]

[信禽 신금] 기러기. 기러기는 추워지면 북쪽에서 왔다가 따뜻해지면 북(北)으로 돌아가 계절의 변화를 알려 주므로 이름.
[信及豚魚 신급돈어] 신의(信義)가 돼지나 물고기까지도 감화시킨다는 뜻으로, 신의의 지극함을 비유하는 말.
[信男 신남]《佛敎》 불교를 믿는 남자. 우바새(優婆塞).
[信納 신납] 믿고 용납함.
[信女 신녀]《佛敎》 불교를 믿는 여자. 우바이(優婆夷).
[信念 신념] ㉠굳게 믿는 마음. ㉡신앙의 마음.
[信徒 신도] 종교(宗教)를 믿는 사람의 무리.
[信力 신력]《佛敎》 신앙하여 움직이지 않는 힘.
[信賴 신뢰] 믿고 의뢰(依賴)함.
[信陵君 신릉군] 전국 시대 위(魏)나라 소왕(昭王)의 공자(公子). 안리왕(安釐王)의 이모제(異母弟). 이름은 무기(無忌). 신릉군(信陵君)은 그의 봉호(封號). 식객(食客)이 3천 명이나 되었음. 진(秦)나라가 조(趙)나라를 포위하였을 때 그의 자형(姊兄)인 조나라의 평원군(平原君)이 그에게 구원을 청하매 후영(侯嬴)의 계교를 써서 진비(晉鄙)를 죽이고, 조(趙)나라를 구해 주었으며, 또 진(秦)나라가 위(魏)나라를 침공하매, 오국(五國)의 군사를 거느리고 나가서 크게 격파했음. 그 뒤, 위왕(魏王)이 푸대접하자, 병이라 칭탁(稱託)하고 조정에 나가지 않았음.
[信望 신망] 믿고 바람. 믿음과 덕망.
[信命者亡壽夭 신명자망수요] 천명(天命)을 믿는 자는 생사를 안중에 두지 아니하므로, 장수(長

壽)하거나 요사(夭死)하거나 조금도 괘념치 아니함.
[信耗 신모] 음신(音信).
[信物 신물] 선물(膳物).
[信服 신복] 믿고 복종(服從)함.
[信奉 신봉] 옳은 줄로 믿고 받듦.
[信孚 신부] 믿음. 신의(信義). '부(孚)'는 달걀이 부화(孵化)할 때엔 반드시 그 시기를 어기지 않고 신용을 지킨다는 뜻.
[信憑 신빙] 믿어서 의거함.
[信士 신사] ㉠신의(信義)가 있는 사람. ㉡《佛教》 속인(俗人)으로서 불교(佛教)를 믿는 남자. 우바새(優婆塞).
[信使 신사] 사자(使者).
[信賞必罰 신상필벌] 공(功) 있는 사람은 반드시 상을 주고, 죄 있는 사람은 반드시 벌줌. 곧, 상벌(賞罰)을 엄정하게 함.
[信書 신서] 편지(便紙).
[信誓 신서] 진심으로 하는 맹세. 서약.
[信石 신석] '비상(砒霜)'과 같음.
[信手 신수] 손이 움직이는 대로 둠.
[信宿 신숙] 이틀 밤을 묵음.
[信崇 신숭] 신앙하여 존숭(尊崇)함.
[信恃 신시] 믿고 의지함.
[信息 신식] 음신(音信). 소식(消息).
[信臣 신신] ㉠믿는 신하(臣下). ㉡사신(使臣).
[信信 신신] ㉠나흘 묵음. ㉡믿을 만한 것을 믿음.
[信實 신실] 신의가 있고 진실함.
[信心 신심] ㉠종교(宗教)를 믿는 마음. ㉡《佛教》 신앙(信仰)하여 변치 않는 마음.
[信心直行 신심직행] 옳다고 믿는 바를 곧장 행함.
[信仰 신앙] 종교상의 교의(教義)를 신봉(信奉)하고 귀의(歸依)하는 일.
[信愛 신애] 믿고 사랑함.
[信約 신약] 믿고 약속(約束)함.
[信言 신언] 믿음성이 있는 말. 진실(眞實)한 말.
[信言不美美言不信 신언불미미언불신] 진실한 말은 꾸밀 필요가 없고, 꾸민 말은 믿음성이 없음.
[信用 신용] ㉠믿고 씀. 믿고 의심(疑心)하지 아니함. ㉡장래(將來)의 일에 대하여 약속(約束)을 지킬 것을 믿음. ㉢인망(人望)이 있음.
[信委 신위] 믿고 위임함.
[信衣 신의] 스승이 제자에게 법맥(法脈)을 전수(傳授)한 것을 증빙하기 위해 주는 옷.
[信義 신의] 믿음과 의리(義理).
[信疑 신의] 믿음과 의심.
[信人 신인] 믿음성이 있는 사람. 신의(信義)가 두터운 사람.
[信任 신임] ㉠믿고 일을 맡김. ㉡벗에게 신의를 지킴.
[信任狀 신임장] 국가의 원수(元首)가 특정한 사람을 외교 사절로 임명 파견하는 취지를 통고하는 공문서.
[信者 신자] 종교를 믿는 사람.
[信章 신장] 도장(圖章).
[信傳 신전] 틀림없이 전함.
[信條 신조] ㉠신앙의 조목(條目). ㉡꼭 믿는 일.
[信潮 신조] 조수(潮水).
[信足 신족] 발 닿는 대로 걸어감.
[信從 신종] 믿고 좇음.
[信地 신지] 목적지(目的地).
[信之無疑 신지무의] 꼭 믿고 의심하지 아니함.
[信次 신차] 사흘 이상의 숙박.
[信處 신처] 이틀의 숙박.
[信天翁 신천옹] 바닷새의 하나. 몸은 거위보다 큼. 입을 벌리고 물고기가 들어오는 것을 믿어 기다린다 하여 이름 지은 것임.
[信聽 신청] 곧이들음.
[信託 신탁] 신용하여 의탁함.
[信便 신편] 음신(音信).
[信標 신표] 뒷날에 보고 서로 표가 되게 하기 위하여 주고받는 물건.
[信解 신해] 《佛教》 믿어 이해함.
[信驗 신험] 신임(信任)의 표시.
[信號 신호] 일정(一定)한 부호(符號)나 손짓으로 서로 떨어진 사람끼리 의사(意思)를 통하는 일. 또, 그 부호.
[信厚 신후] 신의가 있고 인품이 너그러움.
◉家信. 輕諾寡信. 輕信. 過信. 寡信. 狂信. 交信. 謹信. 來信. 短信. 大詐似信. 篤信. 惇信. 梅信. 明信. 迷信. 返信. 發信. 芳信. 背信. 符信. 憑信. 私信. 書信. 瑞信. 誠信. 所信. 送信. 受信. 純信. 崇信. 雁信. 嚴信. 驛信. 誤信. 往信. 外信. 委信. 威信. 恩信. 音信. 倚信. 義信. 移木信. 二信. 印信. 立信. 自信. 杖信. 電信. 轉信. 節信. 貞信. 至信. 徵信. 彰信. 秋信. 春信. 忠信. 親信. 通信. 偏信. 風信. 鄕信. 混信. 花信. 確信. 喜信.

7 ⑨ [侳] 좌 ㊀箇 側臥切 zuò ㊥歌 子髁切

字解 ①욕보일 좌 치욕을 당하게 함. '君子不入市, 爲其一廉也'《淮南子》. ②편안할 좌.
字源 篆文 形聲. 亻(人)+坐〔音〕. '坐좌'는 '앉다'의 뜻. 사람이 앉아 안정(安定)해 있다의 뜻으로, '편안하다'의 뜻을 나타냄.

7 ⑨ [侹] 정 ㊀徑 他定切 tǐng ㊤迥 他鼎切

字解 ①평평할 정 평탄한 모양. '石梁平——'《韓愈》. '平直曰—'《一切經音義》. ②긴모양 정 '—, 長皃'《說文》.
字源 篆文 形聲. 亻(人)+廷〔音〕. '廷정'은 '곧게 뻗다'의 뜻. 사람이 쭉 뻗어 긴 모양을 나타냄.

7 ⑨ [俒] 혼 ㊀願 胡困切 hùn

字解 ①완전할 혼 '—, 完也'《說文》. ②욕보일 혼 폐를 끼침. '朕實不明, 目—伯父'《逸周書》.
字源 篆文 形聲. 亻(人)+完〔音〕. '完완'은 '완전하다'의 뜻. 원만 완전한 인품을 이름. 주로 '溷혼'의 뜻을 빌려, '욕보이다'의 뜻으로 쓰임.

7 ⑨ [俓] 人名 〔경〕
徑(彳部 七畫〈p.743〉)과 同字

筆順 丿 亻 亻 亻 俓 俓 俓 俓
字源 形聲. 亻(人)+巠〔音〕

7 ⑨ [侷] 〔국〕
跼(足部 七畫〈p.2233〉)과 同字
字源 形聲. 亻(人)+局〔音〕. '局국'은 '등을 구부리다'의 뜻. '몸을 굽히다, 몸을 오그리다'

의 뜻을 나타냄.

8 ⑩ [倉] 高·人 창 ㊤陽 七岡切 cāng ㊦漾 楚亮切 chuàng

筆順 人 亼 今 今 仓 仓 仓 倉 倉

字解 ①곳집 창 곡식 같은 것을 저장하는 창고. '一庫'. '一廩實則知禮節'《管子》. ②옥사 창 죄인을 가두는 옥(獄). '營一'. '罪有輕重之分, 則禁有監一之別'《未信編》. ③창자 창 위장(胃腸). '腸胃爲積穀之室, 故謂之一'《倒倉法論》. ④푸를 창 蒼(艸部 十畫)과 통용. '一頭廬兒'《漢書》. ⑤바다 창 滄(水部 十畫)과 통용. '東燭一海'《揚雄》. ⑥갑자기 창 '一卒'. '一皇'. ⑦성 창 성(姓)의 하나. ⑧여윌 창, 슬퍼할 창 愴(心部 十畫)과 통용. '一兄塡兮'《詩經》.

字源 金文 篆文 象形. 곡물(穀物)을 쌓아 두기 위한 '곳집'을 본뜬 모양으로, '창고'의 뜻을 나타냄. 또, '一皇'·'一卒'의 숙어(熟語)로, 갑작스러워 허둥대는 모양을 나타내는 의태어로 쓰임.

[倉庚 창경] 꾀꼬리. 황조(黃鳥).
[倉庫 창고] 곳집.
[倉穀 창곡] 창고 속의 곡식.
[倉公 창공] 한(漢)나라의 명의(名醫). 성은 순우(淳于). 이름은 의(意). 태창(太倉)의 장(長)이었으므로 창공(倉公)이라 함. 후세에 명의(名醫)를 말하는 사람은 흔히 창공을 편작(扁鵲)과 병칭(竝稱)함.
[倉廥 창괴] 창균(倉囷).
[倉囷 창균] 쌀 곳간. 미곡(米穀) 창고. '균(囷)'은 둥근 곳간.
[倉頭 창두] ㉠심부름꾼. 옛날에 천(賤)한 사람은 머리에 푸른 수건을 동였으므로 이름. ㉡미창(米倉)을 맡은 사람. 창고지기.
[倉龍 창룡] 키가 여덟 자 이상 되는 말. 창룡(蒼龍).
[倉廩 창름] 곳집. 미곡(米穀) 창고.
[倉廩實而囹圄空 창름실이영어공] 쌀광이 차면 옥(獄)이 빈다는 뜻. 곧, 사람이 가난하면 부득이(不得已) 도둑질을 하지만, 의식(衣食)이 걱정 없으면 도둑질을 하지 아니하므로 자연히 옥(獄)이 빈다는 말.
[倉廩實則知禮節 창름실즉지예절] 쌀광이 차면 예절(禮節)을 안다는 뜻. 곧, 사람이 의식(衣食)이 걱정 없어야만 비로소 예의범절(禮儀凡節)을 안다는 말.
[倉迫 창박] 성급(性急)함.
[倉粟 창속] 곳집 속의 곡식.
[倉獄 창옥] 창고와 옥사(獄舍).
[倉庾 창유] 쌀 곳간. 미곡(米穀) 창고.
[倉儲 창저] 쌀 창고에 저장하는 식량(食糧).
[倉卒 창졸] ㉠허둥지둥함. ㉡썩 급함. 창황(倉黃).
[倉倉 창창] 음률(音律)의 소리. 악기의 소리.
[倉扁 창편] 창공(倉公)과 편작(扁鵲). 모두 옛날의 명의(名醫)이므로, 전(轉)하여 '명의'의 뜻으로 쓰임.
[倉海 창해] 푸른 바다. 창해(滄海).
[倉怳 창황] 슬퍼하고 근심하는 모양.
[倉皇 창황] 매우 급(急)한 모양.
[倉黃 창황] 창황(倉皇).
[倉頡 창힐] 황제(黃帝)의 사신(史臣)으로서 한자(漢字)를 처음으로 만들었다는 사람. 창힐(蒼頡).

◉監倉. 穀倉. 官倉. 囷倉. 禁倉. 米倉. 社倉. 常平倉. 船倉. 神倉. 十指倉. 義倉. 積倉. 太倉. 扁倉.

8 ⑩ [㑒] 〔금·김〕 金(部首〈p. 2371〉)의 古字

8 ⑩ [㑒] 〔금·김〕 金(部首〈p. 2371〉)의 古字

8 ⑩ [倝] 간 ㊦翰 古案切 gàn

字解 ①빛날 간 해가 돋아 빛남. '一, 日始出, 光一一也'《說文》. ②쓸 간 사용(使用)함. '一, 用也'《玉篇》.

字源 象形. 장식을 단 깃대의 모양임.

8 ⑩ [修] 中·人 수 ㊤尤 息流切 xiū

筆順 亻 个 亻' 亻' 亻' 佟 修 修

字解 ①닦을 수 ㉠깨끗이 함. '郊社不一'《書經》. ㉡배워서 몸을 닦음. '一學'. '一養'. '一其身'《大學》. ②다스릴 수 ㉠사물을 잘 가다듬음. 고침. '一理'. '一繕故宮'《漢書》. ㉡잘 처리함. '內一政事'《詩經》. ㉢책을 편찬함. '一國史'《唐書》. ③다스려질 수 정비(整備)됨. '宮室已一'《禮記》. ④길 수 길이가 긺. '一短'. '一廣'. '陜而一曲曰樓'《爾雅》. ⑤어진이 수 옛날의 현인(賢人). '吾法夫前一兮'《楚辭》. ⑥키 수 신장(身長). '鄒忌一八尺有餘'《戰國策》. ⑦성 수 성(姓)의 하나.

字源 篆文 形聲. 彡+攸〔音〕. '攸유'는 사람의 등 뒤에서 물을 끼얹어 씻다의 뜻. 깨끗이 씻어 꾸미다의 뜻에서 '닦다'의 뜻을 나타냄. 또, '攸'와 통하여, '길다'의 뜻도 나타냄.

[修改 수개] 다스리어 고침. 고치어 다스림.
[修裾 수거] 긴 옷자락.
[修潔 수결] 수양하여 결백함.
[修廣 수광] 길고 넓음.
[修交 수교] 나라와 나라 사이에 교제(交際)를 맺음.
[修構 수구] 손질함.
[修衢 수구] 긴 거리.
[修女 수녀] 천주교(天主教)에서 독신(獨身)으로 수도(修道)하는 여자.
[修多羅 수다라] 《佛敎》 경전(經典).
[修短 수단] 긺과 짧음. 장단(長短).
[修道 수도] 도(道)를 닦음.
[修得 수득] 닦아 몸에 지님.
[修羅 수라] 《佛敎》 아수라(阿修羅)의 준말.
[修羅道 수라도] 《佛敎》 '수라(修羅)'와 같음. 전(轉)하여, 투쟁·전란의 장소.
[修羅場 수라장] ㉠아수라(阿修羅)와 제석(帝釋)이 싸우는 전장(戰場). ㉡여러 사람이 모이어 떠드는 곳. 뒤범벅이 되어 야단이 난 곳.
[修煉 수련] ㉠도가(道家)의 도를 닦아 선술(仙術)을 익힘. ㉡신약(神藥)·선단(仙丹)을 고아 만듦.
[修練 수련] 학문이나 정신을 닦아서 단련(鍛鍊)

[修齡 수령] 장수(長壽).
[修櫓 수로] 높은 망루(望樓).
[修了 수료] 규정의 과업을 다 배움.
[修理 수리] 허름한 데를 고침.
[修廡 수무] 긴 행랑(行廊).
[修眉 수미] 긴 눈썹.
[修敏 수민] 행동이 바르고 민첩함.
[修法 수법] 법을 닦음.
[修補 수보] 고치고 기움.
[修復 수복] 수리(修理).
[修士 수사] ㉠조행(操行)이 순결한 사람. ㉡천주교(天主教)에서 독신(獨身)으로 수도(修道)하는 남자.
[修史 수사] 역사(歷史)를 편수(編修)함.
[修辭 수사] 말을 다듬어서 뜻을 똑똑하고 아름답고 힘있게 함.
[修尙 수상] 몸을 닦고 뜻을 고상하게 함.
[修禪 수선] 《佛教》 선정(禪定)을 수행(修行)함.
[修繕 수선] 낡은 물건을 고침.
[修省 수성] 자기의 몸을 반성하여 수양함.
[修袖 수수] 긴 소매.
[修修 수수] ㉠정돈된 모양. ㉡긴 모양.
[修述 수술] 닦아 계술(繼述)함.
[修飾 수식] ㉠치레를 함. 정돈하여 꾸밈. 장식함. ㉡문법에서, 체언·용언에 종속하여 그 뜻을 꾸밈.
[修飾邊幅 수식변폭] 겉을 꾸밈. 외관(外觀)을 꾸밈. '변폭(邊幅)'은 포백(布帛)의 가장자리로서 '외모(外貌)·외관(外觀)'의 뜻.
[修身 수신] 자신의 몸을 닦아 성행(性行)을 바르게 가짐.
[修愼 수신] 닦고 삼감.
[修身齊家 수신제가] 몸을 닦고 집안을 정제(整齊)함.
[修夜 수야] 긴 밤.
[修養 수양] 품성(品性)과 지덕(智德)을 닦음.
[修業 수업] 학업 또는 예술을 닦음.
[修營 수영] 수선하고 건축함.
[修怨 수원] 원한의 앙갚음을 함.
[修遠 수원] 길고 멂.
[修偉 수위] 키가 크고 체격이 좋음.
[修因 수인] 《佛教》 선인(善因)을 닦음.
[修人事 수인사] ㉠일상(日常)의 예절(禮節). ㉡인사(人事)를 닦음.
[修粧 수장] 집이나 기구들을 손질하고 단장함.
[修正 수정] ㉠수양하여 바르게 함. 또, 수양이 되어 바름. ㉡바르게 고침.
[修程 수정] 긴 길.
[修整 수정] 고치어 정돈(整頓)함.
[修除 수제] ㉠소제함. ㉡긴 계단.
[修造 수조] 수선하거나 제조함.
[修竹 수죽] 긴 대나무.
[修葺 수즙] 집을 손질하고 지붕을 새로 이음.
[修增 수증] 수리하여 넓힘.
[修撰 수찬] 서책(書冊)을 편집(編輯)하여 찬술(撰述)함. 또, 그 벼슬.
[修築 수축] 방축 같은 것을 고쳐 쌓음.
[修治 수치] 수리함.
[修敕 수칙] 닦고 경계함.
[修飭 수칙] 몸을 닦고 언행을 삼감.
[修學 수학] 학업(學業)을 닦음. 또, 그 학업.
[修項 수항] 긴 목.
[修行 수행] ㉠익혀 닦음. 닦아 행함. ㉡《佛教》 불법(佛法)을 닦음.
[修革 수혁] 다스리어 고침.
[修迥 수형] 길고 멂. 수원(修遠).
[修好 수호] 나라와 나라 사이에 우의를 돈독히 「함.
[修和 수화] 다스리어 화락하게 함.
◉監修. 改修. 潔修. 謹修. 同修. 補修. 復修. 繕修. 束修. 修修. 逆修. 靈修. 帷薄修. 聿修. 自修. 前修. 靜修. 彫修. 肇修. 進修. 追修. 退修. 編修.

8 ⑩ [俯] 人名 부 ㊤麌 方矩切 fǔ

字解 ①숙일 부 머리를 숙임. 또, 구부림. '仰'의 대. '一仰' '仰不愧於天, 一不怍於人'《孟子》. '一而納屨'《禮記》. ②누울 부 드러누움. '三一三起'《荀子》. ③숨을 부 잠복함. 복장(伏藏)함. '蟄蟲咸一'《呂氏春秋》.

字源 形聲. 亻(人)+府〔音〕. '府부'는 '俛부'와 통하여 '숙임, '굽어보다'의 뜻. 사람이 고개를 수그리다, 구부리다, 엎드리다의 뜻을 나타냄.

[俯瞰 부감] 굽어봄. 아래를 내려다봄.
[俯觀 부관] 아래를 굽어봄.
[俯傴 부구] ㉠몸을 굽힘. ㉡절을 함.
[俯窺 부규] 고개를 숙이고 엿봄.
[俯覽 부람] 굽어봄.
[俯聆 부령] 고개를 숙이고 들음.
[俯拜 부배] 부복하여 절을 함.
[俯步 부보] 몸을 앞으로 숙이고 걸음.
[俯伏 부복] 고개를 숙이고 엎드림.
[俯首 부수] 고개를 숙임. 부수(俛首).
[俯視 부시] 굽어봄.
[俯仰 부앙] ㉠고개를 숙임과 쳐듦. ㉡남이 하는 대로 따라 하여 조금도 거역하지 아니함. ㉢기거동작(起居動作). 좌작진퇴(坐作進退).
[俯仰不愧天地 부앙불괴천지] 양심에 가책을 느끼는 일이 없어 천지에 대하여 조금도 부끄럽지 아니함.
[俯養 부양] 처자(妻子)를 양육함.
[俯察 부찰] 몸을 굽혀 잘 살펴봄.
[俯蹐 부척] 몸을 굽히고 발끝으로 걸음. 곧, 황송하여 조심조심 걸음.
[俯就 부취] ㉠자기를 굽혀 남을 따름. ㉡아랫사람의 의견에 따름.
[俯項 부항] 고개를 숙임.
◉拜俯. 卑俯. 畏俯. 陰俯.

8 ⑩ [俱] 高人 구 ㊥虞 擧朱切 jū, jù

筆順 亻 亻 伄 伹 伹 俱 俱 俱

字解 ①다 구, 함께 구 모두. '父母一存'《孟子》. ②갖출 구 구비함. '兩馬一豎子一'《孔子世家》. ③동반할 구 함께 감. '儀與之一'《戰國策》. ④널리 구 두루 널리 미침. '一, 亦徧之意也'《左傳》. ⑤같을 구 '年往志不一'《顏延之》. ⑥성 구 성(姓)의 하나.

字源 篆文 形聲. 亻(人)+具〔音〕. '具구'는 여러 사람이 모두 갖추다의 뜻. '人'을 덧붙여, 주로 '모두·함께'의 뜻을 나타냄.

[俱梨迦羅 구리가라] 범어(梵語)의 kṛkara의 음

역(音譯). 흑룡(黑龍)이 검(劍)을 휘감은 형상을 한 부동명왕(不動明王)의 변화신(變化神).

[俱發 구발] 함께 발생함.

[俱舍宗 구사종]《佛敎》 팔종(八宗)의 하나로 구사론(俱舍論)에 의거하는 소승교(小乘敎). 구사(俱舍)는 범어(梵語) kosá의 음역(音譯)으로, 일체의 지식을 포유(包有)한다는 뜻.

[俱生神 구생신]《佛敎》 사람의 좌우(左右)의 어깨 위에 있어서 행동의 선악(善惡)을 감시하는 남녀(男女)의 신(神). 남신(男神)은 동명(同名)이라 하여 왼쪽에서 선업(善業)을, 여신(女神)은 동생(同生)이라 하여 오른쪽에서 악업(惡業)을 기록한다 함.

[俱存 구존] 부모가 다 살아 계심.

8 ⑩ **[倻]** 아 [去]禡 衣嫁切 yà

[字解] ①의지할 아, 치우칠 아 '一, 倚也'《玉篇》. ②거만할 아 오만함. '一, 傲也'《集韻》.

8 ⑩ **[俳]** [人名] 배 ①-④[平]佳 步皆切 pái ⑤[平]灰 蒲枚切 pái

[字解] ①광대 배 배우. '一優侏儒戲於前'《孔子家語》. ②익살 배 골계(滑稽). '爲賦迺一'《漢書》. ③스러질 배 폐지됨. '爲痱一'《素問》. ④성 배 성(姓)의 하나. ⑤노닐 배 徘(彳部 八畫)와 同字. '坐一而歌謠'《淮南子》.

[字源] 篆文 形聲. 亻(人)+非〔音〕. '非비'는 '어그러지다'의 뜻. 상식에 어긋나는 야릇한 행동을 하는 익살맞은 짓의 뜻을 나타냄.

[俳歌 배가] 광대가 춤추면서 부르는 노래.

[俳優 배우] 연극·영화 등에서 극중 인물로 분(扮)하여 연기하는 사람.

[俳唱 배창] 배우(俳優).

[俳體 배체] 유희적(遊戲的) 색채를 띤 시문(詩文).

[俳謔 배학] 농담. 희학(戲謔).

[俳諧 배해] 재미있거나 우스운 문구(文句).

[俳佪 배회] 목적 없이 이리저리 거닒. 배회(徘徊).

[俳詼 배회] 해학(諧謔).

◉優俳. 坐俳. 唱俳. 詼俳.

8 ⑩ **[俵]** [人名] 표 [去]嘯 方廟切 biào(biǎo)

[字解] ①나누어줄 표 분여(分與)함. '一, 分與也'《集韻》. ②흩을 표 흩음. 또, 흩어짐. '一散也'《玉篇》.

[字源] 形聲. 亻(人)+表〔音〕. '表표'는 '剝박'과 통하여, '벗기다'의 뜻. 어떤 사람에게서 무엇을 박탈하여 다른 사람에게 나누어 주다의 뜻을 나타냄.

[俵分 표분] 이등분(二等分)함. 절반씩 가름.

[俵散法 표산법] 식염(食鹽)을 각호(各戶)에 나누어 주는 법. 오대(五代)의 후당(後唐) 이래 행하여졌는데, 그 폐해가 심하여졌으므로 송(宋)나라 태조(太祖)때 고쳤음.

[俵子 표자] 장례(葬禮)나 금기(禁忌) 따위가 있을 때 중인(衆人)에게 베풀어 주는 상환권(相換券).

8 ⑩ **[俴]** 천 [上]銑 慈演切 jiàn 卽淺切

[字解] ①얕을 천, 엷을 천 淺(水部 八畫)과 同字. '一駟孔羣'《詩經》. ②맨몸 천 몸에 갑옷을 입지 않음. '一, 謂無甲單衣者'《管子 注》.

[字源] 篆文 形聲. 亻(人)+戔〔音〕. '戔전'은 '얇다, 잘다'의 뜻. '淺천'과 통하여, '얕다'의 뜻을 나타냄.

8 ⑩ **[俶]** [一] 숙 [入]屋 昌六切 chù [二] 척 [入]錫 他歷切 tì

[字解] [一] ①비로소 숙 처음. 시작함. '一始'. '一獻'. '一擾天紀'《書經》. ②지을 숙 처음 함. '有一其城'《詩經》. ③정돈할 숙 가지런히 하여 바로잡음. '簡元辰而一裝'《張衡》. ④착할 숙 '令終有一'《詩經》. [二] 기재있을 척, 뛰어날 척 倜(人部 八畫)과 통용. '好奇偉一儻之畫策'《史記》. '一, 一儻, 卓異也'《集韻》.

[字源] 金文 篆文 形聲. 亻(人)+叔〔音〕. '叔숙'은 '마음 아파하다, 애도하다'의 뜻. 남의 불행을 마음 아파할 수 있는 사람에서, '착하다, 인정 많다'의 뜻을 나타냄.

[俶裝 숙장] 채비를 차림.

[俶獻 숙헌] 처음으로 드림.

[俶儻 척당] 뜻이 크고 재주가 뛰어남. 발군(拔羣)함.

8 ⑩ **[俺]** [人名] [一] 암 [去]陷 安敢切 ǎn [二] 엄 [去]豔 於驗切 yàn

[筆順] 亻 仁 什 佧 佮 俺 俺 俺

[字解] [一] 나 암 자기(自己). [二] ①나 엄 [一]과 뜻이 같음. ②클 엄 '一, 大也'《說文》. ※'엄' 음은 인명자로 쓰임.

[字源] 篆文 形聲. 亻(人)+奄〔音〕. '奄엄'은 '크게 뻗다'의 뜻. 사람이 크게 뻗어 커지다의 뜻으로, '크다'의 뜻을 나타냄. 또, 북방(北方)의 속어(俗語)에서, 제1인칭이 '나'의 뜻을 나타냄.

8 ⑩ **[俾]** 비 ①②[上]紙 并弭切 bǐ ③[去]寘 毗至切 bì ④[去]霽 匹計切 pì

[字解] ①하여금 비 시킴. …로 하여금 …하게 함. '一晝作夜'《詩經》. ②좇을 비 따름. 복종함. '罔不率一'《書經》. ③가까울 비 比(部首)와 통용. '比, 近也. 或作一'《集韻》. ④흘길 비 노려봄. 睥(目部 八畫)와 통용. '侯生下, 見其客朱亥, 一倪. 故久立'《史記》.

[字源] 金文 篆文 形聲. 亻(人)+卑〔音〕. '卑비'는 '낮다'의 뜻. 신분이 낮은 사람, 비복(婢僕)의 뜻을 나타냄. 가차(假借)하여, 사역(使役)의 조사(助辭)로 쓰임. 또 전(轉)하여, '돕다, 유익하다'의 뜻도 나타냄.

[俾倪 비예] ㉠눈을 흘김. ㉡수레에 세우는 일산(日傘).

[俾益 비익] 보탬이 됨. 도움. 유익함. 비익(裨益).

◉率俾.

8 ⑩ **[俿]** 채 [平]支 直離切 chí

[字解] 바퀴 채 차륜(車輪). '車槷其一, 馬攦其蹄, 止貞'《太玄經》.

8 ⑩ [倀] 창 [平]陽 褚羊切 chāng / [平]庚 除庚切 伥

[字解] ①갈팡질팡할 창 미친 듯이 갈팡질팡하며 걷는 모양. '——乎其何之'《禮記》. ②창귀 창 범의 앞장을 서서 먹을 것을 찾아 준다는 못된 귀신. '—可謂鬼之愚者也'《聽雨記談》. ③쓰러질 창 넘어짐. '—, 一曰, 仆也'《說文》. ④홀로 설 창 '—, 獨立皃'《集韻》.
[字源] [篆文] 形聲. 亻(人)+長〔音〕.

[倀倀 창창] 장님이 길을 이끌어 주는 길라잡이를 놓치고 길을 잃은 채 갈팡질팡하는 모양.

8 ⑩ [倂] [人名] 병 [去]敬 畀政切 bìng, ③bǐng

[筆順] 亻 亻' 仁 仟 伻 倂 倂 倂
[字解] ①나란히할 병 들쭉날쭉하지 않고 가지런히 줄을 지음. '—進'. '行肩而不—'《禮記》. ②다툴 병 경쟁함. '—起'. '與公—倨'《漢書》. ③물리칠 병 屛(尸部 八畫)과 同字. '—己之私欲必以道'《荀子》. ④아우를 병 합함. '—呑'. '合—'. '爲魯所—'《趙岐》.
[字源] [篆文] 形聲. 亻(人)+幷〔音〕. '幷병'은 '나란히 하다, 아우르다'의 뜻. '人'을 덧붙여, 사람이 늘어서다, 사람을 어우르다의 뜻을 나타냄.
[參考] 併(人部 六畫)은 俗字.

[倂倨 병거] 서로 대항하여 조금도 굽히지 아니함.
[倂肩 병견] 어깨를 나란히 함. 비견(比肩).
[倂科 병과] 아울러 과(科)함.
[倂起 병기] 앞을 다투어 봉기(蜂起)함.
[倂略 병략] 병탄(倂呑).
[倂發 병발] 동시에 일어남. 겹쳐 발생함.
[倂設 병설] 함께 설치(設置)함.
[倂用 병용] 같이 씀. 함께 씀.
[倂有 병유] 합쳐 가짐. 아울러 가짐.
[倂進 병진] 같이 나감. 나란히 나감.
[倂置 병치] 함께 둠.
[倂稱 병칭] ㉠함께 합쳐 부름. ㉡함께 아울러 칭찬함.
[倂呑 병탄] 아울러 삼킴. 남의 것을 모두 빼앗아 합쳐 자기 것으로 삼음.
[倂合 병합] 둘 이상을 합하여 하나로 만듦. 합병함.
[倂行 병행] 두 가지 일을 한꺼번에 치름.
◉兼倂. 呑倂. 合倂.

8 ⑩ [俸] [人名] 봉 ①[去]宋 扶用切 fèng / ②[上]董 邊孔切 běng

[筆順] 亻 仁 仨 佳 侇 侟 俸 俸
[字解] ①녹 봉 관록(官祿). 봉급(俸給). '—給'. '小史勤事而—薄'《漢書》. ②작을 봉 잘고 보이지 않는 모양. '—, 倂—, 小皃. 一曰, 密不見'《集韻》.
[字源] 形聲. 亻(人)+奉〔音〕. '奉봉'은 양손으로 받드는 뜻. 사람이 공손히 받는 것, '녹(祿)'의 뜻을 나타냄.

[俸絹 봉견] 봉록(俸祿)으로서 내리는 비단.
[俸給 봉급] 직무(職務)에 대한 보수로서 주는 급료.
[俸祿 봉록] 봉질(俸秩).
[俸廩 봉름] 관리(官吏)에게 봉급으로 주는 미곡.
[俸米 봉미] 봉름(俸廩).
[俸餘 봉여] 봉급을 쓰고 난 나머지.
[俸銀 봉은] 봉전(俸錢).
[俸錢 봉전] 봉급으로 주는 돈.
[俸秩 봉질] 예전에 직무(職務)에 대해서 급여된 쌀 또는 금전(金錢). 봉록(俸祿). 녹봉(祿俸).
◉加俸. 減俸. 公俸. 給俸. 祿俸. 廩俸. 薄俸. 班俸. 罰俸. 本俸. 分俸. 常俸. 續俸. 年俸. 料俸. 月俸. 日俸. 增俸. 秩俸. 推俸. 學俸. 厚俸.

8 ⑩ [倅] [一] 쉬 [去]隊 七內切 cuì / [二] 졸 [入]月 臧沒切 zú

[字解] [一] ①버금 쉬 부이(副貳). '—貳'. '—車之政'《周禮》. ②찰 쉬 '—, 盈也'《廣雅》. ③아들 쉬 아직 벼슬을 하지 아니한 아들. '國子存遊—'《周禮》. ④《韓》원 쉬 고을의 장관. [二] ①백사람 졸 백 사람 한 조(組)의 군사. 卒(十部 六畫)과 同字. '—, 百人爲—'《廣韻》. ②갑자기 졸 돌연. 卒(十部 六畫)과 同字. '—然斷之'《墨子》.
[字源] [篆文] 形聲. 亻(人)+卒〔音〕. '卒졸'은 신분이 낮은 병졸이나 노복(奴僕)의 뜻. 사람 곁에서 일을 거드는 하인의 뜻을 나타냄. 또, '突돌'과 통하여, '갑자기'의 뜻.

[倅車 쉬거] 거가(車駕)에 여벌로 따라가는 수레. 부거(副車).
[倅馬 쉬마] 거가(車駕)에 여벌로 따라가는 말. 부마(副馬).
[倅貳 쉬이] 부관(副官).
◉郡倅. 副倅. 守倅. 遊倅.

8 ⑩ [倆] [人名] 량 [上]養 里養切 liǎng, / [去]漾 力仗切 ②liǎ 俩

[筆順] 亻 仃 们 俪 俩 倆 倆 倆
[字解] ①재주 량 기술상의 재능. 솜씨. 기능(技能). '技—'. '天狐伎—本無多'《陸游》. ②둘 량 두 사람. 둘로 한 쌍을 이루는 것. 兩(入部 六畫)과 同字.
[字源] 形聲. 亻(人)+兩〔音〕. '兩량'은 천칭(天秤)으로 무게를 다는 뜻. 자잘한 것을 계량(計量)하는 솜씨가 있는 사람·수완의 뜻을 나타냄. 또, '兩'은 '둘'의 뜻으로, '人'을 붙여 두 사람 한 쌍의 뜻도 나타냄.

◉伎倆. 技倆.

8 ⑩ [個] [中人] 개 [去]箇 古賀切 gè, gě 个

[筆順] 亻 们 们 們 們 個 個 個
[字解] ①낱 개 하나. 한 사람. 箇(竹部 八畫)와 同字. '—人'. ②한쪽 개 한편. '—, 偏也'《廣韻》. ③강의(強意) 개 부사(副詞)의 뜻을 강조하는 조자(助字). '老翁眞—似兒童'《韓愈》.
[字源] 形聲. 亻(人)+固〔音〕. '固고'는 '굳다, 단단하다'의 뜻. 하나의 독립성이 굳은 사람.

한 사람의 뜻을 나타냄.

[個個 개개] 낱낱. 하나하나.
[個別 개별] 하나하나. 낱낱이 나눔.
[個性 개성] 개인(個人)이나 개체(個體)의 타고난 특성(特性).
[個所 개소] 군데.
[個人 개인] 국가·사회를 조직하는 낱낱의 사람.
[個人主義 개인주의] 개인의 권위와 자유를 중히 여기어, 개인을 기초로 하여 일체의 행동을 규정하려고 하는 윤리주의(倫理主義).
[個體 개체] 낱낱의 물체(物體).
◉各個. 每個. 別個. 一個. 這個. 好個.

8 ⑩ [倌] 관 ㊥寒 古丸切 guān ㊦諫 古患切

字解 ①수레맡은벼슬아치 관 임금이 타는 수레를 맡은 지위가 낮은 신하. '命彼一人, 星言夙駕'《詩經》. ②벼슬 관 官(宀部 五畫)과 통용. ③《現》 기생 관 기녀(妓女).
字源 篆文 形聲. 亻(人)+官〔音〕. '官관'은 부하로 데리고 있는 사람의 뜻. 신분이 낮은 '노복(奴僕)·소신(小臣)'의 뜻을 나타냄.

[倌人 관인] 거마(車馬)를 맡은, 지위가 낮은 신하.

8 ⑩ [倍] 高人 배 ㊤賄 薄亥切 bèi

筆順 亻 亻 亻 亻 倍 倍 倍 倍

字解 ①곱 배 갑절. '加一一'. '近利市三一'《易經》. ②곱할 배 갑절함. '一數'. '奴價一婢'《世說》. ③더할 배 증가시킴. '焉用亡鄭以一隣'《左傳》. ④배반할 배 배신하여 반역함. 등지고 돌아섬. '民不一'《禮記》. ⑤비속할 배 속되고 천함. '斯遠鄙一矣'《論語》. ⑥윌 배 암송함. '讀書一文'《韓愈》. ⑦더욱 배 한층 더. '今來一歎傷'《溫庭筠》.
字源 篆文 形聲. 亻(人)+咅〔音〕. '咅부'는 '背배'와 통하여, 등을 돌려 떠나다의 뜻. 논어(論語) 태백(泰伯)의 '出辭氣斯遠鄙一'의 '倍'는 '도리에 어그러지다'의 뜻. 또, 문자(文字)에 등을 돌리다, 외다의 뜻. 또, 하나의 것이 둘로 떨어져 나가다의 뜻에서, '배가(倍加)'의 뜻 따위를 나타냄.

[倍加 배가] 갑절을 더함.
[倍舊 배구] 구래(舊來)에 갑절됨. 이제까지의 이상으로 정도를 늘림.
[倍多 배다] 불어 많아짐. 또, 불려 많게 함.
[倍德 배덕] 은덕(恩德)을 배반함. 또, 덕행(德行)에 어긋난 행동을 함.
[倍道兼行 배도겸행] 이틀 걸을 길을 하루에 걸음.
[倍反 배반] 배신(背信)하여 반역함.
[倍俸 배봉] 봉급을 두 배(倍)로 함.
[倍蓰 배사] 여러 갑절. 수배(數倍). '사(蓰)'는 다섯 갑절.
[倍償 배상] 배로 하여 갚음. 배로 변상(辨償)함.
[倍灑 배쇄] 배사(倍蓰).
[倍數 배수] 갑절이 되는 수.
[倍勝 배승] 갑절이나 나음.
[倍日 배일] 주야(晝夜)를 쉬지 않고 속행(續行)함.
[倍日幷行 배일병행] 이틀 갈 길을 밤낮으로 쉬지 않고 하루에 감. 주야겸행(晝夜兼行)함.
[倍增 배증] 갑절로 늚.
[倍徵 배징] 정(定)한 액수(額數)의 갑절을 징수(徵收)함.
[倍稱之息 배칭지식] 아주 비싼 이자. 이자가 원금(元金)의 갑절이 됨을 배(倍)라 하고, 이자가 원금과 같음을 칭(稱)이라 함.
◉加一倍. 兼倍. 過倍. 累倍. 萬倍. 百倍. 鄙倍. 事半功倍. 數倍. 十倍. 利倍. 一粒萬倍. 增倍. 懸倍.

8 ⑩ [倕] 수 ①②㊥支 是爲切 chuí ③㊦寘 馳僞切 zhuì

字解 ①무거울 수 '一, 重也'《玉篇》. ②사람이름 수 고대 황제(黃帝) 때의 교인(巧人). '一, 黃帝時巧人名'《集韻》. ③가라앉힐 수 진정함. 硾(石部 八畫)와 同字. '硾, 鎭也. 或作一'《集韻》.
字源 形聲. 亻(人)+垂〔音〕

8 ⑩ [傷] 이 ㊦寘 以豉切 yì

字解 ①가벼이여길 이, 업신여길 이 경멸(輕蔑)함. '一, 相輕慢也'《廣韻》. ②바꿀 이 易(日部 四畫)과 뜻이 같음. '一, 一曰, 交一'《說文》.
字源 篆文 形聲. 亻(人)+易〔音〕. 업신여겨 가벼이 봄의 뜻을 나타냄. 또, '易역'과 통하여, '바꾸다'의 뜻을 나타냄.

8 ⑩ [們] 人名 문 ㊥元 莫奔切 mén ㊦願 莫困切 mèn

字解 ①들 문 주로 속어(俗語)에서, 인칭 대명사(人稱代名詞)에 첨가하여 복수(複數)를 나타내는 말. '我一'. '他一'. ②살진 문 비만(肥滿)한 모양. '一, 一渾, 肥滿皃'《集韻》.
字源 形聲. 亻(人)+門〔音〕

◉我們. 俺們. 爾們. 他們.

8 ⑩ [倒] 高人 도 ①㊤晧 都皓切 dǎo ②③㊦號 都導切 dào

筆順 亻 亻 亻 亻 倅 倅 倒 倒

字解 ①넘어질 도, 넘어뜨릴 도 쓰러짐. 엎드러짐. 엎드러지게 함. '一死'. '卒一'. '發卽應弦而一'《漢書》. ②거꾸로될 도, 거꾸로할 도 상하 전후의 위치가 반대로 됨. '一懸'. '顚一'. '顚之一之, 自公召之'《詩經》. ③거슬릴 도 마음에 거슬림. '至言忤于耳而一于心'《韓非子》.
字源 篆文 形聲. 亻(人)+到〔音〕. '到도'는 '兆조'와 통하여, '튀겨져 터지다'의 뜻. 사람이 튕겨지듯이 쓰러지다, 나가둥그러지다, 거꾸로 박히다의 뜻을 나타냄.

[倒傾 도경] 쓰러져 기울어짐. 또, 쓰러뜨려 기울게 함.
[倒戈 도과] 부하 병졸이 적군(敵軍) 편으로 돌아섬.
[倒壞 도괴] 무너짐. 또, 무너뜨림.
[倒句 도구] 문세(文勢)를 강하게 하기 위하여 위치를 거꾸로 하여 놓는 구(句).

[倒困 도균] 곳집의 곡식을 다 내놓음. 전(轉)하여, 가진 물건을 다 내놓음. 경균(傾困).
[倒流 도류] 거슬러 흐름. 역류(逆流).
[倒死 도사] 넘어져 죽음.
[倒屣 도사] 급히 마중 나가느라고 신을 거꾸로 신는다는 뜻으로, 반가운 손님을 영접함을 이름.
[倒産 도산] ㉠재산을 모두 써 버림. 파산함. ㉡해산(解産)할 때에 아이의 발이 먼저 나오는 일.
[倒生 도생] 거꾸로 사는 것. 곧, 초목.
[倒垂 도수] 거꾸로 드리움.
[倒景 도영] ㉠해나 달이 지평선 아래에서 위로 비쳐 반사함. ㉡거꾸로 비치는 그림자. ㉢저녁 때의 해.
[倒影 도영] 거꾸로 비친 그림자.
[倒曳 도예] 거꾸로 끎.
[倒蘸 도잠] 그림자를 거꾸로 수면에 비춤. '蘸'은 '잠그다'의 뜻으로, 물 위에 그림자를 비추는 일.
[倒葬 도장] 자손을 부조(父祖)의 묘지(墓地)의 윗자리에 장사(葬事) 지냄.
[倒載干戈 도재간과] 간과(干戈)를 뒤쪽으로 향하게 하여 수레에 싣는다는 뜻으로, 전쟁을 그만둠을 이름. 옛날에 무기를 수레에 싣는데 출정(出征)할 때에는 앞으로 향하게 하여 싣고, 개선(凱旋)할 때에는 뒤로 향하게 하여 실었음.
[倒顚 도전] 거꾸로 함. 또, 뒤집음.
[倒躓 도질] 무엇에 걸려 넘어짐.
[倒錯 도착] 상하가 전도(顚倒)하여 뒤섞임.
[倒置 도치] ㉠거꾸로 둠. ㉡본말(本末)을 전도함.
[倒置干戈 도치간과] 무기(武器)를 거꾸로 하여 둔다는 뜻으로, 세상이 태평 무사(太平無事)함을 이름.
[倒橐 도탁] 자루를 거꾸로 듦. 자루를 텂. 곧, 가지고 있는 돈을 다 내놓음.
[倒行逆施 도행역시] 거꾸로 행하고 거슬러 시행함. 곧, 도리(道理)에 순종하지 않고 일을 행함. 상도(常道)를 벗어남. 일을 억지로 함.
[倒懸 도현] ㉠거꾸로 매닮. 또, 거꾸로 매달림. ㉡대단히 괴로워함. 위급한 처지에 처함. 또, 비상한 괴로움.
[倒懸之急 도현지급] 엄청난 곤란. 절박한 고난.
[倒婚 도혼] 형제자매(兄弟姊妹) 중에서 나이 적은 자가 먼저 혼인(婚姻)을 함. 역혼(逆婚).
◉傾倒. 驚倒. 蹶倒. 罵倒. 排倒. 飜倒. 壓倒. 王山倒. 潦倒. 殞倒. 欹倒. 躍倒. 轉倒. 顚倒. 絶倒. 卒倒. 推倒. 醉倒. 七轉八倒. 打倒. 昏倒. 廻狂瀾旣倒.

8 ⑩ [倔] 굴 ㉧物 衢物切 jué, juè

字解 ①굳셀 굴 마음이 굳셈. 고집이 셈. '一強猶昔'《宋史》. ②일어날 굴 일으킴. '一起什伯之中'《史記》.
字源 形聲. 亻(人)+屈〔音〕. '屈굴'은 '굽히다'의 뜻. 사람이 몸을 굽힌 자세에서 일어나는 모양을 나타내며, 전(轉)하여, '굳세다'의 뜻도 나타냄.

[倔強 굴강] 고집이 세어 남에게 굴하지 아니함.
[倔彊 굴강] 굴강(屈強).

8 ⑩ [倖] 人名 행 ㊤梗 胡耿切 xìng

字解 ①다행 행, 요행 행 幸(干部 五畫)과 同字. '一祿'. '識者譏過其一'《後漢書》. ②괼 행 총애함. '素餐私一, 必加榮擢'《後漢書》. 또, 총애를 받는 사람. '政移五一'《後漢書》. ③아첨할 행 또, 그 신하(臣下). 영신(佞臣). '恐同類之內, 皆生一心'《白居易》.
字源 形聲. 亻(人)+幸〔音〕. '幸행'은 '행복'의 뜻. '人'을 붙여, 뜻하지 않은 행복의 뜻을 나타냄. 또, '幸'에는 특별히 사랑하다의 뜻이 있어, '人'을 붙임으로써, 사랑받기 위해 유별나게 굴다, 아첨하다의 뜻을 나타냄.

[倖曲 행곡] 바르지 않고 비뚤어짐.
[倖濫 행람] 요행을 바라고 상도(常道)를 벗어남.
[倖祿 행록] 요행(僥倖).
[倖利 행리] 요행(僥倖).
[倖望 행망] 요행을 바람.
[倖免 행면] 요행하게 면(免)함.
[倖門 행문] 요행의 문.
[倖脫 행탈] 행면(倖免).
[倖嬖 행폐] 임금의 사랑을 받는 여자.
◉姦倖. 薄倖. 私倖. 射倖. 佞倖. 僥倖. 徼倖. 恩倖. 嬖倖.

8 ⑩ [倸] 〔엽〕 偞(人部 九畫〈p.164〉)과 同字

8 ⑩ [候] 高人 후 ㊦有 胡遘切 hòu

筆順 亻 亻 亻 亻 亻 亻 侯 候

字解 ①물을 후 방문하여 안부를 물음. '一問'. '上臨一禹'《漢書》. ②기다릴 후 오는 것을 기다림. 영접(迎接)함. '稚子一門'《陶潛》. ③염탐할 후, 망볼 후 동정을 살핌. '伺一'. '武王使人一殷'《呂氏春秋》. ④염탐꾼 후, 망꾼 후 '斥一'. '得賊羅一'《魏志》. ⑤점칠 후 길흉을 점쳐 봄. '占一吉凶'《後漢書》. ⑥볼 후 살핌. 진찰함. '一寒溫'《物理論》. ⑦모양 후 상태. '頃刻異狀一'《韓愈》. ⑧철 후 ㉠1년을 72로 나눈 시기(時期)의 이름. '節一'. '五日一一'《魏書》. ㉡시절(時節) 또는 날씨. '時一'. '氣一'. '節一'. '欲知農桑之一'《宋史》. ⑨조짐 후 전조(前兆). '兆一'. '徵一'. '是風雨之一也'《晉書》. ⑩성 후 성(姓)의 하나.
字源 篆文 形聲. 亻(人)+矦(侯)〔音〕. '矦후'는 '문안하다'의 뜻. '矦'가 과녁, 제후(諸侯)의 뜻으로 쓰이게 되어, '人'을 덧붙여 구별하여, '안부를 묻다, 문안하다'의 뜻을 나타냄.

[候官 후관] ㉠빈객의 송영(送迎)을 맡은 벼슬아치. ㉡척후(斥候)의 일을 맡은 벼슬아치. ㉢점(占)을 맡은 벼슬아치.
[候館 후관] 망루(望樓). 후루(候樓).
[候騎 후기] 척후(斥候) 노릇을 하는 기병(騎兵).
[候邏 후라] 정찰(偵察)하는 군사. 척후병(斥候兵).
[候樓 후루] 망루(望樓).
[候吏 후리] 척후(斥候) 노릇을 하는 관원(官員).
[候問 후문] 방문하여 안부를 물음. 후사(候伺). 후시(候視).
[候補 후보] 어떠한 벼슬·직무(職務)·지위(地位)·

운동선수(運動選手) 등에 결원(缺員)이 있을 때에 그 자리에 나아갈 만한 자격(資格)이 있는 사람.
[候司 후사] 후문(候問).
[候伺 후사] 후문(候問).
[候視 후시] 후문(候問).
[候雁 후안] 기러기.
[候迎 후영] 찾아오는 이와 마중 나오는 이.
[候儀 후의] 천상(天象)을 그린 천문도(天文圖). 혼천의(渾天儀).
[候人 후인] ㉠빈객의 송영(送迎)을 맡은 벼슬아치. 후관(候官). ㉡척후(斥候).
[候者 후자] 적정(敵情)을 염탐하는 사람. 척후.
[候鳥 후조] 계절(季節)에 따라서 오고 가는 새. 제비·기러기 따위. 철새.
[候鐘 후종] 때를 알리는 종. 곧, 시계(時計)를 이름.
[候蟲 후충] 철을 따라 나오는 벌레. 곧, 봄의 나비, 가을의 귀뚜라미 따위.
[候風 후풍] 배가 떠날 때 순풍(順風)을 기다림.
[候詗 후형] 염탐하여 살핌. 또, 군중(軍中)의 척후.
◉間候. 警候. 關候. 闕候. 氣候. 機候. 屯候. 問候. 拜候. 病候. 奉候. 烽候. 伺候. 狀候. 色候. 雪候. 承候. 時候. 視候. 謁候. 迎候. 伍候. 臨候. 刺候. 障候. 狙候. 節候. 占候. 覘候. 偵候. 兆候. 潮候. 存候. 症候. 證候. 祗候. 診候. 徵候. 察候. 參候. 斥候. 天候. 諜候. 測候. 探候. 表候. 風候. 詗候. 火候.

8 ⑩ [倚] [人名] [一] 의 [上]紙 於綺切 yǐ [二] 기 [平]支 居宜切 jī

[筆順] 亻 仁 伕 伕 倚 倚 倚 倚

[字解] [一] ①기댈 의 물체에 의지함. '一子'. '設机而不一'《左傳》. ②믿을 의 믿고 의지함. '一賴'. '一勢陵人'. '容容無所一'《漢書》. ③인할 의 말미암음. 원인이 됨. '一伏', '禍兮福所一, 福兮禍所伏'《老子》. ④기울 의 한쪽으로 기욺. '中立而不一'《中庸》. ⑤맡길 의 마음대로 하게 내버려 둠. '一其所私'《荀子》. ⑥맞출 의 기악(器樂)에 맞추어 노래 부름. '一瑟而歌'《漢書》. ⑦곁 의 옆. '居於一廬'《禮記》. ⑧성 의 성(姓)의 하나. [二] ①기이할 기 奇(大部 五畫)와 통용. '一魁之行'《荀子》. ②병신 기 불구. 畸(田部 八畫)와 통용. '南方有一人焉'《莊子》. ※'의' 음은 인명자로 쓰임.

[字源] 篆文 形聲. 亻(人)+奇〔音〕. '奇기'는 '寄기'와 통하여, '의지하다'의 뜻. 사람이 몸을 기대다의 뜻을 나타냄.

[倚人 기인] 병신. 불구자.
[倚傾 의경] 경사(傾斜)짐.
[倚几 의궤] 안석(案席).
[倚廬 의려] 중문 밖의 한구석에 세운 여막(廬幕).
[倚閭之望 의려지망] 의문지망(倚門之望).
[倚賴 의뢰] '의뢰(依賴)'와 같음.
[倚馬可待 의마가대] 문재(文才)가 뛰어나 글을 빨리 잘 지음을 이름. '의마칠지(倚馬七紙)'를 보라.
[倚馬之才 의마지재] 글을 빨리 잘 짓는 재주. 썩 뛰어난 문재(文才). 칠보재(七步才).
[倚馬七紙 의마칠지] 원호(袁虎)가 말에 기대어 즉시 일곱 장에 걸친 장문(長文)을 초(草)한 고사(故事). 전(轉)하여, 문재(文才)가 뛰어나 글을 민첩(敏捷)하게 지음을 이름.
[倚門之望 의문지망] 어머니가 자녀(子女)의 돌아오는 것을 문에 의지하여 마음을 졸여 가며 기다리는 지극한 애정을 이름.
[倚伏 의복] ㉠원인으로 하여 발생함. ㉡화복(禍福)의 순환(循環). 화복의 인연(因緣).
[倚附 의부] 붙좇음. 의부(依附).
[倚毗 의비] 의장(倚仗).
[倚勢 의세] 세력을 믿음. 떠세함.
[倚恃 의시] 믿고 의지함. 의시(依恃).
[倚愛 의애] 의뢰하여 사랑함.
[倚子 의자] 앉을 때 몸을 기대는 기구. 교의(交「倚).
[倚仗 의장] 의지하고 믿음. 의비(倚毗).
[倚聽 의청] 서서 몰래 들음.
[倚託 의탁] '의탁(依託)'과 같음.
◉傾倚. 眷倚. 磨倚. 攀倚. 傍倚. 毗倚. 邪倚. 徙倚. 隱倚. 依倚. 叢倚. 親倚. 蕩倚. 頹倚. 跛倚. 偏倚.

8 ⑩ [倛] 기 [平]支 丘其切 qī

[字解] 방상시탈 기 구나(驅儺)할 때에 방상시(方相氏)가 쓰는 눈이 넷인 가면(假面). '仲尼之狀, 面如蒙一'《荀子》.

[字源] 形聲. 亻(人)+其〔音〕. '其기'는 '欺기'와 통하여, '속이다'의 뜻. '人'을 붙여, '속이다'의 뜻을 나타냄. 또, '䫏기'와 통하여, 보기 흉한 탈의 뜻도 나타냄.

◉蒙倛.

8 ⑩ [倜] [人名] 척 [入]錫 他歷切 tì

[字解] ①기개있을 척 뜻이 크고 기개가 있어 남에게 구속을 받지 아니함. '一儻'. '一然無所歸宿'《荀子》. ②높이들 척 높이 들거나 올림. '一然乃擧太公於州人而用之'《荀子》. ③뛰어날 척 빼어남.

[字源] 篆文 形聲. 亻(人)+周〔音〕. '周주'는 '두루 미치다'의 뜻. 빈틈없이 뛰어난 사람을 뜻함.

[倜儻 척당] 뜻이 크고 기개(氣槪)가 있음.
[倜儻不羈 척당불기] 뜻이 크고 기개(氣槪)가 있어서 남에게 자유의 구속(拘束)을 받지 아니함.
[倜然 척연] ㉠기개가 있어 남에게 구속당하지 아니하는 모양. ㉡번쩍 드는 모양. 높이 올리는 모양.

8 ⑩ [倞] [人名] [一] 경 [去]敬 渠敬切 jìng [二] 량 [去]漾 力讓切 liàng

[筆順] 亻 亻 仁 佇 佇 倞 倞 倞

[字解] [一] 굳셀 경 '秉心無一'《詩經》. [二] 멀 량 가깝지 않음. '一, 遠也'《集韻》. ※'경' 음은 인명자로 쓰임.

[字源] 篆文 形聲. 亻(人)+京〔音〕. '京경'은 '強강'과 통하여, '굳세다'의 뜻.

◉無倞.

8 ⑩ **[値]** [高人] 치 [去]寘 直吏切 zhí

[筆順] 亻 仁 仁 佇 侑 侑 値 値 値

[字解] ①만날 치 조우(遭遇)함. '一遇'. '一侯景之亂'《南史》. ②당할 치 일정한 시일을 당함. '適一時來還'《陸機》. ③가질 치 쥐어 가짐. '一其鷺羽'《詩經》. ④값 치 물가. 가치. '翡翠鮫鮹何所一'《唐彦謙》.

[字源] [篆文] 形聲. 亻(人)+直〔音〕. '直치'는 '持지'와 통하여, '가지다'의 뜻을 나타냄. 또, '直'는 똑바로 보다의 뜻으로, 사람이 서로 쏘아보다의 뜻에서, '만나다, 당하다'의 뜻을 나타내며, 나아가서 교역(交易)할 때 물건에 맞먹는 '값'의 뜻을 나타냄.

[値遇 치우] ㉠만남. 조우(遭遇)함. ㉡남의 지우(知遇)를 받음.
◉價値. 近似値. 數値. 允値. 絶對値. 遭値. 觸値.

8 ⑩ **[倣]** [高人] 방 [上]養 分网切 fǎng

[筆順] 亻 亻 仂 仿 仿 仿 仿 倣

[字解] 본뜰 방 모방(模倣)함. 仿(人部 四畫)과 同字. '一效'. '學者率模一焉'《宣和書譜》.

[字源] 形聲. 亻(人)+放〔音〕

[倣似 방사] 비슷함.
[倣效 방효] 방효(倣傚).
[倣傚 방효] 모방함.
◉模倣. 慕倣. 寫倣. 依倣. 臨倣.

8 ⑩ **[㑦]** 려 [去]霽 郎計切 lì

[字解] ①성낼 려 성을 냄. '一, 怒'《集韻》. ②어그러질 려 위배함. 戾(戶部 四畫)와 통용.

8 ⑩ **[倢]** 첩 [入]葉 疾葉切 jié

[字解] 빠를 첩 捷(手部 八畫)과 同字. '一, 疾也'《廣雅》.

[字源] [篆文] 形聲. 亻(人)+疌〔音〕. '疌첩'은 '빠르다'의 뜻. 날쌘 사람의 뜻을 나타냄.

[倢伃 첩여] 한(漢)나라 무제(武帝) 때 둔 여관(女官)의 이름.

8 ⑩ **[倡]** [人名] 창 ①-③[平]陽 尺良切 chāng ④[去]漾 尺亮切 chàng

[字解] ①여광대 창 가무(歌舞)·잡희(雜戲). 또, 그것을 하는 여자. 여배우. '孝武李夫人, 本以一進'《漢書》. ②갈보 창 娼(女部 八畫)과 통용. ③미칠 창 猖(犬部 八畫)과 통용. '一狂妄行'《莊子》. ④부를 창 唱(口部 八畫)과 통용. '壹一而三歎'《禮記》.

[字源] [篆文] 形聲. 亻(人)+昌〔音〕. '昌창'은 '唱창'과 통하여, '노래하다'의 뜻. 노래하는 사람의 뜻을 나타냄. 거성(去聲)일 때에는, 노래하여 이끌다의 뜻을 나타냄.

[倡家 창가] 창부(倡婦)의 집. 기생(妓生)의 집.
[倡狂 창광] 미쳐 날뜀. 대단히 미침.
[倡妓 창기] '창기(娼妓)'와 같음.
[倡道 창도] '창도(唱道)'와 같음.
[倡樓 창루] 기루(妓樓). 유곽(遊廓).
[倡婦 창부] '창녀(娼女)'와 같음.
[倡首 창수] 선창(先唱)하는 사람. 수창자(首唱者).
[倡佯 창양] 배회(徘徊)함.
[倡優 창우] 광대.
[倡義 창의] 국난(國難)을 당하여 의병(義兵)을 일으킴.
[倡倡 창창] 빛깔이 몹시 강렬한 모양.
[倡和 창화] 한쪽에서 부르고 한쪽에서 화답함.
◉歌倡. 名倡. 俳倡. 妍倡. 優倡. 天倡.

8 ⑩ **[倃]** [一] 구 [上]有 其九切 jiù [二] 고 [平]豪 古勞切

[字解] [一] 헐뜯을 구 헐어 말함. '一, 毀也'《廣韻》. [二] 헐뜯을 고 [一]과 뜻이 같음.

[字源] 形聲. 亻(人)+咎〔音〕

8 ⑩ **[借]** [中人] 차 [去]禡 子夜切 jiè [入]陌 資昔切

[筆順] 亻 仁 仳 件 件 借 借 借

[字解] ①빌릴 차 ㉠남한테서 빌려 옴. '一用'. '一金'. '一交報仇'《史記》. ㉡빌려 줌. '特以布帆一之'《晉書》. ②가령 차 가설(假設)의 말. 가사(假使). '一曰未知'《詩經》.

[字源] [篆文] 形聲. 亻(人)+昔〔音〕. '昔석'은 '쌓아 포개다'의 뜻. 자력(自力)에다 타력(他力)을 겹치다의 뜻에서, '빌리다'의 뜻을 나타냄.

[借家 차가] ㉠빌려 든 집. ㉡집을 빌려 삶. 또, 그 집.
[借居 차거] 남의 집을 빌려서 삶.
[借見 차견] 남의 서화(書畫) 또는 서책(書冊)을 빌려 봄.
[借款 차관] ㉠차금(借金). ㉡국제간(國際間)의 자금(資金)의 대차(貸借).
[借金 차금] 돈을 꾸어 옴. 또, 그 돈.
[借給 차급] 물건을 빌려 줌.
[借盜鑰 차도약] 도둑에게 열쇠를 빌려 준다는 뜻으로, 도둑에게 편리를 제공함을 이름.
[借得 차득] 남의 물건을 빌려 가짐.
[借覽 차람] 차견(借見).
[借來 차래] 빌려 옴. 꾸어 옴.
[借文 차문] 시문(詩文)의 차작(借作)을 받음. 또, 그 글.
[借問 차문] ㉠시험 삼아 물어봄. 감히 물어봄. ㉡물어봄.
[借手 차수] 내가 할 일을 남의 손을 빌려 함.
[借如 차여] 만약. 만일.
[借與 차여] 차급(借給).
[借用 차용] 물건을 빌리거나 돈을 꾸어서 씀.
[借銀 차은] 차금(借金).
[借賃 차임] 빌려 씀. 또, 그 값. 세.
[借作 차작] 시문(詩文) 등을 남의 손을 빌려 지음. 또, 그러한 시문.
[借財 차재] 차금(借金).
[借賊兵 차적병] 적(賊)에게 병장기(兵仗器)를 빌

려 준다는 뜻으로, 적에게 편리를 제공(提供)함을 이름. 자구병(藉寇兵).
[借助 차조] 도움. 원조(援助).
[借地 차지] 남의 땅을 빌려 가짐. 또, 그 땅.
[借債 차채] 차금(借金).
[借廳入室 차청입실] 남에게 의지하였다가 차차 그 권리(權利)를 침범(侵犯)함을 이르는 말.
[借宅 차택] 차가(借家).
[借筆 차필] 남에게 글씨를 대신 쓰임. 또, 그 글씨.
[借銜 차함]《韓》실제로는 근무(勤務)하지 아니하고 이름만을 빌리는 벼슬.
◉假借. 彊借. 乞借. 貸借. 拜借. 不借. 賃借. 前借. 轉借. 租借.

8 ⑩ [倥] 공 ①㊥東 苦紅切 kōng ②㊤董 康董切 kǒng ③㊦送 苦貢切 kǒng

字解 ①미련할 공 어리석음. '一侗'. ②바쁠 공 분망한 모양. '去來何一傯'《劉基》. ③괴로울 공 고생하는 모양. '愁一傯於山陸'《楚辭》.
字源 形聲. 亻(人)+空〔音〕. '空공'은 '헛되다'의 뜻. 사람의 정신 활동이 없다, 어리석다, 바쁘다의 뜻을 나타냄.

[倥傯 공총] ㉠바쁜 모양. 분망한 모양. ㉡고생하는 모양.
[倥侗 공통] 어리석음.

8 ⑩ [倦] 人名 권 ㊦霰 渠卷切 juàn

字解 ①진력날 권 싫증이 남. '一厭'. ②게으를 권 태만함. '一怠'. '敦行而不一'《禮記》. ③고달플 권 피로함. '一憊'. '致遠復食而不一'《呂氏春秋》. ④걸터앉을 권 걸터앉음. '方一龜殼而食蛤梨'《淮南子》.
字源 篆文 形聲. 亻(人)+卷〔音〕. '卷권'은 사람이 무릎을 오그리는 모양을 본뜸. 사람이 피로하여 무릎을 오그리는 모양에서, '고달프다'의 뜻을 나타냄.

[倦憩 권게] 피로하여 쉼.
[倦極 권극] 몹시 노곤함.
[倦勞 권로] 고달픔. 노곤함.
[倦憊 권비] 고달픔. 노곤함.
[倦厭 권염] 싫증이 남.
[倦游 권유] 유학(游學)에 싫증이 남. 또는, 관리 생활에 싫증이 남.
[倦程 권정] 길 가는데 피로함. 걷는데 지침.
[倦怠 권태] 싫증이 나서 게을러짐.
[倦罷 권파] 권비(倦憊).
◉口倦. 饑倦. 勞倦. 忘倦. 目倦. 神倦. 耳倦. 怠倦. 疲倦. 懈倦. 休倦.

8 ⑩ [倨] 人名 거 ㊦御 居御切 jù

字解 ①거만할 거 오만함. 불손함. '一傲'. '驕一'. '遊毋一'《禮記》. ②굽을 거 '一中矩'《禮記》. ③쭈그리고앉을 거, 걸터앉을 거 踞(足部 八畫)와 同字. '高祖箕一'《漢書》. ④톱 거 鋸(金部 八畫)와 同字. '一牙'.
字源 篆文 形聲. 亻(人)+居〔音〕. '居거'는 '철퍼덕 앉다'의 뜻. '人인'을 더하여, '거만하다'의 뜻을 나타냄. 또, '踞거'와 통하여 쭈그리다, 책상다리하고 앉다의 뜻을 나타냄.

[倨倨 거거] 누워 사려(思慮)가 없는 모양.
[倨見 거견] 거시(倨視).
[倨固 거고] 거만하고 완고(頑固)함.
[倨曲 거곡] 굽음.
[倨氣 거기] 거만(倨慢)한 기색. 거드름.
[倨慢 거만] 교만(驕慢)함. 잘난 체하여 거드럭거림.
[倨侮 거모] 거만하여 남을 업신여김.
[倨色 거색] 오만불손(傲慢不遜)한 안색(顏色).
[倨視 거시] 거만하여 남을 멸시함.
[倨牙 거아] 톱니 같은 어금니.
[倨傲 거오] 거만(倨慢).
[倨傲鮮腆 거오선전] 거드럭거림. 존대(尊大)하게 굶.
◉簡倨. 驕倨. 句倨. 箕倨. 倂倨. 傲倨. 蹲倨.

8 ⑩ [倩] 一 천 ㊦霰 倉甸切 qiàn 二 청 ㊦敬 七政切 qìng

字解 一 ①남자의미칭(美稱) 천 한서(漢書)에 위무지(魏無知)란 사람을 '魏一'이라 하였음. '陣平雖賢, 須魏一而後進'《漢書》. ②예쁠 천 ㉠입이 예쁘게 생김. '巧笑一兮'《詩經》. ㉡용모가 아름다움. '一一'. '柳眉梅額一粧新'《吳融》. 二 ①사위 청 여서(女壻). '黃氏諸一'《史記》. ②고용할 청 삯을 주고 남을 부림. '汝一人耶'《魏書》.
字源 篆文 形聲. 亻(人)+青〔音〕. '青청'은 맑고 시원스럽다의 뜻. 아름답고 시원스러운 사람의 뜻을 나타냄.

[倩粧 천장] 예쁜 화장.
[倩倩 천천] 예쁜 모양.
◉眄倩. 盼倩.

8 ⑩ [倪] 人名 예 ㊥齊 五稽切 ní

字解 ①어린아이 예 소아. '反其旄一'《孟子》. ②끝 예 말단(末端). '端一'. '和之以天一'《莊子》. ③나눌 예 구분함. '一貴賤'《莊子》. ④흘길 예 睨(目部 八畫)와 통용. '俾一'. '馬知介一'《莊子》. ⑤성 예 성(姓)의 하나.
字源 篆文 形聲. 亻(人)+兒〔音〕. '兒아'는 '아이'의 뜻. '어린아이'의 뜻을 나타냄.

[倪瓚 예찬] 원대(元代)의 문인 화가(文人畫家). 자(字)는 원진(元鎭). 장쑤(江蘇) 우시(無錫) 사람. 특히 산수화(山水畫)에 신기(神技)를 보였으며, 그 화풍(畫風)이 간소 담박(簡素淡泊), 천진 유아(天眞幽雅)하여 황공망(黃公望)·오진(吳鎭)·왕몽(王蒙)과 함께 원말(元末)의 4대가(大家)로 꼽혔음.
◉介倪. 乾倪. 端倪. 旄倪. 僻倪. 俾倪. 危倪. 天倪.

8 ⑩ [倫] 中·人 륜 ㊥眞 力迍切 lún 伦

筆順 亻 亼 仒 伶 倫 倫 倫 倫

字解 ①인륜 륜 사람으로서 지켜야 할 떳떳한 도리. '一理'. '五一'. '彝一攸敍'《書經》. ②무리 륜 동류(同類). '一匹'. '一輩'. '擬人必于其一'《禮記》. ③차례 륜 순차. '一序'. '行同一'《中庸》. ④결 륜 살결·나뭇결 따위. '折幹必一'《周禮》. ⑤가릴 륜 선택함. '雍人一膚'《儀禮》.

字源 篆文 形聲. 亻(人)+侖〔音〕. '侖륜'은 '차례를 정하다'의 뜻. 질서가 잡힌 인간관계, 동류의 뜻이나 차례의 뜻을 나타냄.

[倫紀 윤기] 사람이 지켜야 할 길. 인륜(人倫). 인도(人道). 윤상(倫常).
[倫理 윤리] ㉠윤기(倫紀). ㉡인륜(人倫)의 원리(原理). 인간 사회에서 지켜야 할 도리. 도덕(道德)의 모범이 되는 원리.
[倫輩 윤배] 동배(同輩). 제배(儕輩). 윤주(倫儔).
[倫比 윤비] 윤배(倫輩).
[倫常 윤상] 윤기(倫紀).
[倫序 윤서] 차례. 순서.
[倫擬 윤의] 비김. 견주어 봄.
[倫儔 윤주] 윤배(倫輩).
[倫次 윤차] 신분(身分)의 차례.
[倫匹 윤필] 윤배(倫輩).
◉冠倫. 亂倫. 大倫. 同倫. 等倫. 明倫. 反倫. 不倫. 比倫. 常倫. 佮倫. 映倫. 五倫. 異倫. 離倫. 彝倫. 人倫. 絕倫. 儕倫. 儔倫. 天倫. 超倫. 悖倫. 匹倫. 扈倫.

8
⑩ [倬] 人名 탁 ㊀覺 竹角切 zhuō

筆順 亻 亻 亻 亻 亻 亻 倬 倬

字解 ①클 탁 뚜렷하게 큼. 저대(著大)함. '一彼雲漢'《詩經》. ②환할 탁 밝은 모양. '有一其道'《詩經》.

字源 篆文 形聲. 亻(人)+卓〔音〕. '卓탁'은 '높다'의 뜻. 두드러지게 크다의 뜻을 나타냄.

8
⑩ [悰] 人名 종 ㊥冬 祖賓切 zōng

筆順 亻 亻 亻 亻 亻 亻 亻 悰

字解 신인 종 상고(上古)의 신인(神人) 한배검. '神人降于太白山檀木下是爲大一也'《朝鮮古紀》. '一, 上古神人'《廣韻》.

字源 形聲. 亻(人)+宗〔音〕

8
⑩ [倭] 人名 왜 ①②㊥支 於爲切 wēi ③㊥歌 烏禾切 wō

字解 ①유순할 왜 성질이 부드럽고 공순함. ②빙돌 왜 길이 꾸불꾸불해서 빙빙 도는 모양. '周道一遲'《詩經》. ③나라이름 왜 일본(日本). '一寇'. '樂浪海中有一人, 分爲百餘國'《漢書》.

字源 篆文 形聲. 亻(人)+委〔音〕. '委위'는 나긋나긋한 여성의 뜻. '순종하다'의 뜻을 나타내며, '꾸불꾸불 돌아서 멀다'의 뜻도 나타냄.

[倭館 왜관] 조선(朝鮮) 시대에 일본 사람이 우리나라에 건너와서 통상(通商)하던 곳. 지금의 부산(釜山)에 두었음.
[倭寇 왜구] 옛날에 중국과 우리나라에 항행(航行)하여 무역(貿易)을 핑계하고 약탈을 행하던 일본 사람들.
[倭國 왜국] 일본을 낮게 일컫는 말.
[倭橘 왜귤] 일본(日本)에서 나는 귤.
[倭女 왜녀] 일본 여자.
[倭奴 왜노] 왜이(倭夷).
[倭刀 왜도] 일본에서 만든 칼. 일본도(日本刀).
[倭式 왜식] 일본식(日本式).
[倭夷 왜이] 옛날 중국인(中國人)이 일본을 낮게 일컫던 말. 왜노(倭奴).
[倭人 왜인] 옛날 중국인이 일본인을 일컫던 말.
[倭將 왜장] 일본의 장수(將帥).
[倭敵 왜적] 적국(敵國)인 일본.
[倭政 왜정] 《韓》 일본이 우리나라를 침략(侵略)하여 다스리던 총독(總督) 정치. 1910년(純宗 4年) 경술(庚戌) 8월 29일부터 1945년 을유(乙酉) 8월 14일까지의 35년 동안을 일컬음.
[倭遲 왜지] 빙빙 돌아 먼 모양.
[倭風 왜풍] ㉠일본의 풍속. ㉡몹시 부는 바람.
◉大倭. 北虜南倭.

8
⑩ [倮] 라 ㊤哿 魯果切 luǒ

字解 발가벗을 라 裸(衣部 八畫)와 同字. '中央土, 其蟲一'《禮記》.

字源 形聲. 亻(人)+果〔音〕. '果과'는 '裸라'와 통하여, '벌거벗다'의 뜻을 나타냄.

[倮國 나국] 국민들이 발가벗고 사는 나라. 나국(裸國).
[倮麥 나맥] '나맥(裸麥)'과 같음.
[倮跣 나선] '나선(裸跣)'과 같음.
[倮體 나체] '나체(裸體)'와 같음.
[倮蟲 나충] '나충(裸蟲)'과 같음.

8
⑩ [倱] 혼 ㊤阮 胡本切 hùn

字解 어리석을 혼 '一伅'은 우매한 모양. '一伅, 不慧也'《集韻》.

8
⑩ [倳] 사 ㊦寘 側吏切 zì

字解 꽂을 사 剚(刀部 八畫)와 同字. '不敢一刃於公之腹'《史記》.

字源 形聲. 亻(人)+事〔音〕. '事사'는 '直치'와 통하여, '곧다'의 뜻. 똑바로 세우다, 똑바로 꽂다의 뜻을 나타냄.

8
⑩ [倠] 휴 ㊥支 許維切 suī

字解 추할 휴 '仳一'는 용모가 못생김. '仳一, 醜面'《說文》.

字源 篆文 形聲. 亻(人)+隹〔音〕. '隹추'는 '괴이(怪異)하다'의 뜻을 나타냄. 용모가 못생기다의 뜻.

8
⑩ [俷] 비 ㊦未 父沸切 fèi

字解 등질 비 서로 어그러짐. 배반함. '無作怨, 無一德'《史記》.

◉德俷.

8 ⑩ [倓] [人名] 담 [平]覃 徒甘切 tán

[字解] 의심하지않을 담 안심하고 믿는 모양. '一然見管仲之能足以託國也'《荀子》.

[字源] 篆文 形聲. 亻(人)+炎〔音〕. '炎담'은 '淡담'과 통하여, '담백하다'의 뜻. 사람의 마음이 깨끗하여 편안하다의 뜻을 나타냄.

8 ⑩ [倷] 내 nǎi

[字解] ①너 내 이인칭 대명사. 你(人部 五畫〈p. 123〉)의 속칭(俗稱). '俗稱你曰一'《中華大字典》. ②견딜 내 참음. 耐(而部 三畫〈p. 1818〉)와 同字.

8 ⑩ [倏] 숙 [入]屋 式竹切 shū

[字解] ①갑자기 숙 빨리. 얼른. '一瞬'. '一忽之間'《吳志》. ②빨리달릴 숙 개가 빨리 달림. '一, 犬走疾也'《說文》.

[字源] 篆文 形聲. 犬+攸〔音〕. '攸유'는 몸을 길게 하여 빨리 가다의 뜻. 개가 빨리 달리는 모양.

[參考] 倐(次倐)은 俗字.

[倏瞬 숙순] 눈 깜짝할 사이. 극히 짧은 시간. 순간(瞬間).
[倏乎 숙호] 빠른 모양.
[倏忽 숙홀] ㉠갑작스러움. 급속함. ㉡숙순(倏瞬).

8 ⑩ [倐] 倏(前倐)의 俗字

8 ⑩ [⿰亻函] 〔숙〕 夙(夕部 三畫〈p. 481〉)의 古字

8 ⑩ [⿰亻刪] 〔형〕 侀(人部 六畫〈p. 134〉)의 本字

8 ⑩ [⿰亻並] 〔병〕 傡(人部 十畫〈p. 164〉)의 略字

8 ⑩ [⿰亻⿰歹刂] 〔례〕 例(人部 六畫〈p. 130〉)의 本字

8 ⑩ [俻] 〔비〕 備(人部 十畫〈p. 167〉)의 俗字

8 ⑩ [倈] 〔래〕 徠(彳部 八畫〈p. 748〉)와 同字

8 ⑩ [倘] [一] 徜(彳部 八畫〈p. 746〉)과 同字 [二] 儻(人部 二十畫〈p. 188〉)과 同字

8 ⑩ [⿰亻効] 〔효〕 傚(人部 十畫〈p. 167〉)와 同字

8 ⑩ [倸] 〔채〕 睬(目部 八畫〈p. 1543〉)와 同字

8 ⑩ [倹] 〔검〕 儉(人部 十三畫〈p. 182〉)의 俗字

9 ⑪ [偃] [人名] 언 ㊤阮 於幰切 yǎn ㊤銑 於殄切 yàn

[字解] ①쓰러질 언 한쪽으로 쏠리어 넘어짐. '一仆'. '牆之立, 不若其一也'《淮南子》. ②쓸릴 언 한쪽으로 기욺. '一草'. '草上之風必一'《論語》. ③누울 언 잠. 쉼. '一休'. '或息一在牀'《詩經》. ④눕힐 언 선 것을 가로놓음. '一旌興而俟'《儀禮》. ⑤쉴 언 그만둠. '一武修文'. '天下一兵, 百姓安寧'《漢書》. ⑥교만할 언 거만함. '一傲'. '彼皆一蹇'《左傳》. ⑦뒷간 언 변소. '又適其一焉'《莊子》. ⑧방죽 언 堰(土部 九畫)과 통용. '規一豬'《左傳》. ⑨두더지 언 鼴(鼠部 九畫)과 통용. '一鼠飮河, 不過滿腹'《莊子》.

[字源] 篆文 形聲. 亻(人)+匽〔音〕. '匽언'은 구획 지어진 울 안에서 편안히 쉬다의 뜻. 사람이 눕다, 쉬다의 뜻을 나타냄.

[偃却 언각] 교만(驕慢)을 부림. 언건(偃蹇).
[偃甲 언갑] 전쟁을 그만둠. 세상이 태평하여짐. 언무(偃武).
[偃蹇 언건] ㉠교만(驕慢)한 모양. 젠체하고 거드럭거리는 모양. ㉡높이 솟은 모양. ㉢물건이 많고 성(盛)한 모양. ㉣춤추는 모양. ㉤바위가 기괴(奇怪)한 모양.
[偃憩 언게] 언식(偃息).
[偃戈 언과] 전쟁을 그만둠. 세상이 태평하여짐. 언무(偃武).
[偃武 언무] 무기(武器)를 창고에 넣고 쓰지 않는다는 뜻으로, 천하(天下)가 태평해짐을 이름. 또, 태평한 세상.
[偃武修文 언무수문] 무기를 창고에 넣어 두고, 학문을 닦아 나라를 태평하게 함.
[偃兵 언병] 전쟁을 그만둠. 언무(偃武).
[偃仆 언부] 엎드림. 쓰러짐. 또, 가로놓음. 쓰러뜨림.
[偃師 언사] 인형(人形)을 부리는 사람. 꼭두각시놀음을 하는 사람.
[偃鼠 언서] 두더짓과(科)에 속하는 포유동물. 쥐와 비슷한데 땅속에 굴을 파고 삶. 두더지.
[偃鼠飮河不過滿腹 언서음하불과만복] 두더지가 강에서 물을 아무리 많이 마셔도 배에 가득하게 밖에 마시지 못한다는 뜻. 사람은 각기 자기의 타고난 분수에 만족하여야 한다는 비유.
[偃溲 언수] 변소(便所). 뒷간.
[偃息 언식] 언휴(偃休).
[偃伸 언신] 몸을 굽혔다 폈다 함.
[偃仰 언앙] ㉠누웠다 일어났다 함. 전(轉)하여, 기거(起居)를 자기 마음대로 함. 한가하게 지냄. ㉡엎드림과 우러러봄. 전(轉)하여, 세상이 나 남이 하는 대로 따라 함.
[偃衍 언연] 혼잡함. 분답(紛沓).
[偃傲 언오] 교만(驕慢)함. 언건(偃蹇).
[偃臥 언와] 엎드리어 잠.
[偃月 언월] ㉠활 모양으로 된 달. 초승달. ㉡골상학(骨相學)상으로 이마에 나타난 부귀(富貴)의 상(相).
[偃月堂 언월당] 당(唐)나라 재상(宰相) 이임보(李林甫)가 거처한 집. 월당(月堂)이라고도 함. 임보가 이곳에서 조신(朝臣)을 해칠 방법을 궁리하였음.
[偃月刀 언월도] 무기의 한 가지. 칼날은 위가 넓고 끝이 빨고 칼등이 뒤로 젖혀져서 초승달 같은 형상으로 된 칼.

[偃月刀]

[偃豬 언저] 방죽. 저수지.
[偃草 언초] 바람에 쏠려 쓰러진 풀. 백성이 잘 교화(敎化)됨의 비유로 쓰임.

[偃側 언측] 기대어 엎드림.
[偃寢 언침] 엎드려 잠.
[偃柝 언탁] 순라군이 딱따기를 엎어 두고 쓰지 않음. 세상이 잘 다스려져 도둑을 경계할 필요가 없음을 이름.
[偃革 언혁] 병기(兵器)를 거두고 쓰지 않는다는 뜻으로, 세상이 태평(泰平)함을 이름. '혁(革)'은 병혁(兵革). 언무(偃武). 언과(偃戈). 언갑(偃甲).
[偃休 언휴] 누워 잠. 쉼.
◉僵偃. 傾偃. 仆偃. 棲偃. 息偃. 尊偃. 休偃.

9 ⑪ [假] 中人 **一** 가 ㊤馬 擧下切 jiǎ　(去)禡 古訝切 jià　**二** 하 ㊥麻 何加切 xiá　**三** 격 ㊦陌 各額切 gé

[筆順] 亻 … 假

[字解] **一** ①빌 가 ㉠차용(借用)함. '一借'. '祭器不一'《禮記》. ㉡빌려 줌. 꾸어 줌. '一貸'. '唯名與器不可以一人'《左傳》. ②용서할 가 '容一'. '大臣犯法無所寬一'《北史》. ③잠시 가 ㉠잠깐. '不遑一寐'《詩經》. ㉡일시. 잠정(暫定). '何以一爲'《史記》. ④거짓 가 허위. 허망(虛妄). '一名'. '明眞照一'《江總》. ⑤가령 가 이를테면. 가사(假使). '一令晏子而在, 余雖爲之執鞭, 所忻慕焉'《史記》. ⑥클 가 '一哉天命'《詩經》. ⑦아름다울 가 嘉(口部 十一畫)와 통용. '一樂君子'《詩經》. ⑧복 가 행복. 嘉(口部 十一畫)와 통용. '是謂大一'《禮記》. ⑨성 가 성(姓)의 하나. ⑩틈 가 겨를. 暇(日部 九畫)와 통용. '請一還都'《南史》. **二** 멀 하 遐(辵部 九畫)와 통용. '一言周於天地'《揚子法言》. **三** 이를 격 格(木部 六畫)과 同字. '王一有廟'《易經》.

[字源] 篆文 形聲. 亻(人)+叚〔音〕. '叚가'는 바윗돌에서 갓 캐낸 거친 옥돌로, '임시(臨時)'의 뜻. 뒤에 '人'을 덧붙여, '임시'의 뜻을 나타냄.

[參考] 仮(人部 四畫)는 俗字.

[假家 가가] ㉠임시로 지은 집. ㉡가게.
[假建物 가건물] 임시로 지은 건물.
[假繼 가계] 계부모(繼父母).
[假官 가관] 임시로 임명한 관원(官員).
[假橋 가교] 임시로 놓은 다리.
[假求 가구] 빌리거나 구함.
[假貸 가대] ㉠용서함. ㉡빌려 줌.
[假樂 가락] 좋은 즐거움.
[假量 가량] ㉠어림짐작. ㉡쯤.
[假令 가령] 그렇다 치더라도. 설사(設使). 설령(設令).
[假寐 가매] 잠잘 준비를 차리지 않고 옷을 입은 채 잠.
[假面 가면] 나무·흙·종이 따위로 만든 얼굴 형상. 탈.

[假面]

[假面劇 가면극] 탈을 쓰고 하는 연극(演劇). 가면희(假面戲). 탈놀음.

[假名 가명] ㉠남의 이름을 모칭(冒稱)함. 이름을 꾸며 댐. 또, 꾸며 댄 이름. ㉡《佛敎》 실체(實體)가 없는 것에 붙인 명칭.
[假母 가모] 계모(繼母). 또, 서모. 아버지의 첩.
[假冒 가모] 남의 이름을 모칭(冒稱)함.
[假泊 가박] 임시의 정박(碇泊).
[假病 가병] 꾸민 병. 허위의 병.
[假本 가본] 옛 책이나 글씨, 그림 따위의 가짜로 꾸민 물건.
[假縫 가봉] 시침바느질.
[假父 가부] 의붓아버지.
[假婦戲 가부희] 여자를 가장한 희극(戲劇).
[假使 가사] 가령(假令).
[假山 가산] 정원(庭園) 같은 데 인공(人工)으로 만든 산. 석가산(石假山).
[假相 가상] 《佛敎》 현재의 헛되고 거짓된 양태(樣態).
[假想 가상] 가정적(假定的)으로 생각함.
[假設 가설] ㉠실제(實際)에 없는 것을 있는 것으로 침. ㉡가령(假令).
[假說 가설] 실험(實驗)에 의하여 확정된 사실(事實)을 설명하기 위하여 설정한 가정적(假定的)인 학설.
[假攝 가섭] 임시로 대리(代理)함.
[假聲 가성] 남의 목소리를 흉내 내는 목소리.
[假笑 가소] 거짓 웃음.
[假手 가수] ㉠사람 손을 빌림. 도움을 얻음. ㉡손을 빌림. 도와줌.
[假守 가수] 가짜의 수령(守令).
[假睡 가수] 거짓으로 자는 체함.
[假廝兒 가시아] 남장(男裝)시켜 궁중(宮中)에서 부리는 부인(婦人).
[假植 가식] 임시로 심음.
[假飾 가식] 언어·행동을 거짓 꾸밈.
[假若 가약] 가설(假設).
[假言 가언] ㉠의미심장한 말. ㉡조건(條件)을 가정한 말.
[假如 가여] 가령(假令).
[假玉 가옥] 사람이 만든 옥(玉). 가짜 옥(玉).
[假臥 가와] 가매(假寐).
[假寓 가우] 임시로 우거(寓居)함. 또, 그곳. 임시의 거소(居所).
[假僞 가위] 허위(虛僞).
[假子 가자] ㉠양자(養子). ㉡의붓자식.
[假作 가작] 완전하지 아니한 임시적 제작(製作).
[假裝 가장] 변장(變裝)함.
[假葬 가장] 임시로 장사 지냄.
[假傳 가전] 실재(實在)하지 아니한 사람의 전기(傳記).
[假定 가정] 사실(事實)이 아님을, 또는 사실인지 사실이 아닌지 분명하지 아니한 것을 짐짓 사실인 것처럼 인정함.
[假縱 가종] 용서함.
[假借 가차] ㉠남의 물건이나 힘 같은 것을 빌림. ㉡용서함. 사정을 보아 줌. ㉢육서(六書)의 하나. 어떤 뜻을 지닌 음을 적는 데 적당한 글자가 없을 때, 뜻은 다르나 음이 같은 글자를 빌려 쓰는 법. 예컨대, '영(令)'은 호령의 뜻인데, 빌려서 '현령(縣令)'의 '영(令)'으로 쓰는 따위.

(令) (長)
[假借㉢]

[假喘 가천] 죽음이 임박한 사람의 끊어질 듯 끊

어질 듯한 숨소리.
[假漆 가칠] 옻나무의 진 이외에 인공(人工)으로 만든 칠(漆).
[假寢 가침] 가매(假寐).
[假稱 가칭] ㉠가정(假定)으로 일컬음. 또, 그 칭호. ㉡거짓으로 일컬음. 또, 그 칭호.
[假託 가탁] 핑계 댐. 다른 사실을 핑계로 삼음.
[假合 가합] ㉠임시로 모임. 또, 임시로 합침. ㉡견강부회(牽強附會).
[假號 가호] 칭호를 속임. 또, 가짜 칭호.
[假花 가화] 사람이 만든 꽃. 조화(造花).
[假髻 가환] 부인(婦人)이 성장(盛裝)할 때 머리 위에 얹는 큰머리. 또, 어여머리.
◉乞假. 告假. 權假. 貸假. 滿假. 番假. 私假. 賜假. 寫假. 容假. 優假. 恩假. 長假. 請假. 虛假.

[倏] 〔숙〕 人部 八畫(p.156)을 보라.

[倐] 〔숙〕 人部 八畫(p.156)을 보라.

9 ⑪ [偫] 치 ㊤紙 丈里切 zhì

[字解] ①기다릴 치 준비를 하고 기다림. '甲車戒馬器械儲—'《揚雄》. ②갖출 치 구비(具備)함. '—而畚挶'《國語》.

[字源] [篆文] 形聲. 亻(人)+待〔音〕. '待대'는 '기다리다'의 뜻. 특히, 사람이 사태에 대처할 수 있도록 준비하여 기다리다, 갖추다의 뜻을 나타냄.

9 ⑪ [偈] [人名] 一 게 ㊀霽 其憩切 qì, ②jì 二 걸 ㊇屑 渠列切 jié

[字解] 一 ①쉴 게 휴식함. '度三巒兮—棠梨'《揚雄》. ②중의귀글 게 불교의 덕(德)을 찬양하거나 교지(敎旨)를 설명하는 귀글. '—頌'. 二 ①힘쓸 걸 진력함. '——乎揭仁義'《莊子》. ②헌걸찰 걸 무용(武勇)이 있는 모양. '伯兮—兮'《詩經》. ③빠를 걸 질주(疾走)함. '匪風發兮, 匪車—兮'《詩經》. ※'게' 음은 인명자로 쓰임.

[字源] 形聲. 亻(人)+曷〔音〕

[偈偈 걸걸] 힘쓰는 모양. 진력하는 모양.
[偈頌 게송] 《佛敎》 부처의 공덕(功德)을 찬양하는 노래. 범패(梵唄).
◉歌偈. 梵偈. 法偈. 寶偈. 佛偈. 遺偈.

9 ⑪ [傷] 탕 ㊤養 他朗切 tǎng, ③dàng

[字解] ①곧을 탕 '—, 直也'《玉篇》. ②길 탕 기다란 모양. '—, 長皃'《廣韻》. ③방자할 탕 방탕함. '—逸'. 蕩(艸部 十二畫)과 통용. '魯仲連—而不剬, 藺相如剬而不—'《揚子法言》.

[字源] 形聲. 亻(人)+昜〔音〕

9 ⑪ [偉] [中人] 위 ㊤尾 于鬼切 wěi 伟

[筆順] 亻 亻' 伫 伫 倍 偉 偉 偉

[字解] ①클 위 장대(壯大)함. '—體'. '容貌甚—'《漢書》. ②뛰어날 위 위대(偉大)함. '—人'. '—業'. '足爲—器'《後漢書》. ③기이(奇異)할 위 이상함. '—奇'. '—寶'. '—哉夫造物者'《莊子》. ④성할 위 성대(盛大)함. '—觀'. '儀觀甚—'《韓愈》. ⑤성 위 성(姓)의 하나.

[字源] [篆文] 形聲. 亻(人)+韋〔音〕. '韋위'는 '떠나다'의 뜻. 여느 사람과 동떨어진 사람, 뛰어난 사람의 뜻을 나타냄.

[偉擧 위거] ㉠뛰어난 계획. ㉡위대한 사업(事業).
[偉功 위공] 위대한 공로(功勞).
[偉觀 위관] 훌륭한 구경거리. 장관(壯觀).
[偉軀 위구] 위체(偉體).
[偉奇 위기] 뛰어나고 기특함.
[偉器 위기] 위대한 기국(器局). 또, 그 사람. 대인물. 위재(偉才).
[偉男子 위남자] 위장부(偉丈夫).
[偉大 위대] 국량(局量)이 매우 큼.
[偉德 위덕] 뛰어나게 훌륭한 덕. 훌륭한 인격(人格).
[偉略 위략] 출중(出衆)한 꾀.
[偉麗 위려] 뛰어나고 아름다움.
[偉力 위력] 위대한 힘.
[偉寶 위보] 기이한 보배.
[偉士 위사] 위대한 사람. 위인(偉人).
[偉辭 위사] 훌륭한 문사(文詞).
[偉秀 위수] 장대(壯大)하고 준수(俊秀)함. 수위(秀偉). 탁이(卓異).
[偉岸 위안] 용모(容貌)가 준수하고 체격이 장대(壯大)한 모양. 괴안(魁岸).
[偉彦 위언] 위대한 인물. '彦'은 남자의 미칭(美稱). 준언(俊彦).
[偉業 위업] 위대한 사업. 대업(大業).
[偉烈 위열] 위공(偉功).
[偉藝 위예] 뛰어난 기예(技藝).
[偉人 위인] 위대한 사람. 위사(偉士).
[偉壯 위장] 용모가 준수하고 체격이 장대(壯大)함.
[偉丈夫 위장부] ㉠대장부. 큰 인물. ㉡신체가 장대(丈大)하고 훌륭한 사람. 위남자(偉男子).
[偉才 위재] 뛰어난 재주. 또, 그 사람.
[偉績 위적] 위대한 공적(功績).
[偉蹟 위적] 위대한 사업의 자취.
[偉餞 위전] 떠나는 이에게 주는 훌륭한 선물. 성대한 전별연(餞別宴).
[偉體 위체] 장대(壯大)한 체격.
[偉勳 위훈] 위대한 공훈(功勳).
◉怪偉. 瑰偉. 趫偉. 奇偉. 修偉. 秀偉. 雅偉. 英偉. 溫偉. 雄偉. 俊偉. 卓偉. 豐偉. 恢偉.

9 ⑪ [偊] 우 ㊤麌 王矩切 yǔ

[字解] ①혼자걸을 우 踽(足部 九畫)와 同字. '—一而步'《列子》. ②삼갈 우 '——爾, 愼耳目之觀聽'《列子》.

[字源] 形聲. 亻(人)+禹〔音〕

[偊旅 우려] 몸을 구부리고 걷는 모양.
[偊偊 우우] 홀로 걷는 모양.

9 ⑪ [偏] [高人] 편 ㊥先 芳連切 piān

[筆順] 亻 亻 亻 伃 伵 伻 偏 偏

[字解] ①치우칠 편 ㉠한쪽으로 기욺. '一倚'. '不一之謂中'《中庸章句》. ㉡한쪽으로 몰림. '一在'. '貨一則民病'《宋書》. ㉢편벽됨. 불공평함. '一愛'. '無一無陂'《書經》. ②곁 편, 가 편 변측(邊側). '一國'. '居許東一'《左傳》. ③반편 반분. '衣身之一'《左傳》. ④한쪽 편 일방(一方). '一聽生姦, 獨任成亂'《漢書》. ⑤무리 편 당류(黨類). '擧其一不爲黨'《左傳》. ⑥남은겨레 편 유족(遺族). '桓氏雖亡必一'《左傳》. ⑦보좌 편 도움. 또, 돕는 사람. '司馬令尹之一'《左傳》. ⑧쉰사람 편 50인 한 조(組)의 일컬음. '五十人爲一'《周禮》. ⑨스물다섯대 편 병거(兵車) 25대의 일컬음. '先一後伍'《左傳》. ⑩변 편 한자(漢字)의 왼쪽 획. '旁'의 대(對). '強尋一傍推點畫'《蘇軾》. ⑪외곬으로 편 오로지 그것만. '一守新城存民苦矣'《史記》.

[字源] [篆文]  形聲. 亻(人)+扁〔音〕. '扁편'은 '邊변'과 통하여, '중심에 없다'의 뜻. 중정(中正)하지 않은 사람의 뜻에서, 일반적으로 '치우치다'의 뜻을 나타냄.

[偏角 편각] 지구의 자오선(子午線)과 자침(磁針)의 방향(方向)이 이룬 각도(角度).
[偏慳 편간] 편벽되고 인색함.
[偏介 편개] 성품이 편벽되고 완고함.
[偏格 편격] 변격(變格). 정격(正格)이 아닌 것.
[偏見 편견] 한쪽으로 치우친 생각.
[偏傾 편경] 한쪽으로 치우침. 한쪽으로 기욺.
[偏境 편경] 두메. 편벽(偏僻). 「이.
[偏孤 편고] 아버지를 여읜 아이. 편모슬하의 아
[偏枯 편고] ㉠반신불수(半身不隨)임. 또, 그런 사람. ㉡은택(恩澤)이 한쪽으로만 치우침.
[偏苦之役 편고지역] 괴로움을 남보다도 더 받으면서 하는 일.
[偏國 편국] 궁벽한 땅. 벽지(僻地).
[偏奇 편기] 편벽되어 바르지 아니함.
[偏嗜 편기] 한쪽으로 치우치게 즐김.
[偏袒 편단] 한쪽 소매를 벗음.
[偏斷 편단] 공평하지 못하게 결단(決斷)함.
[偏黨 편당] 치우침. 한쪽에 쏠림.
[偏頭痛 편두통] 한쪽 머리가 아픈 병. 변두통(邊頭痛).
[偏憐 편련] 몹시 사랑함. 지나치게 사랑함.
[偏謬 편류] 불공평하여 바르지 못함.
[偏輪 편륜] 한쪽의 수레바퀴. 척륜(隻輪).
[偏盲 편맹] 애꾸눈. 「니.
[偏母 편모] 아버지는 돌아가고 홀로 있는 어머
[偏房 편방] 첩(妾). 측실(側室).
[偏旁 편방] 한자(漢字)의 왼쪽 부분인 변과 바른쪽 부분인 방(旁).
[偏罰 편벌] 부모 중의 한쪽을 여읨.
[偏僻 편벽] ㉠한쪽으로 치우침. ㉡마음이 한쪽으로 치우쳐 바르지 아니함. ㉢도회에서 멀리 떨어져 있는 시골. 두메.
[偏裨 편비] 편장(偏將).
[偏私 편사] 불공평. 편파(偏頗).
[偏產 편산] 태아(胎兒)가 이마부터 나옴.
[偏衫 편삼] 《佛敎》 중의 웃옷의 한 가지.
[偏色 편색] 《韓》 사색(四色), 곧 노론(老論)·소론(少論)·남인(南人)·북인(北人)의 종류. 색목(色目).
[偏裼 편석] 편단(偏袒).
[偏性 편성] 한쪽으로 쏠린 성질. 편벽(偏僻)된 성질.
[偏小 편소] 한쪽으로 치우치고 작음.
[偏侍 편시] 부모 중의 한쪽만 생존(生存)함.
[偏食 편식] 어떠한 음식만을 편벽되게 먹음.
[偏信 편신] 한쪽만을 편벽되게 믿음.
[偏心 편심] 한쪽으로 쏠린 마음.
[偏阿 편아] 공정하지 아니함.
[偏安 편안] 한구석에 있어서 만족하고 안심함.
[偏愛 편애] 편벽(偏僻)된 사랑. 치우친 사랑.
[偏隘 편애] 성질이 편협(偏狹)하고 좁음.
[偏額 편액] 문(門) 위에 가로 다는 현판(懸板).
[偏言 편언] 치우친 말. 또, 한쪽만의 말.
[偏譯 편역] 먼 외국(外國).
[偏伍 편오] 대오(隊伍).
[偏倚 편의] 기욺. 치우침.
[偏長 편장] 당파(黨派)의 두목(頭目).
[偏將 편장] 대장(大將)을 돕는 한 방면(方面)의 장수. 부장(副將). 장좌(將佐). 편비(偏裨).
[偏在 편재] 어느 한곳에만 치우쳐 있음.
[偏提 편제] 술병의 한 가지.
[偏重 편중] ㉠한쪽으로 치우치어 무거움. ㉡치우치게 소중(所重)히 여김.
[偏憎 편증] 편벽되게 유달리 미워함.
[偏執 편집] 편견(偏見)을 고집하여 남의 말은 받아들이지 아니함. 편협(偏狹).
[偏察 편찰] 편견(偏見).
[偏聽 편청] 한쪽의 말만 들음. 한쪽 말만 믿음.
[偏側 편측] ㉠기욺. 경사짐. ㉡치우침.
[偏親 편친] 홀로 있는 어버이.
[偏宕 편탕] 중정(中正)을 잃어 한쪽에 너무 치우침.
[偏土 편토] 궁벽한 땅. 벽지(僻地).
[偏特 편특] 홀몸. 단독.
[偏陂 편파] 편파(偏頗).
[偏跛 편파] 절름거림. 또, 절름발.
[偏頗 편파] 한쪽으로 치우쳐서 공정하지 못함.
[偏偏 편편] 휘날리는 모양.
[偏嬖 편폐] 한쪽만 편벽되게 총애함.
[偏廢 편폐] 한쪽만을 버림. 또, 한쪽만이 없어짐.
[偏亢 편항] 오랜 가뭄.
[偏狹 편협] 도량(度量)이 좁음. 「음.
[偏惑 편혹] 편벽(偏僻)되게 좋아하여 정신을 잃
[偏諱 편휘] 두 자의 이름 중에서 그 한쪽만을 휘(諱)함.
◉驕偏. 不偏. 幽偏. 頗偏.

9
⑪ [偓] 악 ㊅覺 於角切 wò 

[字解] ①악착할 악 齷(齒部 九畫)과 同字. '一促談於廊廟'《楚辭》. ②성 악 성(姓)의 하나.

[字源] [篆文]  形聲. 亻(人)+屋〔音〕

[偓佺 악전] 옛날의 신선(神仙) 이름.
[偓促 악착] '악착(齷齪)'과 같음.

9
⑪ [偰] 설 ㊅屑 先結切 xiè

[字解] ①맑을 설 '偰一, 淨也'《廣韻》. ②이름 설 고신씨(高辛氏)의 아들 이름. 은(殷)나라 조상. '一, 高辛氏之子, 爲堯司徒, 殷之先也'《說

文》. ③성 설 성(姓)의 하나. '一伯'.

字源 篆文 形聲. 亻(人)+契〔音〕

9 ⑪ [傁] 수 ㊤有 蘇后切 sǒu

字解 옹(翁) 수 노인(老人)의 경칭(敬稱). 傁(人部 十畫)와 同字.

字源 形聲. 亻(人)+叜〔音〕

9 ⑪ [偋] 〔병〕
偋(人部 十一畫〈p. 174〉)의 俗字

9 ⑪ [偕] 人名 해 ㊥佳 古諧切 xié (jiē)

筆順 亻 仁 仳 仳 比 偕 偕 偕

字解 ①함께 해 같이. '一老'. '古之人, 與民一樂'《孟子》. ②함께갈 해 같이 감. 동행함. '與食客門下有勇力文武具備者二十人一'《史記》. ③굳셀 해 강장(強壯)한 모양. '一一士子'《詩經》. ④맞을 해 적합함. 諧(言部 九畫)와 통용. '習故能一'《管子》.

字源 篆文 形聲. 亻(人)+皆〔音〕. '皆개'는 '모두'의 뜻. '人'을 붙여, 사람이 함께 하다의 뜻을 나타냄.

[偕樂 해락] 여러 사람과 함께 즐김.
[偕老 해로] 부부(夫婦)가 일생(一生)을 함께 늙음.
[偕老同穴 해로동혈] ㉠살아서는 같이 늙고 죽어서는 같은 무덤에 묻힌다는 뜻으로, 부부(夫婦)의 사랑의 맹세를 이르는 말. ㉡해면동물(海綿動物)의 하나. 오어니바다수세미.
[偕偶 해우] 배우자. 배필(配匹).
[偕作 해작] 함께 일을 함. 함께 함.
[偕適 해적] 맞음. 적합함.
[偕偕 해해] 강장(強壯)한 모양.
[偕行 해행] ㉠같이 감. ㉡같이 출정(出征)함.
◉計偕. 脩偕. 與偕. 儷偕. 志不偕.

9 ⑪ [做] 人名 주 ㊦箇 子賀切 zuò

字解 지을 주 作(人部 五畫)과 뜻이 같음.

字源 會意. 사람이 고의(故意)로 하다의 뜻을 나타냄.

[做件 주반] 상대를 함.
◉看做.

9 ⑪ [停] 中·人 정 ㊥青 特丁切 tíng

筆順 亻 亻 广 佇 佇 停 停 停

字解 ①머무를 정 ㉠정지함. '一留'. '大軍已到, 不得久一'《北史》. ㉡쉼. '一務'. '心無別慮, 筆不暫一'《隋書》. ㉢지체함. '時諸諍訟失理, 及主者淹一不時'《梁書》. ②멈출 정 머무르게 함. '一馬'. '婦便捉裾一之'《世說》.

字源 篆文 形聲. 亻(人)+亭〔音〕. '亭정'은 '머무르다'의 뜻. '亭'이 '정자'의 뜻으로 쓰이게 되자, 구별하여 '人'을 붙여, '머무르다'의 뜻을 나타냄.

[停刊 정간] 신문(新聞)·잡지 등의 정기(定期) 간행물(刊行物)의 발행(發行)을 한때 정지함.
[停車 정거] 수레가 머무름. 수레를 머무르게 함.
[停車場 정거장] 기차(汽車)가 한때 머물렀다가 떠나는 곳.
[停工 정공] 공사(工事)를 중지함.
[停柩 정구] 행상(行喪) 때 상여를 길에 머물러 두고 쉼.
[停年 정년] 연령 제한(年齡制限)에 따라 공직(公職)에서 당연히 물러나게 되는 나이.
[停當 정당] 사리(事理)에 맞음.
[停頓 정돈] 한때 그침. 침체(沈滯)하여 나아가지 않음.
[停留 정류] 가다가 머무름. 또, 머무르게 함.
[停留場 정류장] 자동차·전차 따위가 정류(停留)하는 일정한 곳.
[停馬 정마] 가는 말을 멈추어 세움.
[停務 정무] 사무(事務)를 쉼.
[停泊 정박] ㉠머무름. 묵음. 숙박함. ㉡배가 항구에서 머무름. 정박(碇泊).
[停捧 정봉] 납세를 중지함.
[停思 정사] 유의(留意)하여 생각함.
[停船 정선] 배를 정박(碇泊)시킴.
[停訟 정송] 송사(訟事)를 중지함.
[停息 정식] 머물러 쉼. 머물러 쉬게 함.
[停業 정업] 생업(生業)을 쉼.
[停役 정역] 하던 일을 중지하고 쉼.
[停緩 정완] 일이 밀려 끝이 나지 아니함. 정체(停滯).
[停雲 정운] ㉠도잠(陶潛)의 시(詩)에 벗을 생각하는 '정운편(停雲篇)'이 있는 데서, 전(轉)하여, 친한 벗을 생각하는 우정을 이름. ㉡가는 구름을 머물게 한다는 뜻으로, 노랫소리가 아름다움을 이름. 알운(遏雲).
[停電 정전] 송전(送電)이 중지됨.
[停戰 정전] 전투 행위를 중지함.
[停停 정정] ㉠초목의 싹이 자라지 않는 모양. ㉡아직 발동하지 않고 정지 상태에 있는 모양.
[停蹤 정종] 발을 멈추고 가지 아니함.
[停住 정주] 머무름.
[停止 정지] ㉠하던 일을 중도(中途)에서 그침. ㉡한때 금하여 막음.
[停職 정직] 관원(官員)에게 무슨 사고가 있을 때 일정한 기간 중 직무를 중지시킴. 또, 그 징계 처분(懲戒處分).
[停滯 정체] ㉠사물이 머물러 쌓임. ㉡일이 밀림. ㉢음식물이 소화되지 않고 위(胃) 속에 몰려 뭉쳐 있음.
[停矚 정촉] 멈춰 서서 바라봄.
[停寢 정침] 하던 일을 중도에서 정지함. 정지(停止).
[停退 정퇴] 기한을 뒤로 물림.
[停鞭 정편] 말에 채찍질하는 것을 멈춤. 말의 진행(進行)을 멈춤.
[停筆 정필] 글씨를 쓰다가 붓을 멈춤.
[停學 정학] 학교에서 학생에게 등교(登校)함을 정지(停止)시킴. 또, 그 벌.
[停會 정회] 회의(會議)를 중지함.
◉居停. 稽停. 息停. 淹停. 調停. 沈停. 閒停. 休停.

9 ⑪ [偝] 배 ㊦隊 蒲昧切 bèi

字解 등질 배, 배반할 배 背(肉部 五畫)와 同字.

'民不一'《禮記》.
字源 形聲. 亻(人)+背〔音〕. '背배'는 '등'의 뜻. 사람이 등을 돌려 배반하다의 뜻.

[偝立 배립] 등지고 섬.
◉不偝.

9 ⑪ [偟] 황 ㊥陽 胡光切 huáng
字解 ①노닐 황 徨(彳部 九畫)과 同字. '仿一'. ②겨를 황, 황급할 황 遑(辵部 九畫)과 同字. '忠臣孝子, 一乎不一'《揚子法言》.
字源 形聲. 亻(人)+皇〔音〕. '傍偟방황'이라는 익은 말로 어정거리고 다니는 모양을 나타내는 의태어(擬態語)로 사용됨. 또, '遑황'과 통하여 '겨를'의 뜻도 나타냄.

◉仿偟. 偉偟.

9 ⑪ [健] 高人 건 ㊦願 渠建切 jiàn 
筆順 亻 亻 亻 亻 亻 侓 倢 健
字解 ①굳셀 건 ㉠건장(健壯)함. '一將'. '募一兒百餘人'《南史》. ㉡꿋꿋함. '一戰'. '諸將莫不一鬪'《後漢書》. ㉢꾸준함. '天行一, 君子以自強不息'《易經》. ②튼튼할 건 건강함. '郎一否'《太平廣記》. ③군사 건 병졸. '官一虛費衣糧, 無所事'《唐書》. ④성 건 성(姓)의 하나.
字源 形聲. 亻(人)+建〔音〕. '建건'은 힘차게 뻗은 붓의 뜻. 꿋꿋하게 선 사람의 뜻에서, '굳세고 튼튼하다'의 뜻을 나타냄.

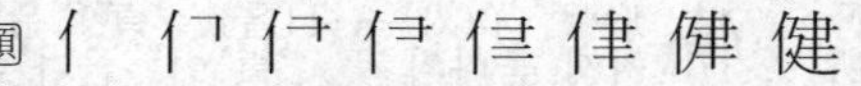

[健脚 건각] 튼튼한 다리. 잘 걷는 다리.
[健剛 건강] 의지가 굳세어 굽히지 아니함. 강건(剛健).
[健康 건강] 몸이 병이 없고 튼튼함.
[健強 건강] 몸이 튼튼하고 힘이 셈.
[健勁 건경] 힘차고 씩씩함.
[健啖 건담] 많이 먹음. 대식(大食)함.
[健馬 건마] 건장한 말. 잘 달리는 말.
[健忘 건망] 사물(事物)을 잘 잊어버림. 기억력이 떨어짐. 선망(善忘).
[健武 건무] 씩씩하고 굳셈. 의무(毅武).
[健步 건보] 잘 걷는 걸음. 건각(健脚).
[健夫 건부] 건장한 사나이.
[健婦 건부] 건강한 부인(婦人).
[健士 건사] 건장한 사람.
[健羨 건선] 대단히 부러워함.
[健訟 건송] 승벽(勝癖)이 대단하여 남과 송사(訟事)하기를 즐김.
[健食 건식] 음식을 많이 잘 먹음.
[健實 건실] 건전하고 착실함.
[健兒 건아] ㉠혈기(血氣)가 왕성한 청년. 건장(健壯)한 남아. ㉡시종(侍從)하는 병졸.
[健勇 건용] 건장(健壯)하고 용맹(勇猛)함. 또, 그러한 사람.
[健胃 건위] 위(胃)를 튼튼하게 함.
[健胃劑 건위제] 소화액(消化液)을 많이 분비하여 소화·흡수를 촉진시키어 위를 튼튼하게 하는 약제(藥劑).
[健者 건자] ㉠튼튼한 사람. ㉡씩씩한 사람.
[健壯 건장] 씩씩함. 굳셈. 또, 몸이 크고 셈.
[健將 건장] 씩씩한 장수. 굳센 장수.
[健在 건재] 아무 탈이 없이 잘 있음.
[健全 건전] ㉠몸이 튼튼하고 병이 없음. ㉡사람이 건실(健實)하고 완전함.
[健戰 건전] 씩씩하게 싸움.
[健足 건족] 건각(健脚).
[健卒 건졸] 건장(健壯)한 병졸(兵卒).
[健捷 건첩] 몸이 잼. 민첩함.
[健鬪 건투] 잘 싸움. 씩씩하게 싸움.
[健筆 건필] ㉠글씨를 잘 씀. ㉡시문을 잘 지음.
[健毫 건호] 건필(健筆).
[健黠 건힐] 유순하지 아니하고 교활(狡猾)함.
◉剛健. 康健. 強健. 勁健. 輕健. 官健. 魁健. 佼健. 蹻健. 奇健. 緊健. 老健. 武健. 瞥健. 保健. 雅健. 穩健. 頑健. 勇健. 雄健. 壯健. 精健. 遒健. 俊健. 至健. 清健. 伉健. 豪健. 驍健.

9 ⑪ [偪] 핍 ㊇職 彼側切 bī 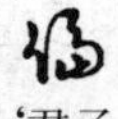
字解 ①핍박할 핍 逼(辵部 九畫)과 同字. '君子不僭上, 不一下'《禮記》. ②행전 핍 각반. '一屨著綦'《禮記》. ③성 핍 성(姓)의 하나.
字源 形聲. 亻(人)+畐〔音〕. '畐복'은 '逼핍'과 통하여, '닥치다, 핍박하다'의 뜻을 나타냄.

[偪介 핍개] 가까이 닥치는 것을 격리함.
[偪匱 핍궤] 궁핍(窮乏)함.
[偪陽 핍양] 춘추(春秋) 시대의 국명(國名). 현재의 산동 성(山東省) 내(內).
[偪處 핍처] 가까이 있음.
[偪仄 핍측] 핍측(偪側).
[偪側 핍측] 닥쳐옴. 핍측(逼側).
[偪下 핍하] 윗사람이 아랫사람의 흉내를 냄.
[偪狹 핍협] 한쪽으로 치우쳐 좁음.
◉邪偪. 敕偪.

9 ⑪ [偭] 면 ㊦霰 彌箭切 ㊤銑 彌兗切 miǎn 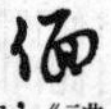
字解 ①향할 면 마주 대함. '尊壺者一其鼻'《禮記》. ②어길 면 위반함. '一規矩而改錯'《楚辭》.
字源 形聲. 亻(人)+面〔音〕. '面면'은 사람의 얼굴의 뜻. 사람의 얼굴을 돌려 향하다의 뜻을 나타냄.

9 ⑪ [偲] 人名 시 ㊥支 息慈切 sī (②-④채㊍) ㊥灰 倉才切 cāi 
字解 ①책선할 시 착한 일을 하도록 서로 권함. '朋友切切一一'《論語》. ②굳셀 시 '一, 彊力也'《說文》. ③똑똑할 시 재능이 있음. '一, 多才能也'《廣韻》. ④수염많을 시 수염이 많이 난 모양. '其人美且一'《詩經》.
字源 篆文 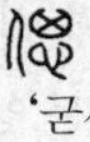 形聲. 亻(人)+思〔音〕. '思사'는 '생각하다'의 뜻. 생각이 깊은 사람의 뜻에서, '굳세다, 똑똑하다'의 뜻을 나타냄.

[偲偲 시시] 벗이나 동지(同志)끼리 서로 격려(激勵)하며 선도(善道)를 권장(勸奬)함.

9 ⑪ [側] 高人 측 ㊇職 阻力切 cè
筆順 亻 亻 仴 但 俱 俱 側 側

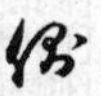

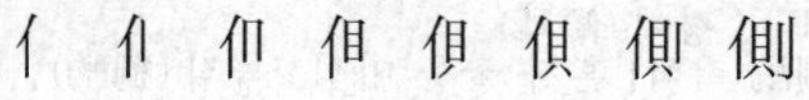

字解 ①곁 측 접근한 장소. 근방. '一近'. '閔子侍一'《論語》. ②옆 측 한쪽으로 치우친 곳. '左一'. '立于一階'《書經》. ③기울 측 ㉠한쪽으로 쏠림. '一弁之俄'《詩經》. ㉡해가 서산에 가까워짐. '日一'《儀禮》. ㉢치우침. 중정(中正)을 잃음. '無反無一'《書經》. ④기울일 측 귀를 기울임. '一聽'. '呂后一耳于東廂聽'《史記》. ⑤엎드릴 측 칩복(蟄伏)함. '一谿谷之間'《淮南子》. ⑥배반할 측 반역함. '使反一子自安'《後漢書》. ⑦낮을 측 미천(微賤)함. 한미(寒微)함. '一陋'. '虞舜一微'《書經》. ⑧어렴풋할 측 분명하지 않음. 유미(幽微)함. '一聞, 屈原兮沈汨羅'《史記》. ⑨슬퍼할 측 惻(心部 九畫)과 통용. '隱思君兮陫一'《楚辭》. ⑩성 측 성(姓)의 하나.
字源 金文 篆文 形聲. 亻(人)+則〔音〕. '則측'은 '규칙'의 뜻. 사람의 생활의 규범으로서 사람의 곁에 있는 것, '옆'의 뜻을 나타냄. 또, '仄측'과 통하여, '기울다, 기울이다'의 뜻도 나타냄.

[側肩蹋足 측견섭족] 어깨를 움츠리고 발을 밟음. 대단히 왕래가 붐비어 비좁은 데를 뚫고 감을 형용한 말.
[側徑 측경] 갈려 나간 소로(小路).
[側傾 측경] 기욺.
[側近 측근] 곁. 옆. 방근(旁近).
[側女 측녀] 첩(妾).
[側闥 측달] 측면의 소문(小門).
[側麗 측려] 경묘(輕妙)하고 아름다움.
[側陋 측루] ㉠신분(身分)이 천함. 또, 그러한 사람. 측미(側微). 미천(微賤). ㉡궁벽하고 좁음. 또, 그 장소.
[側面 측면] 전면(前面)에 대한 좌우의 면(面).
[側目 측목] ㉠무서워하여 바로 보지 못함. ㉡곁눈질을 함. ㉢미워하여 봄. 시새워 봄. 시기함.
[側目視之 측목시지] 곁눈질하여 봄.
[側目重足 측목중족] 무섭고 두려워서 움츠림.
[側門 측문] 측면으로 낸 문. 곁문.
[側聞 측문] 어렴풋이 들음. 풍문으로 들음.
[側媚 측미] 마음이 간사하여 아첨을 잘함.
[側微 측미] 미천(微賤)함. 천함.
[側傍 측방] 멀지 않은 바로 옆. 곁.
[側柏 측백] 편백과(扁柏科)에 속하는 상록 침엽 교목. 측백(側柏)나무.
[側席 측석] ㉠몸을 비스듬히 하여 앉음. 정좌(正坐)치 않음의 뜻. ㉡근심하여 좌불안석(坐不安席)함.
[側視 측시] 모로 봄. 옆으로 봄.
[側息 측식] ㉠간신히 쉬는 숨. 대단히 괴로운 호흡. ㉡똑바로 숨을 쉬지 못하고 모로 숨을 쉼.
[側身 측신] 두려워서 삼가느라고 잠시도 몸이 평안치 못함.
[側室 측실] ㉠남의 집 한 부분을 빌려 사는 방. 곁방. ㉡서자(庶子). ㉢첩(妾).
[側壓 측압] 측면(側面)에 가(加)해지는 압력. 액상물(液狀物)이 용기(容器)의 측면(側面)에 미치는 압력.
[側言 측언] 치우친 말. 편벽된 말.
[側豔 측염] 측려(側麗).
[側臥 측와] 모로 누움.
[側耳 측이] 귀를 기울여서 자세히 들음. 기이(攲耳). 경이(傾耳).
[側酌 측작] 혼자 술을 마심. 독작(獨酌).
[側註 측주] 방주(旁註).
[側尊 측준] 특별히 마련한 술통.
[側跌 측질] 넘어짐.
[側聽 측청] '경청(傾聽)'과 같음.
[側出 측출] 첩(妾)의 몸의 소생(所生). 서출(庶出).
[側側 측측] ㉠상심(傷心)하는 모양. 측측(惻惻). ㉡추위가 몸에 배는 모양.
[側行 측행] 존귀한 사람에게 경의(敬意)를 표하기 위하여 정면(正面)을 피하고 옆으로 비켜서 걸음. 측행(仄行).
◉傾側. 攲側. 反側. 旁側. 僻側. 卑側. 兩側. 右側. 輾側. 離側. 左側. 淸君側. 充側. 偏側. 舷側. 脅側.

9 ⑪ [偵] 人名 정 ㊀庚 丑貞切 zhēn (zhēng) 侦

筆順 亻 亻' 亻' 亻' 侦 偵 偵 偵

字解 ①염탐할 정 몰래 탐지함. '一探'. '一察'. '使御者一伺得失'《後漢書》. ②염탐꾼 정 '一候'. '一諜'. '爲郡縣一邏耳目'《後漢書》.
字源 篆文 形聲. 亻(人)+貞〔音〕. '貞정'은 점을 쳐서 묻다의 뜻. '貞'이 '곧다'의 뜻도 나타나게 되며, 구별하기 위해 '人'을 덧붙여, '묻다, 엿보아 염탐하다'의 뜻을 나타냄.

[偵客 정객] 염탐꾼.
[偵騎 정기] 정탐하는 기병(騎兵). 후기(候騎).
[偵邏 정라] 순행하여 정탐함. 또, 그 사람.
[偵吏 정리] 정탐하는 벼슬아치.
[偵伺 정사] 정탐(偵探).
[偵察 정찰] 적정(敵情)을 몰래 살핌.
[偵察機 정찰기] 적정(敵情)을 정찰(偵察)하는 비행기.
[偵諜 정첩] 정탐하는 사람.
[偵探 정탐] 몰래 형편을 알아봄.
[偵候 정후] 정탐(偵探).
◉密偵. 辨偵. 烽偵. 游偵. 探偵.

9 ⑪ [偶] 高人 우 ㊤有 五口切 ǒu

筆順 亻 亻口 亻口 亻口 偶 偶 偶 偶

字解 ①짝수 우 우수(偶數). '奇一'. '鼎俎奇而籩豆一'《禮記》. ②짝 우 배필. '配一'. '始選良一'《北史》. ③무리 우 동류. 제배(儕輩). '曹一'. '寡一少徒'《史記》. ④허수아비 우 인형(人形). '一人'. '一像'. '木一人與土一人相與語'《史記》. ⑤짝지을 우, 짝지울 우 짝을 지음. 짝을 지어 줌. '聖人因時以合一男女'《孔子家語》. ⑥대할 우 마주 대함. '一語'. '一坐不辭'《禮記》. ⑦만날 우 遇(辵部 九畫)와 同字. '一, 遇也. 二人相對遇也'《釋名》. ⑧마침 우 우연히. '一成'. '鄭國之治一耳'《列子》. ⑨성 우 성(姓)의 하나.
字源 篆文 形聲. 亻(人)+禺〔音〕. '禺우'는 '寓우'와 통하여, '빌리다'의 뜻. 나무를 빌려서 사람의 모양을 본뜬 허수아비의 뜻을 나타냄. 또, 천생연분의 부부, 짝의 뜻도 나타냄. 또, '禺'는 게으름뱅이의 뜻에서, 계획적이 아니고 '어쩌다, 우연히'의 뜻을 나타냄.

[偶對 우대] 마주 대함. 또, 짝. 대(對). 대구(對句).

[偶發 우발] 우연히 발생함. 또, 우연히 발작함.
[偶像 우상] 목석(木石)이나 금속(金屬) 등으로 만든 신불(神佛) 또는 사람의 형상(形像). 또, 숭배(崇拜)의 대상이 되는 인물(人物).
[偶像教 우상교] 우상(偶像)을 숭배(崇拜)하는 종교.
[偶成 우성] 우연히 이루어짐.
[偶數 우수] 둘로 나누어지는 수(數). 짝수.
[偶視 우시] 서로 마주 봄.
[偶語 우어] 둘이 마주 대하여 이야기함.
[偶然 우연] ㉠뜻밖에 그러함. ㉡기약(期約)하지 않고. 뜻밖에.
[偶咏 우영] 우음(偶吟).
[偶吟 우음] 우연히 지은 시가(詩歌).
[偶爾 우이] 우연(偶然).
[偶人 우인] 인형(人形). 허수아비.
[偶人形 우인형] 우인(偶人).
[偶日 우일] 우수(偶數)의 날.
[偶作 우작] 우성(偶成).
[偶蹄類 우제류] 포유동물(哺乳動物) 중의 발굽이 우수(偶數)인 소·양(羊)·돼지·사슴 등의 유(類). 특징은 사지(四肢)의 셋째·넷째 발굽이 잘 발달되고 다른 발굽은 불완전하거나 결여(缺如)되어 둘 또는 넷임.
[偶坐 우좌] 마주 앉음. 대좌(對坐).
[偶中 우중] 뜻밖에 적중함.
[偶處 우처] 마주 대(對)하고 있음. 부부가 함께 있음. 동서(同棲)함.
[偶合 우합] 우연히 맞음.
◉仇偶. 奇偶. 對偶. 木偶. 伴偶. 配偶. 凡偶. 不偶. 連偶. 曹偶. 土偶. 匹偶. 合偶. 諧偶.

9 ⑪ [偄] [一] 난 [去]翰 奴亂切 ruǎn
[二] 나 [去]箇 奴臥切
[三] 연 [上]銑 而兗切

[字解] [一] ①연약할 난 약(弱)함. '—, 弱也'《說文》. ②속일 난 기만(欺謾)함. '方言, 楚郢謂欺謾爲眠娗, —曰—劣'《事物異名錄》. ③공경할 난 공손함. '—, 敬也'《廣韻》. [二] 연약할 나, 속일 나, 공경할 나 [一]과 뜻이 같음. [三] 연약할 연, 속일 연, 공경할 연 [一]과 뜻이 같음.
[字源] 形聲. 亻(人)+耎[音]

9 ⑪ [偁] 칭 [平]蒸 處陵切 chēng

[字解] ①들 칭 들어 올림. '—, 擧也'《爾雅》. ②稱(禾部 九畫)의 本字.
[字源] 甲骨文  金文 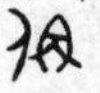 篆文  形聲. 亻(人)+爯[音]. '爯칭'은 '들다'의 뜻. 사람을 들어 올리다, 칭찬하다의 뜻을 나타냄.

9 ⑪ [偸] [人名] 투 [平]尤 託侯切 tōu 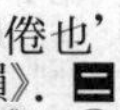

[字解] ①훔칠 투 도둑질함. '—兒'. '—盜'. '—得利而有害'《管子》. ②탐낼 투 눈앞의 안락을 탐함. '—安日日'《史記》. ③가벼울 투 인정이 경박함. '—薄'. '故舊不遺, 民則不—'《論語》. ④구차할 투 고식적(姑息的)으로 일을 함. '—懦'. '安肆日—'《禮記》. ⑤구차히 투 구차하게. '—免'. '—以全吾軀'《楚辭》.
[字源] 形聲. 亻(人)+兪[音]. '兪유'는 나무를 파서 만든 '마상이'의 뜻. 속의 것을 슬쩍 빼내는 사람. '훔치다'의 뜻을 나타냄.

[偸暇 투가] 틈을 탐.
[偸刻 투각] 투한(偸閒).
[偸巧 투교] 속여 꾸밈. 허식(虛飾)을 함.
[偸卷 투권] 책을 읽는 체함.
[偸卷度紙 투권도지] 책을 띄엄띄엄 읽음.
[偸嗜 투기] 남몰래 즐김.
[偸懦 투나] 구차하고 나약함.
[偸嫩 투눈] 젊어 보이도록 꾸밈.
[偸盜 투도] 도둑질함. 또, 도둑.
[偸樂 투락] 몰래 틈을 타 즐김.
[偸利 투리] 바르지 않게 얻은 이익(利益). 부정(不正)한 이익.
[偸慢 투만] 등한히 함.
[偸賣 투매] 남의 물건을 도둑질하여 팖.
[偸免 투면] 구차하게 일시 모면함.
[偸眠 투면] 틈을 타서 잠을 잠.
[偸薄 투박] 성실하지 않고 경박함.
[偸生 투생] 생명을 아낌. 죽어 마땅할 때에 죽지 않고 욕되게 살기를 탐냄.
[偸食 투식] ㉠무의미하게 삶. 구차히 삶. ㉡공금(公金)이나 공곡(公穀) 따위를 도둑질하여 먹음.
[偸心 투심] 《佛教》 도둑질하려는 검은 마음.
[偸兒 투아] 도둑. 도아(盜兒).
[偸安 투안] 눈앞의 안일(安逸)만을 도모함.
[偸弛 투이] 일을 등한히 함.
[偸斫 투작] 산의 나무를 몰래 벰. 도벌(盜伐).
[偸長 투장] 도둑의 우두머리.
[偸葬 투장] 남의 땅에 몰래 매장(埋葬)함. 암장(暗葬).
[偸啼 투제] 남몰래 욺.
[偸存 투존] 투생(偸生).
[偸處 투처] 태만(怠慢)함. 게을리 함.
[偸取 투취] 훔치어 가짐. 절취(竊取).
[偸閒 투한] 바쁜 가운데 틈을 탐.
[偸穴 투혈] 벽을 뚫고 방에 들어가 도둑질하는 사람. 좀도둑. 서적(鼠賊).
◉客偸. 巧偸. 苟偸. 狗偸. 寇偸. 猫偸. 小偸. 野偸. 貳偸. 暫偸. 醉偸. 惰偸.

9 ⑪ [偠] 요 [上]篠 烏皎切 yǎo 

[字解] 날씬할 요 허리가 호리호리하여 맵시 있어 보임. '—紹便娟'《張衡》.
[字源] 形聲. 亻(人)+要[音]

[偠㒟 요뇨] 허리가 가는 모양.
[偠紹 요소] 허리가 호리호리하여 맵시 있어 보임.

9 ⑪ [㑳] [一] 각 [入]藥 其虐切 jué
[二] 극 [入]陌 綺戟切

[字解] [一] ①진력날 각 싫증이 남. '—, 亦倦也'《廣韻》. ②잠깐 각 잠시. '—, 須臾'《廣韻》. [二] ①지칠 극 피로함. '—, 勞也, 極也'《廣雅》. ②웃을 극 크게 웃음. '—, 又大笑'《廣韻》.
[字源] 形聲. 亻(人)+卻[音]

9 ⑪ [偯] 의 [上]尾 於豈切 yǐ 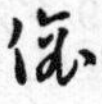

[字解] 훌쩍거릴 의 느끼어 욺. 또, 탄식함. '童子哭不一'《禮記》.

9 ⑪ [偨] 치 ㊤紙 尺矢切 cī

[字解] 가지런하지않을 치 差(工部 七畫)와 同字. '一池'.

[偨池 치지] '치지(差池)'와 같음.

9 ⑪ [偩] 부 ㊤有 房久切 fù

[字解] ①모뜰 부 본뜸. '禮樂一天地之情'《禮記》. ②자부할 부 負(貝部 二畫)와 同字. '自一而辭助'《淮南子》.

[字源] 形聲. 亻(人)+負〔音〕. '負부'는 '의지하다, 믿다'의 뜻.

9 ⑪ [偎] 외 [平]灰 烏恢切 wēi

[字解] ①가까이할 외 친근히 함. '不一不愛'《列子》. ②사랑할 외 '北海有國名曰朝鮮天毒其人水居一人愛人'《山海經》.

[字源] 形聲. 亻(人)+畏〔音〕

9 ⑪ [偅] 동 [去]宋 之用切 tóng

[字解] 종 동 僮(人部 十二畫)과 同字. '驂白鹿兮, 從仙一'《漢張公 神道碑》.

[字源] 形聲. 亻(人)+重〔音〕

◉仙偅.

9 ⑪ [倻] [人名] 야 yē

[字解] 나라이름 야 '伽一'는 고대 한반도 남부에 있던 나라의 이름. 가라(加羅).

[字源] 形聲. 亻(人)+耶〔音〕

[倻溪集 야계집] 책 이름. 조선 중종(中宗) 때 송희규(宋希奎)의 시문집. 3권 2책.

9 ⑪ [偍] 제 [平]齊 杜兮切 tí

[字解] 느즈러질 제 해이(解弛)함. '難進曰一'《管子》.

9 ⑪ [偞] 엽 [入]葉 與涉切 yè

[字解] ①가벼울 엽. ②아름다울 엽 용모가 아름다움.

[字源] 形聲. 亻(人)+枼〔音〕. '枼엽'은 '얇고 납작하다'의 뜻. '가볍다, 경박하다'의 뜻을 나타냄.

9 ⑪ [⿰亻並] 〔병〕
倂(人部 八畫〈p.156〉)과 同字

9 ⑪ [偘] 〔간〕
侃(人部 六畫〈p.129〉)과 同字

9 ⑪ [⿰亻孨] 〔잔〕
僝(人部 十二畫〈p.176〉)의 古字

9 ⑪ [⿰亻癸] 〔규〕
⿰亻癸(人部 十畫〈p.167〉)와 同字

9 ⑪ [偻] 〔루〕
僂(人部 十一畫〈p.173〉)의 俗字

9 ⑪ [⿰亻𤓽] 〔보〕
保(人部 七畫〈p.142〉)의 古字

9 ⑪ [偿] 〔상〕
償(人部 十五畫〈p.184〉)의 簡體字

9 ⑪ [偽] 〔위·와〕
僞(人部 十二畫〈p.176〉)의 略字

9 ⑪ [⿰亻巺] 〔선·준〕
僎(人部 十二畫〈p.175〉)의 本字

9 ⑪ [⿰亻㲋] 〔참〕
儳(人部 十七畫〈p.187〉)의 略字

9 ⑪ [⿰亻㪅] 〔편〕
便(人部 七畫〈p.137〉)의 本字

9 ⑪ [偬] 〔총〕
傯(人部 十一畫〈p.174〉)과 同字

[脩] 〔수〕
肉部 七畫(p.1851)을 보라.

[條] 〔조〕
木部 七畫(p.1073)을 보라.

10 ⑫ [傘] [人名] 산 ㊤旱 蘇旱切 sǎn

[筆順] ノ 人 ⼈ 仌 ... 傘

[字解] 우산 산, 일산 산 繖(糸部 十二畫)과 同字. '乘介馬, 張錦一'《北史》.

[字源] 象形. 우산을 편 모양을 본뜬 것으로, 우산의 뜻을 나타냄.

[傘下 산하] 우산의 밑이라는 뜻으로, 보호(保護)를 받는 그 세력의 밑.
◉陽傘. 雨傘. 油傘. 日傘. 笠傘. 紫羅傘. 兎兒傘. 敝傘.

10 ⑫ [傡] 병 ㊤梗 蒲幸切 bìng

[字解] ①아우를 병 竝(立部 五畫)과 同字. ②나란히설 병 나열함. '一, 羅列'《廣韻》. ③모두 병.

10 ⑫ [傀] [人名] 괴 ①㊤賄 口猥切 kuǐ
②-⑤[平]灰 公回切 guī

[字解] ①허수아비 괴 꼭두각시. 인형(人形). '一儡戲'. '周穆王之時, 巧人有偃師者, 爲木人能歌舞, 此一儡之始也'《列子》. ②클 괴 위대함. '一然獨立天地之間而不畏'《荀子》. ③도깨비 괴 怪(心部 五畫)와 통용. '大一異栽去樂'《周禮》. ④

괴이할 괴 기괴함. ⑤성 괴 성(姓)의 하나.
字源 篆文 形聲. 亻(人)+鬼〔音〕. '鬼귀'는 보통이 아니고 괴이하다의 뜻. 보통과 다른 사람의 뜻을 나타냄.

[傀儡 괴뢰] ㉠꼭두각시. ㉡망석중이.
[傀儡師 괴뢰사] 꼭두각시를 놀리는 사람. 전(轉)하여, 흑막(黑幕)의 인물.
[傀儡子 괴뢰자] 괴뢰사(傀儡師).
[傀儡戱 괴뢰희] 꼭두각시놀음.
[傀俄 괴아] 큰 산이 무너져 가는 모양.
[傀然 괴연] 큰 모양. 위대한 모양. 전(轉)하여, 독립(獨立)한 모양.
◉大傀. 倭傀.

10 ⑫ [傁] 수 ㊤有 蘇后切 sǒu

字解 늙은이 수 叟(又部 八畫)와 同字. '趙一在後, 怒之使下'《左傳》.
字源 形聲. 亻(人)+叟〔音〕. '叟수'는 '늙은이'의 뜻.

10 ⑫ [傃] 소 ㊀遇 桑故切 sù

字解 향할 소 어떤 방향으로 대함. '一東山而歸'《蘇軾》.
字源 形聲. 亻(人)+素〔音〕

10 ⑫ [傎] 전 ㊥先 都年切 diān

字解 뒤바꿀 전, 거꾸로할 전 顚(頁部 十畫)과 同字. '晉文公之行事, 爲已一矣'《穀梁傳》.
字源 形聲. 亻(人)+眞〔音〕

10 ⑫ [傅] 人名 부 ①-⑨㊀遇 方遇切 fù ⑩㊥虞 芳無切 fū

筆順 亻 亻 仃 佰 俌 俌 傅 傅

字解 ①스승 부 좌우에서 봉시(奉侍)하여 돌보는 사람. '立太一少一以養之'《禮記》. 전(轉)하여, 선생. 스승. '師一'. ②돌볼 부 좌우에서 봉시(奉侍)하여 돌봄. '三材一之'《國語》. ③도울 부 보좌함. '鄭伯一王'《左傳》. ④붙을 부 부착함. '一著'. '皮之不存, 毛將安一'《左傳》. ⑤가까이할 부 접근함 '一近'. '一則密'《周禮》. ⑥바를 부 분을 바름. '一脂粉'《史記》. ⑦이를 부 다다름. '鳳凰于飛, 翽翽其羽, 亦一于天'《詩經》. ⑧수표 부 대차(貸借)의 증서. '一別'. ⑨성 부 성(姓)의 하나. ⑩베풀 부 敷(攴部 十一畫)와 同字. '一納以言'《漢書》.
字源 篆文 形聲. 亻(人)+尃〔音〕. '尃부'는 '扶부'와 통하여 '도와주다'의 뜻. 돕는 사람, 돌보는 사람의 뜻을 나타냄.

[傅近 부근] 가까이함. 부근(附近).
[傅納 부납] 신하(臣下)로 하여금 자유로이 언론(言論)을 펴게 하고 이를 받아들임.
[傅母 부모] 집에서 아이를 돌봐 주는 사람. 유모(乳母). 보모(保母).
[傅別 부별] 수표(手票). 권서(券書).
[傅輔 부보] 도움. 보좌(輔佐).
[傅粉 부분] 분을 바름. 단장(丹粧)함. 시분(施粉). 가분(加粉).
[傅粉郞 부분랑] 분(粉)을 바른 남자(男子)라는 뜻. 위(魏)나라의 하안(何晏)을 이름.
[傅婢 부비] 시녀(侍女).
[傅相 부상] 궁중(宮中)에서 보육(保育)을 맡은 벼슬아치.
[傅氏巖 부씨암] 은(殷)나라의 현신(賢臣) 부열(傅說)이 숨어 있었다는 산시 성(山西省) 평룩현(平陸縣)에 있는 암혈(巖穴).
[傅巖 부암] 부씨암(傅氏巖).
[傅愛 부애] 잘 보육(保育)하며 사랑함.
[傅御 부어] 군주(君主)를 보좌(輔佐)하는 사람.
[傅說 부열] 은(殷)나라 고종(高宗) 때의 현상(賢相). 고종(高宗)이 어느 날 꿈을 깨고 꿈에 본 인상(人相)을 그리게 하여 이를 찾았던 바 마침내 부암(傅巖)의 들에서 부열을 찾았다 함.
[傅育 부육] 보살펴 키움.
[傅子 부자] 책 이름. 서진(西晉)의 부현(傅玄) 찬(撰). 정치(政治)·도덕(道德)·인물(人物)을 논(論)한 것으로 원래 4부(部) 6록(錄)으로 나눈 120권이었으나, 산일(散佚)되어 송(宋)나라 때에는 5권만 남았음. 청(淸)나라 엄가균(嚴可均)이 군서치요(群書治要)·영락대전(永樂大典)·의림(意林)을 조교(照校)하여 4권(卷)으로 압축, 전진문(全晉文) 47내지 50권에 수록(收錄)했음.
[傅佐 부좌] 사람에게 도움이 됨. 또, 그 사람.
[傅着 부착] 붙음. 부착(附着).
[傅彩 부채] 채색(彩色)함.
[傅恒 부항] 청(淸)나라의 무장(武將). 만주(滿洲) 사람. 성(姓)은 부찰씨(富察氏). 호(號)는 춘화(春和). 건륭(乾隆) 때 금천(金川)의 반란(叛亂)을 평정하고 이어 미얀마〔緬甸〕를 토벌(討伐)하여 그 공(功)으로써 대학사(大學士)에 이르렀음.
[傅玄 부현] 진(晉)나라의 학자. 자(字)는 휴혁(休奕). 박학다식(博學多識)하고 글을 잘 쓰며, 벼슬이 시중(侍中)에 이르렀음. 저서에 〈부자(傅子)〉가 있음.
[傅會 부회] ㉠억지로 이치에 맞춤. 견강부회(牽強附會)함. ㉡붙임. 부착시킴. ㉢문장(文章)의 수미(首尾)가 일관(一貫)되게 완성함.
◉姆傅. 保傅. 師傅. 良傅. 外傅. 友傅. 中傅. 台傅. 皮傅. 姬傅.

10 ⑫ [傋] 구 ㊀宥 居候切 gòu

字解 무식할 구 무지함. '愚陋一瞀'《荀子》.

[傋瞀 구무] 무식함. 무지함.

10 ⑫ [傍] 高人 방 (⑦팽㊍) ㊥陽 步光切 páng ㊀漾 蒲浪切 bàng ㊤養 補朗切 ㊥庚 蒲庚切 péng

筆順 亻 亻 仁 伫 伫 倅 傍 傍

字解 ①곁 방 접근한 장소. 옆. '近一'. '兩一'. '河峽崖一'《水經 注》. ②방 방 한자(漢字)의 오른쪽 획. 우방(右旁). '偏'의 대(對). '強尋偏一推點畫'《蘇軾》. ③성 방 성(姓)의 하나. ④의할 방 의거(依據)함. 따름. '便當倚一先代耳'

《晉書》. ⑤곁할 방 가까이함. '雲—馬頭生'《李白》. ⑥모실 방 좌우에서 시중듦. '成王之生, 仁者養之, 孝子強之, 四聖—之'《新書》. ⑦말수없을 방 부득이한 모양. '王事——'《詩經》.
[字源] [篆文] 形聲. 亻(人)+旁〔音〕. '旁방'은 '곁'의 뜻. 뒤에 '人'을 붙임. 또, 거성(去聲)일 때에는 곁으로 가까이 가다, 따르다의 뜻을 나타냄.

[傍刻 방각] 인면(印面)의 인문(印文) 밖에 옆으로 새긴 글자.
[傍系 방계] 직계(直系)에서 갈려서 나온 계통(系統). 지계(支系).
[傍觀 방관] ㉠곁에서 봄. 옆에서 구경함. ㉡관계하지 아니함. 내버려둠.
[傍觀者審 방관자심] 제삼자(第三者)가 더 잘 봄.
[傍近 방근] 근방(近傍).
[傍覽 방람] 곁에서 봄.
[傍門戶飛 방문호비] 남에게 기대어 출세(出世)함.
[傍傍 방방] ㉠힘쓰는 모양. 근로하는 모양. ㉡강성(強盛)한 모양.
[傍輩 방배] 벗. 붕배(朋輩).
[傍生 방생] ㉠곁에서 남. ㉡《佛教》 몸이 옆으로 되어 있는 생물. 곧, 벌레·날짐승·물고기 따위.
[傍孫 방손] 방계(傍系)의 자손.
[傍視 방시] 곁을 봄.
[傍臣 방신] 측근(側近)의 신하(臣下).
[傍室 방실] 곁의 방. 건넌방.
[傍若無人 방약무인] 옆에 사람이 없는 것 같다는 뜻으로, 언행(言行)이 기탄(忌憚)없음을 이름.
[傍倚 방의] 의지함. 따름.
[傍人 방인] 곁에 있는 사람. 옆 사람.
[傍點 방점] 보는 사람의 주의를 일으키기 위하여 글귀의 오른편이나 위에 찍는 점(點).
[傍助 방조] 옆에서 도와줌.
[傍祖 방조] 직계(直系)가 아닌 조상.
[傍照 방조] 적용할 만한 법문(法文)이 없을 때 그와 비슷한 법문을 참조함.
[傍證 방증] 간접적인 증거.
[傍參 방참] 옆에 참렬(參列)함.
[傍妻 방처] 첩. 측실(側室).
[傍聽 방청] 옆에서 들음. 전(轉)하여, 회의(會議)·연설(演說)·재판(裁判) 등을 들음.
[傍親 방친] 방계(傍系)의 친척.
[傍統 방통] 본가(本家)에서 갈려 나간 혈통. 지통(支統).
[傍偟 방황] '방황(彷徨)'과 같음.
[傍灰 방회] 매장(埋葬)할 때 관(棺)의 옆을 메우는 회(灰).
◉劇傍. 近傍. 岐傍. 路傍. 道傍. 無傍. 四傍. 水傍. 兩傍. 依傍. 作舍道傍. 偏傍.

10 ⑫ [傏] 당 [平]陽 徒郞切 táng

[字解] ①당돌할 당 불손함. '—偀'. '—偀, 不遜'《篇海》. ②닿을 당 부딪침. 搪(手部 十畫)과 同字.
[字源] 形聲. 亻(人)+唐〔音〕

10 ⑫ [傑] [高人] 걸 [入]屑 渠列切 jié 杰

[筆順] 亻 件 件 件 伴 傑 傑 傑
[字解] ①준걸 걸 재주와 슬기가 뛰어난 사람. '人—'. '豪—'. '俊—在位'《孟子》. ②뛰어날 걸 출중함. '—出'. '—作'. '有厭其—'《詩經》.
[字源] [篆文] 形聲. 亻(人)+桀〔音〕. '桀걸'은 높이 내걸다의 뜻. 뛰어나게 높고 훌륭한 인물의 뜻을 나타냄.

[傑閣 걸각] 굉장히 큰 누각(樓閣).
[傑觀 걸관] 큰 문이 달린 훌륭한 집.
[傑句 걸구] 썩 잘 지은 글귀.
[傑氣 걸기] 호걸(豪傑)스러운 기상(氣象). 뛰어난 기상.
[傑起 걸기] 훌륭하게 일어섬.
[傑立 걸립] 뛰어나게 우뚝 솟음.
[傑邁 걸매] 걸출하고 고매함.
[傑物 걸물] ㉠걸출한 인물. ㉡영물(英物). 뛰어난 물건. 훌륭한 물건.
[傑士 걸사] 걸출한 선비.
[傑語 걸어] 뛰어나게 좋은 말.
[傑然 걸연] 걸출한 모양.
[傑人 걸인] 뛰어난 인물.
[傑作 걸작] ㉠썩 잘 지은 글이나 작품(作品). ㉡썩 잘된 제작.
[傑跡 걸적] 뛰어난 공업(功業)의 자취.
[傑出 걸출] 썩 뛰어남.
[傑特 걸특] 특별히 걸출함.
◉高傑. 怪傑. 魁傑. 瓌傑. 名傑. 文傑. 三傑. 霜下傑. 秀傑. 時傑. 識時務在俊傑. 女傑. 英傑. 羽傑. 雄傑. 人傑. 挺傑. 俊傑. 儁傑. 快傑. 卓傑. 豪傑.

10 ⑫ [傒] 혜 [平]齊 胡鷄切 ①xì, ②xī

[字解] ①가둘 혜 수감(收監)함. '—人之子女'《淮南子》. ②성 혜 성(姓)의 하나.
[字源] 形聲. 亻(人)+奚〔音〕

[傒狗 혜구] 남을 욕하는 말. 개새끼.

10 ⑫ [傕] 각 [入]覺 古岳切 jué

[字解] ①사람이름 각 '李—'은 후한(後漢) 때의 사람. ②성 각 성(姓)의 하나.
◉李傕.

10 ⑫ [傔] 겸 [去]豔 苦念切 qiàn

[字解] 추종 겸 시중드는 하인. '—卒'. '—從三十餘人'《唐書》.
[字源] [篆文] 形聲. 亻(人)+兼〔音〕. '兼겸'은 합치다, 함께 하나가 되다의 뜻. 사람의 곁에 붙어 모시다, 시중드는 사람의 뜻을 나타냄.

[傔人 겸인] 시중드는 하인.
[傔卒 겸졸] 호위병(護衛兵).
[傔從 겸종] 겸인(傔人).

10 ⑫ [傝] [一] 탐 [去]勘 他紺切 tàn
[二] 탑 [入]合 吐盍切 tà

[字解] [一] 불안할 탐, 염치없을 탐 '一, 一㒌, 不自安, 一曰, 無恥也'《集韻》. [二] ①나쁠 탑, 경솔할 탑 '一, 惡也, 一曰, 不謹貌'《玉篇》. ②어리석을 탑 우매함. '一, 不肖也'《集韻》.

10 ⑫ [㑋] 공 [平]冬 渠容切 qióng

[字解] 욕할 공 욕설을 함. '一傱, 罵也'《揚子方言》.

10 ⑫ [㑪] [一] 천 [上]銑 丑展切 chǎn
[二] 치 [平]支 chī

[字解] [一] 키멀쑥할 천 키가 큰 모양. '一, 人形長皃'《集韻》. [二] 키멀쑥할 치 [一]과 뜻이 같음.

10 ⑫ [傖] 창 [平]庚 助庚切 cāng (chéng) 伧

[字解] 천할 창 비루하고 더러움. 또, 그 사람. '一父'. '不足齒之一耳'《晉書》.
[字源] 形聲. 亻(人)+倉〔音〕

[傖父 창부] 비천한 사람. 사람을 천하게 이르는 말. 촌뜨기.
[傖重 창중] 성질이 거칠고 미련함.
◉饑傖. 老傖.

10 ⑫ [傈] 률 [入]質 力質切 lì

[字解] 신주 률 사당(祠堂)에 모시는 신주(神主). 또, 사당 주위에 심는 밤나무. '一, 廟主也'《字彙》.

10 ⑫ [傠] 벌 [入]月 房越切 fá

[字解] ①배반할 벌 의리에 배반함. '勇侏之一, 盜蒙決夬'《太玄經》. ②칠 벌 伐(人部 四畫)과 同字.
[字源] 會意. 亻(人)+討. '討토'는 '치다'의 뜻.

10 ⑫ [備] [中人] 비 [去]寘 平祕切 bèi 备

[筆順] 亻 亻 亻廾 亻艹 亻㐁 俻 倩 備

[字解] ①갖출 비 ㉠골고루 가지고 있음. 구유(具有)함. '一品'. '才一文武'《唐書》. ㉡미리 준비함. '財以一器'《國語》. ㉢미리 설치함. '官不必一, 惟其人'《書經》. ㉣부족한 것을 채움. 보족(補足)함. '補一之'《漢書》. ②갖추어질 비 ㉠준비가 됨. '凡樂成則告一'《周禮》. ㉡족함. 모자람이 없음. '易之爲書也, 廣大悉一'《易經》. ③채울 비 수에 넣음. 가입시킴. '文學掌故, 補郡屬一員'《史記》. 또, 채워짐. 가입함. '身一漢相'《漢書》. ④예방할 비 미리 방비함. '守一'. '不一於齊, 齊師侵魯'《史記》. ⑤비품 비 일상 쓰는 물품·기구. '當先具其一'《漢書》. ⑥예비 비 차림. 준비. '有一無患'《書經》. ⑦예방 비 군사상의 방어. '軍一'. '莫如去一'《左傳》. ⑧의장(儀仗) 비 경호(警護). '家一盡往'《左傳》. ⑨모두 비 죄다. '季秋之月, 農事一收'《禮記》. ⑩발톱 비 '獻其皮革齒須一'《周禮》. ⑪긴병장기 비 창(槍) 따위. ⑫성 비 성(姓)의 하나.
[字源] 金文 篆文 古文 形聲. 亻(人)+葡〔音〕. '葡비'는 화살을 넣는 전동을 갖추다의 뜻. 사람이 전동을 몸에 착용하여 갖추는 데서, 일반적으로 갖추다, 신중하게 준비하다의 뜻을 나타냄.

[備擧 비거] 빠짐없이 갖춤.
[備警 비경] 방비하고 경계함.
[備戒 비계] 비경(備警).
[備考 비고] 부기(附記)하여 본문의 설명을 보충하여 참고로 하게 하는 일. 또, 그 기사.
[備具 비구] 완비(完備)함. 또, 완비하게 함. 구비(具備). 충비(充備).
[備禮 비례] 예절(禮節)을 갖춤.
[備忘 비망] 잊었을 때를 위한 대비.
[備忘錄 비망록] 잊어버리지 않게 적어 두는 기록(記錄).
[備味 비미] 갖추어진 성찬(盛饌).
[備嘗艱苦 비상간고] 고생을 두루 겪음.
[備數 비수] 일정한 수(數)를 채움.
[備悉 비실] 갖춤. 또, 갖추게 함.
[備樂 비악] 잘 갖춘 음악.
[備禦 비어] 미리 준비하여 막음.
[備列 비열] 죽 늘어섬.
[備員 비원] 인원을 채움. 또, 채워 갖춘 인원.
[備位 비위] 벼슬에 참여(參與)함. 벼슬아치 수(數)에 듦.
[備衞 비위] 불우지변(不虞之變)에 대한 대비.
[備有 비유] 부족 없이 갖추어 있음.
[備擬 비의] 대비(對備)하여 둠.
[備藏 비장] 갖추어 간직하여 둠.
[備足 비족] 부족 없이 구비됨.
[備種 비종] 온갖 물건을 다 갖춤.
[備置 비치] 갖추어서 둠.
[備品 비품] 비치하여 두는 물품.
[備該 비해] 구비(具備)함.
[備荒 비황] 흉년(凶年)·재난(災難) 등에 대한 준비.
◉兼備. 警備. 戒備. 攻備. 具備. 軍備. 器備. 對備. 明備. 武備. 文武兼備. 文備. 未備. 防備. 邊備. 兵備. 富備. 不備. 常備. 詳備. 設備. 守備. 審備. 預備. 豫備. 完備. 裝備. 儲備. 戰備. 整備. 周備. 籌備. 準備. 充備. 豊備. 必備. 該備. 後備.

10 ⑫ [傚] 효 [去]效 胡教切 xiào

[字解] 본받을 효 效(支部 六畫)와 同字. '我不敢一我友自逸'《詩經》.
[字源] 形聲. 亻(人)+效〔音〕. '效효'는 '배우다, 본받다'의 뜻. 사람이 배워 본받다의 뜻을 나타냄.

[傚慕 효모] 배워 본받음.
◉法傚. 不敢傚. 則傚.

10 ⑫ [㑧] 규 [平]支 渠追切 kuí

[字解] 둘러볼 규 좌우를 둘러봄. '一, 㑧, 左右兩視'《說文》.
[字源] 形聲. 亻(人)+癸〔音〕

10 ⑫ [㑳] [一] 추 [去]宥 鋤祐切 zhòu
[二] 주 [平]虞 莊俱切 zhū

字解 ❶ ①밸 추 새끼를 뱀. '一, 娠也'《集韻》. ②품팔 추 고용(雇傭)됨. '任身傭作, 曰一'《焦竑》. ❷ 키작달막할 주 키가 작은 모양. '一, 小人皃'《集韻》.

10 ⑫ [傌] 매 ㊋禡 莫駕切 mà

字解 ①욕할 매 罵(网部 十畫)의 本字. ②성 매 성(姓)의 하나.

字源 形聲. 亻(人)+馬〔音〕. '馬마'는 '幕막'과 통하여, '덮어씌우다'의 뜻. 사람에게 들씌우다, 욕하다의 뜻을 나타냄.

10 ⑫ [傞] 사 ㊤歌 素何切 suō

字解 춤출 사 술에 취하여 비틀거리며 춤을 추는 모양. '屢舞一一'《詩經》.

字源 篆文 形聲. 亻(人)+差〔音〕. '差차'는 '고르지 않다'의 뜻. 사람이 술에 취하여 손발이 맞지 않는 춤을 추는 모양의 뜻을 나타냄.

[傞傞 사사] 술에 취하여 비틀거리며 춤을 추는 모양.

10 ⑫ [傢] 〔가〕 家(宀部 七畫〈p. 582〉)의 俗字

字源 形聲. 亻(人)+家〔音〕

[傢什 가집] 가화(傢伙).
[傢伙 가화] 가구.

10 ⑫ [傛] 人名 용 ㊤冬 餘封切 róng

字解 ①익숙할 용 '一一'은 익숙한 모양. ②여관이름 용 '一華'는 한대(漢代)의 여관(女官) 이름.

字源 篆文 形聲. 亻(人)+容〔音〕

[傛傛 용용] 친숙(親熟)한 모양. 익숙한 모양.
[傛華 용화] 한대(漢代)의 여관(女官) 이름.

10 ⑫ [傜] 〔요〕 徭(彳部 十畫〈p. 751〉)와 同字

字源 形聲. 亻(人)+䍃〔音〕

10 ⑫ [倓] 〔담〕 倓(人部 八畫〈p. 156〉)과 同字

10 ⑫ [能] 〔태〕 態(心部 十畫〈p. 804〉)와 同字

11 ⑬ [僉] 人名 첨 ㊤鹽 七廉切 qiān

筆順 ノ 𠆢 亼 合 合 㑒 㑒 僉

字解 ①여러 첨, 모두 첨 여러 사람. 모든 사람. '一位'. '一議'. '一曰, 於鯀哉'《書經》. ②도리깨 첨 곡식을 두들겨 떠는 농구. ③성 첨 성(姓)의 하나.

字源 金文 篆文 會意. 亼+兄+兄. '亼집'은 '合합'등과 통하여 '합치다'의 뜻. '兄형'은 사람이 입으로 말을 하다의 뜻. 많은 사람이 입을 맞춰 말하다, 여러 사람의 뜻을 나타냄.

[僉君子 첨군자] 여러 점잖은 이.
[僉謀 첨모] 첨의(僉議).
[僉員 첨원] 여러분.
[僉位 첨위] 여러분.
[僉意 첨의] 여러 사람의 의견.
[僉議 첨의] 일동의 평의(評議). 중의(衆議).
[僉尊 첨존] 첨위(僉位)의 존칭(尊稱).

11 ⑬ [催] 高人 최 ㊤灰 倉回切 cuī

筆順 亻 亻山 亻屮 亻屮 亻屮 催 催 催

字解 ①재촉할 최 죄어침. '一告'. '一促'. '驛馬一之'《晉書》. ②닥쳐올 최 시일이 닥쳐옴. '一迫'. '流年一我自堪嗟'《羅鄴》. ③일어날 최 생김. '歲時歸思一'《孟浩然》. ④《韓》 베풀 최 모임을 엶. '開一'. '主一'.

字源 篆文 形聲. 亻(人)+崔〔音〕. '崔최'는 '推추'와 통해 '추진하다'의 뜻. 사람을 다음 사태로 밀어 나아가게 하다, 재촉하다의 뜻을 나타냄.

[催告 최고] 재촉하는 뜻의 통지.
[催科 최과] 조세(租稅)의 상납을 독촉함. 최조(催租).
[催督 최독] 재촉하고 감독함. 독촉(督促).
[催淚劑 최루제] 눈의 점막(粘膜)을 자극(刺戟)하여 눈물을 흘리게 하는 가스.
[催淚彈 최루탄] 최루제(催淚劑)를 넣어 만든 탄환.
[催眠 최면] 잠이 오게 함.
[催眠術 최면술] 사람으로 하여금 의식(意識)을 한 곳에 모으게 하여 수면(睡眠) 상태에 빠지게 하는 술법(術法).
[催眠劑 최면제] 수면(睡眠) 상태에 빠지게 하는 데 쓰이는 약제.
[催迫 최박] 닥쳐옴. 핍박(逼迫).
[催產 최산] 해산(解產)할 임부(姙婦)에게 약(藥)을 써서 해산을 쉽고 빠르게 함.
[催租 최조] 조세(租稅)의 납입(納入)을 재촉함.
[催徵 최징] 재촉하여 징수(徵收)함.
[催促 최촉] 재촉함.
[催花雨 최화우] 꽃을 재촉하는 비라는 뜻으로, 봄비를 이름. 춘우(春雨).
[催喚 최환] 재촉하여 부름.
◉開催. 漏催. 歲月催. 年催. 主催.

11 ⑬ [働] ㊐ 동 dòng

字解 《日》 일할 동 노동(勞動)함. '一, 日本字. 吾國人通讀之若動'《中華大字典》.

參考 원래 일본(日本) 글자이나, 한때 중국(中國)에서도 사용되었음.

11 ⑬ [傭] 人名 ❶ 용 ㊤冬 餘封切 yōng (yóng) ❷ 총 ㊤冬 丑凶切 chōng 佣

[字解] [一] ①품팔이할 용, 품살 용 고용당함. 또, 고용함. '一工'. '一兵'. '仲山家貧奉親, 變姓名, 一爲新野縣街卒'《世說》. ②품팔이꾼 용 '爲冶家一'《後漢書》. ③품삯 용 '厚其錢一, 以餉饑人'《李翺》. [二] ①고를 총 균등함. 공평(公平)함. '昊天不一'《詩經》. ②천할 총 비루함. '近世而不一'《荀子》.

[字源] 篆文 形聲. 亻(人)+庸〔音〕. '庸용'은 '쓰다, 사용하다'의 뜻. '고용된 사람'의 뜻을 나타냄.

[傭客 용객] 용인(傭人).
[傭耕 용경] 고용(雇傭)되어 밭을 갊.
[傭工 용공] 고용(雇傭)된 일꾼.
[傭女 용녀] 고용살이하는 여자.
[傭徒 용도] 용인(傭人).
[傭兵 용병] 고용한 군사(軍士).
[傭保 용보] 고용된 사람. '보(保)'는 보증인을 세우고 고용된다는 뜻.
[傭僕 용복] 고용된 하인.
[傭聘 용빙] 불러 고용함.
[傭寫 용사] 용서(傭書).
[傭書 용서] 필경(筆耕)을 함.
[傭食 용식] 고용되어 생활을 함.
[傭役 용역] 고용하여 부림. 또, 고용되어 일을 함.
[傭人 용인] 삯을 받고 남의 일을 하는 사람. 고용인(雇傭人).
[傭賃 용임] 품삯.
[傭者 용자] 고용된 자.
[傭作 용작] 고용되어 일을 함.
[傭錢 용전] 용임(傭賃).
[傭築 용축] 역군으로 고용됨.
[傭販兒 용판아] 고용된 사람.
[傭筆 용필] 용서(傭書).
◉客傭. 耕傭. 雇傭. 老傭. 保傭. 書傭. 賃傭.

11 ⑬ [傪] 참 [平]覃 倉含切 cān

[字解] 아리따울 참 아름다운 모양. '一, 好皃'《說文》.

[字源] 篆文 形聲. 亻(人)+參〔音〕. '參참'은 머리 꾸미개가 빛나고 반짝이는 모양. 모습 등이 아리땁다, 아름답다의 뜻을 나타냄.

11 ⑬ [傯] [一] 환 [去]諫 胡慣切 huàn [二] 억 [入]職 於力切 yì

[字解] [一] 얽맬 환 가둬 놓은 모양. '一然, 若終身之虜, 而不敢有他志, 是俗儒者也'《荀子》. [二] 편안할 억 일설(一說)에는, 億(人部 十六畫)의 訛字.

11 ⑬ [傲] [高人] 오 [去]號 五到切 ào

[筆順] 亻 亻 仩 佳 佬 侍 傲 傲

[字解] ①거만할 오 교만함. '一慢'. '倨一'. '不問而告, 謂之一'《荀子》. ②거만 오 교만. '一不可長'《禮記》. ③업신여길 오 오만하여 남을 멸시함. '一視'. ④놀 오 즐거이 놂. '嘯一東軒下'《陶潛》.

[字源] 篆文 形聲. 亻(人)+敖〔音〕. '敖오'는 자유로이 나가서 놀고 즐기다의 뜻을 나타냄. '人'을 덧붙여 거성(去聲)이 되어, '거만하다, 업신여기다, 제멋대로 하다'의 뜻을 나타냄.

[傲骨 오골] ㉠굳은 뼈. ㉡거만한 풍채(風采).
[傲慢 오만] 거드럭거림. 교만함.
[傲不可長 오불가장] 교만한 마음은 억제하여야 「함.
[傲散 오산] 오만하고 방자(放恣)함.
[傲霜 오상] 모진 서리에도 굴(屈)하지 않는다는 뜻.
[傲色 오색] 거만한 기색(氣色). 오만(傲慢)한 빛.
[傲視 오시] 오만하여 남을 깔봄.
[傲岸 오안] 오만하여 남에게 굽히지 아니함.
[傲狎 오압] 오만하여 남을 경시(輕視)함.
[傲睨 오예] 오만하여 남을 업신여김.
[傲兀 오올] 오안(傲岸).
[傲頑 오완] 오만하고 완고(頑固)함.
[傲逸 오일] 오만하고 방일(放逸)함.
[傲縱 오종] 오만하고 방종(放縱)함.
[傲侈 오치] 오만함.
[傲暴 오포] 오만하고 횡포함.
[傲虐 오학] 오만하고 남을 학대함.
[傲很 오한] 오만하고 사나움.
◉倨傲. 驕傲. 放傲. 奢傲. 疎傲. 縱傲. 侈傲. 惰傲. 怠傲. 亢傲.

11 ⑬ [傳] [中人] 전 [平]先 直攣切 chuán [去]霰 直戀切 zhuàn 传 𫝊

[筆順] 亻 亻 佢 伸 佴 倳 傳 傳

[字解] ①전할 전 ㉠옮기어 감. '一乘而歸'(옮겨 타고 돌아감)《左傳》. ㉡옮기어 줌. 수여함. '一授'. '欲一商君'《戰國策》. ㉢물려 내려 줌. '世一'. '父子相一, 漢之約也'《漢書》. ㉣전달함. 발포(發布)함. '一令'. '置郵而一命'《孟子》. ㉤보냄. '一鉅子於田襄子'《呂氏春秋》. ㉥사람을 거쳐 보냄. '一言'. '令寺人一告之'《詩經箋》. ㉦남김. '欲一惡聲于子'《韓非子》. ㉧진술함. '一著于鍾鼎也'《禮記》. ㉨여러 사람의 입을 통해 퍼뜨림. '宣一'. '趙氏連城璧, 由來天下一'《楊炯》. ②전하여질 전 ㉠이어짐. 계속함. '燕齊之後, 與周竝一'《漢書》. ㉡받음. 수여(授與)됨. '一受'. '金烏何日見, 玉杯幾時一'《錢起》. ㉢퍼짐. 두루 미침. '盛一於世'《陳書》. ㉣들림. '風遠鐘一'《劉孝儀》. ㉤남음. '芳風永一'《宋書》. ㉥차례로 이름. 이어 바뀜. '其間五一, 年未爲遠'《陸澄》. ③옮길 전 장소를 바꿈. '父母舅姑之衣衾簟席枕几不一'《禮記》. ④성 전 성(姓)의 하나. ⑤역마을 전 역참(驛站). 또, 역참이 있는 마을. '一馬'. '發人修道里停一'《後漢書》. 또, 역참에 비치한 거마(車馬). '使人馳一追之'《史記》. ⑥주막 전 여인숙. 여사(旅舍). '沛公至高陽一舍'《史記》. ⑦통부(通符) 전 관(關)을 통과하는 부신(符信). '投一而去'《後漢書》. ⑧경서의주해 전 경서를 해석한 것. 시경(詩經)을 해석한 것은 시전(詩傳)이고, 서경(書經)에 주해를 낸 것은 서전(書傳)임. '春秋左氏一'. '發一之體有三'《左傳序》. ⑨전기 전 한 개인의 일평생의 사적(事跡). '一記'. '漢司馬遷作史記, 創爲列一, 以紀一人始終'《文體明辨》. ⑩책 전 고대의 기록. '齊宣王問曰, 湯放桀武王伐紂, 有諸. 孟子對曰, 於一有之'《孟子》.

[字源] 甲骨文 金文 篆文 形聲. 亻(人)+專〔音〕. '專전'은 '두르다'의 뜻. 이 사

람에게서 저 사람에게로 빙글빙글 사물을 돌리다의 뜻을 나타냄.
參考 伝(人部 四畫)은 俗字.

[傳家 전가] 대대로 가문(家門)에 전함.
[傳家之寶 전가지보] 조상(祖上) 때부터 대대로 전해 내려오는 보물.
[傳看 전간] 여럿이 돌려 가며 봄.
[傳簡錢 전간전] 편지를 부탁하여 보낼 때에 주는 삯전.
[傳喝 전갈] 사람을 시켜서 안부(安否)를 묻거나 말을 전(傳)하는 일.
[傳車 전거] 역참(驛站)의 수레.
[傳遽之臣 전거지신] 역참(驛站)에서 운송(運送)에 종사하는 바쁜 작은 벼슬아치란 뜻으로, 선비가 자기를 낮추어 일컫는 말.
[傳戒 전계] 《佛敎》 계법(戒法)을 전함.
[傳繼 전계] 전하여 계승케 함. 또, 전한 것을 계승함.
[傳告 전고] 전하여 알림.
[傳過 전과] 관문(關門) 통행의 신표(信標).
[傳敎 전교] ㉠가르쳐 전함. ㉡교법(敎法)을 가르쳐 전함. ㉢《韓》 임금의 명령.
[傳國寶 전국보] 전국새(傳國璽)를 당대(唐代)부터 고쳐 부른 이름.
[傳國璽 전국새] 대대로 전하는 천자(天子)의 어보(御寶). 진시황(秦始皇) 때 옥(玉)으로 만든 것이라 함.

[秦始皇之璽]
[傳國璽]

[傳奇 전기] 소설의 문체(文體)의 하나. 기이한 일을 취재한 소설이나 희곡(戲曲).
[傳記 전기] ㉠경서(經書)의 주해(註解)에 관한 기록. ㉡개인의 일생의 사적(事績)을 적은 기록(記錄).
[傳騎 전기] 호령(號令)을 전하는 기병(騎兵).
[傳納 전납] 전송(傳送)하여 납부함.
[傳單 전단] 선전이나 광고 또는 선동하는 글이 담긴 종이쪽.
[傳達 전달] 전하여 이르게 함.
[傳道 전도] ㉠도(道)를 전하여 가르침. 옛날 성현(聖賢)의 교훈(敎訓)을 설명(說明)하여 세상(世上)에 전함. ㉡옛날부터 전하여 내려오는 도(道). ㉢종교, 특히 기독교를 널리 전파(傳播)시킴.
[傳導 전도] 열(熱) 또는 전기가 물체의 한 부분으로부터 점차 다른 부분으로 옮아가는 현상.
[傳道師 전도사] 기독교(基督敎)를 전파(傳播)하는 임무를 맡은 사람.
[傳燈 전등] 《佛敎》 법등(法燈)을 받아 전함.
[傳來 전래] 전하여 내려옴.
[傳來之物 전래지물] 예전부터 전하여 내려오는 물건.
[傳來之風 전래지풍] 예전부터 전하여 오는 풍속(風俗).
[傳令 전령] 명령(命令)을 전함. 또, 그 명령.
[傳馬 전마] 역참(驛站)에서 사용하는 말. 역말.
[傳命 전명] 명령을 발포함.
[傳摹 전모] 전사(傳寫).
[傳聞 전문] 전하는 말을 들음. 또, 전하는 소문.
[傳聞不如親見 전문불여친견] 전해 들은 것은 실제로 본 것만 같지 못함.
[傳聞何可盡信 전문하가진신] 전해 들은 것은 모두 믿을 수는 없음.
[傳發 전발] 호령을 전하여 출발하게 함.
[傳鉢 전발] 《佛敎》 의발(衣鉢)을 전하여 줌.
[傳法 전법] 《佛敎》 법계(法系)를 전하여 줌.
[傳奉 전봉] 내신(內臣)의 연고(緣故)에 의하여 임관(任官)됨.
[傳舍 전사] 여관(旅館).
[傳寫 전사] 옮기어 베낌.
[傳書 전서] 편지(便紙)를 전함.
[傳書鳩 전서구] 반드시 제 보금자리로 돌아오는 성질을 이용하여 군사(軍事) 및 통신용(通信用)으로 쓰는 비둘기.
[傳宣 전선] 조칙(詔勅)을 전(傳)하여 일러 줌.
[傳說 전설] 옛날부터 전하여 내려오는 이야기.
[傳世 전세] 대대로 물려서 전하여 감.
[傳貰 전세] 집주인에게 일정한 금액(金額)을 맡기고 그 집을 빌려 들었다가, 내놓고 나갈 때에 그 돈을 이자(利子) 없이 도로 찾는 가옥(家屋) 대차(貸借)의 계약(契約).
[傳疏 전소] 전(傳)과 소(疏). 경서(經書) 등에 자세히 단 주석(注釋).
[傳飧 전손] 간식(間食)을 먹으라는 명령을 내림.
[傳送 전송] 전(傳)하여 보냄.
[傳誦 전송] 사람의 입에서 입으로 전(傳)하여 욈.
[傳受 전수] 전(傳)하여 받음.
[傳授 전수] 전(傳)하여 줌.
[傳習 전습] 전수(傳受)하여 익힘.
[傳襲 전습] 전(傳)하여 물려받음. 전하여 내려오는 그대로 따라 함.
[傳習錄 전습록] 명(明)나라 왕양명(王陽明)의 어록(語錄). 3권. 문인(門人) 서애(徐愛)가 수록(收錄)한 것을 설간(薛侃)이 증보(增補)하였음.
[傳承 전승] 계통을 이어받음.
[傳乘 전승] ㉠역참(驛站)의 거마(車馬)를 탐. ㉡옮겨 탐. 다른 거마(車馬)를 탐.
[傳食 전식] 이리저리 옮겨 다니며 먹음. 여기저기 다니며 기식(寄食)함.
[傳信 전신] 소식을 전함. 편지를 전함.
[傳神 전신] 초상(肖像). 또, 초상을 그려 전함.
[傳神寫照 전신사조] 사람의 초상을 그려 그 정신을 전함.
[傳語 전어] 말을 전함. 또, 그 말.
[傳言 전언] ㉠말을 전함. 또, 그 말. ㉡호령을 전함.
[傳驛 전역] 역참(驛站).
[傳染 전염] ㉠물들임. 또, 물듦. ㉡병독(病毒) 같은것이 남에게 옮음.
[傳染病 전염병] 병독(病毒)이 남에게 전염하는 병. 급성(急性)과 만성(慢性)의 구별이 있음.
[傳詠 전영] 사람의 입에서 입으로 전하여 옮음.
[傳位 전위] 임금의 자리를 전(傳)함.
[傳胤 전윤] 계통을 전승(傳承)함.
[傳祖 전조] 전하여 법으로 삼음. '祖'는 '法'의 뜻.
[傳注 전주] 책의 주석(注釋).
[傳奏 전주] 남의 말을 전하여 아룀.
[傳重 전중] 선조의 제사를 후손에게 전하여 받들어 잇게 함.
[傳旨 전지] 《韓》 상벌(賞罰)에 관한 왕지(王旨)를 받아 전달하는 일.
[傳指 전지] 전하여 가르치는 요지(要旨).
[傳餐 전찬] 아침저녁으로 밥을 나름.

[傳贊 전찬] 남의 전기(傳記)의 뒤에 쓰는 평론(評論).
[傳帖 전첩] 회장(回章).
[傳逮 전체] 명령을 전하여 체포하게 함.
[傳遞 전체] 역참(驛站)에서 차례로 전(傳)하여 보냄. 역참(驛站)에서 역참으로 전하여 보냄. 체송(遞送).
[傳置 전치] 역참(驛站). 역체(驛遞).
[傳稱 전칭] 전하여 칭송(稱頌)함. 전하는 사람마다 칭송함.
[傳統 전통] ㉠계통(系統)을 이어받아 전함. 또, 전하여 내려오는 계통. ㉡후세(後世) 사람들이 답습(踏襲)하여 존중하는 과거(過去)의 풍속·습관·도덕·양식(樣式) 등.
[傳播 전파] 전하여 널리 퍼뜨림. 또, 전하여 널리 퍼짐. 유포(流布).
[傳布 전포] 전파(傳播).
[傳票 전표] 은행·회사 등에서 금전의 출입(出入)을 적는 작은 쪽지.
[傳呼 전호] 전하여 부름. 점호함.
◉家傳. 口傳. 急傳. 記傳. 史傳. 三傳. 相傳. 書傳. 宣傳. 星傳. 小傳. 神傳. 驛傳. 列傳. 外傳. 郵傳. 流傳. 遺傳. 衣鉢傳. 稱傳. 喧傳.

11 ⑬ [傮] [一] 조 (平)豪 作曹切 zāo
[二] 주 (平)尤 字秋切

字解 [一] 마칠 조 끝남. '一, 終也'《說文》. [二] 마칠 주 [一]과 뜻이 같음.
字源 篆文 形聲. 亻(人)+曹〔音〕.

11 ⑬ [傹] [一] 경 ①(去)漾 其亮切 jìng ②(去)敬 渠映切
[二] 강 (平)陽 居良切 jiāng

字解 [一] ①굳셀 경 倞(人部 八畫〈p.152〉)과 同字. ②다툴 경 競(立部 十五畫〈p.1652〉)과 同字. [二] 넘어뜨릴 강 쓰러뜨림. '可吹而一也'《荀子》.

11 ⑬ [傴] 구 (上)麌 於武切 yǔ 伛

字解 ①구부릴 구 몸을 굽힘. '一命而僂, 再命而一'《左傳》. ②곱사등이 구 '一僂'. '一者不袒'《禮記》.
字源 篆文 形聲. 亻(人)+區〔音〕. '區구'는 '구부러지다'의 뜻. 등이 구부러지는 병에 걸린 사람, '곱사등이'의 뜻을 나타냄.

[傴僂 구루] ㉠몸을 굽힘. ㉡몸을 굽혀 공경(恭敬)하는 모양. ㉢곱사등이. 구루(佝僂).
[傴背 구배] 곱사등이. 구루(痀瘻).
[傴拊 구부] 불쌍히 여겨 애무(愛撫)함.
◉變傴. 俯傴. 伸傴. 尫傴. 寒傴.

11 ⑬ [傫] [一] 래 (去)隊 盧對切 lěi
[二] 루 (平)支 力追切

字解 [一] ①드리울 래 儽(人部 二十一畫〈p.188〉)와 同字. ②성 래 성(姓)의 하나. [二] 지칠 루 피로해짐.

11 ⑬ [債] 高人 채 (去)卦 側賣切 zhài 债

筆順 亻 亻 … 債

字解 ①빚 채 꾸어 쓴 돈. '負一'. '賣田宅, 鬻子孫, 以償一'《漢書》. 전(轉)하여, 자기가 응당 하여야 할 것을 아직 하지 아니한 것. '詩一'. '官身常缺讀書一'《陸游》. ②빚돈 채 빚으로 준 돈. '宜可令收一'《史記》.
字源 篆文 形聲. 亻(人)+責〔音〕. '責책'은 '나무라다'의 뜻. 빚을 져서 나무람을 받는 사람의 뜻에서, '빚'의 뜻을 나타냄.

[債家 채가] 빚 준 사람. 채권자(債權者).
[債券 채권] 국가(國家)·공공 단체(公共團體) 또는 은행(銀行)·회사 등이 자기의 채무(債務)를 증명하여 발행하는 유가 증권(有價證券).
[債權 채권] 빚을 준 자가 빚을 얻은 자에 대하여 가지는 권리. 채무의 청산(淸算)을 요구하는 권리.
[債鬼 채귀] 너무 졸라 대는 빚쟁이를 미워하여 일컫는 말.
[債金 채금] 빚진 돈.
[債利 채리] 빚돈의 금리(金利).
[債務 채무] 남에게 빚을 얻어 쓴 사람의 의무. 곧, 갚아야 할 의무.
[債負 채부] 채금(債金).
[債人 채인] 빚을 얻어 쓴 사람. 채무자(債務者).
[債帳 채장] 채금(債金)을 적은 책.
[債錢 채전] 채금(債金).
[債主 채주] 빚을 준 임자. 채권자(債權者).
◉擧債. 公債. 國債. 起債. 負債. 私債. 社債. 書債. 宿債. 市債. 詩債. 外債. 酒債. 徵債. 血債. 畫債.

11 ⑬ [僁] 설 (入)屑 先結切 xiè

字解 ①소리 설 작은 소리. '一, 小聲也'《玉篇》. ②신음할 설 앓는 소리를 함. '一一, 呻吟也'《玉篇》.
字源 篆文 形聲. 亻(人)+悉〔音〕

11 ⑬ [傷] 中人 상 (平)陽 式羊切 shāng 伤

筆順 亻 亻 … 傷 傷

字解 ①다칠 상 몸을 상함. '一弓之鳥'. '後園挑菜, 誤一指大啼'《世說》. 또, 다친 상처. '一痍'. '負一'. '君子不重一'《左傳》. ②해칠 상 남을 해함. '中一'. ③근심할 상 ㉠걱정함. '維以不永一'《詩經》. ㉡애태움. '一心'. '未見君子我心一悲'《詩經》. ④불쌍히여길 상 가련하게 여김. '咸冤一之'《漢書》. ⑤성 상 성(姓)의 하나.
字源 篆文 形聲. 亻(人)+𥏻〈省〉〔音〕. '𥏻창'은 '刅창'과 통하여, '상처를 입다, 화살 맞은 상처'의 뜻. '人'을 붙여, '상처, 상처를 입다, 다치다'의 뜻을 나타냄.

[傷枯 상고] 다치어 시듦.
[傷弓之鳥 상궁지조] 활에 한 번 다쳐 활만 보면 깜짝 놀라는 새라는 뜻으로, 먼저 한 번 당한 일에 너무 데어 겁을 집어먹는 사람의 비유로 쓰임.
[傷怛 상달] 애달프게 슬퍼함.
[傷悼 상도] 슬퍼함.
[傷廉 상렴] 염결(廉潔)한 덕(德)을 손상(損傷)함.

[傷目 상목] ㉠눈을 다침. ㉡눈을 슬프게 함. 보고 가련하게 생각함.
[傷憫 상민] 불쌍하게 여김.
[傷瘢 상반] 상흔(傷痕).
[傷悲 상비] 슬퍼함.
[傷貧 상빈] 가난에 쪼들려 마음이 상(傷)함.
[傷產 상산] 해산(解產)할 임시에 힘든 일을 하여 양수가 일찍 터지어 난산(難產)이 됨.
[傷損 상손] 상하고 파손됨.
[傷神 상신] 상심(傷心).
[傷心 상심] 마음이 상(傷)함. 애태움.
[傷心樹 상심수] 버들, 곧 양류(楊柳)의 이칭(異稱).
[傷泣 상읍] 상심하여 욺. 상체(傷涕).
[傷痍 상이] 부상(負傷). 창이(創痍).
[傷者 상자] 부상자(負傷者).
[傷挫 상좌] 부상하고 절골(折骨)됨.
[傷嗟 상차] 슬퍼하고 차탄(嗟歎)함.
[傷慘 상참] 애태우며 근심함. 우참(憂慘).
[傷創 상창] 부상(負傷). 창이(創痍).
[傷處 상처] 다친 곳. 부상한 곳.
[傷涕 상체] 상읍(傷泣).
[傷悴 상췌] 상심하여 초췌(憔悴)함.
[傷惻 상측] 슬퍼함.
[傷歎 상탄] 슬퍼하고 탄식함.
[傷痛 상통] 마음이 몹시 상함. 매우 슬퍼함.
[傷寒 상한] 전염성의 열병(熱病). 장티푸스 따위.
[傷寒論 상한론] 한(漢)나라 장기(張機)가 지은 의서(醫書). 모두 10권.
[傷害 상해] 남을 다쳐서 해롭게 함.
[傷魂 상혼] 마음을 상함. 상신(傷神).
[傷悔 상회] 마음 아프게 뉘우침.
[傷懷 상회] 상심(傷心).
[傷痕 상흔] 다친 자리의 흔적(痕迹). 흉.
◉感傷. 缺傷. 輕傷. 落傷. 凍傷. 閔傷. 負傷. 悲傷. 死傷. 殺傷. 損傷. 愁傷. 食傷. 哀傷. 裂傷. 流傷. 挫傷. 中傷. 重傷. 擦過傷. 擦傷. 慘傷. 創傷. 悽傷. 銃傷. 致命傷. 打撲傷. 敗傷. 火傷. 毁傷.

11 ⑬ [傺] 제 ㊀霽 丑例切 chì 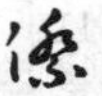

[字解] 낙망할 제 실망하는 모양. 실의(失意)한 모양. '忳鬱邑余侘一兮'《楚辭》.
[字源] 形聲. 亻(人)+祭〔音〕. 초(楚)나라 지방의 방언(方言)으로, '멈춰 서다'의 뜻을 나타냄.

11 ⑬ [傾] [高·人] 경 ㊥庚 去營切 qīng 倾 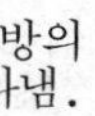

[筆順] 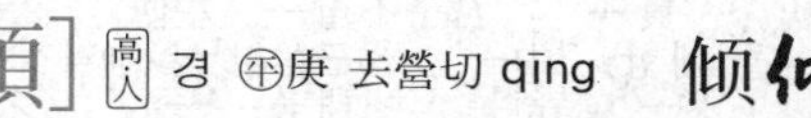

[字解] ①기울 경, 기울어질 경 ㉠한쪽으로 기욺. '一仄'. '重鈞則衡不一'《淮南子》. ㉡비스듬함. '一斜'. '檣一楫摧'《范仲淹》. ㉢바르지 아니함. '守節不一'《漢書》. ㉣위험하여짐. 위태로워짐. 편안하지 아니함. '寶祚夙一'《宋書》. ㉤다 없어짐. '舊穀既盡, 新穀亦一'《應璩》. ②기울일 경 ㉠한쪽으로 기울임. 기울여 엎음. '一覆'. '一盆'. '一蓋'. '齊一天下而莫能一也'《荀子》. ㉡마음을 기울임. 귀복(歸服)함. '一注'. '一倒'. '一慕'. '一坐盡一'《漢書》. ㉢귀를 기울임. '一聽'. '樵唱時一耳'《陸游》. ㉣형세가 기울어지게 함. '一國'. '哲夫成城, 哲婦一城'《詩經》. ㉤잔을 기울여 술을 마심. '取酒對花一'《姚合》. ㉥다함. 남기지 아니함. '一城遠追送'《孫楚》. ③다툴 경 경쟁함. '彼與草木俱朽, 此與金石相一'《後漢書》. ④다칠 경 상처를 입음. '體有所一'《國語》. ⑤잠깐 경 頃(頁部 二畫)과 통용. '俄一少選時也'《字彙》.
[字源] 篆文 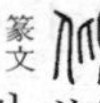 形聲. 亻(人)+頃〔音〕. '頃경'은 '기울다'의 뜻. '頃'이 '즈음'의 뜻으로 빌려 쓰이게 되자, '人'을 덧붙임.

[傾家 경가] ㉠가산(家產)을 온통 기울임. ㉡집안 사람을 모두 모음. 집안사람이 모두.
[傾竭 경갈] 기울여 없앰. 탕진함.
[傾殭 경강] 기울여 쓰러뜨림. 또, 기울어져 쓰러짐.
[傾蓋 경개] 길을 가다가 우연히 만나 서로 차개(車蓋)를 기울이고서 이야기한다는 뜻으로, 처음 만나 친해지는 것을 이름.
[傾蓋如故 경개여고] 길을 가다가 만나 서로 잠깐 이야기하는 정도의 교분(交分)이지마는, 서로 마음이 맞아 옛날부터 사귄 사이같이 친함.
[傾巧 경교] 마음이 바르지 못하며 교묘하게 아첨을 잘함. 편교(便巧).
[傾國 경국] ㉠나라의 형세(形勢)를 기울이어 위태(危殆)롭게 함. ㉡경국지색(傾國之色).
[傾國之色 경국지색] 일국(一國)에서 첫째가는 미인(美人). 임금이 가까이하면 홀딱 반하여 나라를 뒤집어엎을 만한 절세(絕世)의 미인이라는 뜻.
[傾葵 경규] 경양규(傾陽葵).
[傾囷 경균] 쌀 곳간에 저장하여 둔 쌀을 모두 꺼냄. 도균(倒囷).
[傾囷倒廩 경균도름] ㉠재산(財產)을 모두 내놓음. ㉡흉중(胸中)의 회포(懷抱)를 모두 드러내어 말함.
[傾囊 경낭] 주머니를 기울임. 주머닛돈을 있는 대로 탈탈 텂.
[傾度 경도] 경사(傾斜)의 도수.
[傾倒 경도] ㉠기울어져 넘어짐. 또, 기울이어 넘어뜨림. ㉡안의 물건을 모두 꺼냄. ㉢마음을 기울이어 그리워함. 감복함. ㉣술을 많이 마심.
[傾濤 경도] 밀려 닥치는 사나운 파도.
[傾頭 경두] 고개를 갸웃함. 생각에 잠김.
[傾落 경락] 기울어져 떨어짐. 또, 기울여 떨어뜨림.
[傾亂 경란] 기울이어 어지럽힘. 또, 기울어져 어지러워짐.
[傾弄 경롱] 기울이어 희롱함.
[傾慕 경모] 마음을 기울여 앙모함.
[傾杯 경배] 술잔을 기울임. 술을 마심.
[傾覆 경복] 기울어져 뒤집힘. 또, 기울여 뒤집어엎음.
[傾踣 경부] 기울어져 넘어짐. 또, 기울여 넘어뜨림.
[傾盆 경분] 동이를 기울여 뒤집어엎을 만큼 세차다는 뜻으로, 비가 억수같이 쏟아짐을 이름. 복분(覆盆).
[傾僨 경분] 기울어져 뒤집힘. 경복(傾覆).
[傾邪 경사] 마음이 바르지 아니함.
[傾斜 경사] ㉠기울어짐. ㉡지층면(地層面)과 수평면(水平面)과의 각도.
[傾瀉 경사] 기울여 쏟음. 전(轉)하여, 숨기지 않고 모두 내놓음.
[傾想 경상] 마음을 기울이어 생각함.
[傾城 경성] ㉠성(城)의 수비(守備)를 위태롭게 함. ㉡경성지색(傾城之色).

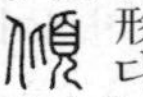

[傾城之色 경성지색] 경국지색(傾國之色).
[傾膝 경슬] 편안히 앉음.
[傾身 경신] 온몸의 힘을 쏟음.
[傾心 경심] 오로지 그것에만 마음을 기울임. 전심(專心).
[傾陽葵 경양규] 해를 향하는 해바라기. 전(轉)하여, 마음을 기울여 앙모하는 사람.
[傾偃 경언] 기울어져 쓰러짐. 또, 기울이어 쓰러뜨림.
[傾搖 경요] 기울여 움직임.
[傾月 경월] 지는 달. 기우는 달. 낙월(落月).
[傾危 경위] ㉠기울이어 위태롭게 함. 또, 기울어져 위태로움. ㉡바르지 못하여 안심할 수 없음.
[傾危之士 경위지사] 국가를 위태롭게 하는 사람. 궤변(詭辯)을 농(弄)하는 무리를 이름. 일설(一說)에는, 바르지 못하여 안심할 수 없는 사람.
[傾諛 경유] 성질이 음험(陰險)하고 아첨을 잘함.
[傾倚 경의] 경도(傾倒)하여 의지함. 또, 경도하여 의지하게 함. 마음이 쏠리어 의뢰하게 함.
[傾耳 경이] 귀를 기울여 주의하여 들음. 측이(側耳). 경청(傾聽).
[傾顚 경전] 기울어져 넘어짐. 또, 기울여 넘어뜨림.
[傾座 경좌] 온 좌석의 마음을 사로잡음. 만좌(滿座)의 마음을 쏠리게 함.
[傾注 경주] ㉠기울여 부음. ㉡강물이 쏜살같이 바다로 흘러 들어감. ㉢비가 억수같이 옴. ㉣마음을 한곳으로 기울임.
[傾盡 경진] 있는 대로 다 기울임.
[傾跌 경질] 기울어져 넘어짐. 쓰러짐.
[傾千觴 경천상] 천의 술잔을 기울인다는 뜻으로, 술을 대단히 많이 마심을 이름.
[傾聽 경청] 귀를 기울여 주의하여 들음.
[傾墜 경추] 기울어져 떨어짐.
[傾仄 경측] 한쪽으로 기울어짐.
[傾側 경측] ㉠경측(傾仄). ㉡위태로움. 괴로움. ㉢자기 의사를 굽히고 세상이나 남이 하는 대로 따라 함.
[傾奪 경탈] 서로 다투어 빼앗음.
[傾吐 경토] 자기의 의견을 충분히 발표함.
[傾頹 경퇴] 기울어져 무너짐.
[傾敗 경패] 형세가 기울어져 패함. 또, 기울어져 패하게 함. 경퇴(傾頹).
[傾詖 경피] 마음이 비뚤고 간사함.
[傾河 경하] 비스듬히 뻗어 있는 은하(銀河).
[傾陷 경함] 기울이어 빠뜨림. 또, 기울어져 빠짐.
[傾駭 경해] 대단히 놀람. 또는 몹시 놀라게 함.
[傾向 경향] 마음 또는 형세가 한쪽으로 쏠림. 추세(趨勢).
[傾惑 경혹] 기울이어 미혹(迷惑)하게 함. 환혹(幻惑).
[傾花 경화] 꽃을 기울게 함.
[傾虧 경휴] 기울어 이지러짐.
[傾羲 경희] 기우는 해. 저녁 해. 석양(夕陽). 낙일(落日).
◉半傾. 斜傾. 右傾. 倚傾. 攲傾. 左傾. 側傾.

11 ⑬ [僂] 루 [平]尤 落侯切 lóu [上]麌 力主切 lǔ 偻

[字解] ①굽을 루 등이 굽음. '一寠'. '周公背一'《白虎通》. ②구부릴 루 몸을 굽힘. '一命而一, 再命而傴'《左傳》. ③꼽을 루 손을 꼽음. '未能一指也'《荀子》. ④곱사등이 루 '郤克一'《史記》. ⑤성 루 성(姓)의 하나.

[字源] 篆文 形聲. 亻(人)+婁〔音〕. '婁루'는 의태어(擬態語)로, '구부러지다'의 뜻. 등이 굽은 사람, '곱사등이'의 뜻을 나타냄.

[僂寠 누구] 등이 굽고 초라함.
[僂屈 누굴] 허리를 굽힘.
[僂儸 누라] 수완이 있는 사람. 민완가(敏腕家).
[僂麻質斯 누마질사] 영어 rheumatism의 음역(音譯). 차거나 습(濕)하거나 할 때 관절(關節) 또는 근육(筋肉)이 아프고 굽어지는 병.
[僂背 누배] 곱사등이.
[僂指 누지] 손을 꼽아 셈. 굴지(屈指).
◉痀僂. 傴僂. 背僂. 俛僂.

11 ⑬ [僆] 련 ①[上]銑 力展切 liàn ②[平]先 陸延切 lián

[字解] ①쌍둥이 련 쌍생아(雙生兒). '一子'. '晉楚之間, 雙生子, 謂一子'《揚子方言》. ②병아리 련 큰 병아리. '未成雞, 一'《爾雅》.

11 ⑬ [⿰亻庶] 자 [平]麻 之奢切 zhē

[字解] 덕없을 자 키가 크고 건장(健壯)하나 덕(德)이 없음. '一儸, 健而不德也'《玉篇》.

11 ⑬ [僄] 표 [去]嘯 匹妙切 piào [平]蕭 撫招切

[字解] ①가벼울 표 경박함. '怠慢一棄'《荀子》. ②날랠 표 민첩함. '爲人一悍猾賊'《史記》.

[字源] 篆文 形聲. 亻(人)+票〔音〕. '票표'는 불똥이 가볍게 날아오르다의 뜻. 평성(平聲)일 때는 '가볍다'의 뜻. 거성(去聲)일 때는 '경박하다'의 뜻.

[僄狡 표교] 경솔하고 교활함.
[僄棄 표기] 경박하고 데면데면함.
[僄悍 표한] 날쌔고 사나움.

11 ⑬ [僅] [高人] 근 [去]震 渠遴切 jǐn, ③jìn 仅

[筆順] 亻 仁 仹 仹 借 僅 僅 僅

[字解] ①겨우 근 근근이. '一以過冬'《列子》. ②적을 근 과소(寡少). '一少'. ③거의 근 거의 됨. '士卒一萬人'《韓愈》.

[字源] 篆文 形聲. 亻(人)+堇〔音〕. '堇근'은 '斤근'·'巾건'과 통하여, '작다'의 뜻. 재주가 남만 못한 사람의 뜻에서, '겨우, 적다'의 뜻을 나타냄.

[僅僅 근근] 겨우.
[僅僅得生 근근득생] 간신히 살아감.
[僅僅扶持 근근부지] 간신히 견디어 나감.
[僅少 근소] 아주 적음.

11 ⑬ [僇] 륙 [入]屋 力竹切 lù

[字解] ①욕 륙 치욕(恥辱). '爲天下大一'《荀子》. ②죽일 륙 戮(戈部 十一畫)과 통용. '辟則爲天下一'《大學》.

[字源] 篆文 形聲. 亻(人)+翏〔音〕. '翏륙'은 '戮륙'과 통하여, '베다, 죽이다'의 뜻. 사람을 죽이다의 뜻을 나타냄.

[僇辱 육욕] 욕(辱)을 봄. 또, 욕(辱)보임. 또, 욕. 치욕(恥辱).
[僇人 육인] 치욕(恥辱)을 당한 사람. 죄인(罪人).

11 ⑬ [倘] 적 [入]陌 陟革切 zhāi

[字解] ①어려움없을 적 거리낌 없음. '一, 無憚也'《集韻》. ②모질 적 좋지 못함. '一索, 惡也'《集韻》.

11 ⑬ [傴] 어 [上]麌 五矩切 yǔ

[字解] ①무례(無禮)할 어 '一一, 勇而無禮貌'《太玄經注》. ②클 어 '一, 大也'《集韻》.

11 ⑬ [僈] 만 [去]諫 莫晏切 màn

[字解] 흘게늦을 만 야무지지 못함. '君子寬而不一'《荀子》.
[字源] 形聲. 亻(人)+曼〔音〕. '曼만'은 '오래 끌다'의 뜻. 일에 목적이나 의식을 갖지 않아 질질 끌다, 게을리 하다, 가볍게 여기다의 뜻을 나타냄.

◉不僈.

11 ⑬ [僺] 소 [上]巧 士絞切 zhǎo

[字解] 작을 소 '傭一宇而處焉'《柳宗元》.
[字源] 形聲. 亻(人)+巢〔音〕

[僺宇 소우] 작은 집.

11 ⑬ [傽] 장 [平]陽 諸良切 zhāng

[字解] 두려워할 장 놀라 무서워하는 모양. 慞(心部 十一畫)과 통용. '遽一偟兮驅林澤'《楚辭》.
[字源] 形聲. 亻(人)+章〔音〕

[傽偟 장황] 놀라 무서워하는 모양.

11 ⑬ [傻] 사 [上]馬 沙瓦切 shǎ

[字解] ①약을 사 영리함. ②《現》 어리석을 사 우매함. '一子'.

[傻子 사자] 바보. 천치.

11 ⑬ [僊] [人名] 선 [平]先 相然切 xiān

[字解] ①신선 선 仙(人部 三畫)과 同字. '千歲厭世, 去而上一'《十八史略》. ②성 선 성(姓)의 하나.
[字源] 篆文 形聲. 亻(人)+䙴(䙴)〔音〕. '䙴선'은 '옮기다'의 뜻. 속계(俗界)를 벗어나 산(山)에 옮아가 살고 있는 사람, '신선'의 뜻을 나타냄. '仙'은 이체자(異體字).

[僊僊 선선] ㉠춤을 추는 모양. ㉡가벼이 올라가는 모양.
◉上僊. 神僊. 謫僊.

11 ⑬ [傰] 붕 [平]蒸 蒲登切 péng / [去]徑 逋鄧切 bèng

[字解] ①벗 붕 친구. 동아리. '練之以散羣一署'《管子》. ②성 붕 성(姓)의 하나. ③아부하여한 패가될 붕 '一, 阿黨也'《集韻》.

11 ⑬ [傿] 언 ①[去]願 於建切 yàn / ②③[平]先 於虔切 yān

[字解] ①에누리 언 실제보다 비싸게 부르는 값. '悔不小一'《後漢書》. ②고을이름 언 鄢(邑部 十一畫)과 同字. ③성 언 성(姓)의 하나.
[字源] 篆文 形聲. 亻(人)+焉〔音〕

◉小傿.

11 ⑬ [傯] 총 [上]董 作孔切 zǒng

[字解] 바쁠 총 틈이 없음. 일이 많음. '倥一'.
[參考] 偬(人部 九畫)과 同字.

◉倥傯.

11 ⑬ [偋] 병 ①②[去]敬 防正切 bìng / ③[上]梗 必郢切 bǐng

[字解] ①궁색한살림 병 천한 생활. '一, 僻寠也'《說文》. ②벽지(僻地) 병 사람이 없는 곳. '一, 隱僻也, 無人處'《廣韻》. ③물리칠 병 적을 물리침. '恭儉者一五兵也'《荀子》.
[字源] 篆文 形聲. 亻(人)+屛〔音〕. '屛병'은 '덮어 가리다'의 뜻. 덮여 가려져 있는 궁벽한 곳의 초라한 살림집의 뜻을 나타냄.

11 ⑬ [僃] 〔비〕
備(人部 十畫〈p.167〉)의 本字

11 ⑬ [僧] 〔승〕
僧(人部 十二畫〈p.177〉)의 俗字

11 ⑬ [僋] 〔감〕
龕(龍部 六畫〈p.2732〉)의 俗字

[條] 〔조〕
糸部 七畫(p.1744)을 보라.

12 ⑭ [僰] 북 [入]職 蒲北切 bó

[字解] 오랑캐이름 북 '羌一'은 건위(犍爲), 즉 지금의 윈난(雲南)·쓰촨(四川) 지방의 야만 인종. '羌一東馳'《揚雄》.
[字源] 篆文 形聲. 亻(人)+棘〔音〕. '棘극'은 가시나무로, '야만(野蠻)'의 뜻. 야만스러운 이민족(異民族)의 뜻임.

◉羌僰.

12 ⑭ [像] [高人] 상 [上]養 徐兩切 xiàng

[筆順] 亻 亻 𠊊 伯 㑀 像 像 像

[字解] ①꼴 상 모양. 모습. '形一'. '肖一'. '不夢見一, 無形于目也'《淮南子》. ②상 상 부처·사람·짐승의 형체를 만들거나 그린 것. '佛

一'. '何故不書伏波將軍一'《後漢書》. ③법 상 법식(法式). '見一而勿強'《孔子家語》. ④닮을 상 '歲餘一孫叔敖'《史記》. ⑤모뜰 상 본뜸. '一上之意'《荀子》.

字源 篆文 形聲. 亻(人)+象〔音〕. '象상'은 '相상'과 통하여, 물건의 모습의 뜻. 사람의 모습, 모양의 뜻을 나타냄.

[像教 상교] 우상(偶像)을 숭배하는 종교. 불교(佛教). 상교(象教).
[像法 상법] 《佛教》 ㉠정법(正法)의 후 천 년 동안에 행하여지는 불법(佛法). 곧, 부처가 설교한 법은 있으나 신앙이 형식화하여 불상(佛像)이나 사탑(寺塔) 등의 건축을 주로 하는 불교. ㉡상교(象教)의 법. 곧, 불법(佛法). 불교. ㉢불상(佛像)과 경전(經典).
[像本 상본] 그리스도, 성모 마리아, 천사, 성인들의 화상(畫像)이나 성스러운 문구를 담은 조그만 카드. 성서나 기도서의 책갈피에 끼움.
[像擬 상의] 모방하여 만듦. 비슷한 것을 만듦.
[像形 상형] 모양을 본뜸. 또, 비슷한 형상. 상형(象形).
◉群像. 圖像. 銅像. 木像. 佛像. 想像. 石像. 聖像. 塑像. 映像. 影像. 偶像. 立像. 殘像. 座像. 彫像. 肖像. 虛像. 現像. 畫像. 胸像.

12 ⑭ [僑] 人名 교 ㊥蕭 巨嬌切 qiáo ㊤篠 擧夭切 jiǎo 侨

筆順 亻 仁 伻 伓 倭 僑 僑 僑

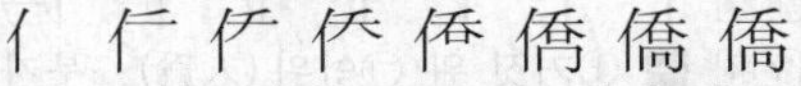

字解 ①우거할 교 우접(寓接)함. 남의 집에 붙어서 삶. 타향 혹은 타국에서 임시로 삶. '一胞'. '我初辭家從軍一'《鮑照》. ②성 교 성(姓)의 하나.

字源 篆文  形聲. 亻(人)+喬〔音〕. '喬교'는 '높다'의 뜻. 키가 큰 사람의 뜻으로, 널리 높다의 뜻을 나타냄. 또, '寓교'와 통하여, '우거(寓居), 여행'의 뜻을 나타내고, 타국으로 높이 날아 떠나서 사는 사람의 뜻도 나타냄.

[僑居 교거] ㉠남의 집에서 임시로 붙어삶. ㉡타향(他鄉)에서 임시로 삶. 우거(寓居).
[僑廬 교려] 우거(寓居)하는 오두막집.
[僑士 교사] 교인(僑人).
[僑寓 교우] 교거(僑居).
[僑人 교인] 우거(寓居)하는 사람.
[僑胞 교포] 외국에 교거(僑居)하는 동포(同胞).
◉韓僑. 華僑.

12 ⑭ [僎] 一 선 ㊤銑 士免切 zhuàn 二 준 ㊥眞 將倫切 zūn

字解 一 ①갖출 선 구비함. ②수 선, 헤아릴 선 '一, 數也'《增韻》. ③가지런히할 선 정리(整理)함. '一, 整也'《增韻》. ④가릴 선 가리어 뽑음. 詮(言部 六畫)과 뜻이 같음. 二 준작(僎爵) 준향인(鄉人)이 경대부(卿大夫)가 되어 그 시골에 내려와서 향음주례(鄉飲酒禮)를 보살펴 도와주는 사람. '古文禮, 一作遵, 遵, 謂鄉人爲卿大夫, 來觀禮者'《禮記注》.

字源 篆文  形聲. 亻(人)+巽(羿)〔音〕. '羿손'은 '가지런해지다'의 뜻. 사람이 가지런히 모이는 모양에서, '갖추다'의 뜻을 나타냄.

12 ⑭ [僎] 연 ㊤銑 人善切 rǎn

字解 ①마음약할 연 기(氣)가 약함. '一, 意膬也'《說文》. ②황겁할 연 무서워함. '一, 一曰意急而懼, 一曰難也'《集韻》. ③온화할 연 조용함. '一, 和易無他也'《六書故》. ④놀라는소리 연 '驚聲曰一'《一切經音義》.

字源 篆文 形聲. 亻(人)+然〔音〕. '慫'과 통하여, '마음이 약하다, 놀라다'의 뜻을 나타냄.

12 ⑭ [僿] 삽 ㊇緝 師入切 sè

字解 ①미치치않을 삽 '一, 不及'《廣韻》. ②급할 삽 '一轟'은 빠른 모양. 또, 목소리가 어지럽게 급함. '紛一轟以流漫'《嵇康》.

12 ⑭ [僕] 복 ㊇沃 蒲沃切 pú 仆

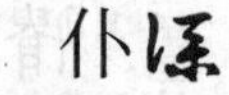

字解 ①종 복 잡일이나 천역에 종사하는 하인. '一隸'. '家一'. '仕于公曰臣, 仕于家曰一'《禮記》. ②마부 복 어자(御者). '子適衛, 冉有一'《論語》. ③저 복 자기의 겸칭(謙稱). '自稱爲一, 卑辭也'《漢書》. ④무리 복 당여(黨與). 徒(彳部七畫)와 뜻이 같음. '聖人一也'《莊子》. ⑤붙을 복 부착함. '君子萬年, 景命有一'《詩經》. ⑥숨길 복 은닉함. '作一區之法'《左傳》.

字源 甲骨文 金文 篆文  古文 會意. 甲骨文은 會意로 辛+其+人의 특수형. '辛신'은 노예의 이마에 입묵(入墨)하기 위한 바늘의 상형(象形). '其기'는 키의 상형(象形)으로, 이 글자의 경우는 오물(汚物)을 담아 놓았음. '人인'도 꼬리가 달린 꼴로 되어 있어, 갇힌 사람의 뜻. 죄인 또는 노예가 오물을 버리고 있는 모습에서, 하인의 뜻을 나타냄. 金文은 甲骨文을 변형시킨 꼴이며, 篆文은 다시 其+辛의 부분을 '丵복'과 혼동하여 人+菐(丵+廾)〔音〕의 形聲字를 이룸. 음형상(音形上)으로는 말〔馬〕을 채찍질하는 사람의 뜻이라고도 하고, '朴박'과 통하여, 촌스럽고 천한 사람의 뜻이라고도 함.

[僕固懷恩 복고회은] 당(唐)나라 복고부(僕固部) 사람. 세습(世襲)의 번주도독(蕃州都督). 안사(安史)의 난(亂)에 곽자의(郭子儀)를 따라 적을 토벌하여 여러 번 수훈(殊勳)을 세워 태령군왕(太寧郡王)으로 피봉(被封)되었음.
[僕區 복구] 망명자(亡命者)를 숨김.
[僕奴 복노] 노복(奴僕).
[僕僮 복동] 사동(使童).
[僕旅 복려] 수종(隨從)하는 무리.
[僕隷 복례] 종. 노복(奴僕).
[僕虜 복로] 몰수(沒收)하여 종으로 삼은 포로(捕虜).
[僕累 복루] 부착(附着)하여 쌓임.
[僕蠡 복루] 달팽이. 곧, 와우(蝸牛)의 이칭(異稱).
[僕婢 복비] 사내종과 계집종. 노비(奴婢).
[僕使 복사] 하인. 종. 노복(奴僕).
[僕遬 복속] 범용(凡庸)하고 단소(短小)한 모양.
[僕豎 복수] 종. 노복(奴僕).
[僕射 복야] 벼슬 이름. 진(秦)나라 때는 활 쏘는 것을 맡은 벼슬이고, 당(唐)나라 이후에는 상서성(尙書省)의 장관(長官)임.
[僕御 복어] 말을 어거하는 사람. 어자(御者).

[僕圉 복어] 말구종. 마부.
[僕役 복역] 하인. 종. 노복(奴僕).
[僕緣 복연] 떼 지어 모여드는 모양. 일설(一說)에는, 붙는 모양. 부착(附着)하는 모양.
[僕爾 복이] 번잡한 모양. 귀찮은 모양.
[僕賃 복임] ㉠일꾼에게 주는 품삯. ㉡일꾼으로 고용(傭)되어 삯을 탐.
[僕從 복종] 복사(僕使).
[僕妾 복첩] 노복(奴僕)과 비첩(卑妾). 하인.
◉家僕. 公僕. 奴僕. 老僕. 婢僕. 臣僕. 隷僕. 傭僕. 臧僕. 從僕. 忠僕. 太僕. 下僕.

12 ⑭ [僓] 퇴 ㊥灰 徒回切 tuí ㊤賄 吐猥切 tuǐ

字解 ①우아할 퇴 고상함. '一, 嫺也'《說文》. ②좇을 퇴 순종하는 모양. '於是乎有一然而道盡'《莊子》.

字源 篆文 形聲. 亻(人)+貴〔音〕. '貴귀'는 '존귀하다'의 뜻. 존귀한 사람, 우아하다의 뜻을 나타냄.

12 ⑭ [僚] 高人 료 ①-④㊥蕭 落蕭切 liáo ⑤㊤篠 朗鳥切 liǎo

筆順 亻 亻 亻 亻 亻 伶 僚 僚

字解 ①벼슬아치 료 관리. '一吏'. '官一'. '百一師師'《書經》. ②동관 료 같은 관청에 있는 지위가 같은 관리. 지금은 널리 같은 자리에서 일을 하는 벗의 뜻으로 쓰임. '一友'. '同一'. '同官爲一'《左傳》. ③종 료 천역(賤役)에 종사하는 사람. '隷臣一, 一臣僕'《左傳》. ④성 료 성(姓)의 하나. ⑤예쁠 료 미호(美好)함. '佼人一兮'《詩經》.

字源 篆文 形聲. 亻(人)+尞〔音〕. '尞료'는 '횃불'의 뜻. 빛나도록 잘생긴 사람의 뜻을 나타냄. 또, 평성(平聲)일 때에는 '尞'는 '寮료'와 통하여, 관청의 동료의 뜻을 나타냄.

[僚故 요고] 동료(同僚).
[僚官 요관] 낮은 벼슬아치. 속관(屬官).
[僚黨 요당] 동료(同僚).
[僚侶 요려] 동료(同僚). 또, 동배(同輩).
[僚吏 요리] 벼슬아치. 관리(官吏).
[僚輩 요배] 요우(僚友).
[僚朋 요붕] 벗. 동무. 친구.
[僚壻 요서] 동서(同壻).
[僚屬 요속] 요관(僚官).
[僚友 요우] 동료(同僚).
[僚佐 요좌] 속관(屬官). 요관(僚官).
[僚儔 요주] 요관(僚官).
[僚寀 요채] 동료(同僚)의 관리.
[僚艦 요함] 같은 임무를 띤 다른 군함.
◉閣僚. 官僚. 群僚. 同僚. 幕僚. 百僚. 庶僚. 屬僚. 臣僚. 下僚.

12 ⑭ [僙] 광 ㊥陽 姑黃切 guāng

字解 굳셀 광 용맹한 모양. '一, 武也'《集韻》.

12 ⑭ [傒] 계 ㊤薺 康禮切 qǐ

字解 ①옷깃헤칠 계 옷을 풀어 헤침. '一, 開衣也'《集韻》. ②걸을 계 다리를 벌리고 걸음. '僁一, 行張足也'《集韻》.

12 ⑭ [僛] 기 ㊥支 去其切 qī

字解 춤출 기 술에 취하여 비틀거리며 춤추는 모양. '屢舞一一'《詩經》.

字源 篆文 形聲. 亻(人)+欺〔音〕

[僛僛 기기] 술에 취하여 비틀거리며 춤을 추는 모양.

12 ⑭ [僝] 잔 ㊥刪 士山切 chán ㊦霰 士戀切 zhuàn

字解 ①보일 잔 나타내어 보임. '共工方鳩一功'《書經》. ②갖출 잔 구비함. '一拱木於林衡'《左思》.

字源 篆文 形聲. 篆文은 亻(人)+孨〔音〕. '孨존'은 물건을 가지런히 추리다의 뜻. 꼼꼼히 물건을 추려서 갖추다의 뜻을 나타냄. '孨'은 '孱'과 통하여, 자형(字形)을 '僝'으로도 씀.

[僝功 잔공] 공로(功勞)를 나타냄.

12 ⑭ [僞] 高人 ㊀ 위 ㊦寘 危睡切 wěi ㊁ 와 ㊥歌 吾禾切 é 伪

筆順 亻 亻 亻 仦 伪 偽 僞 僞

字解 ㊀ ①거짓 위 ㉠인위(人爲). 부자연. '人之性惡也, 其善者一也'《荀子》. ㉡불성실(不誠實). 허식(虛飾). '一善'. '其行一'《淮南子》. ㉢가짜. '作一主以行'《禮記》. ㉣허위. '一言'. '防萬民之一'《周禮》. ②속일 위 거짓말을 함. '一造'. '一賣'. ㊁ 사투리 와 訛(言部 四畫)와 同字. '以勸南一'《漢書》.

字源 篆文 形聲. 亻(人)+爲〔音〕. '爲위'는 '인위적으로 만들다'의 뜻. 인위(人爲)의 뜻에서 파생하여, '속이다'의 뜻을 나타냄.

[僞契 위계] 위권(僞券).
[僞計 위계] 속임수의 계략. 궤계(詭計).
[僞哭 위곡] 거짓으로 우는 체함.
[僞君子 위군자] 군자인 체하는 자. 위선자(僞善者).
[僞券 위권] 위조한 문권(文券).
[僞妄 위망] 거짓. 허위(虛僞).
[僞賣 위매] 속이어 팖.
[僞名 위명] ㉠거짓으로 일컫는 이름. 가명(假名). ㉡무근(無根)한 소문.
[僞冒 위모] 거짓. 허위. 기모(欺冒).
[僞薄 위박] 허위가 많고 인정이 없음.
[僞本 위본] 위조(僞造)한 책(冊).
[僞烽 위봉] 적을 현혹하게 하기 위하여 올리는 봉화.
[僞史 위사] 위조(僞朝)의 역사. 정통(正統)이 아닌 역사.
[僞辭 위사] 진실하지 아니한 말. 거짓 언설(言說).
[僞書 위서] ㉠거짓 편지. ㉡위조한 문서. 위본(僞本).
[僞善 위선] 겉으로만 착한 체함.
[僞善者 위선자] 위군자(僞君子).

[僞飾 위식] 거짓 꾸밈.
[僞贋 위안] 가짜.
[僞讓 위양] 겉으로만 사양함.
[僞言 위언] 거짓말. 허언(虛言).
[僞豫 위예] 위조(僞朝)의 유예(劉豫). 예(豫)가 송(宋)나라 고종(高宗) 때 금인(金人)에게서 황제(皇帝)의 칭호를 받고 모반(謀叛)하여 변경(汴京)에서 제제(齊帝)를 참칭(僭稱)한 데 연유(緣由)함.
[僞位 위위] 위조(僞朝)의 제위(帝位).
[僞恩 위은] 애정(愛情)을 가장(假裝)한 은혜.
[僞瘖 위음] 가짜 벙어리.
[僞印 위인] 위조(僞造)한 도장.
[僞作 위작] 위조(僞造).
[僞錢 위전] 위조한 돈. 가짜 돈.
[僞製 위제] 위조(僞造).
[僞造 위조] 진짜처럼 만들어서 사람의 눈을 속임. 거짓으로 만듦.
[僞詔 위조] 거짓 조칙(詔勅).
[僞朝 위조] 정통(正統)이 아닌 조정(朝廷).
[僞證 위증] ㉠거짓의 증거(證據). ㉡증인으로서 선서(宣誓)한 뒤에 허위의 진술을 하는 일.
[僞醉 위취] 취한 체함.
[僞勅 위칙] 거짓의 조칙(詔勅).
[僞稱 위칭] 거짓 일컬음. 또, 거짓 칭호.
[僞態 위태] 거짓 꾸미는 태도. 진실하지 못한 태도.
[僞判 위판] 위인(僞印).
[僞版 위판] 가짜의 판목(版木). 또, 그 인쇄물(印刷物).
[僞筆 위필] 위조한 필적(筆蹟).
[僞學 위학] ㉠진리(眞理)에 어그러지는 학문. ㉡당대(當代)의 관학(官學)에 반대하는 학문.
◉姦僞. 矯僞. 大僞. 詐僞. 情僞. 眞僞. 僭僞. 虛僞.

12 ⑭ [僦] 추 [去]宥 卽就切 jiù

[字解] ①품삯 추 임금. '不償其一費'《史記》. ②세낼 추 임차(賃借)함. '一船'. '一二千餘車'《北齊書》.
[字源] 篆文 形聲. 亻(人)+就〔音〕. '就취'는 '닿다, 이르게 하다'의 뜻. 사람을 일을 하도록 오게 하다, 품삯을 주고 고용하다의 뜻을 나타냄.

[僦居 추거] 셋방살이를 함.
[僦舍 추사] 추거(僦居).
[僦船 추선] 배를 세를 내고 빌려 씀.
◉酬僦. 賃僦.

12 ⑭ [僐] 선 ㊤銑 常演切 / [去]霰 時戰切 shàn

[字解] 모양낼 선 맵시를 냄. '一, 廣雅云, 姿態'《廣韻》.
[字源] 形聲. 亻(人)+善〔音〕

12 ⑭ [僥] 요 ①②㊤篠 吉了切 jiǎo / ③[平]蕭 五聊切 yáo 侥

[字解] ①요행 요 분외로 얻은 행복. 우연의 복. '優者有不遇, 劣者有一倖'《班固》. ②성 요 성(姓)의 하나. ③난쟁이 요 '僬一'는 신장(身長)이 3척가량 되는 인종의 이름.
[字源] 篆文 形聲. 亻(人)+堯〔音〕. '儌교'와 통하여, '바라고 구하다'의 뜻을 나타냄.

[僥倖 요행] ㉠뜻밖에 얻은 행복. ㉡늘 이(利)를 구하는 모양.
[僥倖萬一 요행만일] 만(萬)에 하나도 있기 어려운 요행을 바람.

12 ⑭ [僧] [高·人] 승 [平]蒸 蘇增切 sēng

[筆順] 亻 … 僧
[字解] ①중 승 승려(僧侶). '一堂'. '一刹'. '一弟子, 男曰桑門, 而總曰一'《隋書》. ②성 승 성(姓)의 하나.
[字源] 篆文 形聲. 亻(人)+曾〔音〕. 범어(梵語) samgha의 음역(音譯) '僧伽승가'의 약어. 불문(佛門)에 든 사람의 뜻으로 '人'을 더함.
[參考] 僧(人部 十一畫)은 俗字.

[僧伽 승가] ㉠승도(僧徒). ㉡사자(獅子)의 별칭(別稱).
[僧巾 승건] 중이 쓰는 건.
[僧敲月下門 승고월하문] 당(唐)나라의 시인 가도(賈島)의 시구(詩句). '퇴고(推敲)'의 예로서 유명함.
[僧官 승관] 중이 하는 벼슬.
[僧館 승관] 절. 사찰(寺刹).
[僧軍 승군] 중으로 조직한 군사.
[僧規 승규] 승려(僧侶)가 지켜야 할 법규.
[僧祇 승기] '아승기야(阿僧祇耶)'의 준말. 대다수. 무수(無數).
[僧尼 승니] 중과 여승. 비구(比丘)와 비구니(比丘尼).
[僧畓 승답] 중의 소유로 되어 있는 논.
[僧堂 승당] 절. 사찰(寺刹). 승방(僧房).
[僧徒 승도] 중의 무리. 중들. 중.
[僧臘 승랍] 중노릇을 한 햇수.
[僧侶 승려] 중들. 승도(僧徒).
[僧廬 승려] 중이 거처하는 암자. 전(轉)하여, 절. 사원(寺院).
[僧錄 승록] 승관(僧官)의 하나. 승려(僧侶)의 사무의 총관(總管).
[僧律 승률] 중이 지켜야 할 계율.
[僧帽筋 승모근] 견갑골(肩胛骨)을 척주(脊柱)에 연결(連結)하는 배근(背筋).
[僧舞 승무] 중의 복색(服色)을 하고 추는 춤.
[僧門 승문] 불도(佛道)를 닦는 사람의 사회. 불문(佛門).
[僧坊 승방] 승방(僧房).
[僧房 승방] 절. 사찰(寺刹).
[僧寶 승보] 불도를 닦고 계율을 지켜 세상에 뛰어나서 뭇사람의 모범이 됨을 이름.
[僧服 승복] 승려의 옷.
[僧趺 승부] 선문(禪門)에서, 오른발을 왼쪽 넓적다리 위에, 왼발은 오른쪽 넓적다리 위에 놓고 앉는 방법. 결가부좌(結跏趺坐).
[僧寺 승사] 절. 사원. 승우(僧宇).
[僧舍 승사] 절. 사원.
[僧社 승사] 승방(僧房).
[僧夕 승석] 이른 저녁때.

[僧俗 승속] 승려와 속인(俗人). 중과 중 아닌 일반 사람.
[僧庵 승암] 승려(僧廬).
[僧宇 승우] 절. 사원. 승방(僧房).
[僧院 승원] 절. 사원(寺院). 승방(僧房).
[僧衣 승의] 중의 옷.
[僧籍 승적] 중의 호적(戶籍). 승려의 신분(身分).
[僧正 승정] 최고위의 승관(僧官).
[僧麈 승주] 중이 쓰는 먼지떨이. 주(麈)는 고라니. 고라니의 꼬리털로 묶어 만들어 파리·모기 등을 쫓거나 먼지를 떪. 불자(拂子).
[僧衆 승중] 중의 무리.
[僧刹 승찰] 절. 사찰. 불찰(佛刹).
[僧雛 승추] 나이 어린 중. 사미(沙彌).
◉高僧. 怪僧. 老僧. 代僧. 度僧. 道僧. 名僧. 凡僧. 梵僧. 佛法僧. 山僧. 禪僧. 小僧. 俗僧. 雲水僧. 有髮僧. 破戒僧. 學僧. 行脚僧.

12 ⑭ [僨] 분 [去]問 方問切 fèn

[字解] ①넘어질 분 엎드러짐. '一起一一'. '鄭伯之車, 一于濟'《左傳》. ②그르칠 분 일을 그르침. '一言一事'《大學》. ③움직일 분 동(動)함. '張脈一興'《左傳》.
[字源] 篆文 形聲. 亻(人)+賁〔音〕. '賁분'은 '힘차게 달리다'의 뜻. 사람의 피가 힘차게 흘러 움직이다, 움직이다의 뜻을 나타냄. 또, '焚분'과 통하여 '넘어지다'의 뜻을 나타냄.

◉傾僨. 孤僨. 旗僨. 一起一僨. 中僨. 疾僨.

12 ⑭ [僩] 한 [上]潸 下赧切 xiàn

[字解] ①굳셀 한 무용(武勇)이 있는 모양. 일설(一說)에는, 관대한 모양. 너그러운 모양. '瑟兮一兮'《詩經》. ②노할 한 撊(手部 十二畫)과 同字. '一然以爲天下無人'《唐書》. ③엿볼 한 瞯(目部 十二畫)과 통용. '姦人一之'《論衡》.
[字源] 篆文 形聲. 亻(人)+閒〔音〕. '閒한'은 여유가 있어 '너르다'의 뜻. 사람이 관대하다의 뜻을 나타냄.

[僩然 한연] 성을 내는 모양.
[僩僩 한한] 과단성(果斷性)이 있는 모양.

12 ⑭ [僬] 초 ①②[平]蕭 昨焦切 jiāo ③[去]嘯 子肖切 jiào

[字解] ①밝게볼 초 명찰(明察)하는 모양. '誰能以己之一一, 受人之掝掝'《荀子》. ②난쟁이 초 '一僥'는 신장(身長)이 3척가량 되는 인종의 이름. ③달음박질할 초 질주함. '士蹌蹌, 庶人一一'《禮記》.
[字源] 形聲. 亻(人)+焦〔音〕

[僬僥 초요] 키가 3척가량 되는 인종(人種)의 이름.
[僬僬 초초] ㉠명찰(明察)하는 모양. ㉡달음박질하는 모양.

12 ⑭ [僭] [人名] 참 [去]豔 子念切 jiàn [去]沁 側禁切 zèn

[字解] ①참람할 참 자기 신분에 넘침. 또, 그러한 일을 함. '一上'. '一號'. '季氏亦一於公室'《史記》. ②어그러질 참 틀림. 상위(相違)함. '一差'. '天命弗一'《詩經》. ③사치 참 호사. '崇侈尙一'《僭夫論》. ④참소 참, 거짓 참 譖(言部 十二畫)과 통용. '亂之初生, 一始旣涵'《詩經》.
[字源] 篆文 形聲. 亻(人)+朁〔音〕. '朁참'은 '숨다'의 뜻. 사람이 숨어서 불신실한 짓을 한다는 뜻에서, '불신, 어그러지다', 특히 아랫사람이 윗사람에게만 허용되는 행동을 숨어서 저지르다의 뜻을 나타냄.

[僭亂 참란] 분수에 넘치는 일을 하여 질서를 어지럽힘.
[僭濫 참람] 분수에 넘치어 방자(放恣)스러움.
[僭妄 참망] 분수에 넘치고 망령(妄靈)스러움.
[僭冒 참모] 자기 분수를 넘어 남을 침범함.
[僭詐 참사] 도리를 어기어 기만함.
[僭奢 참사] 분수에 맞지 아니할 정도로 지나치게 사치함.
[僭上 참상] 분수에 넘치게 윗사람을 본뜸.
[僭賞濫刑 참상남형] 함부로 상 주고 함부로 벌줌. 제멋대로 상벌을 줌.
[僭越 참월] 분수에 넘침.
[僭踰 참유] 분수에 넘침.
[僭擬 참의] 분수에 넘치게 윗사람과 견줌.
[僭溢 참일] 분수에 넘침.
[僭恣 참자] 분수에 넘치어 방자함.
[僭竊 참절] 분수에 넘치는 높은 지위에 있음.
[僭主 참주] 참칭(僭稱)하는 임금.
[僭差 참차] 분수에 어그러짐.
[僭稱 참칭] 자기의 신분에 넘치는 칭호를 자칭(自稱)함. 또, 그 칭호.
[僭忒 참특] 분수에 넘어 도리(道理)에 어긋남. 참차(僭差).
[僭號 참호] 참칭(僭稱)하는 칭호.
◉姦僭. 驕僭. 凌僭. 奢僭. 踰僭. 華僭.

12 ⑭ [僣] 僭(前條)의 俗字

12 ⑭ [僜] [一] 증 ①[去]徑 諸應切 ②[平]蒸 丑升切 chēng [二] 등 [平]蒸 都騰切 dēng

[字解] [一] ①고달플 증 걷는데 힘이 없음. '倰一, 行無力'《集韻》. ②병들어갈 증 병들어 가는 모양. '倰一, 病行皃'《集韻》. [二] 오를 등 登(癶部 七畫)과 同字.
[字源] 形聲. 亻(人)+登〔音〕. '登등'은 '오르다'의 뜻.

12 ⑭ [僒] 군 [上]軫 渠殞切 jǔn

[字解] ①얽매일 군, 곤궁할 군 '一若囚拘'《賈誼》. ②굽을 군, 곱사등이 군 '一, 傴也'《集韻》.
[字源] 形聲. 亻(人)+窘〔音〕. '窘군'은 '속박당하다'의 뜻. 사람이 사로잡히다의 뜻을 나타냄.

12 ⑭ [僮] 동 [平]東 徒紅切 tóng

[字解] ①아이 동 미성년자. '一子'. '今民賣一者'《漢書》. ②종 동 하인. 노복(奴僕). '一僕'. '卓王孫家一八百人'《史記》. ③어리석을 동 무지몽

매함. '一昏'. '一然未有知'《太玄經》. ④조심할 동 조심하고 삼가는 모양. '被之一一, 夙夜在公'《詩經》.

[字源] 篆文 形聲. 亻(人)+童〔音〕. '童동'은 '노예·어린이'의 뜻. '童'이 '穜동'(송아지)이나 '羶동'(새끼 양)의 뜻으로도 쓰이게 됨에 따라, 사람의 아이의 뜻을 나타내기 위하여 '人'이 덧붙여짐.

[僮僮 동동] 조심하는 모양. 삼가는 모양.
[僮隷 동례] 동복(僮僕).
[僮僕 동복] 하인. 종.
[僮使 동사] 하인. 종.
[僮御 동어] 하인. 종.
[僮然 동연] 무식한 모양. 어리석은 모양.
[僮子 동자] 나이 어린 사내아이.
[僮昏 동혼] 어리석어 도리(道理)에 어두움.
●家僮. 歌僮. 官僮. 狂僮. 狡僮. 僕僮. 山僮. 侍僮. 妖僮. 孱僮. 停僮. 宦僮.

12 ⑭ [僟] 기 [平]微 居依切 jī

[字解] ①삼갈 기 조심하여 삼감. '一, 精謹也. 明堂月令, 數將一終'《說文》. ②가까울 기 거의 되려 함. 幾(幺部 九畫〈p. 692〉)와 통용. '一, 近也'《字彙》.

[字源] 形聲. 亻(人)+幾〔音〕

12 ⑭ [僤] 탄(단[本]) [去]翰 徒案切 dàn

[字解] ①도타울 탄 돈후(敦厚)함. '我生不辰, 逢天一怒'《詩經》. ②빠를 탄 신속함. '兵欲無一'《周禮》. ③밝을 탄 '一, 明也'《集韻》.

[字源] 篆文 形聲. 亻(人)+單〔音〕. '單단'은 '彈'과 통하여, 튀어 터지다의 뜻. 터지듯이 빠르다의 뜻을 나타냄. 또, '闡천'과 통하여 '밝다'의 뜻을 나타냄.

12 ⑭ [僪] [一]귤 [入]質 其述切 jú
[二]결 [入]屑 古穴切 jué

[字解] [一] 미칠 귤 광증(狂症)을 부림. [二] 햇무리 결 해의 곁에 생긴다고 하는 일종의 기(氣). '其日有鬭蝕, 有倍一, 有暈珥'《呂氏春秋》.

[字源] 形聲. 亻(人)+矞〔音〕. '矞율'은 '위협하다'의 뜻. 사람을 위압하는 기괴한 것의 모양의 뜻을 나타냄.

12 ⑭ [僔] [人名] 준 [上]阮 玆損切 zǔn

[字解] ①모일 준. ②공경할 준 공손하고 존경함. '恭敬而一'《荀子》. ③쭈그릴 준 쭈그리고 앉음. 蹲(足部 十二畫)과 통용. '一夷, 無禮儀也'《白虎通》.

[字源] 篆文 形聲. 亻(人)+尊〔音〕. '噂준'과 통하여, 모여서 지껄이다의 뜻을 나타내며, 또, '蹲준'과 통하여, '쭈그리다'의 뜻을 나타냄.

12 ⑭ [僢] 천 [上]銑 尺兗切 chuǎn

[字解] 등질 천 舛(部首)과 同字. '分流一馳'《淮南子》.

[字源] 形聲. 亻(人)+舜〔音〕

12 ⑭ [僖] [人名] 희 [平]支 許其切 xī

[筆順] 亻 仕 佶 佶 佶 僖 僖 僖

[字解] ①기뻐할 희 '一, 樂也'《說文》. ②성 희 성(姓)의 하나.

[字源] 篆文 形聲. 亻(人)+喜〔音〕. '喜희'는 '기쁨'의 뜻. 사람이 기뻐하고 즐기다의 뜻을 나타냄.

12 ⑭ [僱] 〔고〕
雇(隹部 四畫〈p. 2484〉)와 同字

12 ⑭ [僗] 〔로〕
勞(力部 十畫〈p. 280〉)와 同字

12 ⑭ [僫] 〔무·호〕
憮(心部 十二畫〈p. 818〉)와 同字

12 ⑭ [僆] 〔건〕
愆(心部 九畫〈p. 797〉)의 俗字

13 ⑮ [僙] 옹 [平]江 烏江切 yāng

[字解] 뻣뻣할 옹 순종(順從)하지 않음. '一, 一降, 不伏也'《玉篇》.

13 ⑮ [儁] [人名] 준 [去]震 子峻切 jùn

[筆順] 亻 亻' 侚 侚 侚 儁 儁 儁

[字解] ①뛰어날 준, 준걸 준 雋(隹部 四畫)·俊(人部 七畫)과 同字. '得一曰克'《左傳》. ②성 준 '一蒙'은 복성(複姓)의 하나.

[字源] 形聲. 亻(人)+雋〔音〕. '雋준'은 '뛰어나다'의 뜻. '뛰어난 사람'의 뜻을 나타냄.

[儁傑 준걸] 영특하고 걸출함. 또, 그러한 사람.
[儁科 준과] 과거(科擧)에서의 뛰어난 성적.
[儁良 준량] 영특하고 선량함. 또, 그러한 사람.
[儁望 준망] 뛰어난 인망(人望).
[儁邁 준매] 영특하고 고매(高邁)함. 또, 그러한 사람.
[儁劭 준소] 영특하고 고매(高邁)함.
[儁異 준이] 영특하고 특이함. 또, 그러한 사람.
[儁逸 준일] 준출(儁出).
[儁才 준재] 보통 사람보다 뛰어난 재주. 또, 그러한 재주가 있는 사람.
[儁出 준출] 영특하고 걸출함. 또, 그러한 사람. 준일(儁逸).
●僵儁. 輕儁. 瑰儁. 克儁. 奇儁. 爽儁. 疎儁. 時儁.

13 ⑮ [僵] 강 [平]陽 居良切 jiāng

[字解] 넘어질 강, 넘어뜨릴 강 엎드러짐. 쓰러짐. 또, 쓰러뜨림. '一仆'. '一斃'. '推而一之'《莊子》.

[字源] 篆文 形聲. 亻(人)+畺〔音〕. '畺강'은 '硬경'과 통하여 '굳어지다'의 뜻. 사람이

굳어지다의 뜻에서, '넘어지다, 뻣뻣해지다'의 뜻을 나타냄.

[僵竭 강갈] 다함. 없어짐.
[僵蹶 강궐] 엎드러짐. 넘어짐.
[僵木 강목] 쓰러진 나무.
[僵拔 강발] 나무가 쓰러져 뿌리가 뽑힘.
[僵覆 강복] 넘어져 뒤집힘.
[僵仆 강부] 엎드러짐. 넘어짐. 강부(僵踣).
[僵踣 강부] 강부(僵仆).
[僵屍 강시] 얼어 죽은 시체.
[僵偃 강언] 누움. 누워 잠.
[僵臥 강와] 누움. 잠. 엎드림.
[僵磔 강책] 땅 위에 쓰러뜨려 책형(磔刑)에 처함.
[僵斃 강폐] 쓰러져 죽음.
◉傾僵. 枯僵. 冷僵. 凍僵. 馬僵. 仆僵. 顚僵. 卒僵.

13 ⑮ [價] [中人] 가 [去]禡 古訝切 jià 价

[筆順] 亻 亻' 亻丆 亻襾 亻襾 價 價 價

[字解] 값 가 ㉠금. 물건 값. '一格'. '物一'. '馬一十倍'《戰國策》. ㉡사물이나 재화의 중요 정도. '一値'. '一登龍門, 則聲一十倍'《李白》.
[字源] 篆文 形聲. 亻(人)+賈〔音〕. '賈가'는 '장사하다, 장수'의 뜻. 장사할 때의 물건의 값의 뜻을 나타냄.

[價格 가격] 값.
[價估 가고] 값. 가치.
[價額 가액] 값.
[價錢 가전] 값.
[價直 가치] 가치(價値)㉠㉡.
[價値 가치] ㉠값. 가격. ㉡자격(資格). 품위(品位). ㉢욕망(欲望)에 대한 재화(財貨)의 효용 정도.
◉減價. 估價. 高價. 洛陽紙價. 代價. 同價. 買價. 物價. 聲價. 市價. 時價. 實價. 廉價. 元價. 原價. 糴價. 定價. 糶價. 增價. 地價. 紙價. 眞價. 馱價. 特價. 平價. 評價. 呼價.

13 ⑮ [僻] [人名] [一] 벽 [入]陌 芳辟切 pì
[二] 비 [去]寘 匹智切 pì

[字解] [一] ①후미질 벽 궁벽함. '一地'. '一村'. '蜀西一之國'《史記》. ②치우칠 벽 편벽(偏僻)함. '一論'. '一性'. '行不一矣'《淮南子》. ③간사할 벽 간교(奸巧)함. '一邪'. '民之多一'《詩經》. ④방자할 벽 방종함. '驕一'. '放一邪侈, 無不爲已'《孟子》. [二] 성가퀴 비 埤(土部 八畫)와 同字. '城上一倪也'《左傳註》. ※'벽' 음은 인명자로 쓰임.
[字源] 篆文 形聲. 亻(人)+辟〔音〕. '辟벽'은 '한쪽으로 기울다'의 뜻. 사람의 성격이 치우치다, 편벽되다의 뜻을 나타냄.

[僻見 벽견] 편벽된 소견. 치우친 의견.
[僻境 벽경] 벽지(僻地).
[僻戾 벽려] 마음이 비뚦. 마음이 비꼬임.
[僻路 벽로] 궁벽한 길.
[僻論 벽론] 치우쳐 도리에 맞지 않는 언론.
[僻陋 벽루] 견문(見聞)이 좁고 성질이 괴벽(乖僻)스러움.
[僻邪 벽사] 간사함.
[僻事 벽사] 바르지 아니한 일.
[僻書 벽서] 흔하지 아니한 기이한 책.
[僻說 벽설] 괴벽한 설(說).
[僻姓 벽성] 썩 드문 성(姓). 흔하지 않은 성.
[僻性 벽성] 편벽된 성질·버릇.
[僻隅 벽우] 궁벽한 모퉁이. 구석져 궁벽한 땅.
[僻遠 벽원] 한쪽으로 치우쳐 멂. 또, 그러한 땅.
[僻幽 벽유] 궁벽한 먼 곳.
[僻儒 벽유] 학식이 적고 마음이 편벽된 학자.
[僻邑 벽읍] 궁벽한 읍(邑).
[僻字 벽자] 괴벽(乖僻)한 글자. 항용(恒用) 쓰이지 않는 글자.
[僻在 벽재] 치우치어 있음.
[僻材 벽재] 흔히 쓰이지 아니하는 드문 약재(藥材).
[僻地 벽지] ㉠치우쳐 있음. ㉡궁벽한 땅.
[僻志 벽지] 비꼬인 마음. 바르지 못한 마음.
[僻處 벽처] 궁벽한 곳.
[僻村 벽촌] 궁벽한 마을.
[僻巷 벽항] 도회지의 궁벽한 골목.
[僻鄕 벽향] 궁벽한 시골.
[僻倪 비예] 성가퀴. 비예(埤倪).
◉介僻. 乖僻. 驕僻. 奇僻. 嗜僻. 陋僻. 邪僻. 疎僻. 幽僻. 謬僻. 靜僻. 側僻. 頗僻. 偏僻. 遐僻. 荒僻.

13 ⑮ [儞] 해 [上]蟹 擧蟹切 jiě

[字解] 굳셀 해 뛰어나게 굳센 모양. '獬一, 豪強皃'《集韻》.

13 ⑮ [僿] 삽 [入]合 私盍切 sà

[字解] ①나쁠 삽 악(惡)함. '一僸, 惡也'《集韻》. ②경솔할 삽 삼가지 않는 모양. '傷一, 不謹皃'《玉篇》.

13 ⑮ [㥮] 추 ①[去]宥 鋤祐切 zhòu
②[平]尤 甾尤切 zhōu

[字解] ①욕할 추 몹시 욕함. '僝一, 詈也'《集韻》. ②근심할 추 근심하는 모양. '一, 愁皃'《集韻》.

13 ⑮ [猧] 과 [平]歌 苦禾切 kē

[字解] 아름다울 과 아름다운 모양. '一, 美皃'《集韻》.

13 ⑮ [僾] 애 [去]隊 烏代切 ài

[字解] ①어렴풋할 애 희미함. '祭之日入室, 一然必有見乎其位'《禮記》. ②흐느낄 애 흑흑 느끼며 욺. '亦孔之一'《詩經》.
[字源] 篆文 形聲. 亻(人)+愛〔音〕. '愛애'는 '휘감기다'의 뜻. 물건이 휘감겨서 똑똑히 보이지 않다의 뜻을 나타냄.

[僾然 애연] 어렴풋한 모양. 희미하게 보이는 모양.

13 ⑮ [儌] 교 [上]篠 古了切 jiǎo

[字解] ①갈 교 '一, 行也'《玉篇》. ②구할 교 요행

을 바라고 구함. '一倖於封侯富貴'《莊子》. ③속일 교.
[字源] 形聲. 亻(人)＋敫〔音〕

13 ⑮ [儀] [高人] 의 [平]支 魚羈切 yí 仪 儀

[筆順] 亻 亻' 亻⺌ 亻⺷ 亻⺷ 儀 儀 儀

[字解] ①거동 의 기거동작. 언행의 범절. '威一'. '禮一'. '其一不忒'《詩經》. ②법 의 법도(法度). 법칙. '一品'. '度之於軌一'《國語》. ③본보기 의 모범. '上者下之一也'《荀子》. ④예의 예(禮)의 전례(典例). 예법. '一禮'. '一式'. '設一辨位'《周禮》. ⑤선사 의 예의(禮意)를 표하는 선물. '賀一'. '席一待賓折席之禮'《類書纂要》. ⑥짝 의 배우자. 배필. '實維我一'《詩經》. 또, 둘로 한 쌍을 이룬 것. 천지(天地)를 '兩一'라 함. ⑦천문기계 의 천체(天體)의 측도(測度)에 쓰이는 기계. '渾天一'. '定精微于晷一'《後漢書》. ⑧본뜰 의 본받음. 모범으로 삼음. '一表'. '一刑文王'《詩經》. ⑨짝지을 의, 짝지울 의 배필이 됨. 배필로 삼음. '丹朱馮身以一之'《國語》. ⑩헤아릴 의 촌탁(忖度)함. '我一圖之'《詩經》. ⑪마땅할 의 좋음. '無非無一'《詩經》. ⑫마땅히 의 宜(宀部 五畫)와 통용. '一監于殷'《大學》. ⑬비길 의 擬(手部 十四畫)와 통용. '皆心一霍將軍女'《漢書》. ⑭성 의 성(姓)의 하나.
[字源] 金文 篆文 形聲. 亻(人)＋義〔音〕. 본디 '義의'와 '儀의'는 구별이 없었지만, 뒤에 '義'가 추상적인 뜻을 나타내는 데 대하여, '人'을 붙여서 '儀'는 주로 구체적인 예법(禮法)의 뜻을 나타냄.

[儀檢 의검] 예의와 행검(行檢).
[儀觀 의관] 풍모(風貌). 풍채.
[儀矩 의구] 법. 본보기.
[儀軌 의궤] 본보기. 모범.
[儀刀 의도] 의식(儀式)에 차는 칼.
[儀禮 의례] 의식(儀式)과 전례(典禮).
[儀文 의문] ㉠훌륭한 범절(凡節). ㉡공용문(公用文).
[儀範 의범] 예의범절의 본보기.
[儀法 의법] 의전(儀典).
[儀服 의복] 의식(儀式)에 입는 옷.
[儀象 의상] 혼천의(渾天儀).
[儀式 의식] 예의(禮儀)의 법식(法式).
[儀容 의용] 몸을 가지는 태도.
[儀羽 의우] 모범이 될 만한 훌륭한 태도. 전(轉)하여, 모범(模範).
[儀衛 의위] 의식 때 천자(天子)를 따르는 호위병(護衛兵).
[儀儀 의의] 거동이 예의 바른 모양.
[儀仗 의장] 의식(儀式)에 쓰는 무기(武器). 또는 의식에 참가하는 호위(護衛).
[儀狀 의장] 예의범절.
[儀仗旗 의장기] 의장(儀仗)에 쓰는 기.
[儀仗兵 의장병] 병기(兵器)를 가지고 의식(儀式)에 참렬(參列)하는 군대.
[儀狄 의적] ㉠하(夏)나라 때 처음으로 술을 만든 사람. ㉡술〔酒〕의 별칭(別稱).
[儀的 의적] 과녁. 또, 표적(標的).
[儀典 의전] 의식(儀式). 「節).
[儀節 의절] 예의(禮儀)와 절차(節次). 예절(禮
[儀制 의제] 예의의 제도. 「책.
[儀注 의주] 예법 및 길흉 행사(吉凶行事)를 적은
[儀則 의칙] 사람이 지켜야 할 법칙.
[儀表 의표] 사표(師表). 모범.
[儀品 의품] 법(法). 법식(法式).
[儀刑 의형] 본받음.
[儀形 의형] ㉠의용(儀容). ㉡의형(儀刑).
[儀訓 의훈] 바른 교훈(教訓).
◉乾儀. 公儀. 晷儀. 國儀. 軍儀. 軌儀. 來儀. 母儀. 賻儀. 辭儀. 昭儀. 時辰儀. 兩儀. 令儀. 禮儀. 容儀. 羽儀. 威儀. 律儀. 彝儀. 葬儀. 典儀. 朝儀. 地球儀. 祝儀. 太儀. 土儀. 標儀. 風儀. 渾天儀.

13 ⑮ [儂] 농 [平]冬 奴冬切 nóng 侬 儂

[字解] ①나 농 자기. '我'의 속어. '牙眼怖殺一'《韓愈》. ②저 농 그 사람. '彼'의 속어. '他一'. '渠一'. '勸一莫上北高峰'《楊維禎》.
[字源] 形聲. 亻(人)＋農〔音〕

◉箇儂. 渠儂. 阿儂. 他儂. 懷儂.

13 ⑮ [儃] [一] 천 [平]先 市連切 chán [二] 단 ㊤旱 儻旱切 tǎn [三] 선 [去]霰 時戰切 shàn 儃

[字解] [一] 머뭇거릴 천 '一佪'는 머뭇거리고 잘 나아가지 않는 모양. '一佪以于傺'《楚辭》. [二] 찬찬할 단 동작이 찬찬하여 느린 모양. '一一然不趨'《莊子》. [三] 사양할 선 禪(示部 十二畫)과 통용. '堯一舜之重'《揚子法言》.
[字源] 篆文 形聲. 亻(人)＋亶〔音〕. '亶천·단'은 느긋한 모양. 사람이 느긋해서 앞으로 잘 나아가지 않다의 뜻을 나타냄.

[儃儃 단단] 찬찬하고 느린 모양.
[儃佪 천회] 머뭇거리고 잘 나아가지 않는 모양.

13 ⑮ [億] [中人] 억 [入]職 於力切 yì 亿 億

[筆順] 亻 亻' 亻⺌ 亻立 倍 倍 億 億

[字解] ①억 억 수(數)의 단위. 만의 만 배. 또, 만의 십 배도 이름. '算法一之數有大小二法, 小數以十爲等, 十萬爲一, 十一爲兆也, 大數以萬爲等, 萬至萬, 是萬萬爲一也'《禮記 疏》. 전(轉)하여, 많음을 이름. '一庶'. '一兆一心'. '我庾維一'《詩經》. ②헤아릴 억 촌탁(忖度)함. '一測'. '一度'. '一則屢中'《論語》. ③편안할 억 마음이 편안함. '心一則樂'《左傳》. ④가슴 억 臆(肉部 十三畫)과 통용. '餘悲憑一'《漢書》. ⑤건돈 억 도박에 걸어 놓은 돈. ⑥성 억 성(姓)의 하나.
[字源] 金文 篆文 形聲. 亻(人)＋意〔音〕. 篆文의 '意억'은 '생각하다'의 뜻. 사람이 마음속에 생각하다의 뜻을 나타냄. 가차(假借)하여, 수사로 쓰임.
[參考] 億(人部 十六畫)은 本字.

[億劫 억겁] 《佛教》 무한(無限)히 긴 시간.

[億萬 억만] 아주 많은 수.
[億庶 억서] 많은 백성. 서민(庶民).
[億丈 억장] 썩 높음.
[億丈之城 억장지성] 썩 높은 성.
[億載 억재] 1억 년. 아주 긴 세월. 억 년(億年).
[億逞 억령] 모두 헤아림.
[億兆 억조] ㉠아주 많은 수(數). ㉡많은 백성.
[億兆蒼生 억조창생] 수많은 백성.
[億中 억중] 추측한 것이 잘 맞음.
[億千萬劫 억천만겁] 무한한 시간. 영원한 세월.
[億測 억측] 자기 혼자 생각으로 추측함.
[億度 억탁] 억측(億測).
◉巨億. 供億. 詭億. 幾億. 累億. 萬億. 麗億. 積億. 兆億. 千億. 悁億.

13 ⑮ [儆] 人名 경 ㊤梗 居影切 jǐng

筆順 亻 亻' 亻'' 亻艹 仿 侑 侑' 儆

字解 경계할 경 警(言部 十三畫)과 同字. '一戒無虞'《書經》.

字源 篆文 形聲. 亻(人)+敬〔音〕. '敬경'은 '경계하다'의 뜻. 사람을 경계하다의 뜻을 나타냄.

[儆儆 경경] 경계하는 모양.
[儆戒 경계] 잘못되는 일이 없도록 미리 마음을 가다듬어 조심함. 경계(警戒).
[儆備 경비] 만일을 위하여 미리 방비(防備)함. 경비(警備).
◉申儆. 恩儆. 自儆. 箴儆.

13 ⑮ [儇] 人名 현 ㊥先 許緣切 xuān

字解 ①영리할 현 약음. 꾀바름. '巧一'. '鄕曲之一子'《荀子》. ②빠를 현 민첩함. '揖我謂我一兮'《詩經》.

字源 篆文 形聲. 亻(人)+睘〔音〕. '睘선'은 '돌다'의 뜻. 머리 돌아가는 것이 빠른 사람의 뜻을 나타냄.

[儇媚 현미] 약빠르게 남에게 아첨함.
[儇子 현자] 약빠른 사람.
[儇儇 현현] 약빠른 모양.
◉輕儇. 巧儇. 便儇.

13 ⑮ [儈] 쾌 ㊦泰 古外切 kuài 侩

字解 ①장주릅 쾌 거간꾼. '牙一'. '駔一'. '世爲商一'《唐書》. ②성 쾌 성(姓)의 하나.

字源 篆文 形聲. 亻(人)+會〔音〕. '會회'는 '만나다, 만나게 하다'의 뜻. 파는 사람과 사는 사람을 중간에 서서 만나게 하다, 거간의 뜻을 나타냄.

◉賈儈. 牙儈. 駔儈.

13 ⑮ [儉] 高人 검 ㊤琰 巨險切 jiǎn 俭

筆順 亻 亻' 亻亼 佮 佮 倫 儉 儉

字解 ①검소할 검 검약(儉約)함. '一朴'. '勤一'. '禮與其奢也寧一'《論語》. ②넉넉지못할 검, 적을 검 '先辨豐一'《南史》. ③흉년들 검 '一糴'. '比歲荒一'《晉書》.

字源 篆文 形聲. 亻(人)+僉〔音〕. '僉첨'은 '檢검'과 통하여, 수갑으로 죄다의 뜻. 생활에서 낭비를 덜어 죄다, 검소하게 하다의 뜻을 나타냄.

[儉剋 검극] 검소하고 엄격함.
[儉勤 검근] 검소하고 부지런함.
[儉年 검년] 작물(作物)의 결실(結實)이 잘 되지 않는 해.
[儉德 검덕] 검소(儉素)한 덕(德).
[儉吝 검린] ㉠인색함. ㉡검약(儉約)과 인색(吝嗇).
[儉朴 검박] 검소(儉素)하고 질박(質朴)함.
[儉薄 검박] 검소하고 넉넉하지 못함.
[儉嗇 검색] 검린(儉吝).
[儉省 검생] 비용을 줄임. 씀씀이를 덞.
[儉歲 검세] 흉년(凶年).
[儉素 검소] 검약(儉約)하고 질박(質朴)함. 수수함.
[儉約 검약] 절약하여 낭비하지 아니함.
[儉葬 검장] 검소하게 장사 지냄.
[儉節 검절] 검소하고 절약함.
[儉糶 검조] 흉년에 쌀을 팖.
[儉存奢失 검존사실] 검소하면 오래 보존하고, 사치하면 오래 보존 못함.
◉敬儉. 恭儉. 勤儉. 饑儉. 朴儉. 菲儉. 貧儉. 纖儉. 素儉. 淳儉. 約儉. 力儉. 廉儉. 節儉. 清儉. 豐儉. 旱儉. 荒儉.

13 ⑮ [儋] 담 ㊥覃 都甘切 dān

字解 ①멜 담 擔(手部 十三畫)과 同字. '背曰負, 肩曰一'《國語》. ②독 담 간장 같은 것을 담는 오지그릇이나 질그릇. '漿千一'《史記》. ③두섬 담 한 섬의 배. '守一石之祿'《漢書》. ④성 담 성(姓)의 하나.

字源 篆文 形聲. 亻(人)+詹〔音〕. '詹담'은 '广첨'과 통하여, '차양'의 뜻. 짐을 어깨에 차양처럼 덮어 메다의 뜻을 나타냄.

[儋石 담석] 두 섬과 한 섬. 전(轉)하여, 얼마 안 되는 분량.
[儋石之祿 담석지록] 적은 봉록(俸祿).
[儋石之儲 담석지저] 얼마 안 되는 저축(貯蓄).

13 ⑮ [僸] 금 ㊦沁 居蔭切 jìn

字解 ①우러를 금 고개를 쳐듦. '一侵尋而高縱'《司馬相如》. ②풍류이름 금 북만(北蠻)의 음악의 이름. '一佅兜離, 罔不具集'《班固》.

字源 形聲. 亻(人)+禁〔音〕

13 ⑮ [僶] 민 ㊤軫 武盡切 mǐn

字解 힘쓸 민 黽(部首)과 통용. '在有無而一勉'《陸機》.

字源 形聲. 亻(人)+黽〔音〕

13 ⑮ [僿] 새(사㊍) ㊦寘 式吏切 sài

字解 ①잘 새 자질구레함. '星湖一說'. ②무성

의 새 성의가 없음. '救—莫若以忠'《史記》.
字源 形聲. 亻(人)+塞〔音〕

13 ⑮ **[僊]** 〔건〕
僊(人部 十七畫〈p.187〉)의 俗字

13 ⑮ **[㒓]** 달 ㉧曷 他達切 tà

字解 ①달아날 달 도피함. '—, 逃也'《集韻》. ②안만날 달 가도 만나지 아니함. '—, 一曰, 行不相遇'《集韻》. ③살찔 달 살찐 모양. '佅—, 肥皃'《廣韻》.

14 ⑯ **[儐]** 빈 ㉠震 必刃切 bìn ㉥眞 必隣切 bīn 傧 僋

字解 ①인도할 빈 주인을 도와 빈객(賓客)을 인도함. 또, 그 사람. '主人三—'《禮記》. ②대접할 빈 예의로써 대접함. '山川所以—鬼神也'《禮記》. ③베풀 빈 진열(陳列)함. 차려 놓음. '—爾籩豆'《詩經》. ④나갈 빈 앞으로 나감. '王命諸侯則—'《周禮》. ⑤물리칠 빈 擯(手部 十四畫)과 통용. '六國從親以—秦'《戰國策》. ⑥찡그릴 빈 顰(頁部 十五畫)과 통용. '—笑連便'《枚乘》.
字源 甲骨文 篆文 形聲. 亻(人)+賓〔音〕. '賓빈'은 '손님'의 뜻. 손님을 인도하는 사람의 뜻을 나타냄.

◉介儐. 三儐. 上儐. 紹儐. 承儐.

14 ⑯ **[儒]** 高入 유 ㉥虞 人朱切 rú 儒

筆順 亻 亻 亻 伊 俨 俨 儒 儒

字解 ①선비 유 유학(儒學)을 신봉하거나 배우는 사람. 또, 학문이 뛰어나 남을 가르치는 사람. 학자. '四曰—, 以道得民'《周禮》. ②유교 유 공맹(孔孟)의 교학. '—學'. ③약할 유 나약함. 연약함. '偸—轉脫'《荀子》. ④난쟁이 유 왜인(矮人). '侏—'. ⑤성 유 성(姓)의 하나.
字源 篆文 形聲. 亻(人)+需〔音〕. '需수'는 비를 비는 무당의 뜻. 또, '나긋나긋하다, 부드럽다'의 뜻. 기우제(祈雨祭)에 종사하는 사람, 온화한 사람의 뜻에서 전의(轉意)되어, 학자, 유학자(儒學者)의 뜻을 나타내게 됨.

[儒家 유가] 유학(儒學)을 닦는 사람. 또, 그 학
[儒家書 유가서] 유교(儒教)의 서적(書籍). 「파.
[儒巾 유건] 유생(儒生)이 쓰는 건. 과거에 급제하지 않은 선비들이 쓰는 건.
[儒經 유경] 유서(儒書).
[儒冠 유관] 학자가 쓰는 갓.
[儒教 유교] 공자(孔子)가 주창한 유학(儒學)을 받드는 교(教). 사서오경(四書五經)을 경전(經典)으로 함.

[儒巾]

[儒道 유도] 유교(儒教)의 도(道). 「林).
[儒林 유림] 유도(儒道)를 닦는 학자들. 사림(士
[儒名而墨行 유명이묵행] 이름은 유자(儒者)이나, 그의 행동은 묵가(墨家)의 도(道)를 따름.
[儒服 유복] 학자가 입는 옷.
[儒佛仙 유불선] 유교(儒教)·불교(佛教)·선교(仙教)를 일컬음.
[儒士 유사] 유학(儒學)을 닦는 선비.
[儒生 유생] 유도(儒道)를 닦는 사람. 선비.
[儒書 유서] 유가(儒家)에서 쓰는 책.
[儒釋 유석] 유교(儒教)와 불교(佛教).
[儒疏 유소] 유생(儒生)이 연명(聯名)하여 올리는 상소(上疏).
[儒術 유술] 유도(儒道).
[儒臣 유신] 유학(儒學)을 잘하여 벼슬하는 사람.
[儒雅 유아] 유교의 바른 의리(義理).
[儒業 유업] 유가(儒家)의 학업.
[儒緩 유완] 유순함. 「양.
[儒儒 유유] 과단성이 없는 모양. 우유부단한 모
[儒醫 유의] 유자(儒者)로서, 의술(醫術)을 가진 사람.
[儒者 유자] 유학을 닦는 학자.
[儒宗 유종] 유학자의 영수(領袖). 유학의 종사(宗師).
[儒哲 유철] 유학에 뛰어난 철인(哲人).
[儒學 유학] 유교(儒教)를 연구하는 학문. 공자의 교(教)를 닦는 학문.
[儒鄕 유향] 선비가 많이 살고 있는 고을.
[儒玄 유현] 유교(儒教)와 도교(道教). 공맹(孔孟)의 학문과 노장(老莊)의 학문.
[儒賢 유현] 유교(儒教)에 정통하고 행적(行跡)이 바른 사람.
[儒化 유화] 유학(儒學)에 의한 교화(教化).
[儒會 유회] 선비들의 모임. 「침.
[儒訓 유훈] 공맹(孔孟)의 가르침. 유교의 가르
◉鉅儒. 舊儒. 君子儒. 耆儒. 老儒. 陋儒. 大儒. 名儒. 文儒. 腐儒. 焚書坑儒. 鄙儒. 貧儒. 散儒. 碩儒. 世儒. 小人儒. 俗儒. 豎儒. 宿儒. 醇儒. 雅儒. 庸儒. 迂儒. 章句儒. 侏儒. 眞儒. 賤儒. 通儒. 鴻儒.

14 ⑯ **[儓]** 대 ㉠隊 都隊切 duì

字解 사고팔 대 거래. 장사. '—, 互市必與人對'《正字通》.
字源 形聲. 亻(人)+對〔音〕

14 ⑯ **[儔]** 주 ㉥尤 直由切 chóu 俦 儔

字解 ①무리 주 동배(同輩). 동무. '—侶'. '—倫'. '命—嘯侶'《梁元帝》. ②누구 주 어느 사람. '—克爾'《揚子法言》.
字源 篆文 形聲. 亻(人)+壽〔音〕. '壽수'는 '이어지다'의 뜻. 사람의 연결, 동아리의 뜻을 나타냄.

[儔侶 주려] 동배(同輩). 동무.
[儔類 주류] 주려(儔侶).
[儔倫 주륜] 주려(儔侶).
[儔與 주여] 벗. 동무.
[儔列 주열] 동배(同輩).
[儔擬 주의] 동류(同類)를 늘어놓고 비교함.
[儔匹 주필] 주려(儔侶).
◉故儔. 同儔. 朋儔. 良儔. 侶儔. 匹儔.

14 ⑯ **[儕]** 제 ㉥佳 士皆切 chái 侪 儕

字解 ①무리 제 동배(同輩). '—等'. '—輩'.

'文王猶用衆, 況吾一乎'《左傳》. ②함께 제 같이. '長幼一居'《列子》.

字源 篆文 形聲. 亻(人)+齊〔音〕. '齊제'는 '가지런히 모이다'의 뜻. 같은 줄에 서는 사람. '동배(同輩)'의 뜻을 나타냄.

[儕居 제거] 한곳에 삶. 같이 삶.
[儕等 제등] 제배(儕輩).
[儕類 제류] 제배(儕輩).
[儕倫 제륜] 벗. 동배(同輩).
[儕輩 제배] 나이·신분(身分)이 서로 비슷한 사람. 동배(同輩).
[儕偶 제우] 제배(儕輩).
◉同儕. 等儕. 朋儕. 吾儕. 爾儕. 匹儕.

14 ⑯ [儗] 의 ㊤紙 魚紀切 nǐ

字解 ①참람할 의 윗사람을 흉내 내어 분수에 지나침. '田池射獵之樂, 一於人君'《史記》. ②비길 의 견줌. 비교함. '一人必于其倫'《禮記》. ③의심할 의 믿지 못함. '無所一怍'《荀子》.

字源 篆文 形聲. 亻(人)+疑〔音〕. '疑의'는 '의심하다'의 뜻. 윗사람으로 의심받을 짓을 하다, 신분이나 분수를 넘어서 주제넘은 짓을 하다의 뜻을 나타냄.

[儗儗 의의] 의심하는 모양.
[儗怍 의작] 의심하고 부끄러워함. '의(儗)'는 의(疑), '작(怍)'은 작(作).
◉比儗. 竊儗.

14 ⑯ [儘] 진 ㊤軫 慈忍切 jǐn

字解 ①다할 진 盡(皿部 九畫)과 同字. ②조금 진 좀. '中間一聯, 一有奇崛'《楊仲弘》. ③억지로 진 무리하게. '援引附會, 一成一家之言'《呻吟語》.

字源 形聲. 亻(人)+盡〔音〕. '盡진'은 '다하다'의 뜻. 인력(人力)의 최대한도로, 모두, 다의 뜻을 나타냄. 송(宋), 원(元) 이래로 '儘教진교'는 모조리 그렇게 하게 하다의 뜻에서, 될 대로 되라의 뜻을 나타냄.

[儘教 진교] 어떻든지 상관없음. 될 대로 되라. 어쨌든.

14 ⑯ [儛] 무 ㊥麌 文甫切 wǔ

字解 춤출 무 舞(舛部 八畫)와 同字. '鼓歌以一之'《莊子》.

字源 形聲. 亻(人)+舞〔音〕. '舞무'는 '춤추다'의 뜻.

14 ⑯ [儓] 대 ㊥灰 徒哀切 tái

字解 ①배신(陪臣) 대 가신(家臣). '倍一'. ②하인 대 심부름꾼. '輿一'.

◉倍儓. 輿儓.

14 ⑯ [儚] ■ 맹 ㊥蒸 彌登切 méng ■ 몽 ㊥東 謨中切

字解 ■ 어두울 맹 마음이 흐림. '一, 爾雅, 一一, 惛也. 或作懜'《集韻》. ■ ①부끄러워할 몽 '一, 一曰慙也'《集韻》. ②어두울 몽 마음이 어두워 갈피를 못 잡음. '一一, 惛也'《爾雅》.

14 ⑯ [儙] 人名 ■ 은 ㊤問 於靳切 yìn ■ 온 ㊤阮 鄔本切 wěn

字解 ■ 기댈 은, 머무를 은 남에게 의지함. 덧붙어서 묵음. '一, 依人也'《廣韻》. ■ 편안할 온 穩(禾部 十四畫)과 통용. '一, 安也'《集韻》. ※'은' 음은 인명자로 쓰임.

14 ⑯ [儜] 녕 ㊥庚 女耕切 níng

字解 ①번민할 녕 고통하며 쇠약함. '何用苦拘一'《韓愈》. ②약할 녕 연약함. '爲一弱婦人'《宋書》. ③떠들썩할 녕 만인(蠻人)들의 지껄이는 소리. '鼓吹裹回, 其聲傖一'《唐書》.

字源 形聲. 亻(人)+寧〔音〕

14 ⑯ [儖] 람 ㊥覃 盧甘切 lán

字解 흉상스러울 람 보기 흉한 모양. '一儳'. '一儳, 惡皃'《集韻》.

字源 形聲. 亻(人)+監〔音〕

15 ⑰ [償] 高人 상 ㊥陽 市羊切 cháng 偿

筆順 亻 亻' 亻'' 亻' 僧 僧 償 償

字解 ①갚을 상 ㉠상환(償還)함. 돌려줌. '一金'. '賠一'. '買金一之'《漢書》. ㉡보답함. '西隣責言不可一也'《左傳》. ②배상 상 대가(代價). '是王失於齊, 取一於秦'《戰國策》. ③성 상 성(姓)의 하나.

字源 金文 篆文 形聲. 亻(人)+賞〔音〕. '賞상'은 공적에 대해 주어지는 재물의 뜻. 金文에서는 '賞'과 '償'이 같은 자이지만, 뒤에 '賞'이 공로에 대한 하사물의 뜻으로 전용되었기 때문에, '人인'을 더하여 빚·손해 따위를 갚다의 뜻을 나타냄.

[償金 상금] 갚는 돈. 배상금(賠償金).
[償命 상명] 살인한 자를 죽임.
[償復 상복] 갚아 줌. 물어 줌.
[償願 상원] 평소의 소원을 이룸.
[償罪 상죄] 형벌(刑罰)을 면하고자 벌금(罰金)을 냄.
[償責 상책] ㉠빚을 갚음. 채무(債務)를 청산함. ㉡다 못한 책임을 딴 것으로 충당함.
[償還 상환] 갚아 줌. 물어 줌.
◉代償. 無償. 賠償. 辨償. 報償. 補償. 酬償. 有償.

15 ⑰ [儡] 人名 뢰 ①②㊥灰 魯回切 léi ③㊤賄 落猥切 lěi

字解 ①망칠 뢰 실패함. '不免於一身'《淮南子》. ②야윌 뢰 쇠약함. '容貌一'《潘岳》. ③꼭두각시 뢰 인형(人形). '傀一'.

字源 篆文 形聲. 亻(人)+畾〔音〕. '畾뢰'는 '흙을 쌓다'의 뜻, 또 빙그르르 움직이는 모양을 나타내는 의태어(擬態語). 흙을 쌓

아서 머리를 둥글게 만들어 빙그르르 움직이는 인형의 뜻을 나타냄.

[儡儡 뇌뢰] 실패하여 위험한 모양. 누루(纍纍).
[儡身 뇌신] 세상에 쓰이지 않는 몸.
◉傀儡. 對儡. 水儡.

15⑰ [儦] 표 ㊥蕭 甫嬌切 biāo

字解 ①떼지어다닐 표 떼를 지어 다니는 모양. '行人――'《詩經》. ②많을 표 수효가 많은 모양. '――俟俟'《詩經》.
字源 篆文 形聲. 亻(人)+麃〔音〕. '麃표'는 사슴이 떼 지어 움직이다의 뜻. 사람이나 짐승이 무리를 지어 경쾌하게 이동하다의 뜻을 나타냄.

[儦儦 표표] ㉠떼 지어 다니는 모양. ㉡수효가 많은 모양.

15⑰ [優] 高人 우 ㊥尤 於求切 yōu 优

筆順 亻 仁 佴 僡 僡 僡 僡 優

字解 ①넉넉할 우 부요(富饒)함. 충분함. 여유가 있음. '―裕'. '仕而―則學'《論語》. ②도타울 우 후(厚)함. '―厚'. '―渥'. '旣―旣渥'《詩經》. ③뛰어날 우, 나을 우 우수함. '―劣'. '―勢'. '德―則行'《史記》. ④부드러울 우 유화(柔和)함. '―游爾休矣'《詩經》. ⑤구차할 우 머뭇거리고 결단성이 적음. '―柔不斷'. ⑥희롱할 우 실없는 짓을 하며 놂. '少相狎, 長相―'《左傳》. ⑦희롱 우, 장난 우 '陳氏鮑氏之圉人爲―'《左傳》. ⑧광대 우 '倡―'. '以俳―畜之'《漢書》. ⑨넉넉히 우 넉넉하게. 충분히. '周公―爲之'《禮記》. ⑩성 우 성(姓)의 하나.
字源 篆文 形聲. 亻(人)+憂〔音〕. '憂우'는 큰머리를 얹고 발을 구르다의 뜻. 탈을 쓰고 춤추는 사람, 광대의 뜻을 나타냄. 전하여, '부드럽다, 뛰어나다'의 뜻을 나타냄.

[優假 우가] 특히 보아줌. 관대(寬大)한 처분을 함.
[優過 우과] 너무 후함. 지나치게 우대함.
[優眷 우권] 특별한 은고(恩顧).
[優曇華 우담화] 《佛教》 '우담발라화(優曇跋羅華)'의 준말. 범어(梵語)로는 Udumbara. 3천년에 한 번 꽃이 피어 금륜왕(金輪王)이 나온다는 상상상(想像上)의 나무. 전(轉)하여, 극히 드문 좋은 일의 비유.
[優答 우답] 우악(優渥)한 대답.
[優待 우대] 특별히 잘 대우함.
[優貸 우대] 우대(優待).
[優待券 우대권] 우대(優待)할 것을 규정한 초대권(招待券).
[優等 우등] ㉠높은 등급(等級). ㉡성적(成績)이 우수함.
[優良 우량] 뛰어나게 좋음.
[優麗 우려] 우아(優雅)하고 아름다움. 우미(優美).
[優憐 우련] 두터운 사랑.
[優伶 우령] 배우. 광대.
[優禮 우례] 예(禮)를 두터이 함.
[優隆 우륭] 융숭(隆崇)함.
[優孟衣冠 우맹의관] 옛날 초(楚)나라의 이름난 배우 우맹(優孟)이 죽은 손숙오(孫叔敖)의 의관을 차리고 손숙오의 아들의 곤궁을 구해 냈다는 고사(故事). 전(轉)하여, 사이비(似而非)한 것의 비유로 쓰임.
[優免 우면] 특별히 면제함.
[優命 우명] 우악(優渥)한 명령.
[優美 우미] 우아하고 아름다움.
[優敏 우민] 뛰어나게 슬기로움.
[優婆塞 우바새] 《佛教》 ㉠속세(俗世)에 있으면서 불교(佛教)를 믿는 남자. ㉡불교 남신도(男信徒)의 총칭.
[優婆夷 우바이] 《佛教》 ㉠속세(俗世)에 있으면서 불교(佛教)를 믿는 여자. ㉡불교 여신도(女信徒)의 총칭.
[優俳 우배] 배우. 광대.
[優報 우보] 우답(優答).
[優普 우보] 후하게 널리 미침. 넉넉히 널리 줌.
[優賜 우사] 두터이 내려 줌.
[優賞 우상] 대단히 칭찬함. 후(厚)하게 상(賞)줌. 우장(優奬).
[優生學 우생학] 유전(遺傳)의 법칙(法則)에 의하여 어떻게 하면 우량(優良)한 인종(人種)이 되는가를 연구하는 학문.
[優贍 우섬] 섬부(贍富)함.
[優勢 우세] 남보다 나은 형세(形勢).
[優笑 우소] 배우나 기생 등과 같이 좌흥(座興)이나 주흥(酒興)을 돕는 사람.
[優秀 우수] 여럿 가운데 아주 뛰어남.
[優殊 우수] 특별히 뛰어남.
[優數 우수] 수효가 많음. 많은 수효.
[優勝 우승] ㉠나은 자는 이김. ㉡첫째로 이김.
[優勝劣敗 우승열패] 나은 자는 이기고 못난 자는 짐. 생존 경쟁·자연도태(自然淘汰)의 현상을 이름.
[優深 우심] 뛰어나고 깊음.
[優雅 우아] 점잖고 아담함.
[優渥 우악] 은혜가 두터움.
[優養 우양] 불편 없게 잘 부양(扶養)함.
[優言 우언] 부드러운 말. 인정(人情) 있는 말.
[優然 우연] 침착하고 여유가 있는 모양.
[優劣 우열] 낫고 못함. 우수함과 저열함.
[優容 우용] 인정(人情)이 있어 관대함.
[優遇 우우] 우대(優待).
[優優 우우] ㉠넉넉한 모양. ㉡온화한 모양. 인정이 있는 모양. ㉢정숙한 모양. 얌전한 모양.
[優諢 우원] 배우의 익살.
[優越 우월] 뛰어남.
[優越感 우월감] 자기가 남보다 뛰어남을 자각(自覺)하는 느낌.
[優柔 우유] ㉠유순함. ㉡과단성이 없음. ㉢침착함. 여유가 있음.
[優裕 우유] 침착하고 여유가 있음.
[優遊 우유] ㉠한가로운 모양. ㉡과단성(果斷性)이 없는 모양. 고식적(姑息的)인 모양.
[優遊度日 우유도일] 하는 일 없이 세월(歲月)을 보냄.
[優柔不斷 우유부단] 어물어물하고 속히 결단(決斷)하지 아니함.
[優游不斷 우유부단] 우유부단(優柔不斷).
[優游不迫 우유불박] 침착하고 여유가 있음.
[優柔厭飫 우유염어] 조용히 깊이 완미(玩味)함. 천천히 충분히 즐김. 학문(學問) 또는 취미(趣味) 따위의 경우에 씀.

[優游自適 우유자적] 한가로이 스스로 만족하게 지냄.
[優游涵泳 우유함영] 서두르지 않고 조용히 학문의 깊은 뜻을 완미(玩味)함.
[優恩 우은] 두터운 은혜. 후은(厚恩).
[優毅 우의] 부드럽고도 굳셈. 온화하면서도 굳센 데가 있음.
[優異 우이] 대우를 특별히 함. 남과 다르게 대우함. 특별 대우(特別待遇).
[優逸 우일] 편안함. 안일함.
[優子 우자] 우창(優倡).
[優長 우장] 우수함. 우등(優等).
[優場 우장] 연극을 하는 곳. 무대(舞臺).
[優奬 우장] 우상(優賞).
[優哉游哉 우재유재] 우유불박(優游不迫)하도다.
[優詔 우조] 우악(優渥)한 조서(詔書).
[優旨 우지] 우악(優渥)하신 말씀.
[優秩 우질] 후한 봉록(俸祿).
[優僭 우참] 신분에 넘침. 참람(僭濫)함.
[優倡 우창] 배우. 광대.
[優遷 우천] 영전(榮轉)함.
[優寵 우총] 특별한 은총(恩寵). 두터운 은총.
[優便 우편] 좋고 편리함. 또, 그 자리.
[優閒 우한] 우아(優雅).
[優顯 우현] 뛰어나서 두드러지게 나타남.
[優厚 우후] 두터움. 후함.
[優恤 우휼] 두터운 은혜로써 구휼(救恤)함.
[優洽 우흡] 널리 미침. 두루 미침.
[優戱 우희] 희극(戱劇).
◉男優. 老優. 名優. 俳優. 聲優. 女優. 伶優. 倡優. 褒優.

15 ⑰ [儥] 육 [入]屋 余六切 yù

[字解] 팔 육, 살 육 鬻(鬲部 十二畫)과 同字. '以量度, 成賈而徵—'《周禮》.
[字源] 金文 篆文 形聲. 亻(人)+賣〔音〕. '賣육'은 사람의 눈을 어지럽게 하여 팔다의 뜻. 나쁜 것을 좋다고 속여 팔아넘기다의 뜻을 나타냄.

15 ⑰ [儷] 피 [上]紙 補靡切 bǐ

[字解] ①머무를 피 정지(停止)함. '—, 停—'《廣韻》. ②풀어줄 피 죄를 용서하여 줌. '—, 遣有罪'《集韻》. ③성 피 성(姓)의 하나.

15 ⑰ [儢] 려 [上]語 力擧切 lǚ

[字解] ①힘쓰지아니할 려 '—, 增韻, 不勉強皃'《康熙字典》. '——然, 離離然, …是學者之嵬也'《荀子》. ②내키지않을 려 '—拒'는 일을 하고 싶어하지 아니함. '—拒, 心不欲爲也'《廣韻》. ③물리칠 려 '—拒'는 슬며시 물리침. '—拒, 陰却也'《騈雅》.

15 ⑰ [儩] 사 [去]寘 斯義切 sì

[字解] 다할 사 있는 것이 다 없어짐. '若循環而無—'《潘岳》.

15 ⑰ [儤] 포 [平]肴 布佼切 bào

[字解] ①번들 포 관리(官吏)가 계속하여 숙직함. '—宿'. '—直'. '—, 官吏連直也'《正字通》. ②일 포 과외(課外)로 하는 일. 또, 그 사람. '今俗謂程外課作者爲—'《正字通》.

15 ⑰ [儱] 변 [平]先 蒲眠切 biān

[字解] ①몸삐뚤어질 변 몸이 바르지 못함. ②결 변 옆. ③춤출 변 춤을 추는 모양.

15 ⑰ [儳] 렵 [入]葉 良涉切 liè

[字解] ①길고장할 렵 '—, 長壯——也'《說文》. ②흉괴할 렵 흉한 모양. '—偨, 惡貌'《類篇》.
[字源] 篆文 形聲. 亻(人)+巤〔音〕. '巤렵'은 '긴 털'의 뜻. 키가 크고 원기가 왕성한 사람의 뜻을 나타냄.

16 ⑱ [儧] 〔간〕
軋(人部 八畫〈p.146〉)의 籒文

16 ⑱ [儲] 저 [平]魚 直魚切 chǔ

[字解] ①쌓을 저 저축함. '—米'. '—蓄'. '家無所—'《魏志》. 또, 저축한 것. '有九年之—'《淮南子》. ②버금 저 부이(副貳). 예비로서 대기하고 있는 것. '兩京皆有一書也'《大學衍義補》. ③동궁 저 황태자. '—位'. '—君副主'《公羊傳註》. ④성 저 성(姓)의 하나.
[字源] 篆文 形聲. 亻(人)+諸〔音〕. '諸제'는 '貯저'와 통하여, '여퉈 두다'의 뜻. '人인'을 더하여, 후계자로서 미리 준비해 두는 사람, '태자'의 뜻을 나타냄.

[儲駕 저가] 황태자의 거가(車駕).
[儲械 저계] 준비하여 놓은 무기.
[儲穀 저곡] 저축한 곡식.
[儲君 저군] 황태자(皇太子).
[儲宮 저궁] 황태자. 저군(儲君).
[儲同人 저동인] 저흔(儲欣).
[儲兩 저량] ㉠버금. 제이(第二)의 것. ㉡후사(後嗣). 부량(副兩).
[儲廩 저름] 미곡(米穀)을 저축하여 두는 곳간. 미곡 창고. 창름(倉廩).
[儲利 저리] 이득(利得).
[儲米 저미] 저축한 쌀.
[儲副 저부] 저군(儲君).
[儲備 저비] 저축의 준비.
[儲嗣 저사] 저군(儲君).
[儲胥 저서] ㉠종. 복비(僕婢). ㉡저축(貯蓄). ㉢군영(軍營)의 울타리.
[儲書 저서] ㉠부본(副本). ㉡장서(藏書). 비본(備本).
[儲與 저여] ㉠거닒. 소요함. ㉡오므라들어 펴지지 않는 모양.
[儲元 저원] 저군(儲君).
[儲位 저위] 황태자(皇太子)의 자리.
[儲貳 저이] 황태자(皇太子).
[儲藏 저장] 저장(貯藏)함.
[儲邸 저저] 곳간. 창고.
[儲積 저적] 저축(貯蓄).
[儲蓄 저축] 저축(貯蓄).
[儲峙 저치] 곡식(穀食) 따위를 비축(備蓄)함.

[儲置 저치] 저축(貯蓄).
[儲后 저후] 저군(儲君).
[儲欣 저흔] 청(淸)나라 의흥(宜興) 사람. 자(字)는 동인(同人). 널리 경사(經史)에 통(通)하고 문장이 근결명창(謹潔明暢)함. 〈당송십가문(唐宋十家文)〉을 찬(撰)하였고, 또 〈춘추지장(春秋指掌)〉·〈재육초당집(在陸草堂集)〉 등의 저술이 있음.
◉戒儲. 公儲. 國儲. 東儲. 兵儲. 贏儲. 帝儲. 倉儲. 皇儲.

16 ⑱ [儭] [一] 츤 [去]震 初覲切 chèn
[二] 친 [平]眞 雌人切 qīn
[字解] [一] 속옷 츤 襯(衣部 十六畫)과 통용. [二] 어버이 친 親(見部 九畫)과 통용.
[字源] 形聲. 亻(人)+親〔音〕

16 ⑱ [㒌] 조 [上]篠 奴鳥切 niǎo
[字解] 날씬할 조 허리가 호리호리하여 예쁨. '便―'.
◉便㒌.

16 ⑱ [㒠] 해 [去]卦 胡介切 xiè
[字解] ①좁을 해 넓지 않음. '―, 陋也'《集韻》. '何文肆而質'《揚雄》. ②빠를 해 속(速)한 모양. '―, 一曰, 速也'《集韻》.

16 ⑱ [儱] [一] 롱 [上]董 力董切 lǒng
[二] 롱 [去]宋 良用切 lòng
[字解] [一] ①덜될 롱 기량(器量) 따위를 충분히 갖추지 못함. 또, 그런 사람. '―侗, 未成器也'《集韻》. ②흐지부지할 롱 논설(論說) 따위가 아직 분명하지 않음. 몽롱(朦朧)함. '昨見其直說, 正疑其太―侗'《朱熹》. ③불우할 롱 불우한 모양. '―, ―偅, 不遇皃'《廣韻》. ④바로걷지못할 롱 보행이 바르지 못한 모양. '―偅, 行不正'《玉篇》. [二] 걷지못할 롱 보행이 불가능한 모양.
[字源] 形聲. 亻(人)+龍〔音〕

16 ⑱ [儢] 〔려〕
儢(人部 十五畫〈p. 186〉)의 訛字

16 ⑱ [儣] 〔억〕
億(人部 十三畫〈p. 181〉)의 本字

17 ⑲ [儳] 참 ①②[平]咸 士咸切 chán
③④[去]陷 楚鑑切 chàn
[字解] ①어지러울 참 대오(隊伍)가 정렬(整列)하지 못하여 어지러움. '鼓―可也'〈적진(敵陣)이 아직 정돈되지 않을 때에 친다는 뜻〉《左傳》. ②빠를 참 속함. '驚馳從―道歸營'('―道'는 지름길)《後漢書》. ③천할 참 비루(鄙陋)함. '其躬―焉, 如不終日'《禮記》. ④섞을 참 잡된 것이 섞임. '毋―言'《禮記》.
[字源] [篆文] 形聲. 亻(人)+毚〔音〕. '毚참'은 '어지럽다'의 뜻. 혼란되어 있는 사람의 줄의 뜻에서, 정돈되지 않아 어지럽다의 뜻을 나타냄. 또, 남의 대화 속에 자기의 말을 끼워 넣다의 뜻, '말참견'의 뜻도 나타냄.

[儳道 참도] 지름길.
[儳言 참언] 남의 말이 끝나기도 전에 꺼내는 말.

17 ⑲ [儵] 숙 [入]屋 式竹切 shū
[字解] ①잿빛 숙 청흑색(靑黑色). ②갑자기 숙 倏(人部 九畫)과 통용. '―忽'. ③성 숙 성(姓)의 하나.
[字源] [篆文] 形聲. 黑+攸〔音〕

[儵爍 숙삭] 빛이 일순간에 번쩍하는 일.
[儵忽 숙홀] 갑자기. 홀연(忽然).

17 ⑲ [儶] 건 [上]銑 九輦切 jiǎn
[字解] 교만할 건 오만함. '偃―'.
◉偃儶.

18 ⑳ [儳] 〔참〕
儳(人部 十七畫〈p. 187〉)과 同字

19 ㉑ [儷] [人名] 려 [去]霽 郞計切 lì
[字解] ①나란히할 려 어깨를 나란히 함. '與俗―走'《淮南子》. ②짝 려 ㉠배우자. '伉―'. '―匹'. ㉡서로 짝이 될 만한 것. 서로 견줄 만한 것. '越古今而無―'《晉書》. ㉢한 쌍. '主人酬賓束帛―皮'《儀禮》.
[字源] [篆文] 形聲. 亻(人)+麗〔音〕. '麗려'는 '나란히 하다, 붙다'의 뜻. 사람이 나란히 서다, 따라붙다, 짝·동아리의 뜻을 나타냄.

[儷文 여문] 넉 자(字) 혹은 여섯 자(字)의 대구(對句)로 된 한문(漢文)의 한 체(體). 변려문(騈儷文).
[儷皮 여피] 자웅(雌雄) 한 쌍의 사슴의 가죽. 관례(冠禮)의 선물(膳物), 또는 혼례(婚禮)의 폐백(幣帛)으로 씀.
[儷匹 여필] 배우(配偶). 배필(配匹).
[儷偕 여해] 동반(同伴)함.
◉騈儷. 嬪儷. 淑儷. 魚儷. 儔儷. 伉儷.

19 ㉑ [儺] [人名] 나 [平]歌 諾何切 nuó
[平]哿 乃可切
[字解] ①구나(驅儺) 나 역귀(疫鬼)를 쫓는 의식. '追―'. ②구나할 나 구나의 의식을 행함. '鄕人―, 朝服而立於阼階'《論語》. ③방상시 나 구나의 의식 때 역귀로 분장하는 사람. '我慙賤丈夫, 豈異帶面―'《梅堯臣》. ④유순(柔順)할 나 '隰有萇楚, 猗―其枝'《詩經》. ⑤성할 나 무성한 모양. '隰桑有阿, 其葉有―'《詩經》. ⑥점잖이걸을 나 보행하는 데 절도(節度)가 있는 모양. '佩玉之―'《詩經》.
[字源] [篆文] 形聲. 亻(人)+難〔音〕. '難난'은 새를 불에 태우다의 뜻에서, '태워 없애다'의 뜻이 되며, 또 '재앙'의 뜻도 있음. 사람의 손으로 재앙을 몰아내다의 뜻을 나타냄.

◉驅儺. 猗儺. 贈儺. 追儺. 行儺.

19 ㉑ [儸] 라 ㊥歌 魯何切 luó

字解 간사성있을 라 '僂—'는 수완이 있음. 또, 그 사람. 일 잘하는 사람.
字源 形聲. 亻(人)+羅〔音〕

◉僂儸.

19 ㉑ [儹] 人名 찬 ㊤旱 作管切 zǎn

字解 ①모을 찬, 모일 찬 '—, 聚也'《廣韻》. ②일꾸밀 찬 모여서 일을 꾀함. '—, 聚而計事也'《集韻》.
字源 篆文 形聲. 亻(人)+贊〔音〕. '贊찬'은 '모아서 추리다'의 뜻. '추려 모으다'의 뜻을 나타냄.

20 ㉒ [儻] 당 ㊤養 他朗切 tǎng

字解 ①기개있을 당 뜻이 크고 기개가 있음. 활달(豁達)함. '倜—'. '俶—瑰瑋'《史記》. ②갑자기 당 홀연(忽然)히. '物之—來寄也'《莊子》. ③구차할 당 '時恣縱而不—'《莊子》. ④혹시 당 만일. '—若'. '—所謂天道是邪非邪'《史記》. ⑤흐릴 당 밝지 않은 모양. '—朗'. '—乎若行而失道也'《莊子》. ⑥실의할 당 뜻을 잃은 모양. '魏文侯—然終日不言'《莊子》. ⑦성 당 성(姓)의 하나.
字源 篆文 形聲. 亻(人)+黨〔音〕. '黨당'은 '長장'과 통하여 '좋다, 뛰어나다'의 뜻. '뛰어난 사람, 뛰어나다'의 뜻을 나타냄.

[儻儻 당당] 당호(儻乎).
[儻朗 당랑] 흐린 모양. 밝지 못한 모양.
[儻來 당래] 뜻밖에 자기 수중(手中)으로 굴러 옴.
[儻然 당연] 실의(失意)한 모양.
[儻蕩 당탕] 마음이 넓은 모양. 활달(豁達)한 모양.
[儻乎 당호] 뜻을 잃은 모양. 또, 밝지 않은 모양. 당당(儻儻).
◉不儻. 俶儻. 倜儻. 淸儻.

20 ㉒ [儼] 人名 엄 ㊤琰 魚掩切 yǎn

字解 ①공근할 엄 용모가 단정하고 태도가 정중한 모양. '—若思'《禮記》. ②근엄할 엄 점잖고 엄숙한 모양. '—然'. '有美一人, 碩大且—'《詩經》.
字源 金文 篆文 形聲. 亻(人)+嚴〔音〕. '嚴엄'은 '엄하다'의 뜻. 사람됨이 엄격하다, 정중하고 근엄하다의 뜻을 나타냄.

[儼恪 엄각] 근엄하고 조신(操身)함.
[儼然 엄연] 근엄한 모양.
◉神容儼. 玉山儼. 車從儼.

21 ㉓ [儽] 라 ㊤哿 力果切 luǒ

字解 벌거벗을 라 倮(人部 八畫)·躶(身部 八畫)와 同字. '有物于此, ——兮, 其狀屢化如神'《荀子》.
字源 形聲. 亻(人)+蠡〔音〕

[儽儽 나라] 본디의 모습 그대로 드러냄.

21 ㉓ [儽] 一 래 ㊦隊 盧對切 léi 二 루 ㊥支 力追切 三 라 ㊤哿 魯果切 luǒ

字解 一 ①드리울 래 儡(人部 十一畫)와 同字. '—, 垂貌'《說文》. ②고달플 래 병들어 지침. '—, 病困也'《集韻》. ③높은곳에여럿이설 래 '—, 憑高衆立貌'《六書統》. 二 ①피로할 루 '——, 疲也'《廣雅》. ②게을리할 루 '—, 嬾懈皃'《廣韻》. ③속일 루 '——兮若無所歸'《老子》. 三 벌거벗을 라 蠃(衣部 十三畫)와 同字. '蠃, 說文, 袒也. 或从人从纍'《廣韻》.
字源 形聲. 亻(人)+纍〔音〕

22 ㉔ [儾] 낭 ㊦漾 奴浪切 nàng

字解 느슨할 낭, 게으를 낭 '—, 緩也'《廣韻》.

儿 (2획) 部

〔어진사람인부〕

0 ② [儿] 인 ㊥眞 而隣切 rén

筆順 丿 儿

字解 ①사람 인 우뚝 선 사람을 상형한 글자. 일설(一說)에는, 걷는 사람을 상형한 글자라 함. '人象立人, 一象行人'《六書略》. ②어진사람 인 부수(部首)로 쓰일 때의 이름. '—, 仁人也'《集韻》.
字源 人의 古文 象形. 사람의 상형(象形)으로, 글자의 아래 부위에 쓰이며, 많은 경우 사람을 나타내는 글자에 쓰임. 문자 정리상 부수(部首)가 됨.
參考 儿(部首)·兀(次條)은 別字.

1 ③ [兀] 人名 올 ㊀月 五忽切 wù

字解 ①우뚝할 올 우뚝 솟아 높은 모양. 또, 위는 평평하고 높은 모양. '—立'. '崒—棲猛虎'《李白》. ②민둥민둥할 올 산에 나무가 없는 모양. '—山'. '蜀山—阿房出'《杜牧》. ③발뒤꿈치벨 올 월형(刖刑)에 처함. '—人'. '魯有—者王駘'《莊子》. ④움직이지아니할 올 부동(不動)한 모양. '魂—心亡'《江淹》. ⑤무식할 올 무지한 모양. '—同體於自然'《孫綽》. ⑥위태로울 올 흔들려 불안한 모양. '艇子小且—'《皮日休》.
字源 金文 篆文 指事. '人인' 위에 '一일'(평평하다의 뜻)을 그어, 높고 평평하다의 뜻을 나타냄. 다만, 金文에서는 사람이 머리를 불쑥 들어 올린 모양의 상형(象形). '높이 솟다, 높다'의 뜻을 나타냄.

[兀頭 올두] 대머리.
[兀立 올립] 우뚝 솟음.
[兀山 올산] ㉠평지(平地)에 우뚝 솟은 산. 고산(孤山). ㉡민둥민둥한 산.

[兀然 올연] ㉠우뚝 솟은 모양. ㉡불안한 모양. 위태로운 모양. ㉢무지(無知)한 모양.
[兀然獨坐 올연독좌] 혼자 단정(端正)히 앉음.
[兀兀 올올] ㉠움직이지 않는 모양. 또, 힘쓰는 모양. 근면한 모양. ㉡뒤뚱뒤뚱하여 위태로운 모양. 비쓱비쓱하는 모양.
[兀人 올인] 올형(兀刑)을 받은 사람.
[兀者 올자] 발뒤꿈치 자르는 형벌을 받은 사람. 월형(刖刑)을 당한 사람.
[兀坐 올좌] 꼼짝 않고 앉음.
[兀刑 올형] 발뒤꿈치를 자르는 형벌.
◉突兀. 傲兀. 搖兀. 崒兀.

2 ④ [允] 人名 윤 ㊤軫 余準切 yǔn

筆順 允

字解 ①미쁨 윤 성실하고 신의가 있음. 성신(誠信). '一誠'. '告汝朕一'《書經》. ②진실로 윤 참으로. '一文一武'. '一執其中'《論語》. ③승낙할 윤 승인함. 허락함. '僉一'. '聖慈特賜一許'《元稹》. ④마땅할 윤 알맞음. '案法平一, 務存寬恕'《後漢書》. ⑤성 윤 성(姓)의 하나.

字源 甲骨文 金文 篆文 象形. 甲骨文은 머리가 빼어난 사람의 상형으로, 지적(知的)이고 성실하며 걸출한 사람의 뜻을 나타내며, 전하여 '미쁨'의 뜻을 나타냄.

[允可 윤가] 임금이 허가(許可)함.
[允嘉 윤가] 정말 좋음. 진실로 좋음.
[允恭 윤공] 성실하고 공근(恭謹)함.
[允納 윤납] 허락하여 받아들임.
[允當 윤당] 진실로 마땅함.
[允文允武 윤문윤무] 진실로 문(文)이 있고 진실로 무(武)가 있다는 뜻으로, 천자(天子)가 문무(文武)의 덕을 겸비(兼備)하고 있음을 칭송하는 말.
[允塞 윤색] 아주 성실하여 조금도 거짓이 없음.
[允誠 윤성] 정성(精誠). 곤성(悃誠).
[允若 윤약] 심복(心服)하여 따름.
[允兪 윤유] 윤가(允可).
[允臧 윤장] 진실로 좋음.
[允準 윤준] 윤가(允可).
[允下 윤하] 윤가(允可)를 내림.
[允諧 윤해] 성실히 화합(和合)함.
[允許 윤허] 윤가(允可).
[允協 윤협] 윤해(允諧).
◉開允. 曲允. 矜允. 明允. 詳允. 哀允. 兪允. 聽允. 忠允. 稱允. 平允. 該允.

2 ④ [元] 中人 원 ㊥元 愚袁切 yuán

筆順 一 二 テ 元

字解 ①으뜸 원 ㉠첫째. 시초(始初). '一子'. '一初'. '歲之一, 時之一, 月之一'《玉燭寶典》. ㉡일 년의 첫날. '月正一日'《書經》. ㉢기년(紀年)·즉위(卽位)·건국(建國)의 첫해. '一年者何, 君之始年也'《公羊傳》. ②근원 원 ㉠근본. '一本'. '統之有宗, 會之有一'《易略例》. ㉡만물의 원기(原氣). '大哉乾一'《易經》. ③덕 원 천지의 사덕(四德)의 하나. 곧, 만물 생육(生育)의 덕. 사시(四時)로는 봄에, 도덕으로는 인(仁)에 배당함. '一者善之長也'《易經》. ④하늘 원 '霄一'. '一執德於心'《淮南子》. ⑤머리 원 두부(頭部). 두수(頭首). '狄人歸其一, 面如生'《左傳》. ⑥임금 원 군주. '一首明哉'《書經》. ⑦백성 원 인민. 창생(蒼生). '黎一'. '一一'. '統楫羣一'《漢書》. ⑧연호 원 다년호(大年號). '建一'. '改一'. ⑨원나라 원 몽고(蒙古)의 대한(大汗) 홀필렬(忽必烈)이 송(宋)나라의 뒤를 이어 세운 왕조(王朝). 도읍은 연경(燕京). 십일주(十一主) 98년 만에 명(明)나라에게 멸망당하였음. (1271~1368) ⑩착할 원 선량함. '天子之一士'《禮記》. ⑪클 원 '一戎'. '汝終陟一后'《書經》. ⑫화폐단위 원 ㉠청말(淸末) 이후 중국의 화폐단위의 하나. ㉡대한 제국(大韓帝國) 때의 화폐단위의 하나. ⑬성 원 성(姓)의 하나.

字源 甲骨文 金文 篆文 象形. 갓을 쓴 사람의 상형으로, '머리'의 뜻을 나타냄.

[元價 원가] 본값. 원가(原價).
[元嘉體 원가체] 남조(南朝) 송대(宋代)의 원가연간(元嘉年間)에 안연지(顏延之)·포조(鮑照)·사영운(謝靈運) 등이 지은 염려(豔麗)·공정(工整)한 시문(詩文)의 체(體). 원가(元嘉)는 문제(文帝)의 연호(年號).
[元居人 원거인] 그 지방에 오래전부터 사는 사람.
[元結 원결] 당(唐)나라 무창(武昌) 사람. 자(字)는 차산(次山). 천보(天寶) 때에 대과(大科)에 급제하여 벼슬이 용관경략사(容管經略使)에 이르렀음. 시문(詩文)은 대우(對偶)의 기교(技巧)를 피(避)하고 고조(古調)를 모범으로 하였음. 저서(著書)에 〈차산집(次山集)〉·〈협중집(篋中集)〉 등이 있음.
[元輕白俗 원경백속] 당(唐)나라 원화 연간(元和年間)의 시종(詩宗)인 원진(元稹)의 시는 경부(輕浮)하고 백거이(白居易)의 시는 이속(俚俗)함.
[元曲 원곡] 원대(元代)의 희곡(戲曲). 원(元)나라의 대도(大都), 곧 북경(北京)에서 성행(盛行)한 데서 북곡(北曲)이라고도 함.
[元功 원공] 원훈(元勳).
[元九 원구] 당대(唐代)의 시인(詩人) 원진(元稹)을 이름.
[元舅 원구] 천자(天子)의 외숙(外叔).
[元君 원군] 도교(道教)에서 여신선(女神仙)의 미칭(美稱).
[元穹 원궁] 원소(元宵).
[元規之塵 원규지진] 좋지 않은 사람의 행위.
[元極 원극] 우주(宇宙)의 끝. 하늘을 이름.
[元金 원금] 밑천. 본전(本錢).
[元氣 원기] ㉠천상(天上)의 운기(雲氣). ㉡심신(心身)의 정력(精力). ㉢만물의 정기(精氣).
[元基 원기] 기초(基礎). 터전.
[元吉 원길] 대단히 길(吉)함.
[元年 원년] ㉠천자가 즉위한 첫해. ㉡연호(年號)를 개정한 첫해.
[元旦 원단] 정월 초하루의 아침. 설날. 원삭(元朔). 원조(元朝).
[元憝 원대] 악한 사람의 두목.
[元德 원덕] 모든 덕(德)의 근본이 되는 덕. 큰 덕.
[元來 원래] 전부터. 본디.

[元良 원량] 크게 좋음. 비상히 좋음.
[元老 원로] 관위(官位)·덕망(德望)·공로(功勞)가 가장 높은 늙은 신하.
[元僚 원료] 높은 벼슬아치. 대관(大官).
[元龍高臥 원룡고와] 동한(東漢)의 진등(陳登)이 자기는 상상(上牀)에 눕고 그의 벗 허범(許氾)은 하상(下牀)에 눕게 한 고사(故事)에서 나온 말로, 빈객을 업신여김을 이름.
[元利 원리] 본전(本錢)과 이자(利子).
[元面 원면] ㉠본얼굴. ㉡원래의 면.
[元謀 원모] 나쁜 일의 장본인(張本人). 악한 일의 주모자.
[元味 원미] 쌀로 쑨 미음. 쌀미음.
[元配 원배] '원비(元妃)'와 같음.
[元白 원백] 당대(唐代)의 시인(詩人) 원진(元稹)과 백거이(白居易).
[元輔 원보] 《韓》 영의정(領議政)의 별칭.
[元寶 원보] ㉠아주 귀중한 보배. ㉡말굽같이 생긴 중국의 옛 은화(銀貨). 말굽은. 문은(紋銀).
[元服 원복] 남자가 스무 살에 어른의 의관(衣冠)을 입는 의식(儀式).
[元本 원본] ㉠사물의 근본. ㉡본전(本錢). 밑천.
[元符 원부] 대단히 길(吉)한 조짐. 큰 상서(祥瑞).
[元妃 원비] ㉠천자의 정실(正室). 황후(皇后). ㉡첫 번 장가간 아내. 원배(元配).
[元士 원사] ㉠벼슬 이름. 주(周) 대의 상사(上士). 적사(適士)라고도 함. ㉡부사관 중에서 가장 높은 벼슬(상사의 위, 준위의 아래).
[元巳 원사] 음력(陰曆) 3월 3일을 이름. 상사(上巳).
[元史 원사] 원대(元代)를 취급한 기전체(紀傳體)의 역사책. 명(明)나라의 송염(宋濂)·왕위(王褘) 등의 찬(撰). 210권.
[元祀 원사] ㉠원년(元年). 사(祀)는 연(年). 은대(殷代)의 말. ㉡큰 제사.
[元朔 원삭] 원일(元日).
[元三 원삼] ㉠해〔年〕·달〔月〕·날〔日〕의 처음이란 뜻으로, 원일(元日)을 이름. ㉡정월(正月) 원월(元月)부터 사흘간의 일컬음.
[元夕 원석] 원소(元宵).
[元聖 원성] 으뜸가는 성인. 최상의 성인(聖人). 대성(大聖).
[元世祖 원세조] 몽고(蒙古)의 제5대 극한(可汗). 이름은 쿠빌라이(忽必烈). 송(宋)나라를 멸(滅)하여 중국을 통일하고 연경(燕京)에 도읍(都邑)함. 뒤에 멀리 일본(日本)·중앙아시아·유럽에 쳐들어가 사상(史上) 공전(空前)의 대제국(大帝國)을 건설(建設)하였음. 재위(在位) 35년.
[元宵 원소] 정월 보름날 밤.
[元素 원소] 두 가지 이상으로 분석할 수 없는 물질. 곧, 산소·수소·탄소·규소 따위.
[元霄 원소] 하늘. 대공(大空).
[元孫 원손] 《韓》 왕세자(王世子)의 맏아들.
[元帥 원수] 전군(全軍)의 총대장(總大將).
[元首 원수] ㉠천자(天子). ㉡한 나라의 주권자(主權者). ㉢첫. 시초.
[元數 원수] ㉠근본이 되는 수. ㉡본디의 수.
[元帥府 원수부] 원수(元帥)가 군무(軍務)를 보는 본영(本營).
[元始 원시] ㉠처음. ㉡문화가 피어나지 않고 자연 그대로임.
[元是 원시] 본디. 원래.
[元始天尊 원시천존] 도교(道敎)에서 제일 높은 신(神).
[元臣 원신] 벼슬이 높은 신하. 대신(大臣).
[元辰 원신] ㉠원단(元旦). ㉡좋은 때. 길신(吉辰).
[元惡 원악] 악한 일의 주모자. 원흉(元兇).
[元惡大憝 원악대대] ㉠반역죄를 범한 사람. ㉡아주 흉악한 사람.
[元額 원액] 본래의 수효.
[元夜 원야] 원석(元夕).
[元祐體 원우체] 송(宋)나라 원우 연간(元祐年間)의 소식(蘇軾)·황정견(黃庭堅) 등의 시체(詩體).
[元元 원원] ㉠근본(根本). ㉡인민. 백성. 창생(蒼生).
[元月 원월] 정월의 별칭.
[元魏 원위] 후위(後魏)의 별칭. 조위(曹魏)의 대(對).
[元遺山 원유산] 원호문(元好問).
[元戎 원융] ㉠큰 병거(兵車). 큰 전차(戰車). 대융(大戎). ㉡뭇 군사. 중병(衆兵). ㉢원수(元帥). 장군.

[元戎㉠]

[元日 원일] 정월 초하룻날.
[元子 원자] 천자(天子)의 적자(嫡子).
[元宰 원재] 수상(首相). 총재(冢宰).
[元嫡 원적] ㉠본처(本妻). ㉡사자(嗣子).
[元祖 원조] ㉠시조(始祖). ㉡어떠한 사물을 처음으로 시작한 사람.
[元朝 원조] 정월 하룻날 아침. 원단(元旦).
[元從功臣 원종공신] 창업(創業) 때부터 따라다니며 큰 공(功)을 세운 신하.
[元倧教 원종교] 《韓》 수운(水雲) 최제우(崔濟愚)를 교조(教祖)로 하는 동학(東學) 계통의 종교의 하나.
[元祉 원지] 큰 복(福).
[元稹 원진] 당대(唐代) 후기(後期)의 재상(宰相)·시인. 하남(河南) 사람. 자(字)는 미지(微之). 부패(腐敗)한 정치(政治)의 개혁(改革)을 꾀하다가 실패하여 누차 좌천(左遷)당하였음. 그의 시(詩)는 평이(平易)하여, 백거이(白居易)와 병칭(竝稱)하여 원백(元白)이라 하며, 그 시체(詩體)를 일컬어 원화체(元和體)라 함. 저술에 〈원씨장경집(元氏長慶集)〉이 있음.
[元策 원책] 큰 계책(計策). 대계(大計). 대책(大策).
[元體 원체] 근본의 형체(形體).
[元初 원초] 처음.
[元太祖 원태조] 원(元)나라의 개조(開祖). 이름은 테무친(鐵木眞). 서기 1204년에 내외(內外) 몽고(蒙古)의 부족(部族)을 통일하고, 1206년 제부장(諸部長)을 오논 강변(江邊)에 소집, 제위(帝位)에 올라 칭기즈 칸(成吉思汗)이라 칭했으며, 이어 금(金)나라와 서료(西遼)·서하(西夏)를 차례로 멸(滅)하여 구아(歐亞)에 걸친 대제국(大帝國)을 이룩하였음.
[元統 원통] 큰 근본. 대법(大法).
[元版 원판] 원(元)나라 때 간행된 책판.
[元包 원포] 책 이름. 북주(北周)의 위원숭(衞元

嵩)의 찬(撰). 역리(易理)를 논(論)한 것임.

[元標 원표] 근본이 되는 표(標).

[元稟 원품] 타고난 기품. 천품(天稟).

[元弼 원필] 천자(天子)를 도와 큰 공이 있는 사람.

[元血 원혈] 근원이 되는 혈통(血統).

[元亨利貞 원형이정] 천도(天道)의 네 가지 덕(德). 원(元)은 봄이니 만물의 시초로 인(仁)이 되고, 형(亨)은 여름이니 만물이 자라 예(禮)가 되고, 이(利)는 가을이니 만물이 이루어 의(義)가 되고, 정(貞)은 겨울이니 만물을 거두어 지(智)가 됨.

[元好問 원호문] 금(金)·원(元) 양 대(兩代)에 걸친 학자·시인. 수용(秀容) 사람. 자(字)는 유지(裕之). 호는 유산(遺山). 상서성(尙書省)의 좌사원외랑(左思員外郞)으로 재직 중 금(金)나라가 망하자, 벼슬을 그만두고 화북(華北) 각지를 유람하며 여생을 보냈음. 학문이 깊고 재기(才氣)가 탁월(卓越)하여 금원 시대(金元時代)의 문학자 중 가장 유명함. 특히, 시에 뛰어나 오언시(五言詩)는 풍격(風格)이 높고 장편시(長編詩)에서도 새 분야(分野)를 개척하였음. 저서(著書)로 〈유산집(遺山集)〉 40권이 있음.

[元化 원화] ㉠조화(造化)의 큰 힘. ㉡제왕(帝王)의 덕화(德化).

[元和 원화] ㉠대단히 화락함. ㉡원화체(元和體).

[元和體 원화체] 당(唐)나라 원화 연간(元和年間)에 원진(元稹)·백거이(白居易) 등을 중심으로 하여 천하를 풍미(風靡)한, 비근천속(卑近賤俗)하나 평이하고 유창한 시체(詩體).

[元會 원회] 원단(元旦)에 행하는 조회(朝會).

[元后 원후] ㉠천자. 제왕(帝王). ㉡원비(元妃).

[元勳 원훈] 건국(建國) 또는 큰 사변(事變)에 으뜸가는 공로. 또, 그 사람.

[元兇 원흉] 못된 사람의 두목(頭目). 흉한(兇漢)의 우두머리. 원악(元惡).

◉改元. 坤元. 根元. 紀元. 多元. 單元. 復元. 上元. 始元. 黎元. 二元. 一元. 壯元. 中元. 次元. 天元.

2 ④ [兂] 〔기〕
旡(部首〈p.967〉)의 古字

3 ⑤ [兄] 中·人 ㊀ 형 ㊥庚 許榮切 xiōng ㊁ 황 ㊦漾 許放切 kuàng

筆順 丨 ㅁ 口 尸 兄

字解 ㊀ 맏 형, 형 형 동기간에 먼저 난 남자. '一弟'. '親於弟一'《管子》. 전(轉)하여, 나은 것. 우수한 것. '元方難爲一, 季方難爲弟'《世說》. 또, 친우 간의 경칭으로 쓰임. '大一'. '仁一'. '辱吾一眷厚'《韓愈》. ㊁ ①두려워할 황 怳(心部 五畫)과 同字. '倉一塡兮'《詩經》. ②하물며 황 況(水部 五畫)과 同字. '一與我齊國之政也'《管子》.

字源 甲骨文 金文 篆文 會意. 口+儿(人). '口구'는 '입'의 뜻. '儿인'은 '사람'의 뜻. 위에 서서 입으로 아우나 누이동생을 지도하고 돌보는 사람, '형'의 뜻을 나타냄. 또, 머리가 큰 사람의 상형(象形)으로, '형'의 뜻을 나타낸다는 설도 있음.

[兄公 형공] 아내가 남편의 형을 부르는 경칭(敬稱). 아주버님.

[兄亡弟及 형망제급] 형이 아들이 없이 죽었을 때 아우가 혈통을 잇는 일.

[兄事 형사] 남을 나의 형과 같이 공경함. 형의 예로써 섬김.

[兄嫂 형수] ㉠형과 형의 아내. 형과 형수. ㉡《韓》형의 아내.

[兄氏 형씨] 형. 형님.

[兄友弟恭 형우제공] 형은 아우를 사랑하고, 아우는 형을 공경함.

[兄弟 형제] ㉠형과 아우. ㉡후세(後世)에 특히 아우를 이름. ㉢선배(先輩)와 후배(後輩).

[兄弟爲手足 형제위수족] 형제는 수족과 같아서 한 번 잃으면 두 번 얻을 수 없다는 말.

[兄弟姉妹 형제자매] ㉠형제와 자매. ㉡모든 동포(同胞).

[兄弟之國 형제지국] ㉠조상이 서로 형제가 되는 나라. ㉡군주(君主)끼리 사돈이 되는 나라. 통혼(通婚)한 나라.

[兄弟鬩牆外禦其務 형제혁장외어기모] 형제가 울안에서는 서로 싸우나, 외모(外侮)에 대하여는 서로 일치(一致)하여 이것을 막아 냄을 이름. 모(務)는 모(侮).

◉家兄. 貴兄. 老兄. 大兄. 母兄. 伯兄. 父兄. 舍兄. 詞兄. 阿兄. 雅兄. 女兄. 吾兄. 外兄. 義兄. 仁兄. 長兄. 尊兄. 從兄. 學兄.

3 ⑤ [兏] 〔장〕
長(部首〈p.2427〉)의 古字

3 ⑤ [充] 充(次條)의 本字

4 ⑥ [充] 中·人 충 ㊥東 昌終切 chōng

筆順 丶 亠 亡 𠫓 𠫔 充

字解 ①찰 충 가득함. '一滿'. '君之倉廩實, 府庫一'《孟子》. ②채울 충 ㉠가득 차게 함. '以一府庫'《周禮》. ㉡충당함. '一庖廚而已'《漢書》. ③막을 충, 막힐 충 꽉 채워 막음. 꽉 채워져 막힘. '一塞'. '褎如一耳'《詩經》. ④둘 충 놓음. '射則一椹質'《周禮》. ⑤덮을 충 가림. '服之襲也, 一美也'《禮記》. ⑥살찔 충 비대함. '一壯'. '宗人視牲告一'《儀禮》. ⑦번거로울 충 번잡함. '事一政重'《左傳》. ⑧성 충 성(姓)의 하나.

字源 篆文 形聲. 儿+云(育)〔音〕. '儿인'은 '사람'의 뜻. '育육'은 '키우다'의 뜻. 키워져서 어른이 되므로, '차다'의 뜻을 나타냄.

[充公 충공] 관(官)에 몰수(沒收)함.

[充詘 충굴] 너무 기뻐하여 절도(節度)를 잃는 모양.

[充給 충급] ㉠급여(給與). ㉡가득 참. 부족이 없음.

[充納 충납] 부족한 것을 보충하여 바침.

[充當 충당] 모자라는 것을 채움.

[充棟 충동] 쌓은 것이 마룻대에 닿는다는 뜻. 장서(藏書)가 많음을 이름.

[充閭之慶 충려지경] 손님이 문려(門閭)에 가득 참. 곧, 집이 번성하는 경사라는 뜻으로, 사내아이를 낳은 것을 축하하는 말.

[充滿 충만] 가득하게 참. 또, 가득 채움.
[充腹 충복] 고픈 배를 채움.
[充分 충분] 모자람이 없음. 넉넉함.
[充備 충비] ㉠넉넉히 갖추어 있음. 완비함. ㉡참여함. 참가하여 관여함.
[充塞 충색] 잔뜩 차서 막힘. 또, 가득 채워 막음.
[充羨 충선] 가득함. 가득 참.
[充贍 충섬] 넉넉함. 가득함.
[充數 충수] 정한 수효를 채움.
[充實 충실] 가득 참. 또, 가득 채움.
[充額 충액] 정한 액수(額數)를 채움.
[充然有得 충연유득] 마음에 부족이 없음.
[充悅 충열] 만족하여 기뻐함.
[充盈 충영] 가득 참. 충인(充牣).
[充慾 충욕] 욕심을 채움.
[充用 충용] 충당하여 씀.
[充位 충위] 자리만 채울 뿐이고 책임을 다하지 못함.
[充耳 충이] ㉠귀막이. ㉡귀머거리.
[充牣 충인] 가득 참. 그득히 됨.
[充溢 충일] 가득 차서 넘침.
[充壯 충장] 비대하고 씩씩함.
[充積 충적] 가득하게 쌓음. 또, 가득 쌓임.
[充塡 충전] 채움.
[充足 충족] 넉넉하여 모자람이 없음.
[充斥 충척] 그득함. 많아서 자꾸 퍼짐.
[充充 충충] 도(度)를 잃은 모양. 허둥지둥하는 모양.
[充側 충측] 기울어져 원래의 모양을 잃음.
[充澤 충택] 몸이 비대하고 살결이 좋음.
[充虛 충허] 가득 참과 텅 빔.
[充血 충혈] 피가 몸의 어느 한 부분에 몰리어 과도히 많아지는 상태.
◉補充. 肥充. 殷充. 塡充. 擴充.

4 ⑥ [兆] 中·人 조 ㊤篠 治小切 zhào

筆順 丿 丿 丬 兆 兆 兆

字解 ①조 조 수(數)의 단위. 십억 또는 만억. 지금은 보통 만억으로 쓰임. '有億一之數'《戰國策》. 전(轉)하여, 수가 많음을 이름. '一民'. '材一物'《國語》. ②점 조 거북점에서 귀갑(龜甲)을 그슬리어 나타나는 금. 점상(占象). 또, 그 금을 보고 길흉을 판단하는 일. '一占'. '一得大橫'《漢書》. ③조짐 조 징조(徵兆). '吉一'. '此乃吉凶之萌一'《晉書》. ④조짐보일 조 징조가 나타남. '我則泊兮其未一'《老子》. ⑤뫼 조 무덤. '一城'. '卜其宅一, 而安厝之'《孝經》. ⑥형상(形象) 조 '聽無聲, 視無一'《晉書》. ⑦성 조 성(姓)의 하나.

字源 甲骨文 古文 篆文 象形. 甲骨文은 점칠 때 거북 등딱지에 나타나는 금의 상형으로, '조짐'의 뜻을 나타냄.

[兆卦 조괘] 점상(占象). 점(占)에 나타난 형상.
[兆物 조물] 많은 물건. 만물.
[兆民 조민] 많은 백성.
[兆祥 조상] 조짐(兆朕).
[兆庶 조서] 조민(兆民).
[兆億 조억] 조민(兆民).
[兆域 조역] 무덤이 있는 지역.
[兆占 조점] 점(占). 또, 점상(占象). 점에 나타난 형상. 또, 점을 침.
[兆朕 조짐] 전조(前兆). 징후(徵候).
[兆候 조후] 조짐(兆朕).
◉京兆. 卦兆. 吉兆. 萌兆. 夢兆. 祥兆. 瑞兆. 億兆. 豫兆. 前兆. 占兆. 朕兆. 徵兆. 休兆. 凶兆.

4 ⑥ [兇] 人名 흉 ㊥冬 許容切 xiōng ㊤腫 許拱切

字解 ①흉악할 흉 성질이 험상궂고 모짊. 凶(凵部 二畫)과 同字. '一行'. '一險'. 또, 그러한 사람. '元一'. '除一報千古'《唐太宗》. ②두려워할 흉 恟(心部 六畫)과 同字. '一一'. '曹人一懼'《左傳》.

字源 篆文 形聲. 儿+凶〔音〕. '凶흉'은 '흉악하다'의 뜻. 흉악한 사람의 뜻을 나타냄. 또, 나쁜 사람을 두려워하다의 뜻도 나타냄.

[兇懼 흉구] 두려워함.
[兇器 흉기] 사람을 살상(殺傷)하는 데 쓰는 기구(器具). 흉구(兇具).
[兇黨 흉당] 흉도(兇徒).
[兇徒 흉도] 흉포한 무리. 흉당(兇黨).
[兇盜 흉도] 흉적(兇賊).
[兇猛 흉맹] 흉한(兇悍).
[兇犯 흉범] 살인범(殺人犯)과 같은 흉악한 범인.
[兇變 흉변] 살상(殺傷)의 변사(變事).
[兇邪 흉사] 마음이 흉악하고 간사함.
[兇說 흉설] 흉악(兇惡)한 말.
[兇性 흉성] 흉포(兇暴)한 성질.
[兇手 흉수] 흉악한 자의 손. 하수인(下手人).
[兇刃 흉인] 사람을 죽인 칼.
[兇賊 흉적] 흉악한 도적(盜賊).
[兇暴 흉포] 흉악하고 포학(暴虐)함. 또, 그 사람.
[兇悍 흉한] 흉악하고 사나움.
[兇漢 흉한] 흉악한 사나이. 흉도(兇徒).
[兇害 흉해] 흉악한 짓을 하여 사람을 죽임.
[兇行 흉행] 흉악한 행동. 살상(殺傷)하는 행위.
[兇險 흉험] 흉악하고 음험(陰險)함.
[兇酗 흉후] 고약한 주정(酒酊)을 함.
[兇兇 흉흉] 두려워하는 모양. 또는, 두려워하여 떠들어 대는 소리.
[兇黠 흉할] 흉악하고 간특함.
◉姦兇. 群兇. 嘯兇. 元兇. 殘兇. 寒兇.

4 ⑥ [先] 中·人 ━ 선 ㊥先 蘇前切 xiān ㊦霰 蘇佃切 ═ 세(선㊍) ㊤銑 蘇典切 xiǎn

筆順 丿 𠂉 ⺧ 生 屮 先

字解 ━ ①먼저 선 ㉠최초로. 첫째로. '一發'. '一唱'. '欲治其國者, 一齊其家'《大學》. ㉡앞서서. '孔子生鯉, 字伯魚, 一卒'《朱熹》. ㉢우선. '請一嘗沮之'《史記》. ②앞 선 ㉠시간이나 장소에 관하여 뒤〔後〕의 대(對). '一後'. '一任'. '一號咷而後笑'《易經》. ㉡시초. '象帝之一'《老子》. ㉢수위. 첫째. '吳晉爭一'《左傳》. ㉣옛날. 고석(古昔). '一民有作'《詩經》. ㉤위. '以儒教爲一'《北史》. ㉥안내. 향도(嚮導). '莫爲我一'《史記》. ㉦앞장 '率一'. '爲士卒一'《漢書》. ㉧제일 먼저 할 일. 급한 일. '教學爲一'《禮記》. ③성 선 성(姓)의 하나. ④앞설 선 ㉠시간적으로 먼저 있음. '一立春三日'《禮記》. ㉡공간적으로

앞에 있음. '疾行一長者'《孟子》. ㉢먼저 함. '其聞道也, 固一乎吾'《韓愈》. ㉣먼저 말함. '楚王使大夫二人往一焉'《莊子》. ㉤앞에 서서 인도함. '二人執矛一焉'《國語》. ㊂ 전구(前驅) 세 '句踐親爲夫差一馬'《國語》.

字源 甲骨文 金文 篆文 會意. 儿+之. '儿인'은 사람의 상형(象形). '之지'는 발자국의 상형이 변형한 꼴. 사람의 머리 부분보다 먼저 내디딘 발자국의 모양에서, 남보다 앞서다의 뜻을 나타냄.

[先覺 선각] 남보다 먼저 도(道)를 깨달음. 또, 그 사람. 선각자(先覺者).
[先客 선객] 먼저 온 손.
[先見 선견] 장래를 미리 앎. 앞을 내다봄. 예지(豫知).
[先見之明 선견지명] 앞을 내다보는 밝은 지혜.
[先決 선결] 먼저 결정함. 먼저 해결(解決)함.
[先古 선고] ㉠조상. 선조(先祖). ㉡옛날 옛적. 상고(上古).
[先考 선고] 돌아간 자기 아버지. 고(考)는 망부(亡父). 선친(先親).
[先姑 선고] 돌아간 시어머니.
[先公 선공] 돌아간 아버지. 선고(先考). 선인(先人).
[先公後私 선공후사] 공사(公事)를 먼저 하고 사사(私事)를 나중에 함.
[先舅 선구] 돌아간 시아버지.
[先驅 선구] 행렬(行列)의 제일 앞에 섬. 앞에 서서 인도(引導)함. 전구(前驅).
[先驅者 선구자] ㉠행렬(行列)의 맨 앞에 나가는 사람. 앞잡이. ㉡다른 사람보다 사상적으로 앞선 이.
[先君 선군] ㉠돌아간 아버지. 선고(先考). ㉡돌아간 남의 아버지. 선고장(先考丈). ㉢조상. 선조(先祖). ㉣역대(歷代)의 천자(天子). 선대(先代)의 임금.
[先君子 선군자] 선군(先君)㉠㉡.
[先軌 선궤] 조상이 남긴 궤범(軌範).
[先金 선금] 값이나 삯에서 전부 또는 한 부분을 먼저 치르는 돈.
[先給 선급] 값이나 삯을 미리 치러 줌.
[先期 선기] 약속한 기한보다 앞섬.
[先納 선납] 기한이 되기 전에 돈을 바침.
[先年 선년] 지난해. 왕년(往年). 전년(前年).
[先農 선농] 처음으로 농사(農事)를 가르친 제왕. 신농씨(神農氏).
[先達 선달] ㉠선배(先輩). ㉡《佛教》 고승(高僧). ㉢《韓》 문무과(文武科)에 급제(及第)하고 아직 벼슬하지 아니한 자의 칭호(稱號).
[先代 선대] ㉠이전의 시대. ㉡조상(祖上). 선조(先祖). ㉢돌아간 아버지.
[先大夫 선대부] 돌아간 아버지의 경칭(敬稱).
[先德 선덕] ㉠선인(先人)의 덕(德). ㉡덕이 많은 선배(先輩). ㉢당대(唐代)에 남의 아버지를 이름.
[先到 선도] 먼저 도착함.
[先導 선도] 앞에 서서 인도(引導)함.
[先童 선동] 쌍둥이 중의 먼저 낳은 아이.
[先頭 선두] 첫머리. 맨 먼저.
[先登 선등] ㉠제일 먼저 적(敵)의 성벽(城壁)에 올라감. ㉡제일 먼저 도착함. ㉢문단(文壇)의 영도자.
[先靈 선령] 조상(祖上)의 영혼.
[先例 선례] 앞서부터 있는 일. 전례(前例).
[先論 선론] 앞일을 내다보는 의론(議論). 선견지설(先見之說).
[先壟 선롱] 선롱(先壠). 선영(先塋).
[先隴 선롱] 선산(先山).
[先務 선무] 제일 먼저 해야 할 일.
[先民 선민] ㉠옛 현인(賢人). ㉡선대의 사람. 옛날 사람.
[先發 선발] ㉠먼저 출발함. ㉡선창(先唱).
[先發制人 선발제인] 선즉제인(先卽制人).
[先輩 선배] 학덕(學德)이나 관직(官職)이나 나이가 자기보다 높은 사람.
[先邊 선변] 빚을 쓸 때에 먼저 주는 변리(邊利).
[先鋒 선봉] 맨 앞에 서는 군대.
[先夫 선부] 이전 남편. 전부(前夫).
[先父 선부] 돌아가신 아버지. 선친(先親).
[先府君 선부군] 선고(先考)의 존칭.
[先父兄 선부형] 돌아가신 부형.
[先富後貧 선부후빈] 전에는 잘 지내다가 나중에 가난하여짐.
[先墳 선분] 조상(祖上)의 무덤.
[先非 선비] 과거의 잘못. 전비(前非).
[先妣 선비] 돌아가신 어머니.
[先貧後富 선빈후부] 전에는 구차하던 사람이 나중에 부자가 됨.
[先祀 선사] 조상(祖上)의 제사.
[先師 선사] ㉠돌아간 선생. ㉡선생. ㉢선대(先代)의 현철(賢哲).
[先事慮事 선사여사] 일이 일어나기 전에 미리 그 일을 생각해 둠.
[先山 선산] 조상의 무덤이 있는 곳.
[先嗇 선색] 선농(先農).
[先生 선생] ㉠스승. ㉡자기보다 학식이 많은 사람. ㉢부형(父兄). ㉣연장자(年長者). ㉤존대하는 호칭(呼稱).
[先緖 선서] 선대(先代)의 유업(遺業).
[先聖 선성] 옛 성인(聖人).
[先聲 선성] 전부터 알려진 명성(名聲).
[先聲奪人 선성탈인] 먼저 아군(我軍)의 성위(聲威)를 떨쳐 적의 간담(肝膽)을 서늘하게 함.
[先聲後實 선성후실] 먼저 말로써 놀라게 하고, 실력(實力)은 뒤에 가서 보여 줌. 성세(聲勢)를 떨쳐 적(敵)을 놀라게 하고, 나중에 교전(交戰)을 실행함.
[先世 선세] 선인(先人).
[先手 선수] ㉠남보다 먼저 행함. ㉡기선(機先)을 제(制)함.
[先勝 선승] 음양가(陰陽家)에서 공사(公事) 등에 길(吉)하다는 날.
[先識 선식] 선견(先見).
[先臣 선신] ㉠죽은 신하. ㉡군주(君主)에 대하여 자기의 망부(亡父)를 이름.
[先失其道 선실기도] 어떠한 일을 할 때 먼저 그 방법을 그르침.
[先約 선약] 먼저 맺은 약속.
[先嚴 선엄] 돌아간 아버지. 선자(先慈)의 대(對).
[先業 선업] 선대(先代)의 사업(事業).
[先烈 선열] ㉠선대(先代)부터 내려온 공훈(功勳). 선대의 여광(餘光). ㉡절개를 굳게 지켜 국가를 위하여 싸우다가 돌아간 열사(烈士).
[先塋 선영] 선산(先山).
[先王 선왕] ㉠선대의 임금. ㉡예전의 성군(聖君).
[先容 선용] 나중의 일을 위하여 우선 그 사람을 소개하거나 칭찬을 함.

[先憂後樂 선우후락] 남보다 먼저 근심하고 남보다 나중에 즐거워한다는 뜻으로, 지사(志士)와 인인(仁人)이 국가를 생각하는 마음을 이름.
[先月 선월] 지난달. 전월(前月).
[先游 선유] 선용(先容).
[先儒 선유] ㉠선대(先代)의 유학자(儒學者). ㉡옛 선비.
[先蔭 선음] 조상의 음덕(蔭德).
[先意承志 선의승지] 그 사람이 생각하기도 전에 눈치 빠르게 그의 뜻을 받듦. 비위를 맞춤.
[先人 선인] ㉠조상. 선조(先祖). ㉡돌아간 아버지. 선군(先君). 선고(先考).
[先引 선인] 선도(先導).
[先日 선일] 지나간 날. 전일(前日).
[先任 선임] 먼저 그 임무(任務)를 맡음. 또, 그 사람.
[先入見 선입견] 먼저부터 마음속에 품고 있는 생각.
[先入觀念 선입관념] 먼저부터 마음속에 품고 있는 관념(觀念).
[先入爲主 선입위주] 먼저 들은 바를 믿고, 나중에 들은 바는 여간하여 믿지 아니함.
[先子 선자] ㉠돌아간 아버지. ㉡조상. 선조.
[先貲 선자] 물려받는 재산. 유산(遺產).
[先慈 선자] 돌아간 어머니. 선엄(先嚴)의 대(對).
[先正 선정] 선철(先哲).
[先帝 선제] 돌아간 선대(先代)의 임금.
[先祖 선조] ㉠시조(始祖). ㉡조상(祖上).
[先朝 선조] ㉠선제(先帝) 때의 조정(朝廷). 전조(前朝). ㉡혁명(革命) 이전의 조정(朝廷).
[先主 선주] 먼저의 주인(主人). 또는 먼저의 군주(君主). 특히, 촉한(蜀漢)의 유비(劉備)를 일컬음.
[先疇 선주] 선대(先代)에서 전(傳)해 온 전주(田疇). 유산으로 내려온 농토.
[先卽制人 선즉제인] 남보다 앞서 일을 도모(圖謀)하면 능히 남을 제어(制御)할 수 있음. 선발제인(先發制人).
[先知 선지] ㉠남보다 먼저 도(道)를 깨달음. 또, 그 사람. 선각(先覺). ㉡먼저 앎.
[先知後行 선지후행] 주자학(朱子學)에서 먼저 도덕상의 사리(事理)를 완전히 알아야만 비로소 이를 완전히 실행할 수 있다고 주장하는 일.
[先陣 선진] 앞서서 나가는 군대(軍隊). 선봉(先鋒).
[先秦 선진] 진시황(秦始皇) 이전의 시대. 진시황이 분서(焚書)한 때를 기준으로 하여 구분한 것임.
[先進 선진] ㉠앞서 나아감. ㉡선배(先輩). ㉢선각자(先覺者).
[先進國 선진국] 다른 나라보다 문물(文物)이 앞서 발달(發達)된 나라.
[先秦文學 선진문학] 상고(上古)부터 진(秦)나라 때 이전, 곧 춘추 전국 시대(春秋戰國時代)까지의 문학.
[先着 선착] 남보다 먼저 도착함.
[先斬後啓 선참후계] 군율(軍律)을 범(犯)한 자(者)를 우선 목을 베고 뒤에 상주(上奏)함.
[先唱 선창] 남에 앞서서 외침. 남보다 먼저 말함. 수창(首唱).
[先綵 선채] 신랑(新郞) 집에서 신부 집에 혼인(婚姻) 전날에 보내는 채단.
[先妻 선처] 전처(前妻).
[先天 선천] ㉠사람이 세상에 나기 전. ㉡세상에 나올 때부터 이미 갖춤.
[先天事 선천사] 현실(現實)과는 관계없는 옛날의 일.
[先哲 선철] 옛날의 현철(賢哲). 선현(先賢). 선정(先正).
[先取 선취] 남보다 먼저 가짐.
[先取特權 선취특권] 한 채권자(債權者)가 다른 채권자에 앞서 우선적(優先的)으로 반제(返濟)받을 수 있는 특별한 권리.
[先親 선친] 돌아간 아버지. 선부(先父).
[先通 선통] 미리 통지(通知)함.
[先鞭 선편] 남보다 먼저 시작함. '착선편(着先鞭)'의 준말.
[先下 선하] 선급(先給).
[先河 선하] 사물의 맨 처음. 효시(嚆矢).
[先行 선행] ㉠앞서 감. 앞섬. ㉡이전의 행동(行動).
[先鄕 선향] 시조(始祖)가 난 땅. 관향(貫鄕).
[先賢 선현] 선철(先哲).
[先花後果 선화후과] 먼저 꽃이 피고 나중에 열매를 맺는다는 뜻으로, 처음에 딸을 낳고 나중에 아들을 낳음을 이름.
[先皇 선황] 선제(先帝).
[先后 선후] ㉠선대(先代)의 군주(君主). 선군(先君). ㉡선제(先帝)의 황후(皇后).
[先後 선후] ㉠전후(前後). ㉡먼저 함과 나중에 함. 또는, 앞섬과 뒤떨어짐. ㉢형제(兄弟)의 처(妻)끼리 서로 부르는 말. 제사(娣姒).
[先後倒錯 선후도착] 먼저 할 것과 나중 할 것이 뒤바뀜.
[先後畫 선후획] 글씨를 쓸 때 왼쪽을 먼저 하고 오른쪽을 나중에 하며, 위를 먼저 하고 아래를 나중에 하는 법(法).
[先馬 세마] 선구(先驅). 세마(洗馬).
◉輕先. 古先. 機先. 帥先. 率先. 于先. 優先. 越先. 祖先. 最先. 行先.

4 ⑥ [光] 中人 광 ㊥陽 古黃切 guāng

筆順 丨 丿 ⺌ 业 兴 光

字解 ①빛 광 ㉠시각(視覺)을 통하여 물상(物象)을 밝게 하는 현상. 곧, 광선·광휘(光輝) 따위. '月一'. '一度'. '月出之一'《詩經》. ㉡윤. 광채(光彩). '一潤'. '一澤'. '珠一出於魚腹'《論衡》. ㉢영예·위세 따위. '榮一'. '威一'. '能莫與之同一者'《淮南子》. ㉣은택. 은총. '榮一'. '一臨'. '未被先天之靈一'《汲冢周書》. ㉤지능. 덕망. '和其一, 同其塵'《老子》. ㉥문화·풍속·경치 따위. '觀一'. '春一'. '觀國之一'《易經》. ②빛날 광 광휘를 발함. '日月一, 星辰靜'《漢書》. ③빛낼 광 빛나게 함. '以一先帝之遺德'《諸葛亮》. ④클 광 크게. '一輔'. '一有天下'《左傳》. ⑤성 광 성(姓)의 하나.

字源 甲骨文 金文 古文 篆文 會意. 火+儿. '儿'은 사람의 상형. 사람의 머리 위에 빛나는 불의 뜻에서, '빛'의 뜻을 나타냄.

[光價 광가] 빛나는 명성. 성가(聲價).
[光駕 광가] 광림(光臨).

[光景 광경] ㉠빛. 광휘(光輝). ㉡경치. 상황(狀況).
[光慶 광경] 경사(慶事).
[光光 광광] 빛나는 모양. 명성(名聲)이 널리 퍼지는 모양.
[光怪 광괴] 괴이(怪異)한 빛.
[光球 광구] 태양을 육안(肉眼)으로 볼 때에 둥글게 광채(光彩)를 내는 부분.
[光晷 광구] 해 그림자. 일영(日影).
[光年 광년] 1초 동안에 30만 킬로미터를 가는 빛이 1년 동안 가는 거리.
[光度 광도] 발광체(發光體)의 강하고 약함을 표하는 양(量).
[光爛 광란] 환함. 밝음.
[光來 광래] 광림(光臨).
[光烈 광렬] 빛나는 공훈(功勳).
[光祿勳 광록훈] 한대(漢代)의 관명(官名). 대궐의 문(門)에 관한 일을 맡음.
[光臨 광림] 남의 내방(來訪)의 경칭(敬稱).
[光芒 광망] 광선(光線). 빛.
[光名 광명] 빛나는 명예. 미명(美名).
[光明 광명] ㉠빛. ㉡밝고 환함. 또, 밝힘. 환하게 함.
[光命 광명] 빛나는 명령. 전(轉)하여, 천자(天子)의 명령. 대명(大命).
[光明正大 광명정대] 언행(言行)이 떳떳하고 정당(正當)함.
[光明珠 광명주] 환하게 빛을 내는 구슬.
[光背 광배] 《佛敎》 부처나 보살(菩薩) 상(像)의 등 뒤의 빛.
[光輔 광보] 크게 도움.
[光復 광복] ㉠빛나게 회복함. ㉡잃었던 나라의 주권(主權)을 되찾음. 흥복(興復).
[光復節 광복절] 우리나라 국경일의 하나. 1945년 8월 15일에 왜정(倭政)으로부터 해방된 것을 기념하며, 아울러 1948년 8월 15일의 대한민국 정부 수립 선포를 기념하는 날임.
[光爍 광삭] 빛남. 광채를 발함.
[光色 광색] 윤. 광택(光澤).
[光線 광선] 빛의 내쏘는 줄기.
[光閃 광섬] 번득이는 빛.
[光昭 광소] 빛남. 또, 빛나게 함.
[光愛 광애] 지극히 사랑함.
[光揚 광양] 빛나고 드러남. 또, 빛내어 드러냄.
[光演 광연] 크게 폄. 환하게 넓힘.
[光燄 광염] 세찬 불꽃. 전(轉)하여, 세찬 기세.
[光豔 광염] 광택(光澤). 윤.
[光燄萬丈 광염만장] 불꽃이 세차게 오름. 전(轉)하여, 시문(詩文)이 대단히 힘 있음의 비유.
[光映 광영] 비침.
[光榮 광영] 영광(榮光). 영예(榮譽).
[光影 광영] 빛.
[光耀 광요] 광휘(光輝).
[光有 광유] 크게 보유(保有)함. '光'은 '大'.
[光潤 광윤] 윤. 광택(光澤).
[光陰 광음] 세월(歲月). 시간.
[光陰如逝水 광음여서수] 세월(歲月) 가는 것이 빠름을 가리키는 말.
[光陰如箭 광음여전] 광음여서수(光陰如逝水).
[光晶 광정] 빛.
[光濟 광제] 크게 이루어짐. 대성(大成)함. 훌륭히 성취(成就)함.
[光霽 광제] '광풍제월(光風霽月)'의 준말.
[光祚 광조] 빛나는 복(福).
[光贊 광찬] 대사업(大事業) 등을 훌륭히 도움.
[光彩 광채] 찬란(燦爛)한 빛.
[光闡 광천] 분명하게 밝힘. 환히 나타냄.
[光體 광체] 빛을 내는 물체(物體).
[光燭 광촉] 환히 비침.
[光寵 광총] 대단히 사랑함.
[光軸 광축] 복굴절(複屈折)하는 결정체(結晶體)에 빛이 입사(入射)할 때 복굴절하지 않는 일정한 방향.
[光宅 광택] 천하(天下)를 밝게 다스림을 이름.
[光澤 광택] 번들번들하는 빛. 윤.
[光波 광파] 광선(光線)의 파동(波動).
[光風 광풍] 비 온 뒤에 해가 뜨고 부는 바람.
[光風霽月 광풍제월] 비가 갠 뒤의 바람과 달이란 뜻으로, 깨끗하고 맑은 마음을 비유한 말.
[光被 광피] 빛이 널리 퍼짐. 덕택(德澤)이 널리 퍼짐.
[光學 광학] 빛에 관하여 연구하는 학문.
[光赫 광혁] 빛남.
[光顯 광현] 덕(德) 같은 것이 밝게 나타남.
[光毫 광호] 《佛敎》 삼십이상(三十二相)의 하나. 부처의 미간(眉間)에 있는 흰 광명(光明)을 발하는 털.
[光華 광화] 광휘(光輝).
[光晃 광황] 빛남.
[光勳 광훈] 빛나는 공훈.
[光暉 광휘] 해가 빛남. 또, 그 빛.
[光輝 광휘] 빛.
[光熙 광희] 광휘(光暉).
◉脚光. 感光. 炬光. 景光. 觀光. 國光. 嵐光. 道光. 發光. 瑞光. 曙光. 閃光. 神光. 晨光. 眼光. 夜光. 陽光. 餘光. 炎光. 榮光. 圓光. 月光. 威光. 流光. 燐光. 日光. 電光. 朝光. 晝光. 彩光. 淸光. 燭光. 寵光. 春光. 風光. 螢光. 弧光. 火光. 和光. 後光. 輝光. 休光.

4 ⑥ [兜] 고 ㊤虞 公戶切 gǔ
[字解] 가릴 고, 가려질 고 '一, 廱蔽也'《說文》.
[字源] 會意. 儿+冂

4 ⑥ [旡] 〔기〕
无(部首〈p. 967〉)의 本字

4 ⑥ [兊] 〔태〕
兌(儿部 五畫〈p. 196〉)의 俗字

4 ⑥ [尧] 〔요〕
堯(土部 九畫〈p. 453〉)의 簡體字

4 ⑥ [兂] 〔장〕
長(部首〈p. 2427〉)의 古字

5 ⑦ [克] [高人] 극 [入]職 苦得切 kè 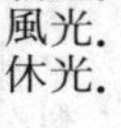
[筆順] 一 十 十 古 古 卢 克
[字解] ①능할 극 ㉠충분히 할 수 있음. '小人弗一'《易經》. ㉡능하게. 능히. '一明峻德'《書經》. ②이길 극 ㉠사리사욕에 끌리는 자기를 이겨 냄. '一己復禮爲仁'《論語》. ㉡적을 이김. '我戰則一'《禮記》. ③멜 극 어깨에 멤. ④승벽 극 지기 싫어하는 성질. '一伐怨欲'《論語》. ⑤《現》 미

터법의 무게의 단위. 그램의 간칭(簡稱). 킬로그램(瓩)의 1,000분의 1. ⑥성 극 성(姓)의 하나.
[字源] 甲骨文 金文 古文 篆文 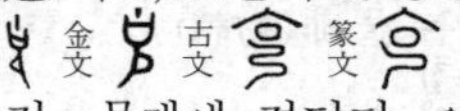 象形. 무거운 투구를 쓴 사람의 모양을 그려, 무게에 견디다, 이기다의 뜻을 나타냄.

[克己 극기] 자기의 사욕(私慾)을 이성(理性)으로 눌러 이김.
[克己復禮 극기복례] 사욕(私慾)을 누르고 예절(禮節)을 좇게 함.
[克勵 극려] 사욕(私慾)을 누르고 부지런히 힘씀.
[克伐怨欲 극벌원욕] 승벽(勝癖)과 자만(自慢)과 원망(怨望)과 탐욕(貪欲)의 네 가지 악덕(惡德).
[克服 극복] 이기어 굴복(屈服)시킴.
[克復 극복] 원상(原狀)으로 복귀(復歸)함. 또, 원상태로 복귀시킴.
[克讓 극양] 자기의 마음을 눌러 남에게 겸양(謙讓)함.
[克昌 극창] 극히 성(盛)함.
[克捷 극첩] 적(敵)을 이김. 또, 승전(勝戰).
[克治 극치] 사욕(私慾)을 이겨 내고, 사념(邪念)을 다스림.
◉剛克. 謙克. 禽克. 忌克. 審克. 柔克. 超克. 推克.

5 ⑦ **[兌]** [人名] 태 [去]泰 杜外切 duì 
[筆順] 
[字解] ①기뻐할 태 희열(喜悅)함. '和—吉'《易經》. ②태괘 태 ㉠팔괘(八卦)의 하나. 곧 ☱. 못[澤]을 상징하며, 서방(西方)에 배당함. ㉡육십사괘(六十四卦)의 하나. 곧, ䷹〈태하(兌下) 태상(兌上)〉. 지조가 바르고 굳어 사물이 잘 형통(亨通)하는 상(象). ③통(通)할 태 '—利'. '行道—矣'《詩經》. ④모일 태 모여듦. '仁人之兵—, 則若莫邪之利鋒'《荀子》. ⑤곧을 태 똑바름. '松柏斯—'《詩經》. ⑥구멍 태 '塞其—, 閉其門'《老子》. ⑦바꿀 태 교환함. '—換'. '十千—得餘杭酒'《丁芝仙》.
[字源] 甲骨文 金文 篆文  會意. 八+兄. '八팔'은 '분산(分散)하다'의 뜻. '兄형'은 '기도하다'의 뜻. 기도함으로써 맺힌 기분이 분산되어, 망아(忘我)의 경지에 있다, 기뻐하다의 뜻을 나타냄.

[兌利 태리] 사물이 잘 통달(通達)함.
[兌方 태방] 팔방(八方)의 하나. 곧, 서방(西方).
[兌換 태환] ㉠교환함. ㉡지폐(紙幣)와 화폐(貨幣)를 교환함.
◉發兌. 商兌. 折兌. 和兌.

5 ⑦ **[免]** [中人] [一] 면 [上]銑 亡辨切 miǎn
[二] 문 [去]問 亡運切 wèn 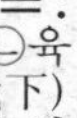
[筆順] 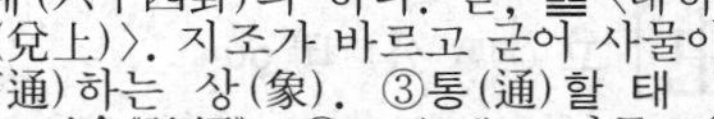
[字解] [一] ①벗어날 면 ㉠피함. '臨難毋苟—'《禮記》. ㉡떨어져 미치지 아니함. 없게 됨. '人情之所不能—也'《禮記》. ㉢재화 따위에서 헤어남. '—死'. '民—而無恥'《論語》. ②벗을 면 옷 따위를 벗음. '—冑而聽命'《晉書》. ③놓을 면 놓아줌. 방면함. '—赦'. '若欲—之, 則王會其期'《周禮》. ④면할 면 면제함. '—訴'. '遭蝗之處—租'《齊書》. ⑤허락할 면 들어줌. '—許'. '若從君惠而—之'《左傳》. ⑥내칠 면 면직함. '—官'. '—黜'. '不察廉不勝任也, 當—'《漢書》. ⑦성 면 성(姓)의 하나. [二] ①해산할 문 아이를 낳음. '—身'. '婦人—乳大故'《漢書》. ②관벗을 문 초상 때 관을 벗고 머리를 묶어 맴. '袒—'.
[字源] 金文 篆文 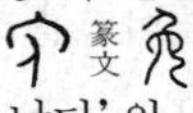 象形. 그곳으로 아기를 낳은 사람의 사타구니의 상형으로, '아이를 낳다'의 뜻을 나타냄. '娩만'의 원자(原字). 또, 아기가 빠져나오는 모양에서, 어떤 상태를 벗어나다의 뜻을 나타냄.

[免減 면감] 아주 면(免)하거나 가볍게 해 줌.
[免歉 면겸] 면흉(免凶).
[免官 면관] 관직(官職)을 해면(解免)해 줌.
[免冠 면관] 관(冠)을 벗음.
[免窮 면궁] 빈궁(貧窮)을 면(免)함.
[免歸 면귀] 벼슬을 그만두고 집으로 돌아감.
[免急 면급] 위급함을 면함.
[免無識 면무식] 무식(無識)을 면할 정도의 학식(學識)이 있음.
[免白頭 면백두] 늙어서 처음으로 변변치 못한 벼슬을 함. 백두를 면함.
[免不得 면부득] 면(免)할 수 없음.
[免死 면사] 죽음을 면(免)함.
[免赦 면사] 사면(赦免)함. 형벌을 과하지 아니함. 사면(赦免). 유면(宥免).
[免席 면석] 자리를 물러남. 퇴장함.
[免稅 면세] 조세(租稅)를 면제함.
[免訴 면소] 형사(刑事) 피고인에 대하여 법원에서 공소권(公訴權)의 소멸(消滅) 또는 증거 불충분 등의 이유로 그 기소(起訴)를 소멸(消滅)시켜 방면(放免)하는 처분.
[免囚 면수] 형기(刑期)를 마치고 출옥(出獄)한 사람.
[免試 면시] 시험(試驗)을 면제함.
[免役 면역] 병역 또는 부역의 의무를 면제함.
[免疫 면역] 체내(體內)에 병원균(病原菌)에 대한 저항력(抵抗力)을 배양(培養)하여 전염병(傳染病)에 걸리지 않게 함.
[免夭 면요] 50세를 넘기고 죽음을 일컬음.
[免辱 면욕] 치욕(恥辱)을 면(免)함.
[免除 면제] 책임이나 의무를 면함.
[免租 면조] 조세(租稅)를 면제함.
[免罪 면죄] 죄(罪)를 면(免)함.
[免職 면직] 직임을 해면(解免)함.
[免責 면책] 책임(責任)을 면(免)함.
[免黜 면출] 관직(官職)에서 내침. 파면(罷免)함.
[免脫 면탈] 죄(罪)를 벗어남. 또, 탈세(脫稅)함.
[免行錢 면행전] 왕안석(王安石)의 신법(新法)의 하나. 경사(京師)에 거주하는 상인(商人)의 소득에 과하는 세금.
[免許 면허] 관청(官廳)에서 허가하는 행정 처분(行政處分).
[免禍 면화] 재앙(災殃)을 면(免)함.
[免鰥 면환] 홀아비가 다시 아내를 얻는 일.
[免凶 면흉] 흉년(凶年)을 면함.
[免身 문신] 자식을 낳음. 분만(分娩).
[免乳 문유] 애를 낳음. 해산함.
◉減免. 蠲免. 寬免. 袒免. 放免. 赦免. 優免. 偉免. 宥免. 依願免. 任免. 除免. 責免. 黜免.

偸兒. 罷兒. 解兒.

5 ⑦ **[兕]** 시 ㊤紙 徐姊切 sì

筆順 丨 ｢ 口 冂 四 兕 兕

[兕]

字解 외뿔소 시 무솟과(科)에 속하는 들소 비슷한 짐승. 뿔은 하나이고 체중이 천 근(斤) 가량임. 가죽은 단단하여 갑옷, 뿔은 술잔 등을 만듦. '一虎'. '一, 似牛'《爾雅》.

字源 篆文 古文 象形. 들소 비슷한 외뿔소를 본떠, 그 뜻을 나타냄.

[兕甲 시갑] 외뿔소의 가죽으로 만든 갑옷.
[兕觥 시굉] 외뿔소의 뿔로 만든 큰 잔. 벌주(罰酒)를 따르는 데 쓰였음.
[兕虎 시호] 외뿔소와 범. 전(轉)하여, 사나운 자.

5 ⑦ **[兏]** 〔장〕 長(部首〈p. 2427〉)의 古字

5 ⑦ **[児]** 〔아〕 兒(儿部 六畫〈p. 197〉)의 俗字

5 ⑦ **[兎]** 人名 〔토〕 兔(儿部 六畫〈p. 197〉)의 俗字

5 ⑦ **[⿱甶儿]** 〔귀〕 鬼(部首〈p. 2634〉)의 俗字

[秃] 〔독〕 禾部 二畫(p. 1608)을 보라.

[皃] 〔모〕 白部 二畫(p. 1510)을 보라.

6 ⑧ **[兒]** 中 人 ㊀ 아 ㊥支 汝移切 ér ㊁ 예 ㊥齊 五稽切 ní

筆順 ´ ｢ ⺊ 𠂒 𦥑 臼 兒 兒

字解 ㊀ ①아이 아 ㉠어린아이. '一童'. '一齒'. '發沛中一, 得百二十人'《史記》. ㉡아들이 어버이에게 대하여 말하는 자칭(自稱). '一實無罪過'《古詩》. ㉢남을 경멸하여 이르는 말. 사람의 천칭(賤稱). '布目備曰, 大耳一最叵信'《後漢書》. ②어조사 아 동식물·기구 등의 이름의 끝에 붙이는 조사(助辭). '車一'. '打起黃鶯一'《蓋嘉運》. ③성 아 성(姓)의 하나. ㊁ 성 예 성(姓)의 하나. '一寬'은 전한(前漢)의 무제(武帝) 때 사람.

字源 甲骨文 金文 篆文 象形. 머리를 두 갈래로 갈라 머리 위 양쪽에 뿔처럼 동여맨 상형으로, '사내아이'의 뜻을 나타냄.

[兒女 아녀] 사내아이와 계집아이. 또, 아이. 아이들. 또, 단지 계집아이의 뜻으로도 쓰임.
[兒女子 아녀자] 아녀(兒女).
[兒女之債 아녀지채] 자식들에게 드는 교육비(教育費)나 혼비(婚費) 따위의 여러 비용. '채(債)'는 모면할 수 없는 부채(負債)라는 뜻.
[兒女態 아녀태] 계집아이 같은 연약한 태도.
[兒童 아동] 아이.
[兒僮 아동] 아동(兒童).
[兒童走卒 아동주졸] 아이와 심부름꾼. 전(轉)하여, 무지몽매한 사람.
[兒名 아명] 아이 때에 부르던 이름.
[兒輩 아배] ㉠아이들. ㉡사람을 유치(幼稚)하게 여겨 부르는 말.
[兒孫 아손] 자식과 손자. 자손(子孫).
[兒息 아식] 자식(子息).
[兒子 아자] 자식. 또, 아이.
[兒店 아점] 지점(支店).
[兒曹 아조] 아이들. 아배(兒輩).
[兒枝 아지] 어린 가지. 새순이 자란 가지.
[兒塚 아총] 어린아이의 무덤.
[兒齒 아치] 노인(老人)의 이가 빠지고 다시 난 이. 장수(長壽)의 징조(徵兆)라 함.
[兒孩 아해] 아이.
[兒患 아환] ㉠어린아이의 병. ㉡자기 자식(子息)의 병.
[兒戲 아희] 아이들의 장난.
[兒寬 예관] 전한(前漢)의 천승(千乘) 사람. 공안국(孔安國)의 문인(門人). 무제(武帝) 때 장고(掌故)를 거쳐 좌내사(左內史)로 재직시 민심을 얻었으나 조세(租稅)의 징수(徵收)가 극히 나빠 파면당하게 되매, 백성들이 앞을 다투어 구실을 바쳐 납세 성적이 가장 우량(優良)하게 되었음. 후에 어사대부(御史大夫)를 지냈음.
◉家兒. 健兒. 乞兒. 輕薄兒. 孤兒. 驕兒. 麒麟兒. 棄兒. 男兒. 大兒. 豚兒. 童兒. 牧兒. 小兒. 雙生兒. 愛兒. 女兒. 嬰兒. 英雄兒. 寧馨兒. 園兒. 幼兒. 乳兒. 遺兒. 育兒. 寵兒. 託兒. 蕩兒. 胎兒. 風雲兒. 孩兒. 幸運兒. 混血兒. 黃口兒.

6 ⑧ **[⿱臼儿]** 兒(前條)의 古字

6 ⑧ **[兔]** 토 ㊤遇 湯故切 tù

筆順 ⺈ ⺈ ⺈ 冎 𠔉 免 兔 兔

字解 ①토끼 토 토낏과(科)에 속하는 설치류(齧齒類)의 짐승. 귀가 길고 뒷다리가 발달하였음. '一曰明視'《禮記》. ②달 토 달 속에 토끼가 있다는 전설에서, 달〔月〕의 별칭(別稱)이 됨. '沈鉤搖一影'《盧照隣》. ③성 토 성(姓)의 하나.

字源 甲骨文 篆文 象形. 긴 귀, 튀는 다리, 짧은 꼬리의 토끼의 상형.

參考 兎(儿部 五畫)는 俗字.

[兔角龜毛 토각귀모] 토끼의 뿔과 거북의 털. 전(轉)하여, 세상에 없는 사물의 비유로 쓰임.
[兔缺 토결] 언청이. 결순(缺脣).
[兔起鶻落 토기골락] 글씨의 필세(筆勢)가 주경(遒勁)함을 형용하는 말.
[兔魄 토백] 달의 이칭(異稱).
[兔糞 토분] 토끼 똥.
[兔絲 토사] 일년생(一年生)의 기생 만초(寄生蔓草). 봄에 실 같은 줄기로 다른 나무에 기어오르며, 늦여름에 흰 꽃이 핌. 열매는 약재로 씀.

[兎死狗烹 토사구팽] 날쌘 토끼가 죽으니 사냥개는 소용없이 되어 삶아 먹힌다는 뜻으로, 쓸모 있는 동안에는 부림을 당하다가 소용이 다하면 버림을 받는다는 말.
[兎絲附女蘿 토사부여라] 새삼덩굴이 여라(女蘿)에 감겼다는 뜻으로, 부부(夫婦)의 인연을 이름.
[兎死狐悲 토사호비] 동류(同類)의 불운(不運)을 슬퍼함을 이름.
[兎脣 토순] 언청이. 토결(兎缺).
[兎影 토영] 달빛. 월영(月影).
[兎烏 토오] 달과 해. 오토(烏兎).
[兎園冊 토원책] 통속적인 책. 비속(卑俗)한 책. 전(轉)하여, 자기 저술(著述)의 비칭(卑稱).
[兎月 토월] '달〔月〕'의 별칭.
[兎罝 토저] 토끼를 잡는 그물.
[兎走鳧擧 토주부거] 대단히 빠른 것을 형용하는 말.
[兎走烏飛 토주오비] 세월이 빨리 흐름을 이름. '토(兎)'는 달, '오(烏)'는 해.
[兎毫 토호] ㉠토끼의 잔털. ㉡붓의 이칭(異稱). 토끼털로 만들므로 일컬음.
◉蹇兎. 狡兎. 蟾兎. 烏兎. 玉兎. 月兎. 銀兎. 脫兎. 玄兎.

6 ⑧ [兖] 〔연〕 兗(儿部 七畫〈p. 198〉)의 俗字

6 ⑧ [兕] 兕(次條)의 古字

[兕] 〔시〕 儿部 五畫(p. 197)을 보라.

7 ⑨ [兗] 人名 연 ㊤銑 以轉切 yǎn

字解 연주 연 구주(九州)의 하나. 지금의 허베이 성(河北省) 및 산둥 성(山東省)의 일부. '濟河惟—州'《書經》.
字源 形聲. 亢+㕣〔音〕. '㕣연'은 '연(沿)하다'의 뜻. '亢강'은 '언덕'의 뜻. 황하(黃河)에 연한 구릉 지대(丘陵地帶)의 뜻을 나타냄.
參考 兖(儿部 六畫)은 俗字.

7 ⑨ [尭] 〔요〕 堯(土部 九畫〈p. 453〉)의 俗字

8 ⑩ [党] 당 ㊤養 底朗切 dǎng

字解 성 당 성(姓)의 하나. '—耐虎'는 진(秦)나라의 장군.
參考 속(俗)에 黨(黑部 八畫)의 略字로 쓰임.

8 ⑩ [兛] 천 現 킬로그램

字解 미터법의 무게의 단위. 킬로그램의 약기(略記). 그램〔克〕의 천 배(倍).

9 ⑪ [兜] 人名 두(도俗) ㊥尤 當侯切 dōu

字解 ①투구 두 예전에 군인이 전시에 쓰던 쇠모자. '得策—鍪'《吳志》. ②건 두 두건(頭巾). '西僧皆戴紅—'《瞿佑詩話》. ③미혹할 두 의혹함. '使勿—'《國語》. ④성 두 성(姓)의 하나.
字源 篆文 會意. 兜+皃〈省〉. '兜고'는 '덮다', '皃'의 생략형인 '白'는 사람의 머리의 뜻. 사람의 머리를 덮는다는 뜻에서, '투구'의 뜻을 나타냄.

[兜率 도솔]《佛敎》욕계(欲界) 육천(六天)의 제 사천(第四天)으로서 욕계의 정토(淨土). 지상(地上)에서 32만 유순(由旬) 위에 있으며, 미륵보살(彌勒菩薩)이 사는 곳이라 함.
[兜率天 도솔천] 도솔(兜率).
[兜轎 두교] 산에 타고 다니는 가마.
[兜籠 두롱] 가마.
[兜牟 두무] 두무(兜鍪).
[兜鍪 두무] 투구.
[兜侵 두침] 관리(官吏) 등이 공금(公金)을 중간에서 속여 먹음.

10 ⑫ [兟] 신 ㊥眞 所臻切 shēn

字解 ①나아갈 신 앞으로 나감. ②많을 신 중다(衆多)한 모양.
字源 篆文 會意. 두 개의 '先선'을 합쳐, 많은 것이 나란히 나아가다의 뜻을 나타냄.

[兟兟 신신] 많은 모양. 중다(衆多)한 모양.

12 ⑭ [兢] 人名 긍 ㊥蒸 居陵切 jīng

筆順 一 十 古 克 克' 兢 兢 兢

字解 ①조심할 긍 소심(小心)한 모양. '戰戰——', '——業業, 一日二日萬幾'《書經》. ②떨릴 긍 전율(戰慄)함. '—悸'. '入淩—'《漢書》.
字源 甲骨文 金文 篆文 會意. 克+克. '克극'은 무거운 투구를 쓴 사람의 상형. 그 두 사람이 나란히 다투다의 뜻을 나타냄. 또, 다툴 때의 심리인 두려워하여 조심하다의 뜻도 나타냄.

[兢恪 긍각] 조심하고 공근(恭謹)함.
[兢戒 긍계] 조심하고 경계함.
[兢悸 긍계] 두려워하여 떪.
[兢懼 긍구] 삼가고 두려워함.
[兢兢 긍긍] ㉠굳고 강한 모양. ㉡삼가고 두려워하는 모양.
[兢兢業業 긍긍업업] 긍긍(兢兢).
[兢慄 긍률] 긍계(兢悸).
[兢悚 긍송] 송구(悚懼)함.
[兢畏 긍외] 두려워함.
[兢惕 긍척] 조심하고 두려워함.
[兢惶 긍황] 조심하고 황공해함.
◉凜兢. 淩兢. 自兢. 戰兢. 戰戰兢兢. 慫兢.

入 (2획) 部
〔들입부〕

0 ② [入] 中人 입 入緝 人執切 rù

筆順 丿 入

字解 ①들 입, 들어갈 입 ㉠'出'의 대(對). '一國'. '一城'. '爭門而一'《史記》. ㉡꿰뚫음. '射甲不一, 即斬弓人'《晉書》. ㉢조정(朝廷)에서 벼슬함. '一守內職'《韓愈》. ②들일 입 ㉠들어오게 함. '爲我呼一'《史記》. ㉡납부(納付)함. '一粟拜官'. '貢之不一, 寡人之罪也'《左傳》. ㉢금품을 거두어들임. '收一'. ㉣받아들임. '箴諫以不一'《國語》. ③담글 입 몰입(沒入)함. '三一爲'《周禮》. ④수입 입 수납(收納). 소득. '量一以爲出'《禮記》. ⑤입성 입 사성(四聲)의 하나. 짧고 빨리 거두어들이는 소리. '一聲短促急收藏'《玉鑰匙歌訣》.

字源 甲骨文 金文 篆文 象形. 안팎을 구별하는 경계선에서 안으로 들어가는 입구(入口)의 상형으로, '들어가다'의 뜻을 나타냄.

[入閣 입각] 내각(內閣)의 일원(一員)이 됨.
[入鑑 입감] 어른에게 보여 드림.
[入格 입격] 시험(試驗)에 뽑힘.
[入京 입경] 서울로 들어옴.
[入境問禁 입경문금] 국경(國境)을 넘어서면 그 나라의 금제(禁制)를 물어야 한다는 말.
[入啓 입계] 주문(奏文)을 올림.
[入庫 입고] 물건을 곳집에 넣음.
[入骨髓 입골수] 골수(骨髓)에 사무침. 원한(怨恨)이 깊어 쌓임을 말함. 철골수(徹骨髓).
[入貢 입공] 조공(朝貢)을 바침.
[入棺 입관] 시체(屍體)를 관(棺) 속에 넣음. 납관(納棺).
[入校 입교] ㉠입학(入學). ㉡군사 학교(軍事學校)에의 입학.
[入口 입구] 드나드는 어귀.
[入寇 입구] 적군(賊軍)이 쳐들어옴.
[入闕 입궐] 대궐(大闕)로 들어감.
[入覲 입근] 대궐에 들어가 임금께 알현(謁見)함.
[入金 입금] ㉠총액(總額) 중의 일부분의 금액(金額)을 납부함. ㉡은행(銀行) 등에 예금(預金) 또는 부채(負債)를 반상(返償)하기 위하여 돈을 들여 놓음.
[入其國者從其俗 입기국자종기속] 그 나라에 들어가면 그 땅의 풍속을 따라야 함.
[入納 입납] 편지를 드린다는 뜻으로, 봉투에 쓰는 말.
[入內 입내] 안으로 들어옴.
[入黨 입당] 정당(政黨)에 가입하여 당원(黨員)이 됨.
[入隊 입대] 군대에 들어감.
[入道 입도] ㉠도교(道教)를 배워 도사(道士)가 됨. ㉡불교(佛教)를 신앙하여 출가(出家)함.
[入洛 입락] 입경(入京). 상락(上洛).
[入幕之賓 입막지빈] 침실(寢室)에 드리운 장막(帳幕) 안에 있는 손님. 전(轉)하여, 특별히 가까운 손님. 또, 기밀(機密)에 속하는 일을 의논하는 사람.
[入梅 입매] 매우기(梅雨期)에 들어가는 날.
[入滅 입멸] 입적(入寂).
[入木 입목] 필세(筆勢)가 세어 먹이 나무에 깊이 밴다는 뜻으로, 서도(書道)를 이름.
[入無間 입무간] ㉠도(道)의 미묘함을 이름. ㉡논설문(論說文)이 극히 정미(精微)함을 이름.
[入墨 입묵] 살 속에 먹물을 넣어서 글자 또는 그림을 새김.
[入門 입문] ㉠스승의 집에 들어간다는 뜻으로, 문하생(門下生)이 됨을 이름. ㉡초학자(初學者)가 공부하기 편한 책. 입문서(入門書).
[入聞 입문] 윗사람의 귀에 들어감.
[入泮 입반] 입학(入學). 옛날에 제후(諸侯)가 세운 학교를 반궁(泮宮)이라 한 까닭임.
[入番 입번] 입직(入直).
[入寶山空手歸 입보산공수귀] 보물산에 들어가서 빈손으로 돌아온다는 뜻으로, 절호(絕好)의 기회를 만나고서도 그 기회를 헛되게 보냄의 비유.
[入費 입비] 일에 드는 비용.
[入仕 입사] 벼슬을 한 뒤에 처음으로 사진(仕進)함.
[入社 입사] 사원(社員)이 됨.
[入山 입산] 출가(出家)하여 중이 됨.
[入賞 입상] 상을 타게 됨.
[入選 입선] 당선(當選)함.
[入城 입성] 성중(城中)으로 들어감.
[入聲 입성] 한자(漢字)의 사성(四聲)의 하나로, 짧고 빨리 거두어들이는 소리. 곧, 옥(屋)·옥(沃)·각(覺)·질(質)·물(物)·월(月)·갈(曷)·할(黠)·설(屑)·약(藥)·맥(陌)·석(錫)·직(職)·즙(緝)·합(合)·엽(葉)·흡(洽)의 열일곱의 측운(仄韻)으로 구분함.
[入送 입송] 밖에서 안으로 들여보냄.
[入水 입수] 몸을 물에 던짐. 투신(投身).
[入手 입수] 수중에 들어옴.
[入侍 입시] 대궐(大闕) 안에 들어가 임금께 알현(謁見)함.
[入神 입신] 영묘(靈妙)한 지경에 들어감.
[入室 입실] ㉠학문·예술 등의 오의(奧義)를 해득(解得)함. ㉡《佛教》 사승(師僧)에게 오의(奧義)를 전수(傳受)받음. ㉢방이나 교실에 들어감.
[入室操矛 입실조모] 남의 무기로 그 사람을 공격한다는 뜻으로, 남의 도(道)를 배워 도리어 그 사람을 해침을 이름. 정현(鄭玄)이 하휴(何休)의 경학설(經學說)을 논란(論難)하였을 때 하휴가 '康成入吾室操吾矛以伐我乎'라고 하며 한탄한 고사(故事)에서 나온 말. '강성(康成)'은 정현의 자(字)임.
[入謁 입알] 들어가 알현(謁見)함.
[入御 입어] 천자가 궁중에 들어감.
[入營 입영] 군인(軍人)이 되어 영문(營門)에 들어감.
[入獄 입옥] 옥(獄)에 갇힘.
[入浴 입욕] 목욕(沐浴)을 함.
[入用 입용] 필요함. 소용이 됨.
[入院 입원] 병을 고치기 위하여 병원에 들어가 있으면서 치료를 받음.
[入耳不煩 입이불번] 귀에 들려도 듣기가 번거롭지 아니함. 듣기 싫지 않음. 알랑거리는 말을 가리킴.
[入耳着心 입이착심] 들은 바를 마음에 간직하여 잊지 않음.
[入耳出口 입이출구] 들은 바를 곧 남에게 말함. 남이 하는 말을 듣고서 제 주견인 양 그대로 옮김.
[入丈 입장] 장가듦.
[入葬 입장] 장사(葬事)를 지냄.
[入場 입장] 장내(場內)로 들어감.
[入寂 입적] 중이 죽음. 입멸(入滅).
[入籍 입적] ㉠귀화(歸化)하여 그 국적(國籍)에

편입됨. ㉡출생 또는 가취(嫁娶) 등으로 호적(戶籍)에 올림.
[入定 입정] 《佛教》 선정(禪定)에 들어감.
[入朝 입조] 속국(屬國) 또는 외국의 사신(使臣)들이 와서 군주(君主)에 알현(謁見)함.
[入直 입직] 숙직(宿直).
[入津 입진] 배가 나루에 들어옴.
[入札 입찰] 청부(請負)나 경매(競賣) 따위의 경우에 여러 희망자로 하여금 각자의 예정 가격(豫定價格)을 기록하여 내게 하는 일.
[入蜀記 입촉기] 기행문(紀行文). 송(宋)나라의 육유(陸游)가 지음. 6권. 산음(山陰)에서 기주(夔州)까지의 기행문. 문장이 아담하고 고적(古蹟)의 기술(記述)이 근거가 있어 범성대(范成大)의 〈오선록(吳船錄)〉과 병칭(竝稱)됨.
[入齒 입치] 의치(義齒).
[入湯 입탕] 입욕(入浴).
[入稟 입품] 임금께 품고(稟告)함.
[入學 입학] 학교(學校)에 들어감.
[入港 입항] 배가 항구에 들어옴.
[入會 입회] 어떠한 회에 들어가 회원(會員)이 됨.
◉介入. 購入. 記入. 亂入. 納入. 單刀直入. 導入. 突入. 斗入. 沒入. 搬入. 四捨五入. 算入. 插入. 先入. 歲入. 收入. 輸入. 悟入. 邑入. 移入. 潛入. 轉入. 進入. 出入. 侵入. 浸入. 闖入. 編入. 陷入. 混入. 吸入.

1 [亾] 〔망〕
③ 亡(亠部 一畫〈p. 83〉)의 本字

2 [內] [中·人] [一] 내 [去]隊 奴對切 nèi 
④ [二] 납 [入]合 諾答切 nà

[筆順] 丨 冂 冂 內

[字解] [一] ①안 내 ㉠밖〔外〕의 대(對). '城一'. '國一之民, 其誰不爲臣'《左傳》. ㉡방(房). '築室家, 有一堂二一'《漢書》. ㉢대궐 안. '大一'. '天子宮禁曰一'《韻會》. ㉣나라 안. '貪外虛一, 務欲廣地'《漢書》. ㉤겨레. 친족(親族). '獻一賓于房中'《儀禮》. ㉥집. 집안. '所以助德理一'《漢書》. ㉦처첩(妻妾). '畏一'〈엄처(嚴妻)〉. '好外者士死之, 好一者女死之'《孔子家語》. ㉧마음. '敬以直一, 義以方外'《易經》. ㉨오장 육부(五臟六腑). '五一'(오장 육부). '扁鵲治一'《枚乘》. ㉩조정(朝廷). 정부. '以數切諫不得留一, 遷爲東海太守'《史記》. ㉪집안일. 가사(家事). '男不言一, 女不言外'《禮記》. ②몰래 내 비밀히. '一應'. '一謁徑入'《漢書》. ③안으로할 내 중히 여김. 가까이함. '外本一末'《大學》. ④들일 내 ㉠들어오게 함. '孝既至, 不白名, 長不肯一'《世說》. ㉡집에 데려옴. 집 안에 둠. '一美人, 而虞虢亡'《韓非子》. ⑤성 내 성(姓)의 하나. [二] 들일 납 納(糸部 四畫)과 同字. '若己推而一之溝中'《孟子》.

[字源] 甲骨文 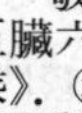 金文 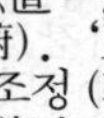 篆文 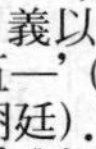 會意. 冂+入. '冂경'은 집의 상형, '入입'은 '들어가다'의 뜻. 집에 들어가다, 들어간 안·속의 뜻을 나타냄.

[內人 나인] 궁궐 안에서 대전(大殿)·내전(內殿)을 가까이 모시는 내명부(內命婦)의 총칭. 궁인(宮人). 궁녀(宮女).
[內家 내가] 내궁(內宮).
[內角 내각] ㉠한 직선(直線)이 각각 다른 점(點)에서 두 직선과 만날 때 두 직선 안쪽으로 생기는 각(角). ㉡다각형(多角形)에서 인접한 두 변(邊)이 안쪽에 만드는 모든 각(角).
[內殼 내각] 속껍질.
[內閣 내각] ㉠안방. 내실(內室). ㉡명대(明代) 및 청초(淸初)의 정무(政務)의 최고 기관. ㉢정부의 각 장관(長官)으로써 조직된 합의체(合議體)의 관청.
[內間 내간] 부녀자가 거처하는 곳. 아낙.
[內簡 내간] 부녀(婦女)의 편지.
[內艱 내간] 어머니의 상사(喪事).
[內感 내감] 내계(內界)에서 일어나는 감각(感覺).
[內監 내감] ㉠환관(宦官). ㉡청조(淸朝)에서, 중죄인(重罪人)을 가두기 위하여 설치한 뇌옥(牢獄)의 별실(別室).
[內降 내강] 천자(天子)가 재상(宰相)에게 상의하지 않고 조서(詔書)를 내림.
[內剛 내강] 겉과는 달라 속마음은 굳고 단단함.
[內客 내객] 안손님.
[內擧 내거] 친척 또는 친분이 있는 사람을 기용함. 외거(外擧)의 대(對).
[內檢 내검] 내밀(內密)히 조사함.
[內界 내계] ㉠마음속의 범위(範圍). ㉡내부(內部)의 범위.
[內見 내견] 몰래 봄. 내람(內覽).
[內庫 내고] 궁중(宮中)에 있는 천자가 쓰는 물품 창고.
[內顧 내고] ㉠뒤돌아봄. ㉡처자(妻子)를 돌봄. ㉢생계(生計)를 돌봄.
[內攻 내공] ㉠병(病)이 체내(體內)에 잠복함. ㉡적(敵)을 내부에서 궤란(潰亂)하게 함.
[內科 내과] 내장(內臟)의 기관에 생기는 병을 다스리는 의술(醫術).
[內踝 내과] 발의 안쪽에 있는 복사뼈.
[內科醫 내과의] 내과에 관한 치료(治療)를 전문으로 하는 의사(醫師).
[內果皮 내과피] 열매 속에 있어서 직접 씨를 싸고있는 껍질.
[內官 내관] ㉠내시(內侍). 환관(宦官). ㉡여관(女官).
[內棺 내관] 관(棺) 속에 있는 관(棺).
[內教 내교] ㉠부인(婦人)의 가르침. ㉡《佛教》 만교(教)에 대하여 불교의 일컬음.
[內教坊 내교방] 궁정(宮廷)에서 여악(女樂)의 일을 맡은 곳.
[內疚 내구] 마음의 병. 마음속의 근심.
[內冓 내구] 궁중(宮中)의 깊숙한 방. 또는 그 속의 비사(祕事).
[內寇 내구] 내부의 도둑. 국내(國內)의 폭동(暴動). 외구(外寇)의 대(對).
[內舅 내구] 외숙(外叔).
[內國 내국] ㉠나라 안. 국내. ㉡아국(我國). 본국(本國).
[內君 내군] 남의 아내에 대한 경칭(敬稱).
[內宮 내궁] 육궁(六宮)의 총칭(總稱).
[內規 내규] 한 기관 안에서만 시행(施行)하는 규칙(規則).
[內郤 내극] 내홍(內訌).
[內近 내근] 부녀가 거처(居處)하는 방과 가까움.
[內勤 내근] 관청·회사·상점 등의 안에서 하는 근무(勤務). 외근(外勤)의 대(對).

[內金 내금] 치를 돈 가운데서 그 얼마를 미리 치르는 돈.
[內諾 내낙] 내락(內諾).
[內難 내난] 국내의 난사(難事).
[內帑 내노] 내탕(內帑).
[內堂 내당] 내실(內室).
[內黨 내당] 내부(內部)의 당원(黨員).
[內臺 내대] ㉠상서성(尙書省)의 이칭(異稱). ㉡어사대(御史臺)의 이칭.
[內德 내덕] ㉠심중(心中)의 덕(德). ㉡황후(皇后)의 덕(德). 곤덕(坤德).
[內道場 내도량] 대궐 안에서 불도(佛道)를 닦는 집.
[內諾 내락] 내밀히 하는 승낙(承諾).
[內亂 내란] 나라 안에서 생긴 난리.
[內覽 내람] 남모르게 봄.
[內廉 내렴] 품행(品行)이 방정(方正)함.
[內錄 내록] 녹상서사(錄尙書事)〈상서(尙書)의 일을 총할하는 벼슬〉를 이름.
[內料 내료] ㉠궁중(宮中)의 씀씀이. ㉡궁중의 급여(給與).
[內陸 내륙] 바다에서 멀리 떨어져 있는 육지.
[內裏 내리] 대궐(大闕).
[內幕 내막] 겉으로 드러나지 아니한 사실. 속내평. 켯속.
[內妹 내매] 처제(妻弟).
[內面 내면] 안쪽. 속 바닥.
[內明 내명] 속셈이 밝음.
[內命 내명] ㉠비밀의 명령. 밀지(密旨). ㉡내제(內制) ❶.
[內命婦 내명부] 궁중(宮中)에서 섬기는 삼부인(三夫人) 이하의 여관(女官)의 일컬음. 경대부(卿大夫)의 아내를 외명부(外命婦)라 함의 대(對).
[內侮 내모] 집안 불화(不和). 외모(外侮)의 대(對).
[內務 내무] 나라 안의 정무(政務).
[內密 내밀] 기밀(機密).
[內坊 내방] 태자비(太子妃)의 궁(宮).
[內房 내방] 안방. 내실(內室).
[內變 내변] 나라 안에 일어난 변고.
[內病 내병] 속병. 내질(內疾).
[內報 내보] 내밀히 알리는 보고.
[內輔 내보] 아내가 남편을 도움.
[內服 내복] ㉠약을 먹음. ㉡속옷.
[內福 내복] 남이 모르는 복(福).
[內府 내부] ㉠불시(不時)의 국용(國用)을 맡은 벼슬. ㉡궁내(宮內)의 곳집.
[內附 내부] 들어와 복속(服屬)함. 속국이 됨.
[內部 내부] 안쪽의 부분.
[內傅 내부] 보모(保姆).
[內紛 내분] 내홍(內訌).
[內分泌 내분비] 체내(體內)에서 화성(化成)한 특수한 영양 물질(營養物質). 곧, 호르몬을 내분비선(內分泌腺)에서 혈액(血液) 중으로 보내는 작용.
[內賓 내빈] 안손님.
[內史 내사] ㉠나라의 법전(法典)을 맡은 벼슬. ㉡궁중(宮中)의 기록을 맡은 벼슬. ㉢경사(京師)의 지방 사무를 관장한 벼슬.
[內舍 내사] 부녀자가 사는 곳. 안채.
[內事 내사] ㉠궁중(宮中)의 일. ㉡집안의 일.
[內査 내사] 비밀히 조사함.
[內賜 내사] 임금이 물건을 하사(下賜)함.
[內相 내상] ㉠한림학사(翰林學士)의 미칭(美稱). ㉡아내가 살림을 잘함. 또, 그 아내.
[內喪 내상] 부녀자의 초상.
[內傷 내상] 몸이 쇠약하여 몸 안에 생긴 병.
[內禪 내선] ㉠병력(兵力)을 쓰지 않음. 외선(外禪)의 대(對). ㉡천자(天子)가 태자(太子)에게 양위(讓位)는 하였으나, 아직 즉위(卽位)의 예(禮)를 올리지 않음.
[內姓 내성] 조상을 같이하는 사람. 동성(同姓)의 겨레붙이. 동족(同族).
[內城 내성] 외성(外城) 안에 있는 성.
[內省 내성] 자기 마음을 반성함.
[內省不疚 내성불구] 자기 마음을 반성하여 조금도 부끄러울 것이 없음.
[內聖外王 내성외왕] 속은 성인(聖人)이고 겉은 국왕(國王)이란 뜻으로, 학술의 체용 본말(體用本末)이 겸비(兼備)함을 이름.
[內訴 내소] 내밀히 호소함.
[內疎外親 내소외친] 마음속으로는 소원(疎遠)히 하나, 겉으로는 친한 체함.
[內屬 내속] 내부(內附).
[內訟 내송] 마음속으로 자책(自責)함.
[內豎 내수] 궁중(宮中)에서 섬기는 낮은 벼슬아치.
[內示 내시] 내밀히 보임.
[內侍 내시] ㉠궁중(宮中)에서 섬기는 환관(宦官). ㉡궁중에서 섬기는 여관(女官).
[內視 내시] 스스로 봄. 반성함.
[內視反聽 내시반청] 자신을 반성하여 살핌.
[內息 내식] 같은 방에서 동거(同居)함.
[內申 내신] 내밀히 상신함.
[內臣 내신] ㉠국내(國內)의 신하(臣下). ㉡환관(宦官).
[內腎 내신] 신장(腎臟). 콩팥.
[內室 내실] ㉠안방. ㉡처. 아내. 또, 남의 아내의 경칭(敬稱).
[內實 내실] ㉠안에 참. 또, 그것. 속. ㉡처자와 재물. ㉢내막의 사실.
[內心 내심] ㉠속마음. ㉡마음속에 품음.
[內衙 내아] 《韓》 지방 관아(地方官衙)의 안채.
[內謁 내알] 비밀히 알현(謁見)함.
[內約 내약] 내밀히 하는 언약.
[內御 내어] 임금의 침석(枕席)에서 섬기는 여관(女官).
[內宴 내연] 집안 잔치. 사연(私宴).
[內醞 내온] 임금이 신하(臣下)에게 하사하는 술.
[內蘊 내온] 속에 쌓아 저장함.
[內外 내외] ㉠안팎. ㉡내국(內國)과 외국(外國). 국내와 국외.
[內外艱 내외간] 부모(父母)의 상(喪).
[內外儲 내외저] 한비자(韓非子)의 내저설(內儲說)과 외저설(外儲說)의 2편(篇). 내저는 술책(術策)을 명군(明君)이 써서 신하를 제어(制御)함이요, 외저란 명군(明君)이 신하의 언행(言行)을 보아 상벌을 내리는 일.
[內外典 내외전] 《佛敎》 내전(內典)과 외전(外典). 불교의 경전(經典)과 불교 이외의 경서(經書).
[內外從 내외종] 내종(內從) 형제자매(兄弟姉妹)와 외종(外從) 형제자매.
[內外戚 내외척] 부계(父系)와 모계(母系)의 일가친척.
[內欲 내욕] 탐내는 마음.
[內用 내용] 안살림의 소용(所用).
[內容 내용] 사물의 속내.

[內憂 내우] 나라 안의 근심. 나라 안의 분쟁. 내란.
[內憂外患 내우외환] 나라 안의 근심과 나라 밖의 근심. 내란과 외구(外寇).
[內苑 내원] 궁중(宮中)의 동산.
[內諭 내유] 가만히 타이름.
[內遊星 내유성] 그 궤도(軌道)가 지구(地球)의 궤도(軌道) 내에 있는 유성(遊星). 화성(火星)·금성(金星) 따위.
[內柔外剛 내유외강] 내심은 유약하나 외모는 강강(剛強)하게 보임.
[內潤外朗 내윤외랑] 옥(玉)이 그 광택(光澤)을 속에 품은 것을 내윤(內潤), 겉으로 발(發)하는 것을 외랑(外朗)이라고 함. 인물(人物)의 재덕(才德)을 형용하는 말.
[內應 내응] ㉠외적(外敵)과 통함. ㉡몰래 도움.
[內衣 내의] 속에 입는 옷. 속옷.
[內意 내의] ㉠속뜻. 마음속의 의사. ㉡비밀의 의향.
[內耳 내이] 귀의 맨 속에 소리를 느끼는 기관이 있는 부분. 속귀.
[內移 내이] 《韓》 관찰사(觀察使)·수령(守令) 등이 중앙 관직(官職)으로 전임(轉任)함.
[內人 내인] ㉠나인(內人). ㉡처. 아내. ㉢집안 사람.
[內子 내자] 경대부(卿大夫)의 아내.
[內眥 내자] 눈초리.
[內障 내장] 안구(眼球) 속에서 생기는 흑(黑)내장·백(白)내장·녹(綠)내장의 눈병의 총칭. 안력(眼力)이 나빠지거나 명암(明暗)을 구별하지 못함.
[內藏 내장] ㉠심중(心中)에 감춰 둠. ㉡내고(內庫). ㉢내장(內臟).
[內臟 내장] 척추동물(脊椎動物)의 가슴 속과 배 속에 있는 기관(器官). 호흡기·소화기·비뇨 생식기(泌尿生殖器) 따위.
[內在 내재] 어떤 사물이나 성질이 다른 것 속에 포함되어 있음. 「訌).
[內爭 내쟁] 나라 안의 싸움. 집안싸움. 내홍(內
[內典 내전] 《佛敎》 불경(佛經). 유서(儒書)를 외전(外典)이라 함의 대(對).
[內殿 내전] 대궐 안 깊숙이 있는 궁전.
[內轉 내전] 지방관(地方官)에서 중앙 관직(中央官職)으로 전근함.
[內接圓 내접원] 다각형(多角形)의 안에서 원주(圓周)가 각 변(邊)에 닿는 원(圓).
[內廷 내정] 궁정(宮廷)의 내부.
[內定 내정] 속으로 작정함.
[內政 내정] 국내 정치(國內政治).
[內庭 내정] 안뜰.
[內偵 내정] 내탐(內探).
[內情 내정] 속의 형편.
[內制 내제] ㉠외조(外朝)를 거치지 않는 천자(天子)의 제지(制旨). 내명(內命). ㉡한림학사의 별칭(別稱).
[內題 내제] 책 속표지에 쓴 제목.
[內助 내조] 아내가 남편을 도움.
[內朝 내조] ㉠주대(周代)에 내조(內朝)·치조(治朝)·외조(外朝)를 삼조(三朝)라고 하였는데, 치조는 천자(天子)가 매일 정사(政事)를 보는 곳이고, 내조는 연조(燕朝) 또는 노침(路寢)이라고 하여 천자가 퇴거하는 곳이며, 외조는 국가 비상시에 만민(萬民)을 모아 자순(諮詢)하는 곳이었음. ㉡내전(內殿).
[內從 내종] 내종 사촌(內從四寸).
[內腫 내종] 내장(內臟)에 나는 종기(腫氣).
[內主 내주] ㉠주부(主婦). 부인(夫人). ㉡몰래 적(敵)과 통(通)한 사람. 내응자(內應者).
[內奏 내주] 내밀히 상주(上奏)함.
[內證 내증] 《佛敎》 자기 마음속의 증오(證悟)를 깨달음.
[內地 내지] ㉠본국(本國). 나라 안. ㉡바다에서 먼 내부의 땅.
[內旨 내지] 임금이 은밀히 내리는 명령.
[內職 내직] ㉠궁내(宮內)의 여관(女官)의 직무. ㉡조정(朝廷)에서 근무하는 벼슬. ㉢《韓》 본직(本職) 밖의 여가(餘暇)로 하는 생업(生業).
[內疾 내질] 속병. 내증(內症).
[內集 내집] 집안끼리의 모임. 친척의 모임.
[內次 내차] 문(門)의 안으로 들어서서 옷을 갈아입게 된 곳. 외차(外次)의 대(對).
[內札 내찰] 내간(內簡).
[內讒 내참] 내부의 참소. 「(對).
[內戚 내척] 부계(父系)의 일가. 외척(外戚)의 대
[內遷 내천] 내직(內職)으로 옮김. 조관(朝官)으로 전근함.
[內妾 내첩] 측실(側室).
[內淸外濁 내청외탁] 속은 맑고 겉은 흐림. 난세(亂世)에 명철보신(明哲保身)하는 방법의 하나.
[內寵 내총] ㉠특별한 군은(君恩)을 받는 여자. 내폐(內嬖). ㉡특수한 군은을 받는 폐신(嬖臣).
[內出血 내출혈] 혈액(血液)이 조직(組織) 속 또는 체강(體腔) 내에 나옴. 뇌출혈(腦出血) 따위.
[內廁 내측] 안뒷간.
[內治 내치] 나라 안의 정치(政治).
[內勅 내칙] 내밀(內密)한 조칙(詔勅).
[內則 내칙] 집안의 규칙. 가헌(家憲).
[內親 내친] ㉠아내의 친척. 처족(妻族). ㉡심중(心中)에 친하게 여김.
[內稱 내칭] 내거(內擧).
[內托 내탁] 종기를 짼 뒤에 쇠약한 몸을 보함.
[內探 내탐] 내밀히 탐색함.
[內帑 내탕] 임금의 사사(私事) 재물(財物)을 두는 곳집.
[內通 내통] 내응(內應).
[內嬖 내폐] 내총(內寵)❶.
[內包 내포] ㉠식용하는 짐승의 내장. ㉡논리학에서 개념이 포함하고 있는 성질. 외연(外延)의 대(對).
[內皮 내피] 속껍질.
[內逼 내핍] ㉠대변이 마려움. ㉡국내(國內)로 닥쳐옴.
[內下 내하] 《韓》 임금이 물건을 하사(下賜)함.
[內學 내학] ㉠참위(讖緯)의 학(學)을 이름. ㉡불교(佛敎)의 학(學)을 이름.
[內翰 내한] ㉠송대(宋代)의 한림학사(翰林學士)의 이칭(異稱). ㉡청대(淸代)의 내각중서(內閣中書)의 이칭.
[內海 내해] 사방이 육지(陸地)로 둘러싸이고 한쪽만 좁은 해협(海峽)을 거쳐 외양(外洋)과 통하는 바다. 「行).
[內行 내행] 집에 있을 때의 행위(行爲). 사행(私
[內虛 내허] 속이 빔.
[內兄弟 내형제] ㉠모계(母系)의 사촌. ㉡처남(妻男).
[內慧 내혜] 마음속이 밝고 슬기로움.

[內訌 내홍] 내부에서 저희들끼리 다투는 분쟁(紛爭). 내분(內紛).
[內宦 내환] 환관(宦官).
[內患 내환] 국내의 환란(患亂).
[內訓 내훈] 부녀(婦女)의 교훈.
[內諱 내휘] ㉠부인(婦人)의 이름을 이름. ㉡국내(國內)·가내(家內)의 악(惡). 또, 그 악을 말하기를 꺼리는 일.
[內凶 내흉] 마음이 검고 흉(凶)함.
◉家內. 疆內. 竟內. 境內. 闔內. 管內. 郊內. 校內. 區內. 構內. 國內. 圈內. 闕內. 禁內. 畿內. 期限內. 大內. 對內. 宅內. 度內. 道內. 洞內. 方內. 房內. 封內. 部內. 線內. 省內. 城內. 市內. 室內. 案內. 域內. 年內. 營內. 臥內. 宇內. 院內. 邑內. 以內. 場內. 第內. 參內. 體內. 胎內. 海內.

2
④ [㒳] 량 ㊤養 里養切 liǎng

字解 들어갈 량 나란히 들어감. '一, 二入也'《說文》.
字源 會意. 入+入

[尒] 〔이〕 小部 二畫(p. 614)을 보라.

3
⑤ [仝] 全(次條)의 本字

4
⑥ [全] 中人 전 ㊥先 疾緣切 quán

筆順 ノ 入 亼 仐 仝 全

字解 ①온통 전 ㉠전체. 전부. '一身'. '一文'. ㉡일체. '一擔'. '欲一有之'《後漢書》. ②온전할 전 ㉠흠이 없음. '得六材之一'《周禮》. ㉡결점이 없음. 모두 갖춤. '君子道一, 小人道缺'《太玄經》. ㉢다치지 아니함. 무사함. '鄕里賴一者以百數'《後漢書》. ③순전할 전 순수(純粹)함. 순일함. 잡것이 섞이지 않음. '玉人之事, 天子用一'《周禮》. ④온전히할 전 온전하게 함. '苟一性命於亂世'《諸葛亮》. ⑤성 전 성(姓)의 하나.
字源 篆文 仝 籀文 全 古文 𠓝 會意. 篆文은 入+工. '工공'은 옥(玉)의 상형이라고도 하고, 연장의 상형이라고도 함. '入입'은 '입구'의 뜻. 입구가 있는 곳집에 공구(工具)를 보관하는 데서 '보전하다, 온전하다'의 뜻을 나타냄. 籀文은 入+王(玉). 순수한 옥의 뜻에서, '온전하다'의 뜻. 또, 교묘하고 완전하다의 뜻을 나타냄. 또, 余+王의 會意로, '余여'는 제초(除草)하는 기구의 상형, '王왕'은 큰 도끼의 상형으로, 여러 가지 기구가 갖춰진 모양에서, '갖춰지다'의 뜻을 나타낸다고도 생각할 수 있음.
參考 성씨(姓氏)로서는, 속(俗)에 파자(破字)하여, '인왕(人王)전'이라 이름.

[全家 전가] 온 집안. 한 집안의 전부.
[全蠍 전갈] 전갈과(全蠍科)의 절지(節肢)동물의 하나. 배의 끝에 독침(毒針)이 있음.
[全甲 전갑] ㉠완전 무장한 정병(精兵). ㉡전군(全軍). ㉢군사 한 명도 잃지 아니함.
[全景 전경] 전체(全體)의 경치.
[全計 전계] 완전(完全)한 계책(計策). 빈틈없는 모계(謀計). 완계(完計).
[全功 전공] 온전한 공훈. 결점 없는 공적.
[全校 전교] 한 학교의 전체.
[全具 전구] 온전하게 갖춤.
[全軀 전구] 전신(全身).
[全局 전국] 전체의 판국(版局).
[全國 전국] 한 나라의 전체.
[全軍 전군] ㉠한 군대의 전체. ㉡전쟁(戰爭)에서 한 명의 군사도 잃지 않음.
[全郡 전군] 한 고을의 전체.
[全躬 전궁] 몸 전체. 전신(全身).
[全卷 전권] ㉠한 권의 책 모두. ㉡여러 권으로 된 책의 모두.
[全權 전권] ㉠모든 권리. ㉡전권 위원(全權委員).
[全權大使 전권대사] 국가·원수를 대표하여 외국에 주재하는 대사.
[全權委員 전권위원] 전권(全權)을 가진 위원(委員).
[全能 전능] 결점 없는 재능. 모든 일을 해낼 수 있는 능력(能力).
[全擔 전담] 온통 담당(擔當)함.
[全唐文 전당문] 당(唐) 및 오대(五代)의 산문(散文)의 총집(總集). 청(淸)나라 가경(嘉慶) 19년 칙찬(勅撰). 전부 1,000권. 수록 작품 28,000여 편. 성씨운편(姓氏韻篇) 2권이 부록(附錄)됨.
[全唐詩 전당시] 당(唐) 및 오대(五代)의 시(詩)의 총집(總集). 청(淸)나라 강희(康熙) 46년에 칙찬(勅撰). 모두 900권. 2,200여 가(家)의 시(詩) 48,000여 수(首)를 수록(收錄)했음.
[全唐詩話 전당시화] 시화집(詩話集). 원본(原本)은 송(宋)나라 우무(尤袤)의 찬(撰)이라고 함. 당(唐)나라 태종(太宗)·고종(高宗)으로부터 권용포(權龍褒)에 이르기까지 324가(家)의 이름을 들고, 각 조목(條目) 밑에 그 시화(詩話)를 기술한 것.
[全隊 전대] 한 대(隊)의 전체.
[全德 전덕] ㉠완전무결한 덕(德). ㉡칭찬하는 사람도 헐뜯는 사람도 없는 순결(純潔)한 덕.
[全島 전도] 섬 전체. 온 섬.
[全道 전도] 한 도(道)의 전체.
[全圖 전도] 전체를 그린 그림이나 지도(地圖).
[全等 전등] 아주 똑같음.
[全量 전량] 전체의 분량.
[全力 전력] 모든 힘.
[全昧 전매] 아주 우매함.
[全面 전면] 전체의 면(面).
[全滅 전멸] 죄다 없어짐. 죄다 망하여 버림.
[全貌 전모] 전체의 모양. 온 모습.
[全無 전무] 아주 없음.
[全文 전문] 글의 전체. 기록의 전부.
[全物 전물] 흠이 없는 완전한 물건.
[全美 전미] 완전한 미(美).
[全般 전반] 여러 가지 것의 전부. 통틀어 모두.
[全福 전복] ㉠완전한 행복. ㉡행복을 완전히 가짐.
[全鰒 전복] 바닷조개의 한 가지. 식용 또는 한약재로 씀. 귀전복.
[全部 전부] 온통.
[全不顧見 전불고견] 전혀 돌보지 아니함.
[全備 전비] 완전히 갖춤. 조금도 모자람이 없음.

[全書 전서] ㉠완전무결한 책. ㉡어떠한 사람의 저작(著作)이나, 또는 어떠한 일에 관한 학설(學說)을 망라(網羅)한 책.
[全世界 전세계] 온 세계.
[全燒 전소] 죄다 타 버림.
[全屬 전속] 모두 한곳에 속함.
[全數 전수] 온통의 수효. 또, 대체의 수.
[全純 전순] 아주 순수함. 조금도 섞인 것이 없음.
[全勝 전승] 한 번도 지지 아니하고 모조리 이김.
[全身 전신] ㉠온몸. ㉡몸을 무사히 보전함.
[全我 전아] 자아(自我)의 전부. 전력적(全力的).
[全額 전액] 전부의 액수(額數).
[全譯 전역] 원문(原文)을 전부 번역함.
[全然 전연] 도무지. 아주. 전혀.
[全用 전용] 완전무결한 효용(效用).
[全員 전원] 전체의 인원(人員).
[全院 전원] 한 원(院)의 전체.
[全委 전위] 모두 맡김.
[全癒 전유] 병이 완전히 나음. 전쾌(全快).
[全音階 전음계] 두 개의 반음(半音)과 다섯 개의 전음(全音)으로 되는 악음(樂音).
[全人 전인] ㉠지덕(智德)이 원만하여 결점이 없는 사람. ㉡신체가 완전한 사람. 불구(不具)의 대(對).
[全長 전장] 전체의 길이.
[全張 전장] 온장.
[全才 전재] 완전한 재능.
[全載 전재] 소설·논문 등의 전부를 한꺼번에 다 실음.
[全丁 전정] 한 성인(成人)으로서의 구실을 할 수 있는 젊은이.
[全精 전정] 정신(精神)을 온전하게 가짐.
[全祖望 전조망] 청(清)나라의 학자. 은현(鄞縣) 사람. 자(字)는 소의(紹衣). 건륭(乾隆) 때 진사(進士)에 급제(及第). 벼슬을 사퇴하고 고향에서 후진 교육(後進敎育)에 힘썼음. 학문이 해박(該博)하여 황종희(黃宗羲)·황백가(黃百家) 부자(父子)가 미완성(未完成)으로 남긴 송원학안(宋元學案)을 수정 증보(修正增補)하여 완성(完成)시켰음. 그의 시문집(詩文集)으로 〈길기정집(鮚埼亭集)〉이 있음.
[全紙 전지] 온장의 종이.
[全智 전지] 온전한 슬기. 모든 일에 통달한 지혜.
[全知全能 전지전능] 완전무결한 지식(知識)과 능력(能力). 곧, 모두 알고 모두 행할 수 있는 신불(神佛)의 지능.
[全眞 전진] 자기의 천성을 완전히 보전(保全)함.
[全帙 전질] 한 질로 된 책의 전부.
[全集 전집] 한 사람의 저작(著作) 또는 부류(部類) 혹은 같은 시대에 속하는 저작을 모두 모아서 만든 책.
[全體 전체] 온통. 전부.
[全村 전촌] 온 마을.
[全治 전치] 병을 완전히 고침.
[全稱 전칭] 논리(論理)에서 주사(主辭)의 모든 범위에 걸치는 말. '모든 사람은 죽는다.'에서 '모든' 따위.
[全快 전쾌] 병이 완전히 나음.
[全託 전탁] 어떤 일을 전부 남에게 부탁함.
[全通 전통] ㉠길이 모두 통함. ㉡온갖 이치에 모두 통달함.
[全敗 전패] 한 번도 이기지 못하고 모조리 패함.
[全篇 전편] ㉠시문(詩文)의 전부. ㉡책의 전체.
[全廢 전폐] 아주 없애 버림.
[全幅 전폭] ㉠한 폭(幅)의 전부. ㉡전부.
[全豹 전표] 전체. 전체의 모양. 표범의 가죽의 한 반점(斑點)을 보고 표범인 것을 안다는 고사(故事)에서 나온 말로, 속(俗)에 일반(一斑)은 일부분, 전표(全豹)는 전체의 뜻으로 쓰임.
[全形 전형] ㉠전체(全體)의 형상. ㉡완전한 형상.
[全護 전호] 보전하여 지킴.
[全渾 전혼] 완전함. 온전함.
[全活 전활] ㉠몸을 온전히 하여 삶. ㉡살려 목숨을 온전하게 함.
[全休 전휴] 온종일을 쉼.
◉大全. 萬全. 保全. 純全. 十全. 雙全. 安全. 兩全. 穩全. 瓦全. 完全. 自全. 周全. 忠孝兩全.

6 ⑧ [兩] 中·人 량 ㊤養 良獎切 liǎng ㊍漾 力讓切 liàng 两

筆順 一 丅 冂 帀 币 兩 兩 兩

字解 ①두 량 ㉠둘. 하나의 갑절. '一人'. '一分'. '拔劍擊斬蛇, 蛇遂爲一'《史記》. ㉡비견할 만한 것. 동등한 것. '於人臣無一'《史記》. ②짝 량 쌍(雙). '一眼'. '一猶耦也'《周禮 註》. ③필(匹) 량 포백(布帛)의 길이. 필은 2단(端), 단(端)은 1장(丈) 8척(尺), 또는 2장(丈). '重錦三十一'《左傳》. ④양(兩) 량 ㉠중량(重量)의 단위의 하나. 곧, 24수(銖). '斤一'. ㉡중국 및 대한 제국(大韓帝國)의 화폐 단위의 하나. 곧, 10전(錢). ⑤스물다섯사람 량 군대의 편제(編制)에서 25인의 일컬음. '五人爲伍, 五伍爲一'《周禮》. ⑥수레 량 수레의 수효. 輛(車部 八畫)과 同字. '百一御之'《詩經》.

字源 金文 金文 篆文 象形. 저울의 두 개의 추의 상형. '둘'의 뜻을 나타냄. 또, 가차(假借)하여, 무게의 단위로도 씀.

參考 両(一部 五畫)은 俗字.

[兩家 양가] 두 편의 집.
[兩脚 양각] 두 다리.
[兩脚書廚 양각서주] 두 다리의 책장이라는 뜻으로, 책을 많이 읽었으나, 이를 활용할 줄 모르는 사람.
[兩脚野狐 양각야호] 발이 둘인 여우. 간사하고 아첨 잘하는 사람을 욕하는 말.
[兩間 양간] 하늘과 땅 사이. 하늘 밑.
[兩肩 양견] 두 어깨. 쌍견(雙肩).
[兩京 양경] ㉠한(漢)나라의 서경(西京)〈장안(長安)〉과 동경(東京)〈낙양(洛陽)〉. ㉡당(唐)나라의 장안(長安)과 낙양(洛陽). ㉢송(宋)나라의 동경(東京)〈개봉부(開封府)〉과 서경(西京)〈하남부(河南府)〉.
[兩界 양계] ㉠《佛敎》 밀교(密敎)의 금강계(金剛界)와 태장계(胎藏界). ㉡고려(高麗) 현종(顯宗) 때 정한 지방 행정 구역. 곧, 지금의 함경 남북도의 동계(東界)와 평안 남북도의 서계(西界).
[兩觀 양관] 대궐 문 좌우에 있는 망루(望樓).
[兩句三年得 양구삼년득] 당(唐)나라의 가도(賈島)가 '獨行潭底影, 數息池邊身'의 두 구(句)를 3년을 걸려 지었다는 고사에서, '시작(詩作)의 어려움'을 이름.

[兩國 양국] 두 나라.
[兩君 양군] 두 나라의 임금. 두 사람의 임금.
[兩軍 양군] 양편의 군대.
[兩極 양극] ㉠남극(南極)과 북극(北極). ②음극(陰極)과 양극(陽極).
[兩衾 양금] 신랑 신부의 금침(衾枕).
[兩岐 양기] 두 갈래.
[兩難 양난] 이것도 저것도 하기 어려움.
[兩年 양년] 두 해. 이태.
[兩袒 양단] 양쪽 소매를 다 벗음.
[兩端 양단] ㉠두 끝. 서로 상반하는 두 극단. ㉡처음과 끝. 본말(本末). 수미(首尾). ㉢두 가지 마음. 이심(異心). ㉣두 가지 일.
[兩斷 양단] 하나를 둘로 자름. 둘로 끊음.
[兩堂 양당] 남의 부모(父母)의 존칭.
[兩度 양도] 두 번.
[兩都賦 양도부] 한(漢)나라 반고(班固)가 지은 서도(西都)〈장안(長安)〉부(賦)와 동도(東都)〈낙양(洛陽)〉부(賦). 〈문선(文選)〉에 수록되어 전함.
[兩頭 양두] ㉠두 줄. ㉡양쪽 끝. ㉢두 머리. 머리 「둘.
[兩頭蛇 양두사] 양쪽 끝에 머리가 하나씩 달린 뱀. 이것을 보는 사람은 죽는다고 함. 〈가의신서(賈誼新書)〉에 손숙오(孫叔敖)가 여러 사람을 위하여 이것을 죽였다는 고사(故事)가 있음.
[兩豆塞耳不聞雷霆 양두색이불문뇌정] 두 알의 콩으로 귀를 막으면 우렛소리도 들리지 않는다는 뜻으로, 마음이 물욕(物慾)에 가리워지면 도리(道理)를 분별할 수 없음을 비유하는 말.
[兩得 양득] 한 가지 일을 하여 두 가지 이득을 봄. 일거양득(一擧兩得).
[兩兩 양량] 둘씩. 둘이 모두.
[兩論 양론] 두 가지가 서로 대립되는 의론(議論).
[兩輪 양륜] 수레의 두 바퀴. 전(轉)하여, 서로 떨어져서는 구실을 못하는 것의 비유.
[兩立 양립] 둘이 함께 섬. 쌍방이 같이 존재함.
[兩麥 양맥] 보리와 밀. 「방면.
[兩面 양면] ㉠앞면과 뒷면. ㉡두 면. ㉢두 가지
[兩髦 양모] 두 갈래로 갈라 양쪽으로 늘어뜨린 어린아이의 머리.
[兩目 양목] 두 눈. 양쪽의 눈. 양안(兩眼).
[兩眉 양미] 두 눈썹.
[兩眉間 양미간] 두 눈썹 사이.
[兩班 양반] 《韓》 동반(東班)과 서반(西班). 전(轉)하여, 상류(上流) 또는 문벌(門閥)이 높은 사람. 또, 그 계급.
[兩般 양반] 두 가지.
[兩方 양방] 양편(兩便). 양쪽.
[兩傍 양방] 두 곁. 좌(左)와 우(右).
[兩璧易似 양벽이사] 양왕(梁王)이 도주공(陶朱公)으로 하여금 두 도리옥을 구별하게 한 고사(故事)로서 〈신서(新序)〉에 나옴. 전(轉)하여, 의심스러운 일에 쓰임.
[兩邊 양변] 두 편. 두 쪽의 가장자리.
[兩鳳連飛 양봉연비] 양봉제비(兩鳳齊飛).
[兩鳳齊飛 양봉제비] 형제가 함께 영달(榮達)함의 비유. 북제(北齊)의 최릉(崔陵)이 그의 아우 중문(仲文)과 함께 같은 날에 재상(宰相)이 된 고사(故事)에서 나온 말.
[兩府 양부] ㉠한대(漢代)의 승상(丞相)과 어사(御史). ㉡송대(宋代)의 중서성(中書省)과 추밀원(樞密院).
[兩部 양부] ㉠두 부분. ㉡음악의 입부(立部)와 좌부(坐部). ㉢《佛教》 밀교(密教)의 태장계(胎藏界)와 금강계(金剛界).
[兩部鼓吹 양부고취] ㉠양부(兩部)의 악기(樂器)를 통틀어서 연주하는 일. ㉡뭇 개구리가 시끄럽게 우는 소리.
[兩分 양분] 둘로 나눔. 「말.
[兩辭 양사] 원고(原告)와 피고(被告)의 양쪽의
[兩三行 양삼행] 두서너 줄. 수행(數行).
[兩三行淚 양삼행루] 두서너 줄을 이루어 떨어지는 눈물. 줄줄 흐르는 눈물. 가도(賈島)의 '三十年來長在客, 兩三行淚忽然垂'에서 나온 말.
[兩色 양색] 두 가지의 빛깔.
[兩色緞 양색단] 청백(靑白)·청홍(靑紅)·홍백(紅白) 등의 두 색으로 짠 비단. 「道).
[兩西 양서] 《韓》 황해도(黃海道)와 평안도(平安
[兩壻 양서] 사위 간의 동서(同壻).
[兩棲類 양서류] 어류(魚類)와 파충류의 중간에 속하는 난생(卵生)의 냉혈 동물(冷血動物). 어릴 때는 수중(水中)에서 살고 커서는 육상(陸上)에서 사는 개구리·도마뱀 따위.
[兩舌 양설] 거짓말. 식언(食言).
[兩性 양성] ㉠남성(男性)과 여성(女性). ㉡양성(陽性)과 음성(陰性).
[兩省 양성] 문하(門下)·중서(中書)의 두 성(省).
[兩性生殖 양성생식] 자웅 양성(雌雄兩性)으로 되는 생식(生殖).
[兩性花 양성화] 한 꽃 속에 자웅(雌雄)의 꽃술을 갖춘 꽃. 매화·도화(桃花) 따위. 양전화(兩全花).
[兩稅 양세] 1년에 두 번 받는 구실. 1년 2기(期)의 조세.
[兩屬 양속] 양쪽에 붙음. 이쪽저쪽에 붙음.
[兩手 양수] 두 손. 쌍수(雙手).
[兩手据地 양수거지] ㉠절을 한 뒤에 두 손을 땅에 대고 꿇어 엎드림. ㉡두 손을 마주 잡고 서 있음.
[兩手執餠 양수집병] 두 손에 떡을 쥐고 있듯이, 가지기도 어렵고 버리기도 어려운 경우를 이르는 말.
[兩失 양실] 두 가지 일을 다 잃거나 실패함.
[兩心 양심] ㉠두 가지 마음. 이심(異心). ㉡순수하지 않은 마음.
[兩握 양악] 좌우 두 손의 주먹. 두 주먹.
[兩眼 양안] 좌우(左右)의 두 눈.
[兩腋 양액] 양쪽 겨드랑이.
[兩樣 양양] 두 가지 모양.
[兩楹 양영] 당상(堂上)의 동서(東西)에 있는 두 개의 큰 기둥.
[兩曜 양요] 해와 달.
[兩用 양용] 쌍방을 다 씀. 또, 두 가지 용도.
[兩雄不俱立 양웅불구립] 두 영웅(英雄)이 같이 존재할 수는 없어 반드시 양자 사이에 싸움이 일어나 한쪽이 패(敗)하고야 만다는 뜻.
[兩院 양원] 상원(上院)과 하원(下院).
[兩位 양위] 《佛教》 죽은 부부(夫婦).
[兩意 양의] ㉠두 가지 마음. 이심(異心). ㉡두 가지 뜻.
[兩儀 양의] ㉠하늘과 땅. ㉡음(陰)과 양(陽).
[兩翼 양익] ㉠양쪽의 날개. ㉡중군(中軍)의 좌우 양쪽에 있는 군대.
[兩人 양인] 두 사람.
[兩刃 양인] 쌍날.
[兩日 양일] 두 날. 이틀.

[兩杖鼓 양장고] 갈고(羯鼓)의 별칭(別稱).
[兩全 양전] 두 가지가 다 온전함.
[兩浙 양절] 절동(浙東)〈전당강(錢塘江) 이남〉과 절서(浙西)〈전당강 이북〉.
[兩制 양제] 송대(宋代)의 한림학사(翰林學士) 및 지제고(知制誥)를 이름. 한림학사는 내제(內制), 지제고는 외제(外制)를 맡음.
[兩造 양조] 죄인과 증인(證人). 원고(原告)와 피고(被告). 조(造)는 지(至), 법정(法廷)에 이른다는 뜻.
[兩造具備 양조구비] 원고와 피고 두 사람의 소송의 증거가 구비됨.
[兩足 양족] 좌우(左右)의 발. 두 발.
[兩肘 양주] 양쪽 팔꿈치.
[兩周 양주] 서주(西周)와 동주(東周). 또, 서주의 서울 호(鎬)와 동주의 서울 낙(洛).
[兩地 양지] 두 곳. 두 지방.
[兩晉 양진] 서진(西晉)과 동진(東晉).
[兩陣 양진] 서로 대하고 있는 진(陣).
[兩次 양차] 두 번.
[兩處 양처] 두 곳.
[兩親 양친] 아버지와 어머니.
[兩統 양통] 두 혈통(血統). 두 계통(系統).
[兩便 양편] 양쪽이 다 편함.
[兩河 양하] 허난(河南)과 허베이(河北).
[兩漢 양한] 전한(前漢)과 후한(後漢).
[兩虎 양호] 두 마리의 범. 곧, 두 사람의 영웅(英雄)을 이름.
[兩虎相鬪 양호상투] 두 영웅(英雄) 또는 두 강대국(強大國)이 서로 싸우는 것을 비유(譬喩)하는 말.
[兩虎爭 양호쟁] 양호상투(兩虎相鬪).
[兩淮 양회] 화이난(淮南)과 화이베이(淮北).
◉斤兩. 罔兩. 銖兩. 儲兩. 參兩.

7 ⑨ [兪] [人名] 유 [平]虞 羊朱切 yú 俞 

[筆順] 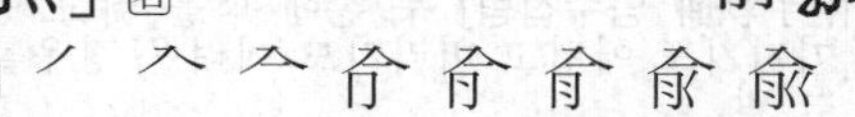

[字解] ①그러할 유 그렇다고 승낙(承諾)하는 말. '一允'. '帝曰一'《書經》. ②응답할 유 대답하는 소리. 예. '男唯女一'《禮記》. ③더욱 유 愈(心部 九畫)와 同字. '一務一遠'《荀子》. ④나아갈 유 '民一勤農'《漢書》. ⑤마상이 유 통나무배. 독목주(獨木舟). '一, 空中木爲舟也'《說文》. ⑥성 유 성(姓)의 하나.
[字源] 金文 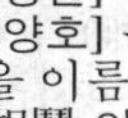 篆文 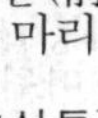 會意. 亼+舟. '亼유'는 나무를 파서 도려내기 위한 연장의 상형. '舟주'는 배의 상형. '마상이'의 뜻. 전하여, '나아가다, 더욱'의 뜻도 나타냄.
[參考] ①俞(人部 七畫)는 俗字. ②성씨(姓氏)로서는, 속(俗)에 파자(破字)하여, '인월도(人月刀)유'라 이름.

[兪騎 유기] 앞장서서 인도하는 기병(騎兵). 선도(先導)의 기병.
[兪兒 유아] ㉠황제 시대(黃帝時代)의 일류 요리인(料理人). ㉡신(神)의 이름.
[兪樾 유월] 청대(淸代)의 학자. 덕청(德淸) 사람. 자(字)는 음보(蔭甫). 호(號)는 곡원(曲園). 경학(經學)에 능하였으며, 저서에 〈춘재당전집(春在堂全集)〉이 있음.
[兪兪 유유] 온화하고 공손한 모양. 조용하고 공손한 모양.
[兪允 유윤] 허락함. 허락.
[兪扁之門 유편지문] 명의(名醫)의 문하(門下). 유편지술(兪扁之術) 참조.
[兪扁之術 유편지술] 옛날 명의(名醫) 유부(兪跗)와 편작(扁鵲)의 의술. 전(轉)하여, 명의(名醫)의 치료(治療)를 이름.

八 (2획) 部
[여덟팔부]

0 ② [八] [中人] 팔 [入]點 博拔切 bā 

[筆順] ノ 八

[字解] ①여덟 팔 일곱에 하나를 보탠 수. '一音'. '一道'. '天七, 地一'《易經》. ②여덟번 팔 8회. '一戰一克'《後漢書》. ③성 팔 성(姓)의 하나.
[字源] 甲骨文 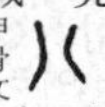 金文  篆文  가차 捌 象形. 둘로 나누어져 있는 것의 모양을 본떠, '나뉘다'의 뜻을 나타냄. 가차(假借)하여, '여덟'의 뜻으로 쓰임.
[參考] ①금전(金錢)을 기록할 때에는, 글씨를 고쳐 쓰는 일을 방지하기 위하여 '八' 대신 음이 같은 '捌팔'을 쓰는 수가 있음. ②부수(部首)로서의 '八'에는 공통되는 특정한 뜻은 없고, 정리상(整理上) 부수로 세워진 것임. 자형(字形)의 아랫부분의 '八'은 '廾공'(양손으로 받들다)의 변형(變形)이며, '典전'의 경우는 '丌기'(물건을 얹어 놓는 상)의 꼴을 바탕으로 함.

[八思巴 파스파] 원대(元代)의 라마교(喇嘛教)의 중. 세조(世祖)의 토번(吐蕃) 정벌(征伐) 때 따라서 연경(燕京)에 들어와 정교(政教)의 고문(顧問)이 되었으며, 칙명(勅命)에 의(依)하여 서장 문자(西藏文字)에 의거(依據)한 몽고 문자(蒙古文字)를 제정(制定)했음.
[八家文 팔가문] 당송 팔대가(唐宋八大家)의 문장. 그것을 편집한 것으로 명(明)나라 모곤(茅坤)의 〈당송팔가문초(唐宋八家文鈔)〉, 청(淸)나라 심덕잠(沈德潛)의 〈당송팔가문독본(唐宋八家文讀本)〉이 있음.
[八角 팔각] 여덟 개의 모.
[八凱 팔개] 팔개(八愷).
[八愷 팔개] '팔원팔개(八元八愷)'를 보라.
[八景 팔경] 어느 지역에 있어서의 경치가 좋은 여덟 곳. 그중에서 가장 저명한 것은 후난 성(湖南省) 동정호(洞庭湖) 남안(南岸)에 있는 소상팔경(瀟湘八景)으로서 '강천모설(江天暮雪)·소상야우(瀟湘夜雨)·산시청람(山市晴嵐)·원포귀범(遠浦歸帆)·연사만종(煙寺晩鐘)·평사낙안(平沙落雁)·어촌석조(漁村夕照)·동정추월(洞庭秋月)'임.
[八戒 팔계] 《佛敎》 우바새(優婆塞)와 우바이(優婆夷)가 지켜야 할 여덟 가지 계(戒). 곧, 불살생계(不殺生戒)·불투도계(不偸盜戒)·불사음계(不邪婬戒)·불망어계(不妄語戒)·불음주계(不飮酒戒)〈이상은 오계(五戒)〉·부좌고광대상계(不坐高廣大牀戒)·불착화만영락계(不着花鬘

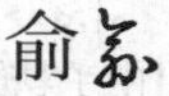

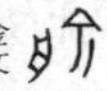

瓔珞戒)·불습가무희락계(不習歌舞戲樂戒)〈이상은 삼계(三戒)〉.

[八股 팔고] 팔고문(八股文).

[八苦 팔고]《佛教》인생(人生)의 여덟 가지 괴로움. 곧, 생고(生苦)·노고(勞苦)·병고(病苦)·사고(死苦)·애별리고(愛別離苦)·원증회고(怨憎會苦)·구부득고(求不得苦)·오음성고(五陰盛苦).

[八顧 팔고] 후한(後漢) 영제(靈帝) 때의 명사(名士) 여덟 사람. 곧, 곽태(郭泰)·유유(劉儒)·윤훈(尹勳)·파숙(巴肅)·종자(宗慈)·하복(夏馥)·채연(蔡衍)·양척(羊陟). 고(顧)는 덕행(德行)으로써 사람을 애고(愛顧)·교도(教導)한다는 뜻.

[八股文 팔고문] 명(明)나라 중엽 이후 관리 등용 시험에 쓰던 문체(文體). 그 결구(結句)는 대구법(對句法)에 의하여 여덟으로 나뉨.

[八穀 팔곡] 여덟 가지 곡식. 곧, 벼·수수·보리·콩·조·피·기장·깨. 또는, 벼·보리·콩·조·밀·팥·기장·깨.

[八功德水 팔공덕수] 미타여래(彌陀如來)의 극락정토(極樂淨土)의 못의 징정(澄淨)·청랭(淸冷)·감미(甘美)·경연(輕輭)·윤택(潤澤)·안화(安和)·제환(除患)·증익(增益)의 여덟 가지 공덕을 갖추고 있다는 물.

[八關齋戒 팔관재계]《佛教》팔계(八戒).

[八卦 팔괘] 여덟 가지 괘(卦). 곧, 건(乾)(☰)·태(兌)(☱)·이(離)(☲)·진(震)(☳)·손(巽)(☴)·감(坎)(☵)·간(艮)(☶)·곤(坤)(☷). 복희씨(伏羲氏)가 지었다 함. 그 후 주(周)나라 문왕(文王)이 육십사괘를 지어 각 괘(卦)를 설명하는 문구(文句), 곧 괘사(卦辭)를 달았음.

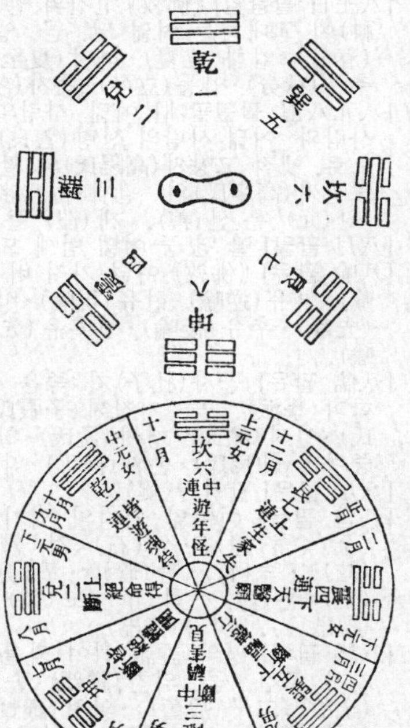

[八卦]

[八紘 팔굉] 사방(四方)과 사우(四隅). 땅의 끝. 팔황(八荒).

[八區 팔구] 팔방(八方)의 구역. 또, 천하(天下).

[八極 팔극] 팔황(八荒).

[八旗 팔기] 청(淸)나라의 병제(兵制)의 일대 조직(一大組織). 태조(太祖)가 제정한 것으로 총군(總軍)을 기(旗)의 빛깔에 따라 편제(編制)한 여덟 부대(部隊). 곧, 정황(正黃)·정백(正白)·정홍(正紅)·정람(正藍)·양황(鑲黃)·양백(鑲白)·양홍(鑲紅)·양람(鑲藍).

[八難 팔난] ㉠여덟 가지의 재난(災難). 곧, 기(飢)·갈(渴)·한(寒)·서(暑)·수(水)·화(火)·도(刀)·병(兵). ㉡《佛教》견불문법(見佛聞法)에 관한 여덟 가지 장난(障難). 곧, 지옥(地獄)·축생(畜生)·아귀(餓鬼)·장수천(長壽天)·북주(北洲)·농맹음아(聾盲瘖啞)·세지변총(世智辯聰)·불전불후(佛前佛後).

[八年兵火 팔년병화] 패공(沛公)과 항우(項羽)의 싸움이 8년 걸린 고사(故事)에서 나온 말로서, 승패(勝敗)가 오래 결정되지 아니함을 이름.

[八年風塵 팔년풍진] 패공(沛公)이 8년을 지낸 뒤에 항우(項羽)를 멸(滅)한 고사(故事)에서 나온 말로, 여러 해 고생을 겪음을 이름.

[八達 팔달] ㉠팔방(八方)에 통함. ㉡교통(交通)이 편리함.

[八代 팔대] ㉠후한(後漢)·위(魏)·진(晉)·송(宋)·제(齊)·양(梁)·진(陳)·수(隋)의 여덟 나라. ㉡삼황 오제(三皇五帝)의 팔세(八世).

[八大家 팔대가] 명(明)나라의 모곤(茅坤)이 정한 당(唐)·송(宋) 2대(代)의 여덟 문장가. 곧, 당나라의 한유(韓愈)·유종원(柳宗元), 송나라의 구양수(歐陽修)·소순(蘇洵)·소식(蘇軾)·소철(蘇轍)·증공(曾鞏)·왕안석(王安石). 당송팔대가(唐宋八大家).

[八代史 팔대사] 진서(晉書)·송서(宋書)·제서(齊書)·양서(梁書)·진서(陳書)·주서(周書)·수서(隋書)·당서(唐書)의 여덟 가지 사서(史書).

[八大龍王 팔대용왕]《佛教》팔체(八體)의 용왕(龍王). 곧, 난타(難陀)·발난타(跋難陀)·사가라(娑伽羅)·화수길(和修吉)·덕차가(德叉迦)·아나파달다(阿那婆達多)·마나사(摩那斯)·우발라(優鉢羅).

[八大地獄 팔대지옥]《佛教》염부제(閻浮提)의 남쪽 일도(日道)의 아래에 있는 여덟 큰 지옥(地獄). 곧, 등활(等活)·흑승(黑繩)·중합(衆合)·규환(叫喚)·대규환(大叫喚)·초열(焦熱)·대초열(大焦熱)·무간(无間). 팔열 지옥(八熱地獄).

[八德 팔덕] ㉠좌(左)·우(右)·윤(倫)·의(義)·분(分)·변(辯)·경(競)·쟁(爭)의 여덟 가지를 이름. ㉡여덟 가지의 덕(德). 곧, 인(仁)·의(義)·예(禮)·지(智)·충(忠)·신(信)·효(孝)·제(悌).

[八道 팔도]《韓》대한 제국 시대의 여덟 도. 곧, 경기도(京畿道)·충청도(忠淸道)·경상도(慶尙道)·전라도(全羅道)·강원도(江原道)·황해도(黃海道)·평안도(平安道)·함경도(咸鏡道).

[八斗才 팔두재] 시문(詩文)에 가장 탁월하고 민첩한 천하 무쌍의 재주.

[八屯 팔둔] 한대(漢代)에 궁문(宮門)을 지키던 호위병(護衛兵). 여덟 대(隊)로 나뉘었으므로 이름.

[八蠻 팔만] 남방(南方)의 여덟 오랑캐. 곧, 천축(天竺)·해수(咳首)·초요(僬僥)·기종(跂踵)·천흉(穿胸)·담이(儋耳)·구지(狗軹)·방척(旁脊).

[八萬大藏經 팔만대장경]《佛教》대장경(大藏經)에 8만 4천의 법문(法門)이 있으므로 일컫는 말.

[八萬四千 팔만사천]《佛教》번뇌(煩惱)의 수(數)가 8만 4천인데, 이를 제거(除去)하기 위한 법문(法門)도 역시 8만 4천이 있다고 함.

[八面 팔면] 여덟 방면. 전(轉)하여, 모든 방면.

[八面玲瓏 팔면영롱] 팔방 어느 쪽에서 보아도 밝고 투명함.

[八面六臂 팔면육비] 여덟 개의 얼굴과 여섯 개의 팔. 전(轉)하여, 전후좌우(前後左右)에서 오는

적(敵) 또는 사물에 대해 날쌔게 응(應)할 수 있음을 이름.

[八方 팔방] 사방(四方)과 사우(四隅). 곧, 동·서·남·북·동북·동남·서북·서남. 전(轉)하여, 여러 방위.

[八方美人 팔방미인] ㉠어느 모로 보아도 아름다운 미인(美人). ㉡누구에게나 두루 곱게 보이게 처세(處世)하는 사람. ㉢여러 방면에 능한 사람.

[八方塞 팔방색] 음양가(陰陽家)에서 어느 방향(方向)이나 다 불길(不吉)함을 이름.

[八方天 팔방천]《佛敎》하늘을 여덟 방각(方角)으로 나눈 이름. 곧, 제석천(帝釋天, 東方)·이사나천(伊舍那天, 東北)·염마천(閻魔天, 南方)·화천(火天, 東南)·수천(水天, 西方)·나찰천(羅刹天, 西南)·비사문천(毘沙門天, 北方)·풍천(風天, 西北).

[八法 팔법] ㉠주대(周代)의 관부(官府)를 다스리는 여덟 가지 법제(法制). 곧, 관속(官屬)·관직(官職)·관련(官聯)〈관직의 연락〉·관상(官常)〈각관(各官)의 상식(常識)〉·관성(官成)〈관부의 품식(品式)〉·관법(官法)〈소관(所管)의 법도(法度)〉·관형(官刑)〈소관의 형벌〉·관계(官計)〈관부의 회계〉. ㉡'영자팔법(永字八法)'과 같음.

[八辟 팔벽] 팔의(八議).

[八病 팔병] 작시상(作詩上) 피(避)해야 할 여덟 가지 병폐(病弊). 곧, 평두(平頭)·상미(上尾)·봉요(蜂腰)·학슬(鶴膝)·대운(大韻)·소운(小韻)·정뉴(正紐)·방뉴(旁紐).

[八分 팔분] 서체(書體)의 하나. 예서(隷書)와 전자(篆字)를 절충하여 만들었는데, 예서에서 이분(二分), 전자에서 팔분을 땄기 때문이라고도 하고, 혹은 그 체(體)가 팔 자(八字)를 분산(分散)한 것 같기 때문이라고도 함.

〔八分〕

[八邪 팔사] 사람 몸을 해(害)치는 여덟 가지. 곧, 풍(風)·한(寒)·서(暑)·습(濕)·기(飢)·포(飽)·노(勞)·일(逸).

[八思巴 팔사파] 파스파(八思巴).

[八索九丘 팔삭구구] 고서(古書)를 이름.

[八朔童 팔삭동]《韓》㉠여덟 달 만에 낳은 아이. ㉡사물(事物)의 이해력이 부족한 사람. 곧, 똑똑하지 못한 사람을 조롱(嘲弄)하는 말. 여덟달.

[八相 팔상] ㉠《佛敎》석가의 일생의 경력 중의 여덟 가지 상(相). 곧, 주태(住胎)·영해(嬰孩)·애욕(愛欲)·낙고행(樂苦行)·항마(降魔)·성도(成道)·전법륜(轉法輪)·입멸(入滅). 일설(一說)에는 수태(受胎)·강생(降生)·처궁(處宮)·출가(出家)·성불(成佛)·항마(降魔)·설법(說法)·열반(涅槃)이라고도 함. ㉡위(威)·후(厚)·청(淸)·고(古)·고(孤)·박(薄)·악(惡)·속(俗)의 여덟 가지 인상(人相).

[八象 팔상] 팔괘(八卦)의 상(象). 곧, 건(乾)은 천(天)에, 곤(坤)은 지(地)에, 감(坎)은 수(水)에, 이(離)는 화(火)에, 간(艮)은 산(山)에, 태(兌)는 택(澤)에, 손(巽)은 풍(風)에, 진(震)은 뇌(雷)에 배당함.

[八書 팔서] 사기(史記)의 지류(志類)를 팔 종(八種)으로 분류(分類)한 것. 곧, 예서(禮書)·악서(樂書)·율서(律書)·역서(曆書)·천관서(天官書)·봉선서(封禪書)·하거서(河渠書)·평준서(平準書).

[八仙 팔선] ㉠곤륜 팔선(崑崙八仙). 곧, 종리권(鍾離權)·장과로(張果老)·한상자(韓湘子)·철괴리(鐵拐李)·조국구(曹國舅)·여동빈(呂洞賓)의 여섯 신선과 남채화(藍菜和)·하선고(何仙姑)의 두 여신선(女神仙). ㉡음중 팔선(飮中八仙). 곧, 이백(李白)·하지장(賀知章)·이적지(李適之)·여양왕진(汝陽王璡)·최종지(崔宗之)·소진(蘇晉)·장욱(張旭)·초수(焦遂)의 여덟 문인(文人).

[八識 팔식]《佛敎》오관(五官)과 몸을 통하여 인식할 수 있는 여덟 가지 작용. 곧, 안식(眼識)·이식(耳識)·비식(鼻識)·설식(舌識)·신식(身識)·의식(意識)·분별식(分別識)·장식(藏識).

[八埏 팔연] 팔방(八方)의 끝.

[八熱地獄 팔열지옥] 팔대 지옥(八大地獄).

[八裔 팔예] 팔방(八方)의 아득한 끝.

[八王日 팔왕일]《佛敎》인간의 일을 맡은 제신(諸神)이 교대하는 여덟 날. 곧, 입춘(立春)·춘분(春分)·입하(立夏)·하지(夏至)·입추(立秋)·추분(秋分)·입동(立冬)·동지(冬至).

[八元八愷 팔원팔개] 여덟 사람의 온화(溫和)한 사람과, 여덟 사람의 선량(善良)한 사람이란 뜻으로, 옛적 고양씨(高陽氏)의 팔재자(八才子)와 고신씨(高辛氏)의 팔재자(八才子)의 일컬음. '원(元)'은 선(善), '개(愷)'는 화(和).

[八月 팔월] 일 년 중 여덟 번째 드는 달.

[八喩 팔유]《佛敎》여덟 가지 비유. 곧, 순유(順喩)·역유(逆喩)·현유(現喩)·비유(非喩)·선유(先喩)·후유(後喩)·선후유(先後喩)·편유(徧喩).

[八儒 팔유] 공자(孔子)가 죽은 후 갈라진 여덟 학파(學派). 곧, 자장씨(子張氏)·자사씨(子思氏)·안씨(顔氏)·맹씨(孟氏)·칠조씨(漆雕氏)·중량씨(仲良氏)·손씨(孫氏)·악정씨(樂正氏).

[八垠 팔은] 팔연(八埏).

[八音 팔음] ㉠여덟 가지의 악기(樂器). 곧, 금(金)〈종(鐘)〉·석(石)〈경(磬)〉·사(絲)〈현(絃)〉·죽(竹)〈관(管)〉·포(匏)〈생(笙)〉·토(土)〈훈(壎)〉·혁(革)〈고(鼓)〉·목(木)〈축어(柷敔)〉. ㉡악기(樂器).

[八議 팔의] 평의(評議)하여 죄를 감면하는 여덟 가지 조건. 곧, 의친(議親)〈종실(宗室)〉·의고(議故)〈고구(故舊)〉·의현(議賢)·의능(議能)·의공(議功)·의귀(議貴)·의근(議勤)·의빈(議賓).

[八殥 팔인] 팔연(八埏).

[八人轎 팔인교] 여덟 사람이 메는 교자(轎子).

[八佾 팔일] 주대(周代)에 여덟 사람이 여덟 줄로 늘어서서 춤추던 천자(天子)의 무악(舞樂).

[八字 팔자] ㉠성명가(星命家)에서 사람이 난 연(年)·월(月)·일(日)·시(時)의 네 간지(干支)를 이름. 사주(四柱). ㉡《韓》한평생의 운수.

[八字眉 팔자미] 여덟 팔 자(字) 같은 모양으로 난 눈썹.

[八字青山 팔자청산] 미인(美人)의 고운 눈썹을 이름.

[八字打開 팔자타개] 팔자 모양으로 엶. 곧, 아주 명백하게 해명(解明)함.

[八將神 팔장신] 음양도(陰陽道)에서 길흉(吉凶)의 방위(方位)를 맡은 여덟 신(神). 곧, 태세(太

歲)·대장군(大將軍)·태음(太陰)·세형(歲刑)·세파(歲破)·세살(歲煞)·황번(黃幡)·표미(豹尾).
[八災 팔재]《佛教》 선정(禪定)을 방해하는 여덟 가지의 해. 곧, 희(喜)·우(憂)·고(苦)·낙(樂)·심(尋)·사(伺)·출식(出息)·입식(入息).
[八專 팔전] 임자(壬子)에서 계해(癸亥)에 이르는 열이틀 중 축(丑)·진(辰)·오(午)·술(戌)의 나흘을 제외한 8일간의 일컬음. 임(壬)·계(癸)는 다 같이 물을 뜻하므로, 이 기간(期間)에는 비가 많다고 하여 출진(出陣)·혼인(婚姻)을 꺼림.
[八節 팔절] 1년 중 기후가 변하는 여덟 절기. 곧, 춘분(春分)·추분(秋分)·하지(夏至)·동지(冬至)·입춘(立春)·입하(立夏)·입추(立秋)·입동(立冬).
[八正 팔정]《佛教》 견정(見正)·정사유(正思惟)·정어(正語)·정업(正業)·정명(正命)·정정진(正精進)·정념(正念)·정정(正定).
[八政 팔정] 나라를 다스리는 데 여덟 가지 정사(政事). 곧, 식(食)·화(貨)〈농상무(農商務)〉·사(祀)〈제사(祭祀)〉·사공(司空)〈토목척식(土木拓殖)〉·사도(司徒)〈교육(教育)〉·사구(司寇)〈법률 경찰(法律警察)〉·빈(賓)〈외교(外交)〉·사(師)〈군사(軍事)〉.
[八際 팔제] 팔방(八方).
[八座 팔좌] 한대(漢代)에는 육조(六曹)의 상서(尙書)와 일령(一令)·일복(一僕)을, 위대(魏代)에는 오조(五曹)·일령(一令)·이복야(二僕射)를 일컬으며, 수당(隋唐) 이후에는 좌우복야(左右僕射) 및 육상서(六尙書)를 이름.
[八柱 팔주] 대지(大地)를 떠받치고 있다는 여덟 개의 기둥. 곤륜산(崑崙山) 아래에 있다 함.
[八俊 팔준] 후한(後漢)의 뛰어난 여덟 사람. 곧, 이응(李膺)·순욱(荀昱)·두밀(杜密)·왕창(王暢)·유우(劉祐)·위랑(魏朗)·조전(趙典)·주우(朱寓).
[八駿 팔준] 팔준마(八駿馬).
[八駿馬 팔준마] 주(周)나라 목왕(穆王)이 사랑하던 여덟 마리의 준마(駿馬). 곧, 절지(絕地)·번우(翻羽)·분소(奔宵)·초영(超影)·유휘(踰輝)·초광(超光)·등무(騰霧)·협익(挾翼). 또는 적기(赤驥)·도리(盜驪)·백의(白義)·유륜(踰輪)·산자(山子)·거황(渠黃)·화류(華騮)·녹이(綠耳).
[八珍 팔진] ㉠여덟 가지의 진미(珍味). 곧, 순오(淳熬)·순모(淳母)·포돈(炮豚)·포장(炮牂)·도진(擣珍)·지(漬)·오(熬)·간료(肝膋). 또는 용간(龍肝)·봉수(鳳髓)·표태(豹胎)·이미(鯉尾)·악적(鶚炙)·성순(猩脣)·웅장(熊掌)·수락선(酥酪蟬). ㉡맛있는 음식.
[八陣 팔진] 여덟 가지 진(陣). 가장 오랜 것으로는 태고(太古)의 풍후(風后)의 천(天)·지(地)·풍(風)·운(雲)·용(龍)·호(虎)·조(鳥)·사(蛇)이고, 가장 유명한 것으로는 제갈량(諸葛亮)의 동당(洞當)·중황(中黃)·용등(龍騰)·조상(鳥翔)·연횡(連衡)·악기(握機)·호익(虎翼)·절충(折衝)임.
[八耋 팔질] 여든 살.
[八叉手 팔차수] 여덟 번 깍지 끼고 팔운(八韻)을 지은 온정균(溫庭筠)의 고사(故事). 전(轉)하여, 시문(詩文)을 빨리 짓는 비상한 재주를 이름.
[八尺長身 팔척장신] 팔 척의 큰 키. 장대(壯大)한 사람의 몸.
[八體 팔체] ㉠진(秦)나라 시대에 있었던 여덟 가지의 서체(書體). 곧, 대전(大篆)·소전(小篆)·각부(刻符)·충서(蟲書)·모인(摹印)·서서(署書)·수서(殳書)·예서(隸書). ㉡후세(後世)에 행하여진 여덟 가지의 서체. 곧, 고문(古文)·대전(大篆)·소전(小篆)·예서(隸書)·비백(飛白)·팔분(八分)·행서(行書)·초서(草書).
[八草 팔초] 한방(漢方)에서 쓰이는 창포(菖蒲)·애엽(艾葉)·차전(車前)·하엽(荷葉)·창용(蒼茸)·인동(忍冬)·마편(馬鞭)·번루(蘩蔞)의 여덟 가지 약초(藥草).
[八則 팔칙] 제사(祭祀)·법칙(法則)·폐치(廢置)·녹위(祿位)·부공(賦貢)·예속(禮俗)·형상(刑賞)·전역(田役).
[八八 팔팔] 팔과 팔을 곱한 수(數). 곧, 육십사.
[八表 팔표] 팔방(八方)의 끝. 먼 곳.
[八風 팔풍] ㉠팔방(八方)의 바람. 곧, 염풍(炎風)〈東北〉·조풍(條風)〈東方〉·경풍(景風)〈東南〉·거풍(巨風)〈南方〉·양풍(涼風)〈西南〉·요풍(飂風)〈西方〉·여풍(麗風)〈西北〉·한풍(寒風)〈北方〉. ㉡《佛教》 인심(人心)을 선동(煽動)하는 여덟 가지의 사정. 곧, 이(利)·쇠(衰)·훼(毁)·예(譽)·칭(稱)·기(譏)·고(苦)·낙(樂).
[八寒地獄 팔한지옥]《佛教》 여덟 가지의 몹시 추운 지옥(地獄). 곧, 알부타(頞部陀)·이라부타(尼剌部陀)·알찰타(頞哳陀)·학학파(臛臛婆)·호호파(虎虎婆)·올발라(嗢鉢羅)·발특마(鉢特摩)·마가발특마(摩訶鉢特摩).
[八垓 팔해] 팔방(八方)의 끝. 팔황(八荒).
[八解 팔해]《佛教》 팔해탈(八解脫)의 약어(略語). 번뇌(煩惱)에서 해탈하는 여덟 가지 선정(禪定)을 이름.
[八刑 팔형] 주대(周代)의 여덟 가지 형벌(刑罰). 곧, 불효(不孝)·불목(不睦)·불인(不婣)·부제(不弟)·불임(不任)·불휼(不恤)·조언(造言)·난민(亂民)에 대한 형(刑).
[八荒 팔황] 팔방(八方)의 끝. 먼 곳.
◉臘八. 亡八. 望八. 三八. 音八. 二八. 丈八. 鬪八.

2 ④ [公] 中人 공 ㊥東 古紅切 gōng

筆順 ノ 八 公 公

字解 ①공변될 공 공평무사함. '一正'. '一明'. '何可以一論'《淮南子》. ②한가지 공 공동(共同). '大道之行天下爲一'《禮記》. ③공 공 여러 사람에게 관계되는 일. 전(轉)하여, 바른 일. '私'의 대(對). '一安'. '一益'. '以一滅私'《書經》. ④드러낼 공 숨기지 않고 발표함. '一開'. '一表'. '一言之'《史記》. ⑤공작 공 ㉠오등작(五等爵)의 첫째. '一侯伯子男'. '庸建爾于上一'《書經》. ㉡천자(天子)의 보필. '一卿'. '玆惟三一'《書經》. ⑥관무 공 벼슬아치의 직무. '一職'. '夙夜在一'《詩經》. ⑦마을 공 조정. 관청. '退食自一'《詩經》. ⑧임금 공 천자. 군주. '掌一墓之地'《周禮》. ⑨제후 공 열후(列侯). '一行下衆'《國語》. ⑩주인 공 자기가 섬기는 사람. '吾一在壑谷'《左傳》. ⑪어른 공 장자(長者)의 존칭(尊稱). '此六七一皆亡恙'《漢書》. ⑫그대 공 동배(同輩)의 호칭(呼稱). '一等碌碌'《史記》. ⑬아버님 공 부친의 존칭. '家一執席'《列子》. ⑭시아버님 공 시아버지의 존칭. '與一併倨'《列子》. ⑮공 공

功(力部 三畫)과 통용. '王一伊濯'《詩經》. ⑯성 공 성(姓)의 하나.

字源 甲骨文 金文 篆文 指事. '八팔'은 통로(通路)의 상형. '口'는 어떤 특정한 장소를 나타냄. 제사를 지내는 광장의 뜻에서, 공공(公共)의 뜻을 나타냄.

[公家 공가] ㉠조정(朝廷). 또, 왕실(王室). 황족(皇族). ㉡《佛教》중이 절[寺]을 일컫는 말.
[公暇 공가] 공공(公共)의 휴가(休暇).
[公刊 공간] 책을 간행하여 널리 폄.
[公幹 공간] 관청의 사무. 공사(公事).
[公彊 공강] 공평(公平)하고 굳셈.
[公開 공개] 방청(傍聽)·관람(觀覽) 또는 집회(集會) 등을 일반에게 허용함.
[公開狀 공개장] 본인(本人)에게 직접 통지하지 아니하고 신문·잡지 등을 이용하여 일반 공중에게 알게 하는 글.
[公據 공거] ㉠공공연히 웅거(雄據)함. ㉡공공(公共)의 의거(依據)하는 곳.
[公格 공격] 공직(公職)에 관한 격식.
[公決 공결] 공정하게 결정함.
[公潔 공결] 공정하고 결백함.
[公卿 공경] 삼공(三公)과 구경(九卿). 전(轉)하여, 고위 고관(高位高官).
[公告 공고] 세상 사람에게 널리 알림.
[公共 공공] ㉠사회의 여러 사람과 같이함. ㉡공중(公衆). 일반 사회.
[公共團體 공공단체] 공법상(公法上)의 의무를 담당하는 법인(法人) 단체.
[公共物 공공물] 여러 사람이 다 같이 사용할 수 있는 물건.
[公共事業 공공사업] 여러 사람을 위하여 하는 사업.
[公課 공과] ㉠관청의 일. 공무(公務). ㉡관청에서 개인에게 과하는 세금 및 기타의 부담.
[公館 공관] 지방의 관사(官舍).
[公槐 공괴] 삼공(三公)의 지위. 삼괴(三槐) 참조.
[公宮 공궁] 왕후(王侯)의 궁전(宮殿). 또, 천자(天子)의 집안.
[公權 공권] 공법상(公法上) 국민이 소유하는 권리.
[公隙 공극] 공무(公務)의 여가(餘暇).
[公金 공금] 정부(政府) 또는 공공단체(公共團體)의 소유로 있는 돈.
[公器 공기] ㉠공공(公共)의 기관. ㉡사회의 공유물(公有物).
[公納 공납] 국고(國庫)로 수입되는 조세(租稅).
[公旦 공단] 주(周)나라 무왕(武王)의 아우 주공(周公) 단(旦)의 약칭(略稱).
[公談 공담] ㉠공무(公務)에 관한 말. ㉡공평한 말.
[公堂 공당] 공무(公務)를 보는 곳.
[公德 공덕] ㉠사(私)가 없는 덕(德). ㉡공중(公衆)에 대한 도덕.
[公盜 공도] 관공리(官公吏)가 그 지위(地位)를 이용하여 사리(私利)를 취함을 욕하는 말.
[公道 공도] ㉠공평한 도리(道理). 당연한 이치(理致). 바른길. ㉡공중이 통하는 길. 공로(公路).
[公同 공동] 여럿이 같이함.
[公力 공력] ㉠공역(公役). ㉡개인 또는 단체(團體)를 강제하여 복종시키는 국가 및 사회의 권력(權力).
[公廉 공렴] 공평(公平)하고 염결(廉潔)함.
[公路 공로] 여러 사람이 통행(通行)하는 길.
[公論 공론] ㉠만인(萬人)이 정당하다고 하는 의견. ㉡공평한 언론(言論).
[公廩 공름] 관(官)의 쌀 창고(倉庫). 정부(政府)의 쌀 곳간.
[公吏 공리] ㉠벼슬아치. 관리. ㉡공공단체의 일을 보는 사람.
[公利 공리] 공공(公共)의 이익.
[公理 공리] ㉠모든 사람이 정당하다고 인정하는 도리(道理). ㉡수학(數學)에서, 증명을 필요로 하지 않고도 자명한 진리.
[公立 공립] 공공단체에서 설립(設立) 또는 유지(維持)함.
[公賣 공매] 입찰(入札). 경매(競賣)하여 팖.
[公明正大 공명정대] 공평하고 올발라 사사로움이 없음.
[公募 공모] 널리 공개하여 모집함.
[公務 공무] 국가 또는 공공단체의 사무.
[公文 공문] ㉠관청(官廳)에서 내는 문서. ㉡공사(公事)에 관한 서류(書類).
[公門 공문] ㉠대궐의 문. ㉡관아(官衙)의 문.
[公文書 공문서] 공무(公務)에 관한 서류(書類).
[公物 공물] 국가 또는 공공단체의 물건.
[公民 공민] 공민권이 있는 주민(住民).
[公民教育 공민교육] 공민으로서 사회생활에 필요한 교양을 체득하는 교육.
[公民權 공민권] 공민이 가진 권리. 국회 또는 지방의회의 선거권이 있어 정치에 참여하는 지위 혹은 자격.
[公發 공발] 널리 일반에게 발표함.
[公方 공방] 사(私)가 없이 공정(公正)함. 정직무사(正直無私)함.
[公倍數 공배수] 두 개 이상의 정수(整數)에 공통한 배수(倍數).
[公法 공법] ㉠공공(公共)의 규칙. ㉡권력관계(權力關係) 또는 통치 관계(統治關係)를 규정하여 놓은 법률.
[公報 공보] ㉠일반 국민에게 알리는 관청(官廳)의 보고. ㉡관청(官廳)에서 딴 관청에 내는 통신 보고.
[公輔 공보] 삼공(三公)과 보상(輔相).
[公服 공복] 벼슬아치의 제복(制服).
[公僕 공복] 일반 국민에 대한 봉사자라는 뜻으로, 공무원을 일컫는 말.
[公俸 공봉] 위에서 급여하는 녹봉.
[公府 공부] 관부. 관아(官衙).
[公憤 공분] ㉠정의를 위한 분노. ㉡공중(公衆)의 분노.
[公費 공비] 국가 또는 공공단체의 비용.
[公憑 공빙] 궁궐(宮闕)에서 나오는 어음. 주로 금전 수취(受取)의 증거로 발부함.
[公司 공사] 회사(會社).
[公私 공사] ㉠정부와 민간. ㉡공사(公事)와 사사(私事).
[公事 공사] ㉠세상의 사건. ㉡국가 또는 공공단체의 사무.
[公使 공사] ㉠공사(公事)에 씀. 공공(公共)의 사용. ㉡본국 정부를 대표하여 조약(條約)을 맺은 나라에 주재(駐在)하는 제2등의 외교관(外交官).
[公使館 공사관] 공사(公使)가 주재국(駐在國)에서 사무를 보는 곳.
[公上 공상] 임금. 또는, 관가(官家).
[公相 공상] 삼공(三公)과 재상(宰相)의 뜻으로, 최고(最高)의 벼슬을 이름.

[公生明 공생명] 공평한 마음이 있어야만 비로소 밝은 지혜가 생김.
[公署 공서] 관서(官署). 관아(官衙).
[公席 공석] ㉠공사(公事)로 인하여 모인 좌석(座席). ㉡공무(公務)를 보는 좌석.
[公選 공선] ㉠공평히 뽑음. 널리 뽑음. ㉡뭇 사람과 공동하여 뽑음.
[公設 공설] 국가 또는 공공단체에서 설립함.
[公稅 공세] 국가에 바치는 세금.
[公所 공소] 관아. 관청.
[公訴 공소] 검사(檢事)가 특정(特定)의 범죄인(犯罪人)에 대해서 법원(法院)에 그 재판(裁判)을 요구(要求)하는 일.
[公孫 공손] 왕후(王侯)의 손자. 귀족의 자손.
[公孫樹 공손수] 은행나무의 별칭(別稱).
[公孫龍 공손용] ㉠중국 전국(戰國) 시대의 변론가(辯論家). 조(趙)나라 사람. 백마론(白馬論)과 견백론(堅白論)의 논리(論理)로 유명함. 저서에 〈공손용자(公孫龍子)〉 6편이 현존함. ㉡춘추(春秋) 시대의 초(楚)나라 사람. 공자(孔子)의 제자(弟子).
[公孫布被 공손포피] 전한(前漢) 때 사람 공손홍(公孫弘)이 검소하여 삼공(三公)의 지위에 있으면서도 베옷을 입은 고사(故事).
[公孫弘 공손홍] 한대(漢代)의 재상(宰相). 산동(山東) 치천(菑川) 사람. 자(字)는 계(季). 무제(武帝) 때 60세에 처음으로 박사(博士)가 되었는데, 법률(法律)·행정(行政)에 밝고 그 운용(運用)에 있어 유교적(儒敎的) 방책(方策)을 썼으며, 성품이 겸허(謙虛)하였기 때문에 무제(武帝)의 신임을 얻어 누진(累進)하여 벼슬이 승상(丞相)에 이르렀으며, 평진후(平津侯)에 봉후(封侯)되었음. 승상(丞相)으로서 봉후(封侯)된 것은 그가 처음임.
[公誦 공송] 공론(公論)을 좇아 사람을 천거(薦擧)함.
[公示 공시] 널리 일반에게 보임.
[公式 공식] ㉠관청의 의식. ㉡관청에서 규정한 형식. ㉢수량 사이의 일반적 관계, 또는 계산의 일반적 법칙을 나타낸 식(式).
[公愼 공신] 공평하고 신중함.
[公室 공실] 공가(公家).
[公實 공실] 공평하고 진실함.
[公心 공심] 공변된 마음.
[公衙 공아] 마을. 관청(官廳).
[公安 공안] 공중(公衆)의 안녕질서.
[公案 공안] ㉠관아(官衙)의 조서(調書). ㉡선종(禪宗)에서 제자에게 내어 추구(推究)하게 하는 문제.
[公眼 공안] 공중의 공평하게 보는 눈.
[公約 공약] ㉠공법상(公法上)의 계약. ㉡사회에 대하여 이행(履行)하는 약속(約束).
[公約數 공약수] 둘 이상의 정수(整數)나 정식(整式)에 공통되는 약수(約數).
[公壤 공양] 관유지(官有地).
[公羊傳 공양전] 책명(冊名). 11권. 제(齊)나라의 공양고(公羊高)가 지은, 〈춘추(春秋)〉의 주해(註解). 〈좌씨전(左氏傳)〉·〈곡량전(穀梁傳)〉과 합하여 춘추(春秋)의 삼전(三傳)이라 함.
[公養之仕 공양지사] 임금의 우대(優待)에 감동하여 어진 사람이 출사(出仕)하는 일.
[公羊學 공양학] 공양전(公羊傳) 및 하휴(何休)가 주석(註釋)한 춘추 삼세(春秋三世)의 설(說)을 진화론(進化論)에 의하여 푼 학설. 또, 그 학파. 청대(淸代)에 일어났음.
[公言 공언] ㉠공개(公開)하여 말함. 숨김없이 말함. 명언(明言). ㉡일반에게 통용되는 말.
[公餘 공여] 공무의 여가. 공극(公隙).
[公役 공역] 부역(賦役).
[公然 공연] 드러내 놓는 모양. 숨기지 않는 모양.
[公演 공연] 음악·극(劇)·무용(舞踊) 따위를 공개하여 연출(演出)함.
[公用 공용] ㉠세상에서 널리 사용함. ㉡공적(公的)으로 사용함. ㉢관아(官衙)의 비용.
[公園 공원] ㉠관유(官有)의 동산. ㉡여러 사람의 보건·교화(敎化)·휴양(休養)·소요(逍遙)·행락(行樂)을 위하여 만들어 놓은 동산.
[公有 공유] 국가 또는 공공단체(公共團體)의 소유.
[公義 공의] 공평한 바른 도의.
[公議 공의] ㉠공평한 의론(議論). ㉡여론(輿論).
[公移 공이] 관아(官衙) 상호 간에 왕래하는 공문(公文).
[公益 공익] 사회와 공중의 이익.
[公益法人 공익법인] 사회 공공(社會公共)의 이익(利益)을 목적으로 하는 종교(宗敎) 단체. 또는 재단(財團)으로서 영리(營利)를 목적으로 하지 않는 법인(法人).
[公人 공인] 공직(公職)의 사람. 벼슬아치.
[公認 공인] 국가 또는 공공단체(公共團體), 정당 등에서 인허(認許)함.
[公子 공자] 귀족의 자제(子弟).
[公子家 공자가] 도박꾼들의 숙소.
[公子王孫 공자왕손] 귀족의 자제.
[公爵 공작] 오등작(五等爵)〈공(公)·후(侯)·백(伯)·자(子)·남(男)〉의 첫째.
[公才公望 공재공망] 정승이 될 만한 재덕(才德)과 인망(人望).
[公儲 공저] 공공(公共)의 저축. 국가에서 저축한 곡식.
[公賊 공적] 공금이나 공물을 훔친 도둑. 공도(公盜).
[公敵 공적] 국가(國家)·사회(社會) 전체의 적(敵).
[公田 공전] ㉠국유(國有)의 전답. ㉡정전(井田)에서 사전(私田)에 둘러싸인 중앙에 있는 전답. 공동으로 경작(耕作)하며, 그 수확(收穫)은 조세(租稅)로 함. 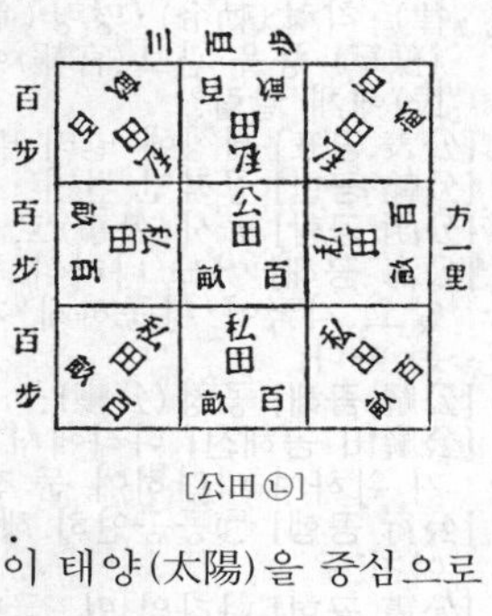
[公典 공전] 공평한 법률.
[公戰 공전] 나라를 위한 싸움.

[公田㉡]

[公錢 공전] 공금(公金).
[公轉 공전] 유성(遊星)이 태양(太陽)을 중심으로 하고 도는 운동.
[公正 공정] ㉠공평하고 바름. ㉡공인(公認)을 받아 바름.
[公廷 공정] 공판정(公判廷).
[公定 공정] 관청(官廳)에서 정함. 공론(公論)에 의하여 정함.
[公租 공조] 정부(政府)에 바치는 조세(租稅).
[公調 공조] 공물(貢物).
[公族 공족] 왕공(王公)의 동족(同族). 제후(諸侯)의 일족(一族).
[公座 공좌] ㉠다수의 사람이 모인 좌석. ㉡공석

(公席).
[公罪 공죄] 공사(公事)에 관하여 범한 죄.
[公主 공주] ㉠천자(天子)의 딸. ㉡《韓》왕후(王后)가 낳은 딸.
[公衆 공중] 사회의 여러 사람들.
[公證 공증] ㉠공적인 증거(證據). ㉡관공리(官公吏)가 직무상(職務上) 어떠한 사실을 증명하는 일. 또, 그 증거.
[公知 공지] 널리 알려짐. 주지(周知).
[公直 공직] 공평하고 정직(正直)함.
[公職 공직] 관청이나 공공단체의 직무(職務).
[公札 공찰] 공사(公事)로 하는 편지. 공함(公函).
[公娼 공창] 국가가 공허(公許)한 창기(娼妓). 사창(私娼)의 대(對).
[公債 공채] 국가(國家)나 공공단체가 지고 있는 빚.
[公薦 공천] ㉠공정한 천거(薦擧). ㉡공중의 천거.
[公牒 공첩] 공사(公事)에 관한 편지.
[公廳 공청] 공무(公務)를 처리하는 집. 관아(官衙). 공해(公廨).
[公聽竝觀 공청병관] 공청(公聽)은 공변되게 여러 사람의 말을 받아들인다는 뜻이고, 병관(竝觀)은 쌍방을 아울러 본다는 뜻임. 곧, 공평(公平)한 태도를 이름.
[公忠 공충] 공정(公正)하고 충실(忠實)함.
[公則 공칙] 공공(公共)의 규칙(規則). 일반(一般)의 규정(規定).
[公稱 공칭] ㉠공식 명칭. 공적(公的)인 이름. ㉡공개하여 일컬음.
[公台 공태] 삼공(三公).
[公土 공토] 국가 또는 공공단체의 땅.
[公判 공판] 공중(公衆)의 앞에서 죄(罪)의 유무(有無)·경중(輕重)을 따져 가리는 재판.
[公平 공평] ㉠한편으로 치우치지 아니함. ㉡공정(公正)함.
[公評 공평] 공정한 비평(批評).
[公平無私 공평무사] 공평하여 사사로움이 없음.
[公布 공포] ㉠일반에게 널리 알림. ㉡법률(法律)·칙령(勅令)·명령(命令)·조약(條約)·예산(豫算) 등을 관보(官報)에 게재하여 온 국민(國民)에게 알림.
[公表 공표] 세상에 널리 발표함.
[公翰 공한] 공적인 편지.
[公函 공함] 공사(公事)로 하는 편지.
[公海 공해] 어느 나라의 주권(主權)에도 속하지 않고 각국이 평등하게 자유로이 사용할 수 있는 바다.
[公廨 공해] 공청(公廳).
[公廨田 공해전] 나라에서 백성의 곤궁을 구제하기 위하여 마련하여 둔 전답(田畓).
[公行 공행] ㉠공공연히 행동함. ㉡공공연히 행하여짐.
[公憲 공헌] 나라의 법. 국법(國法).
[公貨 공화] 공금(公金).
[公會 공회] 공사(公事)로 인한 모임.
[公會堂 공회당] 공중이 모이는 집.
[公侯 공후] 공작(公爵)과 후작(侯爵).
[公侯伯子男 공후백자남] 하(夏)·은(殷)·주(周) 시대의 제후(諸侯)의 다섯 계급의 이름. 한(漢)나라 이후에는 공(公) 위에 왕(王)을 두고 백자남(伯子男)은 폐하여 왕공후(王公侯)의 삼등작(三等爵)으로 하였음.
◉家公. 犬公. 郭公. 貴公. 乃公. 酒公. 陶朱公. 亡是公. 明公. 僻公. 奉公. 三公. 先公. 十八公. 王公. 牛公. 愚狙公. 尊公. 主人公. 至公. 天公. 太公. 敗天公. 黃石公. 黑頭公.

2④ [㕣] 一 별 入屑 筆別切 bié 二 조 上篠 文段切 zhào

字解 一 나눌 별 別(刀部 五畫)의 古字. '一, 玉篇, 古文別'《康熙字典》. 二 점 조 거북딱지를 구워서 생기는 금. 兆(儿部 四畫)와 同字.
字源 會意. 八+八

2④ [兮] 高人 혜 平齊 胡雞切 xī

筆順 丿 八 八 兮

字解 어조사 혜 어구(語句)의 사이에 끼우거나 어구의 끝에 붙여, 어기(語氣)가 일단 그쳤다가 음조(音調)가 다시 올라가는 것을 나타내는 조사(助辭). 주로, 시부(詩賦)에 쓰임. '大風起—雲飛揚'《漢高祖》. '風蕭蕭—易水寒'《史記》.
字源 甲骨文 金文 篆文 會意. 八+丂. '八팔'은 '분산(分散)하다'의 뜻. '丂고'는 숨이 뻗어 오르려다가 방해를 받는 모양. 숨이 일단 막히고 다시 분산되어 뻗어 오르는 뜻을 나타냄. 파생(派生)하여 말소리를 일단 막았다가 다시 발양(發揚)하는 뜻으로 쓰임. 옛 한어(漢語)의 운문(韻文)에서 어세(語勢)를 고르는 조사(助辭)로 쓰임.

◉簡兮. 樂兮. 爛兮. 菲菲兮. 蕭蕭兮. 晏兮. 嚶嚶兮. 儼兮. 與兮. 猶兮. 綽兮. 振振兮. 瑳兮. 湫兮. 怦怦兮. 渙兮. 悅兮. 薈兮.

2④ [兯] 兮(前條)의 俗字

[分] 〔분〕 刀部 二畫(p. 241)을 보라.

2④ [六] 中人 륙 入屋 力竹切 liù

筆順 丶 亠 六 六

字解 ①여섯 륙 다섯에 하나를 보탠 수 '一卿'. '一朝'. '天五, 地一'《易經》. ②여섯번 륙 6회. '一黜淸能, 一進否劣'《晉書》. ③성 륙 성(姓)의 하나.
字源 甲骨文 金文 篆文 갖은자 陸 象形. 집의 모양을 본뜸. 전하여, '여섯'의 뜻으로 쓰임.
參考 금전을 기록할 때에는, 글씨를 고쳐 쓰는 것을 방지하기 위하여, '六' 대신 '陸륙'을 쓰기도 함.

[六家 육가] 음양(陰陽)·유(儒)·묵(墨)·명(名)·법(法)·도(道)의 여섯 학파.
[六角 육각] ㉠여섯 모. 육모. ㉡북·장구·해금·피리와 태평소 한 쌍의 총칭.
[六甲 육갑] ㉠육십갑자(六十甲子)의 준말. ㉡도박의 일종. 쌍륙(雙六) 놀이와 비슷함.
[六卿 육경] ㉠주대(周代)의 여섯 장관. ㉡춘추시대(春秋時代)의 진(晉)나라의 여섯 사람의

경(卿). 곧, 지씨(智氏)·범씨(范氏)·중행씨(中行氏)·한씨(韓氏)·위씨(魏氏)·조씨(趙氏). ㉢육군(六軍)의 주장(主將).

天官	冢宰	政事를 總理
地官	司徒	敎化農商을 掌理
春官	宗伯	祭祀典禮를 掌理
夏官	司馬	軍旅兵馬를 掌理
秋官	司寇	獄訟刑罰을 掌理
冬官	司空	水土를 掌理

[六經 육경] 여섯 가지 경서. 곧, 역경(易經)·서경(書經)·시경(詩經)〈춘추(春秋)〉예기(禮記)·악기(樂記). 악기는 진화(秦火)에 없어지고, 지금은 오경(五經)만 남아 있음.

[六境 육경]《佛敎》육식(六識)이 인식하는 특경(特境). 곧, 색(色)·성(聲)·향(香)·미(味)·촉(觸)·법(法).

[六經注我 육경주아] 육경(六經)은 천지(天地)의 이치를 설명한 것인데, 천지의 이치는 사람마다 마음속에 갖추고 있으므로, 육경의 설명은 결국 사람 개개인의 설명이라는 뜻.

[六界 육계]《佛敎》지옥(地獄)·아귀(餓鬼)·축생(畜生)·수라(修羅)·인간(人間). 천상(天上)의 일컬음.

[六穀 육곡] 여섯 가지의 곡식. 곧, 찰기장·메기장·벼·조·보리·고미(菰米).

[六工 육공] 육재(六材)를 사용하여 물건을 만드는 공인(工人). 곧, 토공(土工)·금공(金工)·석공(石工)·목공(木工)·수공(獸工)·초공(草工).

[六功 육공] 여섯 가지 공. 곧, 왕공(王功)·국공(國功)·민공(民功)·사공(事功)·치공(治功)·전공(戰功).

[六科 육과] 과거(科擧)의 여섯 가지 과목. 곧, 수재(秀才)·명경(明經)·진사(進士)·명법(明法)·명서(明書)·명산(明算).

[六官 육관] 육경(六卿) ❶.

[六館 육관] 당대(唐代)의 제도(制度)로, 국자(國子)·대학(大學)·사문(四門)·율(律)·서(書)·산(算)의 육학(六學)을 가르치던 학교.

[六國 육국] 춘추 전국 시대(春秋戰國時代)의 제(齊)·초(楚)·연(燕)·한(韓)·위(魏)·조(趙)의 여섯 나라.

[六軍 육군] ㉠주대(周代)의 군대 편제(軍隊編制)의 오(伍)·양(兩)·졸(卒)·여(旅)·사(師)·군(軍)의 일컬음. ㉡천자(天子)의 군대(軍隊). 주대(周代)에 1군(軍)은 12,500명으로, 여섯 개의 군(軍). 모두 75,000명임.

[六宮 육궁] 후비(后妃)가 거처하는 궁전.

[六極 육극] ㉠여섯 가지의 크게 불길(不吉)한 일. 곧, 흉단절(凶短折)·질(疾)·우(憂)·빈(貧)·악(惡)·약(弱). ㉡상하사방(上下四方).

[六根 육근]《佛敎》사람을 미혹(迷惑)하게 하는 여섯 가지의 근원(根源). 곧, 안(眼)·이(耳)·비(鼻)·설(舌)·신(身)·의(意). 오근(五根)과 의근(意根).

[六根清淨 육근청정]《佛敎》진리를 깨달아 물욕이 없어서 육근이 깨끗함.

[六禽 육금] 여섯 가지의 동물. 곧, 미(麋)·녹(鹿)·웅(熊)·균(麕)·야시(野豕)·토(兔). 또는 안(雁)·순(鶉)·안(鷃)·치(雉)·구(鳩)·합(鴿). 또는 고(羔)·돈(豚)·독(犢)·미(麛)·치(雉)·안(雁).

[六紀 육기] 인륜상(人倫上)의 여섯 가지 종별. 큰 것을 삼강(三綱)이라 하고, 작은 것을 육기라 함. 곧, 제부(諸父)·형제(兄弟)·족인(族人)·제구(諸舅)·사장(師長)·붕우(朋友).

[六氣 육기] ㉠하늘과 땅 사이의 여섯 가지 기운. 곧, 음(陰)·양(陽)·풍(風)·우(雨)·회(晦)·명(明). ㉡사람의 여섯 가지의 기질(氣質). 곧, 호(好)·오(惡)·희(喜)·노(怒)·애(哀)·낙(樂)·㉢음양(陰陽)의 여섯 가지 기운. 곧, 한(寒)·서(暑)·조(燥)·습(濕)·풍(風)·우(雨).

[六大 육대]《佛敎》법계(法界)에 가득 차 있어서 만물을 만드는 우주의 본체(本體). 곧, 지대(地大)·수대(水大)·화대(火大)·풍대(風大)·공대(空大)·식대(識大). 식대는 금강계(金剛界)에 딸리고 그 밖의 것은 태장계(胎藏界)에 딸림.

[六大洲 육대주] 아시아·아프리카·유럽·오세아니아·남아메리카·북아메리카를 이름.

[六德 육덕] 사람이 지켜야 할 여섯 가지의 덕. 곧, 지(知)·인(仁)·성(聖)·의(義)·충(忠)·화(和). 또는 예(禮)·인(仁)·신(信)·의(義)·용(勇)·지(智).

[六度 육도]《佛敎》육바라밀(六波羅蜜).

[六道 육도] ㉠귀와 코의 네 구멍과 앞뒤의 두 구멍. ㉡《佛敎》지옥(地獄)·아귀(餓鬼)·축생(畜生)·수라(修羅)·인간(人間)·천상(天上)의 여섯 세계(世界). 중생이 선악의 업인(業因)에 따라 윤회한다 함.

[六道能化 육도능화]《佛敎》석가(釋迦) 입멸(入滅)부터 미륵(彌勒) 출현까지, 육도(六道)의 중생(衆生)을 교환하는 지장(地藏).

[六韜三略 육도삼략] 병서(兵書)의 이름. 육도(六韜)는 문도(文韜)·무도(武韜)·표도(豹韜)·견도(犬韜) 등 전부 60편(篇)이고, 삼략(三略)은 상중하(上中下) 3권임. 육도는 태공망(太公望)의 찬(撰)이라 하고, 삼략은 황석공(黃石公)의 찬(撰)이라고 전(傳)하나, 두 책이 다 후세(後世)의 위작(僞作)임. 도략(韜略).

[六道輪廻 육도윤회]《佛敎》선악(善惡)의 응보(應報)에 의하여 육도(六道)를 유전(流轉)하는 일.

[六道錢 육도전]《佛敎》장사 지낼 때 육도(六道)의 여비라고 하여 관(棺)에 넣는 지전(紙錢).

[六同 육동] 육려(六呂).

[六郎 육랑] 여섯째 아들.

[六呂 육려] 십이율(十二律) 중의 음성(陰聲)에 속하는 여섯 가지의 음(音). 곧, 협종(夾鍾)·중려(仲呂)·임종(林鍾)·남려(南呂)·응종(應鍾)·대려(大呂). 육률(六律)의 대(對).

[六禮 육례] ㉠인생(人生)의 여섯 가지의 중요(重要)한 예의(禮儀). 곧, 관례(冠禮)·혼례(婚禮)·상례(喪禮)·제례(祭禮)·향음주례(鄕飮酒禮)·상견례(相見禮). ㉡혼인(婚姻)의 여섯 가지 의식(儀式). 곧, 납채(納采)·문명(問名)·납길(納吉)·납징(納徵)·청기(請期)·친영(親迎).

[六龍 육룡] ㉠천자(天子)의 수레를 끄는 여섯 마리의 말의 미칭(美稱). 육마(六馬). ㉡천자가 타는 수레. ㉢천자(天子)의 일컬음. ㉣수재(秀才)로서 이름난 육형제(六兄弟).

[六六鱗 육륙린] 잉어〔鯉〕의 별칭(別稱). 옆구리의 한 줄의 비늘이 서른여섯 개이므로 이름. 삼십육린(三十六鱗).

[六律 육률] 십이율(十二律) 중의 양성(陽聲)에 속하는 여섯 가지 음(音). 곧, 황종(黃鍾)·대

주(大蔟)·고선(姑洗)·유빈(蕤賓)·이칙(夷則)·무역(無射). 육려(六呂)의 대(對).

[六馬 육마] 천자(天子)가 타는 수레를 끄는 여섯 마리의 말. 육룡(六龍).

[六馬不和造父不能以致遠 육마불화조부불능이치원] 마음이 서로 맞지 않으면 일을 할 수 없다는 말. 조부(造父)는 주(周)나라 목왕(穆王)의 어자(馭者)로서 마술(馬術)의 명인(名人)임.

[六幕 육막] 상하(上下)와 사방(四方). 또, 천지와 사방.

[六母 육모] 적모(嫡母)·계모(繼母)·자모(慈母)·양모(養母)·산모(產母)·유모(乳母)의 일컬음.

[六夢 육몽] 여섯 가지의 꿈. 곧, 정몽(正夢)〈평안한 꿈〉·악몽(噩夢)〈놀라는 꿈〉·사몽(思夢)〈생각하던 바를 꾸는 꿈〉·오몽(寤夢)〈비몽사몽 중에 꾸는 꿈〉·희몽(喜夢)〈즐거워하는 꿈〉·구몽(懼夢)〈두려워하는 꿈〉.

[六物 육물] ㉠세(歲)·월(月)·일(日)·시(時)·성(星)·신(辰). ㉡《佛敎》 중이 평소 지니고 다니는 복의(複衣)·상의(上衣)·내의(內衣)·녹수낭(漉水囊)·철발(鐵鉢)·좌구(座具)의 여섯 가지 제구.

[六米 육미] 여섯 가지 곡식. 곧, 찰기장·메기장·벼·조·고미(菰米)·콩.

[六味 육미] ㉠오미(五味)에 싱거운 맛을 보탠 여섯 가지 맛. 곧, 고(苦)·산(酸)·감(甘)·신(辛)·함(鹹)·담(淡). ㉡《佛敎》 유(乳)·낙(酪)·생수(生酥)·숙수(熟酥)·제호(醍醐)·담(淡).

[六波羅蜜 육바라밀] 《佛敎》 보살(菩薩)이 닦아야 할 여섯 가지 행위. 곧, 보시(布施)·지계(持戒)·인욕(忍辱)·정진(精進)·선정(禪定)·지혜(知慧).

[六博 육박] 쌍륙(雙六)의 일종.

[六房 육방] 《韓》 승정원(承政院)과 각 지방 관아(地方官衙)에 두었던 이방(吏房)·호방(戶房)·예방(禮房)·병방(兵房)·형방(刑房)·공방(工房)의 총칭.

[六凡 육범] 《佛敎》 십계(十界) 중 지옥(地獄)·아귀(餓鬼)·축생(畜生)·수라(修羅)·인간(人間)·천상(天上)을 이름.

[六法 육법] ㉠여섯 가지의 화법(畫法). 곧, 기운생동(氣韻生動)·골법용필(骨法用筆)·응물상형(應物象形)·수류부채(隨類賦彩)·경영위치(經營位置)·전이모사(傳移模寫). ㉡제작(製作) 상의 여섯 가지 기구. 곧, 규(規)·구(矩)·권(權)·형(衡)·준(準)·승(繩). ㉢여섯 가지의 법률. 곧, 헌법·형법·민법·상법·형사 소송법·민사 소송법. ㉣《佛敎》 불음(不淫)·부도(不盜)·불살(不殺)·불망어(不妄語)·불음주(不飮酒)·불비시식(不非時食).

[六柄 육병] 정치를 실행하는 여섯 가지 권병(權柄). 곧, 생(生)·살(殺)·빈(貧)·부(富)·귀(貴)·천(賤).

[六服 육복] 왕기(王畿) 주위로부터 5백 리씩 구분한 여섯 지역. 곧, 후복(侯服)·전복(甸服)·남복(男服)·채복(采服)·위복(衛服)·만복(蠻服). 오복(五服)·구복(九服) 참조(參照).

[六府 육부] ㉠수(水)·화(火)·금(金)·목(木)·토(土)·곡(穀). ㉡하대(夏代)의 토목(土木)·기용(器用)을 맡은 육관(六官). 곧, 사토(司土)·사목(司木)·사수(司水)·사초(司草)·사기(司器)·사화(司貨). ㉢육부(六腑).

[六部 육부] 진한(秦漢) 때의 중앙 정부의 이부(吏部)·호부(戶部)·예부(禮部)·병부(兵部)·형부(刑部)·공부(工部).

[六腑 육부] 배 속의 여섯 기관. 곧, 대장(大腸)·소장(小腸)·담(膽)·위(胃)·방광(膀胱)·삼초(三焦).

[六飛 육비] 육마(六馬). 달리는 것이 마치 나는 듯이 빠르다는 뜻.

[六事 육사] ㉠주대(周代)의 육경(六卿). ㉡사람으로서 지켜야 할 자(慈)·검(儉)·근(勤)·신(愼)·성(誠)·명(明).

[六師 육사] 육군(六軍).

[六邪臣 육사신] 여섯 종류의 사악(邪惡)한 신하(臣下). 곧, 구신(具臣)·영신(佞臣)·간신(姦臣)·참신(讒臣)·천신(賤臣)·망국신(亡國臣).

[六牲 육생] 여섯 가지의 희생. 곧 말·소·양·닭·개·돼지.

[六書 육서] ㉠한자(漢字)의 구성 및 활용에 관한 여섯 종류. 곧, 상형(象形)·지사(指事)·회의(會意)·형성(形聲)〈해성(諧聲)〉·전주(轉注)·가차(假借). ㉡한자의 여섯 가지 서체(書體). 곧, 고문(古文)·기자(奇字)·전서(篆書)·예서(隸書)·무전(繆篆)·충서(蟲書). 또는 대전(大篆)·소전(小篆)·예서(隸書)·팔분(八分)·초서(草書)·행서(行書).

(武)(信)(會意) (令)(長)(假借) (上)(下)(指事) (老)(孝)(轉注) (日)(月)(象形) (河)(松)(諧聲)

[六書㉠]

[六書故 육서고] 책 이름. 원(元)나라 대동(戴侗)의 찬(撰). 33권. 9부(部)로 나누어 육서(六書)로써 자의(字義)를 밝혔는데, 고거(考據)가 정요(精要)함.

[六省 육성] 당대(唐代)의 중앙 정부의 여섯 관성(官省). 곧, 상서(尙書)·문하(門下)·중서(中書)·비서(祕書)·전중(殿中)·내시(內侍).

[六遂 육수] 주(周)나라의 제도(制度)에서 왕국(王國) 백 리 밖에 있는 수인(遂人)이 관장(管掌)하는 곳. 곧, 인(隣)〈오가(五家)〉·이(里)〈오린(五隣)〉·찬(酇)〈사리(四里)〉·비(鄙)〈오찬(五酇)〉·현(縣)〈오비(五鄙)〉·수(遂)〈오현(五縣)〉의 일컬음. 육향(六鄕) 참조.

[六旬 육순] ㉠60일. ㉡60세.

[六順 육순] 순종하여야 할 여섯 가지 바른 도(道). 곧, 군의(君義)·신행(臣行)·부자(父慈)·자효(子孝)·형애(兄愛)·제경(弟敬).

[六時 육시] 《佛敎》 일주야(一晝夜)를 여섯 때로 나눈 신조(晨朝)·일중(日中)·일몰(日沒)·초야(初夜)·중야(中夜)·후야(後夜).

[六詩 육시] 시(詩)의 육의(六義).

[六識 육식] 《佛敎》 육근(六根)에 의하여 생기는 여섯 가지 의식의 작용. 곧, 안(眼)·이(耳)·비(鼻)·설(舌)·신(身)·의(意)가 분별하는 색(色)·성(聲)·향(香)·미(味)·촉(觸)·법(法).

[六神 육신] 오방(五方)을 지키는 여섯 신(神). 곧, 동방의 청룡(靑龍), 서방의 백호(白虎), 남방의 주작(朱雀), 북방의 현무(玄武), 중앙의

구진(句陳)·등사(螣蛇).
[六十甲子 육십갑자] 천간(天干)의 갑(甲)·을(乙)·병(丙)·정(丁)·무(戊)·기(己)·경(庚)·신(辛)·임(壬)·계(癸)와, 지지(地支)의 자(子)·축(丑)·인(寅)·묘(卯)·진(辰)·사(巳)·오(午)·미(未)·신(申)·유(酉)·술(戌)·해(亥)를 차례로 맞춘 것.
[六十四卦 육십사괘] 팔괘(八卦)의 각 괘를 둘씩 겹쳐 만든 64개의 괘.
[六如 육여] 육유(六喩).
[六逆 육역] 도덕에 거슬리는 여섯 가지 행위. 곧, 천방귀(賤妨貴)·소릉장(少陵長)·원간친(遠間親)·신간구(新間舊)·소가대(小加大)·음파의(淫破義).
[六藝 육예] ㉠선비로서 배워야 할 여섯 가지의 일. 곧, 예(禮)·악(樂)·사(射)·어(御)·서(書)·수(數). ㉡육경(六經).
[六王 육왕] 전국(戰國) 시대 육국(六國)의 임금.
[六擾 육요] 육축(六畜).
[六欲 육욕] 《佛敎》 육근(六根)의 욕정(欲情). 곧, 색욕(色欲)·형모욕(形貌欲)·위의자태욕(威儀姿態欲)·언어음성욕(言語音聲欲)·세활욕(細滑欲)·인상욕(人相欲)의 여섯.
[六欲天 육욕천] 《佛敎》 욕계(欲界) 이십천(二十天) 가운데의 여섯 하늘. 곧, 사천왕천(四天王天)·야마천(夜摩天)·도리천(忉利天)·도솔천(兜率天)·낙변화천(樂變化天)·타화자재천(他化自在天).
[六雄 육웅] ㉠여섯 사람의 영웅. ㉡여섯의 강대국.
[六位 육위] ㉠점괘(占卦)의 육효(六爻). 전(轉)하여, 음양(陰陽)·강유(剛柔)·인의(仁義). ㉡군(君)·신(臣)·부(父)·자(子)·부(夫)·부(婦)의 여섯 자리.
[六幽 육유] 천지와 사방의 그윽하여 밝지 않은 장소.
[六喩 육유] 제행무상(諸行無常)의 비유로 인용되는 몽(夢)·환(幻)·영(影)·포(泡)·전(電)·노(露). 육여(六如).
[六諭 육유] 청(淸)나라의 순치제(順治帝)가 인륜(人倫)의 대요(大要)를 육 개조(六個條)로 나누어 천하(天下)에 유시(諭示)한 것.
[六諭衍義 육유연의] 책 이름. 청대(淸代)의 회계(會稽) 사람 범횡(范鋐)의 찬(撰). 순치제(順治帝)의 육유(六諭)를 부연(敷衍) 해설(解說)한 것.
[六六麟 육육린] 육륙린(六六麟).
[六義 육의] 시(詩)의 육체(六體). 곧, 풍(風)·부(賦)·비(比)·흥(興)·아(雅)·송(頌).
[六儀 육의] 제사(祭祀)·빈객(賓客)·조정(朝廷)·상기(喪紀)·군려(軍旅)·거마(車馬)의 여섯 가지 일에 관한 예의.
[六耳不同謀 육이부동모] 많은 사람이 모이면 의견(意見)이 구구(區區)하여 아무것도 이룰 수 없음의 비유. '육이(六耳)'는 세 사람을 이름.
[六一居士 육일거사] 송(宋)나라 구양수(歐陽修)의 별호(別號).
[六入 육입] 《佛敎》 안입색(眼入色)·이입성(耳入聲)·비입향(鼻入香)·설입미(舌入味)·신입촉(身入觸)·의입법(意入法)의 총칭(總稱)으로서, 곧 미망(迷妄)의 근본(根本).
[六字名號 육자명호] 정토종(淨土宗)에서 염불하는 미타(彌陀)의 명호(名號). 곧, 나무아미타불(南無阿彌陀佛).
[六材 육재] 기물을 만드는 여섯 가지 재료. 곧, 토(土)·금(金)·석(石)·목(木)·피(皮)·초(草).
[六齋日 육재일] 《佛敎》 한 달 중에 재계(齋戒)하여야 할 엿새. 곧, 음력 8일·14일·15일·23일·29일·30일.
[六賊 육적] 육진(六塵).
[六籍 육적] 육경(六經).
[六典 육전] ㉠주대(周代)에 나라를 다스리기 위하여 제정한 여섯 가지 법전(法典). 곧, 치전(治典)·교전(敎典)·예전(禮典)·정전(政典)·형전(刑典)·사전(事典). ㉡《韓》 육조(六曹)의 집무 규정. 곧, 이전(吏典)·호전(戶典)·예전(禮典)·병전(兵典)·형전(刑典)·공전(工典)의 총칭.
[六正 육정] 나라에 이로운 여섯 종류의 신하. 곧, 성신(聖臣)·양신(良臣)·충신(忠臣)·지신(智臣)·정신(貞臣)·직신(直臣).
[六情 육정] 희(喜)·노(怒)·애(哀)·낙(樂)·애(愛)·오(惡)의 여섯 가지의 감정(感情).
[六祖 육조] 《佛敎》 선가(禪家)에서 종파(宗派)가 아직 갈리기 전의 여섯 사람의 조사(祖師). 곧, 달마(達磨)·혜가(慧可)·승찬(僧璨)·도신(道信)·홍인(弘忍)·혜능(慧能).
[六曹 육조] ㉠육부(六部)의 이칭(異稱). ㉡《韓》 이조(吏曹)·호조(戶曹)·예조(禮曹)·병조(兵曹)·형조(刑曹)·공조(工曹).
[六詔 육조] 나라 이름. 지금의 윈난(雲南) 및 쓰촨(四川) 서남부(西南部)의 땅. '조(詔)'는 만어(蠻語)로 '임금'을 뜻함.
[六朝 육조] 건업(建業)에 도읍한 여섯 나라. 곧, 오(吳)·동진(東晉)·송(宋)·제(齊)·양(梁)·진(陳).
[六曹判書 육조판서] 《韓》 육조(六曹)의 판서(判書).
[六足 육족] 말과 마부(馬夫).
[六宗 육종] 여섯 가지의 존숭(尊崇)하는 대상. 곧, 천지 사방. 혹은 삼소 삼목(三昭三穆). 혹은 하늘의 일월성(日月星)과 땅의 하해대(河海岱).
[六職 육직] 사람의 여섯 가지 천직(天職). 곧, 왕공(王公)·사대부(士大夫)·백공(百工)·상려(商旅)·농부(農夫)·부공(婦功).
[六塵 육진] 《佛敎》 육식(六識). 곧, 색(色)·성(聲)·향(香)·미(味)·촉(觸)·법(法)에서 일어나는 여섯 가지 욕정(欲情). 육적(六賊).
[六鎭 육진] 조선 세종(世宗) 때 김종서(金宗瑞)를 시켜 설치한 여섯 진(鎭). 곧, 함경북도의 경원(慶源)·경흥(慶興)·부령(富寧)·온성(穩城)·종성(鐘城)·회령(會寧).
[六采 육채] 청(靑)·백(白)·적(赤)·흑(黑)·현(玄)·황(黃).
[六戚 육척] 부(父)·모(母)·형(兄)·제(弟)·처(妻)·자(子). 육친(六親).
[六尺之孤 육척지고] ㉠14~15세의 고아. 일척(一尺)은 두 살 반에 해당함. ㉡나이 어린 후사(後嗣).
[六天 육천] ㉠하늘의 일컬음. 하늘에 창(蒼)·염(炎)〈적(赤)〉·백(白)·흑(黑)·황(黃)의 오제(五帝)가 있고, 여기에 천제(天帝)를 가하여 육천(六天)이라 함. ㉡《佛敎》 육욕천(六欲天).
[六體 육체] 육서(六書).
[六畜 육축] 여섯 가지의 가축(家畜). 곧, 소·말·양·닭·개·돼지.
[六出 육출] 눈〔雪〕의 별칭. 여섯 모의 결정체이므로 이름.
[六趣 육취] 《佛敎》 육도(六道).

[六親 육친] 부(父)·모(母)·형(兄)·제(弟)·처(妻)·자(子). 육척(六戚).
[六學 육학] ㉠육경(六經) 또는 육예(六藝). ㉡당(唐)나라의 국자감(國子監)에 예속한 국자학(國子學)·대학(大學)·사문학(四門學)·율학(律學)·서학(書學)·산학(算學)의 여섯 학과(學科).
[六合 육합] ㉠천지(天地)와 사방(四方). ㉡천하. 우주. 세계.
[六骸 육해] 머리·몸·두 손·두 다리.
[六行 육행] ㉠효(孝)·우(友)〈형제간의 우애(友愛)〉·목(睦)〈구족(九族) 간에 화목(和睦)함〉·인(婣)〈인척(姻戚)과 정분이 도타움〉·임(任)〈남을 위해 힘을 씀〉·휼(恤)〈없는 자를 구휼(救恤)함〉. 육덕(六德). ㉡《佛敎》 십신행(十信行)·십주행(十住行)·십행행(十行行)·회향행(廻向行)·십지행(十地行)·등각행(等覺行).
[六鄕 육향] 주대(周代)의 제도(制度)에서 왕국(王國) 백 리 안에 있는 대사도(大司徒)가 관장(管掌)하던 곳. 곧, 비(比)〈오가(五家)〉·여(閭)〈오비(五比)〉·족(族)〈사려(四閭)〉·당(黨)〈오족(五族)〉·주(州)〈오당(五黨)〉·향(鄕)〈오주(五州)〉의 일컬음. 육수(六遂) 참조.
[六虛 육허] 천지(天地)와 사방(四方).
[六穴砲 육혈포] 탄알을 재는 구멍이 여섯 있는 권총(拳銃).
[六花 육화] ㉠눈〔雪〕의 별칭. 여섯 모의 결정체이므로 이름. ㉡당(唐)나라 이정(李靖)이 제갈량(諸葛亮)의 진(陣)에 의해 창의한 진(陣).
[六爻 육효] 육십사괘(六十四卦)의 각 괘(卦)의 여섯 획.
◉駕六. 九六. 滕六. 駢四儷六. 雙六. 陽六. 一六. 丈六. 藏六. 初六.

3 ⑤ [兰] 〔란〕 蘭(艸部 十七畫〈p. 1990〉)의 簡體字

[半] 〔반〕 十部 三畫(p. 303)을 보라.

[只] 〔지〕 口部 二畫(p. 335)을 보라.

4 ⑥ [共] 中人 공 ㊀宋 渠用切 gòng ㊤腫 古勇切 gǒng ㊥冬 九容切 gōng

筆順 一 十 廾 廾 共 共

字解 ①함께 공 같이. 한가지로. '一謀'. '天下一立義帝, 北面事之'《史記》. ②함께할 공 같이 함. '與衆一之'《禮記》. ③향(向)할 공 '北辰居其所而衆星一之'《論語》. ④공경할 공 恭(心部 六畫)과 同字. '一承嘉惠'《史記》. ⑤이바지할 공, 베풀 공 供(人部 六畫)과 同字. '一給'. '王祭不一'《左傳》. ⑥성 공 성(姓)의 하나.

字源 金文 [glyph] 篆文 [glyph] 古文 [glyph] 指事. 金文에서는 '口'가 큰 물건을 나타내며, '廾공'이 양손을 나타내어, 양손으로 큰 물건을 바치는 것을 나타냄. 물건을 바치다, 일을 함께 하다의 뜻을 나타냄.

[共儉 공검] 공검(恭儉).
[共工 공공] ㉠상고(上古)에 물을 다스린 벼슬. ㉡제작(製作)의 일을 맡은 벼슬. ㉢공공씨(共工氏).
[共工氏 공공씨] 머리를 부주산(不周山)에 부딪쳤다는 고대 신화(古代神話)에 나오는 신(神).
[共給 공급] '공급(供給)'과 같음.
[共同 공동] 여럿이 같이 함.
[共同宣言 공동선언] 두 나라 또는 두 사람 이상이 공동하여 발표하는 선언.
[共同戰線 공동전선] 공통(共通)의 목적을 위하여 서로 공동하여 이해가 상반(相反)되는 제삼자(第三者)에 대항하는 일.
[共立 공립] ㉠같이 서 있음. ㉡공동하여 설립함.
[共鳴 공명] ㉠같은 음(音)을 내는 두 개의 물체 중 하나를 울리면 딴 것도 따라 울림. ㉡남의 의견이나 주장에 찬성함.
[共謀 공모] 두 사람 이상이 같이 어떠한 일을 꾀함. 통모(通謀).
[共犯 공범] 여럿이 공모하여 죄를 범(犯)함. 또, 그 사람. 공범자(共犯者).
[共產 공산] 재산을 공동으로 함.
[共產主義 공산주의] 계급 제도(階級制度)·재산 사유 제도(財產私有制度) 등을 타파(打破)하고, 생산 수단(生產手段)을 공유하며 개인 평등(個人平等)을 주장하는 주의.
[共生 공생] ㉠공동의 운명 아래 같이 삶. ㉡동물이나 식물이 상호 간에 영양을 보충하는 생활 현상.
[共棲 공서] 함께 삶. 동서(同棲).
[共手 공수] 팔짱을 끼고 아무것도 하지 아니함. 공수(拱手).
[共守 공수] 공동으로 방어함.
[共承 공승] 공경하여 받듦. 삼가 받듦. 경승(敬承).
[共養 공양] ㉠웃어른을 봉양(奉養)함. ㉡양성(養成)함.
[共榮 공영] 서로 함께 번영함.
[共營 공영] 공동으로 경영함.
[共用 공용] 공동으로 사용함.
[共有 공유] 공동으로 소유함.
[共議 공의] 함께 의논함. 상의함.
[共益 공익] 상호(相互)의 이익. 공동(共同)의 이익(利益).
[共張 공장] 향응(饗應)의 설비. 공장(供張).
[共著 공저] 한 책을 두 사람 이상이 같이 지음.
[共濟 공제] 힘을 합하여 같이 함. 서로서로 도움.
[共擠 공제] 여러 사람이 공동하여 남을 배척함. 합제(合擠).
[共助 공조] 공동으로 도움.
[共存 공존] 함께 살아 나감.
[共存共榮 공존공영] 다 같이 잘 살아감.
[共進會 공진회] 《韓》 박람회(博覽會)의 구칭(舊稱).
[共通 공통] 쌍방 또는 여럿 사이에 같은 관계가 있음.
[共學 공학] 이성(異性) 혹은 이민족(異民族)끼리 한 학교에서 배움.
[共和 공화] ㉠주(周)나라 여왕(厲王) 출분(出奔) 후 14년 동안 주공(周公)·소공(召公)이 공동으로 행한 정치(政治). ㉡국민(國民)이 대통령(大統領)을 선거하여 정치를 행하는 정체(政體).
[共和國 공화국] 공화 정치(共和政治)를 행하는 나라.
◉公共. 滅共. 反共. 防共. 不共. 容共. 靖共. 中共. 親共.

4 ⑥ [关] 〔소〕
笑(竹部 四畫〈p. 1655〉)의 古字

4 ⑥ [关] 〔관·완〕
關(門部 十一畫〈p. 2446〉)의 簡體字

4 ⑥ [兴] 〔흥〕
興(臼部 九畫〈p. 1880〉)의 俗字

5 ⑦ [㒳] 〔기〕
箕(竹部 八畫〈p. 1669〉)의 古字

5 ⑦ [兵] 中·人 병 ㊥庚 甫明切 bīng

筆順 一 厂 F 斤 丘 乒 兵

字解 ①군사 병 ㉠군인. '一丁'. '一士'. '選士厲一'《禮記》. ㉡군대. '將軍能用一'《史記》. ②병장기 병 무기(武器). '一器'. '一甲'. 持一而鬬'《世說》. ③싸움 병 전투. 전쟁. '一火'. '一端'. '公不論一, 必大困'《戰國策》. ④칠 병 적(敵)을 침. '士一之'《左傳》.

字源 金文 篆文 古文 籀文 會意. 廾+斤. '廾공'은 양손의 상형. '斤근'은 도끼의 상형. 양손으로 쥐는 자귀의 뜻에서, 무기를 나타냄.

[兵家 병가] ㉠병학(兵學)을 닦는 사람. 또, 그 학파. 병가자류(兵家者流). ㉡전쟁에 참가하는 사람. 군인(軍人).
[兵家者流 병가자류] 병학(兵學)을 닦는 사람. 병가(兵家) ❶.
[兵間 병간] 전쟁하는 사이. 전쟁중.
[兵甲 병갑] ㉠병기(兵器)와 갑주(甲胄). ㉡무기(武器). ㉢전쟁.
[兵車 병거] 전쟁(戰爭)에 쓰는 수레.

[兵車]

[兵械 병계] 병기(兵器).
[兵庫 병고] 병기(兵器)를 두는 창고. 무기고(武器庫).
[兵戈 병과] ㉠칼과 창. ㉡무기. ㉢전쟁.
[兵寇 병구] 내란(內亂)과 외구(外寇).
[兵權 병권] 병마(兵馬)를 장악한 권력(權力).
[兵貴神速 병귀신속] 용병(用兵)은 신속하여야 함.
[兵戟 병극] 병과(兵戈).
[兵忌 병기] 병가(兵家)가 싸움에 이롭지 못하다고 꺼리는 날.
[兵器 병기] 전쟁에 쓰는 기계. 무기(武器).
[兵機 병기] 전쟁의 기회. 전기(戰機).
[兵饑 병기] 병란(兵亂)으로 말미암은 기근(饑饉).
[兵端 병단] 전쟁의 단서.
[兵團 병단] 군대(軍隊).
[兵隊 병대] 군대(軍隊).
[兵道 병도] ㉠군사(軍事)의 길. 무도(武道). ㉡군사 도로(軍事道路).
[兵屯 병둔] 군사(軍士)가 주둔(駐屯)해 있는 곳. 군사가 진(陣)을 친 데.
[兵亂 병란] 전쟁으로 인한 세상의 어지러움. 전란(戰亂).
[兵闌 병란] 무기를 걸어 두는 틀. 병란(兵欄).
[兵略 병략] 병법(兵法)을 운용(運用)하는 꾀. 전략(戰略). 군략(軍略).
[兵糧 병량] 군량(軍糧).
[兵力 병력] 군대의 힘. 전투력(戰鬪力).
[兵馬 병마] ㉠무기와 군마(軍馬). 전(轉)하여, 군비(軍備). ㉡전쟁.
[兵無常勢 병무상세] 전진(戰陣)은 적의 형세에 따라 변화하므로 일정한 형세가 있는 것이 아님.
[兵聞拙速 병문졸속] 용병(用兵)함에는 졸렬하여도 빠른 것이 좋음.
[兵法 병법] 전쟁하는 방법. 전술.
[兵變 병변] 병란(兵亂).
[兵柄 병병] 병마(兵馬)의 권력. 병권(兵權).
[兵鋒 병봉] 군대의 날카로운 기세.
[兵部 병부] 육부(六部)의 하나. 병마(兵馬)의 일을 관장함.
[兵符 병부] 동병(動兵)하는 데 쓰는 부절(符節). 발병부(發兵符).
[兵不厭詐 병불염사] 병법(兵法)에는 속이는 것을 꺼리지 아니함.
[兵備 병비] 군사에 관한 설비(設備). 군비(軍備).
[兵士 병사] 군사(軍士).
[兵舍 병사] 병정이 들어 있는 집. 군대가 들어 거처하는 집.
[兵事 병사] 군사(軍事).
[兵尙神速 병상신속] 용병(用兵)에는 신속이 중함.
[兵書 병서] 병법(兵法)에 관한 책.
[兵船 병선] 전쟁에 쓰는 배.
[兵燹 병선] 병화(兵火).
[兵勢 병세] 병마(兵馬)의 세력.
[兵術 병술] 병법(兵法). 전술(戰術).
[兵食 병식] ㉠군량(軍糧). ㉡군사(軍士)와 군량.
[兵厄 병액] 전쟁으로 생기는 재앙.
[兵役 병역] ㉠전쟁 일로 징집당하는 부역(賦役). ㉡국민의 의무로서 군적에 편입되어 군무에 종사하는 일.
[兵營 병영] 병정이 들어 있는 집.
[兵伍 병오] 군대 편제상에 있어서의 최하급의 대(隊). 전(轉)하여, 군인의 낮은 지위.
[兵勇 병용] 병졸(兵卒).
[兵員 병원] 군사의 인원. 군사의 수효.
[兵威 병위] 군대의 위세. 군대의 위력.
[兵衛 병위] 호위병(護衛兵).
[兵猶火 병유화] 전쟁은 불과 같이 모든 것을 태워 버리므로, 함부로 전쟁을 하거나 또는 오래 끌면 화가 도리어 자기 자신에게 미친다는 뜻.
[兵戎 병융] ㉠병기(兵器). ㉡군사(軍士). 군비(軍備). 전쟁(戰爭).
[兵刃 병인] 무기(武器). 병기(兵器).
[兵者詭道也 병자궤도야] 용병(用兵)하는 데는 기계(奇計)를 써야 함.
[兵者不祥之器 병자불상지기] 병장기(兵仗器)는 사람을 해(害)치는 데 쓰이므로 불길(不吉)한 연장임.
[兵者凶器 병자흉기] ㉠무기(武器)는 흉한 기구임. ㉡전쟁은 사람을 해치는 흉악한 일임.
[兵仗 병장] 병기(兵器). 병장기(兵仗器).
[兵匠 병장] 병기(兵器)의 제작(製作). 또, 그 제작자.
[兵仗器 병장기] 병기(兵器).
[兵爭 병쟁] 전쟁(戰爭). 병전(兵戰).

[兵儲 병저] 군량(軍糧)과 군비(軍備)의 여축.
[兵籍 병적] 군인의 적(籍).
[兵丁 병정] 병역에 복무하는 장정. 병사.
[兵制 병제] 군사상(軍事上)의 제도.
[兵曹 병조] ㉠군사(軍事)를 맡은 벼슬. ㉡《韓》 육조(六曹)의 하나. 무선(武選)·군무(軍務)·병갑(兵甲)·기장(器仗)·문호관약(門戶管鑰)·의위(儀衛)·우역(郵驛) 등을 맡아보던 마을.
[兵卒 병졸] 군사(軍士).
[兵主 병주] ㉠주장(主將). ㉡군신(軍神).
[兵塵 병진] 전장(戰場)의 티끌.
[兵徵 병징] 전란(戰亂)의 징조.
[兵站 병참] 전지(戰地)의 후방에서 군수품을 수송 또는 수용하는 곳.
[兵站線 병참선] 전지(戰地)에 있는 군대와 병참부(兵站部)와의 연락선.
[兵學 병학] 병법(兵法)에 관한 학문.
[兵艦 병함] 전쟁에 쓰는 큰 배. 전함(戰艦).
[兵革 병혁] 무기와 갑주(甲胄).
[兵火 병화] 전쟁으로 인하여 일어나는 화재(火災). 병선(兵燹).
◉簡兵. 甲兵. 強兵. 皆兵. 客兵. 擧兵. 勁兵. 輕兵. 工兵. 觀兵. 驕兵. 國兵. 軍兵. 禁兵. 奇兵. 起兵. 騎兵. 老兵. 短兵. 大兵. 徒兵. 募兵. 民兵. 防衛兵. 白兵. 步兵. 步哨兵. 補充兵. 伏兵. 富國強兵. 士兵. 私兵. 散兵. 選兵. 水兵. 勝兵. 僧兵. 新兵. 衙兵. 弱兵. 養兵. 練兵. 閱兵. 豫防兵. 銳兵. 用兵. 勇兵. 傭兵. 衛兵. 義兵. 疑兵. 義勇兵. 利兵. 羸兵. 殘兵. 雜兵. 將兵. 賊兵. 敵兵. 精兵. 卒兵. 從兵. 志願兵. 徵兵. 斥候兵. 天兵. 撤兵. 尖兵. 哨兵. 出兵. 治兵. 親兵. 派兵. 敗兵. 廢兵. 砲兵. 海兵. 憲兵. 護衛兵. 訓練兵. 訓兵.

5
⑦ [共] 〔공〕
共(八部 四畫〈p.216〉)과 同字

5
⑦ [皃] 〔모〕
皃(白部 二畫〈p.1510〉)의 俗字

6
⑧ [其] 中人 기 ①㊥支 渠之切 qí ②㊦寘 居吏切 jì

筆順 一 十 廾 廿 甘 甘 其 其

字解 ①그 기 ㉠그것의. 지사(指事)의 사(辭). '一旨遠, 一辭文'《易經》. ㉡그것. 대명사(代名詞). '融從一遊學'《後漢書》. ㉢발어(發語)의 사(辭). '一左高宗'《書經》. ②어조사 기 ㉠어세(語勢)를 고르게 하기 위하여 구말(句末)에 첨가하는 조사(助辭). 시부(詩賦)에 쓰임. '夜如何一'《詩經》. ㉡무의미한 조사(助辭). '彼一之子'《詩經》.

字源 甲骨文 金文 篆文 籀文 象形. 곡식을 까부는 키의 상형으로, '키'의 뜻을 나타냄. '箕기'의 원자(原字). 가차(假借)하여, '그'의 뜻의 대명사로 쓰임. 篆文의 '箕'는 形聲. 竹+其〔音〕. '其기'에 '竹죽'을 더하여, 대나무로 만든 '키'의 뜻을 나타냄.

[其間 기간] 그 사이.
[其揆一也 기규일야] 그 도(道)는 같음.
[其時 기시] 그때.
[其餘 기여] 그 나머지.
[其亦 기역] 그것도 또.
[其然豈其然 기연기기연] 그런가. 설마 그럴 리야 있을라고.
[其外 기외] 그 밖.
[其愚不可及也 기우불가급야] 지혜(智慧)를 나타내지 않고 어리석은 체하여 몸을 보전한 일은 남이 미치지 못하는 바임.
[其爭也君子 기쟁야군자] 군자는 다투어도 소인(小人)의 다툼과 달라서 예의를 잊지 않아 군자로서의 낯을 깎이지 아니함.
[其前 기전] 그전.
[其中 기중] 그 속. 그 가운데.
[其次 기차] 그 다음.
[其他 기타] 그 밖. 그것 외(外)에 또 다른 것.
[其後 기후] 그 뒤.
◉豈其. 凄其. 何其.

6
⑧ [具] 高人 구 ㊦遇 其遇切 jù

筆順 丨 冂 冂 月 目 旦 具 具

字解 ①갖출 구 판비함. 구비함. '一足'. '一有'. '一體而微'《孟子》. ②갖추어질 구 구비됨. '一全'. '其禮一'《禮記》. ③차림 구 준비. '夜灑掃, 早張一'《史記》. ④그릇 구 ㉠제구. '器一'. '家一'. '索得釀一'《蜀志》. ㉡재능(才能). '抱將相之一'《李陵》. ⑤함께 구 俱(人部 八畫)와 同字. '一慶'. '一瞻'. '民一爾瞻'《詩經》. ⑥갖추 구 갖게. 일일이. 자세히. '一載'. '風潮難一論'《謝靈運》. ⑦모두 구 다. '百卉一腓'《詩經》. ⑧성 구 성(姓)의 하나.

字源 金文 篆文 形聲. 目(貝)+廾〔音〕. '貝패'는 조개, 또는 솥의 상형. '廾공'은 양손으로 바치다의 뜻. '갖추다'의 뜻을 나타냄.

[具格 구격] 격식(格式)을 갖춤.
[具慶 구경] ㉠함께 경하(慶賀)함. ㉡부모가 다 생존하고 있음.
[具官 구관] ㉠관원(官員)을 갖춤. ㉡명의(名義)만 관리의 일원(一員)으로 수효를 채우고 있을 따름임. ㉢문장(文章)의 초고(草稿) 등에 관직을 쓸 것을 생략할 때 쓰는 말.
[具文 구문] 형식만 갖춘 문면(文面).
[具備 구비] 빠짐없이 모두 갖춤. 또, 빠짐없이 모두 갖추어 있음.
[具象 구상] 구체(具體) ❷.
[具色 구색] 여러 가지 물건을 골고루 갖춤.
[具書 구서] 글자의 획을 빼지 않고 갖추어 씀.
[具述 구술] 상세(詳細)히 진술(陳述)함. 구진(具陳).
[具臣 구신] 단지 수효만 채운 쓸모없는 신하.
[具案 구안] ㉠초안을 작성함. ㉡방안(方案)을 세움.
[具眼 구안] 안식(眼識)이 있음.
[具眼者 구안자] 견식(見識)이 있는 사람.
[具然 구연] 스스로 만족하는 모양. 자득(自得)하는 모양.
[具獄 구옥] 옥안(獄案)이 다 되어 판결문(判決文)이 갖추어짐. 옥안(獄案)은 재판(裁判)의 조서(調書).
[具有 구유] 갖추어 가짐.
[具載 구재] 빠짐없이 모두 실음. 상세히 적어 실음.

[具全 구전] 갖추어져 완전함.
[具足 구족] 빠짐없이 갖춤. 구비함.
[具足戒 구족계] 《佛敎》 비구(比丘)·비구니(比丘尼)의 일체(一切)의 계(戒).
[具陳 구진] 자세히 진술(陳述)함.
[具瞻 구첨] 같이 우러러봄.
[具體 구체] ㉠전체를 갖춤. 전부를 가짐. ㉡형상(形象)을 갖추어 감관(感官)에 지각된 것. 구상(具象).
[具稟 구품] 사유를 갖추어 웃어른께 여쭘.
[具現 구현] 구체적으로 나타냄.
◉家具. 建具. 敬具. 輕具. 工具. 供具. 校具. 敎具. 器具. 機具. 農具. 道具. 馬具. 武具. 文具. 文房具. 不具. 佛具. 喪具. 夜具. 漁具. 禮具. 完具. 玩具. 用具. 雨具. 運動具. 戎具. 裝具. 葬具. 裝身具. 祭具. 製具. 諸具. 座具. 什具. 饌具. 治具. 寢具. 表具. 畫具.

6 ⑧ [具] 具(前條)와 同字

6 ⑧ [典] 中·人 전 ㊤銑 多殄切 diǎn

筆順 丨 冂 冃 冉 冊 曲 典 典

字解 ①법 전 법식(法式). 상경(常經). '一刑'. '一法'. '維淸緝熙, 文王之一'《詩經》. ②책 전 서적. '一籍'. '經一'. '兼修隋一'《北史》. ③벼슬 전 관직(官職). '採漢晉舊儀, 置六尙六司六一'《隋書》. ④맡을 전 관장(管掌)함. '一掌'. '一統'. '我一主東地'《戰國策》. ⑤바를 전 옳음. '一雅'. '辭一文艶'《梁昭明太子》. ⑥전당잡힐 전 전당에 넣음. '一當'. '一鋪'. '一任貼一貨賣'《舊唐書》. ⑦성 전 성(姓)의 하나.

字源 金文 篆文 古文 會意. 冊+丌. '冊책'은 책의 상형. '丌기'는 물건을 얹는 받침의 상형. 귀중한 책의 뜻에서, 파생하여 '법, 모범, 서적' 등의 뜻을 나타냄.

[典客 전객] 빈객(賓客)의 응접을 맡은 사람.
[典據 전거] 고사(故事)의 증거(證據). 출전(出典).
[典決 전결] 규칙을 정함. 제정(制定).
[典經 전경] 경서(經書).
[典戒 전계] 계(戒). 경계(警戒).
[典故 전고] ㉠전례(典禮)와 고사(故事). ㉡전거(典據)가 되는 고사.
[典誥 전고] ㉠서경(書經)의 요전(堯典)·순전(舜典)과 탕고(湯誥)·강고(康誥) 등. 곧, 태고의 제왕의 언행의 기록. ㉡고서(古書). ㉢조칙(詔勅).
[典廐 전구] 천자(天子)의 마구간을 맡은 벼슬.
[典券 전권] 문권(文券)을 전당으로 잡힘.
[典器 전기] 세상을 다스리는 데 쓰이는 것.
[典當 전당] 토지·가옥·물품 등을 담보로 하여 돈을 꾸어 쓰고 꾸어 주는 일. 저당.
[典麗 전려] 바르고 고움.
[典歷 전력] 관장(管掌)함.
[典例 전례] 전고(典故).
[典禮 전례] 일정한 의식(儀式).
[典賣 전매] 저당(抵當)에 넣어 팔아넘김.
[典物 전물] 전당 잡히는 물건. 저당물.
[典範 전범] 본보기. 모범.
[典法 전법] 전칙(典則).
[典墳 전분] ㉠삼황 오제(三皇五帝)의 서(書)인 삼분오전(三墳五典)의 약(略). ㉡고서(古書).
[典司 전사] 관장(管掌)함.
[典祀 전사] ㉠나라에서 정(定)한 제사. ㉡옛날 제사(祭祀)를 맡은 벼슬.
[典常 전상] 항상 지켜야 할 도리.
[典膳 전선] 천자(天子)의 선부(膳部)의 일을 맡은 벼슬.
[典屬國 전속국] 속국의 일을 맡은 벼슬.
[典式 전식] 법식(法式).
[典實 전실] 전고(典故). 고실(故實).
[典雅 전아] 바르고 고상함.
[典謁 전알] 내객(來客)의 접수를 맡은 벼슬. 알(謁)은 명함(名銜).
[典押 전압] 저당에 넣음. 전당 잡힘.
[典午 전오] ㉠사마(司馬)의 벼슬. 전(典)은 사(司), 오(午)는 마(馬). ㉡진대(晉代)의 일컬음. 임금이 사마씨(司馬氏)이므로 이름.
[典獄 전옥] ㉠재판을 맡음. ㉡옥(獄)의 감시자. ㉢《韓》 '교도소장(矯導所長)'의 구칭(舊稱).
[典要 전요] 일정한 규칙.
[典律 전율] 법. 규율. 본보기.
[典衣 전의] ㉠의복(衣服)을 전당 잡힘. ㉡의복(衣服)의 일을 맡음.
[典儀 전의] 법식. 의식(儀式).
[典章 전장] ㉠제도(制度)와 문물(文物). ㉡법칙(法則). 규칙(規則).
[典掌 전장] 일을 맡아서 주장함. 또, 그 사람.
[典籍 전적] 책. 서적.
[典制 전제] 전장(典章).
[典重 전중] 언행(言行)이 규구(規矩)에 맞고 점잖음.
[典證 전증] 고사(故事)의 증거.
[典職 전직] 맡음. 관장함.
[典質 전질] 물건을 전당 잡힘.
[典執 전집] 전당(典當)을 잡히거나 잡음.
[典籤 전첨] 문서를 맡은 벼슬아치.
[典貼 전첩] 전당 잡힘.
[典則 전칙] 법. 법칙(法則). 규범(規範).
[典統 전통] 도맡아 다스림.
[典學 전학] ㉠항상 학문에 종사(從事)함. 전(典)은 상(常)의 뜻. ㉡후세(後世)에 천자(天子)의 입학(入學)의 뜻으로 쓰임.
[典憲 전헌] 전범(典範).
[典刑 전형] ㉠예전부터 내려오는 법전(法典). ㉡전통(傳統)의 법식.
[典型 전형] ㉠어떤 부류의 모범이나 본보기가 될 만한 것. ㉡조상이나 스승을 본받은 틀.
[典訓 전훈] 인도(人道)의 가르침. 교훈(敎訓).
◉經典. 古典. 寬典. 敎典. 舊典. 國典. 內典. 大典. 文典. 邦典. 法典. 寶典. 墳典. 佛典. 事典. 辭典. 上典. 常典. 賞典. 書典. 瑞典. 釋典. 盛典. 聖典. 式典. 樂典. 語典. 榮典. 例典. 禮典. 外典. 原典. 六典. 恩典. 儀典. 吏典. 字典. 掌典. 政典. 祭典. 祝典. 出典. 通典. 特典. 香典. 刑典. 訓典.

7 ⑨ [彖] 수 ㊀寘 徐醉切 suì

字解 따를 수 순응함. '一, 从意也'《說文》.
字源 象形. '㔾교'는 후벼 내기 위한 날붙이의 상형. '豕시'는 돼지의 상형.

[酋] 〔추〕
酉部 二畫(p. 2350)을 보라.

8 ⑩ [兼] 高人 겸 ㊥鹽 古甜切 jiān

筆順

字解 ①겸할 겸 ㉠나누어진 것을 합침. '一倂'. '一三才而兩之'《易經》. ㉡두 가지 이상을 아울러 맡음. '一任'. '縣宰缺者, 數年守一'《漢書》. ㉢한결같게 함. 층하 없이 동등히 함. '一愛'. '墨子一愛'《孟子》. ②쌓을 겸 겹쳐 쌓음. 포개어 쌓임. '重金一紫'《後漢書》.

字源 金文 篆文 會意. ヨ(又)+秝. '又우'는 손의 상형. '秝력'은 나란히 심어 놓은 벼의 뜻. 나란히 서 있는 벼를 합쳐서 손에 쥐는 모양에서, '겸하다'의 뜻을 나타냄.

[兼官 겸관] 두 가지 관직을 겸함.
[兼金 겸금] 값이 보통 것의 갑절이나 되는 황금.
[兼務 겸무] 두 가지 이상의 일을 겸함. 또, 그 사무.
[兼倂 겸병] 한데 합쳐 가짐. 하나로 함.
[兼備 겸비] 아울러 가짐. 아울러 갖춤.
[兼善 겸선] 나뿐만이 아니라 다른 사람에게도 감화시켜서 착하게 함.
[兼旬 겸순] 열흘 이상이 걸림.
[兼愛 겸애] 친근(親近)·소원(疏遠)의 차별 없이 평등히 사랑함.
[兼用 겸용] 둘 이상의 사물을 함께 씀. 또, 하나로 여러 가지를 겸하여 씀.
[兼容 겸용] 도량이 넓음.
[兼有 겸유] 겸하여 가짐.
[兼任 겸임] 한 사람이 두 사람 이상의 임무를 겸함. 겸장(兼掌).
[兼掌 겸장] 본무(本務) 이외에 다른 일을 겸하여 맡아봄.
[兼全 겸전] 여러 가지를 다 갖추어 완전함.
[兼濟 겸제] 합쳐 도움. 함께 해냄. 또, 쌍방을 완전히 함.
[兼職 겸직] 한 사람이 두 가지 이상의 직무를 겸함.
[兼察 겸찰] 한 사람이 두 가지 이상의 일을 맡아봄.
[兼聽 겸청] 널리 중인(衆人)의 설(說)을 들음.
[兼總 겸총] 합쳐 총괄함.
[兼秋 겸추] 가을의 3개월간.
[兼學 겸학] 여러 학문을 겸하여 배움.
[兼銜 겸함] 일정한 직(職)의 관리가 그의 격(格)을 올리기 위하여 따로 관명(官名)을 붙임.
[兼行 겸행] ㉠이틀 길을 하루에 감. 밤낮으로 서두름. ㉡두 가지 이상의 일을 함께 행함.
◉幷兼. 攝兼.

9 ⑪ [其] 〔기〕
箕(竹部 八畫〈p. 1669〉)의 籒文

10 ⑫ [無] 兼(前前條)의 俗字

[曾] 〔증〕
曰部 八畫(p. 1010)을 보라.

11 ⑬ [龹] 冀(次次條)의 俗字

[與] 〔여〕
臼部 七畫(p. 1880)을 보라.

14 ⑯ [冀] 人名 기 ㊦寘 几利切 jì

筆順

字解 ①바랄 기 희망함. 하고자 함. '一望'. '希一'. '鄭有備矣, 不可一也'《左傳》. 또, 바라는 일. 희망. '一望成就'《後漢書》. ②바라건대 기 바라노니. '一一見而復歸'《東方朔》. ③기주 기 구주(九州)의 하나. 지금의 허베이 성(河北省)·산시 성(山西省)의 대부분과 허난 성(河南省)의 일부. '一州旣載壺口'《書經》.

字源 金文 篆文 形聲. 北+異[音]. '異이'는 '다르다'의 뜻. 북방의 이민족이 사는 땅, 중국 고대 구주(九州)의 하나의 뜻을 나타냄. 金文에 의하면, 장식이 있는 탈을 머리에 쓴, 춤추는 사람의 象形. 그 신(神)에게 행복을 비는 데서, '바라다'의 뜻이 됨.

[冀望 기망] 희망(希望). 소원.
[冀北 기북] 기주(冀州)의 북방. 말이 많이 남.
[冀願 기원] 기망(冀望).
[冀州 기주] 자해(字解) ❸을 보라.
◉妄冀. 無冀. 不冀. 非冀. 僥冀. 徼冀. 幸冀. 希冀.

[興] 〔흥〕
臼部 九畫(p. 1880)을 보라.

18 ⑳ [顚] 〔전〕
顚(頁部 十畫〈p. 2554〉)과 同字

18 ⑳ [顛] 顚(前條)의 俗字

冂 (2획) 部
〔멀경부〕

0 ② [冂] 人名 경 ①㊥靑 古螢切 jiōng ②㊤迥 戶頂切 jiǒng

筆順 丨 冂

字解 ①먼데 경, 멀 경 읍외(邑外)를 교(郊), 교외(郊外)를 야(野), 야외(野外)를 임(林), 임외(林外)를 '一'이라 함. 곧, 나라의 먼 지경(地境)을 이름. ②빌 경 공허함.

字源 金文 篆文 古文 指事. 세로 두 줄에 가로 한 줄을 그어, 멀리 떨어진 막다른 곳, 멀다의 뜻을 나타냄. 金文과 古文에 '口구'를 덧붙이는 자형(字形)은 다른 지경(地境)으로의 입구의 뜻이라고도 하고, 다른 지경으로부터의 못된 귀신을 막기 위한 기도의 뜻이라고도 함.

參考 문자 정리상(文字整理上) 편의적으로 부수(部首)로 세워져 있으나, '冂' 본래의 의미를 포함하는 문자가 있는 것은 아님. 부수(部首)의 이름으로는 '멀경몸'이라 이름.

1 **[冃]** ㊀ 모 ㊤晧 武道切 mǎo
③ ㊁ 무 ㊦宥 莫候切 mǎo

字解 ㊀ 덮을 모 이중(二重)으로 덮음. '一, 重覆'《廣韻》. ㊁ 덮을 무 ㊀과 뜻이 같음.
字源 指事. 아래의 '一일'로 덮은 위에 '冂경'을 덧붙여, '포개어 덮다'의 뜻을 나타냄.

2 **[冐]** ㊀ 모 ㊦號 莫報切 mào
④ ㊁ 무 ㊦宥 莫候切

字解 ㊀ 건 모 어린이·오랑캐의 두건. '一, 小兒及蠻夷頭衣也'《說文》. ㊁ 덮을 무 '一, 覆也'《集韻》.
字源 象形. 얼굴에 푹 덮어쓰고 눈 부분만 터놓은 두건을 본뜸.

2 **[円]** 〔원〕
④ 圓(囗部 十畫〈p.429〉)의 俗字

2 **[冄]** 〔염〕
④ 冉(冂部 三畫〈p.221〉)과 同字

2 **[内]** 〔내〕
④ 內(入部 二畫〈p.200〉)의 俗字

[丹] 〔단〕
丶部 三畫(p.49)을 보라.

[內] 〔내〕
入部 二畫(p.200)을 보라.

2 **[冈]** 〔강〕
④ 岡(山部 五畫〈p.637〉)의 簡體字

參考 网부의 '㓁'은 別字.

3 **[冊]** 中人 책 ㊇陌 楚革切 cè
⑤

筆順 丨 冂 冂 冊 冊

字解 ①책 책 서적. '一子'. '一書'. '魯一于是飛華'《晉書》. ②칙서 책 봉록(封祿)·작위(爵位) 등을 수여할 때에 천자(天子)가 내리는 칙명(勅命)을 적은 것. '一立'. '玉一'. '竹一'. ③꾀 책 策(竹部 六畫)과 同字. '全師保勝之一'《漢書》. ④권 책 책을 세는 수사(數詞). '二一'. ⑤성 책 성(姓)의 하나.
字源 甲骨文 金文 篆文 象形. 글자를 쓰기 위하여 끈으로 맨 대쪽의 모양을 본떠, '문서, 책'의 뜻을 나타냄.
參考 册(次條)과 同字.

[冊價 책가] 책의 값.
[冊匣 책갑] 책을 넣어 두거나 겉으로 싸는 갑(匣).
[冊庫 책고] 책을 쌓아 두는 곳집.
[冊卷 책권] 서책(書冊)의 권질(卷帙).
[冊櫃 책궤] 책을 넣어 두는 궤짝.
[冊禮 책례] 황후(皇后)를 책립하는 예식.
[冊籠 책롱] 책을 넣어 두는 농.
[冊立 책립] 조칙(詔勅)을 내려 황태자 등을 정함.
[冊名 책명] 책의 이름.
[冊命 책명] 책립(冊立)·책봉(冊封)의 명령.
[冊拜 책배] 칙서(勅書)를 내려 관직을 임명함.
[冊褓 책보] 책을 싸는 보자기.
[冊封 책봉] ㉠칙명(勅命)을 내려 식록(食祿)·작위(爵位)를 수여함. ㉡《韓》왕세자(王世子)·세손(世孫)·비(妃)·빈(嬪)을 봉(封)함.
[冊府元龜 책부원귀] 송(宋)나라의 경덕(景德) 2년 왕흠약(王欽若)·양억(楊億) 등이 칙명(勅命)을 받들어 찬(撰)한 유서(類書). 1천 권. 육경자사(六經子史)로부터 역대(歷代) 군신(君臣)의 사적(史迹)을 수록(收錄)하였음.
[冊妃 책비] 후비(后妃)를 책립함.
[冊絲 책사] 책을 매는 데 쓰는 실.
[冊肆 책사] 책을 파는 가게. 서점.
[冊床 책상] 책을 올려놓거나, 또는 글씨를 쓰는 데 받치는 상 모양의 기구.
[冊書 책서] ㉠문서(文書). 기록. ㉡천자(天子)가 내린 사령서(辭令書). 책서(策書).
[冊葉 책엽] 책의 면수(面數).
[冊衣 책의] ㉠서책의 위아래 겉장. ㉡책가위.
[冊子 책자] 서책(書冊).
[冊張 책장] 책의 낱장.
[冊欌 책장] 책을 넣어 두는 장(欌).
◉簡冊. 丹冊. 大冊. 方冊. 別冊. 分冊. 璽冊. 書冊. 小冊. 手冊. 綸冊. 楮冊. 詔冊. 竹冊. 兔園冊.

3 **[册]** 中人 冊(前條)과 同字
⑤

筆順 丿 刀 刀 册 册

3 **[冋]** 〔경〕
⑤ 冂(部首〈p.220〉)의 古字

3 **[冎]** 〔회〕
⑤ 回(囗部 三畫〈p.420〉)의 古字

3 **[冉]** 염 ㊤琰 而琰切 rǎn
⑤

字解 ①늘어질 염 아래로 늘어진 모양. '柔條紛一一'《曹植》. ②갈 염 세월 같은 것이 가는 모양. '時亦一一而將至'《楚辭》. ③성 염 성(姓)의 하나.
字源 甲骨文 金文 篆文 象形. 수염이 자라 늘어진 모양을 본떠, '수염'의 뜻을 나타냄. 파생하여, 약하다, 세월이 가는 모양을 나타냄.

[冉求 염구] 춘추(春秋) 시대의 노(魯)나라 사람. 자(字)는 자유(子有). 또, 염유(冉有) 또는 유자(有子)라고도 함. 공문 십철(孔門十哲)의 한 사람으로, 재예(才藝)·정사(政事)에 뛰어났음.
[冉伯牛 염백우] 춘추 시대(春秋時代)의 노(魯)나라 사람. 이름은 경(耕). 공문 십철(孔門十哲)의 한 사람으로서, 덕행(德行)으로 이름이 높음.
[冉弱 염약] 약하고 부드러움.
[冉冉 염염] ㉠부드러워 아래로 늘어진 모양. ㉡세월 같은 것이 가는 모양. ㉢향기가 나는 모양.
[冉雍 염옹] 춘추 시대(春秋時代)의 노(魯)나라 사람. 자(字)는 중궁(仲弓). 공문 십철(孔門十哲)의 한 사람으로서, 덕행(德行)으로 이름이 높음.

4 **[冊]** ㊀ 산 ㊦諫 所晏切
⑥ ㊁ 책 ㊇陌 楚革切 cè

字解 ㊀ ①울짱 산 목책(木冊). '柵, 編竹木爲落也. 亦省'《集韻》. ②울타리고칠 산 울타리를

수선함. '一, 編竹木補籬, 謂之一'《集韻》. ⊟ 책 책 冊(冂部 三畫)과 同字.

4 ⑥ [再] 中人 재 ㊀隊 作代切 zài

筆順 一 丅 冂 冃 再 再

字解 ①두번 재 거듭. '一三'. '一考'. '一不朝則削其地'《孟子》. ②두번할 재 거듭함. 다시 함. '過言不一'《禮記》.

字源 甲骨文 金文 篆文 象形. 하나를 들어 올림으로써 좌우 두 개가 동시에 올라가는 모양을 본떠, 어떤 한 일이 일어나서 거기에 겹쳐 또 하나의 일이 일어나다, 다시, 거듭의 뜻을 나타냄.

[再嫁 재가] 과부(寡婦) 또는 이혼한 여자가 다시 다른 곳으로 시집감.
[再刊 재간] 두 번째 간행(刊行)함.
[再改 재개] 다시 고침.
[再開 재개] 다시 엶.
[再擧 재거] 다시 일을 일으킴. 다시 함.
[再建 재건] 무너진 것을 다시 건설함. 고쳐 지음.
[再耕 재경] 두 번 갊.
[再考 재고] 다시 생각함.
[再顧 재고] ㉠두 번 돌아다봄. ㉡미인(美人).
[再校 재교] 두 번째의 교정(校正). 재준(再準).
[再歸熱 재귀열] 전염병의 하나. 스피로헤타가 체내에 침입하여 처음에는 고열(高熱)·오한(惡寒) 등을 일으키나 수일 후에 사라졌다가도 같은 증세를 반복함. 회귀열(回歸熱).
[再起 재기] 두 번째 일어남. 다시 일어남.
[再度 재도] 두 번. 두 번째. 재차.
[再讀 재독] 두 번째 읽음. 다시 읽음.
[再來 재래] ㉠두 번째 옴. ㉡다시 이 세상에 남.
[再鍊 재련] 금속·목재 등을 두 번째 다룸.
[再錄 재록] 다시 수록(收錄)함.
[再明年 재명년] 후년(後年).
[再明日 재명일] 모레.
[再發 재발] ㉠두 번째 생겨남. 다시 발생함. ㉡글발을 다시 또 보냄.
[再拜 재배] ㉠두 번 절함. 거듭 절함. ㉡편지 끝에 써서 경의를 표하는 말.
[再燔 재번] 도자기를 두 번 구움.
[再犯 재범] 두 번 죄를 저지름. 또, 그 사람.
[再變 재변] 다시 변함. 또, 두 번째의 변사(變事).
[再報 재보] 두 번째 알림.
[再逢春 재봉춘] ㉠1년 동안에 입춘(立春)이 두 번 듦. ㉡불우한 처지에 놓였던 사람이 다시 행복을 찾음.
[再思 재사] 다시 생각함.
[再思可 재사가] 사고(思考)도 정도에 지나치면 도리어 의혹이 생기므로 재고(再考)함으로써 족함.
[再三 재삼] 두세 번. 여러 번.
[再三再四 재삼재사] 서너너덧 번. 여러 번.
[再生 재생] ㉠다시 살아남. ㉡버리게 된 것을 다시 쓰게 만듦. 회생(回生).
[再生之恩 재생지은] 죽게 된 목숨을 다시 살게 하여 준 은혜(恩惠).
[再選 재선] ㉠두 번 선거함. ㉡두 번째 뽑힘. ㉢다시 뽑음.
[再說 재설] 하던 이야기를 다시 말함. 다시 설명함.
[再訴 재소] 두 번째 송사(訟事)를 일으킴.
[再送 재송] 두 번째 보냄.
[再宿 재숙] ㉠이틀의 숙박. ㉡이틀째의 숙박. 이숙(二宿). 신숙(信宿).
[再巡 재순] ㉠두 번째 도는 차례. ㉡두 번째 쏘는 활의 차례.
[再試驗 재시험] 시험을 두 번 치름.
[再室 재실] 《韓》 재취(再娶)한 아내.
[再審 재심] 한 번 심리(審理)한 사건을 다시 심리함.
[再演 재연] 《韓》 다시 상연함.
[再燃 재연] ㉠꺼졌던 불이 다시 탐. ㉡그치려 하던 일이 다시 떠들고 일어남.
[再虞 재우] 매장(埋葬)한 뒤 두 번째 지내는 제사(祭祀).
[再議 재의] 두 번 의논(議論)함. 두 번 회의함.
[再任 재임] 같은 임무에 두 번째 나감.
[再昨年 재작년] 그러께.
[再昨日 재작일] 그저께.
[再煎 재전] 두 번째 달임. 재탕(再湯).
[再訂 재정] 다시 정정(訂正)함.
[再製 재제] 다시 만듦.
[再祚 재조] 물러난 임금이 다시 임금 자리에 나아감.
[再造 재조] ㉠재생(再生). ㉡재흥(再興).
[再從 재종] 재종(再從) 형제자매의 총칭. 육촌 형제(六寸兄弟).
[再從孫 재종손] 종형제(從兄弟)의 손자.
[再從祖 재종조] 할아버지의 종형제.
[再準 재준] 재교(再校).
[再次 재차] 두 번째.
[再請 재청] ㉠두 번째 청(請)함. ㉡다른 사람의 동의(動議)에 대하여 찬성하는 뜻으로 거듭 청함.
[再醮 재초] 재가(再嫁).
[再築 재축] 무너진 것을 다시 건축함.
[再出 재출] 두 번 냄. 두 번 나옴.
[再娶 재취] 두 번째 장가를 듦.
[再湯 재탕] 약(藥)을 두 번 달임.
[再版 재판] 두 번째의 출판(出版). 또, 그 책(冊). 중각(重刻).
[再現 재현] ㉠두 번째 나타남. ㉡심리학에서, 한 번 경험한 표상(表象)이 재차 의식(意識) 중에 나타나는 일.
[再婚 재혼] 두 번 혼인(婚姻)함.
[再會 재회] ㉠두 번째 모임. ㉡다시 만남.
[再興 재흥] 다시 일으킴. 또다시 일어남. 부흥(復興).

◉一再. 重再. 歡未再.

4 ⑥ [再] 再(前條)의 本字

4 ⑥ [冎] 〔과〕 剮(刀部 九畫〈p. 263〉)와 同字

字源 篆文 象形. 사람의 살을 발라내고, 머리 부분까지도 갖춘 뼈를 본떠, '살을 바르다'의 뜻을 나타냄.

[同] 〔동〕 口部 三畫(p. 345)을 보라.

[网] 〔망〕 部首(p. 1786)를 보라.

5 ⑦ **[冏]** [人名] 경 [平]靑 古熒切 jiǒng

[筆順] 丨 冂 门 冂 冏 冏 冏

[字解] 빛날 경 빛이 남. 밝음. '一光'. '一一秋月明'《江淹》.

[字源] [甲骨文] [金文] [篆文] 象形. 篆文의 囧(冏은 변형)은 창문에 빛이 비쳐 밝은 모양의 상형. 金文에 의하면 태양빛이 빛나는 모양의 상형임.

[冏冏 경경] 빛나는 모양. 밝은 모양.
[冏然 경연] 경경(冏冏).

6 ⑧ **[杲]** [一] 초 [上]巧 側狡切 zhǎo [二] 타

[字解] [一] 우거질 초 과수(果樹)의 가지가 우거짐. '一, 果木盛生朵也'《玉篇》. [二] 朵(木部 二畫)의 訛字.
[參考] 杲(木部 四畫)는 別字.

6 ⑧ **[冐]** 冒(次條)의 俗字

7 ⑨ **[冒]** [高人] [一] 모 [去]號 莫報切 mào [二] 묵 [入]職 莫北切 mò

[筆順] 丨 冂 冃 冃 冃 冐 冒 冒 冒

[字解] [一] ①가릴 모 덮어 가림. '一天下之道'《易經》. ②쓰개 모, 건 모 두건(頭巾). '著黃一'《漢書》. ③시기할 모 娼(女部 九畫)와 同字. '一疾以惡之'《書經》. ④거짓쓸 모 가칭(假稱)함. '一名'. '一姓爲衛氏'《漢書》. ⑤탐할 모 탐(貪)냄. '一利'. '貪一'. '一於貨賄'《左傳》. ⑥범할 모 법을 범함. 참람(僭濫)한 짓을 함. '凌一'. '抵一'. '僭一'. '有一上而無忠下'《國語》. ⑦무릅쓸 모 ㉠무릅쓰고 나감. 돌진함. '一進'. '一險'. '張空弮一白刃'《漢書》. ㉡무릅쓰고 침. 돌격함. '直一漢圍'《漢書》 ⑧쓸 모 머리에 씀. '被甲一冑'《戰國策》. ⑨옥홀 모 瑁(玉部 九畫)와 통용. '天子執一四寸, 以朝諸侯'《周禮》. ⑩성 모 성(姓)의 하나. [二] 선우이름 묵 '一頓'은 한초(漢初)의 흉노의 유명한 선우(單于).

[字源] [篆文] [古文] 形聲. 目+冃[音]. '冃모'는 덮는 물건, 머리쓰개의 뜻을 나타내는 상형(象形) 글자. 눈을 가리다의 뜻. 또, '矛모', '戊무'와 통하여, 무릅쓰고 길을 뚫고 나가다, 범하다의 뜻을 나타냄.

[冒耕 모경] 임자의 승낙(承諾) 없이 남의 땅에 농사를 지음.
[冒年 모년] 나이를 속임.
[冒瀆 모독] 능모(凌冒)하여 욕(辱)되게 함.
[冒頭 모두] 말이나 문장(文章)의 처음에 내놓는 말.
[冒濫 모람] 버릇없이 웃어른에게 덤빔.
[冒廉 모렴] 모몰염치(冒沒廉恥).
[冒錄 모록] 사실이 아닌 것을 기록함.
[冒萬死 모만사] 온갖 어려움을 무릅쓰고 용기 있게 나아감.
[冒昧 모매] 함부로 나아감. 무턱대고 나아감.
[冒名 모명] 이름을 거짓으로 꾸며 댐. 이름을 속임.
[冒沒廉恥 모몰염치] 염치없는 줄 알면서도 무릅쓰고 함.
[冒白刃 모백인] 시퍼런 칼날을 무릅씀. 칼을 두려워하지 않고 적중(敵中)에 용감히 뛰어듦을 이름.
[冒犯 모범] 일부러 불법(不法)한 언행(言行)을 함.
[冒死 모사] 죽음을 무릅씀. 생명을 걺.
[冒色 모색] 여색(女色)에 빠짐.
[冒絮 모서] 솜을 둔 건(巾). 노인이 씀.
[冒雪 모설] 눈을 무릅씀.
[冒涉 모섭] 풍파를 무릅쓰고 건너감.
[冒襲 모습] 남의 집의 대(代)를 이음.
[冒雨 모우] 비를 무릅씀.
[冒認 모인] 남의 물건을 제 것으로 오인(誤認)함.
[冒占 모점] 남의 물건을 범하여 취득함.
[冒進 모진] 함부로 나감. 막 승진함.
[冒疾 모질] 남의 재주를 시기함.
[冒嫉 모질] 모질(冒疾).
[冒稱 모칭] 남의 성(姓)을 사칭(詐稱)함.
[冒濁 모탁] 마음이 탐욕으로 가려 결백하지 아니함.
[冒寒 모한] 추위를 무릅씀.
[冒險 모험] 위험을 무릅씀. 위험한 일을 감행함.
[冒頓 묵돌] 한초(漢初)의 흉노(匈奴)의 유명한 선우(單于).
◉干冒. 感冒. 欺冒. 陵冒. 幎冒. 覆冒. 僞冒. 抵冒. 觸冒. 侵冒. 貪冒. 布冒.

7 ⑨ **[冑]** [人名] 주 [去]宥 直祐切 zhòu

[筆順] 冂 冃 由 由 由 冑 冑 冑

[字解] 투구 주 예전에 군인이 전시에 쓰던 쇠 모자. '甲一'. '介一'. '被甲冒一'《戰國策》.

[冑]

[字源] [金文] [篆文] 形聲. 篆文은 冃+由[音]. '冃모'는 머리쓰개의 상형. '由유'는 깊은 구멍의 뜻. 눈을 깊숙이 가리는 투구의 뜻을 나타냄. 金文은 눈의 차양이 깊숙한 투구의 象形.
[參考] 胄(肉部 五畫)는 別字.

◉甲冑.

8 ⑩ **[冔]** 후 [平]虞 況于切 xǔ

[字解] ①덮을 후 덮어 가림. ②면류관 후 은(殷)나라의 관. '周弁, 殷一, 夏收'《禮記》.
[字源] 形聲. 冃+吁[音]. '冃모'는 '모자'의 뜻.

8 ⑩ **[冓]** 구 [去]宥 古候切 gòu

[字解] ①재목어긋매껴쌓을 구. ②지밀 구 궁중(宮中)의 제일 그윽한 데 있는 침실. '中一之言, 不可道也'《詩經》.
[字源] [甲骨文] [金文] [篆文] 象形. 화톳불을 피울 때에 쓰는 바구니. '篝구'의 원자(原字)로, 아래위가 같은 모양으로 결은 바구니의 꼴을 본뜸.
[參考] 冓(次條)는 俗字.

◉內冓. 中冓.

8 ⑩ **[冓]** 冓(前條)의 俗字

9 ⑪ **[冕]** 人名 면 ㊤銑 亡辨切 miǎn

筆順

字解 ①면류관 면 대부(大夫) 이상이 쓰는 예관(禮冠). ②성 면 성(姓)의 하나.

字源 篆文 形聲. 冃+免〔音〕. '冃모'는 '모자'의 뜻. '免면'은 '벗다'의 뜻. 썼다 벗었다 할 수 있는 운두 높은 관의 뜻을 나타냄.

[冕旒 면류] 면류관 앞뒤에 끈에 꿰어 늘어뜨린 주옥(珠玉). 천자(天子)는 열두 줄, 제후(諸侯)는 아홉 줄, 상대부(上大夫)는 일곱 줄, 하대부(下大夫)는 다섯 줄임.

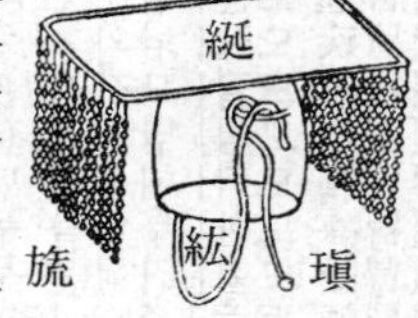

[冕旒冠]

[冕旒冠 면류관] 면류로 장식한 대부(大夫) 이상이 쓰는 예관(禮冠).

[冕服 면복] 면류관과 그 예복.

◉袞冕. 冠冕. 挂冕. 九端冕. 端冕. 麻冕. 鷩冕. 紱冕. 黻冕. 裨冕. 釋冕. 旒冕. 毳冕. 軒冕. 玄冕. 希冕.

21 ㉓ **[䍦]** 리 ㊥支 隣知切 lí

字解 ①머리쓰개 리 흰 천의 머리쓰개. ②얼굴가리개 리 부인이 외출할 때 얼굴을 가리는 제구. '一, 障面具也. 婦人出, 必擁蔽其面. 男子亦用之'《正字通》.

冖 (2획) 部
〔민갓머리부〕

0 ② **[冖]** 멱 ㊅錫 莫狄切 mì

筆順

字解 덮을 멱 보자기로 물건을 덮음. 冪(冖部 十四畫)과 同字.

字源 篆文 象形. 덮개의 모양을 본떠, '덮다'의 뜻을 나타냄.

參考 부수의 이름으로서, 갓머리 '宀'와 구별하여 '민갓머리'라 이름. '冖'를 의부(意符)로 하여, '덮개, 덮다' 등의 뜻을 포함하는 글자를 이룸.

2 ④ **[宂]** 〔용〕 宂(宀部 二畫〈p. 567〉)의 俗字

2 ④ **[冘]** 유 ㊥尤 以周切 yóu

字解 망설일 유 주저함. 머뭇거림. 猶(犬部 九畫)와 同字.

字源 篆文 會意. 儿(人)+冂. '冂경'은 멀리 떨어진 경계. 사람이 먼 경계를 나가다의 뜻을 나타냄. 사람이 먼 곳의 경계를 가는 모습은 느릿느릿 망설이듯이 보이므로, 전하여 '주저하다, 머뭇거리다'의 뜻을 나타냄. 일설에는, 사람이 베개를 베고 있는 모양을 본뜬 象形이라 함. '枕침'의 원자(原字). 베개를 베고 누워 있는 모습에서, '침체(沈滯)하다, 게을리하다'의 뜻을 나타낸다고도 함.

[冘豫 유예] 망설임. 주저함.

3 ⑤ **[写]** 〔사〕 寫(宀部 十二畫〈p. 598〉)의 略字

3 ⑤ **[写]** 〔사〕 寫(宀部 十二畫〈p. 598〉)의 簡體字

4 ⑥ **[农]** 〔농〕 農(辰部 六畫〈p. 2285〉)의 簡體字

5 ⑦ **[冝]** 〔의〕 宜(宀部 五畫〈p. 576〉)의 俗字

6 ⑧ **[冞]** 미 ㊥支 武移切 mí

字解 ①두루다닐 미 여러 곳을 두루 다님. '一入其阻'《詩經》. ②깊을 미 深(水部 八畫)과 뜻이 같음.

7 ⑨ **[冦]** 〔가〕 叚(又部 七畫〈p. 333〉)의 古字

7 ⑨ **[冠]** 高人 관 ①-③㊥寒 古丸切 guān ④-⑥㊤翰 古玩切 guàn

筆順

字解 ①갓 관 머리에 쓰는 물건. '一帶'. '一冕'. '裂一毁冕'《左傳》. ②볏 관 닭의 볏. 계관(鷄冠). '一距'. '聖人見鳥獸有一角顄胡, 遂制冠冕纓緌'《後漢書》. ③성 관 성(姓)의 하나. ④갓쓸 관 ㉠갓을 씀. '上或時不一'《漢書》. ㉡어른이 되어 관례(冠禮)를 올리고 갓을 씀. '一者'. '昭帝旣一'《漢書》. ⑤어른 관 관례를 올린 성인(成人). '一童'. '童一八九人'《張華》. ⑥으뜸 관 제일. 수위(首位). '一絕'. '名一三軍'《史記》.

字源 篆文 形聲. 冖+寸+元〔音〕. '元원'은 관을 쓴 사람의 상형. '덮다'의 뜻의 '冖멱'과 '손에 쥐다'의 뜻의 '寸촌'을 덧붙여서, '관을 쓰다'의 뜻을 똑똑히 하였음.

[冠角 관각] 새의 볏과 짐승의 뿔.

[冠蓋相望 관개상망] 앞의 수레는 뒤의 수레의 덮개를 바라보며 뒤의 수레는 앞의 수레의 덮개를 바라본다는 뜻으로, 수레가 연달아 가는 모양. 전(轉)하여, 사자(使者)의 왕래가 끊이지 아니하는 모양을 이름.

[冠笄 관계] ㉠갓과 비녀. 전(轉)하여, 남자가 스무 살이 되어 갓을 쓰는 관례(冠禮)와 여자가 열다섯 살이 되어 비녀를 꽂는 예(禮). ㉡갓이 벗어지지 않게 꽂는 못 모양의 비녀.

[冠帶 관대] ㉠갓과 띠. ㉡갓을 쓰고 띠를 맴. 예

모(禮貌)를 갖춤. ㉢관대(冠帶)를 하는 신분(身分). 또, 그 사람. 벼슬아치.

[冠帶之國 관대지국] 예의(禮儀)가 바른 나라.

[冠禮 관례] 사내아이가 스무 살이 되었을 때 처음으로 갓을 쓰고 어른이 되는 예식.

[冠履 관리] ㉠갓과 신. 상하(上下)·존비(尊卑) 등의 비유. ㉡갓은 머리에 쓰고 신은 발에 신으므로 두족(頭足)은 본(本), 관리(冠履)는 말(末)의 뜻으로 쓰임.

[冠履倒易 관리도역] 관리전도(冠履顚倒).

[冠履顚倒 관리전도] 상하(上下)의 위치(位置)가 거꾸로 됨.

[冠網 관망] 갓과 망건(網巾).

[冠冕 관면] ㉠갓과 면류관(冕旒冠). ㉡관면을 쓰는 벼슬아치. ㉢외모(外貌)의 치레. ㉣우두머리. 수위(首位).

[冠弁 관변] 사냥할 때에 쓰는 천자(天子)의 관.

[冠裳 관상] ㉠갓과 옷. 훌륭한 의복(衣服)을 이름. ㉡갓을 쓰고 옷을 입음.

[冠序 관서] 서문(序文).

[冠首 관수] ㉠첫째. 수위(首位). ㉡다른 여러 사람 위에 섬.

[冠雖敝必加於首 관수폐필가어수] 갓은 암만 해져도 발에 신어서는 안 되고 반드시 머리에 써야 한다는 뜻으로, 상하(上下)·귀천(貴賤)의 구별을 문란하게 하여서는 안 된다는 비유로 쓰임.

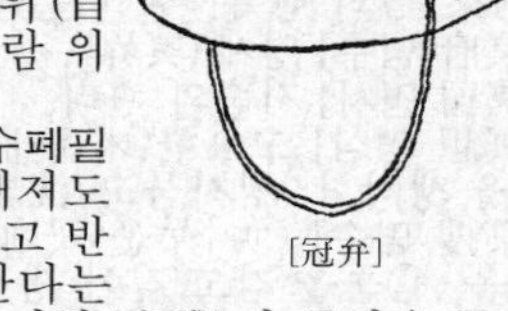
[冠弁]

[冠纓 관영] 갓 끈.

[冠玉 관옥] ㉠관(冠) 앞을 꾸미는 옥(玉). ㉡외모는 아름다우나 재덕(才德)이 없음의 비유.

[冠字 관자] ㉠남자가 관례(冠禮)를 행하고 자(字)를 지음. ㉡정년(丁年)이 됨.

[冠者 관자] 관례(冠禮)를 행하여 갓을 쓴 젊은이.

[冠前絕後 관전절후] 고금에 비견할 만한 것이 없음.

[冠絕 관절] 가장 뛰어나서 비견(比肩)할 만한 사람이 없음. 탁절(卓絕).

[冠族 관족] 지체가 훌륭한 집안. 명문(名門). 갑족(甲族).

[冠櫛 관즐] ㉠관(冠)을 쓰고 머리를 빗질함. ㉡관(冠)과 빗.

[冠軼 관질] 뛰어남. 빼어남.

[冠婚喪祭 관혼상제] 관례(冠禮)·혼례(婚禮)·상례(喪禮)·제례(祭禮)의 네 가지 큰 예(禮).

◉加冠. 笄冠. 鷄冠. 掛冠. 金冠. 戴冠. 冕旒冠. 沐猴冠. 無冠. 法冠. 寶冠. 鳳冠. 蟬冠. 成冠. 素冠. 弱冠. 榮冠. 纓冠. 王冠. 優孟衣冠. 月桂冠. 儒冠. 衣冠. 李下不整冠. 緇布冠. 卓冠. 彈冠. 皮冠. 荆冠. 花冠. 猴冠.

[軍] 〔군〕 車部 二畫(p. 2258)을 보라.

8 ⑩ [冡] 몽 ㊥東 莫紅切 méng

字解 덮을 몽 蒙(艸部 十畫)과 통용.

字源 篆文 會意. 冃+豕. '冃모'는 '덮다'의 뜻. '시'는 '돼지'. 돼지 따위의 가축에 덮개를 덮어 주다, 어둡게 하다, 어둡다의 뜻을 나타냄.

參考 冢(次條)은 別字.

8 ⑩ [冢] 총 ㊤腫 知隴切 zhǒng

字解 ①무덤 총 뫼. 분묘(墳墓). '一塋'. '古一'. '還祭黃帝一'《史記》. ②봉토(封土) 총 흙을 높이 쌓아올린 것. '乃立一土'《詩經》. ③산꼭대기 총 산정(山頂). '山一崒崩'《詩經》. ④언덕 총 구롱(丘壟). '即堆一而流眄'《沈約》. ⑤클 총 大(部首)와 뜻이 같음. '一宰'. '一君'. ⑥맏 총 長(部首)과 뜻이 같음. '一子'. '一嫡'.

字源 金文 篆文 形聲. 篆文은 勹+豕〔音〕. '勹포'는 '덮어 싸다'의 뜻. '豖축'은 발을 묶은 돼지의 상형. 희생을 갖추어 바치고 덮는 무덤의 뜻을 나타냄.

參考 冡(前條)은 別字.

[冢卿 총경] 최고의 신하. 대신(大臣).

[冢壙 총광] 시체를 묻는 구덩이. 광혈(壙穴).

[冢君 총군] 임금.

[冢墓 총묘] 무덤.

[冢副 총부] 나라의 대(代)를 이을 사람. 태자(太子). 저부(儲副).

[冢婦 총부] 적장자(嫡長子)의 아내.

[冢社 총사] 토지(土地)의 신을 제사 지내는 사당.

[冢祀 총사] 조상(祖上)의 제사. 종묘(宗廟)의 제사.

[冢嗣 총사] 총자(冢子) ㉠.

[冢塋 총영] 무덤. 분묘(墳墓).

[冢胤 총윤] 후사(後嗣).

[冢人 총인] 공동묘지(共同墓地)를 관리하는 벼슬. 또, 그 벼슬아치.

[冢子 총자] ㉠적장자(嫡長子). ㉡태자(太子). 또는 세자(世子).

[冢藏 총장] 묘혈(墓穴).

[冢宰 총재] ㉠주(周)나라 때 육관(六官)의 장(長). 지금의 국무총리(國務總理)와 같음. ㉡후세(後世)에는 이부상서(吏部尙書)의 이칭(異稱).

[冢嫡 총적] 총자(冢子) ㉠.

[冢弟 총제] 천자(天子)의 아우.

[冢中枯骨 총중고골] 무덤 가운데 있는 백골(白骨)이라는 뜻으로, 무능(無能)한 사람을 이르는 말.

[冢土 총토] ㉠높이 쌓아올린 흙. 봉토(封土). ㉡토지(土地)의 신(神). 토신(土神).

[冢弼 총필] 중요한 보좌(輔佐). 대신(大臣)을 이름. 태필(台弼).

◉古冢. 枯冢. 丘冢. 舊冢. 汲冢. 發冢. 相冢. 守冢. 英雄冢. 義冢. 蟻冢. 堆冢. 筆冢. 荒冢.

8 ⑩ [冤] 원 ㊥元 於袁切 yuān

字解 ①원통할 원 억울함. 억울하게 죄를 받음. '一刑'. '嗟乎一哉, 烹也'《史記》. ②원죄 원 억울한 죄. '定國爲廷尉, 民自以不一'《史記》. ③원한 원, 원수 원 '此乃宿世一也'《續韻府》. ④성 원 성(姓)의 하나.

字源 甲骨文 篆文 會意. 甲骨文은 网+兔. '网망'은 그물의 상형. '兔토'는 토끼의 상형. 그물 속에서 움츠리는 토끼의 모양에서, 억울한 죄, 원한의 뜻을 나타냄.

參考 寃(宀部 八畫)은 俗字. 일설에는, 同字.

[冤家 원가] 원수. 구수(仇讎).

[冤結 원결] 원죄(冤罪)에 걸려 신원(伸冤)하지 못함.
[冤繫 원계] 원죄(冤罪)로 갇힘. 또, 그 사람.
[冤屈 원굴] 원통(冤痛)하게 누명(陋名)을 씀.
[冤鬼 원귀] 원통하게 죽은 사람의 귀신. 원혼(冤魂).
[冤濫 원람] 죄 없는 사람을 죄에 빠뜨림.
[冤伏 원복] 억울한 죄에 걸림. 억울하게 누명을 씀.
[冤憤 원분] 원죄(冤罪)에 걸린 분통.
[冤死 원사] 원통한 죄에 죽음.
[冤傷 원상] ㉠억울한 죄(罪)에 걸린 사람을 애달프게 슬퍼함. ㉡억울하게 죄(罪)를 씌워 사람을 해침.
[冤訴 원소] 원통한 것을 호소함.
[冤抑 원억] 원굴(冤屈).
[冤獄 원옥] ㉠억울한 죄. 원통한 옥사(獄事). ㉡억울하게 옥사(獄事)에 걸림.
[冤枉 원왕] 원죄(冤罪).
[冤罪 원죄] 사실이 없는 원통한 죄.
[冤譖 원참] 원통(冤痛)한 참소. 사실(事實)이 아닌 허무맹랑한 참소.
[冤親 원친] 원한 있는 자와 친한 사람. 사이가 나쁜 사람과 사이가 좋은 사람.
[冤痛 원통] ㉠원죄(冤罪)를 받은 한(恨). ㉡몹시 원망스러움.
[冤恨 원한] 원죄(冤罪)에 걸린 한.
[冤刑 원형] 죄 없이 원통하게 받는 형벌(刑罰). 억울한 형벌.
[冤魂 원혼] 원통하게 죽은 사람의 혼령(魂靈).
◉結冤. 名辱身冤. 煩冤. 雪冤. 讐冤. 伸冤. 深冤. 幽冤. 理冤. 至冤. 直冤. 沈冤. 侵冤.

8 ⑩ **[冥]** 高人 명 ㊥青 莫經切 míng

筆順 冖 冗 冝 冝 冥 冥 冥 冥

字解 ①어두울 명 ㉠밝지 아니함. '—— '. '—晦'. '窈兮—兮'《老子》. ㉡무식함. '—昏'. '—頑不靈'《韓愈》. ㉢시력(視力)이 약함. '年高目—'《後漢書》. ②그윽할 명 심원(深遠)함. '—數'. '—遠'. '窮—極遠'《揚雄》. ③어릴 명 나이가 어림. 유치함. '—, 幼也'《爾雅》. ④밤 명 어두운 밤. '—當寢兮不能安'《蔡琰》. ⑤하늘 명 天(大部 一畫)과 뜻이 같음. '靑—'. '升虛凌—'《劉向》. ⑥바다 명 溟(水部 十畫)과 同字. '北—有魚'《莊子》. ⑦저승 명 황천(黃泉). '—土'. '—府'. '追奉—福'《北史》. ⑧성 명 성(姓)의 하나.

字源 篆文 形聲. 日+六+冖〔音〕. '日일'은 본디 '口구'로 장소를 나타내며, '六륙'은 본디 '廾공'으로 '양손'의 뜻. '冖멱'은 '덮개'의 뜻. 어떤 장소에 양손으로 덮개를 덮다의 뜻에서, '어둡다'의 뜻을 나타냄.

[冥加 명가] 명명(冥冥)한 가운데에 입는 신불(神佛)의 가호(加護).
[冥感 명감] 명명(冥冥)한 중에 신명(神明)의 마음을 움직임. 성심(誠心)이 신(神)에 감통(感通)함.
[冥見 명견] 신불(神佛)이 명명한 중에 보고 계심.
[冥境 명경] 명계(冥界).
[冥界 명계] 저승. 명부(冥府). 황천(黃泉).
[冥契 명계] ㉠부지중(不知中) 서로 합치함. ㉡죽은 남녀를 혼인시킴. 명혼(冥婚).
[冥官 명관] 명토(冥土)의 벼슬아치.
[冥鬼 명귀] 저승에 있다는 귀신.
[冥途 명도] 명계(冥界).
[冥靈 명령] 거북〔龜〕의 이칭(異稱). 일설(一說)에는, 나무의 이름이라 함.
[冥利 명리] 명명(冥冥)한 가운데 받는 이익.
[冥茫 명망] 넓고 환하지 않은 모양.
[冥昧 명매] 어두움. 사리(事理)에 어두움.
[冥冥 명명] ㉠어두운 모양. ㉡드러나지 아니하고 은미(隱微)한 모양. ㉢먼 하늘. ㉣마음에 자연히 느끼는 모양. ㉤조용하고 정성스러운 모양.
[冥冥之志 명명지지] 조용하고 정성스러운 뜻.
[冥暮 명모] 어둠.
[冥蒙 명몽] 어두운 모양. 그윽한 모양.
[冥濛 명몽] 어둠침침하여 잘 분간할 수 없는 모양.
[冥伯 명백] 이미 사망(死亡)한 사람.
[冥煩 명번] 사리에 어두움. 우매(愚昧).
[冥罰 명벌] 명명(冥冥)한 가운데에 신불(神佛)이 내리는 징벌.
[冥福 명복] 죽은 뒤에 저승에서 받는 행복. 내세(來世)의 행복. 추선(追善).
[冥府 명부] 명계(冥界).
[冥司 명사] 저승의 관리.
[冥想 명상] 고요한 가운데 눈을 감고 깊이 사물을 생각함. 침사묵고(沈思默考)함.
[冥搜 명수] ㉠어두운 곳에서 찾음. 무턱대고 찾음. ㉡눈을 감고 깊이 생각함.
[冥數 명수] 인지(人智)로써 알 수 없는 운명.
[冥闇 명암] 어둠. 암흑.
[冥翳 명예] 어두운 모양.
[冥奧 명오] 깊숙하여 어두움.
[冥頑 명완] 사리(事理)에 어둡고 완고(頑固)함. 완명(頑冥).
[冥佑 명우] 명가(冥加).
[冥願 명원] 사후(死後)에 복을 받고 싶은 소원.
[冥應 명응] 신불(神佛)의 가호의 증거. 신불의 감응.
[冥謫 명적] 눈에 보이지 않는 천벌(天罰).
[冥助 명조] 명가(冥加).
[冥土 명토] 명계(冥界).
[冥行 명행] 어둠 속을 감. 사리를 깨닫지 못하고 무턱대고 감.
[冥護 명호] 명명한 가운데에 보호함.
[冥昏 명혼] 어두움. 또 어둠. 명회(冥晦). 「㉡.
[冥婚 명혼] 죽은 남녀를 혼인시킴. 명계(冥契)
[冥鴻 명홍] 하늘 높이 나는 기러기. 속세(俗世)를 떠나 뜻을 고상하게 갖는 사람의 비유.
[冥晦 명회] 명혼(冥昏).
[冥會 명회] 암묵(暗默) 속에 깨달음.
◉高冥. 空冥. 杳冥. 北冥. 頑冥. 窈冥. 幽冥. 紫冥. 蒼冥. 青冥. 玄冥. 昏冥. 混冥. 晦冥.

8 ⑩ **[冣]** 취 ㊦遇 從遇切 jù

筆順 冖 冖 冝 冝 冝 冝 冣 冣

字解 모을 취 취합(聚合)함. 쌓아 모음. '—, 積也'《說文》.

字源 形聲. 冖+取〔音〕

參考 자형(字形)이 비슷해서, 最(日部 八畫)로 오용(誤用)이 됨.

8 ⑩ [冦] 〔구〕
寇(宀部 八畫〈p. 590〉)의 俗字

9 ⑪ [富] 〔부〕
富(宀部 九畫〈p. 590〉)의 俗字

10 ⑫ [託] 투 [去]遇 當故切 dù

[字解] 놓을 투 술잔을 땅 위에 놓음. '三宿三祭三―'《書經》.

[字源] [篆文] 形聲. 冖+託〔音〕. '託탁'은 '붙여 놓다'의 뜻.

10 ⑫ [冢] 〔가〕
家(宀部 七畫〈p. 582〉)의 古字

[冪] 〔멱〕
巾部 九畫(p. 679)을 보라.

12 ⑭ [冩] 〔사〕
寫(宀部 十二畫〈p. 598〉)의 俗字

[鼏] 〔멱〕
鼎部 二畫(p. 2714)을 보라.

14 ⑯ [冪] [人名] 멱 [入]錫 莫狄切 mì 

[字解] ①덮을 멱 보로 덮어 가림. 冖(部首)·羃(网部 十四畫)과 同字. '掌共巾―'《周禮》. ②보 멱 상보. '簠有蓋―'《儀禮》.

[字源] 形聲. 幕+冖〔音〕. '冖멱'은 '덮다'의 뜻. 막(幕)으로 덮다의 뜻을 나타냄.

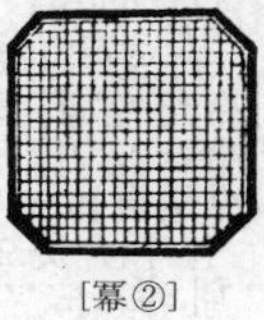
〔冪②〕

[冪冪 멱멱] 덮은 모양.
◉緜冪. 乘冪.

14 ⑯ [鼆] 〔고〕
古(口部 二畫〈p. 340〉)의 古字

冫 (2획) 部
〔이수변부〕

0 ② [冫] 빙 [平]蒸 筆陵切 bīng 

[筆順] 丶 冫

[字解] 얼음 빙 冰(冫部 四畫)과 同字.

[字源] [篆文] 象形. 얼음의 결정(結晶)을 본뜸.

[參考] '氵'를 삼수(三水)라 하는 데 대하여, '冫'이 2획이므로 속(俗)에 이수(二水)라 함. '冫'을 의부(意符)로 하여, '얼다, 춥다' 등의 뜻을 포함하는 글자를 이룸.

1 ③ [习] 〔습〕
習(羽部 五畫〈p. 1806〉)의 簡體字

3 ⑤ [冬] [中人] 동 [平]冬 都宗切 dōng 

[筆順] ノ ク 夂 冬 冬

[字解] ①겨울 동 사시(四時)의 최후로 가장 추운 계절. 음력 시월·동짓달·선달의 석 달. '―季'. '―眠'. '―, 四時盡也'《說文》. ②겨울지낼 동 겨울을 경과함. '土地苦寒, 漢馬不能―'《史記》. ③성 동 성(姓)의 하나.

[字源] [金文] [篆文] [古文] 會意. 金文·古文은 日+夂. '夂치'는 '終종'의 원자(原字)로, 실의 마지막 매듭 부분의 상형. 1년의 마지막 계절인 '겨울'의 뜻을 나타냄. 뒤에 얼음의 계절이라는 의식이 작용하여, 篆文에서는 夂+仌의 會意로 '冬'이 됨.

[冬季 동계] 동기(冬期).
[冬瓜 동과] 박과(科)에 속하는 일년생 만초(蔓草). 열매는 수박 비슷한데 맛이 좋음. 동아.
[冬官 동관] ㉠주대(周代)의 육관(六官)의 하나. 토목(土木)·공작(工作) 등의 일을 맡음. ㉡당대(唐代)의 공부성(工部省)의 별칭(別稱).
[冬期 동기] 겨울 동안의 시기(時期).
[冬冬 동동] 문을 두드리는 소리.
[冬眠 동면] 파충류(爬蟲類)·양서류(兩棲類) 등의 동물이 겨울 동안 생활 활동을 중지하고 수면(睡眠) 상태로 땅속이나 물속에서 쉬고 있는 현상. 겨울잠.
[冬服 동복] 겨울옷. 겨우살이.
[冬氷可折 동빙가절] 물은 유(柔)하나 얼음이 되면 잘 깨짐. 사람의 강유(剛柔)의 성질도 때에 따라 다름의 비유.
[冬三朔 동삼삭] 겨울의 석 달. 곧, 음력 시월·동짓달·선달.
[冬扇夏爐 동선하로] 겨울의 부채와 여름의 화로란 뜻으로, 무용(無用)·무익(無益)한 사물의 비유.
[冬心 동심] 겨울과 같이 쓸쓸한 마음.
[冬溫夏淸 동온하정] 겨울에는 따뜻하게, 여름에는 서늘하게 한다는 말. 부모를 섬기는 도리임.
[冬月 동월] ㉠동절(冬節). ㉡겨울밤의 달.
[冬藏 동장] 가을의 수확을 겨울에 저장함. 또, 그 물건.
[冬節 동절] 겨울 절기(節期). 겨울철.
[冬至 동지] 이십사절후(二十四節候)의 하나. 태양(太陽)이 남회귀선(南回歸線), 곧 남위(南緯) 23도 5분에 이른 때인데, 북반구(北半球)에서는 밤이 1년 중에 가장 길고 낮이 가장 짧음. 양력 12월 22~23일경. 하지(夏至)의 대(對).
[冬天 동천] 겨울 하늘.
[冬青 동청] 감탕나뭇과에 속하는 상록 교목(常綠喬木). 여름에 황백색 꽃이 핌. 감탕나무. 동청(凍青).
[冬葱 동총] 움 속에서 자란 빛이 누른 파.
[冬學 동학] 농가에서 농한기(農閑期)인 겨울 동안에 공부를 하는 일.
[冬寒 동한] 겨울의 추위.
◉季冬. 款冬. 舊冬. 暖冬. 晚冬. 孟冬. 三冬. 盛冬. 嚴冬. 越冬. 隆冬. 忍冬. 立冬. 仲冬. 杪冬.

4 ⑥ [沍] 호 [去]遇 胡誤切 hù 

[字解] ①얼 호 얼음이 얾. '―寒'. '河漢―而不能寒'《莊子》. ②추위 호 한기(寒氣). '積雪增―'

《于部》.

字源 形聲. 冫+互〔音〕. '互호'는 '固고'와 통하여, '굳어지다'의 뜻. 얼어서 굳어지다의 뜻을 나타냄.

參考 冴(冫部 四畫)는 俗字.

[沍寒 호한] 대단한 추위.
◉涸沍. 冬沍. 水沍. 凝沍. 暴沍. 寒沍. 涣沍.

4 ⑥ [冰] 〔빙〕 氷(水部 一畫〈p.1178〉)의 本字

4 ⑥ [冲] 人名 〔충〕 沖(水部 四畫〈p.1194〉)과 同字

筆順 丶 冫 冫 冂 冲 冲

4 ⑥ [沁] 〔침〕 浸(冫部 七畫〈p.229〉)과 同字

4 ⑥ [决] 〔결〕 決(水部 四畫〈p.1188〉)의 俗字

4 ⑥ [冴] 〔호〕 沍(冫部 四畫〈p.227〉)의 俗字

4 ⑥ [次] 〔차〕 次(欠部 二畫〈p.1126〉)의 訛字

5 ⑦ [冶] 人名 야 ㊤馬 羊者切 yě

筆順 丶 冫 冫 冫 冶 冶 冶

字解 ①대장간 야 시우쇠를 다루는 곳. '鑪—'. '—坊'. '蚩尤造九—'《尸子》. ②대장장이 야 '—工'. '—人'. '以造化爲大—'《莊子》. ③주물 야 쇠붙이를 녹여서 만든 그릇. '銘昆吾之—'《後漢書》. ④불릴 야 쇠붙이를 녹여 주조(鑄造)함. '—金'. '閩越王—鑄地'《宋書》. 전(轉)하여, 정련(精鍊)함. '陶—賴詩篇'《杜甫》. ⑤요염할 야 탐탁스럽게 아름다움. 또, 요염하게 단장을 함. '艷—'. '—佳'. '—容誨淫'《易經》. ⑥성 야 성(姓)의 하나.

字源 篆文 形聲. 仌(冫)+台〔音〕. '台이'는 입이 벌어져서 기운이 풀리는 뜻. 얼음이 풀리어 '녹다, 녹이다'의 뜻을 나타냄.

[冶工 야공] 야장(冶匠).
[冶金 야금] 광석에서 금속(金屬)을 골라내거나 합금(合金)을 만드는 작업.
[冶郞 야랑] 주색잡기에 빠진 사람. 탕자(蕩子). 유야랑(游冶郞).
[冶鍊 야련] 단련(鍛鍊)함.
[冶爐 야로] 풀무.
[冶坊 야방] 대장간. 주물(鑄物) 공장.
[冶步 야보] 요염하게 걸음. 또, 그 걸음걸이.
[冶氏 야씨] 야장(冶匠).
[冶艶 야염] 아리따움. 요염(妖艶).
[冶容 야용] 얼굴을 예쁘게 단장함. 또, 예쁘게 단장한 얼굴.
[冶鎔 야용] 거푸집.
[冶容誨淫 야용회음] 야용(冶容)은 음란한 것을 가르친다는 뜻으로, 너무 예쁘게 단장하면 자연히 음란하여지기 쉬움을 이름.
[冶遊 야유] 방탕(放蕩)하게 놂. 주색(酒色)에 빠짐.
[冶夷 야이] 요염(妖艶)함.
[冶人 야인] 야장(冶匠).
[冶匠 야장] 대장장이.
[冶鑄 야주] 주조(鑄造)함.
◉佳冶. 鑪冶. 鍛冶. 陶冶. 姸冶. 艷冶. 妖冶. 姚冶. 隅冶. 遊冶. 閑冶.

5 ⑦ [冷] 中人 랭 ①-⑤㊤梗 魯打切 lěng ⑥㊥青 郞丁切 líng

筆順 丶 冫 冫 冫 冫 冷 冷

字解 ①찰 랭 ㉠추움. '—風'. '寒—鴻飛疾'《唐太宗》. ㉡마음이 참. 박정(薄情)함. '—酷'. '—淡'. '楊朱之侶, 世謂—腸'《顔氏家訓》. ②맑을 랭 깨끗함. '—淸'. '心淸—其若水'《梁武帝》. ③쓸쓸할 랭 적적함. '—巷'. '切切夜閨—'《徐彦伯》. ④식힐 랭 차게 함. '燒斧勿令—'《後漢書》. ⑤성 랭 성(姓)의 하나. ⑥얼 랭 얼음이 얾. '露凄淸以凝—'《潘岳》.

字源 篆文 形聲. 仌(冫)+令〔音〕. '仌빙'은 '얼음'의 뜻. '令령'은 신(神)의 뜻을 묻다, 시원스럽다의 뜻. '시원스럽다, 차가워지다'의 뜻을 나타냄.

[冷却 냉각] 차게 함. 또, 차짐.
[冷僵 냉강] 몸이 얼어 쓰러짐.
[冷官 냉관] 지위가 낮은 벼슬. 또는 한가한 벼슬. 한직(閑職).
[冷光 냉광] 찬 느낌을 주는 빛.
[冷氣 냉기] 찬 기운. 또, 찬 기후.
[冷暖自知 냉난자지] 차고 더운 것을 자기 스스로 안다는 뜻으로, 자기의 일은 남의 말을 듣지 아니하고도 자기 스스로 안다는 말.
[冷淡 냉담] ㉠짙지 아니함. 담담(淡淡)함. ㉡마음이 참. 동정심이 없음. ㉢일에 대하여 열성(熱誠)이 없음.
[冷待 냉대] 푸대접.
[冷堗 냉돌] 찬 온돌방(溫堗房).
[冷凍 냉동] 차게 하여 얼림.
[冷燈 냉등] 쓸쓸한 등잔 불빛.
[冷落 냉락] 쓸쓸함. 낙막(落莫).
[冷冷 냉랭] 쌀쌀하게 찬 모양.
[冷冽 냉렬] 차고 맑음.
[冷罵 냉매] 냉소(冷笑)하고 꾸짖음.
[冷飯 냉반] 찬밥. 식은 밥.
[冷房 냉방] 찬 방. 냉돌(冷堗).
[冷僻 냉벽] ㉠인적(人跡)이 드문 벽지(僻地). ㉡벽자(僻字).
[冷病 냉병] 하체를 차게 하여 생기는 병의 총칭.
[冷痺 냉비] 얼어 저림.
[冷笑 냉소] 냉정한 태도로 비웃음. 또, 그 웃음.
[冷水 냉수] 찬물.
[冷水浴 냉수욕] 찬물에 목욕함.
[冷濕 냉습] 차고 누짐.
[冷眼 냉안] 냉담한 눈초리. 멸시하는 눈초리.
[冷語 냉어] 냉담한 말. 또, 비웃는 말. 우롱(愚弄)하는 말.
[冷言 냉언] 냉어(冷語).
[冷罨法 냉엄법] 염증(炎症)이나 충혈(充血)을 낫게 하기 위하여 냉수나 찬 약을 헝겊에 적시어 환부(患部)에 찜질하는 법.

[冷然 냉연] ㉠경묘(輕妙)한 모양. ㉡시원한 모양. 냉담(冷淡)한 모양.
[冷硯 냉연] 찬 벼루. 한연(寒硯).
[冷熱 냉열] ㉠차가움과 더움. ㉡냉담(冷淡)함과 열심(熱心). ㉢냉관(冷官)〈낮은 벼슬〉과 열관(熱官)〈권력(權力) 있는 벼슬〉.
[冷焰 냉염] 꺼지려고 하는 불꽃.
[冷艷 냉염] 차고 고움. 눈〔雪〕·자두꽃 따위의 형용.
[冷雨 냉우] 찬 비.
[冷遇 냉우] 푸대접.
[冷月 냉월] 음력 7월의 이칭(異稱).
[冷腸 냉장] 차디찬 마음. 무정(無情)한 마음. 박정(薄情). 또, 그 사람.
[冷藏 냉장] 썩거나 상(傷)하지 않게 온도(溫度)가 낮은 곳에 넣어 둠.
[冷藏庫 냉장고] 넣어 둔 물건을 썩지 않게 하기 위하여 얼음 같은 것으로 차게 시설한 곳집, 또는 궤.
[冷箭 냉전] 찬 북풍(北風)을 이름. 화살이 살을 찌르는 것 같은 추위를 느낀다는 뜻.
[冷節 냉절] 한식(寒食)의 이칭(異稱).
[冷靜 냉정] 감정을 누르고 침착(沈着)한 모양.
[冷銼 냉좌] 오랫동안 밥을 못 지어 차가운 솥. 몹시 가난함의 형용.
[冷酒 냉주] 데우지 않은 술. 찬 술.
[冷症 냉증] 냉병(冷病).
[冷泉 냉천] 광물질(鑛物質)을 다량으로 함유(含有)한 찬 샘. 광천(鑛泉).
[冷徹 냉철] 냉정하고 투철함.
[冷清 냉청] 맑음. 깨끗함.
[冷峭 냉초] ㉠몹시 추움. ㉡말이 칼날같이 준엄「함.
[冷評 냉평] 비웃는 태도로 하는 비평(批評). 성실하지 않은 평.
[冷風 냉풍] 찬바람.
[冷汗 냉한] 부끄럽거나 놀랐을 때 나는 땀. 진땀.
[冷巷 냉항] 쓸쓸한 길거리.
[冷害 냉해] 한기(寒氣)로 인한 농작물의 피해(被害).
[冷血動物 냉혈동물] ㉠체온(體溫)이 외기(外氣)의 온도(溫度)에 따라 변하는 동물. 곧, 파충류(爬蟲類)·양서류(兩棲類)·어류(魚類) 따위. 변온 동물(變溫動物). ㉡냉혹(冷酷)한 사람을 욕하는 말.
[冷酷 냉혹] 조금도 인정(人情)이 없이 쌀쌀함. 박정(薄情)함.
[冷宦 냉환] 냉관(冷官).
[冷灰 냉회] ㉠불기가 꺼진 재. ㉡명리(名利)에 욕심이 없는 마음.
[冷曦 냉희] 명(明)나라 신창(新昌) 사람. 자(字)는 경양(景暘). 홍무(洪武) 때 어사(御史)가 됨. 사람됨이 꿋꿋하고 곧아 아첨을 싫어했으므로, 시인(時人)이 일컬어 냉철면(冷鐵面)이라고 하였음.
◉空冷. 液冷. 涼冷. 溫冷. 凄冷. 清冷. 秋冷. 寒冷. 解冷. 曉冷.

5 ⑦ [冸] 반 [去]翰 普半切 pàn
[字解] 녹을 반 얼음이 녹음. '迨冰未—'《詩經》.
[字源] 形聲. 仌(冫)＋半〔音〕. '半반'은 '둘로 나뉘다'의 뜻. 얼음이 두 개가 되다, 깨져서 녹다의 뜻.

5 ⑦ [冹] [一] 불 [入]物 分勿切 fú
[二] 발 [入]月 方伐切 fú
[字解] [一] 찰 불 찬바람. '滭—'. [二] 찰 발 [一]과 뜻이 같음.
[字源] 篆文  形聲. 仌(冫)＋犮〔音〕. '犮발'은 '뛰다'의 뜻. 몸이 움츠러드는 차가움, 추위의 뜻을 나타냄.
◉滭冹.

5 ⑦ [况] 〔황〕况(水部 五畫〈p. 1203〉)의 俗字·簡體字
[參考] 况(二部 五畫)은 別字.

6 ⑧ [冽] [人名] [一] 렬 [入]屑 良辥切 liè
[二] 례 [去]霽 力制切 liè 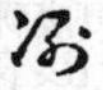
[筆順] 丶 冫 冫 冫 冽 冽 冽 冽
[字解] [一] 찰 렬 ㉠대단히 참. 퍽 추움. '寒—'. '——氣遂嚴'《陶潛》. ㉡물이 참. '—泉'. '有—氿泉'《詩經》. [二] 맑을 례 깨끗함. '—寒泉食'《易經》.
[字源] 篆文  仌(冫)＋𠛱(列)〔音〕. '𠛱렬'은 '맵다, 심하다〔烈〕'의 뜻을 나타냄. 살을 에는 듯한 심한 차가움, 추위의 뜻을 나타냄.
[參考] 洌(水部 六畫)은 본래 別字이나, 통하여 쓰임.

[冽冽 열렬] 대단히 추운 모양.
[冽泉 열천] 얼음같이 찬 샘.
[冽清 열청] 차고 맑음.
[冽風 열풍] 차가운 바람. 한풍(寒風).
◉冷冽. 凜冽. 嚴冽. 栗冽. 凝冽. 慘冽. 清冽. 慓冽.

6 ⑧ [洛] 학 [入]藥 下各切 hè
[字解] 얼 학 얼음이 어는 모양. '冰凍兮—澤'《楚辭》.

7 ⑨ [凁] [人名] 경 [上]梗 巨井切 jìng
[字解] 찰 경 춥다. '—, 寒也'《玉篇》.

7 ⑨ [涑] 구 [平]尤 渠尤切 qiú
[字解] 곱을 구 손발이 얼어 곱은 모양. '漻—'.

7 ⑨ [浸] 침 ①[平]侵 千尋切 qīn
②[去]沁 七鴆切 qìn
[字解] ①찰 침 차가움. '—, 冷也'《集韻》. ②찬 기운 침 냉기(冷氣)·沁(氵部 四畫)과 同字. '—, 冷氣, 或从心'《集韻》.

7 ⑨ [洌] 〔렬〕
冽(冫部 六畫〈p. 229〉)과 同字

8 ⑩ [凄] [人名] 처 [平]齊 七稽切 qī 
[字解] ①찰 처, 써늘할 처 날씨가 차거나 써늘한 모양. '——'. '—其以風'《詩經》. ②쓸쓸할 처 적적함. '—涼'. '秋日—且厲'《陶潛》.

字源 形聲. 仌(冫)+妻〔音〕. '妻처'는 '淒처'와 통하여, '오싹하다'의 뜻. 얼음의 상형. '仌빙'을 붙여, '춥다, 처참하다'의 뜻을 나타냄.
參考 淒(水部 八畫)와 통하여 쓰임.

[凄急 처급] 바람 따위가 몹시 빠름.
[凄其 처기] 참. 써늘함. 한랭함. '기(其)'는 조사(助辭).
[凄涼 처량] ㉠쓸쓸함. ㉡슬픔.
[凄洌 처렬] 빠름. 신속함.
[凄淚 처루] 선득하게 참. 써늘함.
[凄凜 처름] 대단히 추움.
[凄爽 처상] 시원하여 상쾌함.
[凄辰 처신] 처일(凄日).
[凄神寒骨 처신한골] 몸이 오싹하도록 쓸쓸함.
[凄哀 처애] 몹시 슬픔.
[凄然 처연] ㉠써늘한 모양. ㉡쓸쓸한 모양. 처처(凄凄).
[凄艷 처염] 가슴이 설레도록 요염(妖艷)함.
[凄雨 처우] 쓸쓸히 내리는 비.
[凄日 처일] 써늘한 날. 곧, 가을날.
[凄切 처절] 매우 처량함.
[凄絕 처절] 대단히 쓸쓸함.
[凄慘 처참] 대단히 참혹함.
[凄愴 처창] ㉠쓸쓸함. ㉡슬픔. 슬퍼함.
[凄凄 처처] ㉠써늘한 모양. 쌀쌀한 모양. ㉡쓸쓸한 모양. ㉢구름이 이는 모양. ㉣눈물이 흐르는 모양.
[凄楚 처초] 상심(傷心)함. 슬퍼함.
[凄風 처풍] 거센 바람. 매운 바람.
[凄恨 처한] 쓸쓸한 마음. 적적하고 서러운 마음.
[凄寒 처한] 몹시 추움.
◉寒凄.

8
⑩ [凊] 정(청本) 去敬 七政切 jìng

字解 서늘할 정 '冬溫而夏—'《禮記》.
字源 篆文 形聲. 仌(冫)+靑〔音〕. '靑청'은 '맑다'의 뜻. 투명한 얼음의 뜻에서, '춥다, 서늘하다'의 뜻을 나타냄.

◉溫凊. 冬溫夏凊.

8
⑩ [凋] 人名 조 平蕭 都聊切 diāo

字解 ①시들 조 한기(寒氣)를 만나 시듦. '—枯'. '—落'. '莖弱易—'《盧諶》. ②느른할 조 힘 빠짐. '今秦有敝甲—兵'《史記》. ③성 조 성(姓)의 하나.
字源 篆文 形聲. 仌(冫)+周〔音〕. '周주'는 '弔조'와 통하여, '애처롭다'의 뜻. 추위 때문에 초목이 애처로운 꼴이 되다, 시들다의 뜻을 나타냄.

[凋缺 조결] 시들어 이지러짐.
[凋罄 조경] 쇠(衰)하여 재물(財物)이 다함.
[凋枯 조고] 시들어 마름.
[凋槁 조고] 조고(凋枯).
[凋寡 조과] 쇠잔하여 적어짐.
[凋宴 조구] 쇠약해져 수척함.
[凋落 조락] ㉠시들어 떨어짐. ㉡영락(零落)함. ㉢죽음.
[凋零 조령] 시들어 떨어짐.
[凋林 조림] 한기(寒氣)를 만나 시들어 마른 수풀.
[凋兵 조병] 피로한 병사.
[凋謝 조사] 시들어 떨어짐. 쇠해짐.
[凋散 조산] 쇠잔하여 흩어짐.
[凋傷 조상] 시들어 상(傷)함. 약해짐.
[凋殞 조운] 시들어 떨어짐. 시들어 죽음.
[凋殘 조잔] 시들어 쇠잔함.
[凋盡 조진] 시들어 다함. 쇠잔하여 없어짐.
[凋瘵 조채] 쇠하여 앓음.
[凋墜 조추] 쇠퇴함.
[凋歇 조헐] 초목이 시들어 없어짐.
[凋換 조환] 시들어 변함.
◉枯凋. 零凋. 榮凋. 後凋.

8
⑩ [凌] 人名 릉 平蒸 力膺切 líng

字解 ①얼음 릉 두꺼운 얼음. 적빙(積氷). '未央宮—室'《漢書》. ②얼음곳간 릉 얼음을 저장하는 곳간. '—人'. '氷—'. ③떨 릉 전율(戰慄)함. '—兢'. '虎豹之—遽'《漢書》. ④건널 릉 건너감. '—水經地'《史記》. ⑤범할 릉, 업신여길 릉 陵(阜部 八畫)과 통용. '—侮'. '—辱'. '—霜不凋'《十六國春秋》. ⑥성 릉 성(姓)의 하나.
字源 篆文 形聲. 仌(冫)+夌〔音〕. '仌빙'은 얼음의 상형. '夌릉'은 '언덕에 오르다'의 뜻. 얼음이 언덕처럼 불쑥 올라가서 얼다의 뜻을 나타냄.

[凌駕 능가] 남을 제치고 윗자리로 올라감.
[凌遽 능거] 전율(戰慄)함.
[凌喬 능교] 높은 곳.
[凌兢 능긍] 추위에 떪.
[凌亂 능란] 순서가 어지러움. 뒤죽박죽임.
[凌厲 능려] 분진(奮進)함.
[凌轢 능력] 서로 다툼.
[凌摩 능마] 능핍(凌逼).
[凌罵 능매] 업신여겨 욕을 함.
[凌蔑 능멸] 업신여김. 멸시함.
[凌侮 능모] 깔봄. 업신여김.
[凌霄之志 능소지지] 웅비(雄飛)하려는 뜻.
[凌霄花 능소화] 능소화과에 속하는 낙엽 활엽 만목(蔓木). 금등화(金藤花).
[凌澌 능시] 얼음.
[凌室 능실] 얼음을 저장하는 곳. 빙고(氷庫).
[凌煙閣 능연각] 당(唐)나라 때 서안부〈(西安府)(지금의 산시 성 장안현(長安縣)〉의 성안에 있던 전각(殿閣).
[凌煙閣勳臣 능연각훈신] 나라에 공로가 큰 신하. 당태종(唐太宗)이 정관(貞觀) 17년에 능연각(凌煙閣)에 장손무기(長孫無忌)·하간왕 효공(河間王孝恭)·두여회(杜如晦)·위징(魏徵)·방현령(房玄齡)·울지경덕(尉遲敬德)·이정(李靖)·소우(蕭瑀)·단지현(段志玄)·장량(張亮)·유홍기(劉弘基)·굴돌통(屈突通)·시소(柴紹)·은개산(殷開山)·후군집(侯君集)·장손순덕(長孫順德)·장공근(張公謹)·정지절(程知節)·우세남(虞世南)·유정회(劉政會)·당검(唐儉)·이적(李勣)·고사렴(高士廉)·진숙보(秦叔寶) 등 스물네 훈신(勳臣)의 초상을 그려서 걸어 놓게 한 고사(故事)에 의함.
[凌辱 능욕] ㉠업신여기어 욕을 보임. ㉡여자를 강간하여 욕보임.
[凌雨 능우] 억수같이 오는 비. 맹우(猛雨).

[凌雲 능운] 구름을 뚫고 하늘로 올라감. 뭇사람보다 높이 뛰어남. 또, 속세(俗世)를 떠남.
[凌雲之志 능운지지] 높이 세상 밖에 초탈(超脫)하려는 뜻. 속세를 떠나려는 마음.
[凌陰 능음] 능실(凌室).
[凌人 능인] 얼음 창고를 지키는 사람. 빙고지기.
[凌遲 능지] 사지(四肢)와 몸을 토막 치는 극형(極刑).
[凌僭 능참] 분수를 넘어 참람함.
[凌波 능파] 미인(美人)의 걸음이 가볍고 우아함의 형용(形容).
[凌逼 능핍] 침범하여 핍박함.
[凌虐 능학] 모질게 학대함. 잔혹(殘酷).
◉侵凌.

8 ⑩ **[凍]** 高人 동 ㊀送 多貢切 dòng ㊥東 德紅切 冻 冻

筆順 冫 冫 冫 冫 冫 凍 凍 凍

字解 ①얼 동 ㉠얼음이 얾. '孟冬地始—'《禮記》. ㉡추위로 감각을 잃음. '—死'. '父母—餓, 兄弟妻子離散'《孟子》. ②얼음 동 '雹—傷穀'《禮記》.
字源 篆文 形聲. 仌(冫)+東〔音〕. '仌빙'은 얼음의 결의 상형. '東동'은 '重중'과 통하여, '무겁다'의 뜻. 물건이 얼어서 무거워지는 데서, '얼다'의 뜻을 나타냄.

[凍僵 동강] 몸이 얼어 쓰러짐.
[凍飢 동기] 동아(凍餓).
[凍餒 동뇌] 동아(凍餓).
[凍裂 동렬] 얼어 갈라짐. 동상(凍傷).
[凍氷 동빙] 얼음이 얾. 결빙(結氷).
[凍死 동사] 얼어서 죽음.
[凍傷 동상] 추위에 얼어서 피부가 상함.
[凍屍 동시] 얼어 죽은 시체(屍體).
[凍餓 동아] 얼고 굶주림.
[凍野 동야] 거의 1년 얼음이 풀리지 않는 북극(北極) 지방의 평원(平原). 동원(凍原). 툰드라.
[凍雨 동우] 겨울비. 한우(寒雨).
[凍雲 동운] 겨울의 구름.
[凍凝 동응] 얼어서 엉김.
[凍皴 동준] 피부가 얼어 틈.
[凍瘡 동창] 동상(凍傷).
[凍青 동청] 사철나무. 동청(冬青).
[凍筆 동필] 붓끝이 언 붓.
◉呵凍. 噤凍. 饑凍. 冷凍. 凜凍. 氷凍. 凝凍. 殘凍. 寒凍.

8 ⑩ **[凅]** 고 ㊁遇 古暮切 gù

字解 얼 고 얼음이 얾. '—陰冱寒'《張衡》.
字源 形聲. 仌(冫)+固〔音〕. '仌빙'은 '얼다'의 뜻. '固고'는 '굳어지다'의 뜻. 얼어서 단단해지다의 뜻을 나타냄.

8 ⑩ **[凇]** 송 ㊥冬 息恭切 sōng ㊁送 蘇弄切 sòng

字解 상고대 송 서리가 나무에 내려 눈같이 된 것. '月淡千門霧—寒'《曾鞏》.

8 ⑩ **[涬]** 행 ㊤迥 下頂切 xìng

字解 찰 행 '——'은 찬 모양.

8 ⑩ **[凉]** 人名 〔량〕 涼(水部 八畫〈p. 1237〉)의 俗字

8 ⑩ **[准]** 人名 준 ㊤軫 之尹切 zhǔn 准

筆順 冫 冫 冫 冫 冫 准 准

字解 ①허가할 준 승인함. '批—'. ②본받을 준 모범으로 삼음. 본뜸. '—據'. ③법도 준 표준. 모범. '孝敬之—式, 人倫之師友'《蕭統》. ④수준기 준 수평(水平)을 재는 기계(器械). '—繩'. ⑤평평할 준 수평(水平)함. ⑥과녁 준 표적(標的). '—的'.
字源 形聲. 冫+隹〔音〕
參考 ①'准'은 準(水部 十畫)의 俗字이지만, '批—'·'—將'·'—尉' 등은 흔히 이 자(字)를 씀. ②淮(水部 八畫)는 別字.

[准士官 준사관] 부사관의 위, 사관(士官)의 아래인 군(軍)의 직위.
[准尉 준위] 상사(上士)의 위, 소위(少尉)의 아래인 군(軍)의 계급.
[准將 준장] 소장(少將)의 아래, 대령(大領)의 위인 군(軍)의 계급.
◉批准. 認准.

8 ⑩ **[凈]** 정 ㊥庚 楚耕切 jìng

字解 찰 정 차가움. '—, 冷皃'《集韻》.
參考 속(俗)에, 淨(水部 八畫)과 통용.

9 ⑪ **[減]** 〔감〕 減(水部 九畫〈p. 1255〉)의 俗字

[飡] 〔손〕 食部 二畫(p. 2569)을 보라.

10 ⑫ **[滄]** 창 ㊥陽 七剛切 cāng

字解 찰 창 한랭(寒冷)함. '——'. '天地之間有—熱'《逸周書》.
字源 篆文 形聲. 仌(冫)+倉〔音〕. '倉창'은 '파랗다〔蒼〕'의 뜻. 얼어붙는 듯한 추위의 뜻을 나타냄.

[滄滄 창창] 한랭한 모양.

10 ⑫ **[凒]** 의 ㊥微 魚衣切 ái

字解 눈서리쌓일 의 눈·서리 등이 쌓여 흰 모양.
字源 形聲. 仌(冫)+豈〔音〕. '皚애'와 통하여, 눈이나 서리가 흰 모양을 나타냄.

10 ⑫ **[溟]** 명 ㊤迥 母迥切 mǐng

字解 ①얼 명 어는 모양. '—, 凍皃'《集韻》. ②찰 명 추운 모양. '—, 寒貌'《字彙補》.

10 ⑫ **[溓]** 렴 ㊤琰 盧忝切 liǎn

[字解] 살얼음 렴 얇은 얼음.

10 ⑫ [凓] 률 [入]質 力質切 lì

[字解] 찰 률 몹시 추움.
[字源] 篆文 形聲. 仌(冫)+桌(栗)〔音〕. '桌률'은 밤송이가 있는 밤의 상형. 밤송이가 찌르듯이 추위가 심한 모양을 나타냄.

[凓冽 율렬] 몹시 참. 맵게 추움.

10 ⑫ [凖] [人名] 〔준·절〕 準(水部 十畫〈p.1270〉)의 俗字

[凴] 〔빙〕 馬部 二畫(p.2591)을 보라.

11 ⑬ [㫡] 〔동〕 冬(冫部 三畫〈p.227〉)의 古字

11 ⑬ [㓖] 필 [入]質 卑吉切 bì

[字解] 찰 필 바람이 참. '一之日一冹'《詩經》.
[字源] 篆文 形聲. 仌(冫)+畢〔音〕. 찬바람의 뜻. '畢필'은 그 바람 소리를 나타냄.

[㓖冹 필불] 바람이 참.

11 ⑬ [凗] 최 [平]灰 昨回切 cuī

[字解] 눈서리쌓일 최 눈이나 서리가 쌓여 흰 모양. '霜雪兮一凒'《楚辭》.

[凗凒 최의] 눈·서리 등이 쌓여 흰 모양.

11 ⑬ [⿰冫翏] 류 [平]尤 力求切 liú

[字解] 곱을 류 수족(手足)이 언 모양. '一⿰冫求'.

[⿰冫翏⿰冫求 유구] 수족(手足)이 얼어 곱은 모양.

12 ⑭ [凘] 시 [平]支 息移切 sī

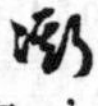

[字解] 석얼음 시 물 위에 떠 있는 얼음. '春一'. '河水流一, 無船不可濟'《後漢書》.
[字源] 篆文 形聲. 仌(冫)+斯〔音〕. '斯사'는 '잘게 갈라지다'의 뜻. 녹아서 물에 흘러 내려가는 작은 얼음 조각의 뜻을 나타냄.

◉斷凘. 流凘. 凝凘. 春凘.

12 ⑭ [㓗] 〔결〕 潔(水部 十二畫〈p.1292〉)의 俗字

13 ⑮ [凜] [人名] 름 [上]寢 力稔切 lǐn

[筆順] 冫 ⋯ 凜

[字解] ①찰 름 몹시 추움. '一冬'. '一寒'. '遺涼清且一'《陸機》. ②늠름할 름 위풍(威風)이 있는 모양. '一然'. '一嚴'. '一以爭先'《溫子昇》.
[字源] 篆文 形聲. 篆文은 仌(冫)+㐭〔音〕. '㐭름'은 몸이 오므라드는 모양. 몸이 오므라드는 듯한 추위, 차가움의 뜻을 나타냄.

[凜兢 늠긍] 추위로 덜덜 떪.
[凜冽 늠렬] 추위가 살을 에는 듯함.
[凜慄 늠률] 추워서 오들오들 떪.
[凜凜 늠름] ㉠추위가 살을 에는 듯한 모양. ㉡위풍(威風)이 있는 모양.
[凜嚴 늠엄] 위풍(威風)이 늠름하여 범할 수 없음.
[凜然 늠연] ㉠추위가 살을 에는 듯한 모양. ㉡위풍(威風)이 있어 어엿한 모양. ㉢남보다 아주 뛰어난 모양.
[凜綴 늠철] 위태함과 두려움.
[凜秋 늠추] 가을의 계절.
[凜乎 늠호] 위태로워 두려워하는 모양. 일설(一說)에는, 위풍(威風)이 있어 어엿한 모양.

◉慘凜. 凄凜. 清凜. 寒凜.

13 ⑮ [凛] [人名] 凜(前條)의 俗字

13 ⑮ [凚] 금 [上]寢 渠飲切 jìn

[字解] 추울 금 몹시 추워 몸이 떨리는 모양. '一瘁'.

[凚瘁 금췌] 몹시 추워 몸이 떨리고 야윈 모양.

13 ⑮ [⿰冫睪] 탁 [入]藥 徒落切 duó

[字解] ①얼 탁 물이 얾. '水凍兮洛一'《楚辭》. ②고드름 탁 빙주(氷柱). '今呼簷冰爲一'《通俗篇》.

14 ⑯ [凝] [高人] 응 [平]蒸 魚陵切 níng

[筆順] 冫 ⋯ 凝

[字解] ①얼 응 얼음이 얾. '一氷'. '一凘'. '履霜堅冰, 陰始一也'《易經》. ②엉길 응 ㉠응결(凝結)함. '一固'. '一縮'. '膚如一脂'《詩經》. ㉡한데 모임. 열중(熱中)함. '相顧思皆一'《鄭谷》. ③굳힐 응 응고시킴. 견고하게 함. '一土以爲器'《周禮》. ④모을 응 눈 또는 마음을 한군데에 집중함. '一視'. '以一思'《陸機》. ⑤정할 응 결정함. '君子以正位一命'《易經》. ⑥이룰 응 성사(成事)함. '庶績其一'《書經》. ⑦막을 응 억지(抑止)함. '一氾濫兮'《楚辭》. ⑧엄할 응 준엄(峻嚴)함. '典一如冬'《淮南子》. ⑨바를 응 단정함. '端一'. '體局貞一'《上官儀》. ⑩찰 응 추움. '其候一肅'《素問》. ⑪끌 응 음조(音調)가 느리고 길게 끎. '一笳翼高蓋'《謝玄暉》.
[字源] 冰의 俗體 形聲. 仌(冫)+疑〔音〕. '仌빙'은 얼음이 얼기 시작할 때의 상형. '疑의'는 의심하여 갈피를 못 잡고 우뚝 서 있다의 뜻. '엉기다, 얼다'의 뜻. 《說文》은 '仌빙'의 속자(俗字)로 보지만, 음이나 뜻이 모두 딴 글자임.

[凝堅 응견] 엉겨 굳음.
[凝結 응결] ㉠엉김. ㉡기체(氣體)가 액체(液體)로 변하는 현상.
[凝固 응고] 엉기어 굳어짐.
[凝曠 응광] 반듯하고 넓음.
[凝湛 응담] ㉠물이 괴어 깊고 맑음. ㉡마음이 맑

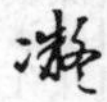

고 잔잔함의 비유.
[凝凍 응동] 얼음. 두껍게 언 얼음.
[凝厲 응려] 정직하고 엄숙함.
[凝冽 응렬] 얼어 참.
[凝留 응류] 응체(凝滯).
[凝立 응립] 꼼짝하지 않고 서 있음.
[凝望 응망] 뚫어지게 바라봄.
[凝網 응망] 엄중(嚴重)한 법(法)의 비유.
[凝碧池 응벽지] 못 이름. 허난 성(河南省) 뤄양(洛陽) 금원(禁苑) 중에 있음. 당(唐)나라 안녹산(安祿山)이 여기서 연락(宴樂)하였다 함.
[凝思 응사] 일심으로 생각함. 정신을 집중(集中)함.
[凝想 응상] 일심(一心)으로 생각함. 응사(凝思).
[凝水 응수] 괴어 움직이지 않는 물.
[凝愁 응수] 마음에 맺힌 근심.
[凝凘 응시] 물이 얾. 또는 그 얼음.
[凝視 응시] 뚫어지게 자세히 봄.
[凝然 응연] 꼼짝하지 않고 있는 모양. 일설에는, 응고(凝固)하는 모양.
[凝煙 응연] 모여 엉기는 연기.
[凝雨 응우] '눈〔雪〕'을 이름.
[凝遠 응원] 풍채(風采)·심정(心情) 따위가 엄정(嚴正)하여 천박하지 않음.
[凝意 응의] 전심(專心)함.
[凝佇 응저] 꼼짝하지 않고 머물러 있음.
[凝積 응적] 엉겨 뭉침.
[凝睛 응정] 응시(凝視).
[凝眺 응조] 응시(凝視).
[凝峻 응준] 높음. 또, 험준함. 전(轉)하여, 믿음직함. 고상함.
[凝重 응중] 침착하고 드레짐.
[凝脂 응지] ㉠엉기어 굳은 지방(脂肪). ㉡희고 윤택 있는 살결.
[凝塵 응진] 엉겨 뭉쳐진 먼지.
[凝集 응집] 엉기어 모임.
[凝集力 응집력] 액체(液體) 및 고체(固體)의 분자 간(分子間)에 존재하는 인력(引力)으로, 액체 및 고체에 형체(形體)를 부여(賦與)하는 힘. 응취력(凝聚力).
[凝滯 응체] ㉠걸림. 막힘. ㉡구애함.
[凝縮 응축] 엉기어 줄어짐.
[凝聚 응취] 엉기어 모임.
[凝濁 응탁] 엉겨 흐려짐.
[凝寒 응한] 음기(陰氣)가 엉겨 추위가 심함.
[凝合 응합] 엉겨 붙음. 응고(凝固).
[凝血 응혈] 엉기어 뭉쳐진 피.
[凝冱 응호] 얼어붙음.
[凝灰岩 응회암] 화산(火山)의 재나 분출물(噴出物)이 굳어서 된 암석(巖石). 건축재(建築材)로 쓰임.
◉堅凝. 露華凝. 凍凝. 氷凝. 纖歌凝. 月影凝.

14 ⑯ [凞] 人名 희 ㊥支 曉伊切 xī

筆順 冫 冫 冫 冫 冫 凞 凞 凞

字解 화할 희 '一, 和也'《字彙補》.
字源 形聲. 仌(冫)+熙〔音〕. '熙희'는 '화락하다'의 뜻.

16 ⑱ [凜] 〔름〕 凜(冫部 十三畫〈p. 232〉)의 本字

几 (2획) 部
〔안석궤부〕

0 ② [几] 궤 ㊤紙 居履切 jī, ③jǐ

筆順 丿 几

字解 ①안석 궤 앉을 때에 몸을 기대는 제구. '隱―'. '憑玉―'《書經》. ②책상 궤 机(木部 二畫)와 同字. '―案'. '―硯'. '或肆之筵, 或授之―'《詩經》. ③진중할 궤 점잖고 침착한 모양. '赤舃――'《詩經》.

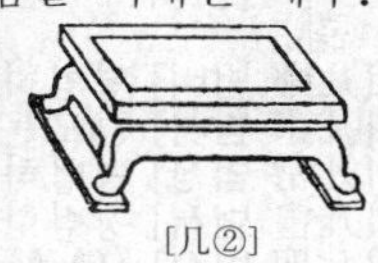
[几②]

字源 篆文 象形. 다리가 뻗어 있고 안정돼 있는 책상의 상형으로, '책상'의 뜻을 나타냄.
參考 '几'를 의부(意符)로 하여, 책상의 뜻을 포함하는 글자를 이루지만, 그 예는 적음.

[几几 궤궤] 진중한 모양. 침착한 모양.
[几席 궤석] 안석과 자리.
[几案 궤안] ㉠책상. ㉡공무(公務).
[几硯 궤연] 책상과 벼루.
[几筵 궤연] ㉠궤석(几席). ㉡영궤(靈几)를 설비하여 놓은 곳.
[几杖 궤장] 안석과 지팡이.
[几杖之座 궤장지좌] 노인을 우대하여 특별히 베푼 자리.
◉曲几. 明窓淨几. 凭几. 牀几. 書几. 案几. 玉几. 倚几. 椅几. 淨几. 竹几.

1 ③ [凡] 中人 범 ㊥咸 符咸切 fán

筆順 丿 几 凡

字解 ①대강 범 개요(概要). 대략. '―例'. '請略擧―'《漢書》. ②범상할 범 보통임. 심상(尋常)함. '―人'. '―常'. '才能不過―庸'《史記》. ③범인 범 보통 사람. 또, 속인(俗人). '―聖一如'. '聖人之形, 必異於―'《范縝》. ④속계 범 이 세상. 진세(塵世). '塵―'. '物外尋眞頓離―'《趙抃》. ⑤무릇 범 대컨. 대저. '―爲天下國家有九經'《中庸》. ⑥성 범 성(姓)의 하나.
字源 甲骨文 金文 篆文 象形. 甲骨文은 바람을 안은 돛의 상형으로, 바람, 바람을 받는 돛의 뜻 등을 나타냈지만, 바람이 두루 불어치는 데서, '모두, 대체로'의 뜻을 나타냄.

[凡格 범격] 보통의 품격. 상격(常格).
[凡境 범경] 보통의 경지.
[凡骨 범골] ㉠보통 골격(骨格). ㉡평범한 인물.
[凡近 범근] 재식(才識)이 용렬(庸劣)함.
[凡器 범기] 범상(凡常)한 기국(器局). 평범한 국량. 범재(凡才).
[凡短 범단] 평범하여 재주와 슬기가 적음.
[凡慮 범려] 보통의 생각. 범인(凡人)의 생각.

[凡例 범례] 그 책의 요지(要旨)와 편찬의 체재, 또는 주의 사항을 책머리에 따서 적은 글. 일러두기.
[凡流 범류] 평범한 계급. 속류(俗流).
[凡類 범류] 평범한 사람들.
[凡物 범물] 천지간의 모든 물건.
[凡民 범민] 보통 백성. 범용(凡庸)한 사람. 서민(庶民).
[凡輩 범배] 범인(凡人).
[凡百 범백] 여러 가지. 제반(諸般).
[凡凡 범범] 평범(平凡). 보통.
[凡夫 범부] ㉠범인(凡人). ㉡《佛敎》 번뇌(煩惱)에 얽매이어 생사(生死)를 벗어나지 못하는 사람.
[凡鄙 범비] 평범하고 천함. 또, 그 사람.
[凡事 범사] ㉠모든 일. ㉡평범한 일.
[凡常 범상] 평범하여 이상한 것이 없음.
[凡書 범서] 평범한 서적(書籍).
[凡聖 범성] 《佛敎》 범인과 성인.
[凡聖不二 범성불이] 《佛敎》 범성일여(凡聖一如).
[凡聖一如 범성일여] 《佛敎》 중생(衆生)과 성자(聖者)와는 구별이 있으나 그 본성(本性)은 일체 평등함.
[凡世 범세] 사람이 사는 이 세상. 속세(俗世).
[凡小 범소] 평범하여 덕(德)이 없음. 또, 그 사람.
[凡俗 범속] 평범하고 속됨.
[凡手 범수] 보통 솜씨. 또, 그 솜씨를 가진 사람. 범기(凡技).
[凡習 범습] 《佛敎》 평범한 사람이 선을 익히고 악을 익히는 시비(是非)의 행동.
[凡僧 범승] 평범한 중. 보통의 중.
[凡眼 범안] 범상한 사람의 안목과 식견. 속안(俗眼).
[凡弱 범약] 평범하고 약함. 용약(庸弱).
[凡要 범요] 대요(大要).
[凡庸 범용] 평범하고 용렬(庸劣)함. 범상(凡常).
[凡偶 범우] 범인(凡人)의 무리.
[凡人 범인] 평범한 사람. 범부(凡夫).
[凡才 범재] 평범한 재주. 또, 그 사람.
[凡材 범재] 범재(凡才).
[凡宰 범재] 평범한 재상(宰相).
[凡節 범절] ㉠모든 일. ㉡모든 절차.
[凡鳥 범조] 평범한 새. 전(轉)하여, 범인(凡人)의 비유.
[凡衆 범중] 범인(凡人)의 무리.
[凡智 범지] 평범한 지혜(智慧). 보통의 재지(才智).
[凡下 범하] 천한 사람. 미련한 사람.
◉大凡. 不凡. 非凡. 愚凡. 塵凡. 平凡. 超凡.

1 ③ [几] 凡(前條)의 俗字

2 ④ [风] 〔봉〕 鳳(鳥部 三畫〈p. 2660〉)의 俗字·簡體字

3 ⑤ [処] 〔처〕 處(虍部 五畫〈p. 1996〉)의 俗字
字源 篆文 會意. 几+夂. '夂치'는 아래를 향한 발의 상형(象形). 안석으로 내려오다, 걸터앉다, 있다의 뜻을 나타냄. '處처'와는 별자(別字)이지만, 후세에 '処처'는 '處'의 속자(俗字)로 간주됨.

3 ⑤ [凥] 거 ㊤魚 斤於切 jū
字解 있을 거 居(尸部 五畫)의 本字. '一, 處也'《說文》.
字源 會意. 尸(尸)+几

4 ⑥ [凨] 〔풍〕 風(部首〈p. 2559〉)의 俗字

[夙] 〔숙〕 夕部 三畫(p. 481)을 보라.

5 ⑦ [凬] 〔풍〕 風(部首〈p. 2559〉)의 古字

6 ⑧ [凭] 빙 ㊤蒸 扶冰切 píng
字解 기댈 빙 의지함. '一欄'. '危檻不堪一'《孟貫》.
字源 篆文 會意. 任+几. '任임'은 '맡기다, 의지하다'의 뜻. '几궤'는 안석. 안석에 기대다, 기대다의 뜻을 나타냄.
參考 凴(几部 十二畫)과 同字.

[凭欄 빙란] 난간(欄干)에 기댐.

6 ⑧ [凮] 〔풍〕 風(部首〈p. 2559〉)의 古字

6 ⑧ [凯] 극 ㊇陌 竭戟切 jù
字解 게으를 극 권태를 느낌. '徼一受詘'《漢書》.

[風] 〔풍〕 部首(p. 2559)를 보라.

9 ⑪ [凰] 人名 황 ㊤陽 胡光切 huáng 
筆順 几 几 凡 凧 凪 凰 凰
字解 봉새 황 봉황(鳳凰)새의 암컷. '鳳兮鳳兮求其一'《古詩》.
字源 形聲. 凡(几)+皇〔音〕. '皇황'은 '크다'의 뜻. '凡범'은 바람에 펄럭이다의 뜻. '바람을 받아 날갯짓하는 큰 새, '봉황새'의 뜻.

◉鳳凰.

10 ⑫ [凱] 人名 개 ㊤賄 苦亥切 kǎi 凱
筆順 ' 㠭 岂 豈 豈 豈 凱 凱
字解 ①싸움이긴풍류 개 승전(勝戰)했을 때 아뢰는 음악. 전승곡. '一歌'. '一旋'. '振旅一以入于晉'《左傳》. 또, 승전하였을 때 외치는 환호성. '六軍張一聲如雷'《劉克莊》. ②이길 개 승전(勝戰)함. '班師一歸'《梁元帝》. ③착할 개 마음이 착함. 또, 그 사람. '高陽氏有才子八人, 謂之八一'《史記》. ④화할 개 온화함. 화락함. '一弟'. '一風自南'《詩經》. ⑤즐겨할 개 좋아함. '天下旣平, 天子大一'《漢書》.

[字源] 形聲. 几+豈〔音〕. '几궤'는 제사에 쓰는 책상의 상형. '豈개'는 싸움에 이겼을 때의 기쁨의 음악의 뜻. 전쟁에 이겨 제사를 지내며 기뻐하다의 뜻을 나타냄.

[凱歌 개가] 싸움에 이기고 부르는 노래. 개가(愷歌).
[凱康 개강] 화락하고 편안함.
[凱歸 개귀] 전쟁에 이기고 돌아감.
[凱復 개복] 싸움에 이겨 원상을 회복함. 극복(剋復).
[凱旋 개선] 싸움에 이기고 개가(凱歌)를 부르며 돌아옴.
[凱旋門 개선문] 개선(凱旋)하고 돌아오는 군사(軍士)를 맞이하거나 전승(戰勝)을 기념하기 위하여 세운 문.
[凱樂 개악] 전쟁에 이기고 돌아올 때에 연주하는 음악. 전승을 축하하는 음악. 개악(愷樂).
[凱易 개이] 온화하고 까다롭지 아니함.
[凱弟 개제] 온화하고 돈목(敦睦)함.
[凱悌 개제] 개제(凱弟).
[凱陣 개진] 전쟁에 이기고 진영(陣營)으로 돌아감.
[凱澤 개택] 화락(和樂)의 은택(恩澤).
[凱風 개풍] ㉠온화한 바람. ㉡남풍(南風). 마파람.
◉大凱. 元凱. 振凱. 秦凱. 八凱.

[鳳] 〔봉〕
鳥部 三畫(p.2660)을 보라.

12 ⑭ [凳] 등 [去]徑 都鄧切 dèng

[字解] 걸상 등 의자. '高而可凭者, 爲几爲桌, 低而可坐者, 爲椅爲一'《品字箋》.
[字源] 形聲. 几+登〔音〕. '几궤'는 다리가 긴 책상의 상형. '登등'은 '오르다'의 뜻. 그 위에 올라서 발판으로도 쓸 수 있는 걸상의 뜻을 나타냄.

◉低凳.

12 ⑭ [凴] 〔빙〕
凭(几部 六畫〈p.234〉)과 同字

凵 (2획) 部
〔위터진입구부〕

0 ② [凵] 감 [上]豏 丘犯切 qiǎn
[去]勘 苦紺切

[筆順] ㇗ 凵
[字解] ①입벌릴 감 입을 벌림. ②위터진그릇 감 물건을 담는 기구(器具).
[字源] [篆文] 象形. 함정의 상형.
[參考] '凵'의 용례는 없으며 부수로 쓰임. 부수로서는 '위터진입구'로 이름.

0 ② [凵] 거 [平]魚 丘於切 qū
[字解] 밥통 거 버드나무 가지로 만들어, 위쪽이 약간 오므라든 밥통. 거로(凵盧). '一, 一盧, 飯器, 以柳爲之'《說文》.
[字源] 象形. 버드나무 가지로 만든 식기의 모양을 본뜸.

1 ③ [凵] 〔구〕
口(部首〈p.334〉)의 古字

2 ④ [凶] [中人] 흉 [平]冬 許容切 xiōng
[上]腫 許拱切

[筆順] ノ メ 㐫 凶
[字解] ①흉할 흉 ㉠길하지 아니함. '一兆'. '明吉一'《易經》. ㉡사람이 죽음. '一報'. '一衣'. ②흉년들 흉 곡식이 잘 여물지 않음. '一豐' '一年不免於死亡'《孟子》. ③흉악할 흉 포악(暴惡)함. '一逆'. '一徒'. '天之一民'《顏氏家訓》. ④흉한 흉 흉악한 사람. 악한. '一手'. '夷一剪亂'《陸機》. ⑤재앙 흉 재화(災禍). '一災'. '一禍'. ⑥요사 흉 일찍 죽음. '一日一短折'《書經》. ⑦두려워할 흉 兇(儿部 四畫)·恟(心部 六畫)과 통용. '敵人入而一'《國語》.
[字源] [篆文] 凶 指事. 죽은 사람의 가슴에 표시된 불길한 표를 나타내며, '나쁘다, 흉하다'의 뜻을 나타냄.《說文》에서는 함정에 빠져 혼란해진 모양의 象形이라 설명함.

[凶家 흉가] 그 집에 사는 사람마다 흉한 일을 당하는 불길(不吉)한 집.
[凶桀 흉걸] 흉악하고 횡포함.
[凶計 흉계] 흉악(凶惡)한 꾀.
[凶狡 흉교] 흉악하고 교활함. 또, 그 사람.
[凶咎 흉구] 재앙. 재화(災禍).
[凶寇 흉구] 쳐들어온 흉악한 적(敵).
[凶饉 흉근] 흉년으로 기근이 듦.
[凶器 흉기] ㉠사람을 살해하는 기구(器具). ㉡장사(葬事) 때 쓰는 기구.
[凶年 흉년] 농작물(農作物)이 잘되지 아니하는 해. 흉세(凶歲).
[凶獰 흉녕] 성질(性質)이 험상궂고 모짊. 흉악(凶惡).
[凶黨 흉당] 흉악(凶惡)한 무리. 흉도(凶徒).
[凶德 흉덕] 흉악한 심술, 또는 행실.
[凶徒 흉도] 흉악한 무리. 흉당(凶黨).
[凶毒 흉독] 맹렬한 독(毒).
[凶戾 흉려] 흉악하고 횡포함.
[凶禮 흉례] 상중(喪中)에 행하는 예절(禮節). 상례(喪禮).
[凶類 흉류] 흉악한 무리.
[凶謀 흉모] 음흉한 꾀. 흉계(凶計).
[凶夢 흉몽] 불길(不吉)한 꿈.
[凶聞 흉문] 죽었다는 통지. 부고.
[凶物 흉물] 성질이 흉악한 사람.
[凶犯 흉범] 흉악한 범인.
[凶變 흉변] 불길한 변사(變事).
[凶報 흉보] ㉠불길(不吉)한 기별. ㉡사람이 죽었다는 통지. 흉음(凶音).
[凶服 흉복] 상옷. 상복(喪服).
[凶邪 흉사] 흉측하고 간사(奸詐)함. 또, 그 사람. 흉섬(凶憸).
[凶事 흉사] ㉠사람이 죽은 일. ㉡불길한 일. ㉢싸움. 전쟁.
[凶煞 흉살] 사기(邪氣). 매우 불길한 것.

[凶狀 흉상] ㉠음충맞고 험악한 태도. ㉡괴악한 모양.
[凶相 흉상] ㉠보기 흉한 외모(外貌). ㉡흉악한 사람의 상(相).
[凶說 흉설] 괴악한 말.
[凶憸 흉섬] 흉악하고 간사함. 또, 그런 사람.
[凶星 흉성] 불길한 조짐이 있는 별.
[凶歲 흉세] 흉년(凶年).
[凶手 흉수] 흉악한 자의 짓. 또, 흉악한 짓을 하는 사람.
[凶竪 흉수] 흉악한 소인(小人).
[凶神 흉신] 좋지 못한 귀신.
[凶惡 흉악] ㉠성질이 험상궂고 모짊. 대단히 악함. ㉡재앙. 재화.
[凶惡罔測 흉악망측] 몹시 흉악함.
[凶阨 흉액] 재난(災難). 재앙.
[凶穰 흉양] 곡식의 잘 여묾과 안 여묾. 풍년과 흉년.
[凶漁 흉어] 물고기가 아주 적게 잡힘.
[凶逆 흉역] 흉악하여 도리에 거슬림. 또, 그 사람. 악역(惡逆). 흉패(凶悖).
[凶燄 흉염] 흉악한 기세. 또, 흉악한 사람의 세력.
[凶穢 흉예] 흉악하고 더러움. 또, 그 사람.
[凶愚 흉우] 흉악하고 미련함. 또, 그 사람.
[凶威 흉위] 흉악한 사람의 위세(威勢). 흉염(凶燄).
[凶音 흉음] 죽음을 알리는 소식. 부음(訃音).
[凶衣 흉의] 흉복(凶服).
[凶人 흉인] 흉악한 사람.
[凶日 흉일] 불길한 날. 언짢은 날.
[凶恣 흉자] 흉악하고 방자(放恣)함.
[凶作 흉작] 농작물이 잘되지 못함.
[凶雜 흉잡] 흉악(凶惡)하고 난잡함.
[凶賊 흉적] 흉악한 적도(賊徒).
[凶兆 흉조] 불길(不吉)한 조짐.
[凶終 흉종] 비명(非命)으로 죽음.
[凶證 흉증] 흉조(凶兆).
[凶地 흉지] 풍속(風俗)이 나쁜 땅.
[凶札 흉찰] 기근(饑饉)이나 역병(疫病)이 유행하는 해.
[凶慘 흉참] 흉악하고 참혹함.
[凶醜 흉추] 흉악한 무리. 흉도(凶徒).
[凶慝 흉특] 성질이 흉악(凶惡)하고 간특(奸慝)함. 특(慝)은 악(惡).
[凶悖 흉패] 흉역(凶逆).
[凶暴 흉포] 흉악하고 포학(暴虐)함.
[凶風 흉풍] ㉠흉악한 바람. 몹시 사나운 바람. ㉡음흉스러운 기풍, 또는 풍조.
[凶豐 흉풍] 흉년과 풍년.
[凶虐 흉학] 성질이 악하고 사나움.
[凶漢 흉한] 흉악한 놈.
[凶黠 흉할] 흉측하고 약음.
[凶害 흉해] 재앙. 재화(災禍).
[凶險 흉험] 흉악하고 음험(陰險)함.
[凶禍 흉화] 재앙. 재화(災禍).
[凶患 흉환] 재앙과 환난(患難).
[凶猾 흉활] 흉교(凶狡).
[凶荒 흉황] 기근(飢饉).
[凶會日 흉회일] 음양가(陰陽家)에서 음양 상극(陰陽相剋)하여 사업(事業)을 하는 데 흉(凶)하다고 하는 날.
◉奸凶. 姦凶. 吉凶. 大凶. 愍凶. 憫凶. 妖凶. 元凶. 陰凶. 讒凶. 豐凶.

2 ④ [凷] 〔신〕 凶(凵部 三畫〈p. 422〉)의 古字

3 ⑤ [出] 中·人 출 ㊀質 赤律切 chū

筆順 丨 屮 屮 出 出

字解 ①날 출 산출함. 생산함. '一産'. '鱸一吳中, 淞江尤盛'《古文眞寶 註》. ②나갈 출 ㉠집 또는 나라 밖으로 나감. '一入'. '一國'. '弟子入則孝, 一則弟'《論語》. ㉡떠남. '死徙無一鄕'《孟子》. ㉢전진함. '五將軍分道而一'《漢書》. ㉣감. '始以強壯一, 及還須髮盡白'《十八史略》. ㉤물러남. 자리를 뜸. '侍坐者請一矣'《小學》. ㉥수중에서 떠남. 없어짐. '貨悖而入者亦悖而一'《大學》. ㉦벼슬을 함. '一仕'. '去就一處'. '或一或處'《易經》. ㉧지방관이 되어 부임함. '一將入相'. '一爲永嘉太守'《宋書》. ③나올 출 ㉠속에서 바깥으로 나타남. '使遂蚤得處囊中, 乃穎脫而一'《史記》. ㉡나타나 보임. '一沒'. '一現'. '水落而石一者, 山間之四時也'《歐陽修》. ㉢생각이 나옴. '是計將安一'《史記》. ㉣발생함. 일어남. '萬物一于震'《易經》. ④뛰어날 출 출중함. '邁一'. '古之聖人, 其一人也遠矣'《韓愈》. ⑤달아날 출 도망함. '一奔'. '公子虔之徒, 告鞅欲反, 鞅一亡'《十八史略》. ⑥낼 출 ㉠밖으로 나오게 함. '利用一入'《易經》. ㉡생각하여 냄. 작성함. '無所一其計'《戰國策》. ㉢줌. '是我一地於秦, 取償於齊也'《史記》. ⑦내보낼 출 돌려보냄. '秦王一楚王以爲和'《戰國策》. ⑧내칠 출 쫓음. 물리침. '一妻'. '遂一武穆之族'《左傳》. ⑨나타낼 출 뛰어나게 함. '一一頭地'《宋史》. ⑩게울 출 토함. '要嘔一心'《唐書》. ⑪자손 출 후예. '帝母鮮卑一也'《十八史略》. ⑫처남 출 처의 형제. '康公我之自一也'《左傳》.

字源 甲骨文 金文 篆文 象形. 발〔止〕이 움푹 팬 곳에서 나오는 모양을 본떠, '나오다'의 뜻을 나타냄.

[出家 출가] 속가(俗家)를 떠나서 중이 됨. 또, 그 사람.
[出嫁 출가] 시집을 감.
[出嫁外人 출가외인] 시집간 딸은 친정(親庭) 사람이 아니고 남이나 마찬가지임.
[出脚 출각] 두 번째 벼슬길에 나아감.
[出閣 출각] ㉠황자(皇子)가 제후(諸侯)가 되어 나감. ㉡천자(天子)의 딸이 출가(出嫁)함. 또, 널리 보통 여자가 시집감을 이름.
[出刊 출간] 출판(出版).
[出降 출강] 천자(天子)의 딸이 신하(臣下)에게 시집감. 하가(下嫁).
[出疆 출강] 외국에 사신(使臣)으로 감.
[出去 출거] 나감.
[出格 출격] 표장(表章) 같은 것을 쓸 때 경의를 표하기 위하여 정한 행(行)보다 올려 씀.
[出缺 출결] 벼슬아치의 결원(缺員)이 생김. 또, 면관(免官).
[出京 출경] ㉠서울에서 시골로 나감. ㉡출부(出府).
[出境 출경] 지경(地境) 밖으로 나감.
[出系 출계] 양자(養子)가 되어 다른 집의 대(代)를 이음.
[出庫 출고] 곳집에서 물건을 꺼냄.

[出棺 출관] 출상(出喪)하기 위하여 관을 집 밖으로 내감. 출구(出柩).
[出九 출구] 도박.
[出口 출구] ㉠나가는 곳. ㉡수출(輸出).
[出柩 출구] ㉠발인(發靷) 때 집에서 관(棺)을 내감. ㉡이장(移葬) 때 무덤에서 관(棺)을 꺼냄.
[出口入耳 출구입이] 두 사람 사이의 이야기를 딴 사람은 아무도 못 들음.
[出軍 출군] 전쟁(戰爭)하러 나감. 군대(軍隊)를 전지(戰地)에 내보냄. 출병(出兵).
[出群 출군] 출중(出衆).
[出宮 출궁] 임금의 거가(車駕)가 대궐(大闕) 밖으로 나감.
[出勤 출근] 근무하는 곳에 나감.
[出金 출금] 돈을 내놓음.
[出給 출급] 물건을 내줌.
[出其不意 출기불의] 일이 뜻밖에 일어남.
[出納 출납] 금전(金錢) 또는 사물(事物)을 내어 줌과 받아들임.
[出動 출동] 나가서 행동함.
[出痘 출두] 천연두(天然痘)가 내돋음.
[出頭 출두] ㉠어떠한 곳에 직접 나감. ㉡두각(頭角)을 나타냄.
[出頭地 출두지] 두각(頭角)을 나타냄. 출두(出頭).
[出頭天 출두천] 부(夫), 곧 남편의 은어(隱語). 천자(天字)가 머리를 내밀면 부자(夫字)가 되므로 이름.
[出藍 출람] 청색이 본디 남빛에서 나와서 도리어 남빛보다 푸르다는 뜻으로, 제자(弟子)가 스승보다 낫거나 자식(子息)이 부모보다 나음을 이름.
[出來 출래] 사건이 일어남. 발생함.
[出廬 출려] 초려(草廬)에서 나옴. 곧, 은퇴(隱退)하였던 사람이 세상에 나가 활동함.
[出輦 출련] 천자의 거둥. 봉련(鳳輦)을 낸다는 뜻.
[出獵 출렵] 나가서 사냥함. 사냥하러 나감.
[出令 출령] 명령을 내림.
[出路 출로] 빠져나갈 길.
[出牢 출뢰] 출옥(出獄).
[出類拔萃 출류발췌] 평범한 종류보다 훨씬 뛰어남. 출췌(出萃).
[出倫 출륜] 출중(出衆)함.
[出離 출리] 《佛敎》 미망(迷妄)의 세계에서 벗어나옴. 속세(俗世)의 잡념(雜念)을 끊음.
[出離生死 출리생사] 《佛敎》 이승을 떠나서 안락세계로 감.
[出馬 출마] ㉠말을 타고 감. ㉡자신(自身)이 직접 감. ㉢입후보(立候補)함.
[出幕 출막] 전염병에 걸린 사람을 따로 막을 쳐서 격리시킴.
[出末 출말] 일의 끝이 남.
[出亡 출망] 출분(出奔).
[出梅 출매] 매우기(梅雨期)가 끝날 즈음.
[出母 출모] 아버지와 이혼(離婚)한 생모(生母).
[出沒 출몰] 나타났다 숨었다 함.
[出文 출문] 장부(帳簿)에 기입된 액수에서 내준 돈.
[出門 출문] 문밖으로 나감.
[出班奏 출반주] ㉠반열(班列)에서 나와 아룀. ㉡여러 사람이 모인 곳에서 첫 번으로 말을 냄.
[出發 출발] ㉠길을 떠나감. ㉡경주(競走)할 때에 출발점을 떠나감.
[出帆 출범] 돛을 달고 배가 떠나감.
[出兵 출병] 군사(軍士)를 내보냄.
[出府 출부] 지방에서 서울로 옴. 상경(上京).
[出奔 출분] 달아나 종적을 감춤. 도망질. 출망(出亡).
[出費 출비] 내는 비용(費用).
[出殯 출빈] 장사 지내기 전에 집 밖에 빈소(殯所)를 만들고 시체(屍體)를 모심.
[出仕 출사] 벼슬을 하여 사진(仕進)함.
[出師 출사] 출병(出兵).
[出師表 출사표] 촉한(蜀漢)의 제갈양(諸葛亮)이 위(魏)나라를 치려고 출병(出兵)할 때 후주(後主) 유선(劉禪)에게 올린 글. 전후(前後)의 두 표(表)가 있는데 이밀(李密)의 진정표(陳情表) 및 한유(韓愈)의 제십이랑문(祭十二郎文)과 병칭(竝稱)됨.
[出山 출산] 은사(隱士)가 나와서 사환(仕宦)함.
[出産 출산] ㉠세상에 태어남. 출생. ㉡물건이 남. 또, 지방에서 나는 산물(産物).
[出喪 출상] 상가(喪家)에서 상여(喪輿)가 떠남.
[出色 출색] 출중(出衆)하여 눈에 띔.
[出生 출생] ㉠세상에 태어남. ㉡아이를 낳음.
[出席 출석] 모임 또는 자리에 나아감. 참석(參席)함.
[出城 출성] 성(城) 밖으로 나감.
[出世 출세] ㉠입신(立身)함. 성공함. ㉡세상에 나타남. ㉢《佛敎》 출세간(出世間).
[出稅 출세] 세금을 냄.
[出世間 출세간] 《佛敎》 ㉠속계(俗界)를 벗어나 중이 됨. ㉡속세를 떠남. 세상과 교제를 끊음.
[出送 출송] 물건을 내보냄.
[出水 출수] 넘쳐흐름. 범람함. 또, 그 물. 홍수(洪水).
[出狩 출수] 나가서 사냥함. 전(轉)하여, 천자(天子)가 파천(播遷)함을 이름.
[出售 출수] 물건을 팔기 시작함.
[出身 출신] ㉠벼슬을 함. 관직에 등용됨. ㉡그 토지 또는 그 지위에서 출세(出世)함. ㉢그 학교를 졸업한 신분. ㉣몸을 던져 나라를 위해서 힘을 씀.
[出芽 출아] 싹이 남.
[出御 출어] 임금이 대궐(大闕) 밖으로 납심.
[出漁 출어] 물고기를 잡으러 나감.
[出於類拔乎萃 출어류발호췌] 동류(同類) 중에서 출중(出衆)하게 뛰어남. 췌(萃)는 취(聚). 많은 집합(集合)의 뜻.
[出捐 출연] 금품(金品)을 내어 원조(援助)함.
[出演 출연] 연설·강연·음악·연극 등을 나가서 함.
[出迎 출영] 나가서 맞음.
[出獄 출옥] 옥(獄)에 갇히어 있던 사람이 옥에서 나옴.
[出尤 출우] 출중(出衆)함. 또, 그 사람. 발군(拔群).
[出願 출원] 원서(願書)를 내놓음.
[出遊 출유] 고향을 떠나 다른 곳에 가서 놂.
[出日 출일] 돋는 해. 아침 해. 또, 해가 뜨는 곳.
[出一頭地 출일두지] 남보다 한결 빼어남. 걸출(傑出)함.
[出入 출입] ㉠나감과 들어옴. 드나듦. ㉡내놓음과 들여놓음. ㉢왕래(往來)함. ㉣출납(出納). ㉤시집간 여자와 시집 안 간 여자. ㉥혹은 지방관으로 부임하고 혹은 들어와 조정(朝廷)에서 벼슬함.

[出資 출자] 밑천을 냄. 자본금(資本金)을 냄.
[出張 출장] 직무(職務)를 띠고 나감.
[出場 출장] ㉠그 자리에 나감. ㉡운동 경기회에 참가함.
[出將入相 출장입상] 나가서는 장수(將帥)가 되고 들어와서는 재상(宰相)이 됨. 곧, 문무(文武)를 겸비하여 문무 양도(文武兩道)의 벼슬을 지냄.
[出典 출전] 고사(故事)·성어(成語) 들의 출처(出處)가 되는 서적(書籍).
[出畋 출전] 나가서 사냥함.
[出戰 출전] 싸우러 나감. 또, 나가 싸움.
[出廷 출정] 《韓》 출정(出庭).
[出定 출정] 《佛敎》 중이 선정(禪定)을 마치고 나옴.
[出征 출정] 정벌(征伐)하러 나감. 전지(戰地)로 향함.
[出庭 출정] 법정(法廷)에 나감.
[出題 출제] 문제(問題)를 냄. 시가(詩歌) 또는 시험(試驗)의 제(題)를 냄.
[出主 출주] 제사 때 신주(神主)를 꺼냄.
[出走 출주] 있던 곳을 떠나서 달아남.
[出駐 출주] 군대가 지방에 가서 주둔(駐屯)함.
[出衆 출중] 여러 사람 속에서 뛰어남.
[出陣 출진] 전지(戰地)에 나가서 진(陣)을 침.
[出塵 출진] 진세(塵世)를 떠남. 속세(俗世)를 벗어나 은둔함. 또, 중이 됨. 둔세(遁世).
[出債 출채] 빚을 냄.
[出妻 출처] ㉠인연(因緣)을 끊은 아내. ㉡아내를 내쫓음.
[出處 출처] ㉠사물(事物)이 어디로부터 나온 곳. ㉡나가 벼슬하는 일과 물러나 집에 있는 일. 진퇴(進退).
[出處語默 출처어묵] 나가 벼슬하는 일과 물러나 집에 있는 일과 의견을 발표하는 일과 침묵을 지키는 일. 곧, 사람이 처세(處世)하는 데 근본이 되는 일.
[出天之孝 출천지효] 천성(天性)으로 타고난 효성(孝誠).
[出超 출초] 수출 초과(輸出超過). 수출품(輸出品)의 총가격(總價格)이 수입품(輸入品)의 총가격보다 많은 일.
[出萃 출췌] 출중(出衆)함. 출류발췌(出類拔萃).
[出贅 출췌] 데릴사위.
[出他 출타] 집에서 밖으로 나감.
[出版 출판] 서적(書籍) 등을 발행함.
[出捕 출포] 죄인을 쫓아가서 잡음.
[出品 출품] 전람회·전시회·공진회 등에 물품을 내놓음.
[出必告 출필곡] 밖에 나갈 때마다 부모에게 가는 곳을 아뢺.
[出荷 출하] 하물(荷物)을 내보냄.
[出汗 출한] 땀이 남.
[出港 출항] 배가 항구를 떠나감.
[出向 출향] 출발함. 집을 떠나 목적지로 향함.
[出鄕 출향] 고향을 떠남.
[出現 출현] 나타남.
[出血 출혈] 피가 혈관(血管) 밖으로 나옴. 또, 그 피.
[出乎爾者反乎爾 출호이자반호이] 자기가 행한 일은 다 자기가 갚음을 받음. 선악화복(善惡禍福)은 다 사람이 자초(自招)하는 바임.
[出貨 출화] ㉠뇌물을 씀. ㉡화물(貨物)을 실어 냄.

◉醵出. 傑出. 檢出 揭出. 屆出. 供出. 救出. 露出. 貸出. 導出. 突出. 描出. 搬出. 放出. 倍出. 排出. 輩出. 百出. 奔出. 噴出. 不世出. 頻出. 四出. 査出. 射出. 産出. 算出. 生出. 庶出. 選出. 歲出. 所出. 續出. 送出. 水落石出. 輸出. 新出. 案出. 躍出. 譯出. 演出. 捻出. 外出. 湧出. 遠出. 流出. 移出. 引出. 日出. 逸出. 嫡出. 摘出. 轉出. 挺出. 除出. 提出. 重出. 支出. 進出. 剔出. 賤出. 初出. 抽出. 逐出. 脫出. 退出. 特出. 派出. 表出. 呼出. 橫出.

3 ⑤ [凷] 괴 [去]隊 苦對切 kuài

[字解] 흙덩이 괴 塊(土部 十畫)와 同字. '九河盈溢, 非一凷所能防'《蔡邕》.
[字源] 篆文  會意. 土+凵. '凵감'은 네모진 흙덩이의 상형. '土토'를 덧붙여, '흙덩이'의 뜻을 나타냄.

3 ⑤ [凹] [人名] 요 [平]肴 於交切 āo 

[筆順] 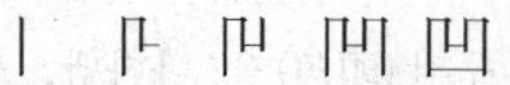
[字解] 오목할 요 가운데가 오목하게 들어감. '凸'의 대(對). '一凸'. '一面鏡'.
[字源] 象形. 가운데가 오목한 모양을 본떠, '오목하다'의 뜻을 나타냄.

[凹面 요면] 오목하게 들어간 면(面).
[凹面鏡 요면경] 반사면(反射面)이 오목하게 들어간 거울. 오목 거울.
[凹心硯 요심연] 가운데가 오목하게 들어간 벼루.
[凹處 요처] 오목하게 들어간 곳.
[凹凸 요철] 오목하게 들어감과 볼록하게 솟음.
◉凸凹.

3 ⑤ [凸] [人名] 철 [入]月 陀骨切 tū 

[筆順] 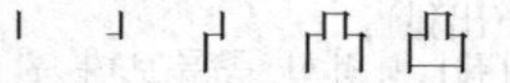
[字解] 볼록할 철 가운데가 볼록하게 솟음. '凹'의 대(對). '凹一'. '一面鏡'.
[字源] 象形. 가운데가 볼록 솟은 모양을 본떠 '볼록 내밀다'의 뜻을 나타냄.

[凸面鏡 철면경] 거죽이 볼록하게 나온 거울. 볼록 거울.
[凸凹 철요] 볼록함과 오목함.
[凸形 철형] 가운데가 도도록한 형상.
◉窊凸. 凹凸.

3 ⑤ [甾] 사 [平]支 側詞切 zī

[字解] ①장군 사 음료(飮料)를 담는 질그릇. '東楚名缶曰一, 象形也'《說文》. ②바구니 사 '一, 竹器. 象形'《六書正譌》.
[字源] 象形. 주둥이가 벌어지고 잘록한 질그릇 모양을 본뜸.
[參考] 甾(次次條)는 古字.

3 ⑤ [𠙺] 〔왕〕
王(部首〈p. 1414〉)의 古字

4 ⑥ [⿶凵由] 由(前前條)의 古字

4 ⑥ [⿴囗乂] 〔신〕 囟(囗部 三畫〈p.422〉)의 本字

6 ⑧ [函] [人名] 함 ①-③[平]覃 胡男切 hán ④-⑥[平]咸 胡讒切 hán

[筆順] 一 了 了 习 豕 豕 函 函

[字解] ①휩쌀 함 포용(包容)함. '大極一三爲一'《顔師古》. ②넣을 함 용납함. '席閒一丈'《禮記》. ③갑옷 함 예전에 싸움을 할 때 입던 옷. '一工'. '一人惟恐傷人'《孟子》. ④글월 함 편지. '書一'. '貴一'. ⑤상자 함, 갑 함 문서 등을 넣어 두는 조그마한 상자. '一蓋'. '一底'. '竟達空一'《晉書》. ⑥상자에넣을 함 '守緖自經死, 一其首送于宋'《十八史略》.

[字源] 甲骨文 金文 篆文 象形. 화살을 넣는 동개에 화살이 들어 있는 모양을 본떠, '휩싸다, 포함하다, 상자'의 뜻을 나타냄.

[函蓋 함개] 상자와 상자 뚜껑.
[函蓋相應 함개상응] 상자와 상자 뚜껑이 꼭 맞는다는 뜻으로, 서로 잘 어울림을 이름.
[函谷 함곡] 허난 성(河南省) 링바오 현(靈寶縣)의 황허(黃河) 유역에 있는 험준하기로 유명한 골짜기. 상자(箱子) 속처럼 깊고 험한 애로(隘路)라는 데서 불리움.
[函谷雞鳴 함곡계명] 제(齊)나라의 맹상군(孟嘗君)이 밤중에 함곡관(函谷關)에서 종자(從者)에게 닭의 울음소리를 흉내 내게 하여 문지기가 새벽닭 소리인 줄 알고 관문을 열어 진(秦)나라에서 무사히 도망쳤다는 고사(故事).
[函谷關 함곡관] 함곡(函谷)에 있던 험준하기로 유명한 관문(關門). 맹상군(孟嘗君)의 고사(故事)로 유명함.
[函宏 함굉] 마음이 넓고 큼. 관대(寬大).
[函笈 함급] 등에 지는 상자.
[函列 함렬] 방형(方形)의 대오(隊伍).
[函籠 함롱] 함과 농.
[函封 함봉] 상자에 넣어서 봉함.
[函使 함사] 편지 따위 글발을 전(傳)하는 하인. 함(函)을 상자에 넣은 편지.
[函人 함인] 갑주(甲冑) 만드는 장인.
[函丈 함장] 스승의 자리와 자기의 자리 사이에 한 길〔一丈〕의 여지(餘地)를 둔다는 뜻. 전(轉)하여, 스승. 또, 스승이나 어른에게 보내는 편지에 받는 이의 이름 밑에 써서 존경의 뜻을 나타내는 말.
[函底 함저] 상자 바닥. 상자 안.
[函招 함초] 편지로 사람을 초청(招請)함.
[函夏 함하] 해내(海內)를 이름. 하(夏)는 중하(中夏).
[函胡 함호] 큰 음성(音聲)의 형용.
[函和 함화] 온화함. 따뜻함.
[函活 함활] 작물(作物) 같은 것이 생기(生氣) 있게 잘 자람.
◉經函. 空函. 密函. 本函. 書函. 石函. 玉函. 郵便函. 投票函. 投函.

[画] 〔화〕 田部 三畫(p.1463)을 보라.

6 ⑧ [齿] 〔치〕 齒(部首〈p.2722〉)의 簡體字

7 ⑨ [𠚕] 〔치〕 齒(部首〈p.2722〉)의 古字

7 ⑨ [凾] 〔함〕 函(凵部 六畫〈p.239〉)의 俗字

10 ⑫ [⿱止⿶凵米] 〔치〕 齒(部首〈p.2722〉)의 俗字

10 ⑫ [凿] 〔착〕 鑿(金部 二十畫〈p.2426〉)의 簡體字

10 ⑫ [⿶凵舀] 도 [平]豪 土刀切 tāo

[字解] 그릇 도 고대(古代)의 그릇.

[字源] 形聲. 曲+舀〔音〕

11 ⑬ [⿶凵曲] 곡 [入]沃 區玉切 qū

[字解] 구부러질 곡, 구부릴 곡 뼈가 굽음. 또, 구부림. '一, 骫曲也'《說文》.

[字源] 象形. 대나무나 갈대 따위를 구부려서 만든 그릇의 모양을 본뜸.

17 ⑲ [⿶凵䍃] ⿶凵舀(前前條)의 本字

刀(刂) (2획) 部

〔칼도부〕

0 ② [刀] [中人] 도 [平]豪 都牢切 dāo

[筆順] 𠃌 刀

[字解] ①칼 도 도검(刀劍). '一兵'. '短一'. '未能操一而使割也'《左傳》. ②거루 도 거룻배. 칼 모양의 작은 배. '誰謂河廣, 曾不容一'《詩經》. ③돈이름 도 칼 모양의 돈. '一幣'. '黃帝採首山之銅, 始鑄爲一'《初學記》. ④성 도 성(姓)의 하나.

[刀③]

[字源] 甲骨文 篆文 象形. 칼의 모양을 본떠 '칼'의 뜻을 나타냄.

[參考] '刀'는 部首로서 '칼도'라 이름. 자형(字形)의 오른쪽에 놓이어 방(旁)으로도 드물게 쓰이나, 방(旁)으로서는 주로 '刂'가 쓰이며, '刀·刂'를 의부(意符)로 하여 '날붙이, 베다'의 뜻을 포함하는 글자를 이룸.

[刀鋸 도거] 칼과 톱. 옛날에 칼은 궁형(宮刑)에 쓰고 톱은 월형(刖刑)에 썼으므로, 전(轉)하여, 형벌(刑罰)의 뜻으로 쓰임.
[刀鋸鼎鑊 도거정확] 도거(刀鋸)와 정확(鼎鑊). 정확은 사람을 삶는 가마솥. 전(轉)하여, 형벌

(刑罰). 도거(刀鋸) 참조.
[刀鋸之餘 도거지여] 궁형(宮刑)·월형(刖刑) 등의 형벌을 당하여 불구자로서 사는 일. 또, 그 사람. 전과자(前科者).
[刀劍 도검] 칼.
[刀工 도공] 칼을 만드는 장색(匠色).
[刀圭 도규] ㉠약을 뜨는 숟가락. ㉡의술(醫術).
[刀圭界 도규계] 의사(醫師)의 사회.
[刀圭術 도규술] 의술(醫術)의 별칭.
[刀途 도도] 《佛敎》 아귀도(餓鬼道).
[刀鋩 도망] 도첨(刀尖).
[刀銘 도명] 칼에 새긴 명(銘).
[刀墨 도묵] 칼로 이마에 새겨 입묵(入墨)하는 형벌. 경형(黥刑).

[刀圭㉠]

[刀瘢 도반] 칼에 다친 흉. 도흔(刀痕).
[刀背 도배] 칼의 등. 칼등.
[刀兵 도병] ㉠칼. ㉡군사(軍事).
[刀柄 도병] 칼자루.
[刀山劍水 도산검수] 몹시 험준한 지경(地境)의 비유.
[刀山劍樹 도산검수] 가혹한 형벌(刑罰)의 비유. 혹형(酷刑).
[刀傷 도상] 칼에 베인 상처. 칼 상처.
[刀身 도신] 칼의 몸.
[刀室 도실] 칼집. 도초(刀鞘).
[刀眼 도안] 환도(環刀)의 몸이 자루에서 빠지지 않게 슴베와 아울러 자루에 비녀장을 박는 구멍.
[刀魚 도어] ㉠웅어. ㉡갈치. 도어(魛魚).
[刀鋋 도연] 칼과 짧은 창(槍).
[刀刃 도인] 칼날.
[刀子 도자] 창칼. 단도(短刀).
[刀匠 도장] 칼을 만드는 장인(匠人).
[刀折矢盡 도절시진] 칼은 부러지고 화살은 다 써서 없어짐. 곧, 싸울 대로 싸워 다시 더 싸워 나갈 도리가 없음.
[刀俎 도조] 칼과 도마. 전(轉)하여, 생살여탈(生殺與奪)을 마음대로 할 수 있는 지위에 있는 자. 또, 극히 위험한 곳.
[刀擦 도찰] 잘못된 글자를 도필(刀筆)로 긁어내어 고침.
[刀創 도창] 도흔(刀痕).
[刀槍 도창] 칼과 창.
[刀尺 도척] ㉠포목을 마르고 잼. ㉡의복의 재봉. ㉢사람을 진퇴(進退)·임면(任免)시킴의 비유.
[刀脊 도척] 칼등. 도배(刀背).
[刀泉 도천] 통화(通貨). 도포(刀布).
[刀尖 도첨] 칼끝. 칼날의 끝. 또, 그 서슬.
[刀錐 도추] ㉠칼과 송곳. ㉡근소(僅少)한 이(利)의 비유.
[刀把 도파] 칼자루.
[刀幣 도폐] 자해(字解)❸을 보라.
[刀布 도포] 도(刀)와 포(布)가 모두 돈의 명칭. 전(轉)하여, 돈. 금전(金錢).
[刀筆 도필] ㉠대쪽에 글씨를 쓰는 붓과 잘못 쓴 글씨를 깎아 내는 칼. ㉡낮은 관리의 일. 서기의 사무.

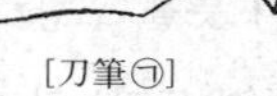
[刀筆㉠]

[刀筆吏 도필리] 낮은 벼슬아치. 하급 관리. 종이가 발명되기 전에 죽간(竹簡)에 새긴 오자(誤字)를 도필(刀筆)로 긁어 고치던 고사에서 나온 말. 그런 일을 하는 벼슬아치라는 뜻임.
[刀環 도환] ㉠칼코등이. ㉡고향(故鄕)으로 돌아감. 환(環)과 환(還)은 음(音)이 같아 그 은어(隱語)로 쓰인 것임.
[刀痕 도흔] 칼에 다친 흉.
◉軍刀. 短刀. 帶刀. 名刀. 木刀. 眉尖刀. 拔刀. 寶刀. 霜刀. 笑中刀. 食刀. 雙刀. 兩刀. 偃月刀. 鉛刀. 腰刀. 牛刀. 鉞刀. 銀裝刀. 儀刀. 利刀. 一刀. 長刀. 粧刀. 錢刀. 竹刀. 陣刀. 執刀. 靑龍刀. 剃刀. 快刀. 太刀. 佩刀.

0 ② [刂] 刀(前條)와 同字

參考 '刀'가 글자의 방(旁)에 있을 때의 자형(字形). '칼도방'. '선칼도'라 이름.

0 ② [刁] 조 ㊥蕭 都聊切 diāo

字解 ①조두(刁斗) 조 구리로 만든 솥 같은 기구. 군중(軍中)에서 낮에는 음식을 만들고, 밤에는 이것을 두드려 경계하는 데 썼음. '不擊—斗自衛'《漢書》. ②성 조 성(姓)의 하나.
字源 指事. '刀도'의 한 획을 변형시켜서, '조'의 음을 나타냄.
參考 '刁'는 '刀도'의 속된 오자(誤字)라고도 함.

[刁姦 조간] 교활함.
[刁斗 조두] 자해(字解)❶을 보라.
[刁騷 조소] 머리가 쑥대강이같이 헝클어진 모양.
[刁刁 조조] 바람이 그칠 무렵 조금 움직이는 모양. 바람이 솔솔 부는 모양.
◉斗刁. 鳴刁. 夜刁. 調刁.

0 ② [𠚣] 〔도〕 刀(部首〈p. 239〉)의 篆文

1 ③ [刃] 人名 인 ㊦震 而振切 rèn

筆順 ㇇ 刀 刃

字解 ①칼날 인 칼의 날. '刀—'. '白—可踏也'《中庸》. ②칼 인 도검(刀劍) 및 기타 날이 있는 무기. '兵—'. '挺—交兵'《孔子家語》. ③벨 인 칼로 베거나 찌름. '自—'. '拔刀將手—之'《晉書》.
字源 甲骨文 篆文 指事. 칼날에 상당하는 부분에 '丶주'라는 기호를 덧붙여, '칼날'의 뜻을 나타냄.
參考 刄(次條)·刅(次次條)은 俗字.

[刃器 인기] 도끼나 칼처럼 날이 서 있는 기구.
[刃鋩 인망] 칼날. 서슬.
[刃傷 인상] 인창(刃創).
[刃迎縷解 인영누해] 칼로 실을 끊듯이 이치(理致)를 분별함.
[刃劖 인참] 칼로 벰.
[刃創 인창] 칼날에 다침. 흉.
◉干將刃. 堅刃. 露刃. 踏刃. 刀刃. 芒刃. 冒刃. 白刃. 兵刃. 伏刃. 鋒刃. 氷刃. 霜刃. 手刃. 矢刃. 兩刃. 五刃. 鬱刃. 利刃. 自刃. 智刃. 眞刃. 尺刃. 寸刃. 推刃. 吹毛刃. 合刃. 虐刃. 弦刃. 血刃.

1 ③ [刃] 刃(前條)의 俗字

1 ③ [刄] 刃(前前條)의 俗字

2 ④ [刅] 〔창〕 創(刀部 十畫〈p. 265〉)과 同字

2 ④ [切] [高人] [一] 체 [去]霽 七計切 qì [二] 절 [入]屑 千結切 qiè, ①qiē

[筆順] 一 七 切 切

[字解] [一] 온통 체 전부. '一—'. [二] ①벨 절 칼로 벰. 쐶. 저밈. '—開'. '—斷'. '—之爲膾'《禮記》. ②절박할 절 매우 가까이 닥침. '—迫'. '州期—促'《後漢書》. ③정성스러울 절 성실(誠實)함. '—慤'. '親—'. '其言之也—'《中庸章句序》. ④중요할 절 주요함. 또, 요점(要點). '客自覽其—'《揚雄》. ⑤진맥할 절 맥을 봄. '不待—脈'《史記》. ⑥문지방 절 문 아래 문설주 사이에 가로놓인 나무. '—皆銅沓冒黃金塗'《漢書》. ⑦반절 절 한자(漢字)의 음(音)을 표시하는 법(法). '反—'. ⑧간절히 절 절실히. '—望'.

[字源] 篆文  形聲. 刀+七〔音〕. '七칠'은 가로세로로 베다의 뜻. '七'이 일곱을 뜻하게 되어, '刀도'를 덧붙여 구별함.

[切慤 절각] 대단히 정성스러움. 아주 성실함.
[切諫 절간] 간절(懇切)히 간(諫)함.
[切感 절감] 절실하게 느낌.
[切開 절개] 째어서 가름.
[切激 절격] 몹시 격렬(激烈)함. 격절(激切).
[切近 절근] 아주 가까움.
[切禁 절금] 엄중하게 금함.
[切急 절급] 아주 급함.
[切己 절기] 자기에게 필요함. 또는 그 일.
[切緊 절긴] 긴요하고 절실(切實)함.
[切斷 절단] 끊어 냄.
[切當 절당] 꼭 맞음.
[切厲 절려] ㉠비판이 격렬함. ㉡격려(激勵)함.
[切論 절론] 아무 거리낌 없이 의논(議論)함.
[切摩 절마] 잘라 갊. 전(轉)하여, 학문을 닦음. 또는 수양함.
[切磨 절마] ㉠절차탁마(切磋琢磨). ㉡서로 격려함.
[切望 절망] 간절히 바람. 간망(懇望).
[切脈 절맥] 맥을 봄. 진맥을 함.
[切問 절문] 간절히 물음. 또, 적절한 물음.
[切迫 절박] 기한(期限)이 썩 급하여짐. 기한이 닥침.
[切膚 절부] 살갗을 에는 듯이 사무침.
[切忿 절분] 아주 원통하고 분함.
[切實 절실] 실지(實地)에 꼭 맞음. 아주 적절함.
[切愛 절애] 몹시 사랑함. 몹시 아낌.
[切言 절언] 간절한 말. 또, 통절(痛切)한 말.
[切玉 절옥] 절옥도(切玉刀).
[切玉刀 절옥도] 옛적 명도(名刀)의 이름. 예리(銳利)하여 옥(玉)도 절단(切斷)한다는 뜻. 곤오도(昆吾刀).
[切玉如切泥 절옥여절니] 단단한 옥(玉)을 베는데 마치 진흙을 베는 것과 같이 손쉬움. 도검(刀劍)이 예리(銳利)함을 이름.
[切要 절요] 절실하고 긴요(緊要)함.
[切韻 절운] ㉠반절(反切)에 의해서 한자(漢字)의 운(韻)을 아는 일. ㉡운서(韻書). 5권. 수(隋)나라의 육법언(陸法言)의 저(著). 반절(反切)의 발성(發聲)에 따라 음(音)을 분류(分類)하고, 수성(收聲)으로써 운(韻)을 나누었음. 당(唐)나라의 장손눌언(長孫訥言)의 주(註)가 있음.
[切願 절원] 간절히 바람.
[切肉 절육] ㉠얄팍하게 썰어 양념을 하여 익힌 고기. ㉡저민 고기.
[切切 절절] ㉠매우 간절(懇切)한 모양. 매우 정성스러운 모양. ㉡깊이 생각하는 모양. ㉢계속하여 작게 들리는 소리. ㉣근심하는 모양. 슬퍼하는 모양. ㉤생각이 간절한 모양.
[切切偲偲 절절시시] 벗의 사귐에 서로 간절히 선행(善行)을 권면하고 격려(激勵)하는 모양.
[切正 절정] 서로 절차탁마(切磋琢磨)하여 나쁜 점을 고침.
[切釘 절정] 대가리를 자른 쇠못.
[切除 절제] 베어 냄. 베어 없앰.
[切中 절중] 절실하게 이치에 맞음.
[切直 절직] 정성스럽고 바름.
[切磋琢磨 절차탁마] 골각(骨角) 또는 옥석(玉石)을 자르고 갈고 쪼고 닦는다는 뜻으로, 학문과 덕행(德行)을 힘써 닦음의 비유로 쓰임.
[切責 절책] 크게 책망(責望)함.
[切促 절촉] 절박(切迫).
[切齒 절치] 분하여 이를 갊. 몹시 노함.
[切齒腐心 절치부심] 원통하고 분하여서 이를 갈고 속을 썩임.
[切親 절친] 사이가 아주 친근함.
[切痛 절통] 매우 한스럽고 분함.
[切逼 절핍] 아주 핍박함.
◉苛切. 懇切. 剴切. 激切. 勁切. 急切. 摩切. 迫切. 反切. 半切. 酸切. 深切. 哀切. 嚴切. 一切. 適切. 精切. 磋切. 慘切. 悄切. 親切. 痛切.

2 ④ [分] [中人] 분 [平]文 府文切 fēn [去]問 扶問切 fèn

[筆順] ノ 八 今 分

[字解] ①나눌 분 ㉠분할함. '—解'. '—斷'. '—軍爲三'《史記》. ㉡달리함. 따로따로 함. '—道而出'《漢書》. ②나누일 분 ㉠떨어짐. 갈라짐. 따로따로 됨. '—散'. '楚所備者多, 力—'《漢書》. ㉡갈래가 짐. '—岐'. '—爲九'《漢書》. ③분명할 분 명확(明確)함. '—明'. '不可不—'《呂氏春秋》. ④분별할 분 변별(辨別)함. '—辨'. '五穀不—'《論語》. ⑤나누어줄 분 분여(分與)함. '—貧振窮'《左傳》. ⑥반쪽 분 전체의 반. '師喪—焉'《公羊傳》. ⑦푼 분 ㉠척도(尺度)의 단위. 일척(一尺)의 백분의 일. '十—爲一寸, 十寸爲一尺'《漢書》. ㉡중량(重量)의 단위. 일량(一兩)의 백분의 일. '一列十釐'《文獻通考》. ㉢화폐(貨幣)의 단위. 일문(一文)의 십분의 일. '一文之下, 亦有—'《算法統宗》. ⑧분 분 ㉠시간(時間)의 단위. 일소시(一小時)의 육십분의 일. '一, 時六十之一'《中華大字典》. ㉡각도(角度)의 단위. 일도(一度)의 육십분의 일. '歲行十二度百十二—度之五'《史記》. ㉢지적(地積)의 단위. 일묘(一畝)의 십분의 일. '一, 二十四步爲一—, 十—爲一畝'《算法統宗》. ㉣소수(小數)의

단위. 십분의 일. 또, 백분의 일. '一, 十釐爲一'《算經》. ⓜ《現》화폐(貨幣)의 단위. 일각(一角)의 십분의 일. ⑨춘분 분, 추분 분 춘분과 추분의 총칭. '日過一而未至'《左傳》. ⑩분수 분 분한(分限). '名一'. '守一'. ⑪직분 분 마땅히 하여야 할 본분. '男有一'《禮記》. ⑫몫 분 배당(配當). '一日有異僧, 來求齋, 師減已一饋之'《指月錄》. ⑬성 분 성(姓)의 하나.

字源 甲骨文 金文 篆文 會意. 八+刀. '八팔'은 둘로 나누다의 뜻. 칼로 베어 나누다의 뜻을 나타냄.

[分家 분가] 가족(家族)의 일부가 딴 집으로 나가서 딴살림을 함. 또, 그 집.
[分揀 분간] ㉠시비(是非)·선악(善惡)·대소(大小)·경중(輕重)을 나누어 가림. ㉡정상(情狀)을 참작하여 죄(罪)를 용서함.
[分監 분감] 원 감옥(監獄)에서 갈라 따로 세운 감옥.
[分槪 분개] 대강만을 헤아림.
[分居 분거] 여기저기 나뉘어 삶.
[分遣 분견] 임무를 맡겨 보냄. 파견(派遣).
[分境 분경] 서로 나뉜 두 땅의 경계.
[分界 분계] 나누인 경계. 또, 경계를 나눔.
[分功 분공] 여럿이 각각 나누어 일을 완성(完成)함. 성과(成果)의 공(功)을 나눈다는 뜻. 분업(分業).
[分科 분과] 학과 또는 업무를 나눔. 또, 나누인 학과 또는 업무.
[分課 분과] 일을 나누어 맡음. 「(館).
[分館 분관] 본관(本館)에서 갈라 따로 세운 관
[分光器 분광기] 빛을 분산(分散)시켜서, 그것에 의해 생기는 스펙트럼을 관측(觀測)하는 기계.
[分校 분교] 한 학교의 일부 학생을 수용하기 위하여 따로 세운 학교.
[分局 분국] 본국(本局)에서 갈라 따로 세운 국(局).
[分權 분권] 권력을 나눔.
[分金 분금] 매장(埋葬)할 때에 관(棺)의 위치를 바르게 정함.
[分襟 분금] 서로 옷깃을 나눈다는 뜻으로, 헤어짐. 작별함. 분메(分袂).
[分給 분급] 나누어서 줌.
[分岐 분기] 나누어져 갈래가 짐. 또, 그 갈래.
[分內 분내] 분수에 맞는 정도의 안.
[分段 분단] ㉠사물의 구분. ㉡문장(文章)을 뜻에 따라 몇으로 나눈 토막. 대문(大文).
[分團 분단] 한 단체를 작게 나눈 그 부분.
[分段生死 분단생사]《佛敎》수명(壽命)의 장단(長短).
[分擔 분담] 일을 나누어서 맡음.
[分黨 분당] 패를 가름.
[分隊 분대] ㉠본대(本隊)에서 갈라져 나온 대(隊). ㉡대(隊)를 가름. 군(軍)에서, 소대(小隊)를 몇으로 나눈 대(9명으로 편성).
[分度 분도] 일정한 한도(限度).
[分桃 분도] 위(魏)나라의 미자하(彌子瑕)가 복숭아를 나누어 임금에게 드린 고사(故事). 전(轉)하여, 남색(男色)의 관계. 또는, 애증(愛憎)의 변화.
[分度器 분도기] 제도(製圖)할 때에 각(角)을 재는 데 쓰는 기구. 원형(圓形) 또는 반원형(半圓形) 위에 각도(角度)를 새긴 것.
[分棟 분동] 여러 집채에 나누어 벼름.
[分銅 분동] 저울추(錘). 법마(法馬).
[分頭稅 분두세] 사람 수효에 따라 부과하는 조세(租稅). 인두세(人頭稅).
[分等 분등] 등급(等級)을 나눔. 「함.
[分掠 분략] 사람을 여러 대(隊)로 나누어 노략질
[分量 분량] ㉠분수(分數). 분한(分限). ㉡부피. 용적(容積). ㉢무게의 정도.
[分列 분렬] 분열(分列).
[分裂 분렬] 분열(分裂).
[分路 분로] ㉠갈림길. ㉡딴 길로 감.
[分賚 분뢰] 나누어 하사(下賜)함. 나누어서 내림.
[分龍雨 분룡우] 5월에 오는 소나기.
[分流 분류] 본류(本流)에서 갈라져 흐름. 또, 그 물줄기.
[分溜 분류] 비등점(沸騰點)이 다른 몇 종류의 액체 혼합물(液體混合物)을 가열(加熱)하여, 비등점이 낮은 것으로부터 점차 높은 것을 유출(溜出)시켜서 분리(分離)시키는 일.
[分類 분류] 종류를 따라 나눔.
[分利 분리] 이익(利益)을 나눔.
[分理 분리] ㉠나누인 맥리(脈理). ㉡변명함. 변해(辨解)함. 분소(分疏).
[分離 분리] 나누어 떨어지게 함. 또, 나뉘어 떨어짐.
[分立 분립] 나뉘어서 따로 섬.
[分娩 분만] 아이를 낳음. 해산(解産).
[分明 분명] 똑똑함. 명료함.
[分袂 분메] 작별(作別)함. 분금(分襟).
[分母 분모] 분수(分數) 또는 분수식의 횡선(橫線) 아래에 적은 수(數) 또는 식(式). 분자(分子)의 대(對).
[分門書 분문서] 많은 책 중의 사항(事項)을 분류하여 편찬해서 검색(檢索)하는 데 편하도록 한 책. 〈사문유취(事文類聚)〉·〈고금도서집성(古今圖書集成)〉 따위. 유서(類書).
[分半 분반] 반으로 나눔.
[分配 분배] 나누어 도름. 벼름.
[分辨 분변] 가려냄.
[分別 분별] ㉠가름. 또, 가름을 당함. ㉡나눔. 또, 나누임. ㉢구별. 분별. ㉣사리(事理)를 생각하여 변별(辨別)함.
[分福 분복] 타고난 복(福).
[分封 분봉] ㉠땅을 나누어 제후(諸侯)를 봉함. 또, 나누인 봉토(封土). ㉡벌통의 여왕벌이 산란하여 새 여왕벌이 생기면 구(舊)여왕벌과 일벌의 일부가 딴 통으로 갈려 나가 옮기는 일.
[分付 분부] 나누어 줌. ⌊분봉(分蜂).
[分賦 분부] 세금 등을 나누어 물림.
[分分 분분] '분분(紛紛)'과 같음.
[分崩 분붕] 산산이 붕괴함. 와해(瓦解).
[分泌 분비] ㉠액즙(液汁)이 스며나옴. ㉡선세포(腺細胞)의 작용에 의하여 특수한 액즙을 만들어 배출(排出)하는 기능. 「散).
[分散 분산] 따로따로 나뉘어서 흩어짐. 이산(離
[分析 분석] ㉠쪽쪽이 나누어 가름. 또, 쪽쪽이 나뉘어 갈라짐. ㉡물질을 구성한 모든 원소(元素)로 분해함. ㉢개념(槪念)을 그 속성(屬性)으로 분해함. 「림.
[分釋 분석] 분석(分析)하여 풂. 또, 분석되어 풀
[分線 분선] 지선(支線)에서 갈라져 나간 선(線).
[分設 분설] 나누어서 따로 베풂.
[分歲 분세] 선달그믐에 온 집안 식구가 모여 사

연(私宴)을 베푸는 일.
[分疏 분소] 변명함. 변해함.
[分屬 분속] 나누어 붙임.
[分碎 분쇄] 잘게 부스러뜨림.
[分手 분수] 이별함. 분금(分襟).
[分首 분수] 분메(分袂).
[分銖 분수] 근소한 분량. 얼마 안 되는 이익. 치수(錙銖).
[分數 분수] ㉠나머지 수(數). ㉡어떠한 수효나 분량을 몇 등분(等分)하여 가를 때에 두 수(數)의 관계를 표시하는 수(數). ㉢분한(分限).
[分水界 분수계] 물이 양쪽으로 갈라져 흐르는 그 경계(境界).
[分水嶺 분수령] 분수계(分水界)를 이룬 산맥(山脈).
[分乘 분승] 나누어 탐.
[分食 분식] 나누어 먹음. 나누어 가짐.
[分蝕 분식] 일식(日蝕)·월식(月蝕)에 있어서의 해나 달의 일부분만이 가려지는 현상. 부분식(部分蝕).
[分身 분신] ㉠분만(分娩). ㉡《佛教》 부처가 중생(衆生)을 제도(濟度)하기 위하여 여러 가지로 나타내는 몸.
[分室 분실] 한 사무실에서 갈라져 나가 따로 사무를 보는 곳.
[分秧 분앙] 모내기. 삽앙(插秧).
[分野 분야] ㉠전국 시대(戰國時代)에 천문가(天文家)가 중국 전토를 하늘의 이십팔수(二十八宿)에 배당(配當)하여 나눈 칭호. ㉡세력(勢力)의 범위.

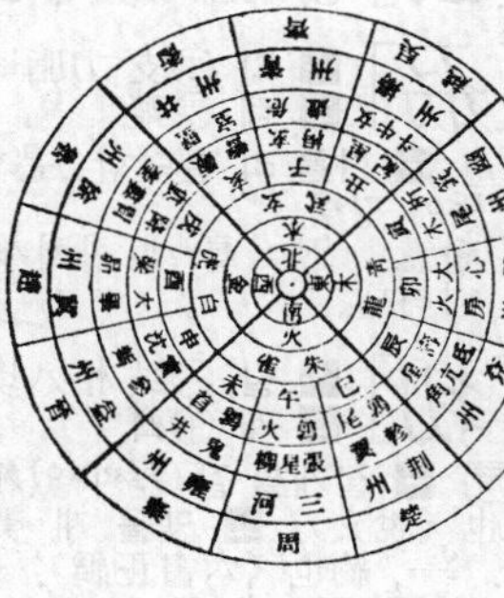

[分野 ㉠]

[分讓 분양] 큰 덩어리를 갈라서 여럿에 별러 넘겨줌.
[分業 분업] 일을 나누어서 함.
[分與 분여] 나누어 줌.
[分餘光 분여광] 혼자 쓰고 남는 등불의 빛을 남에게 나누어 비추어 준다는 뜻으로, 은혜(恩惠)를 남에게 베풂을 이름.
[分列 분열] 나뉘어 늘어섬. 또, 나누어 늘어 세움.
[分裂 분열] 찢어서 나눔. 또, 찢어져 나누임. 갈라져 찢김.
[分外 분외] 분수(分數)의 밖. 과분(過分).
[分憂 분우] 지방관(地方官)을 이름. 지방관은 천자(天子)와 근심을 나눈다는 뜻임.
[分韻 분운] 시회(詩會) 석상에서 각자가 사용할 운자(韻字)를 정하는 일.
[分陰 분음] 썩 짧은 시각(時刻).
[分義 분의] 분수를 지킨 정당한 도리(道理).
[分異 분이] 따로따로 함. 또, 따로따로 됨.
[分益 분익] 이익을 나눔.
[分子 분자] ㉠지파(支派)의 자손(子孫). 지손(支孫). ㉡한 개 이상의 원자(原子)가 모여 고유한 성질을 유지하고 있는 화학적 물질(化學的物質)의 최소 입자(最小粒子). ㉢분수(分數) 또는 분수식(分數式)의 횡선(橫線) 위에 있는 수(數).
[分子說 분자설] 모든 물질(物質)은 분자(分子)가 모여 된 것이라고 하는 가설(假說).
[分作 분작] 논밭을 나누어 농사지음.
[分掌 분장] 일을 나누어 맡음.
[分臟 분장] 장물(臟物)을 나눔.
[分財 분재] 재산(財產)을 나눔.
[分爭 분쟁] 여러 패로 갈라져서 서로 다툼.
[分傳 분전] 나누어서 각처에 전함.
[分際 분제] 분한(分限).
[分劑 분제] 약(藥)의 조제(調劑). 조약(調藥).
[分至 분지] 춘분(春分)·추분(秋分)·하지(夏至)·동지(冬至).
[分地 분지] 나누어 주는 땅.
[分枝 분지] 갈라져 나간 가지.
[分徵 분징] 두 사람 이상으로 나누어서 징수함.
[分冊 분책] 한 책을 여러 권으로 나누어서 만듦. 또, 그 책(冊).
[分貼 분첩] 약재를 나누어 첩약(貼藥)을 만듦.
[分秒 분초] ㉠각도의 분과 초. 곧, 영여(零餘)의 수도(數度). ㉡일 분과 일 초. 곧, 매우 짧은 시간(時間).
[分寸 분촌] ㉠1분과 1촌. ㉡근소. 약간.
[分出 분출] 나뉘어 나옴. 또, 나누어 나오게 함.
[分置 분치] 여러 군데로 나누어 둠.
[分針 분침] 시계의 분(分)을 가리키는 바늘.
[分統 분통] 나누어 다스림. 갈라서 지배함.
[分派 분파] 나누인 갈래.
[分破 분파] 나누어서 쪼갬.
[分判 분판] ㉠나눔. 또 나누임. ㉡판단함.
[分布 분포] 나뉘어 퍼짐. 또, 나누어 퍼지게 함.
[分捕 분포] 사람을 여러 군데로 보내어 죄인을 수색하여 잡음.
[分限 분한] 상하(上下)·존비(尊卑)의 한계. 분수(分數).
[分割 분할] 쪼개어 나눔. 또, 쪼개져 나누임.
[分轄 분할] 나누어 관할함. 분관(分管).
[分合 분합] 나뉨과 합함. 또, 나눔과 합침.
[分解 분해] ㉠분별하여 풂. ㉡한 가지의 물질(物質)이 분리(分離)하여 두 가지 이상의 물질로 됨. ㉢한 개념(概念)을 분석(分析)하여 그 속성(屬性)을 설명함.
[分戶 분호] 분가(分家).
[分毫 분호] 근소. 약간. 분촌(分寸).
[分化 분화] 생물(生物)의 조직체 안에서 각 기관이 분업화하는 진화 작용(進化作用).
[分會 분회] 한 회의 하부 조직체.
[分劃 분획] 여러 구획으로 나눔.
[分曉 분효] ㉠첫새벽. 새벽녘. ㉡환히 앎.
◉檢分. 瓜分. 過分. 區分. 均分. 氣分. 多分. 當分. 大分. 等分. 名分. 命分. 微分. 半分. 本分. 剖分. 部分. 不可分. 常分. 線分. 成分. 性分. 細分. 銖分. 時分. 身分. 十分. 安分. 按分. 涯分. 養分. 餘分. 鹽分. 應分. 二分. 才分. 積分. 定分. 情分. 中分. 職分. 處分. 戚分. 天分. 秋分. 春分. 充分. 平分.

2
④ [刈] 人名 예 (去)隊 魚肺切 yì

字解 ①벨 예 ㉠풀 같은 것을 벰. 곡식을 베어 거둠. '一除'. '一穫'. '願竢時乎, 吾將一'《楚辭》. ㉡베어 죽임. '一人如草'. '應敵力戰, 斫一甚多'《金史》. ②낫 예 풀 같은 것을 베는 연

장. '時雨既至, 挾其槍—耨鎛'《國語》. ③성 예 성(姓)의 하나.
[字源] 甲骨文  乂의 別體  形聲. 刂(刀)+乂〔音〕. '乂예'는 풀을 베는 가위의 상형. '刀도'를 덧붙여, 풀 따위를 베다의 뜻을 나타냄.

[刈除 예제] ㉠풀 같은 것을 베어 없앰. ㉡악인(惡人)을 없애 버림.
[刈穫 예확] 곡물을 베어 거두어들임.
◉剷刈. 芟刈. 斫刈. 揃刈. 斬刈. 穫刈.

[召] 〔소〕
口部 二畫(p.342)을 보라.

3 ⑤ [㓜] 〔유·요〕
幼(幺部 二畫〈p.690〉)의 俗字

3 ⑤ [刊] [高人] 간 [平]寒 苦寒切 kān 

[筆順] 一 二 干 刊 刊

[字解] ①벨 간 끊어서 자름. '—陽木而火之'《周禮》. ②깎을 간 깎아 냄. '—削'. '—其柄與末'《禮記》. ③새길 간 ㉠팜. 조각함. '—石'. ㉡판목(版木)을 새김. 전(轉)하여, 출판함. '—行'. '刪裁繁蕪, —改漏失'《後漢書》.
[字源] 篆文  形聲. 刂(刀)+干〔音〕. '干간'은 '깎다'의 뜻. 날붙이로 깎다의 뜻을 나타냄.
[參考] ①刋(次條)은 別字. ②'刊간'은 나무를 파서 책을 출판하다의 뜻. '刋천'은 '깎다'의 뜻으로 필요 없는 것이나 과오를 깎아서 바로잡는 것으로 두 글자를 구별하고 있지만, 결국은 같은 글자이며 필세(筆勢)가 달라진 것으로 보는 것이 타당함.

[刊刻 간각] 문서(文書)를 판목(版木)에 새김.
[刊改 간개] 판목(板木)을 고쳐 새김.
[刊校 간교] 쓸데없는 글자를 깎아 버리고 잘못을 바르게 고침. 간정(刊定).
[刊落 간락] 깎아 버림.
[刊木 간목] 나무를 벰. 벌목(伐木).
[刊剝 간박] 깎여 벗겨짐. 깎아 냄.
[刊削 간삭] ㉠나무를 깎아 냄. ㉡판목(版木)을 깎아 냄. 전(轉)하여, 붓으로 지워 버림.
[刊刪 간산] 깎아 냄.
[刊誤 간오] 잘못된 글자 같은 것을 깎아 바로잡음. 교정함.
[刊誤本 간오본] 잘못을 바로잡은 책.
[刊印 간인] 인쇄(印刷)함.
[刊正 간정] 간교(刊校).
[刊定 간정] 간교(刊校).
[刊竄 간찬] 시(詩)·문(文) 따위를 깎고 고침.
[刊剟 간철] 깎음. 깎아 냄.
[刊薙 간치] 초목(草木)을 베어 버림.
[刊布 간포] 간행하여 널리 폄.
[刊行 간행] 서적 기타 출판물을 판각하거나 인쇄하여 발행함.
[刊行本 간행본] 간행(刊行)한 책.
◉改刊. 隔月刊. 季刊. 公刊. 近刊. 既刊. 發刊. 復刊. 不刊. 夕刊. 續刊. 旬刊. 新刊. 年刊. 月刊. 日刊. 再刊. 停刊. 朝刊. 週刊. 創刊. 初刊. 追刊. 廢刊. 休刊.

3 ⑤ [刋] 천 [去]霰 七見切 qiàn 
[字解] 끊을 천 단절함. '—, 切也'《玉篇》.
[參考] 刊(前條)은 別字. '刊'의 '참고(參考)'를 보라.

3 ⑤ [刌] 촌 [上]阮 倉本切 cǔn
[上]銑 此演切
[字解] ①저밀 촌 잘게 썲. ②끊을 촌 절단함. '—肺三'《儀禮》.
[字源] 篆文 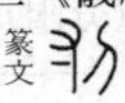 形聲. 刂(刀)+寸〔音〕. '寸촌'은 '조금'의 뜻. 잘게 베다의 뜻을 나타냄.

[刌肺 촌폐] 폐를 썲.

3 ⑤ [㓛] 공 [平]東 古紅切 gōng
[字解] 낫 공 풀 베는 연장. '銍, 謂之—'《廣雅》.

3 ⑤ [刐] 곤 [平]元 枯昆切 kūn
[字解] 가지칠 곤 나무의 가지를 침. '—, 斫木枝也'《集韻》.

3 ⑤ [刏] 〔기〕
刉(刀部 四畫〈p.246〉)의 俗字

4 ⑥ [刕] [一] 리 [平]支 力脂切 lí
[二] 례 [平]齊 lí
[字解] [一] 가를 리 절단함. 분할함. [二] 가를 례 [一]과 뜻이 같음.
[字源] 會意. '刀도'를 셋 합쳐서, '가르다'의 뜻을 나타냄.

4 ⑥ [㓞] [一] 갈 [入]黠 恪八切 qià
[二] 계 [平]齊 qì
[字解] [一] 잘게썰 갈 솜씨 있게 잘게 썲. '—, 巧—也'《說文》. [二] 맺을 계 契(大部 六畫)와 통용. '—, 約也'《六書正譌》.
[字源] 形聲. 刀+丯〔音〕

4 ⑥ [刎] [人名] 문 [上]吻 武粉切 wěn 
[字解] 목벨 문 '—頸之交'. '廢其祀, —其人'《禮記》.
[字源] 篆文  形聲. 刂(刀)+勿〔音〕. '勿물'은 '후려치다'의 뜻. 칼을 후려쳐서 목을 베다를 뜻함.

[刎頸之交 문경지교] 설사 목이 달아날지라도 마음이 변치 아니할 만큼 친한 교제. 곧, 생사(生死)를 함께하는 친한 사이.
◉自刎.

4 ⑥ [刑] [中人] 형 [平]靑 戶經切 xíng

[筆順] 一 二 于 开 刑 刑

[字解] ①형벌 형 죄인에게 가하는 제재(制裁). '—法'. '—政'. '折獄致—'《易經》. ②형벌할 형 죄를 줌. '利用—人'《易經》. ③법 형 본받아야 할 전래(傳來)하는 예제(禮制)나 도리. '典

一'. '天地之一'《國語》. ④본받을 형 본보기로 하여 따라 함. '儀一'. '一于寡妻'《詩經》. ⑤목벨 형 목을 자름. 죽임. '一白馬以盟之'《戰國策》. ⑥제어할 형 통솔하여 어거함. 바로잡음. '一下如影'《荀子》. ⑦이루어질 형 성취됨. '教之不一'《禮記》. ⑧꼴 형 形(彡部 四畫)과 통용. '一范正'《荀子》. ⑨국그릇 형 鉶(金部 六畫)과 통용. '啜土一'《史記》.

[字源] 金文  篆文  形聲. 刂(刀)+开(幵)〔音〕. '幵견'은 틀, 거푸집의 상형. 칼이나 수갑, 차꼬를 받다, 형벌의 뜻.

[刑劫 형겁] 신하(臣下)가 형벌(刑罰)의 권력(權力)을 함부로 행사(行使)함.
[刑科 형과] 형벌의 조항(條項).
[刑官 형관] 형법(刑法)을 맡아 죄를 다스리는 벼슬아치. 사법관(司法官). 추관(秋官).
[刑教 형교] 형벌(刑罰)과 교육(教育).
[刑具 형구] 형벌(刑罰)이나 또는 고문을 하는 데 쓰는 기구(器具).
[刑禁 형금] 법률(法律).
[刑期 형기] 형벌(刑罰)을 받는 기간.
[刑期于無刑 형기우무형] 형벌을 가하는 것은 백성이 형벌을 두려워하여 다시는 죄를 범하지 않게 하는 것이 목적이므로, 형벌을 쓸 필요가 없게 되는 것을 이상으로 함.
[刑德 형덕] 형(刑)과 덕(德). 곧, 오행(五行)의 상생상극(相生相剋)을 이름.
[刑徒 형도] 죄수(罪囚). 죄인.
[刑例 형례] 형벌에 관한 규정.
[刑戮 형륙] ㉠형(刑)에 처함. ㉡형벌(刑罰). ㉢사형(死刑). 형벽(刑辟).
[刑律 형률] 형벌의 법률.
[刑網 형망] 법망(法網).
[刑名 형명] ㉠형벌(刑罰)의 명칭. 곧, 사형·징역 등. ㉡전국 시대(戰國時代)에 한비자(韓非子)가 주장한 학설로 관리를 등용하는 데 그 사람의 의론 곧 명(名)과 그의 실제의 성적 곧 형(刑)의 일치·불일치를 살펴 상벌·출척(黜陟)을 하여야 한다는 설(說). 형(刑)은 형(形).
[刑名學 형명학] 형명(刑名) ㉡.
[刑罰 형벌] 죄를 저지른 사람에게 주는 제재(制裁).
[刑法 형법] 죄인을 제재하는 규정(規定). 범죄를 처벌하는 법률.
[刑辟 형벽] ㉠형벌(刑罰). ㉡사형(死刑).
[刑柄 형병] 죄인(罪人)에게 형벌(刑罰)을 주는 권력(權力).
[刑部 형부] 육부(六部)의 하나. 율령(律令)·형옥(刑獄) 등을 맡음.
[刑不上大夫 형불상대부] 형벌은 대부의 몸에는 가해지지 않음. 사대부의 면목을 중히 여기고, 또 그 절의(節義)를 장려하기 때문임.
[刑不厭輕 형불염경] 형벌은 중하게 내리는 것보다는 관대(寬大)하게 내리는 편이 좋음.
[刑死 형사] 처형(處刑)되어 죽음.
[刑事 형사] 형벌(刑罰)의 적용(適用)을 받는 사건.
[刑事訴訟法 형사소송법] 형사 소송(刑事訴訟)의 절차(節次)에 관한 법률.
[刑殺 형살] 형벌로 죽임.
[刑賞 형상] 형벌과 상여(賞與).
[刑書 형서] 형법(刑法)의 조문(條文). 형법(刑法)의 책.
[刑訊 형신] 형장(刑杖)으로 때리며 죄를 심문(審問)함.
[刑餘 형여] ㉠형을 받았으나 목숨을 보존한 사람이란 뜻으로, 전과자(前科者)를 이름. ㉡거세(去勢)된 사람. 환관(宦官). ㉢중. 승려(僧侶).
[刑獄 형옥] ㉠형벌(刑罰). ㉡옥(獄). 감옥. 뇌옥(牢獄).
[刑人 형인] 형벌을 받은 사람.
[刑杖 형장] 죄인(罪人)을 신문(訊問)할 때에 쓰는 막대기.
[刑場 형장] 사형을 집행하는 장소.
[刑典 형전] 형옥(刑獄)에 관한 모든 제도.
[刑政 형정] 죄인을 다스리는 정사(政事). 또, 형벌과 정치.
[刑制 형제] 형법(刑法).
[刑措不用 형조불용] 백성이 죄를 저지르지 않기 때문에 형법을 폐하여 쓰지 않는다는 뜻으로서, 나라가 잘 다스려짐을 이름.
[刑罪 형죄] 형벌을 받아야 할 죄. 또, 형벌.
[刑懲 형징] 형벌을 가(加)해 징계함.
[刑憲 형헌] 형벌(刑罰)의 규정(規定). 형법(刑法).
◉減刑. 輕刑. 絞首刑, 絞刑. 求刑. 宮刑. 極刑. 徒刑. 無期徒刑. 無期刑. 罰金刑. 附加刑. 斧鑕刑. 腐刑. 死刑. 私刑. 常刑. 賞刑. 贖刑. 實刑. 量刑. 嚴刑. 五刑. 寃刑. 有期徒刑. 流刑. 肉刑. 儀刑. 自由刑. 杖刑. 財產刑. 典刑. 終身刑. 主刑. 峻刑. 重刑. 磔刑. 處刑. 天刑. 體刑. 峭刑. 秋刑. 苔刑. 炮烙刑. 行刑. 酷刑. 火刑.

4
⑥ **[刓]** 완 [平]寒 五丸切 wán 

[字解] ①깎을 완 모난 데를 깎아 둥글게 하거나 평평하게 함. '一削'. '一琢'. '一方以爲圜兮'《楚辭》. ②닳을 완 마손(磨損)함. '一缺'. '民力一敝'《唐書》.

[字源] 篆文 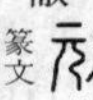 形聲. 刂(刀)+元〔音〕. '元원'은 '丸환'과 통하여, '둥글다'의 뜻. 네모난 물건의 모서리를 동그랗게 깎다의 뜻을 나타냄.

[刓缺 완결] 새긴 글자 또는 그림이 닳아 없어짐.
[刓困 완곤] 심히 곤핍함.
[刓方爲圜 완방위환] 네모진 것을 깎아서 둥글게 함. 방정한 절조(節操)를 꺾어 세속에 동화함.
[刓削 완삭] 깎아 냄. 네모진 나무를 깎아 둥글게 함.
[刓琢 완탁] 깎아 갊. 연마(硏磨).
[刓敝 완폐] 닳아 결딴남. 피폐함.
[刓弊 완폐] 완폐(刓敝).
◉神刓. 鑽刓.

4
⑥ **[刖]** 월 [入]月 魚厥切 yuè 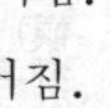

[字解] 발꿈치벨 월 발꿈치를 베는 형벌에 처함. 고대의 형벌의 하나. '一足'. '一刑'. '一罪五百'《漢書》.

[字源] 篆文 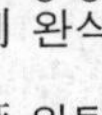 形聲. 刂(刀)+月〔音〕. '月월'은 '割할'과 통하여, '끊다'의 뜻. '刀도'를 덧붙여, '베다'의 뜻을 분명히 함.

[刖脚 월각] 죄를 저질러 발꿈치를 잘림. 또, 그 사람.

[刖者 월자] 죄를 저질러 발꿈치를 잘린 사람.
[刖足 월족] 월각(刖脚).
[刖罪 월죄] 월형(刖刑)을 당하는 죄.
[刖刑 월형] 발꿈치를 베는 형벌.
◉雙刖. 搖刖. 殘刖. 挺刖.

4 ⑥ [列] 中人 렬 ㉧屑 良辥切 liè

筆順 一 ア 歹 歹 列 列

字解 ①반열 렬 석차. 위차(位次). '一次'. '序一'. '陳力就一'《論語》. ②줄 렬 늘어선 줄. 행렬·항오(行伍) 따위. '隊一'. '整一'. '不鼓不成一'《左傳》. ③줄지을 렬 줄을 이루어 늘어섬. '一羅'. '皆一坐殿上'《後漢書》. ④매길 렬 순서를 매김. '故事可一也'《禮記》. ⑤벌릴 렬 분리함. '兩驂一, 兩服入廐'《荀子》. ⑥베풀 렬 차림. 진설(陳設)함. 진열함. '一俎豆'《史記》.

字源 篆文 會意. 刂(刀)+歹(𡿪). '𡿪렬'은 머리털이 있는 머리뼈의 상형. 칼로 목을 베는 모양에서, '나누다'의 뜻을 나타냄. '裂렬'의 원자(原字). 또, '連련'과 통하여, '줄지어 늘어서다'의 뜻을 나타냄.

[列強 열강] 여러 강한 나라들.
[列擧 열거] 여러 가지를 들어 말함.
[列缺 열결] 하늘이 찢어져 이지러진다는 뜻으로, '번개'의 별칭(別稱).
[列繫 열계] 나란히 맴.
[列姑射 열고야] 신선(神仙)이 산다는 산(山).
[列公 열공] 삼공(三公)의 반열(班列)에 드는 사람.
[列國 열국] ㉠여러 나라. ㉡인접한 나라. 이웃나라.
[列棘 열극] 경대부(卿大夫)의 지위.
[列記 열기] 죽 벌여 적음. 열록(列錄).
[列女 열녀] 정조(貞操)가 곧은 여자. 열녀(烈女). 열부(烈婦).
[列女傳 열녀전] 책 이름. 한(漢)나라 유향(劉向)의 찬(撰). 총 7권. 여러 열녀의 전기(傳記)를 모의(母儀)·현명(賢明)·인지(仁智)·정신(貞愼)·절의(節義)·변통(辨通)·얼폐(孼嬖)의 일곱 항목에 나누어 수록하였음. 따로〈속열녀전(續列女傳)〉한 권이 있는데 작자는 미상(未詳).
[列島 열도] 열(列)을 지은 모양으로 된 섬.
[列羅 열라] 느런히 열을 지음.
[列列 열렬] 늘어선 모양.
[列錄 열록] 죽 벌이어 적음.
[列立 열립] 죽 늘어섬.
[列名 열명] 여러 사람의 이름을 죽 나란히 적음.
[列眉 열미] 좌우(左右)에 나란히 있는 눈썹.
[列藩 열번] 늘어선 번병(藩屛).
[列辟 열벽] 열후(列侯)㉠.
[列肆 열사] 가게가 죽 잇달아 있는 저자. 줄지어 있는 점포.
[列敍 열서] 나열함. 또, 나열하여 서술함.
[列席 열석] 자리에 죽 벌이어 앉음.
[列仙傳 열선전] 책 이름. 구본(舊本)은 한(漢)나라의 유향(劉向)의 찬(撰)이라고 제(題)하였음. 총 2권. 고래(古來)의 신선(神仙) 71인의 전기(傳記)를 수록하였음.
[列星 열성] 하늘에 죽 늘어선 별.
[列聖 열성] 역대(歷代)의 천자(天子).
[列聖朝 열성조] 역대 임금의 조정.
[列世 열세] 대대(代代). 역대(歷代).
[列氏寒暖計 열씨한란계] 물의 빙점(氷點)을 80도(度)로 한 한란계(寒暖計). 프랑스의 레오뮈르(Réaumur)가 발명했음.
[列禦寇 열어구] 전국 시대(戰國時代) 정(鄭)나라 사람. 그의 학문은 황로(黃老)를 기본으로 하였으며,〈열자(列子)〉여덟 권을 지었음.
[列外 열외] ㉠늘어선 줄의 바깥. ㉡어떠한 몫이나 축에 들지 않는 부분.
[列曜 열요] 죽 늘어서서 빛남.
[列墉 열용] 길게 뻗은 성(城)의 담.
[列位 열위] 여러분.
[列邑 열읍] 여러 고을.
[列子 열자] 열어구(列禦寇). 또, 그가 지은 책.
[列傳 열전] 개인별로 쓴 전기(傳記)를 차례로 수록(收錄)한 것.
[列傳體 열전체] 열전(列傳)의 형식을 취한 역사 기술(記述)의 방법.
[列朝 열조] '열성조(列聖朝)'의 준말.
[列坐 열좌] 열좌(列座).
[列座 열좌] 여러 사람이 벌여 앉음.
[列眞 열진] 많은 진인(眞人). 진인(眞人)은 도가(道家)의 말로서 신불(神佛)을 이름.
[列陣 열진] 군사를 벌이어 진(陣)을 침.
[列次 열차] 차례(次例). 순서.
[列峙 열치] 나란히 우뚝 솟음. 병립(竝立)함.
[列戶 열호] 죽 늘어선 집.
[列侯 열후] ㉠여러 제후들. 제후(諸侯). ㉡고하(高下)의 순서에 따라 줄지어 선 제후.
◉警列. 系列. 官列. 某列. 羅列. 隊列. 堵列. 同列. 等列. 班列. 配列. 排列. 駢列. 竝列. 分列. 森列. 序列. 數列. 順列. 葬列. 前列. 戰列. 整列. 齊列. 直列. 陳列. 參列. 齒列. 砲列. 行列. 環列. 後列.

4 ⑥ [刉] 기 ㉤微 居依切 jī

字解 벨 기 끊어서 자름. 절단함. '釁禮之事用牲, 毛者曰一, 羽者曰衈'《周禮註》.

字源 篆文 形聲. 刂(刀)+气〔音〕. '气기'는 생기(生氣) 있는 것의 뜻. 죽이지 않고 희생 제물에서 피를 뽑을 목적으로 칼로 베어 상처를 내다의 뜻을 나타냄. 또, '气'는 '祈기'와 통하여, 행복을 기구하여 희생 제물을 상처 내다의 뜻으로도 생각할 수 있음.

參考 刏(刀部 三畫)는 俗字.

4 ⑥ [刔] 결 ㉧屑 古穴切 jué

字解 후빌 결 긁어냄.

字源 形聲. 刂(刀)+夬〔音〕. '抉결'의 별체(別體).

◉剔刔.

4 ⑥ [划] ㊀ 화 ㉤麻 戶花切 huá ㊁ 과 ㉥箇 古臥切 guò ㊂ 획 ㉧陌 呼麥切 huà

字解 ㊀ ①삿대질할 화 삿대로 배를 나아가게 함. '一, 撥進船也'《廣韻》. ②작은배 화 '一子'는 작은 배. '呼小船爲一子'《正字通》. ㊁ 낫 과 풀 베는 낫. '一, 鎌也'《廣雅》. ㊂ 劃(刀部 十二畫)의 簡體字.

4 ⑥ [剡] 삼 ㊤陷 所鑒切 shàn

字解 벨 삼 칼로 벰. '刀—'.

4 ⑥ [刘] 〔류〕 劉(刀部 十三畫〈p. 268〉)의 俗字

5 ⑦ [初] 中人 초 ㊥魚 楚居切 chū

筆順 ㇀ ㇇ 衤 衤 衤 初 初

字解 ①처음 초 ㉠시초. 기원(起源). '最—'. '夫禮之—, 始諸飮食'《禮記》. ㉡시작. 단서(端緖). '愼厥—, 惟厥終'《書經》. ㉢근본. '不忘其—'《史記》. '無以反其性情而復其—'《莊子》. ㉣고사(故事). '夫魯有—'《禮記》. ㉤어릴 때. '我生之—, 尙無爲'《詩經》. ㉥이전. '遂爲母子如—'《左傳》. ㉦처음으로. 처음에. '民之—生, 固若禽獸然'《韓愈》. ②성 초 성(姓)의 하나.

字源 甲骨文 金文 古文 會意. 刀+衤(衣). '衣'는 '옷'의 뜻, '刀'는 '칼'의 뜻. 칼로 옷을 만들기 위해 마르다의 뜻으로, 그것이 옷을 만드는 첫 단계인 데서 '처음'을 뜻함.

[初刻 초각] ㉠초판(初版). ㉡한 시간의 맨 처음 각(刻).
[初刊 초간] 맨 처음의 간행. 원간(原刊).
[初見 초견] 처음으로 봄.
[初更 초경] 하룻밤을 오경(五更)으로 나눈 첫째의 경(更). 곧, 오후 7시부터 9시까지.
[初耕 초경] 논과 밭을 애벌로 갊.
[初校 초교] 첫 번의 교정(校正). 초준(初準).
[初九 초구] 괘(卦)의 아래에서 첫 번째의 양효(陽爻).
[初級 초급] 맨 처음의 등급(等級).
[初期 초기] 처음의 시기.
[初吉 초길] 음력 매월 초하루.
[初年 초년] ㉠전 생애의 초기. ㉡처음 시기.
[初念 초념] 처음에 먹는 마음.
[初段 초단] ㉠첫 단(段). ㉡유도(柔道)·검도(劍道)·바둑 등의 맨 처음의 제일 낮은 단(段).
[初唐 초당] 당(唐)나라의 초기(初期). 곧, 시학상(詩學上)으로 태조(太祖)부터 현종(玄宗)의 개원 연간(開元年間)에 이르기까지의 사이.
[初代 초대] 한 계통을 맨 처음으로 세운 사람. 또, 그 사람의 시대.
[初度 초도] ㉠출생(出生)한 때. ㉡생일(生日). ㉢처음. 첫번.
[初度日 초도일] 생일(生日). 초도(初度).
[初冬 초동] ㉠초겨울. 맹동(孟冬). ㉡음력 10월의 이칭(異稱).
[初頭 초두] 애초. 첫머리.
[初等 초등] 맨 처음의 등급(等級).
[初等學校 초등학교] 학령(學齡) 아동에게 초등 보통 교육을 베푸는 학교.
[初涼 초량] 처음으로 느끼는 서늘한 기운. 초가을의 서늘한 기운. 신량(新涼).
[初鍊 초련] ㉠재목을 베어 처음으로 대강 다듬는 일. 곧, 껍질을 벗기고 옹이를 다듬는 일. ㉡무슨 일을 초벌로 대강만 매만지는 일.
[初老 초로] 40세의 일컬음.
[初面 초면] 처음으로 만남.
[初卯 초묘] 정월의 첫 묘일(卯日).
[初發心 초발심]《佛敎》처음으로 불도(佛道)에 들어가려고 하는 마음.
[初配 초배] 먼젓번의 아내. 전배(前配).
[初褙 초배] 도배할 때에 품질이 낮은 종이로 맨 먼저 바르는 도배.
[初犯 초범] 처음으로 죄를 범함. 또, 그 사람.
[初壁 초벽] 새벽하기 전에 초벌로 흙을 바름. 또, 그 벽.
[初步 초보] ㉠첫걸음. ㉡학문·기술 등의 첫걸음. 가장 낮은 정도.
[初伏 초복] 삼복(三伏)의 하나. 소서(小暑)가 지난 뒤의 첫 경일(庚日).
[初服 초복] 초의(初衣).
[初分 초분] 초년(初年)의 운수.
[初氷 초빙] 그해에 처음으로 언 얼음.
[初仕 초사] 처음으로 벼슬을 함.
[初產 초산] 처음으로 아이를 낳음.
[初三 초삼] 음력 매월 초사흘.
[初喪 초상] 사람이 죽어서 장사(葬事) 지낼 때까지의 동안.
[初霜 초상] 그해에 처음으로 내린 서리.
[初生 초생] ㉠처음 생겨남. ㉡초승.
[初雪 초설] 그해에 처음으로 내린 눈. 첫눈.
[初聲 초성] 한 음절에서 처음으로 나는 소리. 첫소리.
[初世 초세] 나라의 첫 시대.
[初旬 초순] 그 달 초하룻날부터 열흘날까지의 열흘 동안. 상순(上旬).
[初心 초심] 처음의 마음. 본디 먹은 마음.
[初審 초심] 소송 사건(訴訟事件)에 있어서 첫 번의 심리(審理).
[初也 초야] 애초에.
[初夜 초야] ㉠초경(初更). ㉡《佛敎》초경(初更)의 근행(勤行).
[初陽 초양] 아침 해. 초일(初日).
[初嚴 초엄] 행군(行軍)의 호령(呼令)의 하나. 초엄(初嚴)에 대오(隊伍)를 정돈(整頓)하고, 이엄(二嚴)에 무기(武器)를 갖추고, 삼엄(三嚴)에 행군함.
[初虞 초우] 장사(葬事) 지낸 뒤 첫 번으로 지내는 제사(祭祀).
[初旭 초욱] 아침 해. 초일(初日).
[初願 초원] 처음의 소원. 최초(最初)의 희망(希望).
[初月 초월] 초승달. 신월(新月).
[初有 초유] 처음으로 있음.
[初衣 초의] 아직 사환(仕宦)하기 전에 입던 옷. 초복(初服).
[初意 초의] 초지(初志).
[初日 초일] ㉠아침 해. ㉡처음날. 첫날.
[初任 초임] 처음으로 임명됨.
[初入 초입] 처음으로 들어감.
[初章 초장] 음악(音樂)·가곡(歌曲)의 첫째 장(章).
[初場 초장] 첫날의 과장(科場).
[初政 초정] 임금의 처음 정사(政事).
[初祖 초조] ㉠시조(始祖). ㉡《佛敎》선가(禪家)에서 달마(達磨)를 이름.
[初肇 초조] 처음.
[初終 초종] 초상(初喪)이 난 뒤로부터 졸곡(卒哭) 때까지를 일컬음.
[初準 초준] 초교(初校).
[初志 초지] 처음의 뜻. 처음에 먹었던 뜻. 소지(素志).

[初職 초직] 초사(初仕)로 한 첫 벼슬.
[初次 초차] 처음의 차례. 첫 번.
[初創 초창] 사업을 처음으로 시작함.
[初秋 초추] ㉠초가을. 맹추(孟秋). ㉡음력 7월의 이칭(異稱).
[初春 초춘] ㉠초봄. 맹춘(孟春). ㉡음력 정월의 이칭(異稱).
[初出 초출] 처음으로 나옴.
[初娶 초취] 첫 번 장가로 맞아들인 아내. 초실(初室).
[初版 초판] 서적(書籍)의 제일판(第一版). 처음 판. 첫 판.
[初夏 초하] ㉠초여름. 맹하(孟夏). ㉡음력(陰曆) 4월의 이칭(異稱).
[初瘧 초학] 처음으로 앓는 학질.
[初學 초학] ㉠학문을 처음으로 배움. 또, 그 사람. 초학자(初學者). ㉡익숙하지 못한 학문.
[初學記 초학기] 당(唐)나라 서견(徐堅) 등이 칙명(勅命)을 받들어 찬(撰)한 유서(類書). 30권. 경사(經史)와 문장(文章)의 대요(大要)를 26부로 나누어 유찬(類纂)한 것으로서 대단히 정요(精要)함.
[初寒 초한] 겨울의 첫 추위.
[初項 초항] 첫 항목(項目).
[初行 초행] 첫 번으로 감. 또, 그 길.
[初獻 초헌] 제사(祭祀) 때 첫 번으로 잔을 신위(神位)에 드림.
[初弦 초현] 음력 매월 7~8일경에 뜨는 달의 상태. 상현(上弦).
[初昏 초혼] 해가 지고 처음으로 어두워 올 때. 땅거미.
[初婚 초혼] 첫 번의 혼인.
[初回 초회] 첫 번.
[初會 초회] ㉠처음으로 만남. 초대면(初對面). ㉡최초(最初)의 회(會).
[初爻 초효] 괘(卦)의 제일 아래의 효(爻).
◉劫初. 古初. 國初. 當初. 本初. 歲初. 始初. 年初. 往初. 虞初. 原初. 週初. 最初. 太初. 泰初.

5 ⑦ [刼] 〔겁〕 刦(刀部 五畫〈p.251〉)과 同字

5 ⑦ [刪] 人名 산 ㊥刪 所姦切 shān

字解 깎을 산 삭제함. '一削'. '一改'. '一其僞辭, 取正義, 著於篇'《漢書》.
字源 篆文 會意. 刂(刀)+冊(册). '冊책'은 글자가 씌어진 대쪽을 엮은 모양을 본뜸. 문헌(文獻)을 취사(取捨)하는 모양에서, 씌어진 글씨의 부적당한 것을 칼로 깎다의 뜻을 나타냄.
參考 删(次條)과 同字.

[刪改 산개] 쓸데없는 글자나 글귀를 깎아 내어 고침. 개산(改刪).
[刪略 산략] 깎아 내어 덞. 산생(刪省).
[刪蔓 산만] '제번(除煩)'의 뜻으로 편지(便紙) 서두(書頭)에 쓰는 말.
[刪補 산보] 쓸데없는 부분은 삭제하고 부족한 부분을 보충함. 산습(刪拾).
[刪削 산삭] 쓸데없는 글자나 글귀를 지워 버림. 산생(刪省).
[刪省 산생] 삭제하여 생략함.
[刪敍 산서] 쓸데없는 글자나 글귀를 삭제하고 필요한 것을 기술함.
[刪修 산수] 쓸데없는 부분을 깎아 내어 정리함.
[刪述 산술] 산정(刪定)하여 기술함. 산습(刪拾).
[刪詩 산시] 시경(詩經)의 개산(改刪). 3천여 수(首) 있던 시(詩)를 공자(孔子)가 삭제하여 305편(篇)으로 한 것을 이름.
[刪潤 산윤] 깎아 내어 고치고 살을 붙여 윤색함. 산개윤색(刪改潤色).
[刪翦 산전] 산제(刪除).
[刪節 산절] 어구(語句)를 깎아 내어 줄임. 산생(刪省).
[刪正 산정] 산수(刪修).
[刪定 산정] 글자나 글귀의 잘못을 깎아 내어 개정(改定)함. 취사(取捨)하여 정함. 산수(刪修).
[刪除 산제] 깎아 버림. 산삭(刪削).
[刪次 산차] 여분(餘分)의 자구(字句)를 깎아 내어 차례를 정함.
[刪撰 산찬] 산서(刪敍).
[刪革 산혁] 산개(刪改).
◉加刪. 刊刪. 改刪. 比氏刪. 野人刪. 採刪. 擇刪. 討刪. 筆刪.

5 ⑦ [删] 刪(前條)과 同字

5 ⑦ [判] 中人 판 ㊀翰 普半切 pàn

筆順 丶 丷 ⺌ 𠂉 乎 半 判

字解 ①가를 판 ㉠쪼갬. '剖一'. ㉡나눔. 구분함. '分一'. '區一文體'《齊書》. ㉢시비곡직을 가름. 재결함. 판단함. '一決'. '裁一'. '但第一能否'《唐書》. ②나누일 판 떨어짐. 분리함. '上下旣有一矣'《國語》. ③판정될 판 정하여짐. 결정이 남. '吉凶爲一'《宋書》. ④판단 판, 판결 판 재결(裁決). '南山可移, 一不可搖也'《唐書》. ⑤한쪽 판 두 물건이 서로 합해서 온전한 한 물건이 되는 것. '掌萬民之一'《周禮》. ⑥맡을 판 재상(宰相)이 백성을 다스리는 일을 맡거나 대관(大官)이 딴 관직을 겸섭(兼攝)하는 일. '宰相出典州曰一'《韻會》. '尋以本官攝一東宮'《隋書》.
字源 篆文 形聲. 刂(刀)+半〔音〕. '半반'은 '둘로 나누다'의 뜻. 칼로 분명하게 가르다의 뜻을 나타냄.

[判決 판결] ㉠시비(是非)·선악(善惡)을 판단하여 결정함. ㉡법원(法院)이 법률을 적용(適用)하여 소송 사건(訴訟事件)을 판단하여 결정함.
[判歉 판겸] 반드시 흉년이 들 것이라고 판단함.
[判官 판관] 당대(唐代)에 절도사(節度使)·관찰사(觀察使) 등의 속관(屬官)으로서 행정(行政)을 맡아 분장(分掌)하였던 벼슬아치.
[判斷 판단] 사물의 가부(可否)·진위(眞僞)·시비(是非)·곡직(曲直) 등을 분별하여 정함.
[判讀 판독] 뜻을 판단하면서 읽음.
[判例 판례] 소송 사건(訴訟事件)을 판결(判決)한 선례(先例).
[判明 판명] 사실이 똑똑하게 드러남. 분명(分明)히 알려짐.
[判無 판무] 아주 없음. 확실히 없음.

[判無識 판무식] 글자를 한 자도 모름. 일자무식(一字無識).
[判別 판별] 가름. 구별함.
[判事 판사] ㉠사건의 판정(判定). 소송(訴訟)의 재판. ㉡형벌을 맡은 벼슬아치. 법관(法官).
[判書 판서] ㉠두 사람이 각각 한 쪽씩 가지고 있는 계약서. ㉡《韓》육조(六曹)의 장관(長官).
[判押 판압] 수결(手決).
[判然 판연] 아주 환하게 판명(判明)된 모양.
[判異 판이] 아주 다름.
[判狀 판장] 죄(罪)를 판결(判決)하는 선고문(宣告文).
[判正 판정] 판별(判別)하여 바로잡음. 단정(斷正).
[判定 판정] 판별(判別)하여 결정함.
[判知 판지] 판단하여 앎.
◉公判. 菊判. 論判. 談判. 名啣判. 剖判. 批判. 詳判. 身言書判. 審判. 連判. 誤判. 印判. 自判. 裁判. 銓判. 通判. 評判. 血判.

5 ⑦ [刨] 구 ㊥尤 古侯切 gōu

字解 낫 구 풀 따위를 베는 연장. 鉤(金部 五畫)와 同字. '一, 鎌也'《說文》.
字源 形聲. 刂(刀)+句〔音〕

5 ⑦ [別] 中人 별 ㊀屑 皮列切 bié

筆順 丨 口 口 号 另 別 別

字解 ①다를 별 ㉠같지 아니함. 한 사물이 아님. '一途'. '情懷似一人'《李廓》. ㉡특별함. '一世界'. '詩有一才'《滄浪詩話》. ②나눌 별, 가를 별 ㉠분할함. 분리함. '析一'. '宰庖之切割分一也'《淮南子》. ㉡구별함. '我又欲與若一之'《列子》. ㉢구분함. 구획함. '此天地所以界一區域絕外內也'《漢書》. ㉣분별함. '由一之'《穀梁傳》. ③나누일 별, 갈라질 별 ㉠떨어짐. '小山一大山鮮'《爾雅》. ㉡구별이 됨. '貴賤之義一矣'《禮記》. ㉢갈래가 짐. '東一爲沱'《書經》. ④떠날 별 이별함. '惜一'. '告一莫怱怱'《杜甫》. ⑤구별 별 '成男女之一'《禮記》. ⑥갈래 별 분기(分岐). '繼 一爲宗'《禮記》. ⑦이별 별 생이별·사별(死別) 또는 작별. '黯然銷魂者惟一而已矣'《江淹》. ⑧따로 별 다르게. 별도로. '一有天地非人間'《李白》. ⑨성 별 성(姓)의 하나.
字源 篆文 會意. 冎(另)+刂(刀). '冎과'는 뼈의 상형. 뼈를 살에서 발라내다의 뜻에서 '나누다'의 뜻을 나타냄.
參考 别(次條)은 俗字.

[別駕 별가] 자사(刺史)가 주(州)를 순행할 때 수행(隨行)하는 벼슬. 딴 수레에 타고 가기 때문에 이름.
[別居 별거] 따로 살림을 함.
[別乾坤 별건곤] 별천지(別天地).
[別格 별격] 보통과 다른 특별한 격식(格式), 또는 품등(品等).
[別徑 별경] 딴 작은 길. 지름길.
[別故 별고] 다른 연고(緣故). 뜻밖의 사고(事故).
[別庫 별고] 물건을 특별히 따로 넣어 두는 곳집.
[別棍 별곤] 크게 만든 곤장(棍杖).
[別科 별과] 본과(本科) 외에 따로 설치(設置)한 과(科).
[別館 별관] 본관(本館) 밖에 따로 설치한 집.
[別軍 별군] 별도의 군사. 본대(本隊) 이외의 군대(軍隊).
[別宮 별궁] 《韓》왕(王)·왕세자(王世子)의 가례(嘉禮) 때에 비빈(妃嬪)을 맞아들이는 궁전(宮殿).
[別岐 별기] 딴 갈래.
[別記 별기] ㉠따로 적음. ㉡본문(本文)에 붙여 따로 적은 기록.
[別納 별납] 따로 바침.
[別堂 별당] ㉠몸채의 옆 또는 뒤에 따로 떨어져 있는 집. ㉡《佛敎》 주지(住持)나 강사(講師) 같은 이가 거처하는 곳.
[別當 별당] 관아(官衙)의 장(長).
[別途 별도] ㉠길을 달리함. 또, 다른 길. ㉡딴 용도(用途).
[別動隊 별동대] 본대(本隊)로부터 따로 떨어져 독립하여 작전(作戰)에 임(臨)하는 부대.
[別路 별로] ㉠길을 달리하여 감. 딴 길을 감. ㉡갈림길.
[別錄 별록] 달리 만든 기록.
[別淚 별루] 이별(離別)의 눈물.
[別離 별리] 이별(離別).
[別名 별명] 본명(本名) 이외에 지어 부르는 이름. 이명(異名).
[別味 별미] 특별히 맛있는 음식(飮食). 또는 그 맛.
[別坊 별방] 딴 방(房).
[別房 별방] ㉠딴 방. 다른 방. 또, 딴채. ㉡소실(小室). 첩(妾).
[別杯 별배] 이별(離別)을 아끼는 술잔. 이배(離杯).
[別陪 별배] 《韓》관원(官員)의 집에서 사사로이 부리는 하인.
[別白紙 별백지] 품질이 아주 좋은 백지.
[別法 별법] 다른 방법.
[別報 별보] 특별한 기별(奇別).
[別腹 별복] ㉠배다름. 이복(異腹). ㉡서출(庶出).
[別本 별본] ㉠다른 책. 이본(異本). ㉡부본(副本).
[別封 별봉] ㉠따로 싸서 봉(封)함. ㉡따로 봉한 편지.
[別備 별비] 특별한 준비.
[別事 별사] ㉠다른 일. 딴 일. ㉡색다른 일.
[別使 별사] 특별한 사신(使臣).
[別辭 별사] 이별(離別)의 말. 이별사(離別辭).
[別狀 별상] 다른 상태. 딴 모양. 이상(異狀).
[別墅 별서] 별장(別莊).
[別緒 별서] 이별(離別)의 마음.
[別席 별석] 따로 베푼 자리.
[別扇 별선] 보통 것보다 한결 잘 만든 부채.
[別設 별설] 특별히 베풂.
[別世 별세] 세상을 떠남. 곧, 죽음.
[別歲 별세] 그믐날 손을 초대하여 베푸는 잔치. 망년회(忘年會).
[別世界 별세계] ㉠지구(地球) 밖의 세계(世界). ㉡딴 세상. 속세(俗世)와는 다른 세상.
[別所 별소] 다른 곳. 딴 집.
[別送 별송] 특별히 보냄.
[別愁 별수] 이별의 수심(愁心). 이별하는 괴로움. 이수(離愁).
[別數 별수] 특별히 좋은 운수.
[別時 별시] 이별(離別)할 때.
[別食 별식] 늘 먹는 것이 아닌 특별한 음식.
[別室 별실] ㉠딴 방. ㉡소실(小室). 첩(妾). 별

방(別房).
[別樣 별양] 보통과 다른 모양.
[別言 별언] 딴말.
[別業 별업] ㉠별장(別莊). ㉡다른 직업(職業).
[別宴 별연] 송별연(送別宴).
[別筵 별연] 별연(別宴).
[別諭 별유] 특별한 유시(諭示).
[別銀 별은] 황금(黃金)의 별칭.
[別義 별의] 다른 뜻. 딴 뜻.
[別意 별의] ㉠이별의 마음. ㉡다른 의사(意思). 타의(他意).
[別異 별이] 다름.
[別而聽之 별이청지] 따로따로 한 사람 한 사람에게 물어봄.
[別人 별인] 딴 사람. 타인(他人).
[別入侍 별입시] 《韓》 신하(臣下)가 임금에게 사사로이 뵈옵는 일.
[別孕 별잉] 물고기. 물고기는 수놈과 떨어져서 새끼를 낳으므로 이름.
[別字 별자] ㉠딴 글자. ㉡잘못되어 딴 글자로 된 것. 와자(訛字). ㉢글자의 형체(形體)를 분석(分析)함. 석자(析字). ㉣별명(別名)함.
[別莊 별장] 본집 밖에 경치 좋은 곳에 따로 장만하여 둔 집.
[別章 별장] 이별(離別)을 읊은 시문(詩文).
[別將 별장] 다른 장수. 별군(別軍)의 장수.
[別才 별재] 특별한 재주.
[別邸 별저] 별장(別莊).
[別楮 별저] 딴 종이.
[別奠 별전] 임시로 지내는 조상(祖上)의 제사.
[別殿 별전] 딴 궁전(宮殿).
[別第 별제] 별장(別莊).
[別製 별제] 별다르게 된 제조(製造).
[別種 별종] ㉠특별한 종류(種類). ㉡특별히 선사하는 물건.
[別座 별좌] ㉠좌석을 달리함. ㉡딴 좌석.
[別酒 별주] ㉠이별(離別)할 때 나누는 술. ㉡특별히 빚은 술.
[別症 별증] 어떠한 병(病)에 딸려 나는 다른 병.
[別紙 별지] ㉠딴 종이. ㉡따로 적어 덧붙인 종이쪽.
[別集 별집] 매인별(每人別)로 된 문집(文集). 한 사람의 문집.
[別饌 별찬] 특별한 반찬.
[別冊 별책] 다른 책. 딴 책.
[別策 별책] 다른 계책(計策). 다른 책략(策略).
[別天地 별천지] 속계(俗界)를 떠난 딴 세계. 사람이 사는 이 세상과 전연 다른 세계. 별건곤(別乾坤).
[別體 별체] 특별한 문체(文體)나 또는 자체(字體).
[別趣 별취] 딴 정취(情趣). 특별한 정취.
[別致 별치] 별취(別趣).
[別稱 별칭] 달리 일컫는 이름. 딴 이름.
[別宅 별택] 본집 외에 따로 가진 집. 별제(別第). 별저(別邸). 별장(別莊).
[別擇 별택] 특별히 가려서 뽑음.
[別派 별파] 딴 파. 타파(他派).
[別表 별표] 따로 붙인 표(表).
[別品 별품] 특별히 좋은 물품.
[別風淮雨 별풍회우] 글자를 잘못 씀을 이름. '열풍음우(列風淫雨)'라고 써야 할 것을 잘못 쓴 고사(故事)에서 나옴. 「음.
[別恨 별한] 이별의 한탄. 이별할 때의 섭섭한 마음.
[別項 별항] 다른 조항(條項)이나 사항.
[別行 별행] 딴 줄.
[別號 별호] ㉠호(號). ㉡딴 이름. 일명(一名).
[別魂 별혼] ㉠몸을 떠난 혼. ㉡이별할 때의 섭섭한 마음.
[別後 별후] 떠난 이후. 떠난 이래.
◉各別. 恪別. 鑑別. 個別. 格別. 甄別. 訣別. 界別. 告別. 區別. 袂別. 辨別. 夫婦別. 分別. 死別. 辭別. 生別. 敍別. 惜別. 選別. 性別. 送別. 識別. 兒女別. 哀別. 永別. 遠別. 有別. 留別. 類別. 離別. 人別. 一別. 作別. 餞別. 種別. 崚別. 支別. 差別. 千差萬別. 特別. 派別. 判別. 行別. 環別. 後別. 戶別.

5 ⑦ [別] 別(前條)의 俗字

5 ⑦ [利] [中人] 리 [去]寘 力至切 lì 

[筆順] 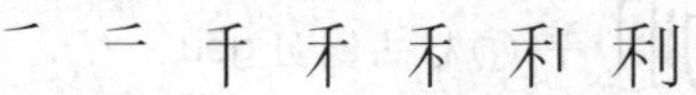

[字解] ①날카로울 리 칼 같은 것이 잘 듦. '一鈍'. '銳一'. '子之劍蓋一劍也'《公羊傳》. ②날랠 리 재빠름. 민첩함. '手足便一'《史記》. ③이로울 리 유익함. 유리함. 좋음. 편함. '便一'. '一涉大川'《易經》. ④이롭게할 리 유익하게 함. 유리하게 함. 편하게 함. '一生'. '一用厚生'《書經》. ⑤탐할 리 이를 탐냄. '先財而後禮, 則民一'《禮記》. ⑥이 리 ㉠이익. '私一'. '小人以身殉一'《莊子》. ㉡장사하여 덧붙는 돈. '營一'. '逐什一之一'《史記》. ㉢복. 행복. 복록(福祿). '福一'. '中不容一'《書經》. ㉣공용(功用). '水一'. '天時不如地一'《孟子》. ㉤부(富). '獨擅山東之一'《史記》. ⑦길미 리 변리. 이자. '一殖'. '不納一矣'《唐書》. ⑧힘 리 권력. '權一'. '國之一器'《老子》. ⑨승전 리 전승(戰勝). '勝一'. '乘一席卷'《史記》. ⑩성 리 성(姓)의 하나.

[字源] 甲骨文 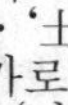 金文 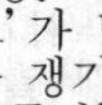 篆文 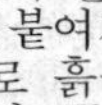 古文 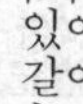 會意. 刂(刀)+禾. '刀도'는 날카로운 칼의 상형. '禾화'는 벼의 상형. 甲骨文은 '又우'·'土토'가 덧붙여져 있어, 벼에 손을 대고 날카로운 쟁기로 흙을 갈아엎는 모양을 나타냄. '날카롭다'의 뜻이나 날카로운 쟁기로 농사일에 유용하게 하다의 뜻을 나타냄.

[利舸 이가] 빨리 닫는 배. 경가(輕舸). 주가(走舸).
[利権 이각] 이익의 독점(獨占).
[利劍 이검] 날카로운 칼. 잘 드는 칼.
[利巧 이교] ㉠예리하고 교묘함. ㉡사리(私利)를 도모하는 데 약빠름.
[利交 이교] 이익을 위하여 사귐.
[利口 이구] 구변(口辯)이 좋음. 말을 잘함.
[利權 이권] ㉠권력. ㉡이익과 권리.
[利根 이근] 《佛教》 영리한 자질(資質).
[利金 이금] 예리(銳利)한 금속(金屬).
[利己 이기] 자기 한 몸의 이익과 쾌락(快樂)만을 꾀함.
[利器 이기] ㉠예리(銳利)한 무기. ㉡편리한 기계(器械). ㉢뛰어난 재능. ㉣권세. 권력. ㉤이용(利用).
[利己心 이기심] 자기의 이익과 쾌락만을 생각하는 마음.

[利己主義 이기주의] 자기의 행복만을 꾀함을 행위의 목적으로 하는 주의. 「함.
[利尿 이뇨] 약제(藥劑)를 써서 오줌이 잘 나오게
[利達 이달] 입신출세(立身出世). 영달(榮達).
[利刀 이도] 날카로운 칼. 잘 드는 칼.
[利導 이도] 잘 인도(引導)함. 유리하게 인도함.
[利竇 이두] 재물의 이익이 생길 만한 길. 잇구멍.
[利鈍 이둔] ㉠날카로움과 무딤. ㉡날램과 굼뜸. ㉢이익과 손해.
[利遁 이둔] 세상을 피하여 몸을 보존함.
[利得 이득] 이익의 소득. 이익. 득.
[利祿 이록] 이득과 녹봉(祿俸).
[利倍 이배] 이익이 곱이 됨.
[利兵 이병] 예리한 무기. 이금(利金). 「害).
[利病 이병] 이로운 일과 병폐로운 일. 이해(利
[利福 이복] 이익(利益)과 행복(幸福).
[利鋒 이봉] 날카로운 칼날.
[利不從天來 이부종천래] 이(利)는 저절로 하늘에서 떨어져 내려오는 일은 없음.
[利分 이분] ㉠이득(利得). ㉡이자(利子).
[利不可獨食 이불가독식] 이익(利益)을 혼자 차지하지 못함.
[利生 이생] 《佛敎》 부처가 중생(衆生)에게 이롭게 하여 주는 일.
[利析秋毫 이석추호] 사소한 이해까지 따진다는 뜻으로, 인색함을 이름.
[利舌 이설] 이구(利口).
[利涉 이섭] 항해(航海)함.
[利水 이수] 물이 잘 흐르게 함.
[利藪 이수] 이익이 많은 곳.
[利水道 이수도] 약제(藥劑)를 써서 소변(小便)이 잘 나오게 함.
[利市 이시] 물품을 팔아 이익(利益)을 얻음.
[利息 이식] 변리(邊利). 길미.
[利殖 이식] 이(利)가 이를 낳아 자산(資産)이 불음. 화식(貨殖).
[利眼 이안] ㉠예리(銳利)한 눈. ㉡하늘에 일월(日月)이 있는 것은 사람에게 두 눈이 있는 것과 같다 하여, '일월'을 이름. ㉢임금을 비유(比喩)함.
[利銳 이예] 날카로움. 예리(銳利).
[利往 이왕] 전도(前途)의 행복(幸福)을 이름.
[利欲 이욕] 이익을 탐(貪)내는 욕심. 「함.
[利用 이용] 사용을 유리하게 함. 유리하게 사용
[利用厚生 이용후생] 기물의 사용을 편리하게 하고 재물을 풍부히 하여 백성의 생활을 윤택하게 함.
[利運 이운] 좋은 운수. 행운(幸運).
[利源 이원] 이익이 생기는 근원.
[利潤 이윤] ㉠이익(利益). ㉡기업가(企業家)의 순이익(純利益). 「율.
[利率 이율] 본전(本錢)에 대한 변리(邊利)의 비
[利益 이익] ㉠이(利). 이득. ㉡유익(有益)함. ㉢《佛敎》 부처의 은혜. 부처의 도움.
[利刃 이인] 잘 드는 칼. 이도(利刀).
[利子 이자] 변리(邊利). 길미.
[利趾 이지] 질족(疾足).
[利之利 이지리] 이자(利子)에서 생기는 이자.
[利之所在皆爲賁諸 이지소재개위분제] 이익이 되는 일을 하는 데는 사람들이 모두 옛날의 용사(勇士) 맹분(孟賁)이나 전제(專諸)와 같이 용감하여짐.
[利鏃 이촉] 날카로운 살촉.
[利觜 이취] 날카로운 부리. 또 말 잘하는 입을 이름.
[利他 이타] 자기는 돌보지 않고 남의 이익·행복을 꾀함.
[利他主義 이타주의] 다른 사람의 이익·행복의 증진(增進)을 인생(人生)의 목적으로 하는 주의. 애타주의(愛他主義).
[利澤 이택] 이익(利益)과 은택(恩澤).
[利便 이편] 편익(便益). 편리(便利).
[利弊 이폐] 이익(利益)과 폐해(弊害).
[利害 이해] 이익과 손해(損害).
[利害得失 이해득실] 이익과 손해와 얻음과 잃음.
[利害相半 이해상반] 이익과 손해가 반씩임.
◉巨利. 高利. 公利. 功利. 國利. 權利. 奇利. 單利. 末利. 名利. 冥利. 謀利. 薄利. 邊利. 複利. 福利. 佛舍利. 不利. 私利. 舍利. 射利. 奢利. 商利. 犀利. 細利. 小利. 水利. 勝利. 市利. 實利. 漁父之利. 魚鹽之利. 榮利. 穎利. 營利. 銳利. 元利. 有利. 遺利. 一時之利. 財利. 征利. 調利. 舟楫之利. 重利. 地利. 天時不如地利. 抽利. 貪利. 便利. 暴利. 倖利. 毫末之利. 貨利. 厚利.

5 ⑦ [刜] 불 ㊇物 符弗切 fú

字解 가를 불 쪼갬. '苑子一林雍, 斷其足'《左傳》.

字源 甲骨文 金文  篆文 形聲. 刂(刀)＋弗〔音〕. '弗불'은 '떨치다'의 뜻. 칼로 후려 떨치다, 치다, 베다, 제거하다의 뜻을 나타냄.

5 ⑦ [刮] 점 ㊤琰 多忝切 diǎn

字解 칼이빠질 점 칼이 이가 빠짐.

字源 篆文 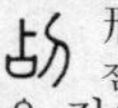 形聲. 刂(刀)＋占〔音〕. '占점'은 '點점'과 통하여, '표시, 상처'의 뜻. 칼에 붙은 점의 뜻에서, '이가 빠지다, 빠지게 하다'의 뜻을 나타냄.

5 ⑦ [刦] 겁 ㊇葉 訖業切 jié

字解 ①겁탈할 겁 위협하거나 폭력을 써서 빼앗음. '一掠'. '一蒯熊羆之室'《左思》. ②으를 겁 위협하여 나쁜 짓을 못하게 함. '一之以師友'《荀子》.

參考 刼(刀部 五畫)·劫(力部 五畫)과 同字.

[刦掠 겁략] 위협하거나 폭력을 써서 빼앗음.

5 ⑦ [刨] 포 ㊥肴 蒲交切 páo

字解 깎을 포 칼 같은 것으로 얇게 떼어 냄.

字源 形聲. 刂(刀)＋包〔音〕

5 ⑦ [刯] 〔할〕 割(刀部 十畫〈p. 264〉)의 古字

6 ⑧ [刱] 〔창〕 創(刀部 十畫〈p. 265〉)의 古字

字源 金文  金文  篆文  形聲. 井(井)＋刅〔音〕. '井정'은 칼·항쇄(項鎖)

의 상형(象形). '刅창'은 상처를 내다의 뜻을 나타내며, 시작하다의 뜻도 나타냄. 본래 '刅'이었는데, 뒤에 '井'을 덧붙임. '創'의 古字.

6 ⑧ [刧] 〔겁〕 刦(刀部 五畫〈p. 251〉)의 俗字

6 ⑧ [刼] 〔겁〕 刦(刀部 五畫〈p. 248〉)의 俗字

6 ⑧ [券] 高人 권 ㊀願 去願切 quàn

筆順 ノ 八 㐅 㐅 失 类 券 券

字解 ①엄쪽 권 어음을 쪼갠 한 쪽. '左—'. '右—'. '合—焚之'《史記》. 전(轉)하여, 계약서. 증서. '證—'. '債—'. ②언약할 권 약속함. '—內者行乎無名'《莊子》.

字源 篆文 形聲. 刀+𢍏〔音〕. '𢍏권'은 '말다'의 뜻. 칼로 나무쪽에 칼집을 내어 약속한 것을 둘로 쪼개어, 양편이 각자 끈으로 감아서 뒷날의 증거로 삼는 어음쪽의 뜻을 나타냄.

參考 劵(力部 六畫)은 別字.

[券契 권계] 어음. 증서(證書).
[券面 권면] 증권(證券)의 겉면.
[券面額 권면액] 권면에 기입한 금액.
[券書 권서] 증서(證書).
[券約 권약] 약속(約束).
[券帖 권첩] 어음.
◉契券. 銅券. 馬券. 賣券. 文券. 符券. 福券. 商品券. 誓券. 身券. 押券. 旅券. 驛券. 要券. 右券. 楮券. 左券. 株券. 證券. 地券. 債券. 鐵券. 宅券.

6 ⑧ [刮] 人名 괄 ㊅黠 古頒切 guā

字解 ①깎을 괄 깎아 냄. 삭제함. '—削'. '茅茨不剪, 采椽不—'《史記》. ②갈 괄, 닦을 괄 갈고 닦고 하여 윤이 나게 함. '—摩'. '—磨'. '—垢磨光'《韓愈》. ③비빌 괄 눈을 비빔. '—目相待'《吳志》.

字源 篆文 形聲. 刂(刀)+舌(𠯑)〔音〕. '𠯑괄'은 口+氏로 이루어져, '氏씨'는 도려내기 위한 칼의 상형으로 '도려내다'의 뜻. '刀도'를 더하여, '깎아 내다'의 뜻을 분명히 함.

[刮垢磨光 괄구마광] 훔쳐 때를 없애고 닦아 윤이 나게 함.
[刮摩 괄마] 갈아 윤이 나게 함.
[刮磨 괄마] 괄마(刮摩).
[刮目 괄목] 눈을 비비고 자세히 봄. 남의 학식(學識)·재주 같은 것이 갑자기 는 것을 보고 놀라서 쓰는 말.
[刮削 괄삭] 깎아 냄.
[刮刷 괄쇄] 갈고 닦고 함.
◉磨刮. 蓖刮. 洗刮. 淸刮. 寒刮.

6 ⑧ [到] 中人 도 ㊀號 都導切 dào

筆順 一 𠄌 𠫓 𠫔 至 至 到 到

字解 ①이를 도 ㉠닿음. 도달함. '—着'. '—於天'《戰國策》. ㉡미침. '民—于今稱之'《論語》. ㉢옴. 감. '—來'. '靡國不—'《詩經》. ②주밀할 도 헐후한 데가 없고 세밀함. '周—'. '懇—'. ③속일 도 기만함. 일설(一說)에는, 이르게 함. 오게 함. '不如出兵以—之'《史記》.

字源 篆文 形聲. 至+刂(刀)〔音〕. '刀도'는 '召소'와 통하여 '초청하다'의 뜻. 초청받아 이르다의 뜻을 나타냄.

[到達 도달] 이름. 다다름.
[到頭 도두] 도저(到底).
[到來 도래] 이름. 옴.
[到泊 도박] 도착하여 정박(碇泊)함. 배가 닿음.
[到配 도배] 귀양 가는 사람이 배소(配所)에 도착함.
[到岸 도안] '피안(彼岸)'을 보라.
[到任 도임] 지방관(地方官)이 임소(任所)에 도착함.
[到任床 도임상] 《韓》 지방관(地方官)이 도임(到任)하였을 때 대접하는 성찬(盛饌)으로 차린 음식상.
[到底 도저] ㉠마침내. 필경. 결국. ㉡끝까지. 아주. 철저(徹底).
[到着 도착] 다다름.
[到處 도처] 가는 곳. 이르는 곳.
◉懇到. 來到. 讀書三到. 迫到. 殺到. 愼到. 深到. 人跡未到. 一到. 精到. 周到. 筆到.

6 ⑧ [刲] 규 ㊥齊 苦圭切 kuī

字解 ①벨 규 ㉠베어 가름. '—割'. '炮取豚若—之'《禮記》. ㉡베어 가짐. 남의 것을 일부분 빼앗아 가짐. 할취(割取)함. '—魏之東野'《戰國策》. ②찌를 규 날카로운 것으로 찌름. '士—羊无血'《易經》.

字源 篆文 形聲. 刂(刀)+圭〔音〕. '圭규'는 '도려내다, 베어 내다'의 뜻. 칼로 동물을 공격하여 쳐 죽이다의 뜻을 나타냄.

[刲宰 규재] 요리(料理)함.
[刲割 규할] 소·양 같은 것을 잡음. 도살(屠殺)함.
◉屠刲.

6 ⑧ [刳] 고 ㊥虞 苦胡切 kū

字解 ①가를 고 쪼갬. 뻐갬. '—腹'. '—剔'. '與巧屠共—剝之'《漢書》. ②팔 고 속을 파냄. '—鑿'. '—船'. '—木爲舟'《易經》.

字源 篆文 形聲. 刂(刀)+夸〔音〕. '夸과'는 활 모양의 곡선. 활 모양의 곡선으로 도려내다의 뜻을 나타냄.

[刳剝 고박] 동물을 잡아 살을 바르고 가죽을 벗김.
[刳腹 고복] 배를 가름. 할복(割腹).
[刳船 고선] 통나무로 만든 배. 마상이.
[刳鑿 고착] 파 헤집어 뚫음.
[刳磔 고책] 몸을 베어 가르고 찢어발김.
[刳剔 고척] 갈라 살을 바름.
[刳割 고할] 소·양 따위를 죽여 가름.
◉刲刳.

6 ⑧ [刵] 이 ㊀寘 仍吏切 èr

字解 귀벨 이 귀를 벰. 또, 그 형벌. '—刑'.

'劓一人'《書經》.

字源 篆文 形聲. 刂(刀)+耳〔音〕. '耳이'는 '귀'의 뜻. 귀를 베는 형벌의 뜻을 나타냄.

[刵刑 이형] 고대 중국에서 귀를 베던 형벌.

6 ⑧ [制] 高·人 제 ㉹霽 征例切 zhì

筆順 ノ 𠂉 𠂉 𠂉 𠂉 制 制 制

字解 ①마를 제 옷감이나 재목 따위를 치수에 맞추어 베고 자름. '裁—'. '巧工之—木'《淮南子》. ②지을 제, 만들 제 '—造'. '可使—梃以撻晉楚之堅甲利兵矣'《孟子》. ③정할 제 법 같은 것을 제정함. '—定'. '—禮作樂'. '非天子不議禮, 不—度'《中庸》. ④금할 제 금지함. '—止'. '人不能—'《淮南子》. ⑤누를 제 억압함. '抑—'. '壓—'. '—慾'. ⑥부릴 제 어거함. 지배함. '—御'. '—撫'. '王因而—之'《戰國策》. ⑦바로잡을 제 바르게 함. '不能匡—其君'《晉書》. ⑧맡을 제 주관함. '以告—兵者'《呂氏春秋》. ⑨존절히할 제 정도에 알맞게 함. '節—'. '—節謹度'《孝經》. ⑩오로지할 제 천단(擅斷)함. '二三子之—也'《國語》. ⑪따를 제 좇음. 복종함. '聖人作法而萬物—焉'《淮南子》. ⑫분부 제 명령. '士死—'《禮記》. '終受—矣'《後漢書》. ⑬법 제 법도(法度). 규칙. '規—'. '新—'. '今京不度, 非—也'《左傳》. ⑭구실 제 직분. '士大夫莫不敬節死—'《荀子》. ⑮정도 제 알맞은 한도. '封賞踰—'《後漢書》. ⑯등급 제 등차(等差). '處國有—'《荀子》. ⑰꾀 제 술수(術數). '威王好—'《呂氏春秋》. ⑱꼴 제 생김새. 체재(體裁). '器機異—'《禮記》. ⑲칙서 제 칙명을 전하는 문서. '矯—'. '坐書—不深切, 貶端州刺史'《唐書》. ⑳성 제 성(姓)의 하나.

字源 篆文 古文 會意. 篆文은 刂(刀)+未. '未미'는 나뭇가지가 겹쳐진 나무의 상형. 불필요한 군가지를 쳐서 억제하다의 뜻을 나타냄. '制제'는 '剬제'의 변형임.

[制可 제가] 천자(天子)의 윤허(允許). 재가(裁可).
[制強 제강] 강자(強者)를 제어(制御)함.
[制擧 제거] 당(唐)나라 때 임시로 이재(異材)를 뽑기 위해서 천자(天子)가 친히 문제를 내어 보이던 과거. 제과(制科).
[制決 제결] 제정(制定).
[制誥 제고] 조서(詔書).
[制科 제과] 제거(制擧).
[制規 제규] 제정하여 놓은 규칙.
[制禁 제금] 제지(制止).
[制度 제도] 국가의 법칙(法則). 법제(法制).
[制毒 제독] 미리 해독(害毒)을 없앰.
[制令 제령] 법. 법도(法度).
[制禮 제례] 예법을 제정함.
[制立 제립] 제정(制定).
[制命 제명] 《韓》 임금의 명령.
[制帽 제모] 제정된 모자.
[制撫 제무] 제어(制御)하고 무마(撫摩)함.
[制服 제복] 제정된 복장(服裝).
[制俸 제봉] 녹봉(祿俸)을 정(定)함.
[制使 제사] 칙사(勅使).
[制詞 제사] 조서(詔書).
[制書 제서] 조서(詔書).
[制勝 제승] ㉠승리함. ㉡《韓》 세자(世子)가 섭정(攝政)할 때에 군무(軍務)에 관한 문서에 찍는 나무 도장.
[制壓 제압] 위력이나 위엄으로 남을 꽉 눌러서 통제함.
[制約 제약] 사물의 성립에 필요한 조건이나 규정. 「정.
[制御 제어] 자기 마음대로 부림. 지배함. 어거함.
[制馭 제어] 제어(制御).
[制外 제외] 규제(規制)의 범위 밖.
[制慾 제욕] 욕심을 누름.
[制慾主義 제욕주의] 정욕(情慾)을 제어(制御)하고 이성(理性)을 좇는 주의. 금욕주의(禁慾主義).
[制義 제의] 과거(科擧)에 응(應)하는 문장(文章)으로, 사륙문(四六文) 또는 팔고문(八股文)을 이름.
[制作 제작] ㉠생각하여 만듦. ㉡꾸밈새. 형식(形式). 「式).
[制匠 제장] 여러모로 연구하여 만듦.
[制裁 제재] 잘못한 일에 대하여 징계(懲戒)함.
[制錢 제전] 일정한 법제(法制)에 의하여 만든 동전(銅錢). 사전(私錢)의 대(對).
[制節 제절] 절제(節制)함.
[制定 제정] 만들어 정함. 제결(制決).
[制造 제조] 만듦. 제조(製造).
[制詔 제조] 조서(詔書).
[制肘 제주] 팔을 끎. 곧, 간섭(干涉)하여 자유로이 행동을 못하게 함. 인주(引肘).
[制止 제지] 금함. 못하게 함. 금제(禁制).
[制策 제책] 과거(科擧)에서 천자(天子)가 친히 내는 문제.
[制勅 제칙] 조서(詔書).
[制霸 제패] 패권(霸權)을 잡음.
[制限 제한] ㉠일정한 한도. ㉡어느 한도를 넘지 못하게 함.
[制憲 제헌] 헌법(憲法)을 제정함.

◉強制. 檢制. 劫制. 格制. 犬牙相制. 牽制. 結制. 拑制. 經制. 控制. 官制. 管制. 匡制. 拘制. 舊制. 軍制. 軌制. 詭制. 規制. 禽制. 禁制. 矜制. 羈制. 內制. 斷制. 達制. 待制. 法制. 兵制. 服制. 索制. 先制. 細制. 稅制. 囚制. 殊制. 馴制. 時制. 新制. 壓制. 兩制. 樣制. 抑制. 嚴制. 力制. 斂制. 禮制. 外制. 容制. 威制. 維制. 遺制. 應制. 儀制. 擬制. 臨制. 自制. 姿制. 宰制. 裁制. 典制. 專制. 節制. 條制. 操制. 峻制. 職制. 體制. 總制. 統制. 編制. 捕制. 品制. 風制. 學制. 扞制. 限制. 緘制. 虛制. 憲制. 脅制. 刑制. 形制. 豪制. 後爲人所制.

6 ⑧ [刷] 高·人 쇄 (솰㊍) ㉧黠 數刮切 shuā

筆順 ㄱ ㄱ 尸 尸 尸 吊 刷 刷

字解 ①닦을 쇄, 쓸 쇄 청소함. '—掃'. '夏頒冰掌事秋—'《周禮》. ②씻을 쇄 ㉠더러운 것을 물에 씻음. '—洗'. '—盪漪瀾'《左思》. ㉡제거함. 없애 버림. '欲—恥改行'《漢書》. ③문지를 쇄 솔로 판목(版木)을 문지름. '印—'. '—行'.

字源 篆文 形聲. 刂(刀)+㕞〈省〉〔音〕. '㕞솰'은 '훔치다, 닦다'의 뜻. 헝겊이나 칼 따위로 더러워진 것을 제거하다, 닦다의 뜻을 나타냄.

[刷膩 쇄니] 손때 묻어 더러워짐.
[刷洗 쇄세] 씻고 닦아 깨끗이 함.
[刷掃 쇄소] 소제함.
[刷新 쇄신] 묵은 것의 좋지 않은 데를 버려 면목을 새롭게 함.
[刷恥 쇄치] 치욕을 씻음. 설치(雪恥).
[刷逋 쇄포] 범포(犯逋)한 관금(官金)을 보충함.
[刷行 쇄행] 판(版)에 박아 세상에 폄. 인행(印行).
[刷還 쇄환] 외국에서 방랑(放浪)하는 동포를 데리고 돌아옴.
◉刮刷. 拘刷. 根刷. 色刷. 掃刷. 漱刷. 牙刷. 印刷. 翦刷. 燥刷. 增刷. 振刷. 箒刷. 縮刷.

6 ⑧ [刺] [高人] [一] 자 [去]寘 七賜切 cì [二] 척 [入]陌 七迹切 cì 刺

[筆順] 一 𠮛 亓 市 朿 朿 朿 刺

[字解] [一] ①찌를 자 ㉠날카로운 것으로 찌름. 찔러 죽임. '一殺'. '一之者何殺之也'《公羊傳》. ㉡침 같은 뾰족한 것으로 찌름. '蔡莽螫一'《左思》. '妄一而無益于疾'《鹽鐵論》. ②깎아버릴 자 깎거나 베어 버림. '庶人則曰一草之臣'《儀禮》. ③추릴 자 골라 뽑음. '一六經中作王制'《漢書》. ④바느질할 자 '一繡於裳'《周禮》. ⑤꽂을 자 삽입함. '揷一頭鬢相誇張'《元稹》. ⑥바늘 자, 가시 자 바느질하거나 침 놓는 데 등에 쓰이는 길쭉한 쇠. 또, 식물의 바늘처럼 뾰족하게 돋아난 부분. '若有芒一在背'《漢書》. ⑦봉망(鋒鋩) 자 창 같은 것의 뾰족한 첨단. 봉첨(鋒尖). '修戟無一'《淮南子》. ⑧헐뜯을 자 비방함. 욕함. '諷一'. '譏一'. '一我行者, 欲與我交'《淮南子》. ⑨꾸짖을 자 책망함. '天何以一'《詩經》. ⑩물을 자 문의함. '司一, 掌三一'《周禮》. ⑪문신할 자 자자(刺字)함. 입묵함. '一字'. '一靑'. '一面配華州'《五代會要》. ⑫명함 자 이름을 적은 종이 쪽지. '名一'. '投一'. '一字漫滅'《後漢書》. ⑬명함내놓을 자 명함을 내놓고 성명을 통(通)함. '每夜一閨'《南史》. ⑭성 자 성(姓)의 하나. [二] ①찌를 척 칼로 찔러 상처를 입힘. '一人而殺之'《孟子》. ②정탐할 척 몰래 살핌. '陰一候朝廷事'《漢書》. ③저을 척 배를 저음. '乃一船而去'《史記》. ④말많을 척 말을 많이 하는 모양. 수다스러운 모양. '語一一不能休'《韓愈》. '焉能去一一爲咢咢乎'《管子》.

[字源] 篆文 形聲. 刂(刀)+朿〔音〕. '朿자'는 '가시'의 뜻. 칼로 가시처럼 찌르다의 뜻을 나타냄.

[參考] 剌(刀部 七畫)은 別字.

[刺刻 자각] 해침. 가해(加害).
[刺客 자객] 아무도 모르게 사람을 칼로 찔러 죽이는 사람.
[刺擧 자거] 악(惡)을 꾸짖고 선(善)을 쳐듦. 일설(一說)에는, 범죄의 실상을 몰래 조사하여 검거함.
[刺劍 자검] 격검(擊劍).
[刺擊 자격] 찌르고 침.
[刺薊 자계] 국화과에 속하는 월년초(越年草). 줄기와 뿌리는 지혈제·해독제로 씀. 조방가새. 소계(小薊).
[刺股讀書 자고독서] 소진(蘇秦)이 책을 읽을 때 졸음이 오면 송곳으로 허벅다리를 찔러 피가 발목까지 흘러내렸다는 고사(故事).
[刺戟 자극] ㉠감각 기관에 작용이 미쳐 감각을 일으킴. ㉡흥분하게 함.
[刺譏 자기] 나무람. 기자(譏刺).
[刺桐 자동] 두릅나뭇과에 속하는 낙엽 활엽 교목(落葉闊葉喬木). 수피(樹皮)는 한약재로 씀. 엄나무.
[刺絡 자락] 침을 찔러 악혈(惡血)을 빼는 의술.
[刺文 자문] 자자(刺字).
[刺美 자미] 비방함과 칭찬함. 훼예(毁譽).
[刺史 자사] 한(漢)·당(唐) 시대의 주(州)의 장관. 태수(太守).
[刺殺 자살] 척살(刺殺).
[刺繡 자수] 수를 놓음. 또, 그 수.
[刺謁 자알] 명함을 내어 면회함.
[刺怨 자원] 비방하고 원망함. 방원(謗怨).
[刺議 자의] 비방함. 헐어 말함. 비의(非議).
[刺字 자자] 입묵(入墨). 문신(文身).
[刺斫 자작] 찌르고 찍음.
[刺剟 자철] 찔리고 벗겨짐.
[刺靑 자청] 입묵(入墨). 자자(刺字).
[刺草之臣 자초지신] 풀을 깎는 천한 신하의 뜻. 평민이 임금에게 대하여 자신을 낮추어 일컫는 말.
[刺促 자촉] 바쁨. 다망(多忙)함.
[刺痛 자통] 찌르는 것같이 아픔.
[刺殺 척살] 찔러 죽임.
[刺船 척선] 배를 저음.
[刺刺 척척] 말이 많은 모양. 수다스러운 모양.
[刺候 척후] 엿봄. 정탐함.
◉擧刺. 擊刺. 乖刺. 構刺. 譏刺. 論刺. 芒刺. 面刺. 名刺. 剝刺. 補刺. 縫刺. 負刺. 粉刺. 揷刺. 相刺. 手刺. 殊刺. 繡刺. 襲刺. 謁刺. 怨刺. 肉刺. 斫刺. 持刺. 指刺. 瘡刺. 剟刺. 招刺. 黜刺. 探刺. 撐刺. 通刺. 貶刺. 諷刺. 俠刺. 諷刺. 虎列刺.

6 ⑧ [剆] 락 [入]藥 盧各切 luò

[字解] ①깎아낼 락 베어 냄. '一, 剔也'《廣雅》. ②마디자를 락 나무의 마디를 끊어 냄. '去節曰一'《一切經音義》.

6 ⑧ [刻] 刻(次條)의 俗字

6 ⑧ [刻] [高人] 각 [入]職 苦得切 kè 刻

[筆順] 丶 亠 𠆢 亥 亥 亥 刻 刻

[字解] ①새길 각 조각함. '一字'. '一印'《史記》. 또, 새긴 것. 새김. '已而按其一'《漢書》. ②깎을 각 깎아 냄. '一削'. '一意尙行'《莊子》. ③해할 각 해침. '一害'. '我舊云一子'《書經》. ④각박할 각 모가 나고 인정이 없음. '一法'. '一削'. '一峻'. '用

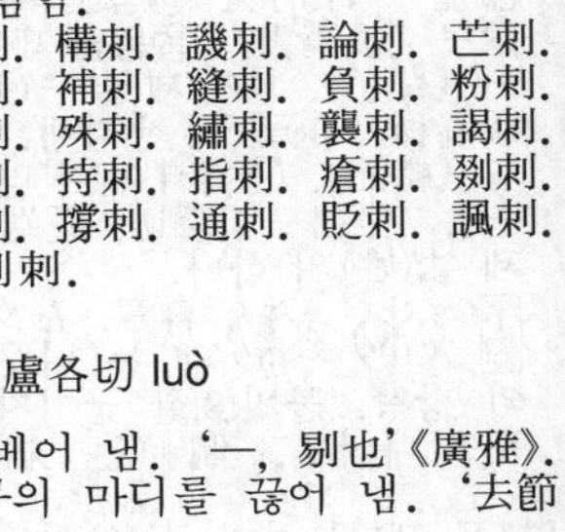

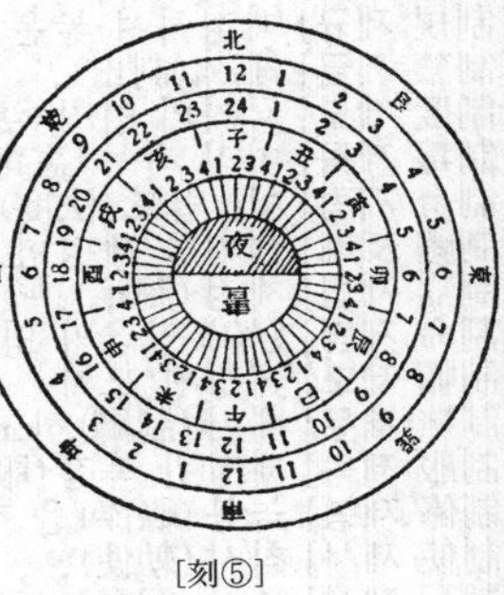

[刻⑤]

法益一'《史記》. ⑤시각 각 ㉠물시계의 누전(漏箭)에 시간을 보기 위하여 새긴 금. 전(轉)하여, 시간. '晷一'. '一限'. '顧賜數一間'《漢書》. ㉡시헌력(時憲曆)에서는 15분 동안. 그 이전의 달력에서는 14분 24초 동안. ⑥정할 각 시일을 정함. '一期'. '一日決戰'《宋史》.

[字源] 篆文  古文  形聲. 刂(刀)+亥〔音〕. '亥해'는 '己기'와 통하여, 센 힘이 들어가다의 뜻. 칼에 힘을 주어 새기다의 뜻을 나타냄.

[刻苦 각고] 대단히 애를 씀. 비상히 노력을 함.
[刻鵠不成尙類鶩 각곡불성상류목] 고니와 집오리는 크기는 다르나 생김새는 비슷하므로 고니를 새기다가 그르쳐도 집오리는 닮게 됨. 곧, 근칙(謹飭)한 선비를 본받으면 그를 따르지는 못할지라도 착한 사람이 될 수 있다는 비유(比喩).
[刻骨 각골] 마음속에 깊이 새기어짐.
[刻骨難忘 각골난망] 남에게 입은 은혜가 마음속 깊이 새기어져 잊혀지지 아니함.
[刻骨銘心 각골명심] 마음속 깊이 새겨서 잊지 아니함.
[刻工 각공] 각수장이.
[刻急 각급] 박정(薄情)하고 엄중함.
[刻期 각기] 굳게 기한을 작정함.
[刻刀 각도] 새김칼.
[刻爛 각란] 썩어 문드러짐.
[刻勵 각려] 부지런히 힘씀. 비상히 노력을 함. 각고면려(刻苦勉勵)의 약(略).
[刻廉 각렴] 엄격하고 청렴함.
[刻露淸秀 각로청수] 잎이 떨어져 산의 모양이 환히 보이고 공기가 맑아 조망(眺望)이 깨끗함. 가을의 경치를 형용한 말.
[刻漏 각루] 누각(漏刻).
[刻鏤 각루] 새김. 조각함.
[刻銘 각명] 금석(金石)에 새긴 명(銘).
[刻木 각목] 나무를 깎거나 새김.
[刻珉 각민] 후세(後世)에 전하기 위하여 옥돌에 새김. 각석(刻石).
[刻剝 각박] 남을 모질게 학대함.
[刻薄 각박] 잔인(殘忍)하고 인정(人情)이 없음.
[刻法 각법] 엄한 법. 준법(峻法). 엄법(嚴法).
[刻本 각본] 인본(印本).
[刻削 각삭] ㉠깎음. ㉡학대함. 침범함. ㉢잔인함. 박정(薄情)함.
[刻石 각석] 돌에 새김.
[刻深 각심] 잔혹(殘酷)함. 참각(慘刻).
[刻役 각역] 비(碑) 같은 것을 새기는 역사(役事).
[刻剡 각염] 새기어 깎음.
[刻于金石 각우금석] 그 사람의 공덕(功德) 등을 종정비갈(鐘鼎碑碣)에 새겨서 후세(後世)에 전함. 늑우금석(勒于金石).
[刻意 각의] 고심(苦心)함. 애씀.
[刻印 각인] 도장을 새김.
[刻字 각자] 글자를 새김.
[刻章琢句 각장탁구] 고심하여 조탁(彫琢)한 장구(章句).
[刻舟 각주] 각주구검(刻舟求劍).
[刻舟求劍 각주구검] 옛날에 초(楚)나라 사람이 배를 타고 나루를 건너다가 잘못하여 칼이 물속에 빠지자 그 뱃전에 표를 하였다가, 배가 나루에 닿은 뒤에 표를 해 놓은 뱃전 밑의 물 속에 다시 들어가서 칼을 찾더라는 고사(故事). 미련해서 옛 사물에 구애되어 시세(時勢)에 어둡고 변통성이 없음을 비유한 말. 각주(刻舟).
[刻識 각지] 새겨 적음.
[刻鑿 각착] 새겨 뚫음.
[刻責 각책] 호되게 꾸짖음.
[刻峭 각초] 대단히 엄함.
[刻燭 각촉] 초에 금을 새겨 초가 그 금까지 타는 시간을 한도로 함.
[刻燭爲詩 각촉위시] 초에 눈금을 긋고 그곳까지 탈 동안에 시(詩)를 지음.
[刻針 각침] 분침(分針).
[刻板 각판] ㉠판각하는 데 쓰는 글씨·그림을 새기는 널조각. ㉡서화(書畫)를 널조각에 새김. 판각(板刻).
[刻暴 각포] 박정(薄情)하고 난포함.
[刻下 각하] 지금. 이때. 즉각(卽刻).
[刻限 각한] 정한 시각. 정각(定刻).
[刻害 각해] 해침. 가해함.
[刻舷 각현] 각주구검(刻舟救劍).
◉苛刻. 家刻. 刊刻. 頃刻. 景刻. 晷刻. 忌刻. 漏刻. 鏤刻. 銘刻. 模刻. 翻刻. 複刻. 石刻. 纖刻. 時刻. 深刻. 俄刻. 陽刻. 嚴刻. 陰刻. 印刻. 一刻. 篆刻. 定刻. 鐫刻. 彫刻. 晙刻. 慘刻. 卽刻. 遲刻. 初刻. 峭刻. 寸刻. 板刻.

6
⑧ [刻] 刻(前條)과 同字

6
⑧ [刣] 백 bāi

[字解] 처치할 백, 안배(安排)할 백 '兄長不必憂心, 小生自有一劃'《水滸全傳》.

6
⑧ [剁] 타 ㊀箇 都唾切 duò

[字解] 꺾을 타 부러뜨림. '一剉'.

[剁剉 타좌] 꺾음.

6
⑧ [刮] 갈 ㊅黠 恪八切 jié

[字解] 벗길 갈 낯가죽을 벗김. '敗面碎剝一'《韓愈》.

◉剝刮.

6
⑧ [刪] 〔산〕
删(刀部 五畫〈p.248〉)의 古字

6
⑧ [刪] 〔산〕
删(刀部 五畫〈p.248〉)의 本字

6
⑧ [列] 〔렬〕
列(刀部 四畫〈p.246〉)의 本字

6
⑧ [刑] 〔형〕
刑(刀部 四畫〈p.244〉)의 本字

6
⑧ [刹] 〔찰〕
刹(刀部 七畫〈p.256〉)의 俗字

6
⑧ [刽] 〔회〕
劊(刀部 十三畫〈p.269〉)의 略字

7 ⑨ **[朗]** 랑 [上]養 盧黨切 lǎng

[字解] ①맑을 랑 흐리지 아니함. '一, 明也'《廣韻》. '耳聽滔一奇麗激掺之音'《淮南子》. ②성 랑 성(姓)의 하나.

7 ⑨ **[剃]** [人名] 체 [去]霽 他計切 tì

[字解] 깎을 체 머리를 깎음. '一頭'. '一刀'. '一髮披法服'《南史》.

[字源] 形聲. 刂(刀)+弟〔音〕. '弟제'는 '차차 하다'의 뜻. 조금씩 칼로 깎아 밀다의 뜻을 나타냄.

[剃刀 체도] 머리를 깎는 데 쓰는 칼.
[剃度 체도] 머리를 깎고 불도(佛道)에 들어감. 체발득도(剃髮得度)의 뜻.
[剃頭 체두] 체발(剃髮).
[剃髮 체발] 머리를 깎음. 중이 됨을 이름.
◉披剃.

7 ⑨ **[剆]** [人名] 라 [上]哿 朗可切 luǒ

[字解] 칠 라 때림. '一, 擊也'《玉篇》.

7 ⑨ **[刹]** 찰 [入]黠 初鎋切 chà

[字解] ①기둥 찰 덕(德)이 높은 중이 있음을 알리기 위하여 절 앞에 세우는 깃대 모양의 기둥. 범어(梵語) kṣetra의 음역(音譯). '抱一仰頭'《北史》. ②절 찰 불사(佛寺). '寺一'. '古一'. '西域以柱表一'《白帖》. ③탑 찰 불탑(佛塔). '列一相望'《王屮》.

[字源] [篆文] 形聲. 刂(刀)+殺〈省〉〔音〕. 깃발을 세우는 기둥의 뜻. 본디, '殺살'은 범어 kṣatriya(刹帝利)·kṣaṇa(刹那) 등의 kṣa의 음역(音譯)에 쓰이었는데, '殺'과 구별하기 위하여, '殳수' 대신 '刀'를 붙임.

[參考] 刹(刀部 六畫)은 俗字.

[刹竿 찰간]《佛敎》덕(德)이 높은 중이 있음을 알리기 위하여 절 앞에 세우는 깃대 모양의 물건. 나무나 쇠로 만듦.
[刹鬼 찰귀]《佛敎》귀신. 악마. 악귀나찰(惡鬼羅刹).
[刹那 찰나]《佛敎》범어(梵語) kṣaṇa의 음역(音譯). 지극히 짧은 시간. 순간(瞬間).
[刹那主義 찰나주의] 과거나 미래를 생각하지 않고 다만 현재의 순간순간의 쾌락을 추구하는 주의.
[刹利 찰리] '찰제리(刹帝利)'의 준말.
[刹帝利 찰제리]《佛敎》범어(梵語) kṣatriya의 음역(音譯). 인도(印度)의 사성(四姓) 중 제이위(第二位)로, 바라문(波羅門)의 다음가는 왕(王) 및 무사(武士)의 종족.
[刹土 찰토]《佛敎》범어(梵語) kṣetra의 음역(音譯). 국토(國土).
◉巨刹. 古刹. 羅刹. 名刹. 梵刹. 寶刹. 佛刹. 寺刹. 禪刹. 僧刹. 靈刹. 淨刹.

7 ⑨ **[剄]** 경 [上]迥 古挺切 jǐng

[字解] 목벨 경 칼로 목을 자름. '令從者魏敬一之'《史記》.

[字源] [篆文] 形聲. 刂(刀)+巠〔音〕. '巠경'은 '頸경'과 통하여, '목'의 뜻. '목 베다'의 뜻을 나타냄.

[剄死 경사] 목을 베어 자살함. 문사(刎死).
◉自剄.

7 ⑨ **[則]** [中人] [一] 즉 [二] 칙 (측[本]) [入]職 子德切 zé

[筆順] 丨 冂 月 目 目 貝 貝 則 則

[字解] [一] 곧 즉 ㉠위를 받아 아래에 접속하는 말로서, 아래와 같은 뜻에 쓰임. …할 때에는. …한 경우에는. '弟子入一孝, 出一弟'《論語》. '用之一行, 舍之一藏'《論語》. ㉡만일 그렇다면. '過一勿憚改'《論語》. ㉢…에 이르러서는. '仁一吾不知也'《論語》. [二] ①법칙 칙 ㉠국가의 제도. 행위의 준칙. '一度'. '規一'. '明哲實作一'《書經》. ㉡천지(天地)의 정도(定道). 자연의 이치. '天一'. '有物有一'《詩經》. ②본받을 칙 본보기로 삼음. 본뜸. '一效'. '惟堯一之'《論語》. ③성 칙 성(姓)의 하나.

[字源] [金文] [篆文] 會意. 刂(刀)+貝. '貝패'는 金文에서는 세발솥의 상형. 세발솥에 칼로 중요한 법칙을 새겼던 데서, '법칙'의 뜻을 나타냄.

[則度 칙도] 법도(法度).
[則效 칙효] 본받음. 모범으로 삼음.
◉敎則. 矩則. 軌則. 規則. 內則. 黨則. 模則. 反則. 罰則. 犯則. 法則. 變則. 補則. 附則. 四則. 常則. 聖則. 細則. 原則. 儀則. 典則. 正則. 定則. 帝則. 準則. 天則. 鐵則. 總則. 通則. 表則. 學則. 憲則. 會則.

7 ⑨ **[剉]** 좌 [去]箇 麤臥切 cuò

[字解] ①꺾일 좌 挫(手部 七畫)와 통용. '一折'. '銳而不一'《淮南子》. ②저밀 좌 잘게 썲. '去骨一之'《齊民要術》. ③부술 좌 쇄파(碎破)함. '粉一楚山鐵'《王昌齡》. ④깎을 좌 모난 데를 깎아 없앰. '廉則一'《莊子》.

[字源] [篆文] 形聲. 刂(刀)+坐(坐)〔音〕. '坐좌'는 '무릎을 꺾다'의 뜻. 칼로 짧게 베다, 짧게 꺾다, 썰다의 뜻을 나타냄.

[剉絲 좌사] 실을 끊음. 또, 그 실.
[剉折 좌절] '좌절(挫折)'과 같음.
◉擣剉. 猛剉. 粉剉. 細剉. 摧剉.

7 ⑨ **[削]** [高人] [一] 삭 [入]藥 息約切 xiāo, xuē [二] 소 [去]效 所敎切 shào [三] 초 [去]嘯 仙妙切 qiào (소[本])

[筆順] 丨 丨 小 肖 肖 肖 削 削

[字解] [一] ①깎을 삭 ㉠깎아 냄. '一髮'. '一屢馮馮'《詩經》. ㉡삭제함. 제거함. '筆一'. '筆則筆, 一則一'《史記》. ㉢떼어 냄. 가름. 분할함. '一減'. '齊一地, 而封田嬰'《戰國策》. ②빼앗을 삭 약탈함. '一奪'. '一官'. '王一以地'《禮

記》. ③지근거릴 삭 침범함. '無倚法以一'《書經》. ④깎일 삭 삭감됨. 줆. '不戰而地已一也'《史記》. ⑤약해질 삭 쇠약하여짐. '魯之一也滋甚'《孟子》. ⑥작을 삭 약소(弱小)함. '魏國從此一矣'《呂氏春秋》. ⑦모질 삭 모나고 인정이 없음. '刻一'. ⑧창칼 삭 서도(書刀). '築氏爲一, 長尺博寸'《周禮》. 二 ①채지(采地) 소 주대(周代)에 기전(畿甸) 2백 리 안에 있던 대부(大夫)의 채읍(采邑). '家一之賦'《周禮》. ②화락할 소 화평하고 즐거운 모양. '孔子一然反琴而絃歌'《莊子》. 三 칼집 초 도실(刀室). 鞘(革部 七畫)와 통용. '質氏以洒一而鼎食'《漢書》.

字源 篆文 形聲. 刂(刀)+肖〔音〕. '肖초'는 '작게 하다'의 뜻. 칼로 작게 하다, 깎다의 뜻을 나타냄.

[削減 삭감] 깎아서 줄임. 떼어 내어 줄임. 줄임. 또, 깎이어 줆.
[削去 삭거] 깎아 없애 버림.
[削刀 삭도] 《佛敎》 중의 머리를 깎는 칼.
[削磨 삭마] 깎아 문지름.
[削抹 삭말] 삭제하고 말소(抹消)함.
[削剝 삭박] 깎고 벗김.
[削髮 삭발] ㉠머리털을 깎음. ㉡중이 됨. 출가(出家)함.
[削髮爲僧 삭발위승] 머리를 깎고 중이 됨.
[削髮披緇 삭발피치] 머리를 깎고 치의(緇衣)를 입는다는 뜻으로 중이 됨을 이름.
[削成 삭성] 깎아지른 듯이 높이 솟음.
[削消 삭소] 차차로 줄어 없어짐.
[削損 삭손] 삭감(削減).
[削弱 삭약] 깎아 약하게 함. 또, 줄어들어 약해짐.
[削跡 삭적] 발자국을 없앰. 종적(蹤跡)을 감춤. 삭적(削迹).
[削正 삭정] 산삭(刪削)하여 교정함. 산정(刪正).
[削除 삭제] 깎아 버림. 지워 버림.
[削地 삭지] 땅을 분할하여 빼앗음.
[削職 삭직] 관직을 삭탈(削奪)함.
[削滌 삭척] 기세를 꺾음. 기세를 죽임.
[削剟 삭철] 깎음.
[削黜 삭출] 관위(官位) 등을 깎아 내림.
[削奪官職 삭탈관직] 삭직(削職).
[削平 삭평] 삭탈하여 평정함.
[削哺 삭포] 곡병(曲屛)·병풍 따위.
◉刻削. 刊削. 減削. 開削. 壞削. 掘削. 雕削. 剝削. 刪削. 繩削. 抑削. 硏削. 刓削. 危削. 翦削. 雕削. 瘠削. 穿削. 添削. 侵削. 筆削.

7 ⑨ [剋] 人名 극 入職 苦得切 kè

筆順 一 十 十 古 古 克 克 剋

字解 ①이길 극 ㉠승전(勝戰)함. 克(儿部 五畫)과 통용. '一勝'. '相生相一'. '何征不一'《後漢書》. ㉡이겨 냄. 능히 함. '至伐大木, 非斧不一'《淮南子》. ②정할 극 굳게 약정(約定)함. '與一期俱至'《後漢書》. ③급할 극, 엄할 극 성급(性急)함. 준엄함. '性嚴一'《宋書》. ④새길 극 刻(刀部 六畫)과 뜻이 같음. '一意'. '謹以一心, 非但書紳'《吳志》.

字源 形聲. 刂(刀)+克〔音〕. '克극'은 '이기다'의 뜻. 칼로 이기다의 뜻을 나타냄.

[剋期 극기] 굳게 기일(期日)을 약정함. 각기(刻期).
[剋勵 극려] 극면(剋勉).
[剋勉 극면] 사욕(私慾)을 극복하고 일에 근면함. 극려(克勵).
[剋伐 극벌] ㉠강제로 복종(服從)시킴. 억지로 자기를 따르게 함. ㉡극벌(克伐).
[剋復 극복] 국란(國亂)을 진압하여 원상(原狀)으로 회복함.
[剋殲 극섬] 이겨 섬멸함.
[剋勝 극승] 이김. 승리함.
[剋意 극의] 고심함. 애씀. 각의(刻意).
[剋翦 극전] 끊음. 절단(切斷)함.
[剋定 극정] 싸움에 이겨 난리를 평정함. 감정(戡定).
[剋殄 극진] 적을 멸망시킴.
[剋扞 극한] 적을 이겨 막음.
[剋核 극핵] 엄함. 극핵(剋覈).
[剋覈 극핵] 극핵(剋核).
◉儉剋. 忌剋. 相剋. 嚴剋.

7 ⑨ [䏋] 一 연 平先 烏玄切 yuān 二 견 去霰 局縣切

字解 一 ①도려낼 연 '一挑取也'《說文》. ②시루밑구멍 연, 화분밑구멍 연 '一, 一曰, 窐也'《說文》. 二 굽은칼 견 휘어 굽은 칼. '一, 曲刀'《集韻》.

7 ⑨ [剌] 人名 一 랄 入曷 盧達切 là, ④lā 二 라 韓

字解 一 ①어그러질 랄 괴려(乖戾)함. '一謬'. '無乖一之心'《漢書》. ②바람부는소리 랄 '去程風一一, 別夜漏丁丁'《李商隱》. ③고기뛰는소리 랄 '金鱗跋一跳晴空'《溫庭筠》. ④외국어 '라'의 음역자(音譯字)로 쓰임. '一嘛敎'. '亞一比亞'. ⑤성 랄 성(姓)의 하나. 二 《韓》 수라(水剌) 라 임금에게 올리는 진지.

字源 金文 篆文 形聲. 刂(刀)+束(朿)〔音〕. '束란'은 주머니에 물건을 단단히 가둬 넣은 모양을 본뜸. 가둬 묶은 물건에 칼집을 내다, 떨어져 나가다, 어그러지다의 뜻을 나타냄. 篆文은 刂(刀)+束의 會意. '束속'은 섶나무를 묶은 단의 뜻. 낫으로 섶나무를 베려는데 나뭇가지가 튀다의 뜻에서, '어그러지다'의 뜻을 나타냄.

參考 刺(刀部 六畫)는 別字.

[剌麻敎 나마교] 인도(印度)에서 들어와 당대(唐代)부터 중국의 서북부 서장(西藏; 티베트) 등지에 보급한 불교의 한 파(派). 서장에서 중을 나마(剌麻)라 하므로 이름. 나마교(喇嘛敎).
[剌剌 날랄] ㉠바람 부는 소리. ㉡어그러진 모양. 일설(一說)에는, 불평하는 모양.
[剌謬 날류] 어그러져 틀림. 상반(相反)함.
◉撈剌. 牢剌. 跋剌. 潑剌. 撥剌. 操剌. 弧剌. 睢剌. 瞟剌.

7 ⑨ [刺] 〔자·척〕 刺(刀部 六畫(〈p. 254〉)와 同字

7 ⑨ [𠜾] 〔괄〕 刮(刀部 六畫(〈p. 252〉)의 本字

7 ⑨ [前] 中人 전 平先 昨先切 qián

筆順 丶 丷 䒑 前

字解 ①앞 전 ㉠장소(場所)에 관한 뒤〔後〕의 대. '庭—'. '堂—'. '瞻—顧後'《楚辭》. ㉡시간(時間)에 관한 뒤〔後〕의 대. '—人'. '—賢'. '—世重之玆甚'《漢書》. ㉢앞으로 나와 대항하는 사람. '力戰無—'《後漢書》. ②인도할 전 앞서 이끎. '祝—主人降'《儀禮》. '先達之士爲之—'《韓愈》. ③나갈 전 앞으로 나감. '及出壁門, 莫敢—'《史記》. ④앞설 전 정한 시간보다 앞섬. '—期十日'《周禮》. ⑤앞서 전 ㉠먼저. '可以—知'《中庸》. ㉡먼저는. 앞서서는. '何—倨而後恭也'《史記》. ⑥성 전 성(姓)의 하나.

字源 甲骨文 金文 篆文 篆文은 歬으로, 刀+歬〔音〕. 甲骨文은 行+止+舟의 會意. 수로(水路)를 배로 가는 모양에서, '나아가다, 앞'의 뜻을 나타냄. 金文은 止+舟의 會意로, '나아가다, 앞'의 뜻을 나타냄. 篆文의 '歬전'은 이 金文의 歬+刀로, 본디는 칼로 베고 나아가다, 가지런히 자르다의 뜻이며, '剪전'의 원자(原字)였는데, '歬'도 '나아가다, 앞'의 뜻을 나타내게 되자, 뒤에 '剪'자를 만들어 구별하게 되었음. 篆文의 '歬'은 생략되어, '前'의 글자 모양으로 변함.

[前呵 전가] 벽제(辟除)함.
[前家 전가] 앞집.
[前却 전각] ㉠전진함과 후퇴함. 진퇴(進退). ㉡마음대로 부림.
[前覺 전각] 남보다 먼저 도(道)를 깨달은 사람. 선각(先覺).
[前鑑 전감] 거울로 삼을 만한 이전 일.
[前拒 전거] 전면(前面)의 방어.
[前戒 전계] 이전의 경계. 경계로 삼을 만한 이전 일.
[前古 전고] 옛날. 예전.
[前古未曾有 전고미증유] 자고이래로 있어 본 일이 없음. 옛날부터 일찍이 한 번도 없음.
[前功 전공] 이전의 공로(功勞).
[前功可惜 전공가석] 그 전에 들인 공이 아까움.
[前科 전과] 이전에 치른 형벌.
[前官 전관] 전임(前任)의 벼슬아치.
[前矩 전구] 옛사람이 끼친 모범.
[前軀 전구] 행렬(行列)의 맨 앞에 가는 사람.
[前驅 전구] 말을 타고 행렬의 앞에서 인도함. 또, 그 사람. 선구(先驅).
[前軍 전군] 선봉(先鋒)의 군대.
[前紀 전기] 선대(先代)의 사실(史實).
[前記 전기] 앞에 적은 기록(記錄).
[前期 전기] ㉠먼저의 기간. 앞의 기간. ㉡기한(期限)보다 앞섬.
[前納 전납] 기한 전에 납부함.
[前年 전년] 지난해. 작년.
[前代 전대] 지나간 시대. 예전.
[前隊 전대] 군대의 선두에 서는 대오(隊伍).
[前代未聞 전대미문] 지금까지 들은 적이 없음.
[前徒 전도] 전방(前方)에 있는 보병(步兵).
[前途 전도] ㉠앞으로 갈 길. ㉡장래.
[前道 전도] 앞길.
[前導 전도] 앞길을 인도함. 선도(先導).
[前登 전등] 선봉(先鋒).
[前略 전략] ㉠문장의 처음 부분을 생략(省略)함. ㉡편지에서 인사(人事)를 생략할 때 서두에 쓰는 말.
[前良 전량] 옛 현량(賢良)한 사람. 선현(先賢).
[前涼 전량] 오호 십육국(五胡十六國)의 하나. 한인(漢人) 장궤(張軌)가 간쑤 성(甘肅省) 난산도(蘭山道) 이서(以西)의 땅에 세운 나라. 9대(代) 만에 전진(前秦)의 부견(苻堅)에게 망하였음.(301~376)
[前慮 전려] 사전(事前)에 고려함.
[前列 전렬] 전열(前列).
[前例 전례] 이전부터 있던 사례(事例).
[前勞 전로] 전일(前日)에 세운 공로. 전공(前功).
[前路 전로] 앞에 있는 통로. 앞길.
[前面 전면] 앞쪽.
[前母 전모] 후취(後娶)의 아들이 아버지의 전취(前娶)를 일컫는 말. 전어머니.
[前茅 전모] 척후(斥候). '모(茅)'는 춘추 시대(春秋時代)의 초(楚)나라의 기(旗)로서 적(敵)이 있으면 이것을 높이 들어 후군(後軍)에게 알리던 것임.
[前無後無 전무후무] 전에도 없었고 나중에도 없음.
[前文 전문] 앞에 쓴 글.
[前門 전문] 앞문.
[前門拒虎後門進狼 전문거호후문진랑] 간신히 화(禍)를 피하였는데, 또 다른 화가 들이닥침을 이름.
[前半 전반] 앞의 절반.
[前跋後疐 전발후치] 늙은 이리〔狼〕가 앞으로 갈 때에는 턱 밑에 늘어진 살을 밟고, 뒤로 물러갈 때에는 꼬리를 밟아 넘어진다는 뜻으로, 진퇴유곡(進退維谷)을 비유하는 말.
[前杯 전배] 술자리에 참여(參與)하여 이미 먹은 술. 전작(前酌).
[前輩 전배] 선진(先進)이 되는 사람. 선배(先輩).
[前番 전번] 지난번.
[前鋒 전봉] 선봉(先鋒).
[前夫 전부] 먼젓번의 남편.
[前部 전부] 앞의 부분.
[前婦 전부] 이전의 처(妻). 전처(前妻).
[前非 전비] 이전(以前)의 잘못.
[前史 전사] 이전의 역사.
[前事 전사] 지나간 일.
[前事之不忘後事之師 전사지불망후사지사] 전날에 행한 일을 유의하여 그 선악 득실(善惡得失)을 기억하여 두면, 뒤에 일을 하는 데 도움이 된다는 뜻.
[前朔 전삭] 지난달.
[前生 전생] 《佛敎》 이 세상에 나오기 전의 세상. 금생(今生)의 대(對).
[前生緣分 전생연분] 이 세상에 나오기 전에 맺은 연분(緣分).
[前書 전서] ㉠전에 적은 글. ㉡전번의 편지.
[前緖 전서] 선인(先人)이 남긴 사업. 선업(先業). 유업(遺業).
[前夕 전석] 어제저녁.
[前席 전석] 이야기를 듣는 데 열중하여 다가앉음.
[前說 전설] ㉠이전 사람이 남겨 놓은 설(說). ㉡전의 논설.
[前星 전성] '황태자(皇太子)'의 별칭(別稱).
[前聖 전성] 예전의 성인.
[前世 전세] ㉠전대(前代). ㉡전생(前生).
[前世界 전세계] 과거의 세계. 현세계 성립 이전의 세계. 구세계(舊世界).
[前世紀 전세기] 이미 지나간 세기.

[前世上 전세상] 지난날의 세상.
[前宵 전소] 전날 밤. 어젯밤.
[前修 전수] 예전의 사물에 통달한 사람. 옛 군자(君子). 선철(先哲).
[前述 전술] 앞에서 말함.
[前習 전습] 이전의 습관.
[前身 전신] ㉠전세에 태어났던 몸. ㉡변하기 이전의 본체(本體).
[前失 전실] 전의 과실. 이전의 실책(失策).
[前室 전실] 이전의 아내. 전취(前娶).
[前案 전안] 전의 안건(案件).
[前夜 전야] ㉠어젯밤. ㉡전날 밤.
[前約 전약] 전에 맺은 언약.
[前言 전언] ㉠고인(古人)의 말. ㉡이왕에 한 말.
[前緣 전연] 전인(前因).
[前燕 전연] 오호 십육국(五胡十六國)의 하나. 선비족(鮮卑族) 모용외(慕容廆)가 만주(滿洲)에서 창건(創建)한 나라. 4대(代) 만에 전진(前秦)의 부견(苻堅)에게 망하였음. (307~370)
[前列 전열] ㉠앞줄. ㉡군대에서 앞선 대오(隊伍).
[前烈 전열] ㉠전인(前人)의 사업. 선대의 공적. 선열(先烈). ㉡선대의 위인(偉人). 선현(先賢).
[前王 전왕] 이전의 임금. 선대의 임금. 선왕(先王).
[前往 전왕] 앞으로 감.
[前月 전월] 지나간 달. 전달.
[前衛 전위] 앞에서 먼저 나가는 호위(護衛). 후위(後衛)의 대(對).
[前疑 전의] 의(疑)는 벼슬 이름. 옛날 천자(天子)의 전후좌우에 모시고 보좌(輔佐)하던 신하가 네 사람이 있었는데, 의(疑)는 앞에서 모시었으므로 전(前)자를 앞에 붙여 이름.
[前誼 전의] 이전의 교의(交誼). 전에 사귄 정의(情誼).
[前人 전인] 이전 사람. 선인(先人).
[前因 전인] 《佛教》 전세(前世)부터의 인연. 전연(前緣). 숙연(宿緣).
[前人之述 전인지술] 이전 사람이 지은 시문(詩文).
[前日 전일] 지난날. 선일(先日).
[前者 전자] 앞의 것.
[前作 전작] 전의 작품.
[前酌 전작] 술자리에서 이미 마신 술.
[前績 전적] 이전의 치적(治績).
[前殿 전전] 정전(正殿) 앞에 있는 궁전(宮殿).
[前定 전정] 이전에 정하여짐. 미리 확정됨.
[前庭 전정] 앞뜰.
[前情 전정] 옛 정(情).
[前程 전정] 앞길. 전도(前途).
[前程萬里 전정만리] 전도가 매우 유망함을 이름. 전도만리(前途萬里).
[前提 전제] ㉠어떠한 사물을 먼저 내세움. ㉡추리(推理)에서 단안(斷案)의 기초가 되는 명제(命題).
[前兆 전조] 조짐(兆朕). 전표(前表).
[前朝 전조] ㉠전의 조정. 선제(先帝)의 치세(治世). ㉡전대의 왕조(王朝).
[前趙 전조] 오호 십육국(五胡十六國)의 하나. 흉노(匈奴)의 유연(劉淵)이 칭제(稱帝)하여 도읍을 평양(平陽)에 정하고 한(漢)이라 칭(稱)하다가 오대(五代) 유요(劉曜)의 대(代)에 이르러 조(趙)라고 고쳤는데, 사가(史家)는 전조(前趙)라 일컬음. 5대(代) 26년 만에 후조(後趙)에게 망하였음. (304~329)
[前蹤 전종] 옛사람의 사적(事蹟). 기왕의 사적.
[前罪 전죄] 이전에 저지른 죄.
[前主 전주] ㉠전의 주인. ㉡전의 임금.
[前志 전지] ㉠선세(先世)의 기록. ㉡평소에 품은 뜻. 소지(素志).
[前知 전지] 사물이 일어나기 전에 앎. 미리 앎. 예지(豫知).
[前職 전직] 이전의 벼슬자리.
[前陣 전진] 여러 진 가운데 앞에 친 진(陣).
[前秦 전진] 오호 십육국(五胡十六國)의 하나. 서진(西晉)의 말엽(末葉)에 저족(氐族)의 부견(苻堅)이 세운 나라. 6대(代) 44년 만에 요씨(姚氏)의 후진(後秦)에게 망하였음. (351~394)
[前進 전진] 앞으로 나아감.
[前次 전차] 지난번.
[前車覆後車戒 전차복후차계] 앞차가 엎어진 것을 보고 뒤차가 경계하여 넘어지지 않도록 한다는 뜻으로, 전인(前人)의 실패를 보고 후인(後人)은 이를 경계로 삼아야 한다는 말.
[前遮後擁 전차후옹] 여러 사람이 앞뒤에서 옹위(擁衛)하고 감.
[前債 전채] 전에 진 빚.
[前妻 전처] 이전의 아내. 전실(前室).
[前哲 전철] 예전의 철인(哲人).
[前轍 전철] 앞에 지나간 수레바퀴의 자국이라는 뜻으로, 이전 사람이 그르친 일의 자취를 이름.
[前瞻後顧 전첨후고] 일을 당하여 용기 있게 결단하지 못하고 앞뒤를 재며 주저함.
[前哨 전초] 전방(前方)에 둔 망보는 군사.
[前娶 전취] 이전의 아내.
[前置詞 전치사] 서양 문법에서 명사나 대명사 앞에 놓아 다른 품사와의 관계를 나타내는 품사.
[前敗 전패] 이전의 실패.
[前篇 전편] 두 편으로 나누인 책의 앞 편. 후편(後篇)의 대(對).
[前弊 전폐] 전부터 내려오는 폐단.
[前幅 전폭] 옷의 앞폭.
[前表 전표] 전조(前兆).
[前蹕 전필] 천자(天子)가 거둥할 때 벽제(辟除)하는 일. 또, 그 사람.
[前漢 전한] 유방(劉邦)이 세운 한(漢)나라를 후한(後漢)과 구별하여 부르는 이름. 서한(西漢)이라고도 함. 한(漢)의 자해(字解) ❹를 보라. (B.C. 202~B.C. 8)
[前銜 전함] 전직(前職).
[前項 전항] 앞에 적혀 있는 사항. 앞의 항목(項目).
[前行 전행] ㉠앞의 행렬. 앞의 줄. ㉡이전의 행위.
[前鄕貢進士 전향공진사] 당대(唐代)의 제도(制度)에서 이미 급제한 진사(進士)를 일컬음.
[前賢 전현] 예전의 현인. 선현(先賢).
[前嫌 전혐] 전의 혐의(嫌疑).
[前胡 전호] ㉠미나릿과(科)에 속하는 숙근초(宿根草). 잎은 식용, 뿌리는 약용함. 사양채. ㉡바디나물의 뿌리. 해소·거담약(祛痰藥)으로 씀.
[前回 전회] 지난번. 먼젓번.
[前悔 전회] 과거에 한 일에 대한 후회. 과거의 실패.
[前後 전후] ㉠앞뒤. ㉡먼저와 나중. ㉢처음과 끝.
[前勳 전훈] 이전에 세운 공훈. 전공(前功).
[前徽 전휘] 전인(前人)의 미덕(美德).
◉階前. 空前. 紀元前. 馬前. 面前. 目前. 門前. 事前. 產前. 牀前. 生前. 承前. 食前. 眼前. 御前. 靈前. 午前. 以前. 戰前. 庭前. 尊前.

從前. 直前. 最前. 風前. 向前.

8
⑩ **[契]** 갈 [入]黠 古黠切 guā

[字解] ①깎을 갈 긁어냄. '齘—, 刮也'《說文》. ②줄그을 갈 단단한 것을 긁어서 칼집을 냄. '一曰, —, 畫堅也'《說文》.
[字源] 形聲. 㓞+夫〔音〕

8
⑩ **[剴]** 뇌 [上]晧 奴晧切 nǎo

[字解] 머릿골 뇌 두뇌(頭腦). '—, 與腦同'《字彙》. '夫角之本, 蹙於—而休於氣'《周禮》.

8
⑩ **[剏]** 〔창〕
刱(刀部 六畫〈p. 251〉)의 俗字

8
⑩ **[剔]** [人名] [一] 척 [入]錫 他歷切 tī
[二] 체 [去]霽 他計切 tì

[字解] [一] ①뼈바를 척 살을 가르고 뼈를 발라냄. '屠—'. '刳—孕婦'《書經》. ②벨 척, 깎을 척 초목 따위를 벰. '攘之—之'《詩經》. ③버릴 척 제거함. '—除'. '疏巖—藪'《唐書》. ※'척' 음은 인명자로 쓰임. [二] 깎을 체 剃(刀部 七畫)와 同字. '婦人皆翦—, 以著假髻'《北史》.
[字源] 篆文 形聲. 刂(刀)+易〔音〕. '易역'은 '바뀌다', 또 '판판하다'의 뜻. 칼로 원형과 다른 모양으로 바꾸다, 얇고 판판하게 깎다의 뜻을 나타냄.

[剔去 척거] 제거함.
[剔抉 척결] 긁어냄. 후벼 냄. 전(轉)하여, 어진 사람을 구해 내어 등용(登用)함.
[剔翦 척전] 자름. 끊음.
[剔除 척제] 버림. 제거함.
[剔出 척출] 후벼 냄.
◉抉剔. 刳剔. 糾剔. 桃剔. 屠剔. 撥剔. 旁剔. 疏剔. 搜剔. 攘剔. 力剔. 湔剔. 翦剔. 爬剔. 割剔.

8
⑩ **[剕]** 비 [去]未 扶沸切 fèi

[字解] 발벨 비 슬개골(膝蓋骨), 곧 종지뼈를 끊어 냄. 또, 그 형벌. 고대의 오형(五刑)의 하나임. '—辟'. '—罰之屬五百'《書經》.
[字源] 形聲. 刂(刀)+非〔音〕. '非비'는 '열다'의 뜻. 칼로 발을 잘라 발리다의 뜻을 나타냄.

[剕罰 비벌] 종지뼈를 끊어 베는 형벌(刑罰).
[剕辟 비벽] 비벌(剕罰).

8
⑩ **[剖]** [人名] 부 [上]有 普后切 pōu

[字解] ①가를 부 ㉠쪼갬. 빠갬. '—割'. '—符封功臣'《史記》. ㉡시비를 가름. 판단함. 재결함. '—決'. '裁—精明'《唐書》. ②갈라질 부 ㉠쪼개짐. '比干—'《莊子》. ㉡나뉨. 분할됨. '天地—判以來'《史記》.
[字源] 篆文 形聲. 篆文은 刂(刀)+杏(音)〔音〕. '杏부'는 지금은 '音'로 쓰지만, '北북'과 통하여, 하나의 것이 둘로 갈라지다의 뜻. 칼로 떼다, 가르다의 뜻을 나타냄.

[剖決 부결] 옳고 그름을 갈라 결정함. 판단함.
[剖棺斬屍 부관참시] 죽은 후에 큰 죄가 드러났을 때 관을 쪼개고 목을 베어 극형(極刑)을 추시(追施)하는 일.
[剖斷 부단] 부결(剖決).
[剖腹藏珠 부복장주] 배를 가르고 구슬을 감춤. 곧, 재물(財物)을 지나치게 사랑하여 몸을 해침의 비유.
[剖符 부부] 제후(諸侯)를 봉(封)함. 옛날에 천자(天子)가 제후를 봉할 때 부절(符節)을 양분하여 반쪽은 제후한테 주고 반쪽은 보관(保管)하였다가, 후일(後日)의 신표(信標)로 삼았음.
[剖分 부분] 갈라짐. 나뉨. 또, 나눔. 가름.
[剖析 부석] 쪼개어 나눔. 전(轉)하여, 해결함. 부결(剖決).
[剖晰 부석] 분명히 가려 냄. 명백히 해결함.
[剖釋 부석] 나누어 풂.
[剖心 부심] 마음을 드러내 보임. 진심을 보임.
[剖裂 부열] 쪼갬. 분할(分割)함.
[剖截 부절] 쪼개어 끊음.
[剖破 부파] 쪼개어 부숨. 또, 쪼개져 부서짐.
[剖判 부판] 가름. 나눔. 또, 갈라짐. 나뉨.
[剖割 부할] 가름. 나눔. 또, 갈라짐. 나뉨.
◉瓜剖. 刀剖. 豆剖. 不剖. 良工剖. 裁剖. 坼剖. 啄剖. 評剖. 解剖.

8
⑩ **[剗]** [一] 잔 [上]潸 初限切 chǎn
(②찬[本]) [去]諫 初諫切 chàn
[二] 전 [上]銑 側展切 zhǎn

[字解] [一] ①깎을 잔 깎아 냄. '—削'. '—而類, 破我家'《戰國策》. ②다스릴 잔 '活計以鋤—'《韓愈》. [二] 벨 전 베어 없앰. 제거함. '—除'. '王師本不戰, 賊壘何足—'《蘇軾》.
[字源] 形聲. 刂(刀)+戔〔音〕. '戔전'은 잘고 얇게 하다의 뜻. 칼로 얇게 하다, 깎다의 뜻을 나타냄.

[剗削 잔삭] 깎아 냄.
[剗地 잔지] 눈앞에. 목전(目前)에.
[剗除 전제] 베어 없앰.
◉大剗. 裁剗. 除剗. 革剗.

8
⑩ **[剚]** 사 [去]寘 側吏切 zì

[字解] 칼꽂을 사 칼 같은 것을 찔러 꽂음. 倳(人部 八畫)와 同字. '敢—刃公之腹中'《史記》.
[字源] 形聲. 刂(刀)+事〔音〕. '事사'는 '세우다'의 뜻. 칼을 땅에 꽂아 세우다의 뜻을 나타냄.

8
⑩ **[剛]** [高人] 강 [平]陽 古郎切 gāng 刚

[筆順] 冂 冂 円 冈 岡 岡 剛 剛

[字解] ①굳셀 강 ㉠지조가 굳음. 주의·절조(節操)를 변하지 아니함. '—直'. '—毅'. '吾未見—者'《論語》. ㉡힘이 셈. 약하지 아니함. '—健'. '及其壯也, 血氣方—'《論語》. ②억셀 강 연하지 아니함. '—柔'. '柔則茹之, —則吐之'《詩經》. ③강일 강 십간(十干) 중의 갑(甲)·병(丙)·무(戊)·경(庚)·임(壬)에 해당하는 날. 기수(奇數)의 날. 유일(柔日)의 대(對). '外事以—日'《禮記》. ④바야흐로 강 속어(俗語)로서 시(詩)에 쓰이는데, 方(部首)과 같은 뜻임. '—爲

浮名事事乖'《皮日休》. ⑤성 강 성(姓)의 하나.
字源 甲骨文 金文 篆文 形聲. 刂(刀)+岡〔音〕. '岡강'은 '強강'과 통하여, '강하다'의 뜻. '강한 칼'의 뜻에서, '굳세다'의 뜻을 나타냄.

[剛強 강강] 셈. 굳셈. 강함.
[剛介 강개] 강직하여 절개를 굳게 지킴.
[剛健 강건] ㉠셈. 굳셈. ㉡격조(格調)가 웅장(雄壯)하고 어세(語勢)가 강함. 기품(氣品)이 장대(壯大)하고 필력(筆力)이 강함.
[剛蹇 강건] 강직하여 남에게 굴복하지 아니함.
[剛謇 강건] 강직하여 꺼리지 아니함.
[剛決 강결] 마음이 굳세고 결단성(決斷性)이 있음. 강과(剛果).
[剛耿 강경] 굳세고 큼. 웅경(雄耿).
[剛梗 강경] 성질이 굳셈.
[剛穀樹 강곡수] 파천극(巴天戟), 곧 '종(柊)'의 별칭(別稱).
[剛果 강과] 굳세고 과단성이 있음.
[剛克 강극] 지조가 굳어 사욕을 이지(理智)로써 눌러 이김.
[剛急 강급] 굳세고 과격함.
[剛氣 강기] 굳센 기상(氣象).
[剛斷 강단] 과단성 있게 결단함.
[剛膽 강담] 담이 큼. 대담함.
[剛戾 강려] 성품이 고집 세고 비꼬임.
[剛戾自用 강려자용] 성품이 고집 세고 비꼬여 남의 말을 듣지 않고 자기 마음대로 함.
[剛棱 강릉] 성품이 거세어 언행이 모짊.
[剛猛 강맹] 굳세고 사나움.
[剛明 강명] 강직(剛直)하고 명민(明敏)함.
[剛卯 강묘] 한대(漢代)에 사기(邪氣)를 물리치기 위하여 차던 물건.
[剛武 강무] 굳세고 씩씩함.
[剛敏 강민] 굳세고 민첩함.
[剛卞 강변] 굳세고 성급함.
[剛性 강성] 물질의 단단한 성질.
[剛實 강실] 굳세고 성실함.
[剛嚴 강엄] 굳세고 엄함.
[剛穎 강영] 굳세고 뛰어남.
[剛銳 강예] 굳세고 예민함.
[剛頑 강완] 굳세고 완고함.
[剛勇 강용] 굳세고 용감함.
[剛優 강우] 용기가 많음.
[剛柔 강유] ㉠억셈과 연함. ㉡굳셈과 부드러움.
[剛柔兼全 강유겸전] 강(剛)과 유(柔)를 다 갖춤. 성품이 부드러우면서도 단단함.
[剛毅 강의] 강직(剛直)하여 굴(屈)하지 아니함.
[剛忍 강인] 억세어 인정이 없음.
[剛者 강자] 강직한 사람.
[剛腸 강장] 강직(剛直)한 마음의 비유.
[剛正 강정] 강직(剛直).
[剛躁 강조] 굳세고 성급함.
[剛直 강직] 마음이 굳세고 곧음.
[剛捷 강첩] 굳세고 민첩함.
[剛鏃 강촉] 날카로운 화살촉. 이촉(利鏃).
[剛愎 강퍅] 성미가 까다롭고 고집(固執)이 셈. 강려(剛戾).
[剛褊 강편] 강직하고 편협함.
[剛暴 강포] 굳세고 사나움.
[剛剽 강표] ㉠세고 날램. ㉡굳세고 사나움.
[剛悍 강한] 굳세고 사나움.
[剛灰 강회] 생석회(生石灰).
◉乾剛. 堅剛. 金剛. 內剛. 內柔外剛. 柔能制剛. 貞剛. 至剛. 至大至剛. 太剛.

8 ⑩ [剜] 완 ㊥寒 一丸切 wān

字解 깎을 완 깎아 냄. '有洞若神一'《韓愈》.
字源 篆文 形聲. 刂(刀)+宛〔音〕. '宛완'은 꼬부라지다, 우묵하게 패다, 움푹 들어가다의 뜻. 칼로 둥글게 도려내다의 뜻을 나타냄.

[剜肉作瘡 완육작창] 일부러 살을 깎아 부스럼을 만듦. 곧, 도(道)를 탐구(探求)하여 도리어 미혹(迷惑)이 생김의 비유.

8 ⑩ [剝] 人名 박 ㊀覺 北角切 bō, bāo

字解 ①벗길 박 ㉠껍질을 벗김. '一陰木'《周禮》. ㉡옷을 벗김. 옷을 빼앗음. '裸一士女'《晉書》. ㉢짐승을 죽여 껍질을 벗기고 살을 바름. 육체를 해부함. '或一或亨'《詩經》. ㉣드러냄. 노출시킴. '喪不一奠也與'《禮記》. ②벗겨질 박 ㉠벗김을 당함. '苔蘚一落'《李邕》. ㉡떨어짐. 탈락(脫落)함. '風吹紙一'《南史》. ③떨어뜨릴 박 탈락하게 함. '一牀以足'《易經》. ④깎을 박 깎아 냄. '不一脫, 不礪砥'《荀子》. ⑤다칠 박, 상할 박 '一喪元良'《書經》. ⑥찢을 박 잡아당기어 가름. '思怫鬱兮肝切一'《王逸》. ⑦두드릴 박 두드려 떨어뜨림. '八月一棗'《詩經》. ⑧박괘 박 육십사괘(六十四卦)의 하나. 곧, ䷖〈곤하(坤下), 간상(艮上)〉으로서, 소인(小人)은 장(壯)하고 군자(君子)는 앓는 상(象). '一不利有攸往'《易經》.
字源 篆文 形聲. 刂(刀)+彔〔音〕. '彔박'은 '썰다'의 뜻. 칼로 째다, 벗기다의 뜻을 나타냄.

[剝缺 박결] 벗겨지고 이지러짐.
[剝落 박락] 벗겨져 떨어짐.
[剝面皮 박면피] 낯가죽을 벗김. 낯가죽이 두꺼운 자를 욕(辱)보임.
[剝民 박민] 가렴주구(苛斂誅求)하여 백성을 괴롭힘.
[剝剝 박박] 찾아온 사람이 문을 두드리는 소리.
[剝放 박방] 벗기어 뗌. 또, 벗겨져 떨어짐.
[剝復 박복] 박괘(剝卦)와 복괘(復卦). 전(轉)하여, 치란 흥쇠(治亂興衰)의 기운(機運).
[剝削 박삭] 벗기고 깎음. 또, 벗기어 빼앗음.
[剝喪 박상] 벗겨져 없어짐.
[剝齧 박설] 거죽을 벗기어 먹음.
[剝蝕 박식] 벗겨지고 침식됨.
[剝刺 박자] 옷을 벗기고 몸을 찌름.
[剝製 박제] 새·짐승의 가죽을 벗기고 속에 솜을 메워 표본을 만드는 일. 또, 그 물건.
[剝抄 박초] ㉠나누어서 베낌. ㉡벗기어 빼앗음.
[剝啄 박탁] ㉠손이 찾아와서 문을 두드리는 소리. ㉡바둑을 두는 소리.
[剝脫 박탈] ㉠벗김. ㉡벗겨짐.
[剝奪 박탈] 벗겨 빼앗음. 탈취함.
[剝剽 박표] 위협하여 빼앗음.
[剝皮 박피] 껍질을 벗김.
[剝割 박할] ㉠가죽을 벗기고 살을 베어 냄. ㉡백성의 재물(財物)을 결태질함.

◉刻剝. 刊剝. 蹇剝. 倮剝. 鉤剝. 落剝. 屯剝. 否剝. 圮剝. 生剝. 切剝. 摧剝. 黜剝. 呑剝. 頹剝. 貶剝. 剽剝. 解剝.

8 ⑩ [剞] 기 [上]紙 居綺切 [平]支 居宜切 jī

[字解] 새김칼 기 조각하는 칼. 각도(刻刀). '握一劂而不用兮'《楚辭》.

[字源] 篆文 形聲. 刂(刀)+奇〔音〕. '奇기'는 '구부러지다'의 뜻. 조각할 때 쓰는 구부러진 칼의 뜻을 나타냄.

[剞劂 기궐] 조각하는 칼. 새김칼.
[剞劂氏 기궐씨] 조각하는 사람. 조각사(彫刻師).

8 ⑩ [剟] 철 [入]屑 陟劣切 [入]曷 丁括切 duō

[字解] ①깎을 철 깎아 냄. 삭제함. '有敢一定法令者死'《商子》. ②벨 철 끊어서 자름. '一寢戶之簾'《漢書》. ③찌를 철 찔러 상처를 냄. '吏治榜笞數十刺一, 身無可擊者'《史記》.

[字源] 篆文 形聲. 刂(刀)+叕〔音〕. '叕철'은 '絕절'과 통하여, 끊어서 자르다의 뜻. 칼로 끊어 베다의 뜻을 나타냄.

[剟刺 철자] 깎고 찌르고 함. 상처(傷處)를 냄.
[剟定 철정] 쓸데없는 곳을 삭제하여 바르게 정함. 정정(訂正)함.
◉刊剟. 削剟. 刺剟.

8 ⑩ [剡] [人名] [一] 염 [上]琰 以冉切 yǎn [二] 섬 [上]琰 時染切 shàn

[字解] [一] ①날카로울 염 예리(銳利)함. 예민함. '一手以衝仇人之胷'《漢書》. ②깎을 염 깎아 냄. '一削'. '刻一'. '一木爲矢'《易經》. ③벨 염 끊어서 자름. '一其脛'《荀子》. ④번적번적할 염 빛이 번적번적하는 모양. '皇一一其揚靈兮'《離騷》. ⑤성 염 성(姓)의 하나. ※'염' 음은 인명자로 쓰임. [二] 땅이름 섬 진한(秦漢) 때 회계군(會稽郡)에 속한 한 현(縣). 지금의 저장 성(浙江省) 승현(嵊縣).

[字源] 篆文 形聲. 刂(刀)+炎〔音〕. '炎염·담'은 '淡담'과 통하여 '희미하다, 연하다'의 뜻. 희미하게 빛나는 칼, 날카롭다의 뜻을 나타냄.

[剡縣 섬현] 자해(字解)[二]를 보라.
[剡削 염삭] 깎아 냄.
[剡手 염수] 민첩한 솜씨.
[剡然 염연] 편안하지 아니한 모양.
[剡剡 염염] ㉠빛나는 모양. 광채를 발하는 모양. ㉡몸을 일으키는 모양. 일어나는 모양.
◉刻剡. 剚剡. 磨剡. 翠剡.

8 ⑩ [剕] 비 [平]齊 匹迷切 pī

[字解] 깎을 비 깎아 냄. '一斫'.

[剕斫 비작] 깎음.

8 ⑩ [剘] 과 [上]哿 古火切 guǒ

[字解] 쪼갤 과 가름. '劉寬夫有一竹論'《唐文粹》.

8 ⑩ [剠] 〔경〕 黥(黑部 八畫〈p. 2707〉)과 同字

[字源] 形聲. 刂(刀)+京〔音〕

8 ⑩ [剒] 〔착〕 錯(金部 八畫〈p. 2402〉)과 同字

8 ⑩ [剾] 〔궐〕 劂(刀部 十二畫〈p. 266〉)과 同字

[字源] 篆文 形聲. 刂(刀)+屈〔音〕. '屈굴'은 '구부러지다'의 뜻. 세공(細工)에 쓰는 구부러진 칼의 뜻을 나타냄.

8 ⑩ [剤] 〔제·자〕 劑(刀部 十四畫〈p. 270〉)의 略字

8 ⑩ [剣] 〔검〕 劍(刀部 十三畫〈p. 270〉)의 略字

8 ⑩ [剬] 〔단〕 斷(斤部 十四畫〈p. 956〉)의 古字

8 ⑩ [剧] 〔극〕 劇(刀部 十三畫〈p. 267〉)의 簡體字

9 ⑪ [剱] 〔검〕 劒(刀部 十三畫〈p. 270〉)의 俗字

9 ⑪ [剪] [人名] 전 [上]銑 卽淺切 jiǎn

[字解] ①가위 전 옷감·종이 등을 베는 연장. '一刀'. ②벨 전 ㉠가위로 자름. '勿一勿伐'《詩經》. ㉡베어 버림. '草萊不一'《南史》. ㉢가지런히 자름. '茅茨不一, 采椽不斲'《韓非子》.

[字源] 形聲. 刀+前〔音〕. '前전'은 가지런히 자르다의 뜻. '前'이 앞의 뜻으로 쓰이게 되자, '刀도'를 더하여 '베다'의 뜻을 나타냄.

[剪斷 전단] 베어 끊음. 절단함.
[剪刀 전도] 가위. 전도(翦刀).
[剪屠 전도] 잡아 죽임.
[剪刀草 전도초] 백합과에 속하는 숙근초(宿根草). 마늘쪽 같은 인경(鱗莖)은 고아서 먹음. 무릇.
[剪滅 전멸] 모두 베어 없앰.
[剪伐 전벌] ㉠나무를 자름. ㉡쳐부숨.
[剪闢 전벽] 초목을 베어 개간함.
[剪夷 전이] 쳐 평정함. 토평(討平)함.
[剪裁 전재] ㉠자름. 끊음. 전(轉)하여, 옷감을 마름질함. ㉡꽃이 아름다운 모양.
[剪剪 전전] ㉠마음이 천박(淺薄)한 모양. ㉡바람이 솔솔 부는 모양.
[剪截 전절] 베어 끊음. 절단함.
[剪定 전정] 베어 평정함.
[剪除 전제] 베어 버림.
[剪綵 전채] ㉠채단(綵緞)을 말라 옷을 만듦. ㉡조화(造花).
[剪取 전취] 베어 가짐.
◉開剪. 闢剪. 剋剪. 禽剪. 刪剪. 碎剪. 夷剪. 除剪. 誅剪. 剔剪. 梟剪.

9 ⑪ [剫] [一] 탁 [入]藥 徒落切 duó [二] 도 [上]麌 動五切 dù

[字解] [一] ①쪼갤 탁 '一, 判也'《說文》. ②다듬을

탁 나무를 깎아 다듬음. 건목 침. '一, 治木也'《玉篇》. [二] 닫을 도, 덮을 도 斁(攴部 九畫)와 同字.

[字源] 篆文 形聲. 刂(刀)＋度〔音〕. '度탁'은 '길이를 재다'의 뜻. 나무 따위를 재어 잘라 나누다의 뜻을 나타냄.

9 ⑪ [剭] 옥 [入]屋 烏谷切 wū

[字解] 목벨 옥 목을 잘라 죽임. '底一鼎臣'《漢書》.

[字源] 形聲. 刂(刀)＋屋〔音〕. '屋옥'은 '방'의 뜻. 지체 높은 사람을 집 안에 가두어 사형에 처하다의 뜻을 나타냄.

9 ⑪ [副] [高·人] [一] 부 [去]有 敷救切 fù
[二] 복 [入]職 芳逼切 pì

[筆順] 一 ㄇ 冃 冐 畐 畐 副 副

[字解] [一] ①버금 부 ㉠다음. 둘째. 예비. 정(正)의 대(對). '正一'. '次一'. '一將'. '誤中一車'《史記》. ㉡보좌. '一貳'. '一職'. '爲將軍一'《漢書》. ②도울 부 보좌함. '參一朝右職'《晉書》. ③맞을 부 적합함. '修短相一'《蔡邕》. '盛名之下, 其實難一'《漢書》. ④머리꾸미개 부 머리를 땋아 만든 부인(婦人)의 수식(首飾). '一笄六珈'《詩經》. ⑤성 부 성(姓)의 하나. [二] 쪼갤 복 빼갬. '爲天子削瓜者一之'《禮記》.

[字源] 篆文 形聲. 刂(刀)＋畐〔音〕. '畐복'은 '北북'과 통하여, 하나가 둘로 갈라지다의 뜻. 칼로 베어 쪼개다의 뜻을 나타냄. 또, 거성(去聲)일 때, 나눈 것을 합치다, 따라붙다, 부차적인 것의 뜻을 나타냄.

[副介 부개] 부관(副官). 보좌역.
[副車 부거] 바꾸어 타기 위하여 여벌로 따라가는 수레.
[副件 부건] 여벌.
[副笄 부계] 옛날 귀부인(貴夫人)의 머리꾸미개.
[副啓 부계] 서간(書簡)의 첨서(添書)의 첫머리에 쓰는 말. 추백(追白).
[副官 부관] 장관(長官) 밑에서 군사상의 서무(庶務)를 맡는 무관(武官).
[副君 부군] 임금의 상속자. 태자(太子).
[副輦 부련]《韓》거동(擧動) 때 임금이 타는 연(輦) 앞에 먼저 가는 빈 연(輦). 공련(空輦).
[副馬 부마] 예비로 두는 여벌의 말.
[副墨 부묵] 문자(文字)를 이름.
[副本 부본] 원본(原本)의 버금으로 비치하여 두는 원본과 꼭 같은 서류.
[副使 부사] 정사(正使)를 보좌하는 버금 사신(使臣).
[副詞 부사] 동사·형용사 또는 다른 부사 위에 붙어서 그 뜻을 수식(修飾)하는 품사(品詞).
[副産物 부산물] 주산물(主産物)을 만드는 데 따라서 생기는 물건.
[副賞 부상] 상장(賞狀) 이외에 덧붙여 주는 상품.
[副書 부서] 부본(副本).
[副署 부서] 법령 또는 조약 같은 것을 새로 제정할 때 원수(元首)의 이름을 서명한 다음에 국무 위원이 하는 서명(署名).
[副成分 부성분] 주성분 이외의 성분.
[副乘 부승] 바꾸어 타기 위하여 여벌로 두는 수레, 또는 말.
[副食物 부식물] 주(主)되는 음식(飮食)에 껴서 먹는 음식(飮食). 밥에 대한 반찬 따위.
[副室 부실] 작은집. 첩(妾).
[副業 부업] 본업(本業) 밖에 갖는 직업. 여업(餘業).
[副元帥 부원수] 원수(元帥)의 버금으로 원수를 보좌하는 직(職).
[副貳 부이] 보좌역. 또, 보좌를 함.
[副作用 부작용] 약(藥)이 목적으로 하는 본래의 작용 이외에 부수(副隨)하여 일어나는 작용.
[副將 부장] 주장(主將)을 보좌하는 버금 장수. 비장(裨將).
[副主 부주] 황태자(皇太子).
[副職 부직] 보좌의 관직.
[副車 부차] 부거(副車). 속차(屬車).
[副妾 부첩] 첩. 소실.
◉兼副. 國副. 軍副. 寫副. 盛名之下其實難副. 厭副. 嬴副. 儲副. 正副. 次副. 冢副.

9 ⑪ [契] 결 [入]屑 詰結切 qiè

[字解] 새길 결 조각함. '一而舍之, 朽木不知'《晉書》.

9 ⑪ [剬] 단 [平]寒 多官切 duān
[上]銑 旨兗切 tuán

[字解] ①끊을 단 '一, 斷也'《廣雅》. ②가지런히 자를 단 '一, 剸齊也'《集韻》. ③가늘게 썰 단 '一, 同剸, 細割也'《一切經音義》. ④단정할 단 얌전하고 바름. '藺相如一而不傷'《揚子法言》. ⑤마련할 단 제재(制裁)함. '依鬼神以一義'《史記》. ⑥어거할 단 제어함. '人君揄策廟堂一有司'《淮南子》.

[字源] 篆文 形聲. 刂(刀)＋耑〔音〕. '耑단'은 '떨어뜨리다'의 뜻. 칼을 위에서 떨어뜨리듯이 하여 베다의 뜻.

9 ⑪ [咢] 악 [入]藥 五各切 è

[字解] 날 악 도검(刀劍)의 날. '及加之砥礪, 摩其鋒一'《淮南子》.

[字源] 形聲. 刂(刀)＋咢〔音〕

9 ⑪ [剨] 괵 [入]陌 呼麥切 huò

[字解] 자끈할 괵 물건이 부서지는 소리.

9 ⑪ [冎] 과 [上]馬 古瓦切 guǎ

[字解] 살바를 과 뼈에 붙은 살을 발라냄.

[字源] 形聲. 刂(刀)＋咼〔音〕

9 ⑪ [剛] 〔강〕
剛(刀部 八畫〈p.260〉)의 本字

9 ⑪ [剎] 〔찰〕
刹(刀部 七畫〈p.256〉)과 同字

9 ⑪ [剩] 〔잉〕
剩(刀部 十畫〈p.264〉)의 略字

10 ⑫ [劵] 〔권〕
券(刀部 六畫〈p.252〉)의 本字

10 ⑫ **[剩]** [人名] 잉 [去]徑 實證切 shèng 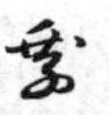

[筆順] 二 千 千 千 乖 乖 乘 剩

[字解] ①남을 잉, 나머지 잉 어떤 한도 밖에 더 있음. 또, 그것. '一餘'. '一員'. '掠一增釜區'《范成大》. ②길 잉 쓸데없이 긺. '一語'. '雨一風殘忽春暮'《楊萬里》. ③더구나 잉 더군다나. 게다가. 그 위에. '尋經一欲翻'《高適》.

[字源] 形聲. 刂(刀)+乘〔音〕. '乘승'은 '올리다'의 뜻. '刀도'는 '利리'의 뜻이 가미되어 있음. 이익이 오르다, 남다의 뜻을 나타냄.

[剩過 잉과] 일정한 양을 초과함. 너무 많음. 과잉(過剩).
[剩金 잉금] 남은 돈. 잉여금(剩餘金).
[剩利 잉리] 남은 이익. 벌이.
[剩數 잉수] 남은 수(數).
[剩哀 잉애] 일이 지나간 뒤에도 아직 남아 있는 슬픔. 여애(餘哀).
[剩額 잉액] 남은 액수.
[剩語 잉어] 쓸데없는 말. 군소리.
[剩餘 잉여] 나머지. 잔여(殘餘).
[剩員 잉원] 남아도는 인원. 쓸데없는 군인원. 용원(宂員).
[剩錢 잉전] 거스름돈.
◉過剩. 餘剩. 足剩.

10 ⑫ **[㓹]** [一] 예 [去]霽 兪芮切 ruì [二] 계 [去]霽 去例切 jì

[字解] [一] 날카로울 예 銳(金部 七畫〈p. 2392〉)의 籀文. [二] 다칠 계 조금 다치게 함. '一, 小傷也'《集韻》.

10 ⑫ **[㓺]** 건 ①②[平]元 居言切 jiān ③[平]先 渠焉切 qián

[字解] ①불깔 건 칼로 소의 불알을 도려내어 거세(去勢)함. '一, 以刀去牛勢'《廣韻》. ②엘 건 도려냄. '一, 刖也'《集韻》. ③깎을 건 '一, 削也'《集韻》.

10 ⑫ **[割]** [高人] 할 [入]曷 古達切 gē 

[筆順] ' 宀 宀 宇 宝 害 害 割

[字解] ①가를 할 ㉠칼로 베어 끊음. 절단함. '一烹'. '一雞焉用牛刀'《論語》. ㉡나눔. 구분함. '分一'. '陰陽一昏曉'《杜甫》. ㉢나누어 줌. 분양(分讓)함. '必一地以交於王矣'《戰國策》. ②빼앗을 할 성이나 땅을 점령함. '一耕'. '率一夏邑'《書經》. '王可以一地'《戰國策》. ③해칠 할 손해를 끼침. '洪水方一'《書經》. ④재앙 할 재해(災害). '天降一於我家'《書經》. ⑤《日》 할 할 십분의 일. 십등분하여 그 몇을 나타내는 말. '三一'.

[字源] 金文  篆文 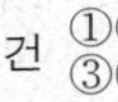 形聲. 刂(刀)+害〔音〕. '害할'은 '끊다'의 뜻. '刀도'를 더하여, '끊다, 가르다'의 뜻을 나타냄.

[割據 할거] 한 지방을 점령하여 웅거(雄據)함.
[割耕 할경] 인접(隣接)한 남의 논밭을 침범(侵犯)하여 경작(耕作)함.
[割雞焉用牛刀 할계언용우도] 닭을 잡는 데 소 잡는 칼을 쓸 것까지는 없음. 작은 일을 처리(處理)하는 데 큰 인물(人物)이 필요치 않다는 비유(比喩).
[割股啖腹 할고담복] 허벅다리의 살을 베어서 배에 먹임. 마침내 자기의 손실(損失)이 된다는 뜻.
[割斷 할단] 베어서 끊음. 절단함.
[割禮 할례] 유대교에서 남자가 난 지 여드레 만에 자지 끝의 피부를 조금 베어 버리는 예식.
[割名 할명] 명예를 훼손함.
[割剝 할박] ㉠가죽을 벗기고 살을 베어 냄. ㉡백성의 재물(財物)을 걸태질함.
[割剝之政 할박지정] 가렴주구(苛斂誅求)하는 나쁜 정사(政事).
[割半 할반] 반을 벰.
[割半之痛 할반지통] 형제자매(兄弟姉妹)가 죽어 느끼는 슬픔.
[割譜 할보] 《韓》 족보(族譜)에서 성명을 도려내어 친족의 관계를 끊음.
[割腹 할복] 배를 가름.
[割封 할봉] 《韓》 시관(試官)이 과거(科擧) 답안지의 봉미(封彌)를 뜯음.
[割符 할부] 부신(符信)을 갈라 증거로 삼음.
[割席 할석] 자리를 같이하지 아니함. 절교(絶交)함.
[割席分坐 할석분좌] 절교(絶交)하고 같은 자리에 앉지 아니함.
[割授 할수] 나누어 줌.
[割愛 할애] 마음으로는 아깝지만 나누어 줌.
[割讓 할양] 나누어 줌.
[割與 할여] 분할하여 떼어 줌. 나누어 줌.
[割肉去皮 할육거피] 짐승을 잡아 살을 베고 가죽을 벗김.
[割肉充腹 할육충복] 자기 살을 베어 배를 채운다는 뜻으로, 혈족(血族)의 재물을 빼앗아 먹음을 이름.
[割恩斷愛 할은단애] 할은단정(割恩斷情).
[割恩斷情 할은단정] 애틋한 은정(恩情)을 끊음.
[割移 할이] 갈라 옮김.
[割印 할인] 한 개의 도장을 두 장의 서류에 걸쳐서 찍음. 또, 그 도장.
[割截 할절] 끊음. 절단함.
[割取 할취] 남의 소유물의 한 부분을 빼앗아 가짐.
[割烹 할팽] 고기를 베어 삶음. 요리(料理)함. 또, 그 요리.
◉剖割. 斷割. 屠割. 分割. 鉛刀一割. 宰割. 裁割. 切割. 中割. 烹割.

10 ⑫ **[劄]** 답 [入]合 德合切 dá, zhá 

[字解] ①갈고리 답. ②낫 답 풀을 베는 연장.

[字源] 形聲. 刂(刀)+荅〔音〕

[參考] 箚(竹部 八畫)의 俗字로서, '劄記'로 쓰임.

[劄記 답기·차기] 차기(箚記).

10 ⑫ **[剴]** 개 [平]灰 古哀切 kǎi

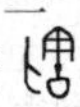

[字解] ①낫 개 풀을 베는 큰 낫. ②간절할 개 아주 적절함. '無不一切當帝心者'《唐書》.

[字源] 篆文  形聲. 刂(刀)+豈〔音〕. '豈개'는 '開개'와 통하여 '열다'의 뜻. 칼로 베어

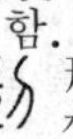

열다의 뜻을 나타냄.

[剴備 개비] 빠짐없이 갖춤.
[剴切 개절] 아주 적절(適切)함.

10 ⑫ [⿰罡刂] 강 (平)陽 古郎切 gāng

字解 굳셀 강 剛(刀部 八畫)과 同字. '一風旋如塊'《錢謙益》.

10 ⑫ [創] [高入] 창 (平)陽 初良切 chuāng (去)漾 初亮切 chuàng 创

筆順 𠆢 亼 合 倉 倉 倉 倉 創 創

字解 ①다칠 창 칼 따위의 연장에 다침. '漢家箭神, 中一者必有異'《後漢書》. ②상처 창 연장에 다친 데. '一傷'. '一痍未瘳'《漢書》. '身被七十一'《漢書》. ③부스럼 창 瘡(疒部 十畫)과 통용. '頭有一則沐'《禮記》. ④비롯할 창 시작함. 개시함. '一始'. '開一'. '一業垂統'《孟子》. ⑤징계할 창 한번 혼이 나서 조심함. '予一若時'《書經》. ⑥슬퍼할 창 상심함. 가슴 아파함. '人民一艾戰鬪'《漢書》.

字源 金文 篆文 別體 金文은 象形으로, 칼이 피부에 꽂힌 모양을 본떠, '다치다'의 뜻을 나타냄. 지금은 '刅창'으로 씀. '創창'은 '刅'의 별체(別體)로, 刂(刀)+倉〔音〕의 形聲임. 음부(音符)인 '倉창'은 '다치다'의 뜻. '創'은 파생되어 '비롯하다'의 뜻도 나타냄.

[創刊 창간] 신문·잡지·교지(校誌) 등의 정기 간행물을 처음으로 간행함. 발간(發刊).
[創開 창개] 처음으로 개설(開設)함.
[創建 창건] 창립(創立).
[創見 창견] ㉠독창(獨創)의 의견. ㉡처음으로 한 발견.
[創口 창구] 연장에 다친 상처의 구멍.
[創毒 창독] 상처를 입혀 해침.
[創立 창립] 처음으로 세움. 처음으로 이룩함. 창건(創建). 창설(創設).
[創傷 창상] 연장에 다친 상처(傷處).
[創設 창설] 처음으로 베풂. 창립(創立). 신설(新設).
[創成 창성] 창립(創立).
[創世 창세] 처음으로 세계를 만듦.
[創世記 창세기] 구약 성서(舊約聖書)의 첫 권. 천지개벽(天地開闢)과 만물을 창조(創造)한 전설의 기록.
[創始 창시] 일을 비롯함.
[創乂 창애] 혼이 나서 경계함.
[創艾 창애] 창애(創乂).
[創業 창업] ㉠나라를 처음으로 세움. ㉡사업을 일으킴.
[創業守文 창업수문] 창업(創業)은 처음으로 국기(國基)를 세움, 수문(守文)은 그 이룩된 것을 지켜 길이 이를 유지(維持)함.
[創業垂統 창업수통] 제왕(帝王)의 기업(基業)을 세워 자손에게 이어 줌.
[創意 창의] 새로 생각해 낸 의견. 새로운 착상(着想).
[創夷 창이] 창이(創痍).
[創痍 창이] 연장에 다친 상처.
[創痍未瘳 창이미추] 상처가 아직 아물지 아니함. 전란의 여독(餘毒)이 아직도 남아 있거나, 받은 타격을 완전히 회복하지 못함을 이름.
[創作 창작] ㉠처음으로 생각해 내어 만듦. ㉡자기의 창의(創意)에 의하여 지은 문예(文藝) 작품.
[創定 창정] 시작하여 정함. 또, 시작되어 정하여 짐.
[創制 창제] ㉠창건(創建)하여 다스림. ㉡제도(制度)를 만듦.
[創製 창제] 창조(創造).
[創造 창조] 처음으로 만듦.
[創草 창초] 사물의 시작. 초창(草創).
[創置 창치] 창설하여 둠.
[創統 창통] 사업의 토대를 이룩함. 창업(創業).
◉金創. 刀創. 獨創. 瘢創. 傷創. 始創. 刃創. 重創. 初創. 草創. 銃創.

10 ⑫ [⿰𧯛刂] 〔착〕
斲(斤部 十畫〈p.956〉)과 同字

11 ⑬ [劋] 〔초〕
勦(力部 十一畫〈p.282〉)와 同字

字源 形聲. 刀+巢〔音〕. '巢소'는 '小소'와 통하여 '작다'의 뜻. 칼로 작게 썰다, 끊다, 죽이다의 뜻을 나타냄.

參考 자형(字形)을 또 剿(刀部 十一畫)로도 씀.

11 ⑬ [剺] 리 (平)支 里之切 lí

字解 벗길 리, 그을 리 '花門一面請雪恥'《杜甫》.

字源 篆文 形聲. 刀+𠩺〔音〕. '𠩺리'는 결을 맞추어 가지런히 거두다의 뜻. 결을 따라 칼로 벗기다의 뜻을 나타냄.

[剺面 이면] 슬픈 나머지 칼로 얼굴을 벰.

11 ⑬ [⿰桼刂] 【一】 치 ㊤紙 初紀切 chì 【二】 철 (入)屑 親結切 【三】 칠 (入)質 初栗切

字解 【一】 ①상할 치, 다칠 치 '一, 傷也'《說文》. ②가를 치 칼로 베어 끊음. '一, 割也'《廣雅》. 【二】 상할 철, 다칠 철, 가를 철 【一】과 뜻이 같음. 【三】 가를 칠 '一, 博雅, 割也'《集韻》.

字源 形聲. 刂(刀)+桼〔音〕

11 ⑬ [剷] 산(찬(本)) ㊤潸 楚簡切 chǎn (去)諫 初諫切

字解 깎을 산 깎아 냄. '府兵內一'《杜牧》.

字源 形聲. 刂(刀)+產〔音〕

[剷刈 산예] 풀·나무 따위를 벰.
[剷薙 산치] 베어 버림.

11 ⑬ [剸] 【一】 단 (平)寒 度官切 tuán 【二】 전 (平)先 朱遄切 zhuān

字解 【一】 끊을 단 절단함. '一剡'. '其刑罪則纖一'《禮記》. 【二】 오로지 전 專(寸部 八畫)과 同字. '一行'. '一決'. '一屬任何關中事'《漢書》.

字源 篆文 形聲. 刂(刀)+專〔音〕. '專전'은 '斷단'과 통하여 '끊다'의 뜻. 칼로 절단하다의 뜻을 나타냄.

[剸剡 단염] 절단하여 깎음.
[剸決 전결] 자기 마음대로 결단함. 전결(專決). 전단(專斷).
[剸行 전행] 자기 마음대로 행함. 임의(任意)로 처결(處決)함. 전행(專行).
◉斷剸. 纖剸. 裁剸.

11 ⑬ [剽] 人名 표 ①-③去嘌 匹妙切 piào ④上篠 俾小切 biǎo

字解 ①표독할 표 사납고 독살스러움. '一悍'. '一勇'. '已患其一悍'《漢書》. ②겁박할 표 협박함. 겁탈함. '一奪'. '一掠'. '攻一爲群盜'《史記》. ③빠를 표 경첩(輕捷)함. 민첩함. '一疾'. '輕一'. '其爲獸必一'《周禮》. ④끝 표 말단. '無本一者'《莊子》.

字源 篆文 形聲. 刂(刀)+票(㶾)〔音〕. '票표'는 '暴포'와 통하여, '날뛰다, 설치다'의 뜻. 칼을 갖고 날뛰다의 뜻에서, '협박하다'의 뜻을 나타냄.

[剽刦 표겁] 협박함. 공갈함.
[剽劫 표겁] 표겁(剽刦).
[剽輕 표경] 경솔함. 경박함.
[剽攻 표공] 협박하여 침공(侵攻)함.
[剽狡 표교] 표독하고 교활함. 또, 그 사람.
[剽急 표급] 표질(剽疾).
[剽盜 표도] 표략(剽掠).
[剽掠 표략] ㉠협박(脅迫)하여 빼앗음. ㉡벗겨 훔침. 훔침. 표탈(剽奪).
[剽虜 표로] 노략질함. 눈을 속여 빼앗음.
[剽剝 표박] ㉠박해(迫害)함. 비난함. ㉡벗겨 빼앗음. 벗김. ㉢벗겨짐. 탈락(脫落)함. 박락(剝落).
[剽姚 표요] ㉠몸이 가볍고 날램. 민첩함. ㉡한(漢)나라 무관(武官)의 이름. 표요(嫖姚).
[剽勇 표용] 표독하고 용감함.
[剽賊 표적] 표절(剽竊).
[剽竊 표절] 남의 시가(詩歌)·문장(文章) 등을 훔치어 제가 지은 것처럼 발표(發表)함.
[剽疾 표질] 재빠름. 경첩(勁捷)함.
[剽楚 표초] 해치고 괴롭게 함.
[剽奪 표탈] 표략(剽掠).
[剽悍 표한] 표독하고 날램.
◉剛剽. 輕剽. 攻剽. 鹵剽. 剝剽. 浮剽. 殘剽. 推剽.

11 ⑬ [剿] 〔초〕 勦(力部 十一畫〈p. 282〉)와 同字

參考 자형(字形)을 剿(刀部 十一畫)로도 씀.

11 ⑬ [剏] 창 上養 楚兩切 chuǎng

字解 생채기날 창 피부에 상처가 남. '一, 皮傷也'《集韻》.

11 ⑬ [剼] ㊀삼 平咸 師銜切 shān ㊁초 平篠 子了切 jiǎo

字解 ㊀ 벨 삼 풀 같은 것을 벰. '一, 刈也'《集韻》. '莽封欽爲一胡子'《漢書》. ㊁ 끊을 초 절단함. 剿(刀部 十三畫)와 同字.

11 ⑬ [剻] 〔각〕 刻(刀部 六畫〈p. 254〉)의 古字

11 ⑬ [劃] 〔획〕 畫(田部 七畫〈p. 1470〉)·劃(刀部 十二畫〈p. 266〉)의 古字

12 ⑭ [劂] 궐 入月 居月切 jué

字解 ①새김칼 궐 각도(刻刀). ②새길 궐 조각함. '不劚不一'《張皓》. ③끌 궐 조각하는 데 쓰는 굽은 끌. '般倕棄其剞一兮'《漢書》.

字源 形聲. 刂(刀)+厥〔音〕. '厥궐'은 '파다'의 뜻. 조각용의 작은 칼의 뜻을 나타냄.

◉剞劂. 劘劂.

12 ⑭ [劍] 〔검〕 劍(刀部 十三畫〈p. 270〉)의 俗字

12 ⑭ [劄] 잠 上感 鋤咸切 zàn

字解 찌를 잠 뾰족한 것으로 찌름. '一, 剗也, 刺也'《玉篇》.

12 ⑭ [劃] 高人 획 入陌 呼麥切 huà

筆順 ㄱ ⺕ ⺕ 聿 聿 書 畫 劃

字解 ①쪼갤 획 가름. '有巖類天一'《韓愈》. ②그을 획 구분함. '區一'. '平洲島嶼天所一'《洪希文》. ③환히 획 분명히. '一然'. '一見公子面'《杜甫》.

字源 金文 篆文 形聲. 刂(刀)+畫〔音〕. '畫획'은 '구분하다'의 뜻. 칼로 구분하다, 쪼개다의 뜻을 나타냄.

[劃給 획급] 갈라 줌. 나누어 줌.
[劃然 획연] ㉠물건을 쪼개는 소리의 형용. ㉡명확히 구별된 모양. 분명히.
[劃一 획일] 모두 한결같이 함. 획일(畫一). 일률(一律).
[劃地 획지] ㉠경계를 지어 땅을 가름. ㉡땅에 금을 침.
◉區劃. 天劃.

12 ⑭ [劚] ㊀천 上銑 旨善切 zhǎn ㊁잔 上潸 仕限切 ㊂츤 去震 初勤切 ㊃찬 去諫 初諫切 chàn

字解 ㊀ ①불깔 천 소를 거세(去勢)함. '一, 以槌去牛勢'《廣韻》. ②끊을 천 '一, 裁也'《集韻》. ③다스릴 천 평정(平定)함. '一, 攻也'《廣雅》. ㊁ 불깔 잔, 끊을 잔, 다스릴 잔 ㊀과 뜻이 같음. ㊂ 불깔 츤, 끊을 츤, 다스릴 츤 ㊀과 뜻이 같음. ㊃ 깎아평평하게할 찬 '一, 削也. 平治也'《篇海類編》.

12 ⑭ [劀] 괄 入黠 古滑切 guā

字解 궂은살파낼 괄, 고름짤 괄 악창(惡瘡)이 난 데를 긁어 파냄. 또, 고름을 짜냄. '一殺之齊'《周禮》.

字源 篆文 形聲. 刂(刀)+矞〔音〕. '矞율'은 '뚫다, 꽂다'의 뜻. 나쁜 종기가 난 살을 긁어내다, 고름을 짜내다의 뜻을 나타냄.

[劀殺 괄살] 고름을 짜고 궂은살을 잘라 냄.

12 ⑭ [箌] [一] 조 [去]效 陟教切 zhào
[二] 도 [去]號 大到切
[三] 착 [入]覺 竹角切

[字解] [一] 클 조 풀이 큼. '一, 大也'《爾雅》. '說文云, 草大也'《釋文》. [二] 클 도 [一]과 뜻이 같음. [三] 클 착 [一]과 뜻이 같음.

12 ⑭ [⿰尊刂] 준 [上]阮 玆損切 zǔn

[字解] 덜 준, 누를 준, 꺾을 준 撙(手部 十二畫)과 同字.

[字源] 篆文 形聲. 刂(刀)+尊〔音〕. '撙준'과 같은 글자로, '누르다, 꺾다'의 뜻을 나타냄.

12 ⑭ [⿰粟刂] 속 [入]沃 須玉切 sù

[字解] 저밀 속 잘게 썲.

12 ⑭ [⿰朁刂] 잠 [上]感 徂感切 zàn

[字解] 찌를 잠 뾰족한 것으로 찌름.

12 ⑭ [劄] [人名] 〔차〕 箚(竹部 八畫〈p. 1670〉)의 俗字

13 ⑮ [劈] [人名] 벽 [入]錫 普擊切 pī, pǐ

[字解] ①빠갤 벽 쪼갬. 가름. '一開'. '一碎'. '一波得泉魚'《錢起》. ②천둥 벽 요란한 뇌성(雷聲). '一歷'.

[字源] 篆文 形聲. 刀+辟〔音〕. '辟벽'은 사람을 찢어 죽이는 형벌의 뜻. '刀도'를 더하여, 칼로 베어 쪼개다의 뜻을 나타냄.

[劈開 벽개] 쪼개어 엶.
[劈頭 벽두] 일의 처음. 맨 처음.
[劈歷 벽력] 요란한 천둥소리. 벽력(霹靂).
[劈碎 벽쇄] 쪼개어 부숨.
[劈破 벽파] 쪼개어 깨뜨림.
◉斧劈.

13 ⑮ [劇] [高·人] 극 [入]陌 奇逆切 jù 剧

[筆順] ⺊ 广 卢 虍 虏 虜 豦 劇

[字解] ①심할 극 격심함. 대단함. '一甚'. '一寒'. '比得軟脚病, 往往一'《韓愈》. ②어려울 극 '轉運難一'《後漢書》. ③바쁠 극 분망(奔忙)함. 번거로움. '一務'. '一職'. '管繁一之任'《郭璞》. ④번화할 극 사람의 왕래가 많음. 또, 그러한 곳. '一地'. '陳留據水陸一'《唐書》. ⑤많을 극 번다(繁多)함. '材一志大'《荀子》. ⑥빠를 극 신속함. '口吃不能一談'《漢書》. ⑦고생할 극 '同知埋身一'《王粲》. ⑧놀이 극 장난. '好爲蕩舟一'《李白》. ⑨연극 극 희극·비극 따위. '戱一'. '京一'. '演一者飾其面, 謂之扮戱'《正字通》. ⑩성 극 성(姓)의 하나.

[字源] 篆文 形聲. 刂(刀)+豦〔音〕. '豦거'는 짐승의 격렬한 격투의 뜻. '刀도'를 더하여, '심하다'의 뜻을 나타냄. 전하여, '연극'의 뜻도 나타냄.

[劇界 극계] 연극인들의 사회.
[劇寇 극구] 기세가 대단한 원수. 강포(強暴)한 구도(寇盜).
[劇難 극난] 격렬히 논란(論難)함.
[劇團 극단] 연극(演劇)하는 단체.
[劇壇 극단] ㉠연극의 무대(舞臺). ㉡연극인의 사회. 극계(劇界).
[劇談 극담] ㉠빨리 이야기함. ㉡격렬(激烈)한 담판.
[劇盜 극도] 큰 도둑. 대도(大盜).
[劇道 극도] 연극의 도(道). 연극에 관한 일.
[劇動 극동] 심하게 움직임. 또, 격심한 동작.
[劇烈 극렬] 과격하고 맹렬함.
[劇虜 극로] 강한 오랑캐. 기세가 대단한 오랑캐. 강로(強虜).
[劇論 극론] 격렬(激烈)한 의론.
[劇孟 극맹] 전한(前漢)의 낙양(洛陽) 사람. 임협(任俠)으로 이름남. 오초칠국(吳楚七國)이 침범하였을 때 주아부(周亞夫)가 그를 하남(河南)에서 얻고 크게 기뻐하였음.
[劇務 극무] 매우 바쁜 직무.
[劇問 극문] 급히 물음. 또, 급한 질문.
[劇文學 극문학] 연극 예술을 위한 문학.
[劇旁 극방] 세 군데로 통하는 길.
[劇煩 극번] 대단히 번거로움. 대단히 바쁨.
[劇繁 극번] 대단히 고되고 바쁨.
[劇變 극변] 몹시 변(變)함. 또, 급격한 변화. 격변(激變).
[劇司 극사] 바쁜 벼슬. 또, 세력 있는 벼슬.
[劇暑 극서] 대단한 더위. 혹서(酷暑).
[劇詩 극시] 연극 각본(脚本)으로 꾸며진 장편(長篇)의 시.
[劇辛 극신] 전국 시대(戰國時代) 조(趙)나라 사람. 연(燕)나라 소왕(昭王)이 후한 폐백(幣帛)으로 현자(賢者)를 초빙(招聘)하였을 때 연나라에 가서 국정(國政)을 맡았음.
[劇甚 극심] 극도로 심함. 아주 심함.
[劇藥 극약] 성질이 극렬한 약. 표준 용량(用量)을 지나쳐 복용하면 중독을 일으켜 위험한 약. 산토닌·수면제 따위.
[劇語 극어] 극렬한 말.
[劇役 극역] ㉠아주 바쁜 일. 과도한 일. ㉡심하게 부림을 당함.
[劇熱 극열] 몹시 심한 열.
[劇炎 극염] 극서(劇暑).
[劇雨 극우] 억수같이 쏟아지는 비.
[劇園 극원] 극계(劇界).
[劇月 극월] 바쁜 달.
[劇飮 극음] 술을 너무 많이 마심.
[劇邑 극읍] 사무가 많은 읍(邑).
[劇子 극자] 연극을 하는 사람. 광대. 배우(俳優).
[劇作 극작] 희곡(戱曲)이나 각본을 창작하는 일.
[劇場 극장] 연극(演劇)을 하는 곳.
[劇爭 극쟁] 격렬하게 다툼.
[劇賊 극적] 극도(劇盜).
[劇敵 극적] 기세가 대단한 적. 강적(強敵).
[劇戰 극전] 격심(激甚)하게 싸움. 또, 격렬한 싸움. 격전(激戰).
[劇症 극증] 극렬한 증세. 급한 병.
[劇地 극지] 번화한 땅.
[劇職 극직] 바쁜 직책. 극무(劇務).
[劇震 극진] 진동이 심한 지진(地震).
[劇秦美新 극진미신] 왕망(王莽)이 한(漢)나라의 제위(帝位)를 빼앗아 국호를 신(新)이라 일컬

었을 때, 한나라의 신하 양웅(揚雄)이 올린 글의 이름. 신(新)나라의 덕을 찬양하고 횡포한 진(秦)나라의 과실(過失)을 논한 것임.
[劇驂 극참] 일곱 군데로 통하는 길. 칠달(七達)의 도로.
[劇痛 극통] 몹시 심한 아픔.
[劇寒 극한] 대단한 추위. 기한(祁寒).
[劇戱 극희] 광대가 하는 연극(演劇).
◉歌劇. 京劇. 觀劇. 狂劇. 舊劇. 博劇. 繁劇. 紛劇. 悲劇. 史劇. 新劇. 演劇. 要劇. 雄劇. 猿劇. 雜劇. 慘劇. 寸劇. 諧劇. 活劇. 喜劇. 戲劇.

13 ⑮ [劇] 劇(前條)의 俗字

13 ⑮ [劉] 人名 류 ㊥尤 力求切 liú 刘 劉

筆順

字解 ①죽일 류 살해함. '重我民無盡一'《書經》. ②도끼 류 무기(武器)로 쓰는 도끼. 월(鉞)의 한 종류. '一人冕執一'《書經》. ③성 류 성(姓)의 하나.

字源 篆文 形聲. 金+刂(刀)+卯(丣)〔音〕. '丣류'는 '둘로 째다'의 뜻. 칼로 찢다, 죽이다의 뜻을 나타냄.

參考 성씨(姓氏)로서는 속(俗)에 파자(破字)하여, '묘금도(卯金刀)류'로 이름.

[劉季 유계] 한(漢)나라 고조(高祖)인 유방(劉邦). 계(季)는 자(字).
[劉琨 유곤] 동진(東晉)의 충신(忠臣). 자(字)는 월석(越石). 시중태위(侍中太尉)로 있을 때 단필제(段匹磾)의 미움을 사서 피살당하였음.
[劉坤一 유곤일] 청(淸)나라 신녕(新寧) 사람. 양강 총독(兩江總督)·양광 총독(兩廣總督)을 역임. 의화단(義和團)의 난(亂) 때 연합군(聯合軍)이 북경(北京)에 입성(入城)하자, 각국(各國)과 호보장강(互保長江)의 약(約)을 맺어 동남(東南) 각 성(省)이 무사하였음.
[劉寬 유관] 동한(東漢)의 화음(華陰) 사람. 환제(桓帝) 때 남양 태수(南陽太守)가 되고, 영제(靈帝) 때 태위(太尉)가 되었음. 관대(寬大)하고 장자(長者)의 풍도가 있어서 부하 사민(士民) 중 허물이 있을 때라도 가벼운 포편(蒲鞭)을 가(加)할 따름이었음.
[劉瑾 유근] 명(明)나라의 환관(宦官). 무제(武帝)의 총애(寵愛)를 믿고 국정(國政)을 좌우하였으며, 마침내 모반까지 하려다가 주살(誅殺)되었음.
[劉基 유기] 명초(明初)의 정사가(政事家)·학자. 자(字)는 백온(伯溫). 태조(太祖)를 섬겨 공(功)을 세워 벼슬이 어사중승(御史中丞)에 이르고 성의백(誠意伯)에 책봉되었으며, 송렴(宋濂)과 아울러 일대(一代)의 원훈(元勳)이었음. 저서(著書)에 〈성의백집(誠意伯集)〉이 있음.
[劉念臺 유념대] '유종주(劉宗周)'를 보라.
[劉牢之 유뇌지] 동진(東晉)의 명장(名將). 팽성(彭城) 사람. 사현(謝玄)을 섬겨 참군(參軍)이 되어서 백전백승(百戰百勝)하였음.
[劉大櫆 유대괴] 청(淸)나라 동성(桐城) 사람. 자(字)는 경남(耕南), 호(號)는 해봉(海峰). 고문(古文)의 대가(大家)로 동성파(桐城派)의 대표적 문인임.
[劉覽 유람] 두루 봄.
[劉郞 유랑] 오입쟁이 남자. 난봉꾼. 탕아(蕩兒).
[劉伶 유령] 진(晉)나라 사람. 자(字)는 백륜(伯倫). 완적(阮籍)·혜강(嵇康)과 의기(意氣)가 투합(投合)하여 죽림칠현(竹林七賢)의 한 사람이 되었음. 지극히 술을 좋아하여 일찍이 주덕송(酒德頌)을 지었음.
[劉邦 유방] 전한(前漢)의 고조(高祖). 자(字)는 계(季). 장쑤 성(江蘇省) 패현(沛縣) 사람. 초(楚)나라 회왕(懷王)의 명(命)을 받고 항우(項羽)와 길을 나누어 진(秦)나라를 공략(攻略)하여 먼저 관중(關中)에 들어갔음. 그 후 항우(項羽)와 다투기 무릇 5년, 마침내 국내를 통일하고 한조(漢朝)를 세워, 장안(長安)에 도읍하였음.
[劉白 유백] 유우석(劉禹錫)과 백거이(白居易)를 아울러 이르는 말. 둘 다 당대(唐代)의 시인임.
[劉寶南 유보남] 청조(淸朝)의 학자. 자(字)는 초정(楚). 보응(寶應) 사람. 〈논어정의(論語正義)〉, 기타 저서가 있음.
[劉逢祿 유봉록] 청조(淸朝)의 학자. 자(字)는 신수(申受). 〈공양하씨석례(公羊何氏釋例)〉·〈좌씨춘추고증(左氏春秋考證)〉, 기타의 저서가 있음. 공양학자(公羊學者)로서 유명함.
[劉蕡 유분] 당(唐)나라의 남창(南昌) 사람. 문종(文宗) 때, 현량대책(賢良對策)에 응하여 환관(宦官)의 화(禍)를 극론(極論)하였는데, 시관(試官)이 환관(宦官)을 두려워하여 그를 낙제(落第)시켰음.
[劉備 유비] 중국 삼국 시대(三國時代)의 촉한(蜀漢)의 임금. 자(字)는 현덕(玄德). 제갈량(諸葛亮)을 양양(襄陽)에서 만나 그의 천하(天下)를 삼분(三分)하는 계책을 써서 파촉(巴蜀)을 평정한 후 성도(成都)에서 제위(帝位)에 오르고 국호(國號)를 한(漢)이라 하였음. 시호를 소열 황제(昭烈皇帝)라 하며 세상에서 유선주(劉先主)라 일컬음.
[劉師培 유사배] 청말(淸末)·민국(民國)의 학자. 자(字)는 신숙(申叔). 의징(儀徵) 사람. 증조부(曾祖父) 문기(文淇), 조부(祖父) 육숭(毓崧), 아버지 귀증(貴曾) 삼대(三代)의 학(學)을 이어받아, 〈춘추좌씨전략(春秋左氏傳略)〉, 기타의 저서를 남겼음.
[劉先主 유선주] 유비(劉備).
[劉宋 유송] 남조(南朝)의 송(宋)의 별호(別號). 조송(趙宋)과 구별(區別)하기 위하여 일컬음.
[劉秀 유수] 후한(後漢)의 제일세(第一世) 광무황제(光武皇帝). 자(字)는 문숙(文叔). 남양(南陽) 채양(蔡陽) 사람. 왕망(王莽)을 곤양(昆陽)에서 격파하고 제위(帝位)에 올라 후한(後漢)의 기초를 열었음.
[劉崇 유숭] 오대(五代) 때, 북한(北漢)의 임금. 곽위(郭威)가 한(漢)나라를 찬탈(簒奪)하자, 허둥(河東) 땅에서 칭제(稱帝)하였음. 재위(在位) 4년.
[劉晨 유신] 동한(東漢)의 섬계(剡溪) 사람. 완조(阮肇)와 함께 톈타이 산(天台山)에 들어가 약을 캐다가 두 사람의 신선(神仙)을 만나 환대(歡待)를 받고 귀가(歸家)하였다 함.
[劉晏 유안] 당(唐)나라 사람. 자(字)는 사안(士安). 어사중승(御史中丞)·이부상서(吏部尙書)·

동중서문하평장사(同中書門下平章事) 등을 역임. 뛰어난 이재(理財)의 재주를 종횡무진(縱橫無盡)으로 발휘하여 국가에 공헌한 바 컸으나, 양염(楊炎)에게 참소(讒訴)당하여 죽었음.
[劉淵 유연] 오호(五胡) 전한(前漢)의 임금. 흉노종(匈奴種). 진(晉)나라 혜제(惠帝) 때 팔왕(八王)의 난(亂)이 있자, 산시(山西)의 좌국성(左國城)에 이르러 대선우(大單于)가 되어 한왕(漢王)이라 칭(稱)하였고, 뒤에 칭제(稱帝)하고 평양(平陽)에 도읍하였음.
[劉縯 유연] 후한초(後漢初)의 무장(武將). 광무제(光武帝) 유수(劉秀)의 장형(長兄). 자(字)는 백승(伯升). 남양(南陽) 채양(蔡陽) 사람. 항상 왕망(王莽)의 찬탈(簒奪)을 개탄(慨嘆), 아우 유수(劉秀) 등과 함께 거병(擧兵)하여 크게 위명(威名)을 떨쳤음. 중망(衆望)이 있어 제위(帝位)에 앉히려고 하였으나 이를 사양하고, 경시제(更始帝)를 섬겨 대사도(大司徒)가 되었다가 그의 시기하는 바 되어 체포당하여 죽었음.
[劉豫 유예] 송(宋)나라 경주(景州) 사람. 휘종(徽宗) 건염초(建炎初)에 제남부(濟南府)를 다스릴 때 금(金)나라가 남침(南侵)하자 항복한 후 건염(建炎) 4년에 금인(金人)에 의하여 황제(皇帝)로 책립(冊立)되어 참위(僭位)하기 약 8년, 금인(金人)에게 폐위(廢位)되었음.
[劉阮 유완] 한(漢)나라의 유신(劉晨)과 완조(阮肇)를 아울러 이르는 말.
[劉禹錫 유우석] 당(唐)나라 중산(中山) 사람. 자(字)는 몽득(夢得). 문재(文才)가 뛰어남. 벼슬이 집현전학사(集賢殿學士)에 이르고, 이어서 소주자사(蘇州刺史)가 되었으나, 정원말(貞元末) 왕숙문(王叔文) 사건에 연좌(連坐)되어 좌천(左遷)되었음. 저서(著書)에 〈유빈객집(劉賓客集)〉 40권이 있음.
[劉裕 유유] 남조(南朝) 송(宋)나라의 무재(武帝). 팽성(彭城) 사람. 처음에 진(晉)나라를 섬기다가, 뒤에 제위(帝位)를 찬탈(簒奪)하였음.
[劉子 유자] 책 이름. 10권. 수·당(隋唐) 시대의 것으로 추정됨. 고적(古籍)이 잡채(雜採)됨.
[劉焯 유작] 수(隋)나라의 유학자(儒學者). 자(字)는 사원(士元). 개황 연간(開皇年間)에 뽑히어 국사(國史) 편찬(編纂)을 맡고, 또 율력(律曆)의 일에도 관여하였음. 저서(著書)는 망일(亡軼)되어 전하지 않음.
[劉楨 유정] 중국 삼국(三國) 시대 위(魏)나라 사람. 자(字)는 공간(公幹). 문재(文才)에 뛰어남. 왕찬(王粲)·공융(孔融)·진림(陳琳)·완우(阮瑀)·응창(應瑒)·서간(徐幹) 등과 함께 건안 칠자(建安七子)로 일컬어짐.
[劉宗周 유종주] 명(明)나라 산음(山陰) 사람. 기절(氣節)과 학문(學問)으로써 유명하여 학자들이 염대선생(念臺先生) 또는 즙산 선생(蕺山先生)이라 일컬음. 숭정(崇楨) 때 좌도 어사(左都御史)를 지냈음. 〈유자전집(劉子全集)〉 40권이 있음.
[劉峻 유준] 남조(南朝) 양(梁)나라 사람. 자(字)는 효표(孝標). 학문(學問)을 즐겨 남이 색다른 책을 가지고 있다고 들으면 곧 가서 이를 빌려 읽었으므로, 사람들이 그를 서음(書淫)이라고 불렀음. 〈세설신어(世說新語)〉를 주석(註釋)하였음.
[劉知幾 유지기] 당(唐)나라 팽성(彭城) 사람. 자(字)는 자원(子元). 문사(文辭)를 잘하고 특히 사학(史學)에 뛰어남. 저서에 〈사통(史通)〉 20권이 있음.
[劉敞 유창] 북송(北宋)의 학자. 호(號)는 공시(公是). 영종(英宗)의 시독(侍讀). 박람 다식(博覽多識)하며, 저서(著書)에 〈공시집(公是集)〉이 있음.
[劉表 유표] 동한(東漢) 사람. 자(字)는 경승(景升). 헌제(獻帝) 때 형주 자사(荊州刺史)가 되었음. 조조(曹操)가 원소(袁紹)와 싸울 때 중립을 지키며 시변(時變)을 정관(靜觀)하였음.
[劉項 유항] 유방(劉邦)과 항우(項羽)를 아울러 이르는 말.
[劉向 유향] 전한(前漢)의 종실(宗室). 자(字)는 자정(子政). 성충(誠忠) 무이(無二)하며 뛰어난 학자로서 저서(著書)에 〈열녀전(列女傳)〉·〈신서(新序)〉·〈홍범오행전(洪範五行傳)〉·〈설원(說苑)〉 등이 있음.
[劉玄 유현] 후한(後漢) 광무제(光武帝)의 족형(族兄). 자(字)는 성공(聖公). 광무(光武) 및 그 형 백승(伯升)과 함께 군사를 일으켜 왕망(王莽)을 곤양(昆陽)에서 격파하였음. 이윽고 즉위하여 천자(天子)가 되었는데, 세상에서 경시제(更始帝)라 일컬음. 장안(長安)에 도읍을 정한 후 주색(酒色)에 탐닉하여 마침내 피살당하였음.
[劉炫 유현] 수(隋)나라의 학자. 자(字)는 광백(光伯). 저서에 〈춘추공매(春秋攻昧)〉·〈오경정명(五經正名)〉 등이 있음.
[劉孝綽 유효작] 남조(南朝) 양(梁)나라 사람. 무제(武帝)를 섬겨 비서감(祕書監)이 되었음. 문재(文才)가 뛰어났으며 문집(文集)이 있음.
◉虔劉.

13 ⑮ **[劊]** 회 (괴本) 去泰 古外切 guì 刽

字解 끊을 회 절단함. '以殺人者爲一子手'《五雜組》.

字源 篆文 形聲. 刂(刀)+會〔音〕. '會회'는 '抉결'과 통하여, '도려내다'의 뜻. 칼로 자르다의 뜻을 나타냄.

[劊手 회수] 회자수(劊子手).
[劊子 회자] 회자수(劊子手).
[劊子手 회자수] 사형수(死刑囚)의 목을 자르는 사람.

13 ⑮ **[剿]** 초 上篠 子了切 jiǎo

字解 끊을 초 절단함. '征伐一絕之'《漢書》.

字源 篆文 形聲. 刂(刀)+巢〔音〕. '剿초'의 이체자(異體字)로, '베다, 끊다'의 뜻을 나타냄.

[剿絕 초절] 끊음. 단절함.

13 ⑮ **[劌]** 귀 去霽 居衞切 guì 刿

字解 상처낼 귀 상처를 입힘. 손상함. '廉而不一, 義也'《孔子家語》.

字源 篆文 形聲. 刂(刀)+歲〔音〕. '歲세'는 또, 步+戉〔音〕의 形聲으로, '戉월'은 큰 도끼의 상형(象形). 칼이나 큰 도끼로 '상처를

내다, 손상하다'의 뜻을 나타냄.

[劌目鉥心 귀목술심] 눈에 상처를 입히고 심장을 찌른다는 뜻으로서, 사람을 놀라게 함을 이름.

13
⑮ [劍] [高人] 검 [去]豔 居欠切 jiàn 剑

[筆順] 𠆢 亼 佥 佥 佥 僉 僉 劍

[字解] ①칼 검 허리에 차는 칼. '一舞'. '爲一鎧矛戟'《管子》. 또, 칼을 쓰는 법. 검술(劍術). '客一'. '與蓋聶論一'《史記》. ②죽일 검 칼로 찔러 죽임. '手一父讎'《潘岳》.

[字源] [金文] [篆文] [籒文] 形聲. 金文은 金+僉〔音〕. '僉첨'은 일치하여 발언(發言)하다의 뜻. 밑동에서부터 끝까지 고르고 순수하게 단련된 양날의 칼의 뜻을 나타냄. 篆文도 形聲으로, 刃+僉〔音〕. [劍①]

[參考] 劒(刀部 十四畫)은 本字. 剣(刀部 八畫)은 略字.

[劍閣 검각] 장안(長安)에서 촉(蜀)으로 가는 길에 있는 대검(大劍)·소검(小劍)의 두 산(山)의 요해(要害). 각도(閣道)가 통하므로 이름.
[劍匣 검갑] 칼을 넣는 상자.
[劍客 검객] 검사(劍士).
[劍光 검광] 칼날의 빛. 검영(劍影).
[劍戟 검극] 칼과 창. 전하여, 무기. 검삭(劍槊).
[劍頭 검두] 칼끝. 검수(劍首).
[劍舞 검무] 칼을 들고 추는 춤. 칼춤.
[劍門 검문] 검각(劍閣).
[劍法 검법] 검술(劍術).
[劍鋒 검봉] 칼의 끝. 검망(劍鋩).
[劍士 검사] 검술에 능통한 사람. 칼을 잘 쓰는 사람.
[劍槊 검삭] 검극(劍戟).
[劍璽 검새] 제위(帝位)의 표시로서 천자가 소지한 칼과 어보(御寶).
[劍首 검수] 검두(劍頭).
[劍盾 검순] 칼과 방패. 검순(劍楯).
[劍術 검술] 칼 쓰는 법.
[劍鐔 검심] 칼코등이.
[劍刃 검인] 검(劍)의 날. 칼날.
[劍一人敵 검일인적] 검술(劍術)은 한 사람을 상대하는 데 그치는 기술이므로, 배울 만한 가치가 없음.
[劍棧 검잔] 검각(劍閣)에 가설한 잔교(棧橋).
[劍把 검파] 칼자루.
[劍血 검혈] 칼에 묻은 피.
[劍俠 검협] 검술(劍術)이 능한 협객(俠客).
[劍鋏 검협] 검파(劍把).
[劍花 검화] 칼이 서로 부딪칠 때 나는 불꽃. 검화(劍火).
◉刻舟求劍. 孤劍. 短劍. 帶劍. 刀劍. 名劍. 木劍. 寶劍. 三尺之劍. 手劍. 手裏劍. 御劍. 腰劍. 利劍. 一劍. 長劍. 眞劍. 斬馬劍. 屬鏤之劍. 銃劍. 佩劍. 懷劍.

13
⑮ [劅] 탁 [入]覺 竹角切 zhuó

[字解] 불깔 탁 불알을 발라냄. 고대의 형벌의 하나. '劓刵一黥'《書經》.

[字源] 形聲. 刂(刀)+蜀〔音〕

13
⑮ [劎] 劍(前前條)의 籒文

[辦] 〔변〕
辛部 九畫(p.2283)을 보라.

14
⑯ [劒] [高人] 〔검〕
劍(刀部 十三畫〈p.270〉)의 本字

[筆順] 𠆢 亼 佥 佥 僉 劎 劒 劒

14
⑯ [劔] 〔검〕
劍(刀部 十三畫〈p.270〉)의 俗字

14
⑯ [劑] [人名] [一] 자 [平]支 遵爲切 jì 剂
[二] 제 [去]霽 在詣切 jì

[字解] [一] ①자를 자 가지런히 절단함. '內若一焉'《唐書》. ②어음 자 '質一'는 계약을 한 표쪽. '以質一結信而止訟'《周禮》. [二] ①약재 제 약의 재료. '調一'. '和諸色一'《王粲》. ②약제 제 조제(調劑)한 약. '強壯一'. '此助陽奇一也'《輟耕錄》. ③한도 제 일정한 분한(分限). '各有限一, 須定等差'《王叡》. ※'제' 음은 인명자로 쓰임.

[字源] [篆文] 形聲. 刂(刀)+齊〔音〕. '齊제'는 '가지런히 하다'의 뜻. 칼로 가지런히 자르다, 가지런히 하다의 뜻을 나타냄. 또, 한 장의 패를 양분하여, 뒷날에 맞추어서 증거로 삼는 것, 어음의 뜻을 나타냄.

[參考] 剤(刀部 八畫)는 略字.

[劑刀 자도] 가위.
◉強心劑. 配劑. 洗劑. 睡眠劑. 液劑. 藥劑. 錠劑. 製劑. 調劑. 淸涼劑. 催眠劑. 湯劑. 下劑. 丸劑.

14
⑯ [劓] 의 [去]寘 魚器切 yì

[字解] 코벨 의 코를 벰. 또, 그 형벌. 고대의 오형(五刑)의 하나. '一罰'. '一罪五百'《周禮》.

[字源] [甲骨文] [金文] [篆文] [別體] 形聲. 篆文은 刂(刀)+臬〔音〕. '臬예'는 '코'의 뜻. 칼로 코를 베다의 뜻을 나타냄. '劓'는 '臬刂'의 별체(別體)로, 刀+鼻의 會意.

[劓馘 의괵] 코와 귀를 베는 형벌. '馘'은 귀를 자르는 형벌.
[劓罰 의벌] 코를 베는 형벌.
[劓辟 의벽] 의벌(劓罰).
[劓罪 의죄] 의벌(劓罰).
[劓割 의할] 가름. 나눔. 분할함.
◉黥劓.

14
⑯ [劉] 〔착〕
斲(刀部 十畫〈p.265〉)의 俗字

15
⑰ [劕] 질 [入]質 職日切 zhì

[字解] 어음 질 質(貝部 八畫)과 同字. '一劑'.

[字源] 形聲. 刂(刀)＋質〔音〕

[劕劑 질자] 어음.

17 ⑲ [劖] 참 [平]咸 鋤銜切 chán 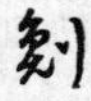

[字解] 끊을 참, 뚫을 참 절단함. 또, 개착(開鑿)함. '鑴—'. '彫心覺刃—'《元稹》.

[字源] 篆文  形聲. 刂(刀)＋毚〔音〕. '毚참'은 '斬참'과 통하여, '베다'의 뜻. '칼로 베다'의 뜻을 나타냄.

18 ⑳ [䮄] 〔부·복〕
副(刀部 九畫〈p. 263〉)의 籒文

19 ㉑ [劗] 전 [上]銑 子淺切 zuān 

[字解] 깎을 전, 벨 전 剪(刀部 九畫)과 同字. '—髮文身之民也'《漢書》.

[字源] 形聲. 刂(刀)＋贊〔音〕

[劗髮 전발] 머리를 깎음.

19 ㉑ [劘] 마 [平]歌 莫婆切 mó 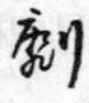

[字解] 깎을 마, 벨 마 깎아 냄. 자름. '自下—上'《漢書》.

[字源] 形聲. 刂(刀)＋靡〔音〕. '靡마'는 '갈다'의 뜻. 칼로 깎아 내다의 뜻을 나타냄.

21 ㉓ [劙] 리 [平]支 呂支切 lí

[字解] 가를 리 쪼갬. 분할함.

[字源] 形聲. 刂(刀)＋蠡〔音〕

21 ㉓ [劚] 〔촉〕
斸(斤部 二十一畫〈p. 957〉)과 同字

力 (2획) 部
〔힘력부〕

0 ② [力] [中人] 력 [入]職 林直切 lì

[筆順] ㄱ 力

[字解] ①힘 력 ㉠근육의 작용. '筋—'. '或勞心, 或勞—'《孟子》. ㉡정신의 작용. '心—'. '精—過絶於人'《漢書》. ㉢기능. 작용. '能—'. '人—'. '信爲造化—'《宋之問》. ㉣물체의 운동을 일으키는 원인. '重—'. '水—'. ㉤권세. 위세(威勢). '權—'. '以—服人者, 非心服也'《孟子》. ㉥공. 공적. '與—而不務德'《國語》. ㉦효험. '效—'. '由神呪—, 銷其愛欲'《楞嚴經》. ㉧부역(賦役). '—政'. '興事任—'《禮記》. ㉨노력. 수고. '勞—'. '積—於田疇'《韓非子》. ㉩기세. '極有筆—'《南史》. ㉪무용(武勇). '秦武王好—'《史記》. '吾寧鬪智不鬪—'《史記》. ㉫도움. 원조. '借—以雪父之恥'《史記》. ㉬은덕. 덕택. '此非臣之功也, 主君之—也'《史記》. 또, 힘들여 한 산물. '咸獻其—'《禮記》. ②힘쓸 력 ㉠일을 함. 업무에 종사함. '農服田—穡'《書經》. ㉡힘을 다함. 애씀. '—作'. '—戰'. '戰方—'《後漢書》. ㉢뜻을 둠. '食事不—珍'《禮記》. ③힘써 력 힘을 다하여. 노력하여. '—行'. '—誦聖德'《漢書》. ④심할 력 병이 대단함. '臣犬馬病—'《漢書》. ⑤힘줄 력 심줄. '絶—致死'《韓非子》. ⑥하인 력 종복(從僕). '遣此—, 助汝薪水之勞'《陶潛》. ⑦일꾼 력 인부. '立宅於吳, 多役公—'《宋書》. ⑧군사 력 병정. 병사. '率見—決戰'《宋書》. ⑨성 력 성(姓)의 하나.

[字源] 金文  篆文  象形. 굳센 팔의 상형(象形)으로, '힘'의 뜻을 나타냄.

[參考] 문자 정리상 부수(部首)로 세워져, '힘력'으로 이름. '力'을 의부(意符)로 하여, 힘이 있다, 힘을 들이다의 뜻을 포함하는 문자를 이룸.

[力稼 역가] 농사에 힘씀. 가(稼)는 곡식을 심는다는 뜻. 역전(力田).
[力諫 역간] 힘써 간함. 고간(苦諫). 극간(極諫).
[力耕 역경] 힘써 갊. 농사에 힘씀. 역전(力田).
[力攻 역공] 죽을힘을 다하여 공격함.
[力求 역구] 힘써 구함.
[力救 역구] 힘써 구원(救援)함.
[力勸 역권] 힘써 권(勸)함.
[力技 역기] 《韓》 쇠붙이나 돌붙이로 된 것을 양쪽에 꿰어 들어 올리어 힘을 단련하는 운동. 역도(力道).
[力農 역농] 농사(農事)에 힘씀.
[力能 역능] 재능. 능력.
[力道 역도] 《韓》 역기(力技).
[力量 역량] 능력(能力)의 정도.
[力勉 역면] 힘써 함. 또, 힘써 하게 함. 권면함. 장려(奬勵). 편달(鞭撻).
[力拔山兮氣蓋世 역발산혜기개세] 산(山)을 뽑고 세상(世上)을 덮을 만한 웅대(雄大)한 기력(氣力)을 형용한 말. 초(楚)나라 항우(項羽)가 한(漢)나라 고조(高祖)와 결전(決戰)하여 해하(垓下)에서 패(敗)하였을 때의 노래의 일절(一節).
[力不及 역불급] 힘이 미치지 못함.
[力士 역사] 힘이 센 사람.
[力索 역색] ㉠애써 찾아 구함. 깊이 생각함. ㉡힘이 다함. 힘이 다 빠짐.
[力說 역설] 힘써 말함. 힘써 설명함.
[力勝貧 역승빈] 힘써 일하면 가난을 면함.
[力食 역식] 힘써 일하여 생계(生計)를 유지함.
[力臣 역신] ㉠임금을 위하여 진력(盡力)하는 신하. ㉡힘이 센 신하.
[力役 역역] 부역(賦役). 역정(力政).
[力役之征 역역지정] 주대(周代)에 부역(賦役)에 나가지 못한 자에 과(課)하던 구실.
[力人 역인] 역사(力士).
[力子 역자] 근면(勤勉)한 사람.
[力作 역작] ㉠힘써 일함. ㉡경작(耕作)에 힘씀. ㉢힘써서 만든 작품.
[力爭 역쟁] ㉠힘껏 다툼. ㉡역간(力諫).
[力著 역저] 힘을 들여서 지은 저서.
[力田 역전] 농사(農事)에 힘씀.

[力戰 역전] 힘을 다하여 싸움.
[力田不若逢年 역전불약봉년] 힘써 농사를 지어도 풍년을 만난 것보다 수확이 못함. 곧, 인력(人力)이 천력(天力)보다 못함.
[力點 역점] 지레로 물체를 움직일 때 힘이 모이는 점.
[力政 역정] ㉠역역(力役). ㉡권력(權力)을 휘둘러 정치를 함. 무단 정치(武斷政治)를 함.
[力制 역제] 권력(權力)으로 제어(制御)함. 위력(威力)으로 누름.
[力盡 역진] 힘이 다함. 힘이 지침.
[力疾 역질] ㉠병을 참고 일함. ㉡매우 빠름.
[力鬪 역투] 힘을 다하여 싸움.
[力學 역학] ㉠학문에 힘씀. ㉡물체의 동정(動靜)·운동의 지속(遲速) 및 힘의 작용 등에 관한 학문.
[力行 역행] 힘써 행함. 궁행(躬行).
◉角力. 脚力. 強力. 苦力. 骨力. 功力. 怪力. 國力. 權力. 極力. 筋力. 金剛力. 氣力. 努力. 勞力. 能力. 多力. 膽力. 大力. 動力. 馬力. 魔力. 魅力. 勉力. 妙力. 武力. 無力. 物力. 微力. 民力. 迫力. 法力. 兵力. 佛力. 不可抗力. 非力. 死力. 勢力. 速力. 水力. 視力. 身力. 神通力. 實力. 心力. 眼力. 壓力. 量力. 餘力. 念力. 腕力. 勇力. 願力. 遠心力. 威力. 有力. 人力. 引力. 入力. 自力. 資力. 磁力. 自制力. 潛在力. 張力. 才力. 財力. 底力. 全力. 戰力. 精力. 帝力. 助力. 主力. 重力. 地力. 智力. 眞力. 盡力. 車力. 聽力. 體力. 出力. 他力. 打力. 惰力. 彈力. 脫力. 通力. 暴力. 風力. 筆力. 學力. 合力. 協力. 火力. 活力. 效力.

2 ④ [办] 〔판〕辦(辛部 九畫〈p. 2283〉)의 俗字·簡體字

2 ④ [劝] 〔권〕勸(力部 十八畫〈p. 285〉)의 俗字·簡體字

3 ⑤ [加] 中·人 가 ㊥麻 古牙切 jiā

筆順 ㇆ 力 加 加 加

字解 ①더할 가 ㉠보탬. 늘림. 많게 함. '倍一'. '旣富矣, 又何一焉'《論語》. ㉡높게 함. 올림. '一階'. '有諸公則辭一席'《儀禮》. ㉢베풂. 줌. '一恩'. '老有一惠'《左傳》. ②더하여질 가 ㉠보태어짐. 늚. 많아짐. '祀一於擧'《國語》. ㉡높아짐. 올라감. '獻子一於人一等矣'《禮記》. ③업신여길 가 모멸함. 능멸(凌蔑)함. '我不欲人之一諸我也'《論語》. ④입을 가, 쓸 가 착용(着用)함. '一冠'. '一朝服'《論語》. ⑤칠 가 공격함. '宵一於鄙'《左傳》. ⑥있을 가 처(處)함. '一齊之卿相'《孟子》. ⑦미칠 가 이름. '刀鋸不一'《韓愈》. ⑧가법 가 수에 수를 보태는 일. 또, 그 산법(算法). '一減乘除'. ⑨더욱 가 한층 더. 오히려 더하게. '一勇'. '今之時, 與孟子之時, 又一遠矣'《韓愈》. ⑩성 가 성(姓)의 하나.

字源 金文 篆文 會意. 力+口. '力력'은 팔의 상형으로 '힘'의 뜻. '口구'는 신(神)에게 올리는 축문(祝文)의 뜻. 힘과 축문을 합쳐서, 종교적·물리적 작용을 가하다의 뜻을 나타냄.

[加減 가감] ㉠더함과 덜함. ㉡조절(調節)함. ㉢가법(加法)과 감법(減法).
[加減不得 가감부득] 더할 수도 없고 덜할 수도 없음.
[加階 가계] 벼슬의 품계(品階)를 올림.
[加工 가공] 자연물이나 미완성품에 인공(人工)을 가함.
[加官 가관] 명예(名譽)를 나타내기 위하여 가수(加授)하는 관직(官職).
[加冠 가관] 관례(冠禮)를 행하고 관(冠)을 씀.
[加級 가급] 가계(加階).
[加給 가급] 일정한 액수(額數) 외에 더 줌.
[加年 가년] ㉠나이를 한 살 더 먹음. ㉡《韓》 나이가 모자라는 사람이 과거(科擧)를 보거나 벼슬 같은 것을 하려 할 때 나이를 속여 올림.
[加擔 가담] 같은 편이 되어 힘을 도움.
[加賭 가도] 도조(賭租)의 액수(額數)를 올려서 매김.
[加等 가등] 등급(等級)을 올림.
[加勞 가로] 위로한 위에 또 위로함. 대단히 위로함.
[加律 가률] 가율(加律).
[加麻 가마] 소렴(小殮) 때에 상제가 수질(首絰)을 머리에 씀.
[加盟 가맹] 동맹(同盟)이나 연맹(聯盟)에 가입(加入)함.
[加味 가미] ㉠음식에 다른 식료품을 조금 넣어 맛이 더 나게 함. ㉡원 약방문에 다른 약재(藥材)를 더 넣음.
[加倍 가배] 곱함. 배가(倍加).
[加法 가법] 몇 개의 수(數)나 식(式)을 합하는 법.
[加補 가보] 보충(補充)함.
[加俸 가봉] ㉠봉급(俸給)을 올림. ㉡정한 봉급 외에 따로 더 주는 봉급.
[加刪 가산] 첨삭(添削)함.
[加算 가산] ㉠얹어서 계산(計算)함. ㉡가법(加法).
[加損 가손] 더함과 덜함. 가감(加減).
[加勢 가세] 조력함. 원조함.
[加額 가액] 액수(額數)를 더함.
[加魚 가어] 물고기의 한 가지. 접어(鰈魚). 가자미.
[加熱 가열] 열도(熱度)를 더함.
[加勇 가용] 더욱 용감하여짐.
[加律 가율] 형벌을 더함.
[加恩 가은] 은혜를 베풂. 우대함.
[加衣 가의] 책의(冊衣)가 상하지 않도록 덧입히는 물건. 책가위.
[加意 가의] 특별히 주의(注意)함.
[加一倍法 가일배법] 하나에 하나를 보태어 둘이 되고, 둘에 둘을 보태어 넷이 되게 하는 산법(算法).
[加一層 가일층] 더한층.
[加入 가입] 단체(團體)에 참가함.
[加腆 가전] 더욱더 후하게 함.
[加錢 가전] 웃돈.
[加除 가제] 더함과 뺌.
[加重 가중] ㉠더 무거워짐. ㉡더 무겁게 함.
[加增 가증] 늘림. 또, 늚.
[加之 가지] 그 위에. 더욱. 뿐만 아니라.
[加持 가지] 《佛敎》 ㉠부처의 가호(加護)로 중생(衆生)이 불범일체(佛凡一體)의 경지로 들어가는 일. ㉡부처에 기도를 들여 병과 재난을 면하는 일.
[加餐 가찬] ㉠음식(飮食)을 많이 먹음. 식사를 잘함. ㉡몸을 소중히 함. 섭생(攝生)함.

[加添 가첨] 더함. 첨가(添加)함.
[加土 가토] ㉠나무 뿌리 위에 흙을 더 덮음. ㉡봉분(封墳) 위에 다른 흙을 더 얹음.
[加特力教 가특력교] 가톨릭교(Catholic 教)의 음역(音譯). 천주교(天主教).
[加鞭 가편] 채찍질하여 걸음을 재촉함.
[加被 가피]《佛教》신불(神佛)의 가호(加護).
[加筆 가필] 시문(詩文)에 붓을 대어 고침. 첨삭(添削).
[加害 가해] ㉠남에게 해(害)를 줌. ㉡남을 다치게 하거나 죽임.
[加刑 가형] 형벌(刑罰)을 더함.
[加惠 가혜] 가은(加恩).
[加護 가호] ㉠보호함. ㉡신불(神佛)의 두호(斗護). 명조(冥助).
[加畫 가획] 글자에 획수(畫數)를 더함.
◉累加. 冥加. 倍加. 附加. 增加. 參加. 添加. 追加.

3 ⑤ [功] 中人 공 ㊥東 古紅切 gōng

筆順 一 丅 工 玎 功

字解 ①공 공 ㉠공적. '一名'. '一勳'. '天下莫汝爭一'《書經》. ㉡힘을 들여 이룬 결과. '相陳以一'《國語》. ㉢이룬 결과가 양호한 일. '辨其一苦'《國語》. 또, 공을 세운 사람. '德報一'《禮記》. ②보람 공 효험. '勞而無一'. '禱請一兼造化一'《羅隱》. ③공치사할 공 자기가 자기 공을 자랑함. '自一'. '公子自驕而一之'《史記》. ④일 공 직무. 사업. '田一'. '載纘武一'《詩經》. '婦容婦一'《周禮》. ⑤상복이름 공 삼베로 만든 상복. '大一'. '小一布十一升'《儀禮 傳》. ⑥성 공 성(姓)의 하나.

字源 篆文 形聲. 力+工[音]. '工공'은 '공작(工作)하다'의 뜻. '일, 공적'의 뜻을 나타냄.

[功幹 공간] 재간(才幹).
[功苦 공고] ㉠노고(勞苦). ㉡그릇의 견고(堅固)함과 무름. 일설(一說)에는 잘된 것과 잘 안된 것.
[功過 공과] 공로(功勞)와 죄과(罪過).
[功課 공과] 일의 과정(課程). 일의 성적(成績).
[功狗 공구] 사냥에 공(功)이 있는 개. 전(轉)하여, 남의 지시를 받아 일하여 공을 세운 사람.
[功裘 공구] 주대(周代)에 경대부(卿大夫)가 입던 갖옷.
[功構 공구] 건축(建築).
[功貴 공귀] 값이 비쌈. 고가(高價).
[功勤 공근] 공적과 수고.
[功級 공급] 공적(功績)의 등급.
[功能 공능] ㉠공적(功績)과 재능(才能). ㉡공효(功效). 효능(效能).
[功德 공덕] ㉠공적(功績)과 은덕(恩德). ㉡《佛教》현재 또는 미래를 유익(有益)하게 하는 선행(善行). 선근(善根). 복리(福利)를 남에게 미치는 일.
[攻略 공략] ㉠공. 공적(功績). ㉡공적과 계략(計略).
[功力 공력] ㉠효험(效驗). 효력. ㉡애쓰는 힘. 힘들여 이루는 공. ㉢《佛教》불법(佛法)을 수행(修行)하여 얻은 공덕(功德)의 힘.
[功烈 공렬] 큰 공업(功業).
[功令 공령] 학사(學事)에 관한 규정. 학령(學令).
[功勞 공로] 애를 써 이룬 공적(功績).
[功料 공료] 토목비(土木費).
[功利 공리] ㉠공명(功名)과 이욕(利慾). ㉡공적(功績)과 그 공적이 세상에 미치는 이익(利益).
[功利說 공리설] 사회의 최대 다수자의 최대 행복을 행위(行爲)의 도덕적(道德的) 평가(評價)의 표준으로 삼는 학설. 공리주의(功利主義).
[功名 공명] 공적과 명예(名譽).
[功名心 공명심] 공명(功名)을 구하는 마음.
[功伐 공벌] 공적(功績).
[功閥 공벌] 공벌(功伐).
[功服 공복] 대공(大功)과 소공(小功)의 상복(喪服).
[功夫 공부] ㉠궁리함. 연구함. 공부(工夫). ㉡방법. 수단.
[功簿 공부] 공훈(功勳)을 적어 두는 장부.
[功緖 공서] 공적(功績). 훈서(勳緖).
[功成名立 공성명립] 공성명수(功成名遂).
[功成名遂 공성명수] 공적을 세워 명예가 올라감.
[功成身退 공성신퇴] 공(功)을 세워서 사업을 성취한 뒤에 그 자리에 머물러 있지 아니하고 물러남.
[功首 공수] 최고의 공(功).
[功臣 공신] 나라에 공로(功勞)가 있는 신하(臣下).
[功實 공실] 공을 세운 사적(事跡).
[功業 공업] ㉠공로. 공적(功績). ㉡토목 공사(土木工事).
[功役 공역] 토목 공사의 부역(賦役).
[功譽 공예] 공명(功名).
[功用 공용] ㉠공적(功績). ㉡공효(功效).
[功庸 공용] 공. 공적(功積).
[功疑惟重 공의유중] 공적의 대소를 확실히 알 수 없을 때에는 큰 편을 따라서 후하게 상을 주어야 함.
[功人 공인] 공이 있는 사람.
[功績 공적] 훈공(勳功). 공로(功勞).
[功田 공전] 유공자(有功者)에게 하사(下賜)하는 전지(田地).
[功戰 공전] 전쟁을 하여 공을 세움.
[功曹 공조] 벼슬 이름. 군(郡)의 속리(屬吏)인 녹사(錄事)를 이름.
[功宗 공종] 가장 뛰어난 공. 또, 그 공을 세운 사람.
[功罪 공죄] 공로와 죄과(罪過).
[功最 공최] 첫째의 공.
[功致 공치] 한 일이 잘됨. 성과(成果)가 양호함.
[功牌 공패] 공로가 있는 사람에게 주는 상패(賞牌).
[功布 공포] 발인(發靷)할 때 상여 앞에 세우고 가는 기. 기폭(旗幅)은 길이 석 자 되는 흰 삼베로 만들었으며, 매장(埋葬)할 때에 이것으로 관(棺)을 닦음.
[功效 공효] ㉠공적(功績). ㉡공을 들인 효과. 보람.
[功候 공후] 진보(進步)의 정도.
[功勳 공훈] 공. 훈공(勳功).
[功虧一簣 공휴일궤] 구인(九仞)이 되는 높은 산을 쌓는데 한 삼태기의 흙만 더 올려 가 쌓으면 다 될 것을 그만 둔다는 뜻으로, 거의 성취(成就)한 일을 중지하여 적년(積年)의 수고가 아무 보람 없이 됨을 이름.

[功布]

◉軍功. 奇功. 論功. 農功. 大功. 武功. 邊功. 婦功. 非常之功. 成功. 歲功. 小功. 頌功. 首功. 王功. 元功. 有功. 戰功. 定策功. 奏功. 尺寸之功. 天功. 豐功. 顯功. 螢雪之功. 勳功.

3
⑤ **[囮]** 화 [去]箇 戶臥切 huò

[字解] 배끄는소리 화, 구령소리 화 '一, 牽船聲'《玉篇》.

3
⑤ **[务]** 〔무·모〕
務(力部 九畫〈p.280〉)의 簡體字

[幼] 〔유〕
幺部 二畫(p.690)을 보라.

4
⑥ **[劦]** 협 [入]葉 胡頰切 xié 

[字解] ①합할 협 힘을 합함. 협력함. 協(十部 六畫)과 同字. ②바쁠 협 분망(奔忙)함. 급함. '雞號之山, 其風如一'《山海經》. ③성 협 성(姓)의 하나.

[字源] 甲骨文  金文  篆文  篆文은 會意. '力력'을 셋 합쳐서, '협력'의 뜻을 나타냄. 甲骨文·金文은 象形. 세 개의 쟁기로 땅을 파는 모양을 본뜸.

4
⑥ **[劸]** 귀 [去]寘 居僞切 guì 

[字解] 느른할 귀 피곤함. '勞一'. '弊一之民'《魏志》.

◉勞劸.

4
⑥ **[劣]** [高人] 렬 [入]屑 力輟切 liè 

[筆順] 丿 ⺗ 小 少 劣 劣

[字解] ①못할 렬 ㉠재능·기예 등이 남보다 못함. '庸一'. '拙一'. '安基常一于玄'《晉書》. ㉡힘이나 마음이 약함. '弱一'. '哀其羸一'《蔡邕》. ㉢졸렬함. '一惡'. '施之寒一'《晉書》. ②겨우 렬 간신히. '使其中一通車軸'《宋書》.

[字源] 篆文 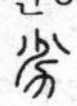 會意. 力+少. 힘이 적다의 뜻에서 '남보다 못하다'의 뜻을 나타냄.

[劣等 열등] 낮은 등급(等級).
[劣馬 열마] 우둔(愚鈍)한 말.
[劣比 열비] 수학(數學)에서 전항(前項)이 후항(後項)보다 작은 비(比).
[劣相 열상] 못생긴 얼굴.
[劣勢 열세] 세력이 열등(劣等)함. 또, 그 세력.
[劣紳 열신] 부정(不正)한 신사. 병비(兵匪)와 결탁하여 그 지방에서 세력을 떨치는 악질의 지주(地主)·자본가를 이름.
[劣惡 열악] 품질이 나쁨.
[劣弱 열약] 약하고 열등(劣等)함.
[劣才 열재] 열등(劣等)한 재주. 둔재(鈍才).
[劣情 열정] 열등한 정욕(情慾). 비루한 심정.
[劣敗 열패] 열등한 자가 패(敗)함.
[劣品 열품] 품질(品質)이 낮은 물건.
◉怯劣. 寡劣. 駑劣. 陋劣. 微劣. 卑劣. 鄙劣. 弱劣. 庸劣. 愚劣. 優劣. 低劣. 拙劣. 淺劣. 賤劣. 下劣.

4
⑥ **[劤]** [人名] 근 [去]問 居焮切 jìn

[筆順] 一 厂 斤 斤 斤フ 劤

[字解] 힘셀 근 힘이 셈.

[字源] 形聲. 力+斤〔音〕

4
⑥ **[动]** 〔동〕
動(力部 九畫〈p.279〉)의 簡體字

5
⑦ **[助]** [中人] 조 [去]御 牀據切 zhù 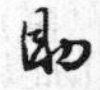

[筆順] 丨 冂 月 目 且 盯 助

[字解] ①도울 조 ㉠힘을 빌림. 보좌함. '一力'. '天之所一者順也'《易經》. ㉡어려운 사람을 구제함. '秋省斂而一不給'《孟子》. 또, 돕는 사람. 보좌. '亡貴人左右之一'《漢書》. ②도움 조 조력. 이익. '來以爲客, 則一一也'《史記》. ③구실 조 은(殷)나라 때에 정전(井田)의 중앙의 일구(一區)의 공전(公田)을 주위의 팔구(八區)를 경영하는 여덟 가호가 같이 경작하여 그 수확을 관(官)에 바치던 전조(田租). '殷人七十而一'《孟子》.

[字源] 篆文  形聲. 力+且〔音〕. '且조'는 '겹치다, 포개어 쌓다'의 뜻. 힘을 포개어 합쳐서 사람을 돕다의 뜻을 나타냄.

[助桀爲惡 조걸위악] 악(惡)한 사람을 부추겨서 못된 짓을 하게 함.
[助桀爲虐 조걸위학] 나쁜 무리와 한동아리가 되어 나쁜 일을 도움.
[助教授 조교수] 대학(大學) 교수의 직제의 하나. 부교수(副教授)의 아래.
[助動詞 조동사] 《韓》 동사(動詞)의 뜻을 돕는 품사(品詞). 보조 동사(補助動詞).
[助力 조력] 남의 일을 도와줌.
[助理 조리] 임금을 도와 나라를 다스림.
[助命 조명] 생명을 구해 줌.
[助味 조미] 음식(飮食)의 맛을 좋게 함.
[助法 조법] 은대(殷代)의 세법(稅法). 자해(字解) ❸을 보라.
[助詞 조사] ㉠조자(助字). ㉡《韓》 체언(體言)이나 부사(副詞) 밑에 붙어 다른 말과의 관계나 그 말의 뜻을 돕는 품사.
[助辭 조사] 조자(助字).
[助産 조산] 아이를 낳을 때 산모를 돕고 아이를 받는 일. 또, 그 사람. 해산어미. 산파(産婆).
[助成 조성] 도와서 이루게 함.
[助勢 조세] 조력(助力).
[助手 조수] 주장되는 사람의 일을 도와주는 사람.
[助戍 조수] 도와서 지킴.
[助陽 조양] 남자의 양기(陽氣)를 도움.
[助言 조언] 옆에서 말참견하여 도와줌. 또, 그 말. 「꾼.
[助役 조역] 도와서 거들어 줌. 또, 그 사람. 조역
[助字 조자] 문장(文章)의 의미를 돕기 위하여 첨가(添加)하는 글자. '于·於·乎·矣·焉·哉·也' 등의 글자.

[助長 조장] ㉠도와서 빨리 자라게 함. ㉡속성(速成)하기를 바라 서두르다가 도리어 일을 해침.
[助護 조호] 도와서 보호(保護)함.
[助婚 조혼] 혼사(婚事)에 보조함.
[助興 조흥] 흥취를 도움.
◉救助. 內助. 冥助. 幇助. 補助. 扶助. 神助. 語助. 佑助. 祐助. 援助. 一助. 自助. 贊助. 天助. 互助.

5 ⑦ [劫] [人名] 겁 [入]葉 居怯切 jié

[字解] ①겁탈할 겁 억지로 빼앗음. '一掠'. '一盜'. '剽一行者'《漢書》. ②으를 겁 위협함. 협박함. '一脅'. '威一'. '一之以衆'《禮記》. ③강도 겁 위협하여 약탈하는 도둑. '寇一強多'《晉書》. ④대궐층계 겁 궁전의 계단. '浩一因王造'《杜甫》. ⑤패 겁 바둑의 패. '有征有一'《碁經》. ⑥겁 겁 범어(梵語) kalpa의 음역(音譯). 가장 긴 시간. 또, 단지 시간의 뜻으로도 쓰임. '未來永一'. '日月歲數謂之時, 成住懷空謂之一'《祖庭事苑》. ⑦부지런할 겁 부지런히 일하는 모양. '人皆一一'《韓愈》.
[字源] [篆文] 形聲. 力+去(盍)〔音〕. '盍합'은 '뚜껑을 덮다'의 뜻. 힘으로 뚜껑을 덮다, 위협하다의 뜻을 나타냄.

[劫姦 겁간] 폭력(暴力)을 써서 간음(姦淫)함. 강간함.
[劫劫 겁겁] ㉠부지런한 모양. 자자(孜孜). ㉡《佛敎》 대대(代代)로.
[劫年 겁년] 겁운(劫運)이 닥친 해.
[劫盜 겁도] 강도(強盜). 표적(剽賊).
[劫掠 겁략] 협박하여 남의 물건을 빼앗음.
[劫略 겁략] 겁략(劫掠).
[劫盟 겁맹] 위협하여 맹세하게 함.
[劫迫 겁박] 위세(威勢)를 보이며 협박(脅迫)함. 강박(強迫)함.
[劫縛 겁박] 협박하여 포박(捕縛)함.
[劫囚 겁수] 겁옥(劫獄).
[劫餘 겁여] 겁략(劫掠)당한 뒤. 전(轉)하여, 전후(戰後).
[劫獄 겁옥] 옥중의 죄수를 폭력으로 빼앗아 냄.
[劫運 겁운] 액(厄)을 당할 운수. 액운(厄運).
[劫賊 겁적] 강도(強盜). 겁도(劫盜).
[劫制 겁제] 협박하여 복종시킴.
[劫鈔 겁초] 겁략(劫掠).
[劫濁 겁탁] 《佛敎》 천재(天災)·질병·전란 등으로 세상이 어지러움을 이름.
[劫奪 겁탈] 폭력으로써 빼앗음. 협탈(脅奪). 겁략(劫略).
[劫害 겁해] 위협하여 해침.
[劫脅 겁협] 협박(脅迫)함.
[劫火 겁화] 《佛敎》 세계(世界)가 파멸(破滅)될 때에 일어난다는 큰불.
[劫灰 겁회] 《佛敎》 겁화(劫火)의 재. 세계가 파멸(破滅)될 때에 일어난다는 큰불의 재.
[劫會 겁회] 겁운(劫運).
◉攻劫. 盜劫. 萬劫. 燔劫. 焚劫. 四劫. 掠劫. 億劫. 永劫. 威劫. 塵劫. 鈔劫. 剽劫. 浩劫.

5 ⑦ [劬] 구 [平]虞 其俱切 qú

[字解] 힘들일 구 수고함. 애씀. '一勤'. '哀哀父母, 生我一勞'《詩經》.
[字源] [篆文] 形聲. 力+句〔音〕. '句구'는 '구부러지다'의 뜻. 힘내어 애써서 몸이 구부러지다, 피로해지다의 뜻을 나타냄.

[劬儉 구검] 고생을 하며 절약함.
[劬劬 구구] 힘을 들여 눈코 뜰 새 없이 일하는 모양.
[劬劇 구극] 힘들고 바쁨.
[劬勤 구근] 애쓰며 부지런히 힘씀.
[劬勞 구로] 힘을 들여 일하여 피로함.
[劬勞之恩 구로지은] 자기를 낳아 고생하며 기른 부모의 은혜(恩惠).
[劬錄 구록] 극진히 노력함. 구록(劬祿).

5 ⑦ [劲] 〔경〕
勁(力部 七畫〈p. 276〉)의 俗字

5 ⑦ [劭] 소 [去]嘯 寔照切 shào
[平]蕭 時饒切

[字解] ①권할 소 권면함. '先帝一農'《漢書》. ②아름다울 소 '淸一'. '美一'. '令名患不一'《潘岳》. ③힘쓸 소 근면함. '老而益一者也'《魏志》. ④높을 소 '一令'. '厥功彌一'《晉書》.
[字源] [篆文] 形聲. 力+召〔音〕. '열심히 힘쓰다'의 뜻을 나타냄.

[劭令 소령] 덕망(德望)이 높고 행실(行實)이 착함.
◉高劭. 功劭. 光劭. 名劭. 明劭. 美劭. 聲劭. 淵劭. 才劭. 儁劭. 淸劭. 洪勳劭.

5 ⑦ [努] [高人] 노 [上]麌 奴古切 nǔ

[筆順] 𠂉 夂 女 女フ 奴 努 努

[字解] 힘쓸 노 부지런히 일함. 힘을 들임. '一力崇神德'《李陵》.
[字源] 形聲. 力+奴〔音〕. '奴노'는 힘들여 일하는 노비(奴婢)의 뜻. '力력'을 더하여, '힘쓰다'의 뜻을 나타냄.

[努力 노력] 애씀. 힘을 들임.
[努目 노목] 성내어 눈을 부릅뜸.

5 ⑦ [労] 〔로〕
勞(力部 十畫〈p. 280〉)의 俗字

5 ⑦ [劳] 〔로〕
勞(力部 十畫〈p. 280〉)의 俗字

5 ⑦ [励] 〔려〕 勵(力部 十五畫〈p. 284〉)의 俗字·簡體字

6 ⑧ [劼] [一] 할 [入]黠 格八切 jié
[二] 길 [入]質 喫吉切

[字解] [一] ①삼갈 할 근신함. '一, 愼也'《說文》. ②단단할 할 '一, 固也'《爾雅》. '汝一毖殷獻臣'《書經》. ③힘쓸 할 '一, 用力也'《廣韻》. [二] 삼갈 길, 단단할 길, 힘쓸 길 [一]과 뜻이 같음.
[字源] [篆文] 形聲. 力+吉〔音〕. '吉길'은 '확실히 하다'의 뜻. 힘써 확실히 하다, 삼가다의 뜻을 나타냄.

[劼毖 할비] 삼감. 근신함.

6 ⑧ [劾] [人名] 핵 [入]職 胡得切 hé

[字解] 캐물을 핵 죄상을 추궁하여 조사함. 또, 그 죄상을 기록한 문서. '一按'. '一奏'. '尙書責滂所一猥多, 滂知意不行, 投一去'《後漢書》.

[字源] 篆文 形聲. 力+亥〔音〕. '亥해'는 '亟극'과 통하여, '채근하여 캐묻다'의 뜻. 사람의 죄를 캐묻다의 뜻을 나타냄.

[劾繫 핵계] 죄를 조사하여 포박(捕縛)함.
[劾論 핵론] 탄핵(彈劾)하여 논함. 허물을 들어 논박함.
[劾案 핵안] 핵안(劾按).
[劾按 핵안] 고발하여 죄상(罪狀)을 조사함.
[劾狀 핵장] 탄핵(彈劾)하여 임금에게 아뢰는 문서(文書). 죄상을 조사하여 임금에게 고발하는 문서.
[劾詆 핵저] 죄상(罪狀)을 적발하고 이를 비난하여 임금에게 아룀.
[劾情 핵정] 정상을 조사하여 따짐.
[劾奏 핵주] 관원(官員)을 탄핵(彈劾)하여 임금에게 아룀.
[劾彈 핵탄] 죄를 조사하여 들추어냄. 탄핵(彈劾).
◉擧劾. 繫劾. 告劾. 鞠劾. 糾劾. 誣劾. 排劾. 繩劾. 按劾. 自劾. 奏劾. 推劾. 彈劾. 驗劾.

6 ⑧ [劻] 광 [平]陽 去王切 kuāng

[字解] 급할 광 썩 급한 모양. '新師不牢, 一勷將逋'《韓愈》.

[字源] 形聲. 力+匡〔音〕

[劻勷 광양] 썩 급한 모양. 급히 닥치는 모양.

6 ⑧ [効] [中人] 〔효〕 效(攴部 六畫〈p. 929〉)의 俗字

[筆順] 丶 亠 亠 六 亣 交 㓜 効

6 ⑧ [劵] 〔권〕 倦(人部 八畫)의 本字

[字源] 篆文 形聲. 力+龹(季)〔音〕. '季권'은 '둥그레지다'의 뜻. 힘이 쇠(衰)하여 몸이 구부러지고 축 늘어지다, 피로해지다의 뜻을 나타냄. '劵권'과 헷갈리기 쉬워, '倦권'을 사용하게 됨.

[參考] 券(刀部 六畫)은 別字.

6 ⑧ [势] 〔세〕勢(力部 十一畫〈p. 283〉)의 俗字·簡體字

7 ⑨ [勁] [人名] 경 [去]敬 居正切 jìng 劲

[筆順] 一 ㄑ 巜 巛 巠 巠 剄 勁

[字解] 셀 경, 굳셀 경 ㉠힘이 있음. 강함. '一兵'. '一弓'. '弓先調而後求一'《淮南子》. ㉡의지가 강함. '一正'. '一直'. '行法至堅, 不以私欲亂所聞, 如是則可謂一士矣'《荀子》.

[字源] 篆文 形聲. 力+巠〔音〕. '巠경'은 힘이 있고 곧다의 뜻. 곧고 센 힘의 뜻을 나타냄.

[勁健 경건] 굳세고 건장(健壯)함.
[勁果 경과] 굳세고 과단성이 있음.
[勁弓 경궁] 센 활.
[勁氣 경기] 굳센 기상(氣象).
[勁騎 경기] 강한 기병(騎兵).
[勁弩 경노] 센 쇠뇌. 강노(強弩).
[勁厲 경려] 강직하고 준엄함.
[勁力 경력] 강한 힘. 강력(強力).
[勁烈 경렬] 강렬(強烈)함.
[勁利 경리] 강하고 예리(銳利)함.
[勁猛 경맹] 굳세고 사나움.
[勁木 경목] 단단하여 잘 부러지지 않는 나무.
[勁妙 경묘] 힘차고 교묘함.
[勁拔 경발] 굳세고 뛰어남.
[勁兵 경병] ㉠용감한 군사. ㉡예리(銳利)한 무기(武器).
[勁士 경사] ㉠경졸(勁卒). ㉡강직한 사람.
[勁松彰於歲寒 경송창어세한] 풍상(風霜)을 만나도 빛을 변하지 않는 굳센 소나무의 절개는 1년 중 가장 추운 겨울에 비로소 나타난다는 말.
[勁矢 경시] 센 화살. 경전(勁箭).
[勁迅 경신] 날카롭고 빠름.
[勁葉 경엽] 억센 잎.
[勁銳 경예] 강하고 예리(銳利)함.
[勁勇 경용] 굳세고 용감함. 또, 그러한 사람.
[勁敵 경적] 강적(強敵).
[勁箭 경전] 센 화살. 경시(勁矢).
[勁切 경절] 세고 매서움.
[勁節 경절] 굳은 절개.
[勁正 경정] 굳세고 바름.
[勁躁 경조] 마음이 굳세고 조급함.
[勁卒 경졸] 강한 군사(軍士).
[勁酒 경주] 독한 술.
[勁駿 경준] ㉠힘이 센 준마(駿馬). ㉡문세(文勢)나 필세(筆勢)가 힘참.
[勁直 경직] 굳세고 곧음. 강직(剛直).
[勁疾 경질] 굳세고 날램. 경첩(勁捷).
[勁捷 경첩] 힘이 세고 민첩함.
[勁草 경초] 바람에 쏠리지 않는 억센 풀. 전하여, 강직하여 불의(不義)에 굴하지 않는 사람의 비유로 쓰임.
[勁秋 경추] 바람이 세차고 서리가 내리는 찬 가을.
[勁風 경풍] 몹시 부는 바람. 센 바람.
[勁悍 경한] 억세고 사나움.
◉剛勁. 堅勁. 古勁. 高勁. 果勁. 奇勁. 猛勁. 肥勁. 雄勁. 貞勁. 精勁. 遒勁. 捷勁. 淸勁. 忠勁. 豪勁. 後勁.

7 ⑨ [勃] [人名] 발 [入]月 蒲沒切 bó

[字解] ①우쩍일어날 발 갑자기 흥(興)하는 모양. '一焉'. '其興也一焉'《左傳》. ②갑작스러울 발 급한 모양. '忽然出, 一然動'《莊子》. ③발끈할 발 ㉠갑자기 화를 내는 모양. '王一然變乎色'《孟子》. ㉡갑자기 안색이 변하는 모양. '色一如也'《論語》. ④밀칠 발 떠밂. 배제함. '肆其猖一'《晉書》. ⑤다툴 발 언쟁함. 싸움. '婦姑一谿'《莊子》. ⑥바다이름 발 渤(水部 九畫)과 통용. '一碣之間'《漢書》. ⑦성 발 성(姓)의 하나.

字源 篆文 形聲. 力+孛〔音〕. '孛발'은 갑자기 성해지다의 뜻. 갑자기 기세 좋게 성하게 일어나다의 뜻을 나타냄.

[勃啓 발계] 갑자기 일어남.
[勃姑 발고] '비둘기〔鳩〕'의 별칭.
[勃起 발기] 졸지에 성(盛)하게 일어남. 갑자기 흥(興)함. 발흥(勃興).
[勃怒 발노] 발끈 노함.
[勃亂 발란] 혼란함.
[勃勃 발발] 왕성한 모양. 갑자기 일어나는 모양.
[勃發 발발] 일이 갑자기 일어남.
[勃屑 발설] 비틀비틀 걷는 모양.
[勃焉 발언] 갑자기 성(盛)하는 모양.
[勃如 발여] 안색(顔色)이 변하는 모양.
[勃然 발연] ㉠급한 모양. 갑작스러운 모양. ㉡갑자기 안색이 변하며 성내는 모양.
[勃然大怒 발연대로] 별안간 성을 대단히 냄.
[勃然變色 발연변색] 별안간 성이 나서 얼굴빛이 변함.
[勃鬱 발울] 가슴이 답답하게 막히는 모양. 울결(鬱結). 울발(鬱勃).
[勃爾 발이] 발언(勃焉).
[勃海 발해] '발해(渤海)'와 같음.
[勃谿 발혜] 서로 다투는 모양. 반목(反目)하는 모양.
[勃興 발흥] 갑자기 흥함. 갑자기 성(盛)하게 일어남.
◉狂勃. 馬勃. 蓬勃. 坌勃. 蓊勃. 鬱勃. 咆勃. 暴勃. 苾勃. 凶勃.

7
⑨ [勀] 극 ㉤職 苦得切 kè

字解 ①힘쓸 극 부지런히 함. '一, 自彊也'《廣韻》. ②이길 극 '一, 勝也'《玉篇》. ③克(儿部 五畫〈p.195〉)과 통용. '一, 與克通'《正字通》.
字源 形聲. 力+克〔音〕

7
⑨ [勅] 人名 칙 ㉤職 恥力切 chì

筆順 一 ㄏ 𠃌 ⺕ 帀 東 剌 勅

字解 ①신칙할 칙 타이름. 경계함. '戒一'. ②삼갈 칙 조신(操身)함. 조심함. '能一身率下'《後漢書》. ③조서 칙 제왕의 선지(宣旨). 또, 그것을 적은 문서. '詔一'. '一旨'. '使舍人溫子昇草一'《北史》.
字源 會意. 柬+攴
參考 ①敕(攴部 七畫)과 同字. ②'敕'과 '勅'은 서로 통용하지만, 오늘날 '조서(詔書)'의 뜻으로는 보통 '勅'을 씀. ③勑(力部 八畫)는 본디 別字이지만, 자형(字形)이 유사하여, '勅'으로 오용(誤用)하게 됨.

[勅戒 칙계] 신칙(申飭)함.
[勅告 칙고] 신칙(申飭)하여 알림.
[勅教 칙교] 칙유(勅諭).
[勅勸 칙권] 신칙하고 권함. 면려(勉勵).
[勅斷 칙단] 칙재(勅裁).
[勅答 칙답] 천자(天子)의 대답.
[勅厲 칙려] 신칙(申飭)하고 장려함.
[勅令 칙령] 칙명(勅命).
[勅命 칙명] 천자의 명령.
[勅問 칙문] 천자의 하문(下問).
[勅使 칙사] 칙명(勅命)을 받은 사신(使臣).
[勅書 칙서] 칙지(勅旨)를 기록한 문서. 조서(詔書).
[勅宣 칙선] 칙서(勅書).
[勅額 칙액] 천자 친필의 현판(懸板).
[勅語 칙어] 천자의 말. 조칙(詔勅).
[勅願 칙원] 천자가 신불(神佛)에게 비는 기원(祈願).
[勅諭 칙유] 천자의 선유(宣諭).
[勅任 칙임] 칙명(勅命)으로 관직(官職)을 임명함. 또, 그 관직.
[勅裁 칙재] 천자의 재결(裁決).
[勅旨 칙지] 칙명의 취지. 칙명(勅命).
[勅撰 칙찬] ㉠천자가 친히 찬술함. ㉡칙명(勅命)을 받들어 찬술함. 또, 그 저서(著書).
[勅牒 칙첩] 칙서(勅書).
[勅筆 칙필] 천자의 친필(親筆).
[勅行 칙행] 칙사(勅使)의 행차.
[勅許 칙허] 천자의 허가.
◉檢勅. 警勅. 戒勅. 誡勅. 告勅. 教勅. 謹勅. 墨勅. 密勅. 手勅. 修勅. 申勅. 約勅. 嚴勅. 僞勅. 制勅. 詔勅.

7
⑨ [勉] 中·人 면 ㉡銑 亡辨切 miǎn

筆順 ノ ク 𠂊 𠂊 刍 免 免 勉

字解 ①힘쓸 면 근면함. 부지런히 함. '一學'. '喪事不敢不一'《論語》. ②권면할 면 힘써 하도록 격려함. '勸一'. '一諸侯'《禮記》.
字源 篆文 形聲. 力+免〔音〕. '免면'은 신생아(新生兒)를 낳는 모양을 본떠, 힘주어 빼내다의 뜻. 힘을 들여 노력하다의 뜻을 나타냄.

[勉強 면강] 힘씀. 힘써 함.
[勉彊 면강] 면강(勉強).
[勉勸 면권] 권유함. 권면(勸勉).
[勉厲 면려] 면려(勉勵).
[勉勵 면려] 힘써 함. 또, 힘쓰게 함. 힘써 하도록 격려함.
[勉礪 면려] 면려(勉勵).
[勉力 면력] 힘씀. 힘써 함. 면강(勉強).
[勉勉 면면] 힘쓰는 모양. 부지런한 모양. 자자(孜孜).
[勉務 면무] 힘써 함.
[勉學 면학] 공부를 힘써 함.
[勉行 면행] 힘써 행함. 역행(力行).
◉彊勉. 激勉. 誡勉. 勸勉. 勤勉. 勞勉. 黽勉. 淬勉. 力勉. 慰勉. 忍勉. 弔勉. 策勉.

7
⑨ [勇] 中·人 용 ㉡腫 余隴切 yǒng

筆順 フ マ 𠆢 㐬 甬 甬 勇 勇

字解 ①날랠 용 기운이 있고 동작이 빠름. '一健'. '一而無禮則亂'《論語》. ②용감할 용 용기가 있음. 의지가 강하고 과단성이 있음. '一斷'. '一志之所以敢也'《墨子》. ③용감 용 '賁育之一'《漢書》. '知仁一三者, 天下之達德也'《中庸》. ④용사 용 ㉠용감한 사람. '非一一之所抗'《蔡邕》.

㉡용감한 군사. 군인. '決勝三河一, 長驅六郡雄'《李嶠》. ⑤성 용 성(姓)의 하나.
[字源] 篆文 古文 形聲. 力+甬〔音〕. '甬용'은 무거운 종(鐘)의 상형. 무거운 물건을 들어 올리는 기력(氣力)의 뜻에서, '씩씩하다, 용맹하고 사납다'의 뜻을 나타냄.

[勇敢 용감] 씩씩하고 과단성이 있음.
[勇彊 용강] 씩씩하고 굳셈.
[勇健 용건] 용감하고 건장함.
[勇怯 용겁] 용기와 겁나(怯懦).
[勇決 용결] 용단(勇斷).
[勇果 용과] 용감하고 과단성이 있음.
[勇氣 용기] 씩씩하고 굳센 기운.
[勇斷 용단] 용감하고 결단성이 있음. 또, 용감하게 결단(決斷)함.
[勇膽 용담] 용감한 담력(膽力).
[勇略 용략] 용감하고 지략(智略)이 있음.
[勇力 용력] 용감과 힘. 또, 큰 힘.
[勇猛 용맹] 날래고 사나움.
[勇猛精進 용맹정진] 《佛教》 용맹한 기력(氣力)을 떨쳐 불도(佛道)를 닦음.
[勇名 용명] 용맹(勇猛)한 이름.
[勇募 용모] 용기가 있어 모집에 응한 병사(兵士).
[勇謀 용모] ㉠용감한 모계(謀計). ㉡용기와 모략(謀略).
[勇武 용무] 날래고 굳셈.
[勇兵 용병] 용감(勇敢)한 군사.
[勇夫 용부] 용감한 남자.
[勇憤 용분] 용감히 나서며 분노함. 또, 용감과 분노.
[勇士 용사] ㉠용감한 사람. ㉡용병(勇兵).
[勇士不忘喪其元 용사불망상기원] 용사는 언제나 생명을 아끼지 않고 죽을 각오를 하고 있음. 원(元)은 두(頭).
[勇躍 용약] 용감하게 뜀. 용기(勇氣)가 나서 뜀.
[勇往邁進 용왕매진] 모든 곤란을 물리치고 용감하게 앞으로 자꾸 나아감.
[勇毅 용의] 용감하고 굳셈.
[勇者不懼 용자불구] 참으로 용감한 사람은 도의(道義)를 위해서는 목숨을 아끼지 않으므로, 어떠한 경우를 당하여도 두려워하지 아니함.
[勇壯 용장] 용감하고 씩씩함.
[勇將 용장] 용감한 장수(將帥).
[勇將手下無弱兵 용장수하무약병] 용감한 장수 밑에는 약한 군사가 없음.
[勇戰 용전] 용감하게 싸움.
[勇智 용지] 용기(勇氣)와 지혜(智慧).
[勇鷙 용지] 용감하고 사나움.
[勇進 용진] 용기(勇氣) 있게 나아감.
[勇沈 용침] 용감하고도 침착함.
[勇退 용퇴] 용기(勇氣) 있게 쾌(快)히 물러 나감.
[勇鬪 용투] 용전(勇戰).
[勇悍 용한] 용감하고 사나움.
[勇俠 용협] 용감하고 의협심이 많음. 또, 그 사람. 호협(豪俠).
◉剛勇. 健勇. 膽勇. 大勇. 蠻勇. 猛勇. 武勇. 小勇. 義勇. 毅勇. 仁勇. 壯勇. 豬勇. 知勇. 忠勇. 沈勇. 暴勇. 剽勇. 匹夫之勇. 悍勇. 血氣之勇. 俠勇. 豪勇. 驍勇.

8 ⑩ [勉] 〔면〕 勉(力部 七畫〈p. 277〉)과 同字

8 ⑩ [勌] 권 [去]霰 渠卷切 juàn
[字解] 게으를 권, 싫증날 권 倦(人部 八畫)과 同字. '學道不一'《莊子》.
[字源] 形聲. 力+卷〔音〕

[勌滿 권만] 일에 싫증이 나서 가슴이 답답함.
[勌惰 권타] 게으름.
[勌敝 권폐] 피로하여 싫증이 남.
◉勞勌. 罷勌.

8 ⑩ [勍] [人名] 경 [平]庚 渠京切 qíng
[字解] 셀 경 강함. '一敵之人'《左傳》.
[字源] 篆文 形聲. 力+京〔音〕. '京경'은 '強강'과 통하여, '세다'의 뜻. '力력'을 더하여, 뜻을 분명히 함.

[勍敵 경적] 강한 적. 강적(強敵).

8 ⑩ [勑] [一] 래 [去]隊 洛代切 lài [二] 칙 [入]職 蓄力切 chì
[字解] [一] 위로할 래 徠(彳部 八畫)와 同字. '來皆一之'《詩經》. [二] 신칙할 칙, 조서 칙 勅(力部 七畫)과 同字. '明罰一法'《易經》. '唐之用一廣矣'《文體明辯》.
[字源] 篆文 形聲. 力+來〔音〕. '來래'는 '賚뢰'와 통하여, 하사한 물건의 뜻. 물건을 주어 노력에 대하여 위로하다의 뜻을 나타냄. 또, '敕칙'과 잘못 통용되어, '신칙하다'의 뜻도 나타냄.

◉謹勑.

[劭] 〔가〕 口部 七畫(p. 374)을 보라.

9 ⑪ [勒] [人名] 륵 [入]職 盧則切 lè, ⑤lēi
[字解] ①굴레 륵 마소의 목에서 고삐에 걸쳐 얽어매는 줄. '一絆'. '鞍一一具'《漢書》. ②새길 륵 조각함. '一石'. '一銘'. '物一工名'《禮記》. ③억누를 륵 억제함. '一抑'. '不能教一子孫'《後漢書》. ④다스릴 륵 통어(統御)함. '可以少試一兵乎'《史記》. ⑤묶을 륵 결박함. '一死'. '火伴相一縛'《元稹》. ⑥성 륵 성(姓)의 하나.
[字源] 金文 篆文 形聲. 革+力〔音〕. '力력'은 '힘'의 뜻. 힘을 들여 말의 움직임을 억누를 수 있는 가죽, '굴레'의 뜻을 나타냄.

[勒掘 늑굴] 남의 무덤을 강제(強制)로 파게 함.
[勒買 늑매] 억지로 삼.
[勒銘 늑명] 명(銘)을 금석(金石)에 새김. 또, 그 명(銘).
[勒文 늑문] 문장을 돌에 새김.
[勒縛 늑박] 묶음. 결박함.
[勒絆 늑반] 고삐.
[勒兵 늑병] 군대를 통어(統御)함. 군대를 훈련함.
[勒捧 늑봉] 빚진 사람에게서 돈이나 물건을 억지로 받아 냄.
[勒碑 늑비] 비석에 문장을 새김.

[勒死 늑사] 목을 매어 죽음.
[勒石 늑석] 돌에 새김.
[勒紲 늑설] 고삐.
[勒于金石 늑우금석] 그 사람의 공덕(功德) 등을 종정비갈(鐘鼎碑碣)에 새겨 후세(後世)에 전함. 각우금석(刻于金石).
[勒韻 늑운] 시를 짓는 데 미리 운자(韻字)를 정함. 압운(押韻)을 미리 정하여 놓음.
[勒葬 늑장] 남의 산에 억지로 장사(葬事) 지냄.
[勒定 늑정] 강제로 작정함.
[勒停 늑정] 관직(官職)을 파면(罷免)함.
[勒住 늑주] 억지로 가지 못하게 함.
[勒徵 늑징] 벼슬아치가 까닭 없이 돈이나 물품을 강제로 징수(徵收)함.
[勒奪 늑탈] 위력(威力)이나 폭력(暴力)을 써서 억지로 빼앗음.
[勒婚 늑혼] 억지로 맺는 혼인(婚姻).
[勒痕 늑흔] 목을 매어 죽인 흔적.
◉誡勒. 羈勒. 銘勒. 彌勒. 剖勒. 鑣勒. 整勒. 勑勒. 貝勒. 銜勒.

9 ⑪ [勔] 면 ㊤銑 彌兗切 miǎn

[字解] 힘쓸 면, 권할 면 勉(力部 七畫)과 同字.
[字源] 形聲. 力+面〔音〕

9 ⑪ [動] [中人] 동 ㊤董 徒揔切 dòng [去]送 徒弄切 动

[筆順] 一 亠 亩 亩 亩 重 重 動 動

[字解] ①움직일 동 ㉠옮김. 감. '日行月—'《淮南子》. ㉡흔들림. 요동함. 또, 꿈틀거림. '—搖'. '悲秋風之—容兮'《楚辭》. '日光釵焰—, 窗影鏡花搖'《庾信》. ㉢떨림. '心—'. '天休震—'《書經》. ㉣느낌. 감응(感應)함. '感—'. '同氣相—'《淮南子》. ㉤기거동작을 함. '非禮勿—'《論語》. ㉥일을 함. '終歲勤—'《孟子》. ㉦일어남. 시작함. '兵以義—'《魏書》. ㉧벼슬을 함. '一息無兼遂'《謝朓》. ㉨의혹함. '不隨物而—'《淮南子》. ㉩변함. '色—而意變'《戰國策》. ㉪나옴. 나타남. '仲春蟄蟲咸—'《禮記》. ㉫어지러움. '天下螘—'《後漢書》. ㉬이상(以上)의 타동사. '雷以—之'《易經》. ②움직임 동 전항의 명사. '—靜'. '—合無形, 贍足萬物'《史記》. ③동물 동 움직이는 생물. '羣—咸遂'《梁巘》. ④자칫하면 동 까딱하면. '—輒得咎'. '來往—皆經月'《韓愈》.
[字源] 金文 篆文 形聲. 力+重〔音〕. '重중'은 '무겁다'의 뜻. 무거운 물건에 힘을 가하여 움직이다의 뜻을 나타냄.

[動駕 동가] 어가(御駕)가 대궐 밖으로 나감.
[動悸 동계] 심장(心臟)의 고동(鼓動)이 심하여 가슴이 울렁거림.
[動機 동기] ㉠일의 발동(發動)의 계기(契機). 행동의 직접 원인. ㉡행위의 직접 원인이 되는 마음의 상태.
[動亂 동란] 난리(亂離). 세상의 어지러움.
[動力 동력] 물체(物體)를 움직이는 힘. 기계(機械)를 운전하는 힘.
[動類 동류] 동물(動物).
[動脈 동맥] 심장(心臟)의 피를 전신(全身)에 보내는 맥관(脈管). 정맥(靜脈)의 대(對).
[動無違事 동무위사] 행동이 모두 정당하여 틀림이 없음. 행동이 모두 상도(常道)를 벗어나지 않음.
[動物 동물] 자유로이 운동을 하며 생명을 가진 「생물.
[動撥 동발] 금전(金錢)을 유용(流用) 지출(支出)함.
[動兵 동병] 군대를 일으킴.
[動詞 동사] 사물의 움직임을 나타내는 품사(品「詞).
[動產 동산] 가구(家具)·금전(金錢) 등과 같이 이동할 수 있는 재산. 부동산(不動產)의 대(對).
[動色 동색] 안색을 변함.
[動息 동식] ㉠활동과 휴식. ㉡사관(仕官)과 둔세(遁世).
[動心 동심] 마음이 움직임.
[動陽 동양] 양기(陽氣)가 동(動)함.
[動搖 동요] ㉠흔들리어 움직임. 또, 흔들어 움직이게 함. ㉡마음이 불안하여 흔들림.
[動用 동용] 움직이어 씀. 사용함.
[動容 동용] ㉠동작(動作). ㉡안색이 변함.
[動員 동원] ㉠군대를 평시 편제(平時編制)로부터 전시 편제(戰時編制)로 옮기는 일. ㉡전시(戰時)에 인적·물적 자원(資源)을 정부의 통일적인 관리하에 집중시키는 일.
[動議 동의] 토의(討議)하기 위하여 의제(議題)를 제출함. 또, 그 의제.
[動耳 동이] 감동하여 귀를 움직임.
[動作 동작] 사람의 평상의 행동. 몸가짐. 기거동작(起居動作).
[動靜 동정] ㉠움직임과 정지(靜止)함. ㉡기거동작(起居動作). ㉢인심(人心)·사태(事態)·병세(病勢) 등의 변천하는 상태. ㉣사람의 안부(安否). 소식(消息). ㉤동물(動物)과 식물(植物).
[動靜云爲 동정운위] 기거동작과 언행. 곧, 정신이 밖에 나타난 전체.
[動止 동지] 동작(動作).
[動地 동지] 땅을 움직인다는 뜻으로, 사물의 성대(盛大)함을 형용한 말.
[動體 동체] ㉠움직이는 물체. ㉡기체(氣體)와 액체(液體)의 총칭.
[動塚 동총] 이장(移葬)하려고 무덤을 파냄.
[動蕩 동탕] ㉠마음이 불안하여 흔들림. 동요(動搖). ㉡얼굴이 잘생기고 풍후(豐厚)함.
[動態 동태] 움직이는 상태(狀態).
[動向 동향] 움직이는 방향. 움직임.
[動血 동혈] 희로애락(喜怒哀樂)의 감정이 현저히 나타나는 일.
[動火 동화] 성을 냄.
[動蛔 동회] 배 속에서 회충(蛔蟲)이 움직임.
◉可動. 稼動. 感動. 擧動. 激動. 輕擧妄動. 驚動. 鼓動. 驅動. 群動. 亂動. 雷動. 能動. 妄動. 脈動. 萌動. 鳴動. 微動. 反動. 發動. 變動. 不動. 浮動. 生動. 煽動. 騷動. 竦動. 受動. 躍動. 陽動. 言動. 連動. 蠕動. 搖動. 運動. 雲烟飛動. 流動. 律動. 移動. 一擧一動. 自動. 作動. 寂然不動. 顫動. 蠢動. 地動. 振動. 震動. 策動. 天動. 出動. 衝動. 他動. 胎動. 波動. 暴動. 被動. 行動. 活動.

9 ⑪ [勖] [人名] 욱 [入]沃 許玉切 xù

[字解] ①힘쓸 욱 힘써 일을 함. '—哉夫子'《書經》. ②권면할 욱 힘써 일하도록 권장함. '以—

寡人'《詩經》.

[字源] [篆文] 形聲. 力+冒〔音〕. '冒모·욱'은 '무릅쓰다, 무모하게 하다'의 뜻. 어려움을 무릅쓰고 노력하다의 뜻을 나타냄.

[參考] '勖'은 옛 음이 '모'이며 '욱'은 속된 잘못이라는 설도 있음.

[勖勉 욱면] 힘써 일함. 부지런히 일함. 근면(勤勉).
[勖率 욱솔] 삼가 거느림.

9 ⑪ [勘] [人名] 감 [去]勘 苦紺切 kān [平]覃 枯含切

[筆順] 一 卄 甘 甘 甚 甚 勘 勘

[字解] ①살필 감 잘 생각하거나 조사하여 정함. '一校'. '一定'. '史籍散亡, 無可檢一'《左傳疏》. ②국문할 감 죄상을 신문함. '審一'. '推一不實者'《宋史》.

[字源] [篆文] 形聲. 力+匹+甘〔音〕. '匹필'은 '나란히 늘어놓다'의 뜻. '甘감'은 '끼우다'의 뜻. 여러 책을 늘어놓고 서표(書標)를 끼워서, 잘 조사하고 생각하다의 뜻을 나타냄.

[勘檢 감검] 조사함.
[勘契 감계] ㉠부절(符節). ㉡대궐 문을 여닫는 열쇠.
[勘考 감고] 생각함. 고려(考慮)함.
[勘校 감교] 대조하여 바로잡음. 조사하여 고침. 교정함. 교감(校勘).
[勘當 감당] 죄(罪)를 조사함.
[勘辨 감변] 생각하여 변별(辨別)함. 생각하여 일을 정함.
[勘查 감사] 감검(勘檢).
[勘審 감심] 생각하여 자세히 조사함.
[勘誤 감오] 문장의 잘못을 정정함.
[勘葬 감장] 《韓》 장사(葬事)를 치름. 장사를 끝냄.
[勘定 감정] 생각하여 정(定)함.
[勘罪 감죄] 죄인(罪人)을 취조하여 처분함.
[勘破了也 감파료야] 간파(看破)함.
[勘合 감합] ㉠대조(對照)하여 진부(眞否)를 조사함. ㉡부절(符節). 신표(信標).
◉檢勘. 校勘. 鞫勘. 磨勘. 點勘.

9 ⑪ [勘] 할 [入]點 許轄切 xiā

[字解] 어여차할 할 여럿이 힘을 합할 때에 일제히 내는 소리. '一一'.

[勘勘 할할] 여럿이 힘을 합할 때에 일제히 내는 소리. 어여차.

9 ⑪ [勤] 〔근〕 勤(力部 十一畫〈p. 282〉)의 略字

9 ⑪ [務] [中人] ㊀ 무 [去]遇 亡遇切 wù ㊁ 모 [上]麌 罔甫切 wǔ 务

[筆順] マ 𠃌 孑 矛 矜 矜 務 務

[字解] ㊀ ①힘쓸 무 힘써 함. '一勸'. '君子一本'《論語》. ②일 무 ㉠힘써 하는 일. 사업. '事一'. '開物成一'《易經》. ㉡직책. '任一'. '必用此爲一'《史記》. ㊁ 업신여길 모 侮(人部 七畫)와 통용. '外禦其一'《詩經》.

[字源] [金文] [篆文] 形聲. 力+敄〔音〕. '敄무'는 攵(攴)+矛〔音〕으로, 미늘창으로 치고 덤비다의 뜻. 곤란에 맞서 나아가다, 힘쓰다의 뜻을 나타냄. 金文은 攴+矛〔音〕의 形聲.

[務勸 무권] 힘씀.
[務望 무망] 힘써 바람.
◉家務. 激務. 兼務. 公務. 國務. 軍務. 劇務. 勤務. 急務. 機務. 內務. 勞務. 農務. 煩務. 法務. 邊務. 服務. 本務. 事務. 常務. 庶務. 先務. 世務. 俗務. 時務. 實務. 業務. 役務. 外務. 要務. 用務. 義務. 任務. 殘務. 雜務. 財務. 專務. 政務. 主務. 職務. 執務. 債務. 責務. 總務. 特務. 學務. 會務.

9 ⑪ [勖] 〔욱〕 勖(力部 九畫〈p. 279〉)의 訛字

10 ⑫ [舅] 〔구〕 舅(臼部 七畫〈p. 1880〉)의 俗字

10 ⑫ [勛] [人名] 〔훈〕 勳(力部 十四畫〈p. 284〉)의 古字

[筆順] ⼞ 卩 冃 冃 目 員 員 勛

10 ⑫ [勞] [中人] 로 [平]豪 魯刀切 láo [去]號 郎到切 lào 劳

[筆順] ⺌ 火 炏 炏 炏 炏 勞 勞

[字解] ①수고할 로 힘을 들임. 애씀. '一苦'. '勤一'. '主一而臣逸'《史記》. ②노곤(勞困)할 로 고달픔. '疲一'. '一倦'. '不敢告一'《詩經》. ③괴로워할 로 마음을 괴롭게 함. 근심함. '一心焦思'. '實一我心'《詩經》. ④앓을 로 병듦. '好憎者使人之心一'《淮南子》. ⑤일할 로 힘써 일을 함. '先之一之'《論語》. ⑥수고 로, 피로 로 '一逸'. '民忘其一'《易經》. ⑦일 로 힘써 하는 일. 사업. '先一後祿'《禮記》. ⑧공 로 힘써 한 공. 공적. '功一'. '非無一效'《溫子昇》. ⑨성 로 성(姓)의 하나. ⑩위로할 로 수고한 것을 치사함. '慰一'. '自一'. '一君之則拜'《禮記》.

[字源] [金文] [篆文] [古文] 會意. 力+熒〈省〉. '熒형'은 홰를 엮어 세운 화톳불의 뜻. 화톳불이 타듯이 힘을 연소시켜서, 피로해지다의 뜻을 나타냄. 또, 거성(去聲)일 때에는 수고를 위로하다의 뜻을 나타냄.

[參考] 労(力部 五畫)는 생략형인 俗字.

[勞歌 노가] 노동(勞動)을 할 때 부르는 노래.
[勞劍 노검] 무디어진 칼.
[勞遣 노견] 위로하여 보냄.
[勞結 노결] 우울함. 울적함.
[勞謙 노겸] 어려운 일을 맡아 애쓰면서도 겸손함. 공로가 있어도 겸손함.
[勞苦 노고] ㉠고되게 일함. ㉡애쓰고 고생함. ㉢수고한 것을 위로함.
[勞困 노곤] 고단함. 아주 피곤함.
[勞工 노공] 노동자(勞動者).
[勞疚 노구] 피로하여 앓음.
[勞屈 노굴] 피로하여 기운이 꺾임.
[勞倦 노권] 피로(疲勞)함.

[勞勤 노근] 부지런히 일함.
[勞農 노농] 노동자와 농부.
[勞頓 노돈] 대단히 피로함. 피로하여 녹초가 됨.
[勞動 노동] ㉠일함. 힘써 일함. ㉡생산하기 위하여 노동자가 노력을 제공하는 일.
[勞來 노래] 따라오는 사람을 위로함. 또, 위로하여 따라오게 함.
[勞徠 노래] 노래(勞來).
[勞力 노력] ㉠힘을 들여 일함. 힘을 씀. ㉡재화(財貨)의 생산을 목적으로 하는 심력(心力)·체력(體力)의 활동.
[勞勞 노로] 대단히 애쓰는 모양.
[勞勉 노면] 위로하고 격려함.
[勞問 노문] 위문(慰問)함.
[勞費 노비] 노동과 비용.
[勞使 노사] ㉠구사(驅使)함. 막 부려 먹음. ㉡노동자와 사용자. 노동자 대 사용자.
[勞賜 노사] 위로하여 물품을 내려 줌.
[勞辭 노사] 위로하는 말.
[勞生 노생] 괴로운 인생.
[勞損 노손] 노핍(勞乏).
[勞薪 노신] 오랫동안 사용한 낡은 수레를 부수어 땔나무로 한 것.
[勞心 노심] 근심함. 걱정함.
[勞心焦思 노심초사] 걱정함. 속을 태움.
[勞役 노역] 힘든 일. 고역(苦役).
[勞擾 노요] 피로하게 하여 어지럽힘. 또, 지쳐 어지러워짐.
[勞慰 노위] 위로함.
[勞銀 노은] 노동 임금. 품삯. 노임(勞賃).
[勞悒 노읍] 피로하여 우울함.
[勞而無功 노이무공] 애쓴 보람이 없음. 도로(徒勞).
[勞而不怨 노이불원] 효자(孝子)는 부모가 혹사(酷使)하여도 원망하지 아니함.
[勞人 노인] 고역(苦役)에 종사하는 사람.
[勞逸 노일] 애씀과 편안함. 수고와 쾌락. 노일(勞佚).
[勞賃 노임] 품삯. 노동 임금.
[勞資 노자] 노동자와 자본가.
[勞作 노작] ㉠힘써 일함. ㉡힘든 일. ㉢힘써 만든 것.
[勞績 노적] 노력하여 이룬 공적.
[勞症 노증] 노해(勞咳).
[勞慘 노참] 피로하고 상심(傷心)함.
[勞悴 노췌] 노췌(勞瘁).
[勞瘁 노췌] 몸이 고달파서 파리함.
[勞疲 노피] 피로함.
[勞乏 노핍] 피로(疲勞)함.
[勞咳 노해] 폐병. 폐결핵(肺結核).
[勞懈 노해] 피로하여 게을리 함.
[勞效 노효] 공로(功勞).
[勞卹 노휼] 위로하고 구휼(救恤)함.
[勞恤 노휼] 노휼(勞卹).
◉犬馬之勞. 苦勞. 功勞. 過勞. 倦勞. 勤勞. 徒勞. 煩勞. 報勞. 不勞. 酬勞. 薪水之勞. 辛勞. 心勞. 漁勞. 憂勞. 慰勞. 以逸待勞. 就勞. 疲勞. 汗馬之勞. 犒勞.

10 ⑫ [勝] [中·人] 승 [去]徑 詩證切 shèng [平]蒸 識蒸切 shēng 胜

[筆順] 丿 月 月` 肸 胖 朕 勝 勝

[字解] ①이길 승 ㉠적과 싸워서 쳐부숨. 상대자를 지게 함. '連—'. '天道不爭而善—'《老子》. ㉡억제함. 억누름. '人衆者—天'《史記》. ㉢능가함. 능범(凌犯)함. '終莫之—'《易經》. ②이김 승 승리. '—敗'. '——一負兵家常勢'《唐書》. ③나을 승 딴것보다 나음. '劣'의 대(對). '—景'. '實—善也, 名—恥也'《周子通書》. 또, 뛰어난 것. 뛰어난 사람. 경치가 좋은 곳. '名—'. '皆歎其有濟—之具'《南史》. ④머리꾸미개 승 부인의 수식(首飾). '人—'. 花—'. '—裏金花巧耐寒'《杜甫》. ⑤견딜 승 감당함. 감내함. '執圭鞠窮如也, 如不—'《論語》. ⑥모두 승 다. 온통. '材木不可—用'《孟子》.

[字源] 篆文 會意. 力+朕. '朕짐'은 위를 향하여 올리다의 뜻. 힘들여 올려서 견디다의 뜻. 거성(去聲)일 때에는, 파생(派生)하여 '이기다, 낫다'의 뜻을 나타냄.

[勝槩 승개] 훌륭한 경치.
[勝景 승경] 좋은 경치.
[勝境 승경] 승지(勝地).
[勝果 승과] 《佛教》 훌륭한 과보(果報).
[勝區 승구] 승지(勝地).
[勝國 승국] 자기 나라가 이기어 멸망시킨 나라. 예컨대, 은(殷)나라는 하(夏)나라를 '——'이라 함. 망국(亡國).
[勝氣 승기] 뛰어난 기상(氣象).
[勝機 승기] 이길 기회(機會). 승리(勝利)의 기회.
[勝劣 승렬] 나음과 못함. 이김과 짐. 우열(優劣). 승부(勝負).
[勝流 승류] 지체가 좋은 사람. 상류 계급의 사람.
[勝利 승리] ㉠겨루어 이김. ㉡《佛教》 뛰어난 일. 뛰어난 이익.
[勝妙 승묘] 뛰어나게 기묘(奇妙)함.
[勝癖 승벽] 남을 꼭 이기고자 하는 성벽.
[勝報 승보] 승리의 소식. 승전하였다는 보고. 첩보(捷報).
[勝負 승부] 이김과 짐. 승패(勝敗).
[勝負兵家常勢 승부병가상세] 이기고 지는 것은 전쟁하는 자가 항상 면(免)할 수 없는 일이므로, 이겨도 교(驕)를 부리지 말고 져도 기를 꺾이지 말라는 뜻.
[勝算 승산] 이길 만한 좋은 꾀. 또, 이길 가능성.
[勝常 승상] 건강이 평상시보다 나음. 편지 같은 데서 남의 건강을 축복하는 말.
[勝商 승상] 큰 장수. 호상(豪商).
[勝所 승소] 경치(景致)가 좋은 곳. 승지(勝地).
[勝訴 승소] 소송(訴訟)에 이김.
[勝彥 승언] 훌륭한 인물.
[勝友 승우] 훌륭한 벗. 양우(良友).
[勝遊 승유] 명승지(名勝地)를 돌아다니며 구경함.
[勝引 승인] 승우(勝友).
[勝因 승인] ㉠《佛教》 특별히 뛰어난 선인(善因). ㉡승리의 원인. 패인(敗因)의 대(對).
[勝日 승일] 오행설(五行說)에서 목극토(木剋土)·토극수(土剋水)·수극화(水剋火)·화극금(火剋金)·금극목(金剋木)의 오일(五日)을 이름.
[勝者 승자] 이긴 사람. 승리를 거둔 사람.
[勝殘 승잔] 잔포(殘暴)한 사람을 착하게 감화하여 악을 행하지 않게 함.
[勝者所用敗者棊 승자소용패자기] 바둑에 이긴 사람이 둔 바둑돌은 전에 바둑에 진 사람이 두던 바둑돌이라는 뜻으로, 사용하는 인물이나 사물(事物)은 같으나 이를 사용하는 사람 여하에

따라서 그 공과(功果)에 큰 차이가 생김을 이름. 「跡).
[勝迹 승적] 뛰어난 사적(事迹). 뛰어난 고적(古
[勝蹟 승적] 승적(勝迹).
[勝戰 승전] 싸움에 이김.
[勝餞 승전] 두터운 송별연(送別宴).
[勝戰鼓 승전고] 싸움에 이기고 치는 북.
[勝絶 승절] 썩 뛰어남.
[勝接 승접] 《韓》 자기보다 학식(學識)이 나은 동접(同接). 「음.
[勝情 승정] 좋은 경치를 보고 즐기고자 하는 마
[勝地 승지] ㉠경치가 좋은 곳. ㉡지세(地勢)가 훌륭한 땅.
[勝地本來無定主 승지본래무정주] 승지(勝地)는 본래(本來)부터 일정한 임자가 없음.
[勝踐 승천] 경치 좋은 곳에 가서 구경함. 또, 구경할 만한 곳.
[勝捷 승첩] 승전(勝戰).
[勝趣 승취] 훌륭한 흥취(興趣).
[勝致 승치] 훌륭한 경치.
[勝敗 승패] 이김과 짐.
[勝愜 승협] 상쾌한 마음.
[勝會 승회] 성대(盛大)한 모임.
◉健勝. 決勝. 景勝. 奇勝. 氣勝. 大勝. 名勝. 百戰百勝. 常勝. 殊勝. 辛勝. 連勝. 連戰連勝. 優勝. 雄勝. 全勝. 戰勝. 絶勝. 快勝. 探勝. 必勝. 形勝.

10 ⑫ [劵] 〔권〕 劵(力部 六畫〈p. 276〉)의 本字

11 ⑬ [勠] 륙 ㊅屋 力竹切 lù

字解 같이힘쓸 륙 협력함. '一力攻秦'《漢書》.
字源 篆文 形聲. 力+翏〔音〕. '翏륙'은 양 날개와 꼬리를 이어 붙여 합친 모양. '힘을 합치다'의 뜻을 나타냄.

[勠力 육력] 일치 협동하여 일을 함. 육력(戮力).

11 ⑬ [勤] 中·人 근 ㊖文 巨斤切 qín

筆順 一 卄 卄 昔 昔 堇 勤 勤

字解 ①부지런히할 근, 힘쓸 근 ㉠일을 꾸준히 함. '一勉'. '克一于邦'《書經》. ㉡직책을 다함. 임무를 행함. '一務'. '一大命'《禮記》. ②위로할 근 위안함. '齊方一我'《左傳》. ③괴로워할 근 고생함. '或問民所一'《揚子法言》. ④근심할 근 걱정함. '一天子之難'《呂氏春秋》. ⑤일 근 직책. '以多値爲一'《金史》. ⑥괴로움 근 고통. '民有三一'《揚子法言》. ⑦은근할 근 懃(心部 十三畫)과 同字. '恩斯一斯'《詩經》. '重賜文君侍者, 通殷一'《漢書》. ⑧성 근 성(姓)의 하나.
字源 金文 篆文 形聲. 力+堇〔音〕. '堇근'은 찰흙을 이겨 바르다의 뜻. 힘을 들여 찰흙을 이겨 바르는 모양에서, '힘쓰다'의 뜻을 나타냄.

[勤恪 근각] 근면하고 조신(操身)함.
[勤幹 근간] 부지런하고 재간이 있음.
[勤介 근개] 근면하고 강직함.
[勤儉 근검] 부지런하고 알뜰함.
[勤苦 근고] 애를 써 가며 부지런히 일함.
[勤工 근공] 부지런히 공부(工夫)함.
[勤求 근구] 《佛敎》 힘써 불교의 진리(眞理)를 탐구함.
[勤劬 근구] 부지런히 힘씀.
[勤謹 근근] 부지런하고 공손함.
[勤勤孜孜 근근자자] 매우 부지런한 모양.
[勤農 근농] 부지런히 농사를 지음.
[勤勵 근려] 부지런히 힘씀. 또, 부지런히 힘쓰도록 권면함.
[勤力 근력] 부지런히 힘씀. 근면(勤勉).
[勤歷 근력] 근속(勤續).
[勤勞 근로] 일에 부지런함. 근고(勤苦).
[勤慢 근만] 부지런함과 게으름. 근태(勤怠).
[勤勉 근면] 부지런히 힘씀.
[勤務 근무] 일에 종사(從事)함. 또, 종사하는 일.
[勤無價寶 근무가보] 부지런히 일하는 것은 복리(福利)가 많이 생기므로 평가할 수 없는 큰 보배라는 뜻.
[勤敏 근민] 근면하고 민첩함.
[勤仕 근사] 벼슬살이를 함. 봉직(奉職)함.
[勤續 근속] 여러 해 계속하여 근무함.
[勤戍 근수] 힘써 지킴.
[勤修 근수] 《佛敎》 부지런히 닦음. 힘써 닦음. 수행(修行).
[勤肅 근숙] 근면하고 신중함.
[勤愼 근신] 힘쓰고 삼감. 근면하고 조심함.
[勤實 근실] 부지런하고 성실(誠實)함.
[勤王 근왕] 왕사(王事)에 힘씀. 충성을 다함.
[勤止 근지] 부지런히 힘씀. 지(止)는 조사(助辭). 「태(勤怠).
[勤惰 근타] 부지런함과 게으름. 출근과 결근. 근
[勤怠 근태] 부지런함과 게으름.
[勤學 근학] 부지런히 공부함.
[勤行 근행] ㉠힘써 행함. 역행(力行)함. ㉡《佛敎》 불전(佛前)에서 독경(讀經)·회향(回向)하는 일.
[勤恤 근휼] 부지런히 일하고 어려운 사람을 도움.
◉恪勤. 皆勤. 缺勤. 內勤. 篤勤. 常勤. 夜勤. 外勤. 在勤. 轉勤. 精勤. 出勤. 忠勤. 通勤. 退勤. 特勤.

11 ⑬ [勦] 초 ㊖肴 鉏交切 chāo
㊤篠 子小切 jiǎo

字解 ①노곤할 초 피곤함. 가쁨. '心一形瘵'《趙岐》. ②괴로워할 초, 괴롭힐 초 피로하여 고통을 느낌. 또, 그렇게 함. '安用速成, 其以一民'《左傳》. ③표절할 초 남의 시문이나 학설을 훔쳐 제 것으로 함. '毋一說'《禮記》. ④날랠 초 경첩(輕捷)함. '稟生肖一剛'《韓愈》. ⑤겁탈할 초 강탈함. '一襲'. ⑥끊을 초 절멸(絶滅)시킴. '天用一絶其命'《書經》.
字源 篆文 形聲. 力+巢(巣)〔音〕. '巢소'는 '小소'와 통하여 '작다'의 뜻. 힘이 작아지다, 피로하다의 뜻을 나타냄. 전하여, 상대의 힘을 작게 하다, 피로하게 하다, 끊어지게 하다의 뜻을 나타냄. 또, '巢소'는 새의 보금자리의 뜻. 힘이 약해져서 보금자리에 들다, 피로하다의 뜻을 나타낸다고도 함.

[勦剛 초강] 날렵하고 굳셈.
[勦滅 초멸] 초진(勦殄).
[勦說 초설] 남의 학설(學說)이나 시문(詩文)을

표절(剽竊)하여 자기의 것으로 함.
[勦襲 초습] ㉠남의 물건을 강탈함. ㉡초설(勦說).
[勦絶 초절] 끊음. 절멸(絶滅)시킴. 초진(勦殄).
[勦截 초절] 끊음. 절단함.
[勦殄 초진] 적(敵)을 진멸(殄滅)함.
[勦討 초토] 토벌하여 전멸시킴.

11 ⑬ [勡] 표 ㉠嘌 匹妙切 piào

字解 으를 표, 겁박할 표 剽(刀部 十一畫)와 同字. '一吏而奪之金'《漢書》.
字源 篆文 形聲. 力+㶾(票)〔音〕. '㶾표'는 불똥이 가볍게 날아오르다의 뜻. 힘으로 쉽게 빼앗다, 겁탈하다의 뜻을 나타냄.

11 ⑬ [勣] 人名 적 ㉧錫 則歷切 jī

字解 공적 적 績(糸部 十一畫)과 同字.
字源 形聲. 力+責〔音〕. '責책'은 '績적'과 통하여 '공로, 공적'의 뜻.

11 ⑬ [勧] 〔권〕
勸(力部 十八畫〈p.285〉)의 俗字

11 ⑬ [勸] 〔권〕
勸(力部 十八畫〈p.285〉)의 俗字

11 ⑬ [募] 高人 모 ㉠遇 莫故切 mù

筆順 ' 艹 艹 苩 莒 莫 募 募

字解 ①뽑을 모 모집함. '一兵'. '一選'. '宣吏民有氣節勇猛者'《後漢書》. ②부를 모 불러 모음. '招一'. ③뽑음 모, 부름 모 이상(以上)의 명사. '應一使月氏'《漢書》.
字源 篆文 形聲. 力+莫〔音〕. '莫모'는 '구하다'의 뜻. 애써 널리 구하다의 뜻에서, '모집하다'의 뜻을 나타냄.

[募兵 모병] 병정(兵丁)을 모집함. 또, 그 병정.
[募徙 모사] 무리를 뽑아 모아 딴 곳으로 옮김.
[募選 모선] 모집하여 선발(選拔)함.
[募役法 모역법] 송(宋)나라 왕안석(王安石)의 신법(新法)의 하나. 민가(民家)를 빈부(貧富)에 의하여 여러 등급(等級)으로 나누고, 그 등급에 의하여 규정(規定)의 면역전(免役錢)을 상납(上納)시켜, 인부(人夫)를 소모(召募)하여 역사(役事)를 시키는 제도(制度).
[募緣 모연] 《佛敎》 모화(募化).
[募緣疏 모연소] 사찰(寺刹)·교량(橋梁) 등의 기부금을 모집하는 글발. 모화(募化)하여 좋은 인연을 맺게 하는 글이라는 뜻임.
[募集 모집] 널리 뽑아서 모음.
[募債 모채] 널리 공채(公債) 또는 사채(社債) 등을 조건을 붙여 모음.
[募化 모화] 《佛敎》 중이 보시(布施)를 요구하는 일. 중이 시주(施主)하기를 청하는 일. 화연(化緣).
◉公募. 急募. 賞募. 召募. 應募. 增募. 徵募. 招募.

11 ⑬ [勢] 中人 세 ㉠霽 舒制切 shì

筆順 一 土 夫 坴 坴 埶 埶 勢

字解 ①세력 세 ㉠권세(權勢). 위세(威勢). '一權'. '權門一家'. '古之賢王, 好善而忘一'《孟子》. ㉡물리적인 힘. '水一'. '火一'. '各有其自然之一'《淮南子》. ②형세 세 ㉠환경의 상태. '大一'. '情一'. ㉡형편. '其一無所得食'《史記》. ㉢산수(山水)의 상태. '山一'. '地一坤'《易經》. ③기세 세 기운차게 뻗치는 형세. 기염(氣燄). '氣一'. '毋倚一作威'《書經》. ④기회 세 가장 효과적인 시기(時機). '雖有智慧, 不如乘一'《孟子》. ⑤불알 세 고환(睾丸). '去一'. '盜淫者割其一'《晉書》. ⑥성 세 성(姓)의 하나.
字源 篆文 形聲. 力+埶〔音〕. '埶세'는 어떤 물건을 오랜 시간 가까운 곳에 당겨 놓다의 뜻. 남을 가까이 끌어당겨 놓는 힘, 세력의 뜻을 나타냄.

[勢家 세가] 권력이 있는 집안. 권문(權門).
[勢客 세객] 권세(權勢) 있는 사람.
[勢交 세교] 세리지교(勢利之交)의 약어(略語).
[勢窮力盡 세궁역진] 궁경(窮境)에 빠져 힘이 다 없어짐.
[勢權 세권] 권세(權勢).
[勢道 세도] 정치상(政治上)의 권세.
[勢力 세력] ㉠위력(威力). 권세(權勢). ㉡일을 하는 데 필요한 힘. 에너지.
[勢列 세렬] 세열(勢列).
[勢利 세리] 권력과 이익.
[勢利之交 세리지교] 권세(權勢)나 이익(利益)을 목적으로 하는 교제.
[勢望 세망] 권세와 명망.
[勢門 세문] 세가(勢家).
[勢不兩立 세불양립] 세력이 있는 자가 동시에 대립하고 있을 때에는 자연히 그중의 한쪽은 망하고 다른 쪽은 번영하여, 양편이 모두 함께 존속하기란 어려운 법임.
[勢列 세열] 권세가 있는 지위.
[勢焰 세염] 대단한 기세. 대단한 세력. 기염(氣焰).
[勢榮 세영] 외부에서 오는 권세와 번영(繁榮).
[勢要 세요] 현요(顯要)한 지위에 있어 권세가 대단한 사람. 요로(要路)에 있는 세력가.
[勢援 세원] 후원. 성원(聲援).
[勢位 세위] 권세와 지위. 권세가 있는 지위.
[勢威 세위] 권세(權勢)와 위력.
[勢子 세자] 바둑에서, 네 귀와 천원(天元)에 놓은 돌.
[勢族 세족] 세가(勢家).
[勢至菩薩 세지보살] 《佛敎》 대세지력(大勢至力)의 슬기가 있어 모든 사물을 환히 비친다고 하는 보살. 관음보살(觀音菩薩)과 함께 아미타여래(阿彌陀如來)의 곁에 서 있는 보살.
◉加勢. 去勢. 決河之勢. 攻勢. 局勢. 國勢. 軍勢. 權勢. 均勢. 氣勢. 騎虎勢. 大勢. 同勢. 無勢. 事勢. 水勢. 守勢. 隨勢. 乘勢. 勝勢. 時勢. 語勢. 餘勢. 劣勢. 優勢. 運勢. 位勢. 威勢. 姿勢. 敵勢. 情勢. 地勢. 總勢. 趨勢. 脫兎之勢. 態勢. 退勢. 頹勢. 破竹之勢. 筆勢. 虛勢. 形勢. 豪勢.

11 ⑬ [勢] 호 ㉺豪 胡刀切 háo

[字解] 굳셀 호 뛰어나게 굳셈. '一, 俊健'《廣韻》.
[字源] 形聲. 力+敖〔音〕

11 ⑬ [勥] 강 [上]養 其兩切 qiǎng
[平]陽 巨良切

[字解] ①핍박할 강 힘으로 강제함. '一, 迫也'《說文》. ②힘쓸 강 '一, 勉力也'《廣韻》.
[字源] 形聲. 力+強〔音〕

12 ⑭ [勩] [一] 예 [去]霽 餘制切 yì
[二] 이 [去]寘 羊至切 yì

[字解] [一] 수고로울 예, 괴로울 예 피로(疲勞)함. 고통스러움. [二] 수고로울 이, 괴로울 이 '莫知我一'《詩經》.
[字源] 篆文 形聲. 力+貰〔音〕. '貰세'는 '曳예'와 통하여 '잡아 늘이다'의 뜻. 노력을 잡아 늘이어 피로하다의 뜻을 나타냄.

12 ⑭ [勧] 〔권〕
勸(力部 十八畫〈p. 285〉)의 俗字

12 ⑭ [劂] 궐 [入]月 居月切 jué

[字解] 굳셀 궐 '一, 強也'《廣雅》.
[字源] 形聲. 力+厥〔音〕

13 ⑮ [勰] 협 [入]葉 胡頰切 xié

[字解] 뜻맞을 협 의사가 일치함. 協(十部 六畫)의 古字.
[字源] 篆文 會意. 劦+思. '劦협'은 '힘을 합치다, 맞다'의 뜻. 심사(心思)가 맞아 화합하다의 뜻을 나타냄.

13 ⑮ [勱] 매 [去]卦 莫話切 mài

[字解] 힘쓸 매 부지런히 일함. 애씀. '其惟吉士, 用一相我國家'《書經》.
[字源] 篆文 形聲. 力+萬〔音〕. '萬만'은 '뻗어 가다'의 뜻. 힘을 지속시켜서 힘쓰다의 뜻을 나타냄.

[勱相 매상] 격려하며 도움. 힘써 다스림.

13 ⑮ [勮] 거 [去]御 其據切 jù

[字解] ①부지런할 거 부지런히 일함. '一, 勤務也'《廣韻》. ②클 거 공적이 큼.
[字源] 篆文 形聲. 力+豦〔音〕. '豦거'는 맞붙어 떨어지지 않다의 뜻. '힘쓰다'의 뜻을 나타냄.

13 ⑮ [勯] 단 [平]寒 多寒切 dān

[字解] 다할 단 힘이 다 없어짐. 힘이 아주 빠짐. '使烏獲疾引牛尾, 尾絕力一, 而牛不行, 逆也'《呂氏春秋》.

13 ⑮ [勲] [人名] 勳(次次條)의 俗字

[辦] 〔판〕
辛部 九畫(p. 2283)을 보라.

14 ⑯ [勳] [人名] 훈 [平]文 許云切 xūn

[筆順] 一 亠 亩 亩 亩 重 熏 勳 勳

[字解] ①공 훈 국가 또는 왕사(王事)를 위하여 세운 공적. 훈공. '一臣'. '功一'. '一乃心力, 其克有一'《書經》. ②성 훈 성(姓)의 하나.
[字源] 篆文 形聲. 力+熏〔音〕. '熏훈'은 '향기 높다'의 뜻. 향기 높은 힘, 공훈의 뜻을 나타냄.

[勳階 훈계] 훈등(勳等).
[勳功 훈공] 왕사(王事)나 국가(國家)를 위하여 세운 공로(功勞).
[勳舊 훈구] 공로가 있는 구신(舊臣).
[勳貴 훈귀] ㉠공훈이 있는 귀족. ㉡공훈을 세운 사람과 귀족. 훈신(勳臣)과 귀족(貴族).
[勳勤 훈근] 훈로(勳勞).
[勳級 훈급] 훈등(勳等).
[勳記 훈기] 훈장과 함께 내리는 표창의 글발.
[勳德 훈덕] 공훈(功勳)과 덕행(德行).
[勳等 훈등] 훈공(勳功)의 등급.
[勳力 훈력] 훈공(勳功).
[勳烈 훈렬] 훈열(勳烈).
[勳勞 훈로] 공로(功勞). 훈공(勳功).
[勳望 훈망] ㉠훈공과 명망. ㉡공훈이 있어 남에게 숭배를 받음.
[勳門 훈문] 훈벌(勳閥).
[勳閥 훈벌] 공훈(功勳)이 있는 문벌(門閥).
[勳賞 훈상] 공훈이 있는 자에게 주는 상여(賞與).
[勳書 훈서] 공훈을 기록한 서류.
[勳緖 훈서] 훈업(勳業).
[勳聖 훈성] 공훈이 있는 성인.
[勳臣 훈신] 공훈이 있는 신하.
[勳業 훈업] 공훈을 세운 사업. 공적(功績).
[勳烈 훈열] 큰 공훈.
[勳位 훈위] 공훈과 위계(位階).
[勳蔭 훈음] 부조(父祖)의 훈공에 의한 특별 대우.
[勳爵 훈작] 공훈이 있는 사람에게 주는 작위(爵位).
[勳章 훈장] 나라에 대한 공훈을 표창하기 위하여 내리는 휘장(徽章).
[勳迹 훈적] 공훈의 자취. 공적(功績).
[勳績 훈적] 공적(功績). 공훈.
[勳戚 훈척] 국가에 공훈이 있는 임금의 친척.
[勳寵 훈총] 공훈(功勳)과 은총(恩寵).
[勳親 훈친] 훈척(勳戚).
[勳華 훈화] 요(堯)임금과 순(舜)임금. 상서(尙書)에 요임금은 방훈(放勳), 순임금은 중화(重華)라 하였음.
[勳效 훈효] 훈공(勳功).
◉巨勳. 功勳. 光祿勳. 舊勳. 大勳. 武勳. 茂勳. 賞勳. 敍勳. 碩勳. 盛勳. 聖勳. 首勳. 殊勳. 樹勳. 元勳. 偉勳. 前勳. 策勳. 忠勳. 洪勳.

14 ⑯ [勦] 〔초〕
勦(力部 十一畫〈p. 282〉)의 本字

15 ⑰ [勵] [高人] 려 [去]霽 力制切 lì 励

[筆順] 厂 厈 严 厬 厲 厲 厲 勵

[字解] ①힘쓸 려 일을 힘써 함. '一行'. '以自一'《後漢書》. ②권면할 려 힘써 하도록 권장함. '勉一'. '督一'. '獎一吏兵'《後漢書》. ③성 려 성(姓)의 하나.

[字源] 形聲. 力＋厲〔音〕. '厲려'는 '갈다'의 뜻. 애써 갈다의 뜻에서 '힘써 하다'의 뜻을 나타냄.

[參考] 励(力部 五畫)는 俗字·簡體字.

[勵相 여상] 격려하여 도움.
[勵聲 여성] 소리를 크게 냄. 대갈(大喝)함.
[勵翼 여익] 힘써 천자(天子)를 도움.
[勵奬 여장] 격려하여 권장함.
[勵精 여정] 정신을 분기(奮起)시켜 행함. 힘써 행함. 정려(精勵).
[勵志 여지] 뜻을 격려함.
[勵行 여행] 힘써 행함.
◉刻勵. 恪勵. 激勵. 警勵. 誡勵. 剋勵. 勤勵. 督勵. 勉勵. 奮勵. 淬勵. 慰勵. 奬勵. 精勵. 砥勵. 振勵. 飭勵.

16 ⑱ [勥] 〔강〕 勥(力部 十一畫〈p. 284〉)의 古字

17 ⑲ [勷] 양 [平]陽 汝陽切 ráng

[字解] ①달릴 양 달음박질하는 모양. ②바쁠 양, 급할 양 썩 급한 모양. 급히 닥치는 모양. '新師不牢, 劻一將逋'《韓愈》.

[字源] 形聲. 力＋襄〔音〕

◉劻勷.

18 ⑳ [勸] [中人] 권 [去]願 去願切 quàn 劝

[筆順] 艹 艹 苗 萨 蓶 雚 勸 勸

[字解] ①권할 권 권면함. 장려함. '一業'. '一誘'. '一奬'. '慶賞以一善'《漢書》. ②인도할 권, 가르칠 권 옳은 일을 하도록 지도함. '一之以九歌'《書經》. ③힘쓸 권 힘써 함. '荊王大悅, 許救甚一'《戰國策》. '各一其業'《史記》. ④따를 권 교훈에 복종함. 착한 일을 따라 함. '一服'. '不賞而民一'《呂氏春秋》. ⑤권 권 권고. 권면. '上無設爵之一'《魏志》. ⑥성 권 성(姓)의 하나.

[字源] [篆文] 形聲. 力＋雚〔音〕. '雚관'은 '援원'과 통하여, 노력하는 것을 도와주다, 권하다의 뜻을 나타냄.

[參考] 劝(力部 十一畫)은 俗字.

[勸講 권강] 제왕(帝王)의 곁에서 학문을 강의하는 사람. 시강(侍講).
[勸戒 권계] 착한 일은 하라고 권하고, 나쁜 일은 하지 못하도록 타이름.
[勸告 권고] 타일러 말함. 충고함.
[勸課 권과] 백성에게 할당하여 권장(勸奬)함.
[勸農 권농] 농사를 권장(勸奬)함.
[勸導 권도] 타일러 인도(引導)함.
[勸督 권독] 권하고 감독함.
[勸讀 권독] 글 읽기를 권함.
[勸勵 권려] 권하고 격려함.
[勸勉 권면] 권(勸)하여 힘쓰게 함.
[勸服 권복] 심복(心服)함.
[勸分 권분] 나누어 주기를 권함.
[勸善 권선] ㉠착한 일을 하도록 권함. ㉡《佛敎》선심(善心) 있는 사람에게 중이 시주(施主)하기를 청(請)함.
[勸善懲惡 권선징악] 착한 일을 권장(勸奬)하고, 악한 일을 징계(懲戒)함.
[勸言 권언] 권고하는 말.
[勸業 권업] 업무 또는 산업(産業)을 권장함.
[勸緣 권연] 《佛敎》보시(布施)하기를 권함. 권화(勸化).
[勸誘 권유] 권하여 하도록 함.
[勸諭 권유] 권하고 타이름.
[勸引 권인] 권하여 이끎.
[勸奬 권장] 권하여 힘쓰게 함. 장려(奬勵)함.
[勸酒 권주] 술을 권함.
[勸止 권지] 권하여 중지시킴.
[勸進 권진] ㉠권함. ㉡《佛敎》불사(佛寺)의 건립 등에 기부를 하도록 권함. ㉢《佛敎》선근(善根)의 공덕(功德)을 권장함.
[勸進帳 권진장] 《佛敎》사찰(寺刹)의 건립 등을 위하여 모금(募金)하는 장부. 권화장(勸化帳).
[勸懲 권징] 권선징악(勸善懲惡).
[勸贊 권찬] 권하여 도움.
[勸請 권청] 《佛敎》㉠신불(神佛)의 구주(久住)를 바람. ㉡신불(神佛)의 분령(分靈)을 옮기어 제사 지냄.
[勸學 권학] 학문을 권면함. 장학(奬學).
[勸降使 권항사] 항복(降伏)을 권하기 위하여 적군에 보내는 사신(使臣).
[勸解 권해] 사화(私和)하도록 권함. 타일러 화해시킴.
[勸化 권화] ㉠권유(勸誘)하여 감화(感化)시킴. ㉡《佛敎》불도(佛道)를 권하여 선(善)으로 나가게 함. ㉢《佛敎》보시(布施)하기를 권함.
[勸化帳 권화장] 《佛敎》권진장(勸進帳).
[勸誨 권회] 권장하고 가르침.
◉諫勸. 強勸. 激勸. 競勸. 戒勸. 敎勸. 勤勸. 督勸. 勉勸. 率勸. 聳勸. 誘勸. 諭勸. 奬勸. 懲勸. 勅勸. 褒勸. 風勸. 諷勸.

勹 (2획) 部

〔쌀포부〕

0 ② [勹] 포 [平]肴 布交切 bāo

[筆順] ノ 勹

[字解] 쌀 포 보자기 따위에 물건을 쌈.

[字源] [篆文] 象形. 사람이 팔을 뻗어 껴안은 모양을 본떠 '싸다'의 뜻을 나타냄. 지금은 '包'가 쓰임.

[參考] 단독으로 쓰이는 일이 없고, 부수(部首)로서 '쌀포(包)몸'으로 이름. '안다, 싸다'의 뜻을 포함하는 문자가 이루어지고 있음.

1 ③ [勺] [人名] 작 [入]藥 之若切 sháo, ①④zhúo

字解 ①잔질할 작 酌(酉部 三畫)과 同字. '一椒漿'《漢書》. ②구기 작 술·국 따위를 뜨는 것. 杓(木部 三畫)과 同字. '梓人爲飮器, 一一升'《周禮》. ③작 작 용량(容量)의 단위. 1홉의 10분의 1. '一一'. '二一'. '合毫合一'《文獻通考》. ④풍류이름 작 주공(周公)이 제정한 음악의 이름. '十三舞一'《漢書》. ⑤성 작 성(姓)의 하나.

[勺②]

字源 篆文 象形. 물건을 떠내는 구기의 모양을 본뜸.

參考 勺(次條)은 俗字.

[勺藥 작약] ㉠미나리아재빗과에 속하는 다년초(多年草). 모란(牡丹) 비슷한 아름다운 꽃이 핌. 작약(芍藥). ㉡간이 맞음. 맛이 좋음.
[勺飮 작음] 구기로 떠 마심. 떠서 마심.
◉圭勺. 罍勺. 鼻勺. 升勺. 觴勺.

1③ [勺] 勺(前條)의 俗字

2④ [勻] 人名 ㊀균 ㊥眞 規倫切 jūn ㊁윤 ㊥眞 羊倫切 yún

字解 ㊀ 고를 균 均(土部 四畫)과 同字. '敝兮一一'《柳宗元》. ㊁ ①가지런할 윤 균제(均齊)함. '肌理細膩骨肉一'《杜甫》. ②두루퍼질 윤 빠짐없이 퍼짐. '雨初歇而香一'《方孝孺》.

字源 金文 篆文 象形. 현악기의 조율기(調律器)의 상형으로, '고르게 하다, 가지런하게 하다'의 뜻을 나타냄. ※'균' 음은 인명자로 쓰임.

[勻勻 균균] 고른 모양.

2④ [匀] 勻(前條)의 俗字

2④ [勾] 〔구〕 句(口部 二畫〈p. 342〉)의 俗字

2④ [勿] 中人 ㊀물 ㊀物 文弗切 wù ㊁몰 ㊀月 莫勃切 mò

筆順 ノ 勹 勺 勿

字解 ㊀ ①없을 물 부정사(否定辭). '一士行枚'《詩經》. '欲一用'《論語》. ②말 물 금지사(禁止辭). '過則一憚改'《論語》. ③기이름 물 옛적에, 마을에서 일이 일어났을 때에, 백성을 모으기 위하여 내걸던 빨강, 하양 반반의 신호기(信號旗). '一, 州里所建旗'《說文》. ④바쁠 물 창황(蒼黃)한 모양. '一一少暇'《陸運》. ㊁ 털 몰 먼지를 떪. '衈一驅塵'《禮記》. ※'물' 음은 인명자로 쓰임.

字源 甲骨文 金文 篆文 象形. 활시위를 튕겨서 상서롭지 못한 것을 떨쳐 버리는 모양을 본떠, 假借하여 '금지'의 뜻을 나타내는 어조사로 쓰임.

[勿禁 물금]《韓》관아(官衙)에서 금(禁)한 것을 특별히 허가하여 줌.
[勿吉 물길] 우리나라 상고 시대(上古時代)의 한 종족(種族). 숙신(肅愼)의 후예(後裔)이며 여진(女眞)의 전신(前身)임.
[勿勿 물물] ㉠바쁜 모양. 창황(蒼黃)한 모양. ㉡자애(慈愛)가 넘치는 모양. 일설(一說)에는, 쉬지 않고 힘쓰는 모양.
[勿須 물수] …할 필요가 없음.
[勿謂今日不學有來日 물위금일불학유내일] 오늘 공부하지 않아도 내일(來日)이 있다고 미루어서는 아니 됨.
[勿照之明 물조지명] 비치려고 하여 비치는 것이 아니라 자연히 빛나는 광명.
◉蜜勿. 四勿. 衈勿.

2④ [勼] 구 ㊥尤 居求切 jiū

字解 모을 구, 모일 구 '一, 聚也'《說文》.

字源 形聲. 勹+九〔音〕

3⑤ [匃] 개 ㊧泰 古太切 gài

字解 ①빌 개 달람. 구걸함. 丐(一部 三畫)와 同字. '一, 求也'《集韻》. '乞一無所得'《漢書》. ②줄 개 시여(施與)함. '一施'. '我一若馬'《漢書》.

字源 甲骨文 金文 篆文 會意. 亾+勹(人). '亾망'은 '亡망'의 본자로, 죽은 사람의 상형. 죽은 사람 앞에서 사람이 되살아나기를 바라는 모양에서, '빌다'의 뜻을 나타냄. 일설에는, '亾'은 도망하다, '勹'는 사람으로, 도망자로 해석함. 도망자가 타관 땅에서 먹을 것을 구하다, 전하여 달라고 빌다의 뜻이라고 설명함. 甲骨文은 왼쪽 사람이 손을 내밀어 오른쪽 사람을 붙들고 구걸하는 모양을 나타냄. 뒤에 글자 모양을 '丐개'로 쓰게 됨.

[匃施 개시] 베풂. 줌. 시여함.
◉乞匃.

3⑤ [匄] 匃(前條)와 同字

3⑤ [包] 高人 포 ㊥肴 布交切 bāo

筆順 ノ 勹 勺 匀 包

字解 ①쌀 포 ㉠보자기 따위로 물건을 쌈. '一裹'. '一裝'. '倒載干戈, 一之以虎皮'《禮記》. ㉡둘러쌈. '一圍'. '河水分流, 一山而過'《周禮註》. ㉢안에 넣음. 아우름. 겸(兼)함. '一含萬象'《拾遺記》. ㉣깊이 간직함. 숨김. 비밀로 함. '一藏'. '一深懷而告誰'《李翺》. ㉤거두어들임. 자기 것으로 함. '一占'. '席卷天下, 一擧宇內'《賈誼》. ②용납할 포 받아들임. '一容'. ③꾸러미 포 싼 물건. '獻橘數一'《後漢書》. ④애밸 포 胞(肉部 五畫)와 同字. ⑤더부룩이날 포 총생(叢生)함. 苞(艸部 五畫)와 同字. '草木漸一'《書經》. ⑥푸주 포 庖(广部 五畫)와 同字. '一有魚'《易經》. ⑦성 포 성(姓)의 하나.

字源 篆文 形聲. 巳+勹〔音〕. '巳사'는 태아(胎兒)를 본뜬 것. '勹포'는 '싸다'의 뜻. 아기를 배는 모양에서, 일반적으로 '싸다'의 뜻을 나타냄.

[包擧 포거] 모두 쌈. 남김없이 취(取)함.
[包莖 포경] 끝에 살가죽으로 덮인 어른의 자지. 우멍거지.
[包裹 포과] 물건을 쌈.
[包貫 포관] 아울러 꿰뚫음. 두루 통함.
[包括 포괄] 온통 싸서 묶음. 총괄(總括)함.
[包羅 포라] 온통 쌈. 망라(網羅)함.
[包絡 포락] ㉠포괄(包括). ㉡심장(心臟)을 싸는 얇은 막. 심장막(心臟膜).
[包茅 포모] 다발로 묶은 띠. 옛날에 제사 때 술을 부어 찌꺼기를 없앴음.
[包覆 포복] 싸서 가림. 싸서 덮음.
[包蔘 포삼] 포장한 홍삼(紅蔘).
[包桑 포상] 뽕나무 뿌리.
[包攝 포섭] 받아들임. 감싸 줌.
[包世臣 포세신] 청(淸)나라 경현(涇縣) 사람. 자(字)는 신백(愼伯). 사장(詞章)과 서법(書法)에 모두 뛰어났으며, 저서에 〈안오사종(安吳四種)〉이 있음.
[包羞忍恥 포수인치] 수치(羞恥)를 참음.
[包容 포용] ㉠넣어 쌈. 싸 넣음. ㉡도량(度量)이 넓어서 남의 잘못을 허용하고 이해하여 감싸 줌.
[包圍 포위] 둘러쌈.
[包有 포유] 휩싸서 가지고 있음.
[包子 포자] ㉠은전(銀錢)을 싸서 봉한 것. ㉡속을 넣은 만두(饅頭).
[包裝 포장] 물건을 쌈.
[包藏 포장] 싸 둠. 포장(包裝)하여 저장함. 전(轉)하여, 마음속에 깊이 간직함.
[包占 포점] 싸서 차지함. 제 것으로 함.
[包拯 포증] 송(宋)나라 합비(合肥) 사람. 자(字)는 희인(希仁). 인종(仁宗)을 섬겨 벼슬이 추밀 부사(樞密副使)에 이름. 법(法)을 다스림이 엄정(嚴正)하여 이민(吏民)이 감히 속이는 자가 없었다 함.
[包紙 포지] 물건을 싸는 데 쓰이는 종이. 포장지.
[包洞 포통] 포관(包貫).
[包含 포함] 싸 넣음. 휩쌈.
[包函 포함] 싸서 넣음.
[包荒 포황] 거칠고 더러운 것을 싼다는 뜻으로, 사람을 포용하는 도량(度量)이 있음을 이름.
[包懷 포회] ㉠싸서 품음. 모두 소유(所有)함. ㉡생각하는 바를 마음속에 깊이 품음.
[包犧 포희] '복희(伏羲)'와 같음.
◉兼包. 梱包. 空包. 內包. 牢包. 麪包. 并包. 小包. 實包. 藥包. 總包. 荷包. 含包.

3 ⑤ [匆] 〔총〕 悤(心部 七畫〈p. 780〉)의 俗字

[句] 〔구〕 口部 二畫(p. 342)을 보라.

4 ⑥ [匈] 人名 흉 去宋 許用切 平冬 許容切 xiōng

字解 ①가슴 흉 胸(肉部 六畫)과 同字. '其於一中, 曾不帶芥'《漢書》. ②떠들썩할 흉 떠들썩하게 의론(議論)하는 모양. 시끄러운 모양. '君子不爲小人之一一也'《荀子》. ③흉흉할 흉 인심이 몹시 수선스러운 모양. '天下一一'《漢書》.
字源 篆文 形聲. 勹+凶〔音〕. '凶흉'은 가슴에 표시한 불길함을 물리치는 표의 뜻. '勹포'는 가슴을 부여안은 사람의 상형. 불길함을 물리치는 표가 표시되는 '가슴'의 뜻을 나타냄.

[匈奴 흉노] 인종(人種)의 이름. 기원전 3세기경부터 약 3백 년간 지금의 몽고(蒙古) 지방에서 유목(遊牧)하던 터키 족의 일종. 일설(一說)에는, 몽골 족이라고도 함. 그 임금을 선우(單于)라 함.
[匈詈腹詛 흉리복조] 가슴으로 욕하고 배로 저주함. 곧, 마음속으로 비난함.
[匈中 흉중] 가슴속. 흉중(胸中).
[匈匈 흉흉] ㉠인심이 몹시 수선스러운 모양. 세상이 소란한 모양. ㉡떠들썩하게 의론(議論)하는 모양.
◉擅匈.

[旬] 〔순〕 日部 二畫(p. 971)을 보라.

5 ⑦ [匉] 평 平庚 普耕切 pēng

字解 물소리요란할 평 세차게 흐르는 물소리의 형용.

[甸] 〔전〕 田部 二畫(p. 1462)을 보라.

6 ⑧ [匋] 一 도 平豪 徒刀切 táo 二 요 平蕭 餘招切 yáo

字解 一 ①질그릇 도 토기(土器). ②구울 도 질그릇을 만듦. '一, 作瓦器也'《說文》. 二 기와가마 요 窯(穴部 十畫)와 同字.
字源 金文 篆文 象形. 사람이 질그릇을 껴안고 있는 모양을 본떠, 질그릇을 만들다의 뜻을 나타냄.

6 ⑧ [匌] 합 入合 古沓切 gé

字解 ①돌 합 '一, 帀也'《說文》. ②만날 합 우연히 만남. ③옹울할 합 기(氣)가 통하지 않고 막힘. '蓊一川氣黃'《杜甫》.
字源 金文 篆文 形聲. 勹+合〔音〕. '勹포'는 몸을 둥글게 구부리는 모양. '合합'은 '만나다'의 뜻. 돌다, 우연히 만나다의 뜻을 나타냄.

6 ⑧ [匊] 〔국〕 掬(手部 八畫〈p. 885〉)의 本字
字源 金文 篆文 會意. 勹+米. '勹포'는 '싸다'의 뜻. 쌀을 싸다의 뜻. 전하여, 양손으로 뜨다의 뜻.

7 ⑨ [匍] 人名 포 平虞 薄胡切 pú

字解 기어갈 포 '一匐'은 엉금엉금 기어감. 손을 땅에 대고 엎드려 감. '赤子一匐將入井'《孟子》. 전(轉)하여, 거꾸러지면서 허둥지둥 급히 감. '凡民有喪, 一匐救之'《詩經》.
字源 金文 篆文 形聲. 勹+甫〔音〕. '甫포'는 볏모를 온통 벌여 놓다의 뜻. '勹포'는 사람이 몸을 앞으로 구부리는 모양. 몸을 굽혀 땅바닥에 납작 엎드려 기다의 뜻을 나타냄.

[匍匐 포복] ㉠엉금엉금 기어감. ㉡거꾸러지면서 허둥지둥 급히 감.
[匍匐莖 포복경] 땅 위를 덩굴지어 길게 벋어 가는 줄기. 고구마 줄기 따위. 복지(匐枝).

9 ⑪ [匐] [人名] 복 [入]職 蒲北切 [入]屋 房六切 fú

[字解] ①기어갈 복 '匍一'은 엉금엉금 기어감. 손을 땅에 대고 엎드려 감. ②엎드릴 복 땅에 엎드림. '顚一可俟'《王僧孺》.
[字源] 篆文 形聲. 勹+畐〔音〕. '勹포'는 사람이 몸을 굽혀 물건을 안은 모양을 본뜸. '畐복'은 '伏복'과 통하여, 개처럼 엎드려 김을 나타냄. '기어가다'의 뜻을 나타냄.

[匐枝 복지] '포복경(匍匐莖)'과 같음.
◉扶匐. 顚匐. 匍匐.

9 ⑪ [匏] [人名] 포 [平]肴 蒲交切 páo

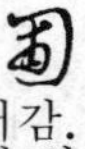

[字解] ①박 포 박과(科)에 속하는 일년생의 만초(蔓草). 열매는 바가지를 만듦. '一瓜'. '一有苦葉'《詩經》. ②바가지 포 박의 열매를 말려서 만든 그릇. '酌之用一'《詩經》. ③팔음(八音)의하나 포 악기(樂器)의 일종으로, 생황(笙簧) 등을 이름. '一, 在八音之一, 笙十三簧, 竽三十六簧, 皆列管一內, 施簧管端'《爾雅翼》. ④별이름 포 '一瓜在河鼓東'《韻會》.
[字源] 篆文 形聲. 瓠〈省〉+包〔音〕. '包포'는 싸서 불룩해지다의 뜻. 물건을 싼 것같이 볼록한 '박'의 뜻을 나타냄.

[匏繫 포계] 시렁에 걸려 있는 바가지라는 뜻으로, 쓸데없는 사람의 비유로 쓰임.
[匏瓜 포과] ㉠박. 바가지. ㉡별 이름.
[匏蘆 포로] 포과(匏瓜).
[匏竹 포죽] 피리〔笛〕. 전(轉)하여, 음악.
[匏尊 포준] 바가지로 만든 술 그릇.

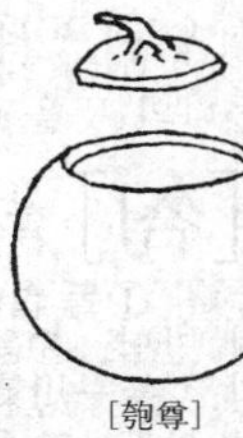

[匏尊]

◉繫匏. 苦匏. 金匏. 陶匏. 無口匏. 匐匏. 葫匏. 鳳匏. 青匏. 弦匏.

10 ⑫ [匒] 답 [入]合 德合切 dá

[字解] 포개질 답 '一匌'은 포개지는 모양. '磊一匌而相豗'《木華》.

10 ⑫ [匎] 압 [入]合 烏合切 è

[字解] 머리꾸미개 압 부인의 수식(首飾). '翠爲一葉垂鬢脣'《杜甫》.
[字源] 形聲. 勹+盍〔音〕. '盍합'은 '덮다', '勹포'는 '싸다'의 뜻. 부인의 머리를 싸서 덮는 머리꾸미개의 뜻.

10 ⑫ [匑] 匔(次次條)의 俗字

12 ⑭ [匓] 구 [平]宥 居祐切 jiù

[字解] ①물릴 구 실컷 먹음. '一, 飽也, 从勹𣪘聲, 民祭, 祝曰厭一'《說文》. ②𩚬(食部 四畫)와 同字. '一, 或作𩚬'《集韻》.
[字源] 形聲. 勹+𣪘〔音〕

14 ⑯ [匔] 궁 [平]東 渠弓切 qióng

[字解] 공경할 궁 몸을 굽혀 공경하는 뜻을 표하는 모양. '一一如畏然'《史記》.
[字源] 形聲. 勹+躳〔音〕. '勹포'는 물건을 안고 있는 모양을 본뜸. '躳궁'은 '몸'의 뜻. '몸을 굽히다'의 뜻을 나타냄.
[參考] 匑(前前條)은 俗字.

14 ⑯ [〓] 국 [入]屋 驅匊切 jū

[字解] 굽힐 국 몸을 굽힘. 鞠(革部 八畫)과 통용. '一, 曲脊也'《說文》.
[字源] 形聲. 勹+鞠〈省〉〔音〕

匕 (2획) 部
〔비수비부〕

0 ② [匕] [人名] 비 [上]紙 卑履切 bǐ

[筆順] ノ 匕

[字解] ①숟가락 비 '一筯'. '先主方食, 失一箸'《蜀志》. ②살촉 비 화살의 촉. '一入者三寸'《左傳》.

[匕①]

[字源] 甲骨文 金文 篆文 象形. 늙은 여성의 모양을 본떠, 돌아가신 어머니의 뜻을 나타냄. '妣비'의 원자(原字). '比비'와 통하여, 돌아가신 아버지와 나란히 짝을 이루는 여성의 뜻일 듯. 젓가락과 나란히 짝을 이루는 숟가락의 뜻도 나타냄. 일설(一說)에는 '匕'는 숟가락의 象形이라고도 함.
[參考] ①부수(部首)로서, '비수(匕首)비'로 이름. ②匕(次條)는 別字.

[匕首 비수] 날이 날카로운 단도(短刀).
[匕筯 비저] 비저(匕箸).
[匕箸 비저] 숟가락과 젓가락.
[匕鬯 비창] ㉠비(匕)는 국을 뜨는 숟가락, 창(鬯)은 울창주(鬱鬯酒)를 담는 술 단지. 모두 종묘(宗廟)에서 제사(祭祀) 지낼 때 쓰는 그릇. ㉡황태자(皇太子)의 지위(地位). 또, 그 직책(職責).

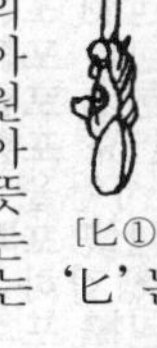

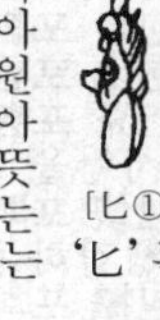

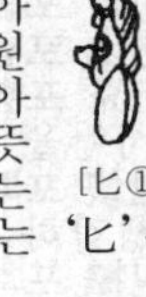

[匕首]

◉食匕. 失匕. 玉匕.

0 ② [七] 〔화〕 化(匕部 二畫〈p. 289〉)의 古字

[字源] 篆文 指事. '人인'을 거꾸로 하여, 사람이 모양을 바꾸다의 뜻. 일반적으로 '바뀌다'의 뜻을 나타냄.

[比] 〔비〕
部首(p. 1163)를 보라.

2
④ [𠤏] 보 [上]晧 博拘切 bǎo

[字解] ①늘어설 보, 벌일 보 '一, 相次也'《說文》. ②반 보 옛날 열 집으로 조직한 조합(組合). 保(人部 七畫)와 통용. '一, 十家爲一'《六書總要》.

[字源] 會意. '匕비'는 '늘어서다, 친하다'의 뜻. '十십'은 수(數)의 열.

2
④ [化] [中人] 화 [去]禡 呼霸切 huà 

[筆順] 丿 亻 亻 化

[字解] ①화할 화 ㉠어떤 상태가 다른 상태로 됨. 변개(變改)됨. '腐臭復一爲神奇'《莊子》. ㉡한 물질이 전혀 다른 물질로 바뀜. 변이(變異)함. '鷹一爲鳩'《禮記》. ㉢잘됨. 개선됨. 교화(敎化)됨. '我無爲而民自一'《老子》. ㉣옮겨서 달라짐. 변천함. '禮從俗一'《淮南子》. ㉤생멸(生滅)함. 소장(消長)함. '常生常一'《列子》. ②화하게할 화 전항(前項)의 타동사. '一民成俗'《禮記》. ③죽을 화 '且比一者, 無使土親膚'《孟子》. ④변화 화 변전(變轉). 소장(消長). '可與言一'《呂氏春秋》. ⑤덕화 화 인정(仁政). 은택(恩澤). '變道行一'《史記》. ⑥교화 화 교육. 풍교(風敎). '敗俗傷一'《漢書》. ⑦요술 화 마술. 환술(幻術). '有一人來'《列子》. ⑧집 화 도사(道士)의 거실(居室). '蜀有文昌二十四一'《玉篇》. ⑨성 화 성(姓)의 하나.

[字源] 金文  篆文 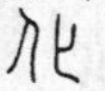 指事. 좌우의 사람이 점대칭(點對稱)이 되도록 놓이어, 사람의 변화, 곧 사람의 죽음의 모양에서, 일반적으로 '바뀌다'의 뜻을 나타냄.

[化感 화감] 덕교(德敎)로써 감화(感化)시킴.
[化客 화객]《佛敎》시주(施主)를 구하고 다니는 객승(客僧).
[化去 화거] 죽음.
[化居 화거] ㉠축적(蓄積)한 화물(貨物)을 교역(交易)함. 호시(互市). ㉡물품을 교환함과 축적함.
[化工 화공] 조화(造化)의 묘(妙). 천공(天工).
[化女 화녀]《佛敎》술법(術法)으로 화현(化現)한 여자.
[化膿 화농] 종기(腫氣)가 곪아서 고름이 생김. 곪음.
[化度 화도]《佛敎》중생(衆生)을 교화(敎化)하여 제도(濟度)함.
[化導 화도] 덕(德)으로써 사람을 교화하여 인도함. 선도(善導)함.
[化力 화력] 조화(造化)의 힘.
[化理 화리] 덕화(德化)와 치적(治績). 또, 교화(敎化)를 베풀어 세상을 태평하게 다스림. 화치(化治).
[化飯道人 화반도인]《佛敎》탁발(托鉢)하는 거지중.
[化生 화생] ㉠한 몸이 나뉘어 새것이 남. ㉡중국 서역(西域)에서 아들을 낳는다 하여 칠석(七夕)날 인형(人形)을 물에 띄워 노는 부인의 유희. ㉢《佛敎》사생(四生)의 하나. 소탁(所託)없이 자연히 남. 출현(出現).
[化石 화석] 전세기(前世紀)의 지층(地層) 속에 보존된 동식물(動植物)의 유해(遺骸).
[化成 화성] ㉠좋게 고침. 개선(改善)함. ㉡다른 물질(物質)이나 원소(元素)가 화합(化合)하여 새 물체(物體)를 형성함.
[化城 화성]《佛敎》㉠번뇌(煩惱)를 방지(防止)하는 안식(安息)의 땅. ㉡절. 사찰(寺刹).
[化俗結緣 화속결연]《佛敎》속인(俗人)을 교화하여 불연(佛緣)을 맺게 함.
[化醇 화순] 자연의 생육(生育).
[化身 화신] 삼신(三身)의 하나. 불보살(佛菩薩)이 형체를 바꾸어 나타나는 일. 또, 그 몸.
[化神 화신] ㉠교화가 현저함. ㉡신(神)이 됨. 신으로 화함.
[化外 화외] 왕화(王化)가 미치지 못하는 곳. 미개(未開)한 땅. 이적(夷狄)이 사는 땅.
[化誘 화유] 깨우쳐 이끎.
[化育 화육] 천지 자연이 만물을 만들어 자라게 함.
[化人 화인] 마술사(魔術師).
[化者 화자] 죽은 사람. 사망자.
[化正 화정] 교화하여 바르게 함.
[化主 화주]《佛敎》㉠중생을 교도(敎導)하는 교주(敎主). ㉡시주(施主).
[化治 화치] ㉠교화(敎化)하여 다스림. ㉡만들어 다스림. 만듦.
[化被萬方 화피만방] 교화가 멀리 팔방(八方)에 두루 미침.
[化學 화학] 물질(物質)의 성질 및 변화의 법칙(法則)을 연구하는 학문.
[化合 화합] 각기 다른 둘 이상의 원소(元素)가 서로 결합(結合)하여 새로운 물질을 발생함. 또, 그 현상.
[化向 화향] 덕(德)에 교화됨. 덕 있는 이를 사모하여 따름.
◉感化. 強化. 改化. 開化. 激化. 硬化. 敎化. 權化. 歸化. 氣化. 德化. 陶化. 同化. 萬化. 慕化. 無爲化. 文化. 物化. 美化. 變化. 孵化. 酸化. 宣化. 善化. 所化. 消化. 俗化. 純化. 馴化. 醇化. 施化. 深化. 惡化. 軟化. 王化. 羽化. 恩化. 理化. 仁化. 電化. 轉化. 政化. 淨化. 造化. 進化. 千變萬化. 遷化. 退化. 風化. 弘化. 洪化. 皇化. 懷化. 薰化.

3
⑤ [北] [中人] [一] 북 [入]職 博墨切 běi
[二] 배 [去]隊 補妹切 bèi 

[筆順] 丨 丨 丬 丬 北

[字解] [一] ①북녘 북 북쪽. '南一'. '一方水, 太陰之精, 主冬'《史記》. ②북녘으로갈 북 '可以南, 可以一'《說苑》. ③성 북 성(姓)의 하나. [二] ①저버릴 배 배반함. 배신함. '士無反一之心'《史記》. ②달아날 배 패주함. '敗一'. '三戰三一'《史記》. ③나눌 배 분리함. '分一三苗'《書經》.

[字源] 甲骨文 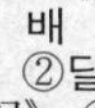 金文 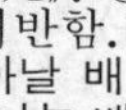 篆文 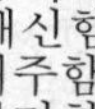 會意. 人+匕. 두 사람이 등을 돌리고 있다, 배신하다의 뜻을 나타내며, 전하여 '달아나다'의 뜻을 나타냄. 또, 사람은 밝은 남쪽을 바라보고 앉거나 서기를 즐기는데, 그때 등지는 쪽이 북쪽이므로 '북쪽'의 뜻을 나타냄.

[北家 북가] 마작(痲雀)할 때 북쪽에 있어서 남가

(南家)와 대면하는 사람.

[北京 북경] 허베이 성(河北省)에 있는 중화 인민 공화국(中華人民共和國)의 수도(首都). 요(遼)·금(金)·원(元)·명(明)·청(淸)나라의 옛 도읍(都邑)이었음. 명(明)나라 성조(成祖)가 응천(應天)에서 북평(北平)으로 천도(遷都)한 후 응천을 남경(南京), 북평을 북경이라 하였음.

[北溪字義 북계자의] 책 이름. 송(宋)나라 진순(陳淳)의 찬(撰). 2권. 사서(四書)의 자의(字義)에 관하여 이를 26문(門)으로 나누어 고증(考證) 설명하였음.

[北郭 북곽] 전국(戰國) 시대에 종횡가(縱橫家) 귀곡자(鬼谷子)가 있던 곳.

[北關 북관] 《韓》 함경 남북도(咸鏡南北道) 지방.

[北國 북국] ㉠북쪽의 나라. ㉡북쪽 땅.

[北闕 북궐] ㉠대궐(大闕)의 북문(北門). 상주(上奏)·알현(謁見) 등을 하는 자가 출입하는 곳. 전(轉)하여 대궐. 궁금(宮禁). ㉡《韓》 경복궁(景福宮)의 별칭.

[北極 북극] ㉠북방(北方)의 끝. ㉡지축(地軸)의 북쪽 끝. ㉢지남철이 북쪽을 가리키는 끝. ㉣북극성(北極星).

[北極星 북극성] 하늘의 북극에서 1도 3분 떨어진 곳에 있는 소웅좌(小熊座)에서 으뜸가는 별. 천극(天極).

[北端 북단] 북쪽 끝.

[北堂 북당] ㉠옛날의 사대부(士大夫) 집안의 동쪽 집채의 북반부(北半部). 주부(主婦)가 이곳에 거처하였음. 전(轉)하여, 주부(主婦). ㉡어머니. 모친. 훤당(萱堂).

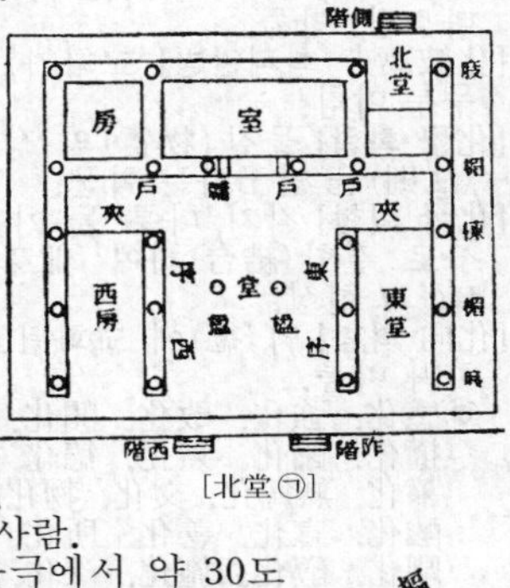

[北堂㉠]

[北道主人 북도주인] ㉠찾아온 손님을 돌보는 주인. ㉡길을 안내하는 사람.

[北斗 북두] 하늘 북극에서 약 30도 떨어진 곳에 있는 추(樞)·선(璇)·기(璣)·권(權)·옥형(玉衡)·개양(開陽)·요광(搖光)의 일곱 개의 별. 대웅좌(大熊座) 속에서 육안(肉眼)으로 가장 뚜렷하게 보임. 북두칠성(北斗七星).

[北斗以南一人而已 북두이남일인이이] 북두성(北斗星) 있는 곳의 남쪽에서 단 한 사람의 뛰어난 현인(賢人)이란 뜻으로, 세상에 드문 현인을 이름.

[北斗]

[北斗七星 북두칠성] 북두(北斗).

[北路 북로] ㉠북쪽에 있는 길. ㉡《韓》 서울에서 함경도(咸鏡道)로 통하는 길.

[北虜 북로] 북쪽에 있는 오랑캐.

[北虜南倭 북로남왜] 명(明)나라의 중세(中世) 이후에 명나라를 괴롭히던 두 가지 대환(大患). 곧, 북방을 침략하던 몽고(蒙古)와 남방에서 노략질하던 왜구(倭寇).

[北里 북리] 창녀들이 사는 곳. 유곽(遊郭)이 있는 곳. 화류항(花柳巷).

[北馬 북마] 《韓》 함경북도(咸鏡北道)에서 나는 말.

[北邙 북망] 뤄양(洛陽)〈지금의 허난 성(河南省) 뤄양 현(洛陽縣)〉의 북쪽에 있는 망산(邙山). 한(漢)나라 이래로 유명한 묘지(墓地)이므로, 전(轉)하여, 무덤·묘지의 뜻으로 쓰임.

[北邙塵 북망진] 죽어 무덤에 묻혀 진토(塵土)가 되는 일. 전(轉)하여, 사람의 죽음.

[北面 북면] ㉠신하(臣下)가 앉는 자리. 전(轉)하여, 신사(臣事)함. 신하가 됨. ㉡제자(弟子)가 앉는 자리. 전(轉)하여, 사사(師事)함. 제자가 됨.

[北冥 북명] 북명(北溟).

[北溟 북명] 북쪽의 큰 바다. 북명(北冥).

[北夢瑣言 북몽쇄언] 책 이름. 송(宋)나라 손광헌(孫光憲)의 찬(撰). 20권. 유문쇄어(遺文瑣語)를 수록(收錄)하였음.

[北門鎖鑰 북문쇄약] '북쪽 문의 열쇠'란 뜻으로, 북방의 방비(防備)를 이름.

[北美 북미] 북(北)아메리카 주(洲).

[北半球 북반구] 지구(地球)의 적도(赤道) 이북의 부분.

[北方 북방] ㉠북쪽. ㉡북쪽 지방.

[北方之強 북방지강] 북방인(北方人)의 용강(勇強)함을 이름. 북방은 예로부터 기풍(氣風)이 강경(剛勁)하여 이르는 말. 남방지강(南方之強)의 대(對).

[北伐 북벌] 북쪽 나라를 침.

[北邊 북변] 북쪽 가. 북쪽 변방(邊方).

[北部 북부] ㉠북쪽의 부분. ㉡《韓》 서울 안의 구역(區域)인 오부(五部)의 하나.

[北氷洋 북빙양] 북극(北極)의 주위에 있어 얼음으로 덮인 바다.

[北史 북사] 책 이름. 1백 권. 당(唐)나라 이연수(李延壽)의 찬(撰). 북조(北朝)의 위(魏)·북제(北齊)·주(周)·수(隋)나라의 4조(朝) 242년간의 사실(史實)을 편찬한 것임.

[北司 북사] 환관(宦官)이 일 보는 관아(官衙). 전(轉)하여, 환관(宦官). 북사(北寺).

[北寺 북사] 북사(北司).

[北朔 북삭] 북방의 오랑캐의 땅. 삭북(朔北).

[北山移文 북산이문] 남제(南齊)의 공덕장(孔德璋)의 작(作). 〈고문진보(古文眞寶)〉·〈속문장궤범(續文章軌範)〉 등에 수록되어 있는 명문(名文)임.

[北山之感 북산지감] 임금을 섬기느라고 어버이를 봉양 못하는 한탄. 시경(詩經) 소아(小雅)의 북산편(北山篇)의 시의(詩意)에서 전성(轉成)된 말.

[北上 북상] 북쪽으로 올라감.

[北宋 북송] 남송(南宋)의 대(對). 변경(汴京)에 도읍(都邑)한 송(宋)나라의 태조(太祖)에서 흠종(欽宗)에 이르기까지의 168년간의 일컬음. (960~1127)

[北水 북수] 《佛敎》 뒷물.

[北垂 북수] 북쪽 끝의 궁벽한 곳.

[北寺 북시] 북사(北寺).

[北辰 북신] 북극성(北極星).

[北岳 북악] 오악(五岳) 중 북쪽에 있는 항산(恒山)의 별칭.

[北洋 북양] 랴오닝(遼寧)·허베이(河北)·산둥(山東) 등 연해(沿海) 각 성(省)의 일컬음. 남양(南洋)의 대(對).

[北魚 북어] 《韓》 말린 명태(明太). 건명태.

[北轅適楚 북원적초] 수레의 멍에를 북쪽으로 돌리고 남쪽에 있는 초(楚)나라로 간다는 뜻으로,

뜻과 행동(行動)이 상반(相反)함의 비유.
[北緯 북위] 적도(赤道) 북쪽에 있는 위도(緯度).
[北魏 북위] 남북조 시대(南北朝時代) 북조(北朝)의 최초의 나라. 후위(後魏)라고도 함. 진(晉) 때 선비족(鮮卑族)의 탁발규(拓跋珪)가 평성(平城)에 도읍(都邑)하여 세운 나라. 효문제(孝文帝) 때 서울을 뤄양(洛陽)으로 옮겼음. 12주(主) 149년 만에 효무제(孝武帝) 때 동위(東魏) 및 서위(西魏)로 분열되었음. (386~534)
[北人 북인] 《韓》 사색당파(四色黨派)의 하나. 선조(宣祖) 때 동인(東人) 속에서 갈려 나온 당파(黨派). 또, 그 당파에 속한 사람. 서울 북촌(北村)에 사는 이산해(李山海)를 중심으로 했음. 남인(南人)의 대(對).
[北狄 북적] 북쪽 오랑캐.
[北庭 북정] ㉠한대(漢代)의 북방 흉노(匈奴)의 땅. ㉡서역(西域)의 별칭(別稱). ㉢《韓》 성균관(成均館) 안에 있는 명륜당(明倫堂)의 북쪽 마당. 유생(儒生)들이 이곳에서 승학시(陞學試)를 보았음.
[北齊 북제] 나라 이름. 북조(北朝)의 하나. 시조(始祖)는 고양(高洋). 도읍(都邑)은 업(鄴). 5주(主) 28년 만에 북주(北周)에게 망하였음. (550~577)
[北齊書 북제서] 기전체(紀傳體)의 사서(史書). 50권. 당(唐)나라 이백약(李百藥)의 찬(撰). 본기(本紀) 8권, 열전(列傳) 42권으로 되었음.
[北朝 북조] 남북조 시대(南北朝時代)에 강북(江北)에 있던 여러 나라의 조정(朝廷). 곧, 후위(後魏)가 강북(江北)을 통일하여 강남(江南)의 송(宋)나라와 대립한 이래 서위(西魏)·동위(東魏)·후주(後周)·북제(北齊)를 거쳐 수(隋)나라가 남북을 통일할 때까지의 218년간의 조정. 남조(南朝)의 대(對).
[北宗 북종] ㉠《佛敎》 선종(禪宗)에서 당(唐)나라 사람 신수(神秀)를 종조(宗祖)로 하는 종파(宗派). ㉡당(唐)나라 사람 이사훈(李思訓)을 비조(鼻祖)로 하는 화가(畫家)의 2대 유파(流派)의 하나. 북종화(北宗畫). 남종(南宗)의 대(對).
[北宗畫 북종화] 북종(北宗) ㉡. 남종화(南宗畫)의 대(對).
[北周 북주] 북조(北朝)의 하나. 선비족(鮮卑族) 우문각(宇文覺)이 서위(西魏)를 멸하고 세운 나라. 후주(後周)라고도 함. 도읍은 장안(長安). 5주(主) 24년 만에 수(隋)나라에게 망하였음. (557~580)
[北至 북지] '하지(夏至)'의 별칭. '동지(冬至)'를 남지(南至)라 함의 대(對).
[北辰 북진] 북신(北辰).
[北進 북진] 북쪽으로 나아감.
[北窓 북창] 북쪽으로 낸 창.
[北牕 북창] 북창(北窓).
[北窓三友 북창삼우] 거문고·술·시(詩)를 이름.
[北村 북촌] 북쪽에 있는 마을.
[北平 북평] 북경(北京). 「베.
[北布 북포] 《韓》 함경북도(咸鏡北道)에서 나는
[北風 북풍] ㉠추운 바람. ㉡북쪽에서 불어오는 바람. 삭풍(朔風).
[北漢 북한] 오대(五代) 때의 십국(十國)의 하나. 후한(後漢)의 은제(隱帝)가 시해(弑害)되자, 유숭(劉崇)이 산시 성(山西省) 진양(晉陽)에서 즉위하여 세운 나라. 4주(主) 29년 만에 송(宋)나라에게 멸망당하였음. (951~979)
[北海 북해] ㉠북쪽에 있는 바다. ㉡시베리아에 있는 바이칼 호(湖). 패가이호(貝加爾湖). ㉢'발해(渤海)'의 별칭(別稱).
[北行 북행] 북쪽으로 향하여 감.
[北杏 북행] 춘추 시대(春秋時代)에 산둥 성내(山東省內)에 있던 제(齊)나라의 땅. 제나라 환공(桓公)이 제후(諸侯)들과 회맹(會盟)한 곳임.
[北向 북향] 북쪽을 향함.
[北胡 북호] 북쪽에 있는 오랑캐. 또, 그 나라.
[北畫 북화] 북종화(北宗畫). 남화(南畫)의 대(對).
◉江北. 窮北. 極北. 冀北. 南北. 圖北. 逃北. 東北. 遁北. 漠北. 幕北. 奔北. 分北. 朔北. 西北. 佯北. 研北. 硯北. 磁北. 眞北. 催北. 逐北. 敗北. 河北. 降北. 華北.

[旨] 〔지〕 日部 二畫(p. 970)을 보라.

[此] 〔차〕 止部 二畫(p. 1140)을 보라.

[牝] 〔빈〕 牛部 二畫(p. 1375)을 보라.

[死] 〔사〕 歹部 二畫(p. 1146)을 보라.

[老] 〔로〕 部首(p. 1813)를 보라.

[壱] 〔일〕 士部 四畫(p. 473)을 보라.

[能] 〔능〕 肉部 六畫(p. 1847)을 보라.

[眞] 〔진〕 目部 五畫(p. 1537)을 보라.

[鬯] 〔창〕 部首(p. 2631)를 보라.

[頃] 〔경〕 頁部 二畫(p. 2539)을 보라.

7 ⑨ [𠤎] 〔구〕 廏(广部 十一畫〈p. 704〉)의 古字

9 ⑪ [匘] 뇌 ㊤晧 乃老切 nǎo

字解 머릿골 뇌 腦(肉部 九畫)와 同字. '—, 頭髓也'《說文》.

9 ⑪ [匙] 人名 시 ㊥支 是支切 chí, shi

字解 ①숟가락 시 '飯—'. '茶—要擊拂有力'《蔡襄》. ②열쇠 시 '鑰—'. '玉—金鑰'《黃庭經》. ③성 시 성(姓)의 하나.
字源 篆文 形聲. 匕+是〔音〕. '匕비'는 숟가락의 상형. '是시'도 숟가락총이 긴 숟가락의 상형. '숟가락'의 뜻을 나타냄.

[匙抄 시초] 숟가락.

◉茶匙. 飯匙. 銷匙. 鑰匙. 玉匙. 銀匙. 停匙.

[疑] 疋部 九畫(p.1477)을 보라.

匚 (2획) 部
〔터진입구부〕

0 ② [匚] 방 [平]陽 府良切 fāng

[筆順] 一 匚

[字解] 상자 방 네모반듯한 용기(容器).

[字源] 甲骨文 金文 篆文 象形. 네모난 상자 모양을 본뜸.

[參考] ①匚(部首)는 別字. ②부수로서는 '터진 입구'라고 이름.

3 ⑤ [匜] 이 [平]支 弋支切 yí / [上]紙 移爾切

[字解] ①손대야 이 손을 씻는 대야. 속이 빈 자루가 달려 그곳으로부터 물이 나오게 하여 손을 씻음. '盥則奉―'《唐書》. ②술그릇 이 주기(酒器). '敦牟巵―'《禮記》.

[匜①]

[字源] 金文 金文 篆文 形聲. 匚+也〔音〕. '也야'는 자루 달린 주전자, 또는 여자 생식기의 상형. 성기를 닮은, 귀때를 겸한 자루가 있는 물이나 술 그릇의 뜻을 나타냄.

3 ⑤ [匝] 잡 [入]合 作答切 zā

[字解] 돌 잡, 둘레 잡 帀(巾部 一畫)과 同字. '圍宛城三―'《史記》.

[字源] 帀(巾部 一畫)의 字源을 보라.

[匝旬 잡순] 만 10일. 만 열흘.
[匝辰 잡진] 열이틀. 12일. 협진(浹辰).
[匝洽 잡흡] 모두 화합함.
◉周匝.

3 ⑤ [区] 〔구〕 柩(木部 五畫〈p.1051〉)와 同字

4 ⑥ [匠] [人名] 장 [去]漾 疾亮切 jiàng

[筆順] 一 𠃊 厂 斤 斤 匠

[字解] ①장인 장 목공(木工). '―伯'. '梓―輪輿'《孟子》. 전(轉)하여, 널리 장색(匠色)의 뜻으로 쓰며, 또 더 널리 특수한 기술이 있는 사람도 이름. '―氏'. '工―'. '刀―'. '陶―善治埴木'《莊子》. '哲―間出'《歷代名畫記》. ②궁리 장 고안. '―意'. '亭臺花木, 皆出其目營心―'《洛陽名園記》. ③가르침 장 교시(教示). '念私門之正―兮'《楚辭》. ④성 장 성(姓)의 하나.

[字源] 篆文 會意. 匚+斤. '匚방'은 곱자의 상형. '斤근'은 도끼의 상형. 곱자와 도끼를 사용하는 '기술자'의 뜻을 나타냄.

[匠伯 장백] 목수의 우두머리.
[匠石運斤 장석운근] 장석(匠石)은 옛날의 유명한 장인(匠人)의 이름. 그는 자귀로 물건을 쪼는 데 조금도 틀림이 없었다 함. 전(轉)하여, 기예(技藝)가 미묘(微妙)한 경지에 이른 것을 이름.
[匠氏 장씨] 장인(匠人).
[匠意 장의] 궁리. 고안(考案).
[匠人 장인] ㉠목수. ㉡물건을 만드는 것을 업으로 삼는 사람.
[匠宰 장재] 대신(大臣). 재상(宰相).
[匠戶 장호] 목수의 집. 또, 목수.
◉巨匠. 鋸匠. 工匠. 巧匠. 大匠. 都匠. 名匠. 木匠. 師匠. 心匠. 良匠. 意匠. 宰匠. 梓匠. 拙匠. 宗匠. 哲匠. 筆匠. 火匠. 畫匠.

4 ⑥ [匟] 강 [去]漾 口浪切 kàng

[字解] 걸상 강 '―床'은 걸터앉는 걸상. '―床, 坐床也'《篇海》.

4 ⑥ [匡] [人名] 광 [平]陽 去王切 kuāng

[筆順] 一 二 三 干 王 匡

[字解] ①바를 광 방정(方正)함. '旣―旣敕'《詩經》. ②바로잡을 광 바르게 함. '―救'. '―亂世反之於正'《史記》. ③구원할 광 구제함. '胥―以生'《書經》. ④도울 광 보조함. 보좌함. '―弼'. '―朕之不逮'《漢書》. ⑤비뚤 광, 휠 광 굽음. '輪雖敝不―'《周禮》. ⑥두려워할 광 恇(心部 六畫)과 통용. '衆不―懼'《禮記》. ⑦눈자위 광 眶(目部 六畫)과 통용. '涕滿―而橫流'《史記》. ⑧성 광 성(姓)의 하나.

[字源] 金文 篆文 別體 形聲. 篆文은 匚+王(㞷)〔音〕. '匚방'은 버들·대 따위를 구부려서 만든 상자의 상형. '㞷왕·황'은 '廣광'과 통하여 '넓다'의 뜻. 속이 넓은 상자의 뜻. 또 상자를 만들기 위하여 구부리거나 곧게 펴서 모양을 바로잡는다의 뜻에서, 전하여 '바로잡다'의 뜻을 나타냄.

[匡諫 광간] 바로잡아 간(諫)함. 간하여 바르게 함.
[匡矯 광교] 광정(匡正).
[匡救 광구] 바로잡아 구원함. 악한 일을 못하게 하여 구원함.
[匡懼 광구] 두려워함.
[匡廬 광려] 장시 성(江西省) 북부에 있는 '루산(廬山)'의 별칭(別稱). 은주(殷周) 때 광유(匡裕)라는 신선(神仙)이 이 산에서 여막을 짓고 살았으므로 이름. 광산(匡山).
[匡謬正俗 광류정속] 책 이름. 당(唐)나라 안사고(顏師古)의 찬(撰). 제서(諸書)의 자의(字義)·음석(音釋) 등을 고증(考證)하였음.
[匡補 광보] 도와 부족한 것을 보충함.
[匡輔 광보] 군주(君主)를 바르게 도움.
[匡復 광복] 바로잡아 회복시킴.
[匡山 광산] ㉠장시 성(江西省) 북부에 있는 '루산(廬山)'의 별칭(別稱). '광려(匡廬)'를 보라. ㉡쓰

췐 성(四川省)에 있는 산. 대광산(大匡山). ㉢ 저장 성(浙江省)에 있는 산.
[匡牀 광상] 침대(寢臺).
[匡肅 광숙] 광칙(匡飭).
[匡言 광언] 간(諫)함.
[匡翼 광익] 광보(匡輔).
[匡正 광정] 바르게 고침. 교정(矯正).
[匡定 광정] 도와서 정함.
[匡制 광제] 바르게 인도하여 제어(制御)함.
[匡濟 광제] 악(惡)을 바르게 하여 선(善)으로 인도함. 광증(匡拯).
[匡佐 광좌] 군주를 바르게 도움. 규좌(規佐). 광보(匡輔).
[匡坐 광좌] 바르게 앉음. 정좌(正坐). 단좌(端坐).
[匡周 광주] 널리 두루 미침.
[匡拯 광증] 광제(匡濟).
[匡持 광지] 바르게 하여 가짐.
[匡飭 광칙] 바로잡아 정제(整齋)하게 함. 광숙(匡肅).
[匡弼 광필] 군주(君主)를 바르게 도움. 광보(匡輔).
[匡衡 광형] 전한(前漢) 때의 동해(東海) 사람. 원제(元帝) 때 태자소부(太子少傅)·승상(丞相)을 역임하고 낙안후(樂安侯)로 봉후(封侯)되었고, 성제(成帝) 때 왕망(王莽)에게 참소(讒訴)당하여 관직에서 쫓겨났음. 경서(經書), 특히 시경(詩經)에 조예가 깊어 당시의 유학자들이 말하기를 '광설시해인이(匡說詩解人頤)'라고까지 하였음.
[匡護 광호] 도와 보호함.
◉畏匡. 一匡. 靖匡. 弼匡.

5 ⑦ [匣] 人名 갑 ㉤洽 胡甲切 xiá

字解 갑 갑 작은 상자. '鏡一'. '藏在室一中'《漢書》.
字源 篆文 形聲. 匚+甲〔音〕. '甲갑'은 '거북딱지'의 뜻. 넣은 물건을 거북의 등딱지와 같이 가려서 감추는 작은 상자의 뜻을 나타냄.

[匣匳 갑렴] 빗을 넣어 두는 상자.
◉劍匣. 鏡匣. 古匣. 寶匣. 玉匣. 妝匣. 漆匣. 虛匣.

5 ⑦ [弁] 변 ㉣霰 皮變切 fán

字解 상자 변 대나무로 만든 상자. '一, 笥也'《廣韻》.
字源 形聲. 匚+弁〔音〕

7 ⑨ [㔝] 협 ㉤葉 苦協切 qiè

字解 옷상자 협 篋(竹部 九畫)과 同字.
字源 篆文 形聲. 匚+夾〔音〕

7 ⑨ [匡] 〔광〕
匡(匚部 四畫〈p. 292〉)의 本字

8 ⑩ [匪] 人名 ㊀ 비 ㉡尾 ①-⑤府尾切 fěi
㉠微 ⑥芳微切 fēi
㊁ 분 ㉠文 方文切 fēn

字解 ㊀ ①아닐 비 非(部首)와 同字. '一報也, 永以爲好也'《詩經》. ②대상자 비 篚(竹部 十畫)와 同字. '其君子實玄黃于一'《孟子》. ③담을 비, 넣을 비 상자에 넣음. '一厥玄黃'《孟子》. ④비적 비 흉한(兇漢)·적도(賊徒)·난민(亂民) 등. '一徒'. '土一'. ⑤문채 비, 채색 비 '且其一色'《周禮》. ⑥빛날 비 색이 곱거나 문채(文采)가 있는 모양. '車馬之美, 一一翼翼'《禮記》. ㊁ 나눌 분 나누어 줌. '一頒之式'《周禮》. ※'비' 음은 인명자로 쓰임.
字源 篆文 形聲. 匚+非〔音〕. '非비'는 '둘로 나뉘다'의 뜻. 뚜껑과 몸체로 나뉘는 직사각형의 대나무 상자의 뜻을 나타냄. 시경(詩經)부터 흔히 假借하여, 부정사(否定詞)로 쓰이게 됨.

[匪頒 분반] 군신(群臣)에게 나누어 줌.
[匪魁 비괴] 비적(匪賊)의 괴수(魁首).
[匪躬 비궁] 자기의 몸을 돌보지 않음. 일신(一身)의 이해(利害)를 돌보지 않음.
[匪躬之節 비궁지절] 한 몸의 이해(利害)를 돌아보지 않는 충성(忠誠).
[匪徒 비도] 도둑의 무리.
[匪匪 비비] 색이 곱거나 문채(文彩)가 있는 모양.
[匪色 비색] 문채(文彩). 채색(彩色).
[匪席 비석] 마음은 돗자리가 아니어서 말지 못한다는 뜻으로, 심지(心志)가 굳어서 흔들리지 않음을 이르는 말.
[匪石之心 비석지심] 돌과 같이 굳어 움직일 수 없는 마음.
[匪席之旨 비석지지] 자리와 같이 쉽게 말리는 유약(柔弱)한 마음.
[匪兕匪虎率彼曠野 비시비호솔피광야] 외뿔소나 범 같은 야수(野獸)도 아닌데 광야(曠野)를 헤맨다는 뜻으로, 현인(賢人)이 재액(災厄)을 만나 그 불행을 탄식함을 이름.
[匪擾 비요] 비도(匪徒)의 소요(騷擾).
[匪夷所思 비이소사] 보통 사람의 생각이 미칠 바가 아님. 보통 사람으로서는 그런 데까지 생각이 미치지 못함.
[匪賊 비적] 도둑의 떼.
[匪他 비타] 살붙이. 골육(骨肉).
◉共匪. 團匪. 賊匪. 土匪.

9 ⑪ [匭] 궤 ㉡紙 居洧切 guǐ 匦

字解 ①갑 궤 작은 상자. '鑄銅一四'《唐書》. ②동일 궤 동여맴. '包一菁茅'《書經》.
字源 篆文 形聲. 匚+軌〔音〕. '軌궤'는 '龜귀'와 통하여 '거북'의 뜻. 거북 등딱지로 덮은 것 같은 작은 상자의 뜻을 나타냄.

[匭院 궤원] 민의(民意)를 알기 위하여 상자를 비치하고 투서(投書)를 접수하는 관아(官衙).
◉銅匭. 法匭. 延恩匭. 招諫匭. 土匭. 包匭.

9 ⑪ [匬] 유 ㉡麌 勇主切 yǔ

字解 되 유 열여섯 말들이의 되. '一, 器受十六斗'《玉篇》.
字源 篆文 形聲. 匚+兪〔音〕. '兪유'는 통나무를 파서 만든 배의 뜻. 나무를 도려내어 만든 용기(容器)의 뜻을 나타냄.

11 ⑬ [匭] 〔궤〕
簋(竹部 十一畫〈p.1683〉)의 古字

11 ⑬ [匯] 人名 회 ㊤賄 胡罪切 huì ㊀隊 胡對切 汇 匯
字解 물돌아나갈 회 물이 선회함. '東一澤爲彭蠡'《書經》. 또, 그곳. '山下繫船桃溪一'《楊維楨》.
字源 篆文 形聲. 匚+淮〔音〕. '淮회'는 '圍위'와 통하여 '두르다'의 뜻. '匚방'은 상자의 상형으로 본디 일종의 그릇을 나타내었지만, 假借하여 물이 울 안을 돌아 흐르다의 뜻을 나타냄.
◉鼓湍匯. 淪匯. 迤匯. 停匯. 滄溟匯.

12 ⑭ [匱] 궤 ㊀寘 求位切 guì, ②③kuì 匮 匱
字解 ①함 궤 櫃(木部 十四畫)와 同字. '一櫝'. '石室金一之書'《史記》. ②삼태기 궤 簣(竹部 十二畫)와 통용. '綱紀咸張, 成在一一'《漢書》. ③다할 궤 다하여 없어짐. 결핍함. '一竭'. '孝子不一'《詩經》.
字源 篆文 形聲. 匚+貴〔音〕. '貴귀'는 값진 재물의 뜻. 값진 물건을 넣어 두는 '상자'의 뜻을 나타냄.

[匱竭 궤갈] 다하여 없어짐.
[匱窮 궤궁] 가난하여 고생함. 빈궁(貧窮).
[匱櫝 궤독] 함(函). 상자.
[匱盟 궤맹] 사사로이 맺는 맹약.
[匱殫 궤탄] 궤갈(匱竭).
[匱乏 궤핍] 궁핍함. 모자람.
◉罄匱. 困匱. 空匱. 窘匱. 窮匱. 金匱. 饑匱. 玉石同匱. 乏匱. 倡匱. 虛匱. 篋匱. 孝子不匱. 恤匱.

12 ⑭ [匰] 단 ㊥寒 都寒切 dān
字解 주독(主櫝) 단 신주(神主)를 넣는 독(櫝). '祭祀則共一主'《周禮》.
字源 篆文 形聲. 匚+單〔音〕. '單단'은 '한 겹, 얇다'의 뜻. 얇은 신주 독(櫝)의 뜻을 나타냄.

12 ⑭ [匲] 匳(次條)과 同字. 속(俗)에 奩(大部 十一畫)으로 씀.

13 ⑮ [匳] 렴 ㊥鹽 力鹽切 lián 匳
字解 ①경대 렴, 거울상자 렴 거울을 넣는 갑. 펴면 경대가 됨. '鏡一中物'《後漢書》. ②향그릇 렴 향을 담는 그릇. '香一'.
字源 形聲. 匚+僉〔音〕
參考 匲(前條)은 同字.

[匳②]

[匳幣 염폐] 혼수(婚需).
◉經匳. 鏡匳. 粉匳. 藥匳. 印匳. 粧匳. 香匳.

14 ⑯ [匴] 산 ㊤旱 蘇管切 suǎn
字解 관상자 산 관(冠)을 넣는 상자. '爵弁皮弁緇布冠各一一'《儀禮》.

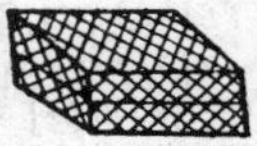

[匴]

字源 篆文 形聲. 匚+算〔音〕. '算산'은 竹+具의 회의자(會意字)로, 대나무로 만든 그릇의 뜻. 대를 걸어 만든 용기(容器)의 뜻을 나타냄.

15 ⑰ [匵] 독 ㊇屋 徒谷切 dú 匵
字解 궤 독 櫝(木部 十五畫)과 통용. '有美玉於斯, 韞一而藏諸'《論語》.
字源 篆文 形聲. 匚+賣〔音〕. '賣육'은 넣은 물건을 꺼내다의 뜻. 물건을 넣었다 꺼냈다 하는 '상자'의 뜻을 나타냄.

18 ⑳ [匶] 구 ㊀有 巨救切 jiù
字解 널 구 柩(木部 五畫)와 同字. '及朝御一乃奠'《周禮》.

18 ⑳ [匷] ㊀ 확 ㊇藥 古爵切 jué ㊁ 거 ㊥魚 其余切 jué
字解 ㊀ 수레 확 수레붙이. '古之所爲不可更, 則椎車至今無蟬一'《淮南子》. ㊁ 수레 거 ㊀과 뜻이 같음.

24 ㉖ [匶] ㊀ 감 ㊤感 古禫切 gǎn ㊁ 공 ㊀送 古送切 gòng
字解 ㊀ ①작은잔 감 '一, 小桮也'《說文》. ②상자 감 '一, 箱類'《廣韻》. ③뚜껑 감 그릇의 덮개. '一, 器蓋'《增韻》. ④곳집 감 창고(倉庫). '一, 倉也'《廣雅》. ㊁ ①작은잔 공. ②상자 공. ③뚜껑 공. ④곳집 공.
字源 篆文 形聲. 匚+贛〔音〕

匸 (2획) 部
〔터진에운담부〕

0 ② [匸] 혜 ㊤薺 胡禮切 xì 匸
筆順 一 匸
字解 감출 혜 덮어 가림.
字源 篆文 篆文 指事. ㄴ과 一을 합하여, 물건을 넣고(ㄴ), 뚜껑을 덮어 가리다(一)의 뜻을 나타냄. 속에 넣고 덮어 가리는 일.
參考 ①匚(部首)은 別字. ②부수로서는 속(俗)에 '터진에운담'이라 이름.

2 ④ [匹] 中人 ㊀ 필 ㊇質 譬吉切 pǐ ㊁ 목 mù 匹
筆順 一 丆 兀 匹
字解 ㊀ ①필 필 ㉠옷감의 길이의 단위. 이단(二端)의 일컬음. '布帛廣二尺二寸爲幅, 四丈爲一'《漢書》. ㉡말 같은 가축을 세는 수사(數詞).

'一馬'. '馬四一'《書經》. ②짝 필 ㉠배우자. '配一'. '甚哉妃一之愛'《漢書》. ㉡벗. 붕우. '一儕'. '率由羣一'《詩經》. ㉢한 쌍의 한쪽. '獨無一兮'《楚辭》. ㉣상대. 적수. '秦晉一也'《左傳》. ③짝지을 필 짝을 이룸. '庶人夫妻相一'《左傳》. ④홀 필 하나. '一夫無罪'《左傳》. [二] 집오리 목 鶩(鳥部 九畫)과 통용. '庶人之摯, 一'《禮記》.

[字源] 金文  篆文  象形. 말의 꼬리의 象形으로, 말을 세는 단위로서 쓰임. 또, 옷감의 길이를 나타내는 단위로도 쓰임. 또, '比비'와 통하여, '짝'의 뜻도 나타냄.

[匹練 필련] 한 필의 하얗게 누인 명주. 전(轉)하여, 폭포(瀑布)의 형용으로 쓰임.
[匹馬 필마] 한 필의 말.
[匹馬單騎 필마단기] 혼자 한 필의 말을 탐.
[匹馬單槍 필마단창] 한 필의 말과 한 개의 창. 곧, 아주 간략한 무장(武裝).
[匹馬隻輪無反 필마척륜무반] 출정한 군대가 전멸하고, 한 필의 말과 한 대의 수레도 본국에 돌아오지 아니함.
[匹配 필배] ㉠짝지음. ㉡짝. 배우(配偶). ㉢말. 마필(馬匹).
[匹夫 필부] ㉠한 사람의 남자. ㉡신분이 낮은 남자.
[匹婦 필부] ㉠한 사람의 여자. ㉡신분이 낮은 남자의 아내.
[匹夫無罪懷璧其罪 필부무죄회벽기죄] 원래 죄 없는 사람도 몸에 보옥(寶玉)을 품고 있기 때문에 일신(一身)에 화가 미친다는 말.
[匹夫之勇 필부지용] 소인(小人)의 혈기(血氣)에서 나온 용기(勇氣).
[匹夫匹婦 필부필부] ㉠서민(庶民)의 부부(夫婦). 보통의 남녀. 우부우부(愚夫愚婦). ㉡일부일부(一夫一婦)의 뜻.
[匹似 필사] 필여(匹如).
[匹上不足 필상부족] 필하유여(匹下有餘)에 대해서 쓰이는 말. 위로 짝하려니 모자라고, 아래로 짝하려니 남아서 어느 쪽에도 치우치지 않는 원전활탈(圓轉滑脫)의 묘(妙)를 이름.
[匹庶 필서] 백성.
[匹亞 필아] 동류(同類). 아류(亞類).
[匹如 필여] 비슷함. 이를테면 …과 같음.
[匹如身 필여신] 무일푼. 적수(赤手).
[匹偶 필우] ㉠필우(匹耦). ㉡맞음. 같음.
[匹耦 필우] 짝. 배우(配偶).
[匹敵 필적] ㉠어슷비슷함. 맞섬. ㉡필우(匹耦).
[匹儕 필제] 벗. 제배(儕輩).
[匹鳥 필조] '원앙(鴛鴦)'의 별칭.
[匹儔 필주] ㉠짝. ㉡동류(同類). ㉢상대자(相對者).
[匹馳 필치] 말을 나란히 하여 달림.
◉仇匹. 馬匹. 配匹. 妃匹. 乘匹. 亞匹. 良匹. 儷匹. 令匹. 偶匹. 倫匹. 儔匹. 好匹.

2 ④ [区] 〔구〕 區(匸部 九畫〈p. 296〉)의 略字

[叵] 〔파〕 口部 二畫(p. 337)을 보라.

5 ⑦ [医] 예 [去]霽 於計切 yì, yī

[字解] 동개 예 활과 화살을 넣어 메는 기구. '兵不解一'《國語》.

[字源] 甲骨文  篆文  形聲. 匸+矢〔音〕. '矢시'는 화살. '匸혜'는 '덮다'의 뜻. 화살을 넣는 기구, '동개'의 뜻을 나타냄.

[參考] 속(俗)에, 醫(酉部 十一畫)의 略字로 씀.

6 ⑧ [匼] 암 [上]感 鄔感切 ǎn

[字解] ①아첨할 암 아부함. '盧杞, 對上或諂諛阿一'《唐書》. ②두를 암 싸서 가림. 감음. '車頭金一匝'《杜甫》.

[字源] 會意. 匸+合

7 ⑨ [匽] 언 ①[上]阮 於幰切 yǎn ②[去]願 於建切 yàn

[字解] ①눕힐 언, 쉴 언 偃(人部 九畫)과 同字. '輿文一武'《漢書》. ②도랑 언 구거(溝渠). '爲井一'《周禮》.

[字源] 金文  篆文  形聲. 匸+晏〔音〕. '匸혜'는 '숨기다'의 뜻. '妟안'은 둥근 방석이나 베개를 대고 편안히 쉬는 부인의 모습을 본뜬 글자. 칸막이 안에 숨어서 쉬다의 뜻을 나타냄.

7 ⑨ [甚] 〔심〕 甚(甘部 四畫〈p. 1453〉)의 本字

7 ⑨ [區] 區(次次條)의 俗字

9 ⑪ [匿] 닉 [入]職 女力切 nì 

[字解] ①숨을 닉 ㉠도피함. '逃一'. '廼一其家'《史記》. ㉡잠복함. '隱一'. '時見時一'《淮南子》. ②숨길 닉 ㉠보이지 않는 곳에 감춤. '乃一其家, 竊出上書'《史記》. ㉡가림. 덮음. '文不可一'《國語》. ㉢나타내지 아니함. '一名'. '一怨而友其人'《論語》. ③숨은죄 닉 나타나지 아니한 죄악. 음간(陰姦). '其爲人反一頗僻'《晉書》.

[字源] 金文 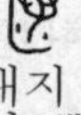 篆文 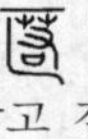 形聲. 匸+若〔音〕. '若약'은 순진하고 얌전하다의 뜻. 개성을 드러내지 않고 감추다의 뜻. 일설에는 會意로, 가려서 뽑은 채소〔若〕를 갈무리하다〔匸〕에서, 전하여 '숨기다, 숨다'의 뜻으로 쓰인다고 함.

[匿空 익공] 몸을 감추는 구멍. 암혈(暗穴).
[匿名 익명] 이름을 숨김.
[匿名書 익명서] 이름을 숨기고 쓴 글.
[匿名投票 익명투표] 투표자의 이름을 알리지 않고 하는 투표. 무기명 투표(無記名投票).
[匿伏 익복] 숨어 엎드림. 몰래 숨음. 잠복(潛伏).
[匿跡消聲 익적소성] 은둔(隱遁)하여 세상일을 알려고도 하지 않고 묻지도 않음을 이름.
[匿爪 익조] 맹수(猛獸)나 맹금(猛禽)은 함부로 그 발톱이나 엄니를 드러내 보이지 아니함. 전(轉)하여, 명인(名人)은 그 뛰어난 재능을 감추고 잘 나타내지 아니함을 이름.
[匿竄 익찬] 도망가서 숨음.
[匿諱 익휘] 꺼리어 숨김.
◉逃匿. 亡匿. 辟匿. 伏匿. 服匿. 祕匿. 隱匿. 潛匿. 臧匿. 藏匿. 竄匿. 退匿. 貶匿. 蔽匿.

避匿. 晦匿.

9 ⑪ [區] 高人 ■ 구 ㊤虞 豈俱切 qū ■ 우 ㊤尤 烏侯切 ōu 区

筆順 一 丆 ㄇ 戸 戸 戸 品 區

字解 ■ ①지경 구 갈라놓은 지역. '一域'. '如一一中者乃爲一州'《史記》. ②숨긴곳 구 물건을 감추어 두는 곳. '在乎一蓋之間'《荀子》. ③거처 구 주소. '有田一廛, 宅一一'《漢書》. ④작은 방 구 소실(小室). '穿北軍壘垣, 以爲賈一'《漢書》. ⑤구별 구 차별. '每絕常一'《梁書》. ⑥방위 구 방소(方所). '洋溢八一'《揚雄》. ⑦곳 구 장소. '殊方別一'《班固》. ⑧나눌 구 분별함. 차별함. '各以言一'《齊書》. ⑨구구할 구 ㉠제각기 다름. '物性既一'《後漢書》. ㉡잔단 모양. 작은 모양. '一一之心'. '秦以一一之, 地致萬乘之權'《賈誼》. 전(轉)하여, 자기의 겸칭(謙稱). '一一之心竊慕之耳'《李陵》. ■ ①숨길 우 은닉함. '作僕一之法'《左傳》. ②용량의단위 우 열여섯 되. 한 말 엿 되. '豆一釜鍾'《左傳》. ③성 우 성(姓)의 하나. ※'구' 음은 인명자로 쓰임.

字源 金文 篆文 會意. 品+匚. '品품'은 많은 물건의 뜻. '匚혜'는 구획을 지어 갈라놓다의 뜻. 많은 물건을 구분하다의 뜻을 나타냄.

[區間 구간] 일정(一定)한 지구(地區)의 사이.
[區蓋 구개] 숨겨 덮음. 또, 그 장소.
[區區 구구] ㉠작은 모양. 잔단 모양. 전(轉)하여, 자기의 겸칭(謙稱). ㉡득의(得意)한 모양.
[區區不一 구구불일] 각각 다름.
[區區泥泥 구구이니] 구구한 사정에 얽매임. 여러 가지 잔단 일에 얽매임.
[區區之心 구구지심] 자기의 변변치 못한 생각. 미충(微衷).
[區極 구극] 천하(天下) 또는 해내(海內)를 이름.
[區段 구단] 분류(分類).
[區落 구락] 구역을 이룬 부락.
[區別 구별] 분류함. 유별(類別)함.
[區分 구분] 구별하여 나눔.
[區域 구역] 갈라놓은 경계.
[區宇 구우] ㉠구획(區畫). 경계. ㉡구현(區縣).
[區甸 구전] 구역(區域).
[區處 구처] ㉠구분하여 처리(處理)함. ㉡거처(居處).
[區處無路 구처무로] 처리할 도리가 없음.
[區夏 구하] 천하(天下).
[區縣 구현] 천하(天下). 우내(宇內).
[區寰 구환] ㉠역내(域內). ㉡세상.
[區畫 구획] 경계를 갈라 정함. 구분하여 획정(畫定)함.
[區劃 구획] 구획(區畫).
[區脫 우탈] 북쪽의 오랑캐가 그들의 국경에 만든 척후용(斥候用)의 토실(土室).
◉管區. 區區. 肆區. 選擧區. 市區. 奧區. 外區. 地區. 學區. 寰區.

9 ⑪ [匾] 〔편〕
扁(戶部 五畫〈p. 841〉)과 同字

字源 形聲. 匚+扁〔音〕. '扁편'은 '납작하다'의 뜻.

10 ⑫ [匲] 제 ㊤齊 天黎切 tī

字解 얇을 제 두껍지 않음. '扁一, 薄也'《玉篇》.

十 (2획) 部

〔열십부〕

0 ② [十] 中人 십 ㊅緝 是執切 shí

筆順 一 十

字解 ①열 십 아홉에 하나를 보탠 수. '天九地一'《易經》. 충족(充足)된 수라 하여, 전(轉)하여 완전하거나 부족이 없다는 뜻으로 쓰임. '一分'. '一全'. '利不一者, 不易業'《漢書》. 또, 많은 수를 이름. '一目所視, 一手所指'《大學》. ②열번 십 10회. '一戰九勝'. '人一能之'《中庸》. ③열곱할 십 10배(倍)함. '長者不過一之'《史記》.

字源 甲骨文 金文 篆文 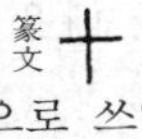 象形. 바늘을 본뜸. '針침'의 원자(原字). 假借하여 수의 열의 뜻으로 쓰임. 또 '一일'과 대비(對比)하여 다수의 뜻을 나타냄.

參考 금전을 기재하는 경우 등에는, 글자가 고쳐지는 것을 피하기 위하여 갖은자 '拾십'을 쓰는 수가 있음.

[十方世界 시방세계]《佛敎》시방 세계(十方世界).
[十王 시왕]《佛敎》십왕(十王).
[十王廳 시왕청]《佛敎》십왕청(十王廳).
[十月 시월] 9월의 다음 달.
[十家牌 십가패] 열 집을 한 반(班)으로 하여 각 호(各戶)의 인별(人別)을 명기(明記)한 패. 각 호에서 윤번으로 그 집에 걸어 놓게 하고, 이에 의하여 반을 취체하였음.
[十干 십간] 육갑(六甲) 중의 천간(天干). 곧, 갑(甲)·을(乙)·병(丙)·정(丁)·무(戊)·기(己)·경(庚)·신(辛)·임(壬)·계(癸)의 총칭. 고갑자(古甲子) 중의 십간(十干)은 다음 표와 같음.

甲	알봉(閼逢)	乙	전몽(旃蒙)
丙	유조(柔兆)	丁	강어(強圉)
戊	저옹(著雍)	己	도유(屠維)
庚	상장(上章)	辛	중광(重光)
壬	현익(玄黓)	癸	소양(昭陽)

[十經 십경] 유가(儒家)의 열 가지 경서. 곧, 주역(周易)·상서(尙書)·모시(毛詩)·예기(禮記)·주례(周禮)·의례(儀禮)·춘추좌씨전(春秋左氏傳)·공양전(公羊傳)·곡량전(穀梁傳) 및 논어(論語)·효경(孝經). 논어와 효경은 하나.
[十戒 십계]《佛敎》십악(十惡)을 범(犯)하지 말라는 계(戒). 십선계(十善戒). 보살(菩薩)의 십계는 불살생(不殺生)·불투도(不偸盜)·불사음(不邪淫)·불망어(不妄語)·불음주(不飮酒)의 오계(五戒)에 불설과죄(不說過罪)·불자찬훼타(不自讚毁他)·불간(不慳)·불진(不瞋)·불방삼보(不謗三寶)를 가(加)한 것이고, 사미(沙彌)의 십계(十戒)는 오계(五戒)에 불착화만호향도신(不着華鬘好香塗身)·불가무창기역불왕관청(不歌舞娼妓亦不往觀聽)·부득좌고광대상상(不

得坐高廣大牀上)·부득비시식(不得非時食)·부득착전금은보물(不得捉錢金銀寶物)을 가(加)한 것임.

[十界 십계] 《佛敎》 육범사성(六凡四聖). 곧, 불계(佛界)·보살계(菩薩界)·연각계(緣覺界)·성문계(聲聞界)·천상계(天上界)·인간계(人間界)·수라계(修羅界)·축생계(畜生界)·아귀계(餓鬼界)·지옥계(地獄界)의 일컬음.

[十誡命 십계명] 기독교에서 하나님이 시내산(山)에서 모세에게 내렸다고 하는 열 가지 계명. 곧, 다른 신(神)을 섬기지 말 것. 우상(偶像)을 섬기지 말 것. 여호와의 이름을 망령되게 하지 말 것. 안식일(安息日)을 지킬 것. 부모를 공경할 것. 살인하지 말 것. 간음(姦淫)하지 말 것. 도둑질하지 말 것. 거짓말하지 말 것. 탐내지 말 것.

[十國 십국] 오대(五代) 때 할거(割據)한 열 나라. 국명(國名)·개국자(開國者)·역년(歷年) 등은 다음 표와 같음.

國名	所據地	開國者	失國者	歷年
吳	淮南	楊行密	楊 溥	46
前蜀	四川	王 建	王 衍	35
南漢	南海	劉 隱	劉 鋹	67
閩	福建	王 潮	王延政	55
吳越	兩浙	錢 鏐	錢 俶	84
楚	湖南	馬 殷	馬希宗	56
南平	荆南	高季興	高繼沖	57
後蜀	四川	孟知祥	孟 昶	41
南唐	江南	李 昪	李 煜	39
北漢	山西	劉 旻	劉繼元	29

[十年 십년] 열 해. 전(轉)하여, 긴 세월. 다년간.

[十年減壽 십년감수] 십 년의 수명이 준다는 뜻으로, 대단한 고통·위험을 당하였을 때에 쓰는 말.

[十年構思 십년구사] 다년간 시문(詩文)을 수련(修鍊)함.

[十年磨一劍 십년마일검] 10년 동안을 두고 한 자루의 칼을 간다는 뜻으로, 여러 해를 두고 무예(武藝)를 연마함을 이름.

[十年一覺揚州夢 십년일각양주몽] 젊었을 때 홍등녹주(紅燈綠酒)의 유흥가(遊興街)에서 방탕(放蕩)하였으나, 10년을 지난 오늘 그 꿈도 깨었다는 말. 양저우(揚州)는 강남(江南)의 번화(繁華)한 곳.

[十年一得 십년일득] 홍수(洪水) 혹은 가뭄을 입기 쉬운 논이 간혹 풍년이 듦을 이르는 말.

[十年之計 십년지계] 앞으로 10년간을 목표로 한 장구(長久)한 계획.

[十念 십념] 《佛敎》 아무 잡념 없이 열 번 염불을 함.

[十奴 십노] 창기(娼妓)의 이칭(異稱). '妓'를 분석하면 '十'과 '奴'가 되므로 이름.

[十大王 십대왕] 《佛敎》 저승에 있다고 하는 열 위(位)의 왕(王). 곧, 진광대왕(秦廣大王)·초강대왕(初江大王)·송제대왕(宋帝大王)·오관대왕(伍官大王)·염라대왕(閻羅大王)·변성대왕(變成大王)·태산대왕(泰山大王)·평등대왕(平等大王)·도시대왕(都市大王)·오도 전륜대왕(五道轉輪大王). 십왕(十王).

[十大弟子 십대제자] 《佛敎》 석가여래(釋迦如來)의 고제(高弟) 열 사람. 곧, 마하가섭(摩訶迦葉). 아난타(阿難陀)·사리불(舍利弗)·목건련(目犍連)·아나율(阿那律)·수보리(須菩提)·부루나(富樓那)·가전연(迦旃延)·우바리(優婆離)·나후라(羅睺羅). 십제자(十弟子).

[十讀不如一寫 십독불여일사] 열 번 읽는 것보다 한 번 쓰는 편이 더 기억이 잘되고, 정밀(精密)히 알 수 있음.

[十萬億土 십만억토] 《佛敎》 '극락정토(極樂淨土)'의 이칭(異稱). 사바세계(娑婆世界)에서 극락정토까지는 거리가 십만 억 리(里) 된다 하므로 이름.

[十盲一杖 십맹일장] 열 소경에 한 지팡이라는 뜻으로, 어떠한 사물(事物)이 여러 사람에게 다 같이 긴요(緊要)하게 쓰이는 것을 이르는 말.

[十母 십모] ㉠'십간(十干)'의 별칭. ㉡친모(親母)·출모(出母)·가모(嫁母)·서모(庶母)·적모(嫡母)·계모(繼母)·자모(慈母)·양모(養母)·유모(乳母)·제모(諸母)의 총칭.

[十目 십목] ㉠열 사람의 눈. ㉡여러 사람의 눈. 많은 사람의 관찰.

[十目所視十手所指 십목소시십수소지] 여러 사람이 보는 바이고 여러 사람이 손가락질하는 바라는 뜻으로, 여러 사람이 잘 아는 바를 이름.

[十半 십반] 열 중의 다섯. 전체의 반.

[十方 십방] 동·서·남·북의 사방과 건(乾)·곤(坤)·간(艮)·손(巽)의 사우(四隅)와 상하(上下)의 총칭. 천하(天下). '우주(宇宙)·세계(世界)'의 뜻으로 쓰임.

[十方世界 십방세계] 《佛敎》 십방(十方)에 존재하는 전 세계.

[十倍 십배] 열 곱. 전(轉)하여, 여러 곱.

[十法界 십법계] 《佛敎》 십계(十界).

[十步之內必有芳草 십보지내필유방초] 천하가 태평하다는 뜻.

[十剖百判 십부백판] 사물을 아주 많이 갈라 나눔.

[十分 십분] ㉠한 시간의 6분의 1. ㉡아주 참. 극도에 달함. ㉢충분(充分).

[十朋 십붕] 귀중한 보배.

[十死一生 십사일생] 위험한 지경을 겨우 벗어남. 하마터면 죽을 뻔함. 구사일생(九死一生).

[十三經 십삼경] 열세 가지의 경서(經書). 곧, 주역(周易)·서경(書經)·시경(詩經)·주례(周禮)·의례(儀禮)·예기(禮記)·춘추좌씨전(春秋左氏傳)·춘추공양전(春秋公羊傳)·춘추곡량전(春秋穀梁傳)·효경(孝經)·논어(論語)·맹자(孟子)·이아(爾雅).

[十三經注疏 십삼경주소] 책 이름. 남송(南宋) 이전까지는 경(經)과 소(疏)와는 따로따로 되어 있었으나, 남송(南宋)의 소희 연간(紹熙年間)에 삼산(三山)의 황당(黃唐)이 비로소 이를 합간(合刊)하여, 그 후 각종의 각본(刻本)을 보게 되었음. 또, 청(淸)나라 완원(阮元)이 교감기(校勘記)를 지어 매권(每卷) 뒤에 붙였음.

[十三篇 십삼편] 손자(孫子)의 병서(兵書). 열세 편으로 되었으므로 이름.

[十霜 십상] 십 년(十年). 십추(十秋).

[十生九死 십생구사] 위험한 지경을 겨우 벗어남. 구사일생(九死一生).

[十善 십선] ㉠열 사람의 착한 벗. ㉡《佛敎》 십악(十惡)을 범(犯)하지 아니하는 일.

[十善戒 십선계] 《佛敎》 십계(十戒).

[十善萬乘 십선만승] 《佛敎》 천자(天子)의 자리.

천위(天位).

[十善之君 십선지군]《佛敎》전세(前世)에서 십선(十善)의 덕(德)을 갖추면 그 과보(果報)에 의하여 현세(現世)에서 군주(君主)가 된다고 하여, 천자(天子)를 이름.

[十手 십수] 열 사람의 손. 여러 사람의 손. 많은 사람의 손.

[十手所指 십수소지] '십목소시십수소지(十目所視十手所指)'를 보라.

[十旬 십순] 백일(百日).

[十襲 십습] 열 겹으로 싼다는 뜻으로, 비장(祕藏)함을 이름.

[十勝之地 십승지지] 우리나라에서 술가(術家)가 일컫는 기근(饑饉)·병화(兵火)의 염려가 없다고 하는 열 군데. 곧, 공주(公州)의 유구(維鳩)와 마곡(麻谷), 무주(茂朱)의 무풍동(茂豐洞), 보은(報恩)의 속리산(俗離山), 부안(扶安)의 변산(邊山), 성주(星州)의 만수동(萬壽洞), 안동(安東)의 춘양면(春陽面), 예천(醴泉)의 금당동(金堂洞), 영월(寧越)의 정동 상류(正東上流), 운봉(雲峰)의 두류산(頭流山), 풍기(豐基)의 금계촌(金鷄村).

[十室九空 십실구공] 큰 전쟁이나 홍수 또는 극심한 전염병 같은 것으로 인하여 많은 사람이 뿔뿔이 흩어지거나 죽어 열 집에 아홉 집은 비어 있음.

[十室之邑 십실지읍] 집이 열 채가량 있는 작은 동네.

[十惡 십악] ㉠은사(恩赦)의 특전을 베풀 수 없는 큰 죄 열 가지. 곧, 모반(謀反)·모대역(謀大逆)·모반(謀叛)·악역(惡逆)·부도(不道)·대불경(大不敬)·불효(不孝)·불목(不睦)·불의(不義)·내란(內亂). ㉡《佛敎》악업(惡業) 열 가지. 곧, 살생(殺生)·투도(偸盜)·사음(邪淫)·망어(妄語)·양설(兩舌)·악구(惡口)·기어(綺語)·탐욕(貪欲)·진에(瞋恚)·사견(邪見) 혹은 우치(愚癡).

[十惡大罪 십악대죄] 십악(十惡) ㉠.

[十夜 십야]《佛敎》정토종(淨土宗)에서 음력 10월 6일부터 15일까지 열흘 동안 밤낮으로 행하는 염불(念佛)의 법사(法事).

[十羊九牧 십양구목] 열 마리의 양(羊)에 아홉 사람의 목자(牧者). 백성은 적고 벼슬아치는 많음의 비유.

[十如是 십여시]《佛敎》일체의 사물에 갖추어 있는 열 가지 보편성(普遍性). 곧, 상(相)·성(性)·체(體)·역(力)·작(作)·인(因)·연(緣)·과(果)·보(報)·본말구경(本末究竟).

[十五夜 십오야] 음력 8월 보름날 밤.

[十王 십왕]《佛敎》십대왕(十大王).

[十王廳 십왕청]《佛敎》저승. 명부(冥府).

[十雨 십우] 열흘에 한 번 오는 비라는 뜻으로, 때를 맞춘 좋은 비.

[十圍之木 십위지목] 열 아름이나 되는 커다란 나무.

[十六國春秋 십육국춘추] 책 이름. 위(魏)나라 최홍(崔鴻)의 찬(撰). 모두 1백 권. 십육국(十六國)의 사실(史實)을 적음. 지금 전(傳)하는 것은 명대(明代)의 위작(僞作)임.

[十六羅漢 십육나한]《佛敎》세계의 각처에 있어 각기 부하의 나한을 통솔하며 공덕이 무량(無量)한 열여섯의 대아라한(大阿羅漢). 곧, 빈도라발라타사(賓度羅跋囉惰闍)·가락가벌차(迦諾迦伐蹉)·가락가발리타사(迦諾迦跋釐惰闍)·소빈타(蘇頻陀)·낙구라(諾矩羅)·발타라(跋陀羅)·가리가(迦哩迦)·벌사라불다라(伐闍羅弗多羅)·수박가(戍博迦)·반탁가(半託迦)·나호라(羅怙羅)·나가서나(那伽犀那)·인게타(因揭陀)·벌나바사(伐那婆斯)·아시다(阿氏多)·주다반탁가(注茶半託迦).

[十六夜 십육야] 음력 열엿샛날 밤. 기망(旣望).

[十義 십의] 사람으로서 지켜야 할 열 가지 도리(道理). 곧, 부자(父慈)·자효(子孝)·형량(兄良)·제제(弟弟)〈형을 잘 섬김〉·부의(夫義)·부청(婦聽)·장혜(長惠)·유순(幼順)·군인(君仁)·신충(臣忠). 또는 군령(君令)·신공(臣恭)·부자(父慈)·자효(子孝)·형애(兄愛)·제경(弟敬)·부화(夫和)·처유(妻柔)·고자(姑慈)·부청(婦聽).

[十二客 십이객] 송(宋)나라 장민숙(張敏叔)이 선택한 열두 가지의 꽃. 곧, 모란(牡丹)〈귀객(貴客)〉·매(梅)〈청객(淸客)〉·국(菊)〈수객(壽客)〉·서향(瑞香)〈가객(佳客)〉·정향(丁香)〈소객(素客)〉·난(蘭)〈유객(幽客)〉·연(蓮)〈정객(靜客)〉·도미(荼蘼)〈아객(雅客)〉·계(桂)〈선객(仙客)〉·장미(薔薇)〈야객(野客)〉·말리(茉莉)〈원객(遠客)〉·작약(芍藥)〈근객(近客)〉. 명화십이객(名花十二客).

[十二宮 십이궁] ㉠황도(黃道)의 주위(周圍)에 분배(分配)된 십이 성좌(十二星座). 곧, 마갈궁(磨羯宮)·보병궁(寶甁宮)·쌍어궁(雙魚宮)·백양궁(白羊宮)·금우궁(金牛宮)·쌍녀궁(雙女宮)·거해궁(巨蟹宮)·사자궁(獅子宮)·실녀궁(室女宮)·천칭궁(天秤宮)·천갈궁(天蠍宮)·인마궁(人馬宮). ㉡십이율(十二律)의 이칭(異稱). ㉢사람의 생년·월·일·시를 성좌(星座)에 배당한 것. 곧, 명궁(命宮)·재백궁(財帛宮)·형제궁(兄弟宮)·전택궁(田宅宮)·남녀궁(男女宮)·노복궁(奴僕宮)·처첩궁(妻妾宮)·질액궁(疾厄宮)·천이궁(遷移宮)·관록궁(官祿宮)·복덕궁(福德宮)·상모궁(相貌宮). 또는 명궁(命宮)·형제궁(兄弟宮)·처첩궁(妻妾宮)·자궁(子宮)·재백궁(財帛宮)·질액궁(疾厄宮)·천이궁(遷移宮)·노복궁(奴僕宮)·관궁(官宮)·전택궁(田宅宮)·복덕궁(福德宮)·부모궁(父母宮).

[十二牧 십이목] 십이주(十二州)의 각 지방 장관.

[十二屬 십이속] 십이수(十二獸).

[十二獸 십이수] 술가(術家)에서 십이지(十二支)에 배당(配當)한 열두 동물. 곧, 쥐〔鼠〕·소〔牛〕·범〔虎〕·토끼〔兎〕·용〔龍〕·뱀〔蛇〕·말〔馬〕·양〔羊〕·원숭이〔猴〕·닭〔鷄〕·개〔犬〕·돼지〔猪〕. 십이속(十二屬). 십이지(十二支) 참조.

[十二升 십이승] 썩 가늘고 고운 피륙.

[十二時 십이시] 하루 곧 일주야(一晝夜)의 시간을 열둘로 나눈 것을 일컬음. 낮의 묘(卯)·진(辰)·사(巳)·오(午)·미(未)·신(申)과 밤의 유(酉)·술(戌)·해(亥)·자(子)·축(丑)·인(寅).

[十二列國 십이열국] 춘추 시대(春秋時代)의 열두 강국(強國). 곧, 노(魯)·위(衛)·진(晉)·정(鄭)·조(曹)·채(蔡)·연(燕)·제(齊)·진(陳)·송(宋)·초(楚)·진(秦).

[十二月 십이월] 한 해의 마지막 달. 섣달.

[十二律 십이율] 십이음(十二音)의 악률(樂律). 곧, 양륙(陽六)의 육률(六律)과 음륙(陰六)의 육려(六呂)의 총칭(總稱). 약(略)하여 율려(律呂)라 함. 육률(六律)은 황종(黃鍾)〈11월〉·태주(太簇)〈정월〉·고선(姑洗)〈3월〉·유빈(蕤賓)

〈5월〉·이칙(夷則)〈7월〉·무역(無射)〈9월〉, 육려(六呂)는 대려(大呂)〈12월〉·협종(夾鍾)〈2월〉·중려(仲呂)〈4월〉·임종(林鍾)〈6월〉·남려(南呂)〈8월〉·응종(應鍾)〈10월〉.

[十二因緣 십이인연]《佛敎》과거에 지은 업(業)을 따라 현재의 고(苦)를 받고 현재의 업을 따라 미래의 고를 초래하여 중생 윤회(衆生輪廻)의 상(相)을 이루는 열두 가지 인연. 곧, 무명(無明)·행(行)·식(識)·명색(名色)·육근(六根)·촉(觸)·수(受)·애(愛)·취(取)·유(有)·생(生)·노사(老死).

[十二入 십이입]《佛敎》육근 육진(六根六塵).

[十二子 십이자] 십이지(十二支).

[十二章 십이장] 고대의 천자의 의복에 그리거나 수놓는 열두 가지의 무늬. 곧, 일(日)·월(月)·성신(星辰)·산(山)·용(龍)·화충(華蟲)·종이(宗彝)·조(藻)·화(火)·분미(粉米)·보(黼)·불(黻).

[十二章]

[十二州 십이주] 순(舜)임금 때 중국 전토를 열둘로 나눈 칭호. 곧, 기(冀)·연(兗)·청(青)·서(徐)·형(荆)·양(揚)·예(豫)·양(梁)·옹(雍)·유(幽)·병(幷)·영(營)의 열두 주(州).

[十二重 십이중] 열두 겹. 전(轉)하여, 여러 겹. 겹겹.

[十二支 십이지] 육갑(六甲) 중의 열두 지지(地支). 곧, 자(子)·축(丑)·인(寅)·묘(卯)·진(辰)·사(巳)·오(午)·미(未)·신(申)·유(酉)·술(戌)·해(亥)의 총칭. 고갑자(古甲子) 중의 십이지(十二支)와 십이지에 배당한 십이수(十二獸)는 다음 표와 같음.

子	困敦 곤돈	쥐〔鼠〕	丑	赤奮若 적분약	소〔牛〕
寅	攝提格 섭제격	범〔虎〕	卯	單閼 단알	토끼〔兔〕
辰	執徐 집서	용〔龍〕	巳	大荒落 대황락	뱀〔蛇〕
午	敦牂 돈장	말〔馬〕	未	協洽 협흡	양〔羊〕
申	涒灘 군탄	원숭이〔猴〕	酉	作噩 작악	닭〔雞〕
戌	閹茂 엄무	개〔犬〕	亥	大淵獻 대연헌	돼지〔猪〕

[十二指腸 십이지장] 소장(小腸)의 일부로서 위(胃)의 유문(幽門)에 이어진 부분. 길이가 손가락 열둘을 늘어놓은 것과 같다고 하여 이름.

[十二辰 십이진] 십이지(十二支).

[十翼 십익] 공자(孔子)의 작(作)이라고 전해지는 역경(易經) 중의 상단전(上象傳)·하단전(下象傳)·상상전(上象傳)·하상전(下象傳)·상계사전(上繫辭傳)·하계사전(下繫辭傳)·문언(文言)·서괘(序卦)·설괘(說卦)·잡괘(雜卦)의 십전(十傳).

[十一月 십일월] 동짓달.

[十日一水 십일일수] 십일일수오일일석(十日一水五日一石).

[十日一水五日一石 십일일수오일일석] 열흘 동안에 내 하나를 그리고 닷새 동안에 돌 하나를 그린다는 뜻으로, 화가(畫家)가 고심(苦心)하여 그림을 이름. 또, 화가가 흥(興)이 나면 그리고, 그렇지 않으면 여간하여 집필을 하지 않으므로, 그림 하나를 그리는 데 퍽 오래 걸림을 이름.

[十一征 십일정] 수입의 10분의 1의 조세(租稅).

[十字 십자] 열십자. 또, '十' 자의 모양. 십자형(十字形).

[十字架 십자가] ㉠재목(材木)을 열십자 모양으로 짠 것. ㉡서양의 고대(古代) 형구(刑具)의 하나. 죄인(罪人)을 못 박아 죽이는 십자형(十字形)의 기둥. ㉢기독교(基督敎)의 표지(標識). 기독(基督)이 이 형(刑)을 당하여 죽었으므로, 희생·속죄(贖罪)·고난(苦難)의 표상(表象)으로 쓰임.

[十字街 십자가] 네거리.

[十字街頭掛牌 십자가두괘패] 왕래가 잦은 네거리에 패를 건다는 뜻으로, 여러 사람에게 보여 알림을 이름.

[十字街頭吹笛 십자가두취적] 왕래가 잦은 네거리에서 피리를 분다는 뜻으로, 세상에 널리 알림을 이름.

[十字形 십자형] '十' 자로 된 형상.

[十長生 십장생] 열 가지의 장생불사(長生不死)한다는 물건. 곧, 해〔日〕·산(山)·물〔水〕·돌〔石〕·구름〔雲〕·소나무〔松〕·불로초(不老草)·거북〔龜〕·학(鶴)·사슴〔鹿〕.

[十全 십전] 조금도 결점이 없음. 완전무결함. 대전(大全).

[十顚九倒 십전구도] 여러 가지 고생을 겪음.

[十戰九勝 십전구승] 열 번 싸워 아홉 번 이김.

[十弟子 십제자]《佛敎》십대 제자(十大弟子).

[十洲 십주] 신선(神仙)이 산다는 열의 섬. 곧, 조주(祖洲)·영주(瀛洲)·현주(玄洲)·염주(炎洲)·장주(長洲)·원주(元洲)·유주(流洲)·생주(生洲)·봉린주(鳳麟洲)·취굴주(聚窟洲).

[十中八九 십중팔구] 열 가운데 여덟이나 아홉. 곧, 거의 틀림없이. 십상팔구(十常八九).

[十指 십지] 두 손의 열 손가락. 또는, 두 발의 열 발가락.

[十指不動 십지부동] 열 손가락을 꼼짝하지 않는다는 뜻으로, 게을러서 아무 일도 하지 않는다는 말.

[十進法 십진법] 어떤 수(數)를 십 배하여 누진(累進)하는 법(法).

[十千 십천] ㉠많은 수량. ㉡일만 전(一萬錢). 천(千)은 천 전(千錢)의 뜻.

[十哲 십철] 공자(孔子) 문하(門下)의 열 사람의 뛰어난 제자. 곧, 안연(顏淵)·민자건(閔子騫)·염백우(冉伯牛)·중궁(仲弓)·재아(宰我)·자공(子貢)·염유(冉有)·자로(子路)·자유(子游)·자하(子夏). 공문십철(孔門十哲).

[十體 십체] 열 가지 서체(書體). 곧, 고문(古文)·대전(大篆)·소전(小篆)·주문(籒文)·팔분(八分)·예서(隷書)·장초(章草)·행서(行書)·비백(飛白)·초서(草書).

[十七八 십칠팔] 열 가운데 일곱이나 여덟. 곧, 반수(半數)를 넘음. 전체에 가까움. 대다수(大多數).

[十八公 십팔공] '소나무'의 별칭. '송(松)' 자를

나누면 십팔공(十八公)이 되므로 이름.

[十八九 십팔구] 열 가운데 여덟이나 아홉. 곧, 대부분. 십중팔구(十中八九).

[十八技 십팔기] 십팔반무예(十八般武藝).

[十八般 십팔반] ㉠비기(祕技)의 전체. ㉡십팔반무예(十八般武藝).

[十八般武藝 십팔반무예] 열여덟 가지의 무예(武藝). 곧, 모(矛)·추(槌)·궁(弓)·노(弩)·총(銃)·편(鞭)·간(簡)·검(劍)·연(鏈)·팔(杁)·부(斧)·월(鉞)·과(戈)·극(戟)·패(牌)·봉(棒)·창(槍)·과(檛). 일설(一說)에는, 궁(弓)·노(弩)·창(槍)·도(刀)·검(劍)·모(矛)·순(盾)·부(斧)·월(鉞)·극(戟)·편(鞭)·간(簡)·과(檛)·수(殳)·차(叉)·파두(把頭)·박승(縛繩)·백타(白打). 십팔반(十八般). 십팔기(十八技).

[十八史 십팔사] 열여덟 가지 사서(史書). 곧, 사기(史記)·한서(漢書)·후한서(後漢書)·삼국지(三國志)·진서(陳書)·송서(宋書)·남제서(南齊書)·양서(梁書)·진서(陳書)·후위서(後魏書)·북제서(北齊書)·주서(周書)·수서(隋書)〈이상 13사(史)〉와 남사(南史)·북사(北史)·당서(唐書)·오대사(五代史)〈이상 4사(史)〉 및 송사(宋史).

[十八史略 십팔사략] 원(元)나라의 증선지(曾先之)가 십팔사(十八史)를 간추려 초학자용(初學者用)의 독본(讀本)으로 편찬한 사서(史書). 원간본(原刊本) 2권, 명(明)나라 진은(陳殷)의 음석본(音釋本) 7권.

[十八省 십팔성] 중국 본토(本土)를 열여덟으로 구분한 총칭. 곧, 허베이(河北)〈연(燕)〉·산둥(山東)〈노(魯)〉·산시(山西)〈진(晉)〉·허난(河南)〈예(豫)〉·산시(陝西)〈진(秦)〉·간쑤(甘肅)〈농(隴)〉·장쑤(江蘇)〈오(吳)〉·안후이(安徽)〈환(皖)〉·저장(浙江)〈월(越)〉·푸젠(福建)〈민(閩)〉·장시(江西)〈감(贛)〉·쓰촨(四川)〈촉(蜀)〉·구이저우(貴州)〈검(黔)〉·윈난(雲南)〈전(滇)〉·후베이(湖北)〈악(鄂)〉·후난(湖南)〈상(湘)〉·광둥(廣東)〈월(粵)〉·광시(廣西)〈계(桂)〉.

[十八天 십팔천]《佛敎》삼십삼천(三十三天)의 색계(色界)에 있는 열여덟의 하늘. 곧, 범중천(梵衆天)·범보천(梵輔天)·대범천(大梵天)·소광천(少光天)·무량광천(無量光天)·광음천(光音天)·소정천(少淨天)·무량정천(無量淨天)·편정천(徧淨天)·무운천(無雲天)·복생천(福生天)·광과천(廣果天)·무상천(無想天)·무번천(無煩天)·무열천(無熱天)·선견천(善見天)·선현천(善現天)·색구경천(色究竟天). 여기에 욕계(欲界)의 육천(六天)과 무색계(無色界)의 구천(九天)을 합하여 삼십삼천(三十三天)이 됨.

[十風五雨 십풍오우] 열흘에 한 번씩 바람이 불고, 닷새에 한 번씩 비가 온다는 뜻으로, 우순풍조(雨順風調)함을 이름.

[十寒一曝 십한일폭] 열흘 춥고 하루 햇볕이 쬔다는 뜻으로, 일을 하는 데 근실하지 못하여 자주 중단함을 이름.

[十行俱下 십행구하] 열 줄을 한꺼번에 읽는다는 뜻으로, 책을 대단히 빨리 읽음을 이름.

◉得一忘十. 聞一知十. 一當十. 重十. 行百里者半九十.

1
③ [卄] 人名 〔입〕 廿(十部 二畫〈p. 302〉)의 俗字

1
③ [千] 中·人 천 ㊥先 蒼先切 qiān

筆順 一 二 千

字解 ①일천 천 열의 백 곱. '予有臣三一'《書經》. 전(轉)하여, 많음을 이름. '羅肆巨一'《左思》. ②천번 천 천 회. '人十能之, 己一之'《中庸》. ③밭두둑 천 阡(阜部 三畫)과 통용. '正一伯'《管子》. ④성 천 성(姓)의 하나.

字源 甲骨文 · 金文 · 篆文 · 같은자 阡·仟 會意. 人+一. '人인'은 '많은 사람'의 뜻. '一일'은 '하나'의 뜻. '일천'의 뜻을 나타냄.

參考 금전(金錢)의 기재(記載) 등에는, 문자의 개변(改變)을 막기 위하여, '阡천' 또는 '仟'을 빌려 씀.

[千劫 천겁] 천세(千歲). 영원한 시간.

[千古 천고] ㉠먼 옛날. 태고(太古). ㉡영원. 영구.

[千苦萬難 천고만난] 갖은 고난.

[千古名 천고명] 영원히 전하는 명예.

[千古笑端 천고소단] 영원의 웃음거리. 아주 큰 웃음거리.

[千斛船 천곡선] 곡식 1천 석(石)을 싣는 거선(巨船).

[千官 천관] 다수의 벼슬아치.

[千軍萬馬 천군만마] 다수의 군사와 군마(軍馬).

[千鈞 천균] 대단히 무거운 무게.

[千鈞得船則浮 천균득선즉부] 아무리 무거운 것이라도 배에 실으면 물 위에 뜸. 곧, 좋은 계제(階梯)를 타서 일을 하면 무슨 일이든지 성취(成就)할 수 있다는 뜻.

[千金 천금] ㉠천장(千張)의 황금. ㉡많은 돈. 일금(一金)은 십량(十兩). ㉢비싼 값. ㉣부자. 부호. ㉤남의 딸을 부르는 존칭(尊稱).

[千金不死百金不刑 천금불사백금불형] 천금을 쓰면 사형(死刑)도 모면하고, 백금(百金)을 쓰면 도형(徒刑)을 면한다는 말.

[千金然諾 천금연낙] 천금에 비할 만한 중한 허락.

[千金子 천금자] 부호(富豪)의 아들.

[千金子不死於盜賊 천금자불사어도적] 부호(富豪)의 자식은 몸을 소중히 하므로 도둑과 같은 하찮은 놈의 손에 죽지 않는다는 뜻으로서, 대망(大望)이 있는 사람은 보잘것없는 사람에게 죽음을 당하지 않음을 이름.

[千金子坐不垂堂 천금자좌불수당] 부자의 자식은 떨어질까 염려하여 마루 같은 데의 가에 앉지 않는다는 뜻으로서, 몸을 대단히 소중히 함을 이름. 수(垂)는 수(陲).

[千金駿馬 천금준마] 값이 천금이나 하는 준마. 값이 대단히 많이 나가는 빨리 잘 달리는 말.

[千金之裘非一狐之腋 천금지구비일호지액] 고귀(高貴)한 호백구(狐白裘)를 만드는 데 많은 여우의 겨드랑이 털을 모아야 되는 것과 같이, 나라를 다스리는 데 많은 어진 사람의 힘을 빌려야 한다는 말.

[千金之珠必在九重之淵 천금지주필재구중지연] 귀(貴)한 구슬은 깊은 못 속에 있다는 뜻으로서, 공명(功名)은 위험을 무릅쓰지 않으면 얻기 힘들다는 말.

[千年一淸 천년일청] 황하(黃河) 같은 탁류가 맑아지기를 바란다는 뜻으로, 가능하지 않은 일

을 바람을 이름.
[千代 천대] 많은 대(代). 전(轉)하여 영원(永遠).
[千慮一得 천려일득] 어리석은 사람의 생각도 많은 생각 가운데에는 간혹 좋은 생각이 있음.
[千慮一失 천려일실] 지혜(智慧)가 있는 사람이라도 많은 생각 가운데에는 잘못 생각하는 것이 있음.
[千里 천리] 백 리(里)의 십 배. 전(轉)하여, 먼 거리. 먼 곳.
[千里江陵一日還 천리강릉일일환] 천 리나 떨어진 강릉(江陵)까지 하루에 도착함. 강(江)의 흐름이 대단히 빠름을 형용한 말.
[千里鏡 천리경] 망원경(望遠鏡).
[千里光 천리광] 전복(全鰒)의 껍데기. 석결명(石決明)이라 하여 한약재로도 씀.
[千里駒 천리구] ㉠천리마(千里馬) ❶. ㉡연소(年少)한 재사(才士)의 비유.
[千里同風 천리동풍] 먼 곳까지 같은 바람이 분다는 뜻으로, 태평(太平)한 세상을 이름.
[千里馬 천리마] ㉠하루에 천 리를 닫는 준마(駿馬). ㉡재지(才智)가 뛰어난 사람의 비유.
[千里命駕 천리명가] 먼 곳의 친구를 생각하여 방문하려고 거마(車馬)의 채비를 차리게 함.
[千里不齎糧 천리부재량] 천 리나 되는 여행길에 양식을 지닐 필요가 없다는 뜻으로, 천하(天下)가 태평하고 풍년이 듦을 이름.
[千里不留行 천리불류행] 천 리나 되는 먼 곳에 가도 가로막는 자가 없다는 뜻으로, 전(轉)하여 대적(對敵)할 자가 없음을 이름.
[千里比隣 천리비린] 천 리나 되는 먼 길도 이웃과 같다는 뜻으로서, 교통이 매우 편리함을 이름.
[千里信 천리신] 먼 곳에서 오는 음신(音信).
[千里眼 천리안] 천 리 밖을 볼 수 있는 안력(眼力)이란 뜻으로, 먼 데서 일어난 일을 직각적으로 감지하는 능력.
[千里月 천리월] 어느 곳이나 밝게 비치는 달빛.
[千里猶對面 천리유대면] 먼 곳에서 보낸 편지나 문장(文章)이 아주 잘 표현되어 실지로 대면하여 말하는 것 같다는 말.
[千里絶迹 천리절적] 천리간(千里間)에 견줄 만한 이가 없음.
[千里之駒 천리지구] 천리구(千里駒).
[千里之任 천리지임] 먼 곳에 가서 보는 임무.
[千里行始於足下 천리행시어족하] 천 리의 여행도 발밑에서부터 시작한다는 뜻으로, 작은 것을 쌓아서 큰 것을 이룸을 비유한 말. 천 리 길도 한 걸음부터.
[千萬 천만] ㉠아주 많은 수효. ㉡수없이 여러 번 행(行)하거나 곱함. ㉢황송스럽게도.
[千萬古 천만고] 천만 년이나 되는 옛적.
[千萬年 천만년] 천만 해나 되는 오랜 세월. 대단히 오랜 세월. 영구. 영원.
[千萬多幸 천만다행] 매우 다행함.
[千萬代 천만대] 천만세(千萬世).
[千萬不當 천만부당] 조금도 이치에 맞지 아니함. 얼토당토아니함.
[千萬事 천만사] 허다한 일.
[千萬世 천만세] 멀고 먼 세대(世代).
[千萬歲 천만세] 천만 년.
[千萬億 천만억] 이루 다 셀 수 없이 많은 수.
[千萬人 천만인] 무수(無數)한 사람.
[千萬層 천만층] 수없이 많은 층등(層等). 천층만층(千層萬層).
[千門萬戶 천문만호] 대궐 안에 궁실(宮室)이 많거나, 도회지에 집이 빽빽이 들어선 것을 이름.
[千般 천반] 퍽 여러 가지. 각양각색.
[千方百計 천방백계] 갖은 계책(計策). 온갖 꾀.
[千百 천백] 많은 수.
[千百就盡之卒 천백취진지졸] 천에서 백으로 차차 줄어들어 없어지는 군사. 곧 줄어드는 군사.
[千變 천변] 퍽 여러 번 변함.
[千變萬化 천변만화] 천만 가지로 변함. 변화(變化)가 한이 없음.
[千兵萬馬 천병만마] 무수한 군사(軍士)와 군마(軍馬).
[千思萬考 천사만고] 여러 가지로 생각함. 곰곰 생각함.
[千山萬水 천산만수] 각양각색의 산수(山水). 무수한 산수.
[千觴 천상] 천의 술잔. 많은 술잔.
[千狀萬態 천상만태] 각양각색의 상태.
[千緖萬端 천서만단] 수없이 많은 일의 갈피. 잡다(雜多)한 일.
[千石舟 천석주] 천 석의 곡식을 싣는 거선(巨船).
[千歲 천세] ㉠천 년. ㉡긴 세월(歲月).
[千歲曆 천세력] 앞으로 백 년 동안의 일월(日月)·성신(星辰)·절기(節氣)를 추산(推算)하여 엮은 책력(冊曆).
[千歲一時 천세일시] 천재일우(千載一遇).
[千歲之信士 천세지신사] 굳게 도의(道義)를 지키는 선비.
[千愁 천수] 온갖 수심. 갖은 근심. 아주 많은 근심.
[千搜萬索 천수만색] 두루 수색(搜索)함.
[千乘 천승] 승(乘)은 병거(兵車). 주대(周代)의 제도에 천자(天子)는 기내(畿內)의 땅 사방 천 리(里)를 영유(領有)하고 전시(戰時)에 병거(兵車) 만 승(乘)을 내놓으며, 큰 제후(諸侯)는 사방 백 리(里)를 영유하고 병거(兵車) 천 승(乘)을 내놓음. 1승(乘)에는 갑사(甲士) 3인, 보병(步兵) 72인, 거사(車士) 25인이 딸림.
[千乘之國 천승지국] 큰 제후(諸侯)의 나라.
[千辛萬苦 천신만고] 온갖 신고(辛苦). 무한한 애.
[千尋 천심] 8천 척(尺). 대단히 높거나 대단히 깊음을 이름.
[千巖萬壑 천암만학] 많은 바위와 계곡. 깊은 산골의 기발(奇拔)한 산수(山水)를 형용한 말.
[千羊之皮不如一狐之腋 천양지피불여일호지액] 천 마리의 양의 가죽은 한 마리의 여우의 겨드랑이 가죽만 못하다는 뜻으로, 바보 천 사람이 총명한 사람 하나만 못함을 이름.
[千億 천억] 극히 많은 수.
[千言萬語 천언만어] 말을 수없이 함. 또, 그 말.
[千言立成 천언입성] 긴 시문(詩文)이 빨리 됨.
[千憂 천우] 아주 많은 근심.
[千日紅 천일홍] 비름과에 속하는 일년초(一年草). 꽃 피는 기간이 길므로 이름. 천일초(千日草).
[千紫萬紅 천자만홍] 울긋불긋한 여러 가지 꽃의 빛깔.
[千丈隄以螻蟻之穴潰 천장제이루의지혈궤] 천 길이나 되는 길고 큰 방죽도 개미구멍으로 인하여 무너짐. 사소한 일이라고 소홀히 하였다가 큰일을 실패함의 비유.
[千載 천재] 천세(千歲).
[千載一遇 천재일우] 천 년 동안에 겨우 한 번 만난다는 뜻으로, 좀처럼 만나기 어려운 좋은 기

회를 이름.
[千載之會 천재지회] 천재일우(千載一遇).
[千種萬類 천종만류] 온갖 종류. 각양각색의 종류.
[千枝萬葉 천지만엽] ㉠무성한 식물의 가지와 잎. ㉡길이 여러 갈래로 갈려 많이 있음의 비유.
[千差萬別 천차만별] 여러 가지 물건이 각각 차이(差異)와 구별이 있음.
[千斬萬戮 천참만륙] 천만 동강으로 쳐서 죽임.
[千秋 천추] 천 년. 긴 세월.
[千秋萬古 천추만고] 아주 긴 세월. 영원(永遠).
[千秋萬歲 천추만세] 천년만년의 뜻. 장수(長壽)를 축원하는 말. 천만년.
[千秋遺恨 천추유한] 천 년이 지나도 없어지지 아니하는 깊은 원한(怨恨).
[千秋節 천추절] 당(唐)나라 현종(玄宗)의 탄신(誕辰). 8월 5일이 현종의 생신인데, 개원(開元) 17년에 백관(百官)이 표청(表請)하여 이날을 천추절이라고 하였다가 후에 천장절(天長節)이라고 고쳤음.
[千態萬狀 천태만상] 천상만태(千狀萬態).
[千態萬象 천태만상] 천상만별(千狀萬別)의 형태.
[千篇一律 천편일률] ㉠시문(詩文)의 글귀가 어느 것이든지 단조로워 변화가 적음. ㉡사물(事物)이 어느 것이나 한결같아 변화가 없음. 모두 단조 무미함.
[千品 천품] ㉠아주 많은 품계(品階). ㉡각양각색의 물품. 온갖 물품.
[千戶侯 천호후] 천 호(戶)나 있는 넓은 땅을 영유(領有)하는 제후(諸侯).
[千花 천화] 각양각색의 꽃. 수많은 꽃. 만화(萬花).
[千花萬卉 천화만훼] 수많은 화초(花草).
[千悔 천회] 수많은 후회.
◉巨千. 大千. 萬千. 半千. 百千. 十千. 億千. 一騎當千. 一念三千. 一人當千.

1 ③ [卂] 신 [去]震 息晉切 xùn
[字解] ①빨리날 신 매우 빨리 낢. '一, 疾飛也'《說文》. ②빠를 신 迅(辵部 三畫〈p. 2287〉)과 통용.
[字源] 會意. 金文은 乙+十

[干] 〔간〕 部首(p. 684)를 보라.

[支] 〔지〕 部首(p. 920)를 보라.

2 ④ [廿] 입 [入]緝 人執切 niàn
[字解] 스물 입 스물. 이십. '有子百一'《顏之推》.
[字源] 甲骨文  金文  篆文  會意. 十+十. '十십'을 둘 합쳐서, '스물'의 뜻을 나타냄.
[參考] 廿(十部 一畫)은 俗字.

2 ④ [卅] 삽 [入]合 蘇合切 sà 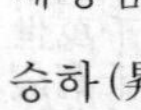
[字解] 서른 삽 삼십. '孔世一八'《韓愈》.
[字源] 金文  篆文 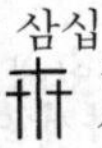 會意. 十+十+十. '十십'을 셋 합쳐서, '서른'의 뜻을 나타냄.

2 ④ [升] [人名] 승 [平]蒸 識蒸切 shēng 
[筆順] 一 二 千 升
[字解] ①되 승 ㉠용량의 단위. 한 홉의 열 배. '合十爲一'《漢書》. ㉡그 용량을 되는 그릇. '爲銅一, 用頒天下'《隋書》. ②새 승 직물의 여든 올. '朝服十五一'《禮記》. ③오를 승 ㉠떠오름. '如日之一'《詩經》. ㉡올라감. '一彼大阜'《詩經》. ④올릴 승 전항(前項)의 타동사. '延一上座'《後漢書》. ⑤바칠 승 드림. '農始一麥'《淮南子》. ⑥이루어질 승 성립됨. '男女無辨則亂一'《禮記》. ⑦성할 승 융성함. '道有一降'《書經》. ⑧익을 승 곡식이 여묾. '一平' '新穀旣一'《論語》. ⑨승괘 승 육십사괘의 하나. 곤, ䷭〈손하(巽下), 곤상(坤上)〉. 전진 향상의 상(象). ⑩성 승 성(姓)의 하나.
[字源] 金文  篆文  象形. 金文은 구기의 술바닥 속에 물건을 넣은 모양을 본뜸. 구기로 물건을 떠올리는 데서, 되, 용량의 단위, 오르다의 뜻을 나타냄. 篆文은 斗+丿의 指事라고 함.

[升鑑 승감] 편지 피봉의 수신인(受信人)의 이름 아래에 써서 존경의 뜻을 나타내는 말.
[升降 승강] 오르고 내림. 또, 올리고 내림.
[升啓 승계] 편지 피봉의 수신인(受信人)의 이름 아래 쓰는 말.
[升斛 승곡] 분량(分量). 또, 분량을 되는 그릇. 되. 말. '두곡(斗斛)'을 참조하라.
[升堂入室 승당입실] 마루에 올라 방으로 들어간다는 뜻으로, 순서를 밟아 차근차근히 학문을 닦으면 결국엔 심오(深奧)한 경지(境地)에 이르게 됨을 비유한 말.
[升斗 승두] 승곡(升斛).
[升騰 승등] 뛰어오름.
[升龍降龍 승룡강룡] 오르는 용과 내려가는 용. 기(旗) 같은 것의 무늬로 쓰임.
[升麻 승마] 성탄꽃과에 속하는 다년초(多年草). 뿌리는 설사·하혈·탈항(脫肛) 등의 약재로 씀. 끼절가리.
[升聞 승문] 제왕(帝王)에게 알려짐.
[升揚 승양] 벼슬이 오름. 승진(升進).
[升踰 승유] 올라가 넘음.
[升引 승인] 끌어올림. 발탁(拔擢)함.
[升進 승진] 벼슬 따위가 올라 높아짐. 승진(昇進). 승진(陞進).
[升天 승천] ㉠하늘로 올라감. ㉡기독교에서 죽음을 이름. 승천(昇天).
[升遷 승천] 승진하여 전임(轉任)함. 또, 승진시켜 전임하게 함.
[升沈 승침] ㉠오름과 가라앉음. ㉡번성함과 쇠(衰)함. 성쇠(盛衰). 부침(浮沈).
[升擢 승탁] 발탁하여 승진시킴.
[升平 승평] ㉠곡식이 잘되어 그 가격이 공평해짐. 승평(昇平). ㉡나라가 잘 다스려져 태평함. 승평(昇平).
[升遐 승하] 제왕(帝王)이 세상을 떠남. 승하(昇遐).
[升恒 승항] 남의 장수(長壽)를 축하하는 말.
◉斗升. 上升. 昭升. 躍升. 陽升. 延升. 盈升.

陰升. 一升. 躋升. 朝升. 陟升. 超升. 黜升. 特升. 褒升. 後升.

2 ④ [午] 中人 오 ㊤麌 疑古切 wǔ

筆順 ノ 𠂉 𠂉 午

字解 ①일곱째지지 오 십이지(十二支) 중의 일곱째. 시간으로는 정오, 방위로는 정남, 띠로는 말, 달로는 음력 오월(五月). '太歲在一, 曰敦牂'《爾雅》. ②오시 오 오전 열한 시부터 오후 한 시까지의 시간. '一刻'. ③낮 오 주간(晝間). '一睡'. '不作一時眠'《白居易》. ④가로세로엇걸릴 오 종횡으로 교차함. '交一'. '旁一'. ⑤거슬릴 오 忤(心部 四畫)와 同字. '一其衆, 以伐有道'《禮記》. ⑥성 오 성(姓)의 하나.

字源 甲骨文 金文 篆文 象形. 두 사람이 번갈아 손에 쥐고 찧는 절굿공이를 본뜸. 번갈아 한다는 뜻에서, 음양(陰陽)이 교차하는 십이지(十二支)의 제7위인 '말'의 뜻을 나타냄.

[午刻 오각] 오시(午時) ㉠.
[午供 오공] 중의 점심 공양(供養). 오재(午齋).
[午末 오말] 오시(午時)의 마지막 시각. 곧, 오후 1시경.
[午夢 오몽] 낮잠 자다 꾸는 꿈.
[午飯 오반] 점심. 주식(晝食).
[午方 오방] 이십사방위(二十四方位)의 하나. 정남방(正南方).
[午上 오상] 오전(午前).
[午睡 오수] 낮잠. 주면(晝眠). 오침(午寢).
[午時 오시] ㉠오전 11시부터 오후 1시까지의 시간. ㉡낮.
[午食 오식] 점심.
[午夜 오야] ㉠오밤중. 밤 12시. 자(子)의 시각. 야반(夜半). ㉡오(午)와 오(五)가 통용(通用)하여 오야(五夜)·오경(五更)의 뜻으로 쓰임.
[午午 오오] 혼잡한 모양. 붐비는 모양.
[午溽 오욕] 한낮의 무더위.
[午月 오월] ㉠음력 5월의 별칭. ㉡오야(午夜)의 달.
[午人 오인] 《韓》 남인(南人)의 별칭.
[午齋 오재] 오공(午供).
[午前 오전] ㉠정오(正午) 이전. ㉡밤 12시부터 낮 12시까지의 사이.
[午正 오정] 낮 12시. 정오(正午).
[午餐 오찬] 점심. 주식.
[午天 오천] 낮.
[午寢 오침] 낮잠. 오수(午睡).
[午風 오풍] 남쪽에서 불어오는 바람. 마파람.
[午下 오하] 오후(午後).
[午餉 오향] 점심. 주식(晝食).
[午後 오후] ㉠정오(正午) 이후. ㉡오정(午正)부터 밤 12시까지의 사이.
◉過午. 交午. 端午. 旁午. 上午. 日午. 子午. 正午. 亭午. 停午. 舛午. 下午.

2 ④ [卆] 〔졸〕 卒(十部 六畫〈p.306〉)의 俗字

[古] 〔고〕 口部 二畫(p.340)을 보라.

3 ⑤ [卉] 〔훼〕 卉(十部 四畫〈p.304〉)의 俗字

3 ⑤ [半] 中人 반 ㊤翰 博慢切 bàn

筆順 ノ 八 𠆢 亼 半

字解 ①반 반 2분의 1. '一年'. '折一'. '爲可者一, 不可者一'《韓非子》. ②가운데 반 중간. 중앙. '一途'. '夜一朔旦冬至'《史記》. ③한창 반 절정. '酒一相顧'《歸田錄》. ④조각 반 큰 조각. 대편(大片). '二升糒一一氷'《漢書》. ⑤반쪽낼 반 중분(中分)함. '悉割一爲薪'《世說》.

字源 金文 篆文 會意. 八+牛. '八팔'은 '나누다'의 뜻. '牛우'는 소의 상형. 큰 것을 둘로 나누다의 뜻을 나타냄.

[半價 반가] 반값. 반치(半直).
[半間 반간] 한 간의 절반.
[半減 반감] 절반을 덞. 또, 절반이 줆.
[半個 반개] 한 개의 절반.
[半開 반개] ㉠반쯤 엶. ㉡꽃이 다 피지 못하고 반쯤 핌. ㉢문화가 약간 열림. 개화(開化)가 다 되지 못함.
[半徑 반경] 원(圓) 또는 구(球)의 직경(直徑)의 절반. 반지름.
[半頃 반경] 50묘(畝)의 밭. 곧, 얼마 안 되는 밭.
[半空 반공] 하늘의 한복판. 중천(中天). 반천(半天).
[半官半民 반관반민] 정부와 민간이 반반씩으로 조직·경영하는 일.
[半句 반구] 일구(一句)의 반. 곧, 적은 말. 짧은 말.
[半球 반구] ㉠지구를 동서 또는 남북으로 반분(半分)한 것의 한 부분. ㉡구(球)를 그 중심을 통과하는 평면으로 반분한 것의 한 부분.
[半弓 반궁] 6척(尺) 또는 8척의 반.
[半規 반규] 반원(半圓).
[半期 반기] 1기(期)의 반.
[半年 반년] 1년의 절반. 6개월.
[半農 반농] 생업(生業)의 반이 농업(農業)임.
[半曇 반담] 날씨가 반쯤 흐림.
[半島 반도] 한 면(面)만 육지에 닿고 그 나머지 세 면은 바다에 싸인 땅.
[半途 반도] ㉠어떤 거리의 반쯤 되는 길. ㉡이루지 못한 일의 중간. 중도(中途).
[半途而廢 반도이폐] 일을 하다가 중도(中途)에서 그만둠. 중도이폐(中道而廢).
[半兩錢 반량전] 진말(秦末)에 주조한 무게가 반냥 되는 돈. 한(漢)나라 여후(呂后) 때 쓰인 팔수전(八銖錢)은 곧 이것임.
[半輪 반륜] ㉠반원(半圓). ㉡반달. 반월(半月).
[半面 반면] ㉠한쪽의 면(面). ㉡얼굴의 왼쪽 또는 오른쪽의 한쪽.
[半面之分 반면지분] 일면지분(一面之分)도 못되는 교분(交分). 서로 겨우 알기만 하는 사이.
[半面之識 반면지식] 반면지분(半面之分).
[半半 반반] ㉠똑같이 가른 반과 반. ㉡반씩.
[半白 반백] ㉠반이 흼. ㉡머리털이 흰 것과 검은 것이 반씩 섞임. 반백(斑白).
[半百 반백] 백의 반. 곧, 쉰.
[半步 반보] 반걸음.
[半腹 반복] 산의 중턱. 산복(山腹).

[半分 반분] ㉠반. 2분의 1. 절반. ㉡절반으로 나눔.
[半臂 반비] 반소매의 옷.
[半氷 반빙] ㉠얼음이 반쯤 얾. ㉡술이 반쯤 취함.
[半冰 반빙] 반빙(半氷).
[半死 반사] 거의 죽게 됨. 반죽음.
[半死半生 반사반생] ㉠거의 죽게 되어서 죽을지 살지 알 수 없는 지경에 이름. ㉡초목 같은 것이 반은 죽고 반은 삶.
[半朔 반삭] 반달.
[半山 반산] ㉠산의 중턱. ㉡송(宋)나라 왕안석(王安石)의 호(號).
[半產 반산] 태아(胎兒)가 산기(產期) 전에 죽어서 나옴. 유산(流產).
[半晌 반상] 반시(半時).
[半生 반생] ㉠일생의 절반. ㉡거의 죽게 됨.
[半生半死 반생반사] 반사반생(半死半生).
[半生半熟 반생반숙] 반은 설고 반은 익음. 전(轉)하여, 미숙(未熟)함.
[半醒 반성] 술기운이나 졸음이 반쯤 깸.
[半世 반세] 한세상의 절반.
[半宵 반소] ㉠한밤중. ㉡하룻밤의 절반.
[半霄 반소] 중천(中天).
[半袖 반수] 반소매. 또, 그 옷.
[半數 반수] 전체의 수의 절반.
[半睡半醒 반수반성] 자는 둥 마는 둥 아주 얕은 잠을 잠. 잠이 깊이 들지 아니함.
[半獸主義 반수주의] ㉠인간의 성적 본능을 만족시키려는 주의. ㉡문학에서 사람의 동물적 본능을 꾸밈없이 그려 내려는 문예상의 주의.
[半熟 반숙] 음식이나 과실 같은 것이 반쯤 익음.
[半升鐺內煮乾坤 반승쟁내자건곤] 5홉들이 노구솥에 천지(天地)를 삶는다는 뜻으로, 진여(眞如)는 대소(大小)를 초월함을 이름.
[半時 반시] 한 시간의 절반. 곧, 30분.
[半身 반신] 온몸의 절반.
[半信半疑 반신반의] 반쯤은 믿고 반쯤은 의심함. 믿어야 할지 믿지 말아야 할지 몰라 망설임.
[半身不隨 반신불수] 몸의 어느 한쪽을 잘 쓰지 못함. 또, 그 병.
[半身像 반신상] 상반신(上半身)의 사진·초상(肖像), 또는 소상(塑像).
[半失 반실] 반이나 없어짐.
[半心 반심] 할까 말까 하는 마음.
[半額 반액] ㉠이마의 반. 눈썹이 넓은 것을 이름. ㉡《韓》 전액(全額)의 반. 원래 정해진 값의 절반.
[半夜 반야] ㉠오밤중. 한밤중. 야반(夜半). ㉡하룻밤의 반.
[半役 반역] 반 사람 몫의 일.
[半英雄 반영웅] 영웅의 아류(亞流).
[半圓 반원] 원(圓)의 절반. 반륜(半輪).
[半月 반월] ㉠반원형의 달. 반달. 반륜(半輪). ㉡한 달의 반. 반달.
[半印 반인] 장방형(長方形)의 도장. 한(漢)나라의 제도(制度)에서 승상(丞相)·열후(列侯)로부터 영승(令丞)에 이르기까지 모두 정방형(正方形)의 도장을 쓰고, 오직 색부(嗇夫) 같은 낮은 벼슬아치만이 이 도장을 썼는데, 이 도장은 정방형의 도장을 반으로 쪼갠 것이므로 반인이라 일컬었음. 반통(半通). 반장(半章).
[半日 반일] 하루의 반. 한나절.
[半子 반자] 반 아들이란 뜻으로, 사위를 이름. 여서(女壻).
[半章 반장] 반인(半印).
[半切 반절] ㉠반으로 자름. ㉡당지(唐紙)·화선지(畫仙紙) 등의 전지(全紙)를 세로 반으로 자른 것.
[半折 반절] 똑같이 반으로 꺾음.
[半點 반점] ㉠한 점의 절반. ㉡조금. 약간. ㉢반시간.
[半丁 반정] 정남(丁男)의 반이라는 뜻으로, 열세 살을 이르는 말.
[半製 반제] 반만 만듦.
[半租 반조] 정해진 액수의 절반의 조세(租稅).
[半照 반조] 반쪽의 거울. 깨진 거울.
[半紙 반지] 얇은 종이의 한 가지. 습자지(習字紙)로 흔히 사용함.
[半之半 반지반] 반의반.
[半天 반천] 중천(中天).
[半晴 반청] 날이 반쯤 갬.
[半醉 반취] 술이 반쯤 취함.
[半直 반치] 반값. '直'는 '値'와 같음.
[半通 반통] 반인(半印).
[半幅 반폭] 한 폭의 절반.
[半風子 반풍자] 이〔虱〕의 은어(隱語). '虱'은 '風'에서 한 획을 뺀 자(字)이므로 이름.
[半夏 반하] ㉠ '반하생(半夏生)'의 준말. ㉡천남성과에 속하는 다년초. 괴근(塊根)을 약재로 씀. 끼무릇.
[半夏生 반하생] 72후(候)의 하나. 하지(夏至)에서 열하루째 되는 날. 양력으로 7월 2일경.
[半漢 반한] 준마(駿馬)의 날랜 모양.
[半解 반해] ㉠반쯤 이해함. ㉡반으로 나눔. 둘로 나눔.
[半行 반행] 반 줄.
[半凶半吉 반흉반길] 길흉(吉凶)이 상반(相半)함.
◉強半. 居半. 過半. 臘半. 大半. 得失半. 上半. 霄半. 夜半. 一半. 前半. 折半. 天半. 太半. 殆半. 下半. 夏半. 數學半. 後半.

4
⑥ [卉] [人名] 훼 ㊤尾 許偉切 [去]未 許貴切 huì

[字解] ①풀 훼 초본(草本). '花—'. '百—'. '聚石移果, 雜以花—'《南史》. ②초목 훼 초본(草本)과 목본(木本). 풀과 나무의 총칭. '嘉—'. '—旣凋'《張衡》.
[字源] 甲骨文 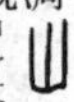 篆文  會意. 艸+屮. 풀이 많이 모인 모양에서, '많은 풀'의 뜻을 나타냄.
[參考] 卉(十部 三畫)는 俗字.

[卉犬 훼견] 풀로 만든 개.
[卉木 훼목] 풀과 나무. 초목(草木).
[卉物 훼물] 풀과 나무. 초목(草木).
[卉服 훼복] 풀로 만든 옷. 만이(蠻夷)의 복장.
[卉汨 훼율] 빠른 모양.
[卉衣 훼의] 훼복(卉服).
◉嘉卉. 昆卉. 奇卉. 芳卉. 百卉. 生卉. 庶卉. 野卉. 陽卉. 炎卉. 靈卉. 異卉. 仁卉. 池卉. 珍卉. 榛卉. 葩卉. 含芳卉. 寒卉. 禾卉. 花卉.

4
⑥ [卋] 〔세〕
世(一部 四畫〈p.39〉)의 古字

4
⑥ [卌] 십 [入]緝 先立切 xì

[字解] 마흔십 사십.

4 ⑥ [协] 〔협〕 協(十部 六畫〈p. 305〉)의 簡體字

4 ⑥ [卍] 만 音萬 wàn 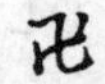

[字解] 만 만 범자(梵字)의 만자(萬字). 본디 부처의 가슴에 있다고 하는 형상(形象)으로서, 길상해운(吉祥海雲)이라 역(譯)함. '一, 音之爲萬, 謂吉祥萬德之所集也'《華嚴經音義》.

[字源] 象形. 본디, 인도의 크리슈나신(神)의 가슴의 선모(旋毛)의 상형으로, 길상 만덕의 표의 뜻을 나타냄.

[參考] 일설(一說)에, 자형(字形)이 '卍'은 잘못이고, '卐'이 옳다고도 함.

4 ⑥ [华] 〔화〕 華(艸部 八畫〈p. 1933〉)의 簡體字

[克] 〔극〕 儿部 五畫(p. 195)을 보라.

5 ⑦ [卋] 〔세〕 世(一部 四畫〈p. 39〉)와 同字

5 ⑦ [𠦜] 〔숙〕 叔(又部 六畫〈p. 331〉)의 俗字

[直] 〔직〕 目部 三畫(p. 1528)을 보라.

6 ⑧ [丧] 〔상〕 喪(口部 九畫〈p. 387〉)의 簡體字

6 ⑧ [卌] 〔십〕 卌(十部 四畫〈p. 304〉)과 同字

6 ⑧ [協] [中][人] 협 [入]葉 胡頰切 xié 协 

[筆順] 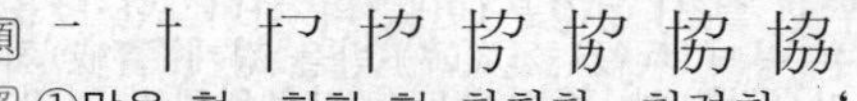

[字解] ①맞을 협, 합할 협 화합함. 협력함. '一和'. '一心'. '同寅一恭'《書經》. ②좇을 협 따름. 복종함. '一從'. '下民祗一'《書經》.

[字源] 篆文  古文 會意. 劦+十. '劦협'은 힘을 합치다의 뜻. '十십'은 '많다'의 뜻. '兼겸'과 통하여, 한 일에 두 사람 이상의 힘을 겹쳐 합치다의 뜻에서, '맞다, 화합하다'의 뜻을 나타냄.

[參考] 恊(心部 六畫)은 同字.

[協契 협계] 합심하여 서로 굳게 약속(約束)함.
[協恭 협공] 서로 공경하고 합심함.
[協氣 협기] 서로 화합(和合)하는 음양(陰陽)의 두 기(氣).
[協紀辨方書 협기변방서] 책 이름. 청(淸)나라 건륭제(乾隆帝)의 칙찬(勅撰). 36권. 시일(時日)의 길흉(吉凶)·음양(陰陽)의 금기(禁忌)를 기재하였음.
[協同 협동] 마음을 같이하고 힘을 합함. 협심(協心).
[協力 협력] 힘을 모아서 같이함. 협동(協同)하여 일함. 육력(戮力).
[協戮 협륙] 협력(協力).
[協律 협률] 규칙에 맞음.
[協隆 협륭] 화합(和合)하여 융성(隆盛)함.
[協睦 협목] 서로 협심하고 화목함.
[協扶 협부] 협찬(協贊).
[協比 협비] 화친(和親)함. 친목함. 비(比)는 친(親).
[協事 협사] 일을 함께 함.
[協商 협상] 협의(協議).
[協成 협성] 힘을 합하여 일을 이룸.
[協心 협심] 여러 사람이 마음을 합함.
[協愛 협애] 합심하며 서로 사랑함.
[協約 협약] 이해관계가 있는 쌍방이 협의하여 약정(約定)함. 또 그 약정.
[協韻 협운] 서로 통하여 쓰는 운(韻). 협운(叶韻).
[協議 협의] 여러 사람이 모여 서로 의논(議論)함.
[協翼 협익] 협찬(協贊).
[協定 협정] 협의하여 결정함.
[協調 협조] 힘을 합하여 서로 조화(調和)함.
[協從 협종] 따름. 좇음.
[協奏 협주] 여러 가지 악기(樂器)를 함께 연주함. 합주(合奏)함.
[協鎭 협진] 청(淸)나라 때 육군(陸軍)의 관명(官名). 소장(少將)에 상당함.
[協贊 협찬] 협력하여 도움. 협부(協扶).
[協判 협판] 서로 상의하여 정함. 협정(協定).
[協辦 협판] ㉠서로 의논함. ㉡청(淸)나라 때의 관명(官名). 궁중 근무·지방 파견 중의 대학사(大學士)의 정무(政務)를 대신하여 보는 고관(高官). 협규(協揆). ㉢조선 말, 각 부(部)와 궁내부(宮內府)의 둘째 벼슬.
[協風 협풍] 온화한 바람. 화풍(和風).
[協合 협합] 화합함.
[協諧 협해] 화합함.
[協和 협화] 협력하여 화합(和合)함. 또 협력하고 화합하게 함.
[協會 협회] 회원이 협동(協同)하여 설립하는 회.
[協洽 협흡] 십이지(十二支) 중 미(未)의 별칭.
◉不協. 允協. 妥協. 諧協. 和協. 翕協.

6 ⑧ [㔍] 協(前條)의 俗字

6 ⑧ [卑] [高][人] 비 ①-④[平]支 府移切 bēi ⑤[上]紙 補弭切 bǐ 

[筆順] 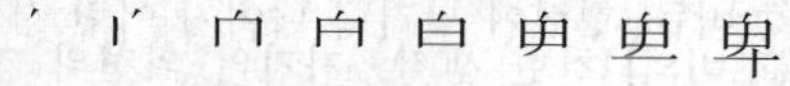

[字解] ①낮을 비 ㉠높지 아니함. '一牆'. '天尊地一'《易經》. ㉡지위가 낮음. 신분이 천함. '一賤'. '男尊女一'. '養一者否'《禮記》. ㉢하등(下等)임. '一陋'. '論一氣弱'《宋史》. ㉣융성하지 아니함. '今周室少一'《國語》. ㉤가까움. '一近'. '德薄者流一'《穀梁傳》. 또 낮은 사람. 낮은 데. '登高必自一'《中庸》. ②낮게여길 비 천하게 여김. 경멸함. '何以一我'《國語》. ③낮출 비 겸손함. '一下'. '一辭'. '自一而尊人'《禮記》. ④성 비 성(姓)의 하나. ⑤하여금 비 俾(人部 八畫)와 同字. '一民不迷'《荀子》.

[字源] 金文 篆文 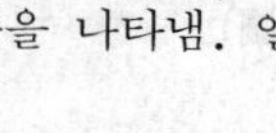 象形. 손잡이가 있는 둥근 술통에 손을 댄 모양을 본떠, '통'의 뜻을 나타냄. 일상생활에 가지고 다니기에 편

리한 술 그릇인 통이므로, 전하여 제기용(祭器用)의 그릇에 비하여 '천하다'의 뜻을 나타냄.
[卑脚 비각] 짧은 다리.
[卑怯 비겁] 하는 짓이 비루하고 겁이 많음.
[卑見 비견] 자기 의견(意見)의 겸칭(謙稱). 비견(鄙見).
[卑謙 비겸] 자기를 낮춤. 겸손함. 비하(卑下). 비양(卑讓).
[卑官 비관] 낮은 벼슬. 비질(卑秩).
[卑屈 비굴] 비루하고 기개(氣槪)가 없음. 비루하고 무기력함.
[卑劇 비극] 지위가 낮고 사무가 바쁨.
[卑近 비근] ㉠통속적임. 심원(深遠)하지 않음. ㉡흔하고 가까움.
[卑佞 비녕] 자기를 낮추어 남에게 아첨을 잘함.
[卑陋 비루] ㉠낮고 좁음. ㉡마음이 고상하지 못하고 더러움. ㉢신분(身分)이 낮음.
[卑末 비말] 비미(卑微).
[卑門 비문] 자기 가문(家門)의 겸칭(謙稱).
[卑微 비미] 신분이 낮음. 천미(賤微). 비천(卑賤).
[卑薄 비박] 비습(卑濕)하고 척박(瘠薄)한 땅.
[卑卑 비비] ㉠힘쓰는 모양. 부지런한 모양. ㉡대단히 비루한 모양.
[卑鄙 비비] 신분이 낮음. 비천(卑賤).
[卑辭 비사] 자기를 낮추어 하는 말. 겸손한 말.
[卑辭重幣 비사중폐] 말을 정중(鄭重)히 하고, 예물(禮物)을 후(厚)하게 함. 어진 이를 초빙(招聘)하거나, 큰 나라를 섬기는 예(禮)임.
[卑庶 비서] 천한 서민. 백성.
[卑細 비세] ㉠낮음. ㉡작음.
[卑小 비소] 천하고 하찮음.
[卑俗 비속] 낮고 속됨.
[卑屬 비속] 혈연(血緣)관계에서 낮은 항렬에 있는 사람. 곧, 아들·손자·조카 따위. 비항(卑行).
[卑濕 비습] 땅이 낮고 축축함. 고조(高燥)의 대(對).
[卑弱 비약] 비천하고 연약함.
[卑讓 비양] 비겸(卑謙).
[卑語 비어] 천한 말. 하등 사회(下等社會)의 상스러운 말.
[卑劣 비열] 비굴하고 용렬함.
[卑汚 비오] ㉠천하게 여겨 오욕(汚辱)함. ㉡낮은 지위.
[卑窪 비와] 땅이 낮고 우묵함.
[卑猥 비외] 비루하고 외설(猥褻)함.
[卑溽 비욕] 땅이 낮아 무더움.
[卑幼 비유] 항렬이 낮거나 나이가 어린 사람.
[卑意 비의] 천한 생각. 자기의 의견의 겸칭(謙稱).
[卑人 비인] ㉠비루한 사람. ㉡천한 사람. ㉢자기의 겸칭(謙稱).
[卑牆 비장] 낮은 담.
[卑職 비직] ㉠낮은 관직. 낮은 직책. ㉡자기의 직무의 겸칭(謙稱).
[卑秩 비질] 낮은 벼슬. 낮은 지위.
[卑淺 비천] 낮고 얕음. 비속(卑俗)하고 천박함.
[卑賤 비천] 지위(地位)나 신분(身分)이 낮음. 천(賤)함.
[卑側 비측] 비루하고 간사함. '側'은 간사함.
[卑下 비하] ㉠자기를 낮춤. 겸손함. ㉡남을 천대(賤待)함.
[卑行 비항] 낮은 항렬. 비속(卑屬).

◉謙卑. 高卑. 恭卑. 男尊女卑. 辭卑. 鮮卑. 升高自卑. 野卑. 禮卑. 穢卑. 自卑. 尊卑. 天尊地卑. 下卑.

6 ⑧ [畁] 卑(前條)의 俗字

6 ⑧ [卒] 中人 졸 ①-⑥㊅月 臧沒切 zú ⑦㊅月 倉沒切 cù ⑧-⑩㊅質 子聿切 zú

筆順 ' 亠 ナ 亠 亣 卆 卒 卒

字解 ①하인 졸 잡일을 하는 하인. 심부름꾼. '兒童走一'. '厮輿之一'《漢書》. ②무리 졸 군중. 서인(庶人). '人一九州, 穀食之所生'《莊子》. ③군사 졸 병졸. 군대. '一兵'. '一四十萬人'《史記》. ④백사람 졸 백 명을 한 조(組)로 한 칭호. '一伍'. '五人爲伍, 五伍爲兩, 四兩爲一'《周禮》. ⑤마을 졸 3백 호를 한 구역으로 한 칭호. '三十家爲邑, 邑有司, 十邑爲一'《國語》. ⑥나라 졸 30국(國)을 한 구역으로 한 칭호. '一有正'《禮記》. ⑦갑자기 졸 돌연히. '一遇敵人, 亂而失行'《吳子》. 또, 갑자기 일어나는 일. '亡以應一'《漢書》. ⑧마칠 졸 일을 끝마침. '一讀'. '恐未能一業'《司馬相如》. ⑨죽을 졸 ㉠사망함. '一於鳴條'《孟子》. ㉡대부(大夫)로서 죽음. '大夫死曰一'《禮記》. ⑩마침내 졸 드디어. 기어이. '一爲善士'《孟子》.

字源 金文 篆文 指事. '衣의' 자 밑에 '一일'을 붙여, 대부(大夫)의 죽음이나 천수를 다한 사람이 죽었을 때에 쓰는 의복의 모양에서, '마치다'의 뜻을 나타냄. 또, 이런 표시가 있는 의복은 하인·병사에도 쓰였으므로, '하인·병사'의 뜻도 나타냄. 또, '突돌'과 통하여, '갑자기'의 뜻도 나타냄.

參考 卆(十部 二畫)은 俗字.

[卒僵 졸강] 갑자기 쓰러짐. 졸도(卒倒).
[卒去 졸거] 대부(大夫)의 죽음.
[卒遽 졸거] 갑작스러움. 허둥지둥함.
[卒更 졸경] ㉠경부(更賦)의 하나. 한 달을 치르는 병역(兵役). ㉡《韓》밤을 경계(警戒)하여 순라(巡邏)함. ㉢밤새도록 괴로워하며 자지 못함.
[卒哭 졸곡] ㉠삼우제(三虞祭)를 지낸 뒤에 지내는 제사(祭祀). ㉡사람이 죽은 지 석 달 되는 초정일(初丁日)이나 해일(亥日)에 지내는 제사.
[卒年 졸년] 죽은 해.
[卒徒 졸도] ㉠부하(部下)의 병졸(兵卒). ㉡자기가 부리는 사람.
[卒倒 졸도] 갑자기 정신을 잃고 쓰러짐.
[卒堵婆 졸도파] 솔도파(窣堵婆).
[卒讀 졸독] 읽기를 끝마침.
[卒迫 졸박] 서둚.
[卒乍 졸사] 별안간. 갑자기.
[卒歲 졸세] 해를 마침. 그해를 지냄.
[卒乘 졸승] ㉠병졸과 거마(車馬). ㉡보병(步兵)과 병거(兵車)에 탄 갑사(甲士). 전(轉)하여, 사졸(士卒). 군사.
[卒愕 졸악] 당황하며 놀람.
[卒業 졸업] ㉠업(業)을 마침. 일을 끝냄. ㉡규정(規定)한 과정(課程)을 마침.
[卒然 졸연] 갑자기. 느닷없이.
[卒伍 졸오] ㉠주(周)나라 때 제도로 인민(人民)

의 조합(組合). 다섯 사람 한 조(組)를 오(伍)라 하고 백 사람 한 조(組)를 졸(卒)이라 함. ㉡평민(平民)의 호적. ㉢군사(軍士)의 최하의 단위의 조(組). ㉣무인(武人)으로서의 미천(微賤)한 지위.

[卒爾 졸이] ㉠경솔한 모양. ㉡졸연(卒然).

[卒章 졸장] 끝의 장구(章句).

[卒卒 졸졸] 서두는 모양. 당황하여 침착하지 못한 모양.

[卒中風 졸중풍] 뇌일혈 등으로 별안간 의식을 잃고 졸도하는 병.

[卒篇 졸편] 시문의 전편(全篇)을 모두 짓거나 욈. 종편(終篇).

[卒暴 졸폭] 갑작스러움. 돌연함.

◉甲卒. 遽卒. 勁卒. 輕卒. 騎卒. 邏卒. 徒卒. 兵卒. 步卒. 士卒. 戍卒. 輸卒. 兒童走卒. 弱卒. 驛卒. 銳卒. 獄卒. 羸卒. 吏卒. 將卒. 從卒. 走卒. 倉卒. 草卒. 怱卒.

6 ⑧ [卓] 高人 탁 ㊇覺 竹角切 zhuō

筆順 丨 ㅏ 卜 冂 占 占 卓 卓

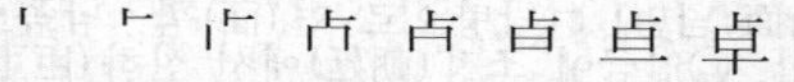

字解 ①높을 탁 ㉠높이 솟아 있음. 높이 서 있음. '一峙'. '顔苦孔子之一'《揚子法言》. ㉡뛰어남. 우월함. '一越'. '一見'. '爲文章, 一偉精緻'《唐書》. ②멀 탁 시간이나 거리가 멂. '一行'. '世旣一兮'《王逸》. ③탁자 탁 桌(木部 六畫)과 통용. '食一'. '兩一合八尺'《徐積》. ④성 탁 성(姓)의 하나.

字源 金文 篆文 古文 會意. 匕+早. '匕비'는 '사람'의 뜻. '早조'는 '새벽녘'의 뜻. 사람이 동틀 녘의 태양보다 높은 모양에서, '높다'의 뜻을 나타냄. 일설에는 '匕'나 '早'나 숟가락의 상형(象形)이며, 큰 숟가락의 뜻에서 파생하여 '높다'의 뜻을 나타낸다고 함.

[卓鑒 탁감] 뛰어난 감식(鑒識).

[卓傑 탁걸] 뛰어난 사람. 걸출(傑出)한 사람.

[卓見 탁견] 뛰어난 식견(識見).

[卓冠 탁관] 높이 뛰어남. 관절(冠絕).

[卓球 탁구] 장방형(長方形)의 대(臺) 위에 네트를 치고 셀룰로이드 공을 라켓으로 마주 치는 경기. 핑퐁.

[卓詭 탁궤] 언행(言行)이 뛰어나 보통 사람과 다른 모양. 탁이(卓異).

[卓犖 탁락] 탁월(卓越).

[卓躒 탁락] 탁락(卓犖).

[卓礫 탁력] 남보다 뛰어난 견고한 마음씨.

[卓論 탁론] 뛰어난 의론(議論). 탁견(卓見). 탁설(卓說).

[卓立 탁립] 우뚝하게 서 있음. 여럿 가운데 높이 뛰어남. 정립(挺立).

[卓文君 탁문군] 한(漢)나라 촉군(蜀郡) 임공(臨邛)의 부호(富豪) 탁왕손(卓王孫)의 딸. 문군(文君)이 과부가 되어 집에 와 있을 때 사마상여(司馬相如)가 문군의 부친 탁왕손의 초청으로 잔치에 왔다가 거문고를 타며 음률(音律)을 좋아하는 문군의 마음을 돋우니, 문군이 거문고 소리에 반하여 밤중에 집을 빠져나와 사마상여의 집으로 가서 아내가 되었음. 후에 사마상여가 무릉(茂陵)의 여자를 첩으로 삼으려는 것을 알고 백두음(白頭吟)을 지어 그 짓을 말렸다 함.

[卓拔 탁발] 탁월(卓越).

[卓上 탁상] 책상 또는 식탁의 위.

[卓說 탁설] 탁월(卓越)한 설(說).

[卓殊 탁수] 탁이(卓異).

[卓識 탁식] 뛰어난 식견(識見).

[卓案 탁안] 책상. 궤안(几案).

[卓然 탁연] 높이 뛰어난 모양.

[卓午 탁오] 정오(正午).

[卓遠 탁원] 아득히 멂.

[卓越 탁월] 월등하게 뛰어남. 아주 걸출하여 이채로움.

[卓偉 탁위] 뛰어나게 위대함.

[卓衣 탁의] 《佛敎》 가사(袈裟).

[卓異 탁이] 보통 사람보다 뛰어나게 다름.

[卓爾 탁이] 높이 뛰어난 모양.

[卓逸 탁일] 뛰어남. 또, 그 사람.

[卓子 탁자] 물건을 올려놓는 가구. 책상·식탁(食卓) 따위. 자(子)는 조사(助辭). 궤안(几案).

[卓綽 탁작] 뛰어나고 여유작작함.

[卓才 탁재] 뛰어난 재능(才能). 이재(異才). 고재(高才).

[卓絕 탁절] 남보다 훨씬 뛰어남.

[卓節 탁절] 높은 절조(節操).

[卓出 탁출] 탁월(卓越).

[卓峙 탁치] 높이 솟음.

[卓卓 탁탁] 높은 모양. 뛰어난 모양.

[卓踔 탁탁] 높고 멂. 뛰어나고 높음. 고원(高遠).

[卓行 탁행] ㉠높이 뛰어난 행실(行實). ㉡멀리 감.

[卓效 탁효] 뛰어난 효험.

◉教卓. 奇卓. 食卓. 圓卓. 電卓. 座卓. 峭卓. 超卓. 特卓. 恢卓.

6 ⑧ [单] 〔단〕 單(口部 九畫〈p. 386〉)의 略字·簡體字

[阜] 〔부〕 部首(p. 2449)를 보라.

7 ⑨ [南] 中人 남 ㊥覃 那含切 nán

筆順 一 十 冂 冂 円 南 南 南 南

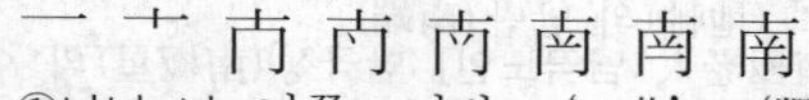

字解 ①남녘 남 남쪽. 남방. '一北'. '凱風自一'《詩經》. ②남녘으로갈 남 남쪽을 향하여 감. '日一則景短多暑'《周禮》. ③풍류이름 남 남쪽의 미개한 나라의 음악의 이름. '以雅以一'《詩經》. ④임금 남 군주(君主)를 이름. '鄭, 伯一也'《國語》. ⑤성 남 성(姓)의 하나.

字源 甲骨文  金文  篆文 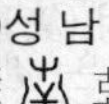 古文 會意. 甲骨文은 屮+入+凡. '屮철'은 풀의 상형. '入입'은 '들어가다'의 뜻. '凡범'은 '바람'의 뜻. 봄이 되어 살그머니 스며들어 초목이 싹트도록 촉구하는 남풍의 뜻에서, '남쪽'의 뜻을 나타냄. 일설에는, '南남'의 윗부분이 '鼓고'의 요소 글자와 공통되는 점이 있음을 근거로 하여, 남방에서 쓰였던 악기의 상형에서, '남쪽'의 뜻을 나타냈다고도 함. 篆文은 形聲. 宋+羊〔音〕.

[南無 나무] 《佛教》 범어(梵語) namah 또는 namo

의 음역(音譯). 중생이 부처님에게 진심으로 귀의(歸依) 경순(敬順)한다는 말.
[南無三寶 나무삼보]《佛敎》 불(佛)·법(法)·승(僧)의 삼보에 귀의함.
[南無阿彌陀佛 나무아미타불]《佛敎》염불(念佛)하는 소리의 한 가지. 아미타불에 돌아가 의지한다는 뜻.
[南柯夢 남가몽] 당(唐)나라 때 순우분(淳于棼)이 자기(自己) 집 남쪽에 있는 늙은 회화나무 밑에서 술에 취하여 자고 있었는데, 꿈에 대괴안국(大槐安國) 남가군(南柯郡)을 다스리어 20년간이나 부귀(富貴)를 누리다가 깨었다는 고사(故事). 전(轉)하여, 꿈의 뜻으로 쓰이기도 하고, 또 한때의 헛된 부귀(富貴)의 비유로 쓰이기도 함. 남가일몽(南柯一夢).
[南柯一夢 남가일몽] 남가몽(南柯夢).
[南京 남경] ㉠장쑤 성(江蘇省)의 서쪽 양쯔 강(揚子江) 연안에 있는 도시. 삼국(三國)의 오(吳)를 비롯한 여러 나라 및 명(明)나라의 서울이었음. ㉡《韓》고려(高麗) 때 사경(四京)의 하나. 지금의 서울.
[南曲 남곡] 희곡(戲曲)의 일종. 명대(明代)에 성행(盛行)하였음. '비파기(琵琶記)'는 그 대표작임.
[南瓜 남과] 박과(科)에 속하는 일년생 만초(蔓草). 호박.
[南冠 남관] 남방(南方) 곧 초(楚)나라의 갓. 또, 초나라 사람 종의(鍾儀)가 남관을 쓰고 잡힌 고사(故事)에 의하여, 포로(捕虜) 또는 고국(故國)을 생각하는 정(情)이 두터운 포로의 뜻.
[南交 남교] 중국 남방(南方)의 교지(交趾)의 땅. 지금의 월남(越南)의 북쪽을 이름.
[南歐 남구] 유럽의 남부. 곧, 이탈리아·프랑스 남부·에스파냐 등.
[南國 남국] 남쪽 나라.
[南宮 남궁] 당(唐)나라의 관제(官制)로 예부(禮部)를 이름.
[南橘北枳 남귤북지] 강남(江南)의 귤을 강북(江北)에 심으면 탱자가 된다는 뜻으로, 사람도 경우(境遇)와 환경(環境)에 따라 기질(氣質)이 변하여 선인(善人)도 되고 악인도 됨을 비유한 말.
[南極 남극] ㉠남극성(南極星). ㉡남쪽 끝. ㉢지축(地軸)의 남단(南端).
[南極老人 남극노인] 남극성(南極星)의 이칭(異稱).
[南極星 남극성] 하늘의 남극(南極) 가까이에 있는 별. 사람의 수명을 맡은 별이라 함. 남십자성(南十字星).
[南箕北斗 남기북두] 키는 쌀을 까불고 말은 곡식을 되지만, 남쪽의 기성(箕星)은 쌀을 까불지 못하고 북두성(北斗星)은 쌀을 되지 못한다는 뜻으로, 유명무실(有名無實)한 것을 비유하는 말.
[南內 남내] 제왕(帝王)이 거처하는 곳. 대내(大內).
[南唐 남당] 오대(五代) 때의 십국(十國)의 하나. 이변(李昪)〈후에 서지고(徐知誥)라 고침〉이 오(吳)나라의 선위(禪位)를 받아 금릉(金陵)에 도읍하고 당(唐)이라 칭하였는데, 사가(史家)가 이를 남당(南唐)이라 함. 3세(世) 39년 만에 송(宋)나라에게 망하였음. (937~975)
[南都 남도] ㉠남방의 수도(首都). ㉡지명(地名). 동한(東漢)의 광무제(光武帝)가 생장한 곳. 지금의 허난 성(河南省) 남양현(南陽縣). 장형(張衡)이 지은 〈남도부(南都賦)〉가 있음.
[南道 남도]《韓》경기도(京畿道) 이남의 도(道).
[南頓北漸 남돈북점]《佛敎》선가(禪家)의 남종(南宗)이 돈오(頓悟)를 숭상하고 북종(北宗)이 점오(漸悟)를 숭상하는 일.
[南斗 남두] 남방에 있는 여섯 별로 구성된 성수(星宿) 이름. 그 모양이 말〔斗〕 비슷하므로 이름.
[南藤 남등] 장미과에 속하는 낙엽(落葉) 교목(喬木). 과실은 약용(藥用)임. 마가목. 정공등(丁公藤).
[南呂 남려] ㉠육려(六呂)의 다섯째로 십이율(十二律)의 열째 음계(音階)의 소리. 절후(節候)로 음력 8월에 딸림. ㉡음력 8월의 별칭.
[南樓之會 남루지회] ㉠진(晉)나라의 유양(庾亮)이 무창(武昌)의 남루(南樓)에 올라가 여러 사람과 가을밤에 담론(談論)하며 시를 읊은 고사(故事). ㉡가을밤 달맞이의 연회(宴會)를 이름.
[南蠻 남만] 남쪽 오랑캐.
[南面 남면] ㉠남방으로 면(面)함. 남쪽으로 향함. ㉡임금이 조정(朝廷)에서 신하(臣下)에 대하여 남쪽으로 향해 앉는 자리. ㉢임금의 지위.
[南面百城 남면백성] 군주(君主)의 높은 지위와 성(城) 백(百)을 영유(領有)하는 넓은 영토.
[南面之尊 남면지존] 군주(君主)의 지위(地位).
[南面稱孤 남면칭고] 군주(君主)가 됨을 이름. 고(孤)는 왕공(王公)의 겸칭(謙稱).
[南冥 남명] 남명(南溟).
[南溟 남명] 남해(南海).
[南半球 남반구] 지구(地球)의 적도(赤道) 이남의 부분.
[南方 남방] 남쪽의 방위(方位).
[南方之強 남방지강] 인내(忍耐)로써 사람을 이겨 냄. 곧, 군자(君子)의 용기. 북방지강(北方之強)의 대(對).
[南蕃 남번] 남방의 미개(未開)한 나라. 촉중(蜀中)의 땅.
[南邊 남변] 남쪽 가.
[南部 남부] 남쪽의 부분.
[南北 남북] 남쪽과 북쪽.
[南北軍 남북군] 한대(漢代) 금위(禁衛)의 군대. 성내(城內)에 있는 것을 남군(南軍)이라 하여 위위(衛尉)가 이를 거느렸고, 성외(城外)의 것을 북군(北軍)이라 하여 중위(中尉)가 거느렸음.
[南北史 남북사] 〈남사(南史)〉와 〈북사(北史)〉. 당(唐)나라 이연수(李延壽)의 찬(撰). 〈남사(南史)〉는 송(宋)나라부터 진(陳)나라까지 170년간의 역사. 전부 80권. 〈북사(北史)〉는 위(魏)나라에서 수(隋)나라까지 242년간의 역사. 전부 1백 권.
[南北司 남북사] 남사(南司)와 북사(北司)의 총칭. 북사(北司)는 환관(宦官)이 일 보는 관아.
[南北朝 남북조] 남북 양조(兩朝)가 대립한 105년간의 일컬음. 동진(東晉)의 뒤를 계승한 송(宋)·남제(南齊)·양(梁)·진(陳)의 4조(朝)가 건강(建康)에 도읍(都邑)하여 강남(江南)의 땅을 영유(領有)한 것을 남조(南朝)라 하며, 이에 대하여 강북(江北)의 제국(諸國)이 북위(北魏)에 합병되었다가 다시 분열하여 북주(北周)에 이른 것을 북조(北朝)라 함.

南朝	種族	開國者	失國者	國都	歷年
宋	漢	劉 裕	劉 準	建康	60
南齊	漢	蕭道成	蕭寶融	建康	24
梁	漢	蕭 衍	蕭方智	建康	56
陳	漢	陳霸先	陳叔寶	建康	33
北朝	種族	開國者	失國者	國都	歷年
北魏	鮮卑	拓跋珪	東 魏 元善見 西 魏 元寶炬	成樂 洛陽	171
北齊	漢	高 洋	高 恆	鄴	28
北周	鮮卑	宇文覺	宇文闡	長安	24

[南氷洋 남빙양] 오대양(五大洋)의 하나. 남극(南極)에 가까운데 1년 내내 빙결(氷結)함.

[南司 남사] ㉠남조(南朝)에서 어사중승(御史中丞)의 별칭(別稱). ㉡당대(唐代)의 중서(中書)·문하(門下)·상서(尙書) 세 성(省)의 별칭(別稱).

[南史 남사] 이십사사(二十四史)의 하나. 당(唐)나라 이연수(李延壽)의 찬(撰). 남조(南朝)의 송(宋)·제(齊)·양(梁)·진(陳)의 4조(朝) 170년간의 역사책. 본기(本紀) 10권, 열전(列傳) 70권, 총 80권으로 되었음.

[南山 남산] ㉠주(周)나라 도읍(都邑) 풍호(豐鎬)의 남쪽에 있는 종남산(終南山). ㉡남산지수(南山之壽)의 약칭(略稱). ㉢《韓》 서울 남쪽에 있는 목멱산(木覓山)의 속칭(俗稱).

[南山之壽 남산지수] 종남산(終南山)이 무궁토록 이 세상에 있듯이 무한한 수명(壽命). 장수(長壽)를 축원(祝願)하는 말. 남산(南山)❶.

[南書房 남서방] 청조(清朝) 건청궁(乾清宮)의 오른편에 있는 관아. 한림학사(翰林學士)가 내정공봉(內庭供奉)을 하던 곳.

[南船北馬 남선북마] 중국의 지세(地勢)는 남쪽은 강이 많아서 주로 배를 타고, 북쪽은 평지(平地)가 많아서 주로 말을 탄다는 뜻으로, 항상 여행(旅行)하거나 분주히 사방으로 돌아다님을 이름.

[南宋 남송] 북송(北宋)이 금(金)나라에게 망할 때 그 마지막 황제 흠종(欽宗)의 아우 고종(高宗)이 즉위(卽位)하여 강남(江南)으로 도망가, 임안(臨安)에 도읍(都邑)하여 세운 나라. 9대(代) 153년 만에 원(元)나라에게 멸망되었음.

[南岳 남악] 5악(岳)의 하나. 남쪽에 있는 형산(衡山)의 별칭.

[南陽 남양] ㉠남방(南方). ㉡허난 성(河南省) 난양 현(南陽縣)의 땅. 제갈량(諸葛亮)이 출사(出仕) 전에 살던 곳.

[南陽菊水 남양국수] 마시면 장수(長壽)한다는 허난(河南)의 난양(南陽)에 있는 샘.

[南越 남월] 한고조(漢高祖)가 조타(趙佗)를 봉(封)한 나라. 지금의 광둥(廣東)·광시(廣西) 두 성(省)의 땅을 영유(領有)하였음.

[南粤 남월] 남월(南越).

[南人 남인] ㉠남쪽 나라의 사람. ㉡원대(元代)에 남송(南宋) 사람을 가리켜 이른 말. ㉢《韓》 조선(朝鮮) 때의 사색당파(四色黨派)의 하나. 또, 그 당파에 속하는 사람. 서울 남촌(南村)에 사는 유성룡(柳成龍)을 중심으로 한 당파임. 오인(午人). 북인(北人)의 대(對).

[南齋 남재] 남서방(南書房).

[南殿 남전] 남방의 궁전.

[南田北畓 남전북답] 《韓》 소유한 전답이 여러 곳에 흩어져 있는 것을 이르는 말.

[南鄭 남정] 산시 성(陝西省) 내의 현명(縣名). 정(鄭)나라 환공(桓公)이 견융(犬戎)에게 죽자, 정나라 백성들이 남쪽으로 달아나 이곳에 정주(定住)하고, 인(因)하여 남정(南鄭)이라 칭함.

[南齊 남제] ㉠남조(南朝)의 하나. 소도성(蕭道成)이 송(宋)나라를 멸하고 세운 나라. 도읍은 건강(建康). 7대(代) 24년 만에 양(梁)나라에게 망하였음. (479~502) ㉡푸젠 성(福建省) 내의 산의 이름.

[南齊書 남제서] 이십사사(二十四史)의 하나. 양(梁)나라 소자현(蕭子顯)의 찬(撰). 남북조(南北朝) 시대 남조(南朝)의 남제(南齊)의 사서(史書). 본기(本紀) 8권, 지(志) 11권, 열전(列傳) 40권, 총 59권으로 되었음.

[南霽雲 남제운] 당(唐)나라 돈궁(頓宮) 사람. 기사(騎射)에 능했음. 안녹산(安祿山)의 난 때 장순(張巡)을 따라 수양(睢陽)을 수비하다가 성(城)이 함락되자 함께 잡혀 절개를 굽히지 않고 죽었음.

[南朝 남조] 동진(東晉)이 망한 후 강남(江南)에서 한족(漢族)이 세운 송(宋)·남제(南齊)·양(梁)·진(陳)의 4조(朝).

[南宗 남종] ㉠당(唐)나라의 왕유(王維)를 원조(元祖)로 하는 화가(畫家)의 한 파(派). 북종(北宗)의 대(對). ㉡《佛教》 중국 선종(禪宗)의 한 파(派). 당(唐)나라의 혜능 선사(慧能禪師)를 개조(開祖)로 함.

[南宗畫 남종화] 남종(南宗)❶. 북종화(北宗畫)의 대(對).

[南支 남지] 중국 남부의 지방. 남중국. 화남(華南). 남지나(南支那).

[南至 남지] 동지(冬至).

[南昌 남창] 장시 성(江西省)의 성도(省都). 포양 호(鄱陽湖) 남쪽에 있으며, 인근의 물자의 집산지(集散地)임.

[南窓 남창] 남쪽으로 향한 창.

[南天燭 남천촉] 매자나뭇과에 속하는 상록(常綠) 관목(灌木).

[南草 남초] 담배.

[南八男兒 남팔남아] 남팔(南八)은 남씨(南氏)의 팔남(八男)으로 태어난 남제운(南霽雲)의 일컬음. 그가 장순(張巡)과 함께 절개(節槪)를 지켜 죽었으므로, 전(轉)하여, 장한 절개 있는 대장부(大丈夫)를 이름.

[南浦 남포] ㉠후베이 성(湖北省)에 있는 강(江) 이름. ㉡장시 성(江西省)의 남창현(南昌縣) 서남에 있는 지명. 왕발(王勃)의 '등왕각시(滕王閣詩)'에 나옴.

[南風 남풍] ㉠남쪽에서 불어오는 바람. 마파람. ㉡남방의 가요(歌謠).

[南風不競 남풍불경] 남방의 가요(歌謠)의 음조(音調)가 활기(活氣)가 없음. 전(轉)하여, 남방의 세력이 부진(不振)함을 이름.

[南漢 남한] 오대(五代) 때 십국(十國)의 하나. 유은(劉隱)이 세운 나라. 광둥(廣東) 및 광시(廣西) 남부 지방에 할거함. 5왕(王) 63년 만에 송(宋)나라에게 망하였음. (909~971)

[南海 남해] 남쪽에 있는 바다.

[南行北走 남행북주] 남으로 가고 북으로 달린다는 뜻으로, 바삐 돌아다님을 이름. 동분서주(東奔西走).
[南向 남향] 남쪽으로 향함.
[南軒集 남헌집] 북송(北宋)의 장식(張式)의 문집(文集). 주희(朱熹)가 편찬(編纂)함. 전부 44권.
[南華 남화] '남화진경(南華眞經)'의 약칭(略稱).
[南畫 남화] 남종화(南宗畫). 북화(北畫)의 대(對).
[南華之悔 남화지회] 상관(上官)의 미움을 받아 과거(科擧)에 낙제한 일. 온정균(溫庭筠)의 고사(故事)에서 유래함.
[南華眞經 남화진경] 장주(莊周)의 저서 〈장자(莊子)〉의 별칭(別稱).
[南懷仁 남회인] 벨기에 출신의 예수회 선교사(宣教師) 페르비스트(Verbiest)의 중국 이름. 청초(淸初)에 중국에 들어가 포교에 종사하는 한편, 세조(世祖)·성조(聖祖)를 섬겨 역법(曆法)의 개혁, 대포(大砲)의 주조 등을 지휘하고, 〈곤여도설(坤輿圖說)〉 등 많은 책을 내었음.
◉江南. 極南. 圖南. 東南. 斗南. 幕南. 朔南. 山南. 西南. 城南. 召南. 兩南. 嶺南. 二南. 日南. 終南. 周南. 指南. 河南. 湖南. 華南.

7 ⑨ [単] 〔단〕
單(口部 九畫〈p. 386〉)의 俗字

[率] 〔률〕
玄部 六畫(p. 1411)을 보라.

8 ⑩ [單] 〔단〕
單(口部 九畫〈p. 386〉)의 略字

10 ⑫ [博] 高·人 박 ㊀藥 補各切 bó

筆順 … 博 博

字解 ①너를 박 좁지 아니함. '一遠'. '壤土之一'《史記》. ②넓을 박 학식·견문 등이 많음. '一學'. '一識'. '多聞曰一'《荀子》. ③많을 박 '載籍極一'《史記》. ④넓힐 박 넓게 함. '一我以文'《論語》. ⑤넓이 박 넓은 정도. '一四寸'《儀禮》. ⑥쌍륙 박, 노름 박 주사위를 던져 하는 놀이. 전(轉)하여, 도박. '一戲'. '不有一弈者乎'《論語》. ⑦성 박 성(姓)의 하나.

字源 金文 篆文 形聲. 十+尃〔音〕. '十십'은 '사방'의 뜻. '尃부'는 논의 모를 넓게 심다의 뜻. '넓다'의 뜻을 나타냄.

[博古知今 박고지금] 고금(古今)의 일을 모두 널리 잘 앎.
[博觀 박관] 널리 봄.
[博究 박구] 널리 궁구(窮究)함.
[博購 박구] 널리 구하여 사들임.
[博局 박국] 쌍륙(雙六)·바둑 등을 두는 판(板). 바둑판 따위.
[博劇 박극] 노름. 도박.
[博達 박달] 널리 사물에 통달(通達)함. 박통(博通).
[博大 박대] 넓음. 큼.
[博徒 박도] 노름꾼.
[博覽 박람] 널리 보아 앎. 책을 많이 읽어 사물을 잘 앎.
[博覽會 박람회] 산업(産業)을 진흥시키기 위하여 농공업(農工業)에 관한 제품(製品)과 통계표 등을 진열하여 여러 사람에게 관람시키는 회.
[博浪沙 박랑사] 허난 성(河南省) 양무현(陽武縣) 남쪽에 있는 지명(地名). 장량(張良)이 역사(力士)로 하여금 진시황(秦始皇)을 저격(狙擊)게 한 곳.
[博勞 박로] ㉠때까칫과에 속하는 새. 때까치. 개고마리. ㉡옛날에 말의 상(相)을 잘 보던 사람. 백락(伯樂). ㉢말이나 소를 매매하는 장수.
[博望 박망] ㉠안후이 성(安徽省) 당도현(當塗縣)에 있는 산(山) 이름. ㉡한(漢)나라 때 둔 현(縣) 이름. 무제(武帝)가 장건(張騫)을 박망후(博望侯)로 봉하였는데 박망은 곧 이곳임.
[博文 박문] 학문을 널리 닦음.
[博聞 박문] 사물(事物)을 널리 들어 잘 앎.
[博聞強記 박문강기] 견문이 넓고 기억력이 좋음.
[博文約禮 박문약례] 널리 학문을 닦아 사리를 구명(究明)하고 이것을 실행하는 데 예의(禮儀)로써 하여 정도(正道)에 벗어나지 않게 함.
[博物 박물] ㉠박식(博識). ㉡동물(動物)·식물(植物)·광물(鑛物)의 총칭. ㉢온갖 사물(事物)과 그에 관한 참고가 될 만한 물건.
[博物館 박물관] 내외국(內外國) 또는 고금(古今)의 역사적 유물(遺物)과 미술품(美術品)을 모아 진열하고 여러 사람에게 관람(觀覽)·연구를 하게 하는 곳.
[博物君子 박물군자] 모든 사물(事物)에 능통한 사람.
[博辯 박변] 널리 사물에 통하고 변재(辯才)가 있음.
[博譜 박보] 장기(將棋) 두는 법을 적은 책.
[博士 박사] ㉠교학(敎學)을 맡은 벼슬. 진(秦)나라 때 비로소 두었음. ㉡일정한 학술(學術)을 전공하여 그 온오(蘊奧)를 다한 사람에게 주는 학위(學位). 전공 부문에 따라 공학(工學)·문학(文學)·농학(農學)·법학(法學) 등의 여러 박사(博士)가 있음. ㉢조선(朝鮮) 때 교서관(校書館)·성균관(成均館)·승문원(承文院)·홍문관(弘文館)의 정칠품(正七品)의 한 벼슬. ㉣조선(朝鮮) 때 성균관의 경의문대(經義問對)에 합격한 사람에게 주던 칭호.
[博射 박사] 재물을 걸고 활을 쏘기.
[博山 박산] 박산로(博山爐).
[博山爐 박산로] 산봉우리 모양의 향로(香爐).
[博顙 박상] 넓은 이마. 활상(闊顙).
[博塞 박새] 노름. 도박.
[博碩 박석] 넓고 큼. 석(碩)은 대(大).
[博贍 박섬] 학문과 지식이 넓고 풍부(豐富)함.
[博涉 박섭] 널리 섭렵(涉獵)함.

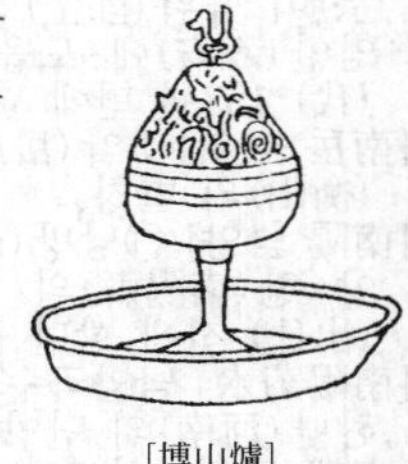
[博山爐]

[博詢 박순] 여러 사람에게 의견을 널리 물어봄.
[博習 박습] 널리 배워 익힘.
[博施 박시] 널리 은혜를 베풂.
[博識 박식] 보고 들은 것이 많아서 많이 앎. 또, 그러한 사람.
[博雅 박아] 학식이 넓고 성품이 아담(雅淡)함. 또, 그러한 사람.
[博愛 박애] 모든 사람을 평등(平等)하게 사랑함.
[博言學 박언학] 각국 언어(言語)의 기원(起源)·

발달(發達)·변천(變遷)을 비교하여 연구하는 학문(學問). 언어학(言語學).
[博藝 박예] 널리 기예(技藝)에 달통(達通)함.
[博遠 박원] 넓고 멀리 미침.
[博依 박의] 넓은 비유(比喩). 시(詩)는 널리 사물(事物)에 가탁(假託)하여 비유를 써서 자기의 뜻을 표현하므로 시를 짓는 법을 이른 말.
[博引旁證 박인방증] 사물을 설명하는 데 널리 사례(事例)를 인용하며 여러 가지 전거(典據)를 끌어댐.
[博濟 박제] 널리 건짐. 널리 구제함. 광제(廣濟). 홍제(弘濟).
[博綜 박종] 널리 다스림.
[博通 박통] 널리 사물에 통(通)함.
[博學 박학] 널리 배움. 학문(學問)이 썩 넓음. 또, 그러한 사람.
[博學廣覽 박학광람] 학문과 견식이 모두 넓음.
[博學宏詞 박학굉사] 학문을 널리 알고 시문(詩文)을 잘함. 또, 그러한 사람을 뽑는 과거(科擧)의 과목(科目).
[博學多聞 박학다문] 학식과 문견이 썩 넓음.
[博弈 박혁] 쌍륙(雙六)과 바둑. 전(轉)하여, 도박(賭博)의 뜻으로 쓰임.
[博奕 박혁] 박혁(博弈).
[博洽 박흡] 널리 알아서 사물(事物)에 막힐 것이 없음.
[博戲 박희] ㉠쌍륙(雙六). ㉡도박(賭博). 내기. 노름.
◉褐寬博. 寬博. 廣博. 宏博. 賭博. 溥博. 深博. 淵博. 雜博. 精博. 茶博. 豊博. 該博. 浩博. 鴻博. 洽博.

10 ⑫ [愽] 博(前條)과 同字

11 ⑬ [韋] 〔혁〕 革(部首〈p. 2520〉)의 本字

[兢] 〔긍〕 儿部 十二畫(p. 198)을 보라.

卜 (2획) 部
〔점복부〕

0 ② [卜] [高·人] [一] 복 [入]屋 博木切 bǔ
[二] 짐 [韓]

[筆順] 丨 卜

[字解] [一] ①점 복 거북의 등딱지를 불에 그슬리어 그 갈라진 금으로 길흉화복을 판단하는 일. 거북점. 전(轉)하여, 널리 길흉화복의 판단. '一占'. '一筮'. '龜爲一, 筴爲筮'《禮記》. ②점칠 복 길흉화복을 판단함. '一仕'. '成王使周公一居'《史記》. ③점쟁이 복 점치는 것을 업으로 하는 사람. '祝史射御醫一, 及百工'《禮記》. ④줄 복 하사함. '君曰一爾'《詩經》. ⑤상고할 복 생각함. '僕自一'《柳宗元》. ⑥성 복 성(姓)의 하나. [二]《韓》짐바리 짐 마소로 실어 나르는 짐.

[字源] 甲骨文 ㇶ 金文 ㇰ 篆文 ㇰ 古文 ㇶ 象形. 점을 치기 위하여 소뼈나 거북의 등딱지를 태워서 얻어진 갈라진 금의 모양을 본떠, '점치다'의 뜻을 나타냄.
[參考] 부수(部首)로서, '점'의 뜻을 포함하는 글자를 이룸.

[卜居 복거] 살 만한 곳을 점침. 살 만한 곳을 가려서 정함.
[卜吉 복길] 길일(吉日)을 점침. 좋은 날을 가려 받음.
[卜隣 복린] 살 만한 곳을 정하기 위하여 이웃의 선악을 점침. 전(轉)하여, 살기 좋은 곳을 가려 이사함.
[卜仕 복사] ㉠점을 쳐서 벼슬함. ㉡처음으로 벼슬함. 서사(筮仕).
[卜師 복사] 점(占)치는 사람.
[卜相 복상] 복서(卜筮)와 관상(觀相).
[卜商 복상] 춘추 시대(春秋時代)의 위(衛)나라 사람. 자(字)는 자하(子夏). 공자(孔子)의 제자로 문학에 뛰어남.
[卜筮 복서] 점(占).
[卜世 복세] 세대(世代)의 존속(存續) 운수를 점침.
[卜術 복술] 점을 치는 술법(術法).
[卜以決疑不疑何卜 복이결의불의하복] 복서(卜筮)의 목적은 의심나는 것을 판단하기 위한 것이므로 의심나는 것이 없으면 점을 칠 필요가 없음.
[卜人 복인] 복사(卜師).
[卜日 복일] 좋은 날을 점쳐서 가림.
[卜者 복자] 복사(卜師).
[卜戰 복전] 전쟁의 길흉(吉凶)을 점침.
[卜占 복점] 점(占).
[卜定 복정] 점쳐서 일의 선악(善惡)을 판단함.
[卜地 복지] 살 곳을 고름.
[卜債 복채] 점을 쳐 준 값으로 주는 돈.
[卜築 복축] 토지를 가려 집을 지음.
[卜駄 복태] 말 등에 실은 짐. 짐바리.
◉龜卜. 枚卜. 賣卜. 夢卜. 問卜. 筮卜. 占卜. 推卜.

2 ④ [卝] [一] 〔관〕丱(丨部 四畫〈p. 48〉)과 同字
[二] 〔광〕鑛(金部 十五畫〈p. 2423〉)의 古字

2 ④ [卞] [人名] 변 [去]霰 皮變切 biàn

[筆順] ' 亠 十 卞

[字解] ①법 변 법제(法制). 법칙. '率循大一'《書經》. ②조급할 변 성급함. '一急而好潔'《左傳》. ③성 변 성(姓)의 하나.
[字源] 象形. 본디 '弁변'으로 써서 고깔의 모양을 본뜬 것의 약체(略體)인 듯. 파생(派生)하여 '법률'의 뜻을 나타냄. 또 '조급하다'의 뜻도 나타냄.

[卞急 변급] 조급함.
[卞隨 변수] 탕왕(湯王)이 천하를 양여(讓與)하려고 하자 그런 더러운 말을 들었다고 분개하여 주수(稠水)에 몸을 던져 죽은 옛날의 고사(高士).
[卞和 변화] ㉠춘추 시대(春秋時代)의 초(楚)나라 사람. 산중(山中)에서 얻은 명옥(名玉)을 초왕(楚王)에게 바쳤음. ㉡화씨지벽(和氏之璧). 전(轉)하여, 보옥(寶玉)을 이름.

◉剛卞. 大卞. 疏卞. 躁卞.

3 ⑤ [占] 中 人 점 ①-⑦㊥鹽 職廉切 zhān ⑧㊤豔 章豔切 zhàn

筆順 丨 ⺊ ⺊ 占 占

字解 ①점칠 점 복술(卜術)을 행함. '一卜'. '一術'. '大人一之'《詩經》. ②점 점 복서(卜筮). '卜筮者尙其一'《易經》. ③볼 점 알려고 자세히 살펴봄. '一祲兆'《荀子》. ④상고할 점 생각함. '各以其物自一'《史記》. ⑤물을 점 문의함. 일설(一說)에는, 시험함. '發政一古語'《漢書》. ⑥입으로부를 점 구수(口授)함. '口一書吏'《漢書》. ⑦성 점 성(姓)의 하나. ⑧차지할 점 점유함. '一有'. '一領'. '一小善者率以錄'《韓愈》.

字源 甲骨文 篆文 會意. 卜+口. '卜복'은 점에 나타난 모양의 상형. '口구'를 더하여 '점치다'의 뜻을 나타냄. 점은 거북 등딱지의 특정한 점(點)을 새겨서 하므로, 특정한 점을 차지하다의 뜻도 나타냄.

[占墾 점간] 점유하여 개간(開墾)함.
[占據 점거] 차지하여 자리를 잡음.
[占卦 점괘] 점쳐 나타나는 괘(卦).
[占得 점득] 점거(占據)하여 얻음.
[占領 점령] ㉠점유(占有). ㉡적(敵)의 토지(土地)·진영(陣營) 등을 무력(武力)으로 빼앗음.
[占募 점모] 스스로 잘 생각하여 모집(募集)에 응함.
[占卜 점복] 점. 복서(卜筮).
[占書 점서] 점에 관한 책.
[占筮 점서] 점. 복서(卜筮).
[占星術 점성술] 천문(天文)을 보고 점치는 방법.
[占守 점수] 점령(占領)하여 지킴.
[占術 점술] 점을 치는 술법(術法).
[占用 점용] 점유(占有)하여 사용함.
[占有 점유] 차지함. 자기의 소유(所有)로 함.
[占兆 점조] 점쳐 나타난 형상.
[占奪 점탈] 빼앗아 점유함.
[占便 점편] 편리한 방법을 가림.
[占驗 점험] 점의 징험(徵驗). 점의 효험. 점괘(占卦)의 결과(結果).
[占候 점후] 점을 쳐 알아봄.
◉雞占. 工占. 寡占. 官占. 口占. 龜占. 獨占. 冒占. 卜占. 私占. 先占. 星占. 易占. 隱占. 兆占. 繇占. 天占. 侵占. 包占.

3 ⑤ [마] 계 ㊥齊 古奚切 ㊤齊 康禮切 jī

字解 ①점칠 계 길흉(吉凶)을 물어 점침. '一, 問卜也'《廣韻》. ②생각할 계 '一, 一日, 考也'《集韻》.

字源 會意. 口+卜

3 ⑤ [处] 〔처〕 處(虍部 五畫〈p. 1996〉)의 簡體字

3 ⑤ [卡] ■ 잡 ㊇合 從納切 qiǎ ■ 가 ㊩ kǎ

字解 ■ 지킬 잡, 관문 잡 수비함. 교통의 요충지에 베풀어 경비하던 곳. ■《現》음역자(音譯字)가 ㉠'一片'은 카드. card의 음역. ㉡'一車'는 트럭. car의 음역. ㉢'一路里'는 칼로리. calorie의 음역.

字源 會意. 上+下. 사람이 오르내리는 교통의 요처에 베푼 관문(關門)의 뜻을 나타냄.

[⺊] 〔알〕 部首(p. 1146)를 보라.

[卢] 〔알〕 歹部(p. 1146)를 보라.

5 ⑦ [卣] 유 ㊥尤 以周切 ㊤有 與久切 yǒu

字解 술통 유 술, 주로 울창주(鬱鬯酒)를 담는 그릇. 큰 것을 '彝', 중간 것을 '一', 작은 것을 '罍'라 함. '秬鬯一一'《詩經》.

字源 金文 象形. 술통을 옆에서 본 모양을 본떠, '술통'의 뜻을 나타냄.

5 ⑦ [卤] ■ 西(部首〈p. 2082〉)의 籀文 ■ 鹵(部首〈p. 2686〉)·滷(水部 十一畫〈p. 1280〉)의 簡體字

6 ⑧ [卦] 人 名 괘 ㊤卦 古賣切 guà

字解 괘 괘, 점괘 괘 복희씨(伏羲氏)가 만들었다고 하는 일종의 글자. 한 괘에 각각 삼효(三爻)를 음양(陰陽)으로 나누어서 팔괘(八卦)가 되게 하고, 팔괘가 거듭하여 육십사괘(六十四卦)가 됨. 이것으로 천지간(天地間)의 변화를 나타내며, 길흉화복을 판단하는 주역(周易)의 골자(骨子)가 되는 것임. 또, 이것으로 점쳐 나타나는 64종의 괘. '一辭'. '四象生八一'《易經》. '周易, 其經一皆八, 其別皆六十四'《周禮》.

字源 篆文 形聲. 卜+圭〔音〕. '卜복'은 '점'의 뜻. '圭규'는 '系계'와 통하여, '걸다, 연결하다'의 뜻. 점칠 때 나타나는 갖가지 연결, '점괘'의 뜻을 나타냄.

[卦辭 괘사] 괘(卦)의 점사(占辭).
[卦象 괘상] 괘의 길흉(吉凶)의 상(象).
[卦筮 괘서] 점. 복서(卜筮).
[卦兆 괘조] 점치어 나타난 형상.
[卦爻 괘효] 역괘(易卦)를 이루는 여섯 개의 획.
◉吉卦. 內卦. 上卦. 筮卦. 蓍卦. 神卦. 陽卦. 外卦. 六十四卦. 陰卦. 兆卦. 尊卦. 鬻卦. 八卦. 下卦.

6 ⑧ [卧] 〔려〕 麗(鹿部 八畫〈p. 2691〉)의 古字

[卓] 〔탁〕 十部 六畫(p. 307)을 보라.

[臥] 〔와〕 臣部 二畫(p. 1871)을 보라.

7 ⑨ [卥] ■ 조 ㊥蕭 徒聊切 tiáo ■ 유 ㊥尤 以周切 yǒu

字解 ■ 늘어질 조 열매가 주렁주렁 달린 모양. '一, 艸木實垂一一然'《說文》. ■ 술통 유 卣(卜部 五畫〈p. 312〉)의 古字.

字源 象形. 접시 위에 놓인 술 그릇으로서의 호리병의 모양을 본뜸.

8 ⑩ [㪷] 〔극〕 克(儿部 五畫〈p.195〉)의 古字

9 ⑪ [卨] 人名 一 离(内部 七畫〈p.1607〉)과 同字 二 契(大部 六畫〈p.506〉)의 同字
筆順 卜 卢 卢 卣 卣 卨 卨 卨

[鹵] 〔로〕 部首(p.2686)를 보라.

卩(㔾)(2획)部
〔병부절부〕

0 ② [卩] 절 ㊀屑 子結切 jié
筆順 ㇆ 卩
字解 병부 절 節(竹部 九畫)의 古字.
字源 甲骨文 篆文 甲骨文은 사람이 무릎을 꿇은 모양을 본떠, '무릎 관절'의 뜻을 나타냄. '節절'의 원자(原字). 두 다리의 관절이 서로 마주 보듯이, 꼭 들어맞는 표, 부절(符節)의 뜻으로 쓰임.
參考 부수(部首)로서, 무릎을 꿇는 일에 관계되는 문자나 신표(信標)의 뜻을 포함하는 문자를 이룸. 글자의 아랫부분, 발이 될 때에는 '㔾'이 됨.

0 ② [㔾] 卩(前條)과 同字

1 ③ [卪] 절 ㊀屑 子結切 jié
字解 병부 절 卩(前前條)과 同字. '一, 瑞信也'《說文》.
字源 象形. 사람이 무릎을 꿇은 모양을 본뜸.

2 ④ [卬] 앙 ①-③㊥陽 五剛切 áng ④㊤養 魚兩切 yǎng
字解 ①나 앙 자기. '一須我友'《詩經》. ②오를 앙 昂(日部 四畫)과 同字. '萬物一貴'《漢書》. ③성 앙 성(姓)의 하나. ④우러러볼 앙 仰(人部 四畫)과 同字. '上足一則下可用也'《荀子》.
字源 篆文 會意. ヒ+卪. 'ヒ비'는 서 있는 사람. '卪절'은 무릎 꿇은 사람의 상형. 무릎을 꿇고, 서 있는 사람을 우러러보다의 뜻을 나타냄. 평성(平聲)은 '吾오'와 통하여 '나'의 뜻도 나타냄.

[卬貴 앙귀] 물가(物價)가 오름.
[卬卬 앙앙] 임금의 덕(德)이 아래에 미치는 모양. 또, 위엄(威嚴)이 많은 모양.
◉低卬. 瞻卬.

2 ④ [夘] 一 제 ㊤薺 子禮切 qīng 二 경 ㊥庚 丘京切 三 묘 ㊤巧 莫飽切
字解 一 조처할 제 일을 적절하게 꾸려서 처리함. '一, 事之制也'《說文》. 二 벼슬 경 卿(卩部 十畫〈p.318〉)의 本字. 三 넷째지지 묘 卯(次次條)의 俗字.
字源 會意. 卪+卪

2 ④ [卭] 선 ㊀霰 士戀切 zhuàn
字解 갖출 선 병부·신표가 갖춰진 모양. '一, 具也'《廣韻》.
字源 會意. 㔾(卪)+㔾(卪)

3 ⑤ [卯] 中 人 묘 ㊤巧 莫飽切 mǎo
筆順 ㇀ ㇄ 卯 卯 卯
字解 ①넷째지지 묘 십이지(十二支) 중의 넷째. 방위는 동쪽, 시간으로는 오전 6시, 띠로는 토끼, 달로는 음력 2월. '未如一後酒, 神速功力倍'《白居易》. ②성 묘 성(姓)의 하나.
字源 甲骨文 金文 篆文 象形. 같은 꼴의 것을 좌우 상칭(相稱)으로 놓고, 같은 값의 물건과 교역(交易)하다의 뜻을 나타냄. '貿무'의 원자(原字). 假借하여 십이지의 넷째로 쓰임. 일설에는 좌우로 열린 문(門)의 상형으로, 만물이 겨울의 문에서 튀어나오는 음력 2월의 뜻을 나타낸다고 함.

[卯君 묘군] 묘(卯)의 해에 난 사람.
[卯金刀 묘금도] '劉'자의 석자(析字). 한성(漢姓)인 유(劉)의 은어로 씀. 약하여 묘금(卯金)이라고도 함.
[卯飯 묘반] 조반(朝飯).
[卯方 묘방] 이십사방위(二十四方位)의 하나. 동쪽.
[卯睡 묘수] 새벽잠. 신면(晨眠).
[卯時 묘시] 오전(午前) 5시부터 7시까지의 사이.
[卯飮 묘음] 묘주(卯酒)를 마심. 해장술을 마심.
[卯正 묘정] 오전 6시.
[卯酒 묘주] 묘시, 곧 아침 6시경에 마시는 술. 곧, 해장술.
[卯畜 묘축] '토끼'의 딴 이름.
◉剛卯. 木卯. 犯卯. 子卯. 破卯.

3 ⑤ [卭] 〔공〕 邛(邑部 三畫〈p.2329〉)의 訛字

3 ⑤ [卮] 치 ㊥支 章移切 zhí
字解 ①잔 치 술잔. 술을 담는 둥근 그릇. '奉玉一爲太上皇壽'《漢書》. ②잇 치 연지(臙脂)의 원료가 되는 풀. 잇꽃. 홍람(紅藍). '巴蜀地饒一薑'《史記》.

[卮①]

字源 篆文 會意. 𠂆+卪(㔾). '𠂆치'는 사람의 상형. '卪절'은 사람이 마실 때 절도를 지켜야 할 그릇, 술잔의 뜻. 또 '卪'은 손잡이를 나타내며, 손잡이가 있는 술잔이라고도 함. 일설에는 '卪'은 사람이 무릎을 꿇은 모양, '𠂆'는 선 사람. 서로 주고받는 '술잔'의 뜻을 나타낸다고 함.

[卮言 치언] 잔에서 술이 쏟아지듯이 유창하게 나오는 임기응변(臨機應變)의 말. 일설(一說)에는, 지리멸렬(支離滅裂)하여 앞뒤가 맞지 않는 말. 횡설수설(橫說竪說).
[卮酒 치주] 잔에 따른 술. 배주(杯酒).
◉漏卮. 玉卮. 瓦卮. 瑤卮. 侑卮. 操卮. 酒卮.

4⑥ [印] 中人 인 ㊀震 於刃切 yìn

筆順 ˊ ｢ F E 𦥑 印

字解 ①인 인 도장. '佩六國相―'《史記》. ②찍을 인 ㉠인장을 찍음. '以墨印―之'《舊唐書》. ㉡서적을 간행함. '一板―刷'《夢溪筆談》. ③찍힐 인, 묻을 인 자취가 남음. '一象'. '口脂在手, 偶―于花上'《靑瑣高議》. ④《佛敎》 인상(印相) 인 손가락을 여러 가지로 끼워 맞추어 여러 형상을 만들어 법덕(法德)의 표지로 하는 것. '結―而造'《佛祖統紀》. ⑤성 인 성(姓)의 하나.
字源 甲骨文 金文 篆文 會意. 爪+卩. '爪조'는 아래를 향한 손의 상형. '卩절'은 '節절'의 생략형으로 '표'의 뜻. 손으로 표를 하는 모양에서 '표'의 뜻을 나타냄.

[印可 인가] '인가(認可)'와 같음.
[印刻 인각] 나무나 그 밖의 물건에 글자나 물형(物形)을 새김.
[印鑑 인감] 관청에 대조용(對照用)으로 제출한 실용(實用)하는 도장의 인영(印影). 도장의 진위(眞僞)를 감정하기 위하여 씀.
[印檢 인검] 도장을 찍고 봉(封)함. 또, 그 봉한 데.
[印契 인계]《佛敎》 인주(印呪).
[印顆 인과] 인영(印影).
[印泥 인니] ㉠중국에서 옛날에 진흙으로 만들어 쓴 인주(印朱). ㉡인주.
[印文 인문] 인발. 인영(印影).
[印譜 인보] 여러 가지 인영(印影)을 모아 실은 책.
[印本 인본] 인쇄(印刷)한 책.
[印封 인봉] ㉠공무(公務)가 끝난 뒤에 관인(官印)을 봉하여 둠. ㉡방간(防奸)하기 위하여 물건을 봉한 곳에 인장(印章)을 찍음.
[印相 인상]《佛敎》 두 손의 손가락을 여러 가지로 끼워 맞춰서 여러 형상을 만들어 불(佛)·보살(菩薩)의 내증(內證)의 덕(德)의 표지(標識)로 하는 것.

[印相]

[印象 인상] ㉠《佛敎》 물건의 표면에 찍힌 형상. ㉡자극을 받아 감각을 일으켜 마음에 새겨지는 작용.
[印璽 인새] 인(印). 도장(圖章).
[印書 인서] 인쇄한 책.
[印稅 인세] 서적(書籍)의 발행자가 저작자(著作者)에게 보수로 주는 돈.
[印刷 인쇄] 글이나 그림 등을 박아 냄.
[印綬 인수] 인(印)과 인끈. 벼슬아치로 임명되어 임금으로부터 받는 표장(標章).
[印信 인신] ㉠증거. 증인(證印). ㉡인. 인장(印章).
[印影 인영] 찍어 놓은 도장의 형적(形迹). 인발.
[印肉 인육] 인주(印朱).
[印章 인장] ㉠도장. ㉡인영(印影).
[印材 인재] 도장을 만드는 재료. 나무·수정·뿔·금속 등이 있음.
[印朱 인주] 도장에 묻히어 찍는 주홍(朱紅)빛이 나는 물건.
[印呪 인주]《佛敎》 진언종(眞言宗)에서 손에 인상(印相)을 맺고 다라니(陀羅尼)를 외는 일.
[印池 인지] 인주합(印朱盒).
[印紙 인지] ㉠인장(印章)을 찍은 종이. ㉡세금 또는 수수료를 내는 증거로 서류(書類)·장부(帳簿) 등에 붙이는, 정부(政府)에서 발행하는 증표(證票).
[印板 인판] 서적을 인쇄하는 판(版). 판목(版木).
[印行 인행] 출판물을 발행함. 간행함.
[印形 인형] 인영(印影).
◉刻印. 改印. 檢印. 契印. 公印. 官印. 極印. 金印. 烙印. 捺印. 銅印. 拇印. 法印. 封印. 寺印. 私印. 社印. 相印. 石印. 消印. 燒印. 信印. 實印. 心印. 押印. 影印. 玉印. 僞印. 銀印. 認印. 調印. 證印. 職印. 佩印.

4⑥ [危] 中人 위 ㊥支 魚爲切 wēi

筆順 ノ ク 𠂊 产 㐫 危

字解 ①위태할 위 ㉠위험함. '一徑'. '高而不―'《孝經》. ㉡보전하기 어려움. 거의 망하게 됨. '一急存亡之秋'. '魏必―'《戰國策》. ㉢거의 죽게 됨. 병이 위중함. '一篤'. '命其子, 捨―惙之母'《隋書》. ㉣바르지 아니함. 믿기 어려움. '眞傾―之士哉'《史記》. ②위태롭게할 위 전항의 타동사. '博辯廣大, ―其身'《史記》. ③위구할 위 두려워함. 의구(疑懼)함. 불안해함. '一怖'. '日以相―'《呂氏春秋》. ④높을 위 '一空'. '一峯'. '去其―冠'《莊子》. ⑤바를 위 곧음. '一然處其所'《莊子》. ⑥바르게할 위 곧게 함. 일설(一說)에는, 고상하게 함. 또, 일설에는 엄격히 함. '邦有道, 一言―行'《論語》. ⑦마룻대 위 옥동(屋棟). '中屋履―'《禮記》. ⑧별이름 위 이십팔수(二十八宿)의 하나. 북방에 있음. '玄武之宿, 虛―之星'《左傳註》. ⑨거의 위 거반. '東平王禹曰, 我―得之'《漢書》. ⑩성 위 성(姓)의 하나.
字源 甲骨文 篆文 形聲. ク+厄[音]. '厄와'는 '무릎을 꿇다'의 뜻. 'ク'도 사람이 무릎을 꿇은 모양. 불안정하게 무릎을 꿇는 모양에서, '위태하다'의 뜻을 나타냄.

[危閣 위각] 위루(危樓).
[危徑 위경] 위태(危殆)로운 좁은 길.
[危境 위경] 위태한 경지.
[危計 위계] 위험한 계획.
[危苦 위고] 위태로워 고생함.
[危空 위공] 높은 공중(空中).
[危惧 위구] 위구(危懼).
[危懼 위구] 두려워함. 대단히 불안해함.
[危局 위국] 위태로운 시국(時局).
[危窘 위군] 위고(危苦).
[危急 위급] 위태하고 급함. 위태로운 재난(災難)이 가까이 닥침.
[危急存亡之秋 위급존망지추] 나라의 존망(存亡)이 달려 있는 가장 중요한 때. 존속하느냐 망하

느냐 하는 대단히 위태로운 때.
[危機 위기] 위급한 기회(機會). 위험(危險)한 때.
[危機一髮 위기일발] 조금이라도 잘못하면 위급한 순간(瞬間). 극히 위급한 경우(境遇).
[危難 위난] 위급한 재난(災難).
[危溺 위닉] 대단히 고생함.
[危道 위도] ㉠위험(危險)한 길. ㉡위험한 방법.
[危篤 위독] 병세(病勢)가 매우 중함.
[危亂 위란] 나라가 위태(危殆)하고 어지러움.
[危欄 위란] 높은 난간.
[危路 위로] 위험한 길. 위도(危道).
[危樓 위루] 높은 다락집. 높은 누각(樓閣). 고루(高樓). 위각(危閣).
[危懍 위름] 대단히 두려워함.
[危亡 위망] 형세가 위급하여 거의 망하게 됨.
[危迫 위박] 위험이 눈앞에 닥침.
[危拔 위발] 형세가 위급하여 거의 함락하게 됨.
[危邦 위방] 위태한 나라. 망하려고 하는 나라.
[危邦不入 위방불입] 위험한 곳에 가지 아니함.
[危峯 위봉] 높은 산봉우리.
[危榭 위사] 높은 정자.
[危削 위삭] 위약(危弱).
[危星 위성] 이십팔수(二十八宿)의 하나. 북방에 있음.
[危悚 위송] 위구(危懼).
[危術 위술] 위험한 방법.
[危身 위신] 몸을 위험한 곳에 두어 위태롭게 함.
[危心 위심] 위태로워 두려워하는 마음.
[危安 위안] 위험함과 편안함.
[危弱 위약] 위태롭고 약함.
[危若朝露 위약조로] 아침 이슬이 해가 뜨면 바로 마르듯이 극히 위급함. 인생(人生)의 무상(無常)함의 비유.
[危言 위언] 말을 고상(高尙)히 하여 시속(時俗)에 좇지 아니함. 자해(字解)❻을 보라.
[危如累卵 위여누란] 달걀을 달걀 위에 쌓아올린 것처럼 위태위태함.
[危然 위연] 홀로 올바른 모양.
[危慄 위율] 위구(危懼).
[危疑 위의] 의심(疑心)이 나서 마음이 불안함. 의구(疑懼)함.
[危檣 위장] 높은 돛대.
[危坐 위좌] 똑바로 앉음. 단정히 앉음. 궤좌(跪坐). 정좌(正坐).
[危重 위중] 병세(病勢)가 대단함.
[危症 위증] 위험한 병세.
[危地 위지] 위험한 땅. 또, 위태로운 경지.
[危惙 위철] ㉠위독(危篤). ㉡위구(危懼).
[危堞 위첩] 높은 성가퀴.
[危墜 위추] ㉠거의 떨어지게 되어 위태로움. ㉡쇠(衰)하여 위태롭게 됨.
[危惴 위췌] 위구(危懼).
[危脆 위취] 위태하고 헤식은 모양.
[危殆 위태] 위험함. 또, 형세가 매우 어려움.
[危怖 위포] 위구(危懼).
[危害 위해] 위험한 재난(災難). 몸에 상해(傷害)를 입을 만한 큰 액(厄).
[危駭 위해] 위험한 생각이 나서 놀람.
[危害物 위해물] 위험스러운 물건.
[危行 위행] 행동을 고상(高尙)히 하여 시고(時俗)에 좇지 아니함. 자해(字解)❻을 보라.
[危險 위험] ㉠위태하고 험함. ㉡안전하지 못함. ㉢요해처(要害處).
[危慌 위황] 위험하고 황망(慌忙)함.
◉居安思危. 傾危. 累卵之危. 安危. 澆危. 攲危. 殆危. 險危. 懷危.

4 ⑥ [𠨊] 〔선〕 卬(卩部 二畫〈p. 313〉)과 同字

5 ⑦ [卲] 人名 소 ㊀嘯 寔照切 shào

字解 높을 소, 뛰어날 소 '年高德—'《說文》.
字源 金文 篆文 形聲. 卩(㔾)+召〔音〕. '召소'는 '분명하다'의 뜻. 부절(符節)이 높이 나타나다의 뜻을 나타냄.
參考 邵(邑部 五畫)·劭(力部 五畫)는 본디 別字이나 혼동하여 쓰이는 일이 적지 않음.

5 ⑦ [却] 高人 각 ㊁藥 去約切 què

筆順 一 十 土 去 去 去丁 却

字解 ①물러날 각 ㉠뒤로 물러남. '退—'. '戰慄而—'《戰國策》. ㉡감. 멀어짐. '似秋隆暑斯—'《梁昭明太子》. ㉢쉼. '今吾心正—矣'《莊子》. ②물리칠 각 ㉠받지 아니함. 퇴함. 되돌려 보냄. '棄—'. '—之爲不恭'《孟子》. ㉡오지 못하게 함. 막음. '—諫者'《說苑》. ㉢쫓아 버림. '—退'. '—走馬以糞'《老子》. ③뒤집을 각 안과 겉을 뒤바꿈. '—手'. ④어조사 각 조사(助詞)로서 딴 동사 밑에 첨가하여 씀. 了(亅部 一畫)와 뜻이 같음. '忘—'. '一片花飛減—春'《杜甫》. ⑤도리어 각 반대로. '窮鼠—齧猫'. '若離了事物爲學, —是著空'《傳習錄》. ⑥틈 각 틈새. 간극(間隙). '其神無—'《列子》.
字源 篆文 形聲. 卩(㔾)+去〔音〕. '去거·각'은 '떠나가다'의 뜻. 무릎걸음으로 뒤로 물러나다의 뜻을 나타냄. 설문(說文)에서는 '卻각'을 정자(正字)로 보고, 谷聲이라고 설명하나, 옛적에는 '去'와 '谷곡'의 자체가 비슷했기 때문으로 생각됨.

[却棄 각기] 물리쳐 버림.
[却流 각류] 거슬러 흐름.
[却立 각립] 뒤로 물러나서 섬.
[却粒飡霞 각립찬하] 낟알을 먹지 아니하고 노을을 마심. 곧 신선(神仙)이 됨을 이름.
[却步 각보] 뒤로 물러감. 퇴각함.
[却說 각설] 화제(話題)를 돌리어 딴 말을 꺼낼 때에 쓰는 말.
[却掃 각소] 내객(來客)을 거절함.
[却是 각시] 도리어. 실은.
[却月 각월] ㉠초승달. 허리에 찬 활〔弓〕의 모양의 비유로 쓰임. ㉡반달 같은 눈썹.
[却坐 각좌] 뒤로 물러나서 앉음.
[却走 각주] 뒤로 물러나 달아남. 후퇴하여 달아남.
[却縮 각축] 물러나 위축함.
[却退 각퇴] 물러남. 또, 물리침.
[却下 각하] 소송(訴訟)·원서(願書) 등을 받지 아니하고 물리침.
[却合 각합] 위를 향하게 하여 포갬.
[却行 각행] 뒤로 물러남. 후퇴함.
◉滅却. 擊却. 困却. 棄却. 冷却. 忘却. 賣却. 滅却. 沒却. 反却. 返却. 排却. 擯却. 償却. 消却. 燒却. 攘却. 遺却. 前却. 阻却. 脫却.

退却. 破却. 敗却. 閑却.

5 ⑦ [即] 〔즉〕
卽(卩部 七畫〈p.317〉)의 俗字

5 ⑦ [卵] 中·人 란 ㊤旱 盧管切 luǎn

筆順 ㇀ ㇀ ㇀ 㠯 卯 卵 卵

字解 알 란 ㉠새의 알. '去累—之, 就永安之計'《司馬相如》. ㉡물고기의 알. '濡魚—醬實蓼'《禮記》.

字源 篆文 象形. 알의 상형. 음(陰)과 양(陽), 난자와 정자가 만나서 생기는 '알'의 뜻을 나타냄.

[卵殼 난각] 알의 껍데기.
[卵白 난백] 달걀의 흰자위.
[卵色 난색] 난각(卵殼)의 빛깔.
[卵生 난생] 수정(受精)한 알이 모체(母體)를 떠나 부화(孵化)되어 새끼가 나옴.
[卵巢 난소] 난자(卵子)를 만들어 내는 타원형의 여자의 생식 기관.
[卵圓形 난원형] 달걀처럼 한쪽이 갸름하고 둥근 형상.
[卵育 난육] 양육(養育)함. 난익(卵翼).
[卵翼 난익] 새가 알을 품듯이 품에 안아 기름. 난육(卵育).
[卵子 난자] 난소(卵巢) 안에서 정자(精子)와 합하여 생식 작용(生殖作用)을 하는 개체(個體).
[卵塔 난탑] 난형(卵形)을 이룬 탑. 난탑(蘭塔).
[卵形 난형] 달걀의 형상. 난원형(卵圓形).
[卵黃 난황] 노른자위.
◉鷄卵. 累卵. 排山壓卵. 蜂房不容鵠卵. 孵卵. 產卵. 翼卵. 重卵.

6 ⑧ [卸] 사 ㊋禡 司夜切 xiè

字解 ①풀 사 ㉠옷 같은 것을 벗음. '塵冠聊以—'《陸龜蒙》. ㉡배에서 짐을 부림. ㉢수레에 맨 말을 풂. 말의 안장을 벗김. ㉣해직(解職)함. '—任'. ②떨어질 사 낙하함. '疾花凋—'《復齋漫錄》.

字源 篆文 形聲. 卩(卪)+止+午[音]. '午오'는 두 사람이 마주 보고 번갈아 내리찧는 방앗공이의 상형. '卪절'은 무릎 꿇은 사람의 상형. '止지'는 발을 본뜬 것으로, '가다'의 뜻. 무릎 꿇은 두 사람이 하나의 방앗공이를 번갈아 내리찧듯이, 옛날에 짐을 역참(驛站)에서 내려서 딴 말에 옮겨 싣는 데서, '풀어 내리다'의 뜻을 나타냄.

[卸任 사임] 해임(解任)함.
◉文字脫卸. 凋卸.

6 ⑧ [卹] ㊀ 휼 ㊇質 辛聿切 xù
㊁ 솔 ㊇月 蘇骨切 sū

字解 ㊀ 진휼할 휼 恤(心部 六畫)과 同字. '以—凶荒'《周禮》. ㊁ 먼지떨 솔 먼지를 떪. 일설(一說)에는, 긁음. 문지름. '國中以策彗—勿驅'《周禮》.

字源 金文 篆文 形聲. 卩(卪)+血[音]. '血혈'은 '피'의 뜻. '卪절'은 '무릎 꿇다'의 뜻. 희생물을 바치고 무릎을 꿇어 '삼가고 걱정하다'의 뜻을 나타냄.

[卹金 휼금] 전사한 군인의 유족(遺族), 또는 부상한 군인에게 지급하는 돈.
[卹削 휼삭] 의복의 정제(整齊)되어 있는 모양. 술삭(戌削).
[卹賞 휼상] 벼슬아치가 죽었을 때 위에서 그 장제(葬祭)의 비용을 내림.
[卹養 휼양] 동정하여 먹여 살림.
[卹典 휼전] 위에서 내린 부의(賻儀).
◉矜卹. 勞卹. 撫卹. 賦卹. 賜卹. 贍卹. 慰卹. 恩卹. 存卹. 賙卹. 振卹. 賑卹.

6 ⑧ [㕁] 〔각〕
卻(卩部 七畫〈p.318〉)의 俗字

6 ⑧ [卷] 中·人 권 ①-③㊋霰 居倦切 juàn
④-⑦㊤銑 居轉切 juǎn
⑧-⑪㊥先 巨員切 quán

筆順 ノ 八 亼 亼 头 关 券 卷

字解 ①두루마리 권 주지(周紙). '獻近所爲復志賦已下十首爲一卷, 一有標軸'《韓愈》. ②책 권 고대에는 책을 매지 않고 두루마리로 하였으므로, 전(轉)하여 책의 뜻으로 쓰임. '書—'. '手不輟—'《晉書》. ③권 권 ㉠책을 세는 수사(數詞). '擁書萬—'. '不讀五千—書者, 不得入此室'《北史》. ㉡도서의 편차(編次)의 구별. '鐙下南華—'《賈島》. ④말 권 돌돌 맒. '席—'. '邦無道, 則可—而懷之'《論語》. ⑤말릴 권 전항의 피동사. '早荷向心—'《唐太宗》. ⑥두를 권 ㉠싸서 가림. 포위함. '自雲四—天無河'《韓愈》. ㉡돌림. 감음. '薜蘿可—'《江淹》. ⑦성 권 성(姓)의 하나. ⑧굽을 권 굴곡함. '—髮'. '—曲而不中規矩'《莊子》. ⑨작을 권 조그마함. '一—石之多'《中庸》. ⑩아름다울 권 婘(女部 八畫)과 同字. '有美一人, 碩大且—'《詩經》. ⑪정성 권 惓(心部 八畫)과 同字. '敢昧死竭——'《漢書》.

字源 篆文 形聲. 卩(卪)+𢍏[音]. '𢍏권'은 '말다'의 뜻. '卪절'은 무릎을 구부리고 있는 모양을 본뜸. '말다'의 뜻을 나타냄.

[卷甲 권갑] 갑옷을 말아 둠. 무장을 풀고 전쟁을 그만둠.
[卷甲韜旗 권갑도기] 갑옷을 말아 두고 군기(軍旗)를 치운다는 뜻으로, 전쟁을 그만둠. 언갑(偃甲).
[卷經 권경] 경서(經書)를 두루마리로 표장(表裝)하여 간수함.
[卷曲 권곡] 굽음.
[卷卷 권권] 충근(忠勤)한 모양. 정성스러운 모양. 권권(惓惓).
[卷丹 권단] 백합과(科)에 속하는 다년초. 당개나리.
[卷頭 권두] 책 또는 두루마리 같은 것의 첫머리. 권수(卷首).
[卷婁 권루] 과로(過勞)하여 고달픔.
[卷尾 권미] 책 또는 두루마리 같은 것의 제일 뒤.
[卷髮 권발] 고수머리.
[卷柏 권백] 다년생 상록 양치식물(羊齒植物)의 하나. 부처손.
[卷舒 권서] ㉠맒과 폄. ㉡나아감과 물러감. 재덕(才德)을 숨김과 나타냄.

[卷石 권석] 작은 돌. 조약돌.
[卷舌 권설] ㉠혀를 맒. 놀라거나 하도 어이가 없어서 말이 나오지 아니함을 이름. ㉡별의 이름.
[卷首 권수] ㉠책의 첫째 권. ㉡권두(卷頭).
[卷數 권수] 책의 수효.
[卷鬚 권수] 잎이 변하여 덩굴같이 되어 다른 물건에 감겨 줄기를 고정시키는 수염 같은 것. 덩굴손.
[卷然 권연] 미인(美人)의 예쁜 모양. 고운 모양.
[卷煙 권연] 만 담배. 궐련.
[卷耳 권이] 국화과(科)에 속하는 일년초. 열매에 갈고리가 있어 사람 옷에 잘 붙음. 도꼬마리.
[卷子本 권자본] 두루마리로 된 책.
[卷帙 권질] 책의 권수와 부수. 또, 책.
[卷軸 권축] 표장(表裝)하여 말아 놓은 서화(書畫). 또, 그 축(軸).
[卷置 권치] 말아서 둠.
[卷土重來 권토중래] 땅을 말아 일으킬 것 같은 기세로 다시 온다는 뜻으로, 한 번 패전한 자가 세력을 복구하여 다시 쳐들어오거나, 한 번 실패한 자가 다시 전력을 들여 진출함을 이름.
[卷懷 권회] 말아서 주머니에 집어넣음. 곧, 재덕(才德)을 감추고 나타내지 아니함. 도회(韜晦).
◉開卷. 經卷. 大卷. 圖卷. 萬卷. 別卷. 符卷. 書卷. 舒卷. 席卷. 首卷. 詩卷. 壓卷. 全卷. 合卷. 黃卷.

6 ⑧ [卺] 근 [上]吻 居隱切 jǐn

[字解] 합환주잔 근 혼례 때 신랑·신부가 서로 바꾸어 마시는 술잔. '四爵合―'《儀禮》.

[字源] 篆文 會意. 丞+㔾. 무릎을 굽혀〔㔾〕 양손을 올려 받들어 받는다〔丞〕에서, '삼가 받다'의 뜻을 나타냄.

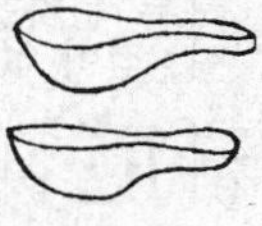
〔卺〕

◉合卺.

7 ⑨ [卽] [中人] 즉 [入]職 子力切 jí

[筆順]

[字解] ①곧 즉 ㉠즉시. 바로. '―今'. '―決'. '盜發―得'《宋史》. ㉡다름이 아니라. '色―是空, 空―是色'《般若心經》. ②가까이할 즉 '子不我―'《詩經》. ③나아갈 즉 자리에 나아감. '―席'. '―位'. '漢王―皇帝位'《十八史略》. ④만약 즉 만일. '吾―沒, 若必師之'《史記》. ⑤불똥 즉 촛불의 탄 나머지. '左手執燭, 右手執―'《管子》. ⑥성 즉 성(姓)의 하나.

[字源] 甲骨文 金文 篆文 會意. 皀+卩(㔾). '皀비'는 먹을 것의 상형. '卩절'은 무릎 꿇은 사람의 상형. 사람이 밥 먹는 자리에 나아가다의 뜻에서, 일반적으로 '나아가다'의 뜻을 나타냄.

[參考] 即(卩部 五畫)·卽(次條)은 俗字.

[卽刻 즉각] 곧 그 시각(時刻). 즉시.
[卽決 즉결] 즉시(卽時) 처결함.
[卽景 즉경] 눈앞에 보이는 경치.
[卽今 즉금] 곧 이제. 지금 당장.
[卽諾 즉낙] 그 자리에서 승낙함.
[卽納 즉납] 그 자리에서 곧 바침.
[卽旦 즉단] 날이 샐 무렵.
[卽斷 즉단] 그 자리에서 곧 단정함.
[卽答 즉답] 그 자리에서 곧 대답함.
[卽得往生 즉득왕생]《佛敎》아미타불의 명호를 부르며 왕생하기를 바라던 사람이 죽은 뒤 곧 극락에 가게 되는 것.
[卽賣 즉매] 상품이 놓인 그 자리에서 곧 팖.
[卽墨 즉묵] 춘추 시대(春秋時代)의 제(齊)나라의 읍명(邑名). 한대(漢代)에는 현(縣)을 두었음. 지금의 산둥 성(山東省) 평도현(平度縣)의 동남(東南).
[卽墨侯 즉묵후] '벼루'의 별칭.
[卽死 즉사] 그 자리에서 곧 죽음.
[卽事 즉사] ㉠그 자리에서 듣고 본, 또는 가슴에 떠오른 일. 또, 그 일을 제목으로 하여 당장에 시가(詩歌)를 지음. 또, 그 시가. ㉡가서 그 일에 관계함.
[卽殺 즉살] 그 자리에서 곧 죽임.
[卽席 즉석] ㉠자리에 앉음. ㉡그 자리. 곧, 그때.
[卽成 즉성] 그 자리에서 이루어짐, 또는 이룸.
[卽世 즉세] 죽어 세상을 떠남. 죽음.
[卽速 즉속] 즉시로. 빨리.
[卽時 즉시] ㉠곧, 그때. ㉡지금. 현재(現在).
[卽時一杯酒 즉시일배주] 지금 당장 눈앞에 있는 한 잔의 술이라는 뜻으로, 나중의 큰 이익보다 현재의 조그마한 이익이 더 좋다는 말.
[卽身成佛 즉신성불]《佛敎》도(道)를 깨달으면 육체(肉體)로 있는 채로 곧 부처가 됨.
[卽心是佛 즉심시불]《佛敎》도(道)를 깨달으면 내 마음이 곧 부처이고, 그 밖에는 부처가 없다는 말.
[卽夜 즉야] 그 밤에 곧. 곧, 그 밤에.
[卽位 즉위] ㉠제왕(帝王)의 자리에 나아감. 제왕이 됨. ㉡자리에 앉음.
[卽應 즉응] 기회(機會)를 따라 곧 응(應)함.
[卽日 즉일] 곧 그날. 당일(當日).
[卽且 즉저] '지네'의 별칭(別稱). 즉저(蝍蛆).
[卽傳 즉전] 곧 전(傳)하여 줌.
[卽錢 즉전] 맞돈.
[卽祚 즉조] 즉위(卽位).
[卽座 즉좌] 즉석(卽席).
[卽卽 즉즉] ㉠충실(充實)한 모양. ㉡봉(鳳)새의 울음소리.
[卽智 즉지] 그 자리에서 바로 나오는 슬기. 기지(機智).
[卽瘥 즉차] 병(病)이 곧 나음.
[卽行 즉행] ㉠곧 감. ㉡일을 곧 치름.
[卽效 즉효] 약(藥) 같은 것이 당장에 효력(效力)이 나타남.
[卽興 즉흥] ㉠즉석에서 일어나는 흥치. ㉡즉석에서 하는 음영(吟詠).
◉延卽. 往卽. 六卽. 移卽. 燭卽.

7 ⑨ [卽] 卽(前條)의 俗字

7 ⑨ [卼] 올 [入]月 五忽切 wù

[字解] 위태할 올 위태한 모양. '上九, 困于葛藟, 于臲―'.

◉臲卼.

7 ⑨ [卻] 〔각〕 却(卩部 五畫〈p.315〉)의 本字
[參考] 郤(邑部 七畫)은 別字.

7 ⑨ [卿] 〔경〕 卿(卩部 十畫〈p.318〉)과 同字

9 ⑪ [卿] 卿(次次條)의 俗字

9 ⑪ [卿] 卿(次條)의 俗字

10 ⑫ [卿] [高入] 경 [平]庚 去京切 qīng

[筆順] ノ ʃ 乒 乒 卯 卿 卿 卿

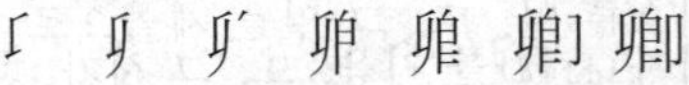

[字解] ①벼슬 경 ㉠고대의 관제에서 각 성(省)의 장관 이상의 벼슬. '三公九—'. '六—分職'《書經》. ㉡제후의 상대부(上大夫). '大國三—, 小國二—'《禮記》. ②경 경 진한(秦漢) 이후에 군주가 신하를 부르던 칭호. '—曹努力'《後漢書》. 전(轉)하여, 수당(隋唐) 이후에는 부부·붕우 간에도 쓰였음. '不忘—厚意'《漢書》. ③선생 경 장로(長老)에 대한 존칭으로, 성 밑에 붙이는 말. '荀—'. '虞—'. '燕人謂之荊—'《史記》. ④아주머니 경 여자의 호칭. '府吏謂新婦, 賀—得高遷云云, —當日勝貴, 我獨向黃泉'《古詩》. ⑤성 경 성(姓)의 하나.
[字源] 甲骨文 金文 篆文 象形. 두 사람이 음식을 사이에 두고 마주 보고 있는 모양을 본떠, 본디 '향하다, 대접하다'의 뜻을 나타냄. 왕실에서의 접대 담당자의 뜻에서, '귀인(貴人)'의 뜻을 나타냄.

[卿卿 경경] ㉠당신. 아내가 남편을 부르는 말. ㉡자네. 친구를 친애하는 뜻으로 부르는 말.
[卿校 경교] 구경(九卿)과 교위(校尉).
[卿大夫 경대부] 경(卿)과 대부(大夫). 곧, 집정자(執政者).
[卿老 경로] 경(卿) 중에서 치사(致仕)한 후에도 경의 대우를 받는 사람.
[卿輩 경배] 경조(卿曹).
[卿輔 경보] 경상(卿相).
[卿士 경사] ㉠경(卿)과 대부(大夫)와 사(士). ㉡대신(大臣). 집정자(執政者).
[卿相 경상] 재상(宰相). 대신(大臣).
[卿雲 경운] 상서(祥瑞)로운 구름. 서운(瑞雲).
[卿尹 경윤] 재상(宰相).
[卿子 경자] 남을 높이어 부르는 말. 공자(公子).
[卿子冠軍 경자관군] 공자대장(公子大將)이라는 뜻으로, 초(楚)나라 회왕(懷王)의 신하 송의(宋義)의 호(號).
[卿宰 경재] 경상(卿相).
[卿曹 경조] 경(卿)들. 경등(卿等).
◉客卿. 公卿. 九卿. 國卿. 三卿. 上卿. 世卿. 亞卿. 列卿. 月卿. 六卿. 冢卿. 下卿.

10 ⑫ [卿] 卿(前條)와 同字

10 ⑫ [卷] 〔권〕 卷(卩部 六畫〈p.316〉)의 本字

11 ⑬ [厀] 슬 [入]質 息七切 xī
[字解] 무릎 슬 膝(肉部 十一畫)과 同字. '頓首—行'《漢書》.

11 ⑬ [𠨬] [韓] 산
[字解] 《韓》땅이름 산 '—洞'은 땅 이름. '—, 地名. —洞萬戶, 見搢紳案'《新字典》.
[字源] '斜사'와 구결(口訣)에 쓰이는 '卩ㄴ·은'을 합하여, '산'의 음(音)을 나타냄.

厂 (2획) 部
〔민엄호부〕

0 ② [厂] 한 [去]翰 呼旰切 / [上]旱 呼旱切 hǎn
[筆順] 一 厂
[字解] ①언덕 한 구릉(丘陵). 일설(一說)에는, 낭떠러지. ②석굴 한 암혈(巖穴).
[字源] 金文 篆文 象形. 깎아지른 듯한 낭떠러지를 본뜸. '낭떠러지'의 뜻을 나타냄.
[參考] 부수(部首)로서, '벼랑·돌'의 뜻을 포함하는 문자를 이룸. 속(俗)에 '广엄호밑'에 대하여, 점이 없다 하여 '민엄호밑'이라 이름.

2 ④ [厄] [高入] [一] 액 [入]陌 於革切 è / [二] 와 [上]哿 五果切 ě
[筆順] 一 厂 厅 厄
[字解] [一] 재앙 액 재액. '—運'. '悼屈子兮遭—'《楚辭》. [二] 옹이 와 나무의 옹이. 마디.
[字源] 篆文 會意. 厂+卩. '厂한'은 구부러진 모양을 본뜬 것이고, '卩절'은 사람이 무릎 꿇은 모양을 본뜸. 무릎 꿇을 때의 무릎의 뜻에서, 나무의 옹이 부분의 뜻을 나타냄. 또 '厂한'은 벼랑, '㔾절'은 몸을 구부려 주의를 기울이다의 뜻이므로, 비좁은 벼랑 가, 위태롭다의 뜻을 나타냄. 파생하여 '재앙'의 뜻을 나타냄.

[厄勤 액근] 재난으로 고생함.
[厄難 액난] 액재(厄災).
[厄年 액년] 운수(運數)가 사나운 해.
[厄塞 액새] 액운(厄運).
[厄運 액운] 액(厄)을 당할 운수. 불운(不運).
[厄月 액월] 운수(運數)가 사나운 달.
[厄災 액재] 재액(災厄). 재난(災難).
[厄害 액해] 액재(厄災).
[厄禍 액화] 액(厄)으로 당하는 화(禍).
[厄會 액회] 재앙(災殃)이 닥치는 기회(機會).
◉困厄. 窘厄. 窮厄. 大厄. 災厄. 遭厄.

2 ④ [厅] 〔청〕 廳(广部 二十二畫〈p.711〉)의 簡體字

[仄] 〔측〕 人部 二畫(p.95)을 보라.

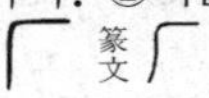

[反] 〔반〕
又部 二畫(p.329)을 보라.

3 ⑤ [厉] 〔려〕厲(厂部 十三畫〈p.323〉)의 略字·簡體字

3 ⑤ [厈] 국 ㉧沃 居六切 jú

字解 잡을 국 물건을 왼손으로 잡음. '一, 左手執持也. 一說, 敬事而抱迫不安也'《同文擧要》.
字源 指事. '丮극'의 반대의 꼴.

4 ⑥ [厌] 〔암·염·읍〕
厭(厂部 十二畫〈p.323〉)의 簡體字

4 ⑥ [压] 〔압·염〕
壓(土部 十四畫〈p.470〉)의 簡體字

[灰] 〔회〕
火部 二畫(p.1322)을 보라.

5 ⑦ [底] 人名 ㊀ 지 ㉤紙 職雉切 zhǐ ㊁ 저 ㉠齊 都黎切 dǐ

字解 ㊀ ①숫돌 지 砥(石部 五畫)와 同字. '爵祿天下之一石'《漢書》. ②갈 지 숫돌에 갊. 연마함. '一厲鋒鍔'《漢書》. ③바칠 지 드림. '一貢厥獒'《書經》. ④정할 지 결정함. '可一行'《書經》. ㊁ 이를 저 至(部首)와 뜻이 같음. '三后協心一于道'《書經》.
字源 篆文 形聲. 厂+氏〔音〕. '氏저'는 숫돌을 본뜸. '厂한'은 낭떠러지. 벼랑에서 채취한 '숫돌'의 뜻을 나타냄.

[底貢 지공] 공물(貢物)로 바침.
[底厲 지려] ㉠칼 같은 것을 숫돌에 갊. ㉡학문(學問)을 닦음. 또, 지조(志操)를 굳게 함.
[底石 지석] 숫돌.

5 ⑦ [居] ㊀ 도 ㉤麌 當古切 hù ㊁ 고 ㉤麌 侯古切 hù

字解 ㊀ 돌이름 도 아름다운 돌의 이름. '一, 美石也'《說文》. ㊁ 돌이름 고 ㊀과 뜻이 같음.
字源 形聲. 厂+古〔音〕

5 ⑦ [应] ㊀ 랍 ㉧合 盧合切 lā ㊁ 립 ㉧緝 力入切

字解 ㊀ 무너지는소리 랍 돌이 무너지는 소리. '一, 說文, 石聲也'《集韻》. ㊁ 무너지는소리 립 ㊀과 뜻이 같음.
字源 形聲. 厂+立〔音〕

[辰] 〔진〕
部首(p.2285)를 보라.

6 ⑧ [厓] 人名 애 ㉠佳 五佳切 yá(ái)

筆順 一 厂 厂 厈 厈 厓 厓 厓

字解 ①언덕 애, 낭떠러지 애 崖(山部 八畫)와 同字. '一峭水狹'《唐書》. ②물가 애 수애(水涯). '望一洒而高'《爾雅》. ③끝 애 제한(際限). '洞無一兮'《揚雄》. ④성 애 성(姓)의 하나. ⑤눈흘길 애 睚(目部 八畫)와 同字. '一眥莫不誅傷'《漢書》.
字源 篆文 形聲. 厂+圭〔音〕. '圭규'는 '傾경'과 통하여 '기울다'의 뜻. 기울어진 '벼랑'의 뜻을 나타냄.

[厓窾 애관] 물가의 구멍.
[厓略 애략] 대강. 대략(大略).
[厓山 애산] 송말(宋末)에 육수부(陸秀夫)가 그의 임금 병(昺)을 업고 바다로 들어가 빠져 죽은 곳. 지금의 광둥 성(廣東省) 신회현(新會縣) 남쪽의 해중(海中)에 있음.
[厓異 애이] 모남. 유달리 표가 남.
[厓眥 애자] 흘겨봄. 애자(睚眦).
◉枯厓. 丹厓. 斷厓. 攀木緣厓. 山岨水厓. 霜厓. 陰厓. 絶厓. 珠厓. 峻厓. 層厓. 懸厓.

6 ⑧ [厒] 갑 ㉧合 渴合切 kè ㉧葉 乙業切

字解 좌우에낭떠러지있는산 갑 양쪽에 강을 끼고 있는 산. '左右有岸, 一'《爾雅》.

7 ⑨ [厖] 방 ㉠江 莫江切 máng

字解 ①두터울 방 순후(純厚)함. '爲下國駿一'《詩經》. ②클 방 '一大'. '敦一純固'《國語》. ③넉넉할 방 풍족함. '民生敦一'《左傳》. ④섞일 방 뒤섞임. 난잡함. '一雜'. '不和政一'《書經》. ⑤성 방 성(姓)의 하나.
字源 篆文 形聲. 厂+尨〔音〕. '尨방'은 털이 많은 삽살개의 상형으로 '풍성하다'의 뜻. '厂한'은 '돌'의 뜻. 큰 돌의 모양에서, '크다, 넉넉하다'의 뜻을 나타냄.

[厖犬 방견] 털이 북슬북슬한 개. 삽사리. 삽살개.
[厖大 방대] 매우 많고도 큼. 또, 매우 두터움.
[厖眉 방미] 흰 털이 섞인 눈썹. 전(轉)하여, 노인(老人).
[厖然 방연] 방대(厖大)한 모양. 큰 모양.
[厖雜 방잡] 뒤섞임. 난잡함.
[厖洪 방홍] 방홍(厖鴻).
[厖鴻 방홍] 광대(廣大)한 모양. 큰 모양. 방홍(厖洪).
◉奇厖. 敦厖. 蒙厖. 紛厖. 駿厖. 豐厖.

7 ⑨ [厚] 中·人 후 ㉤有 胡口切 hòu

筆順 一 厂 厂 厂 厂 戸 厚 厚

字解 ①두터울 후 ㉠두꺼움. '一繒'. '謂地蓋一, 不敢不蹐'《詩經》. ㉡많음. '一祿'. '幣一言甘'《史記》. ㉢큼. '一利'. '道德不一'《戰國策》. ㉣깊음. '水之積也, 不一則負大舟也無力'《莊子》. ㉤진함. '濃一'. '一其液'《周禮》. ㉥무거움. '其於敝邑之王甚一'《戰國策》. ㉦친밀함. '一誼'. '深結一焉'《漢書》. ㉧정성스러움. '一意'. '破產一葬'《史記》. ㉨침착함. 천박하지 않음. '行一而詞深'《柳宗元》. ㉩감각이 둔함. 낯가죽이 두툼함. '一顏無恥'. '巧言如簧, 顏之一矣'《詩經》. ②두터이할 후 전항의 타동사. '不一其棟'《國語》. '一往而薄來'《中庸》. ③두께 후 두

꺼운 정도. '其一三寸'《禮記》. ④성 후 성(姓)의 하나.

[字源] 金文  篆文  會意. 厂+旱. '厂한'은 '벼랑'의 뜻. '旱후'는 '高고'를 거꾸로 한 꼴로, 망루(望樓)가 있는 성곽의 상형. 높고 두터운 '벼랑'의 뜻에서, 일반적으로 '두텁다'의 뜻을 나타냄.

[厚價 후가] 후한 값. 중가(重價).
[厚眷 후권] 두텁게 돌봐 줌. 두터운 권고(眷顧).
[厚饋 후궤] 후한 음식물의 선사.
[厚給 후급] 후한 급여(給與).
[厚待 후대] 두터운 대우(待遇).
[厚德 후덕] 두터운 덕행(德行). 또, 두터운 은덕(恩德).
[厚德君子 후덕군자] 덕행(德行)이 두텁고 점잖은 사람.
[厚斂 후렴] 조세의 과중한 징수. 가렴(苛斂).
[厚祿 후록] 후한 봉록(俸祿).
[厚賂 후뢰] 많은 뇌물.
[厚料 후료] 후한 급료.
[厚利 후리] ㉠큰 이익. ㉡비싼 이자.
[厚貌深情 후모심정] 외모(外貌)는 후한 체하고 본심(本心)은 깊게 감춘다는 뜻으로, 겉으로는 친절하고 다정한 듯하나 속마음은 알 수 없음을 이름.
[厚問 후문] 애경사(哀慶事)에 부조를 많이 함.
[厚味 후미] 진한 맛. 맛있는 음식.
[厚味寔腊毒 후미식석독] 맛이 좋은 음식은 독이 많다는 뜻으로, 높은 지위에 있는 자는 큰 화(禍)를 당하기 쉬움을 비유한 말.
[厚朴 후박] ㉠인정이 두텁고 거짓이 없음. ㉡녹나뭇과에 속하는 상록(常綠) 교목(喬木). 후박나무.
[厚薄 후박] ㉠후(厚)함과 박(薄)함. ㉡진함과 묽음. ㉢두꺼움과 얇음. ㉣친절함과 냉담함.
[厚報 후보] 후한 보답(報答).
[厚福 후복] 많은 복.
[厚榭 후사] 높은 정자. 위사(危榭).
[厚賜 후사] 물건 같은 것을 후하게 내려 줌. 또, 그 물건.
[厚謝 후사] 정중히 사례(謝禮)함. 또, 정중히 사죄(謝罪)함.
[厚賞 후상] 후한 상급(賞給).
[厚生 후생] ㉠백성의 살림을 넉넉하게 함. ㉡몸을 소중히 함.
[厚性 후성] 인정이 두터운 성품.
[厚酬 후수] 후한 보수.
[厚勝 후승] 대승(大勝)함.
[厚實 후실] ㉠큰 이익. 후리(厚利). ㉡성실하고 경박(輕薄)하지 아니함. 중후(重厚).
[厚顔 후안] 두꺼운 낯가죽. 뻔뻔스러운 얼굴. 철면피(鐵面皮).
[厚顔無恥 후안무치] 낯가죽이 두꺼워 부끄러운 줄 모름.
[厚遇 후우] 두터운 대우. 후대(厚待).
[厚恩 후은] 두터운 은혜(恩惠).
[厚意 후의] 두터운 마음. 정성스러운 마음. 친절한 마음.
[厚誼 후의] 두터운 정의(情誼). 친밀한 정의.
[厚葬 후장] 후하게 장사 지냄.
[厚載 후재] 땅은 두꺼워서 물건을 싣는다는 뜻으로, 땅을 이름.
[厚積 후적] 많은 축적(蓄積).
[厚情 후정] 후의(厚誼).
[厚重 후중] 성품이 온후하고 진중함.
[厚繒 후증] 두꺼운 명주. 거친 명주.
[厚志 후지] 두꺼운 심지(心志). 친절한 마음.
[厚紙 후지] 두꺼운 종이.
[厚秩 후질] 후록(厚祿).
[厚澤 후택] 두터운 은택.
[厚幣 후폐] 두터운 예폐(禮幣). 정중한 예폐.
[厚風 후풍] 순후(醇厚)한 풍속.
[厚豐 후풍] 풍성함.
[厚況 후황] 넉넉하게 받는 녹(祿).
[厚貺 후황] 후사(厚賜).
◉寬厚. 謹厚. 濃厚. 端厚. 篤厚. 敦厚. 樸厚. 富厚. 純厚. 醇厚. 深厚. 渥厚. 顏厚. 溫厚. 仁厚. 重厚. 寵厚. 忠厚. 親厚. 沈厚. 豐厚.

7 ⑨ [厘] [人名] 一 전 ㊥先 直連切 chán 二 리 ㊥支 陵之切 lí 

[字解] 一 터 전, 전방 전 廛(广部 十二畫)의 俗字. 二 ①이 리, 다스릴 리 釐(里部 十一畫)의 俗字. ②성 리 성(姓)의 하나.

[字源] 形聲. 𠩺〈省〉+里〔音〕. '釐리'의 생략체(省略體).

7 ⑨ [灰] 협 ㊇洽 古狎切 xiá

[字解] 기울 협, 좁을 협 '一, 辟也. (注) 一與陜音同義近'《說文》.

[字源] 形聲. 厂+夾〔音〕

7 ⑨ [厙] 사 ㊍禡 始夜切 shè

[字解] ①성 사 성(姓)의 하나. ②마을 사 장쑤 성(江蘇省) 지방에서 마을의 뜻으로 지명에 쓰이는 말.

7 ⑨ [原] 〔원〕 原(厂部 八畫〈p. 320〉)의 俗字

8 ⑩ [厝] 一 조 ㊍遇 倉故切 cuò 二 착 ㊇藥 倉各切 cuò 

[字解] 一 둘 조 措(手部 八畫)와 同字. '一之積薪之下'《漢書》. 二 ①섞일 착 錯(金部 八畫)과 同字. '五方雜一'《漢書》. ②숫돌 착 칼을 가는 돌.

[字源] 篆文  形聲. 厂+昔〔音〕. '昔석'은 포개어 쌓다의 뜻. 그 위에 물건을 얹고 가는 '숫돌'의 뜻을 나타냄. 거성(去聲)일 때는 '두다'의 뜻.

◉安厝. 容厝. 雜厝. 遷厝. 投厝.

8 ⑩ [厒] [高人] 一 금 ㊥侵 巨金切 qín ㊍沁 巨禁切 二 겸 ㊥鹽 其淹切

[字解] 一 굳은땅 금 돌이 많이 섞인 땅. '一, 石地也'《說文》. 二 굳은땅 겸 一과 뜻이 같음.

[字源] 形聲. 厂+金〔音〕

8 ⑩ [原] [中人] 원 ㊥元 愚袁切 yuán, ⑩yuàn

筆順 一 厂 厂 厈 厉 历 盾 原 原

字解 ①근원 원 ㉠물의 근원. 원천(源泉). '一泉混混, 不舍晝夜'《孟子》. ㉡근본. '一因'. '達於禮樂之一'《禮記》. ②원은 원 원래. 본래. '一起於錢'《漢書》. ③찾을 원 근본을 캠. 근본을 추구(推究)함. '一始要終'《易經》. ④놓아줄 원 죄를 용서함. '一宥'. '會詔一之'《晉書》. ⑤거듭 원 재차. '一筮, 元永貞'《易經》. ⑥거듭할 원 재차 함. '命膳夫曰, 未有一'《禮記》. ⑦저승 원 황천. '從先大夫於九一'《禮記》. ⑧들 원 넓고 평탄한 토지. '田一'. '大野曰平, 廣平曰一'《爾雅》. ⑨문체이름 원 한문의 한 체(體). '自唐韓愈作五一, 而後人因之'《文體明辯》. ⑩삼갈 원, 정성스러울 원 愿(心部 十畫)과 통용. '子曰, 鄉一, 德之賊也'《論語》. ⑪성 원 성(姓)의 하나.

字源 金文 古籀文 篆文 會意. 厂+泉. '厂한'은 '벼랑'의 뜻. '泉천'은 '샘'의 뜻. 벼랑 밑에서 솟기 시작한 샘의 뜻에서 '근원'의 뜻을 나타냄. '源원'의 원자(原字). 또 '邍원'과 통하여 높고 평평한 들의 뜻도 나타냄.

[原價 원가] ㉠본값. ㉡생산가(生產價).
[原遣 원견] 죄인을 용서하여 석방함.
[原告 원고] 법원(法院)에 소송을 제기하여 재판(裁判)을 먼저 청구(請求)한 사람. 피고(被告)의 대(對).
[原稿 원고] ㉠초고(草稿). ㉡인쇄(印刷)하기 위하여 쓴 글.
[原貸 원대] 죄과를 용서함.
[原道 원도] ㉠근본의 도(道). 인도(人道)의 근본. ㉡도(道)의 근원을 추구(推究)함. ㉢당(唐)나라 사람 한퇴지(韓退之)의 논저(論著). 유교의 요지(要旨)를 서술하고 불(佛)·노(老) 두 교(教)를 배척하였음.
[原動 원동] 운동·활동을 일으키는 근원(根源).
[原動力 원동력] 운동을 일으키는 근원이 되는 힘. 열(熱)·수력(水力)·동력(動力) 등.
[原頭 원두] 들 가. 들판 언저리.
[原來 원래] 본디. 전부터.
[原料 원료] 물건을 만드는 재료(材料). 감. 거리.
[原流 원류] 사물의 근원.
[原理 원리] 사물(事物)의 근본이 되는 이치.
[原棉 원면] 면사(綿絲) 방직(紡織)의 원료가 되는 면화(棉花).
[原名 원명] 본디의 이름.
[原命 원명] 본디 타고난 목숨.
[原廟 원묘] 원 종묘(宗廟). 으뜸되는 종묘. 또, 본디의 종묘 외(外)에 거듭 지은 종묘.
[原文 원문] ㉠본문. ㉡고친 것의 본디의 글. ㉢번역한 것의 본디의 글. 역문(譯文)의 대(對).
[原犯 원범] 범죄(犯罪)의 주동자. 정범(正犯).
[原本 원본] ㉠근본. 근원. ㉡등본(謄本)·초본(抄本) 등의 근본(根本)이 되는 문서.
[原簿 원부] 본디의 장부.
[原赦 원사] 죄과(罪過)를 용서함.
[原產 원산] 본디 생산됨. 또, 그 물건.
[原產地 원산지] 본디 생산되는 땅.
[原狀 원상] 본래의 형편. 본래의 상태.
[原像 원상] 본디의 형상(形像). 본디의 모습.
[原嘗春陵 원상춘릉] 조(趙)나라의 평원군(平原君), 제(齊)나라의 맹상군(孟嘗君), 초(楚)나라의 춘신군(春申君), 위(魏)나라의 신릉군(信陵君)의 네 사람. 모두 전국 시대(戰國時代)에 식객(食客)을 길러 호협(豪俠)한 행동을 했음.
[原色 원색] 모든 빛의 근본되는 빛깔. 곧, 적(赤)·황(黃)·청(青)의 세 빛깔. 삼원색(三原色).
[原生林 원생림] 원시림(原始林).
[原恕 원서] 용서(容恕)함.
[原書 원서] 번역(飜譯)한 책에 대하여 원본(原本)이 되는 책.
[原雪 원설] 죄를 용서하여 오명(汚名)을 씻어 줌. 또, 청천백일(青天白日)의 몸이 됨.
[原性 원성] 본디의 성질.
[原隰 원습] 높고 건조한 땅과 낮고 습한 땅. 일설(一說)에는, 낮고 습한 들.
[原始 원시] ㉠처음. 근본. ㉡근본을 캠. 근원을 추구(推究)함.
[原詩 원시] 번역·개작되지 않은 본디의 시(詩).
[原始林 원시림] 저절로 자라 무성한 삼림. 처녀림(處女林).
[原始時代 원시시대] 사람이 처음으로 지구 상에 나타난 시대. 태고의 시대.
[原案 원안] 본디의 의안(議案).
[原野 원야] 들.
[原壤 원양] 춘추 시대(春秋時代)의 노(魯)나라 사람. 공자(孔子)의 친구. 자기의 어머니가 죽었는데도 슬퍼하지 않고 나무에 올라 노래를 불렀다 함.
[原語 원어] ㉠고친 말에 대하여 그 본디의 말. ㉡번역한 말에 대하여 그 본디의 말. 역어(譯語)의 대(對).
[原位 원위] 본디의 지위.
[原委 원위] ㉠본말(本末). 수미(首尾). ㉡원인(原因).
[原由 원유] 원인(原因).
[原油 원유] 아직 정제(精製)하지 아니한 석유(石油).
[原宥 원유] 죄를 용서함. 원사(原赦).
[原音 원음] ㉠글자의 본디의 음(音). ㉡음악상(音樂上)의 표준음(標準音).
[原意 원의] ㉠본디의 의사(意思). ㉡원의(原義).
[原義 원의] 본디의 뜻. 근본의 의의(意義).
[原人 원인] ㉠원시 시대의 인류(人類). 태고(太古)의 몽매(蒙昧)한 인류. ㉡신중한 사람. 성실한 사람. ㉢인생(人生)의 근원(根源)을 추론(推論)함.
[原因 원인] 사실(事實)의 근본이 되는 까닭.
[原任 원임] ㉠전(前)의 벼슬. ㉡전임(前任)의 관원(官員). 전관(前官).
[原子 원자] 어떠한 화학적 방법으로도 더 나눌 수 없다고 생각되는, 물질을 구성하는 궁극의 요소.
[原子彈 원자탄] 원자력(原子力)을 응용하여 만든 폭탄(爆彈). 제2차 세계 대전 때 미국에서 발명함.
[原作 원작] 본디의 제작, 또는 저작.
[原蠶 원잠] 두 번째 치는 누에. 곧, 하잠(夏蠶) 또는 추잠(秋蠶).
[原著 원저] 본디의 저작. 번역 또는 개작(改作)한 것에 대하여 이름.
[原籍 원적] 본적(本籍).
[原點 원점] 운동이 시작되는 점. 기점(起點).
[原種 원종] 원종자. 개량되지 않은 본디의 종자.

원산지에서 난 종자.
[原罪 원죄] ㉠죄를 용서(容恕)하여 형벌(刑罰)을 주지 아니함. ㉡기독교(基督敎)에서, 인류(人類)의 시조(始祖) 아담과 이브가 하나님의 명령을 배반하고 금단(禁斷)의 과실을 따 먹은 결과로 입고 있는 죄.
[原主 원주] 본디의 임자.
[原住 원주] 본디부터 살고 있음.
[原株 원주] 곁가지에 대한 원줄기.
[原註 원주] 본래의 주석이나 주해.
[原紙 원지] ㉠닥나무 껍질을 원료로 하여 만든 두껍고 질긴 종이. 잠란지(蠶卵紙)로 쓰임. ㉡등사판의 원판으로 쓰이는 종이.
[原質 원질] 본래의 성질. 소질(素質).
[原泉 원천] 물이 흘러나오는 근원. 수원(水源)이 되는 샘. 원천(源泉).
[原泉混混不舍晝夜 원천혼혼불사주야] 물이 수원(水源)의 샘에서 힘차게 솟아 나와 주야를 쉬지 않고 흐른다는 뜻으로, 항상 쉬지 않고 부지런히 수양하고 연마(練磨)하여 근본을 쌓고 기름을 비유한 말.
[原則 원칙] ㉠많은 현상(現象)에 공통되는 근본의 법칙(法則). ㉡일반(一般)의 경우에 적용되는 법칙.
[原版 원판] 근본이 되는 인쇄판.
[原圃 원포] 정(鄭)나라의 원유(苑囿). 지금의 허난 성(河南省) 원무현(原武縣)에 있음.
[原品 원품] 본디의 물품.
[原皮 원피] 아직 가공되지 아니한 동물의 가죽.
[原鄕 원향] 《韓》 그 지방에서 여러 대를 이어 살아 오는 향족(鄕族).
[原憲 원헌] 춘추 시대(春秋時代)의 송(宋)나라 사람. 자(字)는 자사(子思). 공자(孔子)의 제자. 적빈(赤貧)하였으나 의지가 견고하여 이를 감내하며 깊이 도(道)를 닦았음.
[原形 원형] ㉠본디의 형상(形狀). ㉡진화(進化) 없는 본디의 상태.
[原型 원형] 제작물의 근본이 되는 거푸집, 또는 본.
[原活 원활] 죽을죄를 용서하여 살림.
[原毁 원훼] 비방의 원인을 캠.
◉高原. 曠原. 九原. 起原. 大原. 病原. 本原. 赦原. 鮮原. 雪原. 修原. 濕原. 始原. 語原. 五丈原. 燎原. 一原. 左右逢原. 峻原. 中原. 砥原. 草原. 推原. 平原. 抗原. 鄕原. 洪原. 荒原.

8 ⑩ [厜] 수 [平]支 姊規切 zuī

[字解] 산꼭대기 수 산정(山頂).

[字源] 篆文 形聲. 厂+垐(垂)〔音〕. '垐수'는 양쪽이 아래로 늘어지다의 뜻. 양쪽이 깎아지른 벼랑, 산꼭대기의 뜻을 나타냄.

8 ⑩ [厞] 비 [去]未 父沸切 fèi / [平]微 符非切 féi

[字解] ①궁벽한곳 비 후미진 곳. 방(房)의 서북구석. '几在南一, 用席'《儀禮》. ②처마 비 집의 처마. '一, 是屋簷也'《禮記疏》.

[字源] 篆文 形聲. 厂+非〔音〕. '厂한'은 '지붕'. '非비'는 '어긋나다'의 뜻. 지붕 밑의 어긋나서 후미진 곳, 방의 서북쪽 구석의 뜻을 나타냄.

8 ⑩ [厒] 갑 [入]合 口荅切 kè

[字解] 좌우에강(江)을낀산 갑 厒(厂部 六畫〈p. 319〉)과 同字.

9 ⑪ [厤] 〔라·려〕
厲(厂部 十三畫〈p. 323〉)와 同字

9 ⑪ [厠] [人名] 〔측〕
廁(广部 九畫〈p. 702〉)의 俗字

10 ⑫ [厥] [高·人] 궐(⑦굴[本]) [入]月 居月切 jué / [入]物 九勿切 jué

[筆順] 厂 厂 厈 厈 厥 厥 厥 厥

[字解] ①그 궐 其(八部 六畫)와 뜻이 같음. '允執一中'《詩經》. ②숙일 궐 앞으로 기울임. '一角稽首'《孟子》. ③팔 궐 발굴함. 撅(手部 十二畫)과 同字. '相柳之所抵, 一爲澤溪'《山海經》. 또, 파낸 물건. 발굴물. '卞和之璧, 井里之一也'《荀子》. ④짧을 궐 단소(短小)함. '今人呼禿尾狗爲一尾'《中山詩話》. ⑤상기 궐 피가 머리로 몰리는 병. '一不作'《韓詩外傳》. ⑥성 궐 성(姓)의 하나. ⑦오랑캐이름 궐 '突一'은 서기 6세기 중엽(中葉)에 알타이 산맥 부근에서 일어나, 몽골·중앙아시아에 대제국(大帝國)을 건설한 터키계(系)의 유목민(遊牧民).

[字源] 篆文 形聲. 厂+欮〔音〕. '欮궐'은 사람이 입을 크게 벌리어 기침하다의 뜻. 깎아지른 벼랑에 큰 입을 벌리듯이 돌을 파다의 뜻을 나타냄.

[厥角 궐각] 고개를 숙여 절을 함.
◉突厥. 憒厥. 熟厥. 甚厥. 劣厥. 貽厥.

10 ⑫ [厤] 력 [入]錫 郎擊切 lì

[字解] ①다스릴 력 '一, 治也'《說文》. ②曆(日部 十二畫)의 古字.

[字源] 篆文 形聲. 厂+秝〔音〕. '秝력'은 벼를 사이가 고르게 벌여 놓다의 뜻. 벼랑 밑에 벼를 가지런히 늘어놓다의 뜻에서, 차례대로 가지런히 늘어놓다의 뜻을 나타냄.

10 ⑫ [厱] [一] 갑 [入]合 苦盍切 ké / [二] 압 [入]合 乙盍切

[字解] [一] ①무너질 갑 '一, 崩損也'《廣韻》. ②산옆구멍 갑 산 옆구리에 뚫린 구멍. '潛一洞出'《張衡》. [二] 무너질 압, 산옆구멍 압 [一]과 뜻이 같음.

10 ⑫ [厜] 〔차〕
嵯(山部 十畫〈p. 648〉)의 同字

10 ⑫ [厦] [人名] 〔하〕
廈(广部 十畫〈p. 703〉)의 俗字

[筆順] 一 厂 厂 戸 盾 盾 厦 厦

10 ⑫ [厨] 〔주〕
廚(广部 十二畫〈p. 705〉)의 俗字

[雁] 〔안〕
隹部 四畫(p. 2483)을 보라.

11 [厪] 〔근〕
⑬ 廑(广部 十一畫〈p.704〉)의 俗字

11 [厩] 〔구〕
⑬ 廄(广部 十一畫〈p.704〉)의 俗字

11 [㕑] 〔음〕
⑬ 厳(厂部 十二畫〈p.323〉)의 本字

11 [㷼] 〔력〕曆(日部 十二畫〈p.1001〉)·歷(止部 十二畫〈p.1144〉)과 同字
⑬

[參考] 청대(清代)에 고종(高宗)의 휘(諱)를 피하여 이 자(字)를 썼음.

12 [厭] [人名] [一] 염 [去]豔 於豔切 yàn
⑭ [二] 암 [上]感 鄔感切 àn
[三] 엽 [入]葉 於葉切 yā
[四] 읍 [入]緝 乙及切 yì
厌 

[字解] [一] ①싫어할 염 ㉠…하기를 꺼림. '一世'. '衽金革, 死而不一'《中庸》. ㉡미워함. '一惡'. '天一之'《論語》. ②물릴 염 싫증이 남. '一倦'. '一飽'. '學而不一'《論語》. ③마음에찰 염 만족함. '一服'. '不一糟糠'《史記》. 또, 마음에 차게 함. 만족시킴. '克一上帝之心'《漢書》. ④막을 염 틀어막음. '一其源'《荀子》. ⑤조용할 염 안정(安靜)한 모양. '一一夜飮'《詩經》. ⑥가릴 염 은폐함. '一目而視者'《荀子》. ⑦따를 염 복종함. '天下一然'《荀子》. [二] 빠질 암 침닉(沈溺)함. '其一也如緘'《莊子》. [三] ①누를 엽 ㉠억압함. '將以一衆'《左傳》. ㉡들이닥침. 압박함. '荆一晉軍'《國語》. ㉢눌러 무너뜨림. '地震隴西, 一四百餘家'《漢書》. ㉣진압함. '折衝一難'《漢書》. ㉤기도나 주문(呪文)으로 화가 일어나지 않게 함. '因東游以一之'《史記》. ②맞을 엽 마음에 듦. '克一帝心'《國語》. ③가위눌릴 엽 무서운 꿈을 꾸고 놀람. '一夢'. '使人不一'《山海經》. [四] 젖을 읍 축축하게 젖는 모양. '一浥行露'《詩經》.

[字源] 金文  篆文 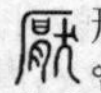 形聲. 厂+猒〔音〕. '猒염'은 '奄엄'과 통하여, '가리다'의 뜻. '厂한'은 바위의 뜻. 바위로 가리다, 눌러 무너뜨리다의 뜻을 나타냄. 또, '猒'과 통하여, '물리다'의 뜻도 나타냄.

[厭苦 염고] 싫어하고 괴롭게 여김.
[厭膏粱 염고량] 미식(美食)에 물림. 곧, 분(分)에 넘치는 생활(生活)을 함.
[厭倦 염권] 물리어 싫증이 남.
[厭忌 염기] 싫어하고 꺼림.
[厭棄 염기] 싫증이 나서 버림.
[厭離 염리] 《佛教》 더럽혀진 이 세상이 싫어져서 떠남.
[厭離穢土 염리예토] 《佛教》 더럽혀진 이 사바세계(娑婆世界)를 싫어하여 떠남.
[厭夢 염몽] 악몽(惡夢)에 시달림.
[厭薄 염박] 미워하여 냉대(冷待)함.
[厭服 염복] 만족하여 복종함.
[厭副 염부] 마음에 참. 소원(所願)이 성취됨.
[厭塞 염색] 참. 충만함. 또, 채움. 충족시킴.
[厭世 염세] 세상을 싫어함. 세상이 괴롭고 귀찮아서 비관함.
[厭世主義 염세주의] 인생(人生)을 고통으로 생각하여 싫어하는 나머지 현세(現世)를 벗어나려고 하는 주의.
[厭飫 염어] ㉠흡족함. ㉡싫증이 남.
[厭然 염연] ㉠가리는 모양. 감추는 모양. ㉡복종하는 모양.
[厭厭 염염] ㉠고요한 모양. ㉡무성(茂盛)한 모양.
[厭惡 염오] 싫어서 미워함. 혐오(嫌惡).
[厭足 염족] 만족(滿足)함.
[厭症 염증] 싫증.
[厭飽 염포] 물림. 싫증이 남.
[厭嫌 염혐] 싫어함.
[厭當 엽당] 기도·주문(呪文) 등으로 재앙 등을 물리침.
[厭夢 엽몽] 가위눌리는 악몽(惡夢).
[厭伏 엽복] ㉠눌려 복종함. ㉡재난(災難) 등을 물리침.
[厭勝 엽승] 주문(呪文).
[厭扞 엽한] 눌러 막음. 진압함.
[厭劾 엽핵] 재귀(災鬼)를 쫓는 진언(眞言).
[厭邑 읍읍] 읍읍(厭浥)과 같음.
[厭浥 읍읍] 축축하게 젖는 모양.
◉控厭. 禁厭. 屬厭. 抑厭. 鎭厭. 摧厭. 推厭. 彈厭. 頽厭. 疲厭. 嫌厭. 欣厭.

12 [厳] [一] 음 [平]侵 魚金切 yín
⑭ [二] 담 [上]感 吐敢切
[三] 감 [上]感 口敢切 kǎn
[四] 암 [上]感 五敢切 ǎn

[字解] [一] 험할 음 낭떠러지가 험하고 높은 모양. '嵚一, 山崖狀也'《廣韻》. [二] 험할 담 [一]과 뜻이 같음. [三] ①험한산옆구멍 감 '一, 一巘, 側穴'《廣韻》. ②험한강둔덕 감 깎아지른 듯한 강 둔덕. '一, 陵岸'《集韻》. ③험할 감 '一, 巘也'《集韻》. [四] 돌모양 암 산의 돌의 모양. '一, 山石皃'《集韻》.

[字源] 形聲. 厂+敢(敢)〔音〕

12 [𠩺] 궤 [上]紙 居洧切 guǐ
⑭

[字解] ①샘 궤 곁구멍에서 솟아 나오는 샘. '一, 仄出泉也'《說文》. ②마를 궤 물이 마름. '水醮曰一'《爾雅》. ③메마른땅 궤 물가의 마른땅. '一, 一曰, 水厓枯土也'《韻會》.

[字源] 形聲. 厂+晷〔音〕

12 [厮] 〔시〕
⑭ 廝(广部 十二畫〈p.706〉)와 同字

13 [厲] [一] 려 [去]霽 力制切 lì
⑮ [二] 라 [去]泰 落蓋切 lài
历 

[字解] [一] ①숫돌 려 礪(石部 十五畫)와 同字. '取一取鍛'《詩經》. ②갈 려 礪(石部 十五畫)와 同字. '秣馬一兵'《左傳》. ③엄할 려 엄정함. 엄격함. '一肅'. '聽其言也一'《論語》. ④사나울 려 맹렬함. '一風'. '不一而威'《禮記》. ⑤위태로울 려 위험함. '一无咎'《易經》. ⑥빠를 려 신속함. '蒼隼横一'《漢書》. ⑦맑을 려 청징(清澄)함. '激朗清一'《馬融》. ⑧몹시굴 려 학대함. '一民而以自養也'《孟子》. ⑨날릴 려 들날림. '是以威一而不試'《荀子》. ⑩힘쓸 려, 권장할 려 勵(力部 十五畫)와 同字. '以一賢才焉'《漢書》. ⑪떨칠 려 분발함. '兵弱而士不一'《管子》. ⑫미워할 려 증

오함. '以爲不知己者詬一也'《莊子》. ⑬걷을 려 물을 건널 때 옷자락을 띠를 맨 데까지 걷음. '深則一, 淺則揭'《詩經》. ⑭건널 려 물을 건너감. '櫂舟航以橫一兮'《楚辭》. ⑮이를 려 도달함. '女夢爲鳥而一乎天'《莊子》. ⑯못생길 려 보기 싫음. 또, 그 사람. '一與西施'《莊子》. ⑰늘어질 려 띠가 늘어진 모양. '垂帶而一'《詩經》. ⑱문둥병 려 천형병(天刑病). 또, 폐질(癈疾). '一之人, 夜半生子'《莊子》. ⑲역질 려 악성의 전염병. 또, 그 병을 퍼뜨리는 귀신. 여귀(厲鬼). '子產曰, 鬼有所歸, 乃不爲一'《左傳》. ⑳악귀 려 나쁜 귀신. '爾父爲一'《左傳》. ㉑흉한 려 흉악한 사람. '誅鋤醜一'《子華子》. 또, 흉악한 사람의 시호(諡號)로 쓰임. '名之曰幽一'《孟子》. ㉒낭떠러지 려 깎아지른 듯한 언덕. '在彼淇一'《詩經》. ㉓성 려 성(姓)의 하나. [二] 문둥병 라, 문둥이 라 癩(疒部 十六畫)와 同字. '漆身爲一'《史記》.

[字源] [金文]  [篆文]  [別體]  形聲. 篆文은 厂+蠆〈省〉〔音〕. '蠆채'는 전갈의 상형. 전갈의 독침처럼 날카롭고 강한 자극을 주어, 칼을 가는 돌의 뜻을 나타냄. '礪려'의 원자(原字). 뒤에 '蠆'를 '萬만'으로 쓰게 됨. 파생(派生)하여, '힘쓰다, 사납다'의 뜻을 나타냄.

[厲揭 여게] ㉠옷을 걷고 강을 건넘. 여(厲)는 물이 깊어서 옷을 띠를 맨 데까지 걷는 일. 게(揭)는 물이 얕아서 옷을 무릎까지 걷는 일. ㉡임기응변(臨機應變)하여 처세(處世)함.
[厲階 여계] 재앙(災殃)을 가져오는 실마리. 화단(禍端).
[厲鬼 여귀] ㉠못된 돌림병을 퍼뜨리는 귀신. ㉡악귀(惡鬼).
[厲禁 여금] 엄중히 금지함. 또, 그 일.
[厲厲 여려] 법을 범하여 나쁜 짓을 저지르는 모양.
[厲利 여리] 갈아 날카롭게 함.
[厲撫 여무] 격려하고 위무함.
[厲色 여색] 노기(怒氣)를 띰. 핏대를 올림.
[厲石 여석] 거친 숫돌.
[厲聲 여성] 노(怒)하여 목소리를 높임. 성난 목소리로 꾸짖음.
[厲世 여세] 세상 사람을 격려함.
[厲俗 여속] 세상의 좋은 풍속을 권하고 장려함.
[厲肅 여숙] 엄숙함. 여엄(厲嚴).
[厲飾 여식] 군복(軍服)을 입음. 무장(武裝)함.
[厲鶚 여악] 청(淸)나라 전당(錢塘) 사람. 자(字)는 태홍(太鴻). 호(號)는 번사(樊榭). 시사(詩詞)에 능(能)했음. 저서에 〈번사산방집(樊榭山房集)〉·〈송시기사(宋詩紀事)〉·〈요사습유(遼史拾遺)〉 및 〈남송원화록(南宋院畫錄)〉 등이 있음.
[厲莊 여장] 엄숙함. 여숙(厲肅).
[厲精 여정] 격려함. 곧, 긴장하여 부지런히 힘씀.
[厲祭 여제] 여귀(厲鬼)에게 지내는 제사.
[厲疾 여질] ㉠맹렬하고 빠름. ㉡문둥병.
[厲風 여풍] ㉠서북풍. ㉡사나운 바람. 거센 바람.
[厲虐 여학] 학대함.
[厲行 여행] ㉠행실을 닦음. ㉡엄중히 시행(施行)함.
◉苛厲. 揭厲. 激厲. 勁厲. 狂厲. 矯厲. 驕厲. 矜厲. 敦厲. 勉厲. 憤厲. 奮厲. 揚厲. 嚴厲. 夭厲. 疵厲. 壯厲. 獎厲. 瘴厲. 災厲. 切厲. 整厲. 峻厲. 振厲. 疾厲. 札厲. 暴厲.

13 ⑮ [㕒] 의 [平]支 魚爲切 wēi [平]微 語韋切

[字解] 산마루 의 산의 꼭대기. '一, 厜一也'《說文》.

[字源] [篆文] 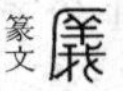 形聲. 厂+義〔音〕. '義의'는 톱 같은 날붙이로 자른 것처럼 모가 지다의 뜻.

13 ⑮ [厱] [一] 감 [平]咸 苦咸切 [二] 검 [平]鹽 丘嚴切 qiān [三] 람 [平]覃 盧甘切 lán [四] 엄 [上]琰 魚檢切

[字解] [一] 굴 감 벼랑이나 강 둔덕 등에 있는 동굴. '一, 山側空處也'《廣韻》. [二] 굴 검 [一]과 뜻이 같음. [三] 숫돌 람 옥(玉)을 가는 돌. '一諸, 治玉石也'《說文》. [四] 험할 엄 벼랑이나 강 둔덕 등이 험함. '一, 厓岸危也'《集韻》.

[字源] 形聲. 厂+僉〔音〕

[鴈] 〔안〕 鳥部 四畫(p. 2663)을 보라.

16 ⑱ [龎] 〔방·롱〕 龐(龍部 三畫〈p. 2731〉)의 俗字

厶 (2획) 部

〔마늘모부〕

0 ② [厶] [一] 사 [平]支 息夷切 sī [二] 모 [上]有 莫後切 mǒu 

[筆順] 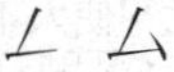

[字解] [一] 사사 사 私(禾部 二畫)의 古字. '古者蒼頡之作書也, 自營者爲一'《韓非子》. [二] 아무 모 某(木部 五畫)와 同字. '今人書一以爲俗, 穀梁二年, 蔡侯鄭伯會于鄧, 范甯註云, 鄧, 一地'《陸游》.

[字源] [篆文]  指事. 이 글자 모양이 나타내는 뜻은 자세히 모르지만, 작게 둘러쌈을 나타내며, 사유(私有)하다의 뜻을 나타냄. 대응되는 '公공'은 여기에 개방(開放)하다의 뜻인 '八팔'이 더해진 것으로 생각됨.

[參考] 부수(部首)로서의 '厶모'에는, 일정한 뜻이 없으며, 주로 자형 분류상 부수로 세워짐. 같은 문자 가운데 '强강'과 '強강', '員원'과 '負원', '句구'와 '勾구'처럼, '口'의 모양이 '厶'가 되는 일이 있음. 또, '広광', '仏불', '払불' 따위는 본래 '廣광', '佛불', '拂불'로, 복잡한 자형의 일부를 생략하기 위하여 '厶'를 쓰고 있음. 글자 모양이 마늘쪽과 같이 세모를 이루고 있으므로, 속(俗)에 '마늘모'로 이름.

[厶地 모지] 아무 땅. 어느 땅. 모지(某地).

1 ③ [𠫓] 돌 [入]月 他骨切 tū

[字解] ①갑자기튀어나올 돌 순조롭지 않게 갑자기 태어남. '一, 不順忽出也'《說文》. ②아이태

어날 돌 안산(安産)함.

字源 篆文 古文 指事. '子자'를 거꾸로 한 모양에서, 아이가 태어나다의 뜻을 나타냄.

[允] 〔윤〕 儿部 二畫(p.189)을 보라.

2 ④ [厹] 一 구 ㊥尤 巨鳩切 qiú
二 유 ㊤有 忍九切 róu

字解 一 ①세모창 구 세모진 창. '一矛'《詩經》. ②기승부릴 구 목소리를 높여 기를 씀. 二 발자국 유 짐승의 발자국. '一, 獸足蹂地也'《說文》.

字源 蹂의 古文 形聲. 厶+九〔音〕. '厶모'는 짐승 발자국을 본뜸. '九구'는 구부러지다가 이윽고 다하다의 뜻. 점점이 구부러져서 이어지는 짐승의 발자국의 뜻을 나타냄.

[厹矛 구모] 날이 세모진 창.

2 ④ [厷] 굉 ㊥蒸 姑弘切 gōng

字解 ①팔 굉 肱(肉部 四畫)과 통용. '一, 臂上也'《說文》. ②둥글 굉 '日德元一'《漢書》.

字源 篆文 古文 會意. 又+厶. '又우'는 '손'의 뜻. '厶모'는 '곡선(曲線)'의 뜻. 활의 곡선과 닮은 위팔의 뜻을 나타냄.

[公] 〔공〕 八部 二畫(p.209)을 보라.

[云] 〔운〕 二部 二畫(p.74)을 보라.

[勾] 〔구〕 勹部 二畫(p.286)을 보라.

[弁] 〔변〕 廾部 二畫(p.713)을 보라.

[台] 〔태〕 口部 二畫(p.343)을 보라.

[弘] 〔홍〕 弓部 二畫(p.719)을 보라.

3 ⑤ [去] 中人 거 ㊦御 丘倨切 qù
㊤語 羌擧切

筆順 一 十 土 去 去

字解 ①갈 거 ㉠떠나감. '一留'. '上車而一'《史記》. ㉡도망감. '默而逃一'《史記》. ㉢경과함. 지남. '一年'. '朝朝醉中一'《杜牧》. ㉣소멸함. '福可必歸, 菑可必一矣'《新書》. ㉤죽음. '逝一'. '一者日以疎'《古詩》. ②떨어질 거 ㉠이별함. '不能相一'《戰國策》. ㉡공간적으로 격(隔)함. '地之相一也, 千有餘里'. ㉢시간적으로 격함. '舜禹益相一久遠'《孟子》. ③과거 거 지나간 세월. '過一'. '無起無滅, 一來今'《圓覺經》. ④거성 거 사성(四聲)의 하나. '一聲'. ⑤성 거 성(姓)의 하나. ⑥버릴 거 ㉠내버림. 방기(放棄)함. '一勢'. '一夫外誘之私'《中庸章句》. ㉡내쫓음. 추방함. '七一'. '不順父母一'《小學》. ⑦쫓을 거 뒤쫓아 감. '處女相與語, 欲一之'《戰國策》. ⑧덜 거 제외함. '一喪無所不佩'《論語》. ⑨거두어들일 거 수장(收藏)함. '一草實而食之'《漢書》.

字源 甲骨文 金文 篆文 會意. 大+凵. '大대'는 사람의 상형. '凵거'는 甲骨文에서는 '口구'로 '기도의 말'의 뜻. 기도하여 사람에 붙은 부정을 '제거하다, 떠나가다'의 뜻을 나타냄.

[去殼 거각] 껍데기를 벗겨 버림.
[去去年 거거년] 그러께. 지지난해.
[去去月 거거월] 전전달. 지지난달.
[去去益甚 거거익심] 갈수록 점점 더 심함.
[去根 거근] ㉠뿌리를 없애 버림. ㉡근심의 근원을 없애 버림. 병(病)의 근원(根源)을 없애 버림.
[去冷 거냉] 조금 데워서 찬 기운을 없앰.
[去年 거년] 지난해. 작년.
[去痰 거담] 담(痰)이 없어지게 함.
[去毒 거독] 독기(毒氣)를 없애 버림.
[去冬 거동] 지난겨울. 작년 겨울.
[去頭截尾 거두절미] ㉠머리와 꼬리를 잘라 버림. ㉡일의 원인(原因)과 결과(結果)를 빼고 요점만 말함.
[去來 거래] ㉠감과 옴. 왕래(往來). ㉡행동을 재촉할 때 내는 소리. ㉢상품·물품을 매매 또는 주고받음.
[去來今 거래금] 《佛敎》 과거와 미래와 현재. 곧, 삼세(三世)의 약(略).
[去冷 거랭] 거냉(去冷).
[去路 거로] 가는 길.
[去留 거류] ㉠떠남과 머묾. ㉡죽음과 삶. ㉢일이 되고 안됨. 성부(成否).
[去脈 거맥] 복령(茯苓) 따위의 겉껍질 속에 있는 누르스름한 줄기를 빼어 버림.
[去目 거목] 약재로 쓰이는 열매의 알맹이를 발라냄.
[去白 거백] 귤 껍질의 흰 부분을 긁어 버림.
[去番 거번] ㉠지난번. ㉡저번.
[去事 거사] 지난간 일. 과거지사(過去之事).
[去姓 거성] 《韓》 대역죄(大逆罪)를 범한 사람을 말할 때 성을 빼고 이름만을 일컬음.
[去聲 거성] 사성(四聲)의 하나. 발음의 처음이 높고 끝은 낮아지는 음(音). 송(送)·송(宋)·강(絳)·치(寘)·미(未)·어(御)·우(遇)·제(霽)·태(泰)·괘(卦)·대(隊)·진(震)·문(問)·원(願)·한(翰)·간(諫)·산(霰)·소(嘯)·효(效)·호(號)·개(箇)·마(禡)·양(漾)·경(敬)·경(徑)·유(宥)·심(沁)·감(勘)·염(豔)·함(陷)의 삼십 운(三十韻)으로 나누임. 이에 속하는 글자는 모두 측자(仄字)임. 현대의 중국 어학에서는 제사성(第四聲)이라고도 일컬음.
[去歲 거세] 거년(去年).
[去勢 거세] ㉠세력을 제거함. ㉡불알을 까서 버림.
[去心 거심] 약초(藥草)의 심(心)을 발라 버림.
[去惡生新 거악생신] 종처(腫處)의 궂은살을 없애고 새살을 나오게 함.
[去夜 거야] 지난밤.
[去月 거월] 지난달. 객월(客月).
[去油 거유] 약재(藥材)의 기름기를 빼어 버림.
[去日 거일] 지나간 날. 과일(過日).
[去者日疏 거자일소] ㉠죽은 사람을 애석히 여기는 마음은 날이 감에 따라 차차 사라짐. ㉡서로

떨어지면 차차 멀어져 마침내 완전히 잊어버림.
[去滓 거재] 찌끼를 버림.
[去週 거주] 지난주.
[去處 거처] 간 곳.
[去秋 거추] 지난가을. 작년 가을.
[去春 거춘] 지난봄. 작년 봄.
[去就 거취] 관도(官途)를 물러남과 관도에 나섬. 전(轉)하여, 일신(一身)의 진퇴(進退).
[去取 거취] 버림과 취함. 취사(取捨).
[去弊 거폐] 폐단을 없앰.
[去弊生弊 거폐생폐] 폐단을 없애려다가 도리어 폐단이 생김.
[去皮 거피] 껍질을 벗겨 버림.
[去夏 거하] 지난여름. 작년 여름.
[去核 거핵] 열매의 씨를 발라 버림.
◉過去. 老去. 逃去. 亡去. 拔去. 放去. 死去. 辭去. 四時之序成功者去. 刪去. 三不去. 逝去. 仙去. 委去. 除去. 剔去. 擲去. 撤去. 七去. 退去. 解去.

3 ⑤ [厺] 去(前條)의 本字

[牟] 〔모〕 牛部 二畫(p. 1376)을 보라.

[矣] 〔의〕 矢部 二畫(p. 1557)을 보라.

[私] 〔사〕 禾部 二畫(p. 1609)을 보라.

6 ⑧ [厽] 〔제·재·자〕 齊(部首〈p. 2720〉)의 古字

6 ⑧ [厽] 〔삼·참〕 參(厶部 九畫〈p. 326〉)의 古字
參考 三(一部 二畫〈p. 14〉)으로 차용(借用)하기도 함.

6 ⑧ [参] 〔삼·참〕 參(厶部 九畫〈p. 326〉)의 俗字·簡體字

6 ⑧ [叀] 전 ㊥先 朱遄切 zhuān
字解 ①삼갈 전 세심하게 마음을 써서 삼감. '一, 小謹也'《說文》. ②걸릴 전 걸려듦. '一旦一礙, 爲豈所輻'《漢書》. ③오로지 전 專(寸部 八畫〈p. 606〉)과 同字.
字源 形聲. 幺〈省〉+田+屮〔音〕

7 ⑨ [厽] 〔참〕 參(厶部 九畫〈p. 326〉)의 古字

7 ⑨ [叀] 〔예〕 害(車部 三畫〈p. 2259〉)와 同字

[怠] 〔태〕 心部 五畫(p. 766)을 보라.

8 ⑩ [叄] 〔제·재·자〕 齊(部首〈p. 2720〉)의 本字

[畚] 〔분〕 田部 五畫(p. 1466)을 보라.

[能] 〔능〕 肉部 六畫(p. 1847)을 보라.

9 ⑪ [參] 中·人 ━ 참 ㊥覃 倉含切 cān ㊥侵 楚簪切 cēn ━ 삼 ㊥覃 蘇甘切 sān ㊥侵 所今切 shēn 参 叅

筆順

字解 ━ ①섞일 참 뒤섞임. 교착(交錯)함. '一伍'. '毋往一焉'《禮記》. ②나란할 참 셋이 서로 가지런함. 병립(竝立)함. 정립(鼎立)함. '一天貳地'. '三王之德, 一於天地'《禮記》. ③참여할 참 ㉠참가함. 간여함. '一政'. '一謀機密'《庾信》. 또, 참여시킴. '每有選用, 輒一之掾屬'《後漢書》. ㉡《佛敎》 법(法)을 듣기 위하여 집회에 참가함. '一禪'. '惰耕村叟罷一僧'《陸游》. ④뵐 참 군주 또는 장상(長上)을 가서 뵘. '一謁'. '日一, 號常一官'《唐書》. ⑤헤아릴 참 대조하여 생각함. 고검(考檢)함. '一考'. '一稽治亂'《荀子》. ⑥무리 참 ㉠같은 동아리. 동렬(同列). '立其監, 設其一'《周禮》. ㉡부하. '親率內一'《北史》. ⑦가지런하지않을 참 '一差荇菜'《詩經》. ━ ①석 삼 三(一部 二畫)과 통용. '一一伍伍'. '一夷之誅'《漢書》. ②빽들어설 삼 빽빽이 들어선 모양. '一一其穡'《束皙》. ③별이름 삼 이십팔수(二十八宿)의 하나. 서쪽에 있으며 세 별로 이룸. '維一與昴'《詩經》. ④인삼 삼 인삼(人參)의 약칭(略稱). '百濟一, 白堅且圓, 名白羊一, 俗名羊角一'《本草》.

字源 金文 金文 篆文 別體 指事. 金文은 머리 위에 반짝이는 세 별을 나타내어, '삼성(三星)'을 나타냄. 일찍부터 金文에 '彡삼'을 덧붙여, '參삼'의 꼴이 되었음. 언뜻 보아 여자의 머리꾸미개의 상형 같기도 하지만, 글자 모양의 윗부분은 '星성'의 金文의 자형과 공통되며, '많다, 많아지다'의 뜻으로, 거기에서 '참가하다'의 뜻도 파생한 것 같음. 篆文은 晶+㐱〔音〕의 形聲. '㐱진'은 밀도(密度)가 높다의 뜻, '晶정'은 머리 위에 빛나는 세 별의 상형.

[參參 삼삼] ㉠빽빽이 들어선 모양. ㉡길게 늘어뜨린 모양.
[參參伍伍 삼삼오오] 여기에 삼사 인, 저기에 오륙 인이 각각 여러 패로 조금씩 떼 지어 흩어져 있는 모양.
[參商 삼상] 삼성(參星)과 상성(商星). 삼성은 서방에, 상성은 동방에 서로 등져 있어 동시에 두 별을 볼 수 없으므로, 친한 사람과 이별하여 만나지 못하는 비유로 쓰임.
[參夷 삼이] 한 사람이 저지른 죄로 삼족(三族)을 멸(滅)하는 일.
[參加 참가] 어떠한 모임이나 단체에 참여함.
[參看 참간] 대조(對照)하여 봄. 참고하여 봄. 참조(參照).
[參勘 참감] 참고(參考). 계감(契勘).
[參檢 참검] 여러 가지 증거를 참조(參照)하여 조사함.
[參見 참견] 《韓》 ㉠남의 일에 간섭함. ㉡참관(參

觀).
[參決 참결] 참여하여 결정함.
[參稽 참계] 참고(參考).
[參考 참고] 대조(對照)하여 생각함.
[參管 참관] 참여하여 맡음. 참장(參掌).
[參觀 참관] 들어가 봄. 참고로 봄.
[參校 참교] 대조하여 잘못을 고침.
[參究 참구] ㉠참조하여 고증하면서 연구함. ㉡《佛教》선(禪)에 참여하여 진리를 연구함.
[參量 참량] 참작(參酌).
[參列 참렬] 반열(班列)에 참여함.
[參禮 참례] 예식(禮式)에 참여함.
[參謀 참모] ㉠모의(謀議)에 참여함. ㉡군기(軍機)에 참여하는 벼슬. ㉢육해군의 무관(武官)으로 작전(作戰) 계획과 기타 군사상(軍事上)의 기밀 회의(機密會議)에 참여하는 무관.
[參班 참반] 반열(班列)에 참여함.
[參榜 참방] 《韓》과거(科擧) 방목(榜目)에 성명(姓名)이 끼여 실림.
[參拜 참배] 신불(神佛)에게 가서 배례(拜禮)함.
[參祀 참사] 제사(祭祀)에 참여함.
[參事 참사] 어떠한 일에 참여함.
[參席 참석] 자리에 참여(參與)함.
[參禪 참선] 《佛教》좌선(坐禪)을 함. 또, 선도(禪道)에 들어가 선법(禪法)을 연구함.
[參涉 참섭] 남의 일에 간섭함.
[參乘 참승] 귀인(貴人)을 모시고 수레에 함께 탐. 배승(陪乘).
[參神 참신] 신주(神主)에 참배함.
[參謁 참알] 대궐 안에 들어가 알현(謁見)함.
[參與 참여] 참가(參加)하여 관계함.
[參詣 참예] 감. 왕방(往訪)함.
[參預 참예] 참여(參與).
[參伍 참오] 뒤섞이는 모양. 또, 뒤섞음.
[參議 참의] 조의(朝議)에 참여함.
[參貳 참이] 참여(參與).
[參酌 참작] 참고하여 알맞게 작량(酌量)함.
[參雜 참잡] 섞음. 또, 뒤섞임.
[參掌 참장] 참여하여 맡음.
[參奠 참전] 합사(合祀)함.
[參戰 참전] 전쟁(戰爭)에 참가함.
[參政 참정] 정치(政治)에 참여함. 또, 그 벼슬.
[參政權 참정권] 국민이 그 나라의 정치에 참여할 수 있는 권리.
[參朝 참조] 조정(朝廷)에 나감.
[參照 참조] 참고로 마주 대어 봄.
[參綜 참종] 참여하여 통치(統治)함.
[參佐 참좌] 속관(屬官).
[參證 참증] 참고가 될 증거.
[參知政事 참지정사] 송대(宋代)의 재상(宰相)에 다음가는 벼슬.
[參集 참집] 참가하기 위해 모임.
[參錯 참착] 서로 엇갈리어 섞임.
[參贊 참찬] ㉠참획(參畫). ㉡청말(淸末)에 동삼성(東三省)의 총독(總督)과 서장(西藏)의 판사대신(辦事大臣) 밑에 둔 벼슬. ㉢청대(淸代)에 공사관(公使館)의 공사(公使) 밑에 둔 벼슬. 조선(朝鮮) 때 의정부(議政府)의 정이품(正二品) 벼슬. 좌참찬과 우참찬이 있음.
[參纂 참찬] 참고하여 편찬(編纂)함.
[參天 참천] 공중에 높이 뻗어나는 모양.
[參天貳地 참천이지] 덕(德)이 천지(天地)와 나란함.
[參聽 참청] 참석하여 들음.
[參差 참치] ㉠가지런하지 아니한 모양. ㉡흩어진 모양. ㉢'퉁소(洞簫)'의 이칭(異稱).
[參賀 참하] 조정(朝廷)에 나가 하례(賀禮)함.
[參學 참학] 학문의 길에 들어감. 학구(學究)에 종사함.
[參驗 참험] 참고로 조사(調查)함.
[參互 참호] 섞임. 또, 섞음.
[參和 참화] 휼(恤)·정(正)·직(直)의 세 가지를 갖춤. 곧, 백성을 구휼(救恤)함과 바름과 곧음의 세 가지를 구비함.
[參會 참회] 참집(參集).
[參畫 참획] 계획에 참여함.
[參候 참후] 가서 동정(動靜)을 살핌. 또, 가서 안부(安否)를 물음. 사후(伺候).
◉古參. 內參. 代參. 不參. 佛參. 新參. 仰參. 月參. 日參. 早參. 朝參. 持參. 遲參. 直參. 差參. 推參. 趨參. 降參.

9 ⑪ [畣] 〔도〕 圖(口部 十一畫〈p. 429〉)의 俗字

10 ⑫ [叅] 參(前前條)의 俗字

13 ⑮ [毚] 준 ㊥眞 子峻切 jùn

字解 토끼 준 교활한 토끼의 이름. '東郭一者, 天下之狡兎也'《戰國策》.
字源 篆文 形聲. 兔+夋〔音〕. '兔토'는 '토끼'. '夋준'은 '날쌔다, 뛰어나다'의 뜻. 교활한 토끼의 뜻을 나타냄.

又 (2획) 部

〔또우부〕

0 ② [又] 中人 ■우 ■유 ㊤有 于救切 yòu

筆順 フ 又

字解 ■ ①또 우 ㉠거듭하여. 재차. '天下一大亂'《孟子》. ㉡그 위에. 다시. '一卜瀍水之東'《書經》. ②또할 우 재차 함. '天命不一'《詩經》. ③성 우 성(姓)의 하나. ■ 용서할 유 용대(容貸)함. 宥(宀部 六畫)와 통용. '王三一, 然後制刑'《禮記》.
字源 甲骨文 金文 篆文 象形. 오른손의 상형으로, 오른쪽의 뜻을 나타냄. '右우'의 원자(原字). 甲骨文에서는 '有유', '佑우', '侑유'의 뜻도 지니고 있었으나, 뒤에 이들 글자가 생겨서 뜻이 분화되었음. 어떤 사물을 중복해서 가진다는 데서, '또'의 뜻으로 전용(轉用)됨.
參考 부수(部首)로서 손의 동작에 관계되는 문자가 이루어짐.

[又驚又喜 우경우희] 놀란 위에 또 기뻐함. 놀라기도 하고 기뻐하기도 함.
[又生一秦 우생일진] 이미 진(秦)이란 적(敵)이

있는데, 또다시 적이 하나 늚을 이름.
◉多叉. 三叉. 一叉. 將叉. 從叉. 且叉.

1 ③ **[叉]** [人名] 차 [平]麻 初牙切 chā

[筆順] フ 又 叉

[字解] ①깍지낄 차 두 손의 손가락을 서로 어긋매끼게 낌. '一手'. '逢人手盡一'《柳宗元》. ②가닥질 차 갈래가 짐. '一竿'. ③가닥 차, 갈래 차 분기(分岐). '不愁歸路有三一'《陸游》. ④작살 차 물고기를 찔러 잡는 어구(漁具). '挺一來往'《潘岳》. ⑤찌를 차 작살로 찌름. '柳塘持燭一魚'《高啓》.

[字源] [篆文] 象形. 손가락 사이에 물건을 끼운 꼴을 본떠 '끼우다, 작살'의 뜻을 나타냄.

[叉竿 차간] 끝이 갈래진 죽간(竹竿).
[叉路 차로] 갈라진 길.
[叉手 차수] 깍지를 낌. 전(轉)하여, 아무것도 하지 않음. 공수(拱手).
[叉牙 차아] ㉠가운데가 우묵하여 갈라진 이. ㉡갈라져 나옴. ㉢가닥 지어 나옴. 기출(岐出).
◉交叉. 戟叉. 矛叉. 木叉. 步叉. 三叉. 丫叉. 夜叉. 野叉. 鑿叉. 音叉. 支叉. 攙叉. 吒叉. 俠叉. 畫叉.

2 ④ **[叉]** 조 ㊤巧 側絞切 zhǎo

[字解] 손톱 조, 발톱 조 爪(部首)의 古字. '一, 古文. 說文曰, 手足甲也'《廣韻》.

[字源] 指事. 손[又]과 손톱[丶]을 합친 글자.

2 ④ **[双]** 〔쌍〕 雙(隹部 十畫〈p.2487〉)의 俗字

2 ④ **[収]** 〔수〕 收(攴部 二畫〈p.922〉)의 俗字

2 ④ **[収]** 〔공〕 廾(部首〈p.713〉)의 本字

2 ④ **[𠬢]** 〔귀〕 宄(宀部 二畫〈p.567〉)의 古字

2 ④ **[及]** [中人] 급 [入]緝 其立切 jí

[筆順] ノ 乃 乃 及

[字解] ①미칠 급 ㉠뒤쫓아가 따름. '追敵不一'. '追吳師一之'《禮記》. ㉡일정한 곳에 이름. '賓入一庭'《儀禮》. ㉢일정한 시기에 이름. '未一期日'《禮記》. '一壯爲泗上亭長'《十八史略》. ㉣일정한 상태에 이름. '惟酒無量, 不一亂'《論語》. ㉤퍼짐. '波一'. '覃一鬼方'《詩經》. ㉥필적함. '彼不一此'. ㉦닿음. '其不一水, 蓋尋常尺寸之間耳'《韓愈》. ㉧족(足)함. '過猶不一'《論語》. ㉨관여함. 참여함. '一門'. '師出與謀曰一'《左傳》. ㉩연좌(連坐)함. '長惡不悛, 從自一也'《左傳》. ②미치게할 급 전항의 타동사. '老吾老以一人之老'《孟子》. ③및 급 접속사(接續詞). '大宛一大夏安息之屬, 皆大國'《史記》. ④더불 급 ㉠더불어. 함께. 같이. 與(臼部 七畫)와 뜻이 같음. '予一女偕亡'《孟子》. ㉡더불어 함. 함께 함. 같이 함. '周王于邁, 六師一之'《詩經》. ⑤성 급 성(姓)의 하나.

[字源] [甲骨文] [金文] [篆文] 會意. 又+人. '又우'는 손의 상형. 사람에 손이 닿을 듯이 따라붙다, 미치다의 뜻을 나타냄.

[及瓜 급과] 임기(任期)가 참. 해가 참. 만기(滿期). 외가 익을 때 부임하여 이듬해에 외가 익을 때 교체(交遞)한다는 뜻에서 나온 말.
[及落 급락] 급제(及第)와 낙제(落第).
[及累 급루] 남에게 누(累)를 끼침.
[及門 급문] 문하(門下)에 참여한다는 뜻으로, 문인(門人) 곧 제자(弟子)가 됨을 이름.
[及第 급제] 시험에 합격(合格)됨.
[及逮 급체] 쫓아가 잡음.
[及追 급추] 뒤쫓아가 미침.
◉企及. 過及. 過不及. 過猶不及. 論及. 普及. 世及. 遡及. 言及. 延及. 連及. 追及. 波及.

2 ④ **[友]** [中人] 우 ㊤有 云久切 yǒu

[筆順] 一 ナ 方 友

[字解] ①벗 우 친구. '一人'. '朋一'. '益者三一'《論語》. ②벗할 우 교유함. '諸侯有所不一'《後漢書》. ③우애있을 우 형제간에 의가 좋음. '一弟'. '孝一'. '惟孝, 一于兄弟'《書經》. ④성 우 성(姓)의 하나.

[字源] [甲骨文] [金文] [篆文] 形聲. 又+又〔音〕. '又우'는 오른손의 상형. 손에 손을 잡고 있는 '벗'의 뜻을 나타냄.

[友軍 우군] ㉠우리 군대. 아군(我軍). ㉡우방(友邦)의 군대.
[友道 우도] 친구와 사귀는 도리.
[友樂 우락] 의좋게 사귐.
[友睦 우목] 형제간에 우애가 있어 화목함.
[友穆 우목] 우목(友睦).
[友邦 우방] ㉠이웃 나라. ㉡가까이 사귀는 나라.
[友傅 우부] 임금의 자제(子弟)를 보호하고 보살피는 벼슬.
[友朋 우붕] 벗. 붕우(朋友).
[友生 우생] ㉠벗. ㉡편지에서 자기를 가리키는 말.
[友壻 우서] 동서(同壻).
[友善 우선] 벗과 사이가 좋음. 친함.
[友愛 우애] ㉠형제(兄弟) 사이의 정애(情愛). ㉡벗 사이의 정분(情分).
[友于 우우] 형제간에 우애가 있음.
[友誼 우의] 벗 사이의 정의(情誼).
[友人 우인] 벗. 우생(友生). 붕우(朋友).
[友情 우정] 우의(友誼).
[友弟 우제] 형제간에 우애가 있음.
[友悌 우제] 우제(友弟).
[友直 우직] 정직(正直)한 사람을 벗으로 삼음.
[友執 우집] 우인(友人).
[友風子雨 우풍자우] 바람을 벗하고 비를 아들로 삼는다는 뜻으로, 구름을 이름. 순자(荀子)에 바람이 구름과 같이 가니 동무요, 비는 구름에서 생기니 아들이라 한 데서 나온 말.
[友學 우학] 귀한 사람이 배우는 데 곁에서 함께

배움. 또, 그 사람.
[友好 우호] ㉠형제간에 우애가 있음. ㉡벗 사이에 우정이 깊음.
◉嘉友. 故友. 交友. 校友. 教友. 舊友. 金蘭友. 級友. 老友. 篤友. 同門友. 同友. 莫逆友. 忘年友. 亡友. 盟友. 睦友. 朋友. 士友. 四友. 死友. 師友. 社友. 三益友. 歲寒三友. 損友. 詩友. 詩酒友. 心腹友. 心友. 雅友. 諤諤友. 惡友. 良友. 畏友. 僚友. 益友. 爭友. 戰友. 正友. 政友. 諍友. 悌友. 酒友. 竹馬友. 知友. 執友. 親友. 布衣友. 學友. 鄕友. 賢友. 好友. 豪友. 孝友.

2
④ **[反]** 中·人 【一】 반 ㊤阮 府遠切 fǎn
【二】 번 (平)元 孚袁切 fān
【三】 판 ㊦願 方願切 fàn

筆順 一 厂 [illegible] 反

字解 【一】 ①돌이킬 반 ㉠그전으로 돌아감. 복귀함. '報本一始'《禮記》. ㉡돌이켜 생각함. 반성함. '一省'. '自一而縮'《孟子》. ②뒤집을 반 반대로 함. '以齊王, 由一手也'《孟子》. ③엎어질 반 전복함. '車不一覆'《周禮》. ④돌아올 반 '匹馬隻輪無一者'《公羊傳》. ⑤올 반 내도(來到)함. '福祥來一'《詩經》. ⑥뒹굴 반 누워서 이리저리 구름. '輾轉一側'《詩經》. ⑦거스를 반 어김. 거역함. '一拒'. '其所令一其所好, 而民不從'《大學》. ⑧배반할 반 모반함. '一逆'. '豈敢一乎'《史記》. ⑨휠 반 굽어짐. '上一宇以蓋戴'《班固》. ⑩듬직할 반 신중함. 진중함. '威儀一一'《詩經》. ⑪도리어 반 반대로. '天與弗取, 一受其咎'《史記》. ⑫반절 반 한 자(字)의 음과 한 자의 운(韻)을 합쳐 한 음을 나타내는 일. ⑬성 반 성(姓)의 하나. 【二】 뒤집을 번 ㉠원죄(冤罪)로 옥에 갇힌 사람을 재심하여 무죄로 함. '杜周治之, 獄少一者'《漢書》. ㉡뒤집어엎음. '一水漿'《漢書》. 【三】 팔 판 販(貝部 四畫)과 同字. '積一貨而爲商賈'《荀子》.

字源 甲骨文 金文 篆文 古文 會意. 又+厂. '又우'는 손의 상형. '厂한'은 '벼랑'의 상형. 내리덮치는 바위와 같은 중압(重壓)을 손으로 뒤집어엎다의 뜻을 나타냄.

[反間 반간] ㉠거짓 적국(敵國) 사람이 되어 적정을 탐지하여 본국에 알림. 또, 그 사람. ㉡적국의 간첩을 역이용하여 적이 탐지한 책략(策略)의 반대의 책략을 씀. ㉢이간질. 이간책(離間策).
[反感 반감] 거역하고자 하는 마음. 노여운 감정.
[反拒 반거] 반대하여 거역함. 반항함.
[反擊 반격] 쳐들어오는 적군(敵軍)을 도리어 침.
[反景 반경] ㉠저녁놀. ㉡저녁 해. 석양(夕陽).
[反經合權 반경합권] 상도(常道)에서 벗어나나 권도(權道)에 맞음.
[反故 반고] 서화(書畫)를 쓰거나 그리다가 못쓰게 된 종이. 휴지.
[反顧 반고] 뒤를 돌아다봄. 전(轉)하여, 가족을 그리워함. 집에 돌아가고 싶어 함.
[反攻 반공] 수세(守勢)를 취하다가 공세로 전하여 침.
[反求 반구] 어떤 일의 원인을 제 자신에게서 찾음. 반성하여 자기를 책망함.
[反裘而負薪 반구이부신] 갖옷을 뒤집어서 입고 땔나무를 짊어짐. 털을 아끼다가 도리어 가죽이 긁혀 찢어짐을 깨닫지 못하는 어리석음을 비웃는 말.
[反錦 반금] 반벽(反璧).
[反旗 반기] ㉠반란(反亂)을 일으킨 자가 드는 기(旗). ㉡반대 의사(意思)를 나타내는 행동이나 표시.
[反黨 반당] 당원이면서 당의 결정을 어기고 독자적으로 행동함.
[反對 반대] ㉠사물(事物)이 아주 상반(相反)됨. ㉡거스름.
[反動 반동] 어떠한 동작(動作)에 대하여 그 반대로 일어나는 동작.
[反亂 반란] 반역(反逆)을 꾀하여 일으키는 난리(亂離).
[反戾 반려] 위반함. 위배(違背)됨.
[反倫 반륜] 인륜(人倫)에 어그러짐.
[反面 반면] ㉠반대의 방면. ㉡어디를 갔다가 돌아와서 부모에게 뵘.
[反命 반명] ㉠사신(使臣)으로 갔다 돌아와서 보고함. 복명(復命). ㉡명령에 복종하지 아니함.
[反目 반목] 서로 눈을 흘김. 전(轉)하여, 서로 미워함. 사이가 좋지 못함.
[反問 반문] 물음에 대하여 대답하지 않고 도리어 되받아 물음.
[反民 반민] 민족에 반역함.
[反駁 반박] 남의 의견을 반대하여 논박(論駁)함.
[反縛 반박] 반접(反接).
[反反 반반] 듬직한 모양. 진중(鎭重)한 모양. 신중한 모양.
[反叛 반반] 배반함. 모반함.
[反撥 반발] 되받아서 퉁김.
[反背 반배] 배반함.
[反璧 반벽] 남이 선사하는 물건을 받지 아니하고 돌려보냄.
[反報 반보] ㉠복명(復命). ㉡갚음. 보답. 또, 앙갚음. ㉢되풀이. 반복.
[反復 반복] 한 일을 되풀이함.
[反覆 반복] ㉠배반함. ㉡되풀이함. ㉢엎어짐. 또, 뒤집어엎음. ㉣본디로 돌아감. ㉤언행을 이랬다저랬다 함.
[反覆無常 반복무상] 언행을 이랬다저랬다 하여 일정한 주장(主張)이 없음.
[反比例 반비례] 어떤 양(量)이 다른 양의 역수(逆數)에 정비례(正比例)되는 관계.
[反射 반사] 이편에 비친 광선(光線)이 저편에 되짚어 비침.
[反辭 반사] 되풀이하는 말.
[反殺 반살] 자기를 죽이려고 하는 자를 죽임.
[反相 반상] 반역을 일으킬 상(相). 역적질할 상(相).
[反常 반상] 상도(常道)에 어긋남. 이치에 어긋남.
[反噬 반서] ㉠동물(動物)이 은혜(恩惠)를 잊고 주인을 묾. ㉡은인(恩人)을 배반하여 해침.
[反舌 반설] ㉠오랑캐의 말. 만이(蠻夷)의 언어. 혀가 안으로 말려 발음이 분명치 못하여 잘 알아들을 수 없다는 뜻. 격설(鴃舌). ㉡지빠귓과에 속하는 새. 다른 새의 울음소리를 잘 흉내냄. 지빠귀. 티티새. 백설조(百舌鳥).
[反省 반성] 자기가 한 일을 스스로 돌이켜 살핌.
[反手 반수] 손바닥을 뒤침. 곧, 일이 매우 쉬움을 이름.

[反首拔舍 반수발사] 난발(亂髮)하고 노숙(露宿)함. 머리를 흐트러뜨리고 들에서 잠.
[反眼 반안] 반목(反目).
[反掖之寇 반액지구] 겨드랑이 아래에서 모반하는 적이라는 뜻으로, 내란(內亂)을 이름. 액(掖)은 액(腋). 소장지화(蕭牆之禍).
[反語 반어] ㉠표면의 뜻과는 반대(反對)되는 뜻으로 쓰이는 말. ㉡비꼬아 하고자 하는 말의 반대의 뜻의 말을 쓰는 어법(語法).
[反逆 반역] 임금을 배반하여 거병(擧兵)함. 모반(謀叛)함. 반역(叛逆).
[反映 반영] 반사(反射)하여 비침.
[反影 반영] 반영(反映)되는 그림자.
[反忤 반오] 배반하여 거스름.
[反宇 반우] 네 귀퉁이가 번쩍 들린 높은 처마. 비첨(飛檐). 비우(飛宇).
[反應 반응] ㉠이편을 배반(背反)하고 저편에 응(應)함. 배반함. 내통함. ㉡물질 사이에 일어나는 화학적(化學的) 변화.
[反張 반장] 뒤틀림. 꼬여서 비틀어짐.
[反掌 반장] 손바닥을 뒤집음. 일이 매우 쉬움의 비유.
[反葬 반장] 객사(客死)한 사람의 시체를 고향으로 옮겨다가 장사 지냄.
[反賊 반적] 모반(謀叛)한 적도(賊徒). 반역자(反逆者). 반적(叛賊).
[反轉 반전] ㉠반대로 돎. ㉡일의 형세가 뒤바뀜.
[反切 반절] 한문(漢文) 글자의 두 자의 음(音)을 반씩 취하여 한 음을 만들어 읽는 법.
[反坫 반점] 잔대. 주대(周代)에 제후(諸侯)의 회견(會見) 때 헌수(獻酬)한 술잔을 엎어 놓는, 흙으로 만든 대(臺).

[反坫]

[反接 반접] 두 손을 뒤로 합쳐 묶음.
[反正 반정] ㉠정도(正道)로 되돌아가게 함. 난세(亂世)를 바로잡아 본디의 태평(太平)한 세상(世上)으로 되게 함. ㉡정도(正道)에 어긋남. 상도(常道)에서 벗어나 버스러짐. ㉢부정(不正)과 정(正). 반대와 정면(正面). 속과 거죽.
[反正體 반정체] 한시(漢詩)의 한 체(體). 좌서(左書)가 본디의 글자와 똑같은 자로 구성된 시체(詩體). 예컨대, 유월(兪樾)의 '常因合坐共商量, 黨異宗同兩不當' 따위.
[反照 반조] ㉠반영(反映). ㉡반경(反景).
[反坐 반좌] 무고(誣告) 또는 위증(僞證)을 하여 남을 죄에 빠뜨리게 한 자에게 그 무고 또는 위증한 내용의 죄와 동일한 형벌을 과(課)하는 일.
[反證 반증] 반대의 증거(證據).
[反芻 반추] ㉠소·양 같은 짐승이 한 번 삼킨 것을 다시 게워 내어 씹는 일. ㉡같은 사물을 돌이켜 생각함을 이름.
[反側 반측] ㉠누운 자리가 편안하지 못하여 몸을 뒤척거림. ㉡이심(異心)을 품음. 모반함. 배반함.
[反側者 반측자] 배반자(背反者).
[反則 반칙] 법칙이나 규칙에 어그러짐.
[反旆 반패] 기치(旗幟)를 돌림. 곧, 군대를 돌림.
[反哺 반포] 까마귀 새끼가 자란 뒤에 늙은 어미 새에게 먹을 것을 물어다 준다는 뜻으로, 사람이 어버이에게 진 은혜를 갚음을 이름. 안갚음.
[反哺之孝 반포지효] 자식이 자란 후에 부모에게 진 은혜를 갚아 자식의 도리를 다하는 효성.
[反汗 반한] 나온 땀을 다시 들어가게 함. 군주(君主)가 일단 발표한 명령을 취소하거나 고치는 일을 이름.
[反抗 반항] 반대하여 저항(抵抗)함.
[反響 반향] ㉠음향(音響)의 반사(反射). 메아리. ㉡어떠한 언동(言動)이 사회에 미치는 영향(影響).
[反魂香 반혼향] 피우면 죽은 사람의 모습이 그 연기 속에 나타난다는 향(香).
[反耕 번경] 논밭을 갈아엎음.
[反庫 번고] ㉠창고 안의 물건을 뒤적거려 조사함. ㉡구역질하여 토함.
[反畓 번답] 밭을 논으로 만듦.
[反水不收 번수불수] 엎지른 물은 다시 담지 못함. 일단 한 일은 어찌할 도리가 없음. 복수난수(覆水難收). 복수불수(覆收不收).
[反脣 번순] 입술을 뾰족하게 내밂. 곧, 불복(不服)하여 입술을 삐죽이 하고 불평을 함.
[反胃 번위] 구역질로 위(胃)에서 음식물이 다시 입으로 올라오는 병증.
[反田 번전] 논을 밭으로 만듦.
[反貨 판화] 팔 물건. 매물(賣物).
◉顧反. 謀反. 背反. 倍反. 相反. 旋反. 往反. 違反. 離反. 造反. 悖反. 回反.

2 ④ [𠬡] 복 ㊀屋 房六切 fú

字解 다스릴 복 '一, 說文, 治也'《廣韻》.

字源 會意. 又+卩

3 ⑤ [㕚] 도 ㊥豪 土刀切 tāo

字解 ①반드러울 도 미끄러움. '一, 滑也'《說文》. ②손꾸미개 도 손을 장식하는 꾸미개. '一, 按, 手飾也'《說文通訓定聲》. ③북꾸미개 도 요고(腰鼓)에 장식으로 단 꾸미개. '一, 一曰, 戎鼓大首, 謂之一'《集韻》.

字源 指事. 又+屮

3 ⑤ [𠬪] 〔반·판〕 反(又部 二畫〈p.329〉)의 古字

3 ⑤ [𠬠] 〔발〕 犮(犬部 一畫〈p.1387〉)의 俗字

3 ⑤ [发] 〔발〕 發(癶部 七畫〈p.1500〉)·髮(髟部 五畫〈p.2625〉)의 簡體字

3 ⑤ [収] 〔수〕 收(攴部 二畫〈p.922〉)의 俗字

4 ⑥ [叓] 〔사〕 史(口部 二畫〈p.337〉)의 本字

4 ⑥ [叒] 약 ㊀藥 而灼切 ruò

字解 ①부상 약 동쪽 바다에 있어, 그것을 올라 해가 돋는다는 신목(神木). 부상(扶桑). '一, 日初出東方湯谷, 所登榑桑, 一木也'《說文》. ②

좇을 약 따름. '一, 順也'《六書精蘊》.
字源 象形. 동쪽의 해 돋는 곳에 자라는 신목(神木)을 나타냄.

4
⑥ [𠬪] 표 ㊤篠 平表切 biào
字解 떨어질 표 물건이 낙하(落下)함. '一, 物落皃'《廣韻》.
字源 會意. 爪+又

5
⑦ [叓] 〔사〕
事(亅部 七畫〈p. 70〉)의 古字

6
⑧ [叕] 一 철 ㊀屑 陟劣切 zhuó
二 열 ㊀屑 魚列切 jué
字解 一 ①이을 철 잇댐. 綴(糸部 八畫)과 同字. '一, 綴聯也'《說文》. ②짧을 철 '愚人之意一'《淮南子》. 二 빠를 열 '一, 速也'《集韻》.
字源 象形. 실을 이어 붙인 모양을 본뜸.

6
⑧ [叔] 中人 숙 ㊀屋 式竹切 shū
筆順 丨 ⺊ ⺊ 卡 卡 未 叔 叔
字解 ①아재비 숙 숙부. 아버지의 아우. '分寶玉于伯一之國'《書經》. ②셋째동포 숙 형제 중의 셋째. '伯仲一季'. '伯某甫, 仲一季, 唯其所當'《儀禮》. ③시동생 숙 남편의 아우. '嫂不撫一, 一不撫嫂'《禮記》. ④어릴 숙 연소함. 또, 연소한 사람. '一, 少也, 幼者之稱也'《釋名》. ⑤끝 숙 멸망에 가까운 때. 말세(末世). '三辟之興, 皆一世也'《左傳》. ⑥주울 숙 손으로 집음. 주로 열매 같은 것을 주움을 이름. '九月一苜'《詩經》. ⑦콩 숙 菽(艸部 八畫)의 古字. '得以一粟當賦'《漢書》.
字源 甲骨文 金文 篆文 形聲. 篆文은 又+尗〔音〕. '尗숙'은 가지에 붙어 있는 콩의 상형. 콩을 줍다의 뜻을 나타냄. 또 음부(音符)인 '尗'은 '弔조'와 통하여, '가엾어하다'의 뜻. 가엾어해야 할 어린 사람, 선량한 사람의 뜻도 나타냄. 파생(派生)되어 '아우'의 뜻이나, '숙부'의 뜻도 나타냄.

[叔季 숙계] ㉠끝의 형제. 막내아우. 말제(末弟). ㉡말세(末世).
[叔舅 숙구] 성(姓)이 다른 아저씨. 모계(母系)의 아저씨.
[叔梁紇 숙량흘] 춘추 시대(春秋時代)의 노(魯)나라 사람. 공자(孔子)의 아버지. 신장이 구 척이고 무력(武力)이 절륜(絕倫)하였으며, 벼슬은 추읍 대부(鄹邑大夫)를 지냈음. 전취(前娶) 부인 시 씨(施氏)에게서 딸만 아홉을 낳고 아들이 없다가 늦게 어린 안 씨(顔氏)에게 장가를 들어 이구(尼丘)에서 기도를 드려 공자를 낳았음.
[叔妹 숙매] 시누이. 남편의 누이동생.
[叔母 숙모] 숙부(叔父)의 아내.
[叔伯 숙백] 아우와 형. 형제(兄弟).
[叔父 숙부] ㉠아버지의 아우. ㉡천자(天子)가 동성(同姓)의 제후(諸侯)를 일컫는 말.
[叔世 숙세] 말세(末世).
[叔粟 숙속] 콩과 조.
[叔孫通 숙손통] 한(漢)나라의 설(薛) 사람. 고조(高祖) 때 한(漢)나라의 의례(儀禮)를 제정하였고 만년에는 태자태부(太子太傅)가 되었음.
[叔姪 숙질] ㉠조카. ㉡《韓》아저씨와 조카.
[叔行 숙항] 아저씨뻘의 항렬.
◉堂叔. 伯叔. 外叔. 仲叔.

6
⑧ [取] 中人 취 ㊤麌 七庾切 qǔ
筆順 一 𠄌 𠂤 𠂤 ⾡ 耳 耵 取
字解 ①취할 취 ㉠전쟁에서 적을 죽이고 그 표로서 귀를 자름. '獲者一左耳'《周禮》. ㉡잡음. 포획함. '一黿一鼉'《禮記》. ㉢빼앗음. 탈취함. '奪一'. '一三邑去'《史記》. ㉣도움. 상조(相助)함. '遠近相一'《易經》. ㉤손에 쥠. '如一如攟'《詩經》. ㉥받음. '一予'. '一衣者亦以篋'《禮記》. ㉦거둠. 거두어들임. '歲一十千'《詩經》. ㉧가림. 채용함. '一士'. '以貌一人'《史記》. ㉨다스림. '一天下者, 常以無事'《老子》. ㉩구함. 찾음. 요구함. '爲人排難解紛, 而無一也'《史記》. ㉪함. 행함. '咸其自一'《莊子》. ㉫씀. 사용함. 부림. '典筆之吏, 一筆失旨'《南史》. ㉬침. 죽임. '吾爲公一彼一將'《史記》. ②장가들 취 娶(女部 八畫)와 同字. '一女吉'《易經》. ③어조사 취 ㉠수동의 뜻을 나타내는 조사. '一欺'. '一笑'. '知者以有餘爲疑, 而朴者以不足一信矣'《後漢書》. ㉡무의미한 조사. '好一開簾帖雙燕'《盧照隣》.
字源 甲骨文 金文 篆文 會意. 又+耳. 옛날에, 전쟁에서 죽인 적의 왼쪽 귀를 베어 내어 목 대신 모았었던 데서, '붙잡다, 취하다'의 뜻을 나타냄.

[取睽 취규] '활〔弓〕'을 이름.
[取欺 취기] 기만당함.
[取其所長 취기소장] 장처(長處)를 취함.
[取貸 취대] 돈을 꾸어 주기도 하고 꾸어 쓰기도 함.
[取得 취득] 손에 넣음. 자기의 소유로 만듦.
[取露 취로] 증류(蒸溜)시키어 그 김을 받음.
[取利 취리] 돈놀이.
[取名 취명] 명성을 얻음.
[取舍 취사] 씀과 버림. 씀과 쓰지 아니함. 용사(用捨).
[取捨 취사] 취사(取舍).
[取色 취색] 낡은 세간 같은 것을 닦고 손질하여서 윤을 냄.
[取笑 취소] 남의 웃음거리가 됨.
[取息 취식] 이식(移息)을 늘려 받음.
[取食客 취식객] 염치없이 남의 음식을 먹는 사람.
[取食之計 취식지계] 근근이 밥이나 먹고 살아가는 꾀.
[取信 취신] 남에게 신용을 얻음.
[取予 취여] 가짐과 줌. 받음과 줌.
[取與 취여] 취여(取予).
[取人 취인] 인재(人材)를 가려 씀.
[取子車 취자거] 물레.
[取才 취재] 인재(人才)를 가려 씀. 능력이 있는 사람을 기용함.
[取材 취재] 기사(記事)나 회화(繪畫) 등의 재료

를 얻음. 또, 그것.
[取適非取魚 취적비취어] 낚시질을 하는 참뜻이 고기 잡는 데 있지 않고 쾌적(快適)을 취하는 데 있다는 뜻으로, 어떤 행동의 목적이 거기에 있는 것이 아니고 다른 데 있음을 이르는 말.
[取種 취종] 동식물의 씨를 받음.
[取次 취차] 차례차례로.
[取招 취초] 죄인의 진술(陳述)을 받음.
[取擇 취택] 가려 뽑음. 선택함.
[取便 취편] 편리한 것을 취함.
[取品 취품] 좋은 물건을 가려 뽑음.
[取稟 취품] 어른께 여쭈어서 대답을 기다림.
[取筆 취필] 잘 쓰는 글씨를 뽑음. 글씨 잘 쓰는 사람을 뽑음.
[取汗 취한] 병(病)을 고치기 위하여 땀을 발산시킴.
[取禍之本 취화지본] 재앙을 가져오는 근본.
◉簡取. 去取. 攻取. 博取. 詐取. 索取. 先取. 攝取. 略取. 漁取. 逆取. 竊取. 進取. 搾取. 採取. 聽取. 奪取. 捕取. 獲取.

6
⑧ [受] [中人] 수 [上]有 殖酉切 shòu 

[筆順] 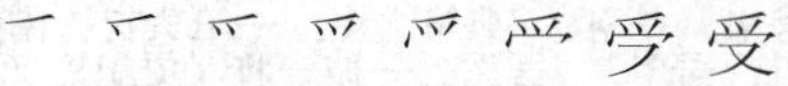

[字解] ①받을 수 ㉠주는 것을 가짐. 얻음. '一賂'. '一祿于天'《中庸》. ㉡자기 몸에 가하여짐. 주어짐. 입음. '至自遠方, 莫不一業焉'《史記》. '一恩尙必報'《說苑》. ㉢이음. 계승함. '殷一夏, 周一殷'《孟子》. ㉣용납함. 받아들임. '君子不可小知而可大一也'《論語》. ㉤싫음. 담음. 받음. '以簜一'《儀禮》. ㉥맞이함. '有所一無所歸'《大戴禮》. ②어조사 수 수동의 뜻을 나타내는 조사. '忘一欺於姦謏'《唐書》. ③성 수 성(姓)의 하나.

[字源] 甲骨文 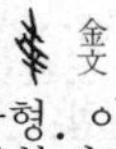 金文 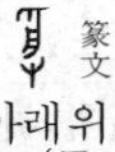 篆文  形聲. 甲骨文은 爪+又+舟〔音〕. '舟주'는 나룻배의 상형. 아래위로 손의 상형인 '爪조'와 '又우'를 덧붙여, '주고받다'의 뜻을 나타냄. 篆文은 '舟' 부분이 '冖멱'으로 생략 변형되었음.

[受呵 수가] 꾸지람을 당함.
[受講 수강] 강습(講習)을 받음.
[受檢 수검] 검사나 검열 등을 받음.
[受經 수경] 경서(經書)에 대한 강의(講義)를 듣고 배움.
[受戒 수계] ㉠경계를 받음. 경계당함. ㉡《佛敎》 불문(佛門)에 들어가 계율(戒律)을 받음.
[受諾 수낙] 수락(受諾).
[受難 수난] 재난(災難)을 당함.
[受納 수납] 받아들임. 들어줌.
[受動 수동] 남에게 작용(作用)을 받음. 피동(被動).
[受諾 수락] 들어줌. 승낙(承諾)함.
[受領 수령] 받아들임.
[受賂 수뢰] 뇌물(賂物)을 받음.
[受理 수리] 받아서 처리(處理)함.
[受命 수명] ㉠명령(命令)을 받음. ㉡천명(天命)을 받아 천자(天子)가 됨.
[受命而不辭家 수명이불사가] 왕명(王命)을 받고 출정할 때 집에 가서 이별을 고(告)하지 않고 그냥 떠나는 것이 장수(將帥) 된 사람의 도리라는 말.
[受命者 수명자] 천명(天命)을 받아 천자(天子)가 된 사람.
[受侮 수모] 남에게 모욕(侮辱)을 당함.
[受罰 수벌] 벌(罰)을 받음.
[受粉 수분] 암꽃술의 주두(柱頭)에 수꽃술의 꽃가루가 붙어 열매를 맺게 되는 현상.
[受傷 수상] 상처(傷處)를 입음.
[受賞 수상] 상(賞)을 받음.
[受禪 수선] 선양(禪讓)을 받음. 임금의 자리를 물려받음. 또, 그 일.
[受成 수성] 이루어진 사업을 이어받아 지켜 나감.
[受洗 수세] 기독교인(基督敎人)이 세례(洗禮)를 받음.
[受授 수수] 받음과 줌. 수수(授受).
[受信 수신] 통신(通信)을 받음.
[受室 수실] 아내를 얻음.
[受業 수업] 학업(學業)을 받음. 가르침을 받음.
[受辱 수욕] 남에게 치욕을 당함.
[受用 수용] 받아 씀.
[受容 수용] 받아 넣어 담음.
[受由 수유] 《韓》 말미.
[受恩 수은] 은혜(恩惠)를 입음.
[受益 수익] 이익을 얻음.
[受任 수임] ㉠임무를 받음. ㉡위임(委任)을 받음.
[受精 수정] 암컷의 난자(卵子)가 수컷의 정자(精子)를 받아들여 하나로 합치는 생식(生殖) 현상.
[受持 수지] ㉠받아 지킴. ㉡일을 받아 맡음. 담당함.
[受采 수채] 신랑(新郞) 집에서 보낸 납채(納采)를 신부 집에서 받음.
[受取 수취] 받아 가짐. 받음.
[受託 수탁] 부탁(付託)을 받음.
[受胎 수태] 아이를 뱀. 회임(懷姙).
[受學 수학] 학문을 받음.
[受降 수항] 항복(降伏)을 받음.
[受害 수해] 해(害)를 입음.
[受驗 수험] 시험을 치름. 시험에 응함. 응시(應試).
[受刑 수형] 형벌을 받음.
[受話機 수화기] 전화(電話)를 듣는 기계(機械).
◉甘受. 感受. 口受. 傍受. 拜受. 膚受. 收受. 授受. 順受. 承受. 心受. 容受. 引受. 傳受. 聽受. 超受. 享受. 虛受. 翕受.

7
⑨ [叙] [高人] 〔서〕 敍(攴部 七畫〈p. 929〉)의 俗字

[筆順] 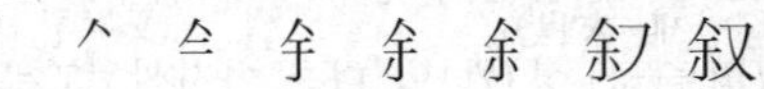

7
⑨ [叛] [中人] 반 [去]翰 薄半切 pàn 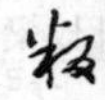

[筆順] 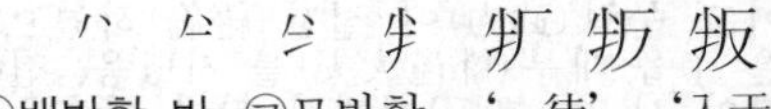

[字解] ①배반할 반 ㉠모반함. '一徒'. '入于戚以一'《左傳》. ㉡적의를 품음. '惠卿一安石'《十八史略》. ②배반 반 전항(前項)의 명사. '謀一'. 또, 배반하는 사람. '受詔討一'《晉書》.

[字源] 篆文 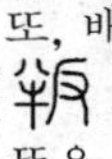 形聲. 反+半〔音〕. '半반'은 '갈라지다'의 뜻. 반항하여 떠나다, 배반하다의 뜻을 나타냄.

[叛軍 반군] 배반(背叛)한 군사.
[叛旗 반기] 반란을 일으킨 표시로 드는 기.

[叛奴 반노] 자기 상전(上典)을 배반(背叛)한 종.
[叛徒 반도] 반란을 일으킨 무리.
[叛亂 반란] 배반하여 일으키는 난리. 또, 모반(謀叛).
[叛戾 반려] 배반(背叛)함.
[叛服 반복] 배반(背叛)함과 복종(服從)함.
[叛臣 반신] 배반(背叛)한 신하(臣下).
[叛心 반심] 배반하려고 하는 마음. 배심(背心).
[叛逆 반역] 임금을 배반(背叛)하여 군사를 일으킴.
[叛將 반장] 반란을 일으킨 장수.
[叛跡 반적] 반역한 흔적.
[叛賊 반적] 반란을 일으킨 사람. 반역한 사람. 역적.
[叛渙 반환] 배반(背叛)하여 흩어져 감.
[叛換 반환] ㉠강(強)하여 제멋대로 굶. 발호(跋扈). ㉡배반(背叛)함.
◉乖叛. 謀叛. 背叛. 倍叛. 逆叛. 擾叛. 離叛.

7 ⑨ [叚] 〔가〕 假(人部 九畫〈p. 157〉)의 同字

字源 金文 篆文 會意. 厂+二+彐. '厂한'은 '바위'의 뜻. '二이'는 가공하지 않은 옥(玉)의 뜻. '彐'은 '양손'의 상형. 바윗돌 속에서 막 채취한 옥돌의 뜻에서, '임시'의 뜻을 나타냄. '瑕하'의 원자(原字).

7 ⑨ [叜] 叟(次條)와 同字

字源 甲骨文 篆文 會意. 宀+火+又. 집 안에서 손에 불을 들고 물건을 찾다의 뜻을 나타냄. 假借하여 '늙은이'의 뜻을 나타냄. '叟수'는 이체자(異體字). '搜수'의 원자(原字).

8 ⑩ [叟] 수 ①㊤有 蘇后切 sǒu ③㊥尤 疎鳩切 sōu

字解 ①늙은이 수 노인. 또, 장로(長老)에 대한 호칭(呼稱). '一不遠千里而來'《孟子》. ②쌀이는소리 수 '釋之——'《詩經》.
字源 '叜수'의 이체자(異體字). 叜(前條)의 자원(字源)을 보라.

[叟叟 수수] 쌀을 이는 소리.
[叟傖 수창] 시골 노인. 촌 영감.
◉國叟. 耆叟. 老叟. 路叟. 白顚叟. 北叟. 山叟. 垂白叟. 野叟. 迂叟. 愚叟. 釣叟. 蒼髯叟. 樵叟. 出叟. 緇叟.

8 ⑩ [㪅] 〔가〕 叚(又部 七畫〈p. 333〉)와 同字

[隻] 〔척〕 隹部 二畫(p. 2480)을 보라.

[曼] 〔만〕 曰部 七畫(p. 1008)을 보라.

[最] 〔최〕 曰部 八畫(p. 1009)을 보라.

9 ⑪ [敢] 〔감〕 殷(殳部 七畫〈p. 1157〉)·敢(攴部 八畫〈p. 935〉)과 同字

14 ⑯ [叡] 人名 예 ㊦霽 以芮切 ruì

筆順

字解 밝을 예, 슬기로울 예 사리에 통하여 깊고 밝음. '明一之姿'《後漢書》. 전(轉)하여, 천자(天子)에 관한 사물의 관칭(冠稱)으로 쓰임. '一旨'. '一覽'. '一感通三極'《李嶠》.
字源 篆文 古文 籒文 會意. 𣦼+目+谷〈省〉. '𣦼'은 '도려내다'의 뜻, '谷곡'은 '골짜기, 구멍'의 뜻. 골짜기를 도려내듯이 깊이 사물을 보는 눈의 모양에서, '밝다, 슬기롭다'의 뜻을 나타냄.
參考 ①睿(目部 九畫)는 古字. ②㪫(攴條)는 同字.

[叡感 예감] 임금의 느낌.
[叡覽 예람] 임금이 봄. 상람(上覽).
[叡略 예략] 아주 뛰어난 계략. 영략(英略).
[叡慮 예려] 임금의 생각. 성려(聖慮).
[叡敏 예민] 슬기가 뛰어나고 민첩함.
[叡算 예산] 임금의 수명(壽命).
[叡聖 예성] 지덕(知德)이 뛰어나 사리에 밝음. 천자(天子)의 덕을 칭송하는 말.
[叡聖文武 예성문무] ㉠천자(天子)가 현명하여 문무양도(文武兩道)에 통함. ㉡당(唐)나라 헌종(憲宗)의 존호(尊號).
[叡才 예재] 뛰어난 재주. 영재(英才).
[叡藻 예조] 임금이 지은 시문(詩文).
[叡旨 예지] 임금의 뜻. 성지(聖旨).
[叡知 예지] 사리에 통하여 깊고 밝은 슬기.
[叡智 예지] ㉠예지(叡知). ㉡우주(宇宙)의 본체(本體)인 이성(理性).
[叡哲 예철] 사리에 밝아 현철함. 또, 그 사람. 영철(英哲). 현철(賢哲).
◉明叡. 敏叡. 神叡. 英叡. 精叡. 聰叡.

14 ⑯ [㪫] 叡(前條)와 同字

16 ⑱ [叢] 人名 총 ㊥東 徂紅切 cóng 从

筆順

字解 ①모일 총 한곳으로 모임. '一集'. '是一于厥身'《書經》. ②모을 총 한곳으로 모이게 함. '一珍怪'《漢書》. ③떨기 총 더부룩하게 난 풀이나 빽빽하게 선 나무. '玉樹一一'《庾信》. ④숲 총 초목이 더부룩하게 난 곳. '一薄之中'《淮南子》. ⑤더부룩할 총 빽빽이 들어섬. '一生'. ⑥번잡할 총 번거로움. '一煩'. '元首一脞哉'《書經》. ⑦성 총 성(姓)의 하나.
字源 篆文 形聲. 丵+取〔音〕. '丵착'은 톱날이 붙은 공구(工具)의 상형. '取취'는 '聚취'와 통하여 '모으다'의 뜻. 떼 지어 모이다의 뜻을 나타냄.

[叢輕折軸 총경절축] 가벼운 물건도 자꾸 쌓아올리면 차축(車軸)을 부러뜨린다는 뜻으로, 작은 것도 많이 모이면 큰 힘이 된다는 말.
[叢棘 총극] 빽빽하게 들어서 우거진 가시나무. 전(轉)하여, 죄수를 잡아 두는 곳.
[叢劇 총극] 사무가 쌓이어 대단히 번거롭고 바쁨.
[叢談 총담] 여러 곳에서 모은 이야기.

[叢蘭欲秀秋風敗之 총란욕수추풍패지] 난초가 무성하려고 하나 가을바람이 이것을 시들어 죽게 한다는 뜻으로, 임금이 나라를 잘 다스리려고 하는데 간신이 이를 막거나, 악인이 선인(善人)을 해침의 비유로 쓰임.
[叢論 총론] 문장·논의(論議)를 모아 놓은 글.
[叢林 총림] ㉠잡목(雜木)이 우거진 숲. ㉡《佛敎》중이 모여 있는 곳.
[叢莽 총망] 더부룩하게 우거진 풀숲.
[叢薄 총박] 초목이 총생하여 우거진 곳. 숲.
[叢芳 총방] 무더기로 난 향초(香草).
[叢煩 총번] 번거로움.
[叢射 총사] 많은 사람이 일제(一齊)히 사격함.
[叢祠 총사] 숲 속에 있는 사당.
[叢生 총생] 풀이나 나무가 무더기로 더부룩하게 남.
[叢書 총서] ㉠책을 많이 모음. ㉡같은 종류의 서적(書籍)을 모아서 한 질(帙)로 만든 책.
[叢說 총설] 모아 놓은 많은 학설.
[叢樹 총수] 무더기로 들어선 나무.
[叢翳 총예] 한데 모여 덮어 가림.
[叢穢 총예] 잡초가 무성하여 더러움.
[叢雲 총운] 겹겹으로 모여 있는 구름.
[叢積 총적] 모여 쌓임. 많이 모임.
[叢脞 총좌] 번잡(煩雜)하여 통일이 없는 것. 번쇄(煩碎)함.
[叢湊 총주] 떼를 지어 모임.
[叢竹 총죽] 무더기로 난 대. 대숲.
[叢中 총중] 뭇사람이 떼를 지은 속.
[叢至 총지] 떼 지어 이름.
[叢集 총집] 떼를 지어 모임.
[叢攢 총찬] 총집(叢集).
[叢帖 총첩] 고금(古今)의 법첩(法帖)을 모아 판각(版刻)한 것.
[叢叢 총총] 많이 모이는 모양.
[叢萃 총췌] 한데 많이 모임. 또, 한데 많이 모음.
[叢聚 총취] 총집(叢集).
[叢篁 총황] 대숲.
◉談叢. 芳叢. 淵叢. 林叢. 竹叢. 攢叢.

[雙]〔쌍〕
隹部 十畫(p.2487)을 보라.

19
㉑ [變]〔변〕
變(言部 十六畫〈p.2164〉)의 俗字

口 (3획) 部
〔입구부〕

0
③ [口] 中人 구 ㊤有 苦后切 kǒu

筆順 丨 冂 口

字解 ①입 구 ㉠오관(五官)의 하나. '耳目一鼻'. '掩一而對'《禮記》. ㉡말하는 입. '防民之一, 甚於防川'《國語》. ㉢먹는 입. '糊一'. '以餬余一'《左傳》. ②아가리 구 그릇 등속의 물건을 넣고 내고 하는 데. '江出汶山, 其源如甕一'《新序》. ③어귀 구 출입구. 관문. '海一'. '張家一'. ④인구 구 사람의 수효. '戶一'. '八一之家'《孟子》 ⑤구멍 구 뚫어지거나 파낸 자리. '山有小一'《陶潛》. ⑥자루 구 칼 같은 것을 세는 수사(數詞). '跪獻劍一一'《晉書》. ⑦입밖에낼 구 말함. '吾爲子一隱矣'《公羊傳》. ⑧성 구 성(姓)의 하나.

字源 篆文 ⊔ 象形. 입의 모양을 본떠, '입'의 뜻을 나타냄.

參考 부수(部首)로 세워져, '口구'를 의부(意符)로 하여, 목소리나 숨을 밖으로 내는 일, 음식 따위, 입의 기능에 관계되는 문자가 이루어짐. 또 '吋촌'이나 '噸톤' 등 외래어의 번역자에도 '입구변'이 쓰임.

[口角 구각] 입아귀.
[口渴 구갈] 목이 마름. 조갈이 남.
[口疳 구감] 입 안이 허는 병(病).
[口腔 구강] 입속.
[口講指畫 구강지화] 입으로는 강술하고 손가락으로는 그림을 그려 보인다는 뜻으로, 친절히 가르침을 이름.
[口蓋 구개] 입천장.
[口訣 구결] ㉠입으로 전(傳)하는 비결(祕訣). ㉡우리나라에서 한문(漢文)의 한 구절 끝에 다는 토.
[口徑 구경] 아가리의 직경(直徑).
[口啓 구계] 임금에게 구두로 아룀.
[口供 구공] 죄(罪)를 공술(公述)함. 또, 그것을 기록한 서류.
[口過 구과] ㉠잘못한 말. 실언(失言). ㉡지나친 말. ㉢구취(口臭).
[口給 구급] 말을 잘함. 말주변이 있음.
[口氣 구기] ㉠말씨. ㉡입으로 쉬는 호흡.
[口訥 구눌] 말을 떠듬떠듬함.
[口達 구달] 구두로 전달함.
[口對 구대] 말로 하는 대답.
[口德 구덕] 말에 덕기(德氣)가 있음.
[口頭 구두] 직접 입으로 하는 말.
[口頭交 구두교] 말만 앞서는 진실하지 아니한 사귐.
[口頭辯論 구두변론] 소송(訴訟) 당사자가 구두로 하는 변론.
[口頭三昧 구두삼매]《佛敎》경문(經文)의 글귀만 외고 참된 선리(禪理)를 닦지 않는 수도(修道).
[口頭禪 구두선] ㉠《佛敎》구두 삼매(口頭三昧). ㉡실행(實行)이 따르지 않는 빈말.
[口頭試驗 구두시험] 묻는 말에 구두(口頭)로 대답하는 시험.
[口鈍 구둔] 말하는 입이 둔함. 입이 굼뜸.
[口糧 구량] 사람 수효대로 내어 주는 양식.
[口令 구령] 단체(團體) 행동에 동작(動作)을 지휘하여 부르는 호령.
[口論 구론] 변론(辯論).
[口文 구문] 흥정을 붙여 주고 받는 돈. 구전.
[口吻 구문] ㉠입술. ㉡말투. 구기(口氣)❶.
[口味 구미] 입맛.
[口靡 구미] 입속이 헒.
[口蜜腹劍 구밀복검] 말로는 친절(親切)하나 마음속으로는 해(害)칠 생각을 가지고 있음. 구유밀복유검(口有蜜腹有劍).
[口癖 구벽] 입버릇.
[口辯 구변] 말솜씨. 언변(言辯).

[口報 구보] 구두로 보고함.
[口腹 구복] 입과 배. 전(轉)하여, 음식(飮食).
[口腹累 구복루] 살림 걱정.
[口腹之計 구복지계] 살아가는 방도(方途).
[口賦 구부] 인구별로 부과하는 세금.
[口分 구분] ㉠사람 수에 의하여 할당함. ㉡구량(口糧).
[口碑 구비] 대대로 전하여 내려오는 말.
[口事 구사] 참소하는 말.
[口算 구산] 사람 수 또는 머릿수에 의하여 과(課)하는 세금.
[口尙乳臭 구상유취] 입에 아직 젖내가 난다는 뜻으로, 나이가 어리고 경험이 없어 언행(言行)이 유치(幼稚)함을 비웃어 하는 말.
[口書 구서] ㉠붓을 입에 물고 쓴 글씨. ㉡구두 진술(口頭陳述)을 받아쓴 서류.
[口宣 구선] ㉠구두(口頭)로 선포함. ㉡시비하는 말. 비방(誹謗)하는 말.
[口舌 구설] 말씨. 또, 공론(空論).
[口說 구설] ㉠말. 언어. ㉡구술(口述).
[口舌勞 구설로] 언변이 좋아 세운 공로(功勞).
[口誦 구송] 소리를 내어 욈.
[口受 구수] 구수(口授)를 받음.
[口授 구수] 말로 전(傳)하여 줌.
[口數 구수] 인구수.
[口述 구술] 구두로 진술(陳述)함.
[口習 구습] ㉠입버릇. ㉡말버릇.
[口是禍之門 구시화지문] 화(禍)는 입으로부터 생기므로 말을 삼가야 한다는 말.
[口實 구실] ㉠이야깃거리. ㉡음식. 먹을거리. ㉢생활. 호구(糊口). ㉣녹봉(祿俸).
[口哦 구아] 구음(口吟) ❶.
[口案 구안] 구두 진술서(口頭陳述書).
[口眼喎斜 구안와사] 입과 눈이 한쪽으로 쏠리는 병(病).
[口液 구액] 침.
[口約 구약] 구두로 하는 약속.
[口語 구어] ㉠말. 언어. ㉡참소(讒訴). ㉢보통 회화에 쓰는 말.
[口業 구업] 《佛敎》 삼업(三業)의 하나. 말에서 일어나는 업인(業因).
[口演 구연] 구술(口述).
[口熱 구열] 입속의 더운 기운.
[口有蜜腹有劍 구유밀복유검] 겉으로는 친밀한 체하면서 속으로는 몹시 음흉하여 해치려는 생각을 품고 있음을 이름. 구밀복검(口蜜腹劍).
[口吟 구음] ㉠읊조림. ㉡말을 더듬음.
[口吟舌言 구음설언] 말을 더듬어 이야기하는 데 힘이 듦.
[口耳之學 구이지학] 귀로 들어가서 입으로 나오는 천박한 학문. 들은 것을 그대로 남에게 알릴 뿐 조금도 자기에게는 이익이 없는 학문. 도청도설(道聽塗說).
[口者關也 구자관야] 입은 관문(關門)과 같은 것으로 함부로 놀려서는 안 된다는 말.
[口才 구재] 변설(辯舌)의 재능. 말솜씨.
[口笛 구적] 휘파람.
[口跡 구적] 말씨.
[口傳 구전] 입으로 전함. 말로 전함.
[口錢 구전] 구문(口文).
[口傳心授 구전심수] 입으로 전(傳)하고 마음으로 가르침.
[口占 구점] 읊조림. 읊음.
[口中 구중] 입 안.
[口中雌黃 구중자황] 온당치 않은 언론(言論)을 직접 자신이 입으로 취소하거나 고친다는 뜻. 자황(雌黃)은 누른빛의 물감으로서 옛날 책은 누런 종이로 되었으므로 틀린 글자가 있을 때에는 이 자황으로 칠해 지워 버리고 그 위에 고쳐 쓴 데서 나온 말.
[口脂 구지] 연지(臙脂).
[口讒 구참] 참소하는 말. 참언(讒言).
[口瘡 구창] 입 안의 부스럼.
[口薦 구천] 구두(口頭)로 하는 추천.
[口招 구초] 죄인(罪人)의 진술(陳述).
[口臭 구취] 입에서 나는 악취(惡臭).
[口唾 구타] 침.
[口澤 구택] 그릇 같은 것의 입에 항상 닿는 곳에 나는 윤(潤).
[口筆 구필] 입에 붓을 물고 쓰는 글씨.
[口險 구험] 남의 욕(辱)을 잘 함. 입이 험(險)함.
[口血未乾 구혈미건] 서로 모여서 피를 마시고 맹세한 지가 얼마 안 됨.
[口惠 구혜] 말로만 베푸는 은혜.
[口號 구호] ㉠읊조림. 읊음. 구음(口吟). ㉡군대(軍隊)에서 쓰는 호령.
[口畫 구획] 계획을 말함.
[口吃 구흘] 말을 더듬음.
◉可口. 家口. 開口. 缺口. 箝口. 經口. 鷄口. 卷口. 禁口. 噤口. 錦心繡口. 弄口. 訥口. 多口. 杜口. 忘口. 滅口. 默口. 美口. 發口. 防口. 百口. 辯口. 不容口. 三緘口. 塞口. 守口. 矢口. 飾口. 甚口. 餓狼之口. 良藥苦口. 如出一口. 饔口. 有口. 利口. 異口. 餌口. 人口. 一口. 逸口. 溢口. 入口. 藉口. 赤口. 適口. 絶口. 朱口. 衆口. 讒口. 出口. 閉口. 浦口. 河口. 緘口. 海口. 戶口. 虎口. 糊口. 餬口. 火口. 黃口.

[中] 〔중〕 丨部 三畫(p. 43)을 보라.

2 ⑤ **[只]** 中·人 지 ①㊥支 章移切 zhī ②③㊤紙 諸氏切 zhǐ

筆順 丨 冂 口 尸 只

字解 ①다만 지 단지. '一管'. '此文一出名世, 一一字未安'《范仲淹》. ②말그칠 지 어조(語調)를 위하여 어미(語尾)에 붙이거나 구(句) 중에 쓰는 말. '母也天一, 不諒人一'《詩經》. '樂一君子'《詩經》. ③성 지 성(姓)의 하나.

字源 篆文 只 指事. '口구'에 '八팔'을 더하여, 어조(語調)에 여운을 나타내며, 구말(句末)의 조사로 쓰임. 또, '다만'이라는 한정의 뜻을 나타내는 말로 쓰임.

[只管 지관] 단지 그것만을. 외곬으로.
[只今 지금] 시방. 이제.
◉樂只. 但只.

2 ⑤ **[冎]** 과 ㊤馬 古瓦切 guǎ

字解 가를 과 사람의 살과 뼈를 가름.

字源 形聲. 刀+口(咼)〔音〕. '咼과'는 '가르다'의 뜻. 칼로 살을 뼈에서 발라내다의 뜻을 나타냄.

[參考] ①叧(次條)은 別字. ②叧(次次條)는 別字.

2 ⑤ [另] 령 [去]徑 郎定切 lìng

[字解] ①가를 령, 나눌 령 분리함. ②딴 령 다른. 달리. '一. 別異也. 俗謂他日異日曰一日'《正字通》.
[字源] 指事. '別별'에서 '刂(刀)도'를 떼 내어, 근세(近世)에, 속어(俗語)로서 쓰이는 '딴'의 뜻을 나타냄.
[參考] 叧(前條)는 別字.

[另日 영일] 다른 날.

2 ⑤ [叧] 패 bǎi

[字解] 나눌 패 '一, 別也'《玉篇》.
[參考] 另(前條), 另(前前條)는 別字.

2 ⑤ [号] 〔호〕
號(虍部 七畫〈p.1999〉)와 同字

[字源] 篆文 形聲. 口+丂〔音〕. '丂고'는 구부러진 물건의 상형. 목소리가 바로 뻗어 나오지 못하고, 긴장한 나머지 꺾여 나오는 애처로운 부르짖음의 뜻. 뒤에 '虍호'가 더해져서, '號호'가 쓰이게 됨.

[兄] 〔형〕
儿部 三畫(p.191)을 보라.

2 ⑤ [叨] 도 [平]豪 土刀切 tāo

[字解] ①탐할 도 탐냄. '一貪'. '一憒日欽'《書經》. ②욕되게할 도 ㉠탐내어 함부로 차지함. '橫一天功'《後漢書》. ㉡외람되이 받음. '一不世之殊眄'《隋蕭皇后》. ③외람할 도 외람되이. '一蒙天恩'. '一逢慈奬'《梁簡文帝》.
[字源] 饕의 俗體 形聲. 口+刀〔音〕

[叨沓 도답] 탐함. 탐냄.
[叨冒 도모] 욕심이 많음. 탐욕(貪慾).
[叨忝 도첨] 외람하게도 은혜를 입음.
[叨憒 도치] 탐내어 성을 냄.
[叨貪 도탐] 탐함. 탐냄.
◉重叨. 貪叨. 橫叨.

2 ⑤ [叩] [人名] 고(구[本]) [上]有 苦后切 kòu / [去]宥 丘候切

[筆順] 丨 冂 口 叮 叩

[字解] ①두드릴 고 툭툭 침. '一門'. '以杖一其脛'《論語》. ②조아릴 고 이마를 조아림. 계상(稽顙)함. '一頭自請'《漢書》. ③물을 고 질문함. '一問'. '獨學少擊一'《梁武帝》. ④끌어당길 고 못 가도록 잡아당김. '一勒'. '一馬而諫'《史記》.
[字源] 形聲. 卩+口〔音〕. '口구'는 두드릴 때의 소리를 나타내는 의성어(擬聲語). '卩절'은 사람이 무릎을 꿇은 모양을 본뜸. 무릎 꿇고 앉아서 머리를 땅에 톡톡 두드리며 절을 하다의 뜻을 나타냄.

[叩叩 고고] ㉠문(門) 같은 것을 자꾸 두드리는 모양. ㉡간절(懇切)한 모양.
[叩其兩端而竭 고기양단이갈] 두 방면(方面)을 반문(反問)·심구(尋求)하여 남김이 없음. 종시(終始)·본말(本末)·상하(上下)·정조(精粗)를 남김없이 구명(究明)함.
[叩頭 고두] 머리를 조아림. 정성스러운 모양.
[叩勒 고륵] 잡아당겨 제어함.
[叩門 고문] 문을 두드림. 방문함.
[叩問 고문] 질문함.
[叩首 고수] 고두(叩頭).
[叩舷 고현] 뱃전을 두드림.
◉擊叩. 三跪九叩. 雙叩. 瞻叩.

2 ⑤ [叮] 정 [平]青 當經切 dīng

[字解] 정성스러울 정 되풀이하여 성의를 다함. '一嚀'.
[字源] 形聲. 口+丁〔音〕

[叮寧 정녕] 일에 정성을 들임. 정녕(叮嚀).
[叮嚀 정녕] 정녕(叮寧).

2 ⑤ [叶] 협 [入]葉 胡頰切 xié

[字解] 맞을 협, 화합할 협 協(十部 六畫)의 古字. '一時日正日'《後漢書》.
[字源] 協의 古文 會意. 口+十. '十십'은 '많다'의 뜻. 많은 사람의 말과 말이 조화하다의 뜻을 나타냄.

[叶韻 협운] 어떤 음운(音韻)의 글자가 때로는 다른 음운(音韻)과 통용되는 일. 예컨대, 역경(易經)의 '日昃之離, 不鼓缶而歌'에서 이(離)와 가(歌)는 원래 통운(通韻)이 아니지만, 이(離)의 운(韻)을 가(歌)의 운에 통용(通用)하게 하여 가(歌)와 운을 맞추는데, 이 경우에 이(離)의 운은 협운(叶韻)임.

2 ⑤ [叫] [高·人] 규 [去]嘯 古弔切 jiào / [去]宥 古幼切 jiào

[筆順] 丨 冂 口 口乚 叫

[字解] ①부르짖을 규 큰 소리를 지름. '一喚'. '一呼'. '或一于宋大廟'《左傳》. ②울 규 큰 소리로 읊. '一吟'. '候扇擧而清一'《潘岳》.
[字源] 篆文 形聲. 口+丩〔音〕. '丩규'는 '실이 엉키다'의 뜻. 이야기가 복잡해져서 높은 목소리로 외치다의 뜻을 나타냄.

[叫噱 규갹] 큰 소리로 껄껄 웃음.
[叫苦 규고] 고(苦)라고 부르짖음. 실패(失敗)하였을 경우(境遇)에 내는 소리.
[叫聒 규괄] 시끄러움.
[叫叫 규규] 멀리 들리는 소리의 형용. 소리가 멀리 들리는 모양.
[叫呶 규노] 시끄럽게 소리 지름.
[叫賣 규매] 물건을 사라고 소리 지르며 팖.
[叫然 규연] 부르짖는 모양.
[叫吟 규음] 큰 소리로 읊.
[叫噪 규조] 시끄럽게 떠듦.
[叫呼 규호] 외침. 큰 소리로 부름.

[叫號 규호] 외침. 부르짖음.
[叫喚 규환] 큰 소리로 부르짖음. 외침.
[叫喚地獄 규환지옥] 《佛敎》 팔열 지옥(八熱地獄)의 제사(第四). 옥졸(獄卒)이 몹시 모질게 굴어 그 괴로움을 견디지 못하여 울부짖는 사후(死後)의 세계.
[叫囂 규효] 시끄럽게 외침.
[叫吼 규후] 울부짖음.
[叫讙 규훤] 시끄럽게 외침.
◉酣叫. 蚯蚓叫. 鳳凰叫. 戍卒叫. 餓鴟叫. 哀叫. 絕叫. 齊叫. 呼叫. 號叫. 嘷叫. 喚叫.

2 ⑤ [叫] 叫(前條)와 同字

2 ⑤ [叭] 人名 팔 ㉠曷 普活切 pā ㉠黠 普八切 bā

字解 ①벌릴 팔 입을 벌림. ②나발 팔 '喇―'은 놋쇠로 만든 관악기(管樂器). 옛날, 군중(軍中)에서 호령을 전할 때 불었음.
字源 形聲. 口+八〔音〕

◉喇叭.

2 ⑤ [叱] 人名 질(즐㊍) ㉠質 昌栗切 chì

字解 꾸짖을 질 큰 소리로 책망함. 또, 그 소리. '手劍而―之'《公羊傳》.
字源 金文 篆文 形聲. 口+七〔音〕. '七칠'은 '베다'의 뜻. 입으로 베듯이 '몰아세우다, 꾸짖다'의 뜻을 나타냄.

[叱呵 질가] 꾸짖음.
[叱喝 질갈] 꾸짖음.
[叱咄 질돌] 꾸짖음.
[叱辱 질욕] 꾸짖으며 욕(辱)함.
[叱正 질정] 꾸짖어 고친다는 뜻으로, 자작(自作)의 시문(詩文)을 남에게 고쳐 달라고 부탁할 때의 겸사(謙辭)말.
[叱叱 질질] ㉠꾸짖는 소리. 혀 차는 소리. ㉡소나 말을 모는 소리.
[叱嗟 질차] 꾸짖음.
[叱責 질책] 꾸짖으며 책망함.
[叱斥 질척] 꾸짖으며 물리침.
[叱咤 질타] 노기를 띠고 큰 소리로 꾸짖음.
[叱嚇 질하] 꾸짖으며 위협함.
◉訶叱. 驅叱. 怒叱. 咄叱. 憤叱. 阿叱. 廷叱. 譙叱. 咤叱. 虎叱. 詬叱.

2 ⑤ [叵] 파 ㉡哿 普火切 pǒ

字解 ①어려울 파, 불가할 파 부정하는 말. 가자(可字)의 좌서(左書)로서, 불가(不可)의 뜻을 나타냄. '大耳兒最―信'《後漢書》. ②드디어 파 마침내. '―平諸國'《後漢書》.
字源 篆文 指事. '可가'를 반대로 하여, '불가(不可)'의 뜻을 나타냄.

2 ⑤ [史] 中人 사 ㉡紙 踈士切 shǐ

筆順 丨 冂 口 中 史

字解 ①사관 사 제왕의 언행을 기록하며, 또 정부의 문서를 맡은 벼슬아치. '動則左―書之, 言則右―書之'《禮記》. ②속관 사 장관(長官) 밑에 딸린 벼슬아치. 육관(六官)의 좌속(佐屬). '旣立之監, 或佐之―'《詩經》. ③사기 사 사승(史乘). '歷―'. '―實'. '紬―記石室金匱之書'《史記》. ④화사할 사 장식(裝飾)이 있어 아름다움. '文勝質則―'《論語》. ⑤성 사 성(姓)의 하나.
字源 甲骨文 金文 篆文 會意. 又+中. '又우'는 '손'의 뜻. '中중'은 신에 대한 축문을 적어 나뭇가지 따위에 붙들어 맨 것의 상형. 제사에 종사하는 사람의 뜻에서, 천자(天子)의 언행을 기록하는 벼슬아치의 뜻이 됨.

[史家 사가] 역사를 연구하는 사람. 역사가(歷史家).
[史可法 사가법] 명(明)나라 말기의 충신. 상부(祥符) 사람. 자(字)는 헌지(憲之). 숭정제(崇禎帝) 때 유적(流賊) 장헌충(張獻忠) 등을 쳐 공을 세워 남경병부상서(南京兵部尙書)가 되고 복왕(福王), 곧 홍광제(弘光帝) 때 무영전대학사(武英殿大學士)에 임명됨. 당시 마사영(馬士英)이 전권(全權)하므로 이를 못마땅히 여겨 양주(揚州)로 물러가 강북(江北)의 군사를 통솔하고 있었는데, 청군(淸軍)이 남하(南下)하여 양주를 포위하매 항전하다가 처절(凄絕)을 극(極)한 시가전 끝에 체포되어 피살됨. 문집에 〈사충정집(史忠靖集)〉 4권이 있음.
[史官 사관] 역사를 편수하는 벼슬.
[史觀 사관] 역사를 보는 관점(觀點). 역사적 현상을 해석하는 관점.
[史劇 사극] 역사상(歷史上)의 사실(史實)로 꾸민 연극(演劇).
[史記 사기] ㉠역사적(歷史的) 사실(史實)을 기록한 책. ㉡책명(冊名). 130권. 한(漢)나라 사마천(司馬遷)의 찬(撰). 황제(黃帝)로부터 한(漢)나라 무제(武帝)에 이르기까지의 3천여 년의 일을 적은 기전체(紀傳體)의 사서(史書). 12본기(本記)·10표(表)·8서(書)·30세가(世家)·70열전(列傳)으로 이루어짐. 대표적 주해서(註解書)로는 송(宋)나라의 배인(裴駰)의 '집해(集解)', 당(唐)나라의 사마정(司馬貞)의 '색은(索隱)', 장수절(張守節)의 '정의(正義)'가 있음.
[史談 사담] ㉠역사에 관한 이야기. ㉡사마천(司馬遷)의 아버지인 태사공(太史公) 사마담(司馬談)의 일컬음.
[史略 사략] 간단히 서술한 사서(史書).
[史錄 사록] 역사에 관한 기록.
[史論 사론] 역사(歷史)에 관한 논설.
[史料 사료] 역사(歷史)의 연구나 편찬에 필요한 재료(材料).
[史白 사백] 사기(史起)와 백공(白公). 모두 진한(秦漢) 때 수리(水利)를 이용한 개간(開墾)에 공이 있던 사람.
[史法 사법] 역사를 직필(直筆)로 쓰는 원칙.
[史書 사서] 역사책(歷史冊).
[史乘 사승] 역사의 기록(記錄). 사서(史書).
[史詩 사시] 사실(史實)을 소재(素材)로 하여 쓴 시.
[史臣 사신] 사초(史草)를 쓰는 신하.
[史實 사실] 역사에 실제로 있는 일.
[史獄 사옥] 사필(史筆)에 관계된 옥사(獄事).

[史有三長 사유삼장] 역사를 쓰는 데는 재(才)와 학(學)과 식(識)의 세 가지 장점을 갖추어야 한다는 뜻.
[史二體 사이체] 편년체(編年體)와 기전체(紀傳體).
[史蹟 사적] 역사상(歷史上)의 유적(遺蹟). 고적「(古蹟).
[史籍 사적] 역사책. 사기(史記).
[史傳 사전] 역사와 전기(傳記).
[史籀 사주] 주(周)나라 선왕(宣王) 때의 태사(太史). 고문(古文)을 고쳐 대전(大篆)을 만들었음. 그의 이름을 따 이것을 주문(籀文)이라고도 함.
[史策 사책] 기록(記錄).
[史體 사체] 사서(史書)의 체제(體制). 편년체(編年體)와 기전체(紀傳體)의 두 가지가 있음.
[史草 사초] 사서(史書)의 초고(草稿).
[史筆 사필] 역사를 쓰는 필법(筆法).
[史學 사학] 역사를 연구하는 학문.
[史漢 사한] 사기(史記)와 한서(漢書).
[史話 사화] 역사에 관한 이야기.
[史禍 사화] ㉠사필(史筆)로 인(因)하여 좌죄(坐罪)된 화(禍). ㉡사옥(史獄).
[史畫 사화] 역사의 인물이나 사건을 묘사한 그림.
◉家史. 監察御史. 經史. 古史. 稾史. 瞽史. 舊史. 國史. 內史. 圖史. 都御史. 馬史. 巫史. 文史. 府史. 墳史. 祕史. 社史. 三冬文史. 三史. 書史. 先史. 小史. 修史. 丞史. 侍史. 詩史. 侍御史. 野史. 哀史. 略史. 良史. 御史. 女史. 歷史. 椽史. 令史. 詠史. 外史. 右史. 元史. 有史. 二史. 麟史. 逸史. 子史. 刺史. 長史. 戰史. 正史. 從史. 左史. 柱下史. 靑史. 太史. 通史. 稗史. 編年史.

[加] 〔가〕
力部 三畫(p. 272)을 보라.

2 ⑤ [可] [中·人] [一] 가 [上]哿 枯我切 kě
[二] 극 [入]職 苦格切 kè 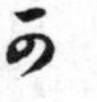

[筆順] 一 丁 可 可 可

[字解] [一] ①옳을 가 ㉠좋음. '人而無信, 不知其一也'《論語》. ㉡아직 썩 좋지는 않으나 그만하면 쓴다는 뜻으로도 쓰임. '子曰, 一也, 簡'《論語》. ②들을 가 들어줌. 동의함. '許一'. '晏嬰不一, 公惑之'《史記》. ③가히 가 ㉠긍정하는 말. '一以止則止, 一以久則久'《孟子》. ㉡단정하는 말. '一謂君子'. ㉢추측하는 말. '其事一知'. '其或繼周者, 雖百世一知也'《論語》. ㉣명령의 뜻을 나타내는 말. '父母之年, 不一不知也'《論語》. ㉤가능의 말. '子曰民一使由之'《論語》. ④쯤 가 정도. '飮一五六斗'《史記》. '邛西一二千里, 有身毒國'《漢書》. ⑤성 가 성(姓)의 하나. [二] 오랑캐임금이름 극 '一汗'은 흉노(匈奴)·돌궐(突厥)·회흘(回紇) 등의 군주(君主)의 칭호. '一汗猶單于也, 妻曰一敦'《唐書》.
[字源] 金文 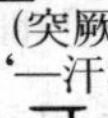 篆文 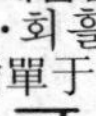 會意. 口+丁(丂). '口구'는 '입'. '丂가'는 입 안의 상형. 입 안 깊숙한 데서 큰 소리를 내어 꾸짖다의 뜻. '呵가', '訶가'의 원자(原字). 파생하여 '좋다, 가능(可能)'의 뜻으로 쓰임.

[可呵 가가] 스스로 우습다는 뜻으로, 흔히 편지(便紙)에 쓰는 말.
[可嘉 가가] 칭찬할 만함.
[可堪 가감] ㉠맡은 일을 감당(堪當)할 수 있음. ㉡견딜 수 있음.
[可居之地 가거지지] 살 만한 곳.
[可決 가결] 의안(議案)을 시인(是認)하여 결정(決定)함.
[可考 가고] 참고할 만함.
[可恐 가공] 두려워할 만함.
[可觀 가관] 볼만함.
[可怪 가괴] 괴상하게 여길 만함.
[可教 가교] 가르칠 만함.
[可欺以其方 가기이기방] 그럴듯한 말로 속일 수 있음.
[可念 가념] 염려됨. 걱정스러움.
[可能 가능] 될 수 있음. 또, 할 수 있음.
[可當 가당] ㉠합당함. ㉡당할 수 있음.
[可東可西 가동가서] 이렇게 할 만도 하고 저렇게 할 만도 함.
[可慮 가려] 걱정스러움.
[可憐 가련] ㉠모양이 어여쁘고 아름다움. 귀여움. ㉡불쌍함.
[可憐生 가련생] ㉠귀여움. ㉡귀여운 놈.
[可望 가망] 가능성이 있는 희망.
[可否 가부] ㉠옳은가 그른가의 여부(與否). ㉡허가하느냐 허가하지 않느냐의 여부. ㉢회의(會議)에 있어서 표결(表決)할 때에 좋은가 나쁜가의 여부.
[可分 가분] 나눌 수 있음.
[可不可 가불가] 가(可)함과 불가(不可)함.
[可不可一貫 가불가일관] 가(可)나 불가(不可)나 크게 볼 때에는 매한가지로서 다를 것이 없음.
[可笑 가소] 웃을 만함.
[可信 가신] 믿을 만함.
[可愛 가애] 사랑할 만함.
[可與樂成 가여락성] 일의 성과(成果)를 함께 즐길 수 있음. 일이 잘된 뒤에는 같이 즐겨도 좋음.
[可燃性 가연성] 불에 타는 성질.
[可畏 가외] 두려울 만함.
[可溶性 가용성] 액체에 녹는 성질.
[可謂 가위] ㉠가히 이르자면. ㉡과연. 참. ㉢말할 수 있음.
[可疑 가의] 의심(疑心)스러움.
[可以人而不如鳥乎 가이인이불여조호] 사람으로 태어나서 새만 못하다면 부끄러운 일이라는 뜻.
[可人 가인] 착한 사람. 쓸모 있는 사람.
[可憎 가증] 얄미움.
[可知 가지] 알 만함.
[可取 가취] 취(取)할 만함.
[可歎 가탄] 탄식(歎息)할 만함.
[可痛 가통] 통탄(痛歎)할 만함.
[可票 가표] 찬성을 나타내는 표.
[可合 가합] 합당(合當)함.
[可汗 극한] 흉노(匈奴)·돌궐(突厥)·회흘(回紇) 등의 군주(君主)의 칭호.
◉開可. 肯可. 無可. 無不可. 無一可. 未可. 不可. 允可. 宜可. 印可. 認可. 自可. 裁可. 再思可. 適可. 制可. 朝聞道夕死可. 奏可. 薦可. 通可. 許可. 獻可.

2 ⑤ [司] [高·人] 사 [平]支 息玆切 sī
[去]寘 相吏切 sī 

[筆順] 𠃌 ㇆ 司 司 司

字解 ①맡을 사 관리함. 담당하여 함. '一命'. '欽乃攸一'《書經》. ②벼슬 사 관직. '未有職一于王室'《左傳》. ③마을 사 관아. '三一'. '下攝衆一'《魏志》. ④벼슬아치 사 관리. '有一'. '庀其一'《左傳》. ⑤엿볼 사 伺(人部 五畫)와 同字. '居虎門之左, 一王朝'《周禮》. ⑥성 사 성(姓)의 하나.

字源 甲骨文 金文 金文 篆文 會意. ㄱ+口. 'ㄱ사'는 사람의 뜻이라고도 하고, 제사의 기(旗)의 뜻이라고도 함. '口구'는 기도하는 말의 뜻. 신의 뜻을 말로 여쭈어 아는 제사를 담당하다의 뜻에서, 일반적으로 담당하여 맡다의 뜻을 나타냄. 金文은 엉킨 실을 질서 있게 바로잡다, 다스리다. 그때의 주체(主體)가 되는 사람의 뜻에서 맡다, 맡은 벼슬아치의 뜻을 나타내고 있음. 《說文》에서는 '后후' 자의 반대꼴인 데서, '后' 곧 임금이 안에 있는 데 대하여, 밖에 있어서 일을 보는 신하, 벼슬아치라고 해석함.

[司諫 사간] ㉠주(周)나라 때 만민(萬民)의 비행(非行)을 규정(糾正)하는 벼슬. ㉡송(宋)나라 때 정치를 잘못하는 것을 간하는 벼슬. ㉢조선(朝鮮) 때 사간원(司諫院)의 정삼품(正三品) 벼슬.

[司契 사계] 임금이 천도(天道)를 좇아 나라를 다스림.

[司空 사공] ㉠주(周)나라 때 토지(土地)·민사(民事)를 맡은 벼슬. ㉡한(漢)나라의 삼공(三公)의 하나. ㉢옥(獄).

[司教 사교] 천주교의 교직(教職). 대사교(大司教)의 다음임.

[司寇 사구] 주(周)나라 때 형벌·도난(盜難) 등의 일을 맡은 벼슬.

[司農 사농] 한(漢)나라의 구경(九卿)의 하나. 농사(農事)를 맡은 벼슬.

[司徒 사도] ㉠주(周)나라 때 교육을 맡은 벼슬. 육경(六卿)의 하나. ㉡한(漢)나라의 삼공(三公)의 하나.

[司令 사령] 군대 또는 함대(艦隊)의 지휘와 통솔을 맡음. 또, 그 직책.

[司令官 사령관] 군대·함대의 지휘를 맡은 장관(長官).

[司隸校尉 사례교위] 수도(首都)에서 도둑을 잡고 비상(非常)을 경계하는 벼슬.

[司祿 사록] ㉠주(周)나라 때 봉록(俸祿)을 맡은 벼슬. ㉡별의 이름.

[司廩 사름] 당(唐)나라 때 미창(米倉) 일을 맡은 벼슬.

[司馬 사마] ㉠주대(周代)에 주로 군무(軍務)를 맡은 벼슬. ㉡한대(漢代)의 삼공(三公)의 하나.

[司馬光 사마광] 송(宋)나라 명신(名臣). 자(字)는 군실(君實). 태사온국공(太師溫國公)을 증직(贈職)받았으므로 사마온공(司馬溫公)이라 함. 신종(神宗) 때 왕안석(王安石)의 신법(新法)을 반대하다가 실각(失脚)하였고 철종(哲宗) 때 정승(政丞)이 되어 신법을 모두 폐지하였음. 저서에 〈자치통감(資治通鑑)〉·〈통감고이(通鑑考異)〉·〈독락원집(獨樂園集)〉 등이 있음. 〈자치통감〉은 중국의 편년사(編年史) 중에서 가장 잘된 것임.

[司馬法 사마법] ㉠주대(周代)의 토지의 경리(經理) 및 병부(兵賦)에 관한 규정. ㉡주대(周代)의 병진(兵陣)에 관한 법(法).

[司馬相如 사마상여] 전한(前漢)의 문인. 자(字)는 장경(長卿). 무제(武帝) 때 낭(郞)으로서 서남이(西南夷)와의 외교에 공이 컸음. 사부(辭賦)에 능하여 한위 육조(漢魏六朝)의 문인의 모범이 되었음.

[司馬懿 사마의] 삼국 시대(三國時代)의 위(魏)나라 명장(名將). 자(字)는 중달(仲達). 의심이 많고 책략(策略)이 뛰어나 촉한(蜀漢) 제갈량(諸葛亮)의 군사를 잘 막아냈음. 문제(文帝) 때 승상(丞相)에 올라 손자 사마염(司馬炎)이 제위(帝位)를 찬탈(簒奪)할 기초를 닦았음.

[司馬遷 사마천] 전한(前漢)의 사가(史家). 자(字)는 자장(子長). 태사령(太史令) 사마담(司馬談)의 아들. 무제(武帝) 때 흉노(匈奴)에게 항복한 이릉(李陵)의 일족(一族)을 멸살하려는 논의가 있자, 그의 충신(忠信)과 용전(勇戰)을 변호하다가 무제의 격노를 사서 궁형(宮刑)을 당하고, 그 후에 중서령(中書令)이 되었음. 부친 사마담이 끝내지 못한 수사(修史)의 업(業)을 계승하여 태사령으로 있을 때 궁정에 비장(祕藏)한 도서를 자유로이 읽었고 궁형을 당한 후에는 더욱 발분(發憤)하여 310편이나 되는 거작(巨作) 〈사기(史記)〉를 지었음.

[司命 사명] ㉠사람의 생명을 맡음. ㉡별의 이름.

[司牧 사목] ㉠군주(君主). ㉡지방관(地方官).

[司法 사법] 삼권(三權)의 하나. 법에 의한 재판(裁判) 및 그에 관련되는 국가 작용.

[司法官 사법관] 사법권의 행사에 관여하는 공무원.

[司法權 사법권] 사법의 작용을 행하는 권리.

[司城 사성] 춘추 시대(春秋時代)에 송(宋)나라에 두었던 벼슬. 사공(司空)과 같음. 공(空)은 송무공(宋武公)의 휘(諱)이므로 이를 피하기 위하여 고친 것임.

[司業 사업] 국자감(國子監)의 교수(教授). 수(隋)나라 때 두었음.

[司儲 사저] 당(唐)나라 때 미곡(米穀)의 저장을 맡은 벼슬.

[司祭 사제] 천주교에서 교회의 의식을 맡는 사교(司教)의 아래 교직.

[司直 사직] 공명 정직(公明正直)을 맡았다는 뜻으로서, 재판관을 이름.

[司織吏 사직리] 주(周)나라 때 목축(牧畜)을 맡은 벼슬아치. 직(樴)은 마소를 매어 두는 말뚝.

[司察 사찰] 불법(不法)을 취조함. 또, 그 임무.

[司天臺 사천대] 천문대(天文臺).

[司敗 사패] 옛날 진(陳)·초(楚)의 두 나라에 두었던 형벌을 맡은 벼슬.

[司會 사회] ㉠천하(天下)의 회계(會計)를 맡은 벼슬. 주(周)나라의 천관(天官)에 속함. ㉡《韓》 집회(集會)의 진행을 맡아봄. 또, 그 사람.

[司勳 사훈] 주(周)나라 때 공상(功賞)의 일을 맡은 벼슬.

◉家司. 疆場司. 公司. 官司. 國司. 軍司. 郡司. 群司. 劇司. 南司. 大司. 臺司. 東司. 牧司. 門司. 百司. 北司. 上司. 臣司. 右司. 有司. 尹司. 儀同三司. 里司. 庄司. 宰司. 典司. 殿前司. 鼎司. 諸司. 朝司. 左司. 主司. 職司. 春司. 判司. 憲司.

2 ⑤ [右] 中 人 우 ㊀宥 于救切 ㊤有 云久切 yòu

筆順 ノ ナ 才 右 右

字解 ①오른 우, 우편 우 오른쪽. '左'의 대. '一不攻于一'《書經》. 또, 방위로는 서쪽. '江一'. ②위 우 상(上). 상위(上位). '漢廷臣無能出其一者'《史記》. ③숭상할 우 중히 여김. '一文'. '守成上文, 遭遇一武'《漢書》. ④강할 우 권세가 있음. '一戚'. '無令豪一, 得固其利'《後漢書》. ⑤도울 우 佑(人部 五畫)와 同字. '保一命爾'《詩經》. ⑥성 우 성(姓)의 하나.

字源 金文 篆文 形聲. 口+又〔音〕. '口구'는 기도의 말의 뜻. '又우'는 '오른손'의 뜻. '祐우'의 원자(原字)로 신이 손을 뻗쳐 사람을 도움의 뜻을 나타냄. 또 '오른쪽'의 뜻도 나타냄.

[右傾 우경] ㉠보수적인 경향(傾向). '우익(右翼)' 참조. ㉡문예상 전통을 존중하는 파. 좌경(左傾)의 대(對).
[右契 우계] 어음 또는 부신(符信)을 두 쪽으로 나눈 것 중의 오른쪽 것. 약속을 받은 사람이 가짐.
[右軍 우군] ㉠우익(右翼)의 군대. ㉡진(晉)나라 왕희지(王羲之)의 일컬음. 그가 우군 장군(右軍將軍)을 지냈으므로 이름.
[右弓 우궁] 시위를 오른손으로 당겨 쏘는 활. 좌궁(左弓)의 대(對).
[右券 우권] 우계(右契).
[右揆 우규]《韓》'우의정(右議政)'의 별칭.
[右袒 우단] 한쪽 편을 듦.
[右黨 우당] 우익(右翼)의 당(黨). 보수적 노선을 표방하는 정당.
[右文 우문] 글을 숭상함. 문사(文事)를 숭상함.
[右文左武 우문좌무] 문무 두 가지 도(道)로써 천하를 다스림.
[右方 우방] 오른편.
[右邊 우변] ㉠오른편. ㉡오른편 가장자리.
[右符 우부] 우계(右契).
[右扶風 우부풍] ㉠벼슬 이름. 진(秦)나라 때 주작중위(主爵中尉)가 있어 열후(列侯)를 관장(管掌)하였는데, 한(漢)나라 경제(景帝) 때에 도위(都尉)라 고치고, 무제(武帝) 태초 원년(太初元年)에 다시 우부풍(右扶風)으로 고쳐 경조윤(京兆尹)·좌풍익(左馮翊)과 삼보(三輔)가 되었음. ㉡한대(漢代)의 군명(郡名). 우부풍(右扶風)이 관할함. 지금의 산시 성(陝西省) 장안현(長安縣)의 서쪽 땅.
[右司 우사] 당(唐)나라의 제도(制度)에서 병부(兵部)·공부(工部)·형부(刑部)의 일컬음. 좌사(左司)의 대(對).
[右史 우사] 군언(君言)의 기록을 맡은 벼슬. 좌사(左史)의 대(對).
[右師 우사] 춘추 시대(春秋時代)의 송(宋)나라 관명(官名). 송나라는 사향(四鄉)이 있어 좌우로 나뉘었는데, 오른쪽 이향(二鄉)을 우사(右師)가 다스렸음.
[右相 우상]《韓》'우의정(右議政)'의 별칭(別稱).
[右序 우서] 도와 일의 차례를 정함.
[右旋 우선] 오른편으로 돎.
[右姓 우성] 우족(右族).
[右手 우수] 오른손.
[右手畫圓左手畫方 우수화원좌수화방] 오른손으로는 동그라미를 그리고 왼손으로는 네모를 그린다는 뜻으로, 상반(相反)되는 두 가지 일을 한꺼번에 이룰 수 없음을 비유한 말.
[右列 우열] 오른편의 열.
[右往左往 우왕좌왕] 이리저리 왔다 갔다 함.
[右繞 우요]《佛教》부처를 중심으로 해서 오른쪽으로 돎.
[右援 우원] 도움. 원조.
[右議政 우의정]《韓》의정부(議政府)의 정일품 벼슬. 좌의정의 아래.
[右翼 우익] ㉠오른편 날개. ㉡오른편에 있는 군대. ㉢횡대(橫隊)의 우단(右端). ㉣보수파(保守派). 프랑스 국민 의회(國民議會)에서 의석(議席)을 오른편에 자리 잡은 데서 이름.
[右族 우족] 지체가 좋은 겨레. 우성(右姓).
[右職 우직] 높은 벼슬. 높은 직임.
[右戚 우척] ㉠세력이 있는 친척(親戚). ㉡귀족(貴族).
[右側 우측] 오른편의 옆.
[右便 우편] 오른쪽. 오른편.
[右弼 우필] ㉠도움. 보좌(補佐)함. ㉡천자(天子)의 곁에서 보좌하는 벼슬.
[右學 우학] 은대(殷代)의 대학(大學).
[右舷 우현] 오른쪽의 뱃전.
◉江右. 權右. 極右. 袒右. 端右. 保右. 卜右. 如右. 擁右. 戎右. 隣右. 折右. 朝右. 左右. 座右. 車右. 推右. 寢右. 豪右.

2 ⑤ [古] 中·人 고 ㊤麌 公戶切 gǔ

筆順 一 十 十 古 古

字解 ①예 고 ㉠예전. '一昔'. '一代'. '曰若稽一'《書經》. ㉡옛일, 또는 옛날의 도서. '好一'. '合葬非一'《禮記》. ②선조 고 조상. 또, 선왕(先王). '祀天地山川社稷先一'《禮記》. ③묵을 고 오래됨. '一物'. '石室千年一'《陳子昂》. ④예스러울 고 옛 풍취가 있음. '一奇'. '氣淸韻一'《宋史》. ⑤성 고 성(姓)의 하나.

字源 金文 篆文 象形. '克극'이나 '胄주'의 金文의 윗부분과 모양이 비슷하여, 단단한 투구의 상형. 오래되고 딱딱해지다의 뜻에서 파생(派生)하여, '예'의 뜻을 나타냄. 일설에는 맹세나 계시(啓示)의 기록을 단단히 가둬 두다의 뜻에서, '오래되다, 전고(典故)'의 뜻이 생겼다고 함.

[古家 고가] 지은 지가 오래된 집.
[古歌 고가] 옛날 노래.
[古格 고격] 옛날의 격식(格式).
[古戒 고계] 옛날 사람이 남긴 경계.
[古公亶父 고공단보] 주무왕(周武王)의 증조부. 기산(岐山) 기슭에서 덕을 닦아 주(周)나라의 기반을 이룬 사람임. 무왕(武王) 때 추존(追尊)하여 태왕(太王)이라 함.
[古怪 고괴] 예스럽고 괴상함.
[古宮 고궁] 옛 궁궐.
[古規 고규] 옛날의 법칙, 또는 규칙.
[古今 고금] 예와 이제.
[古今獨步 고금독보] 고금을 통하여 그와 견줄 만한 사람이 없음.
[古今同然 고금동연] 사물이 변하지 아니하여 예나 이제나 마찬가지임.
[古今無雙 고금무쌍] 고금독보(古今獨步).
[古今不同 고금부동] 사물이 변하여 예와 지금이 같지 아니함.
[古奇 고기] 예스럽고 기이함.

[古記 고기] 옛적 기억(記憶).
[古氣 고기] 예스러운 운치.
[古基 고기] 옛터.
[古器 고기] 옛날 그릇.
[古談 고담] 옛날이야기.
[古代 고대] 옛날. 옛적.
[古渡 고도] 옛날의 나루터.
[古都 고도] 옛날의 서울.
[古道照顏色 고도조안색] 옛날의 바른 도(道)가 눈 앞에 나타나 자기의 얼굴을 비친다는 뜻으로, 옛날의 정도(正道)에 배반하지 않는다는 뜻.
[古銅爐 고동로] 구리로 만든 옛날 화로(火爐).
[古銅色 고동색] 검누른 빛.
[古來 고래] 옛날부터 지금에 이르기까지. 자고이래(自古以來).
[古例 고례] 옛날부터 내려오는 관례(慣例).
[古禮 고례] 옛날의 예절(禮節).
[古老 고로] ㉠늙은이. 노인. ㉡옛일을 잘 아는 노인. 고실(故實)에 밝은 노인. ㉢부모(父母)를 이름.
[古老相傳 고로상전] 늙은이들의 말로 전하여 옴.
[古里 고리] 고향(故鄕).
[古名 고명] 옛날 이름.
[古貌古心 고모고심] 용모와 마음이 모두 옛날 사람의 풍도(風度)가 있음.
[古木 고목] 오래 묵은 나무.
[古墓 고묘] 오래된 무덤. 옛날 무덤.
[古廟 고묘] 오래된 사당집. 옛 사당.
[古墨 고묵] 오래된 먹. 옛 먹.
[古文 고문] ㉠옛날의 글자. 주로 주대(周代)의 과두(蝌蚪) 문자. ㉡당대(唐代)의 고체(古體)의 산문(散文). 육조(六朝) 이래의 사륙문(四六文)의 대.
[古文辭類纂 고문사유찬] 문집(文集). 청(淸)나라 요내(姚鼐)의 편(編). 75권. 선진(先秦)으로부터 북송(北宋)까지의 제가(諸家)의 고문(古文)으로서 후인(後人)의 모범이 될 만한 것을 추려 논변(論辨)·서발(序跋)·주의(奏議)·서설(書說)·증서(贈序)·조령(詔令)·전장(傳狀)·비지(碑誌)·잡기(雜記)·잠명(箴銘)·송찬(頌贊)·사부(辭賦)·애제(哀祭)의 열세 부류로 나누어 실었음.
[古文辭學 고문사학] 글은 진한(秦漢) 이전, 시는 성당(盛唐) 이전을 본보기로 하여 지어야 한다는 문학 상의 주장. 명(明)나라의 이반룡(李攀龍)·왕세정(王世貞) 등 칠재자(七才子)가 주창(主唱)하였음.
[古文尙書 고문상서] 경서(經書). 46권, 59편. 한대(漢代)에 노(魯)나라의 공왕(恭王)이 공자(孔子)의 집을 헐고 벽 속에서 얻은 서경(書經). 모두 과두 문자(蝌蚪文字)로 썼음. 동진(東晉)에 이르러 비로소 세상에 나왔는데, 청조(淸朝)의 학자 중에는 위서(僞書)라고 주장하는 이가 많음.
[古文眞寶 고문진보] 시문집(詩文集). 송(宋)나라 황견(黃堅)의 편집(編輯)이라고 전함. 전집(前集) 3권, 후집 2권으로 되었는데, 전집은 권학문(勸學文)으로 시작하여 위(魏)·진(晉)·당(唐)·송(宋) 등의 작가의 명시(名詩)를, 후집은 한(漢)나라로부터 송(宋)나라까지의 명문(名文)을 실었음.
[古物 고물] ㉠옛날 물건. ㉡낡은 물건.
[古米 고미] 해를 묵힌 쌀. 묵은쌀.
[古樸 고박] 예스럽고 질박함.
[古撲 고박] 고박(古朴).
[古方 고방] ㉠옛날부터 전하여 오는 약방문(藥方文). ㉡옛적에 행하던 방법.
[古法 고법] 옛날의 법.
[古本 고본] ㉠헌책. ㉡고서(古書).
[古墳 고분] 고대의 무덤.
[古佛 고불] 옛날의 불상(佛像). 오래된 불상.
[古碑 고비] 옛날 비석. 오래된 비석.
[古史 고사] 옛날의 역사(歷史).
[古寺 고사] 오래된 절. 고찰(古刹).
[古事 고사] 옛일.
[古祠 고사] 옛 사당.
[古色 고색] ㉠낡은 빛. ㉡옛날의 풍치(風致).
[古生物 고생물] 지질 시대(地質時代)에 살던 생물.
[古書 고서] 옛날 책. 고본(古本).
[古石 고석] ㉠이끼가 덮인 오래된 돌멩이. ㉡괴석(怪石).
[古昔 고석] 옛날.
[古說 고설] ㉠옛날이야기. ㉡옛적의 학설(學說).
[古城 고성] 옛 성.
[古俗 고속] 옛날의 풍속.
[古松 고송] 오래된 소나무. 노송(老松).
[古時 고시] 옛적. 옛날.
[古詩 고시] ㉠옛날 사람이 지은 시. 고대의 시. ㉡고체(古體)의 시. 구수(句數)·자수(字數)에 제한이 없고 압운(押韻)에도 일정한 법칙이 없음.
[古詩源 고시원] 시집(詩集). 청(淸)나라 심덕잠(沈德潛)의 편. 15권. 태고(太古)로부터 남북조(南北朝)까지의 각 체(體)의 시(詩)는 물론 동요·이언(俚諺)까지 실었음.
[古式 고식] 옛날의 식(式).
[古雅 고아] 고색(古色)을 띠어 아담(雅淡)함.
[古樂 고악] 옛날 음악.
[古樂府 고악부] 악부집(樂府集). 원(元)나라 좌극명(左克明)의 편. 10권. 진(陳)·수(隋) 이전의 악부를 팔류(八類)로 나누어 수록하였음. 악부의 근원을 캐어 양유정(楊維楨)이 악부의 고율(古律)을 깨뜨리려는 경향을 바로잡으려 한 것임.
[古語 고어] 고언(古言).
[古言 고언] ㉠옛사람의 말. ㉡옛날 말.
[古諺 고언] 옛날부터 전해 오는 속담.
[古屋 고옥] 지은 지 퍽 오래된 집. 낡은 집.
[古瓦 고와] 옛 기와.
[古往今來 고왕금래] 옛날부터 지금까지.
[古韻 고운] 육경(六經)에 쓰인 문자(文字) 및 한위 시대(韓魏時代)의 문자의 협운(叶韻).
[古猶今 고유금] 고금(古今)을 일관하여 변하지 아니함.
[古意 고의] ㉠고풍(古風)의 취미. ㉡옛날을 추억하는 마음. 회고의 정.
[古義 고의] ㉠옛 의의(意義). ㉡옛 해석(解釋).
[古誼 고의] ㉠옛 해석. 고의(古義). ㉡옛날의 바른 도(道).
[古人 고인] 옛사람.
[古人之糟魄 고인지조박] 박(魄)은 박(粕)과 같아 술지게미란 뜻으로, 지금 세상에 전하는 옛날 성현(聖賢)의 말을 이름. 옛날 성현 그 자신은 이미 죽고 지금은 그들의 말만 남아 있으니, 이는 마치 술 그 자체는 없어지고 그 지게미만 남은 것과 같다는 뜻으로, 참된 도(道)는 언어와 문장으로써는 남김없이 전할 수 없는 것이

므로 현재 전하는 것은 술을 거르고 남은 찌꺼기나 다름없다는 말.
[古字 고자] 옛 체(體)의 글자.
[古迹 고적] 고적(古跡).
[古跡 고적] ㉠남아 있는 옛 물건. ㉡옛날 물건이 있던 자리. 고적(古蹟).
[古蹟 고적] 고적(古跡).
[古典 고전] ㉠옛날의 기록, 또는 서적(書籍). ㉡옛날의 법식(法式), 또는 제도.
[古錢 고전] 옛날에 쓰던 돈.
[古典美 고전미] 고전적인 미(美).
[古戰場 고전장] 옛날의 싸움터.
[古制 고제] 옛날의 제도.
[古製 고제] 옛날 양식으로 한 제작.
[古調 고조] 옛날부터 전해 오는 곡조(曲調).
[古鐘 고종] 옛날의 종.
[古籒 고주] 고문(古文)과 주문(籒文).
[古註 고주] 옛 주석(註釋).
[古刹 고찰] 옛 절. 고사(古寺).
[古處 고처] 옛 도(道)를 본받아 처세(處世)함.
[古哲 고철] 옛 철인.
[古鐵 고철] 헌 쇠.
[古體 고체] ㉠고풍(古風)❼. ㉡고문(古文)의 체(體). ㉢한시(漢詩)에서 절구(絶句)와 율(律) 이외의 것.
[古塚 고총] 자손이 끊이어 묵은 무덤.
[古稱 고칭] 옛날에 부르던 이름.
[古塔 고탑] 오래된 탑.
[古態 고태] 고아하고 질박(質朴)한 태.
[古宅 고택] 옛날에 지은 집.
[古風 고풍] ㉠옛사람의 풍도. 또, 옛날의 모습. ㉡고시(古詩).
[古筆 고필] ㉠옛날 사람의 필적(筆蹟). ㉡오래된 붓.
[古學 고학] 고훈(古訓)을 연구하는 학문.
[古墟 고허] 오래된 폐허.
[古賢 고현] 옛 현인.
[古號 고호] 나라나 땅 등의 옛날의 이름.
[古畫 고화] 옛날의 그림.
[古訓 고훈] ㉠옛날 사람의 교훈(敎訓). ㉡옛날의 훈(訓).
[古稀 고희] 나이 일흔 살의 일컬음.
◉簡古. 講古. 稽古. 考古. 曠古. 近古. 今古. 籠古. 丹心照萬古. 萬古. 放古. 復古. 上古. 尙古. 先古. 邃古. 茹古. 往古. 擬古. 前古. 終古. 中古. 振古. 蒼古. 千古. 最古. 太古. 好古. 懷古.

2 ⑤ [句] 中人 구 ①②去遇 九遇切 jù ③-⑤去宥 古候切 gòu ⑥⑦平尤 古侯切 gōu

筆順 ノ 勹 勺 句 句

字解 ①구절 구 시문 중의 한 토막. '字一'. '章一'. '因字而生一, 積一而爲章'《文心雕龍》. ②굽을 구 굴곡함. '一戟'. '一中鉤'《禮記》. ③맡을 구 임무를 담당함. '江南一當公事回'《宋史》. ④셀 구 셈을 셈. '以後季一前季'《唐書》. ⑤당길 구 활시위를 잡아당김. '敦弓旣一'《詩經》. ⑥구 구 직각 삼각형의 직각을 낀 두 변 가운데 짧은 변. '一股'. ⑦성 구 성(姓)의 하나.

字源 甲骨文 金文 篆文 形聲. 口+勹〈省〉〔音〕. '勾구'는 구부러진 갈고리가 걸린 모양을 본뜸. '구부러지다'의 뜻을 나타냄. 또 '勹'는 '區구'와 통하여 '구획 짓다'의 뜻. 말을 끊어 토막을 짓다의 뜻을 나타냄.
參考 勾(勹部 二畫)는 俗字.

[句決 구결] 부인(婦人)의 머리꾸미개.
[句股弦 구고현] 직각 삼각형의 세 변(邊). 직각을 이룬 짧은 변을 구(句), 긴 변을 고(股), 직각의 대변을 현(弦)이라 함. 고(股) 참조.
[句管 구관] 맡아 다스림.
[句戟 구극] 끝이 굽은 창.
[句當 구당] ㉠취급함. 담당함. ㉡담당. 계(係).
[句讀 구두] 글을 읽기 편하게 하기 위하여 구절(句節)이 떨어진 곳에 점(點)이나 딴 부호로 표하는 일.
[句讀點 구두점] 구두법(句讀法)을 따라 찍는 점.
[句闌 구란] 구란(句欄).
[句欄 구란] ㉠궁전(宮殿)·교량(橋梁) 등을 장식(裝飾)하는 굽게 만든 난간. ㉡이상은(李商隱)의 창가시(倡家詩)의 '簾輕幕重金一一'에 의하여 후세에는 기생이나 배우들이 거처하는 곳을 이름. ㉢송원(宋元) 시대에는 배우·가수 등이 연예(演藝)를 하는 장소를 이름.
[句留 구류] 구금함. 구류(拘留).
[句履 구리] 구형(矩形)으로 생긴 신.
[句配 구배] 기운 정도. 경사면의 경도(傾度).
[句法 구법] 시문의 구(句)를 짓는 법.
[句嬰 구영] 등이 굽고 키가 작은 사람.
[句引 구인] ㉠잡아당김. ㉡꾀어냄. 유괴(誘拐)함.
[句節 구절] 한 토막의 말이나 글.
[句點 구점] 구절 끝에 찍는 점.
[句踐 구천] 춘추 시대의 월(越)나라의 제2대 왕. 와신상담(臥薪嘗膽) 끝에 부차(夫差)에게 당한 치욕을 씻었음.
◉佳句. 傑句. 檢句. 結句. 警句. 金句. 禁句. 金章句. 奇句. 起句. 難句. 鏤句. 對句. 倒句. 名句. 妙句. 文句. 半句. 發句. 費句. 死句. 上句. 秀句. 巡句. 承句. 詩句. 陽關句. 語句. 麗句. 連句. 聯句. 玉句. 冗句. 月章星句. 類句. 六句. 逸句. 一言半句. 字句. 長句. 章句. 長短句. 摘句. 轉句. 絶句. 隻句. 疊句. 總句. 片詞隻句. 險句. 好句. 豪句. 活句.

2 ⑤ [召] 高人 ㊀소 去嘯 ㊁조 韓 ①②直照切 zhào ③④寔照切 shào

筆順 フ 刀 ㄗ 召 召

字解 ㊀①부를 소 ㉠윗사람이 말이나 글로 남을 오라고 함. '一致'. '一喚'. '父一無諾, 唯而起'《禮記》. ㉡초래함. '一禍'. '吉凶榮辱, 惟其所一'《程頤》. ②부름 소 전항의 명사. '徵一'. '不應一'《漢書》. ③땅이름 소 소공(召公)의 채읍(采邑). 지금의 산시 성(陝西省) 치산 현(岐山縣)의 서남. ④성 소 성(姓)의 하나. ㊁《韓》대추 조 약화제(藥和劑)나 약복지에 대추〔棗〕의 뜻으로 쓰는 말. '干三一二'.

字源 甲骨文 金文 金文 篆文 形聲. 口+刀〔音〕. 甲骨文은 받침 위에 술 그릇을 놓고, 그 위에 칼을 두 손으로 들고 있는 글자 모양이므로, 축문을 외면서 신을 부르는 의식을 나타내는 것으로 여겨짐. 일반적으로 '부르다'의 뜻을 나타냄.

[召見 소견] 불러 와서 봄.
[召對 소대] 소명(召命)을 받고 입대(入對)함.
[召命 소명] 신하(臣下)를 부르는 임금의 명령.
[召募 소모] 불러서 모음. 모집함. 또, 그 군사(軍士).
[召發 소발] 병사(兵士)·인부(人夫) 등을 불러 모음.
[召辟 소벽] 임용(任用)하기 위하여 불러 옴.
[召書 소서] 불러 오게 하는 글. 호출하는 문서.
[召按 소안] 불러 취조(取調)함.
[召集 소집] 불러 모음.
[召請 소청] 초대(招待)함.
[召致 소치] 불러 이르게 함.
[召置 소치] 불러 와서 곁에 둠.
[召禍 소화] 화를 초래함.
[召喚 소환] 관청(官廳)에서 사인(私人)에게 일정(一定)한 곳으로 오라고 명령(命令)함.
[召還 소환] 돌아오라고 부름. 불러 돌아오게 함.
◉擧召. 擊木召. 檄召. 弓旌之召. 辟召. 聘召. 宣召. 安車召. 燕臺召. 應召. 徵召. 採召. 號召.

2 ⑤ [㕣] 召(前條)의 俗字

2 ⑤ [台] 人名 ㊀ 태 ㊥灰 土來切 tái ㊁ 이 ㊥支 與之切 yí

筆順 厶 ㇀ 亼 台 台

字解 ㊀ 별 태 '三一'는 별 이름으로서, '上一'·'中一'·'下一'의 셋이 있음. '三一六星'《晉書》. 예전에, 이 세 별을 삼공(三公)에 견주었으므로, 삼공 또는 삼공의 지위의 뜻으로 쓰임. '一鼎'. '奕世登一'《晉書》. 또 전(轉)하여, 경의를 표하는 말로 쓰임. '一覽'. '一臨'. ㊁ ①나 이자기. '非一小子, 敢行稱亂'《書經》. ②기뻐할 이 희열함. '唐堯遜位, 虞舜不一'《史記》. ③성 이 성(姓)의 하나.

字源 金文 金文 篆文 形聲. 口+厶(目)〔音〕. 金文은 '目(以)이'와 같은 꼴. '目'는 농구인 쟁기의 상형. 대지에 쟁기질하여 흙을 부드럽게 풀다의 뜻에서 파생하여, 마음이 풀어짐, 기뻐하다의 뜻을 나타냄. '怡이'의 원자(原字). 대명사인 '나'의 뜻은 假借임.

參考 본디, 臺(至部 八畫)와는 別字이지만, 현재 '臺'의 俗字로 쓰임.

[台德 이덕] 나의 덕. 짐(朕)의 덕.
[台台 이이] 기뻐하는 모양.
[台階 태계] ㉠삼공(三公)의 지위. ㉡남의 집의 경칭(敬稱).
[台槐 태괴] 삼태(三台)와 삼괴(三槐). 곧, 삼공(三公).
[台覽 태람] 보심. 봄〔覽〕의 존칭(尊稱).
[台嶺 태령] 저장 성(浙江省) 톈타이 현(天台縣)의 서쪽에 있어 천태종(天台宗)의 천태 근원지(根源地)인 톈타이 산(天台山)의 별칭(別稱).
[台臨 태림] 고귀(高貴)한 이의 임석(臨席).
[台命 태명] 삼공(三公)의 명령. 전(轉)하여, 황족(皇族)의 명령.
[台背 태배] '태배(鮐背)'와 같음.
[台傅 태부] 태재(台宰).
[台司 태사] 삼공(三公)을 이름.
[台相 태상] 태재(台宰).
[台安 태안] 몸이 편안하심. 편지에서 수신인의 안부를 물을 때 쓰는 말.
[台位 태위] ㉠삼공(三公)의 지위. ㉡재상(宰相).
[台宰 태재] 천자(天子)를 돕고 백관(百官)을 거느리는 대신(大臣). 재상(宰相).
[台鼎 태정] 삼공(三公)의 지위.
◉輔台. 三台. 上台. 中台. 天台. 下台. 鉉台. 恢台.

2 ⑤ [叴] 구 ㊥尤 巨鳩切 qiú

字解 ①세모창 구 '一矛'는 세모진 창. ②나라 이름 구 '一由'는 국명(國名). '智伯欲伐一由'《戰國策》.

字源 篆文 形聲. 口+九〔音〕

[叴矛 구모] 세모창. 세모진 창.
[叴由 구유] 나라 이름.

2 ⑤ [㕣] 연 ㊤銑 以轉切 yǎn

字解 ①수렁 연 산속의 진구렁. '一, 山間陷泥地'《說文》. ②물이름 연 沇(水部 四畫)의 古字.

字源 象形. '口구'는 골짜기의 초입을 본뜬 것. '八팔'은 시냇물에 임(臨)한 깎아지른 듯한 벼랑을 본뜬 것임.

[占] 〔점〕 卜部 三畫(p.312)을 보라.

3 ⑥ [吅] ㊀ 훤 ㊥元 況袁切 xuān ㊁ 선 ㊥先 荀緣切 ㊂ 송 ㊦宋 似用切 sòng

字解 ㊀ 놀라부르짖을 훤 떠들썩함. '一, 驚嘑也'《說文》. ㊁ 부르는소리 선 마구 불러 대는 소리. '一, 呼聲'《集韻》. ㊂ 다툴 송 말다툼함. 訟(言部 四畫)의 古字. '一, 爭言也'《集韻》.

字源 會意. 口+口

3 ⑥ [吴] 화 ㊦禡 胡化切 huà

字解 ①큰소리 화 '一, 大聲也'《說文》. ②큰입 화 '魚之大口者曰一'《字彙》.

3 ⑥ [吊] 〔조〕 弔(弓部 一畫〈p.718〉)의 俗字

參考 '매달다'의 뜻에는 흔히 '吊'를 씀.

[吊橋 조교] 양쪽 언덕에 줄이나 쇠사슬 등을 건너질러 거기에 의지하여 매달아 놓은 다리. 조교(弔橋).

3 ⑥ [吁] 우 ㊥虞 況于切 xū ㊦遇 王遇切 yù

字解 ①탄식할 우 ㉠'아' 하고 탄식하는 소리. '一嗟'. '僉曰, 一戒哉'《書經》. ㉡한탄하는 모양. 근심하는 모양. '云何一矣'《詩經》. ②성 우 성(姓)의 하나.

字源 金文 篆文 形聲. 口+于(亏)〔音〕. '亏우'는 목의 안쪽에서 나는 놀람, 탄식 등의 목소리의 의성어(擬聲語). 놀라서 큰

소리를 낼 때 숨이 입에서 나와 막히다의 뜻을 나타냄.

[吁咈 우불] '아, 틀렸도다.' 하고 불찬성(不贊成)을 나타내는 말.
[吁吁 우우] 놀라거나 한탄할 때 '아' 하고 내는 소리.
[吁嗟 우차] '아' 하고 탄식함. 탄식하여 '아' 하고 소리를 냄.
◉長吁. 嗟吁.

3 ⑥ [吂] 吁(前條)의 本字

3 ⑥ [吃] 人名 흘 (글本) 入物 居乞切 chī (①jí)

字解 ①어눌할 흘 말을 더듬음. '一音'. '爲人口一'《漢書》. ②먹을 흘 '一山草'《新書》. ③머뭇거릴 흘 주저함. 또, 잘 가지 못함. '凍馬四蹄一'《孟郊》.

字源 篆文 形聲. 篆文은 口+乞(气)〔音〕. '气걸'은 '乙을'과 통하여, '갈팡질팡하다'의 뜻. 입이 매끄럽게 움직이지 않아 말을 더듬다의 뜻을 나타냄. 또 '喫끽'과 통하여, '먹다'의 뜻으로도 쓰임.

[吃驚 흘경] 깜짝 놀람. 경악함.
[吃舌 흘설] 흘음(吃音).
[吃水 흘수] 배의 아랫부분이 물에 잠기는 정도.
[吃音 흘음] 말을 더듬음.
[吃人 흘인] 말 더듬는 사람.
[吃吃 흘흘] 웃는 소리의 형용.
◉乾吃. 蹇吃. 老吃. 吶吃. 鄧艾吃.

3 ⑥ [吋] ■ 두 上有 徒口切 dòu ■ 촌 cùn

字解 ■ 꾸짖을 두 질책함. ■ 인치 촌 영미(英美)의 길이의 단위 '인치(inch)'의 약기(略記).

字源 形聲. 口+肘〈省〉〔音〕

3 ⑥ [吐] 高人 토 上虞 他魯切 tǔ 去遇 湯故切 tù

筆順 丨 冂 口 口一 叶 吐

字解 ①토할 토 ㉠게움. 뱉음. '一瀉'. '一飯三一哺'《史記》. 또, 게운 것. '掬一盡噉之'《魏書》. ㉡드러내어 보임. '新月一半規'《黃庭堅》. ㉢입 밖에 냄. 말함. 폄. '一露'. '發明詔, 一德音'《漢書》. ②성 토 성(姓)의 하나.

字源 篆文 形聲. 口+土〔音〕. '土토'는 흙. 초목을 토해 내는 대지의 뜻. '口구'를 더하여, 입에서 토해 내다의 뜻을 나타냄.

[吐剛茹柔 토강여유] 강자(強者)를 두려워하고 약자(弱者)를 깔봄.
[吐故納新 토고납신] 묵은 숨을 내쉬고 새로운 숨을 들이마심. 지금의 소위 심호흡법(深呼吸法).
[吐谷渾 토곡혼] 토욕혼(吐谷渾).
[吐氣 토기] ㉠위(胃) 속에 있는 음식물이 도로 입으로 나오려는 기운. 욕지기. ㉡울적한 기분을 풂. 전(轉)하여, 뽐냄. 의기양양함.
[吐露 토로] 마음에 있는 것을 다 드러내어 말함.
[吐飯成飛蜂 토반성비봉] 입 안의 밥을 토(吐)하면 날아서 벌이 되었다는 갈선공(葛仙公)의 기술(奇術).
[吐蕃 토번] 지금의 서장(西藏). 국왕(國王) 기종롱찬(棄宗弄贊)이 인도(印度)와 통(通)하고, 또 당(唐)나라 태종(太宗)과 우호(友好) 관계를 맺어 양국(兩國)의 문물(文物)을 채용(採用)하였으므로 세력이 날로 성하여졌으나, 당(唐)나라 이후 점점 쇠(衰)하여져서 청(淸)나라 세종(世宗) 이래 번속국(蕃屬國)이 되었음.
[吐絲 토사] 누에가 실을 토(吐)함.
[吐瀉 토사] 토하고 설사(泄瀉)함.
[吐舌 토설] 괴로워서 혀를 빼뭄.
[吐說 토설] 일의 내용을 사실(事實)대로 말함. 토실(吐實).
[吐實 토실] 토설(吐說).
[吐握 토악] 토포악발(吐哺握髮).
[吐藥 토약] 위(胃) 속에 든 물건을 토하게 하는 약(藥).
[吐逆 토역] 게움. 구토(嘔吐).
[吐谷渾 토욕혼] 선비(鮮卑)의 지족(支族). 본시 청해(靑海) 부근에서 부락(部落)을 이루어 당(唐)나라에 예속(隷屬)되었다가 나중에 토번(吐蕃)에 병합당하였음.
[吐情 토정] 심정(心情)을 솔직(率直)하게 말함.
[吐精 토정] 남자가 정액(精液)을 쌈.
[吐劑 토제] 먹은 음식을 토하게 하는 약제(藥劑).
[吐破 토파] 마음속에 품고 있던 생각을 숨김없이 다 털어 내어 말함.
[吐哺 토포] '토포착발(吐哺捉髮)'을 보라.
[吐哺握髮 토포악발] 토포착발(吐哺捉髮).
[吐哺捉髮 토포착발] 밥을 먹거나 머리를 감을 때에 손님이 오면, 먹던 밥은 뱉고 감던 머리는 쥐고 바로 나가 마중함. 주공(周公)이 어진 선비를 환영·우대한 고사(故事).
[吐下 토하] 토사(吐瀉).
[吐血 토혈] 피를 토(吐)함.
◉嘔吐. 談吐. 辭吐. 宣吐. 逆吐. 月吐. 柔不茹剛不吐. 音吐. 占吐. 呑吐.

3 ⑥ [吒] 타 去禡 陟駕切 zhà

字解 꾸짖을 타, 입맛다실 타 咤(口部 六畫)와 同字. '項王, 喑噁叱一'《資治通鑑》. '毋一食'《禮記》.

字源 篆文 形聲. 口+乇〔音〕. '乇책'은 혀를 차는 소리를 나타내는 의성어.

[吒食 타식] 입맛을 쩍쩍 다시며 먹음.
◉叱吒.

3 ⑥ [吚] 히 平支 馨夷切 xī

字解 신음할 히 신음함. 屎(尸部 六畫)와 통용. '唸一, 呻也'《說文》.

字源 篆文 形聲. 口+尸(尸)〔音〕. '尸시'는 자고 있는 사람의 뜻. 자고 있는 사람이 신음하는 일.

3 ⑥ [吓] 하 xià, hè

字解 ①으를 하 놀라게 함. ②두려워할 하, 놀랄 하. ③嚇(口部 十四畫)의 簡體字.

3
⑥ [吏] [高人] 리 [去]寘 力置切 lì

[筆順]

[字解] ①벼슬아치 리 관리. '―才'. '―之治, 以斬殺縛束爲務'《史記》. ②벼슬살이할 리 관리 노릇을 함. '我來―端州'《朱治》. ③성 리 성(姓)의 하나. ④《韓》아전 리 주로 지방 관청의 속료의 뜻으로 썼음. '―屬'.

[字源] [金文] [篆文] 象形. 관리의 상징인 깃대를 손에 든 모양을 본뜨며, '벼슬아치'의 뜻을 나타냄. 《說文》에서는 一+史[音]의 形聲으로 봄.

[吏幹 이간] 이재(吏才).
[吏能 이능] 이재(吏才).
[吏道 이도] ㉠관리의 사무. ㉡관리로서 행할 도리(道理). ㉢우리나라의 이두(吏讀).
[吏讀 이두]《韓》삼국 시대부터 한자(漢字)의 음과 뜻을 빌려서 우리나라 말을 표기하는 데 쓰이던 문자.
[吏務 이무] 관리의 직무.
[吏文 이문]《韓》우리나라에서 중국(中國)과 주고받는 문서에 쓰던 특수한 문체(文體)로서 자문(咨文)·서계(書契)·관자(關子)·감결(甘結)·보장(報狀)·제사(題辭) 등에 쓰던 글.
[吏民 이민]《韓》지방(地方)의 아전(衙前)과 백성(百姓).
[吏部 이부] 중앙 관청의 하나. 처음에는 상서성(尙書省)의 일부였으나, 명청(明淸) 때에는 독립의 한 부(部)를 이루어 호(戶)·예(禮)·병(兵)·형(刑)·공(工)의 오부(五部)와 합하여 육부(六部)라 함. 문관의 임면(任免)·훈계(勳階) 등에 관한 사무를 맡음.
[吏士 이사] 벼슬아치. 관리.
[吏事 이사] 관리의 사무.
[吏屬 이속]《韓》아전(衙前)들.
[吏術 이술] 관리로서 사무를 처리하는 재간.
[吏員 이원] 관리. 또, 관리의 수(數).
[吏隱 이은] 부득이 벼슬은 하고 있으나, 본마음은 은거(隱居)하고자 하는 일. 또, 낮은 벼슬아치가 되어 남에게 알려지지 않도록 하는 일.
[吏才 이재] 관리로서의 재능.
[吏卒 이졸] 낮은 벼슬아치. 서리(胥吏).
[吏職 이직] 관리(官吏)의 직무. 벼슬아치의 사무.
[吏治 이치] ㉠관리가 취급하는 정치. 정사(政事). ㉡《韓》수령(守令)의 치적(治績).
[吏吐 이토] 이두(吏讀).
◉苛吏. 奸吏. 姦吏. 警吏. 計吏. 公吏. 官公吏. 官吏. 狡吏. 廐吏. 軍吏. 邏吏. 老吏. 能吏. 刀筆吏. 蒙吏. 文吏. 文法吏. 司橵吏. 三吏. 胥吏. 石壕吏. 世吏. 小吏. 俗吏. 屬吏. 循吏. 良吏. 廉吏. 五吏. 汚吏. 獄吏. 委吏. 人吏. 長吏. 贓吏. 折腰吏. 佐吏. 朱衣吏. 捕吏. 下吏. 悍吏. 酷吏. 闇吏. 猾吏. 候吏.

[回] 〔회〕
口部 三畫(p. 420)을 보라.

3
⑥ [向] [中人] [一] 향 [去]漾 許亮切 xiàng
[二] 상 [去]漾 式亮切 xiàng

[筆順]

[字解] [一] ①북창 향 북향한 창. '塞―墐戶'《詩經》. ②향방 향 향하는 방향. 향하는 곳. '進不知―, 退不知守'《柳宗元》. ③향할 향 ㉠바라봄. 면(面)함. 또, 마주 봄. 대면함. '―人'. '―南'. '春來綽約―人時'《劉賓客》. ㉡향하여 감. '所―無敵'. '我獨―黃泉'《古詩》. ㉢마음을 기울임. '―意'. '鄕人化之, 皆―學'《元史》. ④접때 향 이전. 옛적. '―者'. '―日'. '若―也俯而今也仰'《莊子》. [二] ①성 상 성(姓)의 하나. ②땅이름 상 지명(地名).

[字源] [甲骨文] [金文] [篆文] 象形. 집의 북쪽 창(窓)의 상형으로, 높직한 창의 뜻을 나타냄. '鄕향'과 통하여, '향하다'의 뜻으로 쓰임.

[向南 향남] 남쪽으로 향(向)함.
[向念 향념] 향의(向意).
[向東 향동] 동쪽으로 향함.
[向來 향래] 이전부터 현재까지. 여태까지.
[向慕 향모] 마음을 기울이어 사모(思慕)함.
[向方 향방] 향(向)하는 곳.
[向背 향배] 좇음과 등짐. 복종(服從)과 배반(背叛).
[向北 향북] 북쪽으로 향함.
[向上 향상] 차차 낫게 됨. 점점 진보(進步)함.
[向西 향서] 서쪽으로 향함.
[向時 향시] 접때. 지난번.
[向陽 향양] 볕을 마주 받음. 남쪽을 향함.
[向陽之地 향양지지] 남쪽으로 향한 땅.
[向隅嘆 향우탄] 만당(滿堂)이 모두 기뻐하는데 오직 혼자만 상대하는 사람 없이 구석을 향하여 탄식하는 일.
[向意 향의] 마음을 기울임. 생각을 둠.
[向日 향일] 접때. 지난날.
[向日葵 향일규] 해바라기.
[向日花 향일화] 해바라기.
[向者 향자] 접때. 지난번에. 향일(向日).
[向學 향학] 학문(學問)에 뜻을 두고 그 길로 나아감.
[向後 향후] 이다음. 이후(以後). 금후(今後).
◉傾向. 歸向. 內向. 動向. 發向. 方向. 背向. 外向. 意向. 一向. 日向. 轉向. 走向. 志向. 趨向. 趣向. 稱向. 偏向. 風向. 下向. 化向. 回向. 懷向. 希向.

3
⑥ [同] [中人] 동 [平]東 徒紅切 tóng

[筆順]

[字解] ①한가지 동 같음. '――'. '德齊力―'. '禮樂之情―'《禮記》. ②같이할 동 ㉠함께 함. '不與―中國'《大學》. ㉡합침. '―心'. '―力度德'《書經》. ㉢균일하게 함. '―律度量衡'《書經》. ③모일 동 회동함. '合―'. '獸之所―'《詩經》. ④화할 동 화합함. '和―'. '是謂大―'《禮記》. ⑤무리 동 동아리. '――'. '天與火―人'《易經》. ⑥알현 동 주대(周代)에 제후(諸侯)가 모여 천자(天子)에게 알현(謁見)하는 예(禮). '會―'. '殷見曰―'《周禮》. ⑦방백리 동 주대(周代)의 제도에서, 사방 백 리의 땅. '―方百里'《周禮 註》. ⑧성 동 성(姓)의 하나.

[字源] [甲骨文] [金文] [篆文] 象形. 몸체와 뚜껑이 잘 맞도록 만들어진 통의 상형으로, 지름이 같은 데서 '같다, 화합하다'

의 뜻을 나타냄. '合합'이 공 모양의 그릇인 데 대하여, '同동'은 원통 모양의 그릇의 상형임.

[同感 동감] 느낌이 같음. 남과 같이 느낌.
[同甲 동갑] 나이가 같음. 같은 나이. 갑자(甲子)를 같이한다는 뜻.
[同甲會 동갑회] 동갑(同甲)끼리의 모임.
[同居 동거] 한집에서 같이 삶.
[同格 동격] 자격(資格)이 같음. 같은 자격.
[同庚 동경] 동갑(同甲).
[同慶 동경] 같이 경사스러워하여 즐거워함.
[同苦同樂 동고동락] 괴로움과 즐거움을 같이함.
[同工異曲 동공이곡] 서로 재주는 같으나 취미가 다름.
[同工異體 동공이체] 동공이곡(同工異曲).
[同功一體 동공일체] 같은 공(功)으로 같은 지위에 있음.
[同官 동관] 같은 관청(官廳)에 다니는, 같은 지위에 있는 관원(官員).
[同軌 동궤] ㉠천하(天下)의 수레의 바퀴와 바퀴 사이의 광협(廣狹)이 같음. 전(轉)하여, 천하가 통일됨을 이름. ㉡중국(中國)의 제후(諸侯). 사이(四夷)의 나라와 구별하여 이름.
[同歸殊塗 동귀수도] 귀착점은 같으나, 경로는 같지 아니함.
[同歸一轍 동귀일철] 결과가 같이 됨.
[同衾 동금] 한 이불 속에서 잠.
[同級 동급] 학급(學級)이 같음.
[同氣 동기] ㉠형제(兄弟)·자매(姉妹)의 총칭(總稱). ㉡동류(同類).
[同期 동기] ㉠같은 시기(時期). ㉡동기 동창(同期同窓).
[同氣相求 동기상구] 동성상응(同聲相應).
[同氣親 동기친] 동기간(同氣間).
[同年 동년] ㉠같은 나이. ㉡같은 해. ㉢동년생(同年生).
[同年生 동년생] 같은 해에 함께 급제(及第)한 사람.
[同道 동도] ㉠길이 같음. 하는 일이나 뜻이 같음. ㉡동행(同行).
[同等 동등] 같은 등급(等級).
[同樂 동락] 여러 사람이 함께 즐김.
[同侶 동려] 벗. 동류(同類)❶.
[同力度德 동력탁덕] 두 사람의 역량(力量)이 같을 때에는, 덕(德)의 우열(優劣)을 헤아려 인물을 평가함.
[同列 동렬] ㉠같은 줄. ㉡같은 반열(班列). 같은 지위. 또, 같은 지위에 있는 사람.
[同牢 동뢰] 부부(夫婦)가 음식(飮食)을 같이 먹음.
[同牢宴 동뢰연] 신랑과 신부가 교배(交拜) 뒤에 술잔을 나누는 잔치.
[同僚 동료] 같은 직장에서 지위가 비슷한 사람.
[同寮 동료] 동료(同僚).
[同流 동류] 동류(同類).
[同類 동류] ㉠같은 무리. ㉡같은 종류.
[同盟 동맹] 개인·단체 또는 국가가 같은 목적이나 이익을 위하여 같이 행동하기로 약속하는 일. 또, 그 사람·단체, 또는 나라.
[同盟國 동맹국] 동맹을 맺은 나라.
[同盟罷工 동맹파공] 자본가에 대하여 고용된 노동자가 요구를 관철하기 위하여 단결하여 종업을 휴지(休止)하는 일. 동맹 파업(同盟罷業).
[同盟罷業 동맹파업] 동맹 파공(同盟罷工).
[同盟休學 동맹휴학] 학생이 단결하여 어떠한 조건을 내걸고 일제히 등교(登校)를 하지 않는 일.
[同名 동명] 같은 이름.
[同母 동모] 동복(同腹).
[同文 동문] ㉠사용하는 글자가 같음. ㉡같은 정령(政令)이 시행됨.
[同門 동문] ㉠같은 선생의 문인(門人). 같은 학교의 출신자(出身者). 동창(同窓). ㉡동서(同壻).
[同文同軌 동문동궤] 문자(文字)가 같고 수레의 제법(製法)이 일정(一定)하다는 뜻으로, 한 천자(天子)가 천하(天下)를 통일함을 이름.
[同文同種 동문동종] 두 나라의 사용하는 문자(文字)와 민족(民族)이 모두 같음.
[同門受學 동문수학] 같은 스승에게 글을 배움.
[同門異戶 동문이호] 같이 한 성인(聖人)의 문하(門下)에서 배웠으나, 지취(旨趣)가 서로 다름. 동문수학하였으나 학설이 다름.
[同伴 동반] 길을 같이 감. 동행(同行).
[同班 동반] ㉠같은 지위(地位). ㉡같은 반(班). 또, 반을 같이함.
[同房 동방] 한방에서 동거함.
[同輩 동배] 나이·신분(身分)이 서로 비슷한 사람.
[同病相憐 동병상련] ㉠같은 병을 가진 사람끼리 서로 동정함. ㉡처지가 같은 사람끼리 서로 동정함.
[同腹 동복] ㉠한 어머니에게서 남. 배가 같음. ㉡합심(合心)함.
[同封 동봉] 두 가지 이상(以上)을 한데 싸서 봉(封)함.
[同夫人 동부인] 아내와 함께 동행(同行)함.
[同分 동분] 성질이 서로 다른 물질이 원소(元素) 및 그 화합(化合)의 비례를 같이함.
[同舍 동사] 숙사(宿舍)를 같이함. 또, 그 사람.
[同事 동사] 같이 장사함.
[同產 동산] 동복형제(同腹兄弟).
[同色 동색] ㉠같은 빛. ㉡같은 당파. 같은 파벌.
[同生 동생] ㉠같은 나이. ㉡아우나 손아래 누이.
[同壻 동서] 《韓》 ㉠자매(姉妹)의 남편이 서로 일컫는 말. ㉡형제의 아내가 서로 일컫는 말.
[同棲 동서] 부부(夫婦)가 되어 한집에서 같이 삶.
[同席 동석] 자리를 같이함.
[同性 동성] ㉠남녀(男女)·자웅(雌雄)의 성(性)이 같음. ㉡성질이 같음.
[同姓 동성] ㉠같은 성(姓). ㉡일가. 동종(同宗). 동족(同族).
[同姓同本 동성동본] 《韓》 성(姓)과 관향(貫鄕)이 같음.
[同聲相應 동성상응] 같은 종류의 것은 서로 자연히 모임. 동기상구(同氣相求).
[同性愛 동성애] 성(性)이 같은 사람끼리 서로 사랑하는 일.
[同性戀愛 동성연애] 자기와 성(性)이 같은 사람, 곧 남자(男子)와 남자 또는 여자(女子)와 여자끼리 사랑하는 변태적(變態的) 연애.
[同聲異俗 동성이속] 사람은 이 세상에 태어났을 때 소리가 모두 같으나 자람에 따라 언어·풍속 등이 달라지게 된다는 뜻으로, 사람의 성질은 본래 같으나 교육이나 습관에 의하여 선악 현우(善惡賢愚)의 차가 생김을 비유한 말.
[同歲 동세] 같은 나이. 동년(同年).
[同宿 동숙] ㉠한방(房)에서 같이 잠. ㉡같은 여관이나 하숙집 등에서 함께 묵음.

[同乘 동승] 같이 탐.
[同時 동시] 같은 때.
[同心 동심] ㉠마음이 같음. 마음을 합침. 또, 그 사람. ㉡같은 중심(中心).
[同心合力 동심합력] 마음과 힘을 한가지로 하여 합침.
[同額 동액] 같은 액수(額數).
[同樣 동양] 같은 모양.
[同業 동업] ㉠같은 직업. 같은 영업. 또, 같은 영업을 하는 사람. 동업자. ㉡같이 하는 영업. ㉢동학(同學). 동창(同窓).
[同業相仇 동업상구] 동업자는 서로 이해관계가 충돌하므로 원수처럼 여김.
[同然 동연] 동양(同樣).
[同硯席 동연석] 동문(同門).
[同友 동우] 뜻과 취미가 같은 벗.
[同宇而異體 동우이이체] 만물은 같은 우주(宇宙)에서 살지만, 그 형체(形體)는 가지각색임.
[同音 동음] 같은 소리. 같은 성음(聲音).
[同意 동의] ㉠같은 의견(意見). 같은 의사. ㉡같은 뜻. 같은 의미. 동의(同義). ㉢응락함. 승인함. 찬성함.
[同義 동의] 같은 뜻. 같은 의의(意義). 동의(同意).
[同議 동의] 의견이나 주의가 같은 의론(議論).
[同異 동이] 이동(異同).
[同而不和 동이불화] 이(利)에 의하여 합동(合同)하나 주의(主義)는 같지 아니함. 이(利)로써 같이 결합하였기 때문에 서로 화목하지 아니함.
[同人 동인] ㉠뜻이 같은 사람. ㉡같은 사람. 동일인(同一人). ㉢동문수학(同門受學)한 사람. ㉣육십사괘(六十四卦)의 하나. 곧, ☰〈이하(離下), 건상(乾上)〉. 동지(同志)가 서로 모이는 상(象).
[同仁 동인] 차별 없이 평등하게 사랑함.
[同寅 동인] 일치하여 직무에 힘씀. 전(轉)하여, 동료(同僚).
[同一 동일] 같음.
[同日 동일] 같은 날.
[同一轍 동일철] 같은 수레바퀴 자국. 전(轉)하여, 같은 방법. 같은 형식.
[同字 동자] 같은 글자.
[同接 동접] 《韓》 한곳에서 같이 공부함. 또, 그 벗. 동학(同學).
[同情 동정] ㉠남의 불행을 가엾게 여기어 따뜻한 마음을 씀. ㉡남을 이해하여 같이 느낌.
[同鼎食 동정식] 한솥의 밥을 먹음.
[同儕 동제] 동배(同輩). 제배(儕輩).
[同族 동족] ㉠동종(同宗). ㉡같은 종족(種族).
[同族愛 동족애] 같은 종족(種族) 사이의 사랑.
[同宗 동종] 일가. 같은 겨레. 동성(同姓).
[同種 동종] 같은 종류(種類).
[同儔 동주] 벗. 동배(同輩).
[同舟相救 동주상구] 이해관계(利害關係)와 처지(處地)가 같은 사람은 위급할 때에 서로 구원함.
[同中書門下平章事 동중서문하평장사] 당송 시대(唐宋時代)에 재상(宰相)의 실권을 잡은 벼슬.
[同志 동지] 뜻이 같음. 또, 그 사람.
[同進士出身 동진사출신] 송대(宋代)의 제도에서 과거(科擧)에 급제(及第)한 이를 5등(等)으로 나누어 제1은 진사 급제(進士及第), 제2는 동진사 급제(同進士及第), 제3·제4는 진사 출신(進士出身), 제5는 동진사 출신(同進士出身)이라 하였고, 명청 시대(明淸時代)에는 3등(等)으로 나누어 제1은 진사 급제(進士及第), 제2는 진사 출신(進士出身), 제3은 동진사 출신(同進士出身)이라 하였는데, 통칭(通稱)으로는 모두 진사(進士)라 함.
[同車 동차] 차(車)를 같이 탐.
[同窓 동창] 동문(同門).
[同轍 동철] 같은 수레바퀴 자국. 전(轉)하여, 같은 길.
[同寢 동침] 잠자리를 같이함.
[同派 동파] ㉠같은 당파. ㉡같은 종파(宗派).
[同平章事 동평장사] '동중서문하평장사(同中書門下平章事)'의 준말.
[同胞 동포] ㉠동복(同腹) 형제. ㉡같은 나라, 또는 같은 민족의 사람.
[同袍 동포] 두루마기 하나를 공동으로 사용함. 전(轉)하여, 서로 곤궁(困窮)을 도움.
[同學 동학] 스승이 같거나 배우는 학교가 같은 벗.
[同行 동행] ㉠길을 같이 감. 또, 그 사람. ㉡《佛教》 같은 도(道)를 함께 수행(修行)하는 사람.
[同鄕 동향] 같은 고향(故鄕).
[同穴 동혈] 부부(夫婦)가 죽은 뒤에 같은 무덤에 묻힌다는 뜻으로, 부부의 금실이 좋음을 비유하는 말.
[同好 동호] ㉠같은 취미. ㉡취미가 같은 사람. 동호자(同好者).
[同好者 동호자] 어떤 사물을 같이 좋아하는 사람. 취미·오락이 같은 사람.
[同化 동화] ㉠남을 감화(感化)시키어 자기와 같게 함. ㉡동식물이 외계(外界)로부터 영양분을 섭취함.
[同和 동화] 화합(和合)함. 일치함.
●敬同. 共同. 空同. 苟同. 來同. 雷同. 大同. 帶同. 冥同. 不同. 符同. 附和雷同. 上同. 相同. 闇同. 愛同. 異同. 一同. 將無同. 贊同. 參同. 畢同. 合同. 玄同. 協同. 胡同. 混同. 和同. 會同.

3
⑥ [各] [中人] 각 [入]藥 古落切 gè 

[筆順] ノ ク 夂 夂 各 各

[字解] 각각 각 ㉠제각기. 따로따로. '一自'. '一位'. '人一有能有不能'《韓愈》. 또, 두 자(字)를 첩용(疊用)하기도 함. '執手分道去, 一一還家門'《古詩》. ㉡각기 다름. 각각임. '出處岐路一'《王禹偁》.

[字源] 甲骨文 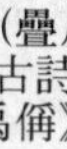 金文 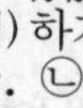 篆文 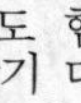 會意. 夂+口. '夂치'는 위에서 아래로 향하는 발의 모양을 본뜸. '口구'는 '기도'의 뜻. 신령이 내려오기를 비는 모양에서, '이르다'의 뜻을 나타냄. 假借하여 '각각'의 뜻으로도 쓰임.

[各各 각각] 따로따로.
[各個 각개] 낱낱. 하나하나.
[各居 각거] 각각 따로따로 거처함.
[各界 각계] 사회의 각 방면(方面).
[各國 각국] 여러 나라. 각 나라.
[各郡 각군] 각 고을.
[各其 각기] 각각(各各). 저마다.
[各其所長 각기소장] 각 사람 저마다의 장기(長技). 저마다 잘하는 재주.
[各道 각도] 각각의 도(道).

[各論 각론] 논설문(論說文)이나 책 등의 각 제목에 대한 논설. 총론(總論)의 대(對).
[各離 각리] 각각 흩어짐. 서로 떨어짐.
[各立 각립] 따로따로 갈라섬.
[各面 각면] 각각의 면(面).
[各般 각반] 여러 가지. 제반(諸般).
[各房 각방] 각각의 방(房).
[各方面 각방면] 여러 방면.
[各別 각별] 각각 따로따로.
[各封 각봉] 따로따로 봉(封)함.
[各部 각부] 여러 부(部)로 나눈 각각의 부(部).
[各散 각산] 각각 흩어짐.
[各散盡飛 각산진비] 각각 흩어져 감.
[各色 각색] ㉠여러 가지 빛깔. ㉡여러 가지.
[各設 각설] 따로따로 베풂.
[各姓 각성] ㉠각각의 성씨(姓氏). ㉡성(姓)이 다른 각 사람.
[各所 각소] 각 군데.
[各心 각심] ㉠각 사람의 마음. ㉡각각 달리 먹는 마음.
[各心所爲 각심소위] 각 사람이 각각 다른 마음으로 한 일.
[各樣 각양] 여러 가지 모양. 여러 가지.
[各員 각원] 각각의 인원(人員).
[各位 각위] 앞앞의 여러분.
[各人 각인] 각각의 사람.
[各自 각자] 제각기. 제각각.
[各自圖生 각자도생] 제각기 살아갈 길을 도모함.
[各葬 각장] 부부(夫婦)를 각각 다른 곳에 장사(葬事)지냄.
[各條 각조] 각각의 조목(條目).
[各種 각종] 여러 가지. 각가지.
[各從其類 각종기류] 만물(萬物)은 각기 같은 종류끼리 서로 따름.
[各地 각지] 각 지방(地方).
[各處 각처] 여러 곳. 모든 곳.
[各體 각체] 여러 가지의 자체(字體)·문체(文體)·서체(書體) 등.
[各出 각출] ㉠각각 내놓음. ㉡각각 나옴.
[各層 각층] 여러 층. 각각의 층.
[各派 각파] ㉠각각의 파벌. ㉡한 조상에서 나와서 파가 갈린 친족(親族).
[各項 각항] ㉠각 항목(項目). ㉡각가지.
[各戶 각호] 각 집.
◉居各. 盍各.

3 ⑥ [合] [中人] [一] 합 [入]合 侯閤切 hé [二] 홉 [韓] 

[筆順] ノ 人 𠆢 亼 合 合

[字解] [一] ①합할 합 ㉠하나로 됨. '一體'. '末復一爲一理'《中庸章句》. ㉡마음이 맞음. 일치함. '落落難一'《後漢書》. ㉢입을 다묾. '蚌一而箝其口'《戰國策》. ㉣짝지음. '男女之一'《荀子》. ㉤섞음. '混一'. ②합칠 합 전항의 타동사. '一倂'. '不足以一大衆明大分'《荀子》. ③모일 합 '會一'. '苟一矣'《論語》. ④맞을 합 적합함. '一禮'. '一法'. '駕出行狩, 一格有獲'《易林》. '一格'. ⑤만날 합 상봉함. '一離'. '不一于天子'《禮記》. ⑥싸울 합 교전함. '一日數一'《梁書》. ⑦대답할 합 '旣一而來奔'《左傳》. ⑧교합할 합 성교합. '鴿喜一'《埤雅》. ⑨짝 합 배필. '湯禹儼求一兮'《楚辭》. ⑩합 합 盒(皿部 六畫)과 同字. '其一以竹節爲之'《茶經》. ⑪성 합 성(姓)의 하나. [二]《韓》홉 홉 용량의 단위. 일승(一升)의 10분의 1.

[字源] 甲骨文  金文  篆文  會意. 亼+口. '亼집'은 뚜껑, 가리개의 상형. '口구'는 그릇의 몸체의 상형. 그릇에 뚜껑을 덮다, 합치다, 또 뚜껑이 있는 합의 뜻을 나타냄.

[合江 합강] ㉠쓰촨 성(四川省)의 적수(赤水) 연안에 있는 도시. ㉡만주 동북부의 쑹화 강(松花江) 하류의 러시아와 인접한 성(省). 성도(省都)는 자무쓰(佳木斯).
[合格 합격] ㉠격식 또는 조건에 맞음. ㉡시험에 급제(及第)함.
[合擊 합격] 포위하여 공격함.
[合計 합계] 합하여 계산함. 또, 그 수.
[合契 합계] 서로 정의를 두텁게 하기를 맹세함.
[合拱 합공] 두 손을 합하여 쥠. 또, 그 둘레의 크기.
[合口 합구] ㉠입을 오므림. ㉡입에 맞음.
[合矩 합구] 정규(定規)에 맞음. 규칙에 들어맞음.
[合宮 합궁] ㉠짚으로 인 궁전(宮殿). 풀을 합하여 이므로 이름. ㉡내외끼리의 잠자리.
[合巹 합근] 신랑(新郞)과 신부(新婦)가 서로 잔을 주고받는 일. 전(轉)하여, 혼례(婚禮).
[合金 합금] 두 가지 이상의 다른 금속이 용해 혼합하여 된 금속.
[合衾 합금] 한 이불 속에서 잠.
[合當 합당] 알맞음.
[合同 합동] 합병(合倂).
[合力 합력] 힘을 합침.
[合禮 합례] 예절에 맞음.
[合流 합류] ㉠물이 합하여 흐름. ㉡단결을 위하여 한데로 모임.
[合理 합리] 이치(理致)에 합당함.
[合離 합리] 만남과 헤어짐. 또, 합침과 떨어뜨림. 이합(離合).
[合名 합명] ㉠이름을 함께 죽 씀. ㉡공동으로 책임을 지기 위하여 이름을 함께 사용함.
[合名會社 합명회사] 두 사람 이상이 각각 출자(出資)하여 경영하는 무한 책임(無限責任)의 회사(會社).
[合木 합목] 나뭇조각을 마주 붙임.
[合邦 합방] 두 나라를 합침.
[合配 합배] 배우(配偶).
[合法 합법] 법령 또는 법식(法式)에 맞음.
[合并 합병] 합병(合倂).
[合倂 합병] 둘 이상을 합하여 하나로 만듦. 또, 둘 이상이 하나로 합침.
[合本 합본] 여러 권을 함께 매어 제본함. 또, 그 책.
[合氷 합빙] 강물이 얼어붙음.
[合祀 합사] 한 사당(祀堂)에 두 위(位) 이상의 신령(神靈)을 모시어 제사 지냄.
[合絲 합사] 실을 합하여 드림. 또, 그 실.
[合朔 합삭] 해와 지구가 달을 중간에 두고 일직선으로 되어 달이 전연 안 보일 때. 만월(滿月)의 대(對).
[合算 합산] 합계(合計).
[合席 합석] 한자리에 같이 앉음.
[合成 합성] 합하여 이룸. 「말.
[合成語 합성어] 둘 이상의 말이 서로 합하여 된

[合勢 합세] 세력을 한데로 합함.
[合率 합솔] 흩어져 살던 집안 식구나 가까운 일가가 함께 삶.
[合水 합수] 내나 강물 등이 합하여 흐름.
[合宿 합숙] 여러 사람이 한곳에서 같이 숙박함.
[合心 합심] 서로 마음을 합함.
[合緣奇緣 합연기연] ㉠무슨 일이든지 인연(因緣)의 유무(有無)에 달림. ㉡이상한 인연. 남녀 간이나 친구 간의 정(情)이 깊은 것을 이름. 애연기연(愛緣奇緣).
[合意 합의] 서로 의사가 일치함. 또, 서로 의사를 합쳐 하나로 함.
[合議 합의] 두 사람 이상이 모여 의논함.
[合議制 합의제] 합의에 의하여 일을 처결하는 제도.
[合一 합일] 합하여 하나가 됨. 또, 하나로 합침.
[合資 합자] 두 사람 이상이 자본을 합함.
[合者離之始 합자이지시] 인생(人生)은 무상(無常)하여 헤어지는 것은 만날 때 이미 예정된 일임.
[合資會社 합자회사] 유한 책임 사원(有限責任社員)과 무한(無限) 책임 사원으로 조직되는 회사.
[合作 합작] 두 사람 이상이 공동으로 저술하거나 제작함. 또, 그 저술. 또는 제작한 것.
[合掌 합장] ㉠절하려고 두 손바닥을 합함. ㉡《佛敎》 부처에게 배례할 때 두 손바닥을 합침.
[合葬 합장] 두 사람 이상, 특히 부부의 시체를 한 무덤 속에 장사 지냄. 각장(各葬)의 대(對).
[合掌拜禮 합장배례] 두 손바닥을 마주 대고 절함.
[合著 합저] 두 사람 이상이 힘을 합하여 책을 지음. 또, 그 책. 공저(共著).
[合戰 합전] 양군이 정면으로 충돌하여 어울려서 싸움. 접전(接戰).
[合從 합종] ㉠전국(戰國) 시대에 조(趙)·위(魏)·한(韓)·연(燕)·제(齊)·초(楚)가 남북의 종(縱)으로 연합하여 진(秦)나라를 대항하던 공수 동맹(攻守同盟). ㉡큰 세력에 대항하는 공수 동맹의 뜻. 종(從)은 종(縱).
[合從連衡 합종연횡] ㉠소진(蘇秦)이 주창한 합종설(說)과 장의(張儀)가 주창한 연횡설. ㉡동맹(同盟)의 뜻.
[合奏 합주] 두 가지 이상의 악기(樂器)로 함께 연주(演奏)함.
[合竹扇 합죽선] 겉대를 얇게 깎아 맞붙이어 살을 만든 부채.
[合衆國 합중국] 둘 이상의 국가 또는 주(州)가 동일 주권(同一主權) 아래 연합하여 형성한 단일 국가.
[合錯 합착] 서로 교착(交錯)함.
[合唱 합창] 두 사람 이상이 소리를 맞추어 노래함.
[合瘡 합창] 종기(腫氣)·상처(傷處) 같은 것이 아「묾.
[合體 합체] 여럿이 한 덩어리가 됨.
[合聚 합취] 모아 합침. 또, 모여 합침.
[合致 합치] 둘이 서로 일치함.
[合窆 합폄] 합장(合葬).
[合評 합평] 여럿이 한자리에 모여서 하는 비평(批評).
[合抱 합포] 한아름.
[合歡 합환] ㉠여럿이 기쁨을 함께함. ㉡남녀 또는 부부의 동침(同寢). 부부의 동서(同棲). 혼인. ㉢두 갈래. ㉣합환목(合歡木).
[合歡木 합환목] 자귀나무.
[合歡酒 합환주] 혼인 때 신랑과 신부가 서로 잔을 바꾸어 마시는 술.
◉勘合. 結合. 契合. 果合. 寡合. 交合. 校合. 九合. 苟合. 鳩合. 糾合. 綺合. 談合. 都合. 冥合. 霧合. 吻合. 配合. 百合. 併合. 複合. 縫合. 符合. 膚合. 細合. 小合. 訴合. 暗合. 野合. 連合. 聯合. 迎合. 烏合. 玉合. 瓦合. 遇合. 雲合. 癒合. 六合. 融合. 意氣投合. 離合. 適合. 鈿合. 接合. 正反合. 整合. 照合. 調合. 綜合. 集合. 總合. 統合. 投合. 媮合. 好合. 混合. 化合. 和合. 會合. 翕合.

3
⑥ [吉] 中人 길 ㊇質 居質切 jí

筆順 一 十 士 士 吉 吉

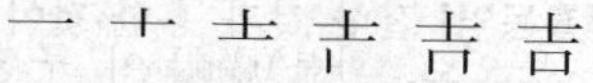

字解 ①길할 길 상서로움. '凶'의 대. '一日'. '黃裳元一'《易經》. ②착할 길 선량함. '一士'. '一人'. ③복 길 길한 일. 행복. '一凶'. '子孫其逢一'《書經》. ④초하루 길 '一日'. '正月之一'《周禮》. ⑤혼인 길 결혼. '迨其一兮'《詩經》. ⑥제사 길 제향(祭享). '以一禮事邦國之鬼神示'《周禮》. ⑦땅이름 길 지린 성(吉林省)의 약칭. ⑧성 길 성(姓)의 하나.

字源 甲骨文 金文 篆文 會意. 士+口. '士사'는 甲骨文·金文에서는 도끼 등의 날붙이의 상형, '口구'는 상서로움을 비는 말의 뜻. 축문 위에 그 내용을 확보하기 위한 날붙이를 주술(呪術) 삼아 놓는 모양에서, '길하다, 상서롭다'의 뜻을 나타냄.

參考 吉(次條)은 俗字.

[吉蠲 길견] 정결한 것. 견(蠲)은 결(潔).
[吉慶 길경] 경사스러운 일.
[吉年 길년] 혼인을 하는 데 그 당사자(當事者)의 나이에 대하여 좋은 연운(年運).
[吉旦 길단] 길일(吉日).
[吉禮 길례] ㉠제사(祭祀)의 예(禮). 제사. ㉡관례(冠禮)나 혼례(婚禮) 등의 경사스러운 예식.
[吉林 길림] ㉠중국 지린 성의 성도(省都). 쑹화 강 북부에 위치하여 수운(水運)의 기점(起點)이며 철도의 교차점임. ㉡중국 만주 지방의 한 성(省). 동남은 러시아 연해주(沿海州)와 한국에 접한 동부에는 한국인이 많음. 동남부에 간도(間島)가 있고 쑹화 강·두만강 유역에는 기름진 평야가 많음.
[吉夢 길몽] 상서로운 꿈.
[吉問 길문] 경사스러운 일이 있는 기별. 좋은 소식. 길보(吉報).
[吉報 길보] 좋은 기별.
[吉服 길복] 《韓》 ㉠삼년상(三年喪)을 마친 뒤에 입는 보통 옷. ㉡혼인 때 신랑·신부가 입는 옷.
[吉士 길사] ㉠착한 선비. ㉡미모(美貌)의 선비.
[吉事 길사] 길한 일. 경사스러운 일.
[吉祥 길상] 상서(祥瑞). 길서(吉瑞).
[吉祥善事 길상선사] 경사스러운 일.
[吉祥天女 길상천녀] 《佛敎》 귀자모신(鬼子母神)의 딸로서 중생(衆生)에게 복덕(福德)을 주는 부처. 그 상(像)은 용모가 아름다우며 천의(天衣)를 입고 보관(寶冠)을 쓰고 왼손에 여의주(如意珠)를 받들고 있음.
[吉瑞 길서] 길조(吉兆).

[吉辰 길신] 길한 날. 좋은 날. 길일(吉日).
[吉運 길운] 좋은 운수.
[吉月 길월] ㉠좋은 달. 길한 달. ㉡초하룻날. 길일(吉日).
[吉人 길인] ㉠착한 사람. ㉡복이 많은 사람.
[吉日 길일] ㉠길한 날. 좋은 날. 길신(吉辰). ㉡초하룻날. 삭일(朔日).
[吉祭 길제] 죽은 지 27일 만에 지내는 제사(祭祀).
[吉兆 길조] 상서로운 일이 있을 조짐.
[吉徵 길징] 길조(吉兆).
[吉行 길행] 출전(出戰) 등의 흉사(凶事)로 인한 것이 아닌 즐거운 여행.
[吉亨 길형] 길하여 사물이 잘 형통(亨通)함.
[吉凶 길흉] ㉠길함과 흉함. 선(善)과 악(惡). 행복과 불행. ㉡혼례(婚禮)와 장례(葬禮).
[吉凶同域 길흉동역] 길한 것과 흉한 것이 경계를 같이한다는 뜻으로, 화복(禍福)이 무상(無常)함을 이름.
[吉凶如糾纆 길흉여규묵] 화복(禍福)은 꼰 새끼와 같다는 뜻으로, 길한 일에는 흉한 일이 따라다닌다는 뜻.
◉納吉. 大吉. 不吉. 小吉. 涓吉. 寧吉. 元吉. 貞吉. 終吉. 初吉. 擇吉.

3
⑥ [吉] 吉(前條)의 俗字

3
⑥ [名] 中人 명 ㊥庚 武幷切 míng

筆順 ノ ク タ タ 名 名

字解 ①이름 명 ㉠사람의 성 아래에 붙이는 개인의 명칭. '姓—'. '公問—于申繻'《左傳》. 널리 성씨(姓氏)를 포함하여 이르기도 함. '人—'. '初試選人皆糊—, 令學士考判'《唐書》. 전(轉)하여, 사람의 수효. '二三—'. '十姓百—'《莊子》. ㉡사물의 칭호. '物—'. '非常—'《老子》. ㉢인륜상의 칭호. 곧, 군신(君臣)·부자(父子) 같은 것. '—分'. '必也正—乎'《論語》. ㉣직책상의 칭호. 곧, 관민(官民)·문무(文武) 같은 것. '刑—'. ㉤작호(爵號). '器與—不可以假人'《左傳》. ㉥명예. '盛—'. '爭—'. '烈士徇—'《史記》. ②이름부를 명 ㉠자기의 이름을 말함. '父前子—'《禮記》. '世子自—'《禮記》. ㉡남의 이름을 부름. '國君不—卿老世父'《禮記》. ㉢지칭(指稱)함. '蕩蕩乎民無能—焉'《論語》. ③이름지을 명 작명(作名)함. '—之曰幽厲'《孟子》. ④이름날 명 유명함. '—山大川'. '其間必有—世者'《孟子》. ⑤글자 명 문자(文字). '不及百—, 書于方'《儀禮》. ⑥공 명 공적. '勤百姓以爲己—'《國語》. ⑦성 명 성(姓)의 하나.

字源 甲骨文 金文 篆文 會意. 夕+口. '夕명'은 '明명'의 생략체. '鳴명'과 마찬가지로, 새벽에 수탉이 울다의 뜻. 파생(派生)하여, 이름을 부르다, 이름의 뜻을 나타냄. 《說文》은 '夕석'은 '저녁'의 뜻으로 '冥명'과 통하여, 저녁에 자기의 이름을 말하다의 뜻이라고 해석함. 전하여 사람의 수를 세는 조수사(助數詞)로 쓰임.

[名家 명가] ㉠명문(名門). ㉡입론(立論)의 법식(法式)을 연구하는 학파. 논리학자(論理學者). 공손룡(公孫龍)·혜시(惠施) 등이 이 파에 속함.
[名歌 명가] 유명한 노래.
[名價 명가] 명예와 성가(聲價).
[名劍 명검] 이름난 칼. 명도(名刀).
[名工 명공] 이름난 장색(匠色).
[名公巨卿 명공거경] 존귀(尊貴)한 공경(公卿). 이름이 높은 재상(宰相).
[名過其實 명과기실] 세상의 평판이 실제보다 나음. 실제는 평판만큼 못함.
[名官 명관] 명성(名聲)이 높은 벼슬아치.
[名教 명교] 인륜(人倫)의 명분(名分)을 밝히는 교훈. 명분(名分)에 관한 도덕의 가르침.
[名教内自有樂地 명교내자유낙지] 명교(名教), 곧 인륜(人倫)의 가르침을 행하면 쾌락이 스스로 온다는 뜻.
[名君 명군] 지덕(智德)이 뛰어난 군주. 명군(明君).
[名弓 명궁] ㉠이름난 활. ㉡활을 잘 쏘는 사람.
[名妓 명기] 이름난 기생(妓生).
[名談 명담] 유명한 말.
[名堂 명당] ㉠임금이 신하(臣下)의 조현(朝見)을 받는 정전(正殿). ㉡무덤 아래에 있는 평지(平地). ㉢썩 좋은 묏자리.
[名刀 명도] 이름난 칼.
[名論 명론] ㉠명예와 여론(輿論). 칭찬과 소문. ㉡유명한 언론(言論)이나 논문(論文).
[名流 명류] 유명한 사람들. 명사들.
[名利 명리] 명예(名譽)와 이익(利益).
[名馬 명마] 이름난 좋은 말.
[名望 명망] 명성(名聲)과 인망(人望). 명성이 높고 인망이 있음.
[名目 명목] 사물의 이름. 명칭(名稱).
[名文 명문] 이름난 글. 잘 지은 글.
[名門 명문] 유명한 가문(家門).
[名聞 명문] 명성(名聲). 평판.
[名門巨族 명문거족] 이름난 집안과 크게 번창(繁昌)한 겨레.
[名聞天下 명문천하] 명성이 천하에 퍼짐.
[名物 명물] ㉠한 지방의 특유(特有)한 사물. ㉡특징이 있어 인기 있는 사람. 또, 좋은 물건.
[名寶 명보] 유명한 보물.
[名卜 명복] 유명한 점쟁이.
[名簿 명부] 성명을 적은 장부(帳簿).
[名不知 명부지] 이름을 모르는 사람.
[名分 명분] 명의(名義)가 정해진 데 따라 반드시 지켜야 할 직분(職分).
[名不虛傳 명불허전] 명예(名譽)는 전(傳)하여질 만한 실상(實狀)이 있어서 전하여짐. 명예는 헛되이 퍼지는 것이 아님.
[名士 명사] 명성(名聲)이 높은 사람. 이름난 인사(人士).
[名師 명사] ㉠이름난 스승. 유명한 선생. ㉡무용(武勇)으로 이름난 군대. ㉢지술(地術)이 유명(有名)한 사람. 유명한 지관(地官).
[名詞 명사] 사물(事物)의 이름을 나타내는 품사(品詞).
[名山 명산] 유명한 산(山).
[名産 명산] 유명한 산물(産物).
[名山大川 명산대천] 이름난 산(山)과 큰 강(江).
[名狀 명상] 상태를 표현함. 형언(形言)함.
[名相 명상] 이름난 재상(宰相).
[名色 명색] 《佛教》 십이인연(十二因緣)의 하나. 곧, 명예와 색정(色情).
[名聲 명성] 세상에 널리 떨친 이름. 명예(名譽). 명문(名聞). 성명(聲名).

[名世 명세] 한 시대(時代)에 이름이 높이 남. 세상에서 유명함.
[名所 명소] 경치 좋기로 이름난 곳. 명승(名勝).
[名手 명수] 뛰어난 솜씨. 또, 그 솜씨를 가진 사람.
[名數 명수] ㉠호적(戶籍). ㉡사람의 수효(數爻). ㉢단위(單位)의 명칭(名稱)을 붙인 수(數). 곧, 백리(百里)·십관(十貫) 등.
[名勝 명승] ㉠명망이 있는 인사(人士). 명사(名士). ㉡경치 또는 고적(古蹟)으로 유명(有名)한 곳.
[名僧 명승] 지식(智識)과 덕행(德行)이 높은 이름난 중.
[名臣 명신] 지덕(智德)이 뛰어난 신하(臣下). 이름난 신하.
[名實 명실] ㉠겉에 나타난 이름과 속에 있는 실상. ㉡명예와 실익(實益).
[名實相符 명실상부] 이름과 실상(實狀)이 서로 다르지 아니함.
[名案 명안] 뛰어난 고안(考案). 좋은 생각.
[名藥 명약] 효험(效驗)이 있기로 이름난 약(藥).
[名言 명언] 좋은 말. 또, 이치에 맞게 썩 잘한 말.
[名譽 명예] ㉠세상(世上)에 들리는 좋은 이름. 자랑스러운 평판. 명성(名聲). ㉡봉급을 받지 아니하는 면목상(面目上)의 지위.
[名園 명원] 이름난 동산.
[名位 명위] 명분(名分)과 지위. 또, 명예와 지위.
[名儒 명유] 학덕(學德)이 높아 이름난 선비.
[名義 명의] ㉠명칭과 그 명칭에 따르는 도리(道理). 예컨대, 아들이라는 명칭과 아들이라는 명칭에 따르는 아버지에 대한 의무. ㉡이름. 명성. 명문(名聞).
[名醫 명의] 의술이 용하여 이름난 의원.
[名人 명인] ㉠기예(技藝)에 뛰어난 사람. ㉡이름난 사람. 명성(名聲)이 높은 사람.
[名日 명일] 《韓》 1년 동안의 특별히 지키는 날. 곧, 원일(元日)·한식(寒食)·단오(端午)·백중(百中)·추석(秋夕)·동지(冬至) 등. 명절.
[名字 명자] ㉠이름과 자(字). ㉡작위(爵位)와 칭호(稱號). 특히, 천자(天子)의 칭호.
[名刺 명자] 명함(名銜).
[名者實之賓 명자실지빈] 명예(名譽)는 객(客)이고 실제(實際)는 주인(主人)이란 뜻으로, 덕(德)이 있은 뒤에 비로소 명예(名譽)가 따른다는 말.
[名作 명작] 뛰어난 작품.
[名爵 명작] 명예와 작위(爵位).
[名匠 명장] 이름난 장색(匠色). 명공(名工).
[名將 명장] 이름난 장수(將帥).
[名宰相 명재상] 지덕(智德)이 높은 이름난 재상(宰相). 명상(名相).
[名迹 명적] 이름. 평판.
[名籍 명적] 명부(名簿). 호적(戶籍).
[名田 명전] 소유한 백성의 이름이 붙은 전지(田地).
[名詮自性 명전자성] 《佛敎》 이름은 그 본성(本性)을 나타냄.
[名節 명절] ㉠명예(名譽)와 절개(節槪). ㉡《韓》 명일(名日). 명질.
[名製 명제] 이름난 제작.
[名祖 명조] 이름난 조상(祖上).
[名族 명족] ㉠이름과 성(姓). 성명(姓名). ㉡이름난 집안. 명문(名門).
[名胄 명주] 명문(名門)의 자손.
[名唱 명창] 썩 잘 부르는 노래. 또, 노래를 썩 잘 부르는 사람.
[名帖 명첩] 명함(名銜).
[名牒 명첩] 명함(名銜).
[名緇 명치] 이름난 중. 고승(高僧).
[名稱 명칭] ㉠부르는 이름. ㉡명예(名譽). 명성(名聲).
[名筆 명필] 썩 잘 쓰는 글씨. 또, 글씨를 썩 잘 쓰는 사람.
[名下無虛士 명하무허사] 명성이 높은 사람은 반드시 그 명성을 받을 만한 실력이 있음.
[名銜 명함] 성명(姓名)·주소(住所)·신분(身分)·전화번호 등을 적은 종이쪽.
[名賢 명현] 이름난 현인(賢人).
[名號 명호] ㉠이름. ㉡명예. 평판. ㉢지위를 표시하는 명칭.
[名花 명화] 이름난 꽃.
[名華 명화] 명예. 이름난 평판.
[名畫 명화] 유명한 그림.
[名宦 명환] ㉠현귀(顯貴)하고 요로(要路)에 있는 벼슬. 고위(高位). ㉡명성이 높은 벼슬아치. 명관(名官).
[名諱 명휘] 생전(生前)의 이름과 사후(死後)의 이름.
◉佳名. 家名. 假名. 嘉名. 干名. 改名. 戒名. 沽名. 高名. 功名. 空名. 光名. 記名. 雷名. 大名. 逃名. 賣名. 滅名. 命名. 務名. 無名. 文名. 物名. 美名. 芳名. 法名. 變名. 併名. 本名. 浮名. 佛名. 署名. 成名. 姓名. 盛名. 聲名. 小名. 俗名. 損名. 身後名. 雅名. 惡名. 仰名. 揚名. 御名. 連名. 令名. 英名. 榮名. 藝名. 汚名. 徼名. 勇名. 威名. 僞名. 幼名. 有名. 異名. 匿名. 人名. 一名. 立名. 藏名. 才名. 著名. 傳名. 竊名. 除名. 題名. 釣名. 尊名. 重名. 知名. 指名. 采名. 千古名. 淸名. 醜名. 臭名. 馳名. 稱名. 託名. 通名. 播名. 標名. 筆名. 學名. 虛名. 顯名. 嫌名. 呼名. 華名. 晦名. 梟名. 驍名. 諱名. 休名.

3
⑥ **[后]** 人名 후 ㊤有 胡口切 hòu ㊦有 胡遘切

筆順 一 厂 斤 斤 后 后

字解 ①임금 후 ㉠천자(天子). 군주. '徯我一, 一來其蘇'《書經》. ㉡제후(諸侯). '班瑞于羣一'《書經》. ②황후 후 천자의 아내. 은(殷) 이전에는 비(妃), 주대(周代)에는 왕후(王后), 진한(秦漢) 이후에는 황후(皇后)라 일컬었음. '一妃'. '天子有一'《禮記》. ③신령 후, 신명 후 신(神)의 존칭(尊稱). '一祇'. '皇天一土'《書經》. ④뒤 후 後(彳部 六畫)와 통용. '一宮'. '知止而一有定'《大學》. ⑤성 후 성(姓)의 하나.

字源 甲骨文 金文 篆文 會意. 人+口. '人인'은 앉은 사람의 상형. '口구'는 명령 내리는 입의 뜻. 명령을 내리는 사람, 임금의 뜻을 나타냄. 또 '後후'와 통하여 '뒤'의 뜻으로도 쓰임.

[后宮 후궁] 궁녀(宮女)가 있는 궁전. 후궁(後宮).
[后祇 후기] 토지(土地)의 신(神). 후토(后土).
[后辟 후벽] 후왕(后王).
[后輔 후보] 군주의 보좌(輔佐). 보상(輔相).

[后妃 후비] ㉠황후(皇后). ㉡황후(皇后)와 비(妃).
[后王 후왕] 임금. 천자(天子). 군주(君主).
[后帝 후제] ㉠하느님. 천제(天帝). ㉡하늘.
[后稷 후직] ㉠옛적에 농사를 맡은 벼슬. ㉡주(周)나라 선조(先祖) 기(棄)의 별명(別名). 그가 농사를 맡았으므로 이름.
[后土 후토] ㉠토지(土地)를 맡은 신(神). 지기(地祇). ㉡국토(國土).
◉高后. 群后. 納后. 東后. 母后. 聘后. 女后. 王后. 元后. 立后. 儲后. 主后. 天后. 太皇太后. 太后. 皇太后. 皇后.

3 ⑥ [吕] 〔려〕 ①성(姓)의 하나. ②呂(次條)의 簡體字.

4 ⑦ [呂] 人名 려 ㊤語 力擧切 lǚ

筆順 丨 口 口 口 叧 呂 呂

字解 ①등뼈 려 등골의 뼈. 척골(脊骨). '賜姓曰姜, 氏曰有一, 謂其能爲禹股肱心膂'《國語》. ②풍류 려 음(陰)의 음률(音律). '律一'. '六一'. '陰六爲一'《漢書》. ③성 려 성(姓)의 하나.
字源 甲骨文 金文 古文 篆文 象形. 사람의 등뼈가 이어져서 모인 모양을 본떠, '등뼈'의 뜻을 나타냄.

[呂鉅 여거] 교만한 모양.
[呂公枕 여공침] 여옹침(呂翁枕).
[呂覽 여람] 〈여씨춘추(呂氏春秋)〉의 별칭(別稱).
[呂律 여률] 여율(呂律).
[呂傅 여부] 주(周)나라의 태공망(太公望) 여상(呂尙)과 은(殷)나라의 부열(傅說). 모두 명신(名臣)임.
[呂不韋 여불위] 진(秦)나라 양책(陽翟) 사람. 본시 거상(巨商)으로서 장양왕(莊襄王)이 즉위하기 전에 초(楚)나라에서 질자(質子)로 고생하는 것을 진(秦)나라로 돌아가게 한 공이 있어 장양왕이 즉위하자 승상(丞相)으로 발탁되고 문신후(文信侯)로 봉후(封侯)되었음. 그가 사통(私通)하여 난 진시황(秦始皇)이 즉위한 후 태후(太后)와 간통(姦通)하고 죄를 두려워하여 자살하였음. 〈여씨춘추(呂氏春秋)〉는 그의 찬(撰)이라 하나, 실은 그가 재상(宰相) 때 문객(門客)을 시켜 지은 것임.
[呂尙 여상] '태공망(太公望)'을 이름.
[呂氏春秋 여씨춘추] 책명(冊名). 26권. 일명(一名) 〈여람(呂覽)〉. 진(秦)나라 여불위(呂不韋)의 찬(撰)이라 하나, 실상은 그의 빈객이 수집(收集)한 것임. 12기(紀)·8람(覽)·6론(論)으로 나뉘어 총 160편인데, 기사(記事)는 대개 당시의 유서(儒書)에서 수록하였고, 도가(道家)·묵가(墨家)의 것도 섞여 있음.
[呂翁枕 여옹침] 당(唐)나라 개원(開元) 연간에 노생(盧生)이 한단(邯鄲) 여사(旅舍)에서 도사(道士) 여옹(呂翁)의 베개를 빌려서 베고 잤는데, 메조밥을 짓는 동안에 80년간 영화(榮華)스러운 생활을 한 꿈을 꾸었다는 고사(故事). 전(轉)하여, 부귀영화가 덧없음의 비유로 쓰임. 한단몽(邯鄲夢).
[呂律 여율] 음(陰)의 음률(音律)과 양(陽)의 음률.
[呂伊 여이] 주(周)나라의 현인(賢人) 여상(呂尙), 곧 태공망(太公望)과 은(殷)나라의 현인 이윤(伊尹).
[呂祖謙 여조겸] 송(宋)나라 중기(中期)의 학자. 금화(金華) 사람. 자(字)는 백공(伯恭). 세상에서 동래선생(東萊先生)이라 일컬음. 융흥 연간(隆興年間)에 과거에 급제하여 벼슬이 직비각저작랑(直祕閣著作郞)·국사원편수(國史院編修)에 이르렀으며, 명망이 주희(朱熹)·장식(張栻)과 비등하여 동남 삼현(東南三賢)이라 불리어짐. 〈고주역서설(古周易書說)〉·〈춘추좌씨전설(春秋左氏傳說)〉·〈동래좌씨박의(東萊左氏博議)〉·〈역대제도상설(歷代制度詳說)〉·〈대사기(大事記)〉등 저서가 많으며, 주희(朱熹)와 공저(共著)한 〈근사록(近思錄)〉은 특히 유명함.
[呂后 여후] 한(漢)나라 고조(高祖)의 황후(皇后). 고조를 도와서 천하(天下)를 평정(平定)하였음.
◉九鼎大呂. 大呂. 六呂. 律呂. 伊呂.

[串] 〔천〕 丨部 六畫(p.48)을 보라.

4 ⑦ [呈] 人名 정 ㊥庚 直貞切 chéng ㊤梗 丑郢切 chěng

筆順 丨 口 口 口 旦 早 呈

字解 ①나타날 정 드러나 보임. '延頸秀項, 皓質一露'《曹植》. ②나타낼 정 드러냄. '一形'. '一示'. '星斗一祥'《晉書》. ③드릴 정 윗사람에게 바침. '一上'. '送一'. ④한정 정 程(禾部 七畫)과 통용. '日夜有一'《史記》. ⑤성 정 성(姓)의 하나. ⑥쾌(快)할 정 逞(辵部 七畫)과 통용. '殺人以一'《左傳》.
字源 篆文 形聲. 口+壬〔音〕. '壬정'은 '내밀다'의 뜻. 입에서 뛰쳐나오다, 나타나다, 나타내다의 뜻을 나타냄.
參考 呈(口部 四畫)과는 別字.

[呈納 정납] 물건을 바침.
[呈露 정로] 드러남. 나타남. 또, 나타냄.
[呈上 정상] 정납(呈納).
[呈訴 정소] 소장(訴狀)을 관아(官衙)에 바침.
[呈送 정송] 정납(呈納).
[呈示 정시] 나타내 보임. 내놓음.
[呈狀 정장] 정소(呈訴).
[呈進 정진] 드림. 바침. 진정(進呈).
◉敬呈. 謹呈. 露呈. 拜呈. 奉呈. 咨呈. 提呈. 贈呈. 進呈. 獻呈.

4 ⑦ [呉] 吳(次條)의 俗字

4 ⑦ [吳] 人名 오 ㊥虞 五乎切 wú

筆順 丨 口 口 口 旦 吳 吳

字解 ①오나라 오 ㉠춘추 시대(春秋時代)의 십이열국(十二列國)의 하나. 태백(太伯)이 장쑤성(江蘇省)에 세운 나라. 한때 세력을 떨쳐, 판도(版圖)를 저장 성(浙江省) 안까지 넓혔으나, 부차(夫差) 때 개국(開國)한 지 7백여 년 만에 월(越)나라 구천(句踐)에게 멸망당하였음. (?~

B.C. 473) ㉡삼국 시대(三國時代)에 손권(孫權)이 장쑤(江蘇)·저장(浙江)·안후이(安徽) 지방에 세운 나라. 수도(首都)는 건업(建業). 건국 후 4주(主) 59년 만에 서진(西晉)에게 멸망당하였음. (222~280) ㉢오대(五代) 때 양행밀(楊行密)이 화이난(淮南)에 의거하여 세운 나라. 서울은 양저우(楊州). 건국한 지 4주(主) 36년 만에 남당(南唐)에게 멸망당하였음. (902~937) ②땅이름 오 장쑤 성(江蘇省) 오현(吳縣)을 중심으로 한 군(郡). 전(轉)하여, 장쑤 성 일대의 특칭. ③큰소리할 오 떠듦. '不一不敖'《詩經》. ④성 오 성(姓)의 하나.

字源 甲骨文 金文 篆文 象形. 머리에 커다란 쓰개를 쓰고 미친 듯이 춤추는 모양을 본떠, '화려하게 즐기다'의 뜻을 나타냄.

[吳干之劍 오간지검] 춘추 시대(春秋時代)의 오(吳)나라 사람 간장(干將)이 만든 명검(名劍).
[吳廣 오광] 진(秦)나라 말엽의 장군. 진승(陳勝)과 반란을 일으켜 진승은 왕(王), 그는 가왕(假王)이 되었다가 후에 부하에게 살해되었음.
[吳起吮疽 오기연저] 전국 시대(戰國時代)의 위(魏)나라의 장수(將帥) 오기(吳起)가 자기 부하(部下)로 있는 군사(軍士)의 종기(腫氣)를 빨아서 고쳤다는 고사(故事).
[吳儂 오농] 오 지방(地方) 사람.
[吳道玄 오도현] 당(唐)나라 때의 화가(畫家). 양책(陽翟) 사람. 자(字)는 도자(道子). 불화(佛畫)와 산수(山水)에 뛰어나 화성(畫聖)이라 불리어짐.
[吳綾 오릉] 오(吳)나라에서 짠 비단.
[吳茱萸 오수유] 운향과(芸香科)에 속하는 낙엽 아관목(落葉亞灌木). 녹황색(綠黃色)의 작은 꽃이 피며, 열매는 자적색(紫赤色)의 삭과(蒴果)로서 약재(藥材)로 씀.
[吳兒 오아] 오(吳)나라 아이. 전(轉)하여, 무정(無情)한 사람.
[吳娃 오왜] 오(吳)나라의 미인(美人). 오희(吳姬).
[吳牛見月喘 오우견월천] 오우천월(吳牛喘月).
[吳牛喘月 오우천월] 오(吳)나라는 중국 남방의 몹시 더운 지방이므로 낮에 더위에 몹시 괴로워하던 소가 밤에 달이 뜬 것을 보고 또 해가 떴나 생각하여 숨을 헐떡거리며 쉰다는 뜻으로, 담(膽)이 작아 미리 겁을 집어먹음을 이름.
[吳越同舟 오월동주] 춘추 전국 시대의 오왕(吳王) 부차(夫差)와 월왕(越王) 구천(句踐)이 항상 적의(敵意)를 품고 싸웠다는 고사에서, 서로 적의를 품은 자들이 같은 처지나 한자리에 놓임을 가리키는 말. 또, 서로 반목(反目)하면서도 공통의 곤란·이해(利害)에 대하여 협력함의 비유.
[吳越之思 오월지사] 전국 시대(戰國時代)의 오왕(吳王) 부차(夫差)와 월왕(越王) 구천(句踐)이 오랫동안 싸운 고사(故事)에 의하여, 적의(敵意)를 품고 서로 미워하는 뜻으로 쓰임.
[吳吟 오음] 오(吳)나라의 노래를 읊는다는 뜻으로, 고향을 연모(戀慕)함을 이름. 전국 시대(戰國時代)의 초(楚)나라 사람 진진(陳軫)의 말에서 나옴.
[吳音 오음] 오(吳)나라 말. 오어(吳語).
[吳子 오자] ㉠오기(吳起)의 존칭(尊稱). ㉡병서(兵書)의 하나. 1권. 주(周)나라 오기(吳起)의 찬(撰).
[吳中 오중] 장쑤 성(江蘇省) 오현(吳縣)을 이름.
[吳楚七國 오초칠국] 전한(前漢)의 효경제(孝景帝) 때에 연합하여 반란을 일으킨 일곱 나라. 곧, 오(吳)·초(楚)·조(趙)·교서(膠西)·교동(膠東)·치천(菑川)·제남(濟南).
[吳下阿蒙 오하아몽] 몇 해가 지나도 진취(進就)함이 없이 그냥 그 모양으로 있는 사람. 삼국 시대(三國時代)의 오(吳)나라에 여몽(呂蒙)이란 사람이 있어 임금 손권(孫權)이 여몽(呂蒙)에게 글 읽기를 권하였는데, 뒤에 노숙(魯肅)이 여몽(呂蒙)과 만나서 그의 지식(知識)이 진보(進步)한 것을 보고 감동(感動)하여 군(君)은 이제 오하(吳下)의 아몽(阿蒙)이 아니라고 한 고사(故事)에서 나온 말. '아(阿)'는 발어사(發語辭)로 의미가 없고, '몽(蒙)'은 지식이 없는 어리석은 사람이란 뜻.
[吳回 오회] 불의 신(神). 화신(火神).
[吳姬 오희] 오왜(吳娃).
◉孫吳.

4 ⑦ [呉] 吳(前條)의 略字

4 ⑦ [吴] 吳(前前條)의 俗字·簡體字

4 ⑦ [呆] ㊀ 보 ㊤皓 博抱切 bǎo ㊁ 매 ㊥灰 莫杯切 mèi ㊂ 태 ㊥灰 駝孩切 dāi

字解 ㊀ 保(人部 七畫)의 古字. ㊁ 어리석을 매 미련함. '癡一'. ㊂ ①어리석을 태 '一, 同獃, 癡一'《辭海》. ②《現》둔할 태 동작이 둔함. 정체(停滯)함.

字源 象形. 강보에 싸인 아기의 상형. '태'로 읽는 것은, 송(宋)·원(元) 이래의 '佁태'의 俗字로, '어리석다'의 뜻을 나타냄.

參考 杲(木部 三畫)와는 別字이나, 속(俗)에 '呆'를 '어리석을매'로 통용함.

4 ⑦ [呈] 〔광〕 狂(犬部 四畫〈p. 1388〉)의 古字

參考 呈(口部 四畫)은 別字.

[邑] 〔읍〕 部首(p. 2328)를 보라.

4 ⑦ [吟] 中·人 ㊀ 음 ㊥侵 魚金切 yín ㊁ 금 ㊦沁 巨蔭反 jìn

筆順 丨 ㄇ 口 口' 口人 吟 吟

字解 ㊀ ①읊을 음 ㉠읊조림. '一詠'. '倚樹而一'《莊子》. ㉡시가(詩歌)를 지음. '一社'. '一咏性情'《詩經 序》. ②끙끙거릴 음 괴로워서 끙끙 앓음. '呻一'. '其聲如一'《山海經》. ③말더듬을 음 말을 떠듬떠듬함. '口一舌言'《後漢書》. ④울 음 짐승이나 벌레가 소리를 냄. '蟬一'. '猿一'. ⑤시체이름 음 한시(漢詩)의 한 체(體). 고악부(古樂府)에 연원(淵源)하며 울굴(鬱屈)한 정서를 읊은 것. '好爲梁父一'《蜀志》. ⑥성 음 성(姓)의 하나. ㊁ 입다물 금 噤(口部 十三畫)과 同字. '一而不言'《史記》.

字源 篆文 形聲. 口+今〔音〕. '今금'은 '含함'과 통하여, '머금다'의 뜻. 입 안의 소리로 말하다, 입에 머금어 맛보다 등의 뜻을 나타냄.

[吟歌 음가] 노래를 부름. 또, 노래.
[吟氣 음기] 시를 읊는 소리.
[吟壇 음단] ㉠시가(詩歌)를 짓기 위한 단(壇). 또, 그 단체. ㉡시인 중의 영수(領袖). ㉢'시인'의 경칭(敬稱).
[吟力 음력] 시(詩)를 짓는 능력.
[吟弄 음롱] 읊조림. 노래함.
[吟味 음미] ㉠시가(詩歌)를 읊으면서 그 멋을 감상(鑑賞)함. ㉡음영(吟詠)의 흥취.
[吟病 음병] 병으로 신음(呻吟)함.
[吟社 음사] 시가(詩歌)를 짓는 모임.
[吟殺 음살] 시를 읊음. 살(殺)은 조자(助字).
[吟聲 음성] 시가(詩歌)를 읊는 소리.
[吟嘯 음소] ㉠소리를 높여 시를 읊음. ㉡시세(時世)를 개탄하여 내는 소리.
[吟頌 음송] 노래 불러 칭송함. 또, 그 노래.
[吟誦 음송] 시가(詩歌)를 소리 높이 읊음.
[吟詩 음시] 시를 읊음.
[吟心 음심] 시가(詩歌)를 지어 읊는 마음. 음혼(吟魂).
[吟哦 음아] 읊음.
[吟詠 음영] 시가(詩歌)를 읊음. 시가를 지음. 또, 그 시가.
[吟臥 음와] 누워서 시가(詩歌)를 읊음.
[吟月 음월] 달을 바라보면서 시가(詩歌)를 읊음.
[吟杖 음장] 시인의 지팡이.
[吟箋 음전] 시가를 지어 쓰는 용지(用紙).
[吟情 음정] 음영(吟詠)의 정취(情趣).
[吟嘲 음조] 시를 지어 비웃음.
[吟唱 음창] 읊음. 노래 부름.
[吟蟲 음충] 우는 벌레.
[吟唄 음패] 범패(梵唄).
[吟諷 음풍] 읊음. 노래 부름.
[吟風弄月 음풍농월] 맑은 바람을 쐬며 시를 읊고, 밝은 달을 바라보며 즐기는 것.
[吟魂 음혼] 시가를 지어 읊는 마음. 음심(吟心).
[吟懷 음회] 음심(吟心).
◉苦吟. 高吟. 空吟. 口吟. 謳吟. 叫吟. 噤吟. 朗吟. 名吟. 默吟. 微吟. 放吟. 蟬吟. 呻吟. 哀吟. 愛吟. 詠吟. 吳吟. 謠吟. 龍吟. 猿吟. 低吟. 淸吟. 醉吟. 沈吟. 閑吟. 行吟.

4 ⑦ [吠] 人名 폐 ㊀隊 符廢切 fèi

字解 짖을 폐 개가 짖음. '雞鳴狗─'《孟子》.
字源 甲骨文 篆文 會意. 口+犬. 개〔犬〕와 입〔口〕으로, 개가 짖다의 뜻을 나타냄.

[吠堯 폐요] 도척(盜跖)의 개가 요순(堯舜)을 보고도 짖는다는 뜻으로, 사람은 그가 섬기는 주인에게 충성을 다함을 이름.
[吠日 폐일] 중국 촉(蜀) 땅에는 산이 높고 안개가 짙어서 해를 보는 일이 드물므로 개가 해를 보고 괴상히 여겨 짖는다는 뜻으로, 식견(識見)이 좁은 사람이 남의 훌륭한 말이나 좋은 행동을 보고 놀라 괴상히 여겨 도리어 이것을 비방함을 비유한 말. 촉견폐일(蜀犬吠日).
[吠陀 폐타·베다]《佛教》인도(印度) 바라문교(婆羅門教)의 최고(最古)의 경전(經典). 인도의 종교·철학 및 문학의 원천(源泉)이 됨.
[吠形吠聲 폐형폐성] '일견폐형백견폐성(一犬吠形百犬吠聲)'과 같음.
[吠嘷 폐호] 짖음.
◉鷄鳴狗吠. 狗吠. 群吠. 驢鳴犬吠. 鳴吠. 搏吠. 守吠. 遠吠.

4 ⑦ [吸] 반 ㊀翰 博漫切 bàn

字解 ①평정잃을 반 '─喭'은 자제심(自制心)을 잃고 거칠게 굶. '─, ─喭, 失容'《廣韻》. ②굳셀 반 '─喭'은 강강(剛強)한 모양. '─, ─喭, 剛強皃'《集韻》.

4 ⑦ [吩] 人名 분 ㊀願 普悶切 fēn

字解 분부할 분 아랫사람에게 명령을 내림. '─咐'.
字源 形聲. 口+分〔音〕

[吩咐 분부] 아랫사람에게 명령을 내림. 분부(分付).

4 ⑦ [吪] 와 ㊥歌 五禾切 é

字解 ①움직일 와 가만히 있지 아니함. '尙寐無─'《詩經》. ②화할 와 변화함. '周公東征, 四國是─'《詩經》.
字源 篆文 形聲. 口+化〔音〕. '化화'는 '변하다'의 뜻. 말이 묘하게 변하다, 곧 '더듬다'의 뜻을 나타내며, 파생(派生)하여 '움직이다, 변하다'의 뜻을 나타냄.

4 ⑦ [听] 人名 ㊀ 은 ㊤軫 宜引切 yǐn ㊁ 이 ㊥支 魚其切 yí ㊂ 청 tīng

字解 ㊀ ①웃을 은 입을 벌리고 웃는 모양. '亡是公─然而笑'《史記》. ②입클 은 '─, 大口謂之─'《廣韻》. ※'은' 음은 인명자로 쓰임. ㊁ ①입벌린모양 이 '─, ─嗞, 口開皃'《集韻》. ②부끄러워하는모양 이 㖂(口部 七畫)와 同字. '㖂, 㖂嗞, 媿皃, 或省'《集韻》. ㊂ ①聽(耳部 十六畫)의 俗字. '─, 俗借爲聽字省文'《正字通》. ②聽(耳部 十六畫)의 簡體字.
字源 篆文 形聲. 口+斤〔音〕. '斤근'은 도끼의 모양으로, 잘게 하다의 뜻. 호흡을 받게 하여 '웃다'의 뜻을 나타냄.

4 ⑦ [吺] ㊀ 두 ㊀尤 當侯切 dōu ㊁ 유 ㊀虞 汝朱切 rú

字解 ㊀ ①말많을 두 '讙─'는 말이 많음. '讙─, 多言也'《說文》. ②입쌀 두 입이 가벼움. '─, 輕出言也'《廣韻》. ㊁ 말할 유 말을 함. 이야기함. 嚅(口部 十四畫)와 同字. '嚅, 囁嚅, 言也. 或作─'《集韻》.
字源 形聲. 口+殳〔音〕

4 ⑦ [吨] ㊀ 둔 ㊥元 徒渾切 tún ㊁ 돈 ㊤阮 他兗切 tǔn

字解 ㊀ 말분명치않을 둔 '──'은 말이 분명

치 않은 모양. '一, 一一, 言不明也'《集韻》. [二] ①상충할 돈 기(氣)가 상충(相衝)함. '一, 氣相衝也'《廣韻》. ②말분명치않을 돈 [一]과 뜻이 같음. ③嘋(口部 十三畫)의 簡體字.

4 ⑦ [吭] 항 [平]陽 胡郎切 háng [去]漾 下浪切

[字解] ①목 항 ㉠목구멍. 인후. '仰首伸一'《柳宗元》. ㉡요해처. '搤天下之一'《史記》. ②《現》목소리낼 항 발언(發言)함.

[字源] 形聲. 口+亢〔音〕. '亢항'은 '결후(結喉)'의 뜻. '口구'를 더하여, '목'의 뜻을 나타냄.

◉哼吭. 斧其吭. 伸吭. 扼吭. 搤吭. 咽吭. 引吭. 絕吭. 喉吭.

4 ⑦ [吮] 연 [上]銑 以轉切 shǔn

[字解] 빨 연, 핥을 연 입으로 빨거나 핥음. '一疽'. '一癰'. '卒有病疽者, 起爲一之'《史記》.

[字源] 篆文 形聲. 口+允〔音〕. '允윤'자의 모양처럼 입을 위로 향하게 하여 빨다의 뜻을 나타냄.

[吮癰 연옹] 종기(腫氣)의 고름을 빪.
[吮癰舐痔 연옹지치] 종기(腫氣)와 치질(痔疾)을 핥는다는 뜻으로, 남에게 대단히 아첨(阿諂)함을 이름.
[吮疽 연저] 종기의 고름을 빪.
[吮疽之仁 연저지인] 옛날 주(周)나라의 오기(吳起)란 장수(將帥)가 자기 부하(部下)로 있는 군사(軍士)의 종기(腫氣)를 빨아서 고쳤다는 고사(故事). 전(轉)하여, 대장(大將)이 사졸(士卒)을 극진(極盡)히 사랑함을 이름.

4 ⑦ [呐] [一] 눌 [入]月 奴骨切 nè
[二] 납(눌[本]) [入]月 奴骨切 nà

[字解] [一] 말더듬을 눌 訥(言部 四畫)과 同字. '其言一然'《禮記》. [二] 떠들 납 고함을 지름. '一喊'.

[字源] 甲骨文 篆文 形聲. 口+內〔音〕. '內내'는 안으로 들어가 박히다의 뜻. 말이 입 안으로 들어가서 술술 나오지 않다, 더듬다의 뜻을 나타냄.

[呐喊 납함] 적진(敵陣)을 향하여 돌진할 때 군사가 일제히 고함을 지름.
[呐口 눌구] 말을 더듬음.
[呐呐 눌눌] 말을 더듬는 모양.
[呐鈍 눌둔] 말을 더듬어 입이 굼뜸.
[呐然 눌연] 말을 더듬는 모양.
[呐吃 눌흘] ㉠말을 더듬음. ㉡일이 잘 진행되지 아니함.

4 ⑦ [㕯] 呐(前條)과 同字

4 ⑦ [呋] 혈 [入]屑 許劣切 xuè

[字解] 휙소리 혈 바람 따위가 '휙'하고 나는 작은 소리. '吹劍首者一而已矣'《莊子》.

4 ⑦ [吸] [高人] 흡 [入]緝 許及切 xī

[筆順] 丨 ㄇ 口 叮 叨 吸 吸

[字解] ①숨들이쉴 흡 숨을 들이마심. '呼'의 대. '一者叫者'《莊子》. ②마실 흡 단숨에 마심. '飮如長鯨一百川'《杜甫》.

[字源] 篆文 形聲. 口+及〔音〕. '及급'은 숨을 들이쉴 때의 소리의 의성어(擬聲語). '口구'를 더하여 '들이쉬다'의 뜻을 나타냄.

[吸氣 흡기] ㉠빨아들이는 기운. ㉡들이마시는 숨.
[吸力 흡력] 빨아들이는 힘.
[吸墨紙 흡묵지] 압지(壓紙).
[吸上 흡상] 빨아올림.
[吸收 흡수] ㉠빨아들임. ㉡액체·고체가 기체를 빨아들이어 용해(溶解)하는 현상(現象).
[吸煙 흡연] 담배를 피움.
[吸引 흡인] 빨아서 이끎. 앞으로 빨아들임.
[吸引力 흡인력] 빨아들이는 힘.
[吸入 흡입] 빨아들임.
[吸入器 흡입기] 호흡기병(呼吸器病)을 치료(治療)하는 데 쓰는 의료기(醫療器)의 하나.
[吸醋 흡초] 코로 초를 마신다는 뜻으로, '참기 어려운 일을 잘 참아 냄'의 비유.
[吸出 흡출] 빨아냄.
[吸呷 흡합] 숨을 들이마시고 침을 삼킴.
[吸血 흡혈] 피를 빨아들임.
[吸血鬼 흡혈귀] ㉠밤중에 무덤에서 나와 사람의 피를 빨아먹는다는 귀신(鬼神). ㉡사람의 고혈(膏血)을 착취(搾取)하는 인간.
[吸吸 흡흡] 바람이나 구름이 움직이는 모양.
◉鯨吸. 翕吸. 一吸. 噓吸. 呼吸.

4 ⑦ [吹] [中人] 취 ①②[平]支 昌垂切 chuī
③④[去]寘 尺僞切 chuì

[筆順] 丨 ㄇ 口 口' 口⺈ 吖 吹

[字解] ①불 취 ㉠숨기운을 내어 보냄. '一呼'. '一毛而求小疵'《韓非子》. ㉡관악기에 입을 대어 입김으로 소리를 냄. '一奏'. '鼓瑟一笙'《詩經》. ㉢바람이 남. '風其一女'《詩經》. ㉣추겨세움. 칭양(稱揚)함. 칭찬함. 또, 도움. 방조함. '一擧'. '小人司刺擧, 時時實濫一'《庾信》. ②성 취 성(姓)의 하나. ③관악 취 관악기로 연주하는 음악. '入學習一'《禮記》. ④바람 취 '涼一片帆輕'《錢起》.

[字源] 甲骨文 金文 篆文 會意. 欠+口. '欠흠'은 입을 크게 벌린 사람의 상형. '불다'의 뜻을 나타냄.

[吹擧 취거] 취허(吹噓) ㉡.
[吹管 취관] 피리 따위의 관악기를 붊.
[吹浪 취랑] 물고기가 숨을 쉬기 위하여 물 위에 떠서 입을 벌렸다 오므렸다 함.
[吹毛 취모] ㉠취모구자(吹毛求疵). ㉡지극히 쉬움을 이름.
[吹毛求疵 취모구자] 상처를 찾으려고 털을 불어헤침. 억지로 남의 작은 허물을 들추어냄을 이름.
[吹雪 취설] 눈보라.
[吹雲 취운] ㉠'북〔鼓〕'의 별칭(別稱). ㉡구름을 그리는 법(法)의 이름. 그림을 그릴 비단감을 물에 축여 가벼운 가루를 뿌리고 입으로 불어 구름의 모양으로 하는 법.
[吹奏 취주] 저·피리·나팔 따위의 관악기를 입으

로 불어 연주(演奏)함.
[吹竹 취죽] 피리를 붊.
[吹彈 취탄] 피리를 붊과 거문고를 탐. 전(轉)하여, 음악(音樂).
[吹筒 취통] 불어 불을 일으키는 데 쓰는 대통(筒).
[吹噓 취허] ㉠숨을 후하고 내쉼. ㉡남의 장처(長處)를 치켜세워 추천함.
[吹呼 취호] 숨을 내쉼.
[吹煦 취후] 입김을 불어 따뜻하게 함.
◉鼓吹. 鬼吹. 濫吹. 倒吹. 獨吹. 妙吹. 繁吹. 詩腸鼓吹. 兩部鼓吹. 蛙吹. 鐃吹. 齊吹.

4 ⑦ [吻] [人名] 문 [上]吻 武粉切 wěn

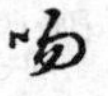

[字解] 입술 문 입가. '銳喙決—'《周禮》.
[字源] 篆文 形聲. 口+勿〔音〕. '勿물'은 '門문'과 통하여, '모서리'의 뜻. '입아귀, 입술'의 뜻을 나타냄.

[吻頭菜 문두채] 두릅으로 만든 나물.
[吻士 문사] 의론(議論)을 좋아하는 선비. 남과 따지기를 좋아하는 사람.
[吻合 문합] 위아래의 입술이 맞는 것처럼 꼭 들어맞음.
◉枯吻. 口吻. 饑吻. 怒吻. 罵吻. 脣吻. 豺狼吻. 接吻. 燥吻. 血吻. 虎吻. 黃吻.

4 ⑦ [吼] [人名] 후 [上]有 呼后切 hǒu / [去]宥 呼漏切

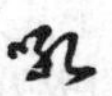

[字解] 울 후 짐승이 성내어 욺. 으르렁거림. '—號'. '其一覘恢鳴—'《後漢書》. 전(轉)하여, 요란한 소리를 냄. '夜浦吳潮—'《羅隱》.
[字源] 形聲. 口+孔〔音〕. '孔공'은 정도가 심하다의 뜻. 큰 소리로 으르렁거리다의 뜻을 나타냄.

[吼怒 후노] 성내어 으르렁거림.
[吼號 후호] 소리를 높여 부르짖음. 또, 대성통곡(大聲痛哭)함.
◉鯨吼. 叫吼. 雷吼. 鳴吼. 獅子吼. 河東獅子吼. 哮吼. 虓吼.

4 ⑦ [吽] [一] 우 [平]尤 魚侯切 óu / [二] 음 [平]侵 於金切 hǒu / [三] 훔 曉東切 hōng

[字解] [一] 개짖는소리 우 개가 서로 싸우며 짖는 소리. '—呀聞爭犬'《梅堯臣》. [二] 소울음소리 음 소가 우는 소리. [三] 진언 훔《佛教》범어(梵語) hūṃ의 음역자(音譯字). '阿'가 개구음(開口音)인 데 대하여, '吽'은 입술을 다물고 숨을 막을 때의 음이며, 또 '阿'가 실담 자모(悉曇字母)의 첫째인 데 대하여, '吽'은 마지막 자이므로, 일체의 교의(教義)가 이 '吽'자에 담긴다고 해석함. '阿'는 만유 발생(萬有發生)의 이체(理體), '吽'은 만유 귀착(萬有歸着)의 지덕(智德).
[字源] 會意. 口+牛. 소가 입으로 소리를 내다, 울다의 뜻을 나타냄.

[吽呀 우하] 개가 서로 물어뜯으며 짖는 소리.
[吽吽 음음] 소가 우는 소리.
◉阿吽.

4 ⑦ [吰] 횡 [平]庚 戶萌切 hóng

[字解] 종소리 횡 '鏗—'은 종소리. '鏗鈜, 鐘鼓聲, 或从口'《集韻》.

4 ⑦ [呀] [人名] 하 [平]麻 許加切 xiā

[字解] ①입딱벌릴 하 입을 딱 벌리는 모양. '如口開——'《韓愈》. ②높이솟을 하 높이 쑥 나온 모양. '牙角何——'《漢書》. ③휑할 하 굴 같은 것의 안이 텅 빈 모양. '谽—'. '—周池而成淵'《班固》.
[字源] 篆文 形聲. 口+牙〔音〕. '牙아'는 '이'의 뜻. 입을 벌려 이를 드러내다의 뜻을 나타냄.

[呀喘 하천] 입을 벌리고 가쁜 숨을 쉼.
[呀呀 하하] ㉠입을 딱 벌리는 모양. ㉡높이 솟은 모양. ㉢껄껄 웃는 소리.
[呀嚇 하하] 하천(呀喘).
[呀呷 하합] ㉠입을 벌리는 모양. ㉡파도(波濤)가 서로 삼키고 뱉는 모양.
[呀豁 하활] ㉠휑하니 넓은 모양. ㉡공허(空虛)한 모양.
[呀喙 하훼] 입을 딱 벌림.
[呀咻 하휴] 입을 벌리고 시끄럽게 말함.
◉開呀. 驚呀. 笑呀. 喘呀. 谽呀. 歡呀.

4 ⑦ [吤] [一] 공 [平]東 沽紅切 gōng / [二] 종 [平]冬 職容切 gōng / [三] 송 [去]宋 似用切 sòng

[字解] [一] 떠들썩할 공 시끄러움. '—, 衆口也'《廣韻》. [二] 떠들썩할 종 [一]과 뜻이 같음. [三] 송사할 송 訟(言部 四畫)의 古字.

4 ⑦ [呎] 척 chǐ

[字解] 피트 척 영미(英美)의 길이의 단위 피트의 약기(略記). 1척(呎)은 약 30.48 센티미터이고, 12인치〔吋〕.
[字源] 形聲. 口+尺〔音〕. 영미(英美)의 척도의 역자(譯字). '口구'는 외래어임을 나타냄.

4 ⑦ [吵] [一] 묘 [上]篠 亡沼切 miǎo / [二] 초 [上]巧 初爪切 chǎo

[字解] [一] 울 묘 꿩이 욺. [二] 소리 초.
[字源] 形聲. 口+少〔音〕

4 ⑦ [吧] 파 [平]麻 普巴切 bā

[字解] ①입클 파 입이 큰 모양. '—, 大口皃'《集韻》. ②다툴 파 '—呀'는 아이가 화를 내어 다투는 모양. '—, —呀, 小兒忿爭'《廣韻》. ③《現》의성어 파 물건을 때릴 때 나는 소리.

4 ⑦ [㕮] 부 [上]麌 扶雨切 fǔ

[字解] 씹을 부 잘 씹어서 소화(消化)시킴. '—咀, 嚼也'《廣韻》.

4 ⑦ [吱] [一] 지 [平]支 章移切 zhī, zī / [二] 기 [去]寘 去智切 qì

字解 ■ 목소리 지 '——'는 목소리의 형용(形容). '——, 聲也'《集韻》. ■ 헐떡일 기 걸어서 숨이 찬 모양. '—, 行喘息皃'《廣韻》.

4 ⑦ [呃] ■ 악 ㊀陌 於革切 è
■ 애 ㊁卦 烏界切 ài

字解 ■ 울음 악 닭이 우는 소리. '呃, 鷄聲也, 亦作—'《玉篇》. ■ 볼멘소리 애 불평스러운 소리. '—, 不平聲'《廣韻》.
字源 形聲. 口＋厄〔音〕

4 ⑦ [咂] 잡 ㊀合 子荅切 zā

字解 ①마실 잡, 삼킬 잡 '—, 啖也'《集韻》. ②고기물결 잡 물고기가 물을 마심. '—, 魚食也'《玉篇》.

4 ⑦ [哂] 신 ㊤軫 矢忍切 shěn

字解 웃을 신 얼굴에 나타내지 않고 속으로 웃음. '千秋一言致相, 匈奴—之'《晉書》.

4 ⑦ [昏] ■ 괄 ㊀曷 古活切 guā
■ 활 ㊀黠 下刮切

字解 ■ 막을 괄 입을 막음. '—, 塞也'《玉篇》.
■ 막을 활 ■과 뜻이 같음.
字源 會意. 氏＋口
參考 昏(甘部 四畫)은 古字.

4 ⑦ [咿] 〔이〕
咿(口部 六畫〈p. 371〉)와 同字
字源 篆文 形聲. 口＋伊〈省〉〔音〕. 신음 소리를 나타내는 의성어(擬聲語).

4 ⑦ [哅] 〔흉〕
訩(言部 六畫〈p. 2123〉)과 同字

4 ⑦ [㕧] 〔규〕
叫(口部 二畫〈p. 336〉)의 俗字

4 ⑦ [呕] 〔구·후〕嘔(口部 十一畫〈p. 400〉)의 略字·簡體字

4 ⑦ [品] 〔품〕
品(口部 六畫〈p. 368〉)의 俗字

4 ⑦ [君] 中人 군 ㊥文 擧云切 jūn

筆順 ㇕ ⺕ ⺕ 尹 尹 君 君

字解 ①임금 군 ㉠군주. 천자·제후 등 국가의 주권자. '一主'. '奄有四海, 爲天下—'《書經》. ㉡제후(諸侯). 또, 영지(領地)가 있는 경대부(卿大夫). 또, 봉호(封號). '孟嘗—'. '春申—'. '—侯'. '樹后土—公'《書經》. ㉢주재자(主宰者). 두목. 추장(酋長). '西南夷—長, 以什數'《史記》. ②부모 군 부모의 존칭. '先—'. '家人有嚴—焉'《易經》. ③조상 군 선조(先祖)의 존칭. '先—孔子, 生乎周末'《孔安國》. ④남편 군 처첩이 그의 남편을 이르는 말. '—已食'《禮記》. ⑤아내 군 처첩의 일컬음. '細—'. '小—'. ⑥스승 군 재덕이 겸비한 사람. '—子'. ⑦임 군 남의 존칭. '臣非知—'《史記》. ⑧귀신 군 귀신(鬼神)의 경칭(敬稱). '湘—何神'《史記》. ⑨성 군 성(姓)의 하나.
字源 甲骨文 金文 篆文 古文 形聲. 口＋尹〔音〕. '尹윤'은 신사(神事)를 주관하는 족장(族長)의 뜻, 축문의 뜻을 나타내는 '口구'를 더하여, '임금'의 뜻을 나타냄.

[君公 군공] 제후(諸侯).
[君國 군국] ㉠임금과 나라. ㉡군주(君主)가 다스리는 나라.
[君臨 군림] ㉠임금이 되어 나라를 다스림. ㉡절대적 세력을 가진 자가 남을 압도하는 일.
[君命 군명] 임금의 명령(命令). 주명(主命).
[君父 군부] 임금과 아버지.
[君夫人 군부인] 제후(諸侯)의 정실(正室).
[君師父一體 군사부일체] 임금·스승·아버지의 은혜(恩惠)는 같다는 말.
[君射則臣決 군사즉신결] 임금이 활쏘기를 좋아하면, 신하는 깍지를 낀다는 뜻으로, 윗사람의 좋아하는 것은 아랫사람이 반드시 본받는다는 뜻. 결(決)은 깍지.
[君上 군상] 천자(天子). 임금.
[君臣 군신] 임금과 신하(臣下).
[君王 군왕] 임금. 군주(君主).
[君辱臣死 군욕신사] 임금이 남에게 치욕을 당하면 신하는 죽음을 무릅쓰고 설욕(雪辱)함. 곧, 임금과 신하는 생사간고(生死艱苦)를 함께한다는 뜻.
[君恩 군은] 임금의 은덕.
[君子 군자] ㉠심성(心性)이 어질고 덕행(德行)이 높은 사람. 남의 사표(師表)가 될 만한 사람. ㉡벼슬아치. 관리. ㉢남편(男便). ㉣'대나무〔竹〕'의 별칭(別稱). ㉤'연(蓮)'의 별칭.
[君子交絶不出惡聲 군자교절불출악성] 군자(君子)는 사람과 절교(絶交)를 한 뒤에 그 사람의 악평(惡評)을 하지 아니함.
[君子國 군자국] ㉠풍속(風俗)이 선량(善良)하고 예의(禮儀)가 바른 나라. ㉡우리나라, 특히 '신라(新羅)'의 별칭(別稱).
[君子不愧于屋漏 군자불괴우옥루] 군자는 사람이 보지 않는 곳에서도 언행을 삼가서 부끄러운 일을 하지 않는다는 말. 옥루(屋漏)는 방의 서북(西北) 편의 가장 구석지어 침침한 곳.
[君子不器 군자불기] 그릇의 용도는 한 가지이지만 군자(君子)는 일재 일예(一才一藝)에 편중(偏重)하지 않아 무슨 일이고 잘함.
[君子思不出其位 군자사불출기위] 군자의 생각하는 바는 자기 신분에서 벗어나지 아니함.
[君子三樂 군자삼락] 군자의 세 가지 낙(樂). 첫째 부모가 구존(俱存)하고 형제가 무고한 것, 둘째 하늘과 사람에게 부끄러워할 것이 없는 것, 셋째 천하의 영재(英才)를 얻어서 교육하는 것.
[君子盛德容貌若愚 군자성덕용모약우] 군자는 덕을 속으로 닦고 겉으로 나타내지는 않으므로 용모(容貌)가 어리석어 보임.
[君子成人美 군자성인미] 군자는 사람을 인도하여 착한 일을 이루게 함.
[君子儒 군자유] 명리(名利)를 떠나 진실로 도를 배우고 덕을 닦는 것을 목적으로 하는 학자. 소인유(小人儒)의 대(對).

[君子人 군자인] 군자라 일컬을 만한 사람. 덕행(德行)이 있는 사람. 남의 사표(師表)가 될 만한 사람.
[君者舟也庶人者水也 군자주야서인자수야] 물은 배를 띄우지만 때로는 배를 전복시키기도 한다는 뜻으로, 백성은 군주(君主)를 돕기도 하나 때로는 해(害)치기도 한다는 말.
[君子之過也如日月之食 군자지과야여일월지식] 군자의 허물은 일식(日蝕)이나 월식(月蝕)과 같아서 한때 그 빛이 가리어질지라도 그 바탕인 덕(德)이 다시 바로 환하게 나타남.
[君子之交淡若水 군자지교담약수] 군자의 교제(交際)는 그 담박(淡泊)한 것이 물과 같아 영구히 변치 아니함.
[君子之德風 군자지덕풍] 윗자리에 있는 사람의 덕(德)은 바람과 같아서 아랫사람은 다 그의 풍화(風化)를 받음.
[君子之學入耳著心 군자지학입이착심] 군자는 학문을 닦는 데 한 번 들으면 마음속에 새겨 두어 잊지 아니함.
[君子豹變 군자표변] 군자는 개과천선(改過遷善)하는 것이 지극히 현저함을 이름.
[君子鄕 군자향] 착한 사람이 사는 곳.
[君子花 군자화] '연(蓮)'의 별칭.
[君長 군장] ㉠군주(君主). ㉡두목(頭目). ㉢손윗사람. ㉣추장(酋長).
[君主 군주] 국가(國家)의 주권(主權)을 총람(總攬)하는 사람. 임금.
[君主國 군주국] 군주(君主)가 세습적(世襲的)으로 국가의 원수(元首)가 되는 나라.
[君舟臣水 군주신수] 군자주야서인자수야(君者舟也庶人者水也).
[君主政治 군주정치] 군주(君主)가 나라의 정치를 총람(總攬)하는 정치.
[君號 군호] 군(君)을 봉(封)한 이름.
[君侯 군후] 제후(諸侯).
◉家君. 繼體君. 寡君. 寡小君. 國君. 鞠君. 貴君. 郞君. 東君. 亡君. 名君. 明君. 微君. 父君. 夫君. 府君. 聘君. 使君. 師君. 先君. 盛君. 聖君. 細君. 小君. 暗君. 良君. 嚴君. 庸君. 幼君. 人君. 仁君. 儲君. 諸君. 主君. 冢君. 暴君. 賢君.

4 ⑦ [吝] 린 ㊀震 良刃切 lìn

字解 아낄 린 ㉠소중히 여김. '去者雖多不足—'《唐書》. ㉡인색함. '富而性—'《後漢書》. ㉢주저함. '改過不—'《書經》.
字源 甲骨文 篆文 會意. 口+文. '文문'은 '꾸미다'의 뜻. 잃은 것을 실제 이상으로 미화(美化)하여 '아끼다'의 뜻을 나타냄.

[吝嗇 인색] 체면(體面)을 돌아보지 않고 재물(財物)을 지나치게 아낌.
[吝惜 인석] 인애(吝愛).
[吝愛 인애] 너무 아낌.
◉慳吝. 儉吝. 慊吝. 吉凶悔吝. 鄙吝. 惜吝. 玼吝. 貪吝. 悔吝.

4 ⑦ [呑] 人名 탄 ㊥元 吐根切 tūn

筆順 一 二 于 天 天 呑 呑

字解 ①삼킬 탄 ㉠목구멍으로 넘김. '一吐'. '一咽'. '謀一之'《史記》. ㉡제 것으로 만듦. '併一'. '有一周之意'《戰國策》. ㉢싸서 감춤. '江一天際白吹潮'《吳師道》. ㉣안중에 두지 아니함. 경시함. '卿當以氣一之'《五代史》. ②성 탄 성(姓)의 하나.
字源 篆文 會意. 口+天. '天천'은 목젖의 상형(象形)이 변형한 것. '목구멍'의 뜻을 나타냄. '口구'를 더하여 '목구멍'의 뜻이나, 이로 씹지 않고 단숨에 삼키다의 뜻을 나타냄.

[呑滅 탄멸] 삼켜 없애 버림.
[呑剝 탄박] 빼앗아 삼킴. 약탈함.
[呑噬 탄서] 씹어 삼킴. 전(轉)하여, 다른 나라를 병합(倂合)함.
[呑聲 탄성] ㉠소리를 내려고 하여도 소리가 나오지 아니함. ㉡훌쩍훌쩍 울.
[呑咽 탄연] 삼켜 버림.
[呑牛之氣 탄우지기] 소를 삼킬 만한 장대(壯大)한 기상(氣象). 웅대한 기백(氣魄).
[呑嚼 탄작] 탄서(呑噬).
[呑舟之魚 탄주지어] ㉠배를 통째로 삼킬 만한 큰 고기. ㉡큰 인물. 또는 대악인(大惡人).
[呑舟之魚不游枝流 탄주지어불유지류] 큰 고기는 세류(細流)에서는 놀지 않는다는 뜻으로, 큰 인물은 고상한 뜻을 갖는다는 비유.
[呑舟之魚失水制於螻蟻 탄주지어실수제어누의] 아무리 큰 고기라도 물을 떠나면 개미 같은 작은 벌레에게도 지배를 받는다는 뜻으로, 영웅(英雄)도 지위를 얻지 못하면 소인(小人)에게도 제압당한다는 비유.
[呑天 탄천] 하늘을 삼킨다는 뜻으로, 기개가 큼의 비유.
[呑吐 탄토] 삼킴과 뱉음. 혹은 삼키고 혹은 뱉음.
[呑吐出沒 탄토출몰] 삼키기도 하고 뱉기도 하고, 또 나타나기도 하고 숨기도 함.
[呑下 탄하] 삼켜 버림.
[呑恨 탄한] 원한(怨恨)을 참고 겉으로 드러내지 아니함.
◉甘呑. 兼呑. 鯨呑. 狼呑. 竝呑. 倂呑. 噬呑. 聲呑. 咀呑. 齕呑.

4 ⑦ [吞] 呑(前條)의 俗字

4 ⑦ [否] 中人 ㊀ 부 ㊤有 方久切 fǒu ㊁ 비 ㊤紙 符鄙切 pǐ

筆順 一 丆 不 不 不 否 否

字解 ㊀ 아닐 부 ㉠부동의(不同意)를 나타내는 말. 아님. '萬章曰, 堯以天下與舜, 有諸, 孟子曰, 一, 天子不能以天下與人'《孟子》. ㉡의문사. …하지 않았는가? '嘗其旨一'《詩經》. ㉢그렇지 아니함. 그렇게 하지 아니함. '或醉或一'《詩經》. ㉣그러한 일은 없음. '其本亂而末治者一矣'《大學》. ㉤부인함. 듣지 아니함. '予所一者'《論語》. ㉥그렇지 아니하면. '一則威之'《書經》. ㊁ ①악할 비 나쁨. 좋지 아니함. 또, 그것. '一臧'. '未知臧一'《詩經》. ②막힐 비 운수가 막힘. '一塞'. '信人事之一泰'《潘岳》. ③비괘 비 육십사괘의 하나. 곤, ䷋〈곤하(坤下), 건상(乾上)〉. 음양(陰陽)이 고르지 못하여 일이 잘되지 않는 상(象).

字源 金文 篆文 形聲. 口+不〔音〕. '不부'는 부푼 자방(子房)의 상형. 假借하여, '…하지 않다'의 뜻으로 쓰임. '口구'는 특히 그것이 언어 활동에 속함을 보임.

[否決 부결] 의안(議案)의 불성립을 의결함.
[否認 부인] 인정(認定)하지 아니함.
[否定 부정] 그렇지 않다고 인정(認定)함. 아니라고 함.
[否則 부즉] 그렇지 아니하면. 불연(不然)이면.
[否隔 비격] 막혀 통하지 아니함.
[否極反泰 비극반태] 사물이 막혀 통하지 않는다 하더라도 그 극도에 달하면 천운(天運)이 순환하여 개통하여짐. 전(轉)하여, 불운이 극도에 달하면 행운이 돌아옴. 비(否)·태(泰)가 모두 주역(周易)의 괘(卦)이름으로, 비(否)는 색(塞), 태(泰)는 통(通)임.
[否極泰來 비극태래] 불운(不運)이 절정에 달하면 행운(幸運)이 돌아옴. 비극반태(否極反泰).
[否德 비덕] 부덕(不德). 박덕(薄德).
[否剝 비박] 운(運)이 나쁨. 불행함.
[否婦 비부] 무식(無識)한 부인.
[否塞 비색] 운수(運數)가 좋지 못하여 막힘. 불운(不運)함. 「運).
[否運 비운] 비색(否塞)한 운수(運數). 불운(不
[否臧 비장] 악과 선. 선악(善惡). 장부(臧否).
[否泰 비태] 막힘과 통함. 불운(不運)과 행운(幸運).
[否閉 비폐] 막힘.
◉可否. 拒否. 傾否. 困否. 諾否. 能否. 當否. 道泰身否. 屯否. 善否. 成否. 安否. 若否. 良否. 研否. 然否. 淪否. 認否. 臧否. 適否. 正否. 存否. 眞否. 贊否. 出否. 黜否. 他否. 通否. 合否. 許否. 獻否. 賢否. 顯否. 休否.

4
⑦ [含] 高人 함 ①-④㊥覃 胡男切 hán ⑤㊤勘 胡紺切 hàn

筆順 丿 人 𠆢 今 今 含 含

字解 ①머금을 함 입속에 넣음. '—嚼'. '—哺鼓腹'《史記》. ②넣을 함 속에 넣음. 수용(收容)함. 또, 저장함. '—蓄'. '—藏'. '—萬物'《易經》. ③품을 함 ㉠마음속에 넣어 둠. '—怒'. '—情'. '—怒日久'《戰國策》. ㉡마음속에 품고 참음. '—忍'. '國君—垢'《左傳》. ④성 함 성(姓)의 하나. ⑤무궁주 함 옛날 중국에서 죽은 사람의 입속에 넣던 구슬. 반함(飯含)하는 데 쓰는 구슬. '王使榮叔歸—'《左傳》.

字源 篆文 形聲. 口+今〔音〕. '今금'은 '函함'과 통하여, 폭 덮어 싸다, 속에 넣어 두다의 뜻. '口구'를 더하여, 입 안에 싸 넣다, 머금다의 뜻을 나타냄.

[含憾 함감] 원한(怨恨)을 품음.
[含垢 함구] 수치를 참음.
[含垢納汚 함구납오] 치욕을 참고 아니꼬운 것을 받아 준다는 뜻으로, 용인(容忍)의 도량(度量)이 없어서는 아니 됨의 비유.
[含氣 함기] 천지간의 기운을 머금은 것이라는 뜻으로, 생물(生物)을 이름.
[含桃 함도] '앵도(櫻桃)'의 별칭(別稱).
[含毒 함독] 독기나 독한 마음을 품음.
[含量 함량] 들어 있는 분량(分量).
[含靈 함령] 영성(靈性)을 함유(含有)한 것. 곧, 인류(人類).
[含淚 함루] 눈물을 머금음.
[含默 함묵] 입을 다물고 잠잠히 있음.
[含味 함미] 입속에 넣어 맛을 봄. 전(轉)하여, 기억하여 두고 잘 생각함.
[含憤 함분] 분노(憤怒)를 품음.
[含憤蓄怨 함분축원] 분노와 원한을 품음.
[含沙蜮 함사역] ㉠중국의 남방에 있다는 괴물(怪物)로 모래를 머금고 사람의 그림자에 쏘면 그 사람이 병이 나서 죽는다고 함. ㉡소인(小人)이 음험한 수단으로 남을 해침을 이름.
[含雪 함설] ㉠눈을 입에 머금음. ㉡산에 쌓인 눈의 빛이 창에 비침의 형용.
[含笑 함소] ㉠웃음을 머금음. 웃는 빛을 띰. ㉡꽃이 피기 시작함.
[含笑入地 함소입지] 웃음을 머금고 땅속으로 들어감. 곧, 안심하고 죽음.
[含羞 함수] 부끄러워함.
[含嗽 함수] 양치질을 함. 또, 양치질.
[含羞草 함수초] 콩과에 속하는 일년초. 남미 원산. 관상용으로 재배함. 손으로 만지면 부끄럼 타듯 잎사귀를 숙이고 소엽(小葉)을 오므리는 습성에서 이름. 미모사.
[含咽 함연] 입에 넣어 삼킴. 전(轉)하여, 알고도 이야기하지 아니함.
[含英咀華 함영저화] 꽃을 머금고 씹는다는 뜻으로, 문장의 묘처(妙處)를 잘 음미(吟味)하여 가슴속에 새겨 둠을 이름.
[含容 함용] 속에 넣어 둠.
[含怨 함원] 원한(怨恨)을 품음. 「있음.
[含有 함유] 물질이 어떤 성분(成分)을 포함하고
[含飴弄孫 함이농손] 후한(後漢)의 마황후(馬皇后)가 손자(孫子)들과 벗할 뿐 정사(政事)에는 관여하지 않겠다고 말한 고사(故事). 전(轉)하여, 귀찮은 일에서 일체 손을 떼고 만년(晚年)을 즐겁게 지내고자 함을 이름. 함이(含飴)라 함은 연로(年老)하여 치아(齒牙)가 없기 때문임.
[含忍 함인] 참고 견딤.
[含孕 함잉] 아이를 밴. 임신함.
[含嚼 함작] 음식을 머금고 씹음.
[含蓄 함축] 깊은 뜻을 품음.
[含吐 함토] 혹은 입속에 넣고 혹은 뱉음. 자유자재로 출입시킴.
[含葩 함파] 꽃봉오리.
[含哺鼓腹 함포고복] 배불리 먹고 배를 두드리며 즐겁게 지냄.
[含含 함함] 보리 등의 이삭이 잘 팬 모양.
[含嫌 함혐] 혐의(嫌疑)를 품음.
[含胡 함호] 함호(含糊).
[含糊 함호] 모호(模糊)한 모양. 분명(分明)하지 않은 모양.
◉內含. 韜含. 阿含. 容含. 通含. 包含. 廻含.

4
⑦ [吾] 中人 ■ 오 ㊥虞 五乎切 wú ■ 어 ㊥魚 牛居切 yú

筆順 一 丆 五 五 吾 吾 吾

字解 ■ ①나 오 ㉠자기의 일컬음. '—人'. '—度足下之智不如—, 勇又不如—'《史記》. ㉡자기의 존재. 자기의 의식. '草庵寂默我忘—'《陸游》. ②우리 오 자기 나라, 자기 집, 자기의 당(黨) 등. '我張—三軍, 而被—甲兵'《左傳》. ③

글읽는소리 오 '—伊'는 독서하는 소리. '唔咿'로도 씀. '南窗讀書聲—伊'《黃庭堅》. ④성 오 성(姓)의 하나. [二] 친하지않을 어 친하지 않은 모양. 친하려고 하지 않는 모양. '暇豫之——, 不如鳥烏'《國語》.

[字源] 金文 篆文 形聲. 口+五〔音〕. '口구'는 신의 계시(啓示)의 뜻. '五오'는 교차시킨 모양의 계시를 지키기 위한 기구의 상형. 신의 계시를 부정(不淨)으로부터 지키다의 뜻에서, '막다'의 뜻을 나타냄. 假借하여 '나'의 뜻으로 쓰임.

[吾吾 어어] 친하지 않은 모양. 친하려 하지 않는 모양.
[吾家所立 오가소립] 자기가 도와주어서 입신(立身)을 하게 한 사람.
[吾豈敢 오기감] 내 어찌 감히 그러한 일을 하랴.
[吾黨 오당] 우리 당(黨).
[吾徒 오도] ㉠자기의 제자. ㉡자기들.
[吾道 오도] ㉠자기 행동이 의거(依據)하는 바. ㉡성인(聖人)의 도(道).
[吾道南 오도남] 내가 닦은 도(道)가 남쪽으로 감. 송(宋)나라 정호(程顥)가 제자(弟子) 양시(楊時)가 귀향(歸鄕)할 때 한 말.
[吾道東 오도동] 내가 닦은 도(道)가 동쪽으로 감. 후한(後漢)의 마융(馬融)이 제자 정현(鄭玄)이 귀향한 것을 안타깝게 생각하여 한 말.
[吾等 오등] 우리들.
[吾輩 오배] ㉠우리들. ㉡나.
[吾伊 오이] 글 읽는 소리. 오이(唔咿).
[吾人 오인] ㉠우리. 우리들. ㉡나. 자기.
[吾子 오자] 나의 아들이라는 뜻으로, 동년배(同年輩)의 사람을 친숙한 뜻을 나타내어 부르는 말.
[吾儕 오제] 오배(吾輩).
[吾曹 오조] 우리들.
[吾兄 오형] 내 형이라는 뜻으로, 친한 벗의 경칭(敬稱).
◉故吾. 今吾. 金吾. 忘吾. 番吾. 紛吾. 誰知吾. 伊吾. 從吾. 左支右吾. 支吾. 執金吾. 橐吾.

4
⑦ [告] [中入] [一] 고 ㊄號 古到切 gào
[二] 곡 ㊇沃 古沃切 gù
[三] 국 ㊇屋 居六切 jū

[筆順] ノ 𠂉 𠂒 牛 𠂒 告 告

[字解] [一] ①고할 고 ㉠아룀. 여쭘. '—厥成功'《書經》. ㉡알림. 보고함. '諜—曰, 楚幕有烏'. ㉢이야기함. '犀首—臣'《戰國策》. ㉣청(請)함. '以—于先生君子, 可也'《儀禮》. ㉤소송을 제기(提起)함. '—訴'. ②찾을 고, 물을 고 방문하여 안부를 물음. '八十, 月—存'《禮記》. ③고신 고 관리의 사령서. 직첩(職牒). '—身'. ④말미 고 관리의 휴가. '賜—者數'《史記》. [二] ①고할 곡 청알(請謁)함. '爲人子者, 出必—, 反必面'《禮記》. ②말미 곡 휴가. [一]❹와 뜻이 같음. '光武絕—寧之典'《後漢書》. ③성 곡 성(姓)의 하나. [三] 국문할 국 鞫(革部 八畫)과 통용. '其刑罪, 則纖剸, 亦—于甸人'《禮記》.

[字源] 甲骨文 金文 篆文 會意. 口+牛. '牛우'는 甲骨文에서는 붙잡힌 소의 상형. 희생으로 쓰기 위하여 잡힌 소를 바쳐서 신(神)이나 조상의 영(靈)에 고하다의 뜻을 나타냄.

[告假 고가] 휴가(休暇).
[告敎 고교] 알려 가르침. 타이름.
[告歸 고귀] 휴가를 얻어 집에 돌아감.
[告急 고급] 급함을 알림.
[告寧 고녕] ㉠난리가 평정된 것을 보고함. ㉡'곡녕(告寧)'을 보라.
[告老 고로] 연로(年老)한 것을 이유로 치사(致仕)하기를 청함.
[告廟 고묘] 나라에 큰일이 있을 때에 종묘(宗廟)에 아룀.
[告密 고밀] 밀고(密告)함.
[告發 고발] 남의 범죄(犯罪) 사실을 제삼자가 관(官)에 아룀.
[告白 고백] 사실(事實)대로 말함.
[告變 고변] 반역(叛逆)을 고발함.
[告別 고별] 작별(作別)을 고(告)함.
[告訃 고부] 사람의 죽음을 통지함.
[告祀 고사] 《韓》 한 몸이나 집안이 무고(無故)하고 잘되기를 비는 제사.
[告辭 고사] 고시(告示)하는 문사(文辭).
[告朔 고삭] 고삭희양(告朔餼羊).
[告朔餼羊 고삭희양] 옛날 천자가 매년 계동(季冬)에 다음 해 열두 달의 책력을 제후(諸侯)에게 나누어 주었는데, 제후는 이것을 받아 가지고 가 선조(先祖)의 종묘(宗廟)에 간직해 두고 매달 초하루에 양(羊)의 희생을 바치고 종묘에 고한 후 그달의 책력을 꺼내어 나라 안에 펴던 일. 노(魯)나라의 문공(文公)에 이르러 이런 일은 없어지고 다만 양을 바치는 습관만 남았으므로, 전(轉)하여 쓸데없는 비용이나 허례(虛禮)의 뜻으로 쓰임.
[告賽 고새] 신(神)에게 고하고 제사 지냄.
[告成 고성] 일이 이루어짐을 알림.
[告訴 고소] ㉠하소연함. ㉡범죄의 피해자(被害者)가 관아(官衙)에 범죄 사실을 신고하여 소추(訴追)를 구함.
[告示 고시] ㉠고하여 알림. ㉡관청(官廳)에서 모든 인민(人民)에게 알리는 게시(揭示).
[告身 고신] 당대(唐代)의 임관(任官)의 사령장.
[告訐 고알] 남의 나쁜 일을 들추어내어 이를 관(官)에 고발함.
[告往知來 고왕지래] 과거를 말하면 곧 장래까지도 짐작할 수 있음. 이미 말한 말을 듣고서 아직 말하지 않은 일까지도 미루어 앎. 하나를 듣고 둘을 앎. 추찰력(推察力)이 예민(銳敏)함을 이름.
[告由 고유] 《韓》 나라에서나 사가(私家)에서 큰 일이 생겼을 때에 사당(祠堂)이나 신명(神明)에게 고(告)함.
[告諭 고유] 알려 깨우쳐 줌. 타이름.
[告引 고인] 죄를 범하였을 때 갑(甲)은 을(乙)이 범죄하였다고 고하고, 을은 또 병(丙)을 끌어넣어 서로 자기는 면하려고 하는 일.
[告者 고자] 남의 범죄나 비밀을 일러바치는 사람.
[告諸往而知來 고제왕이지래] 이미 말한 것으로 미루어 아직 말하지 않은 것을 앎. 곧, 하나를 듣고 둘을 앎. 고왕지래(告往知來).
[告竣 고준] 일이 완성됨을 알림.
[告知 고지] 알림. 통지(通知)함.
[告天文 고천문] 예식(禮式) 때에 하느님께 아뢰는 글.

[告天子 고천자] '운작(雲雀)'의 별칭.
[告休 고휴] 휴가.
[告寧 곡녕] 말미. 휴가. 길사(吉事)에는 곡(告), 흉사(凶事)에는 영(寧)이라 함.
◉諫告. 擧告. 譴告. 警告. 戒告. 啓告. 公告. 控告. 廣告. 勸告. 謹告. 論告. 大告. 無告. 誣告. 密告. 班告. 辨告. 報告. 普告. 訃告. 敷告. 賜告. 上告. 宣告. 世告. 申告. 謁告. 與告. 豫告. 原告. 諭告. 移告. 長休告. 傳告. 情告. 詔告. 陳告. 忠告. 催告. 就告. 勅告. 親告. 誕告. 通告. 播告. 布告. 風告. 被告. 咸告. 抗告. 饗告. 曉告. 訓告. 休告.

4 ⑦ [告] 告(前條)의 略字

4 ⑦ [吃] 〔흘·글〕 吃(口部 三畫〈p. 344〉)의 本字

4 ⑦ [启] 계 ㊤薺 康禮切 qǐ

字解 열 계 啓(口部 八畫)와 同字. '明星謂之―明'《爾雅》.

字源 甲骨文 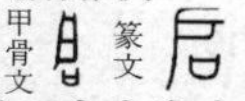 篆文 會意. 口+戶. '口구'는 '열다'의 뜻이 있으므로, 문을 열다의 뜻을 나타내며, 일반적으로 '열다'의 뜻을 나타냄. '啓계'의 原字.

4 ⑦ [吙] ㊀ 매 ㊥灰 莫杯切 méi ㊁ 문 ㊤吻 武粉切 wěn

字解 ㊀ 마실것권할 매 '―, 唆―也'《玉篇》. 차·술 등을 어서 들라고 재촉함. ㊁ 입술 문 '吻, 或作―'《集韻》.

4 ⑦ [㕦] ㊀ 〔화〕化(匕部 二畫〈p. 289〉)의 古字 ㊁ 〔와〕吪(口部 四畫〈p. 354〉)와 同字

4 ⑦ [㫚] 〔홀〕 曶(曰部 四畫〈p. 1006〉)의 籒文

[局] 〔국〕 尸部 四畫(p. 620)을 보라.

5 ⑧ [呢] 니 ㊥支 女夷切 ní

字解 ①소곤거릴 니 '―喃'은 작은 소리로 말을 많이 함. 소곤소곤함. ②지저귈 니 '―喃'은 제비가 지저귀는 모양. '見梁上雙燕―喃'《摭言》.

字源 形聲. 口+尼〔音〕

[呢喃 이남] 자해(字解)를 보라.

5 ⑧ [呟] 人名 현 ㊤銑 古泫切 juǎn

字解 소리 현 음성. '哮呷―喚'《王褒》.

字源 形聲. 口+玄〔音〕

[呟喚 현환] 큰 소리를 냄.

5 ⑧ [吠] 발 ㊇月 房越切 fá

字解 방패 발 瞂(目部 九畫〈p. 1547〉)과 同字. '革抉―芮'《戰國策》.

5 ⑧ [呦] 유 ㊥尤 於虯切 yōu

字解 울 유 사슴이 욺. 또, 그 소리. '――鹿鳴'《詩經》. 또, 널리 딴 짐승의 우는 소리나 물건이 울리는 소리에도 쓰임. '―嚶鳥獸馴'《張說》. '水聲―咽出花溪'《雍陶》.

字源 篆文 形聲. 口+幼〔音〕. '幼유'는 사슴의 울음소리를 나타내는 의성어(擬聲語).

[呦嚶 유앵] 짐승은 울고 새는 지저귐.
[呦咽 유열] ㉠울어 목멤. ㉡시냇물이 오열(嗚咽)하는 것같이 흘러가는 소리.
[呦呦 유유] ㉠사슴이 우는 소리. ㉡슬피 우는 소리.

5 ⑧ [呪] 人名 주 ㊇宥 職救切 zhòu

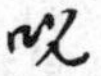

字解 ①방자 주, 방자할 주 남에게 재앙이 내리기를 비는 짓. '詛―'. '有誦―者'《關尹子》. 또, 그 짓을 함. '忳―曰, 有何枉狀'《後漢書》. ②빌 주 신불(神佛)에게 소원 성취하기를 빎. '―願'. ③다라니 주 《佛教》 선법(善法)을 지켜 가져, 악법(惡法)을 막아서 일어나지 않게 하는 작용.

字源 會意. 口+口+儿. '口구'는 '빌다'의 뜻. '儿인'은 사람이 무릎을 꿇은 모양을 본뜸. 입으로 빌다, 저주하다의 뜻을 나타냄.

[呪罵 주매] 저주하고 꾸짖음.
[呪文 주문] ㉠저주하는 글. ㉡술가(術家)가 술법(術法)을 행할 때 외는 글.
[呪術 주술] 신의 힘, 또는 신비력을 빌려 길흉을 점치고 재액을 물리치거나 내려 달라고 비는 술법.
[呪延 주연] 장수하기를 빎.
[呪願 주원] 《佛教》 주문(呪文)을 외고 시주(施主)의 복록을 비는 일.
[呪詛 주조] 남이 못되기를 빎. 또, 그 짓. 방자. 조주(詛呪).
◉讃呪. 經呪. 禁呪. 巫呪. 密呪. 符呪. 誦呪. 神呪. 隱呪. 印呪. 咀呪. 詛呪.

5 ⑧ [呫] 첩 ㊇葉 ①他協切 tiè ②③尺涉切 chè

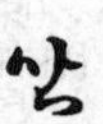

字解 ①맛볼 첩 '未嘗有―血之盟'《穀梁傳》. ②소곤거릴 첩 소곤소곤함. '―嚅'. '效女兒―囁耳語'《史記》. ③좀스러울 첩 잔닮. '――小人'《唐書》.

字源 形聲. 口+占〔音〕

[呫囁 첩섭·첩녑] 소곤거림. 일설(一說)에는 수다스럽게 지껄임.
[呫嚅 첩유] 귀에 대고 소곤거림.
[呫呫 첩첩] 작은 모양. 좀스러운 모양. 또, 소곤거리는 소리.

5 ⑧ [呬] 희 ㊇寘 虛器切 xì

字解 쉴 희 휴식함. '一河林之蓁蓁'《張衡》.
字源 篆文 形聲. 口+四〔音〕. '四사'는 숨을 내뱉다의 뜻. 입으로 숨 쉬다의 뜻을 나타내며, 전하여 '쉬다'의 뜻을 나타냄.

5 ⑧ [呱] 人名 고 ㊥虞 古胡切 gū

字解 울 고 갓난아이가 욺. 또, 그 소리. '后稷一矣'《詩經》. '啓一一而泣'《書經》.
字源 篆文 形聲. 口+瓜〔音〕. 갓난아기의 울음소리를 나타내는 의성어(擬聲語).

[呱呱 고고] 어린아이가 우는 소리.

5 ⑧ [呭] 예 ㊦霽 餘制切 yì

字解 수다할 예 말이 수다한 모양. '無然一一'《詩經》.
字源 篆文 形聲. 口+世〔音〕. '世세'는 길게 늘어지다의 뜻. 말이 길어지다, 수다스럽게 지껄이다의 뜻을 나타냄.

[呭呭 예예] 수다스러운 모양.

5 ⑧ [味] 中人 미 ㊦未 無沸切 wèi

筆順 丨 ㅁ 口 口一 口二 吽 呋 味

字解 ①맛 미 ㉠음식의 맛. '五一'. '一得其時'《禮記》. ㉡사물의 맛. '興一'. '潛心道一'《晉書》. ㉢뜻. 의의. '意一'. '其一無窮'《中庸章句》. ㉣맛있는 음식. '爲得一也'《史記》. ②맛볼 미 ㉠맛을 봄. '一無味'《老子》. ㉡의미를 음미함. '含一經籍'《後漢書》.
字源 篆文 形聲. 口+未〔音〕. '未미'는 '희미하다'의 뜻. 달다든가 맵다든가 등의 미묘한 맛을 입으로 느끼는 모양에서, '맛보다'의 뜻을 나타냄.

[味覺 미각] 혀의 미신경(味神經)이 달고, 시고, 짜고, 맵고, 쓴 맛을 느껴 아는 감각.
[味感 미감] 미각(味覺).
[味讀 미독] 글의 내용을 충분히 음미(吟味)하면서 읽는 일.
[味神經 미신경] 혓바닥에 분포되어 있는, 미각(味覺)을 맡은 신경.
[味如嚼蠟 미여작랍] 밀을 씹는 것과 같이 아무 맛이 없다는 뜻으로, 재미가 조금도 없음을 비유한 말.
◉加味. 佳味. 家味. 嘉味. 甘味. 兼味. 經味. 古味. 苦味. 高味. 奇味. 氣味. 單味. 澹味. 道味. 妙味. 無味. 美味. 芳味. 俳味. 百味. 法味. 變味. 不知肉味. 備味. 貧味. 酸味. 上味. 想味. 詳味. 賞味. 嘗一臠知一鑊味. 庶味. 禪味. 甃味. 世味. 誦味. 睡味. 醇味. 時味. 食味. 食不知其味. 食不二味. 辛味. 新味. 尋味. 雅味. 渥味. 藥味. 涼味. 餘味. 研味. 盈味. 五味. 玩味. 翫味. 遠味. 六味. 陸味. 吟味. 意味. 義味. 異味. 一味. 溢味. 滋味. 適味. 絕味. 正味. 情味. 精味. 鼎味. 醍醐味. 調味. 族味. 俊味. 重味. 至味. 地味. 脂味. 珍味. 眞味. 疾味. 嗟味. 天味. 淸味. 諦味. 臭味. 脆味. 趣味. 致味. 耽味. 品味. 風味. 諷味. 含味. 海味. 香味. 鄕味. 好味. 華味. 宦味. 回味. 肴味. 厚味. 欽味. 興味.

5 ⑧ [呴] 一 구(후本) 二 후 ㊥虞 匈于切 xǔ ㊦宥 居候切 gòu ㊤有 呼后切 hǒu

字解 一 ①숨후내쉴 구 입에서 더운 김을 후 내쉼. '一噓'. '或一或吹'《老子》. ②꾸짖을 구 질책함. '一藉叱咄'《戰國策》. ③기뻐할 구 희열함. '一喩'. ④울 구 雊(隹部 五畫)와 同字. '有飛雉登鼎耳而一'《史記》. 二 울 후 吼(口部 四畫)와 同字. '溢流雷一而電激'《郭璞》.
字源 形聲. 口+句〔音〕. '句구'는 입을 오므려 숨을 내쉬는 소리의 의성어(擬聲語).

[呴呴 구구] ㉠닭이 우는 소리. ㉡말의 순서가 정연(整然)한 모양.
[呴喩 구유] 화락(和樂)한 모양.
[呴諭 구유] 따뜻하게 하며 은혜를 베풂.
[呴藉 구적] 꾸짖음.
[呴噓 구허] 숨을 후 내쉼.
◉吹呴.

5 ⑧ [呵] 人名 가 ㊥歌 虎何切 hē

字解 ①꾸짖을 가 질책함. '一責'. '霸陵尉醉, 一止廣'《史記》. ②헐뜯을 가 흠을 잡아내어 말함. '好公羊春秋而譏一左氏'《蜀志》. ③불 가 더운 김을 내붊. '一凍'. '一噓'. '夜寒手凍無人一'《蘇軾》. ④웃을 가 '不滿一笑一'《范成大》.
字源 形聲. 口+可〔音〕. '可가'는 큰 목소리를 내다의 뜻. 큰 소리로 꾸짖다, 웃다의 뜻을 나타냄.

[呵呵 가가] 껄껄 웃는 소리. 또, 껄껄 웃는 모양. 가연(呵然).
[呵呵大笑 가가대소] 대단히 우스워서 크게 웃음.
[呵喝 가갈] 큰 소리로 꾸짖어 못 하게 함. 호령함.
[呵譴 가견] 가책(呵責).
[呵禁 가금] 가지(呵止).
[呵怒 가노] 성내어 꾸짖음.
[呵導 가도] 벽제(辟除)함. 가인(呵引).
[呵凍 가동] 언 붓에 입김을 불어 녹인다는 뜻으로, 추울 때 시문(詩文)을 초(草)함을 이름. 가필(呵筆).
[呵然 가연] 껄껄 웃는 모양.
[呵硯 가연] 가동(呵凍).
[呵引 가인] 가도(呵導).
[呵止 가지] 꾸짖어 못 하게 함. 가금(呵禁).
[呵叱 가질] 큰 소리로 꾸짖음.
[呵責 가책] 꾸짖음. 책망(責望)함.
[呵筆 가필] 가동(呵凍).
[呵噓 가허] 입김을 붊.
[呵護 가호] 밖의 방해되는 자를 꾸짖어 안을 지킴.
◉譴呵. 譏呵. 導呵. 咄呵. 受呵. 笑呵. 前呵. 叱呵. 譺呵. 誰呵. 筆呵. 噓呵. 護呵.

5 ⑧ [咂] 잡 ㊀合 子答切 zā

字解 ①마실 잡 빨아 먹음. '一, 入口也'《篇海》. ②맛볼 잡 구설(口舌)로 맛을 봄. '武松提起來一一一, 叫道, 這酒也不好, 快換來, 便饒你'

《水滸傳》. ③혀찰 잡 남을 칭찬하거나 부끄러워 할 때, 또는 놀랐을 때 내는 소리. '一嘴, 口中發出表示稱讚, 羨慕, 驚訝等音聲'《中華字海》.

5 ⑧ [呶] 노 ㊥肴 女交切 náo

字解 떠들썩할 노 시끄러움. '一一'. '載號載一'《詩經》.

字源 篆文 會意. 口＋奴

[呶呶 노노] 떠드는 모양. 자꾸 지껄이는 모양.
◉酣呶. 呌呶. 紛呶. 號呶. 喧呶.

5 ⑧ [呷] 합 ㊀洽 呼甲切 xiā, ①gā

字解 ①울 합 오리가 우는 소리. '鴨鳴一一'《埤雅》. ②떠들썩할 합 시끄러운 소리의 형용. '喤喤一一'《李白》. ③마실 합 액체를 먹음. '一啜'. '朝一一口水'《鄭震》.

字源 篆文 形聲. 口＋甲〔音〕. '甲갑'은 오리가 우는 소리를 나타내는 의성어(擬聲語). 또 '甲'은 '씌우다'의 뜻. 위에서 덮어씌우듯이 마시다의 뜻을 나타내며, 전하여 '마시다, 빨아 먹다'의 뜻을 나타냄.

參考 呻(次條)은 別字.

[呷啜 합철] 들이마심.
[呷呷 합합] ㉠오리가 우는 소리. ㉡떠들썩한 소리.
◉喋呷. 呀呷. 哮呷. 吸呷. 翕呷. 噏呷.

5 ⑧ [呻] 人名 신 ㊥眞 失人切 shēn

字解 ①끙끙거릴 신 신음함. '一吟裘氏之地'《莊子》. ②읊조릴 신 읊음. '一吟'. '一其佔畢'《禮記》.

字源 篆文 形聲. 口＋申〔音〕. '申신'은 '늘어지다'의 뜻. 입에서 목소리를 늘어지게 내다, 신음하다, 읊조리다의 뜻을 나타냄.

參考 呷(前條)은 別字.

[呻吟 신음] ㉠괴로워 끙끙거리는 소리를 함. 탄성(歎聲)을 냄. ㉡괴로워하면서 시(詩) 같은 것을 읊조림.
[呻咿 신이] 신음함. 또, 그 소리.
[呻呼 신호] 큰 소리로 신음함.
◉嘅呻. 變呻. 嚬呻. 酸呻. 哀呻. 吟呻. 寒呻.

5 ⑧ [呼] 中人 호 ㊥虞 荒烏切 hū

筆順 丨 ㅁ ㅁ 吖 吖 吖 吖 呼

字解 ①숨내쉴 호 숨을 내쉼. '吸'의 대. '一噓'. '吹呴一吸'《莊子》. ②부를 호 ㉠오라고 소리를 내어 부름. '招一'. '遮道而一涉'《史記》. ㉡일컬음. 이름 지음. '稱一'. '一爲君子'. '通一爲弟子'《北齊書》. ③부르짖을 호 큰 소리를 냄. 떠듦. '一號'. '一噪'. '如順風而一'《史記》. ④슬프다할 호 탄식하는 소리. '嗚一'. '一役夫'《左傳》. ⑤성 호 성(姓)의 하나.

字源 金文 篆文 形聲. 口＋乎〔音〕. '乎호'는 '부르다'의 뜻. '乎'가 조사(助辭)로서 쓰이게 되자, 뒤에 '口구'를 더함.

[呼價 호가] 값을 부름.
[呼喝 호갈] ㉠큰 소리로 꾸짖음. 호령함. ㉡귀인(貴人)이 외출할 때 하인이 길 비키라고 외치는 소리. 벽제(辟除)하는 소리.
[呼氣 호기] 숨을 밖으로 내쉬는 기운.
[呼名 호명] 이름을 부름.
[呼母 호모] 어머니라고 부름.
[呼舞 호무] 소리를 지르면서 춤을 춤.
[呼父 호부] 아버지라고 부름.
[呼不給吸 호불급흡] 숨 쉴 사이가 없음. 곧, 사물이 극히 빨리 옴을 이름.
[呼訴 호소] 사정을 관부(官府) 또는 남에게 하소연함.
[呼牛呼馬 호우호마] 자기가 한 일의 시비(是非)는 남이 평하는 대로 내버려 두고 자기는 관계하지 아니함.
[呼應 호응] ㉠부르면 대답함. 전(轉)하여, 대답함. 기맥(氣脈)을 통함. ㉡문맥(文脈)의 전후가 상통(相通)함.
[呼子鳥 호자조] 뻐꾸기, 곧 '포곡(布穀)'의 별칭(別稱).
[呼祖 호조] 할아버지라고 부름.
[呼噪 호조] 큰 소리로 떠듦.
[呼叱 호질] 꾸짖음.
[呼嗟 호차] 한탄하는 소리.
[呼唱 호창] 불러 외침. 호갈(呼喝)❶.
[呼戚 호척] 《韓》서로 척의(戚誼)를 대어 일컬음.
[呼出 호출] 불러냄.
[呼噓 호허] 숨을 내쉼.
[呼兄 호형] 형이라고 부름.
[呼號 호호] 부르짖음. 외침.
[呼喚 호환] 큰 소리로 부름. 외침.
[呼吸 호흡] ㉠숨을 쉼. 또, 숨. ㉡한숨 쉬는 사이. 극히 짧은 시간. 순간. ㉢기세. 의기(意氣).
[呼吸器 호흡기] 호흡 작용을 맡는 기관(器官).
◉歌呼. 酣呼. 叫呼. 累呼. 騰呼. 山呼. 嘯呼. 手呼. 順風呼. 嵩呼. 呻呼. 夜呼. 連呼. 鳴呼. 傳呼. 點呼. 指呼. 疾呼. 唱呼. 招呼. 吹呼. 稱呼. 號呼. 喚呼. 歡呼. 讙呼. 喧呼.

5 ⑧ [吟] 呼(前條)의 古字

5 ⑧ [呿] 거 ㊥魚 丘於切 qū ㊦御 丘倨切 qù

字解 벌릴 거 입을 벌림. 또, 입이 벌어짐. '一唫'. '公孫龍, 口一而不合'《莊子》.

字源 形聲. 口＋去〔音〕

[呿唫 거금] 혹은 입을 벌리고 혹은 입을 다묾. 전(轉)하여, 혹은 이야기하고 혹은 침묵함.

5 ⑧ [咀] 人名 저 ㊤語 慈呂切 jǔ

字解 ①씹을 저 이로 씹음. 또, 씹어 음식의 맛을 봄. '一嚼菱藕'《司馬相如》. 전(轉)하여, 사물의 맛을 터득함. '一嚼文義'《文心雕龍》. ②방자 저, 방자할 저 '一呪'.

字源 篆文 形聲. 口＋且〔音〕. '且저'는 제물을 얹어 놓는 대(臺)의 象形. 혀에 음식

을 올려서 맛보다의 뜻을 나타냄.
[參考] 呾(口部 五畫)은 別字.

[咀啖 저담] 씹어 먹음.
[咀嚼 저작] ㉠음식을 입에 넣고 씹음. ㉡글의 뜻을 깊이 파고들어 완미(玩味)함.
[咀呪 저주] 남이 못되기를 빎. 주조(呪詛).
[咀噍 저초] 저작(咀嚼).
◉噍咀. 涵咀.

5
⑧ [咄] 돌 [入]月 當沒切 duō 

[字解] ①꾸짖을 돌 질책함. 또, 그 소리. '叱―'. ②괴이쩍어할 돌 괴이하여 놀라는 소리. '―― 怪事'. '――子陵, 不可相助爲理耶'《後漢書》. ③혀차는소리 돌 기가 막혀 끌끌 혀 차는 소리. '朔笑之曰, ―'《漢書》. ④부를 돌 사람을 만났을 때 반가워하여 '야' 하고 부르는 소리. '―少卿良苦'《漢書》.
[字源] 篆文 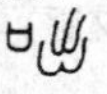 形聲. 口+出〔音〕. '出출'은 '내다'의 뜻. 갑자기 목소리를 내다의 뜻으로, 꾸짖다, 꾸짖는 소리, 놀라는 소리 등의 뜻을 나타냄.

[咄呵 돌가] 혀를 참.
[咄咄 돌돌] 괴이쩍어 놀라는 소리. 의외의 일에 놀라 내는 소리.
[咄咄怪事 돌돌괴사] 놀랄 만한 괴이쩍은 일.
[咄咄逼人 돌돌핍인] 기예(技藝) 등을 경탄하여 내는 소리.
[咄叱 돌질] 성내어 한탄하는 소리. 아.
[咄嗟 돌차] ㉠순식간. ㉡꾸짖음.
[咄嗟間 돌차간] 《韓》 순식간.
◉呵咄. 樂嗟苦咄. 叱咄.

5
⑧ [咆] [人名] 포 [平]肴 薄交切 páo 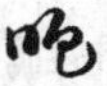

[字解] ①으르렁거릴 포 짐승이 성내어 욺. '―哮'. '虎豹襲穴而不敢―'《淮南子》. ②성불끈낼 포 불끈 화를 내는 모양. '何猛氣之―勃'《潘岳》.
[字源] 篆文  形聲. 口+包〔音〕. '包포'는 으르렁거리는 소리를 나타내는 의성어. '口구'를 더하여, 짐승이 으르렁거리다의 뜻을 나타냄.

[咆勃 포발] 성을 불끈 내는 모양.
[咆哮 포효] ㉠맹수(猛獸)가 성내어 욺. 으르렁거림. ㉡성내어 외침. 대단한 기세로 외침.
◉鳴咆. 哮咆.

5
⑧ [呹] [一] 일 [入]質 弋質切 yì
[二] 질 [入]質 勑栗切 chì

[字解] [一] ①풀먹을 일 소나 양(羊)이 풀을 먹는 모양. '―, 牛羊呵草皃'《玉篇》. ②빠를 일 '薌―肹以掍根兮'《揚雄》. [二] 목소리 질 '―, 聲也'《集韻》.

5
⑧ [咈] 불 [入]物 符弗切 fú 

[字解] 어길 불 뜻을 어김. '罔―百姓以從己之欲'《書經》.
[字源] 篆文 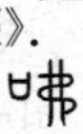 形聲. 口+弗〔音〕. '弗불'은 '어그러지다, 배반하다' 등 부정의 뜻. 어기다, 반항적인 말을 입에 올리다의 뜻을 나타냄.

5
⑧ [咋] [一] 사 [去]禡 側駕切 zhà
[二] 색 [入]陌 側革切 zé 

[字解] [一] 잠깐 사 잠시. '桓子―謂林楚曰'《左傳》. [二] ①씹을 색, 깨물 색 이로 씹음, 또는 깨묾. '孤豚之―虎'《漢書》. ②들렐 색 시끄러움. 떠들썩함. '嘵嘵讙―'《劉峻》. ③큰소리 색 대성(大聲). 또, 큰 소리를 냄. '嗅呱啞―'《太玄經》.
[字源] 形聲. 口+乍〔音〕. '乍작'은 '작위(作爲)'의 뜻. 무리하게 낸 큰 목소리의 뜻을 나타냄. 또, '齚색'과 통하여 '깨물다'의 뜻도 나타냄.

[咋咋 색색] 큰 소리.
[咋舌 색설] 혀를 깨묾. 분하게 여김.
[咋唶 색책] 속가(俗歌). 민요(民謠).
◉啖咋. 讙咋. 喧咋. 齕咋.

5
⑧ [咍] [人名] 해 [平]灰 呼來切 hāi 

[字解] ①비웃을 해 조소함. '輾然而―'《左思》. ②즐길 해 환락함. '笑言溢口何歡―'《韓愈》.
[字源] 篆文  形聲. 口+台〔音〕. '台태·이'는 '기뻐하다'의 뜻. '口구'를 더하여 '웃다'의 뜻을 나타냄.

[咍臺 해대] 코 고는 소리의 형용.
[咍笑 해소] 비웃음. 조소함.
[咍咍 해해] 웃으며 즐거워하는 모양. 즐거워 웃는 모양.

5
⑧ [咁] [一] 함 [平]咸 乎監切 xián
[二] 감 gàn

[字解] [一] ①머금을 함 嗛(口部 十畫)과 同字. '嗛, 說文, 口有所銜也. 或作―'《集韻》. ②젖 함 '―, 乳也'《玉篇》. [二] 이같이 감 이처럼. 광둥(廣東)·후난 성(湖南省)의 방언(方言).

5
⑧ [咕] 고 [上]虞 公戶切 gū

[字解] ①수군거릴 고 '―噥'은 수군거림. '悄悄的―噥說'《紅樓夢》. ②투덜거릴 고 작은 소리로 투덜거림.

5
⑧ [咏] [人名] 영 [去]敬 爲命切 yǒng 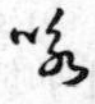

[字解] 읊을 영 詠(言部 五畫)과 同字. '以―先王之風'《漢書》.
[字源] 篆文  形聲. 口+永〔音〕. '永영'은 '길다'의 뜻. 목소리를 길게 빼어 읊다의 뜻을 나타냄.

[咏頌 영송] 성덕(盛德)·공적(功績) 등을 시가(詩歌)로 읊어 칭송함.
[咏嘆 영탄] 소리를 길게 뽑아 탄식함.

5
⑧ [咐] [人名] 부 [平]虞 奉蒲切 fú, fù 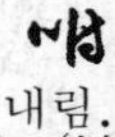

[字解] ①분부할 부 아랫사람에게 명령을 내림. '吩―'. ②불 부 숨을 내뿜어 따뜻하게 함. '以相嘔―醞釀, 而成育群生'《淮南子》.
[字源] 形聲. 口+付〔音〕

5 ⑧ [㖃] [一] 효 [平]蕭 許嬌切 xiāo
[二] 호 [去]號 後到切 háo

[字解] [一] 텅비고클 효 속은 비고 큼. '非不一然大也. (疏)一然, 虛大也'《莊子》. [二] 바람소리 호 성낸 소리. 외치는 소리. '萬竅怒一'《莊子》.
[字源] 形聲. 口+号〔音〕

5 ⑧ [呃] 액 [入]陌 於革切 è

[字解] 울 액 '一喔'은 새 우는 소리. '良遊一喔'《潘岳》.
[字源] 篆文  形聲. 口+厄〔音〕. '厄액'은 좁아서 답답하다의 뜻. 닭이 괴로운 듯이 소리 내어 울다의 뜻을 나타냄.

5 ⑧ [呾] 달 [入]曷 當割切 dá

[字解] 꾸짖을 달 질책함. '不肯者之一也'《韓愈》.
[字源] 形聲. 口+旦〔音〕

5 ⑧ [咇] 필 [入]質 毗必切 bì

[字解] 향내날 필 방향(芳香)이 있음. '晻薆一茀'《司馬相如》.
[字源] 形聲. 口+必〔音〕

5 ⑧ [咜] 〔타〕
吒(口部 六畫〈p. 369〉)의 俗字

[亟] 〔극〕
二部 六畫(p. 82)을 보라.

5 ⑧ [咊] 和(次條)의 古字

5 ⑧ [和] [中人] 화 ①-⑪[平]歌 戶戈切 hé
⑫-⑮[去]箇 胡臥切 hè 

[筆順] 一 二 千 禾 禾 和 和 和

[字解] ①온화할 화 온순하고 인자함. '一色'. '君子一而不流'《中庸》. ②화목할 화 사이가 좋음. '地利不如人一'. '言惠必及一'《國語》. ③고를 화 조화됨. 순조로움. '陰陽相一'. ④따뜻할 화 온난함. '溫一'. '春風扇微一'《陶潛》. ⑤순할 화 유순함. 조용함. '一風'. '吾馬賴柔一'《史記》. ⑥잘 화 바람이 그침. '風一綠野烟'《杜審言》. ⑦좇을 화 따름. 복종함. '治而不能一下'《淮南子》. ⑧화해 화 사화(私和). '一約'. '割地求一'《戰國策》. ⑨방울 화 수레 앞에 가로 댄 나무, 곧 식(軾)에 다는 방울. '一鸞雝雝'《詩經》. ⑩나라이름 화 일본(日本)의 별칭. '一寇'. ⑪성 화 성(姓)의 하나. ⑫응할 화 소리에 응함. '鳴鶴在陰, 其子一之'《易經》. ⑬대답할 화 응답함. '王一之'《列子》. ⑭화답할 화 ㉠서로 응하여 대답함. '唱一'. ㉡남의 운(韻)을 따서 작시(作詩)함. '一韻'. '詩成遣誰一'《白居易》. ⑮섞을 화, 탈 화 혼합함. '混一'. '五味六一'《禮記》.
[字源] 金文 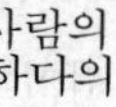 篆文 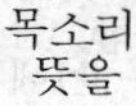 形聲. 口+禾〔音〕. '禾화'는 '會회'와 통하여 '만나다'의 뜻. 사람의 목소리와 목소리가 조화를 이루다, 화목하다의 뜻을 나타냄. 일설에는 金文이 木+口이므로, '木목'이 군문(軍門)을 나타내며, 거기서 맹약(盟約)하여 화해하다의 뜻을 나타낸다고 함.

[和歌 화가] 가락에 맞추어 노래함.
[和姦 화간] 남녀(男女)가 서로 눈이 맞아서 관계(關係)함.
[和羹 화갱] ㉠여러 가지 양념을 하고 간을 맞춘 국. ㉡천자(天子)를 보좌하는 재상(宰相)의 직무.
[和羹鹽梅 화갱염매] 훌륭한 신하가 임금을 도와서 덕을 이루게 한다는 뜻.
[和謙 화겸] 온화하고 겸손함.
[和敬 화경] 온순하고 공경함.
[和光同塵 화광동진] 빛을 감추고 속진(俗塵)에 섞임. 곧, 자기의 뛰어난 재덕(才德)을 나타내지 않고 세속(世俗)을 따른다는 뜻.
[和寇 화구] 왜구(倭寇).
[和謹 화근] 온순하고 신중함.
[和氣 화기] ㉠화창(和暢)한 일기. ㉡온화(溫和)한 기색. 화락한 마음.
[和氣靄靄 화기애애] 온화(溫和)한 기색(氣色)이 넘쳐흐르는 모양.
[和吉 화길] 화목하고 길(吉)함.
[和暖 화난] 날씨가 화창하고 따뜻함.
[和南 화남] 《佛教》 합장(合掌)하여 예배함.
[和談 화담] 화해하자는 상의.
[和答 화답] 시가(詩歌)에 대하여 응답(應答)함.
[和同 화동] 화합(和合).
[和樂 화락] 함께 모여 사이좋게 즐김.
[和鸞 화란] 수레에 장식으로 단 방울.
[和鈴 화령] 방울.
[和理 화리] 화합하여 잘 다스려짐.
[和買 화매] 송(宋)나라의 제도에서 봄에 백성에게 국고금(國庫金)을 빌려 주고, 여름이나 가을에 그 대가로서 명주를 바치게 하던 일.
[和賣 화매] 팔 사람과 살 사람이 아무 이의(異議) 없이 팔고 삼.
[和睦 화목] 서로 뜻이 맞고 정다움.
[和穆 화목] ㉠화목(和睦). ㉡조화(調和)함.
[和門 화문] 군문(軍門).
[和附 화부] 부화뇌동(附和雷同)함.
[和尙 화상] 수행(修行)을 많이 한 중. 도(道)를 가르치는 중. 전(轉)하여, 중의 존칭(尊稱).
[和色 화색] 온화(溫和)한 안색(顏色).
[和聲 화성] ㉠소리에 맞춤. 또, 맞추는 소리. ㉡가락.
[和酬 화수] 남이 보낸 시(詩)에 화운(和韻)하여 보냄.
[和順 화순] ㉠고분고분하여 시키는 대로 잘 좇음. 온순함. ㉡기후(氣候)가 온화(溫和)함.
[和氏之璧 화씨지벽] 변화(卞和)가 초(楚)나라의 여왕(厲王)에게 바친 옥.
[和雅 화아] 온화하고 고상함.
[和樂 화악] 가락이 잘 맞는 음악.
[和顏 화안] 온화한 얼굴.
[和約 화약] ㉠화목하자는 약속. ㉡평화 조약.
[和弱 화약] 순하고 약함. 유약(柔弱)함.
[和懌 화역] 화열(和悅).
[和悅 화열] 마음이 화평(和平)하여 기쁨. 또, 마음을 화평하고 기쁘게 함.
[和韻 화운] 남이 지은 시의 운자(韻字)를 써서 답시(答詩)를 지음.

[和柔 화유] ㉠유순함. ㉡일기가 화창함. 따뜻함.
[和裕 화유] 온화하고 너그러움.
[和誘 화유] 온화한 안색으로 유도(誘導)함.
[和應 화응] 화답(和答)하여 응함.
[和議 화의] 화해(和解)하는 의론. 전쟁을 그만두자는 의론.
[和易 화이] 온화하고 까다롭지 않음.
[和而不同 화이부동] 남과 화목하게 지내기는 하지만, 의(義)를 굽혀서 좇지는 아니함.
[和適 화적] 기분이 상쾌함.
[和集 화집] 화목하게 모임.
[和輯 화집] 화목(和睦).
[和暢 화창] ㉠일기가 따뜻하고 맑음. ㉡마음이 온화(溫和)하고 상쾌함.
[和淸 화청] 《韓》 음식에 꿀을 탐.
[和沖 화충] 화집(和輯).
[和衷 화충] 마음을 합함.
[和衷協同 화충협동] 마음과 힘을 합하여 일을 함.
[和親 화친] ㉠서로 의좋게 지냄. ㉡화해(和解).
[和平 화평] 평화(平和)함.
[和風 화풍] 화창(和暢)한 바람.
[和合 화합] 화목하게 합함. 또, 화목하여 합하게 함.
[和合神 화합신] 신(神)의 이름. 더벅머리에 웃는 얼굴이며 녹의(綠衣)를 입고 왼손에는 북을, 오른손에는 막대를 쥐고 있음. 혼례(婚禮)의 신임.
[和解 화해] 다툼질을 그치고 불화(不和)를 풂.
[和諧 화해] 화목(和睦).
[和協 화협] ㉠화합하여 마음이 맞음. ㉡가락을 맞춤.
[和好 화호] 사이가 좋음. 친함.
[和會 화회] 화해(和解).
[和煦 화후] 화창(和暢) ❶.
◉講和. 謙和. 繼和. 共和. 媾和. 琴瑟相和. 盜和. 蹈和. 敦和. 同而不和. 同和. 撫和. 微和. 卞和. 保和. 附和. 不和. 參和. 舒和. 燮和. 韶和. 屬和. 垂和. 修和. 酬和. 隨和. 純和. 淳和. 安和. 陽和. 煬和. 養和. 姸和. 連和. 燕和. 寧和. 影和. 溫和. 穩和. 雍和. 緩和. 雲和. 元和. 委和. 違和. 柔和. 融和. 應和. 鳌和. 以和致和. 人和. 日和. 慈和. 煎和. 貞和. 靜和. 齊和. 調和. 中和. 衆和. 緝和. 地理不如人和. 執中含和. 倡和. 唱和. 淸和. 晴和. 趨和. 沖和. 親和. 沈和. 太和. 通和. 平和. 飽和. 閑和. 涵和. 合和. 諧和. 協和. 浹和. 惠和. 混和. 渾和. 歡和. 滑和. 薰篪相和. 喧和. 休和. 洽和. 晞和.

[知] 〔지〕
矢部 三畫(p. 1557)을 보라.

5 ⑧ [咖] ㊏ 가 kā

字解 커피 가, 카페인 가 '—啡'는 커피의 음역(音譯). '—啡因'은 카페인의 음역.

5 ⑧ [否] ▣ 투 ㊀宥 他侯切 pǒu
▣ 부 ㊤有 普后切 pǒu

字解 ▣ ①침뱉을 투 남의 이야기가 마음에 못마땅해 침을 뱉어 부정(否定)함. '—, 相與語, 唾而不受也'《說文》. ②환할 투 透(辵部 七畫〈p. 2298〉)와 同字. ▣ 침뱉을 부, 환할 부 ㊀과 뜻이 같음.

字源 象形. 꽃잎의 본디 부드럽게 부풀어 있는 씨방의 모양을 본뜸.

5 ⑧ [咅] 否(前條)와 同字

5 ⑧ [舎] ㊐ 〔사〕
舍(舌部 二畫〈p. 1883〉)와 同字

參考 《日》 일본에서 '舍'의 대용(代用)으로 쓰는 신자체(新字體)임.

5 ⑧ [命] 中人 명 ㊀敬 眉病切 mìng

筆順 丿 人 亼 亼 合 合 合 命

字解 ①목숨 명 생명. '生—'. '壽—'. ②운수 명 운명. '知—'. '今又遇難於此, —也'《史記》. ③분부 명 명령. 또, 교령(敎令). '矯—'. '子從父之—'《孝經》. ④말 명 사령(辭令). '於辭—則, 不能'《孟子》. ⑤가르침 명 교훈. 교회(敎誨). '聞—矣'《孝經》. ⑥이름 명 名(口部 三畫)과 同字. '亡—'. ⑦이름지을 명 '—名'. '黃帝能成—百物'《國語》. '因—曰胥山'《史記》. ⑧명할 명 명령을 내림. '乃—羲和'《書經》. ⑨줄 명 수여함. '天—之謂性'《中庸》. ⑩도 명 자연의 이수(理數). '維天之—'《詩經》. ⑪품계 명 주대(周代)의 관계(官階). 구등(九等)이 있음. '—服'. '一—而僂, 再—而傴'《史記》. ⑫성 명 성(姓)의 하나.

字源 甲骨文 金文 篆文 會意. 亼+卩+口. '亼집'은 '모으다'의 뜻. '卩절'은 무릎 꿇은 사람의 象形. 민중을 모아 말로 명령하다의 뜻을 나타냄. 특히 하늘이나 신, 군주(君主)가 아랫사람을 대하는 경우에 이름. 甲骨文은 亼+卩로 '令령'과 같은 자형. 또 하늘이 명한 목숨의 뜻도 나타냄.

[命輕於鴻毛 명경어홍모] 목숨이 기러기 털보다도 가볍다는 뜻으로, 임금이나 나라를 위하여는 목숨을 아낌없이 버린다는 뜻.
[命官 명관] 관리에 임명됨.
[命宮 명궁] ㉠사람의 생년월일시(生年月日時)와 방위(方位). ㉡십이궁(十二宮)의 하나. ㉢인상학(人相學)에서 양미간(兩眉間)을 일컫는 말.
[命根 명근] 생명의 근원(根源).
[命途 명도] 운명(運命).
[命令 명령] 윗사람이 아랫사람에게 내리는 분부.
[命脈 명맥] 목숨과 맥(脈). 전(轉)하여 목숨. 생명(生命).
[命脈所關 명맥소관] 병이나 상처가 중하여 목숨에 관계됨.
[命名 명명] 이름을 지음.
[命門 명문] 가슴의 한가운데의 오목하게 들어간 곳. 명치.
[命服 명복] 사(士)에서 상공(上公)에 이르는 일명(一命)으로부터 구명(九命)까지의 각 계급에 따른 일정한 제복(制服).
[命婦 명부] 대부(大夫)의 아내.
[命分 명분] 운명(運命). 운수(運數).
[命世 명세] 세상에서 이름이 있음. 세상에서 뛰어남. 일설(一說)에는 천명(天命)에 의하여 이 세상에 태어난 뜻이라고도 함.
[命世亞聖 명세아성] 일세(一世)에 뛰어난 성인

(聖人)의 다음가는 현인(賢人).
[命世之雄 명세지웅] 일세(一世)에 뛰어난 영웅.
[命世之才 명세지재] 일세(一世)에 뛰어난 인재(人才).
[命數 명수] ㉠운명(運命). ㉡수명(壽命).
[命緣義輕 명연의경] 소중한 목숨도 의(義)를 위하여서는 아끼지 않는다는 뜻.
[命運 명운] 명수(命數).
[命意 명의] 생각. 궁리.
[命長多辱 명장다욕] 오래 살면 욕되는 일이 많음. 수즉다욕(壽則多辱).
[命在頃刻 명재경각] 거의 죽게 되어서 목숨이 넘어갈 지경에 있음.
[命在天 명재천] 수명·운명은 하늘이 이미 정해 놓은 바로서 인력(人力)으로는 어찌할 도리가 없음.
[命題 명제] 판단(判斷)의 결과를 표시(表示)한 언사(言辭).
[命中 명중] 겨냥한 것을 바로 쏘아 맞힘.
[命招 명초] 임금이 명령하여 신하(臣下)를 부름.
◉奸命. 看命. 竭命. 乾命. 乞命. 格命. 見危授命. 見危致命. 告命. 誥命. 顧命. 考終命. 官命. 光命. 敎命. 矯命. 九命. 救命. 國命. 君命. 眷命. 貴命. 歸命. 寄命. 吉命. 落命. 樂命. 亂命. 內命. 來命. 祿命. 短命. 談命. 大命. 待命. 末命. 亡命. 面命. 文命. 微命. 薄命. 反命. 方命. 拜命. 百里命. 辟命. 報命. 寶命. 復命. 符命. 賦命. 奔命. 不辱君命. 丕命. 非命. 娉命. 聘命. 司命. 使命. 社命. 俟命. 辭命. 死生有命. 三命. 上命. 生命. 胥命. 誓命. 惜命. 宣命. 性命. 續命. 受命. 殊命. 授命. 壽命. 宿命. 申命. 身命. 失命. 安命. 安心立命. 嚴命. 業命. 餘命. 年命. 延命. 捐命. 靈命. 佑命. 寓命. 優命. 殞命. 運命. 委命. 威命. 遺命. 恩命. 人命. 一命. 任命. 立命. 自命. 長命. 將命. 臧命. 謫命. 全命. 專命. 傳命. 竊命. 正命. 定命. 旌命. 制命. 帝命. 助命. 朝命. 詔命. 存命. 尊命. 終天命. 佐命. 主命. 重義輕命. 知命. 職命. 徵命. 竄命. 策命. 天命. 擅命. 天之明命. 請命. 寵命. 出命. 治命. 致命. 馳命. 勅命. 沈命. 託孤寄命. 誕命. 投命. 特命. 品命. 稟命. 下命. 銜命. 憲命. 革命. 懸命. 休命.

5 ⑧ **[周]** 高人 주 ㊥尤 職流切 zhōu

筆順 丿 冂 月 冃 用 周 周 周

字解 ①두루 주 골고루. 널리. '一游'. '一知其名'《周禮》. ②두루미칠 주 빠짐없이 미침. '知一乎萬物'《易經》. ③찬찬할 주 면밀함. 치밀함. '一密'. '人主不可不一'《管子》. ④지극할 주 이위에 없음. '雖有一親, 不如仁人'《書經》. ⑤미쁠 주 신의가 있음. '君子一而不比'《禮記》. '行歸于一'《詩經》. ⑥둘레 주 주위. '一回'. '其一七十一萬四千里'《算經》. ⑦돌 주 한 바퀴 돎. '一軍飭壘'《國語》. ⑧굳힐 주 굳게 함. 견고하게 함. '盟所以一信'《左傳》. ⑨진휼할 주 賙(貝部 八畫)와 同字. '一急'. '靡人不一'《詩經》. ⑩모퉁이 주 구석. '生于道一'《詩經》. ⑪주나라 주 ㉠삼대(三代)의 하나. 무왕(武王) 발(發)이 은(殷)나라를 멸하고 세운 왕조(王朝). 성(姓)은 희(姬). 처음에 호경(鎬京), 곧 호(鎬)에 도읍하였다가 후에 뤄양(洛陽)으로 천도(遷都). 건국한 지 38주(主) 867년 만에 진(秦)나라에게 망하였음. (B.C. 1050~256) ㉡남북조 시대(南北朝時代)의 북조(北朝)의 하나. 우문각(宇文覺)이 서위(西魏)의 뒤를 이어 세운 나라. 건국한 지 5주(主) 24년 만에 수(隋)나라에게 망하였음. 북주(北周)라고도 함. (556~581) ㉢오대(五代)의 하나. 곽위(郭威)가 후한(後漢)의 뒤를 이어 세운 나라. 3주(主) 9년 만에 송(宋)나라 태조(太祖)에게 망(亡)하였음. 후주(後周)라고도함. (951~960) ⑫성 주 성(姓)의 하나.

字源 甲骨文 金文 篆文 古文 指事. 甲骨文은 네모난 상자 또는 종(鐘) 따위의 기물(器物)에 조각(彫刻)이 온통 새겨져 있는 모양에서, '두루 미치다'의 뜻을 나타냄. 金文부터는 '口구'가 더해져서, 신경을 충분히 써서 기도하는 모양을 나타냄. 또 假借하여 '둘레'의 뜻도 나타냄. 《說文》은 用+口의 會意로 봄.

[周甲 주갑] 61세의 일컬음. 환갑(還甲).
[周見 주견] 주람(周覽).
[周誥殷盤 주고은반] 주고(周誥)는 서경(書經)의 대고(大誥)·강고(康誥)·주고(酒誥)·소고(召誥)·낙고(洛誥)이고, 은반(殷盤)은 동서(同書)의 반경(盤庚)의 상(上)·중(中)·하(下) 삼편(三篇). 전(轉)하여, 은주(殷周)의 고전(古典).
[周孔 주공] 주공(周公)과 공자(孔子).
[周郭 주곽] 외곽(外郭).
[周求 주구] 두루 구함.
[周急 주급] 급박(急迫)한 사정(事情)에 빠진 사람을 구제(救濟)함.
[周給 주급] 두루 나누어 줌.
[周忌 주기] 사후(死後) 만 1년의 기일(忌日). 소기(小忌).
[周年 주년] 돌이 돌아온 한 해. 1주년.
[周到 주도] 주의(注意)가 두루 미치어 빈틈이 없음. 찬찬함.
[周道 주도] ㉠주(周)나라의 서울에 통하는 길. ㉡큰길. 대로(大路). ㉢주나라의 정령(政令).
[周敦頤 주돈이] 송대(宋代)의 유학자(儒學者). 도주(道州) 사람. 자(字)는 무숙(茂叔). 영도현(營道縣) 염계(濂溪) 가에서 세거(世居)하였으므로 세상에서 염계 선생(濂溪先生)이라 일컬음. 〈태극도설(太極圖說)〉·〈통서(通書)〉 등을 지어 이기학(理氣學)의 개조(開祖)가 됨. 정호(程顥)·정이(程頤) 형제는 모두 그의 제자임. 시호(諡號)는 원공(元公).
[周覽 주람] 두루 돌아다니며 봄. 주견(周見).
[周郞 주랑] 주유(周瑜).
[周歷 주력] 두루 거침. 두루 돌아다님.
[周禮 주례] 책명(冊名). 42권. '주관(周官)'이라고도 함. 주(周)나라 주공(周公) 단(旦)의 찬(撰)이라 전(傳)함. 천지(天地)와 춘하추동(春夏秋冬)에 상징(象徵)하여 천관(天官)·지관(地官)·춘관(春官)·하관(夏官)·추관(秋官)·동관(冬官)의 육관(六官)으로 나누어, 이에 속하는 직장(職掌)을 자세히 기록하였음. 한(漢)나라의 정현(鄭玄)의 주(註)와 당(唐)나라의 가공언(賈公彥)의 소(疏)가 있음.
[周流 주류] ㉠널리 유포(流布)함. 보급됨. ㉡두루 돌아다님. 주편(周徧).
[周利 주리] 이익을 도모(圖謀)하는 데 용의주도

(用意周到)함.
[周袤 주무] 둘레. 주위.
[周密 주밀] ㉠무슨 일에든지 빈구석이 없고 자세함. ㉡생각이 찬찬함.
[周邊 주변] 주위(周圍)의 가장자리.
[周普 주보] 두루 미침. 빠짐없이 미침.
[周備 주비] 두루 갖춤. 또, 두루 갖추어 있음.
[周庠 주상] 주대(周代)의 학교.
[周書 주서] 중국 정사(正史)의 하나. 당(唐)나라 영호덕분(令狐德棻) 등의 찬(撰). 모두 50권. 북주(北周) 시대의 일을 기술하였음. 북주서(北周書).
[周旋 주선] ㉠빙빙 돎. 왔다 갔다 함. ㉡기거동작(起居動作). ㉢뒤쫓아감. 서로 쫓고 쫓김. ㉣돌보아 줌.
[周召 주소] 주(周)나라의 주공 단(周公旦)과 소공 석(召公奭). 모두 성왕(成王)을 도운 사람임. 또, 그 자손(子孫).
[周悉 주실] 두루 미침.
[周易 주역] 오경(五經)의 하나. 주대(周代)에 문왕(文王)·주공(周公)·공자(孔子)에 의하여 대성(大成)한 역학(易學). 또, 그 책. 9권. 위(魏)나라의 왕필(王弼)의 주(註), 당(唐)나라의 이정조(李鼎祚)의 집해(集解) 등이 있음. 역경(易經).
[周緣 주연] 주위의 가장자리.
[周燕 주연] '두견(杜鵑)'의 별칭.
[周圓 주원] 주위(周圍).
[周圍 주위] 둘레.
[周遊 주유] 두루 돌아다니며 놂.
[周瑜 주유] 삼국 시대(三國時代)의 오(吳)나라의 무장(武將). 자(字)는 공근(公瑾). 손책(孫策)을 도와 강동(江東)을 평정하였는데, 오중(吳中) 사람들이 모두 그를 주랑(周郞)이라 불렀음. 후에 조조(曹操)를 적벽(赤壁)에서 격파하여 편장군(偏將軍)으로 승진하고 남군(南郡)의 태수(太守)가 됨.
[周率 주율] 원주율(圓周率).
[周衣 주의] 《韓》 두루마기.
[周章 주장] ㉠당황함. 또 당황하는 모양. ㉡두루 다니며 놂.
[周全 주전] 빈틈없이 완전함.
[周濟 주제] ㉠널리 달통(達通)함. ㉡널리 두루 구제함.
[周知 주지] 여러 사람이 두루 앎. 또 여러 사람이 두루 알게 함.
[周紙 주지] 두루마리.
[周遮 주차] 말이 많은 모양.
[周察 주찰] 두루 살핌.
[周尺 주척] 《韓》 자의 한 가지. 한 자가 곡척(曲尺)으로 여섯 치 육 푼이 됨.
[周天 주천] ㉠해·달·별이 궤도(軌道)를 일주함. ㉡하늘의 둘레.
[周緻 주치] 치밀함.
[周親 주친] 지친(至親).
[周徧 주편] 두루 돌아다님.
[周行 주행] ㉠두루 다님. ㉡큰길. 대로(大路). 일설(一說)에는 주(周)나라 조정(朝廷)의 열위(列位).
[周環 주환] 빙 두름.
[周回 주회] ㉠빙 두름. ㉡둘레. 주위.
◉孔周. 匡周. 東周. 北周. 不周. 比周. 四周. 西周. 成周. 慮周. 列周. 外周. 圓周. 宗周. 編周. 回周. 環周. 姬周.

5 ⑧ [呰] 자 ㊊支 才支切 cī ㊤紙 將此切 zǐ

字解 ①흠 자 疵(疒部 五畫)와 통용. ②헐뜯을 자 訾(言部 五畫)와 同字. '闒尹之—, 穢我明德'《漢書》. ③약할 자, 게으를 자 연약함. 일설(一說)에는 나태함. '地勢饒食, 無飢饉之患, 以故—窳偸生'《史記》.
字源 篆文 形聲. 口+此〔音〕. '此차'는 '어긋나다'의 뜻. 또 '疵자'와 통하여 '상처, 흠'의 뜻. '흠'의 뜻을 나타냄. 또 입으로 사람에게 상처를 주다, 헐뜯다의 뜻을 나타냄.

5 ⑧ [咎] 人名 ㊀구 ㊤有 其九切 jiù ㊁고 ㊊豪 古勞切 gāo

字解 ㊀ ①허물 구 죄과(罪過). '微我有—'《詩經》. ②재앙 구 재화. '—殃'. '天降之—'《書經》. ③미움 구 증오. '蒙怨—, 欺舊交'《戰國策》. ④미워할 구 증오함. '殷始—周'《書經》. ⑤나무랄 구 책망함. '旣往不—'《論語》. ⑥성 구 성(姓)의 하나. ※'구' 음은 인명자로 쓰임. ㊁ 성 고 성(姓)의 하나. 皐(自部 六畫)와 同字. '—繇作士'《漢書》.
字源 篆文 會意. 人+各. '各각'은 '格격'과 통하여 '이르다'의 뜻. 신에게서 사람에게 이르는 재앙의 뜻을 나타냄.

[咎繇 고요] '고요(皐陶)'와 같음.
[咎戒 구계] 나무라고 경계(警戒)함.
[咎戾 구려] 죄과(罪科).
[咎殃 구앙] 재앙(災殃). 재화(災禍).
[咎徵 구징] 천벌(天罰)의 징조. 임금의 악행에 대한 경계로서 일어나는 천변지이(天變地異).
[咎慝 구특] 재앙. 재화(災禍).
[咎悔 구회] ㉠남에게 힐책을 당하여 후회함. 또는, 자기 자신을 나무라고 후회함. ㉡재앙(災殃). 재화.
◉譴咎. 歸咎. 棄咎. 旣往不咎. 速咎. 誰咎. 殃咎. 憂咎. 怨咎. 遺咎. 引咎. 訾咎. 災咎. 謫咎. 天咎. 天與不取反受其咎. 招咎. 追咎. 害咎. 患咎. 悔咎. 後咎. 休咎. 凶咎. 釁咎.

6 ⑨ [品] 中·人 품 ㊤寢 丕飮切 pǐn

筆順 丨 口 口 口 口 品 品 品

字解 ①가지 품 종류. '厥貢惟金三—'《書經》. ②뭇 품 온갖. 갖가지. '—物流形'《易經》. ③물건 품 '—種'. '籩豆之實, 水土之—也'《禮記》. ④품수 품 물품의 등급·품격의 고하 등. '上—'. '人—'. '王—不遜'《書經》. ⑤벼슬차례 품 관위(官位)의 차서. '—秩'. '外官不過九—'《國語》. ⑥법 품 법식. '—程'. '制作儀—'《漢書》. ⑦수품 정수(定數). '滿—者'《漢書》. ⑧가지런히할 품 제일(齊一)하게 함. '—其百籩'《國語》. ⑨같을 품 동일함. '百里爲—'《漢書》. ⑩성 품 성(姓)의 하나.
字源 甲骨文 金文 篆文 會意. 기물(器物)을 본뜬 '口구' 셋을 합쳐서, 저마다의 개성을 지닌 물건의 뜻을 나타냄.

[品鑒 품감] 인물(人物)의 고하를 감별(鑑別)함.

[品格 품격] 사람된 바탕과 타고난 성질(性質). 품성(品性)과 인격(人格).
[品階 품계] 직품(職品)과 관계(官階).
[品官 품관] 벼슬아치. 관리(官吏). 관위(官位)를 구품(九品)으로 나누었으므로 이름.
[品等 품등] 품질과 등급(等級).
[品劣 품렬] 품성(品性)이 낮음.
[品例 품례] 등급의 제정.
[品類 품류] 물건의 갖가지 종류.
[品命 품명] 등급. 특히 관등(官等).
[品目 품목] ㉠명칭. 제목(題目). ㉡품평(品評). ㉢종목(種目). 품류(品類).
[品物 품물] ㉠만물(萬物). ㉡물품.
[品味 품미] 음식. 찬(饌).
[品詞 품사] 단어를 그 성질·직능에 따라 종류(種類)를 나눈 말.
[品庶 품서] 백성. 서민(庶民).
[品性 품성] 개인(個人)이 가지고 있는 품격(品格)과 성질(性質).
[品式 품식] 법(法). 규칙.
[品位 품위] ㉠품격(品格). ㉡직품(職品)과 지위(地位). 자리.
[品字坐 품자좌] 세 사람이 품자(品字) 모양으로 상대하여 앉음. 정좌(鼎坐).
[品裁 품재] 재량(裁量)하여 구별함.
[品節 품절] 등차(等差)를 세움.
[品程 품정] 법(法). 법칙. 법도(法度).
[品制 품제] 위계(位階). 등급(等級).
[品第 품제] 품평(品評).
[品藻 품조] 품평(品評).
[品族 품족] 문벌(門閥).
[品種 품종] 물품(物品)의 종류.
[品秩 품질] 관계(官階)와 봉급.
[品質 품질] 물품의 성질.
[品評 품평] 물품의 등급을 평정(評定)함.
[品覈 품핵] 구별을 하여 조사함.
[品行 품행] 몸가짐. 행실(行實).
[品彙 품휘] 품류(品類).
◉佳品. 甄品. 景品. 科品. 九品. 區品. 羣品. 極品. 金品. 奇品. 氣品. 納品. 能品. 目品. 妙品. 門品. 物品. 班品. 部品. 備品. 三品. 上品. 商品. 賞品. 生品. 庶品. 性有三品. 性品. 小品. 殊品. 神品. 新品. 藥品. 良品. 量品. 榮品. 靈品. 五品. 腰品. 員品. 遺品. 儀品. 異品. 彝品. 人品. 一品. 逸品. 資品. 作品. 贓品. 在庫品. 戰利品. 銓品. 切品. 絕品. 程品. 精品. 題品. 製品. 粗品. 條品. 中品. 珍品. 眞品. 差品. 千品. 賤品. 淸品. 評品. 廢品. 筆有三品. 下品. 寒品. 現品. 鴻品. 華品.

6
⑨ [咠] 집(즙[本]) [入]緝 七入切 qì

[字解] ①소곤거릴 집 '一, 聶語也'《說文》. ②참소할 집 남을 헐뜯음. '一一, 譖言也'《廣韻》.
[字源] 篆文 會意. 口+耳. 입을 귀에 대고 말하다의 뜻. '소곤거리다'의 뜻을 나타냄.

6
⑨ [咢] 악 [入]藥 五各切 è

[字解] ①놀랄 악 愕(心部 九畫)과 同字. '湛露興徒一'《馬祖常》. ②북칠 악 노래는 하지 않고 북만 침. '徒擊鼓, 謂之一'《爾雅》. '或歌或一'《詩經》. ③높을 악 높은 모양. '冠一一其映蓋兮'《張衡》. ④곧은말할 악 諤(言部 九畫)과 同字. '一一黃髮'《漢書》. ⑤칼날 악 鍔(金部 九畫)와 同字.
[字源] 甲骨文 金文 篆文 形聲. 吅+屰〔音〕. 甲骨文은 뽕나무에 기도하는 쪽지를 많이 붙인 모양을 본떠, 시끄럽게 빌어서 놀라게 하다의 뜻을 나타냄. 뒤에 변형되어, 음부(音符)인 '屰역'을 더하여 형성 문자가 됨.

[咢咢 악악] ㉠직언(直言)하여 다투는 모양. ㉡관(冠)이 높고 엄숙한 모양.

6
⑨ [虽] 〔수〕
雖(隹部 九畫〈p.2487〉)의 俗字

6
⑨ [咫] [人名] 지 ㊤紙 諸氏切 zhǐ

[字解] 여덟치 지 주대(周代)의 척도(尺度)에서, 8촌(寸)의 길이의 일컬음. '一尺'. '其長尺有一'《國語》. 전(轉)하여 짧음. 또 짧은 거리. '一尺之書'. '天威不違顏一尺'《左傳》. 또 작음. 적음. 사소(些少)함. '一尺之地'. '抱一尺之義'《史記》.
[字源] 篆文 形聲. 尺+只〔音〕. '只지'는 '8촌(寸)'의 뜻. '尺척'을 더하여, 길이 여덟 치의 뜻을 나타냄.

[咫步 지보] 얼마 안 되는 걸음. 조금의 행보.
[咫尺 지척] ㉠여덟 치와 한 자. 전(轉)하여, 가까운 거리. ㉡협소(狹小)함. ㉢짧음. ㉣근소(僅少)함.
[咫尺不辨 지척불변] 《韓》 매우 어두워서 가까운 곳도 분변(分辨)하지 못함. 불변지척(不辨咫尺).
[咫尺之書 지척지서] 짧은 서신(書信). 척서(尺書).
[咫尺之義 지척지의] 사소(些少)한 도의(道義).
[咫尺之地 지척지지] ㉠협소한 땅. 아주 작은 땅. ㉡《韓》 매우 가까운 곳.
[咫尺千里 지척천리] 《韓》 서로 가까이 있으면서도 소식(消息)이 막히어 멀리 떨어져 있음과 같다는 말.
[咫尺天顏 지척천안] 천자(天子)를 배알(拜謁)함.

6
⑨ [咡] 이 [去]寘 仍吏切 èr

[字解] ①입가 이 입의 언저리. '負劍辟一詔之'《禮記》. ②입 이 '循一覆手'《管子》.
[字源] 形聲. 口+耳〔音〕

6
⑨ [哊] 후 ①㊤有 呼后切 hǒu
②③[去]宥 胡口切 hòu

[字解] ①호통칠 후 몹시 화를 내는 소리. '一, 厚怒聲'《說文》. ②토할 후 구역질이 남. '一, 欲吐也'《廣韻》. ③부끄럼 후 치욕(恥辱). '皇皇唯敬, 口生一'《大戴禮》.
[字源] 形聲. 口+后〔音〕

6
⑨ [咤] [人名] 타 [去]禡 陟駕切 zhà, ④chà

[字解] ①꾸짖을 타 질책함. 또, 그 소리. '項王喑啞叱—'《史記》. ②입맛다실 타 입맛을 쩍쩍 다시며 먹음. '毋—食'《禮記》. ③슬퍼할 타 비탄함. '怛—糜肝肺'《蔡琰》. ④자랑할 타 詫(言部 六畫)와 同字. '轉相誇—'《後漢書》.
[字源] 篆文 形聲. 口+宅〔音〕. '宅택'은 혀를 차는 소리를 나타내는 의성어. 吒(口部 三畫)가 本字. '吒'를 보라.

[咤食 타식] 입맛을 쩍쩍 다시며 먹음.
[咤叱 타질] 꾸짖음. 질책함.
◉憤咤. 悲咤. 肆咤. 嘯咤. 啞咤. 叱咤. 歎咤. 恨咤. 赫咤.

6 ⑨ [咥] [一] 희 [去]寘 虛器切 xì
[二] 질 [入]屑 徒結切 dié
[字解] [一] 웃을 희 허허 웃는 모양. '—其笑矣'《詩經》. [二] 깨물 질 물어뜯음. '履虎尾, 不—人, 亨'《易經》.
[字源] 篆文 形聲. 口+至〔音〕. '至지'는 웃음소리를 나타내는 의성어. '크게 웃다'의 뜻을 나타냄.

[咥咥 희희] 허허 웃는 모양. 또, 허허 웃는 소리.

6 ⑨ [咩] 미 [上]紙 迷爾切 miē
[字解] 양울 미 양(羊)이 욺.
[字源] 會意. 口+羊. '양이 울다'의 뜻을 나타냄.

6 ⑨ [咪] 미 [上]紙 迷爾切 ①miē, ②mī
[字解] ①양울 미 咩(前條)와 同字. ②《現》미터 미 미터의 구역자(舊譯字). 米(部首)와 同字.
[字源] 形聲. 口+米〔音〕

6 ⑨ [咬] [人名] 교 ①[平]肴 於交切 yāo
②[平]肴 古肴切 jiāo
③[上]巧 五巧切 yǎo
[字解] ①음란한소리 교 음탕한 소리. '—哇'. '实者—者'《莊子》. ②지저귈 교 새가 지저귀는 소리. '—弄好音'《古詩》. ③씹을 교 입에 넣어 깨묾. '人能—得菜根, 則百事可做'《小學》.
[字源] 形聲. 口+交〔音〕. '交교'는 새 울음소리의 의성어(擬聲語). 또, '齩교'와 통하여 '씹다'의 뜻도 나타냄.

[咬咬 교교] 새가 지저귀는 소리.
[咬得菜根百事可做 교득채근백사가주] 나물 뿌리를 캐어 먹으면 백 가지 일을 다 할 수 있음. 곧, 조식(粗食)을 달게 여기고 참으면 어떤 일이든 다 성취(成就)한다는 뜻으로, 백성(百姓)들의 안일(安逸)을 경계(警戒)한 말.
[咬裂 교열] 물어뜯어 찢음.
[咬哇 교왜] 음란한 소리. 음란한 음악.
[咬菜 교채] 신고(辛苦)함.

6 ⑨ [咱] [一] 찰 [入]曷 子葛切 zá
[二] 차 [平]麻 茲沙切 zán
[字解] [一] 나 찰 자기 자신. '俗稱自己爲—'《篇海》. [二] 나 차 [一]과 뜻이 같음.
[字源] 會意. 口+自. '自자'는 '자기, 나'의 뜻. '口구'를 더하여, 북방(北方)의 속어(俗語)임을 보임.

6 ⑨ [咮] 주 [去]宥 陟救切 zhòu
[字解] ①부리 주 새의 주둥이. '維鵜在梁, 不濡其—'《詩經》. ②별이름 주 이십팔수(二十八宿)의 하나인 유(柳)의 별칭(別稱). '—, 謂之柳'《爾雅》.
[字源] 篆文 形聲. 口+朱〔音〕. '朱주'는 '빨간빛'의 뜻. '붉은 부리'의 뜻을 나타냄.

6 ⑨ [咯] [一] 각 [入]藥 剛鶴切 gè, ②kǎ
[二] 락 [入]藥 歷各切 luò
[字解] [一] ①울 각 꿩 우는 소리. ②뱉을 각 토함. '—血'. '喀, 今本艸醫方作—'《正字通》. [二] 말다툼할 락 언쟁함.
[字源] 形聲. 口+各〔音〕. '各각'은 물건을 칵 뱉는 소리를 나타내는 의성어.
[參考] 속(俗)에 喀(口部 九畫)의 略字로 잘못 쓰임.

[咯血 각혈] 피를 토함. 객혈(喀血).

6 ⑨ [咳] [人名] 해 ①[平]灰 戶來切 hái
②[去]隊 苦代切 ké
[字解] ①방긋웃을 해 어린애가 웃음. '不可以告—嬰之兒終日'《史記》. ②기침 해 해소. 欬(欠部 六畫)와 同字. '—嗽'. '不敢噦噫嚏—'《禮記》.
[字源] 篆文 古文 形聲. 口+亥〔音〕. 古文은 子+亥〔音〕. '亥해'는 어린애의 웃음소리, 기침 소리의 의성어(擬聲語).

[咳嗽 해수] 기침.
[咳嬰 해영] 겨우 웃을 줄 아는 영아(嬰兒). 유아(幼兒).
[咳喘 해천] 기침.
[咳唾 해타] ㉠기침과 침. ㉡기침과 침이 말할 때 나오므로, 전(轉)하여 어른의 말의 경칭(敬稱). 말씀.
[咳唾成珠 해타성주] ㉠기침과 침이 모두 주옥(珠玉)이 된다는뜻으로, 권세(權勢) 있는 사람의 말이 잘 통(通)함을 이름. ㉡시문(詩文)의 재주가 있음을 이름.
[咳咳 해해] 어린애가 방긋 웃는 모양.
◉謦咳. 奇咳. 勞咳. 癆咳. 嚏咳.

6 ⑨ [口口口] 령 [平]青 郞丁切 líng
[字解] ①많은새 령 '—, 衆鳥也'《廣韻》. ②많은소리 령 여러 사람의 소리. '—, 衆聲也'《類篇》.

6 ⑨ [咷] 도 [平]豪 徒刀切 táo
[字解] 울 도 호읍(號泣)함. '先號—而後笑'《易經》.
[字源] 篆文 形聲. 口+兆〔音〕. '兆조'는 '터져 갈라지다'의 뜻. 입이 갈라질 듯이 아이가 울부짖다의 뜻을 나타냄.

6 ⑨ [咶] [一] 활 [入]黠 下刮切 huài
[二] 지 [上]紙 善指切 shì
[字解] [一] 숨 활 콧숨. '悁殟絶兮, —復蘇'《楚

辭》. ㊂ 핥을 지 舐(舌部 四畫)와 同字. '十口之家, 十人一鹽'《管子》.
字源 形聲. 口+舌〔音〕. '舌괄'은 생생하게 흘러나오다의 뜻. 입 안을 흐르는 '숨'의 뜻을 나타냄.

6⑨ **[咭]** ㊀ 힐 (入)質 許吉切 xī / ㊁ 길 (入)質 巨吉切 jī / ㊂ 갈 (入)黠 恪八切 qià

字解 ㊀ 웃을 힐 웃는 모양. '一, 笑皃'《玉篇》. ㊁ 웃을 길 ㊀과 뜻이 같음. ㊂ 쥐우는소리 갈 '一, 鼠鳴'《廣韻》.

6⑨ **[咾]** 로 (上)皓 魯皓切 lǎo

字解 목소리 로 '一, 聲也'《集韻》.

6⑨ **[咺]** 훤 (上)阮 況晚切 xuǎn

字解 ①울 훤 어린아이가 계속 욺. '一, 朝鮮謂兒泣不止曰一'《說文》. ②의젓할 훤 위의(威儀)가 드러난 모양. '赫兮一兮'《詩經》.
字源 篆文 形聲. 口+亘〔音〕. '亘환'은 '시끄럽다'의 뜻. 아이가 시끄럽게 계속 울다의 뜻을 나타냄.
◉嘽咺.

6⑨ **[咻]** ㊀ 휴 (平)尤 許尤切 xiū / ㊁ 후 (去)遇 吁句切 xù

字解 ㊀ ①신음소리 휴. ②지껄일 휴 떠듦. '一齊人傅之, 衆楚人一之'《孟子》. ㊁ 따스히할 후 김을 불어 따뜻하게 함. 昫(口部 五畫)와 통용. '風氣之所一'《蘇軾》.
字源 形聲. 口+休〔音〕. '休휴'는 입을 오므리고 목 안쪽으로부터 휴 하고 내는 소리를 나타내는 의성어(擬聲語). '口구'를 더해, 신음 소리, 입김을 불어 따뜻하게 하다의 뜻을 나타냄.

[咻咻 후후] ㉠김으로 물건을 따뜻하게 하는 모양. ㉡호흡하는 모양.
[咻咻 휴휴] 시끄러운 모양.
◉噢咻. 楚人咻. 咆咻. 呀咻.

6⑨ **[咽]** 人名 ㊀ 인 (平)先 烏前切 yān / (①②연本) (平)眞 於巾切 yīn / ㊁ 연 (去)霰 於甸切 yàn / ㊂ 열 (入)屑 烏結切 yè

字解 ㊀ ①목구멍 인 인후(咽喉). '搤一拊背'. '餐未及下一'《史記》. ②목 인 요해처. '韓, 天下之一喉'《戰國策》. ③북칠 인 북을 빨리 치는 소리. '鼓一一'《詩經》. ㊁ 삼킬 연 꿀떡 삼킴. 嚥(口部 十六畫)과 同字. '一下'. '三一, 然後耳有聞, 目有見'《孟子》. ㊂ ①막힐 열 ㉠충색(充塞)함. '雲霞充一'《新序》. ㉡숨이 막힘. '見有病一塞者'《後漢書》. ②목멜 열 목이 메어 소리가 막힘. '嗚一'. '哭無聲兮聲將一'《蔡琰》. ※'인·열' 음은 인명자로 쓰임.
字源 篆文 形聲. 口+因〔音〕. '因인'은 '의지하다'의 뜻. 음식이나 호흡이 그 곳을 의지할 곳으로 삼는 입의 부분, '목구멍'의 뜻을 나타냄. 또 입성(入聲)일 때에는, 물건이 목구멍에 걸려 목이 메다의 뜻을 나타냄.

[咽下 연하] 삼킴.
[咽塞 열색] 병(病)으로 인하여 숨이 막힘.
[咽頷 인령] 목구멍과 목덜미. 전(轉)하여 목. 급소(急所). 요해처(要害處).
[咽咽 인인] 빨리 치는 북소리.
[咽喉 인후] 목구멍. 전(轉)하여 목. 급소(急所). 요해처(要害處).
[咽喉之地 인후지지] 목. 요해처(要害處).
◉感咽. 乾咽. 哽咽. 嬌咽. 窮咽. 斷咽. 凍咽. 悲咽. 啞咽. 哀咽. 扼襟掩咽. 搤咽. 掩咽. 聯咽. 嗚咽. 嘔咽. 擁咽. 猥咽. 怨咽. 委咽. 呦咽. 幽咽. 嚼咽. 塡咽. 慘咽. 充咽. 吞咽. 下咽. 含咽. 喉咽.

6⑨ **[咿]** 이 (平)支 於脂切 yī

字解 ①선웃음칠 이 억지로 웃음. '喔一'. '喔一嚅唲, 以事婦人乎'《楚辭》. ②글읽는소리 이 '一唔, 讀書聲也'《類書纂要》.
字源 形聲. 口+伊〔音〕. '伊이'는 말로서 분절(分節)되기 전의 목소리를 나타내는 의성어.

[咿啞 이아] ㉠어린아이가 말을 배우는 소리. ㉡노(櫓)가 삐걱삐걱하는 소리.
[咿喔 이악] ㉠닭 같은 것이 우는 소리. ㉡아첨하여 웃는 소리. ㉢노(櫓)를 젓는 소리.
[咿軋 이알] 수레바퀴가 구를 때 삐걱거리거나 배의 노를 저을 때 삐걱삐걱하는 소리.
[咿嚶 이앵] 이아(咿啞) ㉠.
[咿唔 이오] 글 읽는 소리.
[咿嗢 이온] 말이 잘 통하지 않는 모양.
[咿嚘 이우] 탄식함.
[咿呦 이유] ㉠사슴이 우는 소리. ㉡이야기하는 소리.
[咿咿 이이] ㉠벌레가 우는 소리. ㉡닭 같은 것이 우는 소리. ㉢소리를 내는 모양. 소리가 들리는 모양.
◉呀咿. 呻咿. 啞咿. 喔咿. 唔咿. 嗚咿. 嘔咿. 郁咿. 嗟咿.

6⑨ **[哃]** 동 (平)東 徒紅切 tóng

字解 허풍떨 동 '一嗻'은 큰소리침. 허풍. '一嗻, 大言'《廣韻》.

6⑨ **[哂]** 신 (上)軫 式忍切 shěn

字解 웃을 신 ㉠미소함. 빙그레 웃음. '夫子一之'《論語》. ㉡조소함. 비웃음. '一笑'. '爲後代所一'《晉書》.
字源 形聲. 口+甄〈省〉〔音〕. '甄진'은 오지그릇을 굽는 '가마'의 뜻. 도자기 가마처럼 입을 크게 벌리고 웃다의 뜻을 나타냄.

[哂納 신납] '소납(笑納)'과 같음.
[哂笑 신소] 비웃음. 조소함.
[哂歎 신탄] 웃음과 탄식.
◉微哂. 鼻哂. 笑哂. 嘲哂. 衆哂. 銜哂. 後代哂.

6⑨ **[哄]** 人名 홍 (去)送 胡貢切 hòng

字解 떠들썩할 홍 여럿이 떠들썩하게 내는 소리. '一笑'.

[字源] 形聲. 口+共〔音〕. '共공'은 '크다'의 뜻. '口구'를 더하여 '술렁거리다'의 뜻을 나타냄.

[哄堂 홍당] 한자리에 모인 여러 사람이 한꺼번에 떠들썩하게 웃음. 모두 대소(大笑)함.
[哄動 홍동] 여러 사람이 지껄여서 떠들썩함.
[哄笑 홍소] 껄껄 웃음. 떠들썩하게 웃음.
[哄然 홍연] 껄껄 웃는 모양. 떠들썩하게 웃는 모양.
[哄唱 홍창] 떠들썩하게 노래를 부름.
◉唆哄.

6 ⑨ [呁] 〔군〕
君(口部 四畫〈p.357〉)의 古字

6 ⑨ [哆] [一] 차 ㊤馬 昌者切 chǐ
[二] 치 ㊤紙 尺氏切 chǐ

[字解] [一] 입술처질 차 입술이 아래로 처짐. '口一頰重出'《王惲》. [二] ①입딱벌릴 치 '食飮噓一'《蔡讓》. ②클 치 '一兮侈兮'《詩經》. ③간사할 치 성질이 간교하고 바르지 못함. '妖艷邪一之言'《孫復》. ④많을 치 중다(衆多)함. '一然外齊侯也'《穀梁傳》.
[字源] [篆文] 形聲. 口+多〔音〕. '多다'는 '많다'의 뜻. 말수가 많다, 멋대로 말하다의 뜻을 나타냄. 또, '多'는 '크게 늘어지다'의 뜻. 입술이 크게 처진 입, 입을 딱 벌리다의 뜻도 나타냄.

[哆然 치연] 많은 모양.
◉奓哆.

6 ⑨ [哇] [一] 왜 [平]佳 於佳切 wā
[二] 화 [平]佳 獲媧切 huá
[三] 와 [平]麻 烏瓜切 wā

[字解] [一] ①음란한소리 왜 음탕한 소리. 또, 음란한 음곡(音曲). '淫一'. '中正則雅, 多一則鄭'《揚子法言》. ②게울 왜 토함. '出而一之'《孟子》. [二] 막힐 화 목구멍이 막힘. '屈服者其嗌言若一'《莊子》. [三] ①아이소리 와 소아(小兒)의 떠드는 소리. '小兒一不美'《黃庭堅》. ②웃을 와 웃는 소리. '言唯唯, 笑一一'《元包經》.
[字源] [篆文] 形聲. 口+圭〔音〕. '圭'는 개구리 울음소리의 의성어. 개구리의 울음소리와 같은 음란한 소리의 뜻을 나타냄.

[哇哇 와와] ㉠어린아이들의 떠들썩한 소리. ㉡웃는 소리.
[哇咬 왜교] 음란한 소리.
[哇俚 왜리] 천덕스러운 말. 상스러운 말.
◉咬哇. 流哇. 淫哇.

6 ⑨ [哈] [人名] 합 [入]合 呼合切 hē

[字解] 마실 합 입을 대고 마심. '嘗一一水, 而甘苦知矣'《淮南子》.
[字源] 形聲. 口+合〔音〕. '合합'은 '맞추다'의 뜻. 입을 대고 마시다의 뜻을 나타냄.

6 ⑨ [哅] 흉 [平]東 呼公切 xiōng

[字解] 큰소리 흉 대성(大聲). 또, 큰 소리로 외치는 모양. '功之難立也, 其必由一一耶'《呂氏春秋》.
[字源] 形聲. 口+匈〔音〕

[哅哅 흉흉] 큰 소리. 대성(大聲). 또, 큰 소리로 외치는 모양.

6 ⑨ [咲] 〔소〕
笑(竹部 四畫〈p.1655〉)의 古字
[字源] 形聲. 口+芖〔音〕. '芖소'는 '웃다'의 뜻. '芖'가 '关소'로 변형됨. 뒤에, 다시 '口구'를 더함. '笑소'의 古字.

6 ⑨ [哘] 咲(前條)의 俗字

6 ⑨ [咯] 〔린〕
吝(口部 四畫〈p.358〉)의 俗字

6 ⑨ [哀] [中人] 애 [平]灰 烏開切 āi

[筆順] 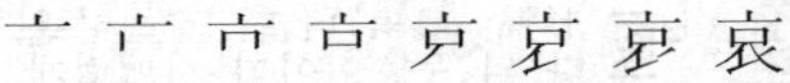

[字解] ①서러울 애 슬픔. '一話'. '鰥寡一哉'《書經》. ②슬퍼할 애 서러워함. '一而不傷'《論語》. ③민망히여길 애 딱하게 여김. '一矜'. '一其窮而運轉之'《韓愈》. ④복 애 상중(喪中). '居一'. '崇喪遂一'《史記》. ⑤슬픔 애 비애. '餘一'. '一樂失時'《左傳》. ⑥성 애 성(姓)의 하나.
[字源] [金文] [篆文] 形聲. 口+衣〔音〕. '衣의'는 '걸치다'의 뜻. 동정(同情)의 목소리를 서로 한데 모으는 모양에서, '슬퍼하다, 서러워하다, 민망히 여기다'의 뜻을 나타냄.

[哀歌 애가] 슬픈 노래.
[哀家梨 애가리] 말릉(秣陵)의 애가(哀家)에 있었다고 하는 대단히 맛이 좋은 큰 배. 전(轉)하여 진미(珍味).
[哀乞 애걸] 슬프게 하소연하여 빎.
[哀乞伏乞 애걸복걸] 연방 굽실거리며 애걸함. 절을 하며 애걸(哀乞)함.
[哀慶 애경] 슬픈 일과 경사(慶事)스러운 일.
[哀苦 애고] 슬픔과 괴로움.
[哀曲 애곡] 슬픈 곡조(曲調).
[哀哭 애곡] 슬프게 욺.
[哀眷 애권] 불쌍히 여겨 돌봄.
[哀矜 애긍] 불쌍하게 여김.
[哀悼 애도] 사람의 죽음을 서러워함.
[哀樂 애락] 슬픔과 즐거움.
[哀憐 애련] 애긍(哀矜).
[哀誄 애뢰] 제문(祭文).
[哀慕 애모] 죽은 사람을 슬퍼하며 사모(思慕)함.
[哀愍 애민] 애긍(哀矜).
[哀憫 애민] 애민(哀愍).
[哀史 애사] 슬픈 역사(歷史). 또, 불행한 신상(身上) 이야기.
[哀絲豪竹 애사호죽] 관현(管絃)의 소리가 비장(悲壯)하여 사람을 감동시킴을 이름.
[哀酸 애산] 몹시 슬퍼함.
[哀傷 애상] 죽은 사람을 생각하고 마음이 매우 상(傷)함.
[哀惜 애석] 슬퍼하고 아깝게 여김.

[哀訴 애소] 슬프게 호소(呼訴)함. 탄식하며 하소연함.
[哀愁 애수] 가슴에 스며드는 슬픈 시름.
[哀哀 애애] 슬퍼하는 모양. 상심(傷心)하는 모양.
[哀哀切切 애애절절] 대단히 애절(哀切)한 모양.
[哀咽 애열] 슬퍼 목메어 욺.
[哀嗷 애오] 슬퍼 대성통곡함.
[哀韻 애운] 슬픈 여음(餘音).
[哀鬱 애울] 슬퍼 마음이 우울함.
[哀怨 애원] 슬퍼하고 원망(怨望)함.
[哀願 애원] 슬픈 소리로 간절히 원함.
[哀吟 애음] 슬퍼하여 시(詩)를 읊음. 또, 그 시.
[哀音 애음] 슬픈 소리.
[哀泣 애읍] 슬피 욺.
[哀衣 애의] 상복(喪服).
[哀而不傷 애이불상] 심정(心情) 또는 음조(音調)에 슬픔이 있으나, 마음에 해롭도록 정도를 지나치지는 아니함.
[哀子 애자] ㉠부모의 상중(喪中)에 있는 아들. ㉡어머니는 죽고 아버지만 있는 아들.
[哀情 애정] 불쌍하게 여기는 마음.
[哀弔 애조] 슬피 조상함.
[哀戚 애척] 애도(哀悼).
[哀楚 애초] 몹시 서러워 쓰려 함.
[哀痛 애통] 몹시 슬퍼함.
[哀恨 애한] 애원(哀怨).
[哀話 애화] 슬픈 이야기.
[哀毁骨立 애훼골립] 부모의 죽음을 슬퍼하여 몸이 바싹 여윔.
◉告哀. 國哀. 矜哀. 莫哀. 悲哀. 餘哀. 凄哀. 秋哀. 七哀. 吐哀.

6 ⑨ [咸] 高人 ■ 함 ㊥咸 胡讒切 xián ㊦勘 戶暗切 ■ 감 ㊤豏 古斬切 jiǎn

筆順 丿 厂 厂 𠂊 后 咸 咸 咸

字解 ■ ①다 함 모두. '庶績一熙'《書經》. ②같을 함 마음이 같음. '周公弔二叔之不一'《詩經》. ③두루미칠 함 빠짐없이 미침. '小賜不一'《國語》. ④함괘 함 육십사괘의 하나. 곤, ䷞〈간하(艮下), 태상(兌上)〉. 음양이 교감(交感)하는 상(象). '一亨利貞'《易經》. ⑤찰 함 충만함. '窕則不一'《左傳》. ⑥성 함 성(姓)의 하나. ■ 덜 감 減(水部 九畫)과 통용. '戶口一半'《漢書》.

字源 甲骨文 金文 篆文 會意. 戌+口. '戌월'은 큰 날이 있는 큰 도끼의 상형. 큰 도끼의 위압 앞에 입에서 목소리를 한껏 내지르는 모양에서, '모두, 모조리'의 뜻을 나타냄.

[咸京 함경] 함양(咸陽).
[咸告 함고] 빼지 않고 모두 고함.
[咸氏 함씨] 《韓》 남의 조카의 존칭.
[咸陽 함양] 진(秦)나라의 서울. 지금의 산시 성(陝西省) 함양현(咸陽縣).
[咸陽宮殿三月紅 함양궁전삼월홍] 함양의 대궐(大闕)을 초(楚)나라의 항우(項羽)가 불을 놓아 3개월 동안이나 불탄 것을 이름.
[咸有一德 함유일덕] 군신(君臣)이 모두 순수(純粹)한 덕이 있음.
[咸宜 함의] 다 마땅함.
[咸池 함지] ㉠서쪽의 바다. 해가 목욕한다고 하는, 하늘에 있는 못. 천지(天池). ㉡요(堯)임금 때에 쓰던 음악(音樂)의 이름. 일설(一說)에는, 황제(黃帝)의 음악의 이름. ㉢하늘의 신(神). 천신(天神).
[咸興差使 함흥차사] 《韓》 조선(朝鮮) 때 태조(太祖)가 선위(禪位)하고 함흥에 가서 은퇴하고 있을 때 태종(太宗)이 보낸 사신(使臣)이 태조한테 죽임을 당하거나, 또는 갇히었다가 오래간만에 되돌아오던 일에서 나온 말로, 심부름을 가서 소식이 아주 없거나 회답이 더딤을 이름.
◉阮咸.

6 ⑨ [咵] 과 ㊤馬 苦瓦切 kuǎ

字解 ①말어그러질 과 말이 맞지 않음. '一, 言戾也'《集韻》. ②사투리 과 말에 사투리가 많음. '說話一得厲害, 對人可挺不錯'《孫犁, 風雲初記》.

6 ⑨ [哉] 中人 재 ㊥灰 祖才切 zāi

筆順 一 十 土 吉 吉 吉 哉 哉 哉

字解 ①비롯할 재 시작함. '一生明'. '朕一自亳'《書經》. ②어조사 재 ㉠단정하는 말. '野一由也'《論語》. ㉡탄미(嘆美)하는 말. '君子一, 若人'《論語》. ㉢의문사(疑問辭). '今閑之於艸書, 有旭之心一'《韓愈》. ㉣반어사(反語辭). '烏能得其心服一'《柳宗元》. ③성 재 성(姓)의 하나.

字源 金文 篆文 形聲. 口+𢦏〔音〕. '𢦏재'는 의문, 반문(反問), 감탄 등을 나타내는 음부(音符). 구두(口頭)에 관한 조사(助辭)이므로 '口구'를 덧붙임.

[哉生明 재생명] 달의 밝은 부분이 처음 생긴다는 뜻으로, 음력 초사흗날을 일컫는 말.
[哉生魄 재생백] 달의 검은 부분이 처음 생긴다는 뜻으로, 음력 열엿샛날을 일컫는 말.
◉善哉. 也與哉. 也哉. 也乎哉. 焉耳乎哉. 矣哉. 嗟哉. 快哉. 乎哉.

6 ⑨ [咨] 人名 자 ㊥支 卽夷切 zī

字解 ①물을자 諮(言部 九畫)와 同字. '一十有二牧'《書經》. ②탄식할 자 차탄(嗟歎)함. '下民其一'《書經》. 또, 그 소리. '帝曰一·汝羲暨和'《書經》.

字源 篆文 形聲. 口+次〔音〕. '次차'는 한숨을 쉬는 모양의 상형. '口구'를 더하여 탄식하는 소리의 모양을 나타냄.

[咨覯 자구] 만나 물어봄.
[咨文 자문] ㉠중국의 공문(公文)의 한 가지로서 동급 관청 간에 하는 통첩(通牒)을 이름. ㉡《韓》 중국(中國)과 왕복(往復)하던 글.
[咨訪 자방] 상의(相議)함.
[咨詢 자순] 자방(咨訪).
[咨咨 자자] 탄식하는 모양.
[咨嗟 자차] 차탄(嗟歎)함.
[咨諏 자추] 자방(咨訪).
[咨歎 자탄] 자차(咨嗟).
◉究咨. 謀咨. 訪咨. 詢咨. 悉咨. 仰咨. 怨咨. 齎咨. 嗟咨. 戚咨. 欽咨.

6 ⑨ [咼] [一] 와(괘[本]) [平]佳 苦緺切 wāi
[二] 화 [平]歌 古禾切 hé, ②guō

[字解] [一] 입비뚤어질 와 喎(口部 九畫)와 同字. [二] ①고를 화 和(口部 五畫)와 통용. '一氏之璧'《淮南子》. ②성 화 성(姓)의 하나.

[字源] [篆文] 形聲. 口+冎〔音〕. '冎과'는 살을 깎아 발라낸 뼈의 상형. 입이 칼로 깎인 것처럼 비뚤어지다의 뜻을 나타냄.

6 ⑨ [哥] 〔가〕
哥(口部 七畫〈p. 377〉)의 俗字

6 ⑨ [响] 〔향〕
響(音部 十三畫〈p. 2538〉)의 俗字

6 ⑨ [哛] [韓] 뿐

[字解] 《韓》 뿐 뿐 이두(吏讀)에서, 그것만이고 더 이상 없다는 뜻의 접미사(接尾詞)로 쓰임.

[字源] 된시옷 'ㅅ'의 표기로 쓰이는 '叱질'에 '分분'을 합쳐서 이룬 글자.

7 ⑩ [哭] [高人] 곡 [入]屋 空谷切 kū

[筆順] 丨 口 口 吅 吅 哭 哭 哭

[字解] ①울 곡 슬피 큰 소리를 내어 욺. '一聲'. '歌於斯, 一於斯'《禮記》. ②곡할 곡 사람의 죽음을 슬퍼하여 우는 예(禮). '一則不歌'《論語》.

[字源] [篆文] 形聲. 犬+口+口〔音〕. '犬견'은 희생의 동물의 뜻. 두 '口구'는 '많은 입'의 뜻. 사람이 죽으매, 개를 희생으로 바치고 많은 사람이 입을 벌려 큰 소리로 울다의 뜻을 나타냄. 《說文》은 吅+獄〈省〉〔音〕의 形聲으로 봄.

[哭岐泣練 곡기읍련] 남북 어느 곳으로도 갈 수 있으므로 기로(岐路)에서 울고, 황흑(黃黑) 어느 것이나 염색될 수 있으므로 흰 실을 보고 운다는 뜻으로, 근본은 같은 것이 갖가지 선악(善惡)으로 갈라짐을 탄식함을 이름.
[哭臨 곡림] 장사(葬事) 때 여러 사람이 슬피 욺.
[哭婢 곡비] 장례(葬禮) 때 울면서 행렬(行列)의 앞에 가는 계집종.
[哭聲 곡성] 슬피 우는 소리.
[哭泣 곡읍] 소리를 내어 슬프게 욺. 통곡함.
[哭歎 곡탄] 통곡하며 탄식함.
[哭痛 곡통] 통곡(痛哭)함.
◉歌哭. 強哭. 鬼哭. 叫哭. 大哭. 陪哭. 悲哭. 三日哭. 送哭. 哀哭. 野哭. 僞哭. 泣哭. 絶哭. 啼哭. 痛哭. 慟哭. 號哭. 嘑哭.

7 ⑩ [員] [高人] [一] 원 [平]先 王權切 yuán
[平]文 王分切 yún
[二] 운 [去]問 王問切 yùn
员

[筆順] 丨 口 口 尸 吕 昌 員 員

[字解] [一] ①인원 원 사람 수. 물건의 수에도 씀. '一數'. '願君卽以遂備一而行矣'《史記》. ②관원 원 벼슬아치. '太宗嘗踐此官, 故累聖曠不置一'《唐書》. ③둥글 원, 동그라미 원 圓(口部 十畫)과 同字. '一石'. '規矩, 方一之至也'《孟子》. [二] ①더할 운 늘림. '一于爾輻'《詩經》. ②이를 운 云(二部 二畫)과 同字. '聊樂我一'《詩經》. ③사람이름 운 '伍一'은 전국 시대(戰國時代)의 초(楚)나라 사람. ④성 운 성(姓)의 하나.

[字源] [金文] [篆文] 會意. 貝+口. '貝패'는 金文에서는 세발솥의 상형. '口구'는 둥근 것의 상형. 둥근 솥의 뜻에서 파생하여, 물건의 수효의 뜻도 나타냄.

[員缺 원결] 관직(官職)에 결원이 생김.
[員丘 원구] 신선(神仙)이 사는 곳.
[員石 원석] 둥근 돌.
[員數 원수] 인원의 수효.
[員外 원외] 정한 인원 이외.
[員外郞 원외랑] ㉠낭관(郎官)의 후보(候補). 후세(後世)에는 낭중(郎中)의 아래 주사(主事)의 위 지위임. ㉡우리나라 고려(高麗) 때의 상서성(尙書省)의 정육품의 벼슬.
[員員 원원] 자주. 여러 번.
[員銀 원은] 일원의 은화(銀貨). 원(員)은 원(圓).
[員次 원차] 직장(職掌)으로 매긴 관원(官員)의 석차(席次).
[員柵 원책] 빙 두른 목책(木柵).
[員品 원품] 사람의 수효. 인원수.
◉各員. 減員. 客員. 缺員. 係員. 雇員. 官員. 館員. 教員. 闕員. 金員. 團員. 黨員. 大員. 隊員. 動員. 滿員. 兵員. 復員. 事務員. 士員. 社員. 散員. 常員. 生員. 船員. 成員. 隨員. 役員. 要員. 冗員. 委員. 議員. 吏員. 人員. 任員. 剩員. 全員. 正員. 定員. 增員. 職員. 總員. 幅員. 閒員. 見員. 現員. 會員.

7 ⑩ [哑] 〔아·액〕
啞(口部 八畫〈p. 383〉)의 俗字

7 ⑩ [啓] 〔계〕
啓(口部 八畫〈p. 385〉)의 俗字

7 ⑩ [唃] 곡 [入]屋 古祿切 gǔ

[字解] ①새울 곡 새가 우는 소리. 꿩이 우는 소리. '哈, 鳥鳴. 又作一'《廣韻》. '哈, 雉鳴. 或从角'《集韻》. ②오랑캐임금 곡 '一斯羅'는 토번(吐蕃)의 왕의 이름. 천자(天子)라는 말에 상당함.

7 ⑩ [哿] [人名] 가 [上]哿 古我切 gě

[字解] ①옳을 가 可(口部 二畫)와 同字. '一矣富人'《詩經》. ②머리꾸미개 가 부인(婦人)의 수식(首飾). '婦人易一'《太玄經》.

[字源] [篆文] 形聲. 可+加〔音〕. '加가'는 '더하다, 늘리다'의 뜻. 또, '嘉가'와 통하여, '좋다'의 뜻. '可가'는 '좋다'의 뜻. 크게 좋다고 하다의 뜻을 나타냄.

7 ⑩ [哰] 로 [平]豪 魯刀切 láo

[字解] 말분명치않을 로 '風籟窣窣燕一一'《穆修》.

7 ⑩ [哢] 롱 [去]送 盧貢切 lòng

[字解] 지저귈 롱 새가 지저귐. 또, 그 소리. '一吭淸渠'《左思》.

[字源] 形聲. 口+弄〔音〕. '弄롱'은 '잘 다루다'의 뜻.

[哢咿 농이] 억지로 웃음.
[哢吭 농항] 새가 지저귐.
◉低哢. 鳥哢.

7 ⑩ **[哤]** 방 [平]江 莫江切 máng

[字解] 난잡할 방 하는 말이 난잡함. '雜處則其言一'《國語》.
[字源] 篆文 形聲. 口+尨〔音〕. '尨망·방'은 북슬북슬 털이 많은 모양. 말이 난잡하여 분명하지 않다, 난잡하다의 뜻을 나타냄.

7 ⑩ **[哶]** [一] 먀 [上]馬 母野切 miē
[二] 미 [上]紙 母婢切
[三] 마 [平]麻 彌嗟切

[字解] [一] 양울 먀 양이 욺. 또, 그 소리. '一,羊鳴'《集韻》. [二] 양울 미 [一]과 뜻이 같음. [三] ①성 마 '苴一'는 윈난(雲南)에 있는 성(城)의 이름. ②성 마 성(姓)의 하나.

7 ⑩ **[哦]** [人名] 아 [平]歌 五何切 é

[字解] ①읊조릴 아 시가를 읊음. '日一其間'《韓愈》. ②시 아, 노래 아 시가(詩歌). '聽渠七字一'《陳師道》.
[字源] 篆文 形聲. 口+我〔音〕. '我아'는 톱날 모양으로 들쭉날쭉하다, 억양(抑揚)이 있다의 뜻, '읊조리다'의 뜻을 나타냄.

◉口哦. 微哦. 幽哦. 吟哦. 長哦.

7 ⑩ **[哨]** [人名] [一] 소 [去]嘯 所敎切 shào
[二] 초 [去]效 七肖切 qiào

[字解] [一] ①입비뚤 소 병(甁)의 아가리가 비뚤어져서 물건이 들어가기 어려움. '枉矢一壺'《禮記》. ②수다스러울 소 잔말이 많은 모양. '禮儀一一'《揚子法言》. [二] ①파수볼 초, 파수병 초 경계하여 지킴. 망봄. 또, 그 군사. '一兵'. '巡一襄樊'《元史》. ②뾰족할 초 가늘고 날카로움. '大匈一後'《馬融》.
[字源] 篆文 形聲. 口+肖〔音〕. '肖소·초'는 '작게 하다'의 뜻. 입을 오므리다의 뜻을 나타냄. 또, 입구를 작게 하여 적의 침입을 망보다의 뜻도 나타냄.

[哨哨 소소] 말이 많은 모양.
[哨兵 초병] 망보는 병정.
[哨堡 초보] 망보는 보루(堡壘).
[哨船 초선] 망보는 배.
[哨艦 초함] 망보는 배. 적함(敵艦)의 정상(情狀)을 살피는 군함.
◉步哨. 巡哨. 前哨. 陣哨. 懸哨.

7 ⑩ **[唟]** 견 [上]銑 去演切 qiǎn

[字解] 흙덩이 견 작은 흙덩이. '一, 小塊'《廣韻》.

7 ⑩ **[哩]** 리 [去]寘 力至切 lì, ②lǐ

[字解] ①어조사(語助辭) 리 원대(元代)의 사곡(詞曲) 또는 속어(俗語)의 어미(語尾)에 쓰임. '說漢朝大臣來投見一'《元曲 漢宮秋》. ②마일 리 영국의 육지의 거리를 재는 단위인 마일의 약기(略記). 약 1.6킬로미터.
[字源] 形聲. 口+里〔音〕. 어조사로 쓰임. 또, 영국의 거리의 단위 마일의 음의역(音意譯)으로도 쓰임.

7 ⑩ **[唎]** [人名] 리 [去]寘 力至切 lì

[字解] 소리 리 '一, 聲也'《集韻》.

7 ⑩ **[哫]** 족 [入]沃 卽玉切 zú

[字解] 아첨할 족 아유(阿諛)함. '一訾慄斯'《楚辭》.

[哫訾 족자] 아첨함. 아유함.

7 ⑩ **[哮]** [人名] 효 [平]肴 許交切 xiào

[字解] 으르렁거릴 효 짐승이 성내어 큰 소리로 욺. 전(轉)하여, 큰 소리로 외침. '咆一'. '怒一'. '一咆怒視'《輟耕錄》.
[字源] 篆文 形聲. 口+孝〔音〕. '孝효'는 동물이 으르렁거리는 소리를 나타내는 의성어.

[哮噬 효서] 으르렁거리며 깨묾. 전(轉)하여, 맹렬히 공격함.
[哮咆 효포] 으르렁거림.
[哮闞 효함] 성내어 욺. 으르렁거림.
[哮吼 효후] 으르렁거림.
◉訇哮. 嗷哮. 怒哮. 跳哮. 咆哮. 曉哮.

7 ⑩ **[哺]** [人名] 포 [去]遇 薄故切 bǔ

[字解] ①머금을 포, 물 포 음식을 입속에 넣음. '緩帶咽一'《漢書》. 또, 그 음식. '一飯三吐一'《史記》. ②먹일 포 음식을 남의 입속에 넣어 줌. 먹여 기름. '一乳'. '一養'. '慈鳥反一以報親'《梁武帝》.
[字源] 篆文 形聲. 口+甫〔音〕. '甫보'는 '넓게 펴다'의 뜻. 입 안에 음식을 펴다, 머금다, 먹다의 뜻을 나타냄.

[哺養 포양] 먹여 기름. 양육함.
[哺乳 포유] 젖을 먹여 기름.
[哺乳動物 포유동물] 어미의 젖을 먹고 자라는 동물(動物). 사람·짐승 따위의 고등 태생 동물(高等胎生動物).
◉拘哺. 反哺. 削哺. 握髮吐哺. 咽哺. 乳哺. 資哺. 朝哺. 吐哺.

7 ⑩ **[哽]** 경 [上]梗 古杏切 gěng

[字解] 목멜 경 음식이 목에 막힘. 전(轉)하여, 널리 막힘.
[字源] 篆文 形聲. 口+更〔音〕. '更경'은 딱딱하게 굳어져서 막히다의 뜻. 말이 막히다, 말 더듬다, 목에 막히다의 뜻을 나타냄.

[哽結 경결] 슬퍼하여 목메고 가슴이 맺힘.

[哽哽 경경] 목멘 소리의 형용. 또, 숨이 헐떡헐떡 하는 모양.
[哽塞 경색] ㉠목멤. 또, 너무 슬퍼하여 가슴이 맺힘. ㉡길이 막힘.
[哽咽 경열] 목이 멤. 목메어 욺.
◉悲哽. 哀哽. 嗚哽. 壅哽. 摧哽.

7 ⑩ **[唁]** 언 [去]霰 魚變切 yàn

[字解] 위문할 언 조상하러 가서 상제를 위문함. 또는, 재난을 당한 사람을 찾아가서 위문함. '歸一衛侯'《詩經》.
[字源] 篆文 形聲. 口+言〔音〕. '言언'은 '삼가 말하다'의 뜻. 남의 불행을 위로하다의 뜻을 나타냄.

[唁電 언전] 조전(弔電).
◉慶唁. 門唁. 問唁. 慰唁. 弔唁.

7 ⑩ **[唄]** [人名] 패 [去]卦 薄邁切 bài

[字解] 인도노래 패 부처의 공덕을 기리는 노래. '晝夜梵一'《唐書》.
[字源] 形聲. 口+貝〔音〕. '貝패'는 범어(梵語) pāthaka의 음역(音譯). '口구'는 그것이 외래어임을 나타냄.

[唄多羅 패다라] 옛날 인도(印度)에서 종이 대신에 그 잎에다 경문(經文)을 쓰던 나무.
[唄音 패음]《佛敎》경 읽는 소리.
[唄讚 패찬]《佛敎》부처의 공덕을 찬미하는 노래. 범패(梵唄).
◉歌唄. 端唄. 膜唄. 梵唄. 吟唄. 贊唄. 諷唄.

7 ⑩ **[唅]** 함 [平]覃 火含切 hán

[字解] ①머금을 함 含(口部 四畫)과 同字. '蘘藜一糗'《漢書》. ②반함옥(飯含玉) 함 염(殮)할 때 물리는 옥. '殯一之物, 一皆絶之'《晉書》. ③입 딱벌릴 함 '一呀'. '一一有聲'《南史》.
[字源] 形聲. 口+含〔音〕. '含함'은 입을 크게 벌렸다 다무는 모양을 나타냄.

[唅呀 함하] ㉠큰 입을 벌린 모양. ㉡골짜기 같은 것이 앞이 탁 트인 모양.
[唅唅 함함] 자꾸 입을 딱딱 벌리는 모양.
◉嘲唅.

7 ⑩ **[唆]** [人名] 사 [平]歌 蘇禾切 suō

[字解] ①꾈 사, 부추길 사 꾀어 시킴. 교사함. '使一'. '以言弄人, 謂之一哄'《品字箋》. ②성 사 성(姓)의 하나.
[字源] 形聲. 口+梭〈省〉〔音〕. '梭사'는 좌우로 왕복하는 베틀의 북의 뜻으로, '재촉하다'의 뜻을 나타내는 의태어적(擬態語的)인 성격을 지님. 입으로 재촉하다, 부추기다의 뜻을 나타냄.

[唆弄 사롱] 부추기며 조롱함.
◉敎唆. 使唆. 示唆.

7 ⑩ **[唈]** [一] 읍 [入]緝 於汲切 yì [二] 압 [入]合 烏答切 yì

[字解] [一] 느껴울 읍 슬퍼 흐느껴 욺. '嗚一'. '增欷嗚一'《淮南子》. [二] 느껴울 압 [一]과 뜻이 같음.
[字源] 形聲. 口+邑〔音〕. '邑읍'은 '悒읍'과 통하여, '근심하다'의 뜻을 나타냄.

[唈僾 읍애] 슬퍼함. 목메어 욺.
◉嗚唈. 歍唈.

7 ⑩ **[唗]** 두 dōu

[字解] ①이놈 두 상대방을 욕하는 소리. '一, 賤人, 你是顚是狂'《琵琶記》. ②어 두 의심스러움을 느끼어 내는 소리. '一, 腐儒啼哭什麼'《還魂記》.

7 ⑩ **[唉]** [一] 희 [平]支 虛其切 āi [二] 애 [平]灰 烏開切 āi

[字解] [一] 한탄할 희 '허허' 하고 한탄하는 소리. '一, 豎子不足與謀'《史記》. [二] ①물을 애 놀라며 물음. '禹立諫鼓於朝, 而備訊一'《管子》. ②대답할 애 '어' 하고 대답하는 소리. '狂屈曰, 一, 吾知之'《莊子》.
[字源] 篆文 形聲. 口+矣〔音〕. 응답(應答)의 의성어.

◉訊唉.

7 ⑩ **[哧]** [一] 하 [去]禡 虛訝切 xià [二] 적 chī

[字解] [一] 으를 하 嚇(口部 十四畫)와 同字. '嚇, 亦省'《集韻》. [二] 웃음소리 적 '噗一'은 웃음소리. '一, 噗一, 笑聲'《辭海》.
[字源] 形聲. 口+赤〔音〕

7 ⑩ **[唏]** 희 [平]微 香依切 xī

[字解] 훌쩍훌쩍울 희 欷(欠部 七畫)와 同字. '紂爲象箸, 而箕子一'《史記》.
[字源] 篆文 形聲. 口+希〔音〕. '希희'는 '斤근'과 통하여, '잘게 하다'의 뜻. 숨을 짧게 쉬면서 흐느껴 울다의 뜻을 나타냄.

◉嘘唏.

7 ⑩ **[唔]** 오 [平]虞 五乎切 wú

[字解] 글읽는소리 오 '一咿'는 독서성(讀書聲). 吾(口部 四畫)의 俗字. '咿一, 讀書聲也'《類書纂要》.

[唔咿 오이] 글 읽는 소리.
◉咿唔.

7 ⑩ **[哪]** 나 [平]歌 囊何切 nuó

[字解] 역귀쫓을 나 '一一'는 추나(追儺)하는 소리.
[字源] 形聲. 口+那〔音〕

[哪哪 나나] 나례(儺禮) 때에 악사·기생·악공 들이 지르는 소리.

7 ⑩ **[哳]** 찰 [入]黠 陟鎋切 zhā

[字解] 지저귈 찰 '啁一'은 새가 연달아 우는 모양. '鵾雞啁一而悲鳴'《楚辭》.

[字源] 形聲. 口+折〔音〕

◉啁哳. 嘲哳.

7 ⑩ **[哱]** 발 [入]月 普沒切 pò

[字解] 어지러울 발 혼란함.

7 ⑩ **[啇]** 〔교〕 喬(口部 九畫〈p. 393〉)의 俗字

7 ⑩ **[唊]** 겹 [入]葉 古協切 jiá

[字解] ①망발할 겹 망언(妄言)함. '一, 妄語也'《說文》. ②말많을 겹, 수다떨 겹 '一一, 多言也'《廣韻》.

[字源] [篆文] 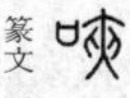 形聲. 口+夾〔音〕

7 ⑩ **[哴]** 량 [去]漾 力讓切 liàng

[字解] 목쉴 량 너무 울어 울음소리가 나지 않음. '一, 咣一, 啼極無聲也'《集韻》.

7 ⑩ **[哥]** [人名] 가 [平]歌 古俄切 gē 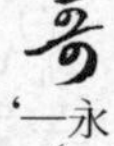

[字解] ①노래 가 歌(欠部 十畫)의 古字. '一永言'《漢書》. ②형 가 속어에서 형을 이름. '一一'. '帝呼寧王爲大一'《酉陽雜俎》. ③《現》 ㉠코페이카 가 러시아의 화폐 코페이카의 약기(略記). ㉡그로스 가 열두 다스를 나타내는 그로스(gross)의 약기(略記).

[字源] [篆文] 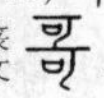 會意. 可+可. '可가'는 큰 목소리를 내다의 뜻. '歌'의 원자(原字).

[哥哥 가가] ㉠형(兄). ㉡아들이 부친을 부르는 말. 아버지.
[哥老會 가로회] 청조 시대(淸朝時代)의 비밀 결사(祕密結社)의 하나. 청방(靑幫)·홍방(紅幫)은 이 분신(分身)임.
[哥薩克 가살극] 러시아 국내의 한 민족. 말을 잘 탐. 가살극(可薩克).
◉大哥. 阿哥. 鸚哥. 八哥.

7 ⑩ **[哲]** [高人] 철 [入]屑 陟列切 zhé 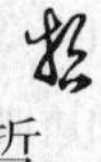

[筆順] 一 † 扌 扌 扩 折 折 哲

[字解] ①밝을 철 슬기가 있고 사리에 밝음. '明一'. '旣明且一, 以保其身'《詩經》. 또, 그러한 사람. '先一'. '賴前一'《左傳》. ②성 철 성(姓)의 하나.

[字源] [金文] [篆文] [別體] [古文] 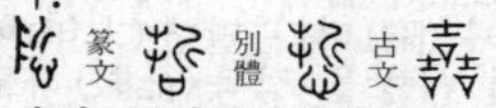 形聲. 口+折(斲)〔音〕. '斲절'은 서로 얽힌 복잡한 상태를 분리하다의 뜻. 입으로 도리를 밝히다의 뜻을 나타냄. 金文은 會意로, 自+斤+心. '自부'는 계단의 상형, '斤근'은 도끼의 상형. 계단처럼 분명하게 사물을 구별할 수 있는 마음의 모양에서, '분명하다, 사리에 밝다'의 뜻을 나타냄.

[參考] 喆(口部 九畫)은 同字.

[哲理 철리] ㉠현묘(玄妙)한 이치. ㉡철학상(哲學上)의 이치(理致).
[哲辟 철벽] 어질고 밝은 임금.
[哲夫 철부] 어질고 밝은 남자. 재덕(才德)이 뛰어난 사람.
[哲婦 철부] 어질고 밝은 여자. 재덕(才德)이 뛰어난 부인.
[哲聖 철성] 재덕(才德)을 겸비한 성인(聖人). 전(轉)하여 천자(天子).
[哲彦 철언] 현명한 준사(俊士).
[哲王 철왕] 현명한 임금.
[哲人 철인] 어질고 밝은 사람.
[哲匠 철장] 도리(道理)에 밝은 재상(宰相). 현명한 재상.
[哲學 철학] 자연(自然)과 인생(人生), 현실(現實) 및 이상(理想)에 관한 근본 원리(根本原理)를 연구하는 학문.
◉耆哲. 來哲. 明哲. 先哲. 宣哲. 聖哲. 淑哲. 宿哲. 十哲. 良哲. 英哲. 穎哲. 睿哲. 叡哲. 往哲. 儒哲. 才哲. 前哲. 俊哲. 雋哲. 濬哲. 聰哲. 賢哲. 後哲.

7 ⑩ **[唇]** [人名] ㊀ 진 [平]眞 職鄰切 zhēn ㊁ 순 [平]眞 船倫切 chún (진[本]) 

[字解] ㊀ 놀랄 진 경악함. ㊁ 입술 순 脣(肉部 七畫)과 통용함. '一, 卽脣字. 義通. 从口, 从肉, 一也'《六書故》.

[字源] [篆文]  形聲. 口+辰〔音〕. '辰진'은 '입술'의 뜻. 놀라서 떨리는 입술의 뜻에서, '입술'의 뜻을 나타냄.

◉絳唇. 丹唇. 朱唇. 兔唇. 紅唇. 花唇.

7 ⑩ **[脣]** 唇(前條)의 俗字

7 ⑩ **[唐]** [高人] 당 [平]陽 徒郎切 táng 

[筆順] 亠 广 户 庐 庐 唐 唐 唐

[字解] ①황당할 당 황탄무계함. '荒一之言'《莊子》. ②클 당 '初一, 一於內'《太玄經》. ③넓을 당 '一一'. '浩一之心'《枚乘》. ④빌 당 공허함. '福不一捐'《法華經》. ⑤길 당 뜰 안의 길. '中一有甓'《詩經》. ⑥둑 당 제방. 塘(土部 十畫)과 同字. '一堤'. '陂一汚庳'《國語》. ⑦새삼 당 풀 이름. 토사(菟絲). '爰采一矣'《詩經》. ⑧당나라 당 ㉠이연(李淵)이 수(隋)나라의 뒤를 이어 천하를 통일한 나라. 서울은 장안(長安). 건국한 지 20주(主) 290년 만에 후량(後梁)에게 멸망당하였음. (618~907) ㉡오대(五代)의 하나. 이존욱(李存勖)이 후량(後梁)의 뒤를 이어 세운 나라. 서울은 장안(長安). 건국한 지 4주(主) 14년 만에 후진(後晉)에게 멸망당하였음. 후당(後唐)이라고도 함. (923~936) ㉢이변(李昪)이 세운 나라. 건국한 지 3주(主) 39년 만에 송(宋)나라에게 멸망당하였음. 남당(南唐)이라고도 함. (937~975) ㉣제요(帝堯)의 조정(朝廷)을

도당(陶唐)이라 하고, 요순 양조(堯舜兩朝)를 당우(唐虞)라 함. ⑨성 당 성(姓)의 하나.

字源 甲骨文 金文 篆文 會意. 庚+口. '庚경'은 절굿공이를 두 손으로 들어 올려 단단히 찧는 모양을 본뜸. '口구'는 '장소'의 뜻. '塘당'의 원자(原字)로, 단단히 다진 둑의 뜻을 나타냄. 假借하여, 왕조(王朝)의 이름으로 쓰임. 《說文》은 口+庚〔音〕의 形聲으로 보며, '큰 소리'의 뜻이라 함. '荒一'이라는 숙어를 만들어, '황당하게 크다'의 뜻을 나타냄.

[唐鑑 당감] 당고조(唐高祖)부터 소선(昭宣)에 이르기까지의 사실(史實)의 대강을 추려 적고 논단(論斷)을 내린 사서(史書). 송(宋)나라 때 사마광(司馬光)이 조칙(詔勅)을 받들어 통감(通鑑)을 편수할 때 범조우(范祖禹)가 편수관(編修官)이 되어 당사(唐史)를 분장(分掌)하였는데, 그때 그가 맡아 쓴 부분을 기초로 하여 이 책을 지은 것임. 원은 12권이던 것을 여조겸(呂祖謙)이 주(注)를 내어 24권이 되었음.

[唐菊花 당국화] 《韓》 국화과에 속하는 일년초. 줄기가 곧고 가지가 많으며 자(紫)·홍(紅)·백색 등의 꽃이 핌. 과꽃.

[唐弓 당궁] 세지도 않고 약하지도 않은 꼭 알맞은 활.

[唐根 당근] 《韓》 미나릿과의 일년초 또는 이년초. 뿌리는 긴 원추형으로 적황색이며 맛이 달콤하고 향기가 있음. 홍당무.

[唐錦 당금] 《韓》 중국에서 나는 비단.

[唐唐 당당] 넓은 모양. 호호(浩浩).

[唐突 당돌] ㉠부딪침. ㉡속임. 기만함. ㉢느닷없이. 뜻밖에. 돌연히.

[唐律疏義 당률소의] 당(唐)나라의 장손무기(長孫無忌) 등이 칙명을 받들어 엮은, 당(唐)나라 법률에 관한 주석서(註釋書). 30권. 법률의 원류(源流)를 상고(詳考)하는 데 이보다 자세한 책이 없음.

[唐麪 당면] 《韓》 녹말가루로 만든 마른국수.

[唐木 당목] 《韓》 되게 드린 무명실로 짠, 바닥이 고운 피륙의 한 가지.

[唐文粹 당문수] 당대(唐代)의 시문을 모은 책. 송(宋)나라 요현(姚鉉) 편(編). 100권. 문원영화(文苑英華)를 대본(臺本)으로 하여 산삭(刪削)·증보(增補)한 것으로서 내용은 고부(古賦)·시(詩)·송찬(頌贊)·표(表)·주서소(奏書疏)·문(文)·논(論)·의(議)·고문(古文)·비명(碑銘)·기(記)·잠(箴)·계명(誡銘)·서서(書序)·전기(傳記)·기사(記事)의 열여섯 유(類)로 분류하였는데, 고문(古文)에 중점을 두어 사륙문(四六文)이나 오칠언시(五七言詩)는 수록하지 않았음. 당나라 시문을 수록한 책으로서 가장 잘된 책임. 또, 청(淸)나라 곽인(郭麐)이 엮은 〈당문수보유(唐文粹補遺)〉 26권이 있음.

[唐絲 당사] 《韓》 중국에서 나는 명주실.

[唐肆 당사] 텅 빈 가게.

[唐三絕 당삼절] 당(唐)나라 때에 예능(藝能)에 뛰어난 세 사람. 곧, 시부(詩賦)에 이백(李白), 검무(劍舞)에 배민(裵旻), 초서(草書)에 장욱(張旭).

[唐書 당서] 《韓》 중국(中國)에서 박아 낸 책(冊). 당책(唐冊).

[唐扇 당선] 《韓》 중국에서 만든 부채.

[唐宋文醇 당송문순] 책 이름. 청(淸)나라의 고종(高宗)의 칙찬(勅撰). 58권. 당송 팔대가(唐宋八大家) 이외에 이고(李翶)와 손초(孫樵)를 합한 십가(十家)의 글을 추려 엮고 논단(論斷)을 가(加)한 것임.

[唐宋詩醇 당송시순] 책 이름. 청(淸)나라 건륭연간(乾隆年間)의 칙찬(勅撰). 47권. 당송(唐宋)의 시인(詩人) 중 이백(李白)·두보(杜甫)·백거이(白居易)·한유(韓愈)·소식(蘇軾)·육유(陸游) 등 육가(六家)의 시집에서 추려 엮고 통평(通評)을 가(加)한 것임.

[唐宋八大家 당송팔대가] 당(唐)·송(宋) 2대(代)의 8인(人)의 대문장가(大文章家). 곧, 당(唐)나라의 한유(韓愈)·유종원(柳宗元) 두 사람과 송(宋)나라의 구양수(歐陽修)·소순(蘇洵)·소식(蘇軾)·소철(蘇轍)·증공(曾鞏)·왕안석(王安石)의 여섯 사람.

[唐順之 당순지] 명(明)나라 학자. 자(字)는 응덕(應德). 박식(博識)하고 문장에 뛰어남. 저서(著書)에 〈당형천집(唐荊川集)〉이 있음.

[唐詩 당시] 당(唐)나라 때의 시(詩). 연대에 의하여 초당(初唐)·성당(盛唐)·만당(晩唐)으로 구별함.

[唐詩選 당시선] 당(唐)나라 시인 128가(家)의 시 465수(首)를 고시(古詩)·율(律)·배율(排律)·절구(絕句)의 네 가지로 분류(分類)하여 수록(收錄)한 시집(詩集). 7권. 명(明)나라의 이반룡(李攀龍)이 엮었다 하나 확실하지 않음.

[唐硯 당연] 《韓》 중국에서 만든 벼루.

[唐堯 당요] 옛 성황(聖皇). 제곡(帝嚳)의 차자(次子). 처음에 도(陶)에 봉(封)함을 받았다가 후에 당(唐)으로 옮겼으므로 도당씨(陶唐氏)라고도 일컬으며, 호(號)는 요(堯)라 함. 사가(史家)가 당요(唐堯) 또는 방훈(放勳)이라 일컬음. 아들 단주(丹朱)가 불초(不肖)하여 순(舜)임금에게 전위(傳位)하였음. 재위(在位) 98년.

[唐虞之化 당우지화] 《韓》 제요(帝堯) 도당씨(陶唐氏)와 제순(帝舜) 유우씨(有虞氏)의 지치(至治)의 덕화(德化).

[唐韻 당운] 책 이름. 당(唐)나라의 손면(孫愐)이 수(隋)나라의 육법언(六法言)이 지은 절운(切韻)을 고친 것임. 원은 다섯 권이었으나 지금은 일부밖에 전하지 않음.

[唐寅 당인] 명(明)나라 오현(吳縣) 사람. 자(字)는 백호(伯虎). 호는 육여(六如). 문장과 산수인물화(山水人物畫)에 능하였음.

[唐材 당재] 《韓》 중국(中國)에서 나는 약재(藥材).

[唐紙 당지] 《韓》 중국(中國)에서 나는 종이의 한 가지.

[唐瘡 당창] 《韓》 화류병(花柳病)의 한 가지. 창병(瘡病).

[唐冊 당책] 《韓》 중국(中國)에서 간행(刊行)한 서적(書籍).

[唐靑 당청] 《韓》 중국에서 나는 푸른 물감의 한 가지.

[唐棣 당체] 산앵두나무.

[唐太宗 당태종] 고조(高祖)의 차자(次子). 이름은 세민(世民). 수(隋)나라 말년(末年)에 고조(高祖)를 도와서 사방을 정복(征服)하고 천하(天下)를 통일(統一)하여 명주(明主)라 일컬어짐. 재위(在位) 23년.

[唐板 당판] 《韓》 중국(中國)에서 새긴 판(板). 또, 그것으로 박아 낸 책(冊).

[唐筆 당필] 《韓》 중국에서 만든 붓.
[唐學 당학] 당대(唐代)의 학문.
[唐玄宗 당현종] 예종(睿宗)의 셋째 아들. 이름은 융기(隆起). 영무(英武)하고 재략(才略)이 있어 위씨(韋氏)의 난(亂)을 평정한 후 예종을 받들어 즉위(卽位)케 하고 이어 사위(嗣位)하였음. 처음에는 요숭(姚崇)·송경(宋璟) 등을 재상으로 등용하여 선치(善治)를 베풀어 세상에서 개원지치(開元之治)라 일컬었으나, 후에 양국충(楊國忠)·이임보(李林甫) 등을 쓰고 양귀비(楊貴妃)를 총애하여 국정(國政)이 날로 글러져 마침내 안녹산(安祿山)이 배반하게 되어 촉(蜀)으로 파천(播遷)하여 태자(太子)에게 전위(傳位)하고 상황(上皇)이 되었음. 재위(在位) 44년.
[唐鞋 당혜] 《韓》 울이 깊고 코가 작은 가죽신의 한 가지.
[唐紅 당홍] 《韓》 중국에서 나는 약간 자줏빛을 띤 붉은 물감.
[唐黃 당황] 《韓》 성냥.
[唐慌 당황] 《韓》 놀라서 어찌할 줄 모름.
[唐黃毛 당황모] 《韓》 중국(中國)에서 나는 족제비의 털. 붓을 매는 데 씀.
◉陶唐. 晩唐. 旁唐. 三唐. 盛唐. 虞唐. 李唐. 中唐. 初唐. 頹唐. 浩唐. 荒唐. 後唐.

7 ⑩ [唐] 唐(前條)의 略字

7 ⑩ [挌] 격 ㉧陌 各額切 gé

字解 ①가시울타리 격 나무를 결어 적의 침입을 막는 녹채(鹿砦)의 일종. '一, 枝一也. (段注) 枝一者, 遮禦之意'《說文》. ②가로뻗은가지 격 나뭇가지가 옆으로 뻗은 것. 또, 단순히 나뭇가지. '一, 一曰, 木枝橫者'《集韻》.
字源 形聲. 丰+各〔音〕

7 ⑩ [乶] 韓 밧

字解 《韓》 밧 밧 '밧' 음을 표기하는 글자. '一, 地名, 一恠萬戶見搯紳案'《新字典》.
字源 훈(訓)이 '밧'인 '外외'와 'ㅅ'을 나타내는 '叱질'을 합쳐서 이룬 글자.

7 ⑩ [乼] 人名 韓 말

字解 뜻은 없음.
字源 '말' 음을 나타내기 위하여 '末'과 '叱'을 포개어 만듦.

8 ⑪ [啚] 〔비〕
鄙(邑部 十一畫〈p. 2344〉)와 同字

字源 甲骨 金文 篆文 古文 象形. '쌀 창고'의 뜻. 곳집에 넣고 내지 않다의 뜻에서, '아끼다, 치사하다'의 뜻이 파생됨. '鄙비'와 同字. 또, '圖도'의 俗字로서, '헤아리다'의 뜻을 나타내기도 함.
參考 속(俗)에 圖(囗部 十一畫)의 略字로 쓰임.

8 ⑪ [啚] 啚(前條)의 古字

8 ⑪ [唪] 봉 ㊤董 蒲蠓切 běng

字解 ①껄껄웃을 봉. ②씨많을 봉 菶(艸部 八畫)과 同字. '瓜瓞——'《詩經》.
字源 篆文 形聲. 口+奉〔音〕

8 ⑪ [唫] 一 금 ㊤寑 渠飮切 jìn
二 음 ㊥侵 魚金切 yín

字解 一 ①말더듬을 금 말이 자꾸 막힘. ②입다물 금 噤(口部 十三畫)과 同字. '萬物各一'《太玄經》. 二 ①읊을 음 吟(口部 四畫)과 同字. '秋風爲我一'《漢書》. ②험준할 음 崟(山部 八畫)과 同字. '巖一之下'《穀梁傳》.
字源 篆文 形聲. 口+金〔音〕. '金금'은 '누르다, 머금다'의 뜻. 말이 눌리어 자유롭게 나오지 않다, 말 더듬다의 뜻을 나타냄.

8 ⑪ [唯] 中 人 一 유 ㊥支 以追切 wéi
㊤紙 以水切 wěi
二 수 ㊥支 視隹切

筆順 口 口 叫 叫 吖 咋 唯 唯

字解 一 ①오직 유 다만. 惟(心部 八畫)·維(糸部 八畫)와 혼용(混用). '其一聖人乎'《易經》. ②비록 유 雖(隹部 九畫)와 통용. '一天子亦不說也'《史記》. ③대답할 유 '예' 하고 대답함. '諾'보다는 공손한 말. '——'. '父召無諾, 先生召無諾, 一而起'《禮記》. 二 누구 수 誰(言部 八畫)와 同字.
字源 甲骨 金文 篆文 形聲. 口+隹〔音〕. '隹추'는 '예' 하고 즉답(卽答)하는 목소리를 나타내는 의성어. '口구'를 더하여, '예'의 뜻을 나타냄. 또, 평성(平聲)일 때에는, '다만, 오직'의 뜻을 나타냄.

[唯覺論 유각론] 인식(認識)의 기원(起源)은 감각(感覺)에 있다고 하는 학설(學說). 감각론(感覺論).
[唯諾 유낙] ㉠대답. 응답. ㉡남에게 순종(順從)하는 모양.
[唯名論 유명론] 다만 개체(個體)의 실재(實在)만을 인정(認定)하고 보편(普遍)은 실재(實在)하지 않는 명목(名目)에 불과(不過)하다고 하는 학설(學說). 명목론(名目論).
[唯物論 유물론] 물질적 실재(實在)를 만유(萬有)의 근본 원리(原理)로 하는 학설. 곧, 우주의 모든 현상(現象)의 본질(本質)은 물질이고 정신적(精神的) 현상(現象)도 물질적 작용(作用)에 의한 것이라고 하는 학설(學說).
[唯物史觀 유물사관] 인류(人類)의 역사(歷史)가 발전(發展)하는 제일(第一) 원인(原因)을 경제적 방면에서 보아 계급투쟁(階級鬪爭)을 역사(歷史)의 발전의 구극적(究極的)인 원동력(原動力)이라고 하는 역사관(歷史觀).
[唯美主義 유미주의] 19세기 말에 일어난 예술 지상주의(藝術至上主義)의 하나. 미(美)는 인생의 지상(至上)의 것으로서 실생활의 공리(功利)와는 아무 관계가 없다고 주장하는 주의. 탐미주의(耽美主義).
[唯美派 유미파] 예술(藝術)은 단지 예술을 위하여 존재하는 것이라고 주장하는 사람들. 탐미파(耽美派).

[唯識 유식] 범어(梵語) vidyāmātra의 역(譯). 만유유심(萬有唯心)이란 뜻으로, 일체의 제법(諸法)은 오직 자기 내심(內心)에만 존재한다는 말. 법상종(法相宗)의 근본 교의(敎義)임.
[唯識宗 유식종]《佛敎》'법상종(法相宗)'의 별칭(別稱).
[唯心 유심]《佛敎》'삼계유일심(三界唯一心)'과 같음.
[唯心論 유심론] 정신적(精神的) 실재(實在)를 만유(萬有)의 근본 원리(原理)로 하는 학설(學說). 곧, 우주(宇宙)의 모든 현상(現象)의 본질(本質)은 정신(精神)이라 하는 학설.
[唯心史觀 유심사관] 역사(歷史)의 원동력(原動力)을 인간(人間)의 이성(異性)·도덕 의식(道德意識)·개인의 영웅적(英雄的) 행동 등의 정신(精神) 작용에 구(求)하는 역사관(歷史觀).
[唯阿 유아] 유(唯)는 윗사람에게 하는 대답. 아(阿)는 아랫사람에게 하는 대답. 곧, 남에게 대답하는 말.
[唯我獨尊 유아독존]《佛敎》이 세상에서 나보다 더 높은 것이 없음.
[唯我論 유아론] 실재(實在)하는 것은 오직 자아(自我) 한 몸뿐이고, 외물(外物)은 모두 자기의 관념(觀念)이나 의식 내용(意識內容)에 지나지 않는다고 하는 철학상의 이론. 독재론(獨在論). 독아론(獨我論). 주아론(主我論).
[唯唯 유유] ㉠'네 네' 하고 공손히 대답하는 소리. ㉡남의 뜻을 거스르지 않는 모양. 지당한 말씀이라고 그저 굽실거리는 모양. ㉢물고기가 따라가는 모양.
[唯唯諾諾 유유낙낙] 유낙(唯諾) ㉡.
[唯一 유일] 오직 하나.
[唯一無二 유일무이] 오직 하나만 있고 둘은 없음.
[唯一神敎 유일신교] 하느님을 유일(唯一)의 실재(實在)로 하는 교의(敎義)를 믿는 종교(宗敎). 곧, 우주(宇宙)는 전지전능(全智全能)한 신(神)에 의(依)하여 주재(主裁)되는 것이라 하고, 이 신(神)을 섬기는 것을 목적으로 하는 종교(宗敎). 기독교(基督敎)·유태교(猶太敎) 따위.
[唯一心 유일심]《佛敎》'삼계유일심(三界唯一心)'과 같음.
◉諾唯. 應唯. 諾唯.

8 ⑪ **[唱]** 中人 창 ㊀漾 尺亮切 chàng

筆順 丨 ㅁ 口ㄇ 口日 口日 唱 唱 唱

字解 ①부를 창 ㉠노래를 부르기 시작함. 먼저 노래를 부름. '一和'. '千人一而萬人和'《史記》. ㉡소리를 높여 부름. '俱一萬歲'《北史》. ㉢읽음. 또, 암송함. '口一南無'《洛陽伽藍記》. '效得仙人夜一經'《王建》. ㉣선창함. 먼저 말함. 솔선하여 함. '一義'. '夫一婦隨'. '一人一而天下應之者, 積怨在於民也'《淮南子》. ㉤가르쳐 인도함. '君一而和, 敎之隆也'《晏子春秋》. ②노래 창 음송(吟誦)하는 사장(詞章). '爲作小海一'《晉書》.
字源 篆文 形聲. 口+昌〔音〕. '昌창'은 '훌륭하다, 왕성하다'의 뜻. 훌륭한 발성(發聲), 부르다의 뜻을 나타냄.

[唱歌 창가] 곡조(曲調)를 맞추어 노래를 부름. 또, 그 노래.
[唱劇 창극] 배역(配役)을 나누어 판소리를 연창(演唱)하는 연극(演劇).
[唱道 창도] 제일 먼저 제창(提唱)함. 수창(首唱)함.
[唱導 창도]《佛敎》교의(敎義)를 제창하여 사람을 인도(引導)함.
[唱名 창명]《佛敎》염불(念佛)을 함.
[唱酬 창수] 시문(詩文)을 지어 서로 주고받고 함.
[唱喏 창야] 남에게 인사할 때 하는 말.
[唱義 창의] 앞장서서 정의(正義)를 부르짖음. 국난(國難)을 당하여 의병(義兵)을 일으킴.
[唱引 창인] 소리를 길게 빼어 노래함.
[唱和 창화] ㉠저 사람이 부르고 이 사람이 답함. 가락을 맞춤. 또, 그 일. ㉡다른 사람의 시에 운(韻)을 맞추어 시를 지음. 시를 서로 주고받음. 화운(和韻)함.
◉歌唱. 講唱. 賡唱. 高唱. 鼓唱. 謳唱. 舊唱. 棹唱. 道唱. 獨唱. 萬唱. 梵唱. 復唱. 三唱. 先吁後唱. 先唱. 首唱. 酬唱. 暗唱. 愛唱. 漁唱. 演唱. 艷唱. 詠唱. 流唱. 吟唱. 低唱. 絶唱. 提唱. 齊唱. 主唱. 重唱. 淺酌低唱. 淸唱. 樵唱. 推唱. 合唱. 虛唱. 呼唱. 浩唱.

8 ⑪ **[唹]** 人名 어 ㊥魚 衣虛切 yū

字解 ①웃을 어 '一, 笑也'《廣韻》. ②웃는모양 어 '一, 笑皃'《玉篇》.

8 ⑪ **[唲]** ㊀ 아 ㊥支 汝移切 ér ㊁ 애 ㊥佳 塢皆切 wā

字解 ㊀ 선웃음칠 아 아첨하느라고 억지로 웃음. '喔咿嚅一'《楚辭》. ㊁ 응석할 애 '一嘔'는 어린아이가 어리광 부리며 떠듬떠듬 말함. '拊循之, 一嘔之'《荀子》.
字源 會意. 口+兒. 어린아이의 더듬거리는 말의 뜻을 나타냄.

[唲嘔 애후] 어린아이가 응석 부리며 떠듬떠듬 말하는 모양.
◉嚅唲.

8 ⑪ **[啦]** 現 랍 lā, ①la

字解《現》①어조사 랍 완결(完結)을 나타내고, 또 감탄의 뜻을 포함하는 경우에 쓰는 문말(文末)의 어조사. ②와르르 랍 '嘩一'은 와르르 무너지는 소리를 나타내는 의성어(擬聲語).

8 ⑪ **[唳]** 려 ㊀霽 郎計切 lì

字解 울 려 학 또는 기러기가 욺. '華亭鶴一'《晉書》. 또, 그 소리. '風聲鶴一'. '一淸響於丹墀'《鮑照》.
字源 篆文 形聲. 口+戾〔音〕

◉悽唳. 風聲鶴唳. 鶴唳. 華亭鶴唳.

8 ⑪ **[唵]** 人名 암 ㊤感 烏感切 ǎn

字解 움켜먹을 암 손으로 움켜 먹음.
字源 形聲. 口+奄〔音〕

8 ⑪ [唶] [一] 차 [去]禡 子夜切 jiè
[二] 책 [入]陌 側伯切 zè, ②jí

[字解] [一] 탄식할 차 탄성(歎聲)을 냄. '一曰, 氣佳哉'《後漢書》. [二] ①소리쳐부를 책 대호(大呼)함. 외침. '嚄一宿將'《史記》. ②새소리 책 새 우는 소리. '行雁一一'《爾雅》.
[字源] 形聲. 口+昔〔音〕

[唶惋 책완] 애석히 여겨 탄식함.
[唶唧 책즉] 여러 사람의 소리. 시끄러운 소리. 또, 시끄러운 모양.
[唶唶 책책] ㉠새 우는 소리. ㉡외치는 모양. 소리쳐 부르는 모양.
◉咋唶. 嚄唶.

8 ⑪ [唸] 념 [去]豔 都念切 niàn

[字解] 신음할 념 앓는 소리를 함. '民之方一吚'《詩經》.
[字源] 篆文 形聲. 口+念〔音〕. '念념'은 입을 다물고 목소리만을 내다의 뜻. '신음하다'의 뜻을 나타냄.

[唸吚 염히] 신음함.

8 ⑪ [唰] [一] 설 [入]屑 所劣切 shuā
[二] 살 [入]黠 數滑切

[字解] [一] 깃다듬을 설 새가 깃을 다듬음. '一, 鳥理毛也'《廣韻》. [二] ①조금맛볼 살 '一, 小嘗也'《集韻》. ②빗소리 살 의성어(擬聲語)임. '春雨一一地下着'《柳靑》.

8 ⑪ [唼] [一] 삽 [入]洽 色甲切 shà
[二] 첩 [入]葉 七接切 qiè

[字解] [一] 쪼아먹을 삽 오리나 기러기가 쪼아 먹음. 또, 그 소리. '一喋菁藻'《司馬相如》. [二] 헐뜯을 첩 참소(譖訴)함. '信椒蘭之一佞兮'《漢書》.
[字源] 形聲. 口+妾〔音〕. '妾첩'은 훅 마시는 소리를 나타내는 의성어.

[唼喋 삽잡] 쪼아 먹음.
[唼血 삽혈] 피를 홀짝 들이마심. 맹세함. 맹약(盟約)함.
[唼佞 첩녕] 참소함.

8 ⑪ [唾] [人名] 타 [去]箇 湯臥切 tuò

[字解] ①침 타 구액(口液). '一液'. '不敢一洟'《禮記》. ②침뱉을 타 '一棄'. '讓食不一'《禮記》.
[字源] 篆文 形聲. 口+垂(垂)〔音〕. '垂수'는 '떨어지다'의 뜻. 입에서 흘러 떨어지는 액체, '침'의 뜻을 나타냄.

[唾具 타구]《韓》타호(唾壺).
[唾棄 타기] 아주 다랍게 여겨 침을 뱉듯이 내버려 돌아보지 아니함.
[唾罵 타매] 침을 뱉고 욕(辱)을 함.
[唾面 타면] 얼굴에 침을 뱉어 심한 모욕(侮辱)을 줌.
[唾面自乾 타면자건] 남이 나의 얼굴에 침을 뱉었을 때 이를 닦으면 그 사람의 뜻을 거스르므로 절로 마를 때까지 기다린다는 뜻으로, 처세(處世)에는 인내(忍耐)가 필요함을 강조한 말.
[唾腺 타선] 구강(口腔)의 침을 분비(分泌)하는 선(腺).
[唾手 타수] ㉠손에 침을 뱉고 일을 착수함. 전(轉)하여, 용감히 일을 착수함. 또, 분기(奮起)함. ㉡손쉽게. 순식간에.

[唾壺]

[唾液 타액] 침.
[唾壺 타호] 가래침을 뱉는 그릇. 타구(唾具).
◉乾唾. 口唾. 棄唾. 寶唾. 拾人涕唾. 仰天唾. 零唾. 珠唾. 憎唾. 止唾. 津唾. 涕唾. 咳唾. 欬唾.

8 ⑪ [啀] 애 [平]佳 五佳切 ái

[字解] 물어뜯을 애 개가 짖으며 물어뜯음.
[字源] 形聲. 口+厓〔音〕

8 ⑪ [啁] [一] 조 [平]肴 陟交切 zhāo
[二] 주 [平]尤 張流切 zhōu

[字解] [一] ①울 조 ㉠새가 지저귐. 또, 그 소리. '鵾鷄一哳而悲鳴'《楚辭》. ㉡벌레가 욺. 또, 그 소리. '蛩螀絶一唧'《虞集》. ②비웃을 조 嘲(口部 十二畫)와 통용. '俱在左右詼一而已'《漢書》. [二] 새소리 주 '一噍'는 새가 지저귀는 소리. '小者至于燕雀, 猶有一噍之頃焉'《禮記》.
[字源] 篆文 形聲. 口+周〔音〕

[啁唧 조즉] 벌레가 연하여 자꾸 우는 소리.
[啁哳 조찰] 새가 자꾸 지저귀거나 욺. 또, 그 소리.
[啁啾 조추] 새가 욺. 또, 그 소리.
[啁噍 주초] 새가 지저귀는 소리.
◉嘐啁. 嘲啁. 詼啁. 戲啁.

8 ⑪ [啗] 함 [平]覃 胡南切 hán

[字解] ①턱 함 '一, 頤也'《說文》. ②성내는모양 함 '瞋一啗以紆鬱'《王褒》. ③소리분명치않을 함 '能作人語, 絶不一啗'《張岱》.

8 ⑪ [啄] [人名] [一] 탁 [入]覺 竹角切 zhuó
(착[本])
[二] 주 [去]宥 職救切 zhòu

[字解] [一] 쫄 탁 부리로 쪼아 먹음. 또, 그 소리. '一一'. '一木'. '率場一粟'《詩經》. 전(轉)하여, 먹는 뜻으로 쓰임. '羣奴餘一'《韓愈》. [二] 부리 주 咮(口部 六畫)와 同字. '美羽一句者'《韓詩外傳》.
[字源] 篆文 形聲. 口+豖〔音〕. '豖축·촉'은 두드릴 때의 소리를 나타내는 의성어. 새가 부리로 쪼아 먹다의 뜻을 나타냄.

[啄木 탁목] 탁목조(啄木鳥).
[啄木鳥 탁목조] 딱따구리.
[啄食 탁식] 쪼아 먹음.
[啄啄 탁탁] ㉠새가 물건을 쪼는 소리. ㉡문을 똑똑 두드리는 소리. 또, 뚜벅뚜벅 걷는 발자국 소리.
◉剝啄. 餘啄. 飮啄. 舐啄. 餐啄. 呀啄.

8 [啃] [一] 삽 [入]緝 所戢切 kěn
⑪ [二] 간 [現] kěn

[字解] [一] 입다시는소리 삽 '昌一, 口聲也'《玉篇》. [二]《現》 깨물 간 齦(齒部 六畫〈p. 2724〉)의 略字.

8 [啅] 탁 [入]覺 竹角切 zhuó
⑪

[字解] ①시끄러울 탁 요란함. 또, 그 소리. '一噪'. ②쫄 탁 啄(前前條)과 同字. '雀一江頭黃柳花'《杜甫》.

[字源] 形聲. 口+卓〔音〕. '卓탁'은 '높다'의 뜻. 목소리가 유난히 높다, '시끄럽다'의 뜻을 나타냄.

[啅噪 탁조] 새가 요란하게 지저귐.

8 [啍] [一] 톤 [平]元 徒渾切 tūn
⑪ [二] 순 [平]眞 朱倫切 zhūn

[字解] [一] ①거짓말 톤 기만. '無取口一'《荀子》. ②느릿느릿갈 톤 수레가 짐을 많이 싣고 느리게 가는 모양. '大車一一'《詩經》. [二] 거듭이를 순 諄(言部 八畫)과 同字. '悅夫一一之意'《莊子》.

[字源] 篆文 形聲. 口+享〔音〕. '享돈·순'은 '두텁다'의 뜻. 소리나 목소리가 묵직하다의 뜻을 나타냄. 篆文은 口+𦎫〔音〕

[啍啍 순순] 되풀이하여 가르치는 모양. 정성껏 자세히 지도하는 모양.
[啍啍 톤톤] 느릿느릿 가는 모양. 무거워 더딘 모양.

8 [啐] [一] 쵀 [去]隊 蘇內切 cuì
⑪ [二] 줄 [入]質 子聿切 zú

[字解] [一] ①놀랄 쵀 경악(驚愕)함. '咄一'. ②맛볼 쵀 먹음. '衆賓兄弟則皆一之'《禮記》. [二] 지껄일 줄 여러 사람이 지껄이는 소리. '嘈一'.

[字源] 篆文 形聲. 口+卒〔音〕. '卒졸'은 '갑자기'의 뜻. 놀라서 갑자기 소리치다의 뜻을 나타냄.

[啐啄同時 줄탁동시] 닭이 알을 깔 때에 알 속의 병아리가 껍질을 깨뜨리고 나오기 위하여 껍질 안에서 쪼는 것을 줄(啐)이라 하고, 어미 닭이 밖에서 쪼아 깨뜨리는 것을 탁(啄)이라 함. 이 두 가지가 동시에 행하여지므로 사제지간(師弟之間)이 될 연분(緣分)이 서로 무르익음의 비유로 쓰임.
◉嘈啐. 咄啐.

8 [啑] [一] 잡 [入]合 子答切 zā
⑪ [二] 삽 [入]洽 色甲切 shà

[字解] [一] 삼킬 잡 목구멍으로 넘김. 呞(口部 四畫)과 同字. [二] ①잡아먹을 삽 오리 같은 것이 물고기를 잡아먹음. '一喋'. ②마실 삽 歃(欠部 九畫)과 同字. '與高帝一血盟'《史記》.

[啑喋 삽잡] 오리 같은 것이 물고기를 잡아먹는 모양.

8 [啖] [人名] 담 ①-③㊤感 徒敢切 dàn
⑪ ④⑤[去]勘 徒濫切 dàn

[字解] ①먹을 담 음식을 먹음. '人相食一'《後漢書》. ②삼킬 담 병탄(倂呑)함. '秦割齊而一晉楚'《史記》. ③성 담 성(姓)의 하나. ④먹일 담 ㉠먹게 함. '吉婦取棗, 以一吉'《漢書》. ㉡미끼를 주어 꾐. '其有口舌者, 以利一之'《唐書》. ⑤싱거울 담 맛이 없음. 또, 그 음식. '攻苦食一'《史記》.

[字源] 篆文 形聲. 口+炎〔音〕. '炎염·담'은 활활 타오르는 불길의 뜻. 왕성하게 먹다, 탐하다의 뜻을 나타냄.

[啖啖 담담] 먹으려 하는 모양. 전(轉)하여, 온통 삼키려는 모양. 병탄(倂呑)하려는 모양.
[啖嘗 담상] 맛봄.
[啖咋 담색] 씹어 먹음.
[啖食 담식] 게걸스럽게 먹음. 탐식(貪食)함.
◉健啖. 噬啖. 飧啖. 食啖. 咀啖. 快啖. 虎啖. 齕啖.

8 [啡] [一] 배 ㊤賄 匹愷切 pèi
⑪ [二] 비 [現] fēi

[筆順] 口 叮 미 叮 叮 呀 呠 啡

[字解] [一] ①침 배 타액(唾液). '唾謂之一'《集韻》. ②침뱉는소리 배 '一, 出唾聲'《廣韻》. [二]《現》 음역자 비 '咖一'는 커피. '嗎一'는 모르핀.

8 [啗] 담 ①-②㊤感 杜敢切 dàn
⑪ ③[去]勘 徒濫切 dàn

[字解] ①먹을 담 啖(前前條)과 同字. '先飯黍而後一桃'《韓非子》. ②마실 담 액체를 먹음. '右手持酒一'《唐書》. ③먹일 담 ㉠먹게 함. '主孟一我'《國語》. ㉡이익을 주어 꾐. '一以利'《史記》.

[字源] 篆文 形聲. 口+臽〔音〕. '臽함'은 '啖담'과 통하여, 탐하여 먹다의 뜻을 나타냄. '炎염·담'과 '臽'은 본래 같은 음이 아니었지만, 뒤에 동음시(同音視)되었음.

[啗嚼 담작] ㉠씹어 먹음. ㉡서로 공격함.
◉剤啗. 膳啗. 飲啗. 酒啗. 呑啗.

8 [㖪] [一] 욱 [入]屋 乙六切 yù
⑪ [二] 혁 [入]職 忽域切 xù
[三] 획 [入]陌 呼麥切 huò

[字解] [一] 놀래는소리 욱 몸을 숨겼다가 갑자기 나타나 남을 놀라게 하는 소리. '一, 隱身忽出驚人之聲'《漢語大字典》. [二] 목소리 혁 '一, 聲也'《集韻》. [三] ①소리 획 '一, 聲也'《集韻》. ②크게웃을 획 크게 웃는 모양. '一, 大笑皃'《廣韻》. ③귀찮게말할 획 '嘓, 嘓嘓, 語煩, 或从一'《集韻》.

8 [啜] 철 [入]屑 昌悅切 chuò
⑪

[字解] ①먹을 철 '一菽飲水'《禮記》. ②마실 철 '欲一汁者衆'《史記》. ③훌쩍훌쩍울 철 '一其泣矣'《詩經》.

[字源] 篆文 形聲. 口+叕〔音〕. '叕철'은 '잇다'의 뜻. 숨을 이어 쉬면서 들이마시다의 뜻을 나타냄.

[啜泣 철읍] 훌쩍훌쩍 욺.
[啜汁 철즙] 단물을 빪. 남의 힘으로 이익을 얻음

의 비유.
◉呷啜. 飮啜. 餔啜.

8 [啞] [人名] [一] 아 [上]馬 烏下切 yǎ
⑪ [平]麻 於加切 yā 哑 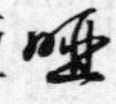
[去]禡 衣嫁切 yā
[二] 액 [入]陌 烏格切 è

[字解] [一] ①벙어리 아 瘂(疒部 八畫)와 同字. '—子'. '漆身爲厲, 呑炭爲—'《史記》. ②까마귀소리 아 까마귀가 우는 소리. '烏之——'《淮南子》. ③놀라는소리 아 '아' 하고 깜짝 놀라는 소리. '—, 是非君人者之言也'《韓非子》. ※'아' 음은 인명자로 쓰임. [二] 웃을 액 껄껄 웃음. '——'. '升沈付——'《林希逸》.

[字源] 篆文  形聲. 口+亞〔音〕. '亞아'는 '막히다'의 뜻. 또, 말이 되지 않는 목소리의 의성어. '口구'를 더하여, '웃다, 말이 막히다, 벙어리'의 뜻을 나타냄.

[啞嘔 아구] ㉠어린아이의 겨우 한두 마디 지껄이는, 혀가 잘 안 돌아가는 말. ㉡노 젓는 소리.
[啞啞 아아·액액] ㉠어린애가 말 배울 때 떠듬떠듬하는 소리. ㉡까마귀가 우는 소리. ㉢'액액(啞啞)'을 보라.
[啞然 아연] 기가 막혀서 말이 안 나오는 모양. 기가 막혀서 벌린 입이 닫히지 않는 모양.
[啞咽 아열] 흐느껴 욺.
[啞子 아자] 벙어리.
[啞子得夢 아자득몽] 벙어리가 꿈꾼다는 뜻으로, 그 꿈을 혼자만 알 뿐이지, 이것을 남에게 말할 수는 없음. 곧, 자기가 깨달은 바를 자기 혼자만 알 뿐이지 남에게는 말할 수 없음을 비유하는 말.
[啞咤 아타] ㉠떠들썩한 모양. 시끄러운 모양. ㉡혀가 잘 안 돌아가는 귀여운 소리.
[啞啞 액액] 웃는 소리. 웃으며 말하는 소리.
[啞然 액연] 껄껄 웃는 모양.
[啞咿 액이] 웃는 소리.
[啞爾 액이] 껄껄 웃는 모양.
◉嘔啞. 聾啞. 盲啞. 鳴啞. 笑啞. 暗啞. 瘖啞. 咿啞.

8 [啌] 강 [平]江 許江切 xiāng, ③qiāng
⑪ (①②향[本])

[字解] ①꾸짖을 강 또, 화내는 소리. '—, 咄也. 一日, 嗔語'《集韻》. ②양치질할 강 입 안을 부셔 냄. '—, 一日嗽也'《集韻》. ③목병 강 목이 막히는 병.

8 [唭] 기 [去]寘 去吏切 qì
⑪

[字解] ①고루할 기 '—嶷'는 보고 들은 것이 적은 모양. '—嶷, 無聞見也'《廣韻》. ②입에서나온말이뜻을나타내지못할 기 '貌不交, 口—嶷, 唫無辭. (注)—嶷, 有聲而無辭也'《太玄經》. ③속일 기 '—, 一日, 紿也'《集韻》.

8 [⿰口昏] [一] 혼 [平]元 呼昆切 hūn
⑪ [二] 문 [上]吻 武粉切 wěn

[字解] [一] 어두울 혼, 아득할 혼 눈에 보이지 않는 곳. '著古昔之——, 傳千里之忞忞, 莫如書'《揚子法言》. [二] 입가 문 입의 언저리. 吻(口部 四畫)의 古字. '—, 古文吻'《玉篇》.

8 [⿰口官] 관 [平]刪 古還切 guān
⑪

[字解] 지저귈 관 새가 의좋게 번갈아 울어 댐. '—, 二鳥和鳴'《廣韻》.

8 [唬] 효 [平]肴 虛交切 xiāo
⑪

[字解] 어흥 효 호랑이가 욺. 일설(一說)에는, 짐승의 울음. '—, 虎聲也'《說文》.

[字源] 篆文  形聲. 口+虎〔音〕. '虎호'는 '호랑이'의 뜻. 호랑이가 우는 소리의 뜻을 나타냄.

8 [啕] 도 [平]豪 徒刀切 táo
⑪

[字解] ①수다할 도 말을 많이 함. '—, 多言'《廣韻》. ②얼버무릴 도 말이 분명치 않음. '—, 說文, 往來言也, 一日, 小兒未能正言也'《集韻》.

8 [唴] 강 [去]漾 丘亮切 qiàng
⑪

[字解] ①울 강 아이가 울음을 그치지 않음. '—哴, 小兒啼也'《廣韻》. ②목쉴 강 너무 울어 목소리가 나오지 않음. '哭極音絕, 亦謂之—'《揚子方言》.

[字源] 形聲. 口+羌〔音〕

8 [啒] [一] 골 [入]月 古忽切 gǔ
⑪ [二] 홀 [入]月 呼忽切

[筆順] 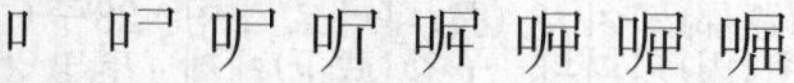

[字解] [一] 근심할 골 근심하는 모양. '—, 憂貌'《廣韻》. [二] 근심할 홀 [一]과 뜻이 같음.

8 [⿰口囷] 군 [上]軫 渠殞切 jùn
⑪

[字解] 구역질날 군 구역질이 나는 모양. '—, 欲吐皃'《集韻》.

8 [嗒] 답 [入]合 達合切 tà
⑪

[字解] 수다할 답 말이 많음. '噂—背憎'《詩經》.

8 [⿰口夜] 야 [去]禡 羊謝切 yè
⑪

[字解] 울 야 새가 밤에 욺. '凡鳥朝鳴曰嘲, 夜鳴曰—'《正字通》.

8 [啤] 비 [現] pí
⑪

[字解] 《現》 맥주 비 '—酒'는 맥주(麥酒).

[啤酒 비주] 맥주(麥酒).

8 [啣] 〔함〕
⑪ 銜(金部 六畫〈p. 2392〉)과 同字

8 [兽] 〔수〕
⑪ 獸(犬部 十五畫〈p. 1407〉)의 簡體字

8 [啬] 〔색〕
⑪ 嗇(口部 十畫〈p. 398〉)의 簡體字

8 ⑪ **[喜]** 〔희〕 喜(口部 九畫〈p.395〉)의 俗字

參考 이 글자를 나란히 벌여 놓은 것(囍)을 쌍희자(雙喜字)라 하여, 이중(二重)의 기쁨, 특히 결혼 축하의 표시로 사용함.

8 ⑪ **[牾]** 오 ㊀遇 五故切 wǔ

字解 ①만날 오 상봉함. '重華不可一兮'《楚辭》. ②거스를 오 거역함.

字源 篆文 形聲. 午+吾〔音〕. '午오'는 절굿공이 모양의 신체(神體)의 상형. '吾오'는 지키어 막다의 뜻. '거스르다'의 뜻을 나타냄.

8 ⑪ **[商]** 中人 상 ㊁陽 尸羊切 shāng

筆順 丶 亠 文 产 产 产 商 商 商

字解 ①헤아릴 상 생각하여 분간함. '一量'. '虜必一軍進退'《漢書》. ②장사 상 상업을 함. '一販'. ③장수 상 상인. '一賈'. '一旅不行'《易經》. ④서쪽 상 서방(西方). '秋風發乎西一'《曹植》. ⑤가을 상 추계(秋季). '一風蕭而害生'《東方朔》. ⑥음이름 상 오음(五音)의 하나. 오행설(五行說)에서 가을〔秋〕에 배당되므로, 비애(悲哀)·적료(寂寥) 등의 뜻을 나타냄. '宮·一·角·徵·羽'. ⑦상나라 상 탕(湯)임금이 하(夏)나라의 걸왕(桀王)을 멸하고 세운 나라. 박(亳)에 도읍하였다가 후에 반경(盤庚)이 은(殷)〈지금의 허난 성 언사현(河南省偃師縣)〉으로 천도(遷都)하여 은(殷)나라로 고침. 28주(主) 만에 주(周)나라의 무왕(武王)에게 멸망당하였음. (B.C.?~B.C.1233) ⑧별이름 상 동쪽에 있는 별의 이름. '辰爲一星'《左傳》. ⑨상 상 제법(除法)을 행하여 얻은 수(數). ⑩성 상 성(姓)의 하나.

字源 甲骨文 金文 篆文 形聲. 內+章〈省〉〔音〕. '商눌'은 높고 큰 전각(殿閣)의 뜻. '章장'은 '밝다'의 뜻. 멀리서도 분명하게 바라보이는 높은 전각의 뜻에서, 은(殷)나라 서울의 이름으로 쓰임. 뒤에 은나라가 망하자 망민(亡民)이 행상을 업으로 삼았으므로, '장사'의 뜻, '헤아리다'의 뜻을 나타냄.

[商家 상가] 장사하는 집.
[商推 상각] 헤아려 정(定)함. 비교하여 생각함.
[商鑑不遠 상감불원] 국가(國家)가 멸망(滅亡)한 선례(先例)는 멀리 옛날에 구하지 않아도 가깝게 눈앞에 있다는 뜻. 상(商)은 왕조(王朝)의 이름으로 은(殷)이라고도 함. 감(鑑)은 거울. 본보기. 은감불원(殷鑑不遠).
[商客 상객] 도붓장수. 행상(行商).
[商蚷 상거] 노래기.
[商界 상계] 상업(商業)의 사회.
[商估 상고] 장수.
[商賈 상고] 장수.
[商工 상공] ㉠장사와 공장(工匠). ㉡상업(商業)과 공업(工業).
[商儈 상괴] 거간. 물건의 매매를 붙이는 사람.
[商權 상권] 상업상의 권리(權利).
[商均 상균] 순(舜)임금의 아들. 이름은 균(均). 상(商)에 봉(封)함을 받았으므로 상균(商均)이라 함. 불초(不肖)하여 제위(帝位)를 이어받지 못하였음.
[商氣 상기] 가을의 기운.
[商略 상략] ㉠꾀. 계략(計略). ㉡장사하는 꾀.
[商量 상량] 헤아려 생각함. 상탁(商度).
[商旅 상려] 도붓장수. 행상(行商).
[商嶺 상령] 전한(前漢)의 사호(四皓)가 숨었던 산.
[商路 상로] 장삿길.
[商陸 상륙] 다년생 풀의 하나. 뿌리는 수종증(水腫症)에 이뇨제(利尿劑)로 씀. 자리공.
[商利 상리] 장사하여 얻은 이익.
[商賣 상매] 장사.
[商暮 상모] 가을날의 저녁때.
[商務 상무] 상업상의 용무(用務).
[商舶 상박] 여객·화물을 운반하는 상용(商用)의 선박.
[商法 상법] ㉠상업에 관한 규칙. ㉡상업상의 사권(私權) 관계를 규정하는 법률.
[商社 상사] ㉠상업상의 결사(結社). ㉡'상사 회사(商事會社)'의 준말.
[商事 상사] ㉠상업에 관한 일. ㉡상법상(商法上)의 일체의 사항(事項)의 총칭.
[商山四皓 상산사호] 진(秦)나라 말년(末年)에 전란(戰亂)을 피하여 산시 성(陝西省) 상산(商山)에 은거한 네 사람의 백발노인. 곧, 동원공(東園公)·하황공(夏黃公)·녹리 선생(甪里先生)·기이계(綺里季). 후에 모두 한(漢)나라 혜제(惠帝)의 스승이 되었음.
[商參 상삼] 서로 엇갈리어 맞지 아니함.
[商船 상선] 상업상의 목적에 쓰이는 배.
[商勢 상세] 상업의 형세.
[商鞅 상앙] 전국 시대(戰國時代)의 정치가. 위(衛)나라 사람. 성(姓)은 공손씨(公孫氏). 형명(刑名)의 학(學)을 좋아하여 진(秦)나라 효공(孝公)을 섬겨 정승이 되자 법령(法令)을 고치고 부강지책(富強之策)을 써서 치적(治績)이 볼만하였으나, 법이 너무 준엄하고 귀척(貴戚)과 대신의 원망을 사서 효공이 죽은 후 차열(車裂)의 형벌을 받았음. 상(商)에 봉(封)함을 받았으므로 호(號)를 상군(商君)이라 함. 저서에 〈상자(商子)〉가 있음.
[商羊 상양] 상상상(想像上)의 새. 이 새가 날아다니면 큰비가 내린다는 전설이 있음. 전(轉)하여, 홍수(洪水)·수재(水災)의 예보(豫報)의 뜻으로 쓰임.
[商羊鼓舞 상양고무] 큰비가 오려고 하여 상양(商羊)이 기뻐하여 춤춤. 상양(鴹鴹).
[商業 상업] 장사. 상행위(商行爲)의 영업.
[商用 상용] ㉠상업상의 용무. ㉡장사하는 데 씀.
[商意 상의] 가을의 정취(情趣).
[商議 상의] 상의함. 서로 의논함.
[商人 상인] 장수.
[商子 상자] 책 이름. 5권 26편. '상군서(商君書)'라고도 함. 진(秦)나라 상앙(商鞅)의 저(著)라고 하나, 상앙이 죽은 뒤의 일을 많이 부회(附會)하였음.
[商敵 상적] 자기가 경영하는 상업에 있어서의 경쟁자.
[商店 상점] 가게.
[商定 상정] 헤아려 정함.
[商秋 상추] 가을. 추계(秋季).
[商儈 상쾌] 상괴(商儈).
[商度 상탁] 상량(商量).
[商販 상판] 장사. 장사함.

[商鋪 상포] 상점(商店).
[商標 상표] 상공업자(商工業者)가 자기의 상품(商品)인 것을 표시하기 위하여 쓰는 일정한 표(標).
[商品 상품] 팔고 사는 물건.
[商風 상풍] 가을바람. 금풍(金風).
[商港 상항] 상선(商船)이 드나들고 화물이 집산(集散)하는 항구(港口).
[商戶 상호] 장사하는 집.
[商號 상호] 장사하는 사람이 영업상(營業上) 자기(自己)를 표시(表示)하는 이름.
[商況 상황] 상업상의 형편(形便).
[商會 상회] 상업상의 결사(結社). 전(轉)하여, 상점.
◉街商. 巨商. 季商. 宮商. 隊商. 萬商. 暮商. 卜商. 士農工商. 參商. 素商. 申商. 紳商. 良商. 外商. 股商. 仲商. 通商. 海商. 行商. 協商. 豪商. 畫商. 會商.

8 ⑪ [啇] 적 [入]錫 都歷切 dí

[字解] ①밑동 적 근본. ②꼭지 적 열매의 꼭지. ③물방울 적 滴(水部 十一畫)과 同字. '三一而眠'《蘇舜欽》.
[字源] 形聲. 口+帝〈省〉〔音〕. '帝제'는 구심적(求心的)으로 모이다의 뜻. 많은 뿌리가 모이는 나무의 '밑동'의 뜻을 나타냄.

8 ⑪ [問] [中人] 문 [去]問 亡運切 wèn 问

[筆順] 丨 冂 ⺆ 門 門 門 問 問

[字解] ①물을 문 질문함. '一答'. '好一則裕'《書經》. ②문초할 문 신문함. '一罪'. '淑一如皐陶'《詩經》. ③찾을 문 ㉠방문함. '帝使泄公持節一之'《漢書》. ㉡병 앓는 사람을 찾아가 위로함. '一病'. '一疾弔喪'《說苑》. ④알릴 문 고함. '或以一孟嘗君'《戰國策》. ⑤선사할 문 증정함. '雜佩以一之'《詩經》. ⑥물음 문 질문. '舜好一'《中庸》. ⑦부름 문 초빙(招聘). '公一不至'《左傳》. ⑧소식 문 음신(音信). '久無家一'《晉書》. ⑨성 문 성(姓)의 하나.
[字源] 甲骨文 金文 篆文 形聲. 口+門〔音〕. '門문'은 '문'의 뜻. 문전에 찾아가서 묻다, 신성한 지역에서 신의 뜻을 묻다의 뜻을 나타냄.

[問遣 문견] 안부(安否)를 묻고 선물(膳物)을 보냄.
[問難 문난] 어려운 것을 물음.
[問寧 문녕] 안부(安否)를 물음. 또, 병문안을 함. 문병(問病)함.
[問答 문답] 물음과 대답(對答). 또, 한쪽에서 묻고 다른 한쪽에서 대답함.
[問對 문대] ㉠문답(問答). ㉡한문(漢文)의 한 체(體). 문답식으로 의견을 진술한 것.
[問東答西 문동답서] 동(東)을 물으면 서(西)를 대답(對答)한다는 뜻으로, 딴소리하는 것을 이르는 말. 동문서답(東問西答).
[問禮 문례] 예절을 물음.
[問柳 문류] 버들을 찾는다는 뜻으로, 봄의 경치를 찾아 구경함을 이름.
[問名 문명] 이름을 물음.
[問目 문목] 죄인(罪人)을 심문(審問)하는 조목(條目).
[問病 문병] 앓는 사람을 찾아보고 위문(慰問)함.
[問卜 문복] 점쟁이에게 길흉(吉凶)을 물음.
[問喪 문상] 사람의 죽음에 대(對)하여 위로(慰勞)함. 조상(弔喪).
[問訊 문신] ㉠신문(訊問)함. 물어 바로잡음. ㉡찾음. 방문함.
[問安 문안] 웃어른에게 안부(安否)를 여쭘.
[問安視膳 문안시선] 웃어른에게 문안(問安)을 올리고, 차려 드릴 음식을 보살핌.
[問業 문업] 스승에게 가르침을 받음.
[問議 문의] 물어보고 의논함.
[問情 문정] 사정(事情)을 물음.
[問鼎輕重 문정경중] 초(楚)나라 장왕(莊王)이 천하(天下)를 빼앗으려는 야심(野心)을 품고, 주(周)나라 정왕(定王)에게 제위(帝位)의 상징(象徵)이며 전국(傳國)의 보물(寶物)인 구정(九鼎)의 무게를 물었다는 고사(故事). 타인(他人)의 실력(實力) 또는 내막(內幕)을 엿봄.
[問題 문제] ㉠대답(對答)을 얻기 위하여 내는 제목(題目). ㉡의논(議論)의 목적물(目的物)이 되는 일.
[問罪 문죄] 죄(罪)를 신문하여 책망함. 또, 죄지은 자를 성토(聲討)하고 정벌함.
[問罪之師 문죄지사] 역적(逆賊)을 치는 군대.
[問津 문진] ㉠나루가 있는 곳을 물음. ㉡학문의 입문(入門). 학문의 입구(入口)를 알려 주기를 청한다는 뜻.
[問招 문초] 죄(罪)를 지은 사람을 신문(訊問)함.
[問學 문학] 학문(學問).
[問候 문후] 웃어른의 안부(安否)를 물음. 후문(候問).
◉講問. 譴問. 叩問. 考聞. 拷問. 顧問. 究問. 鞫問. 糾問. 記問. 吉問. 難問. 勞問. 名問. 耗問. 聞問. 反問. 訪問. 不問. 聘問. 査問. 書問. 設問. 省問. 詢問. 試問. 訊問. 審問. 尋問. 按問. 案問. 延問. 慰問. 音問. 疑問. 一問. 自問. 咨問. 諮問. 裁問. 摘問. 荐問. 切問. 弔問. 存問. 質問. 借問. 察問. 責問. 策問. 請問. 推問. 風問. 下問. 學問. 驗問. 或問. 喚問. 候問. 恤問. 凶問. 詰問.

8 ⑪ [售] 수 [去]宥 承呪切 shòu

[字解] ①팔 수 물품을 팖. '吾一之人取之'《劉基》. ②팔릴 수 ㉠남이 사감. '衒嫁不一'《列女傳》. ㉡행하여짐. 쓰여짐. '于始不一'《張衡》.
[字源] 篆文 形聲. 口+雔〈省〉〔音〕. '雔수'는 대등한 것이 나란히 있다의 뜻. 서로 목소리를 건네어 상대와 교역(交易)하다, 팔다의 뜻을 나타냄.

◉沽售. 買售. 發售. 寶貨難售. 自售.

8 ⑪ [啓] [高人] 계 [上]薺 康禮切 qǐ 启

[筆順] 一 ㅋ 户 户 户 户 户攵 啓

[字解] ①열 계 ㉠문 같은것을 엶. '一閉'. ㉡슬기와 지능을 열어 줌. '一蒙'. '一發'. ㉢시작함. '是一之也'《韓愈》. ②열릴 계 ㉠열어짐. ㉡통(通)함. '鑿河津于孟門, 百川復一'《南史》.

㉢일어남. 흥함. '皇運勃—'《徐陵》. ③인도할 계 안내함. 보도(輔導)함. '—佑'. '夫人將—之'《左傳》. ④여쭐 계 사뢰. 아룀. '—白'. '時稱山公—事'《晉書》. ⑤책상다리할 계 한 다리를 올리고 한 다리를 그 위에 포개어 편히 앉음. '—居'. '不遑—處'《詩經》. ⑥성 계 성(姓)의 하나.

字源 甲骨文 金文 篆文 形聲. 口+攴(攴)〔音〕. '攴계'는 손으로 문을 여는 모양을 본뜸. 입을 열어 여쭈다의 뜻을 나타냄.

[啓龕 계감] 《佛敎》 감실(龕室)을 열어 공중(公衆)을 비불(祕佛)에게 배례(拜禮)시킴. 개장(開帳).
[啓居 계거] 책상다리하고 편히 앉음. 무릎을 엎고 앉음. 계처(啓處).
[啓告 계고] 말씀드림. 고함.
[啓達 계달] 계품(啓稟).
[啓導 계도] 계발(啓發)하여 지도함.
[啓櫝 계독] 함(函)을 엶. 상자(箱子)를 엶.
[啓明 계명] 유성(遊星)의 하나. 샛별. 금성(金星). 태백성(太白星).
[啓明星 계명성] 계명(啓明).
[啓蒙 계몽] 어린아이나 몽매(蒙昧)한 사람을 깨우침.
[啓蒙運動 계몽운동] 전통적(傳統的)인 인습(因習)을 깨뜨리고 학술적(學術的)으로 합리적(合理的) 판단(判斷)을 얻게 하는 운동(運動).
[啓門 계문] 제사(祭祀) 지낼 때 유식(侑食) 뒤에 합문(闔門)을 엶.
[啓發 계발] 식견(識見)을 열어 줌. 또, 식견이 열림.
[啓發誘導 계발유도] 몽매를 깨우쳐 알도록 이끌어 줌.
[啓白 계백] 사뢰. 말씀드림.
[啓報 계보] 아뢰. 여쭘.
[啓事 계사] 임금에게 아뢰. 또, 그 문서(文書). 상서(上書).
[啓辭 계사] 논죄(論罪)에 관(關)하여 임금에게 아뢰는 글.
[啓上 계상] 사뢰. 말씀드림. 계백(啓白).
[啓示 계시] ㉠열어 보임. 숨김없이 보임. ㉡신(神)의 가르침. 묵시(默示).
[啓沃 계옥] 자기 마음속에 있는 것을 열어 남의 마음속에 부음. 곧, 흉금(胸襟)을 털어놓고 성의껏 인도(引導)함.
[啓佑 계우] 인도(引導)하여 도움.
[啓翼 계익] ㉠군대의 왼편 부대. 좌익(左翼). ㉡인도(引導)하여 도움.
[啓迪 계적] 열어 인도(引導)함. 가르쳐 인도함.
[啓程 계정] 길을 떠남. 발정(發程).
[啓奏 계주] 계품(啓稟).
[啓處 계처] 계거(啓居).
[啓寵 계총] 총애(寵愛)함.
[啓寵納侮 계총납모] 지나치게 총애(寵愛)하면 도리어 경멸(輕蔑)을 받게 된다는 뜻.
[啓蟄 계칩] 이십사절기(二十四節氣)의 하나. 우수(雨水)와 춘분(春分) 사이에 있는데 양력 3월 5일 전후가 됨. 봄철을 맞아 동면(冬眠)하던 벌레가 나와 움직이는 철이라는 뜻. 경칩(驚蟄).
[啓閉 계폐] ㉠열고 닫음. 개폐(開閉). ㉡입춘·입하와 입추·입동.
[啓稟 계품] 임금에게 아뢰.
[啓行 계행] ㉠벽제(辟除)함. ㉡출발함.
◉謹啓. 密啓. 拜啓. 復啓. 覆啓. 副啓. 上啓. 狀啓. 肅啓. 佑啓. 陳啓. 天啓. 行啓. 還啓.

8 ⑪ [啟] 啓(前條)의 本字

8 ⑪ [啔] 啓(前前條)의 俗字

8 ⑪ [呰] 〔자〕 呰(口部 五畫〈p.368〉)와 同字

字源 篆文 形聲. 吅+此〔音〕. '此차'는 '어긋나다'의 뜻. 또, '疵자'와 통하여 '상처, 흠'의 뜻. 입이 비뚤어지다, 상처, 흠의 뜻을 나타냄. 또, 입으로 사람에게 상처를 주다, 헐뜯다의 뜻도 나타냄.

9 ⑫ [單] 中人 ㊀ 단 ㊥寒 都寒切 dān ㊤旱 黨旱切 dǎn ㊁ 선 ㊥先 市連切 chán ㊤銑 常演切 shàn

筆順

字解 ㊀ ①홑 단 ㉠단지 하나. '—數'. '—身'. '家貧衣—'《晉書》. ㉡한 겹. '—衣'. '歲暮衣裳—'《杜甫》. ㉢외로움. '孤—'. '兩世一身, 形—影隻'《韓愈》. ②다할 단 다 없어짐. '—竭'. '歲旣—矣'《禮記》. ③다 단 모두. '惟爲社事—出里'《禮記》. ④성 단 성(姓)의 하나. ⑤다만 단 단지. '唯一有一聲, 無餘聲相雜者也'《禮記》. ㊁ ①오랑캐임금 선 '—于'는 흉노(匈奴)의 왕(王). 광대(廣大)의 뜻. '—于, 姓攣鞮氏'《漢書》. ②고을이름 선 '—父'는 춘추 시대(春秋時代)의 노(魯)나라의 읍(邑). 현재의 산둥 성(山東省) 선현(單縣). ③성 선 성(姓)의 하나. '成王封蔑於—邑, 故爲—氏'《通志》.

字源 甲骨文 金文 篆文 象形. 본디 끝이 두 갈래진 사냥 도구인 활의 일종의 象形. 假借하여 '홑'의 뜻으로 쓰임.

[單家 단가] 불운(不運)하여 한미(寒微)한 집.
[單價 단가] 단위(單位)의 가격.
[單間 단간] 단지 한 칸.
[單竭 단갈] 다함. 끝이 남. 바닥이 남.
[單個 단개] 단 한 개.
[單擧 단거] 오직 한 사람을 천거함.
[單件 단건] 단벌.
[單袴 단고] 홑바지. 고의(袴衣).
[單孤 단고] 의지할 데 없는 고아(孤兒).
[單鉤 단구] 집필법(執筆法)의 하나. 가운뎃손가락을 집게손가락과 가지런히 하여 손가락 끝으로 붓대를 쥐고 글씨를 쓰는 일. 쌍구(雙鉤)의 대(對).

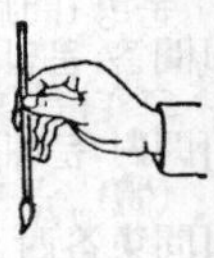
[單鉤]

[單軍 단군] 고단(孤單)한 군사. 원병(援兵)이 없는 고립(孤立)한 군대(軍隊). 고군(孤軍).
[單卷 단권] 한 권으로 완결된 책.
[單衿 단금] 홑이불.
[單記 단기] 낱낱이 따로따로 적음.
[單騎 단기] 혼자 말을 타고 감. 또, 그 사람.

[單刀 단도] 한 자루의 칼.
[單刀直入 단도직입] 한 칼로 바로 적진(敵陣)에 쳐들어간다는 뜻으로, 문장·언론 등에서 바로 본론(本論)으로 들어감을 이름.
[單獨 단독] ㉠독신자(獨身者). ㉡단지 한 사람. 혼자. 또, 단지 하나.
[單獨講和 단독강화] 한 나라가 그 동맹국(同盟國)에서 이탈하여 단독으로 적국(敵國)과 강화하는 일. 또는, 많은 상대국(相對國) 가운데서 한 나라와만 하는 강화.
[單獨一身 단독일신] 단 하나인 홑몸.
[單獨行爲 단독행위] 당사자(當事者) 한쪽만의 의사 표시에 의하여 성립되는 법률 행위.
[單老 단로] 나이는 늙고 처자(妻子)가 없는 사람.
[單露 단로] 모두 노출됨. 방어물(防禦物)이 없음을 이르는 말.
[單利 단리] 원금(元金)에 가입시키지 않는 이자(利子).
[單文 단문] 간단한 문장. 간단한 문구(文句).
[單門 단문] 가난한 집안. 의지(依支)할 곳 없는 일족(一族).
[單文孤證 단문고증] 간단한 문서(文書)와 하나의 증거(證據)라는 뜻으로, 불충분(不充分)한 증거, 박약한 증거를 이름.
[單味 단미] 한 가지 맛. 순수(純粹)한 맛. 또, 그 음식물.
[單方 단방] ㉠여러 가지 약(藥)을 쓰지 않고 단한 가지만을 쓰는 방문(方文). 또, 그 약. 단방약(單方藥). ㉡단출한 방법.
[單方藥 단방약] 단 한 가지만 가지고 병(病)을 다스리는 약.
[單番 단번] 단 한 번. 한 차례.
[單兵 단병] 소수(少數)의 약한 군대(軍隊). 원병(援兵)이 없는 고립한 군대. 고군(孤軍). 단군(單軍).
[單婢 단비] 단 한 사람의 여자 종.
[單辭 단사] 한쪽만의 말.
[單舍利別 단사리별] 백사탕(白砂糖) 6할 5푼을 끓는 증류수(蒸溜水) 3할 5푼에 녹인 액체. 약제(藥劑)의 조미(調味)에 씀.
[單絲不成線 단사불성선] 외가닥 실은 아무 쓸모가 없다는 뜻.
[單衫 단삼] 윗도리에 입는 저고리 모양의 홑옷. 적삼.
[單色 단색] ㉠한 가지 빛. ㉡단일한 빛. 곧, 원색(原色).
[單席 단석] 외겹의 돗자리.
[單線 단선] 외줄.
[單性 단성] 생물(生物)의 기관(器官)이 자성(雌性) 또는 웅성(雄性)의 한쪽만을 가지고 있는 일.
[單少 단소] 적음. 사소(些少)함.
[單純 단순] ㉠어수선하지 않고 홑짐. 복잡하지 않고 순일(純一)함. ㉡조건(條件)이나 제한(制限)이 없음.
[單式 단식] 단순한 방식.
[單身 단신] 혼자의 몸. 홑몸.
[單心 단심] ㉠마음을 다함. 진력함. '單'은 '殫'과 통함. ㉡참마음. '單'은 '信'.
[單閼 단알] 십이지(十二支)의 하나인 '묘(卯)'의 별칭(別稱).
[單語 단어] 낱말.
[單元 단원] ㉠단일(單一)한 근원(根元). ㉡단자(單子) ㉠.
[單元論 단원론] 단일한 원리(原理)에 의하여 우주(宇宙)의 모든 현상(現象)을 설명하는 학설(學說).
[單月 단월] 작은달. 즉, 한 달이 30일인 달.
[單位 단위] ㉠수량(數量)을 헤아리는 데 그 기초가 되는 분량의 표준(標準). ㉡사물을 비교·계산하는 기본.
[單襦 단유] 짧은 홑옷.
[單音 단음] ㉠홑소리. ㉡음악(音樂)에서 단일한 선율(旋律)만을 아뢰는 소리.
[單衣 단의] 홑옷.
[單易折衆難摧 단이절중난최] 고립하면 꺾이기 쉽고, 합하면 잘 꺾이지 아니함.
[單一 단일] 단지 하나.
[單子 단자] ㉠모든 물체(物體) 조성(組成)의 근본이라고 생각되는 개체(個體)로서, 절대로 나눌 수 없는 독립 자유의 존재. ㉡《韓》 남에게 보내는 물목(物目)을 적은 종이.
[單子論 단자론] 만유(萬有)는 무수(無數)한 단자(單子)로 되었고, 그 단자는 제각기 전(全)우주(宇宙)를 표상(表象)하고 있다고 하는 학설(學說).
[單盞 단잔] 한 잔.
[單傳 단전] 《佛敎》 문자·언어에 의하지 아니하고 이심전심(以心傳心)함.
[單丁 단정] 형제가 없는 장정(壯丁).
[單調 단조] ㉠음향(音響) 등의 가락이 단일(單一)함. ㉡사물이 변화가 없이 싱거움.
[單稱 단칭] 특히 한 개만을 일컬음.
[單寒 단한] ㉠고단(孤單)하고 한미(寒微)함. ㉡의복이 얇아 추움.
[單行 단행] 혼자 감. 단신으로 감.
[單行本 단행본] 총서(叢書)나 전집(全集)에 대하여 그것만으로 단독으로 출판(出版)된 책.
[單獻 단헌] 제사에 삼헌(三獻)할 술잔을 단 한 번만 함.
[單于 선우] 흉노(匈奴)의 왕(王)의 칭호(稱號).
◉簡單. 煢單. 輕單. 孤單. 供單. 交單. 名單. 微單. 孀單. 食單. 傳單.

9
⑫ **[嚚]** 〔악〕
咢(口部 六畫〈p.369〉)의 本字

9
⑫ **[喪]** [中人] 상 [去]漾 蘇浪切 sàng
[平]陽 息郞切 sāng 

[筆順] 一 十 𠮷 𠱠 𠲜 𠷎 𠷎 喪

[字解] ①망할 상 멸망함. '殷遂—'《書經》. ②잃을 상 ㉠없어지게 함. 상실함. '—心'. '勇士不忘—其元'《孟子》. ㉡지위를 잃음. '二三子何患於—乎'《論語》. ㉢사별(死別)함. '悼—其親'《左傳》. '偏—曰寡'《詩經 傳》. ③복 상 상복(喪服). '父母之—, 無貴賤一也'《中庸》. ④관 상 널. '送—不踰境'《禮記》. ⑤복입을 상 상제 노릇을 함. '子夏—其子, 而喪其明'《禮記》. ⑥성 상 성(姓)의 하나.

[字源] 金文 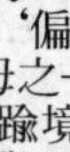 篆文  會意. 哭+亡. '哭곡'은 입을 벌리고 울다의 뜻. '亡망'은 사람의 죽음의 뜻. 슬픈 사람의 죽음의 뜻에서, 일반적으로 물건을 잃다의 뜻을 나타냄.

[喪家 상가] ㉠초상(初喪)난 집. ㉡상제의 집.

[喪家之狗 상가지구] 초상(初喪)집 개란 말이니, 초상(初喪)집은 슬픈 나머지 개에게 먹을 것을 줄 경황이 없어서 개가 파리해지므로, 기운이 없어 축 늘어진 사람이나 수척하고 쇠약한 사람의 비유로 쓰임.
[喪具 상구] 장례(葬禮)에 쓰는 제구(諸具).
[喪國 상국] 나라를 잃음.
[喪紀 상기] 상사(喪事)에 관한 일.
[喪氣 상기] 의기(意氣)가 저상(沮喪)함.
[喪期 상기] 거상을 입는 동안.
[喪亂 상란] 상사(喪事)와 화란(禍亂). 많은 사람이 죽는 재앙.
[喪禮 상례] 상중(喪中)에 행하는 예절(禮節).
[喪笠 상립] 방갓.
[喪亡 상망] 상실(喪失).
[喪明 상명] ㉠소경이 됨. 실명(失明). ㉡아들의 죽음을 당함. 자하(子夏)가 아들의 죽음에 너무 상심하여 실명(失明)한 고사(故事)에서 나온 말.
[喪配 상배] 아내가 죽음. 홀아비가 됨. 상처(喪妻).
[喪服 상복] 상중(喪中)에 입는 옷.
[喪夫 상부] 남편(男便)의 죽음을 당함. 과부가 됨.
[喪費 상비] 초상에 드는 비용. 상수(喪需).
[喪事 상사] 사람이 죽는 일.
[喪性 상성] 본디 갖춘 성질을 잃어버림.
[喪需 상수] 초상에 드는 비용(費用). 상비(喪費).
[喪神 상신] 본심(本心)을 잃음.
[喪失 상실] 잃어버림.
[喪心 상심] ㉠본심(本心)을 잃음. 마음이 미혹(迷惑)함. ㉡미침.
[喪輿 상여] 시체를 운반하는 기구.
[喪偶 상우] 상처(喪妻).
[喪人 상인] 상제(喪制).
[喪杖 상장] 상제가 짚는 지팡이. 부상(父喪)에는 대〔竹〕, 모상(母喪)에는 오동(梧桐).
[喪章 상장] 조의(弔意)를 표시(表示)하는 휘장(徽章).
[喪制 상제] 상중의 복제(服制).
[喪祭 상제] 초상과 제사.
[喪主 상주] 주장이 되는 상제.
[喪中 상중] 상제로 있는 동안.
[喪志 상지] 상심(喪心).
[喪債 상채] 상수(喪需)로 인하여 생긴 빚. 초상(初喪) 빚.
[喪妻 상처] 아내가 죽음. 홀아비가 됨.
[喪布 상포] 초상 때에 쓰는 베.
[喪行 상행] 상여(喪輿)의 뒤를 따르는 행렬(行列).
◉國喪. 大喪. 悼喪. 得喪. 問喪. 剝喪. 服喪. 稅喪. 送喪. 心喪. 哀喪. 淪喪. 除喪. 沮喪. 阻喪. 弔喪. 凋喪. 札喪. 脫喪. 敗喪. 好喪. 護喪. 婚喪.

9 ⑫ [㕵] 喪(前條)의 本字

9 ⑫ [嘐] 〔경〕 哽(口部 七畫〈p.375〉)의 本字

9 ⑫ [㖒] 〔당〕 唐(口部 七畫〈p.377〉)의 古字

9 ⑫ [煦] 후 ㊤麌 況羽切 xǔ

字解 ①불 후 숨기운을 내보냄. '一噓呼吸'《王褒》. ②숨 후 호흡. '衆一漂山'《漢書》. ③선웃음칠 후 아첨하여 웃음. '一一趄趄'《柳宗元》. ④따뜻이할 후, 품을 후 煦(火部 九畫)와 同字. '護民之勞, 一之若子'《唐書》.
字源 形聲. 灬(火)＋呴〔音〕. '呴구·후'는 훅 숨을 불다의 뜻. '火화'를 더하여, 따뜻한 숨을 불어 따뜻이 하다의 뜻을 나타냄.

[煦噓呼吸 후허호흡] 도가(道家)의 양생법(養生法)으로서, 체내(體內)의 고기(古氣)를 내쉬고 신기(新氣)를 들이쉬는 일. 토납(吐納).
[煦煦 후후] 아첨하여 웃는 모양. 선웃음 치는 모양.

9 ⑫ [啼] 人名 제 ㊥齊 杜奚切 tí

字解 울 제 ㉠눈물을 흘리며 소리 내어 욺. '一泣'. '始卒主人一'《禮記》. ㉡새나 짐승이 욺. '月落烏一霜滿天'《張繼》.
字源 形聲. 口＋帝〔音〕. '帝제'는 우는 소리를 나타내는 의성어.

[啼哭 제곡] 큰 소리로 욺. 울부짖음.
[啼眉 제미] 울어 찡그린 눈썹.
[啼泣 제읍] 눈물을 흘리며 소리 내어 욺. 체읍(涕泣).
[啼粧 제장] 우는 얼굴과 같이 보이기 위하여 분을 눈 아래에만 살짝 바르는 화장.
[啼鳥 제조] 우는 새. 지저귀는 새.
[啼珠 제주] 눈물 방울.
[啼血 제혈] 피를 토하며 슬피 욺. 두견이의 애절(哀切)한 소리를 이름.
[啼痕 제흔] 울어서 눈물이 흐른 자국.
◉悲啼. 愁啼. 深啼. 偸啼. 含啼. 銜啼.

9 ⑫ [喒] 잠 ①㊤感 子感切 zǎn ②㊥覃 祖含切 zán

字解 ①맛볼 잠 '一一'은 맛을 봄. '一一, 味也'《集韻》. ②나 잠 자기(自己)의 속칭. '一, 今北音謂我也'《正字通》.

9 ⑫ [喑] 암 ㊥覃 吾含切 án

字解 ①잠꼬대 암 몽예(夢囈). 일설(一說)에는, 코를 고는 소리. '眠中一囈呻呼'《列子》. ②다물 암 '一默'은 입을 다물고 잠자코 있음. '公卿一默唯唯'《唐書》.
字源 形聲. 口＋弇〔音〕. '弇엄'은 '뚜껑을 덮다'의 뜻.

[喑默 암묵] 입을 다물고 잠자코 있음.
[喑囈 암예] 잠꼬대. 일설(一說)에는 코 고는 소리.

9 ⑫ [啾] 추 ㊥尤 卽由切 jiū

字解 ①울 추 새 같은 것이 작은 소리로 욺. '依林白鳥一'《楊載》. ②떠들썩할 추 시끄러움. '一嘈'.

[字源] 篆文 形聲. 口+秋〔音〕. '秋추'는 작은 울음소리의 의성어. 새나 벌레 따위가 슬피 울다의 뜻을 나타냄.

[啾嘈 추조] 소리가 시끄러움. 떠들썩함.
[啾唧 추즉] ㉠새 같은 것이 가늘게 우는 소리. ㉡여럿이 떠들썩하게 지껄이는 소리.
[啾啾 추추] ㉠방울 같은 것이 가늘게 울리는 소리. ㉡새, 말, 벌레, 귀신 따위가 구슬프고 처량하게 우는 소리. ㉢음산하게 내리는 빗소리.
[啾號 추호] 울부짖음.
◉聊啾. 啁啾. 嘲啾. 號啾. 喧啾.

9 ⑫ [啿] 담 [上]感 徒感切 dàn

[字解] 많을 담 넉넉한 모양. 풍후(豐厚)한 모양. '羣生——'《漢書》.
[字源] 形聲. 口+甚〔音〕

[啿啿 담담] 넉넉한 모양. 풍후(豐厚)한 모양.

9 ⑫ [喀] [人名] 객 [入]陌 苦格切 kā

[字解] 뱉을 객 구토함. '—血'.
[字源] 形聲. 口+客〔音〕. '客객'은 입에서 내뱉는 소리의 의성어.

[喀喀 객객] 물건을 계속하여 뱉는 소리.
[喀痰 객담] 가래를 뱉음. 또, 그 가래.
[喀血 객혈] 피를 토함.

9 ⑫ [喥] [一] 탁 [入]藥 徒落切 duó
[二] 도 [去]遇 都故切 zhà
[三] 타 [平]麻 陟加切 zhà

[筆順] 口 口' 口亠 口广 口庐 口庐 口度 喥

[字解] [一] 말에절도(節度)없을 탁 '—, 言無度也'《集韻》. [二] 꾸짖을 도 '—, 吒也'《集韻》. [三] 꾸짖을 타 吒(口部 三畫〈p. 344〉)·咤(口部 六畫〈p. 369〉)와 同字.

9 ⑫ [喁] [一] 옹 [平]冬 魚容切 yóng
[二] 우 [上]有 語口切 yú

[字解] [一] 입벌름거릴 옹 고기가 물 위에 입을 내놓고 벌름거림. '水濁則魚—'《韓詩外傳》. [二] 화답할 우 한 사람이 '어' 하고 부르면 딴 사람이 '오' 하고 대답하는 소리. '前者唱于, 而隨者唱—'《莊子》.
[字源] 篆文 形聲. 口+禺〔音〕

[喁喁 옹옹] ㉠물고기가 입을 위로 쳐들고 떠서 벌름거리는 모양. 전(轉)하여, 여러 사람이 우러러 사모하는 모양. ㉡부화뇌동(附和雷同)하여 말하는 모양. 또, 쓸데없는 말을 지루하게 하는 모양.
◉魚喁. 噞喁. 于喁. 前于隨喁.

9 ⑫ [喃] 남 [平]咸 女咸切 nán

[字解] ①재재거릴 남 수다스럽게 재잘거림. '——細語'《北史》. ②글읽는소리 남 독서성(讀書聲). '樹下讀——'《寒山》.
[字源] 形聲. 口+南〔音〕. '南남'은 입을 열었다 다물었다 하는 모양을 나타냄.

◉呢喃. 詀喃.

9 ⑫ [㗇] 하 [平]麻 何加切 xiá

[字解] 목구멍 하 '—, 咽也'《集韻》.

9 ⑫ [喇] [人名] 라(랄[本]) [入]曷 郎達切 lǎ

[字解] ①나팔 라 '—叭'은 관악기의 하나. ②나마 라 범어(梵語) '라'의 음역자(音譯字). '—嘛'.
[字源] 形聲. 口+剌〔音〕

[喇嘛 나마] 나마교의 중.
[喇嘛教 나마교] 서장(西藏 ; 티베트)을 중심으로 하여 몽골 및 만주에 퍼진 불교의 한 파. 라마교(lama教).
[喇叭 나발] 나팔(喇叭).
[喇叭 나팔] 관악기의 하나. 군중에서 호령을 전하는 데 쓰였음.

9 ⑫ [喈] 개 [平]佳 古諧切 jiē

[字解] ①새소리 개 듣기 좋은 새소리. '其鳴——'《詩經》. ②종소리 개 듣기 좋은 종소리. '鼓鐘——'《詩經》. ③빠를 개 빠른 모양. '北風其—'《詩經》.
[字源] 篆文 形聲. 口+皆〔音〕. '皆개'는 '가지런하다, 조화하다, 모이다'의 뜻. 듣기 좋은 소리의 뜻을 나타냄.

[喈喈 개개] ㉠듣기 좋은 새소리가 멀리 들리는 모양. ㉡종이 울리는 소리. ㉢심복(心服)하는 모양.

9 ⑫ [喉] [人名] 후 [平]尤 戶鉤切 hóu

[筆順] 口 口' 口亻 口仁 口亻⺈ 口侯 口侯 喉

[字解] ①목구멍 후 '—頭'. '搤其—'《左傳》. ②목 후 급소. 요해처. '畫地而守之, 扼其—而不得進'《魏志》.
[字源] 篆文 形聲. 口+侯〔音〕. '侯후'는 '엿보다'의 뜻. 밖에서 그 모양을 엿볼 수 있는 입. 숨통, 결후(結喉)의 뜻을 나타냄.

[喉衿 후금] 목구멍과 옷깃. 전(轉)하여, 요해처(要害處), 또는 강요(綱要)의 뜻으로 쓰임.
[喉頭 후두] 기관(氣管)과 설골(舌骨) 사이에 있는 호흡기(呼吸器)의 일부.
[喉吻 후문] ㉠목구멍과 입술. ㉡요소(要所). 목.
[喉門 후문] 목구멍.
[喉舌 후설] 목구멍과 혀. 모두 말을 하는 중요한 기관(器官)이므로 중요한 정무(政務)의 비유로 쓰임. 전(轉)하여, 정무(政務)에 참여하는 재상(宰相).
[喉舌之官 후설지관] 임금의 말을 기록하는 관원(官員).

[喉院 후원] 《韓》 '승정원(承政院)'의 별칭(別稱).
[喉音 후음] 내쉬는 숨으로 목청을 마찰하여 내는 소리. 'ㅇ·ㅎ' 같은 것. 목구멍소리.
[喉咽 후인] 목구멍. 인후(咽喉).
◉歌喉. 乾喉. 結喉. 嬌喉. 衿喉. 襟喉. 心喉. 扼喉. 咽喉.

9 ⑫ [𠯋] 喉(前條)의 本字

9 ⑫ [啚] 〔도〕 圖(囗部 十一畫〈p. 429〉)의 俗字

9 ⑫ [喊] [人名] 함 ①[上]豏 呼豏切 hǎn ②[平]咸 居咸切 jiān

[字解] ①소리칠 함 ㉠화내어 소리 지름. '跳踉大—'《柳宗元》. ㉡고함지름. '—聲'. '衆—莫齊'《蘇軾》. ②다물 함 입을 다묾. 잠자코 있음. '—默'.
[字源] 形聲. 口+咸〔音〕. '咸함'은 목소리를 한껏 내다의 뜻. '口구'를 더하여 '소리치다'의 뜻을 나타냄.

[喊默 함묵] 입을 다물고 말을 하지 아니함.
[喊聲 함성] 여러 사람이 함께 높이 지르는 소리. 고함지르는 소리.
◉高喊. 鼓喊. 吶喊.

9 ⑫ [喌] [一] 죽 [入]屋 之六切 zhōu [二] 주 [平]尤 職流切

[字解] [一] 닭부르는소리 죽 '——'은 닭을 부르는 소리. '—, 呼鷄重言之'《說文》. [二] 닭부르는 소리 주 [一]과 뜻이 같음.
[字源] 形聲. 吅+州〔音〕

9 ⑫ [噱] [一] 갹 [入]藥 其虐切 jué [二] 극 [入]陌 乞逆切

[字解] [一] 입위의오목한곳 갹, 웃을 갹 '谷, 說文曰, 口上阿也. 一曰, 笑也. —·膢, 並同上'《集韻》. [二] 웃을 극 크게 웃음. '噱, 說文, 大笑也. 通作—'《集韻》.

9 ⑫ [咠] [一] 즙 [入]緝 阻立切 jí [二] 급 [入]緝 訖立切 jí [三] 뢰 [平]灰 魯回切 léi

[字解] [一] 뭇입 즙 여러 사람의 입. 또, 많은 사람이 왁자지껄 말함. 시끄러움. '—, 衆口也, 一曰, 呶'《說文》. [二] 뭇입 급 [一]과 뜻이 같음. [三] 雷(雨部 五畫〈p. 2498〉)의 古字.
[字源] 會意. '口구'를 넷 합쳐서, 뭇사람이 소리쳐 시끄럽다의 뜻을 나타냄.

9 ⑫ [喦] [一] 녑 [入]葉 昵輒切 niè [二] 엽 [入]葉 而涉切 yì

[字解] [一] ①수다할 녑 말이 많음. '—, 多言也'《說文》. ②말다툼할 녑 '曳—'은 다툼. '曳—, 爭言也'《玉篇》. [二] 수다할 엽 [一]❶과 뜻이 같음. '—, 多言'《廣韻》.
[字源] 指事. 세 개의 입, 곧 많은 입으로 수다를 떤다는 뜻을 나타냄.
[參考] 山部 九畫의 '嵒'과 자형(字形)이 흡사하나, 口部는 '喦'으로 쓰고, 山部는 '嵒'으로 하여 구별함.

9 ⑫ [喋] [一] 첩 [入]葉 丁愜切 dié [二] 잡 [入]洽 丈甲切 zhá

[字解] [一] ①재재거릴 첩 수다스럽게 말을 잘 늘어놓음. '——利口'《漢書》. ②밟을 첩 蹀(足部 九畫)과 同字. '—血闕與'《史記》. ③흐를 첩 피가 흐르는 모양. '夏楚血常—'《王安石》. [二] 쪼아먹을 잡 새가 모이를 먹음. '—呷'. '唼—菁藻'《史記》.
[字源] 形聲. 口+枼〔音〕. '枼엽'은 '나뭇잎'의 뜻. 나뭇잎의 수처럼 말수가 많다, 잘 지껄이다의 뜻을 나타냄. 또, 음부(音符) '枼'은 '얇고 납작하다'의 뜻. 입술을 납작하게 해서 빨아 마시다의 뜻도 나타냄.

[喋呷 잡합] 오리나 기러기가 모여서 모이를 쪼아먹음.
[喋喋 첩첩] 수다스럽게 거침없이 말을 썩 잘하는 모양.
[喋喋利口 첩첩이구] 수다스럽게 거침없이 말을 썩 잘하는 입.
[喋血 첩혈] 피를 밟음. 전쟁터에 나감을 이름.
◉唼喋. 唓喋. 噍喋.

9 ⑫ [喏] 야 [上]馬 爾者切 rě, nuò

[字解] ①대답할 야 대답하는 소리. '子發曰—, 不問其詞而遣之'《淮南子》. ②인사할 야 '唱—'는 남에게 인사할 때의 말. '左右因唱—'《宋書》.
[字源] 形聲. 口+若〔音〕. '若약'은 복종하여 응하다의 뜻. '예' 하고 대답하는 모양을 나타냄.

◉唱喏.

9 ⑫ [喑] 음 ①②[平]侵 於金切 yīn ③[去]沁 於禁切 yìn

[字解] ①벙어리 음 말을 하지 못함. 또, 그 병. '—啞'. '遂稱風疾—不能言'《後漢書》. ②입다물 음 침묵함. '—啞'. '近臣則—, 遠臣則唫'《墨子》. ③소리지를 음 큰 소리로 호령함. '項王—噁叱咤'《史記》.
[字源] 篆文 形聲. 口+音〔音〕. '音음'은 입에 물건을 물어 똑똑히 발음하지 않다의 뜻. '입을 다물다, 벙어리' 등의 뜻을 나타냄.

[喑蟬 음선] 벙어리매미.
[喑啞 음아] ㉠벙어리. ㉡입을 다묾.
[喑噁叱咤 음오질타] 성을 내어 큰 소리로 꾸짖음.
[喑喑 음음] 말은 못하고 단지 소리만 내는 모양.
[喑醷 음의] 기(氣)가 모이는 모양.
◉口喑. 聾喑. 坐喑.

9 ⑫ [喓] 요 [平]蕭 於霄切 yāo

[字解] 벌레소리 요 '——草蟲'《詩經》.
[字源] 形聲. 口+要〔音〕

[喓喓 요요] 벌레 소리.

9 ⑫ [喔] 악 [入]覺 於角切 wō

[字解] ①울 악 새가 욺. 또, 그 소리. '——雞下樹'《白居易》. ②선웃음칠 악 억지로 아첨하여 웃음. '一咿嚅唲, 以事婦人乎'《楚辭》.
[字源] 篆文 形聲. 口+屋〔音〕. 닭이 우는 소리의 의성어.

[喔喔 악악] 닭 우는 소리. 또, 새 우는 소리.
[喔嚅 악유] ㉠수다스럽게 지껄임. ㉡시끄럽게 욺.
[喔咿 악이] ㉠선웃음 치는 모양. 억지로 아첨하여 웃는 모양. ㉡닭 우는 소리.
◉呃喔. 嗌喔. 嚶喔. 咿喔.

9 ⑫ [𠷎] [一] 주 [平]尤 直由切 chóu
[二] 수 [去]宥 承呪切 shòu
[字解] [一] 꿩 주 꿩의 별명(別名). '雉, 南方曰一'《爾雅》. [二] 수할 수 오래 삶. 壽(士部 十一畫)의 古字.

9 ⑫ [喘] [人名] 천 [上]銑 昌兗切 chuǎn
[字解] ①숨 천 호흡. 전(轉)하여, 수명(壽命). '一餘'. '假一殘生'《張說》. ②숨찰 천 숨이 차서 헐떡거림. '一息'. '㕭一膚汗'《漢書》. ③코골 천 코를 곪. '鶴瘦龜不一'《蘇軾》. ④속삭일 천 소곤소곤 이야기함. '一而言'《荀子》.
[字源] 篆文 形聲. 口+耑〔音〕. '耑천'은 '遄천'과 통하여 '빠르다'의 뜻. '가쁜 숨, 헐떡이다'의 뜻을 나타냄.

[喘急 천급] 심한 천식(喘息).
[喘氣 천기] 가벼운 천식(喘息).
[喘息 천식] ㉠숨이 차서 헐떡거림. ㉡기관지(氣管支)에 경련(痙攣)이 생기어 숨이 차서 기침이 나고 담(痰)이 성(盛)하는 병.
[喘月 천월] 담이 작아 지레 겁을 냄을 이름. '오우천월(吳牛喘月)' 참조(參照).
[喘喘 천천] 숨이 차서 헐떡거리는 모양.
[喘促 천촉] 숨이 차서 헐떡거리고 힘없는 기침을 하는 병증.
[喘汗 천한] 숨이 차고 땀이 남.
◉假喘. 窮喘. 憊喘. 息喘. 餘喘. 吳牛見月喘. 吳午喘. 臥喘. 殘喘. 呀喘. 咳喘. 號喘. 荒喘.

9 ⑫ [喙] [人名] [一] 훼 [去]隊 許穢切 huì
[二] 달 [韓]
[字解] [一] ①부리 훼 새나 짐승의 주둥이. '鷸啄其肉, 蚌合而箝其一'《戰國策》. 전(轉)하여, 입. 말. '容一'. '婦人之一, 可以死敗'《說苑》. ②숨쉴 훼 부리로 숨을 쉼. '一息'. ③성급할 훼 성미가 급함. '余病一'《國語》. ④괴로워할 훼 '維其一矣'《詩經》. [二] 《韓》 부리 달 닭의 주둥이.
[字源] 篆文 會意. 口+彖. '彖단'은 멧돼지의 象形. 멧돼지의 입의 뜻에서, 육식하는 짐승이나 날짐승의 주둥이의 뜻을 나타냄.

[喙息 훼식] 부리로 숨을 쉬는 동물. 곧, 조류(鳥類).
[喙長 훼장] 부리가 긺.
[喙長三尺 훼장삼척] 언론(言論)이 썩 능함의 비유.
[喙呀 훼하] 입을 벌림. 전(轉)하여, 물려는 자세를 취함.
◉開喙. 交喙. 萬喙. 豕喙. 銳喙. 烏喙. 容喙. 長頸鳥喙. 長喙. 鳥喙. 衆喙. 虎喙.

9 ⑫ [喚] [人名] 환 [去]翰 火貫切 huàn
[筆順] 口 口 口' 口⺈ 口⺈ 喚 喚 喚
[字解] 부를 환 ㉠큰 소리로 부름. 대호(大呼)함. '叫一'. '連叫大一'《宋書》. ㉡불러옴. 소환함. '一問'.
[字源] 篆文 形聲. 口+奐〔音〕. '奐환'은 멀리 있는 것을 구하다의 뜻. 멀리 있는 것을 구하기 위하여 부르다, 불러내다의 뜻을 나타냄.

[喚叫 환규] 부르짖음. 소리 질러 부름.
[喚起 환기] ㉠불러일으킴. ㉡날 샐녘에 우는 일종의 새.
[喚問 환문] 관청에서 불러내어 물어봄.
[喚醒 환성] ㉠잠자는 사람을 깨움. ㉡어리석은 사람을 깨우침.
[喚聲 환성] 부르는 소리.
[喚子鳥 환자조] 소쩍새. 호자조(呼子鳥).
[喚集 환집] 불러 모음. 소집(嘯集).
[喚呼 환호] 큰 소리로 부름.
◉叫喚. 宣喚. 召喚. 千呼萬喚. 招喚. 追喚. 敕喚. 通喚. 呼喚.

9 ⑫ [喝] [人名] [一] 갈 [入]曷 許葛切 hè
[二] 애 [去]卦 於犗切 yè
[字解] [一] ①꾸짖을 갈 큰 소리로 나무람. '大一'. '勵聲一之'《晉書》. ②부를 갈 큰 소리로 오라고 함. '蜩螃一秋'《宋祁》. ③큰소리 갈 대성(大聲). 노성(怒聲). '何能爲當于陣上之一'《五代史》. [二] 목멜 애 목구멍이 막힘. 또, 목멤. '陰一不得對'《後漢書》.
[字源] 篆文 形聲. 口+曷〔音〕. '曷갈'은 높이 내걸다의 뜻. 목소리를 높여 목이 쉬다의 뜻. 또, 큰 소리로 꾸짖다의 뜻을 나타냄.

[喝道 갈도] ㉠꾸짖음. ㉡귀한 사람이 행차할 때 별배(別陪)가 큰 소리로 길 가는 사람에게 길을 피하게 함. 벽제(辟除).
[喝食 갈식] 《佛敎》 선사(禪寺)에서 식사 시간을 알리는 시동(侍童).
[喝采 갈채] 기쁜 소리로 크게 소리 지르며 칭찬(稱讚)함.
[喝破 갈파] ㉠큰 소리로 꾸짖음. ㉡큰 소리로 남의 언론을 설파(說破)함.
◉恐喝. 大喝. 恫喝. 棒喝. 流喝. 陰喝. 引喝. 一喝. 殿喝. 嗔喝. 叱喝. 喘喝. 虛喝. 脅喝. 呼喝. 揮喝.

9 ⑫ [喛] [一] 환 [去]翰 火貫切 huàn
[二] 훤 [平]元 況袁切 huàn
[上]阮 火遠切 xuǎn
[三] 원 [平]元 于元切 yuán
[四] 회 [上]賄 虎猥切
[五] 화 [平]歌 胡戈切 hé
[字解] [一] ①성낼 환 슬퍼하여 분노함. '爰·一, 恚也. 秦晉曰一'《揚子方言》. ②근심할 환 '一, 愁也'《廣雅》. ③부를 환 '一, 呼也'《玉篇》. [二] ①성낼 훤, 근심할 훤 [一]❶❷와 뜻이 같음. ②두려워할 훤 '一, 恐懼'《廣韻》. ③울음그치지않을 훤 어린이가 울음을 그치지 않음. '咺, 說文, 朝鮮謂兒泣不止曰咺. 或从爰'《集韻》. [三] 슬퍼할 원

'一, 哀也'《集韻》. 四 슬퍼할 회 三과 뜻이 같음. 五 슬퍼하여성낼 화 '爰·一, 哀也.〈注〉一, 哀而恚也'《揚子方言》.

9 ⑫ **[喞]** 즉 ㊀職 子力切 jí

字解 ①벌레소리 즉 벌레가 요란하게 우는 소리. '蟲聲一一'《歐陽修》. ②물댈 즉 물을 댐. '以一筒一水其上'《種樹書》.

字源 形聲. 口+卽〔音〕

[喞喞 즉즉] ㉠벌레가 요란하게 우는 소리. ㉡참새가 지저귀는 소리. ㉢베 짜는 소리. ㉣쥐가 찍찍 우는 소리.
[喞筒 즉통] 양수기(揚水機). 펌프.
◉啁喞. 啃喞. 啾喞. 喧喞.

9 ⑫ **[喟]** 위 ㊂寘 丘愧切 kuì

字解 ①한숨쉴 위 탄식함. '一然大息'. '一然而歎'《論語》. ②한숨 위 탄식. '寢少愁多頻發一'《戴表元》.

字源 篆文 別體 形聲. 口+胃〔音〕. '胃위'는 '困곤'과 통하여, '곤란하다'의 뜻. 곤란하여 어찌할 바를 모르고 입 밖으로 나오다, 탄식하다의 뜻을 나타냄.

[喟然 위연] 탄식(歎息)하는 모양.
[喟喟 위위] 연거푸 한숨 쉬는 모양.

9 ⑫ **[喤]** 一 황 ㊉陽 胡光切 huáng / ㊉庚 戶盲切 huáng 二 횡 ㊉庚 虎橫切 huáng

字解 一 ①울음소리 황 어린아이들의 우는 소리. '其泣一一'《詩經》. ②조화할 황 소리가 조화(調和)하는 모양. '鼓鐘一一'《詩經》. ③떠들썩할 황 시끄러운 모양. '一一厥聲'《詩經》. 二 떠들썩한소리 횡 '一呷'.

字源 篆文 形聲. 口+皇〔音〕. '皇황'은 '크다'의 뜻. 크게 지껄이다, 떠들썩하다, 또, 아기가 마구 우는 소리 등의 뜻을 나타냄.

[喤喤 황황] ㉠어린애의 우는 소리. ㉡시끄러운 모양. 떠들썩한 모양. ㉢소리가 조화하는 모양.
[喤呷 횡합] 사람의 소리가 떠들썩함.
◉引喤.

9 ⑫ **[喧]** 人名 훤 ㊉元 況袁切 xuān / ㊤阮 況遠切 xuǎn

筆順 叮 叮 叮 吖 吖 咛 喧 喧

字解 떠들썩할 훤 시끄러움. '一擾'. '諸侯一譁'《史記》. 또, 어린애가 그치지 않고 자꾸 우는 모양. '悲愁於邑, 一不可止兮'《漢武帝》.

字源 形聲. 口+宣〔音〕. '宣선'은 널리 퍼지도록 말하다의 뜻. '口구'를 더하여 '시끄럽다'의 뜻을 나타냄.

[喧聒 훤괄] 시끄러움. 요란함.
[喧轟 훤굉] 시끄러움. 떠들썩함. 또, 덜거덕덜거덕 또는 쿵쿵 울림.
[喧鬧 훤뇨] 여러 사람이 뒤떠듦.
[喧騰 훤등] ㉠시끄럽게 떠듦. ㉡평판이 높음.
[喧繁 훤번] ㉠시끄럽고 바쁨. ㉡시끄러워 듣기 싫음.
[喧騷 훤소] 요란하게 떠듦.
[喧然 훤연] 시끄러운 모양.
[喧擾 훤요] 떠들썩함. 소란함.
[喧藉 훤자] 여러 사람의 입으로 퍼져서 왁자하게 됨.
[喧爭 훤쟁] 떠들며 다툼.
[喧傳 훤전] 훤자(喧藉).
[喧噪 훤조] 시끄러움. 떠들썩함.
[喧塵 훤진] 세상의 시끄럽고 귀찮은 일. 속세(俗世)의 번루(煩累).
[喧呼 훤호] 떠들며 부름.
[喧嘩 훤화] 시끄러움. 떠들썩함.
[喧譁 훤화] 훤화(喧嘩).
[喧豗 훤회] 떠들썩함. 시끄러움.
[喧囂 훤효] 시끄러움. 떠들썩함.
◉浮喧. 紛喧. 諍喧. 塵喧. 啾喧. 赫喧. 絃喧. 囂喧.

9 ⑫ **[喨]** 량 ㊂漾 力讓切 liàng

字解 멀리들릴 량 소리가 맑아 멀리 들리는 모양. '嘹, 嘹一, 淸徹之聲'《正字通》.

字源 形聲. 口+亮〔音〕

◉嘹喨. 瀏喨. 嗟喨.

9 ⑫ **[喩]** 人名 유 ①-④㊂遇 羊戍切 yù / ⑤㊉虞 容朱切 yú

筆順 叮 叮 吖 吟 哈 哈 喩 喩

字解 ①깨우칠 유 가르치고 타일러 이해시킴. '曉一'. '且一以所守'《韓愈》. ②깨달을 유 잘못을 앎. 또, 이치를 알아냄. '君子一於義'《論語》. ③비유할 유, 비유 유 '譬一'. '可謂善一矣'《禮記》. ④성 유 성(姓)의 하나. ⑤좋아할 유 기뻐함. '一一'. '嘔一受之'《漢書》.

字源 形聲. 口+兪〔音〕. '兪유'는 '뽑아내다'의 뜻. 불분명한 점을 집어내는 말, 깨우치다의 뜻을 나타냄.

[喩勸 유권] 깨우치고 권함. 타일러 격려함.
[喩喩 유유] 기뻐하는 모양.
◉諫喩. 告喩. 敎喩. 呴喩. 明喩. 比喩. 譬喩. 詳喩. 善喩. 暗喩. 慰喩. 諭喩. 隱喩. 陰喩. 引喩. 直喩. 風喩. 解喩. 曉喩. 訓喩.

9 ⑫ **[喭]** 一 안 ㊂翰 魚旰切 yàn 二 언 ㊂霰 魚變切 yàn

字解 一 ①거칠 안 성질이 거칢. '由也一'《論語》. ②굳셀 안 '一, 剛猛也'《論語 皇疏》. 二 조상할 언 애도함. 망국(亡國)을 가슴 아프게 여겨 찾아가 위로함. 唁(口部 七畫)과 同字.

字源 形聲. 口+彦〔音〕

[喭喭 안안] 굳세고 바름.
◉畔喭.

9 ⑫ **[喫]** 人名 끽 ㊀錫 苦擊切 chī

字解 ①먹을 끽 '一飯'. '梅熟許同朱老一'《杜甫》. ②마실 끽 '一茶'. '對酒不能一'《杜甫》.
字源 篆文 會意. 口+契. '契계·결'은 '새기다'의 뜻. 입 안에서 잘게 쪼개다, 먹다의 뜻을 나타냄.

[喫怯 끽겁] 겁을 집어먹음.
[喫驚 끽경] 깜짝 놀람.
[喫苦 끽고] 고생을 겪음.
[喫緊 끽긴] 매우 긴요(緊要)함.
[喫茶 끽다] ㉠차를 마심. ㉡시집가는 일. 여자의 결혼. 차나무는 이식(移植)하면 죽으므로 재가(再嫁)하지 않는다는 뜻을 우의(寓意)한 것임.
[喫飯 끽반] 밥을 먹음.
[喫煙 끽연] 담배를 피움.
[喫一驚 끽일경] 깜짝 놀람.
[喫着 끽착] 먹음. 전(轉)하여 의식(衣食). 착(着)은 조자(助字).
[喫着不盡 끽착부진] 의식(衣食)이 넉넉함.
[喫菜事魔 끽채사마] 평소에 채식(菜食)하고, 마신(魔神)을 섬기는 일종의 종교(宗教). 송대(宋代)에 있었음. 일설(一說)에는 마니교(摩尼教)를 이른 말이라고도 함.
[喫破 끽파] 다 먹어 버림.
[喫虎膽 끽호담] 호랑이의 쓸개를 먹음. 담력(膽力)이 큼을 이름.
[喫虧 끽휴] 손해를 입음.
◉滿喫.

9 ⑫ [喫] 喫(前條)의 略字

9 ⑫ [喎] ㊀ 와(괘本) 平佳 苦緺切 wāi(kuāi)
㊁ 화 平歌 戶戈切 hé
字解 ㊀ 입비뚤어질 와 咼(口部 六畫)와 同字. ㊁ 고를 화 和(口部 五畫)와 통용.

[喎斜症 와사증] 입이 비뚤어지는 병.

9 ⑫ [⿰口幽] 유 yōu
字解 ①사슴울음 유 사슴이 우는 소리. '一, 鹿鳴也'《篇海》. ②노랫소리 유 읊는 소리. '巴語相咿一'《韓愈》.

◉咿⿰口幽.

9 ⑫ [⿰口便] 변 平先 毗連切 pián
字解 ①말잘할 변 교묘하게 꾸며서 말함. '一, 巧言也'《集韻》. ②말할 변 辯(言部 十四畫)과 통용.

9 ⑫ [⿰口胡] 호 平虞 洪孤切 hú
字解 ①성낸소리 호 성을 내어 지르는 소리. '嗰一, 怒氣'《集韻》. ②목젖 호 목구멍 위에 젖꼭지처럼 난 것. '瞋嗰一以紆鬱'《王褒》.

9 ⑫ [喰] 〔손〕
飧(食部 三畫〈p. 2570〉)과 同字
字源 會意. 口+食. '口구'와 '食식'을 합쳐서 '먹다'의 뜻을 나타냄.

9 ⑫ [嗢] 〔올〕
嗢(口部 十畫〈p. 397〉)의 俗字

9 ⑫ [嘘] 〔갹〕
噱(口部 十三畫〈p. 408〉)과 同字

9 ⑫ [喆] 人名 〔철〕
哲(口部 七畫〈p. 377〉)과 同字
筆順 一 十 士 吉 吉吉 喆 喆 喆

9 ⑫ [喬] 人名 교 平蕭 巨嬌切 qiáo 乔
筆順 一 二 チ 夭 乔 乔 喬 喬 喬
字解 ①높을 교 높이 우뚝 섬. '一木'. '厥木惟一'《書經》. ②창 교 끝이 갈고리 진 창. '二矛重一'《詩經》. ③교만할 교 驕(馬部 十二畫)와 통용. '一然'. '一而野'《禮記》. ④성 교 성(姓)의 하나.
字源 金文 篆文 象形. 높은 누각(樓閣) 위에 깃발이 세워진 모양을 본떠, '높다'의 뜻을 나타냄.

[喬柯 교가] 높은 데 있는 가지.
[喬幹 교간] 높고 큰 나무의 줄기.
[喬桀 교걸] 뛰어남. 준수(俊秀)함.
[喬林 교림] 교목(喬木)의 숲.
[喬木 교목] ㉠키가 큰 나무. ㉡줄기가 곧고 높이 자라서 가지가 퍼지는 나무. 소나무·전나무 등.
[喬木世家 교목세가] 여러 대(代)를 중요(重要)한 지위(地位)에 있어서 나라와 운명(運命)을 같이하는 집안.
[喬木世臣 교목세신] 여러 대(代)를 중요(重要)한 지위(地位)에 있어서 나라와 운명을 같이하는 신하(臣下).
[喬松 교송] 왕자교(王子喬)와 적송자(赤松子). '교송지수(喬松之壽)' 참조.
[喬竦 교송] 높이 솟음.
[喬松之壽 교송지수] 장수(長壽)를 이름. 교(喬)는 왕자교(王子喬), 송(松)은 적송자(赤松子)로 모두 불로불사(不老不死)의 선인(仙人).
[喬樹 교수] 높은 나무. 키가 큰 나무.
[喬嶽 교악] ㉠태산(泰山). ㉡높은 산. 고산(高山).
[喬然 교연] 교만한 모양.
[喬志 교지] 교만한 마음.
[喬遷 교천] ㉠남의 이사(移徙)를 축하하는 말. 시경(詩經)의 '出自幽谷遷於喬木'에서 나온 말. ㉡벼슬이 올라감. 승진함.
[喬詰 교힐] 마음이 평탄하지 아니함.
◉凌喬. 松喬. 昇喬. 遷喬.

9 ⑫ [啻] 시 去寘 施智切 chì
字解 뿐 시 '不一'. '何一'. '奚一' 등으로 연용(連用)하여, 그뿐만이 아니라는 뜻으로 쓰임. '不一如自其口出'《書經》.
字源 金文 篆文 形聲. 口+帝〔音〕. '帝제'는 죄다, 범위를 좁히다의 뜻. 단 하나로 좁히다의 뜻에서 '다만, 뿐'의 뜻을 나타냄.

◉不啻. 弗啻. 何啻. 奚啻.

9 ⑫ [善] 中人 선 ㊤銑 常演切 shàn

筆順 丷 䒑 羊 羊 羊 兼 善 善

字解 ①착할 선, 좋을 선 '惡'의 대. '出其言一, 則千里之外應之'《易經》. 또, 좋은 점. '采儒墨之一'《史記》. 또, 착한 행실. '隱惡而揚一'《中庸》. 또, 착한 사람. '禁姦擧一'《後漢書》. ②친할 선 사이가 좋음. '親一'. '與蔡邕素一'《後漢書》. ③길할 선 행복함. 상서로움. '一祥'. '豈非道之符而聖人所謂吉祥一事與'《戰國策》. ④옳게할 선 바르게 함. '獨一其身'. ⑤옳게여길 선 좋다고 인정함. '王如一之'《孟子》. ⑥잘할 선 '一射'. '一辭令'. ⑦잘 선 ㉠자주. '女子一懷'《詩經》. ㉡자칫하면. '忽忽一忘不樂'《漢書》. ㉢익숙하고 능란하게. '一戰者服上刑'《孟子》. ㉣친절히. '齊一待之'《史記》. ⑧성 선 성(姓)의 하나.

字源 金文 古文 篆文 會意. 誩+羊. '誩경·탐'은 원고(原告)와 피고의 발언(發言)의 뜻. '羊양'을 신(神)에게 바치는 제물로 하여, 양자가 서로 좋은 결론을 구하는 모양에서, '좋다'의 뜻을 나타냄.

[善價 선가] 좋은 값. 비싼 값. 고가.
[善感 선감] 우두(牛痘) 따위의 감염(感染)이 잘 됨.
[善果 선과] 《佛教》 좋은 과보(果報). 선행(善行)에 대한 보답.
[善巧 선교] ㉠썩 교묘함. ㉡《佛教》 교묘한 방법으로 사람에게 이익을 줌.
[善教 선교] 좋은 교훈.
[善巧方便 선교방편] 《佛教》 교묘한 방편. 아주 좋은 수단.
[善根 선근] 《佛教》 좋은 과보(果報)를 가져오게 하는 행위.
[善男善女 선남선녀] 《佛教》 불문(佛門)에 귀의(歸依)한 남녀.
[善待 선대] 잘 대접(待接)함. 후하게 대접함.
[善待問者如撞鐘 선대문자여당종] 남의 질문을 잘 받는 자는 종을 치는 자의 힘의 대소에 따라 종소리에 대소의 차가 있듯이, 질문하는 자의 실력의 정도에 따라 대답함.
[善德 선덕] 바르고 착한 덕행.
[善道 선도] 바르고 착한 도.
[善導 선도] 잘 인도(引導)함.
[善良 선량] 착하고 어짊. 또, 그 사람.
[善類 선류] 착한 무리.
[善隣 선린] 이웃과 의좋게 지냄.
[善忘 선망] 잘 잊음.
[善謀 선모] 좋은 꾀.
[善文 선문] 문장을 잘 지음. 능문(能文).
[善美 선미] 착하고 아름다움.
[善防 선방] 잘 막아냄.
[善變 선변] 전보다 좋게 변함.
[善不善 선불선] 선(善)과 불선(不善). 착함과 착하지 아니함.
[善士 선사] 선량한 인사(人士).
[善事 선사] 좋은 일. 길사(吉事).
[善射 선사] 활이나 총을 잘 쏨.
[善辭令 선사령] 말을 잘함. 변설이 능함.
[善祥 선상] 길조(吉兆).
[善書 선서] 글씨를 잘 씀.
[善書不擇紙筆 선서불택지필] 글씨를 잘 쓰는 사람은 종이나 붓의 질(質)을 가리지 아니함.
[善善惡惡 선선악악] ㉠선(善)과 악(惡)을 잘 분별함. ㉡선악을 기탄없이 직언하거나 직필함.
[善手 선수] 솜씨가 월등한 사람.
[善始善終 선시선종] 처음부터 끝까지 잘함.
[善心 선심] 착한 마음. 선량한 심지.
[善惡 선악] ㉠착함과 악(惡)함. ㉡선인과 악인.
[善惡邪正 선악사정] 착함과 악함과 간사함과 올바름.
[善語 선어] 말을 잘함.
[善言 선언] 좋은 말. 훈계(訓戒)가 되는 말.
[善言煖於布帛 선언난어포백] 착한 말을 남에게 하여 주는 것은 베나 비단으로 남을 따뜻하게 하여 주는 것보다도 낫다는 말.
[善業 선업] 《佛教》 선근(善根).
[善用 선용] 적절하게 잘 씀.
[善友 선우] 좋은 친구.
[善遇 선우] 좋은 대우. 후한 대우.
[善柔 선유] 유순한 듯하면서 아첨만 잘하고 성실하지 아니함. 또, 그 사람.
[善游者溺 선유자익] 헤엄을 잘 치는 자가 익사함. 곧, 자기의 능한 바를 믿다가 도리어 위험이나 재난을 초래함을 이름.
[善應 선응] 길한 응험(應驗). 좋은 징조(徵兆).
[善意 선의] 좋은 뜻. 선량한 의사.
[善醫 선의] 병(病)을 잘 고치는 의원(醫員). 양의(良醫).
[善以爲寶 선이위보] 금이나 옥이 보배가 아니고, 선언(善言)·선행(善行)이 세상의 귀한 보배라는 뜻.
[善人 선인] 착한 사람. 좋은 사람.
[善才 선재] ㉠훌륭한 재능이 있는 사람. ㉡당(唐)나라 때의 비파(琵琶)를 잘 뜯던 사람의 이름. 전(轉)하여, 비파의 명수(名手).
[善哉 선재] 참 훌륭하다고 탄미(歎美)하는 말.
[善政 선정] 착한 정치. 잘 다스리는 정치.
[善政碑 선정비] 관원(官員)의 선정(善政)을 표창(表彰)하여 세운 비.
[善知識 선지식] 《佛教》 덕(德)이 높은 중. 고승(高僧).
[善策 선책] 좋은 책략(策略).
[善處 선처] 잘 처리(處理)함.
[善治 선치] 잘 다스림.
[善行 선행] 착한 행실(行實).
[善行無轍迹 선행무철적] 착한 행실은 자국이 없다는 뜻으로, 선행(善行)은 자연(自然)에 좇기 때문에 사람의 눈에 잘 띄지 않는다는 말.
[善後 선후] 뒷수습을 잘함.
[善後策 선후책] 뒷갈망을 잘하려는 계획.
◉嘉善. 改善. 慶善. 勸善. 多多益善. 徒善. 獨善. 不善. 上善. 祥善. 性善. 聖善. 小善. 十善. 完善. 友善. 僞善. 仁善. 慈善. 積善. 至善. 珍善. 次善. 責善. 遷善. 最善. 追善. 忠善. 親善.

9 ⑫ [喱] 리 lí

字解 양사(量詞) 리 영미(英美)의 무게 단위(單位)인 grain의 구역(舊譯). 지금은 '格令'으로 씀.

9 ⑫ [喜] [中·人] 희 ㊤紙 虛里切 xǐ 

[筆順] 一 吉 吉 吉 壴 壴 喜 喜

[字解] ①기쁠 희, 기뻐할 희 '一悅'. '君子禍至不懼, 福至不一'《史記》. ②좋아할 희 애호함. '俗一鬼神'《唐書》. ③기쁨 희 ㉠희열. '一怒'. '先王之所以飾一也'《史記》. ㉡기쁜 일. 경사. '賀慶以贊諸侯之一'《周禮》. ④성 희 성(姓)의 하나.

[字源] 甲骨文  金文  篆文  會意. 壴+口. '壴주'는 끈으로 매달아 걸어 놓은 타악기의 상형. '口구'는 기도하는 말의 뜻. 악기를 쳐서 신에게 빌고, 신을 기쁘게 하다의 뜻에서 '기뻐하다'의 뜻을 나타냄.

[喜見城 희견성] 희견천(喜見天).
[喜見天 희견천] 《佛敎》 삼십삼천(三十三天)의 지거천(地居天) 위에 있는 천궁(天宮). 제석천(帝釋天)이 삶.
[喜慶 희경] 기뻐하여 축하함.
[喜劇 희극] 사람을 웃기는 연극(演劇).
[喜氣 희기] 기쁜 기분(氣分).
[喜動顏色 희동안색] 기쁜 빛이 얼굴에 나타남.
[喜樂 희락] 기뻐하고 즐김.
[喜怒 희로] 기쁨과 노염.
[喜怒不形色 희로불형색] 희로애락의 감정을 안색에 나타내지 아니함.
[喜怒哀樂 희로애락] 기쁨과 노염과 슬픔과 즐거움. 곧, 사람의 온갖 감정.
[喜名者必多怨 희명자필다원] 명예욕이 너무 많은 사람은 남의 원망을 많이 삼.
[喜報 희보] 기쁜 기별. 기쁜 소식.
[喜不自勝 희불자승] 기뻐 어쩔 줄을 모름.
[喜悲 희비] 기쁨과 슬픔.
[喜事 희사] 기쁜 일.
[喜捨 희사] 《佛敎》 기꺼이 재물을 버린다는 뜻으로, 남에게 재물(財物)을 시여(施與)하거나 신불(神佛)의 일로 재물을 기부하는 일.
[喜賞怒刑 희상노형] 기쁠 때에는 상을 주고 화날 때에는 형벌을 내린다는 뜻으로, 마음이 내키는 대로 함부로 상벌을 내림을 이름.
[喜色 희색] 기뻐하는 얼굴빛.
[喜色滿面 희색만면] 기쁜 빛이 얼굴에 가득함.
[喜聲 희성] 기뻐하는 소리.
[喜笑 희소] 기뻐하여 웃음.
[喜消息 희소식] 기쁜 소식(消息).
[喜壽 희수] 77세(歲).
[喜信 희신] 기쁜 서신(書信). 좋은 소식.
[喜躍 희약] 기뻐하여 뜀.
[喜懌 희역] 희열(喜悅).
[喜悅 희열] 기뻐함. 또, 기쁨.
[喜慍 희온] 기쁨과 성냄.
[喜雨 희우] 가물철에 오는 반가운 비. 감우(甘雨).
[喜憂 희우] 기쁨과 근심.
[喜子 희자] '지주(蜘蛛)'의 딴 이름. 거미가 내려오면 기다리는 사람이 온다는 데서 나온 말.
[喜鵲 희작] 까치〔鵲〕의 별칭(別稱). 까치가 울면 기쁜 일이 있다는 데서 나온 말.
[喜蛛 희주] 희자(喜子).
[喜出望外 희출망외] 기쁜 일이 뜻밖에 생김.
[喜幸 희행] 기쁘고 다행(多幸)함.
[喜喜樂樂 희희낙락] 매우 기뻐하고 즐거워함.

◉嘉喜. 慶喜. 驚喜. 狂喜. 大喜. 福喜. 悲喜. 善喜. 隨喜. 懌喜. 燕喜. 悅喜. 說喜. 溢喜. 賀喜. 和喜. 歡喜. 欣喜.

9 ⑫ [䂮] 략 ㊅藥 離灼切 lüè

[字解] ①날카로울 략 칼날 따위가 날카로움. '一, 利也'《爾雅》. ②칼날 략 칼의 드는 부분.

9 ⑫ [営] 〔영·형〕
營(火部 十三畫〈p. 1358〉)의 略字

10 ⑬ [喿] 소 ㊃號 蘇到切 sào

[字解] ①떠들 소 새가 떼 지어 시끄럽게 욺. '一, 鳥群鳴也'《說文》. ②시끄러울 소 사람·수레 따위의 소리가 요란함. '車徒皆一'《周禮》.

[字源] 金文  篆文  會意. 品+木. '品품'은 '많은 것'의 뜻. 많은 새가 나무 위에서 울어 시끄럽다의 뜻을 나타냄. 일설(一說)에, 신에 대한 기도의 소리가 시끄럽다의 뜻이라고도 함.

10 ⑬ [〓] 〔상〕
喪(口部 九畫〈p. 387〉)의 本字

10 ⑬ [〓] 패 ㊤紙 甫委切 bēi

[字解] 찢을 패, 째질 패 나눔. 갈라 떨어짐. '一, 別也'《說文》. '一, 裂也'《廣雅》.

[字源] 篆文  形聲. 冎+卑〔音〕. '卑비'는 의성어. '冎과'는 두개골을 살에서 째어 가르다의 뜻. 파생(派生)하여 '찢어 나누다'의 뜻을 나타냄.

10 ⑬ [嗁] 제 ㊥齊 杜奚切 tí 

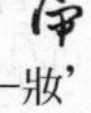

[字解] 울 제 啼(口部 九畫)와 同字. '愁眉一妝'《後漢書》.

[字源] 篆文 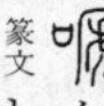 形聲. 口+虒〔音〕. '虒치'는 차례차례 이어지다의 뜻. 울음소리를 계속하다, 슬피 울다의 뜻을 나타냄.

[嗁妝 제장] 눈 아래의 분을 엷게 닦아 내어 울고 있는 것처럼 보이게 하는 화장.

10 ⑬ [嗃] [人名] ㊀ 학 ㊅藥 呵各切 hè ㊁ 효 ㊥肴 許交切 xiāo 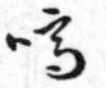

[字解] ㊀ 엄할 학 준엄함. 엄혹함. '家人一一'《易經》. ㊁ 피리소리 효 '夫吹筦也, 猶有一也'《莊子》.

[字源] 篆文 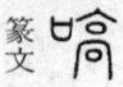 形聲. 口+高〔音〕

[嗃嗃 학학] 준엄한 모양. 엄혹(嚴酷)한 모양.

10 ⑬ [嗝] 격 ㊅陌 古核切 gé

[字解] ①새울음소리 격 '嘩, 嘩嗝, 鳥鳴也. 或作一'《集韻》. ②꿩울음소리 격 '一, 雉鳴'《廣韻》. ③닭울음소리 격 '一, 鷄鳴'《正字通》. ④《現》 딸꾹질 격 '气逆出聲. 如, 打飽一, 打一儿'《漢語大字典》.

10
⑬ [嗄] 사 [去]禡 所嫁切 shà

[字解] 목쉴 사 '終日號而聲不—'《老子》.
[字源] 形聲. 口+夏〔音〕. '夏하'는 목구멍 속에서 나는 목소리의 의성어. 목이 쉬다의 뜻을 나타냄.

10
⑬ [嗅] [人名] 후 [去]宥 許救切 xiù

[字解] 맡을 후 냄새를 맡음. '—覺'. '三—而作'《論語》.
[字源] 形聲. 口+臭〔音〕. '臭후'는 냄새를 맡다의 뜻.

[嗅覺 후각] 냄새를 맡는 감각(感覺).
[嗅感 후감] 후각(嗅覺).
[嗅官 후관] 후각(嗅覺)을 맡은 기관(器管). 곧, 코.
[嗅神經 후신경] 콧구멍 속의 점막(粘膜)에 분포(分布)되어 후각(嗅覺)을 맡은 신경(神經).

10
⑬ [嗉] 소 [去]遇 桑故切 sù

[字解] 모이주머니 소 새의 목에 있는, 모이를 받는 곳. 멀떠구니. '—囊'.
[字源] 形聲. 口+素〔音〕

[嗉囊 소낭] 모이주머니. 멀떠구니.

10
⑬ [嗌] [一] 익 [入]陌 伊昔切 yì
[二] 악 [入]覺 乙角切 wò
[三] 애 [去]卦 烏懈切 ài

[字解] [一] 목구멍 익 인후. '飮食下—'《史記》. [二] 웃을 악 웃는 모양. '疾笑——, 威儀固陋'《韓詩外傳》. [三] 목멜 애.
[字源] [篆文] 形聲. 口+益〔音〕. '益익'은 '넘치다'의 뜻. 목구멍에서 날숨이 넘치다, 목이 메다의 뜻을 나타냄.

[嗌喔 악악] 선웃음을 침. 아첨하여 웃음.
[嗌嗌 악악] 웃는 모양.
[嗌嘔 익구] 입에서 뱉음.

10
⑬ [嗋] 협 [入]葉 虛業切 xié

[字解] ①들이마실 협 숨을 들이마심. 일설(一說)에는 입을 다묾. '予口張而不能—'《莊子》. ②으를 협 협박함. '—嚇'.
[字源] 形聲. 口+脅〔音〕. '脅협'은 '劦협'과 통하여, '힘을 합치다'의 뜻. 입술을 합쳐 대어 들이마시다의 뜻을 나타냄.

[嗋嚇 협하] 협박함. 위협함. 위하(威嚇).
[嗋呷 협합] 숨을 쉼. 호흡함.

10
⑬ [嗑] 합 [入]合 古盍切 kè

[字解] ①입다물 합 입을 다물어 윗니와 아랫니가 맞닿음. ②말많을 합 수다스러운 모양. '子路——'《孔叢子》.
[字源] [篆文] 形聲. 口+盍〔音〕. '盍합'은 접시에 담은 것에 뚜껑을 덮다의 뜻. 아래위의 이가 맞물리다의 뜻에서, '지껄이다, 맞다, 마시다' 등의 뜻을 나타냄.

[嗑嗑 합합] ㉠말이 많은 모양. 수다스러운 모양. ㉡웃는 소리.

10
⑬ [嗒] 탑 [入]合 吐盍切 tà

[字解] 멍할 탑 정신이 나간 것 같은 모양. '—焉似喪其耦'《莊子》.
[字源] 形聲. 口+荅〔音〕. '荅답'은 '蹋답'과 통하여, '제자리걸음하다'의 뜻. 같은 동작을 되풀이하여 제정신을 잃는 모양을 나타냄.

[嗒焉 탑언] 탑연(嗒然).
[嗒然 탑연] 멍한 모양.

10
⑬ [嗔] [人名] [一] 진 [平]眞 昌眞切 chēn
[二] 전 [平]先 徒年切 tián
嗔

[字解] [一] 성낼 진 瞋(目部 十畫)과 통용. '輒—恚憤激'《吳志》. [二] 성할 전 기력이 왕성한 모양.
[字源] [篆文] 形聲. 口+眞〔音〕. '眞진'은 '가득 차다, 충실하다'의 뜻. 목소리나 기력(氣力)이 왕성하다의 뜻을 나타냄.

[嗔喝 진갈] 성내어 꾸짖음.
[嗔詬 진구] 성내어 욕설을 함.
[嗔怒 진노] 성냄.
[嗔色 진색] 성낸 얼굴빛.
[嗔恚 진에] 성냄.
[嗔怨 진원] 성내며 원망함.
[嗔責 진책] 성내며 책망함.

10
⑬ [嗊] 홍 ㊤董 呼孔切 hǒng
唝

[字解] 노래 홍 가곡(歌曲). '囉—, 歌曲也'《玉篇》.

10
⑬ [嗈] 옹 [平]冬 於容切 yōng

[字解] 새울음고울 옹 새 울음이 고운 모양. '歸林鳳——'《白居易》.

10
⑬ [嗉] 손 [去]願 蘇困切 xùn

[字解] 물뿜을 손 솟아나오는 물. '—, 噀水也'《廣韻》.

10
⑬ [嗂] 요 [平]蕭 餘昭切 yáo

[字解] ①기꺼워할 요 기뻐함. '—, 喜也'《說文》. ②즐거워할 요 '—, 樂也'《廣韻》.
[字源] [篆文] 形聲. 口+䍃〔音〕. '䍃요'는 목소리를 떨게 하다의 뜻. 기뻐서 소리 지르다의 뜻을 나타내며, 일반적으로 '기뻐하다, 즐거워하다'의 뜻을 나타냄.

10
⑬ [嗚] [高人] 오 [平]虞 哀都切 wū
[去]遇 烏故切 wù
呜

[筆順] 口 口' 口' 口户 口戶 嗚 嗚 嗚

[字解] ①오호라 오 탄식하는 소리. '—呼噫嘻, 吾言夸矣'《蘇軾》. ②노랫소리 오 '歌呼——, 快

耳目者, 眞秦之聲也'《史記》. ③탄식할 오, 애달파할 오 '噫一流涕'《後漢書》.
[字源] 形聲. 口+烏〔音〕. '烏오'는 한숨 소리를 나타내는 의성어.

[嗚軋 오알] 각적(角笛)을 부는 소리.
[嗚啞 오액] 웃는 소리. 웃는 모양.
[嗚咽 오열] 목이 메어 욺.
[嗚嗚 오오] 노래를 부르는 소리.
[嗚唈 오읍] 흐느껴 욺.
[嗚呼 오호] 슬플 때나 탄식할 때 내는 소리.
[嗚呼史 오호사] 구양수(歐陽修)가 지은 〈오대사(五代史)〉의 별칭. 매편(每篇)의 논찬(論贊) 초두(初頭)마다 오호(嗚呼)로 시작하므로 이름.
[嗚呼噫嘻 오호희희] 놀라 탄식하는 소리.
◉噫嗚.

10 ⑬ [嗛] [一] 겸 [平]鹽 苦兼切 qiān / [上]琰 苦簟切 qiǎn, ①qiàn
[二] 협 [入]葉 詰叶切 qiè
[三] 함 [平]咸 乎監切 xián

[字解] [一] ①겸손할 겸 謙(言部 十畫)과 同字. '溫良一退'《漢書》. ②흉년들 겸 歉(欠部 十畫)과 同字. '一穀不升, 謂之一'《穀梁傳》. ③볼 겸 볼 안쪽의 식물(食物)을 저장하는 곳. '寓鼠曰一'《爾雅》. [二] 마음에맞을 협 만족함. 慊(心部 十畫)과 同字. '一于芻豢醪醴之味'《莊子》. [三] ①머금을 함 입속에 넣음. 銜(金部 六畫)과 同字. '鳥一肉'《漢書》. ②원한품을 함 '太后由此一韓嫣'《史記》.
[字源] 篆文 形聲. 口+兼〔音〕. '兼겸'은 '아울러 가지다'의 뜻. 입 안에 머금다의 뜻을 나타냄. 또, '歉겸'과 통하여 '만족하지 않다'의 뜻을 나타냄. 또, '謙겸'과 통하여 '겸손하다', '慊겸'과 통하여 '만족하다'의 뜻도 나타냄.

[嗛嗛 겸겸] ㉠적은 모양. ㉡겸손한 모양.
[嗛退 겸퇴] 사양하여 물러남.
[嗛然 협연] 만족한 모양.
[嗛志 협지] 만족한 마음.
◉寡嗛. 饑嗛. 衰嗛.

10 ⑬ [嗜] [人名] 기 [去]寘 常利切 shì

[筆順] 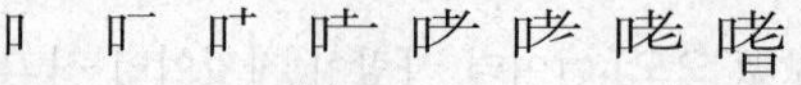

[字解] 즐길 기 즐기거나 좋아함. '一好'. '君一之則臣食之'《說苑》.
[字源] 篆文 形聲. 口+耆〔音〕. '耆기'는 '旨지'와 통하여, '맛있다'의 뜻. 맛있어 하여 먹다, 즐기다의 뜻을 나타냄.

[嗜眠 기면] 자는 것을 즐김. 자꾸 졸림.
[嗜僻 기벽] 편벽되게 즐기는 버릇.
[嗜愛 기애] 좋아하여 사랑함.
[嗜玩 기완] 좋아하여 완롱(玩弄)함.
[嗜慾 기욕] 기호(嗜好)하고자 하는 욕심(慾心).
[嗜好 기호] 즐기고 좋아함.
◉甘嗜. 愛嗜. 情嗜. 耽嗜. 貪嗜. 和嗜.

10 ⑬ [嗟] [人名] 차 [平]麻 子邪切 jiē, juē

[字解] ①탄식할 차, 감탄할 차 한탄하거나 감복함. '一嘆'. '萃如, 一如, 无攸利'《易經》. 또, 그 소리. '王曰, 一六事之人, 予誓告汝'《書經》. ②탄식 차, 감탄 차 '大耋之一'《易經》.
[字源] 形聲. 口+差〔音〕. '差차'는 탄식하는 소리를 나타내는 의성어.

[嗟悼 차도] 탄식하며 슬퍼함.
[嗟來之食 차래지식] 무례한 태도로 불러서 주는 음식. 업신여기며 주는 음식(飮食).
[嗟服 차복] 감동하여 복종함. 감동하여 따름. 복감(服感).
[嗟夫 차부] 감탄하여 내는 소리.
[嗟憤 차분] 한탄하며 분개함.
[嗟賞 차상] 차칭(嗟稱).
[嗟吁 차우] 한탄함.
[嗟咨 차자] 한탄함.
[嗟重 차중] 탄상(歎賞)하여 중히 여김.
[嗟嗟 차차] ㉠깊이 감동하여 칭찬하는 소리. ㉡거듭하여 발(發)하는 탄성(歎聲). 연거푸 탄식하는 소리. ㉢물건이 울리는 소리.
[嗟贊 차찬] 감탄하여 칭찬함.
[嗟稱 차칭] 감탄하여 칭찬(稱讚)함.
[嗟歎 차탄] ㉠탄식함. ㉡감탄함. ㉢말을 길게 빼어 감동의 뜻을 나타냄.
[嗟乎 차호] 감탄하여 내는 소리.
[嗟呼 차호] 사물에 느끼어 내는 소리.
◉咄嗟. 悲嗟. 傷嗟. 哀嗟. 于嗟. 憂嗟. 吁嗟. 怨嗟. 咨嗟. 長嗟. 稱嗟. 嘆嗟. 呼嗟.

10 ⑬ [嗢] 올 [入]月 烏沒切 wà 嗢

[字解] ①목멜 올 목이 막힘. 또, 목멤. '一咽'. ②웃을 올 목이 멜 정도로 대소(大笑)함. '執書一噱, 不能離手'《魏文帝》.
[字源] 篆文 形聲. 口+昷〔音〕. '昷온'은 속에 가득 차다의 뜻. '목메다, 삼키다'의 뜻을 나타냄.

[嗢噱 올갹] 웃음을 그치지 아니함. 배를 안고 몸을 가누지 못할 만큼 웃음.
[嗢咽 올열] 목멤.
[嗢噦 올홰] 목구멍에서 숨을 조절함.

10 ⑬ [嗤] [人名] 치 [平]支 赤之切 chī

[字解] ①웃을 치 냉소함. '一笑'. '時人一之'《後漢書》. ②웃음거리 치 조소(嘲笑)거리. '但爲後世一'《古詩》.
[字源] 形聲. 口+蚩〔音〕. '蚩치'는 '비웃다'의 뜻.

[嗤罵 치매] 비웃으며 꾸짖음.
[嗤侮 치모] 치이(嗤易).
[嗤笑 치소] 비웃음.
[嗤易 치이] 비웃으며 깔봄. 멸시함.
[嗤詆 치저] 비웃으며 흉봄.
[嗤點 치점] 비웃어 손가락질함.
◉巨嗤. 誇嗤. 笑嗤. 嘲嗤.

10 ⑬ [嗎] 마 mǎ 吗

[字解] 아편 마 양귀비의 진액을 말린 갈색의 덩어리. 모르핀(morphine)의 음역(音譯).

[字源] 形聲. 口+馬〔音〕

10 ⑬ [嗓] 상 ㊤養 寫朗切 sǎng

[字解] ①목구멍 상 '一, 喉也'《集韻》. ②말코침 흘리는병 상 '一, 馬病, 鼻流涎曰一'《正字通》.
[字源] 形聲. 口+桑〔音〕

10 ⑬ [嗕] 욕 [入]沃 而蜀切 rù

[字解] ①불쌍히여길 욕 '嘱一, 憐皃'《廣韻》. ② 오랑캐이름 욕 강(羌)의 별종(別種). '一, 曰, 羌別種'《集韻》.

10 ⑬ [嗗] 왈 [入]黠 烏八切 wā

[字解] ①꿀꺽꿀꺽마실 왈 마시는 소리. '飮聲謂之一'《集韻》. ②잘강잘강씹을 왈 음식을 씹는 소리. '瞰姦何噢一'《韓愈》.
[字源] 形聲. 口+骨〔音〕

10 ⑬ [嗥] 〔호〕 嘷(口部 十二畫〈p. 403〉)의 本字

[號] 〔호〕 虍部 七畫(p. 1999)을 보라.

10 ⑬ [嗣] [人名] 사 [去]寘 祥吏切 sì

[筆順] 口 冂 冃 冃 冊 嗣 嗣 嗣
[字解] ①이을 사 뒤를 이음. '一子'. '子産若死, 其使誰一之'《呂氏春秋》. ②후사 사 대를 잇는 자식. '不禮於衞之一'《左傳》. ③자손 사 '罰弗及一'《書經》. ④익힐 사 연습함. '子寧不一音'《詩經》. ⑤성 사 성(姓)의 하나.
[字源] 金文 篆文 形聲. 冊(冊)+口+司〔音〕. '冊책'은 후사를 세울 때의 조칙(詔勅)의 뜻. '口구'는 그 조칙을 묘당(廟堂)에서 읽다의 뜻. '司사'는 '관장하다'의 뜻. 후사를 세울 때의 의식을 관장하는 모양에서, '후사, 잇다'의 뜻을 나타냄. 金文은 冊+司〔音〕으로, 묘당에서 후사를 세우는 문서를 읽는 의식을 나타냄.

[嗣君 사군] 뒤를 이은 임금.
[嗣奉 사봉] 이어 받듦. 계승함.
[嗣歲 사세] 내년(來年).
[嗣續 사속] 계통(系統)을 이음.
[嗣守 사수] 이어받아 지킴.
[嗣人 사인] 상속자(相續者).
[嗣子 사자] 맏아들.
[嗣適 사적] 태자(太子). 적(適)은 적(嫡).
[嗣纂 사찬] 이어받음. 계승함.
[嗣響 사향] 소리가 서로 응하여 울리듯이 사업(事業)을 잘 이어받는 일.
[嗣興 사흥] 등용(登用)되어 아버지의 사업을 이음.
◉家嗣. 係嗣. 繼嗣. 國嗣. 法嗣. 聖嗣. 守嗣. 令嗣. 遺嗣. 胤嗣. 日嗣. 儲嗣. 嫡嗣. 天嗣. 冢嗣. 追嗣. 統嗣. 血嗣. 後嗣.

10 ⑬ [嗀] 학 [入]覺 許角切 hù

[字解] 욕지기할 학 구역질함. 또, 구토함. '臣有疾異於人, 若見之君將一之'《左傳》.
[字源] 金文 篆文 形聲. 口+㱿〔音〕. '㱿각'은 두드리다, 빈 껍데기의 뜻. 입에서 두드리듯 토하여, 비다의 뜻을 나타냄.

10 ⑬ [嗇] [人名] 색 [入]職 所力切 sè

[筆順] 一 十 朩 夾 夾 啬 嗇 嗇
[字解] ①탐낼 색 탐함. '一于禍'《左傳》. ②아낄 색 '一於時'《孔子家語》. ③인색할 색 '吝一'. '儉一'. '愈於纖一'《史記》. ④아껴쓸 색 비용을 존절히 하여 여유를 남겨 둠. '治人事天莫如一'《老子》. ⑤거둘 색 穡(禾部 十三畫)과 同字. '服田力一'《漢書》. ⑥성 색 성(姓)의 하나.
[字源] 甲骨文 金文 篆文 會意. 來+㐭. '來래'는 보리의 象形. '㐭름'은 전원지대에 있는 곡식 창고의 象形. '수확'의 뜻을 나타냄. '집어넣다'의 뜻에서, '아끼다'의 뜻이 파생됨.

[嗇夫 색부] ㉠낮은 벼슬. 미관말직(微官末職). ㉡농부. 백성. ㉢고대(古代)의 사공(司空)의 속관(屬官). 공물(貢物)을 받아서 천자(天子)에게 올리는 일을 맡았음. ㉣진(秦)나라 때 둔 향관(鄕官). 소송(訴訟)·부세(賦稅)를 맡았음. 한(漢)·진(晉) 및 남조(南朝)의 유송(劉宋)까지 존속하다가 후에 폐지되었음.
◉慳嗇. 儉嗇. 澁嗇. 孅嗇. 吝嗇. 悋嗇. 節嗇.

11 ⑭ [嗷] 오 [平]豪 五勞切 áo

[字解] 시끄러울 오 여럿이 떠들썩하게 지껄임. '哀鳴一一'《詩經》.
[字源] 篆文 形聲. 口+敖〔音〕. '敖오'는 멋대로 큰 소리를 내다의 뜻. 말을 멋대로 내뱉다, 슬퍼서 큰 소리를 지르다, 시끄럽다의 뜻을 나타냄.
[參考] 嗸(口部 十一畫)는 同字.

[嗷嗷 오오] ㉠여러 사람이 지껄이어 시끄러운 모양. ㉡여러 사람이 근심하여 서로 이야기하는 모양. ㉢기러기가 우는 소리.
[嗷嘈 오조] 시끄러움. 떠들썩함.
◉哀嗷. 嘈嗷. 讙嗷.

11 ⑭ [嗽] [人名] [一] 수 [去]宥 蘇奏切 sòu
[二] 삭 [入]覺 所角切 shuò

[字解] [一] ①기침 수 '咳一'. '冬時有一, 上氣疾'《周禮》. ②양치질할 수 입 안을 부셔 냄. 漱(水部 十一畫)와 同字. '日一三升'《史記》. [二] 빨 삭 빨아들임. '一吮甘液'《史記》.
[字源] 形聲. 口+欶〔音〕. '欶수·삭'은 빨아들여 머금다의 뜻. '口구'를 더하여, '기침하다, 빨다, 양치질하다'의 뜻을 나타냄.

[嗽吮 삭연] 입으로 빪. 「劑).
[嗽藥 수약] 입 안을 가셔 내는 약. 함수제(含嗽

[嗽咳 수해] 기침. 해수(咳嗽).
◉含嗽. 咳嗽. 欬嗽.

11 ⑭ [啐] 一 설 入屑 所劣切 shuì 二 률 入質 劣戌切 lǜ 三 술 入質 朔律切 sū 四 세 去霽 山芮切 shuì

字解 一 ①마실 설, 조금마실 설 '一, 小飮'《廣韻》. ②맛볼 설 '一, 一曰, 嘗也'《廣韻》. 二 울률 새가 욺. '啤, 鳴也. 或从率'《集韻》. 三 소리 술 '一, 聲也'《集韻》. 四 핥을 세 '一, 博雅, 嘗也'《集韻》.
字源 形聲. 口+率〔音〕.

11 ⑭ [嗾] 人名 一 수 上有 蘇后切 sǒu 二 주 去宥 倉奏切 sǒu

字解 一 추길 수 선동함. '使一'. '爲人所一'《北史》. 二 추길 주 一과 뜻이 같음.
字源 篆文 形聲. 口+族〔音〕. '族족'은 '促촉'과 통하여, '촉구하다'의 뜻. 입으로 선동하다의 뜻을 나타냄.

◉使嗾. 唧嗾. 指嗾.

11 ⑭ [噉] 탐 上感 他感切 tǎn

字解 많을 탐 '有一其饁'《詩經》.
字源 篆文 口+貪〔音〕. '貪탐'은 많이 모아 두다의 뜻에서 '많다'의 뜻. 말이 많아 시끄러운 모양을 나타냄.

11 ⑭ [嘄] 규(교本) 平蕭 堅堯切 jiāo

字解 부르짖을 규 叫(口部 二畫)와 同字. '狂夫一譟'《漢書》.
字源 篆文 形聲. 口+梟(梟)〔音〕. '梟효'는 '叫규'와 통하여 '부르짖다'의 뜻을 나타냄.

[嘄嘑 규호] 부르짖음.

11 ⑭ [嘅] 개 去隊 苦愛切 kài

字解 탄식할 개 탄식하는 소리. '一其嘆矣'《詩經》.
字源 篆文 形聲. 口+旣〔音〕. '旣기'는 '목메다'의 뜻. 마음이 막히다, 한탄하다의 뜻을 나타냄.

11 ⑭ [嘆] 人名 탄 去翰 他旦切 tàn 平寒 他干切 叹

字解 한숨쉴 탄 탄식함. 歎(欠部 十一畫)과 同字. '一息'.
字源 篆文 會意. 口+難〈省〉. '難난'은 '괴로움'의 뜻. 괴로워서 탄식하다의 뜻을 나타냄.
參考 歎(欠部 十一畫)과 통용함.

[嘆哭 탄곡] 탄식(歎息)하며 욺.
[嘆息 탄식] 한숨을 쉬며 한탄(恨歎)함. 탄식(歎息).
[嘆嗟 탄차] 탄식함. 차탄(嗟歎).
[嘆駭 탄해] 차탄(嗟歎)하며 놀람.
◉感嘆. 慨嘆. 驚嘆. 亡羊之嘆. 憤嘆. 髀肉之嘆. 悲嘆. 三嘆. 賞嘆. 愁嘆. 仰嘆. 哀嘆. 永嘆. 詠嘆. 泣嘆. 一唱三嘆. 長嘆. 嗟嘆. 讚嘆. 稱嘆. 痛嘆. 風樹之嘆.

11 ⑭ [嘈] 조 平豪 昨勞切 cáo 去號 在到切 cáo

字解 들렐 조 시끄러움. '耳一于無聞'《吳質》.
字源 形聲. 口+曹〔音〕. '曹조'는 '騷소'와 통하여 '시끄럽다'의 뜻.

[嘈嗷 조오] 조조(嘈嘈).
[嘈雜 조잡] 여러 소리가 나서 시끄러운 모양.
[嘈嘈 조조] 시끄러운 모양. 떠들썩하게 지껄이는 모양. 효효(囂囂).
◉嗷嘈. 嘲嘈. 啁嘈. 啾嘈. 豪嘈.

11 ⑭ [嘊] 〔애〕 啀(口部 八畫〈p.381〉)와 同字

11 ⑭ [嘌] 표 去嘯 匹妙切 piào

字解 빠를 표 수레가 빨리 감. '匪車一兮'《詩經》.
字源 篆文 形聲. 口+票〔音〕. '票표'는 불똥이 날아오르다의 뜻. 또, '暴포'와 통하여 '빠르다, 날뛰다'의 뜻. 부는 바람의 모양을 나타내기 위하여 '口구'를 더함.

11 ⑭ [嘍] 루 上有 郎斗切 lǒu 喽

字解 ①뇔 루 뇌고 뇌는 모양. 귀찮음. ②도둑루 僂(人部 十一畫)와 同字. '一囉'.
字源 形聲. 口+婁〔音〕. '婁루'는 혀를 놀리는 어린애의 목소리를 나타내는 의성어.

[嘍囉 누라] ㉠혀가 잘 돌아가지 않는 어린애의 말의 형용. ㉡도둑.
[嘍唳 누려] 새 우는 소리.

11 ⑭ [嘓] 괵 入陌 古獲切 guō 啯

字解 번거로울 괵 귀찮음. 잔소리가 많음. '一, 口一一, 煩也'《廣韻》.

11 ⑭ [嘐] 一 교 平肴 古肴切 jiāo 二 효 平肴 許交切 xiāo

字解 一 닭울 교 닭 우는 소리. '鷄亂響一一'《元稹》. 二 뜻클 효 뜻이 큼. '其志一一然'《孟子》.
字源 篆文 形聲. 口+翏〔音〕. '翏교'는 떠벌리는 목소리의 의성어.

[嘐嘐 교교] ㉠닭이 시끄럽게 우는 소리. ㉡쥐가 물건을 갉는 소리.
[嘐嘎 교알] 새가 시끄럽게 우는 소리.
[嘐嘐 효효] 뜻이 큰 모양.

11 ⑭ [嘑] 호 ①②平虞 荒烏切 hū ③去遇 荒故切 hù

字解 ①부르짖을 호 고함지름. 呼(口部 五畫)와 同字. '夜一旦'《周禮》. ②성 호 성(姓)의 하나. ③꾸짖을 호 '一爾而與之'《孟子》.

[字源] 篆文 形聲. 口+虖〔音〕. '虖호'는 '부르다'의 뜻. '口구'를 더하여 '부르짖다'의 뜻을 나타냄.

◉嘷嘑.

11 ⑭ [嘒] [人名] 혜 [去]霽 呼惠切 huì

[字解] ①작을 혜 미소(微小)함. '一彼小星'《詩經》. ②매미소리 혜 매미 우는 소리. '鳴蜩一一'《詩經》. ③소리듣기좋을 혜 소리가 가락이 맞아 듣기 좋은 모양. '鸞聲一一'《詩經》.
[字源] 篆文 別體 形聲. 口+彗〔音〕. '彗혜'는 '가늘다, 비'의 뜻. 빗자루의 끝처럼 가는 목소리, 작은 목소리의 뜻을 나타냄.

[嘒嘒 혜혜] 자해(字解)❷❸을 보라.

11 ⑭ [嘔] [人名] [一] 구 ①[上]有 烏后切 ǒu ②[平]尤 烏侯切 ōu [二] 후 [平]虞 匈于切 xū 呕

[字解] [一] ①게울 구 토함. '一吐'. '伏弢一血'《左傳》. ②노래할 구 謳(言部 十一畫)와 同字. '毋歌一道中'《漢書》. [二] 기뻐할 후 '上下相一'《揚雄》.
[字源] 形聲. 口+區〔音〕. '區구'는 많은 것을 구별하다의 뜻. 해로운 것을 몸이 분별하여 게우다의 뜻을 나타냄. 또, '區'는 단락을 짓다의 뜻. 가락을 붙여 노래하다의 뜻도 나타냄.

[嘔嘔 구구·후후] ㉠기뻐하는 모양. ㉡수레바퀴가 구르는 소리. ㉢'후후(嘔嘔)'를 보라.
[嘔心 구심] 심혈(心血)을 토함. 심사숙고(深思熟考)하거나 노심초사(勞心焦思)함을 이름.
[嘔啞 구아] ㉠어린아이의 잘 알아들을 수 없는 말소리. ㉡악기의 가락에 맞지 않는 거친 소리. ㉢수레가 달리는 소리.
[嘔軋 구알] ㉠수레바퀴가 삐걱거리며 구르는 소리. ㉡노(櫓)를 저을 때 삐걱삐걱하는 소리.
[嘔吐 구토] 게움. 또, 그 오물.
[嘔吐泄瀉 구토설사] 토(吐)하고 설사(泄瀉)함.
[嘔喩 후유] 기뻐하는 모양.
[嘔嘔 후후] 상냥한 모양. 친절한 모양.
◉歌嘔. 哯嘔. 啞嘔. 嗌嘔. 噎嘔. 于嘔.

11 ⑭ [嘖] 책 [入]陌 側革切 zé 啧

[字解] ①들렐 책 칭찬하느라고 또는 말다툼하느라고 떠들썩함. '好評一一'. '一有煩言'《左傳》. ②새울 책 새가 우는 소리. '宵扈一一'《爾雅》. ③처음 책 시초. '聖人有以見天下之一'《易經》.
[字源] 篆文 形聲. 口+責〔音〕. '責책'은 가시로 찌르듯이 아프게 몰아세우다의 뜻. 큰 소리로 부르짖다, 시끄럽다의 뜻을 나타냄.

[嘖嘖 책책] ㉠시끄러운 모양. ㉡말다툼하는 모양. ㉢칭찬하여 마지않는 모양. ㉣새가 우는 소리.
◉怨嘖. 唧嘖. 嘖嘖. 嚄嘖.

11 ⑭ [嘛] 마 má

[字解] 나마교 마 '喇一'는 불교의 한 파. '라마'의 음역(音譯).
[字源] 形聲. 口+麻〔音〕

◉喇嘛.

11 ⑭ [嗺] 최 [平]灰 素回切 suī

[字解] 권할 최, 재촉할 최 술을 빨리 마시라고 재촉함. '一酒逐歌'《趙嘏》.

11 ⑭ [嘕] 언 [平]先 許延切 xiān

[字解] 웃을 언 빙그레 웃음. 또, 그 모양. '靨輔奇牙, 宜笑一只'《楚辭》.

11 ⑭ [嘇] 연 [上]銑 以淺切 yǎn

[字解] 껄껄웃을 연 크게 웃음. '一, 大笑也'《玉篇》.

11 ⑭ [嘂] 교 [去]嘯 古弔切 jiào

[字解] ①크게부르짖을 교 '一, 一曰, 大嘑也'《說文》. ②높은소리 교 '一, 高聲'《說文》.
[字源] 篆文 形聲. 㗊+丩〔音〕
[參考] 叫(口部 二畫)의 古字.

11 ⑭ [㗖] 담 [平]覃 徒甘切 tán

[字解] 싱거울 담 맛이 적음. '啗一, 少味'《集韻》.

11 ⑭ [嘎] 알(갈[本]) [入]黠 古黠切 gā

[字解] ①새소리 알 두루미가 우는 소리. ②《現》깔깔웃을 알.
[字源] 形聲. 口+戛〔音〕. '戛알'은 새가 우는 소리의 의성어.

[嗚] 〔명〕
鳥部 三畫(p. 2659)을 보라.

[噓] 〔허〕
口部 十二畫(p. 402)을 보라.

11 ⑭ [嘗] [高人] 상 [平]陽 市羊切 cháng 尝

[筆順] 丶 丷 𫩠 ⺌ 尚 尚 嘗 嘗

[字解] ①맛볼 상 ㉠음식의 맛을 봄. '一膽'. '一其旨否'《詩經》. ㉡먹음. '母痢不能藥, 日一痢以求愈'《元史》. ㉢몸소 겪음. '其一艱難'. '險阻艱難, 備一之矣'《左傳》. ②시험할 상 '一試'. '請一之'《左傳》. ③일찍 상 일찍이. 예전에. '余一西至空峒'《史記》. ④항상 상 언제나. 늘. '奢者心一貧'《譚子化書》. ⑤가을제사 상 가을에 신곡(新穀)을 올려 지내는 제사. '未一不食新'《禮記》. ⑥성 상 성(姓)의 하나.
[字源] 金文 篆文 形聲. 旨+尚〔音〕. '尚상'은 '대다'의 뜻. '旨지'는 '맛있는 것'의 뜻. 맛있는 것에 혀를 대다, 맛보다의 뜻을 나타냄.

[嘗膽 상담] 쓸개를 맛본다는 뜻으로, 복수하려고 모든 간고(艱苦)를 참는 것을 이름. 월왕(越王) 구천(句踐)이 오왕(吳王) 부차(夫差)에게 복수할 생각으로 몸을 괴롭게 하고 노심초사(勞心焦思)하여 늘 쓸개를 맛본 옛일에서 나온 말.
[嘗糞 상분] 똥을 맛본다는 뜻으로, 염치(廉恥)도 없고 체면(體面)도 없이 다만 아첨할 줄만 아는 것을 이름. 당(唐)나라의 시어사(侍御史) 곽홍패(郭弘霸)가 대부(大夫) 위원충(魏元忠)에게 아첨하여 위원충의 병중(病中)에 그의 병의 경중(輕重)을 알려고 똥을 맛본 옛일에서 나온 말.
[嘗糞之徒 상분지도] 의리·염치가 없이 다만 아첨만 할 줄 아는 무리.
[嘗試 상시] 시험(試驗)하여 봄.
[嘗試之說 상시지설] 짐짓 딴 일을 빌려 이야기하여 상대방의 속마음을 떠보는 언설(言說).
[嘗新 상신] 임금이 그 해의 신곡(新穀)을 처음으로 맛봄.
[嘗一臠知一鑊之味 상일련지일확지미] 가마솥 속의 고기 한 점을 맛보면 그 속의 것의 맛 전체를 알 수 있음. 곧, 한 부분으로 미루어 전체를 앎.
[嘗禾 상화] 그 해의 신곡(新穀)으로 신(神)에 제사 지냄. 또, 그 제사(祭祀).
◉啖嘗. 奉嘗. 新嘗. 禘嘗. 烝嘗. 享嘗. 歆嘗.

11 ⑭ [奓] 차 ㊥麻 敕加切 zhā

字解 ①입술두꺼울 차 입술이 두꺼운 모양. '―, 厚脣皃'《說文》. ②입처질 차 입이 축 처진 모양. '―, 緩口皃'《玉篇》.

字源 金文 篆文 形聲. 尚+多〔音〕. '尚상'은 '위로 오르다'의 뜻. '多다'는 '넉넉하고 두텁다'의 뜻. 위를 향한 두꺼운 입술을 뜻함.

11 ⑭ [嘏] 人名 하 ㊤馬 古雅切 jiǎ

字解 ①클 하 '―命'. '凡物壯大, 謂之―'《揚子方言》. ②복 하 행복. '純―爾常矣'《詩經》. ③복받을 하 '伊―文王'《詩經》.

字源 金文 篆文 形聲. 古+叚〔音〕. '古고'는 '祜호'와 통하여 '행복'의 뜻. '叚가'는 값어치 있는 가공하지 않은 옥돌. 가능성이 넘치는 행복의 뜻을 나타냄.

11 ⑭ [嗸] 〔오〕
嗷(口部 十一畫〈p. 398〉)와 同字

11 ⑭ [嗇] 〔곤〕
壼(士部 十畫〈p. 475〉)의 本字

11 ⑭ [嘉] 人名 가 ㊥麻 古牙切 jiā

筆順 十 士 吉 吉 吉 壴 嘉 嘉 嘉

字解 ①아름다울 가 ㉠예쁨. 고움. '―卉'. '物其多矣, 維其―矣'《詩經》. ㉡언행이 훌륭함. '―言'. '爾有―謀―猷'《書經》. ②기릴 가 칭찬함. 가상히 여김. '―獎'. '―乃丕績'《書經》. ③경사스러울 가 기쁨. '―慶'. '以―禮親萬民'《周禮》. 또, 그 일. '神降之―生'《史記》. ④맛좋을 가 맛이 있음. '―肴'. 또, 그 음식. '飮旨食―'《歐陽修》. ⑤기뻐할 가, 즐길 가 '―樂'. '交獻, 以―魂魄'《禮記》. ⑥성 가 성(姓)의 하나.

字源 金文 金文 篆文 形聲. 壴+加〔音〕. '壴주'는 '香향' 자로, 향기의 뜻이라고도 하고, 타악기의 象形으로, '음악'의 뜻이라고도 함. 신에 대한 제물에 향을 피우거나, 음악을 연주하여 맑고 아름답게 하다의 뜻을 나타냄. 또, '賀하'와 통하여, 선물을 하여 축하하고 기뻐하다의 뜻도 나타냄.

[嘉客 가객] 반가운 손.
[嘉慶 가경] 경사(慶事).
[嘉慶子 가경자] '자두〔李〕'의 별칭.
[嘉穀 가곡] 좋은 곡식. 또, 오곡(五穀).
[嘉納 가납] ㉠간(諫)하거나 권하는 말을 옳게 여기어 들음. ㉡물건 바치는 것을 고맙게 여겨 받아들임.
[嘉道 가도] 훌륭한 도덕.
[嘉遯 가둔] 정도(正道)에 맞는 은퇴. 요(堯)임금이 순(舜)임금에게 섭정(攝政)하게 하고 은퇴한 일.
[嘉樂 가락·가악] ㉠기뻐하고 즐김. ㉡'가악(嘉樂)'을 보라.
[嘉良 가량] 좋음. 경사스러움.
[嘉例 가례] 좋은 전례(前例).
[嘉禮 가례] ㉠길(吉)·흉(凶)·군(軍)·빈(賓)·가(嘉)의 오례(五禮)의 하나로 혼례(婚禮)를 이름. ㉡《韓》임금의 성혼·즉위, 또는 왕세자·왕세손의 성혼·책봉(冊封) 같은 때의 예식.
[嘉隆七才子 가륭칠재자] 명(明)나라 가정(嘉靖) 및 융경(隆慶) 연간(年間)에 유명하였던 시인(詩人) 일곱 사람. 곧, 이반룡(李攀龍)·왕세정(王世貞)·서중행(徐中行)·종신(宗臣)·사무진(謝茂榛)·오국륜(吳國倫)·양유예(梁有譽).
[嘉謨 가모] 가유(嘉猷).
[嘉苗 가묘] 가화(嘉禾).
[嘉聞 가문] 좋은 평판. 훌륭한 명망(名望). 성예(聲譽). 영문(令聞).
[嘉文席 가문석] 꽃방석.
[嘉味 가미] 좋은 맛. 또, 맛있는 음식.
[嘉賓 가빈] 반가운 손님. 귀한 손님. 가빈(佳賓).
[嘉辭 가사] 좋은 말. 훌륭한 말.
[嘉尙 가상] 귀엽게 여기어 칭찬(稱讚)함.
[嘉祥 가상] 가서(嘉瑞).
[嘉賞 가상] 칭찬함. 기림.
[嘉瑞 가서] 상서(祥瑞). 길조(吉兆).
[嘉歲 가세] 풍년(豐年).
[嘉羞 가수] ㉠좋은 제수(祭需). ㉡맛있는 음식.
[嘉淑 가숙] 좋음. 또, 좋은 물건.
[嘉辰 가신] 경사스러운 날. 또, 좋은 때. 길일(吉日).
[嘉樂 가악] ㉠음률(音律)에 맞는 음악. ㉡경사스러운 음악.
[嘉愛 가애] 가상히 여겨 사랑함.
[嘉釀 가양] 맛있는 술. 가양(佳釀).
[嘉魚 가어] ㉠고운 물고기. ㉡맛있는 물고기. ㉢연어과(鰱魚科)에 딸린 민물고기. 모양은 작은 송어(松魚)와 비슷함.
[嘉言 가언] 유익한 말.
[嘉宴 가연] 경사스러운 잔치.
[嘉悅 가열] 아랫사람의 경사(慶事)를 축하(祝賀)「함.

[嘉友 가우] 좋은 벗.
[嘉祐 가우] 다행(多幸). 행복.
[嘉月 가월] 음력 3월의 이칭(異稱). 도월(桃月). 희월(喜月).
[嘉猷 가유] 나라를 다스리는 좋은 계책(計策).
[嘉儀 가의] 경사스러운 의식(儀式).
[嘉議 가의] 훌륭한 의론.
[嘉日 가일] 좋은 날. 경사스러운 날.
[嘉獎 가장] 칭찬하고 장려함.
[嘉績 가적] 훌륭한 공적(功績).
[嘉節 가절] ㉠좋은 때. 또, 좋은 날. 가신(嘉辰). ㉡음력 9월 9일의 별칭(別稱).
[嘉靖 가정] 잘 다스려 편안하게 함.
[嘉禎 가정] 복(福). 행복.
[嘉兆 가조] 좋은 징조(徵兆). 길조(吉兆).
[嘉祉 가지] 복(福). 행복.
[嘉薦 가천] 좋은 헌물(獻物).
[嘉招 가초] 남에게 초대 받은 일의 경칭(敬稱). 총초(寵招).
[嘉稱 가칭] ㉠가상(嘉賞). ㉡좋은 명예. 영명(令名).
[嘉歎 가탄] 가상히 여겨 감탄함.
[嘉平 가평] 음력(陰曆) 12월의 이칭(異稱). 납월(臘月). 극월(極月).
[嘉好 가호] 정의(情誼). 또, 정의를 두텁게 하기 위한 회합.
[嘉禾 가화] 벼.
[嘉話 가화] 아름다운 이야기. 가화(佳話).
[嘉會 가회] ㉠경사스러운 모임. ㉡풍류(風流)스러운 모임.
[嘉肴 가효] 가효(嘉殽).
[嘉殽 가효] 맛있는 술안주.
[嘉卉 가훼] 좋은 풀.
◉春嘉. 柔嘉. 靖嘉. 靜嘉. 珍嘉. 清嘉. 寵嘉. 歎嘉. 褒嘉. 亨嘉. 休嘉. 欣嘉.

12 ⑮ [嚚] 〔기〕
器(口部 十三畫〈p.405〉)의 俗字

12 ⑮ [嘐] 〔효〕
囂(口部 十八畫〈p.413〉)와 同字

12 ⑮ [嗇] 〔색〕
嗇(口部 十畫〈p.398〉)의 本字

12 ⑮ [嘼] 휴 ㊀有 許救切 chù

字解 집짐승 휴 가축(家畜). '一, 犍也'《說文》.
字源 金文 篆文 象形. 짐승을 잡는 활의 象形으로, 그 활로 잡은 짐승의 뜻을 나타냄. 일설에 짐승의 귀, 머리 및 땅을 밟고 있는 발의 모양을 본뜬 것이라고도 함.

12 ⑮ [嘫] ㊀ 난 ㊉刪 女閑切 / ㊁ 연 ㊉先 如延切 rán

字解 ㊀ ①그럴 난 응답(應答)하는 소리. 然(火部 八畫)과 통함. '一, 語聲也'《說文》. ②대답할 난 '一, 一曰, 譍也'《集韻》. ㊁ 그럴 연, 대답할 연 ㊀과 뜻이 같음.
字源 形聲. 口+然〔音〕

12 ⑮ [噓] 人名 허 ㊉魚 朽居切 xū / ㊀御 許御切

字解 ①내불 허 입김을 천천히 내뿜. '一吸'. '仰天而一'《莊子》. ②탄식할 허 탄식하는 소리. '一唏'. '噫一嚱危高哉'《李白》.
字源 篆文 形聲. 口+虛〔音〕. '虛허'는 숨을 내뱉을 때의 소리를 나타내는 의성어. 숨을 내불다의 뜻을 나타냄.

[噓呵 허가] 숨을 내쉼.
[噓噓 허허] ㉠숨을 내쉬어 그 기운이 나오는 모양. 전(轉)하여, 구름이 끼는 모양. ㉡코 고는 소리.
[噓吸 허흡] 호흡(呼吸).
[噓唏 허희] 탄식함. 한탄함.
[噓嚱 허희] 감탄(感歎)하는 소리.
◉呵噓. 呴噓. 氣噓. 吹噓. 呼噓. 煦噓.

12 ⑮ [嘬] 최 ㊀卦 楚夬切 zuō (chuài)

字解 ①물 최 깨묾. '蠅蚋姑一之'《孟子》. ②한입에넣을 최 한입에 먹어 버림. '無一炙'《禮記》.
字源 形聲. 口+最〔音〕. '最최'는 손가락으로 집다의 뜻. 손가락으로 집어먹다의 뜻을 나타냄.

12 ⑮ [嘰] 기 ㊉微 居依切 jī 叽

字解 ①쪽잘거릴 기 조금씩 먹음. '一瓊華'《司馬相如》. ②한숨쉴 기 탄식함. '一而哀'《淮南子》.
字源 篆文 形聲. 口+幾〔音〕. '幾기'는 '조금'의 뜻. '조금 먹다'의 뜻을 나타냄.

12 ⑮ [嘷] 韓 곳

字解 《韓》 한국어의 '곳' 음을 표기하기 위하여, '庫'의 음 '고'에, 子音 'ㅅ'을 '叱'로 나타내어 결합한 문자. '其中某字第十七田幾日耕一果…'《儒胥必知》.

12 ⑮ [噘] 現 궐 juē

字解 《現》 입삐물 궐 불만으로 입을 삐죽이 내밂. '一, 俗謂將嘴撬起曰一'《辭海》.

12 ⑮ [嘲] 人名 조 ㊉肴 陟交切 cháo (zhāo)

字解 ①비웃을 조 경멸함. '一笑'. '弟子私一之'《後漢書》. ②조롱할 조 희롱함. '一戲'. '一啁無方'《蜀志》. ③지저귈 조 새가 욺. '林鳥以朝一'《禽經》.
字源 篆文 形聲. 口+朝〔音〕. '朝조'는 침을 튀기며 지껄이는 소리의 의성어. 남의 말을 조롱하다, 새가 시끄럽게 지저귀다의 뜻을 나타냄.

[嘲轟 조굉] 시끄러움. 떠들썩함.
[嘲譏 조기] 비웃으며 모욕함.
[嘲弄 조롱] 비웃적거리며 희롱함.
[嘲詈 조리] 조매(嘲罵).
[嘲罵 조매] 비웃으며 꾸짖음.
[嘲侮 조모] 비웃으며 모욕함.
[嘲薄 조박] 비웃으며 업신여김.
[嘲訕 조산] 조후(嘲詬).

[嘲笑 조소] 비웃음.
[嘲哂 조신] 조소(嘲笑).
[嘲啁 조조] 조희(嘲戲).
[嘲嘲 조조] 새가 연해 우는 모양.
[嘲啾 조추] ㉠책 읽는 소리가 뒤섞여 웅얼웅얼함. ㉡새 우는 소리.
[嘲評 조평] 비웃으며 비평함.
[嘲謔 조학] 조희(嘲戲).
[嘲詼 조회] 조희(嘲戲).
[嘲詬 조후] 꾸짖고 비웃음.
[嘲戲 조희] 조롱하여 놀림.
◉鶻嘲. 狂嘲. 群嘲. 譏嘲. 謗嘲. 善嘲. 笑嘲. 吟嘲. 自嘲. 朝嘲. 解嘲. 好嘲. 詼嘲.

12 ⑮ [嘳] 위(귀㊍) ㊀寘 丘愧切 kuì

字解 한숨쉴 위 喟(口部 九畫)와 同字. '—然而嘆'《晏子春秋》.
字源 篆文 形聲. 口+貴〔音〕

12 ⑮ [嘴] 人名 취 ㊤紙 祖委切 zuǐ

字解 부리 취 새의 부리. 전(轉)하여, 물건의 끝의 뾰족한 데. 觜(角部 五畫)와 同字. '山—'.
字源 形聲. 口+觜〔音〕. '觜취'는 '부리'의 뜻. '口구'를 더하여 '입'의 뜻이나, 입처럼 내민 부분의 뜻을 나타냄.

[嘴子 취자] 부리. 귀때.
◉沙嘴. 山嘴. 鳥嘴.

12 ⑮ [嘵] 효 ㊉蕭 許幺切 xiāo 哓

字解 두려워할 효 '予維音——'《詩經》.
字源 篆文 形聲. 口+堯〔音〕. '堯요'는 두려워하는 목소리의 의성어.

[嘵哮 효효] 두려워하여 욺.
[嘵嘵 효효] 두려워하는 모양.

12 ⑮ [嘶] 人名 시 ㊉齊 先稽切 sī

字解 ①울 시 말이 욺. 전(轉)하여, 널리 욺. '—馬'. '此日牛馬—'《古詩》. ②목쉴 시 '—噶'. '大聲而—'《漢書》.
字源 形聲. 口+斯〔音〕. '斯사'는 쉰 목소리, 말 울음소리를 나타내는 의성어.

[嘶馬 시마] 우는 말.
[嘶噶 시애] 목쉰 소리.
[嘶噪 시조] 시끄럽게 욺.
[嘶譟 시조] 시조(嘶噪).
[嘶醜 시추] 목소리가 나쁨.
[嘶號 시호] 욺.
◉驕嘶. 鳴嘶. 雄嘶. 長嘶.

12 ⑮ [噋] 톤 ㊉元 他昆切 tūn

字解 ①입마구놀릴 톤 말이 많음. ②느릿느릿갈 톤 啍(口部 八畫)과 同字.
字源 形聲. 口+敦〔音〕

12 ⑮ [嚄] 획 ㊇陌 胡麥切 huò

字解 ①부르짖을 획 크게 부름. '—嘖怒語'《蔡邕》. ②마음어지러울 획 정신이 산란(散亂)함. '通諸人之——, 莫如言'《揚子法言》.

12 ⑮ [嗺] 집 ㊇緝 子入切 jí

字解 ①입우물우물씹을 집 음식을 씹는 모양. '—, 嚥也'《說文》. ②들이마실 집 빨아들임. '—, 一曰, 歃也'《集韻》.
字源 篆文 形聲. 口+集〔音〕. '集집'은 '모으다'의 뜻. 입 안에 물건을 모아서 씹다의 뜻을 나타냄.

12 ⑮ [嗚] 위 ㊉支 許爲切 huī

字解 ①거짓말할 위 '—, 口不言正'《廣韻》. ②추할 위 보기에 추악함. '啗朕哆—, 籧篨戚施'《淮南子》. ③입삐뚤 위 '—, 口不正也'《玉篇》.

12 ⑮ [噶] 교 ①㊉蕭 渠遙切 qiáo ②㊀嘯 丘召切 qiào

字解 ①모를 교 알지 못함. '—, 不知'《廣韻》. ②입삐뚤어질 교 입이 바르지 못함. '—, 口不正'《集韻》.

12 ⑮ [嗿] 암 ㊉覃 鄔甘切 ān

字解 싱거울 암 맛이 적음. '—啖, 少味'《集韻》.

12 ⑮ [嘪] 매 ㊤蟹 莫蟹切 mǎi

字解 양의소리 매 양(羊)이 '매' 하고 우는 소리. '—, ——, 羊鳴'《集韻》.

12 ⑮ [嘷] 호 ㊉豪 胡刀切 háo

字解 ①짖을 호, 으르렁거릴 호 짐승이 큰 소리로 욺. '豺狼所—'《左傳》. ②부르짖을 호 외침. 규호(叫號)함. '兒子終日—'《莊子》.
字源 篆文 別體 形聲. 篆文은 口+皋〔音〕. '皋고'는 짐승의 으르렁거리는 소리를 나타내는 의성어. '口구'를 더하여 '으르렁거리다'의 뜻을 나타냄.

◉群嘷. 猿嘷. 淸嘷. 吠嘷. 風嘷.

12 ⑮ [嘹] 료 ㊉蕭 落蕭切 liáo

字解 ①소리멀리들릴 료 소리가 맑아 멀리 들림. '—喨'. ②새소리 료 새가 우는 소리. '—唳飛空'《李百藥》. ③피리소리 료 피리 부는 소리. '聽—嘈而遠震'《江淹》.
字源 形聲. 口+尞〔音〕

[嘹喨 요량] 소리가 맑아 멀리 들리는 모양.
[嘹唳 요려] 새가 우는 소리.
[嘹嘈 요조] 피리 부는 소리.

12 ⑮ [嘸] 무 ㊤麌 罔甫切 fǔ 呒

[字解] 분명하지않을 무 대답이 분명하지 않음. '諸將皆一然, 陽應曰, 諾'《漢書》.
[字源] 形聲. 口+無〔音〕. '無무'는 '없다'의 뜻. 꾸물거리고 있어, 분명하지 않은 모양을 나타냄.

[嘸然 무연] 분명하게 대답을 하지 않는 모양.

12 ⑮ **[嘻]** 희 [平]支 許其切 xī

[字解] ①화락할 희 화평하고 즐거움. '婦子一一'《易經》. ②한숨쉴 희 한숨 쉬는 소리. '慶父聞之曰, 一'《公羊傳》. ③놀랄 희 놀라서 지르는 소리. '秦王與群臣, 相視而一'《史記》.
[字源] 形聲. 口+喜〔音〕. '喜희'는 '기뻐하다'의 뜻. 기뻐서 웃다의 뜻을 나타냄.

[嘻笑 희소] 억지로 웃음.
[嘻嘻 희희] ㉠화락(和樂)한 모양. ㉡자득(自得)한 모양. ㉢웃으며 이야기하는 모양.
◉嘆嘻. 噫嘻.

12 ⑮ **[嘽]** [一] 탄 [平]寒 他干切 tān [二] 천 [上]銑 昌善切 chǎn

[字解] [一] ①헐떡거릴 탄 숨이 가쁜 모양. '一一駱馬'《詩經》. ②많을 탄 '戎車一一'《詩經》. ③기뻐할 탄 '徒御一一'《詩經》. ④성할 탄 성대(盛大)한 모양. '王旅一一'《詩經》. [二] 느릴 천 완만한 모양. '一以緩'《禮記》.
[字源] [篆文] 形聲. 口+單〔音〕. '單단'은 '旦단'과 통하여 '평탄하다'의 뜻. 목소리가 평탄하고 자유롭고 번다의 뜻. 평성(平聲)일 때에는 '殫탄'과 통하여, 힘이 다해 헐떡거리다의 뜻.

[嘽緩 천완] 가락이 화평하고 한가로움.
[嘽咺 탄원] 두려워서 흐느껴 욺.
[嘽嘽 탄탄] ㉠헐떡거리는 모양. 숨 가쁜 모양. ㉡많은 모양. 중다(衆多)한 모양. ㉢즐거워하는 모양. 기뻐하는 모양. ㉣성대(盛大)한 모양.

12 ⑮ **[噂]** 담 ①[上]感 徒感切 dàn ②[平]覃 徒南切 tán

[字解] ①머금을 담 입 안 가득히 머금음. '一, 莊子曰, 大甘而一'《廣韻》. ②탐할 담 '一, 貪也'《集韻》.
[字源] 形聲. 口+覃〔音〕

12 ⑮ **[嘿]** 묵 [入]職 莫北切 mò

[字解] 잠잠할 묵 默(黑部 四畫)과 同字. '輒一而逃去'《史記》.
[字源] 形聲. 口+黑〔音〕. '黑흑'은 아무것도 없다의 뜻. '말이 없다, 잠잠하다'의 뜻을 나타냄.

12 ⑮ **[噁]** 오 [去]遇 烏路切 wù 恶

[字解] 성낼 오 화를 냄. 또, 화내는 소리. '項王喑一叱咤'《史記》.
[字源] 形聲. 口+惡〔音〕

12 ⑮ **[噀]** 손 [去]願 蘇困切 xùn

[字解] 물뿜을 손 '飮酒, 西南一之'《神仙傳》.
[字源] 形聲. 口+巽〔音〕

12 ⑮ **[噂]** 준 [上]阮 玆損切 zǔn

[字解] 이야기할 준 여럿이 모여 이야기함. '一沓背憎, 職競由人'《詩經》.
[字源] [篆文] 形聲. 口+尊〔音〕. '尊존·준'은 '屯둔'과 통하여 '모이다'의 뜻. 많은 사람이 모여 이야기하다의 뜻을 나타냄.

[噂沓背憎 준답배증] 만나서는 추어올려 이야기하고, 돌아서서는 욕(辱)함.
[噂噂 준준] 마주 보고 의좋게 이야기하는 모양.
[噂噆 준참] 말이 목구멍에서 잘 나오지 않는 것 같아서 명료하지 아니함.

12 ⑮ **[噆]** 참 [上]感 七感切 zǎn

[字解] 물 참 깨묾. '蚊虻一膚'《莊子》.
[字源] [篆文] 形聲. 口+朁〔音〕. '朁잠'은 '기어 들어가다, 숨다'의 뜻. 입 안에 숨기다, 머금다의 뜻을 나타냄.

[噆膚 참부] 모기나 빈대 같은 것이 피부를 묾.

12 ⑮ **[噌]** [一] 쟁 [平]庚 楚耕切 chēng [二] 증 [平]蒸 慈陵切 cēng

[字解] [一] 왁자지껄할 쟁 '一吰'은 장꾼의 왁자지껄하는 소리. [二] 시끄러울 증 떠들썩함. '空囂者以泓一爲雅量'《晉書》.
[字源] 形聲. 口+曾〔音〕

[噌吰 쟁횡] 시장 사람들의 왁자지껄하는 소리.
◉吰噌.

12 ⑮ **[噍]** 초 [去]嘯 才笑切 jiào [平]蕭 卽消切 jiāo

[字解] ①지저귈 초 새가 지저귀는 소리. '一一'. '至於燕雀, 猶有啁一之頃焉'《禮記》. ②씹을 초 씹어 먹음. '呥呥而一'《荀子》. ③백성 초 음식을 먹고 사는 사람. 곧, 백성. '一類'. ④애절할 초 소리가 애처롭고 슬픔. '其聲一以殺'《禮記》.
[字源] [篆文] 形聲. 口+焦〔音〕. '焦초'는 새를 태워 그을리다의 뜻에서, '가늘어지다, 작다'의 뜻. 입으로 작게 씹다의 뜻을 나타냄. 일설에는, '焦'는 음식을 씹을 때의 소리를 나타내는 의성어.

[噍類 초류] 밥을 먹고 사는 사람들. 곧, 백성. 생민(生民).
[噍殺 초쇄] 음조(音調)가 슬프고 낮음.
[噍食 초식] 씹어 먹음. 저작(咀嚼).
[噍咀 초저] 초식(噍食).
[噍噍 초초] 새가 지저귀는 소리.
◉數噍. 餘噍. 遺噍. 咀噍. 啁噍.

12 ⑮ **[噎]** 열 [入]屑 烏結切 yē [入]質 益悉切

[字解] 목멜 열 목구멍에 음식 같은 것이 막힘. '因—廢食'《淮南子》.
[字源] 篆文 形聲. 口+壹〔音〕. '壹일'은 항아리를 꼭 봉하는 모양을 본뜸. 음식이 입을 막다, 목메다의 뜻을 나타냄.

[噎嘔 열구] ㉠목이 메어 토(吐)함. ㉡웃으며 이야기하는 소리.
◉澀噎. 塞噎. 噫噎. 鬱噎. 闐噎. 喘噎.

12 ⑮ [噏] 흡 [入]緝 許及切 xī

[字解] ①숨들이쉴 흡 吸(口部 四畫)과 同字. '—淸雲之流瑕兮'《漢書》. ②거둘 흡 歙(欠部 十二畫)과 同字. '將欲—之, 必固張之'《老子》.
[字源] 形聲. 口+翕〔音〕. '翕흡'은 '모이다'의 뜻. '모아 거두다'의 뜻을 나타냄. 또, 바람을 모아서 옷이 가볍게 들려 올라가다의 뜻도 나타냄.

12 ⑮ [嘮] [一] 초 [平]肴 敕交切 chāo [二] 로 [平]豪 郞刀切 láo 唠

[字解] [一] 들렐 초 떠들썩함. 시끄러움. '—呶'. [二] 수다스러울 로 말이 많음. 다변(多辯)함. '—叨'.
[字源] 篆文 [一] 會意. 口+勞. [二] 形聲. 口+勞〔音〕. '勞로'는 몹시 힘을 내다의 뜻. 심하게 지껄여 대다, 시끄럽다의 뜻을 나타냄.

[嘮叨 노도] 수다스러움. 말이 많음.
[嘮呶 초노] 떠들썩함. 시끄러움.

12 ⑮ [噴] [人名] 분 [去]願 普悶切 pēn / [去]問 芳問切 fèn 喷

[字解] ①꾸짖을 분 질책함. '疾言——'《韓詩外傳》. ②뿜을 분 물 같은 것을 뿜음. '—水'. '—則大者如珠'《莊子》. ③재채기할 분 '今人—嚏不止者'《野客叢書》.
[字源] 篆文 形聲. 口+賁〔音〕. '賁분'은 '막 달리다'의 뜻. 입으로부터 막 뿜어내다의 뜻을 나타냄.

[噴激 분격] 물을 힘차게 내뿜음.
[噴騰 분등] 내뿜어 올라감.
[噴門 분문] 위(胃)와 식도(食道)가 결합된 국부(局部).
[噴飯 분반] 웃음을 참을 수가 없음. 하도 우스워 입에 물었던 밥을 내뿜는다는 뜻.
[噴噴 분분] 꾸짖는 모양.
[噴雪 분설] 눈을 내뿜는다는 뜻으로, 바닷물이 희게 물결침을 이름.
[噴水 분수] 물을 뿜어냄. 또, 그 물.
[噴嚏 분체] 재채기.
[噴火 분화] ㉠불을 내뿜음. ㉡화산(火山)이 터져 불을 내뿜는 현상.
[噴火山 분화산] 불을 내뿜는 산. 화산(火山).
◉跳噴. 飯噴. 嚏噴. 吼噴.

12 ⑮ [噇] 당 [平]江 宅江切 chuáng

[字解] 먹을 당 '—酒糟漢'《碧巖集》.

[噇酒糟漢 당주조한] 《佛敎》 술찌끼를 먹는 사람. 순수한 진리를 깨닫지 못한 사람을 욕하는 말.

12 ⑮ [噈] [一] 축 [入]屋 子六切 cù [二] 잡 [入]合 作荅切 zā [三] 갑 [入]合 曷閤切 hé

[字解] [一] 입맞출 축 '—, 皺—, 口相就也'《廣韻》. [二] 먹을 잡 咂(口部 四畫)과 同字. '咂, 唼也. 或作—'《集韻》. [三] 부드러울 갑 '—, 柔也'《集韻》.

12 ⑮ [嘩] 〔화〕 譁(言部 十二畫〈p.2154〉)와 同字

12 ⑮ [噉] 〔담〕 啖(口部 八畫〈p.382〉)과 同字
[字源] 會意. 口+敢. '敢감'은 '굳이 하다'의 뜻. 굳이 입 안에 넣다, 먹다의 뜻을 나타냄.

12 ⑮ [嘱] 〔촉〕 囑(口部 二十一畫〈p.414〉)의 俗字

[嘯] 〔소〕 口部 十三畫(p.406)을 보라.

12 ⑮ [噐] 器(次條)의 略字

13 ⑯ [器] [高人] 기 [去]寘 去冀切 qì

[筆順] 口 吅 㗊 哭 哭 哭 器 器

[字解] ①그릇 기 ㉠용기(容器) 또는 기구. '什—'. '—械—量'《史記》. ㉡벼슬에 따르는 거복(車服)·훈장 따위. '惟—與名, 不可以假人'《左傳》. ㉢재능. '—局'. '蘇軾之才, 天下之—也'《宋史》. ㉣도량. '—度'. '管仲之—小哉'《論語》. ②그릇으로여길 기 훌륭한 인재(人材)를 중히 여김. '朝廷—之'《後漢書》. ③그릇으로쓸 기 적소에 씀. '—使'. '及其使人也, —之'《論語》. ④성 기 성(姓)의 하나.
[字源] 金文 篆文 會意. 㗊+犬. '㗊즙'은 제기를 벌여 놓은 모양을 본뜸. '犬견'은 희생으로 바친 개의 뜻. 제사에 쓰이는 그릇의 모양에서, 일반적으로 '그릇'의 뜻을 나타냄.

[器幹 기간] 기국(器局). 기량(器量).
[器敬 기경] 재능(才能)이 있다 하여 존경함.
[器械 기계] 연장·연모·그릇·기구(器具) 등의 총칭.
[器官 기관] 생물체(生物體)의 생활 작용을 하는 부분.
[器觀 기관] 모습. 또, 큰 기량(器量).
[器具 기구] 그릇. 세간.
[器局 기국] 재간과 도량(度量).
[器度 기도] 도량(度量).
[器量 기량] 기국(器局).
[器望 기망] 재지(才智)가 출중(出衆)하다는 평판(評判).
[器皿 기명] 그릇.
[器貌 기모] 재기(才器)와 용모(容貌).
[器木 기목] 기물(器物)을 만드는 나무.
[器物 기물] 기명(器皿).
[器分 기분] 타고난 기량(器量).

[器使 기사] 사람을 적재적소(適材適所)에 씀.
[器世間 기세간]《佛敎》중생(衆生)의 세계.
[器識 기식] 기국(器局)과 식견.
[器愛 기애] 재능(才能)이 있으므로 사랑함.
[器業 기업] 기국(器局)과 학문(學問).
[器玩 기완] 장난감.
[器用 기용] ㉠도구(道具). 제구. ㉡용도(用途). 소용(所用).
[器宇 기우] 타고난 기품(氣品). 재능과 인품(人品).
[器遇 기우] 재능(才能)을 사랑하여 특별히 대접「함.
[器異 기이] 재능(才能)이 있으므로 남과 달리 생각함.
[器二不匱 기이불궤] 똑같은 그릇을 두 개 갖추면 하나 있는 것보다 훨씬 낫다는 뜻.
[器任 기임] 재능(才能)이 있어서 직책(職責)을 감당해 냄.
[器仗 기장] 기물(器物)과 무기(武器).
[器財 기재] 기명(器皿).
[器重 기중] 신임(信任)함. 중용(重用)함.
[器直 기직] 곡척(曲尺).
[器質 기질] 타고난 재능(才能)이 있는 바탕.
[器什 기집] 기물(器物). 집기(什器). 집(什)은 다수(多數)의 뜻.
[器彩 기채] 기량(器量).
◉佳器. 稼器. 耕器. 計器. 械器. 公器. 宏器. 國器. 機器. 吉器. 茶器. 大器. 德器. 陶器. 鈍器. 名器. 明器. 茗器. 木器. 武器. 薄器. 凡器. 便器. 兵器. 寶器. 不器. 射器. 祠器. 社稷器. 生器. 石器. 褻器. 小器. 溲器. 數器. 食器. 飾器. 神器. 樂器. 良器. 燕器. 禮器. 溺器. 浴器. 用器. 容器. 庸器. 原器. 偉器. 戎器. 飮器. 應器. 利器. 瓷器. 磁器. 將器. 臟器. 才器. 材器. 田器. 佃器. 正器. 精器. 祭器. 酒器. 雋器. 重器. 紙器. 珍器. 什器. 銃器. 漆器. 土器. 吐器. 虛器. 形器. 瑚璉器. 火器. 花器. 皇器. 凶器.

13 ⑯ [噩] 악 ㊅藥 五各切 è

字解 ①놀랄 악 愕(心部 九畫)과 同字. '一夢'. ②엄숙할 악 '一一爾'《揚子法言》.
字源 形聲. 吅+吅+玉〔音〕. '玉옥'은 '屰역'과 통하여, '거스르다'의 뜻. '吅훤'은 많은 입이 목소리를 내어 시끄럽다의 뜻. 예상에 어긋나, 많은 목소리가 튀어나와, '놀라다'의 뜻을 나타냄.

[噩耗 악모] 사망 통지(死亡通知). 부고(訃告).
[噩夢 악몽] 놀라며 꾸는 꿈.
[噩噩 악악] 엄숙한 모양.
[噩電 악전] 사망 전보(死亡電報).

13 ⑯ [嘯] 人名 ㊀ 소 ㊄嘯 蘇弔切 xiào ㊁ 질 ㊅質 尺栗切 chì 啸

字解 ㊀ ①휘파람불 소 '其一也歌'《詩經》. ②부르짖을 소 큰 소리를 냄. '虎一而風起'《孔安國》. ③읊조릴 소 음영(吟詠)함. '一詠'. '長一哀鳴'《司馬相如》. ㊁ 꾸짖을 질 叱(口部 二畫)과 同字. '一咤'. '不一不指'《禮記》.
字源 篆文 形聲. 口+肅〔音〕. '肅숙'은 '縮축'과 통하여, '오므리다'의 뜻. 입을 오므리어 소리를 내다의 뜻을 나타냄.

[嘯歌 소가] 소영(嘯咏).
[嘯咏 소영] 시가(詩歌)를 읊음.
[嘯集 소집] 불러 모아들임.
[嘯聚 소취] 소집(嘯集).
[嘯兇 소흉] 서로 불러 모여든 악(惡)한 무리들.
[嘯咤 질타] ㉠꾸짖음. 질타(叱咤). ㉡격노(激怒)하여 혀를 참.
◉歌嘯. 高嘯. 叫嘯. 朗嘯. 曼嘯. 鳴嘯. 牧嘯. 悲嘯. 舒嘯. 永嘯. 吟嘯. 長嘯. 唱嘯. 淸嘯. 諷嘯. 海嘯. 呼嘯. 虎嘯.

13 ⑯ [噧] ㊀ 홰 ㊄卦 許介切 xiè ㊁ 달 ㊅曷 他達切 xiè ㊂ 희 ㊤紙 許倚切

字解 ㊀ ①흥분해서술술지껄일 홰 '一, 高气多言也'《說文》. ②높은소리 홰 '一, 高聲皃'《廣韻》. ㊁ 흥분해서술술지껄일 달 ㊀❶과 뜻이 같음. ㊂ 잘지껄일 희 '一, 一曰, 多言'《集韻》.
字源 形聲. 口+蠆〈省〉〔音〕

13 ⑯ [噞] 엄 ㊤琰 魚檢切 yǎn

字解 입뻐끔거릴 엄 고기가 물 위에 입을 내놓고 뻐끔거림. '一喁浮沈'《左思》.
字源 篆文 形聲. 口+僉〔音〕. '僉첨'은 '입을 맞추다'의 뜻.

[噞喁 엄옹] 고기가 물 위에 입을 내놓고 뻐끔거림.

13 ⑯ [噡] 첨 ㊥鹽 職廉切 zhān

字解 말많을 첨 다언(多言)함. '口舌之均, 一唯則節'《荀子》.
字源 形聲. 口+詹〔音〕

13 ⑯ [嚄] ㊀ 과 ㊥歌 古禾切 guō ㊁ 화 ㊥歌 戶戈切 guō

字解 ㊀ 어린아이서로답할 과 어린아이가 서로 대답하는 소리. '兒讏孺一'《田畫》. ㊁ 어린아이서로답할 화 ㊀과 뜻이 같음.

13 ⑯ [噢] ㊀ 욱 ㊅屋 於六切 yù ㊁ 우 ㊄遇 威遇切 yǔ

字解 ㊀ 한숨쉴 욱 탄식하는 소리. 또, 슬퍼하는 모양. '一咿不能自禁'《嵇康》. ㊁ 가엾이여길 우 불쌍하게 여겨 내는 소리. '民人痛疾而或一咻之'《左傳》.
字源 形聲. 口+奧〔音〕

[噢咻 우휴] 가엾이 여겨 내는 소리.
[噢咿 욱이] 슬퍼하는 모양. 또, 탄식하는 소리.

13 ⑯ [噣] ㊀ 주 ㊄宥 陟救切 zhòu ㊁ 탁 ㊅覺 竹角切 zhuó

字解 ㊀ ①부리 주 새의 부리. 咮(口部 六畫)와 同字. '射一鳥于東海'《史記》. ②별이름 주 성명(星名). '三心, 五一'《詩經》. ㊁ 쪼을 탁 쪼아 먹음. 啄(口部 八畫)과 同字. '黃雀因是以俯一白粒'《國語》.

[字源] 篆文 形聲. 口+蜀〔音〕. '蜀촉'은 '부리'의 뜻. '부리, 쪼다'의 뜻을 나타냄.

13 ⑯ [噤] 금 [上]寢 渠飮切 / [去]沁 巨禁切 jìn

[字解] 입다물 금 唫(口部 八畫)과 同字. '一口不敢復言'《史記》.
[字源] 篆文 形聲. 口+禁〔音〕. '禁금'은 '금기(禁忌)'의 뜻. 입 밖에 내지 않다, 입을 다물다의 뜻을 나타냄.

[噤齘 금계] 분(憤)하여 입을 다물고 이를 갊.
[噤凍 금동] 하도 추워서 말이 안 나올 지경으로 몸이 얾.
[噤吟 금음] 입을 다물고 신음(呻吟)함.
[噤戰 금전] 입을 다물고 벌벌 떪.
[噤閉 금폐] 입을 다묾.
◉鉗噤. 凍噤. 寒噤.

13 ⑯ [噥] 농 [平]冬 奴冬切 nóng 哝

[字解] 수군거릴 농 말이 많고 소리는 작음. '群司兮——'《楚辭》.

13 ⑯ [噦] [一] 얼 [入]月 於月切 yuě / [二] 홰 [去]泰 呼會切 huì 哕

[字解] [一] 딸꾹질할 얼 '不敢—噫嚏咳'《禮記》. [二] ①방울소리 홰 말에 단 방울 소리. '鸞聲——'《詩經》. ②환해질 홰 날이 환해지는 모양. '——其冥'《詩經》.
[字源] 篆文 形聲. 口+歲〔音〕. '歲세·설'은 '欸궐'과 통하여 '기침하다'의 뜻. '口구'를 더하여 '딸꾹질'의 뜻을 나타냄.

[噦噦 홰홰] ㉠말에 단 방울 소리. ㉡날이 환해지는 모양.

13 ⑯ [噹] 당 dāng

[字解] 옥소리 당 패옥(佩玉) 등이 서로 부딪쳐 나는 소리. 정당(叮噹). '惟聞遙送叮—'《長生殿》.

13 ⑯ [噪] 조(소[本]) [去]號 蘇到切 zào

[字解] 떠들썩할 조 譟(言部 十三畫)와 同字. '遶煙而—'《拾遺記》.
[字源] 形聲. 口+喿〔音〕. '喿조'는 '떠들다'의 뜻. '口구'를 덧붙임.

[噪聒 조괄] 떠들어 시끄러움.
[噪急 조급] 잔소리가 심하고 성미가 급함.
[噪蟬 조선] 시끄럽게 우는 매미.
[噪音 조음] 진동(振動)이 급격하고 불규칙하여 불쾌한 느낌을 주는 잡음(雜音). 악음(樂音)의 대(對).
◉鼓噪. 狂噪. 叫噪. 蟬噪. 蛙噪. 鵲噪. 號噪. 喧噪.

13 ⑯ [噫] [人名] [一] 희 [平]支 於其切 yī / [二] 애 [去]卦 烏界切 ài

[筆順] 口 口 口 口 暗 暗 噫 噫

[字解] [一] 한숨쉴 희 탄식함. 또, 그 소리. '—乎何以禦水'《史記》. [二] ①트림할 애 먹은 음식이 잘 삭지 않아서 입으로 가스가 나옴. '不敢噦—嚏咳'《禮記》. ②하품 애 '大塊—氣'《莊子》.
[字源] 篆文 形聲. 口+意〔音〕. '意의'는 탄식의 소리를 나타내는 의성어.

[噫氣 애기] ㉠내쉬는 숨. 호기(呼氣). ㉡하품.
[噫噎 애열] 목이 멤.
[噫瘖 애음] 목소리를 명료(明瞭)하게 내지 못하는 모양.
[噫欠 애흠] 하품.
[噫嗚 희오] 탄식하는 모양.
[噫瘖 희음] 똑똑하게 소리를 내지 못하는 모양. 말을 더듬는 모양.
[噫噓嚱 희허희] 놀라 탄식하는 소리.
[噫乎 희호] 찬미(讚美)하거나 탄식 또는 애통하는 소리.
[噫嘻 희희] 희호(噫乎).
◉憂噫. 歎噫.

13 ⑯ [噰] 옹 [平]冬 於容切 yōng

[字解] ①화목해질 옹 친하여짐. '——喈喈, 民協服也'《爾雅》. ②말부드러울 옹 오가는 말이 부드러워 의좋은 모양. '關關——, 音聲和也'《爾雅》.

13 ⑯ [嗬] 하 ①[上]馬 許下切 hé / ②[上]哿 虛我切 hé / ③[去]禡 呼訝切 xià

[字解] ①웃을 하, 웃음 하 '—, 笑也'《玉篇》. ②껄껄웃을 하 크게 웃음. '欱, 大笑, 或作—'《集韻》. ③노할 하 성냄. '詬—, 責怒'《廣韻》.

13 ⑯ [嚶] 연 [去]霰 烏縣切 yuàn

[字解] 달콤할 연 매우 단 모양. '不—而香'《呂氏春秋》.

13 ⑯ [噉] [一] 함 [平]覃 呼含切 hán / [二] 감 ①[上]感 古禫切 gǎn / ②[去]勘 苦濫切 gǎn

[字解] [一] 울 함 짐승이 으르렁거림. '—, 吼也'《集韻》. [二] ①새소리 감 '—, 鳥聲'《集韻》. ②꾸짖을 감 '喊, 呵也. 亦从感'《集韻》.

13 ⑯ [噙] 금 qín

[字解] 입에물 금 머금음. '—, 口含物也'《辭海》.

13 ⑯ [嚅] 해 [上]蟹 下解切 xiè

[字解] 꾸짖을 해 譺(言部 十畫)와 同字.

13 ⑯ [噯] 애 [去]泰 於蓋切 ǎi 嗳

[字解] 숨 애 기식(氣息). 따스한 숨. '—, 暖氣也'《玉篇》.
[字源] 形聲. 口+愛〔音〕

13 ⑯ [噠] 달 [入]曷 當割切 dá 哒

[字解] 오랑캐이름 달 嚈(口部 十四畫)을 보라.
[字源] 形聲. 口+達〔音〕

◉嚈噠.

13 ⑯ [噬] 서 [去]霽 時制切 shì

[字解] ①물 서 깨묾. '—呑'. '後君—齊'《左傳》. ②미칠 서 逮(辵部 八畫)와 뜻이 같음. '—肯適我'《詩經》.
[字源] 篆文 形聲. 口+筮〔音〕

[噬啖 서담] 씹어 먹음. 전(轉)하여, 잔해(殘害)함.
[噬齧 서설] 깨묾.
[噬臍 서제] 배꼽을 물어뜯으려 해도 입이 닿지 아니한다는 뜻으로, 후회하여도 이미 늦음을 비유하는 말. 서제막급(噬臍莫及).
[噬臍莫及 서제막급] 서제(噬臍).
[噬呑 서탄] 씹어 삼킴. 전(轉)하여, 서로 빼앗음.
[噬嗑 서합] 육십사괘(六十四卦)의 하나. 곧, ☲〈진하(震下), 이상(離上)〉. 서로 물어뜯는다는 뜻으로, 형옥 죄수(刑獄罪囚)의 상(象).
◉交噬. 毒噬. 搏噬. 反噬. 齧噬. 呑噬. 攫噬.

13 ⑯ [噭] [一] 교 [去]嘯 古弔切 jiào, ①qiào
[二] 격 [入]錫 詰歷切 chī

[字解] [一] ①입 교 동물의 입. '馬蹏—千'《漢書》. ②부르짖을 교 외침. '毋—應'《禮記》. ③엉엉울 교 큰 소리로 우는 모양. '—然而哭'《公羊傳》. [二] 격할 격 목소리가 격(激)함. '嗚—之聲興而士奮'《史記》.
[字源] 篆文 形聲. 口+敫〔音〕. '敫교·격'은 부르짖는 소리, 으르렁거리는 소리의 의성어.

[噭噭 교교] 슬피 엉엉 우는 소리.
[噭咷 교도] 소리쳐 욺. 어린애가 그치지 않고 울어 댐.
[噭然 교연] 큰 소리로 엉엉 우는 모양.
[噭應 교응] 큰 소리로 대답함.
[噭誂 교조] 목소리가 맑은 모양.
[噭譟 교조] 여러 소리가 섞여 시끄러움.
[噭哮 교효] 외침. 울부짖음.
◉叫噭.

13 ⑯ [噱] 갹 [入]藥 其虐切 jué, xué

[字解] ①껄껄웃을 갹 대소(大笑)함. '談笑大—'《漢書》. ②입벌릴 갹 '遙—虖紘中'《漢書》.
[字源] 篆文 形聲. 口+豦〔音〕. 크게 웃는 소리의 의성어.

[噱然 갹연] 껄껄 웃는 모양.
◉叫噱. 大噱. 溫噱. 謏噱. 歡噱.

13 ⑯ [噲] 쾌 [去]卦 苦夬切 kuài 哙

[字解] ①목구멍 쾌. ②시원할 쾌 快(心部 四畫)와 통용. '—然得臥'《淮南子》. ③야윌 쾌 초췌함. '顏色腫—'《莊子》. ④성 쾌 성(姓)의 하나.
[字源] 篆文 形聲. 口+會〔音〕. '會회'는 '만나다'의 뜻. 숨이나 목소리가 모여서 나오는 부분인 목구멍의 뜻을 나타냄.

[噲伍 쾌오] ㉠범용(凡庸)한 무리. ㉡벗으로서 사귀는 것을 부끄럽게 여김.
[噲噲 쾌쾌] 상쾌한 모양.
◉腫噲.

13 ⑯ [噳] 우 [上]麌 虞矩切 yǔ

[字解] 뭇사슴우물거릴 우 '——'는 사슴이 많이 모여 입을 가지런히 하는 모양. '麀鹿——'《詩經》.
[字源] 篆文 形聲. 口+虞〔音〕

[噳噳 우우] 자해(字解)를 보라.

13 ⑯ [噶] 갈 [入]曷 古渴切 gá, gé

[字解] ①의성어(擬聲語) 갈 '小火輪上鳴的一聲, 氣管—啷啷一陣鈴聲'《張春帆·宦海》. ②음역자 갈 '가'음을 나타내는 외래어 음역자(音譯字).

13 ⑯ [噸] 돈 dūn 吨

[字解] 톤톤 톤(ton)의 역자(譯字). ㉠중량의 단위. 천(千) 킬로그램. ㉡선박의 용적의 단위. 백(百) 입방 피트가 1톤임.
[字源] 形聲. 口+頓〔音〕. '頓돈'은 톤(ton)의 음역자(音譯字). 그것이 외래어임을 보이어 '口구'를 더함.

13 ⑯ [噽] 〔비〕 嚭(口部 十六畫〈p. 411〉)와 同字

13 ⑯ [噴] 〔분〕 噴(口部 十二畫〈p. 405〉)의 本字

13 ⑯ [嚆] 교 [去]嘯 丘召切 qiào

[字解] ①높을 교 '—, 高也'《集韻》. ②뒤뚝거릴 교 안전(安全)하지 못함. '我亦平行蹋—嚆'《韓愈》.

14 ⑰ [嚀] 녕 [平]青 奴丁切 níng 咛

[字解] 친절할 녕 寧(宀部 十一畫)과 통용. '叮—'.
[字源] 形聲. 口+寧〔音〕

◉叮嚀.

14 ⑰ [嚂] [一] 람 [去]勘 盧瞰切 làn
[二] 함 [上]感 呼覽切 hǎn

[字解] [一] 게검스럽게먹을 람 '以—其口'《淮南子》. [二] 소리칠 함 喊(口部 九畫)과 同字. '橫人—口利機'《戰國策》.

14 ⑰ [嚃] 탑 [入]合 他合切 tā

[字解] 훅들이마실 탑 '毋一羹'《禮記》.

14 ⑰ **[嚄]** 획 [入]陌 胡伯切 huò

[字解] ①깜짝놀랄 획 깜짝 놀라는 소리. '一, 大姊, 何藏之深也'《史記》. ②외칠 획 대호(大呼)함. '跳浮一嘖'《柳宗元》.
[字源] 形聲. 口+蒦〔音〕. '蒦획'은 외치는 소리, 웃음소리의 의성어.

[嚄唶 획책] 잔소리가 많은 모양. 일설(一說)에는, 획(嚄)은 껄껄 웃는 뜻이고, 책(唶)은 크게 부르는 뜻.
[嚄嘖 획책] 큰 소리로 외침. 또, 말이 많은 모양. 수다스러운 모양.

14 ⑰ **[嚅]** 유 [平]虞 人朱切 rú

[字解] ①선웃음칠 유 아첨하느라고 억지로 웃음. '喔咿一唲'《楚辭》. ②말머뭇거릴 유 말하다가 입을 다묾. '口將言而囁一'《韓愈》. ③시끄러울 유 떠들썩함. '暮歸喔一'《易林》.
[字源] 形聲. 口+需〔音〕

[嚅唲 유아] 선웃음을 치는 모양. 아첨하느라고 억지로 웃는 모양.
◉囁嚅. 喔嚅. 呫嚅.

14 ⑰ **[嚁]** 적 [入]錫 亭歷切 dí

[字解] 소리 적 '一, 聲也'《集韻》.

14 ⑰ **[⿰口歰]** 삽 [入]緝 色入切 sè

[字解] 말더듬을 삽 '一, 口不能言也'《集韻》.

14 ⑰ **[⿰口疑]** [一] 억 [入]職 魚力切 yì
[二] 의 [去]寘 魚記切 yì

[字解] [一] 총명할 억 어린 나이에 재주가 있음. '一, 小兒有知也'《說文》. [二] 고루할 의 보고 들은 것이 적음. '哄一, 無聞見也'《集韻》.
[字源] [篆文] 形聲. 口+疑〔音〕. '疑의'는 어린아이가 걷지 못하고 비실거리고 있는 모양. 비실거리고 있는 어린아이가 말을 하다의 뜻에서, 어린아이가 재주가 있다, 총명하다의 뜻을 나타냄.

14 ⑰ **[嚆]** 효 [平]肴 虛交切 hāo

[字解] ①외칠 효 부름. ②울릴 효 소리가 진동함. '一矢, 矢之鳴者'《莊子 註》.
[字源] 形聲. 口+蒿〔音〕. '蒿호'는 외치는 소리, 우는살의 의성어.

[嚆矢 효시] 우는살. 명적(鳴鏑). 옛날 전쟁을 시작할 때에는 먼저 우는살을 쏘았으므로, 전(轉)하여 사물의 시초(始初)의 뜻으로 쓰임. 단서(端緖). 남상(濫觴). 권여(權輿).

14 ⑰ **[嚇]** [一] 하 [去]禡 呼訝切 xià
[二] 혁 [入]陌 呼格切 hè
吓

[字解] [一] ①껄껄웃을 하 대소(大笑)하는 소리. '田公笑一一'《雪占舌諺》. ②으를 하 위협함. '恐一'. [二] 성낼 혁 화냄. '一怒'. 또, 그 소리. '仰而視之曰, 一'《莊子》.
[字源] 形聲. 口+赫〔音〕. '赫혁'은 '붉다'의 뜻. 얼굴을 붉히며 성을 내다의 뜻을 나타냄. 거성(去聲)일 때에는 웃음소리를 나타내는 의성어로 쓰임.

[嚇嚇 하하] 껄껄 웃는 소리.
[嚇怒 혁노] 대로(大怒)함.
◉恐嚇. 腐鼠嚇. 威嚇. 叱嚇. 喘嚇. 鴟嚇. 呀嚇. 脅嚇.

14 ⑰ **[嚌]** 제 [去]霽 在詣切 jì
哜

[字解] ①맛볼 제 음식을 맛봄. '主人之酢也, 一之'《禮記》. ②제사지낼 제, 제사 제 '太保受同祭一'《書經》.
[字源] [篆文] 形聲. 口+齊〔音〕. '齊제'는 '조화하다, 갖추어지다'의 뜻. 입 안에 음식을 갖추어 놓고 핥아서 맛을 보다의 뜻을 나타냄.

◉祭嚌.

14 ⑰ **[嚈]** 엽 [入]葉 益涉切 yà

[字解] 오랑캐이름 엽 '一噠'은 흉노(匈奴)의 별종(別種). 대월지(大月氏)의 땅을 빼앗고 인도(印度)를 침략하여 한때 자못 강성하였으나, 마침내 돌궐(突厥)에게 병탄(倂呑)되었음.
[字源] 形聲. 口+厭〔音〕

[嚈噠 엽달] 자해(字解)를 보라.

14 ⑰ **[嚊]** 비 [去]寘 匹備切 pì

[字解] 헐떡거릴 비 헐떡거리는 소리.
[字源] 形聲. 口+鼻〔音〕. '鼻비'는 '코'의 뜻.

14 ⑰ **[⿰口銜]** 〔함〕
銜(金部 六畫〈p. 2392〉)과 同字

14 ⑰ **[嚔]** 〔체〕
嚏(口部 十五畫〈p. 410〉)의 俗字

15 ⑱ **[⿰喿包]** 포 [上]巧 薄巧切 bào

[字解] 갈 포 땅을 갊. '一, 臿地'《廣韻》.

15 ⑱ **[嚚]** 은 [平]眞 語巾切 yín

[字解] ①어리석을 은 우둔함. '父頑母一'《書經》. ②말다툼할 은 '吁, 一訟, 可乎'《書經》.
[字源] [甲骨文] [篆文] 形聲. 㗊+臣〔音〕. '臣신'은 '굳히다'의 뜻. '㗊즙'은 '시끄럽다'의 뜻. 시끄러움으로 굳히다의 뜻에서, '시끄럽다'의 뜻을 나타냄.

[嚚訟 은송] 어리석은 말다툼.
[嚚瘖 은음] 벙어리라 말을 못함.

15 ⑱ [嚚] 嚚(前條)과 同字

15 ⑱ [嚖] [一] 읍 [入]緝 域及切 yì
[二] 급 [入]緝 迄及切 xī

[字解] [一] 시끄러울 읍 唈(口部 九畫)과 同字. '唈唈, 衆聲. 或从霅'《集韻》. [二] 말소리급할 급 '一囁'은 여러 사람의 목소리가 급한 모양. '一囁嘩踕, 跳然復出'《王褒》.

15 ⑱ [嚏] 체 [去]霽 都計切 tì

[字解] 재채기 체, 재채기할 체 '一噴'. '願言則一'《詩經》.
[字源] 篆文 形聲. 口+疐〔音〕. '疐체'는 '곱드러지다'의 뜻. 코로부터의 숨이 곱드러지다의 뜻에서, '재채기'의 뜻을 나타냄.
[參考] 嚔(口部 十四畫)는 俗字.

[嚏噴 체분] 재채기.
◉發嚏. 噴嚏.

15 ⑱ [嚙] 교 [上]巧 五巧切 niè 啮

[字解] 깨물 교 咬(口部 六畫)와 同字.
[字源] 會意. 口+齒. 이로 깨물다의 뜻을 나타냄.

15 ⑱ [嚜] [一] 묵 [入]職 蜜北切 mò
[二] 매 [去]隊 莫佩切 mèi

[字解] [一] 마음에차지않을 묵 불만한 모양. '于嗟一一兮, 生也無故'《史記》. [二] 거짓말할 매 어린아이가 남을 잘 속임. '江湘之間, 小兒多詐而獪, 謂之一杘'《揚子方言》.

[嚜杘 묵치] ㉠간교함. ㉡거짓말을 잘하는 어린아이.
[嚜嚜 묵묵] 마음에 차지 않는 모양. 불만한 모양.

15 ⑱ [嚘] 우 [平]尤 於求切 yōu

[字解] 한숨쉴 우 '咿一'는 탄식하는 소리. '佇立久咿一'《韓愈》.
[字源] 篆文 形聲. 口+憂〔音〕. '憂우'는 근심하여 탄식하다의 뜻. '口구'를 더하여 '한탄하다'의 뜻을 나타냄.

◉咿嚘.

15 ⑱ [嚗] [一] 박 [入]覺 北角切 bó
[二] 팍 [入]覺 孚邈切 bào

[字解] [一] 성낸소리 박 역정을 내는 소리. '一, 怒聲'《集韻》. [二] 지팡이던지는소리 팍 '神農隱几, 擁杖而起, 一然放杖而笑'《莊子》.

15 ⑱ [嚕] 로 [上]麌 籠五切 lū 噜

[字解] ①이야기할 로 말함. '一, 語也'《玉篇》. ②아첨할 로 '一, 諂也'《類篇》. ③아깝게여길 로 '吐一'는 애석하게 여김. '吐一, 猶可惜也'《正字通》.
[字源] 形聲. 口+魯〔音〕

15 ⑱ [嚌] 즐 [入]質 阻瑟切 zhì

[字解] 소리날 즐, 소리요란할 즐 '啾咇一而將吟兮'《王褒》.

15 ⑱ [嚛] 학 [入]藥 黑各切 hù

[字解] ①매울 학 맛이 몹시 매움. '一, 食辛一也'《說文》. ②먹을 학 꿀꺽꿀꺽 많이 먹음. '大啜曰一'《玉篇》.
[字源] 篆文 形聲. 口+樂〔音〕

15 ⑱ [嚝] 〔규〕
嘄(口部 十一畫〈p.399〉)의 本字

15 ⑱ [嚖] 〔혜〕
嘒(口部 十一畫〈p.400〉)와 同字

15 ⑱ [嚠] 〔류〕
瀏(水部 十五畫〈p.1312〉)의 俗字

16 ⑲ [嚥] [人名] 연 [去]霰 於甸切 yàn

[字解] 삼킬 연 꿀떡 삼킴. '一下'. '聞珍羞之名, 則妄有所一'《譚子化書》.
[字源] 形聲. 口+燕〔音〕

[嚥日 연일] 햇빛을 들이마시는 양생법(養生法).
[嚥喋 연잡] 꿀떡 삼킴.
[嚥下 연하] 삼킴. 삼켜 버림.

16 ⑲ [嚧] [人名] 로 [平]虞 落呼切 lǔ

[字解] 멧돼지부르는소리 로 '一, 一一, 呼豬聲'《集韻》.

16 ⑲ [嚦] 력 [入]錫 狼狄切 lì 呖

[字解] 지저귀는소리 력 '一一'은 옥(玉)을 굴리는 듯한 매끄러운 새소리의 형용. '一一鶯聲溜的圓'《桃花扇》.

16 ⑲ [嚪] 담 [上]感 杜覽切
[去]勘 徒濫切 dàn

[字解] 먹을 담, 먹일 담 啗(口部 八畫)과 同字. '令趙一秦以伐齊之利'《史記》.

16 ⑲ [嚬] [人名] 빈 [平]眞 符眞切 pín

[字解] 찡그릴 빈 눈살을 찌푸림. 顰(頁部 十五畫)과 同字. '明主愛一一一笑'《韓非子》.
[字源] 形聲. 口+頻〔音〕. '頻빈'은 얼굴을 찡그리다의 뜻.

[嚬伽 빈가] 《佛敎》'가릉빈가(伽陵頻伽)'와 같음.
[嚬呻 빈신] 얼굴을 찡그리고 신음함.

16 ⑲ [嚨] 롱 [平]東 盧紅切 lóng 咙

[字解] 목구멍 롱 인후. '吏買馬, 君具車, 請爲諸君鼓一胡'《後漢書》.

字源 篆文 形聲. 口+龍〔音〕. '龍룡'은 용의 뜻. '용'의 목구멍을 상상케 하는 입에 접하는 부분의 뜻에서, '목구멍'의 뜻을 나타냄.

16 ⑲ [嚫] 친 ㊀震 初覲切 chèn

字解 베풀 친 중에게 재물을 시여함. '弟子一日恭—'《隋煬帝》.

字源 形聲. 口+親〔音〕

16 ⑲ [嚮] 향 ①②㊀漾 許亮切 xiàng ③-⑤㊤養 許兩切

字解 ①접때 향, 지난번 향 '—者'. '—使宋人不聞君子之語, 則年穀未豐'《說苑》. ②향할 향 바라봄. 대함. 向(口部 三畫)과 同字. '—往'. '不可—邇'《書經》. ③누릴 향 享(亠部 六畫)과 同字. '—其利者'《史記》. ④흠향할 향 享(亠部 六畫)·饗(食部 十三畫)과 同字. '上帝嘉—'《漢書》. ⑤메아리 향 響(音部 十三畫)과 同字. '—應'. '其受命也如—'《易經》.

字源 形聲. 鄕+向〔音〕. '鄕향'은 서로 마주 보다의 뜻. '향하다'의 뜻의 음부(音符) '向향'을 덧붙임.

[嚮道 향도] ㉠향도(嚮導). ㉡행군(行軍)할 때 통로(通路)의 험이(險易)를 정찰하는 사람.
[嚮導 향도] 길을 인도함. 또, 그 사람. 안내(案內).
[嚮利忘義 향리망의] 이익(利益)만을 구하여 올바른 길을 잊음.
[嚮明 향명] 새벽. 해 뜰 녘.
[嚮背 향배] 좇음과 배반함. 복종(服從)과 배반(背反).
[嚮赴 향부] 향하여 다다름.
[嚮往 향왕] 마음이 향하여 간다는 뜻으로, 심복(心服)함을 이름.
[嚮用 향용] 마음에 들어 씀. 한마음으로 임용(任用)함.
[嚮應 향응] '향응(響應)'과 같음.
[嚮邇 향이] 향하여 가까이 감.
[嚮日 향일] ㉠해를 향함. ㉡접때. 지난번. 향일(向日).
[嚮者 향자] 지난번. 접때.
[嚮晦 향회] 해 질 녘.
[嚮晦宴息 향회연식] 저녁이 되어 편히 쉼.

16 ⑲ [嚭] 비 ㊤紙 匹鄙切 pǐ

字解 ①클 비. ②크게기뻐할 비 대희(大喜)함.

字源 篆文 形聲. 喜+否〔音〕. '否비'는 '크다'의 뜻. '喜희'를 더하여 '크다'의 뜻을 나타냄.

16 ⑲ [嚱] 〔허〕 歔(欠部 十二畫〈p. 1135〉)와 同字

17 ⑳ [嚴] 中·人 엄 ㊥鹽 語輸切 yán 严

筆順 吅 吅 严 严 严 严 严 嚴

字解 ①엄할 엄 ㉠엄정함. '—格'. '閨門甚—'《後漢書》. ㉡엄중함. '—禁'. '責督益—'《史記》. ㉢엄숙함. '—莊'. '—若朝典'《世說》. ㉣위엄이 있어 두려움. '—威'. '師—而後道尊'《禮記》. ②굳셀 엄 의연(毅然)함. '霜操日—'《沈約》. ③높을 엄 존엄함. '故宗廟—'《禮記》. ④혹독할 엄 ㉠정도가 심함. '—寒'. '始知殺氣—'《李白》. ㉡행위가 모짊. '—刻'. '法家—而少恩'《史記》. ⑤경계할 엄 ㉠조심함. '申—'. '—憚汲黯'《史記》. ㉡방비함. '戒—'. '何故夜—'《晉書》. ⑥높일 엄 존중함. '—師'. '—重之'《史記》. ⑦삼갈 엄 공경하여 조심함. '日—祇敬六德'《書經》. ⑧경계 엄, 계엄 엄 경비(警備). '搥一鼓爲——'《唐書》. ⑨차림 엄 장속(裝束). 차비(差備). '—程'. '裝—已訖'《後漢書》. ⑩성 엄 성(姓)의 하나.

字源 金文 篆文 古文 形聲. 吅+厰〔音〕. '吅훤'은 '僉첨'과 통하여, 엄격히 조리가 닿게 하다의 뜻. 본래, '吅'만으로 '엄하다'의 뜻을 나타내었지만, 뒤에 음부(音符)인 '厰음'을 덧붙여서 음을 분명히 함.

[嚴苛 엄가] 엄중하고 가혹(苛酷)함. 지나치게 엄함.
[嚴家 엄가] 가풍(家風)이 엄격한 집.
[嚴家無悍虜 엄가무한로] 엄격한 집에는 사나운 종이 없음.
[嚴刻 엄각] 엄혹(嚴酷).
[嚴恪 엄각] 엄숙하고 신중함.
[嚴勘 엄감] 엄처(嚴處).
[嚴格 엄격] 언행(言行)이 엄숙(嚴肅)하고 정당함.
[嚴譴 엄견] 엄책(嚴責).
[嚴更 엄경] 야경(夜警)을 자주 돌아 엄중히 단속함.
[嚴戒 엄계] 엄중(嚴重)하게 경계(警戒)함.
[嚴棍 엄곤] 엄하게 곤장을 내리침.
[嚴科 엄과] 엄형(嚴刑).
[嚴光 엄광] 후한(後漢) 여요(餘姚) 사람. 자(字)는 자릉(子陵). 어릴 때 광무제(光武帝)와 같이 공부하였는데, 광무제가 즉위하자 변성명하고 숨어 사는 것을 광무제가 찾아 간의대부(諫議大夫)를 제수(除授)하였으나 사양하고 부춘산(富春山)에 은거(隱居)하였음. 후세 사람이 그의 낚시질하던 곳을 일러 엄릉뢰(嚴陵瀨)라 함.
[嚴君 엄군] 아버지의 존칭. 단지, 아버지의 뜻으로도 쓰임. 엄부(嚴父).
[嚴君平 엄군평] 한(漢)나라 사람. 이름은 준(遵). 군평(君平)은 그의 자(字)인데 자로 행세(行世)하였음. 성도(成都)에서 복서(卜筮)로 생계를 이으며 노자(老子)를 연구하여 〈노자지귀(老子指歸)〉를 저술하였음.
[嚴棘 엄극] 옥(獄).
[嚴禁 엄금] 엄중(嚴重)하게 금함. 또, 엄중한 금령(禁令).
[嚴急 엄급] 지나치게 엄함. 엄하고 성급함.
[嚴忌 엄기] 전한(前漢)의 오(吳)나라 사람. 사부(詞賦)를 잘하여 매승(枚乘)과 같이 양(梁)의 효왕(孝王)의 존경을 받았음. 세상에서 엄부자(嚴父子)라 일컬음.
[嚴達 엄달] 엄중히 시달(示達)함.
[嚴談 엄담] 엄격한 담판.
[嚴督 엄독] ㉠엄중하게 감독함. ㉡몹시 독촉함.
[嚴冬 엄동] 몹시 추운 겨울.
[嚴冬雪寒 엄동설한] 눈이 오고 몹시 추운 겨울.
[嚴冷 엄랭] 몹시 추움.
[嚴烈 엄렬] 준엄함. 엄준(嚴峻).
[嚴令 엄령] 엄중한 명령.
[嚴陵瀨 엄릉뢰] 후한(後漢)의 은사(隱士) 엄광

(嚴光)이 낚시질하던 내.
[嚴明 엄명] 엄숙하고 명백함.
[嚴命 엄명] 엄한 명령. 또, 엄한 명령을 내림.
[嚴武 엄무] 당(唐)나라의 화음(華陰) 사람. 자(字)는 계응(季鷹). 중서시랑(中書侍郞) 엄정(嚴挺)의 아들. 숙종(肅宗) 때 검남절도사(劍南節度使)로서 토번(吐蕃)의 7만 대군을 격파하여, 그 공으로 예부상서(禮部尙書)로 승진하고 정국공(鄭國公)으로 봉(封)함을 받았음.
[嚴密 엄밀] 엄중하고 정밀(精密)함. 아주 빈틈이 없음.
[嚴罰 엄벌] 엄중한 형벌.
[嚴法 엄법] 엄중한 법(法).
[嚴父 엄부] ㉠엄격(嚴格)한 아버지. 전(轉)하여, 아버지. ㉡아버지의 경칭(敬稱). ㉢아버지를 존중함.
[嚴父兄 엄부형] 엄격(嚴格)한 부형.
[嚴批 엄비] 상주(上奏)한 글에 대한 임금의 비답(批答).
[嚴査 엄사] 엄중히 조사함.
[嚴師 엄사] ㉠스승을 존경함. ㉡엄격한 스승. 또, 스승의 경칭(敬稱).
[嚴霜 엄상] 된서리.
[嚴色 엄색] 엄숙한 안색.
[嚴選 엄선] 엄중히 가려냄.
[嚴囚 엄수] 엄중하게 잡아 가둠.
[嚴守 엄수] 엄(嚴)하게 지킴.
[嚴肅 엄숙] 장엄(莊嚴)하고 정숙함.
[嚴肅主義 엄숙주의] 모든 정욕(情慾)을 억제하고 이성(理性)을 좇는 것으로써 도덕(道德)의 표준(標準)을 삼는 학설(學說).
[嚴嵩 엄숭] 명(明)나라의 분의(分宜) 사람. 세종(世宗) 때 벼슬이 태자태사(太子太師)에 이르렀는데, 아첨을 잘하여 중용되어 전횡(專橫)이 심하고 아들 세번(世蕃)과 같이 비행이 많아 마침내 어사(御史) 추응룡(雛應龍)에게 탄핵을 입어 세번은 복주(伏誅)하고, 그는 관직을 삭탈당하여 묘막(墓幕)에서 기식(寄食)하다가 죽었음. 시와 고문(古文)을 잘하였는데, 시는 당대의 독보(獨步)였음. 저술에 〈검산당집(鈐山堂集)〉이 있음.
[嚴侍下 엄시하] 《韓》 어머니는 돌아가고 아버지만 생존(生存)한 터.
[嚴然 엄연] 엄숙하여 범(犯)할 수 없는 모양.
[嚴延年 엄연년] 전한(前漢)의 하비(下邳) 사람. 자(字)는 차경(次卿). 소제(昭帝) 말에 시어사(侍御史)로 있을 때 곽광(霍光)이 창읍왕(昌邑王)을 폐하고 선제(宣帝)를 세우매 그는 감연(敢然)히 곽광이 인신(人臣)으로서 함부로 폐립(廢立)을 행한다고 탄핵하여 조정이 숙연(肅然)하였음. 후에 하남 태수(河南太守)를 지냈는데, 억강부약(抑強扶弱)하여 치적(治績)이 볼 만한 바 있었으나, 성질이 너무 엄혹하여 죄인을 참혹하게 다스렸으므로 원망을 사서 마침내 기시(棄市)당하였음.
[嚴威 엄위] 엄하고 위풍(威風)이 있음. 의젓하고 드레짐. 위엄(威嚴).
[嚴毅 엄의] 엄숙(嚴肅)하고 굳셈.
[嚴杖 엄장] 엄중(嚴重)히 장형(杖刑)에 처(處)함.
[嚴莊 엄장] 엄숙하고 훌륭함. 장엄(莊嚴).
[嚴將軍 엄장군] 유장(劉璋)의 부장(部將) 엄안(嚴顔)을 이름. 삼국 시대(三國時代) 촉(蜀)나라의 기절(氣節) 높은 명장(名將)임.
[嚴切 엄절] 엄하여 맺고 끊은 듯함.
[嚴節 엄절] 동절(冬節). 겨울철.
[嚴正 엄정] 엄중(嚴重)하고 정직함.
[嚴程 엄정] ㉠길을 떠날 차비(差備). ㉡기한이 정하여져 있는 여행길.
[嚴制 엄제] 엄형(嚴刑).
[嚴助 엄조] 전한(前漢)의 오(吳)나라 사람. 엄기(嚴忌)의 아들. 중대부(中大夫)·회계 태수(會稽太守)를 지냈음.
[嚴祖 엄조] 엄격(嚴格)한 할아버지.
[嚴朝 엄조] 규율이 엄한 조정(朝廷).
[嚴調 엄조] 엄중히 조사함.
[嚴誅 엄주] 엄하게 주벌(誅罰)에 처함.
[嚴峻 엄준] 매우 엄격함. 준엄(峻嚴).
[嚴重 엄중] ㉠엄격(嚴格)하고 무게가 있음. ㉡존중함. ㉢몹시 엄함.
[嚴旨 엄지] 임금의 엄중한 교지(敎旨).
[嚴振 엄진] 엄숙하게 가다듬음.
[嚴懲 엄징] 엄하게 징벌(懲罰)함.
[嚴責 엄책] 엄하게 꾸짖음.
[嚴處 엄처] 엄하게 처단함.
[嚴治 엄치] 엄중하게 다스림. 엄하게 처벌함.
[嚴飭 엄칙] 엄중하게 신칙(申飭)함.
[嚴親 엄친] ㉠엄부(嚴父)❶❷. ㉡《韓》 남에게 대하여 자기(自己)의 아버지를 일컫는 말.
[嚴憚 엄탄] 경계하고 꺼림.
[嚴探 엄탐] 엄중히 정탐함.
[嚴寒 엄한] 혹독한 추위. 혹한(酷寒).
[嚴覈 엄핵] 엄중하게 핵실(覈實)함.
[嚴刑 엄형] 엄중한 형벌.
[嚴酷 엄혹] 엄(嚴)하고 혹독함.
[嚴訓 엄훈] 엄(嚴)한 훈계.
◉苛嚴. 家嚴. 剛嚴. 警嚴. 戒嚴. 謹嚴. 禁嚴. 矜嚴. 冷嚴. 凜嚴. 端嚴. 森嚴. 崇嚴. 申嚴. 令嚴. 威嚴. 莊嚴. 整嚴. 靜嚴. 齊嚴. 尊嚴. 峻嚴. 淸嚴. 華嚴.

17 ⑳ [囈] 희 ㊥支 虛宜切 xī

字解 놀랄 희 경탄(驚歎)하는 소리. '噫吁—, 危乎高哉'《李白》.
字源 形聲. 口+戲〔音〕

◉嘘囈.

17 ⑳ [嚶] 앵 ㊥庚 烏莖切 yīng

字解 울 앵 새가 서로 정답게 욺. 또, 그 소리. '—其鳴矣, 求其友聲'《詩經》.
字源 篆文 形聲. 口+嬰〔音〕. 새가 서로 우는 소리의 의성어.

[嚶鳴 앵명] 새가 서로 정답게 욺.
[嚶喔 앵악] 새 우는 소리.
[嚶嚶 앵앵] ㉠새가 서로 사이좋게 우는 모양. ㉡벗이 서로 뜻이 맞아 학문과 덕행(德行)을 닦는 일.
[嚶呦 앵유] 앵악(嚶喔).
◉鳴嚶. 悲嚶. 塞嚶. 嚘嚶. 流嚶. 咿嚶.

17 ⑳ [嚷] 양 rǎng

[字解] 외칠 양, 소리칠 양 시끄러움. '一大聲也. 北人稱喧鬧爲一'《中華大字典》.
[字源] 形聲. 口+襄〔音〕

17 ⑳ [嚵] 참 [平]咸 鋤銜切 chán

[字解] 부리 참 새의 주둥이.
[字源] [篆文] 形聲. 口+毚〔音〕. '毚참'은 어미 토끼 밑으로 새끼 토끼가 쑤시고 들어가다의 뜻으로, 비집고 들어가다, 꽂아 넣다의 뜻을 나타냄. 물건을 꽂아 넣는 입. 곧, '부리, 빨아 먹다'의 뜻을 나타냄.

17 ⑳ [嚲] 타 [上]哿 丁可切 duǒ

[字解] 휘늘어질 타 '柳一鶯嬌花復股'《岑參》.

17 ⑳ [嚳] 곡 [入]沃 苦沃切 kù 嚳

[字解] ①고할 곡 급히 고함. ②제왕이름 곡 '帝一'은 오제(五帝)의 한 사람. '帝一高辛氏'. '帝一, 黃帝曾孫'《史記》.
[字源] [篆文] 形聲. 告+學〈省〉〔音〕

17 ⑳ [嚽] 도 [去]號 大到切 dào

[字解] ①아흔살 도 '年九十曰一'《玉篇》. ②노인 도 늙은이. '博雅, 老也, 七十曰耋, 或作一'《集韻》.

18 ㉑ [囂] 효 [平]蕭 許嬌切 xiāo 嚣

[字解] ①들렐 효 떠들썩함. '一一'. '湫隘一塵'《左傳》. ②성 효 성(姓)의 하나.
[字源] [金文] [篆文] 會意. 㗊+頁. '㗊즙'은 단독으로는 쓰이지 않으나, '떠들다'의 뜻. '頁혈'은 무릎 꿇은 사람의 머리의 象形. 머리에서 열기가 오를 정도로 멋대로 떠들다의 뜻을 나타냄.

[囂煩 효번] 시끄럽고 번거로움.
[囂浮 효부] 침착하지 아니함. 부박(浮薄)함.
[囂埃 효애] 시끄럽고 귀찮은 세속(世俗)의 일.
[囂然 효연] 시끄러운 모양.
[囂塵 효진] ㉠번화한 곳이 떠들썩하고 먼지가 많음. ㉡귀찮은 세속(世俗)의 일.
[囂風 효풍] 요란하게 부는 바람.
[囂嘩 효화] 시끄러움. 떠들썩함.
[囂囂 효효] ㉠시끄러운 모양. ㉡자득(自得)하여 욕심이 없는 모양. ㉢빈 모양. 공허한 모양. ㉣세상일을 근심하는 모양.
[囂喧 효훤] 시끄러움. 떠들썩함.
◉叫囂. 煩囂. 浮囂. 紛囂. 塵囂. 鬪囂. 軒囂. 譁囂. 讙囂. 喧囂. 喧喧囂囂.

18 ㉑ [嚻] 囂(前條)와 同字

18 ㉑ [嚼] [人名] 작 [入]藥 在爵切 jiáo

[字解] ①씹을 작 ㉠저작함. '一殘魚肉置盤上'《李義山雜纂》. ㉡맛봄. '吟一五味足'《蘇軾》. ㉢뜻을 음미(吟味)하여 깨달음. '咀一文義'《文心雕龍》. ②술강권할 작 술을 권하여 억지로 마시게 할 때 하는 말. '一復一者, 京都飮酒相強之辭也'《後漢書》.
[字源] [篆文] 形聲. 口+爵〔音〕. '爵작'은 '雀작'과 통하여 '잘다'의 뜻. 음식을 입에 넣고 잘게 씹다의 뜻을 나타냄.

[嚼蠟 작랍] 아무 맛이 없는 밀랍(蜜蠟)을 씹듯이 아무 재미가 없음을 이름.
[嚼味 작미] 씹어 맛을 알아냄.
[嚼復嚼 작부작] 또 한 잔 또 한 잔 하고 술을 억지로 권할 때 하는 말.
◉咀嚼. 吟嚼. 咀嚼. 呑嚼. 含嚼.

18 ㉑ [嚵] 〔참〕
嚵(口部 十七畫〈p. 413〉)과 同字

18 ㉑ [嚾] [一] 훤 [平]元 許元切 huān
[二] 환 [去]翰 火貫切 huàn

[字解] [一] 들렐 훤 떠들썩함. '一一然, 不知其所非也'《荀子》. [二] 부를 환 喚(口部 九畫)과 同字. '咀一者, 九竅而胎生'《大戴禮》.
[字源] 形聲. 口+雚〔音〕. '雚환'은 '喚환'과 통하여, '부르다'의 뜻. '口구'를 더하여 '외치다'의 뜻을 나타냄.

[嚾呼 훤호] 시끄럽게 부름.
[嚾嚾 훤훤] 시끄러운 모양. 떠들썩한 모양.

18 ㉑ [囀] 전 [去]霰 知戀切 zhuàn 啭

[字解] ①지저귈 전 새가 욺. '新年鳥聲千種一'《庾信》. ②가락 전 음조(音調). '聽邊笳之嘶一'《顔延之》.
[字源] 形聲. 口+轉〔音〕. '轉전'은 '굴리다'의 뜻. 입 안에서 목소리를 굴리다, 지저귀다의 뜻을 나타냄.

◉嬌囀. 急囀. 妙囀. 百囀. 縱囀. 悽囀. 淸囀. 春鶯囀.

18 ㉑ [囁] 섭(녑[本]) [入]葉 而涉切 niè 嗫

[字解] ①말머뭇거릴 섭 겁이 나서 말하기를 주저함. '口將言而一嚅'《韓愈》. ②소곤거릴 섭 사어(私語)함. 속삭임. '乃效女兒呫一耳語'《史記》.
[字源] 形聲. 口+聶〔音〕. '聶섭'은 귀를 가까이 대다의 뜻. 귀를 가까이 대어 소곤거리다의 뜻을 나타냄.

[囁嚅 섭유] ㉠겁이 나서 말을 하려다가 머뭇머뭇하는 모양. ㉡수다스러운 모양.
◉呫囁.

18 ㉑ [嚿] 획 [入]陌 胡伯切 huò

[字解] 자랑할 획 자만(自慢)하는 모양. '一一, 誇皃'《廣韻》.

19 ㉒ [囅] 천 [上]銑 丑展切 chǎn

[字解] 껄껄웃을 천 대소(大笑)하는 모양. '一然而笑'《莊子》.
[字源] 形聲. 單＋展〔音〕

19 ㉒ **［囈］** 예 [去]霽 魚祭切 yì 吃
[字解] 잠꼬대 예 몽예(夢囈). '一語'. '眠中唫一呻呼'《列子》.
[字源] 形聲. 口＋藝〔音〕

[囈語 예어] 잠꼬대.
◉唫囈.

19 ㉒ **［囋］** [一] 찬 [去]翰 祖贊切 zàn [二] 찰 [入]曷 才割切 zá
[字解] [一] 도울 찬 讚(言部 十九畫)과 同字. '問一而告二, 謂之一'《荀子》. [二] 지껄일 찰 '嘈一'은 지껄이는 소리. '務嘈一而妖冶'《陸機》.
[字源] 形聲. 口＋贊〔音〕

◉嘈囋.

19 ㉒ **［囉］** 라 [平]歌 魯何切 luó 啰
[字解] ①노래꺾일 라 노래의 가락을 돕는 소리. ②소리뒤섞일 라. ③잔말할 라.
[字源] 形聲. 口＋羅〔音〕

19 ㉒ **［囊］** [人名] 낭 [平]陽 奴當切 náng
[字解] ①주머니 낭 자루 또는 지갑. '一中無一物'. '號曰智一'《史記》. ②주머니에넣을 낭 '皆一于法, 以事其主'《管子》. ③성 낭 성(姓)의 하나.
[字源] [篆文] 形聲. 𣍘(東〈省〉)＋㗊(音). '東동'은 주머니의 象形. '㗊양·낭'은 속에 물건을 채워 넣다의 뜻. 물건을 채워 넣는 주머니의 뜻을 나타냄.

[囊空 낭공] 주머니에 돈이 없음.
[囊括 낭괄] 자루에 넣고 주둥이를 동여맴.
[囊刀 낭도] 주머니칼.
[囊沙之計 낭사지계] 한신(韓信)이 용차(龍且)를 유수(濰水)에서 쳤을 때 만여 개의 모래주머니를 만들어 유수의 상류를 막았다가 적군이 이 강을 건너기를 기다려 막은 물을 터놔서 적군을 크게 깨뜨린 계교.
[囊癰 낭옹] 불알에 나는 종기(腫氣).
[囊中無一物 낭중무일물] 주머니 속에 돈이 한푼도 없음. 돈 한푼도 가지고 있지 아니함.
[囊中之物 낭중지물] 자기 수중에 있는 물건.
[囊中之錐 낭중지추] 주머니 속의 송곳이 뾰족하여 밖으로 뚫고 나오듯이, 뛰어난 사람은 많은 사람 가운데 섞여 있을지라도 그 재능이 저절로 드러난다는 뜻.
[囊中取物 낭중취물] 주머니에서 물건을 꺼내듯이 아주 손쉽게 얻을 수 있음.
[囊橐 낭탁] 주머니와 전대.
[囊螢讀書 낭형독서] 진(晉)나라의 차윤(車胤)이 여름밤에 비단 주머니에 반딧불이를 넣어서 그 빛으로 책을 읽은 고사(故事).
◉傾囊. 括囊. 錦囊. 無底囊. 米囊. 胚囊. 背囊. 浮囊. 氷囊. 水囊. 繡囊. 詩囊. 心囊. 藥囊. 陰囊. 衣囊. 財囊. 知囊. 智囊. 佾囊. 枕囊. 土囊. 行囊. 香囊.

［轡］ 〔비〕
車部 十五畫(p. 2280)을 보라.

20 ㉓ **［嚴］** 암 [平]咸 五銜切 yán
[字解] 신음할 암 아프거나 고통스러워 내는 소리. '一, 呻也'《說文》.
[字源] [篆文] 形聲. 口＋嚴〔音〕. '嚴엄'은 엄하게 말하다의 뜻. 엄하게 말을 들어, '신음하다'의 뜻을 나타냄.

20 ㉓ **［囐］** 잘 [入]曷 才割切 zá
[字解] ①소리 잘, 북소리 잘 '奏嚴鼓之嘈一'《張衡》. ②나라이름 잘 '一噠'은 남북조 시대 서역(西域)의 나라 이름. '一噠國, 大月氏之種類, 在于闐之西'《北周書》.
[字源] 會意. 口＋獻. '獻헌'은 음악을 연주하여 신을 제사 지내다의 뜻. 북소리의 의성어.

20 ㉓ **［囏］** 〔간〕
艱(艮部 十一畫〈p. 1894〉)의 古字

21 ㉔ **［囑］** 촉 [入]沃 之欲切 zhǔ 嘱
[字解] 청촉할 촉 '一託'. '更得南湖親一付'《朱熹》.
[字源] 形聲. 口＋屬〔音〕. '屬속'은 '따라붙다'의 뜻. 말로 사람을 복종시키다, 분부하다의 뜻을 나타냄.
[參考] 嘱(口部 十二畫)은 俗字.

[囑目 촉목] 주의하여 봄. 주의함.
[囑付 촉부] 청촉함. 부탁함.
[囑言 촉언] ㉠남을 통하여 전하는 말. 전언(傳言). ㉡뒷일을 부탁(付託)함. 또, 그 말.
[囑托 촉탁] '촉탁(囑託)'과 같음.
[囑託 촉탁] 일을 부탁하여 맡김.
◉懇囑. 咐囑. 委囑. 遺囑. 依囑. 嗾囑. 淸囑.

21 ㉔ **［囓］** 설 [入]屑 延結切 niè
[字解] 깨물 설 齧(齒部 六畫)과 同字. '猶昆蟲之相一'《後漢書》.
[字源] 形聲. 口＋齧〔音〕. '齧설'은 '깨물다'의 뜻. 입 안에 넣고 깨물다의 뜻을 나타냄.

◉嚼囓. 蹄囓.

22 ㉕ **［囔］** 낭 nāng
[字解] 중얼거릴 낭 '嘟一'은 중얼거림. '口內嘟一說'《紅樓夢》.

23 ㉖ **［囍］** 〔간〕
艱(艮部 十一畫〈p. 1894〉)의 籒文

口 (3획) 部

〔에운담·큰입구부〕

0 ③ [口] [一] 위 [平]微 雨非切 wéi
[二] 국 [入]職 古或切 guó

[筆順] 丨 冂 口

[字解] [一] 에울 위 圍(口部 九畫)의 古字. [二] 나라 국 國(口部 八畫)의 古字.

[字源] 篆文 指事. 둘레를 에워싼 선에서, '에워싸다, 두르다'의 뜻을 나타냄.

[參考] 부수(部首)로서, 둘러싸다, 둘레, 두르다의 뜻을 포함하는 문자가 이루어짐. 속(俗)에, '口구'보다 크다 하여 '큰입구'로 이름.

2 ⑤ [囚] [高人] 수 [平]尤 似由切 qiú

[筆順] 丨 冂 门 囗 囚

[字解] ①가둘 수 죄인을 가둠. '一繫'. '陽虎囚一桓子'《史記》. ②갇힐 수 전항의 피동사. '斯卒一'《史記》. 전(轉)하여, 사물에 구애됨. '反爲情所一'《陸龜蒙》. '爲章句一'《師嚴》. ③죄수 수 '行部錄一'《漢書》. ④포로 수 '一虜'. '在泮獻一'《詩經》. ⑤옥사(獄詞) 수 재판의 말. '不蔽要一'《書經》.

[字源] 甲骨文 篆文 會意. 人+囗. 사람이 울안에 넣어진 모양에서, '가두다, 갇히다'의 뜻을 나타냄.

[囚繫 수계] ㉠죄수(罪囚). ㉡잡아 묶어 옥에 가둠.
[囚禁 수금] 죄인(罪人)을 가둠.
[囚徒 수도] 수인(囚人).
[囚虜 수로] 포로(捕虜).
[囚縛 수박] 잡아 묶어 옥에 가둠. 수계(囚繫).
[囚絆 수반] 수계(囚繫) ㉡.
[囚俘 수부] 포로(捕虜).
[囚首喪面 수수상면] 죄수처럼 머리를 빗지 아니하고 상제(喪制)와 같이 세수를 하지 않아 누추한 용모.
[囚役 수역] 죄수에게 시키는 일.
[囚獄 수옥] 옥(獄). 감옥.
[囚人 수인] 옥(獄)에 갇힌 사람. 죄수(罪囚).
[囚制 수제] 붙잡아 가두어 둠. 또, 죄수로 취급함.
[囚桎 수질] 옥(獄)에 가두고 차꼬를 채움.
◉繫囚. 孤囚. 拘囚. 窮囚. 禁囚. 禽囚. 男囚. 虜囚. 纍囚. 徒囚. 俘囚. 死囚. 死刑囚. 女囚. 獄囚. 憂囚. 幽囚. 罪囚. 重囚. 執囚. 楚囚. 脫獄囚. 閉囚.

2 ⑤ [冈] [一] 닙 [入]緝 尼立切 niè
[二] 녑 [入]洽 女治切 niè

[字解] [一] ①엎드려거둘 닙 '一, 下取物縮臧之'《說文》. ②사사로이취할 닙 '一一'은 사사로이 취하는 모양. '一一, 私取皃'《廣韻》. [二] 엎드려거둘 녑, 사사로이취할 녑 [一]과 뜻이 같음.

[字源] 會意. 囗+又

2 ⑤ [四] [中人] 사 [去]寘 息利切 sì

[筆順] 丨 冂 门 四 四

[字解] ①넉 사 '三一'. '君子之道一, 丘未能一焉'《中庸》. ②네번 사 4회(回). '嘉慮一回'《陸機》. ③사방 사 네 방위. '一海'. '始用一達'《莊子》. ④성 사 성(姓)의 하나.

[字源] 甲骨文 ☰ 金文 篆文 古文 籀文 ☰ 갖은자 肆 指事. 甲骨文·金文은 네 개의 가로선으로 '넷'의 뜻을 나타냄. 篆文은 '呬희'의 원자(原字)인 '四'를 假借함. '四'는 본래 입 안에 이·혀가 보이는 모양을 본떠, '숨'의 뜻을 나타냈었으나, 이를 빌려 '넷'의 뜻으로 쓰게 됨.

[四街 사가] 네거리.
[四可吟 사가음] 송(宋)나라 소옹(邵雍)이 지은 도학(道學)의 노래. 가(可) 자가 넷이 있기 때문임.
[四角 사각] 네모.
[四姦 사간] 농(聾)·매(昧)·완(頑)·은(嚚).
[四箇法要 사개법요]《佛教》성대한 법회(法會) 때 행하여야 할 네 가지 요건. 곧, 범패(梵唄)·산화(散華)·범음(梵音)·석장(錫杖).
[四傑 사걸] ㉠초당(初唐)의 뛰어난 네 문장가. 곧, 왕발(王勃)·양형(楊炯)·노조린(盧照隣)·낙빈왕(駱賓王). ㉡명(明)나라의 뛰어난 네 문장가. 곧, 변공(邊貢)·이몽양(李夢陽)·하경명(何景明)·서정경(徐禎卿).
[四劫 사겁]《佛教》세계의 성립으로부터 멸망에 이르기까지의 네 가지의 큰 시기(時期). 곧, 성겁(成劫)·주겁(住劫)·괴겁(壞劫)·공겁(空劫).
[四更 사경] 하룻밤을 오경(五更)으로 나눈 넷째 번의 시각으로, 오전(午前) 두 시경.
[四京 사경] ㉠당(唐)나라의 네 곳의 서울. 곧, 중경(中京, 京兆)·동경(東京, 河南)·북경(北京, 太原)·서경(西京, 鳳翔). ㉡송(宋)나라의 네 곳의 서울. 곧, 동경(東京, 開封府)·서경(西京, 河南府)·남경(南京, 應天府)·북경(北京, 大名府). ㉢고려 때의 네 곳의 서울. 곧, 한경(漢京, 서울)·동경(東京, 慶州)·중경(中京, 開城)·서경(西京, 平壤).
[四經 사경] ㉠〈시경(詩經)〉·〈서경(書經)〉·〈역경(易經)〉·〈춘추(春秋)〉의 네 경서(經書). ㉡〈좌씨춘추(左氏春秋)〉·〈곡량춘추(穀梁春秋)〉·〈고문상서(古文尙書)〉·〈모시(毛詩)〉의 네 경서(經書).
[四境 사경] 사방(四方)의 경계(境界). 사방의 국경.
[四戒 사계] ㉠네 가지의 경계(警戒). 곧, 오불가장(傲不可長)·욕불가종(欲不可縱)·지불가만(志不可滿)·낙불가극(樂不可極). ㉡《佛教》불도상(佛道上)의 네 가지 경계(警戒). 곧, 해탈계(解脫戒)·정공계(定共戒)·도공계(道共戒)·단계(斷戒). ㉢검도(劍道)의 네 가지 경계(警戒). 곧, 경(驚)·포(怖)·의(疑)·혹(惑).
[四季 사계] ㉠음력(陰曆)에서 사시(四時)의 말월(末月). 곧, 계춘(季春)·계하(季夏)·계추(季秋)·계동(季冬). ㉡춘·하·추·동. 사시(四時).
[四計 사계] 사람의 일생(一生)에 있어서의 네 가지 계획. 곧, 일일지계재신(一日之計在晨)·일년지계재춘(一年之計在春)·일생지계재근(一生

之計在勤)·일가지계재신(一家之計在身). 또 일설(一說)에는, 일년지계재춘(一年之計在春)·일일지계재인(一日之計在寅)·일가지계재화(一家之計在和)·일신지계재근(一身之計在勤).

[四季花 사계화] 장미과에 속하는 낙엽 관목(落葉灌木). 월계화(月季花).

[四苦 사고]《佛教》사람의 네 가지 괴로움. 곧, 생(生)·노(老)·병(病)·사(死). 이것에 애별리고(愛別離苦)·원증회고(怨憎會苦)·구부득고(求不得苦)·오음성고(五陰盛苦)를 합하여 팔고(八苦)라 함.

[四庫 사고] 당(唐)나라 때 모든 서적을 경(經)·사(史)·자(子)·집(集)으로 분류하여 각각 따로 간직하여 두던 곳간.

[四顧 사고] 사면(四面)으로 돌아봄.

[四顧無親 사고무친] 의지(依支)할 데가 아주 없음.

[四庫全書 사고전서] 청(淸)나라 건륭(乾隆) 37년에 사고전서관(四庫全書館)을 열고 천하(天下)의 서적(書籍) 17만 2천여 권을 모아 각 7부를 베껴 일곱 각(閣)을 짓고 보관하여 둔 총서.

[四庫全書總目 사고전서총목] 청(淸)나라 건륭(乾隆) 37년에 사고전서(四庫全書)를 완성(完成)한 후 관원(館員)에게 명(命)하여 만든 그 서목(書目). 총(總) 2백 권. 경(經)·사(史)·자(子)·집(集) 4부(部)를 강(綱)으로 하고, 다시 유(類)를 따라 나누었음.

[四苦八苦 사고팔고] 대단한 고통(苦痛). 사고(四苦) 참조(參照).

[四骨 사골] 소의 네 다리뼈. 약으로 쓰임.

[四空 사공] 사방(四方)의 하늘. 대공(大空).

[四科 사과] 공문(孔門)의 네 가지의 학과. 곧, 덕행(德行)·언어(言語)·정사(政事)·문학(文學).

[四關 사관] 관격(關格)이 되었을 때 통기(通氣)를 시키기 위하여 사지(四肢)의 관절(關節)에 침(鍼)을 놓는 곳.

[四郊 사교] 도성(都城) 밖 사방(四方)의 교외.

[四教 사교] ㉠시(詩)·서(書)·예(禮)·악(樂)의 네 가지 가르침. ㉡문(文)·행(行)·충(忠)·신(信)의 네 가지 가르침. ㉢여자(女子)의 네 가지 교훈(教訓). 곧, 부덕(婦德)·부언(婦言)·부용(婦容)·부공(婦功). ㉣《佛教》장교(藏教)·통교(通教)·별교(別教)·원교(圓教).

[四衢 사구] ㉠네거리. ㉡네 가닥.

[四句訣 사구결] 사언교(四言教).

[四衢八街 사구팔가] 큰길이 많은 대시가(大市街). 사통팔달(四通八達)의 대도시(大都市).

[四國 사국] 사방(四方)의 제후(諸侯)의 나라라는 뜻으로, 국내(國內). 전국(全國).

[四郡 사군] 우리나라 상고 시대(上古時代)에 북쪽 지방에 있던 한인(漢人)의 부락(部落). 곧, 낙랑(樂浪)·임둔(臨屯)·현토(玄菟)·진번(眞蕃).

[四君子 사군자] 기개(氣概)가 있는 군자(君子)에 비(比)한 네 가지 식물(植物). 곧, 매화(梅花)·난초(蘭草)·국화(菊花)·대나무.

[四窮 사궁] 환과고독(鰥寡孤獨). 곧, 늙은 홀아비·늙은 홀어미·어버이 없는 아이·자식 없는 늙은이.

[四窮民 사궁민] 사궁(四窮).

[四極 사극] 사방(四方)의 끝 닿은 곳.

[四近 사근] 사방의 이웃. 근처.

[四氣 사기] ㉠사시(四時). ㉡온(溫)·열(熱)·냉(冷)·한(寒).

[四起 사기] 사방에서 일어남.

[四畿 사기] 사방의 국경(國境).

[四器 사기] 규(規)·구(矩)·준(準)·승(繩).

[四端 사단] 인(仁)·의(義)·예(禮)·지(智)의 단서(端緖)가 되는 네 가지 마음씨. 곧, 인(仁)의 발로(發露)라고 볼 수 있는 측은지심(惻隱之心), 의(義)의 발로라고 볼 수 있는 수오지심(羞惡之心), 예(禮)의 발로라고 볼 수 있는 사양지심(辭讓之心), 지(智)의 발로라고 볼 수 있는 시비지심(是非之心).

[四達 사달] ㉠사방으로 통(通)함. ㉡구석구석까지 미침.

[四唐 사당] 당대(唐代)를 4기(期)로 나눈 것. 곧, 초당(初唐)〈당초(唐初)부터 현종(玄宗)의 개원(開元)까지 100여 년간〉·성당(盛唐)〈개원(開元)부터 대종(代宗)의 대력 초년(大曆初年)까지 50여 년간〉·중당(中唐)〈대력(大曆)부터 문종(文宗)의 태화(太和)까지 70여 년간〉·만당(晩唐)〈태화(太和) 이후 당말(唐末)까지 80여 년간〉.

[四大 사대] ㉠도가(道家)에서 말하는 도(道)·천(天)·지(地)·왕(王). ㉡《佛教》세상의 만물을 이루는 근본이 되는 지(地)·수(水)·화(火)·풍(風)의 네 가지. ㉢《佛教》사람의 몸. 지(地)·수(水)·화(火)·풍(風)의 네 가지로 이루어졌다 하여 이름.

[四代 사대] 우(虞)·하(夏)·은(殷)·주(周)의 네 시대.

[四大奇書 사대기서] 중국 소설 중의 백미(白眉)라고 일컫는 네 소설. 곧, 〈삼국지연의(三國志演義)〉·〈서상기(西廂記)〉·〈비파기(琵琶記)〉·〈수호지(水滸誌)〉. 또는 〈수호지(水滸誌)〉·〈삼국지연의(三國志演義)〉·〈서유기(西遊記)〉·〈금병매(金甁梅)〉.

[四大門 사대문] 서울에 있는 네 큰 문(門). 곧, 동쪽의 흥인문(興仁門)·서쪽의 돈의문(敦義門)·남쪽의 숭례문(崇禮門)·북쪽의 숙정문(肅靖門).

[四大部洲 사대부주]《佛教》사주(四洲).

[四德 사덕] ㉠천지자연(天地自然)의 네 가지 덕(德). 곧, 원(元)·형(亨)·이(利)·정(貞). ㉡부인(婦人)의 네 가지 덕(德). 곧, 부언(婦言)·부덕(婦德)·부공(婦功)·부용(婦容). 사행(四行).

[四道 사도] 네 길. 네 방면(方面).

[四瀆 사독] 중국에 있는 네 개의 큰 강. 곧, 민산(岷山)에서 흐르는 양쯔 강(揚子江), 곤륜 산(崑崙山)에서 흐르는 황허(黃河), 동백산(桐柏山)에서 흐르는 화이수이(淮水), 왕옥산(王屋山)에서 흐르는 지수이(濟水).

[四梁 사량] 들보 네 개를 세로로 평행하게 얹어서 한 간 반 통으로 집을 짓는 방식.

[四令 사령] 좌(坐)·작(作)·진(進)·퇴(退) 등 네 가지 규율(規律). 고대의 병법 용어(兵法用語)임.

[四靈 사령] 네 가지의 신령한 동물. 곧, 기린·봉황·거북·용.

[四禮 사례] ㉠네 가지 큰 예(禮). 곧, 관(冠)·혼(婚)·상(喪)·제(祭). ㉡군신(君臣)·부자(父子)·형제(兄弟)·붕우(朋友) 간의 예(禮).

[四流 사류]《佛教》제일견류(第一見流)〈삼계(三界)의 견혹(見惑)〉·제이욕류(第二欲流)〈욕계

(欲界)의 제혹(諸惑)〉·제삼유류(諸三有流)〈상기(上記)〉이계(二界)의 모든 혹(惑), 단(但) 견(見)과 무명(無明)은 제외됨. 유(有)란 생사과보(生死果報)의 불망(不亡)의 뜻·제사무명류(第四無明流)〈삼계(三界)의 무명(無名)〉.
[四六 사륙] 사륙문(四六文).
[四六文 사륙문] 육조 시대(六朝時代)에 발달한 문체(文體)로, 네 글자와 여섯 글자의 구(句)로 된 문장(文章). 변려문(騈儷文).
[四六倍版 사륙배판] 사륙판(四六版)의 갑절이 되는 인쇄물의 규격(規格).
[四六版 사륙판] 가로 13cm, 세로 19cm 되는 인쇄물의 규격(規格). 양지(洋紙) 전장(全張)을 32절(折)로 낸 것.
[四輪之國 사륜지국] 사방으로 수레가 왕래할 수 있는 나라.
[四律 사률] 사율(四律).
[四隣 사린] ㉠사방(四方)의 이웃. ㉡사방의 이웃 나라.
[四立 사립] 입춘(立春)·입하(立夏)·입추(立秋)·입동(立冬).
[四末 사말] 두 손과 두 발. 사지(四肢).
[四望 사망] 사방의 조망(眺望).
[四孟 사맹] 사시(四時)의 맹월(孟月). 곧, 맹춘(孟春)·맹하(孟夏)·맹추(孟秋)·맹동(孟冬).
[四孟朔 사맹삭] 춘(春)·하(夏)·추(秋)·동(冬)의 처음 달. 곧, 음력 정월(正月)·사월(四月)·칠월(七月)·시월(十月).
[四面 사면] ㉠사방(四方). 모든 주위. ㉡사방의 면(面). 네 면. ㉢넷째의 면(面).
[四面受敵 사면수적] 사방에서 적의 공격을 받음.
[四面楚歌 사면초가] 사방(四方)이 모두 적(敵)에게 둘러싸였거나, 또는 고립무원(孤立無援)의 경우.
[四面八方 사면팔방] ㉠사면(四面)과 팔방(八方). ㉡모든 곳.
[四溟 사명] 사해(四海).
[四名山 사명산] 우리나라 백두산(白頭山)에서 내려온 네 명산. 곧, 동(東)의 금강산(金剛山), 서(西)의 구월산(九月山), 남(南)의 지리산(智異山), 북(北)의 묘향산(妙香山).
[四牡 사모] 한 마차(馬車)를 끄는 네 필(匹)의 말.
[四目 사목] ㉠사방의 일을 보아 앎. ㉡네 눈.
[四廟 사묘] 고조(高祖)·증조(曾祖). 조(祖)·부(父)의 네 위(位)를 모신 사당.
[四門 사문] 사방의 문.
[四門博士 사문박사] 사문학(四門學)의 교관(敎官).
[四門學 사문학] 당(唐)나라 때 서민(庶民)을 위하여 국자학(國子學), 곧 대학의 사방 문 옆에 세운 학사(學舍). 교관(敎官)을 사문박사(四門博士)라 하고 그 학생을 사문 학생(四門學生)이라 함.
[四勿 사물] 공자(孔子)가 안회(顔回)에게 하면 아니 된다고 가르친 네 가지 경계(警戒). 곧, 비례물시(非禮勿視)·비례물청(非禮勿聽)·비례물언(非禮勿言)·비례물동(非禮勿動).
[四美 사미] 양신(良辰)〈좋은 철〉·미경(美景)〈아름다운 경치〉·상심(賞心)〈미경을 보고 즐거워하는 마음〉·낙사(樂事)〈유쾌한 일〉.
[四民 사민] ㉠사(士)·농(農)·공(工)·상(商). ㉡모든 백성.
[四方 사방] 동(東)·서(西)·남(南)·북(北). 전(轉)하여, 일체의 방면.
[四旁 사방] 좌(左)·우(右)·전(前)·후(後). 또, 동(東)·서(西)·남(南)·북(北).
[四傍 사방] 사방(四旁).
[四方之樂 사방지락] 사방(四方)을 경영(經營)하는 즐거움. 또, 사방으로 원유(遠遊)하는 재미.
[四方之樂 사방지악] 사방(四方)의 여러 나라의 음악(音樂). 또, 중국(中國) 이외의 오랑캐의 음악(音樂).
[四方之志 사방지지] ㉠남아(男兒)의 사방으로 원유(遠遊)하려는 뜻. ㉡사방 모든 나라의 기록.
[四配 사배] 공자묘(孔子廟)에 배향한 안자(顔子)·자사(子思)·증자(曾子)·맹자(孟子)의 네 현인(賢人).
[四百四病 사백사병] ㉠404가지의 병. 오장(五臟)에 각각 81가지의 병이 있어서 그 총수가 405인데 그 중에서 죽음〔死〕을 하나 빼면 404종의 병이 됨. ㉡《佛敎》 사람은 땅·물·불·바람의 4대(大)로 이루어졌으므로, 만약 이 4대가 조화(調和)를 얻지 못하면 4대는 각각 101가지의 병이 생기는데, 바람·물로 인해서 생기는 냉병(冷病) 202종(種)과 땅·불로 인하여 생기는 열병(熱病) 202종을 합하여 404종의 병이 됨.
[四百餘州 사백여주] 중국 전토(全土)의 일컬음.
[四壁 사벽] 주위의 벽(壁).
[四邊 사변] 사방의 가. 주위.
[四輔 사보] 군주(君主)의 전후좌우에서 보좌(輔佐)하는 네 가지 벼슬. 곧, 좌보(左輔)·우필(右弼)·전의(前疑)·후승(後丞).
[四寶 사보] 필(筆)·묵(墨)·지(紙)·연(硯). 곧, 붓·먹·종이·벼루. 사우(四友).
[四府 사부] 후한(後漢)의 태부(太傅). 대위(大尉)·사도(司徒)·사공(司空).
[四部書 사부서] 서적의 네 부문. ㉠갑(甲)·을(乙)·병(丙)·정(丁). 갑은 육예(六藝)와 소학(小學), 을은 제자(諸子)·병서(兵書) 및 술수(術數), 병은 사기(史記)와 기재(記載), 정은 시부(詩賦)와 도찬(圖讚). ㉡경(經)·사(史)·자(子)·집(集).
[四分五裂 사분오열] 여러 갈래로 분열됨.
[四鄙 사비] 사방의 변비(邊鄙). 사방의 시골.
[四史 사사] 사기(史記)·전한서(前漢書)·후한서(後漢書)·삼국지(三國志).
[四事 사사] 음식(飮食)·의복(衣服)·침구(寢具)·탕약(湯藥)의 네 가지 공양(供養).
[四捨五入 사사오입] 넷 이하(以下)는 버리고 다섯 이상(以上)은 열로 하여 윗자리에 끌어 올리어 계산하는 법. 반올림.
[四散 사산] 사방(四方)으로 흩어짐.
[四相 사상] 《佛敎》 ㉠생(生)·노(老)·병(病)·사(死). ㉡만물(萬物)의 변화를 나타내는 네 가지 상(相). 곧, 생상(生相)·주상(住相)·이상(移相)·멸상(滅相). ㉢중생(衆生)이 망령(妄靈)되어 실재(實在)라고 믿는 네 가지 상(相). 곧, 아상(我相)·인상(人相)·중생상(衆生相)·수자상(壽者相). 이 사상(四相)에 미혹(迷惑)하면 중생(衆生), 깨치면 불타(佛陀)임.
[四象 사상] ㉠노양(老陽). 소양(少陽)과 노음(老陰)·소음(少陰). ㉡한방(漢方)의 태양(太陽)·소양(少陽)·태음(太陰)·소음(少陰). ㉢일(日)·월(月)·성(星)·신(辰).

[四塞 사새] 사방의 국경의 요해처(要害處).
[四色 사색] 《韓》 색목(色目)의 네 갈래. 곧, 노론(老論)·소론(少論)·남인(南人)·북인(北人).
[四塞 사색] 사방이 막힘. 또, 사방을 막음.
[四塞之國 사색지국] 사방(四方)의 국경이 모두 험준(險峻)한 나라.
[四生 사생] 생물의 네 종별(種別). 곧, 사람과 같은 태생(胎生), 새와 같은 난생(卵生), 개구리와 같은 습생(濕生), 나비와 같은 화생(化生).
[四序 사서] 춘(春)·하(夏)·추(秋)·동(冬)의 네 계절. 사시(四時). 또, 그 순서(順序).
[四書 사서] 대학(大學)·중용(中庸)·논어(論語)·맹자(孟子).
[四善 사선] 관리(官吏)의 네 가지 선행(善行). 곧, 덕의유문(德義有聞)·청신명저(淸愼明著)·공평가칭(公平可稱)·각근불해(恪勤不懈).
[四姓 사성] 인도(印度)의 네 계급. 곧, 승려(僧侶)인 바라문(婆羅門 ; 브라만), 왕족(王族)이나 무인(武人)인 찰제리(刹帝利 ; 크샤트리아), 평민인 비사(毗舍 ; 바이샤), 노예인 수타라(首陀羅 ; 수드라).
[四聖 사성] 석가(釋迦)·공자(孔子)·기독(基督)·소크라테스.
[四聲 사성] 한자(漢字)의 네 가지 음(音). 곧, 평성(平聲)·상성(上聲)·거성(去聲)·입성(入聲).
[四垂 사수] ㉠사방의 끝. ㉡사방(四方)에 드리움.
[四陲 사수] 사수(四垂).
[四獸 사수] 사신(四神).
[四始 사시] ㉠정월 초하루. 해·달·날·계절의 처음이라는 뜻. ㉡시경(詩經)의 시(詩)의 네 체(體). 곧, 풍(風)·소아(小雅)·대아(大雅)·송(頌).
[四時 사시] 춘(春)·하(夏)·추(秋)·동(冬). 또, 아침〔朝〕·낮〔晝〕·저녁〔夕〕·밤〔夜〕.
[四詩 사시] ㉠한대(漢代)의 네 사람의 시경 전공가(詩經專攻家)의 시설(詩說). 곧, 노시(魯詩)·제시(齊詩)·한시(韓詩)·모시(毛詩). ㉡시경(詩經)의 풍(風)·소아(小雅)·대아(大雅)·송(頌).
[四時佳節 사시가절] 사시(四時)의 명절(名節).
[四時長靑 사시장청] 소나무·대나무 등과 같이 사철 푸름.
[四時長春 사시장춘] ㉠늘 봄과 같음. ㉡늘 잘 지냄.
[四時之序成功者去 사시지서성공자거] 춘하추동은 각기 할 일을 다 마치면 가 버린다는 뜻으로, 사람도 성공하면 물러나야 한다는 말.
[四時春 사시춘] ㉠항상 봄날 같음. ㉡항상 명랑함.
[四神 사신] 하늘의 사방(四方)에 있는 신(神). 곧, 청룡(靑龍)〈동(東)〉·주작(朱雀)〈남(南)〉·백호(白虎)〈서(西)〉·현무(玄武)〈북(北)〉.
[四十 사십] 마흔.
[四十九日 사십구일] 《佛敎》 사람이 죽은 지 49일째 되는 날 행하는 법사(法事). 칠칠일(七七日). 정일(正日).
[四阿 사아] 기둥이 넷이고 지붕이 사각추(四角錐) 꼴로 된 집.
[四岳 사악] 사악(四嶽).
[四嶽 사악] ㉠요(堯)임금 때 사방(四方)의 제후(諸侯)를 통솔하던 장관(長官). ㉡중국의 사방에 솟은 큰 산. 곧, 태산(泰山)〈동악(東嶽)〉·화산(華山)〈서악(西嶽)〉·형산(衡山)〈남악(南嶽)〉·항산(恆山)〈북악(北嶽)〉.
[四惡道 사악도] 《佛敎》 사악취(四惡趣).
[四惡趣 사악취] 지옥(地獄)·아귀(餓鬼)·축생(畜生)·수라(修羅).
[四言敎 사언교] 왕양명(王陽明)의 네 구(句)로 된 교의(敎義). 곧, 무선무악심지체(無善無惡心之體)·유선유악의지동(有善有惡意之動)·지선지악시양지(知善知惡是良知)·위선거악시격물(爲善去惡是格物).
[四業 사업] 시(詩)·서(書)·예(禮)·악(樂).
[四易 사역] 역(易)의 네 가지. 곧, 천지자연(天地自然)의 역, 복희(伏羲)의 역, 문왕(文王)·주공(周公)의 역, 공자(孔子)의 역.
[四裔 사예] 나라의 사방의 끝. 사황(四荒).
[四藝 사예] 거문고·바둑·글씨·그림의 네 가지 기예. 금(琴)·기(碁)·서(書)·화(畫).
[四友 사우] ㉠눈 속에서 피는 네 가지 꽃. 곧, 옥매(玉梅)·납매(臘梅)·수선(水仙)·산다화(山茶花). ㉡네 가지의 문방구(文房具). 곧, 필(筆)·묵(墨)·지(紙)·연(硯).
[四隅 사우] ㉠네 모퉁이. 사방(四方). ㉡사방(四方)의 사이. 곧, 건(乾)·곤(坤)·간(艮)·손(巽)의 방위(方位).
[四運 사운] 사시(四時)의 운행(運行).
[四韻 사운] 네 곳에 운자(韻字)를 가진 시(詩). 즉, 금체(今體)의 오언(五言) 또는, 칠언(七言)의 율시(律詩). 사운지시(四韻之詩).
[四韻之詩 사운지시] 사운(四韻).
[四遠 사원] 사방의 원지(遠地).
[四圍 사위] 둘레. 주위.
[四威儀 사위의] 《佛敎》 행(行)·주(住)·좌(坐)·와(臥)의 네 위의(威儀).
[四乳 사유] 주(周)나라의 성왕(聖王) 문왕(文王)은 태어나면서부터 네 개의 젖을 가졌다는 일.
[四侑 사유] 공자(孔子)의 묘(廟)에 함께 모시고 제사 지내는 사현(四賢). 곧, 안자(顔子)·증자(曾子)·자사(子思)·맹자(孟子). 사배(四配).
[四維 사유] ㉠건(乾)〈서북(西北)〉·곤(坤)〈서남(西南)〉·간(艮)〈동북(東北)〉·손(巽)〈동남(東南)〉. ㉡예(禮)·의(義)·염(廉)·치(恥).
[四律 사율] 율시(律詩)의 하나. 오언(五言)이나 칠언(七言)으로 여덟 짝, 곧 네 구로 된 시.
[四恩 사은] 《佛敎》 사람으로 태어나서 받는 네 가지 은혜. 곧, 부모(父母)·중생(衆生)·국왕(國王)·삼보(三寶)의 은혜. 또는, 국왕(國王)·부모(父母)·사장(師長)·단월(檀越)의 은혜. 또는, 천지(天地)·국왕(國王)·부모(父母)·중생(衆生)의 은혜.
[四音 사음] 후음(喉音)·순음(脣音)·악음(顎音)·설음(舌音) 등 네 가지 음.
[四夷 사이] 사방(四方)에 있는 오랑캐. 곧, 동이(東夷)·서융(西戎)·남만(南蠻)·북적(北狄). 또는, 구이(九夷)·팔적(八狄)·칠융(七戎)·육만(六蠻). 전(轉)하여, 야만인(野蠻人)의 총칭.
[四人轎 사인교] 네 사람이 메는 가마.
[四子 사자] 공자(孔子)·증자(曾子)·자사(子思)·맹자(孟子)의 일컬음.
[四箴 사잠] 시(視)·청(聽)·언(言)·동(動) 네 가지의 경계(警戒).
[四葬 사장] ㉠수장(水葬)·화장(火葬)·토장(土葬)·조장(鳥葬). ㉡《佛敎》 수장·화장·토장·임장(林葬).
[四杖制 사장제] 노인(老人)이 지팡이를 짚는 데

관한 주대(周代)의 제도(制度). 곧, 50세는 집안에서만, 60세는 향리(鄕里)에서만, 70세는 나라 안 어디서나, 80세는 조정(朝廷)에서까지도 지팡이를 짚었음.
[四戰 사전] 사방에서 적(敵)을 맞아 싸움.
[四節 사절] 사시(四時).
[四井 사정] 정전(井田) 넷을 합친 것으로, 읍(邑)의 일컬음.
[四正 사정] 자(子)·묘(卯)·오(午)·유(酉)의 방위(方位).
[四諦 사제] 《佛敎》 고제(苦諦)·집제(集諦)·멸제(滅諦)·도제(道諦)의 네 가지 영원히 변하지 않는 진리.
[四朝 사조] ㉠옛날에 천자(天子)가 여러 제후(諸侯)의 나라를 순시하였을 때 사방의 제후들이 방악(方岳)의 밑에서 천자에게 배알(拜謁)하던 일. 일설(一說)에는, 4년에 한 번씩 상경(上京)하여 천자에게 알현(謁見)하던 일. ㉡4대(代)의 조정(朝廷). 네 임금이 재위(在位)한 동안.
[四鳥別 사조별] 환산(桓山)에서 사는 새가 새끼 네 마리를 다 키워서 사방으로 날려 보낼 때 슬피 울면서 헤어졌다는 고사(故事)에서 나온 말로, 모자(母子)의 슬픈 이별, 또는 널리 부모와 자식의 이별을 이름.
[四足 사족] 짐승의 네 발. 전(轉)하여, 짐승.
[四從 사종] 십촌뻘 되는 형제자매(兄弟姊妹).
[四座 사좌] 좌중 전체(座中全體). 만좌(滿座).
[四周 사주] ㉠둘레. 사위(四圍). ㉡사방을 둘러쌈.
[四注 사주] ㉠사방으로 연(連)함. ㉡사방으로 흘러 들어감. ㉢사각추(四角錐) 꼴로 된 집.
[四柱 사주] 사람이 출생(出生)한 연(年)·월(月)·일(日)·시(時).
[四洲 사주] 《佛敎》 수미산(須彌山)의 사방(四方)에 있는 사대주(四大洲).
[四柱單子 사주단자] 《韓》 혼인(婚姻)을 정하고 난 뒤에 신랑(新郞) 집에서 색시 집으로 보내는 사주를 적은것.
[四柱八字 사주팔자] 사주(四柱)의 간지(干支)의 여덟 글자.
[四仲 사중] 사시(四時)의 중월(仲月). 곧, 중춘·중하·중추·중동.
[四重 사중] ㉠네 겹. 네 번 겹침. ㉡《佛敎》 살생(殺生)·투도(偸盜)·사음(邪淫)·망어(妄語)의 가장 중한 네 가지 금계(禁戒)를 범한 큰 죄.
[四衆 사중] 《佛敎》 비구(比丘)·비구니(比丘尼)·우바새(優婆塞)·우바이(優婆夷).
[四重奏 사중주] 각각 독립한 네 개의 악기(樂器)로 하는 합주(合奏).
[四支 사지] 사지(四肢).
[四至 사지] 사극(四極).
[四知 사지] 후한(後漢)의 양진(楊震)이 동래 태수(東萊太守)로 있을 때에 자기가 천거(薦擧)한 무재(茂才) 왕밀(王密)이 밤에 찾아와서 뇌물(賂物)로 금(金) 열 근(斤)을 바치거늘 진(震)은 받지 않고, "나는 자네를 알고 있는데, 어찌하여 자네는 나를 알지 못하는가." 하고 나무랐던 바 밀(密)은 "밤중이어서 이 일을 알 사람은 아무도 없습니다." 하므로 진(震)이 크게 노하여 "하늘이 알고, 땅이 알며, 내가 알고, 네가 아는데, 어찌 아는 사람이 없다고 하느냐."고 말하니, 밀(密)이 몹시 참괴(慙愧)하여 두말 못 하고 물러난 고사(故事)에서 나온 말로, 곧 비밀은 은폐할 수 없다는 말.
[四肢 사지] 팔과 다리. 수족.
[四智 사지] 《佛敎》 모든 부처가 갖추고 있는 네 가지 슬기. 곧, 대원경지(大圓鏡智)·평등성지(平等性智)·묘관찰지(妙觀察智)·성소작지(成所作智).
[四鎭 사진] ㉠양주(楊州)의 후이지 산(會稽山)·칭저우(青州)의 기산(沂山)·유주(幽州)의 의무려산(醫無閭山) 및 기주(冀州)의 곽산(霍山)의 네 대산(大山). ㉡사방의 번진(藩鎭).
[四集 사집] 사방에서 모여듦.
[四川 사천] 중국 양쯔 강(揚子江) 상류의 성(省). 사천 분지(盆地)가 있으며, 온난 다우(溫暖多雨)하여 옛날부터 보고(寶庫)라 불림. 교통은 양쯔 강 지류의 수운(水運), 성유 철도(成渝鐵道)와 여러 공로(公路)가 있음. 주도(主都)는 성도(成都).
[四天 사천] ㉠사시(四時)의 하늘. 곧, 창천(蒼天)·호천(昊天)·민천(旻天)·상천(上天). ㉡사방의 하늘.
[四天王 사천왕] 동(東)·서(西)·남(南)·북(北)의 사천(四天)에 있는 제석(帝釋)의 외신(外臣). 곧, 동방의 지국천왕(持國天王), 서방의 광목천왕(廣目天王), 남방의 증장천왕(增長天王), 북방의 다문천왕(多聞天王).
[四諦 사체] 사제(四諦).
[四體 사체] ㉠팔과 다리. 사지(四肢). 전(轉)하여 몸. 신체. ㉡형제(兄弟). ㉢글자의 네 가지 체(體). 곧, 고문(古文). 전(篆)·예(隷)·초(草).
[四寸 사촌] ㉠네 치. ㉡《韓》 아버지의 형제의 아들딸.
[四騶 사추] 춘하추동(春夏秋冬)의 사시(四時). 세월의 흘러감을 말의 빠른 걸음에 비유(譬喩)한 말.
[四出 사출] 사방으로 나감.
[四則 사칙] 가(加)·감(減)·승(乘)·제(除)의 네 가지 산법(算法).
[四七之際火爲主 사칠지제화위주] 사칠(四七)은 이십팔, 전한(前漢)의 고조(高祖)에서 후한(後漢)의 광무(光武)까지 228년, 이를 사칠지제(四七之際)라 함. 한(漢)나라는 화덕(火德)으로 선 나라이므로 불을 주로 함.
[四通五達 사통오달] 길이 사방(四方)으로 통(通)함.
[四通八達 사통팔달] 사통오달(四通五達).
[四平 사평] 사방이 모두 평탄함.
[四表 사표] 사방의 밖. 사방의 끝. 또, 사방(四方).
[四海 사해] ㉠사방의 바다. ㉡천하(天下). 세계(世界). 만국(萬國).
[四海波靜 사해파정] 나라 안팎이 평화스럽게 다스려져서 천하가 태평함을 비유한 말.
[四海兄弟 사해형제] 서로 존경하여 사귀면 천하 사람은 모두 친하여져서 정의(情誼)가 형제와 같이 두텁게 된다는 뜻. 전(轉)하여, 세계(世界) 사람은 다 형제(兄弟) 같다는 뜻으로 쓰임.
[四行 사행] ㉠효(孝)·제(悌)·충(忠)·신(信)의 네 가지 행위. ㉡사덕(四德)❶. ㉢넉 줄. 넷째 줄.
[四向 사향] 사방(四方).
[四虛 사허] 율시(律詩)의 전련(前聯)·후련(後聯)의 4구(句)가 모두 풍경(風景)을 묘사(描寫)하지 않고, 정사(情思)를 서술(敍述)한 것. 사실

(四實)의 대(對).
[四絃 사현] 비파(琵琶).
[四皓 사호] 한고조(漢高祖) 때 상산(商山)에 숨은 네 노인. 곧, 동원공(東園公)·기이계(綺里季)·하황공(夏黃公)·녹리 선생(甪里先生). 수염과 눈썹이 모두 희다고 하여 호(皓)라 하였음. 상산사호(商山四皓).
[四患 사환] ㉠정치에 있어서의 네 가지 걱정거리. 곧, 위(僞)·사(私)·방(放)·사(奢). ㉡인생(人生)의 네 가지 걱정거리. 곧, 생(生)·노(老)·병(病)·사(死).
[四荒 사황] 사예(四裔).
[四凶 사흉] 요(堯)임금 때의 네 명의 악인(惡人). 곧, 공공(共工)·환두(驩兜)·삼묘(三苗)·곤(鯀). 환두는 혼돈(渾敦), 공공은 궁기(窮奇), 곤은 도올(檮杌), 삼묘는 도철(饕餮)이라고도 함.
◉騈四. 三四. 什四. 張三李四. 再四. 再三再四. 朝三暮四.

2 ⑤ [囙] 〔인〕
因(囗部 三畫〈p.421〉)의 俗字

3 ⑥ [回] 中人 회 ①-⑪(平)灰 戶恢切 huí ⑫⑬(去)隊 胡對切

筆順 丨 冂 冂 冋 回 回

字解 ①돌 회 ㉠둥글게 움직임. '一轉'. '昭一于天'《詩經》. ㉡둥글게 굽음. '尋幽石徑一'《孟浩然》. ㉢여기저기 걸어 다님. '仙槎何處一'《沈佺期》. ②돌아올 회 갔다 도로 옴. '一國'. '欲去未到先思一'《韓愈》. ③돌아볼 회 뒤를 봄. '兩行紅粉一時一'《杜牧》. ④돌릴 회 ㉠돌게 함. 방향을 다른 쪽으로 바꿈. '一船'. '一朕車以復路兮'《楚辭》. ㉡마음을 돌림. 뜻을 굽힘. '一容'. '抗義不一'《後漢書》. ⑤간사할 회 '一邪'. '其德不一'《詩經》. ⑥어길 회 배반함. '徐方不一'《詩經》. ⑦어그러질 회 상위함. '求福不一'《詩經》. ⑧머뭇거릴 회 배회함. '余低一留之不能去'《史記》. ⑨둘레 회 주위. '周一垂三五百里'《廬山記略》. ⑩횟수 회 '一一'. ⑪성 회 성(姓)의 하나. ⑫멀 회 빙 돌아 멂. '一遠千里'《漢書》. ⑬피할 회 회피함. '一隱'. '無所一避'《漢書》.

字源 篆文 古文 象形. 물건이 회전하는 모양을 본떠, '돌다'의 뜻을 나타냄.

[回看 회간] 뒤를 돌아다봄.
[回甲 회갑] 61세의 일컬음. 환갑(還甲).
[回啓 회계] 임금의 물음에 대하여 심의(審議)하여 상주(上奏)함.
[回顧 회고] ㉠돌아다봄. ㉡지난 일을 생각하여 봄. 회상(回想).
[回顧談 회고담] 지나간 옛일을 돌이켜 생각하면서 하는 이야기.
[回鶻 회골] 수당(隋唐) 시대부터 송원(宋元) 시대에 걸쳐 몽고 및 간쑤 성(甘肅省) 등지에서 약 1세기 동안 세력을 잡은 터키 계통의 부족(部族). 회흘(回紇). 위구르.
[回光返照 회광반조] ㉠일몰(日沒) 전의 햇빛의 반사(反射). ㉡등불이 꺼지려고 할 때 잠깐 환하게 밝아지는 일. ㉢사람이 죽기 직전에 병이 조금 나아지는 것같이 보이는 일. ㉣도가(道家)의 수련법(修鍊法).
[回敎 회교] 회회교(回回敎).
[回國 회국] 자기 나라로 돌아옴. 환국(還國).
[回軍 회군] 군사(軍士)를 돌이켜 돌아옴. 환군(還軍).
[回歸 회귀] ㉠도로 돌아옴. ㉡한 바퀴 돌고 제자리로 돌아옴.
[回歸線 회귀선] 적도(赤道)에서 남북(南北)으로 각각 약(約) 23도 27분을 통과하는 작은 권(圈). 북쪽의 것을 북회귀선(北回歸線), 남쪽의 것을 남회귀선(南回歸線)이라 함.
[回巹 회근] 회혼(回婚).
[回忌 회기] ㉠꺼림. 꺼려 피함. 회피(回避). ㉡《佛敎》기일(忌日). 연기(年忌). 연회(年回).
[回期 회기] 돌아올 시기(時期). 돌아온 시기.
[回納 회납] 도로 되돌려 드림.
[回答 회답] 물음을 받고 대답함.
[回棹 회도] 배가 돛대를 돌린다는 뜻으로, 병(病)이 차차 나음의 비유.
[回讀 회독] 책(冊)을 돌려 읽음.
[回頭 회두] 머리를 뒤로 돌림.
[回鑾 회란] 천자(天子)가 대궐(大闕)로 돌아옴. 환궁(還宮).
[回覽 회람] 차례로 돌려 가며 봄.
[回廊 회랑] ㉠원형(圓形)의 복도(複道). ㉡정당(正堂)의 양옆에 있는 기다란 집채.
[回來 회래] 회환(回還).
[回曆 회력] 해가 바뀜.
[回禮 회례] 회사(回謝)하는 예(禮).
[回路 회로] 돌아오는 길.
[回祿 회록] 화신(火神). 전(轉)하여 화재(火災).
[回繚 회료] 빙 두름.
[回馬 회마] ㉠돌아가는 말. 또, 그 말 편(便). ㉡말을 돌림.
[回文 회문] ㉠한시체(漢詩體)의 한 가지. 순역종횡(順逆縱橫) 어느 쪽으로 읽어도 체(體)를 이루고, 의미(意味)가 통하는 시(詩). 진(晉)나라 소백옥(蘇伯玉)의 아내가 지은 반중시(盤中詩)가 그 효시(嚆矢)임. 회문시(回文詩). ㉡회족(回族)의 문자(文字). ㉢회장(回章).
[回文詩 회문시] 회문(回文) ❶.
[回步 회보] 돌아오는 걸음.
[回報 회보] ㉠대답(對答)으로 하는 보고(報告). ㉡돌아와서 여쭘.
[回復 회복] 이전의 상태(狀態)와 같이 됨. 또, 이전의 상태로 돌이킴.
[回附 회부] 돌려 보냄.
[回邪 회사] 간사함.
[回翔 회상] ㉠빙빙 돌며 날아다님. ㉡배회(徘徊)함.
[回想 회상] 지나간 일을 돌이켜 생각함.
[回生 회생] 다시 살아남. 소생함.
[回書 회서] 대답하여 보내는 편지. 답장(答狀).
[回船 회선] ㉠돌아가는 배. 또, 그 배 편(便). ㉡배를 돌림.
[回旋 회선] 빙빙 돎.
[回送 회송] 도로 돌려보냄.
[回收 회수] 도로 거두어들임.
[回首 회수] 회두(回頭).
[回數 회수] 돌아오는 차례의 수(數).
[回示 회시] ㉠남에게서 오는 회답(回答). ㉡죄인(罪人)을 끌고 다니며 여러 사람에게 보임.
[回信 회신] 편지 또는 전신의 회답.
[回心 회심] 마음을 돌려먹음. 마음을 고침.

[回雁峯 회안봉] 호남(湖南)의 산 이름. 형산(衡山) 72봉(峯)의 수봉(首峯). 봉세(峯勢)가 기러기의 빙빙 도는 모양과 같은 데서 이름.
[回陽 회양] 양기(陽氣)를 회복시킴.
[回易 회역] 외국(外國)으로 파견(派遣)되는 사신(使臣)이 산물(產物)을 가지고 가서 그 나라의 군신(君臣)에게 선사하고, 본국(本國)으로 돌아올 때에는 그 나라의 산물을 가지고 오는 일.
[回枉 회왕] 억울한 죄. 원죄(寃罪).
[回撓 회요] 사실을 왜곡(歪曲)함.
[回繞 회요] 빙 두름.
[回容 회용] 법(法)을 굽혀서 용납(容納)함.
[回紆 회우] 우회(紆回)함.
[回遠 회원] 꼬불꼬불하여 멂. 돌아서 멂.
[回隱 회은] 피하여 숨음.
[回移 회이] 돌며 옮김.
[回章 회장] 여러 사람이 차례로 돌려 보도록 쓴 글.
[回裝 회장] 병풍(屛風)·족자·현판(懸板) 따위의 가장자리를 꾸미는 선(線).
[回籍 회적] 관리(官吏)가 말미를 얻어 귀향(歸鄕)함.
[回電 회전] 회답(回答)의 전보. 답전(答電).
[回傳 회전] 빌려 온 물건을 돌려보냄.
[回轉 회전] 빙빙 돎. 또, 빙빙 돌림.
[回程 회정] 가던 길을 다시 돌아옴.
[回漕 회조] 배로 물건을 실어 나름.
[回診 회진] 의사(醫師)가 환자가 있는 곳으로 돌아다니며 하는 진찰(診察).
[回嗔作喜 회진작희] 성을 내었다가 슬쩍 돌려 기뻐함.
[回天 회천] ㉠임금의 마음을 돌리게 함. ㉡국세(國勢)를 만회함. 쇠운(衰運)을 회복시킴.
[回天之力 회천지력] 천자(天子)가 무슨 일을 하려고 하는 마음을 간(諫)하여 돌리는 힘. 전(轉)하여, 쇠잔한 국세(國勢), 또는 어지러운 시국을 만회하는 힘.
[回帖 회첩] 회답(回答)의 글.
[回春 회춘] ㉠봄이 다시 돌아옴. ㉡중병(重病)이 낫고 건강(健康)이 회복(回復)됨. ㉢다시 젊어짐.
[回憚 회탄] 피하고 꺼림.
[回避 회피] 피(避)함. 꺼려 피함.
[回避不得 회피부득] 피(避)하려고 해도 피(避)할 수가 없음.
[回蹕 회필] 천자(天子)가 대궐(大闕)로 돌아옴. 환궁(還宮).
[回航 회항] ㉠여러 항구(港口)에 기항(寄航)하는 항해(航海). ㉡배를 타고 돌아옴.
[回向 회향] 《佛敎》 ㉠불사(佛事)를 경영하여 죽은 사람의 명복(冥福)을 빎. ㉡선행(善行)을 닦아 보리(菩提)의 과덕(果德)을 구(求)함.
[回向文 회향문] 법사(法事)의 맨 나중에 그 공덕(功德)을 모든 중생(衆生)에게 돌려보내 달라고 외는 기원문(祈願文).
[回護 회호] 잘못을 거짓 꾸미거나 변호함.
[回婚 회혼] 혼인(婚姻)한 지 61년 되는 해.
[回婚禮 회혼례] 회혼(回婚)을 축하(祝賀)하는 잔치.
[回還 회환] 갔다가 다시 돌아옴.
[回回 회회] ㉠빙빙 도는 모양. ㉡빛이 밝은 모양. ㉢소리가 울리는 모양. ㉣큰 모양. ㉤아라비아 사람. ㉥회회교(回回敎).
[回回敎 회회교] 마호메트를 교조(敎祖)로 하는 종교(宗敎). 회교(回敎). 이슬람교(敎).
[回訓 회훈] 외국(外國)에 가 있는 전권(全權)의 청훈(請訓)에 대하여 본국(本國)에서 회답(回答)하는 훈령(訓令).
[回紇 회흘] 회골(回鶻).
◉姦回. 求福不回. 今回. 挽回. 每回. 盤回. 徘回. 裹回. 私回. 旋回. 昭回. 巡回. 年回. 縈回. 迂回. 紆回. 輪回. 低回. 前回. 周回. 遲回. 次回. 撤回. 超回. 初回. 奪回. 避回.

3 ⑥ [囡] 닙 [入]緝 昵立切 nān

[字解] ①사사로이취할 닙 図(囗部 二畫)과 同字. ②계집아이 닙 오(吳)의 방언(方言)으로, 계집아이. '有生女瑩白者, 多名白一, 以誌其異'《柳南俗筆》.

3 ⑥ [囘] 홀 [入]月 呼骨切 hū

[字解] 어기(語氣) 센말 홀 回(囗部 四畫)·曶(曰部 四畫)과 同字. '一, 出气詞也'《說文》.
[參考] 冋(冂部 三畫〈p. 221〉)는 別字

3 ⑥ [囤] 〔돈〕
囤(囗部 四畫〈p. 423〉)과 同字

3 ⑥ [因] [中·人] 인 [平]眞 於眞切 yīn 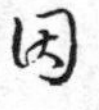

[筆順] 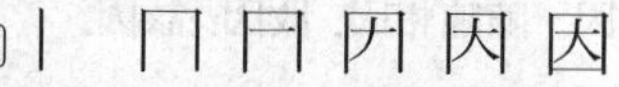

[字解] ①인할 인 종전대로 따름. '一襲'. '一循'. '殷一夏禮'《論語》. ②말미암을 인 인연함. '一天事天'《禮記》. ③의지할 인 '一依'. '一不失其親'《論語》. ④부탁할 인 '時子一陳子, 而以告孟子'《孟子》. ⑤겹칠 인, 쌓일 인 중첩함. '大倉之粟, 陳陳相一'《史記》. ⑥인연 인 관계. 연유. '一果'. '欲知前生一, 今生受者是'《傳燈錄》. ⑦까닭 인 기원. '原一'. '無一而至前也'《漢書》. ⑧성 인 성(姓)의 하나.
[字源] 甲骨文 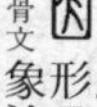 金文 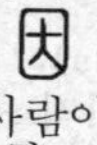 篆文 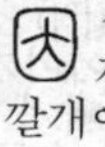 會意. 囗+大. '囗위'는 '깔개'의 뜻. '大대'는 사람의 象形. 사람이 깔개에 누운 모양에서, '의지하다'를 뜻함.

[因果 인과] ㉠원인(原因)과 결과(結果). ㉡《佛敎》 인연(因緣)과 과보(果報).
[因果律 인과율] 원인(原因)과 결과(結果)의 관계에 대한 자연(自然)의 법칙.
[因果應報 인과응보] 《佛敎》 좋은 인연(因緣)에는 좋은 과보(果報)가 오고, 악(惡)한 인연에는 악한 과보가 옴. 곧, 인(因)과 과(果)가 서로 응(應)함.
[因糧於敵 인량어적] 적(敵)의 군량(軍糧)을 빼앗아 아군(我軍)의 식량(食糧)으로 함.
[因明 인명] 인도(印度)의 고대(古代) 논리학(論理學). 종(宗)〈단안(斷案)〉·인(因)〈소전제(小前提)〉·유(喩)〈대전제(大前提)〉의 삼지작법(三支作法)에 의해서 사물을 논구(論究)함.
[因封 인봉] 《韓》 인산(因山).
[因事制宜 인사제의] 그 일에 적당한 방법을 베풂. 임기(臨機)의 처치를 함.

[因山 인산]《韓》국장(國葬).
[因循 인순] ㉠무기력하며 고식적(姑息的)임. ㉡구습(舊習)에 따라 행함.
[因襲 인습] 예전대로 행(行)하고 고치지 아니함.
[因業 인업]《佛敎》인연(因緣)이 되는 악사(惡事). 인연이 있는 악업(惡業).
[因緣 인연] ㉠서로 알게 되는 기회. ㉡연분(緣分). ㉢사물을 성립시키는 근원인 인(因)과 이를 발생시키는 힘인 연(緣)과의 관계.
[因緣和合 인연화합] 인(因)과 연(緣)이 화합하여 과(果)를 낳음.
[因噎廢食 인열폐식] 밥 먹을 때 목이 메어 먹지 아니한다는 뜻으로, 조그마한 장애(障礙)로 큰 일을 그만둠의 비유로 쓰임.
[因由 인유] ㉠까닭. 원인. ㉡유래(由來).
[因應 인응] 사사로운 마음을 쓰지 않고 자연의 돌아가는 대로 맡겨 둠.
[因依 인의] 의지함.
[因人成事 인인성사] 남의 힘으로 일을 이룸.
[因敵爲資 인적위자] 적국(敵國)에서 병정과 군량을 징발(徵發)함.
[因地 인지]《佛敎》수행(修行)이 아직 부처에 이르기 전의 보살(菩薩)의 지위.
[因敗爲成 인패위성] 실패를 돌려서 성공함.
[因忽不見 인홀불견] 언뜻 보이다가 바로 없어짐.
◉結因. 舊因. 近因. 基因. 起因. 未了因. 病因. 副因. 死因. 相因. 常因. 想因. 善因. 成因. 素因. 宿因. 襲因. 勝因. 心因. 惡因. 業因. 緣因. 往因. 了因. 要因. 原因. 遠因. 誘因. 依因. 一因. 仍因. 積因. 前因. 正因. 主因. 證因. 眞因. 陳陳相因. 敗因. 該因.

3 ⑥ [囝] 건 ㊤銑 九件切 jiǎn
[字解] 아이 건 아이의 호칭(呼稱). '顧況有哀一詩'《靑箱雜記》.
[字源] 會意. 口+子

3 ⑥ [囟] 신 [去]震 息晉切 xìn
[字解] 정수리 신 정문(頂門).
[字源] 篆文 ⊠ 象形. 어린아이이기 때문에 머리의 한가운데 있는 뼈가 아직 붙지 않은 상태의 象形으로, '정수리, 숫구멍'의 뜻을 나타냄.

[囟門 신문] ㉠숫구멍. ㉡정수리.

3 ⑥ [团] 〔단〕 團(口部 十一畫〈p. 430〉)의 簡體字

3 ⑥ [団] 〔단〕 團(口部 十一畫〈p. 430〉)의 略字

4 ⑦ [囧] [人名] 경 [平]靑 俱熒切 jiǒng
[字解] 밝을 경 환함. 冏(冂部 五畫)의 本字. '月吐窻一一'《韓愈》.

[囧囧 경경] 환한 모양.

4 ⑦ [囮] 와 [平]歌 五禾切 é
[字解] ①여리새 와 딴 새를 꾀어 오게 하기 위하여 매어 놓는 새. ②매개 와 어떤 사물을 끌어오기 위하여 이용하는 것. '聞誘而怒者, 讒之一也'《文中子》. ③낳을 와 출생함. '羣類一育'《元包經》.
[字源] 篆文 形聲. 口+化〔音〕. '化화'는 '변하다'의 뜻. 야성의 새나 짐승을 길들여 변하게 하여 우리 안에 넣고, 같은 종류의 새·짐승을 속여 잡는, 후림 수의 뜻으로 쓰임.

[囮育 와육] 낳아 자람.
[囮鳥 와조] 딴 새를 꾀어 오게 하기 위하여 매어 놓는 새. 여리새.

4 ⑦ [困] [中人] 곤 [去]願 苦悶切 kùn
[筆順] 丨 冂 冃 冃 用 困 困
[字解] ①곤할 곤 ㉠고생함. '一厄'. '事前定, 則不一'《中庸》. ㉡괴로움. 난처함. '一難'. '或一而知之'《中庸》. ㉢생활이 가난함. '一窮'. '亡國之音, 哀以思, 其民一'《詩經》. ㉣피곤함. 지침. '疲一'. '昨夜一乎'《後漢書》. ㉤위경(危境)에 빠짐. '一獸猶鬪'《左傳》. ②곤하게할 곤 전항(前項)의 타동사. '謀而一人'《國語》. ③괴로움 곤, 고난(苦難) 곤 이상(以上)의 명사. '急人之一'《史記》. ④곤괘 곤 육십사괘의 하나. 곤, ䷮〈감하(坎下), 태상(兌上)〉. 진퇴에 궁한 상(象).
[字源] 篆文 會意. 木+囗. 나무가 울타리 안에 있어 자라지 못하고, '곤란하다'의 뜻을 나타냄.

[困却 곤각] 아주 고생함.
[困竭 곤갈] 물자가 떨어져 고생함. 또, 빈한하여 고생함. 곤절(困絶).
[困境 곤경] 곤란(困難)한 경우(境遇). 어려운 지경.
[困苦 곤고] 곤란(困難)하고 괴로움. 또, 가난하여 고생함.
[困窶 곤구] 가난하여 고생함.
[困窘 곤군] 가난하고 고달픔.
[困窮 곤궁] 빈곤(貧困)함.
[困倦 곤권] 곤비(困憊).
[困蹶 곤궐] 곤지(困躓).
[困急 곤급] 곤란하고 급함.
[困難 곤난] 곤란(困難).
[困惱 곤뇌] 곤궁에 시달려 고달픔.
[困懟 곤대] 괴로워하여 원망함.
[困敦 곤돈] 십이지(十二支) 중의 자(子)의 별칭(別稱).
[困頓 곤돈] ㉠가난하여 여유가 없음. 재정(財政)이 궁핍하여 세력을 떨치지 못함. ㉡곤비(困憊).
[困屯 곤둔] 고생.
[困懶 곤란] 고단하여 기력이 없음. 몸이 나른함.
[困難 곤란] ㉠어려움. 쉽지 아니함. ㉡가난하여 고생함. ㉢괴로움.
[困迫 곤박] 일이 어렵고 절박함.
[困病 곤병] 아주 지침. 기진맥진함.
[困步 곤보] 기운이 없어서 잘 걸리지 아니하는 걸음.
[困否 곤비] 불운. 불행.
[困憊 곤비] 어려운 일을 하거나 너무 일을 하여 피로함.
[困塞 곤색] ㉠가난하고 운수가 막히어 지내기 어

려움. ㉡돈 융통이 막힘.
[困獸猶鬪 곤수유투] 위급한 경우에는 짐승일지라도 적을 향해 싸우려 덤빔. 궁서설묘(窮鼠齧猫).
[困厄 곤액] 곤란(困難)과 재액.
[困戹 곤액] 곤액(困厄).
[困約 곤약] 가난하여 고생함.
[困汚 곤오] 가난하며 낮은 지위에 있음.
[困臥 곤와] 고단하여 누워 쉼.
[困辱 곤욕] 심한 모욕(侮辱).
[困作 곤작] 글을 힘들여 더디 지음.
[困在垓心 곤재해심] 매우 어려운 경우(境遇)를 당(當)함.
[困絕 곤절] 곤갈(困竭).
[困躓 곤지] 곤궁에 허덕여 중도에서 좌절(挫折)함.
[困知勉行 곤지면행] 도(道)를 힘써 배워 알고 힘써 닦아 행함. 생지안행(生知安行)의 대(對).
[困蹙 곤축] 아주 곤경(困境)에 빠짐. 어찌할 도리가 없게 됨.
[困寢 곤침] 곤히 잠이 듦.
[困殆 곤태] 곤란하고 위태로움.
[困弊 곤폐] 곤궁하여 피폐함.
[困乏 곤핍] ㉠가난하여 고생함. ㉡고달파서 기운이 없음.
[困學 곤학] ㉠머리가 좋지 않아 애를 쓰며 공부함. ㉡고학(苦學)함.
[困學紀聞 곤학기문] 송(宋)나라 왕응린(王應麟)이 지은 〈경사자집(經史子集)〉의 고증(考證)을 한 책. 20권. 증거(證據)가 해박(該博)하여 송대(宋代)의 고증 서적 중 가장 정확함.
◉艱困. 苦困. 宴困. 窘困. 窮困. 飢困. 難困. 勞困. 屯困. 病困. 貧困. 衰困. 愁困. 阸困. 阨困. 彫困. 酒困. 春困. 弊困. 疲困. 乏困. 昏困.

4 ⑦ [囤] 돈 [上]阮 徒損切 dùn
[字解] 곳집 돈 작은 쌀 창고.
[字源] 形聲. 口+屯〔音〕

4 ⑦ [囫] 홀 [入]月 呼骨切 hú 
[字解] 덩어리질 홀 '一圇'은 둥글둥글함.
[字源] 形聲. 口+勿〔音〕

[囫圇 홀륜] 둥글둥글함.

4 ⑦ [园] 완 [平]寒 五丸切 wán
[字解] 깎을 완 귀를 깎음. 모난 데를 없앰. 刓(刀部 四畫)과 同字. '一而幾向方矣'《莊子》.
[字源] 形聲. 口+元〔音〕. '元원'은 '둥글다'의 뜻.

4 ⑦ [囦] 〔연〕
淵(水部 九畫〈p. 1254〉)의 古字

4 ⑦ [囘] 〔홀〕
回(口部 三畫〈p. 421〉)과 同字

4 ⑦ [国] 〔국〕
國(口部 八畫〈p. 425〉)의 俗字

4 ⑦ [囲] 〔위〕
圍(口部 九畫〈p. 428〉)의 俗字

4 ⑦ [囬] [一] 回(口部 三畫〈p. 420〉)의 俗字
[二] 面(部首〈p. 2517〉)의 古字

4 ⑦ [図] 〔도〕
圖(口部 十一畫〈p. 429〉)의 俗字

4 ⑦ [囱] [一] 창 [平]江 楚江切 chuāng 
[二] 총 [平]東 倉紅切 cōng
[字解] [一] 창 창 지붕에 낸 창문. [二] 굴뚝 총.
[字源] 篆文  象形. 지붕에 낸 창문의 象形.

5 ⑧ [囷] 균 [平]眞 去倫切 qūn 
[字解] ①곳집 균 원형의 미창(米倉). '胡取禾三百一兮'《詩經》. ②꼬불꼬불할 균 꼬불꼬불한 모양. '一一'. '輪一離奇'《鄒陽》.
[字源] 篆文  會意. 口+禾. 울안에 곡물〔禾〕을 넣어 두다의 뜻으로, '쌀 창고, 곡식 창고'의 뜻을 나타냄.

[囷囷 균균] 꾸불꾸불한 모양. 이리저리 굽은 모양. 일설(一說)에는, 빙빙 도는 모양.
[囷鹿 균록] 쌀 곳간. 녹(鹿)은 방형(方形)의 미창(米倉).
[囷廩 균름] 쌀 곳간. 미창(米倉).
[囷倉 균창] 쌀 곳간. 미창(米倉).
◉空囷. 廩囷. 倒囷. 倒廩傾囷. 盤囷. 石囷. 輪囷. 倉囷. 天囷. 草囷.

5 ⑧ [囹] [人名] 령 [平]靑 郎丁切 líng 
[字解] 옥 령 감옥. '一圄'. '命有司省一圄'《禮記》.
[字源] 篆文  形聲. 口+令〔音〕. '令령'은 무릎을 꿇고 신의 뜻을 듣는 사람의 象形. 울타리 안에 무릎 꿇은 사람의 모양에서, '감옥'의 뜻을 나타냄.

[囹圄 영어] 옥(獄).
[囹圉 영어] 영어(囹圄).
[囹圄生草 영어생초] 옥(獄)에 풀이 난다는 뜻으로, 세상이 잘 다스려져 옥에 갇혀 있는 죄수가 없음을 이름.
◉空囹. 圄囹. 圉囹. 幽囹.

5 ⑧ [固] [中·人] 고 [去]遇 固暮切 gù
[筆順] 丨 冂 冂 冃 円 冋 固 固
[字解] ①굳을 고 ㉠견고함. '一體'. '冰凍方一'《呂氏春秋》. ㉡변하지 아니함. 변동하지 아니함. '學則不一'《論語》. ㉢움직이지 아니함. 안정(安定)함. '國可以一'《國語》. ㉣수비가 엄함. '兵勁城一'《荀子》. ㉤지세가 험준함. '長岸峻一'《水經注》. 또, 험준한 요해처. '美哉乎, 山河之一, 此魏國之寶也'《史記》. ②굳게할 고 전항의 타동사. '夫一國者, 在親衆而善隣'《國語》. ③우길 고 고집함. '一執'. '毋意, 毋必, 毋一, 毋我'《論語》. ④고루할 고 완고하고 비루함.

'一陋'. '寡人一'《禮記》. ⑤굳이 고 ㉠억지로. '毋一獲'《禮記》. ㉡재삼. 거듭. '一諫'. '禹拜稽首一辭'《書經》. ⑥진실로 고 ㉠말할 것도 없이. 물론. '小一不可以敵大'《孟子》. ㉡본디부터. '一所願'. '天下一畏齊之強也'《孟子》. ⑦항상 고 늘. '若一有之'《孟子》. ⑧고질 고 오랜 질병. 錮(金部 八畫)와 통용. '國多一疾'《禮記》. ⑨성 고 성(姓)의 하나.

字源 篆文 形聲. 口+古〔音〕. '口위'는 도성(都城)을 둘러싼 담. '古고'는 '단단하다'의 뜻. 나라의 도읍의 굳은 방비의 뜻에서, '굳다'의 뜻을 나타냄.

[固諫 고간] 굳이 간(諫)함. 강경히 간함.
[固拒 고거] 단단히 막음.
[固結 고결] 단단히 맴.
[固嘔 고구] 겉으로만 유순한 모양.
[固窮 고궁] 곤궁한 것을 당연한 것으로 알고 잘 견뎌 냄.
[固牢 고뢰] 견고함.
[固陋 고루] 고집이 있고 성행(性行)이 비루(鄙陋)함. 완고하고 문견(聞見)이 좁음.
[固辭 고사] 굳이 사양(辭讓)함. 한사코 사퇴함.
[固塞 고새] 견고한 요새(要塞).
[固所願 고소원] 본래(本來) 바라던 바임.
[固守 고수] 굳게 지킴.
[固然 고연] 본디부터 그러함.
[固有 고유] ㉠본디부터 있음. 본래 자연히 갖추어 있음. ㉡그 물건에만 있음.
[固有名詞 고유명사] 어느 한 가지 물건에만 한(限)하여 쓰이는 명사. 인명(人名)·지명(地名) 따위.
[固意 고의] ㉠굳은 뜻. ㉡뜻을 굳게 먹음.
[固定 고정] 일정한 곳에 있어 움직이지 아니함. 한곳에 꼭 박혀 있음.
[固精 고정] 환자와 허약한 사람의 정력을 강하게 함.
[固持 고지] 굳게 지님. 굳게 지킴. 고수(固守).
[固疾 고질] 오래 낫지 않는 병. 고질(錮疾). 고질(痼疾).
[固執 고집] 굳게 지님. 굳게 지킴. 자기의 의견(意見)을 굳게 내세움.
[固執不通 고집불통] 고집(固執)이 세어 조금도 변통성(變通性)이 없음.
[固着 고착] 단단히 붙어 떨어지지 아니함.
[固滯 고체] 성질이 편협하여 너그럽지 못함.
[固體 고체] 일정한 체형(體形)과 체질(體質)을 가진 물체. 곧, 나무·쇠붙이 따위.
[固寵 고총] 변하지 않는 총애를 받음. 끝까지 굄을 받음.
[固形 고형] 단단한 형체.
◉強固. 堅固. 警固. 鞏固. 膠固. 禁固. 牢固. 敦固. 純固. 醇固. 深固. 安固. 頑固. 凝固. 貞固. 阻固. 滯固. 偏固. 險固. 確固.

5 ⑧ [囩] 〔국〕 國(口部 八畫〈p. 425〉)과 同字

5 ⑧ [囯] 〔국〕 國(口部 八畫〈p. 425〉)의 俗字

5 ⑧ [国] 人名 〔국〕 國(口部 八畫〈p. 425〉)의 俗字

5 ⑧ [图] 〔도〕 圖(口部 十一畫〈p. 429〉)의 簡體字

6 ⑨ [囿] 人名 유 ㊀宥 于救切 yòu

字解 ①동산 유 금수(禽獸)를 방사(放飼)하기 위하여 담을 친 곳. '苑一'. '文王之一'《孟子》. 전(轉)하여, 구역. 장소. '遙集文雅之一'《司馬相如》. ②담 유 한 구역에 쌓은 담. '正月祭韭一'《大戴禮》. ③얽매일 유 구애됨. 구니(拘泥)함. '一其學之相非也'《尸子》.

字源 甲骨文 金文 篆文 籒文 甲骨文·籒文은 象形으로, 밭에 네 그루 나무가 있는 모양을 본뜸. 뒤에 口+有〔音〕의 形聲 문자가 됨. '有유'는 식사를 권하다의 뜻. 궁중의 식사에 제공하기 위한 동물을 놓아기르는 장소의 뜻을 나타냄.

[囿苑 유원] 새나 짐승을 기르는 동산.
[囿人 유인] ㉠궁중(宮中)의 동물원을 지키는 벼슬아치. ㉡화초나 나무를 심어 키우는 사람.
◉廣囿. 文囿. 辯囿. 蔬囿. 深囿. 淵囿. 靈囿. 禮囿. 苑囿. 園囿. 場囿. 圃囿. 墟囿.

6 ⑨ [圀] 〔국〕 國(口部 八畫〈p. 425〉)의 古字

參考 측천무후(則天武后)가 만든 문자.

6 ⑨ [图] 〔도〕 圖(口部 十一畫〈p. 429〉)의 俗字

7 ⑩ [圂] ㊀ 혼 ㊀願 胡困切 hùn ㊁ 환 ㊀諫 胡慣切 huàn

字解 ㊀ ①뒷간 혼 溷(水部 十畫)과 同字. ②성 혼 성(姓)의 하나. ㊁ 가축 환 豢(豕部 六畫)과 同字. '君子不食一腴'《禮記》.

字源 甲骨文 金文 篆文 會意. 口+豕. 돼지를 키우는 울타리의 뜻을 나타냄.

[圂腴 환유] 돼지·개 따위의 창자.

7 ⑩ [圃] 人名 포 ㊤虞 博古切 pǔ

字解 ①남새밭 포 채마전. '蔬一'. '園一毓草木'《周禮》. 전(轉)하여, 장소. 구역. '翱翔乎書一'《司馬相如》. ②농사 포 농작. '舊喜樊遲知學一'《朱熹》. ③농군 포 농사짓는 사람. '吾不如老一'《論語》. ④성 포 성(姓)의 하나.

字源 甲骨文 金文 篆文 形聲. 口+甫보는 '볏모'의 뜻. 모를 심은 남새밭의 뜻을 나타냄.

[圃彊 포강] 채마밭.
[圃師 포사] 밭농사 짓는 사람.
[圃翁 포옹] 밭농사 짓는 노인.
[圃囿 포유] 채마전(菜麻田). 남새밭. 또, 궁중(宮中)의 동산.
[圃田 포전] 전답(田畓).
[圃畦 포휴] 밭두둑.
◉舊圃. 禁圃. 老圃. 農圃. 茗圃. 文圃. 射圃. 書圃. 蔬圃. 藥圃. 苑圃. 園圃. 幽圃. 場圃. 田圃. 庭圃. 玄圃. 縣圃. 花圃. 矍相圃. 後圃.

7 ⑩ [圄] [人名] 어 [上]語 魚巨切 yǔ

[字解] ①옥 어 감옥. '囹一'. ②가둘 어 잡아 가둠. '一伯嬴于轑陽'《左傳》.

[字源] 篆文 形聲. 囗+吾〔音〕. '吾오'는 '막아 지키다'의 뜻. 죄인을 가두는 감옥의 뜻을 나타냄.

[圄空 어공] 감옥이 텅 빈다는 뜻으로, 나라가 잘 다스려져 죄를 짓는 사람이 없음을 이름.
[圄囹 어령] 옥(獄). 감옥. 영어(囹圄).
[圄犴 어안] 영어(囹圄).
◉敎圄. 囹圄. 獄圄. 幽圄.

7 ⑩ [圅] 함 ①②[上]感 戶感切 ③[平]覃 胡男切 hán

[字解] ①턱 함 아래턱. '口上曰臄, 口下曰一'《集韻》. ②갑옷 함 싸울 때 입는 옷. 函(凵部 六畫)과 同字. ③혀 함 혓바닥. '一, 舌也'《說文》.

8 ⑪ [圈] [人名] 권 ①②[去]霰 逵眷切 juàn ③④[平]先 驅圓切 quān

[筆順] 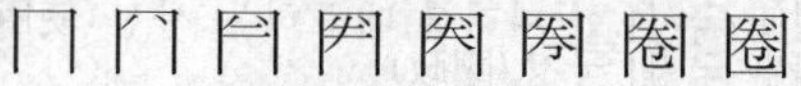

[字解] ①우리 권 동물의 우리. '虎一'. '熊佚一出'《漢書》. ②성 권 성(姓)의 하나. ③바리 권 나무로 휘어 만든 그릇. 棬(木部 八畫)과 同字. '杯一不能飮焉'《禮記》. ④동그라미 권 권점. '一點'. '半一四週'《漢書評林》.

[字源] 篆文 形聲. 囗+卷〔音〕. '卷권'은 '말다'의 뜻. 가축을 기르기 위하여 휘몰아 넣는 '우리'의 뜻을 나타냄.

[圈繢 권궤] 권회(圈繢).
[圈內 권내] 테 안. 범위(範圍) 안.
[圈豚 권돈] 천천히 걷는 법. 발을 질질 끌며 걷는 일.
[圈牢 권뢰] 우리.
[圈發 권발] 한자(漢字)의 사성(四聲)을 표시하기 위하여 글자의 네 모퉁이에 붙이는 반원(半圓). 평성(平聲)은 좌하(左下), 상성(上聲)은 좌상(左上), 거성(去聲)은 우상(右上), 입성(入聲)은 우하(右下).
[圈外 권외] 테의 밖.
[圈點 권점] 시문(詩文)의 묘소(妙所)·요처(要處) 등의 옆에 찍는 동그라미.
[圈套 권투] ㉠새나 짐승을 잡는 올가미. ㉡세력 범위(勢力範圍).
[圈檻 권함] 우리. 권뢰(圈牢).
[圈圜 권환] 동그라미.
[圈繢 권회] 올가미. 함정(陷穽). 전(轉)하여, 술책(術策). 또, 일정한 격식(格式) 등의 뜻으로 쓰임.
◉共産圈. 共榮圈. 氣圈. 南極圈. 當選圈. 大圈. 大氣圈. 文化圈. 北極圈. 商圈. 上位圈. 生活圈. 成層圈. 勢力圈. 驛勢圈. 颱風圈. 下位圈.

8 ⑪ [圉] 어 ①-⑥[上]語 魚巨切 yǔ ⑦[去]御 魚據切

[字解] ①마부 어 말을 기르는 사람. 또, 그 벼슬. '一師'. '敎一人'《周禮》. ②마구간 어 '馬一'. '馬有一, 牛有牧'《左傳》. ③변방 어 변경. '邊一'. '亦聊以固我一也'《左傳》. ④옥 어 감옥. '囹一空虛'《漢書》. ⑤기를 어 말을 기름. '將一馬於成'《左傳》. ⑥성 어 성(姓)의 하나. ⑦막을 어 禦(示部 十一畫)와 同字. '安能一我'《管子》.

[字源] 甲骨文 篆文 會意. 篆文은 囗+㚔. '㚔섭'은 수갑을 본뜸. '감옥'의 뜻을 나타냄.

[圉絆 어반] 옥에 갇힘.
[圉師 어사] 어인(圉人)의 장관.
[圉圉 어어] 괴로워 펴지 못하는 모양.
[圉余 어여] 음력 4월의 별칭(別稱).
[圉人 어인] 말을 기르는 사람. 마부(馬夫). 또, 말을 기르는 것을 맡은 벼슬아치.
◉疆圉. 敎圉. 馬圉. 牧圉. 邊圉. 僕圉. 囹圉. 隷圉. 下圉. 豢圉.

8 ⑪ [圊] 청 [平]庚 七情切 qīng [平]靑 倉經切

[字解] 뒷간 청 변소. '作一廁'《法苑珠林》.

[字源] 形聲. 囗+靑〔音〕. '靑청'은 '맑다'의 뜻. '囗위'는 '울타리'의 뜻. 청결하게 해 두어야 할 장소, 곧 '변소'의 뜻을 나타냄.

[圊房 청방] 뒷간.
[圊廁 청치] 뒷간.
[圊溷 청혼] 뒷간.

8 ⑪ [圇] 륜 [平]眞 龍春切 lún

[字解] 온전할 륜 '囫一'은 흠 없는 물건의 뜻.

[字源] 形聲. 囗+侖〔音〕

◉囫圇.

8 ⑪ [國] [中·人] 국 [入]職 古或切 guó 国

[筆順] 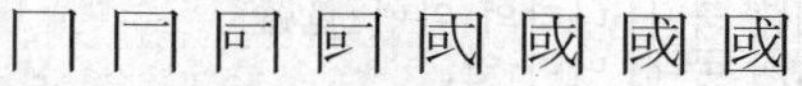

[字解] ①나라 국 ㉠국가. 국토. '一力'. '分一爲九州'《周禮》. ㉡지리상 또는 행정상 구획된 토지. '二百一十一以爲州'《周禮》. ㉢서울. 수도(首都). '徧一中, 無與立談者'《孟子》. ㉣고향. '去一三世, 爵祿有列於朝'《禮記》. ②나라세울 국 나라를 창립함. '黥布叛逆, 子長一之'《史記》. ③성 국 성(姓)의 하나.

[字源] 甲骨文 金文 篆文 會意. 甲骨文은 囗+戈. '囗위'는 마을을 본뜸. '戈과'는 '창'의 뜻. 무장한 마을의 뜻을 나타냄. 金文에서부터 '囗'를 덧붙여, 외곽(外廓)을 지닌 나라의 뜻을 나타내게 됨.

[參考] ①国(囗部 四畫)·囯(囗部 五畫)은 俗字. ②囻(囗部 五畫)·囶(囗部 六畫)은 古字.

[國家 국가] ㉠나라. ㉡나라와 집. 제후(諸侯)의 나라와 경대부(卿大夫)의 집. ㉢천자(天子). 군주(君主).
[國歌 국가] 국가(國家)의 이상(理想)과 정신(精神)을 나타내어 의식(儀式) 때에 부르게 지은 노래.
[國家主義 국가주의] 국가의 이익을 국민의 이익보다 앞세워 국가를 지상(至上)으로 여기는 주

의(主義).
[國家學 국가학] 국가(國家)의 기원(起源)·연혁(沿革)·성질(性質)·조직(組織) 등을 연구(研究)하는 학문.
[國家昏亂有忠臣 국가혼란유충신] 평상시에는 누가 충신인지 적확히 알 수 없고, 나라가 어지러워야만 비로소 충신이 뚜렷이 나타남.
[國綱 국강] 나라를 다스리는 벼리. 정치의 대강령(大綱領).
[國境 국경] 나라의 경계(境界).
[國界 국계] 국경(國境).
[國庫 국고] 국가 소유의 현금을 관리(管理)하는 기관(機關).
[國工 국공] ㉠나라 안에서 유명한 장인(匠人). ㉡나라 안에서 유명한 의원(醫員).
[國光 국광] 나라의 영광(榮光). 국가의 위광(威光).
[國交 국교] 나라와 나라와의 사귐.
[國敎 국교] ㉠나라의 문교(文敎). ㉡온 국민이 믿어야 할 것으로, 국가에서 정(定)한 종교(宗敎).
[國舅 국구] ㉠천자(天子) 또는 제후(諸侯)의 외숙(外叔). ㉡《韓》 왕후(王后)의 아버지.
[國君 국군] 임금. 또, 제후(諸侯).
[國軍 국군] ㉠국가의 군대. ㉡자기 나라의 군대.
[國權 국권] 나라의 권력(權力). 곧, 주권(主權)과 통치권(統治權).
[國均 국균] 국균(國鈞).
[國鈞 국균] 국정(國政)의 추기(樞機).
[國禁 국금] 국법(國法)으로 금한 일.
[國忌 국기] 선제(先帝)·모후(母后) 등의 제삿날.
[國紀 국기] 나라의 기율(紀律).
[國記 국기] 그 나라의 기록. 나라의 역사(歷史).
[國基 국기] 나라를 유지하는 기초.
[國棊 국기] 바둑의 국수(國手).
[國旗 국기] 나라를 상징(象徵)하여 정(定)한 기(旗). 우리나라의 태극기(太極旗) 따위.
[國畿 국기] 왕기(王畿).
[國器 국기] 나라를 다스릴 만한 그릇. 또, 그 사람.
[國難 국난] 나라의 위난(危難).
[國內 국내] 나라 안.
[國都 국도] 한 나라의 수도.
[國棟 국동] 태자(太子). 세자(世子).
[國亂 국란] 나라 안의 변란(變亂).
[國亂則思良相 국란즉사양상] 나라가 어지러워졌을 때 어진 재상(宰相)을 얻고자 생각함.
[國良 국량] 한 나라 안에서 훌륭한 인물.
[國力 국력] 나라의 힘. 나라의 실력. 곧, 국가의 재력(財力)과 병력(兵力).
[國老 국로] ㉠경대부(卿大夫)로서 치사(致仕)한 후에도 경대부의 대우를 받는 사람. ㉡국가의 원로(元老).
[國祿 국록] 나라에서 주는 녹봉.
[國論 국론] 나라 안의 여론(輿論).
[國利 국리] 국가(國家)의 이익.
[國利民福 국리민복] 국가의 이익과 국민의 행복.
[國立 국립] 나라에서 세움.
[國名 국명] 나라의 이름.
[國命 국명] ㉠나라의 정사(政事). ㉡나라의 사명, 또는명령.
[國母 국모] ㉠임금의 아내. ㉡임금의 어머니.
[國務 국무] 나라의 정무(政務).
[國文 국문] ㉠그 나라의 고유(固有)한 글. 한 나라의 국어(國語)로 된 문장(文章). ㉡《韓》 우리나라의 글.
[國民 국민] 같은 국적(國籍)을 가지고 있는 백성(百姓).
[國民性 국민성] 그 나라 국민이 공통(共通)으로 가지고 있는 성질.
[國防 국방] 외적(外敵)이 침범(侵犯)하지 못하도록 준비하는 방비.
[國法 국법] 나라의 법률(法律).
[國柄 국병] 국정(國政)을 시행하는 권력(權力).
[國步 국보] 나라의 운명.
[國寶 국보] ㉠나라의 보배. ㉡역사상 또는 예술상 귀중한 것으로서 국가에서 보호하는 건축·기물(器物)·서화(書畫)·전적(典籍) 등.
[國本 국본] 나라의 근본.
[國費 국비] 나라의 비용(費用).
[國賓 국빈] 나라의 손님으로 국가적인 대우를 받는 외국(外國) 사람.
[國士 국사] 나라의 안에서 뛰어난 선비.
[國史 국사] ㉠국내의 일을 기록하는 사관(史官). ㉡자기 나라의 역사(歷史). ㉢한 왕조(王朝)의 역사(歷史).
[國社 국사] 제후(諸侯)가 세운 태사(太社).
[國使 국사] 한 나라를 대표하는 사신(使臣).
[國事 국사] 국정(國政).
[國師 국사] ㉠국가의 사표(師表)가 될 만한 사람. ㉡나라에서 내리는 중의 가장 높은 칭호(稱號). ㉢왕망(王莽) 때의 사보(四輔)의 하나. 지위는 삼공(三公)의 위임. ㉣태사(太師)의 이칭(異稱). ㉤육조 시대(六朝時代)의 국자 좨주(國子祭酒)의 이칭(異稱).
[國嗣 국사] 임금의 후사(後嗣).
[國史館 국사관] 청조(淸朝)와 중화민국(中華民國) 초에 국사(國史)를 편찬(編纂)하던 곳.
[國士無雙 국사무쌍] 나라 안에서 견줄 만한 사람이 없는 인물(人物).
[國事犯 국사범] 정치상의 범죄. 당시의 정부(政府)에 불만을 품어 범한 죄. 또, 그 죄를 범한 사람.
[國士恩 국사은] 국사(國士)로 후하게 대접 받은 은혜.
[國產 국산] 자기 나라의 물산.
[國相 국상] 한 나라의 재상(宰相).
[國常 국상] 국가의 상법(常法).
[國喪 국상] 국민 전체가 복(服)을 입는 상사(喪事). 곧, 태상황(太上皇)·태상황후(太上皇后)·제왕(帝王)·후비(后妃)·황태자(皇太子)·황태자비(皇太子妃)·황태손(皇太孫)·황태손비(皇太孫妃) 등의 상사(喪事).
[國殤 국상] 나라를 위하여 목숨을 바친 사람.
[國璽 국새] 임금의 인장(印章). 어보(御寶).
[國色 국색] ㉠나라 안의 첫째가는 미인(美人). ㉡'모란(牡丹)'의 이칭(異稱).
[國色天香 국색천향] '모란(牡丹)'의 아칭(雅稱).
[國書 국서] 나라의 이름으로 타국(他國)에 보내는 서류(書類).
[國壻 국서] 임금의 사위.
[國仙 국선] 신라(新羅) 때에 있었던 청소년의 민간 수양 단체. 또, 그 단체의 중심 인물. 곧, 화랑(花郞).
[國姓 국성] 임금의 성(姓).
[國稅 국세] 나라에서 경비(經費)로 쓰기 위하여 거두는 세금(稅金).
[國勢 국세] 나라의 형세(形勢).

[國勢調査 국세조사] 전국(全國)의 인구 동태(人口動態) 및 이에 관한 여러 가지 상태를 일제히 하는 조사.
[國俗 국속] 나라의 풍속(風俗).
[國手 국수] ㉠명의(名醫). ㉡재예(才藝)가 나라 안에서 첫째가는 사람.
[國粹 국수] 정신상(精神上) 또는 물질상(物質上)으로 한 나라 또는 한 민족의 고유(固有)한 장처(長處).
[國讎 국수] 나라의 원수(怨讎).
[國粹主義 국수주의] 자기 나라의 국민적 특수성만을 가장 우수한 것으로 믿고 유지·보존하며 남의 나라 것을 배척하는 주의.
[國乘 국승] 국사(國史).
[國是 국시] 한 나라에 있어서 중론(衆論)이 옳다고 인정하는 바. 또, 국정(國政)의 방침(方針).
[國詩 국시] 한 나라 고유의 시(詩).
[國樂 국악] 자기 나라 고유의 음악.
[國哀 국애] 국상(國喪).
[國語 국어] ㉠온 국민이 사용하는 그 나라 고유(固有)의 말. ㉡《韓》 우리나라 말. 한국어(韓國語). ㉢책명(冊名). 21권. 좌구명(左丘明)의 저(著)라 함. 〈좌전(左傳)〉은 노(魯)나라의 역사를 주로 기술하였는데, 이 책은 진초(晉楚)를 비롯한 제후(諸侯)의 여덟 나라의 역사를 기록한 것임. 춘추외전(春秋外傳).
[國營 국영] 나라에서 경영(經營)함.
[國王 국왕] 한 나라의 임금.
[國外 국외] 한 나라의 영토 밖의 땅.
[國辱 국욕] 나라의 치욕(恥辱).
[國用 국용] 나라의 씀씀이. 국가의 비용.
[國運 국운] 나라의 운수(運數). 국가의 운명.
[國位 국위] ㉠국가의 원수(元首)의 자리. ㉡국가의 지위.
[國威 국위] 나라의 위력(威力). 국가의 세력.
[國有 국유] 나라의 소유(所有).
[國維 국유] 국가의 기강(紀綱).
[國恩 국은] 나라의 은혜(恩惠).
[國音 국음] 한 나라의 고유한 말소리.
[國儀 국의] 나라의 의식(儀式). 또, 나라의 법도(法度).
[國醫 국의] 국수(國手)인 의원. 명의(名醫).
[國彝 국이] 국법(國法).
[國姻 국인] 제왕의 인척(姻戚).
[國子 국자] 공경대부(公卿大夫)의 자제.
[國字 국자] 한 나라에서 통용하는 문자.
[國子監 국자감] 귀족의 자제 및 나라 안의 준재(俊才)를 교육하기 위하여 천자(天子)가 있는 서울 안에 설립한 학교.
[國子司業 국자사업] 국자학의 교수(敎授).
[國子祭酒 국자좨주] 국자학(國子學)의 교장(校長). 좨주(祭酒)란 옛날에 회동(會同)하여 향연(饗宴)을 베풀 때 존장(尊長)이 먼저 술을 땅에 따라 신(神)을 제사 지낸 데서 나온 말로, 장관(長官)의 명칭으로 되었음.
[國子學 국자학] '국자감(國子監)'의 구칭(舊稱).
[國葬 국장] 나라에서 비용을 부담하여 지내는 장사.
[國災 국재] 나라의 재변(災變).
[國財 국재] 나라의 재산(財產).
[國儲 국저] 국사(國嗣).
[國賊 국적] 나라를 망치는 놈.
[國籍 국적] 국민된 신분(身分). 개인이 국가에 부속하는 명적(名籍).
[國典 국전] ㉠나라의 의식(儀式). ㉡나라의 법전(法典). ㉢그 나라 고유의 전적(典籍).
[國定 국정] 나라에서 정함. 또는 제정함.
[國政 국정] 나라의 정사(政事).
[國情 국정] 나라의 정상(情狀).
[國際 국제] 나라와 나라 사이의 교제(交際), 또는 관계(關係).
[國際法 국제법] 공존(共存)·공영(共榮)의 생활을 도모하기 위하여 국가 간의 합의에 의하여 국가 간의 관계를 규율 지은 국제 사회의 법률. 조약(條約)·국제 관습(國際慣習)에 의하여 성립함.
[國際聯盟 국제연맹] 제1차 세계 대전(世界大戰) 후, 강화 회의(講和會議)에서 미국 대통령 윌슨이 제창(提唱)하여 설립한 기관으로서, 국제 평화(國際平和)를 유지하기 위하여 각국(各國)이 공동하여 국제 사건을 처리함을 목적으로 한 열국(列國)의 연합체(聯合體).
[國際聯合 국제연합] 1945년에 미국·영국·중국·소련 등이 중심이 되어 제2차 세계 대전 후의 세계 평화를 유지하기 위하여 조직한 국제 기구. 유엔.
[國祚 국조] 국운(國運).
[國朝 국조] 우리나라. 우리 조정.
[國族 국족] 임금의 일가.
[國主 국주] ㉠천자(天子). ㉡제후(諸侯) 또는 속국(屬國)의 임금.
[國胄 국주] 태자(太子). 세자(世子).
[國中 국중] 국내(國內).
[國志 국지] 한 나라의 역사.
[國鎭 국진] 국가의 중진(重鎭).
[國債 국채] 나라의 빚.
[國策 국책] ㉠나라의 정책. 국시(國是). ㉡책 이름. '전국책(戰國策)'의 준말.
[國戚 국척] 임금의 인척(姻戚).
[國遷 국천] 천도(遷都).
[國體 국체] ㉠나라의 체면(體面). ㉡나라가 이루어진 상태(狀態). ㉢통치권(統治權)의 존재 형태(形態)에 의하여 구별한 국가의 체양(體樣).
[國初 국초] 건국(建國)의 처음.
[國礎 국초] 국기(國基).
[國恥 국치] 나라의 부끄러움. 국가의 수치.
[國帑 국탕] 나라의 화폐·재보(財寶)를 간직하여 두는 곳집. 전(轉)하여, 국가의 재산.
[國泰民安 국태민안] 나라가 태평(泰平)하고 인민(人民)이 평안(平安)함.
[國土 국토] ㉠나라의 영토(領土). 나라. ㉡땅. 토지. ㉢고향. 향토. 고국(故國).
[國破山河在 국파산하재] 나라는 이미 망하여 없어졌으나, 산과 강은 예전과 다름없이 존재하여 있음. 두보(杜甫)가 망국(亡國)의 유적(遺蹟)을 보고 읊은 시(詩)의 한 구(句).
[國弊 국폐] 나라의 폐해(弊害).
[國風 국풍] ㉠나라의 풍속(風俗). ㉡그 나라 풍속이 나타나 있는 시가(詩歌)·속요(俗謠). ㉢시경(詩經)의 분류(分類)의 하나. 열다섯 국풍(國風)이 있는데, 주로 여러 나라의 민요(民謠)를 수록하였음.
[國學 국학] ㉠고대(古代)에는 제후(諸侯)의 나라 서울에 설립한 최고 학부. 후세에는 천자(天子)가 있는 서울에 설립한 최고 학부. 우리나라에서는 성균관(成均館)의 별칭(別稱). ㉡그 나라에 고유(固有)한 학문(學問).

[國香 국향] 뛰어난 향기. 전(轉)하여, 난초(蘭草)의 이칭(異稱).
[國憲 국헌] 나라의 근본 법규.
[國號 국호] 나라의 이름.
[國婚 국혼]《韓》임금·왕세자(王世子)·대군(大君)·공주(公主) 등의 혼인.
[國花 국화] 한 나라의 상징(象徵)으로서 국민이 가장 중(重)하게 여기는 꽃.
[國華 국화] 나라의 꽃. 나라의 빛.
[國會 국회] 전국의 국민(國民)이 선출한 의원(議員)이 모여서 하는 회의.
[國勳 국훈] 나라를 위하여 세운 공훈.
[國恤 국휼] ㉠나라의 근심. ㉡천자(天子)의 상(喪). 국상(國喪). 국애(國哀).
◉家國. 強國. 開國. 擧國. 建國. 京國. 經國. 傾國. 古國. 孤國. 故國. 公國. 冠帶之國. 槐安國. 救國. 舊國. 軍國. 郡國. 君子國. 貴國. 歸國. 樂國. 亂國. 內國. 大國. 萬國. 蠻國. 萬乘之國. 亡國. 賣國. 母國. 邦國. 蕃國. 報國. 本國. 富國. 父母國. 四塞之國. 山國. 上國. 相國. 上柱國. 生國. 西國. 城國. 小國. 屬國. 粟散國. 銷國. 殉國. 勝國. 新國. 我國. 安樂國. 愛國. 弱國. 與國. 列國. 王國. 外國. 用武國. 憂國. 雄國. 遠國. 危國. 異國. 隣國. 一國. 入國. 立國. 敵國. 全國. 戰國. 典屬國. 絕國. 靖國. 帝國. 祖國. 宗國. 州國. 中國. 盡忠報國. 千乘之國. 出國. 治國. 他國. 澤國. 通國. 弊國. 廢國. 下國. 海國. 鄕國. 兄弟之國. 虎狼之國. 華胥之國. 皇國. 興國.

9 ⑫ [圍] 高人 위 ㊉微 雨非切 wéi 围 圍

筆順 冂 冂 冂 冋 囗 圁 圍 圍

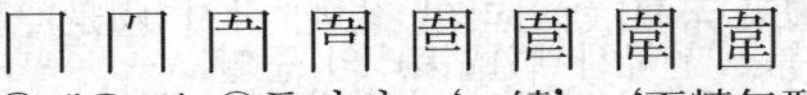

字解 ①에울 위 ㉠둘러쌈. '一繞'. '至精無形, 至大不可一'《莊子》. ㉡적을 둘러싸고 사방에서 침. '楚一蔡'《史記》. ②에워싸일 위 포위당함. '魯酒薄而邯鄲一'《莊子》. ③둘레 위 주위. '範一'. '參分其一'《周禮》. ④포위 위 군사로 에워싸거나 에워싸이는 일. '平城之一, 嫚書之恥'《後漢書》. 또, 그 에워싼 진형(陣形). '乃解其一一角'《漢書》. ⑤아름 위 양팔을 벌려 낀 둘레. 일설(一說)에는, 다섯 치의 둘레. '見櫟社樹, 其大蔽牛, 絜之百一'《莊子》.

字源 金文 篆文 形聲. 口+韋〔音〕. '韋위'는 '에워싸다'의 뜻. '口위'는 '두르다'의 뜻. 울을 두르다의 뜻을 나타냄.

[圍徑 위경] 주위(周圍)와 직경(直徑).
[圍棘 위극]《韓》위리(圍籬).
[圍基 위기] 바둑. 또, 바둑을 둠.
[圍棋 위기] 위기(圍基).
[圍碁 위기] 위기(圍基).
[圍籬 위리]《韓》배소(配所) 둘레에 가시 울타리를 침.
[圍立 위립] 빙 둘러싸고 섬.
[圍木 위목] 한아름이 되는 큰 나무.
[圍排 위배] 죽 둘러서 벌여 놓음.
[圍擁 위옹] 둘러쌈.
[圍繞 위요] 싸두름. 둘러쌈.
[圍場 위장] 사냥하는 장소.
[圍障 위장] 둘러싼 담. 울타리.
[圍塹 위참] 빙 두른 참호(塹壕).
◉攻圍. 範圍. 四圍. 外圍. 障圍. 周圍. 重圍. 包圍. 含圍. 胸圍.

9 ⑫ [圈] 〔권〕 圈(口部 八畫〈p. 425〉)과 同字

9 ⑫ [圎] 〔원〕 圓(口部 十畫〈p. 429〉)의 俗字

9 ⑫ [圌] 천 ㊉先 市緣切 chuán

字解 ①둥글 천 둥그런 모양. '一, 圓也'《玉篇》. ②대상자 함 곡식을 담는 둥근 대나무 상자. 篅(竹部 九畫)과 同字.

字源 形聲. 口+耑〔音〕

9 ⑫ [圔] 할 ㊅點 乙鎋切 yà

字解 낙타소리 할 낙타가 우는 소리. '載實駝鳴一'《韓愈》.

10 ⑬ [園] 中人 원 ㊉元 雨元切 yuán 园 園

筆順 冂 冂 冋 同 周 園 園 園

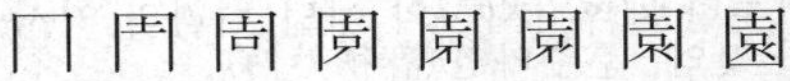

字解 ①동산 원 울을 두른 수목의 재배지. '庭一'. ②구역 원 구획한 지역. 또, 장소. '修容乎禮一'《司馬相如》. ③능 원 능침. 왕릉. '一陵'. '葬于一'《禮記》. ④절 원 사원. '祇一'. ⑤울 원 담. '將仲子兮, 無踰我一'《詩經》. ⑥성 원 성(姓)의 하나.

字源 篆文 形聲. 口+袁〔音〕. '袁원'은 '圓원'과 통하여, '두르다'의 뜻. 담을 둘러친 동산의 뜻을 나타냄.

[園綺 원기] 원(園)은 동원공(東園公), 기(綺)는 기이계(綺里季). 한(漢)나라의 사호(四皓) 중의 두 사람.
[園林 원림] 집터에 딸린 수풀.
[園廟 원묘] 산릉(山陵)에 있는 사당.
[園所 원소]《韓》왕세자(王世子)·왕세자빈(王世子嬪)·왕(王)의 사친(私親) 등의 산소(山所).
[園蔬 원소] 채마밭에 심은 채소.
[園兒 원아]《漢》유치원(幼稚園)에 다니는 아이.
[園藝 원예] 채소(菜蔬)·과목(果木)·화초(花草) 등을 심어 기르는 기술.
[園苑 원원] 원포(園圃).
[園囿 원유] 원포(園圃).
[園丁 원정] 정원(庭園)을 맡아 다스리는 사람.
[園亭 원정] 뜰 안에 있는 정자.
[園庭 원정] 동산. 뜰.
[園主 원주] 동산의 주인.
[園池 원지] ㉠동산과 못. ㉡정원 안의 못.
[園寢 원침] 원묘(園廟).
[園圃 원포] 동산. 또, 밭.
◉間園. 開園. 孤獨園. 故園. 公園. 果樹園. 果園. 禁園. 祇園. 淇園. 樂園. 農園. 陵園. 桃園. 動物園. 梅園. 名園. 茗園. 祕園. 詞園. 山園. 桑園. 植物園. 藥園. 梁園. 御園. 苑園. 幼稚園. 梨園. 林園. 入園. 莊園. 田園. 庭園. 造園. 竹園. 菜園. 寢園. 閉園. 廢園. 圃園. 學園. 鄕園. 虛園. 花園.

10 ⑬ [圓] 中·人 원 ㊥先 王權切 yuán 圆 𡈁

筆順 冂 冃 冐 冐 冐 冐 員 圓

字解 ①둥글 원 ㉠원형임. '一丘'. '天一而地方'《大戴禮》. ㉡모가 없음. '一滿'. '激岸石成一流'《郭璞》. ㉢막히지 아니함. 통함. '一轉'. '智欲一而行欲方'《淮南子》. ②동그라미 원 원형. '左手畫一, 右手畫方'《韓非子》. ③둘레 원 '周一'. ④알 원 새알. '有鳳之一'《山海經》. ⑤원 원 화폐의 단위. 일전(一錢)의 백 배. ⑥성 원 성(姓)의 하나.

字源 篆文 形聲. 口+員〔音〕. '員원'은 둥글다, 아가리가 둥근 세발솥의 뜻. '口위'는 '두르다'의 뜻. '둥글다'의 뜻을 나타냄.

參考 ①円(冂部 二畫)은 略字. ②圎(囗部 九畫)은 俗字.

[圓覺 원각]《佛教》석가여래의 각성(覺性). 부처의 원만한 깨달음.
[圓鏡 원경] 둥근 거울.
[圓孔方木 원공방목] 원조방예(圓鑿方枘).
[圓光 원광]《佛教》부처의 몸 뒤로부터 내비치는 광명. 후광(後光).
[圓丘 원구] ㉠둥근 언덕. ㉡하늘에 제사 지내는 단(壇).
[圓機活法 원기활법] 〈원기시학활법전서(圓機詩學活法全書)〉의 준말. 명(明)나라의 왕세정(王世貞)이 교정(校正), 양종(楊淙)이 참열(參閱)하여 고사(故事)·성어(成語)를 유취(類聚)한 작시자(作詩者)의 참고서(參考書).
[圓頓 원돈]《佛教》㉠원만하여 빨리 성불(成佛)하는 법(法)이란 뜻. 법화(法華)의 묘법(妙法)을 이름. ㉡법화종(法華宗)의 이칭(異稱).
[圓頭方族 원두방족] 원로방지(圓顱方趾).
[圓顱 원로] 둥근 머리.
[圓顱方趾 원로방지] 둥근 머리와 모난 발이라는 뜻으로, 사람을 이름. 원두방족(圓頭方族).
[圓滿 원만] ㉠두루 미쳐 꽉 참. ㉡충족하여 결점이 없음. ㉢모난 데가 없이 둥글둥글하고 복스러움. ㉣티격나지 않고 서로 좋게 지냄.
[圓木警枕 원목경침] 송(宋)나라 사마광(司馬光)이 베던 둥근 목침. 조금 자면 베개가 굴러 깨도록 만들었음. 전(轉)하여, '고학(苦學)'의 뜻으로 쓰임.
[圓方 원방] '천원지방(天圓地方)'의 준말. 천지음양(天地陰陽)의 원리(原理)를 이름.
[圓扉 원비] 환토(圜土)〈주대(周代)의 옥(獄)〉의 문(門). 전(轉)하여, 옥(獄). 환비(圜扉).
[圓衫 원삼]《韓》연둣빛 길에 자줏빛 깃을 달고 색동을 달아 지은 부녀(婦女)의 예복(禮服). 홑것·겹것의 두 가지가 있음.
[圓熟 원숙] ㉠아주 숙련(熟練)함. ㉡인격·지식 따위가 오묘(奧妙)한 경지에 이름.
[圓心 원심] 원(圓)의 중심(中心).
[圓悟 원오] 완전한 깨달음.
[圓圓 원원] 둥근 모양.
[圓融 원융]《佛教》원활하게 융통(融通)함.
[圓寂 원적] 원만 구족(圓滿具足)한 적멸(寂滅)이라는 뜻으로, 중의 죽음을 이름.
[圓轉 원전] ㉠빙빙 돎. 구름. ㉡거침이 없음. 또, 자유자재로 함.
[圓轉滑脫 원전활탈] 말이나 또는 일을 처리하는 데 모나지 않고 원만하게 변화하여 거침이 없음.
[圓頂 원정] ㉠둥근 머리. ㉡중. 승려(僧侶).
[圓鑿方枘 원조방예] 둥근 구멍에 네모진 자루를 박는다는 뜻으로, 서로 맞지 않는 사물을 이름.
[圓坐 원좌] 빙 둘러앉음. 또, 그 자리.
[圓周 원주] 원의 둘레.
[圓柱 원주] 둥근 기둥. 원기둥.
[圓池 원지] 둥근 못.
[圓陣 원진] 둥근 진형(陣形).
[圓卓會議 원탁회의] 여러 사람이 둥근 테이블을 중심(中心)하여 죽 둘러앉아서 하는 회의(會議).
[圓通 원통]《佛教》두루 통달함. 보살(菩薩)의 묘오(妙悟)를 이름.
[圓通大士 원통대사]《佛教》관세음보살(觀世音菩薩)의 이칭(異稱).
[圓形 원형] 둥근 형상(形狀).
[圓活 원활] ㉠막히는 데가 없이 자유자재로 함. 일이 거침없이 잘되어 나감. ㉡부드럽고 생기가 있음.
[圓滑 원활] ㉠둥글고 매끈매끈함. ㉡잘 진행되어 거침이 없음.
◉高圓. 廣圓. 穹圓. 團圓. 大團圓. 大圓. 同心圓. 半圓. 方圓. 範圓. 素圓. 一圓. 前方後圓. 周圓. 淸圓. 橢圓. 扁圓. 平圓. 渾圓. 洪圓.

11 ⑭ [圖] 中·人 도 ㊥虞 同都切 tú 图 𡈽

筆順 冂 冂 冂 冃 冐 圖 圖 圖

字解 ①그림 도 ㉠회화. '繪一'. '畫北風一, 人見之覺涼'《博物志》. ㉡지도. '掌天下之一, 以掌天下之地'《周禮》. ②그릴 도 그림을 그림. '自一宣尼像'《南史》. ③꾀할 도 계책을 세움. '一謀'. '君與卿一事'《儀禮》. 또, 꾀하여 얻음. 도모(圖謀)하여 취득함. '天下可一也'《戰國策》. ④헤아릴 도 사고함. '是究是一'《詩經》. ⑤다스릴 도 죄를 다스림. '無使滋蔓, 蔓難一也'《左傳》. ⑥하도 도 복희씨(伏羲氏) 때 황하(黃河)에서 나왔다는 팔괘(八卦)의 그림. '一緯'. '河出一, 洛出書'《易經》. ⑦성 도 성(姓)의 하나.

字源 金文 篆文 會意. 口+啚. '口위'는 '두르다'의 뜻. '啚비'는 쌀 창고를 본뜨며, 경작지가 있는 경계 구역을 뜻함. 경계 등을 명확하게 하기 위한 축도(縮圖), 지도의 뜻을 나타냄. 또, '度도'와 통하여 '헤아리다'의 뜻도 나타냄.

參考 図(囗部 四畫)는 俗字.

[圖工 도공] 화공(畫工).
[圖南 도남] 대업(大業) 또는 원정(遠征)을 계획함.
[圖南鵬翼 도남붕익] 대업(大業) 또는 원정(遠征)을 계획하는 큰 뜻.
[圖得 도득] 도모(圖謀)하여 얻음.
[圖籙 도록] 미래의 길흉(吉凶)을 예언하여 기록한 책. 도참(圖讖).
[圖賴 도뢰] 말썽을 일으키거나 일을 저지르고 그 허물을 남에게 돌려 씌움.
[圖免 도면] 모면하기를 꾀함.
[圖面 도면] 토목(土木)·건축(建築)·임야(林野) 등을 제도기로 그린 그림.
[圖謀 도모] 일을 이루려고 꾀함.

[圖史 도사] 도서(圖書).
[圖寫 도사] 그려 옮김. 묘사함.
[圖像 도상] 그림에 그린 초상(肖像). 화상(畫像).
[圖生 도생] 살기를 꾀함.
[圖書 도서] ㉠'하도낙서(河圖洛書)'의 준말. ㉡그림과 책. 또, 지도와 책. ㉢책. 서적.
[圖署 도서] 도서(圖書)에 찍는 인(印).
[圖書館 도서관] 온갖 도서(圖書)를 모아 두고 공중(公衆)에게 열람(閱覽)시키는 곳.
[圖說 도설] 그림을 넣어 설명함. 또, 그 책.
[圖示 도시] 그림으로 그려 보임.
[圖式 도식] ㉠그림으로 그린 양식. ㉡그림의 형식.
[圖樣 도양] 그림의 양식.
[圖緯 도위] 하도(河圖)와 위서(緯書). 모두 미래의 일과 점술(占術)에 관하여 기술한 책임.
[圖議 도의] 상의함.
[圖章 도장] 인장(印章). 인(印).
[圖籍 도적] ㉠지도와 호적(戶籍). ㉡그림과 책.
[圖讚 도찬] 그림의 여백(餘白)에 써 넣는 찬사(讚辭), 또는 시가(詩歌). 화찬(畫讚).
[圖讖 도참] 장래의 길흉을 예언한 책. 미래기(未來記).
[圖遞 도체] 체직(遞職)하기를 도모함.
[圖抄 도초] 그려 옮김. 묘사함.
[圖囑 도촉] 청촉(請囑)하려고 꾀함.
[圖避 도피] 몸을 피(避)하려고 꾀함.
[圖解 도해] ㉠그림의 내용의 설명(說明). ㉡그림으로 풀어 놓은 설명. ㉢문자(文字)의 설명 속에 그림을 끼워 그 부족한 것을 보조한 풀이.
[圖形 도형] 그린 형상(形狀). 또, 형상을 그림.
[圖畫 도화] 그림. 또, 그림을 그림.
[圖繪寶鑑 도회보감] 책 이름. 원(元)나라의 하문언(夏文彥)이 엮음. 5권. 상고(上古)부터 원(元)나라까지의 화가 1천5백여 인의 화품(畫品)을 평하였음. 화사(畫史) 중에서 가장 상세(詳細)함. 명(明)나라 한앙(韓昻)이 찬(撰)한 〈속도회보감(續圖繪寶鑑)〉 1권이 있음.
[圖畫 도획] 계획. 또, 계획을 함.
◉乾圖. 系圖. 計圖. 構圖. 規圖. 企圖. 期圖. 謀圖. 浮圖. 不圖. 佛圖. 設計圖. 深圖. 暗射地圖. 略圖. 良圖. 淵圖. 令圖. 永圖. 英圖. 輿地圖. 龍圖. 雄圖. 遠圖. 意圖. 異圖. 作圖. 壯圖. 帝圖. 製圖. 鳥瞰圖. 地圖. 指圖. 地形圖. 天氣圖. 縮圖. 版圖. 覇圖. 河圖. 海圖. 洪圖. 鴻圖. 畫圖. 皇圖. 繪圖. 橫圖. 後圖. 休圖.

11 ⑭ [圖] 圖(前條)의 俗字

11 ⑭ [圈] 圖(前前條)의 古字

11 ⑭ [團] 高·人 단 ㊣寒 度官切 tuán 团

筆順

字解 ①둥글 단 '一圓'. '昱奕朝露一'《謝靈運》. ②모일 단 한 곳으로 옴. 또, 엉겨 굳어짐. '澗深冰已一'《盧象》. ③모을 단 한데 합침. '枝枝若手一'《李建勳》. ④모임 단 단체. '軍一'. '財一'. 또, 둥글게 뭉친 것. '一子'. '蒸炊豆作一'《陸游》. ⑤성 단 성(姓)의 하나.
字源 金文 篆文 形聲. 口+專〔音〕. '專전'은 실을 실패에 감다의 뜻. 둥글게 하다, 둥글게 굳어지다의 뜻을 나타냄.
參考 团(口部 三畫)은 略字.

[團結 단결] 여러 사람이 서로 결합(結合)함. 또, 여러 사람을 단체로 결합시킴.
[團團 단단] ㉠둥근 모양. ㉡이슬이 많은 모양.
[團欒 단란] ㉠친밀(親密)하게 한곳에서 즐김. 또, 그 모임. ㉡둥근 모양. ㉢단자(團子). 또, 단자를 만듦.
[團飯 단반] 주먹밥.
[團匪 단비] ㉠떼를 지어 다니는 비도(匪徒). ㉡북청 사변(北淸事變)을 일으킨 폭도(暴徒)를 이름.
[團扇 단선] 둥근 형상(形狀)의 부채.
[團束 단속] 잡도리를 단단히 함.
[團圓 단원] ㉠둥긂. 둥근 모양. ㉡끝. 주로 소설·사건 등의 완결을 이름. ㉢단란(團欒) ㉠.
[團圓節 단원절] 음력 8월 15. 추석날. 이날 시집간 여자는 친정에 가서 근친(覲親)하고 그 날로 집으로 돌아옴.
[團月 단월] 둥근 달. 만월(滿月).
[團子 단자] 곡식 가루를 둥글게 빚어서 고물을 묻힌 떡.
[團長 단장] 단체의 우두머리.
[團坐 단좌] 빙 둘러앉음. 또, 그 자리.
[團體 단체] ㉠공동의 목적(目的)을 달성하기 위하여 결합(結合)한 집단. ㉡집단(集團).
[團聚 단취] 집안의 식구(食口)나 친한 사람끼리 화목(和睦)하게 모임.
[團合 단합] 단결(團結).
[團環 단환] 배목이 달려 있는 둥근 문고리.
[團會 단회] 원만(圓滿)한 모임.
◉結團. 公團. 敎團. 球團. 軍團. 劇團. 氣團. 兵團. 粉團. 社團. 師團. 船團. 星團. 樂團. 旅團. 獵團. 營團. 肉團. 疑團. 一團. 財團. 集團. 退團. 蒲團. 海兵旅團.

12 ⑮ [圖] 〔도〕 圖(口部 十一畫〈p. 429〉)의 俗字

13 ⑯ [圜] 一 환 ㊣刪 戶關切 huán
二 원 ㊣先 王權切 yuán

字解 一 두를 환, 에울 환 에워쌈. '一繞'. '天下一視而起'《賈誼》. 二 둥글 원 圓(口部 十畫)과 同字. '一陣'. '袂一以應規'《禮記》.
字源 篆文 形聲. 口+睘(瞏)〔音〕. '瞏선'은 '두르다'의 뜻. '둥글다, 두르다'의 뜻을 나타냄.

[圜冠 원관] 둥근 갓. 곧, 유자(儒者)의 모자.
[圜丘 원구] 원형의 언덕으로서 천자(天子)가 동지(冬至)에 하늘에 제사 지내는 곳.
[圜鑿方枘 원조방예] '원조방예(圓鑿方枘)'와 같음.
[圜陣 원진] 원형(圓形)의 진(陣).
[圜流 환류] 돌아서 흐름.
[圜法 환법] 화폐(貨幣)의 제도(制度).
[圜視 환시] 둘러싸고 봄.
[圜繞 환요] 에워쌈. 위요(圍繞)함.
[圜牆 환장] ㉠옥(獄). 감옥(監獄). ㉡천자(天子)

의 학교.
[圜土 환토] 둥글게 둘러싼 감옥(監獄). 옥(獄).
◉刓方爲圜. 輪圜. 從諫如轉圜. 破觚爲圜.

13 ⑯ [圛] 역 ㊀陌 羊益切 yì

字解 돌아다닐 역 주행(周行)함. '一, 回行也'《說文》.

字源 篆文 形聲. 囗+睪〔音〕. '睪역'은 '끌다'의 뜻. 둥글게 끌다, 돌아다니다의 뜻을 나타냄.

19 ㉒ [圝] 란 ㊥寒 落官切 luán

字解 둥글 란 원형임. '意比小團一'《孟郊》.

字源 形聲. 囗+䜌〔音〕

◉團圝.

23 ㉖ [圞] 圝(前條)의 俗字

土 (3획) 部
〔흙토부〕

0 ③ [土] 中入 一 토 ㊤麌 他魯切 tǔ
二 두 ㊤麌 徒古切 dù

筆順 一 十 土

字解 一 ①흙 토 ㉠토양. '一砂'. '冀州厥一惟白壤'《書經》. ㉡오행(五行)의 하나. '水·火·木·金·一'. ㉢토제의 악기. 팔음(八音)의 하나. '金·石·匏·一·絲·竹·革·木'. ②땅 토 ㉠육지. '自服一中'《書經》. ㉡나라. '晉之啓一'《國語》. ㉢영토. '不貪其一'《左傳》. ㉣장소. 곳. '有人此有一'《大學》. ㉤고향. '小人懷一'《論語》. ③살 토 거주함. '自一漆沮'《詩經》. ④잴 토 측량함. '以一圭之灋', '測土深, 正日景以求地中'《周禮》. ⑤토성 토 별 이름. ⑥성 토 성(姓)의 하나. 二 뿌리 두 초목의 뿌리. 杜(木部 三畫)와 同字. '徹彼桑一'《詩經》.

字源 甲骨文 金文 篆文 象形. 토지의 신을 제사 지내기 위하여 기둥꼴로 굳힌 흙의 모양을 본떠, '흙'의 뜻을 나타냄. '社사'의 원자(原字).

參考 부수(部首)로서 흙으로 된 것, 흙의 상태, 흙에 손질을 가하는 일 등에 관계되는 문자를 이룸. '흙토변'으로 이름.

[土價 토가] 땅값. 지가(地價).
[土坎 토감] 구덩이.
[土疆 토강] 땅의 경계.
[土芥 토개] 흙과 쓰레기. 전(轉)하여, 하찮것없는 것.
[土梗 토경] ㉠토우(土偶). ㉡가짜.
[土階 토계] 흙으로 만든 계단.
[土階茅茨 토계모자] 흙으로 만든 계단이나, 띠풀로 엮어 만든 엉성한 지붕. 곧, 아주 질소(質素)한 모양.
[土膏 토고] 땅이 기름짐.
[土鼓藤 토고등] 새모래덩굴과에 속하는 낙엽 활엽 만초(蔓草). 댕댕이덩굴.
[土工 토공] ㉠도공(陶工). 옹기장(甕器匠). ㉡토지(土地)의 공사(工事).
[土功 토공] 토목 공사(土木工事).
[土瓜 토과] 박과에 속하는 다년생 만초(蔓草). 쥐참외.
[土管 토관] 흙으로 구워 만든 관. 배수로(排水路)에나 굴뚝에 흔히 씀.
[土塊 토괴] 흙덩이.
[土狗 토구] 곤충의 하나. 땅강아지.
[土寇 토구] 시골에서 일어나는 도둑의 떼. 지방(地方)에서 일어나는 난민(亂民).
[土國 토국] 평평한 땅. 산(山)이나 늪이 없는 지역(地域).
[土窟 토굴] 땅속으로 뚫린 큰 굴.
[土簋 토궤] 서직(黍稷)을 담는 토제(土製)의 제기(祭器).
[土圭 토규] 일영(日影) 또는 토지를 재는 데 쓰는 옥(玉).
[土克水 토극수] 오행(五行)에서 흙이 물을 이긴다는 뜻.
[土金 토금] ㉠흙이나 모래 속에 섞여 있는 금(金). ㉡금(金)빛이 나는 흙.
[土氣 토기] 지기(地氣).
[土器 토기] 질그릇.
[土囊 토낭] ㉠토돈(土豚). ㉡땅에 뚫린 큰 구멍.
[土農 토농] 그 곳에서 붙박이로 살며 농사(農事)를 짓는 사람. 토착(土着)의 농민(農民).
[土壇 토단] 흙으로 쌓아서 만든 단.
[土當歸 토당귀] 오가과(五加科)에 속하는 여러해살이풀. 동양 특산. 여름·가을에 흰 꽃이 피고 어린 줄기와 잎은 먹음. 땃두릅나무.
[土臺 토대] ㉠흙으로 쌓아 올린 대(臺). ㉡집의 가장 아랫도리가 되는 밑바탕.
[土豚 토돈] 성(城)·둑을 쌓는 데 필요한, 모래를 넣은 섬.
[土屯 토둔] 작은 언덕.
[土埨 토둔] 토돈(土豚).
[土力 토력] 식물(植物)을 기르는 땅의 힘.
[土龍 토룡] ㉠흙으로 만든 용(龍). 옛날에 기우제(祈雨祭)에 썼음. ㉡두더지. ㉢지렁이.
[土理 토리] ㉠흙의 메마르고 기름진 성질(性質). ㉡흙의 어떠한 식물에 맞고 안 맞는 성질.
[土幕 토막] 움집.
[土饅頭 토만두] 흙을 둥그렇게 쌓아 올린 무덤.
[土脈 토맥] 토지(土地)의 맥리(脈理). 지맥(地脈).
[土毛 토모] 땅에서 자라는 식물.
[土木 토목] ㉠흙과 나무. 전(轉)하여, 자연 그대로 두고 수식(修飾)하지 아니함. 꾸미지 아니함. ㉡가옥(家屋)·교량(橋梁)·제방(堤防) 등의 공사(工事). 토목 공사(土木工事).
[土蚊鳥 토문조] 쏙독샛과(科)에 속하는 새. 밤중에 나와 벌레를 잡아먹음. 바람개비.
[土民 토민] 토착의 백성. 여러 대(代)를 그 땅에서 붙박이로 사는 백성.
[土班 토반]《韓》여러 대(代)를 벼슬을 하지 못하고 한 지방에서 붙박이로 사는 지체가 낮은 양반(兩班). 향족(鄕族).
[土壁 토벽] 흙벽.
[土兵 토병] 그 땅에 붙박이로 사는 사람으로서 뽑

흰 군사(軍士).
[土瓶 토병] 질병.
[土蜂 토봉] 땅벌.
[土崩 토붕] 흙이 무너지듯이 일이 잘 안되어 도저히 손을 댈 여지가 없음.
[土崩瓦解 토붕와해] 흙이 무너지고 기와가 깨지듯이 일이 근본부터 글러 나가 도저히 어찌할 도리가 없음.
[土匪 토비] 토구(土寇).
[土殯 토빈] 장사(葬事)를 지내기 전에 관(棺)을 임시로 묻음.
[土司 토사] 변방(邊方)의 토만(土蠻)을 맡은 벼슬. 그 지방의 추장(酋長)을 이 벼슬에 임명함.
[土沙 토사] 모래.
[土山 토산] 돌이 없고 흙으로만 된 작은 산(山).
[土產 토산] 그 토지의 산물.
[土色 토색] 파랗게 질린 안색.
[土星 토성] 태양계(太陽系)에서 제6위에 있는 유성(遊星). 직경(直徑)이 지구의 약 아홉 곱. 29년 167일에 태양(太陽)을 한 바퀴 돎.
[土城 토성] ㉠흙으로 쌓아 올린 성. ㉡개자리 뒤에 흙을 쌓아 화살을 막는 곳. 무겁.
[土俗 토속] 그 지방(地方)의 특유(特有)한 풍속(風俗).
[土習 토습] 토속(土俗).
[土神 토신] 토지의 신(神).
[土室 토실] 토굴(土窟).
[土壤 토양] ㉠흙. 토지(土地). ㉡국토(國土).
[土語 토어] 그 땅의 토인(土人)이 쓰는 말. 그 지방의 고유(固有)한 언어(言語). 방언(方言).
[土域 토역] 나라 안. 국내. 지역(地域).
[土沃 토옥] 토지(土地)가 기름짐.
[土屋 토옥] 토담집.
[土旺 토왕] 오행(五行)에서 토기(土氣)가 왕성한 절기. 1년에 네 기간이 있어서 한 기간을 18일 동안으로 하는데, 입하(立夏) 전 18일을 봄의 토왕, 입추(立秋) 전 18일을 여름의 토왕, 입동(立冬) 전 18일을 가을의 토왕, 입춘(立春) 전 18일을 겨울의 토왕이라 함.
[土曜 토요] 칠요(七曜)의 하나. 일요일(日曜日)로부터 일곱째 날. 토요일(土曜日).
[土浴 토욕] ㉠닭이 흙을 파서 헤치고 들어앉아서 버르적거림. ㉡말이 땅에 뒹굴어 몸을 비빔.
[土宇 토우] 나라. 국가(國家).
[土雨 토우] 바람에 날려 떨어지는 가벼운 모래흙. 흙비.
[土偶 토우] 흙으로 만든 인형(人形).
[土牛木馬 토우목마] 흙으로 만든 소와 나무로 만든 말이라는 뜻으로, 외관(外觀)만은 좋으나 실속이 없는 것의 비유.
[土垣 토원] 흙으로 쌓아서 만든 담. 토담.
[土音 토음] 그 지방(地方) 사람의 발음(發音). 향음(鄕音).
[土宜 토의] ㉠풍토(風土)에 적합한 식물. 그 토지에 맞는 농작물. ㉡그 땅의 산물.
[土人 토인] ㉠그 지방 사람. ㉡대대(代代)로 그 땅에서 붙박이로 사는 사람. ㉢흙으로 만든 인형(人形). 토우(土偶).
[土苴 토자] 두엄 풀. 또, 쓰레기. 진개(塵芥). 전(轉)하여, 가짜.
[土葬 토장] 죽은 사람을 땅속에 묻어 장사 지냄.
[土醬 토장] 된장.
[土鐺 토쟁] 토제(土製)의 노구솥.
[土豬 토저] 오소리.
[土賊 토적] 토구(土寇).
[土積成山 토적성산] '진합태산(塵合泰山)'과 같음.
[土鼎 토정] 질솥.
[土族 토족] 토반(土班)의 족속(族屬).
[土螽 토종] 각시메뚜기.
[土地 토지] 땅. 지면(地面).
[土蜘蛛 토지주] 땅거미.
[土疾 토질] 그 곳의 수토(水土)가 좋지 않아서 생기는 병(病).
[土質 토질] 토지(土地)의 성질(性質).
[土着 토착] 대대로 그 땅에서 살고 있음. 또, 그 백성. 토착민(土着民).
[土着民 토착민] 대대로 그 땅에서 살고 있는 백성.
[土蟲 토충] 지네. 곧, 오공(蜈蚣)의 별칭(別稱).
[土炭 토탄] 석탄의 한 종류. 연대(年代)가 오래지 아니하여 탄화 작용(炭化作用)이 완전히 못된 것.
[土版 토판] 흙으로 만든 책판(冊版).
[土豹 토표] 스라소니.
[土品 토품] 토지(土地)의 품질.
[土風 토풍] 지방의 풍속. 토속(土俗).
[土皮 토피] 식물(植物)로 덮인 땅의 거죽. 지피(地皮).
[土蝦 토하] 생이.
[土鉶 토형] 국을 담는 냄비 같은 토기(土器). 발이 셋이고, 양쪽에 귀가 달린 제기(祭器).
[土豪 토호] 지방(地方)의 호족(豪族).
[土豪劣紳 토호열신] 토지(土地)의 세력자(勢力者)와 부정(不正)한 신사(紳士)란 뜻. 관료(官僚)나 군벌(軍閥)과 손을 잡고 일반 백성들을 부당하게 주구(誅求)하는 지방(地方)의 지주(地主) 및 자산가(資產家).
[土化 토화] 경작(耕作).
[土花 토화] ㉠축축한 기운으로 생기는 곰팡이. ㉡가리맛. 진합(眞蛤).
[土話 토화] 토어(土語). 사투리.
[土梟 토효] 올빼미.
[土堠 토후] 이정(里程)을 표시하기 위하여 흙을 높이 쌓은 것. 돈대.
◉疆土. 客土. 境土. 故土. 曠土. 壞土. 丘土. 國土. 吉土. 樂土. 祿土. 累土. 唐土. 陶土. 冥土. 茅土. 方土. 邦土. 邊土. 本土. 封土. 腐植土. 抔土. 腐土. 敷土. 糞土. 肥土. 沙土. 西方淨土. 星土. 率土. 水土. 十萬億土. 埃土. 壤土. 領土. 穢土. 沃土. 王土. 流金焦土. 有土. 泥土. 異土. 一抔土. 瓷土. 寂光土. 赤土. 田土. 全土. 粘土. 淨土. 塵土. 尺土. 拓土. 瘠土. 草土. 焦土. 寸土. 冢土. 出土. 埴土. 風土. 下土. 漢土. 鹹土. 鄕土. 圜土. 荒土. 黃土. 朽木糞土. 后土.

1 ④ [圡] 土(前條)의 俗字

1 ④ [圠] 알 ㊀黠 烏黠切 yà

字解 편할 알 편편하고 아득하게 넓음. '坱一'.
字源 形聲. 土+乚(乙)〔音〕
◉坱圠.

[去] 〔거〕
厶部 三畫(p.325)을 보라.

2
⑤ [㚄] 록 ㊀屋 力谷切 lù

字解 ①버섯 록 '菌—'은 버섯의 딴 이름. '雜字韻寶, 地蕈曰菌—'《字彙補》. ②두꺼비 록 '—鼀'은 두꺼비의 딴 이름. '—鼀, 詹諸也'《說文》. ③나아가지않을 록 '——'은 앞으로 나아가지 않는 모양. 굼뜬 모양. '—鼀, 詹諸也, …其行——. (注)——, 擧足不能前之皃'《說文》.

2
⑤ [圤] 박 ㊀覺 匹角切 pú

字解 흙덩이 박 토괴(土塊). 墣(土部 十二畫)과 同字. '土勝水, 非一—塞江'《淮南子》.
字源 篆文 形聲. 土+卜〔音〕

2
⑤ [圣] ■골 ㊀月 苦骨切 kū
■성 shèng

字解 ■ 힘써밭갈 골 부지런히 밭을 갊. '—, 汝潁之間, 謂致力於地曰—'《說文》. ■ 聖(耳部 七畫)의 俗字·簡體字.
字源 會意. 又+土

2
⑤ [圧] 〔압·엽〕
壓(土部 十四畫〈p.470〉)의 略字

3
⑥ [圭] 人名 규 ㊁齊 古攜切 guī

筆順 一 十 土 圭 圭 圭

字解 ①홀 규 고대에 제후(諸侯)가 조회(朝會)·회동(會同)할 때 손에 갖는 위가 둥글고 아래가 모진 길쭉한 옥(玉). 천자가 제후를 봉(封)할 때 줌. ②용량단위 규 기장 알 64개의 용량. '—勺'. 전(轉)하여, 소량(少量)의 뜻으로 쓰임. '量多少者, 不失—撮'《漢書》. ③모 규 모서리. '磨淬出角—'《韓愈》. ④성 규 성(姓)의 하나.
字源 金文 圭 篆文 圭 象形. 가로와 세로의 선을 이어 기하학적인 문양을 본떠서, 위가 뾰족하고, 아래가 모지며, 아래의 모진 부분에 기하학적 무늬를 새긴 '옥'의 뜻을 나타냄.

[圭①]

[圭角 규각] ㉠홀의 모진 데. 모서리. ㉡언어(言語)·행동이 모져서 남과 서로 맞지 아니함.
[圭竇 규두] 홀 모양으로 된 문 옆의 출입구.
[圭璧 규벽] 제후(諸侯)가 천자(天子)를 알현(謁見)할 때에 갖는 옥(玉). 규(圭)와 벽(璧). 오서(五瑞) 참조.
[圭復 규복] 남의 편지를 재삼(再三) 되풀이하여 자세히 읽음.
[圭臬 규얼] ㉠해 그림자를 재는 나무표(表). 해시계. ㉡법도(法度). 표준(標準).
[圭勺 규작] 용량(容量)의 단위인 규(圭)와 작(勺). 전(轉)하여, 근소(僅少)한 분량(分量).
[圭璋 규장] ㉠예식(禮式) 때에 장식(裝飾)으로 쓰이는 귀한 옥(玉). ㉡고귀(高貴)한 인품(人品)의 비유(譬喩).
[圭田 규전] ㉠녹(祿) 이외에 별도로 주어 그 수확(收穫)으로 제사(祭祀)를 지내는 밭. ㉡이등변 삼각형(二等邊三角形)으로 된 전답.
[圭瓚 규찬] 종묘(宗廟)에서 쓰는 제기(祭器). 창주(鬯酒)를 담음. 옥찬(玉瓚).

[圭瓚]

[圭撮 규촬] 한 규(圭)와 네 규(圭)의 분량. 규(圭)는 기장 알 예순넷의 분량으로 촬(撮)의 네 배(倍). 전(轉)하여, 근소(僅少)한 양.
[圭表 규표] 해의 그림자를 재는 기기(器機).
◉刀圭. 三復白圭. 白圭. 日圭. 簪圭. 土圭. 桓圭.

[寺] 〔사〕
寸部 三畫(p.602)을 보라.

3
⑥ [靑] ■각 ㊀覺 克角切 què
■강 ㊁江 枯江切

字解 ■ 장막 각 위쪽에 장식을 단 장막(帳幕)의 모양. '—, 幬帳之象'《說文》. ■ 장막 강 ■과 뜻이 같음.
字源 象形. 위에 장식을 단 속이 빈 천막 또는 악기(樂器)의 모양을 본뜸.

3
⑥ [圩] 人名 우 ㊁虞 雲俱切 yú

字解 우묵들어갈 우 가운데가 움푹 들어감. '孔子生而—頂, 故名丘'《史記》.
字源 形聲. 土+于〔音〕. '于우'는 활 모양으로 굽다의 뜻.

[圩頂 우정] 가운데가 움푹 들어간 정수리.

3
⑥ [圬] 오 ㊁虞 哀都切 wū

字解 흙손 오, 흙질할 오 杇(木部 三畫)와 同字. '—墁'. '—人以時塓館宮室'《左傳》.
字源 形聲. 土+亏〔音〕. '亏우'는 '구부러지다'의 뜻. 흙을 바르기 위한 자루가 구부러진 흙손의 뜻을 나타냄.

[圬墁 오만] 미장이.
[圬人 오인] 미장이.

3
⑥ [圮] 비 ㊤紙 符鄙切 pǐ

字解 무너질 비, 무너뜨릴 비 허물어짐. 허물어뜨림. '雉堞—毁'《王禹偁》.
字源 篆文 圮 形聲. 土+己〔音〕. '己기'는 '무너지다〔毁〕'의 뜻. 흙이 무너지다의 뜻에서, '무너지다, 무너뜨리다'의 뜻을 나타냄.
參考 圯(次條)는 別字.

[圮缺 비결] 깨지고 이지러짐.
[圮裂 비열] 무너지고 갈라짐.
[圮毁 비훼] 무너짐.
◉窮圮. 堙圮. 摧圮. 通圮. 頹圮.

3
⑥ [圯] 이 ㊁支 與之切 yí

字解 흙다리 이 흙으로 쌓은 다리. '一橋'. '遊下邳一上'《漢書》.
字源 篆文 形聲. 土+巳〔音〕
參考 圯(前條)는 別字.

[圯橋 이교] ㉠흙다리. ㉡장쑤 성(江蘇省)에 있던 다리. 장량(張良)이 황석공(黃石公)에게 태공(太公)의 병법(兵法)을 받은 곳.
[圯橋取履 이교취리] 장량(張良)이 이교(圯橋)에서 황석공(黃石公)이 다리 밑에 떨어뜨린 신을 주워다가 그에게 신게 하고 병서(兵書)를 받은 고사(故事).
[圯上老人 이상노인] 황석공(黃石公)의 일컬음.

3 ⑥ [地] 中·人 지 ㊀寘 徒四切 dì

筆順 一 十 土 圴 地 地

字解 ①땅 지 ㉠토양(土壤). '土一'. '一, 積塊耳'《列子》. ㉡국토(國土). '一方千里'《孟子》. ㉢논밭. '井一不均'《孟子》. ㉣곳. 장소. '臨死亡之一'《淮南子》. ㉤거소. 입장. '禹·稷·顔子, 易一則皆然'《孟子》. ㉥뭍. 육지. '若闕一及泉'《左傳》. ㉦땅의 신(神). 지기(地祇). '祀天祭一'《禮記》. ②지위 지 신분. '一醜德齊'《孟子》. ③다만 지 但(人部 五畫)과 뜻이 같음. '西曹一忍之'《漢書》. ④어조사 지 무의미한 조사(助辭). '一頭一'. '忽一下階裙帶解'《王建》. ⑤성 지 성(姓)의 하나.
字源 篆文 籀文 形聲. 土+也〔音〕. '也야'는 뱀을 본뜬 것으로, 꾸불꾸불 이어진 모양을 나타냄. 꾸불꾸불 이어지는 땅의 뜻을 나타냄. 籀文은 自+土+彖〔音〕의 形聲. '自부'는 높은 땅, '土토'는 평지, 그 둘을 합쳐서 널리 '땅'을 이름.

[地價 지가] ㉠땅값. ㉡토지(土地)의 법정 가격(法定價格).
[地角 지각] 대지(大地)의 모퉁이. 땅의 끝.
[地殼 지각] 지구(地球)의 거죽 껍데기. 주(主)로 편마암(片麻巖)·결정편마암(結晶片麻巖)·변성암(變成巖)·화강암(花崗巖) 등으로 되었음.
[地芥 지개] 지상(地上)의 쓰레기.
[地境 지경] 땅의 경계(境界).
[地界 지계] 지경(地境).
[地階 지계] ㉠고층 건물(高層建物)의 제일계(第一階). ㉡지하실(地下室).
[地鷄 지계] 곤충의 하나. 쥐며느리.
[地廓 지곽] 위아래의 눈시울.
[地官 지관] ㉠주(周)나라 때의 육관(六官)의 하나. 교육·인사(人事)·토지(土地) 등에 관한 일을 맡았음. 사도(司徒). ㉡지술(地術)을 알아서 집터·묏자리 등을 잡는 사람.
[地紘 지굉] 대지(大地)를 유지(維持)하는 동아줄. 땅을 성립시키고 유지하는 자연의 힘. 천강(天綱)의 대(對).
[地久 지구] 땅이 영원(永遠)히 변하지 아니함.
[地球 지구] 우리가 살고 있는 땅덩어리로 태양계(太陽系)에 속하는 유성(遊星)의 하나. 면적(面積)이 약(約) 5억2천8백만 km^2.
[地球儀 지구의] 지도(地圖)를 그린 지구(地球)의 모형(模型).
[地券 지권] 땅문서(文書).
[地金 지금] 제품(製品)으로 만들거나 세공하지 않은 황금(黃金).
[地錦 지금] 포도과에 딸린 다년생 덩굴 식물. 담쟁이.
[地祇 지기] 국토(國土)의 신(神).
[地氣 지기] ㉠땅의 눅눅한 기운. ㉡동식물(動植物)의 생육(生育)을 돕는 자연계(自然界)의 기운.
[地段 지단] 땅의 구분(區分)된 조각.
[地代 지대] 땅을 이용(利用)한 값으로 지주(地主)에게 내는 돈, 또는 현물(現物).
[地帶 지대] 자연이나 인위(人爲)로 한정(限定)된 땅의 구역(區域)의 안.
[地大物博 지대물박] 땅이 넓고 산물(産物)이 많음.
[地道 지도] ㉠대지(大地)의 도(道). 천도(天道) 또는 인도(人道)에 대한 말. ㉡적(敵)을 공격하기 위해서 땅속으로 굴을 파서 만든 길. 지하도(地下道)·참호(塹壕) 따위.
[地圖 지도] 지구(地球) 표면(表面)의 일부 또는 전부를 일정한 축척(縮尺)에 의해 평면 상에 나타낸 그림.
[地突 지돌] 지도(地道) ㉡.
[地動 지동] ㉠지진(地震). ㉡지구(地球)의 운동(運動). 곧, 공전(公轉)과 자전(自傳)의 총칭(總稱).
[地動說 지동설] 지구(地球)의 자전(自傳)에 의하여 주야(晝夜)·사시(四時)가 생긴다고 하는 학설.
[地動儀 지동의] 지진계(地震計).
[地頭 지두] ㉠지위(地位). ㉡장소(場所). ㉢위치(位置).
[地臘 지랍] 도가(道家)에서 지내는 5월 5일의 제사 이름.
[地力 지력] 토지의 생산력.
[地雷 지뢰] 적을 살상하거나 건물을 파괴할 목적으로 땅속에 묻는 폭약.
[地籟 지뢰] 지상(地上)에서 나는 모든 소리.
[地雷火 지뢰화] 지뢰(地雷).
[地龍 지룡] 지렁이.
[地利 지리] ㉠요해처(要害處)로 된 지세(地勢). ㉡토지의 생산(生産)으로 얻는 이익(利益).
[地理 지리] ㉠땅의 고저(高低)·광협(廣狹)의 상태. ㉡지구 상(地球上)의 산천(山川)과 해륙(海陸)의 위치 및 형상·기후(氣候)·생물(生物)·인구(人口)·물산(物産) 등에 관한 사항.
[地利不如人和 지리불여인화] 지형 상(地形上) 유리한 산천(山川)의 요해(要害)도 인심(人心)이 일치한 것만 같지 못함.
[地理學 지리학] 지리(地理)에 관하여 연구하는 학문.
[地望 지망] ㉠지위와 명망. ㉡지체와 명망.
[地脈 지맥] 땅의 맥락(脈絡).
[地面 지면] 땅의 거죽. 토지(土地)의 표면.
[地名 지명] 땅의 이름.
[地毛 지모] 토지의 초목(草木).
[地目 지목] 땅을 구별하는 명목(名目). 곧, 논·밭·집터 따위.
[地文 지문] ㉠지구 상의 산악·하해(河海)의 형상. ㉡지문학(地文學).
[地文學 지문학] 지구(地球)와 다른 천체(天體)와의 관계(關係) 및 육계(陸界)·기계(氣界)·수계(水界)의 모든 현상(現象)을 연구하는 학문. 천

문학(天文學)의 대(對).
[地物 지물] 입목(立木)·암석(巖石) 등, 병사(兵士)의 방패(防牌)가 되는 물건.
[地味 지미] 흙의 메마르고 기름진 성질(性質). 토리(土理).
[地盤 지반] ㉠지각(地殼). ㉡근거(根據)가 되는 땅바닥. 근거지. 또는 사물의 근거를 삼는 자리. 토대.
[地方 지방] ㉠어느 한 방면(方面)의 땅. ㉡서울 밖의 땅. 시골.
[地方色 지방색] 그 지방(地方)에 있는 특별(特別)한 정취(情趣).
[地閥 지벌] 지위(地位)와 문벌.
[地變 지변] 지상(地上)에서 일어나는 괴변(怪變). 지이(地異).
[地步 지보] 자기가 세상에 선 지위(地位). 입각지(立脚地).
[地符 지부] 땅 위에 나타나는 상서로운 조짐(兆朕). 지상(地上)의 상서(祥瑞). 천서(天瑞)의 대(對).
[地史 지사] 지층(地層)의 발달 변천의 역사.
[地師 지사] 지관(地官)㉡.
[地上 지상] 땅의 위.
[地上權 지상권] 남의 소유지(所有地)를 사용(使用)할 수 있는 권리.
[地上仙 지상선] ㉠사람이 사는 이 세상에 있다는 상상적인 신선. ㉡오복(五福)이 갖추어져 있어서 팔자(八字)가 좋은 사람을 일컫는 말.
[地貰 지세] 땅을 빌려 쓰는 세(貰).
[地稅 지세] 토지(土地)에 대(對)한 조세(租稅).
[地勢 지세] ㉠토지(土地)의 산물(產物)을 산출(產出)하는 힘. ㉡땅의 생긴 형세(形勢).
[地術 지술] 풍수설(風水說)에 의하여 지리(地理)를 살피어 묏자리·집터 등의 좋고 나쁨을 알아내는 술법(術法).
[地神 지신] 땅을 맡은 신령(神靈).
[地心 지심] 지구의 중심, 또는 내부.
[地涯 지애] 토지(土地)의 끝.
[地域 지역] ㉠땅의 경계. ㉡일정(一定)한 구역(區域) 안의 토지(土地).
[地熱 지열] 땅덩이가 가지고 있는 열(熱).
[地獄 지옥] 《佛敎》 생전의 죄에 의하여 사후(死後) 가책(苛責)을 받는 곳.
[地妖 지요] 땅 위에 일어나는 요괴(妖怪)한 일.
[地位 지위] ㉠있는 곳. 거처(居處). ㉡신분(身分). ㉢입장(立場).
[地楡 지유] 짚신나물과에 딸린 다년초(多年草). 연한 잎은 먹으며 지하경은 외치약(外治藥)으로 쓰임. 오이풀.
[地維 지유] 지굉(地紘).
[地垠 지은] 지애(地涯).
[地衣 지의] ㉠땅 위에 까는 자리. ㉡이끼. 선태(蘚苔).
[地異 지이] 땅 위에 일어나는 이변(異變). 곧, 지진(地震)·해소(海嘯)·홍수(洪水)·분화(噴火) 등. 지변(地變).
[地子 지자] 토지에 대한 급여(給與), 또는 조세(租稅), 또는 사용료.
[地蠶 지잠] 굼벵이. 곧, 제조(蠐螬)의 이칭(異稱).
[地藏 지장] ㉠지하(地下)의 고방(庫房). 땅 밑에 만든 광. ㉡만물을 저장(貯藏)하는 대지(大地). ㉢지장보살(地藏菩薩).
[地藏菩薩 지장보살] 《佛敎》 석가(釋迦)가 입멸(入滅)한 뒤에 미륵보살(彌勒菩薩)이 출세(出世)할 때까지 육도 중생(六道衆生)을 제도(濟度)하는 보살(菩薩). 자비(慈悲)를 주(主)로 하여 어린애들의 영혼을 보호한다 함.
[地積 지적] 토지(土地)의 면적.
[地籍 지적] 토지에 대한 온갖 사항(事項)을 적은 기록.
[地籍圖 지적도] 각 지번(地番)의 면적(面積)을 계산하고 경계를 밝히기 위하여 국가(國家)에서 만든 토지(土地)의 평면도.
[地點 지점] 어디라고 지정(指定)한 땅의 한곳.
[地丁 지정] 민들레. 포공영(蒲公英).
[地精 지정] 인삼(人蔘).
[地租 지조] ㉠토지(土地)의 조세(租稅). 지세(地稅). ㉡소작료(小作料). 도조(賭租).
[地主 지주] ㉠제후(諸侯)가 회합하는 땅의 영주(領主). ㉡토지의 소유자. ㉢토지의 신(神). 지기(地祇).
[地中 지중] ㉠땅속. ㉡광중(壙中).
[地支 지지] 육십갑자(六十甲子)의 아래 단위를 이루는 요소. 곧, 자(子)·축(丑)·인(寅)·묘(卯)·진(辰)·사(巳)·오(午)·미(未)·신(申)·유(酉)·술(戌)·해(亥).
[地志 지지] 지지(地誌).
[地誌 지지] 지리(地理)의 기록.
[地震 지진] 지각(地殼)의 겉이 움직이어 흔들리는 현상(現象).
[地質 지질] 토지의 성질. 곧, 지층(地層)의 상태·토리(土理)의 호불호 등.
[地質學 지질학] 지층(地層)의 상태(狀態)·지각(地殼)의 성립 등 토지(土地)에 관한 모든 사항(事項)을 과학적으로 연구하는 학문(學問).
[地着 지착] 토지(土地)의 정주(定住). 토착(土着).
[地軸 지축] ㉠지구(地球)의 중심을 꿰뚫어 남북 양극(兩極)에 이르는 직선. ㉡대지(大地)의 중심에 있다고 상상한 축(軸).
[地嘴 지취] 갑(岬).
[地層 지층] 지면(地面)에서 물·빙설(氷雪)·바람 등의 작용으로 운반·침적(沈積)된 암석·토사(土沙) 등의 켜.
[地平 지평] 지구의 어떠한 곳에서 지구의 직경(直徑)에 직각(直角)이 되는 평면(平面).
[地平面 지평면] 수평면(水平面)에 평행된 넓은 육지(陸地)의 표면.
[地平線 지평선] 지평면(地平面)과 천공(天空)이 서로 맞닿은 것같이 보이는 선(線).
[地皮 지피] 지각(地殼).
[地下 지하] ㉠지면(地面)의 아래. 땅 밑. ㉡구천(九泉). 저승.
[地下莖 지하경] 땅속에 묻혀 있는 식물(植物)의 줄기.
[地下線 지하선] ㉠땅속으로 묻은 전선(戰線). ㉡지하 철도의 선로(線路).
[地下水 지하수] 땅속에 흐르는 물.
[地下室 지하실] 땅속에 만들어 놓은 방(房), 또는 광.
[地下運動 지하운동] 어떠한 목적을 위하여 법망(法網)을 피하여 잠행적(潛行的)으로 비밀(祕密)히 하는 운동.
[地下鐵道 지하철도] 땅 밑을 파고 궤도(軌道)를 만든 철도(鐵道).
[地陷 지함] 땅이 움푹하게 주저앉음.
[地行仙 지행선] 땅 위를 걸어다니는 신선(神仙)

이라는 뜻으로, 남의 장수(長壽)를 축하하는 말.

[地峽 지협] 두 대륙(大陸)을 연결하는 좁은 육지.

[地形 지형] 땅의 생긴 형상(形狀). 토지의 형세.

[地黃 지황] 현삼과(玄蔘科)에 속(屬)하는 숙근초(宿根草). 잎은 두껍고 긴 타원형(楕圓形)이며 솜털이 있고 꽃은 백색(白色)에 자색(紫色)을 띤 순형화(脣形花)의 약초(藥草).

◉歌舞地. 肝腦塗地. 干潟地. 間地. 居留地. 耕地. 境地. 驚天動地. 經天緯地. 傾天駭地. 故地. 空地. 官有地. 九地. 舊地. 國有地. 跼天蹐地. 窮地. 貴地. 隙地. 極地. 根據地. 禁地. 錦地. 寄地. 基地. 落地. 樂地. 內地. 鹵地. 露地. 綠地. 當地. 大地. 幕天席地. 驀地. 滿地. 蠻地. 明明地. 墓地. 無人地. 門地. 方外地. 方寸地. 白白地. 白地. 繁華地. 僻地. 壁地. 邊地. 別天地. 腹心地. 服地. 福地. 本地. 封地. 坌地. 不毛地. 私有地. 死地. 產地. 散地. 所有地. 素地. 濕地. 勝地. 植民地. 失地. 實地. 心地. 陽地. 壤地. 魚鹽地. 餘地. 輿地. 領地. 五經掃地. 奧地. 外地. 要地. 用錐指地. 苑地. 危地. 陸地. 隱地. 陰地. 意地. 因地. 一頭地. 一牛鳴地. 日月墜地. 壹敗塗地. 任地. 立脚地. 立地. 立錐地. 瘴地. 赤地. 敵地. 寂天寞地. 田地. 戰地. 轉地. 井地. 整地. 租借地. 震源地. 陣地. 震天動地. 參天貳地. 采地. 菜地. 策源地. 尺地. 拓地. 瘠地. 天地. 寸地. 出一頭地. 測地. 彈丸地. 宅地. 澤地. 土地. 特地. 便地. 平地. 被害地. 閑地. 割地. 含笑入地. 現地. 壺中天地. 活潑潑地. 荒地.

3
⑥ [圳] [一] 수 [平]尤 市流切 zhèn
[二] 천 [平]先 昌緣切 chuān

[字解] [一] 도랑 수 논밭에 만드는 도랑. [二] 땅이름 천 '深—'.

[字源] 會意. 土+川. '土토'와 '川천'을 합쳐, 논밭을 낀 내, '도랑'의 뜻을 나타냄.

3
⑥ [圪] [人名] 을 [入]質 魚乙切 gē

[字解] ①울타리높을 을 울타리가 높은 모양. 圪(土部 四畫)의 本字. '—, 牆高貌也'《說文》. ②높을 을 '—, 高皃'《廣韻》. ③높은흙 을 높게 쌓인 흙더미. '—, 高土'《廣韻》.

[字源] 形聲. 篆文은 土+气〔音〕

3
⑥ [在] [中人] 재 [去]隊 昨代切 zài
[上]賄 昨宰切

[筆順] 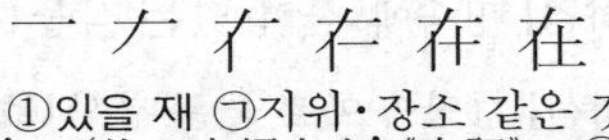

[字解] ①있을 재 ㉠지위·장소 같은 것을 차지함. '—職'. '位—廉頗之右'《史記》. ㉡살아 있음. '—世'. '父—觀其志'《論語》. ㉢단정하는 말. '—明明德'《大學》. ②찾을 재 존문(存問)함. '吾子獨不—寡人'《左傳》. ③살필 재 명찰함. '—璿璣玉衡, 以齊七政'《書經》. ④곳 재 장소. 또, 지경. '行—'. '臨死亡之—'《淮南子》. ⑤성 재 성(姓)의 하나.

[字源] 甲骨文 金文 金文 篆文  形聲. 金文은 土+才〔音〕. '士사'는 무기인 큰 도끼를 본뜬 것으로, 마귀를 쫓거나 재해로부터 지키는 연모를 나타냄. '才재'는 강의 범람을 막기 위한 보의 象形. 재해를 막아 존재(存在)하게 하는 모양에서, '거기에 있다, 있다'의 뜻을 나타냄. 篆文은 '士'가 '土토'로 바뀜.

[在家 재가] ㉠집에 있음. ㉡《佛教》 집에 있어서 중처럼 도(道)를 닦음. 또, 그 사람. 출가(出家)의 대(對).

[在家無日 재가무일] 분주하게 돌아다녀서 집에 있을 겨를이 없음.

[在家僧 재가승] 대처(帶妻)하고 속인(俗人)과 마찬가지로 살림을 하는 중. 대처승(帶妻僧). 화택승(火宅僧).

[在監 재감] 감옥에 갇혀 있음.

[在京 재경] 서울에 있음.

[在告 재고] 벼슬아치가 말미를 받아 집에 있음.

[在庫品 재고품] 곳간에 쌓여 있는 물품(物品).

[在公 재공] 임금 곁에 봉사(奉仕)함. 또, 조정(朝廷)에 출근(出勤)함.

[在德不在險 재덕부재험] 나라를 다스리는 데는 덕(德)을 베풀어 어진 정사를 하여야 하며, 산천(山川)이 험한 것을 믿어서는 안 된다는 말.

[在來 재래] 그전부터 있어 내려옴.

[在來種 재래종] 전부터 있어 내려온 종자(種子). 개량종(改良種)의 대(對).

[在留 재류] 딴 곳에 가 머물러 있음.

[在三 재삼] 가장 존경하여야 하는 세 가지. 곧, 부(父)·사(師)·군(君).

[在喪 재상] 부모의 상중(喪中)에 있음.

[在昔 재석] 옛날. 옛적.

[在世 재세] 세상에 살아 있음. 또, 그 동안.

[在俗 재속] 《佛教》 재가(在家)한 사람.

[在囚 재수] 옥(獄)에 갇혀 있음.

[在宿 재숙] 외출(外出)하지 아니하고 집에 있음.

[在野 재야] 벼슬을 하지 않고 민간에 있음. 재조(在朝)의 대(對).

[在野黨 재야당] 야당(野黨).

[在外 재외] 외국(外國)에 가 있음.

[在外正貨 재외정화] 국제 대차(國際貸借)를 결제(決濟)하기 위해서 외국(外國)에 둔 자금(資金)으로서의 정화(正貨).

[在位 재위] 임금의 자리에 있음. 또, 그 동안.

[在宥 재유] '자재 관유(自在寬宥)'의 준말. 무위(無爲)로써 천하를 다스림. 자연에 맡기어 간섭하지 않음.

[在在 재재] 이곳저곳. 곳곳. 처처(處處).

[在籍 재적] 호적(戶籍) 또는 학적(學籍)에 적혀 있음.

[在前 재전] 이전. 증왕(曾往).

[在齊太史簡 재제태사간] 제(齊)나라 태사(太史)가 권세(權勢)를 두려워하지 않고 사실(史實)을 사실(史實) 그대로 직필(直筆)한 고사(故事). 태사(太史)는 역사(歷史)를 기록하는 사관(史官). 간(簡)은 옛날 종이가 없었을 때 문자(文字)를 쓰던 댓조각.

[在舟 재주] 우환(憂患)을 같이 나누는 일. '鄧析子曰, 同舟渡海, 中流遇風, 救是如一'에서 나온 말.

[在住 재주] 그곳에 머물러 삶.

[在中 재중] 속에 들어 있음.

[在職 재직] 어느 직장에 직업을 두고 있음.

[在察 재찰] 밝게 살핌. 명찰(明察).

[在下者 재하자] 웃어른을 섬기는 사람.

[在學 재학] 학교에 있어서 공부함.

[在學生 재학생] 현재 학교(學校)에서 공부하고 있는 학생.
[在行 재항] 《現》 일에 있어서 매우 익숙한 사람. 숙련가(熟練家).
◉介在. 健在. 見在. 觀自在. 國破山河在. 近在. 內在. 大天在. 伏在. 不在. 散在. 所在. 實在. 越在. 自由自在. 自在. 潛在. 點在. 祭如在. 存在. 駐在. 滯在. 偏在. 平在. 行在. 現在. 顯在. 好在. 混在.

4 ⑦ [圻] [人名] [一] 기 [平]微 渠希切 qí
[二] 은 [平]文 語斤切 yín

[筆順] 一 十 土 圹 圻 圻 圻

[字解] [一] 서울지경 기 畿(田部 十畫)와 同字. '天子之地一一'《左傳》. [二] 지경 은 垠(土部 六畫)과 통용. '通于無一'《淮南子》.
[字源] 篆文 形聲. 土+斤[音]

◉封圻. 涯圻. 遐圻. 華圻.

4 ⑦ [块] 〔괴〕塊(土部 十畫〈p.457〉)의 俗字·簡體字

4 ⑦ [圾] 급 [入]緝 逆及切 jí

[字解] 바드러울 급 위태함. 岌(山部 四畫)과 同字. '殆哉一乎天下'《莊子》.
[字源] 形聲. 土+及[音]

4 ⑦ [址] [人名] 지 [上]紙 諸市切 zhǐ

[筆順] 一 十 土 圵 圵 址 址

[字解] 터 지 阯(阜部 四畫)와 同字. '城一'. '立至化之基一'《後漢書》.
[字源] 篆文 形聲. 土+止[音]. '止지'는 '발'의 뜻. 땅 위의 입각점(立脚點), '터'의 뜻을 나타냄.

◉居址. 故址. 舊址. 基址. 丕址. 城址. 餘址. 遺址. 廢址.

4 ⑦ [坂] [人名] 판 [上]潸 部版切 bǎn

[筆順] 一 十 土 圹 圻 坂 坂

[字解] ①비탈 판 산이 경사진 곳. '出其一'《左思》. ②고개 판 산이나 언덕을 넘어 다니게 된 비탈진 곳. '一路'. '赤土身熱之一'《漢書》. ③둑 판 제방. '如堤如一'《晉書》.
[字源] 形聲. 土+反[音]. '反반'은 '뒤로 젖혀지다, 휘다'의 뜻. 땅바닥이 휘어진 '비탈'의 뜻을 나타냄. '阪판'의 동일어 이체자(異體字).

[坂路 판로] 고개. 판로(阪路).
◉九折坂. 丘坂. 急坂. 芒坂. 絕坂. 峻坂.

4 ⑦ [均] [中人] [一] 균 [平]眞 居勻切 jūn
[二] 연 [平]先 與專切 yán
[三] 운 [去]問 王問切 yùn

[筆順] 一 十 土 圴 均 均 均

[字解] [一] ①평평할 균 편편함. 고저가 없음. '平一'. 전(轉)하여, 평등. 공평무사. '秉國之一'《詩經》. ②고를 균 ㉠더하고 덜함이 없음. '一齊'. '經界不正, 井地不一'《孟子》. ㉡조화됨. '六轡旣一'《詩經》. ③고르게할 균 과불급(過不及)이 없게 함. 평등하게 함. '天下國家可一也'《中庸》. ④두루 균 모두. '一是惡也'《國語》. ⑤녹로 균 도기(陶器)를 만드는 연장. '泥之在一'《董仲舒》. ⑥악기이름 균 악음(樂音)을 조절하는 현악기. '陳八音聽五一'《後漢書》. ⑦성 균 성(姓)의 하나. [二] 따를 연 沿(水部 五畫)과 同字. '一河海, 通淮泗'《史記》. [三] 운 운 韻(音部 十畫)의 古字. '音一不恆'《成公綏》.
[字源] 金文 篆文 形聲. 土+勻[音]. '勻균'은 '가지런히 하다'의 뜻. 흙을 고르다의 뜻을 나타냄.

[均當 균당] 고루 배당함.
[均等 균등] 고르고 가지런하여 차별이 없음.
[均服 균복] 균일한 복장. 곧, 군복(軍服). 융복(戎服).
[均分 균분] 고르게 나눔. 똑같게 나눔.
[均勢 균세] 균등한 세력
[均輸 균수] 벼슬 이름. 차조(次條)를 보라.
[均輸法 균수법] 한(漢)나라 무제(武帝)의 재정 정책의 하나. 가격이 싼 지방의 물자를 비싼 지방으로 옮겨 팔고, 값이 쌀 때 물자를 사 두었다가 비쌀 때 팔아 물가를 조절하는 법. 이 일을 맡은 벼슬을 균수(均輸)라 하여 각 군국(郡國)에 두었음.
[均一 균일] 한결같아 고름.
[均田 균전] ㉠고르게 전답을 분여(分與)함. ㉡종횡(縱橫)의 길이가 같은 전답. ㉢우리나라에서 결세(結稅)를 고르게 하던 제도.
[均霑 균점] 모든 사람이 이익을 고르게 얻거나 은혜를 고르게 받음.
[均齊 균제] 고르고 가지런함.
[均調 균조] 고르게 조화시킴. 또, 고르게 조화됨.
[均平 균평] ㉠고루 공평함. ㉡쪽 고르게 평평함.
[均浹 균협] 두루 미침. 고루 돌아감.
[均衡 균형] 어느 편에 치우쳐서 기울어지지 않고 고름.
◉國均. 陶均. 成均. 淑均. 齊均. 調均. 天均. 淸均. 平均.

4 ⑦ [⿹勹⿱二土] 均(前條)의 古字

4 ⑦ [坊] [人名] 방 [平]陽 府良切 fāng

[筆順] 一 十 土 圹 圹 坊 坊

[字解] ①동네 방 도읍·동리의 구획. '敎一'. '名曰歸義一'《北史》. ②방 방 거처하는 방. '別一'. ③전방 방 상점. '玉貌當壚坐酒一'《張昱》. ④절 방 중의 거처. '僧一'. '仙輿歷寶一'《宋之問》. ⑤동궁 방 황태자(皇太子)가 거처하는 궁전. 전(轉)하여, 황태자. '春一'. ⑥마을 방 관청. '典書一, 庶子四人, 舍人二十八人'《隋書》. ⑦둑 방 제방. '祭一與水'《禮記》. ⑧막을 방 防(阜部 四畫)과 통용. '以一淫'《禮記》. ⑨성 방 성(姓)의 하나.

[字源] [篆文] 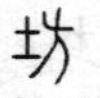 形聲. 土+方〔音〕. '方방'은 '좌우로 펼쳐지다'의 뜻. 좌우로 펼쳐진 마을, 동네의 뜻을 나타냄.

[坊間 방간] 동네. 시정(市井). 전(轉)하여, 세상. 세간(世間).
[坊閭 방려] 동네의 문. 또, 동네.
[坊坊曲曲 방방곡곡] 여러 곳.
[坊本 방본] 민간의 서점에서 파는 책.
[坊舍 방사] 중이 거처하는 곳.
[坊市 방시] 동네. 시정(市井).
[坊長 방장] 동네의 노인(老人).
[坊場 방장] 시장(市場). 장터.
[坊店 방점] 동네의 가게.
[坊廚 방주] 동네의 음식점. 동네의 여인숙.
◉街坊. 客坊. 京坊. 敎坊. 宮坊. 內坊. 茶坊. 馬坊. 茗坊. 民坊. 別坊. 本坊. 宿坊. 僧坊. 作坊. 酒坊. 春宮坊. 春坊.

4 ⑦ [坄] [一] 역 [入]陌 營隻切 yì [二] 두 [平]尤 度侯切

[字解] [一] ①가마굴뚝 역 질그릇을 굽는 가마의 굴뚝. '一, 匋竈窗也'《說文》. ②상갓집부뚜막 역 상중(喪中)의 집의 흙으로 쌓은 부뚜막. '一, 喪家塊竈'《廣韻》. [二] 가마굴뚝 두, 상갓집부뚜막 두 [一]과 뜻이 같음.
[字源] 形聲. 土+役〈省〉〔音〕

4 ⑦ [坎] [人名] 감 [上]感 苦感切 kǎn 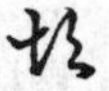

[字解] ①구덩이 감 움푹 팬 곳. '一穽'. '一不盈'《易經》. ②험할 감 험준함. 또, 그곳. '習一重險也'《易經》. ③치는소리 감 힘껏 물건을 치는 소리. '一一伐檀兮'《詩經》. ④감괘 감 팔괘(八卦)의 하나. 곧 ☵. 방위로는 정북(正北), 물질로는 물에 배당함. '一者水也, 正北方之卦也'《易經》. ⑤고생할 감 간난신고함. '抑人之自一, 其命也'《黃濬》. ⑥성 감 성(姓)의 하나.
[字源] [篆文]  形聲. 土+欠〔音〕. '欠흠'은 '입을 벌리다'의 뜻. 땅바닥에 입을 벌리고 있는 함정의 뜻을 나타냄.

[坎坷 감가] ㉠길이 험(險)하여 가기가 힘듦. ㉡세상에 쓰이지 못함. 불우(不遇)함.
[坎軻 감가] 감가(坎坷).
[坎坎 감감] ㉠힘을 들여 물건을 치는 소리. ㉡북을 치는 소리. ㉢기뻐하는 모양. ㉣힘드는 모양. 괴로운 모양.
[坎卦 감괘] 팔괘(八卦)의 하나. 자해(字解) ❹를 보라.
[坎壈 감람] 감가(坎坷).
[坎方 감방] 팔방(八方)의 하나. 북방. 북쪽.
[坎穽 감정] 함정(陷穽).
[坎井之鼃 감정지와] 우물 안의 개구리라는 뜻으로, 견문(見聞)이 좁은 사람의 비유(譬喩). 정저지와(井底之蛙).
[坎中連 감중련] 감괘(坎卦)는 가운데에 있는 괘효(卦爻)가 연하였음을 이르는 말.
[坎侯 감후] 공후(箜篌)의 이칭(異稱).
◉科坎. 壈坎. 屯坎. 習坎. 幽坎. 窞坎.

4 ⑦ [坏] 배 [平]灰 芳杯切 pī 

[字解] ①겹산 배 겹쳐 있는 산. '上山更有一山, 重累者名一'《爾雅》. ②날기와 배 아직 굽지 않은 기와. '一冶一陶'《後漢書》. ③틈막을 배 흙으로 벽의 갈라진 틈을 막음. '一城郭'《禮記》. ④뒷담 배 집 뒤의 담. '或鑿一而遁'《揚雄》.
[字源] [金文]  [金文]  [篆文]  形聲. 土+不〔音〕. '不불·비'는 '봉긋이 크다'의 뜻. 언덕처럼 봉긋하게 흙을 돋은 보루의 뜻. 金文에는 망루가 있는 성곽의 象形이 붙어 있는 것도 있음. 또, 봉긋한, 아직 굽지 않은 질그릇의 뜻을 나타냄.

◉堪坏. 陶坏.

4 ⑦ [坑] [人名] 갱 [平]庚 客庚切 kēng 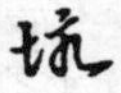

[筆順] 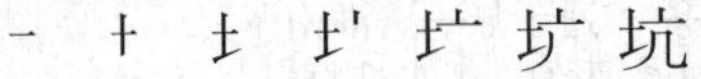

[字解] ①구덩이 갱 '一塹'. '窶民盛冬作長一, 溫火以取煖'《唐書》. ②구덩이에묻을 갱 '一殺'. '詐一秦降卒三十萬'《史記》.
[字源] 形聲. 土+亢〔音〕. '亢항'은 '구덩이'의 뜻. 땅에 판 구덩이의 뜻을 나타냄.

[坑谷 갱곡] 골짜기.
[坑口 갱구] 갱도(坑道)의 입구.
[坑內 갱내] 광산의 구덩이의 안.
[坑道 갱도] 광산의 갱내(坑內)에 통한 길.
[坑夫 갱부] 광산에서 채굴 작업에 종사하는 사람.
[坑殺 갱살] 구덩이에 파묻어 죽임.
[坑儒 갱유] 진시황(秦始皇)이 수많은 유생(儒生)을 구덩이에 묻어 죽인 일.
[坑塹 갱참] 구덩이와 해자(垓字).
[坑壑 갱학] 구덩이. 구렁.
[坑陷 갱함] 땅이 꺼져서 생긴 구렁.
◉鋼坑. 鑛坑. 金坑. 銅坑. 焚坑. 斜坑. 溫坑. 銀坑. 炭坑. 廢坑.

4 ⑦ [坅] 금 [上]寑 丘甚切 qǐn

[字解] 구덩이 금 움푹 팬 곳. '甸人築一坎'《儀禮》.
[字源] 形聲. 土+今〔音〕

4 ⑦ [坍] 단 [平]覃 他酣切 tān

[字解] ①물이언덕을칠 단 물이 언덕을 쳐서 무너뜨림. 坤(土部 五畫)은 古字. '坤, 水衝岸壞'《廣韻》. ②무너진언덕 단 '一, 一曰, 崩一'《篇海》.

4 ⑦ [坈] [一] 용 [上]董 乳勇切 rǒng [二] 경 [平]庚 丘庚切 kēng

[字解] [一] 땅이름 용 '一, 地名'《集韻》. [二] 구덩이 갱 坑(土部 四畫)과 同字. '死日將至兮, 與麋鹿同一'《楚辭》.

4 ⑦ [坖] 〔기〕 基(土部 八畫〈p.451〉)의 古字

4 ⑦ [坛] [一] 壇(土部 十三畫〈p.467〉)의 簡體字 [二] 罎(缶部 十六畫〈p.1786〉)의 簡體字

4 ⑦ **[坟]** 〔분〕
墳(土部 十二畫〈p. 465〉)의 簡體字

4 ⑦ **[坋]** 분 ㊤吻 房吻切 fèn

[字解] 뿌릴 분 끼얹음. '以末椒薑一之'《漢書註》.

[字源] [篆文] 形聲. 土+分〔音〕. '分분'은 '분산(分散)하다'의 뜻. 흙이 부서져서 흩어지다의 뜻으로, 그 흩어지는 먼지. 또, 무엇에 뿌려지다의 뜻을 나타냄.

[參考] 坌(土部 四畫)의 別體.

4 ⑦ **[坶]** 몰 [入]月 莫勃切 mò

[字解] ①묻을 몰 매장함. '偸合取容, 以致一身'《史記》. ②죽을 몰 歿(歹部 四畫)과 同字.

[字源] 形聲. 土+勿〔音〕

4 ⑦ **[圿]** 갈 [入]黠 古黠切 jiá

[字解] ①때 갈 피부에 낀 때. '一, 垢也'《廣雅》. ②티끌 갈 먼지. 진애(塵埃). '斗起成埃一'《韓愈》.

[字源] 形聲. 土+介〔音〕

4 ⑦ **[坉]** 둔 [平]元 徒渾切 tún

[字解] ①물막힐 둔 물길이 막혀 흐르지 못함. '一, 一水不通, 不可別流'《玉篇》. ②막을 둔 흙으로 물길을 막음. 또, 그것으로 성(城)을 쌓음. '一, 以草裹土築城及塡水也'《廣韻》. ③밭두둑 둔 '一, 一曰, 田隴'《集韻》.

4 ⑦ **[坌]** 분 [去]願 蒲悶切 bèn

[字解] ①모일 분 모아듦. '一集京師'《唐書》. ②먼지 분 진애. '靄靄集微一'《元好問》.

[字源] 形聲. 土+分〔音〕

[參考] 坋(土部 四畫)의 別體.

[坌勃 분발] 먼지가 일어나는 모양.
[坌涌 분용] 세차게 솟아오름.
[坌湧 분용] 분용(坌涌).
[坌集 분집] 모여듦.
◉遏坌. 隱坌. 塵坌.

4 ⑦ **[坐]** [中人] 좌 [去]箇 徂臥切 zuò / ㊤哿 徂果切

[筆順] ノ 人 从 从 쓰 坐 坐

[字解] ①앉을 좌 ㉠'行'의 대(對). '一臥'. '一如尸'《禮記》. ㉡앉아서. 아무것도 하지 않고. '一視'. '欲一觀成敗'《史記》. ②무릎꿇을 좌 무릎을 꿇고 앉음. '先生琴瑟書策在前, 一而遷之'《禮記》. ③지킬 좌 수호함. '楚人一其北門'《左傳》. ④죄입을 좌 죄를 받음. '一罪'. '曾無貶一'《漢書》. ⑤연루 좌 남의 죄에 걸려듦. '連一'. '除收帑相一律令'《漢書》. ⑥대질할 좌 대질 심문함. 무릎맞춤함. '鍼莊子爲一'《左傳》. ⑦자리 좌 座(广部 七畫)와 통용. '一次'. '左便一受事'《漢書》. ⑧성 좌 성(姓)의 하나.

[字源] [篆文] [古文] 會意. 土+人+人. 마주 보는 두 사람이 땅에 무릎을 대고 앉는 모양에서, '앉다'의 뜻을 나타냄.

[坐甲 좌갑] 갑옷을 입고 떠날 차비를 차림.
[坐繫 좌계] 남의 일에 휩쓸려 옥에 갇힘. 연좌(連坐)되어 구금(拘禁)됨.
[坐賈 좌고] 앉은 장사.
[坐觀 좌관] 앉아서 봄. 수수방관(袖手傍觀)함.
[坐給 좌급] 구하지 않고 물자가 충족함. 자급자족(自給自足)함.
[坐忘 좌망] 잡념(雜念)을 버리고 나를 잊음. 무아(無我)의 경지(境地)에 들어감.
[坐寐 좌매] 앉아서 잠. 좖.
[坐部 좌부] 앉아서 음악을 연주하는 부(部).
[坐部伎 좌부기] 당(唐)나라 현종 황제(玄宗皇帝) 때 음악(音樂)을 둘로 나누어 당하(堂下)에서 입주(立奏)하는 사람을 입부기(立部伎)라 하고, 당상(堂上)에서 좌주(坐奏)하는 사람을 좌부기(坐部伎)라 하였음. 좌부(坐部)는 높고 입부(立部)는 천(賤)함.
[坐不垂堂 좌불수당] 마루의 끝에 앉지 않는다는 뜻으로, 위험한 곳에 가까이 가지 않음을 이름.
[坐不安席 좌불안석] 불안·근심으로, 또는 초조하여 한군데에 오래 앉아 있지를 못함.
[坐事 좌사] 그 사건에 휩쓸려 듦. 연좌(連坐).
[坐産 좌산] 줄 같은 것을 붙잡고 엉거주춤하게 앉아서 해산(解産)함.
[坐商 좌상] 앉은 장사.
[坐像 좌상] 앉아 있는 형상(形像). 「칭.
[坐席 좌석] ㉠앉은 자리. ㉡깔고 앉는 물건의 총
[坐禪 좌선] 《佛敎》 고요히 앉아서 참선(參禪)함.
[坐睡 좌수] 앉아서 잠. 좖.
[坐乘 좌승] 타 앉음. 배 같은 것을 탐.
[坐視 좌시] 참견하지 않고 앉아서 보기만 함. 수수방관(袖手傍觀)함.
[坐食 좌식] 일을 하지 않고 놀고먹음. 도식(徒食). 와식(臥食).
[坐藥 좌약] 요도(尿道)·분문(糞門) 등에 꽂아 넣는 약(藥).
[坐業 좌업] 한자리에 앉아서 손만 놀려서 하는 일. 또, 그 직업.
[坐臥 좌와] 앉음과 누움.
[坐浴 좌욕] 하반신(下半身)만의 목욕.
[坐右 좌우] ㉠좌석(坐席)의 오른쪽. ㉡그 사람을 직접 가리키는 것을 꺼리어 일컫는 높임말.
[坐位 좌위] 좌석(坐席)의 순서(順序). 앉는 자리. 석차(席次).
[坐率 좌율] 어리고 죄 없는 사람이 부형의 죄로 말미암아 형벌을 받는 일.
[坐隱 좌은] 바둑. 바둑을 두느라고 앉아 있는 것이 은거(隱居)한 것과 같다는 뜻.
[坐作 좌작] 앉음과 일어남. 기거동작(起居動作).
[坐作進退 좌작진퇴] 앉음과 일어남과 나감과 물러감. 곧, 기거동작(起居動作).
[坐定 좌정] 앉음.
[坐井觀天 좌정관천] 우물 속에서 하늘을 바라본다는 뜻으로, 문견(聞見)이나 견해(見解)가 좁음의 비유로 쓰임. 용관규천(用管窺天).
[坐罪 좌죄] 죄(罪)를 받음.
[坐職 좌직] 좌업(坐業). 좌업을 하는 직업.

[坐次 좌차] 좌석의 차례.
[坐處 좌처] ㉠앉은 자리. ㉡집이 차지하고 있는 그곳.
[坐礁 좌초] 배가 암초(暗礁) 위에 얹힘.
[坐春風中 좌춘풍중] 인자(仁慈)하고 점잖은 사람과 화기애애(和氣靄靄)한 분위기에서 만남의 비유.
[坐側 좌측] 앉아 있는 곁.
[坐致 좌치] 가만히 앉아서 이르게 함. 불로 소득(不勞所得)을 함.
[坐針氈 좌침전] 바늘방석에 앉음. 위험한 자리에 있음의 비유(比喩).
[坐向 좌향] 묏자리나 집터 같은 것의 위치(位置)의 등진 방위(方位)에서 정면(正面)으로 바라보이는 방향.
[坐化 좌화] 《佛教》 앉은 자리에서 그대로 왕생(往生)함.
◉擱坐. 居坐. 結跏趺坐. 跪坐. 起坐. 箕坐. 露坐. 累坐. 端坐. 團坐. 對坐. 末坐. 蜜坐. 斑坐. 盤坐. 邊坐. 別坐. 上坐. 禪坐. 隨坐. 尸坐. 侍坐. 深坐. 安坐. 夜坐. 連坐. 讌坐. 列坐. 穩坐. 兀坐. 偶坐. 隅坐. 耦坐. 圓坐. 危坐. 雜坐. 正坐. 鼎坐. 靜坐. 從坐. 蹲坐. 衆人廣坐. 參坐. 寢坐. 彈坐. 便坐. 下坐. 閑坐. 虛坐. 環坐.

4 ⑦ [坒] 비 ㊎寘 毗至切 bì

字解 섬돌 비 층층대. 계단. '人君如堂 羣臣如一'《漢書》.

字源 金文 篆文 形聲. 土+比〔音〕. '比비'는 나란히 자리잡다의 뜻. 땅이 이어지다, 계단의 뜻을 나타냄.

4 ⑦ [坚] 〔견〕 堅(土部 八畫〈p.452〉)의 俗字

[幸] 〔행〕 干部 五畫(p.688)을 보라.

5 ⑧ [坡] 人名 파 ㊥歌 滂禾切 pō

筆順 一 十 士 圹 圹 坡 坡 坡

字解 ①비탈 파, 고개 파 坂(土部 四畫)과 뜻이 같음. '二客從予, 過黃泥之一'《蘇軾》. ②둑 파 제방. '一岸'. '一上桑畦麥隴'《朝野僉載》.

字源 篆文 形聲. 土+皮〔音〕 '皮피'는 '波파'와 통하여, '파도'의 뜻. 물결치는 듯한 비탈의 뜻을 나타냄.

[坡塘 파당] 둑. 제방(堤防).
[坡頭 파두] 둑 가.
[坡仙 파선] 송(宋)나라의 문장가 소동파(蘇東坡)를 이른 말. 파로(坡老).
[坡岸 파안] 제방의 언덕. 제방. 둑.
[坡陀 파타] 경사(傾斜)지고 평탄하지 아니한 모양.

5 ⑧ [坤] 中人 곤 ㊥元 苦昆切 kūn

筆順 一 十 士 圵 圸 坦 坤 坤

字解 ①땅 곤 대지(大地). '乾'의 대(對). '一輿'. '乾一'. ②곤괘 곤 팔괘(八卦)의 하나. 곤, ☷. 순음(純陰)의 괘로, 땅의 상징이며, 방위로는 서남. 또, 육십사괘(六十四卦)의 하나. 곤 ䷁〈곤하(坤下), 곤상(坤上)〉. 유순 함용(柔順含容)의 상(象). ③황후 곤 황제의 아내. 또, 그 지위. '一極'. '一殿'. '追尊昭成肅明二皇后, 於親仁里, 別置儀一廟'《舊唐書》.

字源 篆文 會意. 土+申. '申신'은 '끝없이 뻗다'의 뜻. 끝없이 뻗어 있는 대지(大地)의 뜻을 나타냄.

[坤極 곤극] 황후(皇后)의 지위.
[坤德 곤덕] 유순하여 거스르지 않는 덕(德). 전(轉)하여, 부덕(婦德). 또, 황후(皇后)의 덕.
[坤道 곤도] 땅의 도(道). 유순(柔順)의 도(道). 부인(婦人)이 지켜야 할 도덕(道德). 건도(乾道)의 대(對).
[坤靈 곤령] 땅의 신령(神靈). 지기(地祇). 곤후(坤后).
[坤方 곤방] 이십사방위(二十四方位)의 하나. 서남방(西南方).
[坤輿 곤여] 땅. 대지(大地). 여(輿)는 수레의 짐을 싣는 곳으로서 만물을 싣고 있는 땅에 비유함. 곤의(坤儀). 지여(地輿).
[坤倪 곤예] 땅의 끝.
[坤元 곤원] 대지(大地). 땅의 덕(德).
[坤位 곤위] ㉠여자(女子)의 신주(神主). ㉡여자(女子)의 무덤.
[坤維 곤유] 대지(大地)를 유지(維持)하는 동아줄. 땅을 성립하고 유지하는 힘. 지유(地維).
[坤育 곤육] 황후(皇后)가 백성을 사랑하여 기름.
[坤儀 곤의] 곤여(坤輿).
[坤殿 곤전] 왕비(王妃).
[坤軸 곤축] 땅의 중심. 지축(地軸).
[坤后 곤후] 곤령(坤靈).
◉乾坤. 摩乾軋坤. 旋乾轉坤. 握乾統坤. 一擲賭乾坤. 函蓋乾坤.

5 ⑧ [坦] 人名 탄 ㊤旱 他但切 tǎn

筆順 一 十 士 圵 坦 坦 坦 坦

字解 ①평평할 탄 평탄함. '一平'. '一途'. '箕山一而夷'《韓愈》. ②너그러울 탄 마음이 관대함. '君子一蕩蕩'《論語》. ③성 탄 성(姓)의 하나.

字源 篆文 形聲. 土+旦〔音〕. '旦단'은 지평선 위의 아침 해를 본떠, '평평하다'의 뜻을 나타냄. '土토'를 더하여 '평평하다'의 뜻을 분명히 함.

[坦途 탄도] 탄도(坦道).
[坦道 탄도] 탄로(坦路).
[坦路 탄로] 평탄한 길.
[坦白 탄백] 숨김이 없이 솔직함.
[坦步 탄보] 평지를 걷는 것처럼 태연히 걸음.
[坦腹 탄복] ㉠배를 깔고 엎드림. ㉡왕희지(王羲之)의 고사(故事)에 의하여 '사위'의 뜻으로 쓰임.
[坦率 탄솔] 성정(性情)이 너그럽고 진솔(眞率)함.
[坦然 탄연] 평탄(平坦)한 모양.
[坦夷 탄이] 탄평(坦平).
[坦坦 탄탄] 넓은 모양. 편편한 모양.
[坦坦大路 탄탄대로] 편편하고 넓은 큰길.

[坦蕩 탄탕] 마음이 넓은 모양. 잔달지 않은 모양.
[坦平 탄평] 높낮이가 없이 편편함.
[坦懷 탄회] 아무 거리낌이 없는 마음. 진솔(眞率)한 마음.
●佁坦. 夷坦. 平坦.

5 ⑧ [坩] 감 [平]覃 苦甘切 gān

[字解] ①도가니 감 '一堝'는 쇠붙이를 녹이는 데 쓰는 그릇. ②단지 감 토제(土製)의 단지. '以一一鮓遺母'《晉書》.
[字源] 形聲. 土+甘〔音〕. '甘감'은 '입에 끼우다'의 뜻. 물건을 안에 지니도록 만들어진 토제(土製)의 단지의 뜻을 나타냄.

[坩堝 감과] 도가니.

5 ⑧ [坍] 〔단〕
坍(土部 四畫〈p. 438〉)의 古字

5 ⑧ [坪] [人名] 평 [平]庚 符兵切 píng

[筆順] 一 十 土 圹 圷 坧 坪 坪
[字解] ①벌 평, 들 평 평탄한 땅. '有夷坦道, 曰芙蓉一'《吳船錄》. ②《韓》평 평 6척(尺) 사방의 토지 면적 단위.
[字源] 金文 篆文 形聲. 土+平〔音〕. '平평'은 '평평하다'의 뜻. '평평한 땅'의 뜻을 나타냄.

●建坪.

5 ⑧ [坫] 점 [去]豔 都念切 diàn

[字解] ①잔대 점 '反一'은 주대(周代)에 제후(諸侯)의 회견(會見) 때 헌수(獻酬)의 예(禮)가 끝난 술잔을 엎어 놓는 흙으로 만든 대(臺). '邦君爲兩君之好, 有反一'《論語》. ②경계 점 구역. '設于無垓一之宇'《淮南子》.

[坫①]

[字源] 篆文 形聲. 土+占〔音〕. '占점'은 일정한 장소를 차지하다의 뜻. 흙을 굳혀서 만든 대(臺)로, 방의 구석에 놓는 것의 뜻을 나타냄.

●反坫. 盤坫. 爵坫. 垓坫.

5 ⑧ [坰] [人名] 경 [平]青 古螢切 jiōng

[筆順] 一 十 土 圠 圹 坰 坰 坰
[字解] 들 경 성 밖의 들. 교외. '出郊一'《杜甫》.
[字源] 篆文 形聲. 土+冋〔音〕. '冋경'은 멀리 떨어진 땅의 뜻.

[坰場 경장] 야외(野外)의 장소. 전(轉)하여, 눈으로 보이는 한(限)의 장소.
●郊坰. 近坰. 四坰. 濕坰. 野坰. 林坰.

5 ⑧ [坱] 앙 [上]養 烏朗切 yǎng

[字解] ①편할 앙 펀펀하고 아득하게 넓은 모양. '氣一然太虛'《正蒙》. ②먼지 앙 진애. '高步謝塵一'《柳宗元》.
[字源] 篆文 形聲. 土+央〔音〕. '央앙'은 '가운데'의 뜻. 움푹 팬 곳의 한가운데에 쌓인 흙먼지나 티끌의 뜻을 나타냄.

[坱然 앙연] 한없이 넓은 모양.

●氣坱. 塵坱.

5 ⑧ [坳] 요 [平]肴 於交切 ào

[字解] 우묵할 요 凹(凵部 三畫)와 同字. '一泓'. '覆杯水于一堂之上'《莊子》.
[字源] 篆文 形聲. 土+幼〔音〕. '幼유'는 깊숙하게 패다의 뜻. 빛이 미치지 않게 패어 있다의 뜻을 나타냄.

[坳堂 요당] 당(堂) 가운데의 우묵 들어간 곳.
[坳塘 요당] 작은 연못.
[坳窪 요와] 움푹 들어감.
[坳垤 요질] 평탄치 않은 언덕. 질(垤)은 구(丘).
[坳泓 요홍] 움푹 패어 물이 괸 곳.

5 ⑧ [坷] 가 [上]哿 枯我切 kě
[去]箇 口箇切

[字解] ①험할 가 길이 험하여 다니기 힘듦. '坎一'. '豈覺山徑一'《蘇轍》. ②고생할 가 신고(辛苦)함. '空室自困一'《蘇軾》.
[字源] 篆文 形聲. 土+可〔音〕. '可가'는 갈고리처럼 구부러지다의 뜻. 평평치 않은 땅을 뜻함.

●坎坷. 埳坷. 困坷.

5 ⑧ [坻] [一] 지 [平]支 直尼切 chí
[二] 저 [上]薺 都禮切 dǐ

[字解] [一] ①모래톱 지 사주(沙洲). '宛在水中一'《詩經》. ②섬 지 수중(水中)의 고지(高地). '有肉如一'《左傳》. ③물가 지 수애(水涯). '薄暮未安一'《王粲》. [二] 비탈 저, 고개 저 坂(土部 四畫)과 뜻이 같음. '下磧歷之一'《司馬相如》.
[字源] 篆文 形聲. 土+氐〔音〕. '氐저'는 겹쳐져 있는 낮은 산 따위의 낮은 곳으로, '낮다'의 뜻. 낮은 땅, 흙이 강의 낮은 곳에 쌓여서 이루어진 강섬, 물가의 뜻을 나타냄.

●丘坻. 涯坻. 坂坻.

5 ⑧ [坼] [人名] 탁(책[本]) [入]陌 恥格切 chè

[字解] ①터질 탁, 갈라질 탁 拆(手部 五畫)과 통용. '一裂'. '日南地一, 長百餘里'《後漢書》. ②싹틀 탁 '百果草木皆甲一'《易經》. ③금 탁 태운 귀갑(龜甲)의 갈라진 금. '卜人占一'《周禮》.
[字源] 篆文 形聲. 土+斥(斥)〔音〕. '斥척'은 '물리치다'의 뜻. 흙을 물리치다, 터지게 하다의 뜻을 나타냄.

[坼甲 탁갑] 씨의 껍질이 갈라져 싹이 나옴.
[坼裂 탁렬] 터져 갈라짐. 파열함.
[坼名 탁명] 《韓》과거(科擧) 급제자(及第者)의 봉

미(封彌)를 뜯음.
[坼榜 탁방]《韓》 ㉠과거(科擧)에 급제(及第)한 사람의 이름을 게시(揭示)함. ㉡일의 결말(結末)이 남.
[坼封 탁봉] 봉(封)한 것을 뜯음.
[坼剖 탁부] 갈라짐. 난산(難産)을 이름.
[坼副 탁부] 탁부(坼剖).
[坼岸 탁안] 갈라져 무너진 물가의 언덕.
◉開坼. 龜坼. 發坼. 離坼. 地坼. 焦坼.

5 ⑧ [垃] 랄 ㉤緝 力入切 lā
字解 쓰레기 랄 '一圾'은 쓰레기.

5 ⑧ [坺] 발 ㉤曷 蒲撥切 bá
字解 갈 발 흙을 파 뒤집음. 또, 그 흙. '王耕一一'《國語》.
字源 篆文 形聲. 土+犮〔音〕. '犮발'은 '파파 튀다'의 뜻. 흙을 갈아 일구다. 또, 갈아엎은 흙의 뜻을 나타냄.

5 ⑧ [坭] 니 ㉡紙 乃里切 nǐ
字解 진흙 니 泥(水部 五畫)와 통용. '一匠'.
字源 形聲. 土+尼〔音〕

[坭匠 이장] 미장이.

5 ⑧ [垦] 〔니〕 泥(水部 五畫〈p. 1210〉)와 同字

5 ⑧ [坭] 국 ㉤屋 居六切 jú
字解 물가언덕 국 '阸, 曲岸水外曰阸, 一, 同阸'《廣韻》.

5 ⑧ [坲] 불 ㉤物 符弗切 fó
字解 티끌일 불 진애(塵埃)가 많이 일어남. '飄風蓬龍, 埃一一兮'《楚辭》.

5 ⑧ [坨] ㊀ 이 ㉠支 余支切 yí ㊁ 타 ㉠歌 徒河切 tuó
字解 ㊀ 땅이름 이 허베이 성(河北省) 방산현(房山縣)의 서북쪽의 지명. ㊁ ①비탈질 타 陀(阜部 五畫)의 俗字. ②소금쌓아둘 타 소금을 노천(露天)에 쌓아 둠. '場鹽露積, 名曰一'《辭海》.
字源 形聲. 土+它〔音〕

5 ⑧ [坧] 人名 척 ㉤陌 之石切 zhí
筆順 一 十 士 𡈼 圻 坧 坧 坧
字解 터 척 토대(土臺). 墌(土部 十一畫)과 同字. '一, 基址也'《集韻》.

5 ⑧ [坿] 〔부〕 附(阜部 五畫〈p. 2454〉)의 古字
字源 篆文 形聲. 土+付〔音〕. '付부'는 '붙이다'의 뜻.

5 ⑧ [坯] 〔배〕 坏(土部 四畫〈p. 438〉)의 俗字

5 ⑧ [丘] 〔구〕 丘(一部 四畫〈p. 41〉)와 同字

5 ⑧ [坐] 〔구〕 丘(一部 四畫〈p. 41〉)의 古字

5 ⑧ [堂] 〔당〕 堂(土部 八畫〈p. 451〉)의 古字

5 ⑧ [坵] 人名 〔구〕 丘(一部 四畫〈p. 41〉)의 俗字
筆順 一 十 士 圹 圻 圻 坵 坵

5 ⑧ [垂] 高人 수 ㉠支 是爲切 chuí
筆順 一 二 三 千 壬 垂 垂 垂
字解 ①늘어질 수 축 늘어짐. '下一'. '嘉穀一重穎'《陸機》. ②드리울 수 ㉠늘임. 아래로 처지게 함. '一簾'. '一帶而厲'《詩經》. ㉡교훈을 함. '一示'. '一教'. ㉢후세에 전함. '一功名於竹帛'《後漢書》. ③가 수 ㉠변두리. 가장자리. '江一得淸景'《謝朓》. ㉡당(堂) 위의 섬돌에 가까운 가장자리. 또, 그 곳에 있음. '坐不一堂'《史記》. ④변방 수 변경. '虔劉我邊一'《左傳》. ⑤거의 수 거의 됨. '一老'. '一死病中驚坐起'《元稹》.
字源 金文 篆文 形聲. 土+𠂹〔音〕. '𠂹수'는 초목의 꽃이나 잎이 늘어진 모양을 본뜸. 대지(大地)의 끝의 멀리 처진 변두리 땅의 뜻을 나타냄.

[垂櫜 수고] 활집을 늘어뜨린다는 뜻으로, 적의(敵意)가 없음을 표시하는 일.
[垂顧 수고] 은혜를 베풂.
[垂拱 수공] ㉠옷을 드리우고 손을 마주 잡는 경례(敬禮). ㉡팔장을 끼고 아무것도 하지 아니함.
[垂拱之化 수공지화] 위정자(爲政者)의 덕(德)에 의하여 백성이 착해져서 정사(政事)가 자연히 잘됨.
[垂教 수교] 가르쳐 줌. 좋은 교훈을 후세에 남김.
[垂救 수구] 온정을 베풀어 구원해 줌.
[垂眷 수권] 자애를 베풂. 권애(眷愛)함.
[垂及 수급] 거의 미치려고 함. 금방 붙잡을 듯함.
[垂年 수년] 노년(老年)에 가까운 나이.
[垂頭喪氣 수두상기] 근심 걱정으로 고개가 숙고 맥이 풀림.
[垂頭塞耳 수두색이] 머리를 숙여 아첨(阿諂)을 하며, 귀를 막고 세상(世上)의 비난을 들으려 하지 않음. 지나치게 아첨하는 꼴.
[垂頭失氣 수두실기] 수두상기(垂頭喪氣).
[垂簾 수렴] ㉠발을 드리움. 또, 드리운 발. ㉡수렴청정(垂簾聽政).
[垂簾之政 수렴지정] 수렴(垂簾)하고 하는 정치. 곧, 황태후 등이 천자를 대신하여 하는 정치. '수렴청정(垂簾聽政)'을 보라.
[垂簾聽政 수렴청정] 신하(臣下)와 직면(直面)하는 것을 꺼리어 발을 드리우고 정사(政事)를 들음. 곧, 황태후(皇太后) 등이 어린 임금을 대

신하여 정사를 봄.
[垂老 수로] 거의 노인이 됨. 일설(一說)에는, 70세에 가까운 노인.
[垂露 수로] ㉠뚝뚝 떨어지는 이슬. ㉡서법(書法)에서 세로로 내리긋는 획의 끝을 삐치지 않고 붓을 눌러 멈추는 법.
[垂淚 수루] 눈물을 흘림.
[垂柳 수류] 수양(垂楊).
[垂綸 수륜] 낚싯줄을 늘어뜨림. 낚시질을 함.
[垂名竹帛 수명죽백] 이름이 역사책에 실려 후세에 길이 전하여짐.
[垂範 수범] 본보기가 됨.
[垂氷 수빙] 고드름.
[垂死 수사] 방금 죽으려 함. 거의 죽게 됨.
[垂絲柳 수사류] 능수버들.
[垂線 수선] 어느 직선 또는 평면에 수직(垂直)으로 마주치는 선.
[垂垂 수수] ㉠드리운 모양. 축 처진 모양. ㉡바로 하려 하는 모양.
[垂手過膝 수수과슬] 무릎 아래까지 닿을 정도로 팔이 긺을 이름.
[垂示 수시] 수교(垂教).
[垂楊 수양] 버드나무의 일종. 가지가 아래로 길게 늘어짐. 수양버들.
[垂涎 수연] 먹고 싶어서 침을 흘림. 전(轉)하여, 대단히 탐냄을 이름.
[垂泣 수읍] 눈물을 흘리며 욺.
[垂頤 수이] 턱을 늘어뜨린다는 뜻으로, 먹고 싶어 하여 입을 떡 벌린 형용.
[垂仁 수인] 은혜를 베풂.
[垂迹 수적] 부처가 중생(衆生)을 제도(濟度)하기 위하여 본지(本地)에서 내려와 화신(化身)으로 출현(出現)하는 일. 수적(垂跡).
[垂釣 수조] 수륜(垂綸).
[垂條 수조] 늘어진 가지.
[垂直 수직] 직선(直線)과 직선(直線)이 닿아 직각(直角)을 이룬 상태.
[垂天 수천] 온 하늘을 내려 덮음.
[垂髫 수초] 어린아이의 늘어뜨린 머리. 전(轉)하여, 어린아이.
[垂髫戴白 수초대백] 어린이와 노인.
[垂橐 수탁] 비어 있는 낭탁(囊橐)을 축 늘어뜨린다는 뜻으로, 아무것도 휴대(携帶)하지 않음을 이름.
[垂統 수통] 훌륭한 사업을 여러 대에 걸쳐서 전함.
[垂和 수화] 《佛教》 권화(權化).
[垂訓 수훈] 후세(後世)에 전(傳)하는 교훈(教訓).
◉南垂. 倒垂. 邊垂. 北垂. 四垂. 西垂. 岸垂. 低垂. 直垂. 蟲垂. 下垂. 懸垂. 顯垂.

5
⑧ [坌] 분 [去]問 方問切 fèn
[字解] 쓸어버릴 분 제거(除去)함. '—, 埽除也'《說文》.
[字源] 篆文 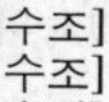 形聲. 土+弁〔音〕

5
⑧ [坮] 〔대〕
臺(至部 八畫〈p. 1877〉)의 古字

5
⑧ [坴] 륙 [入]屋 力竹切 lù
[字解] ①흙덩이클 륙 흙덩이가 큰 모양. '—, 土塊——也'《說文》. '—, 大塊'《廣韻》. ②성 륙 성(姓)의 하나.

5
⑧ [垈] [人名] [韓] 대
[筆順] ノ イ 亻 代 代 代 代 垈
[字解] 《韓》 터 대 집터. '—地'. '家—'.

[垈地 대지] 집터로서의 땅.
◉家垈.

5
⑧ [坐] 〔좌〕
坐(土部 四畫〈p. 439〉)의 俗字

6
⑨ [垍] 계(기[本]) [去]寘 其冀切 jì
[字解] ①석비레 계 굳은 흙. '—, 堅土也'《說文》. ②질그릇 계 도기(陶器). '今人以—爲陶器'《六書故》.
[字源] 形聲. 土+自〔音〕

6
⑨ [垓] [人名] 해(개[本]) [平]灰 古哀切 gāi
[平]佳 居諧切 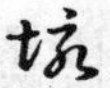
[字解] ①땅가장자리 해 땅의 끝. 극지(極地). '—埏'. '天子之田九—'《國語》. ②지경 해 경계. '設于無—坫之宇'《淮南子》. ③수비 해 방어. '重限累—, 以防暴卒'《揚雄》. ④일해 해 수의 단위. 경(京)의 십배. '十兆曰京, 十京曰—'《風俗通》. ⑤층계 해 陔(阜部 六畫)와 同字. '太乙壇三—'《史記》.
[字源] 篆文  形聲. 土+亥〔音〕. '亥해'는 샅샅이 미치어 극에 달하다의 뜻. 대지의 끝, 경계(境界)의 뜻을 나타냄.

[垓埏 해연] 땅의 끝. 극지(極地).
[垓坫 해점] 경계(境界).
[垓下 해하] 지명(地名). 지금의 안후이 성(安徽省) 내. 영단현(靈壇縣)의 동남(東南). 항우(項羽)가 한고조(漢高祖)에게 포위당하여 패한 곳. 해하(陔下).
◉九垓. 壇垓. 崇垓. 八垓.

6
⑨ [垚] 요 [平]蕭 五聊切 yáo
[字解] 흙높을 요 흙이 높은 모양. '—, 土高皃'《說文》.
[字源] 會意. 土+土+土

6
⑨ [垜] 타 [上]哿 徒果切 duǒ 
[字解] ①문옆방 타 문 옆에 있는 방(房). ②살받이 타 활쏘기를 연습할 때 흙을 두둑히 쌓아올려 과녁을 세우는 곳. '武學制, 長—馬埒'《唐六典》. ③장벽 타 시석(矢石)을 막은 장벽(牆壁). '常見城—'《紀效新書》.
[參考] 垛(次條)와 同字.

◉射垜.

6 ⑨ [垜] 垛(前條)와 同字

[字源] 篆文 形聲. 土+朵〔音〕. '朵타'는 '늘어지다'의 뜻. 문 옆에 나뭇가지가 늘어지듯 뻗은 방(房)의 뜻을 나타내며, 파생(派生)하여, '쌓아올리다, 흙벽'의 뜻도 나타냄.

6 ⑨ [垝] 궤 ㊤紙 過委切 guǐ

[字解] 무너질 궤 허물어짐. '乘彼一垣'《詩經》.

[字源] 篆文 形聲. 土+危〔音〕. '危위'는 '불안정하다'의 뜻. 불안정한 땅, 무너지는 땅바닥, 흙담의 뜻을 나타냄.

6 ⑨ [垠] [人名] 은 [平]眞 語巾切 yín / [平]文 語斤切

[筆順] 一 十 土 圹 垾 垻 垻 垠

[字解] ①땅가장자리 은 땅의 끝. 변계(邊界). '一際'. '浩浩乎平沙無一'《李華》. ②지경 은 경계. '一界'. '欲芒芒而無一際'《晉書》.

[字源] 篆文 形聲. 土+皀(艮)〔音〕. '皀흔·안'은 '限한'과 통하여, '끝'의 뜻. '땅끝, 경계'의 뜻을 나타냄.

[垠界 은계] 지경. 경계.
[垠際 은제] 가장자리. 끝.
◉高垠. 九垠. 絕垠. 地垠. 天垠. 八垠.

6 ⑨ [垢] [人名] 구 ㊤有 古厚切 gòu

[字解] ①때 구 ㉠몸 또는 물건에 묻은 더러운 것. '一面'. '要之去一'《史記》. ㉡더러움. 오예(汚穢). '彷徨乎塵一之外'《莊子》. ㉢사념(邪念). 부덕(不德). '大招離一之賓'《王僧孺》. ②때묻을 구 때가 부착함. '冠帶一, 和灰請漱'《禮記》. ③수치 구 부끄러운 일. 치욕. '忍一'. '國君含一'《左傳》.

[字源] 篆文 形聲. 土+后〔音〕. '后후'는 '厚후'와 통하여, '두껍다'의 뜻. 두껍게 낀 흙먼지의 뜻을 나타냄.

[垢故 구고] 때가 묻어 고서(古書)가 됨.
[垢膩 구니] 때. 또, 때가 끼어 더러움.
[垢離 구리]《佛教》부처에게 발원(發願)할 때 물을 머리로부터 끼얹어 몸과 마음을 깨끗이 하는 일.
[垢面 구면] 때가 묻은 얼굴.
[垢秕 구비] 때와 쭉정이라는 뜻으로, '쓸모없는 물건'을 이르는 말.
[垢穢 구예] 때. 때가 묻어 더러움.
[垢汚 구오] 때. 더러움.
[垢衣弊帶 구의폐대] 때 묻은 옷과 해진 띠. 남루한 옷차림을 이름.
[垢滓 구재] 때와 찌끼. 더러움.
[垢脂 구지] 구니(垢膩).
[垢塵 구진] 때와 먼지. 더러움.
[垢濁 구탁] 더러운 것으로 흐림.
[垢弊 구폐] 때가 묻고 떨어짐. 또, 그 물건.
◉面垢. 無垢. 浮垢. 氛垢. 紛垢. 纖垢. 身垢. 汚垢. 匿瑕含垢. 塵垢. 淸淨無垢. 敝垢. 汗垢.

6 ⑨ [垣] [人名] 원 [平]元 雨元切 yuán

[筆順] 一 十 土 圹 垳 垣 垣 垣

[字解] ①담 원 낮은 담. '一牆'. '壞其館之一'《左傳》. 전(轉)하여, 담으로 두른 건축물. '宮一'. 또, 원조하여 보호하는 것. '大師維一'《詩經》. ②별이름 원 성군(星群)의 이름. 상·중·하의 삼군(三群)이 있음. '太微宮一十星'《史記 註》. ③성 원 성(姓)의 하나.

[字源] 篆文 籀文 形聲. 土+亘〔音〕. '亘환·선'은 주위에 담을 두른 모양을 본떠, '두르다'의 뜻. 성(城)에 두른 담의 뜻을 나타냄. 籀文은 𩫏+亘〔音〕. '𩫏곽'은 망루가 있는, 흙을 돋우어 쌓은 성(城)의 뜻.

[垣幹 원간] 울타리.
[垣溝單淺 원구단천] 담은 한 겹이고 도랑은 얕음.
[垣屛 원병] 담.
[垣屋 원옥] 울타리와 지붕.
[垣有耳 원유이] 담에 귀가 있다는 뜻으로, 비밀히 한 이야기가 새어 나가기 쉬움을 이름.
[垣衣 원의] 이끼.
[垣牆 원장] 담.
◉埒垣. 壘垣. 門垣. 複垣. 三垣. 星垣. 城垣. 掖垣. 女垣. 繚垣. 耳屬垣. 籬垣. 牆垣. 透垣. 荒垣. 毁垣.

6 ⑨ [垤] 질 [入]質 地一切 dié

[字解] ①개밋둑 질 의총(蟻冢). '鸛鳴于一'《詩經》. ②언덕 질 구릉. '泰山之於丘一, 河海之於行潦, 類也'《孟子》.

[字源] 篆文 形聲. 土+至〔音〕. '至'는 '秩질'과 통하여, 질서 있게 쌓다의 뜻. 개미가 구멍의 주위에 쌓아올린 흙, 개밋둑의 뜻을 나타냄.

◉丘垤. 封垤. 不蹶山蹶垤. 阜垤. 坳垤. 螘垤. 蟻垤.

6 ⑨ [垗] 조 ㊤篠 治小切 zhào

[字解] ①묏자리 조 장지(葬地). 兆(儿部 四畫)와 통용. '卜其宅一而安厝之'《孝經》. ②제사지낼 조 兆(儿部 四畫)와 통용. '一五帝于四郊'《周禮》.

[字源] 篆文 形聲. 土+兆〔音〕. '兆조'는 '나누다'의 뜻. 경작지를 나누고 있는 밭두렁의 뜻을 나타냄. 또, 그 밭두렁처럼 주위에 둑을 두른 제단(祭壇)의 뜻을 나타냄.

6 ⑨ [垘] 복 [入]屋 房六切 fú

[字解] ①보막을 복 보를 막음. '川塞谿一'《史記》. ②허무러질 복 무너짐. 붕괴함. '一, 崩也'《史記 注》. ③흐를 복 물이 흘러내려감. '一, 流也'《史記 注》.

[字源] 形聲. 土+伏〔音〕. '伏복'은 '엎드리다'의 뜻. 흙이 무너져 내리다의 뜻을 나타냄.

6 ⑨ [垙] 광 [平]陽 姑黃切 guāng

[字解] 길 광 갈림길. '一, 陌也'《集韻》.

[字源] 形聲. 土+光〔音〕

6 ⑨ [垟] 양 [平]陽 余章切 yáng

[字解] 흙속괴물 양 '一, 土精也'《玉篇》.

[字源] 形聲. 土+羊〔音〕

6 ⑨ [垞] [人名] 택(차[本]) [平]麻 直加切 chá

[筆順] 一 十 土 圹 垆 垞 垞 垞

[字解] ①성이름 택 성(城)의 이름. 지금의 장쑤성(江蘇省) 동산현(銅山縣)의 북쪽. '泗水逕留縣而南, 逕一城東'《水經 注》. ②언덕 택 구릉(丘陵).

[字源] 形聲. 土+宅〔音〕

6 ⑨ [垌] [人名] 동 [上]董 拖孔切 tǒng

[筆順] 一 十 土 圳 坰 坰 垌 垌

[字解] ①항아리 동 단지. ②《韓》 동막이 동, 동막이할 동 둑을 막아 쌓음.

[字源] 形聲. 土+同〔音〕

6 ⑨ [垧] 〔경〕 坰(土部 五畫〈p. 441〉)의 俗字

6 ⑨ [城] 〔성〕 城(土部 七畫〈p. 446〉)과 同字

6 ⑨ [垡] 벌 [入]月 房越切 fá

[字解] 갈 벌 파 뒤집어엎음. 또, 그 땅. '予期拜恩後, 謝病老耕一'《韓愈》.

[字源] 形聲. 土+伐〔音〕

◉耕垡.

6 ⑨ [型] [人名] 형 [平]青 戶經切 xíng 

[筆順] 二 于 开 开 刑 刑 刑 型

[字解] ①거푸집 형 부어서 만드는 물건의 모형. '明鏡之始下一'《淮南子》. ②본보기 형 의범(儀範). 모범. '晩來相對靜儀一'《朱熹》.

[字源] [篆文]  形聲. 土+刑(荆)〔音〕. '荆형'은 '틀'의 뜻. '土토'를 더하여, '거푸집'의 뜻을 나타냄.

[型模 형모] 거푸집. 모형(模型).

◉母型. 模型. 木型. 文型. 原型. 類型. 儀型. 典型. 定型. 鑄型. 紙型. 體型. 判型.

6 ⑨ [垩] [一] 聖(耳部 七畫〈p. 1824〉)의 俗字 [二] 堊(土部 八畫〈p. 453〉)의 簡體字

6 ⑨ [垔] [一] 인 [平]眞 於眞切 yīn [二] 수 [去]遇 時注切 [三] 두 [去]宥 徒候切

[字解] [一] 막을 인 흙으로 막음. '一, 塞也'《廣韻》. [二] 막을 수 [一]과 뜻이 같음. [三] 막을 두 [一]과 뜻이 같음.

[字源] 形聲. 土+西〔音〕

6 ⑨ [垕] [人名] 〔후〕 厚(厂部 七畫〈p. 319〉)의 古字

[筆順] 一 厂 户 后 后 垕 垕 垕

6 ⑨ [垦] [一] 垠(土部 六畫〈p. 444〉)과 同字 [二] 墾(土部 十三畫〈p. 468〉)의 簡體字

6 ⑨ [垒] 루 [上]紙 力委切 lěi

[字解] ①토담쌓을 루 굽지 않은 벽돌을 쌓아 토담을 만듦. '一, 絫墼也'《說文》. ②壘(土部 十五畫)의 簡體字.

[字源] 形聲. 土+厽〔音〕

6 ⑨ [垫] 〔재〕 栽(木部 六畫〈p. 1063〉)의 訛字

[袁] 〔원〕 衣部 四畫(p. 2056)을 보라.

7 ⑩ [垺] 부 ①[平]虞 芳無切 fū ②[平]尤 蒲侯切 fóu 

[字解] ①나성(羅城) 부 외성(外城). 郛(邑部 七畫)와 同字. ②클 부 큼. 성(盛)함. '精, 小之微也, 一, 大之殷也'《莊子》.

7 ⑩ [埃] [人名] 애 [平]灰 烏開切 āi 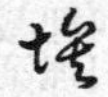

[字解] 티끌 애 먼지. '塵一'. 전(轉)하여, 더러움. 오예(汚穢). '淸宇宙之一塵'《蔡邕》. 또, 세사(世事). 속무(俗務). '蟬蛻囂一之中'《後漢書》.

[字源] [篆文]  形聲. 土+矣〔音〕. '矣의'는 '疑의'왼쪽 부분의 변종(變種)으로, 멈춰 서서 망설이다의 뜻. 사람을 머뭇거리게 만드는 흙먼지, 티끌의 뜻을 나타냄.

[埃及 애급] 아프리카 동북부에 있는 공화국. 수도(首都)는 카이로. 이집트.
[埃煤 애매] 먼지와 그을음.
[埃滅 애멸] 티끌과 같이 없어짐.
[埃霧 애무] 티끌이 안개와 같이 일어남.
[埃墨 애묵] 그을음.
[埃氛 애분] 먼지가 섞인 공기.
[埃壒 애애] 티끌. 먼지.
[埃靄 애애] ㉠자욱이 낀 먼지. ㉡더러움. 오예(汚穢).
[埃塵 애진] ㉠먼지. 티끌. 진애(塵埃). ㉡더러움. 오예(汚穢). ㉢세속(世俗)의 누(累).

◉輕埃. 浮埃. 氛埃. 纖埃. 涓埃. 煙埃. 塵埃. 土埃. 黃埃.

7 ⑩ [埆] 각 [入]覺 苦角切 què 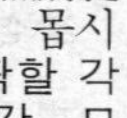

[字解] ①메마를 각 토지가 척박함. '土一無葳蕤之本'《新論》. ②가파를 각 경사가 급함. 몹시 비탈짐. '山石犖一行徑微'《韓愈》. ③딱딱할 각 굳음. '地雖平至爲堅一'《遼史》. ④귀할 각, 모

자랄 각 넉넉하지 않음. '同年而議豐—'《左思》.
字源 形聲. 土+角〔音〕. '角각'은 울퉁불퉁하고 딱딱하다의 뜻.

◉坑埆. 儉埆. 堅埆. 犖埆. 墝埆. 埆埆. 寒埆.

7 ⑩ [埋] 高人 매 ㊥佳 莫皆切 mái

筆順 一 十 扣 坦 坦 坦 埋 埋

字解 ①묻을 매 ㉠파묻음. '一葬'. '一璧于大室之庭'《左傳》. ㉡박장(薄葬)함. '葬不如禮曰一'《釋名》. ②묻힐 매 전항(前項)의 피동사. '寒雲沈屯白日一'《王安石》. ③감출 매 숨음. 숨김. '一伏'. '深一粉堠路渾迷'《元稹》.
字源 形聲. 土+貍〈省〉〔音〕. '貍매'는 '묻다'의 뜻. 흙 속에 묻다의 뜻을 나타냄.

[埋骨 매골] 뼈를 묻음. 시체를 묻음.
[埋暮 매모] 영락(零落)하고 나이 먹음.
[埋沒 매몰] 파묻음. 또, 파묻힘.
[埋伏 매복] ㉠몰래 숨음. 또, 몰래 숨김. ㉡복병(伏兵)을 둠.
[埋祕 매비] 묻어 감춤.
[埋瘞 매예] 묻음.
[埋玉 매옥] 옥을 땅에 파묻는다는 뜻으로, 훌륭한 사람이나 미인이 죽어 매장되는 것을 슬퍼하여 이르는 말.
[埋怨 매원] 꾸짖음. 질책함.
[埋湮 매인] 매몰(埋沒).
[埋葬 매장] ㉠시체를 땅속에 묻어 장사(葬事)를 지냄. ㉡못된 사람을 사회(社會)에서 용납(容納)하지 못하게 함.
[埋藏 매장] 묻어 감춤. 땅속에 묻어 둠.
[埋築 매축] 물 있는 데를 메워서 땅을 만드는 일.
[埋窆 매폄] 하관(下棺)하고 묻음.
[埋香 매향] 미인(美人)의 장사(葬事)를 이름.
[埋魂 매혼] 혼백(魂帛)을 무덤 앞에 묻음.
◉暗埋. 痤埋. 幽埋. 推埋. 狐埋.

7 ⑩ [埌] 랑 ㊤漾 來宕切 làng

字解 ①무덤 랑 뫼. '秦晉謂冢曰一'《揚子方言》. ②편할 랑 '壙一'은 들이 편편하고 넓어 아득한 모양. '遊無何有之鄕, 以處壙一之野'《莊子》.
字源 形聲. 土+良〔音〕. '良랑'은 '浪랑'과 통하여, '큰 물결'의 뜻. 큰 물결처럼 이어지는 들판이 끝없는 모양을 나타냄.

◉壙埌.

7 ⑩ [城] 中人 성 ㊥庚 是征切 chéng

筆順 一 十 圹 圻 圻 城 城 城

字解 ①재 성 성. 내성(內城). '一郭'. '昔者夏鯀, 作三仞之一'《淮南子》. 또, 주위에 성을 쌓은 도읍. 성읍(城邑). '乘堙而窺宋一'《公羊傳》. 또, 나라. '哲夫成一'《詩經》. ②성쌓을 성 축성(築城)함. '王命仲山甫, 一彼東方'《詩經》. ③성 성 성(姓)의 하나.
字源 金文 [金文字形] 篆文 [篆文字形] 籒文 [籒文字形] 形聲. 土+成〔音〕. '成성'은 '안정하다'의 뜻. 金文과 籒文에서의 '土토'는 망루의 象形임. 망루가 있고, 흙을 쌓아 올려 담을 이루며, 사람을 들여 놓아 살게 하여 안정시키는 '성'의 뜻을 나타냄.

[城郭 성곽] 성(城). 성(城)은 내성(內城), 곽(郭)은 외성(外城)의 뜻.
[城闕 성궐] 대궐의 문. 궁성(宮城)의 문. 일설(一說)에는 성곽(城郭).
[城內 성내] 성 안. 성중(城中).
[城旦 성단] 매일 아침 일찍 일어나 성을 쌓는 죄수.
[城旦舂 성단용] 아침 일찍 일어나 절구질하는 죄수.

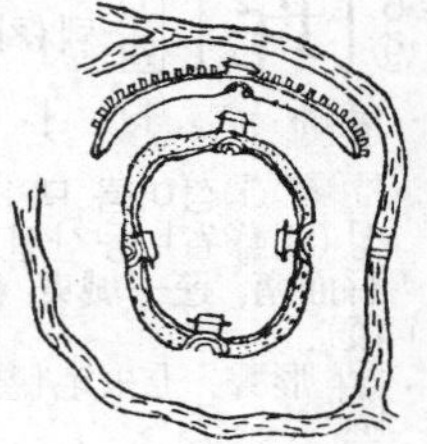
[城郭]

[城廊 성랑] 성곽 안의 군데군데 세운 다락집.
[城樓 성루] 성 위의 누각(樓閣).
[城壘 성루] 작은 성. 토성(土城).
[城門 성문] 성의 문(門).
[城壁 성벽] 성(城)의 담벼락.
[城堡 성보] 작은 성(城). 토성(土城). 성루(城壘).
[城復于隍 성복우황] 성의 둘레에 해자(垓字)를 파서 그 흙으로 성을 쌓았는데, 그 성이 무너져서 흙이 해자(垓字)로 도로 돌아간다는 뜻으로, 나라가 잘 다스려진 뒤에는 난리가 일어나고, 복(福)이 극진하면 화(禍)가 오고, 이(利)가 극진하면 해(害)가 생김을 이름.
[城府 성부] ㉠서울. 도읍(都邑). ㉡남에 대하여 경계하여 마치 성을 쌓듯이 만사에 주의하여 자기의 속마음을 터놓지 않는 일.
[城上 성상] 성(城) 위.
[城戍 성수] 성보(城堡).
[城守 성수] 성 안에 들어박혀 지킴.
[城市 성시] 성(城)으로 둘러싸인 시가(市街).
[城役 성역] 성을 쌓거나 수축(修築)하는 일.
[城隖 성오] 작은 성. 토성(土城).
[城外 성외] 성문(城門)의 밖.
[城邑 성읍] 성으로 둘러싸인 읍(邑). 도읍(都邑).
[城闉 성인] 성문(城門).
[城主 성주] 성을 지키는 주장(主將).
[城中 성중] 성(城) 안.
[城池 성지] 해자(垓字).
[城址 성지] 성이 있던 빈 터. 성터.
[城趾 성지] 성지(城址).
[城砦 성채] 성(城)과 진(陣)터.
[城柵 성책] 성과 목책(木柵).
[城堞 성첩] 성가퀴.
[城雉 성치] 성(城). 치(雉)도 성(城)이란 뜻.
[城下 성하] ㉠성(城) 아래. ㉡성(城) 부근(附近)의 땅.
[城下之盟 성하지맹] 성 밑까지 적군이 쳐들어와서 부득이 항복하고 체결하는 맹약(盟約). 대단히 굴욕적인 강화(講和).
[城狐 성호] 성 안에 사는 여우. 임금 곁에 있는 소인(小人)의 비유로 씀.
[城濠 성호] 해자(垓字).
[城隍 성황] ㉠성(城)과 물 없는 해자(垓字). ㉡해자(垓字). ㉢지방관으로서 공덕(功德)이 있어 죽은 후 지방민의 제사를 받는 신(神). 또, 성(城)을 지키는 신(神).
[城隍堂 성황당] 성(城)을 지키는 혼신(魂神)을

모신 집.
◉干城. 開城. 居城. 堅城. 京城. 傾城. 古城. 孤城. 攻城. 宮城. 金城. 禁城. 錦城. 落城. 落日孤城. 籠城. 壘城. 都城. 登城. 萬里長城. 名城. 邊城. 鳳城. 不夜城. 小城. 受降城. 崇城. 牙城. 連城. 五言長城. 王城. 外城. 月城. 危城. 一版孤城. 入城. 子城. 長城. 帝城. 築城. 層城. 彭城. 平城. 化城. 皇城. 荒城.

7 ⑩ [垸] [人名] 완 [平]寒 胡官切 huán
[筆順] 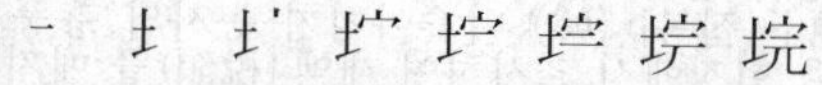
[字解] 바를 완 칠(漆)에 재를 섞어 바름.
[字源] 篆文 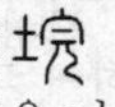 形聲. 土+完〔音〕. '完완'은 '완전히 하다'의 뜻. 이지러진 토담을 고치다의 뜻을 나타냄.

7 ⑩ [埏] [一] 연 [平]先 以然切 yán
[二] 선 [平]先 式連切 shān 
[字解] [一] ①땅가장자리 연 땅의 끝. '下泝八—'《司馬相如》. ②묘도 연 무덤의 수도(隧道). '不閉—隧'《後漢書》. [二] 이길 선 흙을 반죽함. '—埴以爲器'《荀子》. 또, 이긴 흙. '—, 揉也'《一切經音義》.
[字源] 篆文  形聲. 土+延〔音〕. '延연'은 뻗다, 뻗게 하다의 뜻. 땅이 뻗어 나간 끝의 뜻을 나타냄. 또, 무덤으로 뻗은 길의 뜻도 나타냄.

[埏隧 연수] 광중(壙中). 수도(隧道).
[埏埴 선치] 찰흙을 이김.
◉九埏. 隧埏. 八埏. 垓埏. 寰埏.

7 ⑩ [埒] 날(렬[本]) [入]屑 力輟切 liè 
[字解] ①담 날 낮은 담. '晉王濟有馬—'《世說》. ②둑 날 제방 '丘邊有界—'《爾雅 註》. ③지경 날 한계. 경계. '知八紘九野之形—'《淮南子》. ④같을 날 동등함. '富—王侯'《史記》.
[字源] 篆文 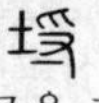 形聲. 土+寽〔音〕. '寽랄'은 두 손으로 물건을 잡는 모양. 양손으로 흙을 그러모을 정도의 낮은 담의 뜻을 나타냄.

◉界埒. 等埒. 馬埒. 放埒. 埸埒.

7 ⑩ [埓] 埒(前條)의 訛字

7 ⑩ [⿰土每] 〔목〕
牧(牛部 四畫〈p.1377〉)과 同字

7 ⑩ [埇] 용 [上]腫 余隴切 yǒng
[字解] ①길돋을 용 길 위에 흙을 부어 편평하게 돋움. '—, 一曰, 道上加土'《集韻》. ②땅이름 용 '—, 地名, 在淮泗'《集韻》.
[字源] 形聲. 土+甬〔音〕.

7 ⑩ [垷] [一] 견 [上]銑 古典切 xiàn
[二] 현 [上]銑 胡典切 xiàn
[字解] [一] ①바를 견 진흙을 발라 붙임. '—, 塗泥'《廣韻》. ②큰언덕 견 큰 언덕. '—, 又大坂'《廣韻》. [二] 바를 현, 큰언덕 현 [一]과 뜻이 같음.
[字源] 形聲. 土+見〔音〕

7 ⑩ [埍] [一] 현 [上]銑 胡畎切 juǎn
[二] 견 [上]銑 姑泫切 juǎn
[字解] [一] ①하인청 현 하인들이 거처하는 흙방. '—, 徒隸所居也'《說文》. ②여자가두는옥 현 여죄수의 감옥. '—, 一日女牢'《說文》. [二] 하인청 견, 여자가두는옥 견 [一]과 뜻이 같음.
[字源] 形聲. 土+肙〔音〕

7 ⑩ [埂] 경 [平]康 古行切
[上]梗 古杏切 gěng
[字解] ①구덩이 경 구멍. '—, 小坑也'《玉篇》. ②둑 경 제방. '—, 堤封, 吳人云也'《廣韻》. ③두렁 경 논밭의 두렁. '今江東語, 謂畦埒, 爲—'《說文》.
[字源] 形聲. 土+更〈叓〉〔音〕

7 ⑩ [⿰土孛] 발 [入]月 蒲沒切 bó
[字解] ①티끌 발 '—, 博雅, 塵也'《集韻》. ②티끌일 발 먼지가 일어나는 모양. '—, 塵起'《廣韻》.

7 ⑩ [垾] 한 [去]翰 侯旰切 hàn
[字解] ①제방 한 작은 제방(堤防). '—, 小堤'《廣韻》. ②언덕 한 岸(山部 五畫)과 뜻이 같음.

7 ⑩ [垻] 패 ①[去]泰 博蓋切 bà
②③[去]禡 必駕切 bà
[字解] ①제방 패 둑. '—, 坡也'《集韻》. ②들 패 평야. '—, 蜀人謂平川爲—'《廣韻》. ③봇둑 패.
[字源] 形聲. 土+貝〔音〕

7 ⑩ [埣] 〔성〕
墭(土部 十畫〈p.458〉)과 同字

7 ⑩ [埈] [人名] 〔준〕
峻(山部 七畫〈p.640〉)과 同字
[筆順] 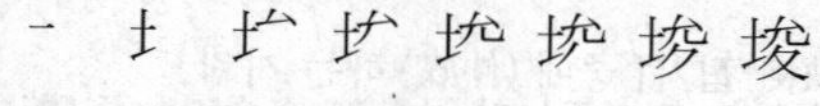

7 ⑩ [垽] 은 [去]震 魚覲切 yìn
[去]問 吾靳切 yìn
[字解] ①앙금 은 침전물(沈澱物). '—, 澱也'《說文》. ②돌 은 소용돌이쳐 돎. ⿰氵岓(山部 七畫)과 통용.
[字源] 篆文  形聲. 土+沂〔音〕

7 ⑩ [埔] 포 bù, pǔ
[字解] ①고을이름 포 '大—'는 광둥 성(廣東省)의 현(縣) 이름. '—, 大—, 縣名. 明置. 左漢爲揭陽縣地. 卽今廣東大—縣'《中華大字典》. ②캄보디아 포 '柬—寨'는 인도차이나 반도의 나라 이름. '柬—寨, 在交趾支那之北, 暹羅之南'《中

華大字典》.

7 ⑩ [埘] 〔괴〕
塊(土部 十畫〈p.457〉)의 俗字

7 ⑩ [垈] 〔역·두〕
坄(土部 四畫〈p.438〉)과 同字

7 ⑩ [垚] 〔요〕
堯(土部 九畫〈p.453〉)의 古字

7 ⑩ [垂] 〔수〕
垂(土部 五畫〈p.442〉)의 俗字

8 ⑪ [埶] 人名 一 예 去霽 魚祭切 yì 二 세 去霽 始制切 shì

字解 一 심을 예 藝(艸部 十五畫)와 同字. 二 권세 세 勢(力部 十一畫)와 同字. '在一者去'《禮記》. ※ '예' 음은 인명자로 쓰임.

字源 甲骨文 金文 篆文 象形. 金文은 사람이 어린 나무를 든 모양을 본떠, '심다'의 뜻을 나타냄. 篆文은 坴+丸(丮)의 會意. '坴륙'은 흙덩이가 큰 모양. '丮극'은 '심다'의 뜻. '藝예'의 원자(原字).

8 ⑪ [執] 中人 집 入緝 之入切 zhí 执

筆順 一 土 去 幸 幸 刹 執 執

字解 ①잡을 집 ㉠손으로 쥠. '一筆'. '一柯以伐柯'《中庸》. ㉡꼭 쥐고 놓지 않음. 지킴. 보존함. '一義'. '允一厥中'《書經》. ㉢체포함. '拘一'. '陽虎一懷'《史記》. ㉣잡아맴. '一騰駒'《禮記》. ㉤권세 따위를 차지함. 주장(主掌)함. 맡음. '一政'. '陪臣一國政'《史記》. ②막을 집 틀어막음. '願以間一讒慝之口'《左傳》. ③벗 집 동지. 친구. '父一'. '見父之一'《禮記》. ④두려워할 집 慹(心部 十一畫)과 통용. '豪強一服'《漢書》. ⑤성 집 성(姓)의 하나.

字源 甲骨文 金文 篆文 形聲. 丮+幸[音]. '幸녑'은 놀라게 하다의 뜻이라고 하나, 실은, 甲骨文에서 알 수 있듯이, 수갑의 象形임. 甲骨文은 수갑을 차고 무릎을 꿇고 있는 사람의 모양을 본떠, '붙잡다'의 뜻을 나타냄.

[執柯 집가] 중매(仲媒)하는 사람.
[執巾櫛 집건즐] 건(巾)은 손수건, 즐(櫛)은 빗. 곧, 건즐(巾櫛)을 쥐는 것은 하녀(下女)·부인이 하는 일이므로, 전(轉)하여 상대자의 시중을 들겠다고 겸손하게 이르는 말로 쓰임.
[執劫 집겁] 노상강도(路上強盜).
[執鞚夫 집공부] 마부(馬夫).
[執拘 집구] 구속함. 나포(拿捕)함.
[執權 집권] 정사(政事)를 행하는 실권(實權)을 잡음.
[執圭 집규] 초(楚)나라의 작위(爵位) 이름. 지위(地位)가 부용(附庸)의 임금과 비등함.
[執金吾 집금오] 한대(漢代)에 대궐문을 지켜 비상사(非常事)를 막는 것을 맡은 벼슬.
[執羈靮 집기적] 말의 고삐를 잡고 말을 몬다는 뜻으로, 천역(賤役)에 종사(從事)함을 이름.
[執箕帚 집기추] 비를 쥐고 소제한다는 뜻으로, 천한 일을 함을 이름.
[執刀 집도] 칼을 쥠.
[執禮 집례] 지켜 행하여야 할 예(禮). 준행(遵行)하여야 할 예.
[執留 집류] 공금(公金)을 축낸 사람의 재산을 압류(押留)함.
[執務 집무] 사무(事務)를 봄. 일을 함.
[執杯 집배] 술잔을 잡음. 술을 마심.
[執法 집법] 법령을 준수(遵守)함.
[執柄 집병] ㉠기구(器具)의 자루를 잡음. ㉡정치상의 권력(權力)을 잡음.
[執卜 집복]《韓》벼슬아치가 농사의 흉풍(凶豐)을 현장에서 조사하여 세액(稅額)을 매기는 일.
[執事 집사] ㉠사무를 봄. 또, 그 사람. ㉡귀인(貴人)을 모시고 그 집안 살림을 맡은 사람. ㉢귀인(貴人)을 직접 지칭하기가 황송하여 그의 옆에 모시고 있는 집사에게라는 뜻으로, 편지에서 귀인의 성명 밑에 쓰는 말. ㉣직접 귀인의 대명사(代名詞)로도 쓰임.
[執喪 집상] 부모(父母)의 상사(喪事)에 있어서 예절(禮節)을 지킴.
[執徐 집서] 십이지(十二支)의 하나인 진(辰)의 별칭(別稱).
[執手 집수] 남의 손을 잡음.
[執訊 집신] ㉠음신(音信)을 전하는 벼슬. ㉡신문(訊問)할 만한 죄인을 잡음. 또, 그 벼슬아치.
[執心 집심] 열중함. 또, 그 마음.
[執役 집역] 백성(百姓)이 공역(公役)을 치름.
[執熱不濯 집열불탁] 뜨거운 것을 쥐려는데 손을 물에 적시지 아니함. 작은 수고를 아끼다가 큰 일을 이루지 못함을 이름.
[執銳 집예] 날카로운 칼을 손에 쥠. 전쟁(戰爭)에 나아감.
[執拗 집요] ㉠자기의 의견을 우겨대는 고집(固執)이 매우 셈. ㉡추근추근하게 끈질김.
[執友 집우] ㉠뜻을 같이하는 벗. 친우(親友). ㉡아버지의 벗.
[執牛耳 집우이] 동맹(同盟)의 주도권(主導權)을 잡음. 또는 단체(團體) 따위에서 지배적 위치에 있음. 춘추 전국 시대(春秋戰國時代)에 제후(諸侯)들이 맹약(盟約)을 맺을 때 맹주(盟主)가 소의 귀를 쥐고 베어 그 피를 마시고 서약한 고사(故事)에 의함.
[執意 집의] 의견(意見)을 굳게 잡음.
[執義 집의] 정의(正義)를 꽉 잡아 지킴.
[執一 집일] 사물에 집착하여 변통성이 없음.
[執政 집정] 나라의 정권(政權)을 잡음. 또, 그 사람.
[執奏 집주] 백성(百姓)의 의견·상소(上疏) 등을 중간에서 맡아서 천자(天子)에게 아룀.
[執中 집중] 중용(中庸)의 도(道)를 꼭 잡아 지킴.
[執贄 집지] ㉠예물을 가지고 방문하여 경의를 표함. ㉡폐백을 드리고 문인(門人)이 됨. 위지(委贄). 위지(委質).
[執捉 집착] 죄인을 체포함.
[執着 집착]《佛教》마음이 한곳에 달라붙어 떨어지지 아니함. 마음이 늘 그리로 쏠리어 잊혀지지 아니함.
[執頉 집탈]《韓》남의 잘못을 잡아내어 탈을 잡음.
[執鞭 집편] 귀인(貴人)이 외출할 때 채찍을 가지고 그가 타는 거마(車馬)를 어거함.
[執筆 집필] 붓을 쥐고 글 또는 글씨를 씀.

[執行 집행] ㉠실제(實際)로 일을 잡아서 행(行)함. 실행함. ㉡'강제 집행(強制執行)'의 준말.
[執行猶豫 집행유예] 유죄 판결(有罪判決)을 받은 사람에게 일정한 조건(條件)하에서 형(刑)의 집행(執行)을 유예(猶豫)함.
[執刑 집형] 형(刑)을 집행(執行)함.
[執火 집화] 게〔蟹〕의 딴 이름.
◉間執. 固執. 拘執. 禁執. 妄執. 貌執. 迷執. 博執. 秉執. 父執. 朋執. 我執. 友執. 幽執. 宰執. 操執. 偏執. 虎執. 確執.

8 ⑪ [域] 高人 역 ⓐ職 雨逼切 yù

筆順 一 ㅕ 圹 垣 垣 域 域 域

字解 ①지경 역 ㉠토지의 경계. '區—'. '土其地, 而制其—'《周禮》. ㉡사물의 경계. 범위. '納諸聖之—'《韓愈》. ②땅가장자리 역 땅의 끝. 극지(極地). '遠使地—'《宋書》. ③나라 역 국가. '西—'. '旣臨其—, 諭以威德'《漢書》. ④곳 역 장소. '甘暝于溷澖之—'《淮南子》. ⑤경계지을 역 경계를 설정함. '肇—彼四海'《詩經》.
字源 或의 別體 形聲. 土+或〔音〕

[域內 역내] 일정한 장소의 안.
[域外 역외] ㉠구역(區域) 밖. ㉡범위(範圍) 밖. ㉢외국(外國).
[域外之議 역외지의] 범속(凡俗)을 벗어난 의견. 탁견(卓見).
[域中 역중] 구역의 안. 세계. 우내(宇內).
◉疆域. 境域. 界域. 廣域. 區域. 國域. 檀域. 墓域. 方域. 邦域. 邊域. 封域. 四域. 西域. 聖域. 聲域. 水域. 殊域. 神域. 塋域. 領域. 靈域. 外域. 禹域. 月域. 流域. 音域. 異域. 日域. 絶域. 淨域. 兆域. 地域. 職域. 畛域. 遐域. 海域. 寰域.

8 ⑪ [埠] 人名 부(보本) ⓠ遇 薄古切 bù

字解 부두 부 배 닿는 곳. 선창. '—頭'. '每船—留一門'《西湖遊覽志》.
字源 形聲. 土+阜〔音〕. '阜부'는 층이 진 언덕의 뜻.

[埠頭 부두] 배를 대기 위하여 육지에서 바다로 돌을 쌓아 만든 방축.
◉商埠. 船埠.

8 ⑪ [堉] 人名 육 ⓐ屋 余六切 yù

筆順 一 ㅕ 圹 圹 垿 堉 堉 堉

字解 기름진땅 육 비옥한 땅. '—, 地土肥也'《玉篇》.
字源 形聲. 土+育〔音〕

8 ⑪ [埤] 비 ㊥支 符支切 pí / ⓢ紙 部弭切 bēi / ⓠ霽 匹計切 pì

字解 ①더할 비 증익(增益)함. '—益'. '政事一—益我'《詩經》. ②담 비 낮은 담. '掖垣竹—梧十尋'《杜甫》. ③낮을 비 卑(十部 六畫)와 통용. '其—濕則生藏莨蒹葭'《司馬相如》. ④습지 비 저습(低濕)한 땅. '松柏不生—'《國語》. ⑤성가퀴 비 '—堄'는 성 위에 낮게 쌓은 담. 치첩(雉堞). 여장(女牆). '城烏—堄曉'《王維》.
字源 篆文 形聲. 土+卑〔音〕. '卑비'는 '낮다'의 뜻. 낮은 울타리, 성가퀴의 뜻. 또, '俾비'와 통하여, 假借하여 '더하다'의 뜻도 나타냄.

[埤薄 비박] 습기가 많고 메마른 땅.
[埤濕 비습] 땅이 낮고 습기(濕氣)가 많음. 비습(卑濕).
[埤堄 비예] 성가퀴.
[埤汚 비오] 낮은 지위(地位).
[埤益 비익] 도움이 됨. 비익(裨益).

8 ⑪ [埭] 태 ⓠ隊 徒耐切 dài

字解 둑 태 선박의 통행세(通行稅)를 받기 위하여 강(江)에 쌓은 제방. '以牛車牽—, 取其稅'《晉中興書》.
字源 形聲. 土+隶〔音〕

◉堰埭. 津埭.

8 ⑪ [埳] 감 ⓢ感 苦感切 kǎn

字解 구덩이 감 움푹 팬 곳. 坎(土部 四畫)과 同字. '—井之蛙'《莊子》.
字源 形聲. 土+臽〔音〕. '臽감'은 '함정'의 뜻.

[埳坷 감가] ㉠감가(埳軻). ㉡고개. 비탈길.
[埳軻 감가] ㉠때를 만나지 못함. 불우(不遇). ㉡가는 길이 험하여 힘이 듦. 감가(轗軻).
[埳井之蛙 감정지와] '우물 안의 개구리'라는 뜻으로, 식견(識見)이 좁은 사람의 비유로 쓰임. 정저지와(井底之蛙).

8 ⑪ [埴] 人名 ㊀ 치 ⓠ寘 昌志切 zhí / ㊁ 식 ⓐ職 常職切 zhí

筆順 一 ㅕ 圹 圻 垍 埴 埴 埴

字解 ㊀ 찰흙 치 '埏—以爲器'《老子》. ㊁ 찰흙 식.
字源 篆文 形聲. 土+直〔音〕. '直직'은 '곧추세우다'의 뜻. 초목을 심어서 똑바로 성장시키기에 알맞은 찰흙의 뜻을 나타냄. 일설에는, 차지게 늘어나서 질그릇 따위를 만드는 원료가 되는 '찰흙'의 뜻이라고 함.

[埴土 치토] 찰흙. 점토(粘土).
◉摶埴. 埏埴. 擿埴. 挻埴. 治埴.

8 ⑪ [埵] 타 ⓢ哿 丁果切 duǒ

字解 ①단단한흙 타 견토(堅土). '不見—塊'《論衡》. ②제방 타 둑. '—防者便也'《淮南子》.
字源 篆文 形聲. 土+垂(垂)〔音〕. '垂수'는 '드리워지다'의 뜻. 나뭇가지가 늘어질 듯이 가로 뻗어 있는 흙을 단단히 다져 굳힌

'제방'의 뜻을 나타냄.

◉菩提薩埵. 薩埵.

8 ⑪ [埸] 역 [入]陌 羊益切 yì

[字解] ①밭두둑 역 밭의 경계. '疆一翼翼'《詩經》. ②변방 역 국경. 변경(邊境). '君之疆一'《左傳》.

[字源] 篆文 形聲. 土+易〔音〕. '易역'은 '변하다'의 뜻. 땅의 소속이 거기서부터 바뀌는 곳의 뜻을 나타냄.

◉疆場. 竟場. 郊場. 邊場.

8 ⑪ [培] [高人] [一] 배 [平]灰 薄回切 péi [二] 부 [上]有 蒲口切 pǒu

[筆順] 一 十 土 圹 圹 垺 培 培

[字解] [一] 북돋을 배 ㉠초목의 뿌리를 흙으로 싸서 가꿈. '栽者一之'《中庸》. ㉡봉분(封墳)함. '墳墓不一'《禮記》. ㉢양성함. '一材'. '新知一養轉深沈'《朱熹》. [二] 언덕 부 작은 언덕. '必隳其壘一'《國語》.

[字源] 篆文 形聲. 土+咅〔音〕. '咅부'는 봉긋이 크다의 뜻. 흙을 봉긋하게 돋우다, 땅을 불려 크게 하다의 뜻을 나타냄. 지금은 '培'로 씀.

[培根 배근] 뿌리를 북돋아 줌.
[培植 배식] ㉠초목(草木)을 북돋우어 심음. ㉡인재(人材)를 양성(養成)함.
[培養 배양] ㉠초목(草木)을 북돋우어 기름. ㉡사물을 발달시킴.
[培壅 배옹] 북돋움. 키움. 배양(培養).
[培風 배풍] 대붕(大鵬)이 천풍(天風)의 힘을 빌려 하늘로 오름.
[培塿 부루] 작은 언덕. 부루(部婁).
[培堆 부퇴] ㉠조금 높은 언덕. ㉡높이 쌓음.
◉陪培. 饒培. 耘培. 栽培.

8 ⑪ [埼] [人名] 기 [平]支 渠羈切 qí

[筆順] 一 十 土 圹 圬 垮 培 埼

[字解] 갑 기 안두(岸頭). 崎(山部 八畫)와 同字. '觸穹石, 激一堆'《司馬相如》.

[字源] 形聲. 土+奇〔音〕. '奇기'는 '휘어지다'의 뜻. 휘어진 물가의 뜻을 나타냄.

8 ⑪ [埝] [一] 점 [去]豔 都念切 niàn [二] 녑 [入]葉 奴協切

[字解] [一] ①낮을 점 땅이 낮음. '一, 下也'《揚子方言》. ②《現》 둑 점 제방(堤防). [二] ①더할 녑 보탬. '一, 益也'《集韻》. ②빠질 녑 '一, 一曰, 陷也'《集韻》.

8 ⑪ [埽] 소 [上]晧 蘇老切 sǎo

[字解] 쓸 소 掃(手部 八畫)와 同字. '一除'. '掌一門庭'《周禮》.

[字源] 篆文 形聲. 土+帚〔音〕. '帚추'는 자루가 있는 비를 본뜬 것. 그것으로 흙먼지를 쓸고 털다의 뜻을 나타냄.

[埽星 소성] '혜성(彗星)'의 별칭(別稱).
[埽除 소제] 쓸어 치움.
◉卻埽. 箕埽. 拜埽. 灑埽. 汎埽. 如埽. 電埽. 淨埽. 清埽. 披埽.

8 ⑪ [堀] [人名] 굴 ①[入]月 苦骨切 kū ②[入]物 衢物切 jué

[字解] ①굴 굴 토굴. 窟(穴部 八畫)과 同字. '一穴'. '伏甲于一室'《左傳》. ②팔 굴 땅을 팜. '一堁揚塵'《楚辭》.

[字源] 篆文 篆文 形聲. 土+屈(屈)〔音〕. '屈굴'은 쭈그리고 앉다의 뜻. 쭈그리고 앉아서 구멍을 파다의 뜻을 나타냄.

[堀室 굴실] 움집. 토막(土幕).
[堀穴 굴혈] 굴.

8 ⑪ [堄] [人名] 예 [去]霽 五計切 nì

[字解] 성가퀴 예 '埤一'는 성 위의 낮은 담. 여장(女牆).

[字源] 形聲. 土+兒〔音〕. '兒아'는 '어린이'의 뜻. 어린이처럼 작은 성가퀴의 뜻을 나타냄.

◉埤堄.

8 ⑪ [堆] [人名] 퇴 [平]灰 都回切 duī

[筆順] 一 十 圹 圹 坍 垆 堆 堆

[字解] ①흙무더기 퇴 흙더미. '有土一, 高五丈, 生細竹'《秦州記》. ②쌓을 퇴, 쌓일 퇴 높이 쌓임. 또, 쌓음. '一積'. '爛穀一荊囷'《李商隱》. ③놓을퇴 하던 것을 그만둠. '鍾期一琴'《戰國策》.

[字源] 形聲. 土+隹〔音〕. '隹추'는 통통한 새를 본뜬 것. 뚱뚱한 모양의 흙무더기의 뜻을 나타냄.

[堆金積玉 퇴금적옥] 금과 옥을 높이 쌓음. 부유(富有)함.
[堆肥 퇴비] 북데기를 쌓아 썩인 거름.
[堆愁 퇴수] 쌓이고 쌓인 우수(憂愁).
[堆積 퇴적] 많이 쌓임.
[堆朱 퇴주] 퇴홍(堆紅).
[堆疊 퇴첩] 높이 쌓임. 또, 높이 쌓음.
[堆堆 퇴퇴] 높이 쌓인 모양.
[堆紅 퇴홍] 빨간빛을 먼저 칠하고 그 위에 두껍게 검은 칠을 한 후 붉은빛 있는 데까지 무늬를 새긴 칠기.
◉培堆. 雪成堆. 土堆.

8 ⑪ [堋] 붕 ①[去]徑 方隥切 bèng ②③[平]蒸 步崩切 péng

[字解] ①묻을 붕 시체를 파묻고 흙을 덮음. '日中而一'《左傳》. ②보 붕 관개(灌漑)하기 위하여 막은 둑. '一有左右口, 謂之湔一'《水經注》. ③살받이터 붕 흙을 높이 쌓아 과녁을 걸어 놓는 데. '橫弓先望一'《庾信》.

[字源] 金文 篆文 形聲. 土+朋〔音〕

8 ⑪ [堁] 과 [去]箇 苦臥切 kè

字解 먼지 과 진애(塵埃). '揚―而弭塵'《淮南子》.
字源 形聲. 土+果〔音〕

8 ⑪ [堌] 고 ㊀遇 公悟切 gù
字解 고총 고 묵은 무덤. '曹縣有冉―, 乃穰侯魏冉冢'《山東考古錄》.
字源 形聲. 土+固〔音〕

8 ⑪ [埰] 人名 채 ㊀隊 倉代切 cài
筆順 一 土 圹 坜 坪 埰 埰 埰
字解 ①식읍(食邑) 채 采(釆部 一畫)와 통용. '臣食邑謂之―'《集韻》. ②무덤 채 산소.
字源 形聲. 土+采〔音〕

8 ⑪ [埻] 人名 준 ㊤軫 之尹切 zhǔn
筆順 一 土 圹 垆 坮 埻 埻 埻
字解 ①과녁 준 사적(射的). '―, 射的也'《太玄經註》. ②법 준 법칙(法則). '―, 灋也'《廣雅》.
字源 篆文 形聲. 土+享(亯)〔音〕. 흙을 쌓아 굳혀서 만든 과녁 세우는 대(臺)의 뜻을 나타냄.

8 ⑪ [埢] 권 ①㊤銑 居轉切 juǎn ②③㊥先 驅圓切 quán
字解 ①봉분 권 무덤의 흙더미. '―, 塚土'《集韻》. ②둥글 권 둥그런 모양. '登降峛崺, 單―垣兮'《揚雄》. ③둥근담 권 원형(圓形)으로 둘러쌓은 담. '―, 圜墻也'《集韻》.

8 ⑪ [堃] 〔곤〕
坤(土部 五畫〈p.440〉)과 同字

8 ⑪ [埯] 一 엄 ㊤琰 於广切 yǎn 二 암 ㊤感 烏敢切 ǎn
字解 一 흙을덮을 엄 흙으로 물건을 덮음. '土覆謂之―'《集韻》. 二 구덩이 암 '―, 阬也'《集韻》.

8 ⑪ [埩] 쟁 ㊥庚 鋤莖切 ①zhēng ②chéng
字解 ①다스릴 쟁 흙을 다스림. 논밭을 갊. '―, 耕治也'《集韻》. ②북문의못 쟁 노성(魯城)의 북문(北門)의 못. '―, 魯城北門池也'《廣韻》.
字源 形聲. 土+爭〔音〕

8 ⑪ [堈] 人名 강 ㊥陽 古郎切 gāng
筆順 一 土 圹 坰 坰 坰 堈 堈
字解 ①독 강 오지그릇. '―, 甕也'《廣韻》. ②언덕 강 구릉(丘陵). '―, 隴也'《集韻》.
字源 形聲. 土+岡〔音〕

[堈碓 강대] 진흙으로 구워서 만든 절구.

8 ⑪ [基] 中人 기 ㊥支 居之切 jī
筆順 一 卄 甘 甘 其 其 基 基
字解 ①터 기 토대. 터전. '―礎'. '自堂徂―'《詩經》. ②근본 기 ㉠기본. '國―'. '邦家之―'《詩經》. ㉡의지. 의거. '高者必以下爲―'《淮南子》. ③업 기 사업. '建以爲―'《淮南子》. ④수사 의하나 기 탑(塔)·비(碑)를 세는 수사(數詞). '立一―塔'《佛法傳通記》. ⑤기인할 기 기본의 원인이 됨. '―於其身'《國語》. ⑥자리잡을 기 터전을 잡음. '始―之矣'《左傳》. ⑦성 기 성(姓)의 하나.
字源 金文 篆文 形聲. 土+其〔音〕. '其기'는 가지런하게 결은 키를 본떠, '가지런하다'의 뜻. 앞뒤·좌우·아래위 모두 가지런하고 빈틈없는 기초의 뜻, '터·근본'의 뜻을 나타냄.

[基幹 기간] 근본이 되는 줄거리. 본바탕이 되는 줄기.
[基金 기금] 기본금(基本金).
[基督 기독] 그리스도.
[基督教 기독교] 예수 그리스도를 조(祖)로 하는 종교. 야소교(耶蘇教). 예수교.
[基督教社會主義 기독교사회주의] 기독교의 정신에 의하여 현사회(現社會)의 개량(改良)을 도모(圖謀)하는 주의. 마르크스 사회주의(社會主義)와 대립하여 유물론(唯物論) 대신에 이상주의(理想主義), 계급투쟁(階級鬪爭) 대신에 협조주의(協調主義)를 취함.
[基盤 기반] 기초가 되는 지반(地盤).
[基本 기본] 사물(事物)의 근본.
[基本金 기본금] 사업의 기본으로 삼는 자본금. 밑천.
[基部 기부] 기초가 되는 부분.
[基色 기색] 분해할 수 없는 빛. 곧, 홍(紅)·황(黃)·청(靑)의 삼색(三色). 원색(原色).
[基緖 기서] 기업(基業).
[基數 기수] 하나에서 열까지의 수.
[基業 기업] 기초가 되는 사업(事業).
[基宇 기우] ㉠국량(局量). 도량(度量). ㉡나라를 유지하는 근본. 곧, 국토(國土).
[基源 기원] 근원(根源).
[基因 기인] 기초가 되는 원인.
[基杖 기장] 토대와 지팡이란 뜻으로, 도움이 되는 것을 이름.
[基點 기점] 기본(基本)이 되는 점.
[基楨 기정] 근본.
[基兆 기조] 근본. 기초(基礎).
[基準 기준] 기본이 되는 표준.
[基地 기지] 터전.
[基址 기지] 터전.
[基阯 기지] 기지(基址).
[基礎 기초] ㉠주춧돌. ㉡사물(事物)의 근본.
●開基. 乾基. 國基. 根基. 大基. 德基. 福基. 丕基. 水酸基. 崇基. 鹽基. 元基. 鎡基. 兆基. 肇基. 創基. 弘基. 洪基. 鴻基.

8 ⑪ [堂] 中人 당 ㊥陽 徒郎切 táng

筆順 丨 ⺌ ⺍ 尚 尚 営 堂 堂

字解 ①집 당 ㉠주거(住居). 방. '金玉滿—'《老子》. ㉡관아·사원·집회소 등의 높고 큰 집. '僧—'. '殿—'. '議事于門下之政事—'《唐書》. ㉢터를 높이 돋우어 지은 남향(南向)한 본채. '躋彼公—'《詩經》. ②당당할 당 의젓함. '——之陣'《淮南子》. ③동조친(同祖親) 당 조부(祖父)에서 갈린 일가. '—伯叔'. '同—兄弟'. ④성 당 성(姓)의 하나.

字源 篆文 古文 籒文 形聲. 土+尙〔音〕. '尙상'은 집 안에서 비는 모양을 본뜸. 흙을 높이 쌓아 돋운 위에 세운 높고 큰 집의 뜻을 나타냄.

[堂階 당계] ㉠당(堂)의 계단(階段). ㉡학문(學問)의 초보(初步).
[堂官 당관] 명청 시대(明淸時代)에 각 관아(官衙)의 속리(屬吏)가 소속의 장관(長官)을 일컬은 말. 당상(堂上)의 벼슬아치란 뜻임. 예컨대, 상서시랑(尙書侍郞)은 육부(六部)의 당관(堂官)이고 지부(知府)·지현(知縣)은 각기 당해(當該) 부현(府縣)의 당관임.
[堂構 당구] 아버지의 사업을 아들이 이어받음.
[堂構之樂 당구지락] 아들이 아버지가 설계한 집을 짓는 즐거움이라는 뜻으로, 아들이 아버지의 업(業)을 계승하는 즐거움을 이름.
[堂構之業 당구지업] 아버지가 건축의 설계를 세우고 아들이 터를 닦아 집을 짓는다는 뜻으로, 아들이 아버지에게서 계승한 업(業)을 이름.
[堂內 당내] 《韓》 동성동본(同姓同本)의 유복친(有服親).
[堂堂 당당] ㉠형세가 성대(盛大)한 모양. 정돈이 잘된 모양. ㉡의용(儀容)이 훌륭한 모양. ㉢씩씩한 모양. ㉣뛰어난 모양. ㉤숨김없는 모양. 공명정대한 모양.
[堂老 당로] 재상(宰相)끼리 서로 부르는 칭호(稱號).
[堂廡 당무] 집. 당(堂)은 본채. 무(廡)는 곁채.
[堂房 당방] 집과 방. 전(轉)하여, 집 안. 가내(家內).
[堂伯叔 당백숙] 아버지의 종형제(從兄弟).
[堂上 당상] ㉠당(堂)의 위. ㉡묘당(廟堂)에 올라갈 수 있는 지위. 우리나라에서는 당상 정삼품(堂上正三品) 이상의 지위. 전(轉)하여, 장관(長官). ㉢부모(父母).
[堂上官 당상관] 《韓》 당상 정상품(堂上正三品) 이상의 벼슬. 또, 그 벼슬아치.
[堂上百里堂下千里 당상백리당하천리] 군주(君主)의 견문(見聞)이 좁아서 사정(事情)에 어두움을 이름.
[堂選 당선] 재상(宰相)이 사람을 벼슬아치로 채용함.
[堂飧 당손] 재상(宰相)의 식사.
[堂叔 당숙] 아버지의 종형제.
[堂叔母 당숙모] 당숙(堂叔)의 아내.
[堂室 당실] 바깥채와 안채. 전(轉)하여, 집 안.
[堂案 당안] 재상(宰相)의 정무(政務)에 관한 조사 서류.
[堂奧 당오] 당(堂)과 실(室)의 구석. 전(轉)하여, 학문(學問)의 오의(奧義). 문(門)으로 들어가서 당(堂)에 오르고 당(堂)에서 실(室)로 들어감. 오(奧)는 방의 서북(西北)쪽 구석. 온오(蘊奧).
[堂宇 당우] 당(堂)의 처마. 또, 당(堂).
[堂除 당제] ㉠당하(堂下)의 계단(階段). ㉡당선(堂選).
[堂姪 당질] 《韓》 종형제(從兄弟)의 아들.
[堂姪女 당질녀] 《韓》 종형제의 딸.
[堂姪婦 당질부] 《韓》 당질(堂姪)의 아내.
[堂姪壻 당질서] 《韓》 당질녀(堂姪女)의 남편(男便).
[堂帖 당첩] 당대(唐代)의 재상(宰相)의 백관(百官)에 대한 처분.
[堂板 당판] 마루청의 널.
[堂下 당하] 당(堂)의 아래.
[堂兄弟 당형제] 사촌 형제. 동당형제(同堂兄弟).
[堂號 당호] ㉠당우(堂宇)의 호(號). ㉡별호(別號).

◉講堂. 高堂. 空堂. 公會堂. 校堂. 金堂. 金玉滿堂. 肯堂. 滿堂. 明堂. 母堂. 茅堂. 廟堂. 梵堂. 法堂. 本堂. 北堂. 佛堂. 祠堂. 書堂. 禪堂. 聖堂. 塾堂. 僧堂. 食堂. 室堂. 雁堂. 影堂. 靈堂. 禮拜堂. 玉堂. 拗堂. 瑤堂. 一堂. 殿堂. 正堂. 政事堂. 正正堂堂. 尊堂. 中堂. 天堂. 青堂. 草堂. 椿堂. 學堂. 虛堂. 黌堂. 會堂. 後堂. 萱堂.

8
⑪ 堅 中人 견 ㊥先 古賢切 jiān 坚

筆順 一 ㄱ ㅋ 𦣝 臣 臤 堅

字解 ①굳을 견 ㉠단단함. '一固'. '善問者如攻一木'《禮記》. ㉡의지가 굳음. '窮當益—'《後漢書》. ㉢변하지 아니함. '如天地之—'《管子》. ㉣굳셈. 강함. '—剛'. '小敵之—, 大敵之擒也'《孫子》. ②굳어질 견 견고하여짐. '三晉相親相—'《戰國策》. ③굳게 견 견고하게. '—忍'. '陳留—守不能下'《史記》. ④갑주 견 갑옷과 투구. '被—執銳'《漢書》. ⑤성 견 성(姓)의 하나.

字源 篆文 形聲. 土+臤〔音〕. '臤견'은 '굳다'의 뜻. 굳은 땅의 뜻에서, '굳다'의 뜻을 나타냄.

[堅埆 견각] 땅이 딱딱하고 척박함.
[堅甲利兵 견갑이병] 단단한 갑옷과 날카로운 병기(兵器). 전(轉)하여, 정예(精銳)한 병력(兵力).
[堅剛 견강] 성질(性質)이 굳세고 단단함.
[堅強 견강] 굳고 강함.
[堅強之辯 견강지변] 억지로 이치를 끌어대는 변명.
[堅硬 견경] 물질이 굳고 단단함.
[堅固 견고] 굳음. 튼튼함.
[堅牢 견뢰] 단단함. 견고함.
[堅壘 견루] 견고한 진루(陣壘).
[堅密 견밀] 견고하고 면밀함.
[堅白 견백] ㉠절개가 굳고 마음이 깨끗함. ㉡바탕은 단단하고 빛은 흼.
[堅白同異之辯 견백동이지변] 질(質)이 단단하고 빛이 흰 돌이 있을 때 그것을 보고는 다만 흰 것만 알고, 그것을 손으로 만져 보고는 다만 단단한 것만 알므로, 단단한 돌과 흰 돌은 서로 다른 것이고 같은 것이 아니라는 의론. 곧, 억지를 써서 옳은 것을 그르다 하고, 그른 것은 옳다 하고, 같은 것을 다르다고 하는 궤변(詭辯).
[堅城 견성] 튼튼한 성. 방위가 엄하여 쉽사리 떨어지지 않는 성.
[堅守 견수] 튼튼하게 지킴.
[堅實 견실] 튼튼하고 충실(充實)함.

[堅刃 견인] 단단한 칼. 전(轉)하여, 꺾기 어려운 병세(兵勢).
[堅忍 견인] 굳게 참고 견딤.
[堅忍持久 견인지구] 굳게 참아 오래 버팀.
[堅持 견지] 굳게 지님.
[堅執 견집] 굳게 잡음.
[堅革 견혁] 단단한 혁제(革製)의 갑옷.
[堅確 견확] 튼튼함. 틀림없음. 확실(確實)함.
◉剛堅. 強堅. 窮益堅. 牢堅. 冐堅. 完堅. 凝堅. 貞堅. 中堅. 鑽堅. 悍堅.

8 ⑪ [堇] 근 ①②㊥眞 巨巾切 qín ③㊤震 渠吝切 jǐn

字解 ①진흙 근 누런 점토(黏土). '雜食一塊'《五代史》. ②때 근 시간. '待乎天一'《管子》. ③겨우 근 僅(人部 十一畫)과 통용. '豫章出黃金, 然一一'《漢書》.
字源 甲骨文 金文 篆文 會意. 黃+土. '黃황'은 '노랗다'의 뜻. '土토'는 '흙'의 뜻. 노란 진흙의 뜻이나, 그것을 바르다의 뜻을 나타냄. '墐근'의 원자(原字).

[堇塊 근괴] 진흙. 점토(黏土).
[堇堇 근근] 근소한 모양.
[堇泥 근니] 진흙.

8 ⑪ [堊] 人名 악 ㊇藥 烏各切 è 垩

筆順 一 亐 亞 亞 亞 亞 亞 堊

字解 ①백토 악 흰 흙. '大次之山, 其陽多一'《山海經》. ②색흙 악 고운 빛의 흙. '葱聾之山 其中大谷, 多白·黑·靑·黃一'《山海經》. ③진흙 악 질척질척한 흙. '盡一而鼻不傷'《莊子》. ④색벽할 악 진흙을 바른 위에 색토(色土)를 바름. '黝一之'《周禮》. ⑤진흙벽 악 진흙만 바른 벽. '士居一室'《禮記》. ⑥색벽 악 색토(色土)를 바른 벽. '樓閣相接, 丹·靑·素一'《後漢書》.
字源 篆文 形聲. 土+亞〔音〕. '亞아'는 고대의 묘실(墓室)의 象形. 묘실의 벽에 바르는 백토의 뜻을 나타냄.

[堊塗 악도] ㉠색이 고운 흙과 진흙. ㉡바름.
[堊漫 악만] 벽을 희게 바름. 만(漫)은 만(墁).
[堊壁 악벽] 흰 벽.
[堊室 악실] 벽에 진흙만 바른 방. 상제가 거처함.
◉丹堊. 白堊. 素堊. 黝堊. 赭堊.

8 ⑪ [㙓] 괴 ㊤卦 古壞切 guài

字解 클 괴 '一, 大皃'《廣韻》.
字源 形聲. 多+土+又〔音〕

8 ⑪ [埜] 〔야〕
野(里部 四畫〈p. 2369〉)의 古字

8 ⑪ [埿] 〔니〕
泥(水部 五畫〈p. 1210〉)의 俗字

9 ⑫ [堯] 人名 요 ㊥蕭 五聊切 yáo 尧

筆順 一 十 土 圭 垚 垚 堯 堯

字解 ①높을 요, 멀 요 고원(高遠)함. '一一'. '一猶嶢也, 嶢嶢至高貌'《白虎通》. ②요임금 요 고대 제왕의 이름. '唐一'. '古帝一'《書經》. ③성 요 성(姓)의 하나.
字源 甲骨文 篆文 會意. 垚+兀. '垚요'는 흙을 높이 쌓다의 뜻. '兀올'은 높고 위가 평평하다의 뜻. '고원(高遠)하다'의 뜻을 나타냄.

[堯桀 요걸] 성천자(聖天子)인 요(堯)와 폭군(暴君)의 걸(桀). 전(轉)하여, 성군(聖君)과 폭군(暴君). 착한 사람과 악한 사람.
[堯鼓舜木 요고순목] 요(堯)임금은 조정(朝廷)에 북을 걸어 두어 임금을 간(諫)하려는 사람은 누구나 이 북을 치게 하였고, 순(舜)임금은 나무를 세워서 여기에 경계하는 말을 쓰게 한 일. 전(轉)하여, 성천자(聖天子)가 착한 말을 잘 받아들이는 것을 이름.
[堯舜 요순] 성제(聖帝)인 당요(唐堯)와 우순(虞舜). 전(轉)하여, 성군(聖君)·명군(明君)의 뜻으로 쓰임. 걸주(桀紂)의 대(對).
[堯舜之君 요순지군] 요(堯)임금과 순(舜)임금과 같은 성군(聖君).
[堯堯 요요] 산 같은 것이 높은 모양.
[堯渚 요저] 요(堯)임금이 상서(祥瑞)로운 귀문(龜文)을 얻은 물가.
[堯天 요천] 요(堯)임금 시대와 같은 태평한 세상.
[堯趨舜步 요추순보] 요(堯)임금이 달리고 순(舜)임금이 걷는 것처럼 덕용(德容)이 성(盛)한 일. 우보순추(禹步舜趨).
[堯風舜雨 요풍순우] 요순(堯舜) 두 임금의 어진 덕이 천하에 널리 퍼진 것을 비바람의 혜택이 이르지 않는 곳이 없음에 견주어 이른 말. 또, 태평한 세월에 비바람이 때에 맞게 오고 부는 뜻으로도 쓰임.
◉纂堯. 跖狗吠堯. 體堯. 吠堯.

9 ⑫ [報] 中人 ㊀보 ㊤號 博耗切 bào ㊁부 ㊤遇 芳遇切 fù 报

筆順 一 土 圭 圭 幸 幸 報 報

字解 ㊀ ①갚을 보 은혜나 원한을 갚음. '一恩'. '睚眦之怨必一'《史記》. ②갚음 보 전항(前項)의 명사. '吾哀王孫進食, 豈望一乎'《史記》. ③대답할 보 '反一文侯'《呂氏春秋》. ④알릴 보, 여쭐 보 '一告'. '請爲張唐先一趙'《戰國策》. ⑤대답 보, 알림 보 전전항과 전항의 명사. '奏事待一'《晉書》. ⑥공초받을 보 죄를 심판함. 죄수를 처결함. '一囚'《漢書》. ⑦형 보 처형(處刑). '爰書訊鞫論一'《漢書》. ⑧치붙을 보 아랫사람이 윗사람과 간음함. '鄭文公一鄭子之妃'《左傳》. ㊁ 빨리 부 속히. '毋一往'《禮記》.
字源 金文 篆文 會意. 㚔+𠬝. '㚔녑·섭'은 수갑·족쇄 등의 형구(刑具)를 본뜬 것. '𠬝복'은 '따르다'의 뜻. 죄인으로 하여금 형을 따르게 하다, 죄를 심판하다의 뜻을 나타냄. 이것은 보복적인 법의 관념에 입각한 것으로 여겨져, 원수를 갚다, 갚다의 뜻을 동시에 나타냄. 파생(派生)하여, 처분의 결과를 알리다, 일반적으로 '알리다'의 뜻도 나타냄.

[報告 보고] 알리어 바침.
[報果 보과] 한 일의 보람. 한 일에 대한 결과(結果).

[報仇 보구] 원수를 갚음.
[報國 보국] 나라의 은혜를 갚음. 나라를 위해서 충성을 다함.
[報答 보답] ㉠대답(對答). ㉡남의 은혜(恩惠)를 갚음.
[報德 보덕] 남의 은덕(恩德)을 갚음.
[報道 보도] 알려 줌. 알림.
[報李 보리] 남의 선사에 대하여 답례(答禮)함. 시경(詩經)의 '投我以桃, 報之以李'에서 나온 말.
[報命 보명] ㉠명령을 받아 일을 한 뒤에 보고(報告)함. 복명(復命). ㉡답례(答禮)를 함.
[報復 보복] ㉠은혜 또는 원수를 갚음. ㉡대답함. ㉢되돌아옴.
[報覆 보복] 보고(報告).
[報本 보본] 생겨난 근본을 잊지 않고 갚음.
[報本反始 보본반시] 근본에 갚고 시초로 돌아간다는 뜻으로, 천지(天地) 또는 부조(父祖)의 은혜를 갚는 일.
[報聘 보빙] 이웃 나라의 방문(訪問)을 받은 데 대한 답례를 함.
[報使 보사] ㉠사신(使臣)으로 갔다 와서 복명(復命)함. ㉡사신(使臣)을 보내어 답례(答禮)함.
[報祀 보사] 보은(報恩)하기 위해서 제사를 지냄. 보제(報祭).
[報謝 보사] ㉠은혜를 갚고 사례를 함. ㉡《佛教》 불조(佛祖)의 은혜에 감격하여 정업(淨業)을 닦음.
[報償 보상] ㉠앙갚음을 함. ㉡남에게 빚진 것을 갚아 줌.
[報賽 보새] 신명(神明)의 은혜에 보답(報答)하기 위한 제사(祭祀). 보제(報祭). 보사(報祀).
[報書 보서] 알려 주는 편지. 또, 답장(答狀).
[報雪 보설] 보복하여 설치(雪恥)하거나 설원(雪怨)함.
[報囚 보수] 죄인(罪人)에게 형벌(刑罰)을 과(科)함.
[報受 보수] 답례(答禮)를 받음.
[報酬 보수] ㉠보답(報答)함. 갚음. ㉡근로(勤勞)에 대(對)한 소득(所得).
[報讎 보수] 원수(怨讎)를 갚음.
[報施 보시] 보답하여 시여(施與)함.
[報身 보신] 《佛教》 삼신(三身)의 하나. 수행 공덕(修行功德)의 과보(果報)로 실지(實智)를 갖추고 나타난 몸. 법신(法身)·응신(應身)의 대(對).
[報衙 보아] 관청에서 북을 쳐서 관리의 출근을 알리는 일.
[報怨 보원] 앙갚음.
[報怨以德 보원이덕] 원한 있는 자에게 은덕(恩德)으로써 갚음.
[報怨以怨 보원이원] 원한을 원한으로 갚음.
[報恩 보은] 은혜(恩惠)를 갚음.
[報應 보응] 인과응보(因果應報).
[報狀 보장] 상관에게 보고하는 공문.
[報章 보장] 답장. 답서(答書).
[報祭 보제] 보사(報祀).
[報知 보지] 알려 줌.
[報債 보채] 빚을 갚음.
[報罷 보파] ㉠의견을 들어주지 않음. ㉡낙제(落第). 불합격(不合格).
[報判 보판] 죄인을 심문하여 죄를 판정함.
[報效 보효] 은혜를 갚기 위하여 힘을 다함.

◉警報. 啓報. 顧報. 公報. 果報. 官報. 急報. 吉報. 朗報. 內報. 半官報. 反報. 返報. 福報. 訃報. 悲報. 飛報. 私報. 詳報. 賞報. 書報. 速報. 酬報. 旬報. 時報. 申報. 新報. 鴈報. 陽報. 年報. 豫報. 誤報. 月報. 應報. 因果應報. 日氣豫報. 一飯報. 日報. 雜報. 電報. 情報. 朝報. 罪報. 奏報. 週報. 捷報. 諜報. 快報. 通報. 特報. 顯報. 畫報. 回報. 會報. 彙報. 凶報.

9 ⑫ [堙] 인 [平]眞 於眞切 yīn

[字解] ①막을 인, 막힐 인 구멍을 통하지 못하게 함. '一窒'. '一塞'. '甲寅一之'《左傳》. ②흙메인 토산(土山). '乘一而窺宋城'《公羊傳》.
[字源] 形聲. 土+垔〔音〕. '垔인'은 '막다'의 뜻. 흙으로 막다, 묻히다의 뜻을 나타냄.

[堙陵 인릉] 쇠해짐.
[堙滅 인멸] 사라져 없어짐. 묻혀 없어짐. 인멸(湮滅).
[堙圮 인비] 묻히어 무너짐.
[堙塞 인색] 막히어 통하지 않음.
[堙鬱 인울] 가슴이 막혀 답답함. 울결(鬱結).
[堙窒 인질] 인색(堙塞).
[堙替 인체] 파묻혀 퇴폐(頹廢)함. 쇠(衰)함.
[堙廢 인폐] 파묻혀 퇴폐(頹廢)함.
◉距堙. 乘堙.

9 ⑫ [堧] [人名] 연 [平]先 而緣切 ruán

[字解] ①성하전(城下田) 연 성(城) 아래의 전지. '城郭一'《漢書》. ②강가땅 연 강변(江邊)의 땅. '河一'. '晚守淮南一'《韋應物》. ③빈터 연 공지. '趙過試以離宮卒, 田其宮一地'《漢書》.
[字源] 形聲. 土+耎〔音〕

◉河堧.

9 ⑫ [[illegible]] 〔인·두〕
垔(土部 六畫〈p.445〉)의 本字

9 ⑫ [[illegible]] 〔경〕
埂(土部 七畫〈p.447〉)의 本字

9 ⑫ [堞] [人名] 첩 [入]葉 徒協切 dié

[字解] 성가퀴 첩 성 위에 나지막하게 쌓은 담. 여장(女墻). '雉一'. 또, 성가퀴를 쌓음. '一其宮而守之'《左傳》.
[字源] 篆文 壗 形聲. 土+枼(葉)〔音〕. '葉엽'은 얇고 평평하다의 뜻. 성벽 위에 만드는 얇은 토담, '성가퀴'의 뜻을 나타냄.

◉高堞. 樓堞. 粉堞. 陴堞. 城堞. 危堞. 雉堞.

9 ⑫ [堠] 후 [去]宥 胡遘切 hòu

[字解] ①돈대 후 ㉠이정(里程)을 표시하기 위하여 토석(土石)을 높이 쌓은 것. 이정표(里程標)의 한 가지. '一子'. '堆堆路傍一'《韓愈》. ㉡기념(紀念)의 표시로 토석(土石)을 쌓은 것. '立

石一志之'《舊唐書》. ②흙성 후 적정(敵情)을 살피기 위하여 흙으로 싼 보루. '玉門罷一'《梁簡文帝》.
字源 形聲. 土+侯〔音〕. '侯후'는 '살피다, 엿보다'의 뜻.

[堠槐 후괴] 이정(里程)을 표시하기 위하여 흙을 쌓는 대신에 심은 홰나무.
[堠子 후자] 이정(里程)을 알리기 위하여 흙을 산처럼 높이 쌓아 올린 것. 자(子)는 조자(助字).
[堠程 후정] 여행의 노정(路程). 여정(旅程).
◉孤堠. 關堠. 兵堠. 封堠. 烽堠. 石堠. 雙堠. 里堠. 亭堠. 土堠. 標堠. 火堠.

9 ⑫ [堤] 高人 제 ㊥齊 都禮切 dī

筆順

字解 둑 제 제방. '一塘'. '修立一堰'《南史》.
字源 篆文 形聲. 土+是〔音〕. '是시'는 순가락총이 긴 순가락의 象形. 길게 내민 '둑'을 뜻함.

[堤塘 제당] 제방(堤防).
[堤防 제방] 홍수(洪水)를 막기 위하여 흙과 돌을 쌓은 것. 둑.
◉突堤. 防波堤. 堰堤. 長堤.

9 ⑫ [堪] 人名 감 ㊥覃 口含切 kān

筆順

字解 ①견딜 감 ㉠감당함. 능히 함. '一能'. '口弗一也'《國語》. ㉡참음. '一忍'. '民力不一'《呂氏春秋》. ②맡을 감 감당함. 맡아 함. '何德以一之'《國語》. ③성 감 성(姓)의 하나.
字源 篆文 形聲. 土+甚〔音〕. '甚심'은 '화덕'의 뜻. 본디, 흙으로 만든 아궁이의 굴뚝의 뜻을 나타냈으나, 假借하여, '戡감' 등과 통하여, '이기다'의 뜻. 약한 마음이나 욕망, 또는 자기에게 가해진 압력에 이겨 내다, 견디다의 뜻을 나타냄.

[堪耐 감내] 참고 견딤.
[堪能 감능] 일을 훌륭히 감당(堪當)해 내는 능력(能力)이 있음. 일에 능란(能爛)함.
[堪當 감당] ㉠산의 형세(形勢)가 기발(奇拔)한 모양. ㉡법에 의해서 벌을 줌. ㉢일을 능히 해 냄.
[堪坯 감배] 고대(古代)의 신(神)의 이름. 인면수신(人面獸身)으로서 득도(得道)하여 곤륜산(崑崙山)에 들어가 신(神)이 되었다 함.
[堪輿 감여] ㉠하늘과 땅. 천지(天地). ㉡감여가(堪輿家).
[堪輿家 감여가] 산소 자리를 잡는 것을 전문으로 하는 사람. 풍수가(風水家).
[堪忍 감인] 참고 견딤. 감내(堪耐).
◉克堪. 難堪. 不堪. 自堪.

9 ⑫ [堰] 人名 언 ㊤霰 於扇切 yàn

字解 보 언, 방죽 언 '一堤'. '立一溉田千餘頃'《南史》.
字源 形聲. 土+匽〔音〕. '匽언'은 '막다'의 뜻. 물의 흐름을 막는 '보'의 뜻을 나타냄.

[堰瀦 언저] 저수지(貯水池).
[堰堤 언제] 방죽. 둑. 제방(堤防).
[堰埭 언태] ㉠선박(船舶)의 통행세(通行稅)를 받기 위해 강가에 쌓은 둑. ㉡관개(灌漑)하기 위하여 만든 방죽.
◉石堰. 廢堰. 海堰. 畦堰.

9 ⑫ [場] 中·人 장 ㊥陽 直良切 chǎng 场

筆順

字解 ①마당 장 ㉠구획한 공지. '闢廣一, 羅兵三萬'《唐書》. ㉡곳. '一所'. '婆娑乎術藝之一'《班固》. ㉢제사 지내는 터. '築室於一'《孟子》. ㉣타작마당. '十月滌一'《詩經》. ②때 장 시기(時期). '一一春夢'. '紅葉開時醉一一'《王禹偁》. ③구획 장 사물의 일단락. '雜出六題, 分爲三一'《宋史》.
字源 篆文 形聲. 土+昜〔音〕. '昜양'은 '해가 뜨다'의 뜻. 떠오르는 태양을 제사 지내는 깨끗한 곳, 일반적으로 '장소'의 뜻을 나타냄.

[場埒 장날] 말 타기도 하고 활쏘기도 하는 곳.
[場內 장내] ㉠어떠한 처소의 안. ㉡과장(科場)의 안.
[場裏 장리] 그 장소(場所)의 안. 장내(場內).
[場面 장면] 어떠한 장소의 겉으로 드러난 면(面)이나 광경.
[場師 장사] 정원(庭園)의 일을 맡은 벼슬아치. 전(轉)하여 정원사(庭園師).
[場所 장소] ㉠곳. 처소(處所). ㉡자리.
[場屋 장옥] ㉠과거를 보이는 곳. 과장(科場). ㉡연극하는 장소. 무대. 희장(戲場).
[場外 장외] ㉠어떠한 처소의 바깥. ㉡과장(科場)의 밖.
[場囿 장유] ㉠동산. 밭. ㉡장소. 곳.
[場圃 장포] ㉠뜰. 채마밭. ㉡타작마당. 여름에는 채마밭으로 쓰다가 가을에 마당질하기 위하여 닦은 곳.
◉擧場. 缺場. 競技場. 古戰場. 工場. 科場. 官場. 敎場. 毬場. 球場. 劇場. 來場. 農場. 道場. 獨擅場. 登場. 馬場. 滿場. 名場. 牧場. 墨場. 文場. 飛行場. 沙場. 射場. 寫場. 上場. 修羅場. 水泳場. 市場. 式場. 漁場. 靈場. 禮式場. 浴場. 運動場. 議場. 一場. 入場. 立場. 磁場. 齋場. 電場. 戰場. 祭場. 職場. 擅場. 出場. 退場. 罷場. 海水浴場. 現場. 刑場. 會場. 休場. 戲場.

9 ⑫ [堣] 人名 우 ㊥虞 偶俱切 yú

筆順

字解 땅이름 우 '一夷, 在冀州暘谷'《說文》.
字源 金文 篆文 形聲. 土+禺〔音〕

9 ⑫ [堭] 人名 황 ㊥陽 胡光切 huáng

[筆順] 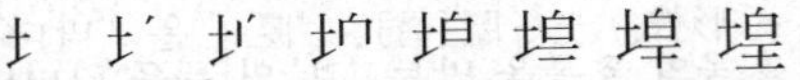

[字解] ①벽없는집 황 사벽(四壁)이 없는 건물. 정자(亭子) 같은 것. 皇(白部 四畫)과 통용. '堂一, 合殿也'《廣韻》. ②해자 황 隍(阜部 九畫)과 同字.

[字源] 形聲. 土+皇〔音〕

9 ⑫ [堩] 긍 [去]徑 古鄧切 gèng

[字解] 길 긍 도로(道路). '唯君命止柩于一'《儀禮》.

9 ⑫ [堗] 돌 [入]月 陀沒切 tū

[字解] 부엌창 돌 연기(煙氣)가 빠지도록 낸 창. '竈, 謂之竈, 其窗謂之一'《廣雅》.

9 ⑫ [堫] [一] 종 [平]東 子紅切 zōng
[二] 창 [平]江 楚江切 zōng

[字解] [一] ①심을 종 식물을 심음. '一, 種也'《廣韻》. ②들어갈 종 속으로 들어감. '一, 一曰, 內其中'《說文》. [二] 심을 창, 들어갈 창 [一]과 뜻이 같음.

[字源] 形聲. 土+嵏〔音〕

9 ⑫ [堮] 악 [入]藥 五名切 è

[字解] 비탈 악 낭떠러지. '一, 圻一'《廣韻》.

9 ⑫ [堵] [人名] 도 [上]麌 當古切 dǔ 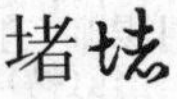

[筆順] 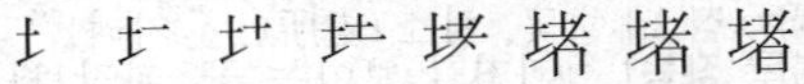

[字解] ①담 도 담장. '止如一牆, 動如風雨'《尉繚子》. 전(轉)하여, 담의 안. 거처. 주거. '百姓安一'《蜀志》. ②성 도 성(姓)의 하나.

[字源] 金文  金文  篆文  形聲. 土+者〔音〕. '者자'는 받침대 위에 섶나무 따위를 쌓아 놓은 것을 본뜬 것. 양쪽 판자 사이에 진흙을 넣고 다져서 굳히는 방법으로 만든 흙벽의 뜻을 나타냄. 일설에는, '者'는 덮어서 가로막다의 뜻으로 담. '土토'를 더하여, 다른 사람의 침입을 막기 위한 토담의 뜻이라고 함.

[堵塞 도색] 막음. 폐색(閉塞).
[堵列 도열] 담같이 죽 늘어선다는 뜻으로, 많은 사람이 죽 늘어섬. 또, 그 열.
[堵墻 도장] 담.
◉粉堵. 阿堵. 安堵. 按堵. 案堵. 周堵. 環堵.

9 ⑫ [堶] 타 [平]歌 徒和切 tuó

[字解] 석전 타 돌팔매질하여 겨루는 승부. '輕浮賭勝各飛一'《梅堯臣》.

9 ⑫ [堨] 알 [入]曷 烏葛切 è

[字解] 보 알, 방죽 알 '治芍陂屑茹阪匕門吳塘諸一, 以漑稻田'《魏志》.

[字源] 篆文  形聲. 土+曷〔音〕. '曷갈'은 '멈추게 하다'의 뜻. 흙을 쌓아 올려서 물을 막는 보, '둑'의 뜻을 나타냄.

9 ⑫ [堿] 감 [上]感 苦感切 jiǎn

[字解] ①험할 감 길이 험하여 가기 힘듦. '一, 一坷'《篇海》. ②저수지 감 물을 가두어 두기 위해 만든 못. '若發一決唐'《淮南子》.

9 ⑫ [堝] 과 [平]歌 古禾切 guō 

[字解] 도가니 과 쇠붙이를 녹이는 데 쓰는 그릇. '一, 甘一所以烹煉金銀'《玉篇》.

[字源] 形聲. 土+咼〔音〕

◉坩堝.

9 ⑫ [堛] 벽 [入]職 筆力切 pì

[字解] 흙덩이 벽 토괴(土塊). '一, 凷也'《說文》.

[字源] 篆文 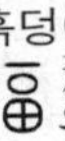 形聲. 土+畐〔音〕. '畐복'은 '부풀다'의 뜻. '흙덩이'의 뜻을 나타냄.

9 ⑫ [⿰土复] 복 [入]屋 房六切 fù

[字解] 토굴 복 復(穴部 十二畫)과 同字.

9 ⑫ [堬] 유 [平]虞 羊朱切 yú

[字解] 무덤 유 뫼. '秦晉之閒, 冢, 謂之一'《揚子方言》.

9 ⑫ [堳] 미 [平]支 旻悲切 méi

[字解] 담 미 단(壇)의 주위를 두른 낮은 담.

9 ⑫ [⿰土㡿] 〔탁〕
坼(土部 五畫〈p.441〉)의 本字

9 ⑫ [堺] 〔계〕
界(田部 四畫〈p.1463〉)와 同字

9 ⑫ [塁] 〔루·뢰·률〕
壘(土部 十五畫〈p.470〉)의 略字

9 ⑫ [堕] 〔타·휴〕墮(土部 十二畫〈p.467〉)와 同字·簡體字

9 ⑫ [堘] 〔승〕
塍(田部 九畫〈p.1473〉)과 同字

9 ⑫ [堢] 〔보〕
堡(土部 九畫〈p.457〉)와 同字

9 ⑫ [堦] 〔계〕
階(阜部 九畫〈p.2471〉)와 同字

9 ⑫ [堽] [一] 〔강〕岡(山部 五畫〈p.637〉)과 同字
[二] 〔강〕剛(刀部 八畫〈p.260〉)의 訛字

9 ⑫ [塔] 〔탑〕
塔(土部 十畫〈p.457〉)의 俗字

9 [塜] 〔총〕
⑫ 冢(冖部 八畫〈p. 225〉)의 訛字

9 [堲] 一 즐 ⓐ質 資悉切 jí
⑫ 二 즉 ⓐ職 秦力切 jí

字解 一 ①불똥 즐 심지의 끝의 타다 남은 것. '左手秉燭, 右手折一'《管子》. ②미워할 즐 증오함. '朕一讒說殄行'《書經》. ③기와 즐 구운 기와. '夏后氏一周'《禮記》. 二 미워할 즉, 기와 즉 一과 뜻이 같음.

字源 㙈의 古文 形聲. 土+即〔音〕

9 [堡] 人名 보 ⓐ皓 博抱切 bǎo
⑫

筆順 亻 𠂊 ... 保 保 堡 堡 堡

字解 작은성 보 토석(土石)으로 쌓은 작은 성. '一砦'. '連城一'《唐書》.

字源 形聲. 土+保〔音〕. '保보'는 '보존하다, 지키다'의 뜻. '土토'를 더하여, 외적으로부터 나라를 지키는 작은 성, '보루(堡壘)'의 뜻을 나타냄.

[堡壘 보루] 적군을 막기 위하여 토석(土石)으로 쌓은 작은 성.
[堡壁 보벽] 보루(堡壘).
[堡戍 보수] 성채(城砦). 또는 성채를 지킴.
[堡障 보장] 보루(堡壘).
[堡砦 보채] 보루(堡壘).
[堡聚 보취] 사람을 많이 모아 보루를 지킴.
◉橋頭堡. 屯堡. 望堡. 烽堡. 城堡. 營堡. 戰堡. 哨堡.

9 [堥] 무 ㊥尤 莫浮切 móu
⑫

字解 언덕 무 작은 언덕. '一敦'.

字源 形聲. 土+敄〔音〕

[堥敦 무돈] 작은 언덕.

9 [埜] 〔야〕
⑫ 野(里部 四畫〈p. 2369〉)와 同字

9 [埀] 〔수〕
⑫ 垂(土部 五畫〈p. 442〉)의 古字

9 [垦] 〔간〕
⑫ 墾(土部 十三畫〈p. 468〉)의 俗字

10 [報] 〔보〕
⑬ 報(土部 九畫〈p. 453〉)의 訛字

10 [塊] 高人 괴 ⓒ隊 苦對切 kuài
⑬ ⓒ泰 苦會切 块

筆順 土 圵 圵 坤 坤 坤 塊 塊

字解 ①흙덩이 괴 덩어리진 흙. 토괴(土塊). '野人與之一'《左傳》. ②덩이 괴 덩어리. '肉一'. '趙氏一一肉'《宋史》. ③나 괴 자기. '一獨守此無澤兮'《楚辭》. ④홀로 괴 고독한 모양. '一孤立而特峙'《陸機》.

字源 篆文 凷 俗體 塊 形聲. 土+鬼〔音〕. '鬼귀'는 징그러운 머리를 한 사람을 본뜬 것. '흙덩이'의 뜻을 나타냄. '凷괴'의 속자(俗字).

[塊莖 괴경] 괴상(塊狀)으로 된 지하경(地下莖). 감자 따위.
[塊根 괴근] 덩이로 된 뿌리.
[塊金 괴금] 금덩이.
[塊獨 괴독] 홀로 섬. 고립(孤立). 고독(孤獨).
[塊石 괴석] 돌멩이.
[塊然 괴연] 혼자 있는 모양.
[塊炭 괴탄] 덩이로 된 석탄.
◉金塊. 磊塊. 累塊. 壘塊. 團塊. 大塊. 氷塊. 山塊. 石塊. 肉塊. 凝塊. 土塊. 血塊.

10 [塌] 탑 ⓐ合 託盍切 tā
⑬

字解 ①애벌갈 탑 초경(初耕)함. '初耕曰一'《王盤農書》. ②떨어질 탑, 떨어뜨릴 탑 '垂頭一翼'《陳琳》.

字源 形聲. 土+䍇〔音〕. '䍇탑'은 납작하게 찌부러지는 모양을 나타내는 의성어.

[塌颯 탑삽] 뜻을 얻지 못한 모양.

10 [塏] 人名 개 ⓑ賄 苦亥切 kǎi
⑬

字解 높은땅 개 높고 환한 땅. '請更諸爽一者'《左傳》.

字源 篆文 形聲. 土+豈〔音〕. '豈개'는 '명랑하고 환하다'의 뜻. 높고 환한 땅의 뜻을 나타냄.

[塏塏 개개] 언덕 같은 것이 높은 모양.
◉爽塏. 勝塏. 幽塏.

10 [塒] 시 ㊥支 市之切 shí
⑬ 埘

字解 홰 시 닭 같은 것이 앉는 곳. '鷄棲于一'《詩經》.

字源 篆文 形聲. 土+時〔音〕. '土토'는 '토담'의 뜻. '時시'는 '止지'와 통하여, 토담에 구멍을 뚫어 닭이 앉아 쉬게 하는 곳, 보금자리의 뜻을 나타냄.

10 [塔] 高人 탑 ⓐ合 吐盍切 tǎ
⑬

筆順 土 圵 圹 圹 坩 埣 塔 塔

字解 ①탑 탑 불탑. '浮屠梵語塔婆, 此云高顯, 今稱一'《釋氏要覽》. ②절 탑 사찰. 불당(佛堂). '募建宮宇曰一'《魏志》. ③층집 탑 5층 또는 7층의 고각(高閣). '偃王燈一古涂州'《薛能》. ④성 탑 성(姓)의 하나.

字源 篆文 形聲. 土+荅〔音〕. 범어(梵語) stūpa의 음역(音譯). 흙으로 만들어지므로, '土토'를 덧붙임.

[塔頭 탑두] 《佛敎》 ㉠선가(禪家)에서 조사(祖師)의 탑이 있는 곳. ㉡본사(本寺)에 속하여 본사 경내에 있는 작은 절.
[塔碑 탑비] 탑과 비(碑).

[塔影 탑영] 탑의 그림자.
[塔尖 탑첨] 탑 끝의 뾰족한 곳.
[塔婆 탑파] 《佛敎》 ㉠'솔탑파(率塔婆)'의 준말로, 방분(方墳) 또는 묘(廟)라 번역함. 사자(死者)의 사리(舍利)를 묻은 무덤에 세우는 석탑(石塔). ㉡솔탑파와 같이 만든 판자에 범어(梵語) 등을 적어 무덤 주위에 세운 것. 솔도파(率堵婆).
◉經塔. 金字塔. 卵塔. 堂塔. 燈塔. 廟塔. 梵塔. 寶塔. 佛塔. 寺塔. 舍利塔. 象牙塔. 石塔. 五輪塔. 五重塔. 尖塔. 層塔.

10 ⑬ [塨] 공 [去]送 古送切 gòng
[字解] 땅이름 공.

10 ⑬ [塂] 성 [平]庚 思營切 xīng
[字解] 붉은흙 성 빛깔이 붉은 흙. '一, 赤剛土也'《說文》.
[字源] 篆文 形聲. 土+觲〈省〉〔音〕. 붉고 굳은 흙의 뜻을 나타냄.

10 ⑬ [塓] 멱 [入]錫 莫狄切 mì
[字解] 흙바를 멱 벽에 흙을 바름. '圬人以時一館宮室'《左傳》.
[字源] 篆文 形聲. 土+冥〔音〕. '冥명'은 '어둡다'의 뜻. 흙을 발라 어둡게 하다의 뜻을 나타냄.

10 ⑬ [塕] 옹 [上]董 烏孔切 wěng
[字解] ①티끌 옹 먼지. '馬上風來亂吹一'《柳貫》. ②티끌자옥하게일 옹 '一然'은 바람이 불어 먼지가 자옥하게 일어나는 모양. '庶人之風, 一然起于窮巷之間'《宋玉》.
[字源] 形聲. 土+翁〔音〕

[塕然 옹연] 자해(字解) ❷를 보라.

10 ⑬ [塘] [人名] 당 [平]陽 徒郎切 táng
[筆順] 扌 圹 圹 垆 垆 埴 埗 塘
[字解] ①둑 당 제방. '隄一'. '曹華信立防海一'《錢塘志》. ②못 당 저수지(貯水池). '一池'. '柳一春水漫'《嚴維》.
[字源] 篆文 形聲. 土+唐〔音〕. '唐당'은 '크다'의 뜻. 흙으로 쌓은 큰 둑의 뜻을 나타냄.

[塘池 당지] 저수지(貯水池).
◉芳塘. 蓮塘. 林塘. 堤塘. 隄塘. 池塘. 春塘. 陂塘.

10 ⑬ [塥] 혁(격[本]) [入]陌 各額切 gé
[字解] 푸석푸석한흙 혁 마르고 끈기가 없는 푸석푸석한 흙. '五位之狀, 不一不灰'《管子》.

10 ⑬ [塠] [一] 퇴 [平]灰 都回切 duī
[二] 최 [平]灰 倉回切 duī
[字解] [一] ①떨어질 퇴 '一, 落也'《集韻》. ②쌓일 퇴 '依沙一爲屯'《三國志》. [二] 꾸짖을 최 책망함. '一, 謫也'《類篇》.

10 ⑬ [塙] 각 [入]覺 苦角切 què
[字解] 단단할 각 땅이 단단함.
[字源] 篆文 形聲. 土+高〔音〕. '高고'는 '確확'과 통하여, '단단하다'의 뜻. 팔 수 없을 정도로 단단한 흙의 뜻을 나타냄.

10 ⑬ [塳] 봉 [平]東 蒲蒙切 péng
[字解] 먼지날 봉 먼지가 읾.
[參考] 塚(土部 十畫)은 別字.

10 ⑬ [塡] [人名] [一] 전 [平]先 徒年切 tián
[平]眞 陟鄰切 chén
[二] 진 [去]震 陟刃切 zhèn
[上]銑 徒典切 tiǎn
[筆順] 扌 圹 圹 圻 埴 塇 塡 塡
[字解] [一] ①메울 전 넣어 채움. '充一'. '屍一巨港之岸'《李華》. ②박아넣을 전 감입(嵌入)함. '一金'. '金一文字'《嘉話錄》. ③채울 전 충당함. '多取好女以一後宮'《漢書》. ④따를 전 순종함. 따라감. '一流泉而爲沼'《班固》. ⑤북소리 전 '一然鼓之'《孟子》. [二] ①오랠 진 塵(土部 十一畫)과 同字. '孔一不寧'《詩經》. ②누를 진 鎭(金部 十畫)과 同字. '一撫'. '一國家'《漢書》. ③다할 진 궁진(窮盡)함. 殄(歹部 五畫)과 同字. '哀我一寡'《詩經》.
[字源] 篆文 形聲. 土+眞〔音〕. '眞진'은 '메우다, 채우다'의 뜻. 흙을 채워서 구멍을 막다의 뜻을 나타냄.

[塡溝壑 전구학] 구렁에 빠져 죽음. 행려병사(行旅病死)함. 목숨을 잃는 것을 겸손하여 이르는 말.
[塡補 전보] 메워 기움. 부족한 것을 메워 채움.
[塡詞 전사] 시(詩)의 한 체(體). 그 성운(聲韻)의 평측(平仄)에 적당한 자구(字句)를 채워서 짓는 시(詩). 시여(詩餘). 사여(詞餘).
[塡塞 전색] 메움. 막음. 또, 메워짐. 막힘.
[塡詩 전시] 전사(塡詞).
[塡然 전연] 북소리의 형용.
[塡委 전위] ㉠가득 차 쌓임. ㉡사무가 밀림.
[塡塡 전전] ㉠침착한 모양. 중후(重厚)한 모양. ㉡만족한 모양. ㉢엄정하고 성(盛)한 모양. 정제(整齊)한 모양. ㉣거마(車馬)가 많이 죽 늘어선 모양. ㉤천둥이 요란하게 나는 소리. ㉥계속하여 울리는 북소리.
[塡足 전족] 메워 채움. 부족한 것을 채움.
[塡湊 전주] 메도록 많이 모여들어 혼잡함.
[塡充 전충] 메워 채움.
[塡撫 진무] 민심(民心)을 진정시키어 안도(安堵)하게 함.
[塡星 진성] 오성(五星)의 하나. 곧, 토성(土星). 진성(鎭星).
◉配塡. 補塡. 委塡. 裝塡. 充塡.

10 ⑬ [塢] [人名] 오 [上]麌 安古切 wǔ

[字解] ①마을 오 촌락. '谿行盡日無村—'《杜甫》. ②보루 오 작은 성. 성채. '—壁'. '築—于郿'《後漢書》. ③둑 오 작은 제방. '花—麥畦'《樹萱錄》.
[字源] 形聲. 土+烏〔音〕. '烏오'는 '歍오'와 통하여, 구역질이 나다의 뜻. 더러운 물을 가둔 마을의 작은 둑의 뜻을 나타냄.

[塢壁 오벽] 작은 성. 보루(堡壘).
◉村塢. 築塢.

10⑬[塉] 척 [入]陌 秦昔切 jí

[字解] 메마른땅 척 척박한 땅. '—埆'. '處—則勞'《抱朴子》.
[字源] 形聲. 土+脊〔音〕. '脊척'은 '등뼈'의 뜻. 등뼈처럼 바위가 드러나 있는 메마른 땅의 뜻을 나타냄.

[塉埆 척각] 척박한 땅. 메마른 땅.
[塉薄 척박] 척각(塉埆).

10⑬[塯] 류 [去]宥 力救切 liù

[字解] 밥뚝배기 류 뚝배기. '飯土—, 啜土形'《史記》.

10⑬[塤] [人名] 〔훈〕
壎(土部 十四畫〈p.469〉)과 同字
[筆順] 𠃊 圵 坦 埍 埍 埍 埍 塤
[字源] 形聲. 土+員〔音〕. '員원'은 '둥글다'의 뜻. 원통형의 토제(土製)의 피리.

10⑬[堽] 〔강〕
岡(山部 五畫〈p.637〉)과 同字

10⑬[塊] 〔괴〕
壞(土部 十六畫〈p.471〉)의 古字

10⑬[塐] 〔소〕
塑(土部 十畫〈p.459〉)와 同字

10⑬[墀] 〔지〕
墀(土部 十二畫〈p.464〉)와 同字

10⑬[塩] 〔염〕
鹽(鹵部 十三畫〈p.2688〉)의 俗字

10⑬[塚] 〔총〕
冢(冖部 八畫〈p.225〉)의 俗字

10⑬[塋] [人名] 영 [平]庚 余傾切 yíng

[字解] 무덤 영 뫼. '—域'. '修冢—'《後漢書》.
[字源] [篆文] 形聲. 土+營〈省〉〔音〕. '營영'은 빙 둘러친 야영(夜營)의 뜻. 빙 둘러 지경을 막고 화톳불을 피우는 큰 무덤의 뜻을 나타냄.

[塋墓 영묘] 무덤. 분묘(墳墓).
[塋樹 영수] 묘지(墓地)에 심은 나무.
[塋域 영역] 묘지(墓地). 또, 묘지의 구역.
[塋田 영전] 묘지(墓地).
[塋地 영지] 묘지(墓地).
◉孤塋. 故塋. 丘塋. 舊塋. 墳塋. 先塋. 廬塋. 冢塋.

10⑬[塑] [人名] 소 [去]遇 桑故切 sù

[字解] ①토우(土偶) 소 흙으로 만든 우상(偶像). '開元寺—像'《五代史》. ②흙이겨만들 소 흙으로 물형(物形)을 만듦. '彫—'.
[字源] 形聲. 土+朔〔音〕. '朔소'는 거슬러 올라가다의 뜻. 진흙 덩이를 깎아 점차 사람의 모습에 다다르는 공정(工程)을 거치는 '토우(土偶)'의 뜻을 나타냄.
[參考] 塐(土部 十畫)는 同字.

[塑像 소상] 진흙으로 만든 우상(偶像).
◉泥塑. 彫塑. 繪塑.

10⑬[塞] [高人] [一] 새 [去]隊 先代切 sài
[二] 색 [入]職 蘇則切 sāi

[筆順] 宀 宀 宑 审 寉 寒 寒 塞
[字解] [一] ①변방 새 변경. '邊—'. '秦敢絶—而伐韓者, 信於周也'《戰國策》. ②요새 새 적의 침입을 방어할 만한 험준한 요해처. '要—'. '險—'. '楚地北有汾陘之—'《戰國策》. ③보루 새 본성(本城)에서 떨어져 있는 작은 성. '—上敍軍功'《黃允文雜纂》. ④굿 새 賽(貝部 十畫)와 同字. '冬—禱祠'《漢書》. ⑤주사위 새 투자(骰子). '博—以遊'《莊子》. [二] ①막을 색 ㉠사이를 가림. '蔽—'. '樹—門'《論語》. ㉡틀어막음. '充—'. '塡—耳'《儀禮》. ㉢통하지 못하게 함. 차단함. '遏—'. '啓—從時'《左傳》. ㉣이루어 채움. 다함. '無以報德—責'《漢書》. ②막힐 색 ㉠막음을 당함. '語—'《史記》. ㉡운이 막힘. 불운함. '知通—'《易經》. ③성 색 성(姓)의 하나.
[字源] [篆文] 形聲. 土+𡨄〔音〕. '𡨄색·새'는 '막다'의 뜻. 흙으로 막다의 뜻을 나타냄. 또 파생(派生)하여 거성(去聲)일 때에는, 외적의 침입을 가로막는 '요새'의 뜻을 나타냄.

[塞翁得失 새옹득실] 이(利)가 해(害)가 되고, 실(失)이 득(得)이 되는 수도 있음. 새옹마(塞翁馬).
[塞翁馬 새옹마] 인생의 길흉화복(吉凶禍福)이 무상(無常)하여 예측할 수 없음을 이름.
[塞外 새외] ㉠성채의 밖. ㉡장성(長城)의 밖.
[塞徼 새요] 변방에 있는 보루(堡壘). 새위(塞圍).
[塞圍 새위] 새요(塞徼).
[塞嚶 색앵] 목메어 욺.
[塞淵 색연] 생각이 깊고 성실함. 색(塞)은 실(實), 연(淵)은 심(深).
[塞噎 색열] 목멤.
[塞壅 색옹] 막음. 또 막힘.
[塞責 색책] 책임을 다함.
[塞賢 색현] 현자(賢者)를 쓰지 않음.
◉疆塞. 距塞. 隔塞. 堅塞. 梗塞. 硬塞. 固塞. 孤塞. 關塞. 窮塞. 杜塞. 博塞. 防塞. 壁塞. 邊塞. 堡塞. 報塞. 否塞. 四塞. 沙塞. 城塞. 雁塞. 遏塞. 厄塞. 扼塞. 抑塞. 掩塞. 淵塞. 盈塞. 翳塞. 壅塞. 要塞. 優婆塞. 淪塞. 疑塞. 障塞. 賊塞. 塡塞. 絶塞. 滯塞. 出塞. 充塞.

通塞. 閉塞. 蔽塞. 廢塞. 逼塞. 悍塞. 險塞.

10 ⑬ **[塟]** 〔장〕
葬(艸部 九畫〈p.1946〉)의 俗字

10 ⑬ **[𡋯]** 〔인·두〕
垔(土部 六畫〈p.445〉)의 古字

10 ⑬ **[塗]** 高人 도 ㊥虞 同都切 tú 涂

筆順 氵 氵 氵 涂 涂 涂 涂 塗

字解 ①진흙 도 이토(泥土). '厥土惟—泥'《書經》. ②길 도 途(辵部 七畫)와 同字. '—不拾遺'. '臨淄之—'《戰國策》. ③매흙질할 도 흙을 바름. '牆—而不畫'《揚雄》. ④칠할 도 ㉠도료(塗料) 같은 것을 바름. '臺榭不—'《穀梁傳》. ㉡칠하여 지움. '—抹'. '遽取筆—籍'《舊唐書》. ⑤지울 도 지워 고침. 개찬(改竄)함. '—竄'. '—改清廟生民詩'《李商隱》. ⑥더럽힐 도 더럽게 함. '以—吾身'《莊子》. ⑦괴로움 도 고통. '陷—藉穢兮'《柳宗元》.

字源 篆文 形聲. 土+氵(水)+余〔音〕. '余여'는 흙손을 본뜬 것. 진흙을 흙손으로 바르다의 뜻을 나타냄. 또 '途도'와 통하여, '길'의 뜻도 나타냄.

[塗歌里抃 도가이변] 길 가는 사람이나 마을 사람들이 민요(民謠)를 부르고 손뼉을 침.
[塗改 도개] 지워 고침. 개찬(改竄)함.
[塗工 도공] 미장이.
[塗泥 도니] 진흙.
[塗塗 도도] 두꺼운 모양. 많은 모양. 진한 모양.
[塗路 도로] 길. 도로(道路).
[塗料 도료] 물건의 거죽에 바르는 재료.
[塗抹 도말] ㉠바름. 칠함. ㉡칠하여 지움.
[塗墨 도묵] 먹을 칠함.
[塗褙 도배] 벽·천장·창·장지·장판 등을 종이로 바름.
[塗壁 도벽] 벽에 흙을 바름.
[塗粉 도분] 분(粉)을 바름.
[塗不拾遺 도불습유] 길에 떨어진 물건을 줍지 아니함. 곧, 백성이 부정한 일을 하지 아니함.
[塗說 도설] 길에서 사람에게 말하여 들려줌. 얻어들은 것을 이야기함.
[塗鴉 도아] ㉠지면(紙面)에 먹을 칠하여 새까맣게 됨. ㉡글씨가 서투름.
[塗油 도유] 끓여서 걸쭉하게 만든 들기름. 데유.
[塗乙 도을] 문장 중의 틀린 글자를 지우고 빠진 글자를 채우는 일.
[塗裝 도장] 칠 따위를 발라서 치장함.
[塗地 도지] 피 같은 것을 땅에 발라 더럽힘. 전(轉)하여, 패멸(敗滅)함.
[塗竄 도찬] 글의 자구(字句)를 지워 고쳐 씀. 개찬(改竄)함.
[塗擦 도찰] 바르고 문지름.
[塗擦劑 도찰제] 피부에 도찰(塗擦)하는 약제. 수은 연고(水銀軟膏)·유황 연고(硫黃軟膏) 따위.
[塗炭 도탄] ㉠진흙과 숯불. 전(轉)하여, 몹시 곤란한 경우. ㉡진흙과 숯. 전(轉)하여, 더러운 것.
[塗澤 도택] 분 같은 것을 발라 얼굴에 윤이 나게 함.
[塗巷 도항] 길. 거리.

◉客塗. 孤塗. 廣塗. 曠塗. 國塗. 岐塗. 當塗. 道塗. 晩塗. 名塗. 半塗. 複塗. 常塗. 首塗. 勝塗. 堊塗. 榮塗. 泥塗. 長塗. 政塗. 情塗. 中塗. 塵塗. 清塗. 漆塗. 霸塗. 巷塗. 糊塗.

10 ⑬ **[塍]** 人名 승 ㊥蒸 倉陵切 chéng

字解 밭두둑 승 塖(田部 九畫)과 同字.

字源 金文 篆文 形聲. 土+朕(㑞)〔音〕. '㑞등·승'은 위로 올리다, 또 솟기·이음매의 뜻. 흙을 모아 합쳐서 위로 돋워 올린 '두둑'의 뜻을 나타냄.

11 ⑭ **[𡒄]** 人名 인 ㊥眞 翼眞切 yín

字解 마당 인 '—, 場也'《集韻》

11 ⑭ **[塼]** 人名 전 ㊥先 朱遄切 zhuān

字解 벽돌 전 甎(瓦部 十一畫)과 同字. '—甓'. '聚—修井'《風俗通》.

字源 形聲. 土+專〔音〕. '專전'은 '둥글게 하다'의 뜻. 진흙을 이겨서 둥글게 한 기와의 뜻을 나타냄.

[塼甓 전벽] 벽돌.
◉紡塼.

11 ⑭ **[墇]** 장 ㊥陽 諸良切 zhàng

字解 막을 장 물을 둘러막음. '—, 壅也'《廣韻》.

字源 篆文 形聲. 土+章〔音〕. '章장'은 '障장'과 통하여, '막다'의 뜻. 흙을 모아서 물을 둘러막다의 뜻을 나타냄.

11 ⑭ **[塿]** 루 ㊤有 郎斗切 lǒu

字解 언덕 루 조그마한 언덕. '不意培—而松柏爲林也'《唐書》.

字源 篆文 形聲. 土+婁〔音〕. '婁루'는 '樓루'와 통하여, '다락집'의 뜻. 흙으로 만들어진 다락집, 언덕의 뜻을 나타냄.

◉培塿.

11 ⑭ **[塽]** 人名 상 ㊤養 疎兩切 shuǎng

筆順 土 圹 圹 圹 塽 塽 塽 塽

字解 높은땅 상 높고 밝은 토지(土地). '—, 地高明處'《字彙》.

11 ⑭ **[墁]** 만 ㊤翰 莫半切 màn

字解 바를 만, 칠할 만 담이나 벽에 흙을 바름. 또, 그 담이나 벽. '毁瓦畫—'《孟子》.

字源 形聲. 土+曼〔音〕. '曼만'은 '늘이다'의 뜻. 흙을 발라 늘이어 펴는 흙손의 뜻을 나타냄.

11 ⑭ **[境]** 高人 경 ㊤梗 居影切 jìng

筆順 土 圹 圹 圹 垃 培 境 境

[字解] 지경 경 ㉠경계. '國一'. '死生一'. '外臣之言不越一'《國語》. ㉡곳. '勝一'. '雖跡混教途, 而心標逸一'《陶弘景》. ㉢경우. '逆一'. '年涉危一, 而家貧養薄'《魏書》.
[字源] 篆文 形聲. 土+竟〔音〕. '竟경'은 '구획'의 뜻. 구획하는 땅, '경계'의 뜻을 나타냄.

[境界 경계] ㉠일이나 물건이 어떤 표준 밑에 서로 맞닿은 자리. ㉡《佛教》 육식(六識)의 대상(對象)이 되는 육경(六境).
[境内 경내] 지경(地境) 안.
[境涯 경애] ㉠경계(境界). ㉡경우(境遇).
[境域 경역] 경계 안의 지역. 경계 안의 땅.
[境外 경외] 지경 밖.
[境遇 경우] 처한 형편이나 사정.
◉佳境. 苦境. 國境. 窮境. 老境. 魔境. 蠻境. 夢境. 夢幻境. 妙境. 凡境. 邊境. 祕境. 悲境. 四境. 死境. 死生境. 仙境. 聖境. 俗境. 殊境. 順境. 勝境. 詩境. 心境. 雅境. 逆境. 靈境. 遠境. 越境. 幽境. 異境. 人境. 隣境. 燕境. 絕境. 淨境. 靜境. 地境. 眞境. 進境. 塵境. 出境. 現境. 畫境. 幻境. 環境.

11 ⑭ [墋] 참 [上]寢 初朕切 chěn

[字解] ①흙 참 '一, 土也'《集韻》. ②모래흙 참 사토(沙土). '一, 沙土也'《正韻》. ③모래섞일 참 식물(食物)에 모래가 섞임. '沙土入食中, 曰一'《一切經音義》. ④흐릴 참 탁(濁)하여 맑지 못한 모양. '茫茫宇宙, 上一下黷'《陸機》.

11 ⑭ [墄] 척 [入]職 七則切 qī

[字解] 층대 척 층층대. '左一右平'《三輔黃圖》.

11 ⑭ [堪] 감 [去]勘 苦紺切 kàn

[字解] ①낭떠러지 감 험한 언덕. '一, 險岸也'《集韻》. ②지경 감 경계(境界). '今俗謂壞界土突起立者爲一'《正字通》.
[字源] 形聲. 土+勘〔音〕

11 ⑭ [墆] [一] 체 [去]霽 特計切 dì [二] 절 [入]屑 徒結切 dié

[字解] [一] ①가릴 체 덮음. '擧霓旌之一翳兮'《楚辭》. ②높을 체 '一霓'. [二] 쌓을 절 저축함. '富商賈一財役貧'《漢書》.
[字源] 形聲. 土+帶〔音〕

[墆霓 체예] 대단히 높은 모양.
[墆翳 체예] 가림. 덮음.

11 ⑭ [塻] 막 [入]藥 末各切 mò

[字解] 먼지 막 티끌. '一, 塵也'《集韻》.

11 ⑭ [墉] [人名] 용 [平]冬 餘封切 yōng

[筆順] 扌 圹 圹 圹 圹 埔 埔 墉

[字解] ①담 용 높은 담. '君南向于北一之下'《禮記》. ②보루 용 작은 성. 성채. '列一分戍'《唐順之》.
[字源] 篆文 形聲. 土+庸〔音〕. '庸용'은 '鏞용'과 통하여, 매단 종(鐘)의 뜻. 큰 종처럼 도시의 주변에 원기둥 모양으로 둘린 성벽의 뜻을 나타냄.

◉崇墉. 如墉. 長墉. 周墉. 頹墉.

11 ⑭ [墌] 척 ①[入]藥 職略切 zhuó ②[入]陌 之石切 zhí

[字解] ①터닦을 척 흙을 쌓아 토대(土臺)를 만듦. '一, 築土爲基'《集韻》. ②터 척 토대(土臺). '一, 基址也'《集韻》.
[字源] 形聲. 土+庶〔音〕

11 ⑭ [墐] [人名] 근 [去]震 渠遴切 jǐn

[筆順] 扌 圹 坩 堳 堳 墐 墐 墐

[字解] ①매흙질할 근 진흙을 바름. '塞向一戶'《詩經》. ②묻을 근 파묻음. 殣(歹部 十一畫)과 同字. '行有死人, 尙或一之'《詩經》. ③도랑옆길 근 도랑 가의 길. '陸阜陵一'《國語》.
[字源] 篆文 形聲. 土+堇〔音〕. '堇근'은 발라 메우다의 뜻으로, '墐근'의 원자(原字). 뒤에 '土토'를 더하여, 그 뜻을 분명히 함.

[墐戶 근호] 찬 기운을 막기 위하여 문틈을 바름.
◉陵墐.

11 ⑭ [墱] 종 [平]冬 咨容切 zōng

[字解] 버섯이름 종 '一, 土菌也, 高脚繖頭, 俗謂之雞一, 出滇南'《正字通》.

[赮] 〔정〕 赤部 七畫(p. 2211)을 보라.

11 ⑭ [墂] 〔로〕 鹵(部首〈p. 2686〉)와 同字

11 ⑭ [墟] 〔하〕 罅(缶部 十一畫〈p. 1785〉)와 同字
[字源] 篆文 形聲. 土+虖〔音〕

11 ⑭ [墟] 〔허〕 墟(土部 十二畫〈p. 464〉)의 俗字

11 ⑭ [墎] 〔곽〕 郭(邑部 八畫〈p. 2338〉)의 俗字

11 ⑭ [増] 〔증〕 增(土部 十二畫〈p. 463〉)의 略字

11 ⑭ [塲] 〔장〕 場(土部 九畫〈p. 455〉)의 訛字

11 ⑭ [墐] 〔근〕 堇(土部 八畫〈p. 453〉)의 本字

11 ⑭ [墨] 〔묵〕
墨(土部 十二畫〈p. 466〉)의 略字

11 ⑭ [塵] [人名] 진 [平]眞 直珍切 chén 尘

[筆順] 广 户 声 声 庐 唐 鹿 塵

[字解] ①티끌 진 ㉠먼지. '一芥'. '粟焉如屑一厲'《管子》. ㉡이 세상. 속세(俗世). '出一之想'《孔稚圭》. ②때 진 옷이나 몸에 낀 더러운 것. '一汚'. ③더럽힐 진 더럽게 함. '祇自一兮'《詩經》. ④묵을 진 오래 묵음. '允一邈而難虧'《後漢書》. ⑤유업 진 끼친 업(業). '二方承則, 八慈繼一'《後漢書》. ⑥소수이름 진 소수(小數)의 명목(名目). '纖十沙, 沙十一'《算經》. ⑦때 진 시간. '一一刹刹不相侵'《朱熹》. ⑧성 진 성(姓)의 하나.

[字源] [篆文] 篆文은 '𪋻'으로, 會意. 麤+土. '麤추'는 '거칠다'의 뜻. 거친 흙의 뜻에서, '티끌'의 뜻을 나타냄. '塵진'은 생략체.

[塵芥 진개] 먼지와 쓰레기.
[塵劫 진겁] 《佛敎》 물건과 때. 전(轉)하여, 영원한 연대(年代).
[塵境 진경] 속계(俗界). 진세(塵世).
[塵界 진계] 진세(塵世).
[塵垢 진구] 먼지와 때.
[塵襟 진금] 속된 생각.
[塵勞 진로] ㉠속무(俗務)의 시달림. ㉡《佛敎》 번뇌(煩惱).
[塵露 진로] 티끌과 이슬. 곧, 덧없는 것.
[塵累 진루] 세상살이에 얽매인 너더분한 일. 속루(俗累).
[塵網 진망] 더러운 이 세상. 속세(俗世).
[塵務 진무] 세속의 일. 속무(俗務).
[塵凡 진범] 진세(塵世).
[塵氛 진분] 더러운 기(氣).
[塵事 진사] 세속의 일.
[塵想 진상] 속된 생각.
[塵世 진세] 티끌이 있는 세상. 속계. 곧, 이 세상.
[塵俗 진속] 지저분한 속된 세상.
[塵心 진심] 세속(世俗)의 마음.
[塵鞅 진앙] 속세(俗世)의 속박(束縛). 속루(俗累).
[塵埃 진애] ㉠티끌. 먼지. ㉡속세(俗世).
[塵涓 진연] ㉠먼지와 물방울. 전(轉)하여, 지극히 작은 것. ㉡자기가 하는 일의 겸칭(謙稱). 미력(微力).
[塵煙 진연] 연기처럼 일어나는 먼지. 사진(沙塵).
[塵緣 진연] 이 세상의 인연(因緣). 속세의 인연.
[塵穢 진예] 진오(塵汚).
[塵汚 진오] 더러움. 오예(汚穢). 또, 더러운 것.
[塵外 진외] 세속(世俗) 밖.
[塵外孤標 진외고표] 속세를 벗어난 곳에서 홀로 빼어남.
[塵雜 진잡] 세속(世俗)의 귀찮고 너저분한 일.
[塵塵刹刹 진진찰찰] 시시각각(時時刻刻).
[塵土 진토] 먼지와 흙.
[塵抱 진포] 세속(世俗)의 생각. 속된 생각.
[塵表 진표] 진외(塵外).
[塵合泰山 진합태산] 작은 물건도 많이 모이면 나중에 크게 이루어짐의 비유. 티끌 모아 태산.
[塵寰 진환] 진계(塵界).
◉芥塵. 輕塵. 垢塵. 陌上塵. 蒙塵. 微塵. 拜塵. 北邙塵. 粉塵. 拂塵. 沙塵. 三斗塵. 世塵. 俗塵. 承塵. 埃塵. 梁塵. 餘塵. 涓塵. 煙塵. 五塵. 玉塵. 元規塵. 游塵. 遺塵. 六塵. 戰塵. 絕塵. 車塵. 出塵. 風塵. 香塵. 胡塵. 紅塵. 和光同塵. 幻塵. 黃塵. 灰塵. 囂塵. 後塵. 喧塵.

11 ⑭ [塹] [人名] 참 [去]豔 七豔切 qiàn 堑

[字解] ①해자 참 성을 두른 못. '一濠'. '使高壘深一勿與戰'《史記》. ②팔 참 해자·구덩이를 팜. '一山堙谷'《史記》.

[字源] [篆文] 形聲. 土+斬〔音〕. '斬참'은 '베다'의 뜻. 흙을 파낸 구덩이인 '해자'의 뜻을 나타냄.

[塹壘 참루] 해자(垓字)와 보루(堡壘).
[塹刺 참척] 입묵(入墨).
[塹壕 참호] ㉠해자(垓字). ㉡야전(野戰)에서 포탄을 피하기 위하여 구덩이를 파서 그 흙으로 앞을 막아 가린 방어 설비.
[塹濠 참호] 참호(塹壕).
◉坑塹. 高壘深塹. 高塹. 複塹. 外塹. 圍塹. 長塹. 濬塹. 天塹. 隍塹.

11 ⑭ [塺] [一] 매 [平]灰 莫杯切 méi
[二] 마 [去]箇 摸卧切 méi

[字解] [一] 티끌 매 '浮雲鬱兮晝昏, 塵土忽兮一一'《楚辭》. [二] 티끌 마 [一]과 뜻이 같음.

[字源] [篆文] 形聲. 土+麻〔音〕. '麻마'는 '비비다'의 뜻. 흙을 비벼서 생기는 '티끌'의 뜻을 나타냄.

11 ⑭ [塾] [人名] 숙 [入]屋 殊六切 shú

[筆順] 亠 亩 亨 享 𣀔 孰 孰 塾

[字解] ①문옆방 숙 문의 좌우에 있는 방. '先輅在左一前'《書經》. ②글방 숙 서당. '鄕一'. '一生'. '古之敎者, 家有一, 黨有庠'《禮記》.

[字源] [篆文] 形聲. 土+孰〔音〕. '孰숙'은 '잘 익히다'의 뜻. 어린이에게 사물의 이치를 익히 알도록 하기 위하여, 문의 양옆의 방 등에 베푼 사설(私設) 글방의 뜻을 나타냄.

[塾堂 숙당] 숙사(塾舍).
[塾頭 숙두] 숙생(塾生)의 장(長). 숙장(塾長).
[塾舍 숙사] 교실과 숙사(宿舍)를 겸한 사설(私設) 서당.
[塾生 숙생] 글방의 생도.
[塾長 숙장] 숙두(塾頭).
◉家塾. 門塾. 私塾. 義塾. 里塾. 入塾. 村塾. 鄕塾. 橫塾.

11 ⑭ [墅] [人名] 서 [上]語 承與切 shù

[字解] ①농막 서 농사짓기에 편하도록 논밭 근처에 간단하게 지은 집. '寄身於草一'《曹植》. ②별업 서 별장. '圍碁賭別一'《晉書》.

[字源] 形聲. 土+野〔音〕

◉家墅. 郊墅. 舊墅. 賭墅. 別墅. 山墅. 幽墅. 田墅. 草墅. 村墅. 荒墅.

11 ⑭ [墊] 점 ㊀豔 都念切 diàn

字解 ①낮을 점 땅이 낮음. 또, 낮은 땅. '下民昏—'《書經》. ②빠질 점 ㉠물에 빠짐. '人馬—溺'《吳志》. ㉡가라앉음. 함입(陷入)함. '武功中, 水鄕民三舍, —爲池'《漢書》. ③괴로워할 점 '民愁則—隘'《左傳》. ④팔 점 구멍이나 구덩이를 만듦. '側足而—之'《莊子》. ⑤꺾일 점 빳빳한 것이 접혀 축 늘어짐. '行遇雨, 巾—角—'《後漢書》.

字源 篆文 形聲. 土+執〔音〕. '執집'은 '濕습'과 통하여, '낮고 눅눅하다'의 뜻.

[墊溺 점닉] 빠짐.
[墊沒 점몰] 내려 가라앉음. 침체(沈滯)함.
[墊隘 점애] 피로하여 괴로워함.
◉贖墊. 愁墊. 濕墊. 頹墊. 昏墊.

11 ⑭ [塈] 기 ㊀寘 其冀切 jì

字解 ①맥질할 기 벽을 바름. '惟其塗—茨'《書經》. ②취할 기 손에 가짐. '頃筐—之'《詩經》. ③쉴 기 휴식함. '民之攸—'《詩經》.

字源 篆文 形聲. 土+既〔音〕. '既기'는 '다하다'의 뜻. 흙을 온통 다 바르다의 뜻을 나타냄.

◉塗塈.

11 ⑭ [墍] 塈(前條)와 同字

11 ⑭ [墓] 高人 묘 ㊀遇 莫故切 mù

筆順 ' + ++ 苩 苴 莫 幕 墓

字解 무덤 묘 뫼. '墳—'. '古不修—'《禮記》.

字源 篆文 形聲. 土+莫(茻)〔音〕. '茻막·모'는 '덮어 숨기다'의 뜻. 죽은 사람을 흙으로 덮어 감춘 '무덤'의 뜻을 나타냄.

[墓碣 묘갈] 산소(山所) 앞에 세우는 둥근 비(碑).
[墓界 묘계] 묘지(墓地)의 구역(區域).
[墓丘盜賊 묘구도적] ㉠무덤 속의 물건을 파내어 훔쳐 가는 절도. ㉡시체를 파내어 감추고 금품을 요구하는 강도.
[墓奴 묘노] 묘지기.
[墓幕 묘막] 산소(山所) 근처에 지은 작은 집.
[墓木 묘목] 무덤 가에 있는 나무. 구목(丘木).
[墓木已拱 묘목이공] 장사 지낼 때 무덤 옆에 심은 나무의 둘레가 한 아름이 되도록 컸다는 뜻으로, 죽은 지 오래됨을 이름.
[墓門 묘문] 산소(山所)의 경내로 들어가는 문.
[墓碑 묘비] 산소(山所) 앞에 세우는 비석. 망인(亡人)의 품계(品階)·관직(官職)·성명(姓名)·행적(行蹟)·자손(子孫)·생사 연월일 등을 새김.
[墓所 묘소] 무덤이 있는 곳. 묘지(墓地).
[墓隧 묘수] 무덤의 수도(隧道).
[墓位畓 묘위답] 《韓》 그 땅의 추수(秋收)로 묘제(墓祭)의 비용을 쓰는 논.
[墓位田 묘위전] 《韓》 그 땅의 추수(秋收)로 묘제(墓祭)의 비용을 쓰는 밭.
[墓位土 묘위토] 《韓》 묘위답(墓位畓)과 묘위전(墓位田)의 총칭(總稱).
[墓賊 묘적] 묘구도적(墓丘盜賊).
[墓田 묘전] 묘지(墓地).
[墓祭 묘제] 산소에서 지내는 제사.
[墓地 묘지] 무덤이 있는 땅의 구역.
[墓誌 묘지] 망인(亡人)의 사적(事蹟)·덕행(德行), 자손(子孫)의 이름, 묘지(墓地)의 지명(地名), 생사(生死) 연월일(年月日), 매장(埋葬) 연월일 등을 기록(記錄)한 글. 도판(陶板) 또는 석판(石板)에 새기어 무덤에 묻음.
[墓誌銘 묘지명] 묘지(墓誌)의 끝에 쓰는 명(銘).
[墓村 묘촌] 조상의 산소가 있는 마을.
[墓表 묘표] 무덤 앞에 세우는 푯돌. 죽은 사람의 경력 등을 씀. 또, 그 문체(文體)의 이름.
[墓標 묘표] 무덤 앞에 세우는 표지(標識).
[墓下 묘하] 조상(祖上)의 산소(山所)가 있는 땅.
◉古墓. 丘墓. 陵墓. 封墓. 墳墓. 先人墓. 省墓. 掃墓. 野墓. 廬墓. 塋墓. 展墓. 墟墓.

12 ⑮ [墝] 요(교㊍) ㊥肴 口交切 qiāo

字解 메마른땅 요 척박한 땅. '爭處—埆'《淮南子》.

字源 形聲. 土+堯〔音〕. '堯요'는 '높다'의 뜻. 고지(高地)의 메마른 땅의 뜻을 나타냄.

[墝埆 요각] 메마르고 돌이 많은 땅. 자갈밭.
[墝肥 요비] 메마른 땅과 비옥(肥沃)한 땅.
[墝埆 요척] 요각(墝埆).

12 ⑮ [增] 中人 ㊀ 증 ㊥蒸 作滕切 zēng ㊁ 층 ㊀徑 徂棱切 céng

筆順 ㅓ ㅓ' ㅓ'' 圹 圻 坿 坍 增

字解 ㊀ ①불을 증, 늘 증 증가함. '—滅'. '如川之方至, 以莫不—'《詩經》. ②늘릴 증, 더할 증 증가시킴. '—兵'. '茫然—愧赧'《韓愈》. ③더욱 증 더욱더. 한층 더. '喜極—悲'《柳宗元》. ㊁ 겹칠 층 層(尸部 十二畫)과 통용. '—宮參差'《揚雄》.

字源 金文 篆文 形聲. 土+曾〔音〕. '曾증'은 포개어 쌓다의 뜻. 풍부하게 늘다의 뜻을 나타냄.

參考 増(土部 十一畫)은 略字.

[增加 증가] 증익(增益).
[增刊 증간] 정기(定期) 이외에 더 늘려서 간행. 또, 그 간행물.
[增減 증감] 보탬과 빼냄. 늘림과 줄임. 또, 늚과 줆.
[增強 증강] 더 늘려 세게 함.
[增改 증개] 증보하여 개정함.
[增口 증구] 인구가 증가함.
[增給 증급] 봉급(俸給)을 더 올려 줌.
[增大 증대] 더하여 크게 함. 또, 더하여 커짐.
[增量 증량] 수량(數量)을 늘림.
[增募 증모] 사람을 더 모집(募集)함.
[增發 증발] 정(定)한 수효(數爻)보다 더 내보냄.
[增兵 증병] 군사(軍士)를 더 늘림.
[增補 증보] 모자람을 깁기 위하여 더 채움.
[增俸 증봉] 봉급(俸給)을 올림.
[增捧 증봉] 액수(額數)를 더 늘리어 받음.
[增刪 증산] 시문(詩文) 같은 것을 다듬느라고 더 보태거나 깎아 냄.

[增産 증산] 생산량을 늘림.
[增上慢 증상만] 《佛敎》 아직 증과(證果)에 이르지 못하였는데 이미 이르렀다고 오인(誤認)하여 자만심(自慢心)이 생기는 일.
[增設 증설] 더 베풂.
[增稅 증세] 세금(稅金)의 액수(額數)를 늘림.
[增速 증속] 속도를 늘림.
[增損 증손] 증감(增減).
[增水 증수] 물이 불음. 또, 불은 물.
[增收 증수] 거두어들이는 것이 늚.
[增修 증수] ㉠책(冊) 같은 것을 더 늘려서 수정(修正)함. ㉡늘려서 수축(修築)함.
[增殖 증식] 불림. 늘림. 또, 불음. 늚.
[增額 증액] 액수(額數)를 늘림.
[增演 증연] 지식을 더 넓힘.
[增韻 증운] 운서(韻書)에 더 보태서 넣은 운자(韻字).
[增員 증원] 인원(人員)을 늘림.
[增援 증원] ㉠인원을 늘려서 도움. ㉡원조액을 늘림.
[增益 증익] 더하여 보탬. 늘림. 또, 늚.
[增資 증자] 자본(資本)을 늘림.
[增訂 증정] 저서(著書) 같은 데 모자라는 것을 더하고 잘못된 것을 고침.
[增註 증주] 주해(註解)를 더함. 또, 그 주해(註解). 보주(補註). 증주(增註).
[增增 증증] 많은 모양.
[增進 증진] 더하여 나아가게 함. 또, 더하여 나아감.
[增秩 증질] 봉급(俸給)을 올림.
[增徵 증징] 더 징수함.
[增築 증축] 집을 더 늘리어 지음.
[增戶 증호] 더 늘어난 호수(戶數).
◉加增. 激增. 急增. 累增. 微增. 倍增. 純增. 漸增. 重增. 遞增. 添增. 割增.

12 ⑮ [壹] 예 ①㊄霽 於計切 yì ②㊄寘 乙冀切

字解 ①토연(土煙) 일 예 하늘이 흐리도록 흙먼지가 일어남. '一, 天陰塵也'《廣韻》. ②음산할 예 날씨가 흐림. 曀(日部 十二畫)와 同字.
字源 篆文 形聲. 土+壹〔音〕. '壹일'은 가득 차서 막히다의 뜻. 가득 차서 막혀 흙먼지가 일다의 뜻을 나타냄.

12 ⑮ [墟] 人名 허 (거㊍) ㊥魚 去魚切 xū

筆順 𡈽 圹 圹 圹 墟 墟 墟 墟

字解 ①터 허 구지(舊址). 고적. '故一'. '殷一'. '魯卞縣東南有桃一, 世謂之陶一, 相傳舜所陶處'《左傳 註》. ②언덕 허 큰 언덕. '丘一'. '一墓之間, 未施敬於民而民哀'《禮記》. ③구렁 허 움푹 들어간 땅. 전(轉)하여, 바다. '北灑天一'《木華》. ④저자 허 장. '端州以南, 三日一市, 謂之趁一'《南部新書》.
字源 形聲. 土+虛〔音〕. '虛허'는 '큰 언덕'의 뜻, 또 '공허하다'의 뜻. '土토'를 더하여, '언덕'의 뜻이나 공허해진 땅, 황폐해진 옛터의 뜻을 나타냄.

[墟落 허락] 황폐된 마을. 허리(墟里).
[墟里 허리] 황폐된 마을. 허락(墟落).
[墟墓 허묘] 풀에 파묻혀 제사 지내는 사람이 없는 무덤. 무주총(無主冢).
[墟墳 허분] 허묘(墟墓).
[墟域 허역] 성터·도읍 터 등의 경내(境內).
[墟囿 허유] 퇴폐한 옛날의 동산.
◉孤墟. 故墟. 郊墟. 丘墟. 舊墟. 社稷爲墟. 山墟. 靈墟. 幽墟. 天墟. 村墟. 廢墟. 寒墟. 荒墟.

12 ⑮ [墠] 선 ㊤銑 常演切 shàn

字解 제사터 선 제사 올리는 곳. '一場'. '王立七廟, 一壇一一'《禮記》.
字源 篆文 形聲. 土+單〔音〕. '單단'은 '제거하다'의 뜻. '土토'를 더하여, 단(壇)과 함께 야외에 베푼 제사 터의 뜻을 나타냄. '墠선'은 풀을 없애고 평평하게 고른 제사 터로, 단 앞에 만들며, 단은 '墠'의 뒤쪽에 흙을 쌓아 만드는 제단임.

[墠場 선장] 신(神)에 제사 지내는 곳. 제사 터.

12 ⑮ [墦] 번 ㊥元 附袁切 fán

字解 무덤 번 뫼. '東郭一間之祭者'《孟子》.
字源 形聲. 土+番〔音〕. '番번'은 방사상(放射狀)으로 펼쳐지다의 뜻. 둥그렇게 흙을 돋운 '무덤'의 뜻을 나타냄.

12 ⑮ [墩] 人名 돈 ㊥元 都昆切 dūn

筆順 𡈽 坾 埻 埻 埻 埻 墩 墩

字解 ①돈대 돈 약간 높직하고 평평한 땅. '一臺'. '冶城訪遺, 跡猶有謝公一'《李白》. ②걸상 돈 술통을 엎어 놓은 것 같은 의자. '賜一侍班'《宋史》.
字源 形聲. 土+敦〔音〕

[墩臺 돈대] 약간 높직하고 평평한 땅.

12 ⑮ [墽] 료 ①㊄嘯 力照切 liáo ②㊥蕭 落蕭切

字解 에워싼담 료 '一以周垣'《左思》.
字源 篆文 形聲. 土+尞〔音〕. '尞료'는 화톳불이 계속 타다의 뜻에서, '계속되다'의 뜻. 주위에 둘러친 토담의 뜻을 나타냄.

12 ⑮ [墱] 등 ㊄徑 丁鄧切 dèng

字解 ①자드락길 등 비탈진 길. '一道邐倚以正東'《張衡》. ②잔도 등 각도(閣道).
字源 形聲. 土+登〔音〕. '登등'은 '오르다'의 뜻. 올라가기 위한 단(段), 흙으로 만든 층층대의 뜻을 나타냄.

[墱道 등도] 자드락길.
[墱流 등류] 지류(支流).

12 ⑮ [墀] 지 ㊥支 直尼切 chí

字解 지대뜰 지 지대(址臺) 위의 땅. '陟赤一之途'《漢書》.

[字源] [篆文] 形聲. 土+犀〔音〕

◉丹墀. 彤墀. 玉墀. 赤墀.

12
⑮ [墫] 준 [平]元 租昆切 zūn

[字解] 술그릇 준 樽(木部 十二畫)·罇(缶部 十二畫)과 同字.

12
⑮ [墳] [高人] 분 [平]文 符分切 fén / [上]吻 房吻切 fèn / [上]阮 部本切 坟

[筆順] 墳

[字解] ①무덤 분 높게 봉분한 무덤. '一墓'. '古也墓而不一'《禮記》. ②언덕 분 구릉. '登大一以遠望兮'《楚辭》. ③둑 분 제방. '從彼汝一'《詩經》. ④책 분 삼황(三皇)의 서적. 전(轉)하여, 고서(古書). 옛날 서적. '篤好一史'《隋書》. ⑤클 분 '共一燭'《周禮》. ⑥나눌 분 가름. '何以一之'《楚辭》. ⑦걸찰 분 비옥함. '厥土黑一'《書經》. ⑧흙부풀어오를 분 토지가 솟아오름. '公祭地, 地一'《國語》.

[字源] [篆文] 形聲. 土+賁〔音〕. '賁분'은 '噴분'과 통하여, '뿜어내다'의 뜻. 흙이 뿜어낸 것처럼 봉긋하게 솟은 '무덤'의 뜻을 나타냄.

[參考] 墳(土部 十三畫)은 本字.

[墳起 분기] 흙이 부풀어 올라옴. 토지가 솟아오름.
[墳墓 분묘] 무덤. 구묘(丘墓).
[墳墓之地 분묘지지] 조상 대대의 무덤이 있는 땅. 태어난 고향.
[墳史 분사] 고서(古書)와 사서(史書).
[墳寺 분사] 선조(先祖)의 무덤이 있는 절〔寺〕.
[墳索 분삭] 삼분(三墳)과 팔삭(八索). 전(轉)하여, 옛날의 책. 고서(古書).
[墳山 분산] 무덤이 있는 산(山).
[墳上 분상] 무덤의 봉긋한 부분.
[墳素 분소] 분삭(墳索).
[墳衍 분연] 물가와 평지(平地).
[墳塋 분영] 무덤.
[墳籍 분적] 고대의 전적(典籍). 옛날의 책. 분전(墳典).
[墳典 분전] 삼분(三墳)과 오전(五典). 곧, 삼황오제(三皇五帝)의 전적(典籍). 전(轉)하여, 고대(古代)의 전적.
[墳燭 분촉] 크고 밝은 불.
◉古墳. 孤墳. 丘墳. 舊墳. 方墳. 三墳. 先墳. 壞墳. 前方後圓墳. 典墳. 皇墳. 荒墳.

12
⑮ [墡] [人名] 선 [上]銑 常演切 shàn

[筆順] 墡

[字解] 백토(白土) 선 '一, 白墡土也'《六書故》.

[字源] 形聲. 土+善〔音〕

12
⑮ [墲] 무 [平]虞 微夫切 mú

[字解] 묏자리 무 무덤을 쓸 만한 곳. '所以墓謂之一'《揚子方言》.

[字源] 形聲. 土+無〔音〕

12
⑮ [墣] [一] 복 [入]屋 普木切 pú / [二] 박 [入]覺 匹角切 pú

[字解] [一] 흙덩이 복. [二] 흙덩이 박 圤(土部 二畫)과 뜻이 같음.

[字源] [篆文] 形聲. 土+菐〔音〕. '菐복'은 탁 깨기만 하고 가공하지 않은 것의 뜻. 울퉁불퉁한 흙덩이의 뜻을 나타냄.

12
⑮ [塯] 〔류〕 塯(土部 十畫〈p. 459〉)의 本字

12
⑮ [墰] 〔담〕 壜(土部 十六畫〈p. 471〉)과 同字

12
⑮ [墐] 〔근〕 堇(土部 八畫〈p. 453〉)의 古字

12
⑮ [埵] 〔타〕 埵(土部 八畫〈p. 449〉)의 本字

12
⑮ [墯] 〔타〕 墮(土部 十二畫〈p. 467〉)와 同字

12
⑮ [墢] 〔발〕 坺(土部 五畫〈p. 442〉)과 同字

12
⑮ [墜] [人名] 추 [去]寘 直類切 zhuì

[字解] ①떨어질 추 낙하함. '一落'. '賁星一而勃海決'《淮南子》. 전(轉)하여, 퇴폐(頹廢)함. 쇠퇴함. '一廢'. '補千年之一典'《舊唐書》. ②떨어뜨릴 추 ㉠전항(前項)의 타동사. '乃其一命'《書經》. ㉡잃음. 망실함. '未一於地'《論語》. ③무너질 추 퇴락함. '山一'《荀子》. '天地崩一'《列子》.

[字源] [甲骨文] [金文] [篆文] 形聲. 土+隊〔音〕. '隊대·추'는 '떨어지다'의 뜻. '隊'에 '무리, 대오'의 뜻이 생겼으므로, '土토'를 더하여, 구별하여 '떨어지다'의 뜻을 나타냄. 甲骨文은 會意로 自+人이 거꾸로 된 모양. '人인'은 거꾸로 떨어지는 사람을 본뜬 것.

[墜落 추락] 떨어짐. 낙하함. 또, 떨어뜨림.
[墜露 추로] 떨어지는 이슬.
[墜緖 추서] 퇴폐(頹廢)한 사업(事業). 부진(不振)한 사업.
[墜岸 추안] 깎아지른 듯한 언덕. 낭떠러지. 단안(斷岸).
[墜雨 추우] 떨어져 내리는 비.
[墜典 추전] 퇴폐(頹廢)한 제도나 의식.
[墜地 추지] ㉠땅바닥에 떨어짐. ㉡사물이 퇴폐함. 쇠퇴함.
[墜體 추체] 공중에서 땅 위로 똑바로 떨어지는 물체(物體).
[墜廢 추폐] 퇴폐함.
[墜下 추하] 추락(墜落).
[墜陷 추함] 물이나 허방 같은 데 빠짐. 또, 빠뜨림.
◉傾墜. 排墜. 覆墜. 崩墜. 失墜. 零墜. 隕墜. 淪墜. 弛墜. 轉墜. 顚墜. 凋墜. 跌墜. 墮墜. 頹墜. 飄墜. 荒墜. 毁墜.

12 ⑮ [墨] 中人 묵 ㊀職 莫北切 mò

筆順 ⼌ 罒 罒 里 黑 黑 墨 墨

字解 ①먹 묵 ㉠글씨를 쓰는 먹. '紙筆一'. '高麗歲貢松烟一'《西京雜記》. 또, 먹물. '或以頭濡一而書'《唐書》. ㉡눈썹을 그리는 먹. '衣綺縞, 傅粉一'《後漢書》. ②그을음 묵 유연(油煙). '一煤'. '有埃一, 墮甑中'《孔子家語》. ③먹줄 묵 목수의 직선을 긋는 줄. '離朱督一, 匠石奮斤'《嵇康》. 전(轉)하여, 법도. 규범. '擧綱引一'《晉書》. ④다섯자 묵 5척(尺). '不過一丈尋常之間'《國語》. ⑤자자 묵 오형(五刑)의 하나. 입묵(入墨)하는 형벌. '一刑'. '臣下不匡, 其刑一'《書經》. ⑥검을 묵 ㉠흑색임. '一綬'. '面深一'《孟子》. ㉡속이 검음. 욕심이 많음. '一吏'. ⑦어두울 묵 캄캄함. '一以爲明'《荀子》. ⑧묵흔 묵 필적(筆跡). '皆太宗手一'《唐書》. ⑨잠잠할 묵 默(黑部 四畫)과 통용. '殷紂一一以亡'《史記》. ⑩성 묵 성(姓)의 하나. ⑪멕시코 묵 멕시코, 곧 묵서가(墨西哥)의 약기(略記).

字源 篆文 會意. 土+黑. '黑흑'은 '검댕'의 뜻. 검댕과 흙으로 만든 '먹'의 뜻을 나타냄.

[墨家 묵가] 묵자(墨子)의 학설을 신봉하는 학파.
[墨客 묵객] 글씨 또는 그림에 능(能)한 사람. 서예가(書藝家). 화가.
[墨客揮犀 묵객휘서] 송(宋)나라 팽승(彭乘)이 지은 책. 10권. 송대(宋代)의 '유문일사(遺聞軼事)' 및 '시화문평(詩話文評)'을 실었음.
[墨牽夷 묵견이] '작약(芍藥)'의 이칭(異稱).
[墨黥 묵경] 입묵(入墨). 묵열(墨涅).
[墨光 묵광] ㉠먹의 윤기. ㉡글씨나 그림의 먹 빛깔.
[墨卷 묵권] 과거(科擧)에 제출하는 문장(文章). 먹으로 쓴 것을 묵권, 주사(硃砂)로 쓴 것은 주권(硃卷)이라 함.
[墨涅 묵녈] 문신(文身). 자청(刺靑).
[墨帶 묵대] 먹물을 들인 베 띠.
[墨突不得黔 묵돌부득검] 묵적(墨翟)이 도(道)를 전하기에 바빠 언제나 천하를 두루 돌아다니느라고 집에 있을 때가 드물어서 그의 집의 굴뚝이 검게 될 겨를이 없었다는 고사(故事)로서, 대단히 바빠 동분서주함을 이름.
[墨斗 묵두] 먹통.
[墨吏 묵리] 탐욕(貪慾)이 있는 관원.
[墨林 묵림] 서화계(書畫界)를 이름.
[墨笠 묵립] 먹물을 칠한 갓.
[墨煤 묵매] 그을음.
[墨名儒行 묵명유행] 겉으로는 묵적(墨翟)의 학자(學者)이지만, 속으로는 공자(孔子)의 유교(儒敎)를 신봉(信奉)하는 일.
[墨墨 묵묵] ㉠어두운 모양. 캄캄한 모양. ㉡묵묵히 아무 말이 없는 모양.
[墨罰 묵벌] 주대(周代)의 오형(五刑)의 하나. 이마에 자자(刺字)하는 형벌. 묵형(墨刑). 묵죄(墨罪).
[墨辟 묵벽] 묵벌(墨罰).
[墨削 묵삭] 먹으로 글씨를 지워 버림.
[墨選 묵선] 명(明)·청(淸) 때 향시(鄕試)·회시(會試)에서 채용(採用)된 묵권(墨卷) 중 모범(模範)이 될 만한 것을 선간(選刊)한 것.
[墨水 묵수] 먹물. 묵즙(墨汁) ㉠.
[墨守 묵수] 송(宋)나라 묵적(墨翟)이 초(楚)나라 군사(軍師) 공수반(公輸般)의 끈덕진 공격에 대해서 성(城)을 굳게 잘 지켜 굴하지 아니한 고사(故事). 전(轉)하여, 자기의 의견을 굳게 지킴을 이름. 묵적지수(墨翟之守).
[墨綬 묵수] 검은 인수(印綬).
[墨水紙 묵수지] 압지(壓紙). 흡묵지(吸墨紙).
[墨瀋 묵심] 묵즙(墨汁). 심(瀋)은 즙(汁).
[墨魚 묵어] 오징어.
[墨義 묵의] 경의(經義)의 시험의 필답(筆答). 구의(口義)의 대(對).
[墨子 묵자] 책명(冊名). 송(宋)나라 묵적(墨翟)의 저(著). 63편, 15권. 겸애(兼愛)·숭검(崇儉) 등을 주장하였음.
[墨者 묵자] ㉠묵가(墨家). ㉡묵형(墨刑)을 받은 사람.
[墨丈 묵장] 다섯 자서부터 열 자까지의 길이. 얼마 안 되는 길이.
[墨莊 묵장] 장서(藏書)가 많은 것을 이름.
[墨粧 묵장] 분대(粉黛)를 쓰지 않음. 곧, 화장(化粧)을 하지 않음.
[墨場 묵장] '한묵장(翰墨場)'과 같음.
[墨豬 묵저] 글씨에 살이 많고 뼈가 적음.
[墨迹 묵적] 묵적(墨跡).
[墨跡 묵적] 묵흔(墨痕).
[墨翟 묵적] 전국(戰國) 시대 송(宋)나라의 사상가. 묵가(墨家)의 시조. 겸애(兼愛)·숭검(崇儉)·비공(非攻) 등의 설(說)을 주창(主唱)함. 당시 유가(儒家)와 함께 병칭되어 유묵(儒墨)이라 하였음. 저서에 〈묵자(墨子)〉가 있음.
[墨翟之守 묵적지수] 묵수(墨守).
[墨詔 묵조] 천자(天子)가 몸소 쓴 조서(詔書). 친필(親筆)의 조서.
[墨蹤 묵종] 묵흔(墨痕).
[墨罪 묵죄] 이마에 칼로 새겨 입묵(入墨)당하는 죄. 묵벽(墨辟).
[墨竹 묵죽] ㉠묵화(墨畫)의 대나무. ㉡대나무의 일종.
[墨汁 묵즙] ㉠먹물. ㉡검은 물. ㉢잉크의 번역.
[墨池 묵지] ㉠먹물을 담는 그릇. ㉡벼루의 물을 담는 오목한 부분. ㉢필연(筆硯)을 씻는 못.
[墨紙 묵지] 복사(複寫)에 쓰는 탄산지(炭酸紙).
[墨車 묵차] 주대(周代)에 대부(大夫)가 타던 검은 칠을 한 수레.
[墨甜 묵첨] 낮잠. 오수(午睡).
[墨帖 묵첩] 명필을 탑본한 습자첩. 법첩(法帖).
[墨衰 묵최] 검은 상복(喪服). 우리나라에서는 아버지가 살아 있는 동안 돌아간 어머니의 담제(禫祭) 뒤와, 생가(生家) 부모의 소상(小祥) 뒤에 심제인(心制人)이 다음은 베 직령(直領)에 묵립(墨笠)과 묵대(墨帶)를 갖추어 입는 옷.
[墨敕 묵칙] 궁중(宮中)에서 직접 발포(發布)하는 칙서(勅書). 찍은 옥새(玉璽)의 빛이 검으므로 이름.
[墨漆 묵칠] 검은 칠(漆).
[墨海 묵해] '벼루[硯]'의 별칭(別稱).
[墨行 묵행] 묵적(墨翟)의 행위(行爲).
[墨刑 묵형] 묵벌(墨罰).
[墨花 묵화] 벼루에 스며 있는 먹의 빛깔.
[墨畫 묵화] 먹으로만 그린 그림.
[墨暈 묵훈] 먹물이 번진 흔적.
[墨痕 묵흔] 붓의 자국. 곧, 필적(筆跡). 묵적(墨

迹). 묵적(墨跡). 묵적(墨蹟).
[墨戲 묵희] 붓장난. 낙서(落書).
◉佳墨. 古墨. 淚墨. 淡墨. 唐墨. 黛墨. 名墨. 文墨. 潑墨. 芳墨. 白墨. 副墨. 粉墨. 石墨. 掃墨. 水墨. 繩墨. 深墨. 烟墨. 涅墨. 零墨. 儒墨. 遺墨. 詔墨. 朱墨. 卽墨. 醉墨. 緇墨. 親墨. 貪墨. 筆墨. 翰墨. 香墨.

12 ⑮ [墮] [高][人] [一] 타 [上]哿 徒果切 duò [二] 휴 [平]支 許規切 huī 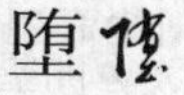

[筆順] 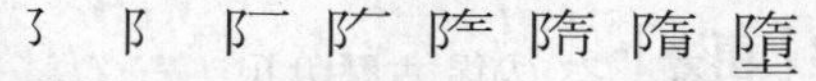

[字解] [一] ①떨어질 타 ㉠낙하함. '—落'. '淚—不能止'《曹植》. ㉡빠짐. 함입(陷入)함. '後—谿壑'《淮南子》. ②떨어뜨릴 타 ㉠낙하시킴. '因推—兒'《史記》. ㉡망실(亡失)함. '—先人所言'《史記》. ③빠질 타 탈락함. '士卒指—者十二三'《史記》. ④게으를 타 惰(心部 九畫)와 통용. '侈而—者貧'《韓非子》. [二] 무너뜨릴 휴 무너지게 함. 또, 무너짐. '—名城'《過秦論》.
[字源] 古文  篆文  形聲. 古文은 阝(自)+⿱差土[音]. '⿱差土타'는 무너져 내리다의 뜻. 무너져 내린 성벽의 뜻에서, '무너져 내리다'의 뜻을 나타냄. 篆文은 土+隋[音].
[參考] 墯(土部 十二畫)와 同字.

[墮落 타락] ㉠무너져 떨어짐. 전(轉)하여, 실패함. ㉡빠져 떨어짐. ㉢시들어 떨어짐. ㉣높은 곳에서 떨어짐. 또, 빠짐. ㉤《佛教》 도심(道心)을 잃고 속취(俗趣)에 빠짐.
[墮淚 타루] 눈물을 흘림. 욺.
[墮淚碑 타루비] 진(晉)나라 때 양양 태수(襄陽太守)를 지낸 양호(羊祜)의 선정(善政)을 베푼 덕(德)을 사모하여 그 지방민이 현산(峴山)에 세운 비. 이 비를 바라보는 사람은 모두 눈물을 떨어뜨렸다고 하여 두예(杜預)가 지은 이름임.
[墮弱 타약] 기력(氣力)이 없어져 약함.
[墮胎 타태] 약(藥) 또는 기타의 방법(方法)으로 배 속에 든 아이를 떨어뜨림. 인공적으로 유산시킴.
[墮懈 타해] 게으름. 나태함.
[墮壞 휴괴] 무너뜨림. 또, 무너짐.
[墮替 휴체] 무너져 대신함.
[墮墜 휴추] 무너져 바뀜.
◉善騎者墮. 窳墮. 殘墮. 謫墮. 顚墮. 怠墮. 頹墮. 飄墮. 解墮. 懈墮.

12 ⑮ [⿰盾圭] 규 [平]齊 苦圭切 kuī
[字解] 방패손잡이 규 '—, 盾握也'《說文》.
[字源] 形聲. 盾+圭[音]

12 ⑮ [墬] [지]
地(土部 三畫〈p. 434〉)의 籀文

12 ⑮ [壄] [야]
野(里部 四畫〈p. 2369〉)의 古字

12 ⑮ [⿰土𠷎] [도]
壔(土部 十四畫〈p. 469〉)의 本字

12 ⑮ [墪] [돈]
墩(土部 十二畫〈p. 464〉)과 同字

12 ⑮ [⿰忄⿱差土] [타]
墮(土部 十二畫〈p. 467〉)와 同字

13 ⑯ [墺] [人][名] [一] 오 [去]號 烏到切 ào [二] 욱 [入]屋 於六切 yù 
[字解] [一] ①물가 오 육지로 파고든 물가. 수애(水涯). ②땅이름 오 오스트리아의 음역. 오태리(墺太利)·오지리(墺地利)의 약기(略記). [二] 물가 욱. ※'오' 음은 인명자로 쓰임.
[字源] 篆文  形聲. 土+奧[音]. '奧오'는 깊숙이 파고들다의 뜻.

[墺地利 오지리] 오스트리아(Austria)의 음역. 오태리(墺太利).
[墺太利 오태리] 오지리(墺地利).

13 ⑯ [墿] [一] 역 [入]陌 夷益切 yì [二] 도 [平]虞 同都切 tú
[字解] [一] 길 역 도로(道路). '—, 道也'《廣雅》. [二] 길 도 途(辵部 七畫)와 同字. '途或作—'《集韻》.

13 ⑯ [堀] 굴 [入]月 苦骨切 kū
[字解] ①토끼굴 굴 '—, 兔堀也'《說文》. ②堀(土部 八畫〈p. 450〉)의 本字.

13 ⑯ [壇] [高][人] 단 [平]寒 徒干切 tán 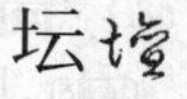

[筆順] 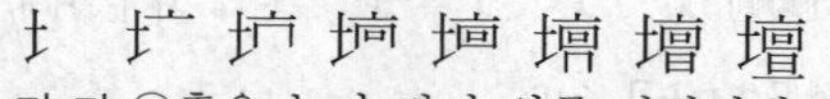

[字解] 단 단 ㉠흙을 높이 쌓아 위를 평평하게 만든 특수한 행사를 하는 장소. 전(轉)하여, 좀 높게 베풀어 놓은 자리. '祭—'. '演—'. '設—場, 拜韓信爲大將軍'《漢書》. ㉡장소. 범위. '誰登李杜—'《杜牧》. ㉢특수 사회. '文—'. '詩—'.
[字源] 篆文  形聲. 土+亶[音]. '亶단'은 '坦탄'과 통하여, '평지'의 뜻. 태양신을 제사 지내기 위해 한층 높게 만든 평지의 뜻을 나타냄.

[壇曼 단만] 넉넉하고 넓은 모양. 또, 편편하고 넓은 모양.
[壇宇 단우] ㉠단과 궁실(宮室). ㉡범위·법칙·규칙 따위를 이르는 말.
[壇位 단위] 흙을 쌓아 올려 만든 단.
[壇場 단장] ㉠제사 지내기 위하여 흙을 한 계단 높이 쌓아 올린 단. 제단(祭壇). ㉡대장(大將)을 배(拜)하기 위하여 흙을 쌓아 올린 곳. ㉢특수한 행사를 하는 곳.
[壇兆 단조] 제사 지내기 위하여 흙을 한 계단 높이 쌓은 곳. 제단(祭壇).
◉歌壇. 降壇. 講壇. 戒壇. 教壇. 劇壇. 論壇. 道壇. 登壇. 文壇. 佛壇. 祠壇. 詞壇. 石壇. 聖壇. 騷壇. 須彌壇. 柴壇. 詩壇. 樂壇. 演壇. 靈壇. 瑤壇. 齋壇. 祭壇. 天壇. 杏壇. 花壇. 畫壇. 荒壇.

13 ⑯ [⿰土睘] 환 [平]刪 胡關切 huán
[字解] 담 환 '—堵'는 사면(四面) 각 1장(丈)씩 되는 담. 또, 주거(住居). '—堵, 謂面一堵牆

也'《集韻》.

13 ⑯ [壈] 람 [上]感 盧感切 lǎn

[字解] 불우할 람 '—坎'은 뜻을 얻지 못한 모양. 불우한 모양. '—坎難歸來'《劉長卿》.

[壈坎 남감] 뜻을 얻지 못한 모양. 불우한 모양. ◉坎壈.

13 ⑯ [墽] 교 [平]肴 苦幺切 qiāo

[字解] ①메마를 교 척박하고 돌이 많음. ②버릴 교.

[字源] 篆文 形聲. 土+敫〔音〕. '磽교'와 통하여, 돌이 많은 척박한 땅의 뜻을 나타냄.

13 ⑯ [墼] 〔야〕 墼(土部 十二畫〈p. 467〉)의 訛字

13 ⑯ [墳] 〔분〕 墳(土部 十二畫〈p. 465〉)의 本字

13 ⑯ [臺] 〔당〕 堂(土部 八畫〈p. 451〉)의 籀文

13 ⑯ [墻] [高·人] 〔장〕 牆(爿部 十三畫〈p. 1370〉)의 俗字

[筆順] 土 土一 土十 土ᅕ 土來 墻 墻 墻

13 ⑯ [壀] 〔비〕 埤(土部 八畫〈p. 449〉)와 同字

13 ⑯ [壅] 〔옹〕 壅(土部 十三畫〈p. 469〉)과 同字

13 ⑯ [墱] 〔수〕 隧(阜部 十三畫〈p. 2475〉)와 同字

13 ⑯ [壈] 〔감〕 轗(車部 十三畫〈p. 2278〉)과 同字

13 ⑯ [壃] 〔강〕 疆(田部 十四畫〈p. 1474〉)과 同字

13 ⑯ [壊] 〔괴〕 壞(土部 十六畫〈p. 471〉)의 略字

13 ⑯ [壌] 〔양〕 壤(土部 十七畫〈p. 471〉)의 略字

13 ⑯ [墾] [人名] 간 [上]阮 康很切 kěn 垦

[筆順] 豸 豸 豸 豸ヨ 貇 貇 貇 墾

[字解] ①따비이를 간 개간함. '—田'. '土不備—'《國語》. ②깨질 간, 부서질 간 '凡陶旊之事, 髻—薜暴不入市'《周禮》.

[字源] 篆文 形聲. 土+貇〔音〕. '貇곤'은 '開개'와 통하여, '열다'의 뜻. 땅을 열다, 갈다의 뜻을 나타냄.

[墾耕 간경] 개간하여 경작함.

[墾發 간발] 개간하여 넓힘. 개척함.

[墾闢 간벽] 간발(墾發).

[墾植 간식] 개간하여 작물을 심음.

[墾藝 간예] 땅을 개간해서 작물(作物)을 심음. 간식(墾植).

[墾田 간전] 전지(田地)를 개간함. 또, 개간한 전지. 따비밭.

[墾鑿 간착] 땅을 개척함.

[墾荒 간황] 황무지를 개간함.

◉開墾. 耕墾. 勤墾. 未墾. 闢墾. 新墾. 再墾.

13 ⑯ [墼] 격 [入]錫 古歷切 jī

[字解] ①기와 격 사원(寺院) 같은 데서 바닥에 까는 기왓장. '—, 瓴適也'《說文》. ②벽돌 격 굽지 않은 벽돌. '—, 一日未燒者'《說文》.

[字源] 篆文 形聲. 土+毄〔音〕

13 ⑯ [壁] [高·人] 벽 [入]錫 北激切 bì

[筆順] 尸 启 启亠 启立 辟 辟 辟 壁

[字解] ①벽 벽 바람벽. '土—'. '蟋蟀在—'《禮記》. ②진 벽 군루(軍壘). '金城鐵—'. '帝晨馳入韓信張耳—'《漢書》. ③나성 벽 성루(城壘)의 외곽(外郭). '堅—而守'《漢書》. ④낭떠러지 벽 깎아지른 듯한 비탈. 절벽. '—岸'. '其山絶—千尋, 由來乏水'《隋書》. ⑤별이름 벽 이십팔수(二十八宿)의 하나. 현무 칠수(玄武七宿)의 끝 성수(星宿). 별 둘로 구성되었음. ⑥성 벽 성(姓)의 하나.

[字源] 篆文 形聲. 土+辟〔音〕. '辟벽'은 옆으로 비키다의 뜻. 방의 옆에 흙으로 만든 벽의 뜻을 나타냄.

[壁經 벽경] 상서(尙書). '고문상서(古文尙書)'가 공자(孔子)의 집의 벽 속에서 나왔으므로 이름.

[壁光 벽광] 한(漢)나라의 광형(匡衡)이 집이 가난하기 때문에 벽에다 구멍을 뚫고 이웃집에서 새어 나오는 불빛으로 책을 읽은 고사(故事). 전(轉)하여 고학(苦學).

[壁壘 벽루] 벽오(壁隖).

[壁立 벽립] ㉠집 안에 벽만 서 있을 뿐이지 아무것도 없음. ㉡절벽 같은 것이 벽 모양으로 서 있음.

[壁門 벽문] 진영(陣營)의 출입구. 영문(營門). 군문(軍門).

[壁報 벽보] 벽에 쓰거나 붙여 여러 사람에게 알리는 것.

[壁書 벽서] 벽(壁)에 붙이거나 쓰는 글.

[壁星 벽성] 벽수(壁宿).

[壁宿 벽수] 이십팔수(二十八宿)의 하나. 현무 칠수(玄武七宿)의 끝 성수(星宿). 별 둘로 구성되었음.

[壁蝨 벽슬] 개·말·소 같은 것에 기생하는 벌레. 진드기.

[壁岸 벽안] 낭떠러지.

[壁魚 벽어] 빈대좀. 의어(衣魚).

[壁隖 벽오] 작은 성. 성채(城砦).

[壁有耳 벽유이] 벽에 귀가 있다는 뜻으로, 비밀이 새기 쉬움을 경계한 말.

[壁藏 벽장] ㉠물건을 벽 속에 넣고 발라 감춤. ㉡진(秦)나라 시황(始皇)이 분서(焚書)할 때 복생(伏生)이 상서(尙書)를 벽 속에 감추어 둔 고사(故事)에 의하여 고문서(古文書)를 이름.
[壁欌 벽장] 벽(壁)에 만들어 물건(物件)을 넣는 곳.
[壁中書 벽중서] 전한(前漢) 무제(武帝) 말년에 노(魯)나라의 공왕(恭王)이 공자(孔子)의 집 벽 속에서 발견하였다고 하는 고문(古文)으로 된 책. 곧, 〈고문상서(古文尙書)〉·〈고문효경(古文孝經)〉 등. 벽장서(壁藏書).
[壁紙 벽지] 벽을 도배하는 종이.
[壁土 벽토] 벽(壁)에 바른 흙.
[壁虎 벽호] 도마뱀붙이. 수궁(守宮).
[壁畫 벽화] 벽(壁)에 그린 그림.
◉隔壁. 古壁. 高壁. 金城鐵壁. 壘壁. 丹壁. 斷壁. 東壁. 面壁. 防壁. 白壁. 堡壁. 複壁. 粉壁. 氷壁. 四壁. 石壁. 城壁. 堊壁. 岸壁. 巖壁. 崖壁. 塢壁. 外壁. 胃壁. 籬壁. 障壁. 牆壁. 赤壁. 絕壁. 周壁. 塵壁. 鐵壁. 峭壁. 側壁. 土壁. 破壁. 敗壁. 糊壁. 胸壁.

13 ⑯ [墟] 호 ㊤晧 胡老切 hào

字解 ①질솥 호. ②질탕관 호 '一, 土釜也'《玉篇》.

13 ⑯ [壅] 人名 옹 ㊍宋 於容切 yōng

筆順 亠 亣 㕥 雍 雍 壅 壅 壅

字解 ①막을 옹 통하지 못하게 함. '一蔽'. '河決不可復一'《史記》. ②막힐 옹 통하지 아니함. '一滯'. '川一爲澤'《左傳》. ③북돋울 옹 배토(培土)함. '培一'.
字源 形聲. 土+雍〔音〕. '雍옹'은 '부드럽게 안다'의 뜻. 외부로부터의 침입에 대비하여 '흙으로 싸다, 막다, 북돋다'의 뜻을 나타냄.

[壅劫 옹겁] 막아 누름. 임금과 신하의 정을 멀게 함.
[壅隔 옹격] 막혀 격리됨.
[壅塞 옹색] 막음. 또, 막힘.
[壅堨 옹알] 보. 둑.
[壅阻 옹조] 막혀 격리됨. 또, 막아 격리시킴.
[壅滯 옹체] 막히어 걸림.
[壅蔽 옹폐] 막아 가림. 전(轉)하여, 임금의 총명을 가림.
◉梗壅. 群議壅. 滿壅. 培壅. 塞壅. 翳壅. 五壅. 沈壅. 蔽壅.

13 ⑯ [壂] 전 ㊍霰 堂練切 diàn

字解 ①앙금 전 침전물(沈澱物). '一, 滓垽也'《六書統》. ②집 전 관리(官吏)가 일 맡아보는 집. '堂埕, 一也'《廣雅》.
字源 形聲. 土+殿〔音〕

14 ⑰ [壎] 人名 훈 ㊥文 許云切 xūn 塤

筆順 𡈼 圹 圹 坾 坾 埙 壎 壎

字解 질나발 훈 토제(土製)의 취주 악기. 속이 빈 난형(卵形)에 여섯 또는 여덟 개의 구멍이 있음. 塤(土部 十畫)과 同字. '一篪'. '伯氏吹一, 仲氏吹篪'《詩經》.
字源 篆文 形聲. 土+熏〔音〕. '塤훈'의 이체자(異體字)로, 둥근 모양을 한 질나발의 뜻을 나타냄.

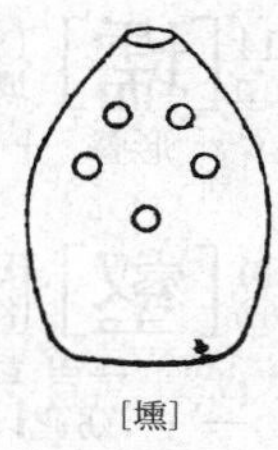
[壎]

[壎篪 훈지] 질나발과 저. 전(轉)하여, 형제의 사이. '훈지상화(壎篪相和)'를 보라.
[壎篪相和 훈지상화] 형(兄)은 질나발을 불고 아우는 이에 화답하여 저를 분다는 뜻으로, 형제가 서로 화목함을 이름.
◉弄壎.

14 ⑰ [壏] 함 ㊤豏 胡黤切 xiàn

字解 굳은흙 함 단단한 흙. 檻(木部 十四畫)과 同字.

14 ⑰ [壒] 애 ㊍泰 於蓋切 ài

字解 티끌 애 먼지. '埃一之混濁'《班固》.
字源 篆文 形聲. 土+蓋〔音〕. '蓋개'는 '덮다'의 뜻. 주변을 덮은 흙먼지의 뜻을 나타냄.

◉輕壒. 浮壒. 紛壒. 纖壒. 埃壒. 烟壒. 涓壒. 塵壒. 昏壒.

14 ⑰ [壗] 〔근〕
墐(土部 十一畫〈p. 461〉)의 本字

14 ⑰ [壔] 도 ㊤晧 都晧切 dǎo

字解 ①보루 도 성채(城砦). ②기둥 도 수학(數學)에서 기둥 모양의 입체(立體)의 일컬음. '圓一'. '角一'.
字源 篆文 形聲. 土+壽〔音〕

◉角壔. 圓壔.

14 ⑰ [壕] 人名 호 ㊥豪 胡刀切 háo

筆順 𡈼 圹 垆 堷 墇 壕 壕 壕

字解 해자 호 성 둘레에 판 도랑. '雁鳴寒雨下空一'《柳宗元》.
字源 形聲. 土+豪〔音〕. '豪호'는 '皐고'와 통하여 늪의 뜻. '土토'를 더하여 인공적인 '해자'를 뜻함.

◉空壕. 待避壕. 防空壕. 邊壕. 塹壕.

14 ⑰ [壝] 궤 ㊍寘 求位切 kuì

字解 삼태기 궤 簣(竹部 十二畫)와 同字. '爲山而不終, 蹞乎一一'《後漢書》.

14 [壖] 〔연〕
⑰ 堧(土部 九畫〈p. 454〉)과 同字
字源 形聲. 土+需〔音〕

14 [壑] 人名 학 ㊀藥 呵各切 hè(huò)
⑰
字解 구렁 학 두 산 사이의 오목한 곳. 골. '溝—'. '窈窕以尋—'《陶潛》.
字源 篆文 形聲. 土+叡〔音〕. '叡학'은 '골짜기'의 뜻.

[壑谷 학곡] ㉠지하실. 토굴(土窟). ㉡구렁. 골짜기.
◉澗壑. 坑壑. 巨壑. 谿壑. 丘壑. 溝壑. 洞壑. 萬壑. 巖壑. 雲壑. 幽壑. 一邱一壑. 絶壑.

14 [壓] 高人 ㊀ 압 ㊀洽 烏甲切 yā 压
⑰ ㊁ 염 ㊂豔 於豔切 yā
筆順 厂 厂 肙 肙 厭 厭 厭 壓
字解 ㊀ ①누를 압 ㉠내리누름. '抑—'. '擧傑—陛'《楚辭》. ㉡진정(鎭定)함. '鎭—'. '無以—一州'《齊書》. ㉢바싹 다가옴. 들이닥침. '—迫'. '楚晨—晉軍而陣'《左傳》. ②막을 압 틀어막음. 충색(充塞)함. '覆—三百餘里'《杜牧》. ㊁ 싫어할 염 厭(厂部 十二畫)과 통용. '朕甚—苦之'《漢書》.
字源 篆文 形聲. 土+厭〔音〕. '厭염'은 눌러 찌부러뜨리다의 뜻. 흙으로 누르다의 뜻을 나타냄.
參考 压(土部 二畫)은 略字.

[壓覺 압각] 밖의 물건에 눌리어 피부에 일어나는 감각(感覺).
[壓驚 압경] 놀란 마음을 진정시키기 위하여 술을 마시는 일.
[壓卷 압권] 그 책 가운데에서 가장 잘 지은 부분. 또는, 여러 책 가운데에서 가장 가치 있는 책. 다른 책을 억누를 만큼 훌륭한 책. 옛날 과거 때 장원(壯元)한 사람의 두루마리로 된 답안지를 모든 답안지 위에 놓았던 데서 생긴 말.
[壓氣 압기] ㉠기세에 눌림. ㉡기세를 누름.
[壓度 압도] 누르는 도수(度數).
[壓倒 압도] 눌러서 거꾸러뜨림. 전(轉)하여, 굴복시킴.
[壓頭 압두] 첫째를 차지함.
[壓良爲賤 압량위천] 양민(良民)을 강제로 종을 삼음.
[壓力 압력] 어떠한 물체가 다른 물체를 누르는 힘.
[壓顱破脣 압로파순] 남의 무덤의 영역을 범하여 매장함. 무덤 뒤 가까운 곳을 '顱'라 하고, 무덤 앞 가까운 곳을 '脣'이라 함.
[壓尾 압미] 끝. 종말.
[壓迫 압박] ㉠내리누름. ㉡바싹 다가옴.
[壓伏 압복] 위압하여 복종시킴.
[壓服 압복] 강제로 복종(服從)시킴. 압복(壓伏).
[壓死 압사] 물건에 눌려서 죽음.
[壓殺 압살] 눌러서 죽임.
[壓視 압시] 멸시함.
[壓神 압신] 외계의 작용이 피부에 닿아서 일으키는 감각.
[壓點 압점] 피부의 표면에 분포하여 압각(壓覺) 또는 촉각(觸覺)을 맡은 신경의 말초점(末梢點).
[壓制 압제] 압박하고 억제함. 백성의 자유를 속박(束縛)함.
[壓條 압조] 휘묻이. 취목(取木).
[壓紙 압지] 잉크나 먹물 따위를 마르기 전에 빨아들이는 종이.
[壓搾 압착] 눌러서 짜냄.
[壓軸 압축] 하나의 시축(詩軸)에 실린 여러 시 가운데 가장 잘 지은 시.
[壓縮 압축] 눌러서 오그라뜨림.
◉降壓. 檢壓. 傾壓. 高壓. 光壓. 氣壓. 等壓. 覆壓. 水壓. 眼壓. 抑壓. 威壓. 低氣壓. 電壓. 制壓. 重壓. 指壓. 鎭壓. 推壓. 沈壓. 彈壓. 筆壓. 血壓.

14 [壍] 참 ㊂豔 七豔切 qiàn
⑰
字解 해자 참 塹(土部 十一畫)과 同字. '深—而守'《史記》.

14 [壐] 〔새〕
⑰ 璽(玉部 十四畫〈p. 1442〉)와 同字
字源 篆文 形聲. 土+爾〔音〕. '爾이'는 아름답고 성하다의 뜻. 왕토(王土)를 지배하는 자의 빛나는 인장의 뜻을 나타냄.
參考 璽(玉部 十四畫)는 籒文.

14 [壒] ㊀ 활 ㊀黠 胡瞎切 kū
⑰ ㊁ 골 ㊀月 苦骨切 kū
字解 ㊀ 탈출할 활 죄수(罪囚)가 탈출함. '—, 囚突出也'《說文》. ㊁ 뚫고나올 골 '—, 突出也'《集韻》.

15 [壙] 人名 광 ㊂漾 苦謗切 kuàng 圹
⑱
字解 ①뫼구덩이 광 무덤의 하관(下棺)하는 곳. '—中'. '弔於葬者, 必執引, 若從柩及—, 皆執紼'《禮記》. ②굴 광 땅의 공동(空洞). '猶水之就下, 獸之走—也'《孟子》. ③넓을 광 '—埌'은 들이 넓은 모양. '—埌之野'《莊子》.
字源 篆文 形聲. 土+廣〔音〕. '廣광'은 '넓다'의 뜻. 땅속의 넓은 구멍의 뜻을 나타냄.

[壙壙 광광] 들이 휜히 넓은 모양. 광랑(壙埌).
[壙埌 광랑] 들이 넓은 모양.
[壙僚 광료] 벼슬하지 아니함. 또, 지위(地位)가 없음. 광(壙)은 공(空).
[壙中 광중] 무덤의 구덩이 속.
[壙穴 광혈] 무덤 구덩이. 묘혈(墓穴).
◉塼壙. 冢壙.

15 [壥] 〔전〕
⑱ 廛(广部 十二畫〈p. 705〉)의 俗字

15 [壘] 人名 ㊀ 루 ㊤紙 力軌切 lěi 垒
⑱ ㊁ 뢰 ㊤賄 魯猥切 lěi
㊂ 률 ㊀質 劣戌切 lù
字解 ㊀ ①진 루 작은 성. 성보(城堡). '四郊多—'《禮記》. ②포갤 루, 겹칠 루 '胸中—塊'《世說》. ③누 루 累(糸部 五畫)와 同字. '不憂其係—也'《荀子》. ④성 루 성(姓)의 하나. ㊁ 끌밋할 뢰 씩씩함. '魁—之士'《漢書》. ㊂ 귀신이름 률 '鬱—'은 신(神)의 이름. '守以鬱—'《張衡》.

※'루' 음은 인명자로 쓰임.

字源 篆文 形聲. 土+畾〔音〕. '畾뢰'는 '포개다'의 뜻. 흙을 포개서 쌓은 진(陣)의 뜻을 나타냄.

[壘空 누공] 작은 구멍. 소공(小孔). 세극(細隙).
[壘塊 누괴] 가슴속에 쌓인 덩어리. 곧, 마음속의 불평.
[壘壘 누루] 무덤 등이 늘비한 모양. 누루(累累).
[壘門 누문] 진영(陣營)의 문.
[壘壁 누벽] 작은 성. 보루(堡壘).
[壘堡 누보] 작은 성. 보루(堡壘).
[壘舍 누사] 보루(堡壘)와 병사(兵舍).
[壘城 누성] 보루(堡壘).
[壘尉 누위] 보루의 일을 맡은 벼슬.
[壘嶂 누장] 겹겹이 우뚝 솟은 산.
[壘砦 누채] 보루(堡壘).
[壘土 누토] 쌓아 겹친 흙. 누토(累土).
◉堅壘. 孤壘. 故壘. 高壘. 魁壘. 軍壘. 堂壘. 滿壘. 壁壘. 邊壘. 堡壘. 本壘. 城壘. 深溝高壘. 營壘. 烏壘. 鬱壘. 離壘. 殘壘. 賊壘. 敵壘. 走壘. 進壘. 出壘. 峭壘. 築壘. 險壘.

16 ⑲ [壚] 로 ㊥虞 落胡切 lú 垆 壚

字解 ①검은석비레 로 빛이 검은 강토(剛土). '下土墳—'《漢書》. ②목로로 술집의 술을 파는 곳. '司馬相如使文君當—'《史記》. ③화로 로 爐(火部 十六畫)와 同字. '茶—烟起知高興'《陸游》.

字源 篆文 形聲. 土+盧〔音〕. '盧로'는 '검다'의 뜻. 검고 거친 흙의 뜻을 나타냄.

◉茶壚. 賣壚. 文君當壚. 酒壚. 黃壚.

16 ⑲ [壜] 담 ㊥覃 徒含切 tán 坛 壜

字解 술병 담, 술단지 담 '石—封寄野人家'《陸龜蒙》.

16 ⑲ [壝] 유 ㊥支 以追切 wéi ㊦寘 以醉切 壝

字解 제단의담 유 제단(祭壇)의 주위에 쌓은 낮은 담. '掌設王之社—'《周禮》.

字源 形聲. 土+遺〔音〕

◉社壝.

16 ⑲ [壛] 염 ㊥鹽 余廉切 yán

字解 ①거리 염 가로(街路). '—, 巷也'《玉篇》. ②와상(臥床) 염, 걸상 염 침대(寢臺). 긴 의자(椅子). '—, 榻也'《廣韻》. ③긴섬돌 염 긴 디딤돌. '曲屋步—'《楚辭》.

16 ⑲ [壞] 高人 ㊀ 괴 ㊦卦 胡怪切 huài (회本) ㊁ 회 ㊤賄 胡罪切 huì 坏 壞

筆順 𡈼 𡋀 ... 壞

字解 ㊀ ①무너뜨릴 괴 헒. 파괴함. '破—'. '天之所支不可—也'《國語》. ②무너질 괴 허물어짐. 파괴됨. '—滅'. '禮必—'《論語》. ㊁ ①혹 회 나무의 거죽에 불쑥하게 내민 것. 나무 혹. '譬彼—木'《詩經》. ②앓을 회 병듦.

字源 篆文 形聲. 土+褱〔音〕. '褱회'는 '毁훼'와 통하여, '무너지다'의 뜻. 흙을 무너뜨리다의 뜻에서, '헐다'의 뜻을 나타냄.

[壞劫 괴겁]《佛敎》성겁(成劫)·주겁(住劫)·공겁(功劫)과 함께 사겁(四劫)의 하나. 세계가 괴멸(壞滅)하는 기간(期間).
[壞決 괴결] 무너뜨림. 또, 무너짐.
[壞苦 괴고]《佛敎》삼고(三苦)의 하나. 즐거운 일이 깨어져 받는 고통.
[壞亂 괴란] 무너뜨려 어지럽게 함. 또, 무너져 어지러워짐.
[壞滅 괴멸] ㉠무너뜨려 멸함. ㉡무너져 멸망함.
[壞俗 괴속] 풍속(風俗)을 문란하게 함. 또, 문란(紊亂)해진 풍속.
[壞損 괴손] 무너뜨려 덞.
[壞壓 괴압] 눌러 무너뜨림.
[壞裂 괴열] 허물어지고 갈라짐.
[壞牆 괴장] 허물어진 담. 퇴락한 담. 퇴장(頹牆).
[壞舛 괴천] 떨어져 흩어짐. 무너져 산란함.
[壞頹 괴퇴] 퇴락함.
[壞敗 괴패] 무너짐. 파괴됨.
[壞血病 괴혈병] 비타민 C가 모자라서 몸이 쇠약해지고 잇몸·피부 등에서 피가 나오는 병.
[壞木 회목] 혹이 있는 나무.
[壞死 회사] 몸의 조직이 국부적으로 죽는 일.
[壞疽 회저] 신체(身體)의 조직(組織)의 일부분이 생활력을 잃고 그 기능(機能)이 소멸하는 일.
◉決壞. 金剛不壞. 斷壞. 倒壞. 半壞. 不壞. 崩壞. 損壞. 碎壞. 弛壞. 沮壞. 全壞. 震壞. 替壞. 打壞. 墮壞. 泰山頹梁木壞. 破壞. 敗壞. 廢壞. 荒壞. 朽壞. 毁壞.

16 ⑲ [壠] 壟(次條)과 同字

16 ⑲ [壟] 人名 롱 ㊤腫 力踵切 lǒng 垄 壟

字解 ①밭두둑 롱 규반(畦畔). '—畔'. '輟耕之—上'《漢書》. ②무덤 롱 뫼. '—塋'. '適墓不登—'《禮記》. ③언덕 롱 구릉. '丘—'.

字源 篆文 形聲. 土+龍〔音〕. '龍룡'은 꿈틀거리는 용의 象形. 용의 등처럼 너울거리는 언덕·밭두둑의 뜻을 나타냄.

[壟斷 농단] ㉠가파른 언덕. ㉡이익을 독점함. 옛날에 어떤 사람이 장 근처의 가파른 언덕에 올라가 좌우를 빙 둘러보고 싼 물건을 사서 비싸게 팔아 이익을 독점하였다는 고사(故事)에서 나온 말.
[壟畝 농묘] 밭. 전(轉)하여, 시골. 촌(村).
[壟畔 농반] 밭의 경계. 밭두둑.
[壟塋 농영] 흙을 높이 쌓아 올린 무덤.
◉高壟. 丘壟. 麥壟. 先壟. 一壟. 疇壟. 峻壟. 頹壟. 厚壟.

17 ⑳ [壤] 高人 양 ㊤養 如兩切 rǎng 壤

筆順 𡈼 𡋀 ... 壤

字解 ①고운흙 양 명개흙. '厥土惟白一'《書經》. ②땅 양 ㉠대지. '不意天一之間, 乃有王郞'《晉書》. ㉡경작지. '膏一沃野千里'《史記》. ㉢국토(國土). '兩國接一'《漢書》. ㉣곳. 장소. '誠神明之奧一'《程督》. ③상할 양 손상함. '吐者外一, 食者內一'《穀梁傳》. ④만억 양 수(數)의 이름. 억(億)의 만 배. ⑤풍년들 양 穰(禾部 十七畫)과 同字. '三年大一'《列子》.

字源 篆文 形聲. 土+襄(褱)〔音〕. '褱양'은 '女녀'와 통하여, '부드럽다'의 뜻. 부드럽고 기름진 흙의 뜻을 나타냄.

[壤歌 양가] 땅을 두드리며 노래함. 전(轉)하여, 태평성대를 구가(謳歌)함.
[壤界 양계] 경계(境界)가 서로 접함.
[壤壤 양양] ㉠뒤섞인 모양. 혼잡한 모양. ㉡기르는 모양.
[壤子 양자] 귀염둥이. 사랑하는 아들.
[壤奠 양전] 땅에서 난 제상(祭床)에 쓰는 물건. 야채(野菜) 따위. 토공(土貢).
[壤地 양지] 땅. 나라. 국토.
[壤土 양토] ㉠땅. ㉡경작에 알맞은 땅. ㉢거소(居所). 장소.
◉間壤. 蓋壤. 擊壤. 鼓腹擊壤. 枯壤. 故壤. 槁壤. 膏壤. 煩壤. 僻壤. 邊壤. 糞壤. 肥壤. 沙壤. 霄壤. 息壤. 礫壤. 沃壤. 要壤. 雲壤. 幽壤. 朕壤. 蟻壤. 瘠壤. 天壤. 泰山不讓土壤. 土壤. 豐壤. 鹹壤. 荒壤. 朽壤.

17 ⑳ [壣] 린 ㊥眞 力珍切 lín

字解 ①언덕 린 '一, 隴也'《玉篇》. ②채소밭 린 '荷芰卷生渚, 蕪菁秀出一'《宋穆修》.

20 ㉓ [壧] 암 ㊥咸 魚銜切 yán

字解 구멍 암 땅에 판 구멍. '一, 穴也'《集韻》.

21 ㉔ [壩] 파 ㊔禡 必駕切 bà

字解 방죽 파 제방.

字源 形聲. 土+霸〔音〕

21 ㉔ [墝] 교 ㊔嘯 丘召切 qiào

字解 높을 교 '一, 高也'《集韻》.

22 ㉕ [壤] 낭 ㊔漾 乃浪切 nàng

字解 ①토굴 낭 파낸 땅 구멍. '一, 一日, 土窟'《集韻》. ②티끌 낭 쓰레기. '一, 塵也'《集韻》.

士 (3획) 部
〔선비사부〕

0 ③ [士] 中 人 사 ㊤紙 鉏里切 shì

筆順 一 十 士

字解 ①선비 사 ㉠천자(天子) 또는 제후(諸侯)에게 벼슬하는 계급의 명칭으로, 대부(大夫)의 아래, 서인(庶人)의 위를 차지함. '一大夫'. '忠信重祿, 所以勸一也'《中庸》. ㉡상류 사회·지식 계급의 사람. '紳一'. '一君子'. ㉢뛰어난 인물. 영재. '天下一'. '國一'. ㉣도의(道義)를 행하고 학예를 닦는 사람. '一不可以不弘毅'《論語》. ㉤남아(男兒). '三晉多權變之一'《史記》. ②무사 사 무인(武人). 무부(武夫). '介冑之一不拜'《史記》. ③부사관 사 졸오(卒伍)를 거느리는 군인. '以安一卒'《史記》. ④벼슬 사 관직. '上一中一下一'《禮記》. ⑤일 사 事(亅部 七畫)와 통용. '見一于周'《書經》. ⑥성 사 성(姓)의 하나.

字源 金文 篆文 象形. 일종의 큰 도끼의 象形으로, 큰 도끼를 가질 만한 남자의 뜻을 나타냄. 일반적으로 미혼의 남성의 뜻을 나타냄.

參考 부수(部首)로서, '남자'의 뜻을 포함하는 문자를 이룸.

[士官 사관] ㉠재판관. 법관(法官). ㉡병정을 지휘하는 무관(武官). 위관(尉官)과 영관(領官)의 통칭.
[士君子 사군자] 교양과 인격이 높은 사람.
[士氣 사기] ㉠선비의 기개(氣槪). ㉡군사(軍士)가 용기를 내는 기운.
[士女 사녀] ㉠남자와 여자. 신사와 숙녀. ㉡총각과 처녀. ㉢미인(美人).
[士農工商 사농공상] 국민의 네 가지 계급. 곧, 선비·농부·장색·장수.
[士大夫 사대부] ㉠천자(天子) 또는 제후를 섬기는 벼슬아치. 사(士)와 대부(大夫). ㉡부사관과 장교(將校).
[士論 사론] 선비들의 공론(公論).
[士類 사류] 사림(士林).
[士林 사림] 유교를 닦는 선비들.
[士民 사민] ㉠선비와 백성. 인민. ㉡도덕(道德)을 닦고 학예(學藝)를 배우는 사람. 선비.
[士兵 사병] 부사관 이하의 군인의 총칭.
[士夫 사부] ㉠사대부(士大夫). ㉡청소년(靑少年). ㉢남자의 통칭(通稱).
[士夫家 사부가] 문벌이 높은 집.
[士夫鄕 사부향] 선비가 많이 사는 시골.
[士師 사사] 재판관.
[士庶人 사서인] 사대부와 서인. 곧, 관리(官吏)와 농공상인(農工商人).
[士習 사습] 선비의 풍습.
[士伍 사오] ㉠병사(兵士)의 대오(隊伍). ㉡낮은 지위(地位).
[士爲知己者死 사위지기자사] 선비는 자기의 인격을 알고 존중하여 주는 사람을 위해서 목숨을 버려 그 지우(知遇)에 보답함. 진(晉)나라 예양(豫讓)의 말.
[士人 사인] ㉠학문에 종사하는 사람. 선비. ㉡벼슬아치. 관리(官吏).
[士子 사자] ㉠사인(士人). ㉡글을 배우는 사람. 학생. 학자(學子).
[士節 사절] 선비의 절개.
[士操 사조] 선비의 절개. 선비의 지조.
[士族 사족] 양반(兩班)에 속하는 겨레. 양반(兩班).
[士卒 사졸] 하사(下士)와 병졸.

[士衆 사중] 뭇사람. 백성.
[士風 사풍] 선비의 기풍(氣風). 또는, 풍기(風紀).
[士行 사행] 사대부(士大夫)로서의 고상(高尙)한 덕행(德行).
[士禍 사화] 사림(士林)의 참화. 옳은 말을 하는 선비들이 간악(奸惡)한 무리에게 받는 참혹한 화(禍).
◉佳士. 居士. 健士. 傑士. 劍士. 卿士. 計理士. 高士. 曲士. 骨骾之士. 魁士. 軍士. 弓馬之士. 窮士. 金剛力士. 奇士. 棋士. 騎士. 吉士. 能士. 多士. 端士. 達士. 大士. 大學士. 桃士. 道士. 都人士. 猛士. 名士. 武士. 無上之士. 文士. 博士. 方士. 辨理士. 辯士. 辯護士. 兵士. 伏士. 貧士. 死士. 山林之士. 上士. 善士. 選士. 俗士. 秀士. 信士. 紳士. 雅士. 樂士. 巖穴之士. 良士. 彥士. 女士. 力士. 列士. 烈士. 廉士. 英士. 銳士. 五經博士. 勇士. 韻士. 熊羆之士. 元士. 偉士. 衛士. 有道之士. 遊士. 儒士. 遺士. 隱士. 義士. 人士. 一言居士. 壯士. 戰士. 貞士. 濟濟多士. 造士. 朝士. 俊士. 中士. 志士. 智士. 進士. 徵士. 策士. 處士. 天下之士. 淸士. 靑雲之士. 通士. 鬪士. 布衣之士. 風流士. 下士. 學士. 寒士. 賢士. 顯士. 俠士. 豪士. 湖海之士. 橫行介士.

1 ④ [壬] 中人 임 ㊥侵 如林切 rén

筆順 一 二 千 壬

字解 ①아홉째천간 임 천간(天干)의 제 9 위. 오행(五行)으로는 물〔水〕에 속하고, 방위로는 북방임. ②간사할 임 '一佞'. '巧言令色孔一'《書經》. ③클 임 '有一有林'《詩經》. ④성 임 성(姓)의 하나.

字源 甲骨文 金文 篆文 象形. 베 짜는 실을 감은 모양을 본떠, 베 짜는 실의 뜻을 나타냄. '紝임'의 원자(原字). 假借하여, '아홉째천간'의 뜻으로 쓰임.

參考 형성 문자의 음부(音符)가 될 때에는, 지속적으로 견디다의 뜻을 가짐.

[壬公 임공] 물〔水〕의 별칭. 임부(壬夫).
[壬佞 임녕] 간사함.
[壬方 임방] 이십사방위의 하나. 정북(正北)에서 서쪽으로 15도(度)째의 방위를 중심으로 한 15도의 각도 안.
[壬夫 임부] 임공(壬公).
[壬人 임인] 간사한 사람. 아첨을 잘하는 사람.
[壬日 임일] 일진(日辰)이 임(壬)인 날.
[壬坐丙向 임좌병향] 임방(壬方)에서 병방(丙方)으로 향함.
◉大六壬. 憸壬.

3 ⑥ [壮] 〔장〕 壯(士部 四畫〈p. 473〉)의 略字

[吉] 〔길〕 口部 三畫(p. 349)을 보라.

4 ⑦ [声] 〔성〕 聲(耳部 十一畫〈p. 1828〉)의 俗字

4 ⑦ [壱] 〔일〕 壹(士部 九畫〈p. 474〉)의 俗字

4 ⑦ [売] 〔매〕 賣(貝部 八畫〈p. 2203〉)의 略字

4 ⑦ [壳] 〔각〕 殼(殳部 八畫〈p. 1157〉)의 簡體字

[志] 〔지〕 心部 三畫(p. 758)을 보라.

4 ⑦ [壯] 中人 장 ㊤漾 側亮切 zhuàng ㊥陽 資良切 zhuāng

筆順 丨 丬 丬 爿 爿 壯 壯

字解 ①씩씩할 장 용감함. '勇一'. '拔劍割肉, 壹何一'《漢書》. ②왕성할 장 혈기가 왕성함. 기력이 좋음. '一年'. '老當益一'《後漢書》. 또, 그 사람. '男女老一'《後漢書》. ③장할 장 훌륭함. 웅대함. 웅장함. '一志'. '高十餘丈, 旗幟加其上, 甚一'《史記》. ④굳을 장 견고함. 단단함. '仲冬之月, 冰始一'《禮記》. ⑤한방뜸 장 뜸질 한 번 하기. '醫用艾一灼, 謂之一一者, 以壯人爲法'《夢溪筆談》. ⑥팔월 장 음력 8월의 별칭. '一月'. '八月爲一'《爾雅》. ⑦성 장 성(姓)의 하나.

字源 篆文 形聲. 士+爿〔音〕. '士사'는 '남자'의 뜻. '爿장'은 '길다'의 뜻. 키가 큰 남자의 뜻에서 파생하여, '씩씩하고 장하다'의 뜻을 나타냄.

參考 壮(士部 三畫)은 略字.

[壯擧 장거] 장한 거사(擧事).
[壯健 장건] 튼튼함. 기운이 있고 병이 없음.
[壯骨 장골] 기운 좋고 크게 생긴 골격(骨格).
[壯觀 장관] 굉장하고 볼만한 광경.
[壯佼 장교] 나이가 젊고 장건(壯健)함.
[壯妓 장기] 나이 지긋한 기생.
[壯騎 장기] 강(強)한 기병(騎兵). 경기(勁騎).
[壯年 장년] 혈기가 왕성한 삼사십 세경의 나이. 장치(壯齒). 장령(壯齡). 또, 그 사람.
[壯談 장담] 확신을 가지고 자신 있게 하는 말.
[壯膽 장담] 용장(勇壯)한 담력.
[壯大 장대] 장건(壯健)하고 큼.
[壯途 장도] 중대한 사명을 띠고 떠나는 길. 용감히 떠나는 장한 길.
[壯圖 장도] 웅장한 꾀. 장한 계획.
[壯麗 장려] 장대(壯大)하고 화려함.
[壯力 장력] 강장(強壯)한 근력.
[壯烈 장렬] 씩씩하고도 열렬함.
[壯齡 장령] 혈기가 왕성한 삼사십 세경의 나이. 장치(壯齒). 장년(壯年).
[壯美 장미] ㉠장엄하고 아름다움. 장대(壯大)하고 미려(美麗)함. ㉡미(美)의 한 가지로서, 숭경(崇敬)의 염(念)을 일으키는 것. 웅장하고 숭고(崇高)한 미(美).
[壯夫 장부] ㉠장년(壯年)의 남자. ㉡씩씩한 남자.
[壯士 장사] ㉠기개(氣概)가 있고 용감한 사람. ㉡역사(力士).
[壯山 장산] 굉장히 큰 산(山). 웅장한 산.
[壯雪 장설] 많이 오는 눈. 대설.
[壯盛 장성] 씩씩하고 왕성함.
[壯心 장심] 장지(壯志).
[壯語 장어] 호언장담(豪言壯談).
[壯熱 장열] 병으로 인한 매우 높은 신열(身熱).

[壯藝 장예] 뛰어난 기예(技藝).
[壯勇 장용] 혈기가 왕성하고 용감함.
[壯元 장원] 《韓》 ㉠과거(科擧)에서 갑과(甲科)에 첫째로 급제(及第)함. 또, 그 사람. ㉡성적(成績)이 첫째임. 또, 그 사람.
[壯月 장월] 음력(陰曆) 8월의 별칭(別稱).
[壯遊 장유] ㉠장지(壯志)를 품고 먼 곳으로 떠나는 일. ㉡성대한 놀이. 성유(盛遊).
[壯意 장의] 장한 뜻.
[壯者 장자] 혈기가 왕성한 젊은이.
[壯哉 장재] 장하도다 하고 탄상(歎賞)하는 말.
[壯丁 장정] 장년(壯年)의 남자. 젊은이.
[壯志 장지] 웅대한 뜻. 장한 뜻. 장심(壯心). 대지(大志). 웅심(雄心).
[壯紙 장지] 두껍고 질긴 종이.
[壯齒 장치] 장령(壯齡).
[壯漢 장한] 허우대가 크고 힘이 세찬 남자(男子).
[壯懷 장회] 장한 생각.
◉剛壯. 強壯. 彊壯. 健壯. 高壯. 廣壯. 宏壯. 老益壯. 老壯. 美壯. 悲壯. 盛壯. 少壯. 勇壯. 雄壯. 丁壯. 貞壯. 豪壯.

6 ⑨ **[壴]** 주 ㊤麌 腫庾切 zhù ㊦遇 中句切

字解 ①늘어놓은악기머리보일 주 '一, 陳樂立而上見也'《說文》. ②세울 주 서게 함. 豎(豆部 八畫〈p. 2171〉)와 통용. '一, 借作豎立之豎'《韻會》. ③성 주 성(姓)의 하나.

字源 形聲. 屮+豆〔音〕

7 ⑩ **[㚅]** 결 ㊅屑 ①②吉屑切 jié ③苦結切 qiè

字解 ①머리기울 결 또, 머리가 기울어진 모양. '一, 頭傾也'《說文》. ②높을 결 '一, 仡仡也'《玉篇》. ③마디많을 결 '奊一'은 마디가 많음. '奊一, 多節目也'《廣韻》.

字源 形聲. 夨+吉〔音〕

7 ⑩ **[壶]** 壺(次次條)의 簡體字

8 ⑪ **[壷]** 壺(次條)와 同字

9 ⑫ **[壺]** 人名 호 ㊥虞 戶吳切 hú

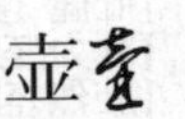

筆順 一 十 士 声 壶 壶 壶 壺

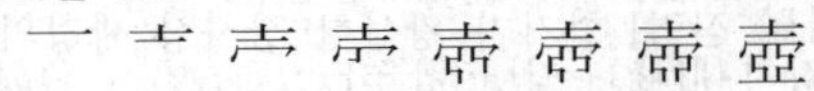

字解 ①병 호 배가 불룩한 병. 주로 술 또는 물을 담음. '一漿'. '八一設于西序'《儀禮》. ②투호 호 병에 화살을 던져 넣는 유희. '投一'. '捹射一博'《左思》. ③박 호 瓠(瓜部 六畫)와 同字. '八月斷一'《詩經》. ④성 호 성(姓)의 하나.

字源 甲骨文  金文 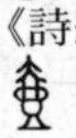 篆文  象形. 뚜껑 달린 병의 象形. '병, 항아리'의 뜻을 나타냄.

參考 ①壷(前條)와 同字. ②壼(士部 十畫)은 別字.

[壺口 호구] 산(山) 이름. 셋이 있는데 모두 산시성(山西省) 안에 있음. 길현(吉縣) 서남(西南)에 있는 산은 우공(禹貢)에, 임분현(臨汾縣) 서남(西南)에 있는 산은 수경주(水經注)에 보이며, 또 하나는 장치현(長治縣) 동남(東南)에 있음.
[壺觴 호상] 술병과 술잔.
[壺飧 호손] 병에 넣은 밥.
[壺罌 호앵] 술 같은 것을 넣는 양병(洋甁).
[壺漿 호장] 병에 넣은 음료(飮料). 소량의 음료수.
[壺中物 호중물] 술.
[壺中天 호중천] 신선 호공(壺公)의 고사(故事)에 의하여 별천지(別天地)·별세계(別世界)·선경(仙境) 등의 뜻으로 씀. 호천(壺天). 호중천지(壺中天地).
[壺中天地 호중천지] 호중천(壺中天).
[壺天 호천] 호중천(壺中天).
◉金壺. 漏壺. 茶壺. 銅壺. 茗壺. 方壺. 蓬壺. 氷壺. 瀛壺. 玉壺. 殘壺. 箭壺. 唾壺. 投壺. 瓠壺.

9 ⑫ **[壹]** 人名 일 ㊇質 於悉切 yī

筆順 一 十 士 声 声 壱 壱 壹 壹

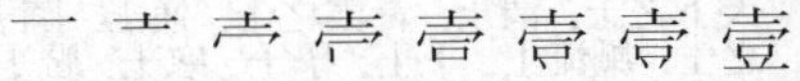

字解 ①한 일 ㉠하나. 一(部首)과 同字. ㉡한 번. '一揖一讓'《儀禮》. ㉢한가지로. 모두. '一諸侯之相也'《孔子家語》. ②전일할 일 마음을 오로지 한 곳으로 씀. '專一'. '志一則動氣'《孟子》. ③통일할 일 통합함. '外一群臣'《漢書》. ④순박할 일 순후함. '醇一'. '民以寧一'《史記》. ⑤성 일 성(姓)의 하나.

字源 篆文 形聲. 壺+吉〔音〕. '壺호'는 '병'의 뜻. '吉길'은 경사를 확보해 두다의 뜻. 병을 밀폐하여 술을 발효시키는 모양에서, 일이 성취되도록 힘을 확보하여 응집시키다, 오로지 하다의 뜻을 나타냄. 또 전하여, '하나'의 뜻도 나타냄.

參考 ①갖은자로서, 주로 증서·계약 등에 씀. ②壱(士部 四畫)은 俗字.

[壹大 일대] 심(甚)히. 매우. 크게.
[壹發五豝 일발오파] 화살을 한 번 쏘아 산돼지 다섯 마리를 잡는다는 뜻으로, 사냥하여 잡은 것이 많음을 이름.
[壹是 일시] 모두. 한결같이. 일체(一切).
[壹鬱 일울] ㉠기(氣)가 폐색(閉塞)함. ㉡근심 걱정 하는 모양.
[壹意 일의] 한 가지 일에 마음을 오로지 기울임. 일심(一心). 일의(一意).
[壹倡三歎 일창삼탄] ㉠한 사람이 먼저 노래 부르면 겨우 세 사람이 찬미(讚美)하여 화창(和唱)할 뿐임. ㉡뛰어난 시문(詩文)을 격찬(激讚)하여 이르는 말. 일창삼탄(一唱三歎).
◉均壹. 拜壹. 誠壹. 肅壹. 醇壹. 寧壹. 專壹. 齊壹. 混壹. 和壹.

[喜] 〔희〕
口部 九畫(p. 395)을 보라.

9 ⑫ **[壻]** 人名 서 ㊦霽 蘇計切 xù

筆順 土 圹 圹 圹 壻 壻 壻 壻

字解 ①사위 서 딸의 남편. '女一'. '一執雁入'

《禮記》. ②남편 서 '夫一'. '婦人卿一'《世說》. ③벗 서 친우. '友一'. '僚一'. ④사내 서 남자. '陛下勿以常一畜之'《晉書》.
字源 篆文 會意. 士+胥. '士사'는 '남자'의 뜻. '胥서'는 '동거하다'의 뜻. 자기의 딸과 동거하는 남자, '사위'의 뜻을 나타냄.
參考 婿(女部 九畫)는 俗字.

[壻甥 서생] 사위.
◉佳壻. 姑壻. 國壻. 妹壻. 夫壻. 新壻. 嫗壻. 良壻. 兩壻. 女壻. 令壻. 僚壻. 友壻. 姊壻. 帝壻. 贅壻. 賢壻.

10
⑬ [壼] 곤 ㊤阮 苦本切 kǔn 壸

字解 대궐안길 곤 궁중(宮中)의 왕래하는 길. '宮一'. '室家之一'《詩經》.
字源 篆文 象形. 口는 주위가 담으로 에워싸인 길의 모양. 위쪽의 𠀤는 궁문(宮門) 위의 장식의 모양. 곧, 대궐 안의 작은 길의 뜻을 나타냄.
參考 壺(士部 九畫)는 別字.

[壼奧 곤오] ㉠궐내(闕內)의 가장 깊숙한 곳. ㉡사물(事物)의 심오(深奧)한 데.
[壼闈 곤위] ㉠궐내(闕內)의 작은 문. ㉡궐내. 궁중(宮中).
[壼政 곤정] 궐내(闕內)의 정사(政事). 대궐 안을 다스리는 일.
[壼訓 곤훈] 부녀자(婦女子)의 교훈. 숙훈(淑訓).
◉宮壼. 奧壼. 中壼.

10
⑬ [壽] 壽(次條)의 俗字

11
⑭ [壽] 中人 수 ㊀有 承呪切 shòu ㊤有 殖酉切 寿

筆順 一 十 士 圭 圭 壴 壽 壽

字解 ①수 수 ㉠나이. 목숨. '天一'. '萬一無疆'. ㉡장수. '一夭'. '體有喬松之一'《漢書》. ②수할 수 장수함. 오래 삶. 명이 길. '一則多辱'《莊子》. ③헌수할 수 ㉠장수를 축하하여 술을 드림. '上一'. '莊入爲一'《漢書》. ㉡장수를 축하하여 선물을 보냄. '爲聶政母一'《史記》. ④성 수 성(姓)의 하나.
字源 金文 金文 篆文 形聲. 篆文은 耂(老)+𠷎[音]. '𠷎수'는 '길게 이어지다'의 뜻. 늙을 때까지 목숨이 길게 이어지다, 장수하다의 뜻을 나타냄.

[壽康 수강] 건강하고 장수(長壽)함.
[壽豈 수개] 장수하고 화락함. 개(豈)는 개(愷).
[壽客 수객] '국화(菊花)'의 이칭(異稱).
[壽考 수고] 장수(長壽).
[壽骨 수골] 오래 살 골격(骨格).
[壽耇 수구] 노인(老人).
[壽宮 수궁] ㉠신(神)을 모셔 놓은 궁(宮). 신에게 장수(長壽)를 빎으로 이름. ㉡침실(寢室).
[壽期 수기] 생일(生日).
[壽器 수기] 널. 관(棺).
[壽齡 수령] 장수(長壽).
[壽禮 수례] 생일을 축하하는 선물.
[壽命 수명] 타고난 목숨. 생명. 수.
[壽母 수모] 수하는 모친이라는 뜻으로, 남의 모친의 경칭(敬稱).
[壽福 수복] 수(壽)와 복(福).
[壽福康寧 수복강녕] 장수(長壽)하고 복을 누리며 몸이 튼튼하고 편안함.
[壽比南山 수비남산] 수(壽)가 남산(南山)과 같이 길. 생일 축하의 말.
[壽序 수서] 사람의 장수를 축하하는 글.
[壽星 수성] ㉠남극성(南極星). 노인성(老人星). ㉡음력 8월의 별칭(別稱).
[壽辰 수신] 생일(生日). 생신(生辰).
[壽域 수역] ㉠수총(壽冢). ㉡인수(仁壽)의 경역(境域)이란 뜻으로, 태평한 세상을 이름. 성세(盛世).
[壽宴 수연] 장수(長壽)를 축하(祝賀)하는 잔치.
[壽筵 수연] 수연(壽宴).
[壽夭 수요] 장수와 단명(短命).
[壽衣 수의] 염습할 때 시체(屍體)에 입히는 옷.
[壽藏 수장] 수총(壽冢).
[壽酒 수주] 축수(祝壽)의 술.
[壽祉 수지] 장수하고 복이 많음.
[壽昌 수창] 장수(長壽)하며 창성(昌盛)함.
[壽冢 수총] 생전(生前)에 만들어 놓은 무덤.
[壽誕 수탄] 수신(壽辰).
[壽限 수한] 타고난 수명(壽命)의 한정.
[壽穴 수혈] 수총(壽冢).
◉康壽. 高壽. 喬松之壽. 龜龍壽. 耆壽. 南山之壽. 老壽. 萬壽. 無疆之壽. 無量壽. 米壽. 眉壽. 福祿壽. 福壽. 上壽. 聖壽. 延壽. 年壽. 靈壽. 夭壽. 人壽. 仁壽. 仁者之壽. 長壽. 天壽. 椿壽. 彭祖之壽. 賀壽. 鶴壽. 享壽. 喜壽.

[嘉] 〔가〕 口部 十一畫(p. 401)을 보라.

[臺] 〔대〕 至部 八畫(p. 1877)을 보라.

12
⑮ [壿] 준 ㊥眞 七倫切 cūn

字解 ①춤출 준 선비가 춤을 추는 모양. '一, 士舞也'《說文》. ②기뻐할 준 '坎坎, 一一, 喜也'《爾雅》.
字源 篆文 形聲. 士+尊(尊)[音]. 선비가 장하게 춤추는 모양의 뜻을 나타냄.

夂 (3획) 部
〔뒤져올치부〕

0
③ [夂] 치 ㊤紙 豬几切 zhǐ

筆順 ノ ク 夂

字解 뒤져올 치 뒤떨어져 옴.
字源 甲骨文 篆文 象形. 아래를 향한 발의 象形으로, '내려가다'의 뜻을 나타냄. 夊(部首)와 동일어(同一語) 이체자(異體字)임.
參考 부수(部首)로서, 대체로 자형(字形)의 머

리 부분에 옴.

[冬] 〔동〕
冫部 三畫(p. 227)을 보라.

[処] 〔처〕
几部 三畫(p. 234)을 보라.

3 ⑥ **[夅]** 〔항·강〕
降(阜部 六畫〈p. 2455〉)의 古字

3 ⑥ **[𡕒]** 〔학〕
學(子部 十三畫〈p. 565〉)과 同字

[各] 〔각〕
口部 三畫(p. 347)을 보라.

3 ⑥ **[夆]** 夆(次條)과 同字

4 ⑦ **[夆]** 봉 [平]冬 符容切 féng

[字解] ①거스를 봉 반대함. '一, 牾也'《說文》. ②끌어당길 봉 나쁜 데로 꾐. '甹一, 掣曳也'《爾雅》. ③만날 봉 서로 만남. '一, 與逢通, 遇也'《正字通》.

[字源] 金文 篆文 形聲. 夂+丰〔音〕. '夂치'는 아래로 향한 발자국의 모양을 본뜸. '丰봉'은 '付부'와 통하여, '만나다'의 뜻. 사람이 걸어가서 만나다의 뜻을 나타냄. '逢봉'의 원자(原字).

4 ⑦ **[夆]** [一] 해 [去]泰 胡蓋切 hài
[二] 결 [入]屑 古列切

[字解] [一] 막을 해 가로막음. '一, 相遮要害也'《說文》. [二] 막을 결 [一]과 뜻이 같음.

[字源] 形聲. 夂+丯〔音〕

[參考] 夆(前條)은 別字.

4 ⑦ **[麦]** 〔맥〕
麥(部首〈p. 2693〉)의 俗字

6 ⑨ **[变]** 〔변〕
變(言部 十六畫〈p. 2164〉)의 俗字

6 ⑨ **[复]** 〔복〕 復(彳部 九畫〈p. 749〉)·複(衣部 九畫〈p. 2069〉)·覆(襾部 十二畫〈p. 2085〉)의 簡體字

7 ⑩ **[夋]** 〔각〕
覺(見部 十三畫〈p. 2093〉)과 同字

夊 (3획) 部
〔천천히걸을쇠부〕

0 ③ **[夊]** 쇠 [平]支 息遺切 suī

[筆順] ノ ク 夊

[字解] 천천히걸을 쇠 서행(徐行)함.

[字源] 甲骨文 篆文 象形. 아래를 향한 발자국의 모양으로, 가파른 언덕을 머뭇머뭇 내려가다의 뜻을 나타냄.

[參考] 부수로서, 대체로 자형(字形)의 발 부분에 옴.

5 ⑧ **[夌]** 릉 [平]蒸 力膺切 líng

[字解] 언덕 릉 陵(阜部 八畫)과 同字.

[字源] 篆文 會意. 兴+夊. '兴륙'은 '높다'의 뜻. '夊쇠'는 아래를 향한 발의 象形. '넘다'의 뜻을 나타냄.

5 ⑧ **[𡕢]** [一] 멈 [上]琰 明忝切 miǎn
[二] 맘 [上]感 莫坎切 mǎn

[字解] [一] 두개골 멈 '一, 腦蓋也'《廣韻》. [二] 목걸이 맘 '一, 首飾'《集韻》.

[字源] 會意. 爫+人+夊

6 ⑨ **[㚇]** 종 [平]東 子紅切 zōng
[去]送 作弄切

[字解] ①발움츠릴 종 새가 날 때 발을 움츠림. '一, 斂足也, 誰, 鵙醜, 其飛也一'《說文》. ②모을 종 함께 합함. '一, 聚也'《廣雅》.

[字源] 篆文 篆文 會意. 兇+夊. '兇흉'은 '두려워하다'의 뜻. '夊쇠'는 아래를 향한 발의 象形. 새 따위가 소리에 놀라 발을 움츠리고 날다의 뜻을 나타냄.

7 ⑩ **[夎]** 좌 [去]箇 則臥切 cuò

[字解] 무릎아니꿇고절할 좌 '無一拜'《禮記》.

[字源] 形聲. 夊+坐〔音〕. '夊쇠'는 '다리를 끌다', '坐좌'는 '앉다'의 뜻. 무릎을 꿇어 발이 불안정한 예배(禮拜)의 뜻을 나타냄.

7 ⑩ **[夏]** [中人] 하 ①[去]禡 胡駕切 xià
②-⑥[上]馬 胡雅切 xià

[筆順] 一 𠀀 丙 百 百 頁 夏 夏

[字解] ①여름 하 ㉠사철의 하나. '春一秋冬'. ㉡여름의 더위. '號爲銷一灣'《皮日休》. ②중국 하 중국 본부. '中一'. '用肇造我區一'《書經》. ③하나라 하 우왕(禹王)이 세운 고대 왕조. 17주(主) 439년 동안 존속하였다 함. 걸(桀)에 이르러, 상(商)나라의 탕왕(湯王)에게 망함. '一殷周'. ④클 하 '一屋'. '一海之窮'《呂氏春秋》. ⑤회초리 하 榎(木部 十畫)와 통용. '一楚二物, 收其威也'《禮記》. ⑥성 하 성(姓)의 하나.

[字源] 金文 篆文 會意. 頁+臼+夊. '頁혈'은 관(冠)이나 탈을 쓴 사람의 머리를 본뜬 것. '臼구'는 양손. '夊쇠'는 양발의 象形. 관을 쓰고 우아하게 춤추는 여름 제사의 춤의 모양에서, '여름'의 뜻을 나타냄. 전하여, '크다'의 뜻, 큰 나라, 중국의 뜻도 나타냄.

[夏間 하간] 여름 동안.
[夏桀 하걸] 하(夏)나라 말세(末世)의 폭군(暴君). 이름은 계(癸). 상(商)나라 탕왕(湯王)에게 멸망당하였음.
[夏季 하계] 여름의 계절. 여름철.
[夏官 하관] 주(周)나라 때 육관(六官)의 하나.

대사마(大司馬)가 그 장(長)이며 군정 병마(軍政兵馬)를 맡음.
[夏期 하기] 여름의 시기(時期).
[夏臺 하대] ㉠하(夏)나라 때 옥(獄)의 이름. ㉡옥(獄).
[夏臘 하랍] 《佛教》 중이 된 햇수.
[夏曆 하력] 하(夏)나라 시대의 역법(曆法). 전(轉)하여, 널리 역법(曆法)의 뜻으로 쓰. 하정[夏正].
[夏令 하령] 여름철.
[夏爐冬扇 하로동선] 여름의 화로(火爐)와 겨울의 부채. 곧, 쓸데없는 사물(事物)을 비유하여 이르는 말.
[夏半 하반] 음력(陰曆) 4월의 별칭(別稱).
[夏服 하복] 여름에 입는 옷. 여름살이.
[夏書 하서] 서경(書經) 중에서 하후씨(夏后氏)를 기록한 부분. 우공(禹貢)으로부터 윤정(胤征)까지의 4편(編).
[夏稅秋糧 하세추량] 명대(明代)의 징세법(徵稅法). 하세(夏稅)는 상반기의 조세를 그해 8월까지 납입하게 하고, 추량(秋糧)은 하반기의 조세를 그 이듬해 2월까지 납입하게 하였음.
[夏安居 하안거] 《佛教》 중이 여름 장마 때 한방에 모여 수도(修道)하는 일.
[夏五郭公 하오곽공] 춘추(春秋)에 '환공(桓公) 십삼 년(十三年) 하오(夏五)'라 쓰고 월(月)자가 빠지고, '장공(莊公) 이십사 년(二十四年)에 곽공(郭公)이' 하고 밑에 기사(記事)가 없다는 데서 글자의 빠짐을 이름.
[夏屋 하옥] 큰 집. 대하(大廈).
[夏禹 하우] 하(夏)나라를 개국(開國)한 임금. 순(舜)임금의 선위(禪位)로 천자가 됨. 성(姓)은 사씨(姒氏).
[夏雲多奇峯 하운다기봉] 여름에 흔히 볼 수 있는 봉만상(峯巒狀)의 구름을 이름.
[夏衣 하의] 하복(夏服).
[夏日 하일] ㉠여름날. ㉡두려운 인물. 가공(可恐)할 인물.
[夏翟 하적] 오색(五色)의 깃을 가진 꿩.
[夏節 하절] 여름 절기(節氣). 여름철.
[夏正 하정] 하(夏)나라 때에 쓰던 역법(曆法). 하력(夏曆).
[夏至 하지] 이십사절기(二十四節氣)의 열째. 망종(芒種)과 소서(小暑) 사이에 있는 1년 중 낮이 가장 긴 날. 양력(陽曆) 6월 21~22일경(頃).
[夏至線 하지선] 적도(赤道)의 북쪽 23도 27분의 위도(緯度)의 선(線). 춘분(春分)날에 적도에 있는 해가 점점 북으로 향하여 하지(夏至)날에 이 선에 이르렀다가 그 이튿날부터 다시 남으로 돌아감.
[夏天 하천] 여름 하늘. 여름날.
[夏楚 하초] ㉠학교에서 게으른 생도를 때리는 회추리. 회초리. ㉡회초리로 때려 교훈함.
[夏蟲不可以語於氷 하충불가이어어빙] 하충의빙(夏蟲疑氷).
[夏蟲疑氷 하충의빙] 여름에만 사는 벌레는 얼음이 어는 것을 의심한다는 뜻으로, 견문(見聞)이 좁은 사람이 공연스레 의심함을 비유하는 말.
[夏臭 하취] 고린내.
[夏海 하해] 큰 바다. 대해(大海).
[夏后氏 하후씨] 우(禹)임금의 별칭(別稱). 후(后)는 선양(禪讓)으로써 임금이 되었으므로 일컫는 미칭(美稱).
[夏畦 하휴] ㉠여름의 염천(炎天)에 밭을 갊. ㉡신고(辛苦)·노동(勞動) 등의 뜻으로 쓰임.

◉結夏. 季夏. 九夏. 冷夏. 大夏. 晩夏. 麥夏. 孟夏. 猛夏. 半夏. 三夏. 常夏. 盛夏. 銷夏. 首夏. 陽夏. 炎夏. 有夏. 立夏. 殘夏. 長夏. 諸夏. 朱夏. 中夏. 仲夏. 初夏. 秋夏. 春夏. 華夏.

11 ⑭ [敻] 형 [去]敬 休正切 xiòng 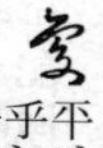

[字解] ①멀 형 迥(辵部 五畫)과 同字. '浩浩乎平沙無垠, 一不見人'《李華》. ②성 형 성(姓)의 하나.
[字源] 篆文  會意. 𥄎+目+攴. '𥄎'은 여자의 샅의 象形. '攴복'은 강제적으로 동작을 하다의 뜻. 깊숙한 여자의 샅을 강제로 보는 모양에서, '멀다'의 뜻을 나타냄.

[敻然 형연] 퍽 먼 모양. 아득한 모양.
[敻絕 형절] 서로 멀리 떨어짐.

15 ⑱ [夓] 夔(次次條)와 同字

16 ⑲ [夒] 노 [平]豪 奴刀切 náo

[字解] 큰원숭이 노 낯이나 손발이 사람과 비슷한 원숭이. '一, 貪獸也. 一曰, 母猴'《說文》.
[字源] 象形. 머리가 크고 양손을 벌리고 선 동물의 모양을 본뜸.

17 ⑳ [夔] [人名] 기 [平]支 渠追切 kuí 

[字解] ①짐승이름 기, 도깨비 기 용같이 생긴 한 발 달린 짐승. '一, 如龍, 一足'《說文》. 일설(一說)에는, 도깨비라 함. '木石之怪曰一罔蜽'《國語》. ②조심할 기 조심하고 두려워하는 모양. '一一齊慄'《書經》. ③성 기 성(姓)의 하나.
[字源] 篆文  象形. 사람의 얼굴을 하고, 뿔이 있고, 큰 귀를 가지며, 한 발 달린 짐승의 모양을 본뜬 것.
[參考] 夔(次條)와 同字.

[夔鼓 기고] 기(夔)의 가죽으로 만들었다는 북. 소리가 5백 리 밖까지도 들렸다 함.
[夔夔 기기] 조심하고 두려워하는 모양.
[夔州 기주] 쓰촨 성(四川省)의 동북부(東北部), 봉절현(奉節縣)에 있는 도시(都市). 시(市)의 동쪽에 유비(劉備)가 쌓은 백제성지(白帝城址), 북쪽에 와룡산(臥龍山)의 명승(名勝)이 있음.

20 ㉓ [䕫] 夔(前條)와 同字

[參考] 뿔의 상형(象形)을 '卝'로 보아 만든 문자.

夕 (3획) 部

〔저녁석부〕

0 ③ [夕] [中人] 석 [入]陌 祥易切 xī 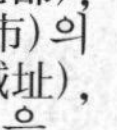

筆順 ノ ク タ

字解 ①저녁 석 해 질 녘. '朝—'. '子曰, 朝聞道, 一死可矣'《論語》. 또, 해의 마지막, 달의 마지막을 이름. '臘爲歲一, 晦爲月—'《尙書大傳》. ②밤 석 ㉠야간. '竟—不眠'《後漢書》. ㉡밤일. 밤의 잠자리. '妻不在, 妾御莫敢當—'《禮記》. ③저녁에뵐 석 저녁때 알현(謁見)함. '叔向聞之—'《國語》. ④쏠릴 석 기욺. '正坐于—室'《呂氏春秋》. ⑤성 석 성(姓)의 하나.

字源 甲骨文 金文 篆文 象形. 달이 반쯤 보이는 모양을 본떠, '저녁'의 뜻을 나타냄. 甲骨文은 '月월'의 자형(字形)과 같아, '밤'의 뜻을 나타냈음.

參考 부수(部首)로서, '밤'에 관한 문자를 이룸.

[夕刊 석간] 저녁에 도르는 신문.
[夕景 석경] ㉠저녁 경치. ㉡저녁때.
[夕暮 석모] 해 질 무렵.
[夕霧 석무] 저녁에 끼는 안개.
[夕飯 석반] 저녁밥.
[夕霏 석비] 석무(夕霧).
[夕市 석시] 저녁나절에 서는 장.
[夕室 석실] 쏠려 기울어진 방.
[夕靄 석애] 이내. 남기(嵐氣).
[夕陽 석양] ㉠저녁나절의 해. 사양(斜陽). ㉡산의 서쪽. ㉢노년(老年)의 비유.
[夕陽天 석양천] 저녁때의 하늘.
[夕月 석월] ㉠저녁때 뜨는 달. ㉡옛날에 천자(天子)가 달에 절하던 예(禮).
[夕陰 석음] ㉠땅거미. 박모(薄暮). ㉡저녁나절. 해 질 무렵.
[夕日 석일] 석양(夕陽).
[夕照 석조] 저녁때에 비치는 햇빛. 또, 저녁놀.
[夕餐 석찬] 저녁밥. 만찬(晩餐).
[夕惕 석척] 저녁때까지 삼감. 곧, 하루 종일 조신함.
[夕霞 석하] ㉠저녁놀. ㉡저녁 안개.
[夕餉 석향] 저녁밥. 석반(夕飯).
[夕曛 석훈] 석휘(夕暉).
[夕暉 석휘] 저녁나절의 햇빛.
●今夕. 旦夕. 歲夕. 宿夕. 元夕. 月夕. 一夕. 日夕. 一朝一夕. 除夕. 朝不謀夕. 終夕. 晝夕. 七夕. 通夕. 花朝月夕. 曉夕.

2 ⑤ [外] 中人 외 ㉤泰 五會切 wài

筆順 ノ ク タ 夕 外

字解 ①밖 외 ㉠안〔內〕의 대(對). '內—'. ㉡가운데의 대(對). '中—'. ㉢겉. '六合之—, 聖人存而不論'《莊子》. ㉣남. 타인. '一擧不辟怨'《禮記》. ㉤마음에 대하여, 언행 또는 용모. '君子敬以直內, 義以方—'《易經》. '內柔而—剛'《易經》. ㉥본국에 대하여, 외국. '暴內陵—'《周禮》. ㉦자기 집에 대하여, 딴 곳. '—泊'. '不宿于—'《禮記》. ㉧안일에 대하여 바깥일. 사사(私事)에 대하여, 공사. '男不言內, 女不言—'《禮記》. ㉨조정에 대하여, 민간. '中—服從'《後漢書》. ㉩궁중(宮中)에 대하여, 조정. '好—士死之'《國語》. ㉪모친 및 처의 겨레붙이. '—孫'. '妻之父爲—舅'《爾雅》. ㉫사랑. 바깥채. '男子居—'《禮記》. ②외댈 외 ㉠멀리함. '內君子而—小人'《易經》. ㉡제외함. '除—'. '—此, 其餘無足利矣'《淮南子》. ㉢잊음. 망각함. '參日而後, 能—天下'《莊子》.

字源 甲骨文 金文 篆文 古文 形聲. 卜+夕(月)〔音〕. '夕석'은 '月월'이 변형한 것. '月'은 '刖월'과 통하여, '긁어내다'의 뜻. 점을 치기 위하여 거북 등딱지에서 살을 긁어내는 모양에서, '제외하다, 밖'의 뜻을 나타냄.

[外家 외가] ㉠어머니의 친정(親庭). ㉡황후(皇后)의 친정. 외척(外戚)의 집안. ㉢외과(外科) 의사.
[外家書 외가서] 경사(經史) 이외(以外)의 서적.
[外殼 외각] 겉껍질.
[外艱 외간] 아버지의 상사(喪事).
[外感 외감] ㉠감기(感氣). ㉡기후(氣候)가 고르지 못하기 때문에 생기는 병(病)의 총칭.
[外剛內柔 외강내유] 겉은 굳세어 뵈나 속은 무름.
[外強中乾 외강중건] 외양(外樣)은 훌륭하나 재주는 실상 없음.
[外擧 외거] 일가친척이 아닌 타인(他人)을 천거(薦擧)함. 내거(內擧)의 대(對).
[外見 외견] ㉠바깥으로 나타나 보임. ㉡남에게 보임. 또는, 남이 봄. 타견(他見). ㉢외관(外觀).
[外界 외계] ㉠한 사물(事物)의 주위(周圍). ㉡의식(意識)에 대한 일체(一切)의 현상.
[外姑 외고] 아내의 친(親)어머니. 장모(丈母).
[外貢 외공] 외국으로부터의 공물(貢物).
[外科 외과] 신체의 외부(外部)의 치료에 관한 의술.
[外郭 외곽] 성(城)밖으로 다시 둘러쌓은 성.
[外官 외관] 지방관(地方官). 외직(外職).
[外觀 외관] ㉠겉으로의 볼품. 바깥 모양. ㉡송(宋)나라 때 지방(地方)의 도교(道敎)의 절.
[外交 외교] ㉠외국(外國)과의 교제(交際), 또는 교섭(交涉). ㉡한 개인으로서 외국인과의 교제. ㉢세상 사람들과의 교제.
[外敎 외교] 《佛敎》 불교 이외의 교(敎).
[外僑 외교] 외국의 거류민(居留民).
[外寇 외구] 외적(外敵).
[外舅 외구] 아내의 친(親)아버지. 장인(丈人).
[外懼 외구] 국민(國民)으로 하여금 항상 외환(外患)을 경계하게 하기 위하여 일부러 적국(敵國)을 멸(滅)하지 않는 일.
[外國 외국] 자기 나라 이외(以外)의 나라.
[外勤 외근] 경찰(警察)·은행(銀行)·회사(會社) 등에서 그 외부에서 하는 근무(勤務). 내근(內勤)의 대(對).
[外技 외기] 노름 기타(其他) 좋지 못한 재주. 잡기(雜技).
[外記 외기] 본문(本文) 이외(以外)의 기사.
[外氣 외기] 밖의 공기(空氣).
[外難 외난] 외환(外患).
[外待 외대] 푸대접.
[外道 외도] 《佛敎》 불법(不法) 이외의 교법(敎法). 전(轉)하여, 이단 사설(異端邪說).
[外來 외래] ㉠다른 나라에서 옴. ㉡다른 곳에서 옴. ㉢밖에서 옴.
[外來思想 외래사상] 외국(外國)에서 전(傳)해 들어온 사상.
[外面 외면] ㉠거죽. 외양. ㉡보기를 꺼려 얼굴을

돌려 버림.
[外面如菩薩內心如夜叉 외면여보살내심여야차] 외양은 자비스러운 보살 같으나, 내심(內心)은 흉악한 야차 같음. 용모는 온화하나 마음은 흉악함.
[外侮 외모] 외국(外國) 또는 남한테 받는 모욕.
[外貌 외모] 겉모습.
[外蒙古 외몽고] 몽골의 고비 사막 이북(以北)의 지역. 일반적으로 몽골(Mongol) 공화국을 이름. 지리적으로는 그 외에 소련의 부르야트 몽골(Burjat Mongol) 자치 공화국 및 투바(Tuva) 자치주(自治州)가 차지하는 지역까지 포함함. 남부의 내몽고(內蒙古)와 더불어 고래로 유목 민족(遊牧民族)이 흥망하였음.
[外務 외무] ㉠속세(俗世)의 번거로운 일. ㉡외교(外交)에 관한 사무(事務).
[外聞 외문] 바깥소문.
[外物 외물] 자기 이외의 사물로서 물욕(物慾)·부귀(富貴)·명리(名利) 등을 이름.
[外泊 외박] 밖에서 머무름. 밖에서 숙박(宿泊)함.
[外方 외방] 외부. 외면(外面).
[外藩 외번] 지방에 있는 제후(諸侯). 또, 그 나라.
[外法 외법] 《佛敎》 ㉠바르지 아니한 방술(方術). 마술(魔術). 요술. ㉡불교 이외의 교법(敎法). 불법(佛法) 이외의 가르침.
[外府 외부] ㉠나라의 비용의 출납을 맡은 벼슬. ㉡나라의 금곡(金穀)이나 재물(財物)을 저장하는 창고(倉庫). ㉢나라 밖에 있는 창고. ㉣지방(地方)의 관부(官府).
[外部 외부] 바깥. 거죽.
[外婦 외부] 첩(妾). 외첩(外妾).
[外傅 외부] 학교 교사와 같이, 가정 밖에서 가르치는선생.
[外備 외비] 외환(外患)에 대한 방비(防備).
[外賓 외빈] 외국(外國)에서 오는 손님.
[外貧內富 외빈내부] 외양(外樣)은 가난한 것 같으나 실상(實狀)은 부자임.
[外史 외사] ㉠관부(官府) 이외의 사실을 기록하는 관리. ㉡사관(史官)이 아니면서 사사로이 사료(史料)를 기록하는 사람. 또, 그 저술.
[外使 외사] 외국(外國)의 사신.
[外事 외사] ㉠바깥일. ㉡외국(外國)에 관한 일. 또, 부외(部外)의 일. ㉢딴 일. 타사(他事).
[外師 외사] 향리(鄕里)에서 떨어진 먼 곳에 있는 스승.
[外四寸 외사촌] 《韓》 외종(外從).
[外三寸 외삼촌] 《韓》 외숙(外叔).
[外傷 외상] 겉으로 받은 상처.
[外甥 외생] ㉠처(妻)의 형제. ㉡《韓》 편지를 쓸 때에 장인에게 대하여 사위가 자기를 일컫는 말.
[外姓 외성] ㉠ 외가(外家) 쪽의 성(姓). ㉡왕실(王室)의 계통이 아닌 사람.
[外城 외성] 성밖에 겹으로 쌓은 성.
[外勢 외세] ㉠바깥의 형세(形勢). ㉡외국의 세력.
[外屬 외속] 어머니 또는 아내의 겨레붙이.
[外孫 외손] 딸이 낳은 자식.
[外數 외수] 속임수.
[外叔 외숙] 어머니의 친오라버니.
[外宿 외숙] 자기(自己) 집 이외(以外)의 다른 곳에서 잠.
[外飾 외식] 겉치레.
[外臣 외신] ㉠타국(他國)의 신하. ㉡타국(他國)의 군주(君主)에 대한 자칭(自稱).
[外信 외신] 외국으로부터의 소식. 외국으로부터의 보도.
[外室 외실] 남자(男子)가 거처(居處)하는 곳. 사랑.
[外心 외심] ㉠이심(異心). ㉡삼각형의 외접원(外接圓)의 중심(中心).
[外壓 외압] 밖에서 누름. 외부(外部)로부터의 압력(壓力). 또는, 외국(外國)으로부터의 압박(壓迫).
[外洋 외양] ㉠육지(陸地)에서 멀리 떨어져 있는 바다. ㉡세계 만국 공용의 바다.
[外樣 외양] 겉모양. 겉치레.
[外禦 외어] 밖으로부터의 능멸(凌蔑)을 막음.
[外言不入於梱 외언불입어곤] 남자는 문밖의 일을 집 안에서 이야기하지 아니함.
[外役 외역] ㉠밖에 나가서 노동(勞動)하는 일. ㉡외국(外國)으로 출병(出兵)하는 일.
[外王母 외왕모] 외조모(外祖母).
[外王父 외왕부] 외조부(外祖父).
[外外家 외외가] 《韓》 어머니의 외가.
[外容 외용] 거죽의 모양.
[外憂 외우] ㉠외환(外患). ㉡외간(外艱).
[外援 외원] 외국의 원조. 외구(外救).
[外游 외유] 외물(外物)에 마음이 쏠려 이를 향락함. 내관(內觀)의 대(對).
[外遊 외유] 외국(外國)에 가서 유람(遊覽)함.
[外誘 외유] 외계(外界)의 유혹(誘惑).
[外遊星 외유성] 지구(地球)보다 큰 궤도(軌道)를 가진 유성(遊星). 곧, 목성(木星)·화성(火星)·토성(土星)·천왕성(天王星)·해왕성(海王星).
[外柔中剛 외유중강] 겉으로 보기에는 유순한 듯하나 내심(內心)은 강직함.
[外應 외응] 밖에 있는 사람과 몰래 통(通)함.
[外衣 외의] 겉옷.
[外議 외의] 세상의 평판.
[外夷 외이] 외국의 오랑캐. 외국 사람.
[外人 외인] ㉠한집안·한 단체 또는 한 나라 밖의 사람. ㉡어떠한 일에 관계없는 사람.
[外姻 외인] 사위 또는 며느리의 가족. 족인(族姻).
[外任 외임] 외직(外職).
[外資 외자] 외국(外國) 사람의 자본.
[外姊妹 외자매] 아내의 자매(姊妹).
[外庄 외장] 외방(外方)에 있는 자기의 전장(田庄).
[外障眼 외장안] 눈에 백태가 끼어 잘 안 뵈는 병.
[外敵 외적] 외국의 적병(敵兵).
[外典 외전] 《佛敎》 불경(佛經) 이외의 서적. 불전(佛典)을 내전(內典)이라고 하는 것의 대(對).
[外電 외전] 외국(外國)에서 온 전보.
[外傳 외전] ㉠본문(本文) 외에 추가한 기록. 〈한시외전(韓詩外傳)〉 같은 것. ㉡정사(正史)에 없는 사적의 기록. 〈비연외전(飛燕外傳)〉 같은 것.
[外征 외정] 외국(外國)에 출정(出征)함. 외역(外役).
[外弟 외제] 고종 사촌(姑從四寸) 아우.
[外祖 외조] 외할아버지. 외조부(外祖父).
[外曹 외조] 주부(主簿) 등 문서(文書)를 맡은 벼슬아치를 이름.
[外朝 외조] ㉠외국의 조정(朝廷). ㉡군왕(君王)이 국정(國政)을 듣는 궁전(宮殿). 치조(治朝). 내조(內朝)의 대(對).
[外祖母 외조모] 어머니의 어머니. 외할머니.

[外族 외족] 어머니 편의 일가.
[外從 외종] 외숙(外叔)의 자녀(子女).
[外周 외주] 바깥을 두름. 또, 바깥 둘레.
[外地 외지] ㉠남의 나라의 땅. ㉡식민지. 내지(內地)의 대(對).
[外職 외직] 지방의 관직.
[外塹 외참] 외호(外濠).
[外債 외채] 외국(外國)에 진 빚.
[外戚 외척] 본종(本宗) 이외(以外)의 친척(親戚). 모계(母系)의 겨레붙이.
[外妾 외첩] 첩(妾). 소실. 외부(外婦).
[外出 외출] 집 밖으로 나감.
[外治 외치] ㉠나라의 정사(政事). 궁중(宮中)의 정사와 구별하여 쓰는 말. ㉡외국에 대한 정책. ㉢외과적(外科的) 치료.
[外親 외친] 외척(外戚).
[外親內疎 외친내소] 겉으로는 가까운 체하고 속으로는 멀리함.
[外託 외탁] 용모(容貌)·성질(性質)이 외가(外家) 쪽을 닮음.
[外套 외투] 방한(防寒) 또는 먼지를 피하기 위하여 입는 겉옷.
[外嬖 외폐] 폐신(嬖臣). 내총(內寵)의 대(對).
[外風 외풍] ㉠밖에서 들어오는 바람. ㉡외국(外國)의 풍속(風俗).
[外皮 외피] 겉껍질.
[外學 외학] 경서(經書)의 연구를 이름. 한대(漢代)에 참위(讖緯)를 내학(內學)이라고 한 것의 대(對).
[外艦 외함] 외국의 군함.
[外港 외항] 선박(船舶)이 내항(內港)에 들어오기 전에 일시 정박(碇泊)하는 항구.
[外海 외해] 외양(外洋).
[外現 외현] 밖에 나타남.
[外形 외형] 거죽에 나타난 형상. 바깥 모양.
[外兄弟 외형제] ㉠고모(姑母)의 아들. ㉡동모 이부(同母異父)의 형제.
[外濠 외호] 바깥 해자(垓字).
[外貨 외화] ㉠외국의 물화(物貨). ㉡외국의 화폐(貨幣).
[外華 외화] 외표(外表)의 화려한 차림새.
[外患 외환] ㉠외적(外敵)의 침입(侵入)에 대한 근심. ㉡사기(邪氣)가 범하여 일어나는 병. 몸밖에서 감염(感染)하는 병. 전염병.
◉閣外. 格外. 閫外. 管外. 關外. 郊外. 口外. 局外. 國外. 圈外. 欄外. 內外. 論外. 度外. 望外. 物外. 方外. 排外. 番外. 範圍外. 法外. 分外. 塞外. 涉外. 世外. 疎外. 身外. 室外. 心外. 野外. 言外. 域外. 例外. 屋外. 徼外. 員外. 院外. 意外. 以外. 人外. 場外. 在外. 除外. 中外. 塵外. 天外. 學外. 限外. 海外. 號外. 化外. 荒外.

2 ⑤ [夘] 外(前條)의 古字

2 ⑤ [夗] ㊀ 원 ㊤阮 於阮切 yuàn
㊁ 완 ㊤銑 烏勉切 wǎn

字解 ㊀ ①누워뒹굴 원 '一, 轉臥也'《說文》. ② 鴛(鳥部 五畫〈p. 2665〉)의 略字. ㊁ 주사위 완 '一棊·一專'은 쌍륙(雙六)의 주사위. '簙謂之蔽, 或謂之箘. …或謂之一專'《揚子方言》.
字源 會意. 夕+卩

2 ⑤ [夘] 夗(前條)과 同字

3 ⑥ [多] 中人 다 ㊥歌 得何切 duō

筆順 ノ ク タ タ 多 多

字解 ①많을 다 '一數'. '謀夫孔一'《詩經》. ② 많게할 다 전항의 타동사. '一事好亂'《魏志》. ③나을 다 뛰어남. '孰與仲一'《史記》. ④아름답게여길 다 칭찬함. '帝以此一之'《後漢書》. ⑤전공 다 싸움에 이긴 공로. '戰功曰一'《周禮》. ⑥ 마침 다 때마침. 우연히. '一見其不知量也'《論語》. ⑦성 다 성(姓)의 하나.
字源 甲骨文 金文 篆文 古文 會意. 夕+夕. '夕석'은 본디, '저녁'의 뜻인 '夕석'의 모양이 아니고, 고기의 象形이라 함. 살이 많이 겹치다의 뜻에서, '많다'의 뜻을 나타냄.

[多角 다각] 많은 모. 여러 방면.
[多角形 다각형] 많은 직선(直線)이 둘리어 그 선(線)과 동수(同數)의 각이 있는 평면형(平面形).
[多間 다간] 사이가 나쁨. 간(間)은 극(隙).
[多感 다감] 잘 감동(感動)됨.
[多故 다고] 변고(變故)가 많음.
[多寡 다과] 수효(數爻)의 많음과 적음. 또, 수량(數量). 다소(多少).
[多口 다구] 말이 많음. 수다스러움.
[多岐 다기] 갈래가 많음.
[多岐亡羊 다기망양] 달아난 양(羊)을 찾으려다가 길이 여러 갈래로 나서 찾지 못하였다는 뜻으로, 학문(學問)도 너무 다방면에 걸치면 도리어 진리(眞理)를 얻기 어렵다는 말.
[多難 다난] 어려운 일이 많음.
[多男子則多懼 다남자즉다구] 아들이 많으면 여러 가지 걱정이 많음.
[多年 다년] 여러 해. 오랜 세월.
[多年生 다년생] 여러 해 동안 생존(生存)함. 또, 그러한 식물(植物).
[多能 다능] 재능(才能)이 많음.
[多多 다다] 대단히 많은 모양.
[多多益善 다다익선] 많으면 많을수록 더욱 좋음.
[多多益辦 다다익판] 많으면 많을수록 이를 처리하기가 쉬움.
[多端 다단] ㉠할 일이 많음. 바쁨. 다방면에 걸침. ㉡일이 갈래나 가닥이 많음.
[多大 다대] 많음. 적지 아니함.
[多大數 다대수] 다반(多半).
[多讀 다독] 많이 읽음.
[多量 다량] 많은 분량(分量).
[多忙 다망] 바쁨. 분망함.
[多望 다망] 가망(可望)이 큼.
[多聞 다문] 사물(事物)을 많이 들어 앎. 문견(聞見)이 넓음. 박문(博聞).
[多聞天 다문천] 《佛敎》 사천왕(四天王)의 한 사람으로 북방의 수호신(守護神). 비사문천(毘沙門天).
[多半 다반] 과반(過半). 다대수(多大數).
[多方 다방] ㉠사방(四方)의 나라. 여러 나라. 만국(萬國). ㉡여러 방법.
[多方面 다방면] 여러 방면(方面).

[多辟 다벽] 많은 제후(諸侯).
[多辯 다변] 말이 많음. 잘 떠듦.
[多病 다병] 병이 많음.
[多福 다복] 복(福)이 많음.
[多分 다분] 많은 분량(分量).
[多士 다사] 다수(多數)의 인재(人材).
[多事 다사] ㉠일이 많음. 바쁨. 또, 일을 많게 함. 일을 많이 벌임. ㉡변고가 많음. 세상이 시끄러움. ㉢가외의 일. 쓸데없는 일.
[多謝 다사] 후(厚)하게 사례함. 진심으로 고맙다고 인사함.
[多事多端 다사다단] 일이 많은데 또한 까닭이 많음.
[多士濟濟 다사제제] 재능이 뛰어난 인물이 많음.
[多事之秋 다사지추] 가장 바쁜 때.
[多產 다산] 부녀(婦女)가 아이를 많이 낳음.
[多少 다소] ㉠수량의 많음과 적음. 또, 수량. 수효. ㉡많음.
[多少不計 다소불계] 《韓》 많고 적음을 헤아리지 아니함.
[多愁 다수] 수심이 많음. 근심이 많음.
[多數 다수] 수(數)가 많음.
[多數決 다수결] 회의(會議)에서 다수(多數)의 의견(意見)을 따라 가부(可否)를 결정하는 방법.
[多時 다시] 시간이 많이 경과함.
[多食 다식] 음식(飮食)을 많이 먹음.
[多識 다식] 사물을 많이 앎. 박식(博識).
[多神教 다신교] 많은 신(神)이 있음을 믿고 숭배하는 종교(宗教).
[多心 다심] 지나친 생각.
[多額 다액] 많은 액수(額數).
[多樣 다양] 모양이 여러 가지임. 가지가지.
[多言 다언] 말수가 많음. 잘 떠듦. 수다스러움. 또, 많은 말.
[多藝 다예] 많은 예능(藝能). 또, 많은 예능에 통한 사람.
[多欲 다욕] 욕심(慾心)이 많음.
[多用 다용] 일이 많음. 바쁨. 다사(多事).
[多元論 다원론] 우주(宇宙)의 여러 현상(現象)은 각기 독립(獨立)한 다수의 실재(實在)에 의해서 성립(成立)되어 있다고 주장하는 우주설(宇宙說). 일원론(一元論)·이원론(二元論)의 대(對).
[多易 다이] 너무 데면데면함.
[多日 다일] 여러 날.
[多作 다작] 많이 만듦.
[多才 다재] 재주가 많음.
[多才多藝 다재다예] 재예가 많음.
[多錢善賈 다전선고] 밑천이 많으면 마음대로 장사를 잘할 수 있음.
[多情 다정] ㉠따뜻한 인정이 많음. ㉡교분(交分)이 두터움.
[多情多恨 다정다한] 애틋한 정(情)도 많고 한(恨)스러운 일도 많음.
[多情佛心 다정불심] 다정다감(多情多感)하고 착한 마음.
[多罪 다죄] ㉠죄가 많음. ㉡실례가 많다고 사과하는 말.
[多疾 다질] 병이 잦음.
[多次 다차] 자주. 여러 번.
[多妻 다처] 한 사람의 남자가 동시에 둘 이상의 아내를 거느림.
[多恨 다한] ㉠원한이 많음. ㉡섭섭하여 잊혀지지 못하는 마음이 많음.
[多幸 다행] ㉠다복(多福). ㉡《韓》 운수가 좋음. 일이 뜻밖에 잘됨.
[多血質 다혈질] 활발하고 쾌활하나 성질이 급하여 경조(輕躁)하고 인내력(忍耐力)이 박약(薄弱)한 기질(氣質).
[多血漢 다혈한] ㉠격앙(激昂)하기 쉬운 남자. ㉡의협심(義俠心)이 많은 남자.
[多穫 다확] 많은 곡식을 거두어들임.
◉過多. 夥多. 波羅蜜多. 煩多. 繁多. 三多. 數多. 言少意多. 饒多. 雜多. 衆多. 許多. 歡樂極兮哀情多.

3 ⑥ [夠] 多(前條)의 古字

3 ⑥ [夛] 多(前前條)의 俗字

[名] 〔명〕 口部 三畫(p. 350)을 보라.

3 ⑥ [夙] 人名 숙 Ⓐ屋 息逐切 sù

字解 ①일찍 숙 ㉠아침 일찍. '一興夜寐'《詩經》. ㉡일찍부터. 예전부터. '一心'. '償其一志'《歐陽修》. ②빠를 숙 '祈年孔一'《詩經》. ③삼갈 숙 조신(操身)함. '載震載一'《詩經》. ④성 숙 성(姓)의 하나.

字源 甲骨文 金文 篆文 會意. 金文은 月+丮. '月월'은 또 '夕석'으로도 씀. '丮극'은 손으로 잡다의 뜻. 밤이 아직 새기 전부터 일에 손을 대는 모양에서, 이른 아침부터 조심스럽게 일하다의 뜻이나, 아침 일찍의 뜻을 나타냄.

[夙起 숙기] 숙흥(夙興).
[夙莫 숙모] 아침저녁. 조석(朝夕). 모(莫)는 모(暮).
[夙敏 숙민] 어려서부터 민첩함.
[夙昔 숙석] ㉠옛날. 이전. ㉡이전부터. 숙석(宿昔).
[夙成 숙성] 나이는 어리지마는 일찍이 지각(知覺)이 트이거나 학업 등이 성취됨. 조숙(早熟)함. 만성(晩成)의 대(對).
[夙世 숙세] 전세(前世).
[夙心 숙심] 일찍부터 품은 뜻. 숙지(夙志).
[夙夜 숙야] 이른 아침과 깊은 밤.
[夙夜夢寐 숙야몽매] 자나 깨나. 몽매간에도.
[夙悟 숙오] 일찍부터 속이 트임. 나이는 어리나 슬기로움. 숙혜(夙慧).
[夙怨 숙원] 오래 쌓인 원한(怨恨). 숙원(宿怨).
[夙儒 숙유] 대학자(大學者). 노련(老鍊)한 학자. 숙유(宿儒).
[夙意 숙의] 숙지(夙志).
[夙志 숙지] 일찍부터 품은 뜻. 숙지(宿志).
[夙就 숙취] 숙성(夙成).
[夙慧 숙혜] 어려서부터 지혜가 있음.
[夙興 숙흥] 아침 일찍 일어남.
[夙興夜寐 숙흥야매] 새벽에 일어나고 밤에는 늦게 잔다는 뜻으로, 부지런히 일을 하거나 학문을 닦음을 이름.

5 ⑧ [夜] 中人 야 ㊀禡 羊謝切 yè

筆順 ' 亠 广 疒 夜 夜 夜 夜

字解 ①밤 야 ㉠'晝'의 대(對). '晝一'. '以星分一'《周禮》. ㉡깊은 밤. '夙興一寐'《詩經》. ②새벽 야 날이 밝을 녘. '雞人一嘑旦'《周禮》. ③침실 야 밤에 자는 방. '侍一勸息'《禮記 註》. ④성 야 성(姓)의 하나.

字源 金文 篆文 形聲. 夕+亦〈省〉〔音〕. '夕석'은 '밤'의 뜻. '亦역'은 '겨드랑이의 밑'의 뜻. 달이 겨드랑이의 밑보다도 낮게 떨어진 밤의 뜻을 나타냄.

[夜間 야간] 밤 사이. 밤 동안.
[夜客 야객] 밤도둑.
[夜更 야경] 밤이 이슥함. 야심(夜深).
[夜景 야경] 밤의 경치. 야색(夜色).
[夜警 야경] 야간(夜間)의 경계.
[夜攻 야공] 밤중을 이용하여 적(敵)을 침.
[夜光 야광] ㉠개똥벌레의 이칭(異稱). ㉡밤에 빛을 냄. ㉢야광주(夜光珠). 또는, 야광벽(夜光璧). ㉣달의 이칭(異稱).
[夜光璧 야광벽] 밤에 빛이 나는 옥(玉).
[夜光珠 야광주] 밤에 빛이 나는 구슬.
[夜具 야구] 이부자리.
[夜勤 야근] 밤에 근무(勤務)함.
[夜氣 야기] ㉠밤의 깨끗하고 조용한 마음. ㉡야간(夜間)의 대기(大氣). 밤 기분.
[夜尿症 야뇨증] 밤에 자다가 오줌을 자주 누는 병(病).
[夜臺 야대] 묘혈(墓穴). 광혈(壙穴).
[夜盜 야도] 밤도둑.
[夜讀 야독] 밤에 책을 읽음.
[夜邏 야라] 밤중의 순라(巡邏).
[夜郞自大 야랑자대] 한대(漢代)에 서남이(西南夷) 중에서 야랑국(夜郞國)이 가장 세력이 강하여 오만하였으므로, 범용(凡庸)하거나 우매한 무리 중에서 세력이 있어 잘난 체하고 뽐냄을 비유하여 이름.
[夜來 야래] 지난밤부터. 간밤부터. 작야 이래(昨夜以來).
[夜涼 야량] 밤의 선선한 기운.
[夜漏 야루] 밤의 시각(時刻).
[夜寐 야매] 밤늦게 잠.
[夜猫 야묘] 올빼밋과에 딸린 새. 수리부엉이. 수알치새.
[夜半 야반] 밤중.
[夜梵 야범] 중의 밤의 독경(讀經).
[夜分 야분] ㉠밤중. ㉡밤. 야간.
[夜事 야사] 남녀(男女)가 교합(交合)하는 일. 방사(房事).
[夜思 야사] 밤의 사색(思索).
[夜肆 야사] 야시(夜市).
[夜色 야색] 야경(夜景).
[夜船 야선] 밤에 다니는 배.
[夜誦 야송] 밤중에 책을 읽음.
[夜嗽 야수] 밤에 하는 기침.
[夜巡 야순] 야간(夜間)을 경계(警戒)하기 위하여 순행(巡行)함.
[夜襲 야습] 밤중에 습격(襲擊)함.
[夜市 야시] 밤에 벌이는 저자.
[夜食 야식] 밤에 음식(飮食)을 먹음.
[夜深 야심] 밤이 깊음.
[夜鴨 야압] 물오리.
[夜夜 야야] 밤마다. 매야(每夜).
[夜業 야업] 야간에 하는 일. 밤일.
[夜役 야역] 밤에 하는 역사(役事).
[夜宴 야연] 밤에 하는 잔치.
[夜營 야영] 밤중에 진영(陣營)을 침. 또, 그 진영(陣營).
[夜臥 야와] 밤이 이슥하여 잠자리에 듦.
[夜遊 야유] 밤에 놂. 밤놀이.
[夜陰 야음] 밤의 어두운 때.
[夜飮 야음] 밤에 술을 마심.
[夜以繼日 야이계일] 주야(晝夜)를 쉬지 아니하고 함.
[夜作 야작] 야업(夜業).
[夜笛 야적] 밤에 부는 피리.
[夜前 야전] 전날 밤. 간밤. 작야(昨夜).
[夜戰 야전] 밤중에 싸움.
[夜坐 야좌] 밤늦게까지 자지 않고 앉아 있음.
[夜叉 야차] 《佛敎》 범어(梵語) yaksa의 음역(音譯). 사람을 해치는 사나운 귀신. 두억시니.
[夜餐 야찬] 밤참.
[夜柝 야탁] 딱따기.
[夜學 야학] 밤에 글을 배움.
[夜合 야합] 자귀나무. 합환목(合歡木).
[夜行 야행] ㉠밤에 길을 감. 밤길. ㉡야경(夜警).
[夜行被繡 야행피수] 밤에 수놓은 비단옷을 입고 간다는 뜻으로, 공명(功名)을 이루고서도 그 이름이 고향 또는 세상에 알려지지 않음의 비유로 쓰임. 금의야행(錦衣夜行).
[夜話 야화] 밤에 하는 이야기.
[夜會 야회] ㉠밤에 하는 모임. ㉡밤에 여는 연회.

◉客夜. 今夜. 禁夜. 累夜. 短夜. 當夜. 獨夜. 冬夜. 莫夜. 暮夜. 戊夜. 薄夜. 半夜. 白夜. 丙夜. 三五夜. 星夜. 聖夜. 夙夜. 宿夜. 時夜. 晨夜. 深夜. 十五夜. 暗夜. 闇夜. 良夜. 涼夜. 連夜. 永夜. 午夜. 月夜. 乙夜. 日夜. 子夜. 昨夜. 長夜. 前夜. 丁夜. 除夜. 早夜. 終夜. 晝夜. 中夜. 徹夜. 清夜. 逮夜. 初夜. 秋夜. 春夜. 七夜. 漆夜. 夏夜. 寒夜. 昏夜. 後夜. 黑夜.

8 ⑪ [够] 구 ㊤尤 居候切 gòu

字解 많을 구 '繁富夥一'《左思》.

8 ⑪ [夠] 够(前條)와 同字

8 ⑪ [梦] 〔몽〕 夢(夕部 十一畫〈p. 483〉)의 俗字

10 ⑬ [夢] 〔몽〕 夢(夕部 十一畫〈p. 483〉)의 略字

11 ⑭ [夤] 인 ㊥眞 翼眞切 yín

字解 ①조심할 인 삼가고 두려워함. '夕惕若一'《易經》. ②반연할 인 의뢰함. 연줄을 탐. '一緣'. ③연줄 인 인하여 맺어지는 길. 의뢰하여 출세하는 길. '陰排密有一'《宋穆修》. ④멀 인 대단히 멂. 또, 그곳. '九州之外, 仍有八一'《淮南子》.

字源 金文 篆文 形聲. 夕+寅〔音〕. '寅인'은 '愼신'과 통하여, '삼가다'의 뜻.

'夕석'은 고기, 살의 象形의 변형. 희생의 고기를 바쳐서, 삼가 조심하다의 뜻을 나타냄.

[夤緣 인연] ㉠칭칭 감음. ㉡매달려 올라감. ㉢뇌물을 주거나 연줄을 타 출세(出世)하려 함.
◉八夤.

11 ⑭ [夥] 과(화㊍) ㊤哿 胡果切 huǒ

字解 많을과 '一多'. '晉地狹而人一'《唐書》.
字源 篆文 形聲. 多+果〔音〕. '果과'는 나무 열매의 뜻. '多다'는 '많다'의 뜻. 나무 열매처럼 많다의 뜻을 나타냄.

[夥計 과계] ㉠동업(同業). ㉡상가(商家)의 회계 주임.
[夥多 과다] 퍽 많음.
[夥伴 과반] 동지(同志). 한패.
◉幾夥. 同夥. 蓄夥. 繁夥. 稠夥. 豐夥.

11 ⑭ [粿] 夥(前條)의 本字

11 ⑭ [夢] 高人 몽 ㊧送 莫鳳切 mèng ㊥東 莫中切 méng 梦

筆順

字解 ①꿈 몽 ㉠수면 중에 보는 환상(幻像). '一想'. '以日月星辰, 占六一之吉凶'《周禮》. ㉡덧없음. '八年身世一'《元稹》. ②꿈꿀 몽 꿈을 꿈. '其寢不一'《列子》. ③흐리멍덩할 몽 혼미함. '視天一一'《詩經》. ④성 몽 성(姓)의 하나.
字源 篆文 寢의 篆文 形聲. 宀+爿+夢〔音〕. '宀면'은 '지붕'의 뜻. '爿'은 침대의 象形. '夢몽'은 '어둡다'의 뜻. 사람이 집 안의 침대에 자면서 어두운 가운데 보는 것, '꿈'의 뜻을 나타냄. 본디, '꿈'은 '寢', '어둡다'는 '夢'으로 별개의 글자였으나, 뒤에 '寢'은 없어지고, '夢'을 '꿈'의 뜻으로 쓰게 됨. '夢'은 形聲으로, 夕+瞢〈省〉〔音〕. '夕석'은 '밤'의 뜻. '苜몽'은 '瞢몽'의 생략형으로, '눈이 어둡다'의 뜻. '어둡다'의 뜻을 나타냄.

[夢覺 몽각] 꿈꿈과 꿈에서 깸.
[夢境 몽경] 꿈. 꿈속.
[夢溪筆談 몽계필담] 책 이름. 송(宋)나라 심괄(沈括)의 찬(撰). 26권. 보필담(補筆談) 2권. 속필담(續筆談) 1권. 고사(故事)·변증(辨證)·악률(樂律) 등 17문(門)으로 분류(分類)하고 유문(遺聞)·구전(舊典)·문장 기예(文章技藝)로부터 자연 과학(自然科學) 기타 널리 여항(閭巷)의 이야기에 이르기까지 광범위하게 수록(收錄)하였음.
[夢歸 몽귀] '꿈'이란 돌아가 안정할 곳. 잠만이 즐거움임.
[夢裡 몽리] 몽중(夢中). 꿈결.
[夢寐 몽매] 잠을 자며 꿈을 꿈. 또, 그 동안.
[夢夢 몽몽] 분명하지 아니한 모양. 흐리멍덩한 모양.
[夢卜 몽복] ㉠꿈과 점. ㉡꿈으로 점을 침. 또, 그 점.
[夢死 몽사] 아무 일도 하지 않고 헛되이 죽음. 무의미(無意味)한 일생(一生)을 보냄.
[夢事 몽사] 꿈에 나타난 일.
[夢想 몽상] ㉠꿈속에도 생각함. 늘 잊지 않고 생각함. ㉡꿈속에 생각함. ㉢꿈속 같은 헛된 생각. 공상(空想).
[夢想不到 몽상부도] 꿈에도 생각할 수 없음.
[夢泄 몽설] 여자를 가까이하지 않고 꿈에 통정(通情)하여 정액을 쌈.
[夢魘 몽엽] 자다가 가위눌림.
[夢囈 몽예] 잠꼬대.
[夢外 몽외] 뜻밖. 꿈에도 생각지 않은 터.
[夢遊 몽유] 꿈에 놂. 꿈을 꿈.
[夢遺 몽유] 자면서 모르는 가운데 정액(精液)이 나옴.
[夢遊病 몽유병] 자다가 별안간 일어나서 깨었을 때와 같은 동작(動作)을 하다가 도로 자는 변태적(變態的) 심리 작용(心理作用)의 병(病).
[夢一場 몽일장] 한바탕의 꿈이라는 뜻으로, 인생의 영고성쇠(榮枯盛衰)의 덧없음의 비유.
[夢佇 몽저] 꿈에나마 보고자 간절히 바람. 저(佇)는 간절히 바람.
[夢占 몽점] 꿈의 길흉(吉凶)을 점침. 또 그 점.
[夢兆 몽조] 꿈자리.
[夢中 몽중] 꿈속.
[夢中夢 몽중몽] 이 세상(世上)의 덧없음의 비유.
[夢徵 몽징] 꿈자리. 몽조(夢兆).
[夢魂 몽혼] 꿈속의 넋. 전(轉)하여 꿈.
[夢幻 몽환] ㉠현실이 아닌 꿈과 환상(幻想). ㉡덧없는 사물.
[夢幻泡影 몽환포영] 꿈과 환상(幻像)과 거품과 그림자. 곧, 포착할 수 없는 덧없는 사물(事物)을 이름.
◉佳夢. 客夢. 槐安夢. 綺夢. 吉夢. 南柯夢. 盧生夢. 巫山夢. 浮生若夢. 三刀夢. 瑞夢. 聖人不夢. 惡夢. 揚州夢. 役夫夢. 厭夢. 靈夢. 雲夢. 異夢. 一場春夢. 莊周夢. 春夢. 痴人說夢. 邯鄲夢. 鄉夢. 胡蝶夢. 昏夢. 華胥夢. 黃粱一炊夢. 凶夢.

11 ⑭ [夣] 夢(前條)의 俗字

大 (3획) 部

〔큰대부〕

0 ③ [大] 中人 ■ 대 ㊧泰 徒蓋切 dà, dài ■ 태 ㊧箇 他蓋切 tài

筆順 一 ナ 大

字解 ■ ①클 대 ㉠부피나 길이가 많은 공간을 차지함. '一弓'. '骨何者最一'《史記》. ㉡넓음. '一陸'. '一哉乾元'《易經》. ㉢많음. '一軍'. ㉣거셈. 심함. '一風'. ㉤훌륭함. '一人物'. '一哉問'《論語》. ㉥중함. 비상함. '重一'. '今欲擧一事'《史記》. ㉦높음. 존귀함. '一官'. '說一人藐之'《孟子》. ㉧왕성함. 세력이 있음. '一族'. '族一寵多'《左傳》. ㉨과장(誇張)됨. '一言'. ㉩나이 먹음. '老一'. '年一自踈隔'《沈千年》. ㉪존경·찬미하는 말. '一著'. '一韓'. '一唐受命有天下'《韓愈》. ②거칠 대 성김. '衣一布而補之'《莊子》. ③지날 대 한도를 넘음. '今漢有天下一

半'《漢書》. ④나을 대 남보다 뛰어남. '無一大王'《戰國策》. ⑤크게여길 대 중히 여김. '一齊信焉, 而輕貨財'《荀子》. ⑥크게할 대 ㉠떠벌림. 자랑함. '不自一其事'《禮記》. ㉡성(盛)하게 함. '不一聲以色'《詩經》. ⑦크기 대 큰 정도. '取金印如斗一繫肘'《晉書》. ⑧대강 대 개략. '一略'. '一要'. ⑨크게 대 성(盛)하게. '一奏廣樂'《穆天子傳》. ⑩성 대 성(姓)의 하나. ㊁ 클 태 太(大部 一畫)와 同字.

字源 甲骨文 金文 古文 籀文 象形. 두 팔, 두 다리를 편안히 한 사람의 모양을 본떠, '크다'의 뜻을 나타냄.

參考 ① '大'와 '太태'는 종종 통용(通用)함. ② 부수(部首)로서, 사람의 모습이나 크다의 뜻을 나타내는 문자를 이룸.

[大家 대가] ㉠큰 집. ㉡부잣집. ㉢경대부(卿大夫)와 같은 신분이 높은 사람. 또, 지체 좋은 집. ㉣학예(學藝)가 뛰어난 사람. ㉤근시자(近侍者)가 천자(天子)를 일컫는 말. ㉥며느리가 시어머니를 일컫는 말. 전(轉)하여, 여자의 존칭(尊稱).
[大哥 대가] 형(兄)의 존칭(尊稱). 대형(大兄).
[大駕 대가] 임금이 타는 수레. 전(轉)하여, '임금'의 뜻으로 쓰임.
[大家婢爲夫人 대가비위부인] 대가(大家)의 계집종이 부인이 된다는 뜻으로, 겉보기에는 그럴듯하나 바탕은 이와 딴판임을 이름.
[大覺 대각] 《佛敎》 크게 깨달음.
[大角干 대각간] 《韓》 신라 때의 높은 벼슬의 이름.
[大奸 대간] 아주 간악(奸惡)한 사람.
[大姦似忠 대간사충] 아주 간사한 사람은 겉을 교묘하게 꾸미므로 도리어 충신(忠臣)같이 보임.
[大喝 대갈] 큰 소리로 꾸짖음.
[大監 대감] 《韓》 정이품(正二品) 이상의 관원(官員)의 존칭(尊稱).
[大江 대강] 큰 강(江).
[大綱 대강] 대강령(大綱領).
[大綱領 대강령] 일의 중요(重要)한 것만 따낸 부분(部分).
[大凱 대개] 크게 싸움에 이기고 돌아옴. 개선(凱旋).
[大概 대개] ㉠대체의 경개(梗概). ㉡세밀하지 아니한 정도로.
[大去 대거] 한번 가고 다시 돌아오지 아니함.
[大擧 대거] ㉠많은 사람을 움직여 거사(擧事)함. ㉡크게 서둘러 일을 함.
[大怯 대겁] 몹시 무서워함.
[大歉 대겸] 흉년(凶年)이 크게 듦.
[大經 대경] ㉠큰 도리(道理). 사람이 지켜 행하여야 할 큰 길. 대도(大道). ㉡〈예기(禮記)〉·〈춘추좌씨전(春秋左氏傳)〉의 일컬음.
[大慶 대경] 큰 경사(慶事).
[大驚 대경] 몹시 놀람.
[大經大法 대경대법] 공명정대(公明正大)한 원리(原理)와 법칙(法則).
[大驚失色 대경실색] 몹시 놀라서 얼굴빛을 잃음.
[大計 대계] ㉠총계(總計). ㉡빠짐없이 전체를 계교(計較)함. ㉢큰 계획.
[大姑 대고] 남편의 누님. 시누이.
[大故 대고] ㉠부모(父母)의 상사(喪事). ㉡큰 사고(事故). ㉢아주 못된 짓. 대악(大惡). 악역(惡逆).
[大賈 대고] 큰 장수.
[大姑母 대고모] 할아버지의 누이.
[大工 대공] 솜씨가 훌륭한 장색(匠色). 양공(良工).
[大公 대공] ㉠군주(君主)의 일가(一家)의 남자. ㉡소국(小國)의 군주.
[大功 대공] ㉠나라에 대한 큰 공로(功勞). ㉡오복(五服)의 하나. 굵은 베로 지어 아홉 달 입는 복.
[大空 대공] ㉠하늘. ㉡전혀 아무것도 없음. 텅 빔.
[大公至平 대공지평] 아주 공평함. 지극히 공평함.
[大功親 대공친] 종형제 자매(從兄弟姊妹)·중자부(衆子婦)·중손(衆孫)·중손녀(衆孫女)·질부(姪婦) 및 남편(男便)의 조부모(祖父母)·백숙부모(伯叔父母)·질부(姪婦) 등의 친족(親族).
[大過 대과] ㉠육십사괘(六十四卦)의 하나. 곧, ䷛〈손하(巽下), 태상(兌上)〉. 너무 성대(盛大)한 상(象). ㉡큰 과실(過失).
[大官 대관] 높은 관직(官職). 또, 높은 관직에 있는 사람.
[大館 대관] 큰 저택.
[大觀 대관] ㉠널리 보여 알리는 것. ㉡사물(事物)의 전체(全體)를 관찰(觀察)함. 대국적(大局的)으로 관찰함. 달관(達觀). ㉢대체(大體)의 조망(眺望). ㉣위대한 광경(光景). 위관(偉觀).
[大塊 대괴] ㉠큰 흙덩이. ㉡대지(大地). 지구(地球). 또, 천지(天地). ㉢조화(造化). 조물주(造物主).
[大郊 대교] 왕자(王子)가 남교(南郊)에서 하늘에 지내는 제사.
[大較 대교] 대략(大略). 대강.
[大巧若拙 대교약졸] 아주 교묘(巧妙)한 재주를 가진 사람은 그 재주를 자랑하지 아니하므로, 언뜻 보기에는 서투른 것 같음.
[大口 대구] 대구과(科)에 속하는 바닷물고기. 대구어(大口魚).
[大局 대국] 바둑판에서의 전체의 판국. 전(轉)하여, 일의 대체의 형세. 천하(天下)의 대세(大勢).
[大國 대국] 큰 나라.
[大君 대군] ㉠천자(天子). 군주(君主). ㉡《韓》 왕비(王妃)의 아들.
[大軍 대군] 많은 군사(軍士). 다수의 군대.
[大圈 대권] ㉠큰 원(圓). ㉡수학에서 구(球)의 중심을 중심으로 한 원(圓).
[大權 대권] 제왕 또는 국가의 원수가 국토(國土)·국민(國民)을 통치하는 권력(權力).
[大闕 대궐] 임금이 있는 곳. 궁궐(宮闕).
[大歸 대귀] 귀부인(貴婦人)이 이혼당하여 친정으로 감.
[大逵 대규] 큰길. 한길. 대도(大道).
[大規模 대규모] 매우 큰 규모(規模).
[大叫喚 대규환] 크게 울부짖음.
[大叫喚地獄 대규환지옥] 《佛敎》 팔대 지옥(八大地獄)의 다섯째. 규환지옥(叫喚地獄) 중에서 고통(苦痛)이 가장 심한 지옥.
[大鈞 대균] 조화(造化).
[大戟 대극] 다년생 풀의 하나. 버들옷.
[大極 대극] 임금의 지위(地位).
[大金 대금] 큰돈. 많은 돈.
[大笒 대금] 저의 한 가지.
[大禁 대금] 중대한 금제(禁制). 나라 안 전부가 금제하는 일.
[大忌 대기] 매우 꺼림.
[大氣 대기] 지구(地球)를 싸고 있는 공기(空氣).

[大基 대기] ㉠대본(大本). ㉡큰 사업(事業).
[大期 대기] 산월(産月).
[大朞 대기] 대상(大祥).
[大器 대기] ㉠큰 그릇. ㉡뛰어난 인재(人材). ㉢정권(政權). 권력(權力). ㉣국가(國家). 국토(國土).
[大機 대기] 천하(天下)의 정사(政事).
[大器晩成 대기만성] 큰 그릇은 만드는 데 오래 걸림. 전(轉)하여, 크게 될 사람은 늦게 이루어짐.
[大器小用 대기소용] 대재(大才) 있는 사람을 낮은 지위에 머물러 두고 부림을 이름.
[大吉 대길] 크게 길함.
[大難 대난] 큰 환난(患難).
[大內 대내] ㉠임금이 거처(居處)하는 곳. ㉡임금의 부고(府庫).
[大怒 대노] 대로(大怒).
[大農 대농] ㉠대규모의 농업. 소농(小農)의 대(對). ㉡요부(饒富)한 농부. 호농(豪農).
[大腦 대뇌] 두개골(頭蓋骨) 속의 대부분(大部分)을 차지하고 있는 뇌수(腦髓)의 한 부분으로, 정신 작용(精神作用)을 맡은 중요한 기관(器官).
[大團圓 대단원] 끝. 최후의 장면(場面).
[大談 대담] 큰소리. 큰 장담(壯談).
[大膽 대담] 겁이 없이 결단(決斷)하는 담력(膽力).
[大唐西域記 대당서역기] 당대(唐代)의 중 현장(玄奘)의 인도(印度) 및 중앙아시아의 여행에 관한 견문록(見聞錄). 12권. 서역기(西域記) 또는 서역전(西域傳)이라고도 함.
[大隊 대대] ㉠군대(軍隊)를 편성(編成)하는 한 단위(單位). 연대(聯隊)의 아래, 중대의 위. ㉡군사 쉰 사람의 한 떼.
[大憝 대대] 대악인(大惡人).
[大戴禮 대대례] 전한(前漢)의 대덕(戴德)이 2백여 편(篇)의 〈예기(禮記)〉를 줄여서 85편으로 한 것. 〈예기(禮記)〉와 구별하여 이름. 지금은 산일(散佚)하여 40편만 남았음. '대대기(大戴記)'라고도 함.
[大德 대덕] ㉠큰 덕행(德行). 덕이 높음. 또, 그 사람. ㉡넓고 큰 은덕(恩德). ㉢천지 조화(天地造化)의 작용. ㉣《佛敎》불조(佛祖) 또는 고승(高僧)의 존칭. 전(轉)하여, 널리 중의 존칭.
[大德滅小怨 대덕멸소원] 은덕(恩德)이 광대하면 조그마한 원한은 저절로 사라져 없어짐.
[大度 대도] 큰 도량(度量).
[大都 대도] ㉠큰 도회(都會). ㉡대개(大槪). 대략(大略).
[大盜 대도] 큰 도적(盜賊).
[大道 대도] ㉠큰길. 대로(大路). ㉡큰 도(道). 대의(大義).
[大纛 대도] ㉠당(唐)나라 때 군중(軍中)에서 쓰던 큰 기(旗). 절도사(節度使)가 왼편에 세우고 가는 기임. ㉡친정군(親征軍). '도(纛)'를 보라.
[大刀頭 대도두] 칼코등이, 곧 도두(刀頭)의 환(環)은 환(還)과 음(音)이 통(通)하므로, 고향(故鄕)으로 돌아가는 뜻으로 쓰임.
[大道廢有仁義 대도폐유인의] 상고 시대에는 대도(大道)가 행하여져서 모든 사람이 순박하였으나 후세에 이르러 대도가 점차로 소멸하매, 인의(仁義)라고 불리어지는 것이 나왔다는 말로서, 이는 노자(老子)가 유교의 인의의 교(敎)는 천지 자연(天地自然)의 도(道)가 아니라고 비방한 말임.

[大纛]

[大都會 대도회] 큰 도회(都會).
[大同 대동] ㉠대체(大體)로 같음. ㉡차별(差別)을 두지 아니함. ㉢모두 합동(合同)함. ㉣인심이 화평(和平)하여 잘 다스려짐.
[大東 대동] 우리나라의 별칭.
[大同團結 대동단결] 여러 당파(黨派)가 어떤 목적을 위하여 소이(小異)를 버리고 합동(合同)함.
[大動脈 대동맥] 머리·사지 등에 있는 동맥(動脈)의 중요(重要)한 줄기.
[大同小異 대동소이] 거의 같고 조금 다름.
[大同之論 대동지론] 여러 사람의 공론(公論).
[大同之患 대동지환] 여러 사람이 같이 당하는 환난(患難).
[大斗 대두] 열 되들이 큰 말.
[大豆 대두] 콩.
[大頭腦 대두뇌] 일의 가장 중요(重要)한 부분. 가장 주안(主眼)이 되는 요점(要點).
[大頭領 대두령] 여러 두목 중의 우두머리.
[大得 대득] 뜻밖에 좋은 결과(結果)를 얻음.
[大亂 대란] ㉠크게 어지러움. ㉡큰 난리(亂離).
[大略 대략] ㉠큰 계략. 원대(遠大)한 지략(智略). ㉡개략(槪略). 대요(大要).
[大梁 대량] 대들보.
[大量 대량] ㉠큰 도량(度量). 대도(大度). ㉡많은 분량(分量).
[大呂 대려] 옛날 중국의 큰 종(鐘)의 이름. 구정(九鼎)과 더불어 주실(周室)의 보기(寶器). 전(轉)하여, 귀중한 물건의 뜻.
[大力 대력] ㉠큰 힘. 센 힘. ㉡대자연. 조화(造化).
[大殮 대렴] 소렴(小殮)을 치른 다음 날 다시 시체에 옷을 입히고 묶는 일.
[大禮 대례] ㉠가장 중대한 의식(儀式). ㉡혼례(婚禮).
[大老 대로] 나이 먹은 현인(賢人).
[大怒 대로] 크게 성냄.
[大勞 대로] 큰 수고. 또, 큰 공로(功勞).
[大路 대로] ㉠큰길. ㉡천자(天子)가 타는 수레. 대로(大輅).
[大輅 대로] 천자(天子)가 타는 수레. 연로(輦輅). 대로(大路).
[大論 대론] ㉠크게 논(論)함. 또, 격론(激論). ㉡고원(高遠)하고 웅대(雄大)한 의론(議論).

[大輅]

[大牢 대뢰] ㉠소·양·돼지의 세 가지 희생(犧牲)을 갖춘 제수(祭需). ㉡훌륭한 요리.
[大僚 대료] 고관(高官). 대관(大官).
[大陸 대륙] 지구 상(地球上)의 광대(廣大)한 육지(陸地). 큰 뭍.
[大戮 대륙] 사형(死刑). 대벽(大辟).
[大倫 대륜] 인륜의 대도(大道).
[大利 대리] 큰 이익(利益).
[大理 대리] 형옥(刑獄)을 맡은 벼슬. 지금의 사법관(司法官).
[大理石 대리석] 석회석(石灰石)이 높은 온도(溫

度)와 강한 압력(壓力)으로 변한 아름다운 돌.
[大麻 대마] 삼.
[大望 대망] ㉠큰 소망(所望). ㉡분에 넘치는 소망. 비망(非望).
[大蟒 대망] 이무기. 큰 구렁이.
[大麥 대맥] 보리.
[大盟 대맹] 천자(天子)가 친림(親臨)한 맹세.
[大名 대명] ㉠큰 명성(名聲). 고명(高名). ㉡큰 칭호(稱號).
[大明 대명] ㉠해. 태양(太陽). ㉡명(明)나라가 자기 나라를 자존(自尊)하여 일컫는 말. ㉢음양가(陰陽家)에서 만사(萬事)에 대길(大吉)하다는 날.
[大命 대명] ㉠하늘이 내리는 명령. 천명(天命). ㉡천자(天子)가 내리는 명령(命令). 칙명(勅 「命).
[大名日 대명일] 큰 명절(名節)날.
[大名之下難以久居 대명지하난이구거] 명성(名聲)이 높은 지위에는 시의(猜疑)나 모함(謀陷)을 받아 오래 있기 어려움.
[大明天地 대명천지] 아주 밝은 세상(世上).
[大母 대모] ㉠할머니. 조모(祖母). ㉡《韓》 할아버지와 항렬(行列)이 같은 유복친(有服親) 밖의 친척의 아내.
[大暮 대모] 영원히 밝지 않는 밤. 곧, 사람의 죽음. 「生).
[大夢 대몽] 긴 꿈. 전(轉)하여, 덧없는 인생(人
[大妙 대묘] 대단히 묘함.
[大廟 대묘] 종묘(宗廟). 고대에는 사당(祠堂)의 뜻으로 널리 쓰였으나, 후세에 이르러 오로지 '종묘'의 뜻으로 쓰임.
[大廡 대무] 큰 집. 대하(大廈). 「문.
[大文 대문] 주석(註釋)이 있는 서적(書籍)의 본
[大門 대문] 집의 정문(正門).
[大文字 대문자] ㉠웅대(雄大)한 글. ㉡서양 글자의 큰 체로 된 글자.
[大文章 대문장] 웅대(雄大)한 글. 또, 그러한 글을 짓는 사람.
[大米 대미] 쌀.
[大舶 대박] 큰 배.
[大半 대반] 대부분. 반 이상. 과반(過半).
[大盤 대반] 큰 소반.
[大方 대방] ㉠세상의 현인(賢人). 강호(江湖)의 군자(君子). 식자(識者). 대방가(大方家). ㉡개략(概略). 대강. ㉢땅. 대지(大地).
[大邦 대방] 큰 나라. 대국(大國).
[大方家 대방가] 대방(大方) ❶.
[大北 대배] 대패(大敗).
[大白 대백] ㉠흰 기. 순백(純白)의 기(旗). ㉡아주 결백(潔白)함. ㉢큰 술잔. 대배(大杯). ㉣벌작(罰爵)과 같음. 「侯).
[大藩 대번] 큰 번병(藩屛). 영토가 넓은 제후(諸
[大凡 대범] ㉠대강. 대략(大略). ㉡무릇.
[大法 대법] ㉠중요(重要)한 법. 근본이 되는 법. ㉡《佛敎》 대승(大乘)의 법(法).
[大辟 대벽] 사형(死刑). 또, 중형(重刑).
[大卞 대변] 대법(大法).
[大便 대변] 사람의 똥.
[大辯 대변] 아주 훌륭한 변론(辯論).
[大變 대변] 크나큰 사변(事變).
[大辯如訥 대변여눌] 워낙 말을 잘하는 사람은 함부로 지껄이지 않으므로 도리어 말더듬이처럼 보임.
[大別 대별] 크게 분류(分類)함.
[大兵 대병] 대군(大軍).
[大柄 대병] 큰 권력. 정치를 좌우하는 권력. 대권(大權).
[大病 대병] 위험(危險)한 병. 큰 병.
[大寶 대보] ㉠아주 귀중(貴重)한 보배. 지보(至寶). ㉡천자의 지위. ㉢자기의 몸. ㉣임금의 옥새(玉璽).
[大僕 대복] 주대(周代)에 군정(軍政)의 일을 맡은 장관(長官). 후세(後世)의 태복시(太僕寺)에 해당함.
[大福 대복] 큰 복력(福力). 「本).
[大本 대본] 크고 종요로운 근본. 제일의 기본(基
[大本山 대본산] 《佛敎》 같은 종지(宗旨)의 작은 말사(末寺)를 통할(統轄)하는 큰절.
[大封 대봉] 큰 봉강(封疆). 큰 영토(領土). 큰 나라.
[大父 대부] ㉠조부(祖父). ㉡《韓》 할아버지와 한 항렬(行列)되는 유복친(有服親) 밖의 겨레붙이의 남자.
[大夫 대부] ㉠주(周)나라 때의 벼슬 지위. 사(士)의 위이며 경(卿)의 아래임. ㉡벼슬자리에 있는 사람. ㉢소나무〔松〕의 아칭(雅稱).
[大府 대부] ㉠궁정(宮廷) 및 정부(政府)의 기물(器物)을 맡아 두는 창고. ㉡상고 시대(上古時代)에 재정(財政)을 맡은 벼슬. 태부(太府). ㉢관부(官府).
[大富 대부] 큰 부자(富者).
[大部分 대부분] 반(半)이 훨씬 지나는 수효(數爻), 또는 분량(分量).
[大富由命小富由勤 대부유명소부유근] 대부(大富)는 천명(天命)으로 이루어지고, 소부(小富)는 인력(人力)으로 이루어짐.
[大夫人 대부인] 남의 어머니의 존칭.
[大北 대북] 《韓》 색목(色目)의 하나. 북인(北人) 속에서 갈라진 당파.
[大佛 대불] 거대한 불상(佛像).
[大不幸 대불행] 큰 불행(不幸).
[大妃 대비] 선왕(先王)의 비(妃).
[大賓 대빈] 높은 손님.
[大士 대사] ㉠덕(德)이 높은 사람. 대인(大人). ㉡벼슬이 높은 사람. ㉢주(周)나라 때 신명(神明)에 관한 일을 맡은 벼슬. ㉣옥송(獄訟)을 맡은 벼슬. ㉤《佛敎》 불(佛)·보살(菩薩)의 이칭(異稱).
[大使 대사] ㉠임금의 명을 받들고 일을 행하는 정사(正使). ㉡원수(元首)의 명을 봉행(奉行)하는 정사(正使)로서 한 나라를 대표하여 외국에 가 있어 외교 관계를 맺는 최상급의 외교관.
[大祀 대사] 천자(天子)가 친히 지내는 큰 제사.
[大事 대사] ㉠부모의 상(喪). ㉡큰 사건. 비상한 일. ㉢원대한 사업. ㉣부역(賦役). ㉤전쟁. 병사(兵事).
[大師 대사] ㉠다수(多數)의 군대. ㉡뛰어난 학자. ㉢불(佛)·보살(菩薩)의 경칭(敬稱). ㉣나라에서 높은 선사(禪師)에게 내리는 칭호.
[大赦 대사] 나라에서 큰 경사(慶事)가 있을 때 죄수(罪囚)를 놓아주거나 감형(減刑)하는 은전(恩典).
[大蜡 대사] 주대(周代)에 매해 섣달에 천자(天子)가 행(行)하던 제사(祭祀) 이름.
[大司空 대사공] 삼공(三公)의 하나. 전한말(前漢末)의 관제(官制)에서, 토지(土地)·민사(民事)를 맡은 벼슬. 주대(周代)의 사마(司馬)에

해당(該當)함.

[大司寇 대사구] 상고 시대(上古時代)에 형벌(刑罰)·경찰(警察)의 일을 맡은 벼슬.

[大司農 대사농] 전한말(前漢末)의 관제(官制)에 곡화(穀貨)에 관한 사무를 맡은 벼슬.

[大司徒 대사도] 한대(漢代)에 교육(教育)의 일을 맡은 벼슬.

[大殺年 대살년] 큰 흉년(凶年).

[大祥 대상] 사람이 죽은 지 두 돌 만에 지내는 제사(祭祀). 대기(大朞).

[大常 대상] ㉠해와 달을 그린 천자(天子)의 기(旗). 태상(太常). ㉡구경(九卿)의 하나. 종묘(宗廟)의 의식(儀式)을 맡은 예관(禮官). 태상(太常).

[大相不同 대상부동] 조금도 같지 아니함.

[大暑 대서] ㉠이십사절기(二十四節氣)의 열두째. 양력(陽曆) 7월 23일. ㉡대단한 더위.

[大書特書 대서특서] 특히 큰 글자로 적어 표시(表示)함.

[大常㉠]

[大仙 대선] ㉠뛰어난 신선. ㉡《佛教》 부처의 이칭(異稱). 여래(如來).

[大船 대선] 큰 배.

[大雪 대설] ㉠이십사절기(二十四節氣)의 스물한째. 양력 12월 7일. ㉡많이 오는 눈. 큰 눈.

[大成 대성] 크게 이룸. 대규모로 이룸. 또, 큰 성공(成功).

[大姓 대성] 족속(族屬)이 번성(繁盛)한 성(姓).

[大聖 대성] ㉠가장 재덕(才德)이 높은 성인(聖人). 고금에 견줄 이 없는 성인. ㉡공자(孔子)의 존칭(尊稱). ㉢《佛教》 여래(如來)의 이칭(異稱).

[大聲 대성] 큰 목소리.

[大聲不入里耳 대성불입리이] 바른 음악은 속인(俗人)이 알 수 없다는 뜻으로, 고상(高尙)한 언론은 범인(凡人)이 이해하기 어렵다는 비유로 쓰임.

[大成殿 대성전] 문묘(文廟).

[大聲叱呼 대성질호] 큰 목소리로 꾸짖음.

[大聲痛哭 대성통곡] 큰 목소리로 슬프게 욺.

[大勢 대세] ㉠대국적(大局的) 형세. ㉡큰 권력. ㉢많은 사람.

[大小 대소] 사물(事物)의 큼과 작음.

[大笑 대소] 큰 소리로 웃음. 크게 웃음.

[大蘇 대소] 송(宋)나라의 소식(蘇軾). 아우인 철(轍)을 소소(小蘇)라고 하는 것의 대(對).

[大小家 대소가] 큰집과 작은집.

[大小事 대소사] 큰일과 작은 일.

[大小祥 대소상] 대상(大祥)과 소상.

[大小腸 대소장] 대장(大腸)과 소장.

[大率 대솔] 대략(大略). 대강.

[大水 대수] ㉠큰물. ㉡큰 강.

[大數 대수] ㉠많은 수(數). ㉡대체의 수. ㉢대강. 개략(概略).

[大樹 대수] ㉠큰 수목(樹木). ㉡장군(將軍)의 이칭(異稱). 후한(後漢)의 풍이(馮異)가 겸손하여 공(功)을 자랑하지 아니하고 여러 장수(將帥)가 공(功)을 다툴 때 항상 피하여 나무 아래로 갔었으므로, 군중(軍中)이 호(號)하여 대수장군(大樹將軍)이라 한 고사(故事)에서 나온 말.

[大樹將顚非一繩所維 대수장전비일승소유] '대하장전 비일목 소지(大廈將顚非一木所支)'와 같은 말.

[大手筆 대수필] 대문장(大文章).

[大樹下無美草 대수하무미초] 현로(賢路)가 막힌 곳에는 인재(人材)가 나오지 않음을 비유한 말.

[大醇小疵 대순소자] 대체는 순수(純粹)하나 조금 흠이 있음.

[大乘 대승]《佛教》대승 불교(大乘佛教).

[大勝 대승] 크게 이김. 대첩(大捷).

[大乘經 대승경]《佛教》대승(大乘)의 교법(教法)을 가르친 불경(佛經). 화엄경(華嚴經)·대집경(大集經)·법화경(法華經)·열반경(涅槃經)의 총칭.

[大乘佛教 대승불교]《佛教》불교의 가장 높고 깊은 이치를 말한 교법(教法). 소승 불교(小乘佛教)의 대(對).

[大始 대시] 처음. 시초(始初). 태초(太初).

[大食 대식] ㉠많이 먹음. ㉡아라비아(亞剌比亞)의 고칭(古稱).

[大息 대식] 한숨 쉼. 탄식(歎息).

[大臣 대신] 한 나라의 정치(政治)의 중임(重任)을 맡은 가장 높은 벼슬.

[大牙 대아] 천자(天子) 또는 장군(將軍)이 세우는 아기(牙旗).

[大我 대아] 우주(宇宙)의 유일(唯一) 절대(絕對)의 실재(實在).

[大兒 대아] ㉠형(兄). ㉡뛰어나게 어진 사람. 우자(優者).

[大惡 대악] 아주 못된 짓. 또, 그 짓을 하는 사람.

[大安 대안] ㉠당(唐)나라의 벼슬 이름. ㉡송악(宋樂)의 이름.

[大厄 대액] ㉠큰 재액(災厄). ㉡음양가(陰陽家)에서, 큰 재난이 닥친다 하여 가장 꺼리는 나이. 남자에겐 42세, 여자는 33세.

[大液 대액] 한무제(漢武帝)가 금원(禁苑) 안에 만든 연못. 태액(太液).

[大約 대약] 대략(大略).

[大洋 대양] ㉠중화민국(中華民國)의 은전(銀錢). ㉡대륙(大陸)을 싸고 있는 큰 바다.

[大言 대언] ㉠훌륭한 말. ㉡큰소리. 장담(壯談).

[大業 대업] 큰 사업(事業).

[大輿 대여] 나라에서 쓰는 큰 상여.

[大役 대역] ㉠국가의 대공사(大工事). ㉡중대(重大)한 임무. 대임(大任).

[大疫 대역] 큰 유행병.

[大逆 대역] 가장 인도(人道)에 거스르는 행위. 군부(君父)를 죽이는 일 같은 것.

[大逆無道 대역무도] 한(漢)나라 때 법률 용어로서 모반(謀反)을 이름.

[大宴 대연] 성대(盛大)한 잔치.

[大淵獻 대연헌] 고갑자(古甲字) 십이지(十二支)의 열두째. 해(亥).

[大悅 대열] 크게 기뻐함.

[大烈 대열] 뛰어난 훈공(勳功).

[大熱 대열] 대단한 열(熱).

[大瀛 대영] 큰 바다. 대해(大海). 대양(大洋).

[大悟 대오] ㉠크게 깨달음. ㉡《佛教》 번뇌(煩惱)를 벗어나 진리를 깨달음.

[大獄 대옥] 중대한 범죄(犯罪) 사건으로 많은 사람이 붙잡혀 갇히는 옥사(獄事). 큰 옥사.

[大王 대왕] ㉠선왕(先王)의 존칭(尊稱). ㉡왕(王)의 존칭.

[大王父 대왕부] ㉠증조(曾祖). ㉡조부(祖父).
[大要 대요] ㉠대강. 대략(大略). ㉡대본(大本).
[大辱 대욕] 큰 치욕(恥辱).
[大欲·大慾 대욕] 큰 욕망(欲望).
[大用 대용] ㉠중대한 사용(使用). ㉡중대한 자리에 임용함. 중용(重用).
[大勇 대용] 큰 용기(勇氣). 의리(義理)에서 일어나는 용기.
[大勇若怯 대용약겁] 대단히 용맹한 사람은 함부로 날뛰지 않으므로 도리어 겁쟁이같이 보임.
[大雨 대우] 큰비.
[大愚 대우] 크게 어리석음. 또, 그 사람.
[大憂 대우] ㉠큰 근심. 큰 걱정. ㉡부모의 상사(喪事).
[大運 대운] ㉠천자(天子)가 될 운명. 천자의 지위. ㉡큰 왕운(旺運).
[大熊星 대웅성] 북쪽 하늘에 있는 성좌(星座). 여기에 속한 별은 150개나 되나 육안(肉眼)으로는 일곱 개가 뚜렷하게 보이는데, 이것이 북두칠성(北斗七星)임.
[大原 대원] 근본(根本). 대본(大本).
[大員 대원] 높은 벼슬아치. 고관(高官).
[大圓 대원] ㉠큰 원형(圓形). 대권(大圈). ㉡하늘.
[大願 대원] ㉠큰 소원(所願). ㉡《佛教》 성불(成佛)의 원망(願望).
[大院君 대원군] 《韓》 방계(傍系)에서 들어와서 대통(大統)을 이은 임금의 친아버지의 봉작(封爵).
[大元帥 대원수] ㉠전군(全軍)을 통솔하는 대장. 총대장(總大將). ㉡국가의 병권(兵權)을 총람(總攬)하는 원수. ㉢《佛教》 인도의 신(神)으로 명왕부(明王部)의 총사(總司).
[大月 대월] 큰달. 음력(陰曆)은 30일, 양력(陽曆)은 31일의 달.
[大月氏 대월지] 서역(西域)에 있던 나라. 전한(前漢)의 장건(張騫)이 무제(武帝)의 명(命)을 받들어 사신(使臣) 간 나라임.
[大位 대위] ㉠높은 지위. ㉡천자(天子)의 지위.
[大尉 대위] ㉠천하(天下)의 병사(兵事)를 총리(總理)하는 벼슬. ㉡최상급의 위관(尉官).
[大僞 대위] 자연(自然) 그대로가 아닌 인위(人爲)를 가한 것. 위(僞)는 인위(人爲).
[大威德 대위덕] 《佛教》 명왕(明王)의 하나. 서방(西方)을 지킴.
[大有 대유] 육십사괘(六十四卦)의 하나. 곧, ☲☰ 〈건하(乾下), 이상(離上)〉. 많이 소유(所有)한 상(象).
[大儒 대유] 학식(學識)이 높은 선비. 거유(巨儒).
[大戎 대융] 큰 병거(兵車).
[大恩 대은] 큰 은혜(恩惠).
[大恩教主 대은교주] 《佛教》 석가모니(釋迦牟尼)의 존칭.
[大隱隱朝市 대은은조시] 참된 은사(隱士)는 자기의 닦은 도(道)가 행하여지지 않으면, 혹은 조정에 출사하여 소관(小官)도 불사(不辭)하고, 혹은 시중(市中)에서 의원·매복자(賣卜者) 노릇까지도 함.
[大飮 대음] 술을 많이 마심.
[大邑 대읍] 큰 고을.
[大意 대의] ㉠대지(大旨). ㉡큰 뜻. 대지(大志).
[大義 대의] ㉠인륜(人倫)의 중대(重大)한 의리(義理). ㉡대강의 뜻. 대체(大體)의 뜻.
[大儀 대의] 중대한 의식.
[大義滅親 대의멸친] 중대(重大)한 의리를 위하여는 골육(骨肉)의 사정(私情)을 끊음.
[大義名分 대의명분] 사람이 지켜야 할 절의(節義)와 분수(分數).
[大人 대인] ㉠아버지의 경칭(敬稱). ㉡어머니의 경칭. ㉢큰 덕(德)이 있는 사람. ㉣벼슬이 높은 사람. 또, 관직(官職)에 있는 사람. ㉤왕자(王者). ㉥부락(部落)의 장(長). 추장(酋長). ㉦키가 큰 사람. 거인(巨人). ㉧스승·학자의 존칭. ㉨남을 부르는 경칭. ㉩주대(周代)에 꿈을 점치던 벼슬.
[大人君子 대인군자] 덕행(德行)이 높은 사람.
[大人物 대인물] 위대한 인물. 큰 인물.
[大人虎變 대인호변] 왕자(王者)가 천하(天下)를 변혁(變革)함은 조리(條理)가 병연(炳然)하여 범의 털에 문채(文采)가 있는 것과 같다는 말.
[大一 대일] ㉠지극히 큼. ㉡천지(天地)가 아직 갈리지 않은 혼돈(混沌)한 시초(始初).
[大日如來 대일여래] 《佛教》 밀교(密教)의 본존(本尊).
[大任 대임] 중대한 임무.
[大字 대자] 큰글자.
[大姊 대자] ㉠맏누이. ㉡《佛教》 여인(女人)의 계명(戒名)에 덧붙이는 칭호.
[大慈大悲 대자대비] 넓고 커서 끝이 없는 자비(慈悲). 특히, 관세음보살(觀世音菩薩)의 덕(德)을 칭송하는 말.
[大自在 대자재] 조금도 속박 또는 장애(障礙)가 없는 자재(自在).
[大自在天 대자재천] 《佛教》 대천세계(大千世界)의 주(主).
[大作 대작] ㉠큰 작품. ㉡뛰어난 작품.
[大匠 대장] ㉠뛰어난 목수. ㉡도편수.
[大壯 대장] ㉠육십사괘(六十四卦)의 하나. 곧, ☳☰〈건하(乾下), 진상(震上)〉. 양기(陽氣)가 왕성한 상(象). ㉡대단히 성(盛)함. ㉢궁전(宮殿).
[大將 대장] ㉠전군(全軍)을 통솔하는 사람. ㉡최고급의 무관(武官). 무관 계급(武官階級)의 가장 높은 지위.
[大腸 대장] 소장(小腸)의 주위(周圍)를 돌아서 항문(肛門)에 이르는 창자.
[大藏經 대장경] 불교(佛教)의 모든 경전(經典)의 총칭(總稱).
[大長公主 대장공주] 천자(天子)의 고모(姑母).
[大將軍 대장군] ㉠옛날 정토(征討)에 파견(派遣)되는 군(軍)의 총대장(總大將). 전군(全軍)을 지휘(指揮)하는 사람. ㉡음양가(陰陽家)의 팔장신(八將神)의 하나.
[大丈夫 대장부] 사내답고 씩씩한 남자. 지조(志操)가 굳어 불의(不義)에 굽히지 않는 남자. 위장부(偉丈夫).
[大才 대재] 뛰어난 재주.
[大災 대재] 큰 재앙(災殃).
[大菑 대재] 대재(大災).
[大箏 대쟁] 모양이 비파(琵琶) 같으나 조금 작은, 15현(絃)으로 된 현악기.
[大氐 대저] 대저(大抵).
[大抵 대저] 무릇. 대개.
[大著 대저] ㉠큰 저술(著述). 뛰어난 저술(著述). ㉡남의 저작(著作)의 존칭.
[大賊 대적] ㉠몹시 나쁜 짓을 하는 사람. ㉡큰 도둑.
[大適 대적] 크게 즐김.

[大磧 대적] 넓은 사원(砂原). 사막(砂漠).
[大敵 대적] 많은 적. 또, 센 적. 강적.
[大全 대전] ㉠완전(完全)하여 모자람이 없음. ㉡어떠한 사물(事物)에 관한 것을 모두 합쳐서 엮어 만든 책.
[大典 대전] ㉠귀중(貴重)한 대부(大部)의 서적(書籍). ㉡나라의 큰 의식.
[大殿 대전] 《韓》 임금의 존칭(尊稱).
[大篆 대전] 한자(漢字)의 한 체(體). 주(周)나라 선왕(宣王) 때 사주(史籒)가 처음 만들었다 함. 주문(籒文). 소전(小篆)의 대(對).

[大篆]

[大戰 대전] 큰 전쟁(戰爭).
[大節 대절] ㉠대의(大義)를 위하여 죽기로써 지키는 절개(節槪). ㉡중대한 일. 대사(大事). ㉢국가의 큰 사변.
[大漸 대점] 임금의 병세(病勢)가 위독(危篤)하여짐.
[大政 대정] 천하(天下)의 정치. 나라의 정사(政事).
[大弟 대제] 연소자(年少者)에 대한 경칭(敬稱).
[大帝 대제] ㉠하늘. ㉡성덕(盛德) 있는 천자(天子)의 미칭(美稱).
[大提學 대제학] 《韓》 홍문관(弘文館)·예문관(藝文館)의 정이품(正二品)의 으뜸 벼슬.
[大造 대조] 큰 공(功). 위훈(偉勳).
[大棗 대조] 대추.
[大詔 대조] 천자(天子)의 조칙(詔勅).
[大潮 대조] 조수의 차가 가장 큰 때의 밀물·썰물. 음력 초하루 또는 보름이 한 이틀 지난 뒤에 일어남.
[大早計 대조계] 너무 성급함. 너무 서둚.
[大族 대족] 세력이 큰 족속(族屬).
[大蔟 대족·대주] ㉠크게 모임. ㉡'대주(大蔟)'를 보라.
[大宗 대종] ㉠큰 근본. ㉡시조(始祖)의 적장자(嫡長子). ㉢대족(大族).
[大腫 대종] 큰 종기(腫氣).
[大鐘 대종] 《佛敎》 쇠로 만든 큰 종. 땅속의 영혼을 대표하며 명부(冥府)의 모든 귀신을 부를 때에 침.
[大宗家 대종가] 제일 큰 종가(宗家).
[大坐 대좌] 책상다리하고 앉음.
[大罪 대죄] 중대한 죄(罪). 중죄(重罪).
[大洲 대주] 큰 육지(陸地). 대륙(大陸).
[大酒 대주] 다량의 술을 마심. 또, 그 사람.
[大蔟 대주] ㉠십이율(十二律)의 하나. 정월에 배당함. 대주(大簇). 태주(太蔟). ㉡음력 정월(正月).
[大中 대중] 과불급(過不及) 없이 가장 바름.
[大衆 대중] ㉠다수(多數)의 사람. ㉡수효가 많은 일반 사람. ㉢《佛敎》 다수의 승도(僧徒).
[大旨 대지] 말이나 글의 주장되는 대강(大綱)의 의미.
[大地 대지] 토지. 땅.
[大志 대지] 큰 뜻. 원대한 뜻.
[大指 대지] ㉠엄지손가락. ㉡대지(大旨).
[大智 대지] 아주 뛰어난 슬기. 투철(透徹)한 지혜.
[大智不異愚 대지불이우] 뛰어나게 슬기로운 사람은 그윽하고 깊어 슬기로운 체를 아니하므로, 마치 어리석은 사람처럼 보임.
[大智若愚 대지약우] 슬기가 많은 사람은 슬기를 함부로 나타내지 않으므로, 도리어 어리석게 보임.
[大直若屈 대직약굴] 대의(大義)를 위하는 자는 소절(小節)에 구애하지 않으므로, 언뜻 보기에는 곧은 사람이 아닌 것같이 보임.
[大秦 대진] 동(東)로마 제국(帝國)의 일컬음.
[大盡 대진] 음력(陰曆)의 큰달.
[大耋 대질] 칠팔십 세(七八十歲)의 노인(老人).
[大質 대질] 몸. 신체(身體).
[大車 대차] 큰 수레. 짐 싣는 수레.
[大差 대차] 큰 차이(差異).
[大刹 대찰] 큰 절. 유명(有名)한 사찰(寺刹).
[大漲 대창] 큰물이 넘침.
[大責 대책] 몹시 꾸짖음.
[大處 대처] 도회지(都會地).
[大川 대천] 큰 강(江).
[大千世界 대천세계] 《佛敎》 삼천 세계(三千世界)의 셋째. 곧, 중천세계(中千世界)의 천 배가 되는 세계.
[大捷 대첩] 큰 승리(勝利).
[大廳 대청] 《韓》 관아(官衙) 또는 사가(私家)의 주장되는 집채 가운데에 있는 마루.
[大禘 대체] 선조(先祖)의 큰 제사(祭祀).
[大體 대체] ㉠대략(大略). 대개. ㉡마음을 이름. 이목(耳目)을 소체(小體)라고 하는 데 대한 말. ㉢대저(大抵).
[大焦熱地獄 대초열지옥] 《佛敎》 팔대 지옥(八大地獄)의 일곱째. 초열지옥(焦熱地獄)보다 고통(苦痛)이 심(甚)한 지옥.
[大村 대촌] 큰 마을.
[大總統 대총통] 중화민국(中華民國)의 국가 원수(元首).
[大畜 대축] 육십사괘(六十四卦)의 하나. 곧, ☶〈건하(乾下), 간상(艮上)〉. 많이 저장(貯藏)하여 바깥에 나타나는 상(象).
[大椿之壽 대춘지수] 장수(長壽). 상고(上古)에 대춘(大椿)이란 전설상의 큰 나무가 장수(長壽)하였다는 데서 나온 말.
[大蟲 대충] 범. 호랑이.
[大醉 대취] 술이 몹시 취(醉)함.
[大熾 대치] 기세(氣勢)가 버썩 성함.
[大癡 대치] 심히 어리석음. 또, 그 사람.
[大侵 대침] 대기근(大饑饉).
[大浸 대침] 홍수(洪水).
[大針 대침] 큰 바늘.
[大秤 대칭] 큰 저울.
[大卓 대탁] 성대(盛大)한 음식상.
[大宅 대택] ㉠큰 주택. ㉡천지(天地).
[大澤 대택] 큰 못. 큰 늪.
[大通 대통] 인정(人情)에 정통(精通)함. 사물에 구애(拘礙)하지 않음. 또, 그 사람.
[大統 대통] 임금의 계통. 황통(皇統).
[大痛 대통] 몹시 앓는 병의 고통.
[大統領 대통령] ㉠두목. ㉡공화국(共和國)의 원수(元首).
[大腿 대퇴] 넓적다리.
[大破 대파] ㉠크게 깨짐. ㉡적(敵)을 크게 쳐부숨.
[大旆 대패] 일월(日月)의 형상을 그린 천자(天子)의 기(旗).
[大敗 대패] ㉠큰 실패. ㉡싸움에 크게 짐.
[大篇 대편] 길고 웅대(雄大)한 시문(詩文), 또는

저서(著書).
[大弊 대폐] 큰 폐해(弊害).
[大砲 대포] 화약(火藥)의 힘으로 포탄을 멀리 내쏘는 큰 화기(火器).
[大酺 대포] 천자(天子)가 백성에게 주식(酒食)을 크게 내림.
[大風 대풍] ㉠몹시 부는 바람. ㉡서풍(西風). ㉢문둥병. 나병(癩病).
[大豐 대풍] 곡식이 썩 잘됨.
[大筆 대필] 큰 붓.
[大夏 대하] ㉠하(夏)나라 우(禹)임금이 제정(制定)한 무악(舞樂)의 이름. ㉡한여름. 성하(盛夏). ㉢사서(史書)에 보이는 서역(西域)의 한 나라. 서기전(西紀前) 2세기경(頃) 월지(月氏)에게 침략(侵略)되었음. ㉣오호십육국(五胡十六國)의 하나. 흉노족(匈奴族) 혁련발발(赫連勃勃)이 세운 나라로서 지금의 산시(陝西)의 북서부(北西部), 간쑤(甘肅) 북동부(北東部)의 땅. 3 주(主) 25년 만에 토욕혼(吐谷渾)에게 망하였음.(407~431)
[大廈 대하] 큰 건물(建物). 큰 집. 거옥(巨屋).
[大廈成燕雀相賀 대하성연작상하] 밝은 정치 밑에서 편안히 살게 되는 백성의 즐거움의 비유.
[大廈將顚非一木所支 대하장전비일목소지] 큰 집이 넘어지려 하는 것을 나무 하나로는 버틸 수 없다는 뜻으로, 국가(國家)가 장차 망하려 할 때에는 한 사람의 힘으로는 도저히 구할 수 없음을 비유한 말.
[大廈之材非一丘之木 대하지재비일구지목] 한 언덕의 나무로 큰 집을 세울 수 없듯이, 한두 신하(臣下)의 힘으로 치국안민(治國安民)을 기한다는 것은 거의 불가능하다는 말.
[大虐 대학] ㉠인륜(人倫)에 심히 어그러진 행위. 군부(君父)를 시해(弑害)하는 일 따위. ㉡학정(虐政).
[大學 대학] ㉠중국 상대(上代)에 고등 교육을 실시하던 학교. 천자(天子)의 도읍에 설립한 것을 벽옹(辟雍), 제후(諸侯)의 나라에 설립한 것을 반궁(泮宮)이라 함. ㉡최고급의 학교. 단과 대학과 종합 대학이 있음. ㉢사서(四書)의 하나. 삼강령(三綱領) 팔조목(八條目)으로 윤리(倫理)·정치의 이념을 기록 설명했음. 〈예기(禮記)〉의 편명(篇名).
[大壑 대학] '해양(海洋)'의 이칭(異稱).
[大學士 대학사] 학사(學士)의 최상급(最上級). 송대(宋代)에는 고관(高官)의 퇴직자(退職者)에게 준 칭호(稱號). 명대(明代)에는 내각(內閣)을 조직한 대신에게 준 칭호.
[大學衍義 대학연의] 책 이름. 송(宋)나라 진덕수(眞德秀)의 저(著). 43권. 군주(君主)의 수양(修養)에 이바지하기 위하여 대학(大學)의 정신(精神)을 경전(經典)과 사실(史實)에 의거하여 해설(解說)한 것임. 명(明)나라의 구준(丘濬)이 이를 보충(補充)하여 〈대학연의보(大學衍義補)〉 160권을 저술(著述)하였음.
[大學者 대학자] 학식(學識)이 뛰어난 학자(學者).
[大旱 대한] 큰 가물.
[大限 대한] 수명(壽命)의 종말.
[大寒 대한] ㉠이십사절기(二十四節氣)의 마지막 절후(節候). 양력(陽曆) 1월 21일경. 1년 중 가장 추움. ㉡아주 대단한 추위.
[大旱望雲霓 대한망운예] 큰 가물에 구름이 일기를 갈망하듯이, 자기가 목적하는 바의 달성을 몹시 초조하게 바란다는 뜻.
[大寒索裘 대한색구] 혹한이 닥쳐오자 비로소 갖옷을 구한다는 뜻으로, 소 잃고 외양간 고치는 식(式)의 만시지탄(晩時之歎)을 이름.
[大韓帝國 대한제국] 우리나라 국호(國號)의 하나. 조선 고종(高宗) 34년(1897년)에 임금의 위호(位號)를 황제(皇帝)로 하고, 조선(朝鮮)을 대한 제국이라 개칭하였음.
[大蛤 대합] 조개의 한 가지. 대합조개.
[大海 대해] 넓고 큰 바다.
[大害 대해] 큰 손해(損害).
[大行 대행] ㉠제왕(帝王)·후비(后妃)가 죽은 뒤에 아직 시호(諡號)를 올리지 아니한 동안의 존칭(尊稱). ㉡큰 행위. 큰 사업. ㉢빈객(賓客)을 접대하는 일을 맡은 벼슬.
[大行不顧細謹 대행불고세근] 큰 사업을 하고자 하는 자는 자질구레한 일에 구애(拘礙)하지 아니함.
[大虛 대허] 하늘. 대공(大空).
[大憲 대헌] 큰 법률. 중대한 법규. 헌법(憲法).
[大憲章 대헌장] 1215년, 영국 왕(英國王) 존으로 하여금 승인(承認)케 하여 국민(國民)의 권리·자유를 확보한 법률. 헌법(憲法)의 기초라 일컬어짐.
[大絃 대현] 거문고의 굵은 줄.
[大賢 대현] 성인(聖人) 다음가는 지덕(智德)이 아주 높은 사람.
[大俠 대협] 뛰어난 협기(俠氣).
[大兄 대형] ㉠맏형. 장형(長兄). ㉡형의 경칭. ㉢붕우 간(朋友間)의 경칭.
[大刑 대형] 중(重)한 형벌(刑罰).
[大戶 대호] ㉠부호(富豪). ㉡주호(酒豪).
[大惑者終身不解 대혹자종신불해] 크게 미혹(迷惑)한 사람은 평생(平生) 진리를 해득하지 못함.
[大昏 대혼] 대혼(大婚).
[大婚 대혼] 천자 또는 황태자의 혼인(婚姻).
[大紅蓮 대홍련] 《佛敎》 팔한 지옥(八寒地獄)의 하나. 격심한 추위로 살이 터서 붉은 연꽃처럼 된다 함.
[大火 대화] ㉠큰불. ㉡화성(火星). ㉢여름의 더위.
[大化 대화] 넓고 큰 덕화(德化). 큰 교화(敎化).
[大禍 대화] 큰 재앙(災殃).
[大廓 대확] 크고 넓음.
[大患 대환] ㉠중한 병. 중환(重患). ㉡큰 환난(患難). 큰근심.
[大寰 대환] 천하(天下). 천지(天地).
[大荒 대황] ㉠큰 흉년(凶年). 대흉(大凶). 기근(饑饉). ㉡지극히 먼 곳. 일설(一說)에는, 세계의 동쪽 끝의 거친 바다. ㉢하늘. 대공(大空).
[大黃 대황] ㉠큰 황색(黃色)의 활. ㉡장군풀. 또, 그 뿌리. 하제(下劑)로 씀.
[大荒落 대황락] 고갑자(古甲子) 십이지(十二支)의 하나. 사(巳).
[大黃蜂 대황봉] 말벌.
[大會 대회] 많이 모임. 또, 그 모임.
[大孝 대효] 지극한 효성. 지효(至孝).
[大侯 대후] ㉠제후(諸侯)가 화살을 쏘는 큰 과녁. ㉡큰 나라의 제후(諸侯).
[大訓 대훈] 큰 가르침. 큰 교훈.
[大勳 대훈] 큰 공훈.
[大麾 대휘] 대장기(大將旗). 지휘기(指揮旗).
[大凶 대흉] ㉠매우 흉(凶)함. 또, 그러한 일. ㉡

큰 죄악(罪惡). ㉢큰 흉년이 듦. 또, 큰 흉년.
[大昕 대흔] 새벽. 동틀 녘.
[大喜 대희] 큰 기쁨. 크게 기뻐함.
◉強大. 彊大. 巨大. 高大. 夸大. 過大. 誇大. 寬大. 光大. 廣大. 宏大. 窮措大. 極大. 矜大. 老大. 老措大. 多大. 膽大. 斗大. 等身大. 莫大. 博大. 尨大. 肥大. 四大. 事大. 碩大. 細大. 小大. 甚大. 雄大. 遠大. 偉大. 自大. 壯大. 長大. 張大. 絶大. 正大. 措大. 尊大. 重大. 增大. 至大. 最大. 針小棒大. 特大. 膨大. 豐亨豫大. 戶大. 弘大. 洪大. 鴻大. 廓大. 擴大.

0 ③ [夨] [一] 측 [入]職 阻力切 zè
[二] 녈 [入]屑 練結切

[字解] [一] 머리기울일 측 '一, 傾頭也'《說文》. [二] 왼쪽으로기울일 녈 '一, 左一也'《集韻》.
[字源] 象形. 머리를 기울이는 사람의 모양을 본뜸.

1 ④ [太] [中人] 태 [去]泰 他蓋切 tài 

[筆順] 一 ナ 大 太
[字解] ①클 태 용적·면적 등이 큼. 또, 아주 훌륭함. '一倉'. '一上貴德'《禮記》. ②심할 태 격심함. '旱旣一甚'《詩經》. ③심히 태 대단히. '昨一草草耳'《五代史》. ④통(通)할 태 '命險一其靡常道'《陸機》. ⑤처음 태 최초. '一極'. '一初者記之始也'《列子》. ⑥존칭 태 장상(長上)에 대한 존칭. '貴人母封縣一君'《宋史》. ⑦성(姓) 태 성(姓)의 하나. ⑧《韓》 콩 태 대두(大豆). '豆一'.
[字源] 形聲. 二+大〔音〕. '泰태'의 古文. 차용(借用)하여, 큰 위에 더 크다, 심히, 매우의 뜻을 나타냄.
[參考] '太'와 '大'와는 종종 통용(通用)됨.

[太康 태강] 태평(太平).
[太剛則折 태강즉절] 너무 강하면 꺾어지기 쉬움.
[太古 태고] 아주 오랜 옛날.
[太高 태고] 썩 높음.
[太鼓 태고] 북.
[太古之民 태고지민] 오랜 옛적의 어질고 순한 백성.
[太公 태공] ㉠아버지의 일컬음. ㉡조부의 일컬음. ㉢속(俗)에 증조부를 이름.
[太空 태공] 하늘.
[太公望 태공망] 주초(周初)의 현신(賢臣) 여상(呂尙)을 이름.
[太過 태과] 너무 지나침.
[太君 태군] ㉠벼슬아치의 모친의 봉호(封號). ㉡남의 모친을 일컬음.
[太鈞 태균] 조물주(造物主).
[太極 태극] 천지(天地)가 아직 열리지 않고 혼돈(混沌)한 상태(狀態)로 있던 때. 곧, 천지(天地)와 음양(陰陽)이 나누어지기 이전(以前).
[太極旗 태극기] 태극(太極) 모양에 팔괘(八卦) 중의 네 괘를 그린 우리나라 국기(國旗).
[太極扇 태극선] 태극 모양을 그린 둥근 부채.
[太極殿 태극전] 천자의 대궐의 정전(正殿).
[太急 태급] 썩 급(急)함.
[太寧 태녕] ㉠극히 편안함. ㉡대지(大地).
[太多 태다] 썩 많음.
[太濫 태람] 너무 한도에 지나침.
[太曆十才子 태력십재자] 당(唐)나라 태력 연간(太曆年間)에 명성(名聲)이 있던 시인(詩人) 열 사람. 곧, 노륜(盧綸)·길중부(吉中孚)·한굉(韓翃)·전기(錢起)·사공서(司空曙)·묘발(苗發)·최동(崔峒)·경위(耿湋)·하후심(夏侯審)·이단(李端).
[太嶺 태령] 험(險)하고 높은 고개.
[太牢 태뢰] 소·양·돼지의 세 가지 희생(犧牲)을 갖춘 제수(祭需), 또는 요리. 전(轉)하여, 대성찬(大盛饌).
[太母 태모] 조모(祖母).
[太廟 태묘] 태조(太祖)의 종묘(宗廟).
[太半 태반] 절반(折半)이 지남. 반수 이상.
[太白 태백] ㉠은(殷)나라의 기(旗). ㉡당(唐)나라 시인(詩人) 이백(李白)의 자(字). ㉢태백성(太白星).
[太白星 태백성] 지구(地球)에서 보아 가장 찬란(燦爛)하게 비치는 별. 금성(金星).
[太保 태보] 삼공(三公)의 하나. 천자(天子)의 덕(德)을 보안(保安)한다는 뜻으로 이름 지었음.
[太僕 태복] ㉠주대(周代)의 군정(軍政)의 장관(長官). ㉡당대(唐代)의 여마(輿馬)를 맡은 벼슬.
[太父 태부] 조부(祖父).
[太傅 태부] 삼공(三公)의 하나. 천자(天子)를 도와 덕(德)으로 인도한다는 뜻으로 이름 지었음.
[太夫人 태부인] 아버지의 뒤를 이어 아들이 제후(諸侯)가 되었을 때 그 어머니의 일컬음.
[太不足 태부족] 많이 모자람.
[太妃 태비] 선대(先代)의 정비(正妃).
[太史 태사] 나라의 법규(法規)·기록(記錄)을 맡은 벼슬.
[太社 태사] '사직(社稷)'의 별칭.
[太師 태사] ㉠삼공(三公)의 하나. 문관의 최고위(最高位). 천자(天子)의 사법(師法)이 될 만한 사람이라는 뜻으로 이름 지었음. ㉡고대(古代)의 악관(樂官)의 장(長). ㉢《韓》 고려 때 벼슬로 왕세자(王世子)의 스승.
[太史簡 태사간] 춘추(春秋) 때에 제(齊)나라 태사(太史)가, 최서(崔杼)의 그 임금 장공(莊公)을 죽인 사실을 죽간(竹簡)에 직필(直筆)하여 꺼리지 않았다는 고사(故事).
[太史公 태사공] 한(漢)나라 사마천(司馬遷)의 아버지 사마담(司馬談)이 태사령(太史令)의 직(職)에 있었으므로 사마담(司馬談)을 가리켜 일컬음. 또, 사마천(司馬遷)의 일컬음.
[太史氏 태사씨] 역사(歷史)의 기록을 맡은 벼슬아치.
[太上 태상] ㉠그 위에 서는 것이 없음. 지극히 존귀함. ㉡천자(天子). 지존(至尊).
[太常 태상] ㉠해와 달을 그린 천자의 기(旗). ㉡구경(九卿)의 하나. 종묘(宗廟) 등의 제사를 맡은 벼슬. 대상(大常).
[太上老君 태상노군] 도교(道敎)에서 노자(老子)를 높이어 부르는 칭호.
[太常博士 태상박사] 여러 가지의 예(禮)를 맡은 벼슬. 위문제(魏文帝) 때 처음 두었음.
[太上王 태상왕] 왕(王)의 아버지에게 바치는 존호(尊號).
[太上皇 태상황] 황제의 아버지에게 바치는 존호(尊號).
[太上皇后 태상황후] 황태후(皇太后).
[太歲 태세] ㉠그해의 간지(干支). ㉡목성(木星)

의 별칭(別稱). ㉢음양도(陰陽道)에서 팔장신(八將神)의 하나.
[太素 태소] ㉠물질의 근본. ㉡대단히 검소함.
[太孫 태손] 황제(皇帝)의 손자. 황손(皇孫).
[太守 태수] 한대(漢代)의 군(郡)의 지방 장관. 군수(郡守).
[太始 태시] ㉠형태(形態)의 시초. ㉡천지(天地)가 비롯한 무렵. 곧, 만물이 시작한 때. ㉢만물의 근본.
[太息 태식] 한숨. 한숨 쉼.
[太甚 태심] 아주 심함. 극심(極甚).
[太阿 태아] ㉠명검(名劍)의 이름. ㉡벼슬 이름.
[太洋 태양] 대륙을 둘러싼 큰 바다.
[太陽 태양] ㉠해. ㉡'여름[夏]'의 별칭.
[太陽系 태양계] 태양을 중심(中心)으로 하여 운행(運行)하는 천체(天體)의 집단. 태양·혹성(惑星)·위성(衛星)·혜성(彗星)·유성(流星)으로 이루어짐.
[太陽年 태양년] 태양(太陽)이 춘분점(春分點)을 통과(通過)하여 다시 춘분점(春分點)에 이르는 동안. 곧, 365.2422의 일수(日數)로 된 양력의 1년.
[太陽曆 태양력] 지구(地球)가 태양(太陽)의 주위(周圍)를 한 번 도는 동안을 1년으로 하는 달력. 양력(陽曆).
[太易 태역] 우주의 혼성(混成) 이전을 이름. 또, 기(氣)가 나타나지 않았을 때. 태극(太極).
[太翁 태옹] ㉠증조부(曾祖父). ㉡뱃사공.
[太緩 태완] 아주 느즈러짐.
[太乙 태을] 태일(太一) ㉣㉤.
[太陰 태음] ㉠음기(陰氣)만 있을 뿐 양기(陽氣)가 조금도 없는 상태. 또, 그것을 이름. ㉡달. ㉢'겨울'의 별칭. ㉣북(北)을 이름. ㉤천신(天神)의 이름. ㉥의가(醫家)에서 이르는 맥(脈)의 이름. 수태음(手太陰)·족태음(足太陰)이 있음.
[太陰曆 태음력] 달의 차고 이지러짐을 표준(標準)으로 한 달력. 음력(陰曆).
[太醫 태의] 의약(醫藥)의 일을 맡은 벼슬.
[太一 태일] ㉠천지의 처음. 만물의 근본. ㉡유무(有無)를 합하여 하나로 함. ㉢가장 귀한 천신(天神). 천제(天帝). 또, 천제가 있는 곳. ㉣별의 이름. 태을(太乙). ㉤'종남산(終南山)'의 이칭(異稱). 태을(太乙).
[太子 태자] 천자(天子)를 계승할 아들. 동궁(東宮). 황태자(皇太子). 주대(周代)에는 제후(諸侯)의 적자(嫡子)도 태자라 하였음.
[太子宮 태자궁] ㉠황태자(皇太子)의 존칭(尊稱). ㉡황태자의 궁전(宮殿).
[太子妃 태자비] 황태자의 아내.
[太子賓客 태자빈객] 관명(官名). 진(晉)나라 혜제(惠帝) 때 처음 둔 벼슬로서 황태자의 사부(師傅)와 같은 것.
[太宰 태재] 나라의 정치(政治)를 총찰하여 다스리는 장관(長官). 총리대신(總理大臣). 총재(冢宰).
[太弟 태제] 천자(天子)의 아우.
[太祖 태조] 초대(初代)의 임금.
[太簇 태주] 대주(大簇).
[太眞 태진] ㉠태극(太極)의 기(旗). ㉡황금(黃金).
[太倉 태창] ㉠큰 곳집. 관부(官府)의 곳집. ㉡위(胃)의 별칭.
[太倉稊米 태창제미] 태창(太倉)은 나라의 쌀 창고. 제(稊)는 피의 일종. 아주 큰 물건 속에 있는 아주 작은 물건을 이름. 창해일속(滄海一粟).
[太初 태초] 천지(天地)가 개벽(開闢)하여 만물이 생기는 첫째 근본. 곧, 음양이 아직 나누어지지 않고 혼돈(混沌)한 상태에 있는 것.
[太初曆 태초력] 한무제(漢武帝)의 태초 원년(太初元年)에 굉등평(閎鄧平)이 만든 역법(曆法).
[太促 태촉] 몹시 재촉함.
[太衝 태충] 음력 9월의 이칭.
[太平 태평] 나라가 잘 다스려져 평안(平安)함.
[太平歌 태평가] 나라가 태평한 것을 구가(謳歌)하는 노래.
[太平廣記 태평광기] 책 이름. 송(宋)나라 이방(李昉) 등이 칙명(勅命)을 받들어 한(漢)나라에서 오대(五代)에 이르기까지의 전설(傳說)·기문(奇聞)을 수록(收錄)한 것. 5백 권.
[太平道 태평도] 후한말(後漢末)에 황건적(黃巾賊)의 수괴(首魁) 장각(張角)이 창시(唱始)한 사법(邪法).
[太平聖代 태평성대] 어진 임금이 태평(太平)하게 다스리는 세상(世上).
[太平盛事 태평성사] 태평(太平)한 시대(時代)의 훌륭한 일.
[太平世界 태평세계] 잘 다스려서 평안(平安)한 세상(世上).
[太平御覽 태평어람] 송(宋)나라의 태평흥국(太平興國) 2년에 이방(李昉) 등이 태종(太宗)의 명(命)을 받들어 찬(撰)한 책. 전부 1천 권. 여러 가지 사항(事項)을 널리 고적일문(古籍佚文)이나 유서(類書)에서 뽑아 55부문(部門)으로 나누어 실었음. 약(略)하여 '어람(御覽)'이라고도 함.
[太平天國 태평천국] 청(淸)나라의 도광 연간(道光年間)에 장발적(長髮賊) 홍수전(洪秀全)이 쓴 국호(國號).
[太河 태하] 황허(黃河) 강의 별명. 대하(大河).
[太學 태학] ㉠고대로부터 송대(宋代)까지 국도(國都)에 있던 최고 학부. ㉡우리나라 성균관(成均館)의 별칭.
[太學士 태학사] 《韓》 홍문관(弘文館) 대제학(大提學)의 별칭(別稱).
[太虛 태허] ㉠하늘. ㉡우주(宇宙)의 근원.
[太玄經 태현경] 책 이름. 한(漢)나라 양웅(揚雄)의 찬(撰). 10권. 역경(易經)을 모방하여 지었음.
[太皓 태호] ㉠하늘. 허공(虛空). ㉡우주(宇宙)의 근원(根元).
[太湖 태호] 장쑤(江蘇)·저장(浙江) 두 성에 걸쳐 있는 큰 호수(湖水). 부근은 관개(灌漑)가 잘되어 농산물이 많이 나며, 우시(無錫)·쑤저우(蘇州)는 그 집산지(集散地)임.
[太和 태화] ㉠몸과 마음의 정기(精氣). 만물의 원기. ㉡음양(陰陽)의 조화된 기(氣). 생생화육(生生化育)의 덕(德). 만물 생성(生成)의 힘. ㉢물아(物我)의 차별을 두지 않고 남과 다투지 아니함.
[太華 태화] 산(山) 이름. 오악(五岳)의 하나. 산시 성(陝西省) 화음현(華陰縣)의 남쪽에 있으며, '화산(華山)'이라고도 함.
[太皇帝 태황제] 태상황(太上皇).
[太皇太后 태황태후] 황제의 적조모(嫡祖母).
[太橫 태횡] 몹시 부정(不正)함.
[太后 태후] 황제(皇帝)의 적모(嫡母). 황태후(皇太后).

1
④ [夫] [中人] 부 [平]虞 ①-⑤甫無切 fū ⑥-⑪防無切 fú

[筆順] 一 二 ナ 夫

[字解] ①지아비 부 남편. '一婦'. '一一婦婦'《易經》. ②사내 부 ㉠성인(成人)이 된 남자. '丈一'. '無求備於一一'《書經》. ㉡정년(丁年)에 달하여 부역(賦役)에 징발(徵發)되는 인부. '復其一'《後漢書》. ㉢병사(兵士). '一屯, 晝夜九日'《左傳》. ③도울 부 '一者, 扶也'《白虎通》. ④다스릴 부 敷(攴部 十一畫)와 통용. '一, 猶治也'《禮記 注》. ⑤만보 부 한대(漢代)의 지적(地積)의 단위. 만 보(萬步)의 넓이. '六尺爲步, 步百爲畮, 畮百爲一'《漢書》. ⑥대저 부 발어사(發語辭). '一仁者'《論語》. ⑦진저 부 감탄사. '逝者如斯一'《論語》. ⑧저 부 사물을 지시하는 말. '一二三子也'《論語》. ⑨다시 부 復(彳部 九畫)와 同字. '獲我所求, 一何思舊'《張衡》. ⑩많을 부 여럿. '一, 猶凡也. 衆也'《經傳釋詞》. ⑪ 성(姓) 부 성(姓)의 하나.

[字源] 甲骨文 金文 篆文 象形. 성인(成人)을 나타내는 '大대'에, 관(冠)의 비녀를 나타내는 가로획(一)을 덧붙여, 성인(成人) 남자의 뜻을 나타냄.

[夫家 부가] ㉠남편의 집. 시집. ㉡부부(夫婦)가 다 있는 집. ㉢남녀(男女). 부부(夫婦).
[夫家之征 부가지정] 주대(周代)에 무직업자(無職業者)에게 과한 세금.
[夫課 부과] 부역(夫役).
[夫君 부군] 남편(男便)의 존칭(尊稱). 낭군(郎君).
[夫權 부권] 아내에 대하여 남편이 갖고 있는 신분 및 재산상의 권리.
[夫黨 부당] 남편 쪽의 본종(本宗).
[夫里之布 부리지포] 부포(夫布)와 이포(里布). 이포는 주대(周代)에 상마(桑麻)를 심지 않는 자에게 과한 과료(科料).
[夫馬 부마] 마부와 말.
[夫婦 부부] 남편(男便)과 아내.
[夫婦有別 부부유별] 오륜(五倫)의 하나. 부부(夫婦) 사이에는 인륜상(人倫上) 각기 일정한 직분(職分)이 있어서 서로 침범하지 못할 구별이 있음.
[夫死從子 부사종자] 아내는 남편이 죽으면 자식을 따라야 함.
[夫壻 부서] 남편.
[夫役 부역] 공사(公事)를 위하여 백성에게 과하는 노역(勞役). 부역(賦役).
[夫瓦 부와] 수키와.
[夫人 부인] ㉠남의 어머니의 일컬음. ㉡자기 어머니의 일컬음. ㉢천자(天子)의 첩(妾). ㉣제후(諸侯) 또는 귀인(貴人)의 아내. ㉤부인(婦人)의 봉호(封號). ㉥많은 사람. 여러 사람. 중인(衆人).
[夫子 부자] ㉠공자(孔子)의 존칭(尊稱). ㉡장자(長者)·현인(賢人)의 존칭. ㉢스승의 존칭. ㉣대부(大夫)의 지위에 있는 사람의 존칭. ㉤장사(將士)를 부르는 말. ㉥아내가 남편을 부르는 말.
[夫子自道 부자자도] 자기 일을 자기가 말함.
[夫差 부차] 춘추 시대(春秋時代)의 오(吳)나라의 왕. 월(越)나라를 쳐 그의 부왕(父王) 합려(闔閭)의 원수를 갚았으나, 후에 월왕(越王) 구천(句踐)에게 패사(敗死)하여 오나라는 멸망하였음.
[夫倡婦隨 부창부수] 남편(男便)이 부르고 아내가 이에 따른다는 뜻으로, 부부(夫婦)의 도리(道理)를 이름. 부창부수(夫唱婦隨).
[夫妻 부처] 부부(夫婦).
[夫妻牉合 부처반합] 부부(夫婦)는 각기 반(半)씩이어서, 둘이 합쳐 하나의 완전체(完全體)가 된다는 뜻.
[夫布 부포] 주대(周代)에 직업 없이 방랑하는 사람에게 과한 과료(科料).
◉姦夫. 諫議大夫. 褐夫. 健夫. 卿大夫. 故夫. 工夫. 寡夫. 曠夫. 轎夫. 軍夫. 窮夫. 懦夫. 擔夫. 大夫. 大丈夫. 獨夫. 萬夫. 亡夫. 武夫. 美大夫. 薄夫. 凡夫. 病夫. 鄙夫. 士大夫. 士夫. 嗇夫. 先夫. 膳夫. 消防夫. 小丈夫. 餓夫. 御士大夫. 餘夫. 女丈夫. 役夫. 驛夫. 廉夫. 獵夫. 五羖大夫. 頑夫. 勇夫. 庸夫. 偉丈夫. 人夫. 一夫. 丈夫. 壯夫. 田夫. 丁夫. 征夫. 情夫. 車夫. 讒夫. 賤丈夫. 哲夫. 樵夫. 貪夫. 販夫. 匹夫. 鄕大夫. 火夫.

1
④ [夬] [人名] [一] 쾌 [去]卦 古邁切 guài [二] 결 [入]屑 古穴切 jué

[筆順] 乛 コ 夬 夬

[字解] [一] ①터놓을 쾌 決(水部 四畫)과 뜻이 같음. ②쾌괘 쾌 육십사괘의 하나. 곧, ☱〈건하(乾下), 태상(兌上)〉. 소인은 궁하고 군자는 성(盛)한 상(象). '一, 揚于王庭'《易經》. [二] 깍지 결 抉(弓部 四畫)과 同字.

[字源] 篆文 象形. 상아(象牙) 따위로 만들어 속을 후벼 낸, 활시위를 당기기 위한 깍지를 손가락에 낀 모양을 본뜸. '깍지'의 뜻을 나타냄.

[夬夬 쾌쾌] 결단성이 있는 모양.

1
④ [天] [中人] 천 [平]先 他前切 tiān

[筆順] 一 二 チ 天

[字解] ①하늘 천 ㉠땅의 대(對). 천공(天空). '一地'. '鳶飛戾一'《詩經》. ㉡만물의 주재자. 상제(上帝). 하느님. '一心'. '自一祐之'《易經》. ㉢자연의 이법(理法). '順一者存, 逆一者亡'《孟子》. ㉣운명. '成敗一也'《五代史》. ㉤자연의 부여(賦與). '一才'. '全其一也'《呂氏春秋》. ㉥무위자연. '不以人易一'《淮南子》. ㉦천문. 일월성신(日月星辰)의 상태. '命南正重以司一'《史記》. ㉧기후. 시절. '一候'. '寒一'. ㉨믿고 의지하는 중요한 사물의 비유. '王者以民爲一, 而民以食爲一'《漢書》. ㉩태양. 해. '一, 謂日也'《禮記》. ②임금 천 '一子'. '一之方離'《詩經》. ③목숨 천 몸. '全其一'《呂氏春秋》. ④클 천 '一, 大也'《廣雅》. ⑤문신할 천 이마에 먹실을 넣는 형(刑). '其人一且劓'《易經》. ⑥성(姓) 천 성(姓)의 하나.

[字源] 甲骨文 金文 篆文 指事. 사람의 머리 부분을 크게 강조해 보여, '위·꼭대기'의 뜻에서, '하늘'의 뜻을 나타냄.

[天假之年 천가지년] 하늘이 세월을 빌려 줌. 곧,

목숨을 연장함. 수(壽)함.
[天角 천각] ㉠이마의 중앙. ㉡하늘의 모퉁이.
[天干 천간] 십간(十干).
[天蓋 천개] 《佛教》 불상(佛像) 또는 관(棺) 같은 것의 위를 가리는 양산(陽傘)같이 된 것. 닫집.
[天譴 천견] 하느님의 견책. 천벌(天罰).
[天經 천경] 하늘이 정(定)한 도(道)라는 뜻으로, 효도(孝道), 또는 예(禮)를 이름.

[天蓋]

[天警 천경] 천계(天戒).
[天經地緯 천경지위] 영원히 변(變)하지 않는 떳떳한 이치(理致).
[天戒 천계] 하느님의 계칙(戒飭).
[天界 천계] ㉠하늘. 속외(俗外). ㉡《佛教》 천상계(天上界).
[天癸 천계] 월경(月經).
[天啓 천계] 하느님의 계시(啓示).
[天繼 천계] 천자의 계승.
[天鼓 천고] ㉠별 이름. ㉡천둥.
[天閫 천곤] 천문(天門)의 문지방. 또, 대궐 문. 전(轉)하여, 궁중(宮中)의 뜻.
[天工 천공] ㉠하느님이 하는 일. 자연의 기교(技巧). ㉡하느님이 백성을 다스리는 기능.
[天公 천공] 하느님. 전(轉)하여, 천자(天子).
[天功 천공] 천지자연의 조화(造化). 자연의 공(功).
[天空 천공] 하늘. 공중(空中).
[天空海闊 천공해활] 하늘이 창창하고 바다가 광활하듯이 기상(氣象)이 상쾌하고 도량이 넓음을 이름.
[天戈 천과] 천자(天子)의 창. 전(轉)하여, 제왕의 군대. 천자가 하는 전쟁.
[天瓜 천과] 하눌타리. 박과에 속하는 다년생 만초(蔓草).
[天廓 천곽] 눈의 흰자위.
[天官 천관] ㉠주대(周代)의 육관(六官)의 하나. 총재(冢宰)가 그 장(長)으로서 천하의 정무(政務)를 총리하며 궁중(宮中)의 사무를 맡았음. ㉡천문(天文). ㉢천자(天子)를 섬기는 벼슬아치. ㉣오관(五官).
[天光 천광] 햇빛. 일광(日光).
[天巧 천교] 자연의 기교(技巧).
[天咎 천구] 천앙(天殃).
[天狗 천구] ㉠유성(流星)의 한 가지. 떨어질 때 소리를 냄. ㉡《佛教》 불계(佛界)와 중생계(衆生界). 또, 금강계(金剛界)와 태장계(胎藏界).
[天衢 천구] ㉠천상(天上)의 통로(通路). ㉡경사(京師)의 땅.
[天球儀 천구의] 천구(天球)의 작은 모형(模型)에 천체(天體)의 분포(分布)를 나타낸 것.
[天國 천국] 하늘의 나라. 천당.
[天菊 천국] 패랭이꽃.
[天君 천군] '마음[心]'의 별칭(別稱).
[天弓 천궁] 무지개.
[天眷 천권] 하느님의 권애(眷愛).
[天均 천균] 옳은 것이나 그른 것이나 통틀어 한 가지로 봄.
[天極 천극] 지축(地軸)을 연장(延長)하여 천구(天球)와 교회(交會)하는 점(點). 천구(天球)의 남북극(南北極).
[天根 천근] 하늘의 맨 끝.
[天衾 천금] 시체를 관에 넣고 덮는 이불.
[天紀 천기] ㉠천체(天體)의 도수(度數). ㉡상천(上天)의 강기(綱紀).
[天氣 천기] 하늘의 기상(氣象). 날씨.
[天機 천기] ㉠천지조화(天地造化)의 심오(深奧)한 비밀(祕密). 조화(造化)의 작용. ㉡천성(天性). 본래의 진성(眞性). ㉢천하(天下)의 정무(政務). 국가의 기무(機務).
[天氣圖 천기도] 천기(天氣)의 상태를 그린 그림.
[天氣豫報 천기예보] 일기 예보(日氣豫報).
[天南星 천남성] 천남성과(科)에 속하는 다년생 초본(草本)의 하나. 두여머조자기.
[天女 천녀] ㉠직녀성(織女星)의 별칭(別稱). ㉡제비[燕]의 별칭. ㉢하늘에 산다는 여자. 전(轉)하여, 미인(美人). ㉣《佛教》 여신(女神).
[天年 천년] 타고난 수명. 천수(天壽). 천명(天命).
[天壇 천단] ㉠하늘에 제사 지내는 단(壇). ㉡산정(山頂)의 평탄한 곳.
[天堂 천당] 《佛教》 하늘 위에 있는 화려(華麗)한 전당(殿堂). 극락정토(極樂淨土).
[天德 천덕] ㉠하느님의 덕. ㉡천도(天道). ㉢자연(自然). ㉣천자(天子)의 덕.
[天桃 천도] 하늘 위에 있다고 하는 복숭아.
[天道 천도] ㉠천체(天體)의 운행. ㉡천지자연의 도리. 천리(天理). ㉢《佛教》 육도(六道)의 하나. 욕계(欲界)·색계(色界)·무색계(無色界)의 총칭.
[天道教 천도교] 조선(朝鮮) 말엽(末葉) 사람 최제우(崔濟愚)를 교조(教祖)로 하는 동학(東學) 계통의 종교(宗教).
[天道無心 천도무심] 하늘이 무정(無情)함.
[天道無親常與善人 천도무친상여선인] 하늘의 도는 지극히 공평하여 누구라고 더 친절히 대하는 일이 없고 다만 항상 착한 사람에게만 친절을 베풂.
[天道是耶非耶 천도시야비야] 선(善)을 행하면 복(福)을 받고 악(惡)을 행하면 화(禍)를 받는 것을 천도(天道)라고 하는데, 세상(世上)의 실상(實狀)은 반드시 그렇지도 않은 것 같다고 의심(疑心)하여 원망하는 말.
[天道虧盈益謙 천도휴영익겸] 해가 일중(日中)한 다음에는 기울어지고, 달이 차면 이지러짐과 같이 천도는 영만(盈滿)한 것을 깎아 내고 항상 겸손한 것을 편듦.
[天動 천동] 천둥.
[天動說 천동설] 지구(地球)는 우주(宇宙)의 중앙(中央)에 있고, 모든 천체(天體)가 그 주위(周圍)를 돌아다닌다고 하는 학설(學說).
[天得 천득] 타고난 성품.
[天羅地網 천라지망] 불가피한 재액(災厄)의 비유.
[天落水 천락수] 하늘에서 떨어지는 빗물.
[天覽 천람] 천자(天子)가 봄.
[天朗氣淸 천랑기청] 하늘이 구름 한 점 없이 개고 날씨가 화창하여 공기가 상쾌함.
[天來 천래] ㉠하늘에서 옴. ㉡하늘에서 얻음.
[天癘 천려] 하늘이 내리는 앙화(殃禍). 천재(天災).
[天力 천력] ㉠자연의 작용(作用). ㉡천자(天子)의 은덕(恩德).
[天禮 천례] 하늘에 제사를 올리는 예식.

[天祿 천록] 하늘이 주는 복록.
[天籟 천뢰] 천지자연의 소리. 곧, 나무를 스쳐 지나는 바람 소리 따위.
[天龍 천룡] ㉠성수(星宿)의 이름. 북두(北斗)와 직녀(織女)와의 중간에 있음. ㉡《佛敎》 천상계(天上界)에 사는 귀신(鬼神) 및 용(龍). ㉢지네.
[天倫 천륜] 부자 형제(父子兄弟) 사이의 변하지 않는 떳떳한 도리(道理).
[天綸 천륜] 천자(天子)의 말씀. 천어(天語).
[天吏 천리] ㉠하느님의 명을 받들어 백성을 다스리는 사람. 하느님을 대신하여 정사(政事)를 행하는 사람이라는 뜻으로, 유덕(有德)한 천자(天子)를 이름. ㉡춘(春)·하(夏)·추(秋)·동(冬)의 일컬음.
[天理 천리] 천지자연(天地自然)의 이치(理致).
[天馬 천마] ㉠하늘을 달린다는 상제(上帝)의 말. ㉡대원국(大宛國)에서 나는 좋은 말. ㉢비상한 준마(駿馬).
[天麻 천마] 수자해좆. 또, 그 뿌리. 뿌리는 약재(藥材)로 씀.
[天魔 천마] 사람에게 해를 끼치는 하늘의 요귀(妖鬼).
[天幕 천막] 비·이슬·바람·볕을 가리기 위한 서양식 장막(帳幕).
[天罔 천망] 천망(天網).
[天網 천망] 하늘의 악인(惡人)을 잡는 그물.
[天網恢恢疎而不失 천망회회소이불실] 하늘의 그물은 굉장히 넓어서 눈은 성기지만 선한 자에게 선을 주고 악한 자에게 앙화(殃禍)를 내리는 일은 조금도 빠뜨리지 아니함. 실(失)은 일본(一本)에 누(漏)로 되었음.
[天命 천명] ㉠하느님의 명령. ㉡하느님에게서 받은 운명. 자연의 운수. ㉢하늘에서 타고난 목숨.
[天明 천명] 새벽.
[天名精 천명정] 여우오줌풀. 그 잎은 살충약(殺蟲藥)으로 씀.
[天無私覆 천무사복·천무사부] 천도(天道)는 공평무사(公平無私)함.
[天無三日晴 천무삼일청] 좋은 날씨는 사흘씩 계속되지 않는다는 뜻으로, 이 세상은 풍파가 많고 갈등이 일어나기 쉬워 평화가 오래 계속되지 않음을 이름.
[天無二日 천무이일] 하늘에 해가 둘이 없다는 뜻으로, 나라에는 오직 한 임금이 있을 뿐이라는 말.
[天文 천문] ㉠천체(天體)의 온갖 현상(現象). ㉡천문학(天文學).
[天門 천문] ㉠하늘로 들어간다는 문. ㉡대궐 문(大闕門). ㉢콧구멍. ㉣양미간(兩眉間). ㉤탑(塔)의 꼭대기.
[天文臺 천문대] 천문(天文)을 관측(觀測)하는 곳.
[天門冬 천문동] 백합과에 딸린 다년초. 괴근(塊根)은 약용(藥用). 호라지좆.
[天文學 천문학] 천체(天體)에 관한 사항(事項)을 연구(研究)하는 학문.
[天物 천물] 천산물(天產物).
[天味 천미] 자연의 풍치(風致).
[天民 천민] ㉠하느님의 법칙을 준수하는 백성. ㉡백성. 인민.
[天半 천반] 중천(中天).
[天放 천방] 자연 그대로임. 인위(人爲)를 가하지 아니함.
[天方地方 천방지방] 《韓》 천방지축(天方地軸).
[天方地軸 천방지축] 《韓》 ㉠너무 급하여 두서(頭緒)를 잡지 못하고 허둥지둥함. ㉡어리석은 사람이 종작없이 덤벙임.
[天杯 천배] 천자(天子)가 하사(下賜)한 술잔.
[天翻地覆 천번지복] 하늘과 땅이 뒤집힘. 곧, 천지(天地)에 큰 변동(變動)이 일어나 질서(秩序)가 몹시 어지러움.
[天伐 천벌] 벼락을 침.
[天罰 천벌] 하늘이 주는 벌(罰).
[天邊 천변] 하늘의 가. 하늘의 끝. 곧, 하늘의 가장 높은 곳.
[天變 천변] 하늘에서 생기는 괴상한 변동(變動).
[天變地異 천변지이] 하늘과 땅의 변동과 괴변(怪變).
[天兵 천병] 천자(天子)가 통솔하거나 파견하는 군대.
[天步 천보] 천운(天運) ❶.
[天保 천보] 하느님이 도와 편안하게 함.
[天報 천보] 자연의 갚음.
[天步艱難 천보간난] 천운(天運)이 열리지 않아 시세(時勢)가 날로 험난하여짐.
[天保九如 천보구여] 축수(祝壽)하는 말. 천보(天保)는 시경(詩經)의 편명(編名)으로서 그 시 중의 장수(長壽)를 축하하는 구(句)에 여(如)자가 아홉 있는 데서 생긴 말.
[天福 천복] 하늘이 주는 행복(幸福).
[天覆地載 천복지재] 천부지재(天覆地載).
[天府 천부] ㉠주대(周代)에 천자(天子)의 조상의 제사에 올리는 세전(世傳)의 보물을 맡은 벼슬. 춘관(春官)에 속함. ㉡천자(天子)가 쓰는 물품을 두는 곳집. ㉢자연의 곳집이라는 뜻으로, 걸차서 산물이 많이 나는 토지를 이름. ㉣산천이 험준하여 천연의 요새를 이룬 토지. ㉤학문에 조예가 썩 깊음을 이름. ㉥달[月]의 서울.
[天符 천부] 하늘에서 내린 상서(祥瑞)로운 징조. 천서(天瑞).
[天賦 천부] 천성(天性).
[天賦人權說 천부인권설] 사람은 남에게 좌우(左右)당하지 않는 자유(自由)의 권리를 평등하게 갖고 있다는 설(說).
[天覆地載 천부지재] 하늘은 덮고 땅은 실음.
[天府之土 천부지토] 천연(天然)의 요해처(要害處)로 땅이 비옥하고 산물(產物)이 풍족(豐足)한 땅.
[天分 천분] ㉠천성(天性). ㉡분수. 분한(分限). ㉢정신. 영혼.
[天不生無祿之人 천불생무록지인] 누구나 다 같이 하늘에서 먹을 것을 타고난다는 말.
[天崩地壞 천붕지괴] 하늘이 무너지고 땅이 꺼짐.
[天崩之痛 천붕지통] 제왕(帝王)이 붕어(崩御)하심.
[天妃 천비] ㉠물을 맡은 신(神). ㉡천녀(天女).
[天庇 천비] 하늘의 도움. 또, 군주(君主)의 가호(加護).
[天士 천사] 천도(天道)를 아는 사람.
[天使 천사] ㉠하느님의 사명(使命)을 받들고 인계(人界)에 내려온 신(神). ㉡천자(天子)의 사신(使臣). 칙사(勅使). ㉢해와 달. 일월(日月). ㉣무지개.
[天嗣 천사] 천윤(天胤).
[天賜 천사] 하늘에서 내린 것.
[天產 천산] ㉠자연(自然)의 산출(產出). ㉡천산물(天產物).

[天産物 천산물] 자연(自然)히 생겨난 물건.
[天煞 천살] 길하지 못한 별의 이름.
[天上 천상] ㉠하늘의 위. 하늘. ㉡《佛敎》 하늘 위에 신(神)이 있는 곳.
[天常 천상] 하느님이 정(定)한 인륜(人倫)의 길. 오상(五常)의 도(道).
[天象 천상] 천체(天體)의 현상.
[天上界 천상계] 《佛敎》 육도(六道)의 하나. 욕계(欲界)·색계(色界)·무색계(無色界)의 제천(諸天).
[天上天下唯我獨尊 천상천하유아독존] 천지 사이에 나보다 높은 것이 없음. 석가(釋迦)가 한 말임.
[天生 천생] ㉠하늘로부터 타고남. 또, 타고난 성질. ㉡자연히 이루어짐. 저절로 남.
[天眚 천생] 지진(地震)·바람·비 따위 하늘이 주는 재앙(災殃).
[天生配匹 천생배필] 하늘이 맺어 준 배필(配匹).
[天生緣分 천생연분] 하늘이 배필(配匹)을 맺어 준 연분(緣分).
[天序 천서] ㉠천자(天子)의 계통(系統). ㉡천체(天體)의 차서(次序).
[天瑞 천서] 하늘에 나타나는 상서(祥瑞). 천부(天符).
[天鼠 천서] 박쥐.
[天錫 천석] 하늘이 내려 줌. 또, 그것.
[天仙 천선] 하늘에 산다고 하는 신선(神仙).
[天旋地轉 천선지전] 세상만사가 많이 변함.
[天成 천성] 자연히 이루어짐.
[天性 천성] 타고난 성품(性品).
[天聲 천성] 하늘의 소리란 뜻으로, 일반적으로 세평(世評)을 이름.
[天素 천소] 타고난 성질.
[天孫 천손] ㉠직녀성(織女星)의 별칭. ㉡태산(泰山)의 별칭.
[天水 천수] 빗물.
[天守 천수] 천진(天眞)을 지켜 보전함.
[天授 천수] 하늘이 내려 줌. 하늘이 내려 준 바.
[天壽 천수] ㉠천자(天子)의 수(壽). ㉡타고난 목숨. 천명(天命).
[天數 천수] ㉠천명(天命). ㉡천운(天運).
[天水一碧 천수일벽] 하늘과 물이 하나의 푸른빛을 이루어 합침.
[天時 천시] ㉠간지(干支)의 운행(運行)에 따라 혹은 길(吉)하고 혹은 흉(凶)한 때. ㉡때를 따라 돌아가는 인생(人生)과 밀접한 관계가 있는 자연(自然)의 현상(現象). 곧, 주야(晝夜)·계절(季節) 등. ㉢하늘의 도움을 받는 시기.
[天時不如地利 천시불여지리] 하늘의 때는 지세(地勢)의 이로움만 같지 아니함.
[天神 천신] 하늘의 신(神).
[天神地祇 천신지기] 천신과 사직(社稷).
[天心 천심] ㉠하느님의 마음. 천의(天意). ㉡하늘의 한가운데.
[天鵝 천아] 고니. 백조(白鳥).
[天鵝聲 천아성] ㉠변사(變事)가 있을 때에 군사(軍士)를 모으기 위하여 부는 나팔 소리. ㉡임금이 대궐(大闕)을 나섰을 때에 부는 태평소(太平簫)의 소리.
[天眼 천안] 보통의 육안(肉眼)으로 볼 수 없는 사물을 보는 안식(眼識).
[天顔 천안] 천자(天子)의 얼굴.
[天安門 천안문] 중국 북경시(北京市) 중심에 있는 자금성(紫禁城)의 정문(正門). 문 앞에는 큰 광장(廣場)이 있어 각종 집회·행사가 열림.
[天眼通 천안통] 《佛敎》 천안(天眼)이 있어 욕계(欲界)·색계(色界)를 자유자재로 볼 수 있는 신통력(神通力).
[天殃 천앙] 하늘에서 벌(罰)로 내리는 앙화(殃禍).
[天涯 천애] ㉠하늘의 끝. ㉡썩 먼 곳.
[天涯如比隣 천애여비린] 썩 먼 곳도 이웃에 있는 것 같음.
[天涯地角 천애지각] 하늘의 끝과 땅의 모퉁이. 곧, 썩 먼 곳.
[天壤 천양] 하늘과 땅. 천지(天地).
[天壤無窮 천양무궁] 천지(天地)와 더불어 끝이 없음. 영구(永久).
[天壤之差 천양지차] 하늘과 땅 사이와 같이 엄청난 차이.
[天語 천어] 천자(天子)의 말.
[天業 천업] 천자(天子)가 천하를 다스리는 일. 제왕의 사업.
[天與 천여] 하늘이 줌. 하늘의 준 바.
[天役 천역] 하늘의 사역(使役). 하늘의 노역(勞役).
[天然 천연] 자연 그대로의 상태. 인공(人工)을 가(加)하지 아니한 상태.
[天淵 천연] ㉠하늘과 못. 전(轉)하여, 위와 아래. ㉡대단히 현격(懸隔)함. 현격한 차이가 짐.
[天然痘 천연두] 오한(惡寒)·발열(發熱)이 앞서 나고 전신에 두창(痘瘡)이 생기는 전염병(傳染病). 마마.
[天然物 천연물] 인공(人工)을 가(加)하지 아니한 그대로의 물건.
[天然美 천연미] 자연미(自然美).
[天然色 천연색] 인공(人工)을 가(加)하지 아니한 그대로의 빛깔.
[天淵之差 천연지차] 하늘과 못과의 차이. 곧, 대단한 차이를 이름. 천양지차(天壤之差).
[天吳 천오] 해신(海神)의 이름.
[天王 천왕] ㉠천자(天子). 제왕. ㉡《佛敎》 욕계(欲界)·색계(色界)의 주(主).
[天王星 천왕성] 태양계(太陽系)의 제7행성(行星). 위성(衛星) 네 개가 있고, 약 84년에 태양(太陽)을 일주(一周)하는 유성(遊星).
[天外 천외] 아주 먼 곳. 또는 가장 높은 곳.
[天外放浪 천외방랑] 먼 곳에서 방랑함.
[天牛 천우] 갑충류(甲蟲類)에 속하는 곤충. 하늘소.
[天宇 천우] ㉠하늘. ㉡천하(天下). 천자(天子)가 있는 서울.
[天佑 천우] 하느님의 도움.
[天祐 천우] 천우(天佑).
[天佑神助 천우신조] 하느님과 신령의 도움.
[天運 천운] ㉠하늘이 정(定)한 운수. 자연의 운수. ㉡천체(天體)의 운행(運行).
[天元 천원] ㉠자연의 근본. ㉡천자(天子). 제왕.
[天苑 천원] ㉠별의 이름. 필성(畢星)의 남쪽에 있음. ㉡천자(天子)의 정원(庭園).
[天媛 천원] ㉠칠석(七夕)의 직녀(織女). ㉡천녀(天女).
[天圓地方 천원지방] 하늘은 둥글고 땅은 네모짐.
[天位 천위] ㉠천자(天子)의 자리. ㉡천체(天體)의 위치.
[天威 천위] ㉠하느님의 위력(威力). ㉡천자의 위엄(威嚴). ㉢천자의 위력. ㉣자연히 갖추어진

위엄. ㉤하늘이 내리는 형벌(刑罰).
[天威咫尺 천위지척] 천자(天子)를 가까이 배알(拜謁)하여 대단히 황공함.
[天維 천유] 하늘이 떨어지지 않도록 지탱하는 밧줄. 하늘이 이루어지는 근본(根本).
[天誘其衷 천유기충] 인심(人心)이 자연히 어느 한 곳으로 쏠림을 이름.
[天胤 천윤] 하느님 또는 천자(天子)의 계승자(繼承者).
[天恩 천은] ㉠하느님의 은혜(恩惠). ㉡천자(天子)의 은혜(恩惠).
[天銀 천은] 품질(品質)이 좋은 은.
[天泣 천읍] 구름 한 점 없는 맑은 날에 오는 비.
[天應 천응] 하느님의 감응(感應).
[天衣 천의] ㉠천자의 옷. ㉡선인(仙人)의 옷. ㉢천인(天人)의 옷. 극히 가벼운 것.
[天意 천의] ㉠하느님의 뜻. ㉡천자(天子)의 뜻.
[天衣無縫 천의무봉] 하늘에 있다는 직녀(織女)가 짜 입은 옷은 솔기가 없다는 뜻으로, 시문(詩文) 등이 너무 자연스러워 조금도 꾸민 티가 없음을 이름.
[天人 천인] ㉠하느님과 사람. ㉡천상(天象)과 인사(人事). ㉢유덕(有德)한 사람. ㉣비상히 뛰어난 사람. 인걸(人傑). ㉤하늘 위의 사람. 또, 하늘에서 이 세상에 내려온 사람. ㉥《佛敎》 천상계(天上界)에 사는 사람. ㉦미인(美人).
[天姻 천인] 천자(天子)의 인척(姻戚).
[天人之道 천인지도] 하느님과 인간(人間)에게 상통(相通)하는 우주 간(宇宙間)의 근본 원리(根本原理).
[天人之會 천인지회] 하느님의 뜻과 인심(人心)이 모여 천자(天子)가 될 운(運)이 돌아옴.
[天日 천일] 해. 태양(太陽).
[天日之表 천일지표] 사해(四海)에 군림(君臨)할 상(相). 곧, 천자(天子)의 인상(人相).
[天子 천자] ㉠하느님의 아들. ㉡천하를 다스리는 사람. 곧, 황제.
[天姿 천자] 타고난 모습.
[天資 천자] 타고난 자질(資質). 타고난 바탕. 천품(天稟).
[天慈 천자] 천자(天子)의 자애.
[天子無戲言 천자무희언] 천자는 실없는 말이 없음. 곧, 말한 바는 반드시 실행되어야 함.
[天作 천작] 자연히 이루어짐. 저절로 생김.
[天爵 천작] 자연히 세상 사람에게 존경을 받는, 날 때부터 갖추고 나온 덕.
[天蠶 천잠] 참나무산누에나방의 유충(幼蟲). 모양은 누에와 비슷하나 빛이 푸르며 고치는 녹색(綠色)임.
[天匠 천장] 천공(天工)❶.
[天長節 천장절] 당(唐)나라 현종(玄宗)의 생일 이름. '천추절(千秋節)' 참조(參照).
[天長地久 천장지구] 하늘과 땅은 영구(永久)히 변(變)하지 아니함.
[天藏之祕 천장지비] 파묻혀 세상(世上)에 드러나지 아니함.
[天才 천재] ㉠타고난 재능. ㉡날 때부터 갖춘 뛰어난 재주. 또, 그 사람.
[天災 천재] 바람·비 등의 자연(自然)의 재앙(災殃).
[天宰 천재] 백관(百官)의 장(長). 총재(冢宰).
[天裁 천재] 천자(天子)의 재결(裁決).
[天災地妖 천재지요] 천지(天地)의 재변 요괴(災變妖怪). 하늘과 땅에 일어나는 재난(災難)이나 변사(變事).
[天占 천점] 하늘에 나타나는 길흉(吉凶)의 조짐.
[天井 천정] ㉠방(房)·마루 등의 위 되는 곳. 곧, 지붕의 안쪽. 천장(天障). ㉡땅이 함입(陷入)하여 물이 솟아 나오는 곳. ㉢수문(水門).
[天庭 천정] ㉠이마의 한가운데. ㉡별의 이름. ㉢하늘. 천상(天上).
[天井不知 천정부지] 《韓》 물건 값이 자꾸 오르기만 함을 이르는 말.
[天定亦能勝人 천정역능승인] 악인들이 너무 강하여 일시적으로는 득세할지라도 천도(天道)가 순환하여 반드시 그들에게 화(禍)를 내림.
[天定緣分 천정연분] 천생연분(天生緣分).
[天帝 천제] 천지(天地)를 주재(主宰)하는 신(神). 하느님.
[天祭 천제] 하느님께 지내는 제사.
[天際 천제] 하늘의 가. 하늘의 끝. 곧, 하늘의 가장 높은 곳.
[天助 천조] 하늘의 도움.
[天阻 천조] 천험(天險).
[天祚 천조] ㉠천자(天子)의 지위. ㉡하느님이 내린 복조(福祚).
[天造 천조] 하늘의 조화(造化).
[天朝 천조] 천자의 조정(朝廷).
[天造草昧 천조초매] 천지(天地)의 개벽(開闢).
[天縱 천종] 하늘에서 허여(許與)함. 하늘에서 준 덕(德)을 갖춤. 또, 그 성격.
[天縱之聖 천종지성] ㉠공자(孔子)의 덕화(德化). ㉡제왕의 성덕(聖德)을 칭송하는 말.
[天主 천주] ㉠하늘의 신(神). ㉡천주교에서 우주(宇宙)·만물(萬物)의 창조자(創造者). 하나님.
[天柱 천주] 하늘을 괴고 있다고 하는 기둥.
[天誅 천주] ㉠하늘이 하는 주벌(誅伐). ㉡천의(天意)에 의하여 행하는 주벌(誅伐).
[天主教 천주교] 기독교(基督教)의 구교(舊教)의 일파(一派). 가톨릭교.
[天柱折地維缺 천주절지유결] 천주(天柱)가 부러지고, 지유(地維)가 끊긴다는 뜻으로, 천하의 분란(紛亂)이 심함을 이름.
[天中佳節 천중가절] 단오(端午).
[天池 천지] ㉠바다. ㉡별 이름. ㉢높이 가설(架設)한 홈통.
[天地 천지] ㉠하늘과 땅. ㉡우주(宇宙). ㉢세상(世上). ㉣위와 아래. ㉤차이가 대단함의 비유.
[天智 천지] 타고난 지혜(智慧).
[天地角 천지각] 하나는 위로 하나는 아래로 향한 짐승의 뿔.
[天地間 천지간] 하늘과 땅의 사이.
[天地開闢 천지개벽] 하늘과 땅이 처음으로 열림.
[天之美祿 천지미록] 하늘에서 내려 준 좋은 녹(祿)의 뜻. 술의 미칭(美稱).
[天地分格 천지분격] 서로 매우 다름.
[天地壽 천지수] 천지(天地)와 같이 오래도록 다하지 않는 목숨. 무궁한 수명.
[天地神明 천지신명] 우주(宇宙)를 주재하는 신령(神靈).
[天之曆數 천지역수] 제왕(帝王)이 되는 천운(天運). 제왕이 되는 자연(自然)의 순서(順序).
[天地一大戲場 천지일대희장] 천지간에는 흥망성쇠로 변화가 잦아 마치 한 큰 연극장 같음.
[天地板 천지판] 관(棺)의 뚜껑과 바닥의 널.
[天職 천직] ㉠하느님이 맡긴 직무. ㉡하느님의 직무. 하느님이 맡은 바. ㉢천자(天子)의 직무.

㉣천도(天道)를 좋아하는 일. 「됨.
[天眞 천진] 조금도 꾸밈이 없이 자연 그대로 참
[天眞爛漫 천진난만] 거짓과 꾸밈이 없이 천진(天眞) 그대로 찬란히 나타남.
[天眞挾詐 천진협사] 어리석게 보이는 가운데 거짓이 섞임.
[天疾 천질] 날 때부터 타고난 병.
[天質 천질] 타고난 성질(性質).
[天塹 천참] 강하(江河) 따위로 인하여 저절로 이루어진 요충지(要衝地).
[天窓 천창] 방을 밝게 하기 위하여 천장에 낸 창.
[天聽 천청] 하느님 또는 천자(天子)께서 들음.
[天體 천체] ㉠하늘의 형체(形體). ㉡일월성신(日月星辰)의 총칭(總稱). 「愛).
[天寵 천총] 하느님 또는 천자(天子)의 총애(寵
[天樞 천추] 북두칠성의 첫째 별. 추성(樞星).
[天竺 천축] 중국에서 이르는 인도(印度)의 고칭(古稱).
[天癡 천치] 날 때부터 정신 작용(精神作用)이 완전(完全)하지 못한 사람.
[天則 천칙] 우주의 대자연(大自然)의 법칙.
[天秤 천칭] 저울의 한 가지. 천평칭(天平秤).
[天台 천태] ㉠저장 성(浙江省) 톈타이 현(天台縣)의 서쪽에 있는 천태종의 성지(聖地)인 산. ㉡천태종(天台宗).
[天台宗 천태종] 불교의 한 파(派). 인도의 용수(龍樹)가 개조(開祖)임.
[天統 천통] ㉠자연의 법칙. ㉡천자(天子)의 혈통(血統).
[天陛 천폐] 천자(天子)가 사는 궁전의 섬돌.
[天表 천표] ㉠천외(天外). ㉡제왕(帝王)의 의용(儀容).
[天稟 천품] 타고난 기품(氣稟). 천성(天性).
[天風 천풍] 하늘 높이 부는 센 바람.
[天必厭之 천필염지] 하느님이 반드시 미워하여 벌을 내림.
[天下 천하] ㉠하늘 아래. ㉡온 나라.
[天河 천하] 은하(銀河).
[天下奇才 천하기재] 천하에서 비견할 이가 없을 만한 큰 기재(奇才). 천하에 드문 기재.
[天下大勢 천하대세] 세상(世上)이 돌아가는 추세(趨勢). 「라.
[天下萬國 천하만국] 지구 상(地球上)의 모든 나
[天下萬事 천하만사] 세상(世上)의 모든 일.
[天下名唱 천하명창] 세상(世上)에 드문 유명(有名)한 소리꾼.
[天下母 천하모] ㉠만물 생성(生成)의 근원. ㉡황태후(皇太后).
[天下無棄物 천하무기물] 세상에는 하나도 버릴 것이 없음. 무슨 물건이든 한 가지의 용도는 있음.
[天下無雙 천하무쌍] 천하에 비길 것이 없음.
[天下非一人之天下天下之天下 천하비일인지천하천하지천하] 천하는 천자의 사유물이 아니고 천하 만민의 공유물임.
[天下壯士 천하장사] 세상에 드문 장사(壯士).
[天下之士 천하지사] 천하에서 뛰어난 선비.
[天下之才 천하지재] 천하에서 비견할 이가 없을 만큼 큰 재주를 가진 사람. 천하에 드문 재사(才士).
[天下太平 천하태평] ㉠온 천하가 극히 잘 다스려져 있음. ㉡걱정 근심 없이 크게 평안함. 천하태평(天下泰平).
[天旱 천한] 가뭄. 가물음.
[天漢 천한] 은하(銀河).
[天幸 천행] 뜻밖의 우연한 행복(幸福). 하늘이 주는 행복.
[天香 천향] 뛰어나게 좋은 향기.
[天香國色 천향국색] ㉠모란(牡丹)의 이칭(異稱). ㉡세상에서 제일가는 미인. 천하일색(天下一色).
[天憲 천헌] 조정(朝廷)의 법령(法令). 천자(天子)의 명령(命令).
[天險 천험] 천연적(天然的)으로 험난(險難)하게 생긴 땅.
[天玄 천현] 하늘의 정기(正氣).
[天顯之親 천현지친] 부자·형제 등의 천륜(天倫)의 지친(至親).
[天刑 천형] ㉠자연(自然)의 법(法). ㉡천벌(天罰). ㉢환관(宦官).
[天刑病 천형병] 문둥병.
[天惠 천혜] 하늘의 은혜(恩惠).
[天祜 천호] 하느님이 주는 행복.
[天閽 천혼] ㉠하느님이 계신 곳의 문(門). 하늘의 문. ㉡제왕(帝王)의 궁문(宮門).
[天火 천화] 저절로 나는 화재(火災).
[天花 천화] ㉠하늘에서 내리는 꽃. ㉡'눈〔雪〕'의 이칭(異稱).
[天和 천화] ㉠천지(天地)의 화기(和氣). ㉡사람의 원기(元氣).
[天禍 천화] 하느님이 내리는 재화.
[天花粉 천화분] 하눌타리의 뿌리로 만든 가루. 거담(祛痰)·소갈(消渴)·하열제(下熱劑)로 씀.
[天火日 천화일] 천화(天火)가 난다고 하는 자(子)·오(午)·묘(卯)·유(酉)의 날. 이날에 상량(上樑)하거나 지붕을 이면 그 집에 불이 난다고 함.
[天宦 천환] 나면서부터 자지나 불알이 없는 사람. 「(天帝).
[天皇 천황] ㉠천자(天子). 황제(皇帝). ㉡천제
[天潢 천황] ㉠은하(銀河). ㉡천상(天上)의 못〔池〕. ㉢천황지파(天潢之派).
[天潢之派 천황지파] 황족(皇族).
[天灰 천회] 광중(壙中)에 관(棺)을 내려놓고 관 위를 다지는 석회(石灰).
[天候 천후] 기후(氣候).
[天休 천휴] 하늘의 아름다운 도리(道理).
◉九重天. 九天. 穹天. 鈞天. 金天. 樂天. 露天. 談天. 曇天. 戴盆望天. 滔天. 冬天. 東天. 登天. 摩天. 滿天. 梅天. 命在天. 暮天. 旻天. 半天. 梵天. 碧天. 普天. 富貴在天. 不俱戴天. 飛龍在天. 飛天. 四天. 三天. 上天. 霜天. 先天. 雪天. 所天. 垂天. 昇天. 仰天. 五天. 午天. 遙天. 雨天. 有頂天. 六天. 以管窺天. 人天. 一念通天. 一飛沖天. 坐井觀天. 中天. 持國天. 至誠感天. 蒼天. 青天. 晴天. 秋天. 春天. 沖天. 衝天. 翠天. 則天. 旱天. 寒天. 玄天. 壺中天. 昊天. 渾天. 皇天. 荒天. 回天. 曉天. 後天.

1④ [夭] 人名 ㊀ 요 ①②㊤篠 於兆切 yāo ③-⑥㊥蕭 於喬切 ㊁ 오 ㊤晧 烏皓切 ǎo

筆順 一 二 チ 夭

字解 ㊀ ①일찍죽을 요 '一死'. '人之情, 欲壽

而惡一'《呂氏春秋》. ②굽을 요 굽어 뻗거나 펴지지 않는 모양. '一, 屈也'《說文》. ③무성할 요 풀이 무성함. '厥草惟一'《書經》. ④어릴 요, 예쁠 요 나이가 젊고 용모가 아름다움. '桃之一一'《詩經》. '一之沃沃'《詩經》. ⑤얼굴빛화평할 요 '子之燕居, 申申如也, 一一如也'《論語》. ⑥재앙 요 재화. '天一是椓'《詩經》. [二] ①어린애 오 유아. '不殺胎, 不殀一'《禮記》. ②새끼 오 갓 태어난 조수(鳥獸)의 새끼. '毋殺孩蟲胎一'《禮記》.

[字源] 甲骨文  金文  篆文  象形. 젊은 무녀(巫女)가 나긋나긋 몸을 움직이며 신(神)을 부르는 춤을 추는 모양을 본떠, '젊다'의 뜻을 나타냄.

[夭姣 요교] 젊고 예쁨. 또, 그 사람.
[夭矯 요교] 뛰어오르는 모양.
[夭蟜 요교] ㉠용(龍)이 뛰어오르는 모양. ㉡끊임없이 뻗어 나가는 모양. ㉢나뭇가지가 꼬부라진 모양.
[夭那 요나] 요나(夭娜).
[夭娜 요나] 예쁘고 날씬함.
[夭桃 요도] ㉠꽃이 아름답게 핀 복숭아나무. ㉡젊고 예쁜 여자의 얼굴. ㉢시집갈 나이.
[夭厲 요려] 유행병(流行病).
[夭斜 요사] 바르지 아니함. 부정(不正).
[夭死 요사] 일찍 죽음. 나이가 젊어서 죽음.
[夭傷 요상] 요사(夭死).
[夭殤 요상] 요사(夭死). 상(殤)은 스무 살도 못 되어 죽는 일.
[夭逝 요서] 요사(夭死).
[夭遏 요알] 요알(夭閼).
[夭閼 요알] 요사(夭死).
[夭枉 요왕] 요절(夭折).
[夭夭 요요] ㉠나이가 젊고 예쁜 모양. ㉡안색(顏色)이 온화한 모양. 얼굴에 화색이 도는 모양. ㉢무성하게 잘 자라는 모양.
[夭折 요절] 요사(夭死).
[夭札 요찰] 요사(夭死).
[夭昏 요혼] 태어나서 아직 이름도 짓기 전에 죽음.
◉桃夭. 壽夭. 靜壽躁夭. 早夭. 蚤夭. 胎夭. 橫夭.

[犬] 〔견〕
部首(p.1386)를 보라.

2 ⑤ [夲] [一] 토 [平]豪 土刀切 tāo [二] 본 [上]阮 補袞切 běn 

[字解] [一] ①나아갈 토 전진함. '一, 進趣也'《說文》. ②볼 토 왕래하며 보는 모양. '一, 往來見貌'《正字通》. [二] 근본 본 本(木部 一畫)의 俗字.

[字源] 篆文  會意. 大+十. '大대'는 '사람'의 뜻. 열 사람의 능력을 아우른 힘으로 빨리 나아가다의 뜻을 나타냄.

2 ⑤ [夯] 항 [上]養 呼朗切 hāng 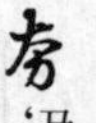

[字解] ①멜 항 힘을 들여 물건을 어깨에 멤. '及他人擔一'《禪林寶訓》. ②달구질 항 나무로 땅을 두드려 다짐. '務要劉平一硪堅實'《福惠全書》.

[字源] 會意. 大+力. 크게 힘을 써서 메다의 뜻을 나타냄. 또, 큰 힘을 들여 땅을 다지는 뜻을 나타냄.

[夯夫 항부] 달구질하여 흙을 다지는 인부(人夫).
[夯硪 항아] 달구질하여 땅을 다짐.

2 ⑤ [夳] [一] 태 [去]泰 他蓋切 tài [二] 달 [入]曷 他達切

[字解] [一] ①미끄러울 태 미끄러짐. '一, 說文, 滑也'《集韻》. ②클 태, 통할 태 '一, 一曰, 大也. 通也'《集韻》. ③泰(水部 五畫)의 古字. [二] 미끄러울 달 얼음이 미끄러움. 澾(水部 十三畫)은 俗字.

2 ⑤ [夰] [一] 호 [上]晧 下老切 gǎo [二] 고 [上]晧 古老切

[字解] [一] ①놓을 호 방축(放逐)함. '一, 放也'《說文》. ②기 호 원기(元氣). '一, 元包經, 泰一入于困. 傳曰, 一入于困, 天氣降也'《正字通》. [二] 놓을 고, 기 고 [一]과 뜻이 같음.

[字源] 會意. 大+八

2 ⑤ [头] [一] 〔관〕貫(貝部 四畫〈p. 2189〉)의 俗字 [二] 〔두〕頭(頁部 七畫〈p. 2546〉)의 簡體字

2 ⑤ [央] [高·人] [一] 앙 [平]陽 於良切 yāng [二] 영 [平]庚 於驚切 yīng 

[筆順] 丨 冂 口 央 央

[字解] [一] ①가운데 앙 ㉠한가운데. 중앙. '宛在水中一'《詩經》. ㉡중간. 반분. '夜未一'《詩經》. ②다할 앙 없어짐. '樂無一兮'《霍去病》. ③오랠 앙, 멀 앙 시간이 긺. '未一絕滅'《素問》. ④넓을 앙 광대한 모양. '覽曲臺之一一'《司馬相如》. [二] ①선명할 영 '一, 鮮明皃'《集韻》. ②소리부드러울 영 '和鈴一一'《詩經》.

[字源] 金文  篆文  象形. 목에 칼을 씌운 사람의 형상(形象). 사람의 목이 채운 칼 속에 있는 데서, 한가운데의 뜻을 나타내게 된 것으로 보임.

[央求 앙구] 부탁함. 원(願)함. 요구함.
[央屬 앙속] 부탁함.
[央央 영영] ㉠넓은 모양. ㉡선명한 모양. ㉢방울 소리가 조화(調和)되어 듣기 좋은 모양. ㉣깃발이 날리는 모양.
◉樂未央. 未央. 夜未央. 中央.

2 ⑤ [失] [中·人] [一] 실 [入]質 式質切 shī [二] 일 [入]質 弋質切 yì 

[筆順] 丿 𠂉 𠂒 生 失

[字解] [一] ①잃을 실 ㉠빠뜨림. '紛一'. '罔然若有一也'《後漢書》. ㉡놓침. '一農'. '時哉, 不可一'《書經》. ㉢남의 손으로 넘어감. 빼앗김. '旣得之, 患一之'《論語》. ㉣찾지 못함. '迷一道'《史記》. ㉤그르침. 잘못함. '一禮'. '不一其序'《國語》. ②허물 실 과실. 실수. '過一'. '猶有此一'《諸葛亮》. [二] ①놓을 일 마음대로 함. '一, 放也'《集韻》. ②놓칠 일, 달아날 일 逸(辵部 八畫)과 뜻이 같음. '其馬將一'《荀子》.

字源 篆文 指事. 手+乙. '乙을'은 손에서 벗어난 물건을 보이며, 손에서 물건을 놓치다, 잃다의 뜻을 나타냄.

[失脚 실각] ㉠발을 헛디딤. ㉡실패(失敗)함. 그 자리에서 물러남.
[失格 실격] ㉠자격을 잃음. ㉡격식에 맞지 않음.
[失敬 실경] 실례(失禮).
[失計 실계] 실책(失策).
[失口 실구] 실언(失言).
[失權 실권] ㉠권세(權勢)를 잃음. ㉡권리(權利)를 잃음.
[失禁 실금] 대소변을 참지 못하고 쌈.
[失氣 실기] ㉠용기를 잃음. 의기저상(意氣沮喪)함. ㉡까무러침. 기절(氣絶)함.
[失期 실기] 일정(一定)한 시기(時期)를 어김.
[失機 실기] 기회(機會)를 잃음.
[失念 실념] 잊음. 생각에서 사라짐.
[失農 실농] 농사(農事)의 시기를 잃음. 농사에 때를 놓침.
[失當 실당] 부당(不當)함.
[失德 실덕] 덕망(德望)을 잃음. 또, 그러한 행실.
[失道 실도] 길을 잃음.
[失儷 실려] 실우(失偶).
[失禮 실례] 예의(禮儀)에 벗어남.
[失路 실로] ㉠길을 잃음. ㉡출세의 길을 잃음. 뜻을 펴지 못함. ㉢처리를 잘못함.
[失利 실리] 손해(損害)를 봄.
[失望 실망] 바라는 바대로 되지 않아 낙심함.
[失寐 실매] 잠이 오지 아니함.
[失名 실명] ㉠이름을 잃어버림. ㉡이름이 전하지 아니하여 알려지지 아니함. 이름을 알지 못함.
[失命 실명] 목숨을 잃어버림. 죽음.
[失明 실명] 시력(視力)을 잃음. 장님이 됨.
[失物 실물] 물건을 잃어버림. 또, 잃어버린 물건.
[失辭 실사] 실언(失言).
[失色 실색] 놀라서 얼굴빛이 변함.
[失攝 실섭] 몸의 조섭을 잘못함.
[失性 실성] 정신(精神)에 이상(異常)이 생김.
[失聲 실성] 소리를 내지 못함.
[失勢 실세] 세력(勢力)을 잃음.
[失笑 실소] 참으려 하여도 참을 수 없이 웃음이 툭 터져 나옴.
[失損 실손] 잃음.
[失手 실수] 잘못.
[失恃 실시] 어머니의 죽음을 이름.
[失時 실시] 때를 놓침.
[失身 실신] 실절(失節).
[失信 실신] 신용(信用)을 잃음.
[失神 실신] 본정신(本精神)을 잃음.
[失心 실심] 본심(本心)을 잃음. 근심 같은 것으로 마음이 산란(散亂)하고 맥이 풀림.
[失馭 실어] ㉠말 모는 방법을 잘못함. ㉡국가를 통어(統御)하는 방법을 잘못함.
[失語 실어] ㉠뜻하지 않게 잘못 말함. 실언(失言). ㉡말을 하는 기능을 잃음.
[失言 실언] 잘못한 말. 또, 말을 잘못함. 실구(失口). 실사(失辭).
[失業 실업] 직업(職業)을 잃음. 실직(失職).
[失戀 실연] 실패한 연애. 이루지 못한 사랑.
[失誤 실오] 과실. 실수.
[失偶 실우] 짝을 잃음.
[失隕 실운] 떨어뜨려 잃음. 잘못하여 그르침. 실추(失墜).
[失位 실위] 지위를 잃음.
[失音 실음] 목소리가 쉼.
[失意 실의] ㉠기분이 좋지 아니함. ㉡뜻을 잃음. 뜻을 펴지 못함. 「음.
[失人心 실인심] 여러 사람에게 인심(人心)을 잃
[失跡 실적] 자취를 감춤. 행방불명(行方不明)이 됨. 실종(失踪).
[失節 실절] 절개(節槪)를 굽힘.
[失政 실정] 잘못된 정치(政治). 또, 정치를 잘못함. 비정(秕政). 악정(惡政).
[失貞 실정] 실절(失節).
[失措 실조] 조치(措置)를 그르침. 처리를 잘못함.
[失足 실족] 발을 헛디딤.
[失踪 실종] 달아나 자취를 감춤. 간 곳을 모름.
[失蹤 실종] 실종(失踪).
[失地 실지] 잃은 영토.
[失職 실직] ㉠직업(職業)을 잃음. ㉡관직(官職)에서 떨어짐.
[失眞 실진] 실성(失性).
[失錯 실착] 실수(失手). 「함.
[失策 실책] 잘못된 계책(計策). 또, 계책을 잘못
[失體 실체] ㉠사태(事態)를 분별 못함. ㉡체재(體裁)를 가리지 못함. ㉢체면을 손상함. 면목을 잃음. 실태(失態).
[失寵 실총] 총애(寵愛)를 잃음.
[失墜 실추] ㉠떨어뜨려 잃음. ㉡실패(失敗).
[失寢 실침] 잠이 오지 아니함.
[失態 실태] 체면을 손상함. 면목(面目)을 잃음. 실체(失體).
[失敗 실패] 잘못하여 헛일이 됨.
[失捕 실포] 잡은 죄인(罪人)을 놓침.
[失陷 실함] ㉠잘못함. 또, 잘못. ㉡없어짐. 잃음.
[失合 실합] 실우(失偶).
[失行 실행] 좋지 못한 행동(行動). 도덕에서 벗어난 행위.
[失血 실혈] 출혈이 그치지 아니함. 탈혈(脫血).
[失怙 실호] 아버지의 죽음을 이름. 호(怙)는 자식이 의지하는 아버지의 뜻.
[失魂 실혼] 정신(精神)을 잃음.
[失火 실화] 잘못하여 불을 냄.
[失和 실화] 사이가 좋지 않게 됨.
[失效 실효] 효력(效力)을 잃음.
[失候 실후] ㉠때를 잃음. 기회를 잃음. ㉡오랫동안 소식을 전하지 못함.
[失喜 실희] 너무 기뻐서 자제(自制)할 수 없음.
◉過失. 闕失. 漏失. 得失. 亡失. 忘失. 滅失. 紛失. 喪失. 消失. 燒失. 銷失. 損失. 時難得易失. 時不可失. 違失. 遺失. 一得一失. 自失. 智者一失. 千慮一失. 廢失. 虧失.

3 ⑥ [㚖] 〔비〕
比(部首〈p. 1163〉)의 古字

3 ⑥ [夺] 〔탈〕
奪(大部 十一畫〈p. 510〉)의 簡體字

3 ⑥ [买] 〔매〕
買(貝部 五畫〈p. 2193〉)의 簡體字

3 ⑥ [夸] 과 ㊥麻 苦瓜切 kuā

字解 ①풍칠 과 큰소리를 함. 과장함. '一言'.

'齊一詐多變, 反覆之國'《漢書》. ②자랑할 과 자만함. '一鄕里'《漢書》. ③아첨할 과 몸을 굽실거리며 아유함. '無爲一毗'《詩經》. ④아름다울 과 華(艸部 八畫)와 뜻이 같음. '一容乃理'《傅毅》. ⑤클 과 '邑屋隆一'《左思》. ⑥겨룰 과 '帶劍者, 一殺人'《漢書》. ⑦약할 과 연약함. 유약(柔弱)함. '一毗, 體柔也'《爾雅》. ⑧헛될 과 '非一以爲名也'《呂氏春秋》. ⑨걸칠 과 跨(足部 六畫)와 同字. '一州兼郡'《漢書》. ⑩성 과 성(姓)의 하나.

字源 金文 篆文 形聲. 大+亏〔音〕. '亏우'는 트집 간 활을 바로잡는 도지개를 본뜬 모양. 사람의 활같이 굽은 부분, 가랑이를 크게 벌리는 뜻을 나타냄.

[夸矜 과긍] 자랑함.
[夸大 과대] 크게 떠벌림. 풍을 침.
[夸論 과론] 과언(夸言).
[夸謾 과만] 자랑하여 교만함.
[夸父追日影 과부추일영] 과부(夸父)는 상고(上古) 사람의 이름. 자기의 역량도 모르고 함부로 큰일을 계획하였다가 중도에서 쓰러짐의 비유로 쓰임.
[夸毗 과비] 몸을 굽실거리며 남에게 아첨함.
[夸詐 과사] 큰소리를 하여 속임. 풍을 쳐 기만함.
[夸言 과언] 과장하는 말. 큰소리.
[夸者 과자] 권세를 믿고 잘난 체하는 사람.
[夸誕 과탄] 과장하여 믿을 수가 없음.
[夸衒 과현] 자랑해 과시함.
◉矜夸. 盜夸. 聘夸. 恣夸. 恢夸.

3 ⑥ [夷] 高人 이 ㊥支 以脂切 yí

筆順 一 ㇕ 彐 弓 弗 夷

字解 ①오랑캐 이 중국 동방 미개인. '東一'. '一蠻戎狄'《禮記》. 전(轉)하여, 야만 미개한 민족·국가. '一狄'. '守在四一'《左傳》. ②평평할 이 평탄함. '一坦'. '大道甚一'《老子》. 또, 평탄하게 함. '一竈堙井'《國語》. ③온화할 이 온순하고 인자함. '厥民一'《書經》. ④안온할 이 평온 무사함. '一謐'. '亂生不一'《國語》. ⑤기뻐할 이 희열(喜悅)함. '一愉'. '莫不一悅'《孔子家語》. ⑥클 이 성대함. '降福孔一'《詩經》. ⑦평정할 이, 멸할 이 ㉠멸망시킴. '一滅'. '三族皆一'《荀子》. ㉡죽임. '禽獸殄一'《後漢書》. ⑧무리 이 동등한 자. '在醜一不爭'《禮記》. ⑨상할 이 다침. 또, 상처. 痍(疒部 六畫)와 同字. '察一傷'《左傳》. ⑩깎을 이 풀을 벰. '夏日至而一之'《周禮》. ⑪잘못 이 과오. 실책. '救其一者也'《禮記》. ⑫떳떳할 이 彝(彐部 十五畫)와 同字. '民之秉一'《孟子》. ⑬쉬울 이 '一, 易也'《爾雅》. ⑭명백할 이 '一, 明也'《玉篇》. ⑮웅크릴 이 쭈그림. 또, 책상다리를 하고 앉음. '原壤一俟'《論語》. ⑯성 이 성(姓)의 하나.

字源 甲骨文 金文 篆文 象形. 본래는 줄이 휘감긴 화살을 본뜬 모양. '주살'의 뜻이나, 주살로 상처를 입혀 평정함의 뜻을 보임. 또, 동방(東方)의 오랑캐의 뜻을 나타낸 '尸시'와 통하여, '오랑캐'의 뜻도 나타냄.

[夷簡 이간] 간솔(簡率)함. 까다롭지 아니함. 평담 질박(平淡質朴).
[夷踞 이거] 책상다리하고 앉음.
[夷堅志 이견지] 책 이름. 송(宋)나라 홍매(洪邁)의 찬(撰). 신선(神仙)과 귀신(鬼神)의 이야기를 잡록(雜錄)한 것. 원래 420권이었으나, 지금은 산일(散佚)되어 50권뿐임.
[夷界 이계] 오랑캐의 땅.
[夷考 이고] 공평하게 생각함. 공정히 논함.
[夷曠 이광] 평평하고 넓음.
[夷道 이도] 평탄한 길.
[夷戮 이륙] 주멸(誅滅)함. 또, 주멸당함.
[夷隆 이륭] ㉠평탄함과 높음. ㉡성쇠(盛衰).
[夷蠻戎狄 이만융적] 사방(四方)의 모든 오랑캐.
[夷滅 이멸] ㉠멸(滅)함. 또, 멸망당함. ㉡메워 평탄하게 함. 또, 메워져 평탄히 됨.
[夷謐 이밀] 편안하고 조용함. 평온함. 안정(安靜).
[夷博 이박] 땅이 편평하고 넓음.
[夷俘 이부] 포로(捕虜).
[夷俟 이사] 책상다리를 하고 앉음.
[夷三族 이삼족] 삼족(三族)을 멸(滅)함.
[夷傷 이상] 상처.
[夷俗 이속] 오랑캐의 풍속. 만풍(蠻風).
[夷懌 이역] 기뻐함. 이열(夷悅).
[夷然 이연] 평편한 모양. 편안한 모양.
[夷悅 이열] 기쁨. 기뻐함. 이열(夷說).
[夷隕 이운] 평정해 멸(滅)함.
[夷由 이유] 이유(夷猶).
[夷愉 이유] 이열(夷悅).
[夷猶 이유] 망설이는 모양. 주저하는 모양.
[夷儀 이의] 일정(一定)한 의칙(儀則).
[夷易 이이] ㉠평탄함. ㉡평온함. ㉢쉬움.
[夷狄 이적] 미개(未開)한 외국 민족. 오랑캐.
[夷賊 이적] 도적을 평정함.
[夷翟 이적] 오랑캐. 이적(夷狄).
[夷剪 이전] 삼족(三族)을 멸하여 평정함.
[夷齊 이제] 백이(伯夷)와 숙제(叔齊).
[夷族 이족] 일족(一族)을 멸(滅)함.
[夷敞 이창] 평탄하고 앞이 탁 트임.
[夷跖 이척] 백이(伯夷)와 도척(盜跖). 선인(善人)과 악인(惡人)의 뜻.
[夷則 이칙] ㉠음악에서 십이율(十二律)의 하나. ㉡음력(陰曆) 7월의 별칭(別稱).
[夷坦 이탄] 평탄함.
[夷蕩 이탕] 평온함.
[夷平 이평] 평편함. 또, 평편하게 함.
[夷夏 이하] 이적(夷狄)과 중국. 전(轉)하여, 국내외(國內外).
[夷艦 이함] 오랑캐의 군함. 외국의 군함.
◉曠夷. 九夷. 陵夷. 島夷. 東夷. 等夷. 明夷. 蕃夷. 邊夷. 馮夷. 四夷. 芟夷. 參夷. 傷夷. 燒夷. 鏟夷. 視險若夷. 辛夷. 攘夷. 裔夷. 倭夷. 外夷. 優婆夷. 戎夷. 剪夷. 征夷. 誅夷. 創夷. 醜夷. 鴟夷. 坦夷. 盪夷. 平夷. 遐夷. 蝦夷. 險夷. 紅夷. 荒夷.

3 ⑥ [夻] 韓 화

字解 《韓》 대구 화 바닷물고기인 대구(大口).

3 ⑥ [夸] 夷(前前條)의 古字

3 ⑥ [夹] 夾(次條)의 簡體字

4
⑦ **[夾]** [人名] 협 ①-⑤[入]洽 古洽切 jiā ⑥⑦[入]葉 古協切 jiá

[筆順] 一 ア 丌 丌 丌 夾 夾

[字解] ①낄 협 ㉠挾(手部 七畫)과 同字. '一牽之'《儀禮》. ㉡끼워 넣음. '膠加鉗一'《柳宗元》. ②가까울 협 '懷爲一'《書經》. ③부축할 협 전후 또는 좌우에서 부축함. 좌우에서 도움. '一輔成王'《左傳》. ④다가올 협, 다가갈 협 '一, 近也'《書經》. ⑤겸(兼)할 협 '一日以飛'《呂溫》. ⑥좁을 협 狹(犬部 七畫)과 통용. '其地東西一, 南北長'《後漢書》. ⑦성 협 성(姓)의 하나.

[字源] 金文 篆文 象形. 팔을 벌리고 선 사람의 양쪽 겨드랑이를 좌우에서 손으로 끼는 모양을 본떠, '끼다'의 뜻을 나타냄.

[夾介 협개] 좌우에서 도움. 「이침.
[夾擊 협격] 전후 또는 좌우 양(兩)쪽으로 끼고 들
[夾鏡 협경] 좌우 두 개의 거울. 준마(駿馬)의 눈이 날카로움의 형용.
[夾谷 협곡] 옛 지명(地名). 지금의 산둥 성(山東省) 내무현(萊蕪縣)에 있음. 공자(孔子)가 노(魯)나라 정공(定公)을 도와 제(齊)나라의 경공(景公)과 회합(會合)한 곳임.
[夾攻 협공] 협격(夾擊).
[夾袋 협대] 호주머니.
[夾路 협로] 큰길에서 갈린 좁은 길.
[夾門 협문] 대문 옆에 있는 작은 문.
[夾房 협방] 곁방.
[夾榜 협방] 문빗장 양쪽에 거는 패.
[夾輔 협보] 좌우에서 도움. 곁에서 도움.
[夾扶 협부] 좌우에서 부축함. 좌우에서 모심.
[夾書 협서] 글줄 옆에 끼어서 적은 글.
[夾城 협성] 성곽의 바깥 둘레에 다시 쌓은 성벽.
[夾侍 협시] ㉠좌우에서 모심. 또, 그 사람. ㉡《佛敎》 불상의 좌우에 모시고 있는 자. 석가에는 문수(文殊)·보현(普賢), 미타(彌陀)에는 관음(觀音)·세지(勢至) 따위.
[夾室 협실] 정당(正堂)의 좌우에 있는 방. 곁방.
[夾擁 협옹] 좌우에서 옹호함.
[夾繞 협요] 좌우에서 둘러쌈.
[夾子 협자] ㉠게의 집게발. ㉡무엇을 끼우는 데 쓰이는 기구(器具).
[夾雜物 협잡물] 섞인 물건. 순수하지 않은 물건.
[夾牆 협장] 겹으로 된 담.
[夾鍾 협종] ㉠십이율(十二律)의 하나. ㉡음력 2월의 별칭(別稱). 「桃).
[夾竹桃 협죽도] 상록 관목의 하나. 유엽도(柳葉
[夾持 협지] 좌우에서 도움.
[夾紙 협지] 편지 속에 따로 적어 넣은 쪽지.
[夾廁 협치] 끼어 섞임.
◉鉗夾. 梵夾. 扶夾.

4
⑦ **[夽]** [人名] 운 [上]吻 魚吻切 yǔn

[字解] 클 운 '一, 大也'《說文》.

[字源] 形聲. 大+云〔音〕

4
⑦ **[夼]** 개 [去]卦 古拜切 jiè

[字解] 클 개 '一, 大也. 東齊海岱之閒, 曰一'《揚子方言》.

[字源] 形聲. 大+介〔音〕

4
⑦ **[夿]** 망 ēn

[字解] 파리할 망 몸이 야윔.

5
⑧ **[奄]** [人名] 엄 ①-⑤[上]琰 衣儉切 yǎn ⑥⑦[平]鹽 衣炎切 yān ⑧[去]豔 於贍切 yān

[筆順] 一 ナ 大 太 夳 奅 奄 奄

[字解] ①가릴 엄 掩(手部 八畫)과 同字. '一有龜蒙'《詩經》. ②문득 엄 갑자기. '一忽如神'《漢書》. ③어루만질 엄, 길들일 엄 '一受北國'《詩經》. ④클 엄 크게. '一有四方'《詩經》. ⑤같을 엄 같이. 함께. '一, 一日, 同也'《集韻》. ⑥오랠 엄 淹(水部 八畫)과 同字. '神一留'《漢書》. ⑦성 엄 성(姓)의 하나. ⑧고자 엄 閹(門部 八畫)과 통용. '一尹'. '一十人'《周禮》.

[字源] 金文 篆文 會意. 大+申. '申신'은 번개의 형상을 본뜬 모양. 뇌운(雷雲)이 사람의 머리 위를 덮다의 뜻에서, '가리다, 갑자기'의 뜻을 나타냄. 또, 장시간(長時間)을 덮어 가리다, 오랫동안의 뜻으로도 쓰임.

[奄官 엄관] 환관(宦官).
[奄棄 엄기] 갑자기 세상을 뜸. 천자(天子)의 죽음을 이름.
[奄留 엄류] 오래 머묾.
[奄藹 엄애] 구름이나 안개 따위의 가로 길게 뻗쳐 피어오르는 모양.
[奄奄 엄엄] 숨이 장차 끊어지려고 하는 모양.
[奄然 엄연] 갑작스러운 모양.
[奄冉 엄염] ㉠빨리 지나가는 모양. ㉡순하고 부드러운 모양.
[奄虞 엄우] 오래 머물러 즐김.
[奄有 엄유] 덮어 가짐. 전부 점유함.
[奄尹 엄윤] 환관(宦官)의 우두머리. 엄윤(閹尹).
[奄人 엄인] 환관(宦官). 엄인(閹人).
[奄遲 엄지] 머물러 움직이지 아니함.
[奄忽 엄홀] 별안간. 갑자기.

5
⑧ **[奇]** [高人] 기 [平]支 ①-⑧渠羈切 qí ⑨-⑫居宜切 jī

[筆順] 一 ナ 大 太 夲 夻 奇 奇

[字解] ①기이할 기 ㉠괴이(怪異)함. 괴상함. '一怪'. '一服怪民'《周禮》. ㉡진귀(珍貴)함. '一聞'. '好此一服兮'《楚辭》. ㉢진부(陳腐)하지 아니함. 새로움. '一論'. '臭腐化爲神一'《莊子》. ㉣뛰어남. 범상(凡常)하지 아니함. '一骨'. '上未之一也'《漢書》. ㉤알 수 없음. 불가해함. '一蹟'. '宇宙乃爾一'《朱熹》. 또, 기이한 일. 기이한 것. '窮一極妙'《王延壽》. ②가만할 기 비밀함. '平凡六出一計'《史記》. ③때못만날 기 불우함. '一薄'. '李廣老數一'《史記》. ④속임수 기 궤사(詭詐). 궤계(詭計). 속임. '以一用兵'《老子》. ⑤사특할 기 바르지 않음. '國君不乘一車'《禮記》. ⑥달리할 기 특별히 다룸. '因欲一兩女'《史記》. ⑦심히 기 대단히. '一愛'. '綿定一溫'《世說》. ⑧성(姓) 기 성(姓)의 하나. ⑨하나 기, 한쪽 기 '一, 一日不耦'《說文》. ⑩기수 기 둘로

나뉘지 않는 수. 우수(偶數)의 대. '陽卦一'《易經》. ⑪짝 기 쌍을 이룬 한쪽. '一算爲一'《禮記》. ⑫여수 기 남은 수. '一零'. '歸一於扐, 以象閏'《易經》.

字源 篆文 形聲. 大+可〔音〕. '大대'는 두 팔다리를 벌리고 선 사람의 형상. '可가'는 갈고리 모양으로 구부러지다의 뜻. 구부리고 선 사람의 뜻. '踦기'의 원자(原字).

[奇車 기거] 한쪽으로 기운 수레.
[奇傑 기걸] 기이(奇異)한 호걸.
[奇警 기경] 기특하고 총명함.
[奇計 기계] 기묘(奇妙)한 꾀.
[奇計縱橫 기계종횡] 교묘한 꾀를 마음대로 부림.
[奇古 기고] 기이하고 고아(古雅)함.
[奇骨 기골] 보통과 다른 골격(骨格). 뛰어난 기풍(氣風).
[奇功 기공] 기이(奇異)한 공로.
[奇觀 기관] 기이(奇異)한 광경.
[奇怪 기괴] 기이(奇異)하고 괴상함.
[奇瑰 기괴] 진기함. 또, 그것. 「없음.
[奇怪罔測 기괴망측] 기괴(奇怪)하여 헤아릴 수
[奇巧 기교] 기이하고 교묘함.
[奇矯 기교] ㉠뛰어나고 강함. ㉡보통 사람과 다른 기이한 언행을 함. 언행이 중용(中庸)을 얻지 못함.
[奇構 기구] 기이한 구조.
[奇覯 기구] 기우(奇遇).
[奇崛 기굴] 용모가 기이하고 웅장함.
[奇窮 기궁] 몹시 곤궁(困窮)함.
[奇詭 기궤] 기괴(奇怪)함.
[奇技 기기] 기묘한 솜씨. 뛰어난 세공(細工).
[奇氣 기기] 기이한 기운.
[奇奇怪怪 기기괴괴] 매우 기괴함.
[奇奇妙妙 기기묘묘] 매우 기묘함.
[奇男子 기남자] 재주가 뛰어난 남자.
[奇談 기담] 기이(奇異)한 이야기. 기담(奇譚).
[奇譚 기담] 기담(奇談).
[奇道 기도] 남이 생각지도 않는 방법. 남의 의표(意表)를 찌르는 수단(手段).
[奇童 기동] 꾀와 재주가 많은 아이.
[奇麗 기려] 뛰어나게 아름다움.
[奇零 기령] 수(數)의 단위 이하.
[奇論 기론] ㉠기괴한 언론. ㉡신기한 언론.
[奇巒 기만] 이상야릇한 산봉우리.
[奇謀 기모] 기묘한 꾀. 남이 생각지도 못한 꾀.
[奇妙 기묘] 기이(奇異)하고 묘함.
[奇文 기문] 기이하고 묘한 글.
[奇聞 기문] 진기한 이야기.
[奇文僻書 기문벽서] 기이(奇異)한 글과 괴벽(怪僻)한 책(冊).
[奇物 기물] 기이한 물건.
[奇璞 기박] 진기한 옥돌. 또, 뛰어난 인물의 뜻으로도 쓰임.
[奇薄 기박] 운수(運數)가 불길(不吉)함. 불운함. 팔자(八字)가 사나움.
[奇拔 기발] 특별(特別)히 뛰어남. 「術).
[奇方 기방] 기이한 방법. 신비(神祕)한 방술(方
[奇癖 기벽] 괴팍한 버릇. 「함.
[奇變 기변] ㉠뜻밖의 변고(變故). ㉡기이하게 변
[奇兵 기병] 기습하는 군대.
[奇服 기복] 괴상한 옷.
[奇福 기복] 뜻밖의 복.
[奇峯 기봉] 생김새가 기이한 봉우리.
[奇芬 기분] 기이하고 좋은 향기(香氣).
[奇士 기사] ㉠기이(奇異)한 언행(言行)이 있는 사람. ㉡빼어난 사람.
[奇邪 기사] 바르지 못함. 부정(不正).
[奇事 기사] 기이한 일.
[奇思 기사] 기이한 생각.
[奇狀 기상] 기이한 형상.
[奇相 기상] 기이한 상(相). 이상한 상모(相貌).
[奇想 기상] 남이 상상도 못 할 기발한 생각.
[奇想天外 기상천외] 상식을 벗어난 아주 엉뚱한 생각.
[奇書 기서] 기이한 내용의 책.
[奇瑞 기서] 이상한 상서(祥瑞).
[奇聲 기성] 기묘한 소리. 익숙하지 못한 이상한 소리. 「는 수.
[奇數 기수] ㉠기술(奇術). ㉡둘로 나누어지지 않
[奇獸 기수] 진기한 짐승.
[奇術 기술] 기묘(奇妙)한 술법.
[奇習 기습] 기이한 풍습.
[奇襲 기습] 기묘한 꾀를 써서 갑자기 습격함.
[奇勝 기승] ㉠기묘(奇妙)한 경치. 또, 그 장소. ㉡기묘한 꾀를 써서 이김.
[奇巖怪石 기암괴석] 기이(奇異)한 바위와 괴이(怪異)한 돌.
[奇愛 기애] 대단히 사랑함.
[奇語 기어] 기묘한 말. 기언(奇言).
[奇言 기언] 기이한 말.
[奇緣 기연] 기이(奇異)한 인연.
[奇穎 기영] 뛰어나게 영리함.
[奇贏 기영] ㉠여분의 돈으로 사 모은 진기(珍奇)한 것. ㉡나머지. 잔여(殘餘).
[奇玩 기완] 진기한 장난감.
[奇偶 기우] 기수(奇數)와 우수(偶數).
[奇遇 기우] 이상(異常)하게 만남. 뜻밖의 상봉(相逢).
[奇偉 기위] 체격 또는 성격이 기이하고 큼.
[奇瑋 기위] 진기(珍奇)하고 아름다움.
[奇意 기의] 기상(奇想).
[奇異 기이] 이상(異常)함.
[奇人 기인] ㉠미성년자. ㉡기이한 사람. 언행(言行)이 상규(常規)를 벗어난 사람.
[奇日 기일] 짝이 맞지 않는 수의 날.
[奇逸 기일] 기발(奇拔)하고 뛰어남.
[奇字 기자] 자체(字體)가 이상한 글자.
[奇才 기재] 세상(世上)에 드문 재주. 또, 그 사람. 「物).
[奇材 기재] 기이한 인재(人材). 뛰어난 인물(人
[奇績 기적] 기공(奇功).
[奇蹟 기적] 사람의 생각과 힘으로는 할 수 없는 기이(奇異)한 일.
[奇籍 기적] 기이한 책.
[奇絶 기절] 비할 데 없이 기묘함.
[奇節 기절] 뛰어난 절개(節槪).
[奇正 기정] ㉠권도(權道)와 정도(正道). ㉡기습과 정면 공격.
[奇蹄類 기제류] 발 하나에 굽을 하나씩 가진 포유동물(哺乳動物). 말 따위. 우제류(偶蹄類)의 대(對).
[奇峻 기준] 산이 기이하고 높음.
[奇儁 기준] 뛰어남. 또, 뛰어난 사람.
[奇地 기지] 신기한 땅.
[奇智 기지] 기묘한 지혜.

[奇珍 기진] 기이하고 진귀함.
[奇疾 기질] 이상한 병.
[奇策 기책] 기묘한 계책. 「씀.
[奇策縱橫 기책종횡] 기묘한 계책을 자유자재로
[奇捷 기첩] 뜻하지 않은 승리.
[奇草 기초] 기이한 풀.
[奇峭 기초] 산이 기이하고 가파름.
[奇臭 기취] 이상한 냄새. 이취(異臭).
[奇趣 기취] 진기한 풍취(風趣). 묘취(妙趣).
[奇致 기치] 기이한 풍치(風致).
[奇快 기쾌] 썩 재미있음. 대단히 상쾌함.
[奇卓 기탁] 특히 뛰어남.
[奇態 기태] 기이한 형태.
[奇特 기특] 특이(特異)함.
[奇葩 기파] 진기하고 뛰어난 꽃.
[奇品 기품] 진기한 물품.
[奇筆 기필] 기발한 능서(能書). 또, 그 필적.
[奇行 기행] 기이한 행동.
[奇驗 기험] 기이한 징험(徵驗).
[奇花 기화] 신기한 꽃.
[奇貨 기화] ㉠진귀(珍貴)한 보배. ㉡절호(絕好)의 기회.
[奇畫 기화·기획] ㉠진기한 그림. ㉡'기획(奇畫)'을 보라.
[奇禍 기화] 뜻밖의 재난(災難).
[奇貨可居 기화가거] 진기한 물건을 사 두었다가 때를 기다리면 큰 이익을 볼 수 있다는 말. 전(轉)하여, 좋은 기회의 뜻으로 쓰임.
[奇花異草 기화이초] 기이(奇異)한 꽃과 풀.
[奇幻 기환] ㉠기괴한 환술(幻術). ㉡이상한 허깨
[奇懷 기회] 이상한 회포(懷抱). 「비.
[奇畫 기획] 기묘한 꾀. 기계(奇計).
[奇效 기효] 신기한 효험(效驗).
[奇勳 기훈] 기공(奇功).
[奇譎 기휼] 거짓. 허위.
[奇戲 기희] 기이한 장난.
◉高奇. 曠奇. 怪怪奇奇. 怪奇. 瑰奇. 魁奇. 瓌奇. 權奇. 數奇. 神奇. 新奇. 獵奇. 雄奇. 偉奇. 傳奇. 絕奇. 珍奇. 晴好雨奇. 好奇.

5 ⑧ [奈] [高人] [一] 나 [去]箇 奴箇切 nài [二] 내 [去]泰 奴帶切 nài 

[筆順] 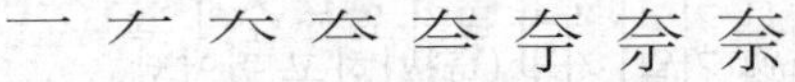

[字解] [一] ①어찌 나 '如何'와 뜻이 같음. '一何'. '唯無形者無可一也'《淮南子》. ②성(姓) 나 성(姓)의 하나. [二] 어찌 내 [一]❶과 뜻이 같음.
[字源] 會意. 본디, 木+示. '示'는 신사(神事)에 관한 말에 쓰임. 신사(神事)에 쓰이는 과수(果樹)의 일종의 뜻을 나타냄. 뒤에, 잘못 변형(變形)되어 '大+示'로 되었음. 차용(借用)하여, '어찌'의 뜻인 의문(疑問)의 조사(助辭)로 쓰임.

[奈端 나단] 뉴턴(Newton)의 음역(音譯).
[奈落 나락] 《佛教》 지옥. 범어(梵語) Naraka의 음역(音譯).
[奈邊 나변] 어디쯤. 어디. '奈'는 의문의 뜻.
[奈何 내하] ㉠어떤가. ㉡어찌하여.
◉何奈.

5 ⑧ [扶] 반 [上]旱 蒲旱切 bàn

[字解] ①나란히갈 반 '一, 竝行也'《說文》. ②짝 반 벗. '一, 侶也'《六書本義》.
[字源] 會意. 夫+夫

5 ⑧ [夫] 〔매〕
賣(貝部 八畫〈p. 2203〉)의 簡體字

5 ⑧ [奔] [人名] 〔분〕
奔(大部 六畫〈p. 507〉)의 俗字

5 ⑧ [奅] 〔포〕
礮(石部 十六畫〈p. 1588〉)와 同字
[字源] 篆文  篆文  形聲. 大+丣(卯)〔音〕

5 ⑧ [㚘] 〔병·방〕
竝(立部 五畫〈p. 1647〉)과 同字

5 ⑧ [奋] [一] 강 [上]養 古朗切 kǎng [二] 분 [去]問 方問切 fèn
[字解] [一] 소금나는못 강 '一, 鹽澤也'《篇海類編》. [二] 떨칠 분 奮(大部 十三畫)의 簡體字.

5 ⑧ [㚗] [一] 고 [平]虞 古胡切 gū [二] 와 [平]麻 烏瓜切
[字解] [一] 클 고 '一, 大皃'《廣韻》. [二] 클 와 [一]과 뜻이 같음.
[字源] 形聲. 大+瓜〔音〕

5 ⑧ [臭] [一] 고 [上]晧 古老切 gǎo [二] 석 [入]陌 昌石切 gǎo [三] 택 [入]陌 直格切 zé
[字解] [一] 윤 고 희고 반들반들 반짝이는 광택. [二] 윤 석 [一]과 뜻이 같음. [三] 윤 택 澤(水部 十三畫)의 古字. '一, 大白也. 古文㠯爲澤字'《說文》.
[字源] 會意. 大+白

5 ⑧ [㚔] [一] 녑 [入]葉 尼輒切 niè [二] 엽 [入]葉 日涉切 [三] 입 [入]緝 日執切 [四] 행 [上]梗 胡耿切 xìng
[字解] [一] ①놀랠 녑 사람을 놀라게 함. '一, 所㠯驚人也'《說文》. ②큰소리 녑 큰 목소리. '一, 一曰, 大聲也'《說文》. ③도둑질그치지아니할 녑 '一, 一曰, 俗語㠯盜不止爲一'《說文》. [二] 도둑질그치지아니할 엽 [一]❸과 뜻이 같음. [三] 도둑질그치지아니할 입 [一]❸과 뜻이 같음. [四] 다행 행 幸(干部 五畫)의 古字.
[字源] 會意. 大+羊

5 ⑧ [奰] [一] 필 [入]質 薄宓切 fú [二] 불 [入]物 分物切 fú

[筆順] 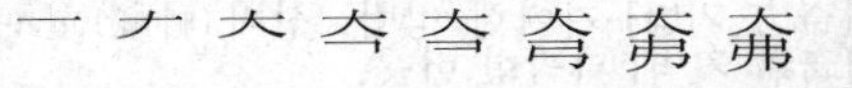

[字解] [一] 클 필 '一, 大也'《說文》. [二] 클 불 [一]과 뜻이 같음.
[字源] 形聲. 大+弗〔音〕

5
⑧ [奉] [中·人] 봉 ①-⑧[上]腫 扶隴切 fèng
⑨[去]宋 房用切 

[筆順] 一 二 三 丰 夫 夫 叁 奉

[字解] ①받들 봉 ㉠두 손으로 공경하여 듦. '兩手—長者之手'《禮記》. ㉡공경하여 이어받음. 계승함. '後天而—天時'《易經》. ㉢하명(下命)을 받음. '—命於危難之間'《諸葛亮》. ㉣윗사람을 섬김. '以—其上焉'《詩經》. ㉤웃어른을 위하여 일을 하거나 웃어른과 말할 때 등에 공경하는 뜻을 나타내는 말. '—讀'. '—答天命'《潘勗》. ②바칠 봉 드림. '遣使—獻'《後漢書》. 또, 드리는 물건. 공물(貢物) 따위. '貢—不絕'《後漢書》. ③씀씀이 봉 용도(用度). '百姓之費, 公家之—'《孫子》. ④기를 봉 '—之以仁'《左傳》. ⑤도울 봉 '風雨—之'《淮南子》. ⑥편들 봉 '天—我也'《左傳》. ⑦보낼 봉 '若遷寶則—之'《周禮》. ⑧성 봉 성(姓)의 하나. ⑨녹봉 봉 봉급. '—祿'. '小吏勤事而—薄'《漢書》.

[字源] 金文  篆文 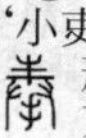 形聲. 金文은 廾+丰〔音〕. 篆文은 手+廾+丰〔音〕. '廾공'은 '양손'의 뜻. '丰풍'은 '다가붙이다'의 뜻. 양손을 모아 물건을 바치다의 뜻을 나타냄.

[奉加 봉가] ㉠《佛敎》 공물(供物)을 바침. ㉡갹금(醵金)함.
[奉檄之喜 봉격지희] 부모가 있는 사람이 고을의 원이 되는 기쁨.
[奉見 봉견] 받들어 봄.
[奉告 봉고] 받들어 아룀.
[奉公 봉공] ㉠나라를 위하여 진력함. ㉡구실을 바침.
[奉敎 봉교] 가르침을 받듦.
[奉答 봉답] 웃어른에게 삼가 대답함.
[奉戴 봉대] 공경하여 떠받듦.
[奉讀 봉독] 웃어른의 글을 삼가 읽음.
[奉老 봉로] 늙은 부모를 모심.
[奉祿 봉록] 녹봉(祿奉). 녹(祿).
[奉命 봉명] 임금의 명령(命令)을 받듦.
[奉盤 봉반] 소반을 받듦.
[奉陪 봉배] 모심. 시종함.
[奉別 봉별] 웃어른과 이별을 함.
[奉仕 봉사] 군주(君主)를 섬김.
[奉事 봉사] 웃어른을 받들어 섬김.
[奉祀 봉사] 조상(祖上)의 제사(祭祀)를 받듦.
[奉使 봉사] 사신(使臣)이 되어 감.
[奉祠 봉사] ㉠제사 지냄. ㉡송대(宋代)에 공신(功臣)과 학자를 우대하기 위하여 각지의 도교(道敎)의 사원(寺院)의 제사를 맡게 하고 녹(祿)을 주던 벼슬.
[奉祀孫 봉사손] 조상의 제사(祭祀)를 받드는 자손.
[奉朔 봉삭] 천자(天子)가 반포(頒布)한 정삭(正朔)을 받든다는 뜻으로, 천자의 정령(政令)에 복종함을 이름.
[奉嘗 봉상] 제사 지냄. 또, 제사.
[奉粟 봉속] 봉록(俸祿)으로 받는 쌀.
[奉送 봉송] 귀인(貴人)을 전송함.
[奉守 봉수] 받들어 지킴.
[奉受 봉수] 삼가 받음.
[奉承 봉승] 웃어른의 뜻을 받듦.
[奉侍 봉시] 가까이 모시어 섬김.
[奉審 봉심] 받들어 살핌.
[奉安 봉안] 신주(神主)나 화상(畫像)을 모심.
[奉養 봉양] 부모(父母)·조부모(祖父母)를 받들어 모심.
[奉迎 봉영] 귀인(貴人)을 영접함.
[奉邑 봉읍] 식읍(食邑).
[奉引 봉인] 손윗사람을 인도함.
[奉將 봉장] 하느님의 명(命)을 받들어 일을 행함. 봉행(奉行).
[奉呈 봉정] 받들어 올림. 헌상(獻上)함.
[奉祭祀 봉제사] 제사를 받들어 모심.
[奉朝賀 봉조하] 《韓》 종이품(從二品) 이상의 벼슬아치가 치사(致仕)한 뒤에 임명(任命)되는 벼슬. 죽을 때까지 녹을 받고 의식(儀式) 때에만 출사(出仕)함.
[奉旨 봉지] 임금의 뜻을 받듦.
[奉持 봉지] 받들어 가짐. 또, 보지(保持)함.
[奉職 봉직] 공무(公務)에 종사함.
[奉體 봉체] 상의(上意)를 받들어 행함.
[奉祝 봉축] 공경(恭敬)하는 마음으로 축하(祝賀)함.
[奉勅 봉칙] 칙령(勅令)을 받듦.
[奉親 봉친] 부모(父母)를 받들어 모심.
[奉行 봉행] 웃어른의 뜻을 받들어 일을 행(行)함.
[奉獻 봉헌] 바침. 헌상(獻上)함.
[奉還 봉환] 웃어른에게 도로 돌려 드림.
[奉候 봉후] 귀인(貴人)의 안부(安否)를 물음.
◉虔奉. 供奉. 貢奉. 嗣奉. 修奉. 肅奉. 順奉. 信奉. 營奉. 資奉. 傳奉. 尊奉. 遵奉. 祗奉. 進奉. 瞻奉. 推奉. 統奉.

5
⑧ [奊] 혈 [入]屑 胡結切 xǐ, ②xié 

[字解] ①분개(分概)없을 혈 '—詬'는 식견이 없음. 또, 지조(志操)가 없음. '—詬亡節'《漢書》. ②머리비뚤어질 혈 '—, 頭衺骫—態也'《說文》.

[字源] 篆文  形聲. 夨+圭〔音〕. '夨녈'은 머리를 비스듬히 기울인 모양. '圭규'는 끝이 뾰족함의 뜻을 나타냄. 비스듬히 기운 몰골스러운 머리를 이름.

[奊詬 혈후] 식견(識見)이 없음.

5
⑧ [奌] 〔점〕
點(黑部 五畫〈p. 2705〉)의 俗字

[夳] 〔주〕
走部 一畫(p. 2213)을 보라.

6
⑨ [奎] [人名] 규 ①②[平]齊 苦圭切 kuí
③[上]紙 苦委切 kuǐ

[筆順] 一 大 夲 夲 夲 奎 奎 奎

[字解] ①별이름 규 이십팔수(二十八宿)의 하나. 백호 칠수(白虎七宿)의 첫째 성수(星宿)로서, 열여섯 별로 구성되었으며, 문운(文運)을 맡았다고 함. 안드로메다자리에 해당함. 규수(奎宿). '—文'. '—曰封豕, 爲溝瀆'《史記》. ②가랑이 규 샅. '—, 兩髀之間'《說文》. ③두발벌리고걸을 규 '—踽盤桓'《張衡》.

[字源] 篆文 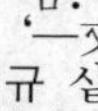 形聲. 大+圭〔音〕. '圭규'는 위가 삼각형으로 뾰족하다의 뜻. 사람이 가랑이를 벌리고 삼각 모양을 이루다의 뜻으로, 일반적으로 '가랑이, 샅'의 뜻을 나타냄. 또, '圭'는 '옥(玉)'의 뜻. 하늘 위의 큰 옥, 안드로메다자리의 뜻을 나타냄. 전(轉)하여, 천자

의 문장·문사(文事)의 경칭(敬稱)으로 쓰임.

[奎文 규문] 문물(文物). 또는, 문장(文章).
[奎璧 규벽] 제후(諸侯)가 천자(天子)를 뵐 때에 가지던 옥(玉).
[奎星 규성] 규수(奎宿).
[奎宿 규수] 자해(字解) ❶을 보라.
[奎踽 규우] 다리를 벌리고 가는 모양.
[奎運 규운] 문예의 발달. 문운(文運).
[奎章 규장] 규한(奎翰).
[奎章閣 규장각] 《韓》 역대(歷代) 임금의 저술(著述)·필적(筆蹟)·유교(遺教)·선보(璿譜)·보감(寶鑑) 및 정조(正祖)의 진영(眞影)을 보관한 관아. 「(詔勅).
[奎翰 규한] 천자(天子)의 시문(詩文), 또는 조칙
[奎畫 규획] 천자(天子)의 어필(御筆). 신한(宸翰).

6 ⑨ [牵] 〔견〕
牽(牛部 七畫〈p. 1382〉)의 簡體字

6 ⑨ [奏] 高·人 주 ㊄宥 則候切 zòu

筆順 一 二 三 夫 夫 夫 奏 奏

字解 ①아뢸 주 ㉠군주(君主)에게 여쭘. '一對'. '使人可其一'《史記》. ㉡음악을 함. '一樂'. '一其樂'《中庸》. ②상소 주 군주에게 올리는 글. '尙書令讀一'《漢書》. ③곡조 주 음악의 곡조. '九一乃終'《周禮》. ④모일 주 湊(水部 九畫)와 통용. '一汾陰'《漢書》. ⑤달릴 주 향하여 감. 走(部首)와 뜻이 같음. '予曰有奔一'《詩經》.

字源 篆文 古文 古文 會意. 屮+夲+収. 屮+夲은 확실치 않으나, 일설(一說)에 의하면, 갈라놓은 짐승의 뜻. '収공'은 들어 올린 양손의 象形. 어떤 물건을 양손으로 받쳐 권하는 모양에서, '권하다, 바치다, 드리다'의 뜻을 나타냄.

[奏決 주결] 천자(天子)에게 아뢰어 결정함.
[奏曲 주곡] 악곡(樂曲)을 연주함. 또, 그 악곡(樂曲).
[奏功 주공] ㉠일의 성공을 임금에게 아룀. ㉡일이 성취됨. ㉢효험이 나타남. 주효(奏效).
[奏達 주달] 천자(天子)께 아룀. 주문(奏聞).
[奏對 주대] 천자(天子)에게 상주(上奏)하거나 하문(下問)에 대답함.
[奏牘 주독] 천자에게 올리는 서찰(書札).
[奏覽 주람] 천자가 보게 바치어 올림.
[奏聞 주문] 천자(天子)에게 아룀.
[奏事 주사] 어떤 일을 천자(天子)에게 아룀. 또, 천자에게 아뢰는 사항.
[奏上 주상] 천자(天子)에게 아룀. 상주(上奏).
[奏書 주서] 천자(天子)에게 상주(上奏)하는 문서(文書).
[奏宣 주선] 주진(奏陳).
[奏疏 주소] ㉠상소문(上疏文). ㉡문체(文體)의 이름.
[奏申 주신] 주상(奏上).
[奏樂 주악] 풍류(風流)를 아룀. 음악을 연주함.
[奏按 주안] 천자(天子)에게 아뢰고 죄과(罪科)를 조사함.
[奏案 주안] ㉠천자(天子)에게 올리는 글을 올려놓는 책상. ㉡천자(天子)에게 올리는 글의 초고(草稿).
[奏御 주어] 주문(奏聞).
[奏議 주의] 천자(天子)에게 상주(上奏)하는 의견서(意見書). 「疏).
[奏章 주장] 천자(天子)에게 올리는 글. 상소(上
[奏裁 주재] 상주(上奏)하여 천자(天子)의 결재를 청함.
[奏陳 주진] 천자에게 아룀. 주선(奏宣).
[奏薦 주천] 상주(上奏)하여 천거(薦擧)함.
[奏請 주청] 상주(上奏)하여 청원(請願)함.
[奏彈 주탄] 상주(上奏)하여 탄핵(彈劾)함.
[奏稟 주품] 천자(天子)에게 아뢰는 일과 천자의 명령을 받는 일.
[奏劾 주핵] 죄과를 들어 탄핵하여 상주(上奏)함.
[奏效 주효] 효력을 나타냄.
◉擧奏. 建奏. 糾奏. 錄奏. 獨奏. 件奏. 伏奏. 面奏. 封奏. 敷奏. 上奏. 宣奏. 疏奏. 述奏. 申奏. 演奏. 議奏. 二重奏. 章奏. 傳奏. 牋奏. 條奏. 陳奏. 進奏. 執奏. 讒奏. 薦奏. 吹奏. 彈奏. 稟奏. 合奏. 劾奏.

6 ⑨ [奐] 人名 환 ㊄翰 呼貫切 huàn

筆順 ノ ク 佇 佇 佇 角 奂 奐

字解 ①빛날 환 광휘를 발하는 모양. '美哉一焉'《禮記》. ②성대할 환 아주 성(盛)함. '惟懿惟一'《漢書》. ③맞바꿀 환 교환(交換)함. '一, 取一也'《說文》. ④클 환 '一, 一曰大也'《說文》. ⑤많을 환 '一, 言衆多'《禮記 注》. ⑥흩어질 환 渙(水部 九畫)과 뜻이 같음. '叢集累積, 一衍於其側'《嵇康》.

字源 篆文 象形. 산모(産母) 가랑이에 두 손을 갖다 댄 형상을 본떠, 어느 때는 남아(男兒)를, 또 어떤 때는 여아(女兒)라는 식으로 아기를 끄집어내는 모양에서, 바꾸다, 성(盛)하다, 변화 많은 꾸밈의 아름다움 따위의 뜻을 나타냄.

◉美奐. 伯奐. 輪奐. 雕奐.

6 ⑨ [契] 高·人
㊀ 계 ㊄霽 苦計切 qì
㊁ 결 ㊇屑 苦結切 qiè
㊂ 글 ㊇物 去訖切 qì
㊃ 설 ㊇屑 私列切 xiè

筆順 一 = 三 丰 丰刀 丰刃 契 契

字解 ㊀ ①서약 계, 계약 계 약속. '獨知之一也'《戰國策》. ②계약서 계 계약한 문서. '文一'. '掌官一以治藏'《周禮》. ③정의 계 두터운 정. '金蘭之一'. '定金蘭之密一'《晉書》. ④연분 계 부부 등의 인연. '少有道一'《司空圖》. ⑤계약할 계 약속함. '一文'. '約一盟誓'《韓詩外傳》. ⑥맺을 계 우정(友情) 또는 부부의 인연 등을 맺음. '未見心先一'《陸游》. ⑦맞을 계 합치함. '一合'. '少與道一, 終與俗違'《詩品》. ⑧끊을 계 割(刀部 十畫)과 뜻이 같음. '一, 絕也'《爾雅》. ⑨새길 계 벰. 씲. '一, 刻也. 刻識其數也'《釋名》. ⑩없을 계 결(缺)함. '一國威器'《漢書》. ⑪성 계 성(姓)의 하나. ⑫《韓》 계 계 옛날부터 내려오는 우리나라의 독특한 협동 단체. '一員'. ㊁ ①근고할 결 신고하여 일함. '死生一闊'

《詩經》. ②소원(疏遠)할 결 성기어 멂. '非陳―闊之所'《後漢書》. ③끊을 결 단절함. '―三神之歡'《司馬相如》. ④새길 결 조각함. '―舟求劍'《呂氏春秋》. 三 부족이름 글 '―丹'은 4세기(世紀) 이래 몽고의 시라무렌 강 유역(流域)에 유목(遊牧)하고 있었던 부족(部族). 10세기 초에 추장(酋長) 야율아보기(耶律阿保機)가 요(遼)나라를 세웠는데, 후에 금(金)나라에 멸망당하였음. 四 사람이름 설 은(殷)나라 왕조의 시조. '―汝作司徒'《書經》.

字源 篆文 形聲. 大+㓞〔音〕. '㓞계'는 날붙이로 새기다의 뜻. '大대'는 사람의 형상. 맹세나, 죄(罪)·더러워짐을 씻기 위해 사람의 피부나 뼈에 무엇을 새겨 넣는 모양에서, '새기다, 맹세하다, 인연을 맺다'의 뜻을 나타내는 말이 됨. 三일 때에는 의태어.

[契契 결결] 근심하고 괴로워하는 모양.
[契闊 결활] ㉠근고(勤苦)함. ㉡오랫동안 만나지 못함. 소원(疏遠)함.
[契經 계경]《佛教》석가(釋迦)가 설(說)한 가르침을 기술(記述)한 경전(經典).
[契券 계권] 계약서(契約書).
[契龜 계귀] 거북의 등딱지를 불에 구워 점을 침. 일설(一說)에는, 계(契)는 거북의 등딱지를 굽는 도구를 이름.
[契機 계기] 어떠한 일을 일으키는 기회(機會)나 근거(根據).
[契刀 계도] 한(漢)나라의 왕망(王莽)이 만든 돈의 이름. 칼 모양의 것의 끝에 고리를 단 것으로 길이가 두 치쯤 됨.

[契刀]

[契盟 계맹] 약속을 맺음. 체맹(締盟).
[契文 계문] 계약 문서.
[契父 계부] 양부(養父). 또는 의부(義父).
[契分 계분] 친분(親分). 벗 사이의 두터운 정분.
[契約 계약] ㉠약속. ㉡사법상(私法上)의 효과를 목적으로 하여 두 사람 이상의 사이에 성립되는 의사 표시의 합치.
[契約金 계약금] 계약(契約) 이행(履行)의 담보(擔保)로 주고받는 보증금(保證金).
[契約書 계약서] 계약한 서류(書類).
[契約說 계약설] 국가 또는 사회의 기원(起源) 내지 근거를 국민 또는 사회의 성원(成員)의 계약에 의하여 설명하는 학설(學說). 민약설(民約說).
[契員 계원]《韓》계에 든 사람.
[契印 계인] 두 장의 지면(紙面)에 걸친 날인(捺印).
[契狀 계장] 계약(契約)의 증문(證文).
[契弟 계제] 형제(兄弟)의 의(義)를 맺은 아우. 의제(義弟).
[契照 계조] 계권(契券).
[契票 계표] 계권(契券).
[契合 계합] 꼭 들어맞음. 부합(符合).
[契兄 계형] 형제(兄弟)의 의(義)를 맺은 형. 의형(義兄).
[契會 계회] 결합함. 정의(情誼)를 두터이 함.
[契丹 글안] 자해(字解)三을 보라.
◉勘契. 官契. 交契. 膠漆之契. 舊契. 券契. 金蘭之契. 金石之契. 蘭契. 斷金之契. 道契. 同契. 盟契. 冥契. 默契. 文契. 符契. 書契. 宿契. 神契. 心契. 深契. 約契. 魚水之契. 要契. 友契. 右契. 鴛鴦之契. 印契. 情契. 左契. 清契. 親睦契. 合契. 賢契.

6 ⑨ [契] 契(前條)의 略字

6 ⑨ [奓] 一 차 ㊥麻 陟加切 zhà
二 차 ㊤禡 陟駕切 zhà
三 사 ㊥麻 詩車切 shē

字解 一 ①펼 차 펴 넓힘. '―, 張也'《廣韻》. ②자랑할 차 과장함. '紛瑰麗以―靡'《張衡》. ③열 차 문을 열어젖힘. '日中―戶而入'《莊子》. 三 사치할 사 奢(大部 九畫)의 籒文.

字源 奢의 籒文 形聲. 大+多〔音〕. 모양으로는 크고, 양(量)으로는 많은 모양, 사치하다의 뜻을 나타냄.

6 ⑨ [奔] 高·人 분 ㊥元 博昆切 bēn

筆順 一 ナ 大 木 本 杢 奔 奔

字解 ①달릴 분 ㉠빨리 감. '―走'. '鹿斯之―'《詩經》. ㉡빨리 가게 함. 쫓음. '是以―父也'《穀梁傳》. ②달아날 분 도망함. '―竄'. '既合而來―'《左傳》. ③패주할 분 전쟁에 패하여 달아남. 또, 그 군사. '追―逐北'《李陵》. ④빠를 분 '―, 猶疾也'《周禮 注》. ⑤오를 분 '後―蛇'《淮南子》. ⑥예를갖추지않고혼인할 분 '仲春之月, 令會男女, ―者不禁'《周禮》. ⑦성 분 성(姓)의 하나.

字源 金文 篆文 會意. 金文은 大+卉(歮). '大'는 사람이 달리는 모양을 본뜸. '歮삽'은 많은 발자국의 형상. '맹렬히 달리다'의 뜻.

[奔車之上無仲尼 분거지상무중니] 달리는 수레 위에는 공자(孔子)가 없음. 곧, 군자(君子)는 위태로운 것에 가까이하지 않음의 비유.
[奔激 분격] 강물의 흐름이 매우 세참.
[奔擊 분격] 돌진(突進)하여 적을 침.
[奔競 분경] ㉠경쟁함. 다툼. ㉡다투어 헛된 이름이나 이익을 추구함.
[奔告 분고] 빨리 가서 알림.
[奔潰 분궤] 패(敗)하여 달아남. 궤주(潰走).
[奔女 분녀] 정식(正式)의 예(禮)를 거치지 않고 남자를 좇아 달아난 여자라는 뜻으로, 바람난 여자를 이름. 음분녀(淫奔女).
[奔衄 분뉵] 싸움에 패(敗)하여 달아남. 뉵(衄)은 패(敗). 패배(敗北).
[奔湍 분단] 여울. 비단(飛湍).
[奔突 분돌] 달려가 충돌함.
[奔騰 분등] ㉠뛰어오름. ㉡물건 값이 갑자기 올라감.
[奔浪 분랑] 분파(奔波)❶.
[奔雷 분뢰] 격렬한 천둥. 강물 따위가 세차게 흐르는 소리의 형용으로도 씀.
[奔流 분류] 세차게 빨리 흐름. 또, 그 물.
[奔馬 분마] 닫는 말.
[奔亡 분망] 달아남. 도망감.
[奔忙 분망] 매우 부산하여 바쁨.
[奔命 분명] 명령에 의하여 분주히 돌아다님.
[奔放 분방] ㉠기세 좋게 달림. 또, 세차게 흐름. ㉡절제 없이 제멋대로 함. 아무 구속을 받지 아니함.

[奔放肆大 분방사대] 강물 따위가 세차게 거침없이 흘러 몹시 큰 모양.
[奔赴 분부] ㉠부고(訃告)를 받고 달려감. 부(赴)는 부(訃)와 통용. ㉡급히 달려감.
[奔駛 분사] ㉠말이 빨리 달림. ㉡물이 쏜살같이 흐름.
[奔散 분산] 뿔뿔이 흩어져 달아남.
[奔喪 분상] 먼 곳에서 친상(親喪)을 당하여 급(急)히 집으로 돌아감.
[奔星 분성] 유성(流星). 별똥별.
[奔慰 분위] 달려가서 위문함.
[奔佚 분일] 분일(奔軼).
[奔逸 분일] ㉠뛰어 도망감. ㉡매우 빨리 달림.
[奔軼 분일] 빨리 달려 앞의 사람을 앞지름. 분일(奔佚).
[奔霆 분정] 빠른 번개.
[奔潮 분조] 세찬 조수.
[奔走 분주] ㉠바삐 달림. ㉡애씀. 진력함. 운동함.
[奔湊 분주] 달리어 모임.
[奔竄 분찬] 달아나 숨음.
[奔馳 분치] 빨리 달림.
[奔波 분파] ㉠달리는 파도. 빠른 물결. ㉡파도가 닥쳐오듯이 앞을 다투어 감.
[奔渾 분혼] 세차게 흐름. 또, 빠른 흐름. 분류(奔流).
◉驚奔. 狂奔. 來奔. 逃奔. 跳奔. 淫奔. 追奔. 出奔.

6 ⑨ [奕] 人名 혁 ㊀陌 羊益切 yì

筆順

字解 ①클 혁 '──梁山'《詩經》. ②아름다울 혁 미려함. '士女悠─'《何承天》. ③근심할 혁 걱정함. '憂心──'《詩經》. ④겹칠 혁 중첩함. 또, 이어짐. '─世載德'《國語》. '─葉, 累世也'《康熙字典》. ⑤차례 혁 차서(次序). '萬舞有─'《詩經》. ⑥바둑 혁 弈(廾部 六畫)과 통용. '─棊'. '通國之善─者也'《孟子》. ⑦익숙해질 혁 배움. '萬舞有─'《詩經》. ⑧갈 혁 '─, 又行也'《廣韻》. ⑨성(盛)할 혁 '─, 盛也'《廣韻》.

字源 篆文 形聲. 大+亦〔音〕. '亦역'은 사람의 양겨드랑이를 나타내며, 같은 것이 하나 더 있음의 뜻. 차례로 크게 한참 계속됨의 뜻을 보이며, 일반적으로, '커지다, 크다'의 뜻을 나타냄. 또, '大대'를 양손(廾)으로 보아, 손으로 차례차례 돌을 늘어놓는 '바둑'의 뜻을 나타냄.

[奕棊 혁기] 바둑.
[奕代 혁대] 혁세(奕世).
[奕禩 혁사] 매년(每年). 누년(累年).
[奕世 혁세] 여러 대(代). 누대(累代). 누세(累世).
[奕葉 혁엽] 혁세(奕世).
[奕者 혁자] 바둑을 두는 사람.
[奕秋 혁추] 옛날 바둑의 명인(名人)이었던 추(秋)라는 사람.
[奕楸 혁추] 바둑판.
[奕奕 혁혁] ㉠큰 모양. ㉡아름다운 모양. ㉢근심하는 모양. ㉣빛나는 모양. ㉤춤추는 모양. ㉥날씬한 모양.
◉博奕. 英奕. 婉奕. 昱奕. 遊奕. 赫奕.

[美] 〔미〕 羊部 三畫(p. 1795)을 보라.

[耎] 〔이〕 而部 三畫(p. 1817)을 보라.

7 ⑩ [套] 人名 투(토㊍) ㊤晧 他浩切 tǎo ㊦號 叨號切 tào

字解 ①클 투 길고 큼. '─, 長大也'《集韻》. ②겹칠 투 중첩됨. '今之沓杯曰─杯'《康熙字典》. ③모퉁이 투 구부러지거나 꺾이어 들어간 자리. '戰于胡蘆─'《康熙字典》. ④덮개 투 물건의 위를 싸 가리는 것. '封─'. '外─'. ⑤한벌 투 '──六箇'《西湖志餘》. ⑥우리 투 짐승을 가두어 두는 곳. ⑦낡을 투 진부함. '常─'. '舊─'.

字源 會意. 大+長. '크고 길다'의 뜻을 나타냄. 또, 전(轉)하여, 그때까지 있던 사물에 다시 어떤 사물로 겹치다의 뜻이나 어떤 사물이 중첩되어 진부하다의 뜻을 나타냄.

[套頭 투두] 올가미. 덫.
[套書 투서] 인(印). 도장(圖章).
[套袖 투수] 토시.
[套習 투습] 본을 떠서 함.
[套語 투어] 진부(陳腐)한 말. 상투어(常套語).
◉舊套. 封套. 常套. 書套. 俗套. 外套. 陳套. 河套.

7 ⑩ [畚] 〔분〕 畚(田部 五畫〈p. 1466〉)의 本字

7 ⑩ [奘] 人名 장 ㊤養 徂朗切 zhuǎng ㊦漾 徂浪切 zàng

筆順

字解 ①클 장 몸집이 큼. '秦晉之間, 凡人之大, 謂之─'《揚子方言》. ②성(盛)할 장 '─, 盛也'《玉篇》. ③튼튼할 장 건강함. '─, 健也'《集韻》.

字源 篆文 形聲. 大+壯〔音〕. '壯장'은 '큰 남자'의 뜻. '굉장히 크다'의 뜻을 나타냄.

參考 弉(廾部 七畫)은 俗字.

7 ⑩ [奚] 高人 ㊀해 (혜㊍) ㊁혜 ㊥齊 胡雞切 xī

筆順

字解 ㊀ ①종 해 ㉠노복. '─奴'. '酒人─三百人'《周禮》. ㉡여자 종. 嫨(女部 十畫)와 뜻이 같음. ②어찌 해 ㉠의문사. '子─不爲政'《論語》. ㉡반어(反語). 어찌 …하랴. '復─疑'《陶潛》. ③종족이름 해 중국 랴오허(遼河) 강 상류에 있던 선비족(鮮卑族). ④성 해 성(姓)의 하나. ㊁ 어느곳 혜 하처(何處). '彼且─適也'《莊子》.

字源 甲骨文 金文 篆文 形聲. 大+㒸〈省〉〔音〕. '大대'는 '사람', '㒸계'는 '끈을 매다'의 뜻. 끈을 매어 부리는 사람, 곧 '종'의 뜻을 나타냄. 일설(一說)에는, '大+爪+糸'의 會意字라고 함. '何하'와 통하여, '어찌'의 뜻으로 쓰임.

[奚距 해거] 어찌하여.
[奚琴 해금] 속 빈 둥근 나무에 짐승의 가죽을 메우고 긴 나무를 꽂아 줄을 활 모양으로 건 악기(樂器). 깡깡이.

[奚囊 해낭] 당(唐)나라의 이하(李賀)가 명승지를 구경하며 얻은 시(詩)를 해노(奚奴)가 가지고 다니는 주머니에 넣은 고사(故事). 전(轉)하여, 시초(詩草)를 넣어 두는 주머니.
[奚奴 해노] 종.
[奚童 해동] 아이 종.
[奚隷 해례] 남녀의 종. 노비(奴婢).
[奚兒 해아] 오랑캐를 이름.
[奚若 해약] '여하(如何)'와 같음.
[奚自 혜자] 어디에서. 어느 곳에서 왔는가.
◉莵奚. 薄奚. 小奚. 羊奚. 驒奚. 孌奚.

8 ⑪ [奝] 조 [平]蕭 都聊切 diāo
[字解] 클 조, 많을 조 '䎘, 大也, 多也. 一, 上同'《廣韻》.
[字源] 形聲. 大+周〔音〕

8 ⑪ [斐] 비 [上]尾 敷尾切 fěi / [去]未 父沸切
[字解] 클 비 작지 않음. '一, 大也'《廣韻》.

[奭] 〔상〕
爻部 七畫(p. 1368)을 보라.

9 ⑫ [奢] [人名] 사 [平]麻 式車切 shē
[筆順] 一 大 夳 李 奓 奢 奢 奢
[字解] ①사치할 사 호사함. '一佚'. '視民不一'《漢書》. ②과분할 사 분수에 지나침. '其所持者狹, 而所欲者一'《史記》. ③오만할 사 거만함. '一傲'. '廣博易良而不一'《禮記》. ④넉넉할 사 풍요(豐饒)함. '貲財亦豐一'《張華》. ⑤나을 사 보다 나음. '一, 勝也'《爾雅》. ⑥사치 사 호사(豪奢). '去一卽儉'《後漢書》. ⑦성 사 성(姓)의 하나.
[字源] [金文] [篆文] [籒文] 形聲. 大+者〔音〕. '者자'는 많은 것을 모으다의 뜻. 너무 많다의 뜻에서, '사치하다'의 뜻을 나타냄.

[奢麗 사려] 사치하여 화려하게 꾸밈.
[奢靡 사미] 분수에 지나친 사치(奢侈).
[奢肆 사사] 사자(奢恣).
[奢傲 사오] 오만함. 교사(驕奢).
[奢慾 사욕] 사치하고자 하는 욕심.
[奢佚 사일] 사치하고 게으름.
[奢恣 사자] 사치하고 방자함.
[奢僭 사참] 분에 넘치는 사치를 함.
[奢侈 사치] 지나치게 치레함.
[奢忲 사태] 사치(奢侈).
[奢泰 사태] 사치를 함.
[奢華 사화] 사치하여 화려함.
◉夸奢. 嬌奢. 驕奢. 蘭奢. 繁奢. 紛奢. 肆奢. 縱奢. 潛奢. 侈奢. 豐奢. 豪奢.

9 ⑫ [報] 〔보·부〕
報(土部 九畫〈p. 453〉)의 本字

9 ⑫ [奡] 오 [去]號 五到切 ào
[字解] ①오만할 오 傲(人部 十一畫)와 同字. ②헌걸찰 오 기운이 매우 장함. '妥貼力排一'《韓愈》. ③사람이름 오 하(夏)나라 때의 장사(壯士) 이름. '一盪舟'《論語》. ④성 오 성(姓)의 하나.
[字源] [篆文] 象形. 얼굴 큰 사람의 모양을 본떠, '깔보다'의 뜻을 나타냄.
◉叫奡. 排奡.

9 ⑫ [奠] [人名] 전 [去]霰 堂練切 diàn
[筆順] 八 八 㒳 㒳 酋 酋 奠 奠
[字解] ①정할 전 결정함. '一都'. '辨其物而一其錄'《周禮》. ②둘 전 지상(地上)에 안치(安置)함. '一之而後取之'《禮記》. ③전올릴 전 제물(祭物)을 올림. '一菜'. '春夏釋一於先師'《禮記》. ④제수 전 제물. '具時羞之一'《韓愈》.
[字源] [甲骨文] [金文] [篆文] 會意. 甲骨文은 酉+一. '酉유'는 '술'의 뜻. 가로획 '一'은 제상(祭床)을 나타냄. 신(神)에게 술을 올려 제사하다의 뜻. '定정'과 통하여, '정하다'의 뜻으로도 쓰임. 金文은 酉+丌. 篆文은 酋+丌.

[奠居 전거] 살 곳을 정(定)함.
[奠都 전도] 도읍(都邑)을 정(定)함.
[奠物 전물] 제물(祭物). 제수(祭需).
[奠雁 전안] 혼인(婚姻)날 신랑(新郞)이 신부(新婦) 집에 기러기를 가지고 가서 상(床) 위에 놓고 하느님께 재배(再拜)하는 예(禮).
[奠儀 전의] 부의(賻儀).
[奠接 전접] 머물러 있을 곳을 정함.
[奠菜 전채] 제사에 청과(青果)를 올림. 또, 그 청과. 사채(舍菜).
◉乞巧奠. 饋奠. 薄奠. 夕奠. 釋奠. 疏奠. 時羞之奠. 遺奠. 祭奠. 助奠. 進奠.

9 ⑫ [菐] 복 [入]屋 蒲木切 pú
[字解] 번거로울 복 '一, 瀆一也'《說文》.
[字源] 會意. 丵+廾

9 ⑫ [奥] 〔오〕
奧(大部 十畫〈p. 509〉)의 俗字

9 ⑫ [䦷] 〔결〕
缺(缶部 四畫〈p. 1783〉)과 同字

10 ⑬ [奟] 효 [平]蕭 許幺切 xiāo
[字解] ①길고클 효 장대(長大)한 모양. '一, 長大皃'《集韻》. ②클 효 '一, 博雅, 大也'《集韻》. ③살찔 효 살이 쪄서 뚱뚱함. '一, 肥也'《集韻》.

10 ⑬ [奧] [人名] [一] 오 [去]號 烏到切 ào / [二] 욱 [入]屋 乙六切 yù
[筆順] ノ 冂 向 囱 囪 囪 奧 奧
[字解] [一] ①아랫목 오 방의 서남우(西南隅). 중국의 가옥에서 가장 깊숙한 곳. 여기에서 제사

지냄. '奠菜席於廟—'《儀禮》. '與其媚於—, 寧媚於竈'《論語》. 전(轉)하여, 깊숙한 가장 구석진 곳. '保太白山之東北阻—'《唐書》. ②그윽할 오 ㉠깊숙함. '地勢險—'《晉書》. ㉡뜻·이치 등이 깊음. 심원함. '—旨'. '言精理—'《南史》. ③쌓을 오 축적함. '野無—草'《國語》. ④성 오 성(姓)의 하나. 囗 ①따뜻할 욱, 더울 욱 燠(火部 十三畫)과 통용. '日月方—'《詩經》. ②후미 욱, 굽이 욱 '瞻彼淇—'《詩經》.

字源 篆文 會意. 審〈省〉+廾. '審심'은 '소상(昭詳)히 하다'의 뜻. '廾공'은 양손의 형상. 눈이 미치지 않아, 두 손으로밖에는 자세히 살필 수 없는, 구석진 곳의 뜻을 나타냄.

參考 奥(大部 九畫)는 俗字.

[奧境 오경] 깊고 먼 곳. 심오한 뜻. 오의(奧義).
[奧區 오구] ㉠모퉁이. 구석. ㉡나라의 중심이 되는 곳.
[奧妙 오묘] 심오(深奧)하고 미묘(微妙)함.
[奧如 오여] 깊숙한 모양.
[奧域 오역] 깊숙한 땅. 전(轉)하여, 무덤을 이름.
[奧衍 오연] 심오함. 뜻이 심원(深遠)함.
[奧窔 오요] 방의 깊숙한 구석. 오(奧)는 방의 서남쪽 모퉁이. 요(窔)는 방의 동남쪽 모퉁이.
[奧義 오의] 깊은 이치(理致). 심오(深奧)한 뜻.
[奧藏 오장] 깊숙하여 잘 보이지 않는 곳.
[奧主 오주] ㉠생각이 깊은 군주. ㉡국내(國內)의 군주.
[奧旨 오지] 깊은 뜻. 심오한 뜻.
◉闔奧. 禁奧. 潭奧. 堂奧. 祕奧. 深奧. 淵奧. 蘊奧. 窔奧. 隅奧. 幽奧. 精奧. 樞奧. 遐奧. 險奧. 玄奧. 壺奧. 弘奧.

10 ⑬ [奨] 〔장〕 奬(大部 十一畫〈p. 510〉)의 略字

11 ⑭ [奪] 高人 탈 ㊅曷 徒活切 duó ㊄隊 徒外切 duì 夺

筆順 一 大 木 夲 奞 奞 奪 奪

字解 ①빼앗을 탈 ㉠억지로 빼앗음. '母爲勢家所—'《史記》. ㉡침략하여 빼앗음. 쳐 빼앗음. '襲—齊王軍'《史記》. ㉢봉토(封土) 또는 관록(官祿)을 박탈함. '—伯氏駢邑三百'《論語》. ㉣잃게 함. 놓치게 함. '自—其便'《史記》. '勿—其時'《孟子》. ②빼앗길 탈 전항(前項)의 피동사. '身折勢—, 而以憂死'《史記》. ③떠날 탈 사라짐. '精氣—則虛也'《素問》. ④바꿀 탈 바꿈. 고침. '—, 易也'《玉篇》. ⑤어지럽힐 탈 '給—慈仁'《禮記》. ⑥그르칠 탈 잘못함. '—, 誤也'《廣雅》. ⑦성 탈 성(姓)의 하나. ⑧좁은길 탈 소로(小路). '襲莒于—'《禮記》.

字源 金文 篆文 會意. 金文은 衣+崔+寸. 옷 속에 들어 있는 작은 새를 손으로 꺼내는 모양에서, '빼앗다'의 뜻을 나타냄. 篆文은 又+奞. '奞신'은 '날개 치다'의 뜻. 퍼덕이는 새를 손으로 잡다, 빼앗다의 뜻을 보임.

[奪去 탈거] 빼앗아 감.
[奪氣 탈기] ㉠놀라거나 겁(怯)이 나서 기운이 쑥 빠짐. ㉡몹시 지쳐서 맥이 빠짐.
[奪略 탈략] 약탈(掠奪)함.
[奪掠 탈략] 탈략(奪略).
[奪色 탈색] 같은 종류의 물건 가운데서 특히 뛰어나서 딴 것을 압도함.
[奪席 탈석] 좌석의 방석을 빼앗는다의 뜻으로, 그 지위를 빼앗는 일.
[奪扇 탈선] 사람의 칭찬을 빼앗음. 곧, 시문(詩文)의 재주가 뛰어남을 이름.
[奪衣婆 탈의파] 《佛教》 죽어 지옥으로 가는 도중 삼도천(三途川) 가에 이르면 입고 있는 옷을 빼앗는다는 귀파(鬼婆).
[奪嫡 탈적] 지손(支孫)이 종손(宗孫)의 행세(行勢)를 함.
[奪情 탈정] 계속하여 거상(居喪)을 입으려고 생각하는 인정(人情)을 관부(官府)에서 빼앗는다는 뜻으로, 상복(喪服)을 벗고 벼슬에 나가도록 명하는 일. 기복출사(起復出仕)케 하는 일.
[奪宗 탈종] 탈적(奪嫡).
[奪志 탈지] 수절(守節)하는 과부(寡婦)를 개가(改嫁)시킴.
[奪取 탈취] 빼앗아 가짐.
[奪胎 탈태] 고인(古人)의 시문(詩文)의 취의(趣意)를 따서 형식만 바꾸어 시문을 지음.
[奪還 탈환] 도로 빼앗음.
◉強奪. 劫奪. 譴奪. 攻奪. 矯奪. 詭奪. 氣消膽奪. 剝奪. 削奪. 生殺與奪. 略奪. 掠奪. 攘奪. 漁奪. 抑奪. 與奪. 枉奪. 擾奪. 褫奪. 爭奪. 竊奪. 簒奪. 鈔奪. 侵奪. 剽奪. 逼奪. 脅奪.

11 ⑭ [奩] 〔렴〕 匳(匚部 十三畫〈p. 294〉)의 俗字

[奫] 〔윤〕 大部 十二畫(p. 511)을 보라.

11 ⑭ [奬] 高人 장 ㊤養 卽兩切 jiǎng 奖

筆順 丨 爿 爿 爿 丬 將 奬 奬

字解 ①도울 장 조성(助成)함. '—王室'《左傳》. ②권면할 장 ㉠권장함. '—勵'. '尊尙師儒, 發揚勸—, 海內知嚮'《唐書》. ㉡개를 부추김. '—, 嗾犬厲之也'《說文》. ㉢알선함. 추천함. '眺好—人才'《南史》. ③표창할 장 상 줌. '恩—'. '賚—優華'《唐書》.

字源 篆文 形聲. 犬+將〔音〕. '將장'은 고기를 들어 권하는 모양. 개를 부추겨 고기를 먹이는 모양에서, '권면하고 격려하다'의 뜻을 나타냄.

參考 《說文》에서는 犬部에 속하여, '奬'으로 쓰는 것이 옳다 하지만, 예로부터 '奬'이 사용되었음. 《廣韻》에서는 '獎'으로 보임.

[奬勸 장권] 권면함. 권장함.
[奬導 장도] 권장하여 인도함.
[奬勵 장려] 권하여 힘쓰게 함.
[奬拔 장발] 권장(勸奬)하고 발탁(拔擢)함.
[奬率 장솔] 권장하고 인도함.
[奬順 장순] ㉠권장하여 순종하게 함. ㉡순종함.
[奬諭 장유] 권하여 타이름.
[奬挹 장읍] 권함.
[奬進 장진] 권장하여 끌어올림.
[奬就 장취] 권면하여 성취시킴.
[奬擢 장탁] 장발(奬拔).

[奬學 장학] 학문을 장려함.
[奬學金 장학금] ㉠가난한 학생(學生)을 위한 학자 보조금(學資補助金). ㉡학문(學問)의 연구(研究)를 조성(助成)하기 위한 장려금.
[奬詡 장후] 권장하고 치켜세움.
[奬訓 장훈] 권장하여 가르침.
◉開奬. 勸奬. 報奬. 殊奬. 崇奬. 愛奬. 優奬. 恩奬. 慈奬. 提奬. 尊奬. 超奬. 寵奬. 抽奬. 推奬. 褒奬. 訓奬.

12 ⑮ [奫] 人名 윤 ㊥眞 於倫切 yūn

筆順 一 大 大 大 夲 夵 奫 奫

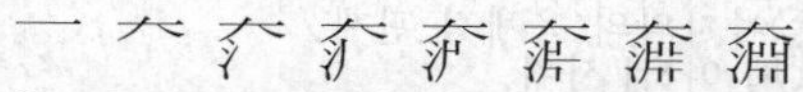

字解 ①물충충할 윤 물이 깊고 넓은 모양. '——'. '泓澄一渟'《左思》. ②샘물 윤 솟아 나오는 물. '一, 泉水'《廣韻》.

字源 形聲. 大+淵〔音〕

[奫淪 윤륜] 물이 소용돌이치는 곳. 또, 그 모양.
[奫奫 윤윤] 물이 깊고 넓은 모양.

12 ⑮ [奭] 人名 ㊀ 석 ㊇陌 施隻切 shì ㊁ 혁 ㊇陌 郝格切 xì

筆順 一 亍 而 百 百 百百 百百 奭

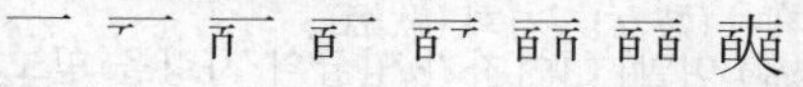

字解 ㊀ ①클 석. ②성낼 석 결냄. '有如兩宮一將軍'《漢書》. ㊁ 붉을 혁 빨간 모양. '路車有一'《詩經》.

字源 甲骨文  篆文  古文  會意. 大+皕. '大대'는, 사람을 본뜬 모양. '皕벽'은 사람의 양측에서 활활 타는 불의 형상으로, '성(盛)하다'의 뜻. 또, '赫혁'과 같은 자(字)였던 모양으로, '붉다'의 뜻을 나타냄.

[樊] 〔번〕
木部 十一畫(p. 1098)을 보라.

13 ⑯ [奮] 高人 분 ㊄問 方問切 fèn 奋

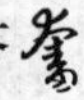

筆順 大 木 夲 奞 奞 奞 奮 奮

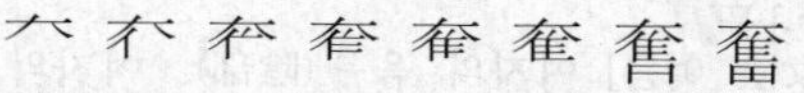

字解 ①떨칠 분 ㉠세게 흔듦. '一躍'. '不能一飛'《詩經》. ㉡진동(震動)함. '雷出地一'《易經》. ㉢분발함. 분발시킴. '一志氣'. '能一庸'《書經》. ㉣결냄. 분격(憤激)함. '一怒'. '怨秦破項梁軍一'《史記》. ㉤들날림. '一揚'. '一至德之光'《禮記》. ②휘두를 분 손에 잡고 휘휘 돌림. '手一長刀'《宋書》. ③성 분 성(姓)의 하나.

字源 金文 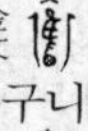 篆文 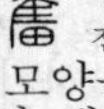 會意. 金文은 衣+隹+田. '田전'은 '전야(田野)'의 뜻으로도, 대바구니의 모양을 본뜬 것으로도 생각됨. 바구니나 옷 속의 새가 필사적으로 퍼덕이는 모양에서, '떨치다'의 뜻을 나타냄. 篆文은 奞+田. '奞신'은 '퍼덕이다'의 뜻. 밭에서 날개를 퍼덕이다의 뜻을 보임.

[奮激 분격] 분발시켜 일으킴. 또, 분발하여 일어남.
[奮擊 분격] 분발하여 적을 냅다 침.
[奮勁 분경] 용기를 내어 강함.
[奮起 분기] 분발하여 일어남.
[奮怒 분노] 성냄.
[奮勵 분려] 분발(奮發)하여 힘씀. 또, 분발하여 힘쓰게 함.
[奮力 분력] 힘을 뽐내어 일으킴.
[奮發 분발] 마음과 힘을 돋우어 일으킴.
[奮飛 분비] 세차게 낢.
[奮臂 분비] 뽐내며 팔을 휘두름. 용기를 냄.
[奮辭 분사] 호언장담함.
[奮迅 분신] 분발하여 일어나 기세가 대단함.
[奮躍 분약] ㉠세차게 뜀. ㉡떨쳐 일어남. 분발하여 일어남.
[奮揚 분양] 발양(發揚)함. 휘날림.
[奮恚 분에] 노(怒)함. 분격(憤激)함.
[奮然 분연] 분발하여 일어나는 모양.
[奮戰 분전] 힘을 다하여 싸움.
[奮進 분진] 분발하여 나아감.
[奮討 분토] 힘을 다하여 토벌함.
[奮鬪 분투] 힘을 다하여 싸움.
[奮效 분효] 분기하여 힘씀.
◉感奮. 發奮. 飛奮. 昂奮. 自奮. 振奮. 亢奮. 興奮.

14 ⑰ [奯] 〔석·혁〕
奭(大部 十二畫〈p. 511〉)의 古字

15 ⑱ [奰] 비 ㊄寘 平祕切 bèi

字解 ①성낼 비 결냄. '內一于中國'《詩經》. ②장할 비 장대(壯大)함. '寒氣屭一頑無風'《韓愈》. ③핍박할 비 바싹 죄어 괴롭게 굶. '姦回內一'《沈不害》.

字源 篆文  會意. 《說文》에는 三大+三目. 장대(壯大)함의 뜻을 나타냄. 또, '三罒'의 會意로서, '罒'는 '눈이 큰 사람'의 뜻. '눈을 부라리다'의 뜻을 나타낸다는 설(說)도 있음.

[奰逆 비역] 성내어 반역(叛逆)함.
◉內奰. 怨奰.

19 ㉒ [奱] 련 ㊥先 閭員切 luán

字解 끌 련, 기어오를 련 '一, 樊也'《說文》.

字源 形聲. 𠦒+䜌〔音〕

21 ㉔ [奲] 人名 ㊀ 차 ㊤馬 昌者切 chě ㊁ 타 ㊤哿 典可切 duǒ

字解 ㊀ 너그러울 차 관대함. '一, 寬大也'《廣韻》. ㊁ 풍부할 타, 무거워늘어질 타 '一, 富一一皃'《說文》. '一, 鍇曰, 謂重而垂也'《繫傳》.

字源 篆文  形聲. ㊀은 單+奢〔音〕. ㊁는 奢+單〔音〕.

女 (3획) 部

〔계집녀부〕

0 ③ [女] 中人 ㊀ 녀 ①-④㊤語 尼呂切 nǚ ⑤㊄御 尼據切 nǜ ㊁ 여 ㊤語 忍與切 rǔ

筆順 ㄑ 女 女

字解 ❶ ①계집 녀 여자. '一人'. '坤道成一'《易經》. ②딸 녀 여식(女息). 또, 처녀. '長一'. '釐降二一于嬀汭'《書經》. ③별이름 녀 이십팔수(二十八宿)의 하나. 현무 칠수(玄武七宿)의 셋째 성수(星宿)로서, 별 셋으로 구성됨. 여수(女宿). ④성 녀 성(姓)의 하나. ⑤시집보낼 녀 '一于時'《書經》. '一, 以女妻人也'《廣韻》. ❷ 너 여 汝(水部 三畫)와 同字. '一知之乎'《孝經》.

字源 甲骨文 金文 篆文 象形. 두 손을 얌전히 포개고 무릎을 꿇는 여성을 본뜬 모양. '여자'의 뜻.

參考 '女'를 의부(意符)로 하여, 여러 가지 여자의 심리를 나타내는 문자나, 여성적인 성격·행위, 남녀 관계 등에 관한 글자를 이룸.

[女監 여감] 여자를 수용하는 감방(監房).
[女傑 여걸] 여자 호걸(豪傑).
[女莖 여경] '국화(菊花)'의 별칭.
[女警 여경] 여자 경찰관.
[女系 여계] 부인의 계통. 여자의 혈통.
[女戒 여계] ㉠여색(女色)을 삼가라는 경계. ㉡부녀자 경계.
[女工 여공] ㉠여자의 하는 일. 여공(女功). ㉡여자 직공(職工).
[女公 여공] 남편의 누님의 경칭(敬稱). 손위 시누이.
[女功 여공] 여자의 일. 주로 길쌈·바느질을 이름.
[女紅 여공] 여공(女功).
[女官 여관] 나인. 궁녀(宮女).
[女校書 여교서] '기녀(妓女)'의 아칭(雅稱).
[女國 여국] ㉠여자들이 산다는 부상국(扶桑國) 동쪽의 전설의 나라. 여인국(女人國). ㉡여자만이 사는 곳. 또는, 여자만이 모여 있는 곳.
[女麴 여국] 찐 찰수수를 반죽하여 쑥으로 얇게 덮은 뒤 누른 옷을 입혀 볕에 말린 누룩.
[女君 여군] ㉠황후(皇后)의 일컬음. ㉡첩(妾)의 큰마누라에 대한 호칭.
[女軍 여군] ㉠여자로써 조직된 군대. 낭자군(娘子軍). ㉡여자 군인.
[女宮 여궁] 형(刑)을 받고 궁중(宮中)에서 종살이하는 여자.
[女權 여권] 여자의 사회상·정치상·법률상의 권리.
[女妓 여기] 기생. 기녀(妓女).
[女難 여난] 남자가 여자와의 관계로 인하여 당하는 재난(災難).
[女娘 여낭] 색시.
[女德 여덕] 온순·정숙 등 여자가 행하여야 할 도덕. 또, 그 도덕에 맞는 행위.
[女徒 여도] 여수(女囚).
[女蘿 여라] 이끼의 한 가지. 송라(松蘿).
[女郎 여랑] 남자에 못지않은 기개(氣概)나 재주를 가진 여자.
[女郎花 여랑화] ㉠'목련(木蓮)'의 별칭. ㉡'백목련(白木蓮)'의 별칭.
[女伶 여령] 기녀(妓女).
[女禮 여례] 여자의 예법.
[女流 여류] 여자의 무리.
[女妹 여매] 남편의 여동생. 손아래 시누이.
[女巫 여무] 여자 무당.
[女舞 여무] 여자가 추는 춤.
[女房 여방] 여자가 거처하는 방. 도장방.
[女犯 여범] 《佛敎》 중이 사음계(邪淫戒)를 범하는 일. 또, 그 죄.
[女卜 여복] 여자 점쟁이.
[女服 여복] 여자의 옷.
[女士 여사] 여자로서 군자(君子)의 행실이 있는 사람. 숙원(淑媛).
[女史 여사] ㉠후궁(後宮)에 출사(出仕)하여 기록·문서 등을 맡은 여관(女官). ㉡학문이 있는 부녀(婦女)의 이름 밑에 붙여서 높이는 말.
[女牀 여상] 별 이름.
[女相 여상] 여자의 상(相). 여자같이 생긴 얼굴.
[女喪 여상] 여자의 상사(喪事).
[女色 여색] ㉠부녀의 얼굴빛. 여자의 고운 태도. ㉡여자와의 육체적 관계.
[女壻 여서] 사위.
[女性 여성] ㉠여자. ㉡여자의 성질.
[女星 여성] 여수(女宿).
[女聲 여성] 여자의 음성.
[女孫 여손] 손녀(孫女).
[女囚 여수] 여자 죄수.
[女宿 여수] 자해(字解) ❸을 보라.
[女僧 여승] 여자 중. 비구니(比丘尼).
[女息 여식] 딸.
[女神 여신] 여성의 신(神).
[女兒 여아] 여자 아이.
[女樂 여악] 여자가 연주하는 음악. 또, 그 여자. 기녀(妓女). 가희(歌姬).
[女謁 여알] ㉠여자가 임금의 사랑을 믿고 권세를 부려 나라의 정치를 어지럽히는 일. ㉡후궁(後宮)에 아첨하여 임금에 가까이하는 일.
[女御 여어] 천자(天子)의 침소(寢所)에서, 그를 섬기는 고귀한 여관(女官).
[女孼 여얼] 여자로서 죄(罪)를 지은 자.
[女王 여왕] ㉠여자 임금. ㉡벌·개미의 암컷.
[女媧氏 여와씨] 상고(上古)의 제왕(帝王)의 이름. 복희씨(伏羲氏)의 동모매(同母妹). 처음으로 생황(笙簧)을 만들었고, 가취(嫁娶)의 예(禮)를 제정하여 동족의 결혼을 금하였다고 함.
[女優 여우] 여배우.
[女垣 여원] 성가퀴.
[女菀 여원] 국화과에 속하는 여러해살이 풀. 옹긋나물.
[女陰 여음] 여자의 음부(陰部). 여자의 생식기(生殖器).
[女醫 여의] 여자 의사(醫師).
[女夷 여이] 바람의 신(神). 풍신(風神).
[女人 여인] 여편네. 여자. 부녀.
[女人禁制 여인금제] 《佛敎》 부녀자는 수도(修道)에 장애가 되므로 영장(靈場)의 출입을 금하는 일.
[女子 여자] 여성(女性)인 사람.
[女子與小人難養 여자여소인난양] 부녀와 종은 대개 도리(道理)를 해득하지 못하기 때문에 교양하기 어려움.
[女將 여장] 여자 장군.
[女裝 여장] 여자의 차림.
[女牆 여장] ㉠성 위에 쌓은 낮은 담. 성가퀴. ㉡낮은 담.
[女丈夫 여장부] 사내같이 헌걸찬 여자. 여중 장부(女中丈夫).
[女災 여재] 여자가 겪는 재난(災難). 유산(流産) 따위를 이름.
[女賊 여적] ㉠여자 도둑. ㉡남자의 본디의 착한

마음을 어지럽히는 여색(女色).
[女節 여절] '국화(菊花)'의 별칭(別稱). 여화(女華).
[女貞 여정] 목서과(木犀科)에 속하는 상록 교목(常綠喬木). 여정목(女貞木). 광나무.
[女弟 여제] 누이동생. 손아래 누이.
[女帝 여제] 여황(女皇).
[女尊男卑 여존남비] 여자를 귀(貴)히 여기고 남자를 천시(賤視)함. 남존여비(男尊女卑)의 대(對).
[女主 여주] ㉠여자 군주(君主). ㉡황후(皇后).
[女竹 여죽] 여자가 쓰는 담뱃대.
[女中 여중] 여자 가운데. 여자 중에서.
[女中君子 여중군자] 숙덕(淑德)이 높은 부녀.
[女中丈夫 여중장부] 여장부(女丈夫).
[女中豪傑 여중호걸] 호협(豪俠)한 기상(氣像)이 있는 부녀(婦女).
[女眞 여진] 만주 동북쪽에 살던 퉁구스계 부족(部族).
[女姪 여질] ㉠형제자매(兄弟姊妹)의 딸. ㉡《韓》조카딸.
[女唱 여창] 남자가 여자의 음조로 부르는 노래.
[女倩 여청] 사위. 여서(女壻).
[女儈 여쾌] 뚜쟁이.
[女態 여태] 여자의 태도.
[女筆 여필] 여자의 글씨.
[女必從夫 여필종부] 아내는 남편을 반드시 따라야 함.
[女學 여학] 여자가 배워야 할 학문(學問).
[女楷 여해] 부녀자(婦女子)의 본보기. 여자의 모범. 여감(女鑑).
[女兄 여형] 손위 누이.
[女形 여형] 여자같이 보이는 형상.
[女鞋 여혜] 여자의 가죽신.
[女戶 여호] 여자가 호주(戶主)인 집. 정년(丁年)의 남자가 없는 집.
[女好 여호] 여자답게 상냥함.
[女婚 여혼] 딸의 혼인.
[女禍 여화] 여색(女色)으로 인한 재앙.
[女皇 여황] 여자 황제.
[女后 여후] 황후(皇后).
[女訓 여훈] 여자에 대한 가르침.
[女戲 여희] 여우(女優)의 희극.
◉歌女. 嫁女. 季女. 工女. 嬌女. 宮女. 妓女. 機女. 男女. 童男童女. 魔女. 巫女. 美女. 婦女. 貧女. 石女. 善男善女. 仙女. 少女. 淑女. 侍女. 息女. 信女. 神女. 惡女. 養女. 麗女. 烈女. 艶女. 令女. 玉女. 王女. 妖女. 怨女. 幼女. 游女. 逸女. 蠶女. 長女. 才女. 貞女. 靜女. 織女. 次女. 采女. 處女. 天女. 村女. 醜女. 針女. 妒女. 嬖女. 下女. 海女. 賢女. 好女.

2⑤ **[奴]** 高人 노 ①㊥虞 乃都切 nū ②㊤遇 奴故切

筆順 ㄑ 女 女 如 奴

字解 ①종 노 남자 종. '一僕'. '耕當問一'《宋書》. ②놈 노 남의 천칭(賤稱). '一輩利吾家財'《晉書》. 또, 여자의 겸칭(謙稱). '楊太妃, 垂簾與群臣語, 猶自稱一'《宋史》.

字源 甲骨文 金文 篆文 古文 會意. 女+又. '又우'는 무엇을 잡으려는 손의 뜻. 잡힌 계집종의 뜻.

[奴家 노가] 여자의 제1인칭 대명사. 자신을 낮추어 하는 말. 천첩(賤妾).
[奴角 노각] 무소의 뿔. 코뿔소의 뿔.
[奴虜 노로] 사로잡혀 종이 된 자.
[奴輩 노배] 종 같은 녀석들. 놈들.
[奴僕 노복] 사내종.
[奴婢 노비] 남자 종과 여자 종.
[奴產子 노산자] 자기 집에서 부리는 종이 낳은 아들.
[奴屬 노속] 종의 무리.
[奴豎 노수] 종.
[奴視 노시] 종을 대하듯 멸시함. 복시(僕視).
[奴顔 노안] 하인의 굽실거리는 얼굴.
[奴顔婢膝 노안비슬] 남에게 종처럼 지나치게 굽실거리는 비루한 태도.
[奴役 노역] 종이 하는 일. 또, 종. 노예.
[奴隷 노예] 종.
[奴才 노재] ㉠노복(奴僕). ㉡청(淸)나라 때 만주인(滿洲人)의 관리(官吏)가 황제(皇帝)에 대해서 자기를 낮추어 일컫던 말. ㉢열등(劣等)한 재주. 또, 그 사람. ㉣사람을 꾸짖는 말. 놈.
[奴卒 노졸] 하인. 종.
[奴主 노주] 종과 상전(上典).
[奴畜 노축] 종과 같이 천하게 양육함.
◉家奴. 監奴. 官奴. 老奴. 農奴. 賣國奴. 麥奴. 錫奴. 守錢奴. 狎奴. 女奴. 倭奴. 獠奴. 庸奴. 人奴. 引火奴. 芻奴. 下奴. 黠奴. 奚奴. 匈奴. 黑奴.

2⑤ **[伖]** 奴(前條)의 古字

2⑤ **[奶]** 내 ㊤蟹 你矮切 nǎi

字解 젖 내, 젖어미 내 嬭(女部 十四畫)의 俗字. '嬭, 俗讀乃, 改作一'《正字通》. '今人呼乳爲一, 呼乳娘爲一娘'《直語補證》.

字源 形聲. 女+乃〔音〕. '乃내'는 태아(胎兒)를 본뜬 모양. 태아가 있는 여자, 어미, 젖의 뜻을 나타냄.

2⑤ **[奻]** 〔낭〕 娘(女部 七畫〈p.532〉)의 俗字

3⑥ **[奸]** 人名 간 ①-③㊥寒 古寒切 gān ④㊥刪 居顔切 jiān

字解 ①범할 간 침범함. '使神人各處其所而不相一'《漢書》. ②구할 간 요구함. 干(部首)과 통용. '以一直忠'《漢書》. ③어지럽힐 간 '一, 亂也'《玉篇》. ④간음할 간, 간악할 간 姦(女部 六畫)과 통용. '一淫'. '一賊'. '抑一細不譎之徒'《晉書》.

字源 篆文 形聲. 女+干〔音〕. '干간'은 '범(犯)하다'의 뜻. 특히, 남녀간의 도덕을 범하다의 뜻. '사특하다, 부정하다'의 뜻도 나타냄.

參考 숙어(熟語)는 姦(女部 六畫)을 함께 참고할 것.

[奸計 간계] 간사한 꾀.
[奸曲 간곡] 마음이 간사하고 비뚤어짐. 마음에 흉

계를 품음.
[奸巧 간교] 간사하고 교활함.
[奸狡 간교] 간사함. 교활(狡猾).
[奸宄 간귀] 안팎으로 간악한 무리가 도량(跳梁)하여 나라를 어지럽힘. 간(奸)은 내란(內亂), 귀(宄)는 외부(外部)로부터의 분란(紛亂)·전란(戰亂)을 이름.
[奸佞 간녕] 간사하고 아첨을 잘함. 또, 그러한 사람. 간녕(姦佞).
[奸黨 간당] 간악한 무리.
[奸徒 간도] 간악한 무리.
[奸毒 간독] 간사하고 악독함.
[奸吏 간리] 간사한 관리(官吏).
[奸物 간물] 간사한 인물(人物). 간악한 놈. 간도(奸徒).
[奸婦 간부] 간사한 계집. 악부(惡婦).
[奸邪 간사] 마음이 간교(奸巧)하고 행실이 바르지 못함.
[奸詐 간사] 간사(奸邪)하고 남을 잘 속임.
[奸商 간상] 간사한 수단으로 이(利)를 보는 장사치.
[奸商輩 간상배] 간상(奸商)의 무리.
[奸細 간세] ㉠간사한 소인(小人). ㉡간첩. 세작(細作).
[奸臣 간신] 간사한 신하. 간신(姦臣).
[奸惡 간악] 간사하고 악독함.
[奸穢 간예] 간사하고 더러움.
[奸枉 간왕] 간사함. 부정함. 또, 그 자.
[奸妖 간요] 간사하고 요망스러움.
[奸雄 간웅] 간사한 지혜가 있는 영웅.
[奸僞 간위] 간사하고 거짓이 많음.
[奸淫 간음] 부부가 아닌 남녀가 성적 관계를 맺음. 간음(姦淫).
[奸人 간인] 간사한 사람.
[奸才 간재] 간사한 재주.
[奸賊 간적] 간악한 도둑.
[奸智 간지] 간사한 지혜.
[奸策 간책] 간사한 꾀.
[奸慝 간특] 간교(奸巧)하고 사특(邪慝)함.
[奸黠 간할] 간사하고 약음. 교활함.
[奸猾 간활] 간특하고 교활(狡猾)함.
[奸譎 간휼] 간사하고 음흉함.
[奸凶 간흉] 간특하고 흉악함.
[奸黠 간힐] 간사하고 꾀바름.
◉大奸. 佞奸. 斬奸. 讒奸. 漢奸.

3 ⑥ [奻] 난 ㊥刪 奴還切 nuán

字解 다툴 난 말다툼함. '一, 訟也'《說文》.
字源 會意. 女+女

3 ⑥ [好] 中人 호 ①-⑥㊤晧 呼晧切 hǎo ⑦-⑫㊦號 呼到切 hào

筆順 ㄑ 女 女 女 奵 好

字解 ①아름다울 호 미려함. '一女'. '齊國中女子, 一者八十人'《史記》. ②좋을 호 ㉠훌륭함. 또, 마음에 듦. '一士'. '緇衣之一兮'《詩經》. ㉡바름. '領惡而全一'《禮記》. ㉢화목함. 사이가 좋음. '妻子一合'《詩經》. ③정의 호 친선(親善)의 정(情). '邦君爲兩君之一'《論語》. ④잘 호 ㉠곧잘. 자칫하면. '一蔽美而嫉妬'《楚辭》. ㉡능숙히. '一爲之'《宋史》. ⑤끝날 호 완료함. '粧一方長歎'《韓偓》. ⑥기뻐할 호 '驕人一一, 勞人草草'《詩經》. ⑦심히 호 대단히. 방언(方言)임. '一大'(대단히 큼). '一快'(퍽 상쾌함). ⑧좋아할 호 '一事'. '如一一色'《大學》. 또, 좋아하는 바. '將吏異一'《論衡》. ⑨사랑할 호 '惟仁者能一人, 能惡人'《論語》. ⑩구멍 호 구슬 또는 돈의 구멍. '璧羨度尺, 一三寸以爲度'《周禮》. ⑪즐겨 호 버릇으로 늘. 자주. '一與諸生語'《漢書》. ⑫성 호 성(姓)의 하나.
字源 甲骨文 金文 篆文 會意. 女+子. 어머니인 여성이 아이를 안고 있는 모양에서, 좋고 아름답다의 뜻을 나타냄. 去聲일 때는 '좋아하다'의 뜻을 나타냄.

[好歌 호가] ㉠좋은 노래. ㉡노래를 잘 부름.
[好感 호감] 좋은 감정.
[好個 호개] 적당함.
[好居 호거] 살림이 넉넉하여 잘삶.
[好件 호건] 좋은 사물(事物).
[好景 호경] 좋은 경치.
[好古 호고] 옛 도(道) 또는 옛것을 좋아함.
[好古癖 호고벽] 옛 기물(器物) 등을 매만지기를 좋아하는 버릇. 고벽(古癖).
[好果 호과] 좋은 결과.
[好官 호관] 좋은 관직(官職). 훌륭한 벼슬.
[好句 호구] 좋은 구(句). 아름다운 글귀.
[好逑 호구] 좋은 짝. 훌륭한 배우자.
[好奇 호기] 신기한 것을 좋아함.
[好期 호기] 좋은 시기.
[好機 호기] 좋은 기회.
[好奇心 호기심] 새롭고 이상한 것을 좋아하는 마음.
[好男子 호남자] ㉠미남(美男). ㉡재능이 뛰어난 남자.
[好女 호녀] 아름다운 여자. 양녀(良女).
[好大 호대] 대단히 큼.
[好道理 호도리] 좋은 도리.
[好望 호망] 전도(前途)에 희망이 있음. 가망이 있음.
[好名 호명] 이름나기를 좋아함.
[好文 호문] 문학(文學)을 좋아함. 학문을 좋아함.
[好文木 호문목] 매화나무〔梅〕의 이칭(異稱).
[好問則裕 호문즉유] 모르는 것을 묻기를 좋아하면 얻는 것이 많아 학식이 넉넉함.
[好物 호물] ㉠좋은 물건. ㉡즐기는 물건.
[好物不堅牢 호물불견뢰] 좋은 물건은 오래 가지 아니함.
[好味 호미] ㉠맛있는 것을 좋아함. ㉡좋은 맛.
[好辯 호변] ㉠변설로 남을 이기기를 좋아함. ㉡《韓》말솜씨가 좋음.
[好辯客 호변객] 말솜씨가 능란한 사람.
[好否 호부] 좋음과 좋지 않음. 호불호(好不好).
[好不好 호불호] 호부(好否).
[好士 호사] 훌륭한 사람. 문아(文雅)한 선비.
[好事 호사] ㉠좋은 일. ㉡일을 벌여 놓기를 좋아함.
[好事多魔 호사다마] 좋은 일에는 마(魔)가 들기 쉬움.
[好事不出門惡事行千里 호사불출문악사행천리] 좋은 일은 알려지기 어렵고, 나쁜 일은 빨리 유포(流布)됨.
[好事者 호사자] 일을 벌여 놓기를 좋아하는 사람.
[好尙 호상] ㉠좋아하고 숭상하는 바. 곧, 취미·기호(嗜好) 따위. ㉡유행(流行).
[好喪 호상] 나이가 많고 복(福)이 많은 사람의

상사(喪事).
[好色 호색] ㉠남다르게 여색(女色)을 좋아함. ㉡아름다운 용모(容貌). 미모(美貌). 또, 그러한 사람. 미인(美人).
[好生之德 호생지덕] 자애심이 많아 살생(殺生)하기를 꺼리는 덕(德).
[好船者溺好騎者墮 호선자익호기자타] 배 타기를 좋아하는 자는 물에 빠지고, 말 타기를 즐기는 자는 말에서 떨어진다는 뜻으로, 좋아하는 일에 대하여 경계하여야 한다는 말.
[好消息 호소식] 좋은 소식(消息). 호음(好音).
[好手 호수] 훌륭한 솜씨. 기술이 뛰어난 사람.
[好羞 호수] 진귀(珍貴)한 음식.
[好勝 호승] 경쟁심(競爭心)이 강함. 승벽(勝癖)이 있음.
[好勝之癖 호승지벽] 경쟁심(競爭心)이 강한 성질(性質). 승벽(勝癖).
[好時節 호시절] 좋은 시절(時節).
[好食 호식] ㉠좋은 음식. ㉡좋은 음식을 먹음.
[好惡 호악] ㉠좋음과 나쁨. ㉡[호오] '호오(好惡)'를 보라.
[好顔 호안] 기뻐하는 빛을 띤 얼굴.
[好狎 호압] 너무 가까워 예모(禮貌) 없이 굶.
[好語 호어] 호언(好言).
[好言 호언] 좋은 말. 유익한 말.
[好惡 호오] 좋아함과 미워함. 애증(愛憎).
[好友 호우] 좋은 벗. 다정한 벗.
[好雨 호우] 때를 맞추어 알맞게 오는 비.
[好竽鼓瑟 호우고슬] 남은 피리 소리를 듣기 좋아하는데, 자기가 좋아하는 큰 거문고를 타 환심(歡心)을 사려고 함. 구(求)하는 방법이 틀림의 비유.
[好運 호운] 좋은 운수(運數).
[好爲人師 호위인사] 아는 체하여 남의 스승 되기를 즐김.
[好音 호음] ㉠좋은 소식. ㉡듣기 좋은 소리.
[好衣 호의] ㉠좋은 옷. ㉡좋은 옷을 입음.
[好意 호의] ㉠친절한 마음. ㉡호감(好感).
[好誼 호의] 좋은 정의(情誼). 가까운 정분.
[好衣好食 호의호식] 잘 입고 잘 먹음.
[好餌 호이] ㉠좋은 먹이. 좋은 미끼. ㉡이(利)를 미끼로 하여 남을 꾀는 수단.
[好人 호인] 좋은 사람.
[好人物 호인물] 호인(好人).
[好爵 호작] ㉠높은 작위(爵位). ㉡좋은 술잔.
[好在 호재] 몸 건강히 있음.
[好適 호적] 아주 알맞음.
[好敵手 호적수] 좋은 상대. 부족하지 않은 상대.
[好轉 호전] ㉠무슨 일이 잘되어 감. ㉡병 증세가 차차 나아가기 시작함.
[好情 호정] 친절한 마음. 따뜻한 정(情).
[好鳥 호조] 아름다운 새.
[好酒 호주] ㉠술을 좋아함. ㉡좋은 술.
[好酒客 호주객] 술을 좋아하는 사람.
[好繒 호증] 좋은 비단.
[好晴 호청] 쾌청(快晴).
[好醜 호추] 얼굴의 잘생김과 못생김. 아름다움과 추함. 연추(姸醜).
[好時侯 호치후] '종이〔紙〕'의 별칭(別稱).
[好快 호쾌] 퍽 상쾌함.
[好評 호평] 좋은 평판(評判).
[好品 호품] 품질(品質)이 좋은 물건.
[好匹 호필] 호구(好逑).
[好下物 호하물] 좋은 안주.
[好學 호학] 학문을 좋아함.
[好漢 호한] 호인물. 쓸모 있는 사람.
[好漢識好漢 호한식호한] 인물이라야 인물을 알아봄.
[好合 호합] ㉠애정이 두터움. 화목함. ㉡알맞은 결혼.
[好好 호호] 대단히 좋은 모양.
[好好爺 호호야] 사람됨이 썩 좋은 늙은이.
[好好者 호호자] 도박꾼.
[好會 호회] 친목회(親睦會).
◉嘉好. 交好. 姣好. 嗜好. 同好. 美好. 俗好. 殊好. 修好. 崇好. 時好. 雅好. 愛好. 良好. 姸好. 娟好. 悅好. 完好. 友好. 隣好. 絶好. 貞好. 情好. 精好. 靜好. 竹馬之好. 親好. 通好. 華好.

3 ⑥ [妁] 작 ㊀藥 市若切 shuò ㊀藥 之若切

字解 ①중매 작 酌(酉部 三畫)과 同字. '晩嫁由拙—'《蘇軾》. ②성 작 성(姓)의 하나.
字源 篆文 形聲. 女+勺〔音〕. '勺작'은 '구기'의 뜻. 양성(兩姓)을 떠서 퍼내다의 뜻에서, 결혼의 중매를 들다의 뜻을 나타냄.

3 ⑥ [如] 中人 여 ㊥魚 人諸切 rú

筆順 人 女 女 如 如 如

字解 ①같을 여 ㉠다르지 않음. '—前'. '君之視臣—犬馬, 則臣視君—國人'《孟子》. ㉡…는 것같이 생각됨. '心—結兮'《詩經》. ㉢비슷함. 닮음. '丞相—有驕主色'《漢書》. ㉣동등함. '—, 均也'《廣雅》. ㉤어깨를 나란히 함. 필적함. '可爲觀—緱氏城'《史記》. ㉥지시(指示)의 말. …같은 것은. '—其文也, 亦少褒也'《史記》. ②같이할 여 똑같이 함. '—農夫之務去草焉'《左傳》. ③좇을 여 따름. 순종함. '項羽使人還報懷王, 懷王曰—約'《史記》. ④어조사 여 조사(助辭). 형용사의 어미에 붙여 '然'과 같은 뜻으로 쓰임. '突—'. '勃—'. '申申—也, 夭夭—也'《論語》. ⑤갈 여 '—仁川'. '襄子—廁'《史記》. ⑥미칠 여 상당(相當)함. 及(又部二畫)과 뜻이 같음. '自以爲不—, 闚鏡而自視, 又弗—遠甚'《戰國策》. ⑦만일 여 만약. '—或'. '—有王者'《論語》. ⑧여하 여 의문의 말. 대개는 '—何'·'何—'로 연용(連用)함. '其—台'《史記》. ⑨쯤 여 정도. '出—食頃, 秦追果至關'《史記》. ⑩말이을 여 而(部首)와 뜻이 같음. '星隕—雨'《漢書》. ⑪성 여 성(姓)의 하나.
字源 甲骨文 篆文 形聲. 口+女〔音〕. '口구'는 '빌다'의 뜻. 신(神)에게 빌어 신(神)의 뜻에 따르다의 뜻. 전(轉)하여, 조사(助辭)로 쓰임.

[如干 여간] 얼마. 얼마간. 약간.
[如距之斯脫 여거지사탈] 며느리발톱을 잘라 낸 닭처럼 저항력(抵抗力)이 없음.
[如鼓琴瑟 여고금슬] 부부(夫婦)가 잘 화합(和合)함. 금실이 좋음.
[如歸市 여귀시] 저자로 몰려가는 것 같음. 많은 사람이 앞을 다투어 옴의 비유.
[如今 여금] 지금. 현재.
[如撻市 여달시] 시중(市中)의 많은 구경꾼이 보는 가운데 매 맞는 것 같다는 뜻으로, 대단한

부끄럼을 이름.
[如堵 여도] 담을 두른 것같이 사람이 많이 모임을 이름.
[如斗小邑 여두소읍] 썩 작은 고을.
[如得千金 여득천금] 천금을 얻은 것같이 마음에 흡족하게 여김을 일컫는 말.
[如來 여래] 《佛敎》 부처의 존칭(尊稱).
[如反掌 여반장] 손바닥을 뒤집는 것같이 아주 쉬움.
[如白駒之過隙 여백구지과극] 흰 망아지가 벽(壁)의 틈새를 날쌔게 달려 지나가는 것 같다는 뜻으로, 세월(歲月)이 빠름의 비유.
[如法 여법] 《佛敎》 불법(佛法)의 규칙에 따라. 전(轉)하여, 충실하여 표리(表裏)가 없이.
[如法暗夜 여법암야] 암흑(暗黑).
[如俛拾地芥 여부습지개] 얻기 쉬움의 비유.
[如夫人 여부인] 첩(妾).
[如斯 여사] 여차(如此).
[如上 여상] 위와 같음.
[如常 여상] 늘 같음. 보통 때와 같음.
[如拾遺 여습유] 땅 위에 떨어진 물건을 줍는 것처럼 매우 쉬움.
[如是 여시] 여차(如此).
[如矢 여시] 여전(如箭).
[如是我聞 여시아문] 《佛敎》 나는 이렇게 들었다는 뜻으로, 경문(經文)의 첫머리에 쓰는 말.
[如實 여실] ㉠사실과 꼭 같음. ㉡《佛敎》 진리에 어긋나지 않음. 전(轉)하여 흡사(恰似).
[如失左右手 여실좌우수] 좌우 두 손을 잃은 것 같음. 대단히 믿던 사람을 잃고 경황없음의 비유.
[如蛾赴火 여아부화] 나방이 불 속으로 뛰어듦과 같음. 곧, 탐욕(貪慾)하여 몸을 망침의 비유.
[如如 여여] 변하지 않는 모양. 틀리지 않는 모양.
[如燕巢于幕上 여연소우막상] 제비가 흔들리는 장막 위에 보금자리를 짓고 사는 것 같다는 뜻으로, 거소(居所)가 심히 편안하지 아니함을 이름.
[如蓮花在水 여연화재수] 연(蓮)은 연못의 더러운 진흙에서 자라지만 연꽃은 그 청초(淸楚)한 모습을 나타내어 물 위에 떠 있는 것같이, 이 더러운 속세(俗世)에 살면서도 속세의 티라고는 조금도 없이 인품이 아주 고아(高雅)함을 이름.
[如玉 여옥] 옥과 같이 아름다움.
[如月 여월] 음력 2월의 별칭.
[如律令 여율령] '급급여율령(急急如律令)'의 약(略). 원래 한대(漢代)에 공문서의 끝에 첨부하는 말로서 조속(早速)히 법률·명령에 따르지 않으면 안 된다는 뜻. 후세에 도가(道家)·음양가(陰陽家)에서 악마(惡魔)를 쫓는 데 썼음.
[如意 여의] ㉠일이 뜻과 같이 됨. ㉡도사(道士)가 갖는 기물(器物). 나무·옥·쇠붙이 따위로 만들었음. 옛날에 도사가 음덕(陰德)이 있는 한 가난한 선비에게 준 물건인데, 이것을 흔들면 바라는 물건이 뜻대로 나왔다는 데서 유래함. ㉢《佛敎》 보살(菩薩)이 갖는 기물. 옥·뿔·대 따위로 만들었는데, 한 자쯤 되는 자루는 끝이 굽어 고사리 모양과 같음. 원래는 등의 가려운 곳을 긁는 데 썼는데, 가려운 곳이 뜻과 같이 긁힌다는 뜻에서 나온 말이라 함.

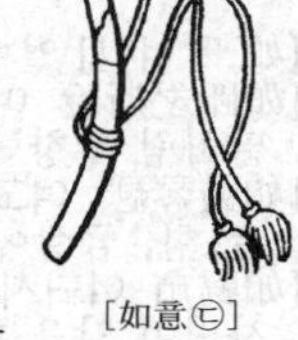
[如意㉢]

[如意輪觀音 여의륜관음] 《佛敎》 복덕(福德)을 중생(衆生)에게 주는 팔이 여섯인 관음(觀音).
[如意珠 여의주] 용(龍)의 턱 아래에 있다는 구슬. 이것을 얻으면 갖은 조화(造化)를 마음대로 부릴 수 있다고 함.
[如飴 여이] 엿처럼 닮. 간난신고(艱難辛苦)를 달게 여김을 이름.
[如一 여일] 처음부터 끝까지 한결같음.
[如茨如梁 여자여량] 곡식이 많이 쌓인 것을 형용한 말.
[如在 여재] 제사 지낼 때 신명(神明)이 거기 와 있기나 한 것처럼 공근(恭謹)함.
[如前 여전] 전(前)과 같음.
[如箭 여전] 쏜 화살과 같음. 곧, 세월(歲月)의 흐름이 빠른 모양을 이름. 여시(如矢).
[如轉圓石於千仞之山 여전원석어천인지산] 둥근 돌을 높은 산에서 굴리는 것같이 형세가 급하여 막을 수 없다는 뜻.
[如鳥過目 여조과목] 새가 눈앞을 빨리 날아 지나가듯이 광음(光陰)이 빨리 지나감을 이름.
[如足如手 여족여수] 형제(兄弟)간의 우애(友愛)가 두터움을 말함.
[如左 여좌] 왼쪽에 기록(記錄)한 바와 같음.
[如此 여차] 이러함.
[如出一口 여출일구] 한 입에서 나온 것같이 여러 사람의 말이 한결같음.
[如醉如狂 여취여광] 기뻐서 취한 듯도 하고 미친 듯도 함.
[如脫弊屣 여탈폐사] 헌신짝 버리듯 아무 미련 없이 버림.
[如土 여토] ㉠흙빛과 같음. ㉡값이 헐함.
[如風過耳 여풍과이] 바람이 귓전을 스치어 가는 정도(程度)로 여겨 조금도 개의(介意)치 않음.
[如何 여하] ㉠어찌하여. ㉡어떠하게. ㉢어찌할꼬. 어찌하랴.
[如合符節 여합부절] 부절(符節)을 맞추듯이 사물(事物)이 꼭 들어맞음.
[如許 여허] 이와 같음.
[如兄若弟 여형약제] 친(親)하기가 형제(兄弟)와 같음.
[如或 여혹] 만일. 혹시.
[如壎如篪 여훈여지] 형제가 우애(友愛)가 있음을 이름. 훈지상화(壎篪相和) 참조(參照).
◉假如. 缺如. 廓如. 鞠躬如. 闕如. 澹如. 屯如. 突如. 萬法一如. 蔑如. 穆如. 泊如. 勃如. 焚如. 凡聖一如. 不如. 肅如. 純如. 晏如. 躍如. 繹如. 漣如. 婉如. 愉愉如. 翼如. 一如. 自如. 邅如. 眞如. 粲如. 天保九如. 匹如. 奚如. 豁如. 訢訢如. 翕如.

3 ⑥ [改] 기 ㊤紙 居理切 jǐ
字解 계집이름 기 '妲一'는 주왕(紂王)의 아내. '紂嬖於婦人, 愛妲一'《史記》.
字源 形聲. 女+己〔音〕

3 ⑥ [她] ㊀ 지 ㊥支 陳知切 chí ㊁ 자 ㊤馬 子野切 jiě ㊂ 타 tā
字解 ㊀ 여자의자(字) 지 여자의 본이름 외에 붙이는 자(字). '一, 女字'《集韻》. ㊁ 어머니 자 모친. '蜀謂母曰姐, 或作一'《集韻》. ㊂《現》그

녀 타 여성(女性)의 제3인칭.
[字源] 形聲. 女+也〔音〕. 현대 중국어에서, '他타'가 남성(男性) 3인칭임에 대하여, 여성(女性) 3인칭, '그녀'의 뜻을 나타냄.

3
⑥ [妃] [高人] [一] 비 [平]微 芳非切 fēi
[二] 배 [去]隊 滂佩切 pèi

[筆順] 𡿨 女 女 女⺂ 女⺂ 妃

[字解] [一] 왕비 비 황제의 으뜸가는 첩. '一嬪'. '舜葬於蒼梧之野, 蓋三一未之從也'《禮記》. 또, 왕·황태자·황족의 정실(正室). '皇太子納一'《唐書》. [二] ①짝 배, 배우자될 배 配(酉部 三畫)와 同字. '天子之一曰后'《禮記》. '一, 匹也'《集韻》. ②짝지을 배 배합함. '一以五成'《左傳》.
[字源] 甲骨文 金文 篆文 會意. 女+己. 甲骨文의 '己'는 뱀을 본뜬 형상으로, '비의 신〔雨神〕'을 나타내고 있음. 뱀의 신(神)을 모시고 섬기는 여성(女性)의 뜻에서, '비(妃)'의 뜻을 나타내기에 이름.

[妃耦 배우] 배우자. 배우(配偶).
[妃匹 배필] 배우(配偶). 배필(配匹).
[妃合 배합] 배우(配偶).
[妃嬪 비빈] 여관(女官). 황후(皇后)의 다음이 비(妃)이고, 비의 다음이 빈(嬪)임.
[妃子 비자] 황비(皇妃)를 이름.
[妃嬙 비장] 궁녀(宮女). 여관(女官).
[妃妾 비첩] 첩(妾). 측실(側室).
[妃合 비합] 배필. 배우자.
◉貴妃. 明妃. 嬪妃. 湘妃. 星妃. 王妃. 元妃. 媛妃. 正妃. 太妃. 后妃.

3
⑥ [妕] 익 [入]職 與職切 yì

[字解] 궁녀 익 여관(女官). 부관(婦官). '六宮三妃三一'《北史》.
[字源] 金文 篆文 形聲. 女+弋〔音〕.

3
⑥ [奼] 타(차[本]) [上]馬 丑下切 chà
[去]禡 陟駕切

[字解] ①소녀 타. ②자랑할 타 자찬(自讚)함. '子虛過一烏有先生'《司馬相如》. ③아리따울 타 아름다움. 미녀(美女). '閑愛老農愚, 歸弄少女一'《韓愈》.
[字源] 篆文 形聲. 女+乇〔音〕. '乇탁'은 풀잎. 또, 풀에 핀 꽃의 모양. 꽃처럼 아름다운 여자, 곧 '처녀'의 뜻을 나타냄. 또, '咤타'와 통하여 '자랑하다'의 뜻을 나타냄.

3
⑥ [妄] [高人] 망 [去]漾 巫放切 wàng

[筆順] 丶 亠 亡 亡 妄 妄

[字解] ①허망할 망 거짓되고 망령됨. '一言'. '此亦一人也已矣'《孟子》. ②거짓 망 사실 혹은 진실이 아님. '認一爲眞'《圓覺經》. ③무릇 망 대개. '諸一校尉以下'《漢書》. ④잊을 망 忘(心部 三畫)과 뜻이 같음.
[字源] 金文 篆文 形聲. 女+亡〔音〕. '亡망'은 '盲맹'과 통하여 '장님'의 뜻. '도리에 어둡다, 망령되다'의 뜻.

[妄擧 망거] 분별(分別)이 없는 행동(行動). 망령스러운 짓.
[妄計 망계] 망령된 계책(計策).
[妄念 망념] 망상(妄想).
[妄斷 망단] 망령된 단정(斷定).
[妄動 망동] 분수(分數) 없이 함부로 하는 행동. 망거(妄擧). 경거(輕擧).
[妄靈 망령] 노망(老妄)하여 언행(言行)이 상규(常規)에 벗어남.
[妄論 망론] 망령된 언론(言論).
[妄謬 망류] 거짓과 잘못.
[妄物 망물] 도리에 벗어난 망령된 짓을 하는 사람.
[妄發 망발] 망령된 말을 함.
[妄想 망상] 망령된 생각. 허황한 공상(空想).
[妄想之繩 망상지승] 《佛敎》 몸을 괴롭히는 망상.
[妄說 망설] 허무맹랑한 말. 무근지설(無根之說).
[妄率 망솔] 아무 생각이 없이 아주 경솔(輕率)함.
[妄信 망신] 함부로 믿음. 믿지 못할 것을 믿음.
[妄心 망심] 《佛敎》 망령(妄靈)된 마음. 무명(無明)의 마음.
[妄語 망어] ㉠망언(妄言). ㉡《佛敎》 오계(五戒)의 하나. 허망(虛妄)된 말. 거짓말.
[妄言 망언] 망령된 말. 망발한 말.
[妄妖 망요] 망령되고 요사스러움.
[妄意 망의] 망령된 생각. 허망한 마음.
[妄人 망인] 망령된 사람.
[妄認 망인] 오인(誤認)함.
[妄自尊大 망자존대] 함부로 제가 잘난 체함.
[妄傳 망전] 허황된 전달. 오전(誤傳).
[妄進 망진] 무턱대고 나아감. 함부로 나아감.
[妄執 망집] 《佛敎》 망상(妄想)에 집착하는 일.
[妄誕 망탄] 터무니없음. 허황함.
[妄悖 망패] 망령되고 도리에 어그러짐.
[妄評 망평] ㉠함부로 하는 비평. ㉡정당(正當)하지 못한 비평. 망비(妄批).
◉狂妄. 怪妄. 詭妄. 無妄. 迷妄. 詐妄. 譖妄. 妖妄. 僞妄. 眞實無妄. 誕妄. 虛妄. 幻妄. 荒妄. 譎妄.

4
⑦ [妊] [人名] 임 [去]沁 汝鴆切 rèn
[平]侵 如林切

[筆順] 𡿨 女 女 女一 女𠂉 妊 妊

[字解] 애밸 임 姙(女部 六畫)과 同字. '不擊一'《埤雅》.
[字源] 金文 篆文 形聲. 女+壬〔音〕. '壬임'은 어떤 무게의 것을 지속적(持續的)으로 품다의 뜻. 여성이 아기를 태내(胎內)에 품다, 임신하다의 뜻을 나타냄.

[妊婦 임부] 아이 밴 부녀.
[妊娠 임신] 아이를 뱀. 회임(懷妊).
[妊孕 임잉] 아이를 뱀. 회태(懷胎).
◉不妊. 胎妊. 避妊. 懷妊.

4
⑦ [妍] 〔연〕
姸(女部 六畫〈p. 530〉)의 俗字

4
⑦ [妢] 분 [平]文 符分切 fén

[字解] 분나라 분 '一胡'는 초(楚)나라 부근에 있었던 나라 이름. '一胡, 胡子之國, 在楚旁'《周

禮註》.

4 [妓] [人名] 기 ①②[上]紙 渠綺切 jì
⑦ ③[平]支 居宜切 jī

[字解] ①기생 기, 갈보 기 '一女'. '娼一'. '不如銅爵臺上一'《世說》. ②미녀 기 아름다운 여자. '一, 美女也'《華嚴經音義》. ③교태지은모습 기 '一娑, 態皃'《廣韻》.
[字源] 篆文 形聲. 女+支〔音〕. '支지'는 나뭇가지를 손에 들다의 뜻. 가지를 들고 교묘히 연기(演技)하는 '광대'의 뜻.

[妓家 기가] 기생(妓生)집.
[妓女 기녀] ㉠기생. ㉡갈보. 창기. ㉢'원추리[萱]'의 별칭(別稱).
[妓樓 기루] 갈보 집. 창가(娼家). 청루(靑樓).
[妓夫 기부] 기둥서방.
[妓生 기생] 잔치나 술자리에서 가무(歌舞)로 흥을 돕는 계집.
[妓樂 기악] 기생(妓生)이 하는 음악(音樂). 기생의 음악.
[妓案 기안] 기생의 이름을 적은 책(冊).
[妓筵 기연] 기생이 나와 있는 자리.
[妓院 기원] 청루(靑樓).
◉佳妓. 歌妓. 官妓. 宮妓. 童妓. 名妓. 妙妓. 舞妓. 美妓. 聲妓. 小妓. 愛妓. 女妓. 艷妓. 藝妓. 義妓. 娼妓.

4 [妜] [一] 열 [入]屑 於決切 yuè
⑦ [二] 결 [入]屑 吉巧切 jué

[字解] [一] ①콧날 열 콧날의 표정(表情). '一, 鼻目閒皃'《說文》. ②예쁠 열 아름다움. '一, 娟也'《廣韻》. ③걱정하여시새울 열 '一, 憂妒也'《字彙》. ④성낼 열, 걱정할 열 '一, 一曰, 怒也. 憂也'《集韻》. [二] 아름다울 결 예쁜 모양. '一, 美皃'《集韻》.
[字源] 形聲. 女+夬〔音〕

4 [妘] 운 [平]文 王分切 yún
⑦

[字解] ①성 운 성(姓)의 하나. '一, 祝融之後姓也'《說文》. ②여자의자(字) 운 여자의 본이름 외에 붙이는 자(字). '一, 一曰, 女字'《集韻》.
[字源] 金文 篆文 形聲. 女+云〔音〕

4 [妖] [人名] [一] 요 [平]蕭 於喬切 yāo
⑦ [二] 교 [上]巧 吉巧切 jiāo

[字解] [一] ①아리따울 요 요염하도록 아름다움. '一艷'. '貌嫽妙以一蠱兮'《傅毅》. ②괴이할 요 기괴(奇怪)함. '一雲'. '語涉妄一'《唐書》. ③재앙 요 재화. 또는, 재화의 전조. '災一'. '人棄常則一興'《左傳》. ④요귀 요 요사한 귀신. '一精'. '一怪'. '洪範所謂鼓一者也'《漢書》. [二] 아름다울 교 姣(女部 六畫)와 同字.
[字源] 篆文 形聲. 篆文은 女+芺〔音〕. '芺요'는 머리를 흔들어 흐트러뜨린 무당을 본뜬 형상으로, 아리땁고도 괴이함의 뜻을 나타냄. 여성의 일종의 자태(姿態)인 데서, '女'를 덧붙였음.

[妖蠱 요고] ㉠요염하여 사람을 호림. ㉡요사스러운 방술(方術).
[妖怪 요괴] 도깨비. 요사스러운 귀신.
[妖咎 요구] 재앙(災殃).
[妖鬼 요귀] 요사(妖邪)한 귀신.
[妖氣 요기] 상서(祥瑞)롭지 못한 기운. 요사(妖邪)스러운 기운.
[妖女 요녀] ㉠요염(妖艷)한 여자. ㉡요사(妖邪)스러운 계집.
[妖僮 요동] 예쁘게 생긴 아이종.
[妖麗 요려] 요염하고 화려함.
[妖靈 요령] 요괴(妖怪).
[妖魔 요마] 요사(妖邪)스러운 마귀. 「됨.
[妖妄 요망] 언행(言行)이 기괴(奇怪)하고 망령
[妖魅 요매] 요사스러운 도깨비.
[妖妙 요묘] 요염하도록 아리따움.
[妖霧 요무] 기괴(奇怪)한 안개. 사람을 해치는 나쁜 안개.
[妖物 요물] ㉠요사(妖邪)스러운 물건. ㉡요사스러운 사람.
[妖靡 요미] 요염하고 음미(淫靡)함.
[妖變 요변] 괴이한 변고(變故).
[妖婦 요부] ㉠요염(妖艷)한 미녀(美女). ㉡요사(妖邪)스러운 계집.
[妖氛 요분] 기괴한 기운. 상서롭지 못한 기운.
[妖邪 요사] 요망(妖妄)스럽고 간사(奸邪)함.
[妖眚 요생] 기괴한 재앙(災殃).
[妖書 요서] 인심(人心)을 혹란(惑亂)케 하는 요사(妖邪)스러운 책.
[妖星 요성] 기괴한 별. 길(吉)하지 못한 징조를 나타낸다는 별.
[妖術 요술] 사람의 눈을 어리게 하는 괴상(怪常)한 방술(方術).
[妖僧 요승] 정도(正道)를 어지럽게 하는 요사(妖邪)스러운 중.
[妖神 요신] 요사(妖邪)한 귀신.
[妖惡 요악] 요사(妖邪)하고 간악함.
[妖冶 요야] 요염하도록 아름다움.
[妖言 요언] 인심(人心)을 혼란(混亂)케 하는 요사(妖邪)스러운 말.
[妖孼 요얼] 재앙(災殃). 재앙의 조짐.
[妖姸 요연] 요염하도록 아리따움. 또, 그러한 여자. 「움.
[妖艷 요염] 사람을 홀릴 만큼 탐탁스럽게 아리따
[妖婉 요완] 요야(妖冶).
[妖妖 요요] 요염한 모양.
[妖嬈 요요] 요염하도록 아리따움. 요교(妖嬌).
[妖雲 요운] 기괴한 구름. 불길한 징조를 나타내는 구름, 또는 기운. 「일.
[妖異 요이] ㉠요괴(妖怪). ㉡이상한 일. 괴이한
[妖人 요인] 정도(正道)를 어지럽게 하는 요사(妖邪)한 사람.
[妖賊 요적] 괴이한 나쁜 놈.
[妖精 요정] 요괴(妖怪).
[妖誕 요탄] 괴이하고 허탄(虛誕)한 소리.
[妖態 요태] 요염(妖艷)한 자태. 「자.
[妖嬖 요폐] 임금의 총애를 받고 있는 요염한 여
[妖害 요해] 기괴한 해독(害毒).
[妖彗 요혜] 요성(妖星).
[妖惑 요혹] 호림. 홀림. 미혹함.
[妖花 요화] 기괴한 아름다움을 가진 꽃. 전(轉)하여, 사람을 고혹시킬 만큼 요염한 미녀(美女).
[妖幻 요환] 마법(魔法). 남을 현혹(眩惑)하는 괴

상한 술법(術法).
[妖凶 요흉] 악마(惡魔).
[妖釁 요흔] 재앙의 조짐. 재앙.
[妖姬 요희] 요사(妖邪)스러운 계집.
◉姦妖. 妄妖. 面妖. 氛妖. 憑妖. 蠱妖. 災妖. 幻妖.

4 ⑦ [妙] 中人 묘 ㊀嘯 彌笑切 miào

筆順 ㇛ 女 女 女l 女ŀ 女小 妙

字解 ①묘할 묘 ㉠신묘(神妙)함. 불가사의함. '靈一'. 또, 신묘한 일. '玄之又玄, 衆一之門'《老子》. ㉡정묘함. 아주 잘됨. '微一'. '一技'. ㉢정치(精緻)함. 공이 듦. '精一'. '一, 精微也'《正字通》. ㉣더없이 그윽함. '以觀其一'《老子》. ②젊을 묘 나이가 스물 안짝임. '一齡'. '明公獨一年'《杜甫》. ③예쁠 묘 아리따움. '一麗善舞'《漢書》.

字源 會意. 女＋少. '少소'는 '가냘프다'의 뜻. 살결이 고운 여자의 뜻에서, 아름답다, 이상하여 헤아릴 수 없다의 뜻을 나타냄.

[妙歌 묘가] 대단히 잘 부르는 노래.
[妙覺 묘각]《佛敎》묘한 깨달음. 무상(無上)의 정각(正覺)을 얻는 일.
[妙簡 묘간] 잘 골라 뽑음. 인선(人選)을 썩 잘함. 묘택(妙擇).
[妙感 묘감] 신기한 감응(感應), 또는 감정.
[妙見 묘견]《佛敎》북두칠성(北斗七星)의 본지(本地)에서 국토를 보호하고 여러 가지 소원(所願)을 성취시키는 보살(菩薩).
[妙訣 묘결] 신묘(神妙)한 비결(祕訣).
[妙境 묘경] 언어로 표현할 수 없을 만큼 경치가 좋은 곳.
[妙計 묘계] 교묘(巧妙)한 계책.
[妙契 묘계] 묘하게 서로 맞음.
[妙高山 묘고산]《佛敎》수미산(須彌山).
[妙曲 묘곡] 썩 잘된 곡조.
[妙工 묘공] 정묘한 손재주. 뛰어난 손재주. 또, 그런 재주를 가진 사람.
[妙果 묘과]《佛敎》인연(因緣)에 의하여 생기는 묘한 결과(結果)란 뜻으로, 불과(佛果)를 얻어 여래(如來)의 지위(地位)에 달하는 일.
[妙句 묘구] 묘한 구(句). 썩 잘된 구.
[妙極 묘극] ㉠신기함이 더할 데 없음. ㉡《現》좋음. 훌륭함.
[妙技 묘기] 교묘한 손재주. 교묘한 기술.
[妙妓 묘기] ㉠아리따운 기생(妓生). ㉡묘령(妙齡)의 기생. ㉢기예가 능숙한 기생.
[妙年 묘년] 스물 안짝의 꽃다운 나이. 방년(芳年). 묘령(妙齡).
[妙德 묘덕] ㉠지극한 덕(德). ㉡《佛敎》문수보살(文殊菩薩). 지혜를 맡은 보살임.
[妙道 묘도] 현묘(玄妙)한 도. 지극한 도.
[妙略 묘략] 교묘한 계략(計略).
[妙麗 묘려] 아름답고 화려함.
[妙齡 묘령] 묘년(妙年).
[妙理 묘리] 현묘(玄妙)한 이치.
[妙舞 묘무] 교묘(巧妙)한 춤. 썩 잘 추는 춤.
[妙味 묘미] 묘(妙)한 맛. 극치(極致)의 취미.
[妙方 묘방] 교묘(巧妙)한 방법.
[妙法 묘법] ㉠묘한 방법. ㉡《佛敎》심오(深奧)한 법(法).
[妙士 묘사] ㉠청렴하고 절개 있는 선비. ㉡재치 있는 선비.
[妙思 묘사] 묘한 생각. 묘상(妙想).
[妙辭 묘사] 정묘(精妙)한 문사(文辭).
[妙算 묘산] 교묘(巧妙)한 계책.
[妙相 묘상] 묘한 모습, 또는 형상.
[妙想 묘상] 묘한 생각. 신기(神奇)한 생각. 뛰어난 생각.
[妙選 묘선] 잘 골라 뽑음. 인선(人選)을 썩 잘함.
[妙說 묘설] 오묘한 설(說). 뛰어난 언론(言論).
[妙所 묘소] 묘한 곳.
[妙少年 묘소년] 예쁘게 생긴 소년.
[妙速 묘속] 교묘(巧妙)하고 신속(迅速)함.
[妙手 묘수] 묘한 솜씨. 교묘한 기예. 또, 그 사람.
[妙數 묘수] 기기묘묘한 운수.
[妙術 묘술] ㉠교묘한 술법(術法). ㉡교묘한 수단.
[妙身 묘신] 어린 몸.
[妙案 묘안] 묘(妙)한 고안(考案). 좋은 생각.
[妙藥 묘약] 신효(神效)한 약(藥).
[妙語 묘어] 묘한 말. 풍취 있는 말.
[妙緣 묘연] 묘한 인연(因緣).
[妙譽 묘예] 더할 나위 없이 뛰어난 명예.
[妙悟 묘오] 묘하게 깨달음. 신기하게 잘 깨달음.
[妙用 묘용] ㉠교묘한 활용. ㉡신묘(神妙)한 작용.
[妙意 묘의] 묘사(妙思).
[妙異 묘이] 이상하게 뛰어나 있음.
[妙才 묘재] 뛰어난 재주.
[妙在心手 묘재심수] 기예가 뛰어남은 그 사람의 마음과 손에 달려 있음.
[妙典 묘전] 미묘(微妙)한 경전(經典)이란 뜻으로, 불경(佛經)을 이름.
[妙絶 묘절] 더할 나위 없이 묘함. 절묘(絶妙)함.
[妙操 묘조] 뛰어난 절조(節操).
[妙珍 묘진] 아주 진기(珍奇)함. 또, 그러한 물건.
[妙策 묘책] 교묘(巧妙)한 계책.
[妙處 묘처] 묘취(妙趣)가 있는 곳.
[妙趣 묘취] 묘미(妙味).
[妙致 묘치] 묘미(妙味).
[妙態 묘태] 묘한 태.
[妙擇 묘택] 묘선(妙選).
[妙品 묘품] 정묘한 작품(作品).
[妙筆 묘필] 썩 잘 쓴 글씨나 그림.
[妙解 묘해] ㉠묘하게 잘 깨달음. ㉡신묘(神妙)하게 풀어 밝힘.
[妙訓 묘훈] 뛰어나게 좋은 가르침. 명교(名敎).
◉佳妙. 勁妙. 輕妙. 高妙. 巧妙. 詭妙. 奇妙. 丹靑之妙. 美妙. 微妙. 敏妙. 殊妙. 勝妙. 神妙. 深妙. 麗妙. 姸妙. 淵妙. 英妙. 靈妙. 奧妙. 妖妙. 尤妙. 絶妙. 精妙. 衆妙. 卽妙. 至妙. 珍妙. 淸妙. 沖妙. 玄妙.

4 ⑦ [妧] 人名 완 ㊥元 愚袁切 yuán ㊀翰 五換切 wàn

字解 ①여자의자(字) 완 본이름 외에 붙이는 자(字). '一, 女字'《集韻》. ②아리따울 완 예쁜 모양. '一, 字林, 好皃'《集韻》.

字源 形聲. 女＋元〔音〕

4 ⑦ [妣] 비 ㊤紙 卑履切 bǐ ㊀寘 必至切

字解 ①어미 비 모친. '父爲考母爲一'《爾雅》.

②죽은어미 비 옛날에는 부모를 생전에도 고비(考妣)라 일컬었으나, 후세에는 오로지 사후(死後)에만 일컫게 되었음. '生曰父母, 死曰考—'《禮記》.
[字源] 甲骨文 金文 篆文 籀文 甲骨文은 象形으로, 늙은 여성의 모양을 본떠, 돌아간 어머니의 뜻을 나타냄. 뒤에 形聲, 女+比〔音〕가 되었음. '比비'는 나란히 서다의 뜻. 돌아가신 아버지와 나란히 있는 이, 돌아가신 어머니의 뜻을 나타냄.

[妣考 비고] 돌아간 어머니와 아버지. 또, 어머니와 아버지.
[妣祖 비조] 돌아간 어머니와 선조(先祖).
◉考妣. 先妣. 祖妣. 皇妣.

4 ⑦ [妤] [人名] 여 [平]魚 以諸切 yú
[字解] 궁녀 여 '倢—'는 한대(漢代) 여관(女官)의 하나.
[字源] 形聲. 女+予〔音〕

4 ⑦ [妉] 담 [平]覃 丁含切 dān
[字解] 즐길 담 좋아함. '—, 樂也'《爾雅》.

4 ⑦ [妨] [高人] 방 [平]陽 敷方切 fáng, fāng
[去]漾 敷亮切 fáng
[筆順] 𡿨 女 女 女' 女亠 妨 妨
[字解] ①거리낄 방 장애가 됨. '宇宙隘而—'《韓愈》. 또, 거리끼는 일. 장애. '太子勇數被讒毁, 歎曰, 我大覺身—'《隋書》. ②헤살놓을 방 방해함. '—止'. '儒道兩相—'《陳子昂》. ③상할 방 해침. '—, 害也'《說文》.
[字源] 篆文 形聲. 女+方〔音〕. '方방'은 좌우로 내밀다의 뜻. 손을 좌우로 내밀어 방해하다의 뜻을 나타냄.

[妨遏 방알] 방지(妨止).
[妨礙 방애] 방해(妨害).
[妨沮 방저] 헤살 놓음.
[妨止 방지] 막아 정지시킴. 헤살 놓아 못 하게 함.
[妨蔽 방폐] 방해하여 덮어 가림.
[妨害 방해] 남의 일에 헤살을 놓아서 해(害)롭게 함.
[妨賢路 방현로] 어진 사람의 출세(出世)의 길을 방해함. 어진 이가 출세를 못 하도록 함.
◉病妨. 三妨. 俗物妨. 女妨. 意妨.

4 ⑦ [妞] 뉴 [上]有 女久切 niū
[字解] ①성 뉴 성(姓)의 하나. ②계집아이 뉴 '——'는 소녀(少女). '把——抱過來罷'《紅樓夢》.

4 ⑦ [妎] 해 [去]泰 胡蓋切 hài
[去]霽 胡計切
[字解] ①시새울 해 시기함. '人無—物之心'《路史》. ②덮을 해 덮어 가림. '弭其百苛, —其讒慝'《國語》.
[字源] 篆文 形聲. 女+介〔音〕

4 ⑦ [姌] 념 [上]琰 而琰切 rǎn
[字解] ①날씬할 념 여자의 모습이 가냘프고 늘씬한 모양. '—, 弱長皃'《說文》. ②가냘플 념 섬세함. '—, 纖細也'《集韻》.
[字源] 甲骨文 篆文 形聲. 女+冄〔音〕. '冄염'은 '冉염'과 동일어(同一語) 이체자(異體字)로서, 숙부드럽고 가냘픈 모양. 여자의 나긋나긋한 몸매를 나타냄.

4 ⑦ [妐] 종 [平]冬 職容切 zhōng
[字解] ①아주버니 종 남편의 형. ②시아버지 종 남편의 아버지. '姑—知之'《呂氏春秋》. ③손위 시누이 종 남편의 누님. '女—, 謂壻之姊也'《禮記 疏》.
◉姑妐.

4 ⑦ [妠] [一] 납 [入]合 奴荅切 nà
[二] 놜 [入]黠 女刮切 nà
[字解] [一] ①장가들 납 '—, 娶也'《集韻》. ②모을 납 물건을 모음. '—, 姶—, 聚物'《廣韻》. [二] 살질 놜 '婠—'은 어린애가 토실토실 살찐 모양. '巴豔收婠—'《韓愈》.
[字源] 形聲. 女+內〔音〕. '內내·납'은 '들이다'의 뜻. 여자를 아내로서 맞아들이다의 뜻을 나타냄.
◉婠妠.

4 ⑦ [妗] [人名] [一] 첨 [平]鹽 處占切 xiān
[二] 함 [平]咸 許咸切 xiān
[三] 금 [去]沁 巨禁切 jìn
[字解] [一] ①싱글벙글할 첨 얌전히 웃음. '—, 婆也'《說文》. ②아름다울 첨 '—, 美也'《廣韻》. [二] ①계집방정스러울 함 여자가 방정맞음. '—, 女輕薄皃'《集韻》. ②기뻐할 함 '—, 喜皃'《廣韻》. [三] 외숙모 금 어머니의 형제의 아내. '俗謂舅母曰—'《集韻》.
[字源] 篆文 形聲. 女+今〔音〕. '婆점'과 통하여, '기뻐서 웃다'의 뜻을 나타냄.

4 ⑦ [妒] 〔투〕
妬(女部 五畫〈p.521〉)와 同字
[字源] 篆文 形聲. 女+戶〔音〕. '妬'와 동일어 이체자(同一語異體字)로, '시기하다'의 뜻을 나타냄.

4 ⑦ [妝] 장 [平]陽 側羊切 zhuāng
[字解] 단장할 장, 단장 장 화장함. 또, 화장. 粧(米部 六畫)과 同字. '—梳'. '濯—於此溪上源'《述異記》.
[字源] 金文 篆文 形聲. 女+爿〔音〕. '爿장'은 '裝장'과 통하여, '단장하다, 꾸미다'의 뜻. 여성이 단장하다, 꾸미다의 뜻을 나타냄.

[妝匣 장갑] 경대(鏡臺).
[妝奩 장렴] 경대(鏡臺).
[妝扮 장반] 꾸밈. 수식(修飾)함. 「함.
[妝梳 장소] 얼굴을 단장하고 머리를 빗음. 화장

[妝靚 장정] 단정하여 꾸밈.
◉輕妝. 淚妝. 淡妝. 鮮妝. 素妝. 新妝. 研妝. 艷妝. 凝妝. 靚妝. 整妝. 紅妝.

4 ⑦ [妌] 人名 정 ㊤梗 疾郢切 ㊤敬 疾政切 jìng

字解 ①고요할 정 '一, 靜也'《說文》. ②깨끗할 정 여자가 정결(貞潔)함. '一, 女人貞潔也'《廣韻》.

字源 形聲. 女+井〔音〕

4 ⑦ [妥] 中人 타 ㊤哿 他果切 tuǒ

筆順

字解 ①편안할 타 무사함. 안태함. '一安'. '以一以侑'《詩經》. ②온당할 타 마땅함. '一當'. ③떨어질 타 墮(土部 十二畫)와 同字. '花一鶯捎蝶'《杜甫》.

字源 甲骨文 金文 篆文 會意. 爪+女. '爪조'는 위에서 내민 손을 본뜬 모양. 위에서 손을 뻗어 부드럽게 여자를 앉히는 모양에서, '편안하다'의 뜻을 나타냄.

[妥結 타결] 양측이 서로 합의 절충하여 일을 마무름.
[妥當 타당] 사리(事理)에 마땅함. 온당하고 적절「함.
[妥靈 타령] 신주(神主)를 섬겨 모심.
[妥商 타상] 타의(妥議).
[妥綏 타수] 타안(妥安).
[妥安 타안] 무사함. 안태(安泰)함.
[妥議 타의] 서로 타협적(妥協的)으로 의논함.
[妥定 타정] 온당하게 작정(作定)함.
[妥帖 타첩] 별일이 없이 순조롭게 끝남.
[妥辦 타판] 타당하게 판리(辦理)함.
[妥協 타협] 두 편이 서로 좋도록 협의(協議)하여 조처(措處)함.
◉安妥. 帖妥. 平妥.

4 ⑦ [妟] ■ 안 ㊦諫 於諫切 yàn ■ 연 ㊦霰 伊甸切

字解 ■ 편안할 안, 편안히할 안 '一, 安也. 詩曰 言一父母'《說文》. ■ 산뜻한해돋이 연 '一, 日出淸明也'《集韻》.

字源 會意. 女+日

5 ⑧ [妬] 人名 투 ㊦遇 當故切 dù

字解 ①강샘할 투 투기함. '嫉一'. '女無美惡, 入宮見一'《史記》. ②시새울 투 시기함. '爵高者, 人一之'《列子》.

字源 篆文 形聲. 女+石〔音〕. '石석'은 '貯저'와 통하여, '쌓여서 모이다'의 뜻. 아내의 남편에 대해 쌓인 감정, '질투'의 뜻을 나타냄.

[妬氣 투기] 질투가 나는 기분.
[妬忌 투기] 강샘. 질투(嫉妬).
[妬女 투녀] 질투심이 강한 여자.
[妬昧 투매] 시기하여 숨김.
[妬媢 투모] 질투함.
[妬婦 투부] 질투 많은 여자.
[妬殺 투살] 질투함. 시기함. 살(殺)은 조자(助字).
[妬心 투심] 투기(妬忌)하는 마음. 시기하는 마「음.
[妬嫉 투질] 강샘함. 시새우고 미워함.
[妬妻 투처] 강샘이 많은 아내.
[妬癡 투치] 정도에 넘치는 질투.
[妬恨 투한] 시기하고 원한을 품음.
[妬悍 투한] 질투심이 강하고 사나움.
◉嬌妬. 驕妬. 同美相妬. 憎妬. 嫉妬.

5 ⑧ [妲] 달 ㊇曷 當割切 dá

字解 여자이름 달 '一己'는 은(殷)나라 주왕(紂王)의 아내.

字源 篆文 形聲. 女+旦〔音〕

[妲己 달기] 중국 은(殷)나라 주왕(紂王)의 비(妃). 달(妲)은 자(字), 기(己)는 성(姓)임. 주왕과 더불어 폭정(暴政)을 일삼았고, 향락을 누렸다. 주(周)의 무왕(武王)은 주왕(紂王)을 벌(伐)하고, 달기를 목 베어 작은 깃대에 매달았다고 함.

5 ⑧ [妹] 中人 매 ㊦泰 莫貝切 ㊦隊 莫佩切 mèi

筆順

字解 ①누이 매 ㉠손아래 누이. '姊一'. '東宮之一'《詩經》. ㉡나이가 아래인 여자의 애칭(愛稱). '俔天之一'《詩經》. ②영락한계집 매 '歸一, 衰落之女也'《易經 註》.

字源 甲骨文 金文 篆文 形聲. 女+未〔音〕. '未미'는 '아직 젊다, 아직 작다'의 뜻. '누이동생'의 뜻을 나타냄.

參考 妺(次條)와는 別字

5 ⑧ [妺] 말 ㊇曷 莫撥切 mò

字解 계집이름 말 '一喜'는 하(夏)나라의 걸왕(桀王)의 아내.

字源 形聲. 女+末〔音〕

參考 妹(前條)는 別字

[妺喜 말희] 중국 하(夏)나라 걸왕(桀王)의 비(妃). 유시씨(有施氏)의 딸로서 걸왕과 더불어 음주(飮酒)로써 나날을 보냈다 함.

5 ⑧ [姁] 후 ㊥虞 況于切 xū ㊤麌 況羽切 xǔ ㊦遇 香句切 xǔ

字解 ①예쁠 후 아름다움. ②즐거워할 후 서로 즐거워하는 모양. '子母一一然相樂也'《呂氏春秋》. ③할미 후 노파.

字源 篆文 形聲. 女+句〔音〕. '句구'는 '몹시 굽다'의 뜻. 등이 굽은 여자, '할미'의 뜻을 나타냄.

[姁婾 후유] ㉠즐거운 모양. 화열(和悅)한 모양. ㉡예쁜 모양.
[姁姁 후후] ㉠서로 즐거워하는 모양. ㉡자애(慈

愛)가 풍기는 말소리.

5 ⑧ [姂] 핍 入洽 房法切 fá

字解 ①얌전할 핍 부인(婦人)의 얌전한 모습. '一, 婦人皃'《說文》. ②어여쁠 핍 '一, 好也'《廣雅》.

字源 篆文 形聲. 女+乏〔音〕.

5 ⑧ [姆] 人名 모(무本) 上麌 滿補切 mǔ

字解 ①유모 모 젖어머니. '一抱幼子立側'《韓愈》. ②여스승 무 여선생. '一教'. '古者婦人五十無子, 出不復嫁, 以婦道教人者, 謂一'《新字典》.

字源 篆文 形聲. 篆文은 女+每〔音〕. '每매'는 '어머니'의 뜻. 어머니를 대신하여 어린아이를 양육하는 여성, '유모'의 뜻을 나타냄.

[姆教 모교] ㉠여선생(女先生). 옛날에 부인이 나이 쉰이 되어도 아들이 없으면 다시 시집가지 않고 부도(婦道)를 남에게 가르쳤음. ㉡여선생의 가르침.
[姆姆 모모] 손아래 동서가 손위 동서를 부르는 말.
[姆婦 모부] ㉠부도(婦道)를 가르치는 부인. 여교사(女教師). ㉡유모(乳母).
[姆傅 모부] 보모(保姆).
◉保姆. 侍姆.

5 ⑧ [姉] 中人 자 上紙 將几切 zǐ

筆順 ㇛ 女 女 女' 女˜ 姉 姉 姉

字解 ①누이 자 ㉠손위 누이. '一妹'. '遂及伯一'《詩經》. ㉡여자를 친숙하게 또는 공경하는 뜻을 나타내어 이르는 말. '階前逢阿一'《李商隱》. ②어머니 자 생모(生母). '一, 北齊太子稱生母爲一一'《正字通》.

字源 篆文 形聲. 女+𠂔〔音〕. '𠂔자'는 '進진'과 통하여, '앞으로 나아감'의 뜻. 먼저 태어난 여자 동기, 곧 손위 누이의 뜻을 나타냄. '𠂔'는 뒤에 '市'의 형태를 취하게 되었음.

參考 姊(次條)는 俗字

[姉妹 자매] ㉠손위 누이와 손아래 누이. ㉡여자를 친숙한 뜻을 나타내어 이르는 말.
[姉夫 자부] 손위 누이의 남편. 자형(姉兄).
[姉壻 자서] 손위 누이의 남편. 자형(姉兄).
[姉姉 자자] ㉠유모(乳母). ㉡어머니.
[姉兄 자형] 손위 누이의 남편. 자부(姉夫).
◉貴姉. 大姉. 伯姉. 小姉. 阿姉. 月姉. 弟姉. 處姉.

5 ⑧ [姊] 中人 姉(前條)의 俗字

筆順 ㇛ 女 女 女' 女˜ 女ᅮ 姊 姊

5 ⑧ [始] 中人 시 上紙 詩止切 shǐ

筆順 ㇛ 女 女 女' 女ム 始 始 始

字解 ①처음 시 ㉠시초. '一末'. '君子以作事謀一'《易經》. ㉡근본. 근원. '無名天地之一'《老子》. ㉢최초에. 처음에. 맨 앞. '一作俑者'《孟子》. ㉣이전에 '一余初冠, 應進士'《韓愈》. ②비롯할 시 시작함. '立愛自親一'《禮記》. ③비로소 시 처음으로 '一用六佾'《左傳》. ④성 시 성(姓)의 하나.

字源 甲骨文 金文 篆文 形聲. 女+台〔音〕. '처음'의 뜻. '台이'는 깨끗이 닦은 농구(農具)인 '쟁기'의 뜻으로, 농경(農耕)의 첫 의식(儀式)에서 '처음'의 뜻이 생겼다는 설(說)이 있음. '始시'는 여자가 처음으로 태아(胎兒)를 배는 뜻인 '胎태'에 가까운 데서, 널리 '처음'의 뜻으로 쓰였다는 설(說)도 있고, 또는 하(夏)나라를 세운 임금의 성(姓)이 '姒사'이고, 金文에서 '始'·'姒' 모양이 같으므로, 여계(女系)의 시조(始祖)의 뜻에서, '처음'의 뜻이 생겼다는 설(說)도 있음.

[始覺 시각]《佛教》불법(佛法)을 듣고 비로소 무명(無明)에서 벗어나 깨달음을 얻는 일. 삼각(三覺)의 하나.
[始根 시근] 근본의 원인.
[始睹 시도] 처음 봄.
[始末 시말] ㉠처음과 끝. ㉡처음부터 끝까지. 줄곧. ㉢시작과 끝. ㉣시작부터 끝까지의 사정. 일의 내력.
[始發 시발] 처음 떠남.
[始如處女後如脫兔 시여처녀후여탈토] 처음에는 처녀와 같이 정숙하나 나중에는 도망가는 토끼와 같이 빨리 달린다는 뜻으로, 처음에는 조용히 하여 적을 안심시켜 놓고 나중에는 민첩히 행동하여 적이 방어할 여유를 주지 않음을 이름.
[始元 시원] 처음. 시초(始初).
[始原 시원] 시원(始元).
[始作 시작] 처음으로 함.
[始政 시정] 정무(政務)를 보기 시작함.
[始祖 시조] 한 족속(族屬)의 맨 처음 되는 조상(祖上).
[始祖鳥 시조조] 현재의 조류(鳥類)의 조상이라고 생각되는 것으로, 파충류(爬蟲類)와 조류(鳥類)와의 중간에 속함. 19세기에 독일에서 화석(化石)으로 처음 발견되었음.
[始終 시종] ㉠처음과 끝. ㉡처음부터 끝까지. 줄곧. 항상. ㉢처음부터 끝까지 일관(一貫)함.
[始終如一 시종여일] 처음과 끝이 변(變)함이 없이 꼭 같음.
[始中終 시중종] 처음과 중간과 끝. 곧, 일의 경과의 전체.
[始創 시창] 처음으로 만듦. 만들기 시작함. 창시(創始).
[始初 시초] 처음. 시원(始元). 시원(始原).
[始孩 시해] 갓난아이. 영아(嬰兒).
[始皇 시황] 진시황(秦始皇).
◉開始. 更始. 經始. 大始. 無始. 報本反始. 本始. 愼始. 年始. 元始. 原始. 造始. 終始. 從隗始. 創始. 太始.

5 ⑧ [姃] 人名 정 平庚 諸盈切 zhēng

筆順 ㇛ 女 女 女一 女丁 女下 女正 姃

字解 ①단정할 정 여자의 자태가 바름. '一, 女容端莊'《正字通》. ②여자의자(字) 정 여자의 본이름 외의 자(字). '一, 女字'《集韻》.
字源 形聲. 女+正〔音〕

5 ⑧ [姈] 人名 령 ㊥靑 郞丁切 líng

筆順 ㇛ 女 女 女' 女^ 女^ 姈 姈

字解 ①여자의자(字) 령 본이름 외에 붙이는 여자의 자(字). ②여자영리할 령 여자가 예쁘고 영리함.
字源 形聲. 女+令〔音〕

5 ⑧ [姍] ㊀ 산 ㊥刪 師姦切 shān ㊁ 선 ㊥先 蕭前切 xiān

字解 ㊀ ①헐뜯을 산 비방함. '一咲三代'《漢書》. ②잘생길 산 아름다움. '一, 好也'《廣雅》. ㊁ 비트적거릴 선 절룩거리며 걷는 모양. '立而望之, 何一一其來遲'《漢書》.
字源 篆文 形聲. 女+冊(刪〈省〉)〔音〕. '冊책'은 끝의 길이가 고르지 못한 대나 나무의 조각의 모양. 여자가 치맛자락을 끌며 나긋나긋하게 걷는 모양을 나타냄. 또 '訕산'과 통하여 '헐뜯다'를 뜻함.

[姍笑 산소] 헐뜯으며 웃음. 조소(嘲笑)함.
[姍姍 선선] 비척거리며 걷는 모양.
◉蹣姍. 便姍.

5 ⑧ [姐] 저(자㊍) ①②㊤馬 玆野切 jiě ③㊦御 將豫切 jù

字解 ①누이 저 손위 누이. ②계집아이 저 여자의 통칭(通稱). '大一'. '小一'. ③교만할 저 오만함. '恃愛肆一'《嵇康》.
字源 篆文 形聲. 女+且〔音〕. '且차·저'는 위에 겹쳐 쌓다의 뜻. 여자 형제의 언니를 뜻함.

◉大姐. 小姐. 阿姐.

5 ⑧ [姑] 高人 고 ㊥虞 古胡切 gū

筆順 ㇛ 女 女 女一 女十 妌 姑 姑

字解 ①시어미 고 ㉠남편의 어머니. '舅一'. '夫之母曰一'《爾雅》. ㉡또, 시누이는 '小一'. ㉢장모는 '外一'. ②고모 고 아버지의 자매. '一壻'. '問我諸一'《詩經》. ③계집 고 여자. 부녀. '紂棄黎老之言, 用一息之謀'《尸子》. ④잠시 고 잠깐 동안. 일시. '子一待之'. '一惟教之'《書經》.
字源 金文 篆文 形聲. 女+古〔音〕. '낡은 여자'의 뜻에서, 남편의 어머니, 시어머니, 장모의 뜻을 나타냄.

[姑公 고공] ㉠고구(姑舅). ㉡대고모부(大姑母夫).
[姑舅 고구] 시어머니와 시아버지. 구고(舅姑).
[姑娘 고랑] ㉠첩(妾). ㉡《現》㋐고모(姑母). ㋑미혼(未婚)의 처녀.
[姑母 고모] 《韓》 아버지의 누이.
[姑母夫 고모부] 《韓》 고모(姑母)의 남편. 고부(姑夫). 고서(姑壻).
[姑夫 고부] 고모부(姑母夫).
[姑婦 고부] 시어머니와 며느리.
[姑壻 고서] 고모부(姑母夫).
[姑洗 고선] ㉠십이율(十二律)의 하나. 3월에 배당함. ㉡음력 3월의 별칭.
[姑少 고소] 잠시.
[姑蘇 고소] 춘추 전국 시대(春秋戰國時代)의 오(吳)나라의 서울. 지금의 장쑤 성(江蘇省) 쑤저우 부(蘇州府)에 해당함. 고소성(姑蘇城)은 그 성(城). 고소대(姑蘇臺)는 오왕(吳王) 부차(夫差)가 월(越)나라를 격파하고 얻은 미인(美人) 서시(西施)를 위하여 쌓은 대(臺).
[姑息 고식] ㉠구차하게 우선 당장 평안한 것만을 취함. ㉡부녀자와 어린아이.
[姑媳 고식] 고부(姑婦).
[姑息因循 고식인순] 어름어름하여 일시 미봉(彌縫)을 꾀함.
[姑息之計 고식지계] 당장에 편한 것만을 취하는 계책.
[姑姊 고자] 아버지의 누님. 고모(姑母).
[姑子 고자] ㉠시집가기 전의 처녀. ㉡고종사촌(姑從四寸).
[姑嫜 고장] 시어머니와 시아버지. 구고(舅姑).
[姑妐 고종] 시어머니와 시아버지.
[姑從 고종] 《韓》 고종사촌(姑從四寸).
◉舅姑. 麻姑. 三姑. 先姑. 小姑. 少姑. 外姑. 玆姑. 皇姑.

5 ⑧ [姌] 〔념〕 姩(女部 四畫〈p.520〉)과 同字

5 ⑧ [姒] 사 ㊤紙 詳里切 sì

字解 ①손위동서 사 남편의 형의 아내. '姊婦謂長婦爲一婦'《爾雅》. ②동서 사 여자 동서끼리 서로 부르는 호칭(呼稱). ③언니 사 여형(女兄). '女子同出, 先生爲一, 後出爲娣'《爾雅》. ④성 사 중국 하(夏)나라의 창시자. 우(禹)임금의 성. '禹爲一姓'《史記》.
字源 形聲. 女+以〔音〕

[姒婦 사부] 손위 동서.
[姒娣 사제] ㉠손위 동서와 손아래 동서. ㉡언니와 동생.
◉娣姒. 太姒.

5 ⑧ [姓] 中人 성 ㊦敬 息正切 xìng

筆順 ㇛ 女 女 女' 女ㅡ 女⺧ 姓 姓

字解 ①성 성 성씨. '一名'. '天子建德, 因生以賜一'《左傳》. ②겨레 성 씨족. '振振公一'《詩經》. ③아들 성 낳은 아들. '問其一'《左傳》.
字源 金文 篆文 形聲. 女+生〔音〕. '生생'은 '태어나다'의 뜻. 사람의 태어난 곳의 뜻에서, '겨레'의 뜻을 나타냄. 金文에서는 '生·性'으로 씀.

[姓系 성계] 성씨(姓氏)와 가계(家系).

[姓名 성명] 성(姓)과 이름.
[姓譜 성보] 선조(先祖)로부터의 가계(家系)를 적은 기록(記錄). 족보(族譜).
[姓氏 성씨] 성(姓)과 씨(氏).
[姓字 성자] ㉠성(姓)과 자(字). ㉡성명(姓名).
[姓族 성족] 성이 같은 일가. 명망 있는 대족(大族).
◉改姓. 舊姓. 國姓. 大姓. 同姓. 名姓. 冒姓. 百姓. 本姓. 四姓. 小姓. 右姓. 異姓. 子姓. 族姓. 宗姓.

5 ⑧ [姏] 담 [平]覃 武酣切 mán, qián

[字解] 할미 담 노파. 또, 노파의 자칭(自稱). '一姆尼僧, 尤爲親暱'《晉書》.
[字源] 會意. 女+甘. 감언으로 남을 기쁘게 하는 여자, 늙은 여자의 뜻을 나타냄.

5 ⑧ [妯] [一] 축 [入]屋 直六切 zhóu(zhú)
[二] 추 [平]尤 丑鳩切 chōu

[字解] [一] 동서 축 '一娌'는 형제의 아내가 서로 부르는 호칭. [二] 두근거릴 추 동계(動悸)함. '憂心且一'《詩經》.
[字源] 篆文 形聲. 女+由〔音〕. '由유'는 '弔조'와 통하여, '마음 아파하다'의 뜻. '女여'는 심리 상태를 나타내는 말에 붙임.

[妯娌 축리] 형제(兄弟)의 아내가 서로 부르는 호칭(呼稱).

5 ⑧ [妮] 니 [平]支 女夷切 nī(ní)

[字解] 종 니 계집종. '今人呼婢曰一'《六書故》.
[字源] 形聲. 女+尼〔音〕. '尼니'는 '가까이 가다'의 뜻. 귀인의 측근(側近)으로서 섬기는 여자의 뜻을 나타냄.

[妮子 이자] 하녀(下女). 계집종.

5 ⑧ [姖] 거 [上]語 臼許切 jù

[字解] ①산이름 거 '吳一'는 산의 이름. '大荒之中有山, 名日月山. 天樞也. 吳一天門, 日月所入'《山海經》. ②사람이름 거 '有金門之山有人, 名曰黃一之尸'《山海經》. ③성 거 성(姓)의 하나.

5 ⑧ [姓] [人名] 주(투[本]) [上]有 天口切 tǒu

[筆順] 𡿨 女 女 女' 女'' 女⺊ 妵 姓

[字解] ①여자이름자(字) 주 '一, 女字也'《說文》. ②예쁠 주.

5 ⑧ [姅] 반 [去]翰 博漫切 bàn 普半切

[字解] 경도 반 월경(月經).
[字源] 篆文 形聲. 女+半〔音〕

5 ⑧ [妿] [一] 아 [平]歌 烏何切 ē
[二] 가 [平]歌 古俄切

[字解] [一] 여스승 아 부도(婦道)를 가르치는 여자. '一, 女師, 以敎女子'《廣韻》. [二] 여스승 가 [一]과 뜻이 같음.
[字源] 形聲. 女+加〔音〕

5 ⑧ [妸] [人名] 〔아〕
娿(女部 八畫〈p. 539〉)의 本字
[字源] 篆文 形聲. 女+可〔音〕. 여자가 나긋나긋하고 요염한 모양.

5 ⑧ [妷] 〔질〕
姪(女部 六畫〈p. 528〉)과 同字
[字源] 形聲. 女+失〔音〕

5 ⑧ [㚷] 〔내〕
嬭(女部 十四畫〈p. 551〉)와 同字

5 ⑧ [妳] 〔내〕
嬭(女部 十四畫〈p. 551〉)의 俗字

5 ⑧ [妻] [中人] 처 ①[平]齊 七稽切 qī
②[去]霽 七計切 qì

[筆順] 一 ㄱ ㄱ 亖 𠦝 妻 妻 妻

[字解] ①아내 처 '一妾'. '取一不取同姓'《禮記》. ②시집보낼 처 '以其子一之'《論語》.
[字源] 篆文 古文 會意. 屮+又+女. '屮철'은 비녀를 본뜬 모양. 비녀에 손을 대고 머리를 매만져 꾸미는 여자의 모양에서, '아내'의 뜻을 나타냄.

[妻家 처가] 아내의 본가(本家).
[妻公 처공] 아내의 아버지. 장인(丈人). 「君).
[妻君 처군] 남의 아내를 가리켜 말함. 세군(細
[妻男 처남] 《韓》 아내의 오라비. 처남(妻娚).
[妻娚 처남] 처남(妻男). 「(助字).
[妻女 처녀] ㉠아내와 딸. ㉡아내. 여(女)는 조자
[妻孥 처노] 처노(妻帑).
[妻帑 처노] ㉠아내와 아들. ㉡가족.
[妻黨 처당] 처족(妻族). 「行).
[妻德 처덕] ㉠아내의 덕(德). ㉡아내의 덕행(德
[妻略 처략] 약탈하여 아내로 삼음.
[妻邊 처변] 처족(妻族).
[妻山 처산] 아내의 무덤.
[妻喪 처상] 아내의 상사(喪事).
[妻城子獄 처성자옥] 아내와 자식이 있는 사람은 집안일에 얽매어 자유로이 활동할 수 없음을 이르는 말.
[妻嫂 처수] ㉠아내와 형수. ㉡처남댁.
[妻室 처실] 아내.
[妻子 처자] 아내와 자식(子息).
[妻子眷屬 처자권속] 처자와 권속. 가족과 일가.
[妻葬 처장] 아내의 장사(葬事).
[妻財 처재] ㉠처가에서 준 재물. ㉡아내와 재물.
[妻弟 처제] 《韓》 아내의 여동생(女同生).
[妻族 처족] 아내의 겨레붙이.
[妻姪 처질] 처(妻)조카.
[妻妾 처첩] 아내와 첩(妾).
[妻娶 처취] 아내를 얻음. 장가듦.
[妻兄 처형] 《韓》 아내의 언니.
◉家貧思妻. 繼妻. 恐妻. 寡妻. 忌妻. 亡妻. 夫妻. 徙宅忘妻. 山妻. 先妻. 小妻. 惡妻. 愛妻. 良妻. 豔妻. 愚妻. 嫡妻. 前妻. 正妻. 糟糠之

妻. 妒妻. 賢妻. 荊妻. 後妻.

5 ⑧ [妾] 高人 첩 ㊀葉 七接切 qiè

筆順

字解 ①첩 첩 ㉠작은마누라. 소실(小室). '愛一'. '聘則爲妻, 奔則爲一'《禮記》. ㉡여자의 겸칭(謙稱). '一自有隱居之服'《後漢書》. ②시비 첩 좌우에 두고 부리는 부녀. '一媵'. '共姬之一'《左傳》. ③계집아이 첩 '處一'. '諸一遇之而孕'《漢書》. ④성 첩 성(姓)의 하나.

字源 甲骨文 金文 篆文 會意. 辛+女. '辛신'은 바늘을 본뜬 모양으로, '문신(文身)'의 뜻. 귀인 곁에 모시는 문신(文身)을 넣은 여성, 시비(侍婢)의 뜻을 나타내며, 또 '첩'을 뜻함.

[妾宅 첩댁] 첩이 살게 마련한 집.
[妾腹 첩복] 첩이 나은 아들. 첩 소생.
[妾婦 첩부] 첩. 첩실(妾室).
[妾婦之道 첩부지도] 사물의 시비(是非)를 가리지 않고 그저 남을 따르는 방식. 여자는 오로지 순종(順從)하는 것을 정도(正道)로 삼음에서 이름.
[妾侍 첩시] 첩. 첩실(妾室). 또, 계집종.
[妾室 첩실] 첩.
[妾御 첩어] ㉠첩. 첩실(妾室). 측실(側室). ㉡첩이 남편과 잠자리를 같이함.
[妾媵 첩잉] ㉠신부(新婦)를 따라 그의 시가(媤家)에 가서 시비(侍婢)가 되는 여자. ㉡첩. 첩실(妾室).
[妾子 첩자] 서자(庶子).
[妾出 첩출] 첩이 낳은 아들. 첩의 소생.
[妾宅 첩택] 첩과 살림하는 집.
[妾嬖 첩폐] 사랑하는 첩. 애첩.
◉宮妾. 伎妾. 箕箒妾. 內妾. 陵園妾. 美妾. 僕妾. 副妾. 妃妾. 婢妾. 鄙妾. 侍妾. 臣妾. 愛妾. 麗妾. 外妾. 媵妾. 鬻妾. 妻妾. 處妾. 賤妾. 寵妾. 蓄妾. 嬖妾. 姬妾.

5 ⑧ [委] 高人 위 ①-⑩㊤紙 於詭切 wěi ⑪㊀寘 於僞切 wèi ⑫㊥支 於爲切 wēi

筆順

字解 ①맡길 위 ㉠위임함. '一託'. '一之常秩'《左傳》. ㉡자유로이 하게 함. 내버려둠. '親一重罪'《國語》. ②쌓을 위 축적함. '一積'. '詔書雲一'《唐書》. ③버릴 위 내버림. '一棄'. '一之於壑'《孟子》. '一而去之'《孟子》. ④따를 위 순종함. '一, 一隨也'《說文》. ⑤굽힐 위 구부림. '一質爲臣'《後漢書》. ⑥자세할 위 세밀함. '一曲'. '是一細屈曲街巷之禮'《禮記》. ⑦끝 위 말단. '或原也, 或一也'《禮記》. ⑧시들 위 萎(艸部 八畫)와 통용. '頹墮一靡'《韓愈》. ⑨굽을 위 꼬불꼬불함. '一巷'. '望舊邦兮道一隨'《楚辭》. ⑩성 위 성(姓)의 하나. ⑪곳집 위 관부(官府)의 창고. '孔子嘗爲一吏'《孟子》. ⑫옹용(雍容)할 위 '一蛇'는 마음이 온화하고 조용한 모양. '退食自公, 一蛇一蛇'《詩經》.

字源 篆文 會意. 女+禾. '禾화'는 이삭 끝이 보드랍게 처져 숙인 벼의 형상을 본뜸. 나긋나긋한 여성(女性)의 뜻을 나타냄. 파생(派生)하여, '순종하다, 맡기다' 등의 뜻을 나타냄.

[委去 위거] 버리고 감.
[委曲 위곡] ㉠자세함. 상세함. ㉡따라 굽힘. 불만한 점이 있어도 몸을 굽혀 일의 성취를 바란다는 뜻.
[委咎 위구] 자기의 죄를 남에게 떠넘김. 위죄(委罪).
[委屈 위굴] 몸을 굽혀 남을 따름. 또, 밑에 있어 마음대로 안됨.
[委寄 위기] 맡김. 위임함. 기탁함.
[委棄 위기] ㉠물건을 버림. ㉡일을 버려 두고 돌보지 아니함.
[委頓 위돈] 힘이 빠짐. 녹초가 됨.
[委吏 위리] 미창(米倉)을 맡아보는 관리.
[委靡 위미] 힘이 없음. 쇠약함. 떨치지 못함.
[委伏 위복] 버려 쓰지 않음. 또, 버림을 받아 은둔함.
[委付 위부] ㉠맡김. 위임함. ㉡자기의 소유물 또는 권리를 상대방에게 주어서 자기와 상대방 사이에 있는 법률관계를 소멸시키는 일.
[委分 위분] 분수대로 해 둠.
[委畀 위비] 나라의 큰일을 신하에게 맡김.
[委席 위석] 자리에 누워서 일어나지 못함.
[委細 위세] 상세(詳細)함. 자세함. 위곡(委曲).
[委蛻 위세] 매미나 뱀이 벗는 허물.
[委瑣 위쇄] 잔닮. 좀스러움. 또, 자잘한 일에 구애됨.
[委隨 위수] ㉠점잖고 유순함. ㉡수족을 자유로이 굴신하지 못함. ㉢길이 빙 돎. 길이 꼬불꼬불함.
[委順 위순] ㉠천지자연(天地自然)의 이치(理致)에 따라 부여(賦與)됨. ㉡《佛敎》 중이 죽음. 인연(因緣)에 맡겨 따른다는 뜻.
[委悉 위실] 상세함. 자세함.
[委捐 위연] 물건을 버림. 위기(委棄).
[委咽 위열] 흐느낌. 목메어 욺.
[委員 위원] 어떠한 일에 대하여 그 처리(處理)를 위임받은 사람.
[委委 위위] ㉠걸어가는 모양. ㉡마음이 여유 있고 침착한 모양.
[委蛇 위이] ㉠마음이 여유가 있고 침착한 모양. ㉡꼬불꼬불하게 가는 모양. ㉢두려워하며 걷는 모양. ㉣물이 비스듬히 흐르는 모양. ㉤'미꾸리'의 별칭(別稱).
[委任 위임] 맡김. 일임(一任)함.
[委任狀 위임장] 위임(委任)하는 뜻을 표시한 증서(證書).
[委任統治 위임통치] 어떠한 나라가 다른 나라 또는 국제 연합의 위임을 받아서 하는 통치(統治).
[委積 위자] 저축(貯蓄).
[委財 위재] 축적(蓄積)한 재산. 축재(蓄財).
[委折 위절] ㉠구불구불 구부러짐. ㉡까닭이 많음.
[委罪 위죄] 죄책(罪責)을 남에게 전가(轉嫁)함. 위구(委咎).
[委注 위주] 마음을 기울이어 열심히 부탁함.
[委遲 위지] ㉠걸어가기 힘들어 더딘 모양. ㉡꾸물거림.
[委質 위지] 처음 벼슬하는 사람이 예물(禮物)을 바쳐 임금 앞에 둠. 전(轉)하여, 처음 사환(仕宦)한다는 뜻으로 쓰임. 위(委)는 치(置). 지(質)는 지(贄). 일설(一說)에는, 지(質)는 지(贄)가 아니고 형체(形體)로서 자기 몸을 임금

에게 맡긴다는 뜻.
[委贄 위지] ㉠방문(訪問)할 때에 예물(禮物)을 가지고 가서 경의(敬意)를 표함. ㉡폐백(幣帛)을 들이어 문인(門人)이 됨. 집지(執贄).
[委質 위질] 위지(委質).
[委囑 위촉] 위탁(委託)함.
[委託 위탁] 부탁하여 맡김. 위촉(委囑).
[委巷 위항] 꼬불꼬불한 좁은 길.
[委形 위형] 하늘로부터 부여된 신체(身體).
[委化 위화] 조화(造化)에 맡김. 운명에 따름.
◉端委. 撫委. 繁委. 分委. 紛委. 信委. 原委. 猗委. 任委. 積委. 典委. 塡委. 注委. 親委.

5 ⑧ [㛂] 기 ㊥微 居希切 jī

字解 비역 기 계간(雞姦). '律有一姦罪條'《楊氏正韻箋》.

6 ⑨ [姦] 高人 간 ㊥刪 古顏切 jiān

筆順 ㇛ 乂 女 女 女 姦 姦 姦

字解 ①간사할 간 사악함. '一黠'. '一宄'. '丞丞又不格一'《書經》. 또, 그 사람. '翼一獲封侯'《漢書》. ②간음할 간 간통함. 또, 그 행위. '強一'. '一夫'. '夫人姜氏會齊侯于禚, 書一也'《左傳》. ③속일 간 '一, 僞也'《廣雅》. '一, 詐也'《廣韻》. ④훔칠 간, 제것으로할 간 '一, 盜也'《廣雅》. '一, 私也'《廣韻》. ⑤어지럽힐 간 범함. '各守其職, 不得相一'《淮南子》. ⑥어지러움 간 내란(內亂). 일설(一說)에, 외환(外患). '在內曰一, 在外曰宄'《一切經音義》.

字源 金文 篆文 古文 會意. 여자가 북적거리는 모양에서, 음란(淫亂)의 뜻을 나타냄. 음형상(音形上)으론 '奸간'과 통하여, 남녀간에 도덕적으로 문란하다의 뜻.

[姦強 간강] 간악하고 강(強)함.
[姦曲 간곡] 간사(姦邪)함. 또, 그러한 사람.
[姦骨 간골] 간흉(姦凶).
[姦計 간계] 간사한 꾀.
[姦巧 간교] 간사하고 교활함.
[姦宄 간귀] 안팎으로 악도(惡徒)가 도량(跳梁)하여 나라가 혼란함. 일설(一說)에는, 악독(惡毒)하고 간사함.
[姦欺 간기] 간사하여 속임.
[姦佞 간녕] 간교하고 아첨을 잘함. 또, 그러한 사람.
[姦盜 간도] 도둑.
[姦慮 간려] 간악한 생각. 간사한 마음.
[姦吏 간리] 간사(奸詐)한 관리.
[姦利 간리] 부정 수단으로 얻은 이익.
[姦夫 간부] 샛서방.
[姦婦 간부] ㉠간사한 부인. ㉡제 남편 아닌 남자와 간통(姦通)한 계집. 서방질한 계집.
[姦富 간부] 부정한 방법으로 얻은 재물로 부자가 됨. 또, 그 부자.
[姦非 간비] 간사(姦邪).
[姦事 간사] 나쁜 일. 부정한 일. 도리에 벗어난 일. 간사(奸事).
[姦邪 간사] 마음이 간교하고 사곡함.
[姦衺 간사] 간사(姦邪).
[姦詐 간사] 간사(姦邪)하고 남을 잘 속임.
[姦憸 간섬] 간험(姦險).
[姦聲亂色 간성난색] 간사한 소리와 음란(淫亂)한 여색(女色).
[姦細 간세] ㉠적(敵)의 간첩(間諜). ㉡교활한 소인.
[姦臣 간신] 간사한 신하.
[姦惡 간악] 간사(奸邪)하고 악독함.
[姦逆 간역] 간악하여 거스름.
[姦訛 간와] 간사하고 바르지 못함.
[姦枉 간왕] 마음이 사곡(邪曲)함. 또, 그러한 사람.
[姦雄 간웅] 간지(姦智)가 있는 영웅.
[姦僞 간위] ㉠간사하고 거짓이 많음. ㉡간사와 거짓.
[姦隱 간은] 숨겨진 못된 것.
[姦淫 간음] 부부(夫婦)가 아닌 남자와 여자 사이에 성적 관계를 맺음.
[姦婬 간음] 간음(姦淫).
[姦淫罪 간음죄] 강간죄(強姦罪)·준강간죄(準強姦罪)·간통죄(姦通罪) 및 혼인 빙자 간음죄(婚姻憑藉姦淫罪)의 총칭.
[姦意 간의] 간특한 마음.
[姦贓 간장] 관유물(官有物)을 횡령함.
[姦賊 간적] 간악(奸惡)한 적(賊).
[姦跡 간적] 간통(姦通)한 흔적.
[姦情 간정] 간통(姦通)한 정상.
[姦罪 간죄] 간음죄(姦淫罪).
[姦智 간지] 간사(奸邪)한 지혜.
[姦僭 간참] 간특하고 도리(道理)에 어그러짐. 또, 그 사람.
[姦策 간책] 간특한 꾀. 간계(姦計).
[姦通 간통] 유부녀(有夫女)가 다른 사내와 간음함.
[姦慝 간특] 간교하고 사특(邪慝)함.
[姦虐 간학] 간악하여 학대함.
[姦黠 간할] 간사하고 약음. 교활함.
[姦行 간행] 간사(姦邪)한 행위.
[姦倖 간행] 간사한 폐신(嬖臣).
[姦險 간험] 간악하고 음험함.
[姦俠 간협] 불량배. 무뢰배.
[姦昏 간혼] 간악하고 도리에 어두움.
[姦猾 간활] 간사하고 교활함.
[姦回 간회] 간사(姦邪).
[姦獪 간회] 간활(姦猾).
[姦凶 간흉] 간사하고 흉악(凶惡)함. 또, 그러한 사람.
[姦兇 간흉] 간흉(姦凶).
◉強姦. 大姦. 防姦. 犯姦. 辨姦. 宿姦. 佞姦. 外姦. 陰姦. 通姦. 豪姦. 和姦.

6 ⑨ [姧] 姦(前條)과 同字

6 ⑨ [姙] 人名 임 ㊤沁 汝鴆切 rèn ㊥侵 如林切

筆順 ㇛ 女 女 奵 奷 奸 姙 姙

字解 애밸 임 임신함. 妊(女部 四畫)과 同字.

[姙婦 임부] 잉태(孕胎)한 부녀.
[姙姒之德 임사지덕] 후비(后妃)의 현숙(賢淑)한 덕행(德行).
[姙産 임산] 아이를 배고 낳는 일.
[姙娠 임신] 아이를 뱀.
[姙孕 임잉] 잉태함. 아이를 뱀.

◉不姙. 避姙. 懷姙.

6 ⑨ [姚] 人名 ㊀ 요 ㊥蕭 餘昭切 yáo ㊦嘯 弋笑切 yào ㊁ 조 ㊦嘯 他弔切 tiào

筆順 ㇛ 女 女 女 刘 刘 姚 姚

字解 ㊀ ①예쁠 요 아름다움. '美麗一治'《荀子》. ②멀 요 遙(辵部 十畫)와 同字. '一遠'. '雜變竝會, 雅聲遠一'《漢書》. ③성 요 중국 순(舜)임금의 후예(後裔)의 성(姓). ④날랠 요 굳세고 민첩함. '一嫖'. ㊁ ①가벼울 조 경솔함. 窕(穴部 六畫)와 同字. '窕, 輕也. 春秋傳, 楚師輕一'《集韻》. ②성 조 성(姓)의 하나. ※'요' 음은 인명자로 쓰임.

字源 篆文 形聲. 女+兆〔音〕. '兆조'는 날렵하고 나긋나긋함의 뜻. 여자가 예쁘다, 아름답다의 뜻을 나타냄.

[姚江學派 요강학파] 야오장 강(姚江)은 저장 성(浙江省) 위야오 현(餘姚縣)의 남쪽에 있는 강(江). 명(明)나라 왕수인(王守仁)은 저장 성 위야오 현 사람이므로 그의 학파, 곧 양명학파(陽明學派)를 이름.
[姚鼐 요내] 청(淸)나라 중기(中期)의 학자(學者). 동성(桐城) 사람. 자(字)는 희전(姬傳). 그의 서재 이름을 석포헌(惜抱軒)이라 지었음. 벼슬이 형부낭중(刑部郞中) 등을 거쳐 사고관(四庫館)의 찬수관(纂修官)에 이르렀음. 경학(經學)에 통(通)하고 고문(古文)에 장(長)하여 동성파(桐城派)의 조(祖)가 되었음. 그의 찬(撰)으로 된 고문사유찬(古文辭類纂)은 학자들의 준봉(準奉)하는 바가 됨. 그 밖에 석포헌시문집〈(惜抱軒詩文集)〉·〈삼전보주(三傳補注)〉등의 저서가 있음.
[姚姒 요사] 순(舜)임금과 우(禹)임금. 요(姚)는 순임금의 성(姓). 사(姒)는 우임금의 성.
[姚宋 요송] 당(唐)나라 현종(玄宗)의 명상(名相) 요숭(姚崇)과 송경(宋璟).
[姚冶 요야] 요염(妖艶)함.
[姚姚 요요] 아름답고 성(盛)한 모양.
[姚遠 요원] 아득히 멂. 요원(遙遠).
[姚合 요합] 당대(唐代)의 시인(詩人). 벼슬이 감찰어사(監察御史)에서 비서감(祕書監)에까지 누진(累進)하였음. 저서(著書)에 〈극원집(極元集)〉이 있음.
[姚黃 요황] 모란(牡丹)의 별칭(別稱). 요씨(姚氏)의 집에서 나온 황화(黃花)라는 뜻임.
◉輕姚. 嫖姚.

6 ⑨ [姝] 人名 주 ㊥虞 昌朱切 shū

字解 ①예쁠 주 아름다움. 미호(美好)함. '一好'. '靜女其一'《詩經》. ②연약할 주 마음이 약한 모양. '暖暖一一'《莊子》. ③꾸밀 주 겉을 꾸밈. 분식(粉飾)함. '視無一'《太玄經》. ④순순히따를 주 순종함. '彼一者子'《詩經》. ⑤때묻지 않을 주 숫접고 청순한 초혼(初婚)의 모양. '一者, 初婚之貌'《詩經 傳》.

字源 篆文 形聲. 女+朱〔音〕. '朱주'는 '붉다'의 뜻. 볼에 연지를 바른 아름다운 여자의 뜻.

[姝姝 주주] 연약한 모양. 마음이 약한 모양.
[姝好 주호] 얼굴이 예쁨. 또, 그러한 여자. 미녀.
[姝姬 주희] 미인(美人).
◉歌姝. 國姝. 名姝. 舞姝. 仙姝. 侍姝. 麗姝. 艷姝. 吳姝. 莊姝.

6 ⑨ [姞] 人名 길 ㊁質 巨乙切 jí

筆順 ㇛ 女 女 女 女 姞 姞 姞

字解 ①성 길 성씨(姓氏)의 하나. 황제(黃帝)의 아들로서 성(姓)을 얻은 자가 열넷인데, '姞'은 그 하나임. 후세에 '吉'이라 고쳤음. '黃帝之子, 得姓者十四人, 一其一也'《國語》. ②삼갈 길 '一, 一曰, 謹也'《集韻》.

字源 篆文 形聲. 女+吉〔音〕

6 ⑨ [姣] 人名 교 ①-④㊤巧 古巧切 jiāo ⑤㊥肴 胡茅切 xiáo

字解 ①아름다울 교 ㉠용모가 예쁨. '一美'. '長一美人'《史記》. ㉡요염함. '一, 妖媚'《廣韻》. ②슬기있을 교 지혜가 있음. '卿所謂鐵中錚錚, 傭中一一者也'《後漢書》. ③얕볼 교 깔봄. 경시(輕視)함. '一, 侮也'《廣雅》. ④성 교 성(姓)의 하나. ⑤음란할 교 '棄位而一, 不可謂貞'《左傳》.

字源 篆文 形聲. 女+交〔音〕. '交교'는 사람이 정강이를 꼬는 형상으로, '교차하다, 어울리다'의 뜻. 여성(女性)이 다리를 꼬거나 하여 일종의 교태를 보이는 뜻에서, '아름답다, 추잡하다'의 뜻을 나타냄.

[姣潔 교결] 아름답고 깨끗함.
[姣姣 교교] 슬기가 있는 모양.
[姣童 교동] 얼굴이 예쁘장한 소년.
[姣麗 교려] 교호(姣好).
[姣美 교미] 교호(姣好).
[姣冶 교야] 요염(妖艷)함. 또, 그러한 여자. 미녀(美女).
[姣人 교인] 미인(美人). 교인(佼人).
[姣好 교호] 용모가 아름다움.
[姣姬 교희] 아름다운 여성. 미희(美姬).
◉夸姣. 肥姣. 娥姣. 娃姣. 夭姣. 妖姣.

6 ⑨ [姶] 압 ㊁合 烏合切 è

字解 ①아름다울 압 '一, 美好皃'《字彙》. ②여자의자(字) 압 여자의 본이름 외의 자(字). '一, 女字也'《說文》. ③조용할 압 말없이 조용함. '一, 一曰, 無聲'《說文》. ④성 압 성(姓)의 하나.

字源 篆文 形聲. 女+合〔音〕

6 ⑨ [姤] 구 ㊦宥 古候切 gòu ㊤有 很口切

字解 ①만날 구 '一其角'《易經》. ②예쁠 구 용모가 아름다움. '其人彝一'《管子》. ③추할 구 '咨一嫮之難竝兮'《張衡》. ④구괘 구 육십사괘(六十四卦)의 하나. 곧, ☴〈손하(巽下), 건상(乾上)〉. 음기(陰氣)가 비로소 나타나 성한 모양.

字源 篆文 形聲. 女+后〔音〕. '后후'는 '厚후'와 통하여, '두껍다'의 뜻. 여자다움이 농후하고 아름답다의 뜻을 나타냄. 또, '遘구'

와 통하여, '만나다'의 뜻으로 쓰임.
[姤草 구초] '이끼'를 이름.
[姤嫭 구호] 추(醜)함과 아름다움〔美〕. 미추(美醜).
◉彝姤.

6 ⑨ [姥] 모 ㊤麌 莫補切 mǔ

[字解] ①할미 모 노파. '見一老一'《晉書》. ②유모 모 곁에서 돌보는 여자. '一, 媽母也'《一切經音義》. ③늙은어미 모 노모(老母). '一, 老母也'《正字通》. ④아내 모 처(妻). '若使周一, 撰詩'《世說新語》. ⑤성 모 성(姓)의 하나.
[字源] 會意. 女+老. '늙은 여자'의 뜻을 나타냄.

◉老姥. 乳姥. 天姥.

6 ⑨ [姨] [人名] 이 [平]支 以脂切 yí

[字解] ①이모 이 모친의 동복의 자매. '一夫'. '爲竇一麴養'《唐書》. ②처형제 이 아내의 동복의 자매. '一妹'. '蔡公曰, 吾一也'《左傳》. ③아버지첩 이 서모(庶母). 서자(庶子)는 자기 어머니도 가리킴. '今人多稱本生之妾母曰一'《稱謂錄》.
[字源] 篆文 形聲. 女+夷〔音〕. '夷이'는 키가 작은 사람의 뜻. 또, '弟제'와 통하여, 손아래 형제, 아우의 뜻. 아내의 여동생의 뜻을 나타내며, 널리 처형제나 이모도 이름.

[姨妹 이매] 아내의 여동생.
[姨母 이모] 《韓》어머니의 자매(姊妹).
[姨夫 이부] 이모부(姨母夫).
[姨父 이부] 이모부(姨母夫).
[姨子 이자] 아내의 형제의 아들.
[姨從 이종] 《韓》이모(姨母)의 자녀(子女). 이종사촌(姨從四寸).
[姨姪 이질] 이종(姨從)의 자녀.
◉堂姨. 大姨. 封家姨. 小姨.

6 ⑨ [姪] [高人] 질 [入]質 直一切 zhí

[筆順] … 姪
[字解] ①조카 질 형제가 낳은 아들. '有一夷簡'《聞見錄》. ②조카딸 질 형제가 낳은 딸. '一其從姑'《左傳》. ③이질 질 아내의 자매(姊妹)의 자녀(子女). '姑一與母子孰親'《唐書》.
[字源] 甲骨文 金文 篆文 形聲. 女+至〔音〕. '迭질'과 통하여, 조카딸이 잉녀(媵女)로서 신부(新婦)를 따라가 번갈아 한 남편을 섬김의 뜻이라고 하며, '조카딸, 조카'의 뜻을 나타냄.

[姪女 질녀] 조카딸.
[姪甥 질생] 조카딸과 조카.
[姪孫 질손] 조카의 아들. 형제의 손자. 종손(從孫).
[姪子 질자] 조카딸. 조카.
◉堂姪. 甥姪. 叔姪. 姨姪. 長姪. 親姪.

6 ⑨ [姬] [人名] 희 (기[本]) [平]支 ①與之切 yí ②-④居之切 jī

[筆順] … 姬
[字解] ①임금의아내 희 황후. 왕비. '王一之車'《詩經》. ②아씨 희 ㉠여자의 미칭. '彼美淑一'《詩經》. ㉡천자의 딸. 공주. '帝女下嫁曰帝姬'《稱謂錄》. ③첩 희 측실(側室). '一妾'. '昭王帝一'《史記》. ④성 희 성(姓)의 하나. '黃帝居一水, 以一爲氏, 周人嗣其姓'《說文》.
[字源] 金文 篆文 形聲. 女+𦣞〔音〕. '𦣞이'는 두 개의 젖의 象形. 자식을 키울 수 있는 여자, 아씨의 뜻을 나타냄. 보통, 俗字로 '姫'가 쓰이는데, '姫'는 본래 別字임.
[參考] 姫(女部 六畫〈次條〉)는 俗字임.

[姬姜 희강] ㉠희(姬)는 주(周)나라의 성(姓), 강(姜)은 제(齊)나라의 성(姓)으로, 두 나라가 모두 큰 나라이기 때문에 큰 나라의 공주(公主)란 뜻으로 쓰임. ㉡궁녀(宮女).
[姬孔 희공] 주공(周公)과 공자(孔子). 희(姬)는 주(周)나라의 성(姓)인 데서 이름.
[姬旦 희단] 주공(周公) 단(旦)을 이름. 희(姬)는 주(周)나라의 성(姓).
[姬娘 희랑] 첩(妾)을 이름.
[姬傅 희부] 시중드는 여관(女官).
[姬侍 희시] 첩(妾).
[姬人 희인] 첩(妾).
[姬媵 희잉] 첩. 희첩(姬妾).
[姬周 희주] 성(姓)이 희씨(姬氏)인 삼대(三代)의 주(周)나라.
[姬妾 희첩] 첩(妾).
[姬漢 희한] 주(周)나라와 한(漢)나라.
◉歌姬. 姣姬. 貴姬. 舞姬. 美姬. 淑姬. 侍姬. 愛姬. 麗姬. 艶姬. 王姬. 妖姬. 寵姬. 幸姬.

6 ⑨ [姫] [人名] 진 ㊤軫 止忍切 zhěn

[筆順] … 姫
[字解] 삼갈 진 '一, 愼也'《集韻》.
[參考] 현재는 姬(前條)의 俗字로 쓰임.

6 ⑨ [姮] [人名] 항 [平]蒸 胡登切 héng

[筆順] … 姮
[字解] ①항아 항 '一娥'는 남편이 비장(祕藏)한 불사약을 훔쳐 가지고 달로 달아났다는 예(羿)의 아내. 전(轉)하여, 달의 이칭(異稱). '羿請不死之藥于西王母, 一娥竊以奔月'《淮南子》. ②여자의자(字) 항 본이름 외의 여자의 자(字). '一, 女字'《集韻》.
[字源] 形聲. 女+亘〔音〕. '亘항'은 달이 하늘을 건너다의 뜻. 달의 세계에 사는 여자의 자(字)를 나타냄.

[姮宮 항궁] '달〔月〕'의 이칭(異稱).
[姮娥 항아] 자해(字解)를 보라.

6 ⑨ [姱] 과 [平]麻 苦瓜切 kuā

[字解] ①아름다울 과 ㉠행실이 아름다움. '一名'. '紛獨有此一節'《楚辭》. ㉡얼굴이 아름다움. '一姿'. '一容脩態'《楚辭》. ②사치할 과 '一, 一奢

兒'《廣雅》.
[字源] 形聲. 子＋夸〔音〕. '夸과'는 사치를 부리다, 자랑하다의 뜻. 자랑스러울 정도로 아름다운 여자의 뜻.

[姱麗 과려] 고움. 또, 크고 아름다움.
[姱名 과명] 아름다운 이름. 행실이 아름답다는 평판.
[姱容 과용] 과자(姱姿).
[姱姿 과자] 아름다운 용자(容姿). 미모(美貌).
[姱嬉 과희] ㉠아름다움. ㉡미인(美人).

6 ⑨ [姹] [人名] 차 [去]禡 丑亞切 chà / [上]馬 丑下切 chà
[字解] ①소녀 차 계집아이. '一女'. ②아리따울 차 요염하도록 아름다움. '桃夭古一通園蹊'《韓偓》. ③미인 차 미녀(美女). '一, 美女也'《洪武正韻》. ④자랑할 차 '欲以一鄙縣'《史記》.
[字源] 形聲. 女＋宅〔音〕. '宅택'은 '주거(住居)'의 뜻. 부모의 보호 아래 집 안에 있는 여자, 소녀의 뜻을 나타냄.

[姹女 차녀] ㉠소녀(少女). ㉡미인(美人).

6 ⑨ [侁] [一] 신 [平]眞 所臻切 shēn / [二] 선 [平]先 蕭前切 xiān
[字解] [一] 나라이름 신 '商有一邳'《左傳》. [二] 걸을 선, 갈 선 걸어가는 모양. '㛹一徶㣯'《史記》.
[字源] 篆文 形聲. 女＋先〔音〕

◉㛹侁.

6 ⑨ [姰] [一] 균 [平]眞 規倫切 jūn / [二] 순 [平]眞 相倫切 xūn / [三] 현 [去]霰 黃絢切 xuàn
[字解] [一] 맞을 균 들어맞음. 남녀(男女)가 나란히 있음. '一, 均適也. 男女併也'《說文》. [二] 미칠 순 정신이 돎. '一, 狂也'《廣雅》. [三] 미칠 현 [二]와 뜻이 같음.
[字源] 形聲. 女＋旬〔音〕

6 ⑨ [姻] [高人] 인 [平]眞 於眞切 yīn
[筆順] 人 女 女 如 如 如 姻 姻
[字解] ①시집갈 인 혼인. '婚一'. '昏時成禮, 故曰婚, 婦人因人而成, 故曰一'《白虎通》. ②인척인 혼인으로 맺은 친척. '一戚'. '不思舊一'《詩經》. ③인연 인 연분. '結一'. '結夢南柯一'《蘇軾》. ④시집 인 신랑의 집. '一, 壻家也'《說文》.
[字源] 篆文 籀文 形聲. 女＋因〔音〕. '因인'은 의지해 가까이하다의 뜻. 여자가 의지해 친근히 할 신랑 집의 뜻이나 시집가다의 뜻을 나타냄.

[姻家 인가] 인척(姻戚)의 집. 사돈집.
[姻嫁 인가] 혼인(婚姻). 또, 혼인함.
[姻結 인결] 혼인(婚姻) 관계.
[姻故 인고] 인척과 고구(故舊). 친척과 오래 사귀어 온 친구.
[姻媾 인구] ㉠사돈간의 결혼. ㉡겹사돈.
[姻聯 인련] 인척(姻戚) 관계. 또, 그 사람.
[姻類 인류] 인척(姻戚)들.
[姻私 인사] 사돈의 인연을 맺어 사리(私利)를 도모함.
[姻喪 인상] 외가(外家) 쪽의 상고(喪故). 외척(外戚)의 상사(喪事).
[姻屬 인속] 인척(姻戚).
[姻亞 인아] 사위의 아버지와 동서. 전(轉)하여 인척.
[姻婭 인아] 인아(姻亞).
[姻婭親戚 인아친척] 인아와 친척. 곧, 모든 친척.
[姻弟 인제] 처남 매부 사이에 편지할 때 자기를 낮추어 쓰는 말.
[姻族 인족] 인척(姻戚).
[姻姪 인질] 고모부(姑母夫)에 대하여 자기를 이르는 말.
[姻戚 인척] 외가(外家)와 처가(妻家)의 일족(一族). 인속(姻屬).
[姻親 인친] 사돈(査頓).
[姻通 인통] 혼인하여 인척(姻戚)이 됨.
[姻兄 인형] 매형(妹兄).
◉舊姻. 國姻. 良姻. 外姻. 帝姻. 族姻. 重姻. 戚姻. 天姻. 親姻. 昏姻. 婚姻.

6 ⑨ [娟] 〔연〕
娟(女部 七畫〈p. 534〉)의 俗字

6 ⑨ [娀] 융(숭[本]) [平]東 息弓切 sōng
[字解] ①나라이름 융 '有一方將'《詩經》. ②성 융 성(姓)의 하나.
[字源] 甲骨文 篆文 形聲. 女＋戎〔音〕

6 ⑨ [娃] [人名] [一] 왜 [平]佳 於佳切 wá / [二] 와 [平]麻 烏瓜切 wá
[字解] [一] ①예쁠 왜 아름다움. '一鬟'. ②미인 왜 '吳一與越鬟'《李白》. [二] 미인 와, 예쁠 와 [一]과 뜻이 같음.
[字源] 篆文 形聲. 女＋圭〔音〕. '圭규'는 '佳가'와 통하여, '아름다운 사람'의 뜻. 아름다운 여성(女性)의 뜻을 나타냄.

[娃姣 와교] 예쁜 여성(女性). 미녀(美女).
[娃鬟 와환] ㉠아름다운 쪽. ㉡미인(美人).
◉宮娃. 吳娃. 越娃. 楚娃. 村娃. 春娃.

6 ⑨ [姼] 제 [平]齊 田黎切 tí
[字解] 예쁠 제 아름다움. '一一公主廼女烏孫'《漢書》.
[字源] 篆文 別體 形聲. 女＋多〔音〕. '多다'는, 살쪄서 풍만함의 뜻. 살집이 좋은 미인(美人)의 뜻을 나타냄.

6 ⑨ [姡] 활 [入]曷 戶括切 huá
[字解] 교활할 활 간사하고 꾀가 많음. '今建平郡人, 呼狡爲一'《揚子方言 注》.
[字源] 篆文 形聲. 篆文은 女＋氏〔音〕

6 ⑨ [娿] 와 [上]哿 五果切 nuǒ

字解 ①예쁠 와 '婐―'는 용모가 아름다운 모양. '日君月妃, 煥赫婐―'《韓愈》. ②약할 와 연약함. '萿萿之離, 不宜熒且―'《太玄經》.
字源 篆文 形聲. 女+厄〔音〕. '厄와'는 등이 굽은 사람의 뜻. 연약한 여자의 뜻을 나타냄.

◉婐姬.

6 ⑨ [姛] 동 ㊤董 ㊦送 徒揔切 dòng
字解 목덜미곧을 동 '―, 項直皃'《廣韻》.
字源 形聲. 女+同〔音〕.

6 ⑨ [㸦] 姛(前條)의 本字

6 ⑨ [姸] 人名 연 ㊥先 五堅切 yán
筆順 ㇓ 女 女 女 奸 妍 姸 姸
字解 ①고울 연 ㉠예쁨. 아름다움. '―麗'. '爭―而取憐'《韓愈》. ㉡깨끗함. '不若雪光―'《鮑照》. ②갈 연 硏(石部 四畫)과 통용. '―營種之術'《吳越春秋》. ③익숙해질 연 습숙(習熟). '―, 硏也. 硏精於事宜, 則無蚩繆也'《釋名》.
字源 篆文 形聲. 女+幵〔音〕. '幵견'은 깎고 닦아 다듬다의 뜻. 닦이고 다듬어진 여성(女性), 아름답다의 뜻을 나타냄.
參考 妍(女部 四畫)은 俗字

[姸麗 연려] 예쁘고 고움. 미염(美艶).
[姸靡 연미] 매우 아름다움.
[姸媚 연미] 아름답고 사랑스러움.
[姸芳 연방] 아름답고 향기로움.
[姸狀 연상] 아름다운 용자(容姿). 또, 모습을 아름답게 다듬음.
[姸冶 연야] 요염하도록 예쁨. 또, 그러한 여자. 미녀(美女). 염야(艶冶).
[姸艶 연염] 곱고 예쁨.
[姸粧 연장] 예쁘게 한 단장(丹粧).
[姸倡 연창] 아름다운 배우.
[姸蒨 연천] 미려하고 선명함.
[姸醜 연추] 예쁨과 추(醜)함. 연치(姸蚩).
[姸蚩 연치] ㉠아름다움과 보기 싫음. 잘생겨 예쁨과 못생겨 추함. 연추(姸醜). ㉡'호오(好惡)'와 같음.
[姸嗤 연치] 연치(姸蚩).
[姸好 연호] 예쁨. 아름다움.
[姸和 연화] 날씨가 화창함.
[姸華 연화] 아름답고 화려함.
◉嬌姸. 鮮姸. 嬋姸. 纖姸. 笑姸. 娟姸. 妖姸. 幽姸. 精姸. 嫱姸. 便姸. 豐姸. 華姸.

6 ⑨ [姟] 개 ㊥灰 古哀切 gāi
字解 백조 개 100조(兆). '―, 數也. 十兆曰經, 十經曰―'《集韻》.

6 ⑨ [姽] 궤 ㊤紙 過委切 guǐ
字解 ①얌전히걸을 궤 아주 얌전하게 걷는 모양. '旣―嫿于幽靜兮'《宋玉》. ②좋을 궤, 아름다울 궤 '―, 博雅, 好也'《集韻》.
字源 篆文 形聲. 女+危〔音〕. 엎드러질 듯이 몸을 구부리다의 뜻. 여자가 얌전히 걷는 뜻을 나타냄.

6 ⑨ [姘] ㊀ 병 ㊥庚 普耕切 pīn ㊥靑 普丁切 ㊁ 빈 ㊥眞 符眞切 pín
字解 ㊀ ①제외할 병, 물리칠 병 '―, 除也'《說文》. ②간통할 병 서민(庶民)이 유부녀나 계집종과 사통(私通)함. 일반적으로, 남녀가 밀통(密通)함. '禮, 士有妾, 庶人不得有妾. 故平等之民, 與妻婢私合, 名之曰―, 有罰'《說文 段注》. ㊁ 嬪(女部 十四畫〈p. 551〉)의 古字.
字源 形聲. 女+幷〔音〕

6 ⑨ [威] 中人 위 ㊥微 於非切 wēi
筆順 ㇓ ㇐ 厂 厂 厈 威 威 威
字解 ①위엄 위 권위. 존엄(尊嚴). '―光'. '惟辟作―'《書經》. ②거동 위 예모 있는 거동. 의용(儀容). '―儀'. '收其―'《禮記》. ③힘 위 세력. 권병(權柄). '馭其―'《周禮》. ④해 위 해독. '民不畏威則大―至'《老子》. ⑤으를 위 위협함. '―劫'. '―嚇'. '聲―天下'《戰國策》. ⑥두려워할 위 畏(田部 四畫)와 뜻이 같음. '―約'. '民―於鈇鉞'《中庸》. ⑦시어머니 위 '―, 姑也'《說文》. ⑧험할 위 '登峭坂之―夷'《潘岳》. ⑨성 위 성(姓)의 하나.
字源 金文 篆文 會意. 女+戉. '戉월'은 큰 도끼를 본뜬 모양. 도끼로 여자를 위협하는 모양에서, '으르다'의 뜻을 나타냄.

[威劫 위겁] 위협(威脅).
[威姑 위고] 며느리가 자기의 시어머니를 일컫는 말.
[威光 위광] 감히 범할 수 없는 권위. 빛나는 위세(威勢).
[威權 위권] 위광(威光)과 권세.
[威怒 위노] 성내어 위협(威脅)함. 또, 위엄 있는 분노(憤怒).
[威德 위덕] ㉠위광(威光)과 덕화(德化). 은위(恩威). ㉡엄숙하여 범하기 어려운 덕. ㉢위엄과 덕망.
[威斗 위두] 한(漢)나라의 왕망(王莽)이 북두(北斗)의 위엄을 빌려 군대(軍隊)를 압복(壓服)하기 위하여 구리로 만든 길이 두 자 반의 북두칠성의 모형(模型). 출입할 때마다 사람을 시켜서 이것을 지고 따르게 하였음.
[威力 위력] 위엄이 있어 남을 복종시키는 힘.
[威令 위령] ㉠위엄(威嚴)이 있는 명령(命令). ㉡위광(威光)과 명령.
[威靈 위령] 위릉(威稜).
[威靈仙 위령선] 미나리아재빗과에 속하는 낙엽만목(落葉蔓木). 관상용으로 심으며, 뿌리는 약재(藥材)로 쓰임.
[威稜 위릉] 신령(神靈)의 위광(威光). 전(轉)하여, 천자(天子)의 위광.
[威望 위망] 위세(威勢)와 명망(名望).
[威網 위망] 법률(法律). 법망(法網).

[威名 위명] ㉠대단한 명성. ㉡위세(威勢)와 명성(名聲).
[威命 위명] ㉠위엄(威嚴)이 있는 명령. ㉡위광(威光)과 명령(命令).
[威武 위무] ㉠권위(權威)와 무력(武力). ㉡위엄 있고 씩씩함.
[威柄 위병] 위권(威權).
[威服 위복] 두려워 복종함. 또, 위력(威力)으로 남을 복종(服從)시킴.
[威福 위복] 위력(威力)으로써 복종시키고, 또 은혜를 베풀어 심복하게 함.
[威聲 위성] 위광(威光)과 명성. 위세(威勢)와 평판(評判).
[威勢 위세] 위엄(威嚴)이 있는 기세.
[威信 위신] ㉠위엄(威嚴)이 있고 신실(信實)함. ㉡위력(威力)과 신용.
[威神 위신] 존엄(尊嚴)함. 또, 거룩함.
[威壓 위압] 위력으로 억누름. 위엄으로 을러댐.
[威約 위약] 두려워 옹송그림. 외축(畏縮).
[威嚴 위엄] 점잖고 엄숙(嚴肅)하여 위광(威光)이 있음. 의젓하고 드레짐.
[威如 위여] 위엄이 있는 모양.
[威容 위용] 위엄 있는 모습.
[威儀 위의] ㉠예의(禮儀)에 맞아 위엄 있는 거동(擧動). ㉡예(禮)의 세칙(細則). ㉢의식(儀式).
[威而不猛 위이불맹] 위엄이 있으나 사납지 아니함.
[威霆 위정] 격심한 천둥. 전(轉)하여, 대단한 위력(威力).
[威重 위중] 위엄이 있고 드레짐.
[威燀 위천] 위세가 성(盛)함.
[威澤 위택] 위엄과 은택(恩澤).
[威風 위풍] 위엄(威嚴)이 있는 풍채.
[威風凜凜 위풍늠름] 위풍(威風)이 당당함.
[威逼 위핍] 위협(威脅).
[威嚇 위하] 위협(威脅).
[威虐 위학] 폭위(暴威)를 떨침.
[威脅 위협] 으름. 협박(脅迫)함.
[威刑 위형] 위력과 형벌. 또, 단지 '형벌'의 뜻으로도 쓰임.
◉國威. 軍威. 權威. 稜威. 德威. 猛威. 明威. 武威. 暑威. 聲威. 勢威. 示威. 神威. 嚴威. 餘威. 炎威. 靈威. 王威. 恩威. 朝威. 重威. 天威. 最高權威. 暴威. 寒威. 虛威. 脅威. 狐假虎威. 皇威.

6 ⑨ [姜] 人名 강 ㊥陽 居良切 jiāng
筆順 丷 丷 丷 羊 美 姜 姜 姜
字解 ①성(姓) 강 신농씨(神農氏) 후손의 성. ②강할 강 彊(弓部 十三畫)과 뜻이 같음. '一, 強也'《廣雅》.
字源 金文 篆文 形聲. 女+羊〔音〕. 태고(太古) 때에, 산시 성(陝西省) 지방에서 양(羊)을 방목(放牧)한 민족이 양에 연관지어 붙인 성(姓)일 것으로 추정됨. '彊강'과 통하여, '강하다'의 뜻을 나타냄.
參考 성(姓)으로서, 속(俗)에 '제비강'이라 이름.

[姜夔 강기] 남송(南宋)의 시인(詩人). 파양(鄱陽) 사람. 자(字)는 요장(堯章). 호(號)는 백석도인(白石道人). 당시 간신(奸臣) 진회(秦檜)가 집권(執權)하였으므로, 은거하여 관도(官途)에 나서지 않았음. 음률(音律)에 밝으며, 시풍(詩風)은 일세(一世)에 관절(冠絕)하였음. 〈백석시집(白石詩集)〉·〈백석도인가곡(白石道人歌曲)〉·〈독서고(讀書考)〉·〈대악의(大樂議)〉 등의 저서(著書)가 있음.
[姜嫄 강원] 제곡(帝嚳)의 비(妃). 후직(后稷)의 모친. 강원(姜原).
[姜戎 강융] 춘추 시대(春秋時代)의 서융(西戎)의 별종(別種).
◉姬姜.

6 ⑨ [姿] 高 人 자 ①-③㊥支 卽夷切 zī ④㊦寘 資四切 zì
筆順 丶 冫 冫 氵 次 次 姿 姿
字解 ①맵시 자 자태. 모습. '英一'. '體貌魁梧有異一'《後漢書》. ②풍취 자 풍경의 아취(雅趣). '自然鍾野一'《陸龜蒙》. ③바탕 자 성품. 소질. 천분(天分). 資(貝部 六畫)와 통용. '上主之一也'《漢書》. ④모양낼 자 자태를 꾸밈. '羲之俗書娬一媚'《韓愈》.
字源 篆文 形聲. 女+次〔音〕. '次차'는 '긴장을 풀다'의 뜻. 긴장을 풀고 쉴 때의 여성(女性)의 여러 모습의 뜻에서, '자태·모습'의 뜻을 나타냄.

[姿望 자망] ㉠고아(高雅)한 모습. ㉡모습. 풍채(風采).
[姿貌 자모] 용모. 모습.
[姿媚 자미] 모양을 내어 아양 부림.
[姿狀 자상] 자태. 모양. 모습.
[姿色 자색] 여자의 용모와 안색.
[姿勢 자세] 몸을 가지는 상태.
[姿容 자용] 용모. 모습.
[姿宇 자우] ㉠모습. ㉡인품(人品). 품격(品格). 우(宇)는 기량(器量)이란 뜻.
[姿儀 자의] 용모. 모습. 자용(姿容).
[姿采 자채] 자모(姿貌).
[姿態 자태] 모양과 태도(態度). 맵시.
◉瓊姿. 高姿. 瑰姿. 奇姿. 芳姿. 丰姿. 仙姿. 聖姿. 殊姿. 神姿. 姸姿. 艷姿. 容姿. 勇姿. 雄姿. 天姿. 淸姿. 風姿.

6 ⑨ [娄] 〔루〕 婁(女部 八畫〈p. 538〉)의 略字·簡體字

[要] 〔요〕 西部 三畫(p. 2084)을 보라.

7 ⑩ [娉] 一 빙 ㊦敬 匹正切 pìn 二 병 ㊥庚 彼耕切 pīng
字解 一 ①물을 빙, 장가들 빙 여자의 이름을 물음. 전(轉)하여, 아내로 맞아들임. 聘(耳部 七畫)과 同字. '一命'. '一江婓與神遊'《左思》. ②상할 빙 해(害)침. 妨(女部 四畫)과 뜻이 같음. '一, 害也'《廣雅》. 二 예쁠 병 예쁜 모양. '不嫁惜一婷'《杜甫》.
字源 篆文 形聲. 女+甹〔音〕. '甹병'은 '倂병'과 통하여 '합치다'의 뜻. 여자를 남자에게 시집보내다, 장가들다의 뜻. 전하여, '묻다'의 뜻을 나타냄.

[娉婷 병정] 예쁜 모양. 아름다운 모양.

[娉命 빙명] 결혼(結婚)의 약속(約束).
[娉會 빙회] 약혼(約婚)만 하고 아직 혼례(婚禮)를 올리지 않은 여자. 아내와 같다고 봄.

7
⑩ [娌] 리 ㊤紙 良士切 lǐ

[字解] 동서(同壻) 리 형제(兄弟)의 아내끼리 서로 부르는 칭호. '兄弟之妻, 相呼日妯—'《廣雅》.
[字源] 形聲. 女+里〔音〕

7
⑩ [娓] 미 ㊤尾 無匪切 wěi

[字解] ①예쁠 미 아름다움. '—, 美也'《廣韻》. ②되풀이할 미 친절히 되풀이하여 가르치는 모양. '——'. ③힘쓸 미 '—, 勉也'《字彙》. ④따를 미 순종함. 온순함. '—, 順也'《說文》.
[字源] [篆文] 形聲. 女+尾〔音〕. '尾미'는 뒤에 따르다의 뜻. 여자가 순종하다의 뜻을 나타냄. 또 '媄미'와 통하여 '아름답다'의 뜻을 나타냄.

[娓娓 미미] 친절히 되풀이하여 가르치는 모양.

7
⑩ [娒] [一] 姆(女部 五畫〈p. 522〉)의 本字
[二] 侮(人部 七畫〈p. 135〉)와 同字

7
⑩ [娖] [一] 착 [入]覺 測角切 chuò
[二] 촉 [入]沃 叉足切 cù

[字解] [一] ①조심할 착 근신하는 모양. '——廉謹備員而已'《史記》. ②분별할 착 판별함. '—, 辯也'《廣韻》. ③재촉할 착 促(人部 七畫)과 통용. [二] 정제할 촉 정돈됨. '廚架整—齊籤牙'《梅堯臣》.
[字源] 形聲. 女+足〔音〕

[娖娖 착착] 근신하는 모양. 조심하는 모양.

7
⑩ [娘] [高人] [一] 낭 [平]陽 女良切 niáng
(냥[本])
[二] 랑

[筆順] 𠂉 𡚤 女 女' 女ㄱ 娘 娘 娘

[字解] [一] ①계집 낭 ㉠소녀(少女). 아가씨. '—子'. ㉡소녀의 이름 밑에 붙여 쓰는 말. '喬之知婢窈—, 美且善歌'《唐書》. ②어미 낭 모(母)의 속어임. '—家'. '兒別爺—夫別妻'《白居易》. [二] 계집 랑, 어미 랑 [一]과 뜻이 같음.
[字源] 會意. 女+良. '良량'은 '좋다'의 뜻. 좋은 여자, 소녀, 아가씨의 뜻을 나타냄.

[娘家 낭가] 어머니의 친정. 외가(外家).
[娘娘 낭낭] ㉠아들이 어머니를 이름. ㉡천자(天子)가 모후(母后)를 일컬어 말함. ㉢황후, 왕비(王妃) 또는 천녀(天女).
[娘子 낭자] ㉠소녀(少女). 아가씨. ㉡어머니. ㉢아내. ㉣궁녀(宮女).
[娘子軍 낭자군] ㉠여자(女子)로 조직(組織)한 군대(軍隊). 당(唐)나라 고조(高祖)의 딸 평양공주(平陽公主)가 수백 명의 부인(婦人)을 거느리고 고조를 도와 경사(京師)를 평정(平定)한 군사 이름. ㉡부인(婦人) 또는 소녀의 단체.
[娘行 낭행] 부녀(婦女)를 이름.
◉嬌娘. 絡絲娘. 老娘. 夫娘. 雪衣娘. 纖腰娘. 掃晴娘. 新嫁娘. 爺娘. 令娘. 村娘.

7
⑩ [娧] 태 [去]泰 他外切 tuì

[字解] ①아름다울 태 아리따움. '—, 好也'《說文》. ②느릿느릿할 태 늘쩡거리는 모양. '——, 舒遲皃'《集韻》. ③기뻐할 태 '—, 一日, 喜也'《集韻》.
[字源] [篆文] 形聲. 女+兌〔音〕. '兌태'는 '悅열'과 같은 뜻으로, '기뻐하다'의 뜻. 여자가 기뻐함의 뜻에서, '아름답다'의 뜻을 나타냄.

[恕] 〔서〕
心部 六畫(p. 773)을 보라.

7
⑩ [娛] [高人] 오 [平]虞 遇俱切 yú
[去]遇 五故切 yú

[筆順] 𠂉 女 女 如 如 娛 娛 娛

[字解] ①즐거워할 오, 즐거움 오 '—樂'. '窮歡極—'《張衡》. ②장난할 오 희롱함. 농담함. '—游往來'《漢書》.
[字源] [篆文] 形聲. 女+吳〔音〕. '吳오'는 '즐기다'의 뜻. 뒤에 '吳'가 나라 이름으로 쓰이게 되자, 흔히, 심리(心理) 상태를 나타내는 말에 덧붙는 '女'를 더해 구별했음.

[娛觀 오관] 즐겁게 유람(遊覽)함.
[娛樂 오락] 재미있게 노는 일.
[娛笑 오소] 즐거워하며 웃음.
[娛娛 오오] 즐거워하는 모양.
[娛遊 오유] 즐거이 놂.
[娛適 오적] 즐거워하고 기뻐함.
[娛足 오족] 즐거워하며 만족해함.
[娛嬉 오희] 즐거워하고 기뻐함.
◉康娛. 極歡極娛. 晏娛. 宴娛. 媮娛. 遊娛. 歡娛. 嬉娛. 戲娛.

7
⑩ [娜] [人名] 나 ㊤哿 奴可切 nuó

[筆順] 女 如 妍 妍 娜 娜' 娜 娜

[字解] ①아리따울 나 '嫋—'는 여자의 모습이 예쁜 모양. '花腰呈嫋—'《李白》. ②휘청거릴 나, 천천히움직일 나 '萬柳枝——'《梅堯臣》.
[字源] 形聲. 女+那〔音〕

[娜娜 나나] ㉠흔들려 움직이는 모양. ㉡낭창거리는 모양.
◉婀娜. 夭娜. 嫋娜. 嫋娜.

7
⑩ [娝] [一] 비 ㊤紙 方美切 bǐ
[二] 배 [平]灰 匹杯切
[三] 부 [平]虞 芳無切
[平]尤 普溝切 pōu

[字解] [一] 성 비 성(姓)의 하나. [二] 어리석을 배 '—, 不肖也'《說文》. [三] 어리석을 부 [二]와 뜻이 같음.

[字源] 形聲. 女＋否〔音〕

7 ⑩ [娘] 〔괴〕
媿(女部 十畫〈p.543〉)의 俗字

7 ⑩ [婚] 〔활〕
婚(女部 六畫〈p.529〉)의 本字

7 ⑩ [娗] [一] 정 ㊤迥 徒鼎切 tǐng
[二] 전 ㊤銑 他典切 tiǎn

[字解] [一] ①여자병 정 여자의 음부(陰部)의 병. '一, 女出病也'《說文》. ②늘씬할 정 날씬하여 예쁜 모양. '一, 長好皃'《廣韻》. [二] ①속일 전, 업신여길 전 '一, 欺慢也'《集韻》. ②못할 전 무엇만 못함. 열등함. '一, 一曰, 偄劣'《集韻》.
[字源] 篆文 形聲. 女＋廷〔音〕. '廷정'은 곧게 뻗다의 뜻. 여자의 날씬하고 아름다운 모양을 나타냄.

7 ⑩ [娠] [人名] 신 [平]眞 失人切 shēn

[字解] ①애밸 신 잉태함. '妊一'. '后婚方一'《左傳》. ②움직일 신 踬(足部 七畫)과 뜻이 같음. '一, 動也'《爾雅》.
[字源] 篆文 形聲. 女＋辰〔音〕. '辰진'은 '떨리다'의 뜻. 배 속에서 아이가 움직이다의 뜻에서, '아이를 배다'의 뜻을 나타냄.

◉妊娠.

7 ⑩ [娟] 娠(前條)과 同字

7 ⑩ [娣] 제 ㊤薺 徒禮切 dì

[字解] ①손아래누이 제 여제(女弟). '女子同出, 先生爲姒, 後生爲一'《爾雅》. ②손아래동서 제 형제의 아내 중 손위 동서가 손아래 동서를 부르는 말. '一姒婦者, 弟長也'《儀禮》.
[字源] 篆文 形聲. 女＋弟〔音〕. '弟제'는 동생. '손아래 누이'의 뜻을 나타냄.

[娣婦 제부] 손아래 동서.
[娣姒 제사] ㉠손아래 누이와 손위 누이. ㉡손아래 동서와 손위 동서.
[娣姪 제질] 신부(新婦)에 딸려 온 여자. 측실(側室). 질제(姪娣).
[娣妾 제첩] 첩(妾).

7 ⑩ [娍] [人名] 성 ①②[去]敬 時正切 shèng
③[平]庚 時征切 chéng

[筆順] 女 如 如 娂 娂 娍 娍 娍

[字解] ①헌걸찰 성 늘씬하여 보기 좋음. '一, 長好也'《集韻》. ②아름다울 성 '一, 一曰, 美也'《集韻》. ③여자이름 성 '一, 女名'《集韻》.

7 ⑩ [娥] [人名] 아 [平]歌 五何切 é

[筆順] 女 女 女 好 好 娀 娥 娥

[字解] ①예쁠 아 아름다움. 또, 미인. '趙妃燕后, 秦一吳娃'《江淹》. ②항아 아 '姮一'는 달〔月〕의 이칭(異稱). '一影'. ③성 아 성(姓)의 하나.
[字源] 甲骨文 篆文 形聲. 女＋我〔音〕. '我아'는 들쭉날쭉한 도끼날을 본뜬 모양. 톱니 모양으로 들쭉날쭉한 머리 장식을 꽂은 예쁜 여성(女性)의 뜻.

[娥姣 아교] 예쁨. 아름다움. 또, 그 여자. 미인(美人).
[娥媌 아모] 아름다움. 예쁨.
[娥娥 아아] 예쁜 모양. 아름다운 모양.
[娥英 아영] 아황(娥皇)·여영(女英)의 두 사람. 모두 요(堯)임금의 딸로서 함께 순(舜)임금의 아내가 되었음. 순(舜)이 죽자, 상강(湘江)에 투신(投身)하여 아황(娥皇)은 상군(湘君)이 되고, 여영(女英)은 상부인(湘夫人)이 되었다고 전(傳)함.
[娥影 아영] 항아(姮娥)의 그림자. 곧, 달 그림자. 월영(月影).
[娥皇 아황] 요(堯)임금의 딸이며 순(舜)임금의 아내. '아영(娥英)'을 보라.
◉宮娥. 嬪娥. 湘娥. 仙娥. 素娥. 帝娥. 姮娥. 嫦娥.

7 ⑩ [娭] 협(①②겹[本]) [入]葉 苦協切 qiè

[字解] ①뜻맞을 협, 쾌할 협 愜(心部 九畫)과 同字. '一, 得志一一也'《說文》. ②숨쉴 협 호흡(呼吸)함. '一, 一曰, 一息也'《說文》. ③기침할 협 '一, 一曰, 小气'《集韻》.
[字源] 形聲. 女＋夾〔音〕

7 ⑩ [娩] [人名] [一] 만 ㊤阮 無遠切 wǎn
(면[本])
[二] 면 ㊤銑 亡辨切 miǎn

[字解] [一] 해산할 만 아이를 낳음. '分一'. '一息不眚'《唐書》. [二] ①순할 면 얌전함. 순종함. '婉一聽從'《禮記》. ②교태지을 면 아양부림. '一, 婉一, 媚也'《廣韻》.
[字源] 形聲. 女＋免〔音〕. '免면'은, 신생아(新生兒)가 태어나는 모양을 본뜬 것으로, '娩만'의 原字. '免'이 '모면하다'의 뜻으로 쓰이게 되었기 때문에, '女'를 덧붙여 구별했음.

[娩息 만식] 해산(解產)함.
[娩澤 만택] 얼굴에 윤기가 돎.
[娩痛 만통] 해산할 때의 진통(陣痛).
◉分娩. 孋娩. 婉娩.

7 ⑩ [娙] [一] 경 [平]青 戶經切 xíng
[二] 형 [平]庚 五莖切 xíng

[字解] [一] ①날씬할 경 크고 맵시 있는 모양. '一, 長好也'《說文》. ②여관(女官) 경 '一娥'는 한대(漢代)의 여관(女官)의 칭호. '至武帝, 制倢伃, 一娥·傛華·充依, 各有爵位, 云云, 一娥, 視中二千石, 比關內侯'《漢書》. ③계집종 경 비녀(婢女). [二] 여관 형 [一]❷와 뜻이 같음.
[字源] 篆文 形聲. 女＋巠〔音〕. '巠경'은 '곧다'의 뜻. 늘씬하여 맵시가 좋다의 뜻.

[娙娥 경아] ㉠아름다움. 예쁨. ㉡한대(漢代)의 여

관(女官)의 이름. ㉢한무제(漢武帝)의 형부인.
[婭何 경하] 한대(漢代)의 여관(女官)의 이름.

7 ⑩ [娭] [一] 희 [平]支 許其切 xī
[二] 애 [平]灰 於開切 āi

[字解] [一] 희롱할 희 '神來燕—'《漢安世》. [二] 계집종 애 '—, 婢也'《廣雅》.

[字源] [篆文] 形聲. 女+矣〔音〕. '嬉'와 동일어(同一語) 이체자(異體字)로서, '희롱함'의 뜻.

7 ⑩ [娚] 남 [平]咸 女咸切 nán

[字解] ①재잘거릴 남 喃(口部 九畫)과 同字. ②《韓》 오라비 남 오빠. 속(俗)에, 아내의 형제를 '妻—'이라 함.

7 ⑩ [娬] 〔무〕 嫵(女部 十二畫〈p.547〉)와 同字

7 ⑩ [娫] [人名] 연 [平]先 夷然切 yán

[字解] ①여자의자 연(女字)《集韻》. ②예쁜모양 연(美好貌)《正字通》.

7 ⑩ [娟] [人名] [一] 연 [平]先 於緣切 juān
[二] 견 [平]先 規淵切 juān

[筆順] 女 女 如 如 姐 娟 娟 娟

[字解] [一] ①예쁠 연 용모가 아름다움. 미호(美好)함. '嬋—'. '幼子—好靜秀'《韓愈》. ②나긋나긋할 연 춤추는 모양. 편연(便娟). '—, 便—, 舞皃'《廣韻》. ③눈썹굽을 연 '眉聯—以娥揚兮'《宋玉》. [二] ①예쁜모양 견 '—, 美好貌'《洪武正韻》. ②아양떨 견 '—, 媚也'《洪武正韻》.

[字源] [篆文] 形聲. 女+肙〔音〕. '肙'은 '잘록하다'의 뜻. 여자 몸매가 가늘고 잘록하여 아름답다의 뜻을 나타냄.

[參考] 娟(女部 六畫)은 俗字.

[娟秀 연수] 용모가 뛰어나게 아름다움.
[娟娟 연연] ㉠예쁜 모양. 아름다운 모양. ㉡그윽한 모양. 깊숙하고 조용한 모양.
◉嬋娟. 麗娟. 連娟. 聯娟. 幽娟. 便娟.

7 ⑩ [娋] [一] 초 ①[去]效 所敎切 shào
(소[本]) ②③[平]肴 所交切 shāo
[二] 작 [入]藥 七約切

[字解] [一] ①점점침범할 초 차츰 침해함. '—, 小小侵也'《說文》. ②누이 초 손위 누이. '—, 孟, 姊也'《揚子方言》. ③차츰훔칠 초 조금씩 훔침. '—, 小—, 偸也'《廣韻》. [二] 점점침범할 작 [一]❶과 뜻이 같음.

[字源] 形聲. 女+肖〔音〕

7 ⑩ [娑] [人名] 사 ①[平]歌 素何切 suō
②[上]哿 蘇可切 suǒ

[筆順] 氵 汁 沙 沙 沙 娑 娑 娑

[字解] ①춤출 사, 옷너풀거릴 사, 앉을 사 '婆—'. ②궁전이름 사 '駁—'는 한대(漢代) 궁전 이름. '駁—, 殿名'《廣韻》. '經駘盪而出駁—'《班固》.

[字源] [篆文] 形聲. 女+沙〔音〕. '沙사'는 고운 모래. 고운 모래가 슬슬 굴러 가듯이 여자가 옷소매를 펄럭이며 너울너울 춤추는 모양을 나타냄.

[娑竭羅 사갈라] '사가라(娑伽羅)' 또는 줄여서 '사갈(娑竭)'이라고도 함. 범어 sāgara의 음역(音譯)으로, 함해(鹹海) 또는 그 바다에 사는 용(龍)을 이름.
[娑羅 사라] 용뇌향과(龍腦香科)에 속하는 상록 교목. 원산지는 인도. 사라수(娑羅樹).
[娑羅雙樹 사라쌍수] 석가(釋迦)가 발제하(跋提河)가에서 입적(入寂)할 때에 그 주위 사방에 각각 한 쌍씩 서 있던 사라수.
[娑婆 사바] 범어(梵語) sabhā의 음역(音譯). 인토(忍土)·능인(能忍) 등으로 번역함. 안에 여러 번뇌(煩惱)가 있고 밖에 한서 풍우(寒暑風雨)의 고통이 있어 이러한 여러 고통을 견디어 내야 하는 국토라는 뜻. 삼천 대천 국토(三千大千國土)의 총칭(總稱)으로 곧 이 세상. 현세(現世).
[娑婆世界 사바세계] 사바(娑婆).
◉摩娑. 駁娑. 婆娑.

7 ⑩ [粲] 찬 [去]翰 蒼案切 càn

[字解] 아름다울 찬.

8 ⑪ [娵] 추 ①[平]虞 子于切 jū
②[上]有 此苟切

[字解] ①별이름 추 '—訾'는 성수(星宿)의 이름. '—訾之口, 營室東壁也'《爾雅》. ②미녀 추 아름다운 여자.

[字源] 形聲. 女+取〔音〕

[娵隅 추우] 물고기. 서남 만인(西南蠻人)의 말임.
[娵訾 추자] 성수(星宿) 이름.

8 ⑪ [娼] [人名] 창 [平]陽 蚩良切 chāng

[字解] 노는계집 창 창기(娼妓). 倡(人部 八畫)의 俗字. '—妓'.

[字源] 形聲. 女+昌〔音〕. '昌창'은 '唱창'과 통하여, '노래하다'의 뜻. '노는계집'의 뜻을 나타냄.

[娼家 창가] 창기(娼妓)의 집. 청루(青樓). 기루(妓樓).
[娼妓 창기] ㉠손의 잠자리에 모시는 것을 업(業)으로 삼는 노는계집. 갈보. ㉡기생(妓生).
[娼女 창녀] 창기(娼妓).
[娼樓 창루] 창기의 집. 청루(青樓).
[娼夫 창부] 아내나 딸을 팔아 생활하는 사내.
[娼婦 창부] 창기(娼妓).
[娼優 창우] 광대. 배우.
◉街娼. 公娼. 名娼. 俳娼. 私娼. 研娼. 優娼. 偶娼. 天娼.

8 ⑪ [婉] [人名] 완(원[本]) [上]阮 於阮切 wǎn

[筆順] 女 女 女' 好 妒 娩 娩 婉

[字解] ①순할 완 유순함. '一順'. '性一而從物'《列子》. ②아름다울 완 예쁨. '一麗'. '一兮孌兮'《詩經》. ③사랑할 완 귀여워함. 가까이 함. '善曰, 一, 猶親愛也'《文選》. ④곡진할 완 완곡(婉曲)함. '春秋之稱, 微而顯, 一而辨'《左傳》. ⑤간략할 완 간명(簡明)함. '一約'. '大而一, 險而易行'《左傳》.
[字源] 篆文 形聲. 女＋宛〔音〕. '宛완'은 몸을 나긋나긋하게 구부림의 뜻. 나긋나긋하고 예쁜 여자의 뜻을 나타냄.

[婉曲 완곡] ㉠말이 노골적이 아님. ㉡유순하여 모나지 아니함.
[婉麗 완려] 고상하고 아리따움.
[婉孌 완련] 나이 젊고 예쁨. 또, 미소년(美少年).
[婉娩 완만] 완순(婉順).
[婉穆 완목] 유순함. 온순함.
[婉美 완미] 완려(婉麗).
[婉色 완색] 아름다운 용색(容色). 아리따운 모습.
[婉嬋 완선] 아름다움.
[婉淑 완숙] 온순함. 정숙함.
[婉順 완순] 순(順)함. 온순함.
[婉約 완약] 완곡하고 간명(簡明)함.
[婉如 완여] 아름답고 온순한 모양.
[婉然 완연] 완여(婉如).
[婉豔 완염] 완려(婉麗).
[婉婉 완완] ㉠완여(婉如). ㉡용(龍)이 날아가는 모양.
[婉縟 완욕] 아름답게 꾸밈.
[婉容 완용] 유순한 용모.
[婉愉 완유] 친숙하게 하며 즐거워함.
[婉轉 완전] 변화(變化)가 있고, 또한 아취(雅趣)가 있음.
[婉奕 완혁] 완려(婉麗).
◉微婉. 纖婉. 淑婉. 阿婉. 燕婉. 妖婉. 柔婉. 貞婉. 沈婉. 諧婉. 華婉.

8 ⑪ [婟] 호(고[俗]) ①②[去]遇 胡誤切 hù ③[上]麌 侯古切
[字解] ①그리워할 호 임을 사모함. '一, 嫪也'《說文》. ②섭섭히여길 호 미련(未練)을 남김. '一, 嫪惜也'《集韻》. ③좋을 호 아름다움. '一, 好也'《集韻》.
[字源] 篆文 形聲. 女＋固〔音〕

8 ⑪ [婕] 첩 [入]葉 卽葉切 jié
[字解] ①궁녀 첩 '一妤'는 한대(漢代)의 궁중의 여관(女官)의 하나. '增昭儀于一妤'《張衡》. ②아름다울 첩 예쁨. '一, 美也'《集韻》.
[字源] 篆文 形聲. 女＋疌〔音〕. '疌녑'은 '날렵하다'의 뜻. 몸가짐이 날렵한 여성의 뜻을 나타냄.

[婕妤 첩여] 한대(漢代)의 궁중(宮中)의 여관(女官) 이름. 첩여(婕伃).

8 ⑪ [娸] 기 [平]支 去其切 qī
[字解] ①더러울 기 추(醜)함. 또, 못났다고 함. '一, 一曰, 醜也'《廣韻》. ②성 기 성(姓)의 하나.
[字源] 形聲. 女＋其〔音〕

8 ⑪ [婢] 娸(前條)와 同字

8 ⑪ [姘] 〔병·빈〕
姘(女部 六畫〈p. 530〉)의 本字

8 ⑪ [婞] 행 ①-③[上]迥 胡頂切 xìng ④[上]梗 下耿切
[字解] ①패려궂을 행 성품이 패려(悖戾)함. '鮌一直以亡身兮'《楚辭》. ②사랑받을 행 총애(寵愛)됨. '一, 一曰, 見親'《說文》. ③곧을 행 곧바름. 강직함. '性一剛絜'《王僧達》. ④요행바랄 행 '一, 徼倖也'《集韻》.
[字源] 篆文 形聲. 女＋幸〔音〕. '幸행'은 행복. 여자가 행복을 추구함의 뜻을 나타냄. 일설(一說)에, '幸'은 피하여 따라가지 않다의 뜻으로, 따르지 않다, 도리에 어그러지다의 뜻을 나타낸다고 함.

[婞直 행직] 강직(剛直)하여 패려궂음.

8 ⑪ [婋] [人名] 호 [平]肴 虛交切 xiāo
[字解] 계집영리할 호 '一, 女心俊'《玉篇》.

8 ⑪ [婘] 권 [去]霰 古倦切 juàn
[字解] 집안붙이 권 한집안의 식구. 살붙이. 眷(目部 六畫)과 통용. '誅諸呂須一屬'《史記》.

[婘屬 권속] 권속(眷屬).

8 ⑪ [婚] [中人] 혼 [平]元 呼昆切 hūn
[筆順] 女 女 女 女 娐 娐 婚 婚
[字解] ①혼인할 혼 '一姻'. ②사돈 혼 혼인에 의하여 맺어진 친척 관계. '婦之黨爲一兄弟'《爾雅》.
[字源] 金文 篆文 籀文 形聲. 女＋昏〔音〕. '昏혼'은 '해 질 때'의 뜻. 혼례(婚禮)가 저녁때 치러졌던 데서, '결혼'의 뜻을 나타냄.

[婚家 혼가] 혼인(婚姻)집.
[婚嫁 혼가] 장가들고 시집가는 일. 결혼.
[婚簡 혼간] 혼인 때에 사주 및 택일을 쓰는 간지(簡紙).
[婚具 혼구] 혼인(婚姻) 때에 쓰는 제구(諸具).
[婚媾 혼구] 혼인. 혼(婚)은 처음으로 사돈 간이 되는 혼인. 구(媾)는 사돈 간에 또 맺는 혼인.
[婚期 혼기] 혼인을 하기에 적당한 나이.
[婚談 혼담] 혼처(婚處)를 정(定)하려고 서로 오고가는 말.
[婚對 혼대] 배우자.
[婚禮 혼례] 혼인(婚姻)의 예절(禮節). 또, 혼인의 예식. 결혼식.
[婚費 혼비] 혼인에 드는 비용.
[婚事 혼사] 혼인에 관한 모든 일.
[婚喪 혼상] 혼례와 상례(喪禮).

[婚書 혼서] 혼인(婚姻) 때에 신랑(新郞) 집에서 신부(新婦) 집에 보내는 편지(便紙).
[婚屬 혼속] 외가 또는 처가의 겨레붙이.
[婚需 혼수] 혼인(婚姻)에 드는 물건이나 비용(費用).
[婚婭 혼아] 혼척(婚戚).
[婚約 혼약] 혼인(婚姻)을 맺는 약속.
[婚擾 혼요] 혼인 때에 소란한 일.
[婚友 혼우] 혼인 관계의 친척과 붕우(朋友).
[婚姻 혼인] ㉠결혼. ㉡며느리의 아버지와 사위의 아버지.
[婚媾 혼인] 혼인(婚姻).
[婚日 혼일] 혼례(婚禮)를 하는날.
[婚材 혼재] 혼인(婚姻)을 하기에 적당한 남자(男子)와 여자(女子).
[婚處 혼처] 혼인(婚姻)하기에 적당(適當)한 자리.
[婚戚 혼척] 인척(姻戚).
[婚娶 혼취] 장가들고 시집감. 혼인(婚姻).
[婚親 혼친] 혼인(婚姻)으로 생긴 인척(姻戚).
[婚擇 혼택] 혼일(婚日)을 가림.
[婚行 혼행] 혼인(婚姻) 때 신랑(新郞)이 신부(新婦) 집에 가고, 혹은 신부가 신랑 집에 가는 일.
[婚嫌 혼혐] 혼인(婚姻)이 어울리지 아니하는 혐의(嫌疑).
[婚會 혼회] 혼인을 위한 모임. 결혼 잔치.
◉降婚. 結婚. 旣婚. 大婚. 晩婚. 未婚. 成婚. 新婚. 約婚. 連婚. 離婚. 再婚. 早婚. 重婚. 請婚. 初婚. 合婚. 許婚. 華婚.

8
⑪ [婪] [人名] 람 [上]感 盧感切 lǎn

[字解] 예쁜모양 람 '一, 好皃'《玉篇》.

8
⑪ [婢] [高人] 비 [上]紙 便俾切 bì

[筆順] 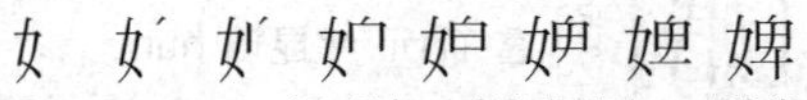

[字解] ①계집종 비 '一僕'. '耕當問奴, 織當問一'《宋書》. ②소첩 비 여자가 자기를 낮추어 일컫는 말. 첩(妾). '自世婦以下, 自稱曰一子'《禮記》.

[字源] 篆文 形聲. 女+卑〔音〕. '卑비'는 '천(賤)하다'의 뜻. 신분이 비천(卑賤)한 여자, 계집종의 뜻.

[婢女 비녀] 계집종.
[婢僮 비동] 계집종과 사내아이 종.
[婢僕 비복] 계집종과 사내종.
[婢夫 비부] 계집종의 남편.
[婢子 비자] ㉠계집종. ㉡계집종이 낳은 아들. ㉢첩(妾). ㉣부인이 자기를 낮추어 일컫는 말.
[婢妾 비첩] 시비(侍婢). 계집종들.
◉官婢. 奴婢. 傅婢. 侍婢. 從婢. 下婢.

8
⑪ [婩] 엄 [去]陷 於劍切 yàn
①②[去]豔 於贍切
③[平]鹽 衣廉切 yān

[字解] ①모함할 엄 사실을 왜곡하여 남을 헐뜯음. '一, 誣挐也'《說文》. ②여자종 엄 여자 하인. 하녀(下女). '一, 婢也'《玉篇》. ③계집다울 엄 '一, 女皃'《集韻》.

[字源] 篆文 形聲. 女+奄〔音〕. '奄엄'은 '덮다'의 뜻. 여자가 억지로 사실을 가리고 남을 모함하는 일.

8
⑪ [婇] [人名] 채 [上]賄 此宰切 cǎi
[去]隊 倉代切

[字解] 여자의자 채 여자의 본이름 외의 자(字). '一, 女字'《集韻》.

8
⑪ [婥] 작 [入]藥 昌約切 chuò

[字解] 예쁠 작 용모가 아름다움. 綽(糸部 八畫)과 同字. '一約, 嫵媚, 好也'《廣雅》.

[字源] 篆文 形聲. 女+卓〔音〕. '卓탁'은 '빼어나다'의 뜻. 여자의 아름다움이 한결 뛰어남의 뜻을 나타냄.

[婥約 작약] 자태가 아름다운 모양. 작약(綽約).

8
⑪ [婦] [中人] 부 [上]有 房久切 fù

[筆順] 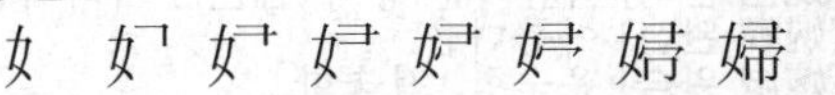

[字解] ①지어미 부 유부녀. '一人'. '有男女, 然後有夫一'《易經》. ②아내 부 처. '歸而謀諸一'《蘇軾》. ③며느리 부 자부. '子之妻爲一'《爾雅》. ④계집 부 여자. '一事'. '彼一之謁, 可以死敗'《史記》. ⑤암컷 부 동물 같은 것의 암컷. '物類之陰者亦曰一'《康熙字典》. ⑥예쁠 부 아름다움. '其容一'《荀子》. ⑦질 부 負(貝部 二畫)와 통용. '鼠一'.

[字源] 甲骨文 金文 篆文 會意. 女+帚. 자형(字形)은 '帚추'가 쓰레질하는 '비'의 뜻으로, 빗자루를 든 여성의 뜻인데, 음형(音形)은 '服복'과 통하여, '일을 맡다'의 뜻을 나타내므로, 살림을 도맡고 남성에 복종하는 여성의 뜻을 나타냄.

[婦家 부가] 아내의 생가(生家). 처가(妻家).
[婦公 부공] 아내의 아버지. 장인(丈人).
[婦功 부공] 사덕(四德)의 하나. 여자가 하는 일. 주로 길쌈을 이름.
[婦官 부관] 옛날에 염색(染色)을 맡은 벼슬.
[婦敎 부교] 여자에 대한 가르침. 여훈(女訓).
[婦女 부녀] 여자. 여인. 여성(女性).
[婦女子 부녀자] ㉠여자. ㉡여자와 아이.
[婦黨 부당] 아내 쪽의 본종(本宗).
[婦德 부덕] 사덕(四德)의 하나. 부녀(婦女)가 닦아야 할 덕행(德行).
[婦道 부도] 부녀의 지켜야 할 도리.
[婦父 부부] 부공(婦公).
[婦事 부사] 여자에 관한 일.
[婦寺 부시] 부녀와 환관(宦官).
[婦言 부언] 사덕(四德)의 하나. 여자의 말씨.
[婦業 부업] 여자의 일. 부공(婦功).
[婦椽 부연] 《韓》 서까래 끝에 덧얹어서 공중(空中)으로 높이 솟게 만든 서까래.
[婦翁 부옹] 아내의 아버지. 장인(丈人). 부공(婦公).
[婦容 부용] 사덕(四德)의 하나. 여자의 몸차림과 몸가짐.
[婦幼 부유] 여자와 어린아이.
[婦人 부인] ㉠여자. 여인. ㉡선비의 아내. ㉢며느리.
[婦人三從 부인삼종] 여자로서 세 가지 순종의 길. 미혼(未婚)일 때에는 아버지를 따르고, 결

혼 후엔 남편을 따르며, 남편이 죽으면 아들을 따르는 일.
[婦人之仁 부인지인] ㉠여자의 소견이 좁은 어진 마음. 쓸데없는 여자의 자애심. ㉡하찮은 인정. 대체를 모르는 고식적(姑息的)인 인정. 「말.
[婦弟 부제] 처남이 매부에 대하여 자기를 일컫는
◉姦婦. 看護婦. 介婦. 去婦. 寡婦. 巧婦. 驕婦. 貴婦. 裸婦. 嬾婦. 毒婦. 命婦. 美婦. 夫婦. 產婦. 桑婦. 孀婦. 石婦. 世婦. 少婦. 新婦. 良婦. 烈婦. 外婦. 妖婦. 愚婦. 淫婦. 嫠婦. 一夫一婦. 姙婦. 孕婦. 子婦. 酌婦. 蠶婦. 長婦. 田婦. 節婦. 接待婦. 貞婦. 情婦. 宗婦. 主婦. 織婦. 爨婦. 倡婦. 哲婦. 妾婦. 村婦. 冢婦. 醜婦. 妬婦. 販婦. 匹夫匹婦. 悍婦. 賢婦.

8 ⑪ [婠] [人名] 완 ①②[平]寒 一丸切 wān ③[去]翰 古玩切 guàn

[筆順]

[字解] ①점잖을 완 품성(品性)이 높음. '一, 體德好也'《說文》. ②아기통통할 완 아기가 통통하게 살찐 모양. '巴豔收一妠'《韓愈》. ③예쁠 완 아름다움. '一, 好皃'《廣韻》.
[字源] 篆文 形聲. 女+官〔音〕

8 ⑪ [婭] 아 ①②[去]禡 衣嫁切 yà ③[平]麻 於加切 yā 娅

[字解] ①동서 아 아내의 자매(姉妹)의 남편. '一壻'. '兩壻相謂曰一'《爾雅》. ②인척 아 혼인에 의하여 맺어진 겨레붙이. '宰相楊國忠支一, 所在橫猾'《唐書》. ③아리따울 아 '婭娩'는 여자의 요염한 자태. '一娩, 態也'《集韻》.
[字源] 形聲. 女+亞〔音〕

[婭壻 아서] 아내의 자매의 남편. 동서(同壻).
◉姻婭. 宗婭. 親婭. 婚婭.

8 ⑪ [婫] [一] 곤 [平]元 公渾切 kūn [二] 혼 [上]阮 戶袞切 hùn

[字解] [一] 여자의자 곤 여자의 본이름 외의 자(字). '一, 女字'《集韻》. [二] ①여자의자 혼 '一, 女字'《集韻》. ②덮을 혼 씌움. '人人以荷葉裹飯, 一以鴨肉數臠'《資治通鑑》.

8 ⑪ [婬] 음 [平]侵 餘針切 yín

[字解] 음탕할 음 淫(水部 八畫)과 통용. '作一聲'《孔子家語》.
[字源] 篆文 形聲. 女+㸒〔音〕. '㸒임'은 탐하여 구(求)하다의 뜻. 여자를 탐(貪)하다·음탕하다의 뜻을 나타냄.

[婬女 음녀] 음탕한 여자.
[婬奔 음분] 부녀(婦女)의 음란한 행동.
[婬俗 음속] 음란한 풍속.
[婬慾 음욕] 《佛敎》 남녀 간의 사랑.
[婬火 음화] 음욕(婬慾)의 열정. 불길 같은 음욕.

8 ⑪ [婀] [人名] 아 ①②[上]哿 烏可切 ě ③[平]歌 烏何切 ē

[字解] ①아리따울 아 '一娜'는 여자가 날씬하고 예쁜 모양. '華容一娜, 令我忘飡'《曹植》. ②성 아 성(姓)의 하나. ③머뭇거릴 아 '媕一'는 주저하여 결정을 짓지 못함. '詎肯感激徒媕一'《韓愈》.
[字源] 篆文 形聲. 女+阿〔音〕. '阿아'는 '알랑거리다, 아양 떨다'의 뜻. 여자가 알찐거리듯이 나긋나긋한 모양을 나타냄.

[婀嬌 아교] 아리따운 자태(姿態). 또, 그 여자. 미인(美人).
[婀娜 아나] 날씬하고 아리따운 모양.
◉媕婀.

8 ⑪ [婌] 숙 [入]屋 殊六切 shú

[字解] ①궁녀벼슬이름 숙 후궁(後宮)의 여관(女官) 이름. '一, 後宮女官'《集韻》. ②淑(水部 八畫)과 同字.
[字源] 形聲. 女+叔〔音〕

8 ⑪ [婧] 청 [去]敬 疾政切 jìng [上]梗 疾郢切 [平]庚 子盈切

[字解] ①가날플 청, 날씬할 청 허리가 가는 모양. '舒紗一之纖腰兮'《張衡》. ②총명할 청 여자가 총명하고 재치가 있음. '一, 女有才也'《集韻》. ③아리따울 청 '姸一'
[字源] 篆文 形聲. 女+靑〔音〕. '靑청'은 깨끗하고 맑다의 뜻. 여자의 정조가 곧음. 또, 아리땁다의 뜻을 나타냄.

8 ⑪ [婚] 답 [入]合 他合切 tà

[字解] ①엎드릴 답 '一, 俛伏也'《說文》. ②복종할 답 '一, 一曰, 服意也'《說文》. ③편안할 답 '一, 安皃'《廣韻》.
[字源] 形聲. 女+沓〔音〕

8 ⑪ [婗] 예 ①[平]齊 五稽切 ní ②[上]薺 五禮切 nǐ

[字解] ①갓난아이 예 갓 태어난 아기. 또는 그 아이의 울음소리. '人始生曰嬰兒, 或曰嫛一'《釋名》. ②아양부릴 예 교태(嬌態)를 지음. 또, 의심(疑心)하여 정하지 못함. '婗一, 嫵媚. 一曰, 疑不決'《集韻》.
[字源] 篆文 形聲. 女+兒〔音〕. '兒아'는 갓난아이. 여자의 갓난아이의 뜻으로, 널리 '갓난아이'의 뜻을 나타냄.

[婗子 예자] 어린 계집애. 유녀(幼女).
◉嫛婗.

8 ⑪ [娩] [一] 부 [去]遇 芳遇切 fù [二] 반 [去]願 芳萬切 fàn

[字解] [一] ①토끼새끼 부 토끼의 어린것. '一, 兔子也'《說文》. ②빠를 부 날램. '一, 一疾也'《說文》. [二] ①토끼새끼 반. ②빠를 반 [一]과 뜻이 같음.
[字源] 篆文 形聲. 女+兔〔音〕. '兔토'는 토끼. '토끼의 새끼'의 뜻을 나타냄.

8 ⑪ [娺] [一] 촬 [入]黠 丁滑切 zhuó
[二] 추 [平]支 陟佳切
[三] 철 [入]屑 姝悅切

[字解] [一] ①빠를 촬, 날래고사나울 촬 '一, 疾悍也'《說文》. ②화낼 촬 '一, 怒也'《集韻》. ③예쁠 촬 '婠一'은 아름다운 모양. '婠一, 好皃'《廣韻》. [二] 빠를 추, 날래고사나울 추, 화낼 추, 예쁠 추 [一]과 뜻이 같음. [三] 빠를 철, 날래고사나울 철, 화낼 철, 예쁠 철 [一]과 뜻이 같음.
[字源] 形聲. 女+叕〔音〕

8 ⑪ [婐] [一] 와 [上]哿 烏果切 wǒ
[二] 과 [平]麻 古華切 wǒ

[字解] [一] ①날씬할 와 몸이 가늘고 예쁜 모양. '珠佩一妮戲金闕'《古樂府》. ②과감할 와 果(木部 四畫)와 통용. '一, 一曰, 果敢也'《說文》. [二] 모실 과 시비(侍婢)로서 곁에서 모심. '一, 女侍'《廣韻》.
[字源] 甲骨文 篆文 形聲. 女+果〔音〕. '果과'는 甲骨文에서 명백하듯이, 둥근 나무 열매의 형상으로, '둥글다'의 뜻. 여자의 동긋하고 아름다움의 뜻을 나타냄.

[婐妮 와와] 용모(容貌)가 아름다운 모양.
[婐姬 와타] 음전하고 아름다움. 와타(婑姬).

8 ⑪ [婑] 와 [上]哿 鄔果切 wǒ

[字解] 날씬할 와 婐(前條)와 同字. '擇稚齒一姬者'《列子》.

[婑姬 와타] 음전하고 예쁨.

8 ⑪ [⿰女芺] 〔요〕
妖(女部 四畫〈p. 518〉)의 本字

[婣] 〔인〕
女部 九畫(p. 542)을 보라.

8 ⑪ [娶] [人名] 취 [去]遇 七句切 qǔ
[上]麌 此主切 qǔ

[字解] 장가들 취, 장가 취 '一嫁'. '冠而後一'《孔叢子》.
[字源] 篆文 形聲. 女+取〔音〕. '取취'는 '취하다'의 뜻. '장가들다'의 뜻.

[娶嫁 취가] 장가들고 시집감. 가취(嫁娶).
[娶得 취득] 아내를 맞이함.
[娶禮 취례] 혼인의 예식. 결혼식. 혼례.
[娶陰麗華 취음여화] 후한(後漢)의 광무제(光武帝)가 미천(微賤)했을 때 난양(南陽)의 미인(美人)인 음여화(陰麗華)를 아내로 삼기를 원했다가 결국 소망(所望)을 이룬 일. 음황후(陰皇后)가 그 사람임.
[娶妻 취처] 아내를 얻음. 장가듦.
◉嫁娶. 外娶. 專娶. 婚娶.

8 ⑪ [婁] [人名] 루 ①②[平]虞 力朱切 jū
③[上]麌 隴主切 lǚ
④-⑦[平]尤 落侯切 lóu
⑧[去]遇 龍遇切 lǚ

[字解] ①끌 루 옷자락을 바닥에 대고 끎. '弗曳弗一'《詩經》. ②아로새길 루 누각(鏤刻)함. '丹綺離一'《何晏》. ③맬 루 마소를 맴. '牛馬維一'《公羊傳》. ④별이름 루 이십팔수(二十八宿)의 하나. 백호칠수(白虎七宿)의 둘째 성수(星宿)로서, 별 셋으로 구성됨. '一宿'. ⑤속빌 루 속이 텅 빔. '一, 空也'《說文》. ⑥성길 루 촘촘하지 않음. '五穀之狀一一然'《管子》. ⑦성 루 성(姓)의 하나. ⑧자주 루 屢(尸部 十一畫)와 同字. '一擧賢良'《漢書》.
[字源] 篆文 籀文 古文 象形. 긴 머리를 틀어 올리고 그 위에 다시 장식을 꽂은 여성(女性)의 모양을 본뜸. 전(轉)하여, '자주, 박아 넣다, 아로새기다'의 뜻을 나타냄.

[婁宿 누수] 이십팔수(二十八宿)의 하나. 서쪽에 있음. 자해(字解)❹를 보라.
[婁猪 누저] 암퇘지.
◉眷婁. 黔婁. 部婁. 挹婁. 離婁. 郲婁.

8 ⑪ [婁] 婁(前條)의 俗字

8 ⑪ [婆] [人名] [一] 파 [平]歌 薄波切 pó
[二] 바

[字解] [一] 할미 파 ㉠노모(老母). '憲即爲固長育, 恆呼固夫婦爲郞一'《魏書》. ㉡늙은 여자. '老一'. '里人因呼爲春夢一'《侯鯖錄》. [二] 범어(梵語) 바《佛教》범어 bha의 음역자(音譯字).
[字源] 形聲. 女+波〔音〕

[婆羅門 바라문] 범어(梵語) Brahmana의 음역(音譯). ㉠인도(印度) 사성(四姓) 가운데에서 가장 높은 지위의 승족(僧族). 바라문교(婆羅門教)의 교법(教法)·제전(祭典)·학문(學問)의 일을 맡았으며, 왕후(王侯) 이상의 권력(權力)이 있음. ㉡바라문교(婆羅門教). 또, 그 승려(僧侶).
[婆羅門教 바라문교] 인도에 불교가 생기기 전부터 바라문 족이 신봉하던 종교.
[婆羅門行 바라문행] 중의 건방지고 거친 행동.
[婆娑 파사] ㉠너울너울 춤추는 모양. ㉡옷자락이 너울거리는 모양. ㉢흩어져 어지러운 모양. 산란한 모양. ㉣댓잎 같은 것에 바람이 부딪치는 소리. ㉤음조(音調)에 억양이 많은 모양. ㉥비틀거리는 모양. ㉦배회하는 모양. ㉧그림자가 움직이는 모양. ㉨꿈지럭거리는 모양. ㉩편안히 앉은 모양.
[婆娑兒 파사아] 갈매기의 별명(別名).
[婆心 파심] 지나치게 친절한 마음. 노파심(老婆心).
[婆然 파연] 춤추는 모양.
◉姑婆. 公婆. 耆婆. 浪婆. 老婆. 媒婆. 孟婆. 蓬婆. 娑婆. 闍婆. 產婆. 窣都婆. 阿婆. 穩婆. 奪衣婆. 塔婆. 湯婆. 太婆.

8 ⑪ [⿱沾女] [一] 점 [平]鹽 丑廉切 chān
[二] 섬 [平]鹽 失廉切 chān

[字解] [一] 벙글거릴 점 '姈一, 喜笑皃'《集韻》. [二] 빙글거릴 섬 [一]과 뜻이 같음.
[字源] 篆文 形聲. 女+沾〔音〕. '沾점'은 '축축해지다, 윤택해지다, 충분히 차다'의 뜻. 여자가 만족하여 기뻐서 웃는 모양.

8
⑪ [婪] 람 ①㊥覃 盧含切 lán
②㊤感 盧感切 lǎn

字解 ①탐할 람 탐욕이 많음. '性貪—詭賊'《韓愈》. ②삼가지않을 람 '—, 不謹也'《集韻》.

字源 篆文 形聲. 女＋林〔音〕. '林림'은 '立립'과 통하여, 어떤 위치를 독점하여 섬의 뜻. 오직 재물에만 마음이 가 있다, 탐하다의 뜻을 나타냄. '女여'는 심리 상태를 나타내는 말에 덧붙는 요소 문자(要素文字)임.

[婪酣 남감] 탐내어 먹음. 게걸스럽게 먹음.
[婪沓 남답] 욕심이 많아 탐냄.
[婪尾 남미] ㉠옛날에 술잔이 한 순배(巡杯) 돌았을 때 마지막 사람이 석 잔 연거푸 마시던 일. ㉡끝. 종말.
[婪尾酒 남미주] 옛날에 술잔이 한 순배 돌았을 때 맨 끝의 사람이 연거푸 석 잔을 마시던 술.
[婪尾春 남미춘] '작약(芍藥)'의 별칭(別稱).
◉菴婪. 貪婪.

8
⑪ [婜] ㊀ 간 ㊥刪 丘閑切 qiān
㊁ 긴 ㊤軫 頸忍切 jǐn

字解 ㊀ 예쁠 간 '—, 美也'《說文》. ㊁ 여자의자긴 '—, 女字'《集韻》.

字源 形聲. 女＋臤〔音〕.

8
⑪ [婓] 비 ㊥微 芳非切 fēi

字解 ①오락가락할 비 왔다 갔다 하는 모양. '——遲遲而周邁'《揚雄》. ②귀신 비 '江—'는 신(神)의 이름. '娉江—與神遊'《左思》. ③추할 비 '—, 一曰醜'《廣韻》.

字源 篆文 形聲. 女＋非〔音〕. '非비'는 좌우로 갈라져 열림의 뜻. 헤매는 모양을 나타냄.

[婓婓 비비] 사람이 오락가락하는 모양.
◉江婓.

8
⑪ [婯] 人名 〔아〕
婀(女部 八畫〈p. 537〉)와 同字

9
⑫ [婷] 人名 정 ㊥靑 唐丁切 tíng

字解 예쁠 정 아름다움. '——花下人'《陳師道》.

字源 形聲. 女＋亭〔音〕

[婷婷 정정] 예쁜 모양. 아름다운 모양. 빙정(娉婷).
◉娉婷.

9
⑫ [媁] 위 ㊥微 於非切 wéi

字解 ①기뻐하지않을 위 좋아하지 않는 모양. '—, 不說貌'《說文》. ②방자할 위 제멋대로 함. 방종하는 모양. '—, 恣也'《說文》. ③아름다울 위 '—, 美也'《廣韻》.

字源 篆文 形聲. 女＋韋〔音〕. '韋위'는 '등지다'의 뜻. 여자가 기뻐하지 않고 등지다의 뜻을 나타냄.

9
⑫ [媮] ㊀ 유 ㊥虞 羊朱切 yú
㊁ 투 ㊥尤 託侯切 tōu

字解 ㊀ ①박대할 유 소원(疏遠)히 함. '晉未可—也'《左傳》. ②즐거워할 유 愉(心部 九畫)와 통용. '—娛'. '將從俗富貴以—生'《楚辭》. ㊁ ①간교할 투 교활함. '齊君之語—'《左傳》. ②구차할 투 '—合取容'《史記》. ③훔칠 투 도둑질함. 偸(人部 九畫)와 同字. '—居幸生'《國語》. ④속일 투 그때만 넘기려 함. 한때의 안락을 원함. '民—甘食好衣'《漢書》.

字源 篆文 形聲. 女＋兪〔音〕. '兪유'는 '빼내다, 빠져나오다'의 뜻. 남의 의표를 찔러 '속이다, 훔치다'의 뜻.

[媮薄 유박] 경박(輕薄)함.
[媮生 유생] 인생(人生)을 즐김.
[媮食 유식] 맛난 음식을 즐겨 먹음.
[媮娛 유오] 즐거워함.
[媮居 투거] 당장의 편안한 것만 취하여 구차하게 그 자리에 앉아 있음.
[媮生 투생] 삶을 도둑질함. 생명을 아껴 구차하게 삶.
[媮食 투식] 당장의 편안한 것만 취하여 구차하게 삶.
[媮惰 투타] 한때의 안락을 탐내어 일을 게을리함.
[媮合 투합] 구차하게 남의 뜻을 맞춤. 영합(迎合)함.

9
⑫ [媌] 모 ㊥肴 莫交切 miáo

字解 ①예쁠 모 아리따움. '—, 好也'《廣雅》. '—, 美好也'《廣韻》. ②눈매예쁠 모 '—, 目裏好也'《說文》.

字源 篆文 形聲. 女＋苗〔音〕. '苗묘'는 '가날프다'의 뜻. 여자가 가날프고 예쁘다의 뜻을 나타냄.

9
⑫ [媆] 눈 ㊦願 奴困切 nùn

字解 어릴 눈, 아리따울 눈 嫩(女部 十一畫)과 同字.

字源 篆文 形聲. 女＋耎〔音〕. '耎연'은 '유약(柔弱)'의 뜻. 여자가 나긋나긋하게 아름다운 모양.

9
⑫ [媒] 高人 매 ①-⑤㊥灰 莫杯切 méi
⑥㊦隊 莫佩切 mèi

筆順 女 女一 女廾 女卄 媒 媒 媒 媒

字解 ①중매 매 혼인을 중신하는 사람. 중매쟁이. '取妻如何, 匪—不得'《詩經》. ②매개 매 어떤 사물을 유치(誘致)하는 원인. '見譽而喜者, 佞之—也'《文中子》. ③중개자 매 양자 사이에서 관계를 맺어 주는 사람. '以石生爲—'《韓愈》. ④술밑 매 효모(酵母). ⑤빚을 매 양성(釀成)함. '—孽其短'《漢書》. ⑥어두울 매 밝지 아니함. '——晦晦'《莊子》.

字源 篆文 形聲. 女＋某〔音〕. '某'는 신목(神木)에 빌다, 도모하다의 뜻. 남녀의 혼인을 도모하다, 중개자의 뜻.

[媒介 매개] 중간에서 관계를 맺어 주는 일. 중개(仲介). 알선(斡旋).
[媒嫗 매구] 매파(媒婆).
[媒媒 매매] 어두운 모양.
[媒媒晦晦 매매회회] ㉠어두운 모양. ㉡어리석은 모양.
[媒婦 매부] 중매쟁이 여자. 매파(媒婆).
[媒辭 매사] 삼단 논법(三段論法)의 대소(大小) 두 전제(前提)에 공통하여 단안(斷案)의 주개념(主槪念)과의 결합(結合)의 매개(媒介)가 되는 말.
[媒蘖 매얼] ㉠술밑과 누룩을 가지고 술을 빚음. 양성(釀成)함. ㉡죄를 양성하여 모해(謀害)함. 죄에 빠뜨림.
[媒染料 매염료] 염색(染色)할 물건과 물감과의 인력(引力)을 매개(媒介)하여 물감이 잘 들게 하는 약품.
[媒媼 매온] 매파(媒婆).
[媒妁 매작] 혼인(婚姻)을 중매(中媒)함. 또, 그 사람. 중매쟁이.
[媒酌 매작] 매작(媒妁).
[媒鳥 매조] 미끼로 쓰는 새. 새어리. 후림새.
[媒質 매질] 중간에 있어, 작용(作用)을 전달(傳達)하는 물체(物體). 공기는 소리〔音〕의 매질(媒質), 투명체(透明體)는 빛의 매질임.
[媒婆 매파] 혼인(婚姻)을 중매(仲媒)하는 노파(老婆).
[媒合 매합] 남녀를 중개하여 서로 만나게 함.
[媒合容止 매합용지] 남자와 여자를 중개하여 자기 집에서 같이 자게 함.
◉良媒. 龍媒. 鳥媒. 蟲媒. 風媒. 鬧媒. 合媒. 行媒.

9 ⑫ **[㛴]** 뇌(노[本]) [上]晧 奴皓切 nǎo

[字解] 번뇌할 뇌, 원통할 뇌 고민함. 원망스러움. '—, 有所恨痛也'《說文》.

[字源] 篆文 形聲. 女+惱〈省〉〔音〕. '惱뇌'는 '고민하다'의 뜻. 여자가 번민하고 원망하다의 뜻을 나타냄.

9 ⑫ **[媅]** 담 [平]覃 丁含切 dān

[字解] 즐길 담 妉(女部 四畫〈p. 520〉)과 同字. '—, 婬過'《廣韻》.

[字源] 形聲. 女+甚〔音〕

9 ⑫ **[媚]** [人名] 미 [去]寘 明祕切 mèi

[字解] ①아첨할 미 아유함, 영합함. '—語'. '希權門, 以—孌媵'《劉蛻》. ②아양떨 미 귀염을 받으려고 애교를 부림. '—嫵'. '非獨女以色—, 士宦亦有之'《史記》. ③사랑할 미 귀여워함. '—玆一人'《詩經》. ④아름다울 미 고움. '明—'. '自恨骨體不—'《吳志》. ⑤아첨 미, 아양 미 '行—於內, 而施賂於外'《左傳》.

[字源] 甲骨文 篆文 形聲. 女+眉(眉)〔音〕. '眉미'는 '눈썹'의 뜻. 여성(女性)이 눈썹을 움직여 교태를 지음의 뜻을 나타냄.

[媚惑 미감] 여성의 요염함에 매혹(魅惑)됨.
[媚嫵 미무] 교태(嬌態)를 부리며 아양을 떪.
[媚附 미부] 아첨하여 달라붙음.
[媚辭 미사] 아첨하는 말. 또 어리광을 부리는 말.
[媚笑 미소] 아양 부리는 웃음.
[媚承 미승] 아첨하여 뜻을 받듦.
[媚藥 미약] 성욕(性慾)을 돋우는 약.
[媚語 미어] 아첨하는 말.
[媚奧 미오] 임금에게 아첨함.
[媚趣 미취] 아취(雅趣).
[媚態 미태] 아양 떠는 태도(態度).
◉曲媚. 綺媚. 明媚. 嫵媚. 邪媚. 鮮媚. 淑媚. 阿媚. 姸媚. 軟媚. 佞媚. 婉媚. 容媚. 柔媚. 諛媚. 姿媚. 側媚. 妒媚. 幸媚. 儇媚. 狐媚.

[絮] 〔서〕 糸部 六畫(p. 1739)을 보라.

9 ⑫ **[媛]** [人名] 원 ①-③[去]霰 王眷切 yuàn [去]願 于願切 ④[平]元 雨元切 yuán

[筆順] 女 ... 媛

[字解] ①미녀 원 재덕이 뛰어난 미인. '才—'. '邦之—也'《詩經》. ②궁녀 원 궁중의 시녀(侍女). '嬙—'. '太子內宮良—六人'《唐書》. ③아름다울 원 예쁨. '妙好弱—'《潘岳》. ④끌 원 '嬋—'은 끌어당기는 모양. 일설(一說)에는 늘어져서 땅 위에 끌리는 모양. 또 일설에는 아름다운 모양. '垂條嬋—'《張衡》.

[字源] 篆文 形聲. 女+爰〔音〕. '爰원'은 '끌다'의 뜻. 마음이 끌리는 아름다운 여성의 뜻을 나타냄.

[媛女 원녀] 아름다운 여자. 미녀.
[媛妃 원비] 아름다운 여자. 미녀.
◉歌媛. 宮媛. 班媛. 邦媛. 妃媛. 嬋媛. 淑媛. 良媛. 英媛. 嬙媛. 才媛. 貞媛. 天媛. 賢媛.

9 ⑫ **[媃]** 유 [平]尤 而由切 róu

[字解] ①예쁜체할 유 여자가 예쁜 체하는 모양. '—, 女媚貌'《正字通》. ②여자이름 유 '—, 女名'《集韻》.

9 ⑫ **[媟]** 설 [入]屑 私列切 xiè

[字解] ①친압할 설 윗사람에게 버릇없이 가까이함. 무람없이 굶. '—嫚'. '夫妻不嚴, 玆謂之—'《漢書》. ②더럽힐 설 더러워짐. '—, 嬻也'《說文》

[字源] 篆文 形聲. 女+枼〔音〕. '枼엽·삽'은 '끌다'의 뜻. 멋대로 남을 끎의 뜻에서, '무람없다'의 뜻을 나타냄.

[媟近 설근] ㉠친압(親狎)하여 가까이함. 또, 그 사람. ㉡친압하여 가까이하게 함.
[媟嬻 설독] ㉠친압함. 웃어른에게 버릇없이 굶. ㉡남녀의 구별이 어지러움.
[媟黷 설독] 설독(媟嬻)㉠.
[媟嫚 설만] 친압(親狎)하여 문란함.
[媟汚 설오] 윗사람에게 버릇없이 굴어 예의(禮儀)를 잃음.
◉酣媟. 交媟. 慢媟. 鄙媟. 宴媟. 淫媟. 戲媟.

9
⑫ [媠] 타 ㊤嶞 他果切 tuǒ
㊦嶞 徒臥切 duò

字解 ①고울 타 염미(豔美)함. '車馬—遊之具'《漢書》. ②게으를 타 나태함. 惰(心部 九畫)와 同字. '—嫚亡狀'《漢書》. ③게으른여자 타 '—, 嬾婦人也'《廣韻》.

字源 惰의 古文 形聲. 女+隋〔音〕. '隋타'는 잘게 찢어 부드러워진 고기의 뜻. 나긋나긋한 여자의 뜻을 나타냄. 또, '惰타'와 통하여, 게으르다의 뜻을 나타냄.

[媠嫚 타만] 게으르고 거만함.
[媠服 타복] 곱고 아름다운 옷.
[媠遊 타유] 화려하게 차리고 놂.
◉輕媠. 燕媠. 娃媠.

9
⑫ [媓] 人名 황 ㊥陽 胡光切 huáng

筆順 女 女' 女' 女 女 媓 媓 媓

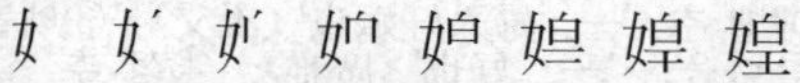

字解 ①어미 황 모친. '南楚瀑洭之間, 母謂之—'《揚子方言》. ②사람이름 황 '女—'은 요(堯)임금의 비(妃).

字源 形聲. 女+皇〔音〕

9
⑫ [媢] 모 ㊦號 莫報切 mào
㊤晧 武道切

字解 강샘할 모, 시새울 모 질투함. 또, 시기함. '妒夫—婦'《論衡》.

字源 篆文 形聲. 女+冒〔音〕. '冒모'는 '무릅쓰다, 밀어젖히다, 눈을 덮어 가리다'의 뜻. 남편이 아내를 덮어 가린 눈으로 보다, 질투하다의 뜻을 나타냄.

[媢忌 모기] 시기하여 꺼림.
[媢怨 모원] 투기하여 원망함.
[媢嫉 모질] 시기하여 미워함.
◉忌媢. 排媢.

9
⑫ [媧] ㊀ 와(과㊍) ㊥麻 古華切 wā
㊁ 왜(괘㊍) ㊥佳 古蛙切 wā

字解 ㊀ 사람이름 와 '女—'는 중국 고대의 신녀(神女) 이름. '女—煉五色石補天'《史記》. ㊁ 사람이름 왜 ㊀과 뜻이 같음.

字源 篆文 籀文 形聲. 女+咼〔音〕. '咼와'는 일그러져 완전하지 않다는 뜻. 태고(太古)에, 하늘의 갈라진 곳을 메웠다는 신녀(神女)를 이름.

◉女媧.

9
⑫ [媉] ㊀ 옥 ㊇屋 烏谷切 wū
㊁ 악 ㊇覺 乙角切 wò

字解 ㊀ 어여쁠 옥 아름다움. '—, 好也'《集韻》. ㊁ 모양 악 자태(姿態). '——, 容也'《集韻》.

9
⑫ [媄] 人名 미 ㊤紙 無鄙切 měi

字解 빛고울 미 용모가 아름다움. '—, 字樣云, 顏色姝好也'《廣韻》.

字源 形聲. 女+美〔音〕

9
⑫ [媕] 암 ㊥覃 烏含切 ān

字解 머뭇거릴 암 '—婀'는 주저하여 결정을 짓지 못함. '詎肯感激徒—婀'《韓愈》.

字源 甲骨文 篆文 形聲. 女+弇〔音〕

[媕婀 암아] 주저하여 결정을 짓지 못함.
[媕娿 암아] 암아(媕婀).
[媕媕 암암] ㉠마음이 확실히 정해지지 않은 모양. ㉡여자가 마음에 사모하는 모양.

9
⑫ [媥] 편 ㊥先 芳連切 piān

字解 ①가벼울 편 발걸음이 가벼운 모양. '—姺徶循'《司馬相如》. ②펄럭일 편 '—姺徶循'《司馬相如》.

字源 篆文 形聲. 女+扁〔音〕. '扁편'은 펄럭펄럭 펄럭이며 얇다의 뜻을 나타냄. 여자의 몸놀림이 가벼운 모양.

[媥姺 편선] 가볍게 걸어가는 모양. 발걸음이 가벼운 모양.

9
⑫ [婼] 착 ㊇藥 丑略切 chuò

字解 ①거스를 착 순종하지 않음. '—, 不順也'《說文》. ②성 착 성(姓)의 하나. '韓袁侯少子—, 後爲氏'《路史》.

字源 金文 篆文 形聲. 女+若〔音〕

9
⑫ [媦] 위 ㊦未 于貴切 wèi

字解 손아래누이 위 여제(女弟). '若楚王之妻—'《公羊傳》.

字源 篆文 形聲. 女+胃〔音〕

9
⑫ [媀] 우 ㊦遇 牛具切 yù

字解 질투할 우 여자가 남자를 샘함. 강짜함. '女妒男曰—'《集韻》.

9
⑫ [媤] 人名 ㊓ 시

字解 《韓》 시집 시 시부모가 사는 집. '—宅'. '—父母'. '—外家'. '—叔'. '—家'.
參考 강희자전(康熙字典)과 집운(集韻)에 실려 있으나, 위와 같은 자해(字解)는 없음.

9
⑫ [媔] 면 ①㊥先 彌延切 mián
②㊤銑 彌兗切 miǎn

字解 ①눈매예쁠 면 '青色直眉, 美目—只'《楚辭》. ②질투할 면 투기함. '—, 妬也'《集韻》.

9
⑫ [媣] ㊀ 염 ㊤琰 而琰切 rǎn
㊁ 감 ㊥覃 古三切

字解 ㊀ ①바를 염 도리(道理)에 맞음. '—, 諟也'《說文》. ②아름다울 염 '—, 一曰, 媞也'《集韻》. ㊁ 아름다울 감 ㊀❷와 뜻이 같음.

字源 形聲. 女+染〔音〕

9 ⑫ [媞] [人名] [一] 시 [上]紙 承紙切 shì
[二] 제 [平]齊 [上]薺 田黎切 ①②tí
[三] 지 [平]支 待禮切 zhī
[四] 태 [去]卦 杜奚切
[五] 타 [去]禡 陟嫁切

[字解] [一] ①살필 시 자세히 조사함. '一, 諦也'《說文》. ②교활할 시 '一, 一曰, 姸黠也'《說文》. ③어미 시 '一, 江淮呼母也'《廣韻》. [二] ①편안할 제 '一, 爾雅云, 一一, 安也'《廣韻》. ②예쁠 제 '一, 美好皃'《廣韻》. ③아양떨 제 교태를 부림. '一娓, 嫵媚'《集韻》. ④살필 제 [一]❶과 뜻이 같음. ⑤향부자열매 제 향부자(香附子)의 열매. '薃侯, 莎. 其實, 一'《爾雅》. [三] 복 지 행복. 禔(示部 九畫)와 同字. '禔, 安福也. 或从女'《集韻》. [四] 업신여길 태 '茭一'는 속이고 업신여기는 말. 茭一·譠謾·慴他, 皆欺嫚之語也'《揚子方言》. [五] 업신여길 타 [四]와 뜻이 같음.
[字源] 形聲. 女+是〔音〕

9 ⑫ [婣] 〔인〕
姻(女部 六畫〈p.529〉)과 同字

9 ⑫ [婚] 〔혼〕
婚(女部 八畫〈p.535〉)과 同字

9 ⑫ [婷] 〔경〕
惸(心部 九畫〈p.800〉)과 同字

9 ⑫ [媍] 〔부〕
婦(女部 八畫〈p.536〉)의 古字

9 ⑫ [㛮] 〔수〕
嫂(女部 十畫〈p.543〉)와 同字

9 ⑫ [媪] 〔온〕
媼(女部 十畫〈p.542〉)의 俗字

9 ⑫ [婿] [人名] 〔서〕
壻(士部 九畫〈p.474〉)의 俗字
[筆順] 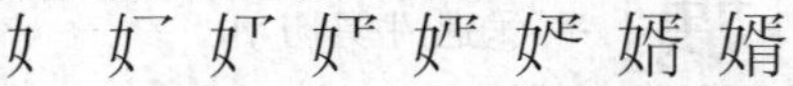
[字源] 篆文 會意. 女+胥. '胥서'는 '동거(同居)하다'의 뜻. 자기의 딸과 동거하는 사람, '사위'의 뜻을 나타냄.

9 ⑫ [㛕] 우 [上]麌 丘矩切 qǔ
[字解] 꼽추 우 곱사등이. 또, 뜻을 굽혀 복종함. '傴一名埶. (注) 傴一, 猶傴僂也'《趙壹》.

9 ⑫ [婺] 무 ①②[去]遇 亡遇切 wù
③[平]尤 迷浮切 móu
[字解] ①별이름 무 '一女'는 여수(女宿)의 별칭(別稱). 여수는 이십팔수(二十八宿)의 하나. 현무칠수(玄武七宿)의 셋째 성수(星宿)로서, 네 별로 구성되었음. '越地一女之分野'《漢書》. ②따르지않을 무 따라가지 않음. '一, 不繇也'《說文》. ③아름다울 무 여자의 아름다운 모양. '一, 女皃'. '一, 美皃'《集韻》.
[字源] 篆文 形聲. 女+敄〔音〕. '敄무'는 쌍날창(槍)으로 반대자를 물리침의 뜻으로, 순종치 않다의 뜻. 여자가 싫은 자(者)에게 따르지 않다의 뜻을 나타냄.

[婺女 무녀] 자해(字解)를 보라.

9 ⑫ [媐] [一] 희 [平]支 許其切 xī
[二] 이 [平]支 與之切 yí
[字解] [一] ①기뻐하여즐길 희 '一, 說樂也'《說文》. ②좋을 희 '一, 善也'《集韻》. ③아내 희 처(妻). '謹于一執'《太玄經》. [二] 기뻐하여즐길 이 [一]❶과 뜻이 같음.
[字源] 形聲. 女+𦣞〔音〕

10 ⑬ [媐] 媐(前條)의 俗字

10 ⑬ [媰] 추 ①[平]虞 仕于切 chú
②③[平]尤 甾尤切 zōu
④[去]遇 仄遇切
[字解] ①홀어미 추 과부. '惠于一孀'《崔瑗》. ②애밸 추 '一, 婦人妊娠也'《說文》. ③예쁠 추 아름다움. '一, 好也'《廣雅》. ④성 추 성(姓)의 하나.
[字源] 篆文 形聲. 女+芻〔音〕. '芻추'는 풀을 바싹 동여 묶다의 뜻. 여자가 임신하다의 뜻을 나타냄.

[媰孀 추상] 홀어미. 과부.

10 ⑬ [媼] [人名] 온(오[本]) [上]晧 烏晧切 ǎo
[筆順] 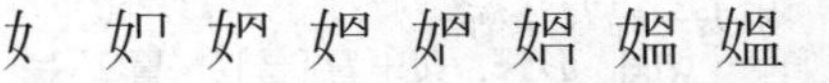
[字解] ①할미 온 ㉠노파. '翁一'. '高祖常從王一武負貰酒'《漢書》. ㉡할머니. 조모(祖母). '山西平陽呼祖母曰一'《新方言》. ②어미 온 모(母)의 별칭(別稱). '一之愛燕后, 賢于長安君'《史記》. ③계집 온 부녀(婦女). '與侯妾衞一通'《史記》. ④땅귀신 온 토지의 신(神). 지기(地祇). '一神'. '后土富一'《漢書》.
[字源] 篆文 形聲. 女+𥁕〔音〕

[媼嫗 온구] 노파(老婆).
[媼神 온신] 토지의 신(神).
◉魔媼. 媒媼. 翁媼. 乳媼. 嫠媼. 慈媼.

10 ⑬ [嫏] 랑 [平]陽 盧當切 láng
[字解] 서고 랑 '一嬛'은 천제(天帝)의 서고(書庫). '玉京一嬛, 天帝藏書處'《字彙補》.

10 ⑬ [嫨] 혜 ①②[去]霽 胡計切 xì
③[平]齊 胡雞切 xī
[字解] ①겁낼 혜 무서워 떪. '一, 怯也'《集韻》. ②강샘하는계집 혜 투기하는 여자. '一, 妬女'《集韻》. ③계집종 혜 여자 종. '一, 女隷也'《說文》.
[字源] 甲骨文 篆文 形聲. 女+奚〔音〕. '奚해'는 '종'의 뜻. '계집종'의 뜻을 나타냄.

10 ⑬ [媳] 식 [入]陌 思積切 xí
[字解] 며느리 식 자부(子婦). '世祖每稱之, 爲賢德一婦'《元史》.

字源 形聲. 女+息〔音〕. '息식'은 '아들'의 뜻. 아들의 아내의 뜻을 나타냄.

[媳婦 식부] 며느리. 식부(息婦).

10 ⑬ [媸] 치 ㊤支 赤之切 chī

字解 ①추할 치 보기 싫음. 못생김. '姸—好惡'《陸機》. ②얕볼 치 경시(輕視)함. 또, 어리석음. '蚩, 侮也. 癡也. 或作媸, 通作蚩'《集韻》. ③음탕할 치 '—, 淫也'《字彙》.
字源 形聲. 女+蚩〔音〕. '蚩치'는 '얕보다, 추하다'의 뜻.

[媸姸 치연] 추(醜)함과 아름다움.
◉姸媸.

10 ⑬ [嬍] 人名 미 ㊤紙 無鄙切 měi

字解 ①아름다울 미, 좋을 미 美(羊部 三畫)와 同字. ②계집아이 미 소녀.
字源 形聲. 女+微〈省〉〔音〕

[嬍惡 미악] 착하고 아름다운 것과 악한 것. 선(善)과 악(惡).

10 ⑬ [媽] 마 ㊤麌 莫補切 mā 妈

字解 ①어미 마 모친(母親). '——'. ②암말 마 말의 암컷.
字源 形聲. 女+馬〔音〕

[媽媽 마마] 어머니.

10 ⑬ [媾] 구 ㊤有 古候切 gòu

字解 ①겹혼인할 구 인척(姻戚)끼리 다시 혼인함. 겹사돈이 됨. '如舊昏—'《左傳》. ②괼 구 사랑함. '不遂其—'《詩經》. ③교접할 구, 교접 구 남녀 사이의 교합. '—合'. '交—騰精魄'《李白》. ④화친할 구, 화친 구 교전국 쌍방이 적대행위를 중지하고 화목함. '—和'. '不如發重使爲—'《史記》.
字源 金文 篆文 形聲. 女+冓〔音〕. '冓구'는 '짝지음, 어긋매낌'의 뜻. 남녀(男女)가 어우러짐의 뜻.

[媾合 구합] 남녀가 서로 육체적으로 관계함. 성교(性交).
[媾和 구화] 화해함. 화목함. 또, 교전국(交戰國)이 서로 화의(和議)함. 강화(講和).
◉交媾. 姻媾. 親媾. 昏媾. 婚媾. 歡媾.

10 ⑬ [媲] 비 ㊤霽 匹詣切 pì / ㊤寘 匹寐切

字解 짝 비 아내. '妃, —也'《爾雅》.
字源 篆文 形聲. 女+毘〔音〕. '毘비'는 '毗비'와 같은 뜻으로, '돕다'의 뜻. 자기를 돕는 짝, 곧 아내의 뜻을 나타냄.

[媲偶 비우] 짝. 배우자.

10 ⑬ [媿] 괴 ㊤寘 俱位切 kuì

字解 ①부끄러워할 괴, 부끄러움 괴 愧(心部 十畫)와 同字. '不知—'《漢書》. ②욕보일 괴 수치를 당하게 함. '—辱'. '卽中令善—人'《漢書》.
字源 金文 篆文 別體 形聲. 女+鬼〔音〕. '女'는 '心'과 함께 심리(心理) 상태를 나타내는 자(字)에 쓰임. 마음에 이상을 느끼다, 부끄러워하다의 뜻을 나타냄.

[媿屈 괴굴] 부끄러워하여 굴복함.
[媿辱 괴욕] ㉠부끄러움. 수치. ㉡욕보임.
[媿切 괴절] 대단히 욕보임.
[媿恥 괴치] 괴욕(媿辱).
◉悲媿. 小媿. 荒媿.

10 ⑬ [嫁] 人名 가 ㊤禡 古訝切 jià

筆順 女 女' 女宀 女宀 娐 嫁 嫁 嫁

字解 ①시집갈 가 '—娶'. '女子二十而—'《禮記》. ②시집보낼 가 '將—女'《世說》. ③떠넘길 가 허물·재난 등을 남에게 떠넘김. 전가함. '是欲—禍於趙也'《史記》. ④갈 가 어떤 곳을 향하여 감. 떠남. '將—于衛'《列子》.
字源 篆文 形聲. 女+家〔音〕. '家가'는 '집'의 뜻. 여자가 생가(生家)를 떠나 남편의 집으로 가다의 뜻을 나타냄.

[嫁期 가기] 시집가게 된 시기(時期). 시집갈 나이.
[嫁女 가녀] 딸을 시집보냄.
[嫁奩 가렴] ㉠혼수를 넣어 두는 상자. ㉡혼수(婚需).
[嫁母 가모] 개가(改嫁)한 어머니. 출모(出母).
[嫁殤 가상] 시집가기 전에 죽음. 일찍 죽음. 상(殤)은 스무 살 이전에 죽음을 이름.
[嫁資 가자] ㉠혼수(婚需). ㉡시집갈 때 가지고 가는 돈.
[嫁妝 가장] 가자(嫁資). 혼수.
[嫁粧 가장] 가장(嫁妝). 혼수.
[嫁裝 가장] 혼수.
[嫁娶 가취] 시집가고 장가듦.
◉降嫁. 改嫁. 更嫁. 歸嫁. 晩嫁. 轉嫁. 娶嫁. 下嫁. 婚嫁.

10 ⑬ [嫂] 人名 수 ㊤皓 蘇老切 sǎo

字解 ①형수 수 형의 아내. '兄—'. '昆弟妻—'《史記》. ②노부인 수 늙은이의 일컬음. 叟(又部 八畫)와 同字. '—, 叟也. 叟, 老者稱也'《釋名》.
字源 篆文 形聲. 女+叜〔音〕. '叜수'는 '嫂'와 동일어(同一語) 이체자(異體字). 또, 叜(叟)는 노인(老人)의 존칭에 쓰임. '형수'의 뜻을 나타냄.

[嫂叔 수숙] 형수(兄嫂)와 시동생.
◉家嫂. 季嫂. 丘嫂. 盜嫂. 梵嫂. 兄嫂.

10 ⑬ [嫄] 人名 원 ㊤元 愚袁切 yuán

筆順 女 女一 女厂 女厂 姢 嫄 嫄 嫄

字解 사람이름 원 '姜—'은 주(周)나라 선조 후직(后稷)의 어머니 이름. '赫赫姜—'《詩經》.
字源 篆文 形聲. 女+原〔音〕

10 ⑬ [嫉] 人名 질 ㉤質 秦悉切 jí

字解 ①시새움할 질 시기함. 질투함. '—視'. '女無美惡, 入室見妒, 士無賢不肖, 入朝見—'《史記》. ②시새움 질 시기. 질투. '不虞訕—'《曾鞏》.
字源 悈의 別體 形聲. 女+疾〔音〕. '疾질'은 '병'의 뜻. '女'는 심리 상태를 나타내는 말에 붙임. 마음이 병들다, 시새우다의 뜻을 나타냄.

[嫉妎 질개] 질투함. 질투하여 성냄.
[嫉視 질시] 밉게 봄. 시기함. 흘겨봄.
[嫉心 질심] 시기심.
[嫉惡 질악] 나쁜 짓을 증오함.
[嫉妬 질투] ㉠강샘함. ㉡시기함.
[嫉妒 질투] 질투(嫉妬).
[嫉害 질해] 투기하여 해침.
[嫉毁 질훼] 질투하여 헐뜯음.
◉娼嫉. 謗嫉. 忿嫉. 憤嫉. 訕嫉. 憎嫉. 讒嫉. 妒嫉.

10 ⑬ [嫋] 뇨 ㉤篠 奴鳥切 niǎo

字解 ①휘청휘청할 뇨 부드럽고 긺. '——柳垂條'《鮑照》. ②간드러질 뇨 예쁘고 가냘픔. '——素女'《左思》. ③바람에흔들릴 뇨 바람이 불어 흔들리는 모양. '——兮秋風'《楚辭》.
字源 篆文 形聲. 女+弱〔音〕. '弱약'은 '부드러움'의 뜻. 여성(女性)이 지닌 숙부드러움의 뜻과 나긋나긋하고 아름다움의 뜻을 나타냄.
參考 嬝(女部 十三畫)는 俗字.

[嫋娜 요나] 곱고 부드러운 모양.
[嫋嫋 요뇨] ㉠바람이 솔솔 부는 모양. ㉡휘늘어진 모양. 휘청휘청한 모양. ㉢소리가 길고 약하게 울리는 모양. ㉣간드러진 모양.

10 ⑬ [嫌] 高人 혐 ㉺鹽 戶兼切 xián

字解 ①싫어할 혐 ㉠미워함. 또, 꺼림. '—憚'. '女母—之, 欲勿與'《吳志》. ㉡소외(疏外)함. '示民不—也'《禮記》. ㉢불만하게 여김. '上—其太重'《史記》. ②의심할 혐 의혹함. '—疑'. '爲其—於无陽'《易經》. ③미움 혐 증오. 또, 불만. '睚眦之—'. '其累百年之欲, 易—時之—'《荀子》. ④혐의 혐 의혹. '苞苴之—'《後漢書》.
字源 篆文 形聲. 女+兼〔音〕. '兼겸'은 '겸하다'의 뜻. 마음이 두 가지 일에 걸쳐 있어 편치 않음의 뜻에서, '의심하다, 싫어하다'의 뜻을 나타냄.

[嫌家 혐가] 서로 원한을 품은 집안.
[嫌隙 혐극] 서로 싫어서 생기는 틈.
[嫌忌 혐기] 싫어하여 꺼림.
[嫌棄 혐기] 싫어서 버림.
[嫌怒 혐노] 싫어하여 화를 냄.
[嫌名 혐명] 임금이나 아버지의 이름과 비슷한 사물의 이름. 혼동되기 쉬운 이름.
[嫌文 혐문] 존비간(尊卑間) 또는 남녀 사이에 통용할 수 없는 말을 잘못 쓴 글.
[嫌忿 혐분] 싫어하고 분격함. 싫어서 화를 냄.
[嫌猜 혐시] 싫어하여 시기함.
[嫌厭 혐염] 미워서 싫어함.
[嫌惡 혐오] 싫어하고 미워함.
[嫌畏 혐외] 싫어하고 두려워함.
[嫌怨 혐원] 미워하고 원망(怨望)함.
[嫌疑 혐의] ㉠의심스러움. 미심쩍음. ㉡의심함. 또, 의심. ㉢꺼리어 싫어함.
[嫌貳 혐이] 싫어하고 의심함.
[嫌點 혐점] 혐의(嫌疑)를 받을 만한 점.
[嫌憚 혐탄] 싫어하여 꺼림.
[嫌避 혐피] 꺼리고 싫어하여 서로 피(避)함.
[嫌恨 혐한] 싫어하고 원망함. 미워하여 거스름.
◉譏嫌. 疎嫌. 讎嫌. 猜嫌. 畏嫌. 疑嫌. 憎嫌.

10 ⑬ [媵] 잉 ㉥徑 以證切 yìng

字解 ①줄 잉 건네어 줌. 내줌. '主人—爵于賓'《儀禮》. ②따라보낼 잉 시집가는 여자에게 따라가게 함. '以—秦穆姬'《左傳》. ③전송할 잉 전별하여 보냄. '魚鱗鱗兮—予'《楚辭》. ④잉첩 잉 시집가는 데 따라 보내는 여자. 또, 시녀(侍女). '—侍'. '從衣文之—七十人, 至晉'《韓非子》.
字源 形聲. 女+勝〈省〉〔音〕. '勝승'은 위를 향해 보내다의 뜻. 귀인(貴人)에게 시집가는 여자를 따라가다, 곁따라 가다의 뜻을 나타냄.

[媵母 잉모] 어머니가 시집올 때 데리고 온 여자.
[媵婢 잉비] 잉첩(媵妾).
[媵侍 잉시] 시집가는 여자를 따라가는 부인.
[媵臣 잉신] 신부를 따라가는 남자.
[媵御 잉어] 잉첩(媵妾).
[媵人 잉인] 시녀(侍女).
[媵嬙 잉장] 궁녀(宮女).
[媵妾 잉첩] 시녀(侍女).
◉美媵. 嬪媵. 嫡媵. 妾媵. 孌媵. 姬媵.

10 ⑬ [媢] 명 ㉺庚 莫耕切 míng

字解 ①새색시 명 '嫈—'은 신부(新婦)가 수줍어하는 모양. 또, 시집간 지 얼마 안 되는 새색시. '彩伴颯嫈—'《韓愈》. ②소심할 명 주뼛주뼛 머뭇거리는 모양.
字源 篆文 形聲. 女+冥〔音〕

10 ⑬ [嫈] 앵 ㉺庚 烏莖切 yīng

字解 ①새색시 앵 '—媢'은 신부(新婦). 새색시. '彩伴颯—媢'《韓愈》. ②소심할 앵 수줍어하는 모양. '—, 小心態也'《說文》. ③아름다울 앵 '——'. '—, 一曰, ——, 好皃'《集韻》.
字源 篆文 形聲. 女+熒〈省〉〔音〕. '熒앵'은 '빛나다'의 뜻. 여자가 빛나 반짝이듯이 아름답다의 뜻을 보임. '熒'을 작은 등불 빛의 뜻으로 보면, 여자의 소심함의 뜻을 나타냄.

[嫈媢 앵명] ㉠새색시. 신부(新婦). ㉡신부가 수줍어하는 모양.

10 ⑬ **[媻]** 반 [平]寒 薄官切 pán / [去]翰 薄半切

[字解] ①뽐낼 반 우쭐함. '一, 奢也'《說文》. ②첩 반 소실. '一, 一曰, 小妻也'《說文》. ③비틀거릴 반 '一珊'은 비틀거리는 모양. '一珊勃窣, 上乎金隄'《史記》.

[字源] 篆文 形聲. 女+般〔音〕. '般반'은 '돌다'의 뜻. '오가다, 왕래하다'의 뜻을 나타냄.

[媻珊 반산] 비틀거리는 모양.

10 ⑬ **[嫐]** 뇨 [上]晧 奴好切 nǎo

[字解] 희롱할 뇨 놀림. '一, 嬈一也'《玉篇》.

[字源] 會意. 女+男+女

10 ⑬ **[媱]** 요 [平]蕭 餘昭切 yáo

[字解] ①예쁠 요 아름다움. '一, 美好'《廣韻》. ②어깨구부리고걸을 요 '一, 曲肩行皃'《說文》. ③희롱할 요 '一, 一曰戲也'《集韻》. ④'要一'는 춤추는 모양. '音晏衍兮要一'《楚辭》.

[字源] 篆文 形聲. 女+䍃〔音〕. '䍃요'는 흔들흔들 움직이다의 뜻. 여자가 어깨를 굽히고 걷는 뜻에서, '예쁘다'의 뜻을 나타냄.

[媱冶 요야] 예쁘고 요염함.

10 ⑬ **[媻]** 〔파·바〕 婆(女部 八畫〈p. 538〉)와 同字

11 ⑭ **[嫖]** 표 [平]蕭 撫招切 piāo / [去]嘯 匹妙切 piào

[字解] ①날랠 표 경첩(輕捷). '一姚'. ②음탕할 표 '一客'. '背尊章一以忽'《漢廣王》.

[字源] 篆文 形聲. 女+票〔音〕. '票표'는 두둥실 가볍게 떠오르다의 뜻. '가볍다'의 뜻. 또, '음탕하다'의 뜻을 나타냄.

[嫖客 표객] 화류계(花柳界)에서 노는 음탕한 남자. 오입쟁이.
[嫖館 표관] 표사(嫖舍).
[嫖妓 표기] 갈보. 매음부.
[嫖舍 표사] 갈보 집. 창루(娼樓). 청루(靑樓).
[嫖姚 표요] ㉠경첩(輕捷)한 모양. ㉡한(漢)나라 때의 무관(武官)의 이름.
[嫖子 표자] 표기(嫖妓).
[嫖蕩 표탕] 헤매어 떠돎. 방랑함. 표탕(漂蕩).

11 ⑭ **[嫙]** 선 [平]先 似宣切 / [去]霰 辭戀切 xuán

[字解] 아리따울 선 아름다움. 睶(目部 十一畫)과 同字. '一, 美謂之一. 或从目'《集韻》.

[字源] 形聲. 女+旋〔音〕

11 ⑭ **[嫗]** 구 (우[本]) [去]遇 衣遇切 yù / [上]麌 委羽切 yǔ 妪

[字解] ①할미 구 노파. '老一'. '願得兩箇爲翁一'《古樂府》. ②계집 구 여자. '從少一三十'《南史》. ③따스히할 구 따뜻하게 하여 기름. '一煦'. '煦一覆育萬物'《禮記》.

[字源] 篆文 形聲. 女+區〔音〕. '區구'는 '몹시 굽다'의 뜻. 등이 몹시 굽은 여자, 노파(老婆)의 뜻.

[嫗伏 구부] 알을 품어 따뜻하게 하여 깜.
[嫗煦 구후] ㉠따뜻하게 한다는 뜻으로, 어머니가 자식을 소중히 기름을 이름. ㉡백성을 사랑하여 보호함.
◉老嫗. 巫嫗. 媼嫗. 翁嫗. 乳嫗. 煦嫗.

11 ⑭ **[嫚]** 만 [去]諫 謨晏切 màn

[字解] ①업신여길 만 모멸함. 慢(心部 十一畫)과 同字. '一罵'. '上一下暴則陰氣勝'《漢書》. ②욕보일 만 모욕을 가함. '單于爲書, 一呂太后'《漢書》.

[字源] 篆文 形聲. 女+曼〔音〕. '曼만'은 덮어 가려서 보이지 않게 하다의 뜻. 상대를 무시하여 깔봄의 뜻을 나타냄. 또, '慢만'과 통하여 '태만하다'의 뜻을 보임.

[嫚罵 만매] 만만히 보고 꾸짖음.
[嫚侮 만모] 얕봄. 소홀히 함.
[嫚言 만언] 교만한 말.
[嫚戲 만희] 업신여겨 희롱함. 음란한 희롱.
◉嬾嫚. 媟嫚. 詆嫚. 僭嫚. 黷嫚. 媠嫚. 怠嫚. 凶嫚.

11 ⑭ **[嫭]** 처 [去]御 將豫切 jù

[字解] ①교만할 처 거만함. '一, 驕也'《說文》. ②투기할 처 강샘함. '一, 妒也'《說文》.

[字源] 篆文 形聲. 女+虘〔音〕. '姐저'와 통하여 '교만하다'의 뜻을 나타냄.

11 ⑭ **[嫟]** 닉 [入]職 昵力切 nì

[字解] ①친압할 닉 暱(日部 十一畫)과 뜻이 같음. ②음탕할 닉 '一, 淫一'《字彙》.

11 ⑭ **[嫥]** [一] 전 [平]先 職緣切 zhuān / [二] 단 [平]寒 徒官切 tuán

[字解] [一] ①오로지 전 專(寸部 八畫)과 同字. '一, 壹也'《說文》. ②사랑스러울 전 사랑스러운 모양. '一, 可愛之皃'《廣韻》. ③조정할 전 조화롭게 정돈함. '一捖剛柔'《淮南子》. [二] 아름다울 단 '一, 嬾也'《集韻》.

[字源] 形聲. 女+專〔音〕

11 ⑭ **[嫘]** [一] 류 [平]支 倫追切 / [去]寘 力僞切 léi / [二] 뢰 [平]灰 盧回切

[字解] [一] 성 류 성(姓)의 하나. '一祖'는 서릉씨(西陵氏)의 딸로, 황제(黃帝)의 정비(正妃). 백성에게 양잠(養蠶)을 가르치고, 멀리 여행 가기를 즐겼다 함. [二] 성 뢰 성(姓)의 하나.

11 ⑭ **[嫜]** 장 [平]陽 諸良切 zhāng

[字解] ①시부모 장 남편의 부모. '妾身未分明, 何以拜姑一'《杜甫》. ②시아주버니 장 남편의 형

(兄). '夫之兄曰兄一'《集韻》.
字源 形聲. 女+章〔音〕

11 ⑭ [嫡] 人名 적 ㊀錫 都歷切 dí

字解 ①아내 적 첩에 대하여 정실(正室)을 이름. '媵承事一'《釋名》. ②맏아들 적 정실이 낳은 장남. 전(轉)하여, 널리, 본처 소생의 아들의 뜻으로도 쓰임. '一子'. '殺一立庶'《左傳》.
字源 篆文 形聲. 女+商(啻)〔音〕. '啻시'는 중심을 향하여 다가가다의 뜻. 남편이 그 가장 중심적 여성(女性)으로서 대하는 상대, 곧 '정실(正室)'의 뜻을 나타냄. '啻'가 자형(字形)이 변하여 '商적'이 됨.

[嫡男 적남] 본처가 낳은 아들. 적자(嫡子).
[嫡女 적녀] 적실(嫡室)의 몸에서 난 맏딸.
[嫡流 적류] 적가(嫡家)의 계통.
[嫡母 적모] 아버지의 본처. 서자(庶子)가 아버지의 정실(正室)을 일컫는 말. 큰어머니.
[嫡配 적배] 적처(嫡妻).
[嫡嗣 적사] 적출(嫡出)의 사자(嗣子). 본처 소생으로서 대를 잇는 아들.
[嫡庶 적서] 적자(嫡子)와 서자(庶子). 본처의 아들과 첩의 아들.
[嫡孫 적손] 적자(嫡子)의 적자. 대를 잇거나 지위를 물려받는 손자.
[嫡室 적실] 정식(正式)의 혼례를 행한 아내. 본처(本妻).
[嫡子 적자] ㉠본처(本妻)의 몸에서 난 맏아들. 적장자(嫡長子). ㉡본처의 몸에서 난 모든 아들.
[嫡長 적장] 적출(嫡出)의 맏아들.
[嫡嫡 적적] 적자로부터 적자에게로 가계(家系)를 이어 나감.
[嫡傳 적전] 정통(正統)을 물려받음.
[嫡妻 적처] 정식으로 예를 갖추어 맞은 아내. 본처(本妻).
[嫡妾 적첩] 정실(正室)과 첩(妾).
[嫡出 적출] 정실(正室)의 몸의 소생(所生).
[嫡統 적통] 적파(嫡派)의 계통.
[嫡派 적파] 적장자(嫡長子)의 계통.
◉嗣嫡. 世嫡. 元嫡. 長嫡. 冢嫡. 匹嫡.

11 ⑭ [媕] ■ 암 ①-③㊤感 五感切 ǎn ④㊥覃 烏含切 ■ 엄 ㊥鹽 於鹽切 yǎn

字解 ■ ①뾰로통할 암 불만스러워 성난 빛을 지음. '一, 含怒也'《說文》. ②알기어려울 암 난해(難解)함. '一, 一曰, 難知也'《說文》. ③엄숙할 암 장엄함. '一, 詩曰, 碩大且一'《說文》. ④계집맘둘 암 '一一'은 여자가 마음에 그림. ■ ①뾰로통할 엄. ②아름다울 엄 눈에 들게 아름다움. '一, 美也'《廣雅》.
字源 篆文 形聲. 女+酓〔音〕

11 ⑭ [嫝] 人名 강 ㊥陽 丘岡切 kāng

字解 여자의자(字) 강 '一, 女字'《集韻》.

11 ⑭ [嫣] 人名 언 ㊥先 於乾切 yān

字解 ①아름다울 언 미호(美好)함. '側近一紅伴柔綠'《李商隱》. ②상긋웃을 언 보기에 아름답게 웃는 모양. '一然一笑'《宋玉》. ③연할 언 '蟬一'은 연속함. '有周氏之蟬一兮'《漢書》.
字源 篆文 形聲. 女+焉〔音〕. '焉언'은 제비 비슷한 새의 뜻. 그 새처럼 여자의 날씬한 자태의 뜻을 나타냄.

[嫣然 언연] 상긋 웃는 모양.
[嫣紅 언홍] 고운 붉은빛.
◉蟬嫣.

11 ⑭ [嫤] 人名 근 ㊤吻 几隱切 jǐn

筆順 女 女 女艹 女艹 女昔 女昔 嫤 嫤

字解 고을 근 아름다운 모양 '一, 好皃'《集韻》.

11 ⑭ [嫦] 人名 ■ 항 ㊥蒸 胡登切 héng ■ 상 ㊥陽 市羊切 cháng

字解 ■ 항아 항 姮(女部 六畫)의 俗字. ■ 항아 상 ■과 뜻이 같음.
字源 形聲. 女+常〔音〕. '姮항'의 俗字. '亘항'은 항상 변치 않다의 뜻. 이 뜻에 가까운 '常상'으로 바꾸어 '嫦'으로 했으나, 음(音)은 '항'도 남았음.

[嫦宮 항궁] '달〔月〕'의 이칭(異稱).
[嫦娥 항아·상아] 불사약을 훔쳐 가지고 달로 달아났다는 예(羿)의 아내. 전(轉)하여, '달'의 이칭(異稱).

11 ⑭ [嫩] 人名 눈 ㊦願 奴困切 nèn

字解 ①어릴 눈 어리고 연약함. 또, 어리고 아름다움. '一葉'. '紅入桃花一'《杜甫》. ②예쁠 눈 아름다움. '一, 一曰, 好皃'《集韻》. ③조금 눈 '一寒江店杏花前'《高啓》.
字源 形聲. 女+敕(軟)〔音〕. 본자(本字)는 '㜛'이었으나, '㜛연'의 속자(俗字)가 '軟'이 되면서, 자형(字形)이 '敕칙'으로 변해 버렸음. '軟'은 '부드럽다'의 뜻. 여자처럼 나긋나긋 유연하고 어리다의 뜻을 나타냄.

[嫩江 눈강] ㉠강(江) 이름. 만주(滿洲) 동북부의 헤이룽장 성(黑龍江省)의 중앙부(中央部)를 남류(南流)하여 쑹화 강(松花江)에 합류됨. 옛 이름은, 매강(妹江). ㉡현(縣) 이름. 민국(民國) 때 설치함. 헤이룽장 성의 중앙부, 눈강의 동안(東岸)에 위치함. 수륙(水陸) 교통의 요충지(要衝地)임.
[嫩綠 눈록] 눈벽(嫩碧).
[嫩碧 눈벽] 새로 나온 잎의 빛. 신록(新綠).
[嫩芽 눈아] 새로 나온 싹. 새싹.
[嫩葉 눈엽] 새로 나온 잎.
[嫩晴 눈청] 비가 오래 오다가 새로 갬. 신청(新晴).
[嫩草 눈초] 새로 눈튼 풀.
[嫩寒 눈한] 조금 추움.
◉輕嫩. 肥嫩. 新嫩. 柔嫩. 春嫩.

11 ⑭ [嫪] 로 ㊦號 郎到切 lào ㊥豪 魯刀切

字解 ①사모할 로 그리워하여 잊지 못함. 미련을 남김. '戀―'. '偶往心己―'《陸龜蒙》. ②인색할 로 '―, 悋物'《廣韻》. ③성 로 성(姓)의 하나. ④질투할 로 '―, 妬也'《廣雅》.
字源 篆文 形聲. 女+翏〔音〕. '翏료'는 양 날개와 꽁지깃을 한데 죽 이어 놓은 모양. 이성(異性)이나 사물(事物)에 대해서 갖는 끊을 수 없는 마음의 뜻.

◉溪禽嫪. 戀嫪. 姻嫪.

11 ⑭ [嫪] 삼 ①㊤感 七感切 cǎn ②㊥侵 疏簪切 sēn

字解 ①탐할 삼 사물을 욕심냄. '―, 婪也'《說文》. ②음란할 삼 부정(不貞)함. '―, 婬也'《集韻》.
字源 篆文 形聲. 女+參〔音〕. '參'은 '어울리다'의 뜻. 여자와 차례로 어울리다의 뜻에서 '탐하다'의 뜻을 나타냄.

11 ⑭ [嫫] 모 ㊥虞 莫胡切 mó

字解 못생길 모 못생겨 보기에 흉함. '―母有所美'《淮南子》.
字源 篆文 形聲. 女+莫〔音〕. '蟆마'와 통하여, 두꺼비처럼 못생긴 여자의 뜻을 나타냄.

[嫫母 모모] 황제(黃帝)의 제사비(第四妃)의 이름. 아주 추부(醜婦)이었으므로, 널리 추녀(醜女)의 뜻으로 쓰임.

11 ⑭ [嫮] 호 ㊦遇 胡故切 hù

字解 ①아름다울 호 미호(美好)함. 嫭(次條)와 同字. '西施之徒, 姿容修―'《張衡》. ②소녀 호 처녀. 嫭(次條)와 同字. ③자랑할 호 자만함. '車騎皆帝所賜, 卽以―鄙小縣'《漢書》.
字源 形聲. 女+雩〔音〕. '雩우'는 '華화'와 통하여, '화려하다'의 뜻. 아름다운 모양을 나타냄.

11 ⑭ [嫭] 호 ㊦遇 胡誤切 hù

字解 ①아름다울 호 미호(美好)함. 또, 그 여자. 미녀. '知衆―之嫉妒兮'《漢書》. ②질투할 호 시기함. '―, 妬也'《廣雅》.
字源 形聲. 女+虖〔音〕. '虖'는 내쉬는 한숨의 의성어(擬聲語). 감탄의 소리가 절로 날 아름다운 여인의 뜻을 나타냄.

11 ⑭ [嫕] 人名 예 ㊦霽 於計切 yì

字解 유순할 예 온순함. '婉―, 柔順皃'《廣韻》. 嫛(次條)와 同字.

11 ⑭ [嫛] 예 ①㊥齊 烏奚切 yī ②㊦霽 壹計切 yì

字解 ①갓난아이 예 '―婗'는 갓난아기. '人始生曰嬰兒, 或曰―婗'《釋名》. ②유순할 예 온순함. 순종. '―, 婉―, 順從也'《集韻》.
字源 金文 篆文 形聲. 女+殹〔音〕

[嫛婗 예예] 갓난아기. 영아(嬰兒).

11 ⑭ [嫢] 人名 ㊀ 규 ㊥支 均窺切 ①-③guī ㊤紙 求癸切 ㊁ 의 ㊥支 匀規切 ㊂ 주 ㊥支 姊宜切 zuī

字解 ㊀ ①살필 규 여자가 자세히 살핌. '―, 一曰, 婦人審諦皃'《集韻》. ②나긋나긋할 규 '―, 細也. 自關而西, 秦晉之閒, 凡細而容, 謂之―'《揚子方言》. ③가는허리 규 '―, 細腰也'《集韻》. ④아리따울 규 '―, 好也'《集韻》. ㊁ ①풍만할 의 모습이 풍만한 모양. '―, 盈姿'《集韻》. ②가는허리 의 ㊀❸과 뜻이 같음. ③화낼 의 '―盈'은 성냄. '―盈, 怒也'《廣雅》. ㊂ ①풍만할 주 ㊁❶과 뜻이 같음. ②가는허리 주 ㊀❸과 뜻이 같음.
字源 形聲. 女+規〔音〕

11 ⑭ [嫠] 리 ㊥支 里之切 lí

字解 홀어미 리 과부. '―婦'. '―也何害'《左傳》.
字源 篆文 形聲. 女+犛〔音〕. '犛리'는 '釐리'와 같은 뜻으로, 확연(確然)히 구획(區劃)을 지음의 뜻. 남편과 단락을 지은 여자 곧 '과부'의 뜻을 나타냄.

[嫠獨 이독] 과부와 홀아비.
[嫠婦 이부] 홀어미. 과부.
[嫠不恤緯 이불휼위] 주대(周代)에, 베틀에서 길쌈을 하는 과부(寡婦)가 부족한 씨 걱정은 하지 않고 나라가 망하여 화(禍)가 자신에게까지 미치지나 않을까 두려워했다는 고사(故事). 초야(草野)의 이름 없는 과부도 이러하거늘 하물며 대장부 되어 우국(憂國)하는 마음이 없어서 되겠느냐는 뜻. 또, 자기의 직분을 다하지 않음의 비유.
[嫠媼 이온] 늙은 과부.
[嫠節 이절] 과부의 절개.
◉煢嫠. 惸嫠. 鰥嫠.

12 ⑮ [嫵] 무 ㊤麌 文甫切 wǔ 妩

字解 ①아리따울 무 예쁨. 아름다움. '媚―'. '―媚纖弱'《司馬相如》. ②교태지을 무 아양 부림. '―媚'《廣韻》.
字源 篆文 形聲. 女+橆(無)〔音〕. '橆무'는 '찾아 구하다'의 뜻. 여자가 남자의 마음을 끌려고 하다, 교태 부리다의 뜻을 나타냄.

[嫵媚 무미] 예쁨. 아리따움.
◉媚嫵.

12 ⑮ [嫿] 人名 화 ㊦禡 胡化切 huà

筆順 女 女' 女艹 女芈 女𦍌 女𦍌 女𦍌 嫿

字解 탐스러울 화 여자 모습이 아름다움. '―, 女容麗也'《正字通》.

12 ⑮ [嫶] 초 ㊥蕭 慈焦切 qiáo

字解 야윌 초 근심하여 야윔. 憔(心部 十二畫)와 同字. '一奸太息'《漢書》.
字源 形聲. 女+焦〔音〕

[嫶冥 초명] 초연(嫶姸).
[嫶姸 초연] 야윔. 얼굴이 야윔.

12 ⑮ [嫺] 한 ㊥刪 戶閒切 xián

字解 ①우아할 한 한아(閒雅)함. 품위가 있음. 정숙함. '雍容一雅'《司馬相如》. ②익힐 한 익숙해짐. '一于辭令'《史記》. ③조용할 한 침착함. '辭言一雅'《後漢書》.
字源 篆文 形聲. 女+閒〔音〕. '閒한'은 차분하고 조용함의 뜻. '우아하다'의 뜻을 나타냄.

[嫺麗 한려] 우아하고 아름다움.
[嫺都 한도] 고상하고 품위가 있음. 한아(嫺雅).
[嫺熟 한숙] 숙달함. 익숙함.
[嫺雅 한아] 우아함. 정숙함. 한도(嫺都).
◉麗嫺. 雍嫺. 妖嫺.

12 ⑮ [嫻] 嫺(前條)과 同字

12 ⑮ [嫺] 嫺(前前條)의 俗字

12 ⑮ [嫽] 료 ①㊥蕭 落蕭切 liáo
②③㊤篠 力小切 liǎo

字解 ①희롱할 료 희학(戲謔)질함. '一戲'. ②아름다울 료 '一一, 好皃'《廣韻》. ③슬퍼할 료 '一, 一悷'《廣韻》.
字源 篆文 形聲. 女+尞(寮)〔音〕. '尞료'는 '燎료'와 동일어(同一語) 이체자(異體字)로서, 화톳불이 번쩍이듯이 환히 비치어 빛남의 뜻. 여자의 아름다운 모양을 나타냄. '僚료'와 통하여 '장난하다, 희롱하다'의 뜻을 나타냄.

[嫽嬈 요뇨] 희롱함.

12 ⑮ [嫸] 선 ㊤銑 旨善切 zhǎn

字解 ①남의말어기기좋아할 선 '一, 謂, 不欲人語而言他, 以枝格之也'《說文 段注》. ②욕보일 선 부끄럽게 함. '一, 一曰, 靳也'《說文》. ③완고할 선 '一, 偏忮'《廣韻》.
字源 甲骨文 篆文 形聲. 女+善〔音〕

12 ⑮ [嫿] 획 ㊇陌 胡麥切 huà

字解 ①안존할 획 얌전하고 조용함. '旣姽一于幽靜'《宋玉》. ②자랑할 획 자만함. '風俗以韰悍爲一'《左思》. ③달릴 획 빨리 감. '徽一霍奕'《後漢書》. ④아름다울 획 환하게 예쁨. '一, 分明好皃'《廣韻》.
字源 篆文 形聲. 女+畫〔音〕. '畫획'은 '그리다'의 뜻. 여자가 아름답다의 뜻을 나타냄.

12 ⑮ [嫴] 고 ㊥虞 古胡切 gū

字解 ①맡길 고 기탁함. '一, 保任也'《說文》. ②구차할 고 임시적으로. 잠시. '一, 且也'《廣雅》. ③도거리할 고 독점함. '一, 榷也'《廣雅》.
字源 篆文 形聲. 女+辜〔音〕. '辜고'는 '독점함'의 뜻. 여자가 자기를 남자에게 독차지하게 함의 뜻에서, '맡기다'의 뜻을 나타냄.

12 ⑮ [嬀] ■ 련 ㊤銑 力轉切 luǎn
■ 란 ㊦翰 盧玩切 luàn

字解 ■ 순할 련 좇음. 孌(女部 十九畫)은 籒文. '一, 順也'《說文》. ■ 번거로울 란 괴롭힘. 敽(支部 十二畫)과 同字. '敽, 說文, 煩也. 或从女'《集韻》.
字源 形聲. 女+𤔔〔音〕

12 ⑮ [嬀] 규 ㊥支 居爲切 guī

字解 ①성 규 성(姓)의 하나. 순(舜)임금의 후예(後裔)의 성. ②물이름 규 산시 성(山西省) 융지 현(永濟縣) 남쪽에서 발원(發源)하여 서쪽으로 흘러 황허(黃河) 강으로 들어가는 강. '一水'. '釐降二女于一汭'《書經》.
字源 金文 篆文 形聲. 女+爲〔音〕

[嬀水 규수] 자해(字解)❷를 보라.
[嬀汭 규예] 규수(嬀水)의 굽이.

12 ⑮ [嬈] ■ 뇨 ㊤篠 奴鳥切 ráo, rǎo
■ 요 ㊤篠 伊鳥切 yǎo

字解 ■ ①번거로울 뇨 까다로움. 또, 까다로운 것. '除苛解一'《漢書》. ②희롱할 뇨 희학질함. '嫽一'. ③번뇌할 뇨 고뇌함. 괴롭힘. '一, 惱也'《一切經音義》. ④어지럽힐 뇨, 어지러울 뇨 '一, 一曰, 擾也'《說文》. ■ 아리따울 요 예쁨. '佳人屢出董嬌一'《杜甫》.
字源 篆文 形聲. 女+堯〔音〕. '堯요'는 '繞요'와 같은 뜻이며, 달라붙어 떨어지지 않다의 뜻. 여자가 달라붙어 괴롭힘의 뜻을 나타냄. 또, 여자에게 달라붙어 치근거림의 뜻을 나타냄.

[嬈惱 요뇌] 번거로워 고뇌(苦惱)함.
[嬈嬈 요뇨] 유약(柔弱)한 모양.
◉苛嬈. 嬌嬈. 妖嬈. 嫽嬈. 優嬈. 擿嬈.

12 ⑮ [嫼] 人名 연 ①㊤銑 式善切 rǎn
②㊤銑 忍善切 rán

字解 ①여자모습 연 여자의 아리따운 자태(姿態). '一, 女姿態'《廣韻》. ②성 연 성(姓)의 하나.
字源 篆文 形聲. 女+然〔音〕

12 ⑮ [嬋]
■ 념 ㊤琰 乃玷切 niǎn
■ 심 ㊤寑 式荏切
㊦沁 式禁切
■ 담 ㊥覃 徒南切 tán
㊤感 徒感切
■ 첨 ㊤琰 他點切 tiǎn

字解 ■ ①천할 념 완고하고 욕심이 많음. '—, 志下'. ②약할 념 '—, 弱也'《廣韻》. ■ 천할 심, 약할 심 ㊀과 뜻이 같음. ■ ①여자의자(字) 담 '—, 女字'《集韻》. ②계집이름 담 '—, 女名'《集韻》. ■ 계집몸호리호리할 첨 '—, 婦人細長皃'《集韻》.

字源 形聲. 女+覃(覃)〔音〕.

12 ⑮ [嬉] 人名 희 ㊥支 許其切 xī

筆順 女 女 女 女 女 嬉 嬉 嬉

字解 ①놀 희 장난함. 즐거이 놂. '—樂'. '—, 戲也'《廣雅》. '—, 一曰, 游也'《廣韻》. '—乎玄冥之間'《列仙傳》. ②즐길 희 즐거워함. 기뻐함. '追漁夫同—'《張衡》. ③아름다울 희 예쁨. '—, 美也'《廣韻》.

字源 形聲. 女+喜〔音〕. '기뻐함'의 뜻. '기뻐하다'의 뜻을 나타냄.

[嬉樂 희락] 즐거워함.
[嬉笑 희소] ㉠조소(嘲笑)함. 냉소(冷笑)함. ㉡조롱하며 웃음. 즐거워하며 웃음.
[嬉娛 희오] 즐거워함.
[嬉遊 희유] 즐겁게 놂.
[嬉怡 희이] 즐거워서 기뻐함.
[嬉嬉 희희] 놀며 즐거워하는 모양. 또, 즐거워 웃는 소리.
[嬉戲 희희] 즐겁게 장난을 함.
◉樂嬉. 文恬武嬉. 盤嬉. 兒嬉. 晏嬉. 娛嬉. 遨嬉. 遊嬉. 春嬉. 孩嬉. 諧嬉.

12 ⑮ [嫼] ■ 묵 ㊤職 密北切 mò ■ 흑 ㊤職 迄得切 ■ 알 ㊤黠 烏黠切

字解 ■ 화낼 묵 시기하여 성냄. '—, 嫉怒'《廣韻》. ■ 화낼 흑 ㊀과 뜻이 같음. ■ 시새워화낼 알 '—, 嫉而怒也'《集韻》.

字源 會意. 女+黑

12 ⑮ [嬎] 반 ㊦願 芳萬切 fàn

字解 ①쌍둥이낳을 반 쌍생아(雙生兒)를 낳음. 娩(女部 七畫)과 뜻이 같음. '—, 生子齊均也'《說文》. ②늘 반 번식함. '—, 一息也'《廣韻》. ③깰 반 알이 부화함. '—, 一曰, 鳥伏乍出'《廣韻》.

字源 篆文 會意. 女+免+生. '免면'은 여자가 아이를 낳는 모양. '生생'을 덧붙여, 쌍둥이가 태어남의 뜻을 나타냄.

參考 嬔(女部 十三畫)는 別字.

12 ⑮ [嬋] 人名 선 ㊥先 市連切 chán

筆順 女 女 女 女 女 嬋 嬋 嬋

字解 ①아름다울 선 달·꽃·사람 등의 모습 또는 빛이 아름다움. '庭木誰能近, 射干復一娟'《阮籍》. ②끌 선 끌어당김. 嬗(女部 九畫)을 보라. '垂條—嬗'《張衡》.

字源 篆文 形聲. 女+單〔音〕. '單선'은 홑겹이어서 '엷다'의 뜻. 여자의 아리따움의 뜻을 나타냄.

[嬋連 선련] 친척. 집안.
[嬋娟 선연] 아름다운 모양.
[嬋妍 선연] 용모나 자태의 아름답고 요염한 모양.
[嬋媛 선원] ㉠끌어당기는 모양. 일설(一說)에는, 늘어져서 땅 위에 끌리는 모양. ㉡겨레붙이. 일가.

12 ⑮ [嬌] 人名 교 ㊥蕭 擧喬切 jiāo ㊤篠 居夭切 娇

筆順 女 女 女 女 女 嬌 嬌 嬌

字解 ①아리따울 교 요염하도록 아름다움. 또, 요염한 자태로 아양 부리는 모양. '—態'. '牙牙—女總堪誇'《元好問》. 또, 그 여자. '金屋貯—時'《費昶》. ②계집애 교 아녀자의 통칭. '關中以兒女爲阿—'《輟耕錄》. ③사랑스러울 교 '愛—'. ④사랑할 교, 귀여워할 교 '平生所—兒, 顏色白勝雪'《杜甫》.

字源 篆文 形聲. 女+喬〔音〕. '喬교'는 '높다'의 뜻. 여자의 날씬하고 요염함의 뜻을 나타냄.

[嬌歌 교가] 간장(肝腸)을 녹일 만한 고운 노래.
[嬌客 교객] ㉠사위. ㉡'작약(芍藥)'의 별칭(別稱).
[嬌嬌 교교] 아리따운 모양. 요염한 모양.
[嬌娘 교낭] 아름답고 귀염성 있는 계집애.
[嬌女 교녀] 교태(嬌態)가 있는 계집.
[嬌童 교동] 얼굴이 예쁜 아이. 미소년(美少年).
[嬌面 교면] 요염(妖艶)한 얼굴.
[嬌名 교명] 아름다운 명성. 미인이라고 하는 평판.
[嬌顰 교빈] 아리땁게 눈살을 찌푸림. 미인의 수심에 잠긴 모습을 형용한 말.
[嬌奢 교사] 요염하게 치장함.
[嬌聲 교성] 아양 떠는 소리.
[嬌小 교소] 귀엽고 작음.
[嬌笑 교소] 요염한 웃음.
[嬌羞 교수] 아리땁게 부끄러워함. 부끄러워하는 태가 아리따움.
[嬌兒 교아] 귀여운 아이. 미소년(美少年).
[嬌顏 교안] 아리따운 얼굴.
[嬌愛 교애] 요염하고 사랑스러움.
[嬌然 교연] 요염하게 아리따운 모양.
[嬌豔 교염] 교염(嬌艶).
[嬌艶 교염] 요염함. 또, 그런 여인.
[嬌靨 교엽] 귀여운 보조개.
[嬌嬈 교요] 요염(妖艶)함.
[嬌音 교음] 교성(嬌聲).
[嬌逸 교일] 자태가 아름답고 뛰어남.
[嬌姿 교자] 아양스러운 자태(姿態).
[嬌稚 교치] 귀엽고 어림.
[嬌癡 교치] 아직 어려서 정사(情事)를 이해(理解)하지 못함.
[嬌態 교태] 아리따운 모습.
[嬌妬 교투] 얼굴이 아름답고 질투가 많음.
[嬌響 교향] 미인의 목소리를 이름.
[嬌絃 교현] 아름다운 소리가 나는 현악기의 줄.
[嬌花 교화] 아름다운 꽃.
[嬌喉 교후] 아름다운 소리가 나오는 목구멍.
◉阿嬌. 愛嬌. 鶯嬌. 春嬌. 含嬌. 黃嬌.

12 ⑮ [嬃] 수 ㊥虞 相俞切 xū

字解 ①누님 수 손위 누이. '女一之嬋媛兮'《楚辭》. '楚人謂姊爲一'《說文》. ②여자의자(字) 수 여자의 본이름 외에 붙이는 자(字). '一, 女字也'《說文》.

字源 篆文 形聲. 女+須〔音〕

12 ⑮ [嫳] 별 ㊀屑 普蔑切 piè

字解 ①노하게할 별 성내게 하기 쉬움. '一, 易使怒也'《說文》. ②방정스러울 별 경박한 모양. '一, 輕也'《集韻》.

字源 篆文 形聲. 女+敝〔音〕

13 ⑯ [嬙] 장 ㊥陽 在良切 qiáng

字解 궁녀 장 궁중의 시녀. '妃一'. '妃嬪媵一'《杜牧》.

字源 篆文 形聲. 女+牆〈省〉〔音〕

[嬙媛 장원] 궁녀(宮女).
◉毛嬙. 妃嬙. 嬪嬙. 媵嬙.

13 ⑯ [嬝] 뇨 ㊤篠 奴鳥切 niǎo

字解 간드러질 뇨 嫋(女部 十畫)의 俗字.

[嬝娜 요나] 날씬하고 아름다운 모양.

13 ⑯ [嬒] 회 ㊦泰 烏外切 huì

字解 ①검을 회 여자의 살결이 검음. '一兮蔚兮'《詩經》. ②추할 회 여자가 못생긴 모양. '方言云, 一, 可憎也'《廣韻》. ③교활할 회 獪(犬部 十三畫)와 통용.

字源 篆文 形聲. 女+會〔音〕. '獪회'와 통하여 '교활함'의 뜻.

13 ⑯ [嬓] 교 ㊦嘯 吉弔切 jiào

字解 사람이름 교 '一, 人名. 史記, 齊有太史一'《說文》.

13 ⑯ [嬛] ㊀ 현 ㊥先 許緣切 xuān ㊁ 경 ㊥庚 渠營切 qióng

字解 ㊀ ①산뜻할 현 '便一'은 산뜻하고 아름다움. '便一綽約'《司馬相如》. ②단단할 현 치밀(緻密)함. 《說文》에서는 '嬛'으로 보임. '嬛, 材緊也'《說文》. ③낭창낭창할 현 부드러움. 나긋나긋함. '柔橈一一'《史記》. ㊁ ①아름다울 경 '一, 好也'《廣韻》. ②홀몸 경 惸(心部 九畫)과 同字. '一孤'. '一一在疚'《詩經》.

字源 篆文 形聲. 女+睘(瞏)〔音〕. '睘경'은 '둥긂'의 뜻. 여자의 나긋나긋하고 아름다움의 뜻을 나타냄.

[嬛嬛 경경] ㉠의지할 데 없는 모양. 외로운 모양. ㉡낭창낭창함. 나긋나긋함.
[嬛孤 경고] 고아(孤兒).
[嬛身 경신] 의지할 데 없는 외로운 몸.
[嬛佞 현녕] 경박하고 교묘히 아첨함.
◉便嬛.

13 ⑯ [嬗] 선 ①㊦霰 時戰切 shàn ②㊥先 時連切 chán

字解 ①물려줄 선, 전할 선 禪(示部 十二畫)과 同字. '五年之間, 號令三一'《史記》. ②아름다울 선 嬋(女部 十二畫)과 통용.

字源 篆文 形聲. 女+亶〔音〕

13 ⑯ [嬔] 부 ㊦遇 芳遇切 fù

字解 토끼새끼 부 娩(女部 八畫)와 통용. '兔子, 一'《爾雅》.

參考 嬎(女部 十二畫)과 別字.

13 ⑯ [嬐] 섬 ㊥鹽 思廉切 xiān

字解 빠를 섬 민속(敏速)함. '一侵潯而高縱兮'《司馬相如》.

字源 篆文 形聲. 女+僉〔音〕

13 ⑯ [嬜] ㊀ 계 ㊦霽 苦計切 qì ㊁ 개 ㊤蟹 苦蟹切

字解 ㊀ 괴로워할 계 '一, 難也'《廣韻》. ㊁ 괴로워할 개 ㊀과 뜻이 같음.

字源 形聲. 女+毄〔音〕

13 ⑯ [嬢] 〔양〕 孃(女部 十七畫〈p. 553〉)의 略字

13 ⑯ [嬴] 人名 영 ㊥庚 以成切 yíng

字解 ①성 영 진(秦)나라 왕(王)의 성(姓). '賜一姓'《史記》. ②풀 영 얽힌 것을 풀어지게 함. '天地始肅, 不可以一'《禮記》. ③가득할 영 가득히 참. '一縮'. '夏爲長一'《爾雅》. ④뻗을 영 폄. '一絀, 猶言伸屈也'《荀子 注》. ⑤나타날 영 앞으로 나옴. '成功之道, 一縮爲寶'《管子》. ⑥남을 영 많이 남음. '一餘'. '緩急一絀'《荀子》. ⑦끝 영 말단. '曾莫我一'《史記》.

字源 金文 篆文 形聲. 女+贏〈省〉〔音〕. '贏영'과 통하여 '가득 차다, 남다'의 뜻.

參考 嬴(女部 十四畫)·嬴(次條)은 同字.

[嬴絀 영굴] ㉠남음과 모자람. ㉡늘고 줆. 펴짐과 오그라짐. 신축(伸縮).
[嬴餘 영여] 나머지.
[嬴嬴 영영] 얼굴이 아름다운 모양.
[嬴顚劉蹶 영전유궐] 진(秦)나라와 한(漢)나라가 모두 망함. 영(嬴)은 진나라 천자의 성, 유(劉)는 한나라 천자의 성.
[嬴縮 영축] ㉠참과 이지러짐. 곧, 천체(天體)의 빛이 증감하는 현상. ㉡신축(伸縮).
◉更嬴. 黔嬴. 長嬴.

13 ⑯ [嬴] 嬴(前條)과 同字

13 ⑯ [嬬] 〔와〕
媧(女部 九畫〈p. 541〉)의 籒文

13 ⑯ [嫀] 〔신〕
嫀(女部 十四畫〈p. 552〉)과 同字

13 ⑯ [嬖] [人名] 폐 [去]霽 博計切 bì

[字解] 사랑할 폐 미천(微賤)한 사람을 특별히 사랑함. 총애함. '一姬'. '漢武帝深一李夫人'《拾遺記》. 또, 그 사랑을 받는 사람. '內一如夫人者六人'《左傳》.

[字源] 甲骨文 篆文 形聲. 女+辟〔音〕. '辟벽'은 '죄'의 뜻. 죄 있는 여자의 뜻. 전(轉)하여, 신분은 낮지만 임금의 총애를 받는 자(者)의 뜻.

[嬖近 폐근] 총애를 받는 가까운 신하.
[嬖女 폐녀] 사랑을 받는 여자.
[嬖色 폐색] 총애를 받는 여자. 또, 여색(女色)을 가까이함.
[嬖習 폐습] 임금의 마음에 드는 측근의 신하.
[嬖臣 폐신] 총애를 받는 신하(臣下).
[嬖御 폐어] 폐첩(嬖妾).
[嬖豔 폐염] 귀염을 받는 미인(美人). 총애를 받는 애첩(愛妾).
[嬖人 폐인] ㉠임금에게 귀염을 받는 사람. ㉡임금에게 사랑을 받는 여자.
[嬖媵 폐잉] 폐첩(嬖妾).
[嬖妾 폐첩] 귀염을 받는 첩(妾). 애첩(愛妾). 폐잉(嬖媵).
[嬖寵 폐총] 총애를 받는 사람.
[嬖奚 폐해] 총애를 받는 종.
[嬖幸 폐행] ㉠총애. ㉡총애를 받는 사람.
[嬖倖 폐행] 폐행(嬖幸).
[嬖姬 폐희] 총애를 받는 여자. 총희(寵姬).
◉內嬖. 外嬖. 妖嬖. 寵嬖. 便嬖.

14 ⑰ [嬪] [人名] 빈 [平]眞 符眞切 pín

[筆順] 女 姕 姱 婷 婷 嬪 嬪 嬪

[字解] ①아내 빈 ㉠죽은 아내. '生曰妻, 死曰一'《禮記》. ㉡아내. '一, 婦也'《爾雅》. 또, 널리 부인(婦人)의 미칭(美稱)으로 쓰임. '七曰一婦'《周禮》. ②시집갈 빈 '一于虞'《書經》. ③궁녀 빈 궁중의 여관(女官)의 이름. '妃一'. '三夫人九一'《禮記》. ④많을 빈 많은 모양. '一然成行'《漢書》.

[字源] 甲骨文 篆文 形聲. 女+賓〔音〕. '賓빈'은 '손님'의 뜻. 손님을 접대하는 여성, 또는 남편의 집에 다른 데서부터 와서 남편을 섬기는 여성의 뜻을 나타냄.

[嬪宮 빈궁] 《韓》 왕세자(王世子)의 아내. 세자빈(世子嬪).
[嬪儷 빈려] 아내.
[嬪妃 빈비] 빈첩(嬪妾).
[嬪侍 빈시] 시중드는 궁녀.
[嬪娥 빈아] 아름다운 궁녀(宮女).
[嬪御 빈어] 천자(天子)의 침석(枕席)에서 시중드는 궁녀(宮女). 천자의 첩.
[嬪然 빈연] 수가 많은 모양.
[嬪媵 빈잉] 빈첩(嬪妾).
[嬪嬙 빈장] 궁녀(宮女).
[嬪從 빈종] 궁녀들.
[嬪妾 빈첩] 천자(天子)의 첩.
◉貴嬪. 奉嬪. 妃嬪. 肥嬪. 良嬪.

14 ⑰ [嬾] 람 ①-③[去]勘 盧瞰切 làn ④[平]覃 盧甘切 lán

[字解] ①외람할 람 분수에 넘치는 일을 하여 사리에 어그러짐. '一, 過差也'《說文》. ②탐할 람 '一, 貪也'《廣韻》. ③즐길 람, 희롱할 람 '一, 婬也'《字彙》. ④계집이름 람 '一, 女名'《集韻》.

[字源] 形聲. 女+監〔音〕

14 ⑰ [嬥] 조 ①-④[上]篠 徒了切 tiǎo ⑤[去]嘯 徒弔切

[字解] ①날씬할 조 '一, 直好貌'《說文》. ②아리따울 조 요염함. '一, 一曰, 嬈也'《說文》. ③바꿀 조 물건을 바꿔침. '俗以更易財物曰一換'《通俗編》. ④오갈 조 왕래(往來)하는 모양. '一一, 往來皃'《廣韻》. ⑤매정할 조 '一嬈'는 매정함. '一嬈, 不仁'《廣韻》.

[字源] 篆文 形聲. 女+翟〔音〕. '翟적'은 높이 치붙은 꿩의 꽁지깃으로 '높이 오르다'의 뜻. 여자의 날씬하고 아름다운, 요염한의 뜻을 나타냄.

14 ⑰ [嬬] 유 [平]虞 人朱切 rú

[字解] ①아내 유 처. 일설(一說)에는 첩. '妻謂之一, 一曰妾名'《博雅》. ②약할 유 '一, 弱也'《說文》.

[字源] 篆文 形聲. 女+需〔音〕. '需수'는 '낭창낭창함, 부드러움'의 뜻. 나긋나긋한 여성의 뜻에서, '약함·첩(妾)'의 뜻을 나타냄.

14 ⑰ [嬷] 마 [上]哿 忙果切 mā

[字解] ①엄마 마, 어머니 마 속(俗)에 어머니를 부르는 말. '俗呼母爲一一'《字彙》. ②할머니 마 늙은 부인(婦人)의 통칭(通稱). '偏他奶母李一一'《紅樓夢》.

14 ⑰ [嬭] 내 [上]蟹 奴蟹切 nǎi [上]薺 奴禮切

[字解] ①젖 내, 젖어미 내 모유(母乳). 또, 유모. '一婆楊氏'《舊唐書》. ②낮잠 내 주침(晝寢). '唐人呼晝睡爲黃一'《風土歲時記》. ③어머니 내 '一, 楚人呼母'《廣韻》.

[字源] 形聲. 女+爾〔音〕. '爾이'는 볼록하게 부푼 꽃송이의 모양을 본뜸. 여자의 꽃송이, 유방(乳房)의 뜻을 나타냄. 전(轉)하여, '어머니'의 뜻도 나타냄.

[嬭母 내모] 유모(乳母).
[嬭媼 내온] ㉠유모(乳母). ㉡어머니.
[嬭婆 내파] 유모(乳母).
◉晝嬭. 黃嬭.

14 ⑰ [嬳] 확 [入]藥 鬱縛切 yuè

[字解] ①모양낼 확 태를 부림. '一, 作姿態也'

《集韻》. ②아까워할 확 '一, 一曰, 惜也'《集韻》.

14 ⑰ **[嬯]** 대 [平]灰 徒哀切 tái

[字解] 미련스러울 대 둔함. 어리석음. '一, 鈍劣'《廣韻》.
[字源] 形聲. 女+臺〔音〕

14 ⑰ **[嬣]** 녕 [平]庚 尼耕切 níng

[字解] ①몸 녕 몸의 상태. '一, 一體'《廣韻》. ②용렬할 녕 여자가 용렬(庸劣)한 모양. '姸一, 女劣皃'《集韻》. ③찬찬할 녕 여자답게 조용조용하고 침착함. '一, 女態舒徐也'《正字通》.

14 ⑰ **[嬲]** 뇨 [上]篠 奴鳥切 niǎo

[字解] ①희롱할 뇨 희학(戲謔)질함. '一汝以一句'《王安石》. ②어지럽힐 뇨, 어지러워질 뇨 '堂中走相一'《韓駒》.
[字源] 形聲. 女+男+男. 한 여성에 두 남자가 따라붙다, 희롱하다의 뜻을 나타냄.

14 ⑰ **[嬴]** 〔영〕
嬴(女部 十三畫〈p.550〉)과 同字

14 ⑰ **[嬸]** 신 [平]眞 疏臻切 shēn

[字解] 나라이름 신 '有一, 國名'《集韻》.

14 ⑰ **[嬰]** [人名] 영 [平]庚 於盈切 yīng 嬰

[筆順] 丨 冂 目 貝 貝貝 貝貝 賏 嬰

[字解] ①갓난아이 영 젖먹이. '一孩'. '如一兒之未孩'《老子》. ②닿을 영 접촉함. '龍喉下逆鱗, 一之則殺人'《韓非子》. ③두를 영 환요(環繞)함. '一城'. '世網一吾身'《陸機》. ④가(加)할 영 더함. '一以廉恥'《漢書》. '一之以芒刃'《賈誼》. ⑤걸릴 영 ㉠걸려듦. '一飛禍'. ㉡병에 걸림. '劉夙一疾病'《李密》. ⑥목에걸 영 '是猶使處女一寶珠'《荀子》. ⑦꿰어이을 영 '一以百珪百璧'《山海經》. ⑧성 영 성(姓)의 하나.
[字源] 金文 篆文 形聲. 女+賏〔音〕. '賏영'은 '목걸이'의 뜻. 여자의 목걸이의 뜻에서, '걸치다, 두르다'의 뜻을 나타냄.

[嬰累 영루] ㉠재난을 만남. 또, 몸에 붙어 다니는 재앙. ㉡연약함.
[嬰罹 영리] 걸림. 입음.
[嬰鱗 영린] 용(龍)의 목 밑에 있는 비늘을 건드림. 인신(人臣)이 직간(直諫)하여 임금의 노여움을 삼.
[嬰飛禍 영비화] 뜻밖에 재화를 입음.
[嬰城 영성] 농성(籠城)하여 굳게 지킴.
[嬰守 영수] 영성(嬰城).
[嬰兒 영아] 젖먹이. 어린아이.
[嬰弱 영약] 유아(幼兒)와 소년.
[嬰孺 영유] 어린애. 젖먹이.
[嬰提 영제] 영아(嬰兒). 젖먹이.
[嬰稚 영치] 젖먹이. 영아(嬰兒).
[嬰孩 영해] ㉠젖먹이. 어린아이. ㉡젖먹이의 웃음.
[嬰禍 영화] 화를 입음.
◉嬌嬰. 世嬰. 愛嬰. 孺嬰. 纏嬰. 退嬰. 咳嬰. 孩嬰.

15 ⑱ **[嬻]** 독 [入]屋 徒谷切 dú

[字解] 더럽힐 독 오손(汚損)함. '媟一'. '陳侯棄其伉儷妃嬻, 而淫于夏氏. 不亦一姓矣乎'《國語》.
[字源] 篆文 形聲. 女+賣〔音〕. '賣육'은 사람의 눈을 현혹시켜 팔아넘기다의 뜻. 더럽혀 혼란시키다의 뜻을 나타냄.

◉媟嬻.

15 ⑱ **[嬸]** 심 [上]寢 式荏切 shěn 婶

[字解] ①숙모 심 아버지의 아우의 부인(婦人). 작은어머니. 아주머니. '俗謂叔母曰一'《集韻》. ②《現》 어머니와 동세대(同世代), 또는 약간 연소(年少)한 기혼(旣婚) 부인을 부르는 말.
[字源] 形聲. 女+審〔音〕. '審심'은 모조리 알다의 뜻. 속속들이 아는 여성(女性), '숙모(叔母)'의 뜻을 나타냄.

15 ⑱ **[嬛]** 〔현〕
嬛(女部 十三畫〈p.550〉)의 本字

15 ⑱ **[嫡]** 적 [入]陌 施隻切 shì

[字解] 시집갈 적 '隨女有一'《元包經》.

16 ⑲ **[嬾]** 란 [上]旱 落旱切 lǎn

[字解] ①게으를 란, 께느른할 란 懶(心部 十六畫)과 同字. '一惰'. '老來百事一'《蘇軾》. ②엎드릴 란 누움. '一, 一曰, 臥'《集韻》.
[字源] 篆文 形聲. 女+賴〔音〕. '賴뢰'는 무엇을 가두어 두다의 뜻. 일을 미루어 두고 게으름 부리다의 뜻을 나타냄. '女'는 심리(心理)·성상(性狀)을 나타내는 말에 덧붙임.

[嬾架 난가] 책을 올려놓고 누운 채로 보는 대(臺). 서견대(書見臺).
[嬾困 난곤] 나른함. 노곤함.
[嬾慢 난만] 난방(嬾放).
[嬾放 난방] 게으르고 멋대로 굶.
[嬾癖 난벽] 게으른 버릇.
[嬾夫 난부] 게으른 남자(男子).
[嬾婦 난부] ㉠게으른 여자. ㉡'실솔(蟋蟀)'의 이칭(異稱). 귀뚜라미.
[嬾腰 난요] 축 늘어뜨린 앉음새. 단정치 못한 앉음새.
[嬾情 난정] 게으른 마음.
[嬾拙 난졸] 몸이 나른하고 모든 일이 귀찮음.
[嬾惰 난타] 게으름.

16 ⑲ **[嬿]** [人名] 연 [上]銑 於殄切 yàn

[字解] 아름다울 연 '一服'. '一婉之求'《韓詩外傳》.
[字源] 篆文 形聲. 女+燕〔音〕. '燕연'은 '편안함'의 뜻. 여자가 침착하고 음전한 뜻을

나타냄.

[嬿服 연복] 아름다운 옷.
[嬿私 연사] 아름다워 남몰래 사랑함. 또는 그 사람.
[嬿婉 연완] ㉠온순한 모양. ㉡음전하고 아름다운 모양. 숙부드러운 모양.
[嬿嬿 연연] 아름다운 모양.

16 ⑲ [⿰女憂] 뇨 [上]篠 奴鳥切 niǎo

[字解] ①아름다울 뇨 傷(人部 十六畫)와 同字. '傷, 美也. 或从女'《集韻》. ②부드러울 뇨 나긋나긋함. '一, 嫋一'《廣韻》.

17 ⑳ [⿰女簋] [一] 교 [上]篠 居夭切 jiǎo
[二] 궤 [上]紙 矩鮪切
[三] 규 [上]有 苦糺切
[四] 겸 [上]琰 兼玷切
[五] 극 [入]職 古得切

[字解] [一] ①곱송그릴 교 두려워서 몸을 움츠리는 모양. 삼가는 모양. '一, 竦身皃'《廣韻》. ②용감할 교 赳(走部 二畫)와 통용. ③재주있을 교 '一, 材也'《廣雅》. [二] 곱송그릴 궤, 용감할 궤, 재주있을 궤 [一]과 뜻이 같음. [三] 곱송그릴 규, 용감할 규, 재주있을 규 [一]과 뜻이 같음. [四] 곱송그릴 겸, 용감할 겸, 재주있을 겸 [一]과 뜻이 같음. [五] 곱송그릴 극, 용감할 극, 재주있을 극 [一]과 뜻이 같음.
[字源] 形聲. 女+簋〔音〕

17 ⑳ [孀] 상 [平]陽 色莊切 shuāng
[去]漾 色壯切 shuāng

[字解] 홀어미 상 과부. '孤一'. '婦人不一'《淮南子》.
[字源] 形聲. 女+霜〔音〕. '霜상'은 '喪상'과 통하여, 남편을 잃은 아내의 뜻을 나타냄.

[孀閨 상규] 과부가 거처하는 방.
[孀單 상단] 과부.
[孀老 상로] 늙은 과부.
[孀婦 상부] 홀어미. 과부(寡婦).
[孀娥 상아] 과부.
[孀雌 상자] 과부. 또, 과부 살림.
[孀妻 상처] 과부. 상부(孀婦).
◉孤孀. 遺孀. 靑孀. 嫠孀.

17 ⑳ [孅] 섬 [平]鹽 息廉切 xiān

[字解] ①가늘 섬 섬세함. 纖(糸部 十七畫)과 통용. '至一至悉'《漢書》. ②약할 섬 연약함. '嫵媚一弱'《司馬相如》. ③아당할 섬 아첨함. 알랑거림. '卑疵而前, 一趨而言'《史記》.
[字源] [篆文] 形聲. 女+韱〔音〕. '韱섬'은 '가냘픔'의 뜻. 가냘픈 여성(女性), 숙부드러움의 뜻을 나타냄.

[孅介 섬개] 매우 작음.
[孅嗇 섬색] 꼼꼼하여 아껴 씀.
[孅弱 섬약] 가냘픔. 연약함.
[孅妍 섬연] 가냘프고 아름다움. 날씬하고 예쁨.
[孅嗇 섬장] 극히 얼마 안 되는 것을 아까워함.
[孅趨 섬추] 아첨하여 달려감.

17 ⑳ [⿱彌女] 미 [平]支 武移切 mí
[平]齊 緜批切

[字解] 어머니 미 어머니를 부르는 제인(齊人)의 말. '齊人呼母曰一'《集韻》.

17 ⑳ [孃] [人名] 양 (냥[本]) [平]陽 女良切 niáng

[筆順] 女 妕 妕 婝 婶 孃 孃 孃

[字解] ①어미 양 모친. '爺一'. '一今何處'《南史》. ②계집 양 소녀. 아가씨. 娘(女部 七畫)과 통용. '令一'. '白居易有眞一墓詩, 蓋本當作娘而混用一字者'《辭海》.
[字源] [篆文] 形聲. 女+襄〔音〕. '襄양'은 '女녀'와 끝 자음(字音)을 달리할 뿐이며, '여자'의 뜻. '어머니·딸·소녀'의 뜻을 나타냄.

[孃孃 양양] ㉠천자가 모후(母后)를 일컫는 말. ㉡며느리가 시어머니를 이르는 말.
◉貴孃. 老孃. 耶孃. 爺孃. 令孃. 村孃.

17 ⑳ [孁] 령 [平]靑 郞丁切 líng

[筆順] 一 ⺻ 帀 雨 霝 霝 孁 孁

[字解] 여자의자(字) 령 '一, 女字也'《說文》.
[字源] 形聲. 女+霝〔音〕

17 ⑳ [⿱薛女] 얼 [入]屑 魚列切 niè

[字解] ①요괴 얼 조수충어(鳥獸蟲魚)의 사기(邪氣). 蠥(虫部 十六畫)과 同字. ②서자 얼 첩의 자식. 孽(子部 十六畫)의 俗字.

19 ㉒ [孋] 리 [平]支 呂支切 lí

[字解] ①나라이름 리 국명(國名). '一姬, 晉獻公伐一戎所獲女'《集韻》. ②성 리 성(姓)의 하나.
[字源] 形聲. 女+麗〔音〕

19 ㉒ [孌] [人名] 련 [上]銑 力兗切 luán
[去]霰 力卷切 liàn 変

[字解] ①아름다울 련 예쁨. '一童'. '婉兮一兮'《詩經》. ②그리워할 련 연모(戀慕)함. 戀(心部 十九畫)과 통용. '一, 慕也'《說文》. ③따를 련 '一, 從也'《集韻》.
[字源] [金文] [篆文] 形聲. 女+䜌〔音〕. '䜌련'은 '捋랄'과 통하여, 두 손을 끌어잡다의 뜻. 마음이 끌리다, 그립다의 뜻.

[孌童 연동] ㉠예쁜 소년. 미소년(美少年). ㉡남창(男娼).
◉婉孌. 姝孌.

20 ㉓ [孍] 엄 ①[上]琰 魚檢切 yǎn
②[平]鹽 魚枕切 yán

[字解] ①예쁠 엄 미녀(美女)의 아름다운 모양. '一, 好女皃'《玉篇》. ②여자의자(字) 엄 여자의 본이름 외의 자(字). '一, 女字'《集韻》.

21 ㉔ [孏] 란 ㊤旱 落旱切 lǎn

字解 게으를 란 嬾(女部 十六畫)과 同字. '其惰一者恥不致'《後漢書》.

◉惰孏.

子 (3획) 部

〔아들자부〕

0 ③ [子] 中人 자 ㊤紙 卽里切 zǐ

筆順 ㇖ 了 子

字解 ①아들 자 자식. '一女'. '凡爲人一之禮'《禮記》. 또, 자손. '以良家一從軍'《漢書》. ②새끼 자 동물의 새끼. '螟蛉有一'《詩經》. ③알 자 동물의 알. '魚一'. '蠶一'. ④열매 자 과실. '橡一'. '家有一李樹, 結一殊好'《世說》. ⑤씨 자 종자. '銜一飛來定鴻皓'《蘇軾》. ⑥이자 자 금리(金利). '一母錢'. '一本相侔'《韓愈》. ⑦임 자 ㉠남자의 미칭(美稱). '如七十一之服孔子也'《孟子》. ㉡일가언(一家言)을 세운 사람. '孔一'. '孟一'. '一曰, 學而時習之'《論語》. ⑧나 자 성씨의 아래에 붙여 쓰는 남자의 자칭(自稱). '蘇一與客泛舟'《蘇軾》. ⑨당신 자 남의 호칭. '一誠齊人也'《孟子》. ⑩남자 자 장부(丈夫). '長安中輕薄少年惡一'《漢書》. ⑪첫째지지 자 십이지(十二支)의 제일 위. 방위로는 정북(正北)이고, 시각으로는 오후 열두 시. '甲一'. 달로는 음력 동짓달. ⑫자작 자 오등작(五等爵)의 제사 위(第四位). '公侯伯一男'. ⑬어조사 자 접미(接尾)의 조사(助辭). '亭一'. '衆中遺却金釵一'《王建》. ⑭아들같이여길 자 아들같이 사랑함. '一庶民'《中庸》. ⑮아들같이 자 아들이 어머니를 대하듯이. '庶民一來'《詩經》. ⑯열매맺을 자 결실함. '冬花夏一'《種樹書》. ⑰사랑할 자 慈(心部 十畫)와 통용. '易直一諒之心'《禮記》. ⑱성 자 성(姓)의 하나.

字源 甲骨文 金文 篆文 象形. 두부(頭部)가 크고 손발이 나긋나긋한 젖먹이를 본뜬 모양으로, '아들·자식'의 뜻을 나타냄. 또 차용(借用)하여, 십이지(十二支)의 제일 위(第一位), '쥐'의 뜻으로도 쓰임.

參考 부수(部首)로서, '子'를 의부(意符)로 하여 여러 가지 아이에 관한 문자나, '낳다, 늘다'의 뜻을 포함하는 글자를 이룸.

[子癎 자간] 태중(胎中)에 있는 부녀(婦女)에게 나는 병. 두통(頭痛)·현훈(眩暈)·이명(耳鳴)·호흡 곤란(呼吸困難)·경련(痙攣) 등을 일으킴. 임신 중독(姙娠中毒). 아훈(兒暈).
[子貢 자공] 위(衛)나라 사람. 공자(孔子)의 제자. 성은 단목(端木). 이름은 사(賜). 자공(子貢)은 그의 자(字). 구재(口才)가 있고 화식(貨殖)에 능하여 누천금(累千金)을 모았음.
[子宮 자궁] ㉠여자(女子)의 아랫배에 있어서 태아(胎兒)가 사는 근질성(筋質性)의 속이 빈 기관(器官). ㉡십이궁(十二宮)의 하나.
[子規 자규] 두견(杜鵑)의 별칭(別稱).
[子芩 자금] 황금초(黃金草)의 새로 돋은 가는 뿌리. 해열제로 쓰임.
[子金 자금] 이자(利子). 이전(利錢).
[子氣 자기] 임신(姙娠)으로 말미암아 일어나는 부종(浮腫).
[子囊 자낭] 은화식물(隱花植物)의 포자(胞子)를 싸고 있는 주머니.
[子女 자녀] ㉠아들과 딸. ㉡딸.
[子大夫 자대부] 관위(官位) 있는 사람. 벼슬아치. 자(子)는 남자의 미칭(美稱).
[子道 자도] 자식의 도리.
[子來 자래] 아들이 부모의 일에 급히 달려오듯이 백성이 공사(公事)에 자진하여 모여듦.
[子路 자로] ㉠노(魯)나라의 변(卞) 사람. 성은 중(仲). 이름은 유(由). 자로(子路)는 그의 자(字). 계로(季路)라고도 함. 공자(孔子)의 제자. 정사(政事)에 뛰어남. ㉡곰[熊]의 이칭(異稱).
[子痢 자리] 잉태중(孕胎中)에 앓는 이질(痢疾).
[子淋 자림] 잉부(孕婦)가 오줌을 자주 누는 병(病).
[子末 자말] 자시(子時)의 맨 끝. 곧, 오전(午前) 1시경.
[子母錢 자모전] 본전과 변리(邊利).
[子母環 자모환] 크고 작은 것이 연결된 고리.
[子卯不樂 자묘불악] 자일(子日)과 묘일(卯日)은 음악을 하지 아니함. 주왕(紂王)은 갑자일(甲子日)에 망하고 걸왕(桀王)은 을묘일(乙卯日)에 망하였으므로 그날을 악일(惡日)이라 하여 꺼리는 것임.
[子方 자방] 이십사방위(二十四方位)의 하나. 정북(正北)을 중심으로 한 15도의 각도 안.
[子房 자방] ㉠한(漢)나라의 장량(張良)의 자(字). ㉡암술의 일부로서 배주(胚珠)가 들어 있는 불룩한 부분.
[子煩 자번] 태중인 부인의 가슴이 답답한 증상.
[子本 자본] 이자와 본전.
[子婦 자부] ㉠며느리. ㉡아들과 며느리.
[子部 자부] ㉠경(經)·사(史)·자(子)·집(集)의 사부(四部)의 하나. 유(儒)·병(兵)·법(法)·도(道)·석(釋)의 각 가(家)와 기예(技藝)·술수(術數)·소설(小說) 등속이 이에 속함. 병부(丙部). ㉡지국(支局).
[子史 자사] 장자(莊子)·열자(列子) 등 제자(諸子)의 책과 사기(史記)·한서(漢書) 등 역사의 책.
[子思 자사] 춘추 시대 노(魯)나라의 유가(儒家). 공자(孔子)의 손자. 이름은 급(伋). 자사(子思)는 그의 자(字). 학업(學業)은 증삼(曾參)에게 배웠고 〈중용(中庸)〉을 지었음.
[子産 자산] 춘추(春秋) 때 정(鄭)나라의 대부(大夫). 이름은 공손교(公孫僑). 자산(子産)은 그의 자(字)임. 간공(簡公)·정공(定公)·헌공(獻公)의 3조(朝)에 걸쳐 국정(國政)에 참여하기 40여 년, 그동안 진(晉)·초(楚) 양국(兩國)으로 하여금 침략(侵略)을 못하게 하였음. 정사(政事)를 봄에 은위(恩威)를 병행하며, 정도(正道)를 밟았으므로 공자(孔子)는 그를 가리켜 혜인(惠人)이라 하였음.
[子壻 자서] 사위.
[子姓 자성] 자손(子孫).
[子城 자성] 본성(本城) 옆의 작은 성.
[子誠齊人 자성제인] 맹자(孟子)가 자기 나라의

것만을 아는 제(齊)나라의 공손 추(公孫丑)에게 '자네는 참 제(齊)나라 사람이로군'이라고 말한 고사(故事)로서 견문이 좁아 고루함을 이름.
[子細 자세] ㉠상세함. 또 번거로움. 세밀함. ㉡자세히. 자세(仔細).
[子孫 자손] ㉠아들과 손자. ㉡후예(後裔). 후손(後孫).
[子孫計 자손계] 자손을 위한 계책.
[子孫兟兟 자손신신] 자손(子孫)이 많음.
[子嗽 자수] 태중인 부인이 감기에 걸려서 늘 기침이 나는 병.
[子時 자시] 오후(午後) 11시부터 오전(午前) 1시까지의 시각(時刻).
[子息 자식] 아들. 아들과 딸의 통칭.
[子夜 자야] 밤 12시경. 한밤중.
[子輿 자여] ㉠공자의 제자. 증삼(曾參)의 자. 노(魯)나라 사람. 효행(孝行)으로 유명함. ㉡맹자(孟子)의 자(字).
[子葉 자엽] 식물(植物)의 종자 속에 있는 배(胚)의 일부를 이루는 특수한 잎. 떡잎.
[子午 자오] 자(子)와 오(午). 정북(正北)과 정남(正南).
[子午線 자오선] 지구(地球)의 남북 양극(兩極)을 연결하는 상상상의 권선(圈線).
[子月 자월] 음력(陰曆) 11월의 별칭(別稱).
[子游 자유] 춘추 시대(春秋時代)의 오(吳)나라 사람. 성(姓)은 언(言). 이름은 언(偃). 자유(子游)는 그의 자(字). 공자(孔子)의 문인으로서 문학에 뛰어남.
[子音 자음] 닿소리.
[子子孫孫 자자손손] 자손(子孫)의 여러 대(代).
[子爵 자작] 오등작(五等爵)의 제사 위(第四位). 백작(伯爵)의 아래이며 남작(男爵)의 위임.
[子錢 자전] 이자(利子). 이식(利息)의 돈. 또, 이자가 붙는 돈을 꿈.
[子正 자정] 밤 12시.
[子亭 자정] 정자(亭子).
[子弟 자제] ㉠아들과 아우. 부형(父兄)의 대(對). ㉡젊은이. 부로(父老)의 대(對).
[子腫 자종] 잉태(孕胎)한 지 오륙삭(午六朔)이 되어 전신(全身)이 붓고 배가 불러지는 병.
[子坐午向 자좌오향] 자방(子方)에서 오방(五方)을 향(向)함.
[子枝 자지] 번성(繁盛)한 자손.
[子姪 자질] 아들과 조카.
[子鐵 자철] 신 바닥에 박는 징.
[子初 자초] 자시(子時)의 첫머리. 곧 오후 11시경.
[子夏 자하] 춘추 시대(春秋時代)의 위(衛)나라 사람. 성은 복(卜). 이름은 상(商). 자하(子夏)는 그의 자(字). 공자의 문인으로 자유(子游)와 함께 문학에 뛰어나 위문공(魏文公)의 스승이 되었음. 〈시서(詩序)〉·〈역전(易傳)〉은 그가 지은 것이라 함.
[子瘧 자학] 잉태 중에 앓는 학질.
[子懸 자현] 태중인 여자의 가슴이 치밀고 아픈 병.
[子戶 자호] 분가(分家).
◉茄子. 假子. 擧子. 卿子. 孤子. 告天子. 骨子. 孔子. 公子. 驕子. 毬子. 國子. 君子. 奇男子. 碁子. 亂臣賊子. 男子. 娘子. 浪子. 內子. 老子. 多子. 獨子. 瞳子. 末子. 孟子. 母子. 帽子. 木槵子. 無腸公子. 無患子. 反側子. 百子. 別子. 父子. 夫子. 婢子. 私窠子. 四君子. 士子. 嗣子. 庶子. 先子. 世子. 勢子. 小子. 孫子. 豎子. 雙生子. 兒子. 額子. 椰子. 梁上君子. 養子. 魚子. 漁子. 孼子. 女子. 餘子. 吾子. 王子. 龍子. 元子. 僞君子. 乳子. 猶子. 遊子. 孺子. 隱君子. 倚子. 椅子. 義子. 一子. 日子. 任子. 莊子. 長子. 障子. 赤松子. 赤子. 嫡子. 梯子. 諸子. 族子. 宗子. 從子. 種子. 舟子. 胄子. 支子. 質子. 箚子. 冊子. 妻子. 處子. 千金子. 天子. 帖子. 村夫子. 冢子. 寵子. 稚子. 蕩子. 太子. 骰子. 牌子. 賢子. 虎子. 胡頹子. 花中君子. 皇太子. 孝子. 黑子.

0 ③ [孑] 人名 혈 ㊀屑 居列切 jié

字解 ①고단할 혈 외로움. '一立'. '單一獨立'《孔融》. ②창 혈 날이 없고 갈고리진 창. '凡戟而無刃, 謂之一'《揚子方言》. ③남을 혈, 남길 혈 '一蓋, 餘也'《揚子方言》. '一, 遺也'《玉篇》. ④나머지 혈 잔여. '靡有一遺'《詩經》. ⑤작을 혈, 짧을 혈 '盾, 狹而短者曰一盾. 一, 小稱也'《釋名》. ⑥성 혈 성(姓)의 하나.
字源 篆文 指事. 아들의 오른팔이 없는 것을 본뜬 것. '어리고 외로움'의 뜻을 나타냄.

[孑孓 혈궐] ㉠장구벌레. ㉡짧음. 작음.
[孑立 혈립] 고립(孤立)함.
[孑然 혈연] ㉠고독한 모양. ㉡홀로 뛰어난 모양.
[孑遺 혈유] 나머지. 잔여(殘餘).
[孑義 혈의] 작은 의(義).
[孑孑 혈혈] ㉠우뚝하게 솟아 빼어난 모양. 특출(特出)한 모양. ㉡고립(孤立)한 모양.
[孑孑孤蹤 혈혈고종] 객지(客地)에 있는 외로운 나그네의 종적(蹤迹).
[孑孑單身 혈혈단신] 아무에게도 의지(依支)할 곳이 없는 홀몸.
[孑孑無依 혈혈무의] 외로워서 의지할 곳이 없음.
◉句孑. 單孑.

0 ③ [孓] 궐(①공㊍) ㊤腫 居悚切 jué / ㊀月 居月切 jué

字解 ①장구벌레 궐 '孑一'은 모기의 유충(幼蟲). '孑一爲蟁'《淮南子》. ②왼팔없을 궐 '一, 無左臂也'《說文》. ③짧을 궐 '孑一, 短也'《廣雅》.
字源 篆文 象形. 아이의 왼쪽팔을 잘라 낸 모양을 본뜸.

◉孑孓.

1 ④ [孔] 高人 공 ㊤董 康董切 kǒng

筆順 ㇇ 了 子 孔

字解 ①구멍 공 '眼一'. '穿其冢旁一'《史記》. ②성 공 성(姓)의 하나. 공자(孔子)의 성. '一丘'. 또, 공자를 이름. '一教提衡'《晉書》. ③매우 공 심히. '一棘'. '德音一昭'《詩經》. ④빌 공 공허함. 헛됨. '一, 又空也'《老子》. ⑤클 공 '一德之容'《老子》. ⑥깊을 공 '一乎莫知其所終極'《淮南子》.
字源 金文 篆文 指事. '子혈'은 어린애, '乚'은 유방(乳房)을 보여, 젖이 나오는 구멍의 뜻을 나타냄. 깊은 구멍의 뜻에서,

일반적으로 정도가 심함의 뜻을 나타냄.

[孔廣森 공광삼] 청조(淸朝)의 학자(學者). 자(字)는 중중(衆仲), 또는 위약(撝約). 호는 손헌(顨軒). 공자(孔子)의 68대손(代孫)으로, 대진(戴震)의 문인. 〈춘추공양통의(春秋公羊通義)〉·〈대대례기보주(大戴禮記補注)〉·〈의정당변려문(儀鄭堂騈儷文)〉 등의 저서가 있음.
[孔敎 공교] 공자(孔子)의 교(敎). 유교(儒敎).
[孔竅 공규] 구멍. 공혈(空穴).
[孔棘 공극] 대단히 급하다는 뜻으로, 외환(外患)이 닥침을 이름.
[孔劇 공극] 몹시 지독함.
[孔德 공덕] 공허하여 크게 포용(包容)하는 덕(德).
[孔道 공도] ㉠큰길. 대로(大路). ㉡공자가 가르친 도. 유도(儒道).
[孔老 공로] 공자(孔子)와 노자(老子). 또, 유교와 도교(道敎).
[孔孟 공맹] 공자와 맹자.
[孔明 공명] ㉠대단히 밝음. ㉡제갈량(諸葛亮)의 자(字).
[孔墨 공묵] 공자와 묵자(墨子).
[孔門 공문] 공자의 문하(門下).
[孔門十哲 공문십철] 공자의 제자 중에서 학문 또는 덕행 등이 뛰어난 열 사람. 곧, 덕행에는 안연(顔淵)·민자건(閔子騫)·염백우(冉伯牛)·중궁(仲弓), 언어에는 재아(宰我)·자공(子貢), 정사(政事)에는 염유(冉有)·계로(季路), 문학에는 자유(子游)·자하(子夏).
[孔方 공방] 공방형(孔方兄).
[孔方兄 공방형] 네모진 구멍이 있는 돈. 엽전(葉錢).
[孔壁 공벽] 고문상서(古文尙書)가 공자(孔子)의 구택(舊宅)의 벽(壁)에서 나왔다는 고사(故事)에서, 전(轉)하여 장서실(藏書室)·서고(書庫)의 뜻으로 쓰임.
[孔父 공보] 공자(孔子)를 이름. 이보(尼甫).
[孔碩 공석] 대단히 큼.
[孔釋 공석] 공자(孔子)와 석가(釋迦).
[孔席不暇暖 공석불가난] 공자(孔子)가 도(道)를 세상에 행하고자 하여 늘 분주히 각국을 돌아다니느라고 공자의 앉은 자리가 따뜻할 겨를이 없었음.
[孔聖 공성] ㉠공자(孔子)의 존칭. ㉡덕이 가장 높은 성인. 대성(大聖).
[孔昭 공소] 대단히 밝음. 아주 명료(明瞭)함.
[孔安國 공안국] 전한(前漢)의 대유(大儒). 자(字)는 자국(子國). 공자(孔子)의 12대손(代孫). 무제(武帝)를 섬겨 간의대부(諫議大夫)·임회 태수(臨淮太守)를 지냈음. 신공(申公)을 사사(師事)하여 고문상서(古文尙書)를 연구하고, 〈서전(書傳)〉·〈고문효경전(古文孝經傳)〉·〈논어훈해(論語訓解)〉 등을 지었음.
[孔穎達 공영달] 당대(唐代)의 대유(大儒). 자(字)는 중달(仲達). 수(隋)나라 때 과거에 급제하고 당(唐)나라에 들어와서 국자 사업(國子司業)·국자 좨주(國子祭酒) 등을 지냈음. 태종(太宗)의 명(命)을 받들어 〈오경정의(五經正義)〉 곧 지금의 주소본(注疏本)의 오경(五經)의 소(疏)를 찬(撰)하였음.
[孔融 공융] 후한(後漢)의 학자. 자(字)는 문거(文擧). 건안 칠자(建安七子)의 한 사람으로, 헌제(獻帝) 때 북해(北海)의 상(相)이 되어, 학교를 세우고 유학(儒學)을 가르쳤음. 한실(漢室)을 구하고자 했으나 성공 못하고, 누차 조조(曹操)를 간(諫)하다가 미움을 사서 피살되었음. 저서(著書)에 〈공북해집(孔北海集)〉이 있음.
[孔壬 공임] 대단히 간사하여 아첨을 잘함. 또, 그 사람.
[孔子 공자] 유가(儒家)의 교조(敎祖)로서 춘추시대(春秋時代)의 노(魯)나라 사람. 이름은 구(丘). 자(字)는 중니(仲尼). 처음에 노(魯)나라에서 사구(司寇) 벼슬을 하다가 사직(辭職)하고 여러 나라를 두루 돌아다니며 도(道)를 행하려 하였으나 쓰이지 않아, 노나라로 돌아와서 〈시(詩)〉·〈서(書)〉·〈예(禮)〉·〈악(樂)〉·〈역(易)〉·〈춘추(春秋)〉 등 육경(六經)을 산술(刪述)하였음.
[孔子家語 공자가어] 공자(孔子)의 언행(言行)·일사(逸事) 및 그의 문인(門人)과의 문답(問答)한 말을 수록한 책. 처음에는 27권이었으나, 산일(散佚)되어 현존하는 것은 10권인데 위(魏)나라의 왕숙(王肅)이 공안국(孔安國)의 이름을 빌려 위작(僞作)한 것이라 함.
[孔雀 공작] 꿩과에 속하는 새. 열대 지방(熱帶地方)의 원산(原産). 수컷은 꼬리를 펴면 큰 부채를 펴 놓은 것같이 퍽 아름다움.
[孔周 공주] 공자(孔子)와 주공(周公). 또, 그 가르침.
[孔慘 공참] 몹시 참혹함.
[孔叢子 공총자] 책 이름. 7권. 21편. 한(漢)나라 공부(孔鮒)의 찬(撰)이라고 전(傳)하나, 후인(後人)의 위찬(僞撰)으로 봄. 공자(孔子) 및 그 일족(一族)에 관하여 기술한 것임.
[孔稚珪 공치규] 남북조(南北朝) 남제(南齊)의 문인(文人). 회계(會稽) 산음(山陰) 사람. 자(字)는 덕장(德璋). 고제(高帝) 때 태자첨사(太子詹事)가 되었음. 풍아(風雅)를 즐겨, 뜰의 잡초(雜草)도 뽑아내지 않았다 하며, 그의 산문(散文)인 '북산이문(北山移文)'은 명문(名文)으로서 뛰어난 기교(技巧)가 높이 평가(評價)되고 있음.
[孔罅 공하] 구멍. 틈.
[孔穴 공혈] ㉠구멍. 틈. 하극(罅隙). ㉡사람의 몸의 혈(穴).
[孔懷 공회] ㉠대단히 사모함. ㉡형제간에 의가 좋음. 또, 형제.
[孔姬 공희] 공자(孔子)와 주공(周公). 희(姬)는 주공의 성(姓).
◉隙孔. 洞孔. 毛孔. 方孔. 百孔. 鼻孔. 眼孔. 蟻孔. 八萬四千毛孔. 穴孔.

2 ⑤ [孑] 一 保(人部 七畫〈p.142〉)의 古字
二 孟(子部 五畫〈p.559〉)의 古字

2 ⑤ [孕] 人名 잉 ㊀徑 以證切 yùn

字解 애밸 잉 잉태함. '一婦'. '婦一不育'《易經》.

字源 篆文 形聲. 子+乃〔音〕. '乃내·잉'은 음(音)이 '蠅승'에 가깝고, '蠅'은 배가 큰 곤충, 곧 '파리'를 나타냄. '아이를 배다'의 뜻. 또 일설에는, '乃'는 태아(胎兒)의 象形으로, '孕'의 원자(原子). '乃내'가 '곧' 등의 조자(助字)로 쓰이게 되자, 구별하기 위하여, '子'를 덧붙였다 함.

[孕鬻 잉국] 밴 아이를 낳아서 기름.
[孕母 잉모] 잉부(孕婦).
[孕別 잉별] 태아가 커져서 모체(母體)를 떠남.
[孕婦 잉부] 잉태(孕胎)한 부녀.
[孕乳 잉유] 아이를 뱀과 아이를 낳아 기름.
[孕育 잉육] 잉국(孕鬻).
[孕重 잉중] 아이를 뱀.
[孕胎 잉태] 태기(胎氣)가 있음. 임신(姙娠)함. 아이를 뱀.
◉蕃孕. 遺孕. 姙孕. 字孕. 孳孕. 胎孕. 含孕. 懷孕.

3 ⑥ [孖] 자 ㊣支 子之切 zī ㊤寘 疾置切

字解 ①쌍둥이 자 쌍생자. ②우거질 자 무성함. 滋(水部 十畫)와 통용. '一, 亦作滋. 蕃長也'《玉篇》.

字源 會意. '子' 둘로, '쌍둥이'의 뜻을 나타냄. 또, 子+子〔音〕의 形聲으로도 볼 수 있음.

3 ⑥ [字] 中人 자 ㊤寘 疾置切 zì

筆順 ' ' 宀 宀 宇 字

字解 ①글자 자 문자. '一義'. ②자 자 본이름 외에 부르는 이름. '孔子名丘, 一仲尼'《史記》. 또, 자를 지음. '冠而一之'《儀禮》. ③암컷 자 동물의 암놈. '乘一牝者'《史記》. ④정혼할 자 혼약을 맺음. '女子許嫁曰一'《正字通》. ⑤낳을 자 새끼를 낳음. '牛羊腓一'《詩經》. ⑥기를 자 사랑하여 양육함. '使一敬叔'《左傳》. ⑦사랑할 자 '一撫'. '父不能一厥子'《書經》. ⑧성 자 성(姓)의 하나.

字源 金文 篆文 形聲. 宀+子〔音〕. 집 안에서 아이를 낳아 기름의 뜻. 곧, 사랑으로 기르다의 뜻임. 또, 문자(文字)에서, '文문'이 기본임에 대해서 자형(字形)·자음(字音)이 증가해 온 것이 '字자'인바, 이에 문자(文字)의 뜻이 생김.

[字格 자격] 글자를 쓰는 법칙(法則).
[字句 자구] 문자와 어구(語句).
[字幕 자막] 영화에서 표제·배역·설명 따위를 글자로 나타낸 것.
[字面 자면] ㉠시문(詩文) 중에서 특히 중점(重點)을 두는 종요로운 글자. 자안(字眼). ㉡문자(文字) 그 자체. ㉢숙어(熟語)·성구(成句)를 이루는 각 글자의 배합된 모양.
[字母 자모] ㉠발음(發音)의 근본(根本)이 되는 글자. 음(音)을 표시하는 글자. ㉡활자(活字)를 만드는 데 쓰는 근본이 되는 자형(字型).
[字牧 자목] 원이 백성을 사랑하여 다스림.
[字撫 자무] 사랑하여 어루만짐.
[字牝 자빈] 암컷.
[字書 자서] ㉠육서(六書)에 의하여 문자를 분석하여 해석한 책. 〈설문(說文)〉과 같은 것. ㉡문자를 형체에 의하여 분류하고 해석을 가한 책. 옥편(玉篇)과 같은 것.
[字性 자성] 글씨 쓰는 솜씨. 필재(筆才).
[字小 자소] 작고 연약한 사람을 사랑하여 어루만짐.
[字眼 자안] 안목(眼目)이 되는 글자. 시문(詩文) 가운데에서 가장 중요한 글자.
[字樣 자양] 글자의 모양.
[字源 자원] 문자의 구성(構成)된 근원.
[字乳 자유] 아이를 낳아 젖 먹여 기름.
[字育 자육] 사랑하여 양육함.
[字音 자음] 글자의 음.
[字義 자의] 글자의 뜻.
[字印 자인] 활자(活字).
[字孕 자잉] 아이를 낳아서 기름.
[字典 자전] 한문(漢文) 글자를 수집(蒐集) 배열(排列)하여 낱낱이 그 뜻을 해석(解釋)한 책 ㄴ(冊).
[字指 자지] 자의(字義).
[字紙 자지] 글씨를 쓴 종이.
[字體 자체] ㉠글자(字)의 모양. ㉡글자의 체(體).
[字票 자표] 화살에 표한 숫자.
[字學 자학] 글자의 근원·구성 원리·체(體)·음(音)·의(義) 등을 연구(研究)하는 학문.
[字解 자해] 글자의 풀이. 문자의 해석.
[字挾風霜 자협풍상] 삼엄(森嚴)한 문장(文章)을 형용하여 이름. 삼엄한 문장을 읽으면 정신이 긴장하여 풍상(風霜)을 만난 느낌이 있다는 말.
[字型 자형] 활자를 부어 만드는 원형(原型).
[字號 자호] ㉠문자를 써서 부호로 한 것. ㉡활자(活字)의 크고 작음을 나타내는 번호. ㉢상점(商店)의 간판.
[字畫 자획] 문자를 구성하는 점획(點畫).
[字訓 자훈] 글자의 뜻. 한자(漢字)의 새김.
[字彙 자휘] ㉠자전(字典). ㉡책 이름. 자전(字典)의 한 가지. 명(明)나라 매응조(梅膺祚)의 저(著)임.
[字恤 자휼] 백성을 어루만져 사랑함.
◉缺字. 笄字. 古文字. 古字. 冠字. 國字. 奇字. 羅馬字. 大字. 名字. 母字. 撫字. 文字. 梵字. 不立文字. 姓字. 細字. 小字. 俗字. 數字. 蠅頭細字. 新字. 雁字. 押字. 陽字. 衍字. 誤字. 玉字. 謬字. 一字. 一丁字. 篆字. 點字. 丁字. 正字. 題字. 千金字. 草字. 脫字. 片言隻字. 漢字. 解字. 活字. 廻文錦字.

3 ⑥ [存] 中人 존 ㊣元 徂尊切 cún

筆順 一 𠂇 𠂇 𠂉 存 存

字解 ①있을 존 존재함. '一亡'. '操則一, 舍則亡'《孟子》. ②보존할 존 보지(保持)함. '一亡定危'《漢書》. ③존문(存問)할 존 ㉠휼문(恤問)함. '一潤'. '養幼少, 一諸孤'《禮記》. ㉡위문함. '一慰'. '無一介之使以一之'《戰國策》. ④살필 존 조사함. '大喪一尊彝'《周禮》. ⑤편안할 존 안태(安泰)함. '一亡之難'《史記》. ⑥성 존 성(姓)의 하나.

字源 篆文 形聲. 在〈省〉+孫〈省〉〔音〕. '在재'는 '있다'의 뜻. '孫손'은 한 줄기로 매어 둠의 뜻. 그대로의 상태로 묶어 둠. '보존함'의 뜻을 나타냄.

[存救 존구] 도와서 구(救)함. 진구(振救).
[存念 존념] 늘 생각하여 잊지 아니함.
[存錄 존록] ㉠적어 두어 후일의 기념(記念)으로 삼고 애도(哀悼)함. ㉡등록(登錄)하여 기념함.
[存立 존립] ㉠생존(生存)함. 존재(存在)함. ㉡도와서 생존시킴.
[存亡 존망] 존속(存續)과 멸망. 삶과 죽음. 또, 안태(安泰)함과 위태로움. 흥폐(興廢).

[存亡禍福皆在己 존망화복개재기] 존망과 화복이 모두 자기의 선악(善惡)에 달려 있음.
[存命 존명] 목숨을 보존(保存)함. 살아 있음.
[存沒 존몰] 삶과 죽음. 존망(存亡).
[存撫 존무] 위안하고 무마(撫摩)함. 불쌍히 여겨 은혜를 베풀고 어루만짐.
[存問 존문] 존후(存候).
[存拔 존발] 어떤 것은 남겨 두고, 어떤 것은 빼어 버림.
[存本取利 존본취리] 돈이나 곡식을 꾸어 주고 밑천은 그대로 둔 채 해마다 그 변리만을 받음.
[存否 존부] 건재(健在)한지 어떤지. 생사(生死) 여부(與否).
[存賜 존사] 위문하여 물건을 내려 줌.
[存想 존상] ㉠깊이 생각함. 숙려(熟慮). ㉡마음을 외부에 흐트러지지 않게 하여 본성(本性)을 보전함.
[存生 존생] 《佛敎》 목숨이 붙어 살아 있음. 생존(生存).
[存續 존속] 존재(存在)를 계속함.
[存心 존심] 마음에 두고 잊지 아니함.
[存案 존안] 없애 버리지 않고 보존(保存)하여 두는 안건(案件).
[存養 존양] 본심(本心)을 보존하고 본성(本性)을 기름. 본심을 잃지 않기 위하여 착한 성품을 양성함. 정신(精神)을 수양함.
[存羊之義 존양지의] 구례(舊例) 또는 허례(虛禮)를 짐짓 버리지 아니하고 그대로 두는 일.
[存慰 존위] 찾아가 위로함.
[存潤 존윤] 가긍(可矜)히 여겨 은혜를 베풂. 휼문(恤問).
[存肄 존이] 잊지 않기 위하여 소중히 보존하고 익힘. 보존 이습(保存肄習).
[存而不論 존이불론] 그대로 두고 더 논(論)하지 아니함.
[存而不忘亡 존이불망망] 안태(安泰)한 때에도 쇠망(衰亡)의 일을 잊지 않음.
[存在 존재] 있음. 현존(現存)함.
[存儲 존저] 돈을 맡겨 저축(貯蓄)함.
[存底貨 존저화] 잔품(殘品). 재고품(在庫品).
[存摺 존접] 예금 통장(預金通帳).
[存存 존존] ㉠있음. 존재함. ㉡보존함. ㉢자기에게 있는 덕(德)을 잃지 않도록 기름.
[存拯 존증] 살려 구해 줌.
[存置 존치] 현재의 제도나 설비를 없애지 않고 그냥 둠.
[存廢 존폐] 보존과 폐지.
[存項 존항] 예금(預金). 적립금(積立金).
[存貨 존화] ㉠재화(在貨). ㉡상품(商品)을 저장(貯藏)함.
[存活 존활] ㉠생존(生存). ㉡구원하여 죽음을 면하게 함. 또 죽음을 모면함. 생명을 보전함.
[存候 존후] 위문(慰問)함. 찾아가 안부를 물음. 또, 그 사람.
[存恤 존휼] 불쌍히 여겨 구휼(救恤)함.
◉共存. 撫存. 保存. 生存. 所存. 實存. 儼存. 溫存. 遺存. 依存. 異存. 一存. 殘存. 適者生存. 齒弊舌存. 見存. 現存.

4 ⑦ [孖] 서 ㊤語 象呂切 xù

[字解] ①고기이름 서 '堪一'는 물고기의 이름. '一, 山海經, 犲山有堪一之魚. 狀如夸父而彘尾'《集韻》. ②물고기알 서 '一, 一曰, 魚子'《集韻》.

4 ⑦ [孜] [人名] 자 [平]支 子之切 zī

[字解] ①부지런할 자, 힘쓸 자 부지런히 힘쓰는 모양. 孳(子部 十畫)와 통용. '予思日一一'《書經》. ②사랑할 자 '一, 力篤愛也'《廣韻》.
[字源] 篆文 形聲. '攴(攵)+子〔音〕. '子자'는 '자꾸자꾸 늘다'의 뜻. 노력을 계속하는 모양을 나타냄.

[孜孜 자자] 부지런한 모양. 쉬지 않고 힘쓰는 모양.
[孜孜營營 자자영영] 쉬지 않고 부지런히 일하는 모양.

4 ⑦ [孚] [人名] 부 [平]虞 芳無切 fú, ②fū

[筆順] 

[字解] ①미쁠 부 성실함. 성신(誠信). '一信'. '成王之一'《詩經》. ②알깔 부 부화함. '一乳'. '雞伏卵而未一'《揚子方言》. ③기를 부 양육함. '一育中國'《元史》. ④껍질 부 겉겨. 稃(禾部 七畫)와 통용. '一甲'. ⑤쌀 부 덮어 가림. '信, 文之一也'《國語》. ⑥달릴 부, 떠들 부 당황하여 떠듦. '羸豕一蹢躅'《易經》. ⑦성 부 성(姓)의 하나.
[字源] 金文 篆文 古文 會意. 爪+子. '爪조'는 손을 본뜬 모양. '子자'는 갓난아이의 형상. 젖먹이를 끌어안다의 뜻. 전(轉)하여, '俘부'의 原字로서, '포로'의 뜻도 나타냄. '付'와 통하여, '미쁘다, 신뢰하다'의 뜻을 나타냄.

[孚甲 부갑] 초목(草木)의 씨의 겉껍질. 종자(種子)의 외피(外皮).
[孚卵 부란] 알을 깜.
[孚信 부신] 성실(誠實). 신의(信義).
[孚佑 부우] 성의(誠意)껏 도움.
[孚乳 부유] 새가 알을 품어 깜.
[孚育 부육] 양육(養育)함.
[孚尹 부윤] 옥(玉)이 빛나는 모양.
[孚化 부화] 새의 알이 깸.
◉簡孚. 感孚. 信孚. 中孚. 忠孚.

4 ⑦ [孛] [一] 패 [去]隊 蒲昧切 bèi [二] 발 [入]月 蒲沒切 bó

[字解] [一] ①살별 패 혜성(彗星). '有星一'《春秋》. ②어두울 패 빛이 가려 밝지 않음. '星辰不一, 日月不蝕'《漢書》. [二] 안색변할 발 욱하고 성냄. 勃(力部 七畫)과 통용. '論語曰, 色一如也'《說文》.
[字源] 篆文 象形. 열매 꼭지 밑의 씨방이 크게 부푼 모양을 본떠며, 초목이 우거진 모양, 빛나 번쩍이는 모양을 나타냄. 또, '艴발·불'과 통하여, 안색을 달리하여 성냄의 뜻도 나타냄.

[孛孛 패패] 빛이 밝지 않은 모양. 어두운 모양.
[孛彗 패혜] 하늘에 나타나면 난조(亂兆)라고 하는 혜성(彗星).
◉飛孛. 星孛. 妖孛. 彗孛.

4 ⑦ [孝] 中人 효 ㊀效 呼教切 xiào

筆順 一 十 土 耂 耂 孝 孝

字解 ①효도 효 ㉠부모를 잘 섬김. '夫一者德之本也'《孝經》. ㉡조상 제사를 잘 모시고 뜻을 이어받음. 또, 그 사람. '追一于前文人'《書經》. ②거상입을 효 부모의 거상(居喪)을 입음. 또, 상복(喪服). '崔九作一, 風吹卽倒'《北史》. ③효자 효 부모를 잘 섬기는 아들. '與廉擧一'《漢書》. ④보모 효 '一者縕之'《大戴禮》. ⑤성 효 성(姓)의 하나.

字源 金文 篆文 會意. 子+老〈省〉. '老로'는 '늙은이'의 뜻. 노인을 부축하는 아들, 어버이를 잘 모시고 섬김의 뜻을 나타냄.

[孝感 효감] 효행(孝行)이 지극하여 신인(神人)이 감동(感動)함.
[孝巾 효건] 상중(喪中)에 쓰는 건(巾). 두건(頭巾).
[孝敬 효경] 부모를 잘 섬기고 공경(恭敬)함. 또, 그 사람.
[孝經 효경] 경서(經書)의 하나. 공자가 증자(曾子)를 위해서 효도(孝道)에 관하여 한 말을 기록한 책. 1권 18장.
[孝謹 효근] 부모에게 효도(孝道)를 다하며 조심성이 깊음.
[孝女 효녀] 효행(孝行)이 있는 딸.
[孝德 효덕] 부모를 잘 섬기는 덕(德).
[孝道 효도] 부모를 잘 섬기는 도리.
[孝廬 효려] 상제가 거처하는 곳.
[孝廉 효렴] ㉠효행(孝行)이 있는 사람과 청렴한 사람. ㉡한(漢)나라의 무제(武帝)가 군국(郡國)에서 효행이 있는 사람과 청렴한 사람을 매년 한 명씩 천거하게 한 일로 인하여, 명(明)·청(淸) 시대에 과거 보는 사람을 일컬었음.
[孝慕 효모] 효성이 지극하여 부모를 늘 사모(思慕)함.
[孝百行之本 효백행지본] 효자덕지본(孝者德之本)과 같음.
[孝服 효복] 상복(喪服)의 별칭.
[孝婦 효부] ㉠효행(孝行)이 있는 며느리. ㉡효도가 지극한 부인. ㉢부모의 상중(喪中)에 있는 부인(婦人).
[孝祀 효사] 조상의 제사를 정성을 들여 잘 지냄.
[孝性 효성] 부모를 잘 섬기는 천성(天性).
[孝誠 효성] 부모를 섬기는 정성.
[孝孫 효손] ㉠조상의 제사를 지낼 때 스스로 일컫는 말. ㉡조상을 잘 섬기는 손자. 효자(孝子) 참조.
[孝衰於妻子 효쇠어처자] 애정이 처자에게 끌려 자연히 부모에게 효도를 덜하게 됨.
[孝順 효순] 효성(孝誠)이 있어서 부모에게 잘 순종(順從)함.
[孝心 효심] 효성(孝誠)의 마음.
[孝愛 효애] 부모를 잘 섬기고 위함. 「함.
[孝養 효양] 부모를 효도(孝道)로써 봉양(奉養)
[孝烈 효열] ㉠효성을 다하는 마음이 강함. ㉡어버이를 잘 섬김과 절개를 굳게 지킴. ㉢효자(孝子)와 열녀(烈女).
[孝友 효우] 부모에게 효성(孝誠)이 있고, 형제간에 우애(友愛)가 있음. 「람.
[孝義 효의] 효성(孝誠)과 절의(節義)가 있는 사
[孝子 효자] ㉠부모를 잘 섬기는 아들. ㉡부모 제사 때에 자기를 일컫는 말. ㉢부모의 상중(喪中)에 있는 사람.
[孝慈 효자] 부모를 잘 섬기고 자식을 깊이 사랑함.
[孝者德之本 효자덕지본] 효도는 도덕의 근본임.
[孝子門 효자문] 효자를 표창(表彰)하여 세운 정문(旌門).
[孝子不匱 효자불궤] 효자의 효성은 지극하여 한이 없음. 일설(一說)에는, 한 사람이 효도를 하면 다른 사람이 이에 감화되어 따라 효도를 하여 효자가 연달아 생김.
[孝子愛日 효자애일] 효자는 날을 아낀다는 뜻으로, 될 수 있는 한 오래 부모에게 효성을 다하여 섬기고자 하는 마음을 이름.
[孝弟 효제] 부모와 형을 잘 섬김.
[孝悌 효제] 효제(孝弟).
[孝鳥 효조] 까마귀. 「말.
[孝中 효중] 남의 상중(喪中)을 높이어 일컫는
[孝親 효친] 어버이에게 효도함.
[孝行 효행] 부모를 정성(精誠)으로 섬기는 행실(行實).
[孝享 효향] 조상의 제사를 지냄.
◉克忠克孝. 謹孝. 達孝. 大孝. 篤孝. 反哺孝. 不孝. 三不孝. 純孝. 順孝. 五不孝. 二十四孝. 仁孝. 慈孝. 至孝. 追孝. 忠孝.

4 ⑦ [斈] 교 ㊥肴 古肴切 ㊀效 古孝切 jiào

字解 본받을 교 모방함. 본받아 배움. '一, 效也'《玉篇》.

字源 形聲. 子+爻〔音〕

4 ⑦ [孝] 교 ㊀效 加孝切 jiào

字解 인도할 교 '一, 導也'《佩觿》.

4 ⑦ [斈] 〔학〕 學(子部 十三畫〈p. 565〉)의 俗字

5 ⑧ [孟] 高人 맹 ㊀敬 莫更切 mèng ㊀漾 莫浪切

筆順 了 了 子 子 孑 孑 孟 孟

字解 ①우두머리 맹 장. '一侯, 朕其弟小子封'《書經》. ②맏 맹 맏아들이나 맏딸. ③첫 맹 사시(四時)의 처음. '一月'. '一春之月'《禮記》. ④힘쓸 맹 애씀. 노력함. '一, 勉也'《爾雅》. '盍一晉以迨羣兮'《班固》. ⑤클 맹 '高言一行'《管子》. ⑥맹자 맹 맹가(孟軻)의 약칭(略稱). ⑦맹랑할 맹 엉터리임. '一浪之言'《莊子》. ⑧성 맹 성(姓)의 하나. '一軻'.

字源 金文 篆文 形聲. 子+皿〔音〕. '皿명'은 '萌맹'과 통하여, '싹틈, 처음'의 뜻. '맏자식'의 뜻을 나타냄.

[孟軻 맹가] '맹자(孟子)'를 보라.
[孟郊 맹교] 중당(中唐)의 시인(詩人). 호주(湖州) 무강(武康) 사람. 자(字)는 동야(東野). 나이 50에 대과(大科)에 급제, 율양(溧陽)의 위(尉)가 되었으나 이내 그만두고, 여생(餘生)을 불우(不遇)하게 마쳤음. 시(詩)는 그 뜻이 심

현 우아(深玄優雅)하여 한유(韓愈)를 비롯한 당시 사람들이 칭찬을 아끼지 않았음. 시문집에 〈맹동야집(孟東野集)〉이 있음.

[孟冬 맹동] 첫겨울. 겨울의 첫째 달. 음력 시월(十月)의 이칭(異稱).

[孟東野 맹동야] '맹교(孟郊)'를 보라.

[孟浪 맹랑] ㉠허탄(虛誕)함. 엉터리. ㉡방랑함.

[孟母斷機 맹모단기] 맹자(孟子)의 어머니가 베틀에 맨 날을 끊어 맹자(孟子)가 학업(學業)을 중도(中途)에 그만두려는 것을 경계(警誡)한 고사(故事).

[孟母三遷 맹모삼천] 맹자(孟子)의 어머니가 세 번 이사(移徙)를 하여 맹자를 교육(教育)시킨 고사(故事). 처음에 공동묘지(共同墓地) 근방에 살았는데 맹자가 장사(葬事) 지내는 흉내를 내므로 장(場)거리에 옮겼더니, 이번에는 물건 파는 흉내를 내어 또다시 글방 있는 근처로 옮겼다고 함.

[孟賁 맹분] 고대의 위(衛)나라의 유명한 용사(勇士)의 이름.

[孟賁之勇 맹분지용] 큰 용맹. 대용(大勇).

[孟朔 맹삭] 맹월(孟月).

[孟嘗君 맹상군] 전국 시대(戰國時代)의 사람으로 제(齊)나라 전영(田嬰)의 아들. 이름은 문(文). 설(薛) 땅을 봉토(封土)로 받아 맹상군이 되었음. 제(齊)나라의 정승(政丞)이 되었을 때 현사(賢士)를 초빙(招聘)하여 식객(食客)이 3천 명에 이르렀음. 진(秦)나라에 들어가 소주(昭主)에게 피살될 뻔한 것을 식객 중에 계명구도(雞鳴狗盜)를 잘하는 이가 있어 난(難)을 모면(謀免)하게 한 이야기는 유명함.

[孟荀 맹순] 맹자(孟子)와 순자(荀子).

[孟陽 맹양] 음력 정월의 별칭(別稱).

[孟月 맹월] 사계(四季)의 첫 달. 곧, 맹춘(孟春)·맹하(孟夏)·맹추(孟秋)·맹동(孟冬)의 일컬음.

[孟子 맹자] ㉠전국 시대(戰國時代)의 철인(哲人). 이름은 가(軻). 자(字)는 자여(子輿). 노(魯)나라 사람. 학업을 자사(子思)의 문인(門人)에게 받음. 맹자(孟子) 7편을 저술하여 왕도(王道)와 인의(仁義)를 존중하였으며, 성선설(性善說)을 주창(主唱)하였음. 후세에 공자 다음간다 하여 아성(亞聖)이라 일컬음. ㉡책명(冊名). 7편. 맹가(孟軻)의 찬(撰). 송대(宋代)에 비로소 높여 경서(經書)에 넣었음.

[孟宗 맹종] 삼국 시대(三國時代) 오(吳)나라 강하(江夏)의 효자(孝子). 자(字)는 공무(恭武), 뒤에 인(仁)으로 개명(改名). 벼슬이 사공(司空)에 이름. 겨울날 숲 속에서 그의 어머니가 즐기는 죽순(竹筍)이 없음을 애탄(哀嘆)하자 홀연(忽然)히 눈 속에서 죽순(竹筍)이 나타났다고 함.

[孟宗竹 맹종죽] 대나무의 일종. 중국 원산(原產).

[孟仲季 맹중계] ㉠맏과 둘째와 셋째의 형제의 차례. ㉡맹월(孟月)과 중월(仲月)과 계월(季月).

[孟仲叔季 맹중숙계] 형제의 순서. 장자(長子)·차자(次子)·삼자(三子)·말자(末子)의 일컬음.

[孟津 맹진] 허난 성(河南省)의 맹현(孟縣) 남쪽에 있던 나루 이름. 지금의 하양도(河陽渡)를 이름. 주(周)나라 무왕(武王)이 주(紂)를 칠 때, 제후(諸侯)와 회맹(會盟)한 곳.

[孟晉 맹진] 힘써 나아감.

[孟秋 맹추] 첫가을. 가을의 첫째 달. 음력 7월의 이칭(異稱).

[孟陬 맹추] 음력 정월의 별칭(別稱).

[孟春 맹춘] 첫봄. 봄의 첫째 달. 음력 정월의 이칭(異稱).

[孟夏 맹하] 첫여름. 여름의 첫째 달. 음력 4월.

[孟行 맹행] 떠벌리는 행위. 뽐내는 일.

[孟浩然 맹호연] 성당(盛唐)의 시인(詩人). 양양(襄陽) 사람. 일찍부터 세상에 뜻이 없어 녹문산(鹿門山)에 은서(隱棲)하다가 나이 40에 비로소 경사(京師)에 나와 왕유(王維) 등과 사귀었음. 불우하고 고독(孤獨)한 생활 속에서, 속정(俗情)을 떠난 한적한 자연(自然)의 정취(情趣)를 사랑했는데, 그의 시(詩)는 이러한 자연에 친근하여 이를 주관적·동적(動的)으로 읊는 경향이 있어 비감하고 처량한 느낌을 줌. 시집(詩集)에 〈맹호연집(孟浩然集)〉 4권이 있음.

[孟侯 맹후] 한 주(州)의 제후(諸侯) 중의 우두머리.

◉孔孟. 論孟. 四孟.

5
⑧ [孤] 高·人 고 ㊥虞 古胡切 gū

筆順 ㇇ 了 子 孑 孒 孤 孤 孤

字解 ①고아 고 아버지가 죽어 없는 아이. '幼而無父曰—'《孟子》. 또, 부모가 모두 없는 아이. '置—獨園, 以恤—幼'《南史》. ②홀로 고 단독. '—獨'. '撫—松而磐桓'《陶潛》. ③외로울 고 ㉠배우자가 없음. '久—於世'《史記》. ㉡도움이 없음. '—軍'. '勢—力屈'《晉書》. ④저버릴 고 배반함. '—負'. '陵雖—恩, 漢亦負德'《李陵》. ⑤떨어질 고, 멀리할 고 '臣年少材下, —於外官'《漢書》. ⑥어리석을 고 '—陋而寡聞'《禮記》. ⑦돌아볼 고 '—遇元夫'《易經》. ⑧벼슬 이름 고 삼공(三公) 다음가는 교화(教化)를 펴는 관직. '立少師·少傅·小保, 曰三—'《書經》. ⑨나 고 왕후(王侯)의 겸칭(謙稱). '凡自稱, 小國之君曰—'《禮記》. ⑩성 고 성(姓)의 하나.

字源 篆文 形聲. 子＋瓜〔音〕. '瓜과'는 '懼구'와 통하여, 두려워서 주뼛주뼛함의 뜻. 아버지가 없어 주눅이 들어 지지러진 아이. 고아(孤兒)의 뜻.

[孤介 고개] 성질이 곧아 남과 어울리지 않음. 고립 견개(孤立狷介).

[孤客 고객] 외로운 나그네.

[孤劍 고검] 단신으로 칼 하나만 찬 나그네.

[孤苦 고고] 혼자 고생함.

[孤高 고고] 혼자만 유달리 고상(高尙)함.

[孤寡 고과] ㉠고아와 과부. ㉡왕후(王侯)가 자기를 낮추어 이르는 말.

[孤國 고국] 고립무원(孤立無援)한 나라.

[孤軍 고군] 후원(後援)이 없는 외로운 군대.

[孤窮 고궁] 외롭고 궁(窮)함.

[孤衾 고금] 외롭게 혼자 자는 이불.

[孤羈 고기] 외로운 여행. 혼자 하는 여행. 또, 외로운 나그네.

[孤單 고단] ㉠외로워 의지가지없음. ㉡홀몸. 단신(單身). ㉢고아(孤兒).

[孤島 고도] 바다 가운데 외롭게 있는 작은 섬. 외딴섬.

[孤獨 고독] ㉠어려서 부모를 잃은 아이와 늙어서 자손이 없는 사람. ㉡외로움. 고립무원(孤立無援)함. ㉢홀몸이어서 의지가지없는 사람.

[孤犢 고독] ㉠한 마리의 송아지. ㉡좋게 보이나 실은 위험한 경우의 비유. 종묘(宗廟)의 희생(犧牲)이 되는 것이 싫어서 어미 소가 송아지가 되기를 바란다는 뜻. ㉢아비 없는 송아지.
[孤獨單身 고독단신] 도와주는 사람이 없는 외로운 몸.
[孤獨園 고독원] 고독자(孤獨者)를 수용하는 곳.
[孤獨地獄 고독지옥] 너무나 외로워서 지옥과 같이 못 견디는 심경(心境).
[孤豚 고돈] 남을 욕하여 부르는 말.
[孤燈 고등] 단지 하나만 있는 등불. 외로운 등불.
[孤老 고로] 의지할 데 없는 외로운 늙은이.
[孤露餘生 고로여생] 어릴 때 부모를 여읜 사람.
[孤陋 고루] 견문이 좁고 학식이 천박(淺薄)함.
[孤立 고립] 남의 도움이 없이 외톨이가 됨.
[孤立無援 고립무원] 고립되어 구원(救援) 받을 데가 없음.
[孤立無依 고립무의] 외로워 의탁(依託)할 만한 사람이 없음.
[孤藐 고묘] 나이 어린 고아. 고치(孤稚).
[孤芳 고방] ㉠외톨로 향기를 풍기는 꽃. 또, 홀로 외로이 핀 꽃의 향기. ㉡깨끗하고 고고(孤高)한 인품(人品)의 비유. ㉢재능이 있으나 알아주는 이가 없음을 이름.
[孤帆 고범] 외로이 뜬 범선(帆船).
[孤僻 고벽] ㉠남과 조화되지 않는 성질. ㉡멀리 떨어져 있는 시골.
[孤峰 고봉] 외따로 있는 산봉우리.
[孤負 고부] 은혜를 저버림. 배반함. 배부(背負).
[孤僨 고분] 고립무원하여 마침내 쓰러짐.
[孤憤 고분] 세상에 용납되지 못하여 분개함.
[孤貧 고빈] 아버지가 죽어 집이 쓸쓸하고 가난함.
[孤寺 고사] 외딴 절.
[孤山 고산] ㉠저장 성(浙江省)의 서호(西湖) 가운데에 있는 산 이름. 매화(梅花)의 명소(名所)로 알려져 있음. ㉡외따로 있는 산.
[孤塞 고색] 자기의 의견을 고집하여 간(諫)하는 말을 듣지 아니함.
[孤城 고성] ㉠외따로 떨어져 있는 쓸쓸한 성(城). ㉡아무 도움 없이 고립한 성(城).
[孤城落日 고성낙일] 고립무원한 외딴 성이 해가 지려고 하는 곳에 있다는 뜻으로, 도움이 없이 고립된 정상. 또는 여명(餘命)이 얼마 남지 않은 쓸쓸한 심경을 비유한 말.
[孤松 고송] 외로이 한 그루 서 있는 소나무.
[孤竦 고송] 외로이 홀로 우뚝 솟음. 고용(孤聳).
[孤囚 고수] 홀로 붙잡힌 몸이 된 외로운 수도(囚徒).
[孤愁 고수] 홀로 쓸쓸히 생각에 잠김.
[孤臣 고신] 임금의 신임을 받지 못하는 신하. 임금에게 버림을 받은 신하.
[孤身 고신] 외로운 몸.
[孤臣孼子 고신얼자] 임금에게 소원(疏遠)당한 신하와 서자(庶子). 곧, 처지가 외로운 사람.
[孤兒 고아] 부모가 없는 어린애.
[孤兒院 고아원] 고아(孤兒)를 거두어 기르고 가르치는 곳.
[孤雁 고안] 짝 잃은 외기러기.
[孤哀子 고애자] 부모가 다 돌아갔을 때에 상제된 사람의 자칭(自稱).
[孤弱 고약] 나이 어린 고아. 고치(孤稚).
[孤孼 고얼] 고신얼자(孤臣孼子).
[孤景 고영] 단신(單身)의 그림자. 영(景)은 영「(影).
[孤影蕭然 고영소연] 다만 혼자 있어 쓸쓸한 모양.
[孤往 고왕] 혼자 감.
[孤聳 고용] 홀로 우뚝 솟음.
[孤雲 고운] ㉠외따로 떠 있는 구름. ㉡세상과 인연을 끊은 은자(隱者)를 이름.
[孤危 고위] 외롭고 위태로움.
[孤遺 고유] ㉠선부(先夫)가 남기고 죽은 자식. ㉡부모가 내버린 의지가지없는 고아(孤兒).
[孤恩 고은] 은혜를 저버림.
[孤子 고자] ㉠아버지가 없는 사람. ㉡아버지는 돌아가고 어머니만 생존(生存)하였을 때에 상중(喪中)에 있는 사람의 자칭(自稱). ㉢고아(孤兒). ㉣나라나 임금을 위해서 죽은 사람의 아들.
[孤掌 고장] 한쪽 손바닥.
[孤掌難鳴 고장난명] 외손뼉은 소리가 나지 아니한다는 뜻으로, 혼자만의 힘으로는 일을 하기가 어려움을 비유하는 말. 외손뼉이 울랴.
[孤寂 고적] 외롭고 쓸쓸함.
[孤亭 고정] 외따로 서 있는 정자.
[孤貞 고정] 마음이 외곬으로 곧음.
[孤族 고족] 족속(族屬)이 번성(繁盛)하지 아니한 겨레. 외로운 겨레.
[孤宗 고종] 자손이 드문 종가(宗家).
[孤蹤 고종] 고독단신(孤獨單身).
[孤坐 고좌] 외로이 홀로 앉아 있음.
[孤主 고주] 외롭고 권력이 없는 임금.
[孤舟 고주] 외로이 떠 있는 배.
[孤注 고주] 노름꾼이 도박에서 계속하여 잃을 때 최후에 나머지 돈을 다 걸고 모험을 하는 일.
[孤竹 고죽] ㉠상(商)나라 때의 제후(諸侯)의 나라의 이름. 신농씨(神農氏)의 자손이 세웠다 하며, 백이(伯夷)·숙제(叔齊)는 그 임금의 아들이라 함. 지금의 허베이 성(河北省) 루룽 현(盧龍縣)에서 러허 성(熱河省) 차오양 현(朝陽縣)에 이르는 일대(一帶). ㉡먼 북쪽 나라의 이름. ㉢오직 하나만 외롭게 나 있는 대나무. ㉣대나무[竹]의 한 가지. 3년에 한 번 죽순(竹筍)이 나온다고 함. ㉤곡(曲)의 이름.
[孤斟 고짐] 상대 없이 혼자 술을 따라 마심. 독작(獨酌).
[孤峭 고초] 바위가 홀로 가파르게 우뚝 솟음. 전(轉)하여, 사람됨이 고고(孤高)하여 세상(世上)에 어울리지 못함.
[孤燭 고촉] 쓸쓸히 비치는 외딴 촛불.
[孤村 고촌] 외따로 떨어진 촌락.
[孤忠 고충] 남의 도움을 받지 않고 혼자만이 하는 충성.
[孤稚 고치] 나이 어린 고아(孤兒).
[孤枕 고침] 혼자 자는 외로운 베개. 홀로 자는 쓸쓸한 잠자리.
[孤枕單衾 고침단금] 외로이 자는 여자의 이부자리.
[孤特 고특] 홀몸. 고립무원(孤立無援). 또, 그 사람.
[孤標 고표] ㉠높은 가지. 다만 하나의 표지(標識)가 된다는 뜻. ㉡뭇사람 중에서 뛰어난 풍채(風采).
[孤飄 고표] 도와주는 사람 없이 영락(零落)함.
[孤鶴 고학] ㉠떼를 잃은 한 마리의 외로운 학. ㉡출중한 사람의 비유.
[孤寒 고한] 가난하고 한미(寒微)함.
[孤孑單身 고혈단신] 혈육이 없는 외로운 홀몸.
[孤魂 고혼] 외로운 혼령(魂靈). 의탁(依託)할 곳이 없이 떠돌아다니는 넋.

[孤懷 고회] 고독한 회포. 외롭고 쓸쓸한 생각.
◉寡孤. 窮孤. 睽孤. 畸孤. 羈孤. 南面稱孤. 德不孤. 獨孤. 三孤. 幼孤. 六尺孤. 貞孤. 託孤. 偏孤. 恤孤.

5 ⑧ [季] [中·人] 계 ㊀寘 居悸切 jì

[筆順] 一 二 千 禾 禾 季 季 季

[字解] ①어릴 계 ㉠나이가 적음. '有齊一女'《詩經》. ㉡아직 성숙하지 아니함. '斬一材'《周禮》. ②어린이 계, 소년 계 '嗟予一行役'《詩經》. ③말째 계 막내아우. '伯仲叔一'. ④끝 계 사시(四時)의 끝. '一月'. '一冬之月'《禮記》. 전(轉)하여, 거의 망하게 된 때. 말세(末世). '此一世也'《左傳》. ⑤철 계 1년을 4등분 한 석 달 동안. '四一'. '伊朱明之一節也'《夏侯湛》. ⑥작을 계 '挂于一指'《儀禮》. ⑦성 계 성(姓)의 하나.

[字源] 甲骨文 金文 篆文 會意. 子+禾. '禾화'는 곡물을 본뜬 모양. 곡물의 정령(精靈)으로서 춤을 추는 연소자(年少者)의 모양에서, 형제 중의 '막내'의 뜻을 나타냄.

[季刊 계간] 1년에 네 철 정도로 잡지를 간행함. 또, 그 잡지.
[季冬 계동] 겨울의 끝 달. 음력 12월.
[季諾 계락] 확실한 승낙(承諾). 초(楚)나라의 계포(季布)가 한 번 승낙하면 반드시 실행한 고사(故事)에서 나온 말.
[季末 계말] 끝.
[季孟 계맹] ㉠노(魯)나라의 대부(大夫)인 계손씨(季孫氏)와 맹손씨(孟孫氏). ㉡상등(上等)과 중등(中等)의 뜻. ㉢어슷비슷함. 백중(伯仲).
[季母 계모] 계부(季父)의 아내. 숙모.
[季方 계방] 사내 아우.
[季父 계부] 아버지의 막내아우. 막냇삼촌(三寸).
[季商 계상] 음력 9월의 별칭(別稱). 상(商)은 추(秋).
[季世 계세] 말세(末世).
[季氏 계씨] ㉠남의 남자 아우의 존칭(尊稱). ㉡춘추 시대(春秋時代)의 노(魯)나라의 계손씨(季孫氏).
[季月 계월] ㉠1년 중의 마지막 달. 음력 12월. ㉡사계(四季)의 마지막 달. 곧, 계춘(季春)·계하(季夏)·계추(季秋)·계동(季冬).
[季子 계자] 끝의 아들. 막내아들.
[季材 계재] 어린 나무. 아직 다 자라지 않은 재목(材木).
[季節 계절] 철.
[季節風 계절풍] 계절에 따라 일정한 방향으로 부는 바람.
[季弟 계제] 끝의 아우. 말제(末弟).
[季指 계지] ㉠새끼손가락. ㉡새끼발가락.
[季札挂劍 계찰괘검] 오(吳)나라의 계찰(季札)이 상국(上國)으로 사신 가는 도중에 서국(徐國)을 지나는데, 그 나라의 임금이 계찰의 칼을 보고 갖고 싶어하므로 그는 마음속으로 주겠다고 생각하였는데, 돌아가는 길에 서국에 들르니 그 나라 임금이 이미 죽었으므로 그는 칼을 무덤 옆의 나무에 걸어 놓고 갔다는 고사(故事)에서, 신의(信義)를 중히 여김을 이름.
[季秋 계추] 가을의 끝 달. 음력 9월. 전(轉)하여, 늦은 가을. 늦가을.
[季春 계춘] 봄의 끝 달. 음력 3월. 전(轉)하여, 늦은 봄. 늦봄.
[季布 계포] 초(楚)나라의 무장(武將). 항우(項羽) 밑에서 한고조(漢高祖)를 여러 번 고경(苦境)에 몰아넣었음. 항우(項羽)가 멸망(滅亡)한 후에 고조(高祖)는 그를 특별히 사(赦)하여 낭중(郎中)을 제수(除授)하였음. 위인(爲人)이 임협(任俠)하여 한 번 응낙(應諾)한 것이면 반드시 지키어 어김이 없었으므로 '得黃金百斤, 不如得季布一諾'이란 말이 떠돌도록 천하(天下)에 그 이름이 자자했음.
[季夏 계하] 여름의 끝 달. 음력 6월. 전(轉)하여, 늦은 여름. 늦여름.
◉乾季. 冬季. 末季. 伯仲叔季. 四季. 叔季. 時季. 五季. 澆季. 雨季. 節季. 秋季. 春季. 夏季.

5 ⑧ [孥] 노 ㊥虞 乃都切 nú 暖五切

[字解] ①처자 노 자식. 처와 자식. 한집안 식구. '一, 子也'《小爾雅》. '罪人不一'(형벌이 당사자에게만 과해지고 처자에게 미치지 않는다는 뜻)《孟子》. ②종 노 비복(婢僕). '怠而貧者, 擧以爲收一'《史記》.

[字源] 形聲. 子+奴〔音〕. '奴노'는 '종·노예'의 뜻. 종의 자식의 뜻을 나타냄.

[孥戮 노륙] 처자(妻子)까지 사형(死刑)에 처하여 죽임.
[孥稚 노치] 아내와 자식. 처자(妻子). 일설(一說)에는, 어린아이.
◉徒孥. 收孥. 妻孥. 翠孥.

5 ⑧ [学] 〔학〕 學(子部 十三畫〈p. 565〉)의 俗字

6 ⑨ [孨]
[一] 전 ㊤銑 旨兗切 zhuǎn
　　㊀霰 莊眷切
[二] 천 ㊀霰 離戀切
[三] 닙 ㊇緝 尼立切 nì

[字解] [一] ①삼갈 전 사물에 주의함. '一, 謹也'《說文》. ②잔약할 전 '一, 孱弱也'《六書本義》. ③고아 전 '一, 孤兒也'《玉篇》. [二] 삼갈 천, 잔약할 천, 고아 천 [一]과 뜻이 같음. [三] 모일 닙 '一, 聚皃'《廣韻》.

[字源] 會意. 子+子+子

6 ⑨ [孩] [人名] 해 ㊥灰 戶來切 hái

[字解] ①어린아이 해 유아. '嬰一'. 또, 어린아이로 침. '聖人皆一之'《老子》. ②어릴 해 ㉠낳은 지 얼마 안 됨. '無殺一蟲'《禮記》. ㉡유치함. '憶昔十五心尙一'《杜甫》. ③어를 해 어린아이를 기쁘게 함. '一而名之'《禮記》. ④웃을 해 어린아이가 방글방글 웃음. '一笑'. '如嬰兒之未一'《老子》. ⑤성 해 성(姓)의 하나.

[字源] 咳의 古文 形聲. 子+亥〔音〕. '亥해'는 어린아이의 웃는 소리의 의성어(擬聲語). 어린아이가 웃다의 뜻이나 '어린아이'의 뜻을 나타냄.

[孩童 해동] 해자(孩子).
[孩笑 해소] 어린아이의 웃음.
[孩兒 해아] 해자(孩子).
[孩嬰 해영] 어린아이.

[孩幼 해유] 해자(孩子).
[孩乳 해유] 젖먹이. 또, 젖먹이 적.
[孩孺 해유] 어린아이. 소아(小兒).
[孩子 해자] 젖먹이. 두세 살 된 아이.
[孩提 해제] 웃을 줄 알고 또 손으로 끌고 다닐 수 있는 어린아이. 곧, 두세 살 된 어린아이.
[孩蟲 해충] 갓 나온 벌레. 유충(幼蟲).
[孩稚 해치] 해자(孩子).
[孩抱 해포] 어린아이 적. 겨우 웃을 줄 알고 안길 수 있는 때.
◉孤孩. 童孩. 生孩. 嬰孩. 幼孩. 提孩.

[厚] 〔후〕 厂部 七畫(p. 319)을 보라.

7 ⑩ [孫] 中人 손 ㊥元 思渾切 sūn ㊤願 蘇困切 xùn 孙

筆順 ㇇ 了 子 孑 孒 孫 孫 孫

字解 ①손자 손 아들의 아들. '子子——'. '子之子爲—'《爾雅》. ②자손 손 후예(後裔). '七世—'. 전(轉)하여, 갈려 나온 것. '—竹之管'《周禮》. ③성 손 성(姓)의 하나. ④겸손할 손, 달아날 손 遜(辵部 十畫)과 同字. '—辭'. '—而出之'《論語》. '夫人—于齊'《春秋》.

字源 甲骨文 金文 篆文 會意. 子+系. '系계'는 甲骨文에서는 '幺요', 金文에서는 '糸멱'으로 나와 있어, 한 줄로 이어지는 실의 뜻. 아들의 아들에게로 면면히 이어지는 '손자'의 뜻을 나타냄.

[孫康 손강] 동진(東晉)의 학자. 경조(京兆) 사람. 벼슬은 어사대부(御史大夫)에 이르렀음. 젊었을 때 가난하여 기름을 못 구하고 겨울밤에 책을 눈[雪]에 비추어 공부하였다고 함.
[孫堅 손견] 후한 말(後漢末)의 부장(部將). 오(吳)나라의 손권(孫權)의 아버지. 자(字)는 문대(文臺). 한말(漢末)에 군사를 일으켜 동탁(董卓)을 치고, 또 형주(荊州)의 유표(劉表)를 치다가 패사(敗死)하였음. 손권(孫權)이 제(帝)를 칭(稱)함에 이르러 무열제(武烈帝)로 추존(追尊)되었음.
[孫過庭 손과정] 당대(唐代)의 서가(書家). 자(字)는 건례(虔禮). 벼슬은 솔부녹사참군(率府錄事參軍)에 이르렀음. 저서에 〈서보(書譜)〉 6편이 있음.
[孫權 손권] 삼국(三國) 시대 오(吳)나라의 초대 황제. 형 손책(孫策)의 뒤를 이어 강동(江東)을 영유(領有)하고 유비(劉備)와 동맹(同盟)하여 조조(曹操)를 적벽(赤壁)에서 격파하였음.
[孫奇逢 손기봉] 청조(清朝) 초기의 학자. 자(字)는 계태(啓泰). 하봉 선생(夏峰先生)이라 일컬음. 〈이학종전(理學宗傳)〉·〈사서근지(四書近指)〉 등의 저술(著述)이 있음.
[孫謀 손모] 천하의 인심을 순종시켜 세상을 다스리는 계책. 일설에는, 자손을 위한 계책.
[孫謨 손모] 손모(孫謀).
[孫武 손무] 춘추 시대(春秋時代)의 제(齊)나라 사람. 〈손자(孫子)〉 13편을 저술(著述)하여 병법가(兵法家)의 비조(鼻祖)로 일컬어짐.
[孫文 손문] 근대 중국 혁명의 중심인물. 광동 성(廣東省) 향산현(香山縣) 사람. 자(字)는 일선(逸仙) (뒤에 중산(中山)이라 고침). 삼민주의(三民主義)·오권헌법(五權憲法)을 제창하고 중국 혁명 동맹회(中國革命同盟會)를 조직하였으며, 1911년의 혁명에 임시 총통(臨時總統)이 되었다가 다음 해에 위안스카이에게 양보하였음.
[孫婦 손부] 손자의 아내. 아들의 며느리.
[孫臏 손빈] 전국 시대(戰國時代) 제(齊)나라의 병법가(兵法家). 방연(龐涓)과 함께 병법을 귀곡자(鬼谷子)에게 배웠는데, 연(涓)이 위장(魏將)이 되자, 빈(臏)이 저보다 나음을 시기하여 꾀어내어 그 발을 잘랐음. 그 뒤 위(魏)나라가 제(齊)나라를 쳐들어왔을 때 빈(臏)은 모계(謀計)로써 연(涓)을 괴롭히니 연(涓)은 백계(百計)가 다하여 자살하였음.
[孫辭 손사] ㉠겸손한 말. 손사(遜辭). ㉡핑계. 둔사(遁辭).
[孫思邈 손사막] 당대(唐代)의 은사(隱士). 화원(華原) 사람. 노장(老莊)의 학(學)을 즐겼으며 아울러 음양(陰陽)·의약(醫藥)·천문(天文)에 밝았음. 의약서(醫藥書)인 〈천금방(千金方)〉 93권을 지었음.
[孫壻 손서] 손녀의 남편. 아들의 사위.
[孫星衍 손성연] 청대(清代)의 경학자(經學者). 자(字)는 연여(淵如). 벼슬은 산동독량도(山東督糧道)에 이르렀음. 문재(文才)에 뛰어나 널리 해박하고 또한 후배(後輩)를 잘 지도(指導)하였음. 저서(著書)에 〈상서금고문주소(尙書今古文注疏)〉 등이 있음.
[孫兒 손아] 손자(孫子). 손주.
[孫炎 손염] 삼국 시대(三國時代) 위(魏)나라의 유학자(儒學者). 자(字)는 숙연(叔然). 정현(鄭玄)의 문인(門人)에게 배워 동주(東州)의 대유(大儒)라 일컬어짐. 〈이아음의(爾雅音義)〉를 지어 처음으로 반절(反切)을 썼음.
[孫吳 손오] ㉠손무(孫武)와 오기(吳起). 모두 춘추 시대(春秋時代)의 병법(兵法)의 대가(大家). ㉡그들의 저서(著書)인 〈손자(孫子)〉와 〈오자(吳子)〉.
[孫悟空 손오공] 괴기 소설(怪奇小說) 〈서유기(西遊記)〉 가운데에서 가장 주요한 역할을 하는 원숭이. 변신술(變身術)을 습득(習得)하여 현장(玄奘) 법사를 따라 갖은 고난을 물리치고 천축(天竺)에 들어가 현장으로 하여금 경문(經文)을 가져오게 하였다 함.
[孫詒讓 손이양] 청조(清朝)의 학자. 저장 성(浙江省) 서안(瑞安) 사람. 자(字)는 중용(仲容). 유월(兪樾)에게 배웠으며, 〈주례정의(周禮正義)〉·〈묵자간고(墨子簡詁)〉 등의 저서(著書)가 있음.
[孫子 손자] ㉠아들의 아들. 자손. ㉡책명(冊名). 1권 13편. 주(周)나라 손무(孫武)의 찬(撰). 병서(兵書) 중에서 가장 유명함.
[孫綽 손작] 진대(晉代)의 문인(文人). 태원(太原) 사람. 자(字)는 흥공(興公). 경안령(景安令)을 거쳐 정위경(廷尉卿)이 되었음. 〈유천태산부(遊天台山賦)〉를 지어, 당시 그 문재(文才)를 날렸음.
[孫曾 손증] 손자와 증손자.
[孫枝 손지] 가지에서 또 벋어난 가지.
[孫策 손책] 후한 말(後漢末)의 무장(武將). 오(吳)나라 손권(孫權)의 형(兄). 그의 아버지 견(堅)의 사후(死後) 여병(餘兵)을 몰아 각처에 전전(轉轉), 백전백승(百戰百勝)을 거두어

마침내 강동(江東)의 땅을 평정하였음.
[孫行 손항] 손자의 항렬(行列).
◉昆孫. 公孫. 來孫. 末孫. 順孫. 神孫. 兒孫. 烏孫. 王孫. 外孫. 雲孫. 遠孫. 仍孫. 子孫. 子子孫孫. 嫡孫. 從孫. 曾孫. 姪孫. 天孫. 玄孫. 胡孫. 皇孫. 孝孫.

7 ⑩ [㝃] 면 ㊤阮 無遠切 miǎn
㊤銑 亡辨切 miǎn
[字解] 해산할 면 애를 낳음. 娩(女部 七畫)과 同字. '欲視皇后—乳'《資治通鑑》.
[字源] [篆文] 形聲. 子+免〔音〕. '免면'은 '벗어나다'의 뜻. 아이가 모체(母體)를 벗어나다의 뜻으로, '해산'의 뜻을 나타냄.

[㝃身 면신] 아이를 낳음. 해산함.

7 ⑩ [孬] 외 [去]卦 呼怪切 nāo
[字解] ①좋지아니할 외 '—, 不好也'《字彙》. ②《現》겁많을 외 용기가 없음.

8 ⑪ [孰] [高人] 숙 [入]屋 殊六切 shú
[筆順] 亠 亩 亨 享 享 𫲸 孰 孰
[字解] ①누구 숙 어느 사람. '—謂子產智'《孟子》. ②어느 숙 어느 것. '是可忍也, —不可忍也'《論語》. ③익을 숙 熟(火部 十一畫)과 통용. '五穀時—'《禮記》. ④끓여익힐 숙, 끓을 숙 '—, 謂亨煮'《禮記疏》. ⑤도타울 숙 친절하고 정중함. '寧—諫'《禮記》.
[字源] [金文] [篆文] 會意. 金文은 亯+女+丮. '亯형·팽'은 질냄비에 음식을 담아 사람을 대접함의 뜻. '丮극'은 '손에 잡다'의 뜻. 여성이 질냄비에 손을 가져가 음식을 끓여 익히는 모양에서, 잘 익힘의 뜻을 나타냄. 차용(借用)하여, 의문(疑問)의 조사(助辭)로서 쓰임. 뒤에 𦎫+丮이 되고, 다시 享+丸으로 변형됨.

[孰能禦之 숙능어지] 누가 능히 막으랴라는 뜻으로, 막을 수 없음을 이름.
[孰慮 숙려] 곰곰이 잘 생각함.
[孰成 숙성] 곡식이 익음. 숙성(熟成).
[孰誰 숙수] 누구. 어떤 사람.
[孰視 숙시] 눈여겨 자세히 봄.
[孰若 숙약] 두 가지 사물이나 두 인물을 이 말의 위와 아래에 들어 어느 쪽이 나으냐고 묻는 말인데, 묻는 사람은 아래쪽이 낫다고 생각하고 하는 말임.
[孰與 숙여] 숙약(孰若).

9 ⑫ [孱] [人名] 잔 [平]先 士連切 chán, càn
[平]刪 士山切 chán
[字解] ①잔약(孱弱)할 잔 나약(懦弱)함. '—羸'. '吾王—王也'《史記》. ②높을 잔, 험할 잔 巉(山部 十七畫)과 뜻이 같음. '攝衣步—顏'《蘇軾》. ③신음할 잔 '—, 一日, 呻吟也'《說文》. ④뒤떨어질 잔 만것만 못함. 어리석음. '—, 不肖也'. '—, —劣皃'《廣韻》. ⑤좁을 잔 '—, 窘也'《集韻》.
[字源] 會意. 尸+孨. 집 밑에 잔약한 어린애들이 올망졸망 있는 모양을 보여, '비좁음'의 뜻. 일설(一說)에는, 尸+孨〔音〕의 形聲.

[孱骨 잔골] 잔약(孱弱)한 골격(骨格).
[孱羸 잔리] 잔약하고 파리함.
[孱微 잔미] 신분이 낮고 재능이 없음.
[孱夫 잔부] 약한 남자. 비겁한 남자.
[孱孫 잔손] 잔약한 손자(孫子).
[孱瑣 잔쇄] 신분이 낮고 재능이 없음.
[孱顏 잔안] 산이 험준(險峻)한 모양.
[孱弱 잔약] 몸이 튼튼하지 않고 약함.
[孱劣 잔열] 잔약하고 용렬함.
[孱王 잔왕] 줏대가 없는 약한 왕.
[孱愚 잔우] 잔약하고 어리석음.
[孱拙 잔졸] 잔약하고 옹졸함.
[孱疲 잔피] 잔약하고 원기가 없음.
[孱孑 잔혈] 잔약하고 의지할 곳이 없음.
◉萊孱. 老孱. 病孱. 膚孱. 愚孱. 虛孱.

9 ⑫ [㝠] 명 [去]敬 眉病切 mìng
[字解] 첫아이밸 명 '—, 初孕也'《字彙》.

10 ⑬ [孴] 읍 [入]緝 羊入切 yì
[字解] ①우물우물할 읍 많은 모양. '——'. '—, 多皃'《廣韻》. ②모일 읍 '—, 聚皃'《集韻》.
[字源] [金文] [篆文] [籀文] 會意. 孨+日.

[孴孴 읍읍] 많은 모양. 우물거리는 모양.

10 ⑬ [孳] 자 ①-③[平]支 子之切 zī
④[去]寘 疾置切 zì
[字解] ①부지런할 자 근면함. 孜(子部 四畫)와 통용. '鷄鳴而起, ——爲善者, 舜之徒也'《孟子》. ②불을 자, 우거질 자 번식(繁殖). 또, 무성함. '非能使木壽且—也'《柳宗元》. ③낳을 자 새끼를 낳음. '—, 產也'《玉篇》. ④새끼가질 자 발정함. 교미(交尾)함. '鳥獸—尾'《書經》.
[字源] [金文] [篆文] 形聲. 子+茲〔音〕. '茲자'는 '불어남'의 뜻. 새끼가 자꾸 불어 늚의 뜻.

[孳蔓 자만] 우거져 뻗어 나감.
[孳尾 자미] 흘레하여 새끼를 낳음.
[孳息 자식] 불음. 번식함.
[孳育 자육] 동물이 새끼를 낳아서 기름.
[孳孕 자잉] 동물이 새끼를 낳음.
[孳孳 자자] 부지런히 힘쓰는 모양.

10 ⑬ [㝅] [一] 누 ㊤有 乃后切 nòu
[二] 구 [去]宥 古候切 gòu
[字解] [一] ①기를 누, 품을 누 젖을 먹여 양육함. 보살펴 키움. '左傳曰, 楚人謂乳—'《說文 段注》. ②새끼 누 '—, 子也'《廣雅》. ③어리석을 누 똑똑하지 못함. '—, 謂愚蒙也'《說文 段注》. [二] ①기를 구. ②새끼 구. ③어리석을 구.
[字源] [金文] [篆文] 形聲. 子+㱿〔音〕. '㱿각'은 알의 껍질. 껍질을 쪼아 깨뜨려서 새끼 새를 기른다는 뜻.

11 ⑭ [孵] [人名] 부 ①[平]虞 芳無切 fū
②[去]遇 芳遇切

字解 ①알깔 부, 알깰 부 부화함. '—卵'. '—, 卵化'《廣韻》. ②자랄 부 孚(子部 四畫)와 同字. '孚, 育也'《集韻》.

字源 形聲. 卵+孚〔音〕. '孚부'는 자식을 껴안은 모양을 나타냄. '卵란'을 덧붙여, '알을 까다'의 뜻을 나타냄.

[孵卵 부란] 알을 깜.
[孵化 부화] ㉠알을 깜. ㉡알을 깸. 부화(孚化). 부란(孵卵).

12 ⑮ [學] 學(次次條)의 訛字

12 ⑮ [孺] 〔유〕
孺(子部 十四畫〈p.566〉)의 俗字

13 ⑯ [學] 中人 학 ㊀覺 胡覺切 xué 学

筆順

字解 ①배울 학 ㉠학문을 배움. '—問'. '—而時習之'《論語》. ㉡모방하여 익힘. '豈—春林一餉紅'《蘇舜欽》. ㉢연구함. '吾—周禮'《中庸》. ②학자 학 학문에 뛰어난 사람. 또, 학문을 배우는 사람. '幼—'. '鴻儒碩—'《南史》. ③학문 학 ㉠배워 익히는 바. '修—'. '安其—而親其師'《禮記》. ㉡사물의 이치를 연구하여 얻은 원리. 체계화한 지식. '天文—'. '少好刑名之—'《史記》. ④학교 학 학사(學舍). '大—'. '天子命之教, 然後爲—'《禮記》. ⑤가르칠 학 가르침. '—, 教也'《廣雅》. ⑥성 학 성(姓)의 하나.

字源 甲骨文 金文 篆文 形聲. 甲骨文은 臼+冂+爻〔音〕. '臼구'는 양손으로 끌어 올리는 모양, '冂경'은 건물의 모양을 본뜸. '爻효'는 어우러져 사귀다의 뜻. 가르치는 자가 배우는 자를 향상시키는 사귐의 터인 건물, 학교의 뜻을 나타냄. 篆文은 臼+冂+教〈省〉(季)〔音〕의 形聲文字.

參考 ①學(前前條)는 訛字. ②斈(子部 四畫)·学(子部 五畫)은 俗字.

[學監 학감] 학교의 사무와 학생을 감독하는 직원(職員).
[學界 학계] 학문의 사회(社會).
[學契 학계] 《韓》 교육 또는 학비 조달을 목적으로 하여 모은 계.
[學階 학계] 《佛敎》 승려(僧侶)에게 학식의 고하에 의하여 주는 칭호. 근학(勤學)·강사(講師)·학사(學師)·법사(法師) 따위.
[學古 학고] 옛 법을 배움. 옛것을 배움.
[學科 학과] 학문의 과목(科目).
[學課 학과] 학문의 과정(課程).
[學官 학관] ㉠학교의 건물. 학사(學舍). ㉡교관(敎官).
[學館 학관] ㉠사숙(私塾). ㉡학사(學舍).
[學校 학교] 일정한 설비를 갖추고 계속적으로 생도나 학생을 가르치는 기관.
[學究 학구] ㉠당(唐)나라 때 과거(科擧) 과목의 하나인 명경(明經) 중의 학구일경(學究一經)이란 과(科)에 응시한 자. 전(轉)하여, 서생(書生). 학생. ㉡오활(迂闊)한 학자. 얼치기 학자. ㉢학문에 몸을 바친 학자.
[學窮 학궁] ㉠오활(迂闊)한 학자. 부유(腐儒). ㉡배워 구명(究明)함. ㉢곤궁한 학자. 학문만 연구하고 세상에 쓰여지지 않는 학자.
[學規 학규] ㉠학교의 규칙. 교칙(校則). ㉡학과의 규칙.
[學級 학급] 한 교실 안에서 같이 학습(學習)하는 학생의 집단(集團).
[學期 학기] 학교에서 한 학년의 수업 기간을 구분한 시기(時期).
[學年 학년] 학교에서의 1년 동안의 수업기(修業期). 또는 그것에 의하여 구별한 학급.
[學老於年 학노어년] 나이가 젊은 데 비하여서는 학문이 노성(老成)함.
[學堂 학당] ㉠글방. 학교. ㉡죽은 사내아이를 한 곳에 파묻는 묘지(墓地). 여자의 것은 수당(繡堂)이라 함. ㉢인상학(人相學)에서 사람의 얼굴의 일부분을 이름.
[學德 학덕] 학식과 덕행(德行).
[學徒 학도] ㉠학생. 생도. ㉡학문을 닦는 사람.
[學童 학동] 학교나 글방에 다니며 공부하는 아이.
[學等 학등] 학문의 등급.
[學廬 학려] 학사(學舍).
[學力 학력] ㉠학문의 힘. ㉡힘써 배움.
[學歷 학력] 수학한 이력(履歷).
[學齡 학령] 법률상 초등 교육을 받을 의무가 발생하는 연령.
[學流 학류] 학파(學派).
[學理 학리] 학문상(學問上)의 원리(原理)나 이론(理論).
[學林 학림] ㉠학자가 모이는 곳. ㉡《佛敎》 중의 학교. ㉢송(宋)나라 왕관국(王觀國)이 찬(撰)한 소학(小學)에 관한 책. 10권. 자체(字體)·자의(字義)의 변별(辨別)을 주로 하였는데, 전인(前人) 미발(未發)의 곳이 많음.
[學名 학명] 학술상 동·식물 등에 붙인 세계에 공통하는 이름.
[學務 학무] 학사(學事) 및 교육에 관한 사무.
[學問 학문] ㉠학예를 배워 익힘. ㉡배워 닦은 학예. ㉢체계(體系)가 선 지식(知識).
[學閥 학벌] ㉠한 학교를 나온 사람들이 단결하여 서로 의지하고 서로 도와 세력을 형성하는 파벌. ㉡출신 학교의 지체.
[學步於邯鄲 학보어한단] 한단(邯鄲)은 조(趙)나라의 서울로 보행(步行)에 능한 습속이 있었는데, 연(燕)나라의 소년이 와서 그 보행법을 배우려다가 배우지 못하고 오히려 자기 고유의 보행법도 잊어버렸다는 고사(故事). 자기의 본분을 버리고 다른 사람의 행위를 본뜨려다가는 도리어 양쪽을 다 잃게 됨을 비유한 말.
[學僕 학복] 스승의 집 또는 사숙(私塾)에서 심부름하며 배우는 사람.
[學府 학부] ㉠학자가 모이는 곳. 학술 사회의 중추부(中樞府). ㉡학문에 지극히 해박(該博)한 사람.
[學費 학비] 학업에 드는 비용(費用).
[學士 학사] ㉠학식 있는 사람. 학자. ㉡관명(官名). 국가의 전례(典禮)·편찬·찬술(撰述) 등을 맡음. ㉢고관(高官)을 우대하여 수여하는 칭호. ㉣대학 본과(本科)의 규정한 학과를 마치고 일정한 절차를 밟은 사람의 칭호.
[學舍 학사] 학교. 교사(校舍).
[學事 학사] 학문에 관한 일.
[學士院 학사원] 한림 학사(翰林學士)가 출사(出仕)하는 관아(官衙).

[學生 학생] ㉠학문을 배우는 사람. 서생(書生). ㉡《韓》 생전(生前)에 벼슬하지 아니한 사람에 대한 존칭.
[學書如泝急流 학서여소급류] 글씨 쓰기를 배우기는 급류(急流)를 거슬러 올라가는 것같이 나아가기 쉽지 않음.
[學說 학설] 학문상(學問上)의 논설. 학술상의 의견.
[學修 학수] 배우고 닦음. 공부함.
[學術 학술] ㉠학문과 예술 또는 기술. ㉡학문(學問).
[學術語 학술어] 학술 연구에 특별(特別)히 쓰이는 말.
[學習 학습] ㉠배워서 익힘. ㉡기독교(基督敎)에서 입교(入敎)한 신자(信者)에게 세례(洗禮) 전에 행하는 의식.
[學僧 학승] ㉠수학(修學) 중인 중. ㉡박학한 중.
[學殖 학식] 닦아 쌓은 학문. 학문의 소양(素養).
[學識 학식] ㉠학문과 식견(識見). ㉡학문상의 식견. 상식(常識)의 대(對).
[學業 학업] ㉠공부하여 학문(學問)을 닦는 일. ㉡습득(習得)한 학문.
[學藝 학예] 학문(學問)·문장(文章)·기예(技藝)의 총칭.
[學友 학우] 같이 공부(工夫)하는 벗. 글동무.
[學苑 학원] 학원(學園).
[學院 학원] ㉠학교(學校). ㉡일정한 자격을 갖추지 못한 학교.
[學園 학원] 학문(學問)을 닦는 곳.
[學位 학위] 어떤 부문(部門)의 학술에 능통한 사람에게 주는 칭호(稱號). 박사(博士)·석사(碩士)·학사(學士) 등.
[學而不思則罔 학이불사즉망] 학문을 닦아도 깊이 사색(思索)을 하지 아니하면 혼매(昏昧)하여 밝지 못함.
[學而知之 학이지지] 배워서 앎.
[學子 학자] 학생(學生).
[學者 학자] ㉠학문(學問)에 통달(通達)한 사람. ㉡학문을 연구하는 사람.
[學資 학자] 학비(學費).
[學者三多 학자삼다] 학자의 세 가지 요건(要件). 곧, 독서를 많이 하여야 할 것, 지론(持論)이 많아야 할 것, 저술(著述)이 많아야 할 것.
[學箴 학잠] 학문을 닦는 사람에 대한 경계(警戒).
[學長 학장] ㉠학교의 장(長). ㉡중국의 구제(舊制) 대학에서 분과(分科) 및 예과(豫科)의 과주임(科主任). 문과 학장·이과 학장 따위. ㉢《韓》 단과 대학(單科大學)의 장.
[學才 학재] 학문상의 재능.
[學籍 학적] 재학생(在學生)의 성명·생년월일·주소 등을 기록한 명부. 또, 그 명부에 등록된 신분.
[學田 학전] 소출로 학교의 경비에 충당하는 전답(田畓).
[學政 학정] 교육 행정(敎育行政).
[學庭 학정] 학교(學校).
[學制 학제] 학교 및 교육에 관한 제도(制度).
[學窓 학창] 학문(學問)을 닦는 곳. 학교·사숙(私塾) 등.
[學牕 학창] 학창(學窓).
[學則 학칙] ㉠학교(學校)의 규칙. 교칙(敎則). ㉡학문의 준칙(準則).
[學派 학파] 학문상(學問上)의 주장을 달리하여 서로 갈라져 나간 갈래.
[學風 학풍] ㉠학문상의 경향(傾向). ㉡학교(學校)의 기풍(氣風). 교풍(校風).
[學海 학해] ㉠학문(學問)의 세계. 그 범위가 넓은 것을 바다에 비유한 말. ㉡학문에 꾸준히 힘써야 함을 밤낮 쉬지 않고 바다로 흘러들어가는 하천(河川)에 비유한 말. ㉢극히 박학(博學)한 사람을 이름.
[學行 학행] 학문(學問)과 덕행(德行). 학문과 실행(實行).
[學兄 학형] 학우(學友)의 경칭(敬稱).
[學會 학회] 학술(學術)의 연구(研究)·장려(獎勵)를 목적으로 조직(組織)된 단체.
◉講學. 開學. 經濟學. 經學. 考證學. 古學. 苦學. 曲學. 工學. 科學. 官學. 敎育學. 敎學. 國學. 軍學. 勸學. 金石學. 老壯學. 論理學. 農學. 大學. 道學. 篤學. 獨學. 同學. 晩學. 勉學. 無學. 文學. 問學. 博學. 放學. 梵學. 法學. 不學. 佛學. 史學. 私學. 社會學. 算學. 上學. 商學. 生理學. 生物學. 書學. 碩學. 禪學. 性理學. 小學. 俗學. 修學. 數學. 心理學. 夜學. 陽明學. 洋學. 語學. 力學. 研學. 優生學. 爲學. 留學. 遊學. 儒學. 倫理學. 醫學. 理學. 耳學. 異學. 入學. 自然科學. 自學. 獎學. 才學. 在學. 程朱學. 精學. 朱子學. 中學. 志學. 天文學. 淺學. 哲學. 初學. 就學. 太學. 廢學. 下學. 漢學. 向學. 鄕學. 玄學. 衒學. 好學. 化學. 後學. 訓詁學.

13 ⑯ [孼] 〔얼〕
孽(子部 十六畫〈p. 567〉)의 俗字

14 ⑰ [孺] [人名] 유 ㊄遇 而遇切 (rù) ㊥虞 汝朱切 rú
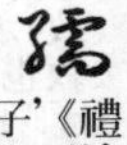

[字解] ①젖먹이 유 ㉠영아(嬰兒). '祇見一子'《禮記》. ㉡사람을 업신여겨 이르는 말. '一子可敎'《史記》. ②사모할 유 앙모하여 따름. '一慕'. '和樂且一'《詩經》. ③딸릴 유 종속함. '大夫曰一人'《禮記》. ④흘레할 유, 낳을 유 乳(乙部 七畫)와 통용. 교미함. '一, 生也'《廣雅》. '烏鵲一'《莊子》. ⑤성 유 성(姓)의 하나.
[字源] [篆文]  形聲. 子+需〔音〕. '需'는 '부드러움'의 뜻. 보드라운 젖먹이의 뜻.
[參考] 孺(子部 十二畫)는 俗字.

[孺童 유동] 어린아이.
[孺慕 유모] 어린아이가 부모를 따르듯이 깊이 사모함.
[孺弱 유약] 어린아이.
[孺嬰 유영] 어린아이.
[孺人 유인] 남편에게 딸린 사람이라는 뜻으로, 대부(大夫)의 아내. 전(轉)하여, 널리 아내를 이름.
[孺子 유자] ㉠어린아이. ㉡젊은 사람 또는 미숙한 사람을 천하게 부르는 말. 요 녀석. 요 풋내기. ㉢첩(妾). ㉣대(代)를 잇기로 정한 적자(嫡子).
[孺孩 유해] 어린아이.
◉童孺. 孫孺. 女孺. 嬰孺. 庸孺. 幼孺. 稚孺. 孩孺.

14 ⑰ [孻] [人名] 내 ㊥灰 泥台切 nái

[筆順] 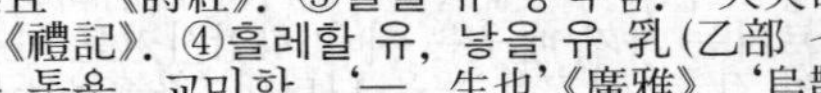

[字解] ①늦둥이 내 늙어서 낳은 아기. '廣東謂老

人所生子幼曰一《菽園雜記》. ②막내 내 말자(末子). '閩粤之俗, 謂末子爲一'.《觚賸續編》.

16 ⑲ [孼] 人名 얼 ㉧屑 魚列切 niè

字解 ①서자 얼 첩의 아들. '一子'. '商君者衛之庶一公子也'《史記》. ②천민 얼 비천(卑賤)한 사람. '一妾'. '獺梟本爲太原一'《張憲》. ③재앙 얼 요괴(妖怪)한 재앙. '妖一'. '天作一, 猶可違'《孟子》. ④괴롭힐 얼 '聖賢之後, 反以一民'《呂氏春秋》. ⑤치장할 얼 성장(盛裝)함. '庶姜一一'《詩經》. ⑥성 얼 성(姓)의 하나.

字源 篆文 形聲. 子+辥〔音〕. '辥설'은 '蘖얼'과 통하여, '움'의 뜻. 정처(正妻) 소생이 아닌 '서자(庶子)'의 뜻.

[孼孫 얼손] 서손(庶孫).
[孼孼 얼얼] ㉠성장(盛裝)한 모양. ㉡무너지려는 모양.
[孼子 얼자] 첩(妾)의 몸에서 난 아들.
[孼妾 얼첩] ㉠미천(微賤)한 집에서 태어난 부인. ㉡첩(妾).
◉氛孼. 卑孼. 庶孼. 炎孼. 妖孼. 遺孼. 支孼. 嬖孼.

17 ⑳ [糵] 孼(前條)의 俗字

17 ⑳ [斅] ■ 효 ㉦效 呼教切 xiào ■ 교 ㉦效 古孝切 xiào

字解 ■ 짐승이름 효 해태(獬豸) 비슷한 신수(神獸)의 이름. ■ 짐승이름 교 ■과 뜻이 같음.

字源 形聲. 篆文은 廌+季〔音〕

17 ⑳ [䴙] 斅(前條)의 本字

17 ⑳ [孆] 영 ㉠庚 於盈切 yīng

字解 갓난아이 영 적자(赤子). '落然身後事, 妻病女一孩'《白居易》.

19 ㉒ [孿] ■ 산 ㉦諫 生患切 ■ 련 ㉠先 力員切 luàn

字解 ■ 쌍둥이 산 쌍생자. '一子之相似者'《戰國策》. ■ 쌍둥이 련 ■과 뜻이 같음.

字源 篆文 形聲. 子+䜌〔音〕. '䜌련'은 '이어지다'의 뜻. 잇대어 태어난 아이, '쌍둥이'의 뜻을 나타냄.

22 ㉕ [孌] 孿(前條)과 同字

宀 (3획) 部

〔갓머리부〕

0 ③ [宀] 면 ㉠先 武延切 mián

筆順 ' ⼎ 宀

字解 집 면 집을 상형(象形)한 글자. '一, 交覆深屋也'《說文》.

字源 篆文 象形. 맞배지붕을 본뜬 모양으로, '지붕·집'의 뜻을 나타냄. 음형상(音形上)으로는 '丏면'과 통하여 덮어 가리는 것·지붕을 뜻하는 것으로 생각됨.

參考 부수(部首)로서, '갓머리'라 이름. '宀'을 의부(意符)로 하여, 여러 가지 가옥(家屋)이나 그 부속물, 집 안의 상태 등에 관한 문자를 이룸.

2 ⑤ [宁] 저 ㉤語 直呂切 zhù

字解 ①뜰 저 중국의 가옥에서 외병(外屛)과 정문(正門) 사이의 뜰. 고대에, 천자(天子)가 아침마다 이 뜰에서 조회(朝會)를 받았음. '天子當一而立'《禮記》. ②우두커니설 저 '所一立處'《禮記 註》. ③쌓을 저, 모을 저 貯(貝部 五畫)와 통용. '一, 辨積物也'《說文》.

字源 甲骨文 金文 篆文 象形. 물건을 모아 쌓기 위한 기구(器具)를 본뜬 모양으로, '저장하다'의 뜻을 나타냄. '貯저'의 原字. 또, 그 기구의 안정감에서, '멈춰 서다, 우두커니 서다'의 뜻을 나타냄.

[宁立 저립] 우두커니 섬.

2 ⑤ [它] ■ 타 ㉠歌 託何切 tā, tuō ■ 사 ㉠麻 時遮切 shé

字解 ■ ①다를 타 他(人部 三畫)의 古字. '一日'. '或敢有一志'《禮記》. ②성 타 성(姓)의 하나. ■ 뱀 사 蛇(虫部 五畫)의 古字.

字源 甲骨文 金文 篆文 別體 象形. 몸을 꿈틀거리며 꼬리를 늘어뜨리는 뱀의 모양을 본뜸. 甲骨文에서는 특히 윗부분에 止〔발〕를 덧붙여, 사람의 발을 무는 '뱀·살무사' 따위의 독사(毒蛇)의 뜻을 나타냄. 전(轉)하여, '재앙'의 뜻도 나타냄. '蛇사'의 原字. 차용(借用)하여, '다른, 그 밖의'의 뜻으로도 쓰임.

[它故 타고] 다른 까닭. 다른 사정.
[它所 타소] 다른 곳. 타소(他所).
[它人 타인] 남. 타인(他人).
[它日 타일] 다른 날. 타일(他日).
[它志 타지] 다른 뜻. 타지(他志).

2 ⑤ [宄] 귀 ㉤紙 居洧切 guǐ

字解 간악할 귀 간사하고 악독함. '寇賊姦一'《書經》.

字源 金文 篆文 古文 古文 形聲. 宀+九〔音〕. '九구'는 구부러져 막다른 끝이 되는 뜻을 나타냄. '宀면'은 '가옥'의 뜻에서, 사람의 마음의 내면의 뜻을 나타냄. 비뚤어진 마음, 사곡(邪曲)함의 뜻을 나타냄.

2 ⑤ [宂] 용 ㉤腫 而隴切 rǒng

字解 ①한가로울 용 한산(閑散)함. '錯所穿非眞廟垣, 乃外堧垣. 故一官居其中'《漢書》. ②가

외 용 군더더기. '有一從僕射'《續漢志》. ③쓸데없을 용 무용임. 무익함. '一兵'. '罷一費'《唐書》. ④번거로울 용 번잡함. '一雜'. '天下之大, 萬幾之衆, 錢穀之一'《金史》. ⑤떠다닐 용 일정한 주거 없이 방랑함. '流一道路, 朕甚愍之'《後漢書》. ⑥바쁠 용 다망함. '知君束裝一, 不敢折簡致'《劉宰》.

字源 篆文 會意. 宀+儿. '宀면'은 집의 상형. '儿인'은 사람의 상형. 밖의 일은 하지 않고 집 안에서 빈둥거리고 있는 모양에서, '한가롭다, 남다'의 뜻을 나타냄.

參考 冗(冖部 二畫)은 俗字.

[宂官 용관] 일이 없어 한가로운 벼슬아치. 또, 쓸데없는 관원(官員). 또, 불필요한 관직(官職).
[宂談 용담] 쓸데없는 말. 객담(客談).
[宂漫 용만] 용장(宂長).
[宂末 용말] 기량(器量)이 작고 시원스럽지 않음.
[宂務 용무] 쓸데없는 사무.
[宂文 용문] 객쩍고 너절한 글. 쓸데없이 긴 글.
[宂兵 용병] 쓸데없는 병정. 필요 이상으로 많은 병정.
[宂不見治 용불견치] 그 직무(職務)가 한산(閑散)하므로, 정치(政治)의 수완을 보일 수가 없음.
[宂費 용비] 쓸데없는 비용.
[宂散 용산] 아무 일도 하지 않아 틈이 있음.
[宂食 용식] 무위도식(無爲徒食)함.
[宂猥 용외] 수(數)가 정도 이상으로 많음.
[宂宂 용용] ㉠난잡한 모양. ㉡분망(奔忙)한 모양.
[宂員 용원] 쓸데없는 인원. 필요 이상으로 많은 인원.
[宂雜 용잡] 난잡(亂雜)함. 번잡함.
[宂長 용장] 글이나 말 등이 쓸데없이 긺.
[宂從 용종] 치레로 데리고 다니는 필요 이상의 종자(從者).
[宂僭 용참] 쓸데없는 비용.
◉濫宂. 煩宂. 凡宂. 浮宂. 散宂. 三宂. 纖宂. 疎宂. 流宂. 疲宂. 寒宂. 閒宂. 虛宂.

3 ⑥ [宊] 〔관〕 官(宀部 五畫〈p.573〉)의 俗字

3 ⑥ [宅] 中人 택(①댁 俗) 入陌 場伯切 zhái

筆順 ' '' 宀 宀 宅 宅

字解 ①집 택 ㉠주거. '一宇'. '卜一'《書經》. ㉡부지. 대지. '五畝之一, 樹之以桑'《孟子》. ②묏자리 택 무덤 자리. '一兆'. '卜一與葬日'《禮記》. ③살 택 거주함. '一嵎夷'《書經》. ④자리잡을 택 위치·지위에 있음. '使一百揆'《書經》. ⑤정할 택 결정함. '一天命'《書經》. ⑥편안할 택 편안하게 함. '土反其一'《禮記》. ⑦헤아릴 택, 잴 택 度(广部 六畫)과 통용. '一是鎬京'《詩經》.

字源 甲骨文 金文 篆文 形聲. 宀+乇〔音〕. '乇'은 편안히 몸을 담아 쉬는 '가옥(家屋)'의 뜻을 나타냄.

[宅家 택가] 당대(唐代) 천자(天子)를 이름.
[宅居 택거] ㉠삶. ㉡집. 주거(住居).
[宅券 택권] 관부(官府)에서 교부(交付)하는 집문서.
[宅里 택리] 사는 집의 마을.
[宅心 택심] 마음에 두고 잊지 아니함. 존심(存心).
[宅宇 택우] ㉠집. ㉡처마.
[宅憂 택우] 거상(居喪)함.
[宅兆 택조] 무덤. 묘지(墓地). 택(宅)은 묘혈(墓穴). 조(兆)는 영역(塋域).
[宅地 택지] 가택(家宅). 집. 집터.
[宅號 택호] 《韓》 벼슬의 이름이나 장가든 곳의 땅 이름을 붙여서 그 사람의 집을 부르는 이름.
◉家宅. 居宅. 故宅. 官宅. 廣宅. 舊宅. 歸宅. 寄宅. 大宅. 別宅. 本宅. 私宅. 社宅. 舍宅. 媤宅. 新宅. 安宅. 廬宅. 役宅. 雲宅. 隱宅. 自宅. 邸宅. 田宅. 第宅. 住宅. 借宅. 湫宅. 弊宅. 火宅.

3 ⑥ [宇] 中人 우 上麌 王矩切 yǔ

筆順 ' '' 宀 宀 宇 宇

字解 ①집 우 ㉠주거. '屋一'. '苞玉疊而爲一'《左思》. ㉡거처(居處). '聿來胥一'《詩經》. ②지붕 우 '翦茅結一'《晉書》. ③처마 우 지붕이 도리 밖으로 내민 부분. '上棟下一'《易經》. ④처마밑 우 처마의 아래. '八月在一'《詩經》. ⑤하늘 우 천공(天空). '天一'. '四方上下謂之一'《淮南子》. ⑥변방 우 국경 지대. 변경(邊境). 경계(境界). '失其守一'《左傳》. ⑦나라 우, 천하 우 국토(國土). 세계. '一內'. '使各有寧一'《國語》. ⑧도량 우 기국(器局). 품성. '器一高雅'《晉書》. ⑨끝 우 가장자리. '眉一'. '上欲尊而一欲卑'《周禮》. ⑩클 우 '一, 大也'《爾雅》. ⑪덮을 우 '今君子之德一'《國語》. ⑫성 우 성(姓)의 하나.

字源 篆文 籒文 形聲. 宀+亐(于)〔音〕. '亐우'는 '걸치다, 걸터 있다'의 뜻. 가옥(家屋)의 걸치듯이 덮인 부분, '처마'의 뜻을 나타냄.

[宇內 우내] ㉠세상(世上) 안. 천하(天下). ㉡천지(天地)의 사이.
[宇量 우량] 기우(器宇)와 도량(度量).
[宇宙 우주] ㉠천지(天地)와 고금(古今). 시간(時間)과 공간(空間). ㉡천지(天地). 세계(世界). ㉢모든 천체를 포함하는 전 공간.
[宇宙論 우주론] 천지 만물(天地萬物)의 근본 원리(根本原理)를 논(論)하는 철학설(哲學說).
[宇宙線 우주선] 우주(宇宙) 공간에 존재하는 방사선(放射線). 대전성(帶電性)의 미립자(微粒子)로 되어 있다고 봄.
[宇中 우중] 천지 사방(天地四方). 천하(天下).
[宇下 우하] ㉠처마 밑. ㉡부하(部下).
[宇縣 우현] 천하(天下).
◉境宇. 觀宇. 區宇. 氣宇. 基宇. 器宇. 德宇. 棟宇. 杜宇. 甍宇. 眉宇. 梵宇. 碧宇. 別宇. 蓬宇. 飛宇. 僧宇. 宸宇. 御宇. 玉宇. 屋宇. 一宇. 姿宇. 殿宇. 峻宇. 天宇. 宅宇. 海宇. 衡宇. 寰宇.

3 ⑥ [守] 中人 수 ①-⑥上有 書九切 shǒu ⑦-⑨去宥 舒救切 shòu

筆順 ' '' 宀 宀 守 守

字解 ①지킬 수 ㉠소중히 보존하거나 보호함. '一護'. '獸人職, 時田則一罟'《周禮》. ㉡방어

함. '一備'. '王公設險, 以一其國'《易經》. 또, 방비. 방어 시설. '備一已具'《戰國策》. ㉢보살핌. 관장함. '山林之木, 衡麓一之'《左傳》. ㉣관직(官職)에 임(臨)함. '何以一位, 曰仁'《易經》. 또, 맡은 관직. 직책. '平其一'《周禮》. ②절개 수 지조. '操一'. '失其一者, 其辭屈'《易經》. ③계비직고(階卑職高) 수 품계(品階)는 낮고 관직은 높은 일. '將仕郎一國子四文博士'《韓愈》. ④오랫동안 수 '一, 久也'《廣雅》. ⑤구할 수 청함. '數一大將軍光'《漢書》. ⑥성 수 성(姓)의 하나. ⑦벼슬이름 수 ㉠군국(郡國)의 장관. '太一'. '郡一'. '秦始罷侯置一'《魏志》. ㉡관무(官務)의 주임(主任). '都護部一之曹'《後漢書》. ⑧임지 수 관직에 있는 곳. '境一清靜'《魏志》. ⑨돌 수 狩(犬部 六畫)와 통용. '巡一'.

字源 金文 篆文 形聲. 宀+手〔音〕. '手'는 변형(變形)되어 '寸'. 궁전 따위를 손으로 지키다는 뜻을 나타냄.

[守疆 수강] 국경을 지킴.
[守誡 수계] 십계명(十誡命)을 지킴.
[守瓜 수과] 갑충(甲蟲)의 하나. 노린재.
[守舊 수구] 구습(舊習)을 지킴. 전례(前例)를 따름.
[守舊黨 수구당] 구습(舊習)을 지키는 당파(黨派).
[守口如甁 수구여병] 병에 마개를 꼭 막듯이 입을 다문다는 뜻으로, 말을 대단히 삼감을 이름.
[守宮 수궁] ㉠파충류(爬蟲類)에 속하는 도마뱀 비슷한 동물. 도마뱀붙이. 갈호(蝎虎). 언정(蝘蜓). ㉡홰나무.
[守器 수기] ㉠장자(長子)를 말함. 태자(太子). 주기(主器). ㉡기물(器物)을 보관(保管)함.
[守令 수령] ㉠태수(太守)와 읍령(邑令). ㉡《韓》원. 부윤(府尹)·목사(牧使)·부사(府使)·군수(郡守)·현감(縣監)·현령(縣令) 등.
[守文 수문] 선대(先代)의 성법(成法)을 계승(繼承)하여 나라를 다스리어 백성을 편안히 함.
[守門 수문] 문(門)을 지킴. 또, 그 사람. 문지기.
[守門將 수문장] 성궐(城闕)의 문을 지키는 벼슬.
[守分 수분] 본분(本分)을 지킴. 자기 분수를 지킴.
[守備 수비] 지키어 방비(防備)함. 또, 그 시설.
[守成 수성] 부조(父祖)의 업(業)을 지킴. 창업(創業)한 뒤를 이어받아 지킴.
[守歲 수세] 섣달 그믐날의 밤샘.
[守勢 수세] 적의 공격에 대하여 지키는 태세.
[守丞 수승] 군(郡)의 부장관(副長官). 한 군(郡)의 차관(次官).
[守約施博 수약시박] 지키는 바는 간략한데 이를 시행하면 무슨 일이든지 통함.
[守禦 수어] 외환(外患)을 막음.
[守宇 수우] ㉠국경을 지킴. 또, 국경. ㉡국토(國土).
[守愚 수우] 슬기를 감추고 바보인 체함.
[守衛 수위] 지킴. 또, 지키는 사람.
[守貳 수이] 장관(長官)과 차관(次官). 주임관(主任官)과 보좌관(補佐官).
[守戰 수전] 나라를 지키고 막아 싸움.
[守錢奴 수전노] 돈을 모을 줄만 알고 쓸 줄 모르는 놈.
[守錢虜 수전로] 수전노(守錢奴).
[守節 수절] 절개(節槪)를 지킴.
[守拙 수졸] 처세(處世)에 옹졸한 줄 알면서도 그 옹졸함을 고치지 않고 지금 처해 있는 분복(分福)에 만족함.
[守株 수주] 송(宋)나라의 한 농부가 토끼가 나무 그루에 부딪쳐 죽은 것을 잡은 후, 농사는 팽개치고 나무그루만 지키고 토끼가 나타나기를 기다렸다는 고사(故事). 곧, 구습(舊習)을 고수(固守)하여 변통(變通)할 줄 모름을 이름. 수주대토(守株待兔).
[守株待兔 수주대토] '수주(守株)'와 같음.
[守直 수직] 맡아서 지킴.
[守眞 수진] 천성(天性) 그대로 보존(保存)함. 천진난만(天眞爛漫)함을 잃지 않음. 보진(保眞).
[守廳 수청] 《韓》청(廳)지기.
[守冢 수총] 묘(墓)지기.
[守護 수호] 지키어 보호(保護)함.
◉看守. 居守. 堅守. 境守. 警守. 固守. 官守. 國守. 郡守. 大守. 屯守. 牧守. 墨守. 墨翟之守. 邊守. 保守. 部守. 分守. 事守. 嗣守. 城守. 世守. 巡守. 神守. 留守. 宰守. 典守. 操守. 職守. 鎭守. 處守. 太守. 魂守.

3 ⑥ [安] 中人 안 ㊥寒 烏寒切 ān

筆順 丶 宀 宀 安 安 安

字解 ①편안할 안 ㉠마음 편함. '一閒'. '其心一焉'《國語》. ㉡위태롭지 않음. '一危'. '一全'. ㉢잘 다스려짐. '治一'. '國一而天下平'《禮記》. ②안존할 안 침착하고 조용함. '一詳'. '恭而一'《論語》. ③편안히할 안 ㉠편안하게 함. '在知人, 在一民'《書經》. ㉡안심시킴. '或一而行之'《中庸》. ㉢이동시키지 않고 한 군데 편안히 있게 함. '少一其兵'《戰國策》. ④《韓》값쌀 안 '一價'. ⑤어디에 안 어느 곳에. '吾將一至'. ⑥어찌 안 어떻게 하여. '君一得高枕而臥乎'《史記》. ⑦이에 안 乃(丿部 一畫)와 뜻이 같음. '委然成文以示之天下, 而暴國一自化矣'《荀子》. ⑧성(姓) 안 성(姓)의 하나.

字源 甲骨文 金文 篆文 會意. 女+宀. 집 안에서 여자가 편안해짐의 모양에서, '편안함·평온함'의 뜻을 나타냄.

[安康 안강] 편안함. 아무 탈이 없음. 또, 편안하게 함.
[安車 안거] 편안히 앉아서 타고 가는 수레. 주로 노인(老人)이나 부녀(婦女)가 타며 말 한 필이 끎.

[安車]

[安居 안거] ㉠평안(平安)히 있음. 또, 편안한 거처(居處). ㉡《佛敎》중이 여름에 외출하지 않고 방 안에 들어박혀 수행(修行)하는 일.
[安過 안과] 편안(便安)하게 지냄.
[安寧 안녕] ㉠평안(平安)함. ㉡겨울〔冬〕의 이칭(異稱).
[安寧秩序 안녕질서] 생명과 재산이 안전(安全)하고 사회(社會)의 질서(秩序)가 문란(紊亂)하지 아니함.
[安祿山 안녹산] 당(唐)나라의 절도사(節度使)·반신(叛臣). 돌궐계(突厥系)의 잡호(雜胡). 여

러 번의 무공(武功)으로 현종(玄宗)의 인정을 받아 마침내 평로(平盧)·범양(范陽)·하동(河東)의 세 절도사를 겸하게 되었음. 뒤에 재상(宰相) 양국충(楊國忠)과의 반목(反目)으로 반란을 일으켜 국호를 대연(大燕)이라 하고 칭제(稱帝)하였으나, 아들 경서(慶緖)에게 피살당했음.
[安堵 안도] ㉠사는 곳에서 편안(便安)히 지냄. ㉡심신(心身)이 편안함.
[安頓 안돈] ㉠사물(事物)을 잘 정돈(整頓)함. ㉡안심(安心).
[安東 안동] ㉠지명(地名). 랴오닝 성(遼寧省) 단둥 시(丹東市)의 옛 이름. 신의주(新義州)와 마주 대하여 압록강 하류 우안(右岸)에 위치함. ㉡옛 현(縣) 이름. 만주의 남부 압록강을 사이에 두고 우리나라와 인접함. 현도(縣都)는 안둥 시(安東市).
[安樂 안락] ㉠마음과 기운이 편안(便安)하고 즐거움. ㉡《佛教》 극락정토(極樂淨土)의 이칭(異稱).
[安樂國 안락국] 《佛教》 안락정토(安樂淨土).
[安樂世界 안락세계] 《佛教》 안락정토(安樂淨土).
[安樂淨土 안락정토] 《佛教》 극락세계(極樂世界). 극락정토(極樂淨土).
[安賴 안뢰] 안심하고 의뢰함.
[安眠 안면] 편안하게 잘 잠.
[安謐 안밀] 마음 편안함. 안온(安穩)함.
[安排 안배] 적당히 배치(配置)함. 안배(按排).
[安邊 안변] 변방(邊方)을 편안하게 함.
[安否 안부] 편안하고 편안하지 아니함. 곧, 기거(起居)의 상황(狀況).
[安分 안분] 편안(便安)한 마음으로 제 분수(分數)를 지킴.
[安貧 안빈] 궁하면서도 편안한 마음으로 지냄.
[安貧樂道 안빈낙도] 궁(窮)하면서도 편안한 마음으로 도(道)를 즐김.
[安肆 안사] 마음 편안하고 제멋대로임. 멋대로 즐기며 예의(禮儀)를 돌보지 아니함.
[安史之亂 안사지란] 당(唐)나라 현종(玄宗)의 천보(天寶) 14년부터 9년간 계속한 안녹산(安祿山)과 사사명(史思明)의 반란(叛亂).
[安產 안산] 아무 탈 없이 순조롭게 아이를 낳음. 순산(順產).
[安詳 안상] 성질(性質)이 안존하고 자세함.
[安徐 안서] 안서(安舒).
[安舒 안서] 편안함. 평온(平穩)함. 안서(安徐).
[安綏 안수] 편안함.
[安息 안식] ㉠편안(便安)히 쉼. ㉡옛적에 이란 지방에 있던 왕국(王國)의 이름. 원명(原名)은 파르티아(Parthia).
[安息日 안식일] 기독교 신자(信者)가 업무(業務)를 쉬고 종교상의 의식(儀式)을 행하는 날. 곧, 일요일(日曜日).
[安息香 안식향] 때죽나뭇과(科)에 속하는 낙엽교목(落葉喬木). 말레이시아가 원산지(原產地)임. 또, 이 나무에서 나는 진액(津液)을 말린 것. 약재(藥材) 또는 향료(香料)로 쓰임.
[安身 안신] 몸을 편안히 함.
[安信 안신] 평안(平安)하다는 소식.
[安身立命 안신입명] 신념(信念)에 안주(安住)하여 신명(身命)의 안위(安危)를 조금도 걱정하지 아니함.
[安心 안심] ㉠마음이 편안함. 또, 마음을 편안하게 함. ㉡《佛教》 신앙(信仰)에 의하여 마음을 안정(安定)함.
[安心立命 안심입명] 《佛教》 모든 의혹(疑惑)과 번뇌를 버리어 마음을 편안히 하고, 모든 것을 천명(天命)에 맡김.
[安安 안안] 편안한 모양.
[安養 안양] 마음을 편안(便安)히 하고 몸을 가다듬어 기름.
[安養世界 안양세계] 《佛教》 극락세계(極樂世界).
[安業 안업] 안심(安心)하고 업무(業務)에 종사함.
[安如泰山 안여태산] 편안하고 든든하기가 태산(泰山) 같아서 끄떡없음.
[安燕 안연] 편안함. 편히 쉼.
[安豫 안예] 마음 편안하고 즐거움.
[安穩 안온] 무사하고 편안(便安)함.
[安臥 안와] 편안히 누움.
[安危 안위] 편안함과 위태함.
[安胃 안위] 위(胃)를 편안하게 함.
[安慰 안위] 위로하여 안심시킴. 위안(慰安).
[安諭안유] 안심하도록 어루만져 타이름.
[安而不忘危 안이불망위] 평온 무사한 때에도 위난(危難)에 대비하여 경계를 소홀히 하지 아니함.
[安佚 안일] 안일(安逸).
[安逸 안일] 몸이 편하고 한가(閑暇)함.
[安葬 안장] 편안하게 장사 지냄.
[安全 안전] 편안하고 온전(穩全)함. 위태롭지 아니함.
[安全保障 안전보장] 조약국(條約國)이 서로 상대국(相對國)의 영토적(領土的) 안전을 보장(保障)하는 일.
[安接 안접] 편안(便安)하게 거접(居接)함.
[安定 안정] 편안하게 자리 잡음. 편안히 좌정함. 또, 편안히 좌정하게 함.
[安靖 안정] 편안하게 다스림. 또, 잘 다스려져 편안함.
[安靜 안정] 마음과 정신(精神)이 편안하고 고요함.
[安存 안존] 성질(性質)이 안온(安穩)하고 얌전함.
[安坐 안좌] ㉠아무것도 하지 않고 있음. ㉡편안히 앉아 있음.
[安住 안주] 자리 잡고 편안히 삶.
[安集 안집] 편안함. 또, 편안하게 함. 집(集)은 안(安)의 뜻. 안집(安輯).
[安輯 안집] 안집(安集).
[安車 안차] 안거(安車).
[安着 안착] 무사(無事)히 도착함.
[安置 안치] ㉠일정한 장소에 안정(安定)하게 놓음. ㉡《韓》 귀양 간 죄인을 가둬 둠.
[安枕 안침] 편안히 잠을 잠.
[安胎 안태] 동태(動胎) 증세를 다스리어 편안(便安)하게 함.
[安泰 안태] 편안하고 태평함.
[安宅 안택] 편안한 거처(居處). 전(轉)하여, 인(仁).
[安宅正路 안택정로] 인(仁)과 의(義).
[安土 안토] ㉠국토(國土)를 안태(安泰)하게 함. ㉡그 토지에서 편안히 삶.
[安閒 안한] 편안하고 한가로움.
[安閑 안한] 안한(安閒).
[安享 안향] 평안(平安)하게 누림. 하늘의 복록(福祿)을 안온(安穩)하게 받음.
[安蛔 안회] 거위배를 다스려 고침.
[安侯 안후] 안신(安信)의 경칭(敬稱).

[安徽 안휘] 장쑤 성(江蘇省) 서쪽에 있는 성(省) 이름. 농업이 성왕(盛旺)하며, 특히 쌀·차(茶)의 생산지로 이름 있음. 명(明)나라의 태조(太祖)·청(淸)나라의 이홍장(李鴻章)·송(宋)나라의 주희(朱熹) 등은 모두 이곳 태생임.
◉間安. 公安. 久安. 苟安. 歸安. 大安. 撫安. 問安. 盤石安. 保安. 奉安. 不安. 綏安. 晏安. 恬安. 乂安. 容膝安. 慰安. 臨安. 長安. 鎭安. 治安. 妥安. 泰山安. 台安. 偸安. 便安. 偏安. 平安. 懷安.

3 ⑥ [灾] 一 구 ㊀有 居祐切 jiù
二 유 ㊤有 與九切

字解 一 고민 구 가난의 걱정. 빈고(貧苦). 또, 걱정함. '一, 貧病也'《說文》. 二 ①고민 유 一과 뜻이 같음. ②오래있을 유 '一, 久居也'《正字通》.
字源 形聲. 宀+久〔音〕

3 ⑥ [写] 〔사〕
寫(宀部 十二畫〈p. 598〉)의 俗字

[字] 〔자〕
子部 三畫(p. 557)을 보라.

4 ⑦ [宋] 人名 송 ㊀宋 蘇統切 sòng

筆順 ' ' 宀 宀 宀 宋 宋

字解 ①송나라 송 ㉠춘추 십이 열국(春秋十二列國)의 하나. 미자(微子)가 세운 나라로 지금의 허난 성(河南省) 상구현(商邱縣) 지방. 제(齊)·위(魏)·초(楚) 삼국에게 멸망당하였음. ㉡남조(南朝)의 하나로 유유(劉裕)가 진(晉)나라의 선양(禪讓)을 받아 세운 왕조(王朝). 도읍은 건강(建康). 8주(主) 60년 만에 남제(南齊)에게 망하였음. 유송(劉宋)이라고도 함. (420~479) ㉢조광윤(趙匡胤)이 후주(後周)의 선위(禪位)를 받아 세운 왕조. 도읍은 변경(汴京). 후에 임안(臨安)으로 천도(遷都). 16주(主) 317년 만에 원(元)나라에 멸망당하였음. 조송(趙宋)이라고도 함. (960~1279) ②성 송 성(姓)의 하나.
字源 金文 篆文 會意. 宀+木. 옥내(屋內)에 나무가 있는 모양으로, 나라 이름을 나타내는 데 쓰이며, 그 밖에는 용례(用例)가 없음.

[宋襄之仁 송양지인] 송양공(宋襄公)처럼 너무 착하기만 하다가 도리어 남에게 해를 입는 어진 마음을 이름. 춘추 시대(春秋時代)의 송(宋)나라 양공(襄公)이 초(楚)나라와 싸울 때 송나라의 공자(公子) 목이(目夷)가 적이 포진(布陣)하기 전에 치자고 청하였으나, 양공이 군자(君子)는 남이 곤경(困境)에 있을 때 괴롭혀서는 안 된다고 반대하고, 적이 포진하기를 기다리다가 도리어 패전(敗戰)하여 그 자신도 부상을 입어 남의 웃음거리가 된 고사(故事)에서 나온 말.
[宋學 송학] 송대(宋代)의 유학(儒學). 곧, 성리학(性理學).
◉南宋. 唐宋. 北宋. 劉宋. 趙宋.

4 ⑦ [完] 中人 완 ㊥寒 胡官切 wán

筆順 ' ' 宀 宀 宀 宇 完

字解 ①완전할 완 부족함이 없음. 흠이 없음. '一全無缺'. '不如伐蜀之一'《戰國策》. ②온전히할 완 본디대로 있게 함. '臣請,一璧歸趙'《史記》. ③끝날 완 일이 완결됨. '一了'. '一功'. ④지킬 완 보전함. '一城'. '不如一舊'《左傳》. ⑤기울 완 수선함. '繕一'. '大叔一聚'《左傳》. ⑥튼튼할 완 견고함. '一牢'. ⑦성 완 성(姓)의 하나.
字源 篆文 形聲. 宀+元〔音〕. '元원'은 '院원'과 통하여, 빙 둘러싼 담의 뜻. 둘레를 담으로 둘러쳐서 내부(內部)가 튼튼히 지켜지는 모양에서, '완전함'의 뜻을 나타냄.

[完決 완결] 완전(完全)히 결정함.
[完結 완결] 완전히 끝을 맺음.
[完計 완계] 완전한 계책.
[完久 완구] 완전하여 오래 견딜 수 있음.
[完具 완구] 완전히 갖춤. 또, 완전히 갖추어짐.
[完納 완납] 죄다 바침.
[完牢 완뢰] 견고함.
[完了 완료] 끝이 남. 마침.
[完璧 완벽] ㉠빌려 왔던 물건을 전부 온전히 돌려보냄. 완벽귀조(完璧歸趙). ㉡흠이 없는 옥이란 뜻으로, 완전무결(完全無缺).
[完璧歸趙 완벽귀조] '벽조(璧趙)'와 같음.
[完補 완보] 부족(不足)이 없이 완전(完全)히 보충(補充)함.
[完本 완본] 전질(全帙) 중에 빠진 것이 없는 완전한 서책(書冊).
[完膚 완부] 흠이 없는 살가죽. 전(轉)하여, 흠이 없는 데. 결점이 없는 곳.
[完備 완비] 빠짐없이 구비(具備)함. 부족이 없음.
[完善 완선] 결점(缺點)이 없음. 나무랄 데가 없음.
[完成 완성] 완전(完全)하게 성취(成就)함. 죄다 이룸.
[完城 완성] 성(城)을 보전함.
[完遂 완수] 목적을 완전히 이룸.
[完實 완실] ㉠충분히 갖추어짐. ㉡충분히 저장하여 꽉 채움.
[完安 완안] 완전하고 평안함.
[完然 완연] ㉠완전하여 흠이 없는 모양. ㉡뜻을 이루고자 하는 모양. 성취시키고자 하는 모양.
[完完 완완] 완전한 모양.
[完人 완인] ㉠병(病)이 완전(完全)히 나은 사람. ㉡아무 결점(缺點)이 없는 사람.
[完全 완전] ㉠조금도 섞인 것이 없음. 순수함. ㉡부족(不足)이 없음. 흠(欠)이 없음.
[完全無缺 완전무결] 부족(不足)이 없고 조금도 결점(缺點)이 없음.
[完定 완정] 아주 결정함.
[完整 완정] 빈틈없이 정돈함. 또, 완전히 정돈됨.
[完濟 완제] 죄다 마침.
[完聚 완취] 성곽(城廓)의 헌 데를 고치고 백성을 모음.
[完治 완치] 병(病)을 완전(完全)히 치료(治療)함.
[完窆 완폄] 완전(完全)하게 매장(埋藏)함.
[完好 완호] 완전하게 갖추어져서 훌륭함.
◉大完. 未完. 補完. 繕完. 修完. 葺完.

4
⑦ [宍] 육 ㊀屋 如六切 ròu

字解 고기 육 肉(部首)의 古字. '欲―之心亡於中, 則餓虎可尾'《淮南子》.

4
⑦ [夰] 개 ㊂卦 古拜切 jié

字解 ①홀로 개 여럿이 아님. '―, 獨也'《集韻》. ②외짐승 개 짝이 없는 짐승. '畜無偶曰―'《五音集韻》.

4
⑦ [宊] ■ 突(穴部 四畫〈p. 1635〉)과 同字
■ 家(宀部 七畫〈p. 582〉)와 同字

4
⑦ [宄] 〔귀〕
宄(宀部 二畫〈p. 567〉)의 古字

4
⑦ [宎] 요 ㊤篠 伊鳥切 yǎo
㊥蕭 伊堯切 yāo

字解 ①구석 요 방(房)의 동남우(東南隅). ②굴속소리 요 깊은 굴속에서 불어 나오는 바람소리. '―者, 咬者'《莊子》. ③깊숙할 요 깊숙이 들어가 있음. 또, 그곳. '鶉生於―'《莊子》.

字源 形聲. 宀+夭〔音〕

參考 窔(宀部 六畫)은 同字.

[宎遼 요료] 깊숙한 모양. 심원(深遠)한 모양.

4
⑦ [宏] 人名 굉 ㊥庚 戶萌切 hóng

筆順 ' '' 宀 宁 宏 宏 宏

字解 ①클 굉, 넓을 굉 광대(廣大)함. '―大'. '用―玆賁'《書經》. '―, 增韻, 廣也'《康熙字典》. ②깊을 굉 집이 안으로 깊숙함. '―, 屋突也'《說文》. ③널리 굉 두루 널리 미치는 모양. '丕大德以―覆'《陸機》. ④성 굉 성(姓)의 하나.

字源 金文 篆文 形聲. 宀+厷〔音〕. '宀면'은 '집'의 뜻. '厷굉'은 '넓다'의 뜻. 옥내(屋內)가 깊숙하고도 넓음의 뜻을 나타냄.

[宏傑 굉걸] 굉장(宏壯)하고 웅대(雄大)함.
[宏傑詭麗 굉걸궤려] 굉장하고 웅대하며 미려함.
[宏宏 굉굉] 광대(廣大)한 모양.
[宏規 굉규] 큰 계책(計策). 굉모(宏謨). 굉유(宏猷).
[宏器 굉기] 큰 그릇. 전(轉)하여, 큰 기국(器局).
[宏達 굉달] 마음이 넓고 사리(事理)에 달통(達通)함.
[宏大 굉대] 굉장(宏壯)하게 큼.
[宏圖 굉도] 큰 계책(計策). 원대한 계획.
[宏謨 굉모] 대단히 큰 계책.
[宏博 굉박] 크고 넓음.
[宏辯 굉변] 웅대(雄大)한 변설(辯舌). 웅변(雄辯).
[宏富 굉부] 넓고 풍부함.
[宏業 굉업] 굉장(宏壯)한 사업(事業). 큰일.
[宏遠 굉원] 넓고 멂. 홍원(弘遠).
[宏猷 굉유] 큰 꾀. 굉모(宏謨).
[宏壯 굉장] 크고 훌륭함.
[宏才 굉재] 뛰어나게 큰 재능. 대재(大才). 웅재(雄才).
[宏材 굉재] 뛰어난 인물.
[宏才卓識 굉재탁식] 큰 재능(才能)과 빼어난 견식(見識).
[宏敞 굉창] 넓고 시원함.
[宏弘 굉홍] 넓고 큼.
[宏闊 굉활] 크고 넓음.
[宏徽 굉휘] 매우 착한 일. 커다란 선(善).
◉快宏. 泓宏. 恢宏.

4
⑦ [宐] 〔의〕
宜(宀部 五畫〈p. 576〉)의 本字

4
⑦ [宑] 〔정〕
定(宀部 五畫〈p. 575〉)의 俗字

[牢] 牛部 三畫(p. 1376)을 보라.

5
⑧ [宓] ■ 복 ㊀屋 房六切 fú
■ 밀 ㊀質 彌畢切 mì

字解 ■ ①사람이름 복 伏(人部 四畫)과 통용. '帝―羲氏'《漢書》. ②성 복 성(姓)의 하나. ■ ①편안할 밀 '―穆休于太祖之下'《淮南子》. ②조용할 밀 잠잠함.

字源 篆文 形聲. 宀+必〔音〕. '必필'은 '閉폐'와 통하여, '닫다'의 뜻. 집 안에 틀어박혀 쥐 죽은 듯 고요함의 뜻을 나타냄.

[宓妃 복비] 복희씨(伏羲氏)의 딸. 뤄수이(洛水)강에 익사하여 뤄수이 강의 신(神)이 되었다 함.
[宓羲 복희] '복희(伏羲)'와 같음.

5
⑧ [宕] 탕 ㊂漾 徒浪切 dàng

字解 ①방탕할 탕, 지나칠 탕 蕩(艸部 十二畫)과 同字. '豪―'. '發辭偏―'《後漢書》. ②돌굴 탕 돌에 뚫린 굴. 석굴(石窟). ③넓을 탕, 클 탕.

字源 甲骨文 金文 篆文 形聲. 宀+碭〈省〉〔音〕. '碭탕'은 '지나침'의 뜻. 멋대로 굶의 뜻을 나타냄.

[宕子 탕자] 방탕한 자. 탕자(蕩子). 탕아(蕩兒).
◉佚宕. 跌宕. 豪宕.

5
⑧ [宗] 中人 종 ㊥冬 作冬切 zōng

筆順 ' '' 宀 宀 宇 宇 宗 宗

字解 ①가묘 종, 종묘 종 사당. '―社'. '承我―事'《儀禮》. ②마루 종, 밑 종 밑동. 근본. '―家'. '禮之―也'《國語》. ③겨레 종 일가. '―門'. '焉能亢―'《左傳》. ④갈래 종 유파(流派). '―派'. '釋氏五―'《正字通》. ⑤높일 종 존숭함. 숭상함. '學者―之'《史記》. 또, 존숭하는 사람. 앙모하는 사람. '詩―'. ⑥조회볼 종 여름에 제후가 천자에게 알현함. '春見曰朝, 夏見曰―'《周禮》. ⑦향할 종 향하여 감. '百川朝―于海'《書經》. ⑧많을 종 衆(血部 六畫)과 통용. '―, 衆也'《廣雅》. ⑨모일 종 叢(又部 十六畫)과 통용. '―, 聚也'《廣雅》. ⑩성 종 성(姓)의 하나.

字源 甲骨文 金文 篆文 會意. 宀+示. '宀면'은 '가옥(家屋)'의 뜻. '示시'는 '신사(神事)'의 뜻. 신사(神事)가 행하여지는 집, 곧 사당(祠堂)의 뜻을 나타내며, 파생

(派生)하여, '조상'의 뜻이나 조상을 모시는 '족장(族長)'의 뜻을 나타냄.

[宗家 종가] 맏파(派)의 집안. 큰집.
[宗系 종계] 종가(宗家)의 혈통.
[宗教 종교] 숭고(崇高)하고 위대(偉大)한 대상(對象), 곧 초자연(超自然)의 신(神)을 숭배(崇拜)하고 신앙(信仰)하여 안심입명(安心立命)을 얻으려는 교의(教義).
[宗教哲學 종교철학] 종교(宗教)의 이상, 신(神)의 존재, 종교적 세계관 및 인생관, 종교와 도덕의 관계 등을 밝히는 철학(哲學).
[宗國 종국] 종주국(宗主國).
[宗規 종규] 종법(宗法).
[宗器 종기] ㉠종묘(宗廟)에서 사용하는 예악(禮樂)의 기구(器具). ㉡제기(祭器).
[宗女 종녀] 황실(皇室)의 딸.
[宗畓 종답]《韓》종중(宗中) 소유(所有)의 논.
[宗徒 종도] 종교·종파(宗派)의 신앙자. 신도(信徒).
[宗老 종로] 문중(門中)의 존장자(尊長者).
[宗論 종론] 각각 다른 종파(宗派)가 서로 그 우열(優劣)·진위(眞僞)를 논하여 다투는 언론(言論).
[宗盟 종맹] 종묘(宗廟) 앞에서 맺는 맹세.
[宗廟 종묘] ㉠역대(歷代)의 신주(神主)를 모신 제왕가(帝王家)의 사당(祀堂). 옛적에는 사서인(士庶人)의 사당도 종묘라고 하다가 후세에 이르러 대부(大夫) 이하의 사당은 가묘(家廟)라 일컫게 되었음. ㉡국가(國家). 천하(天下).
[宗門 종문] ㉠종족(宗族). ㉡종교(宗教)의 갈래. 종파(宗派).
[宗班 종반]《韓》왕가(王家)의 겨레.
[宗伯 종백] ㉠벼슬 이름. 옛날의 육경(六卿)의 하나. 예의(禮儀)·신기(神祇)에 관한 일을 맡아보았음. ㉡예부시랑(禮部侍郞)의 별칭(別稱).
[宗法 종법] ㉠본가(本家)와 분가(分家)의 구별을 밝히는 제도. ㉡한 겨레의 사이에 정(定)한 규약(規約). ㉢《佛教》종문(宗門)의 법규(法規).
[宗婦 종부] 맏파(派) 자손(子孫)의 아내. 곧, 큰집의 맏며느리.
[宗社 종사] 종묘(宗廟)와 사직(社稷). 전(轉)하여, 왕실(王室)과 국토(國土).
[宗祀 종사] ㉠높이 받들어 제사 지냄. ㉡조상(祖上)을 제사 지냄.
[宗師 종사] ㉠종장(宗匠)으로 받들어 본받음. ㉡존숭(尊崇)할 만한 학자.
[宗社黨 종사당] 청(清)나라 말기에 황실(皇室)을 옹립하여 제정(帝政)을 회복하고자 하여 일어난 당파(黨派).
[宗山 종산] 한 겨레의 조상(祖上)의 무덤이 있는 산. 곧, 종중(宗中)의 산.
[宗姓 종성]《韓》종반(宗班).
[宗孫 종손] 종갓집의 맏손자.
[宗臣 종신] ㉠중신(重臣). ㉡종친(宗親)인 신하. 임금과 동족의 신하.
[宗室 종실] ㉠선조(先祖)의 사당(祠堂). ㉡천하(天下)의 총본가(總本家). ㉢겨레. 집안. ㉣제왕(帝王)의 일가. 종친(宗親).
[宗氏 종씨]《韓》동성동본(同姓同本)으로서 계촌(計寸)을 하지 않는 겨레에 대(對)한 칭호(稱號).
[宗英 종영] 동족(同族) 가운데에서 우수한 자.
[宗邑 종읍] 능(陵)이 있는 곳. 종묘(宗廟)가 있는 곳.
[宗誼 종의] 일가 사람들 사이의 친한 정의(情誼).
[宗人 종인] ㉠동족(同族)의 사람. 일가. ㉡제왕(帝王)의 일가. 종친(宗親). ㉢벼슬 이름. 종친(宗親)의 일을 맡음.
[宗子 종자] 맏아들. 적장자(嫡長子).
[宗匠 종장] 도덕(道德)과 학예(學藝)가 출중(出衆)한 사람.
[宗長 종장] 한 겨레의 어른.
[宗田 종전] 종중(宗中) 소유의 밭.
[宗正寺 종정시] 당(唐)나라 때 황족(皇族)의 족적(族籍)을 맡아보던 관아(官衙).
[宗族 종족] 동성동본(同姓同本)의 일가.
[宗主 종주] ㉠근본(根本). ㉡종자(種子). ㉢제후(諸侯)의 위에 서서 패권(霸權)을 잡은 맹주(盟主). ㉣종묘(宗廟)의 신주(神主).
[宗周 종주] 주(周)나라의 왕도(王都)를 이름.
[宗主國 종주국] 종주권(宗主權)을 가진 나라.
[宗主權 종주권] ㉠종주(宗主)의 제후(諸侯)에 대한 권력. ㉡한 나라가 다른 나라의 내치(內治)·외교(外交)를 관리(管理)하는 특수한 권력.
[宗中 종중] 한 겨레의 문중(門中).
[宗支 종지] 종파(宗派)와 지파(支派).
[宗旨 종지] ㉠주장되는 종요로운 뜻. 주의(主意). 주지(主旨). ㉡종파(宗派)의 교의(教義).
[宗枝 종지] ㉠종지(宗支). ㉡군주(君主)의 집안. 종실(宗室).
[宗戚 종척] 종족(宗族).
[宗親 종친] ㉠동모(同母)의 형제(兄弟). ㉡동족(同族)의 사람. ㉢《韓》제왕의 일가.
[宗統 종통] 종파(宗派)의 계통.
[宗派 종파] ㉠종족(宗族)의 파(派). ㉡종교(宗教)의 갈래. 화엄종(華嚴宗)·법화종(法華宗)·교종(教宗)·선종(禪宗) 따위. ㉢학술(學術)의 유파(流派). ㉣《韓》지파(支派)에 대하여 종가(宗家)의 계통(系統).
[宗會 종회] 종중(宗中)의 회의.
◉強宗. 改宗. 瞽宗. 功宗. 教宗. 九宗. 南宗. 談宗. 岱宗. 同宗. 文宗. 法華宗. 北宗. 辭宗. 禪宗. 小宗. 疎宗. 殊宗. 詩宗. 儒宗. 六宗. 律宗. 正宗. 祖宗. 朝宗. 眞言宗. 眞宗. 秩宗. 天台宗. 他宗. 太宗. 八宗. 河宗.

5 ⑧ [官] 中人 관 ㊥寒 古丸切 guān

筆順 丶 丷 宀 宀 宁 宁 官 官

字解 ①벼슬 관 관직. '高—'. '任—惟賢材'《書經》. ②마을 관 관가. '—廳'. '在—不俟屨'《禮記》. ③벼슬아치 관 관원. '—海'. '善事上—'《後漢書》. ④기능 관 이목구비(耳目口鼻) 등의 기능. '五—'. '心之—則思'《孟子》. ⑤벼슬줄 관 임관함. '—人益秩'《荀子》. '論定, 然後—之'《禮記》. ⑥벼슬살이할 관 관직에 나아가 봉사함. '—於大夫者'《禮記》. ⑦본받을 관 본보기로 함. '其—於天也'《禮記》. ⑧임금 관 천자(天子). 제후(諸侯). '魏晉六朝稱—'《稱謂錄》. ⑨성 관 성(姓)의 하나.

字源 甲骨文 金文 篆文 會意. 宀+自. '自퇴'는 제사용 고기의 형상으로, 군대를 뜻함. 군대가 오랫동안 머무는 곳의 뜻에서, 관청의 뜻을 나타냄.

[官家 관가] ㉠천자(天子). 또, 황실(皇室). ㉡정부(政府). ㉢《韓》 나랏일을 맡은 마을. 지방(地方)의 한 고을의 행정 사무(行政事務)를 처리하는 마을.
[官榷 관각] 정부의 전매 사업(專賣事業).
[官健 관건] 당(唐)나라 때, 정부에서 의복과 식량을 급여하는 주병(州兵).
[官戒 관계] 관리(官吏)가 지켜야 할 계칙(戒飭).
[官契 관계] 관부(官府)의 어음 또는 부신(符信).
[官階 관계] 관직(官職)의 등급(等級). 관등(官等).
[官縶 관계] 관직(官職)에 얽매이어 몸이 자유롭지 못함.
[官軍 관군] 정부(政府)의 군사(軍士). 정부 편의 군사.
[官權 관권] ㉠정부(政府)의 권력(權力). ㉡관청(官廳)의 권력.
[官給 관급] 관청(官廳)의 급여.
[官妓 관기] 궁중(宮中)에서 가무(歌舞)를 하는 기생. 「속.
[官紀 관기] 관부(官府)의 규율(規律). 관리의 단
[官女 관녀] 궁녀(宮女).
[官奴 관노] 관아(官衙)의 사내종.
[官能 관능] 생물체(生物體)의 모든 기관(器官)의 기능(機能).
[官途 관도] 관리의 생활. 벼슬살이.
[官等 관등] 벼슬의 등급(等級).
[官力 관력] 관청(官廳)의 힘.
[官令 관령] 관청(官廳)의 명령.
[官隷 관례] 관아(官衙)에서 부리는 하인(下人).
[官祿 관록] ㉠관위(官位)와 봉록(俸祿). ㉡관리의 봉록(俸祿).
[官僚 관료] ㉠관리(官吏). ㉡동관(同官). 동료(同僚).
[官僚政治 관료정치] 관리(官吏)가 권리(權利)를 농단(壟斷)하여 관료 사회의 이익(利益)만 도모(圖謀)하고, 국민 전체의 복리(福利)를 고려하지 아니하는 정치(政治).
[官吏 관리] 벼슬에 있는 사람. 벼슬아치. 공무원.
[官名 관명] 벼슬의 이름.
[官命 관명] 관부(官府)의 명령.
[官沒 관몰] 관아(官衙)에서 물건을 몰수(沒收)함.
[官務 관무] 관청(官廳)의 사무(事務). 관원(官員)의 직무(職務). 「衙).
[官門 관문] ㉠관아(官衙)의 문(門). ㉡관아(官
[官文書 관문서] 관청의 공문서.
[官物 관물] 관아(官衙)의 물품.
[官民 관민] 관리와 백성(百姓).
[官房 관방] 관원(官員)이 집무(執務)·숙직(宿直)하는 방(房).
[官閥 관벌] 관위(官位)의 등급(等級). 또, 관작(官爵)과 문벌(門閥).
[官兵 관병] 관군(官軍).
[官報 관보] ㉠정부에서 발행하는 일간(日刊) 공보(公報). ㉡관공서에서 발송(發送)하는 공용(公用) 전보.
[官俸 관봉] 관록(官祿). 관리의 봉급.
[官府 관부] ㉠조정(朝廷). ㉡정부(政府) 또는 관아(官衙). ㉢장관(長官).
[官婢 관비] 죄로 관아(官衙)에 적몰(籍沒)당한 계집종. 「用).
[官費 관비] 관아(官衙)에서 지출하는 비용(費
[官司 관사] 관아(官衙).
[官寺 관사] ㉠관아(官衙). ㉡정부(政府)에서 세운 절.
[官邪 관사] 관리(官吏)로서 지켜야 할 일을 지키지 않음.
[官社 관사] 조정(朝廷)에서 세운 지기(地祇)를 제사 지내는 곳.
[官舍 관사] 관부(官府)에서 지은 관리(官吏)의 주택(住宅).
[官使 관사] 관리로 등용(登用)하여 부림.
[官事 관사] 관부(官府)의 일. 관공서(官公署).
[官常 관상] 관리(官吏)가 그의 직무(職務)를 지키는 일.
[官書 관서] 관부(官府)의 서류. 관공서(官公署)의 문서.
[官署 관서] 관아(官衙). 관공서(官公署).
[官選 관선] 관청(官廳)에서 뽑음.
[官設 관설] 정부에서 설치함.
[官屬 관속] ㉠낮은 관리. 속리(屬吏). ㉡《韓》 군아(郡衙)의 아전(衙前)과 하인(下人).
[官守 관수] 관리의 직책(職責).
[官衙 관아] 관원(官員)이 사무를 처리(處理)하는 곳. 마을. 관청(官廳).
[官樣 관양] 관부(官府)의 양식. 정부의 문서 양식.
[官業 관업] 정부에서 경영하는 사업.
[官役 관역] 나라의 역사(役事).
[官營 관영] 정부의 경영(經營).
[官用 관용] 관아(官衙)의 소용.
[官員 관원] 벼슬에 있는 사람. 관직(官職)이 있는 사람. 벼슬아치.
[官媛 관원] 궁녀(宮女).
[官有 관유] 나라의 소유(所有).
[官遊 관유] ㉠벼슬살이를 위하여 향리(鄕里)를 떠남. ㉡관직(官職)을 떠고 원방(遠方)으로 감.
[官人 관인] ㉠벼슬아치. 관리. ㉡사람에게 벼슬을 줌. 사람을 임관함.
[官印 관인] 관용(官用)으로 쓰는 도장(圖章).
[官爵 관작] 관직과 작위(爵位).
[官箴 관잠] ㉠백관(百官)이 제왕(帝王)의 잘못을 간(諫)하기 위한 글. ㉡관리가 지켜야 할 계율(戒律).
[官長 관장] 관리의 장(長). 장관(長官).
[官邸 관저] 관사(官舍).
[官廷 관정] 관아(官衙).
[官庭 관정] 관아(官衙)의 뜰.
[官情 관정] 벼슬을 바라는 마음.
[官制 관제] 관청(官廳)의 조직(組織)·권한(權限) 및 관리(官吏)의 직무(職務) 등을 규정한 법칙.
[官製 관제] 정부(政府)의 경영(經營)으로 만듦.
[官租 관조] 관부(官府)에 납입(納入)하는 조세(租稅).
[官曹 관조] 벼슬아치. 관리.
[官尊民卑 관존민비] 관리는 높이 여기고 백성은 천히 여기는 사상. 또는 그 사회 현상.
[官職 관직] ㉠관리의 직무. ㉡관리의 지위(地位). 관계(官階).
[官秩 관질] ㉠관리의 봉급(俸給). 관록(官祿). ㉡관위(官位).
[官次 관차] ㉠관직(官職)의 고하(高下)의 순서. 관등(官等). ㉡관사(官舍). 관저(官邸).
[官倉 관창] 관(官)의 미곡 창고.

[官牒 관첩] 관원(官員)의 성명·관위(官位)를 기록한 일종의 직원록(職員錄).
[官廳 관청] 관아(官衙). 관공서(官公署).
[官治 관치] ㉠관부(官府)의 정치. ㉡관리 제도로 행하는 정치. 자치(自治)의 대(對).
[官宅 관택] 관사(官舍).
[官銜 관함] 관직(官職)과 위계(位階). 관위(官位).
[官海 관해] 관리의 사회(社會).
[官廨 관해] 관아(官衙).
[官許 관허] 정부(政府)에서 특정(特定)한 사람에게 특정한 행위를 허락하는 일. 관청(官廳)의 허가.
[官憲 관헌] ㉠국가(國家) 또는 정부(政府)의 규칙. ㉡관할권을 가진 관청. ㉢관리(官吏). 관원(官員).
[官刑 관형] 오형(五刑)의 하나. 관무(官務)를 게을리 한 자에게 주던 형벌(刑罰).
[官戶 관호] 관리(官吏)가 사는 집.
[官話 관화] 중국 청대(淸代)에 관청에서 쓰던 표준말. 주로 북경(北京) 관화를 이름.
◉加官. 諫官. 兼官. 警官. 考官. 高官. 顧問官. 曠官. 教官. 九官. 貴官. 器官. 冷官. 達官. 堂上官. 堂下官. 大官. 冬官. 亡八官. 賣官. 免官. 名官. 廟官. 武官. 文官. 門官. 美官. 微官. 拜官. 百官. 法官. 兵官. 補官. 本官. 卑官. 士官. 仕官. 史官. 私官. 事務官. 上官. 相當官. 庶官. 星官. 世官. 小官. 屬官. 損官. 試官. 神官. 牙官. 衙官. 閹官. 譯官. 熱官. 伶官. 五官. 宂官. 六官. 音官. 蔭官. 醫官. 耳目官. 日官. 任官. 長官. 材官. 除官. 鍾官. 奏任官. 中官. 地官. 直官. 次官. 千官. 天官. 秋官. 春官. 勅任官. 親任官. 退官. 判官. 板官. 稗官. 品官. 下官. 夏官. 學官. 行官. 行政官. 鄕官. 懸官. 刑官. 顯官. 宦官. 候官.

5 ⑧ [宙] 中人 주 ㊀宥 直祐切 zhòu

筆順 ' ˊ' 宀 宀 宀 亩 宙 宙

字解 ①집 주 주거. ②동량 주 마룻대와 들보. '鳳凰之翔至德也, 而燕雀佼之, 以爲不能與之爭於宇—之間'《淮南子》. ③때 주 무한한 시간. 세시(歲時). '往古來今, 謂之—'《淮南子》. ④하늘 주 허공(虛空). 또, 천지(天地)의 사이. '碧—'. '廼窮—而達幽'《漢書》.

字源 篆文 形聲. 宀+由〔音〕. '由유'는 깊숙이 뚫려 통하는 구멍의 뜻. 안쪽으로 깊숙이 통하는 건축물의 모양에서, '마룻대·하늘'의 뜻을 나타내며, 전(轉)하여 영원으로 통하는 '때·시간'의 의미도 나타냄.

[宙然 주연] 넓은 모양을 이름.
[宙宇 주우] ㉠모든 천체를 포함하는 전 공간. ㉡시간과 공간(空間). 왕고내금(往古來今)과 사방 상하(四方上下).
[宙表 주표] 하늘의 바깥. 천외(天外).
◉窮宙. 上宙. 宇宙.

5 ⑧ [定] 中人 정 ㊀徑 徒徑切 dìng

筆順 ' ˊ' 宀 宀 宀 宁 宇 定

字解 ①정할 정 ㉠결정함. '決—'. '—其論'《禮記》. ㉡바로잡음. '以閏月—四時成歲'《書經》. ㉢평정함. 안정시킴. '鎭—'. '可傳檄而—也'《史記》. ②정하여질 정 전항(前項)의 자동사. '位—然後祿之'《禮記》. '—戎衣, 天下大—'《書經》. ③잘 정 취침함. '夜人—後'《後漢書》. ④머무를 정 정지함. '—止'. '公—, 予往已'《書經》. ⑤별이름 정 별의 하나. '—之方中'《詩經》. ⑥이마 정 액(額). '麟之—'《詩經》. ⑦꼭 정 반드시. '陳王—死'《史記》.

字源 金文 篆文 形聲. 宀+正〔音〕. '正정'은 '곧다'의 뜻. 집이 똑바로 서다, 정하여지다의 뜻을 나타냄.

參考 㝎(宀部 四畫)은 俗字.

[定價 정가] ㉠값을 매김. ㉡매겨 놓은 값. 값.
[定刻 정각] 작정(作定)한 바로 그 시각(時刻).
[定格 정격] 규칙. 기율(紀律).
[定見 정견] 일정한 주견(主見).
[定界 정계] ㉠정한 한계(限界). ㉡한계를 정함.
[定款 정관] 사단 법인(社團法人)의 조직과 업무 집행의 방법 등에 관한 규정(規定).
[定規 정규] ㉠일정(一定)한 규칙(規則) 또는 규약(規約). ㉡선(線)을 긋는 제구(諸具)의 한 가지. 자.
[定極 정극] 궁극(窮極)에 달함.
[定期 정기] 일정(一定)한 기한(期限) 또는 시기(時期).
[定期刊行物 정기간행물] 일정한 시기에 간행하는 출판물.
[定都 정도] 도읍(都邑)을 새로 정함.
[定道論 정도론] 정명론(定命論).
[定量 정량] 일정한 분량(分量).
[定力 정력] 《佛教》 선정(禪定)에 의하여 양성(養成)한 힘.
[定例 정례] 일정한 규례(規例).
[定論 정론] 정확하여 움직일 수 없는 의론(議論). 정설(定說).
[定律 정률] 어떠한 행위에 대하여 죄형(罪刑)을 정하여 놓은 규정(規定).
[定率 정률] 일정한 비율(比率).
[定理 정리] ㉠확고부동(確固不動)한 원리(原理). ㉡학문상(學問上) 이미 참된 것이라고 증명된 이론(理論).
[定命 정명] ㉠생명(生命)의 장단(長短)을 정함. ㉡날 때부터 정하여진 운명(運命).
[定命論 정명론] 사람의 운명은 날 때부터 정해져 있어서 인력(人力)으로써는 어떻게 할 도리가 없다고 하는 설(說). 정도론(定道論).
[定配 정배] 배소(配所)를 정(定)하고 죄인(罪人)을 귀양 보냄.
[定保 정보] 정하여 보전함.
[定分 정분] 미리 정해진 분수(分數).
[定算 정산] 예정한 계산(計算).
[定石 정석] ㉠바둑에 있어 공격과 수비에 최선(最善)을 다한 수법(手法)의 정형(定形)을 이룬 것. ㉡일정한 방식.
[定說 정설] 정론(定論).
[定省 정성] 밤에는 부모의 이부자리를 보살펴 드리고 아침에는 안부(安否)를 묻는 일. 곧, 자식이 부모를 섬기는 도리. 혼정신성(昏定晨省).
[定性分析 정성분석] 화합물(化合物)의 성분(成分)을 화학 반응(反應)의 여하에 따라 검출하는 방법.

[定屬 정속] 죄인(罪人)을 종으로 삼는 일.
[定數 정수] ㉠일정(一定)한 수(數). ㉡정하여진 운수(運數).
[定時 정시] 일정(一定)한 시각(時刻), 또는 시기(時期).
[定式 정식] 일정한 방식(方式).
[定食 정식] ㉠식당(食堂) 등에서 일정(一定)하게 차려 먹는 음식. ㉡정식(正式)의 양식(洋食). ㉢때를 정하여 놓고 먹는 음식(飮食).
[定額 정액] 일정한 액수(額數).
[定約 정약] ㉠약조(約條)를 정(定)함. ㉡정하여 놓은 약속.
[定業 정업] ㉠일정한 직업(職業). ㉡《佛敎》 전세(前世)부터 정해진 업보(業報).
[定員 정원] 정하여진 사람의 수. 일정(一定)한 인원(人員).
[定義 정의] 한 사물(事物)에 관하여 의미를 밝혀 개념(槪念)을 명확하게 한정(限定)하는 일. 또, 그 설명.
[定日 정일] 미리 정한 날. 또, 날짜를 정함.
[定定 정정] 일정한 곳에 편안히 머물러 있는 모양.
[定情 정정] 남녀가 서로 부부(夫婦)가 되기로 언약(言約)함.
[定鼎 정정] 전국(傳國)의 보기(寶器)인 구정(九鼎)을 안치(安置)한다는 뜻으로, 도읍(都邑)을 정함을 이름. 「삶.
[定住 정주] 일정(一定)한 주소(住所)를 정하고
[定止 정지] 머무름. 머물러 쉼.
[定策 정책] 천자(天子)를 옹립(擁立)함.
[定策國老 정책국로] 당(唐)나라 때 경종(敬宗)부터 선종(宣宗)까지 그 폐립(廢立)을 환관(宦官)이 자의(恣意)로 행하고 국가(國家)의 원로(元老)로 자처하였으므로 그 환관을 일컬음.
[定處 정처] 일정(一定)한 처소에 있음. 또, 일정한 처소에 있게 함.
[定則 정칙] 일정한 규칙.
[定評 정평] 모든 사람이 다 같이 옳다고 하는 비평 또는 평판(評判).
[定限 정한] ㉠일정(一定)한 기한(期限). ㉡일정한 한도(限度).
[定形 정형] 일정한 형체(形體).
[定婚 정혼] 혼인(婚姻)을 정함.
◉假定. 刊定. 簡定. 鑑定. 蓋棺事定. 改定. 更定. 建定. 檢定. 堅定. 決定. 固定. 匡定. 校定. 國定. 肯定. 旣定. 斷定. 明定. 未定. 保定. 不定. 査定. 刪定. 商定. 禪定. 設定. 所定. 綏定. 讎定. 安定. 寧定. 豫定. 議定. 釐定. 人定. 認定. 一定. 入定. 暫定. 裁定. 專定. 詮定. 翦定. 點定. 制定. 條定. 奏定. 指定. 撰定. 竄定. 創定. 測定. 蕩定. 特定. 判定. 平定. 限定. 協定. 確定. 欽定.

5
⑧ [宛] 人名 ㊀ 완 ㊤阮 於阮切 wǎn ㊀ 완 ㊦願 於願切 ㊁ 원 ㊥元 於袁切 yuān

字解 ㊀ ①완연 완 완연(宛然)히. 흡사(恰似). '一然'. '一在水中央'《詩經》. ②굽을 완, 굽힐 완 고부라짐. 또, 고부라지게 함. '一虹'. '是以欲談者, 一舌而固聲'《漢書》. ③움푹팰 완 '一邱之上兮'《詩經》. ④쌓을 완 축적함. 蘊(艸部十六畫)과 통용. '富則天下無一財'《孔子家語》. ⑤따를 완 순종함. '然則天爲粵一'《管子》. ⑥누워뒹굴 완 '一, 屈艸自覆也'《說文》. ⑦성 완 성(姓)의 하나. ⑧작을 완 작은 모양. '一彼鳴鳩'《詩經》. ※'완' 음은 인명자로 쓰임. ㊁ 나라이름 원 '大一'은 한(漢)나라 때의 서역(西域) 제국(諸國)의 하나.

字源 篆文 別體 形聲. 宀+夗〔音〕. '夗원'은 편안히 엎드리다, 드러눕다의 뜻. 집 안에서 몸을 편안히 구부리고 쉬는 모양에서, '구부림'의 뜻을 나타내며, 전(轉)하여, '완연히'의 뜻도 나타냄.

[宛丘 완구] ㉠중앙이 높은 언덕. ㉡지명(地名). 지금의 허난 성(河南省) 화이양 현(淮陽縣). 복희(伏羲)와 신농(神農)의 고도(古都)라 함.
[宛妙 완묘] ㉠곡절(曲折)이 있어 재미있음. ㉡소리가 작고 가늚.
[宛似 완사] 흡사(恰似)함. 「양.
[宛延 완연] 꼬불꼬불한 모양. 꼬부라져 뻗은 모
[宛然 완연] ㉠흡사(恰似). ㉡사양하는 모양. ㉢전과 다름없음. 의연(依然). ㉣교묘하게 사람을 피하는 모양.
[宛輭 완연] 순(順)하고 부드러운 모양. 유화(柔和)한 모양.
[宛宛 완완] ㉠굴신(屈伸)하는 모양. ㉡유약(柔弱)한 모양. 「양.
[宛轉 완전] ㉠구르는 모양. ㉡천천히 춤추는 모
◉曲宛. 大宛. 東宛. 柔宛.

5
⑧ [弦] 횡 ㊥庚 戶萌切 hóng

字解 ①집울림 횡 바람 따위가 불어 집이 울리는 소리. '一, 屋響也'《說文》. ②편안할 횡 무사함. '一, 安也'《玉篇》.

字源 篆文 形聲. 宀+弘〔音〕. 宀면'은 '집'의 뜻. '弘홍'은 널리 퍼져 가는 소리의 뜻. 옥내(屋內)에 소리가 울리는 모양을 나타냄.

5
⑧ [宜] 高人 의 ㊥支 魚羈切 yí

筆順 ' '' 宀 宀 宂 宜 宜 宜

字解 ①옳을 의 ㉠이치에 맞음. '適一'. ㉡선미(善美)함. 아름다움. '好是一德'《太玄經》. ②형편좋을 의 '便一'. ③마땅할 의 당연함. '不亦一乎'《禮記》. ④마땅히 의 당연히 …이어야 함. 결정(決定)의 말. '惟仁者, 一在高位'《孟子》. ⑤화목할 의 화순(和順)함. '一其室家'《詩經》. ⑥제사이름 의 사(社)의 제사. '一于冢土'《書經》. ⑦안주 의 술안주. '與子一之'《詩經》. ⑧거의 의 거반. '家大人曰, 一, 猶殆也'《經傳釋詞》. ⑨성 의 성(姓)의 하나.

字源 甲骨文 金文 篆文 古文 古文 甲骨文은 象形으로서, 도마 위에 오른 고기 조각의 모양을 본떠, 조리(調理)함의 뜻. 특히 출진(出陣)에 앞서 행해지는 의례(儀禮)에 맞는 조리의 뜻에서, 전(轉)하여, '좋다'의 뜻을 나타냄. 篆文은 會意로서 宀+多〈省〉.

參考 ①宐(宀部 四畫)는 本字. ②宧(宀部 五畫)는 同字.

[宜可 의가] 마땅함. 당연함.

[宜君 의군] 군주(君主) 되기에 적합함.
[宜男 의남] 아들을 많이 낳는 일.
[宜男草 의남초] 원추리.
[宜當 의당] 마땅히. 으레.
[宜子 의자] 임신이 어렵지 않고 쉽게 이루어지는 일.
[宜昌 의창] 후베이 성(湖北省)의 서쪽, 양쯔 강(揚子江)에 임(臨)한 개항장(開港場).
[宜春 의춘] ㉠풍우(風雨)가 고른 봄이라는 뜻으로, 입춘(立春)을 이름. 봄을 맞이하여 축하하는 말. ㉡한(漢)나라 궁전(宮殿)의 이름.
[宜稱 의칭] 좋은 칭호.
[宜乎 의호] 마땅한 모양. 마땅히.
◉權宜. 機宜. 時宜. 適宜. 土宜. 便宜. 咸宜.

5 ⑧ [宔] 주 ㊤麌 之庾切 zhǔ

[字解] 신주 주 사당(祠堂). 사당의 위패(位牌).
[字源] 篆文 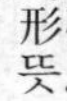 形聲. 宀+主〔音〕. '主주'는 '신주'의 뜻. 사당에 모신 신주의 뜻을 나타냄.

5 ⑧ [宝] 〔보〕
寶(宀部 十七畫〈p. 601〉)의 俗字

5 ⑧ [実] 〔실〕
實(宀部 十一畫〈p. 596〉)의 俗字

5 ⑧ [宐] 〔의〕
宜(宀部 五畫〈p. 576〉)와 同字

5 ⑧ [实] 〔실〕
實(宀部 十一畫〈p. 596〉)의 俗字

5 ⑧ [审] 〔심〕
審(宀部 十二畫〈p. 598〉)의 簡體字

5 ⑧ [実] 〔가·고〕
家(宀部 七畫〈p. 582〉)의 古字

6 ⑨ [客] [中·人] 객 ㊅陌 苦格切 kè 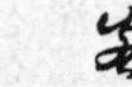

[筆順] ' ' 宀 㝉 㝉 安 客 客

[字解] ①손 객 ㉠내방한 사람. '賓一'. '不速之一'(초청하지 않았는데 온 손)《易經》. ㉡주(主)에 대한 위치에 선 사람. '主一'. '不敢爲主而爲一'《老子》. '主一相搏'《李華》. ㉢기식(寄食)하는 사람. '門一'. '門無一一'《論衡》. ㉣단골 손님. '顧一'. '供飮一之用'《南宋市肆記》. ㉤타국에서 온 사람. '大索逐一'《史記》. ㉥좌중(座中)에서 존경하는 사람. 상객(上客). '趙孟爲一'《左傳》. ②나그네 객 여행자. '旅一'. '鷄鳴而出一'《史記》. ③사람 객 인사(人士). '政一'. '寄言賞心一'《謝脁》. ④지난세월 객 지나간 연월(年月). '一冬'. '一年'. ⑤부칠 객 기우(寄寓)함. '一居'. '東又一也'《韓愈》. ⑥성 객 성(姓)의 하나.
[字源] 甲骨文 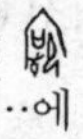 金文 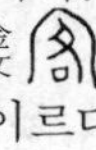 篆文 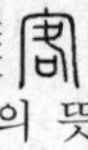 形聲. 宀+各〔音〕. '宀면'은 '집'의 뜻. '各각'은 '…에 이르다'의 뜻. 딴 곳에서 집에 오다의 뜻.

[客居 객거] 자기(自己) 집을 떠나 타향(他鄕)에 거주(居住)함.
[客卿 객경] 타국(他國)에서 와서 경상(卿相)의 지위(地位)에 있는 사람.
[客苦 객고] 객지(客地)에서의 고생.
[客工 객공] 임시로 고용(雇傭)하는 직공(職工).
[客館 객관] 객사(客舍).
[客觀 객관] 의식(意識)의 대상(對象)이 되는 일체(一切)의 현상(現狀).
[客鬼 객귀] ㉠객사(客死)한 사람의 귀신(鬼神). ㉡잡귀(雜鬼). 「리.
[客衾 객금] 손님의 소용(所用)으로 만든 이부자
[客氣 객기] 참다운 용기(勇氣)가 아니라 일시적 감정에서 나오는 용기.
[客年 객년] 지나간 해.
[客談 객담] 객쩍은 말. 군말. 군소리.
[客冬 객동] 지나간 겨울.
[客旅 객려] 여행. 또, 여행하는 사람.
[客禮 객례] 손을 대(對)하는 예의.
[客路 객로] 여행하는 길. 여로(旅路).
[客裏 객리] 객지(客地)에 있을 동안.
[客夢 객몽] 객지(客地)에서 꾸는 꿈.
[客反爲主 객반위주] 주객(主客)이 뒤바뀜.
[客費 객비] ㉠객지(客地)에서 쓰는 비용(費用). ㉡객쩍은 비용.
[客司 객사] 내객(來客)을 응접(應接)하는 사람.
[客死 객사] 객지(客地)에서 죽음. 타향(他鄕)에서 죽음.
[客舍 객사] 여관. 여사(旅舍).
[客思 객사] 객회(客懷).
[客床 객상] 손님을 대접하는 밥상.
[客狀 객상] 객지(客地)에 묵고 있는 형편(形便).
[客席 객석] 손님의 자리.
[客船 객선] ㉠다른 곳에서 온 배. ㉡손님을 태우는 배.
[客說 객설] 객쩍은 사설. 군말. 군소리.
[客星犯帝座 객성범제좌] 객성(客星)이 별의 제좌(帝座)를 침범한다는 뜻으로, 천(賤)한 사람이 천자(天子)를 침범함을 이름.
[客歲 객세] 객년(客年).
[客水 객수] ㉠필요하지 아니할 때에 오는 비. ㉡딴 데서 들어오는 걸물.
[客愁 객수] 여행 중에 일어나는 수심(愁心).
[客室 객실] 손님을 접대하는 방.
[客心 객심] 객회(客懷).
[客我 객아] 객관적(客觀的)으로 본 자기(自己).
[客語 객어] ㉠논리학에서 판단의 서술적 부분을 나타내는 말. 빈사(賓辭). ㉡문법에서 타동사의 목적이 되는 말.
[客熱 객열] 객증(客症)으로 인하여 나는 신열(身熱).
[客傭 객용] 객작(客作).
[客寓 객우] 타향(他鄕)의 우거(寓居).
[客遇 객우] 빈객(賓客)으로 대우함.
[客右之才 객우지재] 뛰어난 문재(文才).
[客員 객원] ㉠일에 직접 관계없이 참여(參與)한 사람. ㉡어떤 기관(機關)에서 빈객(賓客)의 대우를 받으며 그 기관의 일에 참여하는 사람.
[客月 객월] 지난달. 전달.
[客遊 객유] 손이 되어 타향(他鄕)에 가 놂. 일시 타향에 가 있음.
[客衣 객의] 여행 중의 의복.
[客人 객인] ㉠손님. ㉡객쩍은 사람.
[客作 객작] 남에게 고용(雇傭)되어 일을 함. 품

팔이를 함. 또, 고용인. 품팔이꾼.
[客將 객장] 외국에서 와서 빈객(賓客)의 대접을 받는 장군(將軍).
[客戰 객전] 적국(敵國)에 쳐들어가서 싸움. 타국(他國)에서의 전투(戰鬪).
[客店 객점] 길손이 음식(飮食)을 사 먹기도 하고 쉬기도 하는 집.
[客亭 객정] 객사(客舍).
[客情 객정] 객회(客懷).
[客主 객주] 《韓》 장수의 물화(物貨)를 위탁받아 팔거나 매매(賣買)를 소개(紹介)하고, 또는 그 장수를 숙박(宿泊)시키는 영업.
[客中 객중] 객지(客地)에 있는 동안.
[客症 객증] 병발(倂發)하는 병.
[客地 객지] ㉠타향(他鄕). 객토(客土). ㉡전쟁 때 쳐들어간 적(敵)의 땅.
[客次 객차] ㉠내객(來客)을 응접하는 곳. ㉡여관.
[客車 객차] ㉠손이 타는 수레. ㉡여객(旅客)을 운송(運送)하는 열차(列車).
[客窓 객창] 나그네가 거처(居處)하는 방(房). 여창(旅窓).
[客體 객체] ㉠객지(客地)에 있는 몸. ㉡의사(意思)나 행위(行爲)가 미치는 목적물(目的物).
[客秋 객추] 지나간 가을.
[客春 객춘] 지나간 봄.
[客枕 객침] 손님이 베는 베개.
[客寢 객침] 나그넷길에서의 잠.
[客土 객토] ㉠딴 데서 가져온 흙. ㉡타향(他鄕). 객지(客地).
[客夏 객하] 지나간 여름.
[客寒 객한] 객증(客症)으로 인하여 일어나는 오한(惡寒).
[客鄕 객향] 객거(客居)하는 타향.
[客戶 객호] 타향(他鄕)에서 온 사람의 집.
[客魂 객혼] 객회(客懷).
[客況 객황] 객거(客居)하는 상황.
[客懷 객회] 객중(客中)의 정회(情懷). 나그네의 회포(懷抱). 객심(客心). 객혼(客魂).
◉嘉客. 劍客. 孤客. 顧客. 嬌客. 貴客. 寄客. 碁客. 羈客. 南客. 談客. 名花十二客. 木客. 墨客. 門客. 方客. 百代過客. 蕃客. 浮客. 不速之客. 飛客. 賓客. 私客. 詞客. 上客. 商客. 生客. 西客. 書客. 仙客. 雪客. 說客. 騷客. 俗客. 熟客. 詩客. 食客. 狎客. 夜客. 野客. 旅客. 延壽客. 五客. 傭客. 羽客. 幽客. 異客. 刺客. 典客. 傳客. 征客. 弔客. 尊客. 主客. 知客. 珍客. 遷客. 淸客. 醉客. 逋客. 暴客. 飄客. 賀客. 寒客. 閒客. 行客. 夾客. 俠客. 黃泉客.

6 ⑨ [宣] 高人 선 ㊥先 須緣切 xuān

筆順 丶 宀 宀 宀 宀 宁 宣 宣 宣

字解 ①베풀 선 널리 은덕(恩德)을 입힘. '日一三德'《書經》. ②펼 선 ㉠널리 알림. '一布'. '人心之動, 因言以一'《程頤》. ㉡임금이 말함. '今賴玉音一'《元稹》. ㉢의사(意思)를 말함. '含懷不能一'《李商隱》. ㉣떨침. 발양(發揚)함. '一揚'. '寵光之不一'《左傳》. ㉤헤침. 흩어지게 함. '節一其氣也'《左傳》. ③밝힐 선 명시함. '用一之以儆不壹'《左傳》. ④조칙 선 조서(詔書). '一所以示敎也'《國語》. ⑤일찍셀 선 머리가 일찍 셈. '黑白雜爲一髮'《易經 釋文》. ⑥통할 선, 통하게할 선 '去欲則一, 一則靜矣'《管子》. ⑦성 선 성(姓)의 하나.

字源 甲骨文 金文 篆文 形聲. 宀+亘[音]. '亘선'은 '고루 펴다'의 뜻. 천자(天子)가 신하에게 자신의 의사(意思)를 말해 널리 알리는 방(榜)의 뜻을 나타내며, 일반적으로 '말하다'의 뜻을 나타냄.

[宣講 선강] 공중(公衆) 앞에서 강연함.
[宣告 선고] ㉠널리 말하여 이름. 공포(公布)함. ㉡재판(裁判)의 언도(言渡).
[宣敎 선교] 종교(宗敎)를 선전함.
[宣尼 선니] 공자(孔子)를 이름. 한(漢)의 평제(平帝) 시대의 추시(追諡).
[宣德 선덕] ㉠덕을 베풂. ㉡명(明)나라 선종(宣宗) 때의 연호(年號). 현신(賢臣)이 많고 해내(海內)가 태평한 때임. 또, 그 시대에 만든 도기(陶器)·동기(銅器)를 이름.
[宣騰 선등] 천자(天子)의 뜻을 받들어 전(傳)함.
[宣力 선력] 힘써 주선(周旋)함.
[宣明 선명] 분명하게 선언(宣言)함.
[宣命 선명] 조칙(詔勅). 또, 조칙을 내림.
[宣撫使 선무사] 지방에 파견되어 어수선한 민심을 무마(撫摩)하는 벼슬.
[宣父 선보] 공자(孔子)를 이름.
[宣誓 선서] 서약(誓約)의 선언.
[宣召 선소] 천자(天子)의 부름.
[宣示 선시] 널리 알림. 공시(公示). 고시(告示).
[宣室 선실] ㉠대청(大廳). ㉡은(殷)나라의 궁전(宮殿). 일설에는 옥(獄).
[宣揚 선양] 널리 떨치게 함.
[宣言 선언] 세상에 언명함. 정식(正式)으로 표명(表命)함. 또, 그 말.
[宣醞 선온] 《韓》 임금이 신하(臣下)에게 술을 사송(賜送)하는 일.
[宣諭 선유] 임금의 훈유(訓諭)를 백성(百姓)에게 포고(布告)함.
[宣淫 선음] 내놓고 음란한 짓을 함.
[宣翼 선익] 군주를 보필(輔弼)함.
[宣仁太后 선인태후] 송(宋)나라 영종(英宗)의 후(后). 어린 철종(哲宗)의 섭정(攝政)이 되어 왕안석(王安石) 등을 물리치고 사마광(司馬光)을 써서 치적(治績)을 올렸음. 세상에서 여중요순(女中堯舜)이라 일컬음.
[宣章 선장] 널리 세상에 펴서 밝혀 알림.
[宣傳 선전] ㉠백성에게 명령을 널리 전하여 알림. ㉡어떠한 주의(主義)나 주장(主張) 같은 것을 많은 사람에게 퍼뜨림.
[宣戰 선전] 전쟁을 개시(開始)하는 이유(理由)의 선언(宣言).
[宣政殿 선정전] 당대(唐代)에 사이(四夷)의 조공(朝貢)하는 자를 인견(引見)한 궁전(宮殿)의 이름.
[宣旨 선지] 칙지(勅旨).
[宣哲 선철] 도리(道理)에 밝고 현명(賢明)함.
[宣託 선탁] 신(神)의 계시(啓示). 탁선(託宣). 선탁(宣托).
[宣布 선포] 널리 펴 알림.
[宣下 선하] 조서(詔書)를 내림.
[宣化 선화] 덕화(德化)를 폄.
[宣和 선화] 송(宋)나라 휘종(徽宗)의 연호(年號).

[宣和書譜 선화서보] 송(宋)나라 휘종(徽宗) 때 어부(御府)에 있던 고래(古來)의 묵적(墨蹟)을 모은 것. 찬자 미상(撰者未詳). 20권.
[宣和畫譜 선화화보] 송(宋)나라 휘종(徽宗) 때 어부(御府)에 소장(所藏)된 유명한 그림을 십문(十門)으로 분류(分類)하여 모은 것. 찬자 미상(撰者未詳). 20권.
◉口宣. 究宣. 明宣. 敷宣. 不宣. 昭宣. 述宣. 承宣. 流宣. 翼宣. 傳宣. 節宣. 正宣. 振宣. 弘宣. 曉宣.

6
⑨ [室] 中人 실 ㊇質 式質切 shì

筆順 ' ' 宀 宀 宀 宏 宏 室 室

字解 ①집 실 건물. '一家'. '築一于玆'《詩經》. ②방 실 집의 방. '寢一'. '相在爾一'《詩經》. ③아내 실 처. '三十曰壯, 有一'《禮記》. ④가족 실 집안 식구. '宜其一家'《詩經》. ⑤굴 실 물품을 저장하는 굴혈(窟穴). '窟一'. '氷一'. ⑥광 실 시체를 묻는 구덩이. '歸于其一'《詩經》. '是惟子厚之一'《韓愈》. ⑦칼집 실 칼의 집. '刀劍一以珠玉飾之'《史記》. ⑧가재(家財) 실 재산. '施二師而分其一'《國語》. ⑨별이름 실 이십팔수(二十八宿)의 하나. 현무 칠수(玄武七宿)의 여섯째 성수(星宿)로서, 별 둘로 구성되었음. '宿一'. '孟春之月, 日在營一'《禮記》. ⑩성 실 성(姓)의 하나.

字源 甲骨文 金文 篆文 形聲. 宀+至〔音〕. '至지'는 '…에 이르다'의 뜻. 사람이 이르러 머무는 방의 뜻을 나타냄.

[室家 실가] ㉠집. 가옥(家屋). ㉡가족(家族). ㉢아내. 처(妻).
[室家之樂 실가지락] 부부간(夫婦間)의 화락(和樂).
[室居 실거] 집 안에 틀어박혀 있음. 또, 그 사람.
[室內 실내] ㉠방 안. ㉡《韓》남의 아내의 일컬음.
[室女 실녀] 처녀. 숫처녀.
[室堂 실당] 집. 저택.
[室廬 실려] 집. 가옥(家屋).
[室老 실로] ㉠가신(家臣)의 장(長). 가로(家老). ㉡치사(致仕)한 경대부(卿大夫). 국로(國老).
[室星 실성] 실수(室宿).
[室宿 실수] 자해(字解) ❾를 보라.
[室於怒市於色 실어노시어색] '노어실색어시(怒於室色於市)'의 도구법(倒句法). 실내(室內)에서 성이 나서 그 분풀이를 사람이 많이 모이는 저잣거리에서 함. 곧, 갑(甲)한테 당한 것을 을(乙)한테 화풀이한다는 뜻. 천노(遷怒).
[室如懸磬 실여현경] 집 안이 텅 비어 마치 속이 빈 경쇠를 걸어 놓은 것 같다는 뜻으로, 가난한 살림의 형용. 찰가난.
[室宇 실우] 집. 또, 집 안. 방.
[室人 실인] ㉠집안사람. ㉡아내. ㉢시누이. 소고(小姑).
[室戶 실호] 방의 문. 방의 출입구.
◉家室. 巨室. 居室. 京室. 瓊室. 繼室. 敎室. 麴室. 窟室. 宮室. 記室. 綺室. 煖室. 內室. 路室. 陋室. 茶室. 堂室. 刀室. 斗室. 茅室. 廟室. 密室. 房室. 病室. 蓬室. 富室. 佛室. 氷室. 事務室. 私室. 祠室. 射室. 產室. 相室. 書室. 石室. 先室. 宣室. 禪室. 世室. 深室. 堊室. 暗室. 庵室. 闇室. 廬室. 令室. 營室. 溫室. 臥室. 蝸室. 王室. 浴室. 幽室. 蔭室. 俚室. 翼室. 入室. 蠶室. 丈室. 藏室. 長夜室. 在室. 適室. 箭室. 正室. 靜室. 帝室. 第室. 澡室. 宗室. 芝蘭之室. 地下室. 織室. 淸室. 請室. 冢室. 側室. 寢室. 太室. 土室. 豐室. 皮室. 悍室. 香室. 虛室. 夾室. 荆室. 環堵室. 皇室. 晦室. 釁室.

6
⑨ [宥] 人名 유 ㊀有 于救切 yòu

筆順 ' 宀 宀 宀 宀 宥 宥 宥

字解 ①놓을 유, 용서할 유 처벌하거나 힐책하지 아니함. '赦一'. '君子以赦過一罪'《易經》. ②도울 유 보좌함. '一弼'. '王饗醴命之一'《左傳》. ③권할 유 侑(人部 六畫)와 통용. '王大食三一, 皆令奏鐘鼓'《周禮》. ④넓을 유 너그러움. 또, 넓고 깊음. '夙夜基命一密'《詩經》. ⑤성 유 성(姓)의 하나.

字源 金文 篆文 形聲. 宀+有〔音〕. '有유'는 '囿유'와 통하여, '동산'의 뜻. 정원(庭園)처럼 넓은 집의 뜻에서, '너그럽게 하다'의 뜻을 나타냄.

[宥貸 유대] 유서(宥恕).
[宥免 유면] 유서(宥恕).
[宥密 유밀] 마음이 넓고 조용함.
[宥赦 유사] 죄과를 용서함. 사면(赦免)함.
[宥恕 유서] 용서(容恕)함. 사면(赦免)함.
[宥坐之器 유좌지기] 곁에 두고 자계(自戒)를 게을리 하지 않는 도구. '宥'는 '右'의 뜻.
[宥弼 유필] 천자(天子)를 곁에서 보좌함. 또, 그 사람. 재보(宰輔).
[宥和政策 유화정책] 달래어서, 상대의 마음을 누그러뜨려 나아가자는 정치의 방침.
◉降宥. 慶宥. 寬宥. 貸宥. 保宥. 赦宥. 三宥. 洗宥. 緩宥. 原宥. 恩宥. 在宥. 全宥. 濟宥. 蕩宥. 特宥. 護宥.

6
⑨ [宦] 人名 환 ㊀諫 胡慣切 huàn

字解 ①벼슬살이 환 벼슬함. 사환(仕宦). '入一於吳'《國語》. ②벼슬 환 관직. '才名位一'《南史》. ③벼슬아치 환 관리. '羣一不平'《唐書》. ④내시 환 환관. '一者'. '一寺'. ⑤배울 환 관무(官務)를 배움. '一三年矣'《左傳》. ⑥성 환 성(姓)의 하나.

字源 金文 篆文 會意. 宀+臣. '臣신'은 '臥와'와 통하여, 몸을 굽혀 섬기는 '신하'의 뜻. 궁중(宮中)에 벼슬 사는 자의 뜻을 나타냄.

[宦官 환관] 궁형(宮刑)을 당하고 궁중(宮中)에서 일하는 소리(小吏). 지위가 비천(卑賤)하지만 항상 천자(天子) 및 후궁(後宮)에 근접(近接)하여 자못 단결심이 강하고 왕왕 대세력을 부식(扶植)하여 중국 사상(史上)에 중대한 관계가 있는 한 계급임. 환자(宦者). 내시(內侍).
[宦女 환녀] ㉠궁중(宮中)에서 일하는 관비(官婢). ㉡환관(宦官)과 여자.
[宦達 환달] 출세(出世)함. 사관(仕官)하여 영달(榮達)함.

[宦德 환덕] 벼슬에서 생기는 소득.
[宦僮 환동] 관부(官府)의 급사.
[宦路 환로] 벼슬길.
[宦味 환미] 벼슬살이의 재미.
[宦福 환복] 벼슬길이 순조(順調)롭게 트인 복(福).
[宦事 환사] 관원(官員)이 됨. 사환(仕宦)함.
[宦數 환수] 벼슬길의 운수(運數). 관운(官運).
[宦寺 환시] 환관(宦官).
[宦厄 환액] 벼슬길의 액운(厄運).
[宦業 환업] 벼슬의 사무(事務).
[宦慾 환욕] 벼슬을 하고자 하는 욕심(慾心).
[宦遊 환유] 관리(官吏)가 되어 타향(他鄕)에서 지냄.
[宦人 환인] 환관(宦官).
[宦者 환자] 환관(宦官).
[宦績 환적] 벼슬살이할 때의 행적(行績).
[宦情 환정] ㉠벼슬을 하고 싶어 하는 마음. ㉡벼슬아치 근성(根性).
[宦族 환족] 대대(代代)로 벼슬을 하는 집.
[宦學 환학] 사환(仕宦)의 도(道)를 배움과 학문을 배움. 일설(一說)에는, 벼슬한 뒤의 배움과 벼슬하기 전의 배움.
◉巧宦. 內宦. 冷宦. 名宦. 末宦. 微宦. 薄宦. 仕宦. 豎宦. 閹宦. 游宦. 戚宦. 通宦.

6 ⑨ [宧] 이 ㊥支 與之切 yí

字解 ①구석 이 방(房)의 동북우(東北隅). 부엌이나 식기, 시렁이 있는 곳. '室之東北隅, 謂之一'《爾雅》. ②석양의햇빛 이 기우는 저녁 햇빛. '一, 日側之明也'《爾雅》. ③기를 이 頤(頁部 六畫)와 통용. '一, 養也'《說文》.
字源 篆文 形聲. 宀+𦣝〔音〕. '𦣝이'는 '턱'의 뜻. 집안 식솔의 입을 먹여 기르는 곳, '주방'의 뜻을 나타냄.

6 ⑨ [宩] 〔적〕
寂(宀部 八畫〈p. 587〉)의 本字

6 ⑨ [官] 〔관〕
官(宀部 五畫〈p. 573〉)의 本字

6 ⑨ [宺] 〔귀〕
宄(宀部 二畫〈p. 567〉)의 古字

6 ⑨ [寍] 〔녕〕
寧(宀部 十一畫〈p. 597〉)과 同字

6 ⑨ [宼] ■ 宅(宀部 三畫〈p. 568〉)의 古字
■ 度(广部 六畫〈p. 697〉)의 古字

6 ⑨ [害] 〔해〕
害(宀部 七畫〈p. 581〉)와 同字

6 ⑨ [宎] 〔요〕
宎(宀部 四畫〈p. 572〉)와 同字
字源 形聲. 宀+交〔音〕

7 ⑩ [宬] 성 ㊥庚 是征切 chéng

字解 서고 성 서고(書庫). 장서실(藏書室). '皇史一'은 명(明)나라 때 열성(列聖)의 어필(御筆)·실록(實錄)·비전(祕典) 등을 수장(收藏)한 곳.
字源 篆文 形聲. 宀+成〔音〕. '成성'은 '담아 넣다'의 뜻. 무엇을 넣어 쌓는 곳, '창고'의 뜻을 나타냄.

7 ⑩ [宭] 군 ㊥文 渠云切 qún

字解 떼지어살 군 여럿이 모여 삶. 群(羊部 七畫)과 통용. '一, 羣居也'《說文》.
字源 篆文 形聲. 宀+君〔音〕. '君군'은 '群군'과 통하여, '떼 지어 모임'의 뜻. 떼 지어 사는〔群居〕 뜻을 나타냄.

7 ⑩ [宮] 高·人 궁 ㊥東 居戎切 gōng

筆順 ' 丶 宀 宀 宀 宫 宫 宮

字解 ①집 궁 가옥. 진한(秦漢) 이전에는 널리 가옥의 뜻으로 쓰이었으나, 진한 이후부터 궁궐(宮闕)의 전칭(專稱)으로 되었음. '一室'. '公與三子入於季氏之一'《史記》. ②대궐 궁 궁전. '一闕'. '起明光一'《漢書》. ③종묘 궁 제왕가의 사당. '于以用之, 公侯之一'《詩經》. ④담궁 장원(牆垣). '一垣'. '儒有一畝之一'《禮記》. ⑤소리이름 궁 오음(五音)의 하나. '一·商·角·徵·羽'. '中央土, 其音一'《禮記》. ⑥궁형 궁 오형(五刑)의 하나. 생식기를 없애는 형벌. '公族無一刑'《禮記》. ⑦둘러쌀 궁 위요함. '君爲廬一之'《禮記》. ⑧관 궁 '奉安梓一'《後漢書》. ⑨마음 궁 '潔其一'《管子》. ⑩성 궁 성(姓)의 하나.
字源 甲骨文 金文 篆文 象形. 건물 안의 방들이 이어져 있는 모양을 본떠, 궁궐(宮闕)의 뜻을 나타냄.

[宮家 궁가]《韓》대군(大君)·왕자군(王子君)·공주(公主)·옹주(翁主)의 궁전(宮殿).
[宮監 궁감] 궁중(宮中)의 일을 맡은 벼슬아치.
[宮車晏駕 궁거안가] 붕어(崩御).
[宮壼 궁곤] ㉠궁내(宮內)의 왕래(往來)하는 길. ㉡궁내(宮內)의 깊숙한 곳.
[宮觀 궁관] ㉠제왕이 쉬거나 노는 곳. 이궁(離宮)·별관(別館) 따위. ㉡도교(道敎)의 사원(寺院). 도궁(道宮). 도관(道觀).
[宮敎 궁교] 궁중(宮中)의 법도(法度). 대궐 안의 규율(規律).
[宮闕 궁궐] 대궐(大闕)의 문. 전(轉)하여 대궐.
[宮禁 궁금] 대궐. 궁궐(宮闕).
[宮內 궁내] 궁(宮) 안.
[宮女 궁녀] 궁중(宮中)의 여관(女官). 나인(內人).
[宮奴 궁노] 궁가(宮家)의 종.
[宮闥 궁달] 왕궁(王宮)의 문. 전(轉)하여 궁중(宮中). 궁위(宮闈).
[宮畓 궁답] 각 궁(宮)이 소유하던 논.
[宮童 궁동] 궁중(宮中)에서 부리는 아이.
[宮廊 궁랑] 궁전의 낭하(廊下).
[宮裏 궁리] 대궐 안. 궁중(宮中).
[宮廟 궁묘] 선조(先祖)를 모신 사당(祠堂). 종묘(宗廟).
[宮坊 궁방] ㉠청궁(靑宮)과 춘방(春坊)의 합칭(合稱). ㉡궁중(宮中).
[宮罰 궁벌] 거세(去勢)하는 형. 궁형(宮刑).
[宮辟 궁벽] 거세(去勢)하는 형(刑). 벽(辟)은 형벌의 뜻. 궁형(宮刑).

[宮府 궁부] 조정(朝廷). 궁중(宮中)과 부중(府中).
[宮嬪 궁빈] 궁녀(宮女).
[宮司 궁사] 후궁(後宮)의 일을 맡은 벼슬.
[宮事 궁사] 가사(家事).
[宮詞 궁사] 궁중(宮中)의 사정(事情)을 읊은 시(詩).
[宮商 궁상] 궁(宮)과 상(商)의 소리. 전(轉)하여 음률(音律).
[宮商角徵羽 궁상각치우] 음악의 오음(五音). 군(君)·신(臣)·민(民)·사(事)·물(物)에 배당(配當)함.
[宮省 궁성] ㉠궁중(宮中)의 관서(官署). ㉡궁중(宮中).
[宮城 궁성] 대궐. 궁궐(宮闕).
[宮屬 궁속]《韓》각 궁(宮)의 원역(員役) 이하의 노복(奴僕).
[宮室 궁실] ㉠원래는 귀천(貴賤)의 구별 없이 일반 사람이 사는 가옥(家屋)의 뜻으로 쓰였으나, 후에 변하여 제왕의 궁전(宮殿)의 뜻으로 쓰임. ㉡안방. 침실(寢室). 전(轉)하여, 후비(后妃) 또는 처첩(妻妾).
[宮娥 궁아] 궁녀(宮女).
[宮掖 궁액] 대궐. 궁궐(宮闕). 액(掖)은 궁문(宮門)의 좌우의 소문(小門).
[宮様 궁양] 대궐에서 하는 양식.
[宮醞 궁온] 임금이 내리는 술.
[宮娃 궁와] 궁녀(宮女) 중의 미인. 또, 궁녀.
[宮垣 궁원] 담. 장원(牆垣).
[宮苑 궁원] 궁중(宮中)의 정원(庭園).
[宮媛 궁원] 궁녀(宮女). 궁빈(宮嬪).
[宮闈 궁위] ㉠왕궁(王宮)의 문(門). ㉡궁중(宮中).
[宮人 궁인] 궁녀(宮女).
[宮牆 궁장] 궁원(宮垣).
[宮殿 궁전] 궁궐(宮闕).
[宮廷 궁정] 대궐. 궁궐(宮闕).
[宮庭 궁정] 대궐(大闕). 궁정(宮廷).
[宮罪 궁죄] 궁형(宮刑).
[宮中 궁중] ㉠대궐 안. 궁궐(宮闕) 안. ㉡집 안. 가내(家內).
[宮體 궁체] ㉠육조(六朝)의 말기 및 양(梁)·당초(唐初)에 유행한 기염(綺艷)한 시체(詩體). ㉡조선(朝鮮) 때 궁녀(宮女)들이 쓰던 한글의 글씨체(體).
[宮合 궁합]《韓》혼인(婚姻)할 신랑(新郎)·신부(新婦)의 사주(四柱)를 오행(五行)에 맞추어 길흉(吉凶)을 점(占)치는 방술(方術).
[宮閤 궁합] 후궁(後宮)의 소문(小門). 전(轉)하여, 후궁(後宮) 안.
[宮刑 궁형] 오형(五刑)의 하나. 보통은 음란한 사녀(士女)에게 과하는 형벌로서 남자(男子)는 거세(去勢)를 하고, 여자(女子)는 음부(陰部)를 유폐(幽閉)하는 형벌(刑罰). 음형(陰刑).
◉監宮. 道宮. 東宮. 桐宮. 迷宮. 泮宮. 梵宮. 法宮. 閟宮. 四宮. 三宮. 三雍宮. 守宮. 神宮. 十二宮. 王宮. 墉宮. 龍宮. 月宮. 帷宮. 六宮. 隱宮. 離宮. 琳宮. 紫宮. 梓宮. 齋宮. 儲宮. 淨宮. 帝宮. 中宮. 震宮. 靑宮. 春宮. 澤宮. 便宮. 學宮. 鶴宮. 行宮. 黃宮. 後宮.

7 ⑩ [宰] 高·人 재 ㊤賄 作亥切 zǎi

筆順 丶 丷 宀 宀 宀 宀 宀 宰 宰

字解 ①재상 재 수상. '一相'. '天子之一通于四方'《穀梁傳》. ②우두머리 재 ㉠장(長). '項王爲天下一不平'《漢書》. ㉡현(縣)·읍(邑) 등의 장관. '縣一'. '爲單父一'《孔子家語》. ㉢가신(家臣)의 장. 가령(家令). '諸一君婦'《詩經》. ③다스릴 재 '一周公者何. 天子之爲政者也'《公羊傳》. ④주관할 재 맡아 다스림. '一制'. '一割天下'《賈誼》. ⑤늘릴 재 불림. '在外不得一吾一邑'《左傳》. ⑥고기저밀 재 칼을 가지고 고기를 저며 요리함. 또, 그 사람. '陳平爲一, 分肉甚均'《史記》. ⑦무덤 재 뫼. '一上之木拱矣'《公羊傳》. ⑧성 재 성(姓)의 하나.

字源 金文 篆文 會意. 宀+辛. '宀면'은 '가옥(家屋)'의 뜻. '辛신'은 조리용 칼을 본뜬 모양. 제사나 연회를 위해 조리하다의 뜻을 나타내며, 파생(派生)하여, '다스림'의 뜻도 나타냄.

[宰列 재렬] 재열(宰列).
[宰老 재로] 국정(國政)을 다스리는 노신(老臣).
[宰木 재목] 무덤 위에 심은 나무.
[宰柄 재병] 승상(丞相)의 권력.
[宰輔 재보] 재상(宰相).
[宰府 재부] 재상(宰相)이 집무(執務)하는 마을.
[宰殺 재살] 짐승을 잡아 죽임.
[宰相 재상] 제왕(帝王)을 도와 정무(政務)를 총리(總理)하는 대신. 승상(丞相). 재보(宰輔).
[宰臣 재신] 재상(宰相).
[宰予 재여] 춘추 시대(春秋時代)의 노(魯)나라 사람. 공자(孔子)의 문인(門人)으로서 십철(十哲)의 한 사람. 통칭(通稱)은 재아(宰我). 언어(言語)에 뛰어남.
[宰列 재열] 재상의 반열(班列).
[宰牛 재우] 소를 잡음.
[宰人 재인] 백장. 백정(白丁).
[宰匠 재장] 종장(宗匠) 또는 대장(大匠)과 같은 뜻으로서 재상(宰相)을 이름.
[宰制 재제] 재할(宰割).
[宰割 재할] 주장이 되어 일을 처리(處理)함. 재제(宰制).
[宰衡 재형] 주공(周公)은 태재(太宰), 이윤(伊尹)은 아형(阿衡)이 되어 천자(天子)를 도와 정사(政事)를 하였으므로 재상(宰相)의 존칭(尊稱)으로 쓰임.
◉家宰. 卿宰. 槐宰. 宮宰. 屠宰. 百里宰. 膳宰. 守宰. 元宰. 邑宰. 里宰. 匠宰. 朝宰. 操宰. 主宰. 州宰. 廚宰. 眞宰. 天宰. 冢宰. 總宰. 太宰. 台宰. 烹宰. 庖宰. 衡宰. 洪宰.

7 ⑩ [害] 中·人 ▣ 해 ㊦泰 胡蓋切 hài ▣ 할 ㊣曷 何葛切 hé

筆順 丶 丷 宀 宀 宀 宝 宝 害

字解 ▣ ①해칠 해 ㉠해롭게 함. 또, 재앙을 내림. '一心'. '鬼神一盈而福謙'《易經》. ㉡살상(殺傷)함. '齊大夫欲一孔子'《史記》. ②훼방할 해 '妨一'. '三時不一, 而民和年豐也'《左傳》. ③시기할 해 질투함. '心一其能'《史記》. ④거리낄 해 '一, 忌也'《正字通》. ⑤해해 ㉠해로운 일. 또, 해로운 것. '利一'. ㉡재앙. 재해. '一咎'. '損以遠一'《易經》. ⑥요해처 해 산천의 형세가 수비하기에 좋고 공격하기 불리한 곳. '要一'. '地形利一'《戰國策》. ▣ ①어느 할 어느 것을,

또는 어느 때에. '一辭一否'《詩經》. ②어찌 할 무슨 연고로. '王一不違卜'《書經》.

字源 金文 篆文 形聲. 宀+口+丯〔音〕. '丯개'는 '새기다'의 뜻. '宀면'은 '덮어 가리다'의 뜻. '口구'는 '기도의 말'. 기도의 말을 새기어 덮는 모양에서, '재앙·방해'의 뜻을 나타냄.

[害咎 해구] 재앙(災殃).
[害毒 해독] 해(害)와 독(毒).
[害心 해심] 남을 해치려는 나쁜 마음.
[害惡 해악] 남을 해치는 악한 일.
[害蟲 해충] 인류(人類)에게 해(害)가 되는 벌레.
[害虐 해학] 해롭게 하며 학대함.
◉刻害. 劫害. 賈害. 構害. 剋害. 忌害. 惱害. 毒害. 敦害. 蠹害. 無害. 妨害. 殺害. 傷害. 霜害. 水害. 猜害. 隘害. 厄害. 嚴害. 要害. 危害. 隱害. 利害. 一利一害. 自害. 賊害. 擠害. 鷙害. 慘害. 天害. 漂害. 風害. 旱害. 險害. 酷害. 患害. 凶害.

7 ⑩ [宴] 高人 연 ㊄霰 於甸切 yàn

筆順 ' ' 宀 宀 宀 官 官 宴 宴

字解 ①잔치 연 주연(酒宴). '一會'. '一有折俎'《左傳》. ②잔치할 연 잔치를 베풂. '賈充一朝士'《晉書》. ③즐길 연 마음을 즐겁게 가짐. '總角之一, 言笑晏晏'《詩經》. ④편안할 연 편안히 쉼. '一坐'. '君子以嚮晦, 入一息'《易經》.

字源 金文 篆文 形聲. 宀+妟〔音〕. '妟안'은 둥근 방석이나 베개에 기대어 쉬는 여자의 상형으로 '편안함'의 뜻. 집 안에서 쉬다, 편안하다, 전(轉)하여 '잔치'의 뜻을 나타냄.

[宴歌 연가] ㉠연회를 차리고 노래하며 즐거워함. ㉡연회 때에 부르는 노래.
[宴居 연거] 아무것도 하지 않고 있음. 한가하고 일이 없는 때.
[宴樂 연락] ㉠잔치를 베풀고 즐김. ㉡주색(酒色)의 즐거움.
[宴醑 연서] 잔치. 연음(宴飮).
[宴席 연석] 잔치하는 자리.
[宴需 연수] 잔치에 드는 물건과 비용(費用).
[宴息 연식] 편안히 쉼.
[宴安 연안] 아무것도 하지 않고 편안히 지냄.
[宴安酖毒 연안짐독] 아무것도 하지 않고 유흥을 일삼는 것은 짐독(酖毒)〈짐(鴆)이라는 새의 깃을 술에 담갔다가 마시면 죽음〉과 같이 사람을 해치는 것이라는 뜻.
[宴娭 연애] 즐겁게 희롱하며 놂.
[宴筵 연연] 잔치하는 자리. 연회(宴會)의 자리.
[宴娛 연오] 잔치를 차려 놓고 즐겁게 놂.
[宴飮 연음] 잔치.
[宴餞 연전] 잔치를 베풀어 전송(餞送)함.
[宴坐 연좌] 편안히 쉬고 있음.
[宴集 연집] 연회에 모임.
[宴饗 연향] 잔치를 베풀어 손님을 대접함.
[宴見 연현] 군주(君主)가 한가할 때 알현(謁見)함.
[宴犒 연호] 잔치를 베풀어 군사를 위로함. 잔치를 차려 호궤(犒饋)함.
[宴會 연회] 축하(祝賀)·위로(慰勞)·환영(歡迎)·석별(惜別) 등을 위하여 여러 사람이 모여서 주식(酒食)을 차려 놓고 즐겁게 노는 일. 잔치.
[宴會席 연회석] 잔치를 베푸는 자리.
◉嘉宴. 酣宴. 竟宴. 禊宴. 高宴. 曲水宴. 曲宴. 內宴. 密宴. 陪宴. 私宴. 賜宴. 燒尾宴. 宵宴. 送別宴. 侍宴. 息宴. 雅宴. 押宴. 飫宴. 筵宴. 侑宴. 遊宴. 淫宴. 祖宴. 朝宴. 酒宴. 祝宴. 探春宴. 探花宴. 酺宴. 披露宴. 賀宴. 饗宴. 歡宴. 會宴. 休宴.

7 ⑩ [宵] 소 ㊉蕭 相邀切 xiāo

字解 ①밤 소 낮의 대(對). '一晨'. '一中星虛'《書經》. ②작을 소 小(部首)와 통용. '一人'. '一雅肄三'《禮記》. ③어두울 소, 어리석을 소 '一人之離外刑者'《莊子》. ④깁 소 綃(糸部 七畫)와 통용. '一衣'.

字源 金文 篆文 形聲. 宀+月+小〔音〕. '宀면'은 '창문'의 뜻. 겨우 조금 달빛이 창문에 들이비치다의 뜻에서, '밤'의 뜻을 나타냄.

[宵旰 소간] 소의간식(宵衣旰食).
[宵半 소반] 밤중. 한밤중.
[宵分 소분] 밤중.
[宵小 소소] 도적(盜賊). 도둑.
[宵褶 소습] 개똥벌레.
[宵晨 소신] 밤과 새벽. 밤과 아침.
[宵餘 소여] 밤의 한가한 시간.
[宵宴 소연] 밤의 잔치.
[宵月 소월] 초저녁달.
[宵衣 소의] ㉠검은 깁으로 만든, 제사 때 부인(婦人)이 입는 옷. ㉡날이 새기 전에 일어나 옷을 입음.
[宵衣旰食 소의간식] 날이 새기 전에 일어나 옷을 입고, 해가 진 후에 늦게 저녁밥을 먹는다는 뜻으로, 천자(天子)가 정사(政事)에 부지런함을 이름.
[宵人 소인] 간사한 사람. 소인(小人).
[宵滴 소적] 밤이슬.
[宵征 소정] 밤길을 감. 야행(夜行).
[宵燭 소촉] 개똥벌레.
[宵行 소행] ㉠밤중에 다님. 야행(夜行). ㉡개똥벌레.
◉今宵. 累宵. 奔宵. 夙宵. 良宵. 連宵. 元宵. 終宵. 晝宵. 中宵. 徹宵. 淸宵. 春宵. 通宵.

7 ⑩ [家] 中人 ㊀ 가 ㊉麻 古牙切 jiā
㊁ 고 ㊉虞 古胡切 gū

筆順 ' ' 宀 宀 宀 宇 宇 家 家

字解 ㊀ ①집 가 ㉠건물. '一屋'. '一樓, 臨民一'《史記》. ㉡살림. 주거(住居). '徙一蓮勺'《漢書》. ㉢가족. '盡居其一'《呂氏春秋》. ㉣문벌. 지체. '良一子'《史記》. ㉤가정. '將成一而致汝'《韓愈》. ㉥재산. 가산(家産). '割財捐一'《漢書》. ②남편 가 서방. '女子生而願爲之有一'《孟子》. ③아내 가 처. '棄其一'《左傳》. ④용한이 가 학문·기예 등에 뛰어난 사람. '百一'. '文學一'. '通諸子百一之書'《史記》. ⑤대부 가 공경(公卿) 아래의 벼슬. 또, 그 사람. 또, 그 채지(采地). '一削'. '大夫皆富, 政將在一'《左傳》.

⑥살 가 집을 장만하여 삶. '以好畤田地善, 往一焉'《史記》. ⑦성 가 성(姓)의 하나. ⊟ 계집 고 姑(女部 五畫)와 통용. '班昭博學高才, 有節行法度, 帝數召入宮, 令皇后諸貴人師事焉, 號曰大一'('大一'는 여자의 존칭)《後漢書》.

字源 甲骨文 金文 篆文 古文 會意. 宀+豕. '宀면'은 '집'의 뜻. '豕시'는 '돼지'의 뜻. 돼지 따위 희생을 올리는 집 안의 신성한 곳의 뜻에서, 그곳을 중심으로 하는 '집'의 뜻을 나타냄.

[家家 가가] ㉠집집마다. ㉡적모(嫡母).
[家家戶戶 가가호호] 가가(家家)❶.
[家間事 가간사] ㉠집안의 사사(私事)로운 일. ㉡각각(各各) 자기 집에 관계되는 일.
[家居 가거] ㉠벼슬하지 않고 자기 집에 있음. ㉡시집가지 않고 집에 있음.
[家格 가격] 지체. 문벌.
[家慶 가경] 집안의 경사(慶事).
[家系 가계] ㉠한 집안의 계통(系統). ㉡한 집안의 계도(系圖).
[家計 가계] 한 집안의 생계(生計). 살림살이. 살림살이의 형편(形便).
[家誡 가계] 한 집안에서 그 집안사람들이 지켜야 할 경계(警戒).
[家故 가고] 집안의 사고(事故). 집안의 변고(變故).
[家公 가공] ㉠아버지의 경칭(敬稱). 엄군(嚴君). ㉡할아버지의 경칭.
[家口 가구] ㉠집안 식구(食口). 가족(家族). 처자(妻子). ㉡집의 수(數)와 인구(人口).
[家具 가구] 집안 살림에 쓰는 기구(器具). 집물(什物).
[家國 가국] ㉠집과 나라. ㉡국가(國家). ㉢고향.
[家君 가군] 자기 아버지의 존칭(尊稱).
[家眷 가권] 거느리고 있는 가족(家族). 가솔(家率).
[家規 가규] 한 집안의 규칙(規則).
[家禽 가금] 집에서 기르는 날짐승.
[家給人足 가급인족] 집집마다 넉넉하고 사람마다 풍족(豐足)함.
[家忌 가기] 집안의 제사(祭祀). 조상(祖上)의 제사(祭祀).
[家妓 가기] 개인의 집에 두는 기생.
[家基 가기] 집터
[家內 가내] ㉠집의 안. ㉡가족(家族).
[家奴 가노] 집에서 부리는 종.
[家垈 가대] 집 터전과 그에 딸린 원림(園林) 및 전토(田土)의 총칭(總稱).
[家大人 가대인] 자기 아버지의 경칭(敬稱).
[家道 가도] ㉠한 집안의 구성원으로서 지켜야 할 도덕. 가정 도덕. ㉡집안의 생계(生計). 가계(家計).
[家塗 가도] 집안의 생계. 가도(家道).
[家徒壁立 가도벽립] 집 안에 세간이라고는 하나도 없고 다만 사면에 벽만이 둘려 있을 뿐이라는 뜻으로, 집안이 빈궁함을 이름.
[家督 가독] ㉠한 집안을 감독(監督)하는 사람이라는 뜻으로, 맏아들을 이름. 적장자(嫡長子). ㉡호주(戶主)가 될 신분(身分).
[家豚 가돈] 자기의 아들의 겸칭.
[家僮 가동] ㉠집에서 부리는 종. ㉡집에서 부리는 아이종.
[家亂 가란] 집안의 분란. 집안의 풍파.
[家力 가력] 집안 형편의 정도. 터수.
[家令 가령] ㉠귀족(貴族)의 집안일을 맡은 사람. ㉡벼슬 이름. 태자(太子)의 관속(官屬)으로서 진한(秦漢) 때에는 창곡(倉穀)과 음식을 맡았고, 진(晉)나라 때에는 형옥(刑獄)까지 겸하여 맡았음.
[家禮 가례] 한 집안의 예법(禮法).
[家老 가로] ㉠가신(家臣)의 우두머리. 가재(家宰). 실로(室老). ㉡한 집안에서 제일 어른 되는 사람.
[家祿 가록] 한 집안에서 세습(世襲)하여 받는 녹(祿).
[家累 가루] 한 집안에 딸린 사람. 처자·노비 등을 이름.
[家名 가명] ㉠한 집안의 명예(名譽). 가성(家聲). ㉡집의 명칭.
[家母 가모] 자기의 어머니.
[家廟 가묘] 한 집안의 사당(祠堂).
[家務 가무] 집안일. 가사(家事).
[家門 가문] ㉠자기 집의 문. ㉡집. ㉢대부(大夫)의 집. ㉣집안. 가족(家族). 또, 일족(一族). ㉤지체.
[家問 가문] 집에서 온 편지. 가서(家書).
[家味 가미] 한 집안의 독특한 풍미(風味).
[家邦 가방] 집과 나라.
[家伯 가백] ㉠남에게 대하여 자기의 맏형을 일컫는 말. ㉡남에게 대하여 자기의 백부(伯父)를 일컫는 말.
[家閥 가벌] 한 집안의 사회적(社會的) 지위(地位). 지체. 문벌(門閥).
[家法 가법] 한 집안의 법(法).
[家變 가변] 집안의 변고(變故).
[家譜 가보] 한 집안의 계보(系譜).
[家寶 가보] 한 집안에 대대(代代)로 전(傳)하여 내려오는 보물(寶物).
[家僕 가복] 집에서 부리는 종.
[家福 가복] 집안의 복.
[家父 가부] 자기의 아버지.
[家夫 가부] ㉠남에게 대하여 자기의 남편(男便)을 일컫는 말. ㉡아내에 대하여 자기를 일컫는 말.
[家鳧 가부] 집오리.
[家貧 가빈] 집안이 구차(苟且)함. 집안이 가난함.
[家貧則思良妻 가빈즉사양처] 집안이 가난하면 살림을 잘하는 어진 아내를 생각함.
[家史 가사] 한 집안의 역사. 그 집에 관한 기록.
[家私 가사] ㉠가사(家事). ㉡가구(家具).
[家事 가사] 집안일.
[家舍 가사] 사람이 사는 집.
[家削 가삭] 주대(周代)에 기전(畿甸) 사방(四方) 3백 리 이내에 있던 대부(大夫)의 채지(采地).
[家山 가산] 고향 산천. 고향.
[家産 가산] 한 집안의 재산(財産).
[家相 가상] ㉠한 집안의 사무를 관리하는 사람의 우두머리. 가신(家臣)의 장. ㉡집의 구조·방향·장소 등을 보아 길흉(吉凶)을 판단하는 일.
[家常 가상] 일상 있는 일.
[家常茶飯 가상다반] 가상반(家常飯).
[家常飯 가상반] ㉠평상시에 먹는 식사(食事). ㉡늘 있는 일. 항다반사(恒茶飯事).
[家生 가생] ㉠집안의 생계. 가계(家計). ㉡일용기구(日用器具). 세간.
[家生奴 가생노] 종의 자식으로서 아버지를 이어 종노릇하는 자.
[家書 가서] 자기 집에서 온 편지.
[家緖 가서] 조상으로부터 내려오는 집안의 사업.

[家聲 가성] 한 집안의 명성(名聲).
[家世 가세] 문벌과 세계(世系).
[家勢 가세] ㉠집안의 형세(形勢). ㉡살림살이의 형편(形便). 지내는 정도(程度). 터수.
[家屬 가속] 가족(家族).
[家率 가솔] 가권(家眷).
[家數 가수] 일가(一家)를 이룬 기술이나 학예. 또, 학예·기술 따위로 일가를 이룬 사람. 전(轉)하여, 종파(宗派)의 뜻으로 쓰임.
[家叔 가숙] 남에게 대하여 자기의 숙부(叔父)를 일컫는 말.
[家塾 가숙] ㉠주대(周代)에 여문(閭門) 양쪽에 집을 지어 여중(閭中)의 자제를 가르치던 곳. 여(閭)는 스물다섯 집으로 이룬 마을로서 그 마을에 문이 있었는데, 이를 여문(閭門)이라 하였음. ㉡사가(私家)에서 차린 글방.
[家乘 가승] 한 집안의 기록. 족보(族譜)·문집(文集) 따위.
[家臣 가신] 높은 벼슬아치의 집에서 그 벼슬아치를 받드는 부하(部下).
[家信 가신] 자기 집에서 온 소식.
[家室 가실] ㉠가정. 가족. 집안. ㉡아내. ㉢주거(住居).
[家兒 가아] 남에게 대하여 자기의 아들을 일컫는 말.
[家岳 가악] 남에게 대하여 자기의 장인(丈人)을 일컫는 말.
[家雁 가안] 거위.
[家鴨 가압] 집오리.
[家約 가약] 가법(家法).
[家樣 가양] 살림살이의 형편. 터수.
[家釀 가양] 집에서 빚은 술. 가양주(家釀酒).
[家言 가언] 사가(私家)의 언론. 곧, 편견(偏見)을 가지고 일가(一家)의 말을 이룬 것.
[家嚴 가엄] 가친(家親).
[家業 가업] ㉠한 집안의 대대로 물려받은 직업(職業). 세업(世業). ㉡한 집안의 재산.
[家役 가역] 집을 짓거나 고치는 일. 집 역사.
[家烈 가열] 선열(先烈)인 조상. 조상.
[家榮 가영] 한 집안의 번영(繁榮), 또는 영예.
[家屋 가옥] 집.
[家用 가용] ㉠집에서 쓰는 비용(費用). ㉡집 안에서 씀.
[家運 가운] 집안의 운수(運數).
[家人 가인] ㉠육십사괘(六十四卦)의 하나. 곧, ☲〈이하(離下), 손상(巽上)〉. 한 집안의 안팎이 모두 바른 상(象). ㉡집안 사람. ㉢서인(庶人). 백성. ㉣종. 노복(奴僕).
[家賃 가임] 집세.
[家貲 가자] 가자(家資).
[家資 가자] 집안의 자산(資産).
[家慈 가자] 남에게 대하여 자기 어머니를 일컫는 말.
[家作 가작] ㉠집을 지음. ㉡가옥. 일반적으로 셋집의 뜻으로 쓰임.
[家狀 가장] 조상(祖上)의 행적(行蹟)에 관한 기록.
[家長 가장] 한 집안의 어른. 호주.
[家藏 가장] 집에 간직하여 둠. 또, 그 물건.
[家藏什物 가장집물] 집 안의 온갖 세간.
[家財 가재] ㉠한 집안의 재산. ㉡가구(家具).
[家姐 가저] 남에게 대하여 자기의 손위 누이를 일컫는 말.
[家邸 가저] 가제(家第).
[家猪 가저] 집돼지. 돼지.
[家傳 가전] ㉠대대(代代)로 전(傳)하여 내려옴. 또, 그 전하여 내려온 것. 세전(世傳). ㉡가사(家史).
[家丁 가정] 집에서 부리는 남자 일꾼.
[家政 가정] 집안의 살림살이. 한 집안의 경제(經濟). 가도(家道).
[家庭 가정] 한 가족(家族)을 단위(單位)로 하여 살림하고 있는 집안.
[家庭敎育 가정교육] 부모(父母)·형제(兄弟)가 그 자녀(子女)·자매(姉妹)에게 가르치는 교육(敎育).
[家弟 가제] 남에게 대하여 자기의 아우를 일컫는 말. 사제(舍弟).
[家祭 가제] 한 집안의 조상의 제사.
[家第 가제] 집. 저택(邸宅). 가저(家邸).
[家祖 가조] 남에게 대하여 자기의 할아버지를 일컫는 말.
[家祚 가조] 한 집안에 전해 내려오는 세계(世系).
[家族 가족] 친족(親族)으로서 한집안을 이루는 사람.
[家尊 가존] ㉠남의 아버지의 존칭(尊稱). ㉡자기 아버지의 존칭(尊稱).
[家座 가좌] 집터의 위치.
[家主 가주] 한 집안의 주인(主人).
[家主翁 가주옹] 한 집안의 주인이 되는 노인.
[家中 가중] 가내(家內).
[家衆 가중] ㉠가신(家臣)들. ㉡가족.
[家至戶曉 가지호효] 주지(周知)시키기 위하여 가가호호마다 직접 찾아가서 알림.
[家什 가집] 집 안의 세간. 가장집물(家藏什物).
[家集 가집] 한 집안의 문집(文集).
[家牒 가첩] 한 집안의 보첩(譜牒).
[家畜 가축] 집에서 기름. 또, 그 짐승.
[家親 가친] 남에게 대하여 자기의 아버지를 일컫는 말.
[家儈 가쾌] 토지·가옥 따위의 매매 또는 대차(貸借)를 소개하는 사람. 집주릅.
[家宅 가택] 살림하는 집. 주택(住宅).
[家宅侵入 가택침입] 아무 이유(理由) 없이 남의 집이나 남이 지키고 있는 건조물(建造物)에 침입하는 일.
[家品 가품] 가풍(家風).
[家風 가풍] 한 집안의 풍습(風習).
[家學 가학] 그 집안의 대대로 전하여 닦아 오는 학문.
[家行 가행] 한 집안의 행실(行實).
[家鄕 가향] 고향(故鄕).
[家憲 가헌] 가법(家法).
[家兄 가형] ㉠남에게 대하여 자기의 형(兄)을 일컫는 말. ㉡'금전(金錢)'의 이칭(異稱).
[家戶 가호] 호적상(戶籍上)의 집.
[家禍 가화] 집안의 화변(禍變). 집안에서 일어나는 재앙(災殃).
[家患 가환] 집안의 우환(憂患).
[家訓 가훈] 가정교훈(家庭敎訓).
[家諱 가휘] 부조(父祖)의 이름을 부르지 않는 일.
◉擧家. 傾家. 古家. 故家. 高家. 公家. 官家. 仇家. 舊家. 國家. 權家. 貴家. 歸家. 機杼一家. 南宋四家. 農家. 唐宋八大家. 大家. 都家. 道家. 刀圭家. 名家. 墨家. 民家. 邦家. 百乘家. 伐氷家. 梵家. 法家. 兵家. 本家. 夫家. 浮家. 婦家. 富家. 分家. 佛家. 貧家. 私家. 辭家. 山家. 商家. 喪家. 書家. 成家. 世

家. 勢家. 小家. 數家. 讎家. 承家. 詩家. 神家. 神仙家. 室家. 實家. 良家. 楊家. 嚴家. 窩家. 王家. 外家. 元大四家. 儒家. 六家. 陰陽家. 吏家. 人家. 姻家. 隣家. 一家. 自家. 資本家. 作家. 雜家. 杖家. 將家. 莊家. 在家. 積善家. 赤松家. 田家. 專門家. 占家. 齊家. 諸子百家. 宗家. 縱橫家. 酒家. 朱門家. 借家. 瘡家. 天家. 淸初三家. 樵家. 出家. 宅家. 通家. 寒家. 刑名家. 豪家. 好事家. 胡越一家. 婚家. 畫家. 皇家. 勳家.

7 ⑩ [宲] [一] 포 [上]晧 博抱切 bǎo
[二] 실 [入]質 神質切 shí

[字解] [一] 감출 포 '一, 藏也'《廣韻》. [二] 實(宀部 十一畫)의 古字.

7 ⑩ [宷] 〔심·반〕
審(宀部 十二畫〈p. 598〉)의 古字

7 ⑩ [宸] [人名] 신 [平]眞 植隣切 chén

[字解] ①집 신 옥우(屋宇). '君若不忘周室, 而爲敝邑一宇, 亦寡人之願也'《國語》. ②대궐 신 궁전. '一闕'. '風光一掖'《宋書》. 전(轉)하여, 천자(天子)의 일에 관한 말의 관사(冠詞)로 쓰임. '一怒'. '一念'. '求得上皇一翰'《宋史》. ③하늘 신 허공(虛空). '消雰埃於中一'《張衡》.

[字源] 篆文 形聲. 宀+辰〔音〕. '辰신'은 '입술'의 뜻. 가옥(家屋)의 가장자리, 처마의 뜻에서, 제왕(帝王)이 있는 곳의 뜻도 나타냄.

[宸鑑 신감] ㉠천자(天子)가 보심. ㉡천자의 감식(鑑識).
[宸居 신거] 천자가 계신 곳. 대궐. 궁성(宮城).
[宸眷 신권] 천자의 은고(恩顧).
[宸闕 신궐] 천자의 대궐. 궁궐(宮闕).
[宸極 신극] ㉠북극(北極). 지존(至尊)한 별이란 뜻. ㉡천자의 거처(居處). 황거(皇居). ㉢천자의 지위. 제위(帝位).
[宸襟 신금] 천자의 마음.
[宸念 신념] 천자의 생각.
[宸怒 신노] 천자의 분노.
[宸斷 신단] 천자의 재결(裁決). 성단(聖斷).
[宸悼 신도] 천자의 애도(哀悼).
[宸慮 신려] ㉠천자의 염려. ㉡천자의 생각. 성려(聖慮).
[宸謀 신모] 천자의 모책(謀策).
[宸謨 신모] 신모(宸謀).
[宸算 신산] 신모(宸謀).
[宸幄 신악] 천자의 자리에 치는 포장.
[宸掖 신액] 대궐. 궁궐(宮闕). 액(掖)은 정문(正門)의 좌우에 있는 문.
[宸輿 신여] 천자가 타는 수레.
[宸影 신영] 천자의 화상(畫像).
[宸宇 신우] 집. 옥우(屋宇).
[宸憂 신우] 천자의 근심.
[宸威 신위] 천자의 위광(威光).
[宸遊 신유] 천자의 순유(巡遊).
[宸扆 신의] ㉠천자가 있는 자리의 뒤에 세우는 병풍. ㉡궁정(宮廷).
[宸意 신의] 천자의 뜻.
[宸儀 신의] 천자의 용자(容姿). 전(轉)하여, 단지 천자의 뜻으로도 쓰임.
[宸慈 신자] 천자의 자애(慈愛).
[宸章 신장] 신한(宸翰).
[宸旨 신지] 천자의 뜻. 천자의 마음.
[宸樞 신추] 천자의 권위(權威).
[宸衷 신충] 천자의 마음속. 신금(宸襟).
[宸筆 신필] 천자의 필적(筆跡).
[宸翰 신한] 천자(天子)가 직접 쓴 문서. 천자의 친필(親筆).
◉槐宸. 王宸. 紫宸. 帝宸. 中宸. 楓宸.

7 ⑩ [容] [中·人] 용 [平]冬 餘封切 róng

[筆順] ' 宀 宀 宂 宊 宊 容 容

[字解] ①얼굴 용, 모습 용 용모. 또, 모양. '一姿'. '君子之一舒遲'《禮記》. '泰山之一, 巍巍然高'《淮南子》. ②꾸밀 용 맵시를 냄. 화장함. '女爲說己者一'《史記》. ③담을 용 담아 넣음. '一量'. '瓠落無所一'《莊子》. ④받아들일 용 ㉠남의 말을 들어줌. '一納'. '納忠一諫'《唐書》. ㉡도량이 커서 잘 포용(包容)함. '一衆'. ⑤용서할 용 관대히 보아주어 꾸짖거나 처벌하지 아니함. '一赦'. '每能回一, 有其小失'《後漢書》. ⑥안존할 용 조용함. '從一'. '一兮遂兮'《詩經》. ⑦혹 용 或(戈部 四畫)과 뜻이 같음. '諸王子在京, 一有非常, 亟宜發遣, 各還本國'《後漢書》. ⑧어찌 용 豈(豆部 三畫)와 뜻이 같음. '苟時未可, 一得已乎'《魏志》. ⑨성 용 성(姓)의 하나.

[字源] 篆文 篆文 古文 形聲. 宀+谷〔音〕. '宀면'은 '집'의 뜻. '谷곡'은 '口구'와 통하여, '입'의 뜻. 입이나 집처럼 많은 것을 담아 넣는 뜻을 나타냄. 또, '谷'은 古文에서 보듯이 '公공'과 통하여, 종묘(宗廟) 따위 공공 광장(公共廣場)에서의 경건하고 조신스러운 모습의 뜻을 나타냄.

[容假 용가] 용서함.
[容觀 용관] 모습과 몸차림.
[容光 용광] ㉠틈으로 들어오는 빛. ㉡모습. 풍채(風采).
[容器 용기] 물건을 담는 그릇.
[容納 용납] 받아들임.
[容匿 용닉] 숨김.
[容貸 용대] 용서(容恕).
[容量 용량] 물건이 담기는 분량.
[容貌 용모] 사람의 얼굴의 모양.
[容媚 용미] 받아들여 친숙히 지냄.
[容赦 용사] 용서(容恕).
[容狀 용상] 용모(容貌).
[容色 용색] 용모와 안색(顏色).
[容恕 용서] 관대(寬大)히 보아주어 꾸짖거나 처벌하지 아니함.
[容手 용수] 수단을 씀.
[容受 용수] 받아들임.
[容遂 용수] 관서(寬舒)한 모양. 안존한 모양.
[容膝 용슬] 장소가 좁아 겨우 무릎이나 움직일 수 있음.
[容飾 용식] 몸치장. 몸차림.
[容身 용신] ㉠몸을 들여놓음. ㉡세상(世上)에 몸을 붙이고 살아감.
[容顏 용안] 용모(容貌).
[容與 용여] 옹용(雍容)한 모양.
[容悅 용열] 영합(迎合)하여 기쁜 모양을 함. 아첨(阿諂)함.

[容裔 용예] ㉠바람에 내맡겨 올라갔다 내려갔다 함. ㉡배가 가는 모양. ㉢물결치는 모양. ㉣조용하고 아름다운 모양. ㉤왕래가 빠른 모양.
[容容 용용] ㉠나는 모양. 비양(飛揚)하는 모양. ㉡구름이 떠오르는 모양. ㉢구차하게 받아들여 주기를 바라는 모양.
[容裕 용유] 마음이 넓고 너그러움.
[容隱 용은] ㉠숨김. 용닉(容匿). ㉡숨긴 죄를 용서함.
[容儀 용의] 예의(禮儀)에 맞는 기거동작(起居動作).
[容疑者 용의자] 범죄(犯罪)의 혐의(嫌疑)를 받고 있는 사람.
[容易 용이] 쉬움.
[容匿 용익] 용닉(容匿).
[容忍 용인] 참고 용서함.
[容認 용인] 용납(容納)하여 인정(認定)함.
[容姿 용자] 모습. 용모와 자태(姿態).
[容粧 용장] 화장. 단장.
[容齋隨筆 용재수필] 송(宋)나라 홍매(洪邁)의 찬(撰). 16권. 경사(經史)를 고증(考證)하고 전고(典故)를 정정(訂正)하였으며, 문장(文章)·예술(藝術)에까지 논급(論及)하였음.
[容積 용적] ㉠속에 물건을 담을 수 있는 부피. ㉡입방체(立方體)의 체적(體積).
[容接 용접] 가까이하여 교제함.
[容止 용지] 기거동작(起居動作).
[容質 용질] 용모와 체질.
[容體 용체] 용태(容態).
[容臭 용취] 차고 다니는, 향료를 넣는 주머니.
[容態 용태] ㉠용모와 자태. 모습. ㉡병의 형편. 병상(病狀).
[容許 용허] 너그럽게 허락하여 줌.
[容或 용혹] 혹시 그럴 수도 있음.
[容或無怪 용혹무괴] 혹시 그럴 수도 있으므로 괴이(怪異)할 것이 없음.
[容華 용화] ㉠아름다운 용모. ㉡한(漢)나라의 여관(女官)의 하나.
[容喙 용훼] 말참견을 함.
◉兼容. 輕容. 寬容. 苟容. 舊容. 軍容. 內容. 幢容. 目容. 瞢容. 美容. 丰容. 山容. 色容. 先容. 聖容. 聲容. 手容. 收容. 殊容. 瘦容. 顏容. 治容. 御容. 言容. 餘容. 斂容. 艷容. 禮容. 玉容. 慍容. 雍容. 婉容. 春容. 威容. 柳態花容. 音容. 儀容. 理容. 認容. 姿容. 壯容. 正容. 從容. 縱容. 周容. 陣容. 眞容. 秋容. 春容. 悴容. 惰容. 包容. 風容. 含容. 海容. 許容. 形容. 華容. 回容. 勳容. 喜容.

7 ⑩ [筤] 랑 ㊥陽 魯當切 láng
字解 텅빌 랑 휑뎅그렁함. 공허(空虛)함. '康—, 宮室空皃'《廣韻》.
字源 形聲. 宀+良〔音〕

[案] 〔안〕 木部 六畫(p.1064)을 보라.

7 ⑩ [宿] 宿(次條)의 俗字

8 ⑪ [宿] 中人 ■ 숙 ㊀屋 息逐切 sù, xiǔ ■ 수 ㊃宥 息救切 xiù

筆順 ' ' 宀 宀 宀 宿 宿 宿

字解 ■ ①묵을 숙 ㉠숙박함. '—舍'. '去齊—於晝'《孟子》. ㉡오래됨. 또, 경험이 많음. '—債'. '晉鄙嚄唶—將'《史記》. ②묵힐 숙 전항(前項)의 타동사. '—諾'. '止子路—'《論語》. '不—肉'《論語》. ③살 숙 머물러 삶. '—, 住也'《玉篇》. ④멈출 숙 ㉠머묾. '個然無所歸—'《荀子》. '—留海上'《漢書》. ㉡멈추게 함. 정체(停滯)시킴. '有過者, 不—其罰'《管子》. ㉢망설임. 멈칫거림. '子路無—諾'《論語》. ⑤편안할 숙 안심하고 종사함. 자리 잡음. '官—其業'《左傳》. ⑥지킬 숙 어기지 아니함. 지켜 나감. '國有故則令—'《周禮》. ⑦빠를 숙 夙(夕部 三畫)과 同字. '世婦掌女宮之—戒'《周禮》. ⑧번 숙 숙직. 당직. '—次未到'《唐律》. ⑨주막 숙 여관. '三十里有—'《周禮》. ⑩오랠 숙 오래됨. '—願'. ⑪거듭할 숙 '不—戒'《儀禮》. ⑫성 숙 성(姓)의 하나. ■ 성수 수 성차(星次). '二十八—'.

字源 甲骨文 金文 篆文 形聲. 篆文은 宀+佰〔音〕. '佰숙'은 金文에서는 사람이 요에 눕는 모양을 본뜬 꼴. 古文에서는 '夙숙'의 뜻. 사람이 집 안에 묵음의 뜻을 나타냄. 또, '夙'과 통하여, '오래전부터'의 뜻을 나타냄. 또, '肅숙'과 통하여, '경계함, 제지함'의 뜻도 나타냄.

[宿曜 수요] 이십팔수(二十八宿)와 구요(九曜). 또, 그것으로 치는 점(占).
[宿憾 숙감] 묵은 원한(怨恨).
[宿戒 숙계] 제사, 의식 등의 기일(期日)에 앞서 하는 재계(齋戒).
[宿契 숙계] 전세(前世)의 약속.
[宿工 숙공] 오래 익혀 익숙한 일.
[宿構 숙구] 시문(詩文)을 오래전부터 구상함.
[宿眷 숙권] 오랫동안의 은고(恩顧).
[宿根 숙근] 겨울에 줄기가 말라 죽고, 이듬해 봄에 새로 움이 돋는 뿌리.
[宿根草 숙근초] 묵은 뿌리에서 다시 움이 돋는 「풀.
[宿諾 숙낙] 승낙만 하고 실행하지 아니함.
[宿德 숙덕] ㉠덕행이 있는 노인. ㉡오래도록 쌓은 덕망(德望). ㉢《佛敎》 전세(前世)에 쌓은 복덕(福德).
[宿老 숙로] 경험이 많고 사물을 잘 헤아리는 노인.
[宿望 숙망] ㉠오래전부터 지닌 명망(名望). ㉡오래전부터 가진 소망(所望).
[宿命 숙명] 선천적(先天的)으로 이미 정하여진 운명(運命).
[宿命論 숙명론] 자연계(自然界) 및 인생계(人生界)에 있는 모든 사물(事物)은 이미 정하여진 운명(運命)이 있어서, 인력으로는 변경할 수 없다고 하는 학설(學說). 운명론(運命論).
[宿墨 숙묵] 갈아 둔 후 하룻밤을 지낸 먹물.
[宿問 숙문] 오래전부터 품은 의문(疑問).
[宿泊 숙박] 주막(酒幕)에서 묵음. 여관(旅館)에 듦.
[宿坊 숙방] ㉠절에 찾아온 손이 머무는 방. ㉡머무는 집. 머무는 방(房).
[宿病 숙병] 오래 묵은 병.
[宿負 숙부] 숙채(宿債).
[宿分 숙분] 숙명(宿命).
[宿舍 숙사] 숙박(宿泊)하는 집.

[宿食 숙사] 전날에 지은 밥.
[宿夕 숙석] 하룻밤. '잠깐 사이'의 뜻으로 쓰임.
[宿昔 숙석] 예전. 이전. 평소.
[宿世 숙세] 《佛教》 전생(前生)의 세상(世上). 전세(前世).
[宿所 숙소] 숙박(宿泊)하는 곳.
[宿宿 숙숙] ㉠하룻밤을 묵음. ㉡이틀 밤을 묵음. 재숙(再宿).
[宿習 숙습] 오래된 습관.
[宿食 숙식·숙사] ㉠자고 먹음. 또는 그 일. ㉡'숙사(宿食)'를 보라.
[宿心 숙심] 숙지(宿志).
[宿疴 숙아] 숙아(宿痾).
[宿痾 숙아] 오랜 병. 숙환(宿患).
[宿夜 숙야] 온밤. 밤새도록.
[宿約 숙약] 오래된 약조(約條).
[宿業 숙업] 《佛教》 숙세(宿世)의 업(業). 전세(前世)의 갚음.
[宿緣 숙연] ㉠오래된 인연(因緣). ㉡《佛教》 숙세(宿世)의 인연.
[宿營 숙영] 진(陣)을 침. 또, 진. 진영(陣營).
[宿雨 숙우] ㉠연일(連日) 오는 비. 장마. ㉡간밤부터 오는 비.
[宿怨 숙원] 오래된 원한. 또, 원한을 풀지 않고 마음속에 품음.
[宿願 숙원] 오래된 희망. 늘 바라던 소망(所望).
[宿衛 숙위] 숙직하며 지킴. 「자.
[宿儒 숙유] 열력(閱歷)이 많고 명망이 높은 유학
[宿恩 숙은] 이전부터의 은혜.
[宿衣 숙의] 잠잘 때 입는 옷. 잠옷.
[宿因 숙인] 전생(前生)부터의 인연. 숙연(宿緣).
[宿妝 숙장] 어제 한 화장. 「수.
[宿將 숙장] 경험이 많은 장수. 노련(老鍊)한 장
[宿敵 숙적] 오래전부터의 원수.
[宿題 숙제] ㉠미리 내주는 문제. ㉡두고 생각할 문제.
[宿罪 숙죄] 《佛教》 전세(前世)에서 지은 죄.
[宿主 숙주] 기생(寄生)한 동식물에게 양분을 주는 동식물.
[宿志 숙지] 예전부터 품은 뜻.
[宿直 숙직] 관청(官廳)이나 회사 등에서 자고 밤을 지키는 일.
[宿疾 숙질] 오래 묵은 병. 숙환(宿患).
[宿次 숙차] 당직(當直)할 차례.
[宿債 숙채] 묵은 빚.
[宿哲 숙철] 경험이 많은 어진 사람.
[宿滯 숙체] 오래된 체증(滯症).
[宿草 숙초] 겨울에 죽지 않고 해를 넘기는 풀.
[宿醉 숙취] 다음 날까지 깨지 않은 취기(醉氣).
[宿恥 숙치] 오래된 치욕(恥辱).
[宿敗 숙패] 예전부터 당연히 패(敗)할 사정을 갖추고 있음.
[宿弊 숙폐] 오래 묵은 폐단.
[宿飽 숙포] 전날 먹은 것으로 아직 배가 부름.
[宿學 숙학] 경력이 많고 인망(人望)이 있는 학자.
[宿嫌 숙혐] 오래된 혐의(嫌疑).
[宿好 숙호] ㉠예전부터의 기호(嗜好). ㉡예전부터 맺은 정의(情誼).
[宿虎衝鼻 숙호충비] 자는 범의 코를 찌른다는 뜻으로, 자기 스스로 불리(不利)를 자초(自招)함의 비유(譬喩).
[宿火 숙화] 재에 파묻어 놓은 불.
[宿患 숙환] 긴병. 오래된 병.
[宿猾 숙활] 본디부터 교활한 사람.
◉歸宿. 耆宿. 寄宿. 老宿. 露宿. 累宿. 屯宿. 名宿. 目宿. 蓬宿. 棲宿. 星宿. 信宿. 淹宿. 旅宿. 旅人宿. 溫宿. 寓宿. 留宿. 二十八宿. 再宿. 齋宿. 中宿. 止宿. 直宿. 辰宿. 草宿. 託宿. 投宿. 下宿. 合宿. 豁宿.

8 ⑪ [𡪇] 宿(前條)의 本字

8 ⑪ [寂] [高·人] 적 ㊀錫 前歷切 jì

[筆順] ' … 寂

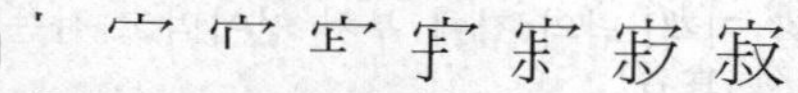

[字解] ①고요할 적 적적함. '―漠'. '―兮寥兮'《老子》. ②편안할 적 '―, 安也'《廣韻》. ③《佛教》 열반 적 ㉠번뇌에서 벗어나 해탈(解脫)의 경지에 듦. '導人入―'《維摩問疾品》. ㉡중의 죽음. '入―'. '歸―'.

[字源] 篆文 形聲. 篆文은 宀+赤〔音〕. '赤숙'은 '마음 아파하다'의 뜻. 집 안이 쓸쓸하다, 조용하다의 뜻을 나타냄.

[參考] 宋(宀部 六畫)은 本字.

[寂光土 적광토] 《佛教》 부처가 사는 곳. 중생(衆生)이 해탈(解脫)하여 궁극의 깨달음에 이른 경계(境界). 적광(寂光).
[寂念 적념] 쓸쓸하고 조용한 생각.
[寂慮 적려] 쓸쓸하고 조용한 생각.
[寂歷 적력] 적막(寂漠).
[寂寥 적료] 적막(寂漠).
[寂寞 적막] 적막(寂漠).
[寂漠 적막] 적적하고 쓸쓸함. 고요함.
[寂滅 적멸] ㉠자연히 없어져 버림. ㉡《佛教》 번뇌(煩惱)의 경지를 벗어나 생사(生死)의 환루(患累)를 끊음. 전(轉)하여, 죽음.
[寂滅爲樂 적멸위락] 적멸(寂滅)한 후에 비로소 참된 즐거움이 있음.
[寂默 적묵] 《佛教》 ㉠눈을 감고 조용히 생각함. 조용히 명상(瞑想)함. ㉡쥐 죽은 듯 고요함.
[寂焉 적언] 적연(寂然).
[寂然 적연] 적적(寂寂).
[寂然無聞 적연무문] 잠잠하여 아주 소문이 없음.
[寂寥 적요] 적막(寂漠).
[寂人 적인] 조용한 것을 좋아하는 사람.
[寂寂 적적] 쓸쓸하고 고요한 모양.
[寂靜 적정] ㉠속계(俗界)를 떠나 고요함. ㉡《佛教》 망념 망려(妄念妄慮)가 없음.
[寂天寞地 적천막지] 조금도 활동이 없는 적막한 천지(天地).
[寂乎 적호] 적연(寂然).
◉闃寂. 空寂. 歸寂. 蕭寂. 淳寂. 示寂. 晏寂. 圓寂. 幽寂. 淪寂. 入寂. 湛寂. 靜寂. 沖寂. 沈寂. 閑寂. 虛寂. 玄寂.

8 ⑪ [寄] [高·人] 기 ㊄寘 居義切 jì

[筆順] ' … 寄

[字解] ①부쳐있을 기 기우(寄寓)함. '―居'. '嘗―人宅'《顏氏家訓》. 또, 부쳐 있게 함. 머무르게 함. '―蜉蝣於天地'《蘇軾》. ②맡길 기 위임

함. 부탁함. '一托'. '可以一百里之命'《論語》. ③부칠 기 보냄. 전함. '一書'. '以一匹錦相一'《南史》. ④의뢰할 기 의탁함. 의지함. '請一無所聽'《史記》. 또, 의뢰하는 바. '爲腹心之一'《魏書》. ⑤일 기 임무(任務). '使主兵官兼郡一'《宋史》. ⑥나그네 기 길손. '一, 客也'《一切經音義》.

字源 篆文 形聲. 宀+奇〔音〕. '奇기'는 몸을 구부려 서는 사람의 뜻. 평형(平衡)을 잃고 한쪽으로 쏠림의 뜻, 지붕 밑에 몸을 붙이다의 뜻을 나타냄.

[寄豭 기가] 유부녀와 간통함.
[寄客 기객] 남의 집에 부쳐 얻어먹고 사는 사람. 식객(食客).
[寄居 기거] ㉠타향에서 임시로 삶. 우거(寓居). ㉡남의 집에 몸을 의지함. 식객 노릇을 함.
[寄稿 기고] 원고를 신문사나 잡지사 같은 데에 보냄.
[寄公 기공] 나라를 잃고 몸을 남의 나라에 의탁한 임금. 우공(寓公).
[寄款 기관] 참마음을 남에게 부침. 성의(誠意)를 베풂.
[寄口 기구] 남의 집에 부쳐 사는 사람.
[寄留 기류] 남의 집 또는 타향(他鄕)에서 일시 몸을 부쳐 삶.
[寄別 기별] 알림. 통지(通知)함.
[寄付 기부] ㉠남에게 물건을 보내 줌. ㉡의뢰함. 부탁함.
[寄附 기부] 공공 단체 또는 절·교회 같은 데에 무상으로 금전이나 물품을 내놓음.
[寄死 기사] 남의 집에 부쳐 있다가 죽음.
[寄似 기사] 보내 줌. 사(似)는 정(呈).
[寄生 기생] ㉠남에게 의지하여 삶. ㉡독립하여 생존(生存)할 수 없는 동식물(動植物)이 다른 동식물의 몸 또는 거죽에 붙어서 영양을 얻어 살아감.
[寄生囊 기생낭] 사람의 몸. 신체.
[寄生木 기생목] 기생 관목(寄生灌木)의 하나. 겨우살이.
[寄生蟲 기생충] ㉠다른 동물체(動物體)에 기생하여 생명을 유지하는 벌레. ㉡남의 도움을 받아서 생활을 유지(維持)하여 가는 사람.
[寄書 기서] ㉠편지(便紙)를 부침. ㉡기고(寄稿).
[寄聲 기성] 음신(音信)을 통함. 남에게 소식을 전함.
[寄送 기송] 물건을 부쳐 보냄.
[寄宿 기숙] 남의 집에 몸을 부쳐 숙식(宿食)함.
[寄食 기식] 남의 집에 부쳐서 먹음. 식객 노릇을 함.
[寄語 기어] 말을 전함.
[寄言 기언] ㉠말을 전함. ㉡시어(詩語)로 쓰일 때에는 말 한 마디 보내어 각성(覺醒)시킨다는 뜻으로 쓰임.
[寄與 기여] ㉠부쳐 줌. 보내 줌. ㉡이바지함. 공헌(貢獻).
[寄傲 기오] 공상(空想)을 마음대로 하여 정회(情懷)를 폄.
[寄寓 기우] 임시(臨時)로 거처(居處)함. 우거(寓居)함. 또, 그 집.
[寄人籬下 기인리하] 남의 울타리 밑에 몸을 의탁한다는 뜻으로, 독창력(獨創力) 없이 남의 흉내를 냄을 이름.
[寄贈 기증] 물건을 보내 줌. 증정(贈呈).
[寄託 기탁] ㉠의탁함. 의뢰함. ㉡당사자(當事者) 한쪽이 상대자(相對者)한테서 받은 물건을 보관(保管)하는 계약(契約)을 함.
[寄航 기항] 운항 중의 비행기가 공항에 잠시 들름.
[寄港 기항] 항해 중의 배가 항구에 들름. 또, 그 항구.
◉高寄. 闆寄. 方面寄. 藩寄. 邊寄. 浮寄. 深寄. 委寄. 戎寄. 任寄. 朝寄. 杜寄. 重寄. 請寄. 寵寄. 親寄. 託寄. 投寄.

8 ⑪ [寅] 中人 인 ㊥眞 翼眞切 yín

筆順 丶 宀 宀 宀 宀 宙 宙 寅

字解 ①셋째지지 인 십이지(十二支)의 제삼 위. '太歲在一, 曰攝提格'《爾雅》. 시간으로는 오전 3시부터 오전 5시까지의 동안. '一時'. '一晨咀絳霞'《列仙傳》. 방위(方位)로는 동북간. '一方'. 띠로는 범. 달로는 음력 정월. ②동관 인 동료. '同一'. ③공경할 인 夤(夕部 十一畫)과 同字. '一賓'. '夙夜惟一'《書經》. ④성 인 성(姓)의 하나.

字源 甲骨文 甲骨文 金文 篆文 古文 象形. 甲骨文에는 화살의 象形과 화살을 두 손으로 당기는 모양을 본뜬 것이 있는데, 잡아당기다, 잡아 펴다의 뜻을 나타냄. 오늘날의 '寅'은 그 후자의 변형된 것임. '演연'의 原字. 차용(借用)하여, 십이지(十二支)의 제삼위(第三位), '범'의 뜻으로 쓰임.

[寅虔 인건] 공경하고 삼감. 공경하고 두려워함.
[寅念 인념] 삼가 생각함.
[寅方 인방] 이십사방위(二十四方位)의 하나. 동북간의 방위(方位).
[寅賓 인빈] 공경하여 인도함.
[寅時 인시] 오전 3시부터 오전 5시까지의 시각(時刻).
[寅畏 인외] 공경하고 두려워함.
[寅月 인월] 음력(陰曆) 정월(正月)의 별칭(別稱).
[寅正 인정] 오전 4시 정각.
[寅坐申向 인좌신향] 인방(寅方)에서 신방(申方)을 바라보는 좌향(坐向).
[寅淸 인청] ㉠삼가 몸을 깨끗하게 함. 근경(謹敬)하고 청렴(淸廉)함. ㉡옛날에 있던 당(堂)의 이름. 인청당(寅淸堂).
[寅初 인초] 인시(寅時)의 첫 시각(時刻). 곧, 오전 3시경.
◉同寅.

8 ⑪ [密] 中人 밀 ㊥質 美筆切 mì

筆順 丶 宀 宀 宓 宓 宓 宻 密

字解 ①빽빽할 밀 밀집함. 또, 짙음. '一林'. '一雲不雨'《易經》. ②꼼꼼할 밀 찬찬하여 빈틈이 없음. '綿一'. '謹愼周一'《漢書》. ③촘촘할 밀 틈이나 구멍이 썩 뱀. '謹一網, 以羅其罪'《晉書》. ④고울 밀 결이 거칠지 아니함. '加一石焉'《國語》. ⑤은밀할 밀 ㉠심오함. 알기 어려움. '聖人以此洗心, 退藏於一'《易經》. ㉡남에게 알리지 아니함. 숨김. '祕一'. '幾事不一則害成'《易經》. ⑥가까울 밀 친근함. '親一'. ⑦가까이할 밀 근접함. '一接'. '一邇王室'《書

經》. ⑧조용할 밀 고요함. '靜—'. '四海遏—八音'《孟子》. ⑨몰래 밀 '—告'. '—訴諸朝'《唐書》. ⑩닫을 밀, 닫칠 밀 閟(門部 五畫)과 통용. '陰而不—'《禮記》. ⑪자상할 밀, 바를 밀 '傅人則—'《周禮》. ⑫힘쓸 밀 '—勿從事, 不敢告勞'《漢書》. ⑬성 밀 성(姓)의 하나.

字源 金文 篆文 形聲. 山+宓〔音〕. '宓밀'은 '조용함'의 뜻. 조용한 산의 모양에서, '가만히, 몰래'의 뜻을 나타냄. 또, '必필'과 통하여 '빽빽하다. 빈틈이 없다'의 뜻, '閟비'와 통하여, '닫다'의 뜻도 나타냄.

[密匣 밀갑]《韓》밀부(密符)를 넣어 두는 나무 상자.
[密計 밀계] 밀책(密策).
[密啓 밀계] 임금에게 비밀히 아룀. 또, 그 글.
[密告 밀고] 남몰래 고(告)함.
[密敎 밀교]《佛敎》㉠주문(呪文)·진언(眞言) 따위의 해석할 수 없는 경전(經典). ㉡불교의 한 파. 진언종(眞言宗)을 이름.
[密記 밀기] 비밀한 기록(記錄).
[密談 밀담] 다른 사람이 듣지 않게 가만히 이야기함.
[密度 밀도] ㉠빽빽한 정도(程度). 조밀(稠密)한 정도. ㉡물체(物體)의 단위 용적(單位容積) 중에 포함된 질량(質量).
[密獵 밀렵] 금제(禁制)를 범하여 몰래 수렵을 함.
[密林 밀림] 빽빽한 숲.
[密網 밀망] 촘촘한 그물. 세밀하고 엄격한 법령의 비유.
[密賣 밀매] 몰래 팖. 금제(禁制) 또는 규약(規約)을 위반하고 비밀히 팖.
[密賣淫 밀매음] 몰래 매음(賣淫)함.
[密命 밀명] 비밀의 명령.
[密謀 밀모] 비밀히 모의함.
[密勿 밀물] ㉠힘씀. ㉡제왕(帝王)의 곁에 있어 추기(樞機)에 참여함.
[密微 밀미] 자디잚. 미세(微細)함.
[密密 밀밀] ㉠매우 조밀(稠密)한 모양. ㉡아주 비밀히 하는 모양. ㉢매우 친밀한 모양.
[密房 밀방] 남의 눈에 뜨이지 않는 방.
[密報 밀보] 몰래 알림. 또, 그 비밀한 보고.
[密封 밀봉] 단단히 봉함. 꼭 봉함.
[密夫 밀부] 간부(姦夫).
[密符 밀부]《韓》병란(兵亂)에 응할 수 있게 하기 위하여 유수(留守)·감사(監司)·병사(兵使)·수사(水使)·방어사(防禦使)에게 내리는 병부(兵符).
[密使 밀사] 몰래 보내는 사자(使者).
[密事 밀사] 비밀한 일.
[密商 밀상] ㉠남몰래 하는 장사, 또는 장수. ㉡비밀히 상의함.
[密生 밀생] 빈틈없이 빽빽하게 남.
[密書 밀서] 비밀한 문서, 또는 편지.
[密石 밀석] 결이 고운 숫돌.
[密船 밀선] 법을 어기어 몰래 다니는 배.
[密疏 밀소] 비밀히 하는 상소(上疏).
[密訴 밀소] 몰래 호소함.
[密輸 밀수] 금제(禁制)를 범하여 몰래 물품을 수입 또는 수출함.
[密樹 밀수] 빽빽이 들어선 나무.
[密僧 밀승] 진언종(眞言宗)의 중.
[密室 밀실] 남의 출입을 금하는 비밀(祕密)한 방(房). 꼭 닫아 두고 함부로 출입하지 못하게 하는 방.
[密約 밀약] 비밀(祕密)한 약속.
[密漁 밀어] 금제나 규약을 어기고 몰래 고기를 잡음.
[密語 밀어] 비밀(祕密)한 이야기.
[密用 밀용] 몰래 씀.
[密雨 밀우] 세우(細雨). 부슬부슬 내리는 비.
[密雲 밀운] ㉠짙은 구름. 많이 모여 두껍게 겹친 구름. ㉡거짓 눈물.
[密雲不雨 밀운불우] 짙은 구름만 끼고 비는 오지 않는다는 뜻으로, 어떠한 일의 조짐만 보이고 그 일은 닥치지 아니함을 이름.
[密諭 밀유] ㉠남모르게 타이름. ㉡남모르게 내리는 임금의 명령.
[密意 밀의] 비밀(祕密)한 뜻. 비밀히 품은 생각.
[密議 밀의] 비밀(祕密)한 의논. 남몰래 하는 상의.
[密移 밀이] 비밀의 이문(移文). 몰래 하는 회장(回狀).
[密邇 밀이] 가까이함. 접근(接近)함.
[密印 밀인] 증직(贈職)할 때 내리는 밀〔蠟〕에 새긴 도장. 밀인(蜜印).
[密章 밀장] ㉠비밀히 올리는 상소. ㉡밀인(密印).
[密葬 밀장] 몰래 장사 지냄.
[密藏 밀장] 비밀히 감추어 둠.
[密接 밀접] ㉠꼭 달라붙음. ㉡서로 떨어지기 어려운 깊은 관계가 있음.
[密偵 밀정] 비밀(祕密)히 정탐(偵探)하는 사람.
[密造 밀조] ㉠금제품을 비밀(祕密)히 만듦. ㉡허가(許可)를 요하는 물건을 허가 없이 만듦.
[密詔 밀조] 비밀한 조서(詔書).
[密坐 밀좌] 빈틈없이 빽빽이 앉음.
[密呪 밀주]《佛敎》'다라니(陀羅尼)'와 같음.
[密奏 밀주] 몰래 아룀. 비밀히 상주(上奏)함.
[密酒 밀주] 허가 없이 몰래 담근 술.
[密旨 밀지] ㉠비밀(祕密)히 내리는 임금의 명령(命令). ㉡비밀히 내리는 지령(指令).
[密指 밀지] 밀지(密旨).
[密集 밀집] 빽빽이 모임.
[密着 밀착] ㉠빈틈없이 단단히 붙음. ㉡여러 개(個)가 다닥다닥 붙음.
[密察 밀찰] ㉠자세하고 명확함. ㉡자세히 살핌.
[密策 밀책] 비밀(祕密)한 꾀.
[密叢 밀총] 무성함. 빽빽이 들어차서 우거짐.
[密聚 밀취] 빽빽이 모임.
[密畤 밀치] 비밀히 제사 지내는 깊숙한 곳.
[密緻 밀치] 치밀함.
[密勅 밀칙] 은밀히 내리는 칙령(勅令). 또, 가만히 조칙(詔勅)을 내림.
[密陀僧 밀타승] 납을 산화(酸化)시켜서 만든 황색(黃色)의 가루. 살충약으로 외과(外科)에 씀.
[密探 밀탐] 몰래 정탐(偵探)함.
[密通 밀통] 남녀가 몰래 정(情)을 통함.
[密閉 밀폐] 꼭 닫음.
[密函 밀함] 비밀의 문서를 넣는 상자. 또, 비밀의 편지. 밀서(密書).
[密航 밀항] 금제(禁制)를 범하여 몰래 하는 도항(渡航).
[密行 밀행] 몰래 다님.
[密花 밀화] 호박(琥珀)의 일종.
[密會 밀회] 비밀(祕密)히 만남.
◉堅密. 過密. 近密. 禁密. 機密. 緊密. 內密.

篤密. 綿密. 緜密. 蒙密. 茂密. 微密. 繁密. 祕密. 三密. 詳密. 纖密. 細密. 疎密. 碎密. 神密. 愼密. 深密. 遏密. 嚴密. 麗密. 鬱密. 宥密. 隱密. 陰密. 精密. 稠密. 周密. 綢密. 縝密. 樞密. 緻密. 親密. 緘密. 顯密.

8 ⑪ [寠] 거 [平]魚 九魚切 jū

[字解] ①집 거 주택. '一, 舍也'《玉篇》. ②팔 거, 모아둘 거 물건을 팖. 또, 물건을 저축함. '賬, 博雅, 賬賺, 賣也, 一曰貯也, 或作一'《集韻》.

8 ⑪ [寇] 구 [去]有 苦候切 kòu

[字解] ①도둑 구 떼를 지어 백성의 재물을 겁탈하는 비도(匪徒). '一賊'. '群行攻劫曰一'《辭海》. ②원수 구 '一讎'. '藉一兵, 而齎盜糧'《李斯》. ③난리 구 외적(外敵)이 쳐들어온 난리. '兵作於內爲亂, 於外爲一'《左傳》. ④해칠 구, 쳐들어올 구, 노략질할 구 해를 입힘. 침입함. 겁략(劫掠)함. '一掠'. '匈奴一邊'《十八史略》. ⑤풍성할 구 물건이 많음. '凡物盛多, 謂之一'《方言》. ⑥성 구 성(姓)의 하나.

[字源] 金文 篆文 會意. 宀+元+攴. '宀면'은 '옥내(屋內)'의 뜻. '元원'은 '사람'의 뜻. '攴복'은 '치다'의 뜻. 남의 집에 들어가 사람을 치는 모양에서, 남에게 해(害)를 주다의 뜻을 나타냄.

[寇羯 구갈] 침입해 오는 오랑캐.
[寇警 구경] 구적(寇賊) 또는 외적(外敵)의 침입을 알리는 경보(警報).
[寇難 구난] 외적(外敵)의 난(難).
[寇盜 구도] 타국에 쳐들어가 도둑질함. 또, 그 도둑.
[寇亂 구란] 외구(外寇)와 내란(內亂).
[寇掠 구략] 타국에 쳐들어가 노략질함.
[寇略 구략] 구략(寇掠).
[寇讎 구수] 원수(怨讎).
[寇恂 구순] 후한(後漢) 초의 정치가. 자(字)는 자익(子翼). 광무제(光武帝) 때 하내(河內)·여남(汝南) 태수(太守)를 지내고 향교(鄕校)를 세워 지방 자제를 교육함.
[寇攘 구양] 떼를 지어 노략질하고 다님. 쳐들어가 노략질함.
[寇擾 구요] 외적(外敵)이 쳐들어와 소요를 일으킴.
[寇戎 구융] 국외에서 쳐들어오는 오랑캐.
[寇賊 구적] 떼를 지어 다니며 백성을 해치기도 하고 물건을 강탈하기도 하는 도둑.
[寇敵 구적] ㉠외적(外敵). ㉡원수.
[寇賊姦宄 구적간귀] 살해·협박·도둑질 등 갖은 악행을 하여 백성을 해치는 자. 간귀(姦宄)는 마음이 틀어진 악한(惡漢).
[寇鈔 구초] 구략(寇掠).
[寇偸 구투] 구도(寇盜).
[寇虐 구학] 쳐들어가 잔학한 짓을 함.
[寇害 구해] 쳐들어와 해를 끼침.
[寇患 구환] 외적이 쳐들어오는 근심.
◉彊寇. 窮寇. 劇寇. 內寇. 邊寇. 兵寇. 伏寇. 司寇. 倭寇. 外寇. 遺寇. 侵寇. 凶寇.

8 ⑪ [寇] 寇(前條)의 俗字

8 ⑪ [寁] [一] 첩 [入]葉 疾葉切 jié [二] 잠 [上]感 子感切 zǎn

[字解] [一] 빠를 첩 신속함. '無我惡兮, 不一故也'《詩經》. [二] 빨리있을 잠 '一, 居之速也'《說文》.

[字源] 篆文 形聲. 宀+疌〔音〕. '疌첩'은 '급히 서두르다'의 뜻. 집 안에서 서두르는 모양에서, 분주하고 어수선함의 뜻을 나타냄.

8 ⑪ [寀] [人名] 채 [上]賄 倉宰切 cǎi [去]隊 倉代切 cài

[筆順]

[字解] 채지 채 采(釆部 一畫)와 同字. '一, 謂一地. 主事者必有一地. 一, 采也, 采取賦稅, 以供己有'《爾雅 疏》.

[字源] 篆文 形聲. 宀+采〔音〕. '采채'와 통하여, '봉토(封土)·채지(采地)'의 뜻을 나타냄.

8 ⑪ [寃] 〔원〕 冤(冖部 八畫〈p. 225〉)과 同字 일설(一說)에는 俗字

8 ⑪ [寍] 〔녕〕 寧(宀部 十一畫〈p. 597〉)의 俗字

9 ⑫ [富] [中人] 부 [去]宥 方副切 fù

[筆順]

[字解] ①넉넉할 부 ㉠재산이 많음. '一裕'. '一而無驕'《論語》. ㉡많이 있음. '一於春秋'(나이가 아직 젊음). '后稷之祀易一'《禮記》. ㉢충실함. '贍一'. '一文辭工書'《唐書》. ②넉넉히할 부 넉넉하도록 함. '一國強兵'. '何神不一'《詩經》. ③부 부, 부자 부 부유함. 또, 그 사람. '一潤屋'《大學》. '阿一順貴'《道德指歸論》. ④행복 부 福(示部 九畫)과 통용. '維昔之一, 不如時'《詩經》. ⑤성 부 성(姓)의 하나.

[字源] 金文 篆文 形聲. 宀+畐〔音〕. '畐복'은 신(神)에게 바칠 술통의 중배가 불룩한 모양. '宀면'은 '실내(室內)'의 뜻. 사당 따위에서 술을 바쳐, 술통처럼 불룩한 중배처럼 풍부해질 것을 기원하는 모양에서, '갖춰지다, 넉넉하다'의 뜻을 나타냄.

[富家 부가] 부잣집.
[富強 부강] 나라가 부유하고 강(強)함. 재물이 많고 군사가 강함.
[富骨 부골] 부자(富者)답게 보이는 골격(骨骼).
[富驕 부교] 재산이 있어 부리는 교만(驕慢).
[富局 부국] 부자(富者)의 상(相).
[富國 부국] ㉠부요(富饒)한 나라. ㉡나라를 부요(富饒)하게 함.
[富國強兵 부국강병] 나라를 부요(富饒)하게 하고 군사(軍士)를 강(強)하게 함. 곧, 국세(國勢)를 증대시킴.
[富貴 부귀] 재산이 많고 지위가 높음.
[富貴功名 부귀공명] 부귀(富貴)와 공명(功名).
[富貴不能淫 부귀불능음] 부귀로도 마음을 어지럽힐 수 없음.
[富貴在天 부귀재천] 부귀는 하늘이 이미 정해 놓은 것이어서 사람이 바란다고 마음대로 되는 것이 아님.

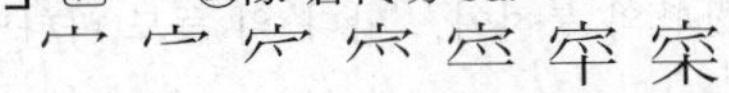

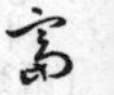

[富貴花 부귀화] '모란'의 별칭(別稱).
[富大 부대] 몸집이 뚱뚱하고 큼.
[富力 부력] 재산이 많으므로 인하여 생기는 세력. 돈의 힘. 금력(金力).
[富萬篇貧一字 부만편빈일자] 대단히 많은 글을 수월하게 짓는 사람도, 알맞은 한 글자를 얻기 위하여 고심(苦心)하는 적이 있다는 말.
[富名 부명] 부자로 이름난 소문.
[富茂 부무] 부유(富裕)하고 번성(繁盛)함.
[富民 부민] ㉠살림이 넉넉한 백성(百姓). ㉡백성을 넉넉히 살게 함.
[富商 부상] 부자(富者)인 상인.
[富庶 부서] ㉠백성이 많고 요부(饒富)함. ㉡살림이 넉넉한 백성.
[富贍 부섬] ㉠문재(文才) 등이 넉넉함. ㉡재산이 넉넉함.
[富歲 부세] 풍년(豐年).
[富室 부실] 부잣집. 재산가.
[富兒 부아] 부자(富者).
[富於春秋 부어춘추] 부춘추(富春秋).
[富衍 부연] 부일(富溢).
[富翁 부옹] 부잣집 주인.
[富饒 부요] 재산(財產)이 넉넉함.
[富源 부원] 재물(財物)이 생기는 근원(根源).
[富有 부유] 재물을 넉넉히 가짐.
[富裕 부유] 부요(富饒).
[富潤 부윤] 재물이 많아 윤택함.
[富潤屋 부윤옥] 재산이 많으면 자연히 집이 윤택하여 보임.
[富邑 부읍] 부자가 많이 사는 도읍.
[富益富 부익부] 부자(富者)가 더욱 부자가 됨.
[富逸 부일] 부요(富饒)하고 안락(安樂)함.
[富溢 부일] 재화가 넘치도록 많음. 대단히 부유함.
[富者 부자] 재산이 많은 사람. 살림이 넉넉한 사람.
[富者不仁仁者不富 부자불인인자불부] 부자는 어질지 않고, 어진 사람은 부자가 되지 못함. 부(富)와 인(仁)은 특별한 경우를 빼놓고는 병립하지 아니함.
[富在知足 부재지족] 부(富)는 족한 것을 아는 데 있다는 뜻으로, 자기 분수를 알아 이에 만족하여야 함을 이름.
[富則多事 부즉다사] 재산이 많으면 귀찮은 일이 많음.
[富村 부촌] 부자가 많이 사는 마을.
[富春秋 부춘추] 나이가 어림. 나이가 아직 젊음. 전정(前程)이 요원(遙遠)함.
[富戶 부호] 부잣집.
[富豪 부호] 큰 부자.
[富厚 부후] 부요(富饒).
◉奸富. 甲富. 彊富. 巨富. 宏富. 國富. 貴富. 陶朱猗頓之富. 末富. 美富. 繁富. 本富. 詳富. 贍富. 安富. 淵富. 榮富. 饒富. 雄富. 殷富. 資富. 精富. 猝富. 昌富. 沖富. 暴富. 豐富. 豪富.

9 ⑫ [寐] 매 ㊀寘 彌二切 mèi

字解 ①잘 매 잠을 잠. '夙興夜一'《詩經》. ②죽을 매 '寤大暮之同一'《陸機》.
字源 甲骨文 篆文 形聲. 宀＋爿＋未〔音〕. '宀면'은 가옥(家屋)을 본뜬 모양. '爿장'은 침상(寢床)의 형상. '未미'는 눈을 감다의 뜻. '자다'의 뜻을 나타냄.

[寐息 매식] 코를 곪.
[寐語 매어] 잠꼬대.
◉假寐. 覺寐. 監寐. 夢寐. 睡寐. 夙夜夢寐. 夙興夜寐. 失寐. 寤寐. 潛寐. 坐寐. 寢寐. 昏寐.

9 ⑫ [寋] 건 ㊤阮 紀偃切 jiǎn

字解 ①경쇠만칠 건 다만 경(磬)쇠만을 두드림. '一, 爾雅, 徒鼓磬, 謂之一'《集韻》. ②여자의자 건 '一, 女字'《集韻》. ③성 건 성(姓)의 하나.

9 ⑫ [寬] 〔관〕 寬(宀部 十二畫〈p. 599〉)의 俗字

9 ⑫ [寍] 〔녕〕 寧(宀部 十一畫〈p. 597〉)의 本字

9 ⑫ [寎] 병 ㊀敬 陂病切 bìng ㊤梗 補永切 bǐng

字解 ①놀랄 병 잠들어 깜짝깜짝 놀람. '一, 臥驚病也'《說文》. ②잠들 병 잠이 깊이 듦. 잘 잠. '一, 多寐也'《正字通》. ③삼월 병 3월의 별칭. '三月爲一'《爾雅》.
字源 篆文 形聲. 㝱〈省〉＋丙〔音〕. '㝱몽'은 '꿈'. 자면서 가위에 눌리는 일.

9 ⑫ [寒] 中人 한 ㊥寒 胡安切 hán

筆順 ' 宀 宀 宑 寉 寉 寒 寒 寒

字解 ①찰 한 추움. 차가움. '一冷', '風蕭蕭兮易水一'《史記》. ②서늘할 한 간담이 선뜩함. 전율함. '一心'. '西賊聞之心骨一'《名臣言行錄》. ③궁할 한 곤궁함. '貧一'. '范叔一如此哉'《史記》. ④천할 한 지체가 낮음. '出自一微'《晉書》. ⑤그만둘 한 중지함. 멈춤. '亦可一也'《左傳》. '一, 歇也'《左傳 注》. ⑥얼 한 추워서 몸이 얾. '有老人, 涉淄而一'《戰國策》. ⑦식힐 한 차게 함. '一日暴之, 十日一之'《孟子》. ⑧추위 한 '一暑'. '曰燠, 曰一'《書經》. ⑨괴로울 한, 괴로움 한 '齊急舒於一燠'《張衡》. ⑩입다물 한 침묵함. '自同一蟬'《後漢書》. ⑪그득찰 한 '一, 滿也'《廣雅》. ⑫성 한 성(姓)의 하나.
字源 金文 篆文 會意. 宀＋茻＋人＋仌. '茻망'은 풀잎을 깐 '요'의 뜻. '仌빙'은 '얼음'의 뜻. 추위에 얼어서 침구에 몸을 잔뜩 오그리는 사람의 모양에서, '얼다, 춥다'의 뜻을 나타냄.

[寒家 한가] ㉠가난한 집. 빈한한 집안. 또, 미천(微賤)한 집. ㉡자기 집을 겸사하여 일컫는 말.
[寒感 한감] 추위를 무릅써서 든 감기(感氣).
[寒客 한객] 빈민(貧民).
[寒乞 한걸] 옷이 남루한 거지.
[寒檠 한경] ㉠겨울밤의 등불. ㉡쓸쓸한 등불.
[寒苦 한고] 추위의 고통.
[寒苦鳥 한고조] 《佛敎》 인도(印度)의 대설산(大雪山)에 산다는 상상의 새. 깃털이 없어 밤이 깊으면 추위를 견디지 못하여 날이 새면 집을 짓겠다고 울다가, 해가 뜨면 한고(寒苦)를 잊고 그대로 지낸다고 함. 불경(佛經)에서 이 새

를 중생(衆生)이 게을러 도를 닦지 아니함의 비유로 씀.
[寒空 한공] 추운 하늘.
[寒瓜 한과] 수박. 곧, '서과(西瓜)'의 이명(異名).
[寒官 한관] 낮은 벼슬.
[寒具 한구] ㉠방한구(防寒具). ㉡한식(寒食) 때에 먹는 음식의 한 가지. 밀가루를 반죽하여 기름에 튀긴 것. 환병(環餠).
[寒窶 한구] 가난하여 초라함.
[寒國 한국] 매우 추운 나라.
[寒菊 한국] 국화과(科)에 속하는 재배 식물의 하나. 꽃이 겨울에 핌.
[寒閨 한규] 혼자 자는 쓸쓸한 방.
[寒氣 한기] 추운 기운. 추위.
[寒暖 한난] 추움과 따뜻함.
[寒煖 한난] 한난(寒暖).
[寒暖計 한난계] 온도(溫度)를 재는 기기(器機).
[寒女 한녀] 가난한 여자. 빈한한 집의 부녀.
[寒餒 한뇌] 추움과 주림. 한아(寒餓).
[寒潭 한담] 물이 찬 못.
[寒帶 한대] 적도(赤道)에서 남북 각 66도 23분에서 시작하여 양극(兩極)에 이르기까지의 추위가 대단한 지대(地帶).
[寒突 한돌] 찬 굴뚝. 조석을 끓이지 못하는 가난한 집을 이름.
[寒燈 한등] 추운 밤의 등불. 또, 쓸쓸하게 보이는 등불.
[寒冷 한랭] 추움. 참.
[寒露 한로] ㉠찬 이슬. ㉡이십사절기(二十四節氣)의 하나. 추분(秋分)과 상강(霜降) 사이에 있는 절기(節氣). 양력 10월 8일경.
[寒陋 한루] 한미(寒微).
[寒流 한류] ㉠찬물의 흐름. ㉡양극 지방(兩極地方)에서 적도(赤道)를 향하여 흐르는 찬 해류(海流).
[寒盟 한맹] 맹약(盟約)을 어김.
[寒毛 한모] ㉠두려워서 몸의 털이 곤두섬. ㉡추위로 인하여 빠졌다가 봄에 다시 나는 털.
[寒門 한문] 한미(寒微)한 집안.
[寒微 한미] 빈한하고 미천(微賤)함. 가난하고 지체가 변변치 못함.
[寒房 한방] ㉠추운 방. ㉡쓸쓸한 방.
[寒服 한복] 추울 때 입는 옷.
[寒膚 한부] 추위에 언 피부.
[寒士 한사] 가난한 선비. 한미(寒微)한 선비.
[寒山 한산] ㉠쓸쓸한 가을철의 산. ㉡장쑤 성(江蘇省) 동산현(銅山縣) 동남에 있는 산 이름. ㉢당(唐)나라 때의 고승(高僧)의 이름.
[寒山寺 한산사] 장쑤 성(江蘇省) 오현(吳縣) 서쪽 풍교(楓橋)에 있는 절. 한산(寒山)과 습득(拾得)이 이 절에서 머무른 일이 있어 이 이름을 지었다 함.
[寒山拾得 한산습득] 당(唐)나라 정관 시대(貞觀時代)의 두 사람의 중 이름. 모두 톈타이 산(天台山) 국청사(國淸寺)의 풍간 선사(豐干禪師)의 제자로서 대단히 사이가 좋으며, 한산은 문수(文殊), 습득은 보현(普賢)의 화신(化身)이라고 함. 후세(後世)에 이 두 사람은 선화(禪畫)의 제재(題材)로서 많이 취급됨.
[寒色 한색] 찬 감정을 주는 빛. 푸른빛 또는 그에 가까운 빛. 난색(暖色)의 대(對).
[寒生 한생] 가난한 서생(書生).
[寒暑 한서] ㉠추위와 더위. ㉡겨울과 여름.
[寒暑針 한서침] 한난계(寒暖計).
[寒暑表 한서표] 한난계(寒暖計).
[寒蟬 한선] ㉠쓰르라미. ㉡울지 않는 매미.
[寒蟾 한섬] 한월(寒月).
[寒素 한소] 청빈(淸貧)함. 가난하고 검소함. 또, 그 사람.
[寒羞 한수] 변변치 못한 음식.
[寒水石 한수석] 대리석(大理石)의 일종. 견고하고 고움.
[寒濕 한습] 습기(濕氣)로 인하여 허리의 아래가 차게 되는 병(病). 습랭(濕冷).
[寒食 한식] 동지(冬至)로부터 105일째 되는 날. 고속(古俗)에 이날은 불을 금하고 찬밥을 먹었는데, 그 유래는 진(晉)나라 문공(文公) 때 개자추(介子推)가 이날 산에서 불에 타 죽었으므로, 그를 애도(哀悼)하는 뜻에서라 함. 우리나라에서도 이날을 명일(名日)의 하나로 하여 왕실(王室)에서는 종묘 및 각 능원(陵園)에서 제향(祭享)을 지냈고, 민가에서도 조상(祖上)의 성묘(省墓)를 함.
[寒心 한심] 마음이 섬뜩함.
[寒鴉 한아] 겨울의 까마귀. 굶주린 까마귀.
[寒餓 한아] 추움과 주림. 기한(飢寒).
[寒煙 한연] 쓸쓸하게 보이는 연기.
[寒烈 한열] 몹시 추움.
[寒熱 한열] 오한(惡寒)과 신열(身熱).
[寒熱往來 한열왕래] 병중에 한기(寒氣)와 열기(熱氣)가 번갈아 일어남.
[寒玉 한옥] ㉠대나무〔竹〕의 아칭(雅稱). ㉡맑은 물의 흐름.
[寒溫 한온] ㉠추위와 따뜻함. ㉡일기의 춥고 더움을 말하여 서로 인사함.
[寒雨 한우] ㉠찬비. ㉡겨울에 오는 비.
[寒燠 한욱] 추위와 더위.
[寒月 한월] 겨울의 달. 겨울 하늘에 뜬 달.
[寒威 한위] ㉠대단한 추위. ㉡추위의 위세(威勢).
[寒意 한의] 추운 기미(氣味). 추워 보이는 느낌.
[寒人 한인] 가난한 사람. 미천(微賤)한 사람. 한미(寒微)한 사람.
[寒笛 한적] 쓸쓸하게 들리는 피리 소리.
[寒戰 한전] 추워서 떪.
[寒節 한절] 추운 절기(節氣). 추운 철.
[寒鳥 한조] 겨울철의 새.
[寒族 한족] 한문(寒門).
[寒竹 한죽] 대나무의 일종. 자죽(紫竹).
[寒俊 한준] 빈한한 준사(俊士).
[寒畯 한준] 한준(寒俊).
[寒疾 한질] 오한(惡寒)이 나는 병.
[寒窓 한창] 객지(客地). 객창(客窓).
[寒脹 한창] 배가 붓고 사지(四肢)가 찬 병(病).
[寒天 한천] 추운 하늘. 겨울의 하늘.
[寒泉 한천] 찬 샘.
[寒村 한촌] 가난한 마을. 쓸쓸한 마을.
[寒縮 한축] 추워서 기운을 펴지 못하고 오그라듦.
[寒蟄 한칩] 추위를 타서 집 속에 들어박혀 있음.
[寒柝 한탁] 겨울밤에 치는 딱따기. 일설(一說)에는, 그 소리.
[寒退 한퇴] 한기(寒氣)가 물러감.
[寒波 한파] 기온이 갑자기 내려서 심한 한기가 오는 현상.
[寒庖 한포] 가난한 집의 부엌.
[寒風 한풍] 찬바람.
[寒害 한해] 심한 추위로 농작물이 입는 해.

[寒行 한행] 《佛敎》 추위를 견디어 나가는 고행(苦行).
[寒鄕 한향] ㉠가난한 시골. 전(轉)하여, 자기 고향의 겸칭(謙稱). 궁향(窮鄕). ㉡추운 땅. 한국(寒國).
[寒戶 한호] 가난한 집.
[寒泓 한홍] 벼루〔硯〕의 아칭(雅稱).
[寒花 한화] 늦가을과 겨울에 피는 꽃.
[寒暄 한훤] 한온(寒溫).
◉輕寒. 孤寒. 苦寒. 極寒. 奇寒. 祁寒. 飢寒. 饑寒. 單寒. 大寒. 猛寒. 微寒. 潑寒. 貧寒. 司寒. 星寒. 盛寒. 小寒. 殊寒. 脣亡齒寒. 嚴寒. 餘寒. 隆寒. 陰寒. 凝寒. 一暴十寒. 凄寒. 沾寒. 辟寒. 避寒. 冱寒. 酷寒. 暄寒.

9 ⑫ [寓] 〔우〕
宇(宀部 三畫〈p. 568〉)의 籀文

9 ⑫ [寓] 人名 우 ㊀遇 牛具切 yù

筆順 ' 宀 宀 官 宫 寓 寓 寓

字解 ①부쳐살 우 남에게 의지하여 삶. '一食'. '諸侯不臣一公'《禮記》. 또, 부쳐 살게 함. '無一人於我室'《孟子》. ②부칠 우 보냄. '子產一書于子西'《左傳》. ③맡길 우 위탁함. '大夫一祭器於大夫'《禮記》. ④칭탁(稱託)할 우 가탁(假託)함. '一話'. '著書十萬餘言, 大抵率一言也'《史記》. ⑤우거(寓居) 우 교거(僑居). '國無寄一'《國語》.

字源 金文 篆文 別體 形聲. 宀+禺〔音〕. '宀면'은 '집'의 뜻. '禺우'는 원숭이 비슷한 나무늘보류(類)를 본뜬 모양. 일정한 집이 없어 나뭇가지에 매달려 잠을 자는 나무늘보류(類)의 집의 뜻에서, 임시로 거처하다의 뜻을 나타냄.

[寓居 우거] ㉠남의 집에 부쳐 삶. ㉡타향(他鄕)에 임시(臨時)로 삶.
[寓公 우공] 나라를 잃고 남의 나라에서 우거(寓居)하는 천자 또는 제후. 기공(寄公).
[寓命 우명] ㉠목숨. 생명. ㉡운명(運命).
[寓木 우목] 기생목(寄生木).
[寓目 우목] 눈여겨봄. 주목함.
[寓舍 우사] ㉠우거(寓居)하고 있는 집. ㉡여관(旅館).
[寓生 우생] ㉠남에게 부쳐서 삶. 또, 그 사람. ㉡기생목(寄生木).
[寓書 우서] 편지를 보냄. 편지를 부침.
[寓所 우소] 우거하고 있는 곳.
[寓宿 우숙] 남에게 부쳐 묵음.
[寓乘 우승] 남이 탄 수레에 함께 탐.
[寓食 우식] 남의 집에 부쳐 밥을 얻어먹음. 기식(寄食).
[寓心 우심] 마음을 둠.
[寓言 우언] 다른 사물에 비겨 의견이나 교훈을 은연중에 나타내는 말.
[寓意 우의] 어떤 사물에 가탁(假託)하여서 은연중 어떤 뜻을 비춤.
[寓人 우인] 장례 때에 쓰는, 사람의 모양으로 만든 물건.
[寓接 우접] 우거(寓居).
[寓話 우화] 딴 사물에 가탁(假託)하여 교훈(敎訓)의 뜻을 은연중에 나타내는 이야기.
[寓懷 우회] 뜻을 둠.
◉寄寓. 羈寓. 旅寓. 流寓. 託寓. 萍寓. 漂寓. 飄寓.

9 ⑫ [寔] 人名 식 ㊁職 常職切 shí

筆順 ' 宀 宀 宣 宣 宣 寔 寔

字解 ①진실로 식 참으로. '春正月一來'《春秋》. ②이 식 是(日部 五畫)와 뜻이 같음. '一命不同'《詩經》. ③멈출 식 '一, 止也'《玉篇》. ④성 식 성(姓)의 하나.

字源 篆文 形聲. 宀+是〔音〕. '是시'는 '똑바로'의 뜻. 무엇을 바르게 집 안에 둠의 뜻을 나타냄. '實실'과 통하여 '진실로'의 뜻을 나타냄.

9 ⑫ [寑] 〔침〕
寢(宀部 十一畫〈p. 595〉)의 古字

字源 篆文 形聲. 宀+𠬶〔侵〕. '𠬶침'은 '깊숙이 침입하다'의 뜻. 집 안에서도 깊숙한 곳에 있는 '침실'의 뜻을 나타냄.

10 ⑬ [寖] 침 ㊥侵 咨林切 jìn
㊀沁 子鴆切 jìn

字解 ①잠길 침 浸(水部 七畫)과 同字. '一數百里'《漢書》. ②물댈 침 '一, 漑也'《集韻》. ③쌓을 침, 쌓일 침 '一, 積也'《廣雅》. ④점점 침 차차로. 차츰. '一明一昌'《漢書》.

[寖假 침가] 자연히 변화함.
[寖廣 침광] 차츰 넓어짐.
[寖壞 침괴] 차츰 무너짐.
[寖盛 침성] 점차 성해짐.
[寖淫 침음] 어떠한 풍습에 점차 젖어 듦.

10 ⑬ [寗] 녕 ㊥靑 奴丁切 níng
㊀徑 乃定切 nìng

字解 편안할 녕 寧(宀部 十一畫)과 同字.

[寗戚牛角 영척우각] 영척(寗戚)이 쇠뿔을 두드리며 노래하는 것을 듣고 제(齊)나라의 환공(桓公)이 그를 등용(登用)한 고사(故事).
◉康寗.

10 ⑬ [寘] 치 ㊀寘 支義切 zhì

字解 ①둘 치 ㉠놓아둠. '一予于懷'《詩經》. ㉡머물러 둠. '一之圜土'《周禮》. ㉢버려둠. '一彼周行'《詩經》. ㉣넣어 둠. 저장함. '凡而器用財賄, 無一於許'《左傳》. ②찰 치 충만함. '缾一腹'《太玄經》.

字源 篆文 形聲. 宀+眞〔音〕. '眞진'은 꽉 들어참, 꽉 채워짐의 뜻. 집 안에 잔뜩 처넣어 둠의 뜻을 나타냄.

◉匣寘. 寶寘. 私寘. 收寘. 憖寘. 移寘.

10 ⑬ [寙] 유 ㊤麌 勇主切 yǔ

字解 ①게으를 유 나태함. '呰一偸生'《史記》. ②이지러질 유 窳(穴部 十畫)와 통용. '器不

苦―'《十八史略》.
字源 形聲. 宀+胍〔音〕

◉呰窳.

10 ⑬ [寗] 〔녕〕
寗(宀部 十一畫〈p. 597〉)의 俗字

10 ⑬ [寅] 〔인〕
寅(宀部 八畫〈p. 588〉)의 本字

10 ⑬ [寋] 〔건〕
蹇(足部 十畫〈p. 2243〉)의 俗字

10 ⑬ [索] 〔색〕
索(糸部 四畫〈p. 1721〉)과 同字
字源 篆文 形聲. '宀+索〔音〕. '索색'은 '찾다'의 뜻. 집 안에 들어가 찾다의 뜻을 나타냄.

10 ⑬ [寛] 〔관〕
寬(宀部 十二畫〈p. 599〉)의 俗字

[塞] 〔새〕
土部 十畫(p. 459)을 보라.

11 ⑭ [寞] 막 ㊀藥 慕各切 mò
字解 쓸쓸할 막 고요함. '寂―'. '氣恬海―'《王勃》.
字源 形聲. 宀+莫〔音〕. '莫막'은 '해가 지다'의 뜻. 해 질 때처럼 '조용하다, 쓸쓸하다'의 뜻을 나타냄.

[寞寞 막막] 괴괴하고 쓸쓸한 모양.
[寞天寂地 막천적지] 극히 쓸쓸함. 어사(御史)가 임지(任地)를 떠나는 것을 이름.
◉落寞. 索寞. 窈寞. 寂寞. 沖寞. 勿寞.

11 ⑭ [察] 中人 찰 ㊀黠 初八切 chá
筆順 ' 宀 ⺦ 㝅 㝅 㝅 寀 察
字解 ①살필 찰 ㉠살펴 잘 앎. '―知'. '―其所安'《論語》. ㉡조사함. 생각하여 봄. '檢―'. '畜馬乘不―雞豚'《大學》. ㉢봄. '觀―'. ②드러날 찰 환히 드러남. 널리 알려짐. '言其上下―也'《中庸》. ③자세할 찰 너무 세밀하여 까다로움. 찰찰함. '其政――'《老子》. ④깨끗할 찰 결백함. '身之――'《楚辭》. ⑤성 찰 성(姓)의 하나.
字源 篆文 形聲. 宀+祭〔音〕. '祭제'는 '제사'의 뜻. 집 안에서 제사하여, 신의(神意)를 분명히 하다의 뜻을 나타냄.

[察看 찰간] 관찰함. 시찰함.
[察勘 찰감] 실지 조사를 함.
[察擧 찰거] 현부(賢否)를 살펴 거용(擧用)함.
[察見 찰견] 살펴 잘 앎. 밝게 앎.
[察警 찰경] 나쁜 일을 조사하여 경계함.
[察校 찰교] 조사해 생각함.
[察究 찰구] 관찰 연구함. 살펴 구명(究明)함.
[察機 찰기] 사물의 조짐을 앎.
[察納 찰납] 자세히 살펴서 받아들임.
[察覽 찰람] 살펴봄.
[察敏 찰민] 밝고 예민함.
[察相 찰상] 명찰(明察)한 재상(宰相).
[察色 찰색] 얼굴빛을 살펴봄.
[察按 찰안] ㉠자세히 조사(調査)함. ㉡곰곰이 생각함.
[察照 찰조] 잘 살펴 밝힘.
[察知 찰지] 샅샅이 살펴서 앎. 환히 앎.
[察察 찰찰] ㉠너무 세밀하여 까다로운 모양. ㉡결백한 모양.
[察度 찰탁] 살펴 헤아림.
[察哈爾 찰합이] 허베이 성(河北省) 쥐융 관(居庸關) 밖 만리장성 북방의 성(省) 이름. 명(明)나라 이래 몽골 족 차하르 부(部)가 주목(駐牧)하였으며, 청대(清代)에는 차하르 팔기(八旗)를 두었음. 성도는 장자커우(張家口). 차하르.
[察驗 찰험] 잘 조사해 생각함.
[察慧 찰혜] 밝고 지혜로움.
◉呵察. 苛察. 覺察. 監察. 鑒察. 擧察. 檢察. 警察. 考察. 高察. 貢察. 觀察. 究察. 糾察. 矜察. 斷察. 督察. 明察. 密察. 辨察. 司察. 伺察. 査察. 詳察. 省察. 小察. 垂察. 熟察. 巡察. 紃察. 詢察. 繩察. 是察. 猜察. 視察. 審察. 按察. 哀察. 亮察. 諒察. 廉察. 了察. 六察. 在察. 財察. 偵察. 照察. 存察. 診察. 澄察. 彰察. 聽察. 推察. 洞察. 偏察. 行察. 賢察. 詗察. 欽察.

11 ⑭ [寡] 高人 과 ㊤馬 古瓦切 guǎ
筆順 宀 宀 宀 宵 宣 寘 寡 寡
字解 ①적을 과, 작을 과 수효가 적거나 세력이 미약함. '―少'. '生之者衆, 食之者―'《大學》. ②홀어미 과, 홀아비 과 '―婦'. '五十無夫曰―'《大戴禮》. '無妻亦謂之―'《禮記 疏》. ③홀어미 될 과 과부가 됨. '新―好音'《史記》. ④나 과 왕후(王侯)의 자칭(自稱). '―人'. '世世稱孤―'《戰國策》.
字源 金文 篆文 會意. 宀+憂〈省〉. '憂우'는 '근심하다'의 뜻. 집 안에서 혼자 근심하는 사람의 모양에서, '과부'의 뜻을 나타냄. 음형상(音形上)으로는 '孤고'와 통하여, '혼자, 독신 여자'의 뜻을 보임. 파생(派生)하여, 일반적으로 '적다'의 뜻을 나타냄.

[寡居 과거] 과부(寡婦)로 지냄.
[寡見 과견] 본 바가 적음. 견문이 좁음.
[寡過 과과] 과실이 적음. 잘못이 적음.
[寡君 과군] 타국인에 대하여 자기가 섬기는 제후(諸侯)를 일컫는 말. 덕이 적은 임금이란 겸칭(謙稱)임.
[寡女 과녀] 홀어미. 과부(寡婦).
[寡德 과덕] 덕이 적음. 덕망이 적음.
[寡獨 과독] 과(寡)는 늙고 남편이 없는 사람. 독(獨)은 늙고 자식이 없는 사람.
[寡頭 과두] 몇 사람 안 되는 우두머리.
[寡頭政治 과두정치] 소수(少數)의 사람이 지배권(支配權)을 장악하여 정치를 행하는 공화 정치(共和政治).
[寡默 과묵] 침착하고 말이 적음.
[寡聞 과문] 견문(見聞)이 적음. 아는 것이 적음.

[寡薄 과박] 적고 박(薄)함.
[寡兵 과병] 병력(兵力)이 적음.
[寡婦 과부] 홀어미.
[寡不敵衆 과부적중] 적은 것은 많은 것을 대적(對敵)할 수 없음.
[寡少 과소] 적음.
[寡小君 과소군] 남의 나라 사람에 대하여 자기가 섬기는 군주(君主)의 부인(夫人)을 일컫는 말.
[寡守 과수] 《韓》 홀어미. 과부(寡婦).
[寡嫂 과수] 과부가 된 형수.
[寡識 과식] 지식이 적음. 식견이 좁음.
[寡額 과액] 적은 액수(額數). 많지 아니한 수효(數爻).
[寡約 과약] 질소(質素)하고 검약(儉約)함.
[寡言 과언] 말이 적음.
[寡慾 과욕] 욕심(慾心)이 적음.
[寡虞 과우] 근심이 적음.
[寡人 과인] ㉠덕(德)이 적은 사람이란 뜻으로, 왕후(王侯)의 자칭 대명사. ㉡제후의 부인(夫人)의 자칭 대명사.
[寡作 과작] 작품 같은 것을 적게 지음.
[寡妻 과처] ㉠과부(寡婦). ㉡덕이 적은 아내란 뜻으로, 자기의 아내를 이름.
[寡處 과처] 과거(寡居).
[寡特 과특] 고립무원(孤立無援)함. 고특(孤特).
◉簡寡. 孤寡. 矜寡. 多寡. 貧寡. 弱寡. 凋寡. 衆寡. 豐寡. 疲寡. 鰥寡.

11 ⑭ [寠] ㊀ 구 ㊤麌 瞿庾切 jù ㊁ 루 ㊥尤 郞侯切 lóu

字解 ㊀ ①가난할 구 窶(穴部 十一畫)와 同字. '終—且貧'《詩經》. ②작을 구 '—數, 猶局縮, 皆小意也'《釋名》. ㊁ 좁은땅 루 '甌—'는 협소한 고지(高地). '甌—滿篝, 汙邪滿車'《史記》.
字源 篆文 形聲. 宀+婁〔音〕. '婁루'는 비좁고 복잡함의 뜻. '초라한 집'의 뜻을 나타냄.

◉甌寠. 羈寠. 僂寠. 貧寠. 凋寠. 寒寠.

11 ⑭ [寢] 高人 침 ㊤寑 七稔切 qǐn

筆順 宀 宀 宀 宀 宀 宀 寢 寢

字解 ①잘 침 잠을 잠. '—食'. '宰予晝—'《論語》. ②재울 침 자게 함. '載—之牀'《詩經》. ③누울 침 ㉠몸을 가로놓음. '見—石, 以爲伏虎'《荀子》. ㉡병상에 누움. 앓음. '成子高—疾'《禮記》. ④쉴 침 그침. '—息'. '兵—刑措'《漢書》. ⑤잠 침 자는 일. '客—甚安'《史記》. ⑥능침 침 능묘(陵墓) 옆에 설치하여 제전(祭典)을 행하는 곳. '至秦始出—起於墓側'《史記》. ⑦방 침 ㉠거실(居室). '庶人祭於—'《禮記》. ㉡침실. '飮食不離—'《禮記》. ⑧못생길 침 용모가 못생김. '—陋'. '武安者貌—'《史記》. ⑨성 침 성(姓)의 하나.

[寢⑦]

字源 甲骨文 金文 篆文 形聲. 宀+爿+㑴(侵〈省〉)〔音〕. '爿장'은 '잠자리'의 뜻. '侵침'은 깊숙이 들어감의 뜻. 집의 깊숙한 곳에 있는 방의 뜻이나 방에서 자다의 뜻을 나타냄. 甲骨文·金文은 宀+帚의 會意로, 비로 깨끗이 쓸어 낸 사당의 뜻을 나타냄.

[寢具 침구] 이부자리와 베개. 금침(衾枕).
[寢啖 침담] 침식(寢食).
[寢臺 침대] 서양식(西洋式)의 누워 자는 상.
[寢陋 침루] 키가 작고 용모가 보기 싫음. 체격과 용모가 아주 보잘것없음.
[寢廟 침묘] ㉠종묘(宗廟). ㉡능침(陵寢). 자해(字解) ❻을 보라.
[寢門 침문] 사랑(舍廊)으로 드나드는 문.
[寢房 침방] 침실(寢室).
[寢兵 침병] 전쟁을 그침.
[寢牀 침상] 사람이 누워 자는 상. 와상(臥牀).
[寢石 침석] 누워 있는 돌.
[寢席 침석] 침실에 까는 돗자리.
[寢所 침소] 자는 곳.
[寢睡 침수] 수면(睡眠).
[寢食 침식] 잠과 식사. 전(轉)하여, 일상생활.
[寢息 침식] ㉠하던 일을 쉼. ㉡누워 잠.
[寢食不安 침식불안] 근심이 많아서 침식(寢食)이 편하지 못함.
[寢室 침실] 자는 방.
[寢園 침원] 임금의 산소. 능(陵). 능침(陵寢).
[寢衣 침의] 자리옷. 잠옷.
[寢帳 침장] 침실에 두르는 휘장.
[寢殿 침전] 임금이 자는 집.
[寢疾 침질] 병으로 자리에 누움.
[寢處 침처] ㉠자기도 하고 앉기도 함. ㉡자는 곳. 침실(寢室).
[寢被 침피] 자리옷. 잠옷.
[寢興 침흥] 잠과 일어남.
◉假寢. 客寢. 孤寢. 裸寢. 內寢. 路寢. 露寢. 陵寢. 廟寢. 悶寢. 別寢. 伏寢. 小寢. 失寢. 安寢. 偃寢. 輿寢. 燕寢. 午寢. 臥寢. 蓐寢. 園寢. 六寢. 長寢. 正寢. 晝寢. 草寢. 就寢.

11 ⑭ [寤] 人名 오 ㊦遇 五故切 wù

字解 ①깰 오 잠이 깸. '—寐'. '愾我—嘆'《詩經》. ②깨달을 오 悟(心部 七畫)와 통용. '欲一言而—'《淮南子》. ③꿈 오 꿈을 꿈. '—夢, 覺時道之而夢'《列子 注》.
字源 籒文 籒文 形聲. 㝱〈省〉+吾〔音〕. '吾오'는 번갈아 됨의 뜻. '㝱몽'은 꿈. 꿈에 갈음하여 '깨다'의 뜻을 나타냄.

[寤寐 오매] ㉠자나 깨나. ㉡잠을 깨는 일과 자는 일.
[寤寐不忘 오매불망] 자나 깨나 잊지 아니함.
[寤寐思服 오매사복] 자나 깨나 생각함. 항상 생각하고 있음.
[寤夢 오몽] 낮에 본 것을 밤에 꾸는 꿈.
[寤生 오생] 태아(胎兒)가 거꾸로 나옴. 역산(逆產). 일설(一說)에는, 태아가 태어났을 때 이미 눈을 뜨고 있는 일. 또 일설에는, 산부(產婦)가 자는 동안에 태어나서 잠을 깬 후에 비로소 안

다는 뜻으로, 순산(順產)함을 이름.
[寤言 오언] 잠이 깨어 말함. 일설에는, 잠꼬대.
[寤嘆 오탄] 자다가 말고 별안간 일어나 탄식함.
[寤摽 오표] 잠이 깨어 가슴을 치면서 슬퍼함.
◉覺寤. 改寤. 開寤. 悸寤. 愧寤. 發寤. 醒寤. 燎寤. 幽寤. 興寤.

11 ⑭ [寥] 료 [平]蕭 落蕭切 liáo 

[字解] ①쓸쓸할 료 적막함. '一一'. '寂一兮收潦而水淸'《楚辭》. ②휑할 료, 클 료 공허함. 휑뎅그렁함. '一廓'. '一, 空也'《廣韻》. '一, 廓也'《廣韻》. ③하늘 료 허공(虛空). '騰駕碧一'《范成大》. ④깊을 료 깊숙함. '一, 深也'《廣雅》. ⑤성 료 성(姓)의 하나.
[字源] 形聲. 宀+翏〔音〕

[寥闃 요격] 쓸쓸하고 고요함.
[寥廓 요곽] 휑뎅그렁한 모양.
[寥落 요락] ㉠드묾. 희소함. ㉡쓸쓸함. 적막함.
[寥亮 요량] 높은 음성이 명랑하게 울리는 모양.
[寥戾 요려] 소리가 맑아 멀리 들림.
[寥寥 요요] ㉠적막한 모양. ㉡텅 비고 넓은 모양.
[寥廓 요확] ㉠텅 비고 끝없이 넓음. 휑함. ㉡하늘. 허공(虛空).
[寥豁 요활] 쓸쓸하게 텅 비어 넓음.
[寥闊 요활] 고요하고 쓸쓸함. 적막함.
◉碧寥. 蕭寥. 寂寥. 凄寥. 廓寥. 豁寥. 荒寥.

11 ⑭ [實] [中人] [一] 실 [入]質 神質切 shí [二] 지 [去]寘 支義切 zhì 实 

[筆順] 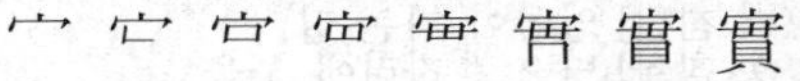

[字解] [一] ①열매 실 '果一'. '草一'. '草木之一'《禮記》. ②씨 실 종자. '一函斯活'《詩經》. ③속 실 내용(內容). 또, 그릇에 담은 물건. '籩一'. '豆一'. '女承筐无一'《易經》. ④재물 실 재화(財貨). '聚斂積一'《左傳》. ⑤기물 실 기구(器具). '蒐軍一'《左傳》. ⑥참 실 허(虛) 또는 명(名)의 대(對). '虛一'. '誠一'. '事一'. '名聲過一'《史記》. '名者一之賓也'《莊子》. ⑦참으로 실 진실로. '一迷塗, 其未遠'《陶潛》. ⑧찰 실 충만함. '充一'. '君之倉庫一'《孟子》. ⑨채울 실 충만하게 함. '一籩豆'《儀禮》. ⑩익을 실 열매가 익음. '秀而不一'《論語》. ⑪맞게할 실 죄과와 형벌이 상당하게 함. '閱一其罪'《書經》. ⑫밝힐 실 살핌. '使各一二千石以下至黃綬'《後漢書》. ⑬이 실 是(日部 五畫)·寔(宀部 九畫)과 뜻이 같음. '一墉一壑'《詩經》. ⑭성 실 성(姓)의 하나. [二] 이를 지 至(部首)와 통용. '某不祿使某一'《禮記》.
[字源] 金文 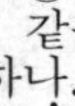 篆文  會意. 金文은 宀+貝+周. '周'는 '널리 미치다'의 뜻. 집안에 재화(財貨)가 널리 미치다의 뜻에서, '가득 차다'의 뜻을 나타냄.

[實價 실가] ㉠실제의 값. ㉡에누리 없는 값.
[實感 실감] ㉠실제(實際)의 느낌. ㉡실물(實物)에 대한 느낌.
[實檢 실검] 실지로 사물을 검사함.
[實景 실경] 실상(實狀)의 경치 또는 광경.
[實功 실공] 실제의 공효(功效).
[實果 실과] 먹을 수 있는 초목의 열매. 과실(果實).
[實敎 실교] ㉠실익(實益)이 있는 가르침. ㉡《佛敎》 진실의 이치를 가르치는 교법(敎法). 대승(大乘).
[實權 실권] 실제의 권력(權力).
[實記 실기] 실제(實際)의 사실(事實)을 적은 기록(記錄).
[實談 실담] ㉠진실(眞實)한 말. 거짓이 없는 말. ㉡사실로 있던 이야기.
[實力 실력] 실제(實際)의 힘. 실제의 역량(力量).
[實歷 실력] 실제의 경력(經歷).
[實例 실례] 실제(實際)로 있던 예. 사실의 예.
[實錄 실록] ㉠사실(事實)을 그대로 적은 기록(記錄). ㉡사체(史體)의 하나. 한 임금의 재위 연간(在位年間)의 정령(政令) 및 기타 사실을 적은 기록.
[實利 실리] ㉠실제(實際)의 이익(利益). ㉡실제의 효용(效用).
[實利主義 실리주의] 현실의 이익과 실제의 효과로 도덕의 표준(標準)을 삼는 주의(主義).
[實綿 실면] 씨를 빼지 아니한 솜.
[實名 실명] 진짜 이름. 본명(本名).
[實母 실모] 친어머니. 친모(親母).
[實務 실무] 실제(實際)의 사무. 실제로 취급하는 업무(業務).
[實物 실물] 실지로 있는 물건.
[實物敎授 실물교수] 실물(實物)을 보여 감관(感官)을 통하여 이해(理解)·습득(習得)시키는 교육. 「사람.
[實犯 실범] 실지로 죄를 범(犯)하는 일. 또, 그
[實父 실부] 친아버지. 친부(親父).
[實否 실부] 진실 여부(與否).
[實費 실비] 실지로 드는 비용.
[實事 실사] 사실로 있는 일. 실제(實際)의 일.
[實査 실사] 실지에 대하여 조사함.
[實寫 실사] 실물(實物)·실경(實景)을 그리거나 찍음. 또, 그 그림이나 사진.
[實事求是 실사구시] 사실에 의거하여 진리를 탐구함.
[實社會 실사회] 실제(實際)의 사회(社會). 현재 활동(活動)하고 있는 세상(世上).
[實狀 실상] ㉠실제(實際)의 사정(事情). ㉡실제(實際)의 형상(形狀).
[實相 실상] ㉠실제의 상태. 진상(眞相). ㉡《佛敎》 생멸 무상(生滅無常)을 떠난 만유(萬有)의 진상(眞相). 진여(眞如)의 본체(本體).
[實說 실설] ㉠실제로 있는 이야기. 확실한 이야기. ㉡사실대로 이야기함.
[實性 실성] 본성(本性). 「穫).
[實收 실수] 실제의 수입(收入). 실제의 수확(收
[實數 실수] ㉠실제(實際)의 수(數). ㉡피승수(被乘數) 또는 피제수(被除數). ㉢유리수(有理數)와 무리수(無理數)의 통칭.
[實習 실습] 실지로 해 보아 익힘.
[實施 실시] 실지로 시행(施行)함.
[實實 실실] ㉠견고한 모양. ㉡친절한 모양. 일설(一說)에는, 확실한 모양.
[實心 실심] 진실(眞實)한 마음. 참된 마음. 진심(眞心).
[實額 실액] 실제의 금액(金額).
[實業 실업] ㉠농(農)·상(商)·공(工)·광(鑛)·어업(漁業) 등 실용(實用)을 주로 하는 경제적

사업(事業). ㉡《佛敎》 진실로 업과(業果)를 얻는 인업(因業).
[實業家 실업가] 실업(實業)을 경영(經營)하는 사람.
[實演 실연] 실제로 연출(演出)함.
[實用 실용] 실제로 사용, 또는 응용함.
[實用主義 실용주의] 진리(眞理)는 실용적(實用的) 효과(效果)에 의하여 결정되는 것이므로 인생(人生)을 유익(有益)하게 하는 것은 진리이고, 인생을 유익하게 하지 못하는 것은 진리가 아니라고 하는 주의(主義). 프래그머티즘.
[實意 실의] ㉠본마음. 진실(眞實)한 마음. ㉡참된 마음. 친절한 마음.
[實益 실익] 실제의 이익(利益).
[實稔 실임] 곡식의 열매가 익음.
[實子 실자] 자기가 낳은 아들. 친아들. 양자(養子)의 대(對).
[實字 실자] 구설(舊說)에는 명사로 쓰이는 글자. 기타의 품사로 쓰이는 허자(虛字)의 대(對). 신설(新說)에는 의미·내용을 지닌 글자. 조사(助辭)로 쓰이는 지(之)·호(乎)·언(焉) 등의 허자의 대(對).
[實才 실재] 진정한 재능.
[實在 실재] ㉠실지로 존재함. 또, 그것. ㉡주관(主觀)을 떠난 객관적 대상(對象)의 존재.
[實在論 실재론] 인식(認識)을 실재(實在)의 모사(模寫)라고 하는 학설(學說).
[實跡 실적] 실제의 형적(形跡). 실제의 증거.
[實積 실적] 실제(實際)의 용적(容積). 또는 면적(面積). 「績).
[實績 실적] 실제의 업적(業績). 또는 공적(功
[實戰 실전] 실제의 전쟁(戰爭).
[實情 실정] ㉠실제의 사정(事情). ㉡진실한 마음. 진정(眞情).
[實弟 실제] 동복(同腹)의 아우. 친아우.
[實際 실제] ㉠실지(實地)의 경우 또는 형편. ㉡《佛敎》 우주(宇宙)의 본체(本體)로서 불변하는 진실한 것. 진여실상(眞如實相).
[實存 실존] 실재(實在).
[實竹 실죽] 속이 비지 아니한 대.
[實證 실증] ㉠확실(確實)한 증거(證據). 확증(確證). ㉡실험(實驗).
[實證論 실증론] 사실 곧 현상(現象)을 기초(基礎)로 하여 현실(現實)을 해석하는 철학(哲學).
[實地 실지] ㉠실제의 장소. 현장(現場). ㉡실제(實際).
[實智 실지]《佛敎》 진제(眞諦)의 진리를 깊이 깨닫는 참된 지혜.
[實直 실직] 성실하고 정직(正直)함.
[實質 실질] 실제의 성질. 본바탕. 본질(本質).
[實踐 실천] 실제로 이행(履行)함.
[實踐躬行 실천궁행] 자기 몸으로 실제로 이행(履行)함.
[實踐倫理 실천윤리] 도덕의 실천적 방면을 연구하는 윤리학(倫理學).
[實踐哲學 실천철학] 의지(意志) 및 행위(行爲)와 그 법칙(法則)을 논(論)하는 철학(哲學).
[實體 실체] ㉠실제(實際)의 형체(形體). 본체(本體). ㉡실질(實質). 형식(形式)의 대(對). ㉢변화하는 현상(現象)의 기초(基礎)로서 존재하는 영원(永遠)히 변화(變化)하지 아니하는 본체(本體).
[實體論 실체론] ㉠현상(現象)·작용(作用)을 떠나서 그 실체(實體)가 있다고 논하는 철학(哲學). ㉡본체론(本體論)과 같음.
[實測 실측] 실지(實地)의 측량(測量). 「丸).
[實彈 실탄] 쏘아서 실효(實效)가 있는 탄환(彈
[實吐 실토] 거짓말을 아니하고 바른대로 말함.
[實學 실학] 실제(實際)로 효과를 나타내는 학문. 실지(實地)에 소용(所用)되는 학문.
[實銜 실함] 실제로 근무하는 벼슬.
[實行 실행] 실지로 행함.
[實驗 실험] ㉠실제(實際)로 경험(經驗)함. ㉡과학(科學)의 연구를 위하여 자연의 현상에 인위(人爲)를 가(加)하여 변화를 일으켜 관찰하는 일.
[實驗心理學 실험심리학] 물리학(物理學)·생물학(生物學) 등의 실험적 방법을 써서 정신(精神)을 연구하는 심리학(心理學).
[實現 실현] 실제(實際)로 나타남. 또, 실제로 나타냄.
[實兄 실형] 동복(同腹)의 형. 친형(親兄).
[實惠 실혜] 실제로 받은 은혜.
[實話 실화] 실지로 있던 이야기.
[實況 실황] 실제의 상황(狀況). 「효력.
[實效 실효] 확실(確實)한 효험(效驗). 거짓 없는
◉堅實. 結實. 故實. 果實. 口實. 軍實. 權實. 內實. 篤實. 敦實. 名實. 無實. 樸實. 不實. 史實. 事實. 寫實. 先聲後實. 誠實. 野實. 良實. 如實. 有名無實. 殷實. 一人傳虛萬人傳實. 資實. 切實. 貞實. 情實. 精實. 種實. 眞實. 質實. 着實. 淸實. 充實. 忠實. 豐實. 核實. 行實. 虛實. 虛虛實實. 現實. 華實. 確實.

11 ⑭ [寧] 高·人 녕 ㉺靑 奴丁切 níng ㊀徑 乃定切 nìng 宁 𡨴

筆順 宀 宀 宓 宻 寍 寍 寍 寧

字解 ①차라리 녕, 오히려 녕 선택하는 뜻을 나타내는 말. '與其殺不辜, 一失不經'《書經》. ②어찌 녕 ㉠반어(反語). 어찌 …랴. '一可以馬上治之乎'《史記》. ㉡의문의 말. '一有虛妄不'《法華經》. ③일찍이 녕 '先祖匪人, 胡一忍予'《詩經》. ④편안할 녕 ㉠무사함. '一日'. '王道興而百姓一'《說苑》. ㉡무병함. '安一'. '三日, 康一'《書經》. ⑤편안히할 녕 편안하게 함. '一王'. '以一東土'《史記》. ⑥근친할 녕 친정 부모를 뵘. '一親'. '歸一父母'《詩經》. ⑦성 녕 성(姓)의 하나.

字源 甲骨文 [甲骨文 자형] 金文 [金文 자형] 篆文 [篆文 자형] 會意. 甲骨文은 宀+皿+示. '宀면'은 '집'의 뜻. '皿명'은 '물그릇'의 뜻. '示시'는 신사(神事)에 관한 일을 뜻함. 옥내(屋內)에 물그릇을 놓고 신(神)에게 발원(發願)하여 마음을 편안하게 함의 뜻을 나타냄. 나중에 '心'을 덧붙였음. 차용(借用)하여, '오히려, 어찌' 따위의 조사(助辭)에 쓰임. '甯'도 동일어 이체자임.

參考 寍(宀部 八畫)·寗(宀部 十畫)은 俗字.

[寧嘉 영가] 편안히 즐거워함.
[寧可玉碎何能瓦全 영가옥쇄하능와전] 기와와 같이 평범한 사람이 되어 오래 사는 것보다는 옥과 같이 유위(有爲)한 인재(人材)가 되어 부수어지는 편이 나음.
[寧康 영강] 안락하게 잘 있음. 편안함. 무사함.
[寧居 영거] 편안히 있음. 편안히 삶.

[寧渠 영거] 어찌하여. 설마.
[寧樂 영락] 편안하여 즐거움. 안락함.
[寧謐 영밀] 편안하고 조용함.
[寧歲 영세] 편안한 해. 무사한 해.
[寧所 영소] 편안한 곳.
[寧肅 영숙] 편안하고 조용함.
[寧順 영순] 편안하여 잘 순종함.
[寧息 영식] 편안히 쉼. 안심하고 쉼.
[寧王 영왕] 천하를 편안하게 다스리는 왕.
[寧宇 영우] 편안한 국토. 또, 편안한 집.
[寧爲鷄口勿爲牛後 영위계구물위우후] 닭은 작아도 그 입은 먹이를 먹지만, 소는 커도 그 꽁무니는 똥을 누므로, 강대한 사람의 뒤에 붙어서 심부름만 하느니보다는 작은 단체일지라도 그 두목(頭目)이 되라는 말.
[寧一 영일] 안정(安定)하여 어지럽지 아니함.
[寧日 영일] 편안한 날. 평화스러운 날.
[寧定 영정] 편안하게 다스려짐.
[寧靖 영정] 편안함. 또, 편안하게 함.
[寧靜 영정] 무사하여 조용함.
[寧濟 영제] 편안하게 함. 조용하게 함.
[寧處 영처] 편안히 있음.
[寧親 영친] 객지에서 부모를 뵈려고 고향으로 돌아감. 귀성(歸省).
[寧泰 영태] 편안함.
[寧平 영평] 평화롭게 다스려짐.
[寧夏 영하] 자치구(自治區)의 이름. 옛 닝샤 성(寧夏省). 민국(民國) 17년, 간쑤 성(甘肅省) 동쪽의 땅을 나누고, 서쪽 몽고(蒙古)의 일부를 보태서 닝샤 성을 두었음. 중화 인민 공화국 성립(成立) 뒤, 닝샤 성을 폐하고, 간쑤 성에 합쳤다가, 현재는 닝샤후이 족 자치구(寧夏回族自治區)가 되었음. 구도(區都)는 인촨 시(銀川市).
[寧馨 영형] 이와 같은. 진(晉)나라 때의 속어(俗語). 「이.
[寧馨兒 영형아] ㉠이와 같은 아이. ㉡뛰어난 아
[寧和 영화] 평화(平和)함.
◉康寧. 告寧. 歸寧. 無寧. 撫寧. 謐寧. 保寧. 綏寧. 安寧. 晏寧. 予寧. 丁寧. 輯寧. 淸寧. 弼寧. 廓寧.

11 ⑭ [寨] 人名 채 ㊀卦 豺夬切 zhài

字解 나무우리 채 목책(木柵)으로 둘러싼 방위 시설. '要一'. '御一及諸營壘'《遼史》.
字源 形聲. 본디, 木+𡨄〔音〕

◉木寨. 外寨. 要寨.

11 ⑭ [康] 강 ㊥陽 苦岡切 kāng ㊤養 苦朗切

字解 빌 강 휑뎅그렁함. 조용함. '委參差以一㝗'《司馬相如》.
字源 金文 篆文 形聲. 宀+康〔音〕. '康강'은 '편안함, 고요함'의 뜻. 집의 쥐죽은 듯이 조용함의 뜻을 나타냄.

[康㝗 강량] 공허(空虛)함.

[搴] 〔건〕
手部 十畫(p. 892)을 보라.

[蜜] 〔밀〕
虫部 八畫(p. 2019)을 보라.

[賓] 〔빈〕
貝部 七畫(p. 2198)을 보라.

12 ⑮ [審] 高·人 一 심 ㊤寑 式荏切 shěn 二 반 ㊥寒 薄官切 pán 审

筆順 宀 宀 宀 宀 宷 寀 寀 審

字解 一 ①살필 심 상세히 조사함. '一査'. '不可不一'《淮南子》. ②깨달을 심 깨달아 환히 앎. '一容膝之易安'《陶潛》. ③자세할 심 상세함. '號令明, 法制一'《尉繚子》. ④자세히 심 상세하게. '博學之, 一問之'《中庸》. ⑤묶음 심 한 묶음. '十羽爲一'《周禮》. ⑥만일 심 가설(假說)의 말. '一有內亂殺人'《漢書》. ⑦성 심 성(姓)의 하나. 二 돌 반 瀋(水部 十五畫)과 同字. '止水之一爲淵'《莊子》.
字源 古文 籀文 篆文 會意. 본래 宀+釆. '釆변'은 해체하여 구별하다의 뜻. '宀면'은 '罙삼'의 생략체(省略體). 깊이 사물(事物)의 본질에까지 미치어 요소적(要素的)인 것으로 낱낱이 갈라 구별하다, 소상히 하다의 뜻을 나타냄. 뒤에 '釆'의 부분이 잘못되어 '番'으로 되었음.

[審鞫 심국] 죄상(罪狀)을 자세히 물어 밝힘.
[審克 심극] 죄상(罪狀)을 빠짐없이 자세히 조사 「함.
[審端 심단] 자세히 살펴 밝힘.
[審料 심료] 세밀히 헤아림.
[審理 심리] 상세히 조사함. 조사하여 처리함.
[審問 심문] 자세히 물어 조사함.
[審美 심미] 미(美)와 추(醜)를 식별함. 미(美)의 본질을 구명(究明)함.
[審美學 심미학] 미(美)의 본질을 연구하는 학문. 미학(美學).
[審査 심사] 자세히 조사(調査)함.
[審詳 심상] 자세히 앎.
[審識 심식] 잘 조사하여 앎. 잘 식별(識別)함.
[審愼 심신] 언행을 조심하고 삼감.
[審議 심의] 상세히 의논함. 충분히 상의함.
[審正 심정] 자세하고 바름.
[審定 심정] 자세히 조사하여 정함.
[審察 심찰] 자세히 관찰함.
[審處 심처] 자세히 살펴 처리함.
[審諦 심체] 밝음. 자세함.
[審度 심탁] 세밀히 헤아림.
[審判 심판] ㉠일의 시비곡직을 심리(審理) 판단함. ㉡경기(競技) 등의 우열(優劣)을 판단함. 또, 그 사람.
[審覈 심핵] 자세히 조사함.
◉勘審. 檢審. 結審. 究審. 窮審. 端審. 明審. 覆審. 不審. 三審. 詳審. 省審. 硏審. 豫審. 誤審. 情審. 證審. 初審.

12 ⑮ [寫] 高·人 사 ㊤馬 悉姐切 xiě ㊀禡 四夜切 xiè 写

筆順 宀 宀 宀 宀 宀 寫 寫 寫

字解 ①베낄 사 베껴 씀. '一錄'. '嘗自一其詩並畫以獻'《唐書》. ②그릴 사 본떠 그림. '一生'. ③본뜰 사 모방함. '雷霆之音, 可以鐘鼓一

也'《淮南子》. ④부어만들 사 주조함. '以良金一范鑫之狀'《國語》. ⑤쏟을 사 瀉(水部 十五畫)와 同字. '以澮一水'《周禮》. ⑥덜 사 덜어 없앰. '一憂'. '以一我憂'《詩經》. ⑦부릴 사 卸(卩部 六畫)와 同字. '一鞍'《晉書》.

字源 篆文 形聲. 宀+舃〔音〕. '舃석'은 '席석' 따위와 통하여, '깔다'의 뜻. '宀면'은 '덮다'의 뜻. 실물(實物)을 밑에 깔고, 그 위에 종이 따위를 덧씌워 '베끼다'의 뜻을 나타냄. 또, '卸사'와 통하여, '풀어 헤치다'의 뜻도 나타냄.

[寫經 사경] 경문(經文)을 베낌. 또, 그 경문.
[寫經換鵞 사경환아] 왕희지(王羲之)가 도덕경(道德經)을 베껴서 거위〔鵞〕와 바꾼 고사(故事).
[寫本 사본] 문서나 책을 베껴 부본(副本)을 만듦. 또, 그 문서나 책.
[寫副 사부] 책을 베껴 부본(副本)을 만듦. 또, 그 부본(副本).
[寫象 사상] 지각(知覺) 또는 사고(思考)에 의하여 과거의 대상(對象)이 의식(意識)에 재현(再現)되는 현상(現象).
[寫生 사생] 실물(實物)·실경(實景)을 그대로 그림.
[寫生文 사생문] 사생화(寫生畫)의 수법을 써서 본 그대로 그려 낸 문장.
[寫書 사서] 문서를 베낌. 또, 그 문서. 사본(寫本).
[寫神 사신] 사람의 풍신(風神)을 그림.
[寫實 사실] 실제로 있는 그대로를 그려 냄.
[寫實主義 사실주의] 객관적(客觀的) 사실이나 상태를 실제 그대로 충실히 그려 내는 예술상(藝術上)의 주의(主義).
[寫憂 사우] 근심을 없앰.
[寫意 사의] ㉠그림에서 모양을 주로 하지 않고, 그 내용·정신을 그림. ㉡뜻을 베껴 씀.
[寫字 사자] 글씨를 베껴 씀.
[寫照 사조] 초상(肖像)을 그림. 또, 초상. 화상(畫像).
[寫眞 사진] ㉠실제의 모양을 그대로 그려 냄. ㉡초상(肖像)을 그림. ㉢사진기(寫眞機)로 찍은 형상(形像).
◉傾寫. 圖寫. 謄寫. 模寫. 描寫. 傍寫. 複寫. 書寫. 繕寫. 手寫. 輪寫. 念寫. 映寫. 影寫. 誤寫. 傭寫. 移寫. 臨寫. 展寫. 傳寫. 轉寫. 點寫. 淨寫. 抄寫. 鈔寫. 縮寫. 透寫. 筆寫.

12 ⑮ [寫] 寫(前條)의 本字

12 ⑮ [寬] 高人 관 ㊥寒 苦官切 kuān 宽

筆順 宀 宀 宀 宀 宀 宀 寬 寬

字解 ①너그러울 관 관대함. '一嚴'. '一而栗'《書經》. ②넓을 관 면적·용적 등이 큼. '一敞'. '地窄天水一'《蘇軾》. ③느슨할 관 이완(弛緩)함. '政一則民漫'《左傳》. ④놓아줄 관 관대히 용서함. '一假'. '不圖將軍一之至此也'《史記》. ⑤사랑할 관 '代虐以一'《書經》. ⑥떨어질 관, 멀어질 관 '以恭給事, 則一於死'《國語》. ⑦성 관 성(姓)의 하나.

字源 篆文 會意. 宀+莧. '宀면'은 '집'의 뜻. '莧관'은 눈썹과 눈을 강조한 사람, 또는 뿔과 눈을 강조한 염소의 형상같이 생각되나, 확실치 않음. 일설(一說)에는, 집 안에서 사람이 편히 눕는 모양에서, '편히 쉬다'의 뜻을 나타낸다고 함.

參考 寛(宀部 十畫)은 俗字.

[寬假 관가] 용서함.
[寬簡 관간] 마음이 너그럽고 까다롭지 아니함.
[寬大 관대] 마음이 너그럽고 큼.
[寬待 관대] 두터이 대접함. 우대(優待).
[寬貸 관대] 너그럽게 용서함.
[寬大長者 관대장자] 도량이 넓어 사람의 위에 설 만한 사람.
[寬猛相濟 관맹상제] 백성을 다스리는 데 있어서 너그럽기만 하면 백성의 마음이 해이해지고, 너무 엄하게 하면 민심이 이반(離叛)하므로 관용과 위엄을 병용(倂用)해서, 치우쳐 생기는 폐단을 없앰.
[寬免 관면] ㉠형벌(刑罰)을 용서함. ㉡조세(租稅)를 관대히 해 줌.
[寬博 관박] 도량(度量)이 넓어 너그러움.
[寬赦 관사] 너그럽게 용서함.
[寬恕 관서] 너그럽고 동정심이 많음.
[寬舒 관서] 마음이 넓고 너그러움. 관완(寬緩).
[寬疏 관소] 넓어 성김. 전하여, 법률이 너그러움.
[寬雅 관아] 마음이 너그럽고 고상함.
[寬抑 관억] 너그럽게 억제함.
[寬嚴 관엄] 관대함과 엄격함. 관용과 위엄(威嚴).
[寬緩 관완] 관서(寬舒).
[寬饒 관요] 넉넉함.
[寬容 관용] ㉠마음이 넓어 남의 말을 잘 들음. ㉡너그럽게 덮어 줌. 너그럽게 용서(容恕)함.
[寬宥 관유] 관사(寬赦).
[寬柔 관유] 너그럽고 유순함.
[寬裕 관유] 관대(寬大).
[寬易 관이] 너그럽고 온화함.
[寬仁 관인] 마음이 너그럽고 어짊.
[寬忍 관인] 너그러운 마음으로 참음.
[寬仁大度 관인대도] 너그럽고 어질며 도량이 큼.
[寬綽 관작] 관서(寬舒).
[寬典 관전] 관대한 법률. 관대한 형벌. 관형(寬刑).
[寬政 관정] 관대한 정치. 너그럽고 어진 정치.
[寬窄 관착] 넓음과 좁음. 광활함과 협착함.
[寬敞 관창] 넓고 앞이 탁 트임.
[寬沖 관충] 도량이 넓고 허심탄회함.
[寬平 관평] 관대하고 공평함.
[寬限 관한] 기한을 넉넉히 물림.
[寬閑 관한] 넓고 조용함.
[寬刑 관형] 형벌을 관대히 함. 또, 관대한 형벌.
[寬弘 관홍] 도량이 넓음.
[寬弘磊落 관홍뇌락] 도량이 넓고 마음이 활달(闊達)하여 작은 일에 구애하지 아니함.
[寬闊 관활] ㉠대단히 넓어 한이 없음. ㉡도량이 넓고 마음이 활달(闊達)함.
[寬厚 관후] ㉠너그럽고 후(厚)함. ㉡넓고 큼.
[寬厚長者 관후장자] 관후(寬厚)하고 점잖아 사람의 위에 설 만한 사람.
◉優寬. 裕寬. 政寬. 平寬. 紘寬.

12 ⑮ [寭] 人名 혜 ㊤霽 穴桂切 huì

筆順 宀 宀 宀 宀 宀 宀 寭 寭

字解 밝힐 혜 '一, 察也'《玉篇》.

12 ⑮ [寮] 人名 료 ㊥蕭 落蕭切 liáo

字解 ①벼슬아치 료 관리. '百一庶尹'《書經》. ②동관 료 같은 지위의 관리. '吾嘗同一'《左傳》. ③창 료 작은 창(窓). '看斜暉之度一'《梁簡帝》. ④집 료 작은 집. ⑤승방 료 학승(學僧)의 숙사(宿舍). '屋窄似僧一'《陸游》. ⑥성 료 성(姓)의 하나.

字源 形聲. 宀+尞(寮)〔音〕

[寮舍 요사] 기숙사(寄宿舍).
[寮屬 요속] 속관(屬官).
[寮佐 요좌] 요속(寮屬).
◉同寮. 百寮. 禪寮. 僧寮. 新寮. 草寮. 下寮. 學寮.

12 ⑮ [窿] 〔륭〕 窿(穴部 十二畫〈p. 1644〉)과 同字

12 ⑮ [窾] 〔관〕 窾(穴部 十二畫〈p. 1643〉)과 同字

12 ⑮ [寪] 위 ㊤紙 韋委切 wěi

字解 성 위 성(姓)의 하나. '公館于一氏'《左傳》.

字源 篆文 形聲. 宀+爲〔音〕

13 ⑯ [寰] 환 ㊥刪 戶關切 huán

字解 경기고을 환 서울 부근의 천자(天子) 직할(直轄)의 영지(領地). '千里一內'《後漢書》. 전(轉)하여, 천하 또는 세계의 뜻으로 쓰임. '叡感通一, 孝思浹宙'《唐書》.

字源 篆文 形聲. 宀+睘〔音〕. '睘환'은 '두르다'의 뜻. 지붕으로 뒤덮인 구역(區域)의 뜻에서, 일정한 구역의 뜻을 나타냄.

[寰區 환구] ㉠봉건 시대의 천자 직할 영지(直轄領地). ㉡천하(天下). 천지간(天地間).
[寰球 환구] 지구(地球) 전체.
[寰內 환내] ㉠천자(天子) 직할(直轄)의 영지(領地). 기내(畿內). ㉡천하(天下). 세계(世界).
[寰域 환역] 환구(寰區).
[寰埏 환연] 천지(天地)의 끝. 세계의 끝.
[寰瀛 환영] 신선(神仙)이 사는 땅.
[寰宇 환우] 천하(天下). 세계(世界).
[寰甸 환전] 천자의 직할 영토(直轄領土).
[寰海 환해] 천하(天下). 세계(世界).
◉區寰. 仙寰. 瀛寰. 宇寰. 人寰. 塵寰.

[褰] 〔건〕 衣部 十畫(p. 2074)을 보라.

[憲] 〔헌〕 心部 十二畫(p. 815)을 보라.

13 ⑯ [寯] 人名 준 ㊦震 祖峻切 jùn

字解 ①모을 준, 모일 준 '一, 聚也'《廣雅》. ②재주 준 뛰어남. '一, 才雋也'《玉篇》.

14 ⑰ [寱] 예 ㊦霽 研計切 yì

字解 ①잠꼬대 예 囈(口部 十九畫)와 同字. '不得寢必且一'《莊子》. ②놀랄 예 '一, 驚也'《集韻》.

字源 篆文 形聲. 寢〈省〉+臬〔音〕

[謇] 〔건〕 言部 十畫(p. 2150)을 보라.

[蹇] 〔건〕 足部 十畫(p. 2243)을 보라.

[賽] 〔새〕 貝部 十畫(p. 2206)을 보라.

16 ⑲ [寵] 人名 총 ㊤腫 丑隴切 chǒng 宠

筆順 宀 宀 宇 宇 宇 宇 寵 寵

字解 ①괼 총 사랑함. '一愛'. '一綏四方'《書經》. ②굄 총 총애. 은혜. '恩一'. '天一'. '啓一納侮'《書經》. 또 군주에게 굄을 받는 사람. 특히, 후궁(後宮). '齊公好內, 多內一'《左傳》. ③영화 총 영예. '一辱'. '其一大矣'《國語》. ④숭상할 총 '一神其祖'《國語》. ⑤얻을 총 명성 따위를 얻음. '一辱若驚'《老子》. ⑥성 총 성(姓)의 하나.

字源 金文 篆文 會意. 宀+龍. '宀면'은 '집'의 뜻. '龍용'은 상상의 동물. 용신(龍神)을 모신 집, 존귀한 주거(住居)의 뜻에서, '숭상하다, 공경하다'의 뜻을 나타냄.

[寵嘉 총가] 돌보아 귀여워함.
[寵顧 총고] 총권(寵眷).
[寵光 총광] 군주의 총애. 군주의 은덕. 군총(君寵).
[寵眷 총권] 귀여워하여 돌봄.
[寵給 총급] 총애하여 급여함. 귀여워하여 줌.
[寵待 총대] 총애하여 대우함.
[寵靈 총령] ㉠임금의 두터운 은총(恩寵). ㉡덕택. 은혜.
[寵祿 총록] 총애하여 많은 녹(祿)을 내림. 또, 특히 많은 녹.
[寵利 총리] 은총과 이록(利祿). 특별한 총애.
[寵命 총명] 총애하여 내리는 칙명(勅命).
[寵賜 총사] 총애하여 물건을 줌. 또, 그 물건.
[寵賞 총상] 특별히 사랑하여 주는 후한 상.
[寵錫 총석] 총애하여 물건을 줌. 또, 그 물건.
[寵綏 총수] 사랑하여 편안하게 함.
[寵臣 총신] 총애를 받는 신하.
[寵兒 총아] ㉠특별한 굄을 받는 아들. ㉡행운아.
[寵愛 총애] 특별히 귀엽게 여겨 사랑함.
[寵養 총양] 총애하여 기름.
[寵辱 총욕] 영예(榮譽)와 모욕.
[寵用 총용] 총애해서 임용함.
[寵遇 총우] 은총(恩寵)이 두터운 대우.
[寵恩 총은] ㉠총애하는 은혜. ㉡천자(天子)의 은덕(恩德).
[寵異 총이] 특별히 총애함.

[寵任 총임] 총애하고 신임함.
[寵子 총자] 특별히 귐을 받는 아들.
[寵奬 총장] 총애하여 이끌어 도와줌.
[寵秩 총질] 특별히 사랑하여 끌어올려 관직을 줌.
[寵妾 총첩] 총애(寵愛)를 받는 첩. 총희(寵姬).
[寵招 총초] 남의 초대(招待)의 경칭(敬稱).
[寵擢 총탁] 특히 사랑하여 발탁(拔擢)함.
[寵嬖 총폐] 폐신(嬖臣).
[寵幸 총행] 총애(寵愛).
[寵厚 총후] 두터이 대우함. 특별히 총애함.
[寵姬 총희] 총애를 받는 계집. 애첩(愛妾).
◉敬寵. 過寵. 光寵. 權寵. 貴寵. 內寵. 盛寵. 殊寵. 愛寵. 榮寵. 優寵. 隆寵. 恩寵. 慈寵. 尊寵. 天寵. 親寵. 嬖寵.

16 ⑲ [竆] 국 ㊀屋 居六切 jū

字解 다할 국 '一, 說文, 窮也'《廣韻》.
字源 形聲. 宀+匊〔音〕

16 ⑲ [寶] 寶(次條)의 俗字

17 ⑳ [寶] 高人 보 ㊤晧 博抱切 bǎo 宝

筆順

字解 ①보배 보 보물. '一庫'. '一者, 玉物之凡名'《公羊傳》. ㉠소중한 사물. '惟善以爲一'《大學》. ㉡화폐. 돈. '更作金銀龜貝錢布之品, 名曰一貨'《漢書》. ㉢몸. 신체(身體). '輕敵幾喪吾一'《老子》. ㉣자식. 자녀. '今人愛惜其子, 每呼之曰一'《留青日札》. ②보배로여길 보 소중히 여김. '所一惟賢'《書經》. ③옥새 보 제왕의 인. 전(轉)하여, 천자(天子)에 관한 사물(事物)의 관칭(冠稱)으로 쓰임. '一算'. '一祚'. ④성 보 성(姓)의 하나.
字源 甲骨文 金文 篆文 古文 形聲. 宀+玉+貝+缶〔音〕. 집 안에 보석과 화폐와 배가 부른 독이 있는 모양으로, '缶부'는 독의 뜻을 나타냄과 동시에, 잔뜩 부풂의 뜻이나, '保보'와 통하여 '보유(保有)함'의 뜻을 나타냄. 일반적으로, '보배·재보(財寶)'의 뜻을 나타냄.
參考 宝(宀部 五畫)·寶(前條)는 俗字.

[寶駕 보가] 천자가 타는 수레.
[寶鑑 보감] ㉠귀한 거울. 보물의 거울. ㉡모범이 될 만한 사물(事物).
[寶匣 보갑] 보옥(寶玉)으로 꾸민 화려한 상자.
[寶蓋 보개] 귀한 사람이 타는 수레에 비치한 일산(日傘). 곧, 천개(天蓋)의 미칭(美稱).
[寶劍 보검] 보배로운 칼. 귀중한 칼.
[寶鏡 보경] 보물의 거울. 귀한 거울.
[寶戒 보계] ㉠귀중한 경계(警戒). ㉡《佛敎》계율(戒律)의 경칭(敬稱).
[寶庫 보고] ㉠귀중한 재물(財物)을 쌓아 두는 곳집. ㉡물자가 많이 산출되는 땅.
[寶冠 보관] 주옥(珠玉)으로 장식한 관(冠).
[寶器 보기] 보물(寶物).
[寶帶 보대] 보옥(寶玉)으로 장식한 훌륭한 띠.
[寶刀 보도] 귀중한 칼. 보배로운 칼.
[寶齡 보령] 임금의 나이.
[寶命 보명] 하늘의 명령. 상제(上帝)의 명령.
[寶物 보물] 보배로운 물건.
[寶坊 보방] 절. 사찰(寺刹).
[寶算 보산] 천자(天子)의 나이. 성수(聖壽).
[寶璽 보새] 천자(天子)의 도장.
[寶書 보서] ㉠천자의 도장이 찍힌 문서. ㉡귀중한 책. ㉢대대로 전해 오는 경계가 될 만한 책이라는 뜻으로, 역사서(歷史書)를 이름.
[寶石 보석] 귀중한 옥돌.
[寶惜 보석] 보배처럼 아낌. 대단히 소중히 여김.
[寶扇 보선] 훌륭한 부채. 아름다운 부채.
[寶臣 보신] 보배로운 신하. 극히 소중한 신하.
[寶案 보안] 임금의 보물을 올려놓는 받침.
[寶鴨 보압] 좋은 향로(香爐). 옛날 향로는 오리 모양이었음.
[寶愛 보애] 보배로 여겨 사랑함. 소중히 여김.
[寶玉 보옥] 귀중한 옥. 보석(寶石).
[寶用 보용] 보배처럼 소중히 씀.
[寶位 보위] 천자(天子)의 자리. 제위(帝位).
[寶藏 보장] ㉠보배와 같이 소중(所重)하게 보관함. ㉡보고(寶庫).
[寶財 보재] 보화(寶貨).
[寶典 보전] 보배로 삼을 만한 귀중한 책.
[寶祚 보조] 천자의 자리. 제위(帝位).
[寶座 보좌] ㉠천자(天子)의 자리. 제위(帝位). ㉡《佛敎》불좌(佛座).
[寶珠 보주] 귀중한 구슬.
[寶地 보지] ㉠훌륭한 좋은 땅. ㉡《佛敎》절이 있는 땅.
[寶釵 보차] 훌륭한 비녀.
[寶刹 보찰] 절. 사찰(寺刹).
[寶唾 보타] ㉠침〔唾〕의 미칭(美稱). ㉡가구(佳句) 또는 명언(名言).
[寶鐸 보탁]《佛敎》당(堂)이나 탑(塔)의 네 귀퉁이에 걸려 있는 큰 방울.
[寶塔 보탑] ㉠불탑(佛塔)의 경칭(敬稱). ㉡예술적 가치가 많은 탑.
[寶榻 보탑] 보좌(寶座).
[寶貝 보패] 보배.
[寶篋 보협] ㉠소중한 상자. 보배를 넣어 두는 상자. ㉡나라를 다스리는 지위.
[寶化 보화] 천자의 교화(敎化). 천자의 은혜. 천은(天恩).
[寶貨 보화] 귀중한 재화(財貨). 보물(寶物).
[寶貨難售 보화난수] 보물은 값이 비싸 잘 팔리지 않는다는 뜻으로, 뛰어난 인물은 잘 쓰여지지 않음을 비유하는 말.
[寶訓 보훈] 보배로 삼을 만한 훈계.
◉佳寶. 家寶. 古寶. 國寶. 大寶. 萬寶. 名寶. 墨寶. 祕寶. 史寶. 三寶. 神寶. 元寶. 遺寶. 異寶. 財寶. 傳國寶. 重寶. 至寶. 珍寶. 尺璧非寶. 天寶. 七寶. 通寶. 貨寶.

18 ㉑ [寱] 〔몽〕
夢(夕部 十一畫〈p. 483〉)과 同字

19 ㉒ [寱] 계 ㊍霽 其季切 jì

字解 잠깊이들 계 숙면(熟眠)함. '一, 孰寐也'《說文》.
字源 形聲. 寱〈省〉+水〔音〕

寸 (3획) 部
〔마디촌부〕

0 ③ [寸] 中人 촌 ㊀願 倉困切 cùn

筆順 一 十 寸

字解 ①치 촌 한 치. 1자의 10분의 1. '尺一'. '布指知一'《孔子家語》. 전(轉)하여, 근소·약간 등의 뜻으로 쓰임. '乃惜一陰'《晉書》. ②성 촌 성(姓)의 하나. ③《韓》 촌수 촌 혈족(血族)의 세수(世數)를 세는 말. '三一'. '四一'.

字源 篆文 指事. 오른손 손목에 엄지손가락을 대어 맥을 짚는 모양에서 '재다'의 뜻을 나타냄. 또, 그 엄지손가락의 길이만큼의 길이, 1척(尺)의 10분의 1의 단위도 나타냄.

參考 부수(部首)로서 '마디촌'이라 이르며, 손의 동작을 나타내는 문자를 이룸.

[寸暇 촌가] 얼마 안 되는 겨를.
[寸刻 촌각] 촌음(寸陰).
[寸功 촌공] 작은 공로(功勞).
[寸口 촌구] 손목의 맥(脈)을 보는 곳.
[寸晷 촌구] 촌음(寸陰).
[寸隙 촌극] ㉠조그마한 틈. ㉡얼마 안 되는 겨를.
[寸劇 촌극] 아주 짧은 연극.
[寸內 촌내] 《韓》 십촌(十寸) 이내(以內)의 일가(一家).
[寸斷 촌단] 짤막짤막하게 여러 토막으로 끊음.
[寸牘 촌독] 촌저(寸楮).
[寸量銖稱 촌량수칭] 한 치의 길이, 한 수(銖)의 무게도 재고 닮. 곧, 작은 일까지 조사함.
[寸祿 촌록] 적은 녹봉(祿俸).
[寸馬豆人 촌마두인] 먼 곳에 있는 인마(人馬)가 작게 보임을 형용하는 말.
[寸白蟲 촌백충] 촌충(寸蟲).
[寸碧 촌벽] 구름 사이로 조금 나타난 푸른 하늘.
[寸步 촌보] 몇 발자국 안 되는 걸음. 또, 조금 걸음.
[寸謝 촌사] 겨우 뜻만 표하는 약소한 사례의 예물(禮物). 박사(薄謝).
[寸絲不挂 촌사불괘] 옷을 하나도 몸에 걸치지 않았다는 뜻으로, 아무 은폐(隱蔽) 없이 본래의 면목(面目)을 노출함을 이름.
[寸善 촌선] 대단찮은 착한 일.
[寸誠 촌성] 얼마 안 되는 성의(誠意). 곧, 자기의 성심(誠心)의 겸칭(謙稱).
[寸數 촌수] 《韓》 친족(親族) 사이의 멀고 가까운 관계.
[寸心 촌심] 방촌(方寸)의 마음. 마음.
[寸裂 촌열] 갈가리 찢음.
[寸外 촌외] 《韓》 먼 겨레붙이.
[寸陰 촌음] 썩 짧은 시간(時間).
[寸陰若歲 촌음약세] 아주 짧은 시간도 일 년 같다는 뜻으로, 대단히 초조하게 기다림을 이름. 일각여삼추(一刻如三秋). 일일삼추(一日三秋).
[寸意 촌의] 약소한 뜻. 전(轉)하여, 자기의 뜻의 겸칭(謙稱).
[寸長 촌장] 조그마한 장처(長處).
[寸楮 촌저] 썩 짧은 편지(便紙).
[寸田 촌전] ㉠조그마한 전지(田地). ㉡마음〔心〕의 비유(譬喩).
[寸田尺宅 촌전척택] ㉠미간(眉間)과 안면(顔面). ㉡얼마 안 되는 전토(田土).
[寸情 촌정] 촌지(寸志).
[寸地 촌지] 촌토(寸土).
[寸志 촌지] ㉠촌심(寸心). ㉡약소한 뜻이란 말로, 자기의 증정물(贈呈物)의 겸칭(謙稱).
[寸紙 촌지] ㉠자그마한 종이쪽지. ㉡촌저(寸楮).
[寸進尺退 촌진척퇴] ㉠진보(進步)는 적고 퇴보(退步)는 많음. ㉡얻는 것은 적고 잃은 것은 많음.
[寸札 촌찰] ㉠글씨를 쓴 작은 쪽지. ㉡촌저(寸楮).
[寸鐵 촌철] 썩 짧은 칼·창 등의 무기.
[寸鐵殺人 촌철살인] 한 치밖에 안 되는 짤막한 칼로 살인한다는 뜻으로, 짤막한 경구(警句)로 사람의 마음을 찌름을 이름.
[寸寸 촌촌] ㉠한 치씩. ㉡조각조각. ㉢조금씩.
[寸忠 촌충] 작은 충성(忠誠). 또, 자기의 충성의 겸칭.
[寸衷 촌충] ㉠촌성(寸誠). ㉡촌심(寸心).
[寸蟲 촌충] 편형동물(扁形動物)에 속하는 기생충(寄生蟲). 척추동물의 창자에 기생함. 갈고리촌충·왜소조충·민촌충 등이 있음. 촌백충(寸白蟲).
[寸土 촌토] 얼마 안 되는 땅. 척토(尺土).
[寸閑 촌한] 촌가(寸暇).
◉徑寸. 方寸. 膚寸. 分寸. 銖寸. 一寸. 尺寸. 火寸.

2 ⑤ [対] 〔대〕對(寸部 十一畫〈p. 609〉)의 俗字·簡體字

3 ⑥ [寺] 中人 ㊀ 사 ㊀寘 祥吏切 sì ㊁ 시 ㊀寘 祥吏切 sì

筆順 一 十 土 圭 寺 寺

字解 ㊀ ①마을 사 관아(官衙). '一署'. '城郭官一'《漢書》. ②절 사 중이 있는 곳. '一院'. '幸一捨身'《南史》. ㊁ ①내시 시 환관(宦官). '一人'. '時維婦一'《詩經》. ②모실 시 侍(人部 六畫)와 同字.

字源 金文 篆文 形聲. 寸+㞢〔音〕. '寸촌'은 '법도(法度)'의 뜻. '㞢지'는 '止지'와 통하여, '멈추다'의 뜻. 법에 따라 일을 보기 위하여 벼슬아치가 머물러 있는 곳, '관청'의 뜻. 일설(一說)에는, '寸'은 '손'의 뜻, '㞢'는 '가다'의 뜻, 손을 움직여 일하는 곳의 뜻으로 봄.

[寺格 사격] 절의 격식(格式). 절의 본산(本山)·별원(別院)·말사(末寺) 등으로 구별된 지위.
[寺觀 사관] 불사(佛寺)와 도관(道觀). 중이 사는 곳과 도사(道士)가 사는 곳.
[寺門 사문] ㉠절의 문. 산문(山門). ㉡절. 사원(寺院).
[寺署 사서] 마을. 관아(官衙).
[寺院 사원] 절.
[寺田 사전] 절에 딸린 밭.
[寺址 사지] 절터.

[寺刹 사찰] 절.
[寺塔 사탑] 절의 탑.
[寺人 시인] ㉠임금의 곁에서 모시는 소신(小臣). 시인(侍人). ㉡후궁(後宮)의 일을 맡은 사람. 내시(內侍). 환관(宦官).
◉古寺. 官寺. 光祿寺. 大理寺. 大府寺. 末寺. 本寺. 府寺. 北寺. 佛寺. 司農寺. 司僕寺. 社寺. 山寺. 僧寺. 庵寺. 閹寺. 靈寺. 遠寺. 宗正寺. 太僕寺. 太常寺. 廢寺. 閽寺. 鴻臚寺. 宦寺.

3 ⑥ [寻] 〔심〕 尋(寸部 九畫〈p. 608〉)의 簡體字

3 ⑥ [导] 〔도〕 導(寸部 十三畫〈p. 610〉)의 簡體字

4 ⑦ [对] 〔대〕 對(寸部 十一畫〈p. 609〉)의 俗字

4 ⑦ [寿] 〔수〕壽(士部 十一畫〈p. 475〉)의 俗字·簡體字

5 ⑧ [㝵] [一] 애 [去]隊 五漑切 ài [二] 득 [入]職 多則切 dé

[字解] [一] 막을 애 방해함. '一, 釋典云, 无㝵也'《廣韻》. [二] 취할 득 㝵(寸部 七畫)과 同字. '㝵, 說文, 取也. 今作一'《廣韻》.

5 ⑧ [叵] 파 [上]哿 普火切 pǒ

[字解] 못할 파 할 수 없음. 叵(口部 二畫)와 同字. '一耐無禮, 戲弄下官'《水滸傳》.

6 ⑨ [耐] 〔내〕 耐(而部 三畫〈p. 1818〉)와 同字

6 ⑨ [封] [高·人] 봉 [平]冬 府容切 fēng 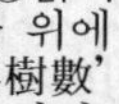

[筆順] 一 十 土 圭 丰 圭 封 封

[字解] ①봉할 봉 ㉠토지를 주어 제후(諸侯)로 삼음. '以此一若'《史記》. 또, 그 토지. '往卽乃一'《書經》. '益一二千戶'《史記》. ㉡단단히 붙임. '一緘'. '流涙而一之'《漢書》. 또, 붙인 곳에 표시함. '一以御史大夫印'《漢書》. ②흙더미쌓을 봉 하늘에 제사 지내기 위하여 산 위에 흙을 높이 쌓음. '一土'. '爲丘一之度與樹數'《周禮》. ③북돋울 봉 배토(培土)함. 전(轉)하여, 배양(培養)함. '一殖越國'《國語》. ④클 봉 거대함. '一豕長蛇'《左傳》. ⑤지경 봉 강계(疆界). '一界'. '婦人非三年之喪, 不踰一而弔'《禮記》. ⑥봉사(封祀) 봉 흙을 쌓아 올리고 하늘에 지내는 제사. '一禪'. '一十有二山'《書經》. ⑦무덤 봉 뫼. '馬鬣一'. '一, 冢也'《廣雅》. ⑧편지 봉 봉한 편지. '領尙書者先發副一'《漢書》. ⑨부자 봉 요부(饒富)함. '素一'. ⑩성 봉 성(姓)의 하나.

[字源] 甲骨文  金文  篆文 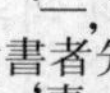 古文 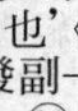 會意. 㞢＋土＋寸. 甲骨文은 우거진 식물을 본뜬 모양인데, 金文부터는 지상(地上)에 식물을 손으로 심는 모양을 나타내는 자체(字體)로 되었음. 경계(境界)에 식물을 심는 뜻에서, 경계, 경계를 정하여 영토를 주어 제후(諸侯)로 삼음의 뜻을 나타냄.

[封疆 봉강] ㉠제후(諸侯)를 봉(封)한 땅. ㉡국경(國境).
[封建 봉건] 제후(諸侯)를 봉하여 나라를 세우게 하고, 천자(天子)의 명령·감독 밑에서 그 국내를 다스리게 함.
[封建時代 봉건시대] 봉건 제도(封建制度)가 행하여진 시대(時代).
[封建制度 봉건제도] 한 군주(君主) 아래에서 귀족들이 봉강(封疆)을 세습(世襲)으로 받아 제후(諸侯)가 되어 그 관내의 정치를 전제(專制)하는 제도.
[封境 봉경] 흙을 쌓아 올려 표한 국경(國境).
[封界 봉계] 국경(國境).
[封庫罷職 봉고파직]《韓》어사(御史) 혹은 감사(監司)가 악정(惡政)을 행하는 수령(守令)을 면직(免職)시키고, 그 관고(官庫)를 봉쇄하는 일.
[封裹 봉과] 물건을 싸서 봉함.
[封君 봉군] 봉토(封土)가 있는 사람. 곧, 제후(諸侯).
[封內 봉내] 영지(領地)의 안.
[封蠟 봉랍] 편지·포장물·병 따위를 봉하여 붙이는 데 쓰는 수지(樹脂).
[封祿 봉록] 봉(封)하여 주는 녹(祿).
[封墓 봉묘] 봉분(封墳)을 함. 또, 봉분을 한 묘(墓).
[封物 봉물] 선사로 봉(封)하여 보내는 물건.
[封彌 봉미] 송(宋)나라 때에 과거(科擧)의 공평(公平)을 기하기 위하여 수험자(受驗者)의 이름을 풀로 봉해서 누구의 것인지 모르게 하여 답안(答案)을 내게 한 일.
[封靡 봉미] 이(利)를 독점하고 사(私)를 행하며 교만 방자함.
[封拜 봉배] 제후(諸侯)를 봉함.
[封墳 봉분] 무덤 위에 흙을 쌓아 높게 만듦. 또, 그 흙더미.
[封妃 봉비] 왕비(王妃)를 봉(封)함.
[封事 봉사] 남에게 누설(漏洩)되지 않도록 밀봉(密封)하여 천자에게 바치는 서장(書狀).
[封祀 봉사] 흙을 쌓아 올리고 하느님에게 제사 지냄.
[封上 봉상] 임금에게 물건을 봉(封)하여 바침.
[封書 봉서] 겉봉을 봉한 편지(便紙).
[封禪 봉선] 봉토(封土)를 쌓아 하느님에게 제사 지내며, 땅을 깨끗이 쓸고 산천(山川)에 제사 지내는 일.
[封送 봉송] 물건을 싸서 보냄.
[封鎖 봉쇄] ㉠봉하여 닫음. 닫고 봉함. ㉡병력(兵力)으로 상대국의 해상 교통(海上交通)을 막음.
[封豕 봉시] 큰 돼지.
[封豕長蛇 봉시장사] 큰 돼지와 긴 뱀. 욕심 많고 강포(強暴)한 자의 비유.
[封植 봉식] 영지(領地)를 주고 제후(諸侯)로 봉함.
[封殖 봉식] 초목을 북돋우어 길러 증식(增殖)함. 전(轉)하여, 국력(國力)을 양성함.
[封神 봉신] 흙을 모아 단(壇)을 쌓고 신을 모심.
[封域 봉역] ㉠봉지(封地)의 경계. ㉡봉지(封地).
[封戎 봉융] 흩어져 어지러운 모양. 산란한 모양.
[封人 봉인] 봉역(封域)을 맡은 벼슬아치. 국경을 지키는 벼슬아치.

[封印 봉인] ㉠봉한 자리에 인장을 찍음. 또, 그 인발. ㉡관아(官衙)에서 일시 휴가로 공사(公事)를 취급하지 않음.
[封爵 봉작] ㉠제후(諸侯)를 봉(封)하고 작위(爵位)를 수여함. ㉡영지(領地)와 관작(官爵). ㉢《韓》의빈(儀賓)·내명부(內命婦)·외명부(外命婦) 등을 봉함.
[封章 봉장] 단단히 봉해 상소(上疏)함. 또, 그 상소(上疏).
[封藏 봉장] 봉해 감춤. 봉해 둠.
[封傳 봉전] 관문(關門) 통행의 부신(符信).
[封奏 봉주] 봉하여 상주(上奏)함. 또, 그 상주문(上奏文).
[封地 봉지] 제후(諸侯)의 영토(領土).
[封紙 봉지] 종이 주머니.
[封畛 봉진] 두둑.
[封垤 봉질] 개밋둑. 봉혈(封穴).
[封窓 봉창] ㉠창문을 봉함. ㉡봉한 창문. ㉢벽에 구멍을 내고 종이로 발라 놓은 창.
[封采 봉채] 《韓》혼인(婚姻) 전날 신랑(新郞) 집에서 신부(新婦) 집에 채단(采緞)과 예장(禮狀)을 보내는 일.
[封築 봉축] 무덤을 만들려고 흙을 쌓아 올림.
[封置 봉치] 봉(封)하여 둠.
[封土 봉토] ㉠봉사(封祀)를 지내기 위하여 산에 흙을 높이 쌓은 것. ㉡봉지(封地).
[封筒 봉통] 봉투(封套).
[封套 봉투] 편지(便紙) 같은 것을 써서 넣고 봉(封)하는 종이 주머니.
[封標 봉표] 봉분(封墳)을 하고 세우는 표.
[封皮 봉피] 물건을 싼 종이.
[封緘 봉함] 봉함. 붙임. 또, 그 자리.
[封合 봉합] 봉하여 붙임.
[封穴 봉혈] 개밋둑. 의총(蟻塚).
[封還 봉환] 사표(辭表) 따위를 수리하지 않고 그대로 돌려보냄.
[封侯 봉후] 제후(諸侯)를 봉(封)함.
[封堠 봉후] 길에 이수(里數)를 표하기 위하여 쌓아 올린 돈대(墩臺).
◉開封. 丘封. 畿封. 同封. 密封. 素封. 襲封. 嚴封. 蟻封. 作封. 爵封. 提封. 追封. 函封. 緘封.

[耐] 〔내〕
而部 三畫(p.1818)을 보라.

7 ⑩ [射] [中·人]
[一] 사 [去]禡 神夜切 shè
[二] 야 [去]禡 羊謝切 yè
[三] 석 [入]陌 食亦切 shí
[四] 역 [入]陌 羊益切 yì

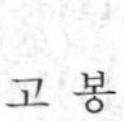

[筆順] ′ ｢ 冂 月 自 身 射 射

[字解] [一] ①쏠 사 활·총 같은 것을 쏨. '—擊'. '孔子—於矍相之圃'《禮記》. 또, 쏘는 일. 사술(射術). '—者男子之事也'《禮記》. 전(轉)하여, 쏜살같이 나가는 뜻으로 쓰임. '注—'. '噴—'. '奔泉各激—'《鮑照》. ②성 사 성(姓)의 하나. [二] ①벼슬이름 야 '僕—'는 진(秦)나라 때 처음 둔 벼슬. 본시 활 쏘는 일을 맡았으나, 당(唐)나라 이후에는 상서(尙書)의 다음 벼슬로 되어 실권(實權)을 장악하였으므로 사실상의 재상(宰相)이었음. ②산이름 야 '姑—山'은 신산(神山)의 이름. [三] 맞힐 석 ㉠활을 쏘아 적중(的中)시킴. '—中漢王'《史記》. ㉡은폐한 것을 알아맞힘. '管仲之—隱不得也'《韓非子》. ㉢명중함. '與人談言口睡—人'《論衡》. [四] ①싫어할 역 염오함. '無—於人斯'《詩經》. ②율이름 역 '無—'은 율명(律名). 십이율(十二律)의 하나.

[字源] 甲骨文  金文  古文 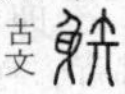 篆文 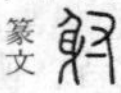 象形. 甲骨文·金文은 활시위에 화살을 메기는 꼴을 본떠, '쏘다'의 뜻을 나타냄. 篆文은 身+寸의 會意. '身신'은 金文의 활과 화살의 변형. '寸촌'은 '손'의 뜻.

[射角 사각] 탄알을 발사할 때 총신이나 포신이 수평면과 이루는 각.
[射干 사간] ㉠과녁을 쏨. ㉡붓꽃과에 속하는 다년초(多年草). 뿌리는 하제(下劑)로 씀. 범부채. ㉢여우 비슷한, 나무를 잘 타는 짐승.
[射擊 사격] 활·총(銃) 등으로 화살·탄환(彈丸) 등을 발사(發射)함.
[射界 사계] 쏜 탄알이 미치는 범위.
[射工 사공] 날도랫과에 속하는 곤충의 유충(幼蟲). 독기(毒氣)가 있어 모래를 머금었다가 사람을 쏘면 종기(腫氣)가 생긴다고 전해 옴. 물여우. 단호(短狐). 사영(射影).
[射毬 사구] 한 사람이 앞에서 말을 타고 끌고 가는 모구(毛毬)를 여러 사람이 말을 타고 달리면서 쏘아 맞히는 옛날 운동.
[射器 사기] 활과 화살. 궁시(弓矢).
[射獵 사렵] 활로 하는 사냥.
[射利 사리] 요행으로 이끗을 얻으려고 노림.
[射法 사법] 활을 쏘는 법.
[射殺 사살] 쏘아 죽임.
[射石爲虎 사석위호] 이광(李廣)이 돌을 범으로 잘못 보고 쏜 화살이 깊숙이 돌을 뚫고 들어가 박힌 고사(故事).
[射手 사수] ㉠활 또는 총을 쏘는 사람. ㉡성좌(星座) 이름. 십이궁(十二宮)의 하나. 육안(肉眼)으로 볼 수 있는 별이 백오십가량 있음.
[射術 사술] 사법(射法).
[射御 사어] 활쏘기와 말 타기.
[射影 사영] 사공(射工).
[射藝 사예] 활 쏘는 기술(技術).
[射人先射馬 사인선사마] 말 탄 사람을 쏘려면 먼저 그 말을 쏜다는 뜻으로, 적(敵)을 격파하려면 먼저 그 근거지를 빼앗음의 비유.
[射雀屛而中目 사작병이중목] 당(唐)나라의 고조(高祖)가 병풍에 그린 공작(孔雀)의 두 눈을 쏘아 맞히고 아내를 얻은 고사(故事).
[射場 사장] 활쏘기를 연습하는 곳. 활터.
[射的 사적] 과녁.
[射殿 사전] 대궐 안에 있는 활터.
[射亭 사정] 활터에 세운 정자(亭子).
[射精 사정] 성교(性交)에서 정액을 반사적으로 쌈.
[射鵰手 사조수] 수리를 쏘아 맞힐 수 있는 일류의 명사수(名射手).
[射策 사책] 경서(經書)의 의의(疑義) 또는 시무책(時務策)에 관한 여러 문제를 여러 개의 댓조각에 하나씩 써서 늘어놓고, 응시자(應試者)로 하여금 하나씩 쏘아 맞히게 하고, 그 댓조각에 나온 문제에 대하여 답안을 쓰도록 하는 과거(科擧).
[射出 사출] ㉠쏘아 내보냄. 발사(發射)함. ㉡한 점(點)에서 방사상(放射狀)으로 나감.
[射風 사풍] 《韓》활량들 사이의 풍습(風習).

[射倖 사행] 우연(偶然)한 이익(利益)을 얻고자 함. 요행을 노림.
[射倖心 사행심] 우연(偶然)한 이익(利益)을 얻고자 하는 마음. 요행을 노리는 마음.
[射鄕 사향] 향사(鄕射)와 향음주(鄕飮酒).
[射侯 사후] 화살을 쏘는 과녁. 후(侯)는 사방 열자〔尺〕인 방형(方形)의 과녁.
[射覆 석복] 덮어 가린 물건을 알아맞히는 유희.
[射覆 석부] 석복(射覆).
[射中 석중] ㉠쏘아 맞힘. ㉡숨긴 것을 알아맞힘.
◉戈射. 騎射. 亂射. 大射. 鳴射. 藐姑射. 無射. 博射. 反射. 發射. 放射. 僕射. 賓射. 掃射. 速射. 暗射. 燕射. 豔射. 獵射. 戰射. 照射. 拙射. 注射. 直射. 逐射. 馳射. 彈射. 投射. 鬪射. 鄕射. 火射. 戲射.

7 ⑩ [尃] [一] 부 [平]虞 芳無切 fū
[二] 포 [去]遇 博故切 bù

[字解] [一] 펼 부 깖. 또, 깔림. 敷(攴部 十一畫)와 同字. '一, 布也'《說文》. '雲一霧散'《史記》. [二] 널리 포 널리 미침. 또, 미치게 함. 佈(人部 五畫)와 同字. '一, 徧也'《玉篇》.

[字源] 金文 篆文 形聲. 寸+甫〔音〕. '甫보'는 논의 볏모의 뜻. 볏모를 나란히 깔듯 심어 놓다의 뜻에서, '널리 펴다, 깔다'의 뜻을 나타냄.

7 ⑩ [㝵] 득 [入]職 多則切 dé

[字解] 취할 득 㝵(寸部 五畫)과 同字. 得(彳部 八畫)의 古字. '一, 取也'《說文》.

[字源] 會意. 見+寸

7 ⑩ [尅] 〔극〕
剋(刀部 七畫〈p. 257〉)과 同字

7 ⑩ [将] 〔장〕
將(寸部 八畫〈p. 605〉)의 俗字

[辱] 〔욕〕
辰部 三畫(p. 2285)을 보라.

7 ⑩ [㝵] [一] 〔애〕㝵(寸部 五畫〈p. 603〉)와 同字
[二] 〔득〕得(彳部 八畫〈p. 745〉)의 古字

8 ⑪ [尉] [人名] [一] 위 [去]未 於胃切 wèi
[二] 울 [入]物 紆物切 yù

[筆順] ㇕ ㇕ 尸 尸 尉 尉 尉 尉

[字解] [一] ①편안히할 위 눌러 안정하게 함. 위안함. '以一士大夫心'《漢書》. ②벼슬이름 위 병사(兵事) 또는 형옥(刑獄)을 맡은 벼슬. '廷一'. '大一'. '大縣兩一, 長安四一'《漢官儀》. ③문안드릴 위 '一, 候也'《廣韻》. ④성 위 성(姓)의 하나. [二] ①다리미 울, 다림질할 울 熨(火部 十一畫)의 本字. '火斗曰一'《風俗通》. ②성 울 '一遲'는 복성(複姓)의 하나. 또, '一繚'는 주대(周代)의 병법가(兵法家).

[字源] 篆文 會意. 𡰥+又+火. '𡰥이'는 다리미를 본뜬 모양. 불에 달군 다리미를 손에 든 모양에서, '다리미'의 뜻을 나타냄. 또, 다리미질하여 주름을 펴다, 전하여, 주름처럼 움츠러든 마음을 펴다, 위안하다의 뜻도 나타냄.

[尉斗 울두] 다리미. 인두.
[尉繚 울료] 전국 시대(戰國時代)의 병법가(兵法家). 혹은 위(魏)나라 사람이라 하고, 혹은 제(齊)나라 귀곡자(鬼谷子)의 제자라 함. 〈울료자(尉繚子)〉는 그의 저서라 함.
[尉繚子 울료자] 울료(尉繚)가 지었다고 전하는 병서(兵書). 모두 1권 24편.
[尉官 위관] 육해공군의 대위·중위·소위.
[尉史 위사] 재판을 맡은 벼슬.
[尉氏 위씨] 사법(司法)·경찰(警察)을 관장하는 벼슬.
[尉薦 위천] 위로하여 어떤 지위에 천거(薦擧)함.
[尉佗 위타] 한(漢)나라 남월왕(南越王) 조타(趙佗)를 이름.
◉校尉. 壘尉. 大尉. 都尉. 少尉. 衛尉. 正尉. 廷尉. 准尉. 中尉.

8 ⑪ [將] [中人] 장 [去]漾 子亮切 jiàng
[平]陽 卽良切 jiāng
[平]陽 千羊切 qiāng

[筆順] 丨 丬 丬 丬 丬 丬 將 將

[字解] ①장수 장 장군. '大一'. '斬一刈旗'《史記》. ②거느릴 장 인솔함. 통솔함. '一御'. '一軍擊趙'《史記》. ③장차 장 차차. 앞으로. '吾一仕矣'《論語》. ④청컨대 장 바라건대. '一子無怒'《詩經》. ⑤문득 장 전환(轉換)하는 말. 抑(手部 四畫)과 같은 뜻. '寧誅鋤草茆以力耕乎, 一遊大人以成名乎'《楚辭》. ⑥또 장 且(一部 四畫)와 같은 뜻. '一安一樂'《詩經》. ⑦기를 장 양육함. 또는 봉양함. '一養'. '不遑一母'《詩經》. ⑧도울 장 원조함. '補過一美'《史記》. ⑨보낼 장 '一迎'. '百兩一之'《詩經》. ⑩받들 장 봉승(奉承)함. '一順'. '湯孫之一'《詩經》. ⑪가질 장 잡아 가짐. 소지함. '一來'. '吏謹一之'《荀子》. ⑫행할 장 실행함. '奉一天罰'《書經》. ⑬나아갈 장 진보함. '日就月一'《詩經》. ⑭따를 장 복종함. '九夷賓一'《漢書》. ⑮갈 장 가 버림. '時幾一矣'《荀子》. ⑯동반할 장 같이 감. '鄭伯一王'《左傳》. ⑰클 장 '亦孔之一'《詩經》. ⑱장성(壯盛)할 장 '鮮我方一'《詩經》. ⑲길 장 '恐余壽不一'《宋玉》. ⑳써 장 以(人部 三畫)와 뜻이 같음. '蘇秦始一連橫說秦惠王'《戰國策》. ㉑이 장 此(止部 二畫)와 뜻이 같음. '一何事也'《左傳》. ㉒가 장 곁. '在渭之一'《詩經》. ㉓성 장 성(姓)의 하나.

[字源] 篆文 形聲. 寸+肉+爿〔音〕. '爿장'은 긴 조리대(調理臺)를 본뜬 모양. 고기를 조리하여 바침의 뜻. 신(神)에게 고기를 바치는 사람, 통솔자의 뜻도 나타냄.

[將計就計 장계취계] 상대편의 계략을 미리 알아채고 오히려 그것을 역이용(逆利用)하는 계교(計巧).
[將官 장관] 준장(准將) 이상의 무관(武官).
[將校 장교] ㉠군대(軍隊)의 지휘관(指揮官). ㉡육해공군의 소위(少尉) 이상의 무관.
[將軍 장군] ㉠일군(一軍)의 우두머리. ㉡장관(將官) 자리에 있는 사람.
[將軍木 장군목] 궁문(宮門)·성문(城門) 등을 닫고 가로지르는 큰 나무.

[將軍石 장군석] 무덤 앞에 세우는 돌로 만든 사람의 형상. 무석(武石).
[將軍箭 장군전] 쇠로 만든 화살. 쇠뇌에 장치하여 내쏨.
[將近 장근] 때가 가까워짐.
[將棊 장기] 《韓》 상기(象棊)와 비슷한데, 청(靑)·홍(紅) 두 진(陣)으로 구분하고, 각각 장(將)을 비롯하여 차(車)·포(包)·마(馬)·상(象)·사(士)·병(兵) 또는 졸(卒) 등의 말이 있어서 번갈아 말을 움직이어 장(將)을 공격하여 승부(勝負)를 다투는 놀이.
[將器 장기] 장수(將帥)가 될 만한 기국(器局).
[將帶 장대] 거느림. 인솔함.
[將臺 장대] 지휘(指揮)하는 사람이 올라서서 명령(命令)하는 대(臺).
[將來 장래] ㉠장차 돌아올 때. 미래(未來). ㉡가지고 옴.
[將略 장략] 장수(將帥)가 될 만한 지략(智略). 장수의 기국(器局).
[將令 장령] 장수(將帥)의 명령.
[將領 장령] 전군(全軍)을 통솔하는 대장(大將). 장수(將帥).
[將牢 장뢰] 견집(堅執)하여 움직이지 아니함. 고집(固執)함.
[將幕 장막] 장수와 그의 막료(幕僚).
[將命 장명] ㉠중간에 서서 전달함. 또, 그 사람. ㉡장수의 명령.
[將無同 장무동] 양자(兩者)가 결국 같은 것같이 생각됨. 「안.
[將門 장문] 장수(將帥)의 가문(家門). 장군의 집
[將門必有將 장문필유장] 장군의 집안에는 자손 중에 반드시 장군이 될 인물이 나옴.
[將兵 장병] 장졸(將卒).
[將蜂 장봉] 여왕벌.
[將士 장사] 장졸(將卒).
[將相 장상] 장수(將帥)와 재상(宰相). 문무(文武)의 최고관.
[將相之器 장상지기] 장상(將相)이 될 만한 기국(器局). 장수 또는 재상이 될 만한 그릇.
[將星 장성] ㉠북두칠성(北斗七星)의 둘째 별. 하괴성(河魁星). ㉡장군(將軍)의 별칭(別稱). ㉢대장(大將)의 기상이 있다고 하는 별.
[將聖 장성] 거의 성인(聖人)에 가까움. 일설(一說)에는, 장(將)은 대(大)로 대성(大聖)이라 함.
[將星隕 장성운] 명장(名將)이 진중(陣中)에서 죽음. 삼국 시대(三國時代)에 제갈공명(諸葛孔明)이 오장원(五丈原)에서 병이 위중하였을 때 붉은빛의 큰 별이 그 진중(陣中)에 떨어졌는데, 그 후 얼마 안 되어 공명(孔明)이 죽었다는 고사(故事)에서 나온 말.
[將率 장솔] 전군(全軍)을 거느리는 대장(大將). 장수(將帥).
[將帥 장수] 전군(全軍)을 거느리는 사람. 군대의 우두머리.
[將順 장순] 뜻을 받들어 순종함. 승순(承順).
[將息 장식] 양생(養生)함.
[將臣 장신] 도성을 지키던 각 영문의 장수.
[將養 장양] 기름. 양육함.
[將御 장어] 거느려 통어함.
[將迎 장영] 보냄과 맞이함. 송영(送迎).
[將任 장임] 대장(大將)의 직임(職任).
[將作 장작] 진(秦)나라 때 궁전(宮殿)의 공사(工事)를 맡은 벼슬.
[將將 장장] ㉠모이는 모양. 모여드는 모양. ㉡옥(玉)이 울리는 소리. ㉢엄한 모양. 엄정(嚴正)한 모양. ㉣우뚝 솟은 모양. ㉤여러 대장(大將)을 잘 지휘 통솔함.
[將材 장재] 장수(將帥)가 될 만한 재간(材幹).
[將卒 장졸] 장수(將帥)와 병졸.
[將種 장종] 장수(將帥)의 집안의 자손(子孫).
[將佐 장좌] 부하의 장사(將士).
[將指 장지] ㉠가운뎃손가락. ㉡엄지발가락.
[將次 장차] 차차. 앞으로.
[將就 장취] 나날이 진보(進步)함. 일취월장(日就月將).
[將蝦釣鼈 장하조별] 새우로 자라를 낚음. 적은 밑천을 가지고 많은 이득(利得)을 보려고 함의 뜻.
◉干將. 客將. 健將. 軍將. 老將. 大將. 代將. 猛將. 名將. 謀將. 武將. 邊將. 別將. 奉將. 部將. 副將. 飛將. 裨將. 上將. 世將. 少將. 宿將. 亞將. 良將. 勇將. 雄將. 熊虎將. 日就月將. 戰將. 主將. 准將. 中郞將. 中將. 智將. 次將. 虎將. 驍將.

8 ⑪ [尃] 〔경〕 京(亠部 六畫〈p. 87〉)과 同字

8 ⑪ [專] 高·人 전 ㊥先 職緣切 zhuān 专

筆順 一 丅 丏 亩 亩 重 專 專

字解 ①오로지 전 오직 외곬으로. 전혀. 또, 단독으로. '一念'. '一用'. '不能一對'《論語》. ②오로지할 전 ㉠독점함. '有喪者一席而坐'《禮記》. ㉡잡념(雜念)을 끊고 외곬으로 함. '不一心致志, 則不得也'《孟子》. ㉢자기 혼자 처리함. '爾一之'《禮記》. ③전일할 전 순일(純一)함. '其靜也一'《易經》. ④제멋대로할 전 전단(專斷)함. 또, 방자함. '一橫'. '祭仲一, 鄭伯患之'《左傳》. ⑤같을 전 같음. 또, 같게 함. '一, 齊也'《廣雅》. ⑥홑겹 전 또, 홑으로 함. '一, 單也'《廣韻》. ⑦성 전 성(姓)의 하나.
字源 甲骨文 篆文 會意. 叀+寸. '叀전'은 실패의 象形. '寸촌'은 손을 본뜬 모양. 실을 실패에 감음의 뜻. 전(轉)하여, 하나의 축(軸)에 감아 집중시킴의 뜻에서, '오로지'의 뜻을 나타냄.

[專決 전결] 단독으로 결정함. 전단(專斷).
[專固 전고] 한 가지 일에만 열중하여 그것만을 굳게 지킴.
[專攻 전공] 전문적으로 연구함.
[專管 전관] 단독의 관할(管轄).
[專權 전권] 권력(權力)을 잡아 마음대로 함.
[專念 전념] 오로지 그 일에만 마음을 씀. 몰두(沒頭).
[專斷 전단] 마음대로 결단(決斷)함.
[專擔 전담] 혼자 담당함. 전문적으로 담당함.
[專對 전대] ㉠단독으로 응대함. 독대(獨對). ㉡타국에 사신 가서 군명(君命)을 완수함.
[專對之材 전대지재] 외국에 사신으로 가서 능히 응대할 만한 재간을 지닌 사람.
[專力 전력] 오로지 그 일에만 힘을 씀.
[專賣 전매] ㉠어떠한 물건을 혼자 맡아 놓고 팖. ㉡국고(國庫)의 수입을 목적으로 하는 정부(政

府)의 독점 사업(獨占事業).
[專賣特許 전매특허] 전매(專賣)하는 특허권(特許權).
[專務 전무] 주로 어떤 사무만을 맡아 함.
[專門 전문] ㉠오로지 한 경서(經書)만을 연구함. ㉡오로지 한 학과(學科) 또는 한 사업을 연구 또는 담당함.
[專房之寵 전방지총] 많은 비빈(妃嬪) 가운데에서 어떤 한 사람만이 오로지 받는 군주(君主)의 총애.
[專使 전사] 특별한 임무를 위해 보내는 사자(使者).
[專殺 전살] 제 마음대로 죽임.
[專屬 전속] 오직 한 곳에만 속함.
[專修 전수] 오로지 그 일만을 닦음.
[專習 전습] 오로지 그 일만을 익힘.
[專心 전심] 마음을 오로지 한 곳에만 씀. 전념(專念).
[專心一意 전심일의] 마음을 외곬으로 씀.
[專心致志 전심치지] 오직 한 가지 일에만 마음을 기울여 씀.
[專愛 전애] 오로지 그것만을 사랑함.
[專業 전업] ㉠전문(專門)의 직업(職業) 또는 사업. ㉡전문의 학문.
[專用 전용] ㉠혼자 씀. ㉡오로지 그것만을 씀.
[專委 전위] 전임(專任).
[專爲 전위] 특히 한 가지 일만을 함.
[專有 전유] 혼자 차지함.
[專意 전의] 오로지 한 곳에만 마음을 씀. 전심(專心).
[專人 전인] 어떤 일을 위하여 특히 사람을 보냄.
[專一 전일] ㉠마음을 외곬으로 씀. ㉡한결같이 변하지 아니함.
[專壹 전일] 전일(專一).
[專任 전임] 어떠한 일을 오로지 담당(擔當)함.
[專恣 전자] 제멋대로 함. 전횡(專橫).
[專專 전전] 전심(專心)하는 모양.
[專征 전정] ㉠천자(天子)로부터 정벌의 대권(大權)을 위임받아 그것을 행사함. ㉡천자의 명령을 기다리지 않고 멋대로 정벌함.
[專精 전정] ㉠전일(專一)하여 순수함. ㉡정신을 외곬으로 씀.
[專制 전제] ㉠남의 의사는 묻지 않고 자기의 생각대로만 처리함. ㉡군주(君主) 등 특정의 주권자(主權者)가 자기 마음대로 정치를 행함.
[專制政體 전제정체] 한 나라의 통치(統治)를 특정의 주권자(主權者) 한 사람의 의사대로 행하는 정체(政體).
[專制政治 전제정치] 전제 정체(專制政體)의 정치(政治).
[專足 전족] 전인(專人).
[專主 전주] 혼자의 마음대로 일을 주관함.
[專執 전집] 어떤 일을 오로지 주장하여 잡음.
[專擅 전천] 제멋대로 함. 독단으로 행동하여 명령에 따르지 않음.
[專輒 전첩] 상관의 명령을 기다리지 않고 독단적으로 일을 행함.
[專寵 전총] 총애를 혼자 받음. 사랑을 독점함.
[專侈 전치] 방자하고 사치함.
[專託 전탁] 오로지 남에게 부탁함.
[專伻 전팽] 전인(專人).
[專愎 전퍅] 방자(放恣)하고 고집(固執)이 셈.
[專行 전행] 마음대로 행함.
[專橫 전횡] 제멋대로 함. 전자(專恣).

◉驕專. 獨專. 自專. 貞專. 精專. 靜專.

8 ⑪ [尋] 〔심〕 尋(寸部 九畫〈p. 608〉)의 俗字

[尉] 〔위〕 火部 八畫(p. 1341)을 보라.

9 ⑫ [尌] 〔수〕 豎(豆部 八畫〈p. 2171〉)와 同字

9 ⑫ [尊] 中人 ㊀ 존 ㊥元 祖昆切 zūn ㊁ 준 ㊥元 祖昆切 zūn 尊

筆順 丿 八 亣 亣 酋 酋 尊 尊

[尊㊁]

字解 ㊀ ①높을 존 존귀함. '一位'. '天一地卑, 乾坤定矣'《易經》. 또, 높은 지위. 높은 신분. '一卑'. '此降一以就卑也'《禮記》. 또, 높은 사람. 나라에서는 군주, 집에서는 부친 따위. '國無二君, 家無二一'《禮記》. 전(轉)하여, 경의를 표하는 관칭(冠稱)으로 쓰임. '一大人'. '一兄應期贊世'《蜀志》. ②높일 존 ㉠존경함. '一重'. '自卑而一人'《禮記》. ㉡지위를 올림. '項羽乃佯一懷王爲義帝'《史記》. ㉢숭상함. '一五美, 屛四惡'《論語》. ③무거울 존 '名一於實'《淮南子》. ④성 존 성(姓)의 하나. ㊁ 술그릇 준 주기(酒器). 樽(木部 十二畫)·罇(缶部 十二畫)과 同字. '一俎'. '掌六彝六一之位'《周禮》.

字源 甲骨文 金文 篆文 別體 會意. 篆文은 酋+廾. '酋추'는 술통을 본뜬 모양. '廾공'은 두 손의 형상. 따라서 두 손으로 술통을 받들어 존경함의 뜻을 나타냄.

[尊家 존가] 남의 집의 경칭(敬稱).
[尊客 존객] 존귀(尊貴)한 손. 지위가 높은 손.
[尊見 존견] 존의(尊意).
[尊庚 존경] 남의 나이의 경칭.
[尊敬 존경] 존숭(尊崇)하고 공경(恭敬)함.
[尊高 존고] 존귀하고 높음.
[尊公 존공] ㉠남의 아버지의 존칭(尊稱). ㉡상대방에 대한 존칭.
[尊君 존군] ㉠임금을 존숭함. ㉡남의 아버지에 대한 경칭(敬稱). ㉢상대방에 대한 경칭.
[尊貴 존귀] 높고 귀(貴)함. 또, 그 사람.
[尊堂 존당] ㉠남의 어머니의 존칭(尊稱). ㉡남의 집의 경칭.
[尊大 존대] 뽐냄. 잘난 체함.
[尊待 존대] 존경하여 대접(待接)함.
[尊大君 존대군] 존대인(尊大人).
[尊大人 존대인] 남의 아버지의 존칭.
[尊來 존래] 남이 오는 것의 경칭.
[尊慮 존려] 남의 염려의 경칭.
[尊名 존명] ㉠높은 칭호(稱號). ㉡남의 이름의 경칭.
[尊命 존명] ㉠군주(君主)의 명령을 존중함. ㉡남의 명령의 경칭(敬稱).
[尊母 존모] 남의 어머니의 경칭.
[尊慕 존모] 존경하고 사모함.

[尊問 존문] 윗사람의 물음.
[尊奉 존봉] 존경(尊敬)하여 받듦.
[尊卑 존비] 신분·지위 등의 높음과 낮음.
[尊卑貴賤 존비귀천] 지위·신분의 높고 낮음과 귀(貴)하고 천(賤)함.
[尊師 존사] ㉠스승에 대한 경칭. ㉡도사(道士)에 대한 경칭.
[尊像 존상] ㉠존귀한 사람의 상(像). ㉡남의 초상(肖像)의 경칭.
[尊書 존서] 남의 편지의 경칭.
[尊姓 존성] 남의 성의 존칭(尊稱).
[尊姓大名 존성대명] 남의 성명(姓名)의 존칭(尊稱).
[尊屬 존속] 부모와 같은 항렬 이상의 혈족.
[尊屬親 존속친] 부모(父母)·조부모(祖父母) 또는 백숙 부모(伯叔父母) 등 항렬이 위인 혈족.
[尊崇 존숭] 존경(尊敬)하고 숭배(崇拜)함.
[尊勝 존승] 존귀하고 뛰어남. 또, 그 사람.
[尊侍 존시] 존장(尊長)과 시생(侍生). 웃어른과 나이 어린 사람.
[尊信 존신] 존숭하여 믿음.
[尊安 존안] 지위가 존귀하고 확고하여 위태롭지 아니함.
[尊顔 존안] 남의 얼굴의 존칭(尊稱).
[尊攘 존양] 왕실(王室)을 존숭하고 이적(夷狄)을 배척함.
[尊嚴 존엄] ㉠존귀(尊貴)하고 엄숙(嚴肅)함. ㉡풍채가 늠름하여 위엄이 있음.
[尊榮 존영] 지위(地位)가 높아 영화(榮華)를 누림.
[尊影 존영] 남의 초상(肖像) 또는 사진(寫眞)의 존칭(尊稱).
[尊翁 존옹] 남의 아버지의 존칭(尊稱).
[尊王 존왕] 왕자(王者)를 존숭함.
[尊飮 존음] 남의 음주(飮酒)의 존칭(尊稱).
[尊意 존의] 남의 의사·의견의 존칭.
[尊異 존이] 존숭하여 특별히 대우함.
[尊者 존자] ㉠웃어른. 존장(尊長). ㉡《佛敎》 학문과 덕행이 뛰어난 불제자(佛弟子). 특히 나한(羅漢).
[尊爵 존작] 높은 벼슬. 높은 지위.
[尊長 존장] ㉠웃어른. 나이가 많은 어른. ㉡부모(父母).
[尊奬 존장] 존숭하고 도움.
[尊邸 존저] 남의 집의 존칭(尊稱).
[尊前 존전] ㉠임금의 앞. ㉡대관(大官)의 앞.
[尊照 존조] 존영(尊影).
[尊主庇民 존주비민] 임금을 존숭하고 백성(百姓)을 비호(庇護)함.
[尊重 존중] 높이고 중하게 여김.
[尊執 존집] 웃어른의 경칭.
[尊札 존찰] 남의 편지의 존칭(尊稱).
[尊戚 존척] 지위가 높은 친척.
[尊體 존체] ㉠남의 몸의 존칭(尊稱). ㉡초상(肖像)·불상(佛像) 등의 경칭.
[尊寵 존총] 높이 대우함.
[尊稱 존칭] 존대(尊待)하여 부르는 칭호(稱號).
[尊宅 존택] 남의 집의 존칭(尊稱).
[尊筆 존필] 상대자의 필적(筆蹟)의 경칭.
[尊翰 존한] 상대자의 편지의 경칭.
[尊函 존함] 존한(尊翰).
[尊銜 존함] 상대자의 이름의 경칭.
[尊行 존항] 아저씨뻘 이상의 항렬.
[尊賢 존현] 어진 사람을 존경함.
[尊顯 존현] 지위가 높고 이름이 드러남. 또, 높이어 이름이 드러나게 함.
[尊兄 존형] ㉠동배(同輩)인 상대자(相對者)에 대한 경칭(敬稱). ㉡자기의 형. ㉢남의 형의 경칭. ㉣연장자(年長者)의 통칭(通稱).
[尊號 존호] 제왕(帝王)의 호(號).
[尊候 존후] 상대자의 체후(體候)의 존칭(尊稱).
[尊俎 준조] ㉠술 그릇과 도마. ㉡잔치. 연회. 주석(酒席).
[尊俎折衝 준조절충] 적국(敵國)의 군신(君臣) 또는 사신(使臣)과 주석(酒席)에서 마주 앉아 담소하면서 평화리(平和裡)에 그 기세를 꺾어 요구를 물리치고 자국(自國)의 주장을 관철함.
◉敬尊. 九五尊. 金尊. 南面尊. 達尊. 大尊. 獨尊. 萬乘尊. 本尊. 不動尊. 師嚴道尊. 三達尊. 三尊. 象尊. 釋尊. 世尊. 嚴尊. 威尊. 一尊. 自尊. 酒尊. 至尊. 天上天下唯我獨尊. 天子尊. 天尊. 追尊. 推尊. 犧尊.

9 ⑫ [尋] 高·人 심 ㊥侵 徐林切 xún, xín 寻

筆順 ㇕ ㇐ ㇐ 彐 𢕄 𢕄 尋 尋

字解 ①찾을 심 ㉠탐색함. '探一'. '旣窈窕以一壑'《陶潛》. ㉡방문함. '一訪'. '棹歌搖艇月中一'《李白》. ②물을 심 질문함. '硏精一問'《北齊書》. ③생각할 심 '退一平常時'《謝靈運》. ④얼마아니있을 심 이윽고. '使一至'. '罷行軍參謀一復置'《舊唐書》. ⑤이을 심 계속함. '日一干戈, 以相征討'《左傳》. ⑥갑자기 심 곧. '一, 俄也'《正字通》. ⑦칠 심 쳐 무찌름. '夫三軍之所一'《國語》. ⑧쓸 심 사용함. '將一師焉'《左傳》. ⑨여덟자 심 척도(尺度)의 단위. 여덟 자의 길이. '十一'. '枉尺而直一'《孟子》. ⑩자 심 길이를 재는 기구. '一引規矩'《柳宗元》. ⑪길이 심 긴 정도. 장척(丈尺). '越羅萬丈表長一'《孫光憲》. ⑫보통 심 범상(凡常). '個中消息也一常'《指月錄》.

字源 篆文 形聲. 篆文은 左+右+彡〔音〕. '彡삼'은, 같은 종류의 것이 차례로 더해 감의 뜻. 두 손을 번갈아 움직여서 곁으로 끌어당기는 동작을 되풀이함의 뜻에서 '묻다, 찾다, 겹쳐 잇다' 따위의 뜻을 나타냄.

參考 尋(寸部 八畫)은 俗字.

[尋求 심구] 찾아 구함.
[尋究 심구] 찾아 궁리함. 연구(硏究)함.
[尋矩 심구] 법칙(法則).
[尋盟 심맹] 맹약(盟約)을 거듭하여 따뜻하게 함. 전에 맺은 맹약을 더욱 굳게 지킨다는 뜻. 심(尋)은 심(燖). 한맹(寒盟)의 대(對).
[尋問 심문] 물어봄. 질문함.
[尋訪 심방] 찾음. 방문(訪問)함.
[尋思 심사] 침착하게 생각함.
[尋常 심상] ㉠여덟 자와 열여섯 자. 전(轉)하여, 약간의 길이. 약간의 땅. ㉡평범(平凡)함. 보통(普通).
[尋常一樣 심상일양] 보통이어서 별다른 것이 없음. 평범함.
[尋繹 심역] 연구함. 사리(事理)를 궁구함.
[尋人 심인] 사람을 찾음. 또, 찾을 사람.
[尋引 심인] 길이나 높이를 재는 제구. 자.

[尋章摘句 심장적구] 옛사람의 글귀를 따서 시문(詩文)을 지음.
[尋討 심토] 깊이 살펴 찾음.
[尋行數墨 심행수묵] 독서(讀書)하는 데 문자(文字)에만 구애하여 문자 밖의 참뜻을 깨닫지 못함을 이름. 행(行)은 글의 줄. 묵(墨)은 문자(文字).
[尋花 심화] ㉠꽃을 찾음. ㉡《現》여자에 미침.
◉考尋. 究尋. 窮尋. 綠尋. 萬尋. 夢中相尋. 攀尋. 訪尋. 思尋. 躡尋. 熟尋. 深尋. 研尋. 溫尋. 枉尺直尋. 精尋. 千尋. 追尋. 侵尋. 探尋.

9 ⑫ [尋] 尋(前條)과 同字

10 ⑬ [尌] 〔강〕
剛(刀部 十畫〈p. 265〉)의 訛字

10 ⑬ [尌] 〔도〕
道(辵部 九畫〈p. 2313〉)의 古字

11 ⑭ [對] 中人 대 ㊀隊 都隊切 duì 对 対

筆順 對

字解 ①마주볼 대 서로 정면(正面)으로 봄. 서로 대함. '一面'. '從者二人坐持几相一'《儀禮》. ②대답할 대 응답함. '一答'. '起則一'《禮記》. ③보답할 대 갚음. '以一于天下'《詩經》. ④짝 대 ㉠배우자. '擇一不嫁'《後漢書》. ㉡한 쌍. '虎雌各六一'《金史》. ⑤적수 대 ㉠대등한 자. '自謂無一'《南史》. ㉡적대자(敵對者). '劉備今在境界. 此彊一也'《吳志》. ⑥마침내 대 드디어. '一揚王休'《詩經》. ⑦문체이름 대 상소(上疏)의 한 체(體). 천자(天子)의 하문(下問)에 대하여 의견을 진술하는 것. '三曰一, 四曰啓'《文體明辯》.

字源 甲骨文 金文 篆文 別體 會意. 篆文은 丵+口+又. '丵'는 위가 톱니 모양인 '끌'을 본뜬 모양. '又우'는 손의 象形. 끌을 손에 쥐고, 널빤지에 문자(文字)를 새기든가 하여, 천자의 명령인 말에 대답하다, 윗사람의 물음에 대답하다의 뜻을 나타냄.

參考 対(寸部 四畫)는 俗字.

[對勘 대감] 대조(對照)하여 보고 조사함.
[對客 대객] 손을 마주 대(對)함.
[對決 대결] 법정에서 원고와 피고를 대질(對質)시켜 심판함.
[對境 대경] ㉠마주 향(向)한 곳. ㉡대상(對象).
[對句 대구] 대(對)를 맞춘 글귀. 글자 수가 같고 의미가 상응(相應)하며 구조(構造)가 같은 두 글귀.
[對局 대국] ㉠바둑이나 장기(將棊)를 둠. ㉡어떠한 국면(局面)을 당함.
[對內 대내] 내부(內部) 또는 국내(國內)에 대함.
[對談 대담] 서로 마주 보고 말함.
[對答 대답] 묻는 말에 응(應)함.
[對當 대당] ㉠서로 걸맞음. 상당(相當)함. ㉡대당 관계(對當關係).
[對當關係 대당관계] 논리학에서 주사(主辭)와 빈사(賓辭)는 서로 같고, 양(量)과 질(質)은 서로 다른 두 명제(命題)의 진위(眞僞)의 관계.
[對頭 대두] 대적(對敵).
[對等 대등] 서로 우열(優劣)·고저(高低)의 차이(差異)가 없음. 동등함.
[對聯 대련] 대구(對句).
[對壘 대루] 마주 대하여 진루(陣壘)를 쌓음.
[對立 대립] 서로 대(對)하여 섬. 상대하여 존재함.
[對面 대면] 서로 얼굴을 마주 대(對)함. 서로 만나 봄.
[對辯 대변] 맞서서 변호함.
[對比 대비] ㉠맞대어 비교함. ㉡대조(對照).
[對備 대비] 어떠한 일에 대응할 준비.
[對象 대상] 정신 또는 의식의 목적이 되는 객관(客觀)의 사물(事物). 정신 활동이 향하는 목적물.
[對席 대석] 자리를 마주하고 앉음.
[對訟 대송] 송사(訟事)에 응(應)함.
[對手 대수] 상대방. 적수(敵手).
[對食 대식] 마주 앉아 먹음.
[對岸 대안] 물의 건너편에 있는 언덕.
[對案 대안] 책상 또는 밥상을 가운데에 두고 마주 앉음.
[對顔 대안] 대면(對面).
[對揚 대양] 군주(君主)의 명령에 대답하여 그 뜻을 널리 백성에게 알림.
[對揚休命 대양휴명] 군명(君命)에 응(應)하여 그 뜻을 일반에게 선양(宣揚)함.
[對言 대언] 면대(面對)하여 말함.
[對譯 대역] 원문(原文)과 대조(對照)하며 하는 번역.
[對外 대외] 외부(外部) 또는 외국(外國)에 대(對)함.
[對偶 대우] ㉠둘이 서로 짝을 지음. 또, 그런 것. ㉡대우(對耦).
[對耦 대우] 부부(夫婦).
[對牛彈琴 대우탄금] 소를 향해서 거문고를 뜯음. 어리석은 자에게 깊은 이치(理致)를 말하여 주어도 아무 소용없음을 이름.
[對飮 대음] 대작(對酌).
[對應 대응] ㉠마주 대함. ㉡걸맞음. 상당(相當)함. ㉢상대방에 응(應)하여 일을 함.
[對人 대인] 사람을 대함.
[對酌 대작] 서로 마주 대(對)하여 술을 마심.
[對敵 대적] ㉠적병(敵兵)을 대(對)하여 서로 겨룸. ㉡세력이 맞서서 서로 겨룸. 적수를 삼음. 또, 적수. 상대.
[對戰 대전] 서로 대(對)하여 싸움.
[對照 대조] 둘을 서로 마주 대어 봄.
[對座 대좌] 서로 대(對)하여 앉음. 마주 앉음.
[對證之藥 대증지약] 병증(病證)에 따라서 알맞게 방문(方文)을 내어 짓는 약. 처방자(處方者)나 복약자(服藥者)가 다 적중(適中)함의 비유(比喩).
[對陣 대진] ㉠양 군대가 서로 대하여 진(陣)을 침. ㉡서로 편을 갈라 맞섬.
[對質 대질] 쌍방과 증인들을 맞대어 진술케 하고 신문함. 무릎맞춤.
[對策 대책] ㉠과거(科擧)에서 정치 또는 경의(經義)에 관한 문제를 내어 답안을 쓰게 하는 일. 또, 그 답안. 한(漢)나라 무제(武帝)가 동중서(董仲舒)를 시험한 데서 시작됨. ㉡어떠한 일에 상대자(相對者)에게 대응(對應)하는 방책(方策).
[對處 대처] 어떠한 일에 대응(對應)하는 처치(處置).
[對天之罔休 대천지굉휴] 하늘의 덕(德)과 견줄

정도의 큰 행복(幸福). '圀'은 크다는 뜻, '休'는 길상(吉祥)을 뜻함.
[對峙 대치] 서로 마주 대하여 우뚝 섬.
[對痴人說夢 대치인설몽] 바보에게 꿈 이야기를 함. 가당찮은 어리석은 짓의 비유.
[對稱 대칭] ㉠걸맞음. 상당(相當)함. ㉡제이 인칭(第二人稱).
[對稱代名詞 대칭대명사] 상대자(相對者)의 이름을 대신하여 쓰는 대명사(代名詞). 제이 인칭 대명사(第二人稱代名詞). '너·자네' 따위.
[對榻 대탑] 평상을 가운데에 놓고 마주 앉음.
[對抗 대항] 서로 맞서서 겨룸.
[對壕 대호] 적을 대항 또는 공격하기 위하여 만든 산병호(散兵壕).
[對話 대화] 서로 마주 대하여 하는 이야기.
◉問對. 反對. 辨對. 相對. 召對. 屬對. 洒埽應對. 酬對. 讎對. 晤對. 偶對. 應對. 一對. 敵對. 專對. 轉對. 絕對. 接對. 正對. 正反對. 條對. 奏對. 置對.

[奪] 〔탈〕 大部 十一畫(p. 510)을 보라.

12 ⑮ [導] 導(次條)의 略字

13 ⑯ [導] 高人 도 ㊀號 徒到切 dǎo (dào) 导

筆順 丷 䒑 䒑 首 首 首 道 導

字解 ①이끌 도 ㉠인도함. '君使人一之出疆'《孟子》. ㉡가르침. '教一'. '一民之路, 在務本'《漢書》. ㉢다스림. '一千乘之國'《論語》. ㉣소통하게 함. '疏爲川谷以一其氣'《國語》. ②성 도 성(姓)의 하나.

字源 篆文 形聲. 寸+道〔音〕. '寸촌'은 '손'의 뜻. 손을 끌고 길을 가다, 인도하다의 뜻을 나타냄.

[導達 도달] 윗사람이 모르는 사정(事情)을 아랫사람이 가끔 넌지시 알려 주는 일.
[導師 도사] 《佛敎》 ㉠불도(佛道)를 설명하여 중생(衆生)을 바른길로 인도하는 중. ㉡법회(法會)에서 의식(儀式)을 행하는 주승(主僧). ㉢장례(葬禮) 때 죽은 사람의 영혼이 정토(淨土)로 향하도록 이끌어 주는 중.
[導線 도선] 전기를 전도(傳導)하는 쇠붙이의 줄.
[導言 도언] 책의 머리말. 서문(序文).
[導誘 도유] 꾀어서 이끎. 유도(誘導).
[導引 도인] ㉠몸과 수족을 굴신(屈伸)하며 신선한 공기를 마시는 도가(道家)의 양생법(養生法). ㉡인도(引導). 안내(案內). ㉢안마(按摩).
[導者 도자] 인도자. 안내하는 사람.
[導從 도종] 행렬(行列)을 따르는 사람. 도(導)는 앞에 서는 사람, 종(從)은 뒤따라가는 사람.
[導火 도화] ㉠화약(火藥)이 터지게 하는 불. ㉡사건(事件)이 발생하는 동기(動機).
[導火線 도화선] ㉠화약(火藥)이 터지도록 불을 점화(點火)하는 심지. ㉡사건이 발생하는 직접 원인.
[導訓 도훈] 지도(指導)하여 가르침.
◉開導. 教導. 補導. 輔導. 先導. 善導. 誘導. 引導. 奬導. 前導. 傳導. 指導. 唱導. 嚮導. 化導. 訓導.

13 ⑯ [對] 〔대〕 對(寸部 十一畫〈p. 609〉)와 同字

[彠] 〔확〕 彐部 二十三畫(p. 731)을 보라.

小 (3획) 部

〔작을소부〕

0 ③ [小] 中人 소 ㊤篠 私兆切 xiǎo

筆順 亅 小 小

字解 ①작을 소 ㉠크지 아니함. '一戶'. '管仲之器一哉'《論語》. ㉡잚. 미세(微細)함. '一, 物之微也'《說文》. ㉢가늚. '一, 細也'《玉篇》. ㉣짧음. '一暇'. '一年不及大年'《莊子》. ㉤낮음. 얕음. '泰山卑一'《漢書》. ㉥지위가 낮음. '一族'. '不卑一官'《孟子》. ㉦젊음. 어림. '我一未能營養'《晉書》. ㉧협소함. '一徑'. '自用則一'《書經》. ②적을 소 많지 아니함. 少(小部 一畫)와 뜻이 같음. '一經'. '力一而任重'《易經》. ③적게여길 소 경시함. '必一羅'《左傳》. ④첩 소 비첩(婢妾). '慍于群一'《詩經》. ⑤소인 소 ㉠간사한 사람. '衆一在位'《漢書》. ㉡신분이 낮은 사람. 천한 사람. '與羣一, 日遊市肆'《畫繼》. ㉢아이. 연소한 사람. '其老一殘疾'《北史》. ⑥조금 소 적게. '可以一試勒兵乎'《史記》. ⑦작은달 소 음력으로 30일이 안 되는 달. '帝以爲月當先一'《後漢書》. ⑧성 소 성(姓)의 하나.

字源 甲骨文 金文 篆文 象形. 작은 점(點)의 象形으로, '작다'의 뜻.

參考 '小'를 기본으로 하여 '작다, 적다'의 뜻을 포함하는 글자가 만들어짐. '尙·尗'도 '小'의 부수(部首)에 포함되어 있으나, 특별히 의미상(意味上)의 관계는 없음.

[小家 소가] 가난한 집.
[小暇 소가] 짧은 겨를. 촌가(寸暇).
[小駕 소가] 임금이 타는 작은 수레.
[小閣 소각] 조그마한 집.
[小簡 소간] 좁고 작은 편지 종이.
[小康 소강] ㉠소란(騷亂)하던 세상이 조금 안정됨. ㉡잠시 무사(無事)함. ㉢조금 편안함. ㉣조금 자산(資產)이 있어 지내기 곤란하지 않음.
[小劍 소검] 비수(匕首).
[小劫 소겁] 《佛敎》 사람의 수명(壽命)이 8만 세부터 백 년(百年)마다 한 살씩 줄어져서 열 살이 되기까지의 동안, 또는 열 살부터 백 년(百年)마다 한 살씩 늘어서 8만 세에 이르는 동안. 곧, 서로 늘고 줄고 하는 사이를 일컬음.
[小憩 소게] 잠깐 쉼. 잠시의 휴식.
[小徑 소경] 작은 길. 좁은 길.
[小經 소경] 주역(周易)·상서(尙書)·춘추공양전(春秋公羊傳)·곡량전(穀梁傳)의 일컬음. 소(小)란 권수(卷數)가 적다는 뜻. 대경(大經)의 대(對).

[小計 소계] 일부분(一部分)의 합계.
[小薊 소계] 조방가새. 또 그 뿌리. 뿌리는 지혈제·해독제로 씀.
[小姑 소고] 시누이. 자기 남편의 자매(姉妹).
[小故 소고] 작은 일.
[小鼓 소고] 작은북.
[小古風 소고풍] 한시체(漢詩體)의 하나. 과거(科擧)의 시체(詩體)를 본뜨기는 하였으나, 운(韻)을 달지 않은 시. 칠언(七言) 십구(十句)로 됨.
[小曲 소곡] 짤막한 노래 곡조(曲調). 소품곡(小品曲).
[小功 소공] ㉠오복(五服)의 하나. 가는 베로 지어 소공친(小功親)의 상사에 다섯 달 동안 입는 복(服). ㉡작은 공로(功勞).
[小功親 소공친] 종조부모(從祖父母)·재종형제(再從兄弟)·종질(從姪)·종손(從孫)의 총칭.
[小科 소과] 《韓》 생원(生員)과 진사(進士)를 뽑던 과거.
[小過 소과] ㉠작은 과실(過失). ㉡육십사괘(六十四卦)의 하나. 곧, ䷽〈간하(艮下), 진상(震上)〉. 소사(小事)에 가(可)한 상(象).
[小官 소관] ㉠지위가 낮은 관리(官吏). ㉡관리가 스스로를 낮추어 일컫는 말.
[小丘 소구] 작은 언덕. 작은 산.
[小拘 소구] 작은 일에 구애함.
[小舅 소구] 남편의 형제(兄弟).
[小局 소국] ㉠좁은 국량(局量). 좁은 소갈머리. ㉡작은 판국(版局).
[小國 소국] 작은 나라. 주대(周代)에는 자(子)·남(男)의 제후(諸侯)의 나라.
[小君 소군] ㉠제후(諸侯)의 아내. ㉡아내의 통칭(通稱). ㉢고려 때 천첩(賤妾)의 몸에서 낳아서 중이 된 왕자(王子)를 일컫는 말.
[小技 소기] 조그마한 재주. 말기(末技).
[小朞 소기] 소상(小祥).
[小器 소기] ㉠작은 그릇. ㉡작은 국량(局量). 또, 그 사람. 소인물(小人物).
[小女 소녀] 소녀(少女).
[小年 소년] ㉠수명(壽命)이 짧음. ㉡나이가 젊음. ㉢1년 가까움. 거의 1년. ㉣소년(少年). ㉤소년야(小年夜).
[小年夜 소년야] 음력 12월 24일을 이름.
[小腦 소뇌] 뇌수(腦髓)의 한 부분(部分). 대뇌(大腦)의 아래에 있으며 겉은 회백색(灰白色), 속은 흼. 운동(運動)을 조절(調節)함.
[小膽 소담] 담(膽)이 적음. 용기(勇氣)가 없음.
[小隊 소대] 소인수(小人數)의 대(隊).
[小大朞 소대기] 소기(小朞)와 대기(大朞). 소대상(小大祥).
[小大祥 소대상] 소상(小祥)과 대상(大祥).
[小刀 소도] 작은 칼. 창칼.
[小島 소도] 작은 섬.
[小盜 소도] 좀도둑.
[小道 소도] ㉠치국평천하(治國平天下)의 도(道)보다 작은 도. 곧, 농포(農圃)·의복(醫卜) 등의 도. ㉡작은 길. ㉢도사(道士)가 스스로 일컫는 말.
[小頓 소돈] 잠깐 휴식(休息)함.
[小童 소동] ㉠10세 내외의 아이. 또, 심부름하는 아이. ㉡제후(諸侯)의 아내가 자기를 겸손하여 일컫는 말. ㉢상중(喪中)에 있을 때의 왕(王)의 자칭(自稱).
[小㪷 소두] 대두(大㪷)의 반(半)이 되는 말.
[小豆 소두] 팥.
[小杜 소두] 당(唐)나라의 시인 두목(杜牧)을 이름. 두보(杜甫)를 노두(老杜)라 하는 데 대(對)되는 말.
[小痘 소두] 작은마마.
[小鑼 소라] 꽹과리보다 작은 동라(銅鑼).
[小欄 소란] 문지방이나 소반 같은 데에 나무를 가늘게 오려 돌려 붙이거나 제 바탕을 파서 턱이 지게 만든 것.
[小量 소량] 작은 도량(度量). 좁아 너그럽지 못한 마음.
[小殮 소렴] 시체(屍體)를 옷과 이불로 쌈.
[小路 소로] 작은 길. 좁은 길.
[小祿 소록] 작은 녹(祿). 얼마 안 되는 녹봉(祿俸). 미록(微祿).
[小錄 소록] 요점만 간단히 적은 종이쪽.
[小流 소류] 실개천.
[小吏 소리] 지위가 낮은 벼슬아치. 아전(衙前).
[小利 소리] 작은 이익(利益).
[小粒 소립] 낱낱의 작은 알맹이.
[小滿 소만] 이십사절기의 하나. 입하(立夏)와 망종(芒種) 사이에 있는 절기(節氣). 양력 5월 20일경.
[小蠻 소만] ㉠당(唐)나라 백거이(白居易)의 시첩(侍妾)의 이름. ㉡술통의 이름.
[小妹 소매] ㉠어린 누이동생. ㉡여자 자신의 겸칭(謙稱).
[小賣 소매] 물건을 도거리로 사서 조금씩 나누어 팖.
[小麥 소맥] 밀.
[小麥奴 소맥노] 밀깜부기.
[小木匠 소목장] 나무로 짜는 가구(家具)를 만드는 사람.
[小門 소문] 작은 문.
[小米 소미] 좁쌀.
[小民 소민] 미천(微賤)한 백성. 상(常)사람.
[小方 소방] 작은 나라. 소국(小國).
[小便 소변] 오줌.
[小辯 소변] 작은 일을 변설(辯說)함.
[小補 소보] 조금의 도움. 조금 도움이 됨.
[小腹 소복] 배의 아랫부분. 아랫배.
[小福 소복] 조그마한 복력(福力).
[小本 소본] 같은 물건 가운데에서 본새가 작은 물건.
[小婦 소부] ㉠젊은 부녀(婦女). ㉡첩.
[小富 소부] 자그마한 부자.
[小北 소북] 조선(朝鮮) 때 사색(四色)의 하나인 북인(北人) 중에서 갈려진 당파(黨派)의 하나.
[小分 소분] 작게 나눔.
[小史 소사] ㉠간단히 기록한 역사(歷史). ㉡근시(近侍). 또, 시동(侍童). ㉢주(周)나라 때의 벼슬 이름. 춘관(春官)에 속하여 나라의 기록(記錄)·계도(系圖)를 맡았음. 태사(太史)의 아래 벼슬임.
[小使 소사] 심부름꾼.
[小事 소사] 작은 일.
[小師 소사] 《佛敎》 불가(佛家)에서 가르침을 받은 지 10년이 못 되는 스승.
[小辭 소사] 삼단 논법(三段論法)에서 단안(斷案)의 주어(主語).
[小産 소산] 유산(流産).
[小相 소상] 임금을 돕는 낮은 신하. 상(相)은 예(禮)를 도와 행하는 자라는 뜻.
[小祥 소상] 사람이 죽은 지 1년 만에 지내는 제

사(祭祀). 소기(小朞).
[小生 소생] ㉠후배(後輩). ㉡자기(自己)를 낮추어 일컫는 말. ㉢남을 천히 여겨 부르는 말. ㉣조금 덜 익음.
[小序 소서] ㉠짧은 서문(序文). ㉡시경(詩經)의 관저(關雎) 이외의 각 편(篇)의 서문(序文).
[小暑 소서] 이십사절기(二十四節氣)의 하나. 하지(夏至)와 대서(大暑) 사이에 있는 절기(節氣). 양력(陽曆) 7월 7일경.
[小善 소선] 조그마한 착한 일. 작은 선행(善行).
[小鮮 소선] 작은 물고기.
[小雪 소설] 이십사절기(二十四節氣)의 하나. 입동(立冬)과 대설(大雪) 사이에 있는 절기(節氣). 양력(陽曆) 12월 22일경.
[小說 소설] 작자(作者)의 사상(思想)대로 사실(事實)을 구조(構造) 또는 부연(敷衍)하여 인정(人情)·세태(世態)를 묘사(描寫)한 산문체(散文體)의 이야기.
[小成 소성] 작은 성공(成功). 조그마한 성취.
[小姓 소성] 상(常)사람의 딸.
[小星 소성] ㉠작은 별. ㉡시경(詩經)의 소성편(小星篇)은 첩(妾)이 본처(本妻)가 조금도 질투하지 않는 것을 고맙게 여겨 지은 시(詩)이므로, 전(轉)하여 첩(妾)의 뜻으로 쓰임.
[小城 소성] 본성(本城) 곁에 있는 작은 성(城).
[小小 소소] ㉠아주 적거나 작은 모양. ㉡연소(年少)함. ㉢기녀(妓女)의 이름으로 쓰임.
[小小曲折 소소곡절] 자질구레한 여러 가지 까닭.
[小水 소수] 오줌.
[小袖 소수] 소매가 좁고 짧은 옷.
[小數 소수] ㉠하찮은 기예(技藝). ㉡적은 수. ㉢하나보다 적은 수.
[小豎 소수] 남을 경멸하여 일컫는 말. 수자(豎子).
[小豎子 소수자] 소수(小豎).
[小乘 소승] 《佛敎》 불교의 두 가지 큰 파(派)의 하나. 대승(大乘)의 고상(高尙)·심원(深遠)한데 비하면 비근(卑近)하여 이해하기 쉬운 교리.
[小僧 소승] ㉠젊은중. 어린 중. ㉡중의 자칭 대명사(自稱代名辭). 빈도(貧道).
[小柹 소시] 고욤.
[小食 소식] ㉠조금 먹음. 또, 양이 적은 식사. ㉡식사(食事) 전후에 먹는 음식.
[小息 소식] 잠깐 쉼.
[小臣 소신] ㉠지위가 낮은 신하. ㉡신하가 임금에 대하여 자기를 낮추어 이르는 말.
[小失 소실] 작은 과실(過失). 소과(小過).
[小室 소실] 《韓》 첩(妾).
[小心 소심] ㉠조심함. 삼감. ㉡소담(小膽).
[小心謹愼 소심근신] 대단히 조심하여 잔일에도 주의를 게을리 하지 아니함.
[小心文 소심문] 정련(精鍊)되고 완곡(婉曲)한 필치로 세밀한 점까지도 용의주도(用意周到)하게 논하는 문체(文體). 방담문(放膽文)의 대(對).
[小心翼翼 소심익익] 대단히 조심하고 삼가는 모양.
[小我 소아] ㉠남과 구별한 나. 곧, 현상계(現象界)의 자아(自我). 작은 자아(自我). ㉡《佛敎》 육체의 나. 대아(大我)의 대(對).
[小兒 소아] ㉠어린아이(보통 출생(出生)부터 14~15세까지의 아이). ㉡하찮은 사람. 소인(小人). ㉢남에게 대하여 자기의 아들을 일컫는 말. ㉣심부름하는 아이. 사동(使童).
[小兒醫 소아의] 어린아이의 병을 치료하는 의원.
[小惡 소악] 작은 나쁜 일.
[小安 소안] 조금 평안(平安)함. 잠시 평안함.
[小弱 소약] ㉠작고 약(弱)함. ㉡가볍고 약함. ㉢어림. 또, 어린아이.
[小洋 소양] 조그마한 은화(銀貨).
[小恙 소양] 조금 앓는 병(病). 대단치 않은 병.
[小業 소업] 작은 업(業). 천한 직업.
[小宴 소연] 소수(小數)의 사람이 하는 연회. 간소하게 차린 잔치.
[小汚 소오] 병(病)과 죽음을 이름.
[小屋 소옥] 작은 집.
[小用 소용] ㉠작은 소용(所用). ㉡작은 일. ㉢오줌.
[小勇 소용] 소소한 일에 내는 용기. 혈기(血氣)에서 나오는 용기. 소인지용(小人之勇).
[小雨 소우] 조금 오는 비.
[小宇宙 소우주] 우주(宇宙)의 한 부분(部分)으로서 우주(宇宙)의 상태와 의의(意義)를 나타내는 것. 곧, 인간계(人間界) 또는 인간.
[小月 소월] 작은달. 음력(陰曆)은 29일의 달. 양력(陽曆)은 30일 이하의 달.
[小遊星 소유성] 화성(火星)과 목성(木星)의 궤도(軌道)에서 태양을 도는 작은 천체(天體). 소혹성(小惑星).
[小戎 소융] 뒤에서 따라가는 작은 병거(兵車). 대융(大戎)의 대(對).
[小隱 소은] 속세(俗世)를 완전히 초탈(超脫)하지 못한 은사(隱士).
[小邑 소읍] 작은 읍(邑).
[小異 소이] 사소한 차이.

[小戎]

[小人 소인] ㉠간사(奸邪)하고 도량(度量)이 좁은 사람. 덕(德)이 없는 사람. ㉡천(賤)한 사람. 신분이 낮은 사람. 평민(平民). ㉢자기를 낮추어 이르는 말. 저. 소자(小子). ㉣키가 작은 사람.
[小引 소인] 짧은 서문(序文). 소서(小序).
[小人窮斯濫矣 소인궁사람의] 소인은 곤궁하면 이를 참고 견디지 못하여 도의에 어긋나는 짓을 함.
[小人儒 소인유] 명리(名利)를 탐(貪)하는 학자.
[小人之勇 소인지용] 혈기(血氣)에서 나오는 작은 용기(勇氣). 필부지용(匹夫之勇).
[小人閑居爲不善 소인한거위불선] 소인은 한가하면 자연히 좋지 못한 일을 함.
[小人革面 소인혁면] 간악한 사람도 밝은 임금이 재위(在位)하면 마음까지는 고치지 못할지언정 외면만이라도 꾸며 나쁜 일을 함부로 못함.
[小一 소일] 아주 작아 나눌 수 없음.
[小子 소자] ㉠아이. 동자(童子). ㉡자기를 겸손하여 일컫는 말. 소생(小生). ㉢제자나 손아랫사람을 사랑스럽게 일컫는 말. ㉣벼슬 이름. 주(周)나라 때 하관(夏官)에 속하여 제사(祭祀)의 작은 일을 맡았음.
[小字 소자] ㉠어렸을 적의 이름. ㉡작은 글자.
[小姉 소자] 연소(年少)한 누이.
[小疵 소자] 조그마한 흠.
[小子後生 소자후생] 나이가 젊고 학문이 미숙한 사람.
[小作 소작] 《韓》 남의 땅을 소작료(小作料)를 주

고 농사지음.
[小酌 소작] 간소한 주연(酒宴).
[小作農 소작농]《韓》소작(小作)하는 농사. 또, 그 농부(農夫).
[小作料 소작료]《韓》소작인(小作人)이 지주(地主)에게 내는 사용료.
[小腸 소장] 위(胃)와 대장(大腸) 사이의 소화기. 십이지장(十二指腸)·공장(空腸)·회장(回腸)으로 구분함.
[小丈夫 소장부] ㉠마음이나 행동이 비루(鄙陋)한 사람. ㉡작은 남자.
[小才 소재] 조그마한 재주.
[小姐 소저] 아가씨. 작은아씨.
[小底 소저] ㉠어린 사람. ㉡사정(使丁). 소사(小使).
[小敵 소적] 적은 수의 적.
[小傳 소전] 간략하게 쓴 전기(傳記).
[小篆 소전] 한자(漢字) 서체(書體)의 하나. 진시황(秦始皇) 때 이사(李斯)가 대전(大篆)을 간략히 하여 만들었음. 혹은 정막(程邈)이 만들었다고도 함.
[小錢 소전] 청(淸)나라 때 쓰던 자그마한 황동전(黃銅錢).
[小節 소절] 조그마한 절개(節概). 사소한 의리(義理). 대절(大節)의 대(對).
[小艇 소정] 작은 배. 거룻배. 소주(小舟).
[小弟 소제] ㉠어린 아우. ㉡열 살 남짓한 연장자(年長者)에게 대(對)하여 자기를 일컫는 말. ㉢형에 대하여 자기를 일컫는 말.

[小篆]

[小鳥 소조] 작은 새.
[小照 소조] ㉠자그마한 사진(寫眞) 또는 화상(畫像). ㉡자기의 사진(寫眞)이나 화상(畫像)의 겸칭(謙稱).
[小朝廷 소조정] ㉠조정(朝廷)과 같은 규모의 것. 예컨대, 재사(才士)가 많이 모인 번진(藩鎭) 따위. ㉡굴욕을 감수(甘受)하는 약소국(弱小國)의 조정.
[小族 소족] 지체가 낮은 집안.
[小宗 소종] 대종(大宗)에서 갈린 방계(傍系).
[小坐 소좌] 궁중의 정침(正寢)의 곁에 있는 객실(客室).
[小舟 소주] 작은 배. 거룻배.
[小註 소주] 대주(大註) 아래에 잔글씨로 단 부주(副註). 잔주.
[小至 소지] 동지(冬至)의 전날.
[小指 소지] ㉠새끼손가락. ㉡새끼발가락.
[小智 소지] 작은 지혜.
[小盡 소진] 음력으로 29일의 달.
[小集 소집] ㉠소인수(小人數)의 모임. ㉡이사(移徙)의 축하연.
[小差 소차] 작은 차이(差異).
[小察 소찰] 잔일까지 살핌. 자질구레한 일까지 조사함.
[小參 소참]《佛敎》도(道)를 닦는 사람이 스승과 수시로 도에 관하여 문답하는 일.
[小冊 소책] 짧은 편지. 또, 작은 책.
[小冊子 소책자] 작은 책(冊).
[小妻 소처] 첩(妾). 소실.
[小天下 소천하] 천하가 좁다고 여김. 안계(眼界)가 넓음을 이름.
[小妾 소첩] 여자(女子)가 자기를 낮추어 일컫는 말.
[小草 소초] ㉠애기풀 곧 원지(遠志)의 별칭(別稱). ㉡학융(郝隆)이 사안(謝安)을 이 풀로 조롱(嘲弄)한 고사(故事)로 인하여, 자기의 겸칭(謙稱)으로 쓰임.
[小銃 소총] 작은 총(銃).
[小秋 소추] 첫가을. 초추(初秋).
[小醜 소추] 덕이 없는 사람들. 소인(小人)들.
[小畜 소축] 육십사괘의 하나. 곧, ☴〈건하(乾下)·손상(巽上)〉. 조금 저축하여 아직 베풀지 않는 상(象).
[小春 소춘] 음력 10월(月)경.
[小蟲 소충] 작은 벌레.
[小寢 소침] 천자(天子)·제후(諸侯)의 거소(居所)로서 노침(路寢)의 동서(東西)에 있는 것. 또, 후(后)·부인(夫人)의 정침(正寢)의 곁에 있는 것. 편전(便殿).
[小秤 소칭] 자그마한 저울.
[小貪大失 소탐대실] 작은 이익(利益)을 탐내다가 큰 이익을 잃음.
[小偸 소투] 좀도둑. 소도(小盜).
[小波 소파] 잔물결.
[小片 소편] 작은 조각.
[小布 소포] 무명 등으로 만든 과녁.
[小圃 소포] 남새 같은 것을 심는 작은 밭.
[小品 소품] 짤막한 글.
[小品文 소품문] 소품(小品).
[小學 소학] ㉠중국 삼대(三代) 때 아이들에게 가르친 예의(禮儀)·문자(文字) 등의 학문. 또, 그 학교. ㉡문자의 구성(構成)에 관한 학문. 자학(字學). ㉢유서(儒書)의 하나. 6편(編). 송(宋)나라의 주희(朱熹)의 편(編)이라 하나, 실은 그의 문인(門人) 유자징(劉子澄)의 저(著). 경서(經書)나 고금의 전기(傳記) 중에서 수신(修身) 도덕에 관한 이야기를 모은 것.
[小閑 소한] 소가(小暇).
[小閒 소한] 소가(小暇).
[小寒 소한] 이십사절기(二十四節氣)의 하나. 동지(冬至)와 대한(大寒) 사이에 있는 절기(節氣). 양력(陽曆) 1월 5일경.
[小巷 소항] 골목.
[小奚 소해] 나이 어린 종.
[小形 소형] 물건의 작은 형체.
[小荊 소형] 싸리나무.
[小慧 소혜] 작은 지혜. 소지(小智).
[小戶 소호] ㉠작은 집. ㉡가난한 집. ㉢주량이 적은 사람.
[小毫 소호] ㉠작은 터럭. ㉡털끝만 함. 아주 작음.
[小惑星 소혹성] 소유성(小遊星).
[小火 소화] 자그마한 화재.
[小話 소화] 짤막한 이야기.
[小會 소회] 소인수(小人數)의 모임.
[小茴香 소회향] 회향(茴香)의 한 가지. 산증(疝症)·요통 등의 약으로 씀.
[小醺 소훈] 술이 얼근히 취함. 훈훈(醺醺)함.
◉家小. 巨小. 輕小. 群小. 陋小. 短小. 膽大心小. 大兼小. 大小. 眇小. 微小. 薄小. 凡小. 山高月小. 細小. 少小. 蘇小. 鎖小. 瘦小. 弱小. 矮小. 窄小. 抄小. 最小. 縮小. 偏小. 狹小.

1 [少] 中人 소 ①-⑤㊤篠 書沼切 shǎo ⑥-⑨㊦嘯 失照切 shào
④

筆順 丿 小 小 少

字解 ①적을 소 많지 아니함. 또, 모자람. '羽兵食—'《漢書》. ②좀 소 다소. 약간. '吾子其—安'《左傳》. ③잠시 소 잠깐. '—焉'. '—則洋洋焉'《孟子》. ④적어질 소 줆. 또, 적게 함. '墾田減—'《後漢書》. ⑤적게여길 소 비난함. '皆—之'《史記》. ⑥젊을 소 나이가 젊음. 또, 어림. '—年'. '—, 幼—也'《廣韻》. '苞—好學'《南史》. ⑦젊은이 소 연소자. 또, 어린아이. '—長'. '王氏諸—皆佳'《晉書》. ⑧버금 소 부이(副貳). 또, 관명(官名) 같은 데에 장(長)을 돕는 벼슬의 접두어(接頭語)로 쓰임. '—師'. '於是爲置三—'《漢書》. ⑨성 소 성(姓)의 하나.

字源 甲骨文 金文 篆文 篆文 象形. 작은 점(點)의 象形으로, '적다'의 뜻.

[少間 소간] ㉠얼마 안 되어. 잠시 후. ㉡병이 약간 차도가 있음. ㉢틈. 틈새.
[少槩 소개] 개략(概略). 개요(概要).
[少客 소객] 신분이 낮은 나그네.
[少憩 소게] 잠깐의 휴식.
[少頃 소경] 잠깐 동안. 잠깐 사이에.
[少卿 소경] ㉠경(卿) 중의 연소자. ㉡관명(官名). 부(部)의 차관(次官)에 해당함.
[少君 소군] ㉠제후(諸侯)의 부인(婦人)의 일컬음. 소군(小君). ㉡신선(神仙). ㉢남의 아들의 일컬음.
[少妓 소기] 어린 기생.
[少女 소녀] 어린 계집아이. 또, 젊은 여자.
[少女風 소녀풍] 비가 오기 직전에 솔솔 불어오는 바람.
[少年 소년] 어린 사내아이. 또, 젊은이.
[少年登科 소년등과] 소년(少年)으로서 과거(科擧)에 급제(及第)함.
[少年輩 소년배] 나이가 어린 사람들. 소년(少年)들.
[少年易老學難成 소년이로학난성] 세월(歲月)은 빠르고 배우기는 어렵다는 뜻으로, 늙기 전(前)에 배우기를 힘쓰라는 말. 주희(朱熹)의 권학시(勸學詩)인 〈우성시(偶成詩)〉의 한 구절임.
[少得 소득] ㉠적은 이득. ㉡조그마한 선덕(善德).
[少來 소래] 젊을 때부터 지금까지.
[少量 소량] ㉠적은 분량(分量). ㉡좁은 도량(度量).
[少牢 소뢰] 양과 돼지의 두 희생(犧牲)을 갖춘 제사. 또, 그 음식. 소뢰(小牢). 태뢰(太牢)의 대(對).
[少留 소류] 잠깐 머묾.
[少陵 소릉] 성당(盛唐)의 시인 두보(杜甫)의 호(號). 소릉(少陵)에 살았던 까닭임.
[少吏 소리] 지위가 낮은 관리.
[少林寺 소림사] 허난 성(河南省)에 있는 절. 달마 대사(達磨大師)의 면벽구년(面壁九年)의 고적(古蹟)으로 이름 높음.
[少半 소반] 반보다 적음.
[少房 소방] 첩(妾)을 이르는 말.
[少輩 소배] 나이가 젊은 사람들.
[少保 소보] 주대(周代)의 관명(官名). 태보(太保)의 보좌역(補佐役). 삼고(三孤)의 하나.
[少府 소부] ㉠천자가 쓰는 물건을 넣어 두는 창고. 또, 그 창고를 맡은 벼슬. ㉡현위(縣尉)의 별칭(別稱). 현령(縣令)은 명부(明府)라 함.
[少婦 소부] ㉠나이가 젊은 부녀(婦女). ㉡젊은 아내.
[少傅 소부] 주대(周代)의 관명(官名). 태부(太傅)의 부관(副官). 삼고(三孤)의 하나.
[少不動念 소부동념] 조금도 마음을 움직이지 아니함.
[少不介意 소불개의] 조금도 개의하지 아니함.
[少不介懷 소불개회] 소불개의(少不介意).
[少不如意 소불여의] 조금도 뜻대로 되지 아니함.
[少不下 소불하] 적어도.
[少師 소사] 주대(周代)의 관명(官名). 태사(太師)의 부관(副官). 삼고(三孤)의 하나.
[少選 소선] 잠깐. 잠시.
[少小 소소] 나이가 젊음. 또, 그 사람.
[少少 소소] 조금.
[少數 소수] 적은 수효.
[少僧 소승] 젊은 중.
[少時 소시] 젊을 때.
[少艾 소애] 예쁜 소녀.
[少額 소액] 적은 액수.
[少言 소언] 말이 적음. 과묵(寡默)함.
[少焉 소언] 잠시 후에. 얼마 안 되어.
[少容 소용] 젊은 얼굴.
[少日 소일] 며칠 안 되는 날. 수일.
[少子 소자] 막내아들.
[少壯 소장] ㉠젊고 혈기가 왕성함. ㉡젊은이.
[少長 소장] ㉠젊은이와 늙은이. 아이와 어른. ㉡나이의 차례. ㉢나이를 좀 먹음.
[少將 소장] 육해공군의 무관의 관명(官名). 중장의 아래, 준장의 위.
[少壯不努力老大徒傷悲 소장불노력노대도상비] 젊을 때 힘쓰지 않으면 늙어서 한숨 쉬어도 아무 소용이 없음.
[少妾 소첩] 나이가 어린 첩.
[少許 소허] 조금.
[少昊 소호] 태고 시대(太古時代)의 제왕(帝王)의 이름. 황제(黃帝)의 아들. 이름은 효(孝). 호(號)는 금천씨(金天氏)라 함.
◉減少. 輕少. 寡少. 僅少. 老少. 多少. 單少. 童少. 耗少. 些少. 三少. 匙少. 鮮少. 疎少. 惡少. 語多品少. 年少. 幼少. 逸少. 最少. 乏少. 希少.

2 [尒] 〔이〕
⑤ 爾(爻部 十畫〈p.1369〉)와 同字

字源 篆文 象形. 아름답게 빛나는 꽃을 본뜬 것으로, '爾이'의 생략체.

2 [尓] 尒(前條)와 同字
⑤

2 [尔] 尒(前前條)와 同字
⑤

3 [尖] 高人 첨 ㊥鹽 子廉切 jiān
⑥

筆順 丿 小 小 小 尖 尖

字解 ①뾰족할 첨 끝이 날카로움. '—銳'. '子觜—如此'《揮麈錄》. 전(轉)하여, 날카로움. 초각(峭刻)함. '詩冷語多—'《姚合》. ②작을 첨 조

그마함. '萬點蜀山—'《杜甫》. ③끝 첨 ㉠뾰족한 끝. '筆—'. '我舌猶能及鼻—'《黃庭堅》. '城郭微茫見塔—'《薩都剌》. ㉡뾰족한 산봉우리. '縹緲浮靑—'《王安石》. ㉢손가락 끝. '酒半醺, 玉—搦管蘸香雲'《楊維楨》.

字源 會意. 小+大. '大대' 자(字) 위에 '小소' 자를 얹어, 밑이 크고 위로 가서 작아지는 물건을 나타내어, '뾰족함'의 뜻을 나타냄.

[尖端 첨단] ㉠뾰족한 물건의 맨 끝. ㉡시대의 사조(思潮)에 앞장서는 일.
[尖利 첨리] 끝이 뾰족하고 날카로움.
[尖尾 첨미] 뾰족한 물건의 맨 끝.
[尖兵 첨병] 종대(縱隊)의 선두에 서서 적정을 살피며 전진하는 소부대의 군사.
[尖纖 첨섬] 뾰족하고 가늚.
[尖袖 첨수] 좁은 소매.
[尖新 첨신] 유행의 앞장.
[尖銳 첨예] 첨리(尖利).
[尖圓 첨원] 끝이 날카롭고 둥긂.
[尖尖 첨첨] 끝이 뾰족한 모양.
[尖塔 첨탑] 끝이 뾰족한 탑.
[尖形 첨형] 끝이 뾰족한 형체.
◉眉尖. 蜂尖. 新尖. 十尖. 銳尖. 玉尖. 指尖. 靑尖. 翠尖. 塔尖. 筆尖.

3 ⑥ [尘] 〔진〕塵(土部 十一畫〈p.462〉)의 古字·簡體字

[当] 〔당〕 彐部 三畫(p.730)을 보라.

[光] 〔광〕 儿部 四畫(p.194)을 보라.

3 ⑥ [朩] 숙 ㊅屋 式竹切 shū(shú)

字解 콩 숙 菽(艸部 八畫)과 同字. '—, 豆也'《說文》.

字源 篆文 象形. 지상(地上)의 두 잎, 지하에 뿌리를 뻗은 콩을 본뜬 모양으로, '콩'을 뜻함.

4 ⑦ [尖] 〔사〕 些(二部 五畫〈p.82〉)와 同字

4 ⑦ [尝] 〔당〕 當(田部 八畫〈p.1472〉)의 俗字

[肖] 〔초〕 肉部 三畫(p.1836)을 보라.

5 ⑧ [尙] 中人 상 ㊄漾 時亮切 shàng 尚 𫩠

筆順 丨 ⺌ 尙 ...

字解 ①오히려 상 猶(犬部 九畫)와 뜻이 같음. '雖無老成人, —有典刑'《詩經》. ②바랄 상 원함. 바라건대. '—饗'. '不—息焉'《詩經》. ③숭상할 상 높이 여김. '—武'. '夏后氏—黑'《禮記》. ④더할 상 보탬. '好仁者, 無以—之'《論語》. ⑤자랑할 상 자만함. '君子不自—其功'《禮記》. ⑥주관할 상 맡아 함. '—衣'. '—符節'《史記》. ⑦장가들 상 공주(公主)에게 장가듦. '娶天子女, 曰—公主'《漢書》. ⑧짝지을 상 부부가 됨. '卓王孫, 喟然而歎, 自以得使女—司馬長卿晚'《史記》. ⑨높일 상 높게 함. 고상하게 가짐. '何謂—志. 曰仁義而已矣'《孟子》. ⑩꾸밀 상 장식함. '—之以瓊華'《詩經》. ⑪오랠 상 오래됨. '樂之所由來者—也'《呂氏春秋》. ⑫받들 상 봉승(奉承)함. '得—君之玉音'《司馬相如》. ⑬예〔古〕 상 上(一部 二畫)과 통용. '—友'. '—者, 上也, 言此上代以來書, 故曰—書'《書經序 疏》. ⑭좋아할 상 '其爲人也, 剛而—寵'《國語》. ⑮그리워할 상 '—前良之遺風兮'《後漢書》. ⑯성 상 성(姓)의 하나.

字源 金文 篆文 會意. 八+向. '八팔'은 신기(神氣)가 내리는 모양, '向향'은 집 안에서 비는 모양을 본뜸. '바라다, 숭상하다'의 뜻을 나타냄.

[尙古 상고] 옛적의 문물(文物)을 숭상(崇尙)함.
[尙古主義 상고주의] 옛적 문물(文物)을 숭상(崇尙)하여 이것으로 표준(標準)을 삼고자 하는 주의(主義).
[尙宮 상궁] 조선(朝鮮) 때 여관(女官)의 정오품(正五品) 이상의 벼슬.
[尙鬼 상귀] 죽은 사람의 영혼을 숭상함.
[尙今 상금] 지금까지.
[尙年 상년] '상치(尙齒)'와 같음.
[尙農派 상농파] 경제 정책상 농업(農業)을 주로 하는 학파(學派). 중농파(重農派).
[尙論 상론] 고인(古人)의 언행·인격을 논함.
[尙武 상무] 무용(武勇)을 숭상(崇尙)함.
[尙文 상문] 문필(文筆)을 숭상함.
[尙方 상방] ㉠천자가 쓰는 기물(器物)을 맡은 벼슬. 일설에는, 천자가 쓰는 기물(器物)을 만드는 곳. ㉡궁정의 의약(醫藥)을 맡은 벼슬.
[尙父 상보] 주(周)나라의 현신(賢臣)인 태공망(太公望) 여상(呂尙)의 존호(尊號).
[尙商派 상상파] 경제 정책상 상업을 주로 하는 학파(學派). 중상파(重商派).
[尙書 상서] ㉠서경(書經)의 별칭. ㉡상서성(尙書省)의 장관. 진(秦)나라 때에 천자(天子)와 조신(朝臣) 간의 문서(文書)의 수수(授受)를 맡았을 뿐이었으나 군명(君命)의 출납(出納)을 맡은 요직(要職)이기 때문에 대(代)를 내려올수록 지위가 높아져 당(唐)나라 때에 이르러서는 육부(六部)의 장관(長官)의 명칭으로 되었음.
[尙瑞院 상서원] 조선(朝鮮) 때 새보(璽寶)·부첩(符牒)·절(節)·월(鉞) 등을 맡은 관아(官衙).
[尙食 상식] 천자의 식사를 맡은 벼슬. 진(秦)나라 때부터 생겼음.
[尙佯 상양] 어슷거려 노닒.
[尙友 상우] 거슬러 올라가 옛날의 어진 사람을 벗으로 삼음.
[尙子 상자] 장자(長子).
[尙章 상장] 십간(十干)의 계(癸)의 별칭(別稱). 소양(昭陽).
[尙早 상조] 시기가 아직 이름. 때가 아직 덜 됨.
[尙主 상주] 천자(天子)의 딸을 아내로 삼음.
[尙志 상지] 뜻을 고상하게 가짐.
[尙齒 상치] 노인을 존경함.
[尙齒會 상치회] 노인을 모아 나이 차례로 앉히고, 시가(詩歌)를 지어 즐겁게 놀도록 하는 회.

당(唐)나라의 회창(會昌) 5년에 백거이(白居易)가 처음으로 열었음.

[尙賢 상현] 어진 사람을 존경(尊敬)함.

◉嘉尙. 格尙. 高尙. 誇尙. 驕尙. 邱壑尙. 貴尙. 矜尙. 氣尙. 敦尙. 微尙. 奢尙. 素尙. 修尙. 夙尙. 崇尙. 雅尙. 意尙. 林尙. 宗尙. 志尙. 淸尙. 推尙. 趣尙. 風尙. 好尙. 和尙. 欽尙.

5 ⑧ [尚] 尙(前條)과 同字

7 ⑩ [𡭴] 극 [入]陌 綺戟切 xì

[字解] 벽틈 극 벽(壁) 사이의 틈. '一, 壁際孔也'《六書正譌》.

[字源] 會意. 白+小+小

8 ⑪ [𡭲] 𡭴(前條)의 本字

[雀] 〔작〕 隹部 三畫(p.2480)을 보라.

[常] 〔상〕 巾部 八畫(p.676)을 보라.

[堂] 〔당〕 土部 八畫(p.451)을 보라.

9 ⑫ [寮] 〔료〕 燎(火部 十二畫〈p.1355〉)와 同字

10 ⑬ [尟] 선 [上]銑 息淺切 xiǎn

[字解] 적을 선 鮮(魚部 六畫)과 同字.

[字源] [篆文] 會意. 是+少. '是시'는 숟가락을 본뜬 것. 숟가락 하나 정도로 적다의 뜻을 나타냄. '尠'은 別體.

[尟少 선소] 적음.

10 ⑬ [尠] 尟(前條)의 俗字

[字源] 會意. 少+甚. '몹시 적다'의 뜻. '尟'의 別體. 예전에는 '是'와 '甚'의 자형(字形)이 비슷했으므로, 두 글자가 생긴 것 같음.

[賞] 〔상〕 貝部 八畫(p.2201)을 보라.

尢(尣兀) (3획) 部
〔절름발이왕부〕

0 ③ [尢] 왕 [平]陽 烏光切 wāng

[筆順] 一 ナ 尢

[字解] ①절름발이 왕 정강이뼈가 굽어 있음. 또, 그러한 사람. 尣(次次條)과 同字. ②곱사등이 왕 구루(傴僂).

[字源] [古文] [篆文] 象形. '大대'가 어른이 서 있는 모양인 데 대하여, 정강이뼈가 구부러진 사람을 본뜬 것. '절름발이'의 뜻을 나타냄. '尪왕'이 통용자(通用字)임.

[參考] ①尪(尢部 四畫)과 同字. ②'尢'을 기본으로 발이나 걸음이 정상이 아니라는 뜻의 문자를 이룸. '尣·兀'은 모두 '尢'의 이체자(異體字)로, 변으로 쓰일 때에는 이 세 자체(字體)가 있음.

0 ③ [兀] 尢(前條)과 同字

[參考] 兀(儿部 一畫)은 別字.

0 ④ [尣] 尢(前前條)과 同字

0 ④ [𡯁] 〔왕〕 尢(部首〈p.616〉)과 同字

1 ④ [尤] [中人] 우 [平]尤 羽求切 yóu

[筆順] 一 ナ 尢 尤

[字解] ①더욱 우 가장. '一甚'. '一精物理'《晉書》. 또, 가장 뛰어난 것. '拔其一'《韓愈》. ②허물 우 과실. '愆一'. '忍一而攘詬'《楚辭》. ③탓할 우 원망함. '不怨天, 不一人'《論語》. ④나무랄 우 책망함. 비난함. '一而效之'《左傳》. ⑤망설일 우 주저함. '遲疑不決爲一豫'《六書正譌》. ⑥가까이할 우 '野花芳草奈相一'《羅隱》. ⑦성 우 성(姓)의 하나.

[字源] [甲骨文] [金文] [篆文] 指事. 손끝에 가로획을 그어, 이변(異變)으로서 '나무람'의 뜻을 나타냄.

[尤功 우공] 뛰어난 공적.
[尤詬 우구] 나무라서 부끄럽게 함. 치욕(恥辱).
[尤隙 우극] 말다툼. 불화(不和).
[尤極 우극] 더욱.
[尤妙 우묘] 더욱 묘(妙)함.
[尤物 우물] 가장 훌륭한 사람. 후세(後世)에는 미인(美人)을 이름.
[尤甚 우심] 더욱 심(甚)함.
[尤異 우이] 극히 훌륭함. 대단히 뛰어남.
[尤而效之 우이효지] 남의 과실을 나무라면서 자기도 그 과실을 저지름.
[尤者 우자] 뛰어난 것.
[尤著 우저] 더욱 나타남. 아주 뚜렷함.
[尤最 우최] 가장 훌륭함. 상지상(上之上). 최상(最上).
[尤悔 우회] 허물과 후회.

◉慢尤. 殊尤. 愆尤. 怨尤. 出尤. 瑕尤. 效尤.

4 ⑦ [尨] [人名] 방 [平]江 莫江切 máng, ③páng [平]東 謨蓬切 méng

[字解] ①삽살개 방 털이 더부룩한 개. '一狗'. '無使一也吠'《詩經》. ②얼룩얼룩할 방 빛이 얼룩얼룩함. '衣之一服'《左傳》. ③클 방 厖(厂部 七畫)과 통용. '一大'. ④섞일 방 '一, 一日, 雜也'《集韻》. '一眉皓髮'《後漢書》. ⑤산란할 방

어지러이 뒤섞임. '狐裘一茸'《左傳》.
字源 甲骨文 篆文 象形. 털북숭이 개의 모양을 본 떠, '삽살개'의 뜻.

[尨犬 방견] 삽살개.
[尨狗 방구] 삽살개.
[尨大 방대] 두툼하고 큼.
[尨服 방복] 잡색(雜色)의 옷.
[尨然 방연] 두툼하고 큰 모양.
[尨茸 방용] 털 따위가 흩어진 모양. 산란한 모양.
[尨雜 방잡] 털 따위가 어지럽게 뒤섞임.

4 ⑦ [尬] 개 ㊀卦 古拜切 jiè

字解 절름발이 개 '尷一, 行不正也'《說文》.
字源 篆文 形聲. 尢+介〔音〕. '介개'는 서로 헤어짐의 뜻.

4 ⑦ [尪] 尩(次次條)과 同字

字源 篆文 形聲. 尢+㞷〔音〕. '㞷왕'은 '枉'과 통하여, 굽다의 뜻. 절름발이의 뜻을 나타냄.

4 ⑦ [尫] 尩(次條)의 俗字

4 ⑧ [尩] 왕 ㊥陽 烏光切 wāng

字解 ①절름발이 왕. ②곱사등이 왕 '一傴'. ③약할 왕 병약함. '一弱'. '人固有一羸而壽考'《韓愈》.
字源 形聲. 尣+王〔音〕. '尣왕'은 절름발이를 본뜬 것. '王왕'은 '枉왕'과 통하여, '굽다'의 뜻. 보행이 부자유한 사람의 뜻을 나타냄.

[尩傴 왕구] 꼽추.
[尩陋 왕루] 약함. 왕약(尩弱).
[尩羸 왕리] 약하고 파리함.
[尩病 왕병] 약하여 잘 앓음.
[尩闇 왕암] 몸이 약하고 재주가 어두움. 나약하고 우매함.
[尩弱 왕약] 약함. 허약(虛弱)함.
[尩弊 왕폐] 약하여 피로함.

8 ⑪ [尮] ━ 격 ━ 극 ㊇陌 巨逆切 jì

字解 ━ 싫증날 격, 고달플 격 '一, 倦一也'《玉篇》. ━ 싫증날 극, 고달플 극 ㊀과 뜻이 같음.

8 ⑪ [尰] ━ 퇴 ㊀隊 他內切 tuǐ ━ 위(귀㊍) ㊤紙 苦委切 kuì

字解 ━ 풍질 퇴 '尵一'는 지금의 류머티즘. '尵一, 風疾'《集韻》. ━ 진력날 위, 절름발이 위 尯(尢部 六畫)와 同字. '尯, 博雅, 倦也. 一曰, 跛也. 或从委'《集韻》.

8 ⑪ [尵] ━ 기 ①㊥支 居倚切 jǐ ②㊀寘 卿義切 ━ 의 ㊤紙 隱綺切

字解 ━ ①절름발이 기 한쪽 발의 병신. 踦(足部 八畫)와 同字. '一, 一足. 又作踦'《廣韻》. ②진력날 기, 고달플 기 '一, 倦也'《集韻》. ━ 절름발이 의 ㊀❶과 뜻이 같음.

9 ⑫ [尰] 종 ㊤腫 時冗切 zhǒng

字解 ①수종다리 종 발이 붓는 병. '腫足爲一'《詩經傳》. ②부을 종 발이 부음. '旣微且一'《詩經》.

9 ⑫ [就] 中人 취 ㊀宥 疾僦切 jiù

筆順 亠 古 亨 京 京一 就 就 就

字解 ①이룰 취 성사함. '成一'. '日一月將'《詩經》. ②좇을 취 따름. '從一'. '先王之制禮也, 過者使俯而一之'《禮記》. ③나갈 취 ㉠일자리 또는 벼슬자리에 나아감. '一業'. '吾不以一日輟汝一也'《韓愈》. ㉡향하여 감. '猶水之一下'《孟子》. ④마칠 취 끝마침. '一世'(죽는다는 뜻). '每嗟陵早一'《南史》. ⑤능히 취 능(能)하게. '一用命焉'《左傳》. ⑥곧 취 즉시(卽時). '一加詔許之'《晉書》. ⑦가령 취 가정하여. 가사(假使). '一令'으로 연용(連用)하기도 함. '一其能鳴者'《韓愈》. ⑧성 취 성(姓)의 하나.
字源 篆文 籀文 會意. 京+尤. '京경'은 높은 건물을 본뜬 모양. '尤우'는 개의 象形. 고귀한 사람의 집에서 기르는 지키는 개의 모양에서, 어떤 자리에 나가다, 앉다의 뜻을 나타냄. 또, 사물(事物)이 목적 점에 이름의 뜻에서, '되다, 이루어지다'의 뜻도 나타냄.

[就眠 취면] 잠을 잠.
[就木 취목] 관에 들어감. 죽음.
[就縛 취박] 잡힘. 잡혀서 묶임.
[就緖 취서] 사업(事業)의 첫발을 내디딤. 성공(成功)의 실마리가 열림. 길이 열림.
[就世 취세] 죽음. 즉세(卽世).
[就囚 취수] 옥(獄)에 갇힘.
[就養 취양] ㉠부모의 곁에서 음식 따위를 돌보아 드림. ㉡관리의 몸으로 부모가 고령(高齡)이기 때문에 사직하고 귀향하여 봉양함.
[就業 취업] 업무를 봄. 업에 종사함.
[就褥 취욕] 잠자리에 듦.
[就任 취임] 임무(任務)에 나아감.
[就將 취장] 학문(學問)이 날로 이루어지고 날로 나아감. 학문이 나날이 진보함. 일취월장(日就月將).
[就籍 취적] 호적(戶籍)에 빠진 사람이 입적(入籍)함.
[就正 취정] ㉠유도(有道)한 사람에게 나아가서 시비(是非)를 질정(質正)함. ㉡시문(詩文)의 첨삭(添削)을 청함.
[就第 취제] 사택(私宅)으로 돌아감. 곧, 관직(官職)을 사퇴(辭退)함. 사직함.
[就中 취중] 그중에서 특별히.
[就職 취직] ㉠직업(職業)을 얻음. ㉡취업(就業).
[就捉 취착] 잡힘.
[就寢 취침] 잠을 잠.
[就學 취학] 학교(學校)에 들어가서 공부를 함. 스승에게 나아가서 학문(學問)을 배움.
[就閑 취한] 한지(閑地)에서 조용히 한적(閑寂)함을 즐김.
[就航 취항] 항해하기 위하여 배가 떠남.
◉去就. 近就. 晩就. 成就. 夙就. 旬日就. 曜就.

從就. 勳業就.

10 ⑬ [尳] [一] 골 [入]月 古忽切 gǔ
[二] 활 [入]黠 戶骨切 gǔ

[字解] [一] ①무릎병 골 '—, 膝病'《廣韻》. ②뼈 삘 골 탈골(脫骨). '—, 聲類曰, 骨差也'《玉篇》. [二] 발병 활 '—, 足病'《集韻》.
[字源] 形聲. 尢+骨〔音〕

10 ⑬ [尲] [一] 감 [平]咸 古咸切 gān
[二] 겸 [平]鹽 紀炎切 jiān

[字解] [一] ①비틀거릴 감 똑바로 나가지 못함. '—尬, 行不正也'《說文》. ②어긋날 감 어그러짐. '今蘇州俗語, 謂事乖刺者, 曰—尬'《說文段注》. [二] 비틀거릴 겸, 어긋날 겸 [一]과 뜻이 같음.
[字源] 篆文 形聲. 尢+兼〔音〕. '兼겸'은 겹쳐져 뒤엉킴의 뜻. 발이 꼬여 나아가지 못함.

12 ⑮ [尵] 퇴 [平]灰 杜回切 tuí

[字解] 말앓을 퇴, 말병 퇴 말〔馬〕에 생기는 병(病). '—, 馬病也'《玉篇》.
[字源] 形聲. 尢+穨〈省〉〔音〕. '穨퇴'는 '쇠(衰)함'의 뜻.

12 ⑮ [⿸尢童] 〔종〕 ①尰(尢部 九畫〈p. 617〉)과 同字. ②瘇(疒部 十二畫〈p. 1494〉)의 籀文.

14 ⑰ [尷] 〔감〕 尲(尢部 十畫〈p. 618〉)과 同字

19 ㉓ [⿸尢羸] [一] 라 [去]箇 魯過切 léi
[二] 리 [平]支 力爲切 léi
[三] 란 [平]刪 力頑切 luán

[字解] [一] 무릎병 라 '—, 膝病'《廣韻》. [二] 무릎병 리 [一]과 뜻이 같음. [三] ①무릎병 란 '—⿸尢雚'은 무릎의 병. '—⿸尢雚, 膝病'《集韻》. ②허리무릎아플 란 '—⿸尢雚'은 허리나 무릎이 아픔. '—⿸尢雚, 膂膝病也'《廣韻》.
[字源] 形聲. 尢+羸〔音〕

尸 (3획) 部
〔주검시부〕

0 ③ [尸] [人名] 시 [平]支 式脂切 shī

[筆順] ㄱ ㅋ 尸

[字解] ①주검 시 시체. '—解'. 또, 죄인의 시체를 여러 사람이 보도록 늘어놓음. '殺三郤而—諸朝'《國語》. ②시동(尸童) 시 제사 때 신(神)을 대신하는 아이. 후세에는 화상(畫像)을 썼음. '弟爲—則誰敬'《孟子》. ③신주 시 위패(位牌). '載—集戰'《楚辭》. ④주장할 시 주관함. '誰其—之'《詩經》. ⑤진칠 시 진(陣)을 침. '荊—'. ⑥성 시 성(姓)의 하나.
[字源] 金文 篆文 篆文 象形. 죽어서 손발을 뻗은 사람을 본뜬 모양으로, '주검'의 뜻을 나타냄. '屍시'의 原字.
[參考] 문자로서는 시체를 의미하지만, 문자의 요소로서는 인체(人體)를 나타내고 있는 경우가 많음. 또, 가옥(家屋)이나 신발에 관한 문자로 '尸'가 붙는 것이 있음.

[尸諫 시간] 위(衞)나라 사어(史魚)가 생전(生前)에 그가 섬기던 임금 영공(靈公)에게 소인(小人) 미자하(彌子瑕)를 물리치고 거백옥(蘧伯玉)을 등용하도록 진언(進言)한 충간(忠諫)이 용납(容納)되지 않음을 슬퍼하여, 사후(死後)에 박장(薄葬)하여 달라고 유언(遺言)하여 마침내 임금을 감동(感動)시키어 충간(忠諫)을 받아들이도록 한 고사(故事)에서 나온 말로, 죽은 후에도 임금을 간함을 이름.
[尸官 시관] 시위소찬(尸位素餐)의 관원(官員).
[尸童 시동] 옛날에 제사(祭祀) 때 신위(神位) 대신으로 쓰던 동자(童子).
[尸祿 시록] 시위소찬(尸位素餐).
[尸利 시리] 자기 지위(地位)에 대한 책임(責任)을 다하지 아니하고 자기 이익만 바람.
[尸素 시소] 시위소찬(尸位素餐).
[尸位素餐 시위소찬] 벼슬자리에 있어 그 직책(職責)을 다하지 못하고 녹(祿)만 타 먹는 사람을 이르는 말.
[尸咽 시인] 목젖이 가렵고 아픈 병.
[尸坐齋立 시좌재립] 시동(尸童)처럼 앉고 재계(齋戒)할 때처럼 선다는 뜻으로, 몸가짐이 대단히 단정하고 신중함을 이름.
[尸解 시해] 도가(道家)의 술수(術數)의 이름. 몸만 남기어 놓고 혼백(魂魄)이 빠져 가 버린다는 뜻으로, 신선(神仙)으로 화(化)함을 이름.
◉三尸. 上尸. 中尸. 下尸. 荊尸.

0 ③ [𡰣] 尸(前條)의 本字

1 ④ [尺] [中·人] 척 [入]陌 昌石切 chǐ

[筆順] ㄱ ㅋ 尸 尺

[字解] ①자 척 ㉠길이의 단위. 열 치. '十寸爲—'《漢書》. ㉡길이를 재는 자. '掘地得古銅—'《晉書》. ㉢근소·약간의 뜻으로 쓰임. '—土'. ②길이 척 긴 정도. '—度'. '布帛幅—'《陳書》. ③편지 척 '—素'. '—牘'. '欲憑書—問寒溫'《韓駒》.
[字源] 篆文 象形. 엄지와 나머지 네 손가락과의 사이를 벌려 길이를 재는 꼴이라고도 하고, 팔꿈치의 모양이라고 하기도 하는데, 사람을 옆에서 본 모양을 본뜨며, 두 발 사이의 길이, 보폭(步幅)만큼의 길이의 단위를 나타냄.

[尺簡 척간] 편지. 척독(尺牘).
[尺縑 척겸] 얼마되지 않는 비단.
[尺度 척도] ㉠자. ㉡길이. ㉢계량(計量)의 표준.
[尺牘 척독] 편지(便紙).
[尺童 척동] 10세 내외의 아이.
[尺量 척량] 물건을 자로 잼.

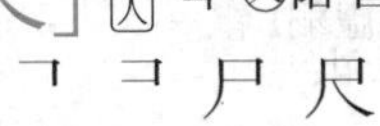

[尺璧 척벽] 직경이 1척(尺) 되는 보옥(寶玉).
[尺兵 척병] 짧은 무기. 척철(尺鐵).
[尺山寸水 척산촌수] '척오촌초(尺吳寸楚)'와 같음.
[尺書 척서] ㉠편지. ㉡간단한 문서.
[尺雪 척설] 많이 쌓인 눈.
[尺素 척소] 척서(尺書). 척독(尺牘). 소(素)는 백(帛).
[尺水 척수] 얼마 안 되는 물. 얕은 물.
[尺吳寸楚 척오촌초] 넓은 지역도 높은 곳에서 멀리 바라보면 심(甚)히 작게 보인다는 말.
[尺有所短寸有所長 척유소단촌유소장] 슬기가 있는 사람도 일에 따라서는 어리석은 사람만 못하고, 어리석은 사람도 때에 따라서는 슬기가 있는 사람보다 나음을 비유(比喩)한 말.
[尺刃 척인] 자그마한 칼.
[尺一 척일] 조칙(詔勅)을 베끼는 목판(木版). 길이 한 치 한 자. 전(轉)하여, '조칙'의 별칭(別稱).
[尺楮 척저] 편지(便紙).
[尺地 척지] 척토(尺土).
[尺鐵 척철] 짧은 무기. 촌철(寸鐵). 척병(尺兵).
[尺寸 척촌] 한 자와 한 치. 전(轉)하여, 수량·거리 등이 얼마 안 됨을 이름.
[尺寸之兵 척촌지병] 짧은 병장기.
[尺寸之效 척촌지효] 조그마한 공적(功績).
[尺土 척토] 얼마 안 되는 땅.
[尺八 척팔] 피리의 일종(一種). 길이 한 치 여덟 자.
[尺翰 척한] 서한(書翰). 척독(尺牘).
[尺蠖 척확] 자벌레.
[尺蠖屈以求信 척확굴이구신] 자벌레가 몸을 구부리는 것은 장차 뻗기 위함이라는 뜻으로, 사람도 후일(後日)에 성공하기 위하여서는 간난신고(艱難辛苦)를 참고 견디어 나가야 함을 이름. 신(信)은 신(伸).
◉竿尺. 鯨尺. 曲尺. 詘寸信尺. 卷尺. 刀尺. 法尺. 三尺. 書尺. 繩尺. 咫尺. 指尺. 進寸退尺. 天威咫尺. 縮尺. 布尺. 幅尺. 畫尺.

1 ④ [尹] [人名] 윤 ㊤軫 余準切 yǐn

[筆順] ㇕ ㇕ ㇖ 尹

[字解] ①미쁠 윤, 미쁨 윤 신의가 있음. 신의. '孚—旁達, 信也'《禮記》. ②다스릴 윤 다스려 바로잡음. '—, 治也'《說文》. '以—天下'《左傳》. ③벼슬 윤, 벼슬이름 윤 관직. 또, 관리. 관명(官名). 옛날에는 이 자를 붙인 관명이 많았음. 예컨대, '師—'. '令—'. '詹—'. '奄—' 따위. 후세에도 '京兆—'. '道—' 등이 있음. '庶—允'《書經》. ④관장할 윤 주장함. '芮—江湖'《漢書》. ⑤나아갈 윤 '—, 進也'《廣韻》. ⑥포(脯) 윤 건육(乾肉). '—祭'. ⑦성 윤 성(姓)의 하나.

[字源] 甲骨文 金文 篆文 古文 象形. 신성한 것을 손에 넣는 모양을 본뜨며, 씨족(氏族)의 장(長)의 뜻에서, '장관(長官)', 또 '다스리다'의 뜻을 나타냄.

[尹司 윤사] 벼슬아치.
[尹祭 윤제] 종묘(宗廟)의 제사에 쓰는 포(脯).
◉卿尹. 官尹. 關尹. 師尹. 庶尹. 奄尹. 閹尹. 令尹. 里尹. 詹尹.

2 ⑤ [尻] [人名] 고 ㊥豪 苦刀切 kāo

[字解] 꽁무니 고 ㉠등골뼈의 끝진 곳. 또, 엉덩이. '兔去—'《禮記》. ㉡끝. 말단. '其—安在'《楚辭》.

[字源] 篆文 形聲. 尸(尸)+九〔音〕. '九구'는 구부러져 막다른 곳이 됨의 뜻. 인체(人體)의 가장 깊숙한 끝에 있는 구멍, '꽁무니'의 뜻을 나타냄.

[尻驛典 고역전] 신라 때 우역(郵驛)에 관한 일을 맡아보던 관아.
[尻坐 고좌] 궁둥이를 땅에 대고 무릎을 세워 앉음. 웅크리고 앉음.
◉黑尻.

2 ⑤ [尼] [人名] 니 ①②㊥支 女夷切 ní ③④㊇質 尼質切 nǐ

[字解] ①신중 니 여승(女僧). '—僧'. '比丘—'《金剛經》. ②성 니 성(姓)의 하나. ③가까울 니 昵(日部 五畫)의 고자(古字). '悅—而來遠'《尸子》. ④정지시킬 니 그치게 함. '行或使之, 止或—之'《孟子》.

[字源] 篆文 會意. 尸(尸)+匕. '尸시'도 '匕비'도 모두 사람의 象形으로, 사람과 사람이 가까이함의 뜻을 나타냄. 또, 범어(梵語)를 한역(漢譯)한 비구니(比丘尼)의 약칭(略稱)으로서, '여승'의 뜻도 나타냄.

[尼姑 이고] 이승(尼僧).
[尼房 이방] 여승(女僧)의 방.
[尼法師 이법사] 여자 법사.
[尼父 이보] 공자(孔子)의 존칭.
[尼寺 이사] 이원(尼院).
[尼僧 이승] 여승(女僧).
[尼院 이원] 여승(女僧)이 있는 절.
◉陀羅尼. 摩尼. 牟尼. 比丘尼. 毗尼. 沙彌尼. 宣尼. 僧尼. 惡邪尼. 仲尼. 芻尼.

2 ⑤ [𡰥] [一] 즉 ㊇職 玆力切 [二] 년 ㊤銑 尼展切 niǎn [三] 연 ㊤銑 而兗切 niǎn

[字解] [一] 다스릴 즉 '—, 理也'《玉篇》. [二] ①가죽 다룰 년 무두질함. '—, 柔皮也'《說文》. ②약할 년 유약(柔弱)함. '—, 弱也'《廣韻》. [三] 가죽다룰 연, 약할 연 [二]와 뜻이 같음.

[字源] 會意. 尸(尸)+又

2 ⑤ [𡰯] [一] 〔이〕夷(大部 三畫〈p.501〉)의 古字 [二] 〔인〕仁(人部 二畫〈p.95〉)의 古字

2 ⑤ [卢] 〔로〕 盧(皿部 十一畫〈p.1525〉)의 簡體字

3 ⑥ [㞙] 〔알〕 歺(歹部 0畫〈p.1146〉)의 古字

3 ⑥ [尽] 〔진〕 盡(皿部 九畫〈p.1523〉)의 俗字

4 ⑦ [尾] [中人] 미 ㊤尾 無匪切 wěi, yǐ

筆順 ㄱ ㅋ 尸 尸 尸 尸 尾

字解 ①꼬리 미 '一大不掉'《左傳》. '狐濡其一'《易經》. ②끝 미 '末一'. '帝大署其一'《唐書》. ③뒤 미 뒤쪽. '吾等宜附其一'《北史》. ④바닥 미 샘의 바닥. '瀵, 大出一下'《爾雅》. ⑤다할 미 '一, 盡也'《揚子方言》. ⑥뒤밟을 미 '一行'. ⑦별이름 미 이십팔수(二十八宿)의 하나. 창룡 칠수(蒼龍七宿)의 여섯째 성수(星宿)로서, 열아홉 별로 구성되었음. 미수(尾宿). '龍一伏辰'《左傳》. ⑧흘레할 미 '交一'. '鳥獸孳一'《書經》. ⑨마리 미 물고기를 세는 수사(數詞). '肥魚斫千一'《李觀》.

字源 篆文 會意. 尸+毛. '尸시'는 짐승의 엉덩이의 象形의 변형된 것. '毛모'를 붙여, 털이 있는 '꼬리'의 뜻을 나타냄.

[尾擊 미격] 추격(追擊).
[尾騎 미기] 뒤를 쫓아오는 기병(騎兵). 추기(追騎).
[尾大不掉 미대부도] 꼬리가 커서 흔들기가 어렵다는 뜻으로, 신하(臣下)의 세력이 강하여 군주(君主)가 자유로이 제어(制御)할 수 없음을 이름.
[尾閭 미려] ㉠대해(大海) 밑에 있는, 해수(海水)가 쉴 사이 없이 샌다는 곳. ㉡미저골(尾骶骨).
[尾參 미삼] 인삼(人參)의 잔뿌리.
[尾生之信 미생지신] 옛적에 미생(尾生)이란 사람이 한 여자와 다리 밑에서 만나자는 약속이 있어 그곳에서 기다리는데, 때마침 큰비가 와 물이 불어도 가지 아니하고 기다리다가 마침내 다리의 기둥을 껴안고 익사(溺死)하였다는 고사(故事). 전(轉)하여, 약속을 굳게 지키고 변하지 아니함. 또는, 우직(愚直)함 등의 뜻으로 쓰임.
[尾扇 미선] 부채의 일종. 대를 실같이 가늘게 쪼개어 살로 하여 둥글게 실로 엮은 다음에 안팎을 종이로 바른 것.
[尾星 미성] ㉠미수(尾宿). ㉡혜성(彗星).
[尾宿 미수] 자해(字解) ❼을 보라.
[尾骶骨 미저골] 꽁무니뼈.
[尾行 미행] 몰래 뒤를 따라감.
◉交尾. 鳩尾. 箕尾. 驥尾. 婪尾. 大尾. 掉尾. 魴魚赬尾. 鼠尾. 燒尾. 瑣尾. 首尾. 修尾. 試尾. 壓尾. 鳶尾. 燕尾. 龍頭蛇尾. 龍尾. 孳尾. 字首字尾. 紙尾. 塵尾. 徹頭徹尾. 追尾. 雉尾. 鴟尾.

4 ⑦ [尿] 人名 뇨 ㊀嘯 奴弔切 niào

字解 오줌 뇨 소변. '糞一'.

字源 篆文 會意. 篆文은 尾+水. 꽁무니에서 나오는 물, '오줌'의 뜻을 나타냄. '尿'는 그 생략체.

[尿道 요도] 오줌이 나오는 길. 오줌이 방광(膀胱)에서 체외(體外)로 나오게 된 속이 빈 관.
[尿毒症 요독증] 신장염(腎臟炎)으로 오줌이 잘 나오지 못하여 해로운 물질이 피 속에 섞여 중독(中毒)된 병증(病症).
[尿意 요의] 오줌이 마려운 느낌.
[尿精 요정] 오줌에 정수(精水)가 섞여 나오는 병.
[尿閉 요폐] 하초열(下焦熱)로 오줌이 막히는 병(病).
[尿血 요혈] 오줌에 피가 섞여 나오는 병(病).
◉檢尿. 排尿. 糞尿. 泌尿. 屎尿. 夜尿. 血尿.

4 ⑦ [屁] 비 ㊀寘 匹寐切 pì

字解 방귀 비 똥구멍으로 나오는 구린내 나는 가스. '放一'. '一, 氣下洩也'《廣韻》.

字源 形聲. 尸+比〔音〕. '尸시'는 사람의 꽁무니. '比'는 의성어(擬聲語).

[屁眼 비안] 항문(肛門).
◉放屁. 撒屁.

4 ⑦ [眉] 〔간〕 看(目部 四畫〈p. 1534〉)과 同字

4 ⑦ [局] 高人 국 ㊅沃 渠玉切 jú

筆順 ㄱ ㅋ 尸 月 局 局 局

字解 ①방 국 구획한 한 방(房). '宮一總來爲喜樂'《王建》. 전(轉)하여, 구분·구획의 뜻으로 쓰임. '一部'. '不敢越一'《晉書》. ②마을 국 관아. '當一'. '郵遞一'. '分掌二十一一事'《通典》. ③직무 국 일. 직책(職責). '匪遑離一'《陳琳》. ④판 국 장기·바둑 등의 판. '對一'. '以帕蓋一'《魏志》. 또, 바둑·장기 등의 승부의 결말. 전(轉)하여, 추세(趨勢). 판국. '結一'. '時一'. '一勢'. ⑤재간 국 재능. 도량. 기우(器宇). '器一'. '一量'. '剛正有一力'《宋書》. ⑥말릴 국 노끈이나 실 등이 감김. '予髮曲一'《詩經》. ⑦굽힐 국 몸을 굽힘. 웅크림. '一天蹐地'. '不敢不一'《詩經》. ⑧구애될 국 융통성이 없음. '節在儉固, 失在拘一'《人物志》. ⑨모임 국 회합(會合). 연회(宴會). '飲一'.

字源 篆文 形聲. 尺〈省〉+句〔音〕. '尺척'은, 인체(人體)를 본뜬 모양. '句구'는 '굽히다'의 뜻. 등을 구부림의 뜻을 나타냄. 또, '句'는 '區구'와 통하여, '구획 짓다'의 뜻을 나타냄.

[局見 국견] 좁은 소견(所見).
[局局 국국] 대소(大笑)하는 모양.
[局內 국내] 무덤의 경계(境界) 안.
[局度 국도] 국량(局量).
[局量 국량] 재간(才幹)과 도량.
[局力 국력] 재간(才幹).
[局面 국면] ㉠승패를 다투는 바둑·장기·고누 등의 판의 형세. ㉡사건이 변천하여 가는 정형(情形).
[局部 국부] ㉠전체 중의 일부분. ㉡남녀의 생식기(生殖器).
[局詐 국사] 미리 계획을 짜고 남을 속임.
[局署 국서] 관서(官署). 관청(官廳).
[局勢 국세] 판국(版局)의 형세.
[局所 국소] 신체(身體) 중의 일부분. 또, 전체 중의 일부분.
[局識 국식] 좁은 식견(識見).
[局外 국외] ㉠바둑에서 대국자(對局者)가 아닌 방관자(傍觀者). ㉡그 사건에 관계없는 지위.
[局外中立 국외중립] ㉠교전국의 어느 편에도 가담하지 아니함. ㉡대항하는 양자(兩者)의 어느 편에도 원조를 하지 아니함.

[局子 국자] 바둑판.
[局蹐 국척] 국천척지(局天蹐地).
[局天蹐地 국천척지] 하늘이 높아도 부딪칠까 염려하여 허리를 굽히고, 땅이 두꺼워도 꺼질까 걱정하여 조심조심 발을 떼어 놓는다는 뜻으로, 이 세상에 안심하고 몸을 둘 곳이 없음을 이름.
[局促 국촉] ㉠도량이 좁은 모양. 소견이 좁은 모양. ㉡몸을 움츠리는 모양. 줄어드는 모양. 국촉(局趣).
[局趣 국촉] 국촉(局促) ㉡.
[局縮 국축] 국촉(局促) ㉡.
[局致 국치] 인물의 크기. 국량(局量).
[局學 국학] 좁은 학문. 또, 학문이 좁음.
[局限 국한] 어떠한 국부(局部)에만 한정(限定)함.
[局戱 국희] 국면(局面)을 향하여 하는 유희. 바둑·장기 따위.
◉幹局. 鑒局. 檢局. 結局. 界局. 曲局. 官局. 棊局. 器局. 難局. 當局. 大局. 對局. 美人局. 博局. 覆局. 本局. 部局. 分局. 事務局. 時局. 識局. 一局. 政局. 帝局. 終局. 支局. 智局. 職局. 破局. 編局. 騙局. 限局. 閑局. 寒局.

4 ⑦ [戹] 〔극〕 屐(尸部 七畫〈p. 623〉)의 俗字

4 ⑦ [层] 〔층〕 層(尸部 十二畫〈p. 626〉)의 簡體字

4 ⑦ [㞱] 〔피〕 皮(部首〈p. 1515〉)의 本字

5 ⑧ [居] 中人 ㊀ 거 ㊥魚 九魚切 jū (⑫기㊍) ㊁ 기 ㊥支 居之切 jī

筆順 ㇕ ㇕ 尸 尸 戶 戶 居 居

字解 ㊀ ①살 거 거주함. '一所' '舜之一深山之中'《孟子》. ②살게할 거 거주하게 함. '度地以一民'《禮記》. ③앉을 거 자리에 앉음. '一, 吾語汝'《禮記》. ④있을 거 ㉠집 안에 평상 있음. 또는, 한 경우에 처하여 있음. '一喪' '仲尼一, 曾子侍'《孝經》. ㉡멈춤. 머물러 있음. '惟所一以其類至'《荀子》. ㉢해당함. 차지함. '一甲'. '天下不如意, 恒十一七八'《晉書》. '數各一其上之三分'《禮記》. ⑤쌓을 거 저축함. '奇貨可一'《十八史略》. 또, 저축한 것. '遷有無化一'《書經》. ⑥곳 거 있는 곳. '一移氣'《孟子》. ⑦집 거 사는 집. '一在山之左'《列仙傳》. ⑧무덤 거 분묘. '歸于其一'《詩經》. ⑨산사람 거 생존자. '送往事一'《左傳》. ⑩다스릴 거 '農一鄙'《逸周書》. ⑪웅크릴 거 踞(足部 八畫)와 통용. '一, 蹲也'《說文》. ⑫어조사 거 영탄(詠歎)의 어조사. '日一月諸'《詩經》. ㊁ 어조사 기 의문의 어조사. 其(八部 六畫)와 통용. '國有人焉, 誰一, 其孟椒乎'《左傳》.

字源 金文 篆文 別體 別體 形聲. 尸(尸)+古〔音〕. '尸시'는 걸터앉은 사람을 본뜬 모양. '古고'는 '固고'와 통하여, '단단히 …하다'의 뜻. 잘 앉다의 뜻에서, '있다'의 뜻을 나타냄.

[居家 거가] 자기 집에 있음.
[居間 거간] ㉠쌍방(雙方)의 중간(中間)에 서서 알선함. ㉡흥정을 붙임. 또, 그 사람.
[居甲 거갑] 으뜸가는 자리를 차지함.
[居居 거거] 서로 감정(感情)이 좋지 않아 친(親)하지 아니한 모양.
[居敬 거경] 항상 마음을 바르게 하여 품행(品行)을 닦음.
[居官 거관] 벼슬살이를 하고 있음.
[居其中 거기중] 중간쯤 되어 있음.
[居多 거다] 대부분임. 대개는 그러함.
[居徒四壁 거도사벽] 실내(室內)에는 단지 사방(四方)에 벽(壁)이 있을 뿐 아무런 세간도 없음.
[居留地 거류지] 조약(條約)에 의하여 개항장(開港場) 같은 곳에서 외국인에게 거주(居住)를 허락하는 일정한 구역의 토지.
[居民 거민] 그 땅에 거주하는 백성. 주민(住民).
[居士 거사] ㉠재덕(才德)이 있는 처사(處士). 덕(德)이 높고 재예(才藝)가 있으나 사환(仕宦)하지 아니하는 인사(人士). ㉡《佛敎》 재가(在家)하여 불도(佛道)에 뜻을 둔 사람. ㉢당호(堂號) 따위의 밑에 붙이는 칭호(稱號).
[居常 거상] ㉠신상(身上)에 아무 이변(異變)이 없이 일생(一生)을 보냄. ㉡평상시(平常時). 일상(日常).
[居喪 거상] ㉠부모상(父母喪)을 당하고 있음. ㉡부모상을 당하고 있을 때에 입는 상복(喪服).
[居西干 거서간] 신라(新羅) 시조(始祖) 박혁거세(朴赫居世)의 왕호(王號)로 '대왕(大王)'이란 뜻.
[居所 거소] 있는 곳. 거처(居處).
[居守 거수] 머물러 지킴.
[居首 거수] 거갑(居甲).
[居室 거실] ㉠거처(居處)하는 방(房). ㉡집에 있음. 재가(在家)함. ㉢부부(夫婦). ㉣관아(官衙). 또, 관아의 유폐(幽閉)하는 방.
[居心 거심] ㉠침착하고 편안한 마음. ㉡늘 생각하고 잊지 않음.
[居安如危 거안여위] 편안히 지낼 때에도 위험한 때의 일을 잊지 아니하고 늘 계신(戒愼)함.
[居然 거연] ㉠편안한 모양. ㉡사물(事物)에 동(動)하지 아니하는 모양. 또, 앉아서 꼼짝하지 아니하는 모양. ㉢심심한 모양.
[居宇 거우] 거택(居宅).
[居移氣 거이기] 사람은 그 지위(地位)나 환경에 따라 기분(氣分)이 변함.
[居諸 거저] '일거월저(日居月諸)'의 약어(略語). 곧, 세월(歲月). 광음(光陰).
[居貞 거정] 정절(貞節)을 지킴.
[居停 거정] 숙박(宿泊)함. 또, 여관.
[居住 거주] 일정한 곳에 머물러 삶. 또, 그곳. 거택(居宅).
[居中 거중] ㉠거간(居間) ㉠㉡. ㉡중간에 있어 치우치지 아니함.
[居中調停 거중조정] 다툼질하는 사이에 서서 다툼을 말리거나 화해를 붙임.
[居止 거지] 한곳에 머물러 삶. 또, 그 장소.
[居處 거처] ㉠집에 있음. ㉡있는 곳. 거소(居所).
[居治而不忘亂 거치이불망란] 지금은 잘 다스려진 세상일지라도 장차 혼란해질 때가 올지도 모를 것을 생각하여 경계하고 삼감.
[居閑 거한] 한가히 있음. 한거(閑居).
[居貨 거화] ㉠가게에서 장사함. ㉡상품을 저장함.

◉家居. 間居. 康居. 介居. 客居. 啓居. 故居. 空居. 寡居. 廣居. 郊居. 僑居. 鳩居. 舊居. 群居. 窟居. 穹居. 窮居. 歸居. 起居. 奇居. 奇貨可居. 那居. 陋居. 樓居. 端居. 潭居. 獨居. 同居. 茅居. 別居. 屛居. 卜居. 卑居. 貧居. 徙居. 索居. 山居. 常居. 禪居. 稅居. 巢居. 水居. 鶉居. 瑟居. 尸居. 宸居. 深居. 安居. 顏子居. 燕居. 寧居. 蝸殼居. 寓居. 爰居. 幽居. 隱居. 里居. 移居. 離群索居. 人居. 逸居. 自居. 雜居. 莊居. 牆居. 積居. 謫居. 轉居. 亭居. 帝居. 儕居. 舟居. 住居. 蟄居. 天居. 荐居. 僦居. 蟄居. 媮居. 平居. 閉居. 廢居. 何居. 閒居. 穴居. 鰥居. 皇居. 休居.

5⑧ **[屆]** 人名 계 ㊀卦 古拜切 jiè

字解 ①이를 계 다다름. '無遠弗一'《書經》. ②극한 계 궁극(窮極). '致天之一'《詩經》. ③나아가지못할 계 '一, 行不便也'《說文》. ④머무를 계 묵음. '一, 舍也'《廣韻》. ⑤《日》 계출할 계 관(官)이나 관계 기관에 공적(公的)인 절차로 신고함. '缺席一'. '寄留一'.

字源 篆文 形聲. 尸(尸)+甶[音]. '甶괴'는 '詣예' 따위와 통하여, '이르다, 다하다'의 뜻을 나타냄.

5⑧ **[届]** 屆(前條)의 俗字

5⑧ **[层]** 〔거〕①居(尸部 五畫〈p. 621〉)의 古字. ②尻(几部 三畫〈p. 234〉)와 同字.

5⑧ **[屍]** 둔 ㊥元 徒渾切 tún

字解 볼기 둔 궁둥이. 臀(肉部 十三畫)과 同字. '一, 與臀同'《玉篇》.

字源 會意. 尸(尸)+丌+几

5⑧ **[屄]** 비 ㊥微 布非切 bī

字解 보지 비 여자의 음부(陰部).

[屄屌 비추] 보지.

5⑧ **[屈]** 高人 굴 ㊇物 區勿切 qū

筆順 ㇕ ㇕ 尸 屈 屈 屈 屈 屈

字解 ①굽을 굴 ㉠굴곡함. '有無名之指, 一而不信'《孟子》. ㉡오므라듦. '尺蠖之一, 以求信也'《易經》. ㉢뜻을 얻지 못함. '朝士嗟其一'《北史》. ㉣막힘. 궁함. '失其守者其辭一'《易經》. ㉤쇠(衰)함. 쇠퇴함. '小節伸而大略一'《淮南子》. ②굽힐 굴 ㉠굽게 함. '一撓'. ㉡억누름. '一抑'. '威武不能一'《孟子》. ㉢뜻을 굽힘. 절개를 굽힘. '一節'. '一從'. '爲親一'《後漢書》. ③다할 굴 다 없어짐. '力一'. '用之無度, 則物力必一'《漢書》. ④굳셀 굴 강함. '一起'. '一彊於此'《史記》. ⑤모을 굴 '一, 聚也'《爾雅》. ⑥다스릴 굴 백성을 다스림. '一此群醜'《詩經》. ⑦속일 굴 '大直若一'《老子》. ⑧뒤섞일 굴 '韭菹其南, 醓醢一'《儀禮》.

字源 金文 篆文 會意. 篆文은 尾+出. '出출'은 우묵한 것의 象形이 변화한 모양. 짐승이 움폭 팬 곳에 꼬리를 구부려 넣는 모양에서, '굽힘'의 뜻을 나타냄.

[屈強 굴강] 의지(意志)가 강하여 남에게 굴(屈)하지 아니함.
[屈巾 굴건] 《韓》 상복(喪服)의 두건(頭巾) 위에 덧쓰는 건(巾).
[屈曲 굴곡] 이리저리 굽음. 구불구불함.
[屈己 굴기] 자기의 뜻을 굽혀서 남에게 순종(順從)함.
[屈起 굴기] ㉠강성하여 흥기(興起)함. ㉡산 같은 것이 우뚝 솟음.
[屈蟠 굴반] 꼬불꼬불함.
[屈伏 굴복] ㉠부복(俯伏)함. ㉡굴복(屈服).
[屈服 굴복] 굽혀 복종(服從)함. 힘이 미치지 못하여 복종함.
[屈產之乘 굴산지승] 명마(名馬). 굴(屈)은 옛날에 명마(名馬)가 많이 나던 곳임. 승(乘)은 말 네 필.
[屈首受書 굴수수서] 스승에게 가르침을 받음.
[屈膝 굴슬] ㉠무릎을 꿇고 절함. ㉡남에게 굽힘.
[屈申 굴신] 굴신(屈伸).
[屈身 굴신] ㉠몸을 굽힘. ㉡겸사함.
[屈伸 굴신] 굽힘과 폄.
[屈信 굴신] 굴신(屈伸).
[屈抑 굴억] 억누름.
[屈枉 굴왕] ㉠굽음. 굽힘. ㉡원죄(冤罪).
[屈撓 굴요] 굽혀 휨. 또, 굽어 휘어짐.
[屈辱 굴욕] 자기 의사(意思)를 굽히어 남에게 복종하는 치욕(恥辱).
[屈原 굴원] 전국 시대(戰國時代)의 초(楚)나라의 대부(大夫)이며 문학가(文學家). 이름은 평(平). 자(字)는 원(原). 회왕(懷王)의 신임이 두터웠는데 참소(讒訴)를 당하여 소원(疎遠)되매 '이소(離騷)'를 지어 충간(忠諫)하였으나 용납(容納)되지 아니하여 멱라수(汨羅水)에 빠져 죽음.
[屈折 굴절] ㉠꺾여 휘어짐. ㉡광선(光線) 또는 음파(音波)가 한 매체(媒體)에서 다른 매체로 들어갈 때에 그 방향(方向)을 변(變)함.
[屈節 굴절] 절개(節槪)를 굽힘.
[屈從 굴종] 제 뜻을 굽히어 남에게 복종(服從)함.
[屈指 굴지] ㉠손가락을 꼽아 셈. ㉡손을 꼽아 셀 만하게 뛰어남. 곧, 여럿 속에서 첫째나 둘째가 될 만큼 뛰어남.
[屈致 굴치] 강제(強制)로 불러옴.
[屈蟄 굴칩] 때를 못 만나서 집 속에 쭈그리고 들어박혀 있음.

◉盤屈. 蟠屈. 卑屈. 抑屈. 枉屈. 撓屈. 鬱屈. 委屈. 淪屈. 謫屈. 情見勢屈. 沈屈. 退屈. 降屈. 詰屈.

5⑧ **[屆]** ㊀ 집 ㊇緝 直立切 zhé ㊁ 겁 ㊇葉 極曄切 jié

字解 ㊀ ①이을 집, 뒤따를 집 '屆一'은 뒤따라 감. '屆一, 前後相次也'《廣韻》. ②적을 집 '一, 說文, 屆一. 謂少也'《集韻》. ㊁ ①이를 겁, 뒤따를 겁 ㊀❶과 뜻이 같음. ②종종걸음칠 겁 '一, 屆一, 一日, 少步'《集韻》.

字源 形聲. 尸(尸)+乏[音]

5 ⑧ [⿸尸叐] [一] 복 [入]屋 蒲木切 pú
[二] 축 [入]屋 初六切
[三] 국 [入]沃 衢六切

[字解] [一] 허둥지둥갈 복 당황하여 가는 모양. '一, 行促迫也'《集韻》. [二] 허둥지둥갈 축 [一]과 뜻이 같음. [三] 허둥지둥갈 국 [一]과 뜻이 같음.

6 ⑨ [⿸尸亥] 〔해〕
骸(骨部 六畫〈p. 2615〉)의 俗字

6 ⑨ [屋] [中人] 옥 [入]屋 烏谷切 wū

[筆順] ㇕ 尸 尸 戸 层 层 屖 屋

[字解] ①집 옥 주거. 건물. '家一'. '富潤一'《大學》. ②지붕 옥 가옥의 꼭대기의 덮개. '一梁'. '誰謂雀無角, 何以穿我一'《詩經》. ③덮개 옥 ㉠수레 뚜껑. 차개(車蓋). '乘黃一車'《史記》. ㉡방장(房帳). 장막. '一者, 室之覆也'《說文 段注》. ④도마 옥 '夏一, 大俎也'《字彙》.

[字源] 篆文 籒文 古文 會意. 尸(尸)+至. '尸시'는 본래 '广엄'으로서, '집'의 뜻. '至지'는 '이르다'의 뜻. 사람이 이르는 '집'의 뜻을 나타냄.

[屋架 옥가] 가옥(家屋). 집.
[屋角 옥각] 지붕의 모서리.
[屋棟 옥동] 마룻대.
[屋梁 옥량] 지붕.
[屋漏 옥루] ㉠집이 샘. ㉡방(房)의 서북우(西北隅)로 집 안에서 가장 깊숙하여 어두운 곳. ㉢사람이 보지 않는 곳.

[屋漏㉡]

[屋溜 옥류] 옥류(屋霤).
[屋霤 옥류] 낙숫물.
[屋廡 옥무] 지붕.
[屋比 옥비] 집 근처. 근린(近隣).
[屋舍 옥사] 집. 가옥(家屋).
[屋上 옥상] 지붕 위.
[屋上建瓴水 옥상건령수] 지붕 위에서 동이의 물을 쏟는다는 뜻으로, 기세가 대단함의 비유로 쓰임.
[屋椽 옥연] 서까래.
[屋烏之愛 옥오지애] 한 사람을 사랑하면 그가 사는 집 위의 까마귀까지 귀엽다는 뜻으로, 사람을 사랑하는 마음은 그 사람의 주위의 것에까지도 미침을 이름. 우리나라의 속담(俗談)에 '아내가 귀여우면 처갓집 말뚝 보고도 절을 한다.'와 뜻이 같음.
[屋外 옥외] 집 밖. 한데.
[屋宇 옥우] 집. 가옥(家屋).
[屋除 옥제] 집의 입구의 층층대.
[屋誅 옥주] 한 사람의 죄(罪)로 말미암아 그 가족 전부를 죽임.
[屋脊 옥척] 용마루.
[屋下架屋 옥하가옥] 지붕 밑에 또 지붕을 얹는다는 뜻으로, 무슨 일을 부질없이 거듭하여 함의 비유.
[屋下私談 옥하사담] 쓸데없는 개인(個人)의 사사로운 이야기.
◉家屋. 傑屋. 空屋. 金屋. 煖屋. 陋屋. 漏屋. 幔屋. 茅屋. 帽屋. 門屋. 舫屋. 白屋. 富潤屋. 佛屋. 社屋. 祠屋. 書屋. 神屋. 廬屋. 瓦屋. 矮屋. 場屋. 氈屋. 重屋. 葺屋. 草屋. 椒屋. 破屋. 板屋. 庖屋. 蒲屋. 廈屋. 巷屋. 華屋.

6 ⑨ [屍] [人名] 시 [平]支 式脂切 shī

[字解] 주검 시 송장. '一體'. '封殺一而還'《左傳》.

[字源] 篆文 形聲. 死+尸(尸)〔音〕. '死사'는 '죽다'의 뜻. '尸시'는 주검을 본뜬 모양. '주검, 송장'의 뜻을 나타냄.

[屍諫 시간] '시간(尸諫)'과 같음.
[屍水 시수] 시즙(屍汁).
[屍身 시신] 송장.
[屍汁 시즙] 시체(屍體)가 썩어서 나오는 물. 추깃물.
[屍體 시체] 송장.
[屍臭 시취] 시체(屍體)가 썩는 냄새.
[屍骸 시해] 시체(屍體).
◉檢屍. 裹屍. 伏屍. 死屍. 戮屍. 陳屍. 鞭死屍.

6 ⑨ [屎] [人名] [一] 시 [上]紙 式視切 shǐ
[二] 히 [平]支 喜夷切 xī

[字解] [一] 똥 시 대변. '一尿'. '道在一溺'《莊子》. [二] 끙끙거릴 히 신음함. '殿一'.

[字源] 形聲. 米+尸〔音〕. '尸시'는 주검을 본뜬 모양. 쌀의 찌끼, '똥'의 뜻을 나타냄.

[屎尿 시뇨] 똥과 오줌.
[屎溺 시뇨] 시뇨(屎尿).
◉鼠屎. 殿屎.

6 ⑨ [屏] 〔병〕
屛(尸部 八畫〈p. 625〉)의 俗字

6 ⑨ [⿸尸旨] [一] 기 [去]寘 詰利切 qì
[二] 계 [去]霽 詰計切

[字解] [一] ①있을 기 '一, 尻也'《說文》. ②기우듬히앉을 기 '一, 身敧坐'《廣韻》. ③볼기 기 궁둥이. '一, 一曰, 尻'《廣韻》. [二] 있을 계, 기우듬히앉을 계, 볼기 계 [一]과 뜻이 같음.

[字源] 形聲. 尸(尸)+旨〔音〕

6 ⑨ [屌] 초 [上]篠 丁了切 diǎo

[字解] 자지 초 남자의 음부(陰部). '一, 此爲方俗語. 史傳皆曰勢'《正字通》.

[⿸尸只] 〔지〕
口部 六畫(p. 369)을 보라.

7 ⑩ [屐] 극 [入]陌 奇逆切 jī

[字解] 나막신 극 나무로 만든 신. '一履'. '度門閫乃納一'《宋書》.

[字源] 篆文 形聲. 履〈省〉+支〔音〕. '履리'는 신발, '支지·기'는 '나뭇가지, 갈라지다'의 뜻. 밑에 굽이 있는 신, 나막신류(類)의 뜻을 나타냄.

[屐履間 극리간] 걸어 다니는 동안. '갑작스러운 경우'를 이르는 말.

[屐聲 극성] 나막신 소리. 사람의 발소리.
[屐子 극자] 나막신. 자(子)는 무의미한 조자(助字).
[屐齒 극치] 나막신의 굽.
[屐響 극향] 극성(屐聲).
[屐痕 극흔] 나막신 자국. 사람의 간 발자국.
◉輕屐. 納屐. 木屐. 帛屐. 靈運屐. 料財蠟屐. 履屐. 草屐.

7 ⑩ [屑] [人名] 설 [入]屑 先結切 xiè 

[字解] ①가루 설 잔 부스러기. '—塵'. '時造船, 木—及竹頭, 侃悉令擧掌之'《晉書》. ②부술 설, 부서질 설 가루로 만듦. 또, 가루로 됨. '—桂與薑'《禮記》. ③잗달 설 쇄소(瑣小)함. '——'. '織—促密'《柳宗元》. ④달갑게여길 설 달갑게 생각함. '不—敎之'. '不我—以'《詩經》. ⑤업신여길 설 경모(輕侮)함. '—播天命'《書經》. ⑥수고할 설 힘씀. 애씀. '—, 勞也'《廣雅》. '晨夜——'《漢書》. ⑦편치않을 설 마음이 편치 아니함. '——不安也'《揚子方言》. ⑧교활할 설 '—, 獪也'《方言》. ⑨부득이할 설 '—, 不獲已也'《集韻》. ⑩돌아볼 설 마음에 둠. '盡心納忠, 不—毁譽'《後漢書》. ⑪지나칠 설 과도함. 멋대로 함. '—, 過也'《小爾雅》. ⑫갑자기 설 '超兮西征, —兮不見'《漢書》. ⑬모두 설 다. '—有辭'《書經》.

[字源] [篆文]  形聲. 尸(尸)+肖(肖)〔音〕. '尸시'는 몸. '肖초'는 살을 갈라 찢다의 뜻. 몸이 가루가 되도록 힘쓰고 수고함의 뜻에서, 전(轉)하여, '자잘하다, 잗다랗다, 잔 부스러기'의 뜻을 나타냄.

[屑屑 설설] ㉠잗단 모양. ㉡힘쓰는 모양. 부지런한 모양. ㉢왕래(往來)하는 모양. ㉣근심하는 모양. 편안하지 아니한 모양.
[屑然 설연] 잡다(雜多)한 모양.
[屑意 설의] 개의(介意)함.
[屑塵 설진] 티끌. 먼지.
◉芥屑. 經屑. 寄屑. 羈屑. 勃屑. 不屑. 棲屑. 織屑. 騷屑. 蕭屑. 瑣屑. 掩屑. 玉屑. 猥屑. 竹頭木屑.

7 ⑩ [屔] 니 ①[平]齊 奴低切 ní ②[平]支 女夷切

[字解] ①웅덩이진언덕 니 꼭대기의 웅덩이에 빗물이 괴어 수렁이 된 언덕. '—, 受水丘也. 爾雅曰, 水潦所止爲—丘'《廣韻》. ②산이름 니 니산(屔山)과 같음. '屔, 山名. 顔氏禱於屔丘生孔子. 或从丘, 通作尼'《集韻》.

[字源] 形聲. 丘+泥〈省〉〔音〕

7 ⑩ [屓] 〔희〕 屭(尸部 二十一畫〈p.628〉)와 同字

[字源] 會意. 尸+贔〈省〉

7 ⑩ [屒] 〔거〕 居(尸部 五畫〈p.621〉)의 俗字

7 ⑩ [展] [中][人] 전 [上]銑 知演切 zhǎn

[筆順] 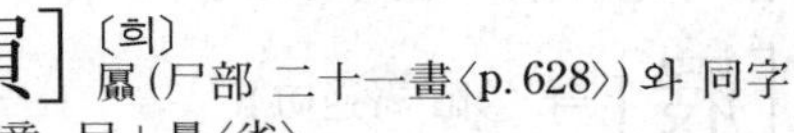

[字解] ①펼 전 ㉠엶. 벌림. '—開'. '讀罷書仍—'《白居易》. ㉡신장(伸長)함. 늘림. '—性'. '侈必—'《國語》. ㉢발달함. '發—'. '能不得—'《李陵》. ㉣진열(陳列)함. 늘어놓음. '—車馬'《左傳》. ㉤의사를 말함. '—敍'. '敢—謝其不共'《左傳》. ㉥뜻을 폄. 뜻대로 됨. '但恨微志未—'《吳志 註》. ㉦홍포(弘布)함. '敷—德音'《北史》. ②늘일 전 기한을 연기함. '—期'. '冬令——月'《漢書》. ③살필 전 살펴봄. '—墓'. '—犧牲'《周禮》. '—而受之'《周禮》. ④두터이할 전 정의 같은 것을 두터이 함. '時庸—親'《書經》. ⑤적을 전 기록함. '—其功緖'《周禮》. ⑥굴 전 뒹굴뒹굴 굶. 또, 몸을 이리 뒤치락 저리 뒤치락 함. '—轉反側'《詩經》. ⑦베풀 전 차림. '必—歡宴'《談苑》. ⑧가지런히할 전 정돈함. '稽器—事'《周禮》. ⑨정성 전 성의. '—也大成'《詩經》. ⑩진실로 전 참으로. '—如之人兮'《詩經》. ⑪성 전 성(姓)의 하나.

[字源] [篆文]  形聲. 篆文은 尸(尸)+䙴〈省〉〔音〕. '䙴전'은 衣+㠭으로, 옷에 '㠭전'을 얹어 폄의 뜻. '㠭'은 주구(呪具)라고도 하고, 벽돌이라고도 함. '尸시'는 뻗은 사람의 시체의 象形. 늘여 펴다의 뜻을 나타냄. 또, 펼쳐 보다의 뜻도 나타냄.

[展開 전개] ㉠펴져 벌어짐. 또, 펴서 벌림. ㉡밀집 부대(密集部隊)가 헤어져 산병(散兵)이 됨.
[展觀 전관] 펼쳐서 봄. 또, 펼쳐서 보임.
[展期 전기] 전한(展限).
[展讀 전독] 펴 읽음. 펴 봄.
[展覽 전람] ㉠펴서 봄. ㉡벌여 놓고 사람들에게 보임.
[展望 전망] 멀리 바라봄.
[展墓 전묘] 성묘(省墓)함.
[展眉 전미] 찌푸렸던 눈살을 폄. 곧, 근심이 사라짐.
[展敍 전서] 뜻을 펴서 말함.
[展性 전성] 금속(金屬)과 같이 두드리거나 누르거나 하여 얇게 펴 늘일 수 있는 성질.
[展省 전성] 성묘(省墓).
[展示 전시] 책(冊)·편지(便紙) 등을 펴서 보임.
[展閱 전열] 펼쳐서 봄.
[展轉 전전] 밤에 잠이 안 와서 몸을 엎치락뒤치락함. 전전(輾轉).
[展縮 전축] 신축(伸縮).
[展布 전포] 진술(陳述)함.
[展限 전한] 기간(期間)을 늘림.
[展效 전효] 힘을 다함. 힘씀.
◉開展. 個展. 傾展. 發展. 奉展. 敷展. 舒展. 宣展. 施展. 申展. 伸展. 增展 進展. 親展. 披展.

7 ⑩ [屖] 서 [平]齊 先稽切 xī

[字解] ①굳을 서 견고함. 犀(牛部 八畫)와 통용. '器不—利'《漢書》. ②쉴 서 휴식함. '—, —遲也. 今作栖'《玉篇》.

[字源] [甲骨文]  [金文] 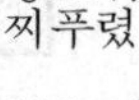 [篆文] 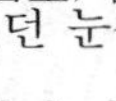 形聲. 尸(尸)+辛〔音〕. '尸시'는 누운 사람의 象形. '辛신'은 '犀서'로서, '편안히 하다'의 뜻을 나타냄. 사람이 몸을 눕혀 편히 쉬는 일.

8 ⑪ [屙] 아 [平]歌 烏何切 ē

字解 뒤보러갈 아 변소(便所)에 감. '一, 上厠也'《玉篇》.
字源 形聲. 尸+阿〔音〕

8 ⑪ [屜] 체 ㊀霽 他計切 tì

字解 ①신창 체 신 바닥에 까는 가죽. ②언치 체 안장 밑에 까는 받침. '披藍一'《淸會典》. ③서랍 체 책상 등에 끼웠다 빼었다 하게 만든 제구. '抽一'. '暫設妝奩, 還抽鏡一'《庾信》.
字源 形聲. 履〈省〉+世〔音〕. '履리'는 '신'의 뜻. '世세'는 '展전'과 통하여, '늘여 펴다'의 뜻. '신창'의 뜻을 나타냄.

8 ⑪ [屍] 〔돈〕
豚(豕部 四畫〈p. 2174〉)과 同字

8 ⑪ [扉] 비 ㊀未 扶弗切 fèi

字解 짚신 비 '共其資糧一屨'《左傳》.
字源 篆文 形聲. 尸(尸)+非〔音〕. '尸시'는 '나무껍질'의 뜻. '非비'는 '配배'와 통하여, 그것을 늘어놓아 엮는 모양을 나타냄. 삼 따위의 껍질로 삼은 '짚신'의 뜻을 나타냄.

[扉屨 비구] 짚신.
[扉履 비리] 짚신.

8 ⑪ [屛] 高人 병 ①-④㊥青 薄經切 píng ⑤-⑥㊤梗 必郢切 bǐng ⑦㊥庚 府盈切 bīng

筆順 ㄱ 尸 尸 尸 尸 屏 屛 屛

字解 ①울 병 담. '一翰'. '之一之幹'《詩經》. ②병풍(屛風) 병 '一障'. '惟幕衾一'《南史》. ③가릴 병 가려 막음. '一蔽'. '故封建親戚, 以藩一周'《左傳》. 또, 가려 막는 것. '乃命建諸侯樹一'《書經》. ④변방 병 변읍(邊邑). 두메. '其在邊邑, 曰某一之臣某'《禮記》. ⑤물리칠 병 ㉠제거함. 버림. '尊五美, 一四惡'《論語》. ㉡멀리함. 내쫓음. '一之遠方'《禮記》. ⑥물러날 병 ㉠뒤로 물러남. '乃左右一而待'《禮記》. ㉡은퇴함. '一居山田'《漢書》. ⑦두려워할 병 '一營彷徨于山林之中'《國語》.
字源 篆文 形聲. 尸(尸)+并〔音〕. '尸시'는 본디 '广엄'으로서, '집'의 뜻. '并병'은 '늘어섬'의 뜻. 사람을 늘어세운 듯이 서 있는 건물·가리개의 뜻. 가리개, 담의 뜻에서 파생(派生)하여, '물리치다'의 뜻을 나타냄.
參考 屏(尸部 六畫)은 俗字.

[屛去 병거] 물리쳐서 버림.
[屛居 병거] 집에 들어박혀 있음. 또, 세상을 등지고 숨어 삶. 은거(隱居)함.
[屛氣 병기] 병식(屛息).
[屛棄 병기] 물리쳐 버림.
[屛息 병식] 겁이 나서 숨을 죽임. 두려워하여 조심함.
[屛息畏懼 병식외구] 병외(屛畏).
[屛語 병어] 사람을 물리치고 소곤소곤 이야기함. 또, 그 이야기.
[屛盈 병영] 헤맴. 방황. 병영(屛營).
[屛營 병영] ㉠방황하는 모양. ㉡두려워하는 모양.
[屛畏 병외] 숨을 죽이고 두려워함. 병식 외구(屛息畏懼).
[屛幃 병위] 병풍과 휘장. 전(轉)하여, 실내(室內).
[屛衛 병위] 울타리가 되어 지킴. 또, 그 울타리.
[屛障 병장] ㉠방어(防禦). ㉡안팎을 가려 막는 물건. 곧, 담·장지·병풍 같은 것.
[屛黜 병출] 물리쳐 쓰지 아니함.
[屛蔽 병폐] ㉠막아 가림. ㉡담. 장원(牆垣).
[屛風 병풍] 바람을 막기 위하여 방 안에 치는 물건.
[屛扞 병한] 국가의 방어.
[屛翰 병한] ㉠담. ㉡천자(天子)의 번병(藩屛). ㉢국가의 주석(柱石)이 되는 신하.
[屛護 병호] 가리어 지킴. 감쌈.
◉曲屛. 金屛. 蕃屛. 藩屛. 疎屛. 硯屛. 簾屛. 臥屛. 雄屛. 垣屛. 幃屛. 帷屛. 銀屛. 隱屛. 依屛. 牆屛. 竄屛. 徹屛. 翠屛. 枕屛. 退屛. 號屛. 畫屛.

9 ⑫ [屠] 人名 도 ㊥虞 同都切 tú

字解 ①잡을 도 짐승을 잡음. '一殺'. '凡一者, 斂其皮角筋骨, 入於玉府'《周禮》. ②무찌를 도 쳐들어가 사람을 많이 죽임. '一城'. '今一沛'《漢書》. ③죽일 도 죽여 찢어발김. '一, 刳剝畜牲也'《六書故》. '子一母'《楚辭》. ④백장 도, 도수장 도 짐승을 잡는 것을 업으로 삼는 사람. 또, 짐승을 잡는 곳. '臣有客, 在市一中, 願枉車騎過之'《史記》. ⑤앓을 도 瘏(疒部 九畫)와 통용. '一, 本又作瘏. 病也'《釋文》. ⑥무너질 도 '一, 壞也'《廣雅》. ⑦성 도 성(姓)의 하나.
字源 篆文 形聲. 尸(尸)+者〔音〕. '者자'는 '많이 모이다'의 뜻. 시체가 많이 모이다. 동물의 몸을 베어 발기다의 뜻을 나타냄.

[屠家 도가] 백장.
[屠狗 도구] 개를 잡음.
[屠潰 도궤] 죽여 찌부러뜨림. 산산이 파괴함.
[屠耆 도기] 흉노(匈奴)가 현자(賢者)를 일컫는 말.
[屠龍之技 도룡지기] 용(龍)을 잡는 재주라는 뜻으로, 쓸데없는 재주를 이름.
[屠戮 도륙] 무찔러 죽임.
[屠腹 도복] 할복자살(割腹自殺)함.
[屠肆 도사] 푸주.
[屠殺 도살] ㉠도륙(屠戮). ㉡짐승을 죽임.
[屠燒 도소] 사람을 많이 죽이고 집을 많이 태움.
[屠蘇 도소] 옛날에 술을 빚던 납작한 집.
[屠蘇酒 도소주] 설날에 먹으면 사기(邪氣)를 물리친다고 이르는 술. 도라지·방풍(防風)·육계(肉桂) 등을 조합(調合)하여 만든 도소산(屠蘇散)을 넣어서 빚음.
[屠所之羊 도소지양] 도수장(屠獸場)에 끌려가는 양(羊)이란 뜻으로, 죽음이 임박(臨迫)한 자, 또는 무상한 인생(人生)의 비유.
[屠獸場 도수장] 소·돼지·양 등의 짐승을 잡는 곳.
[屠兒 도아] 도자(屠者).
[屠牛 도우] 소를 잡음.
[屠維 도유] 고갑자(古甲子) 천간(天干)의 여섯째. 곧, 기(己).

[屠者 도자] 백장.
[屠宰 도재] 육류(肉類)의 요리.
[屠販 도판] 짐승을 잡아 팖, 백장 노릇을 함.
[屠割 도할] 죽여서 찢음. 도열(屠裂).
[屠陷 도함] 무찔러 함락시킴.
[屠戶 도호] 도살을 업으로 하는 집.
◉狗屠. 禁屠. 浮屠. 市屠. 翦屠. 剿屠. 廢屠. 休屠.

9 ⑫ [屟] ㊀ 체 ㊤霽 他計切 tì
㊁ 섭 ㊇葉 蘇協切 xiè

字解 ㊀ ①신창 체 신 바닥에 까는 가죽. '一, 履中薦'《集韻》. ②서랍 체 屜(尸部 五畫)와 통용. ㊁ 신창 섭, 서랍 섭 ㊀과 뜻이 같음.
字源 形聲. 尸(尸)+葉〔音〕

9 ⑫ [屜] ㊀ 칩 ㊇緝 初戢切 qì
㊁ 섭 ㊇葉 色輒切
㊂ 찹 ㊇洽 側治切 zhǎ
㊃ 삽 ㊇洽 所甲切 zhǎ

字解 ㊀ ①이을 칩 뒤를 이음. '一, 一尼, 从後相躡也'《說文》. ②적을 칩 '一, 一曰, 少也'《集韻》. ㊁ 이을 섭 ㊀❶과 뜻이 같음. ㊂ ①쐐기 찹 얇은 쐐기. '一, 薄楔'《廣韻》. ②이을 찹 ㊀❶과 뜻이 같음. ㊃ 쐐기 삽 ㊂❶과 뜻이 같음.
字源 形聲. 尸(尸)+臿〔音〕

9 ⑫ [屧] 〔체〕
屜(尸部 八畫〈p.625〉)와 同字

9 ⑫ [屨] 〔뇨〕
尿(尸部 四畫〈p.620〉)의 本字

9 ⑫ [属] 〔속·촉〕
屬(尸部 十八畫〈p.628〉)의 俗字

9 ⑫ [屡] 〔루〕
屢(尸部 十一畫〈p.626〉)의 俗字

[犀] 〔서〕
牛部 八畫(p.1383)을 보라.

[孱] 〔잔〕
子部 九畫(p.564)을 보라.

10 ⑬ [屈] 〔굴〕
屈(尸部 五畫〈p.622〉)의 本字

10 ⑬ [屦] 추 ㊥魚 才余切 qú
字解 보지 추 여자의 음부. '屄一'.

◉屄屦.

11 ⑭ [屢] 高入 루 ㊤遇 良遇切 lǚ 屡
筆順 尸 尸 屄 屄 屄 屢 屢 屢
字解 ①여러 루 자주. '一次'. '回也其庶乎, 一空'《論語》. ②번거로울 루 번잡(煩雜)함. '相過言壓一'《梅堯臣》. ③빠를 루 '一, 疾也'《爾雅》.
字源 篆文 形聲. 尸(尸)+婁〔音〕. '尸시'는 사람, '婁루'는 잇달아 계속함의 뜻. 자주, 번거롭다의 뜻을 나타냄.

[屢年 누년] 여러 해.
[屢屢 누누] 여러 번.
[屢代 누대] 여러 대(代).
[屢代奉祀 누대봉사] 여러 대(代)의 제사(祭祀)를 받듦.
[屢代墳山 누대분산] 여러 대(代)의 묘지(墓地).
[屢度 누도] 여러 번.
[屢報 누보] 여러 번 알림.
[屢朔 누삭] 여러 달.
[屢世 누세] 여러 대(代).
[屢月 누월] 여러 달.
[屢日 누일] 여러 날.
[屢次 누차] 여러 번.
◉厭屢.

11 ⑭ [屣] ㊀ 사 ㊤紙 所綺切 xǐ
㊁ 시 ㊤寘 所寄切 xǐ

字解 ㊀ 신 사 짚신. '一履'. '吾視去妻子如脫一耳'《史記》. ㊁ 신 시 ㊀과 뜻이 같음.
字源 形聲. 履〈省〉+徙〔音〕. '履리'는 '신'의 뜻. '徙사'는 '옮다'의 뜻. 사람이 이동할 때에 사용하는 신, '짚신'의 뜻을 나타냄.

[屣履 시리] ㉠신. ㉡허둥지둥 신을 끌면서 마중 나간다는 뜻으로, 대단히 반가워하여 마중 나가는 것을 형용한 말. 도시(倒屣). 도극(倒屐).
◉倒屣. 脫屣. 破屣. 敝屣.

[鳲] 〔시〕
鳥部 三畫(p.2659)을 보라.

11 ⑭ [層] 層(次條)의 略字

12 ⑮ [層] 高入 층 ㊥蒸 昨棱切 céng 层 
筆順 尸 尸 屆 屆 屆 層 層 層
字解 ①층집 층 2층 이상의 집. '珠殿連雲, 金一輝泉'《劉孝綽》. ②층 층 ㉠층계(層階). '欲崇其高必重其一'《潘岳》. ㉡겹. 중루(重累). '一濤'. '更築三一樓'《梁書》. ③높을 층 '巡一楹而空掩'《江淹》.
字源 篆文 形聲. 尸(尸)+曾〔音〕. '尸시'는, '집'의 뜻. '曾증'은 겹쳐 쌓임의 뜻. 지붕이 포개져 쌓인 높은 다락집의 뜻. 파생(派生)하여, 무릇 쌓여 겹쳐짐을 이름.

[層閣 층각] 층루(層樓).
[層階 층계] 여러 층으로 된 계단.
[層觀 층관] 여러 층으로 높게 지은 망루(望樓).
[層構 층구] 2층.
[層臺 층대] 층층대(層層臺).
[層濤 층도] 겹쳐 밀려오는 물결.
[層等 층등] 차등(差等).
[層累 층루] 층중(層重).
[層樓 층루] 2층 이상으로 높게 지은 누각(樓閣).
[層巒 층만] 중첩(重疊)한 산(山).
[層榭 층사] 여러 층으로 된 정자.

[層生疊出 층생첩출] 겹쳐 자꾸 생겨남.
[層石 층석] 층샛돌.
[層深 층심] 겹쳐 깊음.
[層巖絶壁 층암절벽] 여러 층의 험한 바위로 된 낭떠러지.
[層厓 층애] 바위가 겹겹이 쌓인 언덕. 층애(層崖).
[層崖 층애] 층애(層厓).
[層雲 층운] ㉠여러 층(層)으로 겹친 구름. ㉡지평선과 나란히 층을 이루어 지면(地面)에 가까이 나타나는 구름.
[層嶂 층장] 층만(層巒).
[層重 층중] 층첩(層疊).
[層疊 층첩] 여러 층(層)으로 겹침.
[層層 층층] 여러 층으로 겹친 모양.
[層層臺 층층대] 《韓》 층층으로 쌓은 대(臺). 계단(階段).
[層層侍下 층층시하] 《韓》 부모(父母)·조부모(祖父母)가 다 생존(生存)한 시하(侍下).
[層塔 층탑] 여러 층으로 된 탑.
[層下 층하] 《韓》 남보다 낮게 대접(待接)함.
◉高層. 崚層. 單層. 斷層. 大層. 碧層. 上層. 一層. 重層. 地層. 下層.

12 ⑮ [履] 高人 리 ㊤紙 力几切 lǚ

筆順 履

字解 ①신 리 신발. '草—'. '脫—戶外'《列子》. ②신을 리 신을 신음. '長跪—之'《史記》. ③밟을 리 ㉠발을 위에 대고 디딤. '—虎尾'《易經》. ㉡걸음. '跛能—'《易經》. 또, 족적(足跡)이 미치는 곳, 발로 밟은 땅이라는 뜻으로, 영토를 이름. '賜我先君—'《左傳》. ㉢지위에 이름. 자리에 나아감. '—祚'. '—帝位'《易經》. ㉣행함. 실천함. '—行'. '不—其事'《禮記》. 또, 행하는 바. 곧, 조행(操行). '性—純深'《晉書》. ㉤겪음. 경험함. '—歷'. '備—艱難'《徐陵》. ㉥실지로 가 조사함. '親—其地'《元史》. ④복 리 복록(福祿). '福—綏之'《詩經》. ⑤이괘 리 육십사괘(六十四卦)의 하나. 곧, ䷉〈태하(兌下), 건상(乾上)〉. 밟아 나가는 상(象).

字源 篆文 古文 會意. 尸+彳+夂+舟. '尸시'는 사람을 본뜬 모양. '彳척'은 길의 象形. '夂치'는 밑을 향한 발을 본뜸. '舟주'는 짚신의 象形. 뒤에, 이 '舟' 부분이 변형되었음. 사람이 길을 갈 때 신는 '신발, 신다'의 뜻을 나타냄.

[履蹻 이각] 짚신. 또는 짚신을 신음.
[履端 이단] 정월(正月) 초하루.
[履歷 이력] ㉠경력(經歷). ㉡《佛敎》 소정(所定)의 경전(經典)의 과목(科目)을 배움.
[履薄氷 이박빙] 살얼음판을 디딤. 위험한 곳에 있음의 비유.
[履氷 이빙] 얇은 얼음을 밟는다는 뜻으로, 극히 위험(危險)함의 비유(比喩).
[履霜堅氷至 이상견빙지] 서리를 밟을 때가 되면 얼음이 얼 때도 곧 닥칠 것이라는 뜻으로, 어떤 일의 징후(徵候)가 보이면 머지않아 큰일이 일어날 것이라는 비유(比喩).
[履霜之戒 이상지계] 서리가 내리는 것은 얼음이 얼 징조이므로 징조를 보고 미리 화란(禍亂)을 방지하여야 한다는 경계.
[履舃 이석] 신. 석(舃)은 이중(二重) 바닥의 신.
[履聲 이성] 신발 소리.
[履雖新不爲冠 이수신불위관] 귀천(貴賤)·상하(上下)의 별(別)을 어지럽혀서는 안 됨을 비유한 말.
[履新 이신] 신년(新年).
[履長 이장] 동지(冬至).
[履跡 이적] 신 자국. 발자국.
[履祚 이조] 즉위(卽位).
[履蹤 이종] 이적(履跡).
[履踐 이천] 실행(實行)함.
[履行 이행] ㉠실제(實際)로 행(行)함. 실행함. ㉡품행(品行).
[履虎尾 이호미] 범의 꼬리를 밟음. 위험(危險)한 일을 함의 비유.
◉經履. 瓜田履. 冠履. 躬履. 達磨隻履. 蹈履. 芒履. 望履. 木履. 眇視跛履. 跛履. 福履. 菲履. 四履. 絲履. 屣履. 盛履. 素履. 率履. 尋履. 幽履. 游履. 簪履. 操履. 珠履. 踐履. 草履. 佩履. 行履. 革履.

12 ⑮ [屧] 섭 (入)葉 蘇協切 xiè

字解 ①나막신 섭 '多君方閉戶, 顧我能倒—'《皮日休》. ②신창 섭 신 바닥에 까는 가죽 또는 짚. '晝日斫—爲業, 夜讀書隨月光'《南史》.

字源 形聲. 履〈省〉+葉〔音〕. '葉엽·섭'은 '얇다'의 뜻. 신에 까는 얇은 신창의 뜻을 나타냄.

[屧廊 섭랑] 복도. 낭하(廊下).
◉倒屧. 步屧. 移屧. 斫屧.

14 ⑰ [屨] 구 (去)遇 九遇切 jù 屦

字解 ①신 구 가죽신. 일설(一說)에는, 짚신 또는 미투리. '—不上於堂'《禮記》. ②신을 구 신발을 발에 꿰어 신음. '—校滅趾'《易經》. ③밟을 구 ㉠발로 딛음. '—船首帶脩虵'《揚雄》. ㉡그 위치에 섬. '身—典軍'《史記》. ④자주 구 종종. 屢(尸部 十一畫)와 통용. '臨事而—斷'《禮記》.

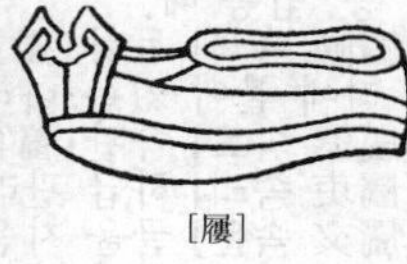
[屨]

字源 篆文 形聲. 履〈省〉+婁〔音〕. '履리'는 신, '婁루'는 가느다란 끈〔縷〕의 뜻. 삼이나 가죽 따위의 끈을 엮어 만든 신발.

[屨賤踊貴 구천용귀] 보통 신의 값은 싸고 용(踊)〈죄를 지어 발목을 끊은 사람이 신는 신〉의 값은 비싸다는 뜻으로, 죄인(罪人)이 많음의 비유(譬喩).
◉葛屨. 綦屨. 繐屨.

15 ⑱ [屩] 갹 (入)藥 居勺切 juē

字解 신 갹 짚신 또는 미투리. '躡—擔簦'《史記》.

字源 篆文 形聲. 履〈省〉+喬〔音〕. '履리'는 신, '喬교'는 발이 높이 올라가다〔蹻〕의 뜻. 삼 따위로 만든, 원행용(遠行用)의 가벼운 짚신.

15 ⑱ [屪] 료 (平)蕭 力宵切 liáo

字解 자지 료 남자의 음경(陰莖). '一, 男陰名'《字彙》.

18 ㉑ [屬] 高 人 ㊀ 촉 ㊇沃 之欲切 zhǔ ㊁ 속 ㊇沃 市玉切 shǔ 属

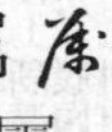

筆順 尸 尸 尸 尸 屛 屛 屬 屬

字解 ㊀ ①이을 촉 연속함. '一聯'. '冠蓋相一於魏'《史記》. ②붙을 촉 부착함. '樸一'. '右一櫜鞬'《左傳》. ③맡길 촉 부탁함. 위임함. '一託'. '可一大事當一面'《史記》. ④모을 촉, 모일 촉 한데 모음. 한데 모임. '一其耆老'《孟子》. '不一於王所'《周禮》. ⑤돌볼 촉 구원하여 도와 줌. '至于一婦'《書經》. ⑥족할 촉 만족함. 충족함. '一厭'. '願以小人之腹, 爲君子之心, 一饜而已'《左傳》. ⑦따를 촉 부음. '酌玄酒, 三一於尊'《儀禮》. ⑧맺을 촉 원한을 품음. '必一怨焉'《國語》. ⑨가까울 촉 접근함. '一者'. '天下一安定'《漢書》. ⑩권할 촉 권면함. '酒酣智起舞, 一邕'《後漢書》. ⑪조심할 촉 신중하고 공경하는 모양. '一一乎其忠也'《禮記》. ㊁ ①무리 속 제배(儕輩). '以此一取天下'《史記》. ②아래벼슬아치 속 하료(下僚). '官一'. '各率其一, 以倡九牧'《書經》. ③살붙이 속 혈족. '眷一'. '族一'. '齊諸田疎一也'《史記》. ④좇을 속 ㉠따름. 복종함. '從一'. '諸別將皆一宋義'《史記》. ㉡뒤따름. 수행함. '騎能一者百餘人耳'《史記》. ⑤엮을 속 글을 지음. '一文'. ⑥마침 속 때마침. '下臣不幸, 一當戎行'《左傳》.

字源 篆文 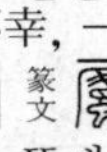 形聲. 尾+蜀[音]. '蜀촉'은 '계속되다'의 뜻. '尾미(꽁무니)' 뒤에 이어지다의 뜻에서, 연속해 있음의 뜻을 나타냄.

參考 属(尸部 九畫)은 俗字.

[屬稿 속고] 초안(草案)을 잡음.
[屬官 속관] 부하의 관리. 하급 관리.
[屬纊 속광] 임종(臨終) 때 솜을 코밑에 대어 숨이 지지 않았나 알아보는 일. 전(轉)하여, 임종. 임종 때.
[屬國 속국] 독립(獨立)할 능력이 없어서 다른 나라에 붙어 있는 나라.
[屬僚 속료] 속관(屬官).
[屬吏 속리] 하급 관리.
[屬文 속문] 글을 지음.
[屬辭 속사] 문사(文辭)를 지음.
[屬邑 속읍] 큰 고을에 소속된 작은 고을.
[屬者 속자] ㉠따르는 사람. 수종(隨從)하는 사람. ㉡촉자(屬者).
[屬籍 속적] 한 문중(門中)에 속하는 호적(戶籍). 또는 국적(國籍).
[屬佐 속좌] 속관(屬官).
[屬地 속지] 부속(附屬)되어 있는 땅. 통치권(統治權)을 행사(行使)할 수 있는 토지.
[屬車 속차] ㉠천자(天子)의 부차(副車). ㉡천자(天子).
[屬土 속토] 속지(屬地).
[屬和 속화] 남을 따라 노래함.
[屬客 촉객] 손님에게 권(勸)함.
[屬聯 촉련] 연속함.
[屬令 촉령] 훈계하여 명함.
[屬鏤 촉루] 옛적의 명검(名劍).
[屬望 촉망] 바라는 마음을 붙임. 희망(希望)을 둠. 촉망(矚望).
[屬目 촉목] 눈여겨봄. 유의하여 봄.
[屬杯 촉배] 술잔을 권함.
[屬心 촉심] 촉망(屬望).
[屬厭 촉염] 배부름. 실컷 먹음.
[屬饜 촉염] 촉염(屬厭).
[屬玉 촉옥] 백로(白鷺)의 일종.
[屬腰領 촉요령] 허리와 목을 이음. 요참(腰斬)과 두참(頭斬)의 형(刑)을 면(免)함을 이름. 촉요령(屬要領).
[屬怨 촉원] 원한을 맺음. 원한을 품음. 원수가 됨.
[屬臾 촉유] 삼감. 근신(謹愼).
[屬意 촉의] 촉망(屬望).
[屬耳 촉이] 귀를 기울여 정성(精誠)스레 들음. 경청(傾聽)함.
[屬耳目 촉이목] 주의(注意)하여 보고 들음.
[屬者 촉자] 요사이. 작금(昨今). 근자(近者).
[屬酒 촉주] 술을 따라 권함.
[屬草 촉초] 초고(草稿)를 잡음.
[屬屬 촉촉] ㉠공경(恭敬)하여 전일(專一)한 모양. ㉡온순한 모양.
[屬託 촉탁] 일을 부탁(付託)함. 촉탁(囑託).
[屬統 촉통] 혈통(血統)을 계승(繼承)함. 승통(承統).
◉家屬. 緦屬. 傾屬. 繫屬. 冠蓋相屬. 官屬. 九屬. 軍屬. 近屬. 羈屬. 徒屬. 幕屬. 廟屬. 無所屬. 樸屬. 服屬. 付屬. 附屬. 部屬. 分屬. 卑屬. 私屬. 三屬. 所屬. 疏屬. 臣屬. 與屬. 役屬. 延屬. 連屬. 椽屬. 領屬. 隷屬. 五屬. 外屬. 寮屬. 任屬. 尊屬. 支屬. 祗屬. 戚屬. 親屬. 懸屬. 婚屬. 欣屬.

21 ㉔ [屭] 희 ㊄寘 虛器切 xì

字解 힘쓸 희 '贔一'는 힘을 대단히 쓰는 모양. '巨靈贔一'《張衡》.

字源 會意. 尸+贔. '尸시'는 인체를 본뜬 것. '贔비'는 재물이 많은 모양을 나타냄. 사람이 많은 재물을 안고 있는 모양에서, 기력(氣力)을 떨쳐 일으키다의 뜻을 나타냄.

參考 屓(尸部 七畫)와 同字.

[屭贔 희비] 구름, 연기 따위가 두껍게 덮여 있는 모양.
◉贔屭. 贔屭.

屮 (3획) 部
〔왼손좌부〕

0 ③ [屮] 〔좌〕 左(工部 二畫〈p. 661〉)의 本字

字源 甲骨文 金文 篆文 象形. 왼손의 모양을 본떠, '왼쪽'의 뜻을 나타냄.

0 ③ [屮] 철 ㊇屑 丑列切 chè

筆順 丨 屮

字解 ①풀 철 초목의 싹. '一茅'. ②싹틀 철 '一, 草木之生也微'《六書故》.

字源 金文 篆文 象形. 풀의 싹이 튼 모양을 본뜸.

參考 '屮'을 포개어 艸(部首)·茻(艸部 三畫)와 같은 문자를 이룸. 그러나, '屮'이 그 밖의 문자의 음부(音符)가 되는 일은 없음.

[屮屩 철각] 짚신.
[屮茅 철모] 풀과 띠가 무성한 시골. 전(轉)하여, 민간(民間). 초망(草莽). 초야(草野).

1 ④ [㞢] 〔지〕 之(丿部 三畫〈p. 54〉)의 本字

1 ④ [㞢] 〔지〕 之(丿部 三畫〈p. 54〉)의 本字

1 ④ [屯] 高人 ■ 둔 ㊥元 徒渾切 tún ■ 준 ㊥眞 陟綸切 zhūn

筆順 一 匚 屯 屯

字解 ■ ①진칠 둔 진(陣) 쳐 지킴. '一戍'. '金人一河南'《宋史》. ②진 둔 진 친 곳. '京師有南北軍之一'《漢書》. ③언덕 둔 구릉. '生於陵一'《列子》. ■ ①어려울 준 고난에 허덕임. '一困'. '一如邅如'《易經》. ②모일 준 많음. '禮官儒林一朋篤論之士'《後漢書》. ③찰 준 가득 참. '一, 滿也'《廣雅》. ④단단할 준 견고함. '一固比入'《左傳》. ⑤준괘 준 육십사괘(六十四卦)의 하나. 곧, ䷂〈진하(震下), 감상(坎上)〉. 험난하여 전진하는 데 고생하는 상(象).

字源 金文 篆文 象形. 유아(幼兒)의 머리를 묶어 꾸민 모양을 본떠, 많은 것을 묶어 모으다, 사람이 모이다, 진을 치다의 뜻을 나타냄. 金文에서는 후일의 '純'의 뜻으로 쓰이는 일이 많고, 순수한 아름다운 장식의 뜻을 나타냄.

[屯墾 둔간] 군대가 진(陣)을 치고 있으면서 황무지를 개간함.
[屯據 둔거] 진을 치고 웅거함.
[屯耕 둔경] 군대가 머물러 수비하면서 농사를 지음.
[屯畓 둔답] 《韓》 군대가 주둔(駐屯)하여 경작(耕作)하는 논.
[屯防 둔방] 진을 치고 방어함.
[屯兵 둔병] 주둔한 병정(兵丁).
[屯堡 둔보] 보루(堡壘).
[屯所 둔소] 군대가 머물러 지키고 있는 곳. 주둔한 곳.
[屯守 둔수] 군대가 주둔하여 지킴.
[屯戍 둔수] ㉠둔수(屯守). ㉡둔영(屯營).
[屯宿 둔숙] 둔주(屯駐).
[屯禦 둔어] 군대가 주둔하여 방어함. 또, 그 군대.
[屯營 둔영] 진(陣). 진영(陣營).
[屯衛 둔위] 군대가 주둔하여 지킴. 또, 그 수비.
[屯長 둔장] 한 대(隊)의 병사의 우두머리.
[屯田 둔전] 둔경(屯耕).
[屯駐 둔주] 군대가 머무름. 주둔(駐屯).
[屯陣 둔진] 군대가 주둔하여 지킴. 또, 그 군대. 또, 그 진.
[屯土 둔토] 주둔하여 경작하는 땅.
[屯坎 준감] 고생. 고난(苦難).
[屯蹇 준건] 불운(不運). 불리(不利).
[屯困 준곤] 고난(苦難).
[屯難 준난] 준곤(屯困).
[屯剝 준박] 불운(不運).
[屯否 준비] 운수가 비색(否塞)함.
[屯如 준여] 고난에 허덕이는 모양.
[屯亶 준전] 불운(不運).
[屯邅 준전] 준전(屯亶).
[屯險 준험] 하는 일이 여의치 않아 세상을 살아나가는 데 고난이 많음.
◉艱屯. 困屯. 軍屯. 邊屯. 兵屯. 蜂屯. 雲屯. 制屯. 駐屯. 沈屯. 險屯. 荒屯.

4 ⑦ [峑] 광 ㊥陽 巨王切 huáng

筆順 一 十 屮 屮 屮 峑 峑

字解 무성할 광 '一, 艸木妄生也'《說文》.

字源 會意. 㞢+土

4 ⑦ [肯] 〔각〕 青(土部 三畫〈p. 433〉)의 本字

5 ⑧ [峑] 峑(前前條)의 古字

7 ⑩ [幸] 〔남〕 南(十部 七畫〈p. 307〉)의 古字

8 ⑪ [㞞] 〔강〕 羌(羊部 二畫〈p. 1795〉)의 古字

8 ⑪ [毒] 〔독〕 毒(毋部 四畫〈p. 1162〉)의 本字

[茻] 〔훼〕 艸部 三畫(p. 1897)을 보라.

山 (3획) 部
〔메산부〕

0 ③ [山] 中人 산 ㊥刪 所閒切 shān

筆順 丨 山 山

字解 ①메 산 산. '一嶽'. '天地定位, 一澤通氣'《易經》. ②산신 산 산의 신령. '一川其舍諸'《論語》. ③능 산 능침(陵寢). '非獨爲奉一園也'《漢書》. ④절 산 사찰(寺刹)의 칭호. '一門'. '歸老於阿育王一廣利寺'《蘇軾》.

字源 金文 篆文 象形. 산(山) 모양을 본떠, '산'의 뜻을 나타냄.

參考 '山'을 의부(意符)로 하여, 여러 가지 종류의 산이나, 산의 모양, 또 산의 이름을 나타내는 글자를 이룸.

[山家 산가] ㉠산속에 있는 집. ㉡《佛敎》 송(宋)나라 때의 천태종(天台宗)의 정통(正統)을 물려받은 한 파.

[山歌 산가] ㉠시골 사람이 부르는 노래. ㉡뱃사람이 부르는 노래. 뱃노래.
[山歌野唱 산가야창] 시골 노래.
[山脚 산각] 산기슭.
[山閣 산각] 산중에 세운 누각(樓閣).
[山間 산간] 산골.
[山龕 산감] 산사(山寺).
[山薑 산강] 국화과에 속하는 다년초(多年草). 결구(結球)된 뿌리는 백출(白朮)이라 하여 약재로 쓰임. 삽주.
[山客 산객] ㉠산인(山人)❶. ㉡산적(山賊)의 별칭(別稱). ㉢'척촉(躑躅)'의 별칭(別稱).
[山車 산거] 제례(祭禮) 때 위에 산·바위 등의 모양을 만들어 화려하게 꾸며서 끌고 다니는 수레.
[山居 산거] 산속에서 삶. 또, 그 집.
[山筧 산견] 산의 샘물을 끄는 홈통.
[山徑 산경] 산의 소로(小路).
[山景 산경] 산(山)의 경치.
[山系 산계] 산줄기의 계통(系統).
[山薊 산계] 산강(山薑).
[山谿 산계] 시냇물이 있는 산골짜기.
[山鷄 산계] 꿩의 일종.
[山鷄野鶩 산계야목] 자기 마음대로 하고 남의 말을 듣지 아니하는 사람을 이르는 말.
[山高水長 산고수장] 산은 높이 솟고 강이 길게 흐른다는 뜻으로, 군자(君子)의 덕(德)이 한없이 오래 전하여 내려오는 것을 비유한 말.
[山谷 산곡] ㉠산골짜기. ㉡송(宋)나라 시인 황정견(黃庭堅)의 호.
[山谷之士 산곡지사] 산골짜기에서 사는 은사(隱士).
[山骨 산골] ㉠산의 토사(土砂)가 씻겨 내려가서 바위가 드러나 보이는 것. 산의 암석(巖石). ㉡산이 나타내는 기분. 산의 골수(骨髓).
[山果 산과] 산에서 나는 과일.
[山郭 산곽] 산 밑의 성(城)에 둘러싸인 마을.
[山廓 산곽] 눈동자의 윗부분 반쪽. 골상학(骨相學)에서 쓰는 말.
[山怪 산괴] 산에 사는 괴물(怪物).
[山塊 산괴] 산줄기에서 따로 떨어져 나간 산의 덩어리.
[山轎 산교] 산에서 타는 데 쓰는 가마.
[山鳩 산구] 산비둘기.
[山國 산국] 산(山)이 많은 지역.
[山菊 산국] 국화과에 속하는 다년초. 꽃은 약용·식용함. 산국화(山菊花).
[山君 산군] ㉠산신령(山神靈). ㉡'범〔虎〕'의 별칭(別稱).
[山郡 산군] 산읍(山邑).
[山窟 산굴] 산속의 굴.
[山窮水盡 산궁수진] 깊은 산중에 들어가 산은 앞을 막고 물줄기는 끊어져 더 갈 길이 없다는 뜻으로, 막다른 경우에 이름을 비유한 말.
[山歸來 산귀래] 쐐기풀과(科)에 속하는 다년초. 담록색 꽃이 피며 뿌리는 약용으로 함. 며래. 나도물통이. 토비해(土萆薢).
[山葵 산규] 십자화과에 속하는 다년초(多年草). 흰 꽃이 피며, 지하경은 향신료(香辛料)로 씀. 고추냉이.
[山根 산근] ㉠콧마루와 두 눈썹의 사이. 골상학(骨相學)에서 쓰는 말. ㉡산기슭.
[山禽 산금] 산새.
[山祇 산기] 산신(山神).
[山氣 산기] 산(山)의 운기(雲氣). 산이 품는 기운.
[山內 산내] ㉠산속. ㉡《佛教》 절의 구역 안.
[山農 산농] 산지(山地)에서 짓는 농사(農事).
[山茶 산다] 동백(冬柏)나무.
[山丹 산단] 백합과에 속하는 다년초(多年草). 붉은 꽃이 피며, 인경(鱗莖)은 먹음. 하늘나리.
[山獺 산달] ㉠족제빗과에 속하는 작은 짐승. 담비. ㉡너구리.
[山桃 산도] 소귀나뭇과(科)에 속하는 상록 교목(常綠喬木). 황적색 꽃이 피며, 열매는 먹음. 소귀나무. 속나무. 양매(楊梅).
[山道 산도] 산길.
[山濤 산도] 동진(東晉)의 고사(高士)로서 죽림칠현(竹林七賢)의 한 사람. 자(字)는 거원(巨源). 벼슬은 이부상서(吏部尙書)에 이르렀음. 청렴결백(淸廉潔白)하며 인물(人物)을 관찰(觀察)하는 데 뛰어났음.
[山東 산동] 중국 동부 황해(黃海) 연안의 성(省). 동부는 구릉성(丘陵性) 반도, 중부는 태기(泰沂) 산맥과 접하고, 그 외는 광대한 평야임. 기후는 온화함. 성도(省都)는 제남(濟南). 노성(魯省).
[山童 산동] 산속의 집에 사는 아이.
[山東諸侯 산동제후] 함곡관(函谷關) 이동(以東)의 제후(諸侯). 전국 시대(戰國時代)의 육국(六國). 곧, 제(齊)·초(楚)·연(燕)·한(韓)·위(魏)·조(趙).
[山東出相山西出將 산동출상산서출장] 산동(山東)에서 재상(宰相)이 나고 산서(山西)에서는 장수(將帥)가 난다는 뜻으로, 풍속 또는 감화(感化)에 의하여 지방에 따라 특징이 다른 인물이 나옴을 이름.
[山斗 산두] 태산(泰山)과 북두(北斗). 남에게 존경을 받는 사람의 비유.
[山頭 산두] 산꼭대기. 산정(山頂).
[山梁 산량] ㉠산골짜기 사이에 걸친 다리. ㉡'꿩〔雉〕'의 별칭(別稱).
[山厲河帶 산려하대] 맹세할 때에 쓰는 말. 태산(泰山)이 숫돌과 같이 납작하게 닳고, 황허(黃河) 강이 띠와 같이 좁게 되는 한이 있더라도 변함이 없다는 뜻. 여(厲)는 여(礪).
[山靈 산령] 산신령. 산신(山神).
[山路 산로] 산길.
[山麓 산록] 산기슭.
[山籟 산뢰] 산바람이 나뭇가지를 스쳐 울리는 소리.
[山龍子 산룡자] 도마뱀.
[山陵 산릉] ㉠산과 언덕. ㉡능(陵). 제왕(帝王)·후비(后妃)의 무덤. ㉢산릉붕(山陵崩)의 약어(略語).
[山陵崩 산릉붕] 제왕(帝王)이 죽음. 제왕의 죽음을 산이 무너지는 데 비유한 말.
[山梨 산리] 장미과에 속하는 낙엽 소교목(落葉小喬木). 산돌배.
[山裏 산리] 산중.
[山林 산림] ㉠산(山)과 수풀. 또, 산(山)의 수풀. ㉡벼슬을 하지 않고 있는 학덕(學德)이 높은 선비. 산림지사(山林之士). 또, 그 선비가 숨는 곳.
[山林門下 산림문하] 벼슬을 하지 않고 있는 학덕(學德) 높은 선비의 문하.
[山林之士 산림지사] 재덕(才德)을 숨기고 산에서 사는 은사(隱士).

[山林處士 산림처사] 벼슬하지 않고 산속에서 파묻혀 사는 선비.
[山立 산립] 똑바로 섬. 정립(正立).
[山幕 산막] 산속에 쳐 놓은 막. 사냥하거나 약(藥)을 캐는 사람들이 쉬는 곳.
[山魅 산매] 산에 있는 요사(妖邪)스러운 귀신(鬼神).
[山脈 산맥] 산줄기.
[山鳴谷應 산명곡응] 산이 울면 골짜기가 응(應)함. 곧, 소리가 산과 골짜기에 울림.
[山明水麗 산명수려] 산수(山水)의 경치가 아름다움.
[山姥 산모] 산속에 사는 늙은 여자.
[山門 산문] 절에 들어가는 문. 절의 누문(樓門). 또, 절. 사찰(寺刹).
[山味 산미] 산에서 나는 나물이나 과실(果實) 같은 것의 맛.
[山民 산민] ㉠산지(山地)의 주민(住民). ㉡은자(隱者)의 별호(別號).
[山房 산방] 산속에 있는 집. 은서(隱棲)하여 책을 저술하는 사람의 서재 이름으로 많이 쓰임.
[山伐 산벌] 산의 나무를 벰.
[山腹 산복] 산의 중턱.
[山峯 산봉] 산봉우리.
[山阜 산부] 산. 부(阜)는 토산(土山).
[山殯 산빈] 산속에 만들어 놓은빈소.
[山寺 산사] 산속에 있는 절.
[山師 산사] 주대(周代)의 관명(官名). 하관(夏官)에 속하여 산림(山林)의 명칭(名稱)과 산물(產物)을 맡았음.
[山查肉 산사육] 아가위의 씨를 바른 살. 건위제(健胃劑)로 씀.
[山查子 산사자] 장미과에 속하는 낙엽 활엽의 작은 교목(喬木). 산사나무. 아가위나무.
[山樝子 산사자] 산사자(山查子).
[山蔘 산삼] 깊은 산에 저절로 나는 인삼(人蔘)의 뿌리.
[山上 산상] 산(山) 위.
[山上有山 산상유산] 나간다는 은어(隱語). 날출자. 곧, 출(出)은 산(山) 자가 둘이 겹쳐 있으므로 이름.
[山塞 산새] 산채(山寨).
[山色 산색] 산(山)의 경치.
[山西 산서] 중국 동북부의 성(省). 북쪽이 높고 남쪽이 낮은 황토층(黃土層) 고원 지대로, 산지·고원·분지를 형성하고 있으며, 기후는 대륙성, 우량이 적음. 성도(省都)는 타이위안 시(太原市). 진성(晉省).
[山棲 산서] 산(山)에 삶.
[山墅 산서] 산장(山莊).
[山城 산성] 산 위에 쌓은 성(城).
[山勢 산세] 산(山)의 기복(起伏)·굴절(屈折)한 형세(形勢).
[山所 산소] 무덤이 있는 곳. 또, 무덤.
[山魈 산소] 산중에 산다는 도깨비.
[山訟 산송] 묘지(墓地)에 관한 송사(訟事).
[山水 산수] ㉠산(山)과 물. 산과 내. 산천. ㉡산(山)에서 흐르는 물. ㉢산과 물이 있는 경치를 그린 그림. 산수도(山水圖).
[山叟 산수] 산중에 사는 노인(老人).
[山藪 산수] 산과 늪. 산택(山澤).
[山水圖 산수도] 산수(山水)를 그린 그림.
[山茱萸 산수유] 층층나뭇과에 속하는 낙엽 교목(落葉喬木). 꽃은 황색(黃色)이고 열매는 적색(赤色)이며 강장제(強壯劑)로 씀. 산수유나무.
[山僧 산승] ㉠산사(山寺)에 있는 중. ㉡주(主)로 선승(禪僧)의 자칭(自稱).
[山神 산신] 산(山)을 맡은 신령(神靈). 산신령(山神靈).
[山阿 산아] 산의 우묵하게 들어간 곳.
[山岳 산악] 산악(山嶽).
[山嶽 산악] 크고 작은 모든 산.
[山靄 산애] 산의 아지랑이.
[山櫻 산앵] ㉠산에서 꽃이 피는 앵두나무. ㉡벚나무.
[山野 산야] ㉠산(山)과 들. ㉡시골. 민간(民間).
[山藥 산약] '서여(薯蕷)'의 별칭(別稱). 마. 또, 마의 괴근(塊根).
[山羊 산양] ㉠염소. ㉡영양(羚羊).
[山陽 산양] 산의 남쪽 편.
[山養 산양] 산(山)에 옮겨 심어 기른 인삼(人蔘).
[山陽笛 산양적] 옛 벗을 생각하는 일. 진(晉)나라의 향수(向秀)가 산양(山陽)의 구거(舊居)에서 피리 소리에 느낀 바 있어 사구부(思舊賦)를 지은 고사(故事)에서 나온 말.
[山役 산역] 무덤을 만드는 역사.
[山影 산영] 산 그림자.
[山窩 산와] 산속에 숨어 살며 낮에는 행상(行商)으로 가장하고 마을을 배회하다가 밤에 강도로 화하는 흉포한 적단(賊團).
[山蝸 산와] 달팽이.
[山王 산왕] 진(晉)나라의 산도(山濤)와 왕융(王戎). 죽림칠현(竹林七賢) 가운데 두 사람임.
[山隈 산외] 산의 모퉁이.
[山腰 산요] 산복(山腹).
[山容 산용] 산(山)의 모양.
[山容水相 산용수상] 산용수태(山容水態).
[山容水態 산용수태] 산수(山水)의 풍경(風景).
[山芋 산우] 산약(山藥).
[山雨 산우] 산에 내리는 비.
[山虞 산우] 주(周)나라 때 산림(山林)을 맡은 벼슬아치. 산림간수.
[山雨欲來風滿樓 산우욕래풍만루] 허혼(許渾)의 함양(咸陽) 성동루(城東樓)의 시(詩)의 한 구로서, 사건(事件)이 생기려면 먼저 반드시 평온하지 않은 조짐이 일어나는 법임을 비유한 말.
[山雲 산운] 산에 끼어 있는 구름.
[山園 산원] 능침(陵寢)이 있는 곳.
[山遊 산유] 산놀이. 유산(遊山).
[山戎 산융] 옛날 중국 동북부에 살던 만족(蠻族)의 이름.
[山陰 산음] 산(山)의 북쪽.
[山邑 산읍] 산골에 있는 고을.
[山人 산인] ㉠속세(俗世)를 버리고 산에서 사는 은사(隱士). ㉡문인(文人) 등의 호(號) 밑에 붙여 쓰는 말.
[山資 산자] 산을 사는 돈이란 뜻으로, 은퇴(隱退)의 준비를 이름.
[山茨菰 산자고] 백합과에 속하는 숙근초(宿根草). 까치무릇.
[山紫水明 산자수명] 산은 자줏빛이고 물은 맑다는 뜻으로, 산수의 경치가 맑고 아름다움을 이름.
[山雀 산작] 산에 사는 참새. 「鳥」.
[山鵲 산작] 까마귓과에 속하는 새. 삼광조(三光

[山長 산장] ㉠산중에 은거하여 학문을 가르치는 사람. ㉡서원(書院)·사숙(私塾) 등의 장(長).
[山莊 산장] 산중(山中)의 별장.
[山嶂 산장] 병풍처럼 빙 둘러 연해 있는 산봉우
[山瘴 산장] 산중의 독기(毒氣). ⌊리.
[山齋 산재] 산속에 지은 서재(書齋).
[山豬 산저] 산돼지.
[山砠水厓 산저수애] 산의 험한 곳과 강가의 험한 곳. 전(轉)하여, 속세(俗世)에서 멀리 떨어진 장소.
[山賊 산적] 산에서 출몰(出沒)하는 도둑.
[山積 산적] 물건이 산더미처럼 많이 쌓임. 또, 산더미처럼 많이 쌓음.
[山田 산전] 산중에 있는 밭.
[山前 산전] 산의 앞쪽. 「戰).
[山戰 산전] 산중(山中)에서의 싸움. 산악전(山嶽
[山巓 산전] 산꼭대기. 「유.
[山戰水戰 산전수전] 《韓》 온갖 경난(經難)의 비
[山節藻梲 산절조절] 두공(枓栱)에 산을 새기고, 동자기둥에 마름〔水藻〕을 그림. 곧, 천자(天子)의 종묘(宗廟)의 장식(裝飾). 절(節)은 두공(枓栱), 절(梲)은 동자기둥.
[山店 산점] 산중에 있는 가게.
[山亭 산정] 산중에 있는 정자(亭子).
[山庭 산정] ㉠산에 있는 광장(廣場). ㉡콧마루.
[山頂 산정] 산꼭대기.
[山精 산정] ㉠산의 정령(精靈). ㉡산강(山薑).
[山靜似太古 산정사태고] 산거(山居)의 고요한 것이 흡사(恰似) 태고 시대(太古時代)와 같음.
[山靜日長 산정일장] 산속에서 사는 한정(閑靜)한 정취를 이름.
[山鳥 산조] ㉠산에 사는 새. 산새. ㉡꿩의 일종. 산치(山雉).
[山足 산족] 산록(山麓).
[山峻水急 산준수급] 산(山)은 험(險)하고 물은 빨리 흐름.
[山中 산중] 산속.
[山中無曆日 산중무역일] 산중(山中)에 한가히 있어서 자연(自然)을 즐기느라고 세월(歲月)이 가는 줄을 모름.
[山中宰相 산중재상] 남송(南宋)의 도사(道士) 도홍경(陶弘景)의 고사(故事)에서 나온 말로, 국정(國政)의 자순(諮詢)에 참여하는 재야(在野)의 현사(賢士)를 이름.
[山地 산지] 산이 많은 땅. 산달.
[山趾 산지] 산기슭.
[山紙 산지] 산골에서 만드는 질이 낮은 종이.
[山鎭 산진] 한 지방의 진(鎭)이 되는 명산(名山).
[山盡水廻處 산진수회처] 산(山)과 물이 서로 싸고 돌게 된 곳.
[山珍海味 산진해미] 산과 바다에서 나는 진귀(珍貴)한 음식. 산해(山海)의 진미(珍味).
[山珍海錯 산진해착] 산진해미(山珍海味).
[山窓 산창] 산중에 있는 집의 창(窓).
[山砦 산채] 산채(山寨).
[山菜 산채] 산나물.
[山寨 산채] 산중에 만들어 놓은 보루(堡壘). 산채(山砦).
[山妻 산처] 촌스러운 아내라는 뜻으로, 자기 아내의 겸칭(謙稱).
[山處 산처] 뫼가 있는 곳. 산소(山所).
[山脊 산척] 산등성마루.
[山躑躅 산척촉] 진달래.
[山川 산천] ㉠산(山)과 내. 산과 강. 산하(山河). ㉡산천(山川)의 신령(神靈). 산신(山神)과 천신(川神). ㉢한 구역의 토지. ㉣그 땅의 자연의 경치.
[山川草木 산천초목] 산천(山川)과 초목(草木). 전(轉)하여, 자연(自然).
[山草 산초] 산에 나는 풀.
[山椒 산초] ㉠운향과(芸香科)에 속하는 낙엽 관목(落葉灌木). 열매는 해독(解毒)·살충약(殺蟲藥)으로 씀. 산초나무. ㉡산정(山頂).
[山樵 산초] 나무꾼.
[山村 산촌] 산중에 있는 마을. 두메.
[山陬 산추] 깊은 산속. 두메.
[山啄木 산탁목] 딱따구릿과에 속하는 새. 청딱따구리.
[山澤 산택] 산과 늪.
[山坂 산판] 《韓》 산에 있는 말림갓.
[山葡萄 산포도] 머루.
[山風 산풍] ㉠산에서 불어오는 바람. ㉡산꼭대기에서 골짜기로 내리 부는 바람. 곡풍(谷風)의 대(對).
[山皮 산피] 산짐승의 가죽.
[山河 산하] 산(山)과 강(江).
[山河衿帶 산하금대] 산과 강이 둘러싼 자연의 요해(要害).
[山海 산해] 산(山)과 바다.
[山海經 산해경] 작자(作者) 미상의 중국 주진간(周晉間)의 지리책. 산천(山川)·초목(草木)·조수(鳥獸)에 관한 기괴한 이야기를 실었음. 총 18권.
[山海珍味 산해진미] 산(山)과 바다에서 나는 진귀(珍貴)한 음식(飮食).
[山行 산행] 산길을 감.
[山軒 산헌] 산에 있는 집. 산가(山家).
[山峽 산협] 두메.
[山形 산형] 산(山)의 형상(形狀).
[山蹊 산혜] 산속의 소로(小路). 산중의 지름길.
[山戶 산호] 화전(火田)을 갈아먹고 사는 사람의 집.
[山呼 산호] 천자를 위하여 만세를 부름. 한(漢)나라의 무제(武帝)가 친히 숭산(嵩山) 위에서 제사를 지낼 때 신민(臣民)이 만세를 삼창한 데서 나온 말.
[山火 산화] 산에서 나는 불. 산불.
[山花 산화] 산에서 피는 꽃.
[山淮 산회] 산과 강. 산천(山川).
[山肴 산효] 산나물.
[山鴞 산효] 올빼미.
[山後 산후] 산의 뒤쪽.

◉假山. 江山. 開山. 景山. 故山. 高山. 孤山. 空山. 關山. 鑛山. 九山. 丘山. 群山. 歸山. 金山. 禁山. 祁山. 南山. 大山. 塗山. 道山. 禿山. 東山. 童山. 銅山. 登山. 名山. 博山. 盆山. 氷山. 三山. 常山. 仙山. 雪山. 水山. 深山. 仰山. 厓山. 魚山. 驪山. 歷山. 連山. 五山. 玉山. 玉海金山. 愚公移山. 雲山. 遠山. 遊山. 肉山. 銀山. 陰山. 入山. 終南山. 中山. 天山. 青山. 樵水漁山. 築山. 治山. 炭山. 泰山. 土山. 土常山. 寒山. 火山.

2 ⑤ [屵] 一 알 入曷 五割切 è
二 얼 入屑 魚列切
三 언 上阮 語偃切 yǎn

[字解] [一] ①벼랑높을 알 '一, 岸高也'《說文》. ②높을 알 높은 산의 모양. '一, 高山狀'《廣韻》. [二] 벼랑높을 얼, 높을 얼 [一]과 뜻이 같음. [三] ①우러를 언 우러러봄. '一, 仰也'《集韻》. ②입술클 언 '一礊'은 입술이 큰 모양. '一, 一礊, 又大脣皃'《廣韻》.
[字源] 形聲. 山+厂〔音〕

2⑤ [𡵂] 기 ㊤紙 居履切 jǐ

[字解] 산이름 기 간쑤 성(甘肅省) 산단현(山丹縣)의 서남쪽에 있는 산. 궁석산(窮石山). '一, 一山也'《說文》.
[字源] 形聲. 山+几〔音〕

2⑤ [屴] 력 [入]職 林直切 lì, lè

[字解] 치솟을 력, 쭈뼛할 력 '一崱'은 산봉우리가 높이 솟은 모양. '蒼龍渡海成疊嶂, 一崱西來勢何壯'《貢師泰》.
[字源] 形聲. 山+力〔音〕

[屴崱 역즉] 산봉우리가 높이 솟은 모양.

2⑤ [屳] 〔선〕
仙(人部 三畫〈p.102〉)과 同字

3⑥ [屾] [一] 신 [平]眞 所臻切 shēn
[二] 산 [去]翰 所晏切

[字解] [一] 같이선산 신 나란히 선 두 산. '二山並立曰一'《集韻》. [二] 같이선산 산 [一]과 뜻이 같음.
[字源] 會意. 山+山

3⑥ [屹] [人名] 흘 [入]物 逆乙切 yì

[筆順] 丨 凵 山 山ノ 山乍 屹
[字解] 쭈뼛할 흘 산 같은 것이 우뚝 솟은 모양. '一立'. '山一屼兮水淪漣'《元結》.
[字源] 形聲. 山+乞〔音〕. '乞걸'은 높이 솟아오르는 구름의 뜻. 산이 우뚝 솟은 모양을 나타냄.

[屹起 흘기] 산이 우뚝 솟음.
[屹栗 흘률] 두려워하는 모양.
[屹立 흘립] 우뚝 솟음.
[屹然 흘연] ㉠높이 솟은 모양. 우뚝 솟은 모양. ㉡독립(獨立)한 모양. 외따로 선 모양.
[屹然獨立 흘연독립] 우뚝 솟아서 외따로 섬.
[屹屼 흘올] 민둥산이 높이 솟은 모양.
[屹崒 흘줄] 높고 험준한 모양.
[屹出 흘출] 산이 높고도 날카롭게 우뚝 솟음.
[屹乎 흘호] 높게 솟은 모양. 우뚝 솟은 모양.
[屹屹 흘흘] 높이 솟은 모양.

3⑥ [屼] 올 [入]月 五忽切 wù

[字解] 민둥민둥할 올 민둥산의 모양. 일설에는, 산이 높은 모양. '山屹一兮水淪漣'《元結》.
[字源] 形聲. 山+兀〔音〕. '兀올'은 높고 위가 밋밋한 모양의 뜻. 밋밋한 '민둥산'의 뜻을 나타냄.

[屼嵂 올률] 산이 우뚝 솟은 모양.
◉嶢屼. 崒屼. 屹屼.

3⑥ [屺] 기 ㊤紙 墟里切 qǐ

[字解] 민둥산 기 초목이 없는 산. '陟彼一兮, 瞻望母兮'《詩經》.
[字源] [篆文] 形聲. 山+己〔音〕

3⑥ [岁] 〔세〕
歲(止部 九畫〈p.1143〉)의 簡體字

3⑥ [岂] 〔기·개〕
豈(豆部 三畫〈p.2170〉)의 簡體字

3⑥ [岀] 〔출〕
出(凵部 三畫〈p.236〉)의 俗字

4⑦ [岌] 급 [入]緝 魚及切 jí

[字解] ①높을 급 산이 높은 모양. '一峩'. '高余冠之一一兮'《楚辭》. ②위태로울 급 '一業'. '天下殆哉, 一一乎'《孟子》.
[字源] [篆文] 形聲. 山+及〔音〕. '及급'은 '미치어 이름'의 뜻. 산이 하늘에까지 닿도록 높음.

[岌岌 급급] ㉠높은 모양. ㉡위험한 모양.
[岌峨 급아] 높은 모양.
[岌嶪 급업] 위태로운 모양.
◉嶷岌. 嶪岌. 嵬岌.

4⑦ [岑] [人名] 잠 ①-⑤[平]侵 鋤針切 cén
⑥㊤寢 牛錦切

[字解] ①봉우리 잠 산봉우리. '可使高於一樓'《孟子》. ②높을 잠 산 같은 것이 높음. '確嵬一崟'《嵇康》. ③날카로울 잠 '漂流隕往觸一石兮'《楚辭》. ④험준할 잠 '知鳥擇一蔚安閒'《禮記》. ⑤성 잠 성(姓)의 하나. ⑥언덕 잠, 낭떠러지 잠 애안(崖岸). '未始離於一'《莊子》.
[字源] [篆文] 形聲. 山+今〔音〕. '今금'은 '덮어 싸 포함하다'의 뜻. 대지(大地)를 덮어 안은 산의 뜻을 나타냄.

[岑莖 잠경] 콩과에 속하는 다년생 풀. 뿌리는 약재로 씀.
[岑嶺 잠령] 높은 산봉우리.
[岑樓 잠루] 높은 누각(樓閣). 일설(一說)에는, 산정(山頂).
[岑參 잠삼] 당대(唐代)의 시인(詩人). 숙종(肅宗) 때 가주 자사(嘉州刺史)를 지냈으므로, 세상에서 잠가주(岑嘉州)라 일컬음. 두릉산(杜陵山) 속에 퇴거(退居)하다가 촉(蜀) 땅에서 객사(客死)하였음.
[岑峨 잠아] 산봉우리가 높고 뾰족한 모양. 인심(人心)이 음험한 비유로 쓰임.
[岑崟 잠암] 잠암(岑巖).
[岑巖 잠암] 험준(險峻)한 모양.
[岑翳 잠예] 산이 높고 수목이 빽빽이 들어선 곳.

[岑蔚 잠위] 나무가 빽빽이 들어선 깊은 산.
[岑崟 잠음] 산이 높은 모양. 험준한 모양.
[岑岑 잠잠] 머리가 아픈 모양.
[岑寂 잠적] ㉠적막(寂寞)함. ㉡쓸쓸하게 높이 솟아 있음.
[岑彭 잠팽] 동한(東漢)의 무장(武將). 자(字)는 군연(君然). 광무(光武)를 섬겨 큰 공을 여러 번 세웠음.
[岑壑 잠학] 봉우리와 골짜기
◉嶺岑. 遙岑. 巍岑. 異苔同岑. 峻岑. 尖岑.

4 ⑦ [岕] 〔개〕
岕(山部 四畫〈p.634〉)와 同字

4 ⑦ [岉] 물 ㊀物 文弗切 wù
字解 높을 물 산 같은 것이 높은 모양. '隆崛一乎青雲'《王延壽》.
字源 形聲. 山+勿〔音〕

4 ⑦ [岍] 〔견〕
岍(山部 六畫〈p.638〉)의 俗字

4 ⑦ [岐] 人名 기 ㊥支 巨支切 qí

筆順 丨 山 山 山ㄧ 山ㄧ 岐 岐

字解 ①산이름 기 산시 성(陝西省) 치산 현(岐山縣)에 있는 산. 주왕조(周王朝)의 발상지(發祥地). '至于一下'《詩經》. ②높을 기 산 같은것이 높음. '尾犄犄角一一'《梅堯臣》. ③갈래질 기, 갈림길 기 가닥이 짐. 또, 옆으로 갈려 나간 길. 歧(止部 四畫)와 同字. '一路'. '一之中又有一'《列子》. ④성 기 성(姓)의 하나.
字源 篆文 形聲. 山+支〔音〕. '支지'는 '나뭇가지'의 뜻. 산의 갈림길의 뜻을 나타냄. 본래는 '郊'의 별체(別體)였으나, '郊'가 폐지됨으로써, '岐'가 쓰이게 되었음.

[岐岐 기기] ㉠재주가 있고 어진 모양. ㉡높은 모양. ㉢날아가는 모양.
[岐念 기념] 잡념(雜念).
[岐塗 기도] ㉠갈림길. 기로(岐路). ㉡불분명한 조리(條理).
[岐路 기로] 갈림길.
[岐傍 기방] 기로(岐路).
[岐山 기산] 산시 성(陝西省) 내의 현(縣) 이름.
[岐嶷 기억] 뛰어나게 영리함. 어릴 때부터 재지(才智)가 특출함.
[岐穎 기영] 재주가 뛰어남.
[岐周 기주] 서주(西周). 처음에 기산(岐山)에 나라를 세웠으므로 이름.
[岐峻 기준] 높고 험함. 험준함.
[岐黃之術 기황지술] 의술(醫術)을 이름. 기백(岐伯)과 황제(黃帝)는 의술의 비조(鼻祖)임.
◉多岐. 分岐.

4 ⑦ [[山+文]] 〔민〕
崏(山部 五畫〈p.636〉)과 同字

4 ⑦ [岕] 개 ㊁卦 居拜切 jiè
字解 ①산이름 개 개산(介山). '一, 山名'《集韻》. '一, 晉文公以介子推逃隱緜上山中, 特表其山曰介山. 俗作一'《正字通》. ②산과산사이 개 저장 성(浙江省) 장흥현(長興縣)의 산간(山間) 지방에 '一'를 붙인 땅 이름이 많음. '茶名, 宜興羅解兩山之間所產, 故名一茶'《馮可賓》.

4 ⑦ [岏] 人名 완 ㊥寒 五丸切 yuán
字解 ①산뾰족할 완 산이 뾰족하여 험준한 모양. '巑一'. '山巒一兮水環合'《江淹》. ②높을 완 '一, 高也'《廣雅》.
字源 形聲. 山+元〔音〕

◉巑岏. 屹岏.

4 ⑦ [岎] 분 ㊥文 符分切 fén
字解 높을 분 산이 높은 모양. '一崯廻叢'《揚雄》.
字源 形聲. 山+分〔音〕

[岎崯 분음] 산이 높은 모양.

4 ⑦ [岒] 겸 ㊥鹽 其淹切 qián
字解 ①산이름 겸 '一, 山名'《集韻》. ②가지런하지않을 겸 '一峨'는 가지런하지 않은 모양. 높낮이가 있는 모양. '俗一峨而嵾嵯'《東方朔》.

4 ⑦ [岈] 하 ㊥麻 許加切 xiā
字解 ①산골휑할 하 '峆一'는 골짜기가 매우 휑뎅그렁한 모양. 谺(谷部 四畫)와 同字. '峆一, 谷中大空皃'《集韻》. ②깊을 하 '峆一'는 산이 깊은 모양. '一, 與谺同. 峆一, 山深貌'《字彙》.

4 ⑦ [岋] 압 ㊀合 鄂合切 è
字解 움직일 압 요동하는 모양. '天動地一'《揚雄》.

4 ⑦ [[山+厷]] 〔영〕
嶸(山部 十四畫〈p.654〉)과 同字

4 ⑦ [岔] 차 ㊁禡 丑亞切 chà
字解 갈림길 차 세 갈래진 길. 삼차로(三叉路).
字源 會意. 山+分

4 ⑦ [岊] 절 ㊀屑 子結切 jié
字解 ①산굽이 절 산모롱이. '篔緣山嶽之一'《左思》. ②산높을 절 산이 높은 모양. 節(竹部 九畫)과 同字.
字源 篆文 形聲. 山+巴〔音〕. '巴'는 '卩(節)절'로 '마디'의 뜻. '산굽이'를 이름.

[岊嶺 절령] 황해도 자비령(黃海道慈悲嶺)의 이칭(異稱).

5 ⑧ [岸] [高人] 안 [去]翰 五旰切 àn

[筆順] ' 屮 山 屵 屵 岸 岸 岸

[字解] ①언덕 안 바다나 강가의 둔덕진 곳. 기슭. '海—'. '淇則有—'《詩經》. ②높을 안, 높은 지위 안 '—, 高也'《小爾雅》. '誕先登于—'《詩經》. ③낭떠러지 안 절벽. '崖—'. '斬—堙谿'《呂氏春秋》. ④소송할 안, 소송 안 '—, 訟也'《詩經 傳》. ⑤층계 안 계단. '襄—夷塗'《張衡》. ⑥뛰어날 안 인물이 뛰어남. 두드러짐. '爲人魁—'《漢書》. ⑦옥 안 역참(驛站)에 있는 옥(獄). '宜—宜獄'《詩經》.

[字源] 篆文 岸 形聲. 屵+干〔音〕. '干간'은 깎아 떼어 냄의 뜻. 물로 인해 깎인 높은 벼랑, '낭떠러지'의 뜻을 나타냄.

[岸傑 안걸] 몸이 건장(健壯)함.
[岸曲 안곡] 후미. 정곡(汀曲).
[岸頭 안두] 안변(岸邊).
[岸畔 안반] 언덕의 가. 물가.
[岸壁 안벽] ㉠벽과 같이 깎아지른 듯한 물가의 언덕. 물가의 낭떠러지. ㉡항구에서 배의 짐을 풀거나 싣거나, 또는 사람이 오르내리는 데 편리하게 하기 위하여 부두(埠頭) 또는 물가를 따라서 쌓은 언덕.
[岸邊 안변] 언덕의 가. 물가.
[岸垂 안수] 언덕의 가. 수(垂)는 수(陲).
[岸獄 안옥] 옥(獄). 감옥.
[岸芷汀蘭 안지정란] 물가에 난 구릿대나 난초와 같은 향초(香草).
[岸幘 안책] 두건(頭巾)을 벗고 이마를 내놓음. 친밀하여 예모(禮貌)를 갖추지 아니함을 이름.
[岸忽 안홀] 오만하여 남을 깔봄.
●瑰岸. 魁岸. 稜岸. 斷岸. 塘岸. 對岸. 畔岸. 壁岸. 峨岸. 崖岸. 涯岸. 沿岸. 傲岸. 偉岸. 渚岸. 絶岸. 汀岸. 坡岸. 風岸. 彼岸. 河岸. 海岸.

5 ⑧ [岪] 불 [入]物 符勿切 fú

[字解] ①첩첩할 불 '—鬱'은 산에 첩첩이 둘러싸인 모양. '其山則盤紆—鬱'《司馬相如》. ②산모롱이 불 산의 굽이진 곳. '坱兮軋, 山曲—'《楚辭》. ③산길 불 산속에 있는 길. '—, 山脅道也'《說文》.

[字源] 篆文 岪 形聲. 山+弗〔音〕. '弗불'은 나무 따위를 휘감음의 뜻을 나타냄. 산허리를 꾸불꾸불 휘감은 길을 이름.

[岪岪 불불] 일어나는 모양.
[岪鬱 불울] 자해(字解) ❶을 보라.
[岪蔚 불위] 우뚝 치솟은 형용.

5 ⑧ [岢] 가 [上]哿 枯我切 kě

[字解] 가람산 가 '—嵐'은 지금의 산시 성(山西省) 가람현(岢嵐縣)의 북쪽에 있는 산 이름.

[字源] 形聲. 山+可〔音〕

5 ⑧ [岧] [人名] 초 [平]蕭 徒聊切 tiáo

[字解] 높을 초 산이 높은 모양. '登—嶢之高岑'《曹植》.

[字源] 形聲. 山+召〔音〕

[岧嶢 초요] 산이 높은 모양.
[岧岧 초초] 산이 높은 모양.

5 ⑧ [岹] 岧(前條)와 同字

5 ⑧ [岦] 립 [入]緝 力入切 lì

[字解] 산 립 산의 우뚝한 모양. '—岌, 山皃'《集韻》.

[字源] 形聲. 山+立〔音〕

5 ⑧ [岞] 작 [入]陌 鋤陌切 [入]藥 在各切 zuò

[字解] 높을 작 산이 높은 모양.

[字源] 形聲. 山+乍〔音〕

5 ⑧ [岩] [人名] 암 [平]咸 五銜切 yán

[筆順] ' 屮 山 山 岩 岩 岩 岩

[字解] ①巖(山部 二十畫)의 俗字. ②嵒(山部 九畫)의 俗字.

[字源] 會意. 山+石

[參考] 자해(字解)와 숙어는 巖(山部 二十畫)을 보라.

5 ⑧ [岣] 구 [上]有 古厚切 gǒu

[字解] 봉우리이름 구 '—嶁'는 후난 성(湖南省)에 있는 형산(衡山) 산의 주봉(主峯).

[字源] 形聲. 山+句〔音〕

[岣嶁 구루] 자해(字解)를 보라.
[岣嶁碑 구루비] 우(禹) 임금이 치수(治水)하였을 때 새겼다고 전하여 내려오는 석비(石碑). 형산현(衡山縣) 운밀봉(雲密峯)의 꼭대기에 있음.

5 ⑧ [岫] [人名] 수 [去]宥 似祐切 xiù

[字解] ①산굴 수 산에 있는 암혈(巖穴). '—雲'. '雲無心以出—'《陶潛》. ②암굴산 수 암굴이 있는 산(山). '—, 山有穴也'《說文》. ③산봉우리 수 산정(山頂). '窓中列遠—'《謝朓》.

[字源] 篆文 岫 籀文 峀 形聲. 山+由〔音〕. '由유'는 '酉유'와 통하여, '술 그릇'의 뜻. 술독처럼 깊은 산의 동굴의 뜻을 나타냄.

[岫居 수거] 산의 동굴에서 삶.
[岫室 수실] 산의 동굴 속의 방.
[岫雲 수운] 산의 암굴(巖窟)에서 일어나는 구름.
[岫虎 수호] 동굴에 사는 범.
●岬岫. 高岫. 窮岫. 山岫. 巖岫. 龍岫. 雲岫. 幽岫. 層岫.

5⑧ [峀] 岫(前條)와 同字

5⑧ [岬] 人名 갑 入洽 古狎切 jiǎ

字解 ①산허리 갑 산(山) 중턱. '徘徊山—之旁'《淮南子》. ②산사이 갑 산과 산 사이. '傾藪薄, 倒—岫'《左思》. ③갑 갑 바다로 뾰족하게 내민 땅. 곶.

字源 形聲. 山+甲〔音〕. '甲갑'은 '脅협'과 통하여, '옆·허리'의 뜻. 산허리의 뜻을 나타냄. 또, '峽협'과 통하여 '골짜기'의 뜻도 나타냄. 또, 지금은 우리나라를 비롯하여 중국, 일본에서도 '곶'의 뜻으로 쓰임.

[岬角 갑각] 바다쪽으로 좁고 길게 뻗어 있는 육지의 끝 부분. 갑(岬).
[岬岫 갑수] 산과 산의 사이. 또, 산 중턱의 동굴.
◉山岬.

5⑧ [岰] 유 去效 於敎切 ào

字解 산굽이 유 산이 굽은 모양. '—, 山曲皃'《集韻》.

字源 形聲. 山+幼〔音〕

5⑧ [岷] 人名 민 平眞 武巾切 mín

筆順 丨 山 山 山⁷ 山ᄀ 岷 岷 岷

字解 ①산이름 민 쓰촨 성(四川省) 쑹판 현(松潘縣) 북쪽에 있는 산의 이름. 민산(岷山). 문산(汶山). '—山之陽, 至于衡山'《書經》. ②강이름 민 민산(岷山)에서 발원(發源)하여, 쓰촨 성(四川省)을 남류(南流)해서 성도(成都)의 서쪽을 거쳐, 양쯔 강에 합류하는 강의 이름. 민강(岷江).

字源 篆文 形聲. 篆文은 山+敃〔音〕. '岷민'은 俗字.

[岷嶺 민령] 민산(岷山)의 봉우리.
[岷峯 민봉] 민산(岷山)의 봉우리.
[岷峨 민아] 민산(岷山)과 어메이 산(峨眉山).
[岷精 민정] 민산(岷山)의 요정(妖精).
[岷波 민파] 민강(岷江)의 물결.
◉江岷. 梁岷. 蜀岷. 巴岷.

5⑧ [岠] 거 上語 其呂切 jù

字解 ①큰산 거 대산(大山). ②이를 거 至(部首)와 뜻이 같음. '元龜—冉, 長尺二寸'《漢書》. ③떠날 거, 떨어질 거 '—齊州以南'《爾雅》.

字源 形聲. 山+巨〔音〕. '巨거'는 '크다'의 뜻.

5⑧ [岨] 一 저 平魚 七余切 jū
二 서(조本) 上語 壯所切 jǔ

字解 一 ①돌산 저 흙이 덮인 돌산. 砠(石部 五畫)와 同字. '陟彼—矣'《詩經》. ②험할 저 험준함. '—峻'. 二 울퉁불퉁할 서 산이 울퉁불퉁함. 전(轉)하여, 서어(齟齬)함. '—峿'.

字源 篆文 形聲. 山+且〔音〕. '且저'는 '겹쳐 쌓임'의 뜻. 흙이 덮여 있는 '돌산'의 뜻.

[岨峿 서어] 서로 맞지 않고 어긋나는 모양. 서어(鉏鋙). 서어(齟齬).
[岨峻 저준] 높고 험함. 험준함.
◉危岨. 嶮岨.

5⑧ [岵] 人名 호 上麌 侯古切 hù

字解 산 호 ㉠초목이 우거진 산. '陟彼—兮'《詩經》. ㉡민둥산. '山無草木曰—'《詩經 傳》.

字源 形聲. 山+古〔音〕. '古고'는 '굳다〔固〕'의 뜻. 바위뿐인 민둥산의 뜻을 나타냄.

5⑧ [岟] 앙 上養 於兩切 yǎng

字解 ①후미질 앙 산이 깊숙한 모양. '山林幽—'《左思》. ②산기슭 앙 산자락. '—, 山足'《廣韻》. ③산모양 앙 산형(山形). '—, 山形'《集韻》.

字源 形聲. 山+央〔音〕

◉幽岟.

5⑧ [岥] 파 平歌 逋禾切 pō

字解 비탈질 파, 비탈 파 땅이 경사진 모양. 또, 경사진 곳. '裁—岮以隱嶙'《潘岳》.

[岥岮 파타] 땅이 경사진 모양.

5⑧ [岮] 타 平歌 唐何切 tuó

字解 비탈질 타, 비탈 타 岥(前條)와 뜻이 같음.

◉山岮.

5⑧ [岤] 혈 入屑 呼決切 xué

字解 산굴 혈 산에 있는 동굴. '憭兮慄虎豹—'《楚辭》.

字源 形聲. 山+穴〔音〕

5⑧ [岭] 령 平青 郎丁切 líng

字解 ①산으슥할 령 산이 깊음. '—, 山深也'《集韻》. ②산이름 령 '—中'은 산 이름. '入—中而登玉峯'《元結》.

字源 形聲. 山+令〔音〕

[岭嶙 영린] 돌 소리의 형용.
[岭嶒 영영] 산(山)의 깊숙한 모양.

5⑧ [岺] 岭(前條)과 同字

5⑧ [岾] 人名 一 韓 재
二 韓 점

字解 《韓》 ㊀ 고개 재 땅 이름으로 쓰임. '永郞―'. ㊁ 땅이름 점 '楡―寺'는 강원도(江原道) 고성군(高城郡)에 있는 절.

5 ⑧ [岡] 人名 강 ㊥陽 古郎切 gāng 冈 罡

筆順 丨 冂 冂 冈 冈 冈 岡 岡

字解 ①산등성이 강 산등성마루. '陟彼高―'《詩經》. ②산봉우리 강 산봉(山峯). '覽高―兮嶢嶢'《楚辭》. ③언덕 강 구릉. '―陵'. '如―如陵'《詩經》.

字源 金文 篆文 形聲. 山+网〔音〕. '网망'은 '亢항'과 통하여, '아치형(形)'의 뜻. 아치 모양의 산(山), 구릉(丘陵)의 뜻을 나타냄.

[岡陵 강릉] 언덕. 구릉(丘陵).
[岡巒 강만] 언덕과 산. 구산(丘山).
[岡阜 강부] 언덕. 작은 산.
◉高岡. 崐岡. 巒岡. 三華岡. 天岡. 千仞岡.

5 ⑧ [罒] 岡(前條)과 同字

5 ⑧ [岻] 〔구〕 嶇(山部 十一畫〈p. 650〉)와 同字

5 ⑧ [岱] 人名 대 ㊤隊 徒耐切 dài

字解 ①대산 대 '―山'은 오악(五嶽)의 하나. 곧, 태산(泰山)의 별칭(別稱). '玉簡禪―山'《劉義恭》. ②클 대 '竦誠―駕肅'《謝莊》.

字源 篆文 形聲. 山+代〔音〕

[岱駕 대가] 크고 훌륭한 건물.
[岱畎 대견] 태산(泰山)의 골짜기.
[岱嶺 대령] 태산(泰山)의 딴 이름.
[岱山 대산] 태산(泰山).
[岱委 대위] 옥(玉)의 정(精). 푸른 옷을 입은 미녀(美女)의 모습이라고 함.
[岱宗 대종] 태산(泰山). 태산(泰山)은 오악(五嶽)의 장(長)이므로 이름.
[岱華 대화] 태산과 화산(華山).
◉東岱. 嵩岱. 齊岱. 海岱. 華岱.

5 ⑧ [岳] 高·人 악 ㊇覺 五角切 yuè

筆順 ㇀ ㄏ 𠂆 斤 丘 乒 岳 岳

字解 ①큰산 악 嶽(山部 十四畫)과 同字. '五―'. '五月, 南巡狩, 至于南―'《書經》. ②벼슬 이름 악 한 방면(方面)의 제후(諸侯)를 통솔하는 벼슬. '帝曰咨, 四―'《書經》. 전(轉)하여, 큰 제후. 또는 번진(藩鎭). '身居列―, 自御強兵'《徐陵》. ③장인 악 아내의 아버지. '―父'. ④성 악 성(姓)의 하나.

字源 甲骨文 古文 會意. 丘+山. '丘구'는 언덕을 본뜬 모양. '山'은 산의 象形. 험한 산의 뜻을 나타냄.

參考 '岳'은 《廣韻》에서는 '嶽'과 同字라 하고, 《集韻》·《康熙字典》 등에서는 '嶽'의 古字로 침. '嶽'과 '岳'은 자의(字義)도 같아서, 예전부터 둘 다 써 왔으나, 성(姓)에는 '岳'이 쓰임.

[岳頭 악두] 산꼭대기. 산정(山頂).
[岳母 악모] 장모(丈母).
[岳牧 악목] 사악(四岳)과 십이목(十二牧). 후세의 공경(公卿)·제후(諸侯)에 해당함.
[岳武穆 악무목] 악비(岳飛).
[岳父 악부] 장인(丈人). 부옹(婦翁).
[岳飛 악비] 남송(南宋)의 충신(忠臣). 자(字)는 붕거(鵬擧). 금군(金軍)을 격파하여 공을 세워 벼슬이 태위(太尉)에 이르렀음. 당시 조정에 금(金)나라와의 화의(和議)가 일어나 이에 반대하다가 진회(秦檜)의 참소를 당하여 옥중(獄中)에서 살해당했음. 효종(孝宗) 때 악왕(鄂王)에 봉(封)하고 시호(諡號)를 무목(武穆)이라 하였다가 뒤에 충무(忠武)로 고쳤음.
[岳狩 악수] 한 지방을 지켜 악을 제거하고 죄를 침.
[岳陽樓 악양루] '악주부(岳州府)'를 보라.
[岳丈 악장] 악부(岳父). 진(晉)나라 악광(樂廣)은 위개(衛玠)의 장인(丈人)으로, 악장(樂丈)이라고 부르던 것이 와전(訛傳)되어 악장(岳丈)이 되었다고도 하고, 장(丈)은 태산(泰山)의 장인봉(丈人峯)의 장(丈)과 관계를 맺은 글자라고도 함.
[岳州府 악주부] 후난 성(湖南省) 웨양 현(岳陽縣) 둥팅 호(洞庭湖)의 동안(東岸)에 있는 요지(要地). 웨양 루(岳陽樓)는 서문(西門)의 누각으로서 둥팅 호(洞庭湖)를 부감(俯瞰)함. 경치가 가려(佳麗)함.
◉四岳. 山岳. 心如山岳. 淵岳. 雲岳. 川岳. 豐岳.

6 ⑨ [岡] 〔강〕 岡(山部 五畫〈p. 637〉)의 本字

6 ⑨ [峉] 액 ㊇陌 五陌切 è

字解 ①웅장할 액 산이 높고 큰 모양. '山峊兮――'《楚辭》. ②험준할 액 산이 험준하고 울퉁불퉁한 모양. '玄嶺巉巖, 岝―嶇嶮'《嵇康》.

字源 形聲. 山+各〔音〕

[峉峉 액액] 산이 웅장한 모양.

6 ⑨ [峛] 리 ㊤紙 力紙切 lǐ

字解 고개 리 재. 산을 오르내리게 된 비탈진 곳. '登降―崺'《揚雄》.

字源 形聲. 山+列〔音〕

[峛崺 이이] ㉠산이 낮고 길게 뻗은 모양. ㉡재. 고개.

6 ⑨ [崀] 은 ㊤阮 魚懇切 ěn

字解 ①산모퉁이 은 '―崿'. ②산이름 은 '―, 山名'《集韻》.

[崀崿 은악] 산모퉁이.

6 ⑨ [峎] 峎(前條)과 同字

[炭] 〔탄〕
火部 五畫(p.1328)을 보라.

[耑] 〔단〕
而部 三畫(p.1818)을 보라.

6 ⑨ [峗] [一] 위 [平]支 魚爲切 wéi
[二] 외 [平]灰 五委切 wěi

[字解] [一] ①산이름 위 '三—, 山名, 在鳥鼠西'《集韻》. ②성 위 성(姓)의 하나. [二] 높을 외 산 같은 것이 높음. '—, 高也'《字彙》.
[字源] 形聲. 山+危〔音〕. '危위'는 '높다'의 뜻.

6 ⑨ [峓] 이 [平]支 以脂切 yí

[字解] 산이름 이 夷(大部 三畫)와 통용. '嵎—, 山名, 書作嵎夷'《廣韻》.
[字源] 形聲. 山+夷〔音〕

6 ⑨ [峋] 순 [平]眞 相倫切 xún

[字解] 깊숙할 순 산이 첩첩(疊疊)하여 끝없이 깊숙한 모양. '山自木落重嶙—'《陸游》.
[字源] 篆文 峋 形聲. 山+旬〔音〕. '旬순'은 '빙 둘러 싸다'의 뜻. 산이 주위(周圍)를 둘러 싸서 깊숙함의 뜻.

◉嶙峋.

6 ⑨ [峒] 동 ①[平]東 徒紅切 tóng
②③[去]送 徒弄切 dòng

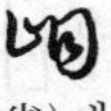

[字解] ①산이름 동 '崆—'은 간쑤 성(甘肅省)에 있는 산 이름. ②산굴 동 산(山)의 동굴. '—, 一曰, 山穴'《集韻》. ③오랑캐이름 동 서남 지방의 만족(蠻族). '—丁'.
[字源] 形聲. 山+同〔音〕

[峒猺 동요] 광시 성(廣西省) 평남현(平南縣) 동북 부근에 사는 만족(蠻族)의 이름. 요족(猺族).
[峒丁 동정] ㉠동족(峒族)의 장정(壯丁). ㉡동족의 장정으로서 모병(募兵)에 응하여 군사가 된 자.
◉崆峒.

6 ⑨ [峠] [人名] [日] 상

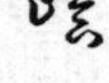

[字解] 고개 상, 재 상.

6 ⑨ [峐] 해 [平]灰 古哀切 gāi

[字解] 민둥산 해 초목이 없는 헐벗은 산. '—, 爾雅云, 山無草木曰—'《集韻》.

6 ⑨ [峙] [人名] 치 [上]紙 直里切 zhì

[筆順] 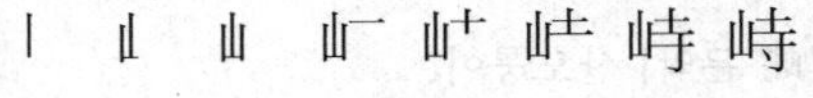

[字解] ①우뚝솟을 치 흘립(屹立)함. '—立'. '五山始—'《列子》. ②언덕 치 높은 언덕. '散似驚波, 聚似京—'《張衡》. ③쌓을 치 저축함. '—積'. '—乃糗糧'《書經》.
[字源] 形聲. 山+寺〔音〕. '寺사·시'는 '止지'와 통하여, 서 있어 움직이지 않다의 뜻. 부동(不動)의 산, '우뚝 솟다'의 뜻을 나타냄.

[峙立 치립] 우뚝 솟음. 높이 솟아 있음. 용립(聳立).
[峙兵 치병] 병기를 쌓아 둠.
[峙積 치적] 높이 쌓음. 또는 곳간에 쌓아 둠.
◉京峙. 綦峙. 羅峙. 對峙. 磐峙. 霄峙. 竦峙. 列峙. 龍飛鳳峙. 聳峙. 儲峙. 鼎峙. 峻峙. 錯峙. 卓峙. 特峙. 軒峙.

6 ⑨ [峣] 앙 [平]江 五江切 yáng

[字解] 가파를 앙 '崆—'은 산이 험준한 모양. '其山則崆—'《張衡》.

◉崆峣.

6 ⑨ [峆] 합 [入]合 曷閤切 hé

[字解] 산 합 산의 모양. '—嵑, 山皃'《集韻》.
[字源] 形聲. 山+合〔音〕

6 ⑨ [峌] 질(절[本]) [入]屑 徒結切 dié

[字解] 높을 질 산이 높은 모양. '—峴孤亭'《木華》.

[峌峴 질얼] 산이 높은 모양.

6 ⑨ [峜] 계 jì

[字解] 셀 계 또, 산법(算法)의 이름. 計(言部 二畫)와 뜻이 같음. '宓戲造六—, 以迎陰陽'《管子》.

6 ⑨ [峝] 동 [去]送 徒弄切 dòng

[字解] 오랑캐이름 동 중국 서남 지방의 묘족(苗族)의 일종. '—, 一人, 苗族'《字彙補》.

6 ⑨ [峍] 률 [入]月 勒沒切 lù

[字解] 산비탈 률 산의 낭떠러지.
[字源] 形聲. 山+聿〔音〕

6 ⑨ [峅] 견 [平]先 苦堅切 qiān

[字解] 산이름 견 산시 성(陝西省) 룽 현(隴縣)에 있는 산. 오악(吳嶽)이라고도 함. '導—及岐'《書經》.

6 ⑨ [峘] [一] 환 [平]寒 胡官切 huán
[二] 항 [平]蒸 胡登切 huán

[字解] [一] 높은작은산 환 큰 산과 나란히 있는데 큰 산보다 높은 작은 산. '小山岌大山, —'《爾

雅》. [二] 높은작은산 항 [一]과 뜻이 같음.

6 ⑨ **[峡]** 〔협〕
峽(山部 七畫〈p.640〉)의 俗字

6 ⑨ **[峦]** 〔만〕巒(山部 十九畫〈p.655〉)의 俗字·簡體字

7 ⑩ **[峯]** [高人] 봉 [平]冬 敷容切 fēng

[筆順] ' 㐄 山 屮 岁 岁 峯 峯

[字解] ①산봉우리 봉 산정(山頂). '一巒'. '一巔上崇崒, 煙雨下微冥'《陳子昂》. ②메 봉 산. '雷一在錢唐'《一統志》. ③성 봉 성(姓)의 하나.
[字源] 篆文 形聲. 山+夆〔音〕. '夆봉'은 '솟아오름'의 뜻. 산(山)의 솟아오른 끝, '봉우리'의 뜻을 나타냄.
[參考] 峰(山部 七畫)은 俗字.

[峯岠 봉거] 산봉우리가 험해서 가까이 갈 수 없음. 전(轉)하여, 사람이 규각(圭角)이 많아서 친근해질 수 없음의 비유.
[峯頭 봉두] 산꼭대기. 봉정(峯頂).
[峯巒 봉만] 뾰족뾰족한 산봉우리.
[峯勢 봉세] 봉우리의 형세(形勢). 봉우리의 모양.
[峯崖 봉애] 산비탈.
[峯雲 봉운] 산봉우리에 낀 구름.
[峯嶂 봉장] 봉만(峯巒).
[峯頂 봉정] 산꼭대기. 산정(山頂).
[峯尖 봉첨] 봉우리의 날카로운 꼭대기.
◉孤峯. 高峯. 斷峯. 三十六峯. 雲峯. 危峯. 絶峯. 攢峯. 疊峯. 最高峯. 駝峯.

7 ⑩ **[峳]** 유 [平]尤 夷周切 yóu

[字解] 짐승이름 유 '一一'는 동물의 이름. '礩山有獸焉. 其狀如馬而羊目, 四角, 牛尾, 名曰一一'《山海經》.
[字源] 形聲. 山+攸〔音〕

[峳峳 유유] 짐승의 이름.

7 ⑩ **[崒]** 신 [平]眞 疏臻切 shēn

[字解] 도깨비이름 신 모양은 개 같고 뿔이 있으며, 몸에 오색의 무늬가 있다 함. '丘有一'《莊子》.
[字源] 形聲. 山+辛〔音〕

7 ⑩ **[陘]** [一] 형 [平]青 乎經切 xíng
[二] 경 [平]庚 口莖切 kēng

[字解] [一] ①골짜기이름 형 산시 성(陝西省) 린퉁 현(臨潼縣)에 있는 골짜기. 진(秦)나라가 유생(儒生)들을 생매장했다는 골짜기임. ②골짜기 형, 지레목 형 산줄기가 끊어진 곳. 陘(阜部 七畫)과 同字. '山一之蹊, 不可勝由矣'《揚子法言》. [二] 골짜기이름 경, 골짜기 경, 지레목 경 [一]과 뜻이 같음.
[字源] 形聲. 山+巠〔音〕

7 ⑩ **[崁]** 투 [平]尤 徒侯切 tóu

[字解] 가파를 투 산이 험준한 모양.

7 ⑩ **[峩]** 峨(次次條)와 同字

[豈] 〔기〕
豆部 三畫(p.2170)을 보라.

7 ⑩ **[峨]** [人名] 아 [平]歌 五何切 é

[筆順] 丨 山 屵 屶 岈 峨 峨 峨

[字解] ①높을 아 산이 험준함. '一一兮若泰山'《列子》. ②높이할 아 장중하게 보이게 높게 함. '一大冠拖長紳'《劉基》. ③메 아 높은 산. '輿陟一而善狂'《謝靈運》. ④산이름 아 쓰촨 성(四川省)의 어메이 산(峨眉山)을 이름. '彷徉岷一'《唐書》.
[字源] 篆文 形聲. 山+我〔音〕. '我아'는 이가 빠져 날이 들쭉날쭉한 도끼의 象形. 날카롭게 뾰족뾰족한 험준한 산(山)의 뜻. 숙어 '嵯峨차아'는 상태를 나타내는 첩운어(疊韻語)임.
[參考] 峩(前前條)와 同字.

[峨冠 아관] 높은 관(冠).
[峨冠博帶 아관박대] ㉠높은 관과 넓은 띠라는 뜻으로, 선비의 의관을 이르는 말. ㉡사대부(士大夫).
[峨眉 아미] 쓰촨 성(四川省) 어메이 현(峨眉縣) 서남쪽에 있는 산 이름. 양쪽 산이 상대(相對)하여 아미(蛾眉) 같으므로 이름.
[峨嵋 아미] 아미(峨眉).
[峨峨 아아] ㉠험준한 모양. ㉡풍채가 늠름한 모양. ㉢여자의 예쁜 모양. 아아(娥娥).
◉大峨. 三峨. 小峨. 嵬峨. 巍峨. 岑峨. 中峨. 嵯峨.

7 ⑩ **[峪]** 욕 [入]沃 兪玉切 yù

[字解] 산골짜기 욕 산곡(山谷). '嘉一關'은 간쑤 성(甘肅省)에 있는 지명(地名).
[字源] 形聲. 山+谷〔音〕. '谷곡'은 '골짜기'의 뜻.

7 ⑩ **[峭]** 초 [去]嘯 七肖切 qiào

[字解] ①가파를 초 험준함. '一峻'. '岸一者必陁'《淮南子》. ②가파른비탈 초 '峻阪曰一'《一切經音義》. ③엄할 초 성품이 준엄함. '一正'. '錯爲人一直刻深'《漢書》.
[字源] 形聲. 山+肖〔音〕. '肖초'는 '깎다'의 뜻. 깎은 것 같은 험한 산의 뜻을 나타냄.

[峭刻 초각] 준엄(峻嚴)하고 각박(刻薄)함. 잔인무자비(殘忍無慈悲)함.
[峭鯁 초경] 성질이 엄하고 강직함.
[峭急 초급] 성미가 엄하고 급함.
[峭厲 초려] 성품이 엄격하고 사나움. 날카로운 기상(氣象)이 겉으로 나타남.
[峭麗 초려] 엄숙하며 아름다움.

[峭壘 초루] 험준한 보루.
[峭拔 초발] 힘이 있고 속기(俗氣)가 없음. 흔히 운필(運筆)의 주경(遒勁)함을 이름.
[峭法 초법] 초형(峭刑).
[峭壁 초벽] 낭떠러지.
[峭訐 초알] 용서 없이 준엄하게 적발함. 또, 엄혹(嚴酷)하게 비난(非難)함.
[峭崖 초애] 낭떠러지.
[峭嚴 초엄] 준엄(峻嚴)함.
[峭然 초연] ㉠산이 높고 험준(險峻)한 모양. ㉡초호(峭乎).
[峭絶 초절] 험준하여 길이 끊어짐.
[峭正 초정] 엄격하고 공정함. 엄정함.
[峭整 초정] 엄하고 단정함.
[峭峻 초준] 험준(險峻)함.
[峭直 초직] 성품이 준엄(峻嚴)하고 강직(剛直)함.
[峭寒 초한] 살을 에는 듯한 지독한 추위. 혹한(酷寒).
[峭覈 초핵] 준엄(峻嚴)함. 초엄(峭嚴)함.
[峭刑 초형] 엄(嚴)한 형벌(刑罰).
[峭乎 초호] 준엄한 모양.
◉苛峭. 刻峭. 鯁峭. 深峭. 嚴峭. 料峭. 阻峭. 峻峭. 巉峭. 巘峭.

7 ⑩ **[峴]** [人名] 현 ㊤銑 胡典切 xiàn

[筆順] 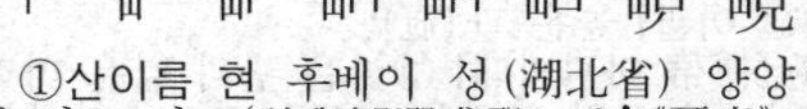

[字解] ①산이름 현 후베이 성(湖北省) 양양(襄陽)에 있는 산. '祜與鄒潤甫登—山'《晉書》. ②험한산꼭대기 현 높고 험준한 산정(山頂). '—, 峻嶺'《廣韻》. ③고개 현 재. '迢遞陟陘—'《謝靈運》.

[字源] 形聲. 山+見〔音〕

7 ⑩ **[峻]** [人名] 준 ㊍震 私閏切 jùn

[筆順] 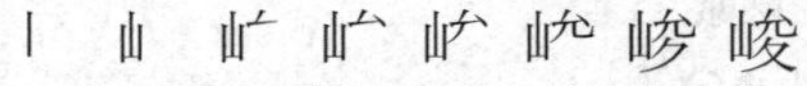

[字解] ①높을 준 산 같은 것이 높음. '—邸'. '垂不—'《左傳》. ②가파를 준 험함. '險—'. '領水之山峭—'《漢書》. ③클 준 높고 큼. 또, 고대(高大)하게 함. '克明—德'《大學》. '—宇彫牆'《書經》. ④길 준 장대함. '冀枝葉之—茂'《楚辭》. ⑤엄할 준 엄격함. 또, 엄하게 함. '—嚴'. '吏務爲嚴—'《史記》.

[字源] 篆文 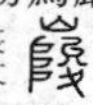 別體  篆文은 形聲. 山+陵〔音〕. '陵준'은 구릉이 가파르고 높음의 뜻. '峻준'은 '陖준'의 別體. 形聲으로서, 山+夋〔音〕. '夋준'은 사람이 높이 빼어남의 뜻을 나타냄.

[峻刻 준각] 준혹(峻酷).
[峻閣 준각] 높은 누각(樓閣).
[峻拒 준거] 준엄히 거절(拒絶)함.
[峻潔 준결] 엄하고 결백함.
[峻科 준과] 엄한 법률. 준법(峻法).
[峻極 준극] ㉠지극히 높음. ㉡더할 나위 없이 고상함.
[峻急 준급] ㉠성질이 엄하여 남의 잘못을 용서하지 않음. ㉡물의 흐름이 대단히 빠름.
[峻湍 준단] 험준한 곳에 있는 여울.
[峻德 준덕] 큰 덕. 준덕(俊德).
[峻厲 준려] 준절(峻切).
[峻嶺 준령] 험준한 산봉우리. 준봉(峻峯).
[峻路 준로] 험준한 길. 험로(險路).
[峻艫 준로] 높고 큰 배.
[峻論 준론] 엄숙(嚴肅)하고 날카로운 언론.
[峻網 준망] 준법(峻法).
[峻命 준명] 중한 명령. 천자(天子)의 명령.
[峻茂 준무] 길게 무성함.
[峻文 준문] 준법(峻法).
[峻密 준밀] ㉠준엄(峻嚴)하고 세밀(細密)함. ㉡높고 많음.
[峻法 준법] 엄중한 법(法).
[峻別 준별] 아주 명확한 구별.
[峻峯 준봉] 높고 험(險)한 봉우리.
[峻山 준산] 험하고 높은 산.
[峻竦 준송] 높이 솟음. 고준(高峻).
[峻秀 준수] 높이 솟음. 또, 높이 뛰어남.
[峻嶽 준악] 높고 험준한 큰 산.
[峻厓 준애] 낭떠러지. 절애(絶厓).
[峻隘 준애] ㉠땅이 험준하고 좁음. ㉡성질이 엄격하고 도량이 좁음.
[峻嚴 준엄] 매우 엄(嚴)함. 지엄(至嚴).
[峻烈 준열] 준절(峻切).
[峻宇 준우] 높은 처마. 전(轉)하여, 높고 큰 집.
[峻遠 준원] 인품이나 언사(言辭) 따위가 고상하고 그윽함. 고원(高遠).
[峻爵 준작] 높은 작위(爵位).
[峻岑 준잠] 준봉(峻峯).
[峻邸 준저] 으리으리하고 높은 저택.
[峻詆 준저] 준엄(峻嚴)하게 꾸짖음. 통저(痛詆).
[峻切 준절] 대단히 엄격함.
[峻節 준절] 고상한 절개(節概). 높은 지조(志操).
[峻挺 준정] 준특(峻特).
[峻整 준정] 엄숙하고 단정함.
[峻制 준제] 준법(峻法).
[峻阻 준조] 험함. 험준함.
[峻秩 준질] 높은 관위(官位).
[峻責 준책] 준엄(峻嚴)하게 꾸짖음.
[峻峭 준초] ㉠산이 험함. ㉡준엄하고 가혹함. ㉢준수하고 고상함.
[峻峙 준치] 높이 솟음. 우뚝 솟음.
[峻擢 준탁] 특별히 발탁(拔擢)함. 또, 파격(破格)의 발탁.
[峻特 준특] 높이 남. 대단히 뛰어남. 준정(峻挺).
[峻坂 준판] 가파른 고개. 초판(峭坂).
[峻筆 준필] 사람의 마음을 몹시 감동시키는 시문.
[峻險 준험] 산세(山勢)가 높고 험(險)함.
[峻刑 준형] 혹독한 형벌(刑罰).
[峻酷 준혹] 너무 혹독(酷毒)함.
◉刻峻. 高峻. 急峻. 方峻. 崇峻. 嚴峻. 幽峻. 凝峻. 切峻. 絶峻. 整峻. 阻峻. 淸峻. 峭峻. 標峻. 險峻.

7 ⑩ **[峞]** 기 ㊤紙 口已切 qǐ

[字解] 산우뚝할 기 산의 높은 모양. '—, 山高皃'《集韻》.

[字源] 形聲. 山+忌〔音〕

7 ⑩ **[峽]** [人名] 협 ㊇洽 侯夾切 xiá 峡

筆順 丨 山 山' 山" 山" 山丌 峽 峽

字解 ①골짜기 협 험한 산곡(山谷). '一谷'. '仿佯于山一之旁'《淮南子》. ②시내 협 산골짜기를 흐르는 시내. '高江急一雷霆鬪'《杜甫》. ③땅이름 협 양쯔 강(揚子江)의 상류에 있는 삼협(三峽)의 약칭(略稱). '引兵下一, 戰荊門'《唐書》.

字源 形聲. 山+夾[音]. '夾협'은 양쪽에서 끼다, 사이에 두다의 뜻. 두 산(山)이 끼고 있는, 물이 흐르는 길, '골짜기'의 뜻을 나타냄.

參考 峡(山部 六畫)은 俗字.

[峽間 협간] 골짜기.
[峽谷 협곡] 험(險)하고 좁은 산골짜기.
[峽農 협농] 두메에서 짓는 농사.
[峽路 협로] 산속의 길. 두멧길.
[峽氓 협맹] 두메에 사는 농민(農民).
[峽崥 협비] 산기슭.
[峽水 협수] 골짜기에 흐르는 물.
[峽哀 협애] 골짜기의 쓸쓸함.
[峽雨 협우] 골짜기에 오는 비.
[峽雲 협운] 골짜기에 낀 구름.
[峽怨 협원] 골짜기의 쓸쓸함. 골짜기에서의 슬픈 감정이나 근심.
[峽邑 협읍] 산읍(山邑).
[峽中 협중] 험한 산 사이. 험한 골짜기.
[峽村 협촌] 두메에 있는 마을.
◉澗峽. 急峽. 山峽. 三峽. 地峽. 海峽.

7 ⑩ [崾] 별 ㉤屑 皮列切 bié

字解 산이름 별 '大一'은 산 이름. 別(刀部 五畫)과 통용.

7 ⑩ [峿] 어 ㉡語 偶擧切 yǔ

字解 ①울퉁불퉁할 어 산이 울퉁불퉁함. '岨一'. ②불안할 어 '或岨一而不安'《陸機》.

◉岨峿.

7 ⑩ [峰] 高·人 〔봉〕 峯(山部 七畫〈p. 639〉)의 俗字

筆順 丨 山 山' 山ク 山夂 峂 峰 峰

7 ⑩ [島] 中·人 도 ㉡晧 都晧切 dǎo 岛

筆順 ' 亻 白 户 白 島 島 島

字解 섬 도 도서(島嶼). '一國'. '入海居一中'《史記》.

字源 篆文 形聲. 篆文은 山+鳥[音]. '鳥조'는 '새'의 뜻. 철새가 의지할 곳으로서 쉬는 바다 가운데의 산(山), 곧 '섬'의 뜻을 나타냄.

[島可 도가] 가도(賈島)와 석무가(釋無可). 둘 다 당(唐)나라의 시인(詩人).
[島居 도거] 섬에서 삶.
[島國 도국] 섬나라. 해국(海國).
[島民 도민] 섬에서 사는 백성(百姓). 섬사람.
[島配 도배] 죄인(罪人)을 섬으로 귀양 보냄.
[島嶼 도서] 섬의 총칭. 큰 것을 도(島), 작은 것을 서(嶼)라 함.
[島影 도영] 섬 그림자. 섬의 모습. 섬.
[島夷 도이] ㉠섬나라의 오랑캐. ㉡남북조(南北朝) 시대의 송(宋)·제(齊)·양(梁) 삼조(三朝)를 낮잡아 일컫던 말.
[島中 도중] 섬 가운데.
[島浦 도포] 섬의 후미. 또, 섬의 해변.
[島戶 도호] 섬에 사는 사람.
◉孤島. 群島. 大島. 無人島. 半島. 配島. 蓬島. 山島. 珊瑚島. 三島. 仙島. 小島. 列島. 遠島. 離島. 絕島. 諸島. 洲島. 海島.

7 ⑩ [峱] 노 ㉠豪 奴刀切 náo

字解 ①산이름 노 산둥 성(山東省) 쯔보 시(淄博市) 남쪽에 있는 산. '遭我乎一之間兮'《詩經》. ②개 노 '一, 又犬也'《玉篇》.

字源 篆文 形聲. 山+狃[音]

7 ⑩ [峾] 은 ㉠文 魚斤切 yín

字解 소용돌이칠 은 '一淪'은 물이 소용돌이치며 흐르는 모양. '一淪溛瀤, 乍浥乍堆'《郭璞》.

7 ⑩ [𡶴] ㊀고 ㉢號 居號切 gào ㊁곡 ㉤沃 苦沃切 gào

字解 ㊀ ①산모양 고 '一, 山皃'《說文》. ②산이름 고 '一, 一曰, 山名'《說文》. ㊁ 산모양 곡 ㊀❶과 뜻이 같음.

7 ⑩ [峮] ㊀균 ㉠眞 去倫切 qūn ㊁균 ㉠文 衢云切 qūn

字解 ㊀ 산연할 균 '一嶙'·'嶙一'은 산이 이어서 있는 모양. '一嶙而纚聯'《張衡》. ㊁ 산연할 균 ㊀과 뜻이 같음.

7 ⑩ [峮] 峮(前條)과 同字

8 ⑪ [崇] 中·人 숭 ㉠東 鋤弓切 chóng

筆順 ' 山 山 屵 屵 峃 崇 崇

字解 ①높을 숭 ㉠산 같은 것이 높음. '一山峻嶺'. '一於軫四尺'《周禮》. ㉡고귀(高貴)함. '一高'. '唯女是一'《國語》. 또, 높은 사람. '師叔楚之一也'《左傳》. ②높일 숭 ㉠숭상함. '一尙'. '一神'. '敦厚以一禮'《中庸》. ㉡높게 함. 존귀하게 함. '一德修慝'《論語》. ③모일 숭 한데 모임. '福祿來一'《詩經》. ④찰 숭, 채울 숭 가득 참. 또, 가득 차게 함. '再拜一酒'《儀禮》. ⑤마칠 숭 종료함. '曾不一朝'《詩經》. ⑥세울 숭, 이룰 숭 수립함. 성취함. '維王其一之'《詩經》. ⑦일으킬 숭 '進明德而一業'《張衡》. ⑧성 숭 성(姓)의 하나.

字源 篆文 形聲. 山+宗[音]. '宗종'은 족장(族長)의 뜻. 산(山)속의 족장(族長)의 뜻에서, '높다'의 뜻을 나타냄.

[崇扃 숭경] 높은 문(門).
[崇敬 숭경] 숭배하고 존경함.

[崇高 숭고] 존귀(尊貴)하고 고상(高尙)함.
[崇古 숭고] 예전 문물(文物)을 숭상함.
[崇丘 숭구] 높은 산.
[崇劇 숭극] 높은 자리에 있어서 분망(奔忙)함. 비극(卑劇)의 대(對).
[崇期 숭기] 팔방(八方)으로 통하는 길.
[崇大 숭대] 높고 큼. 또, 높고 크게 함.
[崇德廣業 숭덕광업] 높은 덕과 큰 사업. 또, 덕(德)을 높이고, 업(業)을 넓힘.
[崇棟 숭동] 높은 집의 마룻대.
[崇麗 숭려] 높고 화려함.
[崇嶺 숭령] 높은 산봉우리. 고봉(高峯). 준령(峻嶺).
[崇禮門 숭례문] 서울 남(南)쪽에 있는 문(門). 남대문(南大門).
[崇樓 숭루] 높은 다락.
[崇邈 숭막] 높고 멂.
[崇班 숭반] 높은 지위. 높은 벼슬.
[崇拜 숭배] 존경하여 절함. 전(轉)하여, 우러러 공경함. 귀의(歸依)함. 신앙함.
[崇奉 숭봉] 숭배하여 받듦.
[崇佛 숭불] 부처를 숭상함. 불교를 숭상함.
[崇事 숭사] 숭배하여 섬김.
[崇祀 숭사] 숭배하여 제사 지냄.
[崇尙 숭상] 높이어 소중하게 여김.
[崇昔 숭석] 태고(太古).
[崇城 숭성] 천자(天子)의 일컬음.
[崇盛 숭성] 지위(地位)가 높고, 권세(權勢)가 대단함.
[崇崇 숭숭] 높은 모양.
[崇信 숭신] 존중하여 믿음.
[崇神 숭신] 신을 숭앙함.
[崇牙 숭아] 악기(樂器)의 장식(裝飾). 종(鐘)이나 경(磬)쇠를 거는 곳.
[崇嶽 숭악] 높은 산. 고산(高山).
[崇仰 숭앙] 높여 우러러봄.
[崇嚴 숭엄] 숭고하고 존엄(尊嚴)함.
[崇英 숭영] 높이 뛰어남. 또, 그 인물.
[崇遇 숭우] 존경하여 대우함.
[崇雲 숭운] 높은 구름.
[崇遠 숭원] 높고 멂.
[崇位 숭위] 높은 자리. 고위(高位).
[崇儒 숭유] 유교(儒敎)를 숭상함.
[崇恩 숭은] 높은 은혜. 두터운 은혜.
[崇朝 숭조] 새벽부터 조반을 들 때까지의 동안. 아침.
[崇祖尙門 숭조상문] 조상(祖上)을 숭배하고 문중(門中)을 위함.
[崇峻 숭준] 높음. 고준(高峻).
[崇替 숭체] 성쇠(盛衰). 융체(隆替).
[崇椒 숭초] 높은 산봉우리.
[崇則 숭칙] 존중하는 법칙(法則).
[崇廈 숭하] 높고 큰 집. 대하(大廈).
[崇患 숭환] 중병(重病).
◉降崇. 謙崇. 穹崇. 敦崇. 登崇. 睦崇. 信崇. 蘊崇. 尊崇. 豐崇. 欽崇.

8 ⑪ [崋] 화 ㊥麻 戶花切 huà ㊤禡 胡化切 huà

字解 ①화산 화 '一山'은 오악(五嶽)의 하나로서, 산시 성(陝西省) 화음현(華陰縣) 남쪽에 있으며, '西一' 또는 '一嶽'이라고도 함. '西嶽爲一山'《白虎通》. ②성 화 성(姓)의 하나.

字源 篆文 形聲. 山+雩〔音〕

[崋岱 화대] 화산(崋山)과 태산(泰山).
[崋山 화산] 자해(字解) ❶을 보라.
[崋嶽 화악] 자해(字解) ❶을 보라.

8 ⑪ [崑] 人名 곤 ㊥元 公渾切 kūn

筆順 ' 山 山 岜 岜 岜 崑 崑

字解 산이름 곤 ㉠'一崙'은 시짱(西藏)에 있는 산으로서, 고래로 미옥(美玉)을 산출함. ㉡'一山'은 장쑤 성(江蘇省)에 있는 산.

字源 篆文 形聲. 山+昆〔音〕

[崑岡 곤강] 곤륜산(崑崙山).
[崑腔 곤강] 곤곡(崑曲).
[崑岡浦 곤강포] 고려 때 음죽군(陰竹郡)에 있던 포구(浦口) 이름.
[崑曲 곤곡] 극곡(劇曲)의 이름. 장쑤 성(江蘇省) 곤산(崑山) 사람이 지었음.
[崑丘 곤구] 곤륜산(崑崙山)을 이름.
[崑劇 곤극] 곤곡(崑曲)을 연창(演唱)하는 연극.
[崑閬 곤랑] 곤륜산(崑崙山).
[崑崙 곤륜] ㉠시짱(西藏)에 있는 산. 미옥(美玉)을 산출함. 곤륜산(崑崙山). ㉡중국 남방에 있는 살빛이 검은 만족(蠻族). ㉢살빛이 검은 사람의 별명.
[崑崙瓜 곤륜과] 가지, 곧, 가자(茄子)의 별칭(別稱).
[崑陵 곤릉] 곤륜(崑崙)❶.
[崑山 곤산] ㉠곤륜(崑崙)❶. ㉡장쑤 성(江蘇省)에 있는 산.
[崑山之片玉 곤산지편옥] 곤륜산에서 나오는 명옥(名玉) 중의 하나라는 뜻으로, 여러 재사(才士) 또는 문사(文士) 중의 제일인자를 이름.
[崑嶽 곤악] 곤륜산(崑崙山)의 이칭(異稱).
[崑崖 곤애] 곤륜산(崑崙山)의 벼랑. 또, 곤륜산.

8 ⑪ [崒] 줄 ㊇質 慈卹切 zú

字解 ①험할 줄 산이 높고 험준함. '巉乎一乎'《吳融》. ②무너질 줄 '山冢一崩'《詩經》.

字源 篆文 形聲. 山+卒〔音〕. '卒졸'은, 한도(限度)에까지 달하다의 뜻. 산(山)이 산다움의 한도까지 달하다, 험준하다의 뜻을 나타냄.

[崒崩 줄붕] 산 같은 것이 무너짐.
[崒然 줄연] 험준하고 높은 모양.
[崒屼 줄올] 험준한 민둥산의 모양.
[崒崒 줄줄] ㉠험준한 모양. ㉡물건이 마찰하는 소리.
[崒乎 줄호] 높고 험준한 모양.
◉崇崒. 嵂崒. 嵯崒. 嶄崒. 巉崒. 屹崒.

8 ⑪ [崔] 人名 최 ㊥灰 昨回切 cuī 倉回切 cuī

筆順 ' 山 屵 屵 岸 崔 崔 崔

字解 ①높을 최 높고 큼. '一巍'. '南山一一'

《詩經》. ②성 최 성(姓)의 하나.
字源 篆文 形聲. 山＋隹〔音〕. '隹최'는 '享(享)순'과 통하여, '두껍다, 높다'의 뜻. 높고 큰 산을 뜻함.

[崔李蘇杜 최리소두] 당대(唐代)의 네 사람의 문장가(文章家). 곧, 최융(崔融)·이교(李嶠)·소미도(蘇味道)·두심언(杜審言).
[崔四入 최사입] 당(唐)나라의 최수휴(崔垂休)가 사차(四次) 입조(入朝)하여 재상(宰相)이 된 일.
[崔述 최술] 청(淸)나라의 학자(學者). 호(號)는 동벽(東壁). 고증(考證)에 능했음. 저서에 〈고신록(考信錄)〉이 있음.
[崔嵬 최외] ㉠표면에 흙이 덮인 돌산. ㉡높고 가파른 모양.
[崔巍 최외] ㉠높고 험한 모양. ㉡공적(功績)이 높고 큰 모양.
[崔崒 최줄] ㉠산(山)이 험준한 모양. ㉡공(功)이 큰 모양.
[崔崔 최최] 높고 큰 모양.
[崔隤 최퇴] 최퇴(崔頽).
[崔頽 최퇴] 허물어짐.
[崔浩 최호] 북위(北魏) 사람. 자(字)는 백연(伯淵). 정무(政務)에 연달(練達)하고, 널리 군서(群書)에 통했음. 참소당하여 주살(誅殺)되었음.
◉錯崔.

8 ⑪ [崖] 人名 애 ㊥佳 五佳切 yá

筆順 ' 山 㟨 岸 岸 岸 崖 崖

字解 ①낭떠러지 애 현애(懸崖). '一壁'. 전(轉)하여, 사물의 끝. '無端一之辭'《莊子》. ②모 애, 모날 애 남과 잘 화합하지 않는 일. '一岸'. '乖則違衆, 一則不和物'《宋史》. ③기슭 애 물가. 涯(水部 八畫)와 통용. '淵生珠而一不枯'《荀子》. ④경계 애 지경(地境). '肆畛一之道'《淮南子》.
字源 篆文 形聲. 山＋厓〔音〕. '厓애'는 '벼랑'의 뜻. '山산'을 덧붙여 뜻을 분명히 밝혔음.

[崖脚 애각] 낭떠러지 밑.
[崖檢 애검] 강직(剛直)한 행위.
[崖隒 애겸] 벼랑. 끝.
[崖嶠 애교] 벼랑으로 통하는 산길.
[崖略 애략] 대략(大略). 개요(槪要).
[崖畔 애반] 낭떠러지의 가.
[崖壁 애벽] 낭떠러지. 절벽.
[崖崿 애악] 벼랑. 물가.
[崖岸 애안] ㉠물가의 낭떠러지. ㉡모가 나서 남과 화합하지 않음.
[崖崟 애음] 가파른 산(山).
[崖異 애이] 모가 나서 남과 틀림.
[崖穽 애정] 낭떠러지에 있는 함정.
[崖穴 애혈] 벼랑의 동굴.
◉崎崖. 端崖. 神崖. 渚崖. 絕崖. 畛崖. 巉崖. 峭崖. 懸崖.

8 ⑪ [崙] 人名 륜 ㊥元 盧昆切 lún ㊥眞 龍春切

筆順 ' 山 屮 岕 岺 岺 峇 崙 崙

字解 산이름 륜 崑(山部 八畫〈p. 642〉)을 보라.
字源 篆文 形聲. 山＋侖〔音〕.

◉崑崙.

8 ⑪ [崟] 음 ㊥侵 魚金切 yín

字解 ①메 음 높고 험한 산. '挽葛上崎一'《杜甫》. ②가파를 음 산이 높고 험함. 험준함. '慕歷阪之嶔一'《張衡》.
字源 篆文 形聲. 山＋金〔音〕. '金금'은 '삼키다'의 뜻. 대지(大地)를 삼킬 정도로 높고 큰 산의 뜻을 나타냄.

[崟崟 음음] 산이 높고 험한 모양. 험준한 모양.
◉嶔崟. 崎崟. 岑崟.

8 ⑪ [崩] 高人 붕 ㊥蒸 北滕切 bēng

筆順 ' 山 屵 屶 岁 岁 崩 崩

字解 ①무너질 붕 ㉠산 같은 것이 무너짐. '一潰'. '不騫不一'《詩經》. '不虧不一'《詩經》. ㉡쓰러짐. '一, 僵也'《廣雅》. ㉢멸망함. '黃帝湯武以興, 桀紂二世以一'《史記》. ㉣어지러워짐. '三年不爲樂, 樂必一'《論語》. ②죽을 붕 천자(天子)가 죽음. '一殂'. '始皇一於沙丘平臺'《史記》. ③성 붕 성(姓)의 하나.
字源 篆文 古文 形聲. 山＋朋〔音〕. '朋붕'은 '鳳봉'의 象形이 변형된 것으로, '凡범'과 통하여, '확산(擴散)함'의 뜻. 산(山)이 확산하다. '무너지다'의 뜻을 나타냄.

[崩壞 붕괴] 무너짐. 허물어짐.
[崩潰 붕궤] 무너짐. 허물어짐.
[崩湍 붕단] 요란스럽게 물결치는 여울.
[崩落 붕락] 허물어져 떨어짐.
[崩漏 붕루] 부인병의 하나. 대하증(帶下症).
[崩御 붕어] 천자(天子)가 죽음. 천자의 죽음은 마치 산이 무너지는 것과 같다는 데서 이름. 승하(昇遐). 등하(登遐).
[崩藉 붕적] 군대가 싸움에 패하여 산지사방으로 흩어짐.
[崩殂 붕조] 붕어(崩御).
[崩墜 붕추] 허물어져 떨어짐. 붕락(崩落).
[崩塌 붕탑] 무너져 두려빠짐.
[崩頹 붕퇴] 붕괴(崩壞).
◉騫崩. 潰崩. 棟折榱崩. 分崩. 不騫不崩. 山陵崩. 雪崩. 阤崩. 土崩. 興崩.

8 ⑪ [崣] 위 ㊤紙 鄔毁切 wěi

字解 높을 위 산이 높은 모양. '摧一崛崎'《司馬相如》.

8 ⑪ [崧] 人名 숭 ㊥東 息弓切 sōng

字解 ①우뚝솟을 숭 산이 우뚝 치솟은 모양. '一高維嶽'《詩經》. ②숭산 숭 嵩(山部 十畫)과 同字. '踰一岱'《水經注》. ③성 숭 성(姓)의 하나.

字源 形聲. 山+松〔音〕

[崧高 숭고] 산(山)이 높은 모양. 숭고(嵩高). 초준(峭峻).
[崧峻 숭준] 숭고(崧高).

8 ⑪ [崗] 人名 〔강〕 岡(山部 五畫〈p. 637〉)의 俗字

筆順 ㅣ 山 屵 岗 岗 崗 崗 崗

8 ⑪ [崆] 공 ①㊥東 苦紅切 kōng ②㊥江 苦江切 kōng

字解 ①산이름 공 '—峒'은 간쑤 성(甘肅省)에 있는 산. '—峒在岷州溢洛縣'《唐書》. ②가파를 공 '—岉'은 산이 높고 험준한 모양. '詎敢陵—岉'《韓愈》.

字源 形聲. 山+空〔音〕

[崆峒 공동] 자해(字解)❶을 보라.
[崆巃 공롱] 산(山)의 높은 모양.
[崆岉 공앙] 자해(字解)❷를 보라.

8 ⑪ [嵒] 답 ㊀合 達合切 tà

字解 산겹칠 답 첩첩으로 산이 겹쳐 있는 모양. '—, 山重皃'《集韻》.

8 ⑪ [崎] 人名 기 ①㊥支 去奇切 qí ②㊥微 渠希切 qí

筆順 ㅣ 山 山一 屵 峅 峼 崎 崎

字解 ①험할 기 산길이 험준함. '—嶇而經丘'《陶潛》. ②갑 기 바다로 뾰족하게 내민 땅. 곶. '望之若—'《晉書》.

字源 形聲. 山+奇〔音〕. '奇기'는 '굽다'의 뜻. 꾸불꾸불 구부러진 물가, 기슭의 뜻을 나타냄. 또, ❶일 때에는 산길이 평탄치 않고 험악함의 뜻을 나타냄.

[崎傾 기경] 험악하게 기욺.
[崎嶇 기구] ㉠산길이 험(險)함. ㉡팔자가 사나움.
[崎錡 기기] 험준(險峻)한 모양.
[崎峗 기외] 산이 험준한 모양.
[崎崟 기음] 험준한 봉우리.
[崎嶬 기의] 산이 높고 험준한 모양.
[崎嶊 기취] 물가의 언덕이 날카로이 뾰족하게 나온 곳.
◉崛崎. 嶠崎. 嶔崎.

8 ⑪ [崚] 릉 ㊥蒸 力膺切 líng

字解 험할 릉 첩첩 쌓인 산이 높고 험준함. '—嶒起青嶂'《沈約》.

字源 形聲. 山+夌〔音〕. '夌릉'은 높은 땅을 넘다의 뜻. 몇 번이나 넘어야 하는 높고 첩첩 쌓인 산의 모양을 나타냄.

[崚嶒 능증] 능층(崚層).
[崚層 능층] 산이 험준한 모양.

8 ⑪ [崛] 굴 ㊀物 衢物切 jué

字解 우뚝솟을 굴 산 같은 것이 높이 솟은 모양. '—起'. '洪臺—其獨出兮'《揚雄》.

字源 篆文 形聲. 山+屈(屈)〔音〕. '屈굴'은 '굽힘'의 뜻. 불안정하게 구부린 모양을 한 산(山), '우뚝 솟다'의 뜻을 나타냄.

[崛起 굴기] ㉠산이 높이 솟은 모양. 흘립(屹立). ㉡급히 일어섬. ㉢특출(特出)함.
[崛崎 굴기] 산이 가파른 모양.
[崛岉 굴물] 산이 높이 솟은 모양.
[崛然 굴연] 산이 우뚝 솟은 모양. 험준한 모양.
[崛出 굴출] 일어나 나옴. 굴기(崛起).
◉魁崛. 奇崛. 嵬崛. 鬱崛. 隆崛.

8 ⑪ [崢] 쟁 ㊥庚 士耕切 zhēng ㊥庚 助庚切

字解 가파를 쟁 산 같은 것이 높고 험한 모양. 또, 높은 산봉우리. '—嶸'. '高言軋霄—'《韓愈》.

字源 形聲. 山+爭〔音〕. '爭쟁'은 '다투다'의 뜻. 높이를 다투는 산봉우리의 뜻을 나타냄.

[崢嶸 쟁영] ㉠험준한 모양. 가파른 모양. ㉡위험한 모양. ㉢세월이 자꾸 쌓이는 모양.
◉崚崢. 霄崢. 嶢崢.

8 ⑪ [崝] 쟁 ㊥庚 士耕切 zhēng

字解 가파를 쟁 崢(前條)과 同字. '陟西嶽之嶢—'《揚雄》.

字源 篆文 形聲. 山+靑〔音〕. '靑청'은 푸르고 또렷한 모양.

[崝嶸 쟁영] ㉠산봉우리의 높이 치솟은 모양. ㉡수직으로 깊은 모양.

8 ⑪ [崤] 효 ㊥肴 胡茅切 xiáo(yáo)

字解 산이름 효 허난 성(河南省) 낙녕현(洛寧縣) 북쪽에 있는 산. '—之嶔巖, 文王所避風雨'《公羊傳》.

字源 形聲. 山+肴〔音〕

[崤陵 효릉] 효산(崤山).
[崤山 효산] 허난 성(河南省) 낙녕현(洛寧縣)의 북쪽에 있는 산.
[崤塞 효새] 효산(崤山)의 험요(險要)를 이름.
[崤函 효함] 효산(崤山)과 함곡관(函谷關). 모두 허난 성(河南省)에 있는 험준한 요해지(要害地).

8 ⑪ [崦] 엄 ㊥鹽 央炎切 yān ㊤琰 於檢切

字解 산이름 엄 '—嵫'는 간쑤 성(甘肅省) 톈수이 현(天水縣) 서쪽에 있는 산. 해가 지는 산이라 함. '望—嵫而勿迫'《楚辭》.

字源 形聲. 山+奄〔音〕

[崦嵫 엄자] 간쑤 성(甘肅省) 톈수이 현(天水縣)

서쪽에 있는 산. 해가 지는 산이라 함. 전(轉)하여, 만년(晩年) 또는 노경(老境)의 비유로 쓰임.

8 ⑪ [崞] 곽 ㊥藥 古博切 guō

[字解] ①산이름 곽 산시 성(山西省) 원평현(原平縣)의 서북쪽에 있는 산. '嶂, 說文, 山也. 左雁門. 隷作一'《集韻》. ②고을이름 곽 지금의 산시 성(山西省) 원평현(原平縣). '一, 縣名, 在代州'《廣韻》.

[字源] 形聲. 篆文은 山+䨓〔音〕

8 ⑪ [㟨] 괴 ㊦寘 區位切 kuì

[字解] 당길 괴 심줄이 당기는 모양. '筋節一急'《列子》.

8 ⑪ [崥] 비 ㊤紙 并弭切 bǐ

[字解] 산기슭 비 '峽一'는 산록(山麓). '崔嵬不崩, 賴彼峽一'《太玄經》.

[字源] 形聲. 山+卑〔音〕

◉峽崥.

8 ⑪ [崍] [人名] 래 ㊥灰 落哀切 lái 崍

[筆順] 丨 山 山 山一 山𠆢 山 㞢 峠 崍

[字解] 산이름 래 '邛一'는 쓰촨 성(四川省) 영경현(榮經縣) 서쪽에 있는 산. '一山'이라고도 함.

[字源] 形聲. 山+來〔音〕

8 ⑪ [崌] 거 ㊥魚 九魚切 jū

[字解] 산이름 거 '一山, 江水出焉, 東流注於大江, 其中多怪蛇'《山海經》.

[字源] 形聲. 山+居〔音〕

8 ⑪ [峴] 얼 ㊇屑 倪結切 niè

[字解] 높을 얼 산이 높은 모양. '嶭一孤亭'《木華》.

8 ⑪ [崮] 고 ㊦遇 公悟切 gù

[字解] 섬 고 도서(島嶼). '出沒島一'《宋史》.

[字源] 形聲. 山+固〔音〕

8 ⑪ [崨] 첩 ㊇葉 疾葉切 jié

[字解] ①산모양 첩 嶕(山部 十四畫〈p. 654〉)과 통용. '一, 山皃'《玉篇》. ②높을 첩 산이 높은 모양. '一, 山高貌'《正字通》.

[字源] 形聲. 山+疌〔音〕

8 ⑪ [㟞] 잔 ㊤潸 阻限切 zhàn

[字解] 험준할 잔 산이 가파르고 험악한 모양. '一嵯, 山峻皃. 或作㠭'《集韻》.

[字源] 形聲. 山+戔〔音〕

8 ⑪ [㟁] 감 ㊤感 苦感切 kǎn

[字解] 구덩이 감 깊고 캄캄한 산속의 구덩이. '一窞巖寝'《馬融》.

8 ⑪ [㟢] 〔기〕郊(邑部 四畫〈p. 2331〉)·岐(山部 四畫〈p. 634〉)의 古字

8 ⑪ [崏] 〔민〕 岷(山部 五畫〈p. 636〉)과 同字

8 ⑪ [崐] 〔곤〕 崑(山部 八畫〈p. 642〉)과 同字

8 ⑪ [崕] 〔애〕 崖(山部 八畫〈p. 643〉)와 同字

8 ⑪ [崘] [人名] 〔륜〕 崙(山部 八畫〈p. 643〉)과 同字

8 ⑪ [崈] 〔숭〕 崇(山部 八畫〈p. 641〉)과 同字

9 ⑫ [嵌] [人名] 감 ㊥咸 口銜切 qiàn(qiān) ㊦陷 口陷切 

[字解] ①산골짜기 감 '山一'은 깊은 산골짜기. '一巖巖其龍鱗'《揚雄》. ②굴 감 땅이나 바위의 깊이 팬 곳. 공동(空洞). '一空'. '竹竿接一竇'《杜甫》. ③새겨넣을 감 상감(象嵌)함. '一入'. ④끼워넣을 감 삽입(插入)함. '漢書舊本, 每於句中一注'《史記評林》.

[字源] [篆文] 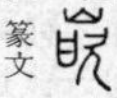 形聲. 山+歁〈省〉〔音〕. '歁감'은 '坎감'과 통하여, '깊이 패다, 지면에 아가리를 벌리고 있는 함정'의 뜻. 산이 입을 벌린 것처럼 패어 험하다, 구멍의 뜻을 나타내며, 어떤 형태의 물건 속에 끼워 넣다, 박다의 뜻을 나타냄.

[嵌谷 감곡] 깊은 산골짜기.
[嵌工 감공] 상감(象嵌) 세공을 하는 직공.
[嵌空 감공] 굴(窟). 공동(空洞).
[嵌竇 감두] 굴(窟).
[嵌巖 감암] ㉠동굴이 있는 바위. 암굴(巖窟). ㉡깊은 산골짜기.
[嵌然 감연] 산이 개장(開張)한 모양. 산이 열려 넓은 모양.
[嵌入 감입] 장식 같은 것을 박아 넣음.
[嵌巉 감참] 산이나 골짜기가 험준한 모양.

◉空嵌. 穹嵌. 山嵌. 巖嵌. 塡嵌. 嶄嵌.

9 ⑫ [嵔] 외 ㊤尾 於鬼切 wěi

[字解] 꾸불꾸불할 외 산이 험준하여 꾸불텅꾸불텅한 모양. '崴磈一瘣'《司馬相如》.

[字源] 形聲. 山+畏〔音〕. '畏외'는 '무섭다'의 뜻.

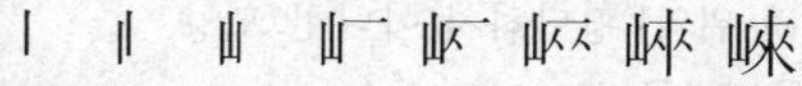

[參考] 嵔(山部 九畫)는 同字.

[嵔瘣 외외] 산이 험준하고 울퉁불퉁한 모양.

9 ⑫ [崽] [一] 새 [平]佳 山皆切 zǎi
[二] 재 [上]賄 子亥切 zǎi
[三] 사 [上]紙 想止切

[字解] [一] ①자식 새 아이. '一者, 子也. 湘沅之會, 凡言是子者, 謂之一, 若東齊言子矣'《揚子方言》. ②저것 새 사람을 업신여겨 욕하는 말. '一, 方言云, 江湘凡言是子謂之一. 自高而侮人也'《廣韻》. [二] 자식 재, 저것 재 [一]과 뜻이 같음. [三] 자식 사, 저것 사 [一]과 뜻이 같음.

9 ⑫ [崱] 즉 [入]職 士力切 zè

[字解] ①잇닿을 즉 산이 연(連)한 모양. '開軒望嶄一'《劉峻》. ②쭈뼛할 즉 '屴一'은 산봉우리가 높이 솟은 모양. '屴一西來勢何壯'《貢師泰》. ③가지런하지않을 즉 참치부제(參差不齊)한 모양. '一繪綾而龍鱗'《王延壽》.

[字源] 形聲. 山+則〔音〕

◉嶄崱.

9 ⑫ [峯] 봉 [平]冬 府容切 fēng

[字解] 산이름 봉 지금의 광둥 성(廣東省) 봉천현(封川縣)의 경계에 있는 산 이름. '一, 山名, 一名, 龍門山, 在封州, 大魚上化爲龍, 上不得點額, 血流, 水爲丹色也'《廣韻》.

[字源] 形聲. 山+封〔音〕

9 ⑫ [崺] 이 [上]紙 移爾切 yǐ

[字解] ①낮고길 이 '峛一'는 산이 낮고 길게 옆으로 뻗은 모양. '升東嶽, 而知衆山之峛一也'《揚子法言》. ②구릉(丘陵)이름 이 '峛一, 丘名'《集韻》.

◉峛崺.

9 ⑫ [嵏] 종 [平]東 子紅切 zōng

[字解] ①산이름 종 '九一'은 산시 성(陝西省) 예천현(醴泉縣) 동북에 있는 산. 또, 후베이 성(湖北省) 샤오간 현(孝感縣) 동북에 있는 산. '九一山, 一名九宗山, 環阜卅嶂, 林麓深杳, 不減長安之九一'《輿地紀勝》. ②산봉우리 종 높이 무리져 있는 봉우리들. '夷一築堂'《漢書》.

[字源] [篆文] 形聲. 山+嵏〔音〕

9 ⑫ [嵕] 嵏(前條)과 同字

9 ⑫ [嵐] [人名] 람 [平]覃 盧含切 lán 岚

[字解] ①남기 람 저녁나절에 멀리 보이는 산 같은 데 떠오르는 푸르스름하고 흐릿한 기운. 이내. '一氣'. '夕陽彩翠忽成一'《王維》. ②산바람 람 '夕曛一氣陰'《謝靈運》. ③회오리바람 람 또, 열풍(烈風). '旋一, 梵云, 迅猛風'《正字通》.

[字源] [篆文] 形聲. 山+葻〈省〉〔音〕. '葻람'은 '바람'의 뜻. '산바람'의 뜻을 나타냄.

[嵐光 남광] 남기(嵐氣)가 떠올라 해에 비치는 경치.
[嵐氣 남기] 저녁나절에 멀리 보이는 산 같은 데 떠오르는 푸르스름하고 흐릿한 기운. 이내.
[嵐岫 남수] 산에 이내가 끼어 푸르스름하게 보이는 산봉우리.
[嵐影湖光 남영호광] ㉠산의 그림자와 호수의 빛깔이라는 뜻으로, 산수(山水)의 풍광(風光)을 이름. ㉡재넘이.
[嵐翠 남취] 푸르스름한 남기(嵐氣).
◉溪嵐. 夕嵐. 烟嵐. 紫嵐. 朝嵐. 青嵐. 晴嵐. 翠嵐.

9 ⑫ [崴] 위 ①[平]灰 烏回切 wēi
②[上]蟹 烏買切 wǎi

[字解] ①높을 위 '一嵬'는 산 같은 것이 높은 모양. '軫石一嵬'《楚辭》. ②울퉁불퉁할 위 '一磈'는 울퉁불퉁하여 평탄하지 아니한 모양. '一磈嵔瘣'《史記》.

[字源] 形聲. 山+威〔音〕. '威위'는 '두려워하다'의 뜻.

[崴嵬 위외] 높은 모양.
[崴巍 위외] 산이 가파른 모양.
[崴磈 위외] 평탄하지 아니한 모양.

9 ⑫ [嵂] [人名] 률 [入]質 劣戌切 lǜ

[字解] 가파를 률 '一崒'은 산이 높고 험한 모양. '隆崇一崒'《司馬相如》.

[字源] 形聲. 山+律〔音〕

[嵂崒 율줄] 산이 높고 험준한 모양.

9 ⑫ [嵓] 〔암〕
嵒(山部 九畫〈p. 647〉)과 同字

9 ⑫ [嵋] [人名] 미 [平]支 武悲切 méi

[字解] 산이름 미 '峨一'는 쓰촨 성(四川省)에 있는 산. '峨一爲衆陽之揭'《郭璞》.

[字源] 形聲. 山+眉〔音〕

◉峨嵋.

9 ⑫ [嵎] 우 [平]虞 偶俱切 yú

[字解] ①산모퉁이 우 산기슭의 모롱이. '虎負一, 莫之敢攖'《孟子》. ②구석 우 모퉁이. 隅(阜部 九畫)와 뜻이 같음. '西極之南一有國焉'《列子》. ③가파를 우 높고 험준함. '一峗錯崔'《後漢書》.

[字源] [篆文] 形聲. 山+禺〔音〕. '禺우'는 멍청히 있음의 뜻. 산지(山地)의 깊숙하고 한가한 곳, '모롱이'의 뜻.

[嵎嵎 우우] 산(山)이 중첩(重疊)하여 높은 모양.
[嵎夷 우이] ㉠산둥 성(山東省) 등주(登州)의 고칭(古稱). ㉡해가 돋는 곳. 일출처(日出處).
◉封嵎. 山嵎. 岅嵎. 虎負嵎.

9
⑫ [崿] 악 ㊀藥 五各切 è

字解 ①낭떠러지 악 '崖—'. '坻—鱗峋'《張衡》. ②산모퉁이 악 '峎—'. ③높을 악 산이 높고 험준함. '崇岳兮嵬—'《夏侯湛》.
字源 形聲. 山+咢〔音〕

◉霄崿. 嵒崿. 崖崿. 雲崿. 峻崿. 峭崿.

9
⑫ [嵑] 崿(前條)과 同字

9
⑫ [嵁] 감 ㊥覃 口含切 kān
㊤感 五感切

字解 ①울퉁불퉁할 감 '—巖'은 험하여 평탄하지 아니한 모양. '大山—巖之下'《莊子》. ②험준할 감 '—崿'은 높고 험한 모양. '恆碣—崿于青霄'《左思》.

[嵁崿 감악] 산이 높이 솟은 모양. 산이 험준한 모양.
[嵁巖 감암] ㉠산이 높고 험하여 평탄하지 아니한 모양. ㉡울퉁불퉁한 바위.

9
⑫ [嵃] 권 quán

字解 산이름 권 '—嵍'는 허베이 성(河北省) 탕산 시(唐山市)의 북쪽에 있는 산. 巏(山部 十八畫)과 통용. '趙郡栢鄕縣有—嵍山'《隋書》.

9
⑫ [嵑] 갈 ①②㊀月 其謁切 jié
③㊀曷 苦葛切 ké

字解 ①비갈 碣(石部 九畫)과 同字. '封神丘兮建隆—'《漢書》. ②높이솟을 갈 산(山)이 우뚝 솟음. '—, 山特立也'《正字通》. ③험준할 갈 산석(山石)의 높고 험한 모양. '其山則崆峴嶱—'《張衡》.
字源 形聲. 山+曷〔音〕

9
⑫ [嵇] 추 ㊥尤 自秋切 qiú

字解 가파를 추 '—崒'은 산이 높고 험준한 모양. 일설(一說)에는, 산이 길고 높은 모양. '巖峻—崒'《班固》.

[嵇崒 추줄] 자해(字解)를 보라.

9
⑫ [嵃] 언 ㊤銑 魚蹇切 yǎn
㊦霰 魚戰切 yàn

字解 가파를 언 '—峭'는 산이 험준한 모양. '峻—峭以繩直'《潘岳》.
字源 形聲. 山+彦〔音〕

9
⑫ [嵄] 人名 미 ㊤紙 眉否切 měi

筆順 丨 山 山' 山𦍌 山𦍌 嵄 嵄 嵄

字解 깊은산 미 심산(深山).

9
⑫ [嵔] 〔외〕
㟪(山部 九畫〈p.645〉)와 同字

9
⑫ [嵃] 〔엄〕
崦(山部 八畫〈p.644〉)과 同字

9
⑫ [嵖] 차 ㊥歌 昨何切 chá

字解 산이름 차 '—岈'는 산 이름. 嵯(山部 十畫)와 통용. ㉠산둥 성(山東省) 평도현(平度縣)의 동북쪽에 있는 산. ㉡허난 성(河南省) 수평현(遂平縣)의 서쪽에 있는 산.

9
⑫ [嵇] 혜 ㊥齊 胡雞切 jī

字解 ①산이름 혜 허난 성(河南省) 수무현(修武縣) 서북에 있는 산. ②성 혜 '—康'은 진(晉)나라 사람.
字源 篆文 形聲. 山+稽〈省〉〔音〕

[嵇康 혜강] 진(晉)나라 사람. 자(字)는 숙야(叔夜). 죽림칠현(竹林七賢)의 한 사람. 노장(老莊)의 학(學)을 좋아하여 〈양생편(養生篇)〉을 지었음.
[嵇紹 혜소] 서진(西晉)의 혜제(惠帝)의 신하. 탕음(蕩陰)의 싸움에 혜제를 호위하고 있다가 죽음.
[嵇侍中血 혜시중혈] 진(晉)나라의 혜제(惠帝)가 탕음(蕩陰)의 싸움에 패하여 수호(守護)하던 군대가 흩어져 버렸을 때, 시중(侍中) 혜소(嵇紹)만이 홀로 혜제가 탄 연(輦)을 지키다가 적에게 피살을 당하여 그의 피가 혜제의 옷에 묻었는 바, 후에 좌우(左右)에서 그 피를 씻으려 하매 '혜시중(嵇侍中)의 피는 씻지 말라.'고 하였다는 고사(故事).

9
⑫ [嵆] 嵇(前條)의 本字

9
⑫ [嵒] 암 ㊥咸 五咸切 yán

字解 ①바위 암 큰 돌. '三—鼎立勢欲墜'《郝經》. ②낭떠러지 암 석벽(石壁). '碕嶺爲之—崿'《郭璞》. ③가파를 암 산세(山勢)가 가팔라 위험함. '崔嵬岑—'《嵇康》.
字源 甲骨文 篆文 會意. 品+山. '品품'은 여러 가지 물건의 뜻. 산에 있는 여러 가지 모양의 바위의 뜻을 나타냄. 또, '品'을 '嚴엄'의 윗부분과 같은 뜻의 것으로 볼 수도 있음.
參考 嵓(山部 九畫)과 同字.

[嵒洞 암동] 암혈(巖穴). 석굴(石窟).
[嵒崿 암악] 큰 바위가 죽 연한 낭떠러지.
[嵒嵒 암암] 가파른 모양.
[嵒險 암험] 가팔라 위험함.
◉岑嵒.

9
⑫ **[崳]** 유 [平]虞 羊朱切 yú

[字解] 산이름 유 ㉠'一次'는 산시 성(山西省) 유차현(楡次縣)의 경계에 있음. ㉡'一山'은 푸젠 성(福建省) 하포현(霞浦縣) 동쪽의 해도(海島)에 있음.

[字源] 形聲. 山＋兪〔音〕

10
⑬ **[嵩]** [人名] 숭 [平]東 息弓切 sōng 

[筆順] 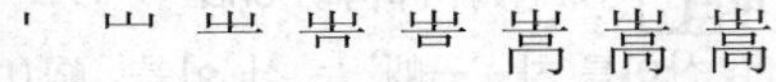

[字解] ①숭산 숭 '一山'은 오악(五嶽)의 하나로서, 허난 성(河南省) 덩펑 현(登封縣) 북쪽에 있으며, 중악(中嶽) 또는 '一高'라고도 함. ②높을 숭 산이 크고 높음. '瞰帝唐之一高兮'《漢書》. ③성 숭 성(姓)의 하나.

[字源] 篆文  會意. 山＋高. '산이 높다'의 뜻을 나타냄.

[嵩高 숭고] ㉠숭산(嵩山). ㉡산이 높음.
[嵩丘 숭구] 숭산(嵩山).
[嵩箕 숭기] 숭산(嵩山)과 기산(箕山). 모두 은자(隱者)가 사는 산.
[嵩岱 숭대] 숭산(嵩山)과 태산(泰山).
[嵩山 숭산] 자해(字解)❶을 보라.
[嵩岫 숭수] 높은 산의 석굴(石窟).
[嵩嶽 숭악] 숭산(嵩山)의 일컬음.
[嵩崖 숭애] 높은 벼랑.
[嵩峻 숭준] 높고 험함. 험준(險峻).
[嵩衡 숭형] 숭산(嵩山)과 형산(衡山). 전(轉)하여, 큰 산, 높은 산의 뜻.
[嵩呼 숭호] 신민(臣民)이 천자(天子)의 만세를 부르는 일. 한(漢)나라 무제(武帝)의 고사(故事)에서 나온 말. 「嵩).
[嵩華 숭화] 숭산(嵩山)과 화산(華山). 화숭(華

10
⑬ **[嵬]** [人名] 외 [平]灰 ①②五灰切 wéi, ②guī ③烏回切 

[字解] ①높을 외 산이 높고 험준함. '五岳崔一'《新論》. ②괴이할 외 멋대로 굶. '畜宇一瑣'《荀子》. ③평탄치않을 외 '崴一, 不平皃'《集韻》.

[字源] 篆文  形聲. 山＋鬼〔音〕. '鬼귀'는 이상(異常)의 뜻. 보통이 아닌 산(山), 높고 평탄치 않은 산의 뜻을 나타냄.

[嵬崛 외굴] 뛰어나게 높음.
[嵬岌 외급] 산이 우뚝 솟은 모양.
[嵬嵔 외뢰] 산에 높낮이가 있는 모양.
[嵬壘 외루] 땅이 울퉁불퉁한 모양. 땅이 고저(高低)가 있는 모양. 「는 사람.
[嵬瑣 외쇄] 마음이 음험하여 잔단 나쁜 짓을 하
[嵬峨 외아] ㉠높이 솟은 모양. ㉡취하여 발밑이 무너지는 것 같은 모양.
[嵬崿 외악] 산이 험준한 모양.
[嵬嶷 외억] 외외(嵬巍).
[嵬嵬 외외] 외급(嵬岌).
[嵬巍 외외] 높고 큰 모양. 고대(高大)한 모양.
●磊嵬. 馬嵬. 崔嵬.

10
⑬ **[嵬]** 嵬(前條)와 同字

10
⑬ **[嵳]** 〔차〕
嵯(山部 十畫〈p.648〉)와 同字

10
⑬ **[嵲]** 명 [上]迥 母迥切 mǐng

[字解] 산높을 명 '一, 嶁一, 山高皃'《集韻》.

10
⑬ **[嵫]** 자 [平]支 子之切 zī

[字解] ①산이름 자 '崦一'는 간쑤 성(甘肅省) 톈수이 현(天水縣) 서쪽에 있는 산. '崦一, 山名, 日所入處'《集韻》. ②험준할 자 높고 험준한 모양. '紛厖鴻兮, 崱屴一釐'《王延壽》.

[字源] 形聲. 山＋玆〔音〕

10
⑬ **[嵠]** 〔계〕
谿(谷部 十畫〈p.2169〉)와 同字

10
⑬ **[嵡]** 함 [平]咸 胡讒切 hán

[字解] 관(關)이름 함 '一谷'은 함곡관(函谷關). 函(凵部 六畫)과 同字.

10
⑬ **[嵯]** [人名] [一] 차 [平]歌 昨何切 cuó [二] 치 [平]支 楚宜切 cī 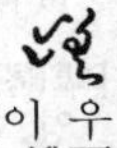

[字解] [一] 우뚝솟을 차 '一峨'는 산 같은 것이 우뚝 솟은 모양. '雲髻一峨'《曹植》. '山岳一峨而連岡'《衛恆》. [二] 울쑥불쑥할 치 '嵾一'는 여러 산봉우리나 산석(山石) 같은 것이 고저의 차가 심한 모양. '石嵾一以翳日'《楚辭》.

[字源] 篆文 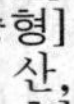 形聲. 山＋𢀩(差)〔音〕. '𢀩차'는 '가지런하지 않음'의 뜻. 산(山)이 한결같지 않은 모양을 나타냄.

[嵯峨 차아] ㉠산 같은 것이 우뚝 솟은 모양. ㉡산석(山石)이 기복(起伏)하여 울쑥불쑥한 모양. 산이 높고 험한 모양.
●嵾嵯.

10
⑬ **[嵞]** 도 [平]虞 同都切 tú

[字解] ①산이름 도 ㉠우(禹)임금이 제후(諸侯)를 회합(會合)시켰다고 전해지는 산. 지금의 산둥 성(山東省) 연주현(兗州縣)의 서쪽에 있는 회계산(會稽山). ㉡우임금이 장가든 여인(女人)의 씨족(氏族)의 주거지라고 전해지는 산. 안후이 성(安徽省) 회원현(會遠縣)의 동남쪽. ②옛나라이름 도 '一山'은 우임금이 장가든 여인의 나라 이름. '一山, 古國名, 禹所娶也'《廣韻》.

[字源] 形聲. 屾＋余〔音〕

10
⑬ **[嵲]** 얼 [入]屑 五結切 niè

[字解] 산우뚝할 얼 산이 높음. '嵽一, 山高'《集韻》.

[參考] 峴(山部 八畫)과 同字.

10
⑬ **[嵱]** 용 ①[平]冬 餘封切 yóng ②[上]腫 尹竦切 yǒng

[字解] ①산이름 용 지금의 광시 성(廣西省)에 있

는 산명(山名). '一, 山名, 在容州'《集韻》. ② 산울쑥불쑥할 용 산봉우리의 여기저기 높이 솟은 모양. '臨高衍之一嵷兮'《揚雄》.

10
⑬ [嵰] 겸 ㊤琰 丘檢切 qiǎn

字解 ①산우뚝할 겸 산이 높은 모양. '一, 山高皃'《集韻》. ②산가파를 겸 산이 높아 험준(險峻)한 모양.

字源 形聲. 山+兼〔音〕

10
⑬ [嵤] ■ 형 ㊥青 玄扃切 yíng
■ 영 ㊥庚 于平切 róng

字解 ■ 산으슥할 형 산의 깊은 모양. '岭一, 山深皃'《集韻》. ■ 가파를 영 嶸(山部 十四畫)과 同字.

字源 形聲. 山+熒〈省〉〔音〕

10
⑬ [嵣] 당 ①㊥陽 徒朗切 táng
②㊤養 待朗切 dàng
③㊤蕩 徒朗切 dàng

字解 ①산이름 당 '峔一'은 산 이름. '峔一, 山名'《集韻》. ②산석(山石)넓고클 당 '一嶵'은 산석이 넓고 큰 모양. '一嶵嶚剌'《張衡》. ③산모양 당 산의 이름. '一, 山形'《集韻》.

10
⑬ [嵮] 전 ㊥先 亭年切 tián

字解 ①산꼭대기 전 산정(山頂). '望其曠, 臯如也,一如也'《荀子》. ②막힐 전, 찰 전 塡(土部 十畫)과 통용. '一, 與塡同. 謂土塡塞也'《荀子注》.

10
⑬ [嵊] 승 ①㊦徑 實證切 shèng
②㊥蒸 神陵切 chéng

字解 ①산이름 승 저장 성(浙江省) 승현(嵊縣) 동쪽에 있는 산. '今行嶀一外'《江淹》. ②역참이름 승 승산(嵊山)의 부근에 있는 역참의 이름. '一, 亭名. 在吳'《集韻》.

字源 形聲. 山+乘〔音〕

10
⑬ [嵥] 걸 ㊦屑 渠列切 jié

字解 높을 걸 산이 높은 모양. '一嵲, 高皃'《廣韻》.

[嵥豎 걸수] 우뚝 빼어남.
[嵥峙 걸치] 우뚝 높이 솟음.

11
⑭ [嶄] 참 ㊥咸 鋤銜切 chán 崭 嶄

字解 가파를 참 산이 험준한 모양. '一絕峯殊狀'《丘遲》. '一巖嵾嵯'《司馬相如》.

字源 形聲. 山+斬〔音〕. '斬참'은 '베다'의 뜻. 산이 깎아지른 듯이 험하다의 뜻을 나타냄.

[嶄嵌 참감] 산(山)이 험하여 깊숙이 들어간 모양.
[嶄壁 참벽] 깎아지른 낭떠러지. 단애(斷崖).
[嶄新 참신] '참신(斬新)'의 속용(俗用).
[嶄巖 참암] 산이 몹시 가팔라서 봉우리가 뾰족한 모양.
[嶄然 참연] ㉠산이 한층 높이 솟은 모양. ㉡여러 사람 중에서 한층 높이 뛰어난 모양.
[嶄然見頭角 참연현두각] 아주 뛰어나게 두각(頭角)을 나타냄.
[嶄絕 참절] 산이 높고 험한 모양. 험준한 모양.
[嶄崒 참줄] 산이 험준한 모양.
[嶄崱 참즉] 높고 험한 산들이 연(連)한 모양.
[嶄鑿 참착] 팜. 도려냄.

11
⑭ [巢] 초 ㊥高 昨焦切 cháo
㊥肴 鉏交切 cháo

字解 높을 초, 우뚝할 초 산의 높은 모양. '嶚一, 山高皃'《集韻》.

11
⑭ [嶈] 장 ㊥陽 七羊切 qiāng

字解 ①물소리 장 '一一'은 물결이 산 같은 데 부딪쳐 울리는 소리. '揚波濤於碣石, 激神嶽之一'《班固》. ②산우뚝솟을 장 산의 높은 모양. '一一, 山高皃'《集韻》.

字源 形聲. 山+將〔音〕

11
⑭ [嵹] 강 ㊦漾 其亮切 jiàng

字解 산이름 강 칭하이(青海)·간쑤(甘肅)·쓰촨(四川)의 세 성(省)의 경계에 있는 산. 옛날에는 서경산(西傾山)이라 했음. '西傾山, 今一臺山'《括地志》.

11
⑭ [嶌] 〔도〕
島(山部 十一畫〈p. 650〉)의 俗字

11
⑭ [嵾] 〔참〕
嵾(山部 十一畫〈p. 650〉)과 同字

11
⑭ [嵸] 〔종〕
嵷(山部 十一畫〈p. 650〉)과 同字

11
⑭ [嵽] 〔뢰〕
礧(石部 十五畫〈p. 1587〉)와 同字

11
⑭ [嶅] 〔오〕
嶅(山部 十一畫〈p. 650〉)와 同字

11
⑭ [嶁] 嶁(次條)와 同字

11
⑭ [嶁] 루 ①㊤麌 力主切 lǒu
②㊤有 郎斗切 lǒu 嵝 嵝

字解 ①산봉우리이름 루 '岣一'는 후난 성(湖南省)에 있는 형산(衡山)의 주봉(主峯). ②산꼭대기 루 산정(山頂). '一, 文字音義云, 山巔也'《廣韻》.

字源 形聲. 山+婁〔音〕

11
⑭ [嶂] 장 ㊦漾 之亮切 zhàng 嶂

字解 산봉우리 장 험준하여 병풍을 세운 것처럼 길게 연하여 있는 산봉우리. '崚嶒起青一'《沈約》.

[字源] 形聲. 山+章〔音〕. '章장'은 '障장'과 통하여, '떨어져 있다'의 뜻. 시야를 가로막는 험한 산의 뜻을 나타냄.

[嶂密 장밀] 높고 가파른 봉우리가 첩첩이 쌓임.
[嶂雲 장운] 높고 험준한 산봉우리에 낀 구름.
[嶂表 장표] 높고 험준한 산봉우리의 위.
◉複嶂. 峯嶂. 山嶂. 連嶂. 列嶂. 嶺嶂. 疊嶂. 靑嶂. 層嶂.

11 ⑭ **嵸** [一] 송 [上]腫 筍勇切 sǒng
[二] 종 [平]東 子紅切 zōng

[字解] [一] ①봉우리뾰족할 송 '嵱一, 山峯皃'《集韻》. ②산험준할 송 산이 높고 험한 모양. '巃一崔巍'《司馬相如》. [二] 산우뚝할 종 산의 우뚝한 모양.
[字源] 形聲. 山+從〔音〕
[參考] 崧(山部 十一畫)과 同字.

11 ⑭ **嶇** [人名] 구 [平]虞 豈俱切 qū 岖 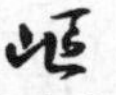

[字解] ①언틀먼틀할 구 산길이 험하여 평탄하지 아니한 모양. '軌崎一以低仰'《潘岳》. ②가파를 구 산이 높고 험준한 모양. '一嶔'. ③산꼭대기 구 산정(山頂). '隨山上一嶔'《范曄》. ④괴로워할 구 '奉兩孱王崎一嶺海'《宋史》.
[字源] 形聲. 山+區〔音〕. '區구'는 '구획되다'의 뜻. 산이 다른 산과 구별될 정도로 험하고 울퉁불퉁한 뜻을 나타냄.

[嶇嶔 구금] ㉠산이 험준하여 울퉁불퉁한 모양. 또, 험준한 산. ㉡산꼭대기. 산정(山頂).
[嶇路 구로] 험한 길.
[嶇崟 구음] 구금(嶇嶔).
◉嶔嶇. 崎嶇.

11 ⑭ **嵼** 산 [上]潸 所簡切 chǎn

[字解] 산굽을 산 산의 굴곡(屈曲)한 모양. '巉一, 山曲皃'《集韻》.

11 ⑭ **嵺** 료 [平]蕭 憐蕭切 liáo

[字解] ①우뚝솟을 료 산이 우뚝 솟은 모양. '元甲嵂一以岳峙'《杜甫》. ②쓸쓸할 료 소조(蕭條)한 모양. '原野一愀'《後漢書》.
[字源] 形聲. 山+翏〔音〕. '翏료'는 '높이 날다'의 뜻. 높은 산의 모양을 나타냄. 또, '寥료'와 통하여, '쓸쓸하다'의 뜻을 나타냄.

[嵺廓 요곽] ㉠넓고 먼 모양. ㉡쓸쓸한 모양.

11 ⑭ **⿰山票** 표 ①[上]篠 邊小切 biǎo
②[平]蕭 卑遙切 biāo

[字解] ①산꼭대기 표 산정(山頂). '拔藥靈山一'《庾蘭》. ②산우뚝솟을 표 '一, 山峯出皃'《集韻》.

11 ⑭ **⿰山卯** 료 [平]豪 郎刀切 láo

[字解] ①산이름 료 '一, 山名'《集韻》. ②깊을 료, 휑뎅그렁할 료 '一嶆'는 산골짜기가 깊고 텅 빈 모양. '嶰谷一嶆張其前'《張協》.

[⿰山卯嶆 요조] 자해(字解)❷를 보라.

11 ⑭ **嶆** 조 [平]豪 財勞切 cáo

[字解] 산휑뎅그렁할 조 산의 깊고 텅 빈 모양. '⿰山卯一, 深空貌'《字彙》.

11 ⑭ **⿰山爽** 창 [上]養 楚兩切 chuǎng

[字解] 산맞닿을 창 여러 산이 서로 닿을 듯한 모양. '羣山爲之相一'《杜甫》.

11 ⑭ **嵾** 참 [平]侵 楚簪切 cēn

[字解] 울쑥불쑥할 참 '一嵯'는 산봉우리나 산석(山石) 같은 것이 높낮이가 고르지 않은 모양. '增宮一嵯'《揚雄》.
[字源] 形聲. 山+參〔音〕

[嵾嵯 참치] 자해(字解)를 보라.

11 ⑭ **嵽** [一] 절 [入]屑 徒結切 dié
[二] 제 [去]霽 大計切 dì

[字解] [一] ①산우뚝할 절 산이 높은 모양. 또, 높은 산. '凌晨過驪山, 御榻在一嵲'《杜甫》. ②산위험할 절 산이 작고 높아 불안(不安)한 모양. '一嵲, 小而不安皃'《玉篇》. [二] 산모양 제 산형(山形). '岹一, 山形'《集韻》.

11 ⑭ **嶄** 〔참〕
嶃(山部 十一畫〈p.649〉)과 同字

11 ⑭ **嶋** [人名] 嶌(次條)와 同字

11 ⑭ **嶌** 〔도〕
島(山部 七畫〈p.641〉)의 本字

11 ⑭ **嶅** 오 ①[平]肴 牛交切 áo
②[去]號 魚到切 ào

[字解] ①잔돌산 오 잔돌이 많은 산. '一, 山多小石也'《廣韻》. ②산우뚝할 오 산이 높은 모양. '一, 山高皃'《集韻》.
[字源] [篆文]  形聲. 山+敖〔音〕. '敖오'는 딱딱하여 접근하기 어려움의 뜻을 나타냄. 온통 돌뿐인 산(山)을 이름.

11 ⑭ **嶄** 참 [去]豔 七豔切 qiàn

[字解] ①구덩이 참. ②해자 참 塹(土部 十一畫)과 同字.

12 ⑮ **嶔** 금 [平]侵 去金切 qīn 嵚

[字解] ①우뚝솟을 금 높고 험준한 산이 우뚝 솟은 모양. '嶇一巋崎'《王褒》. ②산꼭대기 금 산정(山頂). '隨山上嶇一'《范曄》.
[字源] 形聲. 山+欽〔音〕. '欽흠'은 '공경하다'의 뜻. 존귀하여 공경하는 마음이 생기는 산, 산이 높고 험한 모양을 나타냄.

[嶔嶇 금구] 험한 모양. 험준한 모양.

[嶔嶔 금금] 입을 크게 벌리는 모양. 하품을 하는 모양.
[嶔崎 금기] 산이 험하고 높이 솟아 있는 모양.
[嶔巖 금암] ㉠험(險)한 바위. ㉡골짜기가 개장(開張)하여 험한 모양.
[嶔然 금연] 암석(巖石)이 험(險)하게 우뚝 솟은 모양.
[嶔崟 금음] 산(山)이 높이 솟은 모양.
[嶔岑 금잠] 산이 우뚝 솟은 모양.
[嶔巇 금희] 금기(嶔崎).
◉嶇嶔. 盤嶔.

12 ⑮ [嵫] 추 ㊀宥 疾僦切 jiù
字解 산이름 추 '一, 山名'《集韻》.

12 ⑮ [嶜] 침 ㊀侵 昨淫切 jīn
字解 ①뾰족할 침 '一崟'은 산봉우리 같은 것이 높고 뾰족한 모양. '玉石一崟'《漢書》. ②가파를 침 '一岑'은 산이 험준한 모양. '幽谷一岑 夏含霜雪'《張衡》. ③높을 침 산(山) 따위가 높고 큰 모양. '一, 山高大皃'《集韻》.

[嶜嵒 침암] 산정(山頂)이 뾰족한 모양.
[嶜崟 침음] 산봉우리 같은 것이 높고 뾰족한 모양.
[嶜岑 침잠] 산이 험준한 모양.

12 ⑮ [嶘] 잔 ㊤潸 士限切 zhàn
字解 ①뛰어나게높을 잔, 높은산 잔 '太淵蘊蘊兮, 絕一岌岌'《元結》. ②산험할 잔 산이 험준(險峻)한 모양. 峨(山部 八畫)과 同字. '峨嶐, 山峻皃. 或作一'《集韻》.
字源 篆文 形聲. 山+棧〔音〕. '棧잔'은 날카롭게 베어져 깎임의 뜻.

12 ⑮ [嶤] 〔요〕
嶢(山部 十二畫〈p. 652〉)와 同字

12 ⑮ [嶚] 〔료〕
嶛(山部 十二畫〈p. 652〉)와 同字

12 ⑮ [嶒] 증 ㊀蒸 疾陵切 céng
字解 험할 증 '崚一'은 산이 높고 험준한 모양. '懸崖抱奇崛, 絕壁駕崚一'《何遜》.

[嶒竑 증굉] 깊게 비어 있는 모양.
[嶒崚 증릉] 높이 솟은 산의 돌출한 모양.
[嶒棱 증릉] 증릉(嶒崚).
◉崚嶒.

12 ⑮ [嶕] 초 ㊀蕭 昨焦切 jiāo
字解 ①높을 초 '一嶢'는 산 같은 것이 높은 모양. '別風一嶢'《班固》. ②산꼭대기 초 산정(山頂). '山顚曰山一'《正字通》.
字源 形聲. 山+焦〔音〕

[嶕嶢 초요] ㉠산이 높은 모양. ㉡산꼭대기. 산정(山頂).

12 ⑮ [嶘] 건 ㊤阮 巨偃切 jiǎn
字解 ①산 건 산의 모양. '一嵼, 山皃'《集韻》. ②산굽을 건 산이 굴곡(屈曲)한 모양. '躡五屼之一嶘'《左思》.

12 ⑮ [嶙] 린 ①㊀眞 力珍切 lín ②㊤軫 良忍切 lǐn
字解 ①깊숙할 린 '一峋'은 산이 첩첩(疊疊)이 싸여 깊숙한 모양. '岭巆一峋'《揚雄》. ②가파를 린 '巉一'은 산이 높고 험한 모양. '裁陂陀以巉一'《潘岳》.
字源 篆文 形聲. 山+粦〔音〕

[嶙峋 인순] ㉠산이 첩첩(疊疊)이 싸여 깊숙한 모양. ㉡여러 계단을 이루어 위압하듯 위로 치솟은 모양.

12 ⑮ [嶝] 동 ㊀東 徒東切 tóng
字解 ①산모양 동. ②민둥산 동 초목(草木)이 없이 헐벗은 산. '一, 山無草木也'《字彙》.

12 ⑮ [嶝] 人名 등 ㊀徑 都鄧切 dèng
字解 ①고개 등 치받이 비탈길. '山上絕梯一'《蘇軾》. ②우러를 등 隥(阜部 十二畫)과 同字. '隥, 說文, 仰也. 或从山'《集韻》.
字源 形聲. 山+登〔音〕. '登등'은 '오르다'의 뜻. 산을 오르는 '고갯길'의 뜻을 나타냄.

◉梯嶝. 懸嶝. 廻嶝.

12 ⑮ [嶟] 준 ①㊀元 祖昆切 zūn ②㊀眞 將倫切
字解 ①가파를 준, 높을 준 산이 높고 험준한 모양. '撥北極之一一'《揚雄》. ②치솟을 준 산이 뾰족하게 솟은 모양. '一一, 竦峭皃'《集韻》.
字源 形聲. 山+尊〔音〕

[嶟嶟 준준] 산이 험준한 모양.

12 ⑮ [嶟] 단 ㊀寒 都寒切 dān
字解 ①외딴산 단 '山孤者曰一'《集韻》. ②산이름 단 '一孤, 山名'《集韻》.

12 ⑮ [嶠] 人名 교 ㊀蕭 巨嬌切 qiáo ㊁嘯 渠廟切 jiào 峤
字解 ①뾰족하고높을 교 산 같은 것이 뾰족하게 솟아 있는 모양. 또, 그 산. '山銳而高曰一'《爾雅》. ②산길 교 산도(山道). '一道'. '山祇蹕一路'《顏延之》. ③산봉우리 교 '開零陵桂陽, 一道'《後漢書》.
字源 篆文 形聲. 山+喬〔音〕. '喬교'는 가늘고 높음의 뜻. 높은 산의 뜻을 나타냄.

[嶠道 교도] 산길.
[嶠路 교로] 산길.

[嶠嶼 교서] 우뚝 솟은 해중(海中)의 작은 섬.
[嶠嶽 교악] 높은 산. 교악(喬岳).

12 ⑮ [嶠] 嶠(前條)와 同字

12 ⑮ [嶢] 人名 요 ㊥蕭 五聊切 yáo

字解 높을 요 '嶕—'는 산 같은 것이 높은 모양. 높고 험준한 모양. '泰山之高不嶕—'《漢書》.
字源 篆文 形聲. 山+堯〔音〕. '堯요'는 '높다'의 뜻. 산의 높은 모양을 나타냄. 높고 험준함의 뜻.

[嶢闕 요궐] 궁성(宮城)의 높은 문.
[嶢崎 요기] 산이 굴곡이 심하여 험준한 모양. 전(轉)하여, 사물(事物)의 복잡(複雜)하고 곡절(曲折)이 많은 뜻으로 쓰임.
[嶢巖 요암] 높고 험(險)한 모양. 험준한 모양.
[嶢嶷 요억] 산이 높이 솟은 모양.
[嶢屼 요올] 산이 험준한 모양.
[嶢嶢 요요] ㉠위태로운 모양. ㉡산이 높은 모양. ㉢뜻이 높은 모양.
[嶢嶢者易缺 요요자이결] 뛰어난 사람은 비방이나 박해를 받기 쉬움을 비유한 말.
[嶢崢 요쟁] 높고 험한 모양. 험준한 모양.
◉嶛嶢. 岧嶢. 嶕嶢.

12 ⑮ [嶗] 로 ㊥豪 郎刀切 láo

字解 ①산이름 로 '—, 山名'《玉篇》. ②험준할 로 '—嶆'는 산이 험함.

12 ⑮ [嶓] 파 ㊥歌 博禾切 bō

字解 산이름 파 '—冢'은 산시 성(陝西省) 면현(沔縣) 서남에 있는 산. '—山'이라고도 함. '—冢道漾'《書經》.
字源 形聲. 山+番〔音〕

[嶓山 파산] 파총(嶓冢).
[嶓冢 파총] 자해(字解)를 보라.

12 ⑮ [嶡] ㊀ 귀 ㊤霽 姑衛切 guì
㊁ 궐 ㊇月 居月切 jué

字解 ㊀ 치솟을 귀 산이 우뚝 솟음. '—, 山崛起貌'《字彙》. ㊁ 도마 궐 가로 나무를 댄, 다리가 달린 도마. '—, 俎名. 足有橫'《集韻》.

12 ⑮ [嶛] 료 ㊥蕭 落蕭切 liáo

字解 높을 료 '陵絕—嶕, 聿越巉嶮'《左思》.
字源 形聲. 山+尞〔音〕

12 ⑮ [嶞] 타 ㊤哿 徒果切 duò

字解 ①뾰족할 타 산이 뾰족한 모양. '—山喬嶽'《詩經》. ②회오리봉 타 작고 뾰족한 산.
字源 篆文 形聲. 山+橢〈省〉〔音〕. '橢타'는 '橢타'와 통하여, '가늘고 길'의 뜻. 가늘고 길게 연달아 뻗은 산(山)의 뜻.

[嶞山 타산] 좁고 긴 산.

12 ⑮ [嶕] 〔준〕
峻(山部 七畫〈p. 640〉)과 同字

12 ⑮ [嶚] 〔악〕
崿(山部 九畫〈p. 647〉)과 同字

13 ⑯ [嶪] 人名 업 ㊇葉 魚怯切 yè

筆順

字解 험준할 업 '岌—'은 산이 높고 험한 모양. 산이 가파른 모양. '朕嵬峩以岌—'《張衡》.
字源 形聲. 山+業〔音〕. '業업'은 엄하고 평탄치 않다의 뜻. 높고 험한 산의 모양을 나타냄.

[嶪峩 업아] 산이 높고 큰 모양.
[嶪嶪 업업] 산이 높고 험한 모양.
◉岌嶪.

13 ⑯ [嶭] 알 ㊇曷 五割切 niè

字解 ①가파를 알 '巀—'은 산이 고준(高峻)한 모양. '九嵕巀—, 南山峩峩'《司馬相如》. ②성 알 성(姓)의 하나.
字源 篆文 形聲. 山+辥〔音〕. '辥설'은 '높고 위태롭다'의 뜻.

◉巀嶭.

13 ⑯ [嶧] 역 ㊇陌 羊益切 yì

字解 산이름 역 ㉠장쑤 성(江蘇省) 비현(邳縣)에 있는 산. '—陽孤桐'《書經》. ㉡산둥 성(山東省) 추현(鄒縣)에 있는 산.
字源 篆文 形聲. 山+睪〔音〕. '睪역'은 '잇닿아 연속됨'의 뜻. 잇닿은 산의 뜻을 나타냄.

13 ⑯ [嶮] 괴 ㊦泰 古外切 kuài

字解 완만하게연할 괴 산이 완만하게 이어지는 모양. 또, 산이 으슥하고 평평한 모양. '嶰壑—峗'《馬融》.

13 ⑯ [嶦] 첨 ①㊥鹽 之廉切 zhān
②㊦豔 時豔切 shàn

字解 ①봉우리 첨 '—, 山峯'《集韻》. ②산비탈 첨 '—, 山阪'《集韻》.

13 ⑯ [崛] 〔굴〕
崛(山部 八畫〈p. 644〉)의 本字

13 ⑯ [嶮] 험 ㊤琰 虛檢切 xiǎn

字解 험할 험 險(阜部 十三畫)과 同字. '壯天地之—介'《郭璞》.
字源 形聲. 山+僉〔音〕. '僉첨'은 '險험'과 통하여, '땅의 형세가 험하다'의 뜻. '험한 산'

의 뜻을 나타냄.

[嶮介 험개] 험준하고 막힘.
[嶮曠 험광] 험준하고 멂.
[嶮難 험난] 험하여 가기 어려움.
[嶮路 험로] 험한 길.
[嶮邪 험사] 마음이 뒤틀리고 사악함.
[嶮塞 험새] 험준한 요새.
[嶮邃 험수] 험하고 깊숙함.
[嶮惡 험악] 험하고 나쁨.
[嶮隘 험애] 험하고 좁음.
[嶮夷 험이] 땅의 험준한 곳과 평탄한 곳.
[嶮阻 험조] 험함. 또, 그곳.
[嶮峻 험준] 험하고 높음. 가파르고 높음.
[嶮峭 험초] 험준(嶮峻).
[嶮巘 험헌] 산이 험준한 모양.
[嶮巇 험희] 위험하고 험함.
◉峻嶮.

13 ⑯ [嶩] 〔노〕
峱(山部 七畫〈p. 641〉)와 同字

13 ⑯ [⿰山窟] 굴 (入)月 苦骨切 kū
[字解] 산 굴, 민둥산 굴 '—屼, 山皃, 一曰, 童山'《集韻》.

13 ⑯ [嶰] 해 (上)蟹 胡買切 xiè
[字解] ①골짜기이름 해 곤륜산(崑崙山) 북쪽에 있는 골짜기. 옛날에 황제(黃帝)가 영륜(伶倫)에게 명하여 이 골짜기의 대나무로 십이율(十二律)의 피리를 만들게 하였다 함. '取竹於—谿之谷'《通鑑綱目》. 전(轉)하여, 널리 골짜기의 뜻으로 쓰임. '—澗閴, 岡岵童'《左思》. ②떨어진산 해 붙어 있지 않은 산. '—, 山不相連也'《玉篇》.
[字源] 形聲. 山+解〔音〕. '解해'는 '뿔뿔이 흩어지다'의 뜻. 산이 따로따로 떨어지게 된 틈, '골짜기'의 뜻을 나타냄.

[嶰谷 해곡] 곤륜산(崑崙山) 북쪽에 있는 골짜기.

13 ⑯ [嶱] 갈 (入)曷 丘葛切 kě
[字解] 가파를 갈 '—嵑'은 산석(山石)이 고준(高峻)한 모양. '其山則崆峴—嵑'《張衡》.

[嶱嵑 갈갈] 산석(山石)이 높고 험한 모양.

13 ⑯ [嶬] 의 (平)支 魚羈切 yí
[字解] ①산이름 의 '—, 山名'《玉篇》. ②높고험할 의 '上崎—而重注'《王延壽》.
[字源] 形聲. 山+義〔音〕

13 ⑯ [嶫] 〔업〕
嶪(山部 十三畫〈p. 652〉)과 同字

13 ⑯ [嶨] 학 (入)覺 胡覺切 xué
[字解] 석산(石山) 학 큰 돌이 많은 산. '吟巴山犖—, 說楚波堆壟'《韓愈》.
[字源] 篆文 形聲. 山+學〈省〉〔音〕
◉犖嶨.

13 ⑯ [嶴] 〔오〕
澳(水部 十三畫〈p. 1302〉)와 同字
[字源] 形聲. 山+奧〔音〕

14 ⑰ [嶷] [一] 의 (平)支 語其切 yí
[二] 억 (入)職 魚力切 nì
[字解] [一] 산이름 의 '九—'는 후난 성(湖南省)에 있는 산으로, 순(舜)임금의 능(陵)이 있었다 함. [二] ①산모양 억 '—, 山貌也'《海篇玉鏡》. ②높을 억 높이 빼어난 모양. '其德——'《史記》. ③숙성할 억 어린아이가 조성(早成)함. 영리함. '岐—'. '克岐克—'《詩經》.
[字源] 篆文 形聲. 山+疑〔音〕. '疑의'는 가만히 머무름의 뜻. 산이 부동(不動)인 채로서 있음의 뜻.

[嶷岌 억급] 높은 모양.
[嶷立 억립] 높이 뛰어나서 선 모양.
[嶷嶷 억억] ㉠덕(德)이 높은 모양. ㉡어린애가 영리한 모양. 숙성한 모양.
[嶷然 억연] 높이 빼어난 모양. 아주 뛰어난 모양.
◉九嶷. 岌嶷. 岐嶷. 端嶷. 明嶷. 英嶷. 嵬嶷. 嶢嶷.

14 ⑰ [嶺] 高人 령 (上)梗 良郢切 lǐng 岭
[筆順] 嶺
[字解] ①재 령 산정(山頂)의 고개. '秋風—'. '置—白雲間'《沈約》. ②산봉우리 령 산봉(山峯). '—嶂'. '岑—飛騰而反覆'《木華》. ③산길 령 '—, 山道也'《說文》. ④연산 령 연속한 산악. '橫看爲—側成峯'《蘇軾》. ⑤산맥이름 령 후난 성(湖南省)과 광둥(廣東)·광시(廣西) 두 성의 경계에 있는 산맥. '—之南其州七十'《韓愈》.
[字源] 篆文 形聲. 山+領〔音〕. '領령'은 '거느리다'의 뜻. 많은 산들을 묶어 거느리는 산꼭대기를 이름.

[嶺南 영남] ㉠오령(五嶺)의 남쪽. 현대의 월중(粤中)을 이름. ㉡《韓》경상도(慶尙道).
[嶺道 영도] 산봉우리에 있는 길. 또, 산봉우리로 통하는 길.
[嶺東 영동]《韓》강원도(江原道) 대관령(大關嶺) 동쪽의 땅.
[嶺頭 영두] 산꼭대기.
[嶺上 영상] 고개 위. 산봉우리 위.
[嶺西 영서]《韓》강원도(江原道) 대관령(大關嶺) 서쪽의 땅.
[嶺樹 영수] 산꼭대기에 있는 나무.
[嶺阨 영애] 산이 험하고 좁은 땅.
[嶺雲 영운] 산봉우리 위에 떠 있는 구름.
[嶺岑 영잠] 산봉우리.
[嶺嶂 영장] 높고 험한 산봉우리.
[嶺頂 영정] 산꼭대기.
[嶺表 영표] 영남(嶺南).

[嶺海 영해] 후난(湖南)·후베이(湖北)의 양성(兩省). 모두 오령(五嶺)의 남쪽에 있어 바다와 가까우므로 이름.
◉高嶺. 梅嶺. 複嶺. 分水嶺. 山嶺. 雪嶺. 霄嶺. 五嶺. 危嶺. 峻嶺. 重嶺. 秦嶺. 疊嶺. 葱嶺. 台嶺. 太和嶺.

14 ⑰ [嶽] [人名] 악 [入]覺 五角切 yuè

[筆順]

[字解] 큰산 악 크고 높은 산. 岳(山部 五畫)과 同字. '五―'. '崧高維―'《詩經》.

[字源] 篆文 形聲. 山+獄〔音〕. '獄옥'은 사람을 위압하다의 뜻. 사람을 위압하는 험준한 산의 뜻. 고대(古代)에는 제사의 대상(對象)이었음.

[嶽降 악강] 산신(山神)이 내려와 사람으로 화신(化身)한다는 뜻으로, 귀인(貴人)이나 위인(偉人)이 태어남을 이름.
[嶽公 악공] 악장(嶽丈).
[嶽祇 악기] 산신(山神). 악신(嶽神).
[嶽蓮 악련] 화산(華山) 위에 있는 연(蓮). 전(轉)하여, 화산을 이름.
[嶽麓書院 악록서원] 학교(學校) 이름. 송(宋)나라 장식(張栻)과 주희(朱熹)가 강학(講學)한 곳. 후난 성(湖南省) 안에 있음.
[嶽母 악모] 아내의 어머니. 장모(丈母).
[嶽牧 악목] 사악(四岳)과 십이목(十二牧). 후세의 공경(公卿)·제후(諸侯)와 같음. 악목(岳牧).
[嶽父 악부] 악장(嶽丈).
[嶽雪 악설] 고산(高山)의 눈.
[嶽秀 악수] 고산(高山)이 뛰어남. 전(轉)하여, 인격이 뛰어남의 비유.
[嶽崇海豁 악숭해활] 산처럼 높고 바다같이 넓음.
[嶽神 악신] 산신령. 산신(山神).
[嶽嶽 악악] ㉠나란히 서서 의젓한 모양. 뽐내는 모양. ㉡사슴의 뿔의 형용.
[嶽翁 악옹] 악장(嶽丈).
[嶽丈 악장] 아내의 아버지. 장인(丈人). 악(嶽)은 태산(泰山)인데, 그 꼭대기에 장인봉(丈人峯)이 있는 데서 나온 말.
[嶽峻 악준] 고산(高山)이 험준함. 전(轉)하여, 인격의 고결(高潔)함의 비유.
◉巨嶽. 槐嶽. 喬嶽. 累嶽. 四嶽. 山嶽. 令嶽. 五嶽. 鍾嶽. 河嶽. 海嶽. 崋嶽. 華嶽.

14 ⑰ [嶻] 〔찰〕
巀(山部 十五畫〈p. 654〉)의 俗字

14 ⑰ [𡾰] [人名] 한 [平]寒 俄寒切 án
[字解] 산이높은모양 한 '―, 山形也'《集韻》.

14 ⑰ [𡿂] 은 [上]吻 於謹切 yǐn
[字解] 산높을 은 산의 우뚝 솟은 모양. '裁岐嵅以―嶙'《潘岳》.

14 ⑰ [嶸] [人名] 영 [平]庚 永兵切 róng
[字解] 가파를 영 '崢―'은 산이 높고 험한 모양. '金石崢―'《班固》.
[字源] 篆文 形聲. 山+榮〔音〕. '榮영'은 '營영'과 통하여, 빙 둘러쌈의 뜻. 산이 둘러싸여 험하다의 뜻을 나타냄.

◉崢嶸. 嶒嶸.

14 ⑰ [𡿡] 대 [去]隊 徒對切 duì
[筆順]
[字解] ①산 대 산의 모양. '―, 山皃'《集韻》. ②우뚝솟을 대 높은 모양. '―, 若崇山崫起而崔嵬'《左思》.

14 ⑰ [𡿨] 호 [平]豪 乎刀切 xiáo
[字解] 산이름 호 '―, 山名, 在弘農'《集韻》.

14 ⑰ [嶼] [人名] 서 [上]語 象呂切 yǔ(xù)
[字解] 섬 서 작은 섬. '島―'. '石帆蒙蘢以蓋―'《郭璞》.
[字源] 篆文 形聲. 山+與〔音〕. '與여'는 '같이 동행하다'의 뜻. 바다 가운데에 2~3개의 섬이 모여 있는 것을 이름.

◉島嶼. 連嶼. 蔚嶼. 長嶼. 洲嶼.

15 ⑱ [巀] [一] 찰 [入]曷 才割切 jié
[二] 절 [入]屑 昨結切 jié
[字解] [一] 가파를 찰 '―嶭'은 산이 높고 험준한 모양. '九嵕―嶭, 南山峩峩'《司馬相如》. [二] 가파를 절.
[字源] 篆文 形聲. 山+截〔音〕. '截절'은 '截'의 本字로서, '절단함'의 뜻. 산(山)이 높고 험준한 모양을 나타냄.

[巀嶭 찰알] 산이 높고 가파른 모양.
[巀巘 찰헌] 높고 험준한 모양.

15 ⑱ [巁] [一] 려 [去]霽 力制切 lì
[二] 렬 [入]屑 力蘗切 liè
[筆順]
[字解] [一] 높을 려 '―, 巍也'《廣韻》. [二] ①산높을 렬 산이 높은 모양. '―, 山高皃'《集韻》. ②성 렬 성(姓)의 하나.
[字源] 形聲. 山+蠆〔音〕

[巂] 〔휴〕
隹部 十畫(p. 2488)을 보라.

15 ⑱ [𡿹] 𡿺(次條)와 同字

15 ⑱ [𡿺] 뢰 [上]賄 落猥切 lěi
[字解] 울쑥불쑥할 뢰 '嵬―'는 산에 고하(高下)가 있는 모양. '或嵬―而複陸'《左思》.
[字源] 形聲. 山+畾〔音〕. '畾뢰'는 '겹치다'의 뜻. 겹쳐지는 산의 험한 모양을 나타냄.

[嵬嵬 뇌뢰] 울쑥불쑥한 모양.
◉嵬嵬.

16 ⑲ [巃] 롱 ①㊥東 盧紅切 lóng ②㊤董 力董切

字解 ①가파를 롱 '一嵸'은 산이 험준한 모양. '崇山矗矗, 一嵸崔巍'《司馬相如》. ②자욱할 롱 운기(雲氣)가 자욱이 낀 모양. '山一一兮石嵯峨'《楚辭》.

字源 形聲. 山+龍〔音〕

[巃嵸 농종] ㉠산이 험준한 모양. ㉡운기(雲氣)가 자욱이 낀 모양. ㉢산이 고립(孤立)한 모양.

16 ⑲ [嶂] 〔곽〕 崞(山部 八畫〈p. 645〉)의 本字

16 ⑲ [嶭] 〔알〕 嶭(山部 十三畫〈p. 652〉)의 本字

17 ⑳ [巇] 희 ㊥支 許羈切 xī

字解 ①가파를 희 산이 가팔라서 위험한 모양. '丹崖險一'《嵇康》. ②틈 희 간극(間隙). '一可抵乎'《揚子法言》.

字源 形聲. 山+戲〔音〕

[巇隙 희극] 틈새.
◉嶔巇. 抵巇. 險巇.

17 ⑳ [嚶] 영 ㊤迥 烟涬切 yǐng

字解 어두울 영 '一溟'은 산기(山氣)가 어두운 모양. '一溟鬱岪'《左思》.

[嚶溟 영명] 자해(字解)를 보라.

17 ⑳ [巉] 참 ㊥咸 鋤銜切 chán

字解 가파를 참 산이 깎아지른 듯이 가파른 모양. '一崖'. '登一巖下望兮'《宋玉》.

字源 形聲. 山+毚〔音〕. '毚참'은 사람의 판단을 어지럽히다의 뜻. 무서울 정도로 높은 산의 뜻을 나타냄.

[巉巖 참암] 낭떠러지. 또, 낭떠러지를 이룬 바위. 깎아지른 듯이 높이 솟은 바위.
[巉崖 참애] 낭떠러지.
[巉巉 참참] 높고 험(險)한 모양. 험준한 모양.
[巉峭 참초] 깎아지른 듯이 험함.
[巉崄 참험] 깎아지른 듯이 가파름.
◉嵌巉. 巖巉.

17 ⑳ [巋] 귀 ①㊦寘 丘媿切 kuì ②㊥支 丘追切 kuī

字解 ①우뚝설 귀 홀로 우뚝 선 모양. '一然而有餘'《莊子》. ②가파를 귀 높고 험준한 모양. '嶇嶔一崎'《王褒》.

字源 形聲. 山+歸〔音〕. '歸귀'는 몸을 붙여 의지하다의 뜻. 산과 산이 몸을 붙여 의지하듯이 모여 있는 모양을 나타냄.

[巋崎 귀기] 험하고 높은 모양. 험준한 모양. 「양.
[巋然 귀연] 혼자 우뚝 선 모양. 독립(獨立)한 모

17 ⑳ [巐] 〔건〕 巏(山部 十二畫〈p. 651〉)과 同字

18 ㉑ [巍] 人名 외 ㊥微 語韋切 wēi(wéi)

字解 높을 외 높고 큰 모양. '一一乎唯天爲大'《論語》.

字源 篆文 形聲. 嵬+委〔音〕. '嵬외'는 산이 높다의 뜻. '委위'는 음형(音形)을 나타내기 위해 덧붙인 것으로 추정됨.

[巍峨 외아] 산이 높이 솟은 모양.
[巍然 외연] ㉠산이 높고 큰 모양. ㉡인물이 뛰어난 모양.
[巍巍 외외] ㉠산이 높고 큰 모양. ㉡혼자 선 모양. 독립(獨立)한 모양.
◉崔巍.

18 ㉑ [巏] ━ 권 ㊥先 逵員切 quán ━ 관 ㊦翰 古玩切 quán

筆順 山 岾 嶘 嶘 嶚 嶚 巏 巏

字解 ━ 산이름 권 '一務'는 허베이 성(河北省) 탕산 시(唐山市)의 북쪽에 있는 산. '一, 一務, 山名. 在柏人城東北'《集韻》. ━ 산이름 관 ━과 뜻이 같음.

18 ㉑ [巉] 〔참〕 巉(山部 十七畫〈p. 655〉)과 同字

19 ㉒ [巓] 전 ㊥先 都年切 diān 巅

字解 ①산꼭대기 전 산정(山頂). '首陽之一'《詩經》. ②머리 전 '其動掉眩一疾'《素問》. ③떨어질 전, 떨어뜨릴 전 '行不羣以一越兮'《楚辭》.

字源 形聲. 山+顚〔音〕. '顚전'은 '꼭대기'의 뜻. '산꼭대기'의 뜻을 나타냄.

[巓倒 전도] 뒤집힘. 쓰러짐. 전도(顚倒).
◉山巓.

19 ㉒ [巑] 人名 찬 ㊥寒 在丸切 cuán

字解 산뾰족할 찬, 높이솟을 찬 '一岏'은 산이 높고 뾰족한 모양. 또, 그 산. '盤岸一岏'《宋玉》.

字源 形聲. 山+贊〔音〕. '贊찬'은, '鑽찬'과 통하여 '송곳'의 뜻. 송곳처럼 날카롭게 치솟은 산의 뜻을 나타냄.

[巑岏 찬완] 산이 높고 뾰족한 모양. 또, 그 산.

19 ㉒ [巒] 人名 만 (란本) ㊥寒 落官切 luán 峦

字解 메 만 ㉠작고 뾰족한 산. ㉡둥글고 낮은 산. '登石一以遠望兮'《楚辭》. ㉢길고 좁은 산. '一, 山墮'《爾雅》. ㉣빙 둘러싼 산. '襟帶盡巖一'《徐悱》. ㉤산등성이. '陟玉一兮逍遙'《楚辭》.

字源 篆文 形聲. 山+䜌〔音〕. '䜌련'은 어지러이 이어지다의 뜻. 이어지는 여러 산봉

우리들의 뜻을 나타냄.

[巒岡 만강] 언덕. 작은 산.
[巒峯 만봉] 산봉우리.
[巒巘 만헌] 산봉우리. 헌(巘)은 봉(峯).
◉岡巒. 峯巒. 石巒. 巖巒. 重巒. 層巒.

19 ㉒ [巎] 미 ㊤紙 母被切 mǐ

字解 ①산이름 미 '一, 山名'《集韻》. ②가파를 미 '迤一'는 산이 높고 험준한 모양. '倚巇迤一, 誠可悲乎'《王褒》.

20 ㉓ [巖] 中·人 암 ㊥咸 五銜切 yán

筆順 ⺌ 𡷊 ⺌ ... 巖

字解 ①바위 암 큰 돌. '一窟'. '武夷一石悉紅紫'《建安記》. ②가파를 암 험준한 모양. '嶄一'. '制, 一邑也'《左傳》. ③석굴 암 암혈(巖穴). '一居'. '峪窞一窫'《馬融》. ④언덕 암, 낭떠러지 암 애안(崖岸). '壞崖破一之水'《後漢書》. ⑤산봉우리 암 '一, 峯也'《廣韻》.

字源 篆文 形聲. 山+嚴〔音〕. '嚴엄'은 엄하다, 가까이하기 어렵다의 뜻. 가까이하기 힘든 산의 뜻에서, '험준하다, 바위'의 뜻을 나타냄.

參考 岩(山部 五畫)은 俗字.

[巖客 암객] ㉠암혈(巖穴)에 사는 은사(隱士). ㉡목서(木犀)의 별칭(別稱). 암계(巖桂).
[巖居 암거] 석굴(石窟)에 삶. 속계(俗界)를 떠나서 산야(山野)에 숨어 삶. 또, 그 석굴(石窟).
[巖居川觀 암거천관] 바위 사이 또는 석굴(石窟) 같은 데 살면서 냇물을 바라보고 지냄. 곧, 속세를 떠나 산간(山間)에서 자연을 즐기는 사람의 생활을 이름.
[巖扃 암경] 자연적으로 된 바위 문. 전(轉)하여, 은자(隱者)가 사는 곳.
[巖窟 암굴] 바위에 뚫린 굴(窟). 석굴(石窟).
[巖洞 암동] 암굴(巖窟).
[巖頭 암두] 바위 위. 또, 바위의 옆.
[巖竇 암두] 암굴(巖窟).
[巖廊 암랑] 궁전의 높은 낭하(廊下). 전(轉)하여, 조정(朝廷).
[巖溜 암류] 바위에서 떨어지는 물방울.
[巖盤 암반] 다른 바위 속으로 돌입하여 굳어진 불규칙한 대형의 바위.
[巖壁 암벽] 바람벽과 같이 깎아지른 듯이 험하게 솟아 있는 바위. 석벽(石壁).
[巖扉 암비] 암굴의 문. 은자(隱者)의 집.
[巖栖 암서] 암서(巖棲).
[巖棲 암서] 암굴(巖窟)에서 삶. 은둔함.
[巖棲伴 암서반] 암굴(巖窟)에서 사는 은자(隱者)의 무리.
[巖石 암석] 바위. 암석(岩石).
[巖岫 암수] 석굴(石窟). 암혈(巖穴).
[巖岫之士 암수지사] 암혈지사(巖穴之士).
[巖阿 암아] 산골짜기.
[巖巖 암암] 돌이 중첩(重疊)하여 험(險)한 모양.
[巖巖淸峙壁立千仞 암암청치벽립천인] 인품(人品)이 고결(高潔)하여 윗사람 가운데에서 걸출(傑出)해 있는 형용.
[巖鹽 암염] 지하에서 천연으로 나오는 입상(粒狀) 또는 입방체로 결정된 염소(鹽素)와 소다의 화합물. 석염(石鹽).
[巖狖 암유] 바위 틈서리에서 사는 원숭이.
[巖幽 암유] 바위가 있는 고요한 곳.
[巖邑 암읍] 험준하여 지키기 좋은 읍. 험요(險要)한 읍(邑).
[巖嶂 암장] 바위로 이루어진 봉우리. 험한 산.
[巖漿 암장] 지열(地熱)로 인하여 땅속의 바위가 녹은 것.
[巖牆 암장] 높고 위험한 담. 전(轉)하여, 위험한 장소. 또, 해치려고 하는 자.
[巖牆之下 암장지하] 돌담 아래. 곧, 매우 위험(危險)한 곳.
[巖阻 암조] 험준함. 또, 그 땅.
[巖處 암처] 암거(巖居).
[巖泉 암천] 바위틈에서 솟아 나오는 샘.
[巖築 암축] ㉠담장이나 성벽(城壁)을 쌓는 공사(工事). ㉡부열(傅說)이 부험(傅險)에서 판축(版築)에 종사(從事)한 일.
[巖陛 암폐] 궁전(宮殿)의 돌층계. 전계(殿階).
[巖下之電 암하지전] 번쩍번쩍 빛나는 안광(眼光)을 형용한 말. 암전(巖電).
[巖壑 암학] 바위와 골짜기. 또, 골짜기에서 흐르는 내. 시내.
[巖穴 암혈] ㉠석굴(石窟). ㉡암혈지사(巖穴之士).
[巖穴之士 암혈지사] 석굴(石窟) 속에서 사는 사람. 속계(俗界)를 떠나서 산중에서 사는 은사(隱士).
◉嶔巖. 斷巖. 白巖. 山巖. 崇巖. 嶢巖. 岑巖. 嶄巖. 巉巖. 頹巖.

20 ㉓ [巗] 巖(前條)과 同字

20 ㉓ [巙] ▣ 규 ㊥支 渠龜切 kuí
▣ 노 ㊥豪 奴刀切 náo

字解 ▣ 사람이름 규 '一, 閼. 人名'《集韻》. ▣ ①산이름 노 '一, 山名. 左齊'《篇海類篇》. ②개이름 노 '一, 又犬也'《篇海類篇》.

20 ㉓ [巘] 헌 ㊤銑 魚蹇切 yǎn
㊤阮 語偃切

字解 ①봉우리 헌 산의 봉우리. '絶一'. '一, 山峯'《廣韻》. ②낭떠러지 헌 벼랑. '連嶂疊一崿'《謝靈運》. ③작은산 헌 큰 산에서 갈라진 시루 모양의 산. '陟則在一'《詩經》.

字源 形聲. 山+獻〔音〕

◉山巘. 絶巘. 疊巘. 層巘.

巛(川) (3획) 部
〔개미허리부〕

0 ③ [巛] 川(次條)의 本字

筆順 ㄑ 巜 巛

參考 부수(部首)로서 '개미허리'로 이름. '巛·川'을 의부(意符)로 하여, '내'의 뜻을 포함하는 문자가 이루어짐.

0 ③ [川] 中人 천 ㊥先 昌緣切 chuān

筆順 丿 川 川

字解 ①내 천 하천. '一邊'. '凡天下之地勢, 兩山之間必有一焉'《周禮》. ②물귀신 천 하백(河伯). '祭山一'《禮記》. ③굴 천 굴혈(窟穴). '其一在尾上'《山海經》. ④들판 천 평원(平原). '平衍田野謂之一'《夜航詩話》. ⑤성 천 성(姓)의 하나.

字源 甲骨文 金文 篆文 象形. 흐르는 물, 내를 본뜬 모양으로, '내·강'의 뜻.

[川渠 천거] 물의 근원(根源)이 가까운 곳에 있는 내.
[川谷 천곡] 내와 골짜기.
[川芎 천궁] 미나릿과에 속하는 다년초. 뿌리는 한약재(漢藥材)로 쓰임.
[川獵 천렵] 냇물에서 고기잡이를 함.
[川流 천류] ㉠냇물의 흐름. 하류(河流). ㉡물의 흐름처럼 줄곧 잇달아서 끊임이 없는 일. ㉢냇물의 흐름처럼 조리(條理)가 분명(分明)한 일.
[川邊 천변] 개천가. 냇가.
[川絲 천사] 쓰촨 성(四川省)에서 나는 생사(生絲).
[川三絲 천삼사] 요리(料理) 이름. 햄·닭고기·죽순 등을 가늘게 채 쳐서 만든 수프.
[川上 천상] 냇가.
[川省 천성] '쓰촨 성(四川省)'의 준말.
[川施餓鬼 천시아귀] 《佛敎》 익사자(溺死者)의 명복을 빌기 위하여 냇가에서 공양 독경(供養讀經)하고, 그 공물(供物)을 냇물에 흘려 보내는 일.
[川岳 천악] 내와 산(山). 하천과 산악. 전(轉)하여, 각 지방(地方).
[川原 천원] 하천 가의 물이 말라 사석(沙石)이 드러난 곳.
[川奠 천전] 하천에서 나는 제물(祭物). 곧, 어류(魚類).
[川川 천천] 느린 모양. 더딘 모양.
[川椒 천초] 산초나무. 산초(山椒).
[川澤納汚 천택납오] 하천이나 못은 더러운 물도 받아들인다는 뜻으로, 국군(國君) 또는 대인물(大人物)은 남의 과실을 허용(許容)하며 또한 치욕(恥辱)도 참음을 이름.
[川紅 천홍] 해당화. 곧, 해당(海棠)의 이명(異名).
[川后 천후] 수신(水神). 하백(河伯).
◉九川. 口川. 羅川. 大川. 輞川. 名川. 百川. 四川. 山川. 三川. 逝川. 小川. 勝川. 苑川. 流川. 支川. 鑿川. 晴川. 河川. 回川.

0 ③ [巛] 〔곤〕 坤(土部 五畫〈p. 440〉)의 古字

參考 巛(部首〈p. 656〉)은 別字.

3 ⑥ [州] 高人 주 ㊥尤 職流切 zhōu

筆順 丶 丿 小 州 州 州

字解 ①고을 주 행정 구역의 이름으로서, 고대에 중국 전토를 나누어 '九一' 또는 '十二一'로 하였는데, 후에는 성(省) 같은 것으로 되었음. ②마을 주 읍리(邑里). 주대(周代)에 2천5백 가(家)를 이른 말. '一閭'. '雖一里行乎哉'《論語》. ③나라 주 국토(國土). '一國'. '白狄及君同一'《左傳》. ④섬 주, 모래톱 주 洲(水部 六畫)와 同字. '水中可居曰一'《說文》. ⑤모일 주 '群萃而一處'《國語》. ⑥성 주 성(姓)의 하나.

字源 甲骨文 金文 篆文 古文 象形. 강의 흐름 속에 둘러싸인 땅, 모래톱의 象形으로, 강 가운데의 모래톱, 강섬의 뜻을 나타냄.

[州曲 주곡] 시골. 향촌(鄕村). 곡(曲)은 향곡(鄕曲).
[州功 주공] 주(州)를 다스린 공적(功績).
[州國 주국] 나라. 국토(國土).
[州郡 주군] 주(州)와 군(郡). 전(轉)하여, 지방(地方).
[州閭 주려] 향리(鄕里). 여(閭)는 25가(家).
[州廩 주름] 주창(州倉).
[州里 주리] 향리(鄕里). 마을. 주(州)는 2천5백 가(家)의 부락(部落). 이(里)는 25가(家)의 부락.
[州牧 주목] 주(州)의 장관(長官).
[州伯 주백] ㉠주(州)(2천5백 가(家))의 장관(長官). ㉡구주(九州)의 장관(長官). 방백(方伯). 주장(州長).
[州兵 주병] 주의 병사(兵士). 주(州)(2천5백 가(家))의 장관(長官)이 거느리는 병사(兵士).
[州司 주사] 주(州)의 벼슬아치. 주직(州職).
[州社 주사] 주(州)에서 제사 지내는 사당(祠堂).
[州序 주서] 향리(鄕里)의 학교(學校). 주학(州學).
[州俗 주속] 이속(里俗). 토속(土俗).
[州壤 주양] 나라. 토지(土地).
[州長 주장] ㉠경대부(卿大夫)의 다음 지위(地位)로, 주내(州內)의 정치 교령(政治敎令)을 맡은 사람. 주(州)의 장(長). ㉡구주(九州)의 장관(長官). 방백(方伯).
[州宰 주재] 주(州)의 장관(長官). 자사(刺史).
[州倉 주창] 주(州)에 있는 미창(米倉). 주(州)의 쌀 곳간.
[州處 주처] 모여 있음. 주(州)는 취(聚).
[州治 주치] 주(州)의 행정청(行政廳)이 있는 곳. 주역(州域).
[州學 주학] 주(州)의 학교(學校).
[州巷 주항] 마을. 읍리(邑里). 지방(地方). 여항(閭巷).
[州廨 주해] 주(州)의 행정 사무를 다루는 관아(官衙).
[州縣 주현] 주(州)와 현(縣). 전(轉)하여, 지방(地方).
◉九州. 羈縻州. 蘆州. 四百餘州. 沙州. 砂州. 神州. 十二州. 六十餘州. 齊州. 中州. 知州. 八州.

3 ⑥ [巤] 一 렬 ㊀屑 良辥切 liè 二 을 ㊀質 魚乙切 liè

字解 一 흐를 렬 물이 흐르는 모양. '一, 水流皃'《廣韻》. 二 흐를 을 巳과 뜻이 같음.

字源 形聲. 篆文은 巛+列〈省〉〔音〕. 甲骨文은 水+歺〔音〕

3 ⑥ [巛歹] 𠰌(前條)의 俗字

4 ⑦ [巛亦] 〔돌〕 去(厶部 一畫〈p. 324〉)과 同字

4 ⑦ [巠] 경 ㊥靑 古靈切 jīng ㊤迥 古頂切

字解 ①지하수 경 지중(地中)의 물줄기. '―, 水脈也'《說文》. ②곧은물결 경 수직으로 이는 물결. '直波爲―'《廣韻》. ③물모양 경 물의 광대한 형용. 涇(水部 八畫)과 통용. '冥―, 水大皃'《說文 段注》.

字源 金文 篆文 古文 象形. 베를 짤 때 날실을 본뜬 모양으로, '날실'의 뜻. 古文은 그것에다 곧추 뻗음의 뜻의 '壬정'을 덧붙여, 곧게 뻗는 날실의 뜻을 나타냄. 篆文은 古文의 '壬'의 부분이 '工공'으로 변형됨.

4 ⑦ [巡] 高人 순 ㊥眞 詳遵切 xún

筆順 𡿨 巛 巛 巛 巛 巛 巡

字解 ①돌 순 ㉠시찰 또는 경계를 하기 위하여 순행함. '―檢'. '王乃時―'《書經》. ㉡여러 곳을 빙 돎. '―廻'. '三―數之'《左傳》. ②어루만질 순 위로함. '―靖黎蒸'《後漢書》.

字源 篆文 形聲. 辵+川〔音〕. '川천'은 '내·강(江)'의 뜻. 강처럼 일정한 길을 가다, 돌다의 뜻을 나타냄.

[巡講 순강] 각처로 순회(巡廻)하며 강연함.
[巡檢 순검] ㉠순안(巡按). ㉡《韓》 옛 경무청(警務廳)의 경리(警吏). 지금의 순경(巡警)과 같음.
[巡更 순경] 밤에 경계(警戒)하기 위하여 돌아다님.
[巡警 순경] ㉠순회(巡廻)하여 경계(警戒)함. 또, 그 사람. ㉡《韓》 경찰관(警察官)의 최하급(最下級).
[巡功 순공] 순수(巡狩).
[巡邏 순라] 도둑·화재 등을 경계하기 위하여 돌아다님. 또, 그 사람.
[巡覽 순람] 각처로 돌아다니며 관람(觀覽)함.
[巡歷 순력] 각처로 돌아다님.
[巡禮 순례] 신앙(信仰)으로 인하여 여러 성지(聖地)를 차례로 돌아다님.
[巡撫 순무] ㉠순회(巡廻)하며 백성을 위무(慰撫)함. ㉡청조(淸朝) 때 총독(總督)의 다음가는 벼슬. 한 성(省)의 민치(民治)·병제(兵制)의 일을 맡음.
[巡杯 순배] 주석(酒席)에서 술잔을 차례로 돌림. 또, 그 술잔.
[巡山 순산] 산림(山林)을 순시(巡視)함.
[巡錫 순석] 《佛敎》 중이 각처로 돌아다니며 포교(布敎)함. '錫'은 중이 짚는 지팡이.
[巡省 순성] 순시(巡視).
[巡城 순성] ㉠성(城)을 순회(巡廻)하며 경계(警戒)함. ㉡성(城)의 주위를 돌아다니며 구경함.
[巡守 순수] 순수(巡狩).
[巡狩 순수] 천자(天子)가 제후(諸侯)의 나라를 순회(巡廻)하며 시찰함.
[巡視 순시] 돌아다니며 시찰함. 또, 그 벼슬아치. 순라(巡邏).
[巡按 순안] 각처(各處)로 돌아다니며 민정(民情)을 조사(調査)함.
[巡洋艦 순양함] 군함(軍艦)의 일종(一種). 전투함(戰鬪艦)과 구축함(驅逐艦)의 중간임.
[巡閱 순열] 돌아다니며 검열(檢閱)함.
[巡遊 순유] 각처로 돌아다니며 놂.
[巡察 순찰] 각처(各處)로 돌아다니며 사정(事情)을 살핌.
[巡察使 순찰사] 당대(唐代)에 한 도(道)마다 두어 주현(州縣)의 치적(治績)·민정(民情) 등을 시찰하던 벼슬아치.
[巡哨 순초] 순회(巡廻)하며 적(敵)의 사정(事情)을 탐지(探知)함.
[巡捕 순포] 순검(巡檢) ㉡.
[巡航 순항] 여러 곳으로 항해(航海)하며 돌아다님.
[巡行 순행] 각처(各處)로 돌아다님.
[巡幸 순행] 순수(巡狩).
[巡化 순화] 《佛敎》 중이 설교(說敎)하며 돌아다님.
[巡回 순회] 순회(巡廻).
[巡廻 순회] 각처(各處)로 돌아다님.
◉更巡. 警巡. 夜巡. 緝巡. 徼巡. 逡巡. 親巡.

5 ⑧ [巠] 〔경〕 巠(巛部 四畫〈p. 658〉)의 古字

[甾] 〔치〕 田部 三畫(p. 1463)을 보라.

[邕] 〔옹〕 邑部 三畫(p. 2328)을 보라.

[首] 〔순〕 首部 一畫(p. 2587)을 보라.

8 ⑪ [巢] 人名 소 ㊥肴 鉏交切 cháo

筆順 𡿨 巛 巛 𠮛 𠁁 巢 巢 巢

字解 ①새집 소 새의 보금자리. 둥지. '維鵲有―'《詩經》. 전(轉)하여, 벌레·짐승·비적(匪賊) 등의 집의 뜻으로 널리 쓰임. '―窟'. '蟭螟之―'《抱朴子》. '明日賊復傾―而至'《元史》. ②깃들일 소 보금자리를 지음. '鵲始―'《禮記》. ③망루 소 망대(望臺). '楚子登―車'《左傳》. ④모일 소, 무리지을 소 '周唯―於林'《呂氏春秋》. ⑤높을 소 '―, 高也'《小爾雅》. ⑥완두 소 완두콩의 새싹. '―菜'. ⑦성 소 성(姓)의 하나.

字源 篆文 象形. 윗부분은 보금자리 속의 새, '臼구'는 둥지·보금자리, '木목'은 나무 모양을 각기 본떠, '보금자리'의 뜻을 나타냄.

[巢車 소거] 적을 살펴보기에 편리하도록 망루(望樓)를 부설(附設)한 수레.
[巢居 소거] 금수(禽獸)의 해를 피하기 위하여 나무 위에 집을 짓고 삶.
[巢居子 소거자] 소보(巢父).
[巢窟 소굴] 도적(盜賊)·비도(匪徒)·악한(惡漢) 등의 근거지(根據地).

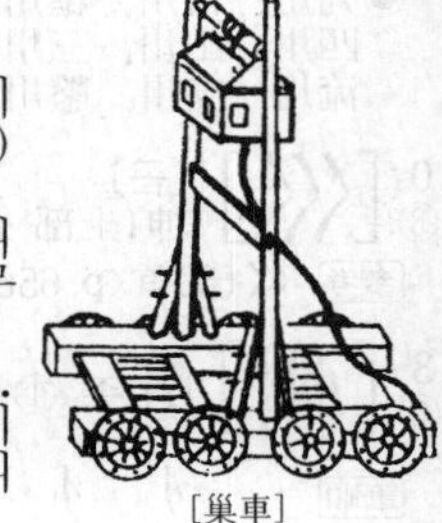
[巢車]

[巢林一枝 소림일지] ㉠작은 새가 숲에 새집을 짓는 데는 나뭇가지 하나로 족하다는 뜻. ㉡겨우 몸 하나 들 수 있는 정도의 변변치 않은 집에 만족함을 비유하는 말. 또, 작은 집. 또, 낮은 지위.
[巢幕燕 소막연] 천막(天幕)에 집을 짓는 제비라는 뜻으로, 극히 위태로움의 비유. 막연(幕燕).
[巢父 소보] 요(堯)임금 때의 고사(高士). 산속에 숨어 세리(世利)를 돌아보지 않고, 나무 위에 집을 지어 거기서 잤다는 데서 이름. 요(堯)임금이 천하(天下)를 양여(讓與)하여도 받지 아니하였음.
[巢燧 소수] 나무 위에 집을 만들고 살았다는 유소씨(有巢氏)의 시대(時代)와 부싯돌로 불을 켰다는 수인씨(燧人氏)의 시대(時代)라는 뜻으로, 인지(人智)가 미개(未開)한 태고 시대(太古時代)를 이름.
[巢窩 소와] 무덤. 분묘(墳墓).
[巢由 소유] 소보(巢父)와 허유(許由). 모두 요(堯)임금 때의 고사(高士).
[巢許 소허] 소유(巢由).
[巢穴 소혈] 주거(住居)의 천칭(賤稱). 소굴(巢窟).
◉故巢. 空巢. 窠巢. 鳩居鵲巢. 卵巢. 南巢. 大巢. 幕上巢. 病巢. 蜂巢. 小巢. 燕巢. 營巢. 妖巢. 遼巢. 葦末巢. 危巢. 鵲巢. 賊巢. 鷦鷯巢.

8 ⑪ [巣] 巢(前條)의 略字

[順] 〔순〕 頁部 三畫(p. 2540)을 보라.

[鞏] 〔할〕 舛部 七畫(p. 1885)을 보라.

工 (3획) 部
〔장인공부〕

0 ③ [工] [中人] 공 [平]東 古紅切 gōng 

[筆順] 一 丅 工

[字解] ①장인 공 물건을 만드는 사람. '職—'. '—欲善其事, 必先利其器'《論語》. ②공업 공 기물을 만드는 업 '百姓當家力農—'《史記》. ③벼슬아치 공 관리. '嗟嗟臣—'《詩經》. ④악인 공 음악을 연주하는 사람. '—歌文王之三'《左傳》. ⑤일 공 하는 일. '女—'. '天—人其代之'《書經》. ⑥교묘할 공 솜씨가 교묘함. '—拙'. '帝—書善畫'《南史》. ⑦점쟁이 공 '使—占之'《史記》. ⑧성 공 성(姓)의 하나.

[字源] 甲骨文 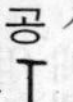 金文  篆文 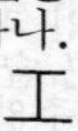 古文  象形. 손잡이가 달린 끝을 본뜬 모양이라고도 하고, 대장장이가 무엇을 벼리기 위한 모루의 象形이라고도 함. 공구(工具)를 본뜬 모양에서, '공작(工作)하다'의 뜻을 나타냄.

[工歌 공가] 멋지게 노래함. 노래를 멋있게 부름.
[工賈 공고] 장인(匠人)과 상인(商人). 장색(匠色)과 장수.
[工科 공과] 대학(大學)의 한 분과(分科). 공예(工藝)에 관한 학문(學問)을 연구하는 과정(科程).
[工課 공과] 공부하는 과정(課程).
[工女 공녀] 길쌈을 하는 여자. 또, 여직공(女職工). 공녀(紅女).
[工力 공력] ㉠사려(思慮)와 역량(力量). ㉡공작(工作)의 인부(人夫).
[工率 공률] 기계(機械)가 단위(單位) 시간(時間)마다 하는 일.
[工房 공방] ㉠일터. 작업장. ㉡《韓》 공전(工典)에 관한 사무(事務)를 맡아보던 승정원(承政院)의 육방(六房)의 하나. ㉢《韓》 공전(工典)에 관한 사무(事務)를 맡아보던 지방 관아(地方官衙)의 육방(六房)의 하나.
[工兵 공병] 기술상(技術上)의 작업(作業)에 의하여 작전력(作戰力)을 증가하는 병종(兵種). 또, 그 병사(兵士).
[工夫 공부] ㉠방법(方法)을 생각해 냄. ㉡품성(品性)의 수양(修養). 의지(意志)의 단련(鍛鍊). ㉢학문(學問)·기술(技術)을 배움. ㉣배운 것을 연습(練習)함. ㉤토목 공사에 종사하는 인부.
[工否 공부] 교묘함과 서투름.
[工部 공부] 육부(六部)의 하나. 영선(營繕)·공사(工事) 등의 일을 맡음.
[工費 공비] 공사(工事)의 비용.
[工事 공사] ㉠토목 공사(土木工事). 공역(工役). ㉡건축·제작 등에 관한 일.
[工師 공사] ㉠백관(百官)의 장(長). ㉡공인(工人)의 두목. 또, 공인.
[工手 공수] ㉠공인(工人). ㉡훌륭한 솜씨.
[工業 공업] 원료(原料) 또는 조제품(粗製品)에 인공(人工)을 가하여 쓸 만한 물건을 제조하는 생산업.
[工役 공역] 토목 공사(土木工事).
[工藝 공예] 물건을 만드는 재주. 제작(製作)의 기술(技術).
[工藝品 공예품] 인공(人工)을 가(加)하여 만든 예술품.
[工銀 공은] 품삯. 임금.
[工人 공인] 직공(職工). 또, 목공(木工).
[工作 공작] ㉠토목(土木)의 공사(工事). ㉡목수 일. ㉢계획(計畫)하여 경영(經營)함.
[工雀 공작] 초료(鷦鷯)의 별칭(別稱). 집을 교묘하게 잘 짓는 데서 이름. 교부조(巧婦鳥).
[工匠 공장] ㉠공인(工人). ㉡목수(木手).
[工場 공장] ㉠장색(匠色)이 물건을 만드는 곳. ㉡기업적(企業的)으로 노동자(勞動者)가 일하는 곳.
[工錢 공전] 《韓》 장색(匠色)의 품삯.
[工程 공정] ㉠작업(作業)의 과정(過程). 일의 분량(分量). ㉡공률(工率).
[工拙 공졸] 기교(技巧)의 있음과 없음. 교묘함과 서투름.
[工廠 공창] 철공물(鐵工物)을 만드는 공장(工場).
[工學 공학] 공업(工業)에 관한 이론(理論) 및 실지(實地)에 필요한 사항(事項)을 연구하는 학문.
◉加工. 歌工. 劍工. 雇工. 篙工. 共工. 巧工.

國工. 窮後工. 鬼工. 金工. 伎工. 鍛工. 大工. 圖工. 名工. 木工. 妙工. 舞工. 百工. 射工. 石工. 手工. 臣工. 樂工. 冶工. 良工. 女工. 染工. 六工. 醫工. 人工. 拙工. 舟工. 竹工. 職工. 天工. 賤工. 漆工. 鍼工. 土工. 下工. 化工. 畫工.

1 ④ [𢀖] 〔거〕 巨(工部 二畫〈p. 660〉)의 古字

1 ④ [㔾] 〔기〕 己(部首〈p. 664〉)의 古字

2 ⑤ [巧] 高人 교 ㊤巧 苦絞切 qiǎo ㊦效 苦教切

筆順 一 丅 工 工 巧

字解 ①공교할 교 ㉠솜씨가 있음. '一拙'. '與一者剞劂之'《漢書》. ㉡말솜씨가 있음. 겉만 번드르르하게 꾸밈. '一言令色, 鮮矣仁'《論語》. ②예쁠 교 아름다움. 또, 귀염성스러움. '一笑倩兮'《詩經》. ③약을 교 약삭빠름. '一妻常伴拙夫眠'《唐伯虎》. ④재주 교 기능. '工有一'《周禮》. ⑤계교 교 책략. 작은 꾀. '玩一而事末也'《史記》. ⑥공교히 교 교묘하게. '一發奇中'. '誰家一作斷腸聲'《杜甫》.

字源 篆文 形聲. 工+丂〔音〕. '工공'은 끌을 본뜬 모양. '丂'도 구부러진 조각도(彫刻刀)의 象形. 합쳐서, '기교, 공교하다'의 뜻.

[巧計 교계] 교묘한 계략. 묘계(妙計).
[巧故 교고] 공교로운 거짓. 거짓.
[巧工 교공] 솜씨가 있는 직공(職工).
[巧巧佞佞 교교영녕] 교묘하게 아첨하는 모양.
[巧技 교기] 교묘한 솜씨.
[巧佞 교녕] 교묘하게 아첨함.
[巧妙 교묘] 썩 잘되고 묘(妙)함.
[巧敏 교민] 교묘하고 민첩함.
[巧發奇中 교발기중] 교묘하게 발언(發言)하여 신기하게 들어맞음.
[巧辯 교변] 말솜씨가 있음.
[巧婦 교부] ㉠솜씨가 훌륭한 여자. ㉡교부조(巧婦鳥).
[巧婦鳥 교부조] 뱁새, 곧 초료(鷦鷯)의 이명(異名).
[巧詐 교사] 교묘한 수단으로 남을 속임.
[巧詐不若拙誠 교사불약졸성] 교묘한 사기는 졸렬한 성심(誠心)에 미치지 못함. 교위불여졸성(巧僞不如拙誠).
[巧思力索 교사역색] 고심하며 깊이 사색함. 여러모로 궁리(窮理)함.
[巧夕 교석] 음력 7월 7일. 칠석(七夕). 이날은 걸교(乞巧)하는 고사(故事)가 있으므로 이름. '걸교전(乞巧奠)' 참조.
[巧舌 교설] 교변(巧辯).
[巧笑 교소] 귀엽게 웃음. 귀염성스러운 웃음.
[巧手 교수] 훌륭한 솜씨. 묘수(妙手).
[巧言 교언] 번드르르하게 겉을 꾸미는 말.
[巧言令色 교언영색] 남의 환심을 사기 위하여 아첨하는 교묘한 말과 보기 좋게 꾸미는 얼굴빛.
[巧月 교월] 음력 7월의 이칭(異稱). 걸교전(乞巧奠)이 든 달이란 뜻.
[巧僞 교위] 교사(巧詐).
[巧意 교의] 공교로운 생각.
[巧醫 교의] 의술(醫術)이 훌륭한 의사.
[巧人 교인] 솜씨가 교묘한 사람. 묘수(妙手). 교자(巧者).
[巧者 교자] 교인(巧人).
[巧匠 교장] 솜씨 좋은 장인(匠人). 양장(良匠).
[巧詆 교저] 교묘하게 비방함.
[巧拙 교졸] 교묘함과 서투름.
[巧智 교지] 교묘한 지혜(智慧).
[巧遲不如拙速 교지불여졸속] 교묘하지만 늦는 것은 서툴러도 빠른 것만 못함.
[巧妻 교처] 슬기가 있는 아내. 약은 아내.
[巧捷 교첩] 교묘하고 민첩함.
[巧奪天工 교탈천공] 자연(自然)에도 뒤떨어지지 않는 인공(人工)의 정교(精巧)함을 이름.
[巧態 교태] 아리따운 태도(態度).
[巧幸 교행] 교묘하게 비위를 잘 맞추어 굄을 받음.
[巧儇 교현] 교묘하고 날쌤.
[巧慧 교혜] 교지(巧智).
[巧宦 교환] 관리(官吏) 노릇 하는 데 교묘한 재주가 있는 사람. 관해 유영술(官海游泳術)을 터득한 사람.
[巧猾 교활] 꾀가 많고 간사(幹事)함. 교활(狡猾).
◉乞巧. 堅巧. 傾巧. 工巧. 伎巧. 技巧. 奇巧. 機巧. 老巧. 名巧. 目巧. 文巧. 辯巧. 浮巧. 邪巧. 詐巧. 善巧. 纖巧. 飾巧. 新巧. 姸巧. 佞巧. 陰巧. 淫巧. 意巧. 利巧. 精巧. 佻巧. 智巧. 珍巧. 讒巧. 天巧. 諂巧. 捷巧. 淸巧. 雕巧. 偸巧. 便巧.

[功] 〔공〕 力部 三畫(p. 273)을 보라.

2 ⑤ [巨] 中人 거 ㊤語 其呂切 jù

筆順 一 厂 𠂆 巨 巨

字解 ①클 거 거대함. '一物'. '爲一室, 則必使工師求大木'《孟子》. ②많을 거 '一多'. '京師之錢累一萬'《史記》. ③거칠 거 조악(粗惡)함. '一屨小屨同賈'《孟子》. ④자 거 곡척(曲尺). '必有一矱'《管子》. ⑤어찌 거 詎(言部 五畫)와 同字. '公一能入乎'《漢書》. ⑥성 거 성(姓)의 하나.

字源 金文 篆文 別體 古文 象形. 손잡이가 있는 곱자·자를 본뜬 모양. '矩구'의 原字. 가차(假借)하여, '크다'의 뜻으로 쓰임.

[巨家 거가] 문벌이 높은 집안.
[巨家大族 거가대족] 대대(代代)로 번영(繁榮)한 집안.
[巨姦 거간] 큰 죄악을 범한 사람.
[巨鯨 거경] 큰 고래.
[巨款 거관] 많은 돈. 큰돈. 거액(巨額).
[巨觀 거관] 볼만한 큰 구경거리.
[巨魁 거괴] 거물(巨物)인 괴수(魁首).
[巨觥 거굉] 뿔로 만든 큰 술잔. 또, 거배(巨杯).
[巨橋 거교] 은(殷)나라 주왕(紂王)의 창고(倉庫) 이름. 거교(鉅橋).
[巨口麥 거구맥] 구맥(瞿麥)의 별칭.
[巨口細鱗 거구세린] 큰 입과 잔비늘. 전(轉)하여, 농어〔鱸〕의 아칭(雅稱).

[巨金 거금] 큰돈. 많은 돈.
[巨盜 거도] 큰 도적(盜賊).
[巨頭 거두] 유력한 우두머리가 되는 인물.
[巨量 거량] 많은 분량.
[巨利 거리] 거액(巨額)의 이익(利益).
[巨鱗 거린] 큰 비늘.
[巨萬 거만] 많은 수(數). 거만(鉅萬). 만만(萬萬).
[巨物 거물] ㉠학문이나 세력 같은 것이 크게 뛰어난 인물(人物). ㉡거창한 물건.
[巨杯 거배] 큰 술잔.
[巨擘 거벽] ㉠엄지손가락. ㉡뛰어난 사람. 거두(巨頭).
[巨斧 거부] ㉠큰 도끼. ㉡당랑(螳螂)의 별칭.
[巨富 거부] 재산(財産)이 썩 많은 사람. 큰 부자(富者).
[巨事 거사] 큰 일. 거창한 일.
[巨商 거상] 장사를 크게 하는 사람.
[巨石 거석] 큰 돌.
[巨姓 거성] 족속(族屬)이 번성(繁盛)한 성(姓). 대성(大姓).
[巨細 거세] ㉠크고 작음. 큼과 작음. ㉡크고 작은것의 구별 없이 일체(一切).
[巨帥 거수] 대장(大將). 두목(頭目).
[巨室 거실] ㉠큰 방. ㉡세력이 있는 가문(家門). 거족(巨族). ㉢천지(天地)의 이칭(異稱).
[巨額 거액] 많은 액수(額數)의 돈.
[巨億 거억] 막대한 수(數).
[巨役 거역] 큰 역사(役事). 큰 일.
[巨儒 거유] 큰 학자. 대유(大儒).
[巨人 거인] ㉠몸이 큰 사람. ㉡위인(偉人).
[巨作 거작] ㉠규모가 큰 작품. ㉡걸작(傑作).
[巨匠 거장] 위대한 예술가.
[巨材 거재] ㉠큰 재목(材木). ㉡훌륭한 재능(才能). 대재(大材).
[巨財 거재] 많은 재물(財物).
[巨族 거족] 거가대족(巨家大族).
[巨罪 거죄] 큰 죄(罪).
[巨指 거지] 엄지손가락.
[巨刹 거찰] 큰 절. 이름난 절. 대찰(大刹).
[巨千 거천] 극히 많은 수(數).
[巨浸 거침] ㉠큰물. 홍수(洪水). ㉡큰 늪. 대택(大澤).
[巨彈 거탄] ㉠큰 폭탄(爆彈). ㉡중요한 성명(聲明)이나 선언(宣言) 등의 비유.
[巨弊 거폐] 큰 폐해(弊害).
[巨砲 거포] 큰 대포(大砲).
[巨逋 거포] 관원(官員)이 공금(公金)을 많이 범포(犯逋)함.
[巨壑 거학] 바다[海]의 이칭(異稱).
[巨艦 거함] 큰 전함(戰艦). 큰 군함.
[巨海 거해] 큰 바다.
[巨蟹宮 거해궁] 별 이름. 십이성궁(十二星宮)의 하나. 6월 22일 하지(夏至) 때 태양(太陽)이 이 별을 통과함.
[巨猾 거활] 대단히 교활함. 또, 그 사람.
◉食巨. 壯巨. 衆巨. 創巨.

2 ⑤ [左] 中·人 좌 ①-⑦㊤哿 臧可切 zuǒ / ⑧㊦箇 則箇切

筆順 一 ナ 𠂇 𠂇 左

字解 ①왼 좌, 왼편 좌 ㉠왼쪽. 왼편. '—右'. '—不攻於—'《書經》. ㉡방위로는 동쪽. 곧, 남향하여 왼쪽. '江—'. '山—'. ㉢아래. 하위(下位). '右賢—戚'《史記》. ②왼쪽으로갈 좌 왼편으로 감. '欲—者—'《史記》. ③왼쪽으로할 좌 ㉠왼쪽에 둠. '仍—提鼓, 右援枹'《國語》. ㉡왼쪽에 위치함. '—江右湖'《枚乘》. ㉢왼섶이 안으로 들어가게 입음. '微管仲, 吾其被髮—衽矣'《論語》. ④멀리할 좌 소외(疎外)함. '是—之也'《國語》. ⑤그를 좌 ㉠옳지 아니함. '執—道以亂政'《禮記》. ㉡일이 잘되지 아니함. '—計'. '身動而事—'《韓愈》. ⑥증거 좌 증명할 수 있는 근거. '證—'. '—驗明白'《漢書》. ⑦도울 좌 佐(人部 五畫)와 통용. '周公—右先生, 綏定厥家'《書經》. ⑧성 좌 성(姓)의 하나.

字源 金文 [金文] 篆文 [篆文] 會意. ナ+工. 'ナ좌'는 왼손을 본뜸. 공구(工具)를 쥔 왼손, 왼쪽의 뜻을 나타냄. 또, 좌우(左右)의 손이 서로 돕는 데서, '돕다'의 뜻도 나타냄. '돕다'의 뜻으로는, 뒷날 '佐좌'를 쓰게 됨.

[左降 좌강] 좌천(左遷).
[左拒 좌거] 좌익(左翼)에 있는 군대.
[左建外易 좌건외역] 건립(建立)한 바가 도(道)에 어긋나고 개역(改易)한 바가 이치에 어그러짐.
[左傾 좌경] 좌익(左翼)으로 기울어짐.
[左計 좌계] 잘못된 계획. 틀린 계획.
[左契 좌계] 좌권(左券).
[左顧 좌고] ㉠왼쪽을 돌아봄. ㉡장자(長者)가 손아랫사람을 사랑함. 옛적에 장자(長者)는 오른편에, 소자(少者)는 왼편에 있었으므로 이름. ㉢높은 사람이 내방(來訪)함.
[左顧右眄 좌고우면] 이쪽저쪽으로 돌아보며 정신을 씀.
[左官 좌관] 천자(天子)를 섬기다가 제후(諸侯)의 나라로 가서 벼슬하는 자.
[左光斗 좌광두] 명(明)나라 동성(桐城) 사람. 자(字)는 유직(遺直). 어사(御史)에 이름. 광종(光宗)의 붕어(崩御) 후 간신(奸臣)을 탄핵(彈劾)하였고, 뒤에 위충현(魏忠賢) 때문에 투옥(投獄)되어 천계(天啓) 5년에 흉인(兇刃)에 죽었음. 복왕(福王) 때 시호(諡號)를 충의(忠毅)라고 내리고, 태자 소보(太子少保)를 추증(追贈)하였음.
[左丘明 좌구명] 노(魯)나라 태사(太史). 공자(孔子)의 춘추(春秋)에 해석을 붙인 〈춘추좌씨전(春秋左氏傳)〉을 짓고, 또 실명(失明)한 뒤로 〈국어(國語)〉를 지었음. 이로 인하여, 그를 맹좌(盲左)라고도 함.
[左求右告 좌구우고] 각방(各方)으로 애소 탄원(哀訴嘆願)함.
[左券 좌권] 우권(右券)에 대한 좌방(左方). 약속한 사람이 갖는 증신(證信). 전(轉)하여, 약속의 증거.
[左記 좌기] 왼쪽의 기록(記錄).
[左袒 좌단] 편을 듦. 가세(加勢)함.
[左道 좌도] 옳지 않은 도(道).
[左纛 좌도] 천자(天子)가 타는 수레의 채 끝의 왼쪽 위에 세우는, 깃털로 장식한 기(旗). 도(纛) 참조.
[左圖右史 좌도우사] 많은 장서(藏書).
[左纛 좌독] 좌도(左纛).
[左文右武 좌문우무] 문무(文武)를 병용(倂用)함.
[左癖 좌벽] 〈춘추좌씨전(春秋左氏傳)〉을 좋아하

는 버릇.
[左司 좌사] 상서성(尙書省)의 이부(吏部)·호부(戶部)·예부(禮部)의 일컬음.
[左思 좌사] 진(晉)나라의 시인(詩人). 린쯔(臨淄) 사람. 자(字)는 태충(太沖). 1년 만에 〈제도부(齊都賦)〉를 짓고, 10년 만에 〈삼도부(三都賦)〉를 지었는데, 사조(辭藻)가 장려(莊麗)하여 전사(傳寫)하는 사람이 많아 뤄양(洛陽)의 지가(紙價)를 올렸음.
[左史右經 좌사우경] 사서(史書)를 왼쪽에 놓고 경서(經書)를 오른쪽에 놓는다는 뜻으로, 책을 항상 자리 옆에 놓는 일.
[左思右考 좌사우고] 이리저리 생각함. 여러 가지로 궁리함. 좌사우상(左思右想).
[左史右史 좌사우사] 옛날, 군주(君主)의 좌우(左右)에서 섬기던 사관(史官). 좌사(左史)는 군주의 말을 기록하고, 우사(右史)는 행동(行動)을 기록하였음.
[左相 좌상] 《韓》 좌의정(左議政)의 별칭(別稱).
[左書 좌서] ㉠오른쪽과 왼쪽이 바뀌어서 된 글자. 곧 뒤집어서 보아야 옳게 보이는 글자. ㉡왼손으로 쓰는 글씨. ㉢예서(隸書). 전자(篆字)의 미치지 못하는 점을 돕는다는 뜻.
[左旋 좌선] 왼편으로 돎. 또, 왼편으로 돌림.
[左旋右抽 좌선우추] 수레를 탄 장군(將軍)의 왼쪽 어자(御者)는 수레를 굴리고, 오른쪽의 용사(勇士)는 칼을 빼어 듦.
[左省 좌성] 당대(唐代) 문하성(門下省)의 딴 이름. 중서성(中書省)을 우성(右省)이라 함의 대(對).
[左手 좌수] 왼손.
[左授右捧 좌수우봉] 그 자리에서 바로 주고받음.
[左酬右應 좌수우응] 이쪽저쪽으로 부산하게 수응(酬應)함.
[左氏傳 좌씨전] 좌전(左傳).
[左眼半斤 좌안반근] 우안 팔량(右眼八兩)과의 대구(對句). 좌우(左右) 양쪽이 모두 한 근(斤)이 못 됨. 곧, 어느 쪽도 충분(充分)하지 못함을 이름. 한 근(斤)은 16냥(兩)임.
[左言 좌언] ㉠오랑캐의 말. 이적(夷狄)의 말. ㉡옳지 않은 말. 이치에 어그러진 말.
[左右 좌우] ㉠왼편과 오른편. ㉡곁. 옆. ㉢측근자(側近者). 근신(近臣). ㉣사람을 존경하여 직접 그를 지칭(指稱)하지 않고 측근자를 부르는 말. ㉤도움. 보좌함. ㉥자기 마음대로 함. 자유(自由)로 함. ㉦쯤. 가량(假量).
[左右傾側 좌우경측] 좌우 어느 쪽에나 기울어짐. 전(轉)하여, 때와 경우에 따라 편리한 쪽을 따름.
[左右具宜 좌우구의] 재덕(才德)이 겸비(兼備)하여 어느 것이고 못하는 것이 없음.
[左右逢原 좌우봉원] 자기 신변(身邊)의 사물(事物)은 어느 것이든 자기의 학문 수양의 자원(資源)이 되어 끊이지 아니함.
[左右相稱 좌우상칭] 물체의 가운데를 잘라 그 좌우가 동형(同形)인 일.
[左右先爲之容 좌우선위지용] 좌우의 사람이 자기를 위하여 예비 공작으로 우선 칭찬하여 둠. 선용(先容).
[左右手 좌우수] 왼손과 오른손. 전(轉)하여, 가장 신뢰(信賴)할 만한 보좌(補佐).
[左右翼 좌우익] 중군(中軍)의 좌우(左右)에 있는 군대(軍隊). 좌익(左翼)과 우익(右翼).
[左右請囑 좌우청촉] 수단(手段)을 다하여 여러 곳에 청(請)함.
[左右挾攻 좌우협공] 좌우에서 침.
[左宜右有 좌의우유] 재덕(才德)을 겸비(兼備)함.
[左議政 좌의정] 《韓》 의정부(議政府)의 정일품(正一品) 벼슬.
[左翼 좌익] ㉠왼편 날개. ㉡중군(中軍)의 왼편에 있는 군대(軍隊). ㉢급진파(急進派). 혁신파(革新派).
[左衽 좌임] 옷을 입을 때에 오른쪽 섶을 왼쪽 섶의 위로 여밈. 곧, 오랑캐의 옷 입는 방식.
[左傳 좌전] 〈춘추좌씨전(春秋左氏傳)〉의 준말. 춘추(春秋)의 해석서(解釋書). 노(魯)나라 사관(史官) 좌구명(左丘明)이 지었다 함. 30권.
[左轉 좌전] 좌천(左遷).
[左提右挈 좌제우설] 좌제우휴(左提右攜).
[左提右攜 좌제우휴] 손을 맞잡고 서로 도움.
[左族 좌족] 서족(庶族).
[左宗棠 좌종당] 청(淸)나라의 상인(湘陰) 사람. 함풍(咸豐) 초(初)에 장발적(長髮賊)을 토벌(討伐)하고, 또 산시(陝西)·톈산 남북로(天山南北路)를 평정(平定)하여 벼슬이 총독(總督) 겸 동각 대학사(東閣大學士)에 올랐음.
[左證 좌증] 상고(詳考)될 만한 증거(證據). 증좌(證左).
[左支右吾 좌지우오] ㉠왼쪽을 버티고 오른쪽을 막음. 갖은 수단을 다 써서 간신히 꾸려 나감. ㉡일이 비꾸러짐.
[左之右之 좌지우지] ㉠마음대로 처리(處理)함. ㉡남에게 대(對)하여 이리해라 저리해라 함.
[左遮右攔 좌차우란] 힘껏 이리저리 막음.
[左驂 좌참] 삼두마차(三頭馬車)의 왼쪽 말.
[左戚 좌척] 천자(天子)의 외척(外戚).
[左遷 좌천] 관등(官等)을 떨어뜨림. 옛날에 우(右)를 높이 여겼으므로 이름. 좌전(左轉).
[左請右囑 좌청우촉] 좌우청촉(左右請囑).
[左衝右突 좌충우돌] 이리저리 마구 치고받고 함.
[左忠毅公 좌충의공] 좌광두(左光斗).
[左側 좌측] 왼쪽.
[左學 좌학] 은대(殷代)에 왕궁(王宮)의 동쪽에 있었던 소학(小學). 서민(庶民)의 노인을 봉양(奉養)하여 경로(敬老)의 예(禮)를 자제(子弟)에게 가르쳤음. 우학(右學) 참조.
[左閤 좌합] 《韓》 좌의정(左議政)의 별칭(別稱).
[左驗 좌험] 증거(證據).
◉江左. 尙左. 如左. 閭左. 遼左. 證左. 虛左. 驗左.

[仝] 〔동〕
人部 三畫(p.99)을 보라.

3 ⑥ [巪] ㊥ 걱
字解 《韓》 사람이름 걱 '林一正'.

3 ⑥ [玐] 〔공〕
巩(工部 四畫〈p.663〉)과 同字

3 ⑥ [巩] 〔공〕
鞏(革部 六畫〈p.2524〉)의 簡體字

[邛] 〔공〕
邑部 三畫(p.2329)을 보라.

[汞]〔홍〕
水部 三畫(p. 1182)을 보라.

4 ⑦ [巩] 공 ㊤腫 居竦切 gǒng

字解 안을 공 양손으로 안음. '一, 褢也'《說文》.

字源 形聲. 𢀜+工〔音〕

4 ⑦ [巫] 人名 무 ㊥虞 武夫切 wū(wú)

字解 ①무당 무 여자 무당. 남자 무당 곧 박수는 격(覡)이라 함. '在男曰覡, 在女曰一'《國語》. ②의사 무 '一醫'. ③어지러울 무 중구난방. ④산이름 무 무산(巫山)의 약칭. ⑤성 무 성(姓)의 하나.

字源 甲骨文 金文 篆文 象形. 甲骨文은 신을 제사 지내는 장막 속에서 사람이 양손으로 제구를 받드는 모양을 형상화했으며, 신을 부르는 자, 곧 '무당'의 뜻을 나타냄.

[巫覡 무격] 무당과 박수. 무축(巫祝).
[巫瞽 무고] 무당과 판수.
[巫蠱 무고] 무술(巫術)로 남을 고혹(蠱惑)함.
[巫嫗 무구] 무당.
[巫女 무녀] 무당.
[巫卜 무복] 무당과 점(占)쟁이.
[巫史 무사] 무격(巫覡).
[巫山 무산] 쓰촨 성(四川省) 쿠이저우 부(夔州府) 우산 현(巫山縣)의 동(東)쪽에 있는 산.
[巫山之夢 무산지몽] 초(楚)나라의 양왕(襄王)이 일찍이 고당(高唐)에서 놀다가 낮잠을 자는데, 꿈에 한 부인이 와서 '저는 무산의 여자로서 고당(高唐)의 나그네가 되었는바 임금님이 여기 계시다는 소문을 듣고 왔으니, 원컨대 침석(枕席)을 같이해 주십시오.' 하므로 임금은 하룻밤을 같이 잔 뒤, 그 이튿날 아침에 부인이 떠나면서 하는 말이 '저는 무산의 양지쪽 높은 언덕에 사는데, 매일 아침이면 구름이 되고, 저녁에는 비가 됩니다.'라고 하였는데, 과연 그 말과 같으므로 사당(祠堂)을 지어 이름을 조운(朝雲)이라 하였다는 고사(故事). 전(轉)하여, 남녀의 정교(情交)를 이름. 무산 운우(巫山雲雨). 고당(高唐). 양대(陽臺).
[巫俗 무속] 무당의 풍속. 무당들의 세계에서만 관용(慣用)되는 풍속.
[巫術 무술] 무당이 행하는 술법(術法).
[巫陽 무양] ㉠무협(巫峽)의 양달. ㉡옛날 점서(占筮)를 잘하던 사람.
[巫醫 무의] 무당과 의원.
[巫呪 무주] 주문(呪文).
[巫祝 무축] 무격(巫覡).
[巫峽 무협] 협곡(峽谷)의 이름. 후베이 성(湖北省) 파동현(巴東縣) 서쪽과 쓰촨 성(四川省) 우산 현(巫山縣)과 접경하여 있음. 서릉협(西陵峽), 구당협(瞿塘峽)과 더불어 삼협(三峽)이라 함.
◉黔巫. 覡巫. 傴巫. 靈巫.

[攻]〔공〕
攵部 三畫(p. 924)을 보라.

[貢]〔공〕
貝部 三畫(p. 2186)을 보라.

7 ⑩ [差] 高人
㊀ 차 ㊥麻 初牙切 chā
(④-⑦ ㊥佳 楚佳切 chāi
채㊍) ㊦卦 楚懈切 chài
㊁ 치 ㊥支 楚宜切 cī
(②채㊍) ㊦卦 楚懈切 chài

筆順 丷 䒑 䒑 兰 羊 差 𢀩 差 差

字解 ㊀ ①어긋날 차 틀림. '一訛', '失之毫釐, 一以千里'《史記》. ②틀림 차 상위(相違). 착오. '千里之一, 興自毫端'《後漢書》. ③차 차 ㉠등급. 구별. '等一'. '其祿以事爲一也'《禮記》. ㉡한 수에서 다른 수를 뺀 나머지의 수. ④가릴 차 선택함. '旣一我馬'《詩經》. ⑤사신갈 차, 사신보낼 차 사신(使臣)으로 감. 또, 사신으로 보냄. '一遣'. '欽一'. '好一靑鳥使, 封爲百花王'《白居易》. ⑥성 차 성(姓)의 하나. ⑦나을 차 병이 나음. '一劇'. '病小一'《魏志》. ㊁ ①들쑥날쑥할 치 가지런하지 아니함. '參一'. '燕燕于飛, 一池其羽'《詩經》. ②조금 치 약간. '一緩'. '拔旆投衡上, 使不帆風, 一輕'《左傳注》.

字源 金文 篆文 形聲. 𠂹(𠂹)+左〔音〕. '𠂹수'는 金文에서는 '禾화'로서, 이삭이 고르지 않게 팬 벼의 상형. '左좌'는 '叉차'와 통하며, 손가락을 벌리고 그 사이에 물건을 끼운 모양을 나타냄. 고르지 않으며 제각각의 뜻, 사물이 다르다는 뜻을 나타냄. 또, 다른 것과 차별을 지어 가려서 사용하다의 뜻도 나타냄.

[差減 차감] 비교하여 덜어 냄.
[差遣 차견] 사람을 보냄.
[差劇 차극] 병(病)에 차도가 있음과 심해짐.
[差代 차대] 갈려 간 자리에 후임자(後任者)를 뽑아 채움.
[差度 차도] 병(病)이 조금씩 나아가는 정도.
[差等 차등] 차이 나는 등급. 등차(等差).
[差配 차배] 예속(隸屬)시키어 사역(使役)함.
[差別 차별] 층등(層等)이 지게 나누어 가름.
[差分 차분] 등급을 두어 나눔.
[差送 차송] 차견(差遣).
[差數 차수] 등차(等差).
[差額 차액] 어떤 액수에서 다른 어떤 액수를 감한 나머지의 액수(額數).
[差役 차역] 송(宋)나라 때의 과역(課役)의 한 법(法). 민가(民家)를 구등(九等)으로 나누어 위의 사등(四等)에서 인부(人夫)를 징발하여 부역(賦役)을 시키고 아래의 오등(五等)에게는 이를 면제하던 것.
[差誤 차오] 차와(差訛).
[差訛 차와] 틀림. 잘못됨. 착오(錯誤).
[差違 차위] 틀림.
[差異 차이] 서로 같지 않고 다름.
[差人 차인] ㉠관아(官衙)의 사정(使丁). ㉡괴상한 사람. 기인(奇人).
[差定 차정] 사무(事務)를 맡김.
[差次 차차] ㉠등차(等差). ㉡등차를 매김.
[差錯 차착] 착오(錯誤).
[差出 차출] 벼슬아치를 임명(任命)함.
[差度 차탁] 견주어 헤아림.
[差忒 차특] 가지런하지 못함.

[差品 차품] 등급(等級). 품등(品等).
[差下 차하] 벼슬을 시킴.
[差強人意 치강인의] 조금 마음이 든든함.
[差輕 치경] 조금 가벼움.
[差勝 치승] 조금 나음.
[差緩 치완] 조금 느즈러짐.
[差池 치지] 서로 어긋난 모양. 가지런하지 아니함.
[差參 치참] 장단(長短)·고저(高低)가 가지런하지 않은 모양.
◉過差. 官差. 乖差. 交差. 較差. 僅差. 級差. 落差. 段差. 大差. 等差. 倍差. 選差. 歲差. 小差. 霄壤之差. 銖稱差. 時差. 誤差. 雲泥差. 輪差. 擬差. 重差. 參差. 僭差. 千差. 舛差. 勅差. 偏差. 欽差.

9
⑫ [㠭] 전 ㊤銑 知演切 zhǎn

字解 살필 전 살펴봄. '一, 極巧視之也'《說文》.
字源 會意. 工+工+工+工

[項] 〔항〕
頁部 三畫(p. 2540)을 보라.

己 (3획) 部
〔몸기부〕

0
③ [己] 中人 기 ㊤紙 居理切 jǐ

筆順 ㄱ ㄱ 己

字解 ①몸 기 ㉠자기 몸. 자아. '自一'. '君子貴人而賤一'《禮記》. ㉡사사. 사욕. '克一復禮'《論語》. ②여섯째천간 기 십간(十干)의 제육위(第六位). 방위로는 중앙, 오행으로는 토(土). '戊一'. '太歲在一, 曰屠維'《爾雅》. ③다스릴 기 紀(糸部 三畫)와 同字. '式夷式一'《詩經》. ④성 기 성(姓)의 하나.
字源 甲骨文 金文 篆文 象形. 사람이 무릎 꿇는 모양. 비슷한 세 개의 가로 평행선이 있어, 그 양 끝에 실을 감았으며, 가운데 가로선을 굄점으로 한 실패의 상형임. '紀기'의 원자(原字)로서, 실가닥을 가르는 기구의 뜻을 나타냈었으나, 假借하여, 자기 몸, 십간(十干)의 육위(六位)의 뜻을 나타냄.
參考 ①已(次條)·巳(次次條)는 각각 別字. ② '己·已·巳'는 각각 뜻은 다르나, 자형(字形)이 비슷하므로, 일괄해서 부수(部首)로 세워짐.

[己所不欲勿施於人 기소불욕물시어인] 자기(自己)가 싫어하는 것은 다른 사람도 역시 싫어하는 것이니, 이것을 남에게 시키면 안 된다는 말.
[己欲達而達人 기욕달이달인] 인자(仁者)는 자기가 영달하고 싶으면 다른 사람도 마찬가지일 것이라 생각하고, 먼저 타인을 영달시켜 줌.
◉潔己. 求己. 屈己. 克己. 克己復禮. 及己. 戊己. 奉己. 舍己. 修(脩)己. 枉己. 爲己. 利己. 一己. 自己. 罪己. 知己. 知彼知己. 彼己. 虛己.

0
③ [已] 中人 이 ㊤紙 養已切 yǐ ㊀寘 羊吏切

筆順 ㄱ ㄱ 已

字解 ①말 이, 그칠 이 그만둠. 또, 끝남. '死而後一'. '雞鳴不一'《詩經》. ②이미 이 벌써. '一成'. '王一立在莒'《史記》. ③버릴 이 버려둠. '三一之'《論語》. ④너무 이 대단히. '一甚'. '無一大康'《詩經》. ⑤따름 이 단정하는 말. '而一'. '亦無及一'《漢書》. ⑥조금있다가 이 그 후 얼마 안 되어. '一而有娠'《史記》. ⑦써 이 以(人部 三畫)와 통용. '人之所以爲人者何一也'《荀子》. ⑧나을 이 병이 나음. '疾可一, 身可活也'《史記》.
字源 象形. 농경 도구인 쟁기의 모양을 본떴고, 쟁기의 뜻을 나타냈음. '耜사'의 원자. '그치다, 이미, …뿐' 등의 뜻으로 차용함.
參考 己(前條)·巳(次條)는 別字.

[已降 이강] 이후(已後).
[已決 이결] 이미 결정(決定)되거나 결정함.
[已經 이경] 이업(已業).
[已過之事 이과지사] 이왕지사(已往之事).
[已久 이구] 벌써 오래됨.
[已來 이래] 그 뒤로. 그러한 뒤로. 이래(以來).
[已上 이상] 이 위. 이로부터 앞. 이상(以上).
[已成 이성] 이미 이루어짐. 기성(既成).
[已甚 이심] 지나치게 심(甚)함. 대단히 심함. 태심(太甚).
[已業 이업] 벌써. 이미. 이경(已經).
[已往 이왕] 이전(以前). 과거(過去).
[已往之事 이왕지사] 벌써 지나간 일.
[已而 이이] 그 후 얼마 안 되어.
[已前 이전] 그보다 앞. 이전.
[已知 이지] 벌써 앎. 기지(既知).
[已下 이하] 이 아래. 이로부터 뒤. 이하(以下).
[已還 이환] 그 뒤로. 이래(以來).
[已後 이후] 이 뒤. 이다음. 이후(以後).
◉極已. 既已. 諸已. 無已. 不得已. 死而後已. 生滅滅已. 業已. 已已. 而已. 斃而後已. 休已.

0
③ [巳] 中人 사 ㊤紙 詳里切 sì

筆順 ㄱ ㄱ 巳

字解 ①여섯째지지 사 십이지(十二支)의 제육위(第六位). 달로는 음력 4월. 방위로는 동남. 시각으로는 오전 9시부터 11시까지. 띠로는 뱀, 오행(五行)으로는 화(火). '辰一'. '太歲在一, 曰大荒落'《爾雅》. ②자식 사 태아(胎兒).
字源 甲骨文 甲骨文 金文 篆文 象形. 신(神)으로서 제사 지내는 뱀의 상형. 일설에는, 태아(胎兒)의 상형. 십이지(十二支)의 제육위(第六位)로 쓰임.
參考 己(前前條)·已(前條)는 別字.

[巳時 사시] 오전(午前) 9시부터 11시까지의 시각(時刻).
[巳進申退 사진신퇴] 벼슬아치가 사시(巳時)에 사진(仕進)하여 신시(申時)에 사퇴(仕退)함.

[巳初 사초] 사시(巳時)의 첫 시각(時刻). 곧, 오전(午前) 9 시경.
◉己巳. 上巳. 元巳. 除巳. 辰巳. 初巳.

1
④ [巴] [人名] 파 [平]麻 伯加切 bā 

[筆順] 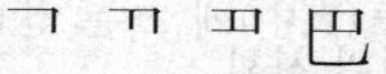

[字解] ①땅이름 파 쓰촨 성(四川省)의 충칭(重慶) 지방. '一蜀'. '挾一跨蜀'《蜀志》. ②천곡 파 천한 가곡(歌曲). 속된 가곡. '歌能莫雜一'《李商隱》. ③성 파 성(姓)의 하나.

[字源] 篆文  象形. 뱀이 땅바닥에 바짝 엎드린 모양을 형상하며, '뱀·소용돌이'의 뜻을 나타냄.

[巴歌 파가] 파촉(巴蜀) 지방의 노래. 전(轉)하여, 속가(俗歌).
[巴戟 파극] 파극천(巴戟天)의 준말.
[巴戟天 파극천] 산지(山地)에 나는 상록초의 하나. 부조초(不凋草).
[巴豆 파두] 대극과(大戟科)에 속하는 상록 관목(常綠灌木). 씨는 변비(便祕)의 하제(下劑) 등으로 쓰임.
[巴豆霜 파두상] 파두(巴豆)의 껍질을 벗기고 기름을 빼어 버린 가루. 하제(下劑)로 쓰임.
[巴俚 파리] 속된 노래. 이요(俚謠).
[巴猿 파원] 파협(巴峽)에서 우는 원숭이.
[巴人 파인] 파(巴) 지방 사람. 전(轉)하여, 시골 사람. 비속(鄙俗)한 사람.
[巴且 파저] 파저(巴苴).
[巴苴 파저] 파초(芭蕉)의 별칭(別稱).
[巴調 파조] ㉠파인(巴人)이 노래하는 곡조(曲調)란 뜻으로, 속가(俗歌)·속곡(俗曲) 등을 이름. ㉡자기가 지은 시가(詩歌)의 겸칭(謙稱).
[巴蜀 파촉] 쓰촨(四川)의 별칭(別稱). 파(巴)는 지금의 쓰촨 성(四川省) 충칭 지방(重慶地方). 촉(蜀)은 지금의 쓰촨 성 청두 지방(成都地方).
[巴巴 파파] ㉠매우. 심히. ㉡노인(老人).
[巴峽 파협] 창장(長江) 강 상류에 있는 협곡 이름. 후베이 성(湖北省) 파동현(巴東縣) 부근.
◉卍巴. 三巴.

2
⑤ [目] 〔이〕 以(人部 三畫〈p.99〉)의 古字

[昇] 〔이〕 廾部 三畫(p.714)을 보라.

[忌] 〔기〕 心部 三畫(p.758)을 보라.

[改] 〔개〕 攴部 三畫(p.923)을 보라.

3
⑥ [戹] 〔액〕 厄(厂部 二畫〈p.318〉)과 同字

4
⑦ [巵] 〔치〕 巵(卩部 三畫〈p.313〉)의 俗字

5
⑧ [巹] 〔근〕 巹(卩部 六畫〈p.317〉)의 訛字

6
⑨ [巷] [高人] 항 [去]絳 胡絳切 xiàng

[筆順] 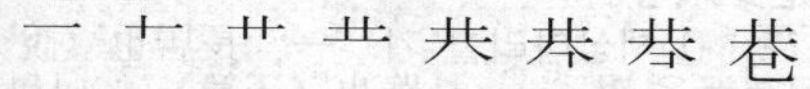

[字解] ①거리 항 마을 또는 시가 안의 길. '一陌'. '一無居人'《詩經》. ②복도 항 궁전 또는 저택의 낭하(廊下). '通永一'《唐書》. ③마을 항 읍촌(邑村). '達于州一矣'《禮記》. ④후궁 항 주되는 궁전의 뒤쪽에 있는 궁전. '司宮一伯'《左傳》. ⑤집 항 거택(居宅). '在陋一'《論語》. ⑥성 항 성(姓)의 하나. ⑦갱도 항《現》'一道'는 광산의 갱도(坑道).

[字源] 古文 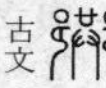 篆文  形聲. 篆文은 邑+共〔音〕. '邑읍'은 '마을'의 뜻. '共공'은 '함께 하다'의 뜻. 마을 사람이 공유(共有)하는 마을 가운데의 길의 뜻을 나타냄.

[巷街 항가] 거리.
[巷歌 항가] 거리에서 노래 부름. 또, 그 노래.
[巷間 항간] 서민(庶民)들 사이.
[巷哭 항곡] 거리에서 욺.
[巷談 항담] 거리에 떠도는 소문(所聞). 세상(世上)의 풍설(風說).
[巷陌 항맥] 거리.
[巷伯 항백] 후궁(後宮)에서 일하는 내시(內侍).
[巷說 항설] 항담(巷談).
[巷語 항어] 항담(巷談).
[巷謠 항요] 거리에서 유행하는 노래.
[巷議 항의] ㉠거리에 모여 비방함. ㉡거리에 떠도는 소문. 항담(巷談).
[巷戰 항전] 거리에서 하는 싸움. 시가전(市街戰).
[巷族 항족] 문벌 있는 집안.
[巷處 항처] 벼슬을 내놓고 거리 또는 시골에서 삶.
◉街巷. 衢巷. 窮巷. 陋巷. 黨巷. 大巷. 塗巷. 門巷. 貧巷. 斜巷. 小巷. 深巷. 顏巷. 隘巷. 阨巷. 閭巷. 永巷. 委巷. 幽巷. 里巷. 絕巷. 州巷. 村巷. 墟巷. 衡巷.

6
⑨ [巸] [一] 이 [平]支 與之切 yí
[二] 희 [平]支 虛其切 xī

[筆順] 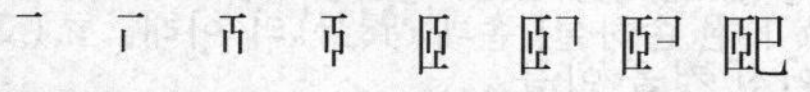

[字解] [一] ①넓은턱 이 '一, 廣頤也'《說文》. ②넓을 이. ③길 이 장하고 큼. '一, 長也. (注) 謂壯大'《揚子方言》. ④아름다울 이 '謹于一熱'《太玄經》. [二] 즐길 희 기뻐하여 즐김. 嫛(女部 九畫〈p.542〉)와 同字. '嫛, 說文, 悅樂也. 或省'《集韻》.

[字源] 形聲. 𦣝+巳〔音〕

6
⑨ [巺] 〔손〕 巽(己部 九畫〈p.666〉)의 本字

6
⑨ [巻] 〔권〕 卷(卩部 六畫〈p.316〉)의 俗字

7
⑩ [巼] 〔불〕 黻(黹部 五畫〈p.2711〉)과 同字

7
⑩ [巹] 〔근〕 豋(豆部 九畫〈p.2172〉)과 同字

8 ⑪ [㠧] 기 ㊤紙 巨几切 jì

字解 ①책상다리할 기 '一, 長居也'《說文》. ②무릎꿇을 기 '一, 長跪也'《玉篇》. ③나라이름 기 杞(木部 三畫〈p.1037〉)와 통용.

字源 形聲. 己+其〔音〕

9 ⑫ [巽] 人名 손 ㊀願 蘇困切 xùn

筆順

字解 ①부드러울 손 성품이 유함. '一與之言'. '能自卑一者, 亦無所不容'《易經疏》. ②사양할 손 遜(辵部 十畫)과 통용. '一朕位'《書經》. ③손괘 손 ㉠팔괘(八卦)의 하나. 곧 ☴. 사물(事物)을 잘 받아들이는 덕(德)을 나타내는 상(象). 방위로는 동남간(東南間). '帝出乎震, 齊乎一'《易經》. ㉡육십사괘(六十四卦)의 하나. 곧, ䷸〈손하(巽下), 손상(巽上)〉. 유순비하(柔順卑下)의 상(象). ④성 손 성(姓)의 하나.

字源 篆文 古文 籒文 會意. 㔾(卯)+丌. '卩절'은 '節절'〈부절(符節)〉, '丌기'는 물건을 괴는 받침. 물건을 가지런히 괴는 뜻을 나타냄. '遜손'과 통하여, '넘겨준다'는 뜻으로도 쓰임.

[巽令 손령] 천자(天子)의 명령.
[巽方 손방] 이십사방위(二十四方位)의 하나. 곧, 동남(東南)의 방위(方位).
[巽時 손시] 진말(辰末)에서 사초(巳初)에 이르기까지의 시각(時刻). 곧, 오전(午前) 8시 반부터 9시 반까지.
[巽與之言 손여지언] 유순(柔順)하여 남을 거스르지 않는 말. 완곡(婉曲)한 말. 손(巽)은 유(柔), 여(與)는 화(和).
[巽羽 손우] 닭의 날개. 손괘(巽卦)는 닭.
[巽位 손위] 동남방. 진사(辰巳)의 방위.
[巽二 손이] 바람을 맡은 신(神). 풍신(風神). 풍백(風伯).
[巽坐乾向 손좌건향] 동남간(東南間)에서 서북간방(西北間方)으로 향(向)함.
[巽下絕 손하절] 손괘(巽卦)의 아래. 효(爻)가 끊어진 것을 이름.

巾 (3획) 部
〔수건건부〕

0 ③ [巾] 人名 건 ㊥眞 居銀切 jīn

筆順 丨 冂 巾

字解 ①헝겊 건 피륙의 조각. '以帛一抹其眼'《北齊書》. ②수건 건 '手一'. '佩一'. '盥卒授一'《禮記》. ③건 건 두건(頭巾). '幅一'. '士冠, 庶人一'《釋名》. ④덮을 건 물건을 덮어 가림. '冪之一以絺'《禮記》.

字源 甲骨文 篆文 象形. 헝겊에 끈을 달아 허리띠에 찔러 넣는 형상으로서, '헝겊'의 뜻을 나타냄.

參考 '巾'을 의부(意符)로 하여, 천으로 만든 것을 나타내는 문자가 이루어짐.

[巾車 건거] 건차(巾車).
[巾幗 건국] 부인(婦人)의 머리꾸미개. 일설(一說)에는, 부인이 상중(喪中)에 쓰는 건(巾). 전(轉)하여, 부인. 부인의 사회.
[巾卷 건권] 양반(兩班). 두건(頭巾)을 쓰고 경서(經書)를 가지고 있는 사람이란 뜻.
[巾帶 건대] 상복(喪服)에 쓰는 건(巾)과 띠.
[巾冪 건멱] 술 항아리를 덮은 베.
[巾帽 건모] 건(巾). 두건(頭巾).
[巾笥 건사] ㉠명주로 바른 상자. ㉡헝겊으로 싸서 상자에 넣음.
[巾箱 건상] 명주로 바른 작은 상자.
[巾箱本 건상본] 소형(小形)의 책. 남제(南齊)의 형양왕(衡陽王)이 잔글씨로 베낀 오경(五經)을 건상(巾箱) 안에 넣어 둔 고사(故事)에서 나온 말.
[巾帨 건세] 허리에 차는 수건.
[巾子 건자] 건(巾)의 꼭대기 뒤쪽의 불쑥 나온 부분.
[巾櫛 건즐] ㉠수건(手巾)과 빗. ㉡머리를 빗고 낯을 씻는 일.
[巾車 건차] ㉠옥금(玉金)·상혁(象革)·포백(布帛) 등으로 장식한 수레. ㉡차관(車官)의 장(長). 건거(巾車).
[巾幘 건책] 두건(頭巾). 머리에 쓰는 물건.
[巾布 건포] 두건(頭巾)을 만든 베.
[巾幅 건폭] 서화(書畫) 등의 지면(紙面)이나 견면(絹面).
◉角巾. 葛巾. 鞨巾. 濫巾. 茶巾. 大巾. 禿巾. 東坡巾. 頭巾. 綿巾. 帛巾. 紗巾. 帨巾. 手巾. 僧巾. 食巾. 飾巾. 領巾. 烏巾. 儒巾. 綸巾. 衣巾. 紫綸巾. 淨巾. 諸葛巾. 佩巾. 布巾. 幅巾. 被巾. 汗巾. 解巾. 縞衣綦巾. 華巾.

1 ④ [帀] 잡 ㊇合 子答切 zā

字解 ①두를 잡 빙 두름. 또는, 한 바퀴 돎. '列卒周一'《張衡》. ②두루 잡 두루두루.

字源 甲骨文 篆文 指事 '가다'의 뜻을 나타내는 '之지'의 자형(字形)을 뒤집어 놓아 나아가지 않다의 뜻을 나타냄. '習습'·'襲습' 등과 통하여, 같은 곳이나 때를 되풀이하여 밟다, 돌다의 뜻을 나타냄.

參考 匝(匚部 三畫)은 同字.

[帀旬 잡순] 십일간(十日間). 일순(日旬).
◉周帀.

1 ④ [市] 불 ㊇物 分勿切 fú

字解 슬갑 불 앞에 늘어뜨려 무릎을 덮는 헝겊. 韍(韋部 五畫)과 同字. '天子朱一'《說文》.

字源 金文 古文 篆文 象形. 고대의 예제(禮制)로서, 천자(天子)·제후(諸侯) 들이 착용한 슬갑의 모양을 본뜸. 篆文은 韋+犮〔音〕.

參考 市(次次條)는 別字.

1 ④ [币] 🅐 印(卩部 四畫〈p.314〉)과 同字
🅑 幣(巾部 十二畫〈p.682〉)의 簡體字

2 ⑤ [市] 中·人 시 ㊤紙 時止切 shì

筆順 ' 亠 亣 市 市

字解 ①저자 시 ㉠장. '一井'. '五十里有一'《周禮》. 전(轉)하여, 인가가 많고 상품의 매매가 잘되는 곳. 번화한 곳. 시가. 도시. '城一'. '長安一上酒家眠'《杜甫》. ㉡형장(刑場). 옛날에는 사람이 많이 모이는 곳에서 형벌을 시행했음. '國君過一'《周禮》. ②팔 시 '一恩'. '以一於齊'《史記》. ③살 시 '爲君一義'《戰國策》. '沽酒一脯不食'《論語》. ④장사 시 매매. 교역. '日中爲一, 致天下之民, 聚天下之貨'《易經》. ⑤값 시 가격. '以政令禁物靡而均一'《周禮》. ⑥성 시 성(姓)의 하나. ⑦《韓》 구역이름 시 현행 행정 구역 단위인 시. 행정상의 자치체. '一制'.

字源 金文 篆文 形聲. '冂+乀+㞢〈省〉[音]. '㞢(之)지'는 '가다'의 뜻. '冂경'은 시장의 일정 구역을 나타냄. '乀급'은 '及'의 古字. 물품을 매매하기 위해 사람들이 가는 장소인 '장'의 뜻을 나타냄.

參考 市(前前條)은 別字.

[市賈 시가] 시가(市價).
[市街 시가] 인가(人家)가 많고 번화(繁華)한 곳.
[市價 시가] 장의 시세(時勢).
[市賈不貳 시가불이] 에누리가 없음.
[市街戰 시가전] 시가지(市街地)에서 싸우는 전쟁(戰爭).
[市賈 시고] 장사. 또, 장수.
[市魁 시괴] 시장(市長).
[市區 시구] 도시(都市)의 구역(區域).
[市內 시내] 도시(都市)의 안.
[市道之交 시도지교] 상업상의 교제. 다만, 이익을 위하여 맺은 교제.
[市利 시리] 상업상의 이익.
[市立 시립] 시에서 설립하여 유지함.
[市買 시매] 팔고 삼. 매매(賣買).
[市門 시문] 시(市)의 출입하는 문.
[市民 시민] 시내(市內)의 주민(住民).
[市舶 시박] 상선(商船).
[市舶使 시박사] 당대(唐代)의 관명(官名). 해외제국(海外諸國)의 선박(船舶)·교역(交易)에 관한 일을 맡았음.
[市肆 시사] 시전(市廛).
[市聲 시성] 시가지의 시끄러운 소리.
[市語 시어] 장사치들만이 쓰는 상업상의 암호.
[市易 시역] ㉠시장을 열어 교역(交易)함. ㉡송(宋)나라 왕안석(王安石)이 만든 신법(新法)의 하나. 물가의 평균을 꾀하기 위하여 시장에서 잘 팔리지 않아 값이 쌀 때에는 관(官)에서 사들이고, 값이 비쌀 때에는 그것을 팔아서 값의 고저(高低)를 통제하며 상인에게 자금을 대여하는 법.
[市有 시유] 시의 소유(所有).
[市有虎 시유호] 시호(市虎).
[市尹 시윤] 시장(市長).
[市恩 시은] 은혜를 팖. 곧, 남에게 은혜를 베풀고 자기가 이익을 얻고자 하는 일.
[市隱 시은] 시중(市中)의 은자(隱者). 세상을 피하여 시중에서 숨어 사는 사람. 또, 비록 시중에 살지만 마음은 항상 산림(山林)에 있는 사람.
[市人 시인] ㉠시가에 사는 사람. ㉡저자에 살며 장사하는 사람. 상인.
[市長 시장] 시의 장(長). 시정(市正).
[市場 시장] 여러 가지 물건(物件)을 팔고 사는 일정한 곳.
[市糴 시적] 매매(賣買).
[市廛 시전] 장거리의 가게. 상점(商店).
[市井 시정] ㉠저자. 장. 전(轉)하여, 인가(人家)가 많은 곳. 시가(市街). ㉡시가에 사는 평민(平民). 민가(民家). ㉢세간(世間). 속류(俗流).
[市正 시정] 시장(市長).
[市征 시정] 시조(市租).
[市井徒 시정도] ㉠시정배(市井輩). ㉡무뢰한(無賴漢). 파락호(破落戶).
[市井輩 시정배] 시정(市井)아치. 시정에서 장사에 종사하는 천한 무리.
[市井之臣 시정지신] 성하(城下)에 사는 서민. 벼슬하지 않고 국도(國都)에 사는 사람.
[市井之人 시정지인] 시중(市中)에 사는 서민(庶民).
[市租 시조] ㉠시민(市民)이 바치는 조세(租稅). ㉡상인(商人)이 내는 조세.
[市朝 시조] 사람이 많이 모이는 곳. 전(轉)하여, 물건이 많이 모이는 곳.
[市值 시치] 시가(市價).
[市儈 시쾌] 장주릅. 시장(市場)에서 흥정을 붙이는 사람.
[市虎 시호] 한 사람이 시중(市中)에 범이 있다고 하면 누구든지 믿지 않으나, 두 사람이 말하면 반신반의(半信半疑)하고, 세 사람이 말하면 믿게 된다는 뜻으로, 근거 없는 풍설(風說)이라도 이를 말하는 사람이 많으면 자연히 믿게 됨을 이름. 삼인성시호(三人成市虎).
[市況 시황] 시장의 상황(商況). 시장의 경기(景氣).
◉街市. 彊市. 開市. 競市. 賈市. 關市. 交市. 鬼市. 宮市. 棄市. 臘市. 都市. 燈市. 貿市. 門市. 門前成市. 坊市. 司市. 夕市. 成市. 城市. 安市. 夜市. 魚市. 闇市. 要市. 日中市. 蠶市. 井市. 朝市. 草市. 廢市. 港市. 海市. 互市. 花市.

2 ⑤ [布] 中·人 포 ㊀遇 博故切 bù

筆順 ノ ナ 𠂇 右 布

字解 ①베 포, 무명 포 면직물. '一帛'. '毋暴一'《禮記》. ②돈 포 전화(錢貨). '掌邦一之出入'《周禮》. ③펼 포 ㉠널리 알림. '一告'. '約束旣一'《史記》. 또, 널리 알리는 서면. 포고문. '潛作捷一'《唐書》. ㉡분산함. '皆自朝一路而罷'《左傳》. ㉢진(陣)을 침. '一陣'. '遠一師旅'《宋書》. ④베풀 포 급여함. '一施'. '施于人而不忘, 非天一'《莊子》. ⑤벌일 포 벌여 놓음. '一陣'. 진열함. '一石'. '皆一乘黃朱'《書經》. ⑥성 포 성(姓)의 하나.

字源 金文 篆文 形聲. 巾+父(ナ)[音]. '父부'는 나무망치를 손에 든 형상. 다듬이질로, 윤을 낸 천의 뜻을 나타냄. '敷부'와 통하며, '펴다'의 뜻도 나타냄.

[布施 보시] 《佛教》 포시(布施) ㉡.
[布巾 포건] ㉠헝겊 조각. ㉡행주.
[布告 포고] 일반(一般)에게 널리 알림.
[布穀 포곡] 뻐꾸기.

[布袴 포과] 무명으로 만든 바지.
[布棺 포관] 베를 여러 겹으로 배접(褙接)하여 만든 관.
[布教 포교] ㉠종교(宗教)를 널리 폄. ㉡교육을 보급시킴.
[布裙 포군] ㉠무명 치마. 전(轉)하여, 거친 옷. ㉡신분이 천한 아내.
[布衾 포금] 무명 이불.
[布棊 포기] 포석(布石).
[布袋 포대] ㉠무명으로 만든 자루. ㉡데릴사위. ㉢놀고먹는 무리를 욕하는 말. 주낭(酒囊)·반대(飯袋)와 같은 뜻.
[布袋竹 포대죽] 대의 일종. 키가 작고 마디가 많음.
[布德 포덕] 《韓》 천도교(天道教)에서 전도(傳道)를 일컫는 말.
[布簾 포렴] 술집이나 복덕방 따위의 문 앞에 늘인 광목 조각.
[布令 포령] 명령·법령 등을 일반에게 널리 알림.
[布路 포로] 여러 사람이 도중(途中)에서 헤어져 집으로 향함. 분산(分散)함.
[布木 포목] 베와 무명. 또, 직물.
[布帛 포백] 베와 비단. 면직물과 견직물. 또, 직물.
[布帆 포범] 광목 같은 것으로 만든 돛. 전(轉)하여, 배.
[布帆無恙 포범무양] 뱃길이 무사함. 배를 타고 무사히 감.
[布覆 포복] 포부(布覆).
[布腹心 포복심] 진정(眞情)을 털어놓음. 본심을 숨김없이 말함.
[布覆 포부] 펴서 덮음.
[布薩 포살] 《佛教》 중이 서로 설계(說戒)하고 참회하는 의식.
[布石 포석] ㉠바둑 둘 때 처음에 돌을 벌여 놓음. ㉡《韓》 일의 장래를 위하여 미리 손을 씀.
[布城 포성] 장막을 둘러친 곳.
[布昭 포소] 널리 일반에게 알려 밝힘. 천하(天下)에 명시(明示)함.
[布屬 포속] 베붙이.
[布施 포시] ㉠가난한 사람에게 물건을 베풀어 줌. ㉡《佛教》 탐욕이 없는 깨끗한 마음으로 중에게 금품(金品)을 베풀어 줌. 또, 그 금품. 보시(布施).
[布演 포연] 부연(敷衍)함.
[布諭 포유] 널리 펴서 유고(諭告)함.
[布衣 포의] ㉠베옷. 벼슬하지 않은 사람이 입는 옷. ㉡벼슬하지 않은 사람. 무위무관(無位無官)의 사람. 백의(白衣).
[布衣韋帶之士 포의위대지사] 무명옷을 입고 가죽 띠를 맨 사람이란 뜻으로, 무위빈천(無位貧賤)한 사람.
[布衣之交 포의지교] ㉠벼슬을 하지 않던 빈천할 때부터의 사귐. ㉡귀천(貴賤)을 떠난 사귐. 지위의 고하를 따지지 않고 하는 사귐.
[布衣之極 포의지극] 평민(平民)으로서 출세할 수 있는 최고(最高)의 자리.
[布衣之友 포의지우] 귀천을 떠나서 참된 우정(友情)으로 사귀는 벗.
[布衣之位 포의지위] 무위무관(無位無官)의 신분(身分).
[布衣寒士 포의한사] 벼슬이 없는 가난한 선비.
[布政 포정] 정사를 베풂. 시정(施政).
[布政司 포정사] 명(明)·청(淸) 시대에 각 성(省)의 행정 사무를 감독하던 장관(長官)으로, 총독(總督)·순무(巡撫)에 직속한, 정삼품(正三品) 벼슬.
[布陣 포진] 진(陣)을 침.
[布置 포치] 분배하여 벌여 놓음. 배치(排置).
[布被 포피] 무명 이불.
[布靴 포화] 헝겊신.
◉葛布. 乾布. 絹布. 昆布. 公布. 金布. 碁(棋)布. 羅布. 露布. 大布. 刀布. 塗布. 麻布. 綿布. 毛布. 頒布. 發布. 配布. 白布. 罰布. 夫里之布. 夫布. 敷布. 分布. 散布. 撒布. 森布. 上布. 宣布. 星布. 疏布. 粟布. 濕布. 施布. 練布. 聯布. 韋布. 流布. 綸布. 里布. 鱗布. 貲布. 財布. 苴布. 紵布. 展布. 傳布. 廛布. 錢布. 征布. 調布. 周布. 織布. 陳布. 泉布. 蕉布. 總布. 毳布. 緇布. 榻布. 遍布. 瀑布. 被布. 荊布. 弘布. 花布. 貨布. 畫布. 火澣布. 黑布.

2 ⑤ [帀] ㊀ 豕(部首〈p.2173〉)의 古字 ㊁ 亥(亠部 四畫〈p.86〉)의 古字

3 ⑥ [帆] 人名 범 ①㊥咸 符咸切 fān ②㊤陷 扶泛切 fàn

筆順 丨 冂 巾 巾 帆 帆

字解 ①돛 범 배의 돛. '一竿'. '張雲一施蜺幬'《馬融》. 전(轉)하여, 돛단배. '出一'. '布一無恙'《晉書》. ②돛달 범 돛을 달고 달리게 함. 출범(出帆)함. '無因一江水'《韓愈》.

字源 形聲. 巾+凡〔音〕. '凡범'은 돛의 象形. '凡'이 '모든'의 뜻으로 쓰이게 되자, '巾건'을 붙여서 구별하여, '돛'의 뜻을 나타냄.

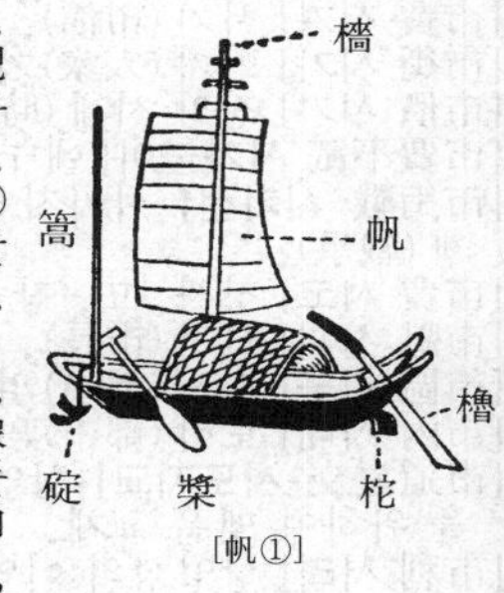

[帆①]

[帆竿 범간] 돛대.
[帆腹飽滿 범복포만] 돛이 충분히 바람을 안는 모양.
[帆席 범석] 돛자리로 만든 돛.
[帆船 범선] 돛단배.
[帆影 범영] 돛의 그림자. 멀리 보이는 배의 모양.
[帆檣 범장] 돛대.
[帆布 범포] 돛을 만드는 두껍고 질긴 무명.
◉客帆. 輕帆. 孤帆. 挂帆. 歸帆. 錦帆. 落帆. 晩帆. 滿帆. 半帆. 白帆. 席帆. 揚帆. 雲帆. 征帆. 眞帆. 出帆. 片帆. 布帆. 風帆. 軒帆.

3 ⑥ [师] 〔사〕 師(巾部 七畫〈p.673〉)의 俗字

[吊] 〔조〕 口部 三畫(p.343)을 보라.

4 ⑦ [帉] 개 ㊤卦 居拜切 jiè

字解 머릿수건 개 介(人部 二畫)와 통용. '一, 幘也'《集韻》.

4 ⑦ [帉] 분 ㊥文 敷文切 fēn

[字解] 수건 분, 행주 분 '左佩—帨'《禮記》.
[字源] 篆文 形聲. 巾+分〔音〕. '分분'은 칼로 가르다의 뜻. 손수건으로 쓰려고 자른 헝겊.

4 ⑦ [帊] 파 ①-③[去]禡 普駕切 pà
④[平]麻 披巴切 pā

[字解] ①머릿수건 파 머리를 동여매는 헝겊. '常着絳—'《吳志》. ②휘장 파 가리기 위하여 치는 헝겊. 포장. '以月令置于案, 覆以—'《唐書》. ③두폭깁 파 '帛二幅曰—'《說文新附》. ④비단조각 파.
[字源] 篆文 形聲. 巾+巴〔音〕

4 ⑦ [希] [中人] 희 [去]微 香衣切 xī

[筆順] ノ ㄨ ナ 产 矛 肴 希

[字解] ①드물 희 희소함. '—有'. '知我者—則我貴'《老子》. ②성길 희 사이가 배지 않고 뜸. '—少'. '鳥獸—革'《書經》. ③바랄 희 희망함. '—冀'. '海內—世之流'《後漢書》. ④성 희 성(姓)의 하나.
[字源] 會意. 爻+巾. '爻효'는 직물의 발을 상형(象形)함. '巾건'은 '헝겊'의 뜻. 헝겊의 발이 적다, 드물다의 뜻을 나타냄. 또, '祈기'와 통하여, '희구하다'의 뜻도 나타냄.

[希求 희구] 바라고 구(求)함.
[希覯 희구] 드물게 보임. 귀함.
[希企 희기] 바라서 기획함.
[希冀 희기] 바람. 원함.
[希覬 희기] 바람. 주로 자기 분수에 넘치는 일을 바라는 뜻으로 쓰임.
[希代 희대] 세상에 드묾.
[希臘 희랍] 유럽의 동남부 발칸 반도 남단에 있는 공화국. 수도는 아테네. 고대부터 문화가 열리어 유럽 문화의 발판이 되었음. 그리스.
[希臘敎 희랍교] 기독교(基督敎)의 구교(舊敎)의 일파(一派).
[希望 희망] 바람. 소원(所願).
[希冕 희면] 사직(社稷)·오사(五祀)에 제사 지낼 때 천자가 쓰는 관(冠).
[希慕 희모] 유덕(有德)한 사람을 사모하여 자기도 그렇게 되기를 바람.
[希微 희미] ㉠극히 적음. ㉡똑똑하지 못하고 어렴풋함.
[希聖 희성] 성인(聖人)이 되기를 바람.
[希聲 희성] 아주 작은 소리.
[希世 희세] ㉠세상에 드묾. 희세(稀世). ㉡세상에 아부하여 시속(時俗)을 따름.
[希少 희소] 드묾. 또, 성김.
[希言 희언] 작아서 들리지 않는 말. 목소리가 없음.
[希願 희원] 희망(希望).
[希有 희유] 드물게 있음.
[希夷 희이] ㉠심오한 도(道). 깊은 이치. 도(道)의 본체(本體). ㉡영지(靈芝)의 별칭(別稱).
[希旨 희지] 남의 뜻에 영합(迎合)하여 비위를 맞춤.
[希指 희지] 희지(希旨).
[希向 희향] 바라고 지향(志向)함. 바람.
[希革 희혁] 짐승의 털이 성겨지고 새 털이 다시 남. 새와 짐승이 털을 갊.
[希賢 희현] 현자가 되기를 바람.
[希闊 희활] 드묾. 적음.
◉幾希. 鮮希. 知希.

4 ⑦ [帋] 〔지〕 紙(糸部 四畫〈p. 1717〉)와 同字

4 ⑦ [㡀] 폐 [去]霽 毗祭切 bì

[字解] ①해진옷 폐 敝(攴部 八畫〈p. 934〉)와 同字. '—, 敗衣也'《說文》. ②해질 폐 옷이 해진 모양. '—, 衣壞皃'《玉篇》. ③작을 폐 '—, 小也'《廣雅》.
[字源] 指事. '巾건'은 바로 천으로, 그 사이에 찢어진 모양을 나타냄.

5 ⑧ [帕] [一] 말 [入]黠 莫鎋切 mò
[二] 파 [去]禡 普駕切 pà

[字解] [一] ①머리띠 말 머리를 동이는 헝겊. ②싸맬 말 머리를 싸맴. '以紅—首'《韓愈》. [二] ①배띠 파 배를 감는 헝겊. '—腹, 橫帕其腹也'《釋名》. ②휘장 파 '牀頭翠—罥雙環'《陳旅》. ③보파 보자기. '以秋雲羅—, 裹丹五十粒'《麗情集》.
[字源] 會意. 巾+白

[帕頭 말두] 머릿수건.
[帕首 말수] 수건으로 머리를 동여 싸맴. 또, 머리동이.
[帕腹 파복] 배를 감는 헝겊. 배띠.

5 ⑧ [帓] 말 [入]曷 莫曷切 mò
[入]黠 莫鎋切

[字解] ①손수건 말 행주. ②머리띠 말. ③띠 말.
[字源] 形聲. 巾+末〔音〕. '末말'은 '抹말'과 통하여, '비비다, 털다'의 뜻. 살갗을 비비는 손수건의 뜻.

[帓首 말수] 이마에 붙이는 장식.

5 ⑧ [帗] 불 [入]物 分勿切 fú

[字解] ①춤수건 불 춤추는 사람이 손에 쥐는 오색(五色)의 헝겊. '凡舞有—舞'《周禮》. ②슬갑 불 바지 위에 입는 무릎까지 닿는 옷. 韍(韋部 五畫)과 통용. ③모직물 불.
[字源] 篆文 形聲. 巾+犮〔音〕. '犮발'은 '撥발'과 통하여 '튀기다'의 뜻. 무용수가 손으로 튀기는 천의 뜻을 나타냄.

5 ⑧ [帔] 피 [去]寘 披義切 pèi
[平]支 敷羈切

[字解] ①치마 피 '帬, 陳魏之間, 謂之—'《揚子方言》. ②배자 피 소매 없는 옷. '冬月着葛—練帬'《南史》.
[字源] 篆文 形聲. 巾+皮〔音〕. 皮(피)는 '가죽'의 뜻. 가죽처럼 몸통을 덮는 천. '배자'의 뜻을 나타냄.

5 ⑧ [帖] [人名] [一] 첩 [入]葉 他協切 tiē, tiě, tiè
[二] 체 [韓]

[筆順] 丨 冂 巾 ... 帖 帖

[字解] [一] ①휘장 첩 침소(寢所)의 앞에 치는 휘장. '牀前帷曰—'《釋名》. ②표제 첩 표시하는 제목. '木爲之, 謂之檢, 帛爲之, 則謂之—, 皆謂標題'《說文 段注》. ③패 첩 게시(揭示)하는 종이나 나뭇조각. '百姓那得家家題門—賣宅'《南史》. ④찌 첩 부전(附箋). '—黃'. '裁紙爲—'《文獻通考》. ⑤시첩(試帖) 첩 당대(唐代)의 과거에서 명경(明經)의 방법. '—經'. '明經者, 但記—括'《唐書》. ⑥두루마리 첩 서화의 권축(卷軸). '懷素絹—一軸'《書苑》. ⑦탑본 첩 탁본(拓本). 전(轉)하여, 습자책. '碑—'. '法—'. '劉後村評—'《輟耕錄》. ⑧문서 첩 서류. '昨夜府—下'《杜甫》. ⑨장부 첩 부적(簿籍). '—子'. '每歲一作計—'《唐開元志》. ⑩주련 첩 세로 써 붙이는 연구(聯句). '楹—'. '春—'. ⑪어음 첩 어음. 계권(契券). '券—'. '以陣匡範貸—聞'《資治通鑑》. ⑫명함 첩 성명을 적은 종이쪽. '魯客多呈—'《張籍》. ⑬편지 첩 서한. '凡請—必用封筒'《時用雲箋》. ⑭과녁 첩 사적(射的). '遣人伏地持—'《梁書》. ⑮첩 첩 약(藥) 한 봉지. '寧王每命尙醫, 止進一藥, 戒以不分作三四—'《四朝聞見錄》. ⑯늘어뜨릴 첩 축 처지게 함. '俛首—耳, 搖尾而乞憐者'《韓愈》. ⑰편안할 첩 안심함. 안정함. '妥—'. '將凝—乎萬方'《歐陽修》. ⑱성 첩 성(姓)의 하나. [二]《韓》체지 체 '—紙'는 관청에서 이례(吏隸)를 고용하는 서면(書面).

[字源] 篆文 形聲. 巾+占〔音〕. '占점·첩'은 '牒첩'과 통하여, 얇고 납작함의 뜻. 글씨를 쓰기 위한 얇은 천, 쓴 것의 뜻을 나타냄. 또, 침실 앞의 휘장의 뜻도 나타냄.

[帖經 첩경] 당대(唐代)의 과거(科擧)에서 경서(經書)의 시험 방법의 하나. 경서 중의 문제가 되는 문구의 수미(首尾)에 종이를 바르고 응시자에게 그 전문(全文)을 대답하게 하는 일.
[帖括 첩괄] 당대(唐代) 진사(進士)의 과거(科擧)에서 경서(經書) 중의 어떤 자(字)(보통 석 자)를 따서 쓴 종이쪽지의 문제에 대하여, 그 경서의 글을 총괄하여 답안을 만드는 시험. 일설에는, 경서의 글을 군데군데 종이로 바르고 그 글자를 알아맞히게 하여 학력(學力)을 시험하는 방법.
[帖木兒 첩목아] ㉠몽골의 미칭(美稱). ㉡티무르.
[帖伏 첩복] 개 따위가 귀를 늘어뜨리고 순하게 엎드림. 전(轉)하여, 잘 복종함.
[帖服 첩복] 순종함. 복종함.
[帖附 첩부] 첩착(帖着).
[帖試 첩시] 첩괄(帖括).
[帖息 첩식] 마음을 놓음. 안도(安堵)함.
[帖然 첩연] 침착하여 편안한 모양.
[帖耳 첩이] 첩복(帖伏).
[帖子 첩자] 장부(帳簿).
[帖着 첩착] 부착(附着)시킴.
[帖帖 첩첩] ㉠물건이 늘어진 모양. ㉡안정(安定)한 모양. ㉢붙어 떨어지지 않는 모양. ㉣심복(心服)하는 모양.
[帖妥 첩타] 편안함. 조용함.
[帖黃 첩황] 당(唐)나라 때 조칙(詔勅)에 고칠 곳이 있을 경우, 누른 종이의 찌를 붙이던 일.
[帖紙 체지]《韓》자해(字解)[二]를 보라.
◉揭帖. 計帖. 券帖. 堂帖. 名帖. 墨帖. 文帖. 門帖. 榜帖. 拜帖. 法帖. 府帖. 浮帖. 碑帖. 射帖. 書帖. 手帖. 收帖. 示帖. 試帖. 安帖. 禮帖. 穩帖. 邀帖. 熨帖. 僞帖. 凝帖. 泥金帖. 臨帖. 傳帖. 節帖. 眞帖. 質錢帖. 請帖. 招帖. 妥帖. 標帖. 下帖. 戶帖. 畫帖.

5 ⑧ [帪] 정 [平]庚 諸盈切 zhēng

[字解] 과녁 정 사적(射的). 正(止部 一畫)과 통용. '—, 射的, 通作正'《集韻》.

5 ⑧ [帙] [人名] 질 [入]質 直一切 zhì

[字解] ①책갑 질 서의(書衣). '飛文染翰, 則卷盈乎緗—'《昭明太子》. ②책 질 서책. '書—'. '荷—從師'《北史》. ③책권차례 질 '部—之間, 仍有殘缺'《南史》. ④성 질 성(姓)의 하나.

[字源] 篆文 別體 形聲. 巾+失〔音〕. '失실'은 '秩질'과 통하여, 질서를 잡아 채워 넣다의 뜻. 책을 질서 있게 채워 넣는 '덮개'의 뜻을 나타냄.

[帙子 질자] 접책.
◉卷帙. 緗帙. 梵帙. 部帙. 緗帙. 書帙. 隱帙. 縹帙.

5 ⑧ [帾] 저 [上]語 展呂切 zhǔ

[字解] 관싸개 저 관(棺)을 덮는 넒은 천. '—, 棺衣'《玉篇》.

5 ⑧ [帑] [一] 노 [平]虞 乃都切 nú [二] 탕 [上]養 他朗切 tǎng

[字解] [一] ①처자 노 孥(子部 五畫)와 同字. '妻—'. '秦人送其—'《左傳》. ②새꽁지 노 새의 꽁지. '以害鳥—'《左傳》. [二] 나라곳집 탕 국가의 금은(金銀) 창고. '內—'. '以爲虛費府—'《漢書》.

[字源] 篆文 形聲. 巾+奴〔音〕. '巾건'은 '布포'(화폐)의 뜻. '奴노'는 재산(財産)으로서의 노예의 뜻. 재화(財貨), 또, 그것을 갈무리하는 곳의 뜻을 나타냄.

[帑庫 탕고] 화폐(貨幣)를 넣어 두는 곳집.
[帑廥 탕괴] 곳간. 탕(帑)은 돈을 넣어 두는 곳간. 괴(廥)는 여물 곳간.
[帑廩 탕름] 돈을 넣어 두는 곳간과 쌀 곳간.
[帑藏 탕장] 탕고(帑庫).
[帑幣 탕폐] 탕고의 금은(金銀).
◉降帑. 公帑. 國帑. 內帑. 府帑. 財帑. 鳥帑. 妻帑.

5 ⑧ [帘] 렴 [平]鹽 力鹽切 lián

[字解] 술기 렴 술집의 표지(標識)로 세우는 기(旗). '閃閃酒—招醉客'《李中》.

[字源] 會意. 巾+穴. 구멍처럼 좁은 입구에 거는 천. 술집 간판의 기능을 지닌 깃발의 뜻을 나타냄.

◉酒帘. 靑帘.

5 ⑧ [帒] 대 [去]隊 徒耐切 dài

[字解] 주머니 대 袋(衣部 五畫)와 同字. '一, 囊也'《說文新附》.
[字源] 篆文 形聲. 巾+代〔音〕. '代대'는 들어가는 물건이 번갈아들다의 뜻.

5 ⑧ [帚] 추 ㊤有 之九切 zhǒu

[字解] ①비 추 청소하는 비. 箒(竹部 八畫)의 本字. '凡爲長者糞之禮, 必加一于箕上'《禮記》. ②쓸 추 비로 쓺. '猶令二人交一拂其坐處'《南齊書》.
[字源] 甲骨文 金文 篆文 象形. 甲骨文은 걸쳐 세운 비의 상형(象形)으로, '비'의 뜻을 나타냄. 뒤에, 又+冂+巾의 회의(會意)로 풀이하고, 어떤 경계 안을 천으로 터는 뜻으로부터, '비'의 뜻을 나타낸다고 봄.

[帚拂 추불] 쓸고 털.
[帚星 추성] 혜성. 살별.
◉交帚. 箕帚. 落帚. 掃愁帚. 掃帚. 樱帚. 敝帚.

5 ⑧ [帛] [人名] 백 ㊇陌 傍陌切 bó

[筆順] ′ 𠂉 白 白 自 自 㠯 帛

[字解] ①비단 백, 명주 백 견직물. '布一'. '束一加璧'《儀禮》. ②성 백 성(姓)의 하나.
[字源] 甲骨文 篆文 形聲. 巾+白〔音〕. '白백'은 '희다'의 뜻. 흰 비단의 뜻을 나타냄.

[帛巾 백건] 비단 헝겊.
[帛袴 백고] 비단 고의.
[帛書 백서] 비단에 쓴 글자. 또, 그 비단.
[帛信 백신] 비단에 쓴 편지.
[帛布 백포] 비단과 무명.
◉絹帛. 金帛. 綾帛. 大帛. 綿帛. 璧帛. 絲帛. 生帛. 束髮封帛. 束帛. 粟帛. 雁帛. 練帛. 裂帛. 玉帛. 財帛. 竹帛. 繪帛. 采帛. 通帛. 幣帛. 布帛.

6 ⑨ [帢] 갑(겹㊍) ㊇洽 苦洽切 qià

[字解] 깁건 갑 위(魏)나라 태조(太祖)가 깁으로 만든 두건(頭巾). '魏太祖, 擬古皮弁, 裁縑帛爲一, 以色別其貴賤'《魏志》.
[字源] 形聲. 巾+合〔音〕

◉錦帢. 無顔帢. 白帢. 顔帢.

6 ⑨ [帎] 황 ㊥陽 呼光切 huāng

[字解] ①덮을 황 물건을 덮음. '一, 一曰, 一隔也, 隔之義, 網其上而蓋之'《說文, 段注》. ②염색직공 황 누인 실을 물들이는 장색. '一, 設色之工, 治絲練者'《說文》. ③휘장 황 방과 방 사이에 치는 장막. '一, 帷屬'《正字通》.
[字源] 篆文 形聲. 巾+㐬(㐬)〔音〕. '㐬황'은 물의 흐름의 뜻. 실을 염색하여 흐름에 바래는 사람, '염색공'의 뜻. 일설에는, '㐬'은 널리 덮는 뜻을 나타낸다고 함. 큰 천을 위로부터 덮어씌워서 갈라놓다의 뜻을 나타냄.

6 ⑨ [帲] 〔병〕
帲(巾部 八畫〈p. 676〉)의 俗字

6 ⑨ [㡇] 겹 ㊇葉 檄頰切 xié

[字解] 허리띠 겹 '一, 束帶'《廣韻》.

6 ⑨ [㡁] 과 ㊤馬 苦瓦切 kuǎ

[字解] ①옷깃 과 '一, 衿袍也'《廣韻》. ②속적삼과 속옷의 하나. '小衫曰一'《集韻》.

6 ⑨ [帯] 〔대〕
帶(巾部 八畫〈p. 676〉)의 簡體字

6 ⑨ [㡊] 〔식〕
拭(手部 六畫〈p. 864〉)과 同字

6 ⑨ [帞] 〔말〕
帕(巾部 五畫〈p. 669〉)의 俗字

6 ⑨ [帥] [高] [人] 一 수 ㊦寘 所類切 shuài
二 솔 ㊇質 所律切 shuài

[筆順] ′ 𠂆 𠂤 𠂤 自 自 帥 帥

[字解] 一 장수 수 군대의 주장(主將). '一長'. '二千五百人爲師, 師一皆中大夫'《周禮》. 二 ①거느릴 솔 率(玄部 六畫)과 同字. '堯舜一天下以仁'《大學》. ②좇을 솔 순종함. '命鄕簡不一敎者以告'《禮記》. ③본보기 솔 모범. '蕭曹以寬厚淸靜, 爲天下一'《漢書》.
[字源] 金文 篆文 會意. 巾+自. 金文의 '自' 부분은 양손으로 물건을 끌어 올리고 있는 형상임. 뒤에 변형되어 '自'로 됨. '巾건'은 사람을 이끌 때에 쓰던 천의 상형(象形). '거느리다'의 뜻을 나타냄.
[參考] 師(巾部 七畫)는 別字.

[帥導 솔도] 이끌어 인도함.
[帥師 솔사] 군대를 통솔함.
[帥先 솔선] 앞장서서 인도함. 솔선(率先).
[帥示 솔시] 거느리어 가르쳐 인도함.
[帥由 솔유] 따름.
[帥乘 수승] 대장과 병졸(兵卒).
[帥臣 수신] 《韓》 병사(兵使)와 수사(水使).
[帥長 수장] 군대의 우두머리. 대장(大將).
[帥甸 수전] 교전(郊甸)을 지키는 주장(主將).
◉渠帥. 牽帥. 魁帥. 軍帥. 隊帥. 奉帥. 師帥. 連帥. 元帥. 將帥. 主帥. 總帥. 酋帥. 統帥. 豪帥. 梟帥.

6 ⑨ [帤] 녀 ㊥魚 女余切 rú

[字解] ①걸레 녀 훔치거나 씻는 걸레. '一, 一曰, 幣巾'《說文》. ②활덧댄나무 녀 활의 몸대를 튼튼하게 덧댄 나무. '厚其一則木堅, 薄其一則需'《周禮》.
[字源] 篆文 形聲. 巾+如〔音〕. '如여'는 보드랍고 가느다란의 뜻을 나타냄. 큰 폭의 천의 뜻을 나타냄.

6 ⑨ [帝] [中] [人] 제 ㊦霽 都計切 dì

筆順 一 亠 亣 产 帝 帝 帝 帝

字解 ①하느님 제 상천(上天). 조화(造化). '天一'. '王用享于一'《易經》. ②임금 제 천자(天子). '一王'. '曰若稽古一堯'《書經》.

字源 甲骨文 篆文 象形. 甲骨文으로 알 수 있듯이, 나무를 짜서 조인 형태의 신(神)을 모시는 대(臺)의 상형. 하늘의 신의 뜻으로부터 천하를 다스리는 임금의 뜻을 나타냄.

[帝綱 제강] 제굉(帝紘).
[帝車 제거] 제차(帝車).
[帝居 제거] ㉠제도(帝都). ㉡상제(上帝)의 거처(居處).
[帝京 제경] 제왕이 계신 서울.
[帝系 제계] 제왕의 혈통.
[帝嚳 제곡] 중국 고대(古代) 제왕(帝王)의 이름. 황제(黃帝)의 증손(曾孫)으로서 호(號)를 고신씨(高辛氏)라 함. 박(亳)에 도읍하였음.
[帝紘 제굉] 천자(天子)가 천하(天下)를 다스리는 강기(綱紀).
[帝國 제국] 황제(皇帝)가 통치(統治)하는 나라.
[帝國主義 제국주의] 자국(自國)의 영토(領土)와 권력(權力)의 확장(擴張)을 목적으로 하는 주의.
[帝弓 제궁] 무지개〔虹〕의 딴 이름. 천궁(天弓).
[帝闕 제궐] 제왕이 거처하는 집. 대궐(大闕).
[帝畿 제기] 제도(帝都)가 있는 지방. 천자의 직할지(直轄地).
[帝德 제덕] 제왕의 덕(德).
[帝都 제도] 황제(皇帝)가 거처(居處)하는 서울.
[帝道 제도] ㉠제왕(帝王)이 나라를 잘 다스리어 백성을 편안하게 하는 도(道). ㉡인덕(仁德)을 주로 하는 최선의 정치.
[帝圖 제도] 제모(帝謨).
[帝旅 제려] 제왕의 군사.
[帝力 제력] 상제(上帝) 또는 제왕(帝王)의 은덕(恩德).
[帝陵 제릉] 제왕(帝王)의 묘(墓).
[帝命 제명] 제왕의 명령(命令).
[帝命溥將 제명부장] 천자의 명령이 널리 퍼져 잘 시행되는 일. 부(溥)는 광(廣). 장(將)은 대(大).
[帝謨 제모] 제왕의 계책(計策). 천자의 도(道).
[帝範 제범] 책 이름. 당태종(唐太宗)의 찬(撰). 12편. 제왕(帝王)의 모범(模範)될 만한 사적(事迹)을 적어서 태자(太子)에게 하사(下賜)한 책. 송(宋)나라 때 이미 그 태반이 산일(散佚)되고 지금은 네 권뿐임.
[帝傅 제부] ㉠천자의 스승. ㉡재상(宰相).
[帝師 제사] ㉠천자의 스승. ㉡원대(元代)의 라마교(喇嘛敎)의 중.
[帝壻 제서] 임금의 사위.
[帝緖 제서] 제왕의 사업(事業).
[帝釋 제석] 제석천(帝釋天).
[帝釋天 제석천] 천축(天竺)의 신. 자비스러운 형상을 하고 몸에 영락(瓔珞)을 여러 가지 둘렀음. 수미산(須彌山) 꼭대기의 도리천(忉利天)의 중앙 희견성(喜見城)에 있어 삼십삼천(三十三天)의 주(主)임. 제석(帝釋).

〔帝釋天〕

[帝城 제성] 천자가 계신 궁성. 또는 수도(首都).
[帝所 제소] 천자 또는 천제(天帝)가 있는 곳.
[帝臣 제신] 황제(皇帝)의 신하.
[帝宸 제신] 제왕(帝王)의 궁전(宮殿).
[帝室 제실] 황제(皇帝)의 집안. 황실(皇室).
[帝掖 제액] 제왕이 사는 곳. 대궐. 궁성(宮城).
[帝業 제업] 제왕(帝王)의 사업. 천자가 천하를 다스리는 일. 「자.
[帝王 제왕] 독립 군주국의 원수(元首). 황제. 천
[帝王之兵 제왕지병] 제왕(帝王)이 덕(德)으로써 천하(天下)를 평정(平定)하려고 하는 군대(軍隊).
[帝王學 제왕학] 제왕이 되는 데에 필요한 학문.
[帝祐 제우] 하느님의 도움.
[帝位 제위] 제왕(帝王)의 자리.
[帝威 제위] 천자의 위광(威光).
[帝猷 제유] 제모(帝謨).
[帝胤 제윤] 천자의 자손.
[帝姻 제인] 제왕의 인척(姻戚).
[帝者 제자] 제왕. 천자(天子).
[帝儲 제저] 황태자. 동궁(東宮).
[帝政 제정] 황제(皇帝)의 정치(政治).
[帝制 제제] ㉠천자가 천하를 통치하는 제도. ㉡제칙(帝則).
[帝祚 제조] 제위(帝位).
[帝祖 제조] ㉠제왕(帝王)의 조상(祖上). 황조(皇祖). ㉡제왕의 조부(祖父).
[帝座 제좌] ㉠황제가 앉는 자리. 옥좌(玉座). ㉡천제(天帝)의 거처(居處)라고 하는 별의 이름.
[帝祉 제지] 상제(上帝)가 내리는 복지(福祉).
[帝車 제차] 북두칠성(北斗七星)의 별칭(別稱).
[帝戚 제척] 제인(帝姻).
[帝則 제칙] ㉠천제(天帝)가 보이는 자연의 법칙. ㉡천자가 정한 법칙. 「系).
[帝統 제통] 제왕의 계통. 제왕의 혈통. 제계(帝
[帝學 제학] 송(宋)나라 범조우(范祖禹)가 지은 책. 6권. 고대(古代)로부터 송대(宋代)까지의 제왕(帝王)의 전법(典法)이 될 만한 사적(事迹)을 모았음.
[帝閑 제한] 제왕(帝王)의 마구간.
[帝鄕 제향] ㉠하느님이 있는 곳. 상천(上天). ㉡제왕의 발상지(發祥地). 천자의 고향. ㉢제도(帝都).
[帝號 제호] 제왕(帝王)의 칭호.
[帝閽 제혼] 제왕의 궁성(宮城)의 문.
◉今帝. 累帝. 大帝. 望帝. 白帝. 三皇五帝. 上帝. 先帝. 聖帝. 女帝. 炎帝. 五帝. 玉帝. 雩帝. 災帝. 赤帝. 天帝. 青帝. 廢帝. 皇帝. 后帝.

6 ⑨ [帠] 예 ㊀霽 力制切 lì

字解 ①비단자투리 예 재고 난 비단의 조각. '一, 帛餘也'《玉篇》. ②나머지 예 잔여품. '一, 餘也'《廣雅》.

6 ⑨ [帟] 역 ㊁陌 羊益切 yì

字解 장막 역 위를 가려 먼지를 막는 작은 장

막. '掌帷幕幄一綬之事'《周禮》.
[字源] 篆文 形聲. 巾+亦〔音〕. '亦역'은 양 겨드랑이의 뜻. 원장막 위쪽에 평평하게 치는 작은 장막의 뜻을 나타냄.

◉幕帟. 油帟. 帷帟. 帳帟.

6 ⑨ [帣] 권 ①[去]霰 居倦切 juàn ②[上]銑 古轉切 juǎn

[字解] ①자루 권 크고 긴 주머니. ②걷을 권 소매 같은 것을 걷음. 또, 그 끈. '一韝鞠縢'《史記》.
[字源] 篆文 形聲. 巾+关〔音〕. '关권'은 속에 말아 넣다의 뜻. 흩어지지 않도록 감싸는 주머니의 뜻을 나타냄.

6 ⑨ [帠] 예 [去]霽 研計切 yì

[字解] 법 예 법도(法度). '汝又何一以治天下, 感子之心焉'《莊子》.
[字源] 形聲. 巾+兒〈省〉〔音〕

7 ⑩ [帪] 진 [平]眞 之人切 zhēn [去]震 之刃切

[字解] ①말먹이자루 진 말에 먹이를 담아 주는 자루. '飤馬橐, 燕齊之閒, 謂之一'《揚子方言》. ②말머리씌우개 진 '一, 馬兜也'《玉篇》. ③주머니 진 '一, 囊也'《廣雅》.

7 ⑩ [帨] 세 [去]霽 舒芮切 shuì

[字解] ①수건 세 여자가 허리에 차는 수건. '佩一'. '女子設一于門右'《禮記》. ②손씻을 세.
[字源] 帥의 別體 形聲. 巾+兌〔音〕. '兌태'는 벗겨져 떨어진다는 뜻. 손의 물방울을 닦다, '손수건'의 뜻을 나타냄.

[帨褵 세리] 손수건과 향주머니. 시집가는 여자의 소지품.
◉巾帨. 紛帨. 設帨. 佩帨.

7 ⑩ [𢃄] [一] 첩 [入]葉 陟葉切 zhé [二] 점 [平]鹽 丁兼切 zhé

[字解] [一] 옷깃끝 첩 옷깃의 끝 부분. '一, 領耑也'《說文》. [二] 옷깃끝 점 [一]과 뜻이 같음.
[字源] 篆文 形聲. 巾+耴〔音〕. '耴첩'은 '양 귀'의 뜻. 양쪽 귀처럼 늘어진 깃의 끝의 뜻을 나타냄.

7 ⑩ [𢃜] 문 [去]問 文運切 wèn

[字解] 굴건 문 상중에 쓰는 건(巾).

7 ⑩ [帰] 〔귀〕
歸(止部 十四畫〈p.1144〉)의 俗字

7 ⑩ [㡉] 〔격〕
綌(糸部 七畫〈p.1740〉)과 同字

7 ⑩ [帬] 군 [平]文 渠云切 qún

[字解] ①치마 군 치맛자락. ②속옷 군 내복. '中一'. ③조끼 군 배자. '一屐'.

7 ⑩ [𢃳] 〔군〕帬(巾部 七畫〈p.675〉)·裙(衣部 七畫〈p.2063〉)과 同字

7 ⑩ [帮] 〔방〕
幫(巾部 十四畫〈p.683〉)의 俗字

7 ⑩ [帶] 〔대〕
帶(巾部 八畫〈p.676〉)의 同字

7 ⑩ [帯] 〔대〕
帶(巾部 八畫〈p.676〉)와 俗字

7 ⑩ [師] [中人] 사 [平]支 疏夷切 shī 师

[筆順] ′ 亻 𠂤 𠂤 自 自 師 師

[字解] ①스승 사 ㉠선생. '教一' '出則有一, 一也者教之以事而喩諸德者也'《禮記》. ㉡전문의 기예를 가진 사람. 한 기예에 뛰어난 사람. '醫一'. '閻外傳呼畫一閻立本'《唐書》. ㉢남의 모범이 될 만한 훌륭한 사람. '國有賢相良將, 民之一表也'《史記》. ②스승으로삼을 사 본받음. 모범으로 삼음. '一範'. '百僚一一'《書經》. ③벼슬아치 사 관리. '州有十二一'《書經》. ④벼슬 사 관직. '黃帝氏以雲紀, 故爲雲一'《左傳》. ⑤군사 사 ㉠주대(周代)의 군제(軍制)에서 오려(五旅), 곧 2천5백 명의 일컬음. 중화민국의 군제에서는 사단(師團)의 일컬음. '五旅爲一'《周禮》. ㉡군대의 통칭(通稱). '陳一鞠旅'《詩經》. ⑥뭇사람 사 중서(衆庶). 중인(衆人). '殷之未喪一'《大學》. ⑦신령 사 신(神). '雷一告余以未具'《楚辭》. ⑧사자 사 獅(犬部 十畫)와 통용. '烏弋山出一子'《漢書》. ⑨사괘 사 육십사괘(六十四卦)의 하나. 곧, ䷆〈감하(坎下), 곤상(坤上)〉. 출사(出師)의 상(象). ⑩성 사 성(姓)의 하나.
[字源] 甲骨文 金文 篆文 形聲. 金文은 自+辛〈省〉〔音〕. '辛신'은 날붙이의 상형(象形)으로, 벌을 주는 뜻. '自퇴'는 큰 고기 토막의 상형. 적을 처벌할 목적으로 제육(祭肉)을 받들고 출발하는 군대의 뜻을 나타냄. 甲骨文과 조기(早期)의 金文에서는 '自'뿐이며, 아직 음부는 붙어 있지 않았음. 전(轉)하여, 지도자의 뜻도 나타냄. 篆文은 '辛'이 생략되어 '帀잡'이 되고, 會意로서, 自+巾.
[參考] 帥(巾部 六畫)는 別字.

[師家 사가] 스승의 집. 또, 스승.
[師姑 사고] 《佛敎》 여자 중. 이승(尼僧).
[師曠之聰 사광지총] 사광(師曠)은 춘추 시대(春秋時代) 진(晉)나라의 음악가(音樂家)로, 소리를 들으면 잘 분별하여 길흉(吉凶)을 점쳤음. 미묘(微妙)한 소리를 잘 분별함을 이름.
[師矩 사구] 모범(模範). 사범(師範).
[師君 사군] ㉠스승의 존칭(尊稱). ㉡스승과 주인.
[師團 사단] 군대(軍隊) 편성(編成)의 한 단위. 군단의 아래, 여단의 위.
[師壇 사단] 천자(天子)가 장상(將相)을 임명하는 예(禮)를 행하는 단.
[師徒 사도] ㉠군대(軍隊). ㉡스승과 제자.
[師旅 사려] ㉠군대. 5백 명을 여(旅), 5려(旅)를 사(師)라 함. ㉡전쟁. 싸움.

[師命 사명] 스승의 명령(命令).
[師母 사모] 스승의 부인(夫人).
[師門 사문] 스승의 문하(門下).
[師範 사범] ㉠법. 모범. ㉡모범이 될 만한 사람. ㉢학문·기예 등을 가르치는 사람.
[師法 사법] ㉠법. 모범. ㉡스승의 가르침. ㉢출사(出師)의 도(道).
[師保 사보] ㉠천자 또는 태자(太子)를 가르쳐 보좌함. 또, 그 사람. ㉡가르쳐 편안하게 함.
[師父 사부] ㉠스승의 존칭(尊稱). ㉡스승과 아버지.
[師傅 사부] ㉠스승. ㉡태사(太師)와 태부(太傅). 천자의 보필(輔弼). 제왕(帝王)의 스승.
[師事 사사] 스승으로 섬김.
[師師 사사] ㉠스승으로 여겨 본받음. ㉡의법(儀法)이 바른 모양. ㉢뭇사람. 모든 사람.
[師素 사소] 중과 속인(俗人). 승속(僧俗).
[師授 사수] 스승에게 학술(學術)을 배워 받음.
[師叔 사숙] 《佛教》 스님의 형제 되는 중. 숙사(叔師).
[師承 사승] 스승에게서 가르침을 받음. 스승에게서 학문을 이어받음.
[師僧 사승] 《佛教》 스님.
[師心 사심] ㉠자기 마음을 스승으로 삼음. 독창(獨創)을 높이 여기고 모방(模倣)을 배척하는 일. ㉡무슨 일이든 자기 독단(獨斷)으로 하고, 남의 의견을 받아들이지 않는 일.
[師心自是 사심자시] 자기 생각만을 옳다고 함.
[師氏 사씨] ㉠주대(周代)의 관명(官名). 귀족(貴族)의 자제(子弟)에게 덕행(德行)을 가르쳤음. ㉡여교사(女教師).
[師嚴道尊 사엄도존] 스승이 엄격하면 자연히 도(道)가 존엄하여짐.
[師友 사우] ㉠스승과 벗. 선생(先生)과 친구(親舊). ㉡스승으로 우러러볼 만한 벗.
[師尹 사윤] ㉠주대(周代)의 태사(太史)인 윤씨(尹氏). 전(轉)하여, 재상(宰相). ㉡여러 소관(小官)의 장(長). 사(師)는 중(衆). 윤(尹)은 정(正).
[師律 사율] 군법(軍法).
[師恩 사은] 스승의 은혜.
[師子 사자] ㉠《佛教》 스승과 제자 중. ㉡사자(獅子).
[師資 사자] ㉠스승과 학문을 하는 데 도움이 되는 것. 일설(一說)에는, 스승. ㉡스승과 제자. 사제(師弟). 또, 사제의 관계.
[師子舞 사자무] 사자춤.
[師子奮迅 사자분신] 《佛教》 사자가 성낸 듯이 달리는 기세라는 뜻으로, '부처의 맹위(猛威)'를 이르는 말.
[師子身中蟲 사자신중충] 《佛教》 내부에서 생기는 화란(禍亂)을 비유한 말. 사자의 목숨이 끊어지면, 감히 딴 짐승들은 먹으려 하지 않지만, 사자의 몸속에서 생긴 벌레는 그 사체를 먹는다는 말. 불교의 정법(正法)은 밖에서 들어오는 것 때문에 파괴되는 것보다, 법(法) 속의 악비구(惡比丘) 때문에 무너진다는 비유임.
[師子座 사자좌] ㉠《佛教》 인중(人中)의 사자(獅子) 〈왕자(王者)〉인 불보살(佛菩薩)이 있는 좌석. ㉡황도 십이궁(黃道十二宮)의 하나. 사자궁(獅子宮).
[師子吼 사자후] ㉠부처의 설법(說法)에 사학(邪學)을 믿는 사람들이 두려워하고 부끄러워하여 귀의(歸依)함의 비유. 사자(獅子)가 울면 모든 짐승이 무서워 떤다는 데서 이름. ㉡웅변(雄辯).
[師匠 사장] ㉠모범이 될 만한 사람. 선생(先生). ㉡학문이나 기예를 가르치는 사람. 스승.
[師長 사장] ㉠스승과 어른. ㉡중관(衆官)의 우두머리.
[師田 사전] 군사의 훈련과 짐승의 사냥. 모두 무예(武藝)를 익히는 방법임.
[師傳 사전] 스승으로부터의 전수(傳授).
[師弟 사제] ㉠스승과 제자(弟子). ㉡동문(同門)의 후배.
[師祭 사제] 무운(武運)이 장구(長久)하기를 비는 제사.
[師祖 사조] ㉠스승으로 섬겨 본받음. 모범으로 삼음. ㉡《佛教》 스승의 스승 되는 사람.
[師宗 사종] ㉠스승으로 받들어 존경함. ㉡스승.
[師表 사표] 남의 모범(模範)이 될 만큼 학덕(學德)이 높은 일. 또, 그 사람. 사범(師範).
[師風 사풍] ㉠스승의 덕(德). ㉡스승의 풍모(風貌).
[師行 사행] 군대의 행진(行進). 행군(行軍).
[師兄 사형] ㉠나이와 학덕이 자기보다 나은 사람. ㉡동문(同門)의 선배. ㉢승려(僧侶)가 서로 부를 때의 경칭(敬稱).
◉簡師. 講師. 京師. 經師. 戒師. 篙師. 工師. 傀儡師. 教師. 舊師. 國師. 軍師. 技師. 吉師. 老師. 弩師. 露師. 農師. 雷師. 漏師. 大師. 道師. 導師. 讀師. 牧師. 蒙師. 文陣雄師. 班師. 百世之師. 法師. 本師. 父師. 佛師. 士師. 社師. 三師. 相師. 常師. 先師. 禪師. 少師. 訟師. 水師. 樂師. 藥師. 良師. 漁師. 偃師. 嚴師. 餘師. 輿師. 鍊師. 獵師. 銳師. 王師. 王者師. 龍師. 雨師. 六師. 律師. 恩師. 陰陽師. 義師. 醫師. 鷹師. 人師. 一字之師. 場師. 靖難之師. 帝者師. 調馬師. 祖師. 宗師. 舟師. 楫師. 車師. 僭師. 天師. 出師. 致師. 橐駝師. 太師. 暴師. 風師. 賢師. 畫師. 繪師.

7 ⑩ [席] 中人 석 ㊀陌 祥易切 xí

筆順 亠 广 户 庐 庐 庐 席 席

字解 ①자리 석 ㉠까는 자리. '茵一'. '我心匪一, 不可卷也'《詩經》. ㉡요나 방석. '衽一牀第'《周禮》. ㉢서거나 앉는 자리. '坐一'. '羣臣皆就一'《漢書》. ②깔 석 자리를 깖. '相枕一於道路'《漢書》. ③베풀 석, 벌일 석 진열함. '一上之珍'《禮記》. ④자뢰할 석 의뢰함. '一寵惟舊'《書經》. ⑤성 석 성(姓)의 하나.

字源 甲骨文 篆文 形聲. 巾+庶〈省〉〔音〕. '庶서'는 '藉자'와 통하여, 풀을 엮은 '깔개'의 뜻을 나타냄.

[席藁待罪 석고대죄] 거적을 깔고 엎드리어 처벌을 기다림.
[席具 석구] 깔개.
[席卷 석권] 자리를 마는 것과 같이 힘들이지 않고 모조리 빼앗음. 석권(席捲).
[席捲 석권] 석권(席卷).
[席末 석말] ㉠끝자리. 말석(末席). ㉡자기가 앉은 곳의 겸칭(謙稱).
[席面 석면] 연회(宴會) 따위의 자리. 석상(席上).
[席門 석문] 돗자리로 만든 문. 가난한 집을 형용

하는 말.
[席不暇暖 석불가난] 동서로 분주히 돌아다니느라고 한 곳에 편안히 머물러 있지 않기 때문에 그 자리가 따뜻하여질 겨를이 없음.
[席上 석상] 여러 사람이 모인 자리.
[席上之珍 석상지진] 상고(上古)의 아름다운 도(道)를 늘어놓음. 일설(一說)에는, 유학자(儒學者)의 학덕(學德)을 석상(席上)의 진품(珍品)에 비유한 말이라 함.
[席褥 석욕] 깔개.
[席子 석자] 돗자리.
[席題 석제] 시문(詩文) 등을 지을 때 그 모임의 자리에서 제목을 내는 일.
[席次 석차] ㉠자리의 차례. 석순(席順). ㉡성적의 순서.
[席薦 석천] 돗자리.
◉客席. 缺席. 經席. 闔席. 空席. 几席. 寄席. 茶席. 滿席. 末席. 篾席. 毛席. 陪席. 法席. 別席. 上席. 相席. 說經奪席. 首席. 筍席. 試席. 宴席. 筵席. 硏席. 列席. 臥席. 褥席. 熊席. 越席. 議席. 隣席. 茵席. 一席. 衽席. 臨席. 底席. 正席. 坐席. 座席. 主席. 酒席. 即席. 次席. 着席. 薦席. 出席. 枕席. 寢席. 他席. 台席. 退席. 蒲席. 豹席. 豐席. 會席.

7 ⑩ [帬] 군 [平]文 渠云切 qún
[字解] 치마 군 裙(衣部 七畫)과 同字. '羅—飄飄'《張華》.
[字源] 篆文 別體 形聲. 巾+君〔音〕. '君군'은 '運운'과 통하여 '두르다'의 뜻.
[參考] ⿰巾君(巾部 七畫)과 同字.
◉羅帬.

8 ⑪ [帳] [高人] 장 [去]漾 知亮切 zhàng
[筆順] 帳
[字解] ①휘장 장, 장막 장 '帷—'. '卽其—中, 斬宋義頭'《史記》. ②천막 장 유목민(遊牧民)의 옥사(屋舍). '接—連韝'《晉書》. ③장 장 장막 같은 것을 세는 수사(數詞). '帳幕九—'《左傳》. ④장부 장 치부책. '記—'. '計—戶籍之法'《北史》.
[字源] 篆文 形聲. 巾+長〔音〕. '長장'은 '길게 펴다'의 뜻. 천을 길게 둘러친 '휘장'의 뜻을 나타냄.

[帳內 장내] ㉠막(幕)의 한 안. 전(轉)하여, 막료(幕僚). ㉡당대(唐代)의 친왕(親王)의 호위병(護衛兵). ㉢근세조선(近世朝鮮) 때 서울 오부(五部)가 관할하던 구역의 안.
[帳落 장락] 유목자(遊牧者)들의 부락(部落).
[帳裏 장리] 휘장 안. 장중(帳中).
[帳幕 장막] 한데에 베풀어서 볕 또는 비를 가리고 사람이 들어 있게 둘러친 물건.
[帳門 장문] 휘장의 문.
[帳房 장방] 천막(天幕).
[帳簿 장부] 금품(金品)의 수입·지출 또는 기타의 사항을 기록하는 책.
[帳幄 장악] 장막(帳幕).
[帳外 장외] 휘장 밖.
[帳飮 장음] 장막을 쳐 놓고 하는 전별(餞別)의 잔치.
[帳籍 장적] 호적 등기(戶籍登記)의 장부.
[帳前 장전] ㉠임금이 임어(臨御)한 장막(帳幕)의 앞. ㉡장수(將帥)의 앞.
[帳中 장중] 휘장의 안. 장막의 안.
[帳幅 장폭] 휘장.
[帳下 장하] ㉠장막의 아래. 장막의 안. ㉡대장군(大將軍)이 있는 곳. 막하(幕下).
◉葛帳. 絳帳. 開帳. 計帳. 供帳. 過去帳. 穹帳. 几帳. 錦帳. 記帳. 綺帳. 羅帳. 緞帳. 大帳. 臺帳. 幬帳. 斗帳. 蚊帳. 符帳. 簿帳. 牀帳. 手帳. 繡帳. 牙帳. 廬帳. 營帳. 玉帳. 幃帳. 帷帳. 人別帳. 籍帳. 氈帳. 祖帳. 廚帳. 紙帳. 綵帳. 綃帳. 翠帳. 毳帳. 寢帳. 通帳.

8 ⑪ [帴] [一] 전 [上]銑 卽淺切 jiǎn
[二] 천 [平]先 則前切 jiān
[字解] [一] ①포대기 전 강보(襁褓). ②좁을 전 협소함. '若苟自急者, 先裂則是以博爲—也'《周禮》. [二] 언치 천 韉(革部 十七畫)과 同字. '爭割流蘇武帳, 而爲馬—'《晉書》.
[字源] 篆文 形聲. 巾+戔〔音〕. '戔전'은 날붙이로 베어서 좁고 적다의 뜻.
◉馬帴.

8 ⑪ [⿰巾奄] [一] 업 [入]葉 於業切 yé
[二] 암 [平]覃 烏含切 ān
[字解] [一] 머릿수건 업 '自河以北, 趙魏之閒, 幧頭, 或謂之—'《揚子方言》. [二] 주머니 암 '—, 囊也'《廣雅》.

8 ⑪ [帷] 유 [平]支 洧悲切 wéi
[字解] ①휘장 유 사방(四方)을 둘러치는 장막. '下—講誦, 三年不窺園'《漢書》. ②덮을 유, 가릴 유.
[字源] 篆文 形聲. 巾+隹〔音〕. '隹추'는 '圍위'와 통하여, 사방을 둘러침의 뜻. 둘러친 천, 휘장, 덮개의 뜻을 나타냄.

[帷]

[帷蓋 유개] 공자(孔子)가 집에서 기르던 개를 묻을 때에 폐개(弊蓋)를 썼고, 노마(路馬)(임금의 마차를 끄는 말)를 묻을 때엔 폐유(弊帷)를 쓴 데서, 은혜(恩惠)가 사물(事物)에 미침을 이름.
[帷簾 유렴] 휘장과 발.
[帷幕 유막] ㉠휘장과 막. 사방으로 둘러치는 것을 유(帷), 위를 가리는 것을 막이라 함. ㉡유악(帷幄).
[帷幔 유만] 휘장.
[帷薄 유박] 휘장과 발. 전(轉)하여, 규방(閨房). 침실(寢室).
[帷薄不修 유박불수] 규문(閨門)이 문란해지는 일. 박(薄)은 발〔簾〕, 규문(閨門)에는 휘장을 치고 발을 늘어뜨리므로 유박은 규방(閨房)의 뜻.
[帷房 유방] 휘장을 늘어뜨린 방. 곧, 침실. 규방(閨房).
[帷裳 유상] ㉠제사 또는 출사(出仕)할 때에 입는 옷. 아래의 옷은 온폭을 써서 휘장과 같이 만들었기 때문에 이름. ㉡부인의 수레에 치는

휘장.
[帷幄 유악] ㉠유(帷)와 악(幄)이 모두 막(幕)으로서 진영(陣營)에 쓰이는 것. 전(轉)하여, 대장이 작전 계획을 세우는 곳. ㉡모신(謀臣).
[帷帳 유장] ㉠휘장. 장막. ㉡대장(大將)이 작전 계획을 세우는 곳. 유악(帷幄).
[帷牆之制 유장지제] 임금이 근신(近臣)이나 시첩(侍妾) 등에게 자유를 구속당하는 일. 유(帷)는 휘장으로서 비첩(婢妾)이 있는 곳, 장(牆)은 담으로서 근신(近臣)이 있는 곳.
[帷殿 유전] 휘장을 둘러친 궁전.
◉講帷. 羅帷. 幔帷. 門帷. 書帷. 幄帷. 簾帷. 帳帷. 襜帷. 絺帷. 下帷.

8 ⑪ [帢] 흡(겹本) 入洽 苦洽切 qià

字解 깁건 흡 帢(巾部 六畫)과 뜻이 같음. '漢儀, 立秋日, 獵服緗幘, 哀帝令改用素白—'《晉書》.

8 ⑪ [帵] ㊀ 완 平寒 一丸切 wān ㊁ 원 平元 於袁切

字解 ㊀ 자투리 완 마르고 난 헝겊 조각. '—, 今采帛鋪謂剪截之餘曰—子'《正字通》. ㊁ 자투리 원 ㊀과 뜻이 같음.
字源 形聲. 巾+宛〔音〕

8 ⑪ [帡] 병 上梗 必郢切 píng

字解 장막 병 위를 가리는 막(幕). '知夏屋之爲—幪也'《揚子法言》.
字源 形聲. 巾+并〔音〕. '并병'은 '나란히 늘어서다'의 뜻. 천의 덮개를 나란히 늘어놓아 덮다의 뜻을 나타냄.
參考 帲(巾部 六畫)은 俗字.

8 ⑪ [㡘] 견 平先 古賢切 xián

字解 베 견 한(漢)나라 견현(㡘縣)에서 나던 베의 이름. '—, —布也. 出東萊'《說文》.
字源 形聲. 巾+弦〔音〕

8 ⑪ [帺] 기 ①平支 渠之切 qí ②③去寘 渠記切 jì

字解 ①연둣빛비단 기. ②맬 기. ③수건 기.

8 ⑪ [帽] 〔모〕
帽(巾部 九畫〈p. 678〉)의 俗字

8 ⑪ [帶] 高人 대 去泰 當蓋切 dài

筆順 一 卄 卌 卌 卌 㠪 帶 帶

字解 ①띠 대 허리에 띠는 것. '衣—'. '凡—必有佩玉'《禮記》. 또, 띠같이 물건의 주위를 두르는 것. '鐘—謂之篆'《周禮》. ②근처 대 길게 뻗은 것의 근방. '門臨溪——'《元稹》. ③띨 대 ㉠띠를 두름. '驚遽而起, 衣不及—'《世說》. ㉡빛깔을 조금 지님. '頰—憔悴色'《杜甫》. ④두를 대 위요(圍繞)함. 빙 두름. '襟以山東之險, —以河曲之利'《戰國策》. ⑤찰 대 허리에 참. '—劍'. '—以弓韣'《禮記》. ⑥데릴 대 데리고 다님. '—同'. '—隨人行'《揚子方言註》. ⑦성 대 성(姓)의 하나.
字源 篆文 象形. 띠에 장식 끈이 겹쳐 늘어진 형상을 본떠서, '띠'의 뜻을 나타냄. 일설에는, 卌+重巾의 會意. '卌'는 띠의 象形. '重巾'은 천을 겹친 모양. 천을 포개어 겹쳐서 띠로 졸라매는 모양에서, '띠'의 뜻을 나타냄.

[帶甲 대갑] 갑옷을 입은 병사(兵士).
[帶劍 대검] ㉠칼을 참. 또, 그 칼. ㉡소총 끝에 꽂는 칼.
[帶經而鋤 대경이서] 경서(經書)를 지니고 다니면서 밭을 맴.
[帶鉤 대구] 혁대를 잠그는 쇠붙이. 띠고리.
[帶刀 대도] 칼을 참. 또, 그 칼.
[帶同 대동] 함께 데리고 감.
[帶厲之誓 대려지서] 황하(黃河)가 띠와 같이 좁아지고 태산(泰山)이 숫돌과 같이 작게 되어도 국토(國土)는 멸망하지 않는다는 뜻으로, 공신(功臣)의 집은 영구히 단절시키지 않겠다는 맹세. 산려하대(山厲河帶).
[帶累 대루] ㉠연좌(連坐). ㉡계루(係累)가 있음.
[帶兵 대병] ㉠무기를 몸에 지님. ㉡군대를 통솔(統率)하는 일.
[帶率 대솔] 거느림. 영솔(領率).
[帶雨 대우] ㉠비를 지님. ㉡비를 맞음.
[帶圍 대위] 띠의 둘레.
[帶仗 대장] 병기(兵器)를 몸에 지님. 무장(武裝).
[帶箭 대전] ㉠화살이 몸에 맞아 박힘. ㉡화살을 몸에 지님.
[帶下 대하] 부인병(婦人病)의 하나. 부녀(婦女)의 음문(陰門)에서 흰빛 또는 누른빛의 분비액(分泌液)이 나오는 병(病).
[帶下醫 대하의] 여자의 병을 치료하는 의사.
[帶笏 대홀] 대대(大帶)와 홀(笏). 전(轉)하여, 문관(文官)의 예장(禮裝).
◉經帶. 控帶. 跨帶. 冠帶. 拐帶. 紘帶. 裙帶. 衿帶. 襟帶. 亘帶. 馬帶. 鞶帶. 壁帶. 寶帶. 腹帶. 付帶. 繃帶. 山厲河帶. 山河衿帶. 聲帶. 世帶. 所帶. 束帶. 綬帶. 濕帶. 紳帶. 眼帶. 連帶. 熱帶. 映帶. 玉帶. 溫帶. 緩帶. 腰帶. 繞帶. 韋帶. 流帶. 衣帶. 靭帶. 一帶. 臍帶. 地帶. 妻帶. 淺帶. 枕帶. 佩帶. 褒衣博帶. 布衣韋帶. 寒帶. 海帶. 扈帶. 携帶. 攜帶.

8 ⑪ [常] 中人 상 平陽 市羊切 cháng

筆順 丨 ⺌ 尚 尚 尚 常 常 常

字解 ①떳떳할 상, 항상 상 ㉠항구. 영구. 불변. '是謂襲—'《老子》. ㉡불변의 도(道). 늘 행하여야 할 도. 전법(典法). '五—'. '無忘國—'《國語》. ㉢당연. 정당. '權者反—者也'《後漢書》. ㉣보통의 상태. 상례(常例). '貧者士之—'《世說》. ㉤일정. 확정. '變化无—'《漢書》. ㉥평상시. '顏色不亂, 陽陽如平—'《韓愈》. ㉦늘. '—用'. '千里馬—有, 而伯樂不—有'《韓愈》. ②범상 상 범용(凡庸). '—人'. '蓋世必有非—之人'《史記》. ③두길 상 척도(尺度)의 단위. 심(尋)의 두 배. 곧, 16척(尺). '尋—尺寸'. '布帛尋—庸人不釋'《史記》. ④산앵두나무 상 장미과에 속하는 낙엽 관목. 산이스랏나무. '—棣'. '維

一之華'《詩經》. ⑤일찍 상 嘗(口部 十一畫)과 통용. '高祖一繇咸陽'《漢書》. ⑥성 상 성(姓)의 하나.

字源 金文 篆文 別體 形聲. 巾+尙〔音〕. '尙상'은 '長장'과 통하여, '길다'의 뜻. 긴 천이란 뜻으로부터 바뀌어, 길이 바뀌지 않다, 항상의 뜻을 나타냄. 또, '嘗상'과 통하여, '일찍이'의 뜻도 나타냄.

[常客 상객] 늘 오는 손.
[常車 상거] 상차(常車).
[常居 상거] 늘 거처하는 곳.
[常格 상격] 항용(恒用)의 격식(格式).
[常經 상경] 사람이 지켜야 할 떳떳한 도리(道理). 영구히 변하지 않는 법도(法度).
[常科 상과] ㉠평생(平生)의 규범(規範). ㉡통상(通常)의 할당(割當), 또는 부과(賦課).
[常軌 상궤] 떳떳하고 바른길.
[常規 상규] ㉠보통의 일반적인 규정 또는 규칙. ㉡늘 변하지 않는 규칙. 상전(常典). 상도(常度).
[常紀 상기] 항상 변하지 않는 법칙(法則).
[常談 상담] 늘 쓰는 평범한 말.
[常度 상도] ㉠영구히 변하지 않는 바른 법도(法度). ㉡평상시의 태도.
[常途 상도] 보통의 길. 전(轉)하여, 보통의 일.
[常道 상도] 때와 곳에 따라 변하지 않는 떳떳한 도리. 영구히 변하지 않는 바른길.
[常例 상례] 보통(普通)의 사례(事例). 항례(恒例).
[常禮 상례] 일정한 예의(禮儀). 또, 일상(日常)의 예절(禮節).
[常綠樹 상록수] 잎이 사시(四時)를 두고 늘 푸른 나무. 소나무·대나무 따위.
[常理 상리] 당연한 이치(理致). 떳떳한 도리(道理).
[常鱗凡介 상린범개] 흔하게 나오는 물고기와 조개. 전(轉)하여, 평범한 인물.
[常務 상무] 일상(日常)의 업무.
[常民 상민] 《韓》 보통 백성(百姓). 상사람.
[常班 상반] ㉠보통의 지위. 보통의 관등(官等). ㉡《韓》 상사람과 양반.
[常法 상법] 일정한 법.
[常辟 상벽] 일정한 법. 또, 일정한 형벌(刑罰).
[常服 상복] ㉠평상시(平常時)에 입는 옷. ㉡일월(日月)의 휘장(徽章)이 있는 천자(天子)의 융복(戎服).
[常分 상분] 이미 정하여진 분수(分數).
[常備 상비] 늘 준비(準備)하여 둠. 평상시에 베풀어 둠.
[常事 상사] ㉠보통(普通)의 일. 늘 하는 일. 일상의 일. ㉡정하여진 일. 변하지 않는 일.
[常山 상산] 운향과(芸香科)에 속하는 낙엽 관목. 봄에 황록색 꽃이 핌.
[常算 상산] 보통의 꾀.
[常山蛇勢 상산사세] ㉠회계(會稽)의 상산(常山)에 솔연(率然)이라는 뱀이 있어서 머리를 건드리면 꼬리가 이르고, 꼬리를 건드리면 머리가 오고, 허리를 찌르면 머리와 꼬리가 함께 이른다는 손자(孫子)에 나오는 고사(故事)에서 나온 말로, 이 뱀과 같이 좌우 전후가 상응하여 쳐들어올 기회를 주지 않는 진법(陣法)을 이름. ㉡문장의 수미(首尾)가 서로 조응(照應)함을 이름.
[常山舌 상산설] 당(唐)나라 현종(玄宗) 때 안녹산(安祿山)이 배반하므로 상산(常山)의 태수(太守) 안고경(安杲卿)이 그를 꾸짖다가 혀를 절단당한 일.
[常設 상설] 늘 설비(設備)하여 둠.
[常性 상성] 일정(一定)하여 변하지 않는 성질.
[常惺惺 상성성] 마음이 항상 흐리지 않고 맑음.
[常稅 상세] 일정한 세금. 항상 받는 구실.
[常羞 상수] 평상시에 늘 먹는 음식. 상식(常食).
[常數 상수] ㉠정하여진 수. 일정한 수. ㉡정하여진 운명. 자연의 운명. ㉢대수식(代數式) 중에서 일정불변(一定不變)의 수.
[常習 상습] 늘 하는 버릇.
[常勝 상승] 언제나 이김. 늘 승리함.
[常侍 상시] 항상 좌우에 모시는 사람, 또는 벼슬.
[常時 상시] 보통 때. 평상시. 평소.
[常式 상식] ㉠일정한 법률(法律). 상법(常法). ㉡일정한 격식(格式).
[常食 상식] 늘 먹는 음식.
[常識 상식] 보통(普通) 사람이 가지고 있는 이해력과 지식(知識).
[常娥 상아] 달 속에 있다는 선녀(仙女). 전(轉)하여, 달의 이칭(異稱). 항아(嫦娥).
[常藥 상약] 의서(醫書)에는 없고, 다만 민간(民間)에서 경험(經驗)으로 쓰는 약(藥).
[常羊 상양] 천천히 이리저리 거닒. 소요(逍遙). 상양(徜徉).
[常業 상업] 일정한 업무.
[常用 상용] 늘 씀. 항상 씀.
[常用漢字 상용한자] 《韓》 많고 복잡한 한자(漢字)의 불편을 피하기 위하여 제한하여 쓰는 한자.
[常遇春 상우춘] 명(明)나라 회원(懷遠) 사람. 태조(太祖)를 섬겨 군공(軍功)을 세워 벼슬이 평장군국중사(平章軍國重事)에 이르렀음.
[常願 상원] 평생의 소원.
[常義 상의] 사람이 항상 행하여야 하는 상도(常道).
[常人 상인] ㉠보통(普通) 사람. ㉡《韓》 상사람.
[常因 상인] 이미 정하여져서 변하지 않는 인연.
[常任 상임] ㉠일정한 직무를 계속하여 맡음. ㉡육경(六卿)을 이름.
[常寂光 상적광] 《佛敎》 부처의 진신(眞身)이 상주(常住)하는 곳. 열반(涅槃)의 세계.
[常情 상정] ㉠항상 품고 있는 심정. ㉡사람에게 공통(共通)되는 인정.
[常調 상조] ㉠보통의 율조(律調). 늘 듣는 가락. ㉡관리로 선용(選用)됨.
[常調擧生 상조거생] 상조(常調)는 이미 벼슬아치로 임명된 사람. 거생(擧生)은 과거(科擧)를 치르어 벼슬아치가 되고자 하는 사람.
[常存 상존] 언제나 존재함. 영구히 있음.
[常主 상주] ㉠일정한 주인(主人). ㉡임금. 천자(天子).
[常住 상주] ㉠《佛敎》 생멸(生滅) 없고 변천(變遷) 없이 늘 존재함. 영구불변임. ㉡《佛敎》 승려(僧侶)의 집물(什物). ㉢《佛敎》 항상 한 곳에 거주하여 수행하러 돌아다니지 않는 중. ㉣늘 삶. 항상 거주함.
[常住坐臥 상주좌와] 평상시의 기거좌와(起居坐臥).
[常準 상준] 일정한 법칙(法則). 항상 정해져 있는 표준(標準).
[常職 상직] 일정한 직업.

[常秩 상질] 일정한 관직. 상직(常職).
[常車 상차] 위의(威儀)를 갖춘 수레.
[常參 상참] ㉠군주(君主)에게 날마다 알현(謁見)함. ㉡항상 출근(出勤)함.
[常處 상처] 일정한 곳.
[常賤 상천] 《韓》상인(常人)과 천인(賤人).
[常棣 상체] ㉠산앵두나무. ㉡시경(詩經) 중의 일편(一篇). 형제(兄弟)가 화목하게 술을 마시며 즐기고 있는 것을 노래한 것. ㉢형제(兄弟). 당체(唐棣).
[常春藤 상춘등] 새모래덩굴과에 속하는 상록 만목(常綠蔓木). 가을에 황록색 꽃이 핌. 댕댕이덩굴. 송악.
[常置 상치] 항상 베풀어 둠.
[常態 상태] 일정한 태(態).
[常套 상투] 항상 하는 투(套).
[常平倉 상평창] 미가(米價)의 조절을 위하여 정부에서 설치한 창고. 한(漢)나라 선제(宣帝) 때 시작되었음.
[常刑 상형] ㉠일정한 법도(法度). ㉡일정한 형벌(刑罰).
[常形 상형] 정해진 모양. 정형(定形).
[常懷 상회] 늘 품고 있어 변하지 않는 마음. 항심(恒心).
◉綱常. 居常. 經常. 故常. 舊常. 國常. 達常. 大常. 目常. 無常. 凡常. 不常. 非常. 貧者士常. 司常. 三綱五常. 三常. 殊常. 習常. 襲常. 尋常. 五常. 庸常. 倫常. 異常. 日常. 典常. 正常. 諸行無常. 眞常. 天常. 通常. 平常. 恒常.

9 ⑫ [帽] [人名] 모 [去]號 莫報切 mào

[字解] ①건 모 두건. '冠一'. '一自天子, 下及庶人, 通冠之'《隋書》. ②두겁 모 붓두껍. '寫完卽加筆一, 免挫筆鋒'《洞天筆錄》.
[字源] 形聲. 巾+冒〔音〕. '冒모'는 '쓰다, 모자'의 뜻. '巾건'을 붙이어 모자의 뜻을 나타냄. 원자(原字)는 '冃'이었으나, '目·月' 등과의 구별이 어려워, 이 자형(字形)이 되었음.

[帽帶 모대] 사모(紗帽)와 각대(角帶).
[帽子 모자] ㉠건. 두건(頭巾). 자(子)는 조자(助字). ㉡예의를 갖추거나 또 추위와 더위를 막기 위하여 쓰는 물건의 총칭(總稱).
[帽章 모장] 모자의 기장(記章).
[帽簷 모첨] 모자의 차양.
◉角帽. 冠帽. 落帽. 複帽. 紗帽. 禮帽. 遼帽. 氈帽. 制帽. 着帽. 吹帽. 脫帽. 弊衣破帽. 筆帽. 學帽.

9 ⑫ [帾] 도 [上]麌 當古切 dǔ

[字解] 기(旗) 도 '無一絲歶縷翣其貌'《荀子》.
[字源] 形聲. 巾+者〔音〕

9 ⑫ [幀] [人名] 정 [去]敬 猪孟切 zhèng

[筆順] 冂 巾 巾' 巾⺊ 帖 帕 幀 幀
[字解] ①그림족자 정 비단에 그린 화폭(畫幅). ②그림틀 정, 수틀 정 그림을 그리거나 수를 놓는, 비단을 팽팽히 켕기게 하기 위하여 쓰는 나무로 만든 테. '一撐也, 以木爲框, 撐張絹繪以便作畫也, 今女子以絹帛綳木框而刺繡, 亦謂之一'《品字箋》.
[字源] 形聲. 巾+貞〔音〕

◉裝幀.

9 ⑫ [幃] 위 [平]微 雨非切 wéi

[字解] ①휘장 위 홑겹으로 된 휘장. '一帳'. '垂一痛飮而已'《南唐近事》. ②향낭 위 향을 넣는 주머니. '蘇糞壤以充一兮'《楚辭》.
[字源] 金文 篆文 形聲. 巾+韋〔音〕. '韋위'는 '圍위'와 통하여, '에워싸다'는 뜻. 에워싸기 위한 천, '휘장'의 뜻을 나타냄.

[幃幕 위막] 휘장과 막.
[幃幔 위만] 휘장(揮帳).
[幃屛 위병] 휘장. 병풍.
[幃室 위실] 휘장을 친 방.
[幃幄 위악] 휘장.
[幃帟 위역] ㉠내실의 휘장. ㉡작전 계획을 짜는 곳.
[幃帳 위장] 휘장.
[幃幌 위황] 휘장.
◉羅幃. 屛幃. 書幃. 紙幃.

9 ⑫ [㡏] 유 ①[平]虞 容朱切 yú ②[平]尤 餘昭切

[字解] ①자투리 유 재단(裁斷)하고 난 토끝. '一, 裁殘帛也'《廣韻》. ②등거리 유 소매가 없는 옷. 褕(衣部 九畫)와 통용. '褕, 襜褕, 短袖襦, 或从巾'《集韻》.
[字源] 篆文 形聲. 巾+兪〔音〕. '兪유'는 '후벼 내다'의 뜻을 나타냄. 잘라 낸 뒤의 나머지 헝겊을 뜻함.

9 ⑫ [幄] [人名] 악 [入]覺 於角切 wò

[字解] 휘장 악, 장막 악 위와 사방을 둘러치는 막. '帷一'. '幕人掌帷幕一帟綬之事'《周禮》.
[字源] 形聲. 巾+屋〔音〕. '屋옥'은 '방'의 뜻. 천으로 된 방, 곧 천막의 뜻을 나타냄.

[幄幕 악막] 군영(軍營)에 쓰는 막(幕). 진중(陣中)의 장막.
[幄帷 악유] 휘장. 장막(帳幕).
[幄帳 악장] 휘장. 장막.
[幄殿 악전] 휘장을 둘러친 궁전.
[幄座 악좌] 휘장을 둘러친 자리.
[幄中 악중] 막을 친 안. 대장의 진영 안.
◉經幄. 裙幄. 閫幄. 宸幄. 油幄. 帷幄. 紫幄. 帳幄. 綵幄.

9 ⑫ [㡒]
[一] 준 [平]眞 直倫切 zhūn
[二] 춘 [平]眞 陟綸切
[三] 순 [平]眞 測倫切
[四] 돈 [上]阮 徒損切

[字解] [一] ①쌀자루 준 '一, 載米䶌也'《說文》. ②주머니 준 '一, 布貯'《廣韻》. ③깃끝 준. [二] 쌀자루 춘, 주머니 춘, 깃끝 춘 [一]과 뜻이 같음. [三] 쌀자루 순, 주머니 순, 깃끝 순 [一]과 뜻이 같음. [四] 쌀자루 돈, 주머니 돈, 깃끝 돈 [一]과 뜻이 같음.

[字源] 形聲. 巾+盾〔音〕

9 ⑫ [帿] 후 [平]尤 胡溝切 hóu

[字解] 과녁 후 侯(人部 七畫)와 同字.

9 ⑫ [幅] [高人] [一] 폭 [入]屋 方六切 fú
[二] 핍(벽[本]) [入]職 彼側切 bī

[筆順] 冂 巾 巾 帀 帀 幅 幅 幅 幅

[字解] [一] ①폭 폭 ㉠넓이. '一員旣長'《詩經》. ㉡족자 또는 서간(書簡) 등을 세는 수사(數詞). '勉爲新詩章, 月寄三四一'《韓愈》. ②가 폭 좌우의 가장자리. '邊一'. '夫富如布帛之有一焉'《左傳》. ③포백 폭 직물. '繡文錦一'《孫樵》. ④족자 폭 서화의 축(軸). '獨一山水'《揮塵錄》. [二] 행전 핍 무릎 아래에 매는 물건. '帶裳一爲'《左傳》.

[字源] [篆文] 形聲. 巾+畐〔音〕. '畐복'은 '鄙비'와 통하여, 어떤 넓이를 수반한 물건의 주변부의 뜻. '巾건'은 '천 조각'의 뜻. 천의 가장자리, 폭의 뜻에서, 일반적으로, '가장자리'의 뜻을 나타냄.

[幅巾 폭건] 머리를 뒤로 싸 덮는, 비단으로 만든 두건(頭巾). 은사(隱士) 등이 쓰는 것.
[幅裂 폭렬] 끊어져 째진 분열.
[幅利 폭리] 포목(布木)에 일정한 폭이 있듯이, 이익을 얻는 데도 정도에 알맞게 함.
[幅員 폭원] ㉠폭과 주위. 넓이와 둘레. ㉡토지(土地)의 넓이. 강역(疆域)을 이름.
[幅隕 폭원] 넓이와 둘레. 폭원(幅員).
[幅尺 폭척] 넓이와 길이.
◉巾幅. 大幅. 獨幅. 滿幅. 半幅. 配幅. 襞幅. 邊幅. 邪幅. 書幅. 素幅. 帳幅. 全幅. 終幅. 紙幅. 振幅. 震幅. 充幅. 畫幅. 擴幅. 環幅. 橫幅.

9 ⑫ [幝] 〔곤〕
褌(衣部 九畫〈p.2070〉)과 同字

[字源] [篆文] 形聲. 巾+軍〔音〕. '軍군'은 '두르다'의 뜻. 발에 두르는 천, '잠방이'의 뜻을 나타냄.

9 ⑫ [幂] 멱 [入]錫 莫狄切 mì

[字解] 덮을 멱 冪(冖部 十四畫)과 同字. '一八尊'《周禮》.

[幂幂 멱멱] 구름 따위가 덮는 모양.
◉蓋幂.

9 ⑫ [幇] 〔방〕
幫(巾部 十四畫〈p.683〉)과 同字

9 ⑫ [㡊] 〔갑〕
帢(巾部 六畫〈p.671〉)과 同字

9 ⑫ [㡉] 〔돈〕
豚(豕部 四畫〈p.2174〉)의 古字

10 ⑬ [㡝] 몽 [平]東 莫紅切 méng
[去]送 莫弄切

[字解] 보 몽 물건을 덮거나 싸는 보. '一, 蓋衣也'《說文》.

[字源] [篆文] 形聲. 巾+冡〔音〕. '冡몽'은 '덮다'의 뜻. 덮어씌우는 천의 뜻을 나타냄.

10 ⑬ [𢅥] 비 [平]齊 邊兮切 bī

[字解] ①수레포장 비 '一, 車一也'《玉篇》. ②포렴 비 휘장. '一, 幃也'《廣雅》.

10 ⑬ [幌] [人名] 황 [上]養 胡廣切 huǎng

[字解] ①휘장 황 장막. '卷一通河色, 開窓引月輝'《梁簡文帝》. ②덮개 황 포장. 휘장처럼 된, 덮어 가리는 헝겊. '小爐低一還遮掩'《陸龜蒙》.

[字源] 形聲. 巾+晃〔音〕. '晃황'은 '흔들거리다'의 뜻. 수레 따위를 덮고 달릴 때마다 흔들거리는 '포장'의 뜻.

◉蚊幌. 書幌. 幃幌. 襜幌. 寢幌. 戶幌.

10 ⑬ [幍] 도 [平]豪 他刀切 tāo

[字解] ①보 도 '一, 巾帙也'《集韻》. ②끈 도 여러 겹으로 꼰 끈. 絛(糸部 七畫)와 同字.

10 ⑬ [幏] 가 [去]禡 古訝切 jià
[平]麻 古牙切

[字解] 구실베 가 만이(蠻夷)의 공물(貢物)인 직물(織物). '其民戶出一布八丈二尺'《後漢書》.

[字源] [篆文] 形聲. 巾+家〔音〕

10 ⑬ [幎] 멱 [入]錫 莫狄切 mì

[字解] ①덮을 멱, 가릴 멱 덮어 가림. '一目用緇'《儀禮》. ②고르게할 멱 균일하게 하는 모양. '欲其一爾而下迆也'《周禮》.

[字源] [篆文] 形聲. 巾+冥〔音〕. '冥명'은 '덮다'의 뜻. 덮는 천의 뜻을 나타냄.

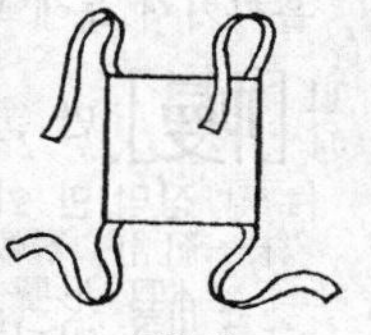
[幎目]

[幎歷 멱력] 나타났다 사라졌다 하는 모양. 보이다 보이지 않다 하는 모양.
[幎冒 멱모] 멱목(幎目).
[幎帽 멱모] 멱모(幎冒).
[幎目 멱목] 소렴(小斂) 때에 시체(屍體)의 얼굴을 싸는 검은 헝겊. 네 귀에 끈을 달았음.

10 ⑬ [𢄼] 구 [平]尤 居侯切 gōu

[字解] ①갑옷 구 옛날 싸울 때 입던 옷. '一, 甲衣也'《玉篇》. ②홑옷 구 겹옷이 아닌 옷. 褠(衣部 十畫)와 同字.

10 ⑬ [㡘] 렴 [平]鹽 力鹽切 lián

[字解] 휘장 렴 문(門)에 치는 포렴(布簾). '一, 帷也'《說文》.

[字源] [篆文] 形聲. 巾+兼〔音〕. '兼겸'은 가지런히 줄짓다의 뜻. 문밖에 다는 헝겊으로 만든 포렴.

10 ⑬ [幐] 등 [平]蒸 徒登切 téng

[字解] ①향주머니 등 향낭(香囊). '一, 囊也'《說文》. ②주머니 등 '凡囊皆曰一'《說文 段注》.
[字源] 篆文 形聲. 巾+朕〔音〕

10 ⑬ [帣] 〔권〕
帣(巾部 六畫〈p. 673〉)의 本字

10 ⑬ [幋] 반 [平]寒 薄官切 pán

[字解] ①횃대보 반 옷을 싸 덮는 큰 보. '一覆衣大巾也'《說文》. ②머리꾸미개 반 '一, 或以爲首一'《說文》.
[字源] 篆文 形聲. 巾+般〔音〕. '般반'은 '크다'의 뜻. 큰 보자기를 뜻함.

11 ⑭ [幏] 봉 [去]宋 房用切 fèng

[字解] ①수건 봉 '一, 巾也'《玉篇》. ②표제(標題) 봉 '一, 款書也'《集韻》.

11 ⑭ [幗] 괵 [入]陌 古獲切 guó

[字解] 머리장식 괵 부인의 머리를 장식하는 데 쓰는 헝겊. '巾一'. '紺一縚一'《晉書》.
[字源] 篆文 形聲. 巾+國〔音〕. '國국'은 둘레로 빙 둘러싸다의 뜻을 나타냄.

◉巾幗. 遺幗.

11 ⑭ [幖] 표 [平]蕭 甫遙切 biāo

[字解] ①표지 표, 기(旗) 표 알리기 위하여 하는 표. 또, 그 기(旗). ②펄럭거릴 표 기(旗) 같은 것이 나부끼는 모양. '旌竿一一旗燿燿'《杜牧》. ③주기(酒旗) 표 술집에 내거는 기. '一, 又今酒旗, 俗稱一'《正字通》.
[字源] 篆文 形聲. 巾+票(㶾)〔音〕. '㶾표'는 불티가 날아오른다는 뜻. 불티처럼 높이 올라가서 눈에 띄는 표시의 뜻을 나타냄.

11 ⑭ [幔] 만 [去]翰 莫半切 màn

[字解] 장막 만 여러 폭을 이어 댄 휘장. '一幕'. '朱一紅舒, 翠幙蜺連'《張協》.
[字源] 篆文 形聲. 巾+曼〔音〕. '曼만'은 길게 '자라다'의 뜻. 점점 늘어나는 가로막(幕)의 뜻을 나타냄.

[幔幕 만막] 막(幕). 휘장.
[幔城 만성] 장막으로 둘러싼 임시의 성.
[幔室 만실] 비단 휘장을 둘러친 방.
[幔屋 만옥] 막을 둘러친 옥사(屋舍).
[幔帷 만유] 휘장. 장막. 사면으로 늘어지는 것은 만, 한쪽으로 늘어지는 것은 유(帷).
◉羅幔. 油幔. 帷幔. 帳幔. 翠幔. 毳幔. 花幔.

11 ⑭ [幅] 구 ①[平]尤 虛侯切 kóu ②[平]虞 權俱切 qú

[字解] ①깍지 구 활 쏠 때 손가락에 끼는 제구. 抉(手部 四畫)과 뜻이 같음. ②신코꾸밈실 구 엄지총 부분을 장식하는 실. 絇(糸部 五畫)와 同字.

11 ⑭ [幓] [一] 삼 [平]鹽 師炎切 shān [二] 섬 [平]侵 疏簪切 shēn

[字解] [一] 수레장식드리울 삼 수레에 장식한 것이 드리운 모양. '灕虖一纚'《漢書》. [二] 기폭 섬 기의 바탕 헝겊. '旗正幅爲一'《集韻》.
[字源] 形聲. 巾+參〔音〕

11 ⑭ [幓] 루 [平]尤 郎侯切 lóu

[字解] 말먹이자루 루 말에게 물을 담아 먹이는 자루. 일설에는, 풀 먹이는 자루. '一, 飤馬橐'《正字通》.

11 ⑭ [幘] 책 [入]陌 側革切 zé

[字解] ①머리싸개 책 머리를 싸는 헝겊. '岸一'. '古者有冠無一'《後漢書》. ②볏 책 계관(雞冠). '全如雞一丹'《梅堯臣》.
[字源] 篆文 形聲. 巾+賁(責)〔音〕. '賁책'은 '쌓다'의 뜻. 겹쳐 쌓아서 휩싸는 천의 뜻을 나타냄.

◉介幘. 巾幘. 空頂幘. 卷幘. 鹿幘. 半幘. 岸幘. 平上幘.

11 ⑭ [幝] 조 [平]豪 臧曹切 zāo

[字解] ①깔개 조 요, 방석, 자리 따위. '一, 藉也'《玉篇》. ②옷자락 조.

11 ⑭ [幣] [一] 세 [入]屑 私列切 xiè [二] 설 [入]屑 相絕切 xuě

[字解] [一] ①자투리 세 재단하고 남은 헝겊. '一, 殘帛也'《說文》. ②나머지 세 잔여(殘餘). '一, 餘也'《廣雅》. [二] 조화(造花) 설 만든 꽃. 가화(假花). '一縷, 桃花, 今製綾花'《廣韻》.
[字源] 篆文 形聲. 巾+祭〔音〕. '祭제'는 손끝으로 집어 올리다〔擦〕의 뜻. 마르고 남은 작은 헝겊 조각.

11 ⑭ [幙] [一] 幕(次次條)과 同字 [二] 模(木部 十一畫〈p. 1103〉)와 同字

11 ⑭ [幑] 휘 [平]微 許歸切 huī

[字解] 표기 휘 표지(標識)가 있는 기(旗). 徽(彳部 十四畫)와 同字. '揚一者公徒也'《左傳》.
[字源] 篆文 形聲. 巾+微〈省〉〔音〕. '微미'는 '작다'의 뜻. 안표용(眼票用)으로 붙이는 작은 헝겊의 뜻.

11 ⑭ [幕] [高人] 막 [入]藥 慕各切 mù

[筆順] ' 十 艹 苜 苴 莫 幕 幕

[字解] ①장막 막 휘장. 천막. '帷一'. '就一而會'《國語》. ②막부 막 장군이 군무(軍務)를 보는 군막(軍幕). 중국에서, 옛날에 장군을 상치(常置)하지 아니하고 유사시(有事時)에 특히

임명하였다가 일이 끝나면 해직(解職)하였으므로, 청사(廳舍)가 없이 장막을 쳐서 집무소로 삼았던 데서 유래(由來)함. '同佐鄭少師宣州一'《摭言》. ③덮을 막 덮어 가림. '井收勿一'《易經》. ④사막 막 漠(水部 十一畫)과 통용. '衞靑將六將軍絶一'《漢書》. ⑤성 막 성(姓)의 하나.
[字源] 甲骨文 篆文 形聲. 巾+莫(茻)[音]. '茻막'은 해가 풀덤불로 숨는 모양에서, 싸 감추다의 뜻. 싸 감추기 위한 천, '막'의 뜻을 나타냄.

[幕南 막남] 내몽고(內蒙古)의 고비 사막(沙漠)의 남쪽. 막남(漠南).
[幕絡 막락] 덮고 두르고 함.
[幕僚 막료] ㉠장군을 보좌하는 참모관(參謀官). ㉡고문(顧問).
[幕吏 막리] 막부(幕府)의 벼슬아치. 장군(將軍)의 부하(部下).
[幕府 막부] ㉠장군(將軍)이 집무(執務)하는 곳. 자해(字解) ❷를 보라. ㉡절도사(節度使) 등이 집무하는 곳.
[幕北 막북] 막삭(幕朔). 막북(漠北).
[幕賓 막빈] 입막지빈(入幕之賓)의 뜻으로, 비밀 모의(謀議)에 참여하여 막부의 빈객의 예우(禮遇)를 받는 사람.
[幕舍 막사] 임시로 되는대로 허름하게 지은 집.
[幕朔 막삭] 사막(沙漠)의 북쪽이란 뜻으로, 고비 사막 이북의 몽고 지방을 이름.
[幕上燕 막상연] 펄럭거리는 장막의 곁에 집을 짓고 사는 제비. 곧, 극히 위험한 지위에 있는 사람의 비유.
[幕上之燕巢 막상지연소] 장막의 제비 집. 위험한 것의 비유. 막상연(幕上燕).
[幕臣 막신] 막부(幕府)에 직속(直屬)하는 신하.
[幕燕 막연] ㉠사막의 제비. 북쪽 제비. ㉡막상연(幕上燕).
[幕營 막영] ㉠임시로 막을 치고 만든 군진. ㉡장군이 있는 진영. 본진(本陣).
[幕屋 막옥] 휘장을 둘러친 옥사(屋舍).
[幕友 막우] 막료(幕僚).
[幕議 막의] 막부의 평의(評議).
[幕庭 막정] 장막을 친 뜰. 전(轉)하여, 장군이 사무를 보는 곳.
[幕天席地 막천석지] 하늘을 장막으로 삼고 땅을 자리로 삼는다는 뜻으로, 지기(志氣)가 웅대(雄大)한 형용.
[幕下 막하] ㉠대장(大將)의 휘하(麾下). ㉡장군(將軍)의 경칭(敬稱).
◉開幕. 見幕. 舊幕. 軍幕. 羅幕. 倒幕. 同幕. 幔幕. 膚幕. 序幕. 幄幕. 暗幕. 帟幕. 煙幕. 簾幕. 帷幕. 留幕. 六幕. 銀幕. 入幕. 字幕. 除幕. 終幕. 佐幕. 天幕. 鐵幕. 閉幕. 黑幕.

12
⑮ [幝] 천 [上]銑 昌善切 chǎn
[字解] 수레휘장해질 천 수레의 장막이 해져 너풀거리는 모양. '檀車一一'《詩經》.
[字源] 篆文 形聲. 巾+單[音]. '單선'은 '튀기다'의 뜻. 수레의 덮개 천이 찢어져서 펄럭이다의 뜻을 나타냄.

12
⑮ [幬] 〔주·도〕
幬(巾部 十四畫〈p.683〉)의 本字

12
⑮ [幇] 〔방〕
幫(巾部 十四畫〈p.676〉)의 俗字

12
⑮ [幞] 복 [入]沃 房玉切 fú
[字解] 건 복 두건(頭巾). '戴一頭'《詩話總龜》.
[字源] 篆文 形聲. 巾+菐[音]

[幞頭 복두] 두건(頭巾)의 하나. 후주(後周)의 무제(武帝)가 처음 만들었음. 전각 복두(展脚幞頭)와 교각 복두(交脚幞頭)의 두 가지가 있음.

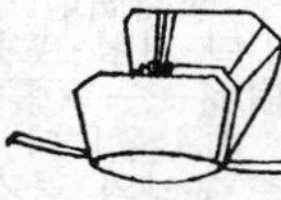
[展脚幞頭]

[交脚幞頭]

12
⑮ [㡤] 획 [入]陌 忽麥切 huà
[字解] 비단찢는소리 획 '一, 裂帛聲'《玉篇》.

12
⑮ [幟] [人名] 치 [去]寘 昌志切 zhì
[字解] 표기 치 표지(標識)가 있는 기. '旗一'. 전(轉)하여, 다만 '표지'의 뜻으로도 쓰임. '以采縒縫其裾爲一'《後漢書》.
[字源] 篆文 形聲. 巾+戠[音]. '戠식·치'는 '識식·지'와 통하여, 구별하는 표시의 뜻. 표지로 삼는 기(旗)의 뜻을 나타냄.

◉旗幟. 幡幟. 疑幟. 赤幟. 旌幟. 標幟. 虛幟. 麾幟. 徽幟.

12
⑮ [幡] [人名] 번 [平]元 孚袁切 fān
[字解] ①표기 번 표지(標識)가 있는 기(旗). '一旗'. ②나부낄 번 기 같은 것이 펄럭거림. 翻(羽部 十二畫)과 통용. '一一'. '旣而一然改'《孟子》.
[字源] 篆文 形聲. 巾+番[音]. '番번'은 방사상(放射狀)으로 퍼지다의 뜻. 퍼지는 천 조각, 행주의 뜻을 나타냄. 또, '旛번'과 통하여, '기(旗)'의 뜻으로도 쓰임.

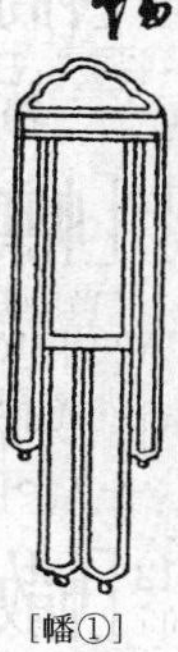
[幡①]

[幡竿 번간] 깃대.
[幡蓋 번개] 기와 천개(天蓋).
[幡旗 번기] 표지(標識)가 있는 기.
[幡幡 번번] ㉠펄펄 나부끼는 모양. ㉡위의(威儀)가 없이 경솔한 모양. ㉢박 잎이 움직이는 모양.
[幡纚 번사] 펄펄 나부끼는 모양.
[幡信 번신] 기로 알리는 지시.
[幡然 번연] ㉠나부끼는 모양. ㉡갑자기 마음이 변하는 모양.
[幡紙 번지] 옛날에 글자를 쓰는 데 쓴 비단.
[幡幟 번치] 표지가 있는 기. 표기.
◉三幡. 信幡. 翩幡. 風幡.

12
⑮ [幜] 경 [上]梗 居永切 jǐng
[字解] ①비단 경 '一, 帛也'《玉篇》. ②너울 경 옷 위에 덧씌워 먼지를 막는 쓰개. 景(日部 八畫)과 통용. '後齊納后禮, 皇后服大嚴繡衣, 帶綬

佩, 加一. 入昭陽殿, 前至席位, 姆去一'《隋書》.
[字源] 形聲. 巾+景〔音〕

12 ⑮ [幢] [人名] 당 [平]江 宅江切 chuáng

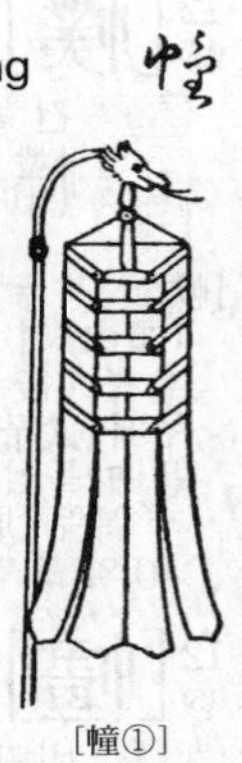
[幢①]

[字解] ①기 당 의장(儀仗) 또는 지휘하는 데 쓰는 기. '建一棨, 植羽葆'《漢書》. ②굄목 당 버팀목. 지주(支柱). '七寶金一, 擎瑠璃地'《觀無量壽經》. ③늘어질 당 새털·포목 등의 늘어진 모양. '樹羽一一'《張衡》.
[字源] 篆文 形聲. 巾+童〔音〕. '童동'은 통 모양의 물건이 늘어지는 모양. 또, '鐘종'과 통하여, '종'의 뜻. 천을 종 모양으로 만든 '기(旗)'의 뜻을 나타냄.

[幢蓋 당개] 작은 기를 단 창과 붉은 갓·장군·자사(刺史)의 의제.
[幢棨 당계] 창(槍)으로 깃대를 한 기(旗). 기창(旗槍).
[幢戟 당극] 기(旗)가 달린 창(槍).
[幢幢 당당] ㉠화영(火影)이 움직이는 모양. ㉡새털·포목 따위가 늘어진 모양.
[幢幡 당번] ㉠기(旗). ㉡불당(佛堂)을 장식하는 기(旗).
[幢旛 당번] 당번(幢幡).
[幢牙 당아] 대장(大將)이 세우는 기. 대장기(大將旗).
[幢主 당주] 일군(一軍)의 우두머리.
◉法幢. 石幢. 牙幢. 羽葆幢. 麾幢.

12 ⑮ [⿰巾喬] 교 [平]蕭 丘祆切 qiāo
[字解] 끈 교, 바지끈 교 繑(糸部 十二畫)와 同字. '一, 袴一也'《玉篇》.

12 ⑮ [幠] 무 [平]虞 荒烏切 hū
[字解] ①덮을 무 덮어 가림. '一用斂衾'《禮記》. ②업신여길 무 깔봄. '毋一毋敖'《禮記》.
[字源] 篆文 形聲. 巾+無(霖)〔音〕. '霖무'는 덮어 가려서 보이지 않게 하다의 뜻. 물건을 덮어 가리는 천.

12 ⑮ [⿰巾散] 산 [上]旱 蘇旱切 sǎn / [去]翰 先旰切
[字解] 일산(日傘) 산 수레 같은 데에 볕을 가리기 위하여 쓰이는 것. 繖(糸部 十二畫)·傘(人部 十畫)과 同字. '功曹吏一扇騎從'《晉書》.
[字源] 形聲. 巾+散〔音〕

12 ⑮ [幩] 〔분〕
幩(巾部 十三畫〈p. 682〉)의 俗字

12 ⑮ [⿰巾須] 수 [平]虞 相俞切 xū
[字解] 쪽끈 수 부인(婦人)이 쪽을 찔 때 머리카락을 묶는 끈. '婦人成服, 布頭一, 用略細麻布一條爲之. 長八寸, 用以束髮根, 而垂其餘于後'《朱子家禮》.

12 ⑮ [幣] [高人] 폐 [去]霽 毗祭切 bì
[筆順] 丷 㡀 巾 㡀 㡀 敝 敝 幣
[字解] ①비단 폐 견직물. '皮一'. ②폐백 폐 예물로 보내는 비단. 전(轉)하여, 널리 예물. '一物'. '一美則沒禮'《儀禮》. ③돈 폐 전화(錢貨). '錢一'. '改一以約之'《漢書》. ④재물 폐 재화. '以珠玉爲上一'《管子》.
[字源] 篆文 形聲. 巾+敝〔音〕. '敝폐'는 '拜배'와 통하여, '절하다'의 뜻. 신에게 절하고 바치는 천의 뜻을 나타냄.

[幣貢 폐공] 공물(貢物).
[幣馬 폐마] 선물의 말.
[幣物 폐물] ㉠예물(禮物). ㉡공물(貢物).
[幣帛 폐백] ㉠예물(禮物)로서 보내는 비단. ㉡재화(財貨).
[幣聘 폐빙] 예물을 보내서 사람을 초청함.
[幣制 폐제] 화폐(貨幣)에 관한 제도.
[幣獻 폐헌] 선물.
◉官幣. 金幣. 納幣. 寶幣. 奉幣. 聘幣. 使幣. 歲幣. 宿幣. 量幣. 御幣. 財幣. 楮幣. 錢幣. 正幣. 造幣. 重幣. 紙幣. 贄幣. 職幣. 徵幣. 泉幣. 皮幣. 貨幣. 厚幣.

13 ⑯ [幨] 첨 ①②[平]鹽 處占切 chān / ③[去]豔 昌擔切 chàn
[字解] ①수레휘장 첨 차체(車體)를 둘러치는 휘장. '一帷'. '擁蓋垂一, 其榮可喜'《歐陽修》. ②끊을 첨 단절함. '筋之所由一'《周禮》. ③옷깃 첨 '列大夫豹一'《管子》.
[字源] 形聲. 巾+詹〔音〕. '詹첨'은 '檐첨'과 통하여, '처마'의 뜻. 처마처럼 늘어진 천, 휘장·포장의 뜻을 나타냄.

[幨帷 첨유] ㉠수레의 휘장. ㉡남을 공경하여 일컫는 말.

13 ⑯ [幧] 조 [平]蕭 七遙切 qiāo
[字解] 머리띠 조 머리에 감는 헝겊. '少年見羅敷, 脫帽着一頭'《古樂府》.
[字源] 篆文 形聲. 巾+喿〔音〕. '喿소'는 '操조'와 통하여, 요란스러운 물건을 거머쥐다의 뜻. 머리칼을 묶어 감는 헝겊.

13 ⑯ [⿰巾敫] 교 [上]篠 吉了切 jiǎo / [去]嘯 吉弔切
[字解] 행전 교, 각반 교 '一脛'. '行縢謂之一'《集韻》.

13 ⑯ [幩] 분 [平]文 符分切 fén
[字解] 말장식 분 말의 재갈 장식. '朱一鑣鑣'《詩經》.
[字源] 篆文 形聲. 巾+賁〔音〕. '賁분'은 '장식하다'의 뜻.

13 ⑯ [幦] 멱 [入]錫 莫狄切 mì
[字解] 수레뚜껑 멱 차개(車蓋). '君羔一虎犆'《禮記》.

[字源] 篆文 形聲. 巾+辟〔音〕. 흑자색(黑赭色) 옻칠을 입힌 천, 또, 가죽 천. 우의(雨衣) 또는 수레의 식(軾)의 덮개로 썼음.

13 ⑯ [⿱艹冪] 〔멱〕
幭(巾部 十五畫〈p. 683〉)과 同字

[冪] 〔멱〕
冖部 十四畫(p. 227)을 보라.

14 ⑰ [幪] 몽 ①[平]東 莫紅切 méng ②[上]董 母總切 měng

[字解] ①덮을 몽 덮어 가림. 또, 그 물건. '知夏屋之爲帲—也'《揚子法言》. ②무성할 몽 초목이 무성한 모양. '麻麥——'《詩經》.
[字源] 形聲. 巾+蒙〔音〕. '蒙몽'은 '덮다'의 뜻.

[幪幪 몽몽] 초목이 무성한 모양.

14 ⑰ [㡚] 람 [平]覃 盧甘切 lán

[字解] ①단없는옷 람 '—, 楚謂無緣衣也'《說文》. ②털옷 람 '—極, 毳也'《揚子方言》.
[字源] 篆文 形聲. 巾+監〔音〕.

14 ⑰ [幬] [一] 주 [入]尤 直由切 chóu [二] 도 [去]號 徒到切 dào 帱

[字解] [一] ①휘장 주 장막 '—帳'. '蹇余—而請御'《宋玉》. ②바퀴통가죽 주 수레의 바퀴통을 싸는 가죽. '欲其—之廉也'《周禮》. [二] 덮을 도 덮어 가림. '如天之無不持載無不覆—'《中庸》.
[字源] 金文 篆文 形聲. 巾+壽(𠷎)〔音〕. '𠷎주·수'는 한 줄로 늘어놓다의 뜻. 늘어놓은 천, '휘장'의 뜻을 나타냄. 金文은 '𠷎'만으로 나타냈으나, 篆文에서는 '巾건'이 첨가됨.

[幬帳 주장] ㉠휘장. 장막. ㉡모기장.
◉羅幬. 蚊幬. 覆幬.

14 ⑰ [⿰𠂤帚] 〔귀〕
歸(止部 十四畫〈p. 1144〉)의 略字

14 ⑰ [幰] 은 [去]問 於靳切 yìn

[字解] ①굽을 은, 틀릴 은. ②쌀 은 안에 넣고 묶어 쌈. '—, 裹也'《廣雅》.

14 ⑰ [幫] 방 [平]陽 博旁切 bāng 帮

[字解] ①도울 방 보좌함. '—助補說'《傳習錄》. ②패거리 방 동아리. '四人—'. ③《現》단체 방 동향인(同鄉人)·동업자 등의 단체나 비밀 결사(祕密結社).
[字源] 形聲. 帛(巾+白)+封〔音〕
[參考] 幇(巾部 九畫)과 同字.

[幫間 방간] 두 사람 사이에 서서 주선하는 사람. 거간꾼.
[幫助 방조] 도와줌.

15 ⑱ [幭] [一] 멱 [入]錫 莫狄切 [二] 멸 [入]屑 莫結切 miè

[字解] [一] ①덮개 멱 물건을 덮는 천. ②잠옷 멱 '—, 一日, 禪被也'《說文》. ③수레뚜껑 멱 수레 위에 덮는 덮개. 차개(車蓋). 차복(車覆). '鞹鞃淺—'《詩經》. ④머리띠 멱. [二] 수레뚜껑 멸 [一]과 뜻이 같음.
[字源] 篆文 形聲. 巾+蔑〔音〕. '蔑멸'은 '보이지 않다'의 뜻. 천으로 보이지 않게 하는 '덮개'의 뜻을 나타냄.

15 ⑱ [幯] 절 [入]屑 子結切 jié

[字解] 걸레질할 절 '—, 拭也'《玉篇》.

15 ⑱ [幮] 주 [平]虞 直誅切 chú

[字解] 휘장 주 네모지게 둘러치는 휘장. 모기장 따위. '蚊—'. '葛—竹簟夜更涼'《陸游》.
[字源] 形聲. 巾+廚〔音〕

16 ⑲ [⿰巾篾] 멱 [入]錫 莫狄切 miè

[字解] 수레덮개 멱 수레의 덮는 뚜껑. 篾(竹部 十二畫)과 同字.

16 ⑲ [幰] 헌 [上]阮 虛偃切 xiǎn

[字解] 수레휘장 헌 수레에 치는 휘장. '弗許施—'《隋書》.
[字源] 篆文 形聲. 巾+憲〔音〕. '憲헌'은 위에서 '덮어씌우다'의 뜻.

17 ⑳ [幱] 란 [平]寒 落干切 lán

[字解] 철릭 란 윗옷과 아랫도리옷이 잇대어 된 의복. '—, 衣與裳連也'《正字通》.

17 ⑳ [⿰巾韱] 첨 [平]鹽 ①子廉切 jiān ②七廉切 qiān

[字解] ①걸레질할 첨 '—, 拭也'《說文》. ②표지첨 알아보도록 표한 것. '—, 標識也'《集韻》.
[字源] 篆文 形聲. 巾+韱〔音〕. '韱첨·섬'은 작은 것까지 다하다의 뜻. 천으로 남김없이 닦다, 훔치다의 뜻.

17 ⑳ [⿰巾登] 쟁 [去]敬 豬孟切 zhèng

[字解] 그림깁붙일 쟁 그림 그린 깁을 틀에 펴서 붙임. '—, 開張畫繪也'《廣韻》.

18 ㉑ [⿰巾雙] 쌍 [平]江 疎江切 shuāng

[字解] 돛 쌍 欆(木部 十八畫)과 同字.

18 ㉑ [⿰巾夒] [一] 논 [平]元 乃昆切 nún [二] 뇌 [平]灰 乃回切 néi [三] 난 [上]旱 乃坦切 [去]翰 奴案切

[字解] [一] ①바를 논 '—, 墀地也. 以巾撋之'《說文》. ②훔칠 논 걸레로 지댓돌을 훔침. ③붙을 논 '—, 一日著也'《說文》. [二] 바를 뇌, 훔칠 뇌,

붙을 뇌 ㊀과 뜻이 같음. ㊂ 바를 난, 홈칠 난, 붙을 난 ㊀과 뜻이 같음.
字源 形聲. 巾+夒〔音〕

干 (3획) 部
〔방패간부〕

0 ③ **[干]** 中人 간 ㊥寒 古寒切 gān

筆順 一 二 干

字解 ①방패 간 창을 막는 물건. '一戈'. '寢苫枕一'《禮記》. ②막을 간 방어(防禦)함. '師一之試'《詩經》. ③범할 간 ㉠법률·도덕에 어긋나는 일을 함. '其敢一大禮, 以自取戾'《左傳》. ㉡저촉(抵觸)함. 촉범(觸犯)함. '一犯'. '以一先王之誅'《書經》. ㉢능모(陵侮)함. 모독(冒瀆)함. '上下不一'《國語》. ㉣분한(分限)을 어지럽힘. '趙孟使人以其乘車一行'《國語》. ㉤무례한 짓을 함. '挾弓持矢, 而一闔廬'《穀梁傳》. ④구할 간 요구함. 바람. '一請'. '子張學一祿'《論語》. ⑤간여할 간 참여함. '一涉'. '一豫人事'《晉書》. ⑥개 간 물건을 세는 수사(數詞). 箇(竹部 八畫)와 뜻이 같음. '若一'. ⑦말릴 간 '方將被髮而干'《莊子》. ⑧산골물 간 澗(水部 十二畫)과 통용. '秩秩斯一'《詩經》. ⑨물가 간 수변(水邊). '寘之河之一'《詩經》. ⑩천간 간 십간(十干). '一支'. '支一配天地之用也'《皇極經世》. ⑪교외 간 성문 밖. 국도(國都) 밖. '出宿于一'《詩經》. ⑫성 간 성(姓)의 하나. ⑬《韓》 새앙 간 약화제(藥和劑)나 약복지에 생강(生薑)의 뜻으로 쓰는 말. '一三召二'.

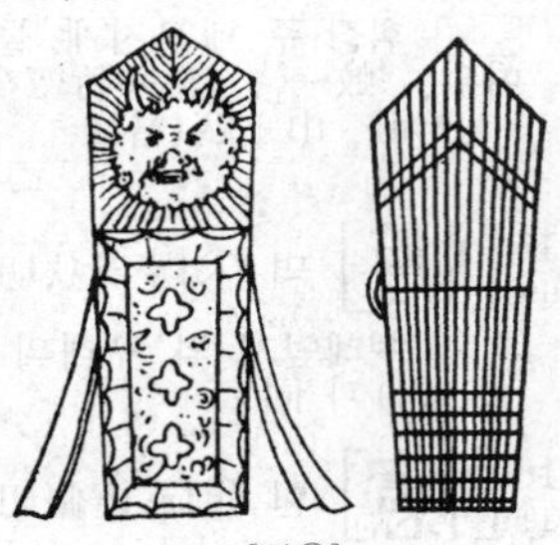
〔干①〕

字源 金文 篆文 象形. 끝이 쌍갈진 무기의 상형으로, '범하다, 막다'의 뜻을 나타냄.
參考 주로, 자형(字形) 분류를 위해 부수(部首)로 세워짐.

[干戈 간과] ㉠방패와 창. 전(轉)하여, 전쟁(戰爭)에 쓰는 병장기(兵仗器)의 총칭(總稱). ㉡전쟁.
[干戈倥傯 간과공총] 전쟁으로 바쁨. 병과공총(兵戈倥傯).
[干求 간구] 구(求)함.
[干黷 간독] 범(犯)하고 더럽힘. 남에게 면회를 청할 때 쓰는 말.
[干連 간련] 남의 범죄(犯罪)에 관계(關係)가 있음.
[干櫓 간로] 방패. 노(櫓)는 큰 방패.
[干祿 간록] ㉠복록(福祿)을 구함. ㉡녹봉(祿俸)을 구함. 벼슬을 하고자 함.
[干祿字書 간록자서] 자서(字書). 당(唐)나라의 안현손(顏玄孫) 지음. 1권(卷). 문자(文字)의 정자(正字)·통자(通字)·속자(俗字)를 밝혔음. 관록(官祿)을 바라는 사람이 장표(章表)를 지을 때에 참고하도록 한 자서(字書)라는 뜻으로, 책 이름을 이렇게 지었음.
[干滿 간만] 간조(干潮)와 만조(滿潮). 썰물과 밀물.
[干舞 간무] 방패를 써서 추는 무(武)의 춤.
[干犯 간범] 침범함. 죄에 저촉함.
[干涉 간섭] 남의 일에 나서서 참견(參見)함.
[干城 간성] 방패와 성. 전(轉)하여, 국가(國家)를 위하여 방패(防牌)가 되고 성(城)이 되어 외적(外敵)을 막는 군인(軍人).
[干謁 간알] 알현(謁見)을 구함.
[干預 간예] 관계하여 참견(參見)함.
[干羽 간우] 하(夏)나라 우왕(禹王)이 시작한 무악(舞樂)의 이름. 방패를 쥐고 추는 춤과 깃을 쥐고 추는 춤. 간무(干舞). 우무(羽舞).
[干雲蔽日 간운폐일] 구름을 침범하고 해를 가린다는 뜻으로, 나무가 하늘을 찌를 듯이 높이 솟은 것을 형용한 말.
[干恩 간은] 임금의 은택(恩澤)을 간구(干求)함.
[干將莫邪 간장막야] 고대(古代)의 두 자루의 명검(名劍). 간장(干將)은 오(吳)나라의 도장(刀匠)이고, 막야(莫邪)는 그의 아내로서 오왕(吳王) 합려(闔閭)를 위하여 음(陰)(막야)·양(陽)(간장)의 두 칼을 만들었다고 함. 전(轉)하여, 널리 명검(名劍)의 뜻으로 쓰임.
[干潮 간조] 썰물.
[干證 간증] ㉠소송 사건(訴訟事件)의 증인이 되는 일. 또, 그 증인. ㉡지은 죄를 증명하여 자복(自服)하고 믿음을 고백함.
[干支 간지] 십간(十干)과 십이지(十二支)의 총칭(總稱). 육십갑자(六十甲子).
[干拓 간척] 바다 따위를 막고 물을 빼어 육지로 만드는 일.
[干戚 간척] 방패와 도끼. 또, 그것을 가지고 추는 악무(樂舞).
[干囑 간촉] 청촉(請囑)함.
[干掫 간추] 야경(夜警) 도는 사람. 야경꾼.
●欄干. 闌干. 蘭干. 鏌干. 滿干. 射干. 斯干. 水干. 十干. 野干. 若干. 如干. 吳干. 潮干. 支干. 蟲干. 河干.

1 ④ **[开]** 〔견〕 幵(干部 三畫〈p. 687〉)의 俗字

2 ⑤ **[平]** 中人 ㊀ 평 ㊥庚 符兵切 píng ㊁ 편 ㊥先 房連切 pián

筆順 一 𠂆 六 亣 平

字解 ㊀ ①평평할 평 평탄함. '一地'. '壞險以爲一'《管子》. ②바를 평 올바름. '心一禮正'《禮記》. ③고를 평 균등함. '一均'. '雲行雨施天下一也'《易經》. ④편안할 평 태평함. '一安'. '國治而后天下一'《大學》. ⑤쉬울 평 용이함. '一凡'. '一易近民'《史記》. ⑥화친할 평 화해하고 화목하게 지냄. '宋人及楚人一'《春秋》. ⑦평정할 평 적을 진압함. '一賊'. '一夷狄之亂'《淮南子》. ⑧평정될 평 평온하게 진정됨. 잘 다스려짐. '西方旣一'《詩經》. ⑨평야 평 들. 광원(廣

原). '沙篆印廻一'《韓愈》. ⑩평상 평 심상. 보통. '一居'. '一常心是道'《指月錄》. ⑪평성 평 운(韻)의 이대별(二大別)의 하나. 곧 사성(四聲) 중에서 측운(仄韻)이 아닌 것. '一聲分上一下一'《沈約》. ⑫법관 평 법률을 맡은 벼슬. '廷尉天下之一也'《史記》. ⑬성 평 성(姓)의 하나. ▣ 고루다스려질 편 '王道一一'《書經》.
字源 金文 篆文 象形. 물의 평면에 뜬 수초(水草)의 상형으로부터 '평평함'의 뜻을 나타냄.

[平章 편장] 평장(平章) ㉠.
[平平 편편] 고루 잘 다스려진 모양. 편편(便便).
[平價 평가] ㉠보통의 가격. 싸지도 않고 비싸지도 않은 값. ㉡값을 균일하게 함. ㉢국제간의 본위 화폐(本位貨幣)에 함유하는 금의 양(量)을 비교하여 표시한 가격.
[平康 평강] 평안(平安).
[平居 평거] 평상시(平常時). 또, 평생(平生).
[平格 평격] 공평하여 천의(天意)에 통함. 공평무사함.
[平廣 평광] 평탄하고 넓음.
[平曠 평광] 평광(平廣).
[平交 평교] 대등(對等)의 교제. 평등한 사귐.
[平均 평균] ㉠고름. 또 고르게 함. 평등(平等). ㉡과불급(過不及)이 없는 정도. ㉢동종(同種)의 일정량(一定量)의 중간치(中間値)를 갖는 수(數).
[平屐子 평극자] 평나막신.
[平氣 평기] 마음을 침착하게 가짐.
[平起 평기] 절구(絕句)에서 기구(起句)의 두 번째 글자를 평자(平字)로 짓는 일. 측기(仄起)의 대(對).
[平吉 평길] 마음이 평화롭고 선량함.
[平年 평년] ㉠추수(秋收)가 보통으로 되는 해. ㉡윤년(閏年)이 아닌 해.
[平旦 평단] 새벽. 동이 틀 때.
[平旦之氣 평단지기] 새벽의 상쾌한 기분이라는 뜻으로, 청정 결백(淸淨潔白)한 정신을 이름.
[平淡 평담] 평담(平澹).
[平澹 평담] 평이하고 담박(淡泊)함. 마음이 고요하고 이욕(利慾)의 생각이 없음.
[平臺 평대] ㉠한대(漢代) 양(梁)나라 효왕(孝王)의 궁전(宮殿) 이름. 허난 성(河南省) 안에 있었음. ㉡북경 성내(北京城內)의 궁전(宮殿) 이름.
[平頭 평두] ㉠꼭. 틀림없이. ㉡건(巾)의 이름. ㉢시율(詩律)의 상하구(上下句)에 동성(同聲)의 문자(文字)를 쓰는 일. ㉣연(輦)의 이름.
[平等 평등] 차별(差別)이 없음. 동등(同等)함. 고루 같음.
[平等界 평등계] 《佛敎》 만물(萬物)이 차별이 없는 세계. 곧, 진여(眞如)의 세계.
[平亂 평란] 난리(亂離)를 평정함.
[平良 평량] ㉠공평(公平)하고 선량(善良)함. ㉡진평(陳平)과 장량(張良).
[平陸 평륙] ㉠평지(平地). ㉡전국 시대(戰國時代) 제(齊)나라의 읍명(邑名). 지금의 산둥 성(山東省) 문산현(汶山縣) 북쪽.
[平脈 평맥] 이상이 없는 보통의 맥박.
[平面 평면] 편편한 겉쪽.
[平明 평명] ㉠해가 뜰 때. 새벽. 평단(平旦). ㉡공평하고 밝음. ㉢간단하여 명확함.
[平蕪 평무] 잡초가 무성한 평평한 들.
[平文 평문] 보통문(普通文). 산문(散文). 대우(對偶)를 쓰지 않는 글.
[平民 평민] 양반(兩班) 아닌 보통 사람. 서민(庶民).
[平方 평방] ㉠자승(自乘). ㉡정방형(正方形)의 면적(面積).
[平反 평번] 다시 조사하여 죄를 밝혀 바로잡거나 그 죄를 가볍게 함.
[平凡 평범] 뛰어난 점이 없이 보통임.
[平服 평복] 《韓》 평상시(平常時)에 입는 의복(衣服).
[平復 평복] 병(病)이 나아 회복됨. 평유(平癒).
[平分 평분] 고르게 나눔. 또, 고르게 나뉨.
[平分年 평분년] 태양이 춘분점을 출발한 뒤 다시 춘분점에 돌아오기까지의 시간. 곧, 365일 5시 48분 46초. 회귀년(回歸年). 태양년(太陽年).
[平沙 평사] 평편한 모래톱. 모래펄.
[平射 평사] ㉠평면(平面)에 투영(投影)하는 일. ㉡포(砲)의 앙각(仰角)을 작게 하여 저신 탄도(低伸彈道)에서 발사(發射)함.
[平牀 평상] 나무로 만든 침상(寢床)의 한 가지.
[平常 평상] ㉠항상. 늘. 평소(平素). ㉡보통.
[平生 평생] ㉠일생(一生). ㉡늘. 항상. 평소부터. ㉢옛날. 지나간 날. 왕년(往年).
[平生歡 평생환] 평소의 극진한 교분(交分).
[平署 평서] 연서(連署).
[平昔 평석] ㉠평생(平生). 늘. 평소(平素). ㉡예전부터. 이전부터.
[平城 평성] ㉠도로(道路)가 편편한 성하(城下). ㉡지금의 산시 성(山西省) 다퉁 현(大同縣) 동쪽에 있는 지명(地名). 한(漢)나라 고조(高祖)가 흉노(匈奴)한테 포위당하여 크게 고통을 받다가 진평(陳平)의 계책(計策)으로 겨우 위급을 면한 곳.
[平聲 평성] 사성(四聲)(平·上·去·入)의 하나로 낮고 순평(順平)한 소리임. 상평성(上平聲)과 하평성(下平聲)의 둘이 있는데, 상평성은 동(東)·동(冬)·강(江)·지(支)·미(微)·어(魚)·우(虞)·제(齊)·가(佳)·회(灰)·진(眞)·문(文)·원(元)·한(寒)·산(刪)의 15운(韻)이고 하평성은 선(先)·소(蕭)·효(肴)·호(豪)·가(歌)·마(麻)·양(陽)·경(庚)·청(靑)·증(蒸)·우(尤)·침(侵)·담(覃)·염(鹽)·함(咸)의 15운(韻)임.
[平世 평세] 태평한 세상. 잘 다스려져 평온한 세상.
[平素 평소] ㉠평상시(平常時). ㉡과거(過去). 이전.
[平水 평수] 강·바다 등의 평상시의 물의 높이. 평수위(平水位).
[平水韻 평수운] 송(宋)나라 순우 연간(淳祐年間) 강북(江北) 평수(平水)의 유연(劉淵)이 예부운략(禮部韻略)을 증수(增修)하여 동용(同用)의 운(韻)을 합쳐서 206운(韻)이던 것을 107운(韻)으로 줄인 것. 현행(現行)의 시운(詩韻)은 이것임.
[平順 평순] 성질(性質)이 온순함.
[平時 평시] ㉠평화스러운 때. ㉡평상시(平常時).
[平信 평신] ㉠급보(急報)·흉보(凶報) 등이 아닌 보통의 음신(音信). ㉡무사(無事)함을 알리는 음신.
[平身低頭 평신저두] 코가 땅에 닿도록 몸을 굽히고, 머리를 숙임. 무서워하는 모양.
[平心 평심] 고요한 마음. 침착한 마음.
[平安 평안] 무사(無事)하여 마음에 걱정이 없음.

[平野 평야] 편편한 들.
[平陽 평양] ㉠요(堯) 임금의 도읍지(都邑地). 산시 성내(山西省內). ㉡춘추(春秋) 시대 노(魯)나라의 읍(邑). 산둥 성내(山東省內). ㉢춘추(春秋) 시대 진(秦)나라의 읍(邑). 산시 성내(陝西省內). ㉣춘추(春秋) 시대 위(衞)나라의 읍(邑). 허난 성내(河南省內). ㉤전국(戰國) 시대 조(趙)나라의 땅. 허난 성내(河南省內). ㉥현명(縣名). 저장 성내(浙江省內).
[平衍 평연] 평탄하고 넓음.
[平午 평오] 정오(正午).
[平溫 평온] ㉠평상시(平常時)의 온도(溫度). ㉡평균(平均)의 온도.
[平穩 평온] 고요하고 안온함.
[平韻 평운] 평성(平聲)에 딸린 운(韻).
[平原 평원] 평평한 들.
[平遠 평원] 땅이 평탄하여 시야(視野)가 널리 미침.
[平原君 평원군] 전국 시대(戰國時代)의 조(趙)나라 무령왕(武靈王)의 아들. 이름은 승(勝). 평원(平原)에 봉군(封君)되었으므로 호를 평원군이라 함. 문객(門客)을 좋아하여 문하(門下)에 늘 식객(食客)이 수천 명이 있었음.
[平原督郵 평원독우] 악주(惡酒), 곧 나쁜 술의 일컬음. 진(晉)나라 환온(桓溫)의 속관(屬官) 모(某)가 미주(美酒)를 청주종사(靑州從事), 악주(惡酒)를 평원독우(平原督郵)라고 한 고사(故事)에서 나온 말.
[平愈 평유] 평복(平復).
[平瘉 평유] 평복(平復).
[平允 평윤] 차별을 두지 않고 성실함.
[平允之士 평윤지사] 공평 성실하고 가혹하지 않은 사람.
[平夷 평이] ㉠쳐서 멸(滅)함. ㉡평편(平便)함.
[平易 평이] 까다롭지 않고 쉬움.
[平人 평인] 평민(平民).
[平一 평일] 난리를 평정하여 천하를 통일함.
[平日 평일] 평상시(平常時).
[平字 평자] 사성(四聲) 중의 평성(平聲)에 속하는 글자.
[平章 평장] ㉠백성을 공평하고 밝게 잘 다스림. ㉡공평히 구별함. 공평하게 품평(品評)해서 품위를 명확하게 함. ㉢혼인의 중매를 함.
[平章事 평장사] 당태종(唐太宗) 때부터 설치했던 관명(官名)으로 집정(執政)을 일컬음.
[平在 평재] 공평하게 분간하여 살핌.
[平賊 평적] 적을 평정함.
[平糴 평적] 전국 시대(戰國時代)의 위(魏)나라 이회(李悝)가 실시한 법으로, 풍년(豐年)에 곡식을 사들였다가 흉년(凶年)에 내어 팔아, 쌀값을 조절하는 정책.
[平正 평정] 공평하여 치우침이 없음. 공평무사함.
[平定 평정] 난리를 진압하여 평온하게 함. 또, 난리가 진압되어 평온해짐.
[平整 평정] 바닥을 높고 낮은 데가 없게 잘 고름.
[平靜 평정] 평온하고 고요함.
[平政院 평정원] 관서(官署) 이름. 행정 관리(行政官吏)의 비행(非行)을 감찰하는 일을 맡음.
[平糶 평조] 쌀값이 비쌀 때에 관미(官米)를 싼 값으로 팔아 시가(市價)를 조절하고 기근(饑饉)을 구제(救濟)하는 법. 평적(平糴) 참고.
[平晝 평주] 오정(午正) 때.
[平疇 평주] 평탄한 경작지.
[平準 평준] ㉠평균(平均). ㉡물가의 균일·공평을 보존하는 법. 또, 그 벼슬. 한(漢)나라 무제(武帝) 때부터 시작하였음. ㉢수준기(水準器)를 써서 수평으로 하는 일. ㉣수준기(水準器).
[平地 평지] 편편한 땅.
[平地起波瀾 평지기파란] 평지에 풍파를 일으킴. 평온한 곳에 파란을 일으킴. 곧, 다투기를 좋아하여 부질없이 분쟁(紛爭)을 일으킴. 평지풍파(平地風波).
[平地落傷 평지낙상] 《韓》 평지에서 넘어져 다친다는 뜻으로, 뜻밖에 불행(不幸)한 일을 당함을 비유하는 말.
[平地風波 평지풍파] 평지기파란(平地起波瀾).
[平直 평직] 평편함과 곧음. 평편한 것과 곧은 것.
[平織 평직] ㉠무늬 없이 그냥 짜는 방법. 또, 그렇게 짠 천. 능직(綾織)의 대(對). ㉡한 가지 실로만 짜는 방법. 또, 그렇게 짠 천.
[平津 평진] ㉠한대(漢代)에 지금의 허베이 성(河北省) 염산현(鹽山縣)의 남쪽에 있던 땅 이름. 한무제(漢武帝)가 공손홍(公孫弘)을 평진후(平津侯)로 봉(封)한 곳. ㉡베이핑(北平)과 톈진(天津).
[平秩 평질] 고르게 하여 질서를 세움.
[平出 평출] 문서 중에 천자(天子) 또는 고귀(高貴)한 사람의 칭호(稱號) 등, 공경하여야 할 글자가 나올 때 행(行)을 옮겨 다음 행 첫머리에 쓰는 서식(書式).
[平仄 평측] 평자(平字)와 측자(仄字). 평운(平韻)과 측운(仄韻). 한시(漢詩)를 지을 때 평측(平仄)의 글자를 규칙에 따라 가려 쓰는데, 그 형식은 다음 면(面)의 표(表)와 같음.

		평기식(平起式)	측기식(仄起式)
절구(絕句)	오언(五言)	◑○○●●	◑●○○●
		◑●●○○	◑○◑●○
		◑●○○●	◑○○●●
		◑○◑●○	◑●●○○
	칠언(七言)	◑○◑●●○○	◑●◑○◑●○
		◑●◑○◑●○	◑○◑●●○○
		◑●◑○○●●	◑○◑●○○●
		◑○◑●●○○	◑●◑○◑●○
율시(律詩)	오언(五言)	◑○○●●	◑●○○●
		◑●●○○	◑○◑●○
		◑●○○●	◑○○●●
		◑○◑●○	◑●●○○
		◑○○●●	◑●○○●
		◑●●○○	◑○◑●○
		◑●○○●	◑○○●●
		◑○◑●○	◑●●○○
	칠언(七言)	◑○◑●●○○	◑●◑○○●○
		◑●◑○◑●○	◑○◑●●○○
		◑●◑○○●●	◑○◑●○○●
		◑○◑●●○○	○●◑○◑●○
		◑○◑●◑○●	◑●◑○○●●
		◑●◑○◑●○	◑○◑●●○○
		○●◑○○●●	◑○◑●◑○●
		◑○◑●●○○	◑●◑○◑●○

※ 平字 —○　仄字 —●　平仄共通 —◑

[平治 평치] 나라를 태평(太平)하게 다스림. 또, 나라가 태평하게 다스려짐.
[平坦 평탄] 지면(地面)이 평평함. 또, 그 땅. 평지(平地).
[平蕩 평탕] ㉠평정하여 소탕(掃蕩)함. ㉡평탄하고 넓음.
[平土 평토] 매장(埋葬)한 뒤에 흙을 평평하게 함.
[平土葬 평토장] 남의 묘지(墓地) 또는 금산(禁山) 등에 암장(暗葬)할 때 봉분(封墳)을 만들지 아니하는 매장.
[平板 평판] ㉠씨 뿌릴 때 땅을 고르는 데 쓰는 농구(農具). 고무래. ㉡편편한 널. ㉢시문 등이

억양 변화가 없이 시종(始終) 똑같은 형식으로 되어서 정채(精彩)가 없음. 단조(單調). 천편일률(千篇一律).
[平便 평편] 평평하여 편안함.
[平平 평평·편편] ㉠평범한 모양. ㉡평편한 모양. ㉢'편편(平平)'을 보라.
[平平坦坦 평평탄탄] ㉠지극히 평탄한 모양. ㉡일이 잘 진척되는 모양.
[平行 평행] ㉠무사히 여행함. 아무 탈 없이 감. ㉡두 직선(直線)이 같은 평면(平面) 위에 있어서 서로 만나지 아니함.
[平虛 평허] 마음이 안온하여 허심탄회(虛心坦懷)함.
[平衡 평형] ㉠절하는 법(法)의 한 가지. 몸을 굽히어 머리와 허리가 저울대처럼 바르게 함. ㉡바른 저울대. ㉢평정(平正)하여 치우침이 없음.
[平和 평화] ㉠성정(性情)이 평온함. ㉡전쟁이 없이 세상이 잘 다스려짐.
[平滑 평활] 평평하고 미끄러움.
[平闊 평활] 평편하고 넓음.
◉嘉平. 康平. 開平. 高平. 公平. 寬平. 均平. 南平. 不平. 上平. 詳平. 西平. 水平. 輪平. 升平. 承平. 昇平. 良平. 廉平. 五平. 源平. 陰平. 夷平. 長平. 揃平. 正平. 齊平. 調平. 地平. 砥平. 昌平. 清平. 治平. 坦平. 太平. 泰平. 扁平. 下平. 和平. 華平.

[刋] 〔간〕 刀部 三畫(p. 244)을 보라.

3 ⑥ [幵] 견 ㊥先 苦堅切 jiān

字解 ①평탄할 견. ②오랑캐이름 견 강(羌)의 별종. '先零罕─'《漢書》. ③성 견 성(姓)의 하나.
字源 篆文 象形. 두 개의 장대를 나란히 세워 위가 평평하게 하여, '평탄하다'의 뜻을 나타냄.
參考 开(干部 一畫)은 俗字.

3 ⑥ [年] 中人 년 ㊥先 奴顚切 nián

筆順 ノ 𠂉 𠂇 㐄 𠂤 年

字解 ①해 년 ㉠12개월. '──歲歲'. '正歲─'《周禮》. ㉡시대. 때. '─世'. '當─不能究其禮'《司馬相如》. ㉢오곡(五穀)의 성숙(成熟). '大有─'《左傳》. ㉣곡물. ②나이 년 연령. '─齒'. '豈尙─哉'《左傳》. ③성 년 성(姓)의 하나.
字源 甲骨文 金文 篆文 形聲. 甲骨文은 禾+人〔音〕. '人인'은 성숙한 사람의 뜻. 성숙한 곡물, 여물다의 뜻에서, 전(轉)하여, 365일, 해의 뜻으로도 쓰임. 篆文은 會意로 禾+千. '千천'은 '많다'의 뜻. 많은 곡물이 여무는 것을 뜻함.
參考 秊(禾部 三畫)은 本字.

[年家 연가] 같은 해에 과거(科擧)에 급제한 사람. 동방(同傍). 동년(同年).
[年鑑 연감] 어떤 사항에 관하여 한 해 동안의 경과·통계 등을 수록하여 한 해에 한 번씩 발간하는 책.
[年甲 연갑] 나이가 서로 비슷한 사람.
[年契 연계] 두 나라 이상의 역사를 연대(年代)를 따라 대조한 연표(年表).
[年高 연고] 나이가 많음.
[年穀 연곡] 곡식. 오곡(五穀).
[年功 연공] ㉠여러 해 동안 쌓은 공로. ㉡여러 해 동안 쌓은 숙련(熟練).
[年關 연관] 연말(年末). 세밑.
[年光 연광] 세월. 광음(光陰).
[年久 연구] 해가 오래됨.
[年金 연금] 공로에 보답하기 위하여 종신 또는 일정한 기간 동안 매년 정기적으로 급여하는 금액.
[年給 연급] 1년간의 급료.
[年忌 연기] ㉠《佛敎》 죽은 날에 해당하는 매년의 날. 기일(忌日). ㉡꺼리는 나이, 곧 7세·16세·25세·45세·52세·61세.
[年紀 연기] ㉠나이. 연령. ㉡해. 세월.
[年期 연기] 연한(年限).
[年內 연내] 올해 안.
[年年歲歲 연년세세] 매년. 해마다.
[年代 연대] ㉠경과한 햇수나 시대(時代). ㉡일정한 기간.
[年度 연도] 사무(事務)의 처리상 편의를 따라 구분한 1개년의 기간.
[年頭 연두] 한 해의 처음. 연시(年始).
[年登 연등] 곡식이 잘 여묾. 풍년이 듦.
[年來 연래] 여러 해 이래(以來).
[年力 연력] 나이와 기력.
[年齡 연령] 나이.
[年例 연례] 연래로 내려오는 전례.
[年老 연로] 나이가 많아서 늙음.
[年勞 연로] 여러 해 동안 쌓은 공로.
[年輪 연륜] 나이테.
[年利 연리] 1년간의 이자.
[年晩 연만] 나이가 많음. 늙바탕에 듦.
[年末 연말] 한 해의 끝. 세밑.
[年命 연명] 수명(壽命).
[年貌 연모] 나이와 용모.
[年物 연물] 새해의 선물.
[年輩 연배] 서로 비슷한 나이. 또, 그 사람. 연갑(年甲).
[年報 연보] 해마다 한 번씩 내는 보고(報告).
[年譜 연보] 개인의 한평생의 지낸 일을 연대순으로 적은 기록(記錄).
[年俸 연봉] 1년간의 봉급.
[年賦 연부] 해마다 얼마씩 갚음.
[年事 연사] 농사의 형편(形便). 농형(農形).
[年祀 연사] 해. 세월. 사(祀)는 연(年).
[年上 연상] 자기(自己)보다 나이가 많음. 또, 그 사람.
[年世 연세] 연대(年代). 시대.
[年歲 연세] ㉠해. 세월. ㉡'나이'의 존칭(尊稱).
[年少 연소] ㉠나이가 젊음. 연장(年長)의 대(對). ㉡나이가 젊은 사람. 소년(少年).
[年所 연소] 세월.
[年首 연수] 연시(年始).
[年壽 연수] 나이. 수명(壽命).
[年數 연수] 햇수.
[年始 연시] 한 해의 처음. 세초(歲初).
[年深歲久 연심세구] 세월이 오램.
[年額 연액] 한 해 동안의 금액(金額).
[年魚 연어] ㉠난 그해에 죽는 고기. ㉡은어(銀魚).
[年運 연운] 그해의 운수(運數).
[年月 연월] 세월(歲月).

[年長 연장] 자기보다 나이가 많음. 또, 그 사람.
[年載 연재] 연세(年歲).
[年前 연전] 두서너 해 전(前).
[年祚 연조] ㉠제왕의 자리에 있는 햇수. ㉡나이. 사람의 수명(壽命).
[年條 연조] 《韓》 ㉠어떠한 일이 어떠한 해에 있었다는 것을 나타내는 조목. ㉡어떤 일이나 경력의 처음부터 경과한 햇수.
[年終 연종] 한 해가 거의 다 지나가고 새해가 가까워 오는 선달그믐께. 세밑.
[年中 연중] 한 해 동안. 「년.
[年次 연차] ㉠나이의 차례. ㉡햇수의 차례. ㉢매
[年差 연차] 지구의 태양에 대한 거리의 변화로 인하여 달의 운행(運行)에 일어나는 변화.
[年淺 연천] ㉠나이가 적음. ㉡시작한 지 몇 해 안 됨. 해가 옅음.
[年初 연초] 새해 초승.
[年齒 연치] 나이.
[年表 연표] 역사(歷史)의 사실(事實)을 연대순(年代順)으로 기록(記錄)한 것. 연대표(年代
[年豐 연풍] 풍년(豐年)이 듦. ⌊表).
[年下 연하] 자기보다 나이가 적음. 또, 그 사람.
[年賀 연하] ㉠신년의 축하. ㉡노인의 장수(長壽)의 축하.
[年限 연한] 작정된 햇수.
[年號 연호] 조정(朝廷)의 제정(制定)에 의하여 해에 특별히 붙이는 이름. 한무제(漢武帝)의 즉위(卽位)한 해를 건원(建元)이라 일컬은 데서 비롯함. 다년호(大年號).
[年華 연화] 세월. 세화(歲華).
◉降年. 開年. 改年. 客年. 更年. 去年. 隔年. 犬馬之年. 季年. 笄年. 高年. 跨年. 光年. 曠年. 舊年. 構思十年. 窮年. 今年. 祈年. 紀年. 耆年. 期年. 朞年. 來年. 老年. 老少年. 累年. 多年. 斷年. 當年. 同年. 登年. 晚年. 萬年. 忘年. 面壁九年. 明年. 明後年. 暮年. 妙年. 無年. 美少年. 拜年. 比年. 尙年. 桑年. 生年. 先年. 盛年. 世年. 少年. 衰年. 旬年. 新年. 若年. 弱年. 奄過百年. 餘年. 曆年. 歷年. 延年. 季年. 連年. 永年. 迎年. 往年. 越年. 有年. 幼年. 流年. 游年. 翌年. 引年. 一孤裘三十年. 昨年. 殘年. 長年. 積年. 正年. 定年. 停年. 徂年. 凋年. 周年. 中年. 天假之年. 天年. 千萬年. 齠年. 稚年. 他年. 通年. 編年. 平年. 豐年. 遐年. 學年. 行年. 享年. 懸車之年. 華年. 後年. 凶年.

3 **[并]** 人名 〔병〕
⑥ 幷(干部 五畫〈p.688〉)의 俗字

筆順 丶 丷 䒑 丷 并 并

4 **[玎]** 정 ㊥青 他丁切 tíng
⑦
字解 물가 정 汀(水部 二畫)과 同字.

[罕] 〔한〕
网部 三畫(p.1786)을 보라.

5 **[幷]** 人名 병 ①-④㊥庚 府盈切 bīng
⑧ ⑤㊤敬 畀政切 bìng

筆順 ㇒ 亠 二 于 扌 拃 幷 幷

字解 ①어우를 병 ㉠합침. '合一'. '天下良辰美景賞心樂事, 四者難一'《謝靈運》. ㉡아울러 가짐. '兼一'. '魏一中山, 必無趙矣'《戰國策》. ②어울릴 병 조화됨. '必與俗一'《嵇康》. ③병주 병 십이주(十二州)의 하나. 산시 성(山西省) 대원부(大原府) 지방. '舜分冀州爲幽州一州'《書經註》. ④물리칠 병 屛(尸部 六畫)과 통용. '至貴國爵一焉'《莊子》. ⑤성 병 성(姓)의 하나.
字源 甲骨文 篆文 象形. 甲骨文으로 알 수 있듯이, 사람을 늘어세워 연결한 모양을 따서, 합치다의 뜻을 나타냄.

[幷兼 병겸] 합하여 겸함. 합하여 하나로 함.
[幷有 병유] 아울러 가짐. 합하여 가짐.
[幷日 병일] 날수를 많이 요하지 아니함. 단시일(短時日)에.
[幷州之情 병주지정] 제2의 고향이라고 할 만한 땅을 연모(戀慕)하는 마음. 당(唐)나라의 가도(賈島)가 병주(幷州)에 오래 살다가 떠날 때 '객사병주이십상(客舍幷州已十霜), 귀심일야억함양(歸心日夜憶咸陽), 무단갱도상건수(無端更渡桑乾水), 각망병주시고향(卻望幷州是故鄕)'에서 나온 말.
[幷呑 병탄] 아울러 삼킴. 남의 물건을 모두 제 것으로 삼음. 「併).
[幷合 병합] 아울러 하나로 만듦. 합침. 합병(合
◉兼幷. 騈幷. 肉薄骨幷. 闔幷. 合幷. 混幷.

5 **[幸]** 中人 행 ㊤梗 胡耿切 xìng
⑧

筆順 一 十 土 丰 圭 幸 幸 幸

字解 ①다행 행, 행복 행 행복. '一運'. '予以馭其一'《周禮》. ②요행 행 우연의 행복. '徼一'. '朝無一位, 民無一生'《荀子》. ③다행할 행 운이 좋음. '一哉, 遺黎免俘虜'《晉書》. ④다행히 행 운이 좋아. '一而至於旦'《禮記》. ⑤행복게할 행 행복을 줌. '願大王以一天下'《漢書》. ⑥바랄 행 원함. '一冀'. '一得召見'《漢書》. ⑦굄 행 제왕의 총애. '寵一'. '得一于武帝'《漢書》. ⑧괼 행 총애함. 또 제왕이 여자를 사랑하여 침석(枕席)에 들게 함. '襄公有賤妾, 一之有身'《史記》. ⑨거동 행 천자의 행차. '行一'. '諸宮館希御一者'《漢書》. ⑩성 행 성(姓)의 하나.
字源 甲骨文 篆文 象形. 甲骨文으로도 알 수 있듯이, 쇠고랑의 상형. '執집'이 쇠고랑을 찬 사람의 상형인데 반하여, 다행히도 쇠고랑을 면하여 행복한 뜻을 나타냄.

[幸冀 행기] 만일의 요행(僥倖)을 바람. 바람.
[幸媚 행미] 굄을 받기를 바람.
[幸民 행민] 요행을 바라고 정업(正業)에 힘쓰지 않는 백성.
[幸福 행복] ㉠좋은 운수(運數). ㉡심신(心身)이 만족감을 느끼는 상태.
[幸福主義 행복주의] 행복(幸福)을 지선(至善)으로 여겨 이것을 사람의 도덕적(道德的) 행위(行爲)의 이상(理想)으로 하는 주의(主義).
[幸舍 행사] 현자(賢者)를 총행(寵幸)하기 위하여 설치한 여사(旅舍).
[幸生 행생] 당연히 죽을 사람이 요행히 죽음을 면하여 더 삶.
[幸臣 행신] 총애를 받는 신하. 총신(寵臣).

[幸甚 행심] ㉠매우 다행(多幸)함. ㉡편지 끝에 쓰는 말.
[幸御 행어] ㉠천자의 행차. 행행(行幸). ㉡여자를 총애하여 가까이함.
[幸運 행운] 좋은 운수(運數). 행복한 운명.
[幸運兒 행운아] 좋은 운수(運數)를 만난 사람.
[幸位 행위] 요행으로 얻은 벼슬자리.
[幸而免 행이면] 요행히 죽음을 면함.
[幸倡 행창] 제왕의 총애를 받는 광대.
[幸學 행학] 임금이 학교에 행행(行幸)함.
[幸姬 행희] 제왕의 총애를 받는 여자.
◉駕幸. 巧幸. 權幸. 貴幸. 近幸. 覬幸. 多幸. 薄幸. 不幸. 索絲幸. 三不幸. 巡幸. 愛幸. 御幸. 佞幸. 妖幸. 徼幸. 僥幸. 游幸. 恩幸. 臨幸. 至幸. 進幸. 天幸. 遷幸. 寵幸. 親幸. 嬖幸. 行幸. 顯幸. 還幸. 希幸.

10 ⑬ [蕑] 견 ㊤銑 古典切 jiǎn

[字解] ①작은단 견, 작게단지을 견 '一, 小束也'《說文》. ②벼열움큼 견 열 움큼이 되는 분량의 곡식. '一, 禾十把也'《玉篇》.
[字源] 篆文 形聲. 束+幵〔音〕. '束속'은 묶다. '幵견'은 두 개의 장대의 뜻. 작은 다발.

10 ⑬ [幹] [高·人] [一] 간 [去]翰 古案切 gàn / [平]寒 河干切 hán
[二] 관 ㊤旱 居緩切 guǎn

[筆順] 一 十 𠫓 古 卓 幹 幹 幹

[字解] [一] ①몸 간 체구(體軀). '軀一'. '非不偉其體一也'《南史》. ②줄기 간 '枝'의 대. '一枝'. '山無峻一'《淮南子》. 전(轉)하여, 줄기 같은 역할을 하는 것. '箭一'. ③근본 간 본체(本體). '貞者事之一也'《易經》. ④재능 간 '才一'. '有文一'《吳志》. ⑤천간 간 십간(十干). 干(部首)과 同字. '甲乙爲一'《廣雅》. ⑥등뼈 간 척골(脊骨). '所以籍一'《左傳》. ⑦견딜 간 일을 감당하여 냄. '一父之蠱'《易經》. ⑧우물난간 간 '吾跳梁乎井一之上'《莊子》. ⑨성 간 성(姓)의 하나. [二] 주관할 관 管(竹部 八書)과 통용. '一尙書'《漢書》.
[字源] 篆文 形聲. 전문(篆文)은 木+倝〔音〕. '倝간'은 깃대의 상형. 잘 자란 나무줄기, 기둥의 뜻을 나타냄.

[幹莖 간경] 식물의 줄기.
[幹蠱 간고] 아들이 아버지의 실패한 사업을 회복함. 전(轉)하여, 일을 잘 처리함.
[幹局 간국] 사물(事物)을 처리(處理)하는 국량(局量).
[幹略 간략] 재간(才幹)과 모략(謀略).
[幹了 간료] ㉠일을 끝냄. 일을 성취함. ㉡기력(氣力)이 세고, 이해력(理解力)이 있음.
[幹部 간부] 단체(團體)의 수뇌부(首腦部). 또, 그 임원(任員).
[幹事 간사] ㉠일을 맡아서 처리(處理)함. 또 그 사람. ㉡어떠한 단체(團體)의 사무(事務)를 맡아 처리하는 직무(職務). 또, 그 사람.
[幹線 간선] 철도·전선 등의 중요한 선(線). 본선(本線).
[幹才 간재] 사물을 처리하는 재능. 재간(才幹). 수완(手腕).
[幹止 간지] 자기가 일하는 곳에서 편안히 있음.
[幹枝 간지] ㉠줄기와 가지. ㉡십간(十干)과 십이지(十二支). 간지(干支).
[幹枝術 간지술] 태어난 연월일(年月日)의 간지(干支)에 의해서 그 사람의 운명의 길흉화복(吉凶禍福)을 점치는 술(術). 사주(四柱).
[幹翮 간핵] '중심이 되는 날개'라는 뜻으로, 간부(幹部)가 되어 일을 함을 이름.
◉甲幹. 枯幹. 骨幹. 功幹. 軀幹. 根幹. 基幹. 器幹. 棟幹. 武幹. 文幹. 本幹. 世幹. 身幹. 十幹. 良幹. 語幹. 嚴幹. 勇幹. 意幹. 吏幹. 任幹. 才幹. 材幹. 典幹. 箭幹. 井幹. 貞幹. 主幹. 峻幹. 枝幹. 肢幹. 體幹. 治幹. 形幹.

幺 (3획) 部
〔작을요부〕

0 ③ [幺] 요 [平]蕭 於堯切 yāo

[筆順] 𡿨 𠃋 幺

[字解] ①작을 요 세소(細小)함. '一麼'. '猶絃一而徽急'《陸機》. ②어릴 요 나이가 어림. '一弱'. '一麼不及數子'《班彪》. ③성 요 성(姓)의 하나.
[字源] 金文 篆文 象形. 실 끝의 상형으로, '작다'의 뜻을 나타냄.
[參考] ①么(丿部 二畫)는 俗字. ②'幺' 또는 '幺'를 둘 합친 '丝'를 의부(意符)로 하여, '작다, 희미하다'의 뜻을 지닌 문자가 이루어짐.

[幺麼 요마] ㉠작음. ㉡어림. ㉢쓸모가 없음. 변변치 못함.
[幺蔑 요멸] 작음. 미소(微小).
[幺微 요미] 극히 작음.
[幺弱 요약] 나이가 어려 약함. 유약함. 또, 그 사람.
◉微幺. 六幺.

0 ③ [乡] 〔향〕
鄕(邑部 十畫〈p. 2342〉)의 簡體字

1 ④ [糸] [一] 糸(部首〈p. 1709〉)의 古字
[二] 玄(部首〈p. 1410〉)의 古字

1 ④ [幻] [人名] 환 [去]諫 胡辨切 huàn

[筆順] 𡿨 𠃋 幺 幻

[字解] ①변할 환 변화함. '神五色于變一'《王光蘊》. ②미혹할 환 홀림. '一惑'. '民無或胥譸張爲一'《書經》. ③요술 환 마술. '祕一奇伎'《法苑珠林》. ④허깨비 환 환상. '一影'. '夢一泡影'. '此生如一耳'《蘇軾》.
[字源] 金文 篆文 象形. 金文에 의하면, 염색한 실을 나뭇가지에 건 형상인 듯 여겨짐. 염색에 의해 색깔이 변하는 데서, '변하다'는 뜻을, 여러 가지 염색 상태로부터, '미혹하다, 허깨비'의 뜻을 나타냄.

[幻覺 환각] 감각 기관(感覺器官)을 자극(刺戟)하는 외계(外界)의 사물(事物)이 없는데도 마치 그 사물이 있는 것처럼 일어나는 감각.
[幻境 환경] 환상과 같이 덧없는 곳. 곧, 덧없는 세상.
[幻軀 환구] ㉠덧없는 몸. ㉡병으로 초췌한 몸.
[幻燈 환등] 그림 조각의 그림자를 늘여 막(幕)에 크게 비치게 하는 틀.
[幻弄 환롱] 교묘한 못된 꾀로 농락(弄絡)함.
[幻沫 환말] 환포(幻泡).
[幻滅 환멸] ㉠허깨비와 같이 덧없이 사라짐. ㉡환상(幻想)에서 깨어져 현실(現實)로 돌아옴. 미화되고 이상화되었던 사실이 헛것에 지나지 않음을 깨달음.
[幻夢 환몽] 허황(虛荒)한 꿈. 터무니없는 꿈.
[幻法 환법] 《佛教》 요술(妖術).
[幻相 환상] 《佛教》 허깨비와 같이 실체(實體)가 없는 형상.
[幻想 환상] ㉠실물(實物)이 없는데도 있는 것같이 보이는 허망(虛妄)한 생각. ㉡종잡을 수 없이 일어나는 생각.
[幻像 환상] 환영(幻影).
[幻生 환생] 허깨비와 같이 덧없는 인생으로 태어남. 또, 그 인생.
[幻世 환세] ㉠덧없는 이 세상(世上). 꿈 같은 이 세상. ㉡이 세상. 현세(現世)·인생(人生).
[幻術 환술] 남의 눈을 속이는 기술(奇術). 요술(妖術).
[幻影 환영] ㉠허깨비와 그림자. 덧없는 물건의 비유. ㉡환각(幻覺)에 비치는 현상(現象).
[幻人 환인] 요술쟁이.
[幻塵 환진] 《佛教》 ㉠허깨비와 티끌. ㉡덧없는 세상.
[幻出 환출] 환상(幻相)과 같이 몽롱하게 나타남.
[幻泡 환포] 허깨비와 물거품. 지극히 덧없는 사물의 비유. 몽환포영(夢幻泡影).
[幻形 환형] 질병 또는 노쇠로 인하여 모습이 아주 달라짐.
[幻惑 환혹] 홀려 어지럽게 함. 현혹하게 함.
[幻化 환화] ㉠허깨비처럼 변화함. ㉡사람의 죽음.
[幻戲 환희] 환술(幻術).
◉夢幻. 變幻. 浮幻. 妖幻. 誕幻. 虛幻. 荒幻.

2
⑤ [幼] [中·人] [一] 유 [去]有 伊謬切 yòu
[二] 요 [去]嘯 一笑切 yào

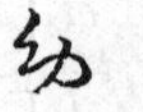

[筆順] 

[字解] [一] ①어릴 유 나이가 어림. '一年'. '人生十年曰一學'《禮記》. ②어릴때 유 어린 시절. '一被慈母三遷之敎'《趙岐》. ③어린아이 유 유아. '攜一入室'《陶潛》. ④사랑할 유 어린아이를 사랑함. '一吾幼, 以及人之幼'《孟子》. [二] 깊을 요 심원(深遠)함. 오묘(奧妙)함. 窈(穴部 五畫)와 同字. '聲一妙'《司馬相如》.
[字源] 甲骨文 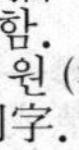 篆文 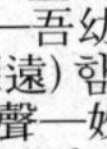 形聲. 力+幺〔音〕. '幺요'는 '작다'의 뜻. 힘이 작다, 어리다의 뜻을 나타냄.

[幼妙 요묘] 오묘(奧妙)함.
[幼眇 요묘] 요묘(幼妙).
[幼君 유군] 나이가 어린 임금.
[幼根 유근] 처음 난 연한 뿌리.
[幼懦 유나] 어리고 잔약함. 유약(幼弱).
[幼男 유남] 어린 사내아이.
[幼女 유녀] 어린 계집아이.
[幼年 유년] ㉠어린 나이. 유치(幼齒). ㉡어린아이.
[幼童 유동] 어린아이.
[幼齡 유령] 어린 나이. 어린 시대.
[幼昧 유매] 어려서 사리(事理)를 모름. 유몽(幼蒙).
[幼名 유명] 어릴 때의 이름. 아명(兒名). 유자(幼字). 소자(小字).
[幼蒙 유몽] ㉠유매(幼昧). ㉡어린아이. 동몽(童蒙).
[幼婦 유부] 어린 부녀(婦女).
[幼色 유색] 나이가 어려서 아름다움. 또, 그런 사람. 아름다워서 군총(君寵)을 얻은 젊은이.
[幼少 유소] 나이가 어림. 또, 어린아이. 아이.
[幼少年 유소년] 유년(幼年)과 소년.
[幼時 유시] 나이 어릴 때.
[幼兒 유아] 어린아이.
[幼艾 유애] 젊고 아름다운 사내아이. 미소년.
[幼弱 유약] 나이가 어림. 어리고 잔약함. 또, 어린아이.
[幼孺 유유] 어린아이. 유동(幼童).
[幼子 유자] 어린 아들. 어린 자식.
[幼字 유자] 어릴 때의 이름. 아명(兒名). 유명(幼名).
[幼帝 유제] 어린 천자(天子).
[幼主 유주] ㉠나이 어린 임금. 유군(幼君). ㉡어린 주인(主人).
[幼沖 유충] 나이가 어림.
[幼蟲 유충] 알에서 부화(孵化)하여 아직 성충(成蟲)이 되지 아니한 벌레. 애벌레.
[幼稚 유치] ㉠나이가 어림. ㉡지능·학술·기예 등이 미숙(未熟)함.
[幼齒 유치] 어린 나이. 유년(幼年).
[幼穉 유치] 유치(幼稚).
[幼稚園 유치원] 학령(學齡)이 안 된 어린아이를 보육(保育)하여 심신(心身)의 발달을 꾀하는 교육 시설.
[幼風 유풍] 어린아이처럼 지덕(智德)이 모자람.
[幼學 유학] ㉠나이 어릴 때 배움. ㉡나이 열 살의 일컬음. 그때 처음으로 스승에게 나가 배우므로 이름. ㉢《韓》 벼슬을 하지 않은 선비.
[幼孩 유해] 젖먹이. 어린아이.
◉老幼. 童幼. 蒙幼. 扶幼. 愚幼. 長幼. 稚幼. 孩幼. 攜幼.

[玄] 〔현〕
部首(p. 1410)를 보라.

3
⑥ [丝] [一] 유 [平]尤 於求切 yōu
[二] 자
[字解] [一] 작을 유 극히 작음. '一, 微小'《廣韻》. [二] 玆(玄部 五畫〈p. 1411〉)의 古字.
[字源] 形聲. 幺+幺〔音〕

4
⑦ [玅] 요 [平]蕭 伊堯切 yāo
[字解] ①되돌아갈 요 급히 되돌아감. '一, 說文, 急戾也'《字彙》. ②작을 요 작은 모양. '一, 一曰, 一呧, 小皃'《集韻》.

5 ⑧ [紗] 妙(前條)와 同字

6 ⑨ [幽] 高人 유 ㊥尤 於虯切 yōu

筆順 丨 丬 纟 乡 丝 丝 丝 幽

字解 ①그윽할 유 ㉠미묘함. 심원함. '一深'. '極一而不隱'《史記》. ㉡깊고 조용함. '一宮'. '出自一谷, 遷于喬木'《詩經》. ②숨을 유 세상을 피하여 삶. '一隱'. '一居而不淫'《禮記》. ③어두울 유 밝지 않음. '一室'. '上一而下險'《荀子》. '一則有鬼神'《史記》. ④가둘 유, 갇힐 유 감금함. 감금당함. '一閉'. '身一北闕'《楊惲》. ⑤조용할 유 ㉠고요함. '長夏江村事事一'《杜甫》. ㉡정숙함. '一閒貞靜'《詩經》. ⑥귀신 유 신. 영혼. '至順感一'《北史》. ⑦저승 유 황천(黃泉). '以別一明'《禮記》. ⑧구석 유 모퉁이. '光照六一'《後漢書》. ⑨유주 유 십이주(十二州)의 하나. 허베이 성(河北省) 북경(北京) 일대의 지역. '舜分冀州爲一州幷州'《書經 註》. ⑩검을 유, 검은빛 유 黝(黑部 五畫)와 통용. '赤紱一衡'《禮記》.

字源 甲骨文 篆文 形聲. 甲骨文은 火+𢆶[音]. '𢆶유'는 '어둡다'의 뜻. 불빛이 희미하게 어두운 뜻을 나타냄. 篆文은 변형되어, 山+𢆶[音]의 形聲 문자. 산은 그늘을 만들어 그윽해지기 때문임.

[幽澗 유간] 산속 깊이 있는 시내.
[幽坎 유감] 묘혈(墓穴). 광혈(壙穴).
[幽客 유객] ㉠세상(世上)을 피하여 한가히 사는 사람. ㉡난초(蘭草)의 별칭(別稱). ㉢자두[李]의 별칭(別稱).
[幽居 유거] ㉠세상을 피하여 한적하고 궁벽한 곳에 삶. 또, 그 살림. ㉡유서(幽棲). 한거(閑居).
[幽景 유경] 속세(俗世)에서 멀리 떨어져 그윽하고 조용한 경치.
[幽境 유경] 그윽하고 조용한 곳.
[幽界 유계] 지하(地下)의 어두운 세상. 저승.
[幽谷 유곡] 으늑하고 깊은 골짜기.
[幽光 유광] 으늑한 곳에 비치는 희미한 빛. 남에게 알리지 않은 덕(德)의 비유로 쓰임.
[幽柩 유구] 관(棺).
[幽宮 유궁] ㉠깊숙한 곳에 있는 궁전. ㉡신령(神靈)을 모신 궁전.
[幽窮 유궁] 세상에 이름을 나타내지 못하고 고생함.
[幽閨 유규] 부녀자가 거처하는 방.
[幽禽 유금] 조용한 곳에서 사는 새. 유조(幽鳥).
[幽琴 유금] 조용히 들리는 거문고 소리.
[幽襟 유금] 조용한 마음. 깊은 생각.
[幽念 유념] 조용한 생각. 깊은 생각. 유사(幽思).
[幽堂 유당] ㉠조용한 방. 깊숙한 곳에 있는 어두운 방. ㉡무덤.
[幽都 유도] 저승. 황천(黃泉).
[幽獨 유독] 한적하여 외로움.
[幽厲 유려] 유왕(幽王)과 여왕(厲王). 모두 주대(周代)의 폭군(暴君). 전(轉)하여, 망국(亡國)의 군주(君主).
[幽囹 유령] 유어(幽圄).
[幽靈 유령] ㉠죽은 사람의 혼령(魂靈). ㉡이름뿐이고 실제는 없는 것.
[幽淚 유루] 남모르게 흘리는 눈물.
[幽履 유리] 은거(隱居)하는 일.
[幽昧 유매] 어두움.
[幽明 유명] ㉠내세(來世)와 현세(現世). 저승과 이승. ㉡어두운 것과 밝은 것. 어두움과 밝음. ㉢암우(暗愚)와 현명(賢明). ㉣무형(無形)과 유형(有形). ㉤음(陰)과 양(陽). ㉥암컷과 수컷. ㉦숨음과 나타남.
[幽冥 유명] ㉠깊숙하고 어두움. ㉡심오하고 미묘함. ㉢저승.
[幽茂 유무] 빽빽이 들어서서 무성함.
[幽門 유문] 밥통의 오른편 끝 창자에 통(通)하는 곳.
[幽放 유방] 가둬 두고 떠나지 못하게 함.
[幽房 유방] 깊숙한 방.
[幽僻 유벽] 두메. 궁벽한 마을.
[幽碧 유벽] 유취(幽翠).
[幽幷之氣 유병지기] 유병(幽幷)은 옛날 연조(燕趙)의 땅. 그곳 풍속은 기절(氣節)을 숭상하고, 유협(游俠)을 장려하였으므로 시(詩)에 협기(俠氣)가 있는 것을 유병지기라 함.
[幽憤 유분] 마음속에 깊이 간직한 분노.
[幽祕 유비] 깊이 감춤. 또, 깊은 비밀.
[幽思 유사] 깊은 생각. 유념(幽念).
[幽朔 유삭] 북쪽 오랑캐의 땅.
[幽殺 유살] ㉠방에 가두어 놓고 죽임. ㉡그늘에서 말림.
[幽賞 유상] 조용히 감상(鑑賞)함.
[幽棲 유서] 속세를 떠나 조용히 삶. 또, 그 집.
[幽墅 유서] 속세를 멀리 떠난 조용한 별장.
[幽囚 유수] 잡아 가둠. 구금(拘禁).
[幽愁 유수] 깊은 근심. 마음속에 깊이 품은 수심.
[幽邃 유수] ㉠조용하고 깊숙함. ㉡심오(深奧)함.
[幽勝 유승] 조용하고 좋은 경치.
[幽室 유실] ㉠어둡침침한 방. 깊숙하여 조용한 방. ㉡미친 사람 등을 유폐(幽閉)하는 방.
[幽心 유심] ㉠깊은 생각. ㉡조용한 마음.
[幽深 유심] ㉠조용하고 깊숙함. ㉡고상하고 의미가 깊음.
[幽哦 유아] 조용히 노래함.
[幽暗 유암] 깊숙하고 어둡침침함.
[幽闇 유암] 어둠. 또, 어두운 장소.
[幽厄 유액] 유폐(幽閉)의 재난(災難).
[幽夜 유야] 밤.
[幽圄 유어] 어두운 감옥. 옥(獄).
[幽言 유언] 유현(幽玄)하고 오묘(奧妙)한 말. 그윽한 깊이가 있는 말.
[幽然 유연] 속이 깊고 조용한 모양.
[幽咽 유열] 흐느낌. 흐느끼며 욺.
[幽裔 유예] 변경(邊境).
[幽愚 유우] 남이 모르는 어리석은 사람이란 뜻으로, 자기의 겸칭(謙稱).
[幽憂 유우] 남모르게 깊이 간직한 근심.
[幽憂之病 유우지병] 마음이 울적한 병. 울우병(鬱憂病).
[幽鬱 유울] ㉠마음이 울적함. 우울함. ㉡초목이 대단히 무성함.
[幽冤 유원] 해명되지 않는 원왕(冤枉). 밝혀지지 않은 억울한 죄.
[幽圓 유원] 하늘. 천공(天空).
[幽遠 유원] 심오(深奧)함.
[幽蔚 유위] 초목이 빽빽이 들어서 무성한 모양.
[幽幽 유유] ㉠깊은 모양. 깊숙한 모양. ㉡어두운

모양. ㉢조용한 모양.
[幽隱 유은] ㉠세상을 피하여 깊이 숨음. 또, 그 사람. ㉡어두워 보이지 아니함. 또, 그곳.
[幽意 유의] 깊은 생각. 조용한 마음.
[幽人 유인] 어지러운 세상을 피하여 그윽한 곳에 숨어 사는 사람. 은자(隱者). 「숨음.
[幽潛 유잠] ㉠물이 흐르는 깊숙한 곳. ㉡남몰래
[幽寂 유적] 깊숙하고 조용함.
[幽絶 유절] 세상에서 멀리 떨어진 조용한 곳.
[幽情 유정] ㉠깊은 마음. ㉡고상한 마음. 조용한 마음.
[幽鳥 유조] 유금(幽禽).
[幽州猶自可 유주유자가]《佛教》'最苦是江南'과의 대구(對句)임. 송(宋)나라는 금(金)나라의 침공(侵攻)을 받아 유주(幽州)(지금의 북경(北京) 지방)에서 고난(苦難)을 당하였고, 그 후 다시 도읍(都邑)을 강남(江南)으로 옮겼으나 더한층 피폐(疲弊)하여 마침내 나라가 망한 사실(史實)에 의거하여, 즐겁다고 생각하는 후자(後者)가 도리어 전자(前者)보다도 더 괴롭다는 뜻으로 쓰임.
[幽峻 유준] 깊숙하고 험준함.
[幽眞 유진] 고요하고 자연(自然) 그대로임.
[幽贊 유찬] 남이 알지 못하는 데서 몰래 도와줌.
[幽處 유처] 유거(幽居).
[幽天 유천] 서북(西北)쪽 하늘.
[幽賤 유천] 세상에 나타나지 않는 천한 사람.
[幽叢 유총] 깊이 우거진 숲.
[幽翠 유취] 초목(草木)이 우거져 검푸른 모양. 유벽(幽碧).
[幽趣 유취] 그윽한 정취.
[幽櫬 유츤] 관(棺). 널.
[幽探 유탐] 유토(幽討).
[幽討 유토] 조용히 찾는다는 뜻으로, 명승(名勝)을 탐방(探訪)함을 이름.
[幽偏 유편] 유벽(幽僻).
[幽閉 유폐] ㉠가둠. 감금함. ㉡음란한 여자에게 과하는 음부(陰部)의 형벌.
[幽恨 유한] 남모르는 원한.
[幽閑 유한] ㉠정숙함. 얌전함. ㉡고요함. 조용함.
[幽間 유한] 유한(幽閑).
[幽閑靜貞 유한정정] 부녀(婦女)의 숙덕(淑德)이 높음.
[幽巷 유항] 깊숙이 들어간 통로(通路).
[幽香 유향] 그윽한 향기. 유방(幽芳).
[幽險 유험] ㉠마음이 아주 음흉(陰凶)함. ㉡깊고 험준(險峻)함.
[幽玄 유현] 도리(道理)가 깊어서 알기 어려움.
[幽魂 유혼] ㉠고요한 마음. ㉡죽은 사람의 혼. 넋. 망혼(亡魂).
[幽花 유화] 그윽하고 쓸쓸하게 보이는 꽃.
[幽懷 유회] 가슴속 깊이 품은 생각. 남모르는 깊은 생각. 유금(幽襟). 「(幽趣).
[幽興 유흥] 조용하고 재미있는 흥취(興趣). 유취
◉九幽. 明幽. 僻幽. 六幽. 闡幽. 淸幽. 探幽. 顯微闡幽.

8 ⑪ [𢇅] 관 ㊥刪 古還切 guān ㊦諫 古患切

字解 꿸 관, 실북에꿸 관 '一, 織目糸毋杼也'《說文》.

字源 形聲. 絲〈省〉+丱〔音〕

9 ⑫ [幾] 中·人 기 ①-⑩㊥微 居依切 jī ⑪-⑫㊤尾 居狶切 jǐ 几

筆順 幺 ㄠㄠ 𢆶 … 幾 幾 幾

字解 ①빌미 기 조짐(兆朕). 전조(前兆). '一微'. '一者動之微'《易經》. ②고동 기, 기틀 기 제일 중요한 데. 요령. 機(木部 十二畫)와 통용. '一日二日萬一'《書經》. '爲政有一'《揚子法言》. ③때 기 시기. 期(月部 八畫)와 同字. '如一如式'《詩經》. ④위태할 기 위태로움. '一殆'. '疾大漸, 惟一'《書經》. ⑤바랄 기 희망함. 覬(見部 十畫)와 同字. '庶一'. '毋一爲君'《史記》. ⑥거의 기 하마터면. '一至死境'. '一敗乃公之事'《史記》. ⑦가까울 기 거의 되려 함. '月一望'《易經》. ⑧살필 기 살펴봄. 기찰(譏察)함. 譏(言部 十二畫)와 통용. '一出入不物者'《周禮》. ⑨헌걸찰 기 頎(頁部 四畫)와 통용. '一然而長'《史記》. ⑩성 기 성(姓)의 하나. ⑪얼마 기 몇. 수의 다과(多寡) 또는 정도의 고하. '一何'. '未一'. '上問車中一馬'《史記》. ⑫어찌 기 豈(豆部 三畫)와 통용. '一爲知計哉'《荀子》.

字源 金文 篆文 會意. 丝+戍. '丝유'는 자잘한 실의 상형. '戍수'는 '지키다'의 뜻. 전쟁시에 수비병이 품는 미세한 마음씨의 상태로부터, '희미하다'의 뜻과 '위험하다'의 뜻을 나타냄. 또, '近근'과 통하여 '가깝다'의 뜻을, '祈기'와 통하여, '바라다'의 뜻을 나타내며, 가차(假借)하여, '어느 정도'의 뜻도 나타냄.

[幾諫 기간] 노하지 않게 완곡히 간함. 말을 부드럽게 하여 간함.
[幾箇 기개] 몇 개(箇).
[幾那 기나] 약명(藥名). 키니네. 기나수(幾那樹)의 껍질로 만듦. 규나(規那).
[幾年 기년] 몇 해.
[幾多 기다] ㉠수두룩함. 허다(許多). ㉡얼마나.
[幾度 기도] 몇 번.
[幾萬重 기만중] 몇 만 겹.
[幾望 기망] 망월(望月)에 가깝다는 뜻으로, 음력 14일 밤. 또, 그날 밤의 달.
[幾微 기미] 일의 야릇한 기틀. 낌새.
[幾般 기반] 몇 번. 반(般)은 수를 세는 데 쓰는 말.
[幾番 기번] 몇 번.
[幾事 기사] 겉에 나타나지 않는 일. 기미(幾微)의 일.
[幾事不密則害成 기사불밀즉해성] 중대(重大)한 일은 비밀(祕密)히 하지 않으면 누설(漏泄)되어 성취(成就)할 수 없음.
[幾朔 기삭] 몇 달. 「일.
[幾庶 기서] 성인(聖人)의 지경(地境)에 가까운
[幾歲 기세] 기년(幾年).
[幾億 기억] 몇 억. 대단히 많아 이루 셀 수 없는 수효를 이름.
[幾然 기연] 긴 모양. 키가 큰 모양.
[幾運 기운] 돌아가는 기회와 운수. 기운(機運).
[幾月 기월] 몇 달.
[幾人 기인] 몇 사람.
[幾日 기일] 며칠. 몇 날.
[幾重 기중] 몇 겹.
[幾至死境 기지사경] 거의 죽게 됨.
[幾次 기차] 몇 번. 몇 차례.
[幾殆 기태] 위태함.

[幾何 기하] ㉠얼마. 기허(幾許). ㉡기하학(幾何學)의 준말.
[幾何學 기하학] 물건의 형상(形狀)·대소(大小)·위치(位置)에 관한 원리(原理)를 연구하는 수학(數學)의 한 부문.
[幾許 기허] 얼마.
[幾乎 기호] 거의.
[幾回 기회] 몇 번. 몇 차례.
[幾希 기희] 대단히 드묾. 거의 없다시피 함.
◉萬幾. 無幾. 未幾. 非幾. 庶幾.

11 ⑭ [㡭] 계 [去]霽 古詣切 jì
[字解] 이을 계 繼(糸部 十四畫)와 同字. '得水則爲—'《莊子》.

13 ⑯ [𢇍] 〔절〕 絕(糸部 六畫〈p. 1732〉)의 古字

广 (3획) 部
〔엄호부〕

0 ③ [广] [一] 엄 [上]琰 魚檢切 yǎn [二] 광 [上]養 古晃切 guǎng
[筆順] ' 亠 广
[字解] [一] ①집 엄 바위에 의지하여 지은 집. '草—突如峙'《袁桷》. ②마룻대 엄 마룻대의 끝. 동두(棟頭). '剖竹走泉源, 開廊架屋—'《韓愈》. [二] 廣(广部 十二畫〈p. 708〉)의 簡體字.
[字源] 篆文 象形. 가옥의 덮개에 상당하는 지붕의 상형. 건축물을 나타내는 문자의 요소 문자가 됨.

2 ⑤ [庀] 비 [上]紙 匹婢切 pǐ
[字解] ①다스릴 비 '子匠使—賦'《左傳》. ②갖출 비 구비함. '官—其司'《左傳》. ③덮을 비 庇(广部 四畫)와 통용. '—其委積'《周禮》.
[字源] 形聲. 广+匕〔音〕. '匕비'는 '比비'와 통하여, '나란하다'의 뜻. 옥내에 가구 등이 나란하게 갖추어져 있다의 뜻을 나타냄.

2 ⑤ [庂] 측 [入]職 阻力切 zè
[字解] 돈이름 측 '赤—'은 한대(漢代)의 전화(錢貨)의 이름. '公卿請, 令京師鑄官, 赤——當五. 其後二歲, 赤—民不便錢賤, 又廢'《漢書》.

2 ⑤ [広] 〔광〕 廣(广部 十二畫〈p. 708〉)의 俗字

2 ⑤ [庁] 〔청〕 廳(广部 二十二畫〈p. 711〉)의 俗字

3 ⑥ [庄] [高人] [一] 팽 [平]庚 薄萌切 péng [二] 장 [平]陽 側羊切 zhuāng
[筆順] ' 亠 广 广 庄 庄
[字解] [一] 평평할 팽 평탄함. [二] 전장 장 莊(艸部 七畫)의 俗字.
[字源] 形聲. 广+壯〈省〉〔音〕. '莊장'의 俗字. '庄팽'의 본래의 뜻은 평평함.

[庄家 장가] 농가(農家).

3 ⑥ [庍] 사 [去]禡 所嫁切 shà
[字解] 행각 사 몸채 옆에 내어 지은 집. '—, 旁屋也'《玉篇》.

3 ⑥ [㡯] [一] 도 [去]遇 徒故切 dù [二] 택 [入]陌 場伯切 zhái [三] 탁 [入]藥 達各切 duó
[字解] [一] 법도 도 度(广部 六畫〈p. 697〉)와 同字. '度, 說文, 法制也. 或作—'《集韻》. [二] 집 택 宅(宀部 三畫〈p. 568〉)의 古字. [三] 헤아릴 탁 度(广部 六畫〈p. 697〉)의 古字.

3 ⑥ [庆] 〔경·강〕 慶(心部 十一畫〈p. 807〉)의 簡體字

4 ⑦ [庇] [人名] 비 [去]寘 必至切 bì
[筆順] ' 亠 广 广 庀 庀 庇
[字解] ①덮을 비 덮어 가림. 은폐함. '—蔭'. '葛藟猶能—其本根'《左傳》. ②감쌀 비 감싸 보호함. '—護'. '有—民之大德'《禮記》. ③의지할 비 의탁함. '—賴'. '民知所—矣'《呂氏春秋》. ④그늘 비 도움. 의탁. '生民有—'《中說》. ⑤차양 비.
[字源] 篆文 形聲. 广+比〔音〕. '比비'는 친하게 돕다의 뜻. '广엄'은 지붕의 상형. 나란히 친하게 사귀는 지붕, 차양의 뜻에서 바뀌어, '감싸다'의 뜻도 나타냄.

[庇賴 비뢰] 의뢰함.
[庇免 비면] 감싸 면해 줌.
[庇保 비보] 비호(庇護).
[庇陰 비음] 비음(庇蔭).
[庇蔭 비음] 보호함. 도움.
[庇護 비호] 감싸서 보호함.
◉高庇. 曲庇. 賴庇. 保庇. 影庇. 援庇. 廕庇. 蔭庇. 依庇.

4 ⑦ [庉] 돈 ①-④[上]阮 徒損切 dùn ⑤[平]元 徒渾切 tún
[字解] ①담 돈 높은 집의 담. '—, 樓牆也'《說文》. ②집 돈 가옥(家屋). '—, 舍也'《廣雅》. ③둔소(屯所) 돈 사람이 모이는 곳. '—, 屯聚之處'《玉篇》. ④벽장 돈 '—, 一曰, 室中藏也'《集韻》. ⑤불활활붙을 돈 불이 활활 타는 모양. '風與火爲—'《爾雅》.
[字源] 篆文 形聲. 广+屯〔音〕. '广엄'은 높은 곳에 있는 집. '屯둔'은 사람을 모아 지키다의 뜻.

[庉庉 돈돈] ㉠파도 소리. ㉡불이 세게 타는 모양.

4 ⑦ [庋] 기 [上]紙 過委切 guǐ

字解 ①시렁 기 물건을 올려놓는 설비. '一閣'. '傾筐倒一'《世說》. ②올려놓을 기, 둘 기 시렁에 올려놓음. 전(轉)하여, 놓아둠. 저장하여 둠. '一置'. '前後錫與, 緘一不敢用'《唐書》.

字源 形聲. 广＋支〔音〕

[庋閣 기각] 음식을 올려놓는 시렁. 전(轉)하여, 널리 시렁의 뜻으로 쓰임.
[庋置 기치] 시렁에 올려놓음.

4 ⑦ [序] 中人 서 ㊤語 徐呂切 xù

筆順 丶 亠 广 户 庐 庐 序

字解 ①담 서 집의 동서(東西)에 있어, 내외를 구별하는 담. '東一'. '一內'. '東西牆謂之一'《爾雅》. ②차례 서 순서. '一次'. '長幼有一'《孟子》. ③차례매길 서 순서를 정함. '一列'. '一爵以賢'《詩經》. ④실마리 서 단서. 발단(發端). '繼一思不忘'《詩經》. ⑤학교 서 은대(殷代)의 초등학교의 명칭. '庠一'. '殷曰一'《孟子》. ⑥서문 서 머리말. 敍(攴部 七畫)와 同字. '一跋'. '凡百篇而爲之一, 言其作意'《漢書》. ⑦서술할 서 ㉠차례를 따라 진술함. '一其事以風焉'《詩經》. ㉡서문을 씀. '因推其意而一之'《韓愈》. ⑧성 서 성(姓)의 하나.

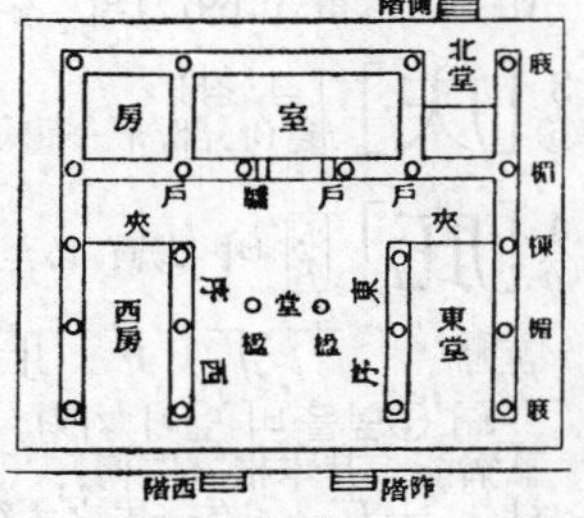

[序①]

字源 篆文 形聲. 广＋予〔音〕. '广엄'은 '건물'의 뜻. '予여'는 '뻗다'의 뜻. 집의 동서(東西)로 뻗은 울타리의 뜻을 나타냄. 또, '敍서'와 통하여 '순서'의 뜻으로 씀.

[序曲 서곡] ㉠가극(歌劇) 등의 중요한 부분을 시작하기 전에 연주(演奏)하는 곡. ㉡대규모의 관현악(管絃樂)의 처음 부분.
[序內 서내] 집의 동서(東西)에 있는 담의 안.
[序端 서단] 집의 동서의 담의 끝.
[序論 서론] 본론의 머리말이 되는 논설. 서론(緖論).
[序幕 서막] ㉠연극(演劇) 등에서 처음 여는 막(幕). ㉡일의 시작(始作).
[序文 서문] 책(冊)의 첫머리에 편찬의 유래와 내용 등을 간단히 적은 글. 머리말. 서문(敍文). 서언(序言). 서언(緖言).
[序跋 서발] 서문과 발문(跋文).
[序詞 서사] 머리말. 서문(序文).
[序庠 서상] 향리(鄕里)의 학교(學校). 또, 학교. 상서(庠序).
[序說 서설] 본론의 실마리가 되는 논설. 서론(序論).
[序詩 서시] ㉠책 첫머리에 서문 대신으로 싣는 시. ㉡긴 시의 머리말 구실을 하는 부분.
[序樂 서악] 서곡(序曲)이 되는 음악.
[序言 서언] 머리말. 서문(序文).
[序列 서열] 차례를 정하여 늘어놓음.
[序傳 서전] 저자(著者)가 책을 쓰게 된 내력과 책의 주지(主旨)를 서술한 것. 서전(敍傳).
[序奏 서주] 악곡(樂曲)의 전주(前奏).
[序次 서차] ㉠순서를 매김. ㉡순서. 차례.
[序讚 서찬] 문체(文體)의 한 가지. 여러 사람이 차례로 짓는 찬(讚).
[序齒 서치] 연령순으로 좌석을 정함.
◉甄序. 階序. 繼序. 冠序. 校序. 紀序. 端序. 大序. 代序. 東序. 班序. 四序. 庠序. 常序. 西序. 歲序. 小序. 順序. 語序. 列序. 禮序. 右序. 位序. 倫序. 彝序. 自序. 長幼有序. 節序. 條序. 州序. 秩序. 次序. 天序. 齒序. 花序. 後序.

4 ⑦ [庎] 개 ㊀卦 居拜切 jiè

字解 ①살강 개, 시렁 개 물건을 얹거나 넣어 두는 곳. '一, 所以庋食器者'《集韻》. ②개수대 개 '一, 庋版, 令足流水以受滌濯, 今人設之於廚'《六書故》.

字源 形聲. 广＋介〔音〕

參考 疥(疒部 四畫)는 別字.

4 ⑦ [庈] 금 ㊥侵 巨金切 qín

字解 사람이름 금 '費一父勝之'《左傳》.

4 ⑦ [庌] 아 ㊤馬 五下切 yǎ ㊀禡 魚駕切

字解 가릴 아 집 같은 것을 지어 우로(雨露)를 가림. '夏一馬'《周禮》.

字源 篆文 形聲. 广＋牙〔音〕. '广엄'은 '지붕', '牙아'는 밖으로 튀어나온 물건의 뜻. '차양'의 뜻을 나타냄.

4 ⑦ [庐] 〔려〕 廬(广部 十六畫〈p. 710〉)의 俗字

4 ⑦ [庋] 〔도〕 度(广部 六畫〈p. 697〉)의 俗字

4 ⑦ [庐] 〔려·로〕 廬(广部 十六畫〈p. 710〉)의 簡體字

4 ⑦ [庄] 〔장〕 莊(艸部 七畫〈p. 1924〉)의 俗字

4 ⑦ [底] 〔저〕 底(广部 五畫〈p. 694〉)와 同字

4 ⑦ [床] 高人 〔상〕 牀(爿部 四畫〈p. 1369〉)의 俗字

筆順 丶 亠 广 广 庄 床 床

[応] 〔응〕 心部 三畫(p. 758)을 보라.

5 ⑧ [底] 高人 저 ㊤薺 都禮切 dǐ

筆順 丶 亠 广 广 庀 庐 底 底

字解 ①밑 저 ㉠밑바닥. '一面'. '眼花落井水一眠'《杜甫》. ㉡세월의 거의 다 된 때. 세밑 따위.

'歲一'. '月一'. ②바닥 저 그릇·신 같은 것의 밑 부분. '無一曰棗'《詩經 箋》. ③이를 저 도달함. '一止'. '瞽瞍一豫而天下之爲父母者定'《孟子》. ④이룰 저 되게 함. 致(至部 三畫)와 뜻이 같음. '乃一滅亡'《書經》. ⑤그칠 저 정지함. '房久將一'《國語》. ⑥어찌 저 의문사. 어찌하여. 또, 어떤. 何(人部 五畫)와 뜻이 같음. 시(詩) 또는 속어에 쓰임. '一事'. '有一忙時不肯來'《韓愈》. ⑦어조사 저 지시(指示)의 뜻을 나타내는 조사(助辭). 송인(宋人)의 어록(語錄)에 이 자를 많이 썼음. 的(白部 三畫)과 뜻이 같음. '是做人一樣子'《朱子語類》. ⑧초고 저 문서의 원고. '一本'. '公家文書之稾, 中書謂之草, 樞密院謂之一, 三司謂之檢'《春明退朝錄》. ⑨숫돌 저 砥(石部 五畫)와 통용. '磨礱一厲'《漢書》. ⑩성 저 성(姓)의 하나.

字源 篆文 形聲. 广+氐〔音〕. '氐저'는 '바닥'의 뜻. 가옥의 기저부(基底部)의 뜻에서, 일반적으로, 바닥, 밑, 바닥에 이르다의 뜻을 나타내게 됨.

[底稿 저고] 원고(原稿). 초고(草稿).
[底極 저극] ㉠종극(終極)에 이름. 끝남. ㉡끝. 종극(終極).
[底厲 저려] ㉠숫돌. ㉡갈고 닦음. 전(轉)하여, 학문·품성(品性) 등을 수양(修養)함.
[底裏 저리] ㉠깊이 숨어서 보이지 않는 곳. ㉡안의 정세. 속사정. 내정(內情).
[底面 저면] 밑의 면(面).
[底邊 저변] 밑의 변(邊).
[底本 저본] 초고(草稿).
[底事 저사] 어찌하여. 무슨 이유로. 당시(唐詩)에 흔히 나오는 말임.
[底蘊 저온] 깊은 속. 마음속에 깊숙이 감추어 둔 일. 온오(蘊奧).
[底定 저정] ㉠그곳에 정착(定着)함. ㉡난리를 평정함.
[底止 저지] 도달하여 정지함.
[底下 저하] ㉠용렬(庸劣)함. 비열(卑劣)함. ㉡아주 천(賤)함.
[底下人 저하인] 종. 노복(奴僕).
[底貨 저화] 잔품(殘品). 잔하(殘荷).
◉筐底. 基底. 到底. 拂底. 船底. 歲底. 小底. 水底. 心底. 眼底. 池底. 艙底. 徹底. 湫底. 河底. 海底. 胸底.

5 ⑧ [庌] 사 ①㊤馬 側下切 zhǎ ②㊥麻 鋤加切 chá

字解 ①집 사 가옥(家屋). '一, 屋也'《集韻》. ②고르지않을 사 가지런하지 않음. '一庌, 不齊'《集韻》.

5 ⑧ [庖] 포 ㊥肴 薄交切 páo

字解 ①부엌 포 취사장. '一廚'. '大一不盈'《詩經》. ②요리인 포 요리하는 사람. '伊尹爲一'《史記》. ③음식 포 요리한 음식. '專主一膳'《宋史》. ④복희씨 포 복희씨(伏羲氏)를 이름. '一犧'. '河圖命一'《漢書》. ⑤성 포 성(姓)의 하나.

字源 篆文 形聲. 广+包〔音〕. '包포'는 '싸다'의 뜻. '广엄'은 '가옥'의 뜻. 고기를 싸 두는 방, 곧 '부엌'의 뜻을 나타냄.

[庖廩 포름] 부엌과 곳집. 부엌과 광.
[庖屋 포옥] 부엌. 취사장.
[庖人 포인] ㉠주(周)나라의 벼슬 이름. 식선(食膳)을 맡았음. ㉡요리인(料理人). 포재(庖宰).
[庖宰 포재] 요리하는 사람. 요리인.
[庖子 포자] 옛날의 유명한 요리인. 전하여, 요리인.
[庖丁 포정] ㉠옛날의 유명한 요리인의 이름. 그가 쇠고기를 바르는 데 지극히 교묘하였다는 고사(故事)에서, 후세에 기술이 교묘함을 칭찬하여 '一一解牛'라 하였음. ㉡요리인(料理人). 포인(庖人).
[庖正 포정] 식선(食膳)을 맡은 벼슬.
[庖丁解牛 포정해우] 포정(庖丁) ❶을 보라.
[庖廚 포주] 부엌. 주방. 취사장. 주(廚)는 속(俗)에 주(厨)로 씀.
[庖犧 포희] '복희(伏羲)'와 같음. 희생(犧牲)을 길러서 부엌에 대어 주었다는 데서 이름.
◉同庖. 良庖. 典庖. 族庖. 廚庖. 珍庖. 寒庖.

5 ⑧ [店] 中人 점 ㊀豔 都念切 diàn

筆順 丶 亠 广 广 庐 庐 店 店

字解 전방 점 가게. 상점. '一鋪'. '營新一, 規利'《宋史》.

字源 形聲. 广+占〔音〕. '占점'은 일정 장소를 차지한다는 뜻. 일정 장소를 차지하고 물품을 벌여 놓고 장사하는 장소, 곧 '가게'의 뜻을 나타냄.

[店頭 점두] 가게 앞.
[店幕 점막] 《韓》 음식(飮食)을 팔고 나그네를 묵게 하는 집.
[店肆 점사] 점포(店鋪).
[店員 점원] 《韓》 가게에서 일을 보는 고용인.
[店店 점점] 가게마다.
[店主 점주] 가게의 주인.
[店鋪 점포] 가게. 상점(商店).
◉開店. 孤店. 露店. 賣店. 名店. 坊店. 芳店. 本店. 分店. 商店. 書店. 小店. 夜店. 野店. 旅店. 料理店. 飮食店. 支店. 草店. 閉店. 弊店. 行店. 荒店.

5 ⑧ [庚] 中人 경 ㊥庚 古行切 gēng

筆順 丶 亠 广 户 庐 庐 庚 庚

字解 ①일곱째천간 경 십간(十干)의 제칠 위(第七位). 방위로는 서쪽, 오행(五行)으로는 금(金)에 속(屬)함. '一午'. '太歲在一曰上章'《爾雅》. ②고칠 경 更(日部 三畫)과 同字. '先一三日, 後一三日'《易經》. ③갚을 경 배상함. '請一之'《禮記》. ④단단할 경 씨가 잘 여물어 단단함. 견강(堅強)함. '萬物一一有實'《說文》. ⑤나이 경 연령. '同一者數十'《癸辛雜識》. ⑥길 경 도로. '塞夷一'《左傳》.

字源 甲骨文 金文 篆文 象形. 甲骨文으로도 알 수 있듯이, 절굿공이를 두 손으로 들어 올리는 모양을 형상함. 만물이 여무는 가을 등, 십간(十干)의 일곱째의 뜻으로 쓰임.

[庚庚 경경] ㉠드러누운 모양. ㉡잘 여물어 단단한 모양. ㉢새 우는 소리.

[庚癸 경계] 군중(軍中)에서 양식을 구하는 은어(隱語). 경(庚)은 서쪽에 위치해서 곡식을 주관하고, 계(癸)는 북쪽에 있어서 물을 주관하기 때문임.
[庚伏 경복] 삼복(三伏)을 이름. 하지(夏至) 후의 셋째 경일(庚日)에 시작하기 때문임.
◉盜庚. 同庚. 商庚. 先庚. 由庚. 夷庚. 長庚. 倉庚. 蒼庚. 後庚.

5 ⑧ [庘] 압 ㊋洽 乙甲切 yā

字解 ①쓸린집 압 다 쓰러져 가는 집. '一, 屋欲壞也'《玉篇》. ②돼지우리 압 '一, 一曰, 豕屋也'《集韻》.

5 ⑧ [府] 高人 부 ㊤麌 方矩切 fǔ

筆順 ˋ 亠 广 广 庁 庁 府 府

字解 ①곳집 부 문서 또는 재화를 넣어 두는 창고. '一庫'. '在官言官, 在一言一'《禮記》. ②마을 부 재화(財貨)를 맡은 관청. 전(轉)하여, 널리 관청. '泉一'. '一寺'. '文深不可居大一'《漢書》. ③도읍 부 사람이 많이 모이는 곳. '未嘗入城一'《後漢書》. 전(轉)하여, 사물이 모이는 곳. '吾不爲怨一'《左傳》. ④고을 부 행정 구획(區劃)의 하나. 주(州)의 큰 것. 당(唐)나라에서 시작되어, 명(明)·청(清)에 이르러서는 주현(州縣)을 통합하여 성(省)에 속하다가, 중화민국(中華民國)에 이르러 폐지되었음. '州一三百五十八'《唐書》. ⑤창자 부 腑(肉部 八畫)와 통용. '藏一'. '在人身中, 飮食所聚, 謂之六一'《周禮 疏》. ⑥구부릴 부 俯(人部 八畫)와 통용. '王一而視之'《列子》. ⑦성 부 성(姓)의 하나.

字源 金文 篆文 形聲. 广+付〔音〕. '广엄'은 '지붕, 건물'의 뜻. '付부'는 '건네다, 부치다'의 뜻. 중요 서류를 부쳐서 간수해 두는 '곳집'의 뜻을 나타냄. 金文은 '府+貝패'의 형태인데, '貝'는 '재물'의 뜻이므로, 예로부터 재물을 간수하는 '곳집'의 뜻을 나타냈었음을 알 수 있음.

[府檄 부격] 관청으로부터의 소집장.
[府庫 부고] 궁정(宮廷)의 문서(文書)·재보(財寶)를 넣어 두는 곳집.
[府公 부공] ㉠육조(六朝) 시대에 관청의 장관의 존칭. ㉡당대(唐代)에 절도사·관찰사의 존칭.
[府君 부군] ㉠한대(漢代)에 태수(太守)의 존칭(尊稱). ㉡존장(尊長)의 존칭. ㉢자기의 망부(亡父) 및 조상(祖上)의 존칭. ㉣죽은 사람의 영혼을 다스리는 신(神). '태산부군(泰山府君)'의 준말.
[府吏 부리] 벼슬아치.
[府兵 부병] 수(隋)나라와 당(唐)나라 때 유사시에는 종군(從軍)하고 무사한 때에는 여러 주(州)에 분산하여 경작하며, 그중에서 선발하여 수도(首都)의 위병(衛兵)으로 번(番)들게 하던 군사.
[府史 부사] 장관 밑에서 물건의 보관을 맡은 벼슬아치와 문서(文書) 작성의 일을 맡은 벼슬아치.
[府署 부서] 관아(官衙). 관청(官廳).
[府城 부성] 도읍(都邑).
[府寺 부시] 관아(官衙). 관청.
[府尹 부윤] ㉠부(府)의 장관(長官). 한(漢)나라의 경조윤(京兆尹)에서 시작하였음. ㉡《韓》 조선 시대 때 종이품(從二品)의 외관직(外官職).
[府人 부인] 곳집을 맡은 벼슬아치. 창고(倉庫)지기.
[府藏 부장] 궁정(宮廷)의 곳간.
[府庭 부정] 관아(官衙)의 뜰.
[府第 부제] 관아(官衙). 관청(官廳).
[府朝 부조] 삼공(三公)의 관아와 군수(郡守)의 관아.
[府中 부중] 대장군(大將軍)의 막부(幕府). 일설(一說)에는, 재상(宰相)이 집무하는 관아(官衙).
[府帑 부탕] 정부(政府)의 금고(金庫). 국고(國庫). 또, 그 돈. 국고금(國庫金).
◉家府. 京府. 公府. 官府. 廣寒府. 九府. 舊府. 國府. 軍府. 記府. 內府. 潭府. 大府. 臺府. 都府. 都護府. 幕府. 萬物一府. 盟府. 明府. 冥府. 藩府. 祕府. 四府. 私府. 上府. 相府. 庶府. 署府. 膳府. 城府. 小府. 水府. 首府. 心府. 樂府. 兩府. 御府. 連府. 靈府. 藝府. 玉府. 外府. 怨府. 六府. 陰府. 林府. 入府. 宰府. 折衝府. 政府. 州府. 知府. 鎭守府. 振天府. 天府. 泉府. 樞府. 覇府. 學府. 禍府. 胸府.

5 ⑧ [庛] 자 ㊍寘 七賜切 cì / ㊥支 才支切

字解 쟁깃술 자 보습 옆에 댄 나무. '車人爲耒, 一長尺有一寸'《周禮》.

參考 庇(广部 四畫)·疵(疒部 五畫)는 別字.

5 ⑧ [庈] 〔지〕 知(矢部 三畫〈p. 1557〉)의 古字

6 ⑨ [庠] 人名 상 ㊥陽 似羊切 xiáng

筆順 ˋ 亠 广 广 庀 庀 庠 庠

字解 학교 상 ㉠은(殷)·주대(周代)의 학교. '一序'. '夏曰校, 殷曰序, 周曰一'《孟子》. ㉡지방학교. 향학(鄕學). '邑一'. '郡一'. '古之敎者, 家有塾, 黨有一'《禮記》

字源 篆文 形聲. 广+羊〔音〕. '羊양'은 '養양'과 통하여, 노인을 공경하며, 그 장로(長老)에 의하여 자제(子弟)를 교육하는 은대(殷代)의 학교의 뜻을 나타냄. 또, '養'은 '詳상'과 통하여, 고전(古典)을 자세히 강의하는 주대(周代) 학교의 뜻을 나타냄.

[庠校 상교] 학교(學校).
[庠序 상서] 향리(鄕里)의 학교. 또, 학교.
[庠學 상학] 상서(庠序).
[庠斅 상효] 상서(庠序).
◉國庠. 上庠. 序庠. 下庠.

6 ⑨ [庤] 치 ㊤紙 直里切 zhì

字解 쌓을 치 쌓아 둠. 저축함. '一, 儲置屋下也'《說文》.

字源 篆文 形聲. 广+寺〔音〕. '广엄'은 '건물'의 뜻. '寺시'는 '止지'와 통하여 '멈추게 하다'의 뜻. 건물 안에 물건을 저장하여 머무르

게 하다의 뜻을 나타냄.

6 ⑨ [庥] 휴 [平]尤 許尤切 xiū

[字解] ①나무그늘 휴 나무의 그늘. 수음(樹蔭). '今俗呼樹蔭爲一'《爾雅 註》. ②쉴 휴 휴식함. '此邦是一'《韓愈》.

[字源] 休의 別字 形聲. 广+休〔音〕. '休휴'의 별체(別體)로서 '쉬다'의 뜻을 나타냄. 또, '广엄'은 가옥의 덮개, 지붕의 상형으로, 사람이 쉬는 나무 그늘의 뜻을 나타냄.

6 ⑨ [庢] 치 [上]紙 尺氏切 chǐ

[字解] 넓힐 치, 클 치 넓고 큼. '軍一翼掩之'《唐書》.

6 ⑨ [庢] 질 [入]質 陟栗切 zhì

[字解] ①막을 질 막아 그치게 함. 저지(沮止)함. '一, 礙止也'《說文》. ②물굽이 질 물줄기의 굽어진 부분. '山曲曰盩, 水曲曰一'《太平寰宇記》.

[字源] 篆文 形聲. 广+至〔音〕. '至지'는 '塡전'과 통하여, 가득 채워 넣다의 뜻. 옥내에 물건이 차다, 막히다의 뜻을 나타냄.

6 ⑨ [度] [中人] [一] 도 [去]遇 徒故切 dù [二] 탁 [入]藥 徒落切 duó

[筆順] ' 亠 广 户 庐 庐 度 度

[字解] [一] ①법도 도 법칙. '制一'. '一不可改'《左傳》. ②자 도 장단을 재는 기구. '尺一'. '同律一量衡'《書經》. ③정도 도 알맞은 한도. '制節謹一'《孝經》. ④국량 도 기량(器量). '一量'. '有大一'《史記》. ⑤풍채 도 모습. '態一'. '此子之風一'《後漢書》. ⑥번 도 횟수. '一數'. '前後六一銜命'《北史》. ⑦건널 도, 건넬 도 渡(水部 九畫)와 同字. '一航'. '一江河'《漢書》. '莫把金針一與人'《元好問》. ⑧중될 도 속인(俗人)이 승적(僧籍)에 들어감. '剃一'. '得一'. '欲請一僧以資福事'《唐書》. ⑨도 도 ㉠일월성신(日月星辰)의 운행을 재기 위하여 천체(天體)의 전주(全周)를 360등분(等分)한 새김. '日月宿一相戾'《後漢書》. ㉡온도(溫度)의 단위. ㉢각도(角度)의 단위. ㉣지구의 표면을 동서 또는 남북으로 각각 360등분한 새김. '經一'. '緯一'. ⑩성 도 성(姓)의 하나. [二] ①잴 탁 ㉠길이를 잼. '寸而一之, 至丈必差'《說苑》. ㉡땅을 잼. 측량함. '一地居民'《禮記》. ②헤아릴 탁 ㉠촌탁함. 추측함. '神之格思, 不可一思'《詩經》. ㉡고려함. '爰究爰一'《詩經》. ③물을 탁 문의함. '周爰咨一'《詩經》. ④셀 탁 계산함. '不一民械'《禮記》. ⑤던질 탁 흙을 널빤지에 던짐. '一之薨薨'《詩經》.

[字源] 篆文 形聲. 又+庶(庻)〈省〉〔音〕. '庻서'는 '尺척'과 통하여, '자'의 뜻. '又우'는 '손'의 뜻. 자를 건너질러서 재다의 뜻을 나타냄.

[度曲 도곡] ㉠가곡(歌曲)에 의하여 노래함. ㉡가곡(歌曲)을 지음.
[度矩 도구] 법(法). 규칙.
[度揆 도규·탁규] ㉠도구(度矩). ㉡'탁규(度揆)'를 보라.
[度量 도량] ㉠길이를 재는 기구(器具)와 용적(容積)을 재는 기구. 자와 되. ㉡길이와 용적. ㉢사물(事物)을 너그럽게 용납(容納)하여 처리(處理)하는 품성.
[度量衡 도량형] ㉠도(度)는 길이를 재고, 양(量)은 분량(分量)을 되고, 형(衡)은 무게를 다는 일. ㉡자·되·저울의 총칭(總稱).
[度世 도세] ㉠속세(俗世)를 초월함. ㉡중생(衆生)을 구제함.
[度數 도수] ㉠얼마의 번수. 횟수. ㉡각도(角度)·광도(光度)·온도(溫度) 등의 도(度)의 수. 눈의 수. ㉢정한 제도(制度).
[度厄 도액] 액막이.
[度外 도외] ㉠법도(法度) 밖. ㉡생각 밖. 문제 밖.
[度外視 도외시] ㉠문제로 삼지 않고 가외의 것으로 보아 넘김. ㉡상대를 하지 아니함.
[度越 도월] 남보다 뛰어남.
[度日 도일] 살아 나감. 생활(生活)함.
[度牒 도첩] 승니(僧尼)가 되어 수계(受戒)하였을 때 정부(政府)가 윤허(允許)하여 주는 증명.
[度脫 도탈] ㉠중생을 제도(濟度)하여 괴로움을 면케 함. '제도 해탈(濟度解脫)'의 준말. ㉡훨씬 뛰어남.
[度航 도항] 배를 타고 물을 건넘. 또, 그 배. 도항(渡航).
[度計 탁계] 헤아림. 요량함.
[度揆 탁규] 탁계(度計).
[度內 탁내] 가슴속을 헤아림.
[度德量力 탁덕양력] 자기의 덕망(德望)과 역량(力量)을 헤아려 일을 행함.
[度料 탁료] 탁계(度計).
[度支 탁지] 천하(天下)의 재정(財政)을 맡은 벼슬. 회계관(會計官).
[度地 탁지] 토지를 측량(測量)함.
[度支部 탁지부] ㉠청(清)나라 말년에 호부(戶部)를 개칭(改稱)한 것. 민국(民國)에 들어와서는 다시 재정부(財政部)라 고쳤음. ㉡대한제국(大韓帝國) 때 정부의 재무(財務)를 총할(總轄)하던 관아.
[度支衙門 탁지아문] 조선 말(朝鮮末)에 재정(財政)·조세(租稅)·화폐(貨幣) 등에 관한 사무(事務)를 총할하던 관아. 호조(戶曹)의 후신(後身)이고 탁지부(度支部)의 전신임.

◉角度. 感度. 楗度. 經度. 計度. 稽度. 高度. 過度. 曠度. 宏度. 校度. 句度. 究度. 矩度. 局度. 權度. 軌度. 規度. 揆度(규탁). 極度. 襟度. 期度. 器度. 濃度. 大度. 都度. 得度. 滅度. 明度. 民度. 密度. 百度. 法度. 頻度. 思度. 商度. 常度. 象度. 鮮度. 性度. 星度. 速度. 純度. 濕度. 猜度. 識度. 尋度. 雅度. 量度. 億度. 臆度(억탁). 預度. 禮度. 五度. 溫度. 料度. 用度. 原度. 遠度. 越度. 緯度. 踰度. 六度. 隱度. 擬度. 議度. 才度. 適度. 纏度. 節度. 丁度. 貞度. 程度. 制度. 濟度. 糟度. 調度. 準度. 支度. 志度. 進度. 震度. 差度. 察度. 尺度. 剃度. 體度. 初度. 忖度(촌탁). 揣度. 測度. 則度. 態度. 討度. 品度. 風度. 限度. 憲度. 玄度. 懸度. 化度.

6 ⑨ [庡] 선 [上]吻 所近切 shěn

字解 집기울 선 집이 쏠림. '一, 屋斜也'《篇韻》.

6 ⑨ [庣] 조 ㊥蕭 吐彫切 tiāo

字解 ①차지않을 조 용기(容器)에 가득 차지 아니함. 또, 그 차지 않는 곳. '旁有一焉'《漢書》. ②지날 조 넘침. '一, 過也'《集韻》.

6 ⑨ [庨] 〔척〕 斥(斤部 一畫〈p. 951〉)과 同字

6 ⑨ [庰] 〔병〕 屛(广部 八畫〈p. 699〉)의 俗字

7 ⑩ [座] 高人 좌 ㊀箇 徂臥切 zuò

筆順 ' 亠 广 广 庂 庅 座 座

字解 ①자리 좌 ㉠까는 자리. '繡一'. '蒲一夜間猫占臥'《許棐》. ㉡앉는 자리. '掃除設一'《史記》. ㉢여러 사람이 앉아 있는 장소. '談咏竟一'《晉書》. ㉣지위. '八一樞機'《李嶠》. ㉤성수(星宿). '太一之一也'《晉書》. ㉥좌대(座臺). 기구를 앉혀 놓는 대(臺). '立砲一十有二'《元史》. ②좌 좌 안치(安置)하여 놓은 것을 세는 수사(數詞). '佛像一一'.

字源 形聲. 广+坐〔音〕. '坐좌'는 '앉다'의 뜻. 가옥 안의 앉는 장소의 뜻을 나타냄.

[座客 좌객] 좌석(座席)에 앉아 있는 손. 동석(同席)한 사람.
[座鼓 좌고] 틀에 달고 채로 치게 된 북.
[座具 좌구] 중이 부처에게 절할 때 까는 자리.
[座談 좌담] 자리 잡고 앉아서 하는 이야기.
[座論 좌론] ㉠석상(席上)에서의 의론(議論). ㉡매화(梅花)의 일종. 좌론매(座論梅).
[座末 좌말] 자리의 끝. 하위(下位)의 좌석.
[座上 좌상] 여러 사람이 모인 자리. 좌중(座中). 석상(席上).
[座席 좌석] 앉는 자리. 앉은 자리.
[座禪 좌선] '좌선(坐禪)'과 같음.
[座右 좌우] ㉠좌석(座席)의 오른편. ㉡좌석(座席)의 곁. 자기가 거처(居處)하는 곳의 곁.
[座右銘 좌우명] 늘 자리 옆에 적어 놓고 경계로 삼는 격언(格言).
[座隱 좌은] 앉아서 은둔(隱遁)한다는 뜻으로, '바둑'을 달리 이르는 말. 좌은(坐隱).
[座長 좌장] 집회 석상(集會席上)에서 회장(會長)으로 추대된 사람. 또, 좌석(座席)의 어른.
[座前 좌전] 편지(便紙)를 받을 사람의 성명(姓名) 아래에 쓰는 존칭(尊稱).
[座主 좌주] 과거 보는 사람이 시관(試官)을 일컫는 말. 당대(唐代)부터 쓴 말임.
[座中 좌중] ㉠여러 사람이 모인 자리. ㉡자리의 가운데.
[座次 좌차] 자리의 차례. 석순(席順).
[座下 좌하] 좌전(座前).
[座興 좌흥] 여러 사람이 모인 자리에서 흥을 돋우는 노래나 유희 따위.

◉講座. 傾座. 瓊座. 計座. 高座. 槐座. 口座. 几杖座. 跪座. 鈞座. 金座. 起座. 露座. 臺座. 滿座. 末座. 默座. 法座. 黼座. 寶座. 獅子座. 四座. 三台座. 上座. 星座. 首座. 視座. 侍座. 神座. 安座. 御座. 蓮座. 列座. 猊座. 玉座. 圓座. 危座. 律座. 扆座. 銀座. 一座. 前座. 正座. 帝座. 中座. 衆座. 中台座. 卽座. 着座. 遷座. 草座. 台座. 八座. 便座. 下座. 虛座. 花座.

7 ⑩ [庫] 高人 고 ㊀遇 苦故切 kù 库

筆順 ' 亠 广 广 庐 肩 肩 庫

字解 곳집 고 무기를 넣어 두는 창고. '一, 兵車藏也'《說文》. 후세에는, 다른 재화도 저장하는 창고로 널리 쓰임. '一藏'. '審五一之量'《禮記》.

字源 金文 篆文 形聲. 广+車〔音〕. '广엄'은 '가옥'의 뜻. '車거'는 '수레'의 뜻. 수레를 넣는 곳집의 뜻을 나타냄.

[庫樓 고루] ㉠무기를 넣어 두는 창고의 망루(望樓). ㉡성수(星宿)의 이름. 고루(庫婁).
[庫裡 고리] 고리(庫裏).
[庫裏 고리] 《佛敎》 절의 부엌.
[庫門 고문] 치문(雉門) 밖에 있는 왕궁(王宮)의 문(門).
[庫封 고봉] 물건(物件)을 곳집 속에 넣어 잠그고 봉(封)함.
[庫藏 고장] 곳간. 창고(倉庫).
[庫錢 고전] 정부의 창고에 넣어 둔 돈.
[庫平 고평] 청(淸)나라 강희(康熙) 연간에 제정된 무게의 단위의 이름. 평칭(平秤).

◉公庫. 國庫. 金庫. 內庫. 廩庫. 武庫. 文庫. 兵庫. 寶庫. 府庫. 四庫. 書庫. 五庫. 長生庫. 在庫. 齋庫. 艇庫. 車庫. 倉庫. 天庫. 帑庫.

7 ⑩ [庬] 一 방 ㊥江 亡江切 máng 二 몽 ㊤董 母揔切 měng

字解 一 두터울 방 풍후함. 厖(厂部 七畫)과 同字. '湛恩一洪'《漢書》. 二 흐릿할 몽 혼돈(混沌)하여 분명하지 않은 모양. '踰一鴻於宕冥兮'《張衡》.

字源 形聲. 广+尨〔音〕. '尨방'은 삽살개의 상형으로 풍부하다는 뜻. '广엄'은 '집'의 뜻. '큼, 풍부함'의 뜻을 나타냄.

[庬鴻 몽홍] 사물이 혼돈하여 불분명한 모양.
[庬洪 방홍] 두텁고 큼.

◉奇庬. 敦庬. 紛庬. 豐庬.

7 ⑩ [庭] 中人 정 ㊥青 特丁切 tíng ㊀徑 他定切

筆順 ' 亠 广 广 庄 庄 庭 庭

字解 ①뜰 정 ㉠집 안의 마당. '一園'. '掌掃門一'《周禮》. ㉡대청. '賓客在一者'《列子》. ㉢백성을 상대하여 정무(政務)·소송을 취급하는 곳. '法一'. '訟於郡一長年'《魏書》. ㉣궁중(宮中). '妖靡盈一, 忠良在朝'《列子》. ㉤집안. 가정. '一訓益峻'《晉書》. ㉥곳. 장소. '宜昇著作之一, 並踐記言之地'《李嶠》. ②조정 정 廷(廴部 四畫)과 同字. '龍輅充一'《張衡》. ③곧을 정 반듯함. '旣一且碩'《詩經》. ④동안뜰 정 사이가 멂. 또, 차이가 큼. '大有逕一'《莊子》. ⑤성 정 성(姓)의 하나.

字源 篆文 形聲. 广+廷〔音〕. '廷정'은 궁전으로부터 쑥 내민 '뜰'의 뜻. '广엄'을 붙여, '뜰'의 뜻을 나타냄.

[庭柯 정가] 뜰에 있는 나무. 정수(庭樹). 원수(園樹).
[庭決 정결] 사택(私宅)에서 판결(判決)함.
[庭階 정계] 뜰과 계단. 전(轉)하여, 문안. 집 안.
[庭誥 정고] 정훈(庭訓). 가교(家敎).
[庭壼 정곤] 대궐 안.
[庭敎 정교] 가정교육. 가정교훈. 정훈(庭訓).
[庭球 정구] ㉠장방형(長方形)의 코트 중앙에 네트를 치고 무른 고무공을 라켓으로 쌍방에서 쳐 넘기는 구기(球技). 연식 정구(軟式庭球). ㉡테니스의 종전의 일컬음.
[庭燎 정료] 옛날 나라에 큰 일이 있을 때 밤중에 대궐의 뜰에 피우던 화톳불. 입궐(入闕)하는 신하를 위하여 피웠음.
[庭實 정실] 마당에 가득 늘어놓은 공물(貢物).
[庭午 정오] 해나 달이 중천(中天)에 있는 때. 정오(亭午). 정오(正午).
[庭辱 정욕] 조정(朝庭)에서 욕(辱)을 보임.
[庭園 정원] ㉠집 안의 뜰. ㉡집 안에 만들어 놓은 동산.
[庭闈 정위] 부모가 거처하는 방. 전(轉)하여, 부모. 위(闈)는 내실(內室).
[庭牆 정장] 뜰 가의 담.
[庭爭 정쟁] 조정에서 기탄없이 임금을 간(諫)함.
[庭前 정전] 뜰 앞.
[庭除 정제] 뜰. 마당.
[庭圃 정포] 정원(庭園).
[庭戶 정호] 집의 뜰과 출입구. 전하여, 뜰 안. 집 안.
[庭訓 정훈] 가정교육. 가정교훈. 정교(庭敎). 공자(孔子)의 아들 이(鯉)가 뜰 앞으로 뛰어갈 때 공자가 그를 불러 세우고서 시(詩)·예(禮)를 배워야 함을 가르쳤다는 고사(故事)에 의함.
[庭詰 정힐] 조정(朝廷)에서 힐책(詰責)함.
◉家庭. 間庭. 徑庭. 逕庭. 校庭. 宮庭. 闈庭. 棘庭. 禁庭. 來庭. 彤庭. 洞庭. 幕庭. 門庭. 法庭. 邊庭. 不庭. 府庭. 北庭. 私庭. 山庭. 胥庭. 石庭. 省庭. 訟庭. 殊庭. 掖庭. 王庭. 園庭. 膺庭. 鯉庭. 前庭. 珠庭. 中庭. 踐仁庭. 天庭. 椒庭. 築庭. 遐庭. 學庭. 閑庭. 戶庭. 後庭.

7 ⑩ [廕] 곤 ㊀願 苦悶切 kùn

字解 곳집 곤 미창(米倉). '一, 倉也'《玉篇》.

7 ⑩ [庮] 유 ㊤有 與九切 yǒu
㊥尤 以周切

字解 ①썩은나무 유 고옥(古屋)의 썩은 나무. ②썩은내날 유 썩은 나무의 냄새가 남. '一, 朽木臭也'《周禮 註》.

字源 篆文 形聲. 广+酉〔音〕

7 ⑩ [庩] 도 ㊥虞 同都切 tú

字解 기울 도 집이 기울어짐. '庯一'.

7 ⑩ [庪] 기 ㊤紙 過委切 guǐ

字解 산신제 기 '一縣'은 산신(山神)에 지내는 제사. '祭山曰一縣'《爾雅》.

字源 篆文 形聲. 广+技〔音〕

[唐] 〔당〕
口部 七畫(p. 377)을 보라.

[席] 〔석〕
巾部 七畫(p. 674)을 보라.

8 ⑪ [庰] 병 ㊤梗 必郢切 bìng

字解 ①덮개 병, 덮을 병 '一, 蔽也'《說文》. ②감출 병 저장함. '一, 藏也'《廣雅》. ③후미진집 병 '坐太陰之一室兮'《張衡》.

字源 篆文 形聲. 广+幷〔音〕. '广엄'은 '지붕', '幷병'은 '아우르다'의 뜻. 위에서 몽땅 덮다의 뜻을 나타냄.

參考 屛(广部 六畫)은 俗字.

8 ⑪ [庳] 비 ①③㊤紙 便俾切 bì
②㊥支 頻彌切 pí

字解 ①낮을 비 ㉠집이 낮음. '宮室卑一'《左傳》. ㉡지위가 낮음. '一則儀秦'《揚子法言》. ㉢땅이 낮음. '陂唐汚一'《國語》. ㉣키가 작음. '其民豐肉而一'《周禮》. ②도울 비 毗(田部 四畫)와 통용. '天子是一'《荀子》. ③성 비 성(姓)의 하나.

字源 篆文 形聲. 广+卑〔音〕. '卑비'는 '낮다'의 뜻. 집이 낮다는 뜻을 나타냄.

[庳車 비차] 낮은 수레.
◉卑庳. 汚庳. 低庳.

8 ⑪ [廆] 庳(前條)와 同字

8 ⑪ [庵] 人名 암 ㊥覃 烏含切 ān

筆順 丶 亠 广 广 庐 庐 庵 庵

字解 암자 암 ㉠초막. '草一'. '編草結一'《齊書》. ㉡불상(佛像)을 모신 작은 집.

字源 形聲. 广+奄〔音〕. '奄엄'은 '덮다'의 뜻. 둥근 풀잎 지붕에 덮인 '암자'의 뜻을 나타냄.

[庵廬 암려] 초막. 암자.
[庵裏·庵裡 암리] 암자 안.
[庵室 암실] 중이나 은자(隱者)가 사는 초막.
[庵住 암주] 초막을 짓고 삶. 또, 그 사람.
◉結庵. 茅庵. 蓬庵. 禪庵. 廬庵. 草庵.

8 ⑪ [庹] ㊀ 타 tuǒ
㊁ 탁 tuǒ

字解 ㊀ 성 타 성(姓)의 하나. ㊁ 발 탁 양팔을 벌린 길이. '一, 兩腕引長, 謂之一'《字彙補》.

8 ⑪ [庻] 庶(次條)의 俗字

8 ⑪ [庶] 高 人 서 ①-⑨㊀御 商署切 shù
⑩㊤語 賞呂切

筆順 丶 亠 广 广 庐 庐 庶 庶

字解 ①많을 서 '我事孔一'《詩經》. ②여러 서 여러 가지. 갖가지. '一羞'. '一績咸熙'《書經》. ③무리 서 많은 백성. 서민(庶民). '一無罪悔'《詩經》. ④풍성할 서, 살찔 서 넉넉하고 많음. 또, 살이 쪄 맛이 있음. 비미(肥美)함. '爲豆孔一'《詩經》. ⑤바라건대 서 바라노니. '一幾'. '一竭駑鈍, 攘除姦凶'《諸葛亮》. ⑥가까울 서 거의 되려 함. '一幾'. '回也, 其一乎'《論語》. ⑦서자 서 첩의 자식. '一孽'. '殺嫡立一'《左傳》. ⑧서족 서 종가(宗家)에서 갈려 나간 겨레. 지족(支族). 지파(支派). '其澤流枝一'《史記》. ⑨제독할 서 고독(蠱毒)을 제거함. '凡一蠱之事'《周禮》. ⑩성 서 성(姓)의 하나.

字源 金文 篆文 會意. 广+炗. '广엄'은 '지붕'의 뜻. '炗'은 그릇 속의 것을 불로 찌거나 끓이는 형상이며, '煮자'의 원자(原字)라고도 하고, 옥내를 그슬러 해충을 제거하는 뜻이라고도 함. 假借하여, '여러'의 뜻으로 사용함.

[庶官 서관] 여러 벼슬아치. 뭇 벼슬아치. 백관(百官).
[庶揆 서규] 서관(庶官). 서료(庶僚).
[庶幾 서기] ㉠가까움. 거의 되려 함. ㉡바람. 희망함. ㉢바라건대. ㉣현인(賢人).
[庶男 서남] 첩의 몸에서 난 아들.
[庶女 서녀] ㉠상(常)사람의 딸. ㉡첩(妾)의 몸에서 난 딸.
[庶黎 서려] 백성. 서민(庶民).
[庶老 서로] 서사(庶士) 이하 서민 중의 연로(年老)한 사람. 국로(國老)의 대.
[庶僚 서료] 뭇 벼슬아치. 백료(百僚).
[庶類 서류] 서물(庶物).
[庶母 서모] 아버지의 첩(妾).
[庶務 서무] 여러 가지 사무(事務). 일반(一般)의 사무(事務).
[庶物 서물] 여러 가지 물건. 만물(萬物).
[庶民 서민] 평민(平民). 백성(百姓).
[庶方 서방] ㉠여러 방면. 여러 곳. ㉡모든 나라.
[庶士 서사] 뭇 선비. 제사(諸士). 「事).
[庶事 서사] 여러 가지 일. 백사(百事). 만사(萬
[庶常吉事 서상길사] 주대(周代)의 관명(官名). 서무(庶務)를 맡은 선사(善士)라는 뜻임. 명태조(明太祖)는 서길사(庶吉士)라는 벼슬을 두어 문학과 서법(書法)에 뛰어난 진사(進士)를 선발하여 임용하였음.
[庶姓 서성] 천자(天子)와 성(姓)이 다른 제후(諸侯)를 이름.
[庶羞 서수] 여러 가지 맛있는 음식.
[庶孽 서얼] 서자(庶子).
[庶威 서위] 갖가지 위학(威虐)을 행하는 것.
[庶尹 서윤] 서정(庶正).
[庶人 서인] 평민(平民). 서민(庶民).
[庶子 서자] ㉠첩의 몸에서 난 아들. 고대(古代)에는 제후(諸侯)의 세자(世子)를 적자(適子)라 하였고, 기타의 아들은 서자라고 하다가, 후세에 이르러 첩의 아들만을 서자라 일컫게 되었음. ㉡주대(周代)에 제후(諸侯)·경대부(卿大夫)의 서자의 교양(敎養)을 맡은 벼슬. 제자(諸子)라고도 함.
[庶長 서장] ㉠서출(庶出)의 장자(長子). ㉡진(秦)·한(漢) 시대, 무공(武功)을 세운 자에게 준 작위(爵位) 이름. 좌서장(左庶長)·우서장(右庶長) 따위.
[庶績 서적] 여러 가지 공적(功績). 수다한 공적.
[庶正 서정] 여러 관아(官衙)의 장관(長官). 서윤(庶尹).
[庶政 서정] 모든 정치(政治).
[庶族 서족] ㉠상사람의 족속(族屬). ㉡지파(支派)의 족속. 지족(支族). ㉢《韓》 서파(庶派)의 족속.
[庶徵 서징] 천후(天候), 곧 청우 한난(晴雨寒暖) 등에 의한 여러 가지 징조(徵兆).
[庶出 서출] 첩(妾)의 소생(所生).
[庶派 서파] 《韓》 서자(庶子)의 자손.
[庶品 서품] 여러 계급(階級)의 벼슬아치. 군품(群品).
[庶兄 서형] 서모에게서 난 형.
[庶乎 서호] 서기(庶幾). 「성.
[庶彙 서휘] ㉠여러 가지 물건. 서물(庶物). ㉡백
◉黔庶. 萬庶. 民庶. 蕃庶. 繁庶. 凡庶. 富庶. 卑庶. 烝庶. 廝庶. 臣庶. 億庶. 黎庶. 人庶. 長庶. 嫡庶. 兆庶. 衆庶. 蒸庶. 支庶. 殆庶. 品庶. 匹庶.

8 ⑪ [庻] 庶(前條)와 同字

8 ⑪ [康] 高·人 강 ㊥陽 苦岡切 kāng

筆順 广 户 声 声 庚 康 康 康

字解 ①편안할 강 몸 또는 마음이 편안함. '安一'. '四體一且直'《古詩》. ②편안히할 강 편안하게 함. '文王一之'《荀子》. ③즐거울 강, 즐거워할 강 마음이 즐거움. '一樂'. '無已大一'《詩經》. ④풍년들 강 풍년이 듦. '一年'. ⑤빌 강 공허함. '酌彼一爵'《詩經》. ⑥기릴 강 칭송함. '一周公'《禮記》. ⑦오달도 강 오달(五達)하는 한 길. '一逵'. '堯遊於一衢'《列子》. ⑧성 강 성(姓)의 하나.

字源 甲骨文 穅의 別體 形聲. 米+庚〔音〕. '庚경'은 절굿공이를 양손으로 들어 올려 탈곡하는 형상임. '米미'는 흘러 떨어지는 벼의 모양을 형상함. 결실이 많아 안락하다의 뜻을 나타냄.

[康健 강건] 몸이 튼튼함.
[康衢 강구] 번화(繁華)한 거리. 강(康)은 오방(五方)으로 통(通)한 길이고, 구(衢)는 사방(四方)으로 통(通)한 길.
[康衢烟月 강구연월] ㉠태평(泰平)한 풍경. ㉡태평한 세월.
[康逵 강규] 큰길. 규(逵)는 아홉 갈래로 통(通)하는 길.
[康寧 강녕] 건강(健康)하고 편안함.
[康樂 강락] ㉠편안히 즐거워함. 또, 편안하고 즐거움. 안락(安樂). ㉡남북조(南北朝)의 송(宋)나라의 사영운(謝靈運)을 이름. 강락후(康樂侯)에 봉하여졌기 때문임.
[康保 강보] 편안케 하여 보전함.
[康阜 강부] 편안하고 가멸짐. 안락 풍후(安樂豐厚).
[康乂 강예] 편안하게 다스림. 또, 잘 다스려서 편

안함. 예(乂)는 치(治).
[康爵 강작] 빈 술잔. 또, 큰 술잔.
[康莊 강장] 여러 곳으로 통하는 길. 왕래가 잦은 번화한 거리. 장(莊)은 육방(六方)으로 통하는 대로(大路).
[康哉之歌 강재지가] 천하가 태평함을 구가(謳歌)한 노래.
[康濟 강제] 백성을 편안하게 하여 구제함.
[康瓠 강호] 와제(瓦製)의 병. 질병. 일설(一說)에는, 빈 병. 가치 없는 물건의 비유.
[康侯 강후] 나라를 평안(平安)하게 다스리는 제후(諸侯).
[康熙字典 강희자전] 청(淸)나라 성조(聖祖) 강희(康熙) 55년에 장옥서(張玉書) 등이 칙명(勅命)을 받들어 찬(撰)한 한자(漢字)의 자서(字書). 매자(每字) 밑에 그 성음(聲音)과 훈고(訓詁)를 상설(詳說)하였음. 42권, 239부(部), 자수(字數) 약 47,000자임. 도광 연간(道光年間)에 왕인지(王引之)가 고증(考證) 30권을 만들었음.
[康熙帝 강희제] 청(淸)의 제4대 황제. 묘호(廟號)는 성조(聖祖). 세조 순치제(世祖順治帝)의 제3자. 러시아 제국의 남침을 막고, 외몽고·청해(靑海)·티베트를 정복. 〈강희자전〉·〈연감유함(淵鑑類函)〉·〈패문운부(佩文韻府)〉의 편집사업(編輯事業)을 함. 재위 61년.
◉凱康. 健康. 樂康. 大康. 杜康. 小康. 壽康. 安康. 悅康. 寧康. 艾康. 治康. 太康. 平康. 惠康. 歡康.

8 ⑪ [庸] 高·人 용 ㊥冬 餘封切 yōng

筆順 广 户 户 户 户 肩 肩 庸

字解 ①쓸 용 임용함. '疇咨若時登—'《書經》. ②범상할 용 보통임. '—人'. '才能不過凡—'《史記》. ③어리석을 용 우매함. '—劣'. '意見—淺'《梁昭明太子》. ④평소 용 평상(平常). '—行'. '—敬在兄'《史記》. ⑤공 용 공적. '—積'. '無功—者, 不敢居高位'《國語》. 또, 공로가 있는 사람. '五曰保—'《周禮》. ⑥수고 용 애씀. 노력. '我生之初, 尙無—'《詩經》. ⑦구실 용 당대(唐代)의 조세(租稅)의 한 가지. 정년(丁年) 이상의 남자로서 공공(公共)의 부역(賦役)에 나가지 않는 자에게 그 대상(代償)으로 포백(布帛)을 상납(上納)하게 하는 세(稅). '租—調'. '用人之力, 歲二十日, 閏加二日, 不役者日爲絹三尺, 謂之—'《文獻通考》. ⑧어찌 용 ㉠豈(山部 七畫)와 뜻이 같음. '—非貳乎'《左傳》. ㉡何(人部 五畫)와 뜻이 같음. '—詎'. '—必能用之乎'《管子》. ⑨이에 용 乃(丿部 一畫)와 뜻이 같음. '帝—作歌曰'《書經》. ⑩쇠북 용 鏞(金部 十一畫)과 통용. '—鼓有斁'《詩經》. ⑪작은성 용 墉(土部 十一畫)과 통용. '因是謝人, 以作爾—'《詩經》. ⑫고용할 용 傭(人部 十一畫)과 통용. '—保'. '窮困賣—於齊'《漢書》. ⑬성 용 성(姓)의 하나.

字源 篆文 形聲. 庚+用〔音〕. '庚경'은 양손에 절굿공이를 든 형상. '用용'은 종(鐘)의 상형으로, '사용하다'의 뜻. 종이나 절굿공이 등 무거운 물건을 들어 올리다, 집어 들다, 사용하다의 뜻을 나타냄. 또 전(轉)하여, 일정하게 변치 않다의 뜻을 나타내며, 假借하여, 반어(反語)인 '어찌'라는 뜻으로도 사용함.

[庸丐 용개] 고용인과 거지. 곧, 지극히 천(賤)한 사람.
[庸詎 용거] 어찌하여.
[庸工 용공] 솜씨가 서투른 장색(匠色). 범용(凡庸)한 장색.
[庸狗 용구] '못난 개'라는 뜻으로, 남을 욕(辱)하는 말.
[庸君 용군] 평범한 군주.
[庸器 용기] ㉠공로(功勞)를 명기(銘記)한 그릇. 일설(一說)에는, 적에게서 노획한 그릇. ㉡평범한 인물. 용재(庸才).
[庸懦 용나] 용렬하고 나약(懦弱)함.
[庸奴 용노] 멍청한 놈. 바보. 남을 욕할 때 쓰는 말.
[庸短 용단] 어리석음.
[庸德 용덕] 평소 행하여야 할 덕(德).
[庸櫟 용력] 용(庸)은 범용(凡庸), 역(櫟)은 쓸데없는 나무. 용렬(庸劣)한 재능(才能)을 이름.
[庸劣 용렬] 못생기어 재주가 남만 못함. 어리석음.
[庸輩 용배] 평범한 사람들.
[庸保 용보] 보증인을 세우고 고용됨. 또, 그 사람.
[庸夫 용부] 용렬(庸劣)한 남자.
[庸常 용상] 범상(凡常)함.
[庸說 용설] 평범한 설(說).
[庸俗 용속] 범상(凡常)하고 속(俗)됨.
[庸暗 용암] 어리석음. 지식이 없고, 도리(道理)에 어두움.
[庸言 용언] ㉠평범한 말. ㉡평소에 쓰는 말.
[庸庸 용용] ㉠평범한 모양. ㉡미소(微小)한 모양. ㉢수고하는 모양. 애쓰는 모양. ㉣쓸 만한 사람을 씀. ㉤공로(功勞)가 있는 사람에게 그 공로를 갚음.
[庸庸碌碌 용용녹록] 극히 평범함.
[庸庸祗祗 용용지지] 쓸 만한 사람을 쓰고, 공경할 만한 사람을 공경함.
[庸愚 용우] 용렬(庸劣).
[庸儒 용유] 평범한 학자.
[庸音 용음] 평범한 소리. 평범(平凡)한 시문(詩文)을 이름.
[庸醫 용의] 범용(凡庸)한 의사. 의술이 시원치 않은 의원.
[庸人 용인] 평범한 사람. 용렬(庸劣)한 사람.
[庸資 용자] 평범(平凡)한 자질(資質). 평범한 성질.
[庸作 용작] 고용당하여 일함.
[庸才 용재] 평범한 재주. 또, 평범한 사람.
[庸績 용적] 공적(功績).
[庸情 용정] 보통 사람의 심정(心情).
[庸租 용조] 부역(賦役)과 조세(租稅).
[庸拙 용졸] 용렬(庸劣)하고 졸렬함.
[庸主 용주] 범용(凡庸)한 군주(君主). 용군(庸君).
[庸中佼佼 용중교교] 범상(凡常)한 사람 중에서 좀 뛰어난 사람. 철중쟁쟁(鐵中錚錚).
[庸知 용지] "어찌 알리요."라는 뜻으로, ㉠물을 바가 아님. ㉡생각이 미치지 아니함.
[庸品 용품] ㉠품질(品質)이 낮은 물건(物件). ㉡낮은 품계(品階).
[庸行 용행] ㉠평소의 행위. ㉡평범한 행위. ㉢중용(中庸)의 행위.
[庸虛 용허] 재능(才能)도 지략(智略)도 없음.

[庸回 용회] 어리석고 간사한 자.
◉嘉庸. 功庸. 登庸. 凡庸. 保庸. 附庸. 水庸. 輪庸. 流庸. 中庸. 祗庸. 徵庸. 采庸. 學庸. 勳庸.

8 ⑪ [庱] 릉 [平]蒸 閭升切 lǐng

[字解] 정자이름 릉 '一亭'은 오(吳)나라의 손권(孫權)이 범을 쏘았다고 하는 정자. '親乘馬, 射虎於一亭'《吳志》.

[字源] [篆文] 形聲. 广+夌〔音〕.

8 ⑪ [庲] 래 [平]灰 落哀切 lái

[字解] ①집 래 '一, 舍也'《廣雅》. ②대(臺)이름 래 '長一'는 제(齊)나라의 대(臺)의 이름. '一, 一日, 長一, 齊臺名'《集韻》. ③땅이름 래 '一降'은 윈난 성(雲南省) 곡정현(曲靖縣)의 경계에 있는 땅 이름. '一降都督鄧方卒'《蜀志》.

8 ⑪ [庴] [一] 적 [入]陌 資昔切 jí [二] 움 [韓]

[字解] [一] 현이름 적 중국의 현(縣) 이름. [二]《韓》 움집 움 '一幕'.

8 ⑪ [㢈] 〔름〕 廩(广部 十三畫〈p. 710〉)의 古字

[麻] 〔마〕 部首(p. 2696)를 보라.

9 ⑫ [庾] [人名] 유 [上]麌 以主切 yǔ

[筆順] 广 广 庁 庁 庐 庐 庾 庾

[字解] ①곳집 유 미곡 창고. 일설(一說)에는, 들에 있는 지붕이 없는 곳집. '發倉一'《史記》. ②열엿말 유 斞(斗部 九畫)와 통용. '粟五千一'《左傳》. ③성 유 성(姓)의 하나.

[字源] [篆文] 形聲. 广+臾〔音〕. '臾유'는 머리를 묶어 빗어 올리다의 뜻. 머리를 빗어 올린 모양인 원뿔꼴의 쌀 창고의 뜻을 나타냄.

[庾公樓 유공루] 장시 성(江西省) 구강현(九江縣)에 있는 양쯔 강(揚子江)을 등진 누각(樓閣). 진(晉)나라 유량(庾亮)이 정서장군(征西將軍)이 되어 무창(武昌)에 있을 때 세운 건물이라 함. 유루(庾樓)라고도 함.
[庾亮 유량] 동진(東晉)의 정치가(政治家). 언릉(鄢陵) 사람. 자(字)는 원규(元規). 성제(成帝) 때 중서령(中書令)이 되어 정사(政事)를 처결(處決)하였으며, 소준(蘇峻)의 난(亂)을 토평(討平)하였음. 후에 정서장군(征西將軍)이 되어 무창(武昌)에서 중원(中原)을 회복하고자 꾀했으나, 뜻을 못 이루고 죽었음. 유루(庾樓)는 무창(武昌)에 있을 때 세웠음.
[庾樓 유루] 유공루(庾公樓).
[庾廩 유름] 쌀 창고(倉庫).
[庾信 유신] 북주(北周)의 문학자(文學者). 자(字)는 자산(子山). 표기대장군(驃騎大將軍). 극히 박학(博學)하고 문장(文章)은 염려(艷麗)하여 서릉(徐陵)과 함께 이름을 들날려 세상에서 서유체(徐庾體)라 일컬었음. 그의 변려문(駢儷文)은 육조(六朝)의 집대성(集大成)이라 함. 저서(著書)에 〈유개부집(庾開府集)〉이 있음.
[庾積 유적] 한데에 쌓아 둔 곡식. 노적(露積)한 곡식.
◉囷庾. 廩庾. 釜庾. 積庾. 漕庾. 鍾庾. 倉庾. 帑庾.

9 ⑫ [廋] 수 [上]有 蘇后切 / [平]尤 所鳩切 sōu

[字解] ①숨길 수, 숨을 수 '一, 隱也'《廣雅》. '一, 匿也'《廣雅》. ②산모롱이 수 隈(阜部 九畫)와 뜻이 같음. '步從容於山一'《楚辭》.

[字源] 形聲. 广+叜〔音〕. '叜수'는 '손으로 더듬다'의 뜻. '搜수'의 原字. 덮어 가려져서 더듬어야 할 데, '산모롱이'의 뜻이나, 덮인 곳에 두다, 숨기다의 뜻을 나타냄.

9 ⑫ [廁] 측(①-③) [去]寘 初吏切 cè / 치(④) [入]職 察色切 cè 厕

[字解] ①뒷간 측 변소. '一竇'. '沛公起如一'《史記》. ②돼지우리 측 돼지를 기르는 울. '一中豕羣出, 壞大官竈'《漢書》. ③섞을 측 섞어 넣음. '一之賓客之中'《史記》. ④침상가 측 침대(寢臺)의 변두리. 상측(牀側). '上常踞一視之'《漢書》. ⑤물가 측 수애(水涯). '北臨一'《漢書》.

[字源] [篆文] 形聲. 广+則〔音〕. '則칙'은 '側측'과 통하여, '한쪽 옆'의 뜻. 집의 구석 쪽에 놓이는 '변소'의 뜻을 나타냄.

[參考] '厠(厂部 九畫)'은 俗字.

[廁間 측간] 뒷간.
[廁鬼 측귀] 뒷간 귀신.
[廁竇 측두] 더러운 것을 버리는 구덩이. 일설(一說)에는 뒷간.
[廁牀 측상] 뒷간.
[廁鼠 측서] '뒷간의 쥐'라는 뜻으로, 지위(地位)를 얻지 못하는 사람의 비유.
[廁圊 측청] 뒷간.
[廁牏 측투] 가지고 다닐 수 있는 변기(便器). 매화틀.
[廁溷 측혼] 뒷간.
◉間廁. 輕廁. 同廁. 陪廁. 屛廁. 抒廁. 雜廁. 錯廁. 圊廁. 層廁. 行廁. 夾廁. 溷廁.

9 ⑫ [廀] [一] 투 [平]尤 徒侯切 tóu / [二] 유 ①[上]麌 容朱切 yǔ ②[平]虞 勇主切 yǔ

[字解] [一] ①매화틀 투 변기(便器). '一, 行圊, 受糞函也'《集韻》. ②구유 투 마소에 먹이를 담아 주는 나무통. '一, 木槽也'《玉篇》. [二] ①매화틀 유 [一]❶과 뜻이 같음. ②곳집 유 지붕이 없는 곳집. 庾(广部 九畫)와 同字.

9 ⑫ [廅] 랄 [入]曷 郎達切 là

[字解] ①초막 랄 임시로 초목(草木)으로 집을 꾸며 묶는 장막. '一, 庵也'《廣雅》. ②감방(監房) 랄 죄수를 가두어 두는 방. '一, 一日, 獄室'《集韻》.

9 ⑫ [廂] [人名] 상 [平]陽 息良切 xiāng

字解 곁채 상, 곁방 상 몸채의 동서(東西)에 있는 딴채. 또, 사랑방 등의 동서에 있는 방. '一廊'. '呂后側耳於東一聽'《史記》.

字源 篆文 形聲. 广+相〔音〕. '相상'은 '따르다'의 뜻. 안채에 따르는 형태로 지어진 '곁채·곁방'의 뜻을 나타냄.

[廂軍 상군] 상병(廂兵).
[廂廊 상랑] 곁방.
[廂兵 상병] 송(宋)나라 태조(太祖)가 주(州)의 정병(精兵)을 선발(選拔)하여 경사(京師)로 불러들여 금군(禁軍)을 조직하고 그 나머지의 군사는 자기가 사는 주(州)의 진병(鎭兵)으로 삼았는데, 이를 상병(廂兵) 또는 상군(廂軍)이라 하였음.
◉兩廂.

9 ⑫ [廟] 〔묘〕 廟(广部 十二畫〈p. 706〉)의 古字

9 ⑫ [廃] 〔폐〕 廢(广部 十二畫〈p. 707〉)의 俗字

9 ⑫ [廊] 〔랑〕 廊(广部 十畫〈p. 703〉)의 略字

9 ⑫ [㾗] 〔가〕 架(木部 五畫〈p. 1054〉)의 俗字

9 ⑫ [㢜] ■ 監(竹部 十四畫〈p. 1690〉)의 古字 ■ 廉(次次條)의 古字

10 ⑬ [廈] 人名 하 ㊤馬 胡雅切 shà, xià

筆順 广 广 广 庐 庐 庐 廈 廈

字解 ①처마 하 지붕의 도리 밖으로 내민 부분. '大一成而燕雀相賀'《淮南子》. ②큰집 하 거대한 집. '大一高樓'. '所欣成大一'《唐太宗》.

字源 篆文 形聲. 广+夏〔音〕. '夏하'는 '크다'의 뜻. '큰 집'의 뜻을 나타냄.

[廈屋 하옥] 큰 집.
◉高廈. 廣廈. 大廈. 崇廈. 豐廈.

10 ⑬ [廉] 高人 렴 ㊥鹽 力鹽切 lián

筆順 广 广 广 庐 庐 庐 廉 廉

字解 ①청렴할 렴 청렴결백함. '一潔'. '簡而一'《書經》. 또, 그 사람. '興一擧孝'《漢書》. ②검소할 렴 검약함. '一, 儉也'《廣韻》. ③곧을 렴 바름. '殺君以爲一'《國語》. ④날카로울 렴 예리함. '一利'. '其器一而深'《呂氏春秋》. ⑤쌀 렴 값이 쌈. '一價'. '就一直取此馬以代步'《春渚紀聞》. ⑥살필 렴 살펴봄. 또는 검찰(檢察)함. '一探'. '一按'. '袁安使仁恕椽肥, 親往一之'《後漢書》. ⑦모 렴 모서리. 능각(稜角). '一隅'. '設席于堂一東上'《儀禮》. ⑧성 렴 성(姓)의 하나.

字源 篆文 形聲. 广+兼〔音〕. '兼겸'은 '겸하다'의 뜻. 직각으로 만나는 방 모서리의 직선, 두 면의 모서리를 겸하고 있는 직선, 모퉁이의 뜻을 나타냄. 이 능선이 단정한 데서, 청렴하다는 뜻을 나타내고, 또 이익에 마음이 흔들리지 않다, 값이 싸다의 뜻 등을 나타냄.

[廉價 염가] 싼값. 염치(廉直).
[廉恪 염각] 염신(廉愼).
[廉介 염개] 염결(廉潔).
[廉客 염객] 몰래 사정(事情)을 염탐(廉探)하는 사람.
[廉儉 염검] 청렴(淸廉)하고 검소(儉素)함.
[廉潔 염결] 청렴하고 결백(潔白)함.
[廉勁 염경] 청렴하고 절개가 굳음. 염의(廉毅).
[廉公 염공] 청렴하고 공평함.
[廉愧 염괴] 염치(廉恥).
[廉謹 염근] 염신(廉愼).
[廉能 염능] ㉠청렴하고 재능이 있음. ㉡결백하여 정령(政令)이 잘 다스려지는 일. 관리의 치적(治績)을 단정(斷定)하는 관부(官府) 육계(六計)의 하나.
[廉吏 염리] 염결(廉潔)한 벼슬아치.
[廉利 염리] 모가 나서 날카로움.
[廉明 염명] 청렴하고 명민(明敏)함.
[廉問 염문] 심문(審問)함.
[廉白 염백] 청렴하고 결백함.
[廉夫 염부] 청렴결백한 선비.
[廉士 염사] 청렴결백한 선비.
[廉纖 염섬] ㉠가랑비의 모양. 이슬비의 모양. ㉡달이 가는 모양.
[廉愼 염신] 청렴하고 신중함.
[廉按 염안] 검찰함. 취조함.
[廉約 염약] 청렴하고 검소함.
[廉讓 염양] 청렴하여 남에게 양보를 잘함.
[廉隅 염우] ㉠물건의 모서리. ㉡행실이 바르고 절조(節操)가 굳은 일.
[廉毅 염의] 염경(廉勁).
[廉而不劌 염이불귀] 모가 나나 부서지지 않는다는 뜻으로, 옥이 모가 있어도 망가지지 않듯이 군자의 덕(德)이 견고(堅固)하여 외부의 사물(事物)로 인하여 더럽혀지지 않음을 이름.
[廉直 염직·염치] ㉠청렴하고 정직함. ㉡'염치(廉直)'를 보라.
[廉察 염찰] 염안(廉按).
[廉淸 염청] 청렴함.
[廉直 염치] 싼값. 염가(廉價). 안치(安直).
[廉恥 염치] 청렴하여 부끄러움을 앎.
[廉稱 염칭] 청렴하다는 칭찬.
[廉探 염탐] 몰래 사정을 조사함.
[廉頗 염파] 전국 시대(戰國時代) 조(趙)나라의 양장(良將). 혜문왕(惠文王)의 상경(上卿). 인상여(藺相如)와 문경지교(刎頸之交)를 맺었음.
[廉平 염평] 청렴하고 공평(公平)함.
[廉悍 염한] 염결하고 강직함.
◉刻廉. 簡廉. 潔廉. 謙廉. 謹廉. 方廉. 蜚廉. 低廉. 貞廉. 精廉. 淸廉. 孝廉.

10 ⑬ [廊] 高人 랑 ㊥陽 魯當切 láng

筆順 广 广 庐 庐 庐 庐 廊 廊

字解 ①곁채 랑 몸채 옆의 딴채. '賜金陳一廡下'《漢書》. ②행랑 랑 복도(複道). '一下'.

字源 篆文 形聲. 广+郎〔音〕. '郎랑'은 '浪랑'과 통하여, '물결'의 뜻. 파도처럼 일렁이며 이어진 곁채나 복도의 뜻을 나타냄.

[廊廟 낭묘] 나라의 정치를 하는 궁전. 정전(正殿). 묘당(廟堂).
[廊廟具 낭묘구] 낭묘지기(廊廟之器).
[廊廟之器 낭묘지기] 묘당(廟堂)에 앉아 천하의 정무(政務)에 참여할 만한 인물. 재상(宰相)감.
[廊廟之志 낭묘지지] 재상(宰相)이 되어 국정(國政)에 참여하고자 하는 욕망(欲望).
[廊廡 낭무] 곁채.
[廊屬 낭속] 《韓》 하례배(下隷輩)의 총칭.
[廊腰 낭요] 낭하의 구부러진 곳.
[廊底 낭저] 대문간에 붙어 있는 방(房). 행랑방.
[廊下 낭하] 방과 방 사이, 또는 집과 집 사이의 좁고 긴 통로. 복도(複道).
◉高廊. 宮廊. 廟廊. 步廊. 廂廊. 修廊. 巖廊. 長廊. 杜廊. 響屧廊. 軒廊. 畫廊. 回廊. 廻廊.

10 ⑬ [廋] 수 [平]尤 所鳩切 sōu / [上]有 蘇后切

[字解] ①숨길 수 은닉함. '一詞'. '人焉一哉'《論語》. ②찾을 수 수색함. 搜(手部 十畫)와 통용. '一索私屠酤'《漢書》.
[字源] 形聲. 广+叟〔音〕. '叟수'는 '찾다'의 뜻. 집 안에 들어가서 찾다의 뜻을 나타냄.

[廋伏 수복] 복병(伏兵).
[廋詞 수사] 수수께끼. 은어(隱語). 은사(隱辭).
[廋辭 수사] 수사(廋詞).
[廋索 수색] 구함. 찾음. 수색(搜索)함.
[廋語 수어] 수사(廋詞).

10 ⑬ [廇] 류 [去]宥 力救切 liù

[字解] 가운데뜰 류 집의 중앙의 뜰. '剃讒賊於中一兮'《楚辭》.
[字源] 篆文 形聲. 广+畱(留)〔音〕
[參考] 廇(广部 十二畫)는 本字.

10 ⑬ [廆] 외(회[本]) ①[上]賄 戶賄切 huì ②[上]賄 五賄切 wěi ③[平]灰 姑回切 guī

[字解] ①벽 외, 담 외 '一, 廦也'《集韻》. ②사람이름 외 '一, 晉有大單于遼東郡公慕容一'《廣韻》. ③산이름 외 '一, 山名. 在中山西'《爾雅》.
[字源] 形聲. 广+鬼〔音〕

10 ⑬ [廌] 〔치〕 豸(部首〈p.2179〉)와 同字
[字源] 甲骨文 篆文 象形. 사슴 비슷한 일각수(一角獸)의 모양을 본뜸. '해태'의 뜻을 나타냄.

10 ⑬ [[广+㚅]] 〔경·강〕 慶(心部 十一畫〈p.807〉)의 俗字

10 ⑬ [麻] 〔력〕 歷(止部 十二畫〈p.1144〉)과 同字

11 ⑭ [廏] 구 [去]宥 居祐切 jiù

[字解] ①마구간 구 마사(馬舍). '一舍'. '乘馬在一'《詩經》. ②성 구 성(姓)의 하나.
[字源] 金文 篆文 形聲. 广+𣪘(殷)〔音〕. '𣪘구'는 몸을 '수그리다'의 뜻. 말이 수그리듯이 하고 들어가는 마구간의 뜻을 나타냄.
[參考] 廐(次條)는 俗字.

[廏吏 구리] 말을 관리하는 벼슬아치.
[廏舍 구사] 마구간.
[廏人 구인] 말을 맡아 기르는 사람.
[廏騶 구추] 구인(廏人).
[廏置 구치] 통행 중 말을 갈아타게 된 곳. 역참.
[廏閑 구한] 마구간. 구사(廏舍).
◉宮廏. 內廏. 馬廏. 御廏. 外廏. 龍廏. 典廏. 華廏.

11 ⑭ [廐] [人名] 廏(前條)의 俗字

11 ⑭ [廑] 근 [平]文 渠斤切 ①③jǐn, ②qín

[字解] ①겨우 근 僅(人部 十一畫)과 통용. '一一'. '一得舍人'《漢書》. ②부지런할 근 勤(力部 十一畫)과 통용. '其一至矣'《漢書》. ③작은집 근 '一, 小劣之居'《說文》.
[字源] 篆文 形聲. 广+堇〔音〕. '堇근'은 '僅근'과 통하여, '근소함'의 뜻. '근소함, 작은 집'의 뜻을 나타냄.

[廑廑 근근] 겨우. 근근(僅僅).

11 ⑭ [廗] 대 [去]泰 當蓋切 dài

[字解] ①집쏠릴 대 집이 한쪽으로 쏠림. '一, 屋一'《集韻》. ②물이름 대 '一水以南, 南北入百里'《魏書》.

11 ⑭ [[广+虘]] 사 [平]麻 鋤加切 chá

[字解] 허물어져가는집 사 '一屋之下, 不可坐也'《淮南子》.

11 ⑭ [廓] [人名] ㊀ 확 (곽[本]) [入]藥 苦郭切 kuò ㊁ 곽

[筆順] 广 庐 庐 庐 庐 庐 廓 廓

[字解] ㊀ ①넓을 확, 클 확 광대함. '一大'. '性度恢一'《吳志》. ②휑할 확 아무것도 없이 텅 비어 있음. '一然獨居'《漢書》. ③넓힐 확 확장함. 개장(開張)함. '一大'. '一四方'《淮南子》. ㊁ 외성 곽 郭(邑部 八畫)과 통용. '繞一芙蕖拍岸平'《林希》.
[字源] 形聲. 广+郭〔音〕. '郭곽'은 넓은 도시의 주위를 에워싼 '외곽'의 뜻. '广엄'은 '가옥'의 뜻. '외곽, 넓다'의 뜻을 나타냄.

[廓開 확개] 넓힘. 크게 함. 확장함.
[廓寧 확녕] 난(亂)을 평정(平定)함. 확청(廓淸).
[廓大 확대] ㉠넓고 큼. 광대(廣大)함. ㉡확대(擴大)함.
[廓落 확락] ㉠마음이 넓은 모양. 관대한 모양. 낙(落)은 뇌락(磊落). ㉡실망한 모양. 뜻을 잃은 모양. 낙(落)은 영락(零落). ㉢심심한 모양. 쓸

쓸한 모양.
[廓如 확여] 확연(廓然) ㉠㉡.
[廓然 확연] ㉠텅 빈 모양. 휑한 모양. ㉡넓은 모양. ㉢마음이 넓고 허심탄회한 모양.
[廓然無聖 확연무성] 《佛教》 우주(宇宙) 자체의 진리(眞理)는 일체 공(空)으로서 범부(凡夫)·성자(聖者)의 차별이 없음.
[廓清 확청] 더러운 것을 떨어 버리고 깨끗하게 함. 부정(不正)·악습(惡習)·부패(腐敗) 등을 없애어 깨끗하게 함. 숙청(肅清).
[廓廓 확확] ㉠넓은 모양. ㉡텅 빈 모양. 공허(空虛)한 모양.
[廓揮乾斷 확휘건단] 과단성(果斷性) 있는 정치(政治)를 행함.
◉高廓. 寬廓. 曠廓. 宏廓. 閎廓. 城廓. 式廓. 寥廓. 外廓. 遊廓. 蔭廓. 恢廓. 横廓.

11 ⑭ [廔] 루 ㊥尤 落侯切 lóu

字解 ①창 루 방 안을 밝게 하기 위한 창문. '一, 窗也'《廣韻》. ②용마루 루 '一, 屋脊也'《玉篇》. ③씨뿌리는틀 루 耬(耒部 十一畫)와 통용. '一, 一曰, 所以種也'《說文》.
字源 篆文 形聲. 广+婁〔音〕. '婁루'는 '鏤루'와 통하여, '새기고 뚫다'의 뜻. 집의 벽을 뚫고 빛을 들이는 창의 뜻.

11 ⑭ [廕] 음 ㊦沁 於禁切 yìn

字解 그늘 음 蔭(艸部 十一畫)과 同字. '一補'. '席隴畝而一庇'《戰國策》.
字源 形聲. 广+陰〔音〕. '陰음'은 '구름이 덮다'의 뜻. 지붕으로 덮다의 뜻을 나타냄.

[廕補 음보] 음서(廕敍).
[廕庇 음비] ㉠감싸 보호함. ㉡은혜. 은덕.
[廕生 음생] 부조(父祖)의 공훈으로 말미암아 벼슬하거나 국자감(國子監)에 입학한 사람. 음생(蔭生).
[廕敍 음서] 조상(祖上)의 공로에 의해서 자손에게 벼슬을 주는 일.
[廕除 음제] 음서(廕敍).
[廕調 음조] 음서(廕敍).
◉庇廕.

11 ⑭ [廎] 경 ①㊥庚 窺營切 qīng ㊤梗 犬潁切 ②㊤迥 棄挺切 qǐng ㊦敬 傾夐切

字解 ①집곁 경 집의 옆. '一, 屋側也'《集韻》. ②작은당(堂) 경 高(高部 二畫〈p. 2623〉)과 同字. '高, 小堂也. 一, 高, 或从广, 頃聲'《說文》.

11 ⑭ [廖] 人名 료 ①②㊥蕭 落蕭切 liáo ③㊦嘯 力弔切 liào

字解 ①공허할 료 '座下一落如明星'《韓愈》. ②사람이름 료 주(周)나라 소백(召伯)의 이름. '王使召伯一賜齊侯命'《左傳》. ③성 료 성(姓)의 하나.
字源 篆文 形聲. 广+翏〔音〕

[廖廓 요곽] 넓고 멂. 요곽(寥廓).

11 ⑭ [廒] 오 ㊥豪 五牢切 áo

字解 곳집 오 쌀 곳간.
字源 形聲. 广+敖〔音〕

12 ⑮ [廚] 人名 주 ㊥虞 直誅切 chú

字解 ①부엌 주 주방. 취사장. '一人'. '君子遠庖一'《孟子》. ②함 주, 상자 주 '衣一'. '愷之嘗以一一畫, 糊題其前, 寄桓玄'《晉書》. ③성 주 성(姓)의 하나.
字源 篆文 形聲. 广+尌〔音〕. '广엄'은 '건물'의 뜻. '尌주'는 김치를 담는 식기를 손에 든 형상. 김치 등의 요리를 하는 부엌의 뜻을 나타냄.

[廚娘 주낭] 식모. 하녀.
[廚奴 주노] 부엌데기 노릇 하는 사내종.
[廚房 주방] 부엌. 취사장.
[廚費 주비] 취사(炊事)의 비용.
[廚室 주실] 부엌. 요리실.
[廚人 주인] 요리인(料理人). 포인(庖人). 주부(廚夫).
[廚子 주자] 요리인(料理人). 「宰).
[廚宰 주재] 요리인(料理人)의 장(長). 포재(庖
[廚傳 주전] ㉠음식(飮食)과 여관(旅館). ㉡주포(廚庖)와 역전(驛傳).
[廚竈 주조] 부엌의 부뚜막.
[廚庖 주포] ㉠부엌. ㉡요리.
[廚下 주하] 부엌. 주방.
◉瓊廚. 軍廚. 牐廚. 樂廚. 坊廚. 百眼廚. 壁廚. 封廚. 佛廚. 書廚. 御廚. 衣廚. 齋廚. 釵廚. 庖廚. 行廚. 香積廚. 香廚.

[腐] 〔부〕
肉部 八畫(p. 1852)을 보라.

12 ⑮ [廛] 人名 전 ㊥先 直連切 chán

字解 ①터 전 주대(周代)에 시가(市街)의 이묘반(二畝半)의 집터. '一, 民居之區域也'《周禮注》. ②전방 전 상점. '一肆'. ③전방세받을 전 가게의 세를 받음. '市一而不稅'《禮記》.
字源 篆文 會意. 广+里+八+土. '广엄'은 집의 상형. '八팔'은 '나누다'의 뜻. 한 가족에게 나누어 준 촌리(村里)의 땅을 뜻함. 뒤에 '店점'과 통하여 '가게'의 뜻도 나타냄.

[廛房 전방] 가게의 방(房).
[廛肆 전사] 가게. 상점.
[廛市 전시] 시내(市內).
[廛布 전포] 상인(商人)이 소유물(所有物)을 관(官)의 저사(邸舍)에 맡겨 두었다가 찾을 때 내는 세(稅).
[廛鋪 전포] 가게. 점포(店鋪). 전사(廛肆).
[廛閈 전한] ㉠시내(市內). ㉡가게.
◉郊廛. 肆廛. 市廛. 邑廛.

12 ⑮ [廜] 도 ㊥虞 同都切 tú

字解 ①초막 도, 움집 도 초목으로 임시 지은 집. 지붕을 편평하게 지은 집. '一廯, 草菴, 通

俗文曰, 屋平曰—㢋'《廣雅》. ②술이름 도 원일(元日)에 마시는 술. '—㢋, 酒, 元日飮之可除瘟氣'《廣韻》.

字源 形聲. 广+屠〔音〕

12 ⑮ [廝] 시 ㊥支 息移切 sī

字解 ①종 시 주로 말을 기르거나 땔나무를 하는 종. '—役'. '—徒十萬'《史記》. ②천할 시 '—, 賤也'《玉篇》. ③나눌 시 가름. 분할함. '乃—二渠以引其河'《史記》.

字源 形聲. 广+斯〔音〕

[廝徒 시도] 잡역부(雜役夫). 또는 군졸(軍卒).
[廝舍 시사] 종이 사는 집.
[廝豎 시수] 아이 종. 수(豎)는 동복(童僕).
[廝養 시양] 군중(軍中)에서 나무를 해 오거나 밥을 짓거나 하는 천한 일.
[廝養卒 시양졸] 군졸(軍卒).
[廝役 시역] 종. 하인. 또, 남의 밑에서 시중드는 일.
[廝隷 시예] 시도(廝徒).
◉女廝.

12 ⑮ [廞] 흠 ①②㊥侵 許金切 xīn ③④㊤寢 許錦切

字解 ①벌여놓을 흠 진열함. '—裘'《周禮》. ②일으킬 흠 진흥시킴. '—其樂器'《周禮》. ③노할 흠 성을 냄. '虎虓振—'《太玄經》. ④막힐 흠 진흙이 쌓여 막혀 통하지 아니함. '滄州無棣渠, 久—塞'《唐書》.

字源 篆文 形聲. 广+欽〔音〕. '广엄'은 '뜰'의 뜻. '欽흠'은 '歆흠'과 통하여, 공물(貢物)을 받다의 뜻. 공물을 뜰에 온통 벌여 놓다의 뜻을 나타냄.

[廞塞 흠색] 막힘.
[廞飾 흠식] 벌여 놓아 장식함.
[廞淤 흠어] 진흙이 쌓여 막힘.

12 ⑮ [廟] 高人 묘 ㊧嘯 眉召切 miào 庙

筆順 广 广 庐 庙 庿 廗 廟 廟

字解 ①사당 묘 ㉠조상의 신주를 모신 곳. '宗—'. '於穆淸—'《詩經》. ㉡신(神)을 제사 지내는 곳. '作渭陽五帝—'《史記》. ②묘당 묘 나라의 정무(政務)를 청단(聽斷)하는 궁전. 정전(正殿). '不下堂—, 而天下治也'《吳志》. 전(轉)하여, 제왕 또는 조정에 관한 말의 접두어(接頭語)로 쓰임. '—議'. '夫未戰而—算勝者'《孫子》. ③빈궁 묘 천자(天子)의 옥체를 매장하기 전에 잠시 관을 안치하는 곳. '從至于—'《大戴禮》.

字源 金文 篆文 古文 會意. 广+朝. '广엄'은 지붕의 상형. '朝조'는 조례(朝禮)를 하는 곳의 뜻. 조상을 제사 지내는 '사당'의 뜻을 나타냄. 古文의 '庿묘'는 形聲으로, '苗'는 '皃모'와 통하여, 사람이 죽어 기억에 희미한 모습의 뜻을 나타냄.

參考 ①庿(广部 九畫)는 古字. ②庙(广部 五畫)는 俗字.

[廟啓 묘계] 《韓》 정부에서 임금께 상주(上奏)함.
[廟堂 묘당] ㉠사당(祠堂). 종묘(宗廟). ㉡조정(朝廷). 정부(政府).
[廟堂之量 묘당지량] 조정(朝廷)에서 국정(國政)에 참여할 만한 국량(局量). 재상(宰相)감.
[廟廊 묘랑] 조정(朝廷). 묘당(廟堂)❶.
[廟略 묘략] 조정에서 의결한 계책.
[廟貌 묘모] 사당. 종묘(宗廟). 사당에 들어가면 반드시 선조(先祖)의 형모(形貌)를 상상하여 추모(追慕)하기 때문임.
[廟謨 묘모] 묘략(廟略).
[廟社 묘사] 종묘와 사직(社稷). 종사(宗社).
[廟祠 묘사] 사당(祠堂).
[廟算 묘산] 묘략(廟略).
[廟頌 묘송] 종묘·사당 앞에서 아뢰는 조상(祖上)의 송덕(頌德)의 악가(樂歌).
[廟勝 묘승] 묘산(廟算)으로 이긴다는 뜻으로, 계략으로 적군(敵軍)을 굴복시킴을 이름.
[廟食 묘식] 죽어서 종묘나 사당에서 제사를 받음.
[廟室 묘실] 사당(祠堂). 묘당(廟堂).
[廟謁 묘알] 임금이 종묘(宗廟)에 나아가 배례함.
[廟宇 묘우] 사당. 묘당(廟堂).
[廟院 묘원] 가묘(家廟). 사당(祠堂).
[廟垣之鼠 묘원지서] 정전(正殿) 주위의 담에 굴을 파고 사는 쥐. 군측(君側)의 소인(小人)의 비유.
[廟議 묘의] 조정(朝廷)의 회의(會議). 조의(朝議).
[廟戰 묘전] 묘승(廟勝).
[廟廷 묘정] 종묘(宗廟). 묘당(廟堂).
[廟庭 묘정] 묘정(廟廷).
[廟兆 묘조] 사당(祠堂). 종묘(宗廟). 조(兆)는 묘지(墓地).
[廟祧 묘조] 사당. 종묘(宗廟). 조(祧)는 원조(遠祖).
[廟主 묘주] 사당(祠堂)에 모신 신주(神主).
[廟策 묘책] 묘략(廟略).
[廟寢 묘침] 종묘. 사당. 앞에 있는 것이 묘(廟), 뒤에 있는 것이 침(寢).
[廟塔 묘탑] 불탑(佛塔). 보탑(寶塔).
[廟見 묘현] 여자가 시집가서 처음으로 시집의 사당에 들어가 배례(拜禮)하는 일.
[廟號 묘호] 임금의 시호(諡號).
[廟畫 묘획] 묘략(廟略).
[廟諱 묘휘] 임금이 돌아간 뒤에 지은 휘(諱).
[廟犧 묘희] 태묘(太廟)의 제사에 쓰이는 희생(犧牲). 장자(莊子)가 벼슬살이하는 것을 희우(犧牛)에 비유한 고사(故事)에 의하여, 고귀(高貴)한 자리에 있으나 몸이 위태로운 자의 비유로 쓰임. 묘생(廟牲).
◉家廟. 故廟. 高廟. 宮廟. 廊廟. 堂廟. 大廟. 寺廟. 社廟. 祠廟. 三廟. 僧廟. 靈廟. 禰廟. 五廟. 原廟. 一廟. 祖廟. 祧廟. 宗廟. 七廟. 寢廟. 特廟.

12 ⑮ [廠] 人名 창 ㊤養 昌兩切 chǎng ㊧漾 尺亮切 厂

筆順 广 广 庐 府 廍 廍 廠 廠

字解 ①헛간 창 벽이 없는 집. '枳籬茅—共桑麻'《韓偓》. ②공장 창 일하는 곳. '工—'. '被服—'. '凡鑄造朝鐘, 用響銅於鑄鐘—造'《大明

會典》.
[字源] 形聲. 广＋敞〔音〕.

[廠房 창방] 공장(工場).
[廠獄 창옥] 명(明)나라 때 모역(謀逆)·요언(妖言)을 한 사람을 수용하던 옥. 조옥(詔獄).
◉工廠. 茅廠. 兵器廠. 被服廠.

12 ⑮ [廡] 무 ㊤麌 文甫切 wǔ ㊥虞 微夫切 wú 庑

[字解] ①곁채 무 몸채 옆의 딴채. '廊—'. '—, 廊下周屋也'《漢書 註》. ②지붕 무, 처마 무 '有白燕一雙, 巢前庭樹, 馴狎櫚—, 時至几案'《南史》. ③집 무 옥사(屋舍). '田舍廬—之數'《史記》. ④무성할 무 초목이 무성함. '庶草蕃—'《書經》.
[字源] 篆文 形聲. 广＋無(𣞤)〔音〕. '𣞤무'는 '舞무'와 통하여, 양 소매를 날리는 춤의 뜻. 안채의 소매에 해당하는 '복도·곁채'의 뜻을 나타냄.

[廡下 무하] 처마 밑. 또, 지붕 밑.
[廡舍 무사] 집. 가옥.
◉觀廡. 廣廡. 門廡. 蕃廡. 修廡. 廬廡. 屋廡. 長廡. 軒廡.

12 ⑮ [廙] [一] 익 [入]職 與職切 yì [二] 이 [去]寘 羊吏切 yì

[字解] [一] ①천막 익 임시로 친 막사(幕舍). '—, 行屋也'《說文》. ②성 익 성(姓)의 하나. [二] 공경할 이 삼가 받듦. '—, 恭也, 敬也'《廣韻》.
[字源] 金文 篆文 形聲. 广＋異〔音〕. '異이'는 '翼익'과 통하여, '날개'의 뜻. 날개 같은 지붕을 가진 행궁(行宮)의 뜻.

12 ⑮ [廢] [高·人] 폐 [去]隊 方肺切 fèi 废

[筆順] 广 … 廢

[字解] ①집쏠릴 폐 집이 한쪽으로 쏠림. 전(轉)하여, 널리 쏠림. 기욺. '四極—'《淮南子》. ②못쓰게될 폐 쓰지 못하게 됨. '—人'. '—物利用'. ③폐할 폐 ㉠중지함. '—止'. '半塗而—'《中庸》. ㉡파기함. 깨뜨림. '秦魏之交可—矣'《戰國策》. ㉢내침. '—黜'. '有罪則—退之'《周禮》. ④폐하여질 폐 ㉠행하여지지 아니함. 또, 없어짐. '—國'. '大道—有仁義'《老子》. ㉡쇠퇴함. 해이함. '—滅'. '王道衰, 禮儀—'《詩經》. '教之所由—也'《禮記》. ⑤떨어질 폐 밑으로 떨어짐. '—於爐炭'《左傳》. ⑥습복할 폐 두려워하여 엎드림. '項王喑噁叱咤, 千人皆—'《史記》. ⑦폐질 폐 癈(疒部 十二畫)와 통용. '—人'. '矜寡孤獨—疾者'《禮記》.
[字源] 篆文 形聲. 广＋發〔音〕. '發발'은 '敝폐'와 통하여, '망가지다'의 뜻임. 부서진 집의 뜻에서, '못 쓰게 되다'의 뜻을 나타냄.

[廢家 폐가] 호주(戶主)가 죽고 상속인(相續人)이 없어서 절손(絕孫)함. 또, 그 집.
[廢刊 폐간] 신문·잡지 등의 간행을 폐지함.
[廢講 폐강] 강의(講義)를 폐지함.
[廢居 폐거] 상품을 버리거나 저장하여 둔다는 뜻으로, 시세를 보아 물건을 매매(賣買)하여 이익(利益)을 얻는 일.
[廢擧 폐거] 폐거(廢居).
[廢格沮誹 폐격저비] 천자(天子)가 정한 법(法)을 폐지하여 행하지 않으며, 천자가 하는 일을 막고 비방함.
[廢缺 폐결] 쇠퇴하여 결(缺)함.
[廢錮 폐고] 일생 동안 벼슬을 하지 못하게 하는 처분(處分).
[廢官 폐관] ㉠폐지한 관직(官職). ㉡어떤 관직을 폐지함. ㉢관직을 파면(罷免)당한 사람.
[廢曠 폐광] ㉠쓸모없게 됨. ㉡돌보지 아니함.
[廢壞 폐괴] 허물어짐. 퇴락(頹落)함.
[廢國 폐국] 망한 나라. 망국(亡國).
[廢君 폐군] 폐위(廢位)된 임금.
[廢棄 폐기] 버림. 쓰지 않음.
[廢農 폐농] ㉠농사(農事)를 그만둠. ㉡농사(農事)에 실패(失敗)함.
[廢屠 폐도] 세상에서 버림을 받아 백정이 된 사람.
[廢禮 폐례] 행하여지지 않게 된 예식. 폐지된 예식.
[廢倫 폐륜] 남자 또는 여자가 결혼하지 아니함.
[廢立 폐립] ㉠임금을 폐(廢)하고 새로 다른 임금을 세움. ㉡폐치(廢置)[ㄴ].
[廢慢 폐만] 게을리 함.
[廢盲 폐맹] 소경이 됨.
[廢滅 폐멸] 쇠퇴하여 절멸(絕滅)함.
[廢目 폐목] 시력(視力)이 불완전한 눈. 안력(眼力)이 부실(不實)한 눈.
[廢務 폐무] ㉠폐조(廢朝)로 말미암아 신하(臣下)가 정사(政事)를 보지 아니함. ㉡사무(事務)를 보지 아니함. 하던 일을 그만둠.
[廢物 폐물] 못 쓰게 된 물건.
[廢放 폐방] 물리쳐 쓰지 아니함. 또, 쓰이지 않고 추방당함.
[廢房 폐방] 방을 쓰지 않고 버려둠. 또, 그 방.
[廢妃 폐비] 왕비(王妃)의 자리를 빼앗아서 그 자격(資格)을 잃게 함. 또, 그 왕비.
[廢寺 폐사] 황폐한 절.
[廢舍 폐사] 폐택(廢宅).
[廢食 폐식] 식사를 그만둠.
[廢失 폐실] 쇠퇴하여 없어짐.
[廢案 폐안] 폐기(廢棄)된 의안(議案).
[廢語 폐어] 사어(死語).
[廢堰 폐언] 허물어진 둑. 퇴락한 둑.
[廢淹 폐엄] 쓰이지 않아 영락된 사람.
[廢業 폐업] ㉠영업(營業) 또는 직업(職業)을 그만둠. ㉡학업을 그만둠. ㉢일 또는 학업을 게을리 함.
[廢營 폐영] 황폐한 진(陣)터.
[廢屋 폐옥] 퇴락한 가옥. 폐택(廢宅).
[廢苑 폐원] 황폐한 동산.
[廢園 폐원] 폐원(廢苑).
[廢位 폐위] 임금의 자리를 폐(廢)함.
[廢蓼莪篇 폐육아편] 효자(孝子)가 부모를 여읜 뒤 그 부모를 생각하는 나머지 차마 시경(詩經)의 육아(蓼莪)의 시를 읽지 못한 고사(故事).
[廢弛 폐이] 피폐하고 해이함.
[廢人 폐인] ㉠병(病)으로 몸을 버린 사람. 병신. 불구자. ㉡쓸모없는 사람. 이 세상에 쓰이지 않는 사람.
[廢莊 폐장] 버려둔 논밭.
[廢著 폐저] 폐거(廢居).

[廢嫡 폐적] 적장자(嫡長子)의 상속 자격을 폐지하는 처분.
[廢典 폐전] ㉠의식(儀式)을 폐(廢)함. 또, 그 의식. ㉡폐지된 법.
[廢絶 폐절] 폐멸(廢滅).
[廢井 폐정] 쓰지 않고 버려둔 우물.
[廢帝 폐제] 폐위(廢位)된 황제.
[廢朝 폐조] 황실(皇室)의 흉사(凶事) 또는 그 외의 다른 사고(事故)로 인하여 천자가 조정(朝廷)에서 정사를 보는 일을 그만둠. 철조(輟朝).
[廢族 폐족] 중죄(重罪)로 죽어서 그 자손이 벼슬을 할 수 없게 된 족속.
[廢止 폐지] 행하지 않고 그만둠.
[廢址 폐지] 폐허(廢墟).
[廢紙 폐지] 못 쓰는 종이. 휴지.
[廢職 폐직] ㉠직업을 게을리 함. 폐업(廢業). ㉡행하여지지 않게 된 관무(官務).
[廢疾 폐질] 고칠 수 없어 병신이 되는 병. 또, 병신. 불구(不具).
[廢娼 폐창] 창기(娼妓)의 공허(公許)를 폐지함.
[廢撤 폐철] 철거함. 치워 버림.
[廢廳 폐청] 관청을 폐지함. 또, 그 관청.
[廢黜 폐출] 벼슬을 뗌. 파면함.
[廢置 폐치] ㉠무능한 사람을 내치고, 어진 사람을 등용함. ㉡폐지(廢止)함과 설치(設置)함.
[廢蟄 폐칩] 외출을 전폐하고 죽침.
[廢宅 폐택] 퇴락하여 사람이 살지 않는 집. 폐옥(廢屋).
[廢退 폐퇴] 벼슬을 떼고 물리침. 파면함. 폐출(廢黜). 출퇴(黜退).
[廢頹 폐퇴] 황폐하여 무너짐.
[廢罷 폐파] 그만둠.
[廢學 폐학] 학업 또는 학교를 그만둠.
[廢艦 폐함] 낡은 군함을 함적(艦籍)에서 빼 버림. 또, 그 군함.
[廢合 폐합] 어느 것을 없애거나 또는 딴것에 합함.
[廢墟 폐허] 건물·성곽(城廓) 등이 파괴를 당하여 황폐해진 터. 폐지(廢址).
[廢戶 폐호] 폐가(廢家).
[廢后 폐후] 왕후의 자리를 빼앗아 물러나게 함. 또, 폐위(廢位)된 황후.
[廢興 폐흥] 쇠퇴함과 흥왕(興旺)함.
◉改廢. 枯廢. 曠廢. 壞廢. 棄廢. 老廢. 頓廢. 耗廢. 蕪廢. 排廢. 屛廢. 疏廢. 衰廢. 捐廢. 違廢. 幽廢. 弛廢. 堙廢. 自廢. 全廢. 停廢. 彫廢. 存廢. 撤廢. 黜廢. 惰廢. 怠廢. 退廢. 頹廢. 偏廢. 荒廢. 毁廢. 朽廢. 休廢. 隳廢. 興廢.

12 ⑮ [廲] 번 ㊥寒 鋪官切 pān

字解 ①치솟은집 번 높이 돌출한 가옥. '一, 峙屋也'《集韻》. ②쌓을 번 물건을 저장함. '一, 儲物也'《集韻》.

12 ⑮ [廣] 中人 광 ㊤養 古晃切 guǎng ㊀漾 古曠切 guàng ⑤kuàng 广 𢈔

筆順 广 庐 庐 庐 庴 庴 庴 廣

字解 ①넓을 광 ㉠면적이 광활함. '誰謂河一, 一葦杭之'《詩經》. ㉡범위가 넓음. '帝德一運'《書經》. ㉢안태(安泰)함. '心一體胖'《大學》. ㉣해이(解弛)함. '一則容姦'《禮記》. ②넓힐 광 넓게 함. '一長楡, 開朔方'《史記》. '乃爲賦以自一'《史記》. ③넓어질 광 넓게 됨. '齊民歲增, 闢土世一'《後漢書》. ④넓이 광 ㉠넓은 정도. '一狹'. '周知九州地域一輪之數'《周禮》. ㉡병거(兵車) 십오승(十五乘)을 가로 잇댄 넓이. '十五乘爲一一'《左傳 註》. ⑤빌 광 曠(日部 十五畫)과 통용. '師出過時, 之謂一'《漢書》. ⑥성 광 성(姓)의 하나.

字源 金文 篆文 形聲. 广+黃〔音〕. '黃황'은 '王왕'과 통하여, '크다'의 뜻. 크고 넓은 지붕의 뜻에서 '넓다'의 뜻을 나타냄.
參考 広(广部 二畫)은 俗字.

[廣居 광거] 넓은 거처(居處). '인(仁)'을 비유하여 이르는 말.
[廣告 광고] ㉠세상(世上)에 널리 알림. ㉡신문·잡지 등에 실려서 여러 사람의 눈에 뜨이게 함.
[廣求 광구] 널리 구함.
[廣衢 광구] 넓은 길. 큰길. 한길.
[廣軌 광궤] 폭(幅)이 1.435m 이상 되는 철도 궤도(鐵道軌道). 협궤(狹軌)의 대(對).
[廣大 광대] 넓고 큼.
[廣塗 광도] 넓은 길. 광도(廣途).
[廣東 광동] ㉠광둥 성(廣東省)의 성도(省都)인 광저우(廣州)의 통칭(通稱). 주장 강(珠江)의 삼각지(三角地)에 있는 항구(港口)로서 중국(中國) 남부의 대도시임. ㉡중국 남부(中國南部)의 성(省) 이름. 면적(面積) 약 22만 제곱킬로미터. 기후는 열대적(熱帶的)이고, 쌀이 많이 남. 목축(牧畜)도 성하며, 성도(省都)는 광저우(廣州).
[廣遼 광료] 넓고 멂.
[廣柳車 광류거] 상여(喪輿). 영구차(靈柩車). 일설(一說)에는, 짐을 싣는 큰 수레.
[廣輪 광륜] 넓이. 광(廣)은 동서(東西)의 길이. 윤(輪)은 남북의 길이. 광무(廣袤).
[廣利 광리] 방대한 이익.
[廣莫 광막] 광막(廣漠).
[廣漠 광막] ㉠아득하게 넓음. ㉡'광막풍(廣漠風)'의 준말.
[廣漠風 광막풍] 북풍(北風).
[廣面 광면] 아는 사람이 많음. 교제(交際)가 넓음.
[廣目天 광목천]《佛敎》사천왕(四天王)의 하나. 제석천(帝釋天)의 외신(外臣)으로서 서방(西方)을 수호(守護)하는 부처. 형상(形狀)은 갑주(甲冑)를 입고 눈이 크며 빛은 황색임.

[廣目天]

[廣袤 광무] 넓이. 광(廣)은 동서(東西)의 길이. 무(袤)는 남북(南北)의 길이. 광륜(廣輪).
[廣廡 광무] 넓은 차양(遮陽). 고대(高大)한 집을 이름.
[廣文先生 광문선생] 광문관박사(廣文館博士)를 이름. 당(唐)나라 현종(玄宗) 때 설치한 문관(文官).
[廣博 광박] 넓음.
[廣嗣 광사] 자식(子息)이 많음.

[廣肆 광사] ㉠넓은 점포(店鋪). ㉡방자(放恣)함.
[廣西 광서] 중국 남서부(南西部)에 있는 성(省). 뒤에 광시좡족(廣西壯族) 자치구로 바뀜. 묘족(苗族) 등의 소수 민족이 많이 삶. 시장 강(西江) 유역 중심의 분지(盆地)를 이루고 있으며, 기후는 습열(濕熱) 다우(多雨)함. 성도(省都)는 난닝(南寧).
[廣宵大暮 광소대모] 영영 새지 않는 밤이라는 뜻으로, 죽은 사람의 돌아오지 못함을 비유한 말. 곧, 죽음을 이름.
[廣雅 광아] 위(魏)나라 장읍(張揖)이 지은 자서(字書). 10권. 〈박아(博雅)〉라고도 함. 〈이아(爾雅)〉의 구목(舊目)에 의하여 널리 한대 학자(漢代學者)의 주석(註釋) 등을 채록 증보(採錄增補)하였으므로 〈광아(廣雅)〉라 하였음. 청(淸)나라 왕염손(王念孫)은 〈광아소증(廣雅疏證)〉 10권을 지었음.
[廣野 광야] 넓은 들.
[廣魚 광어] 가자미과에 속하는 바닷물고기. 넙치.
[廣言 광언] 큰소리. 호된 장담. 대언(大言). 방언(放言). 호어(豪語).
[廣衍 광연] ㉠넓음. ㉡널리 퍼지게 함.
[廣淵 광연] 넓고 깊음. 광대하고 시원함. 홍연(洪淵).
[廣演 광연] 널리 폄. 널리 퍼지게 함.
[廣饒 광요] 땅이 넓고, 물산(物産)이 넉넉함.
[廣運 광운] ㉠널리 미침. ㉡광무(廣袤).
[廣韻 광운] 수(隋)나라 육법언(陸法言)이 지은 운서(韻書). 5권. 원이름은 〈절운(切韻)〉. 당(唐)나라의 손면(孫愐)이 간정(刊定)하고 〈당운(唐韻)〉이라 개명(改名)하였으며, 송(宋)나라 진종(眞宗) 때 중수(重修)한 후 〈대송중수광운(大宋重修廣韻)〉이라는 이름을 하사(下賜)하였음. 현존(現存)하는 운서(韻書) 중 오래된 것임. 206부(部)로 분류(分類)하였음.
[廣圓 광원] 둘레. 주위(周圍).
[廣遠 광원] 넓고 멂.
[廣囿 광유] 넓은 동산.
[廣義 광의] 넓은 뜻. 범위를 넓게 잡은 뜻.
[廣益 광익] 널리 세상에 유익하게 함.
[廣場 광장] 넓은 마당.
[廣長舌 광장설] 부처의 삼십이상(三十二相)의 하나. '넓고 긴 혀'라는 뜻으로, 극히 교묘한 웅변을 비유하는 말. 장광설(長廣舌).
[廣磧 광적] 넓은 모래벌판.
[廣濟 광제] 널리 세상 사람을 구제함.
[廣兆穹碑 광조궁비] 넓은 묘지(墓地)와 높고 큰 비(碑).
[廣坐 광좌] 많은 사람이 앉은 좌석(坐席).
[廣衆 광중] 많은 사람.
[廣敞 광창] 넓고 앞이 탁 트임.
[廣斥 광척] 넓은 개펄. 넓은 간석지(干潟地). 척(斥)은 개펄.
[廣探 광탐] 널리 찾음.
[廣布 광포] 널리 폄. 세상에 널리 펴서 알림.
[廣幅 광폭] 넓은 폭(幅).
[廣被 광피] 널리 미치게 함. 두루 베풂.
[廣廈 광하] 크고 넓은 집. 대하(大廈).
[廣寒府 광한부] 달의 궁전(宮殿). 달의 서울. 월궁전(月宮殿). 광한궁(廣寒宮).
[廣欬 광해] 큰 기침. 또, 기침을 크게 함.
[廣虛 광허] 넓은 하늘. 허공(虛空).
[廣狹 광협] 넓음과 좁음.
[廣弘 광홍] 넓음. 또, 넓힘.
[廣闊 광활] 훤하게 넓음.
◉開廣. 末廣. 敷廣. 少廣. 深廣. 淹廣. 益廣. 增廣. 平廣. 幅廣. 弘廣.

[摩] 〔마〕
手部 十一畫(p. 898)을 보라.

[賡] 〔갱〕
貝部 八畫(p. 2202)을 보라.

12 ⑮ [㢋] 〔질〕
秩(禾部 五畫〈p. 1615〉)의 古字

12 ⑮ [廄] 〔구〕
廏(广部 十一畫〈p. 704〉)의 本字

12 ⑮ [廇] 〔류〕
廇(广部 十畫〈p. 704〉)의 本字

[慶] 〔경〕
心部 十一畫(p. 807)을 보라.

[絜] 〔혈〕
糸部 九畫(p. 1760)을 보라.

13 ⑯ [廥] 괴 [去]泰 古外切 kuài

[字解] ①여물광 괴 여물을 저장하는 곳. ②곳집 괴 창고. '倉—'. '頻發官—'《唐書》.
[字源] [篆文] 形聲. 广+會〔音〕. '會회'는 '모으다'의 뜻. 여물 따위를 모아 두는 건물의 뜻을 나타냄.

[廥藏 괴장] 창고. 또, 창고 안의 저장품.
[廥聚 괴취] 창고에 저장해 둔 물건.
◉官廥. 倉廥.

13 ⑯ [廨] 해 [去]卦 古隘切 xiè

[字解] 공해 해 관아(官衙). '公—'. '羣情欲府君先入—'《世說》.
[字源] 形聲. 广+解〔音〕

[廨舍 해사] 관청의 건물.
[廨署 해서] 관아. 관청.
[廨宇 해우] 관청 건물.
◉公廨. 官廨.

13 ⑯ [廠] 유 [平]虞 羊朱切 yú

[字解] 희롱할 유 야유함. 놀림. '邪—, 擧手相弄'《廣韻》.

13 ⑯ [廧] [一] 장 [平]陽 在良切 qiáng
[二] 색 [入]職 所力切 sè

[字解] [一] 담 장 牆(爿部 十三畫)과 통용. '趙皆以荻蒿苦楚—之'《戰國策》. [二] 소신 색 지위가 낮은 신하. 嗇(口部 十畫)과 통용. '—夫空'《戰國策》.
[字源] 形聲. 广+嗇〔音〕

13 ⑯ **[廦]** 벽 ㊀錫 北激切 bì ㊀陌 芳辟切 bì

字解 ①담 벽 '一, 牆也'《說文》. ②방 벽 '一, 室屋'《廣韻》.

字源 形聲. 广+辟〔音〕

13 ⑯ **[廩]** 人名 름 ㊤寢 力稔切 lǐn

字解 ①곳집 름 미곡 창고. 쌀광. '米一'. '亦有高一'《詩經》. ②녹미 름 녹봉(祿俸)으로 받는 쌀. '一料'. '恐人稍受一, 往來煩劇'《後漢書》. ③구호미 름 구호하는 미곡. '一振'. '振一三十餘郡'《後漢書》.

字源 篆文 別體 會意. 广+稟. '稟름'은 㐭+禾. '㐭'이 '廩'의 원자(原字)로, 곡물을 재 곳집의 상형. 뒤에, 건물의 뜻인 '广엄'을 붙였음.

[廩庫 늠고] 쌀 곳간. 미곡 창고.
[廩囷 늠균] 쌀 곳간. 균(囷)은 둥근 곳간.
[廩給 늠급] 관(官)에서 미곡의 급여를 받음.
[廩料 늠료] 녹봉(祿俸)으로 주는 쌀. 녹미(祿米).
[廩廩 늠름] ㉠위의(威儀)가 바른 모양. ㉡위태(危殆)로운 모양.
[廩俸 늠봉] 늠료(廩料).
[廩生 늠생] ㉠명조(明朝) 때 관(官)에서 녹미(祿米)를 받던 생원(生員). ㉡청조(淸朝) 때의 생원의 제일등(第一等).
[廩膳 늠선] 일용(日用)의 음식.
[廩粟 늠속] ㉠녹봉(祿俸)으로 주는 쌀. 녹미(祿米). ㉡곳간에 있는 쌀.
[廩食 늠식] 늠료(廩料).
[廩庾 늠유] 쌀 곳간.
[廩人 늠인] 주(周)나라 때 쌀의 출납(出納)을 맡은 벼슬.
[廩入 늠입] 녹미(祿米)로 받는 수입.
[廩振 늠진] 구호미(救護米)를 나누어 주어 가난한 백성을 진휼(賑恤)함.
[廩倉 늠창] 늠고(廩庫).
[廩稍 늠초] 늠료(廩料). '稍'는 조금씩 주는 일.
[廩蓄 늠축] 곳간에 저장한 쌀.
[廩況 늠황] 늠료(廩料).
◉公廩. 官廩. 囷廩. 牢廩. 米廩. 俸廩. 私廩. 糧廩. 御廩. 月廩. 庾廩. 義廩. 儲廩. 振廩. 倉廩.

13 ⑯ **[廑]** 〔근〕 僅(人部 十一畫〈p. 173〉)과 同字

14 ⑰ **[廑]** 〔근〕 廑(广部 十一畫〈p. 704〉)의 本字

[膺] 〔응〕 肉部 十三畫(p. 1867)을 보라.

16 ⑲ **[廬]** 人名 ㊀ 려 ㊥魚 力居切 lú ㊁ 로 ㊥虞 龍都切 lú

字解 ㊀ ①오두막집 려 조잡한 집. 초암(草庵). '一舍'. '結一在人境'《陶潛》. ②농막 려 농부가 논밭 가운데 간단히 지은 집. '中田有一'《詩經》. ③주막 려 시골의 여인숙. '十里有一, 一有飲食'《周禮》. ④숙직실 려 숙직하는 방. '日磾小疾臥一'《漢書》. ⑤성 려 성(姓)의 하나. ㊁ 창자루 로 모극(矛戟)의 자루. 櫨(木部 十六畫)와 통용. '秦無一'《周禮》.

字源 金文 篆文 形聲. 广+盧〔音〕. '广엄'은 '집'의 뜻. '盧로'는 '빙 두르다'의 뜻. 둘레를 빙 두르기만 했을 뿐인 집, '초막'의 뜻을 나타냄.

[廬舍那佛 노사나불]《佛敎》대일여래(大日如來). 신광(身光)·지광(智光)이 이사무애(理事無礙)의 법계(法界)를 두루 비추는 원명(圓明)한 부처라는 뜻. 비로자나불(毘盧遮那佛).
[廬落 여락] 민가(民家)의 모임. 촌락(村落). 부락(部落).
[廬幕 여막]《韓》상제가 거처(居處)하는 무덤 근처에 있는 오두막집. 「(墳墓).
[廬墓 여묘] ㉠여막(廬幕). ㉡여막(廬幕)과 분묘
[廬廡 여무] 집. 주거.
[廬寺 여사] 인가(人家)와 사찰.
[廬舍 여사] 오두막집. 초막.
[廬山 여산] 장시 성(江西省)의 북부, 주장 시(九江市)의 남쪽에 있는 명산(名山).
[廬山眞面目 여산진면목] 여산의 실제의 모양. 여산은 보는 장소에 따라 다르게 보이므로 참모습은 알기 어렵다는 뜻으로, '알기 어려운 사물의 진상(眞相)'의 비유로 쓰는 말.
[廬生 여생] 신선(神仙)의 술법으로 진시황(秦始皇)에게 총애를 받은 사람.
[廬兒 여아] 심부름하는 아이. 급사. 사동(使童).
[廬庵 여암] 초막(草幕). 암자.
[廬塋 여영] 여막(廬幕). 여묘(廬墓).
[廬帳 여장] 새외(塞外)의 만이(蠻夷)가 천막(天幕)을 친 집.
[廬井 여정] 옛날, 정전제(井田制)에서 공전(公田) 100묘(畝) 중 20묘를 여덟 집의 여사(廬舍)로 하던 일.
[廬宅 여택] 집.
◉蘧廬. 結廬. 空廬. 僑廬. 舊廬. 穹廬. 陋廬. 茅廬. 蓬廬. 佛廬. 飛廬. 僧廬. 庵廬. 野廬. 屋廬. 蝸廬. 倚廬. 田廬. 精廬. 周廬. 直廬. 草廬. 出廬. 敝廬. 弊廬. 蒲廬. 學廬. 閭廬. 蒿廬.

16 ⑲ **[廯]** 소 ㊥虞 素姑切 sū

字解 ①초막 소 초가. 암자. '廜一, 庵也'《廣雅》. ②술이름 소 원일(元日)에 마시는 술. '廜一, 酒, 元日飮之, 可除瘟氣'《廣韻》.

[龐] 〔방〕 龍部 三畫(p. 2731)을 보라.

17 ⑳ **[廯]** 선 ㊤銑 息淺切 xiān ㊥先 相然切

字解 곳집 선 창고. 일설(一說)에는, 선명(鮮明)함. 또, 적음. '廩, 一也'《爾雅》.

17 ⑳ **[廙]** 익 ㊀陌 夷益切 yì

字解 집넓을 익 집이 넓음. '一, 屋通也'《篇韻》.

18 ㉑ **[廱]** 옹 ㊥冬 於容切 yōng

字解 ①벽옹 옹 '辟—'은 고대의 대학교. 또, 천자(天子)의 학교. '於樂辟—'《詩經》. ②화락할 옹 화평하고 즐거움. '——, 和也'《爾雅》. ③막을 옹, 막힐 옹 壅(土部 十三畫)과 통용. '—偃'. '梁山崩穀梁傳曰, 一河, 三日不流'《漢書》.

字源 篆文 形聲. 广+雝〔音〕. '广엄'은 지붕의 상형. '雝옹'은 큰 못을 두르고 낚시와 주연(酒宴)을 베풀 수 있는 정원을 가진 천자(天子)의 학궁(學宮)의 뜻을 나타내며, '廱'의 原字.

[廱偃 옹언] 막음. 세력을 뻗치지 못하게 함. 언(偃)은 알(閼).
[廱廱 옹옹] 화락(和樂)한 모양.
◉鷄廱. 辟廱.

19
㉒ [廲] 려 ㊥齊 郞奚切 lí

字解 길창 려 비단을 바른 창. '—廔, 綺窗也'《集韻》.

22
㉕ [廳] 高人 청 ㊥青 他丁切 tīng 厅

筆順 广 序 厅 厅 廳 廳 廳 廳

字解 ①마을 청 관아. '官—'. '丞—舊有記'《韓愈》. ②대청 청 빈객을 영접하는 데. '涼榭錦—, 其下可坐數百人'《洛陽名園記》.

字源 形聲. 广+聽〔音〕. '聽청'은 '잘 듣다'의 뜻. 정무(政務)를 듣는 집의 뜻에서, '관청'의 뜻을 나타냄.

參考 庁(广部 二畫)은 俗字.

[廳堂 청당] ㉠대궐(大闕) 안의 정사(政事)를 의론하는 곳. 조당(朝堂). 정사당(政事堂). ㉡대청.
[廳舍 청사] 관청. 관아.
[廳事 청사] 관청 안의 사무를 보는 곳. 본래는 청사(聽事)라 썼음.
◉客廳. 公廳. 官公廳. 官廳. 郡廳. 道廳. 登廳. 府廳. 簿廳. 氷廳. 船廳. 市廳. 植廳. 驛廳. 邑廳. 正廳. 支廳. 簽廳. 退廳. 便廳. 縣廳.

廴 (3획) 部

〔민책받침부〕

0
③ [廴] 인 ㊤軫 余忍切 yǐn ㊦震 羊進切 yìn

筆順 ㇇ ㇋ 廴

字解 길게걸을 인 발을 길게 떼어 놓고 걸음.

字源 篆文 指事. '行행'의 전문(篆文)인 𠔁의 왼쪽 절반의 일부를 길게 늘인 형태로, 길게 뻗은 길을 간다는 뜻을 나타냄.

參考 책받침 '辶(辵)'의 위쪽 점이 없다는 데서 민책받침으로 이름. '廴'을 의부(意符)로 하여, '늘여지다'의 뜻을 포함하는 문자를 이룸.

3
⑥ [廵] 〔순〕 巡(巛部 四畫〈p. 658〉)의 訛字

4
⑦ [延] 高人 연 ㊥先 以然切 yán

筆順 一 丅 下 正 㢟 延 延

字解 ①끌 연 ㉠시간을 미룸. '—期'. '晉人謂之遷—之役'《左傳》. ㉡인도(引導)함. '擯者—之'《儀禮》. ㉢끌어들임. 불러들임. '—引'. '開東閤, 以—賢人'《漢書》. ②끌릴 연 지체됨. 오래감. '稽—旦夕'《吳志》. ③늘일 연 ㉠길게 함. '—年'. '—眺'. '—頸鶴望'《漢書》. ㉡늘여 말함. 널리 말하여 퍼뜨림. '使張老—君譽於四方'《國語》. ④미칠 연 파급함. '賞—于世'《書經》. ⑤오랠 연, 길 연 장구(長久)함. '歷十二之—祚'《班固》. ⑥길이 연, 넓이 연 가로의 넓이. 동서의 길이. '—袤萬餘里'《史記》. ⑦성 연 성(姓)의 하나.

字源 金文 篆文 會意. 正+廴. '正정'은 '征정'과 통하여, '똑바로 가다'의 뜻. '廴인'은 '길'의 뜻. 길을 똑바로 걸어가는 뜻을 나타냄.

[延閣 연각] 길게 연(連)한 누각(樓閣).
[延見 연견] 맞아들여 만나 봄.
[延頸 연경] 목을 길게 빼고 몹시 기다림. 고대고대(苦待苦待)하는 모양. 인령(引領). 인경(引頸). 교망(翹望). 학수(鶴首). 연기(延企).
[延亘 연긍] 길게 뻗음.
[延企 연기] 목을 길게 빼고 발돋움하여 멀리 바라봄.
[延期 연기] 기한(期限)을 물림.
[延納 연납] 연견(延見).
[延年 연년] 목숨을 늘임. 수명을 연장시킴. 장수(長壽)함.
[延年益壽 연년익수] 연년(延年).
[延登 연등] 처음 벼슬하는 사람을 천자가 맞아들여 전상(殿上)에 오르게 하고 친히 조서(詔書)를 내림.
[延攬 연람] 맞아들여 내 사람을 삼음. 맞아들임.
[延齡 연령] 연명(延命).
[延蔓 연만] 이리저리 뻗어 나감.
[延命 연명] 수명(壽命)을 늘임. 오래 삶. 장수(長壽)함.
[延袤 연무] 길이. 넓이. 연(延)은 횡(橫)으로 동서(東西)의 길이. 무(袤)는 종(縱)으로 남북(南北)의 길이.
[延問 연문] 불러들여 물어봄.
[延逢 연봉] 《韓》 고을 원이 존귀한 사람을 나아가 맞음.
[延聘 연빙] 예(禮)로써 맞음.
[延性 연성] 물질이 파괴되지 않고 가늘고 길게 늘어날 수 있는 성질.
[延燒 연소] 불길이 이웃으로 번져서 탐.
[延續 연속] 길게 계속하여 끊이지 아니함.
[延壽 연수] 연년(延年).
[延髓 연수] 뇌수의 한 부분. 목 뒤에 있어서 뇌와 척수를 잇는 부분.
[延壽堂 연수당] 《佛敎》 ㉠필사(必死)의 병자(病者)를 두는 곳. 열반당(涅槃堂). ㉡화장장(火葬場).
[延諡 연시] 조상(祖上)에게 내린 시호(諡號)를 이어받음.
[延延 연연] 길게 잇닿은 모양.
[延譽 연예] 장점(長點)을 칭찬하여 좋은 평판을

널리 퍼뜨림.
[延音 연음] ㉠한 개의 음(音)이 길게 뻗어서 두 개의 음으로 되는 일. 또, 그 음. ㉡한 음을 규정된 박자(拍子) 이상으로 길게 연장하는 일.
[延引 연인] ㉠길게 늘임. 또, 늚. ㉡오래 끎. 또, 오래 걸림. ㉢맞아들임. 방으로 안내함.
[延長 연장] ㉠늘이어 길게 함. 시간·길이 등을 늘임. 또, 늚. ㉡길이.
[延奬 연장] 연예(延譽).
[延佇 연저] 오래 저립(佇立)함. 오랫동안 섬.
[延接 연접] 불러들여 만나 봄.
[延祚 연조] 긴 복조(福祚)란 뜻으로, 천자(天子)가 오래 재위(在位)함을 이름.
[延眺 연조] 목을 길게 빼어 멀리 바라봄.
[延着 연착] 일정(一定)한 시각(時刻)보다 늦게 도착함.
[延請 연청] 청(請)하여 맞음.
[延拖 연타] 일을 끌어서 미루어 나감.
◉居延. 經延. 稽延. 那羅延. 蔓延. 綿延. 歲不我延. 垂延. 順延. 淹延. 連延. 聯延. 宛延. 外延. 邀延. 逾延. 接延. 周延. 遲延. 遷延. 薦延. 招延.

4 ⑦ [廷] 高人 정 ㊥青 特丁切 tíng ㊤徑 徒徑切

筆順 一 二 千 壬 廷 廷 廷

字解 ①조정 정 제왕이 정치를 청단(聽斷)하는 곳. '一議'. '設九賓于一'《史記》. ②마을 정 관아. 주로 백성이 출두하여 소송하는 곳을 이름. '法一'. '使給事縣一'《後漢書》. ③공변될 정 공정함. '一尉秦官(註)一平也, 治獄貴平, 故以爲號'《漢書》.

字源 金文 篆文 形聲. 廴+壬(音). '壬정'은 '튀어나오다'의 뜻. '廴인'은 계단 앞에 튀어나온 뜰의 상형. '뜰'의 뜻을 나타냄.

[廷奇 정기] 청(淸)나라 때 내각(內閣)을 거치지 않고 군기처(軍機處)에서 직접 병부(兵部)에 교부(交付)하던 조칙(詔勅).
[廷論 정론] ㉠조정(朝廷)의 의견. ㉡조정에서 의론함. ㉢조정에서 군주(君主)에 대하여 그 언행의 선악을 논함.
[廷理 정리] 옛날, 형옥(刑獄)을 맡던 벼슬.
[廷辯 정변] 조정에서 변론함.
[廷試 정시] 과거(科擧)에서, 조고(朝考)·전시(殿試)를 이름.
[廷臣 정신] 조정(朝廷)에서 벼슬하는 신하.
[廷安 정안] 벼슬 이름. 원방(遠方)의 제후(諸侯)가 자주 내조(來朝)할 수 없어서 경사(京師)에 두고 조정(朝廷)의 안부를 묻게 하던 벼슬아치.
[廷辱 정욕] 조정에서 공공연히 욕보임.
[廷尉 정위] 진(秦)·한(漢) 때의 벼슬 이름. 형옥(刑獄)을 맡았음.
[廷儀 정의] 조정의 의식(儀式).
[廷議 정의] ㉠조정의 의론. 정부의 의견. ㉡조정의 회의.
[廷爭 정쟁] 조정에서 직접 임금의 잘못을 간(諫)하여 다툼. 정쟁(庭爭).
[廷諍 정쟁] 정쟁(廷爭).
[廷折 정절] 조정의 여러 사람 앞에서 꼼짝 못하게 욕(辱)보임.
[廷叱 정질] 조정에서 꾸짖음.
[廷推 정추] 명(明)나라 때, 삼품(三品) 이상 또는 구경(九卿) 등의 관리(官吏)를 전선(詮選)할 때에 후보자(候補者)를 둘 내지 셋을 미리 상주(上奏)하여 군주(君主)의 결재(決裁)에 의해서 그 임부(任否)를 정하는 일.
[廷毁 정훼] 조정에서 공공연히 비난함.
◉開廷. 公廷. 宮廷. 內廷. 法廷. 殊廷. 外廷. 在廷. 朝廷. 出廷. 退廷. 閉廷. 縣廷. 休廷.

5 ⑧ [廻] 〔회〕 廻(廴部 六畫〈p. 713〉)와 同字

5 ⑧ [廹] 〔박〕 迫(辵部 五畫〈p. 2291〉)의 俗字

5 ⑧ [廸] 〔적〕 迪(辵部 五畫〈p. 2291〉)의 俗字

6 ⑨ [建] 中人 건 ㊀願 居萬切 jiàn ㊤阮 紀偃切 jiàn

筆順 ㇕ ⺕ ⺕ 肀 聿 聿 建 建 建

字解 ①세울 건 ㉠물건을 꼿꼿이 세움. 또, 섬. '九十杖而朝, 見君一杖'《尙書大傳》. ㉡일으킴. 창시(創始)함. '一置'. '一國'. '先王以一萬國親諸侯'《易經》. ㉢지음. '一立'. '一築'. ㉣이룩함. 수립(樹立)함. '一功'. '可一大功'《戰國策》. ㉤베풂. '一鼓整列'《左傳》. ②열쇠 건 鍵(金部 九畫)과 통용. '一櫜'. ③엎지를 건 '猶居高屋之上, 一瓴水也'《史記》. ④성 건 성(姓)의 하나.

字源 金文 篆文 會意. 聿+廴. '聿율'은 '붓'의 뜻. '廴인'은 '延연'과 같아서, '뻗다'의 뜻. 붓이 곧게 뻗는다는 뜻에서, 훤칠하게 서는 뜻을 나타냄.

[建鼓 건고] 북의 한 가지. 꼭대기에 새를 장식한 화개(華蓋)가 있고, 받침대 밑에는 네 사자(獅子)를 조각하였음.
[建櫜 건고] 무기를 포대(布袋)에 넣고 자물쇠를 채움. 전쟁의 준비를 해제함. 언무(偃武). 건(建)은 건(鍵)과 통용.

[建鼓]

[建功 건공] 나라를 위하여 공(功)을 세움.
[建國 건국] 나라를 세움. 제업(帝業)을 창시(創始)함. 또, 그 일. 조국(肇國).
[建極 건극] 천자(天子)가 나라의 근본 법칙을 세워 천하(天下)를 다스림.
[建德 건덕] 장자(莊子)에 나오는 이상향(理想鄕)의 이름.
[建都 건도] 수도(首都)를 이룩함.
[建瓴 건령] 옥상(屋上)에서 물동이의 물을 쏟는다는 뜻으로, 사세(事勢)가 아주 용이함의 비유로 쓰임.
[建立 건립] ㉠이룩하여 세움. 세움. ㉡《佛敎》 절·탑·불상(佛像) 등을 세움.
[建明 건명] 정사(政事)를 이룩하여 밝힘.
[建木 건목] 나무 이름. 잎은 푸르고, 줄기는 자줏빛이며, 꽃은 검고, 열매는 황색이라 함.

[建白 건백] 제왕에게 의견을 아뢺.
[建設 건설] 새로 만들어 세움.
[建牙 건아] ㉠기(旗)를 세움. 무신(武臣)이 파견되어 나가 그 토지를 진정(鎭定)함을 이름. 아(牙)는 군전(軍前)의 큰 기. ㉡청대(淸代)의 총독(總督)·순무(巡撫)의 일컬음.
[建安體 건안체] 한(漢)·위(魏) 시대의 건안 칠자(建安七子) 및 조식(曹植) 부자(父子)의 시체(詩體).
[建安七子 건안칠자] 한말(漢末)의 건안(建安) 연간에 때를 같이하여 문학으로 이름을 떨쳤던 공융(孔融)·진림(陳琳)·왕찬(王粲)·서간(徐幹)·완우(阮瑀)·응창(應瑒)·유정(劉楨)의 일곱 사람. 그들이 모두 업중(鄴中)에 살았기 때문에 업중 칠자(鄴中七子)라고도 함.
[建言 건언] 건백(建白).
[建業 건업] 사업의 기초를 세움. 또, 사업을 함.
[建元 건원] 창업(創業)한 천자(天子)가 연호(年號)를 정함.
[建議 건의] ㉠건백(建白). ㉡국가(國家) 또는 단체(團體)에 대하여 자기의 의견을 개진(開陳)함.
[建除 건제] 음양가(陰陽家)에서 날의 길흉(吉凶)을 정하는 건(建)·제(除)·만(滿)·평(平)·정(定)·집(執)·파(破)·위(危)·성(成)·수(收)·개(開)·폐(閉)의 십이진(十二辰). 제(除)·위(危)·정(定)·집(執)·성(成)·개(開)는 길(吉)하고, 건(建)·파(破)·평(平)·수(收)·만(滿)·폐(閉)는 흉(凶)하다 함. 이들은 종시 순환(終始循環)함. 구력(舊曆)에서, 날 밑에 써 놓고 중단(中段)이라 부르며, 날의 길흉(吉凶)을 정하여 택일(擇日)하는 데 씀. 건제 십이단(建除十二段)이라고도 함.
[建造 건조] 건축물을 세움.
[建奏 건주] 건백(建白).
[建中 건중] 중정(中正)의 길을 정함.
[建策 건책] 계책(計策)을 세움.
[建築 건축] 토목(土木)·금석(金石)을 써서 집·성(城)·다리 같은 것을 세워 지음. 토목 공사를 함.
[建置 건치] ㉠군현(郡縣)을 설치(設置)함. ㉡세워 둠.
[建坪 건평] 《韓》 건축물(建築物)이 차지한 자리의 평수(坪數).
◉開建. 啓建. 封建. 樹建. 月建. 再建. 肇建. 創建. 土建.

6 ⑨ [廻] [人名] 회 [平]灰 胡隈切 huí
[筆順] 丨 冂 冂 冋 回 ㄱ回 廻 廻
[字解] ①돌 회, 돌릴 회 빙 돎. 또, 빙 돌게 함. '一轉'. '墨子一車'《史記》. ②피할 회 회피함. '一避'.
[字源] 形聲. 廴+回〔音〕. '廴인'은 '가다'의 뜻. '回회'는 '돌다'의 뜻. 돌아서 가다의 뜻을 나타냄.
[參考] 예로부터 回(囗部 三畫)와 똑같이 쓰였음.

[廻顧 회고] 돌아다봄. 회고(回顧).
[廻狂瀾於旣倒 회광란어기도] 이미 밀려온 험한 파도를 도로 밀어 보냄. 기울어진 대세(大勢)를 다시 회복함의 비유.
[廻塗 회도] 빙 도는 길.
[廻鑾 회란] 천자의 수레가 서울로 돌아옴. 천자가 대궐(大闕)로 돌아옴. 환궁(還宮).
[廻廊 회랑] 빙 도는 낭하(廊下).
[廻禮 회례] 돌아다니며 치르는 인사.
[廻文 회문] ㉠내리읽으나 치읽으나 다 말이 되는 한시(漢詩). ㉡여러 사람이 차례로 돌려 보도록 쓴 문장.
[廻文錦字詩 회문금자시] 전진(前秦)의 두도(竇滔)의 아내가 회문(廻文)의 시(詩)를 지어 비단에 짜 넣어서 먼 곳에 있는 남편에게 보낸 고사(故事).
[廻旋 회선] 빙빙 돎. 회전(回轉).
[廻斡 회알] 빙빙 돌림. 또, 빙빙 돎.
[廻縈 회영] 돎. 또, 돌림.
[廻轉 회전] 빙빙 돌아서 구름. 또, 굴림.
[廻汀 회정] 꾸불꾸불한 물가.
[廻天倒日之力 회천도일지력] 하늘을 돌리고 해를 거꾸로 하는 힘이라는 뜻으로, 극히 큰 힘을 이름.
[廻天之力 회천지력] ㉠천자의 마음을 돌리게 하는 힘. ㉡쇠잔한 국세(國勢)를 회복하는 힘. ㉢지극히 큰 힘.
[廻風 회풍] 회오리바람. 선풍(旋風).
[廻避 회피] ㉠피함. ㉡조심함. 어려워함.
[廻向 회향] 《佛敎》 불사(佛事)를 닦아 망인(亡人)의 명복을 비는 일. 회향(回向).
◉上廻. 巡廻. 下廻.

6 ⑨ [廼] 〔내〕
迺(辵部 六畫〈p. 2293〉)의 俗字

7 ⑩ [廽] 廻(前前條)의 俗字

廾 (3획) 部
〔밑스물입부〕

0 ③ [廾] 공 ㊤腫 居悚切 gǒng
[筆順] 一 ナ 廾
[字解] 들 공 두 손을 맞잡아 듦.
[字源] 甲骨文 金文 篆文 象形. 양손을 받드는 모양을 형상하여, '받들다'의 뜻을 나타냄.
[參考] 이 글자의 모양이 '廿입'과 비슷하고, 대개 글자의 밑으로 쓰이므로, '밑스물입'으로 이름.

0 ④ [𠬞] 廾(前條)의 本字

[廿] 〔입〕
十部 二畫(p. 302)을 보라.

1 ④ [廾] 〔등〕
等(竹部 六畫〈p. 1661〉)과 同字

2 ⑤ [弁] [人名] [一] 변 [去]霰 皮變切 biàn
[二] 반 [平]寒 薄官切 pán

字解 ■ ①고깔 변 주대(周代)의 통상 예복의 관. '皮一'은 무인(武人)의 관. '周一, 殷冔, 夏收'《儀禮》. ②급할 변, 서둘 변 '一行, 剡剡起屨'《禮記》. ③떨 변 전율함. '吏皆股一'《漢書》. ④칠 변 손으로 침. 또, 손으로 서로 쳐 승부(勝負)를 다투는 일. 수박(手搏). '試一爲期門'《漢書》. ⑤성 변 성(姓)의 하나. ※'변' 음은 인명자로 쓰임. ■ 즐거워할 반 般(舟部 四畫)과 同字. '一彼鷽斯'《詩經》.

字源 篆文 別體 象形. 양손으로 고깔을 쓰는 형상을 본떠 '고깔'의 뜻을 나타냄.

參考 辨(辛部 九畫)·辯(辛部 十四畫)의 俗字로 쓰임.

[弁冕 변면] ㉠관(冠). 고깔과 면류관. ㉡괴수(魁首).
[弁髦 변모] 변(弁)은 치포관(緇布冠)으로서 관례(冠禮)를 행하기 전에 잠시 쓰는 갓, 모(髦)는 총각의 더펄머리. 관례가 끝나면 모두 소용없게 되므로 무용지물(無用之物)의 비유로 쓰임.
[弁言 변언] 머리말. 서문(序文).
[弁絰 변질] 천자(天子)의 상복(喪服).
[弁韓 변한] 옛날 한국(韓國) 남쪽 경상남도(慶尙南道) 지방에 있던 나라의 이름으로서, 삼한(三韓)〈마한(馬韓)·변한(弁韓)·진한(辰韓)〉의 하나임.
[弁行 변행] 급히 감.
◉冠弁. 股弁. 衮弁. 武弁. 戎弁. 雀弁. 將弁. 赤弁. 皮弁.

2 ⑤ [弁] 〔계〕
界(田部 四畫〈p. 1463〉)와 同字

3 ⑥ [异] 이 ㊥支 與之切 yí ㊦寘 羊吏切 yì

字解 ①말 이, 그칠 이 已(己部)와 同字. '一哉, 試可乃已'《書經》. ②다를 이 異(田部 六畫)와 同字. '何以一哉'《列子》. ③성 이 성(姓)의 하나.

字源 篆文 形聲. 廾+已(㠯)〔音〕. '㠯이'는 '以이'의 본자(本字)로, 물건을 가지다의 뜻. 손으로 물건을 들어 올리는 뜻을 나타내며, '已'와 통하여, '그만두다, 물리치다'의 뜻으로도 쓰임.

3 ⑥ [甘] 〔기〕
箕(竹部 八畫〈p. 1669〉)의 古字

[并] 〔병〕
干部 三畫(p. 688)을 보라.

4 ⑦ [弄] 高人 롱 ㊦送 盧貢切 nòng

筆順 一 二 千 王 王 弄 弄

字解 ①희롱할 롱 '調一'. '夷吾弱不好一'《左傳》. ②놀 롱 ㉠손에 가지고 놂. 장난감으로 함. '一具'. '載一之璋'《詩經》. '高祖持御史大夫印一持'《漢書》. ㉡홍에 겨워하며 놂. '方追山壑, 永一林泉'《梁簡文帝》. ③무롱(舞弄)할 롱 멋대로 씀. '一權'. '舞文一法'《史記》. ④업신여길 롱 '侮一'. '愚一其民'《左傳》. ⑤탈 롱 악기를 타며 즐김. '一琴'. '一畢便上車去'《晉書》. ⑥곡조 롱 악곡. '改韻易調, 奇一乃發'《嵇康》.

字源 金文 篆文 會意. 廾+玉. '廾공'은 '양손'의 뜻. 양손으로 구슬을 가지고 놀다의 뜻을 나타냄.

[弄假成眞 농가성진] 실없이 한 것이 참으로 한 것과 같이 됨.
[弄奸 농간] 남을 속이려는 간사(奸邪)한 짓.
[弄過成瞋 농과성진] 농가성진(弄假成眞).
[弄巧 농교] 잔꾀를 씀.
[弄具 농구] 장난감. 완구(玩具).
[弄權 농권] 권력을 마음대로 씀. 권세를 함부로 부림.
[弄談 농담] 실없는 말. 희롱(戲弄)하는 말. 농(弄)지거리하는 말.
[弄物 농물] 장난감. 완롱물(玩弄物).
[弄法 농법] 법을 무롱(舞弄)함. 법률을 마음대로 적용함.
[弄臣 농신] 임금의 심심풀이의 상대가 되는 신하. 노리개로 삼아 사랑하는 신하.
[弄兒 농아] 특별히 귀애하는 아이. 마음에 드는 사동(使童).
[弄瓦 농와] 계집아이를 낳음. 옛날, 딸을 낳으면 장난감으로 와제(瓦製)의 실패를 주던 고사(故事)에 의함.
[弄月 농월] 달을 보며 즐김.
[弄姿 농자] 태(態)를 지어 아첨(阿諂)함. 아양떨며 아유함.
[弄璋 농장] 사내아이를 낳음.
[弄璋之喜 농장지희] 사내아이를 낳은 기쁨. 옛날, 아들을 낳으면 장난감으로 장(璋)이란 옥(玉)을 준 고사(故事)에 의함.
[弄田 농전] 심심소일로 가꾸기 위하여 장만한 전지(田地).
[弄蕩 농탕] 음탕(淫蕩)하게 놂.
[弄筆 농필] ㉠희롱조로 붓대를 놀림. 글·그림을 함부로 휘갈김. 또, 희롱조로 지은 글. 또는 쓴 글씨. ㉡필묵(筆墨)을 무롱(舞弄)함. 사실을 왜곡(歪曲)하여 씀.
[弄翰 농한] 붓으로써 희롱(戲弄)함. 글·그림을 함부로 휘갈김. 농필(弄筆).
[弄吭 농항] 새가 지저귐.
[弄丸 농환] 구슬을 공중에 던졌다가 내려오는 것을 받는 놀이.
[弄戲 농희] 장난. 희롱.
◉傾弄. 曲弄. 狡弄. 嬌弄. 奇弄. 侮弄. 舞弄. 撫弄. 黼弄. 奔弄. 祕弄. 賞弄. 狎弄. 揶弄. 敖弄. 玩弄. 翫弄. 愚弄. 吟弄. 調弄. 嘲弄. 操弄. 瞻弄. 清弄. 嗤弄. 簸弄. 好弄. 戲弄.

4 ⑦ [弅] 분 ㊥文 符分切 ㊤吻 房吻切 fèn

字解 붕긋할 분 언덕이 높직한 모양. '登隱一之丘'《莊子》.

4 ⑦ [弆] 규 ㊥支 渠追切 kuí

字解 손잡이 규 쇠뇌의 손으로 잡는 부분. '一, 持弩閑拊也'《玉篇》.

字源 會意. 廾+肉

4 [弆] 〔거〕
⑦ 擧(手部 十四畫〈p. 912〉)의 古字

4 [㢴] 〔계〕
⑦ 戒(戈部 三畫〈p. 832〉)와 同字

4 [弃] 〔기〕
⑦ 棄(木部 八畫〈p. 1081〉)의 古字

字源 棄의 古文 會意. 𠫓+廾. '𠫓돌'은 '어린아이'의 뜻. '廾공'은 양손의 象形. 아이를 버리다의 뜻을 나타냄. '棄기'의 생략체이며 古文임.

5 [弆] ■ 육 ㊀屋 余六切 yù
⑧ ■ 국 ㊀屋 居六切

字解 ■ 받들 육 양손으로 물건을 받듦. '一, 兩手捧物'《集韻》. ■ 받들 국 ㊀과 뜻이 같음.

字源 形聲. 廾+六〔音〕

5 [弆] 거 ㊤語 居許切 jǔ
⑧ 羌擧切

字解 감출 거 감추어 둠. 또, 저장함. '藏—'.

字源 形聲. 廾+去〔音〕

6 [弇] ■ 엄 ㊤琰 衣檢切 yǎn
⑨ ■ 감 ㊥覃 那含切 nán

字解 ■ ①덮을 엄 덮어 가림. '一日爲蔽雲'《爾雅》. ②좁은길 엄 협착한 길. '行及—中'《左傳》. ③깊을 엄 '其器宏以—'《呂氏春秋》. ④안으로향할 엄 '棧車欲—'《周禮》. ■ 사람이름 감 '耿—'은 동한(東漢) 때 사람.

字源 甲骨文 篆文 會意. 合+廾. '合합'은 뚜껑을 맞추다의 뜻. 양손으로 뚜껑을 덮다, 덮다의 뜻을 나타냄.

[弇中 엄중] 좁은 길. 오솔길.

6 [㢸] 〔계〕
⑨ 契(大部 六畫〈p. 506〉)의 訛字

6 [弈] 혁 ㊀陌 羊益切 yì
⑨

字解 바둑 혁 위기(圍碁). 또, 노름. 도박. '博—'. '弈秋通國之善—者也'《孟子》.

字源 篆文 形聲. 廾+亦〔音〕. '廾공'은 양손을 받드는 형상임. '亦역'은 잇따라 거듭되다의 뜻. 손을 들어서 번갈아 바둑을 두다의 뜻을 나타냄.

[弈棋 혁기] 바둑을 둠. 위기(圍碁).
◉博弈. 象弈.

7 [弮] 권 ㊤霰 古倦切 juàn
⑩

字解 주먹밥쥘 권 밥을 뭉쳐 주먹밥을 만듦. '—, 搏飯也'《說文》.

字源 會意. 釆+廾

7 [弉] 〔장〕
⑩ 奘(大部 七畫〈p. 508〉)의 俗字

8 [弇] 〔엄〕
⑪ 弇(廾部 六畫〈p. 715〉)의 古字

11 [㢿] 〔장〕
⑭ 奬(大部 十一畫〈p. 510〉)의 本字

[鼻] 〔비〕
部首(p. 2718)를 보라.

12 [弊] 高·人 폐 ㊤霽 毗祭切 bì
⑮

筆順

字解 ①해질 폐 해져 떨어짐. '一衣'. '黑貂之裘—'《戰國策》. 전(轉)하여, 겸사(謙詞)로 쓰임. '一邦'. '臣竊必之—邑之王'《戰國策》. ②곤할 폐 피곤함. 피로함. '疲—'. '兵—於周'《戰國策》. ③곤하게할 폐 피곤하게 함. '以—魏'《戰國策》. ④피곤 폐 피로. 피폐. '秦韓楚乘吾—'《戰國策》. ⑤폐 폐 해악(害惡). '—害'. '下受其—'《魏志》. ⑥결단할 폐 단정을 내림. 판결함. '—邦治'《周禮》.

字源 甲骨文 篆文 別體 形聲. 본디, 犬+敝〔音〕. '敝폐'는 '해지다'의 뜻. 개처럼 쓰러져 죽다의 뜻을 나타냄. '犬견'의 부분이 '廾공'으로 변형됨.

[弊家 폐가] 자기 집의 겸칭(謙稱).
[弊鎧 폐개] 해진 갑옷.
[弊客 폐객] 남에게 괴로움을 끼치는 사람.
[弊袴 폐고] 해진 바지.
[弊困 폐곤] 피곤(疲困)함.
[弊局 폐국] 폐가 많아 일이 거의 결딴나게 된 판국.
[弊國 폐국] 폐방(弊邦).
[弊端 폐단] 괴롭고 번거로운 일. 또, 좋지 못하고 해로운 일.
[弊廬 폐려] 자기 집의 겸칭(謙稱).
[弊履 폐리] 해진 신.
[弊瘼 폐막] ㉠없애기 어려운 폐해(弊害). ㉡못된 병통(病痛).
[弊邦 폐방] 자기 나라의 겸칭(謙稱).
[弊撒 폐살] 뒤섞인 모양.
[弊絮 폐서] 해진 솜.
[弊習 폐습] 폐해(弊害)가 많은 풍습(風習). 나쁜 풍습. 폐풍(弊風).
[弊屋 폐옥] ㉠퇴락(頹落)한 집. ㉡자기 집의 겸칭(謙稱).
[弊源 폐원] 폐해(弊害)의 근원.
[弊幽 폐유] 두메. 시골.
[弊邑 폐읍] ㉠피폐한 고을. ㉡자기 고향의 겸칭(謙稱).
[弊衣 폐의] ㉠해어진 옷. 폐의(敝衣). ㉡잠방이.
[弊政 폐정] 못된 정치. 악정(惡政).
[弊札 폐찰] 자기 편지의 겸칭(謙稱).
[弊帚 폐추] 닳아 빠진 비.
[弊宅 폐택] 폐옥(弊屋).
[弊弊 폐폐] 마음과 힘을 기울여 피로함을 돌보지 않고 일에 힘쓰는 모양.
[弊風 폐풍] 폐습(弊習).
[弊害 폐해] 폐단(弊端)과 손해.
◉奸弊. 故弊. 困弊. 舊弊. 垢弊. 窘弊. 窮弊. 饑弊. 亂弊. 勞弊. 黨弊. 鈍弊. 糜弊. 靡弊.

煩弊. 踣弊. 衰弊. 宿弊. 時弊. 深弊. 語弊. 餘弊. 惡弊. 頑弊. 疟弊. 擾弊. 流弊. 遺弊. 羸弊. 利弊. 積弊. 彫弊. 陳弊. 穿弊. 通弊. 頹弊. 罷弊. 疲弊. 抗弊. 朽弊.

13 [畢] 一 익 入陌 夷益切 yì
⑯ 二 택 入陌 直格切 zé

字解 一 늘일 익 길게 잡아 늘임. '一, 引繒也'《說文》. 二 택할 택 擇(手部 十三畫)과 同字.

字源 金文 篆文 形聲. 廾+睪[音]. '廾공'은 '양손'의 뜻. '睪역'은 잇따라 손으로 당기어 붙이는 뜻. 양손으로 주살을 끌어당기다의 뜻.

[彝] 〔이〕
彐部 十五畫(p. 731)을 보라.

19 [彎] 〔판〕
㉒ 彎(斗部 十九畫〈p. 951〉)과 同字

弋 (3획) 部
〔주살익부〕

0 [弋] 익 入職 與職切 yì
③

筆順 一 七 弋

字解 ①주살 익 오늬에 줄을 매어 쏘는 화살. '一矰'. 또, 주살로 새를 잡음. '一鳧與鴈'《詩經》. ②홰 익 횃대. '雞棲於一'《爾雅》. ③검을 익 '衣一綈'《漢書》. ④빼앗을 익 탈취함. '敢一殷命'《書經》. ⑤뜰 익 물 위에 뜸. '虞人掠水輕浮一'《李紳》.

字源 金文 篆文 象形. 작은 가지에 지주(支柱)를 받친 형태를 본떠, '말뚝'의 뜻을 나타냄. 또, 이 모양과 흡사한 '주살'의 뜻도 나타냄.

[弋繳 익격] 주살.
[弋羅 익라] 주살과 그물.
[弋獵 익렵] 사냥. 수렵(狩獵).
[弋射 익사] 주살로 새를 쏨.
[弋者 익자] 주살로 새를 잡는 사람. 사냥꾼.
[弋綈 익제] 검은 명주.
[弋釣 익조] 주살로 새를 잡고 낚시로 고기를 낚는 일. 유유자적(悠悠自適)하는 생활(生活)을 이름.
[弋矰 익증] 주살.
[弋取 익취] 주살로 새를 잡음.
[弋獲 익획] 주살로 새를 잡음.
◉羅弋. 浮弋. 游弋. 綈弋. 矰弋. 馳弋. 玄弋.

1 [弌] 〔일〕
④ 一(部首〈p. 1〉)의 古字

2 [弍] 〔이〕
⑤ 二(部首〈p. 71〉)의 古字

3 [式] 中人 식 入職 賞職切 shì
⑥

筆順 一 二 亍 工 式 式

字解 ①법 식 ㉠규칙. 제도. '法一'. '品一備具'《漢書》. ㉡장정(章程). '律·令·格·一'《北史》. ㉢본보기. 모범. '範一'. '萬邦作一'《書經》. ②꼴 식 일정한 형상. '舊一'. '其不依新一者'《北史》. ③식 식 ㉠의식. '結婚一'. '開校一'. ㉡산식(算式). '代數一'. ④절도 식 적당한 정도. '以九一均節財用'《周禮》. ⑤본뜰 식 본보기로 함. '古訓是一'《詩經》. ⑥삼갈 식 공경(恭敬)하는 마음을 가짐. '中心必一'《管子》. ⑦쓸 식 사용함. '作爲一穀'《詩經》. ⑧가로지른나무 식 수레 위에 설치한 횡목(橫木). 이 나무에 의지하여 경례함. 軾(車部 六畫)과 同字. '以揉其一'《周禮》. ⑨절할 식 식(軾)에 기대어 경례함. '一車'. '一商容閭'《書經》. ⑩발어사(發語辭) 식 발언(發言)을 나타내는 말. '一微一微'《詩經》. ⑪성 식 성(姓)의 하나.

字源 篆文 形聲. 工+弋[音]. '弋익'은 두 개의 나무를 교차시켜 안정되게 서도록 고안된 '말뚝'의 상형. '工공'은 '공구(工具)'의 뜻. 공구와 같이 규격에 맞으며 안정된 말뚝의 뜻에서, 본보기로 삼아야 하는 것, '법'의 뜻을 나타냄.

[式敬 식경] 공경함.
[式穀 식곡] 아들을 잘 가르쳐서 선(善)으로 지향(志向)하도록 함. 식(式)은 용(用), 곡(穀)은 선(善).
[式廓 식곽] 규모(規模). 범위(範圍).
[式年 식년] 《韓》 자년(子年)·묘년(卯年)·오년(午年)·유년(酉年)의 이름. 곧 과거 보이는 시기를 정한 해.
[式怒蛙 식노와] 월왕(越王) 구천(句踐)이 오(吳)나라를 칠 뜻이 있어 사기(士氣)를 진작(振作)하기 위하여, 배를 불룩이 내밀고 성낸 개구리에게도 용기(勇氣)가 있다 하여, 절을 한 고사(故事). 식(式)은 수레 앞에 댄 가로 나무에 손을 짚고 하는 절.
[式例 식례] 이미 있어 온 일정(一定)한 사례(事例).
[式微 식미] 왕실(王室)이 쇠미함.
[式法 식법] 법(法).
[式辭 식사] 《韓》 식장(式場)에서 그 식에 대하여 인사(人事)로 하는 말.
[式序 식서] 공(功)이 있어 등용함.
[式式 식식] 공경하는 모양.
[式樣 식양] 양식. 형식(形式).
[式場 식장] 예식(禮式)을 행하는 곳.
[式車 식차] 차 위의 횡목(橫木)에 의지하여 경례함.
[式則 식칙] 법. 규칙(規則).
◉擧式. 檢式. 格式. 硬式. 古式. 故式. 公式. 觀兵式. 觀艦式. 九式. 具式. 舊式. 金婚式. 矜式. 幾式. 圖式. 等式. 方式. 方程式. 範式. 法式. 本式. 佛式. 非公式. 師式. 常式. 書式. 數式. 新式. 神式. 略式. 樣式. 洋式. 軟式. 例式. 禮式. 要式. 違式. 遺式. 銀婚式. 儀式. 一式. 葬式. 典式. 正式. 程式. 諸式. 株式. 表式. 品式. 韓式. 恒式. 形式. 會式.

3 [弎] 〔삼〕
⑥ 三(一部 二畫〈p. 14〉)의 古字

3 ⑥ [弍] 〔이〕
貳(貝部 五畫〈p.2191〉)의 俗字

[忒] 〔특〕
心部 三畫(p.758)을 보라.

4 ⑦ [戕] 장 [平]陽 玆郎切 zāng
[字解] 말뚝 장 배를 매는 큰 말뚝.

[𢦏] 〔재〕
戈部 四畫(p.834)을 보라.

[武] 〔무〕
止部 四畫(p.1141)을 보라.

6 ⑨ [戙] 동 [去]送 徒弄切 dòng
[平]東 徒東切
[字解] 말뚝 동 선박(船舶)을 잡아매는 말뚝. '舟纜所繫曰一'《集韻》.

[貳] 〔이〕
貝部 五畫(p.2191)을 보라.

9 ⑫ [弑] 弒(次條)의 俗字

10 ⑬ [弒] [人名] 시 [去]寘 式吏切 shì
[字解] 죽일 시 아랫사람이 윗사람을 죽임. '一殺'. '子一父'《歐陽修》.
[字源] 篆文 形聲. 杀+式[音]. '式식'은 '바뀌다'의 뜻. '杀'은 '殺살'의 자형(字形)의 일부. 윗사람을 죽이고 그 대신 들어앉다의 뜻을 나타냄.

[弒殺 시살] 부모나 임금을 죽임.
[弒逆 시역] 부모나 임금을 죽이는 대역(大逆) 행위.
[弒戕 시장] 시역(弒逆).
[弒虐 시학] 시역(弒逆).
[弒害 시해] 시살(弒殺).

10 ⑬ [戨] 가 [平]歌 居何切 gē
[字解] 말뚝 가, 배말뚝 가 '一, 杙也, 所以繫舟'《韻會》.

12 ⑮ [⿹弋曾] 〔증〕
矰(矢部 十二畫〈p.1561〉)과 同字

弓 (3획) 部
〔활궁부〕

0 ③ [弓] [中][人] 궁 [平]東 居戎切 gōng
[筆順] ㄱ コ 弓

[字解] ①활 궁 화살을 쏘는 무기. '一矢'. '倕作一浮游作矢'《荀子》. ②여덟자 궁 토지의 길이의 단위. 지금의 약 5척(尺)으로서, 보(步)와 같음. 곧, 360궁(弓)은 360 보로서 1리(里)임. '二尺爲一肘, 四肘爲一一'《度地論》. ③여섯자 궁 활 쏘는 데서 과녁까지의 거리의 단위. '侯道五十一. (疏)六尺爲步, 一之下制六尺, 與步相應'《儀禮》. ④성 궁 성(姓)의 하나.

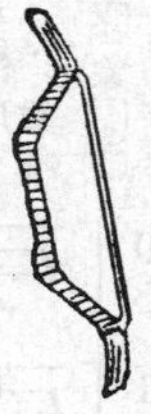
[弓①]

[字源] 甲骨文 金文 篆文 象形. 활의 상형으로, '활'의 뜻을 나타냄.
[參考] '弓'을 의부(意符)로 하여, 여러 종류의 활, 활에 딸린 것, 또, 활에 관한 동작이나 상태를 나타내는 문자를 이룸.

[弓鞬 궁건] 궁의(弓衣).
[弓繳 궁격] 주살.
[弓裘 궁구] 부모로부터 물려받은 가업(家業). 기구(箕裘).
[弓弩 궁노] 활과 쇠뇌.
[弓袋 궁대] 활집. 궁의(弓衣).
[弓馬 궁마] 활과 말. 또, 궁술(弓術)과 마술(馬術). 전(轉)하여, 무예(武藝).
[弓馬之家 궁마지가] 궁마(弓馬)를 쓰는 집안. 호반(虎班)의 집안.
[弓馬之間 궁마지간] 활 쏘고 말 달리는 그 사이. 곧, 전쟁터. 전장(戰場).
[弓馬之士 궁마지사] 무사(武士). 무인(武人).
[弓馬之才 궁마지재] 활 쏘고 말 타는 재주.
[弓房 궁방] 활을 만드는 곳.
[弓師 궁사] 활을 만드는 사람. 궁인(弓人)
[弓勢 궁세] 활의 모양. 궁형(弓形).
[弓手 궁수] ㉠활을 쏘는 사람. 궁술(弓術)을 익히는 사람. ㉡활을 쏘아 도둑을 막는 민병(民兵).
[弓術 궁술] 활을 쏘는 기술(技術). 사술(射術).
[弓矢 궁시] 활과 화살. 전(轉)하여, 무기(武器). 또, 전쟁(戰爭).
[弓腰 궁요] 활과 같이 구부러진 허리.
[弓衣 궁의] 활집. 궁건(弓鞬).
[弓人 궁인] ㉠활을 만드는 사람. 궁사(弓師). ㉡활을 쏘는 사람. 궁수(弓手).
[弓箭 궁전] 궁시(弓矢).
[弓折矢盡 궁절시진] 활은 부러지고 화살은 다 없어짐. 곧, 세궁역진(勢窮力盡)하여 어찌할 도리가 없음.
[弓折箭盡 궁절전진] 궁절시진(弓折矢盡).
[弓旌 궁정] 활과 기(旗). 모두 임금이 예(禮)를 두터이 하여 어진 사람을 부르는 데 씀.
[弓旌之召 궁정지소] 고관(高官)으로 채용되는 일. 사(士)를 초빙할 때에는 궁(弓), 대부(大夫)에는 정(旌)을 쓴 데서 유래함.
[弓響 궁향] 활시위의 울리는 소리.
[弓弦 궁현] 활시위. 궁현(弓絃).
[弓形 궁형] 활의 형상(形狀). 반월형(半月形).
[弓鞋 궁혜] 중국 부인(婦人)의 전족용(纏足用)의 가죽신.
●強弓. 勁弓. 鼓弓. 國弓. 盧弓. 弩弓. 大弓. 賭弓. 韜弓. 敦弓. 彤弓. 半弓. 步弓. 石弓. 雙弓. 弱弓. 良弓. 洋弓. 楊弓. 窩弓. 戎弓. 天弓. 彈弓. 胡弓.

0 ② [𢎘] 함 [上]感 胡感切 hán
[平]覃 胡男切

[字解] 꽃봉오리 함 '一, 嘾也. 艸木之䖐未發函然象形'《說文》.
[字源] 象形. 초목의 꽃이 아직 피지 않고, 줄기 끝에 봉오리가 져 있는 모양.

0 ③ [弓] 〔내·애〕
乃(丿部 一畫〈p.52〉)의 古字

1 ④ [弓] 〔급〕
及(又部 二畫〈p.328〉)의 古字

1 ④ [弓] 〔탄〕
彈(弓部 十二畫〈p.728〉)과 同字

1 ④ [弓] 〔권〕
卷(卩部 六畫〈p.316〉)과 同字

1 ④ [弔] [高人] [一] 조 [去]嘯 多嘯切 diào
[二] 적 [入]錫 都歷切 dì

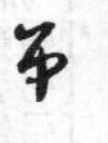

[筆順] ㄱ ㅋ 弓 弔

[字解] [一] ①조상할 조 ㉠남의 상사에 조의(弔意)를 표시함. '一慰'. '知生者一, 知死者傷'《禮記》. ㉡죽은 사람의 영혼을 위로함. '爲賦以一屈原'《史記》. ②위문할 조, 물을 조 재난을 당한 사람을 위로하기 위하여 찾아감. 또, 안부(安否)를 물음. '太公任往一之'《莊子》. ③조상 조, 위문 조 이상(以上)의 명사. '其國有君喪, 不敢受一'《禮記》. ④상심할 조 마음 아픔. '中心一兮'《詩經》. ⑤불쌍히여길 조 연민함. '一恤'. '不一昊天'《詩經》. ⑥매달 조 속(俗)에 吊(口部 三畫)로 씀. '上一'. '一睛白額'《水滸傳》. [二] 이를 적 다다름. '神之一矣'《詩經》.

[字源] [甲骨文]  [篆文]  會意. 篆文에서는 人+弓. '弓궁'은 甲骨文에서는 뱀의 상형 또는 주살의 상형으로 생각되며, 죽은 사람의 넋을 위로하기 위한 물건의 상형. '조상하다'의 뜻을 나타냄.

[參考] 吊(口部 三畫)는 俗字.

[弔歌 조가] 조의(弔意)를 표하는 노래. 만가(輓歌).
[弔客 조객] 조상(弔喪)하는 사람.
[弔古 조고] 옛날 일을 생각하고 슬퍼함.
[弔哭 조곡] 조상하여 욺.
[弔橋 조교] 양쪽 언덕에 줄·쇠사슬 등을 건너질러 거기에 의지하여 매달아 놓은 다리. 조교(吊橋).
[弔屈 조굴] 초(楚)나라의 굴원(屈原)을 조상(弔喪)함. 굴원(屈原)이 5월 5일에 멱라수(汨羅水)에 빠져 죽었는데, 후세 사람들이 해마다 이 날이 되면 그를 조상함.
[弔詭 조궤] 지극히 기이(奇異)한 일. 매우 괴이한 일.
[弔旗 조기] ㉠조의를 표하는 뜻을 나타내기 위하여 다는 기. ㉡반기(半旗).
[弔悼 조도] 남의 죽음을 애도함.
[弔禮 조례] 조상하는 인사.
[弔臨 조림] 죽은 사람의 집에 가서 조상함.
[弔勉 조면] 상제를 위로하고 격려함.
[弔文 조문] 조상하는 글. 죽은 사람의 생전 공적을 기리고 영혼의 명복(冥福)을 비는 글.
[弔問 조문] 상가(喪家)에 가서 위문(慰問)함. 조상하러 감.
[弔慜 조민] 조휼(弔恤).
[弔賻 조부] 조상하는 뜻을 나타내어 보내는 부의(賻儀).
[弔死 조사] ㉠남의 죽음을 슬퍼함. 또는 위로함. ㉡목을 매어 죽음. 의사(縊死).
[弔詞 조사] 조상하는 글.
[弔辭 조사] 조사(弔詞).
[弔喪 조상] 남의 상사에 조의(弔意)를 표(表)함.
[弔書 조서] 조의(弔意)를 표(表)하는 서장(書狀).
[弔詩 조시] 조의(弔意)를 표하는 시(詩). 조가(弔歌). 도가(悼歌).
[弔唁 조언] 조상함.
[弔影 조영] '형영상조(形影相弔)'와 같음.
[弔慰 조위] 죽은 이를 조상하고 상제를 위로함.
[弔意 조의] 죽은 이를 애도(哀悼)하는 마음.
[弔者 조자] 조상하는 사람.
[弔者在門賀者在閭 조자재문하자재려] 조문(弔問)하는 사람이 문에 와 있을 때, 축하하는 사람은 마을 어귀에 와 있다는 뜻으로, 길흉화복(吉凶禍福)이 자꾸 갈마듦을 이름. 여(閭)는 이문(里門).
[弔狀 조장] 조상하는 편지(便紙).
[弔電 조전] 조상의 뜻을 표하여 보내는 전보.
[弔祭 조제] 조상하여 제사 지냄.
[弔鐘 조종] 죽은 사람에 대하여 슬퍼하는 뜻으로 치는 종.
[弔賀 조하] 조상함과 하례함. 조상과 축하.
[弔恤 조휼] 불쌍히 여겨 구휼(救恤)함.
◉敬弔. 慶弔. 哀弔. 追弔. 形影相弔. 惠弔. 會弔.

1 ④ [引] [中人] 인 ①-⑨[上]軫 余忍切 yǐn
⑩⑪[去]震 羊晉切 yǐn

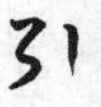

[筆順] ㄱ ㅋ 弓 引

[字解] ①당길 인 ㉠활을 당김. '畫腹爲的, 自一滿將射之'《資治通鑑》. ㉡끌어당김. '牽一'. '相一牽'《韓愈》. ㉢잡아당겨 뻼. '一楯萬物'《淮南子》. ②끌 인 ㉠이끎. '一導'. '一之表儀'《左傳》. ㉡추천함. '一薦'. '兩人相爲一重'《史記》. ㉢끌어들임. 안으로 들어오게 함. '延一寢室'《資治通鑑》. ㉣땅바닥에 끎. '不使人捽一而刑殺之'《孔子家語》. ㉤끌어댐. 증거로 듦. '一例'. '證一該洽'《北史》. ㉥소리를 길게 빼어 노래 부름. '榜謳齊一, 漁歌互歌'《王勃》. ③늘일 인 신장(伸長)시킴. '一而伸之'《易經》. ④물러갈 인 퇴거함. '一退'. '必一而去君之黨'《禮記》. ⑤바로잡을 인 바르게 함. '一其封疆. (註)一, 正也'《左傳》. ⑥자살할 인 스스로 자기 목숨을 끊음. '自一'. ⑦열길 인 십장(十丈). '縱一橫一三丈'《元史》. ⑧노래곡조 인 가곡(歌曲). '思歸一'. '雅一相和'《柳宗元》. ⑨서 인 문체(文體)의 한 가지. 서문(序文). '宋蘇洵之族譜一, 卽族譜序也, 蓋洵先世有名序者, 故諱序爲一, 後人亦或襲用之'《辭海》. ⑩상엿줄 인 상여를 끄는 바. '弔於葬者, 必執一'《禮記》. ⑪가슴걸이 인 靷(革部 四畫)과 통용. '結一馳外'《荀子》.

[字源] [篆文] 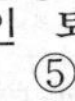 指事. '弓궁'에 '丨곤'을 덧댄 글자. '丨'은 당겨서 켕긴 활을 나타냄. '당기다'의 뜻을 나타냄.

[引喝 인갈] 벽제(辟除).
[引去 인거] 물러감. 퇴거함.
[引据 인거] 인거(引據).
[引據 인거] 인용하여 증거 또는 전거(典據)로 삼음.
[引愆 인건] 허물을 자기가 짐. 건(愆)은 책(責). 인구(引咎).
[引見 인견] 불러들이어 봄.
[引決 인결] 책임을 지고 자살함. 자인(自刃). 자재(自裁).
[引磬 인경] 《佛教》 법회(法會) 때 대중(大衆)의 주의를 끌기 위해서 울리는 경(磬)쇠.
[引繼 인계] 하던 일을 넘겨줌.
[引過自責 인과자책] 자기의 허물을 인정(認定)하고 스스로 책(責)함.
[引咎 인구] 인책(引責).
[引勸 인권] 《佛教》 남에게 시주(施主)하라고 인도하고 권함.
[引汲 인급] 끌어올림.
[引年 인년] ㉠오래 삶. 연년(延年). ㉡늙어서 관직을 물러남. 치사(致仕)함.
[引渡 인도] 넘겨줌.
[引導 인도] ㉠지도(指導)함. ㉡길잡이를 함. 길을 안내함. ㉢《佛教》 중생(衆生)을 이끌어 선도(善道)에 들게 함. ㉣《佛教》 죽은 사람의 영혼을 정토(淨土)로 안내함. ㉤《佛教》 죽은 사람을 정토로 안내하기 위하여 중이 관(棺) 앞에 서서 감.
[引力 인력] 물체(物體)가 서로 당기는 힘.
[引領 인령] 목을 빼어 바라봄. 절망(切望)함.
[引例 인례] 끌어 대는 예(例). 또, 예를 듦.
[引類 인류] 끼리끼리 모임. 유유상종(類類相從).
[引滿 인만] ㉠활시위를 잔뜩 당김. ㉡잔에 술을 찰찰 넘게 부음. 「무.
[引枋 인방] 문호(門戶)의 아래위에 가로지른 나
[引服 인복] 없는 죄를 있다고 자복(自服)하고 형(刑)을 받음.
[引分 인분] 인결(引決).
[引紼 인불] 구정겹줄을 끌고 감.
[引上 인상] ㉠끌어올림. ㉡물가·요금·봉급 등을 올림.
[引商 인상] ㉠소금 장수. '引'은 소금의 무게 단위. ㉡상조(商調)의 음악을 연주함.
[引商刻羽 인상각우] 고상(高尙)한 음악을 연주함을 이름.
[引攝 인섭] 《佛教》 부처가 중생(衆生)을 거두어 제도(濟度)함.
[引聲 인성] 음조(音調)에 박자를 넣어 미타(彌陀)의 이름·경문(經文) 등을 욈.
[引稅 인세] 염세(鹽稅). '引'은 소금의 무게의 단위.
[引率 인솔] 거느림.
[引水 인수] 물을 끌어댐.
[引受 인수] 물건이나 권리를 넘겨받음.
[引繩批根 인승비근] 먹줄을 당겨 구부러진 곳을 바로잡고, 또 뿌리를 파내 버린다는 뜻으로 남을 배척하여 제거함을 이름. 인승배근(引繩排根).
[引伸 인신] ㉠늘임. 길게 함. 넓게 함. 크게 함. ㉡응용(應用)함.
[引御 인어] 불러들여 잠자리 시중을 들게 함.
[引業 인업] 《佛教》 과보(果報)를 낳는 업인(業因). 숙세(宿世)의 인연(因緣).
[引用 인용] 끌어 씀.
[引援 인원] 당김. 잡아당김.
[引喩 인유] 끌어대는 비유. 또, 비유를 듦. 인례(引例).
[引而不發 인이불발] 화살을 끼우고 활시위만 잡아당길 뿐 활을 쏘지 않는다는 뜻으로, 사람을 가르치는데 단지 공부하는 방법만 지시하고 그 묘처(妙處)를 말하지 않아 학습자로 하여금 자득(自得)하게 함을 이름. 또, 세력을 축적하여 시기를 기다리는 것을 이르기도 함.
[引接 인접] ㉠인견(引見). ㉡《佛教》 아미타불(阿彌陀佛)이 중생(衆生)을 맞이하여 극락정토로 인도함.
[引肘 인주] 팔을 끎. 간섭(干涉)하여 자유롭지 못하게 함. 철주(掣肘).
[引重 인중] ㉠무거운 물건을 끌어당김. ㉡서로 추천함. 서로 존중함. 추중(推重).
[引證 인증] 인용(引用)하여 증거(證據)로 함.
[引責 인책] 책임(責任)을 스스로 이끌어 짐.
[引薦 인천] 추천(推薦)함.
[引致 인치] ㉠끌어들임. ㉡끌어올림. ㉢강제로 관청에 연행(連行)함.
[引擢 인탁] 등용(登用)함. 발탁(拔擢).
[引退 인퇴] ㉠물러남. 물러감. ㉡벼슬자리에서 물러남.
[引避 인피] ㉠꺼리어 피함. 회피함. ㉡길을 비킴. ㉢인퇴(引退)하여 후진(後進)에게 길을 열어 줌.
[引下 인하] ㉠끌어내림. ㉡가격·요금 등을 떨어뜨림.
[引割 인할] 단념(斷念)함.
[引嫌 인혐] ㉠자기의 허물을 깨달아 뉘우침. ㉡책임을 지고 사퇴함.
[引火 인화] 불이 옮아 붙음.
◉呵引. 強引. 牽引. 告引. 考引. 曲引. 控引. 交引. 撟引. 句引. 拘引. 鉤引. 勸引. 汲引. 道引. 導引. 挽引. 滿引. 蔓引. 誣引. 文引. 旁引. 辟引. 奉引. 膚引. 索引. 先引. 承引. 勝引. 尋引. 雅引. 抑引. 延引. 連引. 鹽引. 迎引. 援引. 誘引. 恩引. 銓引. 錢引. 接引. 捽引. 證引. 徵引. 唱引. 薦引. 遷引. 招引. 鈔引. 推引. 稱引. 探引. 派引. 虛引. 攜引. 吸引.

1 ④ [弖] 현 ㊥先 胡先切 xián
字解 봉오리많을 현 꽃봉오리가 많음. '一, 艸木弖盛也'《說文》.
字源 會意. 弓+弓. '弓함'은 가지나 줄기 끝에 봉오리가 붙어 있는 모양

1 ④ [弖] 〔탄〕
彈(弓部 十二畫〈p.728〉)의 古字

2 ⑤ [弘] 高人 홍 ㊥蒸 胡肱切 hóng 弘
筆順 ㄱ ㅋ 弓 弘 弘
字解 ①활소리 홍 궁성(弓聲). ②넓을 홍, 클 홍 광대함. '廣一'. '一大'. '含一光大'《易經》. ③넓힐 홍 넓게 함. '一法'. '人能一道'《論語》.
字源 甲骨文 篆文 形聲. 弓+厶〔音〕. '厶홍'은 '宏굉'과 통하여, '넓다'의 뜻. 활을

세게 튕겼을 때 음향이 퍼지듯이 퍼진다는 뜻을 나타냄. 甲骨文은 활의 한 점에 힘을 가하는 것을 나타내는 指事 문자.

[弘簡 홍간] 도량이 크고 까다롭지 아니함.
[弘經 홍경] 《佛敎》 불경(佛經)을 세상에 널리 보급시킴.
[弘曠 홍광] 넓고 큼.
[弘敎 홍교] 넓은 가르침.
[弘基 홍기] 큰 사업의 기초. 홍기(洪基).
[弘大 홍대] 넓고 큼.
[弘道 홍도] 도(道)를 세상에 널리 폄.
[弘量 홍량] ㉠넓은 도량. ㉡술 같은 것의 많은 양. 다량의 술.
[弘麗 홍려] 넓고 고움.
[弘謀 홍모] 큰 꾀. 원대한 계책.
[弘茂 홍무] 홍무(弘懋).
[弘懋 홍무] 대단히 성(盛)함. 무(懋)는 성대(盛大).
[弘文 홍문] 문학을 넓힘. 학문을 넓힘.
[弘文館 홍문관] 조선(朝鮮) 때 경적(經籍)에 관한 일을 맡은 마을.
[弘法 홍법] 《佛敎》 불도를 널리 폄.
[弘璧 홍벽] 큰 옥(玉).
[弘辯 홍변] 유창한 언변. 굉변(宏辯).
[弘敷 홍부] 널리 폄. 널리 보급시킴.
[弘誓 홍서] 《佛敎》 중생을 제도하여 불과(佛果)를 얻게 하려는 불(佛)·보살(菩薩)의 큰 서원(誓願).
[弘誓舟 홍서주] 《佛敎》 부처의 중생을 제도코자 하는 홍대(弘大)한 서원(誓願)을 배가 사람을 태워서 피안(彼岸)으로 건네어 줌에 비유(譬喩)한 말.
[弘宣 홍선] 널리 선포(宣布)함.
[弘深 홍심] 넓고 깊음.
[弘遠 홍원] 넓고 멂.
[弘願 홍원] 《佛敎》 아미타불(阿彌陀佛)의 본원(本願) 중의 근본이 되는 서원(誓願).
[弘潤 홍윤] 마음이 넓고, 인정이 많음.
[弘毅 홍의] 도량이 넓고 의지가 굳음.
[弘益 홍익] ㉠큰 이익. ㉡널리 이롭게 함.
[弘益人間 홍익인간] 널리 인간 세계를 이롭게 함.
[弘著 홍저] 크게 나타남.
[弘正七才子 홍정칠재자] 명(明)나라 효종(孝宗)의 홍치(弘治) 연간(年間)으로부터 무종(武宗)의 정덕(正德) 연간에 걸쳐 명성(名聲)이 높던 일곱 시인(詩人). 전칠자(前七子)라고도 함. 곧, 이몽양(李夢陽)·하경명(何景明)·서정경(徐禎卿)·변공(邊貢)·강해(康海)·왕구사(王九思)·왕정상(王廷相).
[弘濟 홍제] 널리 사람을 구제함.
[弘敞 홍창] 넓고 높음. 넓고 트임.
[弘侈 홍치] ㉠큼. ㉡대단한 사치.
[弘通 홍통] 《佛敎》 불법(佛法)이 널리 퍼짐. 또, 불법을 널리 폄.
[弘播 홍파] 널리 퍼짐.
[弘布 홍포] 일반에 널리 알림.
[弘化 홍화] 널리 덕화(德化)를 폄.
◉寬弘. 廣弘. 敷弘. 宣弘. 深弘. 淹弘. 闡弘. 豐弘. 恢弘.

2 ⑤ [弗] [人名] 불 [入]物 分勿切 fú

[筆順] ㄱ ㅋ 弓 弔 弗

[字解] ①아닐 불 不(一部 三畫)보다 뜻이 강함. '績用—成'《書經》. ②떨 불 떨어 버림. '以—無子'《詩經》. ③《現》 ㉠달러 불 미국의 화폐 단위 달러의 역칭(譯稱). '—貨'. ㉡원소 불 원소(元素)의 하나인 불소(弗素) fluorine의 약칭.

[字源] 甲骨文 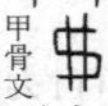 篆文  象形. 얽히는 끈을 두 개의 막대기로 휘둘러 떨어뜨리는 모습에서, '떨다, 제거하다'의 뜻을 나타냄. 假借하여, 부정(否定)의 조자(助字)로 사용함.

[弗弗 불불] ㉠크게 일어나는 모양. 또, 빠른 모양. ㉡찬성하지 않는 모양. 전(轉)하여, 추종(追從)하지 않는 모양.
[弗素 불소] 화학 원소의 하나. 기호 F. 충치 예방에 쓰이기도 함.
[弗詢之謀 불순지모] 여러 사람과 상의하지 않고 독단적으로 정한 모책(謀策).
[弗與共戴天 불여공대천] '불구대천(不俱戴天)'과 같음.
[弗鬱 불울] 우울한 모양.
[弗乎 불호] 아님. 부인(否認)하는 말.
◉乙弗. 親弗. 渾弗.

2 ⑤ [𢎘] 규 [上]有 居黝切 jiū

[字解] ①꼴 규 끈을 꼼. 糾(糸部 二畫)와 同字. ②책권 규 서책을 세는 말. 권(卷). 질(帙). '—, 音樛, 卽說文糾字, 道經借爲卷帙之卷'《轉注古音》.

2 ⑤ [弖] 〔내〕 乃(丿部 一畫〈p. 52〉)의 古字

2 ⑤ [𢎗] 〔인〕 引(弓部 一畫〈p. 718〉)과 同字

3 ⑥ [弜] [一] 강 [上]養 其兩切 [平]陽 渠良切 jiàng [二] 기 [平]支 渠羈切

[字解] [一] ①강할 강 활이 셈. '—, 弓有力也'《廣韻》. ②오랑캐이름 강 '—頭虎子'는 서남이(西南夷)의 이름. [二] ①강할 기 힘이 셈. '—, 強也'《廣韻》. ②활셀 기 활이 강한 모양. '彀, 弓彊皃. 或作—'《集韻》.

[字源] 會意. 弓+弓. 두 개의 '弓궁'을 합쳐서, '활이 세다'의 뜻을 나타냄.

3 ⑥ [𢎥] 〔다〕 多(夕部 三畫〈p. 480〉)와 同字

3 ⑥ [弛] [人名] [一] 이 [上]紙 施是切 chí, shǐ (이[本]) [二] 치 [上]紙 丑豸切

[筆順] ㄱ ㅋ 弓 弓 弛 弛

[字解] [一] ①활부릴 이 활 시위를 벗김. '不勝者執—弓'《儀禮》. ②느슨할 이 팽팽하지 않음. 전(轉)하여, 엄하지 않음. 무름. '—緩'. ③느슨히 할 이, 늦출 이 완화(緩和)함. '請和約—兵'《唐書》. ④풀릴 이 해이함. '政刑—紊'《南史》. ⑤폐(廢)하여질 이 행하여지지 않게 됨. '—廢'. '大

事殆乎一'《荀子》. ⑥게으를 이 '無敢一惰'《北史》. ⑦쉴 이 휴식함. '一力'《周禮》. ⑧방종할 이 방탕함. '跅一之士'《漢書》. ⑨부서질 이 파손됨. '延道一兮'《史記》. ⑩부술 이 파괴함. '欲一孟文子之宅'《國語》. 二 떨어질 치, 떨어뜨릴 치 낙하함. 낙하시킴. '有時而一'《淮南子》.

字源 篆文 形聲. 弓+也〔音〕. '也야'는 '주전자'의 뜻. 주전자에 가득한 물이 흘러내리듯이, 활의 시위가 늘어지다의 뜻을 나타냄.

[弛壞 이괴] 무너짐. 붕괴함.
[弛禁 이금] 금제(禁制)를 늦춤.
[弛期 이기] 기한을 연기함.
[弛紊 이문] 해이(解弛)하여 문란함.
[弛馭 이어] 말 모는 손을 느슨히 한다는 뜻으로, 나라를 무르게 다스리는 비유로 쓰임.
[弛然 이연] 느슨한 모양.
[弛緩 이완] 느슨함. 전(轉)하여, 무름. 엄하지 아니함.
[弛張 이장] 느슨함과 켕김. 이완(弛緩)과 긴장(緊張). 쇠(衰)함과 성(盛)함.
[弛縱 이종] 방종함.
[弛墜 이추] 해이하여 멸망함.
[弛惰 이타] 게으름.
[弛柝 이탁] 순라군의 딱따기 치는 일을 늦춤. 곧, 세상이 잘 다스려져 엄히 하던 경계를 완화(緩和)함을 이름.
[弛廢 이폐] 쇠퇴하여 행하여지지 아니함.
[弛解 이해] 느슨하여져 풀림. 또, 느슨히 하여 풂.

◉傾弛. 澆弛. 一張一弛. 張弛. 彫弛. 縱弛. 跅弛. 漼弛. 偸弛. 廢弛. 逋弛. 懈弛.

3 ⑥ [弙] 오 ㊥虞 哀都切 wū

字解 ①활겨눌 오 활을 당겨 겨눔. '一, 張也'《廣雅》. ②지시할 오 손짓하여 지시함. '一, 指麾也'《玉篇》. ③가질 오 손에 쥠. '一, 持也'《玉篇》.

字源 篆文 形聲. 弓+于(亏)〔音〕. '亏우'는 '둥글게 구부러지다'의 뜻. 과녁을 겨누어 활을 당기는 뜻을 나타냄.

3 ⑥ [弞] 〔탄〕 彈(弓部 十二畫〈p.728〉)과 同字

4 ⑦ [弡] 결 ㊀屑 古穴切 jué

字解 깍지 결 활을 쏠 때 엄지손가락에 끼우는 기구. 決(水部 四畫) 참조.

4 ⑦ [弝] 파 ㊦禡 必駕切 bà

字解 ①줌통 파 활의 한가운데의 손으로 잡는 부분. '玉一角弓珠勒馬'《王維》. ②칼자루 파 '劍一縣蘭纓'《李賀》.

字源 形聲. 弓+巴〔音〕. '巴파'는 손바닥을 찰싹 붙이다의 뜻. 활의 손잡이, 곧 '줌통'의 뜻을 나타냄.

4 ⑦ [弞] 신 ㊤軫 矢忍切 shěn

字解 웃을 신 哂(口部 六畫)과 同字. '孫叔未進, 優孟見一'《宋書》.

字源 篆文 形聲. 欠+引〈省〉〔音〕

4 ⑦ [弟] 中人 제 ㊤薺 徒禮切 dì, ②tì

筆順 丶 丷 䒑 弚 弟 弟 弟

字解 ①아우 제 ㉠형(兄)의 대(對). '兄一'. '寡人有一, 不能和協'《左傳》. ㉡못한 사람. 나이 어린 사람. '元方難爲兄, 季方難爲一'《世說》. ㉢자기의 겸칭(謙稱). '愚一'. ②순할 제, 공경할 제 온순함. 형을 공경하여 잘 섬김. 悌(心部 七畫)와 同字. '僚友稱其一也'《禮記》. '齊子豈一'《詩經》. ③다만 제 단지. '顧一弗深考'《史記》. ④성 제 성(姓)의 하나.

字源 金文 篆文 象形. 창〔戈〕에 무두질한 가죽을 차례차례 나선형으로 감은 모양을 본떠, '차례·순서'의 뜻을 나타냄. 또, 출생 순서가 늦은 쪽, '아우'의 뜻을 나타냄.

[弟昆 제곤] 아우와 형. 형제. 제형(弟兄).
[弟婦 제부] 아우의 아내.
[弟氏 제씨] 남의 아우의 존칭(尊稱). 계씨(季氏).
[弟友 제우] 형뻘 되는 사람을 공손하게 섬김.
[弟子 제자] ㉠가르침을 받는 사람. 문인(門人). ㉡나이 어린 사람. 연소자.
[弟兄 제형] ㉠아우와 형. 형제. ㉡남을 친밀하게 이르는 말.

◉介弟. 豈弟. 凱弟. 愷弟. 高弟. 昆弟. 難爲兄難爲弟. 內兄弟. 堂兄弟. 大弟. 徒弟. 同堂兄弟. 同母弟. 末弟. 母弟. 門弟. 不弟. 舍弟. 師弟. 四海兄弟. 三從兄弟. 庶弟. 小弱弟. 小弟. 遜弟. 淑弟. 阿弟. 愛弟. 弱弟. 女弟. 令弟. 外弟. 外兄弟. 友弟. 愚弟. 幼弟. 義弟. 義兄弟. 異母弟. 仁弟. 姻兄弟. 入孝出弟. 子弟. 長弟. 再從兄弟. 諸弟. 族兄弟. 從母弟. 從父弟. 從弟. 從兄弟. 冢弟. 寵弟. 表兄弟. 香火兄弟. 賢弟. 兄弟. 婚兄弟. 孝弟. 紈袴子弟.

5 ⑧ [弢] 도 ㊥豪 土刀切 tāo

字解 ①활집 도 궁의(弓衣). '中項, 伏一'《左傳》. ②정낭(旌囊) 도 기(旗)를 넣어 두는 자루. '內旌於一中'《左傳》. ③두겁 도 붓두껍. '去其管一'《陳后山詩 註》.

字源 篆文 形聲. 弓+叏〔音〕. '叏도'는 '韜도'와 통하여, '활집'의 뜻.

5 ⑧ [弣] 부 ㊤麌 芳武切 fǔ

字解 줌통 부 활의 가운데의 손으로 잡는 부분. '左手承一'《禮記》.

字源 形聲. 弓+付〔音〕

5 ⑧ [弤] 저 ㊤薺 都禮切 dǐ

字解 활 저 칠을 한, 무늬 있는 활. '琴朕, 一朕'《孟子》.

字源 形聲. 弓+氐〔音〕

5 ⑧ **[弦]** [人名] 현 [平]先 胡田切 xián

[筆順] ㄱ ㅋ 弓 弓' 弓亠 弓玄 弦 弦

[字解] ①시위 현 활의 줄. '弓一'. '左執弣, 右執一'《儀禮》. ②초승달 현 초승에 뜨는 활같이 보이는 달. '一影'. '晦朔一望'《漢書》. ③줄 현 絃(糸部 五畫)과 통용. '一歌'. '五一之琴'《禮記》. ④성 현 성(姓)의 하나.

[字源] 篆文 形聲. 弓+玄〔音〕. '玄현'은 양 끝이 당겨진 실의 상형. '활시위'의 뜻을 나타냄.

[弦歌 현가] 현악기(絃樂器)를 타면서 노래함. 현가(絃歌).
[弦管 현관] 거문고와 피리. 현악기와 관악기.
[弦琴 현금] 거문고를 탐.
[弦索 현삭] 현악기의 줄.
[弦上箭 현상전] 활시위에 먹인 화살. 신속(迅速)의 비유(譬喩).
[弦誦 현송] ㉠거문고를 탐과 악장(樂章)을 읊음. ㉡교육·학문에 힘씀.
[弦影 현영] 초승달의 그림자.
[弦月 현월] 초승달. 또는 그믐달. 반월(半月).
[弦韋 현위] 활시위와 다룬 가죽. 느슨함과 팽팽함, 느림과 급함, 완급(緩急) 등의 비유(譬喩)로 쓰임.
[弦刃 현인] 활과 칼. 전(轉)하여, 병장기(兵仗器). 무기.
[弦吹 현취] 현악기와 관악기. 관현(管弦).
[弦匏 현포] 금슬(琴瑟)과 생우(笙竽). 전(轉)하여, 음악(音樂).
◉空弦. 控弦. 句股弦. 管弦. 弓弦. 斷弦. 鳴弦. 繁弦. 三弦. 上弦. 聲弦. 續弦. 夜弦. 韋弦. 箭脫弦. 直如弦. 佩韋佩弦. 下弦.

5 ⑧ **[弧]** [人名] 호 [平]虞 戶吳切 hú

[字解] ①활 호 ㉠목제의 활. '弦木爲一'《易經》. ㉡기(旗)를 단 활. '一弓'. '乘大輅, 載一韣旂'《禮記》. ②호 호 활꼴로 휜 곡선. 원둘레 또는 곡선의 일부. '分周天爲三百八十四, 更以分一爲逐限'《四庫提要》.

[字源] 篆文 形聲. 弓+瓜〔音〕. '瓜과'는 '휘다'의 뜻. 활처럼 휘다의 뜻을 나타냄.

[弧弓 호궁] 호정(弧旌).
[弧刺 호랄] 바르지 못한 활.
[弧矢 호시] 나무로 만든 활과 화살.
[弧矢星 호시성] 남극노인성(南極老人星)의 북(北)쪽에 있어서 화살을 시위에 먹인 형상을 한 아홉 개의 별.
[弧宴 호연] 생일(生日) 잔치.
[弧張 호장] 올가미·그물 따위.
[弧旌 호정] 기를 단, 대로 만든 활.
◉括弧. 短弧. 桃弧. 蝥弧. 桑弧. 設弧. 檿弧. 圓弧. 懸弧.

5 ⑧ **[弨]** 초 [平]蕭 尺招切 chāo

[字解] 시위느슨할 초 활의 시위가 느슨함. '彤弓一兮'《詩經》.

[字源] 篆文 形聲. 弓+召〔音〕. '召소'는 '느슨해지다'의 뜻.

5 ⑧ **[弥]** 〔미〕 彌(弓部 十四畫〈p.729〉)와 同字

5 ⑧ **[㢮]** 〔이〕 弛(弓部 三畫〈p.720〉)와 同字

5 ⑧ **[弩]** 노 [上]麌 奴古切 nǔ

[字解] 쇠뇌 노 여러 개의 화살이나 돌을 잇따라 쏘게 된 큰 활. '萬一夾道而發'《史記》.

[字源] 篆文 形聲. 弓+奴〔音〕. '奴노'는 부드럽고 탄력이 있다는 뜻. 용수철 장치의 '쇠뇌'의 뜻을 나타냄.

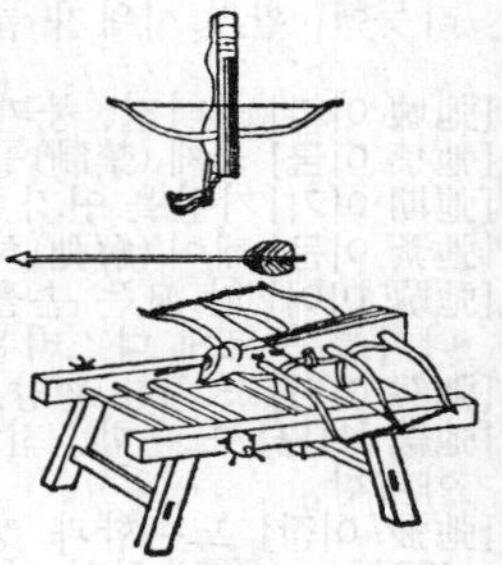

〔弩〕

[弩樓 노루] 쇠뇌를 장치하여 적에게 시석(矢石)을 쏘는 누(樓).
[弩箙 노복] 쇠뇌를 넣는 물건.
[弩師 노사] ㉠쇠뇌를 쏘는 데 능숙한 사람. ㉡쇠뇌를 쏘는 군대.
[弩手 노수] 쇠뇌를 쏘는 사람.
[弩牙 노아] 쇠뇌의 시위를 거는 곳.
[弩砲 노포] 쇠뇌.
◉強弩. 彊弩. 勁弩. 弓弩. 道弩. 萬弩. 伏弩. 負弩. 千鈞弩.

6 ⑨ **[弭]** 미 [上]紙 綿婢切 mǐ

[字解] ①활 미 뿔·뼈 등으로 장식한 활. '弓又謂之一, 以骨爲之'《釋名》. ②활고자 미 활의 말단. '象一魚服'《詩經》. ③그칠 미 그만둠. 중지함. '一息'. '兵其少一矣'《左傳》. ④잊을 미 기억에서 사라짐. '不可一忘'《詩經》. ⑤편안히할 미 '治國家, 而一人民者'《史記》. ⑥좇을 미 복종함. '城邑無不望風一從'《後漢書》. ⑦성 미 성(姓)의 하나.

[字源] 金文 篆文 會意. 弓+耳. 활의 귀의 뜻으로, 활의 양 끝의 시위를 거는 부분. 활고자의 뜻을 나타냄. 전(轉)하여, 그만둔다는 뜻을 나타냄.

[弭忘 미망] 잊어버림.
[弭兵 미병] 싸움을 그만둠.
[弭息 미식] 그침. 그만둠.
◉望弭. 消弭. 淸弭.

6 ⑨ **[弫]** 협 [入]葉 迄葉切 xié

[字解] ①활셀 협 활이 대단히 셈. '一, 弓強'《集韻》. ②깍지 협 弽(弓部 九畫)과 同字.

6 ⑨ **[[illegible]]** [一] 수 [平]尤 時流切 / [二] 주 [平]尤 陳留切 chóu

[筆順]

[字解] [一] 밭 수 경작지(耕作地). [二] 밭 주 疇(田部 九畫)·疇(田部 十四畫)와 同字.

6 ⑨ [弮] [一] 환 [平]先 丘圓切 quān
[二] 권 [去]霰 居倦切 juàn

[字解] [一] 쇠뇌 환 弩(弓部 五畫)와 뜻이 같음. '張空一'《漢書》. [二] 쇠뇌 권 [一]과 뜻이 같음.

[字源] 形聲. 弓+龹(𢍏)〔音〕

6 ⑨ [弯] 〔만〕 彎(弓部 十九畫〈p. 729〉)의 俗字·簡體字

7 ⑩ [弱] [中人] 약 [入]藥 而灼切 ruò

[筆順] ㄱ ㄱ 弓 弓 引 弜 弱 弱

[字解] ①약할 약 강(強)하지 아니함. '一小'. '強將下無一兵'《蘇軾》. 또, 약한 것. 약한 사람. '馮一犯寡'《周禮》. ②약하게할 약 약하여지게 함. '無一君而彊大夫'《說苑》. ③쇠할 약 쇠약함. '姜族一矣, 而嬀將始昌'《左傳》. ④날씬할 약 허리가 가늚. '體輕腰一'《西京雜記》. ⑤어릴 약, 젊을 약 연소함. '有寵而一'《左傳》. 또, 연소자. '老一'. '扶老攜一'《史記》. ⑥잃을 약 상실함. '又一一个焉'《左傳》. ⑦패할 약 전패함. '頡遇王子, 一焉'《左傳》. ⑧침노할 약 침범함. '華臣一皐比之室'《左傳》.

[字源] [篆文] 會意. 弓+弓. '弓'은 또, 弓+彡. '弓궁'은 휘는 활의 상형. '彡삼'은 부드러운 털의 상형. '약하다, 휘다'의 뜻을 나타냄. 또, 유연성이 풍부한 20세의 뜻을 나타냄.

[弱骨 약골] ㉠몸이 약한 사람. 약질. ㉡약한 골격. 병골(病骨).
[弱冠 약관] ㉠남자가 스무 살에 관례(冠禮)를 행하는 일. 전(轉)하여, 남자 나이 스무 살의 일컬음. ㉡어린 나이. 젊은 나이. 약년(弱年).
[弱口 약구] 젊은 사람.
[弱國 약국] 약한 나라. 세력이 쇠퇴한 나라.
[弱弓 약궁] 느슨한 활.
[弱年 약년] ㉠나이가 어림. 연소함. 어린 나이. 젊은 나이. ㉡스무 살.
[弱能制強 약능제강] 약한 사람이 도리어 강한 사람을 이김.
[弱劣 약렬] 약하고 용렬함. 약함.
[弱齡 약령] 약년(弱年).
[弱縷 약루] 약한 실오리.
[弱輩 약배] ㉠나이가 어린 사람. 젊은 사람. ㉡수양(修養)이 부족한 사람. 미숙한 사람. 풋내기.
[弱兵 약병] 약한 군사. 약졸(弱卒).
[弱喪 약상] 젊을 때부터 타향으로 유랑함.
[弱歲 약세] 약년(弱年).
[弱小 약소] 약(弱)하고 작음.
[弱小民族 약소민족] 제국주의(帝國主義)의 강국(強國)에 의하여 정치상으로나 경제상으로 지배를 받는 식민지(植民地)의 민족.
[弱孫 약손] 어린 손자.
[弱水 약수] ㉠강 이름. 지금의 간쑤 성(甘肅省)의 장예 하(張掖河). ㉡선경(仙境)에 있다는, 홍모(鴻毛)도 가라앉는다고 하는 강(江).
[弱手 약수] 가냘픈 손. 보드라운 손. 여자의 손을 이름.
[弱息 약식] ㉠어린 자식. 어린 아들. ㉡자기 아들의 겸칭(謙稱).
[弱顏 약안] 부끄럼을 잘 탐. 수줍음. 후안(厚顏)·강안(強顏)의 대(對).
[弱肉強食 약육강식] 약(弱)한 것이 강한 것에게 먹힘. 우승열패(優勝劣敗).
[弱子 약자] ㉠어린아이. ㉡어린 아들. ㉢약한 아이.
[弱者 약자] 약한 사람. 무력(無力)한 사람.
[弱敵 약적] 약한 적.
[弱點 약점] ㉠남에게 켕기는 점(點). ㉡결점(缺點).
[弱弟 약제] 나이 어린 아우.
[弱卒 약졸] 약한 군사(軍士). 약병(弱兵).
[弱主 약주] 나이가 어린 군주(君主). 유약(幼弱)한 임금.
[弱志 약지] 약한 의지(意志).
[弱質 약질] 약한 체질. 또, 그러한 사람.
[弱翰 약한] 붓〔筆〕의 별칭.
[弱行 약행] ㉠실행력이 약함. ㉡절뚝발이.
◉脚弱. 強弱. 怯弱. 孤弱. 懦弱. 亂弱. 老弱. 駑弱. 文弱. 薄弱. 繁弱. 凡弱. 卑弱. 貧弱. 削弱. 孅弱. 纖弱. 小弱. 衰弱. 需弱. 闇弱. 抑強扶弱. 軟弱. 尪弱. 幺弱. 庸弱. 危弱. 幼弱. 柔弱. 羸弱. 仁弱. 荏弱. 沖弱. 脆弱. 穉弱. 墮弱. 罷弱. 和弱.

7 ⑩ [弰] 소 [平]肴 所交切 shāo

[字解] 활고자 소 활의 말단.

[字源] 形聲. 弓+肖〔音〕. '肖초'는 '梢초' 등과 통하여 '선단(先端)'의 뜻. 활의 끝 부분, 곧 '활고자'의 뜻을 나타냄.

8 ⑪ [張] [高人] [一] 장 [平]陽 陟良切 zhāng
[二] 창 [去]漾 知亮切 zhàng
张

[筆順] 弓 弓 弓 弖 弫 張 張 張

[字解] [一] ①활시위얹을 장 활에 시위를 맴. '勝者執一弓'《儀禮》. ②당길 장 활시위를 당김. '先一之弧'《易經》. ③베풀 장 차림. '一樂設飮'《戰國策》. ④펼 장 ㉠벌림. 펴 넓힘. '將欲翕之, 必故一之'《老子》. ㉡강하게 함. '臣欲一公室也'《左傳》. ㉢왕성(旺盛)하게 함. '虛一聲勢'. '此妄一賊勢, 爲國生事'《北史》. ㉣크게 함. '一皇六師'《書經》. ⑤자랑할 장 '誇一'. '我一吾三軍'《左傳》. ⑥속일 장 기만함. '譸一'. ⑦어그러질 장 괴려(乖戾)함. '乖一'. ⑧고칠 장 '更一'. ⑨벌 장 궁노(弓弩)·금슬(琴瑟)·유장(帷帳) 등을 세는 수사(數詞). '幄幕九一'《左傳》. ⑩별이름 장 이십팔수(二十八宿)의 하나. 주작 칠수(朱雀七宿)의 다섯째 성수(星宿)로서, 별 여섯으로 구성되었음. '一宿'. ⑪장막 장 帳(巾部 八畫)과 통용. '一飮三日'《史記》. ⑫성 장 성(姓)의 하나. [二] 배부를 창 脹(肉部 八畫)과 통용. '晉侯將食, 一, 如廁'《左傳》.

[字源] [篆文] 形聲. 弓+長〔音〕. '長장'은 '길다'의 뜻. 활시위를 길게 하다, '당기다'의 뜻을 나타냄.

[張柬之 장간지] 당(唐)나라 양양(襄陽) 사람. 자(字)는 맹장(孟將). 측천무후(則天武后) 때 재상(宰相)이 되어 중종(中宗)의 복위(復位)를 꾀하여 당(唐)나라를 부흥시켰음. 한양 군왕(漢陽郡王)에 봉(封)하여졌음. 시호(諡號)는 문정

(文貞).
[張綱 장강] 후한(後漢) 사람. 자(字)는 문기(文紀). 광릉(廣陵)의 태수(太守)를 지냈으며, 충직(忠直)하기로 유명(有名)하였음.
[張居正 장거정] 명(明)나라 정치가(政治家). 10년 동안 재상(宰相)을 지냈음. 그의 유고(遺稿)를 모은 〈장대악집(張大岳集)〉이 있음.
[張騫 장건] 전한(前漢)의 하내(河內) 사람. 자(字)는 자문(子文). 무제(武帝) 때 대월지국(大月氏國)에 사신(使臣)으로 갔다가 흉노(凶奴)한테 포로(捕虜)가 되어 고절 십년(苦節十年), 13년 만에 대월지국을 떠나 귀국하였다. 이로부터 한(漢)나라가 서역(西域) 제국(諸國)에 알려져 교통(交通)이 크게 열려 원삭(元朔) 6년에 그 공(功)으로 박망후(博望侯)로 봉후(封侯)되었음.
[張鼓峯 장고봉] 서부(西部) 만소 국경(滿蘇國境) 부근에 있는 산봉우리의 이름. '정용봉(正勇峯)'이라고도 함.
[張冠李戴 장관이대] 장(張)의 모자를 이(李)가 씀. 곧, 명실(名實)이 일치(一致)하지 않음의 비유(譬喩).
[張九齡 장구령] 당현종(唐玄宗)의 명상(名相). 자(字)는 자수(子壽). 소주(韶州) 곡강(曲江) 사람. 세인(世人)이 곡강공(曲江公)이라 일컬음. 초당(初唐)의 시인(詩人)으로도 유명하며, 〈곡강집(曲江集)〉을 남겼음.
[張機 장기] 후한(後漢) 사람. 자(字)는 중경(仲景). 의술(醫術)에 뛰어나, 〈상한론(傷寒論)〉 10권과 〈금궤옥함요략(金匱玉函要略)〉 3권을 지었음.
[張南軒 장남헌] 장식(張栻).
[張大 장대] 벌여 크게 함. 확대함. 확장함.
[張道陵 장도릉] 동한(東漢) 사람. 부수금주(符水禁呪)의 술법으로 혹세무민(惑世誣民)하였는데, 제자(弟子)가 되는 사람은 쌀 오두(五斗)를 냈기 때문에 그 술법을 오두미도(五斗米道)라 함.
[張燈 장등] 등불을 켜 놓음.
[張良 장량] 전한(前漢)의 공신(功臣). 소하(蕭何)·한신(韓信)과 함께 한(漢)나라 삼걸(三傑). 자(字)는 자방(子房). 집안은 대대로 한(韓)나라 대신(大臣)이었는데 한(韓)나라가 망하자 그 원수를 갚고자 박랑사(博浪沙)에서 역사(力士)를 시켜 철퇴(鐵槌)로 진시황(秦始皇)을 쳤으나 실패하였음. 후에 하비(下邳)의 이상(圯上)에서 황석공(黃石公)으로부터 태공(太公)의 병서(兵書)를 받고, 한고조(漢高祖) 유방(劉邦)의 모신(謀臣)이 되어 진(秦)나라를 멸망시키고 초(楚)나라를 평정(平定)하여 한업(漢業)을 세우고, 그 공로로 유후(留侯)로 봉후(封侯)되었음.
[張良之椎 장량지추] 장량(張良)이 한(韓)나라의 원수를 갚으려고 역사(力士)를 시켜 박랑사(博浪沙)에서 철추(鐵椎)로 진시황(秦始皇)을 저격(狙擊)한 고사(故事).
[張力 장력] 물질이 서로 끌어당기는 힘.
[張門戶 장문호] 주택(住宅)을 장려(壯麗)하게 꾸며 화사(華奢)를 부림. 전(轉)하여, 세력(勢力)을 폄.
[張伯行 장백행] 청조(淸朝)의 대신(大臣). 정주학(程朱學)에 통하였으며, 저서에 〈곤학록(困學錄)〉·〈정의당문집(正誼堂文集)〉 등이 있음.
[張本 장본] 문장(文章) 등에서 미리 복선(伏線)을 쳐 놓는 일.
[張本人 장본인] ㉠악인(惡人)의 괴수(魁首). ㉡일의 근본이 되는 사람.
[張飛 장비] 삼국(三國) 시대 촉(蜀)나라 용장(勇將). 자(字)는 익덕(益德). 탁군(涿郡) 사람. 관우(關羽)와 함께 유비(劉備)를 도와 전공(戰功)을 세웠음. 오(吳)나라를 치고자 출병(出兵)했다가 부하(部下)에게 피살되었음.
[張士誠 장사성] 원말(元末)의 타이저우(泰州) 사람. 지정 연간(至正年間)에 군사를 일으켜 진주(秦州)를 함락하고, 고우(高郵)에 근거를 두고서 성왕(誠王)이라 일컫고 국호(國號)를 대주(大周)라 하였음. 후에 명(明)나라 장수 서달(徐達)에게 패하여 자살하였음.
[張三李四 장삼이사] 장씨의 삼남(三男)과 이씨의 사남(四男)이라는 뜻으로, 성명(姓名)이나 신분(身分)이 분명하지 못한 평범한 사람들을 이름.
[張星 장성] 장수(張宿).
[張世傑 장세걸] 남송(南宋)의 충신(忠臣). 범양(范陽) 사람. 원군(元軍)이 남하(南下)했을 때, 임금 병(昺)을 받들고, 야산(厓山) 섬에서 싸웠으나 원장(元將) 장홍범(張弘範)에게 격파당하여 육수부(陸秀夫)는 임금을 업고 바다로 피란하고, 그는 다시 송(宋)나라 후예(後裔)를 찾아 전세(戰勢)를 회복고자 꾀했으나 배가 뒤집혀 익사하였음.
[張宿 장수] 자해(字解) ⑩을 보라.
[張巡 장순] 당대(唐代)의 충신(忠臣). 등주(鄧州) 난양(南陽) 사람. 천보 연간(天寶年間)에 안녹산(安祿山)이 반란을 일으키자 그는 진원현령(眞源縣令)으로서 상관의 항복 명령을 거부하고 의병(義兵)을 일으켜 전공(戰功)을 세웠으나, 덕종(德宗) 2년에 허원(許遠)과 함께 강회(江淮)의 수양성(睢陽城)을 수비(守備)하다가 전사(戰死)하였음.
[張栻 장식] 남송(南宋) 때의 도학자(道學者). 자(字)는 경천(敬天). 세상에서 남헌 선생(南軒先生)이라 일컬음. 준(浚)의 아들. 주희(朱熹)의 친우(親友). 저서에 〈남헌역설(南軒易說)〉·〈계사논어해(癸巳論語解)〉 등이 있음.
[張說 장열] 당(唐)나라의 문학자(文學者). 소정(蘇頲)과 함께 대수필(大手筆)이라 일컬어짐. 벼슬은 중서령(中書令)에 이르고, 연국공(燕國公)에 봉(封)해졌음.
[張玉書 장옥서] 청조(淸朝)의 대신(大臣). 고문(古文)에 능하며 강희자전(康熙字典) 편찬에 중추적 역할을 함. 벼슬은 문화전대학사(文華殿大學士)에 이름.
[張王 장왕] 세력이 왕성함. 왕(王)은 왕(旺).
[張禹 장우] 전한(前漢)의 경학가(經學家). 자(字)는 자문(子文). 성제(成帝) 때 정승(政丞)이 되고 안창후(安昌侯)로 봉후(封侯)되었음.
[張旭 장욱] 당대(唐代)의 서예가(書藝家). 자(字)는 백고(伯高). 쑤저우(蘇州) 사람. 초서(草書)에 가장 능하여 초성(草聖)이라 일컬어짐. 음중 팔선(飮中八仙)의 한 사람.
[張飮 장음] 장막을 둘러치고 잔치를 함. 전(轉)하여, 송별연(送別宴). 장음(帳飮).
[張儀 장의] 전국 시대(戰國時代)의 유세가(遊說家). 위(魏)나라 사람. 제후(諸侯)에게 유세(遊說)하여 소진(蘇秦)의 합종설(合從說)에 반대

하고, 열국(列國)은 진(秦)나라를 섬겨야 한다는 연횡책(連衡策)을 주장했으나, 진(秦)나라 혜왕(惠王)이 죽으매 실현되지 못함.

[張耳 장이] 진말(秦末) 한초(漢初)의 군웅(群雄)의 한 사람. 위(魏)나라 대량(大梁) 사람. 진승(秦勝)·오광(吳廣)이 거병(擧兵)하자 문경지우(吻頸之友)인 진여(陳餘)와 더불어 조(趙)나라로 가서 그 정승(政丞)이 되었는데, 장이(張耳)가 진군(秦軍)에게 포위(包圍)되었을 때 진여(陳餘)가 구원(救援)을 거절하고, 또 진나라가 망한 후 진여가 제(齊)나라 군사를 끌어들여 조나라를 공략(攻略)했으므로, 장이는 한고조(漢高祖)에게 귀속(歸屬)하여 한신(韓信)과 군사를 합하여 정경(井徑)에서 진여를 쳐 베어 죽였음. 그 이듬해 장이는 조왕(趙王)으로 봉(封)해졌음.

[張弛 장이] ㉠팽팽함과 느슨함. 엄함과 너그러움. 관엄(寬嚴). ㉡성(盛)함과 쇠(衰)함. 흥폐(興廢).

[張載 장재] 송대(宋代)의 유학자(儒學者). 자(字)는 자후(子厚). 세상에서 횡거 선생(橫渠先生)이라 불렀음. 허난 성(河南省) 대량(大梁) 사람. 인종(仁宗)의 가우 연간(嘉祐年間)에 과거에 급제하여 운암령(雲巖令)을 지낸 후 신종(神宗)의 희녕초(熙寧初)에 숭정원 교서(崇政院校書)가 되었다가 이윽고 관직을 사퇴하고 남산(南山) 밑에 병거(屛居)하여 제생(諸生)을 모아 강학(講學)하였음. 그의 철학설(哲學說)은 일원설(一元說)로서 기(氣)에 의한 우주 구성(宇宙構成) 및 기질(氣質)을 변화시키는 수양론(修養論)을 주장하여 주희(朱熹)의 철학설(哲學說)에 큰 영향을 끼쳤음. 저서에 〈정몽(正蒙)〉·〈동명(東銘)〉·〈서명(西銘)〉 등이 있음.

[張籍 장적] 당대(唐代)의 문인(文人). 오강(烏江) 사람. 자(字)는 문창(文昌). 벼슬은 국자사업(國子司業)에 이름. 고시(古詩)·서한행초(書翰行草)에 능하며, 〈장사업시집(張司業詩集)〉이 있음.

[張俊 장준] 남송(南宋)의 명장(名將). 자(字)는 백영(伯英). 금(金)나라의 군사와 싸워 여러 번 큰 전공(戰功)을 세워 한세충(韓世忠)·유기(劉錡)·악비(岳飛) 등과 함께 이름을 들날려 당시 사람들이 장한유악(張韓劉岳)이라 병칭(竝稱)하였음.

[張浚 장준] 남송(南宋) 사람. 자(字)는 덕원(德遠). 자주 금인(金人)의 내침(來侵)을 물리쳐 공을 세웠음.

[張蒼 장창] 전한(前漢)의 학자(學者). 가장 율력(律曆)에 통효하였고, 문제(文帝) 때 승상(丞相)이 되었음.

[張湯 장탕] 한무제(漢武帝) 때의 옥관(獄官). 심혹(深酷)하기로 유명함. 주매신(朱買臣)에게 탄핵당하여 자살하였음.

[張翰 장한] 진(晉)나라 사람. 자(字)는 계응(季鷹). 가을바람이 불면, 고향인 쑹장 강(松江)에서 나는 농어의 맛을 생각하고 일부러 귀향(歸鄕)하였다는 고사(故事)가 있음.

[張衡 장형] 후한(後漢)의 학자. 난양(南陽) 사람. 자(字)는 평자(平子). 문장(文章)에 뛰어나 양경부(兩京賦)를 지었고, 또 천문(天文)·역산(曆算)에 통하여 혼천의(渾天儀)·후풍지동의(候風地動儀) 등을 발명(發明)하였음.

[張弘範 장홍범] 원대(元代)의 장군(將軍). 자(字)는 중주(仲疇). 역주(易州) 정흥(定興) 사람. 세조(世祖)의 지원(至元) 연간에 송(宋)나라를 침공(侵攻)하여 문천상(文天祥)을 생포(生捕)하고 여세(餘勢)를 몰아 마침내 야산(厓山) 섬에서 송(宋)나라를 멸하였음.

[張皇 장황] ㉠세력을 펴 왕성하게 함. 장대(張大). 황(皇)은 대(大). ㉡당황함.

[張橫渠 장횡거] 장재(張載).

◉開張. 更張. 孤張. 高張. 供張. 誇張. 乖張. 蹶張. 箕張. 緊張. 怒張. 拍張. 反張. 班張. 擘張. 舒張. 設張. 蕭張. 蘇張. 伸張. 雄張. 二陸三張. 弛張. 一張. 主張. 惆張. 輈張. 增張. 出張. 鴟張. 膨張. 鋪張. 擴張. 恢張.

8 ⑪ [強] 中·人 강 ㊥陽 巨良切 qiáng ㊤養 巨兩切 qiǎng

筆順 弓 弓 弓 弘 弘 弘 強 強

字解 ①강할 강 ㉠기력(氣力)이 강함. '一直'. '雖柔必一'《中庸》. ㉡근력이 강함. '一壯'. '乞身當及一健時'《歐陽修》. ㉢세력이 강함. '一軍'. '天下一國, 無過齊者'《戰國策》. 또, 강한 것. 강한 사람. '一弱'. '抑一扶弱'《漢書》. ②강하게할 강 세게 함. '欲一兵者, 務富其民'《戰國策》. ③마흔살 강 사람이 가장 강성한 때의 나이. '四十曰一'《禮記》. ④나머지 강 표기(表記)한 수 외에 우수리가 있음을 나타내는 말. '賞賜百千一'《木蘭詩》. ⑤힘쓸 강 힘써 함. '勉一'. '一爲善而矣'《孟子》. ⑥힘쓰게할 강 힘써 하도록 함. '正其行而一之道藝'《周禮》. ⑦강요할 강 억지로 시킴. '一而後可'《孟子》. ⑧억지로 강 무리하게. '一勸'. '一飮一食'《周禮》. ⑨포대기 강 襁(衣部 十一畫)과 통용. '成王少在一葆之中'《史記》. ⑩성 강 성(姓)의 하나.

字源 篆文 形聲. 虫+彊〈省〉〔音〕. '彊강'은 '강하다, 굳다'의 뜻. 껍질이 굳은 벌레, 곧 바구미의 뜻을 나타냈었으나, 뒤에 '彊'의 뜻으로 쓰임.

參考 强(弓部 九畫)은 俗字.

[強家 강가] 세력이 강성한 집.

[強姦 강간] 강제로 간통(姦通)함.

[強諫 강간] 강하게 간함.

[強剛 강강] 억세어 굴(屈)하지 아니함.

[強強 강강] 서로 따르며 날아가는 모양.

[強健 강건] 체질(體質)이 튼튼하고 건전(健全)함. 건강(健康).

[強勁 강경] 강경(強鯁).

[強梗 강경] 강경(強鯁).

[強硬 강경] 강경(強鯁).

[強骾 강경] 강경(強鯁).

[強鯁 강경] 강하게 버티어 굽히지 않음. 또, 그 사람.

[強固 강고] 굳음. 공고(鞏固).

[強哭 강곡] 억지로 욺.

[強骨 강골] 단단한 기질(氣質).

[強求 강구] 억지로 구(求)함.

[強國 강국] ㉠강한 나라. ㉡나라를 강하게 함.

[強軍 강군] ㉠강한 군대(軍隊). ㉡강한 경기 단체(競技團體).

[強弓 강궁] 센 활.

[強勸 강권] 억지로 권함.

[強急 강급] 성급(性急)함.
[強忌 강기] 억지가 세고 시샘이 많음.
[強記 강기] 잘 기억함. 기억력이 강함. 강식(強識).
[強弩 강노] 센 쇠뇌. 경노(勁弩).
[強弩極矢不能穿魯縞 강노극시불능천노호] 강노지말력불능입노호(強弩之末力不能入魯縞).
[強弩之末力不能入魯縞 강노지말력불능입노호] 센 쇠뇌로 쏜 화살도 먼 데까지 나가서 힘이 다하면 노(魯)나라에서 나는 얇은 깁도 뚫을 수 없다는 뜻으로, 영웅도 세력이 없어지면 아무 일도 하지 못함을 이름.
[強大 강대] 세고 큼.
[強對 강대] 강적(強敵).
[強度 강도] 강한 정도(程度).
[強盜 강도] 폭력·협박 등의 수단을 써서 남의 재물(財物)을 빼앗는 도둑.
[強覽 강람] 책을 많이 읽어 잘 기억함. 책을 많이 봄. 박람(博覽).
[強梁 강량] 힘이 셈. 또, 힘이 세어 제압할 수 없음.
[強旅 강려] 강한 군사(軍士).
[強力 강력] ㉠센 힘. 또, 그 사람. ㉡노력(努力)함.
[強隣 강린] 강성(強盛)한 이웃 나라.
[強勉 강면] ㉠힘써 함. 노력함. ㉡학문을 힘씀. 면학(勉學).
[強迫 강박] ㉠으름. 위협(威脅). 협박(脅迫). ㉡불법(不法) 수단으로 남의 자유의사(自由意思)의 결정을 방해(妨害)함.
[強薄 강박] 강포하고 야박함.
[強迫觀念 강박관념] 생각을 아니하려 하여도 자꾸 마음속에 떠올라 고민하는 관념(觀念).
[強半 강반] 반 이상. 과반(過半).
[強飯 강반] 강식(強食)㉠.
[強辨 강변] 잘 변명(辨明)함.
[強辯 강변] ㉠힘 있는 변론(辯論). ㉡억지를 써 가며 변명함.
[強兵 강병] ㉠강한 군사(軍士). ㉡군사를 강하게 함.
[強葆 강보] '강보(襁褓)'와 같음.
[強富 강부] 부강(富強)함.
[強仕 강사] 마흔 살에 비로소 벼슬함. 전(轉)하여, 마흔 살을 이름.
[強死 강사] 억지로 죽음. 곧, 죽음을 당함. 횡사(橫死).
[強射 강사] 화살·탄알 등을 자꾸 발사함.
[強殺 강살] 억지로 죽임.
[強盛 강성] 강하고 왕성(旺盛)함.
[強笑 강소] 억지로 웃음.
[強襲 강습] 적의 방비선의 강약을 돌보지 않고 습격을 감행함.
[強食 강식] ㉠억지로 먹음. 힘써 영양을 섭취함. ㉡강한 자의 밥.
[強識 강식] 기억력이 강함. 강기(強記).
[強臣 강신] 권력이 있는 신하.
[強惡 강악] 억세고 악(惡)함. 대단히 악함. 또, 그 사람.
[強顏 강안] 낯가죽이 두꺼움. 곧, 염치를 모름. 뻔뻔스러움. 철면피(鐵面皮). 후안(厚顏).
[強壓 강압] 세게 억누름.
[強弱 강약] 강함과 약함. 강한 것과 약한 것.
[強圉 강어] ㉠천간(天干) 정(丁)의 별칭(別稱). ㉡힘이 셈.
[強禦 강어] 억세어 남의 충고(忠告)를 듣지 않는 사람.
[強悟 강오] 기억력이 강함. 강기(強記).
[強頑 강완] 완고함. 또, 그 사람.
[強要 강요] 강제(強制)로 요구함.
[強慾 강욕] 만족할 줄 모르는 욕심. 대욕(大慾).
[強淫 강음] 강간(強姦).
[強毅 강의] 강직하고 씩씩함.
[強忍 강인] 억지로 참음.
[強靭 강인] 억세고 질김.
[強者 강자] ㉠힘이 센 사람. ㉡강(強)한 생물(生物).
[強恣 강자] 힘이 세어 방자(放恣)함.
[強作 강작] 억지로 일을 함.
[強壯 강장] ㉠건강하고 힘이 셈. 기력(氣力)이 강(強)하고 씩씩함. ㉡나이가 젊어 혈기가 왕성함.
[強壯劑 강장제] 몸을 강장(強壯)하게 하는 약제(藥劑).
[強將下無弱兵 강장하무약병] 강한 대장(大將)의 부하(部下)에는 약한 군사(軍士)가 없음.
[強敵 강적] 강(強)한 대적(對敵).
[強制 강제] 위력(威力)으로 남의 자유의사를 억제(抑制)함.
[強調 강조] ㉠힘차게 고조(高調)함. ㉡역설함. 강력히 주장함.
[強卒 강졸] 강한 군사.
[強宗 강종] 세력(勢力)이 있는 종족(宗族).
[強從 강종] 마지못하여 복종함.
[強酒 강주] 술을 많이 마심. 또, 그 사람.
[強志 강지] 기억력이 좋음. 지(志)는 지(誌).
[強直 강직] 마음이 굳세고 곧음. 강직(剛直).
[強僭 강참] 권세가 있고 참람(僭濫)함.
[強請 강청] 무리하게 청(請)함.
[強最 강최] 가장 강함.
[強取 강취] 강탈(強奪).
[強奪 강탈] 억지로 빼앗음.
[強貪 강탐] 대단히 탐함.
[強暴 강포] 세고 포악함. 또, 그 사람.
[強風 강풍] 센바람.
[強學 강학] 힘써 배움.
[強悍 강한] 세고 사나움.
[強項 강항] 센 목이란 뜻으로, 함부로 남에게 머리를 숙이지 않는 일. 곧, 강직하여 위력(威力)에 굽히지 아니함을 이름.
[強項令 강항령] 강직하여 굴(屈)하지 아니하는 사람의 별칭(別稱).
[強行 강행] 억지로 행함. 강제로 시행함.
[強胡 강호] 강한 호족(胡族). 강한 오랑캐.
[強化 강화] 강하게 함. 또, 강해짐.
[強會 강회] 억지로 깨닫는다는 뜻으로, 아는 체함.
◉姦強. 剛強. 康強. 健強. 牽強. 堅強. 屈強. 倔強. 勸強. 筋信骨強. 南方強. 勉強. 木強. 伯強. 補強. 富強. 北方強. 肥強. 盛強. 弱能制強. 列強. 頑強. 拗強. 禹強. 雄強. 柔強. 仁強. 自強. 丁強. 精強. 增強. 鷙強. 治強. 貪強. 暴強. 豪強. 驍強.

8 ⑪ [弲] 연 ㊥先 縈玄切 yuān
字解 오금 연 활고자와 줌통의 중간의 굽은 데.

'—, 弓上下曲中'《玉篇》.

8 ⑪ [弸] ㊀ 붕 ㊥蒸 悲朋切 pēng ㊁ 팽 ㊥庚 薄萌切 péng

字解 ㊀ ①찰 붕, 채울 붕 가득 참. 또, 가득 차게 함. '以其—中而彪外也'《揚子法言》. ②셀 붕 활이 센 모양. '弓如明月對—'《庾信》. ㊁ 화살 소리 팽 화살이 나는 소리. '—彋'.

字源 篆文 形聲. 弓+朋〔音〕

[弸彋 팽횡] 화살이 세차게 날 때에 나는 소리.

8 ⑪ [弻] 〔별〕 彆(弓部 十二畫〈p. 728〉)과 同字

8 ⑪ [弶] ㊀ 강 ㊋漾 其亮切 jiàng ㊁ 양 ㊤養 魚兩切

字解 ㊀ ①그물칠 강, 창애놓을 강 '—, 張取獸也'《廣韻》. '—, 字林, 施罟於道'《集韻》. ②활로짐승잡을 강 '—, 一曰, 以弓罥鳥獸'《集韻》. ㊁ 그물칠 양, 창애놓을 양, 활로짐승잡을 양 ㊀과 뜻이 같음.

8 ⑪ [弴] 돈 ㊥元 都昆切 diāo

字解 활 돈 그림을 그린 활. '天子—弓'《廣韻》.

字源 篆文 形聲. 篆文은 弓+辜〔音〕. '辜순'은 향응·제사(祭祀)의 뜻. 의식(儀式)에 쓰는, 붉은 옻칠을 한 '활'의 뜻을 나타냄.

[弴弓 돈궁] 그림을 그린 활.

8 ⑪ [弲] 〔미〕 弭(弓部 六畫〈p. 722〉)와 同字

9 ⑫ [弼] 人名 필 ㊇質 房密切 bì

筆順 弓 弓 弓 弜 弜 弜 弜 弼

字解 ①도울 필 보좌함. '輔—'. '明于五刑, 以—五教'《書經》. 또, 보좌하는 사람. '伊周作—, 王室惟康'《傅玄》. ②어그러질 필 괴려(乖戾)함. '君臣故—'《漢書》. ③도지개 필 활을 바로잡는 틀. ④성 필 성(姓)의 하나.

字源 金文 篆文 會意. 金文은 弜+因. '弜강'은 두 사람의 상형. '因인'은 깔개의 상형. 깔개를 같이 까는 서로 돕는 두 사람의 모습에서, '돕다'의 뜻을 나타냄. 篆文은 弜+西. 뒤에, 弜+百으로 변형했음. 일설에, '弜'은 활이 휜 것을 바로잡기 위한 기구, '도지개'의 뜻이라 하고, 전(轉)하여, 바로잡고 도와주는 뜻을 나타낸다고 함.

[弼匡 필광] 도와서 바로잡음.
[弼寧 필녕] 도와서 편안하게 함.
[弼導 필도] 도와서 인도(引導)함. 또, 그 사람.
[弼亮 필량] 도움. 도와서 인도(引導)함. 또, 그 사람.
[弼成 필성] 도와서 이루게 함.
[弼違 필위] 도리에 어긋남을 바로잡음.
[弼佐 필좌] 도움. 또, 그 사람.
[弼諧 필해] 일치(一致)하여 천자(天子)를 도움.

◉匡弼. 規弼. 篤弼. 保弼. 補弼. 輔弼. 承弼. 良弼. 元弼. 俊弼. 冢弼. 台弼.

9 ⑫ [弻] 弼(前條)의 本字

9 ⑫ [弽] ㊀ 섭 ㊇葉 書涉切 shè ㊁ 협 ㊇葉 呼牒切 xié

字解 ㊀ 깍지 섭 韘(韋部 九畫)과 同字. ㊁ 깍지 협 ㊀과 뜻이 같음. 弨(弓部 六畫)과 同字. '—, 射決也'《集韻》.

字源 韘의 別體 形聲. 弓+葉〔音〕

9 ⑫ [弿] 편 ㊥先 紕延切 piān

字解 활뒤젖혀질 편 활이 반대로 튀기어 뒤집혀짐. '—, 弓反張也'《集韻》.

[粥] 〔죽〕 米部 六畫(p. 1700)을 보라.

9 ⑫ [强] 〔강〕 強(弓部 八畫〈p. 725〉)의 俗字

9 ⑫ [弾] 〔탄〕 彈(弓部 十二畫〈p. 728〉)의 略字

10 ⑬ [彀] 구 ㊋有 古候切 gòu

字解 ①당길 구 활을 당김. '—, 張弩也'《說文》. ②구율(率) 구 화살을 맞히는 표준. 활시위를 당기는 정도. '羿之教人射, 必志於—'《孟子》.

字源 篆文 形聲. 弓+㱿〔音〕. '㱿각·구'는 속이 빈 '껍질'의 뜻. 활을 속이 빈 모양으로 당기는 뜻을 나타냄.

[彀擊 구격] 구(彀)는 활을 잡아당김, 격(擊)은 큰 칼로 내리침.
[彀騎 구기] 활을 가진 기병(騎兵). 기사병(騎射兵).
[彀率 구율] 활시위를 당기는 한도(限度). 화살을 맞히는 표준(標準).
[彀中 구중] 화살이 미치는 범위 안이라는 뜻으로, 전(轉)하여 사람을 농락하는 술중(術中)의 뜻으로 쓰임. 장중(掌中).

◉機彀.

11 ⑭ [彃] 필 ㊇質 卑吉切 bì

字解 ①쏠 필 화살을 쏨. '羿焉—日'《楚辭》. ②활시위 필.

字源 篆文 形聲. 弓+畢〔音〕. '畢필'은 조수(鳥獸)를 잡는, 자루 달린 그물. 활로 조수를 쏘는 일.

11 ⑭ [彄] 구 ㊥尤 恪侯切 kōu

字解 ①활고자 구 활의 시위를 매게 된 곳. '弓不受—'《蔡邕》. ②고리 구 環(玉部 十三畫)과 뜻이 같음. '戚姬以百鍊金爲—環'《西京雜記》.

字源 篆文 形聲. 弓+區〔音〕

[彄環 구환] 고리.

12 ⑮ [彈] [高人] 탄 ①②[去]翰 徒案切 dàn ③-⑦[平]寒 徒干切 tán

[筆順]

[字解] ①활 탄 탄알을 쏘는 활. '挾—飛鷹杜陵北'《盧照鄰》. ②탄알 탄 탄자. ㉠활로 쏘는 탄알. '作—以守之'《吳越春秋》. ㉡총의 탄알. '砲—'. '隆慶二年, 改鑄鐵—'《大明會典》. 전(轉)하여, 탄알같이 작은 것. '此—丸之地'《史記》. ③쏠 탄 활로 탄알을 쏨. '—射'. '晉靈公從臺上—人'《左傳》. ④튀길 탄 ㉠반발(反撥)함. '—指應之'《五燈會元》. ㉡튀겨 텲. '新沐者必—冠'《楚辭》. ⑤탈 탄 악기 같은 것을 탐. '—琴'. '舜—五絃之琴'《史記》. ⑥칠 탄 두드림. '—劍作歌'《十八史略》. ⑦탄핵할 탄 죄를 바로잡음. '糾—'. '州司不敢—糾'《後漢書》.

[字源] 甲骨文 篆文 形聲. 弓+單〔音〕. '單단'은 탄알을 튀겨 쏘는 Y 자형의 활의 상형. '弓궁'을 붙여, '활'의 뜻을 나타냄. 甲骨文은 활에 탄알을 붙인 모양을 본뜸.

[參考] 弾(弓部 九畫)은 略字.

[彈劍 탄검] 손으로 칼을 침.
[彈冠 탄관] ㉠손가락으로 갓의 먼지를 튀겨 텲. ㉡벼슬에 나아갈 준비를 함.
[彈弓 탄궁] ㉠탄알을 쏘는 활. ㉡활시위를 당겨 살을 쏘는 것 같은 소리를 나게 함. ㉢솜을 타는 활. 무명활.
[彈糾 탄규] 시비를 밝혀 죄과를 바로잡음. 규탄(糾彈).
[彈琴 탄금] 거문고를 탐.
[彈碁 탄기] 바둑을 둠.
[彈機 탄기] 용수철.
[彈道 탄도] 발사(發射)된 탄환(彈丸)이 공중에 그리는 포물선(抛物線).
[彈力 탄력] ㉠튀기는 힘. ㉡탄환(彈丸)의 나가는 힘. ㉢탄성체(彈性體)가 그것에 가하여지는 외력(外力)에 대하여 반발하는 힘.
[彈綿 탄면] 솜을 탐.
[彈墨 탄묵] 탄문(彈文).
[彈文 탄문] 탄핵(彈劾)하는 글. 탄묵(彈墨).
[彈拍 탄박] 현악기를 탐.
[彈駁 탄박] 비난함.
[彈發 탄발] 탄사(彈射).
[彈射 탄사] ㉠탄알을 발사(發射)함. ㉡시비(是非)·선악(善惡)을 지적함. 비평함.
[彈詞 탄사] 고사(故事)나 속담(俗談)을 운어(韻語)로 고치고 곡보(曲譜)에 맞추어 탄창(彈唱)하는 일.
[彈絲吹竹 탄사취죽] 거문고를 타고 피리를 붊.
[彈性 탄성] 다른 힘을 받아 형체에 변화(變化)가 생긴 물체가 그 힘이 떠나는 동시에 그전 상태로 회복(回復)하는 성질.
[彈壓 탄압] 남을 억지로 억누름.
[彈藥 탄약] 탄알과 화약(火藥).
[彈雨 탄우] 빗발과 같이 쏟아지는 총탄. 탄환우주(彈丸雨注)의 준말.
[彈子 탄자] ㉠총포(銃砲)의 탄알. 탄환(彈丸). ㉡유산탄(榴散彈) 또는 산탄(霰彈) 속에 장전(裝塡)하는 작은 탄환(彈丸).
[彈章 탄장] 탄문(彈文).
[彈箏 탄쟁] 쟁(箏)을 탐.
[彈正 탄정] 잘못을 밝혀 바로잡음.
[彈程 탄정] 포구(砲口)로부터 탄환이 떨어진 곳까지의 거리.
[彈坐 탄좌] 남의 죄를 조사함.
[彈奏 탄주] 탄핵(彈劾).
[彈指 탄지] ㉠손가락을 튕김. ㉡손가락을 한 번 튀기는 정도의 극히 짧은 시간.
[彈唱 탄창] 현악기를 타며 노래함.
[彈劾 탄핵] 관리의 죄과를 조사하여 임금에게 아룀. 탄주(彈奏).
[彈絃 탄현] 거문고를 탐. 현악기(絃樂器)를 탐.
[彈鋏 탄협] 맹상군(孟嘗君)의 문객(門客) 풍환(馮驩)이 칼자루를 치며 대우가 나쁜 것을 한탄하는 노래를 부른 고사(故事)로서, 전(轉)하여 자기의 영달(榮達)을 구함을 이름.
[彈火 탄화] 탄환에서 일어나는 불.
[彈花 탄화] 활로 탄 솜.
[彈丸 탄환] ㉠활이나 총 따위로 발사(發射)하는 둥근 물건. 탄알. ㉡탄알은 작으므로 작은 것의 형용으로 쓰임.
[彈丸雨飛 탄환우비] 탄알이 빗발치듯이 날아옴. 탄환우주(彈丸雨注).
[彈丸雨注 탄환우주] 탄환우비(彈丸雨飛).
[彈丸黑子之地 탄환흑자지지] 아주 협소한 땅.
[彈徽 탄휘] 탄주(彈奏)함. 탐.
[彈痕 탄흔] 탄알이 맞은 흔적.
[彈詰 탄힐] 잘못을 꾸짖어 나무람. 탄핵(彈劾).
◉街彈. 巨彈. 檢彈. 鬼彈. 糾彈. 譏彈. 沒彈. 防彈. 伯牙彈. 飛彈. 散彈. 實彈. 連彈. 雍門彈. 榴散彈. 流彈. 肉彈. 敵彈. 奏彈. 指彈. 着彈. 銃彈. 推彈. 快彈. 砲彈. 爆裂彈. 爆彈. 劾彈. 和彈. 凶彈.

12 ⑮ [彍] 확 [入]藥 虛郭切 guō

[字解] 당길 확 쇠뇌를 당김. '勢如—弩'《孫子》.

[字源] 篆文 形聲. 弓+黃〔音〕. '黃황'은 '擴확'과 통하여, '잡아 넓히다'의 뜻.

12 ⑮ [彆] 별 [入]屑 必結切 biè

[字解] 활뒤틀릴 별 활의 몸체가 뒤틀려 바르지 못함. '—, 弓末反戾也'《釋文》.

[字源] 篆文 形聲. 弓+敝〔音〕. '敝폐'는 찢어져 허물어지다의 뜻. 활고자가 부서져, 활이 휘는 일.

13 ⑯ [彋] 횡 [平]庚 戶盲切 hóng

[字解] ①휘장펄럭이는소리 횡 휘장이 바람에 나부끼는 소리. '弸—, 帷帳起皃'《玉篇》. ②활시위소리 횡 활을 당겨서 나는 소리. '弸—, 弓聲'《集韻》.

13 ⑯ [彊] [人名] 〔강〕 強(弓部 八畫)과 同字

[筆順]

[字源] 甲骨文 金文 篆文 形聲. 弓+畺〔音〕. '畺강'은 '硬경'과 통하여, '강하다'의 뜻. 강한 활, 강하다의 뜻을 나타냄.

◉公彊. 屈彊. 武彊. 樸彊. 力彊. 雄彊. 自彊.

14 ⑰ [彌] 人名 미 ㊥支 武移切 mí ㊤紙 母婢切 mǐ 弥 弥

筆順 弓 弓' 弓'' 弭 弥 彌 彌 彌

字解 ①활부릴 미 弭(弓部 六畫)와 同字. ②퍼질 미 널리 퍼짐. 두루 미침. '一滿'. '一山跨谷'《史記》. ③더욱 미 더욱더욱. '一榮'. '仰之一高'《論語》. ④걸릴 미 날짜나 시간이 걸림. '曠日一久'《韓非子》. ⑤마칠 미, 지낼 미 경과함. '誕一厥月'《詩經》. ⑥기울 미 수선함. '一縫其闕'《左傳》. ⑦그칠 미 쉼. 그만둠. '一災兵'《周禮》. ⑧성 미 성(姓)의 하나.

字源 金文 篆文 會意. 金文은 弓+日+爾. '弓궁'은 활의 상형. '日일'은 태양의 상형. '爾미'는 화사하게 피는 꽃의 상형. 시간적으로나 공간적으로나, 구김없이 충만함을 뜻함. 篆文은 長+爾. 뒤에, 弓+爾가 됨. 파생(派生)하여, '더욱'의 뜻도 나타냄.

[彌久 미구] 오래 끎.
[彌亘 미긍] 걸침. 걸림.
[彌龍 미룡] 수레의 장식.
[彌留 미류] 병이 오래 낫지 않아 위중해짐. 위독함.
[彌綸 미륜] 두루 다스림. 전체를 다스림. 미(彌)는 미봉(彌縫), 윤(綸)은 경륜(經綸).
[彌勒 미륵] 미륵보살(彌勒菩薩).
[彌勒菩薩 미륵보살] 석가모니(釋迦牟尼)의 입멸(入滅) 후 56억 7천만 년이 지나서 이 세상에 나타나 중생(衆生)을 인도한다는 보살(菩薩).
[彌漫 미만] 널리 퍼지어 그득먹함.
[彌滿 미만] 가득 참.
[彌茫 미망] 넓고 넓은 모양.
[彌望 미망] 멀리 넓게 바라봄. 또, 멀고 넓은 조망(眺望).
[彌彌 미미] 조금씩. 초초(稍稍).
[彌縫 미봉] ㉠기움. ㉡임시변통으로 꾸려 나감.
[彌縫策 미봉책] 임시변통으로 꾸며 맞추는 계책.
[彌撒 미사] 라틴어 missa의 음역(音譯). 로마 가톨릭 교회(敎會)에서, 성만찬식(聖晩餐食). 또, 그 의식(儀式)에서 부르는 성가(聖歌).
[彌甥 미생] 외손자.
[彌旬 미순] 열흘간에 걸침. 열흘 계속함.
[彌榮 미영] 더욱더욱 번영함. 축복(祝福)하는 뜻으로 부르짖는 말.
[彌月 미월] ㉠달을 넘김. 다음 달에 걸침. ㉡날을 거듭함. 여러 날을 거듭하여. ㉢한 달 동안. 만 1개월. ㉣달이 겹침. 곧, 세월.
[彌日 미일] ㉠날을 거듭함. 여러 날을 거듭하여. ㉡하루 종일.
[彌天 미천] 하늘에 가득 참. 만천(滿天). 「語).
[彌陀 미타] 아미타여래(阿彌陀如來)의 약어(略
[彌陀名號 미타명호] 나무아미타불(南無阿彌陀佛)을 이름. 육자 명호(六字名號).
[彌猴 미후] 원숭이.
◉昆彌. 沙彌. 斯彌. 須彌.

15 ⑱ [彍] 확 ㊇藥 虛郭切 guō 彍

字解 ①당길 확 彉(弓部 十二畫)과 同字. ②달릴 확 빨리 달림. '駕塵一風'《韓愈》.

字源 形聲. 弓+廣〔音〕. '廣광'은 '擴확'과 통하여, '당겨 펴다'의 뜻.

[彍騎 확기] 당대(唐代)의 기마의 숙위병(宿衛兵).

16 ⑲ [弴] 〔돈〕 弴(弓部 八畫〈p.727〉)의 本字

[疆] 〔강〕 田部 十四畫(p.1474)을 보라.

18 ㉑ [彏] 권 ㊥先 巨員切 ㊧願 俱願切 quán ㊤阮 苦遠切

字解 활굽을 권 '一, 弓曲謂之一'《集韻》.

字源 形聲. 弓+雚〔音〕

19 ㉒ [彎] 人名 만 ㊥刪 烏關切 wān 弯 弯

字解 ①당길 만 활에 화살을 메겨 당김. '一弓'. '逢門子一烏號'《王褒》. ②굽을 만 활처럼 굽음. '一曲'. '強來爲吏腰少一'《沈遼》.

字源 篆文 會意. 弓+䜌. '䜌련'은 '구부러지다, 흐트러지다'의 뜻. 활이 휘다, 활을 당기다의 뜻을 나타냄.

[彎曲 만곡] 활처럼 굽음.
[彎屈 만굴] 만곡(彎曲).
[彎弓 만궁] 활에 화살을 메겨 당김.
[彎彎 만만] 활처럼 굽은 모양.
[彎月 만월] 초승달. 현월(弦月).
[彎入 만입] 흘러가는 물이 뭍으로 휘어 들어와서 활을 당긴 모양처럼 생김. 만입(灣入).
[彎形 만형] 활과 같이 굽은 모양.
[彎環 만환] ㉠동그람. 둥긂. ㉡활 모양으로 굽음.
◉少彎.

20 ㉓ [彏] 확 ㊇藥 居縛切 jué

字解 당길 확 활에 화살을 메겨 급히 당김. '一天狼之威弧'《揚雄》.

字源 篆文 形聲. 弓+矍〔音〕

彐(彑·⺕)(3획) 部

〔터진가로왈부〕

0 ③ [彐] 계 ㊧霽 居例切 jì 彐

筆順 ㇕ ㇕ 彐

字解 돼지머리 계 돼지의 머리를 상형(象形)한 글자.

字源 篆文 象形. 멧돼지의 象形인 '彖단'의 머리 부분으로, 특히 그 엄니를 강조하여, 멧돼지의 머리의 뜻을 나타냄.

參考 자형(字形) 분류상 부수(部首)가 되어, '터진가로왈(日)'로 이름.

0 ③ [彑] 彐(前條)의 本字

[尹] 〔윤〕
尸部 一畫(p.619)을 보라.

3 ⑥ [彐] 〔당〕
當(田部 八畫〈p.1472〉)의 俗字

3 ⑥ [当] 〔당〕
當(田部 八畫〈p.1472〉)의 俗字

[夛] 〔다〕
夕部 三畫(p.481)을 보라.

[帚] 〔추〕
巾部 五畫(p.671)을 보라.

5 ⑧ [彔] 人名 록 入屋 盧谷切 lù

筆順 彔

字解 ①나무새길 록 나무를 깎아 새김. 각목(刻木). ②근본 록 근본(根本). '一, 本也'《廣韻》.

字源 甲骨文 金文 篆文 象形. 두레박 우물의 도르레 근처에 물이 넘치는 모양에서 본뜸.

5 ⑧ [彑] ㊀ 이 去寘 羊至切 yì
㊁ 제 去霽 持計切
平齊 田黎切

字解 ㊀ ①털긴짐승이름 이, 돼지 이 '一, 脩豪獸. 一曰, 河內名豕也'《說文》. ②너구리새끼 이 '一, 貍子也'《玉篇》. ㊁ 털긴짐승이름 제, 돼지 제, 너구리새끼 제 ㊀과 뜻이 같음.

字源 象形. 털이 긴 짐승의 모양을 본뜸.

6 ⑨ [彖] 人名 단 去翰 通貫切 tuàn

字解 판단할 단 주역(周易)의 괘(卦)의 뜻을 설명하여 판단을 내림. 또, 그 말. 예컨대, 건괘(乾卦)에서 '乾, 元亨利貞'이라고 하는 것 따위. '序一繫象說卦文言'《史記》.

字源 篆文 象形. 머리가 큰 멧돼지의 상형으로, 멧돼지가 달리는 뜻을 나타냄. '專전'과 통하여, '돌다'의 뜻. 역괘(易卦)의 뜻을 둘러싸고 설명한 말의 뜻을 나타냄.

[彖辭 단사] 주역(周易)의 한 괘(卦)의 뜻을 총론(總論)하여 길흉(吉凶)을 판단한 말. 문왕(文王)이 지었다 함.
[彖傳 단전] 주역(周易)의 십익(十翼)의 하나. 단사(彖辭)의 뜻을 해석한 것으로서 공자(孔子)의 작(作)이라 함.

6 ⑨ [彔] 〔록〕
彔(彐部 五畫〈p.730〉)의 本字

6 ⑨ [肙] 〔신〕
申(田部 無畫〈p.1460〉)의 籒文

8 ⑪ [彗] 人名 혜(수本) 去寘 徐醉切 huì

筆順 一 ニ 三 丰 丰丰 彗彗 彗 彗

字解 ①비 혜 대로 만든 비. '一掃'. '國中以策一郵勿'《禮記》. ②살별 혜 꼬리별. '一星'. '妖星一曰一, 二曰孛'《晉書》.

字源 篆文 別體 象形. 끝이 가지런한 비를 손에 잡은 형상을 본떠, '비'의 뜻을 나타냄.

[彗芒 혜망] 혜성의 꼬리에서 뻗치는 광망(光芒).
[彗星 혜성] 꼬리에 긴 광망(光芒)이 있고 태양(太陽)의 주위(周圍)에 있는 궤도(軌道)를 운행(運行)하는 별. 그 꼬리의 형상이 비와 같음. 살별.
[彗掃 혜소] 비로 깨끗이 청소함.
[彗孛 혜패] 혜성(彗星).
◉掃彗. 王彗. 妖彗. 流彗. 孛彗.

8 ⑪ [𢑚] 〔이·제〕
彑(彐部 五畫〈p.730〉)의 籒文

9 ⑫ [彘] 체 去霽 直例切 zhì

字解 돼지 체 가축의 하나. 豕(部首)와 뜻이 같음. '雞豚狗一之畜, 無失其時, 七十者可以食肉'《孟子》.

字源 甲骨文 篆文 形聲. 甲骨文에서는 豕+矢〔音〕. '豕시'는 '돼지'의 뜻. '矢시'는 '화살'의 뜻. 화살로 쏘아 죽일 수 있는 멧돼지의 뜻을 나타냄. 篆文은 彑+比+矢〔音〕. '彑계'는 '彑이'의 생략형으로, 털이 긴 짐승의 象形. '比비'는 그 발의 象形이 변형된 것.

[彘肩 체견] 돼지의 어깨 고기.
◉犬彘. 狗彘. 野彘. 人彘. 豪彘. 薰燧負彘.

10 ⑬ [彙] 人名 휘 去未 于貴切 huì

筆順 彙

字解 ①고슴도치 휘 蝟(虫部 九畫)와 뜻이 같음. '一, 卽蝟也, 其毛如針'《爾雅 疏》. ②무리 휘 동류(同類). '一集'. '以其一'《易經》. ③모을 휘 같은 종류의 것을 한데 모음. '一報'. '一分'.

字源 篆文 別體 形聲. 彑〈省〉+胃(胃)〈省〉〔音〕. '彑이'는 털이 긴 짐승의 상형. '胃위'는 '昆곤'과 통하여, '무리 짓다'의 뜻. 털이 밀생한 '고슴도치'의 뜻을 나타냄. '蝟위'는 동일어 이체자(同一語異體字).

參考 彚(次條)는 同字.

[彙類 휘류] 동아리. 동류(同類).
[彙報 휘보] 한 계통의 여러 가지 종류를 분류하여 한데 모아 엮어 알리는 기록.
[彙分 휘분] 모아서 나눔. 수집하여 분류(分類)함.
[彙征 휘정] 동류(同類)와 같이 나감.
[彙進 휘진] 모여 나아감. 뜻을 같이하는 사람들끼리 모여 조정에 나아감.
[彙集 휘집] 같은 종류(種類)의 물건을 모음.
[彙纂 휘찬] 분류하여 모아 편찬함. 또, 그 기록.
◉剝彙. 部彙. 辭彙. 庶彙. 語彙. 字彙. 條彙. 品彙.

10 ⑬ [彚] 彙(前條)와 同字

12 [𢑴] 〔라·려〕
⑮ 蠡(虫部 十五畫〈p. 2037〉)의 古字

13 [𢑼] [一] 시 ㊄寘 息利切 sì
⑯ [二] 이 ㊄寘 羊至切

[字解] [一] ①돼지무리 시 돼지의 종류. '一, 希屬'《說文》. ②돼지소리 시 '一, 豕聲也'《玉篇》. ③쥐이름 시 '一, 鼠名'《廣韻》. [二] 돼지무리 이, 돼지소리 이, 쥐이름 이 [一]과 뜻이 같음.
[字源] 會意. 希+希. 두 개의 '希이'를 합쳐서 돼지를 나타냄.

13 [彛] 彝(次條)의 俗字
⑯

15 [彝] [人名] 이 ㊥支 以脂切 yí
⑱

[筆順] ⺊ 彑 ⺕ 彑 𢑚 𢑚 彝 彝

[字解] ①떳떳할 이 항상 변하지 않음. '一倫'. ②법이 법칙. 항상 변치 않는 도(道). '民之秉一, 好是懿德'《詩經》. ③술그릇 이 술동이보다 약간 작은 주기(酒器). 주로, 제기(祭器)로 쓰였음. 후세에는, 종묘(宗廟)에 상치(常置)하는 종정류(鐘鼎類)도 이(彝)라 함. '一樽'. '以作一器'《左傳》. ④성 이 성(姓)의 하나.

[彝③]

[字源] 甲骨文 金文 篆文 象形. 甲骨文·金文은 닭을 목 졸라 죽여 피를 흘리게 하고, 그것을 양손으로 받드는 형상임. 닭 피를 따른 제기(祭器)의 뜻이나, 삼가 지켜야 할 법도(法度), 사람이 지켜야 할 도리의 뜻을 나타냄. 뒤에, 糸+廾+米+希〈省〉의 會意 문자.

[彝器 이기] 종묘(宗廟)에 갖추어 두고 의식(儀式)에 쓰는 그릇.
[彝倫 이륜] 사람으로서 항상 지켜야 할 도리(道理). 일정불변한 인륜(人倫).
[彝性 이성] 선천적으로 타고난 떳떳한 성품.
[彝儀 이의] 법(法). 모범(模範).
[彝鼎 이정] 종묘(宗廟)에서 신주(神酒)를 따라 두는 종정(鐘鼎). 옛날 공로가 있는 신하의 이름을 제기(祭器)에 새겨서 오래도록 전하게 했음.
[彝尊 이준] 이준(彝樽).
[彝樽 이준] 술 그릇. 자해(字解) ❸을 보라.
[彝則 이칙] 변하지 아니하는 법. 상칙(常則).
[彝品 이품] 사람이 항상 지켜야 할 법. 품(品)은 법식(法式). 이칙(彝則).
[彝憲 이헌] 변하지 않는 법. 사람으로서 항상 지켜야 할 도. 상법(常法).
[彝訓 이훈] 사람이 항상 지켜야 하는 교훈(敎訓).
◉國彝. 民彝. 秉彝. 六彝. 典彝. 鼎彝. 尊彝. 皇彝.

23 [彠] 확 ㊇陌 胡陌切 huò
㉖

[字解] 잴 확, 자 확, 법도 확 자로 잼. 蒦(艸部 十畫)·矱(矢部 十四畫)과 同字. '挑截本末規摹一矩'《馬融》.
[字源] 篆文 形聲. 尋+蒦〔音〕. '尋심'은 양손을 뻗어 벌린 길이. '蒦확'은 '재다'의 뜻.

彡 (3획) 部

〔터럭삼·삐친석삼부〕

0 [彡] 삼 ㊥咸 所銜切 shān
③

[筆順] ノ 彡 彡

[字解] ①터럭 삼, 긴머리 삼 길게 자란 아름다운 머리. ②그릴 삼 붓 같은 것으로 채색함.
[字源] 篆文 象形. 길게 흐르는 숱지고 윤기 나는 머리 형상을 본떠, 긴 머리, 무늬의 뜻을 나타냄. 이 글자는 독립해서 쓰이지는 않음.
[參考] '彡'을 의부(意符)로 하여, '무늬·빛깔·머리·꾸미다'의 뜻을 지니는 문자가 이루어짐.

3 [㣎] 〔공〕
⑥ 工(部首〈p. 659〉)의 古字

4 [形] [中人] 형 ㊥青 戶經切 xíng
⑦

[筆順] 一 二 于 开 开' 形 形

[字解] ①형상 형 꼴. '一體'. '在地成一'《禮記》. ②형모 형 용모. '乃審厥象, 俾以一旁求于天下'《書經》. ③형체 형 몸. 신체. '旣自以心爲一役'《陶潛》. ④형세 형 상태. '秦一勝之國'《史記》. ⑤나타낼 형 드러냄. '喜怒不一色'《蜀志》. ⑥나타날 형 드러남. '此謂誠於中, 一於外'《大學》. ⑦꼴이룰 형 형상을 이룸. '有一形者'《列子》. ⑧그릇 형 토제(土製)의 식기(食器). 鉶(金部 六畫)과 통용. '飯土塯, 啜土一'《史記》.
[字源] 篆文 形聲. 彡+开(幵)〔音〕. '开형'은 '틀·테'의 뜻. '彡삼'은 '무늬'의 뜻. '모양'을 뜻함.

[形殼 형각] 드러나 보이는 형체와 그 겉모양.
[形幹 형간] 몸. 신체(身體).
[形格勢禁 형격세금] 형세가 나빠 마음먹은 대로 안 됨. 행동을 자유롭게 할 수 없게 됨.
[形敎 형교] 형식적인 외면(外面)치레에 관한 가르침.
[形軀 형구] 몸. 신체(身體).
[形局 형국] 얼굴·집터·묏자리 등의 생김새.
[形氣 형기] 형상(形狀)과 기운. 신체와 정신.
[形單影隻 형단영척] 몸도 하나고 그림자도 하나라는 뜻으로, 곧 의지할 곳 없는 외로운 몸을 이름.
[形勞 형로] 몸이 지침. 남을 위해 뼈 빠지게 활동함.
[形名 형명] 이론(理論)과 실제(實際). 신하(臣下)의 의론(議論)〈명(名)〉과 실제의 성적(成績)〈형(形)〉과의 일치(一致)와 불일치(不一致)를 비교하고 대조하여 상벌(賞罰)을 주는 일. 형명(刑名).
[形貌 형모] ㉠얼굴 모양. 용모(容貌). ㉡생긴 모양.

[形魄 형백] 모습. 몸. 육체(肉體).
[形似 형사] 모양이 닮음. 또, 그 사물.
[形狀 형상] 물체(物體)의 생긴 모양. 모습. 겉으로 나타나는 모양.
[形相 형상] ㉠형상(形狀). 질료(質料)의 대(對). ㉡모습. 모양. 얼굴 생김새. 상호(相好). ㉢장식(裝飾). 준비(準備). 행장(行裝).
[形象 형상] 형상(形狀). 형태(形態).
[形象文字 형상문자] 사물의 모양을 본떠서 지은 글자. 상형 문자(象形文字).
[形色 형색] 형상(形狀)과 빛깔.
[形成 형성] 어떠한 형상을 이룸.
[形性 형성] 모양과 성질(性質).
[形聲 형성] 육서(六書)의 하나로 해성(諧聲)이라고도 함. 두 문자가 결합된 한자(漢字)에서 반은 뜻을, 반은 음(音)을 나타내는 것. 곧, '珥'·'漁'·'娶' 같은 자. 상성(象聲).
[形勢 형세] ㉠지세(地勢). ㉡정세(情勢). 형편. ㉢권문세가(權門勢家).
[形勢之途 형세지도] 권세 있는 사람이 있는 데.
[形壽 형수] 수명(壽命).
[形勝 형승] 지세(地勢)가 뛰어남. 또, 그런 곳. 요해처(要害處).
[形勝之國 형승지국] 지세(地勢)가 좋아서 승리(勝利)를 얻기에 편리(便利)한 위치(位置)에 있는 나라.
[形式 형식] ㉠일정한 방식. ㉡꼴. 모형(模型). ㉢겉모습. 외관(外觀).
[形式主義 형식주의] ㉠내용(內容)·성질(性質)보다도 형식(形式)에 더 치중(置重)하는 주의(主義). ㉡일정한 이론(理論)으로 전부를 결정하려고 하는 주의. ㉢선악(善惡)은 행위(行爲)나 의지(意志)의 경향(傾向)에 속한 것으로 직접 감지(感知)할 수 있다는 학설.
[形樣 형양] 형상(形狀).
[形語 형어] 말을 하지 않고 몸짓으로 의사를 통하는 일. 몸짓으로 하는 말.
[形言 형언] 형용(形容)하여 말함.
[形役 형역] 마음이 육체적 생활의 노예가 되어 사역당하는 일. 정신상의 안락을 구하는 일이 없이 먹고사는 데 급급(汲汲)한 일.
[形鹽 형염] 호랑이 모양 따위를 본떠서 굳혀 만든 소금. 제사에 씀.
[形影相同 형영상동] 그림자가 형체의 변화에 따라 변하듯이 마음의 선악(善惡)은 그 행위(行爲)에 나타남.
[形影相弔 형영상조] 자기의 몸과 그림자가 서로 불쌍히 여긴다는 뜻으로, 매우 외로워 의지할 곳이 없음을 이름.
[形容 형용] ㉠모양. 형태. 상태. ㉡모습. 용모. ㉢꼴. ㉣사물(事物)의 어떠함을 설명함.
[形容枯槁 형용고고] 얼굴이 야윔. 모습이 초췌함.
[形容詞 형용사] 사물의 형상(形狀)·성질(性質)·상태(狀態) 등이 어떠함을 설명하는 품사(品詞).
[形儀 형의] 예의범절과 태도(態度). 용의(容儀).
[形而上 형이상] 무형(無形)의 것. 추상적(抽象的)인 것. 곧, 도(道)를 이름.
[形而上學 형이상학] 무형(無形), 곧 정신계(精神界)에 관한 학문. 철학(哲學)·윤리학(倫理學)·심리학(心理學)·논리학(論理學) 따위.
[形而下 형이하] 유형(有形)의 것. 지각(知覺)할 수 있는 것. 기물(器物)을 이름.
[形而下學 형이하학] 유형물(有形物)을 대상으로 하는 과학(科學). 동식물학(動植物學)·이화학(理化學) 따위.
[形迹 형적] 뒤에 남는 흔적. 모습. 형적(形跡). 흔적(痕跡).
[形跡 형적] 형적(形迹).
[形制 형제] ㉠지형(地形)을 이용해서 남을 제복(制服)함. ㉡형제(形製).
[形製 형제] 형상(形狀).
[形兆 형조] 모습. 모양. 조짐(兆朕).
[形質 형질] 형체와 성질(性質). 생긴 모양과 그 바탕. 또, 몸의 모양.
[形體 형체] 물건(物件)의 형상(形狀)과 그 바탕이 되는 몸.
[形態 형태] 상태(狀態). 형상(形狀).
[形便 형편] ㉠형승(形勝)하고 편리함. 지세(地勢)가 뛰어나 편리함. ㉡《韓》 일이 되어 가는 모양. 경로(經路) 또는 결과(結果). ㉢《韓》 지내는 형세(形勢). ㉣《韓》 정세(情勢).
[形解 형해] 죽은 후에 해체(解體)되어 없어진다는 뜻으로, 선인(仙人) 등이 화거(化去)함을 이름. 시해(尸解).
[形骸 형해] ㉠몸. 육체(肉體). ㉡외형(外形).
[形骸之內 형해지내] 육체의 내부. 정신(精神)·마음·도덕(道德) 등을 이름.
[形骸之外 형해지외] 육체(肉體)의 외면(外面).
[形形色色 형형색색] 가지각색. 여러 가지.
◉角形. 固形. 魁形. 球形. 矩形. 詭形. 奇形. 畸形. 裸形. 圖形. 童形. 忘形. 貌形. 無形. 美形. 方形. 變形. 三摩耶形. 常形. 象形. 像形. 纖形. 細形. 僧形. 身形. 神形. 心形. 養形. 鍊形. 外形. 寓形. 偶人形. 圓形. 原形. 委形. 有形. 流形. 儀形. 異形. 人形. 積形. 整形. 造形. 主客相形. 衆形. 地形. 踐形. 體形. 橢圓形.

4 ⑦ [彤] 人名 동 ㊥冬 徒冬切 tóng

字解 ①붉은칠 동 붉게 칠한 장식. 단식(丹飾). '一弓'. '貽我一管'《詩經》. ②성 동 성(姓)의 하나.

字源 金文 篆文 會意. 丹+彡. '丹단'은 '붉다'의 뜻. '彡삼'은 '색깔'의 뜻. 붉은 색깔의 뜻을 나타냄.

[彤竿 동간] 붉은 장대.
[彤管 동관] 붉은빛의 붓대. 또, 그 붓. 후궁(後宮)에서 기록을 맡은 궁녀(宮女)가 썼음. 전(轉)하여, 부인(婦人)의 서화(書畫)의 뜻으로 쓰임.
[彤弓 동궁] 붉게 칠한 활. 옛날에 천자(天子)가 공(功)이 있는 제후(諸侯)에게 하사(下賜)하였음. 동호(彤弧).
[彤鏤 동루] 색칠하고 아로새김. 장식을 함. 단루(丹鏤).

[彤弓]

[彤矢 동시] 붉게 칠한 화살. 옛날에 천자(天子)가 큰 공이 있는 제후(諸侯)에게 하사(下賜)하였음.
[彤雲 동운] 붉은 구름.
[彤闈 동위] 궁전(宮殿)을 이름.
[彤闈 동위] 붉게 칠한 궁문(宮門). 전(轉)하여,

궁중(宮中)을 이름.
[彤庭 동정] 궁전의 섬돌 위의 붉게 칠한 뜰. 전(轉)하여, 궁전.
[彤霞 동하] 단하(丹霞).
[彤軒 동헌] 붉은 칠을 한 처마.
[彤弧 동호] 동궁(彤弓).
◉管彤. 丹彤. 朱彤.

4 ⑦ [肜] 彤(前前條)과 同字

5 ⑧ [𢒈] 〔단〕
丹(丶部 三畫〈p. 49〉)의 古字

6 ⑨ [𢒅] 〔형〕
形(彡部 四畫〈p. 731〉)의 本字

6 ⑨ [彥] [人名] 언 [去]霰 魚變切 yàn

[筆順] 亠 亣 文 产 产 彦 彥 彥

[字解] ①선비 언 뛰어난 남자. 또, 남자의 미칭(美稱). '一士'. '邦之一兮'《詩經》. ②성 언 성(姓)의 하나.
[字源] 篆文 形聲. 文+彡+厂〔音〕. '厂한'은 '벼랑'의 뜻. '文문'은 문신(文身)의 상형. '彡삼'은 '색깔'의 뜻. 벼랑에서 얻은 광물성 안료의 뜻에서, 전(轉)하여, 그것을 사용할 만한 미청년(美靑年)의 뜻을 나타냄.

[彥士 언사] 훌륭한 선비. 뛰어난 인물. 재덕(才德)이 뛰어난 남자. 「그 사람.
[彥聖 언성] 뛰어나서 사리(事理)에 통달함. 또,
[彥俊 언준] 언사(彥士). 준언(俊彥).
[彥會 언회] 영재(英才)들이 한자리에 모임.
◉翹彥. 群彥. 髦彥. 美彥. 邦彥. 伏彥. 秀彥. 勝彥. 時彥. 英彥. 往彥. 偉彥. 才彥. 諸彥. 俊彥. 珍彥. 天下彥. 哲彥. 賢彥. 豪彥. 後彥.

6 ⑨ [彦] 彥(前條)의 俗字

7 ⑩ [彧] [人名] 욱 [入]屋 於六切 yù

[筆順] 一 ㄇ 戸 戓 或 彧 彧 彧

[字解] ①문채 욱 아름다운 광채. 또, 무늬. ②빛날 욱 문채(文彩)가 있는 모양. '紛一一其難分'《何晏》. ③무성할 욱 초목이 무성한 모양. '黍稷一一'《詩經》.
[字源] 形聲. 彡+或〔音〕. '或혹'은 왕성하게 나타나는 모양을 나타내는 의태어(擬態語). '彡삼'은 '무늬'의 뜻. 문채가 빛나는 모양을 나타냄.

[彧彧 욱욱] ㉠초목이 무성한 모양. ㉡문채가 있는 모양. 빛나는 모양.

7 ⑩ [彩] 彩(次條)의 訛字

8 ⑪ [彩] [高人] 채 [上]賄 倉宰切 cǎi

[筆順] 一 爫 爫 乎 采 采 彩 彩

[字解] ①무늬 채 문채. '龍一雲裳'《鮑照》. ②채색 채 ㉠고운 빛깔. '光一'. '潛實內結, 豐一外盈'《傅休奕》. ㉡색을 칠하는 일. '不以傅一爲巧'《陳傅良》. ③빛 채 광휘. '日華月一'《沈約》. ④노름 채 도박. '亦賭一一擲也'《鶴林玉露》.
[字源] 篆文 形聲. 彡+采〔音〕. '彡삼'은 '채색'의 뜻. '采채'는 나무 열매를 따다의 뜻. 많은 색깔 중에서 사람이 한 색깔을 의식적으로 골라서 집어내다, 채색하다의 뜻을 나타냄.

[彩旗 채기] 빛깔이 아름다운 기(旗).
[彩器 채기] 그림 그릴 때 채색(彩色)을 풀어서 담아 쓰는 그릇.
[彩文 채문] 무늬. 문채.
[彩色 채색] 고운 빛. 또, 고운 빛을 칠함.
[彩靄 채애] 빛이 아름다운 아지랑이.
[彩雲 채운] 빛이 고운 구름.
[彩鷁 채익] 익(鷁)(해오라기 비슷한 일종의 물새)을 뱃머리에 그리어 수환(水患)을 예방하던 일. 전(轉)하여, 배〔船〕를 이름. 화익(畫鷁).
[彩蝶 채접] 아름다운 빛깔을 지닌 나비.
[彩彩 채채] 아름다운 모양.
[彩翠 채취] 공작(孔雀)의 깃 따위의 아름답게 빛나는 비췻빛. 「지.
[彩票 채표] 중국에서 행하는 복표(福票)의 한 가
[彩筆 채필] 채색(彩色)에 쓰는 붓. 「기(雲氣).
[彩霞 채하] 빛이 아름다운 놀. 빛이 아름다운 운
[彩絢 채현] 무늬. 또, 채색. 모양(模樣).
[彩毫 채호] 화필(畫筆).
[彩虹 채홍] 빛깔이 고운 무지개.
[彩畫 채화] 채색을 하여 그린 그림.
[彩繪 채회] 채색을 하여 그림. 또, 그 그림. 전(轉)하여, 꾸밈. 장식(裝飾).
◉光彩. 奇彩. 器彩. 鏤彩. 多彩. 淡彩. 賭彩. 芒彩. 文彩. 傅彩. 詞彩. 三彩. 色彩. 生彩. 鮮彩. 素彩. 水彩. 神彩. 陽彩. 五彩. 縟彩. 油彩. 輪彩. 異彩. 精彩. 彫彩. 霞彩. 虹彩. 紅彩. 華彩.

8 ⑪ [彪] [人名] 표 [平]尤 甫烋切 biāo

[筆順] 丨 ⺊ 卢 广 庐 虍 虎 彪

[字解] ①범 표 작은 범. '熊一顧盼'《庾信》. 전(轉)하여, 두려운 사람. '每戰爲前鋒, 齊軍深憚之, 謂爲程一'《南史》. ②문채날 표 빛깔이 아름다움. '一一玢玢'《宋史》.
[字源] 金文 篆文 會意. 虎+彡. '彡삼'은 '채색'의 뜻. 호랑이 가죽의 무늬의 뜻을 나타냄.

[彪炳 표병] 표환(彪煥).
[彪蔚 표위] 호피(虎皮)의 아름다운 문채.
[彪彪 표표] 문채 나는 모양. 무늬가 여러 가지 있어 아름다운 모양.
[彪煥 표환] 범의 가죽처럼 무늬가 뚜렷하여 아름다운 모양.
[彪休 표휴] 대단히 성내는 모양.

8 ⑪ [彫] [人名] 조 [平]蕭 都聊切 diāo

[筆順] 丿 冂 月 冃 冃 周 周 彫

[字解] ①새길 조 조각함. '—弓'. '朽木不可—也'《論語》. ②꾸밀 조 수식(修飾)함. '任性而行, 不自—勵'《魏志》. ③시들 조 凋(冫部 八畫)와 통용. '歲寒然後知松柏之後—也'《論語》. 전(轉)하여, 상잔(傷殘)함. 쇠잔(衰殘)함. '—盡'. '於時百姓—弊'《魏志》. ④고미 조 줄의 열매. '—胡'. '炊—留上客'《梁簡文帝》.

[字源] 形聲. 彡+周〔音〕. '周주'는 고루 조각(彫刻)이 베풀어지는 뜻. 장식으로서의 조각이 고루 갖추어졌다는 뜻을 나타냄.

[彫刻 조각] ㉠파 새김. ㉡글씨·그림 또는 물건의 형상 등을 돌·나무 따위에 새김. 또, 그 예술(藝術).
[彫困 조곤] 영락(零落)하여 곤궁함. 또, 그 사람.
[彫弓 조궁] 그림을 조각하여 장식한 활.
[彫落 조락] ㉠초목(草木)의 잎이 시들어 떨어짐. ㉡사망(死亡)함.
[彫鏤 조루] 아로새김.
[彫紊 조문] 쇠퇴하여 문란하여짐.
[彫喪 조상] ㉠쇠퇴하여 멸망함. ㉡의기(意氣)가 저상(沮喪)함.
[彫像 조상] 조각한 물상(物像). 또, 물상을 조각함.
[彫塑 조소] ㉠조각(彫刻)과 소상(塑像). 금(金)·석(石)·목(木)에 상(像)을 아로새기는 일과 보드라운 점토(粘土) 따위로 상(像)을 만드는 일. 또, 그 상(像). ㉡조각(彫刻)의 원형(原型)이 되는 점토(粘土)의 상(像)을 만드는 일. 또, 그 원형.
[彫飾 조식] 조각하여 장식함.
[彫琰 조염] 옥을 다듬어 만든 홀(笏).
[彫玉 조옥] 아로새긴 구슬. 또, 구슬을 아로새겨 꾸미는 일.
[彫僞 조위] ㉠가짜 물건을 조각하여 진짜와 같이 보이게 함. ㉡겉을 꾸며 속임.
[彫殘 조잔] ㉠손상(損傷)을 입음. ㉡난리가 난 뒤 민력(民力)이 약해짐. ㉢재난(災難)을 당하여 손상을 입은 물건.
[彫鐫 조전] 조각(彫刻).
[彫題 조제] 이마에 자자(刺字)함. 조제(雕題). 제(題)는 액(額).
[彫盡 조진] 쇠하여 없어짐. 아주 쇠잔(衰殘)함.
[彫斲 조착] 새김. 조각함.
[彫劖 조참] 아로새김.
[彫彩 조채] 조각하고 채색하여 장식함.
[彫蟲小技 조충소기] 조충전각(彫蟲篆刻).
[彫蟲篆刻 조충전각] 작은 벌레를 새기고 이상야릇한 글자를 아로새긴다는 뜻으로, 문장(文章)을 지을 때 지나치게 자구(字句)의 수식(修飾)에만 얽매임을 말함.
[彫琢 조탁] 새기고 쫌. 새기고 갊. 조각 탁마(彫刻琢磨).
[彫敝 조폐] 조폐(彫弊).
[彫弊 조폐] 쇠잔하고 피로함. 조잔(彫殘).
[彫胡 조호] 줄의 열매. 고미(菰米).
◉毛彫. 木彫. 浮彫. 後彫.

8 ⑪ [彬] [高人] [一] 빈 [平]眞 卜巾切 bīn
[二] 반 [平]刪 逋還切 bān

[筆順] 一 十 才 木 林 林 彬 彬

[字解] [一] ①빛날 빈 문채(文彩)와 바탕이 겸비하여 찬란함. '文質——然後君子'《論語》. ②성 빈 성(姓)의 하나. [二] 밝을 반 문채가 환함. '珊瑚琳碧, 瓀珉璘—'《張衡》.

[字源] 篆文 古文 形聲. 彡+焚〈省〉〔音〕. '焚분'은 '賁분'과 통하여, '장식'의 뜻. 눈에 번쩍 띄는 장식의 뜻을 나타냄.

[彬彬 빈빈] 문채와 바탕이 함께 갖추어져 찬란한 모양.
[彬蔚 빈울] 문채가 찬란(燦爛)한 모양.
◉璘彬. 文質彬彬.

8 ⑪ [㣎] [一] 목 [入]屋 莫六切 mù
[二] 무 [平]尤 亡幽切

[字解] [一] 가는문채 목 穆(禾部 十一畫)과 통용. '—, 細文也'《說文》. [二] 가는문채 무 [一]과 뜻이 같음.

[字源] 會意. 彡+泉〈省〉

[須] 〔수〕
頁部 三畫(p. 2541)을 보라.

9 ⑫ [彭] [高人] [一] 방 [平]陽 蒲光切 páng
[二] 팽 [平]庚 薄庚切 péng

[筆順] 一 十 吉 吉 吉 壴 壴 彭

[字解] [一] ①곁 방 옆. '匪其—, 无咎'《易經》. ②북치는소리 방, 두드리는소리 방 '打麥打麥, ——魄魄'《張舜民》. ③많을 방 '行人——'《詩經》. ④강성(強盛)할 방 '駟騵——'《詩經》. [二] ①띵띵할 팽 부풀어 띵띵함. '豕腹脹—亨'《韓愈》. ②장수 팽 장명(長命). 장수한 사람 팽조(彭祖)에서 나온 말. '齊—殤'《王羲之》. ③땅이름 팽 '—城'은 장쑤 성(江蘇省)에 있는 현(縣). 춘추 시대(春秋時代)의 송(宋)나라의 읍(邑). ④성 팽 성(姓)의 하나. '—祖'.

[字源] 甲骨文 篆文 會意. 彡+壴. '彡삼'은 울리는 소리가 퍼져 나가는 모양의 뜻. '壴주'는 북의 상형. 북소리를 나타냄.

[彭彭 방방] ㉠많은 모양. ㉡성(盛)한 모양. 강성한 모양. ㉢여러 수레의 소리. 일설(一說)에는, 네 말이 가는 모양. ㉣쉬지 못하는 모양. 가는 모양. ㉤북을 치는 소리. 물건을 두드리는 소리.
[彭鏗 팽갱] ㉠팽조(彭祖)를 이름. ㉡소리의 형용.
[彭排 팽배] 방패. 간순(干盾).
[彭湃 팽배] 파도가 출렁거리는 모양. 파도가 서로 쳐서 되돌아가는 모양.
[彭殤 팽상] 장수(長壽)와 단명(短命).
[彭玉麟 팽옥린] 청(淸)나라 말기의 무장(武將). 안후이(安徽) 합비(合肥) 사람. 장발적(長髮賊)의 난(亂)이 일어나자, 창장 강(長江) 각성(各省)으로 전전(轉戰)하여 공(功)을 세워 벼슬이 병부상서(兵部尙書)에 이르렀음.
[彭越 팽월] 전한(前漢) 창업(創業) 초기의 무장(武將). 산둥(山東) 창읍(昌邑) 사람. 처음엔 항우(項羽) 밑에 있었으나, 뒤에 한고조(漢高

祖)를 좇아 초(楚)나라를 멸(滅)하는 데 많은 공을 세웠으므로 양왕(梁王)으로 피봉(被封)되었음. 뒤에 참소를 입어 삼족(三族)과 함께 주살(誅殺)당하였음.
[彭祖 팽조] 신선(神仙)의 이름. 요(堯)임금의 신하(臣下)로서 은(殷)나라 말년(末年)까지 8백 세를 살았다고 함. 전(轉)하여, 장수(長壽)를 이름.
[彭亨 팽형] ㉠스스로 건장하다고 교만하는 모양. ㉡불룩하여 띵띵한 모양.

11 ⑭ [彰] 人名 창 ㊥陽 諸良切 zhāng

筆順 亠 立 产 音 音 章 章 彰

字解 ①밝을 창 뚜렷함. 환함. '一明'. '嘉言孔一'《書經》. ②드러날 창 저명(著名)하여짐. '一著'. '堯德未一'《世說》. ③드러낼 창 저명(著名)하게 함. '一德'. '一厥有常'《書經》. ④무늬 창 문채. '織文鳥一'《詩經》. ⑤성 창 성(姓)의 하나.

字源 篆文 形聲. 彡+章[音]. '章장'은 '무늬·표'의 뜻. '彡삼'을 붙여, '무늬·장식'의 뜻을 나타냄.

[彰德 창덕] 사람의 미덕을 세상에 나타내어 널리 알림.
[彰明 창명] 밝음.
[彰示 창시] 명시(明示)함.
[彰往察來 창왕찰래] 기왕(旣往)의 일을 분명(分明)하게 밝혀서 장래(將來)의 득실(得失)을 살핌.
[彰著 창저] 환히 드러남.
[彰彰 창창] 밝은 모양. 뚜렷한 모양.
[彰顯 창현] 뚜렷하게 나타냄. 또, 환히 나타남.
◉孔彰. 照彰. 織文鳥彰. 粲彰. 表彰. 顯彰. 煥彰.

11 ⑭ [彯] 표 ①②㊥蕭 撫招切 piāo ③㊦嘯 匹妙切 piào

字解 ①끈치렁거릴 표 끈이 길어 치렁거리는 모양. '一一'. ②가벼울 표 嫖(女部 十一畫)와 통용. '一搖武猛'《王融》. ③그릴 표.

字源 形聲. 彡+票[音]. '彡삼'은 머리털의 상형. '票표'는 가볍게 날아오르다의 뜻. 머리가 바람에 날리는 것처럼 가벼운 모양을 나타냄.

[彯搖 표요] 경첩(輕捷)한 모양.
[彯彯 표표] 끈이 길어 치렁거리는 모양.

12 ⑮ [影] 高人 영 ㊤梗 於丙切 yǐng

筆順 日 旦 몸 몸 景 景 景 影

字解 ①그림자 영 ㉠광선이 가려서 나타난 검은 형상. '形一'. '人一在地'《蘇軾》. ㉡거울에 비친 형상. '引鏡窺一'《後漢書》. ㉢해의 그림자. 일영(日影). '情有遷延, 日無餘一'《潘岳》. ②빛 영 광화(光華). '燈一照夢寐'《杜甫》. ③모습 영 자태(姿態). '絕一乎大荒之遐阻'《張協》. ④화상 영 초상(肖像). '一像'. '神一亦有酒色'《南史》.

字源 形聲. 彡+景[音]. '景경'은 '卿경'과 통하여, 둘이 마주 보는 뜻. 물체가 빛을 받았을 때 그 물체와 마주 보듯이 생기는 그림자의 뜻을 나타냄.

[影國 영국] 속국(屬國).
[影單 영단] 혼자. 단신(單身).
[影堂 영당] 초상(肖像)을 안치(安置)하는 곳. 영정(影幀)을 모셔 두는 사당(祀堂).
[影燈 영등] 주마등(走馬燈).
[影本 영본] ㉠금석(金石) 등에 새긴 글씨 위에 유묵(油墨)을 칠하고 그 위에 종이를 깔아 글자가 하얗게 찍히게 한 것. 탑본(搨本). 탁본(拓本). ㉡《韓》영인본(影印本).
[影不與形相依 영불여형상의] 그림자와 형체가 서로 의지하지 아니한다는 뜻으로, 두 사람이 서로 떨어져 있음을 이름.
[影庇 영비] 도움. 덕택(德澤).
[影祀 영사] 영당(影堂)에 모신 신위(神位)에게 지내는 제사.
[影射 영사] 위조(僞造)·모조(模造) 등의 방법으로 속여서 남의 이익(利益)을 빼앗음.
[影寫 영사] 글씨·그림 등을 얇은 종이 밑에 받쳐 놓고 본떠 그림.
[影像 영상] ㉠화상(畫像). ㉡《佛教》광선에 의하여 비치는 형상(形像).
[影位畓 영위답]《佛教》신자가 영정(影幀) 앞에 향불을 피울 목적으로 절에 바친 논.
[影印本 영인본] 원본(原本)을 사진이나 기타의 과학적 방법으로 복제(複製)한 책.
[影子 영자] 그림자.
[影前 영전] 조상(祖上)의 도상(圖像)·위패(位牌) 등의 앞.
[影殿 영전] ㉠임금의 진영(眞影)을 모신 전각(殿閣). ㉡영당(影堂).
[影幀 영정] 초상을 그린 족자(簇子).
[影柱 영주] 해 그림자를 측정하는 푯대.
[影紙 영지] 글씨를 쓸 때 글자의 간격을 고르게 하기 위하여 종이 밑에 받치는, 정간(井間)을 그은 종이.
[影職 영직] 사실(事實)은 근무(勤務)하지 않으면서 이름만을 받는 벼슬. 차함(借銜).
[影讚 영찬] 영상(影像)을 노래한 글귀.
[影駭響震 영해향진] 그림자를 보고 놀라고 울림을 듣고 벌벌 떤다는 뜻으로, 대단히 겁냄을 이름.
[影向 영향]《佛教》부처나 보살(菩薩)이 내림(來臨)함.
[影響 영향] ㉠그림자와 울림. ㉡그림자가 형상을 따르고, 울림이 소리에 응하듯이 언동(言動)에 바로 응함. ㉢한 가지 사물(事物)로 인(因)하여 다른 사물(事物)에 미치는 결과(結果).
[影現 영현]《佛教》부처나 보살(菩薩)이 몸을 나타냄.
[影護 영호]《佛教》그림자가 형상을 따르듯이, 항상 곁에서 호위함.
[影戲 영희] ㉠환등(幻燈)을 비치는 일. ㉡영화(映畫).
◉劍影. 鏡影. 系風捕影. 孤影. 夸父追影. 光影. 嬌影. 近影. 落影. 嵐影. 勞影. 島影. 倒影. 獨立不慚影. 燈影. 夢幻泡影. 反影. 杯中蛇影. 浮影. 不踰師影. 庇影. 射影. 斜影. 寫影. 曙影. 夕影. 船影. 星影. 素影. 水影. 樹影. 神影. 娥影. 雁行避影. 午影. 玉影. 圓影. 月影. 遺影. 流影. 陰影. 人影. 印影. 尊影. 眞影. 隻影. 淸影. 燭影. 撮影. 秋影. 春影.

兔影. 投影. 波影. 片影. 泡影. 表影. 風影. 含沙射影. 弦影. 形影. 花影. 幻影.

19 ㉒ [彲] 리(치本) ㊥支 丑知切 chī

字解 이무기 리 螭(虫部 十一畫)와 同字. '非龍非一'《史記》.

字源 會意. 彡+麗. '彡삼'은 '무늬'의 뜻. '麗려'는 뿔이 예쁜 사슴의 뜻. 아름다운 무늬가 있는 상상의 동물의 뜻을 나타냄.

彳 (3획) 部
〔두인변·중인변부〕

0 ③ [彳] 척 ㊇陌 丑亦切 chì

筆順 ㇒ ㇒ 彳

字解 조금걸을 척 잠시 걸음. 일설(一說)에는, 좌보(左步)를 '彳'이라 하고, 우보(右步)를 '亍'이라 하여, 합하여 행(行) 자가 된다고 함.

字源 篆文 象形. 길의 뜻인 '行행'의 왼쪽 절반을 추상하여, '길을 가다'의 뜻을 나타냄.

參考 부수(部首)로서, 두인(人)변, 중인변(重人邊)으로 이름. '彳'을 의부(意符)로 하여, 가는 일에 관한 문자가 이루어짐.

[彳亍 척촉] 조금 걷다가 쉼.

2 ⑤ [行] 정 ㊥青 當經切 dīng

字解 홀로걸을 정 仃(人部 二畫)과 통용. '彾一. 獨行也'《韻會》.

2 ⑤ [彵] 〔범〕 犯(犬部 二畫〈p.1387〉)의 古字

3 ⑥ [彴] ㊀ 박 ㊇覺 弼角切 bó ㊁ 작 ㊇藥 之若切 zhuó

字解 ㊀ 운성 박 별똥. '一約'. ㊁ 외나무다리 작 독목교(獨木橋). '一橋'. '澗柳橫孤一'《韋莊》.

字源 形聲. 彳+勺〔音〕

[彴約 박약] 운성(隕星). 별똥.
[彴橋 작교] 외나무다리. 독목교(獨木橋.)
◉溪彴. 孤彴. 橋彴. 短彴. 略彴. 橫彴.

3 ⑥ [彶] 〔도〕 徒(彳部 七畫〈p.744〉)와 同字

4 ⑦ [彸] 〔순〕 徇(彳部 六畫〈p.739〉)과 同字

4 ⑦ [彷] 人名 방 ①㊥陽 步光切 páng ②㊤養 妃兩切 fǎng

筆順 ㇒ ㇒ 彳 彳 彳 彷 彷

字解 ①배회할 방 오르락내리락하며 돌아다님. '一徉'. '一徨乎, 無爲其側'《莊子》. ②비슷할 방 근사함. 흐릿하여 분별하기 어려운 모양. '一彿神動'《傅毅》.

字源 形聲. 彳+方〔音〕

[彷彿 방불] 근사(近似)함. 비슷함. 또, 흐릿하여 분별하기 어려운 모양.
[彷徉 방양] 방황(彷徨). 배회(徘徊).
[彷徨 방황] 일정(一定)한 방향이나 목적이 없이 이리저리 돌아다님. 배회(徘徊)함.

4 ⑦ [彻] ㊀ 납 ㊇合 諾盍切 nà ㊁ 퇴 ㊄隊 吐內切 tuì

字解 ㊀ 갈 납 가는 모양. '蚋, 行皃, 或从彳'《集韻》. ㊁ 退(辵部 六畫)와 同字.

4 ⑦ [彸] 송 ㊥冬 職容切 zhōng

字解 두려워할 송 '征一'은 무서워하여 당황하는 모양. '百姓征一, 無所措其手足'《王褒》.

字源 形聲. 彳+公〔音〕

◉征彸.

4 ⑦ [役] 高人 역 ㊇陌 營隻切 yì

筆順 ㇒ ㇒ 彳 彳 彴 役 役

字解 ①수자리 역 군대로 뽑히어 변방을 지키는 일. '戍一'. '師田行一之事'《周禮》. ②부역 역 부역. 요역. '田一以馭其衆'《周禮》. ③일 역 ㉠병역·부역 등과 같이 백성을 강제적으로 동원하는 사건. '報采桑之一'《左傳》. ㉡직무. '祇一出皇邑'《謝靈運》. ④일꾼 역 남에게 사역(使役)당하는 천한 사람. '厮一'. '無禮無儀, 人之一也'《孟子》. ⑤부릴 역 사역(使役)함. '一使'. '正七體以一心'《國語》. ⑥골몰할 역 노력하는 모양. '終身一一'《莊子》. ⑦줄지을 역, 늘어설 역 벼이삭이 아름답게 줄지어 늘어선 모양. '禾一穟穟'《詩經》.

字源 篆文 會意. 彳+殳. '彳척'은 '길을 가다'의 뜻. '殳수'는 무기로써 치는 뜻. 변경을 지키러 가는 뜻을 나타냄. 전(轉)하여, '직무'의 뜻을 나타냄.

[役徒 역도] 인부(人夫). 역부(役夫).
[役夫 역부] ㉠일꾼. 인부. ㉡남을 천히 여겨 부르는 말. 놈.
[役夫夢 역부몽] 일꾼이 꿈에 왕후(王侯)가 된다는 뜻으로, 부귀(富貴)의 덧없음을 이름. 주(周)나라의 부호(富豪) 윤씨(尹氏)가 부리는 한 늙은 역부(役夫)가 꿈에 임금이 되어 마음껏 즐기다가 꿈을 깨니, 다시금 고된 일을 하여야 했으니, 어떤 이가 그를 위로(慰勞)하매, 역부(役夫)가 대답하기를, '낮에는 내가 복로(僕虜)로서 괴롭기는 하나, 밤에는 임금이 되어 온갖 영화(榮華)를 다 누리는데 무엇을 원망(怨望)하겠는가.'라고 한 고사(故事)에서 나온 말.
[役使 역사] 부림. 일을 시킴. 사역(使役).
[役事 역사] ㉠토목(土木)·건축(建築)의 일. ㉡

국가나 민족 또는 공공을 위한 큰일.
[役所 역소] 정부(政府)의 역사(役事) 터.
[役屬 역속] ㉠사역당하여 종속됨. 남의 밑에서 일함. ㉡지배(支配)당함.
[役僧 역승]《佛敎》㉠사찰(寺刹)의 사무(事務)를 맡은 중. ㉡법회(法會) 때 주승(主僧)을 도와 법요(法要)를 맡은 중.
[役役 역역] 심력(心力)을 수고로이 하는 모양. 일에 골몰한 모양.
[役作 역작] ㉠부림. 일을 시킴. ㉡백성에게 부역을 과하는 공사(工事).
[役丁 역정] 일꾼. 인부(人夫).
[役政 역정] 토지(土地)의 관리(管理).
[役刑 역형] 죄수(罪囚)에게 노역(勞役)을 시키는 형벌(刑罰).
◉苛役. 苦役. 雇役. 工役. 公役. 功役. 科役. 課役. 驅役. 軍役. 劇役. 勤役. 朞役. 大役. 徒役. 免役. 募役. 半役. 配役. 邊役. 兵役. 服役. 夫役. 賦役. 使役. 師役. 書役. 戍役. 厮役. 力役. 斂手受役. 豫備役. 隷役. 外役. 徭役. 繇役. 傭役. 于役. 遠役. 義役. 以心爲形役. 人役. 一人二役. 雜役. 適役. 田役. 全役. 戰役. 丁役. 征役. 政役. 助役. 主役. 重役. 職役. 徵役. 懲役. 差役. 天役. 賤役. 聽役. 就役. 退役. 霸役. 行役. 現役. 形役. 後備役.

4 [彻] 〔철〕
⑦ 徹(彳部 十二畫〈p.754〉)의 簡體字

4 [彶] 급 [入]緝 居立切 jí
⑦

[字解] 급히갈 급, 분주할 급 '一, 急行也'《說文》. '一, 遽也'《廣韻》.
[字源] 形聲. 彳+及〔音〕

5 [彼] [中·人] 피 [上]紙 甫委切 bǐ 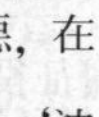
⑧

[筆順] ノ 丿 彳 彳 彳 彳 彼 彼

[字解] ①저 피 이〔此〕의 대(對). '一此'. '一月而微, 此日而微'《詩經》. ②그 피 ㉠나〔我〕의 대. '一我'. '知一知己, 百戰不殆'《孫子》. ㉡자기에 대한 제삼자. '爾之愛我也不如一'《禮記》. ㉢남을 천히 여겨 소외(疏外)하는 호칭. '一哉一哉'《論語》. ③저쪽 피 저편. '在一無惡, 在此無射'《詩經》.
[字源] 金文  篆文 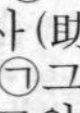 形聲. 彳+皮〔音〕. '皮피'는 '波파'와 통하여, '물결'의 뜻. 물결처럼 멀리 간 곳, 저쪽의 뜻을 나타냄.

[彼己 피기] ㉠그 사람과 나. ㉡그. 그 사람. 기(己)는 조사(助詞).
[彼等 피등] ㉠그들. ㉡그놈들. 피조(彼曹). 피배(彼輩).
[彼我 피아] 그와 나. 남과 자기. 저편과 우리 편.
[彼岸 피안]《佛敎》대안(對岸)의 뜻. 번뇌(煩惱)를 벗어나지 못하는 생사고해(生死苦海)를 차안(此岸)이라 하는 데 대하여 생사 경계(生死境界)를 초탈(超脫)하여 일체의 번뇌(煩惱)를 벗어나 자성(自性)을 깨친 경지(境地)를 피안(彼岸)이라 함. 열반(涅槃).
[彼人予人 피인여인] 그나 나나 마찬가지로 사람이라는 뜻으로, 나도 그와 같이 되지 않을 리 없다고 분발(奮發)하는 일.
[彼一時此一時 피일시차일시] 그때 그렇게 한 것도 하나의 경우(境遇)였고, 이때 이렇게 한 것도 또한 하나의 경우여서 그때그때의 경우에 적응(適應)해서 한 것이므로 결코 모순(矛盾)되지 않음. 그때와 지금은 사정이 다르다는 뜻으로 쓰임.
[彼哉彼哉 피재피재] '그 사람이구나, 그 사람이야'의 뜻. 남을 대수롭지 않게 생각하는 태도로 일컫는 말.
[彼此 피차] 저것과 이것. 쌍방(雙方).
[彼蒼 피창] 저 푸른 하늘. 전(轉)하여, 하늘에 호소할 때 쓰는 말.

5 [彽] 저 [平]齊 都黎切 dī 
⑧

[字解] 배회할 저 오르락내리락하며 거닒. '一徊'.
[字源] 形聲. 彳+氐〔音〕. '氐저'는 '이르다'란 뜻. 가서 닿다의 뜻을 나타냄. 돌아오다의 뜻에 중점을 둔 '徊회'와 어울려, '彽徊'는 갔다 왔다 하다의 뜻을 나타냄.

[彽徊 저회] 배회함.

5 [䌷] [一] 적 [入]錫 徒歷切 dí
⑧ [二] 독 [入]沃 徒沃切
[三] 주 [去]宥 直祐切 zhòu

[字解] [一] 갈 적 '一一'은 가는 모양. 평탄하여 가기 좋은 모양. '一, 一一, 行皃'《集韻》. [二] 갈 독 [一]과 뜻이 같음. [三] ①끝없을 주 때가 끝이 없음. 宙(宀部 五畫)와 同字. '一, 古往今來無極之名也, 與宙同'《玉篇》. ②끝없이갈 주 한없이 가는 모양. '一, 行無極也'《集韻》.
[字源] 形聲. 彳+由〔音〕

5 [径] 〔경〕
⑧ 徑(彳部 七畫〈p.743〉)의 略字

5 [彿] [人名] 불 [入]物 敷勿切 fú 
⑧

[字解] 비슷할 불 근사함. 또, 흐릿하여 분별하기 어려운 모양. '彷一神動'《傅毅》.
[字源] 形聲. 彳+弗〔音〕

◉彷彿.

5 [往] [中·人] 왕 ①-⑥[上]養 于兩切 wǎng 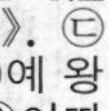
⑧ ⑦[去]漾 于放切 wàng

[筆順] ノ 丿 彳 彳 彳 彳 往 往

[字解] ①갈 왕 ㉠어떤 곳을 향하여 움직임. '禮尙一來一而不來非禮也, 來而不一亦非禮也'《禮記》. ㉡가 버림. 떠남. '不保其一也'《論語》. ㉢저승으로 감. 죽음. '送一事居'《左傳》. ②예 왕 과거. '一古'. '易彰一而察來'《易經》. ③이따금 왕 '一一'은 가끔. '一一稱黃帝堯舜'《史記》. ④일찍 왕 이전에. '淸老一與余共學於漣水'《黃庭堅》. ⑤언제나 왕 어떠한 경우에도. '無一非道'《傳習錄》. ⑥보낼 왕 물건을 보내 줌.

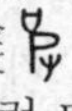

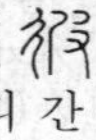

'今―僕少小所著辭賦一通'《曹植》. ⑦향할 왕 귀향(歸向)함. '心嚮―之'《史記》.
字源 甲骨文 金文 篆文 形聲. 甲骨文은 㞢+王〔音〕. '㞢지'는 '가다'의 뜻, '王왕'은 '크다'의 뜻. 크게 간다는 뜻을 나타냄. 篆文은 그것에 '가다'의 뜻인 '彳척'을 붙였음.

[往鑒 왕감] 귀감(龜鑑)을 삼을 만한 고사(故事).
[往古 왕고] 옛날. 예전.
[往古來今 왕고내금] 과거·현재·미래. 시간의 흐름.
[往年 왕년] 지난해.
[往答 왕답] 이쪽에서 가면 저쪽에서 답례(答禮)로 옴. 서로 왕래함.
[往代 왕대] 왕세(往世).
[往來 왕래] ㉠감과 옴. 오고 감. ㉡반복하여 서술(敍述)함.
[往路 왕로] 가는 길.
[往亡日 왕망일] 음양도(陰陽道)에서 외출 또는 출진(出陣) 등을 꺼리는 흉일(凶日).
[往反 왕반] 왕반(往返).
[往返 왕반] 갔다가 돌아옴.
[往訪 왕방] 가서 찾아봄.
[往復 왕복] ㉠감과 돌아옴. 갔다가 돌아옴. ㉡주고받기. 수수(授受). ㉢순환함.
[往事 왕사] 지나간 일. 예전 일.
[往生 왕생] 《佛敎》 극락정토(極樂淨土)에서 태어남. 왕생극락(往生極樂).
[往生極樂 왕생극락] 《佛敎》 이 세상(世上)을 버리고 극락세계(極樂世界)에 가서 연화(蓮花) 속에서 태어남.
[往昔 왕석] 옛적. 예전.
[往聖 왕성] 옛날의 성인.
[往世 왕세] 옛날. 옛 세상. 왕대(往代).
[往歲 왕세] 지나간 해. 왕년(往年).
[往時 왕시] 지나간 때.
[往彦 왕언] 전대(前代)의 뛰어난 사람.
[往詣 왕예] ㉠신불(神佛) 앞에 참례(參禮)하는 일. ㉡귀인(貴人) 앞에 나아가는 일.
[往往 왕왕] 가끔. 때때로.
[往而不來者年也 왕이불래자연야] 세월은 가면 다시 돌아오지 않는다는 뜻으로, 시간을 아끼라는 말.
[往因 왕인] 옛날의 인연.
[往日 왕일] 지나간 날.
[往者 왕자] ㉠지나간 일. ㉡이전에.
[往者不可諫 왕자불가간] 지나간 일은 간하여 고칠 수 없다는 뜻으로, 지나간 일은 다시 돌이킬 수 없다는 말.
[往診 왕진] 의사(醫師)가 환자 집에 가서 진찰(診察)함.
[往哲 왕철] 전대(前代)의 현인(賢人). 선철(先哲).
[往初 왕초] 옛날. 고초(古初). 이전(以前).
[往弊 왕폐] 전대(前代)부터의 적폐(積弊). 이전부터의 폐해(弊害).
[往行 왕행] 과거의 행위(行爲).
[往還 왕환] 왕반(往返).
[往悔 왕회] 지난날의 후회(後悔)될 일. 전비(前非).
[往誨 왕회] 예전의 교훈(敎訓).
◉敢往. 古往. 孤往. 歸往. 旣往. 乃往. 來往. 邁往. 步往. 適往. 徂往. 之往. 遞往. 追往. 鄕往. 響往.

5 ⑧ [徃] 往(前條)의 俗字

5 ⑧ [征] 中·人 정 ㊥庚 諸盈切 zheng

筆順 ノ ク 彳 彳 彳 𢓊 征 征

字解 ①갈 정 먼 곳에 여행함. '―夫'. '之子于―'《詩經》. ②칠 정 군주가 군대를 파견하여 악당을 정벌함. '―討'. '王用出―'《易經》. ③취할 정 이익을 얻음. '上下交―利'《孟子》. ④구실받을 정 징세(徵稅)함. '―稅'. '關市譏而不―'《孟子》. ⑤구실 정 조세. '薄―'《周禮》. ⑥축 정 바둑에서 상대방의 돌을 자꾸 단수로 비스듬히 몰아 잡을 수 있게 된 기세(碁勢). '有―有劫'《碁經》. ⑦성 정 성(姓)의 하나.
字源 甲骨文 金文 篆文 別體 形聲. 篆文은 辵+正〔音〕. 甲骨文은 '正'과 같은 자형(字形). 똑바로 진격하는 뜻을 나타냄. '征'은 別體로, 彳+正〔音〕.

[征榷 정각] 조세(租稅)의 징수와 전매에 의한 이익의 독점.
[征客 정객] 여행하는 사람. 나그네.
[征念 정념] 여행(旅行)하려고 하는 마음.
[征途 정도] ㉠출정(出征)하는 길. ㉡여행길.
[征旅 정려] 토벌(討伐)하는 군대.
[征路 정로] 정도(征途).
[征輪 정륜] 멀리 떠나가는 수레.
[征馬 정마] ㉠여행(旅行)할 때 타고 가는 말. ㉡군마(軍馬).
[征伐 정벌] 군대를 파견하여 죄 있는 자를 침.
[征帆 정범] 멀리 떠나는 배.
[征服 정복] 토벌하여 항복시킴.
[征夫 정부] ㉠원정(遠征)하여 타향에 있는 군사. ㉡여행하는 사람. 나그네.
[征賦 정부] 정세(征稅).
[征商 정상] 상인(商人)에게 세금을 받음.
[征繕 정선] 조세를 거두어들여 군기를 수선함. 전쟁의 준비를 함.
[征稅 정세] 세금(稅金)을 받음.
[征忪 정송] 두려워서 어쩔 줄 모르는 모양.
[征戍 정수] 변경(邊境)을 지킴. 또, 그 군사. 수자리.
[征雁 정안] 멀리 날아가는 기러기.
[征鞍 정안] 나그네가 타는 말. 또, 출정(出征)의 길에 오른 말.
[征役 정역] 조세(租稅)와 부역.
[征營 정영] 두려워서 불안해하는 모양.
[征衣 정의] ㉠여행(旅行)할 때 가지고 가는 옷. 객의(客衣). 행의(行衣). ㉡진중(陣中)에서 입는 옷. 융의(戎衣).
[征人 정인] 여행하는 사람. 나그네.
[征戰 정전] 정벌(征伐)하는 싸움. 전쟁(戰爭).
[征鳥 정조] ㉠멀리 날아가는 새. ㉡후조(候鳥).
[征塵 정진] 군병(軍兵)·병마(兵馬)가 달려가며 일으키는 모래 먼지.
[征驂 정참] 멀리 떠나가는 마차(馬車).
[征討 정토] 정벌(征伐).
[征旆 정패] 진격(進擊)할 때, 가지고 가는 군기(軍旗).
[征布 정포] 시장(市場)에서 구실로 드리는 베.
[征行 정행] ㉠여행(旅行). ㉡출정(出征).
◉擊征. 孤征. 關征. 東征. 夫家征. 飛征. 星行

電征. 粟征. 衰征. 輪征. 市征. 十一征. 漁征. 力征. 外征. 遠征. 長征. 徂征. 地征. 出征. 親征. 布縷征.

5 ⑧ [徂] 一 조 ㊥虞 昨胡切 cú
二 저

字解 一 갈 조 ㉠앞으로 감. 다다름. '一徠'. '我一東山'《詩經》. ㉡물러감. 세월 같은 것이 감. '一暑'. '日一月流'《陶潛》. ㉢죽음. '一落'. '吁嗟一兮'《史記》. 二 겨냥할 저 狙(犬部 五畫)와 통용. '一擊秦皇帝'《漢書》.

字源 篆文 別體 形聲. 彳+且〔音〕. '且저'는 '겹쳐 쌓다'의 뜻. 걸음을 거듭하다, 가다의 뜻을 나타냄. 篆文은 辵+且〔音〕.

[徂擊 저격] 겨냥하여 침. 저격(狙擊).
[徂年 조년] 흘러가는 해.
[徂落 조락] 천자(天子)가 죽음. 붕어(崩御)함.
[徂徠 조래] ㉠감과 옴. 갔다 옴. 왕래(往來). ㉡산둥 성(山東省) 타이안 현(泰安縣) 동남(東南)쪽에 있는 산 이름. 송(宋)나라 때 학자(學者) 석개(石介)가 이 산 밑에서 살며 조래 선생(徂徠先生)이라 했음.
[徂旅 조려] 적지(敵地)를 향하여 가는 군대.
[徂謝 조사] 죽어 이 세상을 하직함. 죽음.
[徂逝 조서] ㉠감. ㉡죽음.
[徂暑 조서] 물러가는 더위. 전(轉)하여, 음력(陰曆) 6월의 별칭(別稱).
[徂歲 조세] 조년(徂年).
[徂往 조왕] 감.
[徂茲 조자] 옛날. 과거.
[徂征 조정] 가서 정벌(征伐)함.

5 ⑧ [袊] 령 ㊥青 郎丁切 líng

字解 홀로걸을 령 '一行, 獨行也'《韻會》.

字源 形聲. 彳+令〔音〕

5 ⑧ [径] 〔경〕
徑(彳部 七畫〈p.743〉)의 簡體字

6 ⑨ [從] 〔종〕
從(彳部 八畫〈p.746〉)의 俗字

6 ⑨ [徑] 〔경〕
徑(彳部 七畫〈p.743〉)의 俗字

6 ⑨ [待] 中人 대 ㊤賄 徒亥切 dài

筆順 ノ ク 彳 行 行 往 待 待

字解 ①기다릴 대 ㉠때가 오기를 기다림. '一望'. '一時而動'《易經》. ㉡물품을 미리 준비하여 기다림. 대비함. '一邦之用'《周禮》. ㉢방어의 준비를 하고 적이 쳐들어오는 것을 기다림. '其獨何力以一之'《國語》. ②대접할 대 대우함. '接一'. '以季孟之間一之'《論語》. ③용서할 대 관대히 보아 줌. '其誰能一之'《國語》. ④성 대 성(姓)의 하나.

字源 篆文 形聲. 彳+寺〔音〕. '寺시'는 '止지'와 통하여, '멎다'의 뜻. '彳척'은 '보행(步行)'의 뜻. 보행을 그만두고 멎다, 기다리다의 뜻을 나타냄.

[待賈 대가] 값이 오르기를 기다려서 판다는 뜻으로, 시기를 기다려 벼슬함을 이름. 가(賈)는 가(價).
[待客 대객] 손을 대접(待接)함.
[待機 대기] 기회가 오기를 기다림.
[待令 대령] 명령(命令)을 기다림.
[待漏院 대루원] 백관(百官)이 아침 일찍 출근하여 참조(參朝)하는 시각까지 기다려 있는 곳. 누(漏)는 물시계로 시각(時刻)의 뜻. 누각(漏刻)이 울리는 것을 기다렸다가 입조(入朝)한 까닭에 이름.
[待望 대망] 기다리고 바람. 바라고 기다림.
[待命 대명] 명령(命令)이 내리는 것을 기다림.
[待遇 대우] 접대(接待)함. 취급(取扱)함.
[待接 대접] 대우(待遇).
[待制 대제] 당(唐)나라 때 시작된 벼슬 이름. 매일 교대로 대기(待機)하여 천자(天子)의 고문(顧問) 노릇을 하며 조칙(詔勅) 등을 초(草)함.
[待詔 대조] ㉠임관(任官)의 조서(詔書)가 내리는 것을 기다림. ㉡한(漢)나라 이후의 벼슬 이름. 경학(經學)·문장이 뛰어난 선비가 임명되어 문장을 취급하고 천자(天子)의 하문(下問)에 응대함.
[待罪 대죄] 죄를 받는 것을 기다린다는 뜻으로, 관리가 그 관직에 있는 것을 겸손히 이르는 말.
◉客待. 敬待. 管待. 款待. 期待. 蘭奢待. 薄待. 賓待. 相待. 善待. 需待. 禮待. 遇待. 優待. 有待. 留待. 應待. 資待. 絶待. 接待. 停待. 尊待. 招待. 寵待. 泰待. 特待. 虐待. 歡待. 厚待. 欣待.

6 ⑨ [徇] 人名 순 ①-③㊥眞 松倫切 xùn
④-⑦㊤震 辭閏切 xùn

字解 ①경영할 순 '一其私'《史記》. ②부릴 순 사역(使役)함. '夫一耳目'《莊子》. ③두루 순 빠짐없이 골고루. '一求'. '思慮一通'《墨子》. ④돌 순 ㉠순행(巡行)함. '王乃一師而誓'《書經》. ㉡순행(巡行)하여 명령을 내려 복종시킴. '使將一敵地'. '使周布一魏地'《漢書》. ㉢순행하며 두루 알려 보임. '以木鐸一于路'《書經》. ⑤두를 순 위요(圍繞)함. '一以離殿別寢'《後漢書》. ⑥빠를 순 신체의 발육, 지식의 발달이 빠름. 숙성함. '幼而一齊'《史記》. ⑦좇을 순 殉(歹部 六畫)과 통용. '一國'. '貧夫一財, 烈士一名'《漢書》.

字源 篆文 形聲. 彳+旬(勻)〔音〕. '勻균'은 '均균'과 통하여, '같다'의 뜻. 똑같이 고루 퍼지다의 뜻을 나타냄.

[徇警 순경] 순행(巡行)하여 경계(警戒)함.
[徇求 순구] 두루 구함.
[徇國 순국] 나라를 위하여 죽음. 순국(殉國).
[徇難 순난] 국난(國難)을 위하여 목숨을 버림. 순난(殉難).
[徇財 순재] 돈 때문에 목숨을 버리는 일.
[徇節 순절] ㉠충신(忠臣)이 나라를 위하여 자살(自殺)함. ㉡열녀(烈女)가 정절(貞節)을 위하여 죽음. 순절(殉節).
[徇齊 순제] 나이가 어리지만, 총민(聰敏)함.
[徇通 순통] 두루 통함.
◉顧徇. 夸徇. 偏徇.

6 ⑨ **[徛]** 이 [平]支 以脂切 yí

[字解] 평탄히갈 이 평온하게 나아감. '一, 行平易也'《說文》.
[字源] [篆文] 形聲. 彳+夷〔音〕. '夷이'는 '평탄하다'의 뜻. '彳척'은 '나아가다'의 뜻. 평탄히 나아가다의 뜻을 나타냄.

6 ⑨ **[很]** 흔 [平]阮 胡懇切 hěn

[字解] ①패려궂을 흔 성질이 거칠고 사나움. '一戾'. ②어길 흔 좇지 아니함. '今王將一天而伐齊'《國語》. ③말다툼할 흔 '一毋求勝'《禮記》.
[字源] [篆文] 形聲. 彳+艮(㫐)〔音〕. '艮흔·안'은 머물러 나아가지 않다의 뜻. 가기 어려워하다의 뜻을 나타냄. 또, 자기 생각에 매달려 남의 의견을 받아들이지 않다, 패려궂다, 다투다의 뜻도 나타냄.

[很戾 흔려] 패려궂고 사나움.
[很心 흔심] 심술궂은 마음.
[很忤 흔오] 패려궂어 거스름.
[很愎 흔퍅] 패려궂고 퍅함.
◉狼貪羊很. 傲很. 淫很. 疾很. 鬪很.

6 ⑨ **[徉]** 양 [平]陽 與章切 yáng

[字解] 노닐 양 한가히 이리저리 왔다 갔다 함. 배회함. '徜一'. '彷一無所倚'《楚辭》.
[字源] 形聲. 彳+羊〔音〕

◉彷徉. 翱徉. 徜徉. 翔徉.

6 ⑨ **[徊]** [人名] 회 [平]灰 戶恢切 huái, huí

[字解] 노닐 회 한가히 이리저리 왔다 갔다 함. '徘一往來'《漢書》.
[字源] 形聲. 彳+回〔音〕. '回회'는 '돌다'의 뜻.

◉徘徊. 低徊.

6 ⑨ **[洛]** 격 [入]陌 古伯切 gé

[字解] ①이를 격 목적한 곳이나 시간에 닿음. '一, 至也'《揚子方言》. ②올 격 가까이 닥침. '一, 來也'《揚子方言》. ③오를 격 높은 데를 올라감. '一, 登也'《揚子方言》.

6 ⑨ **[律]** [中人] 률 [入]質 呂卹切 lǜ

[筆順] 丿 ク 彳 彳 彳 彳 彳 律

[字解] ①법 률 법령. 규칙. '一令'. '一者所以定分止爭也'《管子》. ②가락 률 광의(廣義)로는, 음악의 가락. 곧, 음조(音調)의 총칭. '聲依永, 一和聲'《書經》. 협의로는, 양(陽)에 속하는 음조의 특칭(特稱). 즉, 양에 속하는 가락 여섯을 '六一', 음에 속하는 가락 여섯을 '六呂'라 하며, 합쳐서 '十二一'이라 함. '陽六爲一, 陰六爲呂'《漢書》. ③피리 률 음조를 고르게 하는 피리. '黃鍾之一九寸'《漢書》. ④율 률 ㉠한시(漢詩)의 한 체(體). 오언(五言) 또는 칠언(七言)의 8구(八句)로 되어 있는데, 제3구(第三句)와 제4구(第四句), 제5구와 제6구가 각각 대구(對句)를 이룸. '一詩'. ㉡《佛敎》 불법(佛法)의 금계(禁戒). 계율(戒律). '善持一'《宋史》. ⑤자리 률 지위. '加地進一'《禮記》. ⑥정도 률 한도. '千篇一一'. '以治日月之行一'《淮南子》. ⑦본뜰 률 본보기로 삼음. '上一天時'《中庸》. ⑧빗을 률 머리를 빗음. '不沐則濡櫛三一而止'《荀子》. ⑨성 률 성(姓)의 하나.
[字源] [篆文] 會意. 彳+聿. '彳척'은 사람이 가는 길의 뜻. '聿율'은 갑골문에서는 복사(卜辭)를 새겨 넣기 위한 도구의 상형. 사람이 가야 할 길로서 새겨져 있는 말. 규약의 뜻을 나타냄.

[律客 율객] ㉠음률(音律)에 정통(精通)한 사람. ㉡시(詩)를 짓는 것으로 소일(消日)하는 사람.
[律格 율격] ㉠격률(格律). 기율(紀律). ㉡언어(言語)를 음악적(音樂的)으로 배열(排列)하는 시(詩)의 구성 형식(構成形式). 조구(造句)·평측(平仄)·운각(韻脚) 따위.
[律科 율과] 형법(刑法)·과율(科律)·형률(刑律).
[律己 율기] 자기가 자신(自身)을 단속(團束)함.
[律紀 율기] 기율(紀律).
[律度 율도] 법. 법도(法度).
[律動 율동] 규율(規律)이 바른 운동. 주기적인 운동.
[律呂 율려] ㉠육률(六律)과 육려(六呂). ㉡음악(音樂). ㉢음조(音調).
[律歷 율력] 율력(律曆).
[律曆 율력] 달력.
[律令 율령] 율(律)과 영(令). 대강(大綱)을 율(律), 조분(條分)된 것을 영(令)이라 함. 법령(法令).
[律例 율례] ㉠형률(刑律)의 적용(適用)에 관한 정례(定例). ㉡법규.
[律律 율률] 고대(高大)한 모양. 산이 험하고 높은 모양.
[律文 율문] ㉠법률의 조문(條文). ㉡운문(韻文).
[律法 율법] 법. 규칙.
[律師 율사] ㉠《佛敎》 계율(戒律)을 잘 지키며 덕이 높은 고승(高僧). ㉡도사(道士)의 한 계급. ㉢변호사(辯護士).
[律書 율서] 법률에 관한 서적.
[律旋 율선] 아악(雅樂) 음계(音階)의 하나. 여선(呂旋)의 대(對).
[律手 율수] 율시(律詩)를 짓는 사람. 시인(詩人).
[律詩 율시] 한시(漢詩)의 한 체(體). 자해(字解) ❹㉠을 보라.
[律語 율어] 운율(韻律)이 있는 글. 운(韻)을 밟은 글. 운문(韻文).
[律外 율외] 규칙의 밖. 규정 외.
[律儀 율의] ㉠법. 본보기. ㉡《佛敎》 계율(戒律)을 지키고 위의(威儀)를 갖추어 모든 악(惡)을 행하지 않는 일.
[律宗 율종] 《佛敎》 불교의 한 파. 계율(戒律)의 실천을 중히 여김.
[律學 율학] 형률에 관한 학문(學問).
◉格律. 戒律. 舊律. 軍律. 規律. 近體律. 紀律. 大律. 排律. 法律. 不文律. 不律. 佛律. 事律. 師律. 詞律. 旋律. 禪律. 聲律. 僧律. 新律. 十二律. 樂律. 呂律. 禮律. 料律. 韻律. 爵律.

六律. 音律. 因果律. 一律. 自律. 長律. 典律. 調律. 持律. 千篇一律. 清律. 他律. 協律. 挾書律. 刑律. 黃金律.

6 ⑨ [後] 中人 후 ㊤有 胡口切 hòu ㊦有 胡遘切 hòu 后 䢔

筆順 ノ ク 彳 彳 彳 𢓜 𢓜 後 後

字解 ①뒤 후 '先·前'의 대(對). ㉠배면(背面). '一宮'. '塞其前, 斷其一'《左傳》. ㉡끝. 말미(末尾). '一尾'. '吾從大夫之一'《論語》. ㉢장래. '一難'. '僇辱以懲一'《史記》. ㉣나중. '一考'. '事至而一慮者'《荀子》. ㉤후계(後繼). 후사(後嗣). '承先人之一者. 在孫惟汝'《韓愈》. ㉥후계자. 후보자. 계승자. '請一, 曰鄭甥可'《左傳》. ㉦자손. '無一'. '垂訓乃一'《書經》. ②뒤질 후, 뒤떨어질 후 ㉠뒤에 처짐. '非敢一也, 馬不進也'《論語》. ㉡정시(定時)보다 늦음. '賈充宴朝士, 而純一至'《晉書》. ㉢미치지 못함. 낙후(落後)함. '戒子一時'《漢書》. ㉣남보다 못함. '竊自料度, 不一朝士'《曹植》. ③뒤로미룰 후 나중에 함. '事君, 敬其事, 而一其食'《論語》. ④성 후 성(姓)의 하나.

字源 金文 後 篆文 後 會意. 彳+幺+夊. '彳척'은 '길을 가다'의 뜻. '幺요'는 '실로 잇다'의 뜻. 일설로는, 어리다의 뜻. '夊쇠'는 발자국을 본뜬 것. 길을 갈 때에 실이 발에 얽히어 어리기 때문에 걸음이 더뎌지는 뜻을 나타냄.

[後架 후가] 선가(禪家)에서 승당(僧堂) 뒤에 있는 세면소(洗面所). 전(轉)하여, 변소(便所).
[後嫁 후가] 두 번째 시집가는 일. 후살이.
[後覺 후각] 남보다 나중에 깨닫는 사람. 후진(後進).
[後艱 후간] 장래에 올 간고(艱苦).
[後拒 후거] 후위(後衞).
[後距 후거] ㉠며느리발톱. ㉡후면(後面)의 방비(防備). 후위(後衞). 후거(後拒).
[後見 후견] 법률상(法律上)으로 무능력(無能力)한 자(者)를 감독하고 교육하며, 그의 재산(財產)을 관리하여 그의 법률 행위를 대표(代表)하는 직무(職務).
[後勁 후경] 후비의 정병(精兵).
[後景 후경] ㉠뒤쪽의 경치. ㉡무대(舞臺)의 뒷벽에 그린 풍경. 배경(背景).
[後繼 후계] 뒤를 이음.
[後考 후고] ㉠나중에 고려될 수 있는 증거(證據). ㉡나중에 상고(詳考)함.
[後顧 후고] ㉠뒤를 돌아다봄. ㉡뒷일을 생각함. 뒷일을 걱정함. ㉢후일(後日)의 은고(恩顧).
[後昆 후곤] 자손. 후손(後孫).
[後光 후광] 《佛敎》 부처의 몸 뒤에서 비추는 광명(光明). 이것을 상징하여 불상(佛像)의 머리 뒤에 붙인 금빛의 둥근 바퀴. 원광(圓光). 배광(背光).
[後矩 후구] 후세의 모범(模範).
[後軍 후군] 뒤에 있는 군대. 전군(殿君).
[後宮 후궁] ㉠주되는 궁전의 뒤쪽에 있는 궁전. 후비(后妃)가 거처함. ㉡후비(后妃). 후정(後庭).
[後期 후기] ㉠뒤의 시기. ㉡후반기(後半期).
[後騎 후기] 뒤에 있는 기병(騎兵). 최후의 기병.
[後難 후난] 장래의 재난.
[後年 후년] 뒤에 오는 해.
[後唐 후당] 오대(五代)의 하나. 이존욱(李存勗)이 후량(後梁)을 멸(滅)하고 세운 나라. 대량(大梁)〈지금의 개봉(開封)〉에 도읍했다가 뤄양(洛陽)으로 천도(遷都)함. 4주(主) 14년 만에 후진(後晉)의 고조(高祖)에게 망했음. (923~936)
[後堂 후당] 정당(正堂) 뒤에 있는 별당(別堂).
[後代 후대] 뒤의 세대(世代). 장래의 세상. 후세(後世).
[後隊 후대] 뒤에 있는 대오(隊伍).
[後代哂 후대신] 후세(後世)에 남는 수치.
[後圖 후도] 후일을 위한 기도(企圖).
[後毒 후독] 여독(餘毒).
[後童 후동] 쌍태(雙胎)에서 나중 낳은 아이.
[後頭 후두] 뒤통수.
[後樂 후락] 천하(天下)의 즐거움을 남보다 늦게 즐긴다는 뜻으로, 항상 천하의 일을 근심하기 때문에 천하가 잘 다스려져 백성들이 즐거워한 뒤에야 비로소 즐거워함을 이름.
[後來 후래] ㉠장래(將來). ㉡늦게 옴. 나중에 옴.
[後來三杯 후래삼배] 술자리에서 늦게 온 사람에게 권(勸)하는 석 잔의 술.
[後梁 후량] ㉠남조(南朝) 양(梁)나라 때 소찰(蕭詧)이 세운 나라. 북량(北梁)이라고도 함. 3주(主) 33년 만에 수(隋)나라에게 망했음. (555~587) ㉡오대(五代)의 하나. 주전충(朱全忠)이 당(唐)나라의 애제(哀帝)의 양위(讓位)를 받아 중위안(中原)에 세운 나라. 2주(主) 17년 만에 후당(後唐)에게 망(亡)하였음. (907~923)
[後涼 후량] 진대(晉代) 십육국(十六國)의 하나. 저인(氐人) 여광(呂光)이 지금의 간쑤 성(甘肅省) 고란(皐蘭) 이서(以西)의 땅에 세운 나라. 4주(主) 18년 만에 후진(後秦)에게 망하였음. (386~403)
[後糧 후량] 군대의 후방의 식량.
[後慮 후려] 뒷날의 근심.
[後聯 후련] 율시(律詩)의 제5와 제6의 구(句). 3·4의 구를 전련(前聯)이라 함의 대(對).
[後列 후렬] 후열(後列).
[後錄 후록] 글 끝에 덧붙여 써 넣는 기록.
[後望 후망] 음력(陰曆)으로 매월(每月) 열엿새부터 그믐까지의 동안. 후보름.
[後面 후면] 뒤쪽. 뒤편.
[後命 후명] 《韓》 귀양 보낸 죄인에게 사약을 내림.
[後母 후모] 아버지의 후처(後妻)를 전처(前妻)의 자녀(子女)가 이르는 말. 계모(繼母).
[後門 후문] 뒷문.
[後尾 후미] 끝. 꽁무니.
[後味 후미] 뒷맛.
[後半 후반] 절반한 뒷부분.
[後方 후방] ㉠뒤쪽. ㉡일선(一線)에 대해 그 급양(給養)·보충 등의 일을 맡은 부면.
[後房 후방] 부인(婦人)의 방. 부녀자가 거처하는 방.
[後陪 후배] 《韓》 벼슬아치가 출입(出入)할 때 따라다니는 하인(下人).
[後輩 후배] 자기보다 나중에 나온 사람. 또, 그 무리. 후진(後進).
[後範 후범] 후세의 모범.
[後報 후보] 뒤에 계속되는 보도.

[後福 후복] 미래(未來)의 행복(幸福).
[後夫 후부] ㉠후인(後人). ㉡개가(改嫁)하여 만난 남편(男便). 후서방.
[後部 후부] 뒤에 있는 부분(部分).
[後婦 후부] 후처(後妻).
[後分 후분] 《韓》 늙바탕의 운수(運數).
[後佛 후불] 《佛敎》 후세에 출현하는 부처. 미륵보살(彌勒菩薩)을 이름.
[後事 후사] ㉠장래의 일. 뒷일. ㉡죽은 뒤의 일.
[後嗣 후사] 대(代)를 이을 자식.
[後産 후산] 《韓》 해산(解産)한 뒤에 태(胎)를 낳음.
[後像 후상] 자극(刺戟)이 지나간 뒤에도 그 감각(感覺)이 의식(意識) 속에 남아 있는 일.
[後生 후생] ㉠자손(子孫). ㉡후진(後進). 후배(後輩). ㉢남에 대한 자기의 겸칭(謙稱). ㉣《佛敎》 미래의 세상. 내세(來世).
[後生可畏 후생가외] 후배(後輩)는 나이 젊어 기력이 왕성하므로, 학문을 쌓으면 후에 어떠한 큰 역량을 발휘할지 모르기 때문에 선배(先輩)는 외경(畏敬)을 품고 후배(後輩)를 대(對)하여야 한다는 뜻.
[後先 후선] 뒤와 앞. 선후(先後). 전후(前後).
[後世 후세] ㉠뒤의 세상(世上). ㉡훗사람. 자손(子孫). ㉢내세(來世).
[後素 후소] 그림을 그리는 데 흰빛을 나중에 칠함. 전(轉)하여, 그림. 회화(繪畫).
[後屬 후속] 후손(後孫).
[後孫 후손] 자손. 후윤(後胤).
[後溲 후수] 대변(大便).
[後承 후승] 후사(後嗣).
[後乘 후승] 행렬(行列) 등의 뒤에서 말·수레를 타고 따라가는 일. 또, 그 말·수레·사람.
[後身 후신] 《佛敎》 ㉠윤회(輪廻)에 의하여 다시 태어난 몸. 전신(前身)의 대(對). ㉡경우(境遇)가 일변(一變)한 뒤의 몸.
[後室 후실] 《韓》 후처(後妻).
[後案 후안] 최후의 고안(考案).
[後夜 후야] 밤부터 아침까지를 이름. 오전 4시. 오경(五更). 초야(初夜)의 대(對).
[後約 후약] 뒷기약.
[後言 후언] 본인이 없는 데서 하는 욕. 험구. 험담.
[後彦 후언] 후진(後進)의 뛰어난 선비.
[後燕 후연] 진대(晉代) 십육국(十六國)의 하나. 선비족(鮮卑族)인 모객수(慕客垂)가 세운 나라. 5주 26년 만에 북연(北燕)에게 망했음. (385~409)
[後列 후열] 뒤에 늘어선 줄.
[後葉 후엽] 후대(後代). 엽(葉)은 대(代).
[後裔 후예] 후손(後孫).
[後憂 후우] 후환(後患).
[後苑 후원] 대궐(大闕) 안에 있는 뒷동산.
[後園 후원] 집 뒤에 있는 작은 동산.
[後援 후원] ㉠뒤에 있는 원병(援兵). ㉡뒤에서 도와줌.
[後衛 후위] 후방(後方)을 방위하는 군사. 전위(前衛)의 대(對). 후거(後拒). 후군(後軍).
[後魏 후위] 삼국 시대(三國時代)의 조위(曹魏)에 대하여 남북조(南北朝) 시대의 북위(北魏)를 일컫는 말.
[後爲人所制 후위인소제] 남에게 뒤지면 그에게 견제당하여 자유로이 행동할 수 없음.
[後胤 후윤] 자손. 후예(後裔).
[後人 후인] 후세(後世)의 사람.
[後日 후일] 훗날. 타일(他日).
[後任 후임] 전임자(前任者)를 이어 맡아보는 임무.
[後者 후자] 두 가지 가운데 뒤의 것.
[後庭 후정] ㉠궁중(宮中)의 후비(后妃)가 거처하는 곳. 후궁(後宮). ㉡뒤뜰.
[後庭花 후정화] 악곡(樂曲) 이름. 진(陳)나라의 후주(後主)가 지은 것으로 처음에는 옥수후정화(玉樹後庭花)라고도 하다가, 뒤에는 이곡(二曲)으로 나뉨.
[後提 후제] 삼단 논법(三段論法)에서, 전제(前提)와 단안(斷案)과의 매사(媒辭)가 되는 제이차(第二次)의 명제(命題). 소전제(小前提).
[後凋 후조] 딴 것보다 늦게 시듦. 전(轉)하여, 유속(流俗)에 따르지 아니하고 굳게 절개(節槪)를 지킴.
[後朝 후조] 후의 조정(朝廷). 어떤 왕조(王朝)의 다음에 세워진 왕조.
[後趙 후조] 오호 십육국(五胡十六國)의 하나. 갈인(羯人) 석륵(石勒)이 전조(前趙)를 멸(滅)하고 세운 나라. 7주(主) 33년 만에 전연(前燕)에게 망했음. (319~351)
[後凋節 후조절] 겨울에 모든 초목(草木)이 시들어 떨어져도 오직 송백(松柏)만은 극한(極寒)에도 굴(屈)하지 않고, 그 빛깔을 변치 않은 채 청청(靑靑)하게 서 있음을 꿋꿋한 절조(節操)나 의기(意氣)에 비유(譬喩)한 것.
[後從 후종] 남의 뒤를 따라감.
[後住 후주] 《佛敎》 후임(後任)의 주직(住職). 후임의 주지(住持). 전주(前住)의 대(對).
[後周 후주] ㉠북조(北朝)의 하나. 서위(西魏)의 공제(恭帝)로부터 선양(禪讓)받아 우문각(宇文覺)이 세운 나라. 장안(長安)에 도읍(都邑)하여 강북(江北)을 통일하였으나, 5주(主) 26년 만에 수(隋)나라에게 망함. 북주(北周)라고도 함. (556~581) ㉡오대(五代)의 하나. 후한(後漢) 은제(隱帝)의 신하(臣下)인 곽위(郭威)가 민중(民衆)의 옹립(擁立)을 받고 세운 나라. 변(汴)에 도읍(都邑)함. 3주(主) 10년 만에 송(宋)나라에게 망함. (951~960)
[後重 후중] ㉠군대의 뒤에 있는 치중(輜重). ㉡뒤가 잘 나오지 않아 무지근함.
[後知 후지] 후각(後覺).
[後陣 후진] 후방(後方)의 군대(軍隊). 후군(後軍).
[後晉 후진] 오대(五代)의 하나. 석경당(石敬塘)이 후당(後唐)을 멸하고 세운 나라. 2주(主) 11년 만에 거란에게 망함. (936~946)
[後秦 후진] 오호(五胡) 십육국(十六國)의 하나. 강족(羌族)의 요장(姚萇)이 전진(前秦)의 부견(苻堅)을 죽이고 세운 나라. 3주(主) 34년 만에 동진(東晉)에게 망하였음. (384~417)
[後進 후진] ㉠뒤쪽을 향해 나아감. ㉡자기보다 나중에 나옴. 또, 그 사람. 선진(先進)의 대. 후배(後輩).
[後塵 후진] 사람이 지나간 뒤에 나는 먼지. 전(轉)하여, 남의 뒤를 따르는 일. 또, 남과 자리를 같이한 것을 겸손하여 이름.
[後進領袖 후진영수] 후생(後生)한 소년(少年)들 가운데서 우두머리가 되는 아이.
[後集 후집] 시집(詩集)·문집(文集) 등의 전집(前

集)을 낸 다음에 원고(原稿)를 더 모아서 내놓은 책.
[後車 후차] ㉠뒤의 수레. 앞차의 뒤에 따라가는 수레. ㉡수행(隨行)하는 수레. 부차(副車).
[後妻 후처] 전처(前妻)와 사별(死別) 또는 이혼한 뒤에 장가간 사람의 아내. 후부(後婦). 후실(後室).
[後天 후천] ㉠하늘에 뒤진다는 뜻으로, 천지자연(天地自然)의 기운(機運)이 나타난 연후에 비로소 그것에 응(應)하여 일을 행함. ㉡생후(生後)에 갖춤. 이 세상에 난 뒤에 앎. ㉢생후에 얻은 지식·습관 등.
[後哲 후철] 후세(後世)의 현인(賢人). 선철(先哲)의 대(對).
[後娶 후취] 후처(後妻)를 맞아들이는 장가. 또, 「그 아내.
[後退 후퇴] 뒤로 물러감.
[後篇 후편] 두 편(篇)으로 나누인 책(冊)이나 영화에서 뒤의 편(篇).
[後弊 후폐] 뒷날의 폐단(弊端).
[後學 후학] ㉠후진(後進)의 학자. 후배(後輩). ㉡학자(學者)의 겸칭.
[後漢 후한] ㉠광무제(光武帝) 유수(劉秀)가 왕망(王莽)을 멸(滅)하고 한실(漢室)을 중흥(中興)한 후 효헌제(孝獻帝)에 이르기까지 14주(主) 195년간의 일컬음. 장안(長安) 동쪽의 뤄양(洛陽)에 도읍하였으므로 동한(東漢)이라고도 함. (25~220) ㉡오대(五代)의 하나. 돌궐사타부(突厥沙陀部)의 유지원(劉知遠)이 후진(後晉)에 갈음하여 자립(自立)해서 세운 나라. 2주(主) 4년 만에 후주(後周)에게 망하였음. (947~950)
[後漢紀 후한기] 진(晉)나라 원굉(袁宏)이 지은 책. 후한(後漢)의 사실(史實)을 기록했음. 모두 30권.
[後漢書 후한서] 남북조 시대(南北朝時代) 송(宋)나라의 범엽(范曄)이 지은 역사책(歷史冊). 후한(後漢) 12제(帝) 196년간의 사적(史蹟)을 기록했음. 본기(本紀) 10권, 열전(列傳) 80권. 뒤에 증보(增補)하여, 지금은 120권임.
[後患 후환] 뒷날의 근심.
[後悔 후회] 이전의 잘못을 뉘우침.
[後會 후회] 후에 만남.
[後悔莫及 후회막급] 일이 잘못된 뒤에 뉘우쳐도 미치지 못함.
[後悔無及 후회무급] 후회막급(後悔莫及).
[後效 후효] 후의 효험(效驗).
◉牽前推後. 昆後. 空前絕後. 軍後. 今後. 落人後. 落後. 乃後. 老後. 短後. 斷後. 讀後. 萬歲後. 沒後. 飯後. 跋前疐後. 背後. 百歲後. 佛前佛後. 別後. 病後. 死後. 事後. 產後. 生後. 書後. 先後. 善後. 術後. 食後. 身後. 押後. 豫後. 午後. 牛後. 留後. 有今罔後. 意前筆後. 已後. 以後. 爾後. 人後. 前後. 戰後. 殿後. 酒後. 直後. 瞻前顧後. 初中後. 最後. 向後. 歇後.

6
⑨ [佮] ■ 탑 ㊀合 他合切 tà
㊁ 회 ㊄泰 黃外切 huì

字解 ■ 갈 탑 가는 모양. '一, 行皃'《玉篇》. ㊁ 會(曰部 九畫)의 古字.

[衍] 〔연〕
行部 三畫(p. 2047)을 보라.

7
⑩ [徐] 高人 서 ㊥魚 似魚切 xú

筆順 ノ 彡 彳 彳 彸 徐 徐 徐

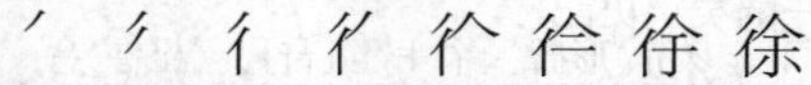

字解 ①천천할 서 느림. '不疾不一'《莊子》. ②천천히 서 느리게. '一行'. '淸風一來, 水波不興'《蘇軾》. ③찬찬할 서 침착함. '其臥一一'《莊子》. ④고을이름 서 구주(九州)의 하나. 지금의 산둥(山東)·장쑤(江蘇)·안후이(安徽) 등 여러 성(省)의 일부에 걸친 땅. ⑤성 서 성(姓)의 하나.

字源 篆文  形聲. 彳+余〔音〕. '余여'는 '안온하다'의 뜻. '彳척'은 '길을 가다'의 뜻. 안온한 마음으로 가다, 천천히 가다의 뜻을 나타냄.

[徐看 서간] 조용히 바라봄.
[徐皆 서개] 송(宋)나라 때의 학자. 현(鉉)의 아우. 명문가(名文家)로 이름이 있었으며, 〈설문계전(說文繫傳)〉 등의 저서가 있음.
[徐軌 서궤] 일을 천천히 진행시킴.
[徐羅伐 서라벌] 신라의 처음 이름.
[徐來 서래] 조용히 옴. 천천히 옴.
[徐陵 서릉] 남조(南朝) 양(梁)·진(陳) 시대의 문인(文人). 처음에 양(梁)나라에서 벼슬하여 상서이부랑(尙書吏部郞)에 이르고, 뒤에 진(陳)나라가 일어나자 중용(重用)되어서 벼슬이 태자소부(太子小傅)에 이름. 문필(文筆)에 능하여, 유신(庾信)과 함께 병칭(竝稱)되었음.
[徐枋 서방] 청(淸)나라 초기(初期)의 문인(文人). 장주(長州) 사람. 서화(書畫)와 시(詩)에 능했음. 저서(著書)에 〈거이당집(居易堂集)〉이 있음.
[徐步 서보] 천천히 걸음.
[徐福 서복] 진(秦)나라 때의 방사(方士). 시황(始皇)의 명(命)을 받들어 동남동녀(童男童女) 3천 명을 데리고 불사약(不死藥)을 구하러 떠난 뒤에 돌아오지 않았음. 서불(徐芾).
[徐徐 서서] ㉠거동이 찬찬한 모양. ㉡느린 모양.
[徐緩 서완] 느림. 또, 느리게 함.
[徐行 서행] 천천히 감.
[徐鉉 서현] 송(宋)나라 때의 학자. 처음에 남당(南唐)에서 이부상서(吏部尙書) 등을 역임하였으나 남당 멸망(滅亡) 후, 송조(宋朝)를 섬겨 태종(太宗) 때에 좌산기상시(左散騎常侍)가 되었음. 아우 서개(徐皆)와 함께 이서(二徐)로 불리어 설문학(說文學)에 정통하였으며, 태종의 명을 받들어 허신(許愼)의 〈설문해자(說文解字)〉를 교정(校定), 오늘날 통용(通用)하는 〈설문해자〉 15권의 정본(定本)을 만들었음.
◉微徐. 舒徐. 安徐. 緩徐. 疾徐. 執徐. 虛徐.

7
⑩ [徑] 高人 경 ㊄徑 古定切 jìng 径

筆順 ノ 彡 彳 彳 徑 徑 徑 徑

字解 ①지름길 경 질러가는 길. 또, 소로. '一路'. '行不由一'《論語》. ②길 경 방도(方途). '仕宦之捷一'《唐書》. ③지름 경 직경. '半一'. '圓周率三, 圓一一'《隋書》. ④간사 경 사곡(邪曲). '民好一'《老子》. ⑤빠를 경 신속함. '莫一由禮'《荀子》. ⑥곧을 경 바름. 정직함. '有直情而一行者'《禮記》. ⑦곧 경 바로. '一截輜重'《李

華》. ⑧지날 경 지나감. '夜一澤中'《史記》. ⑨마침내 경 竟(立部 六畫)과 同字. '不過一斗, 一醉矣'《史記》.

字源 篆文 形聲. 彳+巠〔音〕, '巠경'은 '똑바르다'의 뜻. 곧고 가까운 '소로'의 뜻.

[徑到 경도] 곧 이름. 곧 도착함.
[徑道 경도] 경로(徑路).
[徑路 경로] ㉠소로(小路). ㉡지름길.
[徑輪 경륜] 토지의 지름과 주위. 또, 토지의 면적.
[徑畔 경반] 소로(小路) 가.
[徑先 경선] 경솔하게 앞질러함.
[徑前 경전] 곧장 앞으로 치달음. 돌전(突前). 직전(直前).
[徑庭 경정] 경(徑)은 작은 길이라 좁고, 정(庭)은 뜰이라 넓다는 뜻으로, 현격한 차이를 이름. 경정(逕庭).
[徑畛 경진] 두렁.
[徑草 경초] 길에 난 풀.
[徑寸 경촌] 지름 한 치.
[徑行 경행] ㉠곧장 감. 직행(直行). ㉡곧게 행동함.
◉口徑. 蘿徑. 萬徑. 蕪徑. 門徑. 半徑. 旁徑. 步徑. 邪徑. 斜徑. 山徑. 三徑. 鼪鼬徑. 石徑. 小徑. 修徑. 野徑. 枉徑. 要徑. 危徑. 圍徑. 幽徑. 棧徑. 絕徑. 阻徑. 周徑. 支徑. 直徑. 津徑. 捷徑. 樵徑. 側徑. 苔徑. 寒徑. 行徑. 行不由徑. 險徑. 狹徑. 蹊徑. 荒徑.

7 ⑩ [徒] 中人 도 ㊥虞 同都切 tú

筆順 ノ 彡 彳 彳 彳+ 往 往 徒

字解 ①걸어다닐 도 보행함. '一步'. '舍車而一'《易經》. ②보졸 도 보병(步兵). '公一三萬'《詩經》. ③무리 도 ㉠동류. '一黨'. '聖人之一也'《孟子》. ㉡제자. '生一'. '非吾一也'《論語》. ④종 도 하인. '一隸'. '一御不驚'《詩經》. ⑤일꾼 도 인부. '命諸侯百姓, 興人一'《史記》. ⑥맨손 도 아무것도 가지지 아니함. '一手'. '暴虎, 一博也'《爾雅》. ⑦징역 도 형벌의 하나. '一刑'. '其用刑有五, 其三曰一'《唐書》. ⑧죄수 도 징역사는 사람. '送一驪山'《史記》. ⑨다만 도 '一勞無功'. '一善不足以爲政'《孟子》. ⑩성 도 성(姓)의 하나.

字源 甲骨文 金文 篆文 形聲. 篆文은 '辵'로, 辵+土〔音〕. '土토'는 '흙'의 뜻. 길을 갈 때 탈것을 타지 않고 땅을 밟고 가다, 도보(徒步)의 뜻을 나타냄. 탈것을 사용하지 않는 사람의 모양에서, '아랫것·신도(信徒)·생도(生徒)'의 뜻도 나타내며, 또 탈것이 없는 모양에서, '비다, 허망하다'의 뜻도 나타냄.

參考 徙(彳部 八畫)는 別字.

[徒歌 도가] 반주(伴奏) 없이 노래를 부름. 또, 그 노래.
[徒杠 도강] 걸어서 건너는 작은 다리.
[徒黨 도당] 무리. 동류(同類).
[徒隸 도례] 종. 노복(奴僕). 노예(奴隸).
[徒勞 도로] 애만 씀. 헛수고.
[徒勞無功 도로무공] 헛되이 애만 쓰고 공을 들인 보람이 없음.
[徒論 도론] 무익(無益)한 의론(議論).
[徒流 도류] 도형(徒刑)과 유형(流刑).
[徒搏 도박] 맨손으로 침.
[徒伴 도반] 길동무. 동행(同行).
[徒配 도배] 《韓》 도형(徒刑)에 처한 뒤에 귀양을 보냄.
[徒輩 도배] 동아리.
[徒法 도법] 유명무실(有名無實)한 법. 공법(空法).
[徒兵 도병] 보병(步兵).
[徒步 도보] ㉠걸어감. 보행(步行). ㉡걸어다니는 사람. 곧, 상(常)사람. 필부(匹夫). 또는 보병(步兵).
[徒費 도비] 헛되게 씀. 허비(虛費).
[徒費脣舌 도비순설] 말은 많이 하나 보람이 없음.
[徒費心力 도비심력] 애는 많이 쓰나 보람이 없음. 공연(空然)히 애만 씀.
[徒死 도사] 개죽음. 무익한 죽음.
[徒裼 도석] 벌거벗음.
[徒善 도선] 착하기만 하고 주변성이 없음.
[徒跣 도선] 맨발.
[徒涉 도섭] 걸어서 물을 건넘.
[徒屬 도속] 도당(徒黨).
[徒手 도수] 맨손.
[徒囚 도수] 죄수(罪囚).
[徒食 도식] 아무 일도 하지 않고 삶. 놀고먹음.
[徒御 도어] 수행(隨行)하는 종.
[徒役 도역] ㉠부역(賦役). 또, 부역에 징발된 사람. ㉡종.
[徒然 도연] ㉠아무 일도 않고 꼼짝 않는 모양. 움직이지 않는 모양. 거연(居然). ㉡부질없이. 헛되이. 만연(漫然). ㉢심심한 모양. 적적한 모양. ㉣헛되이 그러함. 한갓되이 그러함.
[徒隸 도예] 종. 노복(奴僕).
[徒爲 도위] 무익한 행위. 소용없는 일.
[徒維 도유] 십간(十干)의 무(戊)의 이칭(異稱).
[徒爾 도이] ㉠무익함. 헛됨. ㉡헛되이.
[徒弟 도제] 제자(弟子). 문인(門人).
[徒卒 도졸] 도병(徒兵).
[徒從 도종] 도보(徒步)로 수종(隨從)함. 또, 그 사람.
[徒罪 도죄] 도형(徒刑)을 받는 범죄.
[徒踐 도천] 맨발. 도선(徒跣).
[徒取 도취] 힘들이지 않고 취함. 공로 없이 벼슬을 함.
[徒行 도행] 걸어서 감. 보행(步行).
[徒刑 도형] 오형(五刑)의 하나. 지금의 징역(懲役).
◉鉗徒. 耕徒. 公徒. 門徒. 博徒. 白徒. 朋徒. 匪徒. 司徒. 私徒. 師徒. 山徒. 嘗徒. 生徒. 囚徒. 厮徒. 市井徒. 信徒. 女徒. 役徒. 逆徒. 傭徒. 飮徒. 義徒. 人徒. 釣徒. 卒徒. 酒徒. 烝徒. 證徒. 醜徒. 緇徒. 學徒. 刑徒. 攫徒.

7 ⑩ [俓] ㊀ 정 ㊤梗 丈井切 chěng
㊤迥 他鼎切 zhèng
㊁ 령 ㊤梗 里郢切

字解 ㊀ ①작은길갈 정 큰길로 가지 않고 작은 길로 감. '一, 徑行也'《說文》. ②작은길 정 소로(小路). '一, 徑也'《廣韻》. ③비갠뒤의작은길 정 '一, 雨後徑也'《廣韻》. ㊁ 작은길갈령, 작은 길 령, 비갠뒤의작은길 령 ㊀과 뜻이 같음.

字源 形聲. 彳+呈〔音〕

7 ⑩ [徃] 〔왕〕
往(彳部 五畫〈p.737〉)의 本字

7 ⑩ [従] 〔종〕
從(彳部 八畫〈p.746〉)의 略字

8 ⑪ [得] 中·人 ━ 득 Ⓐ職 多則切 dé, děi, de
═ 덕 Ⓐ職 多則切 dé

筆順 ノ ク 彳 彳冂 彳旦 得 得 得

字解 ━ ①얻을 득 ㉠손에 넣음. '一喪'. '迺公居馬上而一之'《史記》. ㉡마땅함을 얻음. 적의(適宜)함. '百官一序'《荀子》. ㉢앎. 깨달음. '吾聞一之矣'《淮南子》. ㉣이룸. 성취함. '一功'. '南狩之志乃大一也'《易經》. ㉤잡음. 체포함. '盜發卽一'《宋史》. ㉥신임을 얻음. 서로 뜻이 맞음. 상득(相得)함. '一得'. 의기투합(意氣投合)함. '管仲一君, 如彼其專也'《孟子》. ㉦능함. '不能勤苦, 焉一行此, 不恬貧窮焉能行此'《韓詩外傳》. ②탐할 득 탐냄. '戒之在一'《論語》. ③만족할 득 득의(得意)함. '意氣揚揚, 甚自一也'《史記》. ④이득 득 벌이. 소득. '一失'. '有阡陌之一'《漢書》. ═ 덕 덕, 덕으로여길 덕 德(彳部 十二畫)과 통용. '尙一推賢'《荀子》. '所識窮乏者一我與'《孟子》.

字源 甲骨文 金文 篆文 形聲. 彳+㝵〔音〕. '㝵득'은 '얻다, 취하다'의 뜻. 甲骨文은 貝+又의 會意 문자로, 이것이 '㝵'으로 변형했음. '貝패'는 '조개'의 상형으로, '재물'의 뜻. '又우'는 손의 상형. 재물을 손에 넣다의 뜻을 나타냄. '彳척'은 길을 가다의 뜻. 걸어가서 손에 넣다의 뜻을 나타냄.

[得暇 득가] ㉠틈을 얻음. ㉡말미를 얻음. 득유(得由).
[得匣還珠 득갑환주] 쓸데없는 일에 힘을 기울이고, 정말 긴요(緊要)한 일은 잊음의 비유.
[得計 득계] 득책(得策).
[得功 득공] 공(功)을 이룸. 성공함.
[得君 득군] 임금의 신임(信任)을 얻음. 임금과 의기투합(意氣投合)함.
[得男 득남] 아들을 낳음. 생남(生男).
[得達 득달] 목적을 이룸.
[得談 득담]《韓》남에게 말을 들음.
[得度 득도]《佛敎》㉠불교를 믿어 부처의 제도(濟度)를 얻음. ㉡도첩(度牒)을 받아 중이 됨.
[得道 득도] ㉠바른 도(道)를 얻음. ㉡《佛敎》불도(佛道)를 깨달음. ㉢깊은 뜻을 체득(體得)함.
[得得 득득] ㉠마음먹은 대로 잘되어 만족하는 모양. 득의(得意)한 모양. ㉡특히. 일부러. ㉢가는 모양. 오는 모양.
[得力 득력] 숙달하거나 또는 깊이 깨달아서 확고한 힘을 얻음.
[得隴望蜀 득롱망촉] 한(漢)의 광무제(光武帝)가 농(隴)을 점령한 뒤에 또 촉(蜀)을 공격하려고 한 고사(故事)에서, 사람의 탐욕(貪慾)이란 채우면 채울수록 더하는 것이라는 뜻.
[得利 득리] 이익(利益)을 얻음.
[得理 득리] 사리(事理)를 체득함. 사물의 이치를 깨달음.
[得免 득면] 좋지 않은 일이나 책임을 피하여 면하게 됨.
[得名 득명] 이름이 남. 명성(名聲)이 널리 퍼짐.
[得配 득배] 배필(配匹)을 얻음. 아내를 얻음.
[得病 득병] 병(病)에 걸림.
[得喪 득상] 얻음과 잃음. 성공과 실패. 득실(得失).
[得色 득색] 득의(得意)의 얼굴빛.
[得勢 득세] ㉠세력을 얻음. ㉡형편이 유리하게 됨.
[得訟 득송] 송사(訟事)에 이김.
[得勝 득승] 싸움에 이김.
[得時 득시] 때를 얻음. 좋은 시기를 만남.
[得辛 득신] 정월에 맨 처음의 신일(辛日)을 만나는 일. 일일(一日)이면 일일득신(一日得辛), 십일(十日)이면 십일득신(十日得辛)이라 하여, 이것으로 그해의 풍흉(豐凶)을 점(占)침.
[得失 득실] ㉠얻음과 잃음. 이익과 손해. 이익과 불리. ㉡성공과 실패. ㉢마땅함과 마땅하지 아니함. ㉣장점과 단점.
[得心 득심] 득의(得意)의 마음.
[得魚而忘筌 득어이망전] 고기를 잡고 나면 이미 통발이 필요(必要) 없게 된다는 뜻으로, 학문(學問)이 성취(成就)되면 책(冊)이 무용(無用)하게 됨을 이름. 전(轉)하여, 근본(根本)을 확립(確立)하면 지엽적(枝葉的)인 것은 문제(問題)가 되지 않는다는 뜻.
[得業 득업] 수업(修業)을 끝냄. 학업(學業)을 마침. 또, 그 사람. 졸업자.
[得音 득음] 풍악·노래 등의 곡조가 교묘(巧妙)한 지경에 이름.
[得意 득의] ㉠바라던 일이 성취됨. 뜻대로 되어 만족함. ㉡마음에 듦. 뜻에 맞음. ㉢뜻을 얻은 바가 있음.
[得飴以養老得飴以開閉 득이이양로득이이개폐] 어진 사람은 엿을 얻어 늙은이를 봉양(奉養)하고, 도척(盜跖)은 엿을 얻어 자물쇠를 여는 데 씀. 똑같은 물건이라도 그 사용하는 사람에 따라 다름. 도척(盜跖)은 옛날의 큰 도둑 이름.
[得人 득인] 적당한 사람을 얻음.
[得人心 득인심] 인심을 얻음. 여러 사람의 마음을 얻음.
[得入 득입] 심지(心地)를 개명(開明)하여 불지(佛地)에 듦. 증오(證悟).
[得點 득점] 시험이나 승부사(勝負事)에서 점수(點數)를 얻음. 또, 그 점수.
[得罪 득죄] ㉠죄를 저지름. ㉡남에게 큰 잘못을 저질러 죄를 얻음.
[得中 득중] 꼭 알맞음. 과불급(過不及)이 없음.
[得志 득지] 득의(得意).
[得眞 득진] ㉠참다운 경지에 이름. ㉡진상(眞相)을 알게 됨.
[得策 득책] 득(得)이 되는 좋은 계책(計策).
[得體 득체] 체면을 유지함.
[得寵 득총] 총애를 받음.
[得脫 득탈] ㉠벗어남. 빠져나감. ㉡《佛敎》불법(佛法)의 참된 이치를 환하게 깨달아 번뇌(煩惱)에서 벗어남.
[得兎而忘蹄 득토이망제] 토끼를 잡으면 올무는 필요 없게 됨. 곧, 학문을 성취하면 책이 필요 없게 됨의 비유.
[得票 득표] 투표(投票)에서 표수를 얻음. 또, 그 표수.
[得效 득효] 효력을 봄.

◉感得. 購得. 求則得. 記得. 旣得. 納得. 獨得. 無所得. 生得. 說得. 所得. 損得. 收得. 修得. 拾得. 習得. 餘得. 領得. 贏得. 了得. 料得. 利得. 認得. 一擧兩得. 自得. 自業自得. 知得. 天得. 千慮一得. 體得. 逐得. 取得. 捕得. 寒得. 會得. 獲得.

8 ⑪ **[徘]** 人名 배 (平)灰 薄回切 pái

字解 노닐 배 천천히 이리저리 왔다 갔다 함. '一徊往來'《漢書》.
字源 形聲. 彳+非〔音〕

[徘徊 배회] 노넒. 천천히 이리저리 왔다 갔다 함. 배회(徘徊).

8 ⑪ **[徙]** 人名 사 ㊤紙 斯氏切 xǐ

筆順 ノ ク 彳 彳ト 彳ㅐ 徉 徉 徙

字解 ①옮길 사 ㉠장소를 옮김. '遷一'. '孟母所以三一也'《潘岳》. ㉡고침. 변함. '化民而俗一'《沈約》. ②넘길 사 어느 한도를 넘김. '一月樂'《禮記》. ③귀양보낼 사 유형(流刑)에 처함. '一逐'. '其免湯爲庶人, 一邊'《漢書》.
字源 甲骨文 篆文 篆文 別體 古文 形聲. 辵+止〔音〕. '辵착'은 '나아가다'의 뜻. 어떤 지점에서 어떤 지점까지 가서 멎다의 뜻에서, '옮기다'의 뜻을 나타냄.
參考 徒(彳部 七畫)는 別字.

[徙居 사거] 집을 옮김. 이사함.
[徙木之信 사목지신] 나무를 옮겨 신용을 얻었다는 뜻으로, 위정자(爲政者)가 백성을 속이지 아니함을 이름. 진(秦)나라 때 상앙(商鞅)이 법률(法律)을 변경하여 국가의 부강(富強)을 도모(圖謀)하려 하나, 백성이 자기를 믿지 않을까 염려하여 한 꾀를 써서 세 길 되는 나무를 국도(國都) 남문(南門)에 세우고 이것을 옮기면 십 금(十金)을 상(賞)으로 준다고 하였는데, 백성이 괴상(怪常)히 여기고 실행하는 사람이 없으므로 다시 포고(布告)하기를 오십 금(五十金)을 상으로 준다고 하니 어떤 사람이 옮기므로 곧 오십 금을 주어 거짓이 아닌 것을 보인 고사(故事)에서 나온 말.
[徙散 사산] 산지사방으로 흩어짐. 또, 산지사방으로 흩어지게 함.
[徙植 사식] 옮겨 심음. 이식함.
[徙月 사월] 달을 넘김. 한 달이 넘음.
[徙倚 사의] ㉠배회함. ㉡잠깐 들름. ㉢한만(汗漫)함.
[徙逐 사축] 옮겨 추방함. 귀양 보냄.
[徙宅忘妻 사택망처] 사택이망기처(徙宅而忘其妻).
[徙宅而忘其妻 사택이망기처] 이사(移徙)할 때 아내를 두고 간다는 뜻으로, 제일 중요한 일을 잊음을 비유.
[徙播 사파] 옮김.
◉孟母三徙. 募徙. 靡徙. 拔徙. 抵徙. 轉徙. 遷徙.

8 ⑪ **[徜]** 상 (平)陽 市羊切 cháng

字解 노닐 상 배회함. '一徉中庭'《宋玉》.
字源 形聲. 彳+尙〔音〕

[徜徉 상양] 노넒. 배회함.

8 ⑪ **[從]** 中人 종 (平)冬 疾容切 cóng (平)冬 七恭切 cōng (去)宋 疾用切 zòng 从

筆順 ノ ク 彳 彳' 彳从 彳从 彳䒑 從

字解 ①좇을 종 ㉠따름. 복종함. '服一'. '不信民弗一'《中庸》. ㉡배반하지 아니함. 거역하지 아니함. '卿士一, 庶民一'《書經》. ㉢하는 대로 내버려 둠. 맡김. '姑慈而一'《左傳》. ②좇게할 종 전항(前項)의 타동사. '一八極而朝海內'《鹽鐵論》. ③쫓을 종 쫓아감. '晉韓厥一鄭伯'《左傳》. ④들을 종 남의 말을 들어줌. '聽一'. '后一諫則聖'《書經》. ⑤종사할 종 일삼아함. '一政'. '黽勉一事'《詩經》. ⑥부터 종 自(部首)와 같은 뜻. '施施一外來'《孟子》. ⑦세로 종 縱(糸部 十一畫)과 통용. '衡一其畝'《詩經》. ⑧자취 종 蹤(足部 十一畫)과 통용. '重自刑以絕一'《史記》. ⑨종용할 종 침착함. '一容中道, 聖人也'《中庸》. ⑩따를 종 수행(隨行)함. '一者'. '一我者, 其由也歟'《論語》. 또, 그 사람. 종자(從者). '其侍御僕一'《書經》. ⑪거느릴 종 인솔함. '一而伐齊'《史記》. ⑫방종할 종 縱(糸部 十一畫)과 통용. '欲不可一'《禮記》. ⑬놓을 종 縱(糸部 十一畫)과 통용. '一之純如也'《論語》. ⑭버금 종 같은 품계(品階)를 두 종류로 나눈 것 중의 낮은 쪽의 일컬음. '後魏以九品分正一, 隋唐以來因之'《文獻通考》. ⑮성 종 성(姓)의 하나.
字源 甲骨文 金文 篆文 形聲. 辵+从〔音〕. 본디 甲骨文은 '从'으로, 사람이 사람의 뒤를 따르는 모양에서, 따르다의 뜻을 나타냄. 뒤에, 간다는 뜻의 '辵착'을 붙여, '從'이 됨.
參考 从(彳部 七畫)은 略字.

[從駕 종가] 어가(御駕)에 수행함. 임금의 수레를 따름. 가(駕)는 천자(天子)의 수레. 천자를 직접 가리킴을 꺼리어 가(駕)라 함.
[從諫 종간] 간하는 말을 받아들임.
[從諫若轉圜 종간약전환] 남의 간언(諫言)에 좇음이 마치 반상(盤上)에 구슬을 굴리는 것과 같아서 조금도 걸리는 것이 없다는 말.
[從諫如流 종간여류] 남의 간언(諫言)에 좇음이 마치 물이 흐르는 것과 같다는 뜻으로, 재빨리 순응함을이름.
[從渠 종거] 어찌 되었든 간에.
[從輕論 종경론] 두 가지의 죄가 한꺼번에 드러났을 때 가벼운 죄를 따라 처단(處斷)함.
[從姑 종고] 아버지의 사촌 누이. 당고모(堂姑母).
[從姑母 종고모] 《韓》 종고(從姑).
[從官 종관] ㉠임금을 따라다니는 벼슬아치. ㉡문학(文學)으로 임금의 곁에서 섬기는 벼슬아치. 시종(侍從).
[從軍 종군] 출진(出陣)함. 군대(軍隊)를 따라 진지(陣地)에 나감.
[從今 종금] 이제부터. 지금(只今)으로부터.
[從騎 종기] 기마(騎馬)를 탄 종자(從者).

[從女 종녀] 조카딸.
[從多數 종다수] 여러 사람의 의견을 좇음.
[從來 종래] ㉠유래(由來). ㉡이전부터 지금까지.
[從良 종량]《韓》종 또는 천민(賤民)이 양민(良民)이 됨. 기생 등이 천업(賤業)을 그만두고 남의 처(妻)가 됨.
[從流 종류] 종간여류(從諫如流)의 준말.
[從妹 종매] 사촌 누이동생.
[從母 종모] 어머니의 자매(姊妹). 이모(姨母).
[從母兄弟 종모형제] 어머니의 자매(姊妹)의 아들. 이종 사촌 형제(姨從四寸兄弟).
[從門入者不是家珍 종문입자불시가진] 자기 주견(主見)으로 우러난 것이 아니고, 다만 얻은 풍월(風月)로서의 견문(見聞)이란 결코 참된 힘이 될 수 없음.
[從犯 종범] 주범(主犯)을 도운 범죄. 또, 그 사람.
[從兵 종병] 따라다니는 병졸.
[從僕 종복] 종.
[從父 종부] ㉠아버지의 형제. 큰아버지나 작은아버지. 백숙부(伯叔父). ㉡아버지의 명령을 좇음.
[從父兄弟 종부형제] 종형제(從兄弟).
[從士 종사] 종병(從兵).
[從史 종사] 장관(長官)에 종속하는 벼슬아치. 속료(屬僚).
[從死 종사] 죽은 사람을 그려서 순사(殉死)함.
[從祀 종사] 덧붙여 제사 지냄. 공자 묘(孔子廟)에 후세(後世)의 유자(儒者)를 배향(配享)하는 따위.
[從事 종사] ㉠어떠한 일에 마음과 힘을 다함. 어떠한 일을 일삼아서 함. ㉡모시고 섬김. ㉢자사(刺史)의 속관(屬官). 기록을 맡음.
[從善如登 종선여등] 선(善)을 좇기란 높은 산을 오르는 것같이 매우 어렵다는 뜻.
[從善如流 종선여류] 선(善)을 좇는 데 서슴지 않음.
[從聲 종성] 오음(五音) 중의 궁(宮)·상(商)·각(角)의 삼음(三音). 치(徵)·우(羽)의 두 음을 변성(變聲)이라 함의 대(對).
[從所願 종소원] 소원(所願)을 들어줌.
[從俗 종속] 시속(時俗)을 좇음.
[從屬 종속] 딸려 붙음. 또, 그 사람.
[從孫 종손] 형(兄)과 아우의 손자.
[從嫂 종수] 종형(從兄)의 아내.
[從手成 종수성] 손이 움직이는 대로 곧 됨.
[從叔 종숙] 아버지의 사촌 형과 아우. 당숙(堂叔).
[從順 종순] 순순히 복종함. 순종(順從).
[從時俗 종시속] 시속(時俗)을 좇음. 세상의 통속대로 따라감.
[從臣 종신] 늘 시종하는 신하.
[從實 종실] 사실(事實)대로 좇음.
[從心 종심] 일흔 살의 별칭(別稱).
[從心年 종심년] 종심(從心).
[從心所欲 종심소욕] 하고 싶은 대로 함.
[從約 종약] 전국 시대(戰國時代)의 한(韓)·위(魏)·연(燕)·제(齊)·초(楚)·조(趙) 등 육국(六國)이 합종(合從)하여 진(秦)나라에 대항한 공수 동맹(攻守同盟). 소진(蘇秦)이 주창(主唱)함.
[從業 종업] 업무(業務)에 종사함.
[從吾所好 종오소호] 자기(自己)가 좋아하는 대로 좇아서 함.
[從隗始 종외시] '외(隗)부터 시작하라'의 뜻. 현자(賢者)를 초치(招致)하자고 연(燕)의 소왕(昭王)이 말을 꺼냈을 때, 곽외(郭隗)가 '저부터 초빙하십시오.'라고 말한 고사(故事).
[從容 종용] ㉠조용한 모양. 말이나 또는 하는 짓이 왁자지껄하지 않고 매우 얌전한 모양. ㉡한가한 모양. ㉢권유(勸誘)함. 종용(慫慂).
[從遊 종유] ㉠따라가 놂. ㉡학덕(學德)이 있는 사람과 교유(交游)함.
[從人 종인] 종자(從者).
[從子 종자] 조카. 자매(姊妹)의 아들. 질(姪)·생(甥).
[從姊 종자] 손위의 사촌(四寸) 누이.
[從者 종자] 데리고 다니는 사람. 수종(隨從)하는 사람.
[從姊妹 종자매] 아버지의 형제(兄弟)의 딸. 사촌 자매(四寸姊妹).
[從自以後 종자이후] 이제부터 뒤.
[從前 종전] 이전.
[從弟 종제] 사촌(四寸) 아우.
[從祖 종조] 종조부(從祖父).
[從祖姑 종조고] 종고(從姑).
[從祖母 종조모] ㉠종조부(從祖父)의 아내. ㉡조부의 자매. 대고모(大姑母).
[從祖父 종조부] 할아버지의 형(兄)이나 아우.
[從祖兄弟 종조형제] 아버지의 사촌 형제. 곧, 조부의 형제의 아들.
[從卒 종졸] 종병(從兵).
[從從 종종] ㉠천자(天子)의 수레의 방울소리의 형용. ㉡발이 여섯 달린 개. ㉢고대(高大)한 모양.
[從罪 종죄] 종범(從犯)에 과하는 죄.
[從衆 종중] 여러 사람의 언행에 따름.
[從重論 종중론] 두 가지의 죄(罪)가 한꺼번에 드러났을 때 무거운 죄(罪)를 따라 처단(處斷)함.
[從姪 종질] 사촌(四寸) 형제의 아들.
[從此 종차] 종금(從今).
[從親 종친] 종약(從約).
[從便 종편] 일을 편(便)한 대로 좇음.
[從風 종풍] 바람에 따라 나부끼는 풀처럼 복종(服從)함.
[從風而靡 종풍이미] 쏠리는 힘에 저절로 좇음.
[從享 종향] 종묘(宗廟)에 공(功) 있는 신하(臣下)를 부제(祔祭)함. 배향(配享).
[從兄 종형] 사촌 형(四寸兄).
[從兄弟 종형제] 아버지의 형제(兄弟)의 아들. 사촌(四寸) 형제.
[從懷如流 종회여류] 거리낌 없이 제멋대로 함.
[從橫 종횡] ㉠가로와 세로. 또, 남북(南北)과 동서(東西). ㉡전국 시대(戰國時代) 소진(蘇秦)의 합종설(合從說)과 장의(張儀)의 연횡설(連衡說). ㉢공수 동맹(攻守同盟)의 계략(計略). 국제간(國際間)의 이합(離合). ㉣자유자재함.
[從橫家 종횡가] ㉠합종(合從) 또는 연횡(連衡)을 주장하여 군주에게 유세(遊說)하는 사람. ㉡양자(兩者) 사이에서 술책(術策)을 농(弄)하는 책사(策士).
[從橫學 종횡학] ㉠합종(合從)·연횡(連衡)의 연구(硏究). ㉡공수 화전(攻守和戰)의 연구.
◉景從. 敬從. 曲從. 苟從. 屈從. 禁從. 騎從. 郎從. 徒從. 導從. 盲從. 面從. 陪從. 法從. 服從. 僕從. 附從. 賓從. 散從. 三從. 率從. 隨從. 順從. 侍從. 衛從. 類從. 翼從. 忍從.

任從. 適從. 專從. 正從. 主從. 聽從. 追從. 風行草從. 合從. 協從. 脅從. 扈從. 後從.

8 ⑪ [徛] 기 ①㊥支 丘奇切 ②㊤紙 渠綺切 jì ③㊦寘 居義切

字解 ①건널 기 정강이를 들어 물을 건넘. '一, 擧脛有渡也'《說文》. ②설 기 서서 있음. '一, 立也'《廣韻》. ③징검다리 기 돌을 늘어놓은 징검다리. '石杠謂之一'《爾雅》.

字源 篆文 形聲. 彳+奇〔音〕. '奇기'는 '희한하다, 별나다'의 뜻. 정강이를 들어 올리고 내를 건너다의 뜻을 나타내며, 또 그때 건너가는 징검돌의 뜻을 나타냄.

8 ⑪ [徠] 人名 래 ①㊥灰 落哀切 lái ②㊦隊 洛代切 lái 徠

字解 ①올 래 來(人部 六畫)와 同字. '天馬一從西極'《漢書》. ②위로할 래 勑(力部 八畫)와 同字. '親自勞一'《隋書》.

字源 形聲. 彳+來〔音〕. '來래'는 '온다'의 뜻. 또, 길을 오게 하여 (불러서) 위로하다의 뜻도 나타냄.

[徠服 내복] 와서 복종함. 내복(來服).
[徠臣 내신] 와서 신하가 됨.
◉勞徠. 徂徠. 招徠.

8 ⑪ [御] 高人 ㊀ 어 ㊦御 牛倨切 yù ㊁ 아 ㊦禡 魚駕切 yà

筆順 彳 彳 彳 彳 彳 徃 御 御

字解 ㊀ ①어거할 어 거느림. 통치함. '統一'. '振長策而一宇內'《賈誼》. ②부릴 어 말 같은 것을 부림. '使造父一'《史記》. ③마술(馬術) 어 말을 부리는 술법. '禮樂射一書數'《周禮》. ④마부 어 말을 부리는 사람. '撫其一之手'《說苑》. ⑤모실 어 시종(侍從)함. '一其母以從'《書經》. ⑥괼 어 부녀(婦女)를 총애함. '斥西施而弗一'《張衡》. ⑦드릴 어 윗사람에게 올림. '一食于君'《禮記》. 전(轉)하여, 천자(天子)에 관한 일의 경칭(敬稱)으로서 이 자를 붙임. '臨一'. '一製'. '宴見進一之次'《唐書》. '命周人, 出一書俟于宮'《左傳》. ⑧주장할 어 맡음. '長曰能一矣, 幼曰未能一也'《禮記》. ⑨시비(侍妃) 어 천자(天子)의 첩. 후궁(後宮). '嬪一'. '妾一莫敢當夕'《小學》. ⑩아내 어 처(妻). '農不出一'《呂氏春秋》. ⑪막을 어 禦(示部 十一畫)와 同字. '亦以一冬'《詩經》. ⑫성 어 성(姓)의 하나. ㊁ 맞을 아 迓(辵部 四畫)와 同字. '百兩一之'《詩經》.

字源 甲骨文 金文 篆文 古文 形聲. 辵+卩+午〔音〕. '午오'는 절굿공이 모양의 신체(神體)의 상형. '卩절'은 무릎 꿇는 형상. 신 앞에 나아가 무릎 꿇고 신을 맞다의 뜻을 나타냄. '馭어'와 통하여, 말을 부리다의 뜻도 나타냄.

[御街 어가] 대궐(大闕)로 통(通)한 길. 대궐(大闕) 안의 길.
[御駕 어가] 임금이 타는 수레. 대가(大駕).
[御間 어간] 절의 법당(法堂)이나 큰 방(房) 한복판에 있는 간(間).
[御衮 어곤] 천자(天子)의 제복(制服). 곤룡포(衮龍袍).
[御供 어공] 임금에게 물건을 진공(進供)함.
[御溝 어구] 대궐(大闕) 안의 도랑.
[御軍幕 어군막] 《韓》 대가(大駕)가 잠시 머무는 곳. 막차(幕次).
[御極 어극] ㉠임금의 자리에 있는 동안. 재위(在位). ㉡천자(天子)의 자리에 오름. 등극(登極). 즉위(卽位).
[御氣 어기] ㉠마음으로 기질(氣質)을 다스림. ㉡바람을 타고 낢. 어풍(御風). ㉢어원(御苑)의 서늘한 공기(空氣).
[御道 어도] 거둥길.
[御冬 어동] 겨울 추위를 막음. 어동(禦冬).
[御覽 어람] 임금이 봄.
[御簾 어렴] 궁전에서 치는 발.
[御路 어로] ㉠거둥길. ㉡임금의 수레. 노(路)는 노(輅).
[御廩 어름] 천자 또는 제후(諸侯)가 조상의 제사에 쓰려고 친히 경작하여 거둔 곡식을 넣어 두는 곳간.
[御名 어명] 임금의 이름. 어휘(御諱).
[御命 어명] 임금의 명령(命令).
[御物 어물] 임금이 쓰는 물건.
[御房 어방] 천자(天子)가 쓰는 방.
[御寶 어보] 어새(御璽).
[御本 어본] 천자(天子)의 장서(藏書).
[御府 어부] 임금이 쓰는 물품을 넣어 두는 곳집.
[御批 어비] ㉠임금이 정사(政事)를 처리함. ㉡임금이 문서(文書)를 열람한 후, 붙이는 말.
[御史 어사] ㉠주대(周代)에는 기록을 맡은 벼슬. ㉡진한(秦漢) 이후에는 백관(百官)의 규찰(糾察)을 맡은 벼슬. 후세에 그 장관을 어사대부(御史大夫)라 함. ㉢《韓》 지방관(地方官)의 치적(治績) 또는 백성(百姓)의 질고(疾苦)를 살피기 위하여 특파(特派)하는 비밀의 사신(使臣).
[御師 어사] 천자(天子)의 시의(侍醫).
[御史大夫 어사대부] 어사(御史) ㉡을 보라.
[御史雨 어사우] 당대(唐代)에 오랫동안 가뭄이 들어 백성이 고생하고 있을 때, 안진경(顏眞卿)이 감찰 어사(監察御史)로서 백관(百官)의 죄(罪)를 다스리니, 이내 비가 쏟아졌다는 고사(故事)에서, 전(轉)하여 희우(喜雨)의 뜻으로 쓰임.
[御史出頭 어사출두] 《韓》 암행어사(暗行御史)가 중요(重要)한 사건을 처리(處理)하기 위하여 지방 관아(地方官衙)에 가서 개좌(開坐)하는 일.
[御賜花 어사화] 《韓》 문무과(文武科) 급제자(及第者)에게 하사하는 종이로 만든 꽃.
[御璽 어새] 옥새(玉璽).
[御書閣 어서각] 어필각(御筆閣).
[御膳 어선] 임금에게 진공(進供)하는 음식(飮食). 수라(水刺).
[御所 어소] 임금이 있는 곳. 궁중.
[御試 어시] 친시(親試).
[御食 어식] ㉠임금이 내려 주는 음식(飮食). ㉡임금 옆에서 배식(陪食)함.
[御押 어압] 《韓》 임금의 수결(手決)을 새긴 도장(圖章).
[御愛 어애] 임금이 사랑함.
[御筵 어연] 임금이 있는 자리. 전(轉)하여, 거둥. 또, 거둥하는 장소.

[御營大將 어영대장] 《韓》 어영청(御營廳)의 우두머리 장수(將帥).
[御營廳 어영청] 《韓》 영문(營門)의 이름.
[御用 어용] 어물(御物).
[御容 어용] 제왕(帝王)의 상(像).
[御宇 어우] ㉠천하(天下)를 다스림. ㉡천자(天子)가 재위(在位)하는 동안.
[御苑 어원] 대궐(大闕) 안에 있는 동산. 어원(御園). 궁원(宮苑). 금원(禁苑).
[御醫 어의] 임금의 시의(侍醫).
[御者 어자] 말을 부리는 사람. 마부 또 시종(侍從).
[御仗 어장] 천자(天子)의 의장(儀仗). 천자가 거둥할 때의 호위병(護衛兵).
[御在 어재] 시좌(侍坐)함.
[御前 어전] ㉠존귀한 사람을 옆에서 모심. ㉡임금이 있는 자리. 어좌(御座).
[御箋 어전] 임금이 친히 쓴 서면(書面). 어찰(御札).
[御製 어제] 임금이 지은 시문(詩文).
[御題 어제] ㉠임금이 친히 쓴 제자(題字). ㉡임금이 친히 보이는 과거의 글제.
[御座 어좌] ㉠북극성(北極星). ㉡임금이 있는 자리. 옥좌(玉座).
[御酒 어주] 임금이 내리는 술.
[御廚 어주] 임금에게 드리는 음식(飮食)을 만드는 곳. 수라간(水剌間).
[御眞 어진] 임금의 화상(畫像).
[御札 어찰] 임금이 친히 쓴 서면(書面). 전(轉)하여, 조서(詔書).
[御策 어책] 말을 부리는 채찍.
[御天 어천] 승천(昇天)함.
[御寢 어침] 임금의 취침(就寢).
[御榻 어탑] 임금이 있는 자리. 옥좌(玉座).
[御風 어풍] 바람을 타고 공중(空中)을 낢.
[御筆 어필] 임금의 글씨나 그림. 신필(宸筆).
[御筆閣 어필각] 임금의 필적(筆蹟)을 보관하는 전각(殿閣).
[御幸 어행] 행행(行幸).
[御患 어환] 임금의 환후(患候).
[御諱 어휘] 어명(御命).
◉駕御. 檢御. 供御. 貢御. 控御. 能御. 渡御. 督御. 僮御. 登御. 撫御. 防御. 配御. 服御. 僕御. 傳御. 崩御. 嬪御. 射御. 善御. 綏御. 侍御. 臣御. 晏子之御. 良御. 女御. 隷御. 移御. 引御. 日御. 臨御. 入御. 媵御. 將御. 制御. 奏御. 緝御. 進御. 鎭御. 驂御. 妾御. 總御. 騶御. 出御. 統御. 嬖御. 蹕御. 幸御. 還御. 訓御.

8 ⑪ [俾] 〔비〕
俾(人部 八畫〈p. 148〉)와 同字

8 ⑪ [徛] 치 [上]紙 直里切 zhì
[字解] 쌓을 치 저축함.

[術] 〔술〕
行部 五畫(p. 2048)을 보라.

9 ⑫ [徧] 편 [去]霰 方見切 biàn
[字解] ①두루미칠 편 ㉠빠짐없이 미침. '一于羣臣'《書經》. ㉡미치지 않는 곳이 없음. '今大國之地一天下'《史記》. ②두루다닐 편 빠짐없이 다님. '周一五嶽四瀆'《漢書》. ③두루 편 하나도 빠짐없이. '一歷'. '閉戶一讀家藏書'《陸游》.
[字源] 篆文 形聲. 彳+扁〔音〕. '扁편'은 '넓적하다' 뜻. 넓게 퍼지다의 뜻을 나타냄.

[徧讀 편독] 두루 읽음. 박람(博覽).
[徧歷 편력] ㉠널리 돌아다님. 편력(遍歷). ㉡두루 앎.
[徧報 편보] 두루 보답함. 한결같이 보은(報恩)함.
[徧賜 편사] 모든 사람에게 내려 줌.
[徧搜 편수] 두루 찾음.
[徧循 편순] 두루 추종(追從)함.
[徧身 편신] 전신(全身). 편신(遍身). 만신(滿身).
[徧照 편조] 빠짐없이 비춤.
[徧頫 편조] 천자(天子)가 모든 제후(諸侯)를 두루 인견(引見)하는 일.
[徧周 편주] 전체에 미침. 두루 미침.
[徧地 편지] 온 지면(地面)에. 만지(滿地).
[徧體 편체] 편신(徧身).
◉均徧. 周徧.

9 ⑫ [徨] [人名] 황 [平]陽 胡光切 huáng
[字解] 배회할 황 노닒. '彷一乎無爲其側'《莊子》.
[字源] 形聲. 彳+皇〔音〕. '皇황'은 '往왕'과 통하여, '크게 가다'의 뜻. '彳척'을 붙여 '가다'의 뜻을 나타냄.

[徨徨 황황] 배회하는 모양. 방황(彷徨)하는 모양.
◉彷徨.

9 ⑫ [復] [中人] [一] 부 [去]宥 扶富切 fù [二] 복 [入]屋 房六切 fù 复

[筆順] 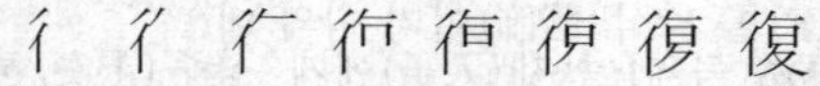
[字解] [一] ①다시 부 또. 재차. '天一命武王也'《詩經》. ②덮을 부 覆(襾部 十二畫)와 통용. '陶一陶穴'《詩經》. [二] ①회복할 복 '一位'. '興一漢室'《諸葛亮》. ②돌아갈 복 ㉠먼저 있던 곳으로 돌아감. '一歸'. '言歸思一'《詩經》. ㉡원상태로 돌아감. '一古'. '可悉一舊'《宋書》. ③돌려보낼 복 반려(返戾)함. '吾弔則一殯服'《禮記》. ④되풀이할 복 반복함. '反一'. '南容三一白圭'《論語》. ⑤대답할 복 '一答'. '說一于王'《書經》. ⑥사뢸 복 아룀. '願有一也'《禮記》. ⑦복명할 복 명령을 받아 한 것을 상신(上申)함. 반명(反命)함. '諸臣之一'《周禮》. ⑧갚을 복 ㉠보상(補償)함. '除喪則不一昏禮乎'《禮記》. ㉡보은 또는 보복함. '一讐'. '我必一楚國'《左傳》. ⑨덜 복 제거함. '消一災眚'《後漢書》. ⑩면할 복 면제함. '一租'. '七大夫以下, 皆一其身及戶, 勿事'《漢書》. ⑪고복 복 초혼(招魂). '招魂曰一, 盡愛之道也'《禮記》. ⑫복괘 복 육십사괘(六十四卦)의 하나. 곧, ䷗〈진하(震下), 곤상(坤上)〉. 기운(機運)이 순환하는 상(象). ⑬겹칠 복 중복함. 複(衣部 九畫)과 통용. '爲一道'《史記》.
[字源] 甲骨文 金文 篆文 形聲. 彳+夏(夏)〔音〕. 甲骨文은 畐〈省〉+夊. '畐복'은 통통한 술 항아리의 상형. 뒤집힌 술 항아리를 본디대로 바로 놓다의 뜻. '夊쇠'는 발길

을 돌리는 모양의 상형. 본디의 길을 되돌아오는 뜻을 나타냄. 전(轉)하여, '다시'의 뜻도 나타냄. 뒤에, '彳척'을 붙임.

[復古 복고] 옛날 모양대로 돌아감. 또, 옛날 모양으로 돌아가게 함.
[復校 복교] 정학(停學) 또는 휴학(休學)한 학생이 다시 등교하게 됨.
[復仇 복구] 복수(復讎).
[復舊 복구] 그전 모양으로 돌아감.
[復九世之讎 복구세지수] 구 대(九代) 전의 조상의 원수를 갚음. 오래된 옛적 원수를 갚음을 이름.
[復權 복권] 법률에 의하여 잃은 공권(公權)을 회복(回復)함.
[復歸 복귀] ㉠먼저 있던 곳으로 되돌아감. ㉡다시 전 지위(地位)로 돌아감.
[復道 복도] 상하 이중(二重)의 길. 두 층으로 된 낭하(廊下).
[復命 복명] ㉠사명(使命)을 띤 사람이 그 일을 마치고 돌아와서 아룀. ㉡성명(性命)의 근본(根本)에 돌아감. ㉢소생(蘇生)함.
[復文 복문] 답서(答書).
[復辟 복벽] 퇴위(退位)한 천자(天子)가 다시 즉위함. 벽(辟)은 군(君).
[復性 복성] 사욕(私慾)을 버리고 본성(本性)으로 돌아감.
[復姓 복성] 딴 성(姓)을 일컫던 사람이 다시 본성(本姓)으로 돌아감.
[復性書 복성서] 당(唐)나라 한유(韓愈)의 문인(門人) 이고(李翺)가 사람의 심성(心性)에 관하여 논(論)한 책. 3편.
[復讎 복수] 원수의 앙갚음.
[復習 복습] 배운 것을 되풀이하여 익힘.
[復飾 복식] 승려(僧侶)의 환속(還俗). 출가(出家)를 낙식(落飾)이라 함의 대.
[復逆 복역] 천자(天子)에게 상주(上奏)하는 일과 천자의 명(命)을 받드는 일.
[復元 복원] 원래대로 회복함.
[復圓 복원] 일식(日蝕) 또는 월식(月蝕)이 끝나고 해 또는 달이 도로 둥글게 됨.
[復位 복위] 폐위(廢位)가 되었던 제왕(帝王)·후비(后妃)가 다시 그 지위(地位)를 회복함.
[復籍 복적] 혼인(婚姻) 혹은 양자(養子)에 의하여 제적(除籍)되었던 사람이 제 집의 호적(戶籍)으로 다시 돌아감.
[復除 복제] 요역(徭役)을 면제(免除)함.
[復租 복조] 조세를 면제함.
[復職 복직] 휴직·퇴직했던 사람이 본디 직(職)으로 돌아옴.
[復初 복초] 처음의 본성(本性)으로 돌아감.
[復土 복토] 광중(壙中)에 하관(下棺)하고 흙을 덮음. 판 흙을 원장소로 되돌아가게 한다는 뜻.
[復生 부생] 소생(蘇生)함. 부활(復活).
[復用 부용] 다시 사용함. 두 번 씀.
[復土 부토] 복토(復土).
[復活 부활] ㉠소생(蘇生)함. ㉡재흥(再興)함.
[復興 부흥] 다시 일으킴. 또다시 일어남.
◉凱復. 蠲復. 椢復. 匡復. 矯復. 圭復. 克復. 剋復. 給復. 起復. 剝復. 反復. 拜復. 報復. 本復. 賜復. 三復. 雪復. 紹復. 修復. 收復. 酬復. 習復. 往復. 優復. 一陽來復. 振復. 平復. 回復. 恢復. 興復.

9 ⑫ [徥] ㊀ 시 ㊥支 常支切 ㊤紙 承紙切 shì ㊁ 대 ㊤蟹 徒駭切 ㊂ 치 ㊤紙 池爾切 ㊃ 태 ㊥佳 度皆切

字解 ㊀ ①갈 시 걸어가는 모양. '一, 一一, 行皃也'《說文》. ②법 시 '爾雅曰, 一, 則也'《說文》. ㊁ ①갈 대 걸어감. 또, 그 모양. '一, 行皃'《廣韻》. '一, 行也'《集韻》. ②우아할 대 '一, 一曰, 細而有容'《集韻》. ㊂ 갈 치 가는 모양. '一, 行皃. 朝鮮語也'《廣韻》. ㊃ ①갈 태 '徍一'는 비척거리며 가는 모양. '徍, 徍一, 邪行皃'《集韻》. ②우아할 태 '秦晉之閒, 凡細而有容, 謂之䰈, 或曰一'《揚子方言》.
字源 形聲. 彳+是〔音〕.

9 ⑫ [循] 高·人 순 ㊥眞 詳遵切 xún

筆順 彳 彳 行 䘙 䘙 循 循 循

字解 ①좇을 순 ㉠복종함. 순종함. '一俗'. '卿大夫以一法爲節'《禮記》. ㉡따름. 의(依)함. '一牆而走'《十八史略》. '一山而南'《左傳》. ㉢답습함. '必一其故'《呂氏春秋》. ②돌아다닐 순 巡(巛部 四畫)과 同字. '一行國邑'《禮記》. ③돌 순 순환함. '一轉'. '三王之道, 若一環, 終而復始'《史記》. ④어루만질 순 ㉠손으로 쓰다듬음. '自一其刀環'《漢書》. ㉡위무(慰撫)함. '一撫'. '拊一勉百姓'《漢書》. ⑤미적미적할 순 결단을 내리지 않고 머무적거리는 모양. '顧客無因一'《李商隱》. ⑥차례있을 순 정연함. '一然善誘人'《論語》. ⑦성 순 성(姓)의 하나.
字源 甲骨文 篆文 形聲. 彳+盾〔音〕. '盾순'은 '馴순'과 통하여, '따르다'의 뜻. '따라가다'의 뜻을 나타냄.

[循篤 순독] 온순하고 인정이 있음.
[循良 순량] 법(法)을 잘 지키며, 선량함. 또, 그 사람.
[循吏 순리] 순량(順良)하여 법을 잘 지키는 관리(官吏).
[循理 순리] 도리(道理)를 따름.
[循法 순법] 법을 좇음.
[循常 순상] 심상(尋常).
[循俗 순속] 풍속(風俗)을 좇음.
[循守 순수] 좇아서 지킴. 준수(遵守).
[循循然 순순연] 순서가 있는 모양. 정연(整然)한 모양.
[循轉 순전] 빙빙 돎.
[循次 순차] 차례를 좇음.
[循行 순행] 여러 곳으로 돌아다님. 순행(巡行).
[循環 순환] ㉠구르는 고리라는 뜻으로, 사물(事物)의 인과 왕래(因果往來)가 끝이 없음의 비유. ㉡쉬지 않고 자꾸 돎.
[循環論法 순환논법] 논증(論證)되어야 할 명제(命題)를 논증의 근거(根據)로 삼는 오류(誤謬)의 논법(論法). 예(例)를 들면, '거짓말은 죄악(罪惡)이다. 왜냐하면, 거짓말은 죄악이기 때문에.' 하는 따위.
[循環之理 순환지리] 영고성쇠(榮枯盛衰) 등의 순환(循環)하는 이치(理致).
◉撫循. 拊循. 緣循. 因循. 頂針回循. 逡循. 蹲循. 持循.

9 ⑫ [徖] 一 유 ㊤有 忍九切 rǒu
二 뉴 ㊤有 女久切 niǔ

字解 一 돌아갈 유 '一, 復也'《說文》. 二 ①돌아갈 뉴 一과 뜻이 같음. ②익힐 뉴 익숙하게 함. '一, 習也'《廣韻》.

字源 形聲. 彳+柔〔音〕

9 ⑫ [徸] 一 종 ㊤腫 之隴切 zhǒng
二 동 ㊤董 徒孔切 dòng

字解 一 뒤미처갈 종 踵(足部 九畫)과 同字. '一, 相迹也'《說文》. 二 動(力部 九畫)의 古字.

字源 形聲. 彳+重〔音〕

9 ⑫ [徣] 개 ㊥佳 丘皆切 kāi

字解 거닐 개 '徘一, 行惡'《集韻》.

9 ⑫ [假] 一 가 ㊤馬 擧下切 jiǎ
二 하 ㊥麻 何加切 xiá

字解 一 이를 가 목적한 곳에 닿음. '一, 至也'《說文》. 二 멀 하 가깝지 않음. 遐(辵部 九畫)와 통용. '沇沇四塞, 一狄合處'《漢書 註》.

字源 篆文 形聲. 彳+叚〔音〕. '叚가'는 '各각·格격'과 통하여, '이르다'의 뜻을 나타냄.

10 ⑬ [徭] 요 ㊥蕭 余招切 yáo

字解 ①역사 요 부역(賦役). '一役'. '平一賦'《後漢書》. ②성 요 성(姓)의 하나.

字源 形聲. 彳+䍃〔音〕. '䍃요'는 바르게는 '䍃요'로서, 신에게 고기를 바치고 노래 부르는 모양을 나타냄. 공용(公用)을 위해서 가는 사람의 뜻을 나타냄.

[徭稅 요세] 부역(賦役)과 조세(租稅).
[徭戍 요수] 변경(邊境)을 수비(守備)하는 일. 또, 그 병졸(兵卒).
[徭役 요역] 나라에서 구실 대신으로 시키는 노동(勞動). 노역(勞役). 부역(賦役).
◉給徭. 賦徭. 戍徭. 雜徭. 丁徭. 租徭.

10 ⑬ [微] 高人 미 ㊥微 無非切 wēi(wéi)

筆順 彳 彳 彴 彴 㣲 徾 微 微

字解 ①작을 미 '一物'. '具體而一'《孟子》. ②정묘할 미 아주 묘함. '一妙'. '未可謂一也'《荀子》. ③천할 미 미천함. '一時'. '子思臣也一也'《孟子》. ④희미할 미 어슴푸레함. '熹一'. '雲月遞一明'《杜甫》. ⑤은밀할 미 비밀임. '人可與一言乎'《列子》. ⑥쇠할 미 쇠잔함. '衰一'. '斯理日一滅'《張九齡》. ⑦숨길 미 은닉함. '其徒一之'《左傳》. ⑧엿볼 미 정찰함. '使人一知賊處'《漢書》. ⑨아닐 미 非(部首)와 뜻이 같음. '一我無酒'《詩經》. ⑩없을 미 無(火部 八畫)와 뜻이 같음. '一管仲, 吾其被髮左衽矣'《論語》. ⑪조금 미, 몰래 미 약간. 또, 비밀히. '一行'. '小我皆一有所知'《北史》. ⑫성 미 성(姓)의 하나.

字源 篆文 形聲. 彳+敚〔音〕. '敚미'는 '微'의 원자(原字)로 攴+耑의 변형. '耑단'은 '선단(先端)'의 뜻. '彳척'을 붙여서, 사람 눈에 띄지 않게 가다의 뜻을 나타냈으나, 일반적으로 '희미하다'의 뜻을 나타냄.

[微感 미감] 약간의 감동(感動). 마음이 조금 내킴.
[微譴 미견] 작은 죄. 하찮은 견책(譴責).
[微戒 미계] 넌지시 경계함.
[微官 미관] 낮은 관직(官職).
[微煦 미구] 약간의 햇빛.
[微軀 미구] 천(賤)한 몸. 전하여, 자기 몸의 겸칭.
[微動 미동] 미약(微弱)하게 움직임.
[微瀾 미란] 잔물결. 세파(細波).
[微冷 미랭] 조금 찬 듯함.
[微涼 미량] 조금 서늘함.
[微力 미력] 작은 힘. 하찮은 수고. 전(轉)하여, 자기의 힘의 겸칭(謙稱).
[微祿 미록] 얼마 안 되는 녹봉(祿俸). 박봉(薄俸).
[微利 미리] 작은 이익.
[微茫 미망] 흐릿한 모양. 모호한 모양.
[微昧 미매] ㉠어슴푸레함. ㉡알기 어려움.
[微滅 미멸] 쇠(衰)하여 없어짐.
[微明 미명] ㉠어슴푸레한 빛. 또, 어슴푸레함. ㉡속이 깊은 지려(智慮).
[微妙 미묘] 정미(精微)하고 현묘(玄妙)함.
[微眇 미묘] 아주 작음.
[微文 미문] 미사(微辭).
[微物 미물] ㉠작은 물건. 변변치 못한 물건. ㉡작고 보잘것없는 것이라는 뜻으로, 동물을 이름.
[微微 미미] ㉠보잘것없이 아주 미약한 모양. ㉡그윽하고 고요한 모양. ㉢작은 모양.
[微薄 미박] ㉠주는 물품(物品)이나 정성(精誠)이 박함. ㉡작은 발〔簾〕.
[微班 미반] 낮은 지위(地位). 계급이 낮음.
[微芳 미방] 간신히 맡을 수 있는 그윽한 방향(芳香). 미향(微香).
[微白 미백] 날 샐 녘.
[微服 미복] 변장(變裝). 또, 변장을 함.
[微辭 미사] 은근히 돌려서 말하는 언어·문자. 완곡(婉曲)한 말.
[微尙 미상] 자기의 호상(好尙)을 겸손하게 이르는 말.
[微傷 미상] 작은 상처(傷處). 경상(輕傷).
[微生物 미생물] 육안으로 볼 수 없는 작은 생물.
[微誠 미성] 조그마한 정성이라는 뜻으로, 남에게 표시하는 '자기의 정성(精誠)'을 겸손하게 이르는 말.
[微細 미세] ㉠미소(微小). ㉡미천(微賤). ㉢꼼꼼함. 빈틈이 없음.
[微小 미소] 썩 작음.
[微笑 미소] 소리 없이 빙긋이 웃음.
[微素 미소] ㉠신분이 비천하여 세상에 드러나지 못함. ㉡미성(微誠).
[微瑣 미쇄] 미세(微細).
[微睡 미수] 잠시 눈을 붙임.
[微時 미시] 이전에 미천(微賤)하였을 때.
[微息 미식] 미약한 숨.
[微臣 미신] 천한 신하. 전(轉)하여, 신하(臣下)가 군주(君主)에 대한 자기의 겸칭(謙稱).
[微哦 미아] 미음(微吟).
[微痾 미아] 미양(微恙).
[微弱 미약] 아무 힘이 없이 잔약함. 극히 무력함.

[微恙 미양] 대단치 아니한 병(病).
[微言 미언] ㉠미묘(微妙)한 말. 함축(含蓄)이 있는 말. ㉡수수께끼. 은어(隱語).
[微與 미여] 남의 하는 짓을 하지 말라고 제지(制止)하는 말.
[微熱 미열] 대단치 아니한 열.
[微溫 미온] 미지근함.
[微溫水 미온수] 미지근한 물.
[微溫湯 미온탕] 미온수(微溫水).
[微婉 미완] 문사(文詞)·언어(言語) 등을 부드럽게 함.
[微雨 미우] 이슬비. 가랑비.
[微吟 미음] 아주 낮은 소리로 읊조림.
[微陰 미음] ㉠음력(陰曆) 5월의 별칭(別稱). ㉡날이 조금 흐림.
[微意 미의] 미지(微志).
[微子 미자] ㉠은(殷)나라 주왕(紂王)의 서형(庶兄). 미(微)는 국명(國名), 자(子)는 작위(爵位)임. 이름은 계(啓). 주(紂)를 여러 차례 간(諫)하였으나 듣지 않으매 마침내 나라를 떠났음. 뒤에 주공(周公)이 주(紂)의 아들 무경(武庚)을 주벌(誅伐)하였을 때 미자를 송국(宋國)에 봉(封)하고 은(殷)나라의 여민(餘民)을 다스리게 하였음. ㉡당(唐)나라 때 시인(詩人) 원진(元稹)의 자(字). ㉢양자(養子)를 일컬음.
[微中 미중] 미풍(微諷).
[微旨 미지] 미묘한 뜻. 유현(幽玄)한 뜻.
[微志 미지] 변변치 못한 뜻. 전(轉)하여, 자기의 뜻의 겸칭(謙稱).
[微知 미지] 엿보아 앎. 탐지함.
[微指 미지] 뚜렷이 밝히지 않은 마음. 어떻다고 나타나지 않은 마음. 천자(天子)의 속마음을 이름.
[微塵 미진] ㉠작은 티끌. ㉡썩 작음. 또, 썩 작은 물건.
[微喘 미천] 가늘게 쉬는 숨. 조금 남은 여생(餘生).
[微賤 미천] 신분(身分)이 낮음.
[微忠 미충] 변변치 못한 충성. 자기의 충성의 겸칭(謙稱).
[微衷 미충] 미지(微志).
[微醉 미취] 약간 취(醉)함.
[微忱 미침] 자그마한 정성(精誠). 자기 정성의 겸칭(謙稱).
[微波 미파] ㉠잔물결. 소파(小波). ㉡남몰래 하는 눈짓.
[微風 미풍] 살살 부는 바람.
[微諷 미풍] 은근히 풍자함.
[微瑕 미하] 사소한 결점. 약간의 흠.
[微恨 미한] 조그마한 원한.
[微寒 미한] 약간 추운 추위.
[微行 미행] ㉠남몰래 다님. ㉡작은 길. 골목길.
[微香 미향] 미방(微芳).
[微顯而闡幽 미현이천유] 아무라도 알 수 있는 일까지도 깊이 캐내어서 오묘(奧妙)한 지경(地境)에까지 도달(到達)하여, 세상(世上)이 모르는 원리(原理)를 구명(究明)해 냄.
[微和 미화] 약간의 온기(溫氣). 조금 따뜻함.
[微醺 미훈] 미취(微醉).
◉輕微. 極微. 幾微. 機微. 單微. 萬微. 密微. 貧微. 三微. 纖微. 細微. 少微. 衰微. 式微. 深微. 淵微. 隱微. 依微. 離微. 湮微. 紫微. 精微. 至微. 賤微. 翠微. 仄微. 側微. 太微. 寒微. 顯微. 忽微. 熹微.

10 ⑬ [徆] 설 ㉧屑 先結切 xiè
字解 옷너펄거릴 설 옷자락이 너펄거리는 모양. '媥姺徆—'《司馬相如》.

10 ⑬ [徯] 혜 ①㊤薺 胡禮切 xī ②㊥齊 胡雞切
字解 ①기다릴 혜 蹊(立部 十畫)와 통용. '書曰, —我后'《孟子》. ②샛길 혜 蹊(足部 十畫)와 통용. '塞—徑'《禮記》.
字源 篆文 別體 形聲. 彳+奚〔音〕. '奚혜'는 '끈으로 잇다'의 뜻. 가는 끈을 이은 것 같은 '오솔길'의 뜻을 나타냄.

[徯徑 혜경] 샛길. 소로(小路).

10 ⑬ [徬] 〔방〕 傍(人部 十畫〈p. 165〉)·彷(彳部 四畫〈p. 736〉)과 同字
字源 甲骨文 篆文 形聲. 彳+旁〔音〕. '旁방'은 곁의 뜻. 곁에 따라가다, 따라붙다의 뜻을 나타냄. '彷방'과 통하여, 방황하다의 뜻으로도 쓰임.

10 ⑬ [得] 〔득·덕〕 得(彳部 八畫〈p. 745〉)의 本字

11 ⑭ [徳] 〔덕〕 德(彳部 十二畫〈p. 753〉)의 略字

11 ⑭ [徖] 실 ㉧質 息七切 xiè
字解 흔들릴 실 요동함. '—徆'.

[徖徆 실설] 흔들림. 요동함.

11 ⑭ [徴] 徵(次次條)의 略字

[徽] 〔휘〕 巾部 十一畫(p. 680)을 보라.

12 ⑮ [徵] 高人 ㊀ 징 ㊥蒸 陟陵切 zhēng, ⑨chéng ㊁ 치 ㊤紙 陟里切 zhǐ
筆順 彳 𢓊 𢓊 徨 徨 徨 徨 徵
字解 ㊀ ①부를 징 호출함. '—召'. '—至長安'《漢書》. ②구할 징 요구함. '—詩文'. '寡人是—'《左傳》. ③거둘 징 구실 같은 것을 거두어들임. '—斂'. '以時—其賦'《周禮》. ④조짐 징 전조. '—祥'. '是其—也'《左傳》. ⑤효험 징 효과. '—效'. '久則—, —則悠遠'《中庸》. ⑥증거 징 증명. '—據'. '杞不足—也'《論語》. ⑦이룰 징 성취(成就)함. '故聖人見化, 以觀其—也'《淮南子》. ⑧밝힐 징 명백히 함. '以—過也'《左傳》. ⑨징계할 징 懲(心部 十五畫)과 통용. '且—其未也'《荀子》. ⑩성 징 성(姓)의 하나. ㊁ 음률이름 치 오음(五音)의 하나. 이를 합치고 입술을 열어 내는 격렬한 음. 오행(五行)에서 화(火)에, 사시(四時)로는 여름〔夏〕에 배당함. '宮商角—羽'.
字源 篆文 形聲. 彳+壬+攴+𡳿〔音〕. '壬임'은 남보다 뛰어난 사람의 뜻. '𡳿지'는

'登등'과 통하여, '등용하다'의 뜻. 뛰어난 인재를 거두다의 뜻을 나타냄. 또, 내세울 만한 가치가 있는 증거, 표지의 뜻도 나타냄.

[徵歌 징가] 명(命)하여 노래를 부르게 함.
[徵擧 징거] 조정(朝廷)에서 불러 채용(採用)함.
[徵據 징거] 증거(證據).
[徵君 징군] 징사(徵士)의 존칭(尊稱).
[徵納 징납] ㉠징소(徵召). ㉡《韓》 수령(守令)이 세금(稅金)을 거두어 나라에 바침.
[徵斂 징렴] 조세를 거둠.
[徵令 징령] 호출하는 명령.
[徵命 징명] 징소(徵召)하는 명령.
[徵募 징모] 불러서 모집(募集)함.
[徵拔 징발] 가려냄.
[徵發 징발] ㉠조정(朝廷)에서 부름. ㉡전쟁(戰爭) 또는 사변(事變)이 있을 때 사람이나 말을 뽑아 모으거나 군수품(軍需品)을 거둠.
[徵辟 징벽] 관리(官吏)로 등용하기 위하여 부름.
[徵兵 징병] 국가(國家)에서 장정(壯丁)을 불러 모아 병역(兵役)에 복무시킴. 또, 그 군사(軍士).
[徵捧 징봉] 징수(徵收).
[徵聘 징빙] 조정(朝廷)에서 예(禮)를 갖추어 부름.
[徵士 징사] 조정(朝廷)에서 부른 학덕(學德)이 높은 선비.
[徵祥 징상] 길조(吉兆).
[徵稅 징세] 조세(租稅)의 징수(徵收).
[徵召 징소] 조정(朝廷)에서 부름. 호출함.
[徵收 징수] 조세(租稅)·벌금(罰金) 등을 거둠.
[徵役 징역] 불러 공공(公共)의 일을 시킴.
[徵用 징용] ㉠징발(徵發)하거나 징수(徵收)하여 사용함. 징용(徵庸). ㉡국가 권력으로 국민을 일정한 업무에 강제적으로 종사시킴.
[徵庸 징용] 징용(徵用) ❶.
[徵應 징응] 《佛敎》 행위의 선악에 따라 응보(應報)함.
[徵兆 징조] 조짐. 전조(前兆).
[徵集 징집] ㉠물품(物品)을 거두어 모음. ㉡징모(徵募).
[徵招 징초] ㉠징빙(徵聘). ㉡제(齊)나라 혜공(惠公)이 지은 음악(音樂). 초(招)는 소(韶).
[徵逐 징축] 부르고 불리고 하여 친(親)하게 왕래(往來)함.
[徵幣 징폐] 결혼의 폐백(幣帛).
[徵驗 징험] ㉠징효(徵效). ㉡징거(徵據).
[徵還 징환] 소환(召還)함.
[徵會 징회] 불러서 모음.
[徵效 징효] 보람. 효험(效驗).
[徵候 징후] 징조(徵兆).
◉激徵. 景徵. 鼓徵. 咎徵. 宮徵. 貴徵. 奇徵. 納徵. 明徵. 夢徵. 美徵. 變徵. 兵徵. 符徵. 聘徵. 三徵. 象徵. 庶徵. 瑞徵. 性徵. 壽徵. 禮徵. 正徵. 重徵. 淸徵. 追徵. 特徵. 敗徵. 暴徵. 表徵. 橫徵. 效徵. 休徵.

12 ⑮ [德] 中人 덕 ㊀職 多則切 dé

筆順 彳 彳 彳 德 德 德 德 德

字解 ①덕 덕 ㉠도(道)를 행하여 체득(體得)한 품성. '一行'. 또, 덕을 갖춘 사람. '一不孤'. '佑賢輔一'《書經》. ㉡도덕. 정의(正義). '中庸之爲一也, 其至矣乎'《論語》. ㉢공덕. 이익. '下非地一'《國語》. ㉣교화(敎化). '布一和令'《禮記》. ㉤은혜. '恩一'. '旣飽以一'《詩經》. ②복덕 행복. '百姓之一也'《禮記》. ③덕베풀 덕 은혜를 베풂. '又從而振一之'《孟子》. ④덕으로여길 덕 은덕을 느낌. '王曰然則一我乎'《左傳》. ⑤별이름 덕 목성(木星). '天其報一星'《漢書》. ⑥성 덕 성(姓)의 하나. ⑦독일 덕 독일(Deutsch)의 음역 '德意志'의 생략. '一國'.

字源 金文 篆文 形聲. 본디 彳+悳〔音〕. '悳덕'은 '똑바른 마음'의 뜻. '彳척'은 '가다'의 뜻. 똑바른 마음으로 인생길을 걷다의 뜻을 나타냄.

[德高望重 덕고망중] 인격(人格)이 높고 명망(名望)이 큼.
[德高量宏 덕고양굉] 인격이 높고 도량(度量)이 큼.
[德敎 덕교] 착한 길로 인도(引導)하는 교훈(敎訓).
[德禽 덕금] 닭〔鷄〕의 별칭.
[德氣 덕기] 어진 기색(氣色).
[德器 덕기] 덕행(德行)과 기국(器局). 착한 행실과 뛰어난 재능. 행(行)의 이룸을 덕(德)이라 하고, 재(才)의 이룸을 기(器)라 함.
[德量 덕량] 너그럽고 어진 도량(度量). 도덕과 사려(思慮).
[德令 덕령] 인정이 깊은 명령.
[德望 덕망] 덕행(德行)이 있는 명망(名望).
[德無陋 덕무루] 유덕(有德)한 사람은 어떠한 사람이든 다 교화(敎化)시킬 수 있으므로, 풍속(風俗)이 비천(卑賤)한 고장도 싫어하지 아니하고 안거(安居)함.
[德門 덕문] 덕행(德行)을 쌓은 집안. 적선(積善)한 집안.
[德配 덕배] 남의 아내의 높임말.
[德法 덕법] 백성을 다스리는 도(道).
[德分 덕분] 《韓》 좋은 일을 남에게 베풀어 주는 일. 덕택(德澤).
[德不孤 덕불고] 덕이 있는 사람은 그 덕에 감화되어 따르거나 돕는 자가 많으므로 고립(孤立)하지 아니함.
[德士 덕사] 도덕이 견고한 선비라는 뜻으로, 승려(僧侶)를 이름.
[德色 덕색] 스스로 은덕을 베풀었다고 자랑하는 얼굴빛.
[德性 덕성] 몸에 덕을 갖춘 바른 성질. 사람의 지성(至誠)의 성품.
[德星 덕성] ㉠목성(木星). ㉡세성(歲星). 세성(歲星)이 있는 곳엔 복(福)이 있다는 데서 이름. ㉢현인(賢人)의 비유(譬喩).
[德聲 덕성] 유덕(有德)하다는 평판.
[德水 덕수] ㉠황허(黃河)의 별칭(別稱). ㉡《佛敎》 수미산(須彌山) 아래 대해중(大海中)에 있다는 팔공덕수(八功德水). 감(甘)·냉(冷)·연(軟)·경(輕)·청정(淸淨)·불취(不臭)·마실 때 목을 상하지 않고, 마신 뒤에 배가 아프지 않음의 여덟 가지 공덕이 있다 함.
[德業 덕업] ㉠덕행과 사업(事業). ㉡은덕을 베푸는 행위.
[德譽 덕예] 유덕(有德)하다는 명예. 유덕하다는 칭찬. 덕칭(德稱).
[德友 덕우] 덕(德)을 사모(思慕)하여 사귀는 벗.
[德宇 덕우] 너그러운 품성(品性). 인격(人格).

인품(人品).
[德輶如毛 덕유여모] 도덕을 실행하는 것은 가벼운 털을 드는 것처럼 용이한 일임.
[德育 덕육] 학문(學問)을 가르쳐서 지식(知識)을 넓히는 동시에 도덕적(道德的) 의식(意識)을 계발(啓發)하여 지조(志操)를 건전하게 하여서 착한 사람이 되도록 하는 교육.
[德潤身 덕윤신] 덕(德)이 있으면 반드시 밖으로 드러남.
[德音 덕음] ㉠착한 말. 선언(善言). ㉡유덕(有德)하다는 평판. 덕성(德聲). ㉢천자(天子)의 말. 윤음(綸音). ㉣도덕(道德)에 맞는 음악(音樂).
[德義 덕의] ㉠사람이 행하여야 할 바른 도리. ㉡도덕상의 의무. ㉢덕행(德行)과 의리(義理). 덕행을 닦고 의리를 실행함.
[德人 덕인] 유덕(有德)한 사람. 덕행이 있는 사람.
[德日 덕일] 음양가(陰陽家)가 말하는 일체의 재물을 내놓아서는 안 된다고 하는 날. 정월·7월의 오(午)의 날, 2월·8월의 축(丑)의 날 따위.
[德政 덕정] 어진 정치(政治). 인정(仁政).
[德操 덕조] 끝까지 지켜서 변하지 않는 절조(節操).
[德車 덕차] 승용차(乘用車). 병차(兵車)·전차(田車)의 대(對).
[德稱 덕칭] 유덕(有德)하다는 칭찬.
[德澤 덕택] 은덕(恩德)이 다른 사람에게 미치는 혜택(惠澤).
[德風 덕풍] ㉠군자(君子)의 덕은 바람과 같고, 백성의 덕은 풀과 같은 것으로, 풀은 그 위로 바람이 불면 반드시 쓰러진다는 뜻. ㉡인덕(仁德)으로 사람을 감화(感化)함을 이름.
[德行 덕행] 어질고 두터운 행실(行實).
[德惠 덕혜] 은덕. 은혜(恩惠).
[德慧 덕혜] 덕행(德行)과 지혜.
[德化 덕화] 덕행(德行)으로 남을 감화(感化)시킴.
◉乾德. 儉德. 謙德. 經德. 高德. 坤德. 孔德. 公德. 功德. 巧言亂德. 寡德. 九德. 舊德. 君德. 耆德. 累德. 達德. 大德. 道德. 邁德. 明德. 武德. 無怨無德. 文德. 美德. 民德. 薄德. 背德. 報德. 報怨以德. 福德. 鳳德. 不德. 婦德. 否德. 菲德. 四德. 三達德. 三德. 爽德. 碩德. 成德. 盛德. 聖德. 腥德. 頌德. 修德. 宿德. 淑德. 順德. 失德. 惡德. 涼德. 陽德. 養德. 女德. 逆德. 令德. 穢德. 五德. 玩人喪德. 偉德. 威德. 有德. 遺德. 六德. 恩德. 隱德. 陰德. 飮德. 蔭德. 懿德. 人德. 仁德. 一德. 逸德. 一飯德. 積德. 帝德. 種德. 俊德. 峻德. 重德. 至德. 慙德. 彰德. 天德. 齒德. 七德. 悖德. 敗德. 表德. 風草德. 學德. 恒德. 玄德. 昏德. 孝德. 厚德. 休德. 凶德.

12 ⑮ [德] 德(前條)의 本字

12 ⑮ [徹] 高·人 철 ㉧屑 直列切 chè 彻

筆順 彳 ⿰彳丶 ⿰彳亠 ⿰彳𠫓 ⿰彳育 ⿰彳育 ⿰彳育𠂉 徹

字解 ①통할 철 ㉠통철함. '透—'. '物—疏明'《莊子》. ㉡전달함. '—命于執事'《左傳》. ②뚫을 철 '穿—'. '射之—七札'《左傳》. ③구실이름 철 주대(周代)의 전조(田租)의 제도로서, 수입의 십분의 일의 구실. '盍—乎'《論語》. ④벗길 철 박취(剝取)함. '—彼桑土'《詩經》. ⑤다스릴 철 '—田爲糧'《詩經》. ⑥치울 철 거둠. 제거함. '—床'. '軍衞不—'《左傳》. ⑦버릴 철 기증함. '捨—淨財'《隋煬帝》. ⑧부술 철 '—我牆屋'《詩經》. ⑨성 철 성(姓)의 하나.

字源 甲骨文 篆文 會意. 甲骨文은 鬲+又. '鬲력'은 솥의 상형. '又우'를 붙여, 식후의 뒤치다꺼리를 하다, 치워 없애다의 뜻을 나타냄. 篆文은 彳+育+攴의 會意 문자. '育육'은 '鬲'의 변형, '攴복'은 '又'의 변형. 일반적으로, 일이 마지막 치다꺼리에까지 이르다, 통하다, 이르다의 뜻을 나타내게 되고, '彳'을 붙였음.

[徹旦 철단] 철야(徹夜).
[徹頭徹尾 철두철미] 처음부터 끝까지. 철저히.
[徹白 철백] 꿰뚫어 보일 만큼 흼.
[徹法 철법] 주(周)나라 때의 조세법(租稅法). 백묘(百畝)의 사전(私田)을 받은 사람이 십묘(十畝)의 공전(公田)을 경작하여 그 수확을 관청에 바침. 곧, 십분지일(十分之一)의 납세법(納稅法).
[徹兵 철병] 주둔(駐屯)하였던 군대(軍隊)를 철수(撤收)함.
[徹床 철상] 음식상을 거두어 치움.
[徹曙 철서] 철야(徹夜).
[徹宵 철소] 철야(徹夜).
[徹夜 철야] 밤을 새움.
[徹悟 철오] 철저(徹底)히 깨달음.
[徹底 철저] ㉠깊이 속까지 이름. ㉡물이 맑아 깊은 속까지 환히 비침. ㉢일을 끝까지 관철(貫徹)하는 태도가 있음.
[徹晝 철주] 온종일.
[徹饌 철찬] 제사 지낸 음식을 거두어 치움.
[徹曉 철효] 철야(徹夜).
[徹侯 철후] 진한(秦漢) 이십 급(二十級)의 작제(爵制)의 최상위(最上位). 천자(天子)에 통(通)한다는 뜻. 그 후 한(漢)나라에서 무제(武帝)의 휘(諱)를 피하여 통후(通侯) 또는 열후(列侯)라 하였음.
◉減徹. 感徹. 高徹. 貫徹. 郞徹. 冷徹. 分徹. 拂徹. 捨徹. 聖徹. 疏徹. 秀徹. 映徹. 瑩徹. 壅徹. 一徹. 峻徹. 穿徹. 淸徹. 洞徹. 通徹. 透徹. 廢徹.

12 ⑮ [⿰彳歰] 삽 ㉧合 蘇合切 sà

字解 ①갈 삽 가는 모양. '—, 行皃'《說文》. ②여럿이갈 삽 '—, 衆行皃'《廣韻》. ③왔다갔다할 삽 '—, 行不進也'《集韻》. ④빠를 삽, 시끄러울 삽 '紛—讋以流漫'《嵇康》.
字源 形聲. 彳+澀〔音〕

12 ⑮ [徶] 별 ㉧屑 蒲結切 bié

字解 옷너펄거릴 별 옷자락이 너울거리는 모양. '—徆, 衣服婆娑皃'《集韻》.

[徶徆 별설] 옷자락이 펄럭임.

13 ⑯ [徼] 요(교㊍) ①-④㊎嘯 古弔切 jiào ⑤-⑦㊏蕭 古堯切 jiāo

字解 ①돌 요 순행함. 순찰함. '掌一循京師'《漢書》. ②순라군 요 순찰하는 사람. '少爲縣亭長游一'《後漢書》. ③변방 요 국경 지대. '邊一'. '南至牂牁爲一'《史記》. ④샛길 요 질러가는 소로. '一道綺錯'《班固》. ⑤구할 요 희구함. '一冀'. '小人行險以一幸'《中庸》. ⑥훔칠 요 표절(剽竊)함. '惡一以爲知者'《論語》. ⑦막을 요 앞을 막음. '一麋鹿之怪獸'《司馬相如》.
字源 篆文 形聲. 彳+敫〔音〕. '敫교'는 흰빛이 흘러가는 모양. 빛이 흘러가다, 돌다의 뜻을 나타냄. 또, '懒요'와 통하여, '구하다'의 뜻을 나타냄.

[徼冀 요기] 바람. 희망(希望)함.
[徼道 요도] 샛길.
[徼利 요리] 이익을 바람.
[徼妙 요묘] 아주 정미(精微)한 작용, 또는 이치(理致).
[徼巡 요순] 순찰(巡察)함.
[徼循 요순] 요순(徼巡).
[徼外 요외] 나라 밖. 새외(塞外).
[徼幸 요행] 뜻밖에 얻는 행복. 또, 그 행복을 바람.
[徼倖 요행] 요행(徼幸).
◉警徼. 關徼. 塞徼. 外徼. 要徼. 游徼. 周徼. 行徼. 幸徼.

14 ⑰ [徽] 人名 휘 ㊥微 許歸切 huī

筆順 彳 𢓡 𢓡 𢕟 𢕟 𢕟 𢕟 徽

字解 ①아름다울 휘 선미(善美)함. 착함. '一言'. '君子有一猷'《詩經》. ②아름답게할 휘 선미(善美)하게 함. '愼一五典'《書經》. ③탈 휘 거문고를 탐. '鄒忌一一, 而威王終夕悲感於憂'《淮南子》. ④바 휘 굵은 세 겹 노. '一索'. '係用一纆'《易經》. ⑤표기 휘 표지(標識)를 한 기(旗). 幑(巾部 十一畫)와 同字. '一幟'. '一車輕武'《揚雄》. 전(轉)하여, 기호(記號)의 뜻으로 쓰임. '一章'. ⑥성 휘 성(姓)의 하나.
字源 篆文 形聲. 彳+微〈省〉〔音〕. '微미'는 '작다'의 뜻. 작지만 상징(象徵)이 되는 끈, '표지(標識)'의 뜻을 나타냄.

[徽纆 휘묵] 바. 동아줄.
[徽索 휘삭] 포승(捕繩).
[徽繩 휘승] 휘삭(徽索).
[徽言 휘언] 아름다운 말. 착한 말.
[徽猷 휘유] 좋은 꾀. 훌륭한 계획. 선모(善謀). 양책(良策).
[徽音 휘음] ㉠좋은 평판. 영문(令聞). ㉡맑은 소리. 아름다운 소리.
[徽章 휘장] ㉠기(旗)의 표지(標識). 기장(旗章). 기치(旗幟). ㉡의복(衣服)·모자 등에 붙이는 신분(身分)·지위(地位)를 표시하는 표(標).
[徽車 휘차] ㉠표기(標旗)를 단 수레. ㉡빨리 달리는 수레.
[徽幟 휘치] 기치(旗幟).
[徽號 휘호] ㉠기장(旗章). 기치(旗幟). ㉡제후(帝后)의 존호(尊號) 위에 덧붙이는 포미(褒美)하는 칭호. 예컨대, 청태조(淸太祖)의 휘호는 '覆育列國英明皇帝'이고 세조(世祖)의 황태후의 휘호는 '昭聖慈壽皇太后'임. ㉢《韓》후비(后妃)가 죽은 뒤에 시호(諡號)와 함께 올리는 존호(尊號).
[徽爐 휘획] 빨리 달리는 모양.
[徽徽 휘휘] 아름다운 모양.
◉英徽. 仁徽. 纆徽. 黏徽. 淸徽. 彈徽. 鴻徽.

16 ⑲ [徿] ㊀ 롱 ㊦宋 良用切 lòng ㊁ 롱 ㊤董 魯孔切 lǒng

字解 ㊀비틀거릴 롱 바르게 걷지 않음. '一, 行不正'《玉篇》. ㊁곧게갈 롱 '一徆'은 똑바로 감. 직행(直行)함.

17 ⑳ [忀] 양(상本) ㊥陽 息良切 xiāng

字解 거닐 양 '聊逍遙以一徉'《楚辭》.

18 ㉑ [忂] 구 ㊥虞 其俱切 qú ㊦遇 俱遇切 jù

字解 갈 구 가는 모양. 躣(足部 十八畫)와 同字. '躣, 行皃. 楚詞曰, 右蒼龍之躣躣. 一, 上同'《廣韻》.
字源 形聲. 彳+瞿〔音〕.

[黴] 〔미〕
黑部 十一畫(p. 2709)을 보라.

心(忄·⺗) (4획) 部
〔마음심부〕

0 ④ [心] 中人 심 ㊥侵 息林切 xīn

筆順 丶 心 心 心

字解 ①마음 심 ㉠지정의(知情意)의 본체. 의식. 정신. '一身'. '一者形之君, 而神明之主也'《荀子》. ㉡생각. 마음씨. '一術'. '人一不同, 如其面焉'《左傳》. ㉢뜻. 의미. '有一哉擊磬乎'《論語》. ②염통 심 오장의 하나. '一臟'. '一者五臟之專精也'《素問》. 심장은 오장 중에서 가장 중요한 것이므로, 전(轉)하여 정요(精要)의 뜻으로 쓰임. '般若一經, 系集大般若經六百卷之精要, 故云一經'《辭海》. ③가슴 심 '一腹'. '西施病一'《莊子》. ④가운데 심 중앙. '中一'. '月到天一處'《邵雍》. 또, 물건의 중심에 있는 것. '木一'. '菜不食一'《南史》. ⑤근본 심 근원. 본성(本性). '復其見天地之一乎'《易經》. ⑥별이름 심 이십팔수(二十八宿)의 하나. 창룡 칠수(蒼龍七宿)의 다섯째 성수(星宿)로서, 별 셋으로 구성되었음. '一宿'. ⑦성 심 성(姓)의 하나.
字源 金文 篆文 象形. 심장의 상형으로, '마음'의 뜻을 나타냄.
參考 '心'을 의부(意符)로 하여, '감정·의지' 등의 마음의 움직임에 관한 문자를 이룸.

[心肝 심간] 심장(心臟)과 간장(肝臟). 전(轉)하여, 충심(衷心). 마음속.
[心怯 심겁] 담력(膽力)이 없어서 대단치 않은 일에 겁(怯)을 잘 냄.

[心境 심경] 마음의 상태(狀態).
[心界 심계] 마음의 세계. 마음의 범위(範圍).
[心計 심계] 심산(心算).
[心悸 심계] 가슴이 뜀.
[心曲 심곡] 마음속. 심중(心中). 「體).
[心骨 심골] 마음과 뼈. 전(轉)하여, 몸 전체(全
[心廣體胖 심광체반] 마음이 너그러우면 몸이 편안하여 살찜.
[心交 심교] 서로 마음을 터놓고 사귐.
[心琴 심금] 외부의 자극을 받아 울리는 마음을 거문고에 비유하여 이르는 말.
[心氣 심기] 마음으로 느끼는 기분(氣分).
[心機 심기] 마음의 기능(機能). 마음의 활동(活
[心膽 심담] 마음. 정신. ⌊動).
[心德 심덕] 《韓》 너그럽고 착한 마음.
[心動 심동] 마음이 움직임.
[心頭 심두] 염두(念頭).
[心亂 심란] 마음이 산란(散亂)함.
[心膂 심려] ㉠가슴과 등뼈. 인체 중에서 중요한 부분이므로, 곁에서 보필(輔弼)하는 가장 중요한 신하(臣下)의 비유로 쓰임. 고굉(股肱). ㉡전신(全身)의 힘.
[心慮 심려] 근심. 걱정.
[心力 심력] ㉠마음의 작용. ㉡마음과 힘. 마음과 근육(筋肉). 정신과 체력(體力).
[心靈 심령] 마음속의 영혼(靈魂). 심의(心意)의 주체(主體).
[心勞 심로] 걱정. 근심.
[心理 심리] 정신(精神)의 상태(狀態). 의식(意識)의 현상(現象).
[心裏 심리] 마음속. 심중(心中).
[心魔 심마] 《佛敎》 사람을 사도(邪道)에 빠뜨리는 마음의 마귀(魔鬼). 즉, 물욕(物慾)·애착(愛着)의 정(情) 등.
[心滿意足 심만의족] 마음에 만족함.
[心法 심법] ㉠마음을 쓰는 법(法). ㉡이심전심(以心傳心)의 도(道). 사제지간(師弟之間)에 전수(傳受)하여 내려오는 정신을 이름.
[心病 심병] ㉠마음속의 근심. ㉡고치려 하여도 고쳐지지 않는 나쁜 버릇.
[心服 심복] 충심으로 복종함.
[心腹 심복] ㉠가슴과 배. ㉡가장 중요한 개소(個所). ㉢성심(誠心). 진심. ㉣심복지인(心腹之人).
[心腹之人 심복지인] 썩 가까운 사람.
[心腹之疾 심복지질] 심복지환(心腹之患).
[心腹之患 심복지환] 잘 낫지 않는 병. 전(轉)하여, 없애기 어려운 큰 우환.
[心事 심사] 마음속에 생각하는 일.
[心思 심사] 마음. 생각.
[心算 심산] 속셈.
[心狀 심상] 마음의 상태(狀態).
[心喪 심상] ㉠상복(喪服)은 입지 않되 상제와 같은 마음으로 애모(哀慕)하는 일. ㉡탈상(脫喪)한 뒤에도 마음으로 슬퍼하여 상중에 있는 것 같이 근신하는 일.
[心象 심상] 심상(心像).
[心想 심상] 마음속의 생각.
[心像 심상] ㉠심중(心中)에 일어나는 온갖 생각. ㉡과거에 경험하였던 외물(外物)의 형상이 의식(意識) 중에 나타난 것.
[心緒 심서] 심회(心懷).
[心性 심성] ㉠마음. 정신. ㉡천성(天性).
[心星 심성] 심수(心宿).
[心聲 심성] 말, 언어. 심화(心畫)와 같은 예(例).
[心素 심소] 성심(誠心).
[心受 심수] 마음으로 받음. 깨달음.
[心宿 심수] 자해(字解) ❻을 보라.
[心手相應 심수상응] 마음먹은 대로 손이 움직임.
[心術 심술] 마음씨.
[心身 심신] 마음과 몸.
[心神 심신] 마음. 정신(精神).
[心眼 심안] 사물(事物)을 살펴 분별하는 마음의 작용. 육안(肉眼)의 대(對).
[心弱 심약] 마음이 약함.
[心恙 심양] 미친 병. 광증(狂症).
[心與口違 심여구위] 마음에 생각하는 바와 입으로 말하는 바가 다름.
[心如水 심여수] 마음이 깨끗함을 비유하는 말.
[心熱 심열] ㉠마음으로 무엇을 바라는 열망(熱望). ㉡심화로 생기는 열.
[心悟神解 심오신해] 깨달음.
[心窩 심와] 명문(命門). 명치.
[心外 심외] ㉠마음의 밖. ㉡의외(意外). 뜻밖.
[心外無理心外無事 심외무리심외무사] 마음 외에 이치가 없고, 마음 외에 일이 없음. 곧, 마음은 만유(萬有)의 근원임.
[心外無別法 심외무별법] 《佛敎》 세계의 만사 만상(萬事萬象)은 마음의 소현(所現)으로서 마음 외에 따로 만사 만상이 없음.
[心欲小志欲大 심욕소지욕대] 마음은 작기를 바라고 뜻은 크기를 바람. 곧, 마음은 찬찬하여 조금도 소루(疏漏)하여서 안 되고, 뜻은 원대하여 소소한 일에 마음이 쏠려서는 안 됨.
[心欲言口不逮 심욕언구불체] 마음먹은 대로 말이 나오지 아니함.
[心願 심원] 마음으로 바람.
[心肉 심육] 소의 허리 또는 등성마루에 붙은 연(軟)한 고기. 등심.
[心凝形釋 심응형석] 마음이 그 물건에 끌려 굳어지고 자기 몸은 풀려 녹아서 자기를 잊음. 곧, 대자연(大自然)과 융합(融合)함을 이름.
[心意 심의] 마음.
[心印 심인] ㉠의기(意氣). 기상(氣象). ㉡《佛敎》 이심전심(以心傳心)의 오의(奧義).
[心匠 심장] 구상(構想).
[心腸 심장] 감정이 우러나는 곳. 마음속.
[心臟 심장] 염통.
[心臟痲痺 심장마비] 심장(心臟)이 마비(痲痺)되어 맥박(脈搏)이 정지하는 일.
[心田 심전] 심지(心地). 「움.
[心戰 심전] ㉠두려워하여 떪. ㉡지능(知能)의 싸
[心情 심정] 마음과 정(情). 생각.
[心中 심중] 마음속.
[心中人 심중인] 마음속에 잊혀지지 않는 사람. 그리운 사람.
[心旨 심지] 생각.
[心地 심지] 마음. 마음자리. 마음의 본바탕.
[心志 심지] 마음과 뜻.
[心塵 심진] 정욕(情慾).
[心疾 심질] ㉠가슴의 병. ㉡근심 때문에 난 병.
[心祝 심축] 마음속으로 축복함.
[心醉 심취] 마음이 취하여 쏠림. 흠모(欽慕)하는 마음이 우러남.
[心通 심통] 마음이 통함.
[心痛 심통] ㉠가슴이 아픔. 가슴의 병. ㉡근심함.

[心學 심학] 마음의 본체(本體)를 인식하고 몸을 수양(修養)하는 것을 공부하는 학문. 육상산(陸象山)·왕양명(王陽明) 등이 주창(主唱)하였음.
[心許 심허] 참마음으로 허락함.
[心險 심험] 마음이 음흉(陰凶)하고 험상궂음.
[心血 심혈] ㉠염통의 피. ㉡온 정신(精神).
[心魂 심혼] 정신. 혼.
[心火 심화] ㉠마음속에 일어나는 울화(鬱火). ㉡마음. ㉢심성(心星).
[心畫 심화] 마음을 나타내는 그림이란 뜻으로, 문자(文字)·그림을 이름.
[心懷 심회] 마음속의 회포(懷抱).
[心喉 심후] 마음과 목구멍. 전(轉)하여, 요처(要處). 급소(急所).
[心胸 심흉] 가슴속. 마음.
◉肝心. 簡心. 甘心. 感心. 改心. 客心. 格心. 隔心. 堅心. 決心. 傾心. 戒心. 故心. 苦心. 功名心. 關心. 求心. 垢心. 群心. 歸心. 閨心. 克己心. 金剛心. 錦心. 琴心. 機心. 羈心. 內心. 老婆心. 陋心. 多心. 丹心. 單心. 都心. 悼心. 道心. 同心. 童心. 遁心. 遯心. 慢心. 盲心. 銘心. 木心. 無心. 美心. 發起心. 發心. 放心. 變心. 并心. 菩提心. 腹心. 本心. 不動之心. 負心. 佛心. 悲心. 鄙心. 氷心. 私心. 邪心. 喪心. 色心. 石心. 善心. 聖心. 誠心. 細心. 洗心. 小心. 素心. 屬心. 洒心. 水心. 獸心. 夙心. 宿心. 淑心. 純心. 詩心. 身心. 信心. 神心. 失心. 悉心. 惡心. 安心. 哀心. 愛心. 野心. 良心. 兩心. 逆心. 外心. 凹心. 愚心. 虞心. 憂心. 圓心. 遠心. 危心. 留心. 覦心. 淫心. 疑心. 義心. 二心. 以心傳心. 異心. 貳心. 人心. 仁心. 一心. 自負心. 潛心. 齊心. 爭心. 赤心. 賊心. 赤子之心. 專心. 傳心. 足心. 存心. 中心. 重心. 衆心. 池心. 眞心. 盡心. 塵心. 執心. 澄心. 天心. 鐵心. 淸心. 焦心. 初心. 寸心. 春心. 快心. 他心. 痛心. 波心. 褊心. 河心. 寒心. 恒心. 降心. 害心. 核心. 虛心. 虛榮心. 協心. 炯心. 好奇心. 虎狼之心. 湖心. 花心. 禍心. 歡心. 驩心. 回心. 灰心. 會心. 喜心.

0 ④ [⺗] 心(前條)과 同字
[筆順] ｜ 小 小 ⺗

0 ③ [忄] 心(前前條)이 변에 있을 때의 자체(字體). 마음심변. 심방변.
[筆順] 丶 八 忄

1 ⑤ [必] [中人] 필 [入]質 卑吉切 bì 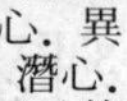
[筆順] 丶 ソ 丷 必 (心 心 心) 必
[字解] ①반드시 필 꼭. '一要'. '一死'. '信賞一罰'《漢書》. ②오로지 필 전일(專一). '赤石不奪節士之一'《太玄經》. ③기필할 필 반드시 그렇게 될 줄로 믿음. '期一'. '毋意毋一'《論語》. ④성필 성(姓)의 하나.
[字源] 金文 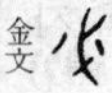 篆文  會意. 八+弋. '弋익'은 '말뚝'의 뜻. '八팔'은 장식이 늘어진 끈의 상형. 장식 끈으로 무기에 감아 붙인 자루의 뜻을 나타냄. 假借하여, '반드시'의 뜻을 나타냄. 원래, '心심'과는 뜻이나 형태 모두 관계가 없었으나, 편의상 심부(心部)에 소속시킴.

[必讀 필독] 꼭 읽어야 함.
[必得 필득] 꼭 자기의 물건이 됨.
[必滅 필멸] 《佛教》 꼭 멸함.
[必方 필방] 불의 신령. 화신(火神). 필방(畢方).
[必罰 필벌] 반드시 처벌함.
[必死 필사] 죽을 결심을 하고 전력(全力)을 다함.
[必死乃已 필사내이] 죽고서야 그만둠.
[必衰 필쇠] 《佛教》 반드시 쇠(衰)함.
[必修 필수] 꼭 닦아야 함. 반드시 학습하여야 함.
[必須 필수] 꼭 있어야 함.
[必需 필수] 꼭 씀. 없어서는 안 됨.
[必勝 필승] 반드시 이김.
[必是 필시] 꼭. 틀림없이.
[必也 필야] 틀림없이. 꼭.
[必然 필연] 꼭. 반드시. 또, 꼭 그러함.
[必要 필요] 꼭 소용(所用)이 됨.
[必用 필용] 필요(必要).
[必有曲折 필유곡절] 반드시 무슨 까닭이 있음.
[必傳 필전] 꼭 후세(後世)에 전함.
[必定 필정] 꼭. 반드시.
[必至 필지] 반드시 이름. 꼭 옴.
[必携 필휴] 꼭 휴대(携帶)하여야 함.
◉期必. 何必.

1 ④ [忆] 〔억〕 憶(心部 十三畫〈p. 821〉)의 簡體字

2 ⑥ [忍] [一] 의 [去]未 魚旣切 yì [二] 도 都牢切
[字解] [一] ①성낼 의 '一, 怒也'《說文》. ②해칠 의 '一, 一曰, 害意'《集韻》. [二] 忉(次條)와 同字.
[字源] 形聲. 心+刀〔音〕

2 ⑤ [忉] 도 [平]豪 都牢切 dāo 
[字解] 근심할 도 근심하는 모양. '心焉一一'《詩經》.
[字源] 形聲. 忄(心)+刀〔音〕

[忉怛 도달] 근심하고 슬퍼함.
[忉忉 도도] 근심하는 모양.
[忉利天 도리천] 《佛教》 욕계 육천(欲界六天)의 둘째 하늘. 수미산(須彌山)의 꼭대기에 있어 제석천(帝釋天)이 삶.
◉慘忉.

2 ⑥ [乂心] 애 [去]泰 牛蓋切 yì
[字解] 징계할 애 나무라서 경계함. '懲一戰國'《晉書》.
[字源] 篆文  形聲. 心+乂〔音〕. '乂애·예'는 가위로 베다, 베어 다스리다의 뜻. 마음의 악(惡)을 베고 징계하는 일.

◉懲乂心.

3 ⑦ [忈] 〔공〕 恐(心部 六畫〈p. 773〉)의 古字

3 ⑦ [念] 〔념〕 念(心部 四畫〈p. 761〉)과 同字

3 ⑦ [忌] [高人] 기 [去]寘 渠記切 jì

[筆順] ㄱ ㅋ 己 己 己 忌 忌

[字解] ①미워할 기 증오함. '嫌一'. '不一其不祥乎'《國語》. ②시기할 기 질투함. '猜一'. '夫人無妬一之行'《詩經》. ③꺼릴 기 외탄(畏憚)함. '一避'. '一憚'. '不一于上'《左傳》. ④공경할 기 '非羈何一'《左傳》. ⑤원망할 기 원한을 품음. '小人一而不思'《國語》. ⑥경계할 기 타일러 주의시킴. '敬一而罔有擇言在躬'《書經》. ⑦기일 기 부모 또는 조상이 죽은 날, 또 상중. '一辰'. '君子有終身之喪, 一日之謂也'《禮記》. ⑧어조사 기 구조(句調)를 고르게 하기 위한 조사(助辭). '叔善射一, 又良御一'《詩經》. ⑨성 기 성(姓)의 하나.

[字源] 金文 篆文 形聲. 心+己[音]. '己기'는 실오리를 가다듬는 실패의 상형. 황공해한다는 뜻에서 파생(派生)하여, '꺼리다'의 뜻을 나타냄.

[忌刻 기각] 남의 재능을 시기(猜忌)하여 각박(刻薄)하게 굶.
[忌克 기극] 타인(他人)의 재능(才能)을 시기하여 그보다 나으려고 다툼.
[忌剋 기극] 기극(忌克).
[忌歲 기세] 불길(不吉)한 해. 일을 하는 데 삼가고 조심하여야 할 해.
[忌辰 기신] 기일(忌日).
[忌月 기월] ㉠어버이가 죽은 달. ㉡일을 하는 데 꺼려 피하여야 할 달. 음력 9월의 일컬음.
[忌日 기일] ㉠사람이 죽은 날. 또, 어버이가 죽은 날. 제삿날. ㉡불길(不吉)한 날.
[忌祭 기제] 죽은 날에 지내는 제사(祭祀).
[忌妻 기처] 투기 잘하는 아내.
[忌憚 기탄] 어렵게 여겨서 꺼림.
[忌妬 기투] 시기함. 질투함.
[忌避 기피] 꺼리어 피(避)함.
[忌諱 기휘] 꺼리어 싫어함.
◉彊忌. 顧忌. 驕忌. 拘忌. 禁忌. 排忌. 辟忌. 兵忌. 小忌. 疏忌. 猜忌. 深忌. 語忌. 年忌. 畏忌. 龍忌. 怨忌. 遠忌. 意忌. 疑忌. 罪忌. 周忌. 憎忌. 疾忌. 娼忌. 妬忌. 褊忌. 悍忌. 嫌忌. 患忌. 還忌. 回忌. 諱忌.

3 ⑦ [忞] ㊀ 恕(心部 六畫〈p. 773〉)의 古字
㊁ 怒(心部 五畫〈p. 765〉)의 古字

3 ⑦ [応] 〔응〕 應(心部 十三畫〈p. 820〉)의 俗字

3 ⑦ [忍] [中人] 인 [上]軫 而軫切 rěn

[筆順] ㄱ 刀 刃 刃 忍 忍 忍

[字解] ①참을 인 ㉠견딤. '一耐'. '一辱'. '包羞一恥是男兒'《杜牧》. ㉡용서함. '是可一也, 孰不可一也'《論語》. ㉢어려운 것을 참고 힘씀. '一勉'. '魯以相一爲國'《左傳》. ②참음 인 전항(前項)의 명사. '一之一字, 衆妙之門'《呂本中》. ③잔인할 인 잔악(殘惡)함. '殘一'. '人皆有不一人之心'《孟子》. ④차마못할 인 딱하여 참지 못함. '情懷一一'《後漢書》. ⑤성 인 성(姓)의 하나.

[字源] 篆文 形聲. 心+刃[音]. '刃인'은 탄력이 있고도 강한 칼날의 뜻. 부드럽고도 굳센 마음의 뜻에서 '참다'의 뜻을 나타냄.

[忍耐 인내] 참고 견딤.
[忍冬 인동] 겨우살이덩굴. 약초(藥草)의 한 가지.
[忍勉 인면] 참고힘씀.
[忍心 인심] 모진 마음. 잔인(殘忍)한 마음.
[忍辱 인욕] 욕(辱)되는 것을 참음.
[忍辱鎧 인욕개] 《佛教》 중의 법의(法依). 가사(袈裟).
[忍辱之依 인욕지의] 《佛教》 인욕개(忍辱鎧).
[忍人 인인] 잔인(殘忍)한 사람.
[忍忍 인인] 차마 볼 수 없는 모양. 딱한 모양.
[忍從 인종] 참고 복종(服從)함.
[忍之爲德 인지위덕] 참는 것이 아름다운 덕이 됨.
[忍之一字衆妙之門 인지일자중묘지문] 인(忍)이란 한 글자는 만사(萬事)에 성공(成功)할 요결(要訣)임.
[忍土 인토] 삼독(三毒)·번뇌(煩惱)를 인수(忍受)하는 세계(世界)라는 뜻으로, 이 세상. 사바세계(娑婆世界).
◉甘忍. 勘忍. 堪忍. 剛忍. 強忍. 堅忍. 耐忍. 不忍. 猜忍. 嚴忍. 容忍. 隱忍. 慈忍. 殘忍. 慘忍. 鷙忍. 貪忍. 含忍.

3 ⑦ [忍] 忍(前條)과 同字

3 ⑦ [忒] 특 [入]職 他德切 tè

[字解] ①틀릴 특 어긋남. '差一'. '昊天不一'《詩經》. ②의심할 특 '其儀不一'《詩經》. ③변할 특 변경(變更)됨. '享祀不一'《左傳》.

[字源] 篆文 形聲. 心+弋[音]. '弋익'은 서로 어긋매껴지다의 뜻. 마음이 변하다의 뜻을 나타냄.

◉忮忒. 爽忒. 謬忒. 縱忒. 差忒. 僭忒. 懈忒. 凶忒.

3 ⑦ [志] [中人] ㊀ 지 ㊁ 치 [去]寘 職吏切 zhì

[筆順] 一 十 士 士 志 志 志

[字解] ㊀ ①뜻 지 ㉠의향(意向). '詩言一, 歌永言'《詩經》. ㉡의사. '意一'. '匹夫不可奪一也'《論語》. ㉢본심. 본의. '謂之宋一'《左傳》. ㉣사의(私意). '義歟一歟'《禮記》. ㉤감정. '以制六一'《左傳》. ㉥희망. '過於其一'《左傳》. ㉦절개. '一操'. '一士不忘在溝壑'《孟子》. ㉧의사의 표시. '孔子之喪, 公西赤爲一焉'《禮記》. ②뜻할 지 할 마음을 먹음. 바람. 기대함. '一望'. '一願'. '一於道'《論語》. ③기억할 지 잊지 아니함. '博聞彊一'《後漢書》. ④적을 지 기록함. '孔子聞之曰, 弟子一之'《孔子家語》. ⑤기록 지 문서. '三國一'. '魏一'. '掌邦國之一'《周禮》. ⑥문

체이름 지 한문의 한 체(體). 사물의 변천·연혁(沿革)을 적는 것. '漢書藝文—'. ⑦살촉 지 화살 끝에 박은 쇠. ⑧성 지 성(姓)의 하나. [二] 기치 치 幟(巾部 十二畫)와 통용. '張旗—'《史記》.
字源 篆文 形聲. 心+士(㞢)〔音〕. '㞢(之)지'는 '가다'의 뜻. 마음이 향해 가는 것. '뜻하다'의 뜻을 나타냄. 또, '誌지·識지'와 통하여, '표시'의 뜻도 나타냄.

[志概 지개] 지기(志氣).
[志格 지격] 고상(高尙)한 뜻.
[志氣 지기] 의지와 기개(氣概).
[志氣相合 지기상합] 두 사람의 지기(志氣)가 서로 맞음.
[志大才短 지대재단] 뜻은 크나 재주가 모자람.
[志略 지략] 큰 포부(抱負).
[志慮 지려] 마음. 생각.
[志望 지망] 소원. 희망.
[志不可滿 지불가만] 마음에 바라는 바를 다 채워서는 안 됨. 욕망은 어느 정도 억제하여야 함.
[志不偕 지불해] 일이 뜻과 같이 되지 아니함.
[志士 지사] 절의(節義)가 있는 선비. 국가·민족을 위해 몸을 바치는 사람.
[志士多苦心 지사다고심] 지사는 절개를 굳게 지키기 때문에 고생하는 일이 많음.
[志尙 지상] 뜻. 또는 뜻이 고상(高尙)함.
[志乘 지승] ㉠기록(記錄). ㉡사료(史料)를 기록한 글.
[志願 지원] 원하고 바람. 하고 싶어함. 희망(希望).
[志意 지의] 의지(意志).
[志在千里 지재천리] 품은 뜻이 원대(遠大)함.
[志節 지절] 지조와 절개(節概).
[志操 지조] 지기(志氣)와 조행(操行).
[志趣 지취] 지향(志向).
[志學 지학] ㉠학문에 뜻을 둠. ㉡15세의 일컬음.
[志行 지행] 의지와 행위. 입지(立志)와 실행. 지조(志操)와 덕행(德行).
[志向 지향] 뜻이 쏠리어 향하는 바. 의향(意向).
◉懇志. 彊志. 故志. 孤志. 高志. 果志. 求志. 國志. 箕山之志. 凌霄之志. 凌雲之志. 端志. 大志. 篤志. 同志. 猛志. 明志. 微志. 薄志. 方志. 芳志. 放志. 法志. 本志. 不拔之志. 四方之志. 死志. 私志. 散志. 尙志. 善志. 聖志. 素志. 遜志. 夙志. 宿志. 乘志. 心志. 雅志. 弱志. 養志. 言志. 勵志. 輿志. 銳志. 玩物喪志. 翫志. 愚志. 雄志. 遠志. 幼志. 有志. 遺志. 意志. 利志. 異志. 逸志. 立志. 恣志. 壯志. 前志. 專志. 情志. 地志. 靑雲之志. 初志. 寸志. 忠志. 他志. 鬪志. 遐志. 惑志. 鴻鵠之志. 洪志. 鴻志. 厚志.

3 ⑦ [忘] 中人 망 (平)陽 武方切 wàng (去)漾 巫放切 wàng

筆順 ' 亠 亡 亡 忘 忘 忘

字解 ①잊을 망 ㉠기억하지 못함. '—却'. '健—'. '民不—其勞'《易經》. ㉡염두에 두지 아니함. 개의치 아니함. '—死生'. '—其身'《論語》. ㉢소홀히 함. '—恩'. '不愆不—'《詩經》. ②건망증 망 잘 잊는 병. '中年病—'《列子》.
字源 金文 篆文 形聲. 心+亡〔音〕. '亡망'은 '없어지다'의 뜻. 마음속으로부터 기억이 없어지다, 잊다의 뜻을 나타냄.

[忘却 망각] 잊어버림.
[忘機 망기] 귀찮은 세사(世事)를 잊음. 기(機)는 마음의 꾸밈.
[忘年 망년] ㉠나이를 잊음. ㉡한 해의 신고(辛苦)를 잊음. ㉢나이의 차이를 따지지 않음.
[忘年交 망년교] 망년지교(忘年之交).
[忘年友 망년우] 망년지우(忘年之友).
[忘年之交 망년지교] 장유(長幼)를 불문하고 단지 재학(才學)으로써 하는 사귐.
[忘年之友 망년지우] 장유(長幼)를 불문하고 단지 재학(才學)으로써 사귀는 벗.
[忘年會 망년회] 연말(年末)에 행하는 친목회(親睦會).
[忘死生 망사생] 죽고 사는 것을 돌아보지 아니함.
[忘失 망실] 잊어버림.
[忘我 망아] 망오(忘吾).
[忘吾 망오] 나를 잊는다는 뜻으로, 깊이 사색에 잠김을 이름.
[忘憂物 망우물] 술〔酒〕의 별칭(別稱).
[忘恩 망은] 은혜를 잊음. 은혜를 모름.
[忘八 망팔] 효제 충신 예의 염치(孝悌忠信禮儀廉恥)를 잊었다는 뜻으로, 유곽(遊廓)에서 노는 방탕아를 욕하는 말. 망팔(亡八).
[忘形 망형] 내 몸이 있는 것을 잊는다는 뜻으로, 물아(物我)의 경(境)에 듦을 이름.
[忘形交 망형교] 자기의 형체(形體)를 잊고 한마음 한뜻이 되는 아주 친밀한 교우(交友).
◉健忘. 闕忘. 弭忘. 不忘. 備忘. 善忘. 捐忘. 遺忘. 坐忘. 廢忘. 昏忘.

3 ⑦ [忐] [一] 담 ㊤感 吐敢切 tǎn [二] 경 ㊤梗 口梗切 kěng

字解 [一] ①마음허할 담 '—忑'은 마음이 허함. '—忑, 心虛也'《五音集韻》. ②두려워할 담 겁을 먹음. '—, 懼也'《正字通》. [二] 마음허할 경, 두려워할 경 [一]과 뜻이 같음.

3 ⑦ [忘] 忘(前前條)의 本字

3 ⑥ [忓] [一] 간 (平)寒 古寒切 gān [二] 한 (去)翰 侯旰切 hàn

字解 [一] ①지극할 간, 범할 간 극(極)에 이름. 침범함. '—, 極也'《說文》. '干, 干·—通. 說文, 干, 犯也, —, 極也'《正字通》. ②흔들 간 어지럽힘. '無—時事'《唐書》. [二] ①착할 한 '—, 善也'《廣雅》. ②좋을 한 아름다움. '—, 好也'《廣雅》.
字源 金文 篆文 形聲. 忄(心)+干〔音〕. '干간'은 범하다의 뜻. 아랫사람이 윗사람에 대해 범의(犯意)를 품음.

3 ⑥ [忬] 후 (平)虞 況于切 xū

字解 근심할 후 '—, 憂也'《說文》.
字源 形聲. 忄(心)+亏(于)〔音〕

3 ⑥ [忬] 忬(前條)의 本字

3 ⑥ [忏] [一] 천 ①㊤銑 七典切 qiǎn ②(平)先 倉先切 qiān [二] 참 (去)陷 楚鑒切 chàn

字解 ■一 ①성낼 천 화를 냄. '一, 怒也'《玉篇》. ②아름다울 천 '一, 方言, 自關而西, 秦晉之閒, 呼好爲一'《集韻》. ■二 懺(心部 十七畫)의 簡體字.

3 ⑥ [忔] 흘 (入)物 ①許訖切 qì ②魚乙切 yì

字解 ①기뻐할 흘 '棄爲兒時, 一如巨人之志'《史記》. ②싫어할 흘 하고자 하지 아니함. '數一食飮'《史記》.

字源 形聲. 忄(心)+乞〔音〕

3 ⑦ [忑] ■一 특 (入)職 他德切 tè ■二 도 (上)皓 端計切 dǎo

字解 ■一 ①마음허할 특 '忐一'은 마음이 허함. '忐一, 心虛也'《五音集韻》. ②두려워할 특 겁을 먹음. '一, 懼也'《正字通》. ■二 마음허할 도, 두려워할 도 ■一과 뜻이 같음.

3 ⑥ [忖] (人名) 촌 (上)阮 倉本切 cǔn

字解 ①헤아릴 촌 남의 마음을 미루어서 헤아림. '一度'. '他人有心, 予一度之'《孟子》. ②성 촌 성(姓)의 하나.

字源 篆文 形聲. 忄(心)+寸〔音〕. '寸촌'은 맥을 짚는 모양으로, '재다'의 뜻. 맥을 짚어 재듯이 남의 마음을 재는 뜻을 나타냄.

[忖度 촌탁] 남의 마음을 미루어 헤아림.

3 ⑥ [忙] (中人) 망 (平)陽 莫郞切 máng

筆順 丶 丶丶 忄 忄' 忙 忙

字解 ①바쁠 망 다망함. '悤一'. '自笑平生爲口一'《蘇軾》. ②빠를 망 급속함. '過如霹靂一'《杜牧》. ③애탈 망 초조함. '蠶飢日晩妾心一'《王西》. ④성 망 성(姓)의 하나.

字源 形聲. 忄(心)+亡〔音〕. '亡망'은 '없다'의 뜻. 차분한 마음이 없어지다, 바쁘다의 뜻을 나타냄.

[忙劇 망극] 대단히 바쁨.
[忙碌 망록] 다망함.
[忙裏偸閑 망리투한] 바쁜 중에도 잠시의 틈을 타서 즐거이 놂.
[忙忙 망망] 대단히 바쁜 모양.
[忙迫 망박] 일에 몰리어 몹시 바쁨.
[忙事 망사] 바쁜 일.
[忙殺 망살] 망살(忙煞).
[忙煞 망살] 대단히 바쁨.
[忙月 망월] 1년 중에 바쁜 달. 입춘(立春) 후부터 110일 내지 120일경까지의 달. 한월(閑月)의 대(對).
[忙中有閑 망중유한] 바쁜 중에도 한가한 짬이 있음.
◉多忙. 煩忙. 繁忙. 奔忙. 倉忙. 怱忙. 春忙. 慌忙. 惶忙.

3 ⑥ [忙] 忙(前條)의 俗字

3 ⑥ [忲] (人名) ■一 태 (去)泰 他蓋切 tài ■二 세 (去)霽 時制切 shì

字解 ■一 방자할 태 忕(心部 四畫)와 同字. '侈一無度'《晉書》. ■二 익을 세 익숙해짐. '一, 狃一, 過度'《集韻》.

字源 篆文 形聲. 忄(心)+大〔音〕. 마음이 커지다, 방자해지다의 뜻을 나타냄.

◉侈忲.

4 ⑧ [忠] (中人) 충 (平)東 陟弓切 zhōng

筆順 丨 冂 口 中 中 忠 忠 忠

字解 ①충성할 충, 충성 충 군국(君國)을 위하여 정성을 다함. '一諫'. '一君'. '爲下克一'《書經》. ②정성스러울 충, 정성 충 성실(誠實)함. '一言'. '一僕'. ③공변될 충, 공평 충 사(私)가 없음. '無私一也'《左傳》. ④성 충 성(姓)의 하나.

字源 篆文 形聲. 心+中〔音〕. '中중'은 가운데에 있어 치우치지 않다의 뜻. 치우치지 않는 마음, 정성의 뜻을 나타냄.

[忠肝 충간] 충성스러운 마음.
[忠諫 충간] 충성(忠誠)을 다하여 간(諫)함.
[忠懇 충간] 정성. 지성.
[忠肝義膽 충간의담] 충성스러운 심간(心肝)과 의열(義烈)의 담력(膽力).
[忠慨 충개] 충성에서 우러나오는 개탄(慨歎).
[忠謇 충건] 충성(忠誠)스럽고 바름.
[忠敬 충경] 성의를 다하여 공경함.
[忠經 충경] 책 이름. 1권. 후한(後漢)의 마융(馬融)이 지었다고 하나, 실상은 후대 사람의 손으로 된 위서(僞書)임. 효경(孝經)을 본떠서 18장으로 나누고, 충군(忠君)의 도리를 서술하였음.
[忠告 충고] 남의 잘못을 숨기거나 꾸밈이 없이 성의껏 타이름.
[忠果 충과] ㉠충성스럽고 과단성이 있음. ㉡'감람(橄欖)'의 별칭(別稱).
[忠君 충군] 임금에게 충성을 다함.
[忠君愛國 충군애국] 임금에게 충성(忠誠)을 다하고 나라를 사랑함.
[忠規 충규] 충실한 계략(計略). 충모(忠謀).
[忠勤 충근] ㉠충성(忠誠)을 다하여 근무(勤務)함. ㉡충성스럽고 근실(勤實)함.
[忠奴 충노] 충복(忠僕).
[忠良 충량] 충성스럽고 선량(善良)함.
[忠亮 충량] 충신(忠信) ㉠.
[忠烈 충렬] 충성(忠誠)을 다하여 절의(節義)를 세움.
[忠謀 충모] 충실(忠實)한 꾀. 충성을 다하여 짜낸 꾀.
[忠謨 충모] 충모(忠謀).
[忠僕 충복] 성심(誠心)으로 주인(主人)을 섬기는 종.
[忠憤 충분] 충의(忠義)로 인하여 일어나는 분(憤).
[忠奮 충분] 충성(忠誠)을 위하여 분기(奮起)함.
[忠婢 충비] 성심으로 주인(主人)을 섬기는 계집종.
[忠死 충사] 충의(忠義)를 위하여 죽음.
[忠邪 충사] ㉠충직(忠直)함과 간사(奸邪)함. ㉡충신(忠臣)과 간신(奸臣).
[忠恕 충서] 충직(忠直)하며 동정심(同情心)이 많음.

[忠善 충선] 성실하고 선량(善良)함.
[忠誠 충성] 충직(忠直)한 정성.
[忠純 충순] 충직(忠直)하고 순실(純實)함.
[忠順 충순] 충직(忠直)하고 순량(順良)함.
[忠臣 충신] 나라를 위하여 충성(忠誠)을 다하는 신하(臣下).
[忠信 충신] ㉠성실하고 거짓이 없음. ㉡충성과 신의.
[忠臣不事二君 충신불사이군] 충신(忠臣)은 두 임금을 섬기지 아니함.
[忠臣出於孝子之門 충신출어효자지문] 충신은 효도하는 집안에서 나옴.
[忠實 충실] 성실(誠實)하고 참됨.
[忠心 충심] 충성(忠誠)스러운 마음.
[忠愛 충애] 지성으로 사랑함.
[忠言 충언] 충고하는 말.
[忠言逆耳 충언역이] 충고하는 말은 귀에 거슬림.
[忠裔 충예] 충신(忠臣)의 자손.
[忠勇 충용] 충성(忠誠)스럽고 용맹(勇猛)함.
[忠友 충우] 성실(誠實)한 벗.
[忠允 충윤] 충실(忠實).
[忠義 충의] 군국(君國)에 대하여 충성(忠誠)을 다하는 일.
[忠毅 충의] 충성이 있고 굳셈. 「概).
[忠節 충절] 충성을 다하여 변하지 않는 절개(節
[忠貞 충정] 충성스럽고 곧음.
[忠情 충정] 충성스럽고 참된 정(情).
[忠志 충지] 충성(忠誠)스러운 뜻.
[忠直 충직] 성실(誠實)하고 정직함.
[忠魂 충혼] ㉠충의(忠義)를 위하여 죽은 사람의 혼(魂). ㉡충의(忠義)의 정신(精神). 충성(忠誠)된 마음.
[忠孝 충효] 충성과 효행(孝行). 「함.
[忠孝兩全 충효양전] 충(忠)과 효(孝)를 겸(兼)
[忠厚 충후] 성실(誠實)하고 순후(純厚)함.
◉敬忠. 孤忠. 大忠. 敦忠. 朴忠. 辨忠. 不忠. 詐忠. 誠忠. 純忠. 旌忠. 盡忠. 惠忠.

4 ⑧ [念] 中人 념 ㊀豔 奴店切 niàn

筆順 ノ 人 𠆢 今 今 念 念 念

字解 ①생각 념 사려(思慮). '雜一'. '餘一'. '制一以定志'《雲笈七籤》. ②생각할 념 '一願'. '一茲在茲'《書經》. ③욀 념 암송함. '一佛'. '一經'. '口一心禱而求者'《杜牧》. ④스물 념 음(音)이 廿(十部 二畫)의 속음(俗音)과 같은 데서 유래(由來)함. '一日'. '開業碑陰, 多宋人題名, 有元祐辛未陽月一五日題'《金石文字記》. ⑤잠깐 념 불교(佛敎)에서 극히 짧은 시간을 이름. '一一中, 有九十刹那'《仁王經》. ⑥성 념 성(姓)의 하나.

字源 金文 篆文 會意. 心+今. '今금'은 '含함'과 통하여, '포함하다'의 뜻. 마음속에 지니다의 뜻에서, '늘 생각하다'의 뜻을 나타냄.

[念間 염간] 20일의 전후(前後).
[念念 염념] ㉠항상 생각함. 자꾸 생각함. ㉡시시각각으로 때가 자꾸 가는 모양. ㉢《佛敎》 일찰나 일찰나(一刹那一刹那).
[念念刻刻 염념각각] 시시각각(時時刻刻).
[念念不忘 염념불망] 자꾸 생각하여 잊지 못함.
[念念相續 염념상속] 《佛敎》 ㉠전념(前念)과 후념(後念) 사이에 조금도 여념(餘念)이 섞이지 아니함. 곧, 잡념(雜念)이 없음. ㉡항상 염불을 욈.
[念念生滅 염념생멸] 《佛敎》 세계의 모든 사물은 시시각각으로 생멸(生滅)하여 조금도 상주(常住)하지 아니함.
[念頭 염두] ㉠생각의 시작. ㉡마음. 생각.
[念慮 염려] ㉠생각함. ㉡걱정함. 마음을 놓지 못함.
[念力 염력] 《佛敎》 온 정신을 들여 생각하는 힘.
[念佛 염불] 오직 부처를 생각하며 나무아미타불(南無阿彌陀佛)을 부름. 「함.
[念佛三昧 염불삼매] 일심(一心)으로 염불(念佛)
[念書 염서] 독서(讀書).
[念誦 염송] 마음속으로 부처를 생각하며 불경을 욈.
[念願 염원] 내심에 생각하고 바라는 바. 소원(所願).
[念前 염전] 20일 전(前).
[念珠 염주] 여러 개의 보리자(菩提子)·금강주(金剛珠) 또는 모감주나무·염주나무 등의 열매를 실에 꿰어서 염불(念佛)할 때에 손으로 돌려 수효(數爻)를 세는 기구. 수주(數珠) 참조.
[念處 염처] 《佛敎》 관념(觀念)과 그 대경(對境).
[念後 염후] 20일 후(後).
◉概念. 顧念. 觀念. 掛念. 祈念. 紀念. 記念. 丹念. 斷念. 道念. 妄念. 無念. 默念. 服念. 邪念. 思念. 想念. 禪念. 世念. 俗念. 信念. 宸念. 失念. 實念. 心念. 深念. 十念. 惡念. 憶念. 餘念. 淵念. 憂念. 怨念. 猷念. 凝念. 疑念. 理念. 寅念. 一念. 逸念. 慈念. 殘念. 雜念. 寂念. 積念. 專念. 征念. 情念. 淨念. 存念. 鍾念. 衆念. 軫念. 塵念. 執念. 諦念. 滯念. 初念. 追念. 蓄念. 他念. 通念. 懸念. 欽念.

4 ⑧ [忽] 高人 홀 ㊇月 呼骨切 hū

筆順 ノ 勹 勺 勿 勿 忽 忽 忽

字解 ①홀연 홀 돌연(突然). '一焉'. '一地'. '涼風一至'《列子》. ②소홀히할 홀 탐탁히 여기지 아니함. 또, 경모(輕侮)함. '疎一'. '一略'. '公愛班固而一崔駰'《後漢書》. ③잊을 홀 망각함. '願幸毋一'《漢書》. ④다할 홀, 멸할 홀 절멸(絶滅)함. '是絶是一'《詩經》. ⑤올 홀 누에 입에서 나오는 한 올의 실. 전(轉)하여, 극히 작은 수(數). 곧, 일사(一絲)의 10분의 1. '無秒一之失'《白居易》. ⑥성 홀 성(姓)의 하나.

字源 篆文 形聲. 心+勿〔音〕. '勿물'은 '없다'의 뜻. 마음속에 아무것도 없다는 뜻에서, 마음 쓰지 않다, 등한히 하다, 홀연의 뜻을 나타냄.

[忽遽 홀거] 갑작스러움. 또, 갑자기. 급거(急遽).
[忽微 홀미] 대단히 미세(微細)함.
[忽視 홀시] 눈여겨보지 않고 슬쩍 보아 넘김.
[忽焉 홀언] ㉠홀연(忽然). ㉡염두에 두지 아니하는 모양.
[忽然 홀연] 느닷없이. 갑자기.
[忽往忽來 홀왕홀래] 얼씬하면 가고 얼씬하면 옴.
[忽易 홀이] 소홀(疏忽)히 함.

[忽諸 홀저] 소멸(消滅)하는 모양. 저(諸)는 조사(助辭).
[忽地 홀지] 홀연(忽然).
[忽必烈 홀필렬] 원(元)나라 세조(世祖)의 이름.
[忽忽 홀홀] ㉠사물(事物)을 돌아보지 아니하는 모양. ㉡실신(失神)한 모양. ㉢실의(失意)한 모양. ㉣미세한 모양. 작은 모양. ㉤갑자기. 홀연(忽然).
[忽恍 홀황] '황홀(恍忽)'과 같음.
[忽荒 홀황] 홀황(忽恍).
◉輕忽. 突忽. 眇忽. 絲忽. 閃忽. 疎忽. 倏忽. 奄忽. 淪忽. 粗忽. 超忽. 秒忽. 治忽. 怠忽. 飄忽. 荒忽. 恍忽. 翕忽.

4 ⑧ [忣] 〔급〕 急(心部 五畫〈p.766〉)의 本字

4 ⑦ [悅] 忣(前條)과 同字

4 ⑧ [忩] 〔총〕 悤(心部 七畫〈p.780〉)과 同字

4 ⑧ [忿] 人名 분 ㉤吻 敷粉切 ㉥問 匹問切 fèn

字解 ①성낼 분 원망하여 화냄. '一怒'. '激一'. '爾無一疾于頑'《書經》. ②분 분 성. 화. '懲違改一'《楚辭》.
字源 篆文 形聲. 心+分〔音〕. '分분'은 '憤분'과 통하여, '성내다'의 뜻을 나타냄.

[忿隙 분극] 원한을 품고 화를 내어 사이가 나쁨.
[忿技 분기] 화내어 사람을 해침.
[忿怒 분노] 화. 성.
[忿懟 분대] 분원(忿怨).
[忿戾 분려] 성내어 다툼.
[忿詈 분리] 성내어 꾸짖음.
[忿懣 분만] 화가 나서 속이 답답함.
[忿兵 분병] 성내어 떠드는 군대.
[忿病 분병] 분(忿)하여 생긴 병(病).
[忿忿 분분] 성내는 모양.
[忿憤 분분] 성냄. 화냄.
[忿心 분심] 성을 낸 마음.
[忿言 분언] 분해서 하는 말.
[忿恚 분에] 분노(忿怒).
[忿然 분연] 성이 난 모양. 분해하는 모양.
[忿怨 분원] 성내고 원망함.
[忿爭 분쟁] 성이 나서 다툼.
[忿疾 분질] 화를 내며 미워함.
[忿嫉 분질] 화를 내며 시기함.
[忿懥 분치] 화를 냄.
[忿恨 분한] 분원(忿怨).
◉剛忿. 激忿. 狷忿. 勁忿. 愧忿. 私忿. 小忿. 恚忿. 餘忿. 爭忿. 積忿. 前忿. 躁忿. 懲忿. 褊忿. 嫌忿.

4 ⑧ [忞] 人名 민 ㉣眞 武巾切 mín

筆順 ` 亠 ナ 文 文 忞 忞 忞

字解 힘쓸 민 노력함. '穆一隱閔'《淮南子》.
字源 篆文 形聲. 心+文〔音〕. '文문'은 '敃민'과 통하여, '힘쓰다'의 뜻. 마음을 써서 힘쓰다의 뜻을 나타냄.

4 ⑧ [忦] 개 ㉥卦 許介切 xiè

字解 ①마음놓을 개 마음을 풀어 느긋하게 가짐. '孝子之心, 不若是一'《孟子》. ②언짢을 개 불화(不和)한 모양. '一, 一日, 不和皃'《集韻》. ③걱정없을 개 아무 근심이 없는 모양. '一, 一日, 無憂貌'《字彙》.
字源 篆文 形聲. 心+介〔音〕. '介개'는 얽히어 이어지다〔介在〕의 뜻. '마음에 얽히다, 걱정하다'의 뜻을 나타냄.

4 ⑧ [忢] 一 愛(心部 九畫〈p.794〉)와 同字
二 忌(心部 三畫〈p.758〉)·懸(心部 十一畫〈p.809〉)와 同字

4 ⑧ [忝] 첨 ①㉤琰 他玷切 tiǎn ②㉥豔 他念切 tiǎn

字解 ①더럽힐 첨 욕되게 함. '無一爾所生'《詩經》. ②황송할 첨 받는 것이 분(分)에 넘치는 일이라고 겸양(謙讓)하여 하는 말. '榮一'. '否德一帝位'《書經》.
字源 篆文 會意. 心+天. 하늘을 대할 때의 마음의 뜻에서, '황송하다, 더럽히다'의 뜻을 나타냄.

◉榮忝. 憯忝. 虛忝.

4 ⑦ [忡] 충 ㉣東 敕中切 chōng

字解 근심할 충 걱정함. '怔一'. '憂心一一'《詩經》.
字源 篆文 形聲. 忄(心)+中〔音〕. '中중'은 '弔조'와 통하여, 마음 아파하고 가엾이 여기다의 뜻. 마음 아프게 근심하다의 뜻을 나타냄.

[忡怛 충달] 근심하고 슬퍼함.
[忡悵 충창] 충달(忡怛).
[忡忡 충충] 대단히 근심하는 모양.
◉怔忡.

4 ⑦ [忤] 오 ㉥遇 五故切 wǔ

字解 ①거스를 오 거역함. '一色'. '皆以一旨抵罪'《後漢書》. ②미워할 오 증오함. '猜一'. ③섞일 오 착잡(錯雜)함. '陰陽散一'《春秋》.
字源 形聲. 忄(心)+午〔音〕. '午오'는 '牾오'와 통하여, '거스르다'의 뜻을 나타냄.

[忤物 오물] 남과 화합(和合)하지 아니함.
[忤色 오색] 마음에 거슬려 불쾌한 빛.
[忤視 오시] 흘겨봄. 거역하는 기색을 하고 봄.
[忤於耳 오어이] 좋은 말은 귀에 거슬리어서 마음에 언짢음.
[忤逆 오역] ㉠위반함. ㉡불효(不孝)함.
[忤恨 오한] 거슬려 원한을 품음.
◉乖忤. 反忤. 猜忤. 違忤. 舛忤. 很忤.

4 ⑦ [忨] 완 ㉥翰 五丸切 wán

字解 탐할 완, 아낄 완 탐냄. 또, 소중히 여김.

'一愒'. '一歲而愒日'《左傳》.

字源 篆文 形聲. 忄(心)+元〔音〕. '元원'은 '圜환'과 통하여, '돌다'의 뜻. 마음이 어떤 한 가지 일만을 두고 사로잡히어 발전이 없다, 탐하다의 뜻을 나타냄.

[忨愒 완개] 헛되이 삶을 탐냄. 곧, 헛되이 세월을 보냄.
[忨日 완일] 날짜를 탐냄. 게으름을 피워 헛되이 세월을 보냄.
[忨懆 완조] 탐냄. 쓸데없는 욕심을 부림.

4 ⑦ [快] 中人 쾌 (去)卦 苦夬切 kuài

筆順 丶 丷 忄 忄 怏 快 快

字解 ①쾌할 쾌 ㉠상쾌함. '一樂'. '構怨於諸侯, 然後一於心與'《孟子》. ㉡몸이 건강함. '體有不一'《後漢書》. ②빠를 쾌 신속함. '一馬'. '一走'. '馬雖一, 然力薄不堪苦行'《晉書》. ③방종할 쾌 멋대로 굶. '恭于數而不一'《戰國策》. ④성 쾌 성(姓)의 하나.

字源 篆文 形聲. 忄(心)+夬〔音〕. '夬쾌·결'은 '活활'과 통하여, '생기 넘치다'의 뜻. 마음이 싱싱하다, 쾌활하다의 뜻을 나타냄.

[快感 쾌감] 시원하고 즐거운 느낌.
[快擧 쾌거] 시원스럽게 하는 행위. 통쾌(痛快)한 거사(擧事).
[快劍 쾌검] 예리한 칼. 날카로운 칼.
[快果 쾌과] '배〔梨〕'의 별칭(別稱).
[快氣 쾌기] 쾌활(快活)한 기상. 상쾌한 기운.
[快男兒 쾌남아] 쾌남자(快男子).
[快男子 쾌남자] 기상(氣象)이 쾌활(快活)한 남자(男子).
[快談 쾌담] 쾌론(快論).
[快刀 쾌도] 잘 드는 칼.
[快讀 쾌독] 기분 좋게 읽음.
[快樂 쾌락] ㉠즐거움. 유쾌함. ㉡정력(精力)의 증진(增進) 또는 욕망(欲望)의 만족에서 생기는 감정(感情).
[快諾 쾌락] 쾌(快)히 승낙(承諾)함.
[快樂說 쾌락설] 인생(人生)의 목적은 고통을 없애고 쾌락(快樂)을 찾는 데 있다고 하는 윤리설(倫理說).
[快論 쾌론] 거리낌 없이 시원스럽게 하는 이야기.
[快馬 쾌마] 시원스럽게 잘 달리는 말.
[快眠 쾌면] 달게 잠.
[快聞 쾌문] 시원스러운 소문(所聞).
[快味 쾌미] 쾌감(快感).
[快辯 쾌변] 거침없이 잘하는 말.
[快報 쾌보] ㉠듣기에 시원한 기별(奇別). 상쾌한 소식. ㉡급보(急報).
[快復 쾌복] 쾌차(快差).
[快奔 쾌분] 빨리 달아남.
[快壻 쾌서] 마음에 드는 사위. 훌륭한 사위.
[快雪 쾌설] 치욕(恥辱)을 시원스럽게 씻어 버림.
[快心 쾌심] 마음에 상쾌(爽快)함.
[快兒 쾌아] 젓가락.
[快雨 쾌우] 가물 때 오는 비.
[快癒 쾌유] 쾌차(快差).
[快意 쾌의] 마음에 상쾌(爽快)함. 기분이 좋음.
[快人 쾌인] 씩씩한 사람. 인품(人品)이 높은 사람.
[快人快事 쾌인쾌사] 씩씩한 사람의 시원스러운 행동.
[快哉 쾌재] 상쾌하구나. 상쾌하도다.
[快適 쾌적] 상쾌하고 즐거움.
[快戰 쾌전] 속 시원하게 하는 싸움.
[快剪刀 쾌전도] 잘 드는 가위.
[快走 쾌주] 빨리 달림. 질주(疾走).
[快差 쾌차] 병(病)이 아주 나음.
[快擲 쾌척] 금품(金品)을 쓸 곳에 시원스럽게 내어 줌.
[快晴 쾌청] 하늘이 구름 한 점 없이 상쾌하도록 맑음.
[快快 쾌쾌] ㉠기분이 좋은 모양. ㉡용기(勇氣)가 있고 시원스러운 모양.
[快活 쾌활] 시원스럽고 활발함.
[快闊 쾌활] 마음이 시원스럽고 넓음.
◉輕快. 慶快. 曠快. 明快. 不快. 爽快. 愉快. 壯快. 全快. 俊快. 淸快. 痛快. 豪快. 欣快.

4 ⑦ [忭] 변 (去)霰 皮變切 biàn

字解 좋아할 변 기뻐함. '欣一'. '歡一'. '百官雷一讚如驚'《曹植》.

字源 形聲. 忄(心)+卞〔音〕

[忭躍 변약] 뛰며 기뻐함.
[忭懽 변환] 기뻐함.
◉歡忭. 欣忭.

4 ⑦ [㤉] 一 가 (平)麻 苦加切 qiā 二 아 (去)禡 魚駕切 yà

字解 一 두려울 가 '一, 恐懼'《玉篇》. 二 간사(姦邪)할 아 '忤, 一忤, 多姦也'《集韻》.

4 ⑦ [忶] 一 순 (平)眞 常倫切 二 경 (平)庚 渠營切 qióng

字解 一 근심할 순 걱정하여 번민함. 二 근심할 경 惸(心部 九畫)과 同字. '惸, 惸惸, 憂也. 或作一'《集韻》.

4 ⑦ [恔] 효 (去)效 後教切 xiào

字解 쾌할 효 마음이 상쾌함. 恔(心部 六畫)와 뜻이 같음. '一, 快也'《玉篇》.

4 ⑦ [忮] 기 (去)寘 支義切 居企切 zhì

字解 ①해칠 기 질투하여 해침. '一害'. '鞫人一忒'《詩經》. ②탐할 기 탐냄. '不一不求'《詩經》. ③거스를 기 거역함. '不一於衆'《莊子》.

字源 篆文 形聲. 忄(心)+支〔音〕. '支지'는 '떨어져 갈라지다'의 뜻. 마음이 상대로부터 떨어지다, 거스르다, 해치다, 원망하다의 뜻을 나타냄.

[忮心 기심] 남을 시기(猜忌)하여 해치고자 하는 마음.
[忮忒 기특] 사람을 해쳐 법을 어김.
[忮害 기해] 해침.
◉苛忮. 強忮. 懻忮. 忿忮. 陰忮. 險忮.

4 ⑦ [忱] 침 (平)侵 氏任切 chén

[字解] 정성 침 성심. '悃一'. '天難一斯'《詩經》.
[字源] 篆文  形聲. 忄(心)＋冘〔音〕. '冘음'은 '잠기다, 전념하다'의 뜻. 마음이 딴 데로 쏠리지 않고 한 가지 일에 전심하다의 뜻에서, '정성'의 뜻을 나타냄.

[忱恂 침순] 정성(精誠).
[忱裕 침유] 정성스럽고 넉넉함.

4 ⑦ [忺] 험 [平]鹽 虛嚴切 xiān

[字解] 바랄 험 마음에 뜻이 있어 원함. '散帙揮毫總不一'《林逋》.
[字源] 形聲. 忄(心)＋欠〔音〕

4 ⑦ [怖]
[一] 패 [去]泰 普蓋切 pèi
[二] 폐 [去]隊 芳廢切
[三] 벌 [入]月 拂伐切
[四] 발 [入]曷 北末切

[字解] [一] ①원망하여성낼 패 '一, 恚恨也'《集韻》. ②성낼 패 '一, 博雅, 怒也'《集韻》. [二] 성낼 폐 [一]❷와 뜻이 같음. [三] 원망하여성낼 벌 [一]❶과 뜻이 같음. [四] 기뻐하지않을 발 '一, 意不悅也'《集韻》.
[字源] 形聲. 忄(心)＋朩〔音〕

4 ⑦ [忲] 태 [去]泰 徒蓋切 tài

[字解] 방자할 태 교사(驕奢)함. '有憑虛公子者, 心奓體一'《張衡》.
[字源] 篆文  形聲. 忄(心)＋太〔音〕. 마음이 커지다, 방자해지다의 뜻을 나타냄.
[參考] 忕(心部 三畫)와 同字

4 ⑦ [忸]
[一] 뉵 [入]屋 女六切 niǔ
[二] 뉴 [上]有 女九切 niǔ

[字解] [一] 부끄러워할 뉵 겸연쩍어함. '一, 一怩, 慙也'《玉篇》. [二] 친압할 뉴, 익을 뉴 狃(犬部 四畫)와 同字. '一之以慶賞'《荀子》.
[字源] 形聲. 忄(心)＋丑〔音〕. '丑추'는 비트는 모양의 상형. 마음이 비틀리다, 부끄러워하다를 뜻함.

[忸怵 유설] 익숙함.
[忸怩 육니] 겸연쩍어함. 부끄러워함.
[忸恨 육한] 부끄러워하고 원망함.

4 ⑦ [怽] 설 [入]屑 食列切 shì

[字解] 익을 설 여러 번 경험하여 익숙함. '一, 習也'《集韻》.

4 ⑦ [忦]
[一] 애 [去]卦 牛戒切
[二] 계 [去]卦 居拜切
[三] 개 [去]泰 居太切
[四] 괴 [去]卦 苦怪切
[五] 알 [入]黠 牛轄切 jiá

[字解] [一] ①근심할 애 '一, 恩也'《說文》. ②삼갈 애 '一, 一曰, 惟也'《集韻》. [二] 근심하여두려워할 계 '一, 憂懼也'《集韻》. [三] 두려워할 개 '一, 懼也'《玉篇》. [四] 한할 괴 원한을 품음. '一, 恨也'《集韻》. [五] ①근심할 알 [一]과 뜻이 같음. ②두려워할 알 [三]과 뜻이 같음. ③한할 알 [四]와 뜻이 같음. ④급할 알 바쁨. '一, 急也'《集韻》.
[字源] 形聲. 忄(心)＋介〔音〕

4 ⑦ [忪] 종 [平]冬 職容切 zhōng

[字解] ①놀랄 종 '一, 驚也'《玉篇》. ②설렐 종 마음이 움직임. '一, 心動不定'《玉篇》. ③황급할 종 황망하여 허둥댐. '一, 惶遽也'《玉篇》. ④동요할 종 '惺一'은 마음이 동요(動搖)하여 안정되지 않음.

4 ⑦ [怀]
[一] 부 [去]有 敷救切 fù
[二] 회

[字解] [一] 성낼 부 '一, 怒也'《字彙補》. [二] 懷(心部 十六畫〈p. 826〉)의 俗字·簡體字.

4 ⑦ [忛] 판 [去]願 芳萬切 fàn

[字解] ①악한마음 판 '一, 惡心也'《玉篇》. ②급한성질 판 '一, 急性也'《玉篇》. ③급할 판 바삐 서두름. '一, 急也'《集韻》. ④뉘우칠 판 '一, 悔也'《集韻》.

4 ⑦ [忻] 흔 [平]文 許斤切 xīn
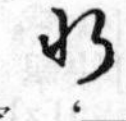

[字解] ①기뻐할 흔 欣(欠部 四畫)과 同字. '一悅'. '姜原見巨人跡, 心一然說欲踐之'《史記》. ②성 흔 성(姓)의 하나.
[字源] 篆文  形聲. 忄(心)＋斤〔音〕. '斤근'은 자잘하게 하다의 뜻. 호흡을 밭게 하며 들뜬 기분으로 기뻐하다의 뜻을 나타냄.

[忻樂 흔락] 기뻐하고 즐거워함.
[忻賴 흔뢰] 기뻐하여 의뢰함.
[忻慕 흔모] 기뻐하여 따름.
[忻然 흔연] 기뻐하는 모양. 흔연(欣然).
[忻懽 흔환] 흔락(忻樂).

4 ⑦ [忯]
[一] 기 [平]支 巨支切 qí
[二] 지 [上]紙 上紙切 shì

[字解] [一] ①공경할 기 '一, 敬也'《玉篇》. ②사랑할 기 '一, 愛也'《玉篇》. [二] 기댈 지 의뢰(依賴)함. 恀(心部 六畫)와 同字. '一, 恃也'《爾雅》.
[字源] 篆文  形聲. 忄(心)＋氏〔音〕

4 ⑦ [忼] 강 [上]養 苦朗切 kāng(kǎng)
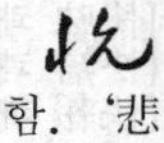

[字解] 강개할 강 의기가 북받치어 분개함. '悲歌一慨'《史記》.
[字源] 篆文  形聲. 忄(心)＋亢〔音〕. '亢항'은 '흥분하다'의 뜻. 마음이 흥분하다의 뜻.

[忼愾 강개] 강개(忼慨).
[忼慨 강개] 의기(義氣)가 북받치어 한탄하고 분해함.

4 ⑦ [忳] 돈 ①[平]元 徒渾切 tún ②[去]願 徒困切 dùn

字解 ①근심할 돈 걱정하여 번민함. '一鬱邑余侘傺兮'《楚辭》. ②어리석을 돈 우매함. '我愚人之心也哉, 一一兮'《老子》.
字源 形聲. 忄(心)＋屯〔音〕

[忳忳 돈돈] ㉠어리석은 모양. ㉡걱정하는 형용.

4 ⑦ [忟] 〔민〕
忞(心部 四畫〈p. 762〉)과 同字

4 ⑦ [忷] 〔흉〕
恟(心部 六畫〈p. 777〉)과 同字

4 ⑦ [忰] 〔췌〕
悴(心部 八畫〈p. 788〉)의 俗字

4 ⑧ [忲] 〔태〕
態(心部 十畫〈p. 804〉)의 簡體字

4 ⑦ [忾] 一 忔(心部 三畫〈p. 760〉)과 同字
二 愾(心部 十畫〈p. 806〉)와 同字

5 ⑨ [怎] 즘 ㊤寑 子沈切 zěn

字解 어찌 즘 속어(俗語)에 쓰이는 글자로서, 고문(古文)의 '여하(如何)'와 동의(同意)임. '一麽'. '一生' 등으로 연용(連用)하기도 함. '王孫心眼一安排'《范成大》.
字源 形聲. 乍〔音〕＋心〔音〕. 속어인 '作心麽'(어찌하여)로부터 만들어진 문자. '乍자'는 '作작'의 첫 자음(子音)을 나타내며, '心심'은 '甚麽심마'를 줄인 음을 나타냄.

[怎麽 즘마] 여하(如何).
[怎生 즘생] 여하(如何).

5 ⑨ [怒] 中人 노 ㊈遇 乃故切 nù

筆順 乚 女 女 奴 奴 奴 怒 怒

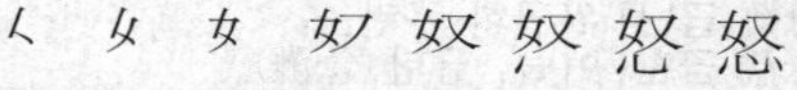

字解 ①성낼 노 ㉠화냄. '憤一'. '文王一一, 而安天下之民'《孟子》. ㉡분기(奮起)함. '一而飛'《莊子》. ②곤두설 노 꼿꼿이 거꾸로 섬. '一生'. '一髮上衝冠'《史記》. ③세찰 노 기세가 대단함. '一潮'. '江上秋風捲一濤'《孟貫》. ④살질 노 비대함. '鮮車一馬'《後漢書》. ⑤성 노 화. '發一'. '不遷一, 不貳過'《論語》. ⑥기세 노 위세(威勢). '急繕其一'《禮記》.
字源 篆文 形聲. 心＋奴〔音〕. '奴노'는 힘을 다해서 일하는 여자 노예의 뜻. 감정에 힘을 넣다, 성내다의 뜻을 나타냄.

[怒甲移乙 노갑이을] 이편에서 당한 노염을 저편에서 화풀이함.
[怒譴 노견] 성내어 견책(譴責)함.
[怒叫 노규] 성내어 부르짖음.
[怒氣 노기] 성이 난 얼굴빛.
[怒氣冲天 노기충천] 성이 잔뜩 남.
[怒鬧 노뇨] 성내어 큰 소리로 떠듦.
[怒濤 노도] 성난 파도(波濤). 세찬 파도.
[怒浪 노랑] 노도(怒濤).
[怒馬 노마] ㉠살찐 말. ㉡성난 말.
[怒罵 노매] 성내어 꾸짖음.
[怒發大發 노발대발] 몹시 성을 냄.
[怒髮衝冠 노발충관] 곤두선 머리털이 갓을 치켜 올린다는 뜻으로, 크게 노(怒)한 용사(勇士)의 모양을 형용한 말.
[怒色 노색] 성낸 빛.
[怒生 노생] 초목(草木)의 싹이 세차게 나와 꼿꼿이 자람.
[怒語 노어] 성내어 말함.
[怒恚 노에] 성냄.
[怒猊 노예] 성난 사자(獅子).
[怒張 노장] ㉠팽팽하게 불룩 나옴. ㉡필력(筆力)이 웅건(雄健)함.
[怒潮 노조] 세차게 몰려오는 조수(潮水).
[怒號 노호] ㉠성내어 큰소리침. ㉡풍파(風波) 등의 거센 소리.
[怒哮 노효] 성내어 부르짖음.
●呵怒. 激怒. 譴怒. 大怒. 跳怒. 突怒. 勃怒. 發怒. 忿怒. 憤怒. 奮怒. 馮怒. 盛怒. 深怒. 恚怒. 慍怒. 怨怒. 威怒. 躁怒. 嗔怒. 瞋怒. 震怒. 天怒. 暴怒. 嚇怒. 赫怒. 號怒. 詬怒. 喜怒.

5 ⑨ [㣽] 怒(前條)의 古字

5 ⑨ [思] 中人 一 사 ①②㊥支 息玆切 sī
③④㊈寘 相吏切 (sì)
二 새 ㊥灰 桑才切 sāi

筆順 丨 冂 冃 田 田 田 思 思

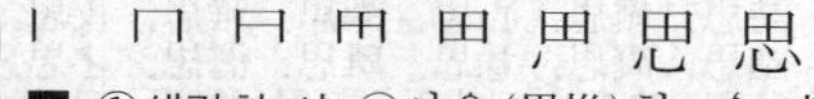

字解 一 ①생각할 사 ㉠사유(思惟)함. '一考'. '三一而後行'《論語》. ㉡유의함. '不一而得'《中庸》. ㉢따름. 사모함. '爲後人所一'《南史》. ㉣추억함. '閑一往事似前身'《白居易》. ㉤사랑함. '子惠一我'《詩經》. ㉥근심함. '一婦'. '步徙倚而遙一兮'《楚辭》. ㉦바람. '一皇多士'《詩經》. '一修身, 不可以不事親'《中庸》. ②어조사 사 ㉠발어(發語)의 조사. '一樂泮水'《詩經》. ㉡어말(語末)의 조사. '不可求一'《詩經》. ③생각 사 '妙一'. '春一'. '儲精垂一'《揚雄》. ④성 사 성(姓)의 하나. 二 수염많을 새 '于一'는 수염이 많이 난 모양. '于一于一, 棄甲復來'《左傳》.
字源 篆文  會意. 전문(篆文)은 心＋囟. '囟신'은 소아의 뇌의 상형. 두뇌와 마음으로 생각하는 뜻을 나타냄.

[思考 사고] 생각함. 궁리함.
[思過半 사과반] 생각하여 얻은 바가 많음. 생각하여 깨달은 것이 많음.
[思歸鳥 사귀조] 두견이, 곧 '두견(杜鵑)'의 별칭(別稱).
[思念 사념] 생각함.
[思量 사량] 생각하여 헤아림.
[思慮 사려] 생각. 깊은 생각.
[思戀 사련] 그리워함.
[思料 사료] 생각하여 헤아림.
[思慕 사모] ㉠그리워함. ㉡우러러 받들고 마음으로 따름.
[思無邪 사무사] 마음에 조금도 사(邪)가 없음.
[思無益不如學 사무익불여학] 단지 생각하기만 하면 아무 소득이 없으므로 배워야 함.
[思辨 사변] ㉠도리를 생각하여 시비를 가림. ㉡

경험은 없이, 논리적 사고(論理的思考)만으로 인식하려는 것.
[思服 사복] 늘 생각하여 잊지 아니함.
[思婦 사부] 근심이 있는 부녀(婦女). 수심에 잠긴 부녀.
[思不出其位 사불출기위] 자기 분수(分數)에 넘는 생각을 하지 아니함.
[思想 사상] ㉠생각. ㉡판단과 추리를 거쳐서 생긴 의식 내용. ㉢통일 있는 판단의 체계. ㉣사회 및 인생에 대한 일정한 견해.
[思想家 사상가] 사회 및 인생에 대하여 깊고 풍부한 사상을 가지고 있는 사람.
[思想界 사상계] ㉠사상이 활동하는 세계. ㉡사상가의 사회.
[思索 사색] 사물의 이치를 파고들어 생각함.
[思憶 사억] 생각함.
[思王 사왕] 진사왕(陳思王) 조식(曹植)을 이름.
[思惟 사유] 생각함.
[思議 사의] 생각함.
[思潮 사조] 그 시대(時代)의 사상(思想)의 흐름.
[思之思之鬼神通之 사지사지귀신통지] 밤낮으로 생각하여 게을리 하지 않으면 활연(豁然) 깨닫는 바가 있음.
[思存 사존] 마음을 붙임. 마음을 둠.
[思親 사친] 어버이를 생각함.
[思度 사탁] 생각. 사려 분별(思慮分別).
[思鄕 사향] 고향을 생각함.
◉客思. 近思. 羈思. 多思. 覃思. 妙思. 文思. 別思. 三思. 三秋思. 相思. 俗思. 愁思. 熟思. 詩思. 愼思. 心思. 深思. 雅思. 夜思. 旅思. 幽思. 凝思. 意思. 離思. 潛思. 才思. 靜思. 藻思. 塵思. 千秋思. 諦思. 焦思. 秋思. 追思. 春思. 馳思. 沈思. 耽思. 片思. 懷思.

5 ⑨ [怠] 高人 태 ㊤賄 徒亥切 dài

筆順 ㄙ 厶 台 台 台 台 怠 怠

字解 ①게으를 태, 게을리할 태 태만함. 태만히 함. '一荒'. '汝惟不一'《書經》. ②업신여길 태 경멸함. '諸公稍自引而一驚'《漢書》. ③게으름 태 나태(懶怠). '敬勝一則吉'《六韜》. ④새이름 태 '意一'는 동해(東海)의 새 이름.
字源 篆文 形聲. 心+台〔音〕. '台태'는 '止지'와 통하여, '멎다'의 뜻. 마음이 멎다, 게으름 피우다의 뜻을 나타냄.

[怠倦 태권] 싫증나서 게으름을 피움.
[怠慢 태만] 게으르고 느림. 소홀히 함.
[怠嫚 태만] 태만(怠慢).
[怠業 태업] ㉠노동 쟁의(勞動爭議)의 수단의 하나. 일을 아주 그만두는 것이 아니라, 한동안 쉬거나 능률을 떨어뜨리거나 하여 기업주에게 손해를 끼쳐 분쟁의 해결을 보려는 것. 사보타주. ㉡일을 게을리 함.
[怠傲 태오] ㉠게으르고 오만함. ㉡게으름 피우며 놂.
[怠驁 태오] 태오(怠傲).
[怠惰 태타] 게으름.
[怠廢 태폐] 게을러 일을 폐해 버림.
[怠忽 태홀] 게을러 소홀히 함.
[怠荒 태황] 게을러 일을 버려둠.
◉過怠. 驕怠. 倦怠. 惓怠. 勤怠. 慢怠. 衰怠. 豫怠. 緩怠. 惰怠. 墮怠. 偸怠. 逋怠. 疲怠. 解怠. 懈怠. 荒怠. 戱怠.

5 ⑨ [急] 中人 급 ㊀緝 居立切 jí

筆順 ノ ク 刍 刍 刍 刍 急 急

字解 ①급할 급 ㉠절박함. 위급함. '一難'. '一迫'. 또, 절박한 일. 위급한 일. 사변. 재난(災難). '襄王告一于晉'《史記》. ㉡긴급함. 빨리 하여야 함. 중요함. '一務'. 또, 급한 일. 중요한 일. 요무(要務). '禮者人之一也'《中論》. ㉢빠름. '一流'. '天風狂一'《後漢書》. ㉣성급함. '狷一'. '西門豹之性一, 故佩韋緩己'《韓非子》. ②켕길 급 팽팽함. '大絃一則小絃絶矣'《韓詩外傳》. ③서두를 급 급히 굶. '一遽'. '一於自解而謝'《韓愈》. ④재칠 급 재촉함. '一趣丞相御史, 定功行封'《史記》. ⑤성 급 성(姓)의 하나.
字源 篆文 形聲. 心+及〔音〕. '及급'은 '따라붙다'의 뜻. 쫓길 때의 절박한 마음의 뜻을 나타냄.

[急刻 급각] 엄(嚴)함.
[急疳 급감] 천연두의 여독(餘毒)으로 잇몸이 헤지는 병(病).
[急降下 급강하] 급속히 내림.
[急遽 급거] ㉠급함. 절박함. ㉡급히 서둚. ㉢급히 서둘러. 갑자기.
[急激 급격] 급하고 격렬함. 급극(急劇).
[急擊 급격] 급(急)히 침.
[急境 급경] 위급한 지경(地境).
[急救 급구] 급(急)히 구제(救濟)함.
[急劇 급극] 급격(急激).
[急急 급급] 몹시 급(急)함.
[急急如律令 급급여율령] 빨리빨리 율령(律令)과 같이 하라는 뜻으로, 본시 한대(漢代)의 공문서(公文書)의 용어(用語)이었으나, 후세(後世)에 도사(道士)가 사귀(邪鬼)를 쫓는 주문(呪文)의 끝에 첨가하여 빨리 달아나라는 뜻으로 쓴 말.
[急難 급난] 위급한 곤란.
[急湍 급단] 여울. 급탄(急灘).
[急艣 급로] 바삐 젓는 노. 노(艣)는 노(櫓).
[急流 급류] 급히 흐르는 물.
[急流勇退 급류용퇴] 급류에 휩쓸리지 않고 용감하게 물러난다는 뜻으로, 다사다난(多事多難)한 관도(官途)를 단연코 물러남의 비유로 쓰임.
[急務 급무] 급한 일.
[急迫 급박] 급히 닥침. 절박함.
[急變 급변] ㉠갑자기 일어난 변고(變故). ㉡별안간 달라짐.
[急病 급병] 급한 병(病).
[急步 급보] 급한 걸음.
[急報 급보] ㉠급히 알림. ㉡급한 보고. ㉢사변(事變)의 보고.
[急死 급사] 별안간 죽음.
[急使 급사] 급한 사자(使者).
[急事 급사] 급한 일.
[急數 급삭] 썩 잦음. 빈삭(頻數).
[急霰 급산] 급작스레 오는 싸락눈.
[急設 급설] 서둘러 베풂.
[急性 급성] 급히 일어나는 병(病)의 성질(性質).
[急速 급속] 빠름.
[急須 급수] 술을 빨리 데우는 얇은 냄비.

[急信 급신] 급한 편지(便紙).
[急要 급요] 지급히 소요됨.
[急用 급용] 급히 쓸 일.
[急雨 급우] 소나기. 소낙비.
[急裝 급장] 급히 차림.
[急傳 급전] ㉠역말을 달려 빨리 전함. ㉡급사(急使).
[急電 급전] 빠른 전보(電報).
[急錢 급전] 급히 쓸 돈.
[急轉直下 급전직하] 별안간 형세(形勢)가 변(變)하여 막 내리 밀림.
[急切 급절] 몹시 급함.
[急燥 급조] 성미가 썩 급함.
[急足 급족] ㉠급사(急使). ㉡빠른 걸음. 전(轉)하여, 빠른 진행.
[急走 급주] 급히 달아남.
[急症 급증] 급작스럽게 일어나는 병.
[急進 급진] ㉠급히 나아감. ㉡일을 빨리 실현하고자 하여 서둚.
[急進黨 급진당] 이상(理想)의 실현을 위하여 돌진하려고 하는 당(黨).
[急進主義 급진주의] 이상(理想)의 실현(實現)을 위하여 급진(急進)하는 주의(主義).
[急就篇 급취편] 한(漢)나라의 사유(史游)가 편찬한 자서(字書). 4권 34장(章). 물명(物名)을 주로 하는 상용(常用) 글자를 수록하였는데, 전편을 통하여 중복자(重複字)가 없으며, 초심자(初心者)의 식자(識字)와 서법(書法)을 위해 만들어졌음. '급취(急就)' 또는 '급취장(急就章)'이라고도 함.
[急風 급풍] 급히 부는 바람. 질풍(疾風).
[急行 급행] 빨리 감.
[急行無善步 급행무선보] 급한 걸음에 좋은 걸음걸이가 없다는 뜻으로, 급히 한 일에는 좋은 결과가 없음의 비유로 쓰임.
[急火 급화] 가까운 곳에 일어난 급한 불. 근화(近火).
◉苛急. 刻急. 艱急. 剛急. 狷急. 警急. 困急. 救急. 窘急. 窮急. 緊急. 短兵急. 猛急. 迫急. 卞急. 不急. 序破急. 性急. 時急. 迅急. 嚴急. 燃眉急. 緩急. 危急. 應急. 早急. 躁急. 周急. 峻急. 至急. 慘急. 轍鮒急. 焦眉急. 促急. 追急. 特急. 偏急. 下急. 火急. 遑急.

5 ⑨ [怨] 中人 원 ①②(去)願 於願切 yuàn ③(平)元 於袁切 yùn

筆順 丿 ク タ 夘 夗 夗 怨 怨

字解 ①원망할 원 ㉠불평을 품고 미워함. 적대시함. '一望'. '父母惡之, 勞而不一'《孟子》. ㉡무정(無情)함을 슬퍼함. '閨一'. '一慕'. '內無一女'《孟子》. ②원한 원 '宿一'. '構一於諸侯'《孟子》. ③원수 원 '一讎'. '母家有仇一'《史記》.

字源 篆文 形聲. 心+夗〔音〕. '夗원'은 '몸을 굽히다'의 뜻. 마음이 고부라져서, 원망하다의 뜻을 나타냄.

[怨苦 원고] 원망하고 괴로워함.
[怨曠 원광] ㉠홀어미 또는 홀아비 신세를 슬퍼함. ㉡원녀(怨女)와 광부(曠夫). 홀어미와 홀아비.
[怨咎 원구] 원망(怨望)하여 미워함.
[怨氣 원기] 원망하는 마음.
[怨女 원녀] 남편이 없어 슬퍼하는 여자. 곧, 과부, 과년하여 시집을 못 가는 처녀, 독수공방(獨守空房)하는 여자, 임금의 은총을 잃은 여자 등을 이름.
[怨念 원념] 원한을 품은 생각.
[怨懟 원대] ㉠원한(怨恨). ㉡원한을 품음.
[怨毒 원독] 원망하고 미워함. 큰 원한(怨恨).
[怨讟 원독] 원망하여 비방함.
[怨靈 원령] 원한(怨恨)을 품고 죽은 사람의 혼령(魂靈).
[怨望 원망] 마음에 불평(不平)을 품고 미워함.
[怨慕 원모] 무정(無情)한 것을 원망(怨望)하면서도 오히려 그를 사모(思慕)함.
[怨叛 원반] 원반(怨畔).
[怨畔 원반] 원망하여 배반(背反)함.
[怨謗 원방] 원망하여 비방함.
[怨府 원부] 대중의 원한이 쏠리는 단체나 기관.
[怨婦 원부] 원녀(怨女).
[怨憤 원분] 원망하고 분개함.
[怨誹 원비] 원망하여 비방함.
[怨辭 원사] 원망하는 말.
[怨聲 원성] 원망(怨望)하는 소리.
[怨訴 원소] 원망하여 하소연함.
[怨讎 원수] 자기(自己) 또는 자기 집이나 자기 나라에 참지 못하는 큰 해(害)를 끼친 사람. 구적(仇敵).
[怨心 원심] 원망(怨望)하는 마음.
[怨言 원언] 원망(怨望)하는 말.
[怨惡 원오] 원망하고 미워함.
[怨尤 원우] 원망하여 탓함.
[怨入骨髓 원입골수] 원한이 뼈에 사무침.
[怨刺 원자] 원망하고 비방함.
[怨咨 원자] 원망하여 한탄함.
[怨詛 원저] 원망하여 저주함.
[怨敵 원적] 원한의 적(敵). 원수.
[怨調 원조] 원한을 품은 가락.
[怨罪 원죄] 원한을 품고 나쁜 짓을 함. 또, 원한에서 일어난 악한 짓.
[怨疾 원질] 원망하여 미워함.
[怨嗟 원차] 원망하여 탄식함.
[怨天 원천] 하늘을 원망(怨望)함.
[怨天尤人 원천우인] 하늘을 원망(怨望)하고 사람을 탓함.
[怨慝 원특] 원한(怨恨)을 품고 악(惡)한 일을 함. 또, 원한에서 일어난 악한 짓. 원죄(怨罪).
[怨恨 원한] 원통(冤痛)하고 한(恨)되는 생각.
[怨嫌 원혐] ㉠원망과 혐의(嫌疑). ㉡원망(怨望)하고 미워함.
◉憾怨. 結怨. 仇怨. 舊怨. 閨怨. 謗怨. 憤怨. 私怨. 愁怨. 讎怨. 宿怨. 夙怨. 猜怨. 睚眦之怨. 哀怨. 餘怨. 刺怨. 訾怨. 積怨. 情怨. 疾怨. 淸怨. 罷怨. 含怨. 嫌怨.

5 ⑨ [忒] 一 특 (入)職 惕得切 tè 二 대 (去)隊 他代切

字解 一 틀릴 특 어긋남. '一, 失常也'《說文》. 二 틀릴 대 一과 뜻이 같음.

字源 形聲. 心+代〔音〕

5 ⑨ [怱] 총 (平)東 麤叢切 cōng

字解 바쁠 총 悤(心部 七畫)과 同字. '一忙'. '多事一卒'《歐陽修》.

參考 匆(勹部 三畫)은 俗字.

[怱遽 총거] 몹시 급하여 허둥지둥함. 대단히 바쁨.
[怱急 총급] 썩 급함.
[怱忙 총망] 바쁨.
[怱擾 총요] 바쁘고 부산함.
[怱卒 총졸] 바쁨.
[怱怱 총총] ㉠바쁜 모양. ㉡환한 모양. 명백한 「모양.
[怱怱 총홀] 총졸(怱卒).

5 ⑨ [恔] 교 ①㊥肴 口交切 qiāo ②㊤效 口教切 qiǎo

字解 ①감정드러내지않을 교 '一, 一伢, 伏態'《玉篇》. ②거짓 교 巧(工部 二畫)와 同字. '巧, 僞也. 或从心'《集韻》.

5 ⑨ [怤] 부 ㊥虞 芳無切 fū

字解 ①생각할 부. ②기뻐할 부.

字源 篆文 形聲. 心＋付〔音〕. '付부'는 '붙여 주다'의 뜻. 마음에 붙여 생각하다의 뜻을 나타냄.

5 ⑧ [怫] 怤(前條)와 同字

5 ⑨ [怷] 출 ㊀質 直律切 shù

字解 흙고울 출 흙이 덩이지지 않고 고움. '一, 密也'《管子 註》.

5 ⑨ [总] 〔총〕 總(糸部 十一畫〈p. 1767〉)의 簡體字

5 ⑨ [悲] 〔비·불〕 怫(心部 五畫〈p. 771〉)과 同字

5 ⑨ [怛] 〔달〕 怛(心部 五畫〈p. 769〉)과 同字

5 ⑧ [怍] 작 ㊀藥 在各切 zuò

字解 ①부끄러워할 작 '羞一'. '慙一'. '俯不一於人'《孟子》. ②빨개질 작 부끄러워서 안색이 변함. '靦一'. '容毋一'《禮記》.

字源 篆文 形聲. 忄(心)＋乍〔音〕. '乍자·작'은 '酢초'와 통하여, 강한 자극이 작용하는 신 '초'의 뜻. 부끄러워하다, 성내다의 뜻을 나타냄.

[怍色 작색] 부끄러운 낯빛.
[怍意 작의] 부끄러워하는 마음. 부끄러운 기분.
◉悚怍. 羞怍. 靦怍. 慙怍.

5 ⑧ [怊] 초 ㊥蕭 敕宵切 chāo

字解 슬퍼할 초 '一悵'. '一乎若嬰兒之失其母'《莊子》.

字源 篆文 形聲. 忄(心)＋召〔音〕

[怊悵 초창] ㉠슬퍼하는 모양. ㉡실망하여 멍하니 있는 모양.
[怊乎 초호] 슬퍼하는 모양.

5 ⑧ [怏] 人名 앙 ㊤漾 於亮切 yàng ㊤養 於兩切

字解 원망할 앙 불만을 품고 우울함. '一鬱'. '居常一一'《史記》.

字源 篆文 形聲. 忄(心)＋央〔音〕. '央앙'은 목에 칼이 씌워진 사람의 상형. 항쇄(項鎖)가 씌워진 사람의 심리 상태인 원망하다, 즐거워하지 않다의 뜻을 나타냄.

[怏怏 앙앙] 마음에 만족하지 않은 모양. 우울한 모양.
[怏鬱 앙울] 우울함.
[怏悒 앙읍] 불평을 품어 우울한 모양.
◉鬱怏. 悒怏. 悵怏.

5 ⑧ [怐] 구 ㊤宥 古候切 kòu

字解 어리석을 구 '一愗'는 우매한 모양. '直一愗以自苦'《楚辭》.

字源 形聲. 忄(心)＋句〔音〕

[怐愗 구무] 어리석은 모양.

5 ⑧ [怞] ■ 줄 ㊀質 竹律切 chù ■ 돌 ㊀月 當沒切

字解 ■ 근심할 줄 '一, 憂心也'《玉篇》. ■ 두려워할 돌 '一, 怖也'《集韻》.

5 ⑧ [怓] 노 ㊥肴 女交切 náo

字解 ①어지러울 노 혼란함. '無縱詭隨, 以謹惛一'《詩經》. ②지껄일 노 함부로 지껄임. '一一'.

字源 篆文 形聲. 忄(心)＋奴〔音〕

[怓怓 노노] 함부로 지껄임.
◉惛怓.

5 ⑧ [怋] ■ 혼 ㊥元 呼昆切 ■ 민 ㊥眞 彌鄰切 mín ■ 문 ㊥元 莫奔切 mén

字解 ■ 어지러울 혼 혼란함. 惛(心部 八畫)과 同字. '一, 怓也'《說文》. ■ 어지러울 민 '一, 亂也'《廣韻》. ■ ①어두울 문 '一, 不明也'《玉篇》. ②어지러울 문 ㊀과 뜻이 같음. ③번민할 문 '一, 悶也'《玉篇》.

字源 形聲. 忄(心)＋民〔音〕

5 ⑧ [怔] 정 ㊥庚 諸盈切 zhēng

字解 황겁할 정 두려워하여 어찌할 줄 모름. '惶怖一營'《晉書》.

字源 形聲. 忄(心)＋正〔音〕

[怔營 정영] 두려워하여 어찌할 줄 모르는 모양.
[怔忪 정충] 두려워하며 걱정함.

5
⑧ **[怕]** 파 [去]禡 普駕切 pà

[字解] ①두려워할 파 무서워함. '畏—'. '懼—' '—入刑辟'《論衡》. ②아마 파 아마도. 주로, 시(詩)에 쓰임. '江邊—有梅花發'《僧浩溪》. ③성 파 성(姓)의 하나.

[字源] 篆文 形聲. 忄(心)+白〔音〕. '白백'은 공백으로서 아무것도 없다는 뜻. 마음속에 아무것도 없다, 고요하다, 평온하다의 뜻을 나타냄. 또, '迫박'과 통하여, 무엇인가가 닥쳐와서 두려워하다의 뜻도 나타냄.

[怕驚 파경] 두렵고 놀라움.
[怕懼 파구] 두려워함.
◉怯怕. 驚怕. 懼怕. 畏怕.

5
⑧ **[怖]** 포 [去]遇 普故切 bù

[字解] ①두려워할 포 무서워함. '恐—'. '—畏'. '吾驚—其言'《莊子》. ②떨 포 전율함. '欲躋毛骨—'《沈遘》. ③으를 포 협박함. '詐—愚民'《後漢書》. ④두려움 포 공포. '董卓懷—'《魏志》.

[字源] 悑의 別體 形聲. 忄(心)+布〔音〕. '悑포'의 별체(別體). '悑'는 形聲. 忄(心)+甫〔音〕. '甫보'는 '怕파'와 통하여, '두려워하다'의 뜻을 나타냄.

[怖遽 포거] 두려워하여 어쩔 줄 모름.
[怖悸 포계] 두려워서 가슴이 울렁거림.
[怖懼 포구] 두려워함.
[怖畏 포외] 두려워함.
[怖慄 포율] 두려워서 벌벌 떪.
[怖駭 포해] 두려워하여 놀람.
◉怯怖. 驚怖. 恐怖. 懼怖. 慴怖. 愁怖. 畏怖. 憂怖. 危怖. 疑怖. 戰怖. 振怖. 震怖. 惶怖.

5
⑧ **[怚]** [一] 거 [上]語 臼許切 jù
[二] 광 [平]陽 去王切 kuāng

[字解] [一] 업신여길 거 모멸함. '—, 慢也'《集韻》. [二] 恇(心部 六畫〈p. 777〉)과 同字.

5
⑧ **[怗]** [一] 첩 [入]葉 他協切 tiē
[二] 점 [平]鹽 處占切 zhān

[字解] [一] ①고요할 첩 조용함. '妥—'. '—生長——'《元稹》. ②좇을 첩 복종(服從)함. '卒—荆'《公羊傳》. [二] 막힐 점 지체함. '無—滯之音'《禮記》.

[字源] 形聲. 忄(心)+占〔音〕

[怗滯 첨체] 막힘. 지체됨.
[怗怗 첩첩] 고요한 모양.

5
⑧ **[怙]** 호 [上]麌 侯古切 hù

[字解] ①믿을 호 믿어 의지함. '—恃其衆'《左傳》. ②아비 호 시경(詩經)의 '無父何—, 無母何恃'에 의하여 부친을 '—', 모친을 '恃'라 함. 또, 널리 부모의 뜻으로 쓰임. '父母何—'《詩經》.

[字源] 篆文 形聲. 忄(心)+古〔音〕. '古고'는 '固고'와 통하여, '굳어지다'의 뜻. 특정한 사람에 대한 기대가 굳어지다, 믿다의 뜻을 나타냄.

[怙氣 호기] 기운을 믿음. 자기의 용기를 믿음.
[怙亂 호란] 남의 나라의 혼란(混亂)함을 고소하게 생각함. 남의 어지러움을 틈타 이(利)를 꾀함.
[怙恃 호시] 믿고 의지함. 전(轉)하여, 부모(父母).
[怙終 호종] 믿는 데가 있어 재차 죄를 범(犯)하는 사람. 일설(一說)에는, 일평생 나쁜 짓을 하는 사람.
◉所怙. 恃怙. 依怙.

5
⑧ **[怑]** 반 [去]翰 薄半切 bàn

[字解] 거스를 반 '—換'은 순종(順從)하지 않음.

5
⑧ **[怚]** 저 ①[去]御 將預切 jù
②[平]虞 聰徂切 cū

[字解] ①교만할 저 '恃愛肆—'《晉書》. ②거칠 저 성품이 거칢. '秦王—而不信人'《史記》.

[字源] 篆文 形聲. 忄(心)+且〔音〕. '且저'는 '높이 쌓이다'의 뜻. 마음이 교만해지다의 뜻을 나타냄.

◉肆怚.

5
⑧ **[怞]** 합 [入]洽 轄甲切 xiá

[字解] ①즐길 합 '—, 樂也'《玉篇》. ②기뻐할 합 '—, 悅也'《集韻》.

5
⑧ **[怛]** 달 [入]曷 當割切 dá

[字解] ①놀랄 달 경악함. '—惕'. '—然震悚'《朱熹》. ②애태울 달 노심초사(勞心焦思)하는 모양. '勞心——'《詩經》. ③슬퍼할 달 '—傷'. '惻—'. '中心—兮'《詩經》.

[字源] 篆文 別體 形聲. 忄(心)+旦〔音〕. '旦단'은 '嘆탄'과 통하여, '한탄하다'의 뜻. 마음이 상하다의 뜻을 나타냄.

[參考] 悬(心部 五畫)과 同字

[怛怛 달달] 노심초사(勞心焦思)하는 모양.
[怛悼 달도] 슬퍼함.
[怛傷 달상] 애통(哀痛)함.
[怛然 달연] 놀라는 모양.
[怛惕 달척] 놀람. 두려워함.
◉驚怛. 忉怛. 傷怛. 惋怛. 震怛. 慘怛. 憯怛. 惙怛. 忡怛. 惻怛. 駭怛. 惶怛.

5
⑧ **[怜]** [人名] [一] 령 [平]靑 郎丁切 líng
[二] 련 [平]先 落賢切 lián

[筆順] 丶 丷 忄 忄 忄 怜 怜 怜

[字解] [一] 영리할 령 똑똑하고 민첩(敏捷)함. '始知—悧不如癡'《朱淑眞》. [二] 불쌍히여길 련 憐(心部 十二畫)과 同字. '捫竹—粉汚'《韋應物》.

[字源] 形聲. 忄(心)+令〔音〕. '令령'은 신비하게 '맑다'의 뜻. 마음이 맑아지다, 영리하다의 뜻을 나타냄. 또, '憐련'과 통하여, '가엾어하다'의 뜻도 나타냄.

[怜悧 영리] 약고 민첩(敏捷)함.

[怜質 영질] 영리한 태생.

5 ⑧ [怡] 人名 이 ㊥支 與之切 yí

筆順 丶 忄 忄 怡 怡 怡 怡

字解 ①기뻐할 이 '一悅'. '一然'. '主色不一'《國語》. ②온화할 이 화기(和氣)가 있음. '眄庭柯以一顔'《陶潛》.

字源 篆文 形聲. 忄(心)+台〔音〕. '台이'는 쟁기로 땅을 부드럽게 하는 뜻에서, 마음의 평안, '기뻐하다'의 뜻을 나타내며, '怡이'의 原字. 뒤에 '心'을 붙여, 마음에 관한 말임을 분명히 함.

[怡色 이색] 기뻐하는 빛. 화기(和氣)를 띤 얼굴.
[怡神 이신] 정신을 위로하여 즐겁게 함.
[怡顔 이안] 안색(顔色)을 부드럽게 함. 화안(和顔).
[怡懌 이역] 이열(怡悅).
[怡然 이연] 이이(怡怡).
[怡悅 이열] 기뻐함.
[怡豫 이예] 즐겁게 놂.
[怡愉 이유] 기뻐함.
[怡怡 이이] 기뻐하는 모양. 즐거워하는 모양.
[怡蕩 이탕] 방탕하게 놂.
◉不怡. 安怡. 養怡. 遨怡. 自怡. 歡怡. 嬉怡. 熙怡.

5 ⑧ [怗] 감 ㊥覃 姑三切 gān

字解 좇을 감 복종(服從)함. '一, 心伏也'《集韻》.

5 ⑧ [怦] 평 ㊥庚 普耕切 pēng

字解 곧을 평 충직(忠直)한 모양. '心一一兮諒直'《楚辭》.

字源 形聲. 忄(心)+平〔音〕

5 ⑧ [性] 中人 성 ㊋敬 息正切 xìng

筆順 丶 忄 忄 忄 忄 性 性 性

字解 ①성품 성 사람이 타고난 성질(性質). '天一'. '天命之謂一'《中庸》. ②성질 성 만물이 가지고 있는 본바탕. '野一'. '是豈水之一也'《孟子》. ③마음 성 심의(心意). '一情'. '是謂拂人之一'《大學》. ④목숨 성 수명(壽命). '莫保其一'《左傳》. ⑤모습 성 용모. '不待脂粉芳澤, 而一可說者'《淮南子》. ⑥성별 성 남녀의 구별. '男一'. '女一'. ⑦성욕 성 남녀·자웅(雌雄) 사이의 성적 욕망. '一慾'. ⑧성 성 성(姓)의 하나.

字源 篆文 形聲. 忄(心)+生〔音〕. '生생'은 '태어나다'의 뜻. 타고난 마음인 '천성'이란 뜻을 나타냄.

[性格 성격] 각 사람이 가진 특유한 성질. 품성(品性).
[性交 성교] 남녀가 서로 육체적으로 관계하는 일. 방사(房事).
[性教育 성교육] 남녀 청소년에게 성(性)에 대한 건전(健全)한 지식(知識)을 주기 위한 교육.
[性根 성근] 타고난 성질. 천성(天性).
[性急 성급] 성질이 급(急)함.
[性度 성도] ㉠타고난 성품. 천성(天性). ㉡성품과 도량.
[性來 성래] 천성(天性). 전(轉)하여, 나면서부터. 나면서부터 이제까지. 생래(生來).
[性靈 성령] ㉠마음. 정신. ㉡정기(精氣).
[性理 성리] ㉠천성(天性). 마음. ㉡성명(性命)과 이기(理氣).
[性理大全 성리대전] 명(明)나라의 호광(胡廣) 등이 영락제(永樂帝)의 칙명을 받들어 송(宋)나라의 도학자(道學者)인 주자(周子)·장자(張子)·주자(朱子) 등 백이십가(百二十家)의 성명(性命)·이기(理氣)의 설을 집록(集錄) 편찬한 책. 70권. 영락(永樂) 13년에 완성하였음.
[性理學 성리학] 성명(性命)과 이기(理氣)의 관계를 설명(說明)한 유교 철학(儒教哲學). 송(宋)나라의 주염계(周濂溪)·장횡거(張横渠)·정명도(程明道)·정이천(程伊川)·주희(朱熹) 등이 주창(主唱)한 학설(學說).
[性命 성명] ㉠천부(天賦)의 성질(性質). ㉡목숨. 생명(生命).
[性味 성미] 《韓》 성질과 취미(趣味). 성질과 비위.
[性癖 성벽] 선천적으로 가진 버릇. 나면서부터 지닌 편벽된 성질.
[性別 성별] 남녀(男女)의 구별(區別). 암수의 구별.
[性病 성병] 주로 남녀의 성교(性交)로 말미암아 생기는 전염병.
[性分 성분] 타고난 성질.
[性相近習相遠 성상근습상원] 천부의 성질은 거의 같으나, 교육·습관 등에 의해서 현우(賢愚)의 구별이 생김.
[性善說 성선설] 사람의 본성(本性)은 선천적(先天的)으로 착하나, 물욕(物慾)에 가려서 악(惡)하게 된다고 하는 학설(學說). 맹자(孟子)가 주창함.
[性術 성술] 마음씨.
[性惡說 성악설] 사람에게 이기적(利己的) 정욕(情慾)이 있는 것을 기초(基礎)로 하여 사람의 본성(本性)은 악(惡)한 것이라고 하는 학설(學說). 순자(荀子)가 주장함.
[性業 성업] 성질과 학업(學業).
[性慾 성욕] 남녀 간에 성교(性交)를 행하고자 하는 욕망. 색욕(色慾).
[性慾主義 성욕주의] 도덕(道德)의 구속(拘束)을 벗어나서 감정이 내키는 대로 성욕(性慾)을 만족(滿足)시키는 것이 인생(人生)의 자연(自然)한 것이라고 하는 주의(主義). 금욕주의(禁慾主義)의 대(對).
[性僞 성위] 천연(天然)과 인위(人爲). 본성(本性)과 예의(禮儀).
[性情 성정] ㉠성질과 심정(心情). ㉡타고난 본성(本性).
[性眞 성진] 《佛教》 본성(本性).
[性質 성질] 생물이나 무생물이 본디부터 가지고 있는 바탕.
[性體 성체] 마음의 본체(本體).
[性稟 성품] 타고난 본성.
[性行 성행] 성품(性稟)과 행실(行實).
◉假性. 感性. 感受性. 個性. 乾性. 見性. 慣性.

根性. 急性. 氣性. 記性. 蟣蝨同性. 氣質性. 懶性. 男性. 德性. 道卽性. 篤性. 同性. 動心忍性. 魔性. 慢性. 名詮自性. 無性. 僻性. 復性. 本性. 本然性. 賦性. 佛性. 酸性. 常性. 善性. 素性. 屬性. 獸性. 淑性. 習性. 濕性. 習俗移性. 身性. 神性. 心性. 心卽性. 雅性. 惡性. 野性. 藥性. 兩性. 陽性. 養性. 女性. 劣性. 恬性. 靈性. 悟性. 欲性. 優性. 雄性. 柔性. 音性. 陰性. 凝性. 異性. 理性. 人間性. 人性. 一切性. 自性. 資性. 雌性. 磁性. 才性. 適性. 情性. 中性. 至性. 志性. 知性. 眞性. 盡性. 質性. 天性. 惰性. 彈性. 通性. 特性. 特有性. 偏性. 品性. 稟性. 慧性. 活性. 厚性.

5⑧ **[怩]** 니 [平]支 女夷切 ní 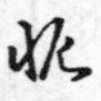

[字解] 부끄러워할 니 겸연쩍어함. '忸―'. '恧―面已赤'《鮑照》.

[字源] [篆文] 形聲. 忄(心)+尼〔音〕. '尼니'는 축축하게 들러붙다의 뜻. 들러붙어 오는 감정의 모양에서, '부끄러워하다'의 뜻을 나타냄.

◉忸怩. 恧怩.

5⑨ **[怎]** 怩(前條)의 古字

5⑧ **[怪]** [高人] 괴 [去]卦 古壞切 guài 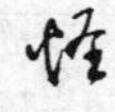

[筆順] ′ 丷 忄 忆 怪 怪 怪 怪

[字解] ①의심할 괴 '―疑'. '―訝'. '知者不―'《淮南子》. ②의심스러울 괴 '疑―之論生'《嵇康》. ③기이할 괴 괴상함. 또, 진기함. '―巖奇石'. '珍―奇物'《淮南子》. ④도깨비 괴, 요괴 괴 유령(幽靈). 요망스러운 마귀. '妖―'. '木石之―'《史記》. ⑤성 괴 성(姓)의 하나.

[字源] [篆文] 形聲. 忄(心)+土+又〔音〕. '土토'는 토지의 신의 상형. '又우'는 오른손의 상형. 건드려서는 안 되는 땅의 신 위에 오른손을 놓고 이상한 심리 상태가 되다, 의심하다의 뜻을 나타냄.

[怪傑 괴걸] 괴상한 재주나 힘이 있는 호걸.
[怪怪 괴괴] 이상야릇함.
[怪怪奇奇 괴괴기기] 이상야릇함. 대단히 기괴함.
[怪巧 괴교] 괴상하게 교묘함.
[怪詭 괴궤] 괴기(怪奇).
[怪禽 괴금] 괴상한 새. 괴조(怪鳥).
[怪奇 괴기] 괴상하고 기이함. 기괴(奇怪).
[怪談 괴담] 괴상한 이야기.
[怪童 괴동] 유난히 몸집이 크고 힘이 센 아이.
[怪力 괴력] 초인적(超人的)인 큰 힘.
[怪力亂神 괴력난신] 괴이(怪異)와 완력(腕力)과 패란(悖亂)과 귀신. 모두 상도(常道)를 벗어난 것.
[怪妄 괴망] 괴상하고 망측함.
[怪夢 괴몽] 괴상한 꿈.
[怪聞 괴문] 이상한 소문.
[怪物 괴물] 괴이(怪異)한 물건. 도깨비. 요괴(妖怪).
[怪癖 괴벽] 괴이한 버릇.
[怪變 괴변] 괴상한 변고(變故).
[怪病 괴병] 괴상한 병(病).
[怪事 괴사] 괴상한 일.
[怪辭 괴사] 기이한 언사(言辭).
[怪狀 괴상] 괴이한 모양.
[怪石 괴석] 괴이하게 생긴 돌.
[怪說 괴설] 기괴한 설.
[怪祟 괴수] 빌미.
[怪獸 괴수] 괴이한 짐승.
[怪訝 괴아] 이상하게 여김. 의심함.
[怪惡 괴악] 언행이 괴이하고 흉악함.
[怪勇 괴용] 이상할 만큼 큰 용기.
[怪迂 괴우] 괴이하고 바르지 못함.
[怪雲 괴운] 괴상한 구름.
[怪疑 괴의] 의심스러움. 또, 의심함. 의아함.
[怪異 괴이] 이상야릇함.
[怪鳥 괴조] 이상하게 생긴 새.
[怪疾 괴질] ㉠병명(病名)을 알 수 없는 괴상한 병. ㉡호열자(虎列剌).
[怪蟲 괴충] 이상한 벌레.
[怪誕 괴탄] 괴이하고 허망(虛妄)한 소리.
[怪歎 괴탄] 괴상망측하게 여겨 탄식함.
[怪特 괴특] 진기(珍奇)함.
[怪漢 괴한] 행동이 수상한 사나이.
[怪火 괴화] 원인을 알 수 없는 괴상한 불.
[怪候 괴후] 괴상한 기후.

◉古怪. 狂怪. 壞怪. 詭怪. 奇怪. 勿怪. 物怪. 變怪. 索隱行怪. 神怪. 靈怪. 妖怪. 迂怪. 珍怪. 醜怪. 險怪. 炫怪. 幻怪. 譎怪.

5⑧ **[佟]** 동 [平]冬 徒冬切 tóng

[字解] ①근심할 동 '―, 憂也'《玉篇》. ②두려워할 동, 당황할 동 '怪―, 懼也'《廣雅》. ③성 동 성(姓)의 하나.

5⑧ **[怫]** [一] 비 [去]未 方未切 fèi 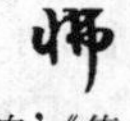
[二] 불 [入]物 符弗切 fú

[字解] [一] 발끈할 비 발끈 화냄. '―, 忿皃'《集韻》. [二] ①답답할 불 마음이 울적함. '我心何―鬱'《魏武帝》. ②어그러질 불 도리에 어그러짐. '―戾'. '五帝之言―異'《史記》.

[字源] [篆文] 形聲. 忄(心)+弗〔音〕. '弗불'은 '沸비'와 통하여, '끓어오르다'의 뜻. 노여움이 마음속에 끓어오르다의 뜻을 나타냄.

[怫戾 불려] 도리에 어그러짐.
[怫恚 불에] 성을 냄. 화냄.
[怫然 불연] 발끈 화를 내는 모양.
[怫鬱 불울] 마음이 답답함. 울적함.
[怫異 불이] 도리에 어그러짐. 불려(怫戾).

◉鬱怫.

5⑧ **[怭]** 필 [入]質 毗必切 bì 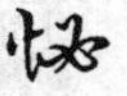

[字解] 설만할 필 '――'은 행동이 무례하고 단정치 못한 모양. '威儀――'《詩經》.

[字源] 形聲. 忄(心)+必〔音〕

[怭怭 필필] 자해(字解)를 보라.

5⑧ **[怺]** 〔패〕
怖(心部 四畫〈p.764〉)의 本字

5 ⑧ **[怏]** 〔쾌〕 快(心部 四畫〈p.763〉)의 本字

5 ⑧ **[怯]** 人名 겁 ㊀葉 去劫切 qiè

字解 ①겁낼 겁 무서워함. '將軍一邪'《漢書》. ②겁많을 겁 겁을 잘 냄. '卑一'. '中情一耳'《史記》. ③겁쟁이 겁 겁 많은 사람. '聽冰一似狐'《韋莊》.

字源 篆文 會意. 忄(心)+去. '去거'는 '가다, 뒷걸음질 치다'의 뜻. '心심'을 붙여, 두려워하다의 뜻을 나타냄.

[怯懦 겁나] 겁이 많음.
[怯劣 겁렬] 비겁하고 용렬함.
[怯夫 겁부] 겁 많은 남자.
[怯懾 겁섭] 겁나 두려워함.
[怯聲 겁성] 겁(怯)이 나서 내는 소리.
[怯心 겁심] 겁내는 마음.
[怯弱 겁약] 겁이 많음.
[怯言 겁언] 겁내어 하는 말.
[怯勇 겁용] 겁 많은 것과 용감한 것.
[怯惰 겁타] 겁이 많고 게으름.
[怯怖 겁포] 겁냄. 두려워함.
◉恇怯. 懦怯. 老怯. 駑怯. 大勇若怯. 卑怯. 生怯. 疎怯. 弱怯. 庸怯.

5 ⑧ **[怲]** 병 ㊤梗 兵永切 bǐng ㊁敬 陂病切

字解 근심할 병 '一一'은 근심하는 모양. '憂心一一'《詩經》.

字源 篆文 形聲. 忄(心)+丙〔音〕. '丙병'은 '더해지다'의 뜻. 마음에 덮쳐 오다의 뜻을 나타냄.

[怲怲 병병] 근심하는 모양.

5 ⑧ **[怳]** 황 ㊤養 詡往切 huǎng

字解 ①어슴푸레할 황 흐릿하여 분명하지 않은 모양. '一惚'. '道之爲物, 惟一惟忽'《老子》. ②멍할 황 정신이 빠진 것 같은 모양. '望美人兮未來, 臨風一兮浩歌'《楚辭》.

字源 篆文 形聲. 忄(心)+兄〔音〕. '兄형'은 '亡망' 등과 통하여, '없다'의 뜻. 마음속에 아무것도 없다, 얼이 빠지다, 멍해지다, 어슴푸레의 뜻을 나타냄.

[怳忽 황홀] 황홀(怳惚).
[怳惚 황홀] ㉠흐릿하여 분명(分明)하지 아니한 모양. ㉡멍한 모양. 정신이 착란한 모양.
[怳惚難測 황홀난측] 흐릿하고 어른어른하여 분간하기 어려움.
◉儻怳. 悄怳. 惛怳. 忽怳. 惚怳. 恍怳. 欻怳.

5 ⑧ **[怰]** 人名 현 ㊁霰 戶絹切 xuàn

字解 팔 현 판매함. '一, 賣也'《玉篇》.

5 ⑧ **[怵]** ㊀ 출 ㊀質 丑律切 chù ㊁ 술 ㊀質 休必切 xù

字解 ㊀ ①두려워할 출 '一惕惟厲'《書經》. ②슬퍼할 출 '心一而奉之以禮'《禮記》. ㊁ 꾈 술 유혹함. '一迫之徒, 或趨西東'《賈誼》.

字源 篆文 形聲. 忄(心)+朮〔音〕. '朮술'은 찰수수의 상형. 찰수수의 열매가 잇달리듯, 마음이 어떤 한 가지 일에만 부대끼다, '쭈뼛쭈뼛하다'의 뜻을 나타냄.

[怵迫 술박] 가난에 쪼들려 이익에 홀림.
[怵然 출연] 두려워하는 모양.
[怵惕 출척] 두려워서 마음이 편안하지 아니함.
[怵怵 출출] 두려워하는 모양.
[怵殆 출태] 두려워하며 위태롭게 여김.
◉驚怵. 悼怵.

5 ⑧ **[怞]** 유 ㊥尤 夷周切 yóu

字解 근심할 유 '一一'는 우려하는 모양. '永余思兮一一'《楚辭》.

字源 篆文 形聲. 忄(心)+由〔音〕. '由유'는 '弔조'와 통하여, '근심하다'의 뜻을 나타냄.

5 ⑧ **[怢]** 돌 ㊀月 他骨切 tū

字解 분별없을 돌 분별(分別)이 없는 모양. '美玉蘊於碱砆, 凡人視之一焉'《王褒》.

5 ⑧ **[怮]** 유 ㊥尤 於虯切 yōu

字解 부루퉁할 유 성을 내어 말을 하지 아니함. '一, 含怒'《集韻》.

字源 篆文 形聲. 忄(心)+幼〔音〕

5 ⑧ **[怾]** 韓 기

字解 《韓》산이름 기 '一怛山'《地誌》.

[怾怛 기달] 금강산(金剛山)의 별칭(別稱).

6 ⑩ **[恥]** 高人 치 ㊤紙 敕里切 chǐ

筆順 一 丁 下 F E 耳 耻 恥

字解 ①부끄럼 치 수치. '人可不以無一'《孟子》. ②욕 치 모욕. '包羞忍一是男兒'《杜牧》. ③부끄러워할 치 수치로 여김. '不一不若人'《孟子》. ④욕보일 치 모욕함. 치욕을 당하게 함. '一匹夫, 不可以無備'《左傳》.

字源 篆文 形聲. 心+耳〔音〕. '耳이'는 귀의 상형으로, 부끄러워서 귀가 빨개지다의 뜻. '心심'을 붙여, '부끄러워하다'의 뜻을 나타냄.

參考 耻(止部 六畫)는 俗字.

[恥慨 치개] 부끄러워하고 분개함.
[恥格 치격] 부끄러운 줄 알고 스스로 바로잡음.
[恥骨 치골] 골반(骨盤)의 앞 하부(下部)를 구성(構成)한 음모(陰毛)가 나는 곳에 있는 뼈. 불두덩뼈.
[恥事 치사] 부끄러운 일.
[恥辱 치욕] 수치와 모욕(侮辱).
◉愧恥. 嬌恥. 國恥. 大恥. 無恥. 小恥. 羞恥. 深恥. 廉恥. 破廉恥. 會稽恥. 悔恥. 詬恥.

6 ⑩ **[恁]** [人名] 임 ㊤寢 如甚切 rèn
㊤寢 如林切

[字解] ①생각할 임 '亦宜懃—旅力'《班固》. ②이러할 임 속어(俗語)로서, '—麽'·'—地'·'—兒'가 모두 여차(如此)와 같은 뜻임. '—樣人'.
[字源] 金文 篆文 形聲. 心+任〔音〕. '任임'은 사람이 짊어지다의 뜻. 마음속에 짊어지다, 생각하다의 뜻을 나타냄. 假借하여, 당·송(唐宋) 무렵부터 속어(俗語)인 '이러한, 이와 같이'의 뜻을 나타내는 데 쓰임.

[恁麽 임마] 이와 같이.
[恁兒 임아] 이러한. 이와 같음.
[恁樣人 임양인] 이러한 사람. 이와 같은 사람.
[恁地 임지] 이러한. 이와 같은. 이와 같이.

6 ⑩ **[⿱汚心]** 오 [去]遇 烏故切 wù

[字解] 탐할 오 '—, 貪也'《字彙》.

6 ⑩ **[恐]** 恐(次條)의 俗字

6 ⑩ **[恐]** [高人] 공 ①-③㊤腫 丘隴切 kǒng
④[去]宋 區用切

[筆順] 一 丅 工 刀 巩 巩 巩 恐

[字解] ①두려워할 공 ㉠무서워함. '—怖'. '齊人將築薛, 吾甚—'《孟子》. ㉡위구함. 염려함. '惡莠—其亂苗也'《孟子》. ㉢공구하여 근신함. '孝子, 祭之日, 顏色必溫, 行必—'《禮記》. ②으를 공 공갈함. '—喝'. '—脅'. '令弟光—王'《漢書》. ③두려움 공 공포. '臂在志爲—'《素問》. ④아마 공 아마도. 반신반의하는 말. '—事不成'. '秦城—不可得'《史記》.
[字源] 篆文 形聲. 篆文은 心+巩〔音〕. '巩공'은 조심스럽게 끌을 손으로 잡는 모양. 조심스러운 마음, 두려워하다의 뜻을 나타냄.

[恐喝 공갈] 으름. 위협(威脅)함.
[恐悸 공계] 두려워서 마음이 두근거림.
[恐懼 공구] ㉠두려워함. ㉡편지의 끝에 적어 경의(敬意)를 표하는 말.
[恐動 공동] ㉠위험(危險)한 말로 남의 마음을 두렵게 함. ㉡두려워서 동요함.
[恐慄 공률] 두려워하여 떪.
[恐竦 공송] 두려워함. 송구(竦懼)함.
[恐水病 공수병] 미친개에게 물리어 그 병독(病毒)이 감염(感染)한 병(病). 이 병자(病者)는 물을 마시지 못할 뿐 아니라, 보기만 하여도 목구멍에 경련이 일어남. 완치하기 어려움.
[恐愼 공신] 두려워하여 삼감.
[恐諛 공유] 두려워하여 아첨함.
[恐縮 공축] 두려워하여 몸을 움츠림.
[恐怖 공포] 무서움. 두려움.
[恐嚇 공하] 으름. 위협함.
[恐駭 공해] 두려워서 놀람.
[恐脅 공협] 으름. 위협함.
[恐惶 공황] 공구(恐懼).
[恐慌 공황] ㉠놀라 허둥지둥함. ㉡경제계(經濟界)가 몹시 침체하여 파산자(破産者)가 많이 생겨 인심이 흉흉하고 질서가 혼란(混亂)한 경제 상태.
◉驚恐. 大恐. 迫恐. 誠恐. 誠惶誠恐. 畏恐. 憂恐. 振恐. 震恐. 惴恐. 脅恐. 惶恐.

6 ⑩ **[恐]** 恐(前條)과 同字

6 ⑩ **[恕]** [高人] 서 [去]御 商署切 shù

[筆順] 𠃋 女 女 如 如 如 恕 恕

[字解] ①어질 서 남의 정상을 잘 살펴 동정(同情)함. 또, 그 마음. 어진 마음. 동정심. '忠—'. '仁—'. '其—乎, 己所不欲勿施於人'《論語》. ②용서할 서 관대히 보아 줌. '容—'. '宥—'. '竊自—'《史記》. ③성 서 성(姓)의 하나.
[字源] 篆文 形聲. 心+如〔音〕. '如여'는 본디 古文에서는 '女여', 부드러운 여자의 뜻. 부드러운 마음, 어진 마음, 용서하다의 뜻을 나타냄.

[恕宥 서유] 정상을 살펴 용서함.
[恕直 서직] 동정심이 많고 정직함.
◉強恕. 寬恕. 矜恕. 篤恕. 宥恕. 諒恕. 溫恕. 了恕. 容恕. 宥恕. 仁恕. 情恕. 忠恕.

6 ⑩ **[恙]** 양 [去]漾 餘亮切 yàng

[字解] 병 양 원래는 사람을 무는 독충(毒蟲)의 이름. 태고에 사람이 벌레의 해독을 많이 입었으므로, 전(轉)하여, 병(病)·근심 등의 뜻으로 쓰이며, 남의 안부를 물을 때 '無—乎'라 함. '噬蟲能食人心, 古者草居, 終被此毒, 故相問勞曰, 無—'《風俗通》.
[字源] 篆文 形聲. 心+羊〔音〕. '羊양'은 '痒양'과 통하여, '앓다'의 뜻. 마음이 아프다, 걱정하다, 재난(災難)의 뜻을 나타냄.

[恙病 양병] 병.
◉無恙. 微恙. 心恙. 痾恙. 疹恙. 疾恙. 布帆無恙. 疲恙.

6 ⑩ **[念]** 흡 [入]緝 迄及切 xī

[字解] 합할 흡 '陰氣瘱而—之'《太玄經》.

6 ⑩ **[恚]** 에(혜[本]) [去]寘 於避切 huì
[去]霽 胡桂切 huì

[字解] ①성낼 에 원한을 품고 분노함. '—望'. '怨—'. '欲試寬令—'《後漢書》. ②성 에 화. 분노. '解—之方'《陸龜蒙》.
[字源] 篆文 形聲. 心+圭〔音〕. '圭규'는 '擊격'과 통하여, '치다'의 뜻. 적의(敵意)를 품고 치다, 공격적인 마음, 성내다의 뜻을 나타냄.

[恚憾 에감] 에한(恚恨).
[恚怒 에노] 성냄. 분노함.
[恚亂 에란] 성냄.
[恚望 에망] 성내고 원망함.
[恚忿 에분] 성냄. 분노함.
[恚憤 에분] 성내어 번민함.
[恚汗 에한] 땀을 흘리며 성냄. 또, 성이 나서 나는 땀.
[恚恨 에한] 성내어 원한을 품음.

◉憾恚. 忿恚. 憤恚. 奮恚. 怫恚. 慍恚. 憂恚. 怨恚. 震恚. 瞋恚. 慙恚. 恨恚.

6 ⑩ [恝] 개 [去]卦 居拜切 jiá

[字解] 근심없을 개 조금도 걱정이 없는 모양. '爲不若是—'《孟子》.

[字源] 形聲. 心+㓞〔音〕. '㓞갈·계'는 '새기다'의 뜻. 마음이 칼로 잘게 베어지다, 걱정하다, 근심의 뜻을 나타냄. 또, 외계(外界)로부터의 자극에 대해 마음이 움직이지 않다, 등한히 하다의 뜻도 나타냄.

6 ⑩ [恣] [高人] 자 [去]寘 資四切 zì

[筆順] 一 冫 冫 冫 冫 次 恣 恣

[字解] 방자할 자 방종함. '—行'. '—意'. '不得自—'《史記》.

[字源] 篆文 形聲. 心+次〔音〕. '次차'는 마음을 이완하다의 뜻. 마음을 이완시키다, 마음대로 하다의 뜻을 나타냄.

[恣夸 자과] 방자하고 잘난 체함.
[恣樂 자락] 아무 거리낌 없이 멋대로 즐김.
[恣放 자방] 방자함.
[恣肆 자사] 제멋대로 행동함. 방자함.
[恣逸 자일] 자방(恣放).
[恣縱 자종] 제멋대로 행동함. 방종함.
[恣擅 자천] 제멋대로 하는 행동. 방자한 행동.
[恣暴 자포] 방자하고 횡포함.
[恣行 자행] 제멋대로 행함. 또, 그 행동.
[恣睢 자휴] ㉠방자하여 남을 함부로 흘겨봄. ㉡비방함. 욕을 함. ㉢남의 말을 듣지 않고 제 고집대로 함.
◉強恣. 洸洋自恣. 狂恣. 驕恣. 忌恣. 放恣. 奢恣. 自恣. 專恣. 躁恣. 縱恣. 震恣. 瞋恣. 憯恣. 擅恣. 侵恣. 貪恣. 暴恣. 狠恣. 豪恣. 荒恣. 凶恣.

6 ⑩ [恧] 뉵 [入]屋 女六切 nǜ / [入]職 女力切 nǜ

[字解] ①부끄러워할 뉵 '—然'. '莫吾知而不—'《張衡》. ②겸연쩍을 뉵 무안하여 낯이 뜨뜻함. '心愧爲—'《詩經》.

[字源] 篆文 形聲. 心+而〔音〕. '而이'는 부드러운 수염의 상형. 부드러운 마음의 뜻에서, '부끄럽다'의 뜻을 나타냄.

[恧怩 육니] 부끄러워함.
[恧然 육연] 부끄러워하는 모양.
[恧縮 육축] 부끄러워하여 움츠림.

6 ⑩ [恩] [中人] 은 [平]元 烏痕切 ēn

[筆順] 丨 冂 冃 冈 冈 因 恩 恩

[字解] ①은혜 은 혜택. '—典'. '謝—'《後漢書》. ②정 은 인정. '慘礉少—'《史記》. ③사랑할 은 사랑하여 은혜를 베풂. '—斯勤斯'《詩經》. ④성 은 성(姓)의 하나.

[字源] 篆文 形聲. 心+因〔音〕. '因인'은 '愛애'와 통하여, '애지중지하다'의 뜻. '心심'을 붙여, '사랑하다'의 뜻을 나타냄.

[恩假 은가] ㉠임금이 주는 휴가(休暇). 은가(恩暇). ㉡은정을 베풀어 용서함.
[恩顧 은고] 은혜를 베풀어 돌보아 주는 일.
[恩功 은공] 은혜(恩惠)와 공로(功勞).
[恩光 은광] ㉠임금의 은덕(恩德). 임금의 총애. 군은(君恩). 은총(恩寵). ㉡만물을 생장시키는 일광(日光).
[恩仇 은구] 은혜와 원수.
[恩舊 은구] 옛날부터 가까이 지낸 정의(情誼).
[恩眷 은권] ㉠은혜를 베풀어 돌보아 주는 일. ㉡임금의 특별한 대우.
[恩給 은급] 은상(恩賞)으로서 줌.
[恩紀 은기] 인정(人情)은 있으나 법은 굽히지 않는 일.
[恩貸 은대] ㉠은혜(恩惠). ㉡특별한 용서.
[恩德 은덕] 은혜(恩惠).
[恩賚 은뢰] 은사(恩賜).
[恩命 은명] 임관(任官)·유죄(宥罪) 등 임금이 내리는 고마운 명령(命令).
[恩撫 은무] 애무(愛撫)함.
[恩傅 은부] 은사(恩師).
[恩師 은사] 은혜(恩惠)가 깊은 스승.
[恩赦 은사] 죄인을 특사(特赦)함.
[恩賜 은사] 웃어른이 내려 줌. 또, 그 물건.
[恩山德海 은산덕해] 산과 바다같이 높고 넓은 은덕(恩德).
[恩賞 은상] 공(功)을 칭찬하여 상(賞)을 내림. 또, 그 상(賞).
[恩錫 은석] 은사(恩賜).
[恩讎 은수] 은혜와 원수.
[恩讎分明 은수분명] 은혜와 원수를 분명히 함. 곧, 은혜는 꼭 갚고 원수는 꼭 앙갚음함.
[恩愛 은애] 은혜(恩惠)와 사랑.
[恩榮 은영] 군은(君恩)을 입은 영광(榮光).
[恩遇 은우] 은정(恩情)을 베푸는 대우(待遇). 총우(寵遇).
[恩怨 은원] 은혜와 원한.
[恩威 은위] 은혜와 위력.
[恩廕 은음] 부조(父祖)가 고위 고관(高位高官)인 덕택으로 벼슬을 하는 일. 남행(南行).
[恩蔭 은음] 덕택. 혜택.
[恩意 은의] 은혜를 베풀고자 하는 뜻.
[恩義 은의] ㉠은혜(恩惠)와 의리(義理). ㉡두터운 정의(情誼).
[恩誼 은의] 은의(恩義).
[恩人 은인] 은혜(恩惠)를 베풀어 준 사람.
[恩引 은인] 남이 초대하여 준 데 대하여 경의(敬意)를 표하여 이르는 말.
[恩典 은전] 은혜가 두터운 처분(處分). 특전(特典). 전(轉)하여, 은혜.
[恩情 은정] 은혜(恩惠)를 베풀며 사랑하는 마음.
[恩詔 은조] 특별히 은정(恩情)을 베풀어 내리는 조서(詔書).
[恩重泰山 은중태산] 은혜(恩惠)의 무게가 태산(泰山)과 같음. 곧, 은혜가 썩 큼을 이름.
[恩地 은지] 은혜. 지(地)는 조자(助字).
[恩寵 은총] 은혜와 총애.
[恩澤 은택] 은혜(恩惠).
[恩波 은파] 천자(天子)의 은혜. 군은(君恩).
[恩倖 은행] ㉠은혜. 은애(恩愛). ㉡임금이 특히 총애하는 근신(近臣).

[恩惠 은혜] 베풀어 주는 신세.
[恩好 은호] 정의(情誼). 후정(厚情).
[恩化 은화] 은혜(恩惠)로써 백성을 교화(敎化)함.
[恩煦 은후] 따뜻한 은혜.
◉感恩. 高恩. 舊恩. 國恩. 君恩. 大恩. 忘恩. 芳恩. 背恩. 報恩. 父母恩. 佛恩. 四恩. 私恩. 師恩. 謝恩. 盛恩. 聖恩. 受恩. 殊恩. 酬恩. 渥恩. 愛恩. 雨露恩. 優恩. 隆恩. 仁恩. 一飯恩. 慈恩. 積恩. 朝恩. 主恩. 重恩. 天恩. 親恩. 荷恩. 海壑恩. 惠恩. 浩恩. 洪恩. 鴻恩. 皇恩. 厚恩.

6 ⑩ [息] 高·人 식 ㊅職 相卽切 xī(xí)

筆順 ′ 丨 门 白 自 自 自 息

字解 ①숨 식 호흡. '鼻—'. 전(轉)하여, 잠시(暫時)의 뜻으로 쓰임. '間不容—'《史記》. ②숨쉴 식 호흡함. '太—'. '歎—'. '屛氣, 似不—者'《論語》. ③쉴 식 휴식함. '休—'. '勞者弗—'《孟子》. ④그칠 식 ㉠중지함. 끝남. '—止'. '攻戰未—'《戰國策》. ㉡그만둠. 끊음. '請—交而絶遊'《陶潛》. ⑤살 식 생존함. '棲—'. ⑥자랄 식 생장함. 증가함. '其日夜之所—'《孟子》. ⑦번식할 식 증식함. '畜多—'《史記》. ⑧아들 식 '子—'. '老臣賤—'《戰國策》. ⑨아이 식 소아. '棄黎老之言, 用姑—之語'《尸子》. ⑩변 식 이자. '利—'. '不能與其—'《史記》. ⑪나라이름 식 주대(周代)의 나라. 초(楚)나라에 멸망당하였음. '—侯伐鄭'《左傳》. ⑫성 식 성(姓)의 하나.

字源 篆文 會意. 心+自. '心심'은 심장, '自자'는 코의 상형. 심장부로부터 코로 빠지는 숨의 뜻을 나타냄. 또, 잔잔한 숨의 뜻에서, '쉬다'는 뜻도 나타냄. 또, 숨을 쉬다, 살다의 뜻과 자기의 분신(分身)으로서 살아가는 자, 곧 '자식'의 뜻을 나타냄.

[息肩 식견] 짐을 내려 어깨를 쉰다는 뜻으로, 휴양(休養)함, 또는 책임을 벗어남을 이름.
[息耕 식경]《韓》밭의 하루갈이의 6분의 1의 면적.
[息交 식교] 남과 교제를 끊음. 세상과의 교제를 그만둠.
[息男 식남] 아들. 자식(子息).
[息女 식녀] 딸. 여식(女息).
[息留 식류] 피로를 풀기 위해 머물러 쉼.
[息利 식리] 이자. 이식(利息).
[息耗 식모] ㉠이익과 손실. ㉡증식과 손모(損耗). ㉢길흉(吉凶). ㉣음신(音信). 소식.
[息兵 식병] 휴전(休戰)함.
[息婦 식부] 며느리. 식부(媳婦).
[息壤 식양] ㉠식양재피(息壤在彼). ㉡층층으로 융기(隆起)한 땅. 식토(息土).
[息壤在彼 식양재피] ㉠'식양(息壤)은 저기 있습니다. 전에 거기서 한 맹세를 잊으실 수야 있겠습니까?'라는 뜻. 진(秦)나라 무왕(武王)이 식양(息壤)에서 맹세를 한 후 감무(甘茂)에게 한(韓)나라의 의양(宜陽)을 토벌하게 하였는데, 다섯 달이 되어도 함락시키지 못하므로 무왕이 근신(近臣)의 소환(召還)하는 것이 좋다는 말을 듣고 감무를 불러 싸움을 그만두게 하려 하였을 때 감무가 한 말임. ㉡약속은 어기기 어렵다는 뜻으로 쓰임.
[息偃 식언] 드러누워 쉼.
[息燕 식연] ㉠농사를 마친 농부를 쉬게 하고 사신(使臣)을 위로하여 잔치를 베풂. ㉡집〔巢〕에서 쉬는 제비. ㉢한가로이 쉼. 연식(燕息).
[息肉 식육] 혹과 같은 군더더기의 살. 군살. 췌육(贅肉).
[息銀 식은] 이자(利子). 이식(利息).
[息災 식재]《佛敎》㉠부처의 힘으로 재난(災難)을 없앰. ㉡몸에 병이 없음. 무양(無恙)함.
[息錢 식전] 이자(利子).
[息停 식정] 머물러 쉼. 쉼. 휴식함.
[息止 식지] 그침. 멈춤.
[息喘 식천] 숨을 헐떡헐떡 쉼.
[息土 식토] 층층으로 융기(隆起)한 땅. 식양(息壤).
◉概息. 憩息. 姑息. 歸息. 氣息. 大息. 娩息. 寐息. 弭息. 微息. 蕃息. 屛息. 保息. 不息. 鼻息. 生息. 棲息. 消息. 蘇息. 衰息. 宿息. 瞬息. 兒息. 安息. 案息. 晏息. 偃息. 掩息. 宴息. 燕息. 令息. 寧息. 愚息. 遊息. 利息. 一息. 自強不息. 子息. 孶息. 滋息. 殘息. 長息. 長太息. 絶息. 停息. 靜息. 調息. 終息. 止息. 窒息. 喘息. 寢息. 嘆息. 歎息. 太息. 胎息. 痛息. 退息. 閉息. 鼾息. 脅息. 脇息. 休息.

6 ⑩ [恏] 호 ㊤晧 許皓切 hào

字解 욕심낼 호 '—, 欲也'《篇海》.

6 ⑩ [恖] 〔사〕 思(心部 五畫〈p.765〉)의 本字

6 ⑩ [恋] 〔련〕 戀(心部 十九畫〈p.828〉)의 俗字

6 ⑩ [恳] 〔간〕 懇(心部 十三畫〈p.819〉)의 俗字

6 ⑩ [囟] 〔사〕 思(心部 五畫〈p.765〉)의 古字

6 ⑩ [恭] 恭(次條)의 本字

6 ⑩ [恭] 高·人 공 ㊥冬 九容切 gōng

筆順 一 十 廾 共 共 恭 恭 恭

字解 ①공손할 공 공경하고 겸손한 태도가 용모나 동작에 나타남. '—順'. '手容—'《禮記》. ②공손히할 공 삼감. 근신함. '—己'. '夙夜—也'《國語》. ③공손히 공 장상(長上)에 대한 경어(敬語)로 쓰임. '—承嘉惠兮'《賈誼》. ④공손 공 이상(以上)의 명사. '色思溫, 貌思—'《論語》. ⑤받들 공 윗사람의 뜻을 받듦. '今予惟—行天之罰'《書經》. ⑥성 공 성(姓)의 하나.

字源 篆文 形聲. 小(心)+共〔音〕. '共공'은 '바치다'의 뜻. 신에게 물건을 바칠 때의 심경, '공손하다, 삼가다'의 뜻을 나타냄.

參考 恭(前條)은 本字.

[恭虔 공건] 공근(恭謹).
[恭儉 공검] 공순(恭順)하고 검소함.

[恭謙 공겸] 공순(恭順)하고 겸손(謙遜)함.
[恭敬 공경] 조신(操身)하고 삼감. 공손하고 근신함. 공(恭)은 몸을 삼가는 일, 경(敬)은 마음을 삼가는 일임.
[恭勤 공근] 공손하고 근면함.
[恭謹 공근] 공손하고 근신함.
[恭己 공기] ㉠자기 몸을 삼감. ㉡강력한 신하(臣下)가 권력을 잡고 있기 때문에 임금은 다만 침묵(沈默)함.
[恭待 공대]《韓》㉠공손(恭遜)히 대우(待遇)함. ㉡경어(敬語)를 씀.
[恭默 공묵] 공손하고 말이 적음.
[恭敏 공민] 공손하고 민첩함.
[恭肆 공사] 공손함과 방자함.
[恭遜 공손] 공경(恭敬)하고 겸손(謙遜)함.
[恭肅 공숙] 공경(恭敬).
[恭順 공순] 공손(恭遜)하고 온순(溫順)함.
[恭承 공승] ㉠삼가 받듦. 경승(敬承). ㉡삼가 이어받음. 공손히 계승함.
[恭讓 공양] 공경하고 겸양함.
[恭畏 공외] 공손하고 조심성이 많음.
[恭容 공용] 삼가는 얼굴. 근신하는 용모.
[恭愿 공원] 공손하고 진실함.
[恭祝 공축] 공손(恭遜)한 마음으로 축하(祝賀)함. 삼가 축하함.
[恭退 공퇴] 공양(恭讓).
[恭賀 공하] 공축(恭祝).
[恭行 공행] 명령을 받들어 행함.
[恭顯 공현] 전한(前漢) 때의 환관(宦官) 홍공(弘恭)과 석현(石顯). 둘 다 중서령(中書令)에 올랐으며, 권세를 전횡(專橫)하였음.
◉虔恭. 敬恭. 篤恭. 不恭. 肅恭. 嚴恭. 溫恭. 允恭. 懿恭. 齊恭. 足恭. 協恭.

6 ⑨ [恂] 人名 ㊀ 순 ㊥眞 相倫切 xún ㊁ 준 ㊧震 輪潤切 shùn

字解 ㊀ ①미쁠 순 신의가 있고 진실함. '忱—'. '孔子於鄕黨——如也'《論語》. ②두려워할 순 '—慄'. '惴慄—懼'《莊子》. ㊁ ①갑자기 준 별안간. '—然棄而走'《莊子》. ②끔쩍거릴 준 눈을 끔쩍끔쩍함. '今汝怵然有—目之志'《列子》. ③엄할 준 '瑟兮僩兮者, —慄也'《大學》.
字源 篆文 形聲. 忄(心)+旬〔音〕. '旬순'은 '均균'과 통하여, '같다'의 뜻. 마음이 변하지 않고 균질(均質)이라는 뜻에서, '진실됨'의 뜻을 나타냄.

[恂懼 순구] 외구(畏懼)함.
[恂目 순목] 눈을 깜작거림. 순목(瞬目).
[恂恂 순순] ㉠신실(信實)한 모양. ㉡두려워하는 모양.
[恂慄 순율] 외구(畏懼).
[恂然 준연] 별안간. 갑자기.
◉忱恂.

6 ⑨ [恑] ㊀ 궤 ㊤紙 過委切 guǐ ㊁ 위 ㊥支 虞爲切 wéi

字解 ㊀ ①변할 궤 '—, 變也'《說文》. ②뉘우칠 궤 '—, 悔也'《廣韻》. ③이상히여길 궤 '—, 異也'《玉篇》. ④아름다울 궤 '—, 美也'《廣雅》. ⑤거스를 궤 배반함. '—, 反也'《廣韻》. ㊁ 오뚝할 위 '—, 獨立皃'《集韻》.
字源 形聲. 忄(心)+危〔音〕

6 ⑨ [恃] 人名 시 ㊤紙 時止切 shì

筆順 丶 小 忄 忄 忙 忙 恃 恃

字解 ①믿을 시 믿어 의뢰함. '—賴'. '萬物—之而生'《老子》. ②어미 시 怙(心部 五畫)를 보라. '怙—'.
字源 金文 篆文 形聲. 忄(心)+寺〔音〕. '寺시'는 '待대'와 통하여, '기다리다'의 뜻. 무엇을 기대하다, 의뢰하다의 뜻을 나타냄.

[恃德者昌 시덕자창] 모든 일에 도덕(道德)을 근본(根本)으로 삼는 자는 더욱 영달(榮達)함.
[恃賴 시뢰] 믿고 의지함. 의뢰(依賴)함.
[恃憑 시빙] 시뢰(恃賴).
[恃寵 시총] 총애를 믿음.
◉介恃. 矜恃. 負恃. 憑恃. 依恃. 倚恃. 怙恃.

6 ⑨ [恞] 이 ㊥支 以脂切 yí

字解 기뻐할 이 夷(大部 三畫)와 통용. '—, 悅也'《爾雅》.

6 ⑨ [恆] 中人 ㊀ 항 ㊥蒸 胡登切 héng ㊁ 긍 ㊧徑 居鄧切 gèng

筆順 丶 丷 忄 忄 忊 恒 恆 恆

字解 ㊀ ①항구 항 영구(永久). '人而無—'《論語》. ②항구히 항 영구히. '—不死'《易經》. ③항상 항 언제나. 늘. '財—足矣'《大學》. ④항상할 항 늘 변하지 않고 그렇게 함. '不—其德'《易經》. ⑤항괘 항 육십사괘(六十四卦)의 하나. 곧, ䷟〈손하(巽下), 진상(震上)〉. 항구 불변의 상(象). ⑥성 항 성(姓)의 하나. ㊁ ①반달 긍 현월(弦月). '如月之—'《詩經》. ②두루미칠 긍 빠짐없이 미침. '—之秬秠'《詩經》. ③뻗칠 긍, 걸칠 긍 亙(二部 四畫)과 통용. '—以年歲'《漢書》.
字源 甲骨文 金文 篆文 形聲. 忄(心)+亙〔音〕. '亙긍'은 한쪽에서 다른 쪽으로 항상 건너가다의 뜻. 언제나 변하지 않는 마음의 뜻을 나타냄.《說文》에서는 會意로, 心+舟+二. 강변과 강변 사이를 배로 건너므로, 마음은 언제까지나 안정되어 있어 변하지 않는다고 설명함. 甲骨文과 金文은 달이 천지 사이를 운행하는 모양을 본떠, 달이 규칙적으로 엄숙하게 건너는 것이 영원불멸하다의 뜻을 나타냄.

[恆久 항구] 변치 아니하고 오래감. 영구(永久).
[恆茶飯 항다반] 늘 있어서 신통할 것이 없는 일.
[恆德 항덕] 변함없이 한결같은 덕.
[恆例 항례] 보통(普通)의 사례(事例). 상례(常例).
[恆士 항사] 범상(凡常)한 선비.
[恆沙 항사] 인도의 항하(恆河)의 모래. 곧, 무량(無量)의 수.
[恆山 항산] 오악(五嶽)의 하나. 산시 성(山西省) 영구현(靈邱縣)의 남쪽에 있는 산. 북악(北嶽). 상산(常山).
[恆産 항산] 살아갈 수 있는 일정(一定)한 재산, 또는 생업(生業).
[恆常 항상] ㉠일정하여 변함이 없는 일. 불변(不

變). ㉡《韓》늘.
[恆星 항성] 한 성군(星群)의 중심(中心)이 되어 그 위치가 변하지 않는 별. 태양(太陽)도 그중의 하나임.
[恆習 항습] 늘 하는 버릇.
[恆時 항시] 늘.
[恆心 항심] 일정불변한 마음. 사람이 늘 지니고 있는 착한 마음.
[恆言 항언] 늘 하는 말. 보통 쓰는 말.
[恆業 항업] 일정한 업무(業務).
[恆用 항용] 늘 씀.
[恆醫 항의] 보통 의원(醫員).
[恆正 항정] 항상 바름. 영구히 바름.
[恆操 항조] 변하지 않고 늘 지니고 있는 지조(志操).
[恆準 항준] 일정불변(一定不變)한 표준.
[恆風 항풍] 무역풍(貿易風)같이 항상 일정한 방향으로 부는 바람.
[恆河 항하] 인도(印度)의 갠지스 강.
◉安恆. 有恆. 和恆.

6 ⑨ [恒] [中人] 恆(前條)의 俗字

[筆順] 丶 丷 忄 忄 忊 忊 恒 恒

6 ⑨ [恇] 광 [平]陽 去王切 kuāng

[字解] 겁낼 광 두려워함. 공구함. '—怯'. '闔境士庶, 莫不—駭'《晉書》.
[字源] 篆文 形聲. 忄(心)+匡(匩)〔音〕. '匩광'은 '惶황'과 통하여, '두려워하다'의 뜻을 나타냄.

[恇怯 광겁] 겁(怯)냄. 무서워함.
[恇恇 광광] 두려워하는 모양. 겁내는 모양.
[恇懼 광구] 겁내어 두려워함.
[恇撓 광뇨] 광요(恇擾).
[恇擾 광요] 겁내어 요란함.
[恇駭 광해] 겁내어 두려워함.

6 ⑨ [恈] 모 [平]尤 莫浮切 móu

[字解] 탐낼 모 탐함. '—然惟利之見'《荀子》.
[字源] 形聲. 忄(心)+牟〔音〕

[恈恈然 모모연] 탐내는 모양.

6 ⑨ [恌] 조 [平]蕭 吐彫切 tiāo

[字解] 경박할 조 경조부박함. '輕—'. '視民不—'《詩經》.
[字源] 形聲. 忄(心)+兆〔音〕. '佻조'와 통하여, '경박하다'의 뜻을 나타냄.

6 ⑨ [恍] [人名] 황 [上]養 虎晃切 huǎng

[字解] ①어슴푸레할 황 분명하지 아니한 모양. '惚兮—兮'《老子》. ②멍할 황 자실(自失)한 모양. 정신이 착란한 모양. '—然'. '心懭—而不我與兮'《劉向》.
[字源] 形聲. 忄(心)+光〔音〕. '光광'은 뚜렷하지 않은 상태를 나타내는 의태어(擬態語). 심리(心理)에 관한 말이므로, '心심'을 붙임.

[恍然 황연] 멍한 모양. 정신이 흐리멍덩한 모양.
[恍遊 황유] 황홀한 기분으로 노는 일.
[恍惚 황홀] ㉠잘 보이지 않는 모양. ㉡미묘하여 알 수 없는 모양. ㉢멍한 모양. 기억이 확실하지 아니한 모양. 정신이 흐리멍덩한 모양.

6 ⑨ [恔] 교 [去]效 後教切 xiào

[字解] 쾌할 교 유쾌함. '於人心獨無—乎'《孟子》.
[字源] 篆文 形聲. 忄(心)+交〔音〕. '交교'는 '校교'와 통하여, 비교하여 헤아리다의 뜻.

6 ⑨ [恟] 흉 [平]冬 許容切 xiōng

[字解] ①두려워할 흉 공구함. '——'. '讁夢意猶—'《韓愈》. ②떠들썩할 흉 시끄러움. '爭訟—'《易林》.
[字源] 形聲. 忄(心)+匈〔音〕

[恟懼 흉구] 두려워함. 떨며 무서워함.
[恟駭 흉해] 무서워서 쭈뼛거림.
[恟恟 흉흉] ㉠인심(人心)이 어수선한 모양. ㉡떠들썩한 모양.

6 ⑨ [恡] 린 [去]震 良刃切 lìn

[字解] 아낄 린 悋(心部 七畫)·吝(口部 四畫)과 同字. '甚—於財'《孔子家語》.

6 ⑨ [恢] [人名] 회 [平]灰 苦回切 huī

[筆順] 丶 丷 忄 忄 忕 恢 恢 恢

[字解] ①넓을 회 마음이 넓음. 전(轉)하여, 딴 사물에도 이름. '—弘'. '—大'. '天網——, 疎而不漏'《老子》. ②넓힐 회 확장함. 확대함. '廓之—之'《太玄經》.
[字源] 篆文 形聲. 忄(心)+灰〔音〕. '灰회'는 '宏굉'과 통하여, '넓고 크다'의 뜻. 마음이 넓고 크다의 뜻을 나타냄.

[恢宏 회굉] 회홍(恢弘).
[恢奇 회기] 크고 기이함.
[恢大 회대] 넓고 큼.
[恢復 회복] ㉠이전의 상태로 돌이킴. ㉡이전의 상태로 돌아감.
[恢然 회연] 마음이 넓은 모양. 도량이 큰 모양.
[恢闡 회천] 크게 열어 넓힘. 확장함.
[恢弘 회홍] ㉠크고 넓음. ㉡넓힘. 회굉(恢宏).
[恢廓 회확] ㉠넓힘. ㉡도량(度量)이 큼.
[恢恢 회회] ㉠광대하여 포용(包容)하는 모양. 큰 모양. ㉡여유가 있는 모양.

6 ⑨ [恤] [人名] 휼 [入]質 辛律切 xù

[字解] ①근심할 휼 '憂—'. '苟得志焉, 無—其他'《左傳》. ②기민(饑民) 먹일 휼 구휼(救恤)함. '賑—'. '—孤寡'《禮記》. ③사랑할 휼 친애(親愛)함. '字—'. '不—之刑'《周禮》. ④성 휼 성

(姓)의 하나.
[字源] 篆文 形聲. 忄(心)+血〔音〕. 마음으로부터 피가 흐르다, 근심하다, 불쌍히 여기다의 뜻을 나타냄.
[參考] 卹(卩部 六畫)과 同字.

[恤救 휼구] 구휼함.
[恤問 휼문] 위문하여 동정을 베풂.
[恤米 휼미] 구휼(救恤)하는 쌀.
[恤民 휼민] 빈민(貧民)·이재민(罹災民)을 구제(救濟)함.
[恤兵 휼병] 전쟁(戰爭)에 나간 병사(兵士)에게 금품(金品)을 보내어 위로(慰勞)함.
[恤貧 휼빈] 빈민을 구휼(救恤)함.
[恤然 휼연] 놀라 두려워하는 모양.
[恤緯 휼위] 길쌈하는 여자가 씨가 모자라는 것을 근심한다는 뜻으로, 자기 신상(身上)의 일을 근심함을 이름.
[恤恤 휼휼] 근심하는 모양.
◉顧恤. 救恤. 矜恤. 勞恤. 撫恤. 憫恤. 保恤. 贍恤. 憂恤. 優恤. 慰恤. 恩恤. 隱恤. 弔恤. 存恤. 周恤. 拯恤. 振恤. 賑恤. 惠恤.

6 ⑨ [恗] [一] 호 [平]虞 荒烏切 hū
[二] 과 ①[平]麻 枯瓜切 kuā ②[上]馬 苦瓦切 kuǎ

[字解] [一] ①두려워할 호 '—, 怯也'《廣雅》. ②근심할 호 '—, 一曰, 憂也'《集韻》. [二] ①거만할 과 자만(自慢)함. '—, 心自大也'《集韻》. ②거스를 과 '—, 心悷也'《集韻》.
[字源] 形聲. 忄(心)+夸〔音〕

6 ⑨ [恨] [中人] 한 [去]願 胡艮切 hèn

[筆順] 丶 丷 忄 忄ㄱ 忄ㅋ 忄艮 恨 恨

[字解] ①한할 한 ㉠원한을 품음. '—恚'. '知公子—之復返也'《史記》. ㉡유감으로 생각함. '始屈終伸, 公其無—'《歐陽修》. ②뉘우칠 한 애석히 여겨 후회함. '悔—'. '—事'. '廣曰, 羌降者八百餘人. 吾詐而盡殺之. 至今大—'《史記》. ③한 한 원한. 유감. 후회. '此—綿綿無絶期'《白居易》.
[字源] 篆文 形聲. 忄(心)+艮(𥃩)〔音〕. '𥃩흔·안'은 '멈춰 서다'의 뜻. 언제까지나 마음을 차지하고 있는 악감정, 원한의 뜻을 나타냄.

[恨毒 한독] 한(恨). 원한(怨恨).
[恨憤 한분] 한하고 분해함.
[恨死 한사] ㉠원한을 품고 죽음. ㉡뉘우치며 죽음.
[恨事 한사] 한(恨)이 되는 일. 아주 유감된 일.
[恨詞 한사] 한을 나타낸 말. 한을 서술한 문사(文辭).
[恨恚 한에] 원망하여 성을 냄.
[恨惋 한완] 원한을 품고 탄식함.
[恨紫愁紅 한자수홍] 원한을 품은 보랏빛과 수심에 잠긴 붉은빛이란 뜻. 애처로운 갖가지 꽃을 형용한 말.
[恨歎 한탄] 원통(冤痛)하거나 또는 뉘우치어 탄식함.
[恨恨 한한] 늘 마음속에 원한을 품은 모양.
◉感恨. 客恨. 愧恨. 仇恨. 忌恨. 羈恨. 多恨. 萬恨. 別恨. 忿恨. 悲恨. 私恨. 羞恨. 愁恨. 宿恨. 猜恨. 深恨. 暗恨. 哀恨. 恚恨. 餘恨. 逆恨. 忤恨. 懊恨. 惋恨. 憂恨. 怨恨. 冤恨. 幽恨. 遺恨. 飮恨. 離恨. 殘恨. 長恨. 情恨. 嗔恨. 慙恨. 悵恨. 愴恨. 凄恨. 鎖恨. 秋恨. 追恨. 春恨. 嘆恨. 歎恨. 痛恨. 妒恨. 嫌恨. 悔恨.

6 ⑨ [恪] [人名] [一] 각 [入]藥 苦各切 kè
[二] 격

[筆順] 丶 丷 忄 忄ノ 忄ク 忄夂 恪 恪

[字解] [一] ①삼갈 각 근신함. 근신. '—謹'. '—肅'. '執事有—'《詩經》. ②성 각 성(姓)의 하나. [二] 삼갈 격 [一]과 뜻이 같음.
[字源] 篆文 形聲. 篆文은 忄(心)+客〔音〕. '客객'은 외지에서 온 사람의 뜻. 외래자(外來者)를 맞을 때의 심경의 뜻에서, '삼가다'의 뜻을 나타냄. 뒤에, 생략체(省略體)인 '恪'이 쓰이게 됨.

[恪虔 각건] 삼감. 근신함.
[恪勤 각근] 근신하며 힘씀.
[恪謹 각근] 삼감. 근신함.
[恪敏 각민] 조심성이 있고 민첩함.
[恪守 각수] 조심하여 지킴.
[恪肅 각숙] 각건(恪虔).
[恪愼 각신] 삼감. 조심함.
◉虔恪. 勤恪. 懃恪. 謹恪. 嚴恪. 儼恪. 忠恪.

6 ⑨ [恫] 통 [平]東 他紅切 tōng

[字解] ①상심할 통 대단히 슬퍼함. '—痛'. '神罔時—'《詩經》. ②으를 통 공갈함. '—疑'. '虛聲—喝'《史記》. ③의심할 통 의혹함. '—疑虛喝'《史記》.
[字源] 篆文 形聲. 忄(心)+同〔音〕. '同동'은 '痛통'과 통하여, '상심하다'의 뜻. '마음 아프다'의 뜻을 나타냄.

[恫喝 통갈] 허세를 부리며 을러댐. 공갈함.
[恫恐 통공] 의구(疑懼)함.
[恫瘝 통관] 상심하여 괴로워함.
[恫矜 통긍] 상심함.
[恫怨 통원] 슬퍼하고 원망함.
[恫疑 통의] ㉠의혹함. ㉡허세를 부리며 을러댐.
[恫痛 통통] 몹시 상심함.
◉慟恫. 駭恫.

6 ⑨ [恬] 념 [平]鹽 徒兼切 tián

[字解] ①편안할 념 마음이 안한(安閑)함. 마음이 조금도 동하지 아니함. '—淡'. '引養引—'《書經》. ②조용할 념 마음이 침착하고 평정(平靜)함. '—虛'. '以—養志'《莊子》.
[字源] 篆文 形聲. 忄(心)+甛〈省〉〔音〕. '甛첨'은 '달다'의 뜻. 사물에 대해 마음속으로 달다고 생각하다, 달가워하다, 안심하다의 뜻을 나타냄.

[恬簡 염간] 조용하고 간솔(簡率)함.
[恬淡 염담] 염담(恬澹).

[恬澹 염담] 명리(名利)를 탐내는 마음이 없어 담박(淡泊)함. 염담(恬淡).
[恬淡虛無 염담허무] 세상의 일체의 명리(名利)를 떠나 마음을 무아(無我)의 경지(境地)에 둠.
[恬瀾 염란] 조용한 파도.
[恬漠 염막] 편안하고 조용함.
[恬謐 염밀] 조용하고 편안함.
[恬泊 염박] 염담(恬澹).
[恬不爲愧 염불위괴] 부정(不正)한 행위(行爲)를 하고도 뻔뻔스럽게 조금도 부끄러워하지 아니함.
[恬性 염성] 조용한 성질.
[恬雅 염아] 이욕(利慾)의 생각이 없어 마음이 화평(和平)하고 단아(端雅)함.
[恬安 염안] 조용함.
[恬然 염연] 마음이 편안한 모양. 마음에 아무런 잡념이 없는 모양.
[恬裕 염유] 마음이 조용하고 너그러움.
[恬而不知怪 염이부지괴] 마음이 태평하여 조금도 이상(異常)히 여기지 않음.
[恬靜 염정] 평온하고 조용함.
[恬泰 염태] 염안(恬安).
[恬虛 염허] 마음이 조용하고 맑음.
[恬豁 염활] 마음이 편안하고 넓음.
[恬熙 염희] 나라가 태평 무사함.
[恬嬉 염희] 평안하고 기뻐함.
◉文恬. 神恬. 安恬. 淸恬. 虛恬.

6 ⑨ [怲] 恬(前條)과 同字

6 ⑨ [恀] [一] 지 [上]紙 諸氏切
[二] 치 [上]紙 尺氏切 chǐ

[字解] [一] 믿을 지, 의지할 지 전(轉)하여, 어머니〔母〕. '—, 恃也. (註)今江東呼母爲—'《爾雅》. [二] 믿을 치, 의지할 치 [一]과 뜻이 같음.
[字源] 形聲. 忄(心)+多〔音〕

6 ⑨ [恰] [人名] 흡 [入]洽 苦洽切 qià

[筆順] 丶 丷 忄 忄丿 忄𠆢 忄今 恰 恰

[字解] ①꼭 흡 아주 적당함을 나타내는 말. '—似'. '—好'. '野航—受兩三人'《杜甫》. ②새우는소리 흡 '自在嬌鶯——啼'《杜甫》.
[字源] 篆文 形聲. 忄(心)+合〔音〕. '合합'은 '맞다'의 뜻. 마음으로 생각했던 바와 들어맞다의 뜻을 나타냄.

[恰可 흡가] 꼭 좋음.
[恰似 흡사] ㉠아주 비슷함. ㉡마치.
[恰好 흡호] 꼭 알맞음. 꼭 좋음.
[恰恰 흡흡] ㉠새 우는 소리. ㉡꼭.

6 ⑨ [恛] 회 [平]灰 胡隈切 huí

[字解] 흐릴 회 '——'는 마음이 혼란(昏亂)한 모양. '初—疑——'《太玄經》.

[恛恛 회회] 마음이 혼란한 모양.

6 ⑨ [恜] 칙 [入]職 恥力切 chì

[字解] 조심할 칙 '——'은 삼가 주의하는 모양. '卜得惡卦, 反令——'《顔氏家訓》.

[恜恜 칙칙] 조심하는 모양.

6 ⑨ [怴] 휼 [入]質 休必切 xù

[字解] 미칠 휼 미친 사람이 됨. '曷爲以二日卒之, —也'《公羊傳》.

6 ⑨ [侘] [一] 타 [平]麻 抽加切 chà
[二] 탁 [入]藥 徒落切 duó

[字解] [一] 실의할 타 '—傺'는 실의(失意)한 모양. [二] 헤아릴 탁 '—, 忖也'《集韻》.

[侘傺 탁제] 실의(失意)한 모양.

6 ⑨ [恅] 로 [上]晧 盧晧切 lǎo

[字解] 심란할 로 마음이 산란함. '愺—, 心亂'《廣韻》.
◉愺恅.

6 ⑨ [恊] 협 [入]葉 胡頰切 xié

[字解] ①맞을 협, 합할 협 '—, 同心之龢也'《說文》. ②으를 협 愶(心部 十畫)과 同字.
[字源] 篆文 形聲. 忄(心)+劦〔音〕. '劦협'은 여러 사람이 힘을 합치다의 뜻. 많은 사람이 마음을 서로 합치다의 뜻. '劦협'과 동일어 이체자(同一語異體字).
[參考] 《說文》은 '協'은 많은 사람이 화합하다의 뜻, '恊'은 많은 사람이 마음을 합치다의 뜻이라고 설명하나, 지금은 같은 글자로 쓰임.

6 ⑨ [恠] 〔괴〕
怪(心部 五畫〈p. 771〉)의 俗字

6 ⑨ [恼] 〔뇌·노〕
惱(心部 九畫〈p. 800〉)의 簡體字

6 ⑨ [悔] 〔회〕
悔(心部 七畫〈p. 782〉)의 略字

6 ⑨ [悦] 〔열〕
悅(心部 七畫〈p. 781〉)의 俗字

7 ⑪ [患] [中人] 환 [去]諫 胡慣切 huàn

[筆順] 丨 口 口 吕 吕 串 患 患

[字解] ①근심 환 ㉠걱정. '—憂'. '吾屬亡—矣'《漢書》. ㉡고통. 고난. '—苦'. '與民同—'《易經》. ②재앙 환 화난. '禍—'. '—禍當何從而來'《世說》. ③병 환 질병. '內—'. '有眼—'《南史》. ④근심할 환 걱정함. '不—無位, —所以立'《論語》. ⑤앓을 환 '—者'. '導引閉氣, 以攻所—'《神仙傳》. ⑥미워할 환 '—忌'. '上下忿—'《後漢書》.
[字源] 篆文 形聲. 心+串〔音〕. '串관'은 물건에 구멍을 뚫고 이어 꿰는 형상. 마음을 꿰어 찌르는 것이 있어 '근심하다'의 뜻을 나

타냄.

[患苦 환고] 고통.
[患咎 환구] 재앙(災殃). 재난.
[患忌 환기] 미워하여 꺼림.
[患難 환난] 근심과 재난.
[患難相救 환난상구] 환난을 당하였을 때 서로 구(救)하여 줌.
[患毒 환독] 근심함. 걱정함.
[患得患失 환득환실] 얻기 전(前)에는 얻으려고 근심하고, 얻은 다음에는 그것을 잃을까 걱정함.
[患累 환루] 근심. 재난(災難).
[患部 환부] 병 또는 상처가 난 곳. 병처(病處).
[患憂 환우] 걱정. 근심.
[患者 환자] 병(病)을 앓는 사람.
[患害 환해] 재난(災難). 재화(災禍).
[患禍 환화] 환해(患害).
[患悔 환회] 근심하고 후회함.
[患候 환후] 《韓》 어른의 병(病)의 존칭(尊稱).
◉艱患. 苦患. 咎患. 寇患. 近患. 急患. 內憂外患. 內患. 大患. 邊患. 蕭牆患. 水患. 新患. 外患. 憂患. 罹患. 重患. 疾患. 風患. 禍患. 後患.

7 ⑪ [悠] 高人 유 ㊥尤 以周切 yōu

筆順 亻 亻 亻' 亻' 攸 攸 悠 悠

字解 ①멀 유 아득하도록 멂. '—久'. '微則—遠, —遠則博厚'《中庸》. ②근심할 유 '——我思'《詩經》. ③한가할 유 바쁘지 않은 모양. 침착하여 서두르지 않는 모양. '—然'. '紛焱—以容裔'《張衡》.
字源 篆文 形聲. 心+攸〔音〕. '攸유'는 '긴 줄'의 뜻. 마음에 오래 느껴지다, 멀다의 뜻을 나타냄. 또, '弔조'와 통하여, 상심하여 근심하다의 뜻으로도 쓰임.

[悠隔 유격] 멀리 떨어져 있음.
[悠曠 유광] 아득히 멂.
[悠久 유구] 연대(年代)가 오래됨.
[悠邈 유막] 유원(悠遠).
[悠緬 유면] 유원(悠遠).
[悠闇 유암] 멀어 확실히 보이지 않는 모양. 또, 신비(神祕)한 모양.
[悠陽 유양] 해가 지는 모양.
[悠然 유연] 한가한 모양. 침착하여 서둘지 않는 모양.
[悠遠 유원] ㉠아득하게 멂. ㉡대단히 오램.
[悠悠 유유] ㉠근심하는 모양. ㉡아득하게 먼 모양. ㉢한이 없이 크고 먼 모양. 끝이 없는 모양. ㉣때가 오랜 모양. ㉤가는 모양. ㉥흘러가는 모양. ㉦침착하고 여유가 있는 모양. 한가한 모양. ㉧많은 모양.
[悠悠度日 유유도일] 아무 하는 일 없이 세월(歲月)을 보냄.
[悠悠泛泛 유유범범] 일을 다잡아 하지 아니하는 모양.
[悠爾 유이] 근심하는 모양. 일설(一說)에는, 먼 모양.
[悠長 유장] 길고 오램.
[悠忽 유홀] 한가(閑暇)히 세월(歲月)을 보냄.
◉鬱悠. 幽悠. 謬悠.

7 ⑪ [悉] 人名 실 ㊅質 息七切 xī

筆順 一 ㇒ 㐅 平 釆 釆 悉 悉

字解 ①갖출 실 구비함. '陳餘因—三縣兵'《史記》. ②다알 실 모두 상세히 앎. '對上所問禽獸簿甚—'《史記》. ③다낼 실 모두 내놓음. 톡 털어놓음. '—心以對'《後漢書》. ④다 실 모두. 하나도 빠짐없이. '—皆'. '—發以擊楚軍'《漢書》. ⑤성 실 성(姓)의 하나.
字源 篆文 會意. 心+釆. '釆변'은 짐승의 발톱의 상형. 짐승이 발톱으로 다른 짐승의 심장을 후벼 내는 모습에서, 남김없이 떼어 내다, 죄다, 다하다의 뜻을 나타냄.

[悉皆 실개] 다. 모두.
[悉達 실달] 석가여래(釋迦如來)의 유명(幼名).
[悉達多 실달다] 실달(悉達).
[悉曇 실담] 범어(梵語) siddham의 음역(音譯)으로서 ㉠성취(成就)·완성(完成)의 뜻. ㉡범어(梵語)의 자모(字母). ㉢범자(梵字). 범어(梵語).
[悉銳 실예] 정예(精銳)한 군사(軍士)를 모두 동원(動員)함.
[悉盡 실진] 모두. 남김없이.
◉究悉. 明悉. 煩悉. 備悉. 詳悉. 纖悉. 昭悉. 酬悉. 熟悉. 識悉. 審悉. 諳悉. 嚴悉. 練悉. 委悉. 精悉. 綜悉. 周悉. 知悉. 陳悉. 該悉.

7 ⑪ [悤] 人名 총 ㊥東 麤叢切 cōng

字解 바쁠 총 허둥댐. 몹시 일에 몰리어 급한 모양. '無故——'《晉書》.
字源 金文 篆文 形聲. 心+囪〔音〕. '囪총'은 '促촉'과 통하여, '마음이 바쁘다'의 뜻을 나타냄. 金文은 指事로, '心심' 위에 작은 점을 더하여, 상기된 심리 상태, 허둥대다의 뜻을 나타냄.
參考 怱(心部 五畫)은 同字.

[悤悤 총총] 대단히 급하여 허둥지둥하는 모양.

7 ⑪ [悆] 人名 여 ㊤御 羊洳切 yù

字解 기뻐할 여 '辛未, 帝不—'《晉書》.
字源 金文 篆文 形聲. 心+余〔音〕. '余여'는 '뻗다'의 뜻. 마음이 느긋해져서, 사물을 잊다의 뜻을 나타냄.

7 ⑪ [您] 닌 nín

字解 님 닌 당신. 제이 인칭(第二人稱)의 경어(敬語). 곧, 이(你)의 경칭(敬稱). 본디, 你(人部 五畫)의 俗字.
字源 形聲. 你〔音〕+心〔音〕. 원대(元代)에 이미 쓰이던 속어로, '你니'는 당신의 뜻과 '니'의 음(音)을 나타내고, '心심'은 'ㅁ'의 음을 나타내어, 경어의 뜻을 첨가함. 또, '你們니먼'(너희들)의 뜻으로도 송·원대(宋元代)에는 쓰였음.

7 ⑪ [悇] 광 ㊤漾 居況切 guàng

[字解] ①그르칠 광 잘못을 범함. ②속일 광 '一, 誆也'《玉篇》. ③혹할 광 정신이 빠져 반함. '一, 惑也'《正韻》.
[字源] 篆文 形聲. 心+狂〔音〕. '狂광'은 '미치다'의 뜻. 마음이 미쳐서 그르치다의 뜻을 나타냄.

7 ⑪ [𢙁] 〔간〕
姦(女部 六畫〈p. 526〉)의 古字

7 ⑪ [悊] [人名] 〔철〕
哲(口部 七畫〈p. 377〉)의 古字
[字源] 篆文 形聲. 心+折〔音〕

7 ⑪ [㤰] 〔작〕
怍(心部 五畫〈p. 768〉)과 同字

7 ⑪ [悐] 〔척〕
惕(心部 八畫〈p. 791〉)과 同字
[字源] 形聲. 心+狄〔音〕

7 ⑪ [恿] 〔용〕
勇(力部 七畫〈p. 277〉)의 古字
[字源] 形聲. 心+甬〔音〕

7 ⑪ [悏] 겹 [入]葉 苦協切 qiè
[字解] 생각할 겹 생각하는 모양. '一, 思皃'《說文》.
[字源] 形聲. 心+夾〔音〕

7 ⑪ [恐] 〔공〕
恐(心部 六畫〈p. 773〉)의 本字

7 ⑪ [悪] 〔악〕
惡(心部 八畫〈p. 786〉)의 俗字

7 ⑪ [悬] 〔현〕
懸(心部 十六畫〈p. 825〉)의 簡體字

7 ⑩ [悅] [中人] 열 [入]屑 弋雪切 yuè
[筆順] 丶 丷 忄 忄 忄 怡 悅 悅
[字解] ①기뻐할 열 ㉠즐거워함. '一樂'. '喜一'. '取之而燕民一'《孟子》. ㉡기뻐하며 복종함. 심복(心服)함. '我心則一'《詩經》. '中心一而誠服'《孟子》. ㉢좋아함. 사랑함. '女爲一已者容'《史記》. ②기쁨 열 희열. '千歡萬一'《易林》. ③성 열 성(姓)의 하나.
[字源] 形聲. 忄(心)+兌〔音〕. '兌태·열'은 맺혀져 있던 것이 빠져 떨어지다의 뜻. 마음속에 맺혀진 것이 빠져 나가 해방되어서 '기뻐하다, 즐겁다'의 뜻을 나타냄.

[悅康 열강] 열락(悅樂).
[悅勸 열권] 기뻐하며 복종함.
[悅樂 열락] 기뻐하고 즐거워함.
[悅慕 열모] 기뻐하며 따름.
[悅服 열복] 기쁜 마음으로 좇음. 심복(心服)함.
[悅愛 열애] 기뻐하고 사랑함.
[悅懌 열역] 기뻐함. 기쁘게 생각함.
[悅豫 열예] 열락(悅樂).
[悅親 열친] 어버이의 마음을 즐겁게 함.
[悅好 열호] 기뻐하고 좋아함.
[悅欣 열흔] 열락(悅樂).
[悅喜 열희] 기뻐함.
◉感悅. 恐悅. 大悅. 滿悅. 法悅. 抃悅. 愛悅. 悟悅. 容悅. 流悅. 愉悅. 諛悅. 夷悅. 親悅. 耽悅. 和悅. 欣悅. 喜悅.

7 ⑩ [悦] 悅(前條)과 同字

7 ⑩ [悩] 〔뇌·노〕
惱(心部 九畫〈p. 800〉)의 俗字

7 ⑩ [悁] 연 [平]先 於緣切 yuān
[字解] ①성낼 연 화냄. '一忿'. '棄忿一之節'《史記》. ②근심할 연 우려함. '中心一一'《詩經》.
[字源] 篆文 形聲. 忄(心)+肙〔音〕. '肙연'은 작은 장구벌레의 상형. 마음이 작아지다, 성내다, 근심하다, 안달하다의 뜻을 나타냄.

[悁急 연급] 성을 잘 내고 성미가 급함.
[悁忿 연분] 성냄.
[悁想 연상] 수심(愁心)에 잠김.
[悁恚 연에] 연분(悁忿).
[悁悁 연연] 근심하는 모양.
[悁憂 연우] 연읍(悁悒)
[悁邑 연읍] 연읍(悁悒).
[悁悒 연읍] 성내고 근심함.
◉結悁. 煩悁. 忿悁.

7 ⑩ [悀] 용 [上]腫 尹竦切 yǒng
[字解] ①성낼 용 '一, 怒也, 忿也'《玉篇》. ②기뻐할 용 '一, 心喜也'《集韻》. ③가득찰 용 충만함. '凡以器盛而滿, 謂之一'《集韻》.

7 ⑩ [悃] 곤 [上]阮 苦本切 kǔn
[字解] 정성 곤 마음이 지성이고 순일(純一)함. '一誠'. '一一款款, 朴以忠乎'《楚辭》.
[字源] 篆文 形聲. 忄(心)+困〔音〕

[悃懇 곤간] 친절(親切). 정성.
[悃悃 곤곤] 정성스러운 모양. 한결같이 생각하는 모양.
[悃款 곤관] 정성스러움.
[悃望 곤망] 한결같이 바람. 간절히 희망함.
[悃誠 곤성] 정성. 지성.
[悃愚 곤우] 고지식함. 우직(愚直)함.
[悃願 곤원] 간절히 바람.
[悃愊 곤픽] 진실함. 참됨.
◉懇悃. 丹悃. 誠悃. 愚悃. 忠悃.

7 ⑩ [悄] 초 ①②[上]篠 親小切 qiǎo, qiāo
③[去]嘯 七肖切 qiào
[字解] ①근심할 초 걱정함. 또, 낙심(落心)하여 근심에 잠긴 모양. '一一'. '勞心一兮'《詩經》.

②고요할 초 조용함. 쓸쓸함. '—然'. '東船西舫—無語'《白居易》. ③엄할 초 엄중함. '—乎其言, 若不接其情也'《韓愈》.
[字源] 篆文 形聲. 忄(心)+肖〔音〕. '肖초'는 '작아지다'의 뜻. 마음이 작아지다, 근심하다의 뜻을 나타냄.

[悄然 초연] ㉠고요한 모양. 쓸쓸한 모양. ㉡낙심하여 근심하는 모양.
[悄切 초절] 대단히 근심하는 모양.
[悄愴 초창] ㉠상심(傷心)하는 모양. ㉡쓸쓸한 모양. 고요한 모양.
[悄悄 초초] ㉠근심되어 기운이 없는 모양. ㉡조용한 모양.
[悄乎 초호] 태도가 엄한 모양.

7 ⑩ [㤮] 〔광〕
狂(犬部 四畫〈p. 1388〉)의 古字

7 ⑩ [悋] 린 [去]震 良刃切 lìn
[字解] 아낄 린 인색함. 吝(口部 四畫)과 同字. '商甚—於財'《孔子家語》.
[字源] 形聲. 忄(心)+吝〔音〕. '吝린'은 '아끼다'의 뜻. '心심'을 붙여, 심리를 나타내는 말로서 '아끼다'의 뜻을 나타냄.
[參考] 恡(心部 六畫)은 同字.

[悋想 인상] 인색한 생각.
[悋惜 인석] 아낌.
◉慳悋. 纖悋. 愛悋. 遺悋. 貪悋. 褊悋.

7 ⑩ [悌] [人名] 제 [去]霽 特計切 tì
[筆順] 丷 忄 忄' 忄' 忄' 悌 悌 悌
[字解] ①화락할 제 '愷—'는 화평하고 즐거움. '愷—君子'《左傳》. ②공경할 제 형 또는 존장을 공손히 잘 섬김. '孝—'. '出則—'《孟子》.
[字源] 篆文 形聲. 忄(心)+弟〔音〕. '弟제'는 '아우'의 뜻. 형에 대한 아우의 마음, '순종하다'의 뜻을 나타냄.

[悌友 제우] 형제(兄弟) 또는 부부 사이에 우애가 있거나 의가 좋음.
[悌弟 제제] 형에게 순종하는 아우. 제제(弟弟).
◉愷悌. 謹悌. 不悌. 友悌. 仁悌. 長悌. 和悌. 孝悌.

7 ⑩ [悍] [人名] 한 [去]翰 侯旰切 hàn
[字解] ①사나울 한 흉포함. '—毒'. '妻—不得畜媵妾'《後漢書》. ②굳셀 한 강함. '精—'. '三晉之兵, 素—勇而輕齊'《史記》. ③성급할 한 조급함. '愚—少慮'《漢書》. ④빠를 한 신속함. '水湍—'《史記》. ⑤부릅뜰 한 보기 사납게 눈을 크게 뜸. '瞵—目以旁睞'《潘岳》.
[字源] 篆文 形聲. 忄(心)+旱〔音〕. '旱한'은 '干간'과 통하여, '범(犯)하다'의 뜻. 남을 범하고 나아가는 마음, '사납다'의 뜻을 나타냄.

[悍堅 한견] 굳셈. 강함.
[悍梗 한경] 사나움.
[悍驕 한교] 사납고 교만함.
[悍忌 한기] 독살스럽고 시기심이 강함.
[悍毒 한독] 사납고 독살스러움.
[悍戾 한려] 성질이 사납고 모짊.
[悍馬 한마] 사나운 말.
[悍婦 한부] 사나운 계집.
[悍室 한실] 사나운 아내.
[悍藥 한약] 극약(劇藥).
[悍驁 한오] 사납고 거만함.
[悍勇 한용] 강하고 용맹스러움.
◉強悍. 剛悍. 彊悍. 勁悍. 輕悍. 果悍. 獷悍. 趫悍. 猛悍. 銳悍. 驁悍. 勇悍. 雄悍. 精悍. 粗悍. 鵰悍. 鷙悍. 妒悍. 暴悍. 僄悍. 剽悍. 慓悍. 驍悍. 凶悍.

7 ⑩ [悔] [高人] 회 [去]隊 荒內切 [上]賄 呼罪切 huǐ
[筆順] 忄 忄' 忙 忙 悔 悔 悔 悔
[字解] ①뉘우칠 회 ㉠후회함. 후회하여 고침. '—改'. '雖九死其猶未—'《楚辭》. ㉡분하게 생각함. 한(恨)으로 여김. '—恨'. '—不殺湯於夏臺'《淮南子》. ②뉘우침 회 ㉠후회. '言寡尤, 行寡—'《論語》. ㉡한(恨). '此講之—也'《戰國策》. ③회괘 회 역(易)의 외괘(外卦). 예컨대, 태괘(泰卦) ䷊에 있어서 위의 곤(坤) ☷을 회(悔)라 하고 아래의 건(乾) ☰을 정(貞)이라 함. '曰貞曰—'《書經》.
[字源] 篆文 形聲. 忄(心)+每〔音〕. '每매'는 '어둡다'의 뜻. 마음이 어두워지다, 뉘우치다의 뜻을 나타냄.

[悔改 회개] 잘못을 뉘우치고 고침.
[悔愆 회건] 허물. 과실.
[悔過 회과] 허물을 뉘우침.
[悔過自責 회과자책] 허물을 뉘우치고 스스로를 책망(責望)함.
[悔咎 회구] 회우(悔尤).
[悔戾 회려] 죄. 과실.
[悔吝 회린] ㉠회한(悔恨). ㉡조그마한 과실.
[悔心 회심] 잘못을 뉘우치는 마음.
[悔悟 회오] 이전(以前)의 잘못을 뉘우치어 깨달음.
[悔尤 회우] ㉠허물을 뉘우침. ㉡허물.
[悔罪 회죄] 죄(罪)를 뉘우침.
[悔恨 회한] 뉘우치고 한탄함.
◉懊悔. 改悔. 去悔. 愆悔. 困悔. 過悔. 咎悔. 南華悔. 反悔. 悲悔. 傷悔. 羞悔. 餘悔. 悟悔. 往悔. 畏悔. 尤悔. 怨悔. 六悔. 前悔. 慙悔. 懺悔. 悵悔. 千悔. 追悔. 痛悔. 恨悔. 亢龍悔. 亢悔. 患悔. 後悔.

7 ⑩ [㤯] 경 [平]青 涓熒切 jiǒng
[字解] ①생각할 경 잊지 않고 생각함. '—, 憶也'《字彙》. ②조금밝을 경 '—, 小明也'《正字通》.

7 ⑩ [悒] 읍 [入]緝 於汲切 yì
[字解] 근심할 읍 근심하여 마음이 편하지 아니함. '鬱—'. '武發殺殷, 何所—'《楚辭》.

[字源] 篆文 形聲. 忄(心)＋邑〔音〕. '邑읍'은 '모이다'의 뜻. 마음이 한 가지 일에 모여서 근심이 되고, 걱정하다의 뜻을 나타냄.

[悒憤 읍분] 분노가 가슴에 쌓여 답답함.
[悒怏 읍앙] 우울하여 마음이 편치 않은 모양.
[悒鬱 읍울] 근심하여 가슴이 답답함.
[悒悒 읍읍] 근심으로 마음이 답답하여 편치 아니한 모양.
◉勞悒. 愁悒. 快悒. 於悒. 悁悒. 憂悒. 鬱悒.

7 ⑩ [悕] 희 [平]微 香衣切 xī

[字解] 슬퍼할 희 '在招丘一矣'《公羊傳》.
[字源] 形聲. 忄(心)＋希〔音〕. '希희'는 '바라다, 소망하다'의 뜻.

7 ⑩ [悙] [一] 형 [平]庚 虛庚切 hēng
[二] 행 [去]敬 亨孟切 hèng

[字解] [一] 뽐낼 형. [二] 경솔할 행 '一, 佷一, 疏率也'《集韻》.

◉佷悙. 悻悙.

7 ⑩ [悖] [人名] [一] 패 [去]隊 蒲昧切 bèi
[二] 발 [入]月 蒲沒切 bó

[字解] [一] 어그러질 패 도리에 거스름. '一逆'. '一亂'. '言一而出者, 亦一而入'《大學》. [二] ①우쩍일어날 발 왕성하게 흥기(興起)하는 모양. 勃(力部 七畫)과 통용. '其興也一焉'《左傳》. ②성 발 성(姓)의 하나.
[字源] 形聲. 忄(心)＋孛〔音〕. '孛발'은 초목이 무성한 모양을 나타냄. 마음이 어지러워지다의 뜻을 나타냄. 또, '背배'와 통하여, '배반하다, 어그러지다'의 뜻도 나타냄.
[參考] 背(肉部 五畫)로 바꿔 쓰기도 함. '悖德 → 背德'.

[悖焉 발언] 왕성하게 흥기(興起)하는 모양. 우쩍 일어나는 모양.
[悖談 패담] 도리에 어그러지는 말.
[悖德 패덕] 도덕에 어그러진 행위.
[悖亂 패란] 모반(謀叛)을 일으킴. 정의에 어그러지고 정도(正道)를 어지럽힘.
[悖戾 패려] 도리에 어그러짐. 또, 그러한 일.
[悖禮 패례] 예의(禮儀)에 어그러짐. 또, 그 예절.
[悖謬 패류] 어그러져 틀림.
[悖類 패류] 인륜(人倫)에 어그러진 일을 하는 무리.
[悖倫 패륜] 인륜(人倫)에 어그러짐.
[悖理 패리] 이치(理致)에 어그러짐.
[悖慢 패만] 됨됨이가 온순하지 못하고 거칢.
[悖叛 패반] 패역(悖逆).
[悖說 패설] 패담(悖談).
[悖習 패습] 인륜(人倫)에 어그러지는 못된 풍습(風習).
[悖惡 패악] ㉠도리에 벗어나 나쁨. ㉡인륜에 어긋나는 일을 하고 흉악함.
[悖言 패언] 도리에 어그러진 말.
[悖逆 패역] 패악(悖惡)하여 불순함. 인륜에 어긋나고 나라에 반역함.
[悖異 패이] 서로 어긋나 틀림.
[悖入悖出 패입패출] 도리에 거슬러 얻은 부정한 재물은 반드시 그와 같이 부정한 일에 쓰임.
[悖子 패자] 패륜(悖倫)한 자식.
[悖出悖入 패출패입] 도리(道理)에 어그러지는 일을 하면 반드시 그와 같은 보응(報應)을 받음.
[悖鄕 패향] 못된 사람들이 살아 풍기(風紀)가 고약한 고장.
◉狂悖. 驕悖. 慢悖. 猖悖. 貪悖. 暴悖. 荒悖. 凶悖.

7 ⑩ [悗] 문 ①[平]寒 母官切 mán
②③[上]阮 母本切 mèn

[字解] ①흐릴 문 정신이 흐린 모양. '一, 惑也'《廣韻》. ②잊을 문 '一乎忘其言也'《莊子》. ③정직할 문.
[字源] 形聲. 忄(心)＋免〔音〕

7 ⑩ [悚] [人名] 송 [上]腫 息拱切 sǒng

[字解] 두려워할 송 '一懼'. '惶一'. '心憂魄一'《江淹》.
[字源] 形聲. 忄(心)＋束〔音〕. '束속'은 다발로 묶은 땔나무의 상형으로, 죄어들어 오므라듦의 뜻. 마음이 죄어들어 오므라들다, 두려워하다의 뜻을 나타냄.

[悚懼 송구] 두려워함. 겁을 집어먹음.
[悚慄 송률] 두려워하여 떪.
[悚懍 송름] 무서워서 마음이 떨림.
[悚悚 송송] 두려워하는 모양.
[悚息 송식] 두려워하여 숨을 죽임.
[悚然 송연] 두려워 옹숭그리는 모양.
[悚怍 송작] 두려워하고 부끄러워함.
◉恐悚. 兢悚. 危悚. 戰悚. 罪悚. 震悚. 慚悚. 惶悚.

7 ⑩ [悛] [人名] 전 [平]先 此緣切 quān

[字解] ①고칠 전 전비(前非)를 뉘우쳐 고침. 회개함. '一改'. '其有一乎'《國語》. ②이을 전 뒤를 이음. 계속함. '外內以一'《左傳》.
[字源] 篆文 形聲. 忄(心)＋夋〔音〕. '夋준'은 '俊준'과 통하여, 재지(才智)가 뛰어난 사람의 뜻. 마음이 재지가 있는 상태가 되다, 깨우치다의 뜻을 나타냄.

[悛改 전개] 뉘우쳐 고침.
[悛更 전경] 뉘우쳐 고침. 전개(悛改).
[悛心 전심] 나쁜 마음을 뉘우쳐 고침. 개심(改心).
[悛容 전용] ㉠잘못을 뉘우치는 모습. ㉡모습을 고침.
[悛換 전환] 전개(悛改).
◉改悛.

7 ⑩ [悓] 〔현·견〕
俔(人部 七畫〈p. 140〉)과 同字

7 ⑩ [悝] [一] 리 [上]紙 良士切 lǐ
[二] 회 [平]灰 苦回切 kuī

[字解] [一] 근심할 리 걱정함. '云如何一'《劉基》. [二] ①농할 회 해학함. 詼(言部 六畫)와 同字. '由余以西戎孤臣, 而一秦穆公於宮室'《張衡》. ②사람이름 회 '孔一'는 춘추 시대(春秋時代)

위(衞)나라 사람. '李—'는 전국 시대(戰國時代) 위(魏)나라 사람.
字源 篆文 形聲. 忄(心)+里〔音〕

7 ⑩ [悞] 오 ㊀遇 五故切 wù

字解 ①그릇할 오 誤(言部 七畫)와 同字. ②속일 오 기만함.
字源 形聲. 忄(心)+吳〔音〕

7 ⑩ [悮] 悞(前條)의 俗字

7 ⑩ [悟] 中人 오 ㊀遇 五故切 wù

筆順 忄 忄 忏 忏 悟 悟 悟 悟

字解 ①깨달을 오 ㉠이해함. '—道'. '—覺'. '—已往之不諫, 知來者之可追'《陶潛》. ㉡의심이 풀림. 해탈(解脫)함. '賢者雖獨—, 所困在羣愚'《後漢書》. ②깨달음 오 전항(前項)의 명사. '無所覺之謂迷, 有所覺之謂—'《困知記》. ③슬기로울 오 잘 깨달음. 재주가 있음. '—性'. '阿連才—如此'《南史》. ④깨우칠 오 계발함. '唐睢華顚以—秦'《崔駰》.
字源 篆文 形聲. 忄(心)+吾〔音〕. '吾오'는 '晤오'와 통하여, 밝아지다의 뜻. 마음이 밝아지다, 깨닫다의 뜻을 나타냄.

[悟覺 오각] 깨달음.
[悟空 오공] 만사 만물(萬事萬物)의 실체(實體)는 공(空)임을 깨달음. 허무(虛無)의 이치를 깨달음.
[悟道 오도] 《佛敎》 ㉠번뇌(煩惱)를 해탈(解脫)하고 불계(佛界)에 들어갈 수 있는 길. ㉡불도(佛道)를 깨달음.
[悟了 오료] 모두 깨달음.
[悟禪 오선] 《佛敎》 불교의 묘리(妙理)를 깨달음.
[悟性 오성] ㉠사물을 잘 깨닫는 성질. 재주. ㉡사물을 이해하는 힘. 이성(理性)과 감성(感性)과의 중간에 위치한 논리적 사유의 능력.
[悟悅 오열] 깨닫고 기뻐함.
[悟入 오입] 이치를 깨달음.
[悟悔 오회] 전비(前非)를 깨닫고 뉘우침.
◉覺悟. 感悟. 彊悟. 改悟. 開悟. 警悟. 啓悟. 機悟. 朗悟. 大悟. 頓悟. 明悟. 妙悟. 敏悟. 爽悟. 省悟. 醒悟. 夙悟. 識悟. 神悟. 英悟. 領悟. 穎悟. 了悟. 圓悟. 精悟. 眞悟. 徹悟. 清悟. 超悟. 聰悟. 通悟. 諷悟. 解悟. 玄悟. 慧悟. 豁悟. 悔悟. 會悟. 曉悟.

7 ⑩ [悢] 량 ㊀漾 力讓切 liàng

字解 ①슬퍼할 량 서러워함. '——不得辭'《李陵》. ②돌볼 량 사랑하여 돌보아 줌. '天之於漢, ——無已'《後漢書》.
字源 形聲. 忄(心)+良〔音〕

[悢悢 양량] ㉠슬퍼하는 모양. ㉡사랑하여 돌보아 주는 모양.

7 ⑩ [恾] 망 ㊥陽 莫郎切 máng

字解 ①겁낼 망 두려워함. '—然無以應'《列子》. ②바쁠 망 忙(心部 三畫)과 同字.
字源 形聲. 忄(心)+芒〔音〕

7 ⑩ [悈] 계 ㊀卦 古拜切 jiè

字解 신칙할 계 단단히 일러서 경계함. '有虞氏—於中國'《司馬法》.
字源 篆文 形聲. 忄(心)+戒〔音〕. '戒계'는 '경계하다'의 뜻. 마음속으로 경계하다, 삼가다의 뜻을 나타냄.

7 ⑩ [悧] 人名 리 ㊀寘 力至切 lì

字解 영리할 리 약음. '始知怜—不如癡'《朱淑眞》.
參考 俐(人部 七畫)와 同字.

◉怜悧.

7 ⑩ [悷] 〔렬〕 劣(力部 四畫〈p.274〉)과 同字

7 ⑩ [悇] 도 ㊥虞 同都切 tú

字解 근심할 도 '——'는 근심하는 모양. 걱정하는 모양. '終—憛而洞疑'《馮衍》.

[悇悇 도도] 근심하는 모양.

7 ⑩ [悏] 〔협〕 愜(心部 九畫〈p.802〉)과 同字

8 ⑫ [悶] 人名 민 ㊀願 莫困切 mèn, (문㊍) mēn

字解 ①번민할 민 근심 걱정으로 마음이 괴롭고 답답함. '—死'. '遯世無—'《易經》. ②번민 민 고민. '解煩釋—'《蘇軾》. ③어두울 민 '——'은 사리(事理)에 어두운 모양. '其政——, 其民醇醇'《老子》.
字源 篆文 形聲. 心+門〔音〕. '門문'은 '問문'과 통하여, '묻다'의 뜻. 입에 내지는 않지만 이것저것 자문(自問)하고 번민하다의 뜻을 나타냄.

[悶懣 민만] 번민함.
[悶默 민묵] 아무 말 없이 조용히 있는 모양.
[悶悶 민민] ㉠사리(事理)에 어두운 모양. ㉡번민하는 모양.
[悶死 민사] 몹시 고민하다가 죽음.
[悶癢 민양] 괴롭고 가려움.
[悶絶 민절] 고민 끝에 기절함.
[悶歎 민탄] 번민하며 탄식함.
[悶懷 민회] 번민함. 번민.
◉渴悶. 苦悶. 迷悶. 排悶. 煩悶. 愁悶. 憂悶. 鬱悶. 滯悶. 解悶.

8 ⑫ [悲] 中人 비 ㊥支 府眉切 bēi

筆順 丿 ヲ 키 非 非 悲 悲 悲

[字解] ①슬퍼할 비 ㉠상심함. '一痛'. '女心傷一'《詩經》. ㉡가련하게 여김. '惆悵而自一'《楚辭》. ㉢회상함. 생각함. '游子一故鄕'《漢書》. ②슬플 비 서러움. '嗚呼一哉'. ③슬픔 비 비애. '積一滿懷'《潘岳》. ④《佛》 자비 비 인혜(仁惠)를 베풀고 은덕을 줌. ⑤성 비 성(姓)의 하나.
[字源] 篆文 形聲. 心+非〔音〕. '非비'는 좌우로 갈라지다의 뜻. 마음이 잡아 찢기어 아파 슬퍼하다의 뜻을 나타냄.

[悲笳 비가] 슬픈 곡조를 띤 호가(胡笳)의 소리.
[悲歌 비가] 비장(悲壯)한 노래. 또, 비장한 노래를 부름.
[悲歌忼慨 비가강개] 비장(悲壯)한 노래를 불러 의기(意氣)가 더욱 헌앙(軒昂)함.
[悲感 비감] 슬픈 느낌. 또 슬프게 느낌.
[悲憾 비감] 슬퍼하고 원망함.
[悲慨 비개] 슬퍼하고 개탄함.
[悲哽 비경] 슬퍼하여 목메어 욺.
[悲境 비경] 슬픈 지경. 가련한 처지.
[悲苦 비고] 슬퍼하고 괴로워함.
[悲曲 비곡] 슬픈 곡조. 애절한 음곡(音曲).
[悲觀 비관] ㉠사물(事物)을 슬프게 생각하여 실망함. ㉡세상을 괴롭고 악한 것으로만 봄.
[悲劇 비극] ㉠비참(悲慘)한 세상일을 묘사한 연극(演劇). ㉡세상에서 일어난 비참한 일.
[悲怒 비노] 슬퍼하고 노함.
[悲悼 비도] 애도(哀悼)함.
[悲涼 비량] 구슬프고 쓸쓸함.
[悲戀 비련] ㉠슬퍼하며 사모함. ㉡결말이 비참한 연애.
[悲練絲 비련사] 검은빛으로나 붉은빛으로나 다 물드는 것이 마치 사람의 성품(性稟)이 선(善)하게도 악(惡)하게도 되는 것과 같은 까닭에 묵적(墨翟)이 연사(練絲)를 보고 슬퍼한 고사(故事).
[悲寥 비료] 슬프고 쓸쓸함.
[悲淚 비루] 슬퍼하여 흘리는 눈물.
[悲鳴 비명] ㉠슬퍼 욺. ㉡구슬픈 울음소리.
[悲報 비보] 슬픈 소식. 슬픈 기별.
[悲憤 비분] 슬퍼하고 분개함.
[悲絲 비사] 애절한 거문고 소리. 비현(悲絃).
[悲酸 비산] 비참(悲慘).
[悲傷 비상] 슬퍼 마음이 아픔.
[悲愁 비수] 슬퍼하고 근심함.
[悲心 비심] 슬픈 마음.
[悲哀 비애] 슬픔과 설움.
[悲惋 비완] 슬퍼하여 탄식함.
[悲運 비운] 슬픈 운수(運數).
[悲願 비원] ㉠《佛敎》 부처나 보살의 중생(衆生)을 제도(濟度)하려는 자비(慈悲)스러운 대원(大願). ㉡뼈저린 소원.
[悲泣 비읍] 슬피 욺.
[悲壯 비장] 슬픔 속에 오히려 씩씩한 기운이 있음.
[悲田 비전] 《佛敎》 팔복전(八福田)의 하나. 가난한 사람에게 은혜를 베푸는 일.
[悲啼 비제] 비읍(悲泣).
[悲調 비조] 비곡(悲曲).
[悲嗟 비차] 비탄(悲嘆).
[悲慘 비참] 차마 눈으로 볼 수 없이 슬프고 끔찍함.
[悲悵 비창] 슬퍼하고 원망함.
[悲愴 비창] 몹시 슬퍼함. 또, 몹시 슬픔.
[悲戚 비척] 슬퍼하고 근심함.
[悲秋 비추] ㉠구슬픈 가을. ㉡가을이 되어 비애를 느낌.
[悲歎 비탄] 슬퍼하며 탄식(歎息)함.
[悲痛 비통] 몹시 슬퍼함.
[悲風 비풍] ㉠구슬픈 느낌을 주는 바람. ㉡늦가을 바람.
[悲恨 비한] 슬퍼하고 한탄함.
[悲響 비향] 비곡(悲曲).
[悲泫 비현] 슬퍼하여 눈물을 흘림.
[悲絃 비현] 구슬프게 들리는 거문고 소리.
[悲話 비화] 슬픈 이야기.
[悲歡 비환] 슬픔과 기쁨.
[悲悔 비회] 슬퍼하고 후회함.
[悲懷 비회] 슬픈 심사. 비창(悲愴)한 회포(懷抱).
[悲吼 비후] 사나운 짐승의 슬픈 울부짖음.
[悲喜 비희] 슬픔과 기쁨.
[悲喜交至 비희교지] 슬픔과 기쁨이 동시에 옴. 슬프기도 하고 기쁘기도 함.
[悲喜劇 비희극] ㉠비극과 희극. ㉡비극의 요소와 희극의 요소가 뒤섞인 연극.
◉大慈大悲. 傷悲. 慈悲. 積悲. 喜悲.

8
⑫ **[惄]** 녁 [入]錫 奴歷切 nì

[字解] 허출할 녁 허기지어 출출함. 일설(一說)에는, 근심하는 모양. '一如調飢'《詩經》.
[字源] 金文 篆文 形聲. 心+叔〔音〕. '叔숙'은 마음을 상하다의 뜻. '心심'을 붙이어, '근심하다'의 뜻을 나타냄.

◉悲惄.

8
⑫ **[惉]** 첨 [平]鹽 處占切 zhān

[字解] 가락어지러울 첨 '一懘'는 음조(音調)가 막혀 고르지 못하고 어지러움. '五者不亂, 則無一懘之音'《史記》.
[字源] 篆文 形聲. 心+沾〔音〕. '沾첨'은 '젖다'의 뜻. 마음이 젖어서 연주하는 음악이 흐트러지다의 뜻을 나타냄.

[惉懘 첨체] 자해(字解)를 보라.

8
⑫ **[惎]** 기 [去]寘 渠記切 jì

[字解] ①해칠 기 해를 끼침. '一間王室'《左傳》. ②가르칠 기 알려 줌. '楚人一之脫扃'《左傳》. ③기(忌)할 기 미워함. '趙襄子由是一智伯'《左傳》.
[字源] 篆文 形聲. 心+其〔音〕. '其기'는 '정연(整然)하다'의 뜻. 마음을 엄정히 지녀 조심스럽다의 뜻에서, 기(忌)하고 두려워하다의 뜻을 나타냄.

[惎間 기간] 해쳐 사이를 멀게 함.
◉啓惎. 譏惎.

8
⑪ **[惎]** 惎(前條)와 同字

8
⑫ **[惑]** [高入] 혹 [入]職 胡國切 huò

筆順 一 ㄇ 戸 式 或 或 惑 惑

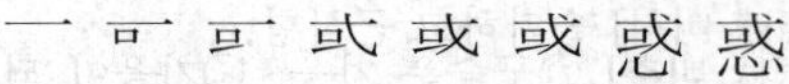

字解 ①미혹할 혹 의심이 나서 정신이 헷갈리고 어지러움. '疑一'. '四十而不一'《論語》. ②미혹게할 혹 전항의 타동사. '一世'. '將衒外以一愚瞽也'《劉基》. ③미혹 혹 의혹. '師者, 所以傳道授業解一也'《韓愈》.

字源 篆文 形聲. 心+或〔音〕. '或혹'은 자주 나타나는 모양을 나타내는 의태어. 여러 가지 생각이 왕성하게 나타나 마음을 어지럽히다의 뜻을 나타냄.

[惑溺 혹닉] ㉠방향을 잃어 물에 빠짐. ㉡미혹(迷惑)하여 나쁜 길에 빠짐.
[惑亂 혹란] 미혹(迷惑)하여 어지러움. 또, 미혹하게 하여 어지럽힘.
[惑星 혹성] 유성(遊星). 행성(行星).
[惑世 혹세] ㉠어지러운 세상. ㉡세상을 현혹(眩惑)하게 함.
[惑世誣民 혹세무민] 세상(世上) 사람을 미혹(迷惑)하게 하여 속임.
[惑術 혹술] 사람을 미혹(迷惑)하게 하는 술(術).
[惑心 혹심] 혹지(惑志).
[惑愛 혹애] 맹목적으로 몹시 사랑함.
[惑志 혹지] 마음을 미혹시킴. 또 미혹한 마음. 혹심(惑心).
[惑疾 혹질] 마음이 미혹하는 병.
[惑惑 혹혹] 미혹하는 모양. 마음이 어두운 모양.
◉傾惑. 驚惑. 孤惑. 蠱惑. 困惑. 恐惑. 狂惑. 誑惑. 詭惑. 欺惑. 亂惑. 當惑. 魅惑. 迷惑. 煩惑. 不惑. 三不惑. 三惑. 妖惑. 憂惑. 誘惑. 淫惑. 疑惑. 溺惑. 耽惑. 炫惑. 眩惑. 熒惑. 狐惑. 昏惑. 幻惑. 荒惑. 惶惑. 晦惑.

8 ⑫ [惠] 中人 혜 ㊀霽 胡桂切 huì

筆順 一 ㄇ 曰 申 更 東 惠 惠

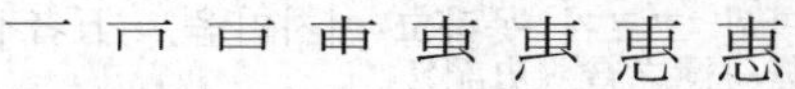

字解 ①은혜 혜 인애(仁愛). 은덕. '仁一'. '行慶施一'《禮記》. ②베풀 혜 ㉠은혜를 베풂. '則不我一'《詩經》. ㉡금전 같은 것을 줌. '一鮮鰥寡'《書經》. ③순할 혜 유순함. '一然'. '一於父母'《國語》. ④슬기로울 혜 慧(心部 十一畫)와 통용. '知一'. '將不早一乎'《後漢書》. ⑤꾸밀 혜 장식함. '五采一之'《山海經》. ⑥세모창 혜 날이 세모진 창. '二人雀弁執一'《書經》. ⑦성 혜 성(姓)의 하나.

字源 金文 篆文 會意. 心+專〈省〉. '專전'은 실감개의 상형으로, '외곬'의 뜻. 남에게 한결같은 마음을 기울이다, 베풀다의 뜻을 나타냄.

[惠柬 혜간] 혜서(惠書).
[惠康 혜강] 은혜를 베풀어 편안케 함.
[惠顧 혜고] 은혜를 베풀며 돌보아 줌.
[惠肯 혜긍] 호의(好意)를 가지고 내방(來訪)함. 남의 내방의 경칭(敬稱).
[惠念 혜념] 돌보아 주는 생각. 인자스러운 생각.
[惠棟 혜동] 청대(清代)의 경학자(經學者)로 한학(漢學) 부흥의 선구자. 자(字)는 정우(定宇), 호는 송애(松崖), 소홍두(小紅豆) 선생이라 불리었음. 조부(祖父) 주척(周惕), 부친(父親) 사기(士奇) 2대에 걸친 학(學)을 대성하였으며, 〈주역술(周易述)〉·〈역한학(易漢學)〉·〈고문상서고(古文尚書考)〉 등의 저술이 있음.
[惠來 혜래] 호의를 가지고 찾아옴. 남의 내방(來訪)의 경칭(敬稱).
[惠連 혜련] ㉠동진(東晉)의 문학자. 성(姓)은 사(謝). 족형(族兄)인 영운(靈運)의 칭찬(稱讚)을 받았음. ㉡우수(優秀)한 아우.
[惠賚 혜뢰] 혜사(惠賜).
[惠臨 혜림] 혜래(惠來).
[惠撫 혜무] 은혜(恩惠)를 베풀어 어루만짐.
[惠賜 혜사] 은혜(恩惠)를 베풀어 금품을 줌. 또, 그 금품.
[惠士奇 혜사기] 청대(清代)의 학자. 자(字)는 천목(天牧), 홍두(紅豆) 선생이라 불리었음. 강희(康熙) 연간(年間)에 과거에 급제하고 벼슬은 시독학사(侍讀學士)에 이르렀음. 육예(六藝)에 널리 통(通)하였으며, 저술에 〈역설(易說)〉·〈예설(禮說)〉·〈춘추설(春秋說)〉 등이 있음.
[惠書 혜서] 남에게서 온 편지(便紙)의 경칭(敬稱).
[惠施 혜시] ㉠은혜(恩惠)를 베풂. ㉡전국 시대(戰國時代)의 학자. 장자(莊子)의 친구였다고 하는데, 그의 언행(言行)은 〈전국책(戰國策)〉·〈여씨춘추(呂氏春秋)〉 등에 보임.
[惠渥 혜악] 두터운 은혜. 우악(優渥)한 은혜.
[惠愛 혜애] 은혜를 베풀어 사랑함.
[惠與 혜여] 은혜(恩惠)를 베풀어 물건을 줌. 또, 남이 선물을 보내 주는 일. 또는 그 선물의 경칭.
[惠然 혜연] 호의로써 좇는 모양. 따르는 마음이 있는 모양.
[惠枉 혜왕] 혜래(惠來).
[惠雨 혜우] ㉠자혜스러운 비. ㉡임금의 은혜.
[惠育 혜육] 은혜(恩惠)를 베풀어 기름. 사랑하여 기름.
[惠音 혜음] 남이 자기에게 한 편지의 경칭.
[惠仁 혜인] 은혜(恩惠).
[惠弔 혜조] 은혜를 베풀어 조상(弔喪)함. 남의 조상의 경칭.
[惠主 혜주] 어진 주인. 신세를 진 주인.
[惠札 혜찰] 혜서(惠書).
[惠招 혜초] 남의 초대(招待)의 경칭(敬稱).
[惠澤 혜택] 은혜(恩惠)와 덕택(德澤).
[惠投 혜투] 혜여(惠與).
[惠風 혜풍] ㉠화창(和暢)하게 부는 봄바람. ㉡음력(陰曆) 3월의 별칭. ㉢임금의 은혜.
[惠翰 혜한] 혜서(惠書).
[惠函 혜함] 혜서(惠書).
[惠化 혜화] 은혜(恩惠)를 베풀어 사람을 교화(教化)함. 또, 은덕(恩德)이 두터운 교화(教化).
[惠和 혜화] 온화함.
[惠訓 혜훈] 자애를 베풀며 교훈함.
[惠恤 혜휼] 은혜를 베풀어 구휼함.
◉嘉惠. 寬惠. 德惠. 惇惠. 保惠. 私惠. 渥惠. 愛惠. 溫惠. 威惠. 恩惠. 仁惠. 慈惠. 振惠. 天惠. 寵惠. 互惠. 厚惠.

8 ⑫ [惡] 中人 ㊀ 악 ㊇藥 烏各切 è ㊁ 오 ㊀遇 烏路切 wù ㊂虞 哀都切 wū 恶

筆順 一 ㄒ ㄒ 亞 亞 亞 亞 惡

字解 ㊀ ①모질 악 성품이 악함. '一人'. '形相

雖善, 而心術一, 無害爲小人也'《荀子》. 또, 악한 일. 악한 행위. 악한 사람. '罪一'. '承天誅一'《新語》. ②나쁠 악 ㉠도의적으로 나쁨. '一政'. ㉡질이 나쁨. '一食'. ㉢불쾌함. '一臭'. '一氣'. ㉣불길함. '一夢'. '此夢甚一'《史記》. ③흉년들 악 오곡이 잘 여물지 아니함. '一歲'. '歲一民流'《漢書》. ④못생길 악 용모 같은 것이 보기 흉함. '一女'. '狀貌甚一'《史記》. ⑤똥 악 대변. '句踐爲吳王嘗一'《吳越春秋》. ㊁ ①미워할 오 증오함. '憎一'. '周鄭交一'《左傳》. ②헐뜯을 오 비방함. '毁一'. '人有一蘇秦於燕王者'《戰國策》. ③부끄러워할 오 수치를 느낌. '羞一之心, 人皆有之'《孟子》. ④어찌 오 반어사(反語辭). 何(人部 五畫)와 뜻이 같음. '居一在'《孟子》. '一乎成名'《論語》. ⑤허 오 탄식사(嘆息辭). '嗚呼'와 뜻이 같음. '一, 是何言也'《孟子》.

字源 篆文 形聲. 心+亞〔音〕. '亞아'는 옛 묘실(墓室)을 본뜬 것. 묘실에 임했을 때의 마음, '흉하다, 나쁘다'의 뜻을 나타냄.

[惡感 악감] 나쁜 감정. 나쁜 느낌.
[惡客 악객] ㉠속악(俗惡)한 손. ㉡술을 마시지 않는 사람. ㉢술을 많이 마시는 사람. 대주객(大酒客).
[惡果 악과]《佛教》악사(惡事)에 대한 갚음. 나쁜 업보(業報).
[惡口 악구] ㉠욕(辱). 욕설. ㉡《佛教》십악(十惡)의 하나. 남에게 악한 말을 하는 짓.
[惡鬼 악귀] 나쁜 귀신(鬼神).
[惡金 악금] ㉠품질이 나쁜 금. ㉡부정한 수단으로 얻은 돈.
[惡氣 악기] 고약한 냄새.
[惡女 악녀] ㉠성질(性質)이 모진 계집. 악독(惡毒)한 여자(女子). ㉡용모가 못생긴 여자.
[惡念 악념] 나쁜 생각.
[惡談 악담] 남을 나쁘게 되라고 저주(咀呪)하는 말.
[惡黨 악당] 악(惡)한 도당(徒黨).
[惡德 악덕] ㉠나쁜 마음. ㉡나쁜 짓. 부정한 행위(行爲).
[惡徒 악도] 악당(惡黨).
[惡道 악도]《佛教》현세에서 악업(惡業)을 저지른 결과 죽은 뒤에 가야 할 고통의 세계. 곧, 지옥도(地獄道)·아귀도(餓鬼道)·축생도(畜生道)·수라도(修羅道) 등. 악취(惡趣).
[惡毒 악독] 마음이 흉악(凶惡)하고 독살스러움.
[惡童 악동] 성품·언행이 나쁜 아이.
[惡辣 악랄] 매섭고 표독함.
[惡戾 악려] 마음이 좋지 못하여 언행이 도리에 어그러짐.
[惡魔 악마] 사람을 괴롭게 하는 마귀(魔鬼). 전(轉)하여, 아주 흉악한 사람.
[惡罵 악매] 욕(辱)하며 꾸짖음.
[惡名 악명] ㉠나쁜 이름. 좋지 못한 이름. ㉡나쁜 평판.
[惡毛 악모] 붓 속에 섞인 몽뚝한 털.
[惡夢 악몽] 불길(不吉)한 꿈.
[惡物 악물] ㉠악인(惡人). ㉡독이 있는 물건. 유독물(有毒物).
[惡癖 악벽] 나쁜 버릇. 좋지 못한 버릇.
[惡病 악병] 나쁜 병(病). 못된 병.
[惡報 악보] ㉠불길(不吉)한 소식. ㉡《佛教》악과(惡果).
[惡事 악사] 악(惡)한 일. 못된 짓.
[惡事千里 악사천리] 악사행천리(惡事行千里).
[惡事行千里 악사행천리] 나쁜 일은 곧 세상에 널리 퍼진다는 뜻.
[惡相 악상] 흉악한 얼굴.
[惡喪 악상] 젊어서 복 없이 죽은 사람의 상사(喪事).
[惡說 악설] ㉠조리가 닿지 않는 설(說). ㉡세상에 해를 끼치는 의견.
[惡性 악성] ㉠모진 성질(性質). 악독한 성질(性質). ㉡좋지 못한 병증(病症).
[惡聲 악성] ㉠나쁜 평판. ㉡음란한 음악. ㉢욕(辱). 욕설.
[惡歲 악세] 흉년(凶年).
[惡少 악소] 불량한 젊은이.
[惡俗 악속] 못된 풍속(風俗).
[惡獸 악수] 흉악(凶惡)한 짐승.
[惡習 악습] ㉠나쁜 습관(習慣). 못된 버릇. ㉡나쁜 풍습(風習). 못된 습속.
[惡詩 악시] 졸렬한 시(詩).
[惡食 악식] 거친 음식. 맛없는 음식.
[惡實 악실] 우엉의 씨. 우방자(牛蒡子).
[惡心 악심] 악한 마음. 못된 마음.
[惡顔 악안] 불쾌(不快)한 얼굴.
[惡藥 악약] 독약(毒藥).
[惡語 악어] 악언(惡言).
[惡言 악언] 욕(辱). 욕설.
[惡業 악업] ㉠나쁜 일. ㉡《佛教》고생을 가져오는 원인이 되는 나쁜 행위(行爲).
[惡疫 악역] 악성(惡性)의 유행병(流行病). 악질의 돌림병.
[惡逆 악역] 극악무도(極惡無道)한 행위.
[惡緣 악연]《佛教》좋지 않은 인연.
[惡臥 악와] 볼썽사납게 자는 자세.
[惡用 악용] 잘못 씀. 못되게 씀.
[惡運 악운] ㉠사나운 운수(運數). ㉡악업(惡業)에 대한 보복을 받지 않고 번영하는 운수.
[惡月 악월] 음력(陰曆) 5월의 별칭(別稱). 독월(毒月).
[惡意 악의] 남을 해치려는 나쁜 마음.
[惡衣惡食 악의악식] 거친 옷과 맛없는 음식(飮食).
[惡人 악인] ㉠성질(性質)이 모진 사람. 악독(惡毒)한 사람. ㉡용모가 못생긴 사람.
[惡日 악일] ㉠불길(不吉)한 날. ㉡음력 5월 5일의 별칭(別稱).
[惡戰 악전] 격렬한 싸움. 괴로운 싸움.
[惡錢 악전] ㉠품질이 좋지 못한 돈. ㉡위조한 돈.
[惡政 악정] 나쁜 정치(政治).
[惡阻 악조] 오조(惡阻).
[惡種 악종]《韓》성질(性質)이 흉악(凶惡)한 사람, 또는 동물.
[惡症 악증] 나쁜 증세.
[惡疾 악질] ㉠고치기 어려운 병(病). 못된 병. ㉡문둥병.
[惡質 악질] 좋지 못한 바탕. 못되고 나쁜 성질. 또, 그 사람.
[惡瘡 악창] 악성 종기(腫氣). 고치기 어려운 부스럼.
[惡妻 악처] 악한 아내.
[惡處 악처]《佛教》악도(惡道).
[惡妾 악첩] 악한 첩(妾).

[惡草 악초] ㉠거칢. 조악(粗惡)함. ㉡잡풀. 잡초.
[惡草具 악초구] 야채만으로 만든 거친 음식.
[惡蟲 악충] 이롭지 못한 나쁜 벌레.
[惡臭 악취] 나쁜 냄새. 물건이 썩는 냄새.
[惡趣 악취] 《佛敎》 악도(惡道).
[惡慝 악특] 악함.
[惡評 악평] ㉠나쁜 평판. ㉡남을 나쁘게 말하는 비평.
[惡弊 악폐] 못된 풍습. 악습(惡習). 악풍(惡風).
[惡風 악풍] ㉠폭풍(暴風). ㉡못된 풍속(風俗).
[惡筆 악필] ㉠나쁜 붓. ㉡잘 쓰지 못한 글씨.
[惡漢 악한] 못된 놈. 악(惡)한 일을 하는 사람.
[惡行 악행] 못된 행위(行爲).
[惡血 악혈] ㉠해산(解產)한 뒤에 나오는 피. ㉡종기(腫氣)에서 나오는 고름 섞인 피.
[惡刑 악형] 잔인(殘忍)한 형벌.
[惡化 악화] 나쁘게 변함. 나빠짐.
[惡貨 악화] 실질의 가격이 법정(法定)의 가격에 비하여 대단히 낮은 화폐.
[惡戲 악희] 못된 장난.
[惡心 오심] 욕지기. 토기(吐氣).
[惡阻 오조] 입덧.
[惡醉而強酒 오취이강주] 취(醉)하는 것을 싫어하면서 굳이 술을 마심. 생각과는 반대(反對)로 행위(行爲)를 하는 일.
[惡風症 오풍증] 오한증(惡寒症)처럼 급성은 아니나 오슬오슬 추운 증세.
[惡寒 오한] ㉠추위를 싫어함. ㉡몸시 오슬오슬 춥고 괴로운 증세.
[惡寒症 오한증] 몸에 오한(惡寒)이 나는 증세.
◉姦惡. 改惡. 桀惡. 過惡. 獷惡. 舊惡. 勸善懲惡. 極惡. 露惡. 大惡. 猛惡. 美惡. 邪惡. 善善惡惡. 善惡. 性惡. 俗惡. 首惡. 羞惡. 宿惡. 十惡. 愛惡. 迷惡. 劣惡. 厭惡. 佞惡. 獰惡. 穢惡. 妖惡. 元惡. 怨惡. 陰惡. 積惡. 粗惡. 罪惡. 衆惡. 憎惡. 疾惡. 嫉惡. 懲惡. 賤惡. 最惡. 醜惡. 濁惡. 蔽惡. 暴惡. 害惡. 險惡. 嫌惡. 好惡. 毫惡. 酷惡. 梟惡. 猾惡. 毀惡. 凶惡.

8 ⑫ [悹] 관 [去]翰 古玩切 guàn
[字解] 근심할 관 우려함.
[字源] [篆文] 形聲. 心+官〔音〕. '官관'은 '주장하다, 지배하다'의 뜻. 마음을 차지하고 걱정이 되는 일.

8 ⑫ [⿱咎心] 구 [上]有 其九切 / [平]尤 巨鳩切 qiú
[字解] 원망할 구, 나무랄 구 원망함. 탓함. 또, 원한. '一, 說文, 怨仇也'《集韻》.
[字源] 形聲. 心+咎〔音〕

8 ⑫ [悳] [人名] 〔덕〕 德(彳部 十二畫〈p. 753〉)의 古字
[筆順] 一 十 古 育 直 直 直 悳
[字源] [金文] [篆文] 形聲. 心+直〔音〕. '直직'은 '得득'과 통하여, 사람이 마음속에 교양으로서 획득한 것의 뜻을 나타냄. 일설에는, '直'이 '곧다'의 뜻이므로, 곧은 마음의 뜻이라고 봄.

8 ⑫ [惪] 悳(前條)과 同字

8 ⑫ [㥁] 悳(前前條)의 古字

8 ⑫ [惣] 〔총〕 愡(心部 九畫〈p. 803〉)의 訛字

8 ⑫ [⿱制心] 〔달〕 怛(心部 五畫〈p. 769〉)과 同字

8 ⑪ [悻] 행 [上]迥 下耿切 xìng
[字解] 성낼 행 '一一'은 발끈 성을 내는 모양. '一一然見於其面'《孟子》.
[字源] 形聲. 忄(心)+幸〔音〕

[悻逆 행역] 인륜에 어긋나고 도리에 거스름. 패역(悖逆).
[悻直 행직] 성질(性質)이 너무 강직(剛直)하여 남의 뜻을 잘 거스름.
[悻悻 행행] 발끈 화를 내는 모양.

8 ⑪ [⿰忄朋] 붕 [平]庚 蒲萠切 péng
[字解] ①성낼 붕 짜증을 내는 모양. ②탄식할 붕 한탄함.

8 ⑪ [悱] 비 [上]尾 敷尾切 fěi
[字解] 말나오지아니할 비 마음속으로는 이해하면서도 말로는 발표하지 못함. '一'. '不一不發'《論語》.
[字源] [篆文] 形聲. 忄(心)+非〔音〕. '非비'는 거역하여 째지다의 뜻. 마음속이 분열하여 안달하다의 뜻을 나타냄.

[悱悱 비비] 말을 하려 하나 나오지 아니하는 모양.
[悱憤 비분] 입 밖에 내지 않는 분노. 울분(鬱憤).
◉憤悱.

8 ⑪ [悴] [人名] 췌(취[本]) [去]寘 秦醉切 cuì
[字解] ①파리할 췌 야윔. '憔一'. '形貌毀一'《後漢書》. ②근심할 췌 우려함. '憂一'. '靜沈思以自一'《陸雲》.
[字源] [篆文] 形聲. 忄(心)+卒〔音〕. '卒졸'은 '끝나다'의 뜻. 마음의 작용이 끝나다, 마음이 다할 때까지 근심하다의 뜻을 나타냄.

[悴薄 췌박] 파리함.
[悴顏 췌안] 파리한 얼굴.
[悴容 췌용] 파리한 용자(容姿).
[悴賤 췌천] 파리하고 천함.
◉槁悴. 困悴. 勞悴. 癯悴. 窮悴. 瘏悴. 耗悴. 愍悴. 貧悴. 傷悴. 愁悴. 零悴. 憂悴. 萎悴. 羸悴. 憔悴. 疲悴. 毀悴.

8 ⑪ [⿰忄隶] [一] 돌 [入]月 他骨切 / [二] 퇴 [去]隊 他內切 tuì
[字解] [一] ①방자할 돌 '一, 肆也'《說文》. ②홀연

돌 갑자기. '一, 忽也'《玉篇》. ③잊을 돌 '一, 忘也'《玉篇》. ㊁ ①느슨할 퇴 '一, 緩也'《廣雅》. ②잊을 퇴 '一, 忘也'《廣雅》. ③방자할 퇴 '一, 肆也'《廣韻》.

8 ⑪ [悵] 창 ㊀漾 丑亮切 chàng 怅

字解 원망할 창, 한탄할 창 뜻과 같이 되지 않아 원망함. 실의(失意)하여 한탄함. '一恨'. '弟子增欷, 洿沫一兮'《漢書》.

字源 篆文 形聲. 忄(心)+長[音]. '長장'은 '傷상'과 통하여, '아프다'의 뜻. 마음이 아프다의 뜻을 나타냄.

[悵望 창망] ㉠슬퍼하면서 바라봄. ㉡슬퍼하며 불평을 품고 원망함.
[悵怏 창앙] 한탄하며 원망함.
[悵然 창연] 창창(悵悵).
[悵悵 창창] 뜻과 같이 되지 않아 원망하는 모양. 실의(失意)하여 한탄하는 모양.
[悵恨 창한] 원망하고 한을 품음.
[悵悔 창회] 원망하고 후회함.
◉悲悵. 怏悵. 憯悵. 悽悵. 忡悵.

8 ⑪ [悸] 人名 계 ㊀寘 其季切 jì

字解 ①두근거릴 계 놀라거나 병으로 가슴이 두근거림. '肌慄心一'《後漢書》. ②동계 계 가슴이 두근거리는 일. 또, 그 병. '使我至今病一'《漢書》. ③늘어질 계 띠가 늘어진 모양. '垂帶一兮'《詩經》.

字源 篆文 形聲. 忄(心)+季[音]. '季계'는 '恤휼'과 통하여, '걱정하다'의 뜻. 걱정하고 두려워하여 마음이 움직이다, 가슴이 설레다의 뜻을 나타냄.

[悸悸 계계] 마음이 편안하지 아니하여 가슴이 두근거리는 모양.
[悸病 계병] 가슴이 두근거리는 병.
[悸慄 계율] 두려워하여 떪. 전율함.
◉驚悸. 恐悸. 兢悸. 動悸. 悲悸. 悚悸. 羞悸. 慴悸. 心悸. 戰悸. 震悸. 慙悸. 悽悸. 追悸. 怖悸. 惶悸.

8 ⑪ [悼] 人名 도 ㊀號 徒到切 dào

字解 ①슬퍼할 도 ㉠죽음을 슬퍼함. '哀一'. ㉡불쌍히 여김. '晉王寵一'《徐陵》. ㉢상심함. '中心是一'《詩經》. ②떨 도 전율함. '尙心一不自禁'《蘇洵》. ③어린이 도 소아. '耄與一, 雖有罪不加刑焉'《禮記》.

字源 篆文 形聲. 忄(心)+卓[音]. '卓탁'은 '높이 뛰어오르다'의 뜻. 마음이 슬픔 때문에 동요하다의 뜻을 나타냄.

[悼歌 도가] ㉠죽은 사람을 애도하는 노래. ㉡상여를 메고 갈 때 부르는 노래. 만가(輓歌).
[悼惜 도석] 죽은 사람을 애석(愛惜)하게 여기어 슬퍼함.
[悼慄 도율] 슬퍼하고 두려워함.
[悼痛 도통] 남의 불행(不幸)이나 죽음을 슬퍼하고 마음 아파함.
◉驚悼. 怛悼. 憫悼. 悲悼. 傷悼. 深悼. 哀悼. 憐悼. 憂悼. 弔悼. 軫悼. 震悼. 嗟悼. 悽悼. 寵悼. 追悼. 歎悼. 痛悼.

8 ⑫ [悳] 悼(前條)와 同字

8 ⑪ [悽] 人名 처 ㊤齊 七稽切 qī

筆順 忄 忄 忙 忤 悁 悽 悽 悽

字解 ①슬퍼할 처 비통(悲痛)함. '曹操過其墓, 輒一愴致祭奠'《後漢書》. ②야윌 처 기아 또는 질병으로 야윈 모양. '一一碩人'《後漢書》.

字源 篆文 形聲. 忄(心)+妻[音]. '妻처'는 '凄처'와 통하여, 비구름으로 하늘이 어두워지다의 뜻. 마음이 흐려지다, 슬퍼하고 애도하다의 뜻을 나타냄.

[悽苦 처고] 슬퍼하고 괴로워함.
[悽斷 처단] 너무 슬퍼하여 기절(氣絶)할 것 같음. 몹시 슬픔.
[悽悼 처도] 슬퍼함. 애도(哀悼).
[悽戾 처려] 구슬프게 욺.
[悽戀 처련] 슬퍼하며 연모(戀慕)함.
[悽惘 처망] 슬퍼 경황이 없음.
[悽憫 처민] 딱하게 여김. 애처롭게 여김.
[悽傷 처상] 처창(悽愴).
[悽如 처여] 처연(悽然).
[悽然 처연] 슬퍼하는 모양.
[悽惋 처완] 슬퍼하며 탄식함.
[悽絶 처절] 처단(悽斷).
[悽慘 처참] 슬프고 참혹함.
[悽悵 처창] 슬퍼하고 한탄함.
[悽愴 처창] 애통(哀痛)함.
[悽悽 처처] ㉠슬퍼하는 모양. ㉡주리거나 병들어 야윈 모양.
[悽戚 처척] 슬퍼하고 근심함.
[悽惻 처측] 처완(悽惋).
[悽惶 처황] 근심하고 두려워함.
◉愁悽. 慘悽. 憯悽. 惻悽.

8 ⑪ [倰] 릉 ㊤蒸 力膺切 líng

字解 놀랄 릉 경악함. '百禽一遽'《張衡》.

8 ⑪ [悾] 공 ①②㊤東 苦紅切 kōng ③㊤董 苦動切 kǒng

字解 ①정성 공 성의. '不任一款'《任昉》. ②어리석을 공 '一一'은 우매한 모양. '一一而不信'《論語》. ③경황없을 공 '一愡'은 바쁘기만 하고 뜻대로 되지 않아 마음이 상하는 모양. 실의(失意)한 모양. 경황이 없는 모양.

字源 形聲. 忄(心)+空[音]. '空공'은 '공허하다'의 뜻. 마음속에 아무것도 없다, 사심(邪心)이 없는 정성의 뜻을 나타냄.

[悾悾 공공] 어리석은 모양. 우매한 모양.
[悾款 공관] 정성. 성의.
[悾愡 공총] 자해(字解)❸을 보라.

8 ⑪ [情] 中人 정 ㊤庚 疾盈切 qíng 情

筆順 忄 忄 忄 忄 情 情 情 情

字解 ①뜻 정 사물(事物)에 감촉(感觸)되어 일어나는 마음의 작용. '性'의 대(對). '性—'. '七—'. '何謂人—, 喜·怒·哀·懼·愛·惡·欲, 七者弗學而能'《禮記》. ②정성 정 성심. 성의. '—實'. '—僞'. '上好信, 則民莫敢不用—'《論語》. ③욕 정 욕망. 사리(私利). '無辭而行—, 則民爭'《禮記》. ④인정 정 ㉠사람이 선천적(先天的)으로 가지고 있는 마음씨. '奪—'. '聖人忘—'《晉書》. ㉡남을 도와주는 갸륵한 마음씨. 자애. '—理'. '—愛甚厚'《宋書》. ⑤사랑 정 남녀 간의 사랑. 연모하는 마음. '—火'. '與君初定—'《曹植》. ⑥심정 정 마음의 정황. '—調'. '老夫—懷惡'《杜甫》. ⑦실상 정 실제. 사실. 진상. '推鞫得—'《唐書》. '聲聞過—, 君子恥之'《孟子》. ⑧사정 정 형편. 상태. '—況'. '—勢'. '盡輸西周之—于東周'《戰國策》. ⑨멋 정 정취. 취미. 재미. '風—'. '—景'. '似畫外有—'《歷代名畫記》. ⑩이치 정 조리(條理). '物之不齊, 物之—也'《孟子》. ⑪참으로 정 진실로. 주로, 시(詩)에 많이 쓰임. '—知積粟腐倉'《王符》.

字源 篆文 形聲. 忄(心)+靑〔音〕. '靑청'은 순수한 파란색의 뜻. 거짓 없는 마음, '정성'의 뜻을 나타냄. 또, '靑'은 '請청'과 통하여, '구(求)하다'의 뜻. 스스로 욕구하는 마음, 사람의 욕정·감정을 이름.

[情歌 정가] 남녀 간의 애정을 읊은 노래. 연가(戀歌).
[情景 정경] ㉠상태. 상황. 광경(光景). ㉡정취(情趣)와 경치.
[情曲 정곡] 간곡한 정.
[情款 정관] 두터운 정의(情誼).
[情交 정교] ㉠친한 교분. 정애(情愛)가 있는 친밀한 교제. ㉡색정(色情)의 사귐. 남녀 간의 연정.
[情念 정념] 감정에서 일어나는 생각.
[情談 정담] 다정한 이야기.
[情塗 정도] 마음씨. 심정(心情).
[情郎 정랑] 정부(情夫).
[情露力屈 정로역굴] 실정(實情)이 드러나고 힘이 꺾여 계책을 쓸 방도가 없음.
[情累 정루] 인정(人情)에 끌리는 일.
[情理 정리] 인정과 도리(道理).
[情網 정망] 정루(情累).
[情貌 정모] 심정과 용모.
[情文 정문] ㉠심정과 예의(禮儀). ㉡심정과 문장.
[情味 정미] ㉠마음의 정황. 심정. ㉡정취(情趣).
[情報 정보] 실정(實情)의 보고.
[情夫 정부] 유부녀가 몰래 사통하는 남자. 샛서방. 간부(間夫).
[情婦 정부] 몰래 사통하는 여자.
[情分 정분] 사귀어 정이 든 정도. 정의(情誼).
[情史 정사] 인정 또는 연애에 관하여 쓴 문장이나 서적.
[情私 정사] 친족 사이의 사정(私情).
[情事 정사] ㉠남녀 간의 애정에 관한 일. 연애에 관한 일. ㉡참된 마음. 성심(誠心). ㉢사정(事情).
[情思 정사] ㉠생각. 심정(心情). ㉡이성을 그리워하는 마음.
[情狀 정상] ㉠마음의 안에서 움직이는 정(情)과 마음의 밖에 나타난 상태(狀態). ㉡상태. 정세. 정황(情況). ㉢일이 그렇게 된 사정.
[情想 정상] 생각. 감정과 사상(思想).
[情恕 정서] 어려운 형편을 동정하여 용서함.
[情緖 정서] ㉠생각. 마음이 움직이는 실마리. ㉡인식(認識)에 의하여 일어나는 약간 복잡한 감정. 희(喜)·노(怒)·애(哀)·낙(樂)·동정·질투 등.
[情性 정성] ㉠마음. 마음의 작용인 정(情)과 마음의 본체(本體)인 성(性). ㉡인정과 성질.
[情勢 정세] 사정과 형세. 정황(情況).
[情素 정소] 마음의 바탕. 마음속. 본심. 진심(眞心).
[情疏 정소] 정분이 버성김.
[情熟 정숙] 정분이 두터워 친숙함.
[情實 정실] ㉠사정의 실제. 진상. 실정. ㉡참된 마음. 성심(誠心).
[情深 정심] 인정이 많음.
[情愛 정애] ㉠자애(慈愛). 애정. ㉡남녀 간의 사랑. 연애.
[情語 정어] 성의를 다하여 하는 이야기. 숨김없이 탁 터놓고 하는 이야기. 정화(情話).
[情熱 정열] 불 일듯 맹렬하게 일어나는 감정.
[情慾 정욕] ㉠남녀 간의 애정. 색정(色情). ㉡《佛敎》 탐내어 집착(執着)하는 마음. 색욕(色慾)·식욕(食慾)·음욕(淫慾)과 합하여 사욕(四慾)이라 함.
[情願 정원] ㉠실정을 숨김없이 이야기하고 하는 소원. ㉡아무쪼록. 부디.
[情僞 정위] ㉠진실과 허위. 참과 거짓. ㉡깊은 사정. ㉢허위. 거짓.
[情育 정육] 감정을 도야(陶冶)하는 교육(敎育).
[情意 정의] 감정과 의지. 마음. 생각.
[情義 정의] 인정과 의리.
[情誼 정의] 서로 사귀어 친하여진 정.
[情人 정인] ㉠우정으로써 사귀는 사람. 벗. ㉡애인(愛人).
[情迹 정적] 정형(情形).
[情田 정전] 인정(人情). 정욕(情慾)이 생기는 것을 전지(田地)에 비유하여 이른 말.
[情調 정조] ㉠감정이 넘쳐흐르는 음악의 가락. ㉡가락. ㉢정취(情趣).
[情操 정조] 변하지 않는 바른 마음씨. 지조(志操).
[情罪 정죄] 사정과 죄상(罪狀).
[情至 정지] 마음이 극진(極盡)한 데까지 이름.
[情地 정지] 정든 땅이라는 뜻으로, 자기가 있는 장소를 이름.
[情志 정지] 마음.
[情塵 정진] 마음의 티끌. 정욕(情慾)을 이름.
[情趣 정취] 멋. 운치(韻致).
[情致 정치] 정취(情趣).
[情癡 정치] 색정(色情)에 빠져 이성을 잃는 일.
[情親 정친] 교정(交情)이 두터워 친숙함. 정분이 썩 가까움.
[情態 정태] 사정. 상태.
[情弊 정폐] 사정(私情)을 두는 데서 일어나는 폐단.
[情表 정표] 물건을 보내어 정(情)을 표함. 또, 그 물건.
[情恨 정한] 원한. 한(恨).
[情見勢屈 정현세굴] 정로 역굴(情露力屈).
[情形 정형] 심정이 드러난 형적.
[情好 정호] 친밀한 우정. 두터운 정의(情誼).
[情火 정화] 불 일듯 일어나는 정욕(情慾)을 불에

비유하여 이른 말.
[情話 정화] ㉠정어(情語). ㉡남녀 간에 애정을 주고받는 정다운 이야기. ㉢연애·색정(色情)에 관한 이야기.
[情況 정황] 상황. 정세(情勢).
[情懷 정회] 마음속에 품은 생각. 심정(心情).
◉感情. 強情. 客情. 激情. 苦情. 高情. 官情. 交情. 舊雨情. 舊情. 國情. 群情. 軍情. 近情. 襟情. 內情. 多情. 同情. 慕情. 無情. 物情. 民情. 薄情. 別情. 非人情. 非情. 鄙情. 私情. 事情. 常情. 色情. 抒情. 敍情. 聲聞過情. 性情. 聖情. 世情. 素情. 俗情. 純情. 勝情. 詩情. 神情. 實情. 心情. 深情. 哀情. 愛情. 抑情. 旅情. 餘情. 戀情. 劣情. 熱情. 烏鳥私情. 溫情. 欲情. 友情. 怨情. 有情. 幽情. 恩情. 人情. 敵情. 賊情. 主情. 中情. 至情. 直情. 眞情. 陳情. 棣鄂情. 聽情. 春情. 衷情. 癡情. 七情. 表情. 風情. 下情. 宦情. 厚情.

8 ⑪ [惇] [人名] 돈 [平]元 都昆切 dūn

[筆順] 丨 忄 忄 忄 忄 惇 惇 惇

[字解] 도타울 돈 인정이 두터움. 순후(淳厚)함. '一惠'. '一德允元'《書經》.

[字源] 篆文 形聲. 忄(心)+享(𦎫)〔音〕. '𦎫돈'은 '두텁다'의 뜻. 마음이 두텁다, 곧, '정성'의 뜻을 나타냄.

[惇謹 돈근] 순후(淳厚)하고 신중(愼重)함.
[惇大 돈대] 두텁고 큼.
[惇德 돈덕] 두터운 덕. 후덕(厚德).
[惇惇 돈돈] 순후(淳厚)한 모양.
[惇信 돈신] 깊이 믿음.
[惇惠 돈혜] 두터운 은혜.
[惇誨 돈회] 정성을 다하여 가르침.

8 ⑪ [惆] 추 [平]尤 丑鳩切 chóu

[字解] 실심할 추 실망한 모양. 원한을 품고 슬퍼하는 모양. '一然不嗛'《荀子》.

[字源] 篆文 形聲. 忄(心)+周〔音〕. '周주'는 '弔조'와 통하여, 애도하다의 뜻. 마음 아파하다의 뜻을 나타냄.

[惆然 추연] 실망하여 슬퍼하는 모양. 원한을 품고 탄식하는 모양. 한탄하는 모양.
[惆惋 추완] 슬프게 한탄함.
[惆悵 추창] 실망하여 탄식함. 또, 실망하여 탄식하는 모양.
[惆愴 추창] 실망하여 슬퍼함.
◉氐惆.

8 ⑪ [惋] 완 [去]翰 烏貫切 wǎn

[字解] 한탄할 완 깜짝 놀라며 한탄함. '一怛'. '悵一不已'《晉書》.

[字源] 形聲. 忄(心)+宛〔音〕. '宛완'은 부드럽게 구부러지다의 뜻. 마음이 꺾이어 구부러지다, 의기가 쇠퇴하다, 한탄하다의 뜻을 나타냄.

[惋怛 완달] 깜짝 놀라며 한탄함.
[惋懣 완만] 슬퍼하여 속이 답답함.
[惋懣 완문] 한탄하며 번민함.
[惋傷 완상] 슬퍼함. 한탄함. 또, 슬픔. 한탄.
[惋惜 완석] 애석히 여겨 슬퍼함.
[惋愕 완악] 깜짝 놀라며 슬퍼함.
[惋悵 완창] 실망하여 탄식함.
[惋愴 완창] 슬퍼함. 한탄함.
[惋歎 완탄] 슬퍼하며 탄식함.
[惋慟 완통] 완탄(惋歎).
[惋恨 완한] 한탄함.
◉驚惋. 憤惋. 悲惋. 哀惋. 嗟惋. 悵惋. 悽惋. 惆惋. 嘆惋. 歎惋. 恨惋. 駭惋.

8 ⑪ [惏] [一] 람 [平]覃 盧含切 lán
[二] 림 [平]侵 犂針切 lín

[字解] [一] 탐할 람 탐냄. '飽而強, 饑而一'《大戴禮》. [二] ①찰 림 추움. '憯悽一慄'《宋玉》. ②슬퍼할 림 '令人一悷憯悽'《宋玉》.

[字源] 篆文 形聲. 忄(心)+林〔音〕. '林림'은 '立립'과 통하여, 어떤 위치를 독점하여 서다의 뜻. 마음이 금품에 대한 것에만 머무르다, 탐하다의 뜻을 나타냄.

[惏悷 임려] 슬퍼하고 애통함.
[惏露雨 임로우] 가을비.
[惏慄 임률] 추워 떪.

8 ⑪ [惓] 권 [平]先 逵員切 quán

[字解] 삼갈 권, 정성스러울 권 '一一'은 근신하는 모양. 또, 간절한 모양. '一一之義也'《漢書》.

[字源] 形聲. 忄(心)+卷〔音〕

[惓惓 권권] 삼가는 모양. 근신하는 모양. 또, 정성스러운 모양. 간절한 모양.

8 ⑪ [悢] [一] 량 [平]陽 呂張切 liáng
[去]漾 力讓切
[二] 경 [平]庚 居卿切 jīng

[字解] [一] 슬퍼할 량 '一, 悲也'《集韻》. [二] 驚(馬部 十三畫)의 簡體字.

8 ⑪ [惨] [一] 삼 [去]勘 蘇紺切 sàn
[二] 탐 [去]勘 他紺切 tàn

[字解] [一] 실심할 삼 '憛一'은 실망(失望)함. 실의(失意)함. '憛一, 失志'《廣韻》. [二] 생각할 탐, 걱정할 탐, 황급할 탐 憛(心部 十二畫)과 同字.

8 ⑪ [惔] 담 [平]覃 徒甘切 tán

[字解] 속탈 담 너무 근심하여 속이 탐. '憂心如一'《詩經》.

[字源] 篆文 形聲. 忄(心)+炎〔音〕. '炎염'은 '불길'의 뜻. 불길로 마음이 태워지다, 괴롭게 속을 태우다의 뜻을 나타냄.

◉恬惔.

8 ⑪ [惕] 척 [入]錫 他歷切 tì

[字解] ①두려워할 척, 근심할 척 우구(憂懼)함. '怵一'. '無日不一'《左傳》. ②삼갈 척 공구하여

조심함. '終日乾乾, 夕一若'('若'은 무의미한 조사)《易經》. ③빠를 척 신속함. '一日一'《國語》.

字源 篆文 別體 形聲. 忄(心)+易〔音〕. '易역'은 색깔을 바꾸다의 뜻. 낯빛을 바꾸고 두려워하다, 놀라다의 뜻을 나타냄. 별체(別體)는 心+狄〔音〕.

參考 愁(心部 七畫)은 同字.

[惕懼 척구] 두려워함.
[惕兢 척긍] 두려워하여 조심함.
[惕念 척념] 두려워하는 마음.
[惕想 척상] 근심하며 생각함.
[惕慴 척섭] 척구(惕懼).
[惕息 척식] 두려워하여 숨이 참.
[惕若 척약] 두려워하여 삼가는 모양.
[惕然 척연] 척약(惕若).
[惕惕 척척] ㉠근심하고 두려워하는 모양. 우구(憂懼)하는 모양. ㉡사랑하는 모양.
[惕喘 척천] 척식(惕息).
[惕墜 척추] 두려워하여 기가 꺾임.
[惕號 척호] 두려워하여 울부짖음.
◉警惕. 驚惕. 愧惕. 兢惕. 懼惕. 怛惕. 夕惕. 悚惕. 愁惕. 畏惕. 憂惕. 慚惕. 怵惕. 惴惕. 惶惕.

8 ⑪ [惘] 망 ㊤養 文兩切 wǎng

字解 멍할 망 망연자실(茫然自失)한 모양. '一輟駕而容與'《潘岳》.

字源 形聲. 忄(心)+罔〔音〕. '罔망'은 그물로 잡다의 뜻. 마음이 그물에 붙잡힌 것처럼 자신을 잊고 멍해지다의 뜻을 나타냄.

[惘惘 망망] ㉠정신을 잃고 멍하니 있는 모양. ㉡뜻대로 되지 않아 당황하는 모양.
[惘然 망연] 기대에 어그러져 맥이 풀린 모양. 망연자실(茫然自失)한 모양.
◉悽惘. 慌惘.

8 ⑪ [惙] 철 ㊀屑 陟劣切 chuò

字解 ①근심할 철 우려함. '一怛'. '憂心一一'《詩經》. ②고달플 철 피로함. '力恆一'《王獻之》. ③그칠 철 輟(車部 八畫)과 통용. '宋人圍之數匝, 而弦歌不一'《莊子》.

字源 篆文 形聲. 忄(心)+叕〔音〕. '叕철'은 이어 계속되다의 뜻. 끊임없이 마음에 걸리는 것.

[惙怛 철달] 근심하고 슬퍼함.
[惙惙 철철] ㉠근심하여 마음이 산란한 모양. ㉡피로하여 쇠약하여지는 모양.
◉癯惙. 綿惙. 憂惙. 危惙. 羸惙. 忡惙. 患惙.

8 ⑪ [惚] 人名 홀 ㊀月 呼骨切 hū

筆順 忄 忄 忄 惚 惚 惚 惚 惚

字解 황홀할 홀 ㉠흐릿하여 유무(有無)가 분명하지 아니한 모양. 또, 미묘(微妙)하여 헤아려 알 수 없는 모양. '恍一'. '惟恍惟一'《老子》. ㉡멍하니 있는 모양. 도취(陶醉)된 모양. '神心一恍'《揚子法言》.

字源 形聲. 忄(心)+忽〔音〕. '忽홀'은 흐릿한 상태를 나타내는 의태어. 의식이 희미해지다, 아찔해지다의 뜻을 나타냄.

[惚恍 홀황] 멍하니 있는 모양. 도취(陶醉)된 모양. 황홀한 모양. 황홀(恍惚). 황홀(恍惚).
◉茫惚. 悅惚. 恍惚. 慌惚.

8 ⑫ [惢] ㊀ 솨 ㊤哿 蘇果切 suǒ ㊁ 수 ㊤紙 才捶切 ㊥支 姊宜切 ㊂ 예 ㊤紙 如累切 ruǐ

字解 ㊀ 의심할 솨 '一, 心疑也'《廣韻》. ㊁ ①의심할 수 ㊀과 뜻이 같음. ②착할 수 '一, 善也'《廣雅》. ㊂ 꽃술 예 '一, 華一也…俗作蘂·蕊·橤, 並非'《字彙》.

字源 會意. 心+心+心

8 ⑪ [惛] ㊀ 혼 ①㊥元 呼昆切 hūn ②㊦願 呼悶切 ㊁ 민 ㊦願 莫本切 mèn

字解 ㊀ ①흐릴 혼 마음이 흐림. 어리석음. '一悅'. '一然若亡而存'《莊子》. ②혼모할 혼 늙어서 정신이 흐리고 잘 잊음. 노모(老耄)함. '一耄'. '五漫漫, 六一一, 孰知之哉'《管子》. ㊁ 번민할 민 悶(心部 八畫)과 同字. '下爲匹夫而不一'《呂氏春秋》.

字源 篆文 形聲. 忄(心)+昏〔音〕. '昏혼'은 '어둡다'의 뜻. 마음이 어둡다의 뜻을 나타냄.

[惛怓 혼노] 마음이 흐리고 어수선함.
[惛眊 혼모] 눈이 어두움.
[惛耄 혼모] 늙어서 정신이 흐리고 기억력이 쇠약(衰弱)함.
[惛懜 혼몽] 마음이 혼미(昏迷)한 모양.
[惛瞀 혼무] 혼몽(惛懜).
[惛憊 혼비] 흐림. 분명하지 아니함.
[惛然 혼연] 마음이 흐린 모양.
[惛惛 혼혼] 혼모(惛耄)한 모양. 정신이 흐려 잘 잊어버리는 모양.
[惛悅 혼황] 흐림. 어리석음.
◉鈍惛.

8 ⑪ [惜] 中 人 석 ㊀陌 思積切 xī

筆順 忄 忄 忄 忄 忄 惜 惜 惜

字解 ①아낄 석 ㉠소중히 여김. '一陰'. '大禹聖者, 仍一寸陰'《晉書》. ㉡탐냄. 인색함. '吝一'. '諸將貪一財貨'《後漢書》. ②아까워할 석 ㉠애석하게 여김. '痛一'. '爲時一之'《後漢書》. ㉡버리거나 잃기를 싫어함. '棄之則可一'《後漢書》. ③아까울 석 이상(以上)의 형용사. '嗟乎一哉'《史記》. 또, 아깝게도. '一無纖纖來捧椀'《黃庭堅》. ④애처롭게여길 석 가엾이 여김. '寵一'. '樹木猶爲人愛一'《杜甫》.

字源 篆文 形聲. 忄(心)+昔〔音〕. '昔석'은 '楚초'와 통하여, 가시 있는 장미의 뜻. 마음을 찌르다, 아프다의 뜻을 나타냄.

[惜吝 석린] 아낌. 인색함.

[惜閔 석민] 애석히 여겨 슬퍼함.
[惜愍 석민] 석민(惜閔).
[惜別 석별] 이별을 섭섭히 여김.
[惜福 석복] 검소하게 생활하여 복을 길이 누리도록 함.
[惜歲 석세] 해가 가는 것을 서운하게 여김.
[惜景 석영] 석음(惜陰).
[惜陰 석음] 광음(光陰)을 아낌. 시간을 소중히 함.
[惜春御史 석춘어사] 당대(唐代)에 꽃을 보호하는 일을 맡은 벼슬.
◉顧惜. 悼惜. 寶惜. 哀惜. 愛惜. 惋惜. 吝惜. 悋惜. 珍惜. 追惜. 貪惜. 痛惜.

8 ⑪ [惝] 창 ㊤養 齒兩切 chǎng

字解 경황없을 창, 낙심할 창 실망하여 재미가 없는 모양. 또, 기대에 어그러져 낙망하는 모양. '君—然若有亡也'《莊子》.
字源 形聲. 忄(心)＋尙〔音〕

[惝然 창연] 기대에 어그러져 낙망하는 모양. 실의(失意)하여 기뻐하지 않는 모양.
[惝怳 창황] 실망하여 재미가 없는 모양. 경황없는 모양.

8 ⑪ [惟] 高人 유 ㊥支 以追切 wéi

筆順 忄 忄 忄 忄 忙 怍 惟 惟

字解 ①오직 유 단지. 유독. '——'. '—王不邇聲色'《書經》. ②이 유 伊(人部 四畫)·是(日部 五畫)와 뜻이 같음. '濟河—兗州'《書經》. '食哉—時'《書經》. ③생각할 유 사려(思慮)함. '思—'. '載謀載—'《史記》. ④생각건대 유 자기의 의견을 말할 때의 겸사(謙辭). '恭—'. '伏—'. '—信亦爲大王不如也'《史記》. ⑤성 유 성(姓)의 하나.
字源 篆文 形聲. 忄(心)＋隹〔音〕. '隹추'는 '維유'와 통하여, '잇다'의 뜻. 한 가지 일에 계속 마음을 멈추고 생각하다의 뜻을 나타냄.

[惟獨 유독] 오직 홀로.
[惟命是聽 유명시청] 무슨 일이나 오직 명령을 좇을 따름임.
[惟惟 유유] 응낙하는 모양. 또, 응낙하는 대답.
[惟一 유일] 단지 하나. 오직 하나.
[惟精 유정] 사욕(私慾)을 떨어 버리고 마음을 전일(專一)하게 가짐.
[惟酒可以忘憂 유주가이망우] 오직 술만이 근심을 잊게 할 수 있음.
[惟肖 유초] 서로 닮음. '惟'는 발어사.
◉豈惟. 圖惟. 謀惟. 伏惟. 思惟. 永惟.

8 ⑪ [悰] 人名 종 ㊥冬 藏宗切 cóng

筆順 忄 忄 忙 忙 恔 悰 悰 悰

字解 즐길 종 즐거워함. '戚戚苦無—'《謝朓》.
字源 篆文 形聲. 忄(心)＋宗〔音〕

8 ⑪ [惀] ㊀ 론 ㊥元 盧昆切 ㊤阮 盧本切 lún ㊦願 盧困切 lùn ㊁ 륜 ㊤軫 縷尹切

字解 ㊀ ①알고싶어할 론 '—, 思求曉知, 謂之—'《集韻》. ②생각할 론 '—, 思也'《玉篇》. ③번민할 론 '—, 懣也'《集韻》. ㊁ 알고싶어할 륜 ㊀❶과 뜻이 같음.
字源 形聲. 忄(心)＋侖〔音〕

8 ⑪ [惧] 전 ㊤銑 他典切 tiǎn

字解 부끄러워할 전 부끄럽게 여김. '荊揚靑徐之間, 謂慙曰—'《揚子方言》.
字源 篆文 形聲. 忄(心)＋典〔音〕

8 ⑪ [悷] 려 ㊦霽 郞計切 lì

字解 서러워할 려 슬퍼하는 모양. '意悽—而增悲'《應瑒》.
字源 形聲. 忄(心)＋戾〔音〕

8 ⑪ [惂] 감 ㊤感 苦感切 kǎn

字解 ①괴로워할 감 근심하여 괴로워함. '—, 憂困也'《廣韻》. ②한할 감 원망함. '—, 又恨也'《廣韻》.
字源 形聲. 忄(心)＋臽〔音〕

8 ⑪ [惈] 과 ㊤哿 古火切 guǒ

字解 과감할 과 '—, —敢, 勇也'《集韻》.

8 ⑪ [悹] 〔관〕 悹(心部 八畫〈p.788〉)과 同字

8 ⑪ [悏] 〔겁〕 怯(心部 五畫〈p.772〉)의 俗字

8 ⑪ [惨] 〔참〕 慘(心部 十一畫〈p.811〉)의 俗字

8 ⑪ [恆] 〔항〕 恒(心部 六畫〈p.776〉)의 本字

8 ⑪ [惛] 〔민〕 悶(心部 八畫〈p.784〉)과 同字

8 ⑫ [悶] 〔민〕 悶(心部 八畫〈p.784〉)과 同字

8 ⑪ [惧] 〔구〕 懼(心部 十八畫〈p.828〉)의 俗字

8 ⑪ [惞] 〔흔〕 欣(欠部 四畫〈p.1127〉)과 同字
字源 形聲. 忄(心)＋欣〔音〕. '欣흔'은 기뻐하다의 뜻.

8 ⑪ [惣] 〔총〕 憁(心部 十一畫〈p.811〉)과 同字

9
⑬ [愛] 中·人 애 ㊀隊 烏代切 ài 爱

筆順 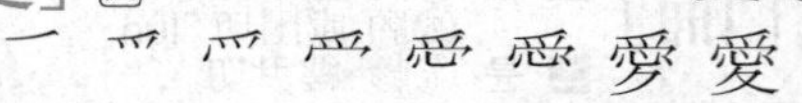

字解 ①사랑할 애 ㉠귀애함. '一兒'. '慈親之一其子也'《呂氏春秋》. ㉡친밀하게 대함. '汎一衆而親仁'《論語》. ㉢이성을 그리워함. '戀一'. '有與君之夫人相一者'《戰國策》. ㉣위함. 소중히 여김. '一錢'. '明主一其國'《戰國策》. ㉤좋아함. '一讀'. '衆仙奇一之'《洞冥記》. ㉥은혜를 베풂. '一日'. '不捐一子其民'《戰國策》. ②사랑 애 전항의 명사. '老牛舐犢之一'《後漢書》. ③그리워할 애 사모함. '欽一'. '十人一之, 則十人之吏也'《鬻子》. ④아낄 애 탐냄. 인색함. '一惜'. '百姓皆以王爲一也'《孟子》. ⑤성 애 성(姓)의 하나.

字源 夓의 篆文 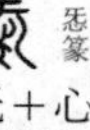 炁의 篆文 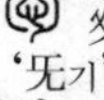 形聲. 본디, '夓'로 썼으며, 夊+炁〔音〕. '炁애'는 會意로서, 旡+心. '旡기'는 머리를 돌리어 돌아다보는 사람의 상형. 돌아다보는 마음의 모양에서, '어여삐 여기다'의 뜻. '夊쇠'는 발의 상형으로, 어여삐 여기는 마음이 향해 가서 미치다의 뜻을 나타냄.

[愛敬 애경] 사랑하고 공경함. 위하고 존경(尊敬)함.
[愛顧 애고] 사랑하여 돌봄.
[愛國 애국] 나라를 사랑함. 자기 나라를 위하여 진력함.
[愛君 애군] 임금을 위하고 공경함.
[愛及屋烏 애급옥오] 사람을 사랑하면 그 사람이 사는 집의 지붕 위에 있는 까마귀까지도 귀엽게 보임. '아내가 귀여우면 처갓집 말뚝 보고 절을 한다.'와 뜻이 같음.
[愛妓 애기] 사랑하는 기생.
[愛嗜 애기] 기호(嗜好).
[愛念 애념] ㉠사랑하는 마음. 애심(愛心). ㉡《佛教》남을 사랑하여 생각하는 일. 번뇌(煩惱)를 이름.
[愛黨 애당] 자기의 당을 사랑함.
[愛戴 애대] 위하여 받듦. 심복하여 존숭함.
[愛讀 애독] 즐겨 읽음. 특별히 좋아하여 읽음.
[愛樂 애락] 좋아하여 즐거워함.
[愛憐 애련] 애민(愛憫).
[愛戀 애련] 사랑하여 그리워함.
[愛蓮說 애련설] 송유(宋儒) 주돈이(周敦頤)가 지은 문장. 연(蓮)을 군자(君子)의 덕(德)에 비겼음.
[愛流 애류]《佛教》애욕(愛慾)은 사람의 마음을 빠뜨리게 하므로 애욕을 물의 흐름에 비유하여 이른 말.
[愛吝 애린] 아낌. 인색함. 애린(愛悋).
[愛悋 애린] 애린(愛吝).
[愛林 애림] 나무를 소중히 함.
[愛馬 애마] 사랑하는 말.
[愛慕 애모] 사랑하여 그리워함. 심복하여 사모함.
[愛撫 애무] 사랑하여 어루만짐.
[愛民 애민] 백성을 사랑함.
[愛憫 애민] 가엾이 여겨 사랑함.
[愛別離苦 애별리고]《佛教》팔고(八苦)의 하나. 별리(別離)를 애석하게 여기는 괴로움이라는 뜻으로, 부자(父子)·형제(兄弟)·부부(夫婦) 등과 같이 서로 사랑하는 사람이 헤어지는 괴로움을 이름.
[愛婢 애비] 사랑하는 계집종.
[愛使 애사] ㉠사랑하며 부림. 특별히 귀애하며 부림. ㉡사랑하는 사신(使臣).
[愛賞 애상] 좋아하여 칭찬함.
[愛壻 애서] 사랑하는 사위.
[愛惜 애석] ㉠소중히 여김. 아낌. ㉡인색함. 아낌.
[愛誦 애송] 즐기어 송독(誦讀)함. 특별히 좋아하여 읽음. 애독(愛讀).
[愛視 애시] 사랑하여 눈여겨봄.
[愛新覺羅 애신각라] 청태조(清太祖) 누루하치(奴爾哈赤)를 난 만주족(滿洲族)의 한 부족(部族)의 이름. 후에 청조(清朝)의 성(姓)으로 되었음.
[愛心 애심] 사랑하는 마음.
[愛兒 애아] 사랑하는 아들. 애자(愛子).
[愛眼 애안]《佛教》부처의 자비스러운 눈.
[愛狎 애압] 사랑하여 가까이함. 사랑하여 허물없이 지냄.
[愛養 애양] 사랑하여 기름. 소중히 하여 기름.
[愛煙 애연] 담배를 즐김.
[愛緣 애연]《佛教》은애(恩愛)의 인연. 번뇌를 이름.
[愛悅 애열] 사랑하고 기뻐함.
[愛染 애염]《佛教》㉠물건을 탐내어 마음이 그것에 감염(感染)된다는 뜻으로, 집착심(執着心)이 깊음을 이름. ㉡애염명왕(愛染明王).
[愛焰 애염] 애욕(愛慾)이 왕성한 것을 불꽃에 비유하여 이른 말. 욕화(慾火).
[愛燄 애염] 애염(愛焰).
[愛染明王 애염명왕]《佛教》명왕(明王)의 하나. 원래 인도(印度)의 신(神)으로서 후에 진언밀교(眞言密教)의 신이 됨. 눈이 셋, 팔이 여섯이고 화낸 상을 하고 있으며, 머리에는 사자관(獅子冠)을 쓰고 있음. 미혹(迷惑)한 자의 애욕(愛慾)을 진리(眞理)의 사랑으로 변하게 하는 일을 맡음.
[愛詠 애영] 애음(愛吟).
[愛玉 애옥] 남의 딸의 경칭(敬稱). 영애(令愛).
[愛玩 애완] ㉠좋아하여 완롱(玩弄)함. ㉡소중히 여겨 깊이 간직함. 비장(祕藏)함.
[愛翫 애완] 애완(愛玩).
[愛慾 애욕] 사물(事物)을 좋아하여 바라는 마음. 또, 애정과 욕심.
[愛友 애우] 형제간에 우애가 있음.
[愛育 애육] 애양(愛養).
[愛恩 애은] 사랑하고 은혜를 베풂. 또, 사랑과 은혜. 은애(恩愛).
[愛吟 애음] 시가(詩歌)를 즐기어 읊음. 또, 즐기어 읊는 시가.
[愛飮 애음] 술 같은 것을 즐기어 마심.
[愛人 애인] ㉠사람을 사랑함. 남을 사랑함. ㉡사랑하는 사람. 연인(戀人).
[愛日 애일] ㉠겨울날. ㉡햇빛을 쬐어 은혜를 베푸는 해. ㉢세월이 가는 것을 애석히 여긴다는 뜻으로, 효자가 부모를 장구(長久)히 모시고자 하는 마음을 이름.
[愛子 애자] ㉠사랑하는 아들. ㉡아들을 사랑함.
[愛獎 애장] 사랑하여 칭찬함. 사랑하여 끌어올림.
[愛錢 애전] 금전을 소중히 여김.
[愛情 애정] ㉠사랑하는 마음. ㉡이성(異性) 간에

그리워하는 마음. 연모(戀慕)하는 마음. 연정(戀情).
[愛弟 애제] 사랑하는 아우. 귀애하는 아우.
[愛族 애족] 겨레를 사랑함.
[愛酒 애주] 술을 좋아함.
[愛重 애중] 사랑하고 소중히 여김.
[愛憎 애증] 사랑함과 미워함. 애정과 증오.
[愛之重之 애지중지] 대단히 사랑하고 소중히 여김.
[愛執 애집] 《佛敎》 애착(愛着).
[愛着 애착] 《佛敎》 사물을 좋아하는 마음이 강하여 떨어지기 어려운 일. 명예·이욕·주색과 같은 자기가 바라는 것에 집착(執着)하여 마음의 자유를 잃는 일.
[愛着生死 애착생사] 《佛敎》 세상의 무상(無常)함을 모르고 괴로운 인간계(人間界)에 집착하는 일.
[愛着慈悲 애착자비] 인간을 애착생사(愛着生死)로부터 구하려는 자비심.
[愛唱 애창] 노래를 즐기어 부름. 또, 그 노래.
[愛妻 애처] 아내를 사랑함. 또, 사랑하는 아내.
[愛妾 애첩] 사랑하는 첩. 행희(幸姬).
[愛寵 애총] 애행(愛幸).
[愛親 애친] 부모를 위하고 공경함.
[愛親者不敢惡於人 애친자불감오어인] 어버이를 사랑하는 사람은 인애심(仁愛心)이 두터운 까닭에 결코 남을 미워하지 않음.
[愛他主義 애타주의] 다른 사람의 행복의 증진을 행위의 기준으로 삼는 주의.
[愛幸 애행] 총애(寵愛)함.
[愛鄕 애향] 고향을 그리워함.
[愛惠 애혜] 애은(愛恩).
[愛好 애호] 사랑하고 좋아함. 대단히 좋아함.
[愛護 애호] 사랑하여 보호함. 소중히 다룸.
[愛火 애화] 대단히 깊은 애정.
[愛活 애활] 딱하게 여겨 생활을 도와줌.
[愛恤 애휼] 딱하게 여겨 구휼(救恤)함.
[愛姬 애희] 총애하는 여자.
◉嘉愛. 渴愛. 兼愛. 敬愛. 過愛. 款愛. 嬌愛. 求愛. 閨愛. 器愛. 篤愛. 盲愛. 母性愛. 博愛. 汎愛. 泛愛. 寶愛. 父性愛. 傅愛. 祕愛. 相愛. 賞愛. 性愛. 純愛. 信愛. 御愛. 戀愛. 悅愛. 熱愛. 染愛. 令愛. 玩愛. 婉愛. 畏愛. 友愛. 遺愛. 隆愛. 恩愛. 倚愛. 頤愛. 溺愛. 人間愛. 仁愛. 子愛. 字愛. 自愛. 慈愛. 專愛. 絕愛. 情愛. 鍾愛. 珍愛. 最愛. 寵愛. 忠愛. 親愛. 他愛. 耽愛. 貪愛. 偏愛. 割愛. 惠愛. 酷愛. 歡愛. 欽愛.

9 ⑬ [感] [中人] 감(⑦ ㊤感 古禫切 gǎn 함[本]) [去]勘 胡紺切 hàn

[筆順] 丿 厂 厂 后 咸 咸 感 感

[字解] ①느낄 감, 깨달을 감 느껴 앎. '一覺'. '一吾生之行休'《陶潛》. ②감동할 감 깊이 느끼어 마음이 움직임. '一泣'. '人生一意氣'《魏徵》. ③감동시킬 감 감동하게 함. '使人微一張儀'《史記》. ④감응할 감 감촉(感觸)되어 통함. '一通'. '寂然不動, 一而遂通天下之故'《易經》. ⑤감동 감, 감응 감, 느낌 감 이상(以上)의 명사. '萬一'. '以紓慘惻之一'《陸機》. ⑥움직일 감, 흔들 감 撼(手部 十三畫)과 통용. '無一我帨兮'《詩經》. ⑦한할 감 원한을 품음. 憾(心部 十三畫)과 통용. '唯蔡於一'《左傳》.

[字源] 篆文 會意. 心+咸. '咸함'은 큰 위압(威壓) 앞에 목청껏 소리를 내다의 뜻. 사람의 마음이 큰 자극(刺戟) 앞에 움직이다의 뜻을 나타냄.

[感覺 감각] ㉠느껴 깨달음. ㉡느낌. 깨달음. ㉢외계(外界)의 자극이 감각 기관에 의하여 신경의 중추에 도달하여 일어나는 의식 현상(意識現象).
[感慨 감개] ㉠깊이 느끼어 탄식함. ㉡마음속 깊이 사무치게 느낌.
[感槪 감개] 감개(感慨).
[感慨無量 감개무량] 감개가 한이 없음. 대단히 감개함.
[感慨悲歌之士 감개비가지사] 국사(國事)를 근심하는 나머지 비분강개(悲憤慷慨)하는 노래를 지어 읊어 울분을 푸는 선비.
[感激 감격] 감동하여 분발함. 대단히 감동함.
[感哽 감경] 감열(感咽).
[感果 감과] 《佛敎》 원인에 감응(感應)하여 생긴 결과.
[感官 감관] 감각 기관(感覺器官).
[感光 감광] 광선의 반응을 받음.
[感愧 감괴] 남의 덕(德)에 감동되어 자기가 미치지 못하는 것을 부끄럽게 여김.
[感舊 감구] 옛날을 회상(回想)하여 감동함.
[感舊之懷 감구지회] 지난 일을 회상하여 감동한 회포(懷抱).
[感念 감념] 마음에 깊이 느끼는 생각.
[感戴 감대] 대단히 고맙게 여기어 떠받듦.
[感動 감동] 깊이 느끼어 마음이 대단히 움직임. 깊이 느끼어 마음이 흥분(興奮)함.
[感淚 감루] 감격하여 나오는 눈물.
[感銘 감명] 깊이 느끼어 마음속에 새기어 둠. 감격하여 명심함.
[感冒 감모] 고뿔. 감기(感氣).
[感慕 감모] 감동하여 사모함.
[感懣 감문] 마음에 느끼어 번민(煩悶)함.
[感服 감복] 감격하여 심복(心服)함. 탄복(歎服)함.
[感附 감부] 은덕(恩德)에 감격하여 붙좇음.
[感奮 감분] 감동하여 분발함.
[感奮興起 감분흥기] 감분하여 떨치고 일어남.
[感謝 감사] 고맙게 여김. 또, 고맙게 여겨 사의(謝意)를 표함.
[感想 감상] 느끼어 생각함. 또, 느낀 바. 느낀 생각. 소감(所感).
[感傷 감상] 마음에 느끼어 슬퍼함. 사물에 느낀 바 있어 마음 아파함.
[感賞 감상] 감탄하여 칭찬함.
[感性 감성] ㉠인상(印象)을 받아들이는 능력. 오성(悟性)의 대(對). ㉡자극(刺戟)에 반응(反應)하여 감각을 일으킬 수 있는 성질.
[感受 감수] ㉠느끼어 받음. ㉡외계(外界)의 자극(刺戟)을 감각 신경(感覺神經)에 의하여 받아들여 느낌.
[感受性 감수성] 외계(外界)의 자극(刺戟)을 느낄 수 있는 힘. 곧, 직관(直觀)의 능력.
[感咽 감열] 감동하여 오열(嗚咽)함. 깊이 느낀 바 있어 목이 메도록 욺.
[感悅 감열] 감격하여 대단히 기뻐함.
[感染 감염] ㉠악습(惡習)에 물듦. ㉡병이 옮음.
[感悟 감오] 느끼어 깨달음. 알아차림.
[感恩 감은] 은혜에 감격함. 받은 은혜를 깊이 감

사함.
[感泣 감읍] 감격하여 욺. 너무 기뻐하여 욺. 감체(感涕).
[感應 감응] ㉠마음이 사물(事物)에 감촉(感觸)되어 그에 따르는 반응이 생김. ㉡두 기(氣)가 서로 느끼어 응함. ㉢신심(信心)의 정성이 신(神)이나 부처에 통함. 감통(感通). ㉣도체(導體)가 자석(磁石)·발전체(發電體) 등에 접근하여 자기(磁氣) 또는 전기를 띠게 되는 현상.
[感電 감전] 전기에 감응(感應)함. 전류(電流)가 전함.
[感篆 감전] 마음에 깊이 새기어 잊지 않음. 전각(篆刻)에서 새긴다는 뜻을 딴 것임. 감명(感銘).
[感情 감정] ㉠사물에 느끼어 일어나는 마음. 심정(心情). 기분(氣分). ㉡고(苦)·낙(樂)·미(美)·추(醜) 등에 따른 쾌(快)·불쾌를 느끼는 마음의 작용.
[感慙 감참] 마음에 느낀 바 있어 부끄럽게 여김.
[感愴 감창] 감모(感慕)하여 비창(悲愴)함.
[感戚 감척] 마음 아파함. 슬퍼함.
[感徹 감철] 자기의 성의가 남에게 통함. 자기의 성의를 남이 알아줌.
[感涕 감체] 감읍(感泣).
[感觸 감촉] 외계(外界)의 자극에 접촉하여 느낌.
[感歎 감탄] ㉠감동하여 찬탄함. ㉡느끼어 탄식함. 깊이 느낌.
[感歎詞 감탄사] 희로애락(喜怒哀樂) 등의 감정을 나타내는 말. 오호(嗚呼)·우(吁) 따위.
[感通 감통] 자기의 마음이 남의 마음에 통함. 자기의 마음을 남이 알아줌. 감응(感應).
[感慟 감통] 마음에 깊이 느낀 바 있어 서러워함. 대단히 서러워하여 탄식함.
[感佩 감패] 깊이 느끼어 늘 잊지 아니함. 대단히 고맙게 여김.
[感荷 감하] 받은 은혜를 깊이 마음에 느낌. 은혜를 감사하여 받음.
[感恨 감한] 골수에 사무치도록 원망함. 마음속 깊이 원한을 품음.
[感化 감화] ㉠남의 마음을 감동시키어 착하게 함. ㉡감동하여 착하여짐. ㉢지금은 나쁘게 되는 뜻으로도 쓰임.
[感患 감환] 감기(感氣).
[感悔 감회] 마음에 느낀 바 있어 후회함.
[感會 감회] 만남. 조우(遭遇)함.
[感懷 감회] 느끼어 생각함. 또, 느끼어 생각한 바. 회포(懷抱).
[感興 감흥] 마음에 느끼어 일어나는 홍취. 흥미.
[感喜 감희] 감열(感悅).
◉共感. 交感. 舊感. 樂感. 多感. 讀後感. 同感. 鈍感. 萬感. 冥感. 妙感. 味感. 美感. 敏感. 反感. 百感. 悲感. 思感. 私感. 想感. 善感. 誠感. 所感. 隨感. 愁感. 實感. 惡感. 哀感. 涼感. 量感. 語感. 劣等感. 靈感. 叡感. 豫感. 五感. 偶感. 優越感. 音感. 應感. 雜感. 情感. 精感. 第六感. 直感. 珍感. 眞感. 觸感. 追感. 快感. 歎感. 通感. 好感. 歡感. 孝感. 欣感. 興感.

9 ⑬ **[愗]** 무 ㊀宥 莫候切 mào

字解 어리석을 무 '怐—'는 어리석은 모양. '直怐—以自苦.' (註) '怐—守死忠信以自畢也'《楚辭》.
字源 形聲. 心+敄〔音〕

◉怐愗.

9 ⑬ **[愙]** 〔각〕
恪(心部 六畫〈p. 778〉)과 同字

9 ⑬ **[想]** 中 人 상 ㊤養 息兩切 xiǎng

筆順 一 十 才 木 相 相 想 想

字解 ①생각할 상 ㉠바람. 사모함. '一望'. '夢—賢士'《後漢書》. ㉡추측함. '—像'. '悠然遐—'《晉書》. ㉢추억함. '回—'. '追—'. '望風懷—'《李陵》. ②생각 상 생각하는 바. '出塵之—'. '淸風滌煩—'《韋應物》. ③생각건대 상 생각하기를. '—拾遺公, 冠帶就車, 惠然肯來'《韓愈》.
字源 篆文 形聲. 心+相〔音〕. '相상'은 물건의 모습을 본다는 뜻. 마음에 물건의 형상을 본다는 뜻에서, '생각하다'의 뜻을 나타냄.

[想見 상견] 생각하여 봄. 그리워함.
[想起 상기] 지난 일을 생각하여 냄.
[想到 상도] 생각이 미침.
[想望 상망] ㉠바라며 생각함. 그리워함. 사모함. ㉡기대(期待)함.
[想味 상미] 음미(吟味)하여 생각함.
[想不到 상부도] 뜻밖에. 생각하지도 않았는데.
[想夫憐 상부련] 쟁(箏)의 곡(曲)의 이름. 원은 상부련(想夫蓮)이라 씀. 속(俗)에 연(憐)을 연(戀)으로 씀.
[想像 상상] ㉠마음속으로 그리며 미루어 생각함. ㉡기지(旣知)의 사실 또는 관념(觀念)에 의거하여 새 사실 또는 관념을 구성하는 마음의 작용.
[想憶 상억] 생각함. 생각.
[想察 상찰] 상상(想像) ❶.
◉假想. 感想. 慨想. 虔想. 空想. 觀想. 狂想. 舊想. 構想. 奇想. 亂想. 妄想. 望想. 緬想. 冥想. 瞑想. 夢想. 妙想. 無念無想. 無想. 默想. 發想. 煩想. 紛想. 思想. 隨想. 詩想. 識想. 尋想. 愛想. 憶想. 聯想. 豫想. 意想. 理想. 情想. 主想. 眞想. 塵想. 着想. 悵想. 追想. 遐想. 虛想. 懸想. 幻想. 回想.

9 ⑬ **[惷]** 준 ㊤軫 尺尹切 chǔn

字解 ①어수선할 준 동요하여 어지러운 모양. '王室實——焉'《左傳》. ②어리석을 준 우매함. 蠢(虫部 十五畫)과 同字. '—愚'. '愍耄儒之—窒兮'《皮日休》.
字源 篆文 形聲. 心+春(萅)〔音〕. '萅춘'은 꿈틀거리다의 뜻. 마음이 꿈틀거리다의 뜻에서, 어수선하여지다의 뜻을 나타냄.

[惷愚 준우] 어리석음. 우매함.
[惷惷 준준] 동요하여 어지러운 모양.
[惷窒 준질] 어리석어 사리(事理)를 분간 못함.

9 ⑬ **[惹]** 人名 야 ㊤馬 人者切 rě 

[字解] 이끌 야 끌어당김. '—起'. '微香暗—遊人步'《羅鄴》.
[字源] 篆文 形聲. 心+若〔音〕. '若약'은 머리털을 헝클어뜨리고 신이 내린 사람의 상형. 마음이 흐트러지다, 잡아끌다의 뜻을 나타냄.

[惹起 야기] 끌어 일으킴.
[惹起鬧端 야기요단] 시비의 단서를 끌어 일으킴.
[惹鬧 야뇨] 야료(惹鬧).
[惹鬧 야료] ㉠생트집을 하고 함부로 떠들어 댐. ㉡야기요단(惹起鬧端)의 준말.

9 ⑬ [愁] [中人] 수 [平]尤 士尤切 chóu

[筆順] 一 二 千 禾 禾' 秋 秋 愁

[字解] ①근심할 수 우려함. '—心'. '悲—垂涕'《列子》. ②근심 수 우려. 수심. '時取醉銷—'《王績》.
[字源] 篆文 形聲. 心+秋〔音〕. '秋추'는 가냘픈 울음소리의 의성어. 마음이 슬퍼지다, 울고 싶어지다, 근심하다의 뜻을 나타냄.

[愁看 수간] 근심스럽게 봄.
[愁感 수감] 근심하며 느낌. 근심 걱정함.
[愁苦 수고] 근심 걱정으로 고생함.
[愁困 수곤] 근심하며 괴로워함. 간난신고(艱難辛苦)함.
[愁勤 수근] 근심하고 수고함.
[愁襟 수금] 근심하는 마음. 수심(愁心).
[愁毒 수독] 근심하고 괴로워함.
[愁亂 수란] 근심이 많아서 정신이 어지러움. 수요(愁擾).
[愁淚 수루] 근심하여 욺. 또, 근심하여 흘리는 눈물.
[愁霖 수림] 우울한 긴 장마.
[愁眠 수면] 근심하면서 잠. 또, 그 잠.
[愁夢 수몽] 근심한 나머지 꾸는 꿈.
[愁眉 수미] 근심에 잠긴 눈썹. 전(轉)하여, 수심에 잠긴 얼굴.
[愁眉啼妝 수미제장] 수심에 잠겨 우는 것같이 보이게 하는 화장.
[愁悶 수민] 근심으로 고민함.
[愁思 수사] 근심하는 생각.
[愁殺 수살] 대단히 근심하게 함. 살(殺)은 조사(助辭).
[愁傷 수상] 근심하고 가슴 아파함. 비탄(悲嘆)함.
[愁霜 수상] 너무 근심하여 젊어서 희어진 머리털을 서리에 비유하여 한 말.
[愁色 수색] 근심하는 빛.
[愁緖 수서] 수심(愁心).
[愁聲 수성] 슬픈 소리.
[愁訴 수소] 애처롭게 호소함.
[愁心 수심] 근심하는 마음.
[愁顔 수안] 수심에 잠긴 얼굴.
[愁擾 수요] 수란(愁亂).
[愁容 수용] 근심하는 얼굴.
[愁雲 수운] 애수(哀愁)를 느끼게 하는 구름.
[愁怨 수원] 근심하며 원망함.
[愁吟 수음] 근심하여 신음함. 또, 그 소리.
[愁意 수의] 수심(愁心).
[愁人 수인] ㉠근심이 있는 사람. ㉡사물(事物)에 대하여 애수(哀愁)를 느끼는 사람. 시인(詩人).
[愁腸 수장] 근심하는 마음. 수심(愁心).
[愁絶 수절] 대단히 근심함.
[愁慘 수참] 매우 슬픔.
[愁惕 수척] 수포(愁怖).
[愁歎 수탄] 근심하며 한탄(恨歎)함.
[愁痛 수통] 근심하고 가슴 아파함.
[愁怖 수포] 근심하고 두려워함.
[愁恨 수한] 근심하며 원망함.
[愁海 수해] 큰 근심의 비유.
[愁懷 수회] 수심(愁心).
◉客愁. 結愁. 孤愁. 窮愁. 羈愁. 萬斛愁. 暮愁. 煩愁. 邊愁. 別愁. 悲愁. 深愁. 哀愁. 旅愁. 縈愁. 憂愁. 幽愁. 凝愁. 離愁. 長愁. 積愁. 啼愁. 千愁. 春愁. 沈愁. 閒愁. 鄕愁.

9 ⑬ [愆] [人名] 건 [平]先 去乾切 qiān

[字解] ①허물 건 과실(過失). 죄과(罪過). '—尤'. '—謬'. '侍於君子, 有三—'《論語》. ②어그러질 건 차착(差錯)함. '歸妹—期'《易經》. ③악질(惡疾) 건 나쁜 병. '王—於厥身'《左傳》.
[字源] 金文 篆文 形聲. 心+衍〔音〕. '衍연'은 자라서 퍼지다의 뜻. 도가 지나쳐 멋대로 거동하는 모양에서, '그르치다'의 뜻을 나타냄.

[愆過 건과] 잘못. 허물. 죄과.
[愆納 건납] 세금을 기한 안에 못 바침.
[愆謬 건류] 잘못.
[愆尤 건우] 잘못. 허물.
[愆義 건의] 정도(正道)를 어김.
[愆滯 건체] 사무에 착오가 생기고 지체됨.
◉蓋愆. 歸愆. 三愆. 三風十愆. 省愆. 悔愆.

9 ⑬ [㥶] 愆(前條)과 同字

9 ⑬ [愈] [高人] 유 [上]麌 以主切 yù, ⑥yú [平]虞 容朱切

[筆順] ノ 人 𠆢 合 俞 兪 愈 愈

[字解] ①나을 유 남보다 우수함. '丹之治水也, —於禹'《孟子》. ②나을 유 병이 나음. 癒(疒部 十三畫)와 통용. '小—'. '昔者疾, 今日—'《孟子》. ③고칠 유 치유함. 癒(疒部 十三畫)와 통용. '—病析醒'《宋玉》. ④더할 유 자꾸 더해짐. '憂心——'《詩經》. ⑤더욱 유 더욱더욱. '動而—出'《老子》. ⑥즐길 유 愉(心部 九畫)와 통용. '心至—'《荀子》.
[字源] 形聲. 心+兪〔音〕. '兪유'는 '빠져나가다'의 뜻. 마음이 나쁘다, 빠져나가서 좋다, 우월하다의 뜻과 불쾌한 기분으로부터 빠져나가고 쳐지다의 뜻을 나타냄.

[愈愚 유우] 어리석은 마음을 고침.
[愈愈 유유] 자꾸 더하여지는 모양.
[愈出愈怪 유출유괴] 점점 더 괴상하여짐.
◉病加小愈. 小愈. 瘳愈. 快愈.

9 ⑬ [愍] [人名] 민 [上]軫 眉殞切 mǐn

[字解] ①근심할 민 우려함. '吾代二子—矣'《左傳》. ②가엾어할 민 가엾게 여김. '矜—'. '其憐—焉'《漢書》.
[字源] 形聲. 心+敃〔音〕. '敃민'은 '紊문'과 통하여, '어지러워지다'의 뜻. 마음이 어지러워져서 슬퍼하다의 뜻을 나타냄.

[愍焉 민언] 가엾이 여김. 불쌍히 여김.
[愍然 민연] 가엾은 모양. 불쌍한 모양.
[愍悴 민췌] 가엾이 여겨 근심함.
[愍凶 민흉] 부모(父母)를 여읜 불행.
◉矜愍. 不愍. 惜愍. 哀愍. 憐愍. 慰愍. 慈愍. 弔愍. 嗟愍.

9 ⑬ [意] [中·人] [一] 의 [去]寘 於記切 yì
[二] 희 [平]支 於其切 yī

[筆順] 亠 亠 立 产 音 音 意 意 意

[字解] [一] ①뜻 의 ㉠마음의 발동(發動). '—志'. '—識'. '欲正其心, 先誠其—'《大學》. ㉡생각. '如—'. '君行制, 臣行—'《國語》. ㉢사심(私心). 사욕. '—必固我'. '毋—, 毋必'《論語》. ㉣글이나 말의 의의. '—味'. '大—'. '原於道德之—'《史記》. ㉤정취. '筆—幽閒'《圖繪寶鑑》. ②뜻할 의 생각함. '攻其無備, 出其不—'《孫子》. ③의심할 의 의심을 둠. '—忌'. '妄—不疑'《史記》. ④헤아릴 의 상량(商量)함. 추측함. '妄—室中之藏'《莊子》. ⑤생각건대 의 생각해 보건대. '—者'. '吾—不然'《柳宗元》. ⑥나라이름 의 이탈리아(意大利)의 약칭. ⑦성 의 성(姓)의 하나. [二] 한숨쉴 희 噫(口部 十三畫)와 통용. '—, 治人之過也'《莊子》.
[字源] 篆文 會意. 心+音. '音음'은 사람의 언어가 되지 않는 소리의 뜻. 말이 되기 전의 마음, 생각의 뜻을 나타냄.

[意見 의견] 어떤 대상이나 일에 대한 생각.
[意忌 의기] 의심하고 꺼림.
[意氣 의기] ㉠득의(得意)한 마음. ㉡장(壯)한 마음. ㉢기상(氣象).
[意氣揚揚 의기양양] 득의(得意)한 마음이 얼굴에 나타나는 모양.
[意氣自如 의기자여] 마음이 침착하여 평소와 조금도 다름이 없음.
[意氣衝天 의기충천] 득의(得意)한 마음이 하늘을 찌를 듯함.
[意頭 의두] 생각. 뜻. 두(頭)는 조사(助辭).
[意量 의량] 의사(意思)와 국량(局量).
[意馬心猿 의마심원] 《佛敎》 마음이 번뇌(煩惱)와 정욕(情慾) 때문에 억누를 수 없음을, 날뛰는 말을 그치게 할 수 없고 떠드는 원숭이를 진정시킬 수 없는 데 비유한 말.
[意望 의망] 소망(所望).
[意味 의미] 말이나 글의 뜻.
[意味深長 의미심장] 말이나 글의 뜻이 매우 깊음.
[意思 의사] 마음먹은 생각.
[意想 의상] 생각.
[意識 의식] ㉠깨었을 때의 사물을 지각(知覺)하는 상태. 곧, 지(知)·정(情)·의(意) 일체의 정신 작용. ㉡《佛敎》 육식(六識) 또는 팔식(八識)의 하나. 사려 분별하는 마음.
[意業 의업] 《佛敎》 삼업(三業)의 하나. 뜻에서 일어나는 업인(業因).
[意譯 의역] 개개의 단어·구절에 너무 구애되지 않고, 본문(本文)의 전체의 뜻을 살리는 번역.
[意外 의외] 뜻밖. 생각 밖.
[意慾 의욕] 어떤 것을 갖거나 하고자 하는 마음.
[意義 의의] 뜻. 의미(意味).
[意匠 의장] ㉠생각. 연구. 궁리. ㉡공예품(工藝品) 등의 모양·색채·무늬 등에 대한 고안(考案).
[意錢 의전] 돈을 던져서 승부를 가리는 일종의 유희. 돈치기.
[意中 의중] 마음속.
[意中人 의중인] 마음속에 생각하고 있는 사람. 곧, 사모(思慕)하는 사람.
[意地 의지] 《佛敎》 마음.
[意志 의지] ㉠마음. 뜻. ㉡사려·선택·결심 등을 하는 마음의 능동적 작용. 지식·감정과 대립되는 정신 작용.
[意衷 의충] 마음속. 진심(眞心).
[意趣 의취] 의향(意向).
[意表 의표] 뜻밖. 의외(意外).
[意必固我 의필고아] 사의(私意)와 기필(期必)과 고집(固執)과 자아(自我). 성인(聖人)의 마음은 밝고 비어 있어, 이 네 가지가 없음.
[意合 의합] 뜻이 서로 맞음.
[意向 의향] 마음의 향하는 바. 곧, 무엇을 하려는 생각.
◉佳意. 刻意. 懇意. 強意. 介意. 客意. 隔意. 決意. 敬意. 古意. 固意. 故意. 高意. 故人意. 關意. 敎意. 貴意. 剋意. 極意. 奇意. 氣意. 諾意. 達意. 當意. 大意. 道意. 同意. 得意. 妄意. 命意. 妙意. 文意. 微意. 民意. 密意. 反意. 發意. 配意. 飜意. 法意. 本意. 不得意. 不如意. 不意. 非意. 私意. 詞意. 肆意. 謝意. 辭意. 殺意. 上意. 生意. 書意. 善意. 盛意. 聖意. 誠意. 細意. 素意. 愁意. 隨意. 夙意. 猜意. 新發意. 神意. 失意. 實意. 心意. 深意. 我意. 雅意. 惡意. 兩意. 語意. 御意. 如意. 餘意. 逆意. 熱意. 靈意. 銳意. 禮意. 奧意. 尿意. 用意. 雨意. 寓意. 運意. 原意. 遠意. 留意. 遺意. 恩意. 移意. 人意. 一意. 任意. 恣意. 作意. 壯意. 匠意. 適意. 專心一意. 專意. 戰意. 轉意. 正心誠意. 情意. 精意. 題意. 造意. 朝意. 弔意. 尊意. 主意. 注意. 旨意. 志意. 指意. 眞意. 塵意. 着意. 贊意. 創意. 天意. 草意. 寸意. 總意. 秋意. 祝意. 春意. 趣意. 快意. 他意. 託意. 表意. 筆意. 下意. 賀意. 合意. 降意. 懈意. 害意. 好意. 會意. 厚意.

9 ⑬ [愚] [高·人] 우 [平]虞 元俱切 yú

[筆順] 丨 口 日 月 禺 禺 禺 愚 愚

[字解] ①어리석을 우 우매함. '—直'. '終日不違如—'《論語》. 또, 어리석음. 어리석은 사람. '以智役—'《宋書》. ②어리석게할 우 지식을 개발하지 아니하고 알리지 아니함. '—民政策'. ③우직할 우 고지식함. '戇—'. '柴也—'《論語》. ④나 우 자기의 겸칭. '—見'. '—猶有惑也'《蘇洵》. 또, 자기의 의견의 겸칭. '略陳—而抒情素'《漢書》. ⑤성 우 성(姓)의 하나.
[字源] 篆文 形聲. 心+禺〔音〕. '禺우'는 원숭이 비슷한 나무늘보의 상형으로, 활발하지

못하고 둔하다의 뜻을 나타냄. 마음의 기능이 둔하다, 어리석다의 뜻을 나타냄.

[愚見 우견] ㉠어리석은 소견. ㉡자기(自己)의 의견의 겸칭(謙稱).
[愚計 우계] ㉠어리석은 꾀. ㉡자기(自己)의 꾀의 겸칭(謙稱).
[愚固 우고] 어리석고 완고함.
[愚瞽 우고] 어리석고 몽매한 사람.
[愚考 우고] 어리석은 생각. 자기의 생각의 겸칭(謙稱).
[愚悃 우곤] 어리석지만 진실함.
[愚公移山 우공이산] 우공(愚公)이 오랜 세월을 두고 열심히 자기 집 앞의 산을 딴 곳으로 옮기려고 노력하여 결국 이루었다는 고사(故事)로서, 무슨 일이든지 꾸준히 노력하면 성공한다는 비유로 쓰임.
[愚狂 우광] 어리석고 미침. 또, 그 사람.
[愚駑 우노] 우둔(愚鈍).
[愚短 우단] 어리석고 짧음. 재능이 없음.
[愚鈍 우둔] 어리석고 둔함.
[愚頓 우둔] 우둔(愚鈍).
[愚濫 우람] 어리석어 분수를 모르고 외람됨.
[愚老 우로] 늙은이가 스스로를 낮추어 일컫는 말.
[愚魯 우로] 어리석음.
[愚論 우론] ㉠어리석은 의론(議論). ㉡자기의 의견을 겸손하게 이르는 말.
[愚弄 우롱] 어리석다고 깔보아 놀려 댐.
[愚陋 우루] 어리석고 비루함.
[愚昧 우매] 어리석고 사리에 어두움.
[愚氓 우맹] 어리석은 백성(百姓).
[愚蒙 우몽] 우매(愚昧).
[愚瞢 우몽] 어리석음.
[愚物 우물] 어리석은 사람.
[愚民 우민] ㉠어리석은 백성(百姓). ㉡백성을 어리석게 함.
[愚夫 우부] 어리석은 남자(男子).
[愚夫愚婦 우부우부] 어리석은 남녀.
[愚鄙 우비] 어리석고 비루함. 또, 자기의 재능의 겸칭(謙稱).
[愚說 우설] 어리석은 설(說). 또, 자기의 설의 겸칭(謙稱).
[愚僧 우승] ㉠어리석은 중. ㉡중 스스로의 겸칭(謙稱).
[愚息 우식] 자기의 아들의 겸칭.
[愚惡 우악] 《韓》 ㉠멍청하게 미련함. ㉡우락부락함.
[愚案 우안] 자기(自己)의 안(案)의 겸칭(謙稱).
[愚暗 우암] 어리석어 도리(道理)에 어두움.
[愚騃 우애] 어리석음. 또, 그 사람.
[愚劣 우열] 어리석고 못남.
[愚頑 우완] 어리석고 완명(頑冥)함.
[愚幼 우유] 어리석고 어림.
[愚益愚 우익우] 어리석은 사람은 더욱 어리석게 됨.
[愚人 우인] 어리석은 사람.
[愚者 우자] 어리석은 사람.
[愚者一得 우자일득] 어리석은 사람도 그의 여러 가지 생각 중에는 취할 만한 훌륭한 것이 간혹 있다는 뜻.
[愚弟 우제] ㉠어리석은 아우. ㉡자기의 아우의 겸칭(謙稱).
[愚拙 우졸] ㉠어리석고 못남. ㉡자기의 겸칭(謙稱).
[愚蠢 우준] 어리석고 민첩(敏捷)하지 못함.
[愚智 우지] 어리석음과 슬기로움. 또, 어리석은 사람과 슬기로운 사람.
[愚直 우직] 고지식함.
[愚妻 우처] ㉠어리석은 아내. ㉡자기의 아내의 겸칭(謙稱).
[愚淺 우천] 어리석고 천박함.
[愚忠 우충] 자기(自己)의 충성(忠誠)의 겸칭(謙稱).
[愚衷 우충] 자기(自己)의 마음속의 겸칭(謙稱).
[愚癡 우치] 어리석고 못남.
[愚蔽 우폐] 우매(愚昧).
[愚惑 우혹] 어리석어 미혹(迷惑)함.
[愚效 우효] 자기의 공(功)의 겸칭(謙稱).
◉陋愚. 戇愚. 大愚. 樸愚. 凡愚. 上愚. 疏愚. 守愚. 暗愚. 闇愚. 頑愚. 庸愚. 迂愚. 幼愚. 孱愚. 蠢愚. 衆愚. 癡愚. 下愚. 賢愚. 昏愚.

9 ⑬ [悘] 〔협〕
愜(心部 九畫〈p.802〉)의 本字

9 ⑬ [惢] 〔긍〕
矜(矛部 四畫〈p.1555〉)과 同字

9 ⑬ [慈] 〔자〕
慈(心部 十畫〈p.804〉)의 俗字

9 ⑫ [惥] 유 ①㊥虞 容朱切 yú ②㊤麌 勇主切 yǔ

字解 ①근심할 유 걱정함. '一, 憂也'《集韻》. ②두려워할 유 외람히 여김. '一, 懼也'《集韻》.

9 ⑫ [惰] 人名 타 ㊤哿 徒果切 duò

字解 ①게으를 타 ㉠나태함. '一怠'. '一游之士'《禮記》. ㉡소홀히 함. '臨祭不一'《禮記》. ㉢삼가지 아니함. 단정하지 아니함. 버릇이 없음. '一容'. '今成子一'《左傳》. ②게으름 타 나태. '非關恭一'《法苑珠林》. ③사투리 타 방언. '言不一'《禮記》.

字源 篆文 別體 古文 形聲. 忄(心)+育(隋)〔音〕. '隋타'는 긴장이 빠져서 허물어지다의 뜻. 마음의 긴장이 풀어져서 조심성이 없다의 뜻을 나타냄.

參考 憜(心部 十二畫)는 同字.

[惰氣 타기] 나태한 기분(氣分). 게으른 마음.
[惰氣滿滿 타기만만] 게으른 기분(氣分)이 가득함.
[惰農 타농] 게으른 농부.
[惰力 타력] 타성(惰性)의 힘.
[惰慢 타만] 가볍게 여겨 업신여김.
[惰眠 타면] 게을러서 잠을 잠.
[惰民 타민] ㉠게으른 백성. ㉡원(元)나라 때 양민(良民)의 아래에 속하는 하층민으로서 잡역(雜役)에 종사하던 백성.
[惰貧 타빈] 빌어먹는 사람. 거지.
[惰肆 타사] 게을러 빠짐.
[惰性 타성] ㉠오래되어 굳어진 버릇. ㉡관성(慣性)과 같음.
[惰弱 타약] 게으르고 의지가 약함.
[惰傲 타오] 게으르고 오만함.
[惰容 타용] 게으른 용모. 단정치 못한 모습.
[惰游 타유] 게으름 피며 놂.

[惰卒 타졸] 게으른 군사.
[惰怠 타태] 게으름.
[惰偸 타투] 게을러 일을 소홀히 함.
[惰廢 타폐] 게을러서 일을 방치함.
◉簡惰. 怯惰. 輕惰. 驕惰. 勸惰. 勤惰. 矜惰. 懶惰. 嬾惰. 放惰. 肆惰. 燕惰. 恬惰. 敖惰. 頑惰. 慵惰. 柔惰. 游惰. 遊惰. 弛惰. 怠惰. 退惰. 頹惰. 偸惰. 媮惰. 廢惰. 解惰. 懈惰. 闒惰.

9 ⑫ [惱] [高·人] 뇌 [上]晧 奴晧切 nǎo (노[本]) 恼

[筆順] 忄 忄巛 忄巛 忄巛 忄巛 惱 惱 惱

[字解] ①괴로워할 뇌 고민함. '苦—'. '高篇空自—'《蘇軾》. ②괴롭힐 뇌 괴롭게 함. '春—情懷身覺瘦'《韓偓》. ③괴로움 뇌 고민. '已捨苦境得無—'《淨住子》.
[字源] 形聲. 忄(心)＋𡿺〔音〕. 𡿺는 뇌(腦)의 상형으로, 머리의 뜻. 마음과 머리에 관한 것, '걱정'의 뜻을 나타냄.

[惱苦 뇌고] 고뇌(苦惱).
[惱亂 뇌란] 고민하여 어지러움. 또, 고민하게 함.
[惱殺 뇌살·뇌쇄] 심히 고민함. 또, 심히 고민하게 함. 살(殺)은 조사(助辭).
◉苦惱. 百八煩惱. 煩惱. 御惱. 懊惱. 憂惱. 痛惱.

9 ⑫ [㥛] 극 [入]職 紀力切 jí

[字解] ①경망할 극 경솔함. '—, 悉性也'《說文》. ②말더듬을 극 '謇—夌誶'《列子》. ③빠를 극 '—, 說文, 疾也'《集韻》. ④조심스러울 극 신중한 모양. 차근차근한 모양. '—, 一曰, 謹重皃'《說文》. ⑤사랑할 극 자애(慈愛)롭게 여겨 사랑함. '—, 博雅, 愛也'《集韻》.
[字源] [篆文] 形聲. 忄(心)＋亟〔音〕. '亟극'은 '다그치다'의 뜻. 마음이 조급하다, 분주하다의 뜻을 나타냄.

9 ⑫ [惲] 운 [上]吻 於粉切 yùn 恽

[字解] ①혼후할 운 중후(重厚)함. ②꾀할 운 계획함. ③성 운 성(姓)의 하나.
[字源] [篆文] 形聲. 忄(心)＋軍〔音〕. '軍군'은 속에 싸안아 구별이 없다의 뜻. 마음이 두텁다의 뜻을 나타냄.

9 ⑫ [愇] 위 [上]尾 于鬼切 wěi

[字解] ①한할 위 원망함. '—, 恨也'《集韻》. ②얕을 위 깊지 않음. '—, 淺也'《廣雅》.
[字源] [體의 籒文] 形聲. 忄(心)＋韋〔音〕

9 ⑫ [惴] 췌(취[本]) [去]寘 之睡切 zhuì

[字解] 두려워할 췌 우구(憂懼)함. '—慄'. '—恐'. '吾不—焉'《孟子》.
[字源] [篆文] 形聲. 忄(心)＋耑〔音〕. '耑단·전'은 물건이 갓 태어났을 때의 뜻. 첫 체험 때에 지니는 마음 설렘의 뜻을 나타냄.

[惴恐 췌공] 두려워함.
[惴耎 췌연] 달팽이 같은 것이 굼틀굼틀 움직이는 모양.
[惴慄 췌율] 두려워하여 떪.
[惴縮 췌축] 두려워하여 움츠림.
[惴惴 췌췌] 근심하고 두려워하는 모양.
◉慵惴. 憂惴. 危惴. 沮惴.

9 ⑫ [惵] 접 [入]葉 徒協切 dié

[字解] 두려워할 접 위구(危懼)함. '——'. '宮房—息'《後漢書》.
[字源] 形聲. 忄(心)＋枼〔音〕

[惵息 접식] 두려워하여 숨을 죽임.
[惵惵 접접] 두려워하는 모양. 위구(危懼)하는 모양.

9 ⑫ [惶] [人名] 황 [平]陽 胡光切 huáng

[字解] 두려워할 황 몹시 공구하여 어찌할 줄 모름. '—恐'. '蕭廣縱暴, 百姓—擾'《後漢書》.
[字源] [篆文] 形聲. 忄(心)＋皇〔音〕. '皇황'은 '徨황'과 통하여, 침착하지 못하게 걷다의 뜻. 마음이 동요하는 것, 두려워하다의 뜻을 나타냄.

[惶感 황감] 황송(惶悚)하여 감격함.
[惶怯 황겁] 두렵고 겁(怯)이 남.
[惶悸 황계] 두려워하여 가슴이 두근거림.
[惶恐 황공] 높은 자리에 눌리어 두려움.
[惶愧 황괴] 황송(惶悚)하고 부끄러움.
[惶懼 황구] 황공(惶恐).
[惶懍 황름] 황공(惶恐).
[惶迫 황박] 두려워하여 움츠림.
[惶悚 황송] 높은 자리에 눌리어 두려움. 황공(惶恐).
[惶擾 황요] 두려워하여 들렘.
[惶惕 황척] 두려워하여 근심함.
[惶汗 황한] 대단히 두려워하여 식은땀을 냄.
[惶駭 황해] 두려워하며 놀람.
[惶惑 황혹] 두려워하여 의혹함.
[惶惶 황황] 심히 두려워하는 모양.
◉驚惶. 恐惶. 兢惶. 憂惶. 戰惶. 震惶. 慙惶. 蒼惶. 駭惶.

9 ⑫ [恇] 〔광〕
恇(心部 六畫〈p. 777〉)의 本字

9 ⑫ [惸] 경 [平]庚 渠營切 qióng

[字解] ①독신자 경 홀몸인 사람. 형제가 없는 사람. '—嫠'. '哀此—獨'《詩經》. ②근심할 경 근심하는 모양. '憂心——'《詩經》.
[字源] 形聲. 忄(心)＋子＋瞢〈省〉〔音〕. '瞢몽·경'은 눈이 어두워지다의 뜻. '瞢'의 아랫부분이 생략 변형하여, '旬순'이 되었음. 자식이 없기 때문에 마음이 어두워지다, 근심하다의 뜻을 나타냄.

[惸惸 경경] 근심하는 모양.
[惸獨 경독] 몸을 의지할 곳이 없는 사람. 홀몸인 사람. 독(獨)은 아들이 없는 사람.

[惸嫠 경리] 의지할 곳 없는 사람. 홀몸인 사람. 이(嫠)는 과부(寡婦).
[惸鰥 경환] 의지할 곳 없는 외로운 사람. 환(鰥)은 홀아비.

9 ⑫ [惜] 획 ㊀陌 霍虢切 huò
字解 놀랄 획 놀라는 모양. '―, 心驚皃'《集韻》.

9 ⑫ [惺] 人名 성 ㊥青 桑經切 xīng
筆順 忄 忄 忄 忄 忄 惺 惺 惺
字解 ①깨달을 성 개오(開悟)함. '敬是常――法'《上蔡語錄》. ②조용할 성 정적(靜寂)함.
字源 形聲. 忄(心)＋星〔音〕

[惺惺 성성] ㉠스스로 경계하여 깨달은 모양. ㉡앵무새 따위의 우는 소리.
[惺忪 성종] 움직이어 안정하지 못한 모양.

9 ⑫ [惻] 人名 측 ㊀職 初力切 cè
字解 슬퍼할 측 비통함. '―隱'. '爲我心―'《易經》.
字源 篆文 形聲. 忄(心)＋則〔音〕. '則칙'은 '잣대'의 뜻. 사람의 마음을 헤아려 동정하다, 슬퍼하다의 뜻을 나타냄.

[惻怛 측달] 몹시 슬퍼함.
[惻憫 측민] 가엾게 여겨 가슴 아파함.
[惻心 측심] 측은(惻隱)한 마음. 측은지심(惻隱之心).
[惻然 측연] 가엾게 여겨 속을 태우는 모양. 측은(惻隱)하게 생각하는 모양.
[惻隱 측은] 가엾게 여겨 속을 태움.
[惻隱之心 측은지심] 가엾게 여기는 마음. 동정심(同情心).
[惻切 측절] 대단히 슬퍼함.
[惻愴 측창] 가엾고 슬픔.
[惻悽 측처] 측달(惻怛).
[惻楚 측초] 슬퍼하고 괴로워함.
[惻惻 측측] 몹시 슬퍼하는 모양.
[惻痛 측통] 몹시 슬퍼함. 대단히 동정함.
◉懇惻. 款惻. 憫惻. 悲惻. 傷惻. 隱惻. 仁惻. 愴惻. 悽惻.

9 ⑫ [惼] 편 ㊤銑 方典切 biǎn
字解 편협할 편 마음이 좁고 조급함. '有虛船來觸舟, 雖有―心之人不怒'《莊子》.
字源 形聲. 忄(心)＋扁〔音〕. '扁편'은 한편으로 치우치다의 뜻.

[惼心 편심] 좁은 마음. 편협한 마음. 편심(褊心).
[惼狹 편협] 마음이 좁음. 편협(褊狹).

9 ⑫ [愣] ㊊ 릉 lèng
字解 《現》①멍할 릉. ②무턱대고 릉.

9 ⑫ [惛] 혼 ㊥元 呼昆切 hūn
字解 흐릴 혼, 어두울 혼 마음이 혼미함. 惽(心部 八畫)과 同字. '吾―不能進於是矣'《孟子》.

[惛愚 혼우] 마음이 어두움. 어리석음.

9 ⑫ [愀] 초 ㊤篠 七小切 qiǎo
字解 ①근심할 초 수심(愁心)에 잠겨 안색이 달라지는 모양. '―然正襟危坐'《蘇軾》. ②발끈할 초 발끈 화를 내어 안색이 변하는 모양. '―然作色'《禮記》. ③삼갈 초 근신하는 모양. '聞其言者, ―如也'《揚子法言》.
字源 形聲. 忄(心)＋秋〔音〕

[愀如 초여] 삼가는 모양. 근신하는 모양.
[愀然 초연] ㉠수심(愁心)에 잠겨 안색이 달라지는 모양. ㉡발끈하여 안색이 변하는 모양.

9 ⑫ [惆] 人名 우 ㊥虞 元俱切 yú
字解 기뻐할 우 '――憧憧'《說苑》.
字源 形聲. 忄(心)＋禺〔音〕

9 ⑫ [愃] 人名 ㊀ 훤 ㊤阮 況晚切 xuān ㊁ 선 ㊥先 須緣切 xuān
筆順 忄 忄 忄 忄 忄 愃 愃 愃
字解 ㊀ 너그러울 훤 마음이 넓은 모양. '赫兮―兮'《詩經》. ㊁ 쾌할 선 '―, 吳人語, 快'《廣韻》.
字源 篆文 形聲. 忄(心)＋宣〔音〕. '宣선'은 '널리 미치다'의 뜻. 마음이 편안해지고 넓다의 뜻.

9 ⑫ [惰] 人名 서 ㊥魚 相居切 xū
筆順 忄 忄 忄 忄 忄 惰 惰 惰
字解 지혜 서 '―, 知也'《說文》.

9 ⑫ [愅] 격 ㊀陌 各核切 gé
字解 꾸밀 격, 삼갈 격, 변할 격 諽(言部 九畫)과 同字. '―詭唈僾'《荀子》.

9 ⑫ [愉] 人名 ㊀ 유 ㊥虞 羊朱切 yú ㊁ 투 ㊥尤 他侯切 tōu
筆順 忄 忄 忄 忄 忄 愉 愉 愉
字解 ㊀ 기뻐할 유 즐거워함. '―悅'. '有和氣者, 必有―色'《禮記》. ㊁ 구차할 투 偸(人部 九畫)와 同字. '以俗教安, 則民不―'《周禮》.
字源 金文 篆文 形聲. 忄(心)＋兪〔音〕. '兪유'는 '빼내다'의 뜻. 불쾌한 마음을 빼내어 즐겁다는 뜻을 나타냄.

[愉樂 유락] 기뻐하며 즐거워함.
[愉色 유색] 유쾌(愉快)한 얼굴빛.
[愉色婉容 유색완용] 화열(和悅)한 얼굴빛.
[愉心 유심] 마음을 기쁘게 함.
[愉悅 유열] 유쾌하고 기쁨.

[愉愉 유유] 즐거워하는 모양. 기뻐하는 모양.
[愉逸 유일] 안락함.
[愉絶快絶 유절쾌절] 더할 나위 없이 유쾌함.
[愉快 유쾌] 마음이 상쾌하고 즐거움.
[愉歡 유환] 유락(愉樂).
◉寬愉. 恂愉. 恬愉. 婉愉. 怡愉. 歡愉. 和愉. 煦愉. 欣愉.

9 ⑫ [愉] 愉(前條)와 同字

9 ⑫ [愊] [一] 픽 [入]職 芳逼切 bì
[二] 핍 [入]緝
[字解] [一] 정성 픽 성의. '發憤悃—'《漢書》. [二] 답답할 핍 마음이 울결하여 답답함. '—抑'. '—憶誰訴'《李華》.
[字源] 篆文 形聲. 忄(心)+畐〔音〕. '畐벽'은 '가득 차다'의 뜻.

[愊抑 핍억] 슬픔이 가슴에 울결하여 답답함.
[愊億 핍억] 성낸 모양. 분노한 모양.
[愊臆 핍억] 가슴이 답답함.
[愊愊 핍핍] 가슴이 답답한 모양. 우울한 모양.
◉愨愊. 悃愊.

9 ⑫ [愒] [一] 게 [去]霽 去例切 qì
[二] 개 [去]泰 苦蓋切 kài
[三] 할 [入]曷 許葛切 hè
[字解] [一] 쉴 게 휴식함. '汔可小—'《詩經》. [二] ①탐낼 개 탐(貪)함. '忨—'. '忨歲而—日'《左傳》. ②서두를 개 급히 굶. '不及時而葬曰—'《公羊傳》. [三] 으를 할 공갈함. '恐—諸侯'《史記》.
[字源] 篆文 形聲. 忄(心)+曷〔音〕. '曷갈'은 '割할'과 통하여, '중단하다'의 뜻. 일을 중단하다, 쉬다의 뜻을 나타냄.

◉恐愒. 忨愒.

9 ⑫ [愓] [一] 탕 [上]養 徒朗切 dàng
[二] 상 [入]陽 尸羊切 shāng
[字解] [一] 방자할 탕 방약무인함. '—悍憍暴'《荀子》. [二] 빠를 상 자세를 바르게 하고 빨리 가는 모양. '行容——'《禮記》.
[字源] 篆文 形聲. 忄(心)+昜〔音〕. '昜양'은 '해가 뜨다'의 뜻. 마음이 들떠서 멋대로 거동하다의 뜻을 나타냄.

[愓悍 탕한] 방자하고 거칢.

9 ⑫ [愎] [人名] 퍅 [入]職 符逼切 bì
[字解] 팩할 퍅 성질이 강퍅함. '—戾'. '—諫違卜'《左傳》.
[字源] 形聲. 忄(心)+复〔音〕. '复'은 '되돌아가다'의 뜻. 남의 말에 따르지 않고 제 껍질로 되돌아가다, 엇나가다, 고집을 부리다의 뜻을 나타냄.

[愎戾 퍅려] 성질(性質)이 괴팍함. 패려(悖戾).
◉剛愎. 乖愎. 矜愎. 頑愎. 專愎. 貪愎.

9 ⑫ [愔] [人名] 음 [平]侵 挹淫切 yīn
[字解] ①조용할 음 침묵을 지킴. '——度日'《唐書》. ②화평할 음 안화(安和)함. '祈招之——, 式昭德音'《左傳》.
[字源] 形聲. 忄(心)+音〔音〕

[愔愔 음음] ㉠화평한 모양. ㉡조용한 모양. 침묵을 지키는 모양.

9 ⑫ [愕] [人名] 악 [入]藥 五各切 è
[字解] 놀랄 악 깜짝 놀람. '驚—'. '群臣皆—'《史記》.
[字源] 形聲. 忄(心)+咢〔音〕. '咢악'은 예상이 어긋나서 놀라다의 뜻. '心심'을 붙여 놀라다를 뜻함.

[愕立 악립] 깜짝 놀라 일어섬.
[愕視 악시] 깜짝 놀라 서로 바라봄.
[愕愕 악악] 기탄(忌憚)없이 바른말을 하는 모양.
[愕然 악연] 몹시 놀라는 모양.
[愕眙 악치] 놀라서 눈을 둥그렇게 뜨고 봄.
◉驚愕. 怪愕. 哀愕. 惋愕. 卒愕. 嗟愕. 錯愕. 駭愕.

9 ⑫ [愖] 심 ①[平]侵 氏任切 chén
②[去]沁 火禁切 xìn
[字解] ①정성 심 忱(心部 四畫)과 뜻이 같음. ②머뭇거릴 심 주저함. '意斟—而不澹'《後漢書》.
[字源] 形聲. 忄(心)+甚〔音〕

9 ⑫ [⿰忄象] [一] 해 [平]佳 戶佳切 xié
[二] 휴 [平]齊 玄圭切
[字解] [一] ①한할 해 원망함. '—, 恨也, 怨也'《玉篇》. ②성낼 해 '—, 恚也'《玉篇》. ③마음편치않을 해 '—, 心不平'《廣韻》. [二] 마음편치않을 휴 [一]❸과 뜻이 같음.
[字源] 形聲. 忄(心)+象〔音〕

9 ⑫ [愜] 협(겹[本]) [入]葉 苦協切 qiè
[字解] ①쾌할 협 상쾌함. '意殊不—'《宋書》. ②만족할 협 뜻에 참. '—心'. '天下人民, 未有—志'《漢書》. ③맞을 협 마음에 듦. '深—物議'《宋史》.
[字源] 篆文 形聲. 忄(心)+匧〔音〕. '匧협'은 '상자'의 뜻. 정연하게 채워진 상자처럼, 마음속이 충만되어서 기분이 좋다의 뜻을 나타냄.
[參考] 㥦(心部 九畫)은 本字.

[愜當 협당] 맞음. 합당함.
[愜心 협심] 만족함. 뜻에 참.
[愜意 협의] 뜻에 맞음.
[愜志 협지] 만족(滿足)한 생각.
◉甘愜. 勝愜. 遊愜. 快愜. 和愜. 歡愜.

9 ⑫ [愞] [一] 연 [上]銑 而袞切 ruǎn
[二] 나 [去]箇 乃臥切 nuò
[字解] [一] 여릴 연 '蘇威怯—'《北史》. [二] 여릴 나.
[字源] 篆文 形聲. 忄(心)+耎〔音〕. '耎'은 '유약하다'의 뜻. 마음이 여리다의 뜻을

나타냄.

◉怯愞. 拘愞. 銷愞. 瘦愞. 畏愞. 庸愞.

9 ⑫ [慀] [一] 각 [入]藥 極虐切
[二] 극 [入]陌 奇逆切 jǐ

[字解] [一] 고달플 각 피로함. '一, 疲力也'《玉篇》. [二] ①고달플 극 [一]과 뜻이 같음. ②싫증날 극 '倦, 方言, 倦也, 或作一'《集韻》.
[字源] 形聲. 忄(心)+卻〔音〕

9 ⑫ [㥮] 수 [去]宥 先奏切 zōng

[字解] 막힐 수 '困一'는 코가 막힘. '五臭薰鼻, 困一中顙'《莊子》.

9 ⑫ [慱] 탁 [入]藥 達各切 duó

[字解] 헤아릴 탁 度(广部 六畫)과 同字.

9 ⑫ [惱] 〔성〕
惺(心部 九畫〈p.801〉)과 同字

9 ⑫ [惇] 〔돈〕
惇(心部 八畫〈p.791〉)의 俗字

9 ⑫ [慀] 〔계〕
悸(心部 八畫〈p.789〉)와 同字

9 ⑫ [愡] 〔총〕
憁(心部 十一畫〈p.811〉)의 俗字

9 ⑫ [慍] 〔온〕
慍(心部 十畫〈p.805〉)의 俗字

10 ⑭ [愨] [人名] 각 [入]覺 苦角切 què

[字解] 성실할 각 거짓이 없고 정성스러움. '謹一'. '有一士者'《荀子》.
[字源] [篆文] 形聲. 心+殼〔音〕. '殼각'은 굳은 껍데기의 뜻. 견실한 마음이란 뜻에서, '삼감·정성'의 뜻을 나타냄.
[參考] 慤(心部 十一畫)은 俗字.

[愨士 각사] 성실(誠實)한 선비.
[愨實 각실] 성실(誠實).
[愨愿 각원] 성실하고 유순함. 조심성스러움.
◉謙愨. 謹愨. 端愨. 誠愨. 純愨. 信愨. 嚴愨. 愚愨. 愿愨. 切愨. 眞愨. 質愨.

10 ⑭ [愬] [一] 소 [去]遇 桑故切 sù
[二] 색 [入]陌 山責切 sè

[字解] [一] 하소연할 소, 참소할 소 訴(言部 五畫)와 同字. '薄言往一'《詩經》. '公伯寮一子路於季孫'《論語》. [二] ①두려워할 색 무서워하여 놀람. '履虎尾一一, 終吉'《易經》. ②놀랄 색 경악하는 모양. '一而再拜'《公羊傳》.
[字源] [篆文] 形聲. 心+朔〔音〕. '朔삭'은 '거스르다'의 뜻. 남에게 거슬러 호소하다의 뜻을 나타냄.

[愬愬 색색] 놀라 두려워하는 모양.

◉告愬. 赴愬. 膚受愬. 往愬. 譖愬. 讒愬.

10 ⑭ [愿] [人名] 원 [去]願 魚怨切 yuàn

[筆順] 一 厂 厂 戶 戶 原 原 愿

[字解] 성실할 원 근각(謹愨)함. '誠一'. '一而恭'《書經》.
[字源] [篆文] 形聲. 心+原〔音〕. '原원'은 '근원'의 뜻. 사람이 그 원천부터 가지고 있는 마음, '성실함, 순진함'의 뜻을 나타냄.

[愿愨 원각] 신중하고 성실함. 근각(謹愨).
[愿恭 원공] 성실하고 공손함.
[愿款 원관] 원각(愿愨).
[愿謹 원근] 성실하고 신중함.
[愿朴 원박] 성실하고 순박함.
[愿心 원심] 바람. 소원(所願).
◉愨愿. 謙愿. 恭愿. 謹愿. 端愿. 敦愿. 誠愿. 遜愿. 愼愿. 溫愿. 柔愿. 淸愿. 飭愿. 鄕愿.

10 ⑭ [㥦] [一] 협 [入]葉 詰叶切 qiè
[二] 예 [去]霽 於計切 yì

[字解] [一] 맞을 협 화합(和合). '陰氣一而僉之. (註) 一, 猶協也'《太玄經》. [二] 숨을 예 '中自一也'《太玄經》.

10 ⑭ [慁] 혼 [去]願 胡困切 hùn

[字解] ①근심할 혼 우려함. '主不一賓'《左傳》. ②어지럽힐 혼 번거롭게 함. 폐를 끼침. '天以寡人一先生'《史記》. ③욕보일 혼 욕되게 함. '不一君王'《禮記》.
[字源] [篆文] 形聲. 心+圂〔音〕. '圂혼'은 '困곤'과 통하여, '괴로워하다'의 뜻. '근심하다'의 뜻을 나타냄.
[參考] 㥵(心部 十畫)은 同字.

[慁慁 혼혼] ㉠근심하는 모양. ㉡마음이 산란하고 미혹(迷惑)한 모양.

10 ⑭ [慂] [人名] 용 [上]腫 余隴切 yǒng

[字解] 종용할 용 권함. '慫一'. '南楚之閒, 凡己不欲喜怒, 而旁人說者, 謂慫一'《揚子方言》.
[字源] 形聲. 心+涌〔音〕. '涌용'은 물이 올라오다, 끓다의 뜻. 사람의 마음을 끓어오르게 하다, 권하다의 뜻을 나타냄.

◉慫慂.

10 ⑭ [慇] [人名] 은 [平]眞 於巾切 yīn

[字解] ①근심할 은 대단히 근심하는 모양. '憂心一一'《詩經》. ②은근할 은 친절함. 간절함. '惜別空一懃'《李白》.
[字源] [篆文] 形聲. 心+殷〔音〕. '애통해하다'의 뜻을 나타냄.

[慇懃 은근] ㉠간절(懇切)함. 친절함. ㉡연정(戀情).
[慇憂 은우] 깊은 근심.
[慇慇 은은] 대단히 근심하는 모양.

◉通慇懃.

10
⑭ [慈] [中人] 자 [平]支 疾之切 cí

[筆順] 丨 十 廾 艹 玄 兹 慈 慈

[字解] ①사랑할 자 ㉠은애(恩愛)를 가(加)함. '一以甘旨'《禮記》. ㉡애육(愛育)함. '一幼'《周禮》. ②사랑 자 은애(恩愛). '一者所以使衆也'《大學》. ③어머니 자 아버지를 엄(嚴)이라 함의 대(對). '家一'. '一母'. ④자석 자 磁(石部 十畫)와 통용. '一石吸鐵'《郭璞》. ⑤성 자 성(姓)의 하나.

[字源] 篆文 形聲. 心+玆〔音〕. '玆자'는 '불어나다'의 뜻. 자식을 불리어 키우는 마음, '자애(慈愛), 사랑'의 뜻을 나타냄.

[慈儉 자검] 인정이 많고 검소함.
[慈姑 자고] ㉠인자한 시어머니. ㉡택사과에 속하는 다년초(多年草). 쇠귀나물.
[慈壼 자곤] 어머니를 이름.
[慈宮 자궁] 《韓》 왕세자(王世子)가 왕위에 오르기 전에 죽고 왕세손(王世孫)이 왕위에 올랐을 때의 그 죽은 왕세자(王世子)의 빈(嬪).
[慈念 자념] 인자(仁慈)한 생각.
[慈堂 자당] 《韓》 남의 어머니의 존칭.
[慈憐 자련] 사랑하여 가엾이 여김.
[慈臨 자림] 인자한 내방(來訪). 남의 내방의 경칭(敬稱).
[慈母 자모] ㉠인자한 어머니. 어머니. 엄부(嚴父)의 대(對). ㉡어머니를 여읜 뒤에 자기를 길러 준 서모(庶母).
[慈母有敗子 자모유패자] 너무 귀엽게만 기른 어머니 밑에서 도리어 불량하고 버릇없는 아들이 생김.
[慈睦 자목] 인자하고 화목함.
[慈武 자무] 인자하고 용맹스러움.
[慈撫 자무] 사랑하여 어루만짐. 애무(愛撫).
[慈愍 자민] 자애를 베풀며 가엾게 여김.
[慈憫 자민] 자민(慈愍).
[慈父 자부] 인자한 아버지. 아버지.
[慈悲 자비] ㉠사랑하고 가엾게 여김. ㉡《佛敎》 불보살(佛菩薩)이 중생에게 낙을 주고 괴로움을 덜어 주는 일.
[慈恕 자서] 인자하여 동정심이 많음.
[慈石 자석] '자석(磁石)'과 같음.
[慈善 자선] ㉠인자하고 착함. ㉡불쌍한 사람을 돈이나 물건으로 도와줌.
[慈膝 자슬] 자애(慈愛)가 깊은 무릎이라는 뜻으로, 부모(父母)의 슬하(膝下)를 일컫는 말.
[慈侍下 자시하] 《韓》 아버지는 돌아가시고 어머니만 모시고 있는 터.
[慈心 자심] 자애 깊은 마음. 인자한 마음. 자비심.
[慈眼 자안] ㉠자비스러운 눈. 사랑이 넘치는 눈매. ㉡《佛敎》 중생을 귀엽게 보는 불보살의 눈.
[慈顔 자안] 인자한 얼굴. 윗사람의 얼굴의 경칭.
[慈愛 자애] ㉠아랫사람에 대한 도타운 사랑. ㉡귀애함. 또, 인정이 많음.
[慈烏 자오] 까마귀〔烏〕의 이칭(異稱). 까마귀는 자란 뒤에 반포(反哺)하기 때문에 이른 말. 효조(孝鳥).
[慈雨 자우] ㉠초목(草木)을 잘 자라게 하는 비. ㉡널리 두루 미치는 군은(君恩)의 비유로 쓰임.
[慈闈 자위] 어머니를 이름.
[慈育 자육] 사랑하여 기름.
[慈恩 자은] 인자한 은혜. 자혜(慈惠).
[慈意 자의] 인자스러운 마음. 자비심.
[慈仁 자인] 자애가 깊음. 인정이 많음.
[慈奬 자장] 인자한 권장(勸奬).
[慈旨 자지] 은혜 깊은 마음. 은혜 깊음.
[慈寵 자총] 자애(慈愛).
[慈親 자친] ㉠인자한 어버이. ㉡《韓》 자기 어머니의 겸칭(謙稱).
[慈兄 자형] 자애 깊은 형.
[慈惠 자혜] 자애(慈愛)로운 은혜.
[慈誨 자회] 자훈(慈訓).
[慈孝 자효] 부자간(父子間)의 애정을 이름.
[慈訓 자훈] 사랑에 넘치는 교훈(敎訓). 곧, 어머니의 교훈. 모훈(母訓).
[慈禧太后 자희태후] 청(淸)나라 문종(文宗)의 비(妃)이며 목종(穆宗)의 생모(生母). 목종(穆宗)·덕종(德宗)의 양대(兩代)에 걸쳐 40여 년간이나 섭정(攝政)을 행하였음. 서태후(西太后).
◉家慈. 大慈. 不慈. 聖慈. 宸慈. 令慈. 睿慈. 仁慈. 至慈. 天慈. 惠慈. 孝慈.

10
⑭ [態] [高人] 태 [去]隊 他代切 tài 态

[筆順] 厶 台 肻 肻´ 肻ᄂ 能 能 態

[字解] 모양 태 ㉠용모. 맵시. '姿一'. '君子之一'《司馬相如》. ㉡꼴. 형상. 몸짓. 모습. '形一'. '相背而異一'《史記》.

[字源] 篆文 形聲. 心+能〔音〕. '能능'은 능력으로서 잘할 수 있다는 뜻. 어떤 일을 할 수 있다는 마음가짐의 뜻에서, '모습·몸짓'의 뜻을 나타냄.

[態度 태도] ㉠몸을 가지는 모양. ㉡속의 뜻이 드러나 보이는 외모(外貌). ㉢정취(情趣).
[態勢 태세] 사물에 대한 몸가짐. 준비 상태.
[態臣 태신] 아첨하는 신하.
◉故態. 狂奴故態. 狂態. 交態. 嬌態. 舊態. 詭態. 奇態. 老態. 陋態. 動態. 萬態. 貌態. 妙態. 舞態. 美態. 媚態. 百態. 變態. 本態. 事態. 狀態. 常態. 生態. 世態. 俗態. 衰態. 殊態. 時態. 實態. 兒女態. 野態. 艶態. 妖態. 勇態. 容態. 婉態. 危態. 僞態. 柔態. 意態. 儀態. 擬態. 姿態. 綽態. 情態. 靜態. 重態. 眞態. 軼態. 千狀萬態. 醜態. 醉態. 癡態. 風態. 形態.

10
⑭ [愻] 손 [去]願 蘇困切 xùn

[字解] 겸손할 손 遜(辵部 十畫)과 통용.

[字源] 金文 篆文 形聲. 心+孫〔音〕. '孫손'은 '따르다'의 뜻. 순종적임.

10
⑭ [𡩇] [一] 색 [入]職 蘇則切 sè
[二] 새 [去]隊 先代切
[三] 건 [平]先 丘虔切 qiān

[字解] [一] ①찰 색 지기(志氣)가 충만(充滿)함. 충실(充實)함. '一, 實也. 書曰, 剛而一'《廣韻》. ②편안할 색 '一, 安也'《廣雅》. [二] ①찰 새 [一]❶

과 뜻이 같음. ②넓을 새 '一, 寬也'《廣韻》. [三] 잘못할 건, 허물 건 과실(過失). 愆(心部 九畫)과 同字. '愆, 過也. 失也. 一, 說文同上'《玉篇》.
[字源] 形聲. 心＋蹇〔音〕

10 ⑭ [[illegible]] 〔광〕 㤮(心部 七畫〈p.780〉)과 同字

10 ⑭ [[illegible]] 〔구〕 懼(心部 十八畫〈p.828〉)의 古字

10 ⑭ [[illegible]] 〔신〕 愼(心部 十畫〈p.805〉)의 古字

10 ⑭ [慗] 〔정〕 整(攵部 十二畫〈p.941〉)의 俗字

10 ⑬ [慍] 온 [去]問 於問切 yùn

[字解] ①성낼 온 발끈 화를 냄. '一色'. '人不知而不一, 不亦君子乎'《論語》. ②화 온 분노. '可以解吾民之一'《孔子家語》.
[字源] [篆文] 形聲. 忄(心)＋昷〔音〕. '昷온'은 열기(熱氣)가 가득 끼다의 뜻. 불평이 마음에 차다, 성내다의 뜻을 나타냄.

[慍見 온견] 화낸 얼굴로 사람을 봄.
[慍怒 온노] 성냄. 노함.
[慍懟 온대] 노하고 원망함.
[慍憤 온분] 성냄. 분노함.
[慍色 온색] 노한 기색(氣色).
[慍然 온연] 성내는 모양.
[慍容 온용] 성낸 모습.
[慍意 온의] 노엽게 생각하는 마음.
◉煩慍. 憤慍. 憂慍. 懷慍. 喜慍.

10 ⑬ [愧] [高人] 괴 [去]寘 俱位切 kuì

[筆順] 丶 忄 忄' 忄白 忄白 忄由 愧 愧
[字解] 부끄러워할 괴 수치를 느낌. '羞一'. '一慙'. '尙不一于屋漏'《詩經》.
[字源] [媿의 別體] 形聲. 忄(心)＋鬼〔音〕. '鬼귀'는 '예사롭지 않다'의 뜻. 마음에 예사롭지 않은 것을 느끼다, 부끄러워하다의 뜻을 나타냄.

[愧赧 괴난] 부끄러워 얼굴이 붉어짐.
[愧服 괴복] 부끄러워하여 복종함. 부끄럽게 생각해서 굴복함.
[愧負 괴부] 부끄러워함.
[愧死 괴사] ㉠대단히 부끄러워하여 죽음. ㉡세상에 얼굴을 들고 다닐 수 없으리만큼 대단히 부끄러워함.
[愧色 괴색] 부끄러워하는 얼굴빛.
[愧笑 괴소] 부끄러운 일이라고 하여 웃음거리로 삼음.
[愧心 괴심] 부끄러워하는 마음.
[愧慙 괴참] 부끄러워함.
[愧汗 괴한] 부끄러워하여 땀을 흘림.
[愧恨 괴한] 수치를 당하고 원한을 품음.
◉感愧. 赧愧. 羞愧. 仰感俯愧. 廉愧. 憂愧. 林慙澗愧. 靦愧. 慙愧. 痛愧.

10 ⑬ [愫] [人名] 소 [去]遇 蘇故切 sù

[字解] 정성 소 성의. 진정. '披心腹見情一'《漢書》.
[字源] 形聲. 忄(心)＋素〔音〕. '素소'는 꾸밈이 없는 본래 모습대로 둠의 뜻을 나타냄.

10 ⑬ [愮] 요 [平]蕭 餘昭切 yáo

[字解] 근심할 요 '一一'는 근심하는 모양.

[愮愮 요요] 근심하는 모양.

10 ⑬ [愴] [人名] 창 [去]漾 初亮切 chuàng 怆

[字解] 슬퍼할 창 비통(悲痛)함. 가슴 아픔. 슬퍼 상심함. '悲一'. '空一魏君'《南史》.
[字源] [篆文] 形聲. 忄(心)＋倉〔音〕. '倉창'은 '刅창'과 통하여, '상처 입다'의 뜻. 마음에 상처를 입다, 슬퍼하다의 뜻을 나타냄.

[愴囊 창낭] 혼란한 모양.
[愴然 창연] 슬퍼 상심하는 모양.
[愴愴 창창] 슬퍼 상심하는 모양.
[愴恨 창한] 슬퍼하고 원망함.
◉悲愴. 酸愴. 惋愴. 慘愴. 悽愴. 悄愴. 惆愴. 惻愴.

10 ⑬ [愷] [人名] 개 [上]賄 苦亥切 kǎi 恺

[筆順] 丶 忄 忄' 忄山 忄岂 忄岂 愷 愷
[字解] ①즐거울 개 화락함. 즐거워함. '一風'. '一悌君子, 民之父母'《詩經》. ②싸움이긴풍류 개 凱(几部 十畫)와 통용. '一歌'. '一樂獻于社'《周禮》.
[字源] [篆文] 形聲. 忄(心)＋豈〔音〕. '豈개'는 '즐거워하다'의 뜻. '心심'을 붙여, 그 뜻을 분명히 나타냄.

[愷歌 개가] 싸움을 이기고 부르는 노래. 승리를 축하하는 노래. 개선가(愷旋歌).
[愷樂 개악] 개선(凱旋)의 음악.
[愷弟 개제] 얼굴과 기상(氣像)이 화락(和樂)하고 단아(端雅)함.
[愷悌 개제] 개제(愷弟).
[愷風 개풍] 화창한 바람. 곧, 남풍(南風).
◉歌愷. 大愷. 物愷. 樂愷. 八愷. 和愷.

10 ⑬ [愼] [高人] 신 [去]震 時刃切 shèn 慎

[筆順] 丶 忄 忄' 忄𠂉 忄旨 忄眞 愼 愼
[字解] ①삼갈 신 ㉠신중히 함. 과오가 없도록 조심함. '謹一'. '一獨'. ㉡소중히 다룸. 중히 여김. '一禮儀務忠信'《荀子》. ②삼감 신 전항(前項)의 명사. '以寡交爲一'《夏侯湛》. ③삼가 신 결코, 또는 절대로의 뜻. '上謂濞曰, 一無反'《史記》. ④진실로 신 참으로. '予一無罪'《詩經》. ⑤성 신 성(姓)의 하나.

[字源] 金文 篆文 形聲. 忄(心)＋眞〔音〕. '眞진'은 '채워 넣다'의 뜻. 마음을 구석구석까지 채워 넣다, 주의 깊고도 삼가다의 뜻을 나타냄.

[愼口 신구] 함부로 지껄임을 삼감.
[愼謹 신근] 언행을 삼가고 조심함. 근신(謹愼).
[愼機 신기] 일의 기틀을 삼감. 일의 기회를 신중히 취급함.
[愼獨 신독] ㉠자기(自己) 홀로 있을 때에도 도리(道理)에 어그러짐이 없도록 언동을 삼감. ㉡자기만이 아는 자기 마음속의 변화에 조심하여 잡념이 일어나지 않도록 함.
[愼慮 신려] 신중히 고려함.
[愼默 신묵] 삼가 잠잠히 있음.
[愼密 신밀] 신중히 하여 빈틈이 없음.
[愼思 신사] 신중히 생각함.
[愼色 신색] 여색(女色)을 삼감.
[愼攝 신섭] 몸을 삼가고 잘 조리함.
[愼是護身符 신시호신부] 언행을 신중히 하면 재화(災禍)를 당하지 아니하므로 근신은 마치 몸을 보호하는 부적(符籍)과 같음.
[愼言 신언] 말을 삼감.
[愼子 신자] 전국(戰國) 시대 조(趙)나라의 신도(愼到)가 깨끗한 정치(政治)를 논한 책. 산일(散佚)된 부분이 많고, 현행본(現行本)은 5편으로 되어 있음.
[愼終 신종] ㉠일의 끝을 삼감. ㉡어버이의 상사(喪事)를 당하여 장례를 정중히 함.
[愼終如始 신종여시] 일의 끝을 삼가기를 최초(最初)의 때와 같게 함.
[愼重 신중] 삼가고 조심함.
[愼擇 신택] 신중히 가림.
[愼厚 신후] 신중(愼重).
◉恪愼. 謙愼. 敬愼. 戒愼. 恐愼. 恭愼. 勤愼. 謹愼. 矜愼. 篤愼. 明愼. 樸愼. 修愼. 淑愼. 肅愼. 審愼. 畏愼. 貞愼. 周愼. 重愼. 祗愼. 淸愼.

10 ⑬ [愾] [人名] [一] 희 [去]未 許旣切 xì [二] 개 [去]隊 苦愛切 kài
[字解] [一] 한숨 희 태식(太息). '一然'. '一我寤歎'《詩經》. [二] 성낼 개 분개함. '一慣邊戎'《常衮》.
[字源] 篆文 形聲. 忄(心)＋氣〔音〕. '氣기'는 '숨'의 뜻. 한탄·노여움의 심정에서 나오는 숨, '한숨'의 뜻을 나타냄.

[愾憤 개분] 적(敵)에 대하여 분개함.
[愾然 희연] 한숨 쉬는 모양. 탄식하는 모양.
◉忼愾. 憤愾. 敵愾.

10 ⑬ [愪] 운 [平]文 王分切 yún
[字解] 근심할 운 우려하는 모양.
[字源] 篆文 形聲. 忄(心)＋員〔音〕

10 ⑬ [慄] [人名] 률 [入]質 力質切 lì
[字解] ①두려워할 률 두려워하여 떪. '戰一'. '吾甚一之'《莊子》. ②떨 률 몸을 벌벌 떪. '股一心悸'《後漢書》. ③슬퍼할 률 비통(悲痛)함. '憭一兮'《宋玉》.
[字源] 形聲. 忄(心)＋栗〔音〕. '栗률'은 송이에 든 '밤'의 뜻. 가시를 보고 속으로 두려워하다, 일반적으로 무서워하다, 떨다의 뜻을 나타냄.

[慄冽 율렬] 율렬(慄烈).
[慄烈 율렬] 추위가 맵고 심하여 몸에 스며드는 모양.
[慄慄 율률] ㉠두려워 떠는 모양. ㉡찬기가 몹시 몸에 스며드는 모양.
[慄然 율연] 두려워 떠는 모양.
◉悸慄. 股慄. 恐慄. 愧慄. 兢慄. 凜慄. 懍慄. 悼慄. 悚慄. 嚴慄. 畏慄. 憭慄. 危慄. 莊慄. 戰慄. 齊慄. 祗慄. 振慄. 慘慄. 縮慄. 惴慄. 怖慄. 寒慄. 駭慄.

10 ⑬ [愭] 기 [平]支 渠脂切 qí
[字解] ①두려워할 기 '一, 畏也'《集韻》. ②공경할 기 '一, 恭敬也'《韻會》.

10 ⑬ [慅] [一] 소 [平]豪 蘇遭切 sāo [二] 초 [上]晧 采老切 cǎo
[字解] [一] 소동할 소 야단법석함. '軍中一一'《隋書》. [二] 고달플 초 피로함. '勞心一兮'《詩經》.
[字源] 篆文 形聲. 忄(心)＋蚤〔音〕. '蚤조'는 '騷소'와 통하여, 떠들다의 뜻. 마음이 설레어 움직이다의 뜻을 나타냄.

[慅慅 소소] 소동(騷動)하는 모양.

10 ⑬ [慆] 도 [平]豪 土刀切 tāo
[字解] ①방자할 도 멋대로 굶. 방종함. '一, 又慢也'《玉篇》. ②기뻐할 도 '師乃一'《尙書大傳》. ③난잡할 도 '無卽一淫'《書經》. ④지날 도, 지낼 도 '今我不樂, 日月其一'《詩經》. ⑤오랠 도 '我徂東山, 一一不歸'《詩經》. ⑥감출 도 숨김. 속에 넣고 드러내지 아니함. '以樂一憂'《左傳》. ⑦의심할 도 의아함. '天命不一久矣'《左傳》.
[字源] 篆文 形聲. 忄(心)＋舀〔音〕. '舀요'는 '빼내다'의 뜻. 멋대로 즐거운 일만을 빼내다의 뜻을 나타냄.

[慆慆 도도] 오랜 모양.
[慆慢 도만] 방종하게 굶. 멋대로 함.
[慆淫 도음] 방자함. 방종함.
◉慢慆. 淫慆.

10 ⑬ [慉] [一] 휵 [入]屋 許竹切 xù [二] 축 [入]屋 丑六切 chù
[字解] [一] ①기를 휵 양육함. '不我能一, 以我爲讎'《詩經》. ②쌓을 휵 축적함. '疏越積一'《馬融》. ③아플 휵 통증을 느낌. '三指一'《漢書》. [二] 한할 축 원망함. '一, 恨也'《玉篇》.
[字源] 篆文 形聲. 忄(心)＋畜〔音〕

◉積慉.

10 ⑬ [慊] [人名] [一] 겸 [上]琰 苦簟切 qiǎn [二] 협 [入]葉 詰叶切 qiè [三] 혐 [平]鹽 賢兼切 xián

[字解] [一] ①앙심먹을 겸 불만을 품고 절치(切齒)함. '—怨'. '吾何—乎哉'《孟子》. ②찐덥지않을 겸 마음에 차지 아니함. '——道相思'《沈約》. ③마음에맞을 겸 '行有不—於心'《孟子》. ④정성 겸 성의. '誠—'. '重陳丹—'《白居易》. [二] 족할 협 만족함. '盡去而後—'《莊子》. [三] 혐의 혐 嫌(女部 十畫)과 同字. '得避—之便'《漢書》.
[字源] [篆文] 形聲. 忄(心)+兼〔音〕. '兼겸'은 '겸하다'의 뜻. 마음이 두 가지 일에 걸쳐서, 한 가지 일에 만족하지 않다, 흡족하지 않다의 뜻을 나타냄.

[慊慊 겸겸] ㉠찐덥지 않은 모양. 마음에 차지 않은 모양. ㉡근심하는 모양.
[慊吝 겸린] 아낌.
[慊焉 겸언] 마음에 맞는 모양. 만족한 모양.
[慊如 겸여] 마음에 차지 않는 모양. 찐덥지 않은 모양.
[慊然 겸연] 마음에 차지 않는 모양.
◉丹慊. 誠慊. 自慊.

10 ⑬ [慌] [人名] 황 ①[上]養 呼晃切 huǎng ②[平]陽 呼光切 huāng
[字解] ①황홀할 황 멍함. 恍(心部 八畫)과 同字. ②허겁지겁할 황 몹시 바빠서 어찌할 바를 모름. '—忙'.
[字源] 形聲. 忄(心)+荒〔音〕. '荒황'은 '亡망'과 통하여, '없애다'의 뜻. 마음속에 아무것도 없다, 멍하다의 뜻을 나타냄.

[慌忙 황망] 바빠서 허겁지겁하여 어찌할 줄을 모름.
[慌罔 황망] 어두운 모양.
[慌惘 황망] 어두운 모양. 또는 뜻을 잃은 모양.
[慌悴 황췌] 허겁지겁하며 근심함.
[慌惚 황홀] '황홀(恍惚)'과 같음.
◉怨慌.

10 ⑬ [慌] 慌(前條)의 本字

10 ⑬ [慨] 〔개〕 慨(心部 十一畫〈p. 813〉)의 俗字

10 ⑬ [慏] [人名] 명 [上]梗 母井切 mǐng
[字解] 생각이다함없을 명 마음 씀씀이가 심원함. '—然有志於古之作者'《曾國藩·鄧湘皐先生墓表》.

10 ⑬ [愲] 골 [入]月 古忽切 gǔ
[字解] 심란할 골 마음이 산란함. '心結—兮傷肝'《漢書》.

10 ⑬ [愶] 협 [入]葉 虛業切 xié
[字解] 으를 협 위협함. '劫—使者'《魏志》.
[字源] 形聲. 忄(心)+脅〔音〕

◉劫愶.

10 ⑬ [㥮] 초 [上]巧 楚絞切 zhòu
[字解] 빙퉁그러질 초 고집이 세고 성질이 비뚤어짐. '—, 心迫也'《集韻》.

10 ⑬ [愰] [人名] 황 ①[去]漾 胡曠切 huàng ②[上]養 戶廣切 huǎng
[字解] ①밝을 황 훤함. ②들뜰 황 마음이 들뜸. '—懩'.
[字源] 形聲. 忄(心)+晃〔音〕. '晃황'은 '밝다'의 뜻.

[愰懩 황양] 마음이 들뜸.

10 ⑬ [愵] 닉 [入]錫 奴歷切 nì
[字解] 근심할 닉 우려함. '久—兮忼忼'《元結》.
[字源] [篆文] 形聲. 忄(心)+弱〔音〕. '弱약'은 '溺닉'과 통하여, '가라앉다'의 뜻을 나타냄.

10 ⑭ [𢡆] 愵(前條)과 同字

10 ⑬ [㥵] 〔혼〕 慁(心部 十畫〈p. 803〉)과 同字

10 ⑬ [㥭] 〔태〕 忲(心部 四畫〈p. 764〉)와 同字

11 ⑮ [慶] [中人] [一] 경 [去]敬 丘敬切 qìng [二] 강 [平]陽 墟羊切 qiāng 庆 𢜩
[筆順] 广 户 声 声 声 鹿 慶 慶
[字解] [一] ①경사 경 축하할 만한 일. '—弔'. '賀—之禮'《周禮》. ②상 경 상사(賞賜). '—賞'. '行—施惠'《禮記》. ③선행 경 착한 행위. '一人有—'《書經》. ④복 경 행복. '餘—'. '孝孫大有—'《詩經》. ⑤하례할 경 경사를 축하함. '—其喜而弔其憂'《國語》. ⑥성 경 성(姓)의 하나. [二] 어조사 강 발어사(發語辭). '—天悴而喪榮'《揚雄》.
[字源] [金文] [篆文] 會意. 廌+心+夊. '廌천'은 소와 비슷한 일각수(一角獸)의 상형으로, 옛날에 피의자에게 만지게 하여 재판의 판결에 이용했음. 그것을 조금 생략한 것임. '心심'은 승소(勝訴)했을 때의 장식의 상형으로, 金文에서는 '文문'으로 쓰일 때도 있음. '夊쇠'는 '가다'의 뜻. 남의 기쁨을 축하하러 가는 모양에서, '기뻐하다'의 뜻을 나타냄.

[慶科 경과] 《韓》나라에 경사가 있을 때에 행하던 과거.
[慶忌 경기] 수중(水中)의 괴물(怪物).
[慶曆黨議 경력당의] 송(宋)나라 인종(仁宗)의 경력 연간(慶曆年間)에 일어난 조신간(朝臣間)의 붕당(朋黨)의 쟁의(爭議).
[慶禮 경례] 경사의 예식(禮式).
[慶賴 경뢰] 기뻐하여 의뢰함.
[慶抃 경변] 손뼉을 치며 기뻐함.
[慶福 경복] 경사스러운 복.
[慶事 경사] 경축(慶祝)할 만한 일. 즐거운 일. 기쁜 일.
[慶賜 경사] 상사(賞賜). 경상(慶賞).
[慶賞 경상] 상(賞). 상사(賞賜).

[慶瑞 경서] 경사스러운 일의 조짐. 상서(祥瑞). 경조(慶兆).
[慶善 경선] 경희(慶喜).
[慶壽 경수] 생일잔치. 특히, 예순 살, 일흔 살, 여든 살의 생일잔치.
[慶唁 경언] 경조(慶弔).
[慶宴 경연] 경사스러운 잔치.
[慶筵 경연] 경사스러운 잔치를 벌인 자리.
[慶煙 경연] 상서로운 안개.
[慶雲 경운] 상서로운 구름. 일설(一說)에는, 오색(五色)의 운기(雲氣).
[慶有 경유] 나라에 경사가 있을 때 죄수를 사면함.
[慶日 경일] 경사가 있는 날. 경사스러운 날.
[慶者在堂弔者在閭 경자재당조자재려] 경사스러운 일을 치하(致賀)하는 사람이 집안에 있는데, 그때 이미 슬픈 일을 위문(慰問)하러 오는 사람이 동네 문 앞에 있다는 뜻으로, 행복의 이면에는 재화(災禍)가 따르는 법이므로, 비록 복이 많아 부귀를 누릴지라도 항상 조심하여야 한다는 말.
[慶節 경절] 경축하는 날.
[慶弔 경조] 결혼·출생 등의 경사스러운 일과 장사 등의 불행한 일.
[慶兆 경조] 경사스러운 일의 조짐. 경서(慶瑞).
[慶祚 경조] 경복(慶福).
[慶弔相問 경조상문] 경사를 서로 축하하고 흉사(凶事)를 서로 위문함.
[慶讚 경찬]《佛教》불상(佛像)·사탑(寺塔) 등의 준공(竣功)을 경축하는 불사(佛事).
[慶祝 경축] 경사를 축하함.
[慶賀 경하] 경사를 치하(致賀)함.
[慶幸 경행] 경사스러운 일. 행복. 복.
[慶喜 경희] 경사스러운 일. 기쁜 일.
◉嘉慶. 具慶. 國慶. 吉慶. 大慶. 同慶. 福慶. 祥慶. 瑞慶. 殃慶. 御慶. 餘慶. 恩慶. 積慶. 積善餘慶. 祚慶. 天慶. 祝慶. 表慶. 賀慶. 遐慶. 幸慶. 休慶.

11 ⑮ [憂] 中·人 우 ㊥尤 於求切 yōu 忧 憂

筆順 一 丆 百 頁 惪 惪 㥑 憂

字解 ①근심 우 ㉠걱정. '樂以忘—'《論語》. ㉡환난(患難). '朝廷無西顧之—'《魏志》. ②병 우 질병(疾病). '某有負薪之—'《禮記》. '某有采薪之—'《孟子》. ③친상 우 부모의 상(喪). '丁—'. '王宅—'《書經》. ④근심할 우 걱정함. '仁者不—'《論語》. ⑤앓을 우 병을 앓음. '文王在胎, 母不—'《國語》. ⑥고생할 우 궁하여 괴로워함. '小人道—也'《易經》. ⑦가엾게여길 우 불쌍히 여김. '民有厄喪敎相—恤也'《周禮 疏》. ⑧성 우 성(姓)의 하나.

字源 金文 篆文 形聲. 夊+憂[音]. '憂우'는 '걱정하다'의 뜻. '夊쇠'를 붙여도 같은 뜻. 또, '優우'와 통하여, '우아하게 가다'의 뜻을 나타냈으나, '憂'의 본래의 뜻인 '근심하다'의 뜻을 나타내고, '憂' 자 대신 쓰이게 됨.

[憂慨 우개] 근심하고 개탄함.
[憂結 우결] 우울(憂鬱).
[憂耿 우경] 근심. 걱정.
[憂悸 우계] 우구(憂懼).
[憂苦 우고] 근심하고 괴로워함.
[憂恐 우공] 우구(憂懼).
[憂愧 우괴] 근심하고 부끄러워함.
[憂咎 우구] 근심. 우환(憂患).
[憂懼 우구] 근심하고 두려워함.
[憂國 우국] 나랏일을 근심함.
[憂憒 우궤] 근심하여 마음이 산란함.
[憂勤 우근] 우고(憂苦).
[憂念 우념] 근심하는 생각.
[憂惱 우뇌] 근심하여 고민함.
[憂端 우단] 근심의 실마리.
[憂道不憂貧 우도불우빈] 덕(德)이 닦아지지 아니함을 근심하고 집안이 가난함을 근심하지 아니함.
[憂樂 우락] 근심과 즐거움.
[憂慮 우려] 걱정함. 근심함.
[憂勞 우로] 근심하며 애씀.
[憂滿 우만] 우만(憂懣).
[憂懣 우만] 근심하여 번민함.
[憂民 우민] 백성의 신상을 근심함.
[憂悶 우민] 근심하여 번민함.
[憂病 우병] 근심함. 또는 병들어 괴로워함.
[憂憤 우분] 근심하며 분하게 여김.
[憂憊 우비] 근심하여 노곤함.
[憂思 우사] 우심(憂心).
[憂傷 우상] 근심하여 마음 아파함.
[憂色 우색] 근심하는 기색(氣色). 걱정하는 빛.
[憂懾 우섭] 우구(憂懼).
[憂世 우세] 세상일을 근심함.
[憂囚 우수] 근심에 쌓인 사람. 수심에 잠긴 사람.
[憂愁 우수] 근심.
[憂愁思慮 우수사려] 근심과 염려.
[憂時 우시] 시세(時世)를 근심함.
[憂心 우심] 근심하는 마음.
[憂顏 우안] 근심하는 얼굴. 수심에 잠긴 얼굴.
[憂恚 우에] 근심하고 성냄.
[憂慍 우온] 근심하며 발끈 화를 냄.
[憂畏 우외] 우구(憂懼).
[憂擾 우요] 근심하여 떠듦.
[憂虞 우우] 근심하여 조심함. 일설(一說)에는, 근심과 즐거움.
[憂鬱 우울] 마음이 상쾌(爽快)하지 않고 답답함.
[憂危 우위] 근심하며 위태롭게 여김.
[憂悒 우읍] 우울(憂鬱).
[憂慘 우참] 우상(憂傷).
[憂惕 우척] 우구(憂懼).
[憂戚 우척] 우척(憂慼).
[憂慼 우척] 근심하고 슬퍼함.
[憂惙 우철] 근심. 또, 근심함.
[憂焦 우초] 근심하여 초조함.
[憂悴 우췌] 근심함. 췌(悴)는 우(憂).
[憂惴 우췌] 우구(憂懼).
[憂憚 우탄] 근심하고 꺼림.
[憂歎 우탄] 근심하여 한탄함.
[憂怖 우포] 근심하고 두려워함.
[憂恨 우한] 근심하고 원망함.
[憂患 우환] ㉠근심. 걱정. ㉡질병(疾病).
[憂惶 우황] 우구(憂懼).
[憂懷 우회] 근심하는 마음. 우심(憂心).
[憂恤 우휼] ㉠조심함. 걱정함. ㉡가엾게 여김. 딱하게 생각함.
[憂喜 우희] 조심과 기쁨.
[憂噫 우희] 우탄(憂歎).

◉近憂. 杞憂. 杞人憂. 內憂. 大憂. 同憂. 忘憂. 百憂. 煩憂. 負薪之憂. 先憂. 蕭牆憂. 深憂. 外憂. 鬱憂. 殷憂. 隱憂. 一喜一憂. 積憂. 丁憂. 振憂. 軫憂. 采薪之憂. 後顧憂. 後憂. 喜憂.

11 ⑮ [慙] 高人 참 ㊉覃 昨甘切 cán

筆順 一 亘 車 車´ 斬 斬 斬 慙

字解 ①부끄러워할 참 양심에 가책을 느껴 남을 대할 면목이 없음. '一愧'. '吾甚一於孟子'《孟子》. ②부끄러움 참 수치. '必知其懷一'《韓愈》.

字源 篆文 形聲. 心+斬〔音〕. '斬참'은 '베다'의 뜻. 마음이 베어지는 듯한 느낌, 부끄러워하다의 뜻을 나타냄.

參考 慚(心部 十一畫)은 同字.

[慙慨 참개] 부끄러워하며 개탄함.
[慙悸 참계] 참구(慙懼).
[慙愧 참괴] 부끄러워함.
[慙懼 참구] 부끄러워하고 두려워함.
[慙恧 참뉵] 부끄러워함.
[慙德 참덕] 덕이 미치지 못하는 것을 부끄러워함.
[慙伏 참복] 부끄러워하며 머리를 숙임.
[慙服 참복] 자기가 미치지 못함을 부끄러워하며 복종함.
[慙忿 참분] 참분(慙憤).
[慙憤 참분] 부끄러워하며 분하게 여김. 참분(慙忿).
[慙死 참사] ㉠부끄러워한 나머지 죽음. ㉡몹시 부끄러워 죽을 지경임.
[慙謝 참사] 부끄러워하며 사죄함.
[慙色 참색] 부끄러워하는 기색.
[慙悚 참송] 참구(慙懼).
[慙羞 참수] 참괴(慙愧).
[慙恚 참에] 참분(慙憤).
[慙怍 참작] 부끄러워함.
[慙沮 참저] 부끄러워하며 기가 꺾임.
[慙靦 참전] 부끄러워 얼굴을 붉힘. 부끄러워함.
[慙惕 참척] 참구(慙懼).
[慙恥 참치] 부끄러워함. 또, 부끄러움.
[慙痛 참통] 부끄러워하며 몹시 슬퍼함.
[慙恨 참한] 부끄러워하며 원한을 품음.
[慙悔 참회] 부끄러워하며 뉘우침.
◉感慙. 愧慙. 兢慙. 無慙. 悚慙. 羞慙. 靦慙.

11 ⑮ [慝] 人名 특 ㉧職 他德切 tè

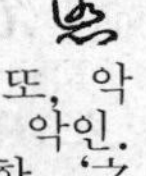

字解 ①악할 특 불선(不善)함. '凶一'. 또, 악한 일. '崇德脩一'《論語》. 또, 악한 자. 악인. '民無一'《管子》. ②간사할 특 사곡(邪曲)함. '之死矢靡一'《詩經》. ③더러울 특 '穢一'. '禮一而樂淫'《禮記》. ④음(陰)한기운 특 해독이 되는 나쁜 기운. '道地一'《周禮》. ⑤재앙 특 재해. '妖一'. '亦罹咎一'《漢書》. ⑥사투리 특 방언. '掌道方一'《周禮》. ⑦속일 특, 숨길 특 '一名'. '一則大惑'《荀子》.

字源 形聲. 心+匿〔音〕. '匿닉'은 '숨다'의 뜻. 숨어 있는 몹쓸 일의 뜻을 나타냄.

[慝姦 특간] 특사(慝邪).
[慝禮 특례] 나쁜 의례(儀禮).
[慝名 특명] 이름을 숨김. 익명(匿名).
[慝邪 특사] 간사(奸邪)함.
[慝惡 특악] 사악(邪惡)함.
◉姦慝. 蠱慝. 狡慝. 咎慝. 淑慝. 穢慝. 妖慝. 怨慝. 隱慝. 淫慝. 讒慝. 荒慝. 回慝. 凶慝.

11 ⑮ [㥍] 一 애 ㊁隊 烏代切 ài 二 기 ㊁未 許旣切 xì

字解 一 㤅(心部 四畫)의 古字. 二 숨 기, 쉴 기 호흡. 또, 휴식함. '一, 息也'《廣韻》.

11 ⑮ [慧] 高人 혜 ㊁霽 胡桂切 huì

筆順 ≡ 丰 丰丰 彗 彗 彗 彗 慧

字解 ①슬기로울 혜 총명함. '聰一質仁'《國語》. ②슬기 혜 '智一'. '周子有兄, 而無一'《左傳》.

字源 篆文 形聲. 心+彗〔音〕. '彗혜'는 '儇현'과 통하여, 재지(才智)의 회전이 빠르다의 뜻. '슬기롭다'의 뜻을 나타냄.

[慧劍 혜검]《佛教》지혜(智慧)가 모든 번뇌(煩惱)의 굴레를 끊는 것을 날카로운 칼에 비유한 말.
[慧觀五教 혜관오교]《佛教》석가(釋迦) 일대(一代)의 교(教)의 분류법의 하나. 곧, 유상교(有相教)·무상교(無相教)·억양교(抑揚教)·동귀교(同歸教)·상주교(常住教). 혜관(慧觀)은 이 분류법의 창설자(創設者).
[慧竇 혜두] 슬기가 우러나오는 구멍.
[慧力 혜력]《佛教》오대력(五大力)의 하나. 지혜의 힘.
[慧命 혜명]《佛教》지혜(智慧).
[慧敏 혜민] 슬기가 있고 민첩함.
[慧性 혜성] 민첩하고 총명(聰明)한 성질(性質).
[慧聖 혜성] 뛰어나게 슬기로움. 또, 그 사람.
[慧眼 혜안] ㉠사물(事物)을 명찰(明察)하는 눈. 예민한 안식(眼識). ㉡《佛教》오안(五眼)의 하나. 진리(眞理)를 통찰(洞察)하는 안식.
[慧叡 혜예] 슬기가 깊음.
[慧悟 혜오] 혜민(慧敏).
[慧遠 혜원] ㉠진(晉)나라의 고승(高僧). 육경(六經) 및 노장(老莊)의 학(學)에 통달하였으며, 태원(太元) 연간(年間)에 여산(廬山)에 동림사(東林寺)를 세우고, 혜영(慧永)·종병(宗炳) 등과 함께 백련사(白蓮社)를 결사(結社)하였음. 저서에 〈광산집(匡山集)〉이 있음. ㉡수(隋)나라의 고승(高僧). 속성(俗姓)은 이씨(李氏). 북주(北周)가 불교를 폐(廢)할 때에는 목숨을 걸고 항거하였으며, 수(隋)나라의 통일 후에는 정영사(淨影寺)에서 강연(講演)하였음. 그의 사상은 화엄종(華嚴宗) 성립에 많은 영향을 미쳤으며, 〈대승의장(大乘儀章)〉·〈십지경론의기(十地經論議記)〉 등의 저서가 있음.
[慧日 혜일] 불보살(佛菩薩)의 지혜를 이름.
[慧鳥 혜조] 앵무새의 이칭(異稱).
[慧智 혜지] 총명한 슬기.
[慧解 혜해] ㉠총명하여 사리를 잘 해득함. ㉡혜민(慧敏).
[慧黠 혜할] 약음. 교활(狡猾)함.
◉警慧. 巧慧. 德慧. 明慧. 敏慧. 辯慧. 不慧. 小慧. 秀慧. 令慧. 佞慧. 穎慧. 了慧. 俊慧. 智慧. 聰慧. 黠慧.

11 ⑮ [慫] [人名] 종 [上]腫 息拱切 sǒng

[字解] ①놀랄 종 경악함. '怳悼慄而—兢'《張衡》. ②종용할 종 권함. '—慂'.
[字源] [篆文] 形聲. 心+從〔音〕. '從종'은 '束속'과 통하여, '켕기다'의 뜻. 마음이 바짝 켕기다, 놀라다의 뜻을 나타냄.

[慫兢 종긍] 놀라 떪. 경악하여 전전긍긍함.
[慫慂 종용] 권함.

11 ⑮ [慮] [高人] [一] 려 [去]御 良倨切 lǜ [二] 록 音祿 lù

[筆順] 卜 卢 广 卢 虍 虐 虐 慮

[字解] [一] ①생각할 려 사려함. '考—'. '—而后能得'《大學》. ②걱정할 려 근심함. '念—'. '君臣疑—'《後漢書》. ③꾀할 려 모책을 세움. '子爲寡人—之'《戰國策》. ④생각 려 사유(思惟). '遠—'. '困於心, 衡於—'《孟子》. ⑤근심 려 걱정. 우환. '省國家之邊—'《後漢書》. ⑥의심 려 의려(疑慮). 의혹. '決狐疑之—'《晉書》. ⑦꾀 려 모책. '出謀發—'《禮記》. ⑧기 려 '一無'는 척후(斥候)가 들고 다니는 기(旗). '前茅—無'《左傳》. ⑨성 려 성(姓)의 하나. [二] 사실할 록 조사함. 錄(金部 八畫)과 同字. '凡繫囚五日一—'《左傳》.
[字源] [篆文] 形聲. 心+盧(虍)〔音〕. '盧로'는 '빙 돌리다'의 뜻. 마음을 돌리다, 깊이 생각하다의 뜻을 나타냄.

[慮無 여무] 군대에서 앞서 가는 척후(斥候)가 신호로 들고 다니는 기. 기마(騎馬)의 적(賊)이 오는 것을 볼 때는 적기(赤旗)를, 도보의 적이 오는 것을 볼 때에는 백기(白旗)를 들었음.
[慮外 여외] 뜻밖. 의외(意外).
◉計慮. 考慮. 苦慮. 顧慮. 貴慮. 短慮. 大慮. 亡慮. 謀慮. 無慮. 防慮. 配慮. 凡慮. 不慮. 思慮. 聖慮. 熟慮. 識慮. 神慮. 宸慮. 心慮. 深慮. 深謀遠慮. 淵慮. 念慮. 叡慮. 憂慮. 遠慮. 尊慮. 衆慮. 志慮. 知慮. 策慮. 千慮. 淺慮. 焦慮. 憔慮. 賢慮. 惠慮.

11 ⑮ [慰] [高人] 위 [去]未 於胃切 wèi

[筆順] 尸 尸 尸 尸 尉 尉 尉 慰

[字解] ①위로할 위 남의 근심을 풂. '—問'. '有子七人, 莫—母心'《詩經》. ②위안할 위 마음을 즐겁게 함. 자기의 근심을 풂. '以—我心'《詩經》. ③위로 위 '數召見, 加招—'《後漢書》. ④위안 위 마음을 편하게 하고 즐겁게 하는 일. '伊余雖寡—'《謝強》.
[字源] [篆文] 形聲. 心+尉(㷉)〔音〕. '㷉위'는 '다리미'의 뜻. 마음을 따뜻하게 하여 펴다의 뜻에서, '위로하다'의 뜻을 나타냄.

[慰答 위답] 위로하여 보답(報答)함.
[慰勵 위려] 위로하고 격려함.
[慰靈祭 위령제] 죽은 사람의 혼령(魂靈)을 위로하는 제사.
[慰勞 위로] ㉠수고를 치사(致謝)하여 마음을 즐겁게 함. ㉡괴로움이나 슬픔을 잊게 함.
[慰勉 위면] 위려(慰勵).
[慰撫 위무] 위로하고 어루만짐.
[慰問 위문] 위로하기 위하여 방문함. 찾아가서 위로함.
[慰愍 위민] 위로하고 가엾게 여김.
[慰拊 위부] 위무(慰撫).
[慰譬 위비] 위유(慰諭).
[慰釋 위석] 위로하여 근심을 풀어 줌.
[慰安 위안] 위로하여 마음을 편안하게 함.
[慰唁 위언] 조상(弔喪)하러 가서 위로함. 또, 그 말.
[慰悅 위열] 위로하여 기쁘게 함.
[慰喩 위유] 위유(慰諭).
[慰諭 위유] 위로하여 타이르거나 달램.
[慰藉 위자] 위로하여 도와줌. 위로함.
[慰狀 위장] 위문(慰問)하는 편지.
[慰誨 위회] 위로하며 가르침. 친절한 말로 타이름.
[慰懷 위회] 마음을 위로함.
[慰曉 위효] 위로하며 깨우침.
[慰恤 위휼] 위로하고 구휼(救恤)함.
◉勞慰. 撫慰. 悶慰. 訪慰. 賞慰. 綏慰. 安慰. 娛慰. 恩慰. 自慰. 弔慰. 存慰. 鎭慰. 招慰. 褒慰. 曉慰.

11 ⑮ [懘] 채 [去]卦 丑犗切 dì

[字解] 가시 채 '—芥'는 가시. 전(轉)하여, 장애(障礙), 또는 마음에 걸리는 일 등의 비유로 쓰임. '細故—芥'《賈誼》.
[字源] [篆文] 形聲. 心+帶〔音〕. '帶대'는 '滯체'와 통하여, 막히어 쭉쭉 뻗지 않다의 뜻. 마음이 피곤하다의 뜻을 나타냄.
[參考] 懘(心部 十一畫)는 同字.

[懘芥 채개] 자해(字解)를 보라.

11 ⑮ [慹] [一] 접 [入]葉 之涉切 zhé [二] 집 [入]緝 之入切 zhí

[字解] [一] 꼼짝않을 접 움직이지 아니하는 모양. '—然似非人'《莊子》. [二] 두려워할 집 외구(畏懼)함. '豪強—服'《漢書》.
[字源] [篆文] 形聲. 心+執〔音〕. '執집'은 잡고 으르다의 뜻. 속으로 두려워하는 것.

[慹然 접연] 꼼짝하지 않는 모양.
[慹服 집복] 두려워하여 복종함.

11 ⑮ [慼] 척 [入]錫 倉歷切 qī

[字解] 근심할 척, 근심 척 걱정함. 걱정. 戚(戈部 七畫)과 통용. '憂—'. '衆—'《書經》.
[字源] [篆文] 形聲. 心+戚〔音〕. '戚척'은 '걱정하다'의 뜻. '戚'이 여러 뜻을 나타내게 되었기 때문에, '心심'을 덧붙였음.
[參考] 慽(心部 十一畫)은 同字.

[慼憂 척우] 근심함. 또, 근심.
◉感慼. 鼓盆慼. 愁慼. 哀慼. 憂慼. 懷慼. 休慼.

11 ⑮ [慾] [高人] 욕 [入]沃 余蜀切 yù

[筆順] 八 仌 仌 谷 谷 欲 欲 慾

字解 탐낼 욕, 욕심 욕 탐함. 또, 그 마음. '嗜—'. '貪—'.
字源 形聲. 心＋欲〔音〕. '欲욕'은 '바라다'의 뜻. 바라는 마음의 뜻을 나타냄.
參考 예로부터 欲(欠部 七畫)과 통하여 쓰이었음.

[慾念 욕념] 탐내는 마음. 욕심(慾心).
[慾望 욕망] 무엇을 하거나 가지고자 함. 또, 그 마음. 부족을 느껴 그것을 채우고자 함. 또, 그 마음.
[慾心 욕심] ㉠탐내는 마음. ㉡애욕(愛慾)의 마음. 색정(色情).
[慾情 욕정] ㉠충동으로 일어나는 욕심. ㉡애욕(愛慾)의 욕심. 색정(色情). 정욕(情慾).
[慾火 욕화] 불 같은 욕심.
◉寡慾. 嗜慾. 多慾. 大慾. 無慾. 色慾. 省慾. 食慾. 淫慾. 情慾. 貪慾. 閉慾.

11 ⑭ [慪] 人名 ㊀ 우 ㊥尤 烏侯切 ōu ㊁ 구 ㊥尤 口侯切 怄
字解 ㊀ ①아낄 우 인색함. '—, 悋也. 惜也'《玉篇》. ②성낼 우 격(激)함. '不是—老哥哥'《兒女英雄傳》. ※'우' 음은 인명자로 쓰임. ㊁ 아낄 구, 성낼 구 ㊀과 뜻이 같음.

11 ⑮ [惷] ㊀ 창 ㊥江 丑江切 chōng ㊁ 송 ㊥冬 書容切 chōng
字解 ㊀ 천치 창 선천적으로 바보임. 또, 그 사람. 바보. '三赦, 曰—愚'《周禮》. ㊁ 어리석을 송 우매함. '寡人—愚冥頑'《禮記》.
字源 金文 篆文 形聲. 心＋春〔音〕. '舂용'은 절구에 찧다의 뜻. 절구질은 단조로워 멍청한 일로 보이는 데서, '心심'을 붙여, '어리석다'의 뜻을 나타냄.
參考 惷(心部 九畫)은 別字.

[惷愚 송우] 어리석음. 우매함.
[惷愚 창우] 천치. 바보.
◉狂惷. 騃惷.

11 ⑮ [慜] 人名 민 ㊤軫 眉殞切 mǐn
筆順 𠂉 𠂉 𠂉 𠂉 每 敏 慜 慜
字解 민첩할 민 총명(聰明)함.

11 ⑮ [憑] 〔빙〕 憑(心部 十二畫〈p. 815〉)의 俗字

11 ⑮ [慤] 〔각〕 慤(心部 十畫〈p. 803〉)의 俗字

11 ⑮ [憇] 〔게〕 憩(心部 十二畫〈p. 816〉)의 俗字

[憋] 〔별〕 心部 十二畫(p. 814)을 보라.

11 ⑮ [慕] 高·人 모 ㊦遇 莫故切 mù
筆順 ' ⺾ 艹 苜 莫 莫 慕 慕
字解 ①사모할 모 ㉠그리워함. '戀—'. '大孝終身—父母'《孟子》. ㉡우러러 받들고 본받음. '—藺相如之爲人, 更名相如'《史記》. ②성 모 성(姓)의 하나.
字源 金文 篆文 形聲. 心＋莫(莫)〔音〕. '莫막'은 '구하다'의 뜻. 마음속으로 구하다, 그리워하다의 뜻을 나타냄.

[慕念 모념] 사모(思慕)하는 생각.
[慕戀 모련] 그리워하여 늘 생각함. 또는 그러한 생각.
[慕藺 모린] 큰 인물을 사모함을 이름. 사마상여(司馬相如)가 인상여(藺相如)를 경모(敬慕)한 데서 온 말.
[慕倣 모방] 본떠서 함. 본받음.
[慕顰 모빈] 함부로 흉내 냄.
[慕心 모심] 사모하는 마음.
[慕愛 모애] 사모하고 사랑함.
[慕悅 모열] 사모하며 기뻐함.
[慕豔 모염] 사모하고 부러워함. 선모(羨慕).
[慕容 모용] 오호 십육국 시대(五胡十六國時代)에 연(燕)나라를 세운 선비(鮮卑)의 성(姓).
[慕義 모의] 의(義)를 사모함.
[慕化 모화] 사모하여 감화(感化)됨.
[慕效 모효] 사모하여 언행(言行)을 본받음.
◉感慕. 敬慕. 傾慕. 景慕. 企慕. 望慕. 思慕. 羨慕. 仰慕. 哀慕. 愛慕. 戀慕. 外慕. 怨慕. 追慕. 稱慕. 懷慕. 欣慕. 欽慕.

11 ⑭ [慓] 人名 표 ㊦嘯 匹妙切 piào
字解 ①날랠 표 경첩(輕捷)함. 재빠름. '—疾'. '項羽爲人, —悍禍賊'《漢書》. ②가벼울 표 경박함. 僄(人部 十一畫)와 통용. '汝資誠楚—'《韓駒》.
字源 篆文 形聲. 忄(心)＋票(𤐫)〔音〕. '𤐫표'는 '暴포'와 통하여, 날래고 사납다의 뜻.

[慓疾 표질] 빠름. 재빠름.
[慓悍 표한] 성질이 날래고 사나움.

11 ⑭ [憁] 人名 총 ①㊤董 祖動切 zǒng ②㊦送 千弄切 còng
字解 ①실심할 총 '倥—'은 득의하지 못한 모양. ②바쁠 총 분망(奔忙)함. '倥—'. '—侗官府之間'《抱朴子》.
字源 形聲. 忄(心)＋悤〔音〕
參考 惚(心部 九畫)은 俗字.

[憁侗 총통] ㉠무지(無知)한 모양. ㉡바삐 돌아다님. 전(轉)하여 경쟁함.
◉倥憁.

11 ⑭ [慘] 高·人 참 ㊤感 七感切 cǎn
筆順 ' 忄 忄 忄 忄 悴 悴 慘
字解 ①아플 참 통증을 느낌. '疾痛—怛'《史記》. ②근심할 참 걱정함. '勞心—兮'《詩經》. ③혹독할 참 가혹함. '—苛'. '雖—酷, 斯稱其位矣'《史記》. ④비통할 참 몹시 슬픔. '—愴'. '酸—之聲'《晉書》. ⑤손상할 참 상하게 함. '不忍楚撻—其肌膚'《顔氏家訓》. ⑥추울 참 몹시

참. '一凜'. '冰霜一烈'《張衡》.
字源 篆文 形聲. 忄(心)+參. '參참'은 '侵침'과 통하여, '침범하다'의 뜻. 마음의 평안을 범하다, 아프다의 뜻을 나타냄.

[慘苛 참가] 참혹(慘酷).
[慘刻 참각] 참혹(慘酷).
[慘景 참경] 참혹한 광경.
[慘苦 참고] 비참한 고통.
[慘憒 참궤] 마음이 산란함. 심란함.
[慘劇 참극] ㉠비참한 사실을 재료로 한 연극(演劇). ㉡참혹한 일. 비참한 사건(事件).
[慘怛 참달] 아프고 슬픔.
[慘淡 참담] 참담(慘澹).
[慘憺 참담] 참담(慘澹) ㉡㉢을 보라.
[慘澹 참담] ㉠몹시 어둠침침함. ㉡이리저리 궁리하느라고 대단히 고심함. ㉢괴롭고 슬픈 모양.
[慘忉 참도] 매우 비통함.
[慘毒 참독] ㉠참혹하게 해독을 끼침. ㉡참혹(慘酷)한 해독(害毒).
[慘烈 참렬] 참름(慘凜).
[慘凜 참름] ㉠추위가 심함. ㉡아주 참혹함.
[慘聞 참문] 비참한 소문. 가엾은 이야기.
[慘死 참사] 참혹하게 죽음.
[慘事 참사] 참혹한 일. 비참한 사건.
[慘殺 참살] 참혹하게 죽임.
[慘狀 참상] 참혹한 상태. 참혹한 정상(情狀).
[慘喪 참상] 《韓》 자손(子孫)이 부모·조부모보다 먼저 죽은 상사(喪事).
[慘惡 참악] 참혹하고 흉악(凶惡)함.
[慘愕 참악] 참혹한 정상에 놀람.
[慘黯 참암] 몹시 어둠침침함. 참담(慘澹).
[慘然 참연] 몹시 슬퍼하는 모양.
[慘咽 참열] 슬퍼하여 목이 메도록 욺.
[慘獄 참옥] 비참한 옥사(獄事).
[慘沮 참저] 슬퍼하여 마음이 울적함.
[慘絶 참절] 참혹하기 짝이 없음.
[慘嗟 참차] 슬퍼하며 탄식함.
[慘慘 참참] ㉠몹시 슬퍼하는 모양. ㉡처참한 모양.
[慘愴 참창] 참측(慘惻).
[慘惕 참척] 슬퍼하고 근심함.
[慘慽 참척] ㉠몹시 근심함. ㉡《韓》 아들딸이 부모보다 또는 손자가 조부모보다 먼저 죽음.
[慘惻 참측] 몹시 슬픔. 몹시 슬퍼함.
[慘敗 참패] 참혹하게 패함.
[慘虐 참학] 참혹하게 학대함.
[慘害 참해] ㉠참혹하게 입은 손해. ㉡남을 비참하고 끔찍하게 해침.
[慘覈 참핵] 법(法)이 가혹하고 엄함.
[慘刑 참형] 참혹한 형벌(刑罰).
[慘酷 참혹] 끔찍하게 불쌍함. 끔찍하게 비참함.
[慘禍 참화] 참혹한 재화(災禍).
[慘況 참황] 참혹한 상황. 참상(慘狀).
[慘凶 참흉] 참혹한 흉년(凶年).
◉苛慘. 無慘. 悲慘. 酸慘. 傷慘. 憂慘. 陰慘. 淒慘. 悽慘. 酷慘.

11 ⑭ [慒] 一 종 ㊥冬 藏宗切 cóng 二 조 ㊥豪 臧曹切 cáo

字解 一 생각할 종 깊이 생각함. '一, 慮也'《說文》. 二 어지러울 조 사물이 어수선함. '一, 亂也'《玉篇》.
字源 篆文 形聲. 忄(心)+曹(曺)〔音〕. '曺조'는 원고(原告)·피고를 재판하는 재판관의 뜻. 마음속으로 시비선악(是非善惡)을 저울질하다의 뜻.

11 ⑭ [慟] 人名 통 ㊤送 徒弄切 tòng 恸

字解 서러워할 통 대단히 슬퍼함. 몸을 떨며 큰 소리로 욺. '一哭'. '子哭之一'《論語》.
字源 篆文 形聲. 忄(心)+動〔音〕. '動동'은 '움직이다'의 뜻. 몸을 움직여 떨며, 슬퍼하다의 뜻을 나타냄.

[慟哭 통곡] 큰 소리로 슬피 욺.
[慟泣 통읍] 대단히 슬퍼하여 욺.
◉感慟. 哀慟. 惋慟. 憯慟. 號慟.

11 ⑭ [慠] 오 ㊤號 魚到切 ào

字解 오만할 오 傲(人部 十一畫)와 同字. '一慢'. '生而貴者一'《後漢書》.
字源 形聲. 忄(心)+敖〔音〕. '敖오'는 멋대로 하다의 뜻. '心심'을 붙여 '건방지다, 젠체하다'의 뜻을 나타냄.

[慠慢 오만] 거만함.
[慠邁 오매] 오만하여 잘난 체함.
[慠然 오연] 오만을 떠는 모양.
[慠誕 오탄] 오만하고 방자하여 허풍을 잘 떪.

11 ⑭ [慔] 모 ㊤遇 莫故切 mù

字解 힘쓸 모 '一, 勉也'《說文》.
字源 篆文 形聲. 忄(心)+莫〔音〕. '莫막'은 '없다'의 뜻. 마음을 없이하고 사물에 집중하는 것.

11 ⑭ [慢] 高人 만 ㊤諫 謨晏切 màn

筆順 丶 忄 忄冂 忄日 忄昌 忄曼 慢

字解 ①게으를 만 나태함. '怠一'. '懈一'. ②게을리할 만 소홀히 함. '暴君汚吏, 必一其經界'《孟子》. ③거만할 만 오만함. '驕一'. '傲一'. '王素一無禮'《史記》. ④느릴 만 더딤. '緩一'. '叔馬一忌'《詩經》. ⑤느슨할 만 해이함. 엄하지 아니함. '刑一則懼及君子'《呂氏春秋》. ⑥방자할 만 방종함. '放一'. '暴一之行'《史記》. ⑦업신여길 만 모멸함. '侮一'. '輕一'. '可敬不可一'《禮記》.
字源 篆文 形聲. 忄(心)+曼〔音〕. '曼만'은 '자라다'의 뜻. 마음이 자라 늘어져서, 게을리 하다의 뜻을 나타냄.

[慢舸 만가] 천천히 가는 배.
[慢驚風 만경풍] 위장병으로 인하여 어린애가 구토(嘔吐)·설사를 계속하고 경련을 일으키는 병.
[慢棄 만기] 경홀(輕忽)히 하여 쓰지 아니함.
[慢罵 만매] 업신여기며 꾸짖음.
[慢侮 만모] 업신여김.
[慢舞 만무] 동작이 느리게 춤을 춤. 또, 그 춤.
[慢性 만성] ㉠오래 두고 낫지 아니하는 병(病)의 성질. ㉡어떠한 성질이 버릇이 되어 고치기 어

려운 일.
[慢心 만심] 자신을 지나치게 보고 자랑하며 남을 업신여기는 마음. 자기가 잘난 줄 믿고 거드럭거리는 마음.
[慢狎 만압] 업신여겨 함부로 굶.
[慢言 만언] ㉠거만한 말. ㉡함부로 하는 말. 터무니없는 말. 엉터리.
[慢然 만연] ㉠맺힌 데가 없이 헤벌어진 모양. ㉡정신을 차리지 않은 모양. ㉢오만한 모양.
[慢遊 만유] 제멋대로 놂. 방종하게 놂.
[慢易 만이] 업신여김.
[慢藏誨盜 만장회도] 곳간의 문단속을 잘하지 않는 것은 도둑에게 도둑질하라고 가르치는 것과 다름이 없음.
[慢訑 만탄] 방종함. 방자(放恣)함.
◉簡慢. 倨慢. 輕慢. 高慢. 驕慢. 欺慢. 陵慢. 瀆慢. 侮慢. 放慢. 奢慢. 舒慢. 褻慢. 疎慢. 我慢. 敖慢. 傲慢. 慠慢. 緩慢. 易慢. 自慢. 增上慢. 惰慢. 誕慢. 貪慢. 怠慢. 偸慢. 悖慢. 廢慢. 暴慢. 懈慢. 忽慢. 荒慢. 戲慢.

11 ⑭ **[慣]** [高人] 관 [去]諫 古患切 guàn 惯

[筆順] 忄 忄ᅳ 忄⺆ 忄毌 忄毌 慣 慣 慣

[字解] 익숙할 관 익숙하여짐. 익숙하게 함. 貫(貝部 四畫)과 同字. '一用'. '一習'. '平生一寫龍鳳質'《韓愈》. 또, 익숙하여진 것. 버릇. 관례. '習一'. '舊一'.

[字源] 形聲. 忄(心)+貫〔音〕. '貫관'은 물건을 꿰뚫어 통하다의 뜻. 처음부터 끝까지 하나의 방법, 마음의 움직임을 일관하다, 익숙해지다의 뜻을 나타냄.

[慣例 관례] 습관이 된 전례(前例).
[慣面 관면] 낯이 익은 얼굴.
[慣性 관성] 물체가 외력(外力)의 작용을 받지 아니하는 한 정지 혹은 운동의 상태를 언제까지나 지속하려고 하는 성질.
[慣熟 관숙] ㉠익숙함. ㉡친밀(親密)하여짐.
[慣習 관습] ㉠익숙함. ㉡버릇. 습관. ㉢풍습(風習).
[慣狎 관압] 익숙하여 친함. 친숙함.
[慣用 관용] ㉠늘 씀. 항상 씀. ㉡습관이 되어 사용함.
[慣用語 관용어] 문법에 맞지는 않으나 다년간 관용이 되어 널리 쓰는 말.
[慣用音 관용음] 바르지는 않으나 다년간 관용이 되어 널리 쓰는 음(音).
[慣行 관행] 관례가 되어 행함.
◉舊慣. 習慣.

11 ⑭ **[㥾]** [一] 닉 [入]職 女力切 nì
[二] 닐 [入]質 尼質切 nì

[字解] [一] 부끄러울 닉 떳떳하지 못함. '一, 愧也'《集韻》. [二] 부끄러울 닐 [一]과 뜻이 같음.

11 ⑭ **[慥]** 조 [去]號 七到切 zào(cào)

[字解] 진실할 조 독실함. '君子胡不一一爾'《中庸》.

[字源] 形聲. 忄(心)+造〔音〕

[慥慥 조조] 독실한 모양. 성의 있는 모양.

11 ⑭ **[慨]** [高人] 개 [去]隊 苦愛切 kǎi

[筆順] ⺖ 忄 忄′ 忄白 忄皀 忄皀 忄旣 慨

[字解] ①분개할 개 비분하여 개탄함. '一世'. '一然恥在厮役'《後漢書》. ②슬퍼할 개 비탄함. '旣葬, 一然如不及'《禮記》. ③분개 개 '旣漸臧孫一'《謝靈運》.

[字源] [篆文] 形聲. 忄(心)+旣〔音〕. '旣기'는 목이 멘다는 뜻. 마음이 막히다, 한탄하다의 뜻을 나타냄.

[慨慷 개강] 의롭지 못한 것을 보고 정의심(正義心)이 북받치어 슬퍼하고 한탄함. 강개(慷慨).
[慨慨 개개] 개연(慨然).
[慨憤 개분] 의분을 느껴 개탄함. 몹시 분하게 여김. 분개(憤慨).
[慨世 개세] 세상 또는 나라의 되어 가는 형편을 염려하여 개탄함.
[慨息 개식] 분개하여 탄식함.
[慨焉 개언] 개연(慨然).
[慨然 개연] ㉠분개하는 모양. ㉡대단히 슬퍼하는 모양.
[慨歎 개탄] 개연(慨然)히 탄식함. 분개하여 한숨 쉼.
◉感慨. 忼慨. 慷慨. 愧慨. 憤慨. 悲慨. 悲憤慷慨. 深慨. 憂慨. 軫慨. 憞慨. 忠慨. 恥慨. 歎慨.

11 ⑭ **[慨]** 慨(前條)와 同字

11 ⑭ **[⿰忄逢]** 봉 [平]東 薄紅切 féng

[字解] ①기뻐할 봉 '一, 悅也'《五音集韻》. ②사랑할 봉 '一, 愛也'《五音集韻》.

11 ⑭ **[慬]** 근 [平]文 巨斤切 qín

[字解] ①근심할 근 슬퍼하며 걱정함. '一然後得免'《公羊傳》. ②용맹 근 용기. '無以立一於天下'《列子》.

[字源] 形聲. 忄(心)+堇〔音〕

[慬然 근연] 근심하는 모양. 슬퍼하는 모양.

11 ⑭ **[慳]** 간 [平]刪 苦閑切 qiān 悭

[字解] 아낄 간 인색함. '一吝'. '一貪'. '漸貴漸富心漸一'《元稹》.

[字源] 形聲. 忄(心)+堅〔音〕. '堅견'은 '굳다'의 뜻. 마음을 단단히 하다, 아끼다의 뜻을 나타냄.

[慳吝 간린] 인색함.
[慳嗇 간색] 인색함.
[慳人 간인] 인색한 사람.
[慳藏 간장] 아껴 감추어 둠.
[慳貪 간탐] 인색하고 욕심이 많음.
◉天慳. 偏慳. 寒慳.

11
⑭ **[慱]** 단 [平]寒 度官切 tuán

[字解] 근심할 단 근심하여 야윔. '勞心——兮'《詩經》.
[字源] 形聲. 忄(心)＋專〔音〕

[慱慱 단단] 근심하여 야윈 모양.

11
⑭ **[慯]** 상 [去]漾 式亮切 shāng

[字解] ①근심할 상 '—, 憂也'《說文》. ②아플 상 '—, 一日, 痛也'《集韻》.
[字源] 篆文 形聲. 忄(心)＋傷〈省〉〔音〕. '傷상'은 '아프다'의 뜻.

11
⑭ **[慴]** 습(접[本]) [入]葉 之涉切 shè(zhé)

[字解] ①두려워할 습 겁내어 떪. '怖—'. '一府中皆—伏'《史記》. ②두렵게할 습 두려움을 느끼게 함. '威—萬乘'《曹植》.
[字源] 篆文 形聲. 忄(心)＋習〔音〕. '習습'은 새가 날개를 포개어 겹치다의 뜻. 새가 웅크리는 모습에서, '무서워하다, 두려워하다'의 뜻을 나타냄.

[慴悸 습계] 두려워하여 떪.
[慴懼 습구] 두려워함.
[慴伏 습복] 두려워서 엎드림
[慴服 습복] 두려워서 복종함.
[慴惴 습췌] 습계(慴悸).
[慴憚 습탄] 두려워하여 꺼림. 또, 두려워 꺼리게 함.
◉懾慴. 威慴. 戰慴. 震慴. 怖慴.

11
⑭ **[慵]** 용 [平]冬 蜀庸切 yōng(yóng)

[字解] 게으를 용 나태함. 귀찮음. 일을 하기 싫어함. '—惰'. '觀棊向酒—'《杜甫》.
[字源] 篆文 形聲. 忄(心)＋庸〔音〕. '庸용'은 일정하여 치우치지 않다의 뜻. 마음에 움직임이 없이 게으르다의 뜻을 나타냄.

[慵起 용기] 아침에 일어나기가 싫음.
[慵懶 용라] 용타(慵惰).
[慵媒 용매] 게으른 원인. 일을 하기 싫어하는 원인.
[慵惰 용타] 게으름.
◉疎慵. 幽慵.

11
⑭ **[慷]** [人名] 강 [平]陽 丘岡切 kāng

[筆順] ' 忄 忙 忙 悚 慷 慷 慷

[字解] 강개할 강 비분(悲憤)하여 개탄함. '性剛毅—慨'《後漢書》.
[字源] 形聲. 忄(心)＋康〔音〕. '康강'은 '庚경'과 통하여, '솟아오르다'의 뜻. 마음이 상기되어 오르다, 한탄하다의 뜻을 나타냄.

[慷慨 강개] 의분에 북받치어 슬퍼하고 한탄함.
[慷慨赴死易 강개부사이] 한때의 분개로 인하여 죽기는 쉬움.
[慷慨之士 강개지사] 세상의 문란(紊亂)과 불의(不義)에 대하여 의분(義憤)을 느껴 개탄하는 선비.
◉慨慷.

11
⑭ **[惓]** 권 [去]霰 居倦切 juàn

[字解] 돌아볼 권 돌이켜 생각함. '—, 回顧也'《篇海》.
[字源] 形聲. 忄(心)＋眷〔音〕. '眷권'은 '돌아보다'의 뜻.

11
⑭ **[慺]** 루 ①②[平]尤 落侯切 lóu ③[上]麌 力主切

[字解] ①정성스러울 루 '——'는 간절한 모양. 성실한 모양. '不盡其——之心哉'《後漢書》. ②공근할 루 '——'는 공손하고 삼가는 모양. '臣之——, 竊願居安思危'《晉書》. ③성 루 성(姓)의 하나.
[字源] 形聲. 忄(心)＋婁〔音〕. '婁루'는 끊임이 없게 계속하다의 뜻. 정성을 계속하다, 힘쓰다의 뜻을 나타냄.

[慺慺 누루] 자해(字解) ❶❷를 보라.

11
⑭ **[憀]** 료 [平]蕭 落蕭切 liáo

[字解] ①힘입을 료 의뢰함. '吏氏不相—'《淮南子》. ②쓸쓸할 료 마음이 적적함. 의지할 곳이 없음. '雲晴山晩動情—'《陸龜蒙》. ③맑을 료 음성이 맑은 모양. '新聲—亮'《嵇康》.
[字源] 篆文 形聲. 忄(心)＋翏〔音〕. '翏료'는 새가 높이 날다의 뜻. 마음이 청징한 모양을 나타냄.

[憀亮 요량] 음성이 낭랑(朗朗)하고 맑음.
[憀慄 요율] 슬퍼하고 가슴 아파함.

11
⑭ **[懘]** 〔채〕 懘(心部 十一畫〈p.810〉)와 同字

11
⑭ **[慽]** [人名] 〔척〕 慼(心部 十一畫〈p.810〉)과 同字

11
⑭ **[憏]** 〔제〕 憏(心部 十二畫〈p.818〉)와 同字

11
⑭ **[慚]** [高人] 〔참〕 慙(心部 十一畫〈p.809〉)과 同字

[筆順] 忄 忄 恒 恒 慚 慚 慚 慚

12
⑯ **[憋]** 별 [入]屑 芳滅切 biē

[字解] ①모질 별 악(惡)함. '羌胡—腸狗態'《後漢書》. ②성급할 별 조급함. '嘽咺—憋'《列子》.
[字源] 形聲. 心＋敝〔音〕. '敝폐'는 '째지다'의 뜻. 찢어진 마음, 조급함의 뜻을 나타냄.

[憋懯 별부] 조급함. 성급함.
[憋腸 별장] 나쁜 마음. 악한 마음.

12
⑯ **[憊]** [人名] 비 [去]卦 蒲拜切 bèi

字解 ①고달플 비 피곤함. '困―'. '知老之―'《列子》. ②앓을 비 병으로 고생함. '貧也, 非―也'《莊子》.

字源 篆文 形聲. 心+備(葡)〔音〕. '葡비'는 화살 통의 상형으로, 몸에 찰싹 붙다의 뜻. '心심'을 붙여, 마음에 달라붙는 것, '피로'의 뜻을 나타냄.

[憊懣 비만] 지치고 애탐.
[憊色 비색] 피로(疲勞)한 얼굴빛.
[憊臥 비와] 고달파 드러누움.
[憊喘 비천] 고달파 헐떡거림.
◉倦憊. 困憊. 老憊. 頓憊. 衰憊. 憂憊. 罷憊. 疲憊. 昏憊.

12 ⑯ [憑] 人名 빙 ㊥蒸 扶冰切 píng 凭

筆順 冫 冫' 冫厂 冫严 冫馮 馮 憑 憑

字解 ①기댈 빙 물건에 의지함. '―軾'. '―玉几'《書經》. ②의지할 빙 의뢰함. 의탁함. '―恃'. '―依'. '上―神明之佑'《唐書》. ③의거할 빙 전거(典據)로 삼음. '―據'. '所引經旨, 足可依―'《舊唐書》. 또, 의거할 데. '丈尺規矩, 皆有准―'《隋書》. ④붙을 빙 귀신이 붙음. '此爲魅所―'《唐書》. ⑤건널 빙 걸어서 강 따위를 건넘. '―河'. '虎可搏, 河難―'《李白》. ⑥클 빙 대단함. '帝―怒'《列子》. ⑦증거 빙 증서 같은 것. '文―'. '公―'. ⑧성 빙 성(姓)의 하나.

字源 形聲. 心+馮〔音〕. '馮빙'은 '기대다'의 뜻. 마음이 의지하다의 뜻을 나타냄.

參考 凴(心部 十一畫)은 俗字.

[憑據 빙거] 사실(事實)의 증명(證明)이 될 만한 근거(根據).
[憑考 빙고] 의거하여 상고(詳考)함.
[憑公營私 빙공영사] 공사(公事)를 빙자하여 사리(私利)를 도모함.
[憑怒 빙노] 크게 노함.
[憑陵 빙릉] 세력을 믿고 침범함.
[憑憑 빙빙] 왕성(旺盛)한 모양.
[憑恃 빙시] 믿고 의지함. 의뢰함.
[憑軾 빙식] 수레 앞턱 가로나무〔軾〕에 기댐.
[憑信 빙신] 빙거(憑據)로 삼아 믿음.
[憑妖 빙요] 빙자(憑藉)하여 요괴한 설(說)을 주장함.
[憑依 빙의] ㉠의지함. ㉡귀신이 붙음.
[憑藉 빙자] ㉠남의 세력(勢力)에 의지함. ㉡핑계함.
[憑仗 빙장] 의뢰함. 의지함.
[憑眺 빙조] 높은 곳에서 멀리 바라봄.
[憑照 빙조] 빙거(憑據).
[憑河 빙하] 도보로 강을 건넘. 전(轉)하여, 무모한 용기(勇氣)를 이름.
[憑虛 빙허] 사실이 아님. 거짓임.
◉公憑. 歸憑. 文憑. 恃憑. 神憑. 信憑. 依憑. 準憑. 證憑. 追憑. 狐憑.

12 ⑯ [慭] 은 ㊧震 魚覲切 yìn

字解 ①억지로 은 마음은 내키지 않지마는 강잉(強仍)히. '不―遺一老'《詩經》. ②원할 은 바람. '―庇州犂焉'《國語》. ③부족할 은 모자람. '兩君之士皆未―也'《左傳》. ④어조사 은 발어사(發語辭). '―使我君聞勝與臧之死也以爲快'《左傳》.

字源 篆文 形聲. 心+猌〔音〕. '猌은'은 개가 이빨을 드러내고 성을 내는 모양. 마음이 내키지 않는데 억지로 …한다는 뜻을 나타냄. 또, '祈기'와 통하여, '바라건대'의 뜻을 나타내며, '听은'과 통하여, '기뻐하다'의 뜻을 나타냄.

參考 憖(次條)은 俗字.

12 ⑯ [憖] 慭(前條)의 俗字

12 ⑯ [憙] 人名 희 ①② ㊤紙 虛里切 xǐ ㊧寘 許記切 ③④ ㊥支 虛其切

筆順 吉 吉 直 喜 喜 喜 憙 憙

字解 ①기뻐할 희 희열함. '無不欣―'《史記》. ②좋아할 희 '遇之有禮, 則羣臣自―'《賈誼》. ③허 희 감탄하는 소리. '試潛聽之, 曰, ―'《後漢書》. ④성 희 성(姓)의 하나.

字源 篆文 形聲. 心+喜〔音〕. '喜희'는 '기뻐하다'의 뜻. 심리(心理)와 관계가 있는 말이어서 '心'을 붙였음.

參考 憘(心部 十二畫)는 同字.

◉說憙. 欣憙.

12 ⑯ [憝] 대 ㊧隊 徒對切 duì

字解 ①원망할 대 원한을 품음. '怨―'. '凡民罔弗―'《書經》. ②모진사람 대 악인(惡人). '大―'. '元―授首'《晉書》.

字源 篆文 形聲. 心+敦(𣪊)〔音〕. '𣪊대'는 '두껍다'의 뜻. 마음에 쌓인 두꺼운 노염, 원한의 뜻을 나타냄.

參考 懟(心部 十二畫)는 同字.

◉大憝. 元憝. 怨憝.

12 ⑯ [憨] 감 ㊥覃 呼談切 hān

字解 어리석을 감 우매함. '―態'. '狂―以致戮'《文心雕龍》.

字源 形聲. 心+敢〔音〕. '敢감'은 '蚶감'과 통하여, '새꼬막'의 뜻. 새꼬막·피조개처럼 흘게 늦게 혀를 내밀고 있는 사람, '어리석음'의 뜻을 나타냄.

[憨笑 감소] 주책없는 웃음. 우습지 않은데 자꾸 웃음. 웃지 못할 경우에 자꾸 웃음.
[憨寢 감침] 충분히 잘 잠. 숙수(熟睡).
[憨態 감태] 요염하고 어리석은 태도.
◉狂憨.

12 ⑯ [憲] 高人 헌 ㊧願 許建切 xiàn 宪

筆順 宀 宀 宔 宔 宔 害 害 憲

字解 ①법 헌 법도. '一法'. '國―'. '愼乃―'《書經》. ②모범 헌 본보기. '模―'. '百辟爲―'《詩經》. ③상관 헌 윗자리의 관리. '―臺'. '臺

一固在分別邪正'《金史》. ④본뜰 헌 본받음. '一章'. '五帝一'《禮記》. ⑤민첩할 헌 '發慮一'《禮記》. ⑥고시할 헌 법(法)을 기록하여 보임. '一禁于王宮'《周禮》. ⑦성할 헌 흥성함. '一一令德'《中庸》. ⑧성 헌 성(姓)의 하나.

字源 金文  篆文  形聲. 金文은 目＋害〈省〉〔音〕. '害해'는 날붙이로, '해치다'의 뜻. 눈을 깎아 내는 형(刑)의 뜻에서, '법'의 뜻을 나타냄. 뒤에 '心'이 덧붙어 '憲'이 되었음.

[憲綱 헌강] ㉠큰 법(法). 법의 대본(大本). ㉡법률의 조문(條文). ㉢관직(官職)의 질서.
[憲矩 헌구] 행위의 모범(模範). 행위의 준칙.
[憲禁 헌금] 법(法). 법도(法度).
[憲臺 헌대] ㉠한대(漢代)의 어사대(御史臺)의 이칭(異稱). ㉡속리(屬吏)가 상관(上官)을 일컫는 말.
[憲度 헌도] 법. 규칙.
[憲量 헌량] 후한(後漢)의 황헌(黃憲)이란 사람이 도량(度量)이 넓었으므로, 크고 넓은 도량의 뜻으로 쓰임.
[憲令 헌령] 나라의 법. 국법. 법령.
[憲命 헌명] 군주의 명령. 나라의 법.
[憲方 헌방] 법. 규칙.
[憲範 헌범] 법. 모범(模範).
[憲法 헌법] ㉠국법(國法). ㉡국가의 통치권의 주체(主體)·객체(客體) 및 그 기관(機關)의 작용(作用)·권한(權限) 등을 규정한 입헌 정치(立憲政治) 국가의 근본법.
[憲兵 헌병] 각 군의 참모 총장의 지휘 감독하에 군사 경찰(軍事警察)을 맡아보는 병과.
[憲司 헌사] ㉠형옥(刑獄)을 맡아보는 관청. ㉡송(宋)나라 진종(眞宗) 때 처음으로 둔 벼슬. 제로(諸路)에 제점형옥공사(提點刑獄公事)를 두고, 옥송(獄訟) 및 관리(官吏)의 치적(治績)을 안찰(按察)하는 외에, 농상(農桑)을 권하며 관리의 불법을 감찰(監察)하는 일을 맡았음.
[憲臣 헌신] 법률을 취급하는 신하. 어사(御史) 등을 이름.
[憲律 헌율] 법. 규칙.
[憲章 헌장] ㉠법(法). 법도(法度). ㉡본받아 밝힘. 일설(一說)에는, 법을 준수(遵守)함.
[憲典 헌전] 나라의 법. 국법(國法).
[憲政 헌정] 헌법에 의하여 행하는 정치. 입헌 정치(立憲政治).
[憲制 헌제] 나라의 제도. 나라의 법. 국법(國法).
[憲則 헌칙] 법. 법칙(法則).
[憲憲 헌헌] ㉠기뻐하는 모양. ㉡흥성(興盛)한 모양. 일설(一說)에는, 환한 모양.
◉家憲. 簡憲. 綱憲. 改憲. 古憲. 公憲. 官憲. 國憲. 軍憲. 軌憲. 大憲. 明憲. 模憲. 文憲. 邦憲. 法憲. 常憲. 成憲. 雅憲. 禮憲. 違憲. 遺憲. 彝憲. 立憲. 章憲. 典憲. 前憲. 制憲. 朝憲. 天憲. 體憲. 秋憲. 樞憲. 勅憲. 風憲. 合憲. 恒憲. 刑憲. 護憲.

12 ⑯ [憩] 人名 게 ㊄霽 去例切 qì

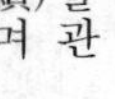

筆順 二 千 舌 舌 舌 甜 憩 憩

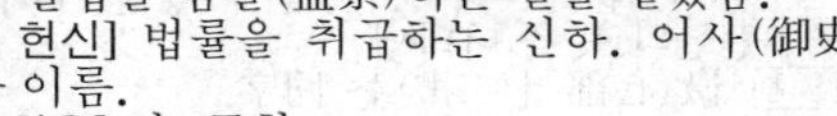

字解 쉴 게 휴식함. '休一'. '召伯所一'《詩經》.

字源 會意. 活〈省〉＋息. '活활'은 '생기 넘치다'의 뜻. '息식'은 '쉬다'의 뜻. 활력 회복을 위해 쉬다의 뜻을 나타냄.

參考 憇(心部 十一畫)는 俗字.

[憩泊 게박] 쉬며 머무름.
[憩息 게식] 쉼. 휴식(休息).
[憩止 게지] 쉼. 휴식(休息).
[憩歇 게헐] 쉼. 휴식(休息).
[憩休 게휴] 쉼. 휴게(休憩).
◉栖憩. 小憩. 偃憩. 寓憩. 留憩. 流憩. 遊憩. 休憩.

12 ⑯ [憇] 憩(前條)와 同字

12 ⑮ [憍] 교 ㊥蕭 擧喬切 jiāo

字解 교만할 교 驕(馬部 十二畫)와 同字. '戒之一, 一則逃'《周武王》.

字源 形聲. 忄(心)＋喬〔音〕. '喬교'는 '높다'의 뜻. 마음속으로 자기의 재능 따위가 높다고 생각하다, 자만하다의 뜻을 나타냄.

12 ⑮ [憎] 高人 증 ㊥蒸 作滕切 zēng

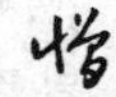

筆順 忄 忄 忄 忄 忄 忄 憎 憎

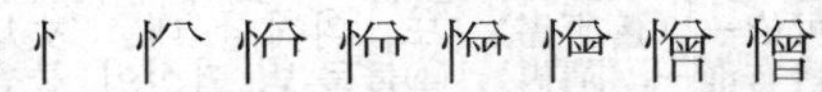

字解 ①미워할 증 증오함. '一惡'. '伊誰云一'《詩經》. ②미움받을 증 증오를 당함. '屢一於人'《論語》. ③미움 증 증오. '愛一'. '必生好一之心'《漢書》.

字源 篆文 形聲. 忄(心)＋曾〔音〕. '曾증'은 겹쳐 쌓이다의 뜻. 쌓이는 마음, '미워하다'의 뜻을 나타냄.

[憎忌 증기] 미워하고 꺼림.
[憎毒 증독] 미워하여 해침.
[憎愛 증애] 미움과 사랑.
[憎惡 증오] 미워함.
[憎怨 증원] 미워하고 원망(怨望)함.
[憎疾 증질] 미워함.
[憎嫉 증질] 미워하고 질투함.
[憎唾 증타] 미워하여 침을 뱉음.
[憎嫌 증혐] 미워하고 싫어함.
◉面目可憎. 背憎. 私憎. 疎憎. 諄憎. 愛憎. 怨憎. 積憎. 暴憎. 風妒雨憎. 嫌憎. 好憎.

12 ⑮ [憢] 효 ㊥蕭 許幺切 xiāo

字解 두려워할 효 '一一, 懼也'《爾雅》.

12 ⑮ [憐] 高人 련 ㊥先 落賢切 lián 怜

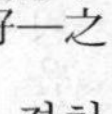

筆順 忄 忄 忄 忄 忄 憐 憐 憐

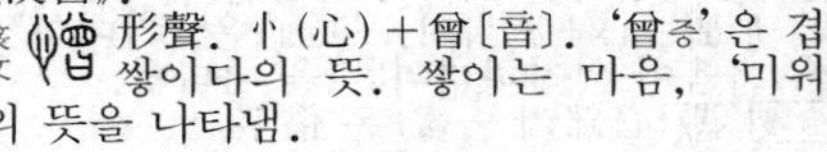

字解 ①어여삐여길 련 귀애함. '大夫亦愛一少子乎'《史記》. ②불쌍히여길 련 가련하게 생각함. '一愍'. '同病相一'《吳越春秋》.

字源 篆文 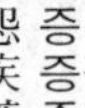 形聲. 忄(心)＋粦(粦)〔音〕. '粦린'은 '隣린'과 통하여, '이웃'의 뜻. 이웃 사람끼리 품는 마음, '동정심'의 뜻을 나타냄.

[憐悼 연도] 죽은 사람을 불쌍히 여김. 가련하게 여겨 슬퍼함.
[憐閔 연민] 연민(憐憫).

[憐愍 연민] 연민(憐憫).
[憐憫 연민] 불쌍하게 여김. 가련하게 여김.
[憐愛 연애] 불쌍히 여겨 사랑함.
[憐情 연정] 가련하게 여기는 마음.
[憐察 연찰] 불쌍히 여겨 살핌.
[憐恤 연휼] 불쌍히 여겨 구휼함.
◉可憐. 矜憐. 同病相憐. 哀憐. 愛憐. 搖尾乞憐. 優憐. 慈憐. 刑影相憐.

12 ⑮ [憕] 징(증㊍) ㊥蒸 直陵切 chéng

字解 ①평온할 징, 마음평온할 징 '―, 心平也'《玉篇》. ②마음고요할 징 마음이 차분히 가라앉아 조용한 모양. '―, 心靜貌'《玉篇》.
字源 篆文 形聲. 忄(心)+登〔音〕. '登등'은 '止지'와 통하여, '멎다'의 뜻. 마음의 움직임이 멎다, 마음이 고요하다의 뜻을 나타냄.

12 ⑮ [憒] 궤 ㊋隊 古對切 kuì 愦

字解 ①심란할 궤 마음이 산란함. '―亂'. '意慘―而無聊兮'《晉書》. ②어두울 궤. '―眊, 不明也'《漢書 注》.
字源 篆文 形聲. 忄(心)+貴〔音〕. '貴귀'는 '毁훼'와 통하여, '무너지다'의 뜻. 마음이 무너지다, 어지러워지다의 뜻을 나타냄.

[憒憒 궤궤] ㉠마음이 산란한 모양. ㉡어지러운 모양. 혼란한 모양. ㉢분명하지 아니한 모양. 애매한 모양.
[憒亂 궤란] 마음이 산란(散亂)함. 마음이 흐림.
[憒眊 궤모] 마음이 혼모(昏眊)함.
◉亂憒. 聵憒. 懜憒. 煩憒. 愁憒. 憂憒. 慘憒. 耽憒.

12 ⑮ [憓] 人名 혜 ㊋霽 胡桂切 huì

筆順 忄 忄 忄 忄 忄 忄 憓 憓

字解 순할 혜 유순함. 순종(順從)함. 惠(心部八畫)와 同字. '義征不―'《史記》.
字源 形聲. 忄(心)+惠〔音〕. '惠혜'는 마음을 기울여 은혜를 베풀다의 뜻.

12 ⑮ [憔] 人名 초 ㊥蕭 昨焦切 qiáo

字解 ①파리할 초 병이나 고생에 시달려 야윔. '顏色―悴'《楚辭》. ②시달릴 초 괴로움을 당함. '民之―悴於虐政'《孟子》. ③탈 초 '―慮'는 괴로워 마음이 탐. '毁身―慮, 出於百死'《後漢書》.
字源 形聲. 忄(心)+焦〔音〕. '焦초'는 '눋다'의 뜻. 속이 타서 여위다의 뜻을 나타냄.

[憔慮 초려] 괴로워 마음이 탐.
[憔悴 초췌] ㉠고생이나 병으로 파리함. ㉡시달림.

12 ⑮ [憛] 一 담 ㊥覃 徒南切 tán 二 탐 ㊋勘 他紺切 tán

字解 一 염려할 담 걱정함. '―, 憂意'《集韻》. 二 ①생각할 탐 '―, 博雅, 思也'《集韻》. ②근심스러울 탐 걱정스러움. '―, 一曰, ―悇, 憂惑也'《集韻》. ③황급할 탐 황급히 하려 함. '―, 一曰, 惶遽也'《集韻》. ④화복정해지지않을 탐 화복(禍福)이 미정(未定)임. '―, 一曰, 禍福未定意'《集韻》.

12 ⑮ [憚] 人名 탄 ㊋翰 徒案切 dàn 惮

字解 ①꺼릴 탄 ㉠두려워함. '畏―'. '王公貴人, 望風―之'《晉書》. ㉡싫어함. 미워함. '心則不競, 何―於病'《左傳》. ㉢주저함. '過則勿―改'《論語》. ㉣삼감. '小人而無忌―也'《中庸》. ②고달플 탄, 수고할 탄 피로함. 또는 고생함. '哀我―人'《詩經》.
字源 篆文 形聲. 忄(心)+單〔音〕. '單단'은 활의 상형. 곤란에 반발하여 꺼리어 싫어하다의 뜻을 나타냄.

[憚服 탄복] 두려워하여 복종(服從)함.
[憚畏 탄외] 두렵게 생각함. 두려워함.
[憚避 탄피] 꺼려 피함.
[憚赫 탄혁] 떨쳐 움직임. 진동(震動)시킴.
◉敬憚. 驚憚. 忌憚. 忿憚. 懾憚. 讋憚. 慴憚. 猜憚. 嚴憚. 畏憚. 憂憚. 疑憚. 祗憚. 寵憚. 嫌憚. 回憚.

12 ⑮ [憤] 高人 분 ㊤吻 房吻切 fèn 愤

筆順 忄 忄 忙 忙 忭 愭 憤 憤

字解 ①결낼 분 ㉠분노함. '―慨'. '―世疾邪'《劉基》. ㉡발분함. '不―不啓'《論語》. ②결 분 전항의 명사. '發―忘食'《論語》.
字源 形聲. 忄(心)+賁〔音〕. '賁분'은 왕성하게 달리다의 뜻. 무엇인가가 마음속을 뛰돌아다니다, 화를 내다의 뜻을 나타냄.

[憤愾 분개] 분개(憤慨).
[憤慨 분개] 격분하여 개탄함. 몹시 분하게 여김.
[憤激 분격] 매우 분하여 격동(激動)함.
[憤愧 분괴] 분하고 부끄러움.
[憤氣 분기] 분한 마음.
[憤怒 분노] 분하여 성냄.
[憤勵 분려] 분발하여 힘씀. 분려(奮勵).
[憤懣 분만] 분하여 가슴이 답답함.
[憤發 분발] 가라앉았던 마음과 힘을 돋우어 일으킴.
[憤憤 분분] ㉠마음에 맺혀서 풀리지 아니하는 모양. ㉡분개하는 모양.
[憤然 분연] 분개하는 모양.
[憤恚 분에] 분개하여 성냄.
[憤慍 분온] 성냄. 분개함. 또, 분. 분개.
[憤惋 분완] 분원(憤怨).
[憤鬱 분울] 분한 마음이 속에 가득하여 가슴이 답답함.
[憤怨 분원] 분개하여 원망함.
[憤歎 분탄] 분개하여 한탄(恨歎)함.
[憤痛 분통] 몹시 분하여 마음이 쓰리고 아픔.
[憤敗 분패] 이길 수 있는 것을 분하게 짐.
◉感憤. 慨憤. 激憤. 遣憤. 狷憤. 孤憤. 公憤. 愧憤. 狡憤. 舊憤. 發憤. 忿憤. 悱憤. 悲憤. 私憤. 雪憤. 宿憤. 恚憤. 餘憤. 慍憤. 蘊憤. 勇憤. 憂憤. 鬱憤. 怨憤. 冤憤. 幽憤. 遺憤. 悒憤. 義憤. 沮憤. 積憤. 躁憤. 振憤. 嗟憤. 慙憤. 忠憤. 恥憤. 痛憤. 恨憤. 含憤. 抗憤.

12 ⑮ [慮] 허 ㊥魚 丘於切 qū

字解 주눅들 허 기가 죽음. '一, 志怯也'《集韻》.

12 ⑮ [憧] 人名 동 ㊥冬 尺容切 chōng

字解 ①뜻정치못할 동 뜻이 정하여지지 아니한 모양. '一一往來'《易經》. ②그리워할 동 동경함. '一憬'. ③어리석을 동 우매함. '愚一而不逮事'《史記》.

字源 篆文 形聲. 忄(心)+童〔音〕. '童동'은 '動동'과 통하여, '움직이다'의 뜻. 마음이 움직여 정해지지 않다의 뜻을 나타냄.

[憧憬 동경] 그리워 애틋하게 생각함.
[憧憧 동동] 마음이 정하여지지 아니한 모양.
◉愚憧.

12 ⑮ [憪] 한 ①㊥刪 戶閒切 xián ②③㊤潸 下赧切 xiàn

字解 ①안존할 한 마음이 안온함. '安排祇自一'《柳宗元》. ②불안할 한 마음이 편안치 않은 모양. '一然念外人之有非'《史記》. ③성낼 한 화내는 모양. '一然以爲天下無人'《唐書》.

字源 篆文 形聲. 忄(心)+閒〔音〕. '閒한'은 '고요'의 뜻. 마음이 안정되어 고요함을 뜻함.

[憪然 한연] ㉠마음이 편하지 않은 모양. ㉡화내는 모양.

12 ⑮ [憪] 憪(前條)의 俗字

12 ⑮ [憫] 高人 민 ㊤軫 眉隕切 mǐn

筆順 忄 忄冂 忄門 憫 憫 憫 憫 憫

字解 ①불쌍히여길 민 가련하게 여김. '憐一'. '仁人一物'《傳習錄》. ②근심할 민 우려함. '憂一'. '阨窮而不一'《孟子》.

字源 形聲. 忄(心)+閔〔音〕. '閔민'은 '불쌍히 여기다'의 뜻. '心심'을 붙여, '가엾게 여기다, 근심하다'의 뜻을 나타냄.

[憫悼 민도] 가엾게 여겨 슬퍼함.
[憫惘 민망] 딱하여 걱정스러움.
[憫笑 민소] 불쌍한 놈이라고 비웃음.
[憫然 민연] 가엾은 모양.
[憫察 민찰] 가련하게 여겨 살핌.
[憫恤 민휼] 불쌍하게 여겨 구휼(救恤)함.
◉矜憫. 不憫. 哀憫. 愛憫. 憐憫. 憂憫. 隱憫. 慘憫. 悽憫. 惻憫.

12 ⑮ [憏] 제 ㊦霽 丑例切 chì

字解 정해지지않을 제 '憏一'는 결정되어 있지 않음. '憏一, 未定也'《集韻》.

12 ⑮ [憬] 人名 경 ㊤梗 俱永切 jǐng

筆順 忄 忄冂 忄日 憬 憬 憬 憬 憬

字解 ①멀 경 요원함. '一彼淮夷'《詩經》. ②깨달을 경 각성함. '一悟'. ③그리워할 경 동경함. '憧一'.

字源 篆文 形聲. 忄(心)+景〔音〕. '景경'은 '햇빛이 밝다'의 뜻. 마음속이 밝아지다, 깨닫다의 뜻을 나타냄.

[憬悟 경오] 깨달음. 각성함.
◉憧憬. 荒憬.

12 ⑮ [憭] 료 ①㊤篠 力小切 liǎo ②③㊥蕭 落蕭切 liáo

字解 ①총명할 료 마음이 밝음. ②쾌할 료 상쾌함. ③떨 료 추위에 떠는 모양. '一慄起寒襟'《朱熹》. ④구슬플 료 처창(悽愴)함. '一慄兮若在遠行'《楚辭》.

字源 篆文 形聲. 忄(心)+尞〔音〕. '尞료'는 모닥불이 밝다의 뜻. '心심'을 붙여, '총명하다, 밝다'의 뜻을 나타냄. 또 '嫽료'와 통하여, '마음 아프다'의 뜻도 나타냄.

[憭慄 요율] ㉠구슬픔. 처창(悽愴)함. ㉡추위에 떠는 모양.

12 ⑮ [憮] 一 무 ㊤麌 文甫切 wǔ 二 후 ㊤麌 火羽切 三 호 ㊥虞 荒胡切

字解 一 ①어루만질 무 애무함. '遲想歡一'《陸雲》. ②멍할 무 실의(失意)한 모양. '夷子一然'《孟子》. ③놀랄 무 경악한 모양. '夫子一然'《論語》. 二 아리따울 후 예쁨. '京兆媚一'《漢書》. 三 ①클 호 거대함. '昊天泰一'《詩經》. ②오만할 호 거만함. '毋一毋傲'《禮記》.

字源 篆文 形聲. 忄(心)+無〔音〕. '無무'는 없다의 뜻. 마음이 없어지다, 실의(失意)하다의 뜻을 나타냄. 또 '侮모'와 통하여, 업신여기다의 의미도 나타냄. 또 '無'는 덮어 가리다의 뜻. 감싸서 사랑하다의 뜻도 나타냄.

[憮然 무연] ㉠멍한 모양. 실의(失意)한 모양. ㉡놀란 모양.
◉媚憮. 泰憮. 歡憮.

12 ⑮ [憯] 참 ㊤感 七感切 cǎn

字解 ①비통할 참 몹시 슬퍼함. 慘(心部 十一畫)과 同字. '一痛'. '胡一莫懲'《詩經》. ②일찍 참 이왕에. '一莫懲嗟'《詩經》.

字源 篆文 形聲. 忄(心)+朁〔音〕. '朁잠'은 깊이 잠기다의 뜻. 마음속 깊은 곳에서 애통해하는 뜻을 나타냄.

[憯怛 참달] 몹시 슬퍼함. 비통(悲痛)함.
[憯憯 참참] 매우 근심하는 모양.
[憯悵 참창] 참측(憯惻).
[憯惻 참측] 몹시 슬퍼함.
[憯痛 참통] 참달(憯怛).
[憯酷 참혹] 너무 비참하여 끔찍함.
◉刻憯. 煩憯. 嚴憯.

12 ⑮ [憯] 憯(前條)의 俗字

12 ⑮ [懀] 려 ㊄霽 郎計切 lí

字解 ①희롱할 려, 이죽거릴 려 수다 떪. 우롱함. ②업신여길 려 남을 깔봄. '一怹, 欺謾語也'《揚子方言》.

12 ⑮ [懂] 획 ㊅陌 呼麥切 huò

字解 완고할 획 완명(頑冥)함. '乃陳文墨, 一一無言者須言'《顔氏家訓》.

[懂懂 획획] 완고한 모양.

12 ⑮ [憣] 반 ㊉刪 符山切 fān

字解 변할 반 변동함. '一校四時, 冬起雷, 夏造氷'《列子》.

[憣校 반교] 변함. 또, 변경함.

12 ⑮ [惝] 창 ㊤養 昌兩切 chǎng

字解 ①놀랄 창 '一怳'은 깜짝 놀라는 모양. ②슬퍼할 창 '一惘'은 일이 뜻대로 되지 아니하여서 낙심(落心)하여 슬퍼하는 모양. '魂一惘而無儔'《張衡》.

字源 形聲. 忄(心)＋敞〔音〕

[惝惘 창망] 자해(字解)❷를 보라.
[惝怳 창황] 자해(字解)❶을 보라.

12 ⑮ [憰] 휼(결本) ㊅屑 古穴切 jué

字解 속일 휼 거짓말함. '一, 權詐也'《說文》.

字源 篆文 形聲. 忄(心)＋矞〔音〕. '矞결·휼'은 송곳으로 구멍을 뚫다의 뜻. 꾀를 써서 사람을 함정에 빠뜨리고 속이는 것.

12 ⑮ [憱] 추 ㊄宥 初又切 cù

字解 슬퍼할 추 '一, 慼也'《字彙》.

12 ⑮ [憞] 〔대〕
憝(心部 十二畫〈p. 815〉)와 同字

12 ⑮ [憘] 人名 〔희〕
憙(心部 十二畫〈p. 815〉)와 同字

12 ⑮ [憜] 〔타〕
惰(心部 九畫〈p. 799〉)와 同字

12 ⑮ [憯] 〔참〕
憯(心部 十二畫〈p. 818〉)의 俗字

12 ⑯ [憌] 〔구〕
懼(心部 十八畫〈p. 828〉)의 古字

12 ⑮ [憏] 〔참〕
慘(心部 十一畫〈p. 811〉)과 同字

12 ⑮ [憪] 〔한〕
憪(心部 十二畫〈p. 818〉)과 同字

13 ⑰ [懃] 人名 근 ㊉文 巨斤切 qín

字解 ①은근할 근 정성스러움. 곡진(曲盡)함. '一懇'. '雖不負米, 實勞且一'《蘇軾》. ②성 근 성(姓)의 하나.

字源 形聲. 心＋勤〔音〕. '勤근'은 '힘쓰다'의 뜻.

[懃恪 근각] 은근하고 삼감.
[懃懇 근간] 정성스러움. 친절함.
[懃懃 근근] 은근한 모양. 성의를 다하는 모양.
◉奴見婢慇懃. 慇懃.

13 ⑰ [懇] 高人 간 ㊤阮 康很切 kěn

筆順 ⺈ 豸 豸 豸 豸 貇 貇 懇

字解 ①정성 간 성심. '一誠'. '忠一內發'《吳志》. ②간절할 간 성의가 두터움. '意氣懃懃一一'《司馬遷》. ③간절히 간 성의를 다하여. '一請愈堅'《宋史》.

字源 篆文 形聲. 篆文은 心＋貇〔音〕. '貇간'은 '멈춰 서다'의 뜻. '貇간'은 '艮'의 동일어 이체자(同一語異體字). 일정한 범위 안에 마음을 멈춰 세워 두다, 간절하게 하다의 뜻을 나타냄.

[懇懇 간간] 매우 간절한 모양. 지성스러운 모양.
[懇悃 간곤] 간성(懇誠).
[懇款 간관] 간성(懇誠).
[懇談 간담] 정(情)답게 이야기함.
[懇待 간대] 간절한 대접. 남의 대우(待遇)의 경칭(敬稱).
[懇到 간도] 지극히 정성스러움.
[懇篤 간독] 간절하고 정이 두터움.
[懇望 간망] 간절히 바람.
[懇命 간명] 친절한 명령. 남의 명령의 경칭(敬稱).
[懇謝 간사] 간절히 사례(謝禮)함.
[懇誠 간성] 지성(至誠).
[懇遇 간우] 간대(懇待).
[懇願 간원] 간절히 원(願)함.
[懇意 간의] ㉠성의(誠意). ㉡친절.
[懇切 간절] 지성스럽고 절실함.
[懇情 간정] 간절한 마음.
[懇至 간지] 간절한 뜻. 간도(懇到).
[懇請 간청] 간절히 청(請)함.
[懇囑 간촉] 간절히 청촉함.
[懇惻 간측] 진정으로 측은히 여김.
[懇親 간친] 격의(隔意) 없이 친함. 친목(親睦)함.
[懇話 간화] 간담(懇談).
◉悃懇. 勤懇. 別懇. 誠懇. 昵懇. 精懇. 忠懇.

13 ⑰ [懇] 懇(前條)의 本字

13 ⑰ [憼] 경 ㊤梗 居影切 jǐng

字解 ①공경할 경 '一, 敬也'《說文》. ②경계할 경 병마(兵馬) 따위를 갖추고 경비함. '無私罪人, 一革貳兵'《荀子》.

字源 篆文 形聲. 心＋敬〔音〕. '敬경'은 '삼가다'의 뜻.

13 ⑰ [應] 中·人 응 ㊀蒸 於陵切 yīng ㊁徑 於證切 yìng 应

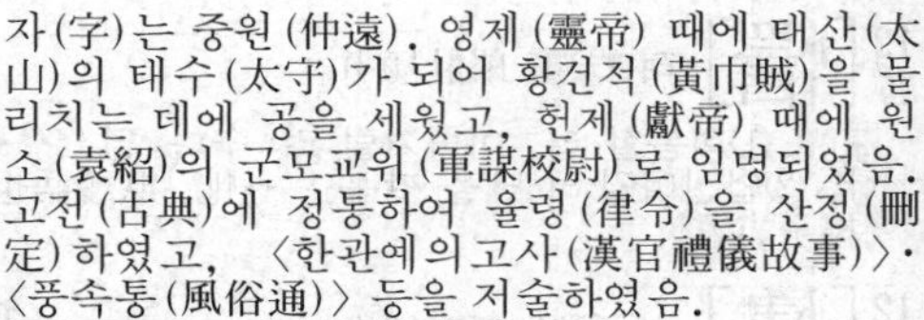

筆順 广 … 應

字解 ①응당 응 생각하건대 마땅히. '一須'·'一合'도 같은 뜻임. '罪一誅'《孔子家語》. ②당할 응 닥쳐오는 일을 감당함. '臨機一變'. '使章子將而一之'《戰國策》. ③응할 응 ㉠대답함. '一答'. '坐而言, 不一'《孟子》. ㉡감통(感通)함. '感一'. '同聲相一'《易經》. ㉢따름. 응종(應從)함. '嚮一'. '一化歸風'《李德林》. ㉣승낙함. '阿母謂阿女, 汝可去一之'《古詩》. ④악기 이름 응 ㉠옛 악기의 하나. ㉡작은북. 응고(應鼓). ⑤성 응 성(姓)의 하나.

[應④㉠]

字源 金文 篆文 形聲. 心+雁(䧹)〔音〕. '䧹응'은 매〔鷹〕의 뜻. 사냥용 매를 가슴팍에 당겨 놓은 모습에서, 가슴으로 당하다, 응하다의 뜻을 나타냄.

[應感 응감] 마음에 응(應)하여 느낌.
[應璩 응거] 삼국 시대(三國時代) 위(魏)나라의 문인(文人). 건안 칠자(建安七子)의 한 사람인 응탕(應瑒)의 아우. 벼슬은 시중(侍中)에 이르렀음.
[應鼓 응고] 옛 악기의 하나. 작은북. 건고(建鼓)의 동쪽에 놓아 삭비(朔鼙)를 친 다음 그에 응(應)하여 치는 것임.
[應供 응공] 《佛敎》 인천(人天)의 공양(供養)을 받을 만한 덕을 갖추었다는 뜻으로, 부처를 이름.

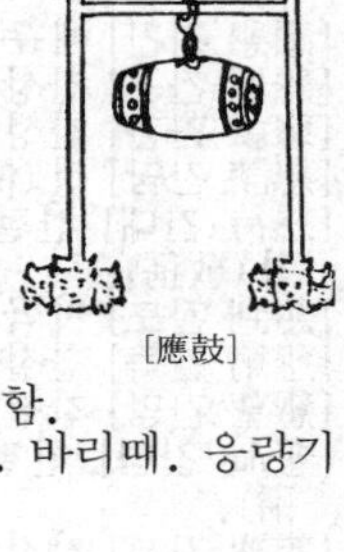

[應鼓]

[應口輒對 응구첩대] 묻는 대로 곧 대답(對答)함.
[應急 응급] 급한 대로 우선 처리함.
[應器 응기] 《佛敎》 중의 밥그릇. 바리때. 응량기(應量器).
[應諾 응낙] ㉠대답함. ㉡승낙함.
[應答 응답] 물음에 대답(對答)함.
[應當 응당] 당연히. 꼭. 으레.
[應對 응대] 응접(應接)❶❷.
[應量器 응량기] 《佛敎》 중의 바리때. 보시(布施)를 받는 그릇.
[應募 응모] 모집(募集)에 응함.
[應門 응문] ㉠왕궁(王宮)의 정문(正門). ㉡문 앞에서 손님을 응대함.
[應門之童 응문지동] 문 앞에서 손님을 응대(應對)하는 아이.
[應變 응변] 변화에 따라서 잘 처리함.
[應報 응보] 선악(善惡)의 인연(因緣)에 응(應)하여 화복(禍福)의 갚음을 받는 일.
[應符之兆 응부지조] 천자(天子)가 될 조짐(兆朕).

[應門㉠]

[應分 응분] 신분에 맞음.
[應鼙 응비] 응고(應鼓).
[應聲 응성] 소리에 응함.
[應劭 응소] 후한(後漢) 때의 여남(汝男) 사람. 자(字)는 중원(仲遠). 영제(靈帝) 때에 태산(太山)의 태수(太守)가 되어 황건적(黃巾賊)을 물리치는 데에 공을 세웠고, 헌제(獻帝) 때에 원소(袁紹)의 군모교위(軍謀校尉)로 임명되었음. 고전(古典)에 정통하여 율령(律令)을 산정(刪定)하였고, 〈한관예의고사(漢官禮儀故事)〉·〈풍속통(風俗通)〉 등을 저술하였음.
[應訴 응소] 소송(訴訟)에 응함.
[應訟 응송] 응소(應訴).
[應酬 응수] ㉠대답을 함. 또, 대답. ㉡답장을 함. 또, 답장.
[應數 응수] 바둑이나 장기(將棊) 등에서 상대편이 두는 수(數)에 대항하여 둠. 또, 그 수(數).
[應手倒 응수도] 손에 든 무기를 휘두를 때마다 적이 상처 입고 넘어짐.
[應時 응시] ㉠때에 응하여 행함. ㉡즉시(卽時).
[應試 응시] 시험(試驗)에 응(應)함.
[應身 응신] 《佛敎》 여래 삼신(如來三神)의 하나. 부처가 중생(衆生)을 제도(濟度)하기 위하여 때에 따라 여러 가지 형체로 나타나는 색신(色身).
[應我 응아] 남이 자기(自己)를 따름.
[應役 응역] 공역(公役)에 응(應)함.
[應然 응연] 당연히. 마땅히.
[應用 응용] ㉠경우에 따라 활용함. ㉡실제로 활용함.
[應援 응원] ㉠편들어 격려하거나 돕는 일. ㉡운동 경기 등에서 박수나 노래 등으로 자기편 선수의 힘을 북돋우는 일.
[應唯 응유] 대답. 응답(應答).
[應戰 응전] 싸움에 응(應)함.
[應接 응접] ㉠맞이하여 접대함. ㉡대답함. ㉢호응(呼應)함. ㉣취급함.
[應接不暇 응접불가] ㉠일일이 대답할 틈이 없음. 비상히 바쁨. ㉡산수(山水)의 경치(景致)가 뛰어나서 변화가 많은 형용(形容).
[應制 응제] 시(詩)에 화운(和韻)하거나, 또는 칙명(勅命)에 의하여 시문(詩文)을 짓는 일. 그 시체(詩體)를 응체제(應體制)라 함.
[應詔 응조] 조칙(詔勅)에 응함.
[應鍾 응종] 십이율(十二律)의 하나. 음력(陰曆) 10월에 배당(配當)되므로, 10월의 이칭(異稱)으로 쓰임.
[應瑒 응탕] 삼국 시대(三國時代)의 문학자(文學者). 왕찬(王粲)·진림(陳琳) 등과 함께 건안 칠자(建安七子) 또는, 업하(鄴下)의 칠자의 한 사람.
[應砲 응포] 저편에 응하여 대포(大砲)를 쏨.
[應驗 응험] 드러난 조짐이 맞음.
[應現 응현] 《佛敎》 응화(應化).
[應弦而倒 응현이도] 쏜 화살이 보기 좋게 명중(命中)하여 활시위의 소리에 응(應)하듯이 적(敵)이 넘어짐.
[應護 응호] 《佛敎》 부처·보살이 중생의 소원에 응하여 내리는 가호(加護).
[應化 응화] ㉠덕화(德化)를 따름. ㉡《佛敎》 부처가 세상을 구하기 위해서 여러 가지 형체로 변신(變身)하여 나타남.
[應和 응화] 서로 대답(對答)함.
◉感應. 敬應. 供應. 光應. 內應. 來應. 答應. 對應. 冥應. 鳴應. 反應. 報應. 福應. 符應. 相應. 祥應. 瑞應. 善應. 昭應. 酬應. 順應. 靈應. 圓應. 因應. 一應. 再應. 適應. 照應.

卽應. 諸應. 嚮應. 響應. 饗應. 呼應. 效應. 休應.

13 ⑰ [懋] 人名 무 ㊀有 莫候切 mào(mòu)

筆順 木 朩 朩 朩 朩 楙 楙 懋

字解 ①힘쓸 무 노력함. '一力'. '惟時一哉'《書經》. ②성대할 무, 성대히할 무 성(盛)하고 큼. 아주 성함. 또, 성하고 크게 함. '一典'. '一績'. '予一乃德'《書經》.

字源 金文 篆文 形聲. 心+楙〔音〕. '楙무'는 '務무'와 통하여, '힘쓰다'의 뜻. 마음을 다해서 힘쓰다의 뜻을 나타냄.

[懋戒 무계] 힘써 경계(警戒)함.
[懋力 무력] 힘씀.
[懋懋 무무] 힘쓰는 모양.
[懋績 무적] 뛰어난 공적.
[懋典 무전] 성대(盛大)한 의식(儀式). 성전(盛典).
[懋遷 무천] 물화(物貨)의 교역(交易)을 힘써 행함.
◉勸懋. 美懋. 昭懋. 力懋. 弘懋.

13 ⑰ [憖]
一 계 ㊀霽 苦計切 qì
二 기 ㊀寘 磬致切
三 개 ㊀卦 口賣切 kuài
四 격 ㊁陌 苦席切
五 척 ㊁錫 他歷切

字解 一 ①고단할 계 피로함. '一, 憊也'《玉篇》. ②심할 계 '一, 劇也'《廣韻》. ③두려워할 계 '一, 怖也'《集韻》. ④근심할 계 '一, 憂也'《集韻》. 二 고단할 기 一❶과 뜻이 같음. 三 괴로워할 개 嫛(女部 十三畫)와 同字. '嫛, 說文, 難也. 或从心'《集韻》. 四 두려워할 격 一❸과 뜻이 같음. 五 삼갈 척 '一, 敕也'《廣韻》.

字源 形聲. 心+毄〔音〕

13 ⑯ [憶] 中人 억 ㊁職 於力切 yì 忆

筆順 忄 忄 忄 忄 忄 愔 愔 憶

字解 ①기억할 억 마음속에 간직하여 잊지 아니함. '猶一疇昔'《晉書》. ②생각할 억 잊지 않고 생각함. '一念'. '不一故無情'《晉書》. ③기억 '撰次諳一'《南史》. ④생각 억 '何爲忍一含羞'《梁簡文帝》.

字源 形聲. 忄(心)+意〔音〕. '意의'는 '생각하다'의 뜻. 마음속에 생각하고 있으며 잊지 않다의 뜻을 나타냄.

[憶起 억기] 지난 일을 생각하여 냄.
[憶念 억념] 잊지 않고 항상 생각함.
[憶想 억상] 생각함. 헤아림.
◉空憶. 過目皆憶. 舊憶. 記憶. 思憶. 相憶. 想憶. 誦憶. 尋憶. 暗憶. 幽憶. 長憶. 追憶. 悃憶.

13 ⑯ [憸]
一 섬 ㊥鹽 息廉切 xiān
二 험 ㊤琰 虛檢切 xiān

字解 一 간사할 섬 간사하여 아첨을 잘함. '姦一'. '爾無昵于一人'《書經》. 二 간사할 험 一과 뜻이 같음.

字源 篆文 形聲. 忄(心)+僉〔音〕. '僉첨'은 '險험'과 통하여, '험하다'의 뜻. 마음이 험악하다, 비뚤어지다의 뜻을 나타냄.

[憸巧 섬교] 간교(奸巧)함.
[憸佞 섬녕] 간사하고 아첨을 잘함.
[憸邪 섬사] 간사(奸邪)함.
[憸細 섬세] 간사하고 잔다람. 또, 그러한 사람.
[憸諛 섬유] 간사하고 아첨함.
[憸人 섬인] 간사하고 아첨을 잘하는 사람.
[憸凶 섬흉] 간사하고 흉악함.
◉姦憸. 凶憸.

13 ⑯ [憹] 뇌 ㊤晧 乃老切 náo 侬

字解 괴로워할 뇌 惱(心部 九畫)와 同字. '懊一'.

字源 形聲. 忄(心)+農〔音〕

◉懊憹.

13 ⑯ [憺] 人名 담 ㊀勘 徒濫切 dàn

字解 ①편안할 담 마음이 편안함. '恬一'. '游子一忘歸'《謝靈運》. ②움직일 담 '一一'. '威稜一乎鄰國'《漢書》.

字源 篆文 形聲. 忄(心)+詹〔音〕. '詹담'은 '淡담'과 통하여, '담백(淡白)하다'의 뜻. 마음이 무슨 일에나 담담하고 욕심이 없어 편안하다의 뜻을 나타냄.

[憺憺 담담] 움직이는 모양.
[憺畏 담외] 두려워함. 외구(畏懼).
◉蕭憺. 恬憺. 威憺. 慘憺.

13 ⑯ [憾] 人名
一 감 ㊀勘 胡紺切 hàn (함本)
二 담 ㊤感 徒感切 dàn

字解 一 ①한할 감 원한을 품음. '一怨'. '反爲一恚'《徐陵》. ②섭섭할 감 마음에 부족을 느낌. '遺一'. '天地之大也, 人猶有所一'《中庸》. ③한 감 원한. '私一'. '請君釋一于宋'《左傳》. 또, 원한을 품은 사람. '二一往矣'《左傳》. 二 근심할 담 우려함. 마음이 불안(不安)함. '志欲一而不憺兮'《楚辭》.

字源 形聲. 忄(心)+感〔音〕. '感감'은 커다란 자극에 마음이 온통 뒤흔들리다의 뜻을 나타냄. 뒤에 거기에 '心'을 덧붙여, 특히 나쁜 경우를 말하며, '원망하다'의 뜻을 나타냄.

[憾恚 감에] 한하여 성을 냄.
[憾怨 감원] 원한을 품음.
[憾悔 감회] 한하고 뉘우침.
◉舊憾. 悲憾. 私憾. 素憾. 宿憾. 恚憾. 逞憾. 遺憾.

13 ⑯ [憷] 초
①㊤語 創擧切 chǔ
②㊀御 創據切 chù

字解 ①아플 초 '一, 痛也'《集韻》. ②영리할 초 총명함. '一, 心利也'《集韻》.

13
⑯ [懁] 환 [平]刪 胡關切 xuān

[字解] 조급할 환 성급함. '一促'. '順一而達'《莊子》.
[字源] 篆文 形聲. 忄(心)+睘〔音〕. '睘환'은 '돌다'의 뜻. 마음이 어지럽게 움직이다의 뜻을 나타냄.

[懁急 환급] 성급함.
[懁促 환촉] 조급함.
◉順懁.

13
⑯ [懂] 동 [上]董 多動切 dǒng

[字解] ①심란할 동 마음이 산란함. '懵一'. ②명백할 동 백화문(白話文)에서, '이해(理解)하다'의 뜻으로 씀. '一得'. '我一牠'.
[字源] 形聲. 忄(心)+董〔音〕

[懂得 동득] 이해함.
◉懵懂.

13
⑯ [懅] 거 [平]魚 強魚切 jù

[字解] 부끄러워할 거 수치를 느낌. '霸慚一而退'《後漢書》.

◉慚懅.

13
⑯ [憴] 승 [平]蒸 食陵切 shéng

[字解] 경계할 승 조심시킴. '兢兢·一一, 戒也'《爾雅》.

13
⑯ [懆] 조 [上]晧 采老切 cǎo

[字解] 근심할 조 근심하여 마음이 불안한 모양. '念子一一, 視我邁邁'《詩經》.
[字源] 篆文 形聲. 忄(心)+喿〔音〕. '喿조'는 '소란스럽다'의 뜻. 마음이 설레다, 불안해지다의 뜻을 나타냄.

[懆懆 조조] 근심하여 마음이 불안한 모양.

13
⑯ [懈] [人名] 해 [去]卦 古隘切 xiè

[字解] 게으름 해, 게으를 해 나태함. 나태. '一怠'. '一弛'. '小心翼翼, 一之不一'《小學》.
[字源] 篆文 形聲. 忄(心)+解〔音〕. '解해'는 산산이 흐트러지다의 뜻. 마음의 긴장이 풀리다, 게을리 하다의 뜻을 나타냄.

[懈倦 해권] 게으르고 권태를 느낌.
[懈慢 해만] 게으름. 태만함.
[懈弛 해이] 마음이나 규율(規律)이 풀리어서 느즈러짐.
[懈惰 해타] 해태(懈怠).
[懈怠 해태] 게으름. 해타(懈惰).
◉勞懈. 淹懈. 離懈. 替懈. 墮懈. 怠懈.

13
⑯ [懊] [人名] 오 [上]晧 烏皓切 ào

[字解] 한할 오 원통하게 여겨 고민함. '一歎'. '後時徒悔一'《韓愈》.
[字源] 形聲. 忄(心)+奧. '奧오'는 '깊숙하다'의 뜻. 마음이 깊숙하게 떨어지다, 괴로워하다의 뜻을 나타냄.

[懊惱 오뇌] 원통하여 번민함.
[懊憹 오뇌] 오뇌(懊惱).
[懊藹 오애] 고기잡이를 하면서 부르는 노래. 어부가(漁夫歌).
[懊歎 오탄] 원통히 여겨 한탄함.
[懊悔 오회] 후회함.
◉悔懊.

13
⑯ [懌] 역 [入]陌 羊益切 yì 怿

[字解] ①기뻐할 역 희열함. '悅一'. '予一人以一'《書經》. ②기쁘게할 역 희열하게 함. '用一先王受命'《書經》.
[字源] 篆文 形聲. 忄(心)+睪〔音〕. '睪역'은 실뭉치처럼 뭉쳐 있던 것을 당기어서 풀다의 뜻. 마음의 매듭이 풀리다, 기뻐하다의 뜻을 나타냄.

[懌懷 역회] 마음을 기쁘게 함.
◉懽懌. 爽懌. 悅懌. 娛懌. 流懌. 夷懌. 怡懌. 和懌. 欣懌. 喜懌.

13
⑯ [憻] 탄 [上]旱 儻旱切 tǎn

[字解] 너그러울 탄, 평탄할 탄 坦(土部 五畫)과 同字.

13
⑯ [懍] [一] 름 [上]寢 力稔切 lǐn
[二] 람 [上]感 盧感切 lǎn

[字解] [一] ①삼갈 름 두려워하여 근신함. '祇一'. '心一一以懷霜'《陸機》. ②두려워할 름 공구함. '百姓一一'《書經》. ③위태할 름 위태로운 모양. '一乎若朽索之馭六馬'《書經》. [二] ①찰 람 몹시 추움. '一慄'. '悲夫冬之爲氣, 亦何憯一以蕭索'《陸機》. ②비통할 람 대단히 슬퍼함. '莫不憯一慘悽, 愀愴傷心'《嵇康》.
[字源] 形聲. 忄(心)+稟〔音〕. '稟름'은 '凜름'과 통하여, 차고 몸이 죄어들다의 뜻. '心'을 붙여, 마음이 긴장되다의 뜻을 나타냄.

[懍慄 남률] 추워서 떪.
[懍懍 늠름] ㉠두려워하는 모양. ㉡두려워하여 삼가는 모양. ㉢풍채가 당당한 모양.
◉坎懍. 危懍. 祇懍. 憯懍.

13
⑯ [懃] 금 [平]侵 居吟切 jīn

[字解] ①마음단단할 금 마음이 꿋꿋한 모양. '一, 心一皃'《廣韻》. ②일할 금 부지런히 함. '一, 懃也'《集韻》.

13
⑯ [懀] 회 [去]泰 烏外切 wèi

[字解] ①미워할 회 증오함. '此君公私並一'《陸機》. ②번민할 회 고민함. '衆人一一, 不爲我言'《岑參》.
[字源] 形聲. 忄(心)+會〔音〕

[憪憪 회회] 번민하는 모양.

13⑯ [懲] 요(교[本]) [平]蕭 吉堯切 jiǎo

[字解] 요행 요 徼(彳部 十三畫)와 同字. '一, 一幸'《廣韻》.

[字源] 篆文 形聲. 忄(心)+敫〔音〕. '敫교'는 '두들기다'의 뜻에서, 얻기 어려운 것을 억지로 구하다의 뜻.

13⑯ [憽] 송 [平]東 蘇公切 sōng

[字解] 똑똑할 송 또, 똑똑한 사람. '一, 惺一, 了慧人也'《廣韻》. '一, 惺一'《玉篇》.

13⑯ [懌] 업 [入]葉 逆怯切 yè

[字解] ①두려워할 업. ②위태할 업.

13⑯ [憤] 〔분〕
憤(心部 十二畫〈p. 817〉)의 本字

13⑯ [懮] 〔만〕
慢(心部 十一畫〈p. 812〉)의 俗字

13⑯ [懄] 〔근〕
慬(心部 十一畫〈p. 813〉)과 同字

13⑯ [懷] 〔회〕
懷(心部 十六畫〈p. 826〉)의 俗字

14⑱ [懘] 체 [去]霽 尺制切 chì

[字解] 가락어지러울 체 음조(音調)가 고르지 못하고 어지러움. '五音不亂, 則無怗一之音矣'《禮記》.

[字源] 篆文 形聲. 心+滯〔音〕. '滯체'는 '막히다'의 뜻. 마음이 정체되는 것.

14⑱ [懟] 대 [去]隊 徒對切 duì 怼

[字解] 원망할 대 원한을 품음. '怨一'. '以死誰一'《左傳》.

[字源] 篆文 形聲. 心+對〔音〕. '對대'는 상대인 적(敵)의 뜻. 적대시(敵對視)하여 원망하고 노하다의 뜻을 나타냄. 또, '對'는 '敦대'와 통하여, '두껍다'의 뜻. 두껍게 쌓인 마음의 뜻에서, '원한'의 뜻을 나타냄.

◉困懟. 忿懟. 讎懟. 怨懟.

14⑱ [懣] [一] 문 [去]願 莫困切 mèn 懑
[二] 만 [上]旱 莫旱切 mèn

[字解] [一] ①번민할 문 마음이 번거로워 답답해함. '志一氣盛'《禮記》. ②번민 문 '發憤吐一'《後漢書》. [二] 번민할 만, 번민 만 [一]과 뜻이 같음.

[字源] 篆文 形聲. 心+滿〔音〕. '滿만'은 '가득 차다'의 뜻. 마음에 가득 차는 번민, 노여움의 뜻을 나타냄.

[懣懣 만만] 번민하여 괴로워하는 모양.
◉感懣. 懼懣. 勸懣. 悶懣. 煩懣. 忿懣. 憤懣. 悲懣. 怒懣. 惋懣. 憂懣. 湊懣. 喘懣.

14⑱ [懖] 괄 [入]曷 古活切 kuò

[字解] ①마음대로할 괄 고집대로 함. ②미련할 괄 무지(無知)한 모양. '一, 愚一, 無知'《廣韻》.

[字源] 形聲. 心+銽〔音〕

14⑱ [懕] 염 [平]鹽 一鹽切 yān

[字解] ①편안할 염 안정(安靜)함. '一一, 安也'《爾雅》. ②앓을 염 앓는 모양.

[字源] 篆文 形聲. 心+厭〔音〕. '厭염'은 '진력이 나다'의 뜻. '충족된 마음, 편안함'의 뜻을 나타냄.

[懕懕 염염] ㉠편안한 모양. 마음이 안정한 모양. ㉡앓는 모양.

14⑱ [懙] 〔여〕
懙(心部 十四畫〈p. 824〉)와 同字

14⑰ [懜] 몽 [平]東 莫紅切 méng

[字解] 어두울 몽, 어리석을 몽 무식한 모양. 우매한 모양. '標表發昏一'《吳師道》.

[字源] 篆文 形聲. 忄(心)+夢〔音〕. '夢몽'은 '어둡다'의 뜻. 마음이 어둡다, 번민하다, 부끄러워하다의 뜻을 나타냄.

[參考] 懵(心部 十六畫)은 同字.

◉昏懜.

14⑰ [懛] 대 [平]灰 當來切 dāi

[字解] 실의(失意)한모양 대 '一, 一敱, 失志皃'《廣韻》.

14⑰ [懠] 제 [平]齊 徂奚切 qí
[去]霽 在詣切

[字解] 성낼 제 화냄. '一, 怒也'《爾雅》.

[字源] 形聲. 忄(心)+齊〔音〕

14⑰ [懢] 람 [平]覃 盧甘切 lán
[去]勘 盧瞰切

[字解] 즐길 람, 탐할 람 탐하여 좋아함. '貪一, 嗜也'《集韻》.

[字源] 形聲. 忄(心)+監〔音〕

14⑰ [懤] 주 [平]尤 直由切 chóu

[字解] 근심할 주 우수(憂愁)에 잠긴 모양. '懼吾心兮一一'《楚辭》.

[字源] 形聲. 忄(心)+壽〔音〕

[懤懤 주주] 근심하는 모양.

14⑰ [懥] 치(지[本]) [去]寘 陟利切 zhì

字解 성낼 치 분노함. '身有所忿一'《大學》.
字源 形聲. 忄(心)+㦉〔音〕

◉忿懥.

14 ⑰ [懦] 人名 ■ 유 ㊥虞 人朱切 nuò ■ 나 ㊤箇 奴臥切 nuò

字解 ■ ①나약할 유 무기력함. 마음이 약하고 겁이 많음. '一夫'. '一弱'. '善屬文, 然一於武'《漢書》. ②겁쟁이 유 겁이 많은 사람. '激貪立一'《謝朓》. ■ 나약할 나, 겁쟁이 나 ㊀과 뜻이 같음.
字源 篆文 形聲. 忄(心)+需〔音〕. '需유'는 '부드럽다'의 뜻. 마음이 부드럽고 약하다의 뜻을 나타냄.
參考 愞(心部 九畫)·儜(心部 十四畫)는 同字.

[懦怯 나겁] 겁. 비겁.
[懦鈍 나둔] 나약하고 둔함.
[懦薄 나박] 마음이 약하고 덕이 박함.
[懦夫 나부] 겁이 많은 남자. 겁쟁이.
[懦弱 나약] 약함. 기력이 없음.
[懦語 나어] 겁먹은 말.
[懦劣 나열] 나약하고 용렬함.
[懦者 나자] 비겁한 사람. 겁쟁이.
◉怯懦. 老懦. 衰懦. 軟懦. 畏懦. 庸懦. 幼懦. 柔懦. 淺懦. 退儒. 偸懦. 罷懦.

14 ⑰ [儜] 懦(前條)와 同字

14 ⑰ [㦄] 마 ㊤哿 亡果切 mǒ

字解 ①적적할 마 쓸쓸함. '人烟一㦟不成村, 溪水微茫劣半分'《楊萬里》. ②부끄러워할 마 '一㦟, 慙也'《集韻》.
字源 形聲. 忄(心)+麼〔音〕

14 ⑰ [懞] 몽 ㊥東 謨蓬切 méng

字解 흐리멍덩할 몽 '一憧'은 속어(俗語)로서, 흐린 모양. '善畫無根樹, 能描一憧山'《畫鑑》.
字源 形聲. 忄(心)+蒙〔音〕. '蒙몽'은 덮이어 어두움의 뜻.

[懞憧 몽동] 자해(字解)를 보라.

14 ⑰ [懝] 애 ㊦隊 五漑切 ài

字解 ①어리석을 애 둔함. '一, 騃也'《說文》. ②두려워할 애 당황함. '一, 一曰, 惶也'《說文》.
字源 篆文 形聲. 忄(心)+疑〔音〕. '疑의'는 머리를 쳐들고 생각의 갈피를 잡지 못하는 모양. 결단을 내리지 못한 어리석음의 뜻을 나타냄.

14 ⑰ [懙] 여 ㊤語 演女切 yǔ

字解 ①공경할 여 공손히 섬김. ②느릴 여 행보(行步)가 느린 모양. '長倩一一'《漢書》.
字源 篆文 形聲. 忄(心)+與〔音〕. '與여'는 '부드러워지다'의 뜻. 마음 편하게 달리는 모양.
參考 懊(心部 十四畫)와 同字.

[懙懙 여여] 행보가 느린 모양.

14 ⑰ [憐] 〔련〕 憐(心部 十二畫〈p.816〉)의 本字

15 ⑲ [懲] 高人 징 ㊥蒸 直陵切 chéng 徰

筆順 彳 彳' 徨 徨 徨 徵 徵 懲

字解 ①징계할 징 ㉠기왕지사를 돌아보아 후회하여 장래를 삼감. '民有所一'《禮記》. ㉡장래에 삼가도록 하기 위하여 제재를 가함. '膺一'. '戎狄是膺, 荆舒是一'《孟子》. ②징계 징 '不忍加一'《舊唐書》.
字源 篆文 形聲. 心+徵〔音〕. '徵징'은 '止지'와 통하여, '멎다'의 뜻. 마음의 활동이 멎다, 혼나다의 뜻을 나타냄.

[懲改 징개] 잘못된 행위를 스스로 뉘우쳐 고침.
[懲羹吹齏 징갱취제] 뜨거운 국물에 입을 데어 놀란 나머지 찬 나물도 불면서 먹는다는 뜻으로, 한번 실패(失敗)에 겁이 나서 쓸데없는, 혹은 지나친 조심(操心)을 함을 이름.
[懲警 징경] 징계(懲戒).
[懲戒 징계] ㉠자기 스스로 과거에 당한 일을 돌아보아 뉘우치고 경계함. ㉡남을 장래에 삼가도록 하기 위하여 제재를 가함.
[懲寇 징구] 외적(外敵)을 응징(膺懲)함.
[懲勸 징권] 나쁜 일을 징계하고 착한 일을 권장함.
[懲罰 징벌] 장래를 경계(警戒)하는 뜻으로 벌(罰)을 줌.
[懲忿窒慾 징분질욕] 분노(忿怒)와 사욕(私慾)은 덕을 쌓는 데 해로우므로 이를 참고 억제함.
[懲毖 징비] 스스로 징계하여 삼감.
[懲習 징습] 못된 버릇을 징계함.
[懲惡 징악] 못된 마음이나 행위를 징계함.
[懲艾 징애] 혼이 남. 징계(懲戒)함.
[懲忞 징애] 징애(懲艾).
[懲禦 징어] 외적(外敵)을 응징(膺懲)하여 그 침입을 막음.
[懲役 징역] 죄인을 교도소에 가두어 두고 노동을 시키는 체형(體刑).
[懲乂 징예] 징계(懲戒).
[懲膺 징응] 정벌(征伐)하여 징계함. 응징(膺懲).
[懲止 징지] 징계하여 그치게 함.
[懲窒 징질] 분노와 사욕을 억제함.
[懲創 징창] 징계(懲戒).
[懲治 징치] 징계(懲戒)하여 다스림.
[懲貶 징폄] 징계하여 좌천(左遷)시킴.
◉科懲. 勸懲. 罰懲. 膺懲. 褒懲. 刑懲.

15 ⑲ [懬] 광 ㊦漾 苦謗切 kuàng ㊤養 丘晃切 kuàng

字解 ①너그러울 광, 클 광 관대(寬大)함. '一彼淮夷'《詩經》. ②빌 광 텅 빔. 曠(日部 十五畫)과 통용. ③사나울 광, 굳셀 광 獷(犬部 十五畫)과 통함.

[字源] 篆文 形聲. 心＋廣〔音〕. '廣광'은 '넓다'의 뜻. 마음이 넓다의 뜻을 나타냄.

15 ⑱ **[懫]** 치 [去]寘 脂利切 zhì

[字解] 성낼 치 懥(心部 十四畫)와 同字. '叨—日欽'《書經》.

[字源] 形聲. 忄(心)＋質〔音〕

15 ⑱ **[懮]** 우 [上]有 於柳切 yǒu [平]尤 於求切 yōu

[字解] ①느릴 우 느릿느릿함. '舒—受兮'《詩經》. ②근심할 우 憂(心部 十一畫)와 同字. '傷余心之——'《楚辭》.

[字源] 形聲. 忄(心)＋憂〔音〕. '憂우'는 '근심하다'의 뜻. '心'을 붙여, 근심하다의 뜻을 나타냄. 또, '悠유'와 통하여, 유유히 있는 상태를 나타냄.

[懮懮 우우] 근심하는 모양.

15 ⑱ **[懰]** 류 ①[上]有 力久切 liǔ ②[平]尤 力求切 liú

[字解] ①아름다울 류 용모가 아름다움. '佼人—兮'《詩經》. ②근심할 류 걱정하는 모양. 또, 원망하는 모양. '—慄不言'《漢書》.

[字源] 形聲. 忄(心)＋劉〔音〕

[懰慄 유율] 근심하는 모양. 또, 원망하는 모양.

15 ⑱ **[憽]** 숭 [平]東 蘇公切 sōng

[字解] 총명할 숭 영리함. 또, 그 사람.

15 ⑱ **[懭]** 광 ①[上]養 苦晃切 kuǎng ②[上]梗 古猛切

[字解] ①실의할 광 '—悢'은 뜻을 펴지 못한 모양. '愴怳—悢兮'《楚辭》. ②굳셀 광 사나움.

[字源] 形聲. 忄(心)＋廣〔音〕

[懭悢 광랑] 실의(失意)한 모양. 뜻을 펴지 못한 모양.

15 ⑱ **[懩]** 양 [上]養 以兩切 yǎng

[字解] 뜻이루고자할 양 의사(意思)를 성취(成就)시키고자 함.

[字源] 形聲. 忄(心)＋養〔音〕

◉悅懩.

15 ⑱ **[懱]** 멸 [入]屑 莫結切 miè

[字解] ①업신여길 멸 경멸(輕蔑)함. '—, 輕易也'《說文》. ②끝 멸 말단(末端). '—, 一曰, 末也'《集韻》. ③멸망할 멸 박멸함. '—拭, 滅也'《一切經音義》.

[字源] 篆文 形聲. 忄(心)＋蔑〔音〕. '蔑멸'은 업신여겨 물리치다의 뜻. 심리 상태를 나타내는 말이므로, 뒷날 '心'을 덧붙였음.

15 ⑱ **[懴]** 〔참〕 懺(心部 十七畫〈p. 827〉)의 俗字

15 ⑲ **[懖]** 〔괄〕 懖(心部 十四畫〈p. 823〉)의 本字

16 ⑳ **[懸]** [高人] 현 [平]先 胡涓切 xuán 悬

[筆順] 目 县 県 県' 縣 縣 懸 懸

[字解] ①달 현 매닮. '—垂'. '以朽索—萬斤石于心上'《後漢書》. ②달릴 현 매달림. '金鉤翠幔—'《庾信》. ③걸 현 ㉠손쉽게 벗길 수 있도록 매닮. 게시(揭示)함. '—磬'. '—琴於城門, 以爲寡人符'《說苑》. ㉡현상금을 걸고 목적물을 구함. '—購'. '—賞以待功'《鹽鐵論》. ④현격할 현 서로 동떨어짐. '—絕'. '—隔'. '優劣相—'《馬融》. ⑤멀리 현 멀리 떨어져서. '—知獨有子雲才'《王維》. ⑥빚 현 부채. '逋—租調'《北史》.

[字源] 形聲. 心＋縣〔音〕. '縣현'은 '달다'의 뜻. 마음에 두다의 뜻을 나타내었으나, '縣'이 행정 구획의 뜻으로 쓰이게 되매, 다시 '心'을 덧붙여, '매달다'의 뜻을 나타냄.

[懸車 현거] 한(漢)나라의 설광덕(薛廣德)이 연로(年老)하여 치사(致仕)하였을 때 천자(天子)께서 하사한 안거(安車)를 매달아 놓고 행영(幸榮)의 기념으로 한 고사(故事). 전(轉)하여, 연로하여 특히 70세에 치사(致仕)함을 이름.
[懸隔 현격] 썩 동떨어짐.
[懸磬 현경] 집이 가난해서 보이는 것이라고는 들보만이 경가(磬架)처럼 보이고 아무것도 없음.
[懸橋 현교] 조교(弔橋).
[懸購 현구] 돈을 걸고 구함. 현상을 걸고 물건을 삼.
[懸軍 현군] 군대를 멀리 내보냄. 또, 그 군대.
[懸軍萬里 현군만리] 만 리나 떨어진 먼 곳에 군대를 내보냄.
[懸軍長驅 현군장구] 먼 적지(敵地)에 깊이 군대를 진격시킴.
[懸金 현금] 돈을 겂. 또, 건 돈. 현상으로 내놓은 돈.
[懸旗 현기] 현패(懸旆).
[懸念 현념] 마음에 늘 두고 생각함.
[懸湍 현단] 폭포(瀑布).
[懸斷 현단] 생각하여 결단함.
[懸度 현도] 멀리 떨어진 곳을 건너감.
[懸頭刺股 현두자고] 한(漢)나라 손경(孫敬)이 새끼줄로 상투를 대들보에 걸어 매고, 전국 시대의 소진(蘇秦)이 송곳으로 무릎을 찔러 가며 졸음을 깨워서 고학(苦學)했다는 고사(故事).
[懸燈 현등] 등불을 높이 매닮.
[懸欄 현란] 소란반자.
[懸鈴 현령] 기둥 등에 달아 사람을 부를 때 끈을 잡아당겨서 소리를 내는 방울.
[懸錄 현록] 장부(帳簿)에 기록함.
[懸瀨 현뢰] 현단(懸湍).
[懸溜 현류] 떨어지는 물방울.
[懸邈 현막] 아주 동떨어짐. 현격한 차이가 있음.

[懸命 현명] ㉠목숨을 좌우당함. ㉡목숨을 겂.
[懸房 현방] 《韓》 푸주.
[懸罰 현벌] 《韓》 궁중(宮中)에서 죄과가 있는 자를 징계(懲戒)하기 위하여 두 손을 묶어 나무에 달던 형벌.
[懸氷 현빙] 고드름.
[懸賞 현상] 상(賞)을 겂.
[懸殊 현수] 현격하게 다름.
[懸鶉 현순] 해진 옷.
[懸鶉百結 현순백결] 해진 옷을 백 군데를 기움.
[懸案 현안] 아직 해결 짓지 못한 안건(案件).
[懸崖 현애] 낭떠러지.
[懸崖撒手 현애살수] 《佛教》 낭떠러지에서 손을 놓아 떨어진다는 뜻으로, 막다른 골목에서 용맹심(勇猛心)을 떨쳐 분진(奮進)함을 이름.
[懸羊頭賣馬肉 현양두매마육] '양두구육(羊頭拘肉)'과 같음.
[懸羊頭賣馬脯 현양두매마포] 현양두 매마육(懸羊頭賣馬肉).
[懸壅 현옹] 현옹수(懸壅垂)의 약어(略語).
[懸癰 현옹] 분문(糞門)과 음부(陰部) 사이에 나는 종기(腫氣).
[懸壅垂 현옹수] 목젖.
[懸腕直筆 현완직필] 붓글씨를 쓸 때 팔목을 바닥에 대지 않고 붓을 곧게 쥐어 쓰는 몸가짐.
[懸疣 현우] 혹. 전(轉)하여, 소용없는 물건.
[懸牛首賣馬肉 현우수매마육] 가게 앞에 소의 대가리를 걸어 쇠고기를 파는 것처럼 차려 놓고서 실제로는 말고기를 팖. 표리부동(表裏不同)함을 이름. 현양두 매마육(懸羊頭賣馬肉).
[懸絶 현절] 현격(懸隔).
[懸旌 현정] 현패(懸旆).
[懸蹄 현제] 우제류(偶蹄類)의 네 발굽 중에서 땅에 닿지 않는 뒤쪽의 두 발굽.
[懸淙 현종] 현단(懸湍).
[懸珠 현주] 매단 아름다운 구슬. 눈동자의 비유.
[懸註 현주] 주해(註解)를 닮.
[懸進 현진] 적지(敵地) 깊이 진군(進軍)함.
[懸泉 현천] 폭포(瀑布). 비천(飛泉).
[懸榻 현탑] 매달아 놓은 걸상이란 뜻으로, 후한(後漢)의 진번(陳蕃)이 아무도 만나지 않다가 서치(徐穉)가 오면 걸상을 내려놓고 후히 대접하고 그가 가면 다시 그 걸상을 매달아 놓았다는 고사에서, ㉠귀한 손님. ㉡손님을 후히 대접함.
[懸板 현판] 글씨·그림을 새겨서 다는 널조각.
[懸旆 현패] 매단 기(旗). 전(轉)하여, 동요하는 마음의 비유로 쓰임.
[懸圃 현포] 곤륜산(崑崙山)의 신선이 산다는 곳.
[懸瀑 현폭] 폭포(瀑布).
[懸風椎 현풍추] 매달려 바람에 불리는 방망이라는 뜻으로, 꾸벅꾸벅 조는 형용으로 쓰임.
[懸河 현하] ㉠강물을 댐. ㉡경사가 급하여 쏜살같이 흐르는 강. ㉢말을 유창하게 잘함의 비유로 쓰임.
[懸河之辯 현하지변] 거침없이 잘하는 말.
[懸解 현해] 거꾸로 매달린 것 같은 큰 고통을 벗어남.
[懸弧 현호] 아들의 출생(出生). 옛날에 아들을 낳으면 호(弧), 곧 뽕나무 활을 문의 왼쪽에 걸어 활을 잘 쏘기를 바란 데서 유래함.
◉磬懸. 窮懸. 倒懸. 殊懸. 憂懸. 危懸. 差懸. 天懸. 浦懸. 下懸.

16 ⑳ [懇] 막 [入]覺 墨角切 miǎo

[字解] ①칭찬할 막 찬미(讚美)함. '—, 美也'《說文》. ②범할 막, 업신여길 막 남을 능모(凌侮)함. 모멸함. '沮先聖之成論兮, —名賢之高風. (註) —, 陵也'《後漢書》.
[字源] 篆文 形聲. 心+須〔音〕. '須모·막'은 '貌모·막'과 같은 자로, 자태로써 경의를 나타내다의 뜻. 마음으로 칭찬하고 기리는 것.

16 ⑳ [懲] 위 [去]霽 于歲切 wèi

[字解] 잠꼬대할 위 자면서 지껄임. '—, 寱言不慧也'《說文》.
[字源] 形聲. 心+衛〔音〕

16 ⑳ [懿] 〔의〕
懿(心部 十八畫〈p. 827〉)와 同字

16 ⑲ [懶] [人名] [一] 라 [上]旱 落旱切 lǎn (란[本])
[二] 뢰 [去]泰 落蓋切 lài
懶

[字解] [一] ①게으를 라 나태함. '—惰'. '—婦'. '吾少—學問'《南史》. ②느른할 라 몸이 고단하여 싫증이 남. '—讀書, 但欲眠'《後漢書》. ③누울 라 누워 잠. '借得小窓容吾—'《柳貫》. [二] 미워할 뢰 혐오함. '傍人任嫌—'《蘇轍》.
[字源] 形聲. 忄(心)+賴〔音〕. '賴뢰'는 '羸리'와 통하여, '지치다, 야위다'의 뜻. 마음이 지치다, 게으르다의 뜻을 나타냄.
[參考] 嬾(女部 十六畫)·懶(次次條)은 俗字.

[懶架 나가] 책을 올려놓고 누워 보는 기구.
[懶慢 나만] 게으름.
[懶眠 나면] 게을러 잠.
[懶婦 나부] 게으른 여자.
[懶不自惜 나부자석] 본성이 게을러서 자기 재주를 세상에 나타내어 이름을 내려고 하지 아니함.
[懶性 나성] 게으른 성질.
[懶意 나의] 게으른 생각.
[懶惰 나타] 느리고 게으름. 난타(嬾惰).
[懶怠 나태] 게으름.
◉困懶. 老懶. 放懶. 廢懶. 嫌懶.

16 ⑳ [懚] 〔닌〕
您(心部 七畫〈p. 780〉)의 訛字

16 ⑲ [懶] 〔란〕 嬾(女部 十六畫〈p. 552〉)·懶(前前條)의 俗字

16 ⑲ [懞] 〔돈〕
惇(心部 八畫〈p. 791〉)의 本字

16 ⑲ [懂] 롱 [上]董 力董切 lǒng

[字解] 어그러질 롱 패려궂음. '—悷, 多惡也'《集韻》.

16 ⑲ [懷] [高][人] 회 [平]佳 戶乖切 huái
怀

[筆順] 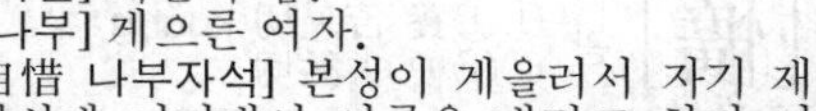

字解 ①품을 회 ㉠생각을 품음. '一春'. '君子一德'《論語》. ㉡물건을 품음. '一瑾握瑜兮'《楚辭》. ㉢애를 뱀. '一姙'. '一子三月, 出居別宮'《顏氏家訓》. ②따를 회 그리워하여 붙좇음. '一慕'. '少者一之'《論語》. ③올 회 이리로 옴. '曷又一止'《詩經》. ④편안할 회 '一哉一哉'《詩經》. ⑤편안히할 회 어루만져 편안하게 함. '一柔'. '一諸侯也'《中庸》. ⑥쌀 회 둘러쌈. 포위함. '一山襄陵'《書經》. ⑦위로할 회 위안함. '一之好音'《詩經》. ⑧품 회 가슴. '一襟'. '一中'. '然後免於父母之一'《論語》. ⑨마음 회 생각. '從一如流'《國語》. ⑩성 회 성(姓)의 하나.

字源 篆文 形聲. 忄(心)+褱〔音〕. '褱회'는 '그리워하다'의 뜻. '心'을 붙여, 그리워하다의 뜻을 나타냄.

[懷古 회고] 지나간 옛일을 돌이켜 생각함.
[懷舊 회구] 지나간 일을 생각함.
[懷瑾握瑜 회근악유] 근(瑾)과 유(瑜)는 모두 아름다운 옥(玉). 미덕(美德)을 품고 있음의 비유.
[懷襟 회금] 가슴. 품속.
[懷金垂紫 회금수자] 황금(黃金)의 인(印)을 품고 자줏빛 인(印)끈을 늘어뜨린다는 뜻으로, 높은 벼슬자리에 오름을 이름.
[懷緬 회면] 품은 마음. 생각하는 마음.
[懷慕 회모] 깊이 사모(思慕)함.
[懷撫 회무] 달래어 어루만짐.
[懷璧其罪 회벽기죄] '회옥기죄(懷玉其罪)'와 같은 뜻.
[懷保 회보] 따르게 하여 보호함.
[懷鉛提槧 회연제참] 글씨를 쓰는 데 사용하는 연분(鉛粉)과 그 목판(木板)을 항상 몸에 지니고 글씨나 문장(文章)을 쓰는 일에 종사(從事)함.
[懷玉其罪 회옥기죄] 옥을 가지고 있어 오히려 화(禍)를 부름.
[懷柔 회유] 어루만지어 달램.
[懷誘 회유] 달래어 꾐.
[懷柔政策 회유정책] 정부(政府) 또는 자본주(資本主)가 반대당(反對黨) 또는 노동자(勞動者)에게 미끼를 주어 회유(懷柔)하는 정책(政策).
[懷疑 회의] ㉠의심을 품음. ㉡인식(認識)을 부정(否定)하고 진리(眞理)의 존재를 의심함.
[懷疑論 회의론] 인식(認識)을 부정(否定)하고 진리(眞理)의 존재(存在)를 의심하는 학설(學說).
[懷人 회인] 마음에 있는 사람을 생각함.
[懷妊 회임] 회임(懷姙).
[懷衽 회임] 회임(懷袵).
[懷姙 회임] 아이를 뱀.
[懷袵 회임] 가슴. 품.
[懷孕 회잉] 아이를 뱀.
[懷藏 회장] 마음속에 감추어 둠.
[懷中 회중] 품속.
[懷中儂 회중농] 그리워하는 사람. 연인(戀人).
[懷輯 회집] 달래어 모이게 함.
[懷寵尸位 회총시위] 임금의 총애(寵愛)를 믿고 물러가야 할 때에 물러가지 않고, 벼슬자리만 헛되이 차지함.
[懷春 회춘] ㉠혼인을 생각함. 옛날에는 중춘(仲春)에 혼인하였으므로 이름. ㉡청춘 남녀가 이성(異性)을 사모함.
[懷胎 회태] 아이를 뱀.
[懷抱 회포] ㉠품에 안음. ㉡부모의 품. ㉢마음속에 품은 생각.
[懷鄕 회향] 고향(故鄕)을 그리워하여 생각함.
[懷鄕病 회향병] 외국(外國)이나 타향(他鄕)에 있는 사람이 고향을 그리워하는 나머지 생기는 병(病).
◉肝懷. 感懷. 耿懷. 傾懷. 瓊懷. 苦懷. 孤懷. 高懷. 顧懷. 空懷. 款懷. 曠懷. 久懷. 舊懷. 窮鳥入懷. 眷懷. 歸懷. 近懷. 襟懷. 勞懷. 短懷. 晩懷. 望懷. 悶懷. 煩懷. 病懷. 本懷. 悲懷. 鄙懷. 常懷. 傷懷. 書懷. 舒懷. 善懷. 所懷. 素懷. 疎懷. 綏懷. 述懷. 雅懷. 永懷. 詠懷. 榮懷. 寤懷. 寓懷. 愚懷. 憂懷. 幽懷. 恩懷. 依懷. 疑懷. 潛懷. 壯懷. 情懷. 注懷. 中懷. 軫懷. 塵懷. 招懷. 追懷. 秋懷. 衷懷. 坦懷. 肺懷. 包懷. 虛心坦懷. 虛懷. 胸懷.

16 ⑲ [懫] 〔궤〕 憒(心部 十二畫〈p.817〉)의 本字

16 ⑲ [懻] 기 ㊀寘 几利切 jì

字解 사나울 기 포악함. '人民矜一忮'《史記》.

[懻忮 기기] 사나움. 포악함.

16 ⑲ [懵] 〔몽〕 懞(心部 十四畫〈p.823〉)과 同字

字源 形聲. 忄(心)+曹〔音〕. '曹몽'은 어둡다의 뜻. 마음이 어둡다, 어리석다의 뜻을 나타냄.

16 ⑲ [憯] 〔참〕 憯(心部 十二畫〈p.818〉)의 俗字

17 ⑳ [懵] 人名 영 ㊥庚 余傾切 yíng

字解 호위할 영 지킴. '一, 衞也'《篇海》.

17 ⑳ [懺] 人名 참 ㊀陷 楚鑒切 chàn 忏 㦰

字解 뉘우칠 참 전비(前非)를 깨달아 고백하고 고침. '一悔'. '愕然愧一'《晉書》.

字源 形聲. 忄(心)+韱〔音〕. '韱섬·첨'은 가냘픈 산부추의 뜻. 마음을 좁히다, 뉘우치다의 뜻을 나타냄.

參考 忏(心部 十五畫)은 俗字.

[懺禮 참례]《佛敎》부처에 참회하여 예배하고 복을 빎.
[懺洗 참세] 참회하여 마음을 깨끗이 함.
[懺除 참제] 참세(懺洗).
[懺悔 참회]《佛敎》과거의 죄를 뉘우쳐 고백함. 뉘우치고 회개(悔改)함.
[懺悔錄 참회록] 참회하는 내용을 적은 기록.
◉愧懺.

18 ㉒ [懿] 人名 의 ㊀寘 乙冀切 yì

筆順 士 声 壴 壴 壹 壹 懿 懿

字解 ①아름다울 의 순미(醇美)함. '一旨'. '好是一德'《詩經》. ②허 의 통탄(痛歎)하는 소리.

'—厥哲婦'《詩經》. ③성 의 성(姓)의 하나.
[字源] 金文 篆文 形聲. 본디 欠+心+壹〔音〕. '壹일'은 마실 것이 채워진 항아리의 뜻. '欠흠'은 입을 벌린 사람의 상형(象形). 항아리의 마실 것을 입을 벌려 마실 때의 마음, 충족감의 모양에서, '아름답다, 칭찬하다'의 뜻을 나타냄. 金文은 會意 문자로 亞+欠. '亞아'는 항아리의 상형.
[參考] 懿(心部 十六畫)는 同字.

[懿戒 의계] 훌륭한 교훈(教訓).
[懿軌 의궤] 훌륭한 법칙.
[懿德 의덕] 아름다운 덕(德). 순미(醇美)한 덕.
[懿文 의문] 선미(善美)한 문장(文章).
[懿範 의범] 아름다운 모범(模範).
[懿鑠 의삭] 아름답고 왕성(旺盛)함.
[懿業 의업] 위대한 사업.
[懿懿 의의] 아름답고 착한 모양.
[懿績 의적] 훌륭하고 뛰어난 공적.
[懿旨 의지] ㉠영지(令旨)와 같음. ㉡황후(皇后) 또는 황태후의 명령. ㉢《韓》왕세손(王世孫)의 명령.
[懿戚 의척] ㉠황실(皇室)과 외척(外戚) 간의 매우 다정한 친목. 또, 그러한 외척. ㉡의친(懿親).
[懿親 의친] 친족(親族) 간의 매우 다정한 친목. 또, 그러한 친족.
[懿行 의행] 아름다운 행실(行實).
[懿訓 의훈] 훌륭한 교훈.
◉淑懿. 純懿. 雅懿. 淵懿. 柔懿. 貞懿. 親懿. 恢懿. 休懿.

18 ㉑ [懼] [高·人] 구 [去]遇 其遇切 jù 俱

[筆順] 忄 忄巳 忄𡭊 忄ᄐ 忄瞿 懼 懼 懼

[字解] ①두려워할 구 ㉠공포를 느낌. 무서워함. '恐—'. '獨立不—'《易經》. ㉡걱정함. '危—'. '羣公盡—'《史記》. ㉢경계함. 삼감. '必也臨事而—, 好謀而成者也'《論語》. ㉣어려워함. '君側之人, 衆所畏—'《唐書》. ②으를 구 위협함. '—士卒'《史記》. ③두려움 구 '多男子則多—'《莊子》.
[字源] 篆文 形聲. 忄(心)+瞿〔音〕. '瞿구'는 새가 무서워서 눈을 요리조리 돌리는 형상. '心'을 붙여, 두려워하다의 뜻을 나타냄.

[懼懣 구만] 두려워하며 고민함.
[懼然 구연] 두려워하는 모양.
[懼震 구진] 두려워하여 떪.
[懼惕 구척] 두려워하여 삼감.
[懼喘 구천] 두려워서 숨가쁘게 헐떡임.
[懼怕 구파] 두려워함.
◉敬懼. 警懼. 驚懼. 戒懼. 恐懼. 愧懼. 兢懼. 悼懼. 悚懼. 竦懼. 恂懼. 猜懼. 畏懼. 聳懼. 勇者不懼. 憂懼. 危懼. 疑懼. 戰懼. 靦懼. 震懼. 嗟懼. 慙懼. 惕懼. 恥懼. 怕懼. 怖懼. 駭懼. 兇懼.

18 ㉑ [懽] 환 [平]寒 呼官切 huān

[字解] 기뻐할 환 歡(欠部 十八畫)과 同字. '—然'. '得萬國之—心'《孝經》.
[字源] 篆文 形聲. 忄(心)+雚〔音〕. '雚관'은 '喚환'과 통하여, '부르다'의 뜻. 서로 소리를 마주 질러 기뻐하다의 뜻을 나타냄.

[懽心 환심] 기쁘고 즐거워하는 마음.
[懽顔 환안] 기쁘고 즐거워하는 얼굴.
[懽懌 환역] 기뻐함.
[懽然 환연] 기뻐하는 모양. 흔연(欣然).
[懽娛 환오] 기쁘고 즐거워함.
[懽暢 환창] 기뻐하여 마음이 화창함.

18 ㉑ [懾] 섭 [入]葉 之涉切 shè 失涉切 慑

[字解] ①두려워할 섭 공구함. '—服'. '挫而—'《荀子》. ②으를 섭 두렵게 함. 위협함. '威所以—之也'《呂氏春秋》.
[字源] 篆文 形聲. 忄(心)+聶〔音〕. '聶접·섭'은 귀를 모아 속삭이다의 뜻. 남이 두려워서 소곤소곤 속삭이는 뜻을 나타냄.

[懾服 섭복] 두려워서 복종(服從)함.
[懾畏 섭외] 두려워함.
[懾聳 섭용] 무서워하여 가슴이 서늘함.
[懾處 섭처] 두려워하여 가만히 있음.
[懾憚 섭탄] 두려워하여 꺼림.
[懾怖 섭포] 두려워함.
[懾號 섭호] 두려워하여 외침.
◉怯懾. 驚懾. 憂懾. 沮懾. 挫懾. 震懾. 惕懾. 瘁懾.

18 ㉑ [憃] 충 [平]東 敕中切 chōng

[字解] 근심할 충 忡(心部 四畫)과 同字. '極勞心兮——'《楚辭》.

[憃憃 충충] 근심하는 모양.

18 ㉑ [㦼] 쌍 [平]江 所江切 sǒng

[字解] ①두려워할 쌍 송구(悚懼)스러워함. '—然心神肅'《朱熹》. ②권할 쌍 권장함. '—之以行'《漢書》.

[㦼然 쌍연] 송구스러워하는 모양.

18 ㉑ [懏] 휴 [平]齊 戶圭切 xié [平]支 翾規切

[字解] ①배반할 휴 이심(異心)을 품음. 변심(變心)함. '—, 離心也'《廣韻》. ②떨어질 휴 '—, 離也'《廣雅》.
[字源] 形聲. 忄(心)+巂〔音〕

18 ㉒ [㩴] 〔색〕 寒(心部 十畫〈p. 804〉)과 同字

19 ㉓ [戀] [高·人] 련 [去]霰 力卷切 liàn 恋

[筆順] 亠 言 言 絃 絲 絲 戀 戀

[字解] ①그리워할 련 사모(思慕)함. '—愛'. '兄弟相—'《後漢書》. ②그리움 련 그리워하는 마음. 사모하는 정. '犬馬之—, 不堪悲塞'《魏書》. ③

성 련 성(姓)의 하나.
[字源] 形聲. 본디 心+攣〈省〉〔音〕. '攣련'은 '당기다'의 뜻. 마음이 끌리다, 그리워하다의 뜻을 나타냄.

[戀歌 연가] 사랑하는 사람을 그리워하여 부르는 노래.
[戀結 연결] 이성(異性)을 사모하여 잊을 수 없게 정이 맺어짐.
[戀慕 연모] ㉠사랑하여 그리워함. ㉡공경하여 사모함.
[戀賞 연상] 사모하여 칭찬함.
[戀愛 연애] 남녀의 애틋한 사랑.
[戀戀 연연] 사모(思慕)하여서 잊지 못하는 모양.
[戀泣 연읍] 그리워하여 욺.
[戀情 연정] 이성(異性)을 그리워하며 사모하는 마음.
[戀着 연착] 그리워하는 마음이 깊음. 깊이 사랑하여 떨어지지 아니함.
[戀枕 연침] 베개를 그리워한다는 뜻으로, 게을러 일어나기 싫어함을 이름.
◉感戀. 繫戀. 顧戀. 狂戀. 眷戀. 攀戀. 悲戀. 邪戀. 思戀. 失戀. 仰戀. 愛戀. 婉戀. 情戀. 悵戀. 悽戀. 追戀. 耽戀. 貪戀.

19 ㉓ [戁] 난 [上]潸 奴板切 nǎn
[字解] 두려워할 난 송구스러워함. '不一不悚'《詩經》.
[字源] [篆文] 形聲. 心+難〔音〕. '難난'은 재난을 만나 기도하는 모양을 본뜸. '心심'을 덧붙여, '두려워하고 삼가다'의 뜻을 나타냄.

19 ㉒ [儸] 라 [上]哿 來可切 luǒ
[字解] ①부끄러워할 라 '㦬一, 慚也'《集韻》. ②적을 라 수가 많지 않은 모양. '人烟㦬一不成村'《楊萬里》.

19 ㉒ [懴] 찰 [入]曷 子末切 zā
[字解] 게으를 찰 '懵一'은 마음이 게을러짐. '懵一, 心慢怠'《集韻》.

20 ㉓ [戄] 확 [入]藥 許縛切 jué
[字解] 놀랄 확 눈을 휘둥그렇게 하고 놀라 허둥지둥하는 모양. '晏子一然攝衣冠謝'《史記》.
[字源] 形聲. 忄(心)+矍〔音〕. '矍확'은 놀라서 쳐다보다의 뜻. '心'을 붙여, '놀라다'의 뜻을 나타냄.

[戄然 확연] 눈을 휘둥그렇게 하고 놀라 허둥지둥하는 모양.

20 ㉓ [戃] 〔창〕
惝(心部 八畫〈p.793〉)과 同字
[字源] 形聲. 忄(心)+黨〔音〕

20 ㉔ [戆] 〔대〕
憝(心部 十二畫〈p.815〉)의 古字

21 ㉕ [戅] 戇(次條)의 俗字

24 ㉘ [戇] [人名] 당 (장[本]) [去]絳 陟降切 zhuàng
[字解] 어리석을 당 고지식함. 우직함. '一直'. '甚矣, 汲黯之一也'《史記》.
[字源] [篆文] 形聲. 心+贛〔音〕
[參考] 戅(前條)은 俗字.

[戇冥 당명] 어리석고 어두움. 우매함.
[戇朴 당박] 고지식하고 순박함.
[戇窩 당와] 우직한 사람이 사는 별장.
[戇愚 당우] 어리석음.
[戇人 당인] 고지식한 사람.
[戇直 당직] 고지식함. 우직함.

戈(4획)部
〔창과부〕

0 ④ [戈] [人名] 과 [平]歌 古禾切 gē
[筆順] 一 七 戈 戈
[字解] ①창 과 무기의 한 가지. 한두 개의 가지가 있는 창. '一矛'. '進一者前其鐏後其刃'《禮記》. 전(轉)하여, 전쟁(戰爭)의 뜻으로 쓰임. '干一'. '偃武息一'《後漢書》. ②성 과 성(姓)의 하나.
[字源] [甲骨文] [篆文] 象形. 甲骨文으로 알 수 있듯이, 손잡이가 달린 자루 끝에 날이 달린 창의 상형이며, '창'의 뜻을 나타냄.
[參考] 戈를 의부(意符)로 하여, 창·무기, 무기를 사용하는 일에 관한 문자가 이루어짐.

[戈棘 과극] 창(槍).
[戈矛 과모] 창(槍). 모(矛)는 가지가 없는 창.
[戈兵 과병] 무기(武器).
[戈鋒 과봉] 창 끝.
[戈船 과선] ㉠창을 실은 배. ㉡악어(鰐魚) 등의 해를 막기 위해서 창을 밑바닥에 댄 배.
[戈殳 과수] ㉠창. ㉡병장기(兵仗器). 무기.
[戈盾 과순] 창과 방패.
[戈鋋 과연] 창과 작은 창.
[戈戚 과척] 창과 도끼.
◉干戈. 倒戈. 矛戈. 兵戈. 鋒戈. 霜戈. 盾戈. 偃戈. 義戈. 止戈. 天戈. 枕戈.

1 ⑤ [戊] [中人] 무 [去]有 莫候切 wù
[筆順] ノ 厂 戊 戊 戊
[字解] 다섯째천간 무 십간(十干)의 제오위(第五位). 오행설(五行說)에서 토(土)에 속하며, 방위로는 중앙(中央), 시각으로는 오전 3시부터 5시까지임. '一夜'. '太歲在一曰著雍, 月在一曰厲'《爾雅》.
[字源] [甲骨文] [篆文] 象形. 도끼 같은 날이 달린 창〔戈〕의 모양을 본떴음. 假借하여, 십간(十干)의 제5위로 씀.

[戊己校尉 무기교위] 한대(漢代)의 관명(官名).

서역(西域)에 주둔하는 무관(武官). 무기(戊己)는 중앙이므로 중앙에서 사방을 진압(鎭壓)한다는 뜻을 취(取)하였음.
[戊夜 무야] 오야(五夜)의 하나. 오전 3시부터 5시까지임. 오경(五更).
◉靑戊.

1 ⑤ [戉] 월 [入]月 王伐切 yuè

[字解] 도끼 월 큰 도끼. '左執律, 右秉—'《周禮》.
[字源] 甲骨文 金文 篆文 象形. 큰 도끼의 상형으로, '도끼'의 뜻을 나타냄. '鉞월'의 原字.

1 ⑤ [戋] 〔잔·전〕
戔(戈部 四畫〈p.833〉)의 簡體字

2 ⑥ [戌] [中人] 술 [入]質 辛聿切 xū

[筆順] 丿 厂 厂 尺 戌 戌
[字解] ①열한째지지 술 십이지(十二支)의 하나. 시각으로는 오후 7시부터 9시까지, 달로는 음력 9월, 방위로는 서북방, 띠로는 개임. '太歲在—曰閹茂'《爾雅》. ②성 술 성(姓)의 하나.
[字源] 甲骨文 金文 篆文 形聲. 戊+一〔音〕. '戊무'는 창의 상형. 한일(一)자로 창으로 찌르다의 뜻을 나타냄. 假借하여 십이지(十二支)의 제11위의 뜻으로 씀.
[參考] 戍(次條)는 別字.

◉屈戌.

2 ⑥ [戍] [人名] 수 [去]遇 傷遇切 shù

[字解] ①지킬 수 무기를 가지고 변방을 지킴. '—邊'. '不與我—申也'《詩經》. ②수자리 수 ㉠변방을 지키는 일. '我—未定'《詩經》. ㉡변방을 수비하는 군사. '遣—'《史記》. ③둔영 수 수비하는 군사가 주둔하고 있는 군영(軍營). '築—於軹關'《北史》.
[字源] 金文 篆文 會意. 人+戈. '戈과'는 창의 상형. 사람이 창을 들고 지키는 뜻을 나타냄. 특히 변경을 지키는 뜻으로 쓰임.
[參考] 戌(前條)은 別字.

[戍甲 수갑] 국경·변방을 지키는 병사(兵士). 수자리.
[戍鼓 수고] 국경을 지키는 군사들이 치는 북.
[戍旗 수기] 국경을 지키는 군사가 내거는 기.
[戍樓 수루] 적군(敵軍)의 동정(動靜)을 망보기 위하여 성(城) 위에 만든 누각(樓閣). 성의 망루(望樓).
[戍邊 수변] 변방을 지킴.
[戍死 수사] 국경을 지키다가 전사함.
[戍守 수수] 국경을 지킴. 또, 그 군사.
[戍役 수역] 국경을 지키는 일. 또, 그 병사. 수자리.
[戍徭 수요] 국경을 지키는 요역(徭役). 수역(戍役).
[戍衛 수위] 국경을 지킴. 또, 그 병사. 수자리.
[戍人 수인] 수졸(戍卒).
[戍卒 수졸] 국경(國境)을 지키는 군사(軍士). 수병(戍兵).

◉更戍. 屯戍. 邊戍. 烽戍. 城戍. 守戍. 徭戍. 繇戍. 遠戍. 衛戍. 留戍. 適戍. 謫戍. 征戍. 鎭戍. 行戍.

2 ⑥ [戎] [人名] 융 [平]東 如融切 róng

[字解] ①병장기 융 군기(軍器). '—馬'. '以習五—. (註)五—, 弓矢殳矛戈戟也'《禮記》. ②싸움수레 융 병거(兵車). '元—十乘'《詩經》. ③군사 융 병정. '—伏于莽'《易經》. ④싸움 융 전쟁. 투쟁. '惟口出好興—'《書經》. ⑤오랑캐 융 주로 서방의 만족. 전(轉)하여, 널리 만족을 이름. '西—'. '公會—于潛'《春秋》. ⑥클 융 거대함. '念茲—功'《詩經》. ⑦도울 융 보좌함. '烝也無—'《詩經》. ⑧너 융 자네. '—有良翰'《詩經》. ⑨성 융 성(姓)의 하나.
[字源] 甲骨文 篆文 會意. 戈+十. '戈과'는 '창'의 뜻. '十십'은 甲骨文에서는 거북의 등딱지의 상형으로, '갑옷'의 뜻. 창과 갑옷의 중장비, 곧 '무기'의 뜻을 나타냄. 篆文도 戈+甲의 會意.

[戎歌 융가] 전쟁에서 부르는 노래. 군가(軍歌).
[戎羯 융갈] 오랑캐. 갈(羯)은 산시 성(山西省)에 살던 흉노(匈奴)의 일종.
[戎車 융거] 싸움에 쓰는 수레. 병거(兵車).
[戎戒 융계] 전쟁의 경계(警戒).
[戎功 융공] 큰 공. 대공(大功).
[戎校 융교] 장수(將帥)의 직임(職任).
[戎寄 융기] 군대를 지휘하는 일의 위임(委任). 군무의 위임.
[戎器 융기] 무기(武器). 병기(兵器).
[戎機 융기] 전쟁의 기략(機略). 군기(軍機).
[戎壇 융단] 대장(大將)의 자리.
[戎韜學 융도학] 병법(兵法)의 학문.
[戎毒 융독] 큰 해독. 큰 폐해(弊害).
[戎路 융로] ㉠임금이 타는 병거(兵車). ㉡병거(兵車). 융거(戎車).
[戎輅 융로] 병거(兵車). 융로(戎路).
[戎馬 융마] ㉠전쟁에 쓰는 말. 군마(軍馬). ㉡병거(兵車)와 병마(兵馬). 전(轉)하여, 군대(軍隊). ㉢전쟁(戰爭). 군사(軍事).
[戎蠻 융만] ㉠오랑캐. 만(蠻)은 남쪽 오랑캐. ㉡춘추 시대(春秋時代)의 소국(小國)의 이름.
[戎貊 융맥] 오랑캐. 맥(貊)은 북방의 오랑캐.
[戎兵 융병] ㉠무기(武器). ㉡군사. 병사(兵士).
[戎服 융복] 군복(軍服).
[戎俘 융부] 포로(捕虜).
[戎備 융비] 전쟁의 준비.
[戎士 융사] 병사(兵士).
[戎事 융사] 전쟁에 관한 일.
[戎右 융우] 병거(兵車)의 오른쪽에 무기를 가지고 타는 병사(兵士). 용맹한 병사를 선발하여 썼음.
[戎越 융월] 서쪽 오랑캐와 남쪽 오랑캐.
[戎戎 융융] 성(盛)한 모양.
[戎衣 융의] 융복(戎服).
[戎夷 융이] 오랑캐.
[戎場 융장] 싸움터.
[戎裝 융장] 전쟁의 준비. 무장(武裝).
[戎狄 융적] 서쪽 오랑캐와 북쪽 오랑캐. 전(轉)하여, 널리 오랑캐.
[戎陣 융진] 군진(軍陣).

[戎捷 융첩] 전쟁에 이김. 전승(戰勝). 또, 그 노획물.
[戎醜 융추] 많은 사람. 대중(大衆).
[戎艦 융함] 전쟁용의 배. 전함(戰艦).
[戎行 융행] ㉠군대의 행렬. ㉡진군(進軍)함. 행군함.
[戎軒 융헌] ㉠병거(兵車). ㉡군대. ㉢전쟁.
[戎華 융화] 오랑캐와 문화가 발달한 중화(中華).
[戎麾 융휘] 군기(軍旗). 전(轉)하여, 군대(軍隊).
◉犬戎. 軍戎. 禁戎. 大戎. 蒙戎. 蕃戎. 兵戎. 服戎. 西戎. 小戎. 御戎. 女戎. 驪戎. 元戎. 佐戎. 八戎. 獯戎.

2 ⑥ [戏] 〔희〕
戲(戈部 十三畫〈p. 837〉)의 簡體字

2 ⑥ [戋] 〔전〕
錢(金部 八畫〈p. 2400〉)의 俗字

2 ⑥ [成] 成(次條)의 俗字

3 ⑦ [成] 中人 성 ㊥庚 是征切 chéng

筆順 丿 厂 斤 斤 成 成 成

字解 ①이룰 성 성취함. '一功'. '完一'. '一己仁也, 一物知也'《中庸》. ②이루어질 성 ㉠성취됨. '功一名遂'《老子》. ㉡됨. '桑田變一海'《劉希夷》. ㉢성숙함. '果實早一'《禮記》. ㉣생김. '幾事不密, 則害一'《易經》. ③우거질 성 무성해짐. '松柏一'《呂氏春秋》. ④다스릴 성 평정함. '以一宋亂'《左傳》. ⑤살질 성 비대함. '犧牲不一'《孟子》. ⑥가지런할 성 정돈됨. 정비됨. '儀既一兮'《禮記》. ⑦고르게할 성 균평하게 함. '一賁賈'《周禮》. ⑧끝날 성 완료함. '簫韶九一'《書經》. ⑨화해할 성 사화함. '以民一之'《周禮》. ⑩화해 성 화목. '請一於陳'《左傳》. ⑪층 성 층계나 집 따위의 층. '九一之臺'《呂氏春秋》. ⑫십리 성 사방 십 리의 땅. '有田一一'《左傳》. ⑬총계 성 종합한 계산. '歲之一'《禮記》. ⑭성 성 성(姓)의 하나.

字源 甲骨文 金文 篆文 形聲. 戊+丁〔音〕. '丁정'은 '못 박다, 평정(平定)하다'의 뜻. '戊무'는 큰 날이 달린 도끼의 뜻. 큰 도끼로 적을 평정하는 뜻에서, 어떤 일이 이루어지다의 뜻을 나타냄.

[成家 성가] ㉠따로 한 집을 이룸. ㉡학문(學問)이나 기술(技術)이 뛰어나 한 파(派)나 한 체계(體系)를 이룸. ㉢결혼함. ㉣부자(富者)가 됨.
[成劫 성겁] 《佛教》 사겁(四劫)의 하나. 세계(世界)가 이루어져 인류가 살게 된 최초의 시대.
[成格 성격] 격식(格式)을 이룸.
[成功 성공] 목적(目的)을 이룸. 뜻을 이룸. 공을 이룸.
[成功之下不可久處 성공지하불가구처] 공업(功業)을 이루어 오래도록 명예스럽고 귀한 지위에 있으면 남에게 원한을 사거나 질투를 당하여 화(禍)를 입기 쉽다는 말.
[成果 성과] 일이 이루어진 결과.
[成冠 성관] 관례(冠禮)를 행함.
[成狂 성광] 미친 사람이 됨.
[成句 성구] ㉠글귀를 이룸. ㉡하나의 뭉뚱그려진 뜻을 나타내는 글귀. ㉢옛사람이 만들어 널리 세상에 알려진 시문의 구(句). 이미 만들어진 구절.
[成局 성국] 체격(體格)·구조(構造) 등이 잘 어울림.
[成規 성규] 성문화(成文化)한 규칙.
[成均 성균] ㉠자제(子弟)를 교육함. ㉡옛날 대학(大學)의 이름.
[成均館 성균관] 《韓》 조선(朝鮮) 때 유교(儒教)의 교회(教誨)를 맡은 관부.
[成器 성기] ㉠완성한 그릇. 좋은 그릇. ㉡훌륭한 기량(器量). 완성된 인물. ㉢쓸모 있는 그릇이 됨.
[成吉思汗 성길사한] 원(元)나라의 태조(太祖). 유명(幼名)은 철목진(鐵木眞). 내외몽고(內外蒙古)를 통일하여 몽고 제국(蒙古帝國)의 극한(可汗)이 되었으며, 그 후 금(金)나라·서하(西夏) 및 구라파 방면에 원정하여 동서양에 걸치는 대제국(大帝國)을 건설하였음. 칭기즈 칸.
[成鸞鳳 성난봉] 부부(夫婦)가 됨. 원앙(鴛鴦)의 맹세를 함.
[成年 성년] ㉠만 20세가 되는 나이. ㉡성인(成人)❶.
[成膿 성농] 종기(腫氣)가 곪음. 화농(化膿).
[成大功者不謀於衆 성대공자불모어중] 큰 사업을 하는 사람은 여러 사람에게 의논하지 아니하고 혼자 정하여 행함.
[成都 성도] 쓰촨 성(四川省)의 성도(省都). 민장강(岷江江)의 지류(支流)에 연한 정치·교통·경제·문화의 일대 중심지로 촉한(蜀漢) 때의 고도(古都). 당(唐)나라의 현종(玄宗)은 안사(安史)의 난(亂)을 피하여 여기에 왔었음. 제갈공명(諸葛孔明)의 사당인 무후사(武侯祠)와 두보(杜甫)의 초당(草堂) 등 명소(名所)와 고적(古蹟)이 많음.
[成道 성도] ㉠수양하여 덕(德)을 성취함. ㉡수양하여 성취한 덕. 도를 닦아 완전한 경지에 이름. 도통(道通)함. ㉢《佛教》 불도(佛道)를 깨달음. 오도(悟道). ㉣음력 섣달 초여드렛날에 석가여래(釋迦如來)가 큰 도를 이룬 일.
[成童 성동] ㉠8세 이상의 소년. ㉡15세 이상의 소년.
[成禮 성례] 혼인(婚姻) 예식을 지냄.
[成立 성립] ㉠사물(事物)이 이루어짐. ㉡성인(成人)이 됨.
[成文 성문] ㉠문장으로 써서 나타냄. ㉡작성된 문장이나 법문(法文).
[成文法 성문법] 성문율(成文律).
[成文律 성문율] 문자로 표현되고 문서의 형식을 갖추어 성립된 법률.
[成門戶 성문호] 스스로 일가(一家)를 이룸. 일파(一派)를 세움.
[成美 성미] 남을 선도하여 미덕(美德)을 이루게 함.
[成病 성병] 병이 됨.
[成服 성복] 초상(初喪)이 나서 상복(喪服)을 입음.
[成否 성부] 됨과 안 됨.
[成分 성분] 물체를 구성하고 있는 분자(分子).
[成墳 성분] 흙을 올려 덮어서 무덤을 만듦.
[成佛 성불] 《佛教》 ㉠번뇌(煩惱)를 벗어나 불과

(佛果)를 이룸. 부처가 됨. ㉡죽음.
[成不成 성불성] 이룸과 못 이룸.
[成事 성사] ㉠일을 이룸. ㉡이미 결정된 일. 결정한 일. ㉢성취한 일. 이룬 일.
[成算 성산] ㉠미리 세운 계책. ㉡성취할 가능성.
[成石 성석] 회(灰) 따위가 굳어져서 돌과 같이 됨. 돌이 됨.
[成俗 성속] 풍속(風俗)으로 되어 버림.
[成數 성수] 일정한 수가 됨.
[成熟 성숙] ㉠초목(草木)의 열매가 익음. ㉡밥 같은 것이 익음. ㉢생물이 완전히 발육함. ㉣사물이 충분히 발달하여 적당한 때에 다다름. 전성기(全盛期)에 들어감. ㉤익숙함. 숙달(熟達)함.
[成習 성습] 버릇이 됨. 습관이 됨.
[成市 성시] 저자를 이룸. 사람과 물건이 많이 모임의 비유.
[成實 성실] 열매를 맺음.
[成實宗 성실종]《佛教》불교의 한 파. 가리발마(訶梨跋摩)의 성실론(誠實論)에 의거하여 종지(宗旨)를 세웠음.
[成案 성안] ㉠안을 꾸며서 이룸. ㉡성립된 고안(考案), 또는 문안(文案).
[成語 성어] ㉠숙어(熟語). ㉡고인(古人)이 만들어 널리 세상에서 쓰여지는 말.
[成業 성업] 학업이나 사업을 성취함.
[成育 성육] ㉠자람. 성장(成長). ㉡길러 냄. 육성(育成).
[成人 성인] ㉠학문·덕행을 구비한 완전한 사람. ㉡정년(丁年)이 된 사람.
[成長 성장] 자람.
[成績 성적] ㉠일이 이루어진 결과(結果). 공적(功績). ㉡학교에서 학생들이 학업을 닦은 결과.
[成丁 성정] 정년(丁年)이 된 남자.
[成腫 성종] 종기(腫氣)가 곪음.
[成周 성주] 3대(代) 때의 주(周)나라의 미칭(美稱). 또, 그 도읍인 낙읍(洛邑)을 이르기도 함.
[成竹 성죽] ㉠대나무를 그릴 때 먼저 대나무의 모양을 마음속으로 상상하는 일. ㉡미리 생각한 안(案). 미리 세운 계책. 성산(成算).
[成瘡 성창] 부스럼이 됨.
[成冊 성책] 책(冊)이 됨.
[成村 성촌] 마을을 이룸.
[成築 성축] 축대를 쌓아 올림.
[成蟲 성충] 곤충(昆蟲)이 유충(幼蟲)으로부터 변태(變態)하여 생식 능력이 있는 형태로 된 것.
[成娶 성취] 장가듦.
[成就 성취] 이룸. 또, 이루어짐.
[成層 성층] 켜켜로 거듭 쌓임.
[成湯 성탕] 은(殷)나라 제1대의 왕. 이름은 이(履). 하(夏)나라의 걸왕(桀王)을 치고 이를 대신하여 왕위(王位)에 올랐음. 재위(在位) 30년.
[成敗 성패] ㉠성공(成功)과 실패(失敗). ㉡전승(戰勝)과 패전(敗戰).
[成漢 성한] 오호 십육국(五胡十六國)의 하나. 서진(西晉) 때에 저족(氐族)의 이웅(李雄)이 촉(蜀)나라 땅에 나라를 세워 국호(國號)를 성(成)이라 칭하였다가 뒤에 한(漢)이라 개칭하였으며, 사천(四川)의 성도(成都)에 도읍을 정하였음. 성한(成漢) 또는 후촉(後蜀)이라고도 일컬음. 5주(主) 44년 만에 진(晉)나라에게 망하였음. (302~347)
[成蹊 성혜] 복숭아나무나 자두나무 밑에는 사람이 많이 모이기 때문에 자연히 좁은 길이 이루어진다는 뜻으로, 덕이 있는 사람은 침묵을 지키고 있을지라도 자연히 사람들이 심복하여 모여듦의 비유로 쓰임.
[成婚 성혼] 혼인(婚姻)을 함. 결혼(結婚).
[成效 성효] 이룬 보람.
◉開成. 結成. 構成. 國成. 旣成. 期成. 落成. 老成. 達成. 大器晩成. 大成. 晩成. 變成. 補成. 不成. 削成. 生成. 歲成. 小成. 速成. 水到渠成. 守成. 夙成. 熟成. 習與性成. 養成. 釀成. 鍊成. 玉成. 完成. 偶成. 育成. 翼成. 一氣呵成. 作成. 長成. 裁成. 財成. 早成. 組成. 助成. 造成. 眞成. 集大成. 集成. 贊成. 天成. 促成. 秋成. 編成. 褒成. 弼成. 合成. 形成. 混成. 化成.

3 ⑦ [我] 中·人 아 ㊤哿 五可切 wǒ

筆順 ㇒ 二 于 手 扌 我 我

字解 ①나 아 자신. '自一'. '父兮生一, 母兮育一'《詩經》. 전(轉)하여, 자국(自國) 또는 이편. 내 편. '彼'의 대. '彼一'. '虜亦不得犯一'《漢書》. ②나의 아 ㉠자기의 소속임을 나타내는 말. '一國'. '一心匪石'《詩經》. ㉡특히 친밀한 뜻을 나타내는 말. '竊比於一老彭'《論語》. ③아집부릴 아 소아(小我)에 집착하여 자기만을 내세움. '毋意毋一'《論語》. ④성 아 성(姓)의 하나.

字源 甲骨文 金文 篆文 象形. 본디, 날 끝이 들쭉날쭉한 창의 모양을 형상화한 것으로, 假借하여 '나'의 뜻을 나타냄.

[我見 아견] ㉠자기의 편협한 견해(見解). ㉡《佛教》제멋대로의 생각.
[我國 아국] 우리나라.
[我儂 아농] 나. 자기. 남을 거농(渠儂)이라 함의 대(對).
[我慢 아만]《佛教》㉠칠만(七慢)의 하나. 자기의 재능을 믿고 남을 업신여김. ㉡아집(我執).
[我武維揚 아무유양] 우리 편 또는, 우리나라의 무위(武威)가 들날림.
[我邦 아방] 우리나라.
[我輩 아배] ㉠우리들. ㉡나. 자기.
[我輩人 아배인] 우리 편의 사람.
[我心匪石不可轉 아심비석불가전] 돌 같으면 구를 것이나 단단한 나의 마음은 움직일 수가 없음.
[我心如秤 아심여칭] 내 마음은 저울 같다는 뜻으로, 자기 마음속에 조금도 사(私)가 없음을 이름.
[我田引水 아전인수] 자기 논에 물 댄다는 뜻으로, 자기에게 이(利)로운 대로만 함을 이름.
[我曹 아조] 우리들. 아배(我輩).
[我執 아집]《佛教》아견(我見)에 집착(執着)함.
◉大我. 萬物皆備我. 忘我. 無我. 物我. 沒我. 非我. 小我. 爲我. 人我. 自我. 全我. 主我. 彼我.

3 ⑦ [戜] 〔혹·역〕 或(戈部 四畫〈p. 833〉)의 俗字

3 ⑦ [戒] 高·人 계 ㊀卦 古拜切 jiè 

[筆順] 一 二 于 开 戒 戒 戒

[字解] ①경계할 계 ㉠주의함. '一終'. '警一無虞'《書經》. ㉡삼감. '一飮'. '血氣未定, 一之在色'《論語》. ㉢타이름. '糾一'. '一勅'. '一之用休'《書經》. ㉣방비함. '一不虞'《易經》. ②경계 계 전항의 명사. '聞一'《孟子》. ③재계할 계 심신을 깨끗이 하여 부정한 일에 가까이하지 아니함. '七日一'《禮記》. ④고할 계 알림. '主人一賓'《儀禮》. ⑤계 계 ㉠한문의 한 체(體). 경계의 뜻을 진술한 글. '一者, 警敕之辭'《文體明辯》. ㉡《佛敎》 중이 지키는 행검(行檢). '五一'. '三學之中, 以一爲首'《觀經疏記》. ⑥지경 계 界(田部 四畫)와 同字. '江河爲南北兩一'《唐書》. ⑦성 계 성(姓)의 하나.

[字源] 金文 篆文 會意. 戈+廾. '戈과'는 창의 상형. '廾공'은 좌우의 손의 상형. 무기를 양손에 들고 경계하다의 뜻을 나타냄.

[戒告 계고] 경계하여 고함. 알려 주의하도록 함.
[戒懼 계구] 경계하고 두려워함.
[戒禁 계금] ㉠경계하여 하지 못하게 함. ㉡경계(警戒). 법도(法度). ㉢《佛敎》 일체의 악(惡)을 경계하여 제지함.
[戒旦 계단] 새벽을 경고함. 새벽의 준비를 하라고 알림.
[戒壇 계단] 《佛敎》 중에게 계(戒)를 닦게 하려고 흙과 돌로 쌓는 단.
[戒刀 계도] 《佛敎》 중의 삼의(三衣), 곧 대의(大衣)·칠조(七條)·오조(五條)의 세 가지 가사(袈裟)를 재봉하고, 또 마장(魔障)을 막기 위하여 가지고 다니는 칼. 다른 물건을 끊는 것을 경계한다는 뜻임.
[戒力 계력] 《佛敎》 계율을 지켜 얻은 공력(功力).
[戒名 계명] 《佛敎》 ㉠중이 계(戒)를 받은 후에 스승한테서 받은 이름. ㉡죽은 사람에게 지어 주는 이름.
[戒法 계법] 《佛敎》 계율(戒律)의 법칙.
[戒備 계비] 경계. 경비(警備).
[戒師 계사] 《佛敎》 수계(授戒)하는 사승(師僧).
[戒色 계색] 여색을 경계함. 계집을 삼감.
[戒勝災 계승재] 항상 경계하고 조심하면 재앙이 일어나지 아니함.
[戒愼 계신] 경계하고 삼감.
[戒心 계심] ㉠마음을 놓지 아니함. ㉡불우(不虞)에 대비하는 마음.
[戒嚴 계엄] ㉠경계(警戒)를 엄중(嚴重)히 함. ㉡전시(戰時) 또는 사변(事變)이 있을 때에 군대로써 어떤 지역을 경계하며, 그 지역의 사법권과 행정권을 군사령관이 관할하는 일.
[戒嚴令 계엄령] 국가의 원수가 계엄 실시를 선포하는 명령.
[戒律 계율] 《佛敎》 계(戒)와 율(律). 곧, 중이 지켜야 할 율법(律法).
[戒飮 계음] 음주를 경계함. 술을 삼감. 계주(戒酒).
[戒杖 계장] 중이 짚는 지팡이. 석장(錫杖).
[戒定慧 계정혜] 《佛敎》 불자(佛者)가 닦는 계율(戒律)·선정(禪定)·지혜(智慧). 곧, 삼학(三學).
[戒終 계종] 끝을 경계함. 일의 끝을 주의함.
[戒酒 계주] 계음(戒飮).
[戒牒 계첩] 중이 계(戒)를 받은 것을 증명하는 증서.
[戒勅 계칙] 계칙(戒飭).
[戒飭 계칙] 경계하여 타이름.
◉鑑戒. 檢戒. 敬戒. 儆戒. 警戒. 古戒. 告戒. 誥戒. 科戒. 教戒. 君子三戒. 勸戒. 糾戒. 兢戒. 斷機之戒. 大戒. 面戒. 明戒. 法戒. 寶戒. 菩薩戒. 覆車之戒. 佛戒. 備戒. 受戒. 垂戒. 授戒. 肅戒. 愼戒. 十戒. 十善戒. 嚴戒. 女戒. 遺戒. 懿戒. 履霜之戒. 自戒. 齋戒. 典戒. 前戒. 前車覆後車戒. 淨戒. 酒戒. 持戒. 祗戒. 懲戒. 天戒. 哨戒. 勅戒. 破戒. 訓戒.

4 ⑧ [戔] [一] 잔 [平]寒 昨干切 cán [二] 전 [平]先 將先切 jiān

[字解] [一] 해칠 잔 '一, 賊也'《說文》. [二] ①쌓일 전 가득 쌓인 모양. '石一一兮水成分'《江淹》. ②적을 전 얼마 안 되는 모양. 근소한 모양. 일설(一說)에는, 분열(分裂)의 모양. '束帛一一'《易經》.

[字源] 甲骨文 篆文 會意. 戈+戈. 창으로 거듭 찍어서 갈가리 찢는 모양에서, '해치다'의 뜻을 나타냄.

[戔戔 전전] 자해(字解) [二]❶❷를 보라.

4 ⑧ [戕] 장 [平]陽 在良切 qiāng

[字解] ①죽일 장 살해함. '一殺'. '邾人一鄫子于鄫'《春秋》. ②상할 장 손상을 입힘. '一賊杞柳'《孟子》.

[字源] 篆文 形聲. 戈+爿〔音〕. '戈과'는 '창'의 뜻. '爿장'은 '創창'과 통하여, 상처를 입다의 뜻. '상하다'의 뜻을 나타냄.

[戕戮 장륙] 죽임. 살육(殺戮).
[戕殺 장살] 죽임.
[戕賊 장적] 죽임. 살해(殺害).
[戕虐 장학] 잔인하게 학대함.
[戕害 장해] 죽임.
◉摧戕.

4 ⑧ [戡] 감 [平]覃 口含切 kān

[字解] ①죽일 감 戡(戈部 九畫〈p. 835〉)과 同字. '一, 殺也'《說文》. ②찌를 감 '一, 刺也'《廣韻》. ③견딜 감 堪(土部 九畫〈p. 455〉)의 古字. '王心弗一'《漢書》.

[字源] 形聲. 戈+今〔音〕

4 ⑧ [或] [中人] [一] 혹 [入]職 胡國切 huò [二] 역 [入]職 越逼切 yù

[筆順] 一 一 日 日 日 戓 或 或

[字解] [一] ①혹 혹 ㉠혹은. '一出一處'《易經》. '一學而知之, 一困而知之'《中庸》. ㉡혹시. 상상 또는 추측(推測)의 말. '一者'. '恐其一失'《大戴禮》. ②혹이 혹 어떤 사람이. '一問'. '一謂孔子曰'《論語》. ③괴이쩍어할 혹 이상하게 여김. 의혹함. 惑(心部 八畫)과 통용. '無一乎王之不智也'《孟子》. ④있을 혹 존재함. '一治之'《孟子》. [二] 나라 역 域(土部 八畫)과 同字. '一, 邦也'《說文》.

[字源] 甲骨文 金文 篆文 別體 域 會意. 戈+口+一. '口국'은 '마을'의 뜻. '戈과'는 창의 상형. '一일'은 경계의 상형. 본디, 무장(武裝)한 지역의 뜻으로서, '域역·國국'의 원자(原字). 假借하여 '혹은'의 뜻으로 사용.

[或問 혹문] ㉠어떤 사람이 묻는다는 뜻으로, 질문자에게 대답하는 체재(體裁)로 자기의 의견을 기술하는 문체(文體). ㉡의문(疑問).
[或說 혹설] 어떤 사람의 말이나 학설(學說).
[或是 혹시] 어떠한 경우(境遇)에.
[或時 혹시] 어떠한 때.
[或是或非 혹시혹비] ㉠어떤 것은 옳고 어떤 것은 그름. ㉡혹은 옳은 것도 같고, 혹은 그른 것도 같아 옳고 그름이 잘 분간되지 못함. ㉢어떤 사람은 옳다 하고, 어떤 사람은 그르다 함.
[或也 혹야] 혹시(或是).
[或曰 혹왈] 혹자(或者)가 말하기를.
[或云 혹운] 혹왈(或曰).
[或者 혹자] ㉠어떠한 사람. ㉡혹시(或是).
[或出或處 혹출혹처] 혹은 벼슬하여 조정(朝廷)에 나가고, 혹은 은퇴하여 집에 있음.

4 ⑧ [戋] 〔재〕
哉(口部 六畫〈p.373〉)의 俗字

5 ⑨ [战] 〔전〕
戰(戈部 十二畫〈p.836〉)의 俗字

[哉] 〔재〕
口部 六畫(p.373)을 보라.

[威] 〔위〕
女部 六畫(p.530)을 보라.

[咸] 〔함〕
口部 六畫(p.373)을 보라.

6 ⑩ [戔] 〔기〕
幾(幺部 九畫〈p.692〉)의 俗字

6 ⑩ [戙] 동 [去]送 徒弄切 dòng
[字解] 배널 동 선박에 쓰는 판자.

6 ⑩ [戓] 격 [入]陌 各額切 gé
[字解] ①잡을 격 포획함. '一, 捕也'《集韻》. ②싸울 격 '一, 鬪也'《集韻》.

[栽] 〔재〕
木部 六畫(p.1063)을 보라.

7 ⑪ [戚] [高入] [一] 척 [入]錫 倉歷切 qī
[二] 축 [入]沃 趨玉切 cù

[筆順] 丿 厂 厂 厈 厈 戚 戚 戚

[字解] [一] ①슬퍼할 척 서러워함. '哀一'. '喪與其易也, 寧一'《論語》. ②근심할 척 우려함. '憂一'. '小人長一一'《論語》. ③성낼 척 분노함. '慍斯一'《禮記》. ④친할 척 친근히 지냄. '一一兄弟'《詩經》. ⑤괴롭힐 척 괴롭게 함. 걱정을 끼침. '未可以一我先王'《書經》. ⑥겨레 척 친척. '姻一'. '有貴一之卿'《孟子》. ⑦도끼 척 무악(舞樂)·의식(儀式) 등에 쓰는 도끼. '干一'. '干戈一揚'《孟子》. ⑧성척 성(姓)의 하나. [二] 재촉할 촉 促(人部 七畫)과 同字. '無以爲一速也'《周禮》.

[戚[一]⑦]

[字源] 金文 篆文 形聲. 戉+尗〔音〕. '戉월'은 '큰 도끼'의 뜻. '尗숙'은 콩의 상형. 콩처럼 작은 도끼의 뜻을 나타냄. 또 '尗'은 '弔조'와 통하여, 애통하고 근심하다의 뜻을 나타냄. 또 동정심을 유발하는 존재로서의 '친척'의 뜻도 나타내기에 이름.

[戚繼光 척계광] 명(明)나라 중기(中期)의 무장(武將). 자(字)는 원경(元敬). 저장(浙江)의 참장(參將)이 되어 왜구(倭寇)의 평정(平定)에 용명을 떨쳤으며, 정병(精兵)을 뽑아 훈련을 엄히 하고 전술(戰術)과 병기의 개량 충실에 힘을 써 척가군(戚家軍)의 이름을 날렸음. 그 경험에 의거하여 병서(兵書)〈기효신서(紀效新書)〉를 저술하였음.
[戚黨 척당] 외척(外戚)과 처족(妻族).
[戚里 척리] 장안(長安)에 있던 마을 이름. 한(漢)나라 때 천자(天子)의 인척(姻戚)이 여기에서 살았으므로 후에 전(轉)하여, 임금의 외척(外戚)의 뜻으로 쓰임.
[戚夫人 척부인] 한(漢)나라 고조(高祖)의 총희(寵姬). 여태후(呂太后)의 샘을 받아 고조(高祖)가 몰(沒)한 후 이목수족(耳目手足)을 잘리고 뒷간에 버려두어져 인체(人彘)라고 불리었다 함.
[戚屬 척속] 외척(外戚)과 처족(妻族).
[戚施 척시] ㉠꼽추. 구루(佝僂). ㉡추악(醜惡)한 사람. 전(轉)하여, 세상에 낯을 들고 다닐 수 없는 사람. 또, 면목(面目)이 없는 일.
[戚臣 척신] 임금의 외척이 되는 신하.
[戚揚 척양] 크고 작은 도끼. 양(揚)은 도끼.
[戚然 척연] 근심하고 슬퍼하는 모양.
[戚琬 척완] 임금의 외척(外戚). 척리(戚里).
[戚容 척용] 근심하는 얼굴.
[戚誼 척의] 인척 간의 정의(情誼).
[戚姻 척인] 인척(姻戚).
[戚族 척족] 친척(親戚).
[戚戚 척척] ㉠근심하는 모양. ㉡친한 모양. ㉢마음이 움직이는 모양.
[戚勳 척훈] 공훈(功勳)이 있는 친척.
[戚速 촉속] 빨리빨리 하라고 재촉함.
[戚促 촉촉] ㉠급박함. ㉡도량이 좁음.
◉干戚. 舊戚. 國戚. 權戚. 貴戚. 近戚. 內戚. 黨戚. 藩戚. 悲戚. 哀戚. 外戚. 憂戚. 遠戚. 姻戚. 帝戚. 尊戚. 宗戚. 親戚. 豪戚. 婚戚. 休戚. 喜戚.

7 ⑪ [戰] [一] 한 [去]翰 侯旰切 gān
[二] 간 [平]寒 古寒切 gān

[字解] [一] 방패 한 '一, 盾也'《說文》. [二] 방패 간 干(部首)과 통용. '一, 博雅, 楯一, 盾也. 通作干'《集韻》.
[字源] 形聲. 戈+旱〔音〕

7 ⑪ **[戛]** 알 ㉧黠 古黠切 jiá

字解 ①창 알 긴 창(槍). '立戈迤—'《張衡》. ②칠 알 가볍게 두드림. '—擊鳴球'《書經》. ③어근버근할 알 서어(齟齬)함. '——乎其難哉'《韓愈》. ④법 알 정칙(定則). '不率大—'《書經》.

字源 篆文 會意. 戈+百. '戈과'는 '창'의 뜻. '百'는 '首수'의 本字로, '목'의 뜻. 머리를 베어 떨어뜨리는 '창'의 뜻을 나타냄. 또, 금석(金石)이 맞부딪치는 소리를 나타내는 의성어로도 쓰임.

參考 戞(次條)은 俗字.

[戛擊 알격] 악기를 가벼이 쳐 올림.
[戛戛 알알] 어근버근한 모양. 맞지 아니하는 모양.
[戛然 알연] ㉠금석(金石)이 서로 부딪쳐 나는 소리의 형용. ㉡학 같은 것이 우는 소리의 형용.
◉敲戛. 交戛. 嘐戛. 大戛. 摩戛. 玉戛.

8 ⑫ **[戞]** 戛(前條)의 俗字

8 ⑫ **[戟]** 人名 극 ㉧陌 几劇切 jǐ

字解 ①미늘창 극 끝이 좌우로 가닥진 창. '修我矛—'《詩經》. ②찌를 극 뾰족한 것으로 들이밂. '其根辛苦, —人咽喉'《本草》.

字源 金文 篆文 會意. 戈+榦〈省〉. '戈과'는 '창'의 뜻. '榦간'은 '줄기'의 뜻. 나무줄기의 가지처럼 가짓날이 내민 창의 뜻을 나타냄.

參考 '戟'은 '戈'와 '矛'의 합체로 생긴 무기로, 걸어 당기는 '戈'와 찌르는 '矛'의 두 기능을 겸함.

[戟架 극가] 창을 걸어 놓는 틀.
[戟鋩 극망] 창의 끝.
[戟槊 극삭] 창(槍).
[戟手 극수] 한 손은 쳐들고 한 손은 내뻗어 창과 같이 하여 남을 치려고 하는 일. 일설(一說)에는, 주먹을 휘두름.
[戟盾 극순] 창과 방패.
◉劍戟. 棨戟. 曲戟. 交戟. 戈戟. 句戟. 弓戟. 旗戟. 刀戟. 幢戟. 矛戟. 兵戟. 銛戟. 電戟. 持戟. 綵戟. 陛戟.

[戟①]

8 ⑫ **[戟]** 戟(前條)의 俗字

[幾] 〔기〕 幺部 九畫(p.692)을 보라.

[胾] 〔자〕 肉部 六畫(p.1845)을 보라.

9 ⑬ **[戡]** 人名 감 ㊥覃 口含切 kān

字解 ①이길 감 쳐서 이김. 전승(戰勝)함. '—定'. '西伯—黎'《書經》. ②죽일 감 살해함. '—殄'.

字源 篆文 形聲. 戈+甚〔音〕. '甚심'은 '沈침'과 통하여, 조용히 가라앉히다의 뜻. 창으로 가라앉히다, 찌르다의 뜻을 나타냄.

[戡難 감난] 국난(國難)을 평정함.
[戡亂 감란] 병란(兵亂)을 평정함.
[戡夷 감이] 평정(平定)함.
[戡定 감정] 전쟁(戰爭)에 이겨 난리(亂離)를 평정(平定)함.
[戡殄 감진] 모두 죽여 없애 버림. 섬멸함.

9 ⑬ **[戢]** 즙 ㉧緝 阻立切 jí

字解 ①거둘 즙 ㉠무기를 거두어들여 저장함. '—櫜'. '載—干戈'《詩經》. ㉡거두어 옴츠림. 수렴(收斂)함. '—翼'. '鴛鴦在梁, —其左翼'《詩經》. ②그칠 즙 하던 일을 그만둠. 또는 그만두게 함. '—兵'. '兵猶火也, 弗—將自焚'《左傳》. ③성 즙 성(姓)의 하나.

字源 篆文 形聲. 戈+咠〔音〕. '咠즙'은 '그러모으다'의 뜻. 창 따위의 병기를 모아 거두다의 뜻을 나타냄.

[戢干戈 즙간과] 창(槍)과 방패(旁牌)를 거둠. 곧, 군사를 거두어 싸움을 끝냄.
[戢櫜 즙고] 무기를 거두어들여 저장한다는 뜻으로, 전쟁을 그만둠. 언무(偃武).
[戢兵 즙병] 전쟁을 그만둠.
[戢伏 즙복] 자기의 재능을 숨기고 세상에서 숨음.
[戢翼 즙익] 폈던 날개를 옴츠림.
[戢戢 즙즙] 모여드는 모양.

9 ⑬ **[戥]** 등 děng

字解 ①작은저울 등 '向來收稅一兩, 加—耗一分八釐'《淸會典事例》. ②《現》 대저울로달 등.

9 ⑬ **[戤]** 양 ㊥陽 余章切 yáng

字解 ①창(槍) 양 '—, 戈也'《集韻》. ②도끼 양 무기(武器)의 일종. 揚(手部 九畫)과 통용. '—, 通揚, 戉也'《韻會小補》.

9 ⑬ **[戣]** 규 ㊥支 渠追切 kuí

字解 창 규 창의 한 가지. '一人冕, 執—'《書經》.

字源 篆文 形聲. 戈+癸〔音〕. '癸규'는 열십자(十字)로 엮은 방위계(方位計)의 상형. 방위형(方位形)과 같이 가짓날이 있는 '창'의 뜻을 나타냄.

◉集戣.

9 ⑬ **[戦]** 〔전〕 戰(戈部 十二畫〈p.836〉)의 略字

9 ⑬ **[戤]** 개 ㉧泰 渠蓋切 gài

字解 ①전당잡힐 개 '—, 以物相質也'《字彙補》. ②《現》 속일 개 명의(名義)를 속임.

10 ⑭ **[戟]** 〔극〕 戟(戈部 八畫〈p.835〉)의 本字

[載] 〔재〕
車部 六畫(p. 2265)을 보라.

10 ⑭ [截] [人名] 절 [入]屑 昨結切 jié

[字解] ①끊을 절 ㉠절단함. '斷—'. '所過池苑, 多令衞士射雕—柳'《宋太祖實錄》. ㉡막음. 차단함. '遮—'. '徑—輜重, 橫攻士卒'《李華》. ②말잘할 절 언변이 좋은 모양. '惟——善諞言'《書經》.

[字源] 篆文 會意. 본디 戈+小+隹. 새를 창으로 조각조각 작게 베는 모양에서, '베다, 째다'의 뜻을 나타냄.

[截句 절구] '절구(絕句)'와 같음.
[截斷 절단] ㉠잘라 끊음. 절단(切斷). ㉡속세(俗世)와 인연을 끊음. 속세에서 벗어남.
[截髮易酒 절발역주] 진(晉)나라 도간(陶侃)의 모친(母親) 잠씨(湛氏)가 자기의 두발(頭髮)을 잘라서 팔아 가지고 술을 사서 손님을 대접했다는 고사(故事).
[截然 절연] ㉠잘라 끊는 모양. ㉡구별이 확실한 모양. 판연(判然).
[截長補短 절장보단] 잘되거나 넉넉한 것에서 못되거나 부족한 것을 보충함.
[截截 절절] 구변(口辯)이 좋은 모양.
[截破 절파] 끊어 깨뜨림.
◉隔截. 鹹截. 斷截. 茅截. 剖截. 掃截. 遏截. 擳截. 徼截. 易簡直截. 翦截. 直截. 遮截. 鈔截. 勦截. 割截. 膾截. 橫截.

10 ⑭ [戩] 전 [上]銑 卽淺切 jiǎn

[字解] ①다할 전 죄다. 모두. '俾爾—穀'《詩經》. ②멸할 전 멸망시킴. 翦(羽部 九畫)과 통용.

[字源] 篆文 形聲. 戈+晉〔音〕. '晉진'은 '나아가다'의 뜻. 창으로 잇따라 베어 나가다, 멸망시키다의 뜻을 나타냄.

[戩穀 전곡] ㉠선(善)을 다함. '穀'은 선(善)의 뜻. ㉡다행. 복록(福祿). '穀'은 녹(祿)의 뜻.

10 ⑭ [戧] 〔창〕
創(刀部 十畫〈p. 265〉)의 古字

[臧] 〔장〕
臣部 八畫(p. 1871)을 보라.

11 ⑮ [戭] [一] 인 [上]軫 餘刃切 yǐn
[二] 연 [上]銑 以淺切 yǎn

[字解] [一] ①긴창 인 장창(長槍). ②성 인 성(姓)의 하나. [二] 사람이름 연 '檮—'은 고양씨(高陽氏)의 팔재자(八才子)의 한 사람.

[字源] 篆文 形聲. 戈+寅〔音〕. '寅인'은 '뻗치다, 길다'의 뜻. '긴 창'의 뜻을 나타냄.

11 ⑮ [戫] 용 [平]冬 餘封切 yōng

[字解] 병기(兵器) 용 무기(武器). '—, 兵器'《集韻》.

11 ⑮ [戮] [人名] 륙 [入]屋 力竹切 lù

[字解] ①죽일 륙 살해함. '殺—'. ②육시할 륙 이미 죽은 사람을 참형(斬刑)에 처함. '殺其生者而—其死者'《晉語》. ③죽음 륙 사형(死刑). '得執就—'《晉書》. ④욕보일 륙 치욕을 당하게 함. '賈季—臾騈'《左傳》. ⑤욕 륙 치욕. '爲天下—'《戰國策》. ⑥죄줄 륙 형벌에 처함. '搏而—之'《周禮》. ⑦죄 륙 형벌. '刑—'. '有顯—'《史記》. ⑧합할 륙 힘을 합함. 勠(力部 十一畫)과 통용. '與之—力'《書經》.

[字源] 篆文 形聲. 戈+翏〔音〕. '翏료·륙'는 '卯묘'와 통하여, 둘로 잡아 째다의 뜻. 창으로 죽이다의 뜻을 나타냄.

[戮力 육력] 서로 힘을 합(合)함.
[戮笑 육소] 조소(嘲笑)를 당하는 일. 웃음거리.
[戮辱 육욕] 욕. 치욕.
[戮誅 육주] 죽임. 주륙(誅戮).
◉糾戮. 孥戮. 大戮. 屠戮. 殺戮. 夷戮. 殘戮. 誅戮. 殄戮. 天下戮. 討戮. 刑戮.

11 ⑮ [截] 〔절〕
截(戈部 十畫〈p. 836〉)의 本字

11 ⑮ [戲] 〔희〕
戲(戈部 十三畫〈p. 837〉)의 俗字

12 ⑯ [戰] [中人] 전 [去]霰 之膳切 zhàn 战

[筆順] 罒 罝 罝 單 單 戰 戰 戰

[字解] ①싸움 전 전쟁. '大—'. '王好—, 請以—喩'《孟子》. ②싸울 전 전쟁을 함. '善—'. '—必勝, 攻必取'《史記》. ③두려워할 전 공구함. '——兢兢'. '見豺而—'《揚子法言》. ④떨 전 무서워서 떪. '股—而栗'《史記》. ⑤흔들릴 전 요동함. '怯敎蕉葉—'《白居易》. ⑥성 전 성(姓)의 하나.

[字源] 金文 篆文 形聲. 戈+單〔音〕. '單단'은 튀김활의 상형. '戈과'는 창의 상형. 싸운다는 뜻을 나타냄.

[參考] 战(戈部 五畫)은 俗字.

[戰悸 전계] 전율(戰慄).
[戰鼓 전고] 싸울 때 울리는 북.
[戰功 전공] 싸움에 이겨서 이룬 공로.
[戰果 전과] 전쟁의 결과(結果). 전쟁의 성과(成果).
[戰懼 전구] 전율(戰慄).
[戰局 전국] 전쟁(戰爭)이 벌어지고 있는 국면(局面). 전쟁의 판국. 전쟁의 대세(大勢).
[戰國 전국] ㉠교전 중(交戰中)의 나라. 또, 싸움이 그칠 사이 없는 나라. ㉡어지러운 세상. 난세(亂世). ㉢주(周)나라 위열왕(威烈王) 때부터 진(秦)나라 시황(始皇)의 천하 통일까지 204년간의 일컬음. 전국 시대(戰國時代).
[戰國時代 전국시대] 전국(戰國) ㉢을 보라.
[戰國策 전국책] 춘추(春秋) 이후 초한(楚漢)이 일어나기까지의 245년간에 걸쳐 전국(戰國) 유사(遊士)가 제국(諸國)을 다니며 유세한 책모(策謀)를 나라별로 모은 책. 33권. 저자는 미상(未詳). 한(漢)나라의 유향(劉向)이 교정(校正)하고 고유(高誘)가 이에 주(註)를 달았음.
[戰國七雄 전국칠웅] 전국(戰國) 시대의 일곱 강

국(強國). 곧, 제(齊)·초(楚)·연(燕)·한(韓)·조(趙)·위(魏)·진(秦).
[戰兢 전긍] 전전긍긍(戰戰兢兢).
[戰記 전기] 전쟁(戰爭)의 기록.
[戰機 전기] ㉠싸움이 일어나는 기회(機會). 싸움의 기운(機運). ㉡전쟁의 계획. 전략(戰略).
[戰騎 전기] 말 타고 싸우는 군사.
[戰端 전단] 전쟁(戰爭)의 단서(端緒).
[戰掉 전도] 두려워서 벌벌 떪.
[戰圖 전도] 전쟁의 도면(圖面). 전(轉)하여, 전쟁이 행하여지는 범위.
[戰亂 전란] 전쟁의 난리(亂離). 전쟁의 혼란. 병란(兵亂).
[戰略 전략] 전쟁의 방략(方略). 작전 계획(作戰計畫).
[戰力 전력] 싸우는 힘. 전투의 능력.
[戰慄 전률] 전율(戰慄).
[戰利品 전리품] 전쟁(戰爭)을 하여 적군(敵軍)에게서 빼앗은 물품.
[戰笠 전립] 군인(軍人)이 쓰는 벙거지. 갓벙거지.
[戰馬 전마] 전쟁(戰爭)에 쓰는 말.
[戰亡 전망] 싸움에서 싸우다가 죽음. 전사(戰死).
[戰歿 전몰] 전사(戰死).
[戰伐 전벌] 전쟁을 하여 침.
[戰法 전법] 싸우는 방법.
[戰報 전보] 전황(戰況)의 보도.
[戰堡 전보] 보루(堡壘).
[戰鋒 전봉] 전쟁의 기세(氣勢).
[戰備 전비] 전쟁(戰爭)의 준비.
[戰士 전사] 싸우는 사졸(士卒).
[戰史 전사] 전쟁(戰爭)의 역사.
[戰死 전사] 전장에서 싸우다가 죽음.
[戰射 전사] 싸움에서 활을 쏘는 법.
[戰狀 전상] 전황(戰況).
[戰傷 전상] 전쟁에서 상처를 입음. 또, 그 상처.
[戰色 전색] 무서워서 떠는 얼굴빛.
[戰船 전선] 싸움에 쓰는 배. 병선(兵船).
[戰線 전선] 전쟁 때 적전(敵前)에 배치된 전투부대의 배치선.
[戰艘 전소] 싸움에 쓰는 배. 전함(戰艦).
[戰悚 전송] 무서워서 떪. 송구(悚懼)하여 떪.
[戰竦 전송] 전송(戰悚).
[戰術 전술] 전쟁의 방법. 작전술(作戰術).
[戰慴 전습] 전율(戰慄).
[戰勝 전승] 싸움에 이김. 승전(勝戰). 전첩(戰捷).
[戰勝功取 전승공취] 적(敵)과 싸우면 이기고 치면 빼앗는다는 뜻으로, 연전연승(連戰連勝)함을 이름.
[戰時 전시] 전쟁(戰爭)이 벌어진 때.
[戰役 전역] 전쟁이 벌어진 큰 일. 전쟁(戰爭).
[戰雲 전운] 전쟁이 벌어지려는 살기(殺氣) 띤 형세.
[戰栗 전율] 전율(戰慄).
[戰慄 전율] 두려워하여 떪. 전율(戰栗).
[戰意 전의] 싸움을 할 생각.
[戰場 전장] 싸움터. 전쟁(戰爭)이 일어난 곳.
[戰爭 전쟁] 싸움. 국가(國家)와 국가와의 사이에 무기를 가지고 싸우는 일.
[戰跡 전적] 싸움한 자취.
[戰戰兢兢 전전긍긍] 매우 두려워하여 조심(操心)하는 모양. 두려워하여 떠는 모양.
[戰戰慄慄 전전율률] 몹시 두려워하여 떠는 모양.
[戰地 전지] 전쟁(戰爭)을 하는 땅. 싸움터. 전장(戰場).
[戰陣 전진] ㉠싸우기 위하여 벌여 친 진. ㉡전장(戰場).
[戰塵 전진] 싸움터의 풍진(風塵). 전(轉)하여, 전쟁의 소란.
[戰車 전차] 전쟁(戰爭)에 쓰는 특별한 장치(裝置)를 한 수레.
[戰捷 전첩] 전쟁(戰爭)에 이김. 승전(勝戰). 전승(戰勝).
[戰鬪 전투] 싸움. 교전(交戰).
[戰鬪機 전투기] 기체(機體)가 견고하고 소형(小型)이며 속력(速力)·승등력(昇騰力)이 가장 큰 전투용의 비행기.
[戰鬪力 전투력] 전투를 감당하여 내는 힘.
[戰鬪艦 전투함] 전쟁(戰爭) 때 함대(艦隊)의 중심(中心)이 되는 군함.
[戰敗 전패] 싸움에 짐.
[戰怖 전포] 전율(戰慄).
[戰袍 전포] 갑옷의 겉에 입는 웃옷.
[戰汗 전한] 무서워서 떨어 땀이 남. 또, 그 땀.
[戰艦 전함] 전쟁에 쓰는 큰 배.
[戰禍 전화] 전쟁(戰爭)으로 말미암은 재화(災禍).
[戰況 전황] 전쟁(戰爭)의 상황.
[戰惶 전황] 전율(戰慄).
[戰後 전후] 전쟁(戰爭)이 끝난 뒤.
◉敢戰. 酣戰. 開戰. 距戰. 健戰. 格戰. 激戰. 決勝戰. 決戰. 股戰. 苦戰. 公戰. 空中戰. 觀戰. 交戰. 郊戰. 寇戰. 棋戰. 騎戰. 亂戰. 難戰. 內戰. 冷戰. 論戰. 大戰. 對戰. 挑戰. 督戰. 謀戰. 搏戰. 反戰. 防戰. 白兵戰. 白戰. 百戰. 奮戰. 思想戰. 四戰. 死戰. 商戰. 緖戰. 宣戰. 善戰. 舌戰. 雪戰. 速戰. 水戰. 勝戰. 市街戰. 實戰. 惡戰. 野戰. 力戰. 歷戰. 連戰. 熱戰. 厭戰. 鏖戰. 勇戰. 陸戰. 義戰. 應戰. 疑戰. 一戰. 臨戰. 作戰. 敵戰. 轉戰. 接戰. 征戰. 政戰. 停戰. 挺戰. 遭遇戰. 終戰. 主戰. 舟戰. 酒戰. 進戰. 參戰. 初戰. 總力戰. 出戰. 快戰. 敗戰. 砲戰. 筆戰. 寒戰. 合戰. 巷戰. 抗戰. 海戰. 血戰. 好戰. 混戰. 會戰. 休戰.

12 ⑯ [戩] 〔증〕
矰(矢部 十二畫〈p. 1561〉)의 俗字

12 ⑯ [戴] 〔대〕
戴(戈部 十三畫〈p. 838〉)의 籒文

12 ⑯ [戱] 戲(次條)의 俗字

13 ⑰ [戲] [中人]
[一] 희 [去]寘 香義切 xì
[二] 호 [平]虞 荒烏切 hū
[三] 휘 [平]支 吁爲切 huī
戏 㦻

[筆順] 广 卢 庐 虐 虘 戲 戲 戲

[字解] [一] ①놀 희 재미있게 놂. '遊一'. '爲兒嬉一, 常陳俎豆'《史記》. ②희롱할 희 희학질함. '一談'. '善一謔矣, 不爲虐兮'《詩經》. ③놀이할 희 연극·기악 등을 함. '俳優侏儒一于前'《孔子家語》. ④놀이 희 연극·기악·씨름 등. '一場'. '優倡侏儒, 爲一而前'《史記》. ⑤성 희 성(姓)의 하나. [二] 서럽다할 호 呼(口部 五畫)와 同字. '嗚一'. '於一前王不忘'《詩經》. [三] 기 휘 麾(麻

部 四畫)와 同字. '建大一以田'《周禮》.
字源 金文 篆文 形聲. 戈+虘〔音〕. '虘희'는 '虛허'와 통하여, '공허하다'의 뜻. 공허한 창, 실전용(實戰用)이 아닌 군악용(軍樂用)의 창의 뜻에서, 놀다의 뜻을 나타냄. 또, 한탄하는 소리의 의성어로서도 쓰임.
參考 戱(戈部 十一畫)·戲(前條)는 俗字.

[戲下 휘하] '휘하(麾下)'와 같음.
[戲曲 희곡] 연극(演劇)의 각본(脚本).
[戲具 희구] 장난감.
[戲毬 희구] 공을 가지고 놂.
[戲劇 희극] ㉠익살을 부려 웃기는 장면이 많은 연극. ㉡희학질함.
[戲談 희담] 희학(戲謔)하는 말. 농담(弄談).
[戲答 희답] 실없는 대답. 익살스러운 대답.
[戲論 희론] 쓸데없이 논(論)함. 쓸모없는 이론(理論).
[戲弄 희롱] 실없이 놀리는 짓.
[戲文 희문] ㉠희곡(戲曲)의 줄거리를 쓴 글. ㉡장난삼아 쓴 글. 익살을 주로 한 글.
[戲書 희서] 장난삼아 씀. 낙서(落書).
[戲媟 희설] 희압(戲狎).
[戲笑 희소] 익살.
[戲狎 희압] 농지거리하며 버릇없이 굶.
[戲言 희언] 희담(戲談).
[戲豫 희예] 놀며 즐김. 즐거이 놂.
[戲娛 희오] 즐거이 놂. 희유(戲遊).
[戲玩 희완] 희롱(戲弄).
[戲遊 희유] 즐거이 놂.
[戲作 희작] 장난삼아 지음. 또, 그 작품.
[戲場 희장] 극장(劇場).
[戲啁 희조] 익살 부림. 농담함.
[戲稱 희칭] 희롱(戲弄)으로 일컫는 이름.
[戲謔 희학] 실없는 말로 농지거리함.
◉歌戲. 角戲. 球戲. 局戲. 鞠戲. 伎戲. 弄戲. 談戲. 賭戲. 嫚戲. 博戲. 百戲. 扮戲. 象戲. 褻戲. 水戲. 兒戲. 惡戲. 於戲. 言戲. 演戲. 玩戲. 優戲. 遊戲. 飮戲. 昵戲. 作戲. 雜戲. 調戲. 嘲戲. 諂戲. 赫戲. 幻戲. 嘻戲. 嬉戲.

13 ⑰ [戴] 人名 대 ㊀隊 都代切 dài

筆順 十 土 㠭 壴 𢧇 戴 戴 戴

字解 ①일 대 머리 위에 임. '頒白者不負一於道路矣'《孟子》. ②받들 대 ㉠떠받듦. 공경하여 모심. '推一'. '衆非元后何一'《書經》. ㉡하사(下賜)한 것을 받음. '捧一皇恩'《柳宗元》. ③성 대 성(姓)의 하나.
字源 篆文 形聲. 𢦏+異〔音〕. '異이'는 귀두(鬼頭)의 탈을 쓰고 양손을 들고 있는 사람의 상형. '𢦏재'는 '載재'와 통하여, '얹다'의 뜻. 귀두의 탈을 머리에 얹듯이 '얹다, 이다'의 뜻을 나타냄.

[戴冠式 대관식] 유럽 각국(各國)에서 제왕(帝王)이 즉위(卽位)할 때 제왕이 관(冠)을 쓰는 의식.
[戴白 대백] 백발(白髮)을 인다는 뜻으로, 머리가 흰 사람. 곧, 노인.
[戴盆望天 대분망천] 머리에 쟁반을 이고 하늘을 바라볼 수 없듯이, 두 일을 함께 겸하기는 어렵다는 뜻.
[戴星 대성] 별이 있는 때에 떠남. 아침 일찍이 또는 밤이 되어서 출입함을 이름.
[戴勝 대승] ㉠머리꾸미개를 머리에 꽂음. ㉡비둘기.
◉感戴. 奉戴. 捧戴. 負戴. 擁戴. 翼戴. 頂戴. 宗戴. 推戴. 荷戴.

14 ⑱ [戴] 戴(前條)의 本字

18 ㉒ [戳] 구 ㊀虞 其俱切 qú

字解 창 구 끝이 네 가닥 진 창.

戶 (4획) 部

〔지게호부〕

0 ④ [戶] 中人 호 ㊤麌 侯古切 hù

筆順 一 ㄱ ㅋ 戶

字解 ①지게 호 지게문. '門之單扇者曰一'《辭海》. 전(轉)하여, 문짝. '一扇'. '將排一入'《晉書》. 또, 집이나 방의 출입구. '一牖'. '不出一知天下'《老子》. ②방 호 거처하는 칸. '府吏嘿無聲, 再拜還入一'《古詩》. ③집 호 ㉠가옥. '一數'. '案一比民'《後漢書》. ㉡집의 수. '一口'. '封萬一'《史記》. ㉢집마다. '若門到一說矣'《任昉》. ④구멍 호 공혈(孔穴). '啓一始出'《禮記》. ⑤주량 호 술을 마시는 양. '小一'. '一大嫌甜酒'《白居易》. ⑥막을 호 방해하여 못하게 함. '屈蕩一之'《左傳》. ⑦지킬 호 호위함. '坐一殿門失闌'《漢書》. ⑧성 호 성(姓)의 하나.
字源 甲骨文 篆文 象形. 甲骨文에서 알 수 있듯이, 한쪽만 열리는 문짝의 상형으로, '문'의 뜻을 나타냄.
參考 '戶'를 의부(意符)로 하여, 문, 집, 집에 딸린 물건에 관한 문자를 이룸.

[戶口 호구] 호수(戶數)와 인구(人口)의 수.
[戶大 호대] 술을 많이 먹는 사람. 주량(酒量)이 큰 사람.
[戶裏 호리] 집 뒤.
[戶房 호방] ㉠조선 때 호전(戶典)에 관한 사무(事務)를 맡아보던 승정원(承政院)의 육방(六房)의 하나. ㉡조선 때 호전(戶典)에 관한 사무(事務)를 맡아보던 지방 관아(地方官衙)의 육방(六房)의 하나.
[戶辯家說 호변가설] 집집마다 다니며 설명함. 호설(戶說).
[戶別 호별] 집집마다. 매호(每戶).
[戶部 호부] 육부(六部)의 하나. 호구(戶口)·공부(貢賦) 등의 일을 맡은 마을.
[戶席 호석] 방(房).
[戶扇 호선] 문짝.
[戶說 호설] 집집마다 다니며 설명함. 가설(家說).
[戶稅 호세] 집집마다 부과(賦課)하는 세금.
[戶數 호수] ㉠집의 수효. ㉡호적상(戶籍上)의 집

의 수.
[戶外 호외] 집 밖.
[戶牖 호유] ㉠지게문, 곧 방의 출입구와 들창. ㉡창.
[戶者 호자] 문지기.
[戶長 호장] ㉠마을의 장. 이장(里長). 촌장(村長). ㉡《韓》 향리(鄕吏)의 으뜸 구실.
[戶籍 호적] ㉠호수(戶數)·식구(食口)를 기록한 장부. ㉡한 집안의 가족 관계(家族關係) 및 각 가족의 성명·생년월일 등을 기록한 국가(國家)의 공인(公認) 문서.
[戶庭 호정] 뜰.
[戶曹 호조] 육조(六曹)의 하나. 고려(高麗) 말 및 조선 때의 호구(戶口)·공부(貢賦)·전량(田糧)·금화(金貨) 등에 관한 사무를 맡아보던 마을.
[戶主 호주] ㉠한 집안의 주장이 되는 사람. ㉡호주권(戶主權)의 주체가 되는 사람.
[戶樞不蠹 호추부두] 여닫는 문(門)지도리는 좀이 아니 먹는다는 뜻으로, 사람도 늘 활동하면 건강(健康)하다는 비유(譬喩).
[戶版 호판] 호적(戶籍) [ㄱ].
[戶限 호한] 문지방.
[戶闔 호합] ㉠문짝. 문선(門扇). ㉡문이 닫혀 있음.
[戶戶 호호] 집집마다. 매호(每戶).
◉丐戶. 客戶. 僑戶. 宮戶. 閨戶. 機戶. 漏戶. 蜑戶. 大戶. 屠戶. 門戶. 民戶. 房戶. 蓬戶. 扉戶. 貧戶. 上戶. 桑戶. 商戶. 小戶. 疎戶. 邃戶. 繡戶. 柴戶. 新戶. 室戶. 雁戶. 漁戶. 鹽戶. 獵戶. 幽戶. 牖戶. 佃戶. 亭戶. 庭戶. 釣戶. 竈戶. 朱戶. 酒戶. 竹戶. 千門萬戶. 樵戶. 破落戶. 編戶. 蟹戶. 鄕戶. 荊戶.

1 ⑤ [戹] 액 [入]陌 於革切 è
[字解] ①좁을 액 협착함. '壺口榧一'《漢書》. ②고생할 액 괴롭게 수고함. '兩賢豈相一哉'《史記》. ③액 액 위난(危難) 또는 간난(艱難). '危一'. '困一'. '竟免虎口之一'《潘岳》.
[字源] 金文  篆文  象形. 金文은 멍에를 본뜬 것. '軛액'의 원자(原字)였으나, 멍에가 마소의 목에 얹혀 좁아서 답답한 느낌인 데서, '좁다, 고생하다'의 뜻을 나타냄.

◉艱戹. 蹇戹. 困戹. 窘戹. 屈戹. 饑戹. 屯戹. 兵戹. 三武一宗戹. 水戹. 危戹. 典籍五戹. 峻戹. 陳蔡之戹. 捶戹. 閉戹. 乏戹. 闔戹. 虎口之戹. 火戹.

3 ⑦ [戾] [一] 대 [去]泰 他蓋切
[二] 제 [去]霽 他計切 tì
[字解] [一] 수레옆문 대 덮개 있는 수레의, 밀어 여는 옆문. '一, 說文曰, 輜車旁推戶也'《玉篇》. [二] 수레옆문 제 [一]과 뜻이 같음.
[字源] 形聲. 戶+大〔音〕
[參考] 戾(戶部 四畫)는 別字.

[扂] 〔계〕
口部 四畫(p.361)을 보라.

3 ⑦ [扂] 戺(次條)와 同字

3 ⑦ [戺] 사 ㊤紙 鉏里切 shì
[字解] ①지도리 사 문지도리. 호추(戶樞). '落時, 謂之一'《爾雅》. ②집모퉁이 사 당우(堂隅). '夾兩階一'《書經》. ③문지방 사 문한(門限). '金一玉階'《張衡》.
[字源] 形聲. 戶+巳〔音〕

3 ⑦ [戼] 〔묘〕
卯(卩部 三畫〈p.313〉)의 本字

4 ⑧ [戽] 호 ①㊤麌 荒故切 hù
②㊤麌 呼古切 hù
[字解] ①퍼낼 호 떠냄. ②배두레박 호 선저(船底)의 물을 퍼내는 그릇.
[字源] 形聲. 斗+戶〔音〕

4 ⑧ [戾] [人名] 려 [去]霽 郎計切 lì
[字解] ①어그러질 려 위배(違背)함. '悖一'. '自以行無一也'《列子》. ②사나울 려 흉포함. '猛一'. '虛殷國而天下不稱一焉'《荀子》. ③이를 려 도착함. '鳶飛一天'《詩經》. ④안정할 려 편안히 좌정함. '民之未一'《詩經》. ⑤거셀 려 격렬함. '勁風一而吹帷'《潘岳》. ⑥허물 려 죄. '以自取一'《左傳》. ⑦성 려 성(姓)의 하나.
[字源] 甲骨文  篆文  會意. 戶+犬. 문간에 있는 집 지키는 개의 뜻에서, '사납다, 어그러지다'의 뜻을 나타냄. 또, '履리'와 통하여, '이르다'의 뜻도 나타냄.

[戾轉 여전] 비뚤어짐.
[戾止 여지] 이름. 와서 정지함.
[戾蟲 여충] 범〔虎〕의 이칭(異稱). 사나운 동물이란 뜻.
◉剛戾. 愆戾. 狷戾. 獷戾. 乖戾. 狡戾. 咎戾. 詭戾. 狼戾. 大戾. 猛戾. 繆戾. 返戾. 叛戾. 蟠戾. 背戾. 僻戾. 否戾. 忿戾. 拂戾. 佛戾. 鄙戾. 惡戾. 逆戾. 怨戾. 違戾. 謬戾. 爭戾. 賊戾. 罪戾. 鷙戾. 差戾. 錯戾. 貪戾. 悖戾. 暴戾. 風戾. 悍戾. 悔戾. 凶戾. 很戾. 狠戾.

4 ⑧ [房] [中人] 방 [平]陽 符方切 fáng
[筆順] 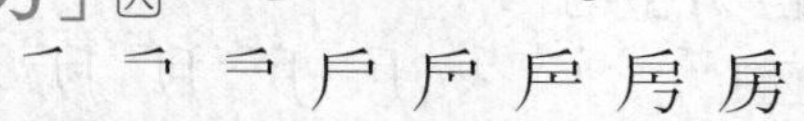
[字解] ①곁방 방 집의 정실(正室)의 옆에 있는 방. '一室'. '在西一'《書經》. ②집 방 ㉠가옥. '一錢'. '保其土一'《國語》. ㉡벌집 같은 것. '蜂一不容鵠卵'《淮南子》. ③전동 방 화살 넣는 통. 전실(箭室). '納諸廚子之一'《左傳》. ④송이 방 열매·꽃 같은 것의 한 덩이. '綠一合靑實'《陸雲》. ⑤별이름 방 이십팔수(二十八宿)의 하나. 창룡 칠수(蒼龍七宿)의 넷째 성수(星宿)로서, 별 넷으로 구성되었음. '一宿'. ⑥성 방 성(姓)의 하나.
[字源] 篆文 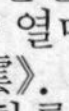 形聲. 戶+方〔音〕. '方방'은 옆으로 튀어나오다의 뜻. 집의 정실(正室) 좌우에 있는 '작은 방'의 뜻을 나타냄.

[房內 방내] 방(房) 안. 방중(房中).

[房闥 방달] 방과 문병(門屛).
[房杜姚宋 방두요송] 당대(唐代)의 네 사람의 현명(賢明)한 재상(宰相). 곧, 방교(房喬)·두여회(杜如晦)·요숭(姚崇)·송경(宋璟).
[房勞 방로] 방사(房事)로 인한 피로.
[房櫳 방롱] 창(窓).
[房事 방사] 남녀(男女)가 교합(交合)하는 일.
[房駟 방사] 방성(房星).
[房星 방성] 이십팔수(二十八宿)의 하나. 창룡 칠수(蒼龍七宿)의 넷째 성수(星宿)로서 별 넷으로 구성되었으며, 거마(車馬)를 맡았다고 함. 방수(房宿). 방사(房駟).
[房宿 방수] 방성(房星).
[房室 방실] 방(房).
[房外 방외] 방(房) 밖.
[房牖 방유] 방(房)의 창.
[房錢 방전] 방세(房貰).
[房租 방조] 방전(房錢).
[房中 방중] 방(房) 안.
[房玄齡 방현령] 당초(唐初) 태종(太宗) 창업(創業)의 공신(功臣)·명상(名相). 자(字)는 교(喬). 박학(博學)하며 정사(政事)를 잘 다스려 두여회(杜如晦)와 함께 정관(貞觀)의 방두(房杜)라고 일컬어졌음.
[房戶 방호] 방의 문. 방문. 또, 방(房).
◉監房. 故房. 工房. 空房. 官房. 宮房. 閨房. 煖房. 蘭房. 暖房. 男房. 冷房. 茶房. 堂房. 獨房. 洞房. 文房. 門房. 別房. 蜂房. 私房. 山房. 書房. 禪房. 崇房. 僧房. 新房. 心房. 阿房. 女房. 連房. 蓮房. 獄房. 溫房. 雲房. 帷房. 乳房. 陰房. 尼房. 子房. 紫房. 專房. 淨房. 廚房. 廠房. 椒房. 寢房. 便房. 寒房. 花房. 後房.

4
⑧ [戻] ▣ 감 ㊤豏 苦減切 qiǎn
▣ 호 ㊤麌 後五切 hù

[字解] ▣ ①창 감 '—, 牖也'《廣韻》. ②작은지게 감 조그만 지게문. '—, 一曰, 小戶也'《廣韻》. ③지게 감, 문설주 감 지게문. 또, 창문의 문설주. ▣ 戶(部首)의 古字.

[肩] 〔견〕
肉部 四畫(p. 1838)을 보라.

4
⑧ [所] [中·人] 소 ㊤語 疏擧切 suǒ

[筆順] 所

[字解] ①바 소 방법 또는 일이라는 뜻을 나타내는 어사(語辭). '視其—以, 觀其—由'《論語》. ②곳 소 ㉠거처. '及爾斯—'《詩經》. ㉡위치. '得其—'《論語》. ㉢경우. '非歎—也'《左傳》. ㉣토지. 고향. '爰得我—'《詩經》. ㉤자리. 지위. '適才適—'. ㉥마을. 관아(官衙). '立益部課稅—'《元史》. ③쯤 소 얼마쯤. '父去里—, 復還'《漢書》. ④얼마 소 수량의 정도. '幾'와 연용(連用)함. '問金餘尙有幾—'《漢書》. ⑤어조사 소 무의미의 어조사. '多經年—'《張衡》. ⑥성 소 성(姓)의 하나.

[字源] 金文 篆文 會意. 戶+斤. '戶호'는 문을 본뜬 것. '斤근'은 도끼를 본뜬 것. 金文에서는 지위 높은 사람이 있는 장소의 뜻으로 쓰는 예가 많으며, 도끼 따위 어떤 지위의 상징이 되는 물건을 둔 입구의 문의 뜻에서, '곳'의 뜻을 나타내게 된 듯함.

[所感 소감] 마음에 느낀 바. 또, 그 생각.
[所見 소견] ㉠눈으로 본 바. ㉡사물을 살피어 가지는 생각.
[所經事 소경사] 겪어 온 일.
[所管 소관] 어떤 사무를 맡아 관리함. 또는 그 사무.
[所關 소관] 관계되는 바.
[所期 소기] 기대(期待)하는 바.
[所得 소득] ㉠얻은 바. 수입(收入). ㉡생산의 관계자가 일정한 기간 동안에 받는 보수나 재화(財貨).
[所得稅 소득세] 1년간의 소득액(所得額)을 표준(標準)으로 하여 부과(賦課)하는 국세(國稅).
[所領 소령] 영유(領有)하고 있는 땅. 영지(領地).
[所論 소론] 논하는 바.
[所料 소료] 요량(料量)한 바.
[所利 소리] 이익이 된 바. 이익. 날찍.
[所望 소망] 바라는 바. 기대하는 바.
[所聞 소문] 전하여 들리는 말.
[所司 소사] 마을. 관아(官衙).
[所思 소사] 생각하는 바. 생각.
[所產 소산] 생겨나는 바. 또, 그 물건. 소산물(所產物).
[所生 소생] ㉠부모. 양친(兩親). ㉡자기(自己)가 낳은 자녀.
[所說 소설] 설명(說明)하는 바.
[所所 소소] 곳곳. 여기저기.
[所屬 소속] 딸려 있음. 붙어 있음. 또, 그것.
[所率 소솔] 자기에게 딸린 식구.
[所食 소식] 먹은 바.
[所信 소신] 믿어 의심하지 않는 바. 자기가 확실하다고 굳게 생각하는 바.
[所業 소업] 업으로 하는 바. 업으로 삼는 일.
[所營事 소영사] 경영(經營)하는 일.
[所要 소요] 요구되는 바. 필요한 바.
[所欲 소욕] 하고자 하는 바.
[所用 소용] 쓰이는 바. 쓸 데.
[所願 소원] 원(願)하는 바.
[所爲 소위] 한 일. 소행(所行).
[所謂 소위] 이른바. 세상(世上)에서 말하는 바.
[所由 소유] ㉠말미암은 바. ㉡지방(地方)의 낮은 벼슬아치. 속관(屬官). ㉢당대(唐代)의 벼슬 이름. 관물(官物)의 출납(出納)을 맡았음. ㉣《韓》사헌부(司憲府)의 이속(吏屬).
[所有 소유] ㉠가지고 있음. ㉡있는 한의. 모든.
[所有權 소유권] 목적물을 법률의 범위 내에서 사용·수익(收益) 및 처분할 수 있는 권리.
[所依 소의] 의지할 곳. 의지하는 데.
[所以 소이] ㉠하는 바. 소행(所行). ㉡이유. 까닭.
[所以然 소이연] 그렇게 된 까닭.
[所任 소임] 맡은 바 직책.
[所入 소입] 무슨 일에 든 돈이나 물건.
[所子 소자] 양자(養子).
[所作 소작] 소위(所爲).
[所長 소장] ㉠자기 능력 가운데 가장 잘하는 장점. ㉡소(所)의 명칭으로 된 기관의 우두머리.
[所掌 소장] 맡아보는 바.
[所藏 소장] 간직하여 둔 물건.
[所在 소재] ㉠있는 바. 있는 곳. ㉡곳곳. 여기저기. ㉢이르는 곳. 여러 곳. 도처(到處).

[所詮 소전]《佛教》㉠경문(經文)의 의리(義理). ㉡귀착(歸著)하는 바. 결국(結局).
[所傳 소전] 뒷세상에 전하는 말·글·유물 따위.
[所從來 소종래] 지내 온 내력.
[所天 소천] 받들어 공경하는 사람. 곧, 신민(臣民)이 임금을, 아내가 남편을, 아들이 어버이를 일컫는 따위.
[所請 소청] 청(請)하는 바.
[所致 소치] 그렇게 된 까닭.
[所親 소친] 친한 사람. 가까운 사람.
[所荷 소하] 책임. 직책.
[所轄 소할] 관할하는 바.
[所行 소행] 행한 바. 행한 일. 소위(所爲).
[所向 소향] 향(向)하여 가는 곳.
[所向無敵 소향무적] 매우 강하여 어디를 가나 대적할 자가 없음.
[所怙 소호] 믿고 의지(依支)하는 바란 뜻으로, 어버이를 이름.
[所化 소화]《佛教》교화(敎化)를 받는 중. 제자(弟子)인 승려(僧侶). 능화(能化)의 대(對).
[所懷 소회] 품고 있는 바의 회포.
[所欽 소흠] 흠모(欽慕)하는 바. 또, 흠모하는 사람.
◉個所. 開所. 居所. 高所. 官所. 灸所. 舊所. 局所. 急所. 能所. 短所. 屯所. 名所. 墓所. 配所. 便所. 本所. 棲所. 宿所. 漁所. 年所. 寧所. 營所. 臥所. 一歲所. 一所. 入所. 長所. 場所. 謫所. 適材適所. 定所. 在所. 帝所. 住所. 酒所. 支所. 出所. 治所. 寢所. 他所. 它所. 何所. 會所.

5 ⑨ [扁] [人名] 편 ①-④㊤銑 方典切 biǎn ⑤[平]先 芳連切 piān

[筆順] 一 ㇕ ㇕ 戶 戶 肩 肩 扁

[字解] ①납작할 편 편평하고 얇음. '一平'. '生兒, 欲其頭一, 壓之以石'《後漢書》. ②낮을 편 얕음. '有一斯石'《詩經》. ③현판 편 편액. '一額'. '夢地一亭, 一日侍康'《宋史》. ④거룻배 편 돛 없는 작은 배. 艑(舟部 九畫)과 통용. '乘一舟, 浮於江湖'《史記》. ⑤성 편 성(姓)의 하나.
[字源] 篆文 會意. 戶+冊. '戶호'는 문짝의 象形. '冊책' 글씨를 적은 나무쪽을 끈으로 엮은 모양을 본뜸. 문에 적어 표시한 패의 뜻에서, '납작하다'의 뜻을 나타냄.

[扁罐 편관] 배가 불룩한 주전자.
[扁桃 편도] 담홍색의 꽃이 피는 낙엽 교목. 복숭아나무와 비슷하며 핵과(核果)가 엶.
[扁桃腺 편도선] 사람의 입속 후두부(喉頭部) 양쪽에 하나씩 있는 편평한 타원형의 림프선(腺).
[扁柏 편백] 노송나무.
[扁額 편액] 그림 또는 글씨를 써서 방 안이나 또는 문 위에 걸어 놓는 널조각.
[扁然 편연] 수가 많은 모양.
[扁鵲 편작] 춘추 시대(春秋時代)의 명의(名醫). 성은 진(秦). 이름은 월인(越人). 장상군(長桑君)에게 금방(禁方)의 구전(口傳)과 의서(醫書)를 물려받아 명의(名醫)가 되었음.
[扁題 편제] 편액(扁額).
[扁舟 편주] 작은 배. 거룻배.
[扁倉 편창] 고대(古代)의 명의(名醫)인 편작(扁鵲)과 창공(倉公)을 아울러 이르는 말.
[扁平 편평] 납작함.
[扁表 편표] 편액(扁額)을 걸어 표창함.
◉鮮扁. 倉扁.

5 ⑨ [扂] 점 ㊤琰 徒玷切 diàn

[字解] 빗장 점 문빗장. '根闑一楔'《韓愈》.
[字源] 形聲. 戶+占〔音〕

[扂楔 점설] 빗장과 문설주.

5 ⑨ [扃] [一] 거 [去]御 丘倨切 qù [二] 합 [入]合 胡臘切 hé

[字解] [一] 닫을 거 빗장을 걸어 닫음. '一, 閉也'《說文》. [二] ①닫을 합 闔(門部 十畫)과 통용. ②성 합 성(姓)의 하나. '一, 姓也'《集韻》.
[字源] 篆文 形聲. 戶+劫〈省〉〔音〕. '劫겁'은 뒷걸음질 쳐서 안으로 들어가다의 뜻. 문을 닫다의 뜻을 나타냄.

5 ⑨ [扃] 경 [平]青 古螢切 jiōng

[字解] ①빗장 경 문빗장. '入戶奉一'《禮記》. ②수레위가로나무 경 병거(兵車) 위의 앞쪽에 무기를 기대어 놓기 위하여 설비한 횡목(橫木). '楚人惎之, 脫一'《左傳》. ③문호 경 출입구. '或假步于山一'《孔稚圭》. ④닫을 경 폐쇄함. '和門晝一'《顏延之》.
[字源] 篆文 形聲. 戶+冋〔音〕. '冋형'은 '掛괘'와 통하여, '걸다'의 뜻. 문에 거는 '빗장'의 뜻을 나타냄.

[扃鍵 경건] 빗장과 열쇠. 전(轉)하여 문단속.
[扃扃 경경] 환히 아는 모양. 일설(一說)에는 근심하는 모양.
[扃關 경관] 문빗장.
[扃扉 경비] 문짝.
[扃鎖 경쇄] 자물쇠. 전(轉)하여, 문단속.
[扃鑰 경약] 문단속.
[扃牖 경유] 지게문과 창.
[扃鐍 경휼] 문호(門戶)의 자물쇠.
◉關扃. 金扃. 禁扃. 蓬扃. 禪扃. 柴扃. 巖扃. 嚴扃. 玉扃. 紫扃.

5 ⑨ [扄] 료 liáo

[字解] 땅이름 료 '一城'은 조(趙)나라의 지명. '秦子異人質于趙, 處于一城'《戰國策》.

6 ⑩ [扅] 이 [平]支 弋支切 yí

[字解] 빗장 이 문빗장. '烹伏雌炊扊一'《史記》.

◉扊扅.

6 ⑩ [扇] [人名] 선 [去]霰 式戰切 shàn

[筆順] 一 ㇕ ㇕ 戶 戶 扇 扇 扇

[字解] ①문짝 선 문비(門扉). '門一'. '乃修闔一'《禮記》. ②부채 선 단선(團扇). '一子'. '擧一自蔽'《晉書》. ③부채질할 선 ㉠부채를 부침.

'暑月則一枕'《東觀漢記》. ㉡선동함. 煽(火部 十畫)과 同字. '一惑'. '更相一動, 往往棊峙'《魏志》. ④성 선 성(姓)의 하나.
字源 篆文 扇 會意. 戶+羽. 새의 깃처럼 펴졌다 닫혔다 하는 문짝의 뜻을 나타내며, 파생(派生)하여, 펼친 깃처럼 생긴 '부채'의 뜻도 나타냄.

[扇蓋 선개] 일산(日傘).
[扇動 선동] 부채질함. 남을 꾀어서 부추김.
[扇馬 선마] 거세(去勢)한 말.
[扇箑 선삽] 부채.
[扇揚 선양] 불려 올림. 선양(煽揚).
[扇誘 선유] 선동하여 꾐.
[扇子 선자] 부채. 단선(團煽). 자(子)는 조사(助辭).
[扇枕溫被 선침온피] 여름에 베개 벤 데를 부채질하여 시원하게 해 드리고, 겨울에는 이불을 따뜻하게 해 드린다는 뜻으로, 어버이에게 지극히 효도를 함을 이름.
[扇風機 선풍기] 작은 전동기(電動機)에 날개가 달리어 전류(電流)의 작용으로 돌아갈 때 공기를 유동시켜 바람을 일으키는 기계.
[扇形 선형] ㉠부채의 모양. ㉡원호(圓弧)와 그 양 끝을 통하는 두 반지름으로 둘린 형상. 부채꼴.
[扇惑 선혹] 선동하여 미혹(迷惑)하게 함.
◉絹扇. 鼓扇. 軍扇. 羅扇. 團扇. 舞扇. 文扇. 門扇. 薄扇. 白扇. 寶扇. 涼扇. 颶扇. 羽扇. 輪扇. 一扇. 障扇. 摺扇. 鐵扇. 秋扇. 太極扇. 敝扇. 夏爐冬扇. 戶扇. 紈扇. 麾扇.

6 ⑩ [扆] 의 ㊤尾 於豈切 yǐ

字解 병풍의 '斧一'는 도끼의 두부(頭部)의 모양을 수(繡)놓은 병풍으로서, 천자의 거처에 침. '天子斧一, 南鄉而立'《禮記》.
字源 篆文 扆 形聲. 戶+衣〔音〕. '衣의'는 '걸치다'의 뜻. 좌석의 둘레에 걸치는 문짝의 뜻에서, '병풍'의 뜻을 나타냄.

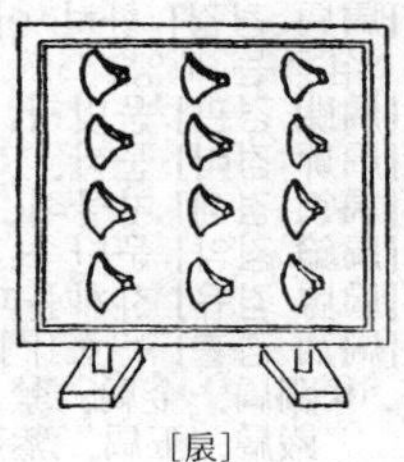
[扆]

[扆座 의좌] 천자(天子)의 자리. 천자가 항상 거처(居處)하는 곳.
◉丹扆. 黼扆. 斧扆. 宸扆.

7 ⑪ [扈] 人名 호 ㊤麌 侯古切 hù

筆順 一 ㄱ ㅋ 戶 戶 戽 扈 扈

字解 ①따를 호 군주(君主)의 뒤를 따름. '一駕'. '一從橫行'《司馬相如》. ②막을 호 못하게 함. '一民無淫者也'《左傳》. ③입을 호 몸에 걸침. '一江離與辟芷兮'《楚辭》. ④넓을 호 마음이 크고 넓음. '爾毋一一爾'《禮記》. ⑤성 호 성(姓)의 하나.
字源 篆文 扈 形聲. 邑+戶〔音〕. '戶호'는 드나드는 것을 제한하는 문. '邑읍'은 '복종하다'의 뜻. 남에게 눌리어 복종하다의 뜻에서, 뒤를 따르다, 또 '종복(從僕)'의 뜻을 나타냄.

[扈駕 호가] 군주가 탄 수레를 호종(扈從)함. 또, 그 사람.
[扈輦 호련] 임금의 연(輦)을 호종(扈從)함.
[扈養 호양] 종자(從者).
[扈衛 호위] 궁성을 경호(警護)함.
[扈從 호종] 임금의 행차에 뒤따라감.
[扈蹕 호필] 천자의 행차에 뒤따라감. 또, 그 사람.
[扈扈 호호] ㉠마음이 크고 넓은 모양. ㉡아름다운 모양.
◉狼扈. 當扈. 跋扈. 陪扈. 桑扈. 修扈.

8 ⑫ [扉] 人名 비 ㊥微 甫微切 fēi

筆順 一 ㄱ ㅋ 戶 戶 戸 扉 扉

字解 ①문짝 비 문선(門扇). '柴一'. '子尾抽桷, 擊一三'《左傳》. ②집 비 가옥. 거실(居室). '欲去公門歸野一'《白居易》.
字源 篆文 扉 形聲. 戶+非〔音〕. '非비'는 좌우로 갈리다의 뜻. 양쪽으로 여는 문, '문짝'의 뜻을 나타냄.

[扉戶 비호] 문짝과 문.
◉扃扉. 瓊扉. 門扉. 山扉. 石扉. 扇扉. 柴扉. 巖扉. 野扉. 瑤扉. 竹扉. 鐵扉. 荊扉. 畫扉.

8 ⑫ [扊] 염 ㊤琰 以冉切 yǎn

字解 빗장 염 문빗장. '烹伏雌炊一扅'《史記》.
字源 形聲. 戶+炎〔音〕.

[扊扅 염이] 빗장.

[扉] 〔고〕
隹部 四畫(p. 2484)을 보라.

手(扌)(4획) 部
〔손수부〕

0 ④ [手] 中人 수 ㊤有 書九切 shǒu

筆順 一 二 三 手

字解 ①손 수 ㉠상지(上肢). '一足'. '艮爲一'《易經》. ㉡손목. '執子之一, 與子偕老'《詩經》. ㉢손바닥. '有文在其一'《左傳》. ㉣손가락. '十一所指'《大學》. ㉤도움. 돌봐 주는 일. '可假一于術'《後漢書》. ㉥기술. '皆出碩儒之思, 成才士之一'《抱朴子》. ㉦손잡이. '把一'. ②쥘 수 손으로 잡음. '一弓'. '一劍而從之'《公羊傳》. ③칠 수 손으로 침. '一熊羆'《司馬相如》. ④손수 수

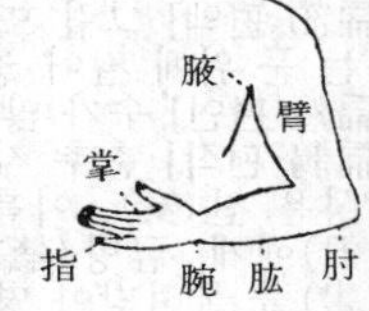

[手①㉠]

자기 자신이. '一墨'. '一自作'《南史》.

字源 金文 篆文 古文 象形. 다섯 손가락이 있는 손을 본떠, '손'을 뜻함.

參考 '手수'를 의부(意符)로 하여, 손의 각 부분의 명칭이나, 손의 동작에 관한 문자를 이룸. 변이 될 때에는 '扌'의 꼴을 취함.

[手脚 수각] 손과 발. 손발.
[手簡 수간] 수한(手翰).
[手匣 수갑] 죄인(罪人)의 두 손목에 걸쳐서 채우는 형구(刑具).
[手巾 수건] 무명·베 등을 끊어서 만든, 손도 씻고 몸도 씻는 데 쓰는 물건.
[手格 수격] 손으로 침.
[手決 수결] 도장의 대신으로 자필(自筆)로 자기의 성명(姓名)이나 직함(職銜) 아래에 쓰는 일정한 자형(字形).
[手械 수계] 수갑(手匣).
[手工 수공] 손으로 하는 공예(工藝).
[手巧 수교] 손재주. 솜씨.
[手交 수교] 손수 내어 줌.
[手技 수기] 손으로 만드는 기술(技術). 손재주.
[手記 수기] ㉠손수 적음. ㉡가락지.
[手段 수단] 일을 꾸미거나 처리하기 위하여 묘안(妙案)을 만들어 내는 솜씨와 꾀.
[手談 수담] 바둑.
[手答 수답] 손수 답장(答狀)을 씀. 또, 그 답장.
[手鍊 수련] 솜씨가 익숙함.
[手爐 수로] 손을 쬐는 화로(火爐).
[手榴彈 수류탄] 적진(敵陣)에 가까이 가서 팔매질로 던지는 유탄(榴彈).
[手理 수리] 손금.
[手舞足蹈 수무족도] 몹시 좋아서 뜀.
[手墨 수묵] 손수 쓴 필적(筆跡).
[手文 수문] 손금.
[手紋 수문] 수문(手文).
[手搏 수박] ㉠수격(手格). ㉡손으로 서로 쳐서 승부(勝負)를 내는 경기. 지금의 권투(拳鬪) 같은 것.
[手牓 수방] 수찰(手札).
[手拜 수배] 두 손을 땅에 대고 무릎을 꿇고 머리를 숙여서 하는 절.
[手背 수배] 손등.
[手法 수법] 예술품을 만드는 솜씨.
[手付 수부] 손수 줌. 직접 줌.
[手不釋卷 수불석권] 손에서 책을 놓지 아니함. 곧, 항상 독서함을 이름.
[手臂扞頭目 수비한두목] 손을 들어 머리나 눈을 가려 막는다는 뜻으로, 아랫사람이 윗사람을 호위(護衛)함을 이름.
[手寫 수사] 수초(手抄).
[手箱 수상] 일상 쓰는 물건을 넣어 두는 작은 상자.
[手書 수서] ㉠손수 씀. 또, 그 쓴 것. ㉡수찰(手札).
[手勢 수세] 손매. 손놀림.
[手疏 수소] 손수 조목(條目)별로 써서 상소함. 또, 그 문서.
[手續 수속] 일을 하는 절차(節次).
[手術 수술] 환부(患部)를 절개(切開) 또는 절단하는 외과(外科)의 치료.
[手習 수습] 글씨 공부. 습자(習字).
[手握 수악] 손아귀.
[手握王爵口含天憲 수악왕작구함천헌] 전횡(專橫)한 신하(臣下)가 군주(君主)를 제쳐 놓고 국정(國政)과 관리의 진퇴(進退)를 제 마음대로 함을 이름.
[手語 수어] 손짓으로 의사를 통함.
[手藝 수예] ㉠손으로 하는 기예(技藝). 손재주. ㉡손수 심음.
[手腕 수완] ㉠손회목. ㉡일을 꾸미거나 치러 나가는 재간(才幹).
[手淫 수음] 용두질.
[手刃 수인] 칼을 가지고 손수 찌름.
[手印 수인] 무인(拇印).
[手刺 수자] 명함(名銜).
[手作 수작] 손수 만듦.
[手掌 수장] 손바닥.
[手才 수재] 손재주. 솜씨.
[手迹 수적] 손수 쓴 필적(筆跡).
[手製 수제] 손으로 만듦. 또, 그 물건.
[手爪 수조] 손톱.
[手詔 수조] 제왕(帝王)의 친필(親筆)의 조서(詔書).
[手足 수족] ㉠손과 발. ㉡형제(兄弟)의 비유.
[手足異處 수족이처] 손과 발이 서로 딴 곳에 있음. 곧, 허리를 베어 몸을 두 동강 내는 참형(斬刑)을 이름.
[手足之愛 수족지애] 형제의 우애.
[手足之情 수족지정] 수족지애.
[手中 수중] ㉠손의 안. ㉡자기가 권력을 부릴 수 있는 가능한 범위.
[手指 수지] 손가락.
[手織 수직] ㉠손수 짬. ㉡손으로 짬.
[手札 수찰] 손수 쓴 편지.
[手冊 수책] 수첩(手帖).
[手帖 수첩] 간단한 기록을 적어 몸에 지니고 다니는 조그마한 공책.
[手抄 수초] 손수 베낌. 또, 베낀 것.
[手燭 수촉] 횃불.
[手勅 수칙] 천자가 손수 쓴 칙서.
[手澤 수택] 손때.
[手套 수투] 장갑(掌甲).
[手板 수판] 홀(笏).
[手筆 수필] 수적(手迹).
[手下 수하] 손아래. 부하(部下).
[手翰 수한] 편지. 서한(書翰).
[手荒症 수황증]《韓》 병적(病的)으로 남의 물건을 훔치는 버릇.

◉佳手. 歌手. 擧手. 高手. 鼓手. 工手. 空手. 拱手. 巧手. 交手. 國手. 弓手. 龜手. 技手. 旗手. 騎手. 落手. 老手. 能手. 徒手. 毒手. 魔手. 名手. 妙手. 拍手. 凡手. 拊手. 射手. 上手. 先手. 選手. 纖手. 素手. 水手. 袖手. 十手. 雙手. 惡手. 握手. 野手. 良手. 兩手. 斂手. 運轉手. 義手. 一手. 入手. 赤手. 笛手. 敵手. 助手. 拙手. 左右手. 叉手. 着手. 隻手. 觸手. 祝手. 舵手. 投手. 捕手. 砲手. 下手. 合手. 好敵手. 畫手. 携手. 凶手.

0 ③ [扌] 手(前條)가 변에 있을 때의 자체(字體). 글자 모양이 '才재' 자 비슷하므로, 속칭(俗稱) '재방변'.

筆順 一 十 扌

0 ③ [才] 中人 재 ㊥灰 昨哉切 cái

[筆順] 一 十 才

[字解] ①재주 재 재능. '一藝'. '旣竭我一'《論語》. 또, 재능이 있는 사람. '取賢斂一焉'《禮記》. ②바탕 재 성질. '若夫爲不善, 非一之罪也'《孟子》. ③겨우 재 纔(糸部 十七畫)와 통용. '一小富貴, 便豫人家事'《晉書》. ④결단할 재 裁(衣部 六畫)와 통용. '惟王一之'《戰國策》. ⑤성 재 성(姓)의 하나.

[字源] 甲骨文  金文  篆文  象形. 강이 넘치는 것을 막기 위한 봇둑으로 세워진 질 좋은 나무를 본뜸. 본디 갖춰져 있는 좋은 바탕의 뜻을 나타냄. 甲骨文에서는 '在재'와 같은 꼴로, '막아 두다'의 뜻에서, '있다'의 뜻을 나타냄. '材재'와 통용되어, 뛰어난 능력의 뜻을 나타냄.

[才幹 재간] 솜씨. 기량(技倆).
[才鑒 재감] 재주가 있어 감식(鑑識)을 잘함.
[才格 재격] 재주와 품격.
[才局 재국] 재주와 국량(局量).
[才氣 재기] 재주가 있는 기질(氣質).
[才器 재기] 재국(才局).
[才女 재녀] 재주가 있는 여자(女子).
[才能 재능] 재주와 능력(能力).
[才談 재담] 재치 있게 하는 재미스러운 말.
[才德 재덕] 재주와 덕행.
[才德兼備 재덕겸비] 재주와 덕(德)을 다 갖춤.
[才度 재도] 재능과 도량(度量).
[才童 재동] 재주가 있는 아이.
[才鈍 재둔] 재주가 무딤.
[才略 재략] 지모(智謀).
[才量 재량] 재국(才局).
[才力 재력] 재주의 작용(作用). 재지(才智)의 능력.
[才望 재망] 재주와 명망(名望).
[才名 재명] 재주가 있다는 평판.
[才貌 재모] 재주와 용모(容貌).
[才物 재물] 재자(才子).
[才辯 재변] 재치 있게 잘하는 말.
[才分 재분] 타고난 재능.
[才士 재사] 재주가 많은 선비.
[才思 재사] 재치 있는 생각.
[才色 재색] 여자(女子)의 뛰어난 재주와 아름다운 용모.
[才數 재수] 지모(智謀).
[才術 재술] 재지(才智)와 학술.
[才勝德 재승덕] 재주가 덕보다 나음.
[才勝德薄 재승덕박] 재주가 있으나 덕(德)이 적음.
[才識 재식] 재주와 식견(識見).
[才穎 재영] 재주가 뛰어남.
[才藝 재예] 재능(才能)과 기예(技藝).
[才蘊 재온] 재간(才幹).
[才雄 재웅] 재주가 발군(拔群)한 사람.
[才媛 재원] 재주가 있는 젊은 여자.
[才人 재인] ㉠재자(才子). ㉡가무(歌舞)로 후궁(後宮)에서 섬기는 여자.
[才子 재자] 재주가 있는 사람.
[才子佳人 재자가인] 재주 있는 남자(男子)와 아름다운 여자(女子).
[才情 재정] 재사(才思).
[才調 재조] 재주.
[才藻 재조] 문장(文章)의 재주. 문재(文才).
[才俊 재준] 재주가 뛰어남. 또, 그 사람.
[才地 재지] 재주와 지체.
[才智 재지] 재주와 슬기.
[才質 재질] 재주와 성질(性質).
[才哲 재철] 재주가 있고 사리(事理)에 밝은 사람.
[才捷 재첩] 재주가 있어 민첩함.
[才筆 재필] 재주 있는 필치(筆致).
[才學 재학] 재주와 학식(學識).
[才學識 재학식] 재능(才能)과 학문(學問)과 식견(識見).
[才慧 재혜] 재주 있고 영악함.
[才華 재화] 빛나는 재주.
◉幹才. 奸才. 高才. 口才. 鬼才. 奇才. 器才. 奴才. 多才. 短才. 大才. 斗筲之才. 鈍才. 頓才. 茂才. 文才. 美才. 微才. 敏才. 百里才. 凡才. 辯才. 別才. 不才. 不羈之才. 非才. 菲才. 三才. 商才. 善才. 小才. 俗才. 秀才. 詩才. 實才. 良才. 佞才. 英才. 叡才. 庸才. 偉才. 倚馬才. 屐屐之才. 吏才. 異才. 人才. 逸才. 全才. 俊才. 儁才. 天才. 淺才. 天下才. 七步才. 卓才. 學才. 漢才. 賢才. 好才. 洪才.

1 ④ [扎] 찰 [入]黠 側八切 zhā 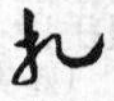

[字解] 뺄 찰 뽑음.
[字源] 會意. 扌(手)+乚

2 ⑤ [扐] 륵 [入]職 盧則切 lè 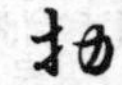

[字解] 낄 륵 시초점(蓍草占)을 칠 때 시초를 세어 약손가락과 새끼손가락 사이에 끼는 일. '再一而後掛'《易經》.
[字源] 篆文  形聲. 扌(手)+力〔音〕. '力력'은 힘의 뜻. 힘을 주어 손가락 사이에 끼다의 뜻을 나타냄.

2 ⑤ [扑] 복 [入]屋 普木切 pū 

[字解] ①칠 복 때림. '高漸離擧筑一秦皇帝'《史記》. ②종아리채 복 학업을 게을리 하는 제자를 징계(懲戒)하는 채. '一撻'. '一作敎刑'《書經》.
[字源] 形聲. 扌(手)+卜〔音〕. '卜복'은 퍽 하는 소리를 나타내는 의성어. 퍽 하고 때리다의 뜻을 나타냄.

[扑撻 복달] 종아리를 때림.
◉敲扑. 楚扑. 捶扑. 箠扑. 鞭扑. 革扑.

2 ⑤ [扒] 배 [去]卦 博怪切 bā

[字解] 뺄 배 뽑음. '拔芦一氏'《元包經》.
[字源] 形聲. 扌(手)+八〔音〕. '八팔'은 '拔발'과 통하여, '뽑다'의 뜻을 나타냄.

[扒手 배수] 《現》 소매치기.

2 ⑤ [打] [中人] 타 [上]馬 都假切 dǎ, ④dá

[筆順] 一 亅 扌 扌 打
[字解] ①칠 타 ㉠두드림. '一擊'. '與人相一'《晉

書》. ㉡공격함. '一賀援景'《南史》. ②및 타 及(又部 二畫)과 뜻이 같음. '赤洪崖一白洪崖'《丁謂》. ③관사 타 동작을 나타내는 관사(冠詞). '一算'. '一聽'. ④《現》 타 타 물품 열두 개를 한 묶음으로 하여 세는 말. 영어 다즌(dozen)의 역칭(譯稱). 다스. ⑤성 타 성(姓)의 하나.

字源 篆文 形聲. 扌(手)+丁〔音〕. '丁정'은 못을 본뜬 것. 못을 잡고 치다의 뜻에서, 일반적으로 '치다'의 뜻을 나타냄.

[打開 타개] 막힌 일을 잘 처리하여 나갈 길을 엶.
[打擊 타격] ㉠때림. 침. ㉡기운을 꺾을 만한 악영향(惡影響).
[打毬 타구] 공을 차고 노는 유희.
[打倒 타도] 때려 거꾸러뜨림. 때려 부수어 버림.
[打量 타량] 토지 같은 것을 잼. 측량함. 타(打)는 조자(助字).
[打麥 타맥] 보리를 타작(打作)함.
[打綿機 타면기] 솜틀.
[打撲傷 타박상] 부딪히거나 맞아서 생긴 상처.
[打報 타보] 전보(電報)를 침.
[打扮 타분] 분장(扮裝)을 함.
[打碑 타비] 비석(碑石)의 탑본(搨本)을 뜸.
[打算 타산] ㉠셈. 셈을 침. ㉡예정을 세움. 계획을 세움.
[打殺 타살] 때려 죽임.
[打成一片 타성일편] 쳐서 한 덩어리로 만듦. 한데 합침.
[打鴨驚鴛鴦 타압경원앙] 하찮은 물오리를 잡으려다가 아름다운 원앙새를 놀래어 달아나게 함. 한 사람을 그릇 처형(處刑)하여 선량(善良)한 뭇사람을 전전긍긍(戰戰兢兢)하게 함의 비유(比喩).
[打夜胡 타야호] 구나(驅儺).
[打魚 타어] 그물을 던져 고기를 잡음.
[打字機 타자기] 손가락으로 건반(鍵盤)을 눌러서 글자를 종이에 찍는 기계(機械). 타이프라이터.
[打作 타작] 곡식(穀食)의 이삭을 떨어서 그 알을 거둠.
[打電 타전] 전보(電報)를 침.
[打點 타점] ㉠붓으로 점(點)을 찍음. ㉡마음속으로 지정(指定)함.
[打鐘 타종] 종을 침.
[打盡 타진] 모조리 잡음. 휘몰아 잡음.
[打診 타진] ㉠의사(醫師)가 손가락 끝으로 가슴이나 등을 두드려서 증세를 살핌. ㉡남의 마음속을 살펴봄.
[打擲 타척] 때림. 침.
[打草驚蛇 타초경사] 한쪽을 징벌(懲罰)함으로써 딴 쪽을 각성(覺醒)케 함.
[打破 타파] 깨뜨려 버림.
◉強打. 擊打. 輕打. 毆打. 亂打. 撲打. 凡打. 本壘打. 貧打. 散打. 手打. 安打. 連打. 捶打. 快打. 痛打. 投打. 鞭打. 好打. 犧打.

2 ⑤ [扔] 잉 ㊥蒸 如乘切 rēng

字解 당길 잉 끌어당김. '攘臂而一之'《老子》.

字源 甲骨文 篆文 篆文 形聲. 扌(手)+乃〔音〕. '乃내'는 '仍잉'과 통하여, '인하다, 기대다'의 뜻. 손으로 만지다, 손으로 끌어당기다의 뜻을 나타냄.

2 ⑤ [払] 〔불〕 拂(手部 五畫〈p. 857〉)의 俗字

2 ⑤ [扐] 〔교〕 巧(工部 二畫〈p. 660〉)의 古字

3 ⑥ [扛] 강 ㊥江 古雙切 káng

字解 ①마주들 강 ㉠두 손으로 마주 듦. '力能一鼎'《史記》. ㉡두 사람이 마주 듦. '令十人一之, 猶不擧'《後漢書》. ②멜 강 두 사람이 같이 들어 등에 멤. '傭了幾箇一夫'《拍案驚奇》.

字源 篆文 形聲. 扌(手)+工〔音〕. '工공'은 '꿰뚫다'의 뜻. 막대를 꿰뚫어 질러서 메다의 뜻을 나타냄. 일설에는, '工'이 '共공'과 통하여, '바치다'의 뜻. '手수'를 더하여, '들다'의 뜻을 나타냄.

[扛擧 강거] 마주 들어 올림.
[扛夫 강부] 교군(驕軍)꾼.
[扛鼎 강정] ㉠힘이 셈의 비유(比喩). ㉡필력(筆力)이 왕성(旺盛)함의 비유. 거정(擧鼎).

3 ⑥ [托] 高·人 탁 ㉧藥 闥各切 tuō

筆順 一 ㅏ 扌 扌 扌 托

字解 ①떡국 탁 탕병(湯餠). '不一'. ②맡길 탁 위탁함. 託(言部 三畫)과 同字. '囑一'. '一手一銃, 一手點火'《紀效新書》. ③열 탁 拓(手部 五畫)과 同字. '以手掌一石壁'《李山甫》.

字源 形聲. 扌(手)+乇〔音〕. '乇탁'은 집안에 몸을 의탁하는 사람을 본뜬 것. 손으로 물건을 한 쪽으로 밀어붙이다의 뜻을 나타냄.

[托故 탁고] 사고를 핑계 삼음.
[托鉢 탁발] ㉠중의 동냥. ㉡절에서 식사 때 중들이 바리때를 들고 식당에 가는 일.
[托生 탁생] 의탁하여 삶.
[托身 탁신] 몸을 맡김. 몸을 의지함.
[托子 탁자] 찻종 따위를 받쳐 드는 작은 받침. 쟁반. 차탁(茶托).

[托子]

[托處 탁처] 몸을 의탁(依託)함.
◉假托. 落托. 不托. 茶托. 囑托.

3 ⑥ [扚] ㊀ 조 ㊤篠 都了切 diǎo ㊁ 적 ㉧錫 都歷切 dí ㊂ 작 ㉧藥 職略切 ㊃ 약 ㉧藥 乙却切 yuē

字解 ㊀ 빨리칠 조 느닷없이 침. '一, 疾擊也'《說文》. ㊁ ①칠 적 공격함. '一, 擊也'《集韻》. ②끌 적 잡아당김. '一, 引也'《集韻》. ㊂ 옆에서 칠 작 곁에서 침. '一, 旁擊'《集韻》. ㊃ 손가락 마디금 약 '一, 手指節文'《集韻》.

字源 篆文 形聲. 扌(手)+勺〔音〕. '勺작'은 '約약'의 '勺'처럼 죄어치다의 뜻. 손으로 쳐서 죄어치다, 치다의 뜻을 나타냄.

3 ⑥ [扞] 한 ㊦翰 侯旰切 hàn

字解 ①막을 한 방어함. '一衛'. '手足之一頭目'《漢書》. ②호위할 한 보호하여 지킴. '親帥

—之'《左傳》. ③다닥칠 한 충돌함. '—格而不勝'《禮記》. ④당길 한 활 같은 것을 당김. '—烏號之弓'《淮南子》. ⑤팔찌 한 활을 쏠 때 소매를 걷어 매는 띠. '被金—'《漢書》. ⑥범할 한 침범함. 干(部首)과 통용. '—當世之文罔'《史記》.
[字源] 篆文 形聲. 扌(手)+干〔音〕. '干간'은 끝이 두 갈래가 진 무기를 본뜬 것. 무기를 손에 들고 막다의 뜻을 나타냄.

[扞拒 한거] 방어(防禦).
[扞格 한격] ㉠다닥침. 충돌함. ㉡어그러짐. 거스름.
[扞關 한관] 방어(防禦)하기 위하여 설치한 관(關).
[扞禦 한어] 한거(扞拒).
[扞衛 한위] 방위(防衛)함.
[扞制 한제] 막아 제지함.
[扞蔽 한폐] 막아 가림.
◉拒扞. 剋扞. 防扞. 蕃扞. 邊扞. 屛扞. 鋒扞. 扶扞. 禦扞. 戎扞. 障扞. 遮扞. 蔽扞. 亢扞. 險扞.

3 ⑥ [扜] [人名] 우 [平]虞 憶俱切 yū
[字解] ①지휘할 우 지시(指示)함. ②가질 우 손에 쥠. '—, 持也'《玉篇》. ③당길 우 잡아당김. '有人方—弓射黃蛇'《山海經》.
[字源] 甲骨文 篆文 形聲. 扌(手)+于(亏)〔音〕. '亏우'는 '굽히다, 구부러지다'의 뜻. 손을 굽혀 지시하다의 뜻을 나타냄.

3 ⑥ [扝] 扜(前條)의 本字

3 ⑥ [扣] 구 [去]宥 苦候切 kòu
[字解] ①두드릴 구, 칠 구 '—石墾壤'《列子》. ②당길 구 끌어당김. '—制'. '—繆公之駿'《淮南子》. ③덜 구 뺌. '—除'.
[字源] 篆文 形聲. 扌(手)+口〔音〕. '口구'는 '寇구'와 통하여, 사람을 두드리다의 뜻. '手수'를 더하여, '두드리다'의 뜻을 나타냄. '控공'과 통하여, '당기다'의 뜻도 나타냄.

[扣囊底智 구낭저지] 있는 지혜를 다 짜냄.
[扣問 구문] 의견(意見)을 물음.
[扣制 구제] 견제(牽制)함.
[扣除 구제] 뺌. 덞.
[扣舷 구현] 뱃전을 두드림.

3 ⑥ [扤] 올 [入]月 五忽切 wù
[字解] ①흔들릴 올, 흔들 올 요동함. 요동시킴. '天之—我'《詩經》. ②위태할 올 불안한 모양. '邦之—隉'《書經》. ③성 올 성(姓)의 하나.
[字源] 篆文 形聲. 扌(手)+兀〔音〕. '兀올'은 '불안정하다'의 뜻. 손으로 흔들어 움직이다의 뜻을 나타냄.

[扤隉 올얼] 위태(危殆)함. 불안함.
◉動扤. 摧扤.

3 ⑥ [扠] 차 [平]麻 初加切 chā
[字解] ①집을 차 물건을 끼워서 듦. '饞—飽活臠'《韓愈》. ②작살 차 물고기를 찔러 잡는 기구. '以—刺泥中搏取之'《周禮 註》.
[字源] 形聲. 扌(手)+叉〔音〕. '叉차'는 끼워서 집다의 뜻. '手수'를 더하여, 끼워서 집다의 뜻을 나타냄.

3 ⑥ [扢] [一] 흘 [入]物 其訖切 qì [二] 골 [入]月 古忽切 gǔ
[字解] [一] 기뻐할 흘 뛸 듯이 기뻐하는 모양. '子路—然, 執干而舞'《莊子》. [二] 닦을 골 씻어 냄. '濡不給—. (注) —, 拭也'《淮南子》.
[字源] 形聲. 扌(手)+乞〔音〕

3 ⑥ [扟] 신 [平]眞 所臻切 shēn
[字解] ①떠낼 신 퍼냄. '—, 从上挹取也'《說文》. ②추릴 신 가리어 취함. '—, 自上擇取物也'《廣韻》. ③감할 신, 뗄 신 덞. 양을 줄임. '損—且勞, 傳曰, —且勞, 剝之也'《元包經》.
[字源] 篆文 金文 形聲. 扌(手)+卂〔音〕. '卂신'은 '빠르다'의 뜻. 손으로 재빠르게 떠내다의 뜻을 나타냄.

3 ⑥ [扡] 〔타〕
拕(手部 五畫〈p. 861〉)와 同字
[字源] 形聲. 扌(手)+也〔音〕

3 ⑥ [扫] 〔소〕
掃(手部 八畫〈p. 877〉)의 簡體字

3 ⑥ [扥] 〔식〕
拭(手部 六畫〈p. 864〉)의 訛字

3 ⑥ [扦] 〔천〕
攐(手部 十一畫〈p. 902〉)의 俗字

4 ⑧ [𢪏] 〔공〕
廾(部首〈p. 713〉)과 同字

4 ⑧ [承] [中人] [一] 승 [平]蒸 署陵切 chéng [二] 증 [上]迥 zhěng
[筆順] 一 了 了 手 手 手 承 承
[字解] [一] ①받들 승 ㉠봉승(奉承)함. '—奉'. '—寡君之命以請'《左傳》. ㉡밑을 잘 들어 올림. '—捧'. '—筐是將'《詩經》. ②이을 승 계승함. '—統'. '—先人之後者, 在孫惟汝'《韓愈》. ③받을 승 주는 것을 가짐. '是謂—天之祜'《禮記》. ④도울 승 보좌함. 丞(一部 五畫)과 同字. '右抽劍自—'《呂氏春秋》. ⑤장가들 승 성취(成娶)함. '國人—翁主'《漢書》. ⑥후계 승 뒤를 잇는 일. '鄭師爲—'《左傳》. ⑦도움 승 보좌. '使帥師而行, 請—'《左傳》. ⑧차례 승 순차(順次). '子產爭—'《左傳》. ⑨성 승 성(姓)의 하나. [二] 건질 증 구제함. 拯(手部 六畫)과 同字. '使弟子竝流而—之'《列子》.
[字源] 甲骨文 金文 篆文 會意. 手+卪+廾. '卪절'은 몸을 굽히는 사람을 본뜬 것. 몸을 굽힌 사람을 양손으로 들어 올리면서 받다의 뜻을 나타냄.

[承繼 승계] 뒤를 이음. 계승(繼承)함.
[承教 승교] 가르침을 받음.
[承句 승구] 한시(漢詩)에서 절구(絕句)의 제2구(句) 또는 율시(律詩)의 제3구 및 제4구.
[承諾 승낙] 청하는 바를 들어줌.
[承露盤 승로반] 한(漢)나라의 무제(武帝)가 감로(甘露)를 받기 위하여 건장궁(建章宮)에 만들어 두었던 동반(銅盤).
[承命 승명] 임금이나 어버이의 명령(命令)을 받듦.
[承聞 승문] 웃어른이나 존경하는 이에 관한 말을 들음.
[承服 승복] 죄를 자복함. 복죄함.
[承奉 승봉] 웃어른의 뜻을 받아 섬김.
[承捧 승봉] 받아 쳐듦. 받듦.
[承嗣 승사] 승계(承繼).
[承上接下 승상접하] 윗사람을 받들고 아랫사람을 어거하여 그 사이를 잘 주선함.
[承緖 승서] 선대(先代)의 사업을 이음. 제왕의 업을 이음.
[承召 승소] 임금의 부르시는 명령(命令)을 받듦.
[承順 승순] 윗사람의 명령(命令)을 잘 좇음.
[承襲 승습] 승계(承繼).
[承承 승승] 자자손손(子子孫孫)이 대대로 이어받는 모양.
[承顔 승안] 남의 안색을 살펴 비위를 맞춤.
[承允 승윤] 임금의 윤허를 받음.
[承意 승의] 상대방의 마음을 살펴서 그 마음에 들게 함. 비위를 맞춤.
[承引 승인] 들어줌. 승낙(承諾)함.
[承認 승인] 일정한 사실을 인정함.
[承藉 승자] 은혜를 입음.
[承前 승전] 전문(前文)을 이음. 앞의 계속.
[承傳 승전] ㉠차례로 받아 전함. ㉡먼저 사람이 한 대로 함.
[承接 승접] 앞을 받아 뒤에 이음.
[承從 승종] 명령(命令)을 좇음.
[承重 승중] 장손(長孫)으로 아버지가 돌아간 뒤에 조부모(祖父母)의 상사(喪事)를 당할 때에 아버지를 대신(代身)하여 상제 노릇을 함.
[承旨 승지] ㉠분부를 받자옴. ㉡《韓》 고려·조선 때의 관직(官職). 왕명(王命)의 출납을 맡았음.
[承志 승지] ㉠남의 뜻을 이어받음. ㉡남의 뜻을 받아들여 이를 거스르지 않음.
[承知 승지] ㉠들어 앎. ㉡지우(知遇)를 받음.
[承塵 승진] 천장에서 먼지·흙 같은 것이 떨어지지 않게 하기 위하여 반자처럼 방 위에 판자 등을 치는 장치.
[承寵 승총] 임금의 총애를 받음.
[承統 승통] 제위(帝位)를 이음.
[承平 승평] 나라가 오래 태평(泰平)함. 태평한 세상이 오래 계속됨.
[承敝 승폐] 승폐(承弊).
[承弊 승폐] 피폐(疲弊)한 나라를 떠맡음. 쇠잔한 세상을 이어받음. 승폐(承敝).
[承稟 승품] 명령을 받음.
[承乏 승핍] 벼슬자리에 임명됨을 겸사(謙辭)하여 이르는 말. 적당한 사람이 없어서 자기가 잠시 그 빈자리를 채운다는 뜻.
[承下塵 승하진] 사람 뒤에 있어 앞의 사람의 발의 먼지를 뒤집어쓴다는 뜻으로, 싸울 때 후진(後陣)에 있음. 또, 하위(下位)에 있음을 이름.
[承閒 승한] ㉠한가(閒暇)한 때를 살핌. ㉡좋은 기회(機會)를 노림.
[承歡 승환] 사람의 기분을 맞추어 기쁘게 함. 기분을 맞춤.
[承誨 승회] 가르침을 받음.
[承候 승후] 웃어른의 기거와 안부를 물음.
◉敬承. 繼承. 供承. 恭承. 口承. 拜承. 陪承. 奉承. 不承. 師承. 相承. 攝承. 紹承. 襲承. 仰承. 諒承. 迎承. 領承. 了承. 傳承. 尊承. 遵承. 祗承. 纘承. 纂承. 統承. 稟承.

4 ⑦ [扴] 갈 [入]黠 古黠切 jiá

[字解] ①긁을 갈, 깎을 갈 '一, 揩一物也'《說文》. ②소리 갈 물건의 소리. '室憂絲曉一'《韓愈》.
[字源] 篆文 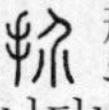 形聲. 扌(手)+介〔音〕. '介개'는 '끼다'의 뜻. 양손에 끼고 비비다, 깎다의 뜻을 나타냄.

4 ⑦ [扱] [人名] [一] 흡 [入]緝 迄及切 xī
[二] 삽 [入]洽 楚洽切 chā
[三] 급 [韓] 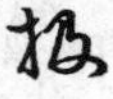

[字解] [一] 거두어가질 흡 염취(斂取)함. '以箕自鄕而一之'《禮記》. [二] ①짚을 삽 손을 땅에 짚고 절함. '婦拜一地'《儀禮》. ②끼울 삽 삽입함. 插(手部 九畫)과 통용. '一上衽'《禮記》. ③걷을 삽 옷 같은 것을 걷음. '渡水衣須一'《徐鍇》. [三] 《韓》 ①취급할 급 사물을 다룸. '取一'. ②훑을 급 곡식을 훑음. '稻一機'.
[字源] 篆文 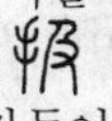 會意. 扌(手)+吸〈省〉〔音〕. '吸흡'은 빨아들이다의 뜻. 손으로 끌어들이다, 거두어 가지다의 뜻을 나타냄.

4 ⑦ [扮] [人名] 분 [上]吻 房吻切 fěn
(③반[本]) [去]諫 哺幻切 bàn 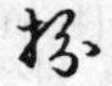

[字解] ①섞을 분 혼합(混合)함. '以椒薑一之'《史記註》. ②아우를 분 합병함. '地則虛三以一天之十八也'《太玄經》. ③꾸밀 분 화장하거나 변장함. '一裝'. '里中雜劇, 輒一作東方朔'《五雜俎》.
[字源] 篆文 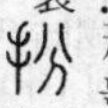 形聲. 扌(手)+分〔音〕. '分분'은 '賁분'과 통하여 '꾸미다'의 뜻. '手수'를 더하여 '꾸미다'의 뜻을 분명히 함. 또 '分'은 '粉분'과 통하여 가루의 뜻. 분을 손에 가지고 꾸미다의 뜻을 나타낸다고도 함.

[扮飾 분식] 치장(治裝)함.
[扮裝 분장] 모양을 꾸밈.
[扮戲 분희] 연극(演劇).
[扮戲子 분희자] 배우(俳優).
◉打扮.

4 ⑦ [𢪃] 아 ①[平]麻 牛加切 yá
②[去]禡 魚駕切 yà

[字解] ①비뚤 아 바르지 않은 모양. '扠一, 不正'《集韻》. ②갈 아 맷돌로 갊. 砑(石部 四畫)와 同字.

4 ⑦ [扶] [中人] [一] 부 [平]虞 防無切 fú
[二] 포 [平]虞 蓬逋切 pú 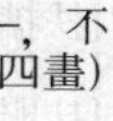

[筆順] 一 亅 扌 扌 扌 扶 扶

[字解] [一] ①도울 부 ㉠조력함. '一助'. '蓬生麻中, 不一自直'《荀子》. ㉡구원함. '一梁伐趙'《戰

國策》. ②붙들 부 넘어지지 않도록 붙듦. 부축함. '一攜'. '一腋'. '策一老以流憩'《陶潛》. ③곁 부 옆. '去高木而巢一枝'《淮南子》. [二] 길 포 匍(勹部 七畫)와 同字. '一服救之'《禮記》.

[字源] 金文 篆文 形聲. 扌(手)+夫〔音〕. '夫부'는 '사나이'의 뜻. 사나이가 손을 뻗어 돕다의 뜻을 나타냄.

[扶起 부기] 도와 일으킴.
[扶老 부로] ㉠노인의 지팡이. ㉡대나무의 한 가지. 지팡이를 만듦. ㉢노인을 부축함.
[扶老攜幼 부로휴유] 노인은 부축하고 어린아이는 끌고 함께 감.
[扶木 부목] 부상(扶桑)㉠.
[扶病 부병] 병을 무릅씀. 또, 병자(病者)를 간호(看護)함.
[扶扶 부부] 어린 모양.
[扶桑 부상] ㉠동(東)쪽 바다의 해 돋는 곳에 있다는 신목(神木). 또, 그 신목이 있는 곳. ㉡일본(日本).
[扶挈 부설] 노인은 부축하고 어린아이는 끌고 감. 부로휴유(扶老攜幼).
[扶疏 부소] ㉠부소(扶疎). ㉡버쓱거리는 모양.
[扶疎 부소] 초목의 지엽(枝葉)이 무성한 모양.
[扶蘇 부소] ㉠어린나무. 잔 나무. ㉡진(秦)나라 시황제(始皇帝)의 장자(長子). 시황(始皇)의 분서갱유(焚書坑儒)를 간(諫)하다가 노여움을 사서 경원(敬遠)되었음. 뒤에 시황(始皇)이 몰(沒)했을 때에 재상(宰相) 이사(李斯)와 환관(宦官) 조고(趙高)의 거짓 조서(詔書)에 의하여, 사사(賜死)되었음.
[扶樹 부수] 도와 세움.
[扶侍 부시] 곁에서 모셔 부축함.
[扶植 부식] ㉠심음. 지반(地盤)을 굳게 함. ㉡도와서 세움.
[扶腋 부액] 곁부축. 부조(扶助).
[扶養 부양] 도와 기름. 자활(自活)할 힘이 없는 사람을 생활하게 함.
[扶餘 부여] 상고 시대(上古時代) 단군 조선(檀君朝鮮) 이후(以後) 삼국 시대(三國時代) 이전(以前)에 쑹화 강(松花江)을 중심(中心)으로 하여 만주(滿洲)에 있던 나라.
[扶搖 부요] ㉠폭풍(暴風). ㉡부상(扶桑)㉠. ㉢힘차게 움직여 일어남.
[扶搖風 부요풍] 부요(扶搖)㉠.
[扶翼 부익] 보호하고 도움.
[扶助 부조] ㉠남을 도와줌. 조력함. ㉡남의 애경(哀慶)에 대하여 물건이나 돈을 보냄.
[扶枝 부지] 곁가지.
[扶持 부지] ㉠서로 도움. ㉡어려운 일을 버티어 감.
[扶風 부풍] 폭풍(暴風).
[扶護 부호] 붙들어서 보호(保護)함.
[扶攜 부휴] 부로휴유(扶老攜幼).
[扶伏 포복] '포복(匍匐)'과 같음.
[扶服 포복] '포복(匍匐)'과 같음.
[扶匐 포복] '포복(匍匐)'과 같음.
◉家扶. 給扶. 翼扶. 推扶. 夾扶. 協扶. 挾扶. 攜扶.

4 ⑦ **[批]** [高人] [一] 비 ①-⑤[平]齊 匹迷切 pī
⑥[平]支 頻脂切 pí
[二] 별 [入]屑 蒲結切 bié

[筆順] 一 亅 扌 扌 扌 扎 批

[字解] [一] ①칠 비 손으로 침. '一而殺之'《左傳》. ②밀 비, 굴릴 비 떼밂. 또는 굴러 가게 함. '會一之六沴'《書經》. ③깎을 비 깎아 얇게 함. '竹一雙耳峻'《杜甫》. ④찌붙일 비 부전(附箋)을 달아 의견 또는 가부를 적음. '制敕有不便者, 黃紙後一之'《唐書》. ⑤비답 비, 비답할 비 신하의 상주문(上奏文)의 끝에 적는 임금의 대답. 또, 그 대답을 내림. '帝皇詔答, 謂之一者, 一之所上表奏尾也'《谷響集》. ⑥비파 비 琵(玉部 八畫)와 통용. '一把, 近世樂家所作'《風俗通》. [二] 칠 별 때림. 떼밀며 침. '一亢擣虛'《史記》.

[字源] 篆文 形聲. 扌(手)+比(毘)〔音〕. '毘비'는 '比비'와 통하여, '비교하다'의 뜻. 기준이 되는 것과 비교하여 검토하다의 뜻을 나타냄.

[批傾 비경] 배척(排斥)함.
[批難 비난] 결점이나 과실을 힐책(詰責)함.
[批答 비답] 신하(臣下)의 상주(上奏)에 대하여 군주(君主)가 결재·허가하는 일. 또, 그 글.
[批議 비의] 비평(批評) 또는 비난(批難)하는 일.
[批點 비점] 시문(詩文)의 잘된 곳에 찍는 둥근 점(點).
[批准 비준] ㉠신하(臣下)의 상주(上奏)에 대하여 군주(君主)가 허가·결재하는 일. ㉡전권 위원(全權委員)이 서명(署名) 조인(調印)한 국제조약(國際條約)을 국가가 확인하는 절차(節次).
[批旨 비지] 비답(批答)하는 말씀.
[批把 비파] '비파(琵琶)'와 같음.
[批判 비판] ㉠비평(批評)하여 판단함. ㉡신하(臣下)의 상주문(上奏文)에 대한 재상(宰相) 등의 의견(意見).
[批評 비평] 시비(是非)·선악(善惡)·우열(優劣)을 평론(評論)함.
[批亢 비항] 목덜미를 침.
[批亢擣虛 비항도허] 목을 치고 빈 데를 찌른다는 뜻으로, 급소(急所)를 눌러 허(虛)를 찌름을 이름.
[批虛導窾 비허도관] 적(敵)의 방비(防備)가 허술한 데를 치고, 아군(我軍)의 허(虛)를 짐짓 보여서 적을 유인(誘引)함.
◉高批. 妄批.

4 ⑦ **[抵]** 지 ㊤紙 諸氏切 zhǐ

[字解] 칠 지 ㉠손뼉을 침. '一掌而談'《戰國策》. ㉡쳐부숨. '一穰侯而代之'《揚雄》.

[字源] 篆文 形聲. 扌(手)+氏〔音〕. '氏씨'는 찌부러진 눈의 象形으로, '납작하다'의 뜻. 눈이 찌부러질 정도로 옆에서 따귀를 때리다의 뜻을 나타냄.

4 ⑦ **[扼]** [人名] 액 [入]陌 乙革切 è

[字解] ①누를 액 꼭 눌러 꼼짝 못하게 함. 掟(手部 五畫)과 同字. '一殺'. '力一虎'《漢書》. ②멍에 액 軛(車部 四畫)과 同字. '加之以衡一'《莊子》.

[字源] 形聲. 扌(手)+厄〔音〕. '厄액'은 '좁다'의 뜻. 손으로 눌러서, 목이나 팔 따위를 세게 조르

다의 뜻을 나타냄.

[扼據 액거] 요해지(要害地)를 차지하여 웅거(雄據)함.
[扼殺 액살] 눌러 죽임.
[扼腕 액완] 성이 나거나 분해서 팔을 걷어붙임.
[扼吭 액항] ㉠목을 조름. 전(轉)하여, 요지(要地)를 점령함. ㉡마음에 걸림.
[扼喉 액후] 목을 조름. 급소(急所)를 눌러 사활(死活)을 좌우함.
[扼喉撫背 액후무배] 앞에선 목줄기를 움켜쥐고 뒤에선 등을 밀어 피할 도리가 없게 함.
◉衡扼.

4 ⑦ [扭] 뉴 [上]有 女久切 niǔ

[字解] ①비빌 뉴, 굴릴 뉴 손으로 비빔. 손으로 회전시킴. '一, 一手轉皃'《廣韻》. ②누를 뉴 조름. 비틂. '一, 案也'《集韻》. ③묶을 뉴 얽어맴. 구인(拘引)함. '一, 手縛也'《正字通》.
[字源] 形聲. 扌(手)+丑〔音〕. '丑축'은 '비틀다'의 뜻. '丑축'이 지지(地支)의 둘째로 쓰이게 되매, '手수'를 덧붙임.

4 ⑦ [技] [中人] 기 [上]紙 渠綺切 jì

[筆順] 一 十 扌 扌 扌 扌 技

[字解] ①재주 기 예능(藝能). '一術'. '凡執一以事上者'《禮記》. ②재능 기 능력. '無他一'《書經》.
[字源] [篆文] 形聲. 扌(手)+支〔音〕. '支지'는 나뭇가지를 받쳐 들다의 뜻. 가지를 들고 재주 있게 행동하는 '재주'의 뜻을 나타냄.

[技擊 기격] 격검(擊劍).
[技巧 기교] ㉠교묘한 손재주. ㉡문예·미술 등의 표현이나 제작에 대한 솜씨.
[技能 기능] 기술상(技術上)의 재능.
[技師 기사] 관청(官廳) 또는 회사(會社)에서 전문의 기술(技術)에 관한 일을 맡아보는 사람.
[技手 기수] 관청이나 회사에서 기사(技師)의 아래에 있어서 기술(技術)에 종사하는 사람.
[技術 기술] 공예(工藝)의 재주.
[技癢 기양] 자기의 재주를 발휘할 기회가 없어 안달함.
[技藝 기예] 솜씨. 손재주.
◉格技. 競技. 曲技. 工技. 巧技. 球技. 國技. 奇技. 末技. 妙技. 武技. 美技. 薄技. 百技. 小技. 手技. 試技. 實技. 神技. 心技. 餘技. 演技. 藝技. 雜技. 長技. 才技. 絶技. 賤技. 鬪技. 特技.

4 ⑦ [抂] 광 [平]陽 渠王切 kuáng

[字解] ①어지러울 광 어지러운 모양. '一攘'. ②狂(犬部 四畫)의 訛字.

4 ⑦ [抃] 변 [去]霰 皮變切 biàn

[字解] 손뼉칠 변 기뻐하여 손뼉을 침. '一手'. '坤神一舞'《晉書》.
[字源] 形聲. 扌(手)+卞〔音〕. '卞변'은 손뼉 치는 소리의 의성어.

[抃舞 변무] ㉠손뼉을 치며 춤을 춤. ㉡대단히 좋아하는 모양. 작약(雀躍).
[抃手 변수] 손뼉을 침.
[抃躍 변약] 변용(抃踊).
[抃悅 변열] 손뼉을 치며 좋아함.
[抃踊 변용] 손뼉을 치고 좋아하며 뜀.
◉歌抃. 擊抃. 慶抃. 塗歌里抃. 舞抃. 歡抃. 欣抃.

4 ⑦ [抄] [高人] 초 [平]肴 楚交切 chāo

[筆順] 一 十 扌 扌 扌 扌 抄

[字解] ①노략질할 초 약탈(掠奪)함. '一略'. '匈奴數一郡界'《後漢書》. ②베낄 초, 초할 초 글을 베낌. 또, 중요한 것만 추려 베낌. '一錄'. '手自一寫'《晉書》. '擇其可用者一之'《葉庭珪》. ③뜰 초 ㉠숟가락으로 음식 같은 것을 뜸. '匙一爛飯穩送之'《韓愈》. ㉡종이를 만듦. '一, 紙槽'《天工開物》. ④거를 초 액체를 체 따위로 거름. '一紙槽'. ⑤초 초 등사(謄寫). 발록(拔錄). '樂府歌辭一'《隋書》. ⑥성 초 성(姓)의 하나.
[字源] 形聲. 扌(手)+少〔音〕. '少소'는 '조금'의 뜻. 조금 손에 가지다, 손으로 뜨다의 뜻을 나타냄.

[抄略 초략] 노략질하여 빼앗음.
[抄掠 초략] 초략(抄略)함.
[抄錄 초록] 소용(所用)되는 것만을 뽑아서 기록(記錄)함.
[抄本 초본] 추려 베낀 문서.
[抄寫 초사] 일부분을 빼내어 베낌.
[抄書 초서] 책의 내용을 빼내어 쓴 책.
[抄譯 초역] 외국어 서적을 필요한 곳만 뽑아서 번역(飜譯)함. 또, 그 번역.
[抄紙槽 초지조] 종이를 뜨는 통.
[抄集 초집] 초록(抄錄)하여 모음. 또, 그 서류(書類).
[抄冊 초책] 초록(抄錄)한 책.
[抄撮 초촬] 한 줌. 근소한 분량.
[抄出 초출] 추려 냄. 또, 추려 내어 베낌.
[抄筆 초필] 잔글씨를 쓰는 작은 붓.
◉文抄. 別抄. 私抄. 手抄. 詩抄. 類抄. 日抄. 雜抄. 集抄.

4 ⑦ [抆] 문 [上]吻 武粉切 wěn / [去]問 亡運切

[字解] 닦을 문 씻음. '孤子唫而一淚'《楚辭》.
[字源] 形聲. 扌(手)+文〔音〕

[抆淚 문루] 눈물을 씻음.

4 ⑦ [抈] [一] 화 [平]麻 胡瓜切 huá / [二] 조 音瓜 zhǎo

[字解] [一] 삿대질할 화 '划, 舟進竿謂之划. 或从手'《集韻》. [二] ①채울 조 부족(不足)을 채움. '一, 補不足曰一'《洪武正韻》. ②찾을 조 사람을 찾음. '一, 凡尋覓人物曰一'《中華大字典》.

4 ⑦ [抆] [一] 자 [去]寘 側吏切 zhì / [二] 즐 [入]質 側瑟切 zhì

[字解] [一] 머리빗을 자 빗으로 머리를 손질함. '簡

髮而一, 數米而炊'《莊子》. [三] 빗 즐 櫛(木部 十五畫)과 同字.

4
⑦ **[抉]** [人名] 결 [入]屑 古穴切 jué

[字解] ①긁을 결 긁어냄. 후벼 냄. '一剔'. '一吾眼, 懸吳東門之上'《史記》. ②들추어낼 결 폭로함. '構一過失'《唐書》. ③깍지 결 각지(角指). 決(弓部 四畫)과 同字. '革一'. '掌王之用, 弓弩矢箙矰弋一拾'《周禮》.

[抉③]

[字源] 篆文 形聲. 扌(手)+夬〔音〕. '夬결'은 도려내다의 뜻. '手수'를 더하여, 뜻을 분명히 함.

[抉拾 결습] 깍지와 팔찌.
[抉摘 결적] 숨은 것을 들추어냄. 정의(精義)를 캐냄.
[抉剔 결척] 살을 긁고 뼈를 발라냄.
[抉出 결출] 긁어냄.
◉鉤抉. 構抉. 挑抉. 搜抉. 摘抉. 剔抉. 探抉. 撐抉. 披抉.

4
⑦ **[把]** [高人] 파 [上]馬 博下切 bǎ

[筆順] 一 十 扌 扌 扌 扌 把

[字解] ①잡을 파, 쥘 파 ㉠손으로 움켜쥠. 꼭 쥠. '一持'. '湯自一鉞'《史記》. ㉡결점을 집어냄. '皆一其陰重罪, 而縱'《漢書》. ②자루 파, 손잡이 파 그릇·연장 따위의 자루나 손잡이. '刀一'. '戾翳旋一'《潘岳》. ③움큼 파 한 줌에 움켜쥐는 일. 또 그 분량. '烝嘗不過一握'《國語》. ④묶음 파 묶어 놓은 덩이·단·다발 따위. '淸晨送菜一'《杜甫》. ⑤성 파 성(姓)의 하나. ⑥《韓》 발 파 두 팔을 펴서 벌린 길이.

[字源] 篆文 形聲. 扌(手)+巴〔音〕. '巴파'는 땅바닥에 찰싹 배를 대고 기어가는 뱀을 본뜬 것. 손바닥을 찰싹 대고 쥐다의 뜻을 나타냄.

[把弄 파롱] 손에 가지고 놂.
[把臂 파비] 서로 팔을 잡음. 친애(親愛)하는 모양. 악비(握臂).
[把手 파수] 자루. 손잡이.
[把守 파수] 경계(警戒)하여 지킴.
[把握 파악] 움켜쥠. 또, 움켜쥘 만한 크기. 한 움큼.
[把玩 파완] 파롱(把弄).
[把住 파주] ㉠마음속에 간직함. ㉡기왕(既往)에 경험한 사실을 오래 의식(意識) 속에 가지고 있어서 때때로 이것을 재현(再現)시킬 수 있는 작용(作用).
[把持 파지] 손에 꼭 쥐고 놓지 않음.
◉劍把. 拱把. 刀把. 本把. 批把. 掌把. 銃把. 箒把. 火把.

4
⑦ **[抎]** 운 [上]吻 云粉切 yǔn

[字解] ①잃을 운 잃어버림. '惟恐失一之'《戰國策》. ②떨어질 운 隕(阜部 十畫)과 同字. '不戰而一'《史記》.

[字源] 篆文 形聲. 扌(手)+云〔音〕. '隕운'과 통하여, 잃다, 손에서 떨어지다의 뜻을 나타냄.

4
⑦ **[扽]** 돈 [去]願 都困切 dèn

[字解] ①끌 돈 '一, 引也'《廣雅》. ②움직일 돈 '一, 撼也'《玉篇》. ③갈 돈, 비빌 돈 '一, 一曰, 摩也'《集韻》.

4
⑦ **[抪]** 발 ①[入]曷 普活切 pō ②[入]曷 蒲撥切 bá

[字解] ①닦을 발 손으로 훔치거나 씻음. '一, 搉也'《說文》. '游者以足蹶, 以手一'《淮南子》. ②밀 발 밀침. '一, 推也'《集韻》.

[字源] 篆文 形聲. 篆文은 扌(手)+犮〔音〕. '拂불'과 통하여, '닦다'의 뜻을 나타냄.

4
⑦ **[抑]** [高人] 억 [入]職 於力切 yì

[筆順] 一 丨 扌 扌 扌 扌 抑

[字解] ①누를 억 ㉠힘으로 내리밂. '敬一搔之'《禮記》. ㉡힘을 못 쓰게 함. '聳善而一惡'《國語》. ㉢막음. '禹一洪水'《孟子》. ㉣겸양(謙讓)함. '一讓'. '俛詘以自一'《史記》. ②굽힐 억 숙임. '皆伏一首'《史記》. ③문득 억 발어사(發語辭). '一此皇文'《詩經》. ④또한 억 전의사(轉意辭). '一磬控忌'《詩經》.

[字源] 篆文 俗體 指事. '印인' 자를 뒤집은 모양. 도장을 찍을 때에는 반드시 아래를 향하게 하므로, '印' 자를 거꾸로 뒤집어서, 도장을 눌러 찍다, 위에서 힘을 가하여 누르다의 뜻으로 쓰임. '抑억'은 '手수'를 더한 俗字.

[抑強扶弱 억강부약] 강자(強者)를 누르고 약자(弱字)를 도와줌.
[抑留 억류] 억지로 머무르게 함.
[抑勒 억륵] 억제(抑制).
[抑買 억매] 남의 물건(物件)을 억지로 사들임.
[抑賣 억매] 제 물건을 억지로 팖.
[抑塞 억색] 눌러 막음.
[抑損 억손] ㉠줄임. 감퇴(減退)시킴. ㉡만심(慢心)을 누르고 겸양(謙讓)함.
[抑首 억수] 머리를 굽힘. 고개를 숙임.
[抑壓 억압] 억지로 누름. 압제함.
[抑揚 억양] ㉠혹은 누르고 혹은 올림. ㉡혹은 헐어 말하고 혹은 찬양함. ㉢음조(音調)의 고저와 강약. ㉣문세(文勢)의 기복(起伏). ㉤시세(時勢)에 따라 행동함. 부침(浮沈).
[抑抑 억억] 신밀(愼密)한 모양. 신중한 모양.
[抑畏 억외] 자만심을 누르고 계신(戒愼)함.
[抑鬱 억울] ㉠죄(罪)가 없이 누명(陋名)을 씀. ㉡억제를 당하여 마음이 답답함.
[抑糴 억적] 쌀의 매점(買占).
[抑制 억제] 내리눌러서 제어함.
[抑奪 억탈] 억지로 빼앗음.
[抑退 억퇴] ㉠눌러 물리침. ㉡억손(抑損).
[抑貶 억폄] 눌러 폄(貶)함. 폄척(貶斥)함.
[抑何心腸 억하심장] 대체 무슨 생각인지 그 마음을 알기 어렵다는 뜻.
[抑婚 억혼] 《韓》 당자(當者)의 의견을 무시하고 억지로 하는 혼인.
◉屈抑. 排抑. 損抑. 按抑. 壓抑. 掩抑. 冤抑.

裁抑. 沮抑. 擠抑. 捽抑. 遮抑. 摧抑. 沈抑. 幅抑.

4 ⑦ [抒] 人名 서 ㊤語 徐呂切 shū

筆順 一 亅 扌 扌 扌 抒 抒

字解 ①떠낼 서 퍼냄. '一米以出臼也'《詩經疏》. ②쏟을 서 토로함. '一情'. '略陳愚而一情素'《漢書》. ③덜 서 제거함. '難必一矣'《左傳》.

字源 篆文 形聲. 扌(手)+予〔音〕. '予여'는 '뻗다'의 뜻. 손을 뻗어서 퍼내다의 뜻을 나타냄. 또, '敍서'와 통하여, '토로하다'의 뜻을 나타냄.

[抒情 서정] 자기의 정서를 그려 냄.
[抒情詩 서정시] 자기의 감정과 기분을 읊은 시(詩).

4 ⑦ [拑] ㊀ 겸 ㊥鹽 其淹切 qián ㊁ 금 ①㊥侵 渠金切 qín ②㊦沁 巨禁切

字解 ㊀ ①업(業) 겸 기업(基業). '一, 業也. (註) 謂基業也'《揚子方言》. ②업(業)에 힘쓸 겸 자기 직업에 전심(專心)함. '一, 博雅, 錙一, 專職業也'《集韻》. ③적을 겸 기록함. '一, 記也'《玉篇》. ㊁ ①움켜쥘 금 단단히 쥠. 捦(手部 八畫)과 同字. ②붙잡을 금 擒(手部 十三畫)과 同字. '一, 捉也'《集韻》.

4 ⑦ [抓] 조 ㊤巧 側絞切 zhuā ㊥肴 側交切

字解 ①긁을 조 손톱 같은 것으로 긁음. '委蛇攫一'《莊子》. ②움킬 조 움켜쥠. '手可攫而一'《枚乘》.

字源 形聲. 扌(手)+爪〔音〕. '爪조'는 위에서 손으로 아래에 있는 사람을 움켜쥐는 모양을 본뜸. '手수'를 더하여, '움키다, 긁다'의 뜻을 나타냄.

◉頻抓. 虎抓. 攫抓.

4 ⑦ [抔] 부 ㊥尤 薄侯切 póu

字解 ①움켜질 부 '汚尊而一飮'《禮記》. ②움큼 부 움켜쥔 분량. 줌. '一一之土'.

字源 形聲. 扌(手)+不〔音〕. '不부'는 봉긋하게 크다의 뜻. 양손을 봉긋하게 합쳐서 물건을 움켜쥐다의 뜻을 나타냄.

[抔飮 부음] 손바닥으로 물을 떠 먹음.
[抔土 부토] 한 줌의 흙. 전(轉)하여, 무덤. 능(陵).
[抔土未乾 부토미건] 선제(先帝)를 장사 지내고 얼마 안 됨을 이름.

4 ⑦ [投] 中人 ㊀ 투 ㊥尤 度侯切 tóu ㊁ 두 ㊦宥 大透切 dòu

筆順 一 亅 扌 扌 扌 抄 投

字解 ㊀ ①던질 투 ㉠내던짐. '一擲'. '一石'. ㉡몸을 내던짐. '乃一水而死'《古詩》. ㉢내버림. '一筆事戎軒'《魏徵》. ㉣추방함. '一諸四裔'《左傳》. ②줄 투 증여함. '一我以木瓜'《詩經》. ③의탁할 투 의탁하여 머무름. '一宿'. '望門一止'《後漢書》. ④맞을 투 합치함. '意氣一合'. '氣味相一'. ⑤들일 투 받아들임. '一般之後於宋'《禮記》. ⑥떨칠 투 세게 흔듦. '一袂而起'《左傳》. ⑦성 투 성(姓)의 하나. ㊁ ①머무를 두 逗(辵部 七畫)와 同字. '遠一錦江波'《杜甫》. ②구두 두 讀(言部 十五畫)와 통용. '察度于句一'《馬融》.

字源 篆文 形聲. 扌(手)+殳〔音〕. '殳수'는 몽둥이를 손에 들고 패다의 뜻. '手수'를 더하여, '던지다'의 뜻을 나타냄.

[投瓊 투경] 주사위를 던짐. 곧, 도박(賭博)을 이름.
[投稿 투고] 신문·잡지 등에 실을 원고(原稿)를 보냄.
[投瓜得瓊 투과득경] 모과(木瓜) 열매를 선사하고 주옥(珠玉)을 반례(返禮)로 받는다는 뜻으로, 적은 물건을 주고 후(厚)한 답례(答禮)를 받음을 이름. 새우로 도미를 낚다와 같은 뜻.
[投球 투구] 공을 던짐.
[投棄 투기] 내던져 버림.
[投機 투기] ㉠기회를 엿보아 큰 이익을 보려는 짓. ㉡시가(市價)의 변동을 예기하고, 그 차익(差益)을 얻기 위하여 행하는 매매 거래.
[投賣 투매] 손해를 무릅쓰고 상품을 내던져 버리듯 마구 싸게 팖.
[投命 투명] 목숨을 버림.
[投袂 투메] 소매를 떨친다는 뜻으로, 팔짓을 하며 세차게 일어남을 형용하는 말.
[投錨 투묘] 배의 닻을 내림. 선박을 정박(碇泊)시킴.
[投報 투보] ㉠선사(善事)의 답례를 함. 전(轉)하여, 서로 연정(戀情)을 통함. ㉡받은 은혜를 갚음.
[投射 투사] ㉠파동(波動)이 한 물질의 안을 통과하여 다른 물질의 경계면(境界面)에 도달함. ㉡감관적 지각(感官的知覺)의 대상을 외계에 있는 것으로 보는 일.
[投梭 투사] 진(晉)나라 때 유곤(劉鯤)이 이웃집에 사는 고씨(高氏)의 아름다운 딸을 꾀니 그 여자가 베 짜던 북을 내던져 거절한 고사(故事). 전(轉)하여, 이성(異性)이 꾀는 것을 거절하는 일.
[投書 투서] ㉠문서를 던짐. ㉡희망·비방·적발 등의 사항을 익명 또는 기명의 문서로 작성하여 당국에 보냄. ㉢투고(投稿).
[投鼠忌器 투서기기] 쥐에게 물건을 던져서 때려잡고 싶으나, 곁에 있는 그릇을 깰까 두려워한다는 뜻으로, 임금 곁의 간신(奸臣)을 제거(除去)하려 하여도 임금에게 누(累)가 미칠까 두려워한다는 말.
[投石 투석] 돌을 던짐.
[投手 투수] 야구(野球)에서, 중앙(中央)의 위치(位置)에서 공을 던지는 사람.
[投宿 투숙] 여관에 듦. 여관에서 잠.
[投身 투신] ㉠강·바다 등에 몸을 던지어 죽음. ㉡《韓》어떤 일에 몸을 던져 관계함.
[投影 투영] ㉠물체가 비치는 그림자. 사영(射影). ㉡물체를 어떤 정점(定點)에서 본 형상(形狀)의 평면도.
[投獄 투옥] 옥(獄)에 가둠.
[投入 투입] 던져 넣음.

[投刺 투자] ㉠명함을 내밀고 면회를 요청함. 통자(通刺). ㉡명함을 내던진다는 뜻으로, 세상과 교섭(交涉)을 끊음을 이름.
[投資 투자] 이익(利益)을 얻을 목적으로 밑천을 댐. 출자(出資)함.
[投杼 투저] 증삼(曾參)의 어머니가 증삼이 사람을 죽였다는 말을 세 번 듣고, 비로소 의아(疑訝)하여 짜던 베틀의 북을 내던지고 일어났다는 고사(故事). 전(轉)하여, 참언(讒言)을 믿는 일.
[投足 투족] 발을 들여놓음.
[投止 투지] 머무름. 투숙(投宿).
[投槍 투창] 창을 여섯 번 던져서 도착한 거리를 서로 비교하여 승부를 결정하는 운동 경기(運動競技).
[投擲 투척] 던짐.
[投託 투탁] 남의 세력(勢力)을 의뢰(依賴)함.
[投鞭斷流 투편단류] 채찍을 던져서 강류(江流)를 막는다는 뜻으로, 강(江)을 건너는 기병(騎兵)의 수가 많음을 이름.
[投票 투표] 선거(選擧) 또는 채결(採決) 등을 할 때 이에 참가한 여러 사람이 각자의 의사(意思)를 글자 혹은 표지(標識)로 표시하여 이를 일정한 곳에 제출(提出)하는 일.
[投筆 투필] 붓을 던져 버린다는 뜻으로, 문필(文筆)에 종사하던 것을 그만두고 무예(武藝)에 종사함을 이름.
[投下 투하] 아래로 내던짐.
[投翰 투한] 붓을 던짐. 붓을 던져 버림. 곧, 글짓기를 그만둠. 투필(投筆). 포필(抛筆).
[投閑置散 투한치산] 한산(閑散)한 자리에 몸을 둠. 곧, 요직(要職)에 있지 않음을 이름.
[投轄 투할] 손님이 타고 온 수레의 굴대 비녀장을 빼어 우물에 던진다는 뜻으로, 손님을 억지로 머무르게 함을 이름.
[投函 투함] 우체통 따위에 편지를 넣음.
[投合 투합] 서로 맞음. 일치함.
[投降 투항] 적에게 가서 항복함.
[投繯 투현] 목을 매어 죽음. 액사(縊死).
[投壺 투호] 화살같이 만든 청홍(靑紅)의 긴 막대기를 두 사람이 갈라 가지고 일정한 거리에 놓인 병 속에 던져 넣는 유희.

[投壺]

[投笏 투홀] 홀(笏)을 던진다는 뜻으로, 벼슬에서 물러남을 이름.
[投荒 투황] 변방(邊方)으로 귀양 보내는 일. 원찬(遠竄).
◉傾投. 繼投. 亂投. 失投. 惡投. 暗投. 連投. 完投. 依投. 快投. 暴投.

4 ⑦ [抖] 두 ㊤有 當口切 dǒu

[字解] 떨 두 '一擻'는 손으로 물건을 들어 텲. 전(轉)하여, 없앰. 제거함. '一擻胸中三斗塵'《王炎》.

[字源] 形聲. 扌(手)+斗〔音〕

[抖擻 두수] ㉠손으로 물건을 들어 텲. 전(轉)하여, 떨어 버림. 없앰. ㉡분발(奮發)함.

4 ⑦ [抗] [高人] 항 [去]漾 苦浪切 kàng

[筆順] 一 十 扌 扌' 扩 抗 抗

[字解] ①들 항 들어 올림. '歌者上如一, 下如墜'《禮記》. ②막을 항 방어함. '未能朝楚而一宋'《國語》. ③겨룰 항 대항함. '一敵'. '戎夏不一王師'《李華》. ④높을 항 '一行'. '不可以爲一'《淮南子》. ⑤성 항 성(姓)의 하나.

[字源] 篆文 形聲. 扌(手)+亢〔音〕. '亢항'은 '높다'의 뜻. 손을 높이 들다의 뜻을 나타냄.

[抗拒 항거] 대항(對抗)함. 버팀.
[抗告 항고] 관청(官廳)의 결정·명령 또는 처분(處分)에 대하여 그 상급 관청에 번복(飜覆)을 상신(上申)함.
[抗禮 항례] 대등(對等)의 예. 또, 피아(彼我)가 서로 대등한 교제를 함.
[抗論 항론] 항변(抗辯).
[抗辯 항변] 대항하여 변론함.
[抗疏 항소] 항표(抗表).
[抗顔 항안] 잘난 척한 얼굴을 함. 또, 잘난 척하는 얼굴.
[抗禦 항어] 대항(對抗)하여 막음.
[抗言 항언] 대항(對抗)하여 말함.
[抗然 항연] 권위(權威)에 굴하지 않고 대항하는 모양.
[抗議 항의] 반대(反對)의 의견을 주장함. 이의(異議)를 제기함.
[抗章 항장] 항표(抗表).
[抗爭 항쟁] 대항하여 다툼.
[抗敵 항적] 겨룸. 대항함. 대적함.
[抗戰 항전] 적과 대항하여 전쟁함.
[抗節 항절] 절개를 지켜 자기의 의견을 굽히지 아니함.
[抗直 항직] 강경(強硬)하고 정직함.
[抗塵走俗 항진주속] 속세(俗世)에서 바삐 돌아다녀 부귀영화를 얻음을 이름.
[抗策 항책] 채찍을 들어 말을 달림.
[抗表 항표] 의견서(意見書)를 임금에게 올림. 상표(上表).
[抗行 항행] 숭고(崇高)한 행위.
[抗俠 항협] 의협심이 있어 권력에 굴하지 아니함.
[抗衡 항형] 서로 대항(對抗)하여 지지 아니함. 서로 버팀.
◉拒抗. 高抗. 拮抗. 搭抗. 對抗. 反抗. 抵抗. 支抗. 淸抗.

4 ⑦ [折] [高人] ㊀ 절 [入]屑 旨熱切 zhé
㊁ 제 [平]齊 杜溪切 tí

[筆順] 一 十 扌 扌 扩 折 折

[字解] ㊀ ①꺾을 절 ㉠부러뜨림. '一枝'. '無一我樹杞'《詩經》. ㉡굽힘. '一節下士'《漢書》. ㉢찢음. '一券棄責'《漢書》. ㉣기를 꺾음. '一伏'. '一辱秦吏卒'《史記》. ㉤힐난함. '面一不能容人之過'《史記》. ②꺾일 절 ㉠부러짐. '天柱一, 地維缺'《淮南子》. ㉡굽음. '河九一注於海'《淮南子》. ③결단할 절 판단함. 단정함. '片言可以一獄者'《論語》. ④깎을 절 값을 낮춤. '一價'. '良賈不爲一閱不市'《荀子》. ⑤일찍죽을 절 요사함. '夭一'. '凶·短·一'《書經》. ⑥성 절 성(姓)의

하나. [二] 천천할 제 안서(安徐)한 모양. '吉事欲其——爾'《禮記》.
[字源] 金文  篆文  篆文  會意. 金文·篆文은 𣥄+斤. '𣥄'은 뿔뿔이 흩어진 초목을 본뜬 것. '斤근'은 도끼의 象形. 도끼로 나무를 뿔뿔이 흩어지게 꺾다의 뜻을 나타냄. '𣥄'는 뒤에 '手수'로 바뀜.

[折價 절가] 값을 깎음.
[折角 절각] 거만한 자의 기를 꺾음.
[折脚 절각] 다리가 부러짐.
[折簡 절간] 가운데를 접은 짧은 편지. 곧, 초청하는 편지.
[折桂 절계] 계수나무의 가지를 꺾는다는 뜻으로, 과거에 급제함을 이름.
[折槁振落 절고진락] 마른나무를 꺾고 낙엽(落葉)을 떤다는 뜻으로, 일이 손쉽게 됨을 이름.
[折骨 절골] ㉠뼈가 부러짐. ㉡무척 애를 씀.
[折肱 절굉] 팔을 꺾는다는 뜻으로, 수업(修業)에 신고(辛苦)와 경험을 쌓음을 이름.
[折膠 절교] 아교가 굳어져 꺾이는 늦가을 철.
[折衄 절뉵] 기세가 꺾이어 패(敗)함.
[折柳 절류] ㉠버들의 가지를 꺾음. ㉡악곡(樂曲)의 이름. ㉢옛날에 장안(長安) 사람이 손을 배웅할 때 파교(灞橋)까지 가서 다리 가의 버들의 가지를 꺾어 주어 재회(再會)를 축원한 고사(故事). 전(轉)하여, 송별(送別).
[折米 절미] 토막 난 쌀. 싸라기.
[折半 절반] 하나를 반씩 둘로 나눔.
[折北 절배] 싸움에 져 달아남.
[折伏 절복] ㉠기를 꺾어 복종시킴. ㉡《佛敎》불법(佛法)을 설교하여 악법(惡法)을 꺾어 정법(正法)을 따르게 함.
[折本 절본] 원금(元金)을 손해 봄. 자본이 없어짐.
[折算 절산] 이해관계를 셈 쳐 봄. 타산(打算)함.
[折傷 절상] 뼈가 부러져 다침.
[折還 절선] 굽어 돎.
[折閱 절열] 상품의 가격을 낮추어 손해를 보고 팖.
[折銳 절예] 예기(銳氣)를 꺾음. 좌예(挫銳).
[折獄 절옥] 옥사(獄事)를 처결함.
[折腰 절요] 허리를 꺾음. 곧, 허리를 굽혀 남에게 머리를 숙임.
[折辱 절욕] 기를 꺾어 욕보임.
[折右 절우] 오른손 팔뚝을 부러뜨린다는 뜻으로, 뜻을 얻지 못함의 비유로 쓰임.
[折右肱 절우굉] ㉠오른팔을 꺾음. ㉡뜻을 이루지 못함.
[折杖法 절장법] 장형(杖刑)의 장수(杖數)를 경감하는 법.
[折節 절절] 자기를 굽히고 의지(意志)를 꺾음.
[折足覆餗 절족복속] 솥발을 부러뜨리면 솥 안의 음식이 엎질러진다는 뜻으로, 소인(小人)을 대신(大臣)으로 임용(任用)하면 그 중임(重任)을 다하지 못하고, 나라를 뒤엎게 됨을 이름.
[折挫 절좌] 꺾음. 좌절(挫折)시킴.
[折中 절중] 절충(折衷).
[折草 절초] 풀을 벰.
[折衷 절충] 한편으로 치우치지 아니하고 이것과 저것을 가려서 알맞은 것을 얻음.
[折衝 절충] ㉠쳐들어오는 적(敵)의 예봉(銳鋒)을 꺾음. ㉡외교상(外交上)의 담판(談判).
[折衝府 절충부] 당대(唐代)에 국내 각지에 둔 군영(軍營).
[折衝禦侮 절충어모] 나를 얕보는 상대방을 담판(談判)으로 꺾어 두려워하게 함.
[折破 절파] 꺾어 부숨. 또, 부서지고 깨짐.
[折檻 절함] 한(漢)나라 주운(朱雲)이 효성제(孝成帝)를 강간(強諫)하다가 효성제의 격노를 사서 전하(殿下)로 끌어 내릴 때 어전(御殿)의 난간(欄干)을 붙잡고 버티며 간(諫)하다가 난간이 부러진 고사(故事). 전(轉)하여, 강간(強諫)하는 일.
[折折 제제] 안서(安舒)한 모양.
◉減折. 磬折. 枯折. 曲折. 困折. 骨折. 九折. 屈折. 陵折. 短折. 斗折. 末大必折. 面折. 耗折. 半折. 盤折. 攀折. 排折. 百折. 衰折. 心折. 玉折. 夭折. 撓折. 迂餘曲折. 委折. 威折. 剌折. 阻折. 挫折. 摧折. 破折. 判折. 橫折. 朽折. 毁折.

4 ⑦ **[抍]** 승 ㊤迥 識蒸切 zhěng 
[字解] 들 승 들어 올림. '用—馬壯吉'《易經》.
[字源] 篆文  形聲. 扌(手)+升〔音〕. '升승'은 '올리다'의 뜻. 손으로 들어 올리다의 뜻을 나타냄.

4 ⑦ **[抇]** 골 [入]月 戶骨切 gǔ, hú 
[字解] ①굴릴 골 굴러 가게 함. '掎—泥滓'《柳宗元》. ②뚫을 골 구멍을 냄. '—人之墓'《荀子》. ③팔 골 구덩이를 만듦. '—其谷而得其鈇'《列子》.
[字源] 形聲. 扌(手)+曰〔音〕. '曰왈'은 입을 열어 말하다의 뜻. '흙을 파다'의 뜻을 나타냄.

4 ⑦ **[抩]** [一] 탐 [平]覃 他甘切
[二] 남 [平]覃 那含切 nán
[三] 염 [平]鹽 如占切
[字解] [一] 가질 탐 함께 가짐. '—, 幷持也'《說文》. [二] 가질 남 [一]과 뜻이 같음. [三] 가질 염 [一]과 뜻이 같음.
[字源] 形聲. 扌(手)+冉〔音〕

4 ⑦ **[抈]** 월 [入]月 魚厥切 yuè 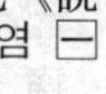
[字解] ①꺾을 월 부러뜨림. '車軸折, 其衡—'《太玄經》. ②움직일 월 흔들리게 함. '其置本也, 固矣. 故不可—也'《國語》.
[字源] 篆文 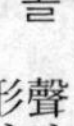 形聲. 扌(手)+月〔音〕. '月월'은 '깎다, 도려내다'의 뜻. 손으로 물건을 꺾다의 뜻을 나타냄.

4 ⑦ **[抐]** [一] 눌 [入]月 內骨切 nè
[二] 납 [入]合 諾荅切 nà
[字解] [一] 물들일 눌, 담글 눌 물들임. 물에 적심. '—, 擩也'《廣雅》. '—, 按物水中也'《字彙》. [二] 칠 납 摋(手部 十畫)과 同字.
[字源] 形聲. 扌(手)+內〔音〕

4 ⑦ **[抏]** 완 ①②[平]寒 五丸切 wán
③[去]翰 五換切 wàn 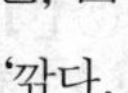

字解 ①무지러질 완 모손(耗損)함. '百姓一弊'《史記》. ②안마할 완 몸을 주무르고 두드리고 함. '案一毒熨'《史記》. ③완롱할 완 玩(玉部 四畫)과 통용. '游一之脩'《荀子》.
字源 形聲. 扌(手)+元〔音〕

[抚弊 완폐] 해져 떨어짐. 피폐함.

4 ⑦ [抚] 〔개〕
概(木部 十一畫〈p. 1098〉)와 同字
參考 抚(次條)는 別字.

4 ⑦ [抚] 〔무〕
撫(手部 十二畫〈p. 906〉)의 俗字

4 ⑦ [抗]
一 연 ㊤銑 以轉切 yǎn
　　㊁霰 兪絹切
二 유 ㊤紙 兪水切
三 전 ㊤銑 粗兗切
四 예 ㊁霽 兪芮切

字解 一 ①움직일 연 흔들림. '一, 動也. 搖也'《玉篇》. ②헤아릴 연 '一, 揣也'《集韻》. ③움직이게할 연 '一, 動也. 老子, 揣而一也'《集韻》. 二 ①움직일 유 一❶과 뜻이 같음. ②헤아릴 유 一❷와 뜻이 같음. 三 헤아릴 전 一❷와 뜻이 같음. 四 움직일 예 一❶과 뜻이 같음.

4 ⑦ [扰] 침 ㊤寢 食荏切 shěn
字解 밀칠 침 떼밂. '挨一'. '攩拯挨一, 亡所不爲'《列子》.
字源 篆文 形聲. 扌(手)+冘〔音〕

◉挨扰.

4 ⑦ [扢] 개 ㊁隊 居代切 gài
字解 갈 개 마찰함. '禹燒不暇攅, 濡不給一'《淮南子》.

4 ⑦ [扳] 〔반〕攀(手部 十五畫〈p. 915〉)과 同字
字源 形聲. 扌(手)+反〔音〕. '反반'은 '끌다'의 뜻.

4 ⑦ [扯] 〔차〕
撦(手部 十二畫〈p. 906〉)의 俗字
字源 會意. 扌(手)+止

4 ⑦ [扵] 〔어〕
於(方部 四畫〈p. 960〉)의 俗字

4 ⑦ [扚] 〔구〕
拘(手部 五畫〈p. 861〉)의 俗字

4 ⑦ [护] 〔호〕
護(言部 十四畫〈p. 2161〉)의 簡體字

4 ⑦ [択] 〔택〕
擇(手部 十三畫〈p. 910〉)의 俗字

4 ⑦ [抛] 〔포〕
拋(手部 五畫〈p. 859〉)의 俗字

4 ⑦ [报] 〔보〕報(土部 九畫〈p. 453〉)의 俗字·簡體字

5 ⑨ [拜] 中人 배 ㊁卦 博怪切 bài

筆順 一 二 三 手 手 拜 拜 拜

字解 ①절 배 배례. '禮一'. '太祝辨九一'《周禮》. ②절할 배 배례를 함. '先一客'《禮記》. 전(轉)하여, 경의(敬意)를 표하는 말로 쓰임. '一辭'. '自製一章'《南史》. ③받을 배 사여(賜與)를 받음. '一恩私室'《北史》. ④벼슬줄 배 관작을 수여함. '一大將'《史記》. ⑤굽힐 배 굽게 함. 휨. '勿翦勿一'《詩經》. ⑥성 배 성(姓)의 하나.
字源 金文 篆文 古文 別體 會意. 篆文은 手+𠦪. '𠦪홀'는 가지가 우거진 나무를 본뜬 것. 사악한 것을 제거하기 위하여, 나뭇가지를 손에 들고 절하다의 뜻을 나타냄.

[拜家慶 배가경] 자식이 오래도록 떨어져 있던 부모를 뵘을 이름.
[拜見 배견] ㉠배알(拜謁). ㉡남의 글 같은 것을 삼가 봄.
[拜啓 배계] 절하고 아뢴다는 뜻으로, 편지 첫머리에 쓰는 말.
[拜官 배관] 벼슬아치가 됨. 임관됨. 관직에 취임할 때 군주 앞에서 절하므로 이름.
[拜跪 배궤] 엎드려 절하고 꿇어앉음.
[拜納 배납] 삼가 드림.
[拜年 배년] 신년(新年)의 축하. 세배(歲拜).
[拜讀 배독] 남의 편지(便紙) 같은 것을 공경(恭敬)하는 마음으로 읽음.
[拜冬 배동] 동짓(冬至)날에 행하는 하례(賀禮).
[拜領 배령] 예물(禮物)을 받음.
[拜禮 배례] 절을 하는 예(禮).
[拜俛 배면] 배부(拜俛).
[拜命 배명] ㉠삼가 명령을 받자옴. ㉡배관(拜官).
[拜墓 배묘] 성묘(省墓).
[拜聞 배문] 공경(恭敬)하는 마음으로 삼가 들음.
[拜眉 배미] 배안(拜顔).
[拜別 배별] 작별(作別)의 경칭(敬稱).
[拜伏 배복] 엎드려 절함.
[拜復 배복] 삼가 회답함. 답장(答狀)할 때에 첫머리에 쓰는 말.
[拜捧 배봉] 절하고 두 손으로 받음. 삼가 받음.
[拜俛 배부] 배부(拜俯).
[拜俯 배부] 엎드려 절함.
[拜賜 배사] 하사하는 것을 삼가 받음.
[拜謝 배사] 삼가 사례(謝禮)함.
[拜辭 배사] 삼가 사퇴(辭退)함.
[拜上 배상] 절하고 올림. 삼가 올림. 흔히 편지 끝에 씀.
[拜相 배상] 재상(宰相)을 배명함.
[拜石 배석] 녹(祿)을 받음.
[拜席 배석] 의식(儀式) 때 절하는 데에 까는 자리.
[拜疏 배소] 상소(上疏)함.
[拜掃 배소] 삼가 소분(掃墳)함. 배묘(拜墓).
[拜送 배송] 절하고 전송함. 삼가 배웅함.

[拜誦 배송] 배독(拜讀).
[拜手 배수] 머리를 손 있는 데까지 숙여 절을 함. 배수(拜首).
[拜受 배수] 공경하여 삼가 받음.
[拜授 배수] 벼슬을 줌. 관직을 수여함.
[拜承 배승] 삼가 받자옴.
[拜顏 배안] 삼가 얼굴을 뵘. 만나 뵘.
[拜謁 배알] 절하고 뵘. 높은 어른에게 뵘.
[拜迎 배영] 절하고 맞이함. 삼가 맞이함.
[拜章 배장] 관직(官職)을 임명받았을 때 임금에게 삼가 받는다는 뜻을 아뢰는 글.
[拜呈 배정] 절하고 드림. 삼가 드림.
[拜除 배제] 관직을 제수(除授)함. 임관(任官)함.
[拜芝 배지] 배안(拜顏).
[拜塵 배진] ㉠진(晉)의 석숭(石崇)과 반악(潘岳)이 가밀(賈謐)에게 아첨하여 가밀이 수레를 타고 떠날 때 뒤에서 수레가 일으키는 먼지를 바라보고 절을 한 고사(故事)에서 나온 말로, 권세(權勢) 있는 사람에게 아첨함을 이름. ㉡현인(賢人)을 존경함.
[拜趨 배추] 삼가 추창(趨蹌)함.
[拜春 배춘] 배년(拜年).
[拜披 배피] 삼가 편지를 폄.
[拜賀 배하] 절하고 치하함. 공손(恭遜)히 치하함.
[拜火敎 배화교] 불을 섬기는 교. 조로아스터교 따위.
[拜候 배후] 문안(問安)함.
◉九拜. 跪拜. 謹拜. 起拜. 羅拜. 答拜. 膜拜. 百拜. 伏拜. 俯拜. 三拜. 崇拜. 迎拜. 禮拜. 遙拜. 再拜. 頂拜. 除拜. 重拜. 參拜. 還拜. 趨拜. 向拜.

5 ⑨ **[拏]** [人名] 나 [平]麻 女加切 ná

[筆順] ㇈ 𡿨 女 奴 奴 奴 㚢 拏

[字解] ①맞당길 나 서로 끌어당김. '漢匈奴相紛一'《史記》. ②잡을 나 체포함. '一捕'.
[字源] 篆文 形聲. 手+奴〔音〕. '奴노'는 '노예'의 뜻. '拿나'와 동일어 이체자(同一語異體字)로, 손으로 잡다, 노예처럼 붙잡다의 뜻을 나타냄.

[拏捕 나포] ㉠붙잡아 가둠. 붙잡아 자유를 구속함. ㉡교전국의 군함이 정당한 포획(捕獲)의 이유가 있다고 인정한 적국 또는 중립국의 선박을 바다 위에서 붙들고 자기의 권력 아래에 두는 행위.
[拏攫 나확] 잡음. 붙잡음.
◉交拏. 猛拏. 盤拏. 煩拏. 紛拏. 攫拏. 虎擲龍拏.

5 ⑧ **[抨]** 평 [平]庚 普耕切 pēng

[字解] ①탄핵할 평 죄를 조사하여 책망함. '一劾'. '其意不樂彈一事'《唐書》. ②하여금 평 …로 하여금 …하게 함. '一雄鳩以作媒兮'《漢書》.
[字源] 篆文 形聲. 扌(手)+平〔音〕. '平평'은 '평평하다'의 뜻. 또, 밑에서부터 부딪치다의 뜻. 손으로 팽팽하게 튕기다의 뜻을 나타냄.

[抨彈 평탄] 탄핵(彈劾)함.
[抨劾 평핵] 탄핵(彈劾)함.

5 ⑧ **[捬]** 포 [平]虞 博狐切 pū

[字解] 퍼질 포 넓게 퍼짐. '塵埃一覆'《漢書》.
[字源] 篆文 形聲. 扌(手)+布〔音〕. '布포'는 '펴다'의 뜻. 손으로 넓게 펼치다의 뜻을 나타냄.

[捬覆 포부] 넓게 퍼져 덮임.
[捬徧 포편] 널리 폄. 넓게 퍼짐.

5 ⑧ **[抮]** [人名] 진 [上]軫 止忍切 zhěn

[字解] ①휘어잡을 진 거머잡음. '扶搖一抱, 羊角而上'《淮南子》. ②껴안을 진 끼어 가짐. '雖天地覆育, 亦不與之一抱矣'《淮南子》.
[字源] 形聲. 扌(手)+㐱〔音〕

[抮抱 진포] ㉠휘어잡음. 거머잡음. ㉡끼어 가짐. 껴안음.

5 ⑧ **[㧙]** [一] 별 [入]屑 必結切 bié
[二] 비 [去]寘 毗至切 bì
[三] 필 [入]質 僻吉切 bì

[字解] [一]①비틀 별 잡아 비틂. '一, 捩也'《集韻》. ②밀 별 밀어 침. '一, 推也. 南楚凡推搏曰一'《揚子方言》. ③쳐넘어뜨릴 별 '徒搏之所撞一'《張衡》. [二] 칠 비 장난삼아 침. '一, 戲擊也'《集韻》. [三] 찌를 필 '一, 博雅, 刺也'《集韻》.
[字源] 形聲. 扌(手)+必〔音〕

5 ⑧ **[披]** [人名] 피 ①-⑥[平]支 敷羈切 pī
⑦[上]紙 匹靡切
⑧[去]寘 彼義切

[字解] ①헤칠 피 속에 있는 것을 드러나게 함. '拂'. '一心腹見情素'《漢書》. ②열 피 개척(開拓)함. '一山通道'《史記》. ③펼 피 책장 따위를 폄. '一讀'. '一於百家之編'《韓愈》. ④나눌 피 나누어 줌. '又一其邑'《左傳》. ⑤입을 피 옷을 걸침. '一服'. '一鶴氅行雪中'《世說》. ⑥쓰러질 피 쓸리어 넘어짐. '一一'. '應風一靡, 吐芳揚烈'《司馬相如》. ⑦찢어질 피, 찢을 피 파열함. '一靡'. '木實繁者, 一其木'《史記》. ⑧성 피 성(姓)의 하나.
[字源] 篆文 形聲. 扌(手)+皮〔音〕. '皮피'는 짐승의 가죽을 벗겨 내는 모양을 본뜸. '手수'를 더하여, 가죽을 펴서 헤치다의 뜻을 나타냄.

[披肝膽 피간담] 진심을 털어놓음. 석간(析肝).
[披見 피견] 책 따위를 펴서 봄.
[披抉 피결] ㉠깊이 헤침. ㉡숨은 것을 끄집어냄. 남의 비밀을 들추어냄.
[披款 피관] 진심을 털어놓음.
[披卷 피권] 책을 펴서 봄.
[披襟 피금] ㉠옷의 깃을 열어젖힘. ㉡흉금(胸襟)을 터놓음.
[披讀 피독] 펼쳐서 읽음. 책을 읽음.
[披覽 피람] 펼쳐서 봄. 책을 펴 봄.
[披瀝 피력] 마음속에 먹은 바를 털어놓고 말함.

[披靂 피로] 피력(披瀝).
[披離 피리] 사방으로 흩어지는 모양.
[披麻 피마] 그림의 준법(皴法)의 이름. 삼〔麻〕의 잎을 편 것처럼 돌의 주름을 그리는 일. 또, 그 주름.
[披靡 피미] ㉠바람에 불리어 쓰러져 흔들림. ㉡남의 위력(威力)에 눌리어 굴복(屈服)함.
[披髮 피발] 머리를 풀어 헤침.
[披髮徒跣 피발도선] 부모가 돌아갔을 때, 머리를 풀고 버선을 벗는 일.
[披服 피복] 옷을 입음. 또, 옷. 피복(被服).
[披腹心 피복심] 진정(眞情)을 펴 보임.
[披拂 피불] 초목의 지엽이 바람에 흔들림.
[披攘 피양] 초망(草莽)을 헤쳐 나라를 평정함.
[披演 피연] 터놓고 이야기함.
[披閱 피열] 펴 조사함. 책이나 서류를 펴 봄.
[披緇 피치] 검은 옷을 입음. 중이 됨.
[披針 피침] 피침(披鍼).
[披鍼 피침] 곪은 데를 째는 침. 양쪽 끝에 날이 있음. 바소.
[披鍼形 피침형] 바소와 같은 형상.
[披披 피피] ㉠긴 모양. 피피(被被). ㉡쓰러지는 모양.
[披懷 피회] 가슴을 열어젖힘. 흉금(胸襟)을 터놓음.
◉霧披. 分披. 紛披. 離披. 直披. 昌披. 風披.

5 ⑧ [抱] 中人 포 ①-④㊤晧 薄浩切 bào ⑤㊥肴 披交切 pāo

筆順 一 丨 扌 扌 扚 扚 拘 抱

字解 ①안을 포, 품을 포 ㉠껴안음. '一擁'. '亦旣一子'《詩經》. ㉡지킴. '聖人一一爲天下式'《老子》. ㉢가짐. '是一空質也'《戰國策》. ㉣쥠. '一關擊柝'《孟子》. ㉤둘러쌈. 위요함. '一圍'. '鬱律衆山一'《獨孤及》. ㉥갖춤. 구비함. '奈何君獨一奇才'《韓愈》. ㉦마음속에 가짐. '一志'. '一懷'. ②가슴 포 ㉠흉부. '凡與大人言語, 始視面, 中見一'《儀禮》. ㉡마음. 생각. '區區丹一'《宋書》. ③아름 포 팔을 벌리어 껴안은 둘레. '連一之木'. '長千仞, 大連一'《司馬相如》. ④성 포 성(姓)의 하나. ⑤던질 포 抛(手部 五畫)와 통용. '姜嫄生后稷, 一之山中'《史記》.
字源 捊의 別體  形聲. 扌(手)+包〔音〕. '包포'는 '싸다'의 뜻. 손으로 싸다, 안다의 뜻을 나타냄.

[抱關擊柝 포관격탁] 문지기와 야경(夜警)꾼.
[抱病 포병] 병을 지님.
[抱負 포부] ㉠품에 안고 등에 짐. ㉡마음속에 품은 자신감(自信感)이나 계획(計劃).
[抱薪救火 포신구화] 땔나무를 가지고 불을 끈다는 뜻으로, 해(害)를 없앤다는 것이 도리어 더욱 해(害)롭게 함을 이름.
[抱玉哭 포옥곡] 무고(無辜)한 죄로 우는 일. 초(楚)나라의 변화(卞和)가 옥(玉)을 얻어 회왕(懷王)에게 바쳤다가 가짜로 오인(誤認)받아 도리어 형벌을 받은 고사(故事)에서 온 말.
[抱擁 포옹] 품 안에 껴안음.
[抱怨 포원] 원한을 품음.
[抱圍 포위] 둘러쌈. 에워쌈.
[抱一 포일] 하나를 품음. 도(道)를 몸에 지니고 지킴.
[抱殘守缺 포잔수결] 얼마 남지 않은 책. 또는 잔결(殘缺)된 서책을 귀중히 보존함.
[抱才 포재] 재주가 있음. 또 품은 재주.
[抱住 포주] 부둥켜안음.
[抱柱 포주] 신의(信義)를 굳게 지킴의 비유. 미생(尾生)이 다리 밑에서 여자와 만나기로 약속하였는데, 물이 갑자기 불어나 다리 기둥을 꼭 껴안고 죽었다는 고사(故事)에서 온 말.
[抱志 포지] 뜻을 품음.
[抱持 포지] 안아 가짐. 잘 간직함.
[抱炭希涼 포탄희량] 숯불을 안고 시원하기를 바람. 곧, 행하는 바와 바라는 바가 반대됨을 이름.
[抱合 포합] ㉠서로 껴안음. ㉡'화합(化合)'과 같음.
[抱懷 포회] 마음속에 품음. 또 그 생각. 회포(懷抱).
◉襁抱. 拱抱. 襟抱. 掩抱. 連抱. 縈抱. 擁抱. 遠抱. 乳抱. 塵抱. 合抱. 孩抱. 回抱. 懷抱. 携抱.

5 ⑧ [抵] 高人 ㊀ 저 ㊤薺 都禮切 dǐ ㊁ 지 ㊤紙 掌氏切 zhǐ

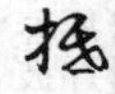

筆順 一 丨 扌 扌 扌 扺 抵 抵

字解 ㊀ ①닥뜨릴 저 저촉함. 또, 거역함. '習俗薄惡, 民人一冒'《漢書》. ②겨룰 저 대항함. '一抗'. '角一'. ③다다를 저 이름. '一冬降霜'《漢書》. ④당할 저 해당함. '傷人及盜一罪'《史記》. ⑤던질 저 내던짐. '因毁以一地'《後漢書》. ⑥대저 저 무릇. '大一'. ㊁ 칠 지 손으로 침. 扺(手部 四畫)와 통용. '一掌'. '奮髯一几'《漢書》.
字源 篆文 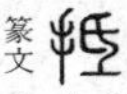 形聲. 扌(手)+氐〔音〕. '氐저'는 날붙이를 숫돌에 대는 모양을 나타냄. 손을 대다의 뜻을 나타냄.

[抵達 저달] 도착(到着)함.
[抵當 저당] ㉠막음. 방어함. ㉡부동산이나 동산을 담보로 잡히고 돈을 꿈. 또, 그 물건. 담보물(擔保物).
[抵冒 저모] 거역하여 침범함. 죄를 저지름.
[抵排 저배] 저항해서 배척함.
[抵死 저사] 죽기를 작정(作定)하고 저항(抵抗)함.
[抵捂 저오] 저오(抵牾).
[抵牾 저오] 저촉(抵觸).
[抵敵 저적] 대적(對敵)함.
[抵罪 저죄] 죄(罪)의 경중(輕重)에 따라 상당한 형벌(刑罰)을 메움.
[抵擲 저척] 내던짐.
[抵觸 저촉] ㉠서로 닥뜨림. ㉡양자(兩者)가 서로 모순(矛盾)함.
[抵瑕蹈隙 저하도극] 남의 결점(缺點)을 어디까지나 자꾸 들춤.
[抵抗 저항] ㉠대항(對抗)함. 반항함. ㉡견디어 냄. 지탱하여 냄.
[抵掌 지장] 손뼉을 침. 신나서 이야기함의 뜻.
[抵巇 지희] 틈을 노려 친다는 뜻으로, 기회(機會)를 이용함을 이름.
◉角抵. 觳抵. 過抵. 大抵. 馳抵.

5 ⑧ [抶] 질 ㉇質 丑栗切 chì

字解 종아리칠 질 초달(楚撻)함. '一其僕以徇'《左傳》.
字源 篆文 形聲. 扌(手)＋失〔音〕

5 ⑧ [抹] 人名 말 ㊀曷 莫撥切 mò, mǒ, mā

字解 ①바를 말 칠함. '塗一'. '酒入香腮紅一一'《歐陽修》. ②지울 말 형적을 없앰. '一消'. '濃筆一之'《杜陽雜編》. ③문지를 말 비빔. 또, 현악기(絃樂器)의 줄을 살짝 대고 누름. '轉腕攏絃促揮一'《李紳》. ④닦을 말 씻음. '嘉賓入幕金尊一'《梅堯臣》. ⑤쓸 말 쓸어 없앰. '山一微雲'《秦觀》.
字源 形聲. 扌(手)＋末〔音〕. '末말'은 '잘다, 미세한 끝'의 뜻. 손으로 잘게 만들다, 손으로 비비어 똑똑히 보이지 않게 하다의 뜻을 나타냄.

[抹去 말거] 지워 버림. 지워 없앰.
[抹殺 말살] 지워 없앰. 문질러 없앰. 아주 없애 버림.
[抹摋 말살] 말살(抹殺).
[抹消 말소] 지워 없애 버림.
[抹茶 말차] 절구에 빻아서 가루로 만든 차.
[抹擦 말찰] 문지름.
[抹香 말향] 가루로 한 향(香).
◉濃抹. 淡抹. 塗抹. 眉抹. 撚抹. 一抹. 電抹. 朱抹. 紅抹.

5 ⑧ [柄] 병 ㊤梗 補永切 bǐng

字解 잡을 병 柄(木部 五畫)·秉(禾部 三畫)과 통용.
字源 形聲. 扌(手)＋丙〔音〕

5 ⑧ [抽] 高人 추 ㊥尤 丑鳩切 chōu

筆順 一 寸 扌 扌 扪 扣 抽 抽

字解 ①뺄 추 뽑음. '一籤'. '言一其棘'《詩經》. ②당길 추 끌어당김. '挈水若一'《莊子》. ③거둘 추 거두어들임. '羣綸一緒'《太玄經》. ④싹틀 추 싹이 나옴. '草以春一'《束晳》.
字源 擂의 別體 形聲. 扌(手)＋由(䌷)〔音〕. '䌷류'는 깊은 구멍의 뜻. 구멍으로부터 물건을 빼내다의 뜻을 나타냄. '抽추'는 '擂추'의 별체(別體)임.

[抽匣 추갑] 서랍. 추두(抽斗).
[抽讀 추독] 많은 책 중에서 한 책을 뽑아 봄.
[抽斗 추두] 서랍.
[抽拔 추발] 뽑아냄. 가려냄. 발탁(拔擢)함.
[抽象 추상] 낱낱의 다른 구체적(具體的) 관념(觀念) 속에서 공통(共通)되는 부분을 빼내어 이를 종합 통일(綜合統一) 하여 다시 한 관념을 만드는 일. 또, 그 심리 작용(心理作用).
[抽賞 추상] 발탁하여 상 줌.
[抽象名詞 추상명사] 실질 명사 중 추상적 개념을 나타내는 명사. 미(美)·악(惡)·흑(黑)·백(白) 등.
[抽身 추신] 바쁜 중에 몸을 뺌.
[抽裂 추열] 빼내어 찢음.
[抽獎 추장] 발탁하여 칭찬함.
[抽籤 추첨] 제비를 뽑음.
[抽出 추출] 빼냄. 뽑아냄.
[抽擢 추탁] 추발(抽拔).
[抽脅 추협] 늑골(肋骨)을 뽑아내어 죽이는 형벌.
[抽黃對白 추황대백] 황·백 등 갖가지 빛을 늘어놓음. 전(轉)하여, 아름다운 문구(文句)를 늘어놓음.
◉芽抽. 左旋右抽. 花抽.

5 ⑧ [抻] ㊀ 신 ㊋震 試刃切 chēn ㊁ 진 ㊥眞 癡隣切 chēn

字解 ㊀ 펼 신 벌림. 뻗음. 늘임. '一, 展也, 一物長也'《集韻》. ㊁ 펼 진 ㊀과 뜻이 같음.
字源 形聲. 扌(手)＋申〔音〕. '申신'은 '늘이다'의 뜻.

5 ⑧ [押] 高人 ㊀ 압 ㊀洽 烏甲切 yā ㊁ 갑 ㊀洽 古狎切 jiǎ

筆順 一 寸 扌 扌 扪 扣 押 押

字解 ㊀ ①수결 압 도장 대신 쓰는 자형(字形). '花一'. '必先書一而後報行'《宋史》. ②주관할 압 관리함. '一班'. '中書省舍人, 以六員分一尙書六曹'《唐書》. ③찍을 압 도장을 찍음. '一捺'. '一署'. ④누를 압 내리누름. '便以石一其頭'《晉書》. ⑤운자찍을 압 운자(韻字)를 맞춤. '一韻'. '平韻可重一'《滄浪詩話》. ⑥잡을 압 체포함. '一送'. '拱一天人'《後漢書》. ㊁ ①단속할 갑 검속(檢束)함. '蠢迆檢一'《漢書》. ②겹칠 갑 중첩(重疊)함. '羽檄重迹而一至'《漢書》.
字源 形聲. 扌(手)＋甲〔音〕. '甲갑'은 거북딱지를 본뜬 것으로, '덮다'의 뜻. 손으로 덮어 누르다의 뜻을 나타냄.

[押交 압교] 죄인(罪人)을 압송(押送)하여 넘김.
[押捺 압날] 도장을 찍음.
[押班 압반] 조정에서 정렬(整列)하는 백관(百官)의 위차(位次)를 주관함. 또, 그 관명(官名).
[押付 압부] 압교(押交).
[押署 압서] 도장을 찍고 이름을 씀.
[押送 압송] 죄인(罪人)을 잡아 보냄.
[押收 압수] 관리가 직권(職權)으로 인민의 재산을 몰수함.
[押韻 압운] 같은 운자(韻字)를 써서 시(詩)를 지음. 같은 운자를 구각(句脚)에 씀.
[押字 압자] 수결(手決).
[押釘 압정] 종이 등을 떨어지지 못하게 가장자리에 박아 두는 데 쓰는 대가리가 둥글고 얇고 크며 촉이 짧은 쇠못.
◉監押. 檢押. 拱押. 管押. 括押. 句押. 金押. 署押. 御押. 典押. 差押. 判押. 花押.

5 ⑧ [批] ㊀ 자(지㊍) ㊤紙 將氏切 zǐ ㊁ 제 ㊤薺 子禮切 jǐ

字解 ㊀ ①꺼두를 자 꼭 잡음. '一, 捽也'《說文》. ②끌 자 잡고 끎. '通俗文, 掣挽曰一'《一切經音義》. ③칠 자, 주먹질할 자 抵(手部 四畫)와 同字. ㊁ 꺼두를 제 ㊀❶과 뜻이 같음.
字源 篆文 形聲. 扌(手)＋此〔音〕

5 ⑧ [拂] 高人 ㊀ 불 ㊀物 敷勿切 fú ㊁ 필 ㊀質 普密切 bì

[筆順] 一 亅 扌 扌 扌 扌 拂 拂

[字解] [一] ①털 불 ㉠먼지를 텖. '一塵'. '進几杖者一之'《禮記》. ㉡사악(邪惡)을 제거함. '一其邪心'《韓愈》. ②떨칠 불 힘 있게 흔듦. '一衣從之'《國語》. ③닦을 불 씻음. '長袂一面'《楚辭》. ④거스를 불 어김. '一戾'. '一人之性'《大學》. ⑤먼지떨이 불 '一塵'. '白旄一二枚'《晉東宮舊事》. [二] 도울 필 弼(弓部 九畫)과 同字. '法家一士'《孟子》.

[字源] 篆文 形聲. 扌(手)+弗〔音〕. '弗불'은 '제거하다'의 뜻. '弗'이 조자(助字)로 쓰이게 되자, '手수'를 덧붙임.

[拂去 불거] 털어 버림. 소제함.
[拂旦 불단] 밤이 밝을 무렵. 어둑새벽. 불서(拂曙). 불효(拂曉).
[拂戾 불려] 거스름. 어그러짐.
[拂曙 불서] 불단(拂旦).
[拂鬚 불수] 남의 수염의 먼지를 털어 준다는 뜻으로, 상관(上官)이나 윗사람에게 아첨(阿諂)함을 이름.
[拂拭 불식] ㉠깨끗이 털고 훔침. ㉡임금의 은총을 받음.
[拂衣 불의] 옷소매를 떨침. 분기(奮起)하는 모양. 투메(投袂).
[拂子 불자] 중국산 얼룩소의 긴 꼬리를 묶어 자루를 단 불구(佛具). 원래 먼지를 털거나 파리를 잡기 위해서 중이 가졌던 물건.

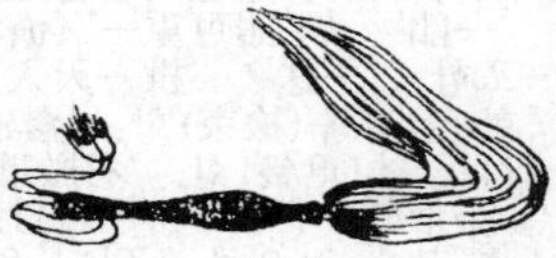
[拂子]

[拂塵 불진] 불자(拂子).
[拂天 불천] 하늘을 텖. 하늘을 찌를 듯이 높음을 형용한 말.
[拂枕席 불침석] ㉠손윗사람과 잠자리를 함께함을 겸손하여 이르는 말. ㉡밤의 말동무를 함.
[拂曉 불효] 불단(拂旦).
[拂士 필사] 군주(君主)를 보필(輔弼)하는 현사(賢士).
◉擊拂. 摩拂. 磨拂. 扮拂. 排拂. 洗拂. 掃拂. 拭拂. 前拂. 除拂. 支拂. 振拂. 披拂. 揮拂.

5 ⑧ [拄] [人名] 주 [上]麌 知庾切 zhǔ

[字解] ①버틸 주 물건을 굄. '枝一'. '脩劍一頤'《戰國策》. ②손가락질할 주 뒷손질함. 비방함. '連一五鹿君'《漢書》.

[字源] 形聲. 扌(手)+主〔音〕

[拄杖 주장] 행각승(行脚僧)이 가지고 다니는 지팡이.
◉支拄. 撑拄.

5 ⑧ [抯] [一] 자(저[俗]) [平]麻 側加切 zhā
[二] 차 [上]馬 兹野切 zhā

[字解] [一] 잡을 자, 건질 자 '一, 挹也'《說文》. '南楚之間, 凡取物溝泥中, 謂之一'《揚子方言》. [二] 취할 차 취득(取得)함. '一, 取也'《集韻》.

[字源] 篆文 形聲. 扌(手)+且〔音〕. '揸자'와 통하여, '잡다, 건지다'의 뜻을 나타냄.

5 ⑧ [担] [一] 걸 [入]屑 丘傑切 jiē
[二] 담 [平]覃 都甘切 dān

[字解] [一] 들 걸 들어 올림. '意恣睢以一撟'《楚辭》. [二] 멜 담 擔(手部 十三畫)의 俗字.

[字源] 形聲. 扌(手)+旦〔音〕

[担撟 걸교] 듦. 들림.

5 ⑧ [拆] 탁 [入]陌 恥格切 chāi(chè)

[字解] 터질 탁 갈라짐. '一裂'. '百果草木皆甲一'《易經》.

[字源] 形聲. 扌(手)+斥〔音〕

[參考] 坼(土部 五畫)·柝(木部 五畫)은 別字.

[拆開 탁개] 개봉(開封)함.
[拆裂 탁렬] 터짐. 갈라짐.
[拆字 탁자] 한 글자를 변(偏)·방(旁)·관(冠)·각(脚) 등으로 나누어 여러 글자로 하는 일. '松'을 '十·八·公'으로 나누는 따위.
◉甲拆.

5 ⑧ [拇] [人名] 무 [上]有 莫厚切 mǔ
[上]麌 莫補切 mǔ

[筆順] 一 亅 扌 扎 扣 拇 拇 拇

[字解] 엄지손가락 무 대지(大指). '一指'. '駢一枝指'《莊子》.

[字源] 篆文 形聲. 扌(手)+母〔音〕. '母모'는 '어머니'의 뜻. 손가락 가운데 어머니 격인 엄지손가락의 뜻을 나타냄.

[拇印 무인] 엄지손가락으로 찍는 지장(指章).
[拇指 무지] 엄지손가락.
◉駢拇. 手拇.

5 ⑧ [拈] [人名] [一] 념 [平]鹽 奴兼切 niān
[二] 점 [上]琰 職琰切 zhǎn

[字解] [一] 집을 념 손가락으로 쥠. '一出'. '舍西柔桑葉可一'《杜甫》. [二] 집을 점 [一]과 뜻이 같음.

[字源] 篆文 形聲. 扌(手)+占〔音〕. '占점'은 '點점'과 통하여, '작은 점'의 뜻. 손가락 끝의 작은 부분을 써서 집다의 뜻을 나타냄.

[拈提 염제] 집어 듦. 전(轉)하여, 게시(揭示)함. 설명하여 들려줌.
[拈出 염출] ㉠집어냄. ㉡계책·시구(詩句) 등을 안출(案出)해 냄.
[拈香 염향] 향을 집어 피움. 분향(焚香).
[拈華微笑 염화미소] 석가(釋迦)가 연화(蓮花)를 따서 제자(弟子)에게 보였는데 아무도 그 뜻을 해득(解得)하는 자(者)가 없고, 다만 가섭(迦葉)이 미소(微笑)하였으므로 석가가 그에게 불교(佛敎)의 진리(眞理)를 전수(傳授)하였다는 고사(故事). 전(轉)하여, 이심전심(以心傳心)의 묘처(妙處)를 이름.

5 ⑧ [拉] [人名] 랍 [入]合 盧合切 lā

[字解] ①꺾을 랍 부러뜨림. '一殺'. '一脅折齒'

《漢書》. ②끌 랍 이끎. '一友而歸'. '于時情好日密, 相一總師'《諸葛亮》.
[字源] 篆文 形聲. 扌(手)+立〔音〕. '立립'은 장소를 독차지해서 서다, 또는 양발을 땅바닥에 대고 서다의 뜻에서, '꼭 누르다'의 뜻. 난폭하게 움켜쥐어서 또는 손으로 눌러서 꺾다의 뜻을 나타냄.

[拉枯 납고] 마른나무를 꺾음. 곧, 매우 쉬움을 이름. 최후(摧朽).
[拉北 납북] 북쪽으로 납치해 감.
[拉殺 납살] 뼈를 부러뜨려 죽임.
[拉致 납치] 강제로 붙들어 감.
◉敲拉. 摺拉. 靡拉. 批拉. 衞拉. 摧拉. 擺拉.

5⑧ **[拊]** 부 ㊤麌 芳武切 fǔ

[字解] ①어루만질 부 쓰다듬음. 위무함. '一循'. '一而勉之'《左傳》. ②칠 부 가볍게 두드림. '予擊石一石'《書經》. ③손잡이 부, 자루 부 기물의 손으로 잡는 데. '屈轎執一'《禮記》. ④악기이름 부 북 비슷한 악기. 목에 걸고 양손으로 침. 부박(拊搏) 또는 박부(搏拊)라고도 함.

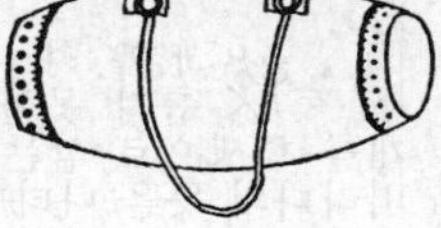

[拊④]

[字源] 篆文 形聲. 扌(手)+付〔音〕. '付부'는 모아 합치다의 뜻. 양손을 합치다, 쓰다듬다, 치다의 뜻을 나타냄.

[拊搏 부박] ㉠악기 따위를 쳐서 울림. ㉡악기 이름. 자해(字解)❹를 보라.
[拊拂 부불] 두드려 텂.
[拊髀 부비] 넓적다리를 두들김. 분기(奮起)하는 모양. 또, 기뻐서 날뛰는 모양. 박비(搏髀).
[拊循 부순] 어루만져 위안함. 위무함.
[拊絃 부현] 거문고 같은 것을 탐.
◉搏拊. 慰拊. 捶拊.

5⑧ **[抛]** [人名] 포 [平]肴 匹交切 pāo

[字解] ①버릴 포 내버림. '一棄'. ②던질 포 내던짐. '一擲'. '同一財產'《後漢書》.
[字源] 篆文 會意. 扌(手)+尢+力. '尢왕'은 손이 구부러지다의 뜻. 힘을 들여서 구부러지게 던지다의 뜻을 나타냄.
[參考] 抛(手部 四畫)는 俗字.

[抛車 포거] 옛날 군중(軍中)에서 투석용(投石用)으로 쓰던 수레.
[抛棄 포기] ㉠내버림. ㉡자기의 권리를 버리고 행사하지 아니함.
[抛物線 포물선] 중심을 가지지 않는 원뿔 곡선(曲線). 평면 위의 한 정점(定點)과 한 정직선(定直線)으로부터 같은 거리에 있는 모든 점을 연결하는 곡선. 물건을 비스듬히 던질 때 생기는 곡선.
[抛撒 포살] 던져 흩뜨림.
[抛擲 포척] 던짐. 내던짐.
[抛置 포치] 버려둠.

5⑧ **[拌]** [人名] [一] 반 [平]寒 普官切 pān / [二] 판 [去]翰 普半切 pàn

[字解] [一] ①버릴 반 내버림. '楚凡揮棄物謂之一'《揚子方言》. ②섞을 반 '攪一'. [二] 가를 판 判(刀部 五畫)과 통용. '鐫石一蚌'《史記》.
[字源] 形聲. 扌(手)+半〔音〕. '半반'은 '나누다'의 뜻. '手수'를 더하여, '가르다'의 뜻이나 양손에 숟가락을 갖고 뒤섞다의 뜻을 나타냄.

◉攪拌.

5⑧ **[拍]** [高人] 박 ①②[入]陌 普伯切 pāi, pò / ③[入]藥 伯各切 bó

[筆順] 一 十 扌 扌' 扩 拍 拍 拍

[字解] ①칠 박 두드림. '一手'. '一手獨一, 雖疾無聲'《韓非子》. ②박자 박 음악의 가락을 조절하는 소리. '胡笳十八一'. '此霓裳第三疊最初一也'《唐書》. ③어깻죽지 박 膊(肉部 十畫)과 同字. '饋食之豆, 其實豚一'《周禮》.
[字源] 金文 篆文 形聲. 篆文은 扌(手)+百〔音〕. '百백'은 손뼉 치는 소리를 나타내는 의성어. 본디 '拍박(手+白〔音〕)'은 俗字.

[拍拍 박박] 날개를 푸두둥푸두둥 치는 모양.
[拍髀 박비] 넓적다리를 두드림. 기뻐서 날뛰는 모양. 부비(拊髀).
[拍手 박수] 손뼉을 침.
[拍手喝采 박수갈채] 손뼉을 치며 칭찬함.
[拍子 박자] 음악(音樂)에 있어서 곡조의 진행의 시간(時間)을 헤아리는 단위(單位).
[拍掌 박장] 손바닥을 침.
[拍掌大笑 박장대소] 손뼉을 치며 크게 웃음.
[拍板 박판] 악기의 하나. 박자(拍子)를 맞추기 위하여 쳐서 울리는 널판.
◉歌拍. 舞拍. 撫拍. 節拍. 彈拍. 揮拍.

5⑧ **[抲]** [一] 하 [平]歌 虎何切 ①②hē / ㊤哿 下可切 ②hè / [二] 가 [平]麻 女加切 qiā / [三] 나 [平]麻 丘加切 qiā

[字解] [一] ①지휘할 하 '一, 撝也. 周書曰, 盡執一'《說文》. ②멜 하 '一, 擔一. 俗'《廣韻》. [二] 움켜쥘 가 '一, 扼也'《集韻》. [三] 잡을 나 붙잡음. '一, 搦也'《集韻》.
[字源] 形聲. 扌(手)+可〔音〕

5⑧ **[拐]** 괴 ㊤蟹 求蟹切 guǎi

[字解] ①속일 괴 기만함. '一騙犯姦'《政刑大觀》. ②지팡이 괴 杖(木部 三畫)의 속용(俗用). '鐵一'.
[字源] 形聲. 扌(手)+另〔音〕. '另과'는 '咼와'의 변형으로 '咼'는 '사악한 말'의 뜻. 사람을 사악한 말로 속이다의 뜻을 나타냄. 일설에는, '另'는 '갈라지다'의 뜻. 사슴의 뿔처럼 가지가 갈라진 것의 뜻. 가지처럼 갈라진 것, 손잡이의 뜻이나, 방심하고 있는 부녀자를 걸어서 속이다, 유괴하다의 뜻을 나타냄.

[拐帶 괴대] 속여서 물건을 빼앗아 가지고 도망감.
[拐兒 괴아] 사기꾼.
[拐騙 괴편] 속임. 기만함.
◉誘拐. 鐵拐.

5 ⑧ [拑] 겸 [平]鹽 巨淹切 qián

[字解] 재갈먹일 겸, 다물 겸 箝(竹部 八畫)·鉗(金部 五畫)과 同字. '臣畏刑而—口'《漢書》.

[字源] 篆文 形聲. 扌(手)+甘〔音〕. '甘감'은 입에 무엇을 끼운 모양을 나타냄. '手수'를 덧붙여, '물리다, 끼우다, 입을 다물다'의 뜻을 나타냄.

5 ⑧ [拒] [高人] [一] 거 [上]語 其呂切 jù [二] 구 [上]麌 果羽切 jǔ

[筆順] 一 十 扌 扌 扌 扌 扌 拒

[字解] [一] ①막을 거 ㉠거절함. '—否'. '其不可者—之'《論語》. ㉡방어함. '—扞'. '內以固城, 外以—難'《荀子》. ②겨룰 거 저항함. '高談鮮能抗—'《齊書》. ③어길 거 좇지 아니함. '—逆'. '必不違—'《梁武帝》. ④방어 거 막는 일. 또, 그 설비. '攻其前—'《史記》. [二] 방진 구 방형(方形)의 진(陣). '請爲左—'《左傳》.

[字源] 形聲. 扌(手)+巨〔音〕. '巨거'는 '却각' 등과 통하여, '물리치다'의 뜻. 손으로 물리치다, 거절하다의 뜻을 나타냄.

[拒却 거각] 거절(拒絶).

[拒馬槍 거마창] 전쟁 때 성문(城門) 밖이나 요처(要處)에 세워 적(敵)의 기병(騎兵)이 쳐들어옴을 막는 제구. 나무로 얽어 만듦.

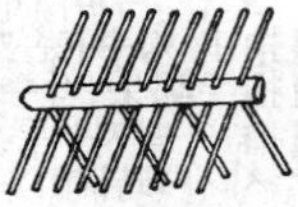

[拒馬槍]

[拒否 거부] 거절.
[拒斧 거부] 사마귀. 버마재비.
[拒守 거수] 막아 지킴.
[拒逆 거역] 명령(命令)을 거스름.
[拒絶 거절] 물리쳐 떼어 버림.
[拒止 거지] 막아 그치게 함.
[拒扞 거한] 막아냄. 막음.
◉謙拒. 固拒. 反拒. 防拒. 辭拒. 逆拒. 外拒. 右拒. 障拒. 前拒. 折拒. 左拒. 扞拒. 抗拒. 後拒.

5 ⑧ [拓] [高人] [一] 척 [入]陌 之石切 zhí (①탁[本]) [二] 탁 [入]藥 他各切 tuò, tà

[筆順] 一 十 扌 扌 扌 扌 拓 拓

[字解] [一] ①넓힐 척 개척함. '開—'. '—地太大'《唐書》. ②주울 척 떨어진 것을 주움. '—果樹實'《儀禮註》. ③꺾을 척 부러뜨림. '—若華而躊躇'《張衡》. [二] ①밀칠 탁 손으로 밂. '—纖痕更不收'《李山甫》. ②박을 탁 비문(碑文) 등을 비석에 종이를 대고 박아 냄. '—本'. ③성 탁 성(姓)의 하나.

[字源] 篆文 形聲. 扌(手)+石〔音〕. '石석'은 '庶서'와 통하여, 많은 것을 모으다의 뜻. '줍다'의 뜻을 나타냄. 지금은 '拆탁'과 통하여, '개척하다'의 뜻으로 쓰임.

[拓落 척락] ㉠불우(不遇). 불행. 영락(零落). ㉡광대(廣大)한 모양.
[拓殖 척식] 척지(拓地)와 식민.
[拓地 척지] 토지를 개척(開拓)함.
[拓土 척토] 토지(土地)를 개척함.
[拓本 탁본] 금석(金石)에 새긴 글씨나 그림을 종이를 대고 박아 냄. 또, 그 박은 종이. 탑본(搨本).
◉干拓. 開拓. 落拓. 摸拓. 手拓. 修拓. 魚拓. 扞拓. 恢拓.

5 ⑧ [拔] [高人] [一] 발 [入]黠 蒲八切 bá [入]曷 蒲撥切 bá [二] 패 [去]泰 蒲蓋切 bèi

[筆順] 一 十 扌 扌 扌 扌 拔 拔

[字解] [一] ①뺄 발 ㉠뽑음. '—去'. '—茅茹以其彙'《易經》. ㉡공략(攻略)함. 쳐 빼앗음. '攻下邑—之'《史記》. ②가릴 발 가려 뽑음. '—擢'. ③덜어버릴 발 제거함. '猶言捄—'《周禮 註》. ④빼어날 발 특출함. '—群'. '神采英—'《陳書》. ⑤빠를 발 속함. '毋—來'《禮記》. ⑥오늬 발 화살의 시위에 끼우게 된 부분. '舍—則獲'《詩經》. [二] 성할 패 지엽이 무성한 모양. '柞棫斯—'《詩經》.

[字源] 篆文 形聲. 扌(手)+犮〔音〕. '犮발'은 상서롭지 못한 것을 뽑아 버리기 위하여 개를 희생으로 삼는 모양을 본뜸. 손으로 뽑아 버리다의 뜻을 나타냄.

[拔角脫距 발각탈거] 짐승의 뿔을 뽑고 닭의 며느리발톱을 벗긴다는 뜻으로, 적(敵)의 이기(利器)를 탈취(奪取)함의 비유.
[拔去 발거] 빼어 버림. 뽑아 버림.
[拔距 발거] 여러 사람이 연좌(連坐)하여 땅에 꼭 붙어 있는 것을 빼내는 유희(遊戲).
[拔劍 발검] 칼을 빼냄. 칼을 뽑음.
[拔群 발군] 여럿 중에서 훨씬 뛰어남.
[拔根 발근] 뿌리째 뽑음.
[拔刀 발도] 칼을 빼냄. 칼을 뽑음.
[拔來 발래] 빨리 옴.
[拔錨 발묘] 닻줄을 감아 올림. 곧, 배가 떠남.
[拔本 발본] ㉠장사를 하여 밑천을 뽑음. ㉡근본(根本)을 뽑아 버림.
[拔本塞源 발본색원] 폐해(弊害) 같은 것의 근원(根源)을 아주 뽑아서 없애 버림.
[拔貧 발빈] 가난을 벗어남.
[拔山蓋世 발산개세] 힘은 산을 뽑고 기개(氣概)는 세상을 덮을 만큼 절륜(絕倫)의 힘과 용장(勇壯)한 기상(氣象)이 있음을 이름. 역발산 기개세(力拔山氣蓋世).
[拔俗 발속] 보통 사람보다 뛰어남. 범속(凡俗)을 벗어남.
[拔授 발수] 발탁하여 벼슬을 줌.
[拔萃 발췌] ㉠여럿 속에서 훨씬 뛰어남. ㉡여럿 중에서 필요한 것을 추려 냄.
[拔擢 발탁] 사람을 뽑아 올려 씀.
[拔河 발하] 줄다리기.
[拔解 발해] 당대(唐代)의 제도(制度)로서 학생(學生)이 지방(地方)의 시험을 거치지 않고 바로 경사(京師)에 공진(貢進)하는 일.
◉簡拔. 鑒拔. 甄拔. 警拔. 攻拔. 奇拔. 登拔. 不拔. 選拔. 秀拔. 識抜. 英拔. 穎拔. 雄拔. 引拔. 奬拔. 翦拔. 挺拔. 俊拔. 進拔. 徵拔. 薦拔. 超拔. 卓拔. 海拔. 確乎不拔.

5 ⑧ [抜] 拔(前條)의 俗字

5
⑧ **[拖]** [人名] 타 [平]歌 託何切 tuō

[字解] 끌 타 끌어당김. '一曳'. '一舟而入水'《漢書》.

[字源] 甲骨文 篆文 形聲. 扌(手)+㐌(它)〔音〕. '它타·사'는 뱀을 본뜬 것. 뱀이 꿈틀거리는 듯한 선을 그리는 것처럼, 손으로 질질 끌다의 뜻을 나타냄. '拖'는 '拕타'의 別體字.

[參考] 拕(次條)는 同字.

[拖紳 타신] 큰 띠〔大帶〕를 띠는 예장(禮裝)을 말함.
[拖曳 타예] 끎. 당김.
[拖紫 타자] 자색의 인(印)끈을 끈다는 뜻으로, 높은 지위에 올라감을 이름. 출세(出世).
[拖紫懷金 타자회금] 타자(拖紫).
◉水拖.

5
⑧ **[拕]** 拖(前條)와 同字

5
⑧ **[拗]** [人名] [一] 요 ①[上]巧 於絞切 ǎo ②[去]效 於教切 ào [二] 욱 [入]屋 乙六切 yù

[字解] [一] ①꺾을 요 부러뜨림. '一矢折矛'《尉繚子》. ②비꼬일 요 마음이 비뚦. '執一'. '王臨川, 天資亦有一強處'《朱子語類》. ※'요' 음은 인명자로 쓰임. [二] 누를 욱 억누름. '乃一怒而少息'《班固》.

[字源] 篆文 形聲. 扌(手)+幼〔音〕. '幼유'는 나긋나긋하게 가늘다의 뜻. 낭창낭창 구부리다, 꺾다의 뜻을 나타냄.

[拗強 요강] 마음이 비꼬이고 고집이 셈.
[拗體 요체] 시체(詩體)의 하나. 일정한 평측(平仄)의 형식에 의하지 않는 근체 한시(近體漢詩).
◉執拗. 摧拗.

5
⑧ **[拘]** [高人] 구 ①-③[平]虞 擧朱切 jū ④-⑥[平]尤 居侯切 gōu

[筆順] 一 亅 扌 扌 扚 拘 拘 拘

[字解] ①잡을 구 체포함. '一束'. '武夫力而一諸原'《左傳》. ②잡힐 구 체포당함. '一焉五日'《史記》. 또, 잡히는 일. 또, 그 사람. '弛獄出一'《月令廣義》. ③거리낄 구 구애함. '一泥'. '不一文法'《史記》. ④껴안을 구 두 팔로 껴안음. '以袂一而退'《禮記》. ⑤취할 구 가짐. 쥠. '自下一之'《禮記》. ⑥굽을 구 굴곡함. '夫指之一也'《淮南子》.

[字源] 篆文 形聲. 扌(手)+句〔音〕. '句구'는 구부러진 갈고리의 象形. 갈고리를 걸어서 잡다의 뜻에서, '잡다'의 뜻을 나타냄.

[參考] 抅(手部 四畫)는 俗字.

[拘牽 구견] 구애(拘礙)되어 끌려 들어감. 곧, 관계됨.
[拘繫 구계] ㉠잡아 얽어맴. ㉡자유를 구속함.
[拘拘 구구] ㉠굽은 모양. ㉡사물에 구애되는 모양.
[拘禁 구금] 신체에 구속을 가하여 일정한 곳에 가두어 둠.
[拘忌 구기] ㉠꺼림. 삼감. ㉡어떤 일을 흉(凶)하다고 꺼림.
[拘杞 구기] 구기자나무. 괴좆나무.
[拘杞子 구기자] 괴좆나무의 열매. 보신익정(補腎益精)의 약으로 쓰임.
[拘拏 구나] 죄인(罪人)을 잡음.
[拘女 구녀] 구속되어 있는 여자란 뜻으로, '임금의 후궁'을 이르는 말.
[拘泥 구니] 구애함. 얽매임.
[拘攣 구련] ㉠사물에 얽매임. ㉡수족(手足)이 굽어져 마음대로 쓰지 못하는 병.
[拘囹 구령] 감옥(監獄).
[拘禮 구례] 예의(禮儀)에 얽매여 변통성(變通性)이 없음.
[拘留 구류] ㉠잡아 머물러 둠. ㉡형사 피고인(刑事被告人)이나 피의자(被疑者)를 잡아 가둠. ㉢1일(一日) 이상 30일 미만의 기간 동안 죄인을 구류장에 구금하는 자유형(自由刑).
[拘絆 구반] 잡히어 묶임. 세상일에 얽매임.
[拘士 구사] 변통성이 없는 사람.
[拘束 구속] ㉠잡아 묶음. ㉡자유(自由)를 속박함.
[拘俗 구속] 세속(世俗)에 얽매임.
[拘鎖 구쇄] 구류하여 쇠사슬에 맴. 잡아 가둠.
[拘囚 구수] 죄인을 가둠. 또, 그 죄수.
[拘礙 구애] 거리낌.
[拘儒 구유] 융통성이 없는 유학자. 변통할 줄 모르는 학자.
[拘引 구인] ㉠잡아 끎. ㉡경관이 현행범 또는 혐의자를 잡아 경찰서에 끌고 감.
[拘執 구집] ㉠잡음. ㉡구애함. 얽매임.
[拘致 구치] 구속(拘束)하여 끌고 옴.
[拘置 구치] 구속하여 유치함.
◉牽拘. 拳拘. 絆拘. 囚拘. 攣拘. 執拘. 縶拘. 虛拘.

5
⑧ **[拙]** [高人] 졸 [入]屑 職悅切 zhuō(zhuó)

[筆順] 一 亅 扌 扎 扗 扗 拙 拙

[字解] 졸할 졸 ㉠서툶. '巧一'. '一劣'. '鐵劍利, 而倡優一'《史記》. ㉡옹졸함. 또, 옹졸한 일. '守一歸田園'《陶潛》. 전(轉)하여, 자기 또는 자기의 사물의 겸칭(謙稱)으로 쓰임. '一稿'. '一妻好乘鸞'《李白》.

[字源] 篆文 形聲. 扌(手)+出〔音〕. '出출'은 '나오다'의 뜻. 손재주가 제대로 다스려지지 않고 멋대로 비어져 나오다의 뜻에서, '서투르다'의 뜻을 나타냄.

[拙計 졸계] ㉠옹졸한 꾀. ㉡졸렬한 계책(計策).
[拙稿 졸고] 자기가 쓴 원고(原稿)의 겸칭(謙稱).
[拙工 졸공] 졸렬한 장색(匠色).
[拙鳩 졸구] 비둘기〔鳩〕의 별칭(別稱). 졸조(拙鳥).
[拙衲 졸납] 《佛敎》 중이 자기를 낮추어 일컫는 말.
[拙訥 졸눌] 말을 떠듬거림. 말이 서툶. 눌변(訥辯).
[拙論 졸론] ㉠보잘것없는 언론. ㉡자기(自己)의 언론(言論)의 겸칭.
[拙妄 졸망] 졸렬하고 잔망(孱妄)함.
[拙謀 졸모] 졸렬한 꾀.
[拙文 졸문] ㉠잘 짓지 못한 글. ㉡자기가 지은 글의 겸칭(謙稱).
[拙樸 졸박] 옹졸하고 순박함.

[拙誠 졸성] ㉠용렬하나 성의가 있음. ㉡기능이 서투르나 정성을 다함.
[拙速 졸속] 서투르나 빠름.
[拙手 졸수] 졸렬한 손재주.
[拙僧 졸승] 중이 자기를 낮추어 일컫는 말.
[拙愚 졸우] 용렬하고 어리석음.
[拙吟 졸음] ㉠서투른 시(詩). ㉡자기가 지은 시의 겸칭(謙稱).
[拙意 졸의] 자기의 의견(意見)의 겸칭(謙稱).
[拙醫 졸의] 의술(醫術)이 시원치 않은 의원. 돌팔이 의원.
[拙者 졸자] ㉠용렬(庸劣)한 사람. ㉡기술이 서투른 사람.
[拙作 졸작] ㉠보잘것없는 작품. ㉡자기(自己)의 작품(作品)의 겸칭.
[拙丈夫 졸장부] 용렬(庸劣)한 남자.
[拙著 졸저] 자기의 저서의 겸칭.
[拙鳥 졸조] 비둘기〔鳩〕의 별칭(別稱). 비둘기는 집을 짓는 일이 서툴러 까치의 집을 빼앗아 살기 때문에 이름.
[拙策 졸책] 졸렬(拙劣)한 계책.
[拙妻 졸처] 자기 아내의 겸칭(謙稱).
[拙筆 졸필] ㉠잘 쓰지 못한 글씨. ㉡서투른 문장. ㉢자기의 필적(筆跡)의 겸칭(謙稱).
[拙荊 졸형] 자기의 아내의 겸칭(謙稱).
◉蹇拙. 古拙. 工拙. 巧拙. 嬾拙. 駑拙. 大巧如拙. 樸拙. 笨拙. 鄙拙. 守拙. 養拙. 頑拙. 迂拙. 醜拙. 稚拙.

5
⑧ [拚] ■一 번 ㊥元 孚袁切 fān
■二 반 ㊥寒 鋪官切 pīn, pàn
■三 변 ㊤霰 皮變切 biàn
■四 분 ㊤問 方問切 fèn

字解 ■一 번득일 번, 날 번 翻(羽部 十二畫)과 통용. '一飛維鳥'《詩經》. ■二 버릴 반 拚(手部 六畫)의 本字. ■三 손뼉칠 변 抃(手部 四畫)과 同字. '歌一就路'《宋書》. ■四 쓸 분 소제함. '旣一以俟矣'《儀禮》.
字源 篆文 形聲. 扌(手)+弁〔音〕. '弁변'은 딱 치는 소리를 나타냄. 손뼉 치는 소리의 의성어.

[拚飛 번비] 번득여 낢.
◉歌拚.

5
⑧ [招] 中·人 ■一 초 ㊥蕭 止遙切 zhāo
■二 교 ㊥蕭 祁堯切 qiáo
■三 소 ㊥蕭 時饒切 sháo

筆順 一 十 扌 扫 扨 扨 招 招

字解 ■一 ①부를 초 ㉠손짓하여 부름. '以手曰一, 以言曰召'《楚辭 註》. 전(轉)하여, 불러옴. '旁一俊艾'《書經》. ㉡초래함. '一災'. ②구할 초 요구함. '數一權, 顧金錢'《漢書》. ③묶을 초 결박함. '旣入其苙, 又從而一之'《孟子》. ④과녁 초 사적(射的). '共射其一一'《呂氏春秋》. ⑤성 초 성(姓)의 하나. ■二 ①들 교 지적함. 사실을 끌어 말함. 초듦. '好盡言, 以一人過'《國語》. ②걸 교 게시(揭示)함. '一仁義, 以撓天下'《莊子》. ■三 별이름 소 '一搖'는 북두칠성의 일곱째 별. '北斗七星, 第七搖光, 則一搖也'《禮記 疏》.
字源 金文 篆文 形聲. 扌(手)+召〔音〕. '召소'는 '부르다'의 뜻. 손짓하여 가까이 부르다의 뜻을 나타냄.

[招搖 소요] ㉠북두칠성(北斗七星)의 일곱째 별. 요광(搖光). ㉡거닒. 목적 없이 이리저리 돌아다님. 소요(消遙).
[招諫匭 초간궤] 백성이 자유로이 간(諫)하게 하기 위하여 베푼 투서(投書) 상자.
[招去 초거] 불러 감.
[招待 초대] 청(請)하여 대접함.
[招來 초래] 불러옴.
[招徠 초래] 불러 위로(慰勞)함. 초무(招撫).
[招募 초모] 의병 등을 모집함. 또, 그 모집에 응한 사람.
[招撫 초무] 불러서 위로함.
[招辟 초벽] 어진 사람에게 벼슬자리를 주기 위하여 불러옴.
[招聘 초빙] 예(禮)로써 사람을 맞아 옴. 예를 갖추어 불러옴.
[招壻 초서] ㉠데릴사위. ㉡사위를 얻음.
[招選 초선] 불러 모아 선발함.
[招世之士 초세지사] 세상에서 환영을 받는 선비.
[招召 초소] 손짓하여 부름.
[招尋 초심] ㉠부름. ㉡찾음. 심방함.
[招延 초연] 초인(招引). 연(延)은 인(引).
[招獄 초옥] 옥사(獄事)를 문초함.
[招要 초요] ㉠초래(招來). ㉡마지하여 요구함.
[招邀 초요] 불러서 맞아들임.
[招慰 초위] 불러 위로함.
[招誘 초유] 불러 꾐. 불러옴.
[招諭 초유] 불러와 유시함.
[招引 초인] 불러 끌어들임.
[招人鐘 초인종] 사람을 부르는 신호(信號)로 울리는 종(鐘).
[招入 초입] 불러들임.
[招子 초자] ㉠청첩장(請牒狀). ㉡간판(看板).
[招刺 초자] 가려 뽑음.
[招災 초재] 재앙을 초래함.
[招提 초제] 절. 사찰(寺刹).
[招之不來 초지불래] 청하여 불러도 오지 않음. 위인이 꿋꿋하고 고상하여 위력(威力)에 굴(屈)치 않음을 이름.
[招集 초집] 불러 모음.
[招輯 초집] 초집(招集).
[招請 초청] 청(請)하여 부름.
[招招 초초] 손을 들어 부르는 모양.
[招出 초출] 불러냄.
[招致 초치] 불러들임.
[招牌 초패] 간판(看板). 초자(招子).
[招合 초합] 불러 모음. 소집(召集).
[招呼 초호] 부름.
[招魂 초혼] 죽은 사람의 혼을 불러 돌아오게 함. 전(轉)하여, 죽은 사람의 혼을 제사 지내어 위안함.
[招喚 초환] 부름.
[招還 초환] 불러서 돌아오게 함.
[招會 초회] 불러 모음.
[招懷 초회] 불러 회유(懷柔)함. 불러 안위(安慰)함.
[招麾 초휘] ㉠지휘(指揮). ㉡불러들여 기용(起用)함.
◉嘉招. 目挑心招. 類招. 義招. 徵招.

5
⑧ [招] 招(前條)의 俗字

5 ⑧ [抾] [一] 거 [平]魚 丘於切 qū
[二] 겁 [入]葉 去劫切
[入]洽 气法切
[三] 기 [平]支 去其切

[字解] [一] ①떠낼 거 액체 같은 것을 퍼냄. '一靈蠵'《漢書》. ②받들 거 '一, 一曰, 捧也'《集韻》. ③가져갈 거 '一摸, 去也. 齊趙之總語也. 一摸, 猶言持去也'《揚子方言》. [二] ①뜰 겁 떠냄. '一, 挹也'《廣雅》. ②가질 겁 '一, 持也'《集韻》. ③으를 겁 劫(力部 五畫)과 통용. '一封豨'《後漢書》. [三] 뜰 기 두 손으로 떠냄. '一, 兩手挹也'《玉篇》.

5 ⑧ [抧] [一] 지 [上]紙 諸氏切 zhǐ
[二] 기 [上]紙 遣爾切
[三] 채 [上]蟹 仄蟹切 zhǎi

[字解] [一] 열 지 '一, 開也'《說文》. [二] 열 기 [一]과 뜻이 같음. [三] 칠 채 두드림. '一, 擊也'《玉篇》.
[字源] 形聲. 扌(手)+只〔音〕

5 ⑧ [抴] [一] 예 [去]霽 餘制切 yì
[二] 열 [入]屑 羊列切 yè
[三] 설 [入]屑 食列切 shé

[字解] [一] 끌 예 견인(牽引)함. '接人則用一'《荀子》. [二] 끌 열 拽(手部 六畫)과 同字. [三] 맥짚을 설 揲(手部 九畫)과 同字.
[字源] [篆文]  形聲. 扌(手)+世〔音〕. '世세'는 오래 계속되다의 뜻. '拽예·열'과 통하여, 손으로 길게 끌다의 뜻을 나타냄.

5 ⑧ [拎] 령 [平]青 郎丁切 līng

[字解] 들 령 손에 듦. 매닮. '一, 手懸撚物也'《玉篇》.

5 ⑧ [抭] [一] 요 [上]篠 以紹切 yǎo
[二] 유 [平]尤 以周切 yǎo

[字解] [一] 퍼낼 요 방아 찧은 것을 확〔臼〕에서 퍼 올림. '或舂或一'《詩經》. [二] 퍼낼 유 [一]과 뜻이 같음.
[參考] 抗(手部 四畫)는 訛字.

5 ⑧ [拃] [一] 잔 [上]潸 側板切 zhǎn
[二] 찰 [入]曷 姊末切 zhǎ 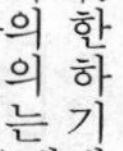

[字解] [一] 더듬을 잔 '一, 摸也'《集韻》. [二] 닥칠 찰 拶(手部 六畫)의 俗字.

5 ⑧ [抬] [一] 笞(竹部 五畫〈p.1657〉)와 同字
[二] 擡(手部 十四畫〈p.913〉)의 俗字
[字源] 形聲. 扌(手)+台〔音〕

5 ⑧ [拠] 〔거〕
據(手部 十三畫〈p.912〉)의 俗字

5 ⑧ [㧖] 〔액〕
扼(手部 四畫〈p.848〉)과 同字

5 ⑧ [抿] 〔문〕
捪(手部 九畫〈p.889〉)의 俗字
[字源] 形聲. 扌(手)+民〔音〕

5 ⑧ [拣] 〔간·련〕
揀(手部 九畫〈p.886〉)의 簡體字

5 ⑧ [拦] 〔란〕
攔(手部 十七畫〈p.917〉)의 簡體字

5 ⑧ [拝] 〔배〕
拜(手部 五畫〈p.854〉)의 俗字

5 ⑧ [拡] 〔확〕
擴(手部 十五畫〈p.915〉)의 略字

6 ⑩ [巹] 근 [上]軫 古忍切 jǐn

[字解] 삼갈 근 '一, 謹身所承也'《正韻》.

6 ⑩ [拳] [高][人] 권 [平]先 巨員切 quán
[上]阮 苦遠切 quān 

[筆順] 丷 亠 亼 类 类 类 巻 拳

[字解] ①주먹 권 오그려 쥔 손. '空一'. '奮一以致力'《後漢書》. ②주먹쥘 권 주먹을 쥠. '女兩手皆一'《漢書》. ③권법 권 수박(手搏)과 같은 것으로 권투의 한 가지. '古今一家'《經國雄略》. ④근심할 권 근심하는 모양. 일설(一說)에는, 사랑하는 모양. '違慈母之一一乎'《後漢書》. ⑤충근할 권 충실하고 부지런한 모양. '不勝一一'《漢書》. ⑥정성껏지킬 권 '一一服膺'《中庸》. ⑦힘 권 여력(膂力). '無一無勇'《詩經》. ⑧쇠뇌활 권 絭(弓部 六畫)과 통용. '士張空一, 冒白刃'《漢書》. ⑨성 권 성(姓)의 하나.
[字源] [篆文]  形聲. 手+龹〔音〕. '龹권'은 '말다'의 뜻. 손가락을 말아 주먹을 쥐다의 뜻을 나타냄.

[拳曲 권곡] 주먹처럼 굽음. 구부러짐.
[拳跼 권국] 몸을 주먹처럼 굽힘. 또, 뜻을 얻지 못함을 이름.
[拳拳 권권] 자해(字解)❹❺❻을 보라.
[拳拳服膺 권권복응] 항상 정성껏 지켜 잠시도 잊지 아니하는 모양.
[拳攣 권련] 그리워하는 모양. 사모하는 모양. 권련(眷戀).
[拳法 권법] 수박(手搏)과 같은 것으로 권투의 한 가지.
[拳匪 권비] 청(淸)나라 때 비밀 결사(結社)의 하나. 주먹 또는 막대기를 가지고 사람을 치는 기술을 연습하여 외국인과 이교도(異敎徒)에게 해를 가함을 목적으로 하였던 단체. 의화단(義和團).
[拳參 권삼] 여뀟과에 속하는 다년초(多年草). 범꼬리.
[拳書 권서] 붓을 쓰지 않고 주먹으로 먹을 찍어 글씨를 쓰는 일. 또, 그 글씨.
[拳握 권악] 주먹. '얼마 되지 아니함'의 비유(比喩).
[拳勇 권용] 완력(腕力)과 용기.
[拳踢 권척] 주먹으로 치고 발길로 참.
[拳銃 권총] 외손으로 들고 쏘는 짧고 작은 총(銃). 피스톨.
[拳打 권타] 주먹으로 침.
[拳鬪 권투] 두 사람이 주먹으로 서로 치고 막고 하는 서양식(西洋式)의 운동 경기(運動競技).
◉強拳. 巨拳. 空拳. 拘拳. 蕨拳. 勤拳. 老拳. 瘦拳. 握拳. 連拳. 攣拳. 張拳. 振拳. 鐵拳.

6 ⑩ [挈] [一] 설(결[本]) [入]屑 苦結切 qiè
[二] 계 [去]霽 詰計切 qì

[字解] [一] ①끌 설 손으로 끎. 전(轉)하여, 데리고 다님. '提—'. '—其妻子'《公羊傳》. ②가지런히할 설 수정(修整)함. '君子—其辯'《荀子》. ③절박할 설 급(急)한 모양. '䔲鍵——'《司馬光 註》. '——, 急切貌'《太玄經》. [二] ①끊을 계 단절함. '—三神之歡'《司馬相如》. ②그슬릴 계 점치려고 거북 껍데기를 불에 쬠. '且算祀於—龜'《班固》. ③문서 계 契(大部 六畫)와 통용. '臣請領—'《戰國策》.

[字源] 甲骨文 篆文 甲骨文은 象形으로, 사람이 물건을 늘어뜨려서 손에 든 모양을 본떠, 늘어뜨려 손에 들다, 데리고 다니다의 뜻을 나타냄. 篆文은 形聲으로 手+㓞〔音〕. '㓞계'는 '系계'와 통하여 '걸다'의 뜻. 손에 걸다, 늘어뜨려서 들다의 뜻을 나타냄.

[挈累 설루] 거치적거리고 성가신 것을 데리고 감. 어린애 따위를 동반(同伴)함을 이름.
[挈缾之智 설병지지] 손으로 가지고 다닐 만한 작은 병에 들어갈 정도의 작은 지혜. 소지(小智).
[挈挈 설설] 절박(切迫)한 모양. 급한 모양.
◉扶挈. 提挈. 左提右挈. 攜挈. 割挈.

6 ⑩ [拲] 공 ㊤腫 居悚切 gǒng

[字解] 고랑 공 수갑. '上罪梏—而桎'《周禮》.
[字源] 篆文 別體 形聲. 手+共〔音〕. '共공'은 '함께'의 뜻. 양손을 나무에 붙들어 매는 '고랑'의 뜻을 나타냄.

6 ⑩ [挐] [人名] 〔나〕 拏(手部 五畫〈p.855〉)와 同字

[字源] 篆文 形聲. 手+如〔音〕

6 ⑩ [挙] 공 ㊤腫 居悚切 gǒng

[字解] ①안을 공 '—, 抱持'《廣韻》. ②들 공 '—, 擧也'《廣雅》. ③화법이름 공 손톱과 가는 침(針)으로 밑그림을 그리는 화법(畫法)의 하나.
[字源] 形聲. 手+巩〔音〕

6 ⑩ [拿] [人名] 〔나〕 拏(手部 五畫〈p.855〉)의 俗字

[字源] 會意. 手+合. 손을 물건에 가까이 갖다 대어 모아서, 잡다의 뜻을 나타냄.

6 ⑩ [举] 〔거〕 擧(手部 十四畫〈p.912〉)의 略字

6 ⑨ [拫] 흔 ㊥元 戶恩切 hén

[字解] ①당길 흔 급히 끌어당김. '引繩排—不附己者'《朱子語類》. ②물리칠 흔 배격함. 배제(排擠)함. '—却'. '爲姦憸—抑'《唐書》.

[拫却 흔각] 물리침. 배격함. 배제함.
[拫抑 흔억] 배격함. 배제함.

6 ⑨ [拰] 임 ㊤寢 尼凜切 nǐn

[字解] ①잡을 임, 누를 임 포박(捕縛)함. '—, 搦也'《集韻》. ②활잡을 임 활을 바르게 조절함. '—搦, 調弓皃'《集韻》. ③흔들 임 동요(動搖)시킴. '—, 一曰, 搖也'《字彙》.

6 ⑨ [括] [人名] 괄 ㊇曷 古活切 guā, kuò

[筆順] 一 十 扌 扌 扩 扦 括 括
[字解] ①묶을 괄 ㉠결속(結束)함. '—結'. '—囊'《易經》. ㉡머리를 동임. '向也—, 而今也被髮'《莊子》. ㉢단속함. 검속(檢束)함. '鑄錢—苗'《唐書》. ②묶음 괄 묶는 일. 또, 묶은 것. '周士貴經——卷'《宋史》. ③담을 괄, 쌀 괄 속에 넣고 닫음. '包—'. '有席卷天下, 苞擧宇內, 囊—四海之意'《賈誼》. ④이를 괄 다다름. '牛羊下—'《詩經》. ⑤모일 괄 회합함. '德音來—'《詩經》. ⑥궁구할 괄 구명(究明)함. '硏—煩省'《陶弘景》. ⑦오늬 괄 筈(竹部 六畫)과 통용. '往省—于度'《書經》.
[字源] 篆文 形聲. 扌(手)+舌(昏)〔音〕. '昏괄'은 '會회'와 통하여, '합치다'의 뜻. 손으로 모아 합치다의 뜻을 나타냄.

[括結 괄결] 묶음.
[括囊 괄낭] ㉠주머니의 주둥이를 묶음. 전(轉)하여, 입을 다물고 말하지 아니함. ㉡총괄(總括)함.
[括髮 괄발] 풀었던 머리를 묶어 맴.
[括約 괄약] 벌어진 것을 묶음.
[括約筋 괄약근] 입·눈·요도(尿道)·항문(肛門) 등의 구멍 끝을 벌렸다 오므렸다 하는 고리 형상의 근육(筋肉).
[括地志 괄지지] 당(唐)나라의 소덕언(蕭德言)·고윤(顧胤) 등이 주군(州郡)의 지지(地志)에 대하여 편찬한 지지서(地志書). 550권. 지금은 산일(散佚)되어 전하지 않지만, 청(淸)나라의 손성연(孫星衍)이 여러 책에 인용된 일문(逸文)을 집록(集錄)한 것이 8권 있음.
[括巴天 괄파천] 부조초(不凋草)의 뿌리. 강장약(強壯藥)으로 씀. 파극천(巴戟天).
[括弧 괄호] 숫자 또는 글자의 한 부분(部分)을 다른 것과 분명(分明)하게 가르기 위하여 쓰는 부호. 곧, ( )·〔 〕·【 】·「 」 따위.
◉概括. 鈐括. 檢括. 結括. 囊括. 收括. 搜括. 隱括. 一括. 綜括. 總括. 統括. 包括.

6 ⑨ [挑] 호 ㊥豪 呼高切 hāo

[字解] 김맬 호 논밭의 풀을 뽑음. 薅(艸部 十三畫)와 同字.

6 ⑨ [拭] [人名] 식 ㊇職 賞職切 shì

[字解] 닦을 식 씻음. '—拂'. '—目傾耳'《漢書》.
[字源] 形聲. 扌(手)+式〔音〕. '式식'은 '織직'과 통하여, 가로세로로 실을 짜다의 뜻. 손을 가로세로로 움직이다, 닦다의 뜻을 나타냄.

[拭目 식목] 눈을 닦음. 눈을 씻고 자세히 봄.
[拭拂 식불] 깨끗이 닦고 쓺.
[拭淨 식정] 식청(拭淸).
[拭淸 식청] 닦아 깨끗하게 함.

◉磨拭. 拂拭. 洗拭. 掃拭. 收拭. 按拭.

6⑨ [㧧] [一] 융 [上]腫 而融切 rǒng [二] 잉 [平]蒸 如蒸切 rēng

[字解] [一] 도울 융 보좌함. '—, 爾雅, 相也'《集韻》. [二] 인할 잉, 당길 잉 말미암음. 扔(手部 三畫)과 同字.

6⑨ [㧡] 회 [平]灰 呼回切 huī

[字解] 칠 회 마주 치고 때림. 豗(豕部 三畫)와 同字.

6⑨ [拮] [人名] [一] 길 [入]質 居質切 jié [二] 결 [入]屑 古屑切 jié [三] 갈 [入]黠 訖黠切 jiá

[字解] [一] 일할 길 '—据'는 힘써 일함. '—据勉勵'. '予手—据'《詩經》. [二] 일할 결 [一]과 뜻이 같음. [三] 핍박할 갈 바싹 죄치어 괴롭게 굶. '句踐終—而殺之'《戰國策》.

[字源] 篆文 形聲. 扌(手)+吉〔音〕. '吉길'은 '단단히 죄다'의 뜻. 마음을 긴장시켜서 손발을 놀려 일하다의 뜻을 나타냄.

[拮据 길거] 힘써 일함.
[拮抗 길항] 서로 버티고 대항함.

6⑨ [拯] [人名] 증 [上]迥 zhěng

[字解] ①건질 증, 도울 증 구조함. 구원함. '—救'. '子路—溺者'《呂氏春秋》. ②들 증 들어 올림. '不—其隨'《易經》.

[字源] 篆文 形聲. 扌(手)+丞〔音〕. '丞승·증'은 도와서 올리다의 뜻. 물에 가라앉으려는 사람을 구조하여 올리다의 뜻을 나타냄.

[拯救 증구] 건짐. 구조함. 구원함.
[拯饑 증기] 굶주림을 구조함.
[拯溺 증닉] 물에 빠진 자를 건져 냄.
[拯撫 증무] 구원하여 위무함.
[拯濟 증제] 구제함.
[拯恤 증휼] 구휼(救恤)함.
◉匡拯. 哀拯. 援拯. 存拯.

6⑨ [拸] 치 [上]紙 丑豸切 chǐ

[字解] ①가를 치 두 개로 가름. 搋(手部 十畫)와 同字. ②칠 치 때림. '—, 拍也'《字彙》. ③끌 치 당김. '—, 拽也'《字彙》. ④버릴 치 멀리함. '介者—畫. (註) —而棄之. (疏) —, 去也'《莊子》.

[字源] 形聲. 扌(手)+多〔音〕

6⑨ [拱] [人名] 공 [上]腫 居悚切 gǒng

[字解] ①두손마주잡을 공 공경하는 뜻을 표하기 위하여 두 손을 마주 잡음. '—揖'. '子路—而立'《論語》. ②팔짱낄 공 두 팔을 굽혀 마주 낌. '—手'. '垂—而天下治'《書經》. ③껴안을 공 두 팔을 벌리어 껴안음. '合—'. ④아름 공 두 손을 벌리어 껴안은 둘레. '—把'. '爾墓之木—矣'《左傳》. ⑤옥 공 큰 옥(玉). 대벽(大璧). 珙(玉部 六畫)과 통용. '與我其—璧'《左傳》. ⑥성 공 성(姓)의 하나.

[字源] 篆文 形聲. 扌(手)+共〔音〕. '共공'은 함께 하다의 뜻. 양손을 마주 잡다의 뜻을 나타냄.

[拱稽 공계] 군대를 사열(査閱)함. 또, 그 일을 맡은 사람.
[拱木 공목] 아름드리나무.
[拱璧 공벽] 큰 옥. 공벽(珙璧).
[拱手 공수] ㉠공경(恭敬)하는 뜻을 표하기 위하여 두 손을 마주 잡음. ㉡팔짱 끼고 아무 일도 아니함.
[拱樹 공수] 공목(拱木).
[拱辰 공신] 뭇별이 북극성(北極星)을 향(向)함의 뜻으로, 사방(四方)의 백성이 천자(天子)의 덕화(德化)에 귀의(歸依)하여 복종함을 이름.
[拱押 공압] 잡아 가둠.
[拱揖 공읍] 두 손을 마주 잡고 읍(揖)함.
[拱把 공파] 한 아름과 한 줌. 또, 한 아름과 한 줌 될 만한 크기.
◉端拱. 墓木已拱. 拜拱. 垂拱. 盈拱. 把拱. 合拱.

6⑨ [拶] 찰 [入]曷 姉末切 zā, ②zǎn

[字解] ①닥칠 찰 들이닥침. 핍박함. '湍騰相排—, 龍鳳交橫飛'《韓愈》. ②손가락죌 찰 '—指'는 다섯 개의 나무토막을 엮어 손가락 사이에 끼우고 죄는 고문(拷問)의 하나.

[字源] 會意. 扌(手)+𡿧(𡿨). '𡿨렬'은 '列렬'과 통하여, 가르다의 뜻. 나무를 손가락 사이에 갈라 끼워 놓고 죄다의 뜻을 나타냄.

◉排拶. 蹙拶.

6⑨ [拷] [人名] 고 [上]晧 苦浩切 kǎo

[字解] 칠 고 죄상을 자백하게 하기 위하여 매질함. '—問'. '或—不承引'《魏書》.

[字源] 形聲. 扌(手)+考〔音〕. '考고'는 '攷고'와 통하여, 때려 눕히다의 뜻. 손에 몽둥이를 들고 두드리다의 뜻을 나타냄.

[拷掠 고략] ㉠고문(拷問). ㉡빼앗음. 탈략(奪略).
[拷問 고문] 죄인(罪人)의 몸에 고통(苦痛)을 주어 가며 죄상(罪狀)을 심문(審問)함.
[拷訊 고신] 고문(拷問).
[拷責 고책] 고문(拷問).
[拷打 고타] 고문할 때 죄인을 때림.

6⑨ [拽] [一] 예 [去]霽 以制切 yè [二] 열 [入]屑 羊列切 yè

[字解] [一] 끌 예 인퇴(引退)함. '便—身退'《朱子語類》. [二] 끌 열 질질 끎. '曳—也, 不得擧足'《禮記 疏》.

[字源] 形聲. 扌(手)+曳〔音〕. '曳예'는 '끌다'의 뜻.

6⑨ [拴] 전 [平]先 此緣切 shuān

[字解] 가릴 전 간택(揀擇)함. 詮(言部 六畫)과 통용. '—, 揀也'《集韻》.

[字源] 形聲. 扌(手)+全〔音〕

6 ⑨ [拾] [中人] [一] 습 [入]緝 是執切 shí
[二] 십 [入]緝 是執切 shí
[三] 섭 [入]葉 實攝切 shè
[四] 겁 [入]葉 極葉切 jiè

[筆順] 一 十 扌 扌 扑 拎 拾 拾

[字解] [一] ①주울 습 습득함. '塗不一遺'《史記》. ②팔찌 습 활 쏠 때 왼팔 소매를 걷어 매는 띠. '決一既佽'《詩經》. ③성 습 성(姓)의 하나. [二] 열 십 十(部首)과 통용. [三] 오를 섭 상승(上升)함. '一級聚足, 連步以上'《禮記》. [四] 번갈아 겁 교체하여. '請一投'《禮記》.

[拾[一]②]

[字源] 篆文 會意. 扌(手)+合. 손으로 무엇을 합치다의 뜻에서, 주워 모으다의 뜻을 나타냄.

[參考] 숫자의 개변(改變)을 막기 위하여, '十십' 대신 차용(借用)하는 수가 있음.

[拾級 섭급] 층계를 오름.
[拾得 습득] 남이 잃은 물건을 주움.
[拾收 습수] 주워 거두어들임. 난잡한 물건을 모아 정돈함.
[拾遺 습유] ㉠남은 것이나 떨어뜨린 것을 주움. ㉡빠진 것을 보충함. ㉢천자(天子)의 알지 못하는 과실을 바로잡는 벼슬.
[拾遺補過 습유보과] 임금을 보좌(補佐)하여 그 결점(缺點)을 바로잡음.
[拾地芥 습지개] 땅 위의 티끌을 줍는다는 뜻으로, 무엇을 얻기가 아주 쉬움의 비유.
[拾集 습집] 주워 모음.
[拾摭 습척] 습수(拾收).
[拾掇 습철] 습수(拾收).
◉捃拾. 俛拾. 刪拾. 收拾. 採拾. 掇拾.

6 ⑨ [持] [中人] 지 [平]支 直之切 chí

[筆順] 一 十 扌 扌 扌 持 持 持

[字解] ①가질 지 ㉠손으로 잡음. '一節問之'《漢書》. ㉡휴대함. '齎一金玉'《史記》. ②지닐 지 ㉠보존함. 고집함. '保一'. '議論一平'《漢書》. ㉡견딤. 견디어 냄. '一續'. '曠日一久, 積數十年'《東方朔》. ③버틸 지 ㉠지탱함. '治亂一危'《中庸》. ㉡대항함. '楚漢相一未決'《史記》. ④도울 지 부조(扶助)함. '能一管仲'《荀子》. ⑤믿을 지 마음으로 의지함. '頫薄怒以自一兮'《宋玉》. ⑥빅수 지 승부가 없음. '兩棋相圍, 而皆不死不活曰一'《徐鉉》. ⑦성 지 성(姓)의 하나.

[字源] 金文 篆文 形聲. 扌(手)+寺〔音〕. '寺사·시'는 '止지'와 통하여, '멈춰 서다'의 뜻. 손안에 머물러 두다, 가지다의 뜻을 나타냄.

[持戒 지계] 《佛教》 투도(偸盜)·사음(邪淫)·망어(妄語)·살생(殺生)·음주(飮酒) 등 다섯 가지 계율(戒律)을 지킴.
[持久 지구] 오랫동안 견딤.
[持久戰 지구전] 오랫동안 끌어 가며 하는 싸움.
[持國天 지국천] 《佛教》 사천왕(四天王)의 하나. 동방(東方)의 천국(天國)의 수호신(守護神).
[持歸 지귀] 가지고 돌아감.
[持戟 지극] 창을 가짐. 또, 그 군사.
[持難 지난] 일을 과단성 있게 처리하지 못하고 미루기만 함.
[持論 지론] 항상 주장하는 이론. 꽉 잡아 지켜 굽히지 않는 이론.
[持滿 지만] ㉠활을 한껏 당김. ㉡준비를 충분히 함. ㉢충분한 지위(地位)를 보전하여 지탱함.
[持病 지병] 오랫동안 낫지 않아 늘 지니고 있는 병. 고질(痼疾).
[持斧伏闕 지부복궐] 《韓》 중난(重難)한 일을 왕에게 상소(上疏)할 때 결사의 각오로 도끼를 가지고 궐하(闕下)에 나아가 엎드림.
[持佛 지불] 《佛教》 자기가 거처하는 방에 안치(安置)하거나 또는 몸에 지니고 다니며 신앙하는 불상(佛像).
[持佛堂 지불당] 지불(持佛) 또는 조상의 위패(位牌)를 안치하는 당(堂).
[持說 지설] 지론(持論).
[持續 지속] 계속하여 지녀 나감.
[持循 지순] 잊지 않고 좇아 행함.
[持兩端 지양단] 양자(兩者) 중 어느 것으로 정해져 있지 않음. 곧, 두 마음을 품음을 이름.
[持律 지율] 《佛教》 항상 몸과 입과 뜻에서 생기는 사념(邪念)을 끊는 수행(修行)을 함.
[持議 지의] 지론(持論).
[持齋 지재] 《佛教》 결재(潔齋)를 지냄.
[持節 지절] ㉠지조(志操)를 굳게 지킴. ㉡천자(天子)로부터 받은 부절(符節)을 가짐.
[持節使 지절사] 천자(天子)로부터 부절(符節)을 받고 파견되는 사신(使臣).
[持重 지중] 몸가짐을 신중히 함.
[持贈 지증] 가지고 가서 증여함.
[持之有故 지지유고] 자설(自說)을 주장하기 위하여 고인(故人)의 언론(言論)을 들고 나옴.
[持平 지평] 공평하여 한쪽으로 치우치지 아니함.
[持憲 지헌] 법을 행하는 권리를 가짐.
◉加持. 堅持. 鉗持. 固持. 控持. 矜持. 等持. 保持. 寶持. 奉持. 捧持. 扶持. 負持. 所持. 守持. 受持. 植持. 握持. 援持. 維持. 自持. 齎持. 操持. 住持. 支持. 總持. 把持. 夾持. 挾持. 護持. 懷持. 携持.

6 ⑨ [挄] 선 [上]銑 蘇典切 xiǎn

[字解] 비틀 선 '撚一'은 손가락으로 잡아 돌림. '撚一, 手捻物'《集韻》.

6 ⑨ [挂] [一] 괘 [去]卦 古賣切 guà
[二] 계 [平]齊 涓畦切 guī

[字解] [一] 걸 괘, 걸릴 괘 掛(手部 八畫)와 同字. '一冠'. '一於季指'《儀禮》. [二] 나눌 계 갈라 분명히 함. '以一功名'《莊子》.

[字源] 篆文 形聲. 扌(手)+圭〔音〕. '圭규'는 '系계'와 통하여, '걸다'의 뜻. 손으로 무엇을 걸다의 뜻을 나타냄.

[挂鏡 괘경] 기둥·벽(壁) 등에 걸어 두고 보는 거울.
[挂冠 괘관] 의관을 걸어 놓는다는 뜻으로, 사직(辭職)함을 이름.
[挂曆 괘력] 벽(壁)에 걸어 놓고 보는 일력(日曆).
[挂冕 괘면] 괘관(挂冠).

[挂榜 괘방] 걸어 놓은 방(榜). 「을 이름.
[挂席 괘석] 자리를 건다는 뜻으로, 배에 돛을 닮
[挂錫 괘석] 《佛敎》 석장(錫杖)을 걸어 둔다는 뜻으로, 중이 한곳에 머무름을 이름.
[挂綬 괘수] 인(印)끈을 걸어 놓는다는 뜻으로, '괘관(挂冠)'과 같은 뜻.
[挂衣 괘의] 도롱이. 사의(簑衣).
[挂鐘 괘종] 걸어 놓는 시계(時計).
[挂懸 괘현] 매닮. 또, 매달림.
◉剛挂. 擧挂. 鉤挂. 羈挂. 倒挂. 東挂. 一絲不挂. 典挂. 寸絲不挂. 懸挂.

6
⑨ [挃] 질 ㊅質 陟栗切 zhì

[字解] ①칠 질 때림. 두드림. '五指之更彈, 不若捲手之一一'《淮南子》. ②벼벨 질 벼를 베는 모양. 또, 그 소리. '穫之一一'《詩經》.
[字源] [篆文] 形聲. 扌(手)+至〔音〕. '至지'는 '이르다'의 뜻. 손이 미치는 데까지 찌르다의 뜻을 나타냄.

[挃挃 질질] 벼를 베는 모양.

6
⑨ [捒] [一] 색 ㊇陌 色責切 sè
[二] 착 ㊇覺 測角切 chuò

[字解] [一] ①고를 색, 추릴 색 '一, 擇也'《集韻》. ②채찍 색 마소를 때리는 채. '一, 馬箠也'《玉篇》. [二] 찌를 착 물고기를 작살 같은 것으로 찔러 잡음. 擉(手部 十三畫)과 同字.
[參考] 揀(手部 七畫)은 別字.

6
⑨ [指] [中人] 지 ㊤紙 職雉切 zhǐ

[筆順] 一 十 扌 扌' 扌ヒ 扌ヒ 指 指

[字解] ①손발가락 지 손가락 또는 발가락. '一爪'. '子公之食一動'《左傳》. ②가리킬 지 ㉠손가락질함. '十手所一'《大學》. ㉡지시함. '以其策一之'《史記》. ㉢지휘함. '一示'. '吾一使而羣工役焉'《柳宗元》. ③곧두설 지 직립함. '目裂鬢一'《呂氏春秋》. ④아름다울 지 화미(華美)함. '雖一非禮也'《荀子》. ⑤뜻 지 旨(日部 二畫)와 同字. '一意'. '言近而一遠者, 善言也'《孟子》.
[字源] [篆文] 形聲. 扌(手)+旨〔音〕. '旨지'는 '맛있다'의 뜻. 맛있는 것에 식지(食指)가 움직이는 모양에서, '손가락, 가리키다'의 뜻을 나타냄. 또, 가리키는 초점(焦點)의 뜻에서, '뜻, 취지'의 뜻도 나타냄.

[指顧 지고] ㉠손가락으로 가리키며 돌아봄. ㉡퍽 가까운 거리.
[指歸 지귀] ㉠의도(意圖)한 곳으로 돌아감. ㉡뜻을 둔 돌아갈 곳. ㉢모범(模範)을 좇는 일.
[指南 지남] ㉠방향(方向)을 가리키는 기구. 나침반(羅針盤). ㉡가리켜 인도함.
[指南石 지남석] 지남철(指南鐵).
[指南車 지남차] 수레 위에 신선(神仙)의 목상(木像)이 있어 그 손이 항상 남쪽을 가리키게 만든 수레. 나침반(羅針盤).

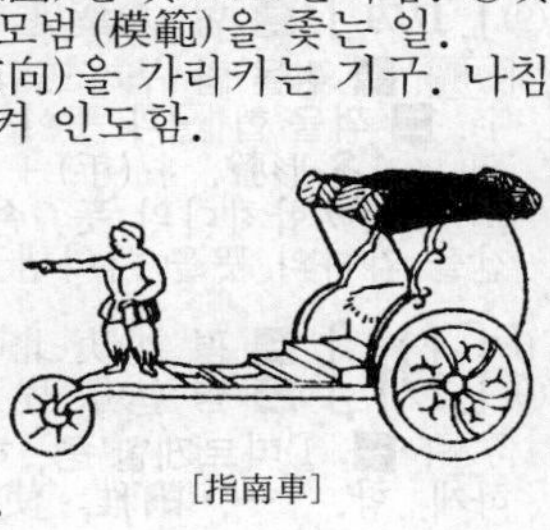
[指南車]

[指南鐵 지남철] 쇠를 끌어당기는 성질(性質)이 있는 쇠. 자석(磁石).
[指南針 지남침] 자침(磁針).
[指道 지도] 지도(指導).
[指導 지도] 가리키어 인도(引導)함.
[指頭 지두] 손가락의 끝.
[指頭書 지두서] 손가락 끝으로 쓴 글씨.
[指令 지령] ㉠품의(稟議) 또는 원서(願書)에 대하여 내리는 관청의 통지(通知), 또는 명령(命令). ㉡하급 관청에 대하여 감독관청이 시달하는 사무상의 지휘 명령.
[指路 지로] 길을 가리켜 인도함.
[指路僧 지로승] 산속에서 길을 인도하여 주는 중.
[指鹿爲馬 지록위마] 진(秦)나라 조고(趙高)가 2세 황제(皇帝)에게 사슴을 바쳐 말이라 일컫고, 여러 신하 중에서 말이 아니고 사슴이라고 하는 자를 벌준 고사(故事). 전(轉)하여, 윗사람을 농락하여 위세(威勢)를 마음대로 하는 것을 이름.
[指名 지명] 여러 사람 가운데 누구의 이름을 꼭 지정(指定)하여 가리킴.
[指目 지목] 가리키며 봄. 눈여겨봄. 주목(注目)함.
[指紋 지문] 손가락의 안쪽에 있는 물결 같은 금. 또, 그것을 눌러 찍은 형적(形迹).
[指使 지사] 가리키어 부림. 일을 지시하여 부림.
[指事 지사] ㉠사물을 가리킴. ㉡육서(六書)의 하나. 추상적인 개념을 상징적으로 형상화한 글자로 '上'·'下' 따위.

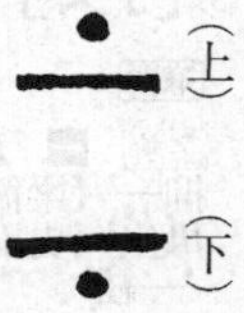

[指事㉡]

[指授 지수] 지시하여 줌.
[指數 지수] ㉠손가락질하여 셈. ㉡손꼽아 셈. ㉢일류(一流). 굴지(屈指). ㉣어떤 수 또는 문자의 오른쪽 위에 부기(附記)하여 그 승멱(乘冪)을 표시하는 문자 또는 숫자. ㉤물가·노동·생산·지능 등의 변동을 일정한 때를 백(百)으로 하여 비교하는 숫자.
[指示 지시] ㉠손가락질하여 보임. 가리켜 보임. ㉡가리켜 시킴. 명령함.
[指示代名詞 지시대명사] 어떤 사물이나 처소 등을 가리키는 대명사. 사물 대명사(事物代名詞).
[指要 지요] 중요한 뜻. 요지(要旨).
[指意 지의] 뜻. 마음. 취의(趣意).
[指日可期 지일가기] 다른 날 성공(成功)할 것을 꼭 믿음.
[指章 지장] 손가락으로 도장 대신 찍는 인(印).
[指掌 지장] 손바닥을 가리킨다는 뜻으로, 일이 퍽 쉽거나 아주 명백함을 이름.
[指摘 지적] ㉠손가락 등으로 가리킴. ㉡잘못 등을 들추어 폭로함.
[指擿 지적] 손끝으로 긁음. 할큄.
[指點 지점] 어느 곳을 손가락으로 가리켜 보임.
[指定 지정] ㉠어찌어찌하라고 가리켜 정(定)함. ㉡여럿 가운데서 하나만을 가려내어 정함.
[指嗾 지주] 손가락질하며 사주(使嗾)함.
[指陳 지진] 지적하여 진술함.
[指斥 지척] ㉠손가락질함. ㉡물리침. 배제(排擠)함.
[指天爲誓 지천위서] 하늘에 맹세함.
[指尖 지첨] 손가락의 끝.
[指趣 지취] 취지(趣旨). 뜻. 지의(旨意).

[指飭 지칙] 지적하여 신칙함.
[指針 지침] ㉠나침반(羅針盤)의 바늘. ㉡사물을 지시하는 장치의 바늘. ㉢가리켜 인도(引導)할 만한 사물.
[指彈 지탄] ㉠손끝으로 튀김. ㉡부정한 사람을 지적하여 규탄함.
[指向 지향] 뜻하여 향함.
[指呼 지호] 손가락질하며 부름.
[指環 지환] 가락지.
[指鐶 지환] 지환(指環).
[指畫 지획] 손가락으로 그려 보이며 가르침.
[指揮 지휘] 지시하여 행하게 함.
[指麾 지휘] 지휘(指揮).
[指揮官 지휘관] 군대의 지휘를 맡은 관직. 또, 그 사람.
◉巨指. 季指. 顧指. 屈指. 技指. 耆指. 大指. 目指. 無名指. 拇指. 微指. 密指. 擘指. 本指. 臂指. 事指. 辭指. 上指. 纖指. 小指. 食指. 十指. 藥指. 五指. 玉指. 要指. 遙指. 意指. 頤指. 一指. 一彈指. 將指. 傳指. 中指. 直指. 錐指. 墮指. 彈指. 標指. 風指. 希指.

6 ⑨ [按] [人名] [一] 안 [去]翰 烏旰切 àn [二] 알 [入]曷 阿葛切 è

[筆順] 一 十 扌 扌' 扩 抆 按 按

[字解] [一] ①누를 안 ㉠억누름. 내리누름. '陸離抑—'《梁簡文帝》. ㉡꿈쩍 못하게 함. '王—兵毋出'《史記》. ②어루만질 안 손으로 쓰다듬음. '—紘'. '毛遂—劍, 歷階而上'《史記》. ③당길 안 끌어당김. '天子乃—轡徐行'《史記》. ④생각할 안 사고함. '考—'. '思—之而逾深'《陸機》. ⑤살필 안 죄과(罪過)를 규찰하거나 사정을 순찰함. '—治'. '督—'. '公府不—吏'《漢書》. ⑥안험할 안 조사하여 증거를 세움. '以古—今'. '驗之往古, —之當今之務'《漢書》. ⑦성 안 성(姓)의 하나. [二] 막을 알 저지함. 遏(辵部 九畫)과 同字. '以—徂旅'《詩經》.
[字源] 篆文 形聲. 扌(手)+安〔音〕. '安안'은 가라앉혀 편안하게 하다의 뜻. 손으로 눌러 가라앉히다, 또 움직이지 못하도록 안정시키다의 뜻을 나타냄.

[按講 안강] 강의할 것을 미리 연습함.
[按彊 안강] 강한 자를 억누름.
[按據 안거] 마음을 놓고 편안히 살게 함.
[按劍 안검] 칼자루에 손을 대고 쓰다듬음.
[按檢 안검] 조사하여 살핌. 안찰(按擦).
[按劍相視 안검상시] 서로 원수(怨讎)같이 봄.
[按堵 안도] 사는 곳에서 평안히 지냄. 안도(安堵).
[按圖索駿 안도색준] 그림 속의 준마(駿馬)를 가려내기는 어려움.
[按摩 안마] 몸을 누르고 주물러서 피가 잘 돌게 함.
[按脈 안맥] 맥을 짚어 봄.
[按撫 안무] 민정(民情)을 살펴서 위무함.
[按撫使 안무사]《韓》지방에 변란이나 재난이 있을 때 왕명(王命)으로 파견되어 백성을 안무(按撫)하는 임시(臨時) 벼슬.
[按問 안문] 조사하여 신문함. 취조함.
[按兵 안병] 군대의 진군(進軍)을 누름. 발병(發兵)을 하지 아니함.
[按轡 안비] 고삐를 당김.
[按殺 안살] 죄를 조사하여 죽임.
[按手 안수] 기독교에서 목사나 장로가 기도를 받는 사람의 머리 위에 손을 얹는 일.
[按察 안찰] 자세히 조사하여 살핌.
[按察使 안찰사] 지방 군현(郡縣)의 치적(治績) 및 비법(非法)의 검찰(檢察)을 맡은 관직(官職).
[按治 안치] 조사하여 다스림.
[按劾 안핵] 죄를 조사함.
[按覈 안핵] 안핵(按劾).
[按驗 안험] 조사하여 증거를 세움.
[按絃 안현] 거문고의 줄을 어루만짐. 거문고를 탐.
◉檢按. 考按. 告按. 鞫按. 糾按. 覆按. 收按. 巡按. 詢按. 抑按. 廉按. 臨按. 奏按. 察按. 推按. 捕按. 劾按.

6 ⑨ [捲] [一] 궤 [上]紙 古委切 guǐ [二] 위 [上]尾 魚鬼切 wěi

[字解] [一] 헐어버릴 궤 부수어 버림. '—, 毁撤也'《集韻》. [二] 걸 위 높이 걺. '—, 懸也'《集韻》.

6 ⑨ [挋] 진 [去]震 章忍切 zhèn

[字解] ①닦을 진 씻음. '—用浴衣'《禮記》. ②떨진 먼지를 텂. '新浴者必—衣'《楚辭》.
[字源] 篆文 形聲. 扌(手)+臣〔音〕

6 ⑨ [挏] 동 [上]董 徒揔切 dòng

[字解] 밀었다당겼다할 동 '撢挾挺—世之風俗'《淮南子》.
[字源] 篆文 扌(手)+同〔音〕. '同동'은 '불러 모으다'의 뜻. 손으로 당기다의 뜻을 나타냄.

[挏馬酒 동마주] 말의 젖으로 만든 술.

6 ⑨ [挌] 격 [入]陌 古伯切 gé

[字解] 칠 격 格(木部 六畫)과 同字. '—殺'. '手—猛獸'《魏志》.
[字源] 篆文 形聲. 扌(手)+各〔音〕. '各각'은 '이르다, 내밀다'의 뜻. 손을 내밀다, 치다의 뜻을 나타냄.

[挌殺 격살] 때려 죽임. 쳐 죽임.
[挌鬪 격투] 서로 맞닥뜨리어 치고받고 싸움. 격투(格鬪).

6 ⑨ [搚] [一] 랍 [入]合 盧合切 lā [二] 협 [入]葉 迄業切 xié

[字解] [一] 꺾을 랍 부러뜨림. 拉(手部 五畫)과 同字. [二] 꺾을 협 [一]과 뜻이 같음.
[字源] 篆文 形聲. 扌(手)+劦〔音〕. '劦협'은 힘을 합치다의 뜻. 손에 잔뜩 힘을 주어 물건을 꺾다의 뜻을 나타냄.

6 ⑨ [拼] [一] 평 [平]庚 北萌切 pīn [二] 병 [去]敬 卑正切 bìng

[字解] [一] ①따르게할 평, 하여금 평 …로 하여금 하게 함. '—, 爾雅, 使也'《集韻》. ②튕길 평

'骈, 彈也. 通作一'《集韻》. ㊁ 물리칠 병 摒(手部 九畫)과 同字. '摒, 博雅, 除也. 或从并'《集韻》.

6 ⑨ [挖] 알 ㉧曷 烏括切 wā

字解 ①후벼낼 알 '一, 挑一也'《字彙補》. ②《現》빈정댈 알 '一苦'는 비꼼. 야유함.

6 ⑨ [挑] 高人 ㊀ 도 ①②㊤篠 徒了切 tiǎo ③㊥豪 土刀切 tāo ㊁ 조 ㊥蕭 吐彫切 tiāo

筆順 一 † 扌 扌 扌 扌 挑 挑

字解 ㊀ ①돋울 도 싸움을 걸거나 화를 나게 함. '一發'. '若漢一戰, 愼勿與戰'《史記》. ②꾈 도 유인함. '楚人有兩妻, 人一其長者'《戰國策》. ③뛸 도 도약함. 일설(一說)에는, 왕래(往來)함. '一達'. '一兮達兮'《詩經》. ㊁ ①멜 조 어깨에 멤. '擔一雙草履'《陸游》. ②돋울 조 심지를 끌어 올림. '一燈長'《王君玉》. ③후빌 조 도려 파냄. '侃以鍼一令徹'《異苑》. ④칠 조 준설(浚渫)함. '官銀一濬'《通州志》. ⑤가릴 조 선택함.

字源 篆文 形聲. 扌(手)＋兆〔音〕. '兆조'는 점칠 때 나타나는 갈라진 금을 본뜬 것. '手수'를 더하여, 갈라진 금을 내다, 돋우다의 뜻을 나타냄. 또 '跳도'와 통하여, '뛰다'의 뜻도 나타냄.

[挑達 도달] 제멋대로 뛰는 모양. 일설(一說)에는, 왕래하는 모양.
[挑動 도동] 꾀어 사람의 마음을 흥분시킴.
[挑發 도발] 부추김. 충동(衝動)함.
[挑撥 도발] 도발(挑發).
[挑戰 도전] 싸움을 걺.
[挑出 도출] 시비를 일으키거나 싸움을 돋움.
[挑禍 도화] 화(禍)를 일으킴.
[挑燈 조등] 등불을 돋움.
[挑選 조선] 인물을 선택함.
◉鉤挑. 擔挑. 燈挑. 目挑. 以琴心挑.

6 ⑨ [挎] ㊀ 고 ㊥虞 苦胡切 kū ㊁ 구 ㊥尤 墟侯切 kōu

字解 ㊀ ①가질 고 '一, 持也'《集韻》. '一越內弦'《儀禮》. ②쨀 고, 속팔 고 도려냄. 도려내어 비움. 刳(刀部 六畫)와 통용. '一木爲舟'《易經》. ㊁ 걷을 구 摳(手部 十一畫)와 同字.

6 ⑨ [挅] 타 ①㊤哿 丁果切 duǒ ②㊦箇 都唾切 duò

字解 ①헤아릴 타 양이나 높이를 헤아림. ②돛 내릴 타 '一, 落帆'《廣韻》.

6 ⑨ [挒] 렬 ㉧屑 力蘖切 liè

字解 ①내걸 렬 높이 걺. ②비틀 렬 바싹 꼬아 틂. '一, 捩'《集韻》.

6 ⑨ [拍] 〔박〕 拍(手部 五畫〈p. 859〉)의 本字

6 ⑨ [挍] 〔교〕 校(木部 六畫〈p. 1057〉)와 同字

字源 形聲. 扌(手)＋交〔音〕. '交교'는 '섞다, 교차시키다'의 뜻. 헤아리는 대상이 되는 것을 기준이 되는 잣대와 맞대어 재다의 뜻을 나타냄.

參考 명(明)나라 휘종(徽宗)의 휘(諱)를 피하여, '校'를 생략한 글자.

◉讎挍.

6 ⑨ [捐] 〔연〕 捐(手部 七畫〈p. 873〉)의 俗字

6 ⑨ [挊] 〔롱〕 弄(廾部 四畫〈p. 714〉)의 俗字

6 ⑨ [挾] 〔협〕挾(手部 七畫〈p. 871〉)의 略字·簡體字

7 ⑪ [挲] 〔사〕 挱(手部 七畫〈p. 874〉)와 同字

7 ⑪ [挐] ㊀ 拏(手部 六畫〈p. 864〉)의 本字 ㊁ 巩(工部 四畫〈p. 663〉)과 同字

7 ⑩ [挨] 애 ㊤蟹 於駭切 āi ㊤賄 於改切

字解 밀칠 애 떼밂. '士庶一拶'《葛長庚》.

字源 篆文 形聲. 扌(手)＋矣〔音〕. '矣의'는 '疑의'의 왼쪽 부분의 변형으로, 멈춰 서서 갈피를 못 잡다의 뜻. 어떤 장소나 대상의 주변을 떠나지 못하고 사람들이 멈춰 서서 당혹해하는 뜻에서, 혼잡하여 서로 밀치다의 뜻을 나타냄.

[挨拶 애찰] ㉠서로 떼밀고 앞으로 나아감. ㉡문답(問答)하여 학도(學徒)를 계발함.
[挨枕 애침] 밀침. 떼밂.
◉狂挨. 搪挨. 麢挨.

7 ⑩ [挩] ㊀ 세 ㊦霽 輸芮切 shuì ㊁ 탈 ㉧曷 他括切 tuō

字解 ㊀ 씻을 세 닦음. '坐一手'《儀禮》. ㊁ 벗을 탈 脫(肉部 七畫)의 古字.

字源 篆文 形聲. 扌(手)＋兌〔音〕. '兌태'는 빠져서 떨어지다의 뜻. 손으로 뽑아 떨어뜨리다, 벗다의 뜻을 나타냄. 지금은 '脫탈'이 쓰임.

[挩手 세수] 손을 씻음.

7 ⑩ [捖] ㊀ 완(환㊍) ㊥寒 胡官切 wán ㊁ 괄 ㉧黠 古刹切 guā

字解 ㊀ ①깎을 완, 갈 완 윤이 나게 다듬음. '一摩, 工治玉也'《集韻》. ②칠 완 '一, 擊也'《集韻》. ㊁ 긁어낼 괄, 갈 괄 刮(刀部 六畫)과 통용.

字源 形聲. 扌(手)＋完〔音〕

7 ⑩ [挫] 人名 좌 ㊦箇 則臥切 cuò

字解 ①꺾을 좌 부러뜨림. 전(轉)하여, 기세를 꺾음. 욕보여 꼼짝 못하게 함. '一折'. '暴虐

以一人'《史記》. ②꺾일 좌 전항의 자동사. '兵一地削'《史記》.
字源 篆文 形聲. 扌(手)+坐(㘴)〔音〕. '㘴좌'는 무릎을 꺾다의 뜻. '手수'를 더하여, 일반적으로 '꺾다'의 뜻을 나타냄.

[挫衄 좌뉵] 꺾이어 패함.
[挫頓 좌돈] 꺾이어 패(敗)함.
[挫北 좌배] 꺾이어 도망감.
[挫鋒 좌봉] 적(敵)의 예봉(銳鋒)을 꺾음. 절봉(折鋒).
[挫傷 좌상] 꺾이고 상함.
[挫辱 좌욕] ㉠기세를 꺾어 욕보임. ㉡기세가 꺾이어 굴복함.
[挫折 좌절] ㉠꺾음. ㉡꺾임. ㉢어떤 계획이나 운동이 실패로 돌아감.
[挫鍼 좌침] 침을 놓음.
◉頓挫. 伐挫. 傷挫. 衰挫. 抑挫. 捻挫. 戮挫. 詆挫. 折挫. 摧挫. 頹挫.

7
⑩ [振] 高人 진 ㊀震 章刃切 zhèn ㊥眞 職隣切 zhēn

筆順 一 扌 扌 扩 护 挀 振 振

字解 ①떨칠 진 ㉠위세를 일으킴. 분기함. '士氣大一'. ㉡힘 있게 움직임. '一筆書之'. ㉢힘 있게 흔들어 먼지 따위를 텂. '一衣千仞岡'《左思》. ②움직일 진 '孟春之月蟄蟲始一'《禮記》. ③떨 진 전율함. '一怖'. '一驚朕衆'《史記》. ④거둘 진 수용함. '一河海而不洩'《中庸》. ⑤건질 진 구호함. 구휼함. 賑(貝部 七畫)과 통용. '一恤'. '一人不贍'《史記》. ⑥정돈할 진 정제(整齊)함. 정리함. '一旅'. '一之刑罰'《管子》. ⑦열 진 열어서 내놓음. '一廩同食'《左傳》. ⑧떼지어날 진 군비(群飛)함. 일설(一說)에는, 빠름. 신속함. '一鷺于飛'《詩經》. ⑨무던할 진 인후(仁厚)함. '一一公子'《詩經》. ⑩성 진 성(姓)의 하나.
字源 篆文 形聲. 扌(手)+辰〔音〕. '辰진'은 떨리는 입술의 뜻. '手수'를 더하여, '떨다'의 뜻을 나타냄. 또 용기를 떨치게 하여, '격려하고 구조하다'의 뜻도 나타냄.

[振擧 진거] 진기(振起).
[振驚 진경] 깜짝 놀라 떪. 또 깜짝 놀라 떨리게 함.
[振古 진고] 태고(太古).
[振救 진구] 구차한 사람을 구원하여 도와줌. 진휼(賑恤).
[振窮 진궁] 빈민을 구제함.
[振起 진기] ㉠떨치어 일으킴. ㉡떨쳐 일어남.
[振女 진녀] 계집아이. 동녀(童女).
[振貸 진대] 빈민에게 재물을 대여함.
[振掉 진도] 세차게 흔들어 움직임.
[振動 진동] 흔들리어 움직임.
[振旅 진려] 군대를 정돈함.
[振鈴 진령] 방울을 세차게 흔들어 울림.
[振撫 진무] 구하여 위로함. 어루만져 달램.
[振武 진무] 무용(武勇)을 떨침.
[振拔 진발] 가난한 사람을 구제함.
[振刷 진쇄] 구태(舊態)를 일소함. 쇄신(刷新).
[振肅 진숙] 두려워서 떨며 삼감.
[振施 진시] 진구(振救).
[振揚 진양] 떨쳐 날림.
[振衣千仞岡 진의천인강] 옷을 벗어서 천 길이나 되는 산등성이에서 흔듦. 곧, 속세(俗世)를 초탈(超脫)하여 장한 뜻을 떨쳐 폄을 이름.
[振子 진자] ㉠아이. 진자(侲子). ㉡일정한 주기(週期)로 일정한 점(點)의 주위에서 진동을 계속하는 물체.
[振作 진작] 진기(振起).
[振張 진장] 정신(精神)을 떨치어 폄.
[振除 진제] 털어 버림. 제거함.
[振濟 진제] 진구(振救).
[振振 진진] ㉠떼를 지어 나는 모양. ㉡인후(仁厚)한 모양. ㉢위용(威容)이 있는 모양.
[振天 진천] 명성(名聲)이 천하(天下)에 떨침.
[振鐸 진탁] ㉠방울을 흔들어 울림. 탁(鐸)은 옛날에 교령(敎令)을 선포(宣布)할 때 흔들던 큰 방울. ㉡도(道)를 설교(說敎)함.
[振盪 진탕] 몹시 울려서 흔들림.
[振擇 진택] 정선(精選)함.
[振怖 진포] 떨며 무서워함.
[振駭 진해] ㉠진경(振驚). ㉡물결이 용솟음쳐 일어남.
[振卹 진휼] 진휼(振恤).
[振恤 진휼] '진휼(賑恤)'과 같음.
[振興 진흥] ㉠떨치어 일으킴. ㉡정신(精神)을 가다듬고 일어남.
◉共振. 金聲玉振. 廩振. 不振. 分振. 奮振. 三振. 宣振. 刷振. 嚴振. 龍驤麟振. 隆振. 遐振. 弘振. 翕振.

7
⑩ [揈] 갱 ㊥庚 口耕切 kēng

字解 ①늘일 갱, 펼 갱 '一, 引申也'《同文擧要》. ②거문고소리 갱 '一, 琴聲'《集韻》.

7
⑩ [挶] 국 ㊇沃 居玉切 jū

字解 ①가질 국 받쳐 듦. 팔꿈치를 굽혀서 가짐. ②들것 국 흙을 나르는 기구. '陳畚一, 具綆缶'《左傳》.
字源 篆文 形聲. 扌(手)+局〔音〕. '局국'은 작게 움츠러들다의 뜻. 손을 움츠려서 안아 가지다의 뜻을 나타냄.

7
⑩ [挹] 읍 ㊇緝 伊入切 yì

字解 ①뜰 읍 액체를 떠냄. '一酌'. '一彼注玆'《詩經》. ②누를 읍 억압을 물리침. '一損'. '一而損之'《荀子》. ③당길 읍 잡아당김. '左一浮丘袖'《郭璞》. ④읍할 읍 揖(手部 九畫)과 통용. '拱一指麾'《荀子》.
字源 篆文 形聲. 扌(手)+邑. '邑읍'은 '모으다'의 뜻. 손을 모으다의 뜻을 나타냄.

[挹婁 읍루] 고대(古代)에 만주(滿洲) 동부(東部) 지방에 살던 부족(部族). 혈거(穴居)하며 호시(楛矢)·석노(石砮)를 사용하였음. 옛 문헌에 보이는 숙신(肅愼)과는 직접적인 계보적(系譜的) 관계가 있는지에 대하여 아직 정설(定說)을 보지 못하고 있음.
[挹損 읍손] ㉠만심(慢心)을 눌러 겸양(謙讓)함. ㉡억압하여 물리침.
[挹酌 읍작] 뜸. 퍼냄.
[挹注 읍주] 떠서 부음. 떠서 따름.

[挹退 읍퇴] 겸손(謙遜)함.
◉降挹. 謙挹. 敬挹. 損挹. 獎挹. 探挹. 推挹. 沖挹.

7 ⑩ [挻] 人名 ㊀ 연 ㊥先 式連切 shān (선㊥) ㊁ 선 ㊥先 式連切 shān

字解 ㊀ ①당길 연 끎. '相一爲亂'《唐書》. ②달아날 연 도망함. 일설(一說)에는 찬탈(簒奪)함. '主上有敗, 則因而一之矣'《賈誼》. ③오래 연 장구하게. 오래도록. '一亂江南'《晉書》. ㊁ 이길 선 흙을 반죽함. 埏(土部 七畫)과 통용. '揲一其土'《淮南子》.
字源 篆文 形聲. 扌(手)+延〔音〕. '延연'은 '늘이다'의 뜻. '手수'를 더하여, 손으로 늘이다의 뜻을 나타냄.

7 ⑩ [挺] 人名 정 ㊤迥 徒鼎切 tǐng

筆順 一 扌 扌 扌 扌 扌 挺 挺

字解 ①뺄 정, 뽑을 정 ㉠빼냄. '一鈹搢鐶'《國語》. ㉡인재를 뽑음. 기용함. '一秀才'. '以一力田議'《漢書》. ②빼날 정 쑥 솟아 나옴. 전(轉)하여, 훨씬 뛰어남. '一出'. '幼而一立'《南史》. ③빼낼 정 자유롭지 못한 몸을 빼냄. 탈신함. '一身逃'《漢書》. ④곧을 정 굽지 아니함. '周道一一'《左傳》. ⑤너그러울 정 관대함. 또, 관대히 함. '一囚徒'《禮記》. ⑥달릴 정 빨리 감. '獸一亡羣'《李華》.
字源 篆文 形聲. 扌(手)+廷〔音〕. '廷정'은 '튀어나오다'의 뜻. 손으로 뽑아내다의 뜻을 나타냄.

[挺傑 정걸] 남보다 뛰어남.
[挺立 정립] ㉠남보다 뛰어남. ㉡우뚝 솟음.
[挺拔 정발] 뛰어남. 빼어남.
[挺秀 정수] 정걸(挺傑).
[挺身 정신] ㉠솔선(率先)함. 앞장섬. 앞으로 나감. ㉡빠져나감. 탈출함.
[挺然 정연] 빼어난 모양. 뛰어난 모양.
[挺爭 정쟁] 앞장서서 다툼.
[挺戰 정전] 맨 앞에 나서 싸움.
[挺節 정절] 절개(節槪)를 굳게 지키고 굴(屈)하지 아니함.
[挺挺 정정] 바른 모양. 곧은 모양.
[挺出 정출] ㉠남보다 뛰어남. 걸출(傑出)함. ㉡싹이 나옴.
[挺特 정특] 정걸(挺傑).
◉勁挺. 奇挺. 茂挺. 夙挺. 秀挺. 英挺. 峻挺. 天挺. 超挺. 特挺. 標挺.

7 ⑩ [挼] ㊀ 뇌 ㊥灰 奴回切 ruó ㊁ 휴 ㊥支 翾規切 suī

字解 ㊀ 비빌 뇌 손을 대고 문지름. '劉裕一五木, 久之卽成盧矣'《晉書》. ㊁ 제미 휴 제사에 쓰는 쌀. '祝命一祭'《儀禮》.
字源 篆文 形聲. 扌(手)+妥〔音〕. '妥타'는 위에서 손으로 여자를 누르다의 뜻. 손으로 누르다, 밀어 떨어뜨리다, 비비다의 뜻을 나타냄.

7 ⑩ [挽] 人名 만 ㊤阮 無遠切 wǎn

字解 ①당길 만 잡아당김. '一弓'. '他弓莫一'《無門關》. ②말릴 만 끌어당겨 못하게 함. '一留'. ③끌 만 輓(車部 七畫)과 同字. '一歌'. '命一士唱'《唐書》.
字源 形聲. 扌(手)+免〔音〕. '免면·문'은 아기를 낳는 모양을 본뜸. 손으로 당겨 꺼내다의 뜻을 나타냄.

[挽歌 만가] ㉠상여를 메고 갈 때 하는 노래. ㉡죽은 사람을 슬퍼하는 가사(歌詞).
[挽弓 만궁] 활을 당김.
[挽留 만류] 붙들고 말림.
[挽詞 만사] 만가(挽歌).
[挽引 만인] 무거운 물건 등을 끌고 감.
[挽回 만회] 바로잡아 돌이킴.
◉木挽. 他弓莫挽.

7 ⑩ [捈] 도 ㊥虞 同都切 tú

字解 ①끌 도 옆으로 끎. '一, 臥引也. (段註) 謂橫而引之也'《說文》. ②떠낼 도 퍼냄. '一, 抒也'《廣雅》. ③날카로울 도 '一, 銳也'《廣雅》.
字源 篆文 形聲. 扌(手)+余〔音〕. '余여'는 늘여 펴다의 뜻. 손으로 물건을 늘여 펴다의 뜻으로, 파생하여 '끌다'의 뜻을 나타냄.

7 ⑩ [拚] 〔반〕
抃(手部 五畫〈p.859〉)의 俗字

7 ⑩ [挕] ㊀ 첩 ㊂葉 陟葉切 zhé ㊁ 접 ㊂葉 丁愜切 dié ㊂ 녑 ㊂葉 昵輒切 niè

字解 ㊀ ①집을 첩 손가락으로 집음. '一, 拈也'《說文》. ②굳게가질 첩 '一者, 攝之固也'《六書故》. ③칠 첩 '一, 打也'《廣韻》. ㊁ 집을 접, 굳게가질 접, 칠 접 ㊀과 뜻이 같음. ㊂ 집을 녑, 굳게가질 녑, 칠 녑 ㊀과 뜻이 같음.
字源 形聲. 扌(手)+耴〔音〕

7 ⑩ [挾] 人名 협 ㊂葉 胡頰切 xié

筆順 扌 扌 扌 扌 扌 扌 挾 挾

字解 ①낄 협 ㉠겨드랑이·손가락 사이 같은 데에 낌. '一持'. '一太山, 以超北海'《孟子》. '兼一乘矢'《儀禮》. ㉡가짐. 소지함. '除一書律'《漢書》. ㉢믿고 뽐냄. 또, 믿고 의지함. '一勢'. '不一長, 不一貴'《孟子》. ㉣좌우에서 끼고 도움. '一輔'. '一天子以令諸侯'《蜀志》. ②돌 협, 두루미칠 협 浹(水部 七畫)과 同字. '方皇周一'《荀子》. '使不一四方'《詩經》. ③젓가락 협 저. 젓갈. '右執一匕'《管子》.
字源 篆文 形聲. 扌(手)+夾〔音〕. '夾협'은 '끼다'의 뜻. 손으로 끼다의 뜻을 나타냄.

[挾憾 협감] 원망(怨望)을 품음. 함감(含憾).
[挾擊 협격] 협공(挾攻).
[挾攻 협공] 앞뒤 또는 좌우 두 쪽에서 들이침.
[挾纊 협광] ㉠솜을 몸에 지님. ㉡은혜(恩惠)에 감복(感服)하여 추위를 잊음.
[挾貴 협귀] 신분(身分)이 고귀(高貴)함을 믿고

교만(驕慢)하게 굶.
[挾輔 협보] 좌우에서 보좌(輔佐)함.
[挾扶 협부] 좌우(左右)에서 부축함. 좌우에서 도움.
[挾私 협사] 사정(私情)을 둠.
[挾詐 협사] 간사한 마음을 품음.
[挾書律 협서율] 진시황(秦始皇)이 서적의 소유를 금지한 법률.
[挾勢 협세] 남의 위세(威勢)를 믿고 뽐냄.
[挾旬 협순] 열흘 동안. 협순(浹旬).
[挾術 협술] 책략(策略)을 마음속에 품음. 꾀를 써서 일을 함. 임술(任術).
[挾日 협일] 협순(挾旬).
[挾雜 협잡] 《韓》 부정한 짓을 하여 남을 속임.
[挾持 협지] ㉠끼어 가짐. ㉡마음에 품음.
◉姦挾. 詭挾. 扶挾. 自挾. 藏挾. 懷挾.

7 ⑩ [挮] 체 ①[上]薺 土禮切 tǐ ②[去]霽 他計切 tí

[字解] ①눈물씻을 체 눈물을 씻음. '一, 去涕也'《集韻》. ②씻을 체 깨끗이 함. '一, 物拭也'《集韻》.

7 ⑩ [捂] 오 [去]遇 五故切 wǔ

[字解] ①거스를 오 거역함. 저촉함. '或有抵一'《漢書》. ②버틸 오 굄. '陬互橫一'《宋玉》. ③향할 오 마주 대함. '一而受之'《儀禮》.
[字源] 形聲. 扌(手)+吾〔音〕. '吾오'는 '梧오'와 통하여, 거스르다의 뜻.

◉劫捂. 技捂. 抵捂. 嫌捂.

7 ⑩ [捁] 교 [上]巧 吉巧切 jiǎo

[字解] 어지러울 교, 어지럽힐 교 攪(手部 二十畫)와 同字. '散毛族, 一羽羣'《馬融》.
[字源] 形聲. 扌(手)+告〔音〕

7 ⑩ [捔] 각 [入]覺 古岳切 jué

[字解] ①뿔잡을 각 짐승의 뿔을 잡아 누름. '一, 掎也'《廣雅》. ②공손할 각 정중히 받드는 모양. '一, 恭也'《廣雅》.
[字源] 形聲. 扌(手)+角〔音〕

7 ⑩ [捃] 군 [去]問 居運切 jùn

[字解] 주울 군 습득함. 주워 모음. 攈(手部 十六畫)과 同字. '一摭春秋之文'《史記》.
[字源] 形聲. 扌(手)+君〔音〕

[捃拾 군습] 주움. 습득함. 주워 모음.
[捃採 군채] 군척(捃摭).
[捃摭 군척] 주워 모음. 여러 책(冊)의 요점을 추려 모음.
◉掊捃.

7 ⑩ [捒] [一] 송 [上]腫 筍勇切 sǒng [二] 수 [去]遇 雙遇切 shù [三] 속 [入]沃 輸玉切 shù

[字解] [一] 공경할 송 竦(立部 七畫)과 同字. [二] 차릴 수 준비함. '一, 裝也'《集韻》. [三] 묶을 속 束(木部 三畫)과 同字.
[字源] 形聲. 扌(手)+束〔音〕
[參考] 捒(手部 六畫)은 別字.

7 ⑩ [𢭃] [一] 단 [上]旱 覩緩切 duǎn [二] 두 [去]宥 大透切 dòu

[字解] [一] 짧을 단 短(矢部 七畫)과 同字. '短, 說文, 有所長短, 以矢爲正, 或从手'《集韻》. [二] 양사(量詞) 두 4 움큼이 1 두(𢭃)임. '一, 四匊曰一'《集韻》.

7 ⑩ [捄] 구 ①[平]虞 擧朱切 jū ②[平]尤 巨鳩切 qiú ③[去]宥 居又切 jiù

[字解] ①담을 구 흙을 삼태기 같은 것에 담음. '一之陾陾'《詩經》. ②길 구 가늘고 긴 모양. '有一棘匕'《詩經》. ③구원할 구 救(攴部 七畫)와 同字. '將以一溢扶衰'《漢書》.
[字源] [篆文] 形聲. 扌(手)+求〔音〕. '求구'는 가까이 끌어당겨 모으다, 구하다의 뜻. 흙을 그러모아 삼태기에 담다의 뜻을 나타냄.

7 ⑩ [捆] 곤 [上]阮 苦本切 kǔn

[字解] 두드릴 곤 두드려서 견고하고 치밀하게 함. '一屨織席'《孟子》.
[字源] 形聲. 扌(手)+困〔音〕

7 ⑩ [挴] 매 [上]賄 武罪切 měi

[字解] ①탐할 매 '穆王巧一, 夫何周流'《楚辭》. ②부끄러워할 매 수치를 느낌. '一, 愧也'《揚子方言》.

7 ⑩ [捉] [高人] 착 [入]覺 側角切 zhuō

[筆順] 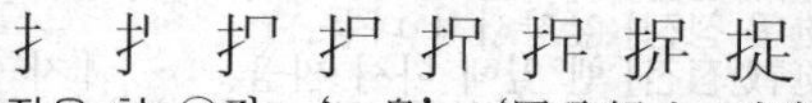
[字解] 잡을 착 ㉠쥠. '一鼻'. '周公躬吐一之勞'《漢書》. ㉡붙잡음. 체포함. '一捕'. '莫一狐與兎'《元稹》.
[字源] [篆文] 形聲. 扌(手)+足〔音〕. '足족'은 '束속'과 통하여, 단단히 묶다의 뜻. 손으로 묶다, 붙잡다의 뜻을 나타냄.

[捉去 착거] 잡아감.
[捉搦 착닉] 착포(捉捕).
[捉來 착래] 잡아 옴.
[捉摸 착막] 진상(眞相)을 포착함.
[捉迷藏 착미장] 숨바꼭질.
[捉髮 착발] '악발(握髮)'과 같음.
[捉鼻 착비] 코를 쥠. 싫어하는 태도임.
[捉送 착송] 잡아 보냄.
[捉囚 착수] 죄인(罪人)을 잡아 가둠.
[捉撮 착촬] 쥠.
[捉捕 착포] 붙잡음. 체포함.
[捉戲 착희] 술래잡기.
◉擒捉. 守捉. 追捉. 把捉. 捕捉.

7
⑩ **[捋]** 랄 [入]曷 郞括切 luō

[字解] ①뽑을 랄 풀 같은 것을 쑥쑥 뽑음. '薄言一之'《詩經》. ②틀 랄 수염 같은 것을 배배 틂. '一虎鬚'. '一須蹇不顧'《李商隱》. ③만질 랄 쓰다듬음. '郁一劫捂'《潘岳》.

[字源] 金文 篆文 形聲. 扌(手)+寽〔音〕. '寽랄'은 위아래로 손을 가까이하여 잡는 모양을 본뜸. 뒤에 '잡다'의 뜻을 분명히 하기 위하여, '手수'를 더함.

◉摩捋. 擽捋. 郁捋. 采捋.

7
⑩ **[捌]** [人名] 팔 [入]黠 博拔切 bā

[字解] ①깨뜨릴 팔 부숨. '解捽者, 不在於一格'《淮南子》. ②여덟 팔 八(部首)의 갖은자. 주로, 관문서·증서 등에 쓰임. '一, 官文書紀數借爲八字'《康熙字典》.

[字源] 篆文 形聲. 扌(手)+別〔音〕. '別별'은 '나누다'의 뜻. 손으로 나누다, 부수다의 뜻을 나타냄.

[參考] 숫자의 개변(改變)을 막기 위하여, '八팔' 대신 차용(借用)됨.

7
⑩ **[捁]** 〔괄〕
括(手部 六畫〈p. 864〉)의 本字

7
⑩ **[捜]** 〔수〕
搜(手部 十畫〈p. 895〉)의 略字

7
⑩ **[捍]** 한 [去]翰 侯旰切 hàn

[字解] ①막을 한 扞(手部 三畫)과 同字. '一塞'. '能一大患'《禮記》. ②팔찌 한 활을 쏠 때 왼팔의 소매를 걷어 매는 띠. '右佩玦一'《禮記》. ③사나울 한 悍(心部 七畫)과 통용. '民雕一少慮'《史記》.

[字源] 形聲. 扌(手)+旱〔音〕. '旱한'은 '干간'과 통하여, '막다'의 뜻. 막아 지키다의 뜻을 나타냄.

[捍撥 한발] 현악기(絃樂器)의 채.
[捍邊 한변] 국경(國境)을 수비함.
[捍摌 한산] 움직임. 요동(搖動)함.
[捍塞 한색] 막음. 방지(防止)함.
[捍衞 한위] 방위(防衞)함.
◉勁捍. 對捍. 守捍. 雕捍. 剽捍.

7
⑩ **[捎]** 소 ①[平]蕭 相邀切 xiāo
②③[平]肴 所交切 shāo

[字解] ①덜 소 제거함. '一其藪'《周禮》. ②벨 소 풀을 벰. '一菟絲'《史記》. ③살짝닿을 소 가볍게 접촉함. '花妥鶯一蝶'《杜甫》.

[字源] 篆文 形聲. 扌(手)+肖〔音〕. '肖초·소'는 작게 깎아 내다의 뜻. 물건의 표면을 살짝 훑어 떼다의 뜻을 나타냄.

7
⑩ **[捏]** [人名] 날 [入]屑 奴結切 niē

[字解] 이길 날 흙 같은 것을 반죽함. '一造'.

[字源] 會意. 扌(手)+圼(臬). '圼날'은 또 臼+土로, 절구 속에 흙이 있는 모양. 절구로 흙을 이기다의 뜻을 나타냄.

[捏詞 날사] 전연 근거 없는 말.
[捏造 날조] 흙을 이겨 물건을 만듦. 전(轉)하여, 터무니없는 사실을 꾸며 댐.

7
⑩ **[揑]** 捏(前條)의 訛字

7
⑩ **[捐]** [人名] 연 [平]先 與專切 juān

[字解] ①버릴 연 ㉠내버림. '一忘'. '細大不一'《韓愈》. ㉡희생함. '一軀赴國難'《古詩》. ㉢냄. 지출함. 또, 기부함. '義一'. '出一數萬斤金'《史記》. ②덜 연 없앰. 제거함. '一不急之官'《史記》. ③기부 연 헌납. 또, 부과·징발 등의 뜻으로도 쓰임. '起於紳民好義者一設'《大淸會典》.

[字源] 篆文 形聲. 扌(手)+肙〔音〕. '肙연'은 '작다'의 뜻. 손으로 가늘고 작게 하다, 버려서 덜다의 뜻을 나타냄.

[捐館 연관] 살던 집을 버린다는 뜻으로, 사망(死亡)의 경칭(敬稱).
[捐館舍 연관사] 연관(捐館).
[捐軀 연구] 제 몸을 버림. 일신(一身)을 버리고 국난(國難)을 구(救)함을 이름. 기구(棄軀).
[捐金 연금] 돈을 버림. 돈을 기부함. 또, 기부한 돈.
[捐忘 연망] 버려 잊음.
[捐背 연배] 버리고 배반함.
[捐補 연보] 자기의 재산(財産)을 내어 남의 부족(不足)을 도와줌.
[捐世 연세] 연관(捐館).
[捐助 연조] 연보(捐補).
◉棄捐. 委捐. 遺捐. 義捐. 蠲捐. 出捐. 脫捐.

7
⑩ **[挪]** 나 [平]歌 諸何切 nuó

[字解] ①비빌 나 두 손으로 비빔. '一, 搓一也'《集韻》. ②유용(流用)할 나 '如此項, 應作某項使用, 而擅自改爲別項之用, 則曰一移'《六部成語》.

[字源] 形聲. 扌(手)+那〔音〕

7
⑩ **[捊]** 발 [入]月 蒲沒切 bó

[字解] 뽑을 발 '一, 拔也'《廣雅》. '一拔其根'《淮南子》.

7
⑩ **[揶]** 야 [平]麻 余遮節 yé

[字解] 놓지거리할 야 揶(手部 九畫)와 同字.

[字源] 形聲. 扌(手)+邪〔音〕

[揶弄 야롱] 야유(揶揄).
[揶揄 야유] 남을 빈정거려 놀림. 야유(揶揄).

7
⑩ **[捅]** [一] 통 [上]董 他孔切 tǒng
[二] 송 [上]董 損動切

[字解] [一] ①나아갈 통 앞으로 나감. '一, 進前也'《集韻》. ②끌어당길 통 '一, 引也'《集韻》.

[二] 칠 송 때림. '一, 擊也'《集韻》.

7 ⑩ [捕] [高人] 포 [去]遇 薄故切 bǔ

[筆順] 一 亅 扌 扌 扩 打 捕 捕 捕

[字解] ①잡을 포 사로잡음. 체포함. '一縛'. '一鼠不如狸狌'《莊子》. ②성 포 성(姓)의 하나.
[字源] [篆文] 形聲. 扌(手)+甫〔音〕. '甫보'는 '벼모'의 뜻. 모를 손에 쥐다, 꼭 잡다의 뜻을 나타냄.

[捕擊 포격] 붙잡아 침.
[捕鯨 포경] 고래를 잡음.
[捕繫 포계] 포박하여 옥에 가둠.
[捕告 포고] 죄인을 잡음. 죄인이 있다고 신고함.
[捕校 포교] 조선 시대에 '포도부장(捕盜部將)'을 달리 이르던 말.
[捕盜大將 포도대장]《韓》 포도청(捕盜廳)의 주장(主將).
[捕盜廳 포도청]《韓》 조선(朝鮮) 중기 이후 도둑이나 기타 범죄자를 잡는 일을 맡은 관청.
[捕虜 포로] 사로잡은 적의 군사.
[捕吏 포리] 죄인(罪人)을 포박(捕縛)하는 벼슬아치.
[捕亡 포망] 도망한 자를 잡음.
[捕縛 포박] 잡아 묶음.
[捕繩 포승] 죄인(罪人)을 포박(捕縛)하는 노끈.
[捕影 포영] 그림자를 잡는다는 뜻으로, 잡히는 것이 없음을 이름.
[捕捉 포착] 붙잡음.
[捕治 포치] 죄인을 잡아 다스림.
[捕風 포풍] '포풍착영(捕風捉影)'을 보라.
[捕風捉影 포풍착영] 바람과 그림자를 잡는다는 뜻으로, 헛된 일을 이름.
[捕獲 포획] ㉠적병(敵兵)을 사로잡음. ㉡짐승이나 물고기 등을 잡음.
◉擊捕. 購捕. 擒捕. 拏捕. 拿捕. 督捕. 分捕. 生捕. 收捕. 掩捕. 捉捕. 逮捕. 追捕. 就捕. 縶捕. 討捕.

7 ⑩ [挭] 경 [上]梗 古杏切 gěng

[字解] ①어지러울 경, 어지럽힐 경 분란함. 분란하게 함. 㨣(手部 九畫)과 同字. ②대강 경 대략(大略). 梗(木部 七畫)과 통용. '一槪'.
[字源] 形聲. 扌(手)+更〔音〕

7 ⑩ [捗] [一] 보 [去]遇 蒲故切 bù, pú [二] 척 [入]職 竹力切 zhì

[字解] [一] 거둘 보 수렴(收斂)함. [二] 칠 척 때림.
[字源] 形聲. 扌(手)+步〔音〕

[參考] '進一'은 일어(日語)임.

7 ⑩ [捘] 준 [去]願 子寸切 zùn

[字解] 밀칠 준 떠다밂. 일설(一說)에는, 붙잡음. '一衛侯之手'《左傳》.
[字源] [篆文] 形聲. 扌(手)+夋〔音〕. '夋준'은 슬슬 가다의 뜻. 손을 슬슬 뻗어서 물건을 밀다, 또는 누르다의 뜻을 나타냄.

7 ⑩ [捀] 봉 [平]冬 符容切 féng

[字解] ①받들 봉 두 손을 높이 올려 받음. '一, 奉也'《說文》. ②갈라셀 봉 두 손에 나누어 수를 셈. '一, 孫佃曰, 兩手分而數'《集韻》.
[字源] [篆文] 形聲. 扌(手)+夆〔音〕. '夆봉'은 '만나다'의 뜻. 두 손을 들어 물건을 받다의 뜻을 나타냄. '奉봉'과 동일어(同一語)이체자(異體字).

7 ⑩ [捇] 적 [入]陌 七迹切 chì

[字解] 덜 적 제거함. '赤犮, 猶言一拔也'《周禮 註》.
[字源] [篆文] 形聲. 扌(手)+赤〔音〕. '赤적'은 '째다'의 뜻. 손으로 찢어 발기다의 뜻을 나타냄.

7 ⑩ [捊] 부 ①②[平]尤 薄侯切 póu ③[平]尤 普溝切 pōu ④[平]虞 芳無切 fū

[字解] ①갈 부 논밭을 갈아 손질함. '謂以手一聚, 卽耕種耘鋤也'《禮記 疏》. ②긁어모을 부 손으로 모음. '一, 說文云, 引取也'《廣韻》. ③움켜쥘 부 '一, 掬也'《集韻》. ④칠 부 '一, 擊也'《集韻》.
[字源] [篆文] [別體] 形聲. 扌(手)+孚〔音〕

7 ⑩ [捛] 〔부〕 掊(手部 八畫〈p. 878〉)의 訛字

7 ⑩ [挱] 사 [平]歌 素何切 suō

[字解] 만질 사 주무름. '誰復著手更摩一'《韓愈》.
[參考] 挲(手部 七畫)와 同字.

◉摩挱.

7 ⑩ [挵] 〔롱〕 弄(廾部 四畫〈p. 714〉)과 同字
[字源] 形聲. 扌(手)+弄〔音〕. '弄롱'은 손에 무엇을 가지고 놀다의 뜻.

7 ⑩ [挿] 〔삽〕 插(手部 九畫〈p. 887〉)의 略字

7 ⑩ [捥] 〔선〕 旋(方部 七畫〈p. 963〉)의 俗字

8 ⑫ [掌] [高人] 장 [上]養 諸兩切 zhǎng

[筆順] ' ⺌ ⺌ 尚 尚 堂 堂 掌

[字解] ①손바닥 장 수장(手掌). '一中'. '其如示諸一'《中庸》. ②맡을 장 주관함. '管一'. '冢宰一邦治'《書經》. ③성 장 성(姓)의 하나.
[字源] [篆文] 形聲. 手+尙〔音〕. '尙상'은 '當당'과 통하여, '당하다, 맞다, 부딪다'의 뜻. 손이 물건과 맞부딪치는 부분, 손바닥의 뜻을 나타내며, 파생하여 사물을 맡다의 뜻을 나타냄.

[掌甲 장갑]《韓》방한(防寒) 혹은 치레로 손을 가

리기 위하여 끼는 물건.
[掌故 장고] ㉠전례(典例)를 맡은 벼슬아치. ㉡관례(慣例). 고실(故實).
[掌骨 장골] 손바닥을 이루는 5개의 뼈.
[掌內 장내] 자기(自己)가 맡아보는 일의 범위(範圍) 안.
[掌理 장리] 일을 맡아 처리(處理)함.
[掌紋 장문] 손바닥의 무늬.
[掌狀 장상] 손을 벌린 모양.
[掌握 장악] ㉠손에 쥠. 자기 물건으로 함. ㉡한 줌. 한 줌의 양(量). 소량(小量).
[掌財 장재] 금전(金錢)의 출납(出納)을 맡음. 또, 그 사람.
[掌典 장전] 관장(管掌)함.
[掌中 장중] 움켜쥔 손아귀 안. 손 안. 전(轉)하여, 자기의 소유.
[掌中寶玉 장중보옥] 손 안에 있는 보배와 옥. 아주 소중한 것의 비유.
[掌中珠 장중주] 손에 쥔 구슬. 전(轉)하여, 사랑하는 자식.
[掌判 장판] 결혼 중매를 섬.
◉監掌. 兼掌. 高掌. 股掌. 鼓掌. 管掌. 撫掌. 覆掌. 分掌. 仙人掌. 仙掌. 織掌. 素掌. 手掌. 鞅掌. 運掌. 熊掌. 抵掌. 典掌. 專掌. 指掌. 職掌. 車掌. 參掌. 合掌.

8 ⑫ [掔] 견 ㊥先 苦堅切 qiān

字解 끌 견 牽(牛部 七畫)과 同字. '鄭襄公肉袒—羊以迎'《史記》.
字源 甲骨文 篆文 形聲. 手+臤〔音〕. '臤견'은 '堅견' 또는 '緊긴'의 생략체. '단단하다'의 뜻을 나타냄.

8 ⑫ [掣] ㊀ 체 ㊧霽 尺制切 chè ㊁ 철 ㊨屑 昌列切 chè

字解 ㊀ 끌 체 질질 끎. '見輿曳其牛—'《易經》. ㊁ 당길 철 끌어당김. '—肘'. '羲之密從後—其筆'《晉書》.
字源 形聲. 手+制〔音〕. '制제'는 눌러 멈추게 하다의 뜻. 손으로 말려 자유롭지 못하게 하다의 뜻을 나타냄.

[掣臂 철비] 철주(掣肘).
[掣曳 철예] 끌어당겨 막음. 방해해서 하지 못하게 함.
[掣搖 철요] 끌어당겨 움직임.
[掣電 철전] 번쩍이는 번개. 몹시 짧은 시간(時間)의 비유. 전철(電掣).
[掣肘 철주] 팔뚝을 잡아끈다는 뜻으로, 간섭(干涉)하여 자유(自由)로 못하게 제지(制止)함.
◉牽掣. 輓掣. 電掣. 擺掣.

8 ⑪ [捥] 완 ㊧翰 烏貫切 wàn

字解 팔 완 腕(肉部 八畫)과 同字. '莫不搤—'《史記》.
字源 形聲. 扌(手)+宛〔音〕

8 ⑪ [捧] 人名 봉 ㊤腫 敷奉切 pěng

筆順 一 亅 扌 扌 扌 扌 扌 捧

字解 받들 봉 두 손으로 받듦. '—持'. '兩手—長者之手'《禮記》.
字源 形聲. 扌(手)+奉〔音〕. '奉봉'은 '받들다'의 뜻.

[捧納 봉납] 물건을 바침.
[捧讀 봉독] 공경(恭敬)하여 두 손으로 받들어 읽음.
[捧腹 봉복] 두 손으로 배를 안는다는 뜻으로, 크게 웃는 모양.
[捧腹絶倒 봉복절도] 몹시 우스워서 배를 안고 몸을 가누지 못할 만큼 웃음.
[捧負 봉부] 안거나 업음. 도움.
[捧持 봉지] 공경하여 두 손으로 받듦.
◉詭捧. 對捧. 拜捧. 手捧. 承捧. 執捧.

8 ⑪ [振] 쟁 ㊥庚 直庚切 chéng

字解 닿을 쟁 접촉(接觸)함.

8 ⑪ [捨] 高人 사 ㊤馬 書冶切 shě 舍

筆順 亅 扌 扌 扌 扌 捨 捨

字解 ①버릴 사 ㉠내버림. 또, 사용하지 않고 버려둠. '取—'. '居家不暫—周禮'《文中子》. ㉡잊음. '三世俱—'《傳燈錄》. ②베풀 사 베풀어 줌. 시여(施與)함. '喜—'. '—撤淨財'《隋煬帝》. ③성 사 성(姓)의 하나.
字源 篆文 形聲. 扌(手)+舍〔音〕. '舍사'는 '射사'와 통하여, '놓다'의 뜻. 손에서 놓다, 버리다의 뜻을 나타냄.

[捨命不捨財 사명불사재] 재물을 위해서는 목숨도 아끼지 아니함.
[捨身 사신] 《佛敎》 보은(報恩) 또는 수행(修行)을 위하여 자기의 생명(生命) 또는 속루(俗累)를 끊고 삼보(三寶)를 섬기는 일.
[捨撤 사철] 시여(施與)함.
◉用捨. 淨捨. 中捨. 趣捨. 取捨. 喜捨.

8 ⑪ [捩] ㊀ 렬 ㊨屑 練結切 liè ㊁ 려 ㊧霽 郎計切 lì

字解 ㊀ 비틀 렬 바싹 꼬아 틂. '—手覆羹'《韓愈》. ㊁ 채 려 비파를 타는 제구. '插—擧琵琶'《梁簡文帝》.
字源 形聲. 扌(手)+戾〔音〕. '戾려'는 '꼬이다'의 뜻.

[捩柁 열타] 키를 틀어서 배의 방향을 돌림. 전타(轉柁).

8 ⑪ [捫] 문 ㊥元 莫奔切 mén 扪

字解 ①잡을 문 ㉠움키어 놓지 아니함. '在外爲人所—摸也'《釋名》. ㉡이를 잡음. '—蝨而言, 旁若無人'《晉書》. ②더듬을 문 더듬어 찾음. '傷胷, 乃—足'《史記》.
字源 篆文 形聲. 扌(手)+門〔音〕. '門문'은 '문다'의 뜻. 손으로 더듬어 찾다, 쓰다듬다의 뜻을 나타냄.

[捫摸 문모] ㉠잡음. ㉡더듬어 찾음.

[捫舌 문설] 혀를 더듬음. 말을 삼감.
[捫蝨 문슬] ㉠남이 보는 앞에서 이를 잡음. ㉡방약무인(旁若無人)한 태도(態度)를 이름.

8 ⑪ [掴] 조 [上]篠 直紹切 zhào

[字解] 찌를 조 날카로운 것으로 들이밂. '一, 刺也. 詩其鎛斯一'《集韻》.

8 ⑪ [揞] [一] 답 [入]合 徒合切 tà
[二] 탑 [入]合 託合切 tà

[字解] [一] ①골무 답 바느질할 때 손가락에 끼우는 가죽. '一, 縫指一也'《說文》. ②가죽주머니 답 '一, 一曰, 韜也'《集韻》. [二] ①덮을 탑 '一, 冒也'《集韻》. ②찾을 탑 더듬어 찾음. '一, 一曰, 摹也'《集韻》.
[字源] 形聲. 扌(手)＋沓〔音〕

8 ⑪ [捭] [一] 패 [上]蟹 北買切 bǎi
[二] 벽 [入]陌 博厄切 bā

[字解] [一] ①던질 패, 칠 패 투척(投擲)함. 일설(一說)에는, 두 손으로 침. '莫不𨜌銳挫鋩, 拉一摧藏'《左思》. ②열 패 開(門部 四畫)와 뜻이 같음. 擺(手部 十五畫)와 통용. '學一闔揣摩'《鬼谷子》. [二] 뻐갤 벽, 가를 벽 擗(手部 十三畫)과 同字. '燔黍一豚'《禮記》.
[字源] 篆文 形聲. 扌(手)＋卑〔音〕. '卑비'는 '납작하다'의 뜻. 손으로 두드려 반반하게 펴다의 뜻을 나타냄.

[捭闔 패합] ㉠'개폐(開閉)'와 같음. ㉡전국 시대(戰國時代)에 귀곡자(鬼谷子)가 주장한 변론술(辯論術). 그 변론의 개폐(開閉)·억양(抑揚)·허실(虛實)이 끝없으므로 이름.

8 ⑪ [㨶] 특 [入]職 惕得切 zhé

[字解] ①칠 특 쥐어박음. '一, 擊也'《集韻》. ②밀칠 특 '一, 挨也'《集韻》.

8 ⑪ [据] [人名] 거 ①[平]魚 九魚切 jū
②[去]御 居御切 jù

[字解] ①일할 거 '拮一'는 힘써 일하는 모양. '予手拮一'《詩經》. ②의거할 거 據(手部 十三畫)와 통용. '趙禹一法守正'《漢書》.
[字源] 篆文 形聲. 扌(手)＋居〔音〕. '居거'는 '固고'와 통하여, '굳다'의 뜻. 손이 뻣뻣해지도록 일하다의 뜻을 나타냄.

◉考据. 拮据.

8 ⑪ [捾] 알 [入]曷 烏括切 wò

[字解] ①꺼낼 알, 긁어낼 알 '一, 搯一也'《說文》. ②당길 알 끌어당김. '一, 一曰, 援也'《說文》.
[字源] 篆文 形聲. 扌(手)＋官〔音〕

8 ⑪ [捲] [人名] 권 [平]先 巨員切 quán 卷

[字解] ①말 권 卷(卩部 六畫)과 同字. '席一常山之險'《史記》. ②주먹 권 拳(手部 六畫)과 同字. '解雜亂紛糾者, 不控一'《史記》. ③힘쓸 권 힘써 일하는 모양. '一一乎后之爲人'《莊子》.
[字源] 篆文 形聲. 扌(手)＋卷〔音〕. '卷권'은 '말다'의 뜻. 뒤에 '手수'를 더하여, 뜻을 더욱 분명히 함.

[捲捲 권권] 힘을 들여 수고하는 모양.
[捲手 권수] 쥔 주먹. 주먹.
[捲握 권악] 쥠. 잡음. 전(轉)하여, 세력 같은 것을 쥠. 장악(掌握).
[捲勇 권용] 힘이 셈.
[捲土重來 권토중래] 땅을 돗자리를 마는 것 같은 기세로 다시 온다는 뜻으로, 한번 쇠약하여진 세력을 회복하여 다시 쳐들어옴을 이름.
◉控捲. 席捲.

8 ⑪ [掫] 전 [上]銑 他典切 tiǎn

[字解] 펼 전 길게 늘임. '一, 手伸物也'《集韻》.
[字源] 形聲. 扌(手)＋典〔音〕

8 ⑪ [捗] 표 [去]嘯 彼廟切 biào

[字解] 나누어줄 표 분배(分配)하여 줌. 俵(人部 八畫)와 同字.

8 ⑪ [捶] 추 [上]紙 之累切 chuí

[字解] ①종아리칠 추, 채찍질할 추 '一打'. '一笞臏脚'《荀子》. ②찧을 추 절구에 빻음. '一而食之'《禮記》. ③종아리채 추, 채찍 추 '一扑'. '撽以馬一'《莊子》.
[字源] 篆文 形聲. 扌(手)＋垂(𠂹)〔音〕. '𠂹수'는 아래로 늘어지다의 뜻. 지팡이로 내리치다의 뜻을 나타냄.

[捶擊 추격] 종아리를 침.
[捶撻 추달] 추타(捶打).
[捶扑 추복] 종아리채. 또, 종아리를 침.
[捶殺 추살] 때려죽임. 타살(打殺).
[捶楚 추초] 추복(捶扑).
[捶治 추치] 죄인을 볼기를 쳐 다스림.
[捶打 추타] 종아리를 침.
[捶笞 추태] 추타(捶打).
◉撾捶. 驅捶. 搒捶. 楚捶. 鞭捶.

8 ⑪ [捷] [人名] 첩 [入]葉 疾葉切 jié

[筆順] 一 十 扌 扌 扌 挦 挦 捷

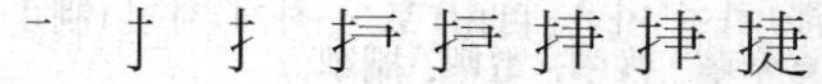

[字解] ①이길 첩 승전함. '戰一'. '一月三一'《詩經》. ②빠를 첩 민첩함. '輕一'. '吳越智之, 可謂一矣'《呂氏春秋》. ③빨리 첩 속히. '事業一成'《荀子》. ④노획물 첩 전리품. '齊侯來獻戎一'《左傳》.
[字源] 篆文 形聲. 扌(手)＋疌〔音〕. '疌녑'은 '재빠르다'의 뜻. 손을 재빠르게 놀려서 사냥감을 잡다의 뜻.

[捷擧 첩거] 재빨리 일을 행함.
[捷勁 첩경] 날래고 강함.
[捷徑 첩경] ㉠지름길. ㉡어떠한 일에 이르기 쉬

운 방법.
[捷巧 첩교] 빠르고 교묘함.
[捷口 첩구] 말을 잘함.
[捷給 첩급] 말을 썩 잘하여 막히지 않음.
[捷路 첩로] 지름길.
[捷利 첩리] 열쌔고 날램.
[捷敏 첩민] 첩속(捷速).
[捷步 첩보] ㉠빨리 걷는 걸음. 또, 빨리 걸음. ㉡파발꾼.
[捷報 첩보] 싸움에 이긴 보고(報告).
[捷書 첩서] 싸움에 이긴 것을 보고하는 글.
[捷成 첩성] 속(速)히 이룸.
[捷速 첩속] 민첩(敏捷)함.
[捷足 첩족] 빠른 걸음.
[捷疾 첩질] 빠름.
[捷捷 첩첩] 빠른 모양. 민첩한 모양.
◉簡捷. 健捷. 輕捷. 警捷. 巧捷. 狡捷. 趫捷. 克捷. 大捷. 猛捷. 敏捷. 辯捷. 迅捷. 姸捷. 雄捷. 戰捷. 便捷.

8
⑪ **[捺]** [人名] 날 [入]曷 奴曷切 nà

[筆順] 一 十 扌 扌 扌 捺 捺 捺

[字解] ①누를 날 도장 같은 것을 누름. '一印'. ②삐침 날 서법(書法)의 하나. '大'·'人' 등의 '乀'.
[字源] 形聲. 扌(手)＋奈〔音〕

[捺靈 날령] 경상북도 영주(榮州)의 옛 이름.
[捺染 날염] 피륙에 무늬 따위를 찍어 물들임.
[捺印 날인] 도장을 찍음. 인을 침.
[捺章 날장] 날인(捺印).
[捺絃引 날현인] 신라 진평왕(眞平王) 때 중 담수(淡水)가 지었다는 악곡.
[捺糊 날호] 우롱(愚弄)함.

8
⑪ **[捻]** [人名] 념(녑[本]) [入]葉 奴協切 niē

[字解] 비틀 념 바싹 꼬며 틂. 집음. '一出'. '十方諸佛, 手一香付彼爐中'《法苑珠林》.
[字源] 篆文 形聲. 扌(手)＋念〔音〕. '念념'은 고정시켜 두다의 뜻. '撚연'과 통하여, 손바닥 안에서 물건을 비틀다의 뜻을 나타냄.

[捻管 염관] 붓을 쥠. 붓을 잡음.
[捻匪 염비] 청조(淸朝)의 가경 연간(嘉慶年間)에 산둥(山東)·장쑤(江蘇)·안후이(安徽) 제성(諸省)에 일어난 난민(亂民).
[捻鼻 염비] 코를 쥔다는 뜻으로, '달갑지 않게 여기는 모양'을 이르는 말.
[捻子 염자] 염비(捻匪).

8
⑪ **[捼]** 뇌 [平]灰 乃回切 ruó

[字解] 비빌 뇌 挼(手部 七畫)와 同字. '一莎五木擲梟盧'《元稹》.
[字源] 篆文 形聲. 扌(手)＋委〔音〕. '委위'는 나긋나긋하게 늘어지다의 뜻. 양손으로 비비다의 뜻을 나타냄.

[捼莎 뇌사] 손바닥으로 문지름.

8
⑪ **[捿]** [人名] 서 [平]齊 先稽切 qī

[字解] 깃들일 서, 살 서 棲(木部 八畫)와 同字. '悉此永幽一'《謝靈運》.

◉同捿. 幽捿.

8
⑪ **[捽]** 졸 [入]月 昨沒切 zuó

[字解] ①잡을 졸 ㉠머리를 휘어잡음. '溺則一其髮而拯'《淮南子》. ㉡붙잡음. 꼭 잡음. '一引'. '一胡投何羅殿下'《漢書》. ②뽑을 졸 '一中把土'《漢書》. ③겨룰 졸 대항함. '戎夏交一'《國語》. ④다툴 졸 싸움. '齊人之井飮者相一也'《莊子》.
[字源] 篆文 形聲. 扌(手)＋卒〔音〕. '卒졸'은 '갑자기, 빠르다'의 뜻. 재빠르게 잡다의 뜻을 나타냄.

[捽搏 졸박] 머리를 휘어잡고 손으로 침.
[捽抑 졸억] 붙잡음. 체포함.
[捽引 졸인] 붙잡아 끎.
◉交捽. 擒捽. 撞捽. 手捽.

8
⑪ **[掀]** 흔 [平]元 虛言切 xiān

[字解] 번쩍들 흔 손으로 높이 듦. '乃一公以出於淖'《左傳》.
[字源] 篆文 形聲. 扌(手)＋欣〔音〕. '欣흔'은 '들다'의 뜻. 또, '斤근'과 통하여, 번쩍 치켜드는 도끼의 뜻. 손으로 높이 들어 올리다의 뜻을 나타냄.

[掀舞 흔무] 날개를 치며 올라감.
[掀腫 흔종] 부어오름.
[掀簸 흔파] 까불려 올라감. 까불려 올라가게 함.
[掀掀 흔흔] 높이 솟은 모양. 높이 드는 모양.

8
⑪ **[掅]** 청 [去]徑 千定切 qìng

[字解] ①잡을 청 붙잡음. '一, 捽也'《廣雅》. ②가질 청 손에 넣음. '一, 博雅, 持也'《集韻》.

8
⑪ **[掃]** [高人] 소 [上]晧 蘇老切 sǎo [去]號 蘇到切 扫

[筆順] 一 十 扌 扌 扌 扌 掃 掃

[字解] ①쓸 소 ㉠소제함. '淸一'. '一灑待之'《後漢書》. ㉡제거함. '一項軍於垓下'《張衡》. ②칠할 소 바름. '淡一娥眉朝至尊'《杜甫》.
[字源] 形聲. 扌(手)＋帚〔音〕. '帚추'는 '비'의 뜻. 비를 손에 들다, 쓸다의 뜻을 나타냄.

[掃去 소거] 쓸어서 없앰.
[掃萬 소만] 모든 일을 제쳐 놓음.
[掃滅 소멸] 쓸어서 없앰.
[掃墓 소묘] 성묘(省墓).
[掃刷 소쇄] 먼지를 텖. 소제함.
[掃灑 소쇄] 먼지를 털고 물을 뿌림.
[掃愁帚 소수추] '술〔酒〕'의 별칭(別稱).
[掃拭 소식] 쓸고 닦음.
[掃除 소제] 깨끗이 쓸고 닦음.
[掃地 소지] ㉠땅바닥을 쓸어 깨끗이 함. ㉡흔적도 없이 됨.

[掃滌 소척] 소제(掃除).
[掃淸 소청] 소제(掃除).
[掃晴娘 소청랑] 오랫동안 장마가 졌을 때 종이나 대 같은 것으로 각시를 만들어 비를 쥐게 하고 처마 밑에 매달아 놓는 것.
[掃帚 소추] 비.
[掃蕩 소탕] 쓸어 없애 버림.
[掃海 소해] 바다 가운데 있는 위험(危險)한 물건을 제거하여 항해(航海)를 안전하게 하는 일.
◉淡掃. 代掃. 刷掃. 洒掃. 灑掃. 一掃. 淨掃. 淸掃. 吹掃. 風掃. 揮掃.

8 ⑪ [掃] 掃(前條)와 同字

8 ⑪ [掄] [一] 륜 [平]眞 力迍切 lún [二] 론 [平]元 盧昆切 lún

[字解] [一] 가릴 륜 선택함. '入山林一材'《周禮》. [二] 가릴 론 [一]과 뜻이 같음.
[字源] 篆文 形聲. 扌(手)+侖〔音〕. '侖륜'은 차례를 매기다의 뜻. 대상을 차례 매겨, 그중에서 좋은 것을 고르다의 뜻을 나타냄.

◉選掄.

8 ⑪ [掆] 강 [平]陽 古郎切 gāng

[字解] 들 강 들어 올림. 扛(手部 三畫)과 同字. '一鼓金鉦'《唐書》.

8 ⑪ [捦] 금 [平]侵 巨金切 qín

[字解] 움켜쥘 금 꼭 쥠. '一, 手捉物也'《一切經音義》.
[字源] 篆文 形聲. 扌(手)+金〔音〕. '襟금'과 통하여, '꼭 쥐다'의 뜻을 나타냄.

8 ⑪ [豚] 탁(착[本]) [入]覺 竹角切 zhuó

[字解] ①나무찌를 탁 나무에 구멍을 팜. '一, 刺木也'《玉篇》. ②밀 탁 밀침. '一, 推也'《廣韻》. ③칠 탁 두드림.

8 ⑪ [掇] 철 [入]屑 陟劣切 duó

[字解] ①주울 철 ㉠습득함. '一拾山中薪'《楊基》. ㉡주워 모음. '一切一拾, 成集古錄'《宋史》. ②노략질할 철 약탈함. '燒一焚杅君之國'《史記》. ③성 철 성(姓)의 하나.
[字源] 篆文 形聲. 扌(手)+叕〔音〕. '叕철'은 꿰매어 잇다의 뜻. 잘게 잘린 물건을 손으로 주워 모으다의 뜻을 나타냄.

[掇拾 철습] ㉠주움. 주워 가짐. ㉡주워 모음.
[掇擷 철힐] 잎 같은 것을 땀.
◉攟掇. 攬掇. 裒掇. 燒掇. 收掇. 拾掇. 摘掇. 精掇. 采掇. 抄掇. 取掇.

8 ⑪ [授] [中·人] 수 [上]有 是酉切 shòu

[筆順] 一 十 扌 扌 扌 扌 扌 授

[字解] ①줄 수 ㉠수여함. '一受'. '還予一子之粲兮'《詩經》. ㉡수교(手交)함. '男女不親一'《禮記》. ㉢가르침. '一業'. '子夏居西河教一'《史記》. ㉣임명함. '一爵'. '近寤今日謬一之失'《吳志》. ②성 수 성(姓)의 하나.
[字源] 篆文 形聲. 扌(手)+受〔音〕. '受수'는 '받고 주다'의 뜻. '手수'를 덧붙여, 주로 '주다'의 뜻을 나타냄.

[授戒 수계] 《佛敎》 새로 불문(佛門)에 들어간 사람에게 계율(戒律)을 수여함.
[授産 수산] 일거리를 주어 생활(生活)의 방도(方途)를 세워 줌.
[授受 수수] 주고받음.
[授業 수업] 학문(學問)·기술(技術)을 가르쳐 줌.
[授與 수여] 줌.
[授乳 수유] 어린아이에게 젖꼭지를 물려 젖을 먹임.
[授衣 수의] 옷을 준다는 뜻으로, 옛날에는 9월에 동의(冬衣)를 나누어 주었음. 전(轉)하여, '음력(陰曆) 9월'의 이칭(異稱).
[授爵 수작] 작위(爵位)를 줌.
◉簡授. 講授. 敎授. 口授. 拜授. 付授. 師授. 宣授. 選授. 禪授. 受授. 習授. 神授. 傳授. 銓授. 除授. 指授. 天授. 囑授. 寵授. 親授. 割授. 誨授. 訓授.

8 ⑪ [掉] [人名] 도 [去]嘯 待弔切 diào

[字解] ①흔들 도 요동시킴. '一尾'. '一臂而不顧'《史記》. ②흔들릴 도 요동함. '尾大不一'《左傳》. ③바로잡을 도 정돈함. '一鞅而還'《左傳》.
[字源] 篆文 形聲. 扌(手)+卓〔音〕. '卓탁'은 '높다'의 뜻. 손을 높이 치켜들다의 뜻을 나타냄.

[掉尾 도미] ㉠꼬리를 흔듦. ㉡끝판에 더욱 활동(活動)함. ㉢문장(文章)의 결론에 힘이 있음.
[掉舌 도설] 변설(辯舌)을 휘두름. 잘 지껄임.
◉尾大不掉. 搖掉. 戰掉. 振掉. 蕩掉. 揮掉.

8 ⑪ [掊] 부 ①②[平]尤 薄侯切 póu ③④[上]有 方垢切 pǒu ⑤[去]遇 芳遇切 fù

[字解] ①헤칠 부 속에 있는 것을 드러나게 하려고 헤침. '一視得鼎'《漢書》. ②거둘 부 가렴주구함. '曾是一克'《詩經》. ③칠 부 공격함. '自一擊於世俗'《莊子》. ④가를 부 剖(刀部 八畫)와 同字. '一斗折衡'《莊子》. ⑤엎드러질 부, 넘어뜨릴 부 仆(人部 二畫)·踣(足部 八畫)와 同字. '一兵罷去'《史記》.
[字源] 篆文 形聲. 扌(手)+咅〔音〕. '咅부'는 '둘로 가르다'의 뜻. '剖부'와 통하여, 손을 써서 둘로 가르다의 뜻을 나타냄. 또 '咅'는 '떼다'의 뜻에서, 다섯 손가락을 떼어 갈퀴 모양으로 하여 물건을 그러모으다의 뜻을 나타냄. 또 '踣복·부'와 통하여, '넘어지다'의 뜻을 나타냄.

[掊擊 부격] 공격함.
[掊克 부극] 가렴주구(苛斂誅求)함. 또, 그 사람.
[掊斗折衡 부두절형] 말〔斗〕을 깨부수고 저울을 부러뜨림. 말이나 저울들이 있어서 사람들이 다투므로 이를 부수어 버리면 다툼이 없어짐.

부(掊)는 부(剖).
[掊摘 부적] 모아 가짐. 주워 모음.
◉擊掊. 攻掊. 矜掊. 鋤掊. 手掊. 峻掊.

8
⑪ [掍] 혼 [上]阮 胡本切 hùn

[字解] ①섞을 혼 混(水部 八畫)과 同字. '一建章而連外屬'《班固》. ②합칠 혼 합동(合同)함. '帶以象牙, 一其會合'《王褒》.
[字源] 篆文 形聲. 扌(手)+昆〔音〕. '昆혼'은 솟아올라 돌다의 뜻. 손으로 휘저어 섞다의 뜻을 나타냄.

8
⑪ [掎] 기 [上]紙 居綺切 jǐ

[字解] ①한다리끌 기 다리 하나를 잡아당김. '譬如捕鹿, 晉人角之, 諸戎一之'《左傳》. ②당길 기 ㉠뒤에서 끌어당김. '一止晏萊焉'《國語》. ㉡옆으로 끌어당김. '伐木一矣'《詩經》. ㉢시위를 당김. '機不虛一'《班固》. ③뽑을 기 뽑아냄. '一拔五嶽'《木華》.
[字源] 篆文 形聲. 扌(手)+奇〔音〕. '奇기'는 갈고리꼴로 구부러지다의 뜻. 팔을 구부려 한 다리를 잡고 끌다의 뜻을 나타냄.

[掎角 기각] 사슴을 잡을 때 뒤에서는 발을 잡고 앞에서는 뿔을 쥔다는 뜻으로, 앞뒤에서 협격(挾擊)함을 이름.
[掎擊 기격] 등 뒤에서 침.
[掎拔 기발] 뽑음. 뽑아냄.
[掎止 기지] 뒤에서 가지 못하게 끎.
[掎摭 기척] 하나하나 주워 올림. 끌어당겨서 거두어 가짐.
◉角掎. 後掎.

8
⑪ [掏] 도 [平]豪 徒刀切 tāo

[字解] ①가릴 도 선택함. ②더듬을 도 속어(俗語)로서, 물건을 더듬어 찾는 일. 전(轉)하여, 소매치기를 하는 일. '一兒'.
[字源] 形聲. 扌(手)+匋〔音〕. '匋도'는 도기(陶器)의 뜻. 오지그릇 속에 손을 넣고 찾다, 더듬다의 뜻을 나타냄.

[掏摸 도모] 소매치기를 함. 또, 소매치기.
[掏兒 도아] 소매치기.

8
⑪ [掐] 겹 [入]洽 苦洽切 qiā

[字解] ①딸 겹 적취(摘取)함. '以一摘供廚'《顏氏家訓》. ②할퀼 겹 손톱으로 생채기를 냄. '一鼻灸眉頭'《晉書》.
[字源] 篆文 形聲. 扌(手)+臽〔音〕. '臽함'은 '옴폭 패다'의 뜻. 손을 오므려서 물건을 집어내다의 뜻을 나타냄.

[掐摘 겹적] 잎 같은 것을 땀.

8
⑪ [排] [高人] 배 ①-④[平]佳 步皆切 pái
⑤[去]卦 步拜切 bài

[筆順] 一 ‡ 扌 打 扫 扫 排 排
[字解] ①밀칠 배 밀어젖힘. 밀어 엶. '一門'. '廼一闥直入'《史記》. ②물리칠 배 배척함. '一擠'. '一患釋難'《史記》. ③늘어설 배 차례로 섬. '一立'. '一列'. ④줄 배 늘어선 줄. '二人一一'《紀效新書》. ⑤풀무 배 韛(韋部 十畫)와 통용. '造作水一, 鑄爲農器'《後漢書》.
[字源] 篆文 形聲. 扌(手)+非〔音〕. '非비'는 좌우로 나누다의 뜻. 손으로 좌우로 밀어 열다, 밀어젖히다의 뜻을 나타냄.

[排却 배각] 물리쳐 버림.
[排擊 배격] ㉠쳐서 물리침. ㉡힐난(詰難)함.
[排遣 배견] ㉠밀어젖힘. ㉡걱정을 없앰. 소견(消遣).
[排球 배구] 코트 중앙에 네트를 치고 양쪽 사람들이 서로 공을 떨어뜨리지 않고, 상대편에 넘겨 승부를 다투는 유희(遊戲). 발리볼.
[排氣 배기] 속에 있는 공기를 뽑아 버림.
[排難解紛 배난해분] 곤란(困難)을 배제(排除)하고 분란(紛亂)을 수습(收拾)함.
[排闥直入 배달직입] 무단히 남의 집에 들어감.
[排倒 배도] 밀어젖혀 넘어뜨림.
[排立 배립] 줄지어 죽 늘어섬.
[排門 배문] 문을 밀어 엶.
[排悶 배민] 마음속의 고민을 떨쳐 버림.
[排佛 배불] 불교(佛敎)를 배척함.
[排拂 배불] 물리치어 떨어 버림.
[排比 배비] ㉠차례로 늘어놓음. ㉡비례에 따라 나누어 몫을 지음.
[排朔 배삭] 한 달에 얼마씩 분배함.
[排山壓卵 배산압란] 산을 밀어붙여 달걀을 누른다는 뜻으로, '아주 하기 쉬움'을 비유하여 이르는 말.
[排泄 배설] ㉠안에서 밖으로 새어 나가게 함. ㉡동물이 먹은 음식물 중의 영양분을 섭취하고 잔여의 노폐물(老廢物)을 몸 밖으로 내보냄.
[排設 배설] 벌여 베풀어 놓음.
[排泄器 배설기] 동물체의 배설(排泄) 작용을 맡은 기관(器官). 신장(腎臟)·요관(尿管) 따위.
[排水 배수] ㉠안에 있는 물을 밖으로 내보냄. ㉡물꼬를 터놓음.
[排斡 배알] 밀어 돌게 함. 알(斡)은 선(旋).
[排抑 배억] 물리쳐 억제함.
[排列 배열] 죽 벌이어 열을 지음. 또, 차례로 늘어놓음.
[排奡 배오] 강성(強盛)함.
[排月 배월] 배삭(排朔).
[排律 배율] 한시(漢詩)의 한 체(體). 오언(五言) 또는 칠언(七言)으로 열두 짝, 곧 여섯 구 이상이 되는 율시.
[排日 배일] ㉠하루에 얼마씩 분배함. ㉡일본 사람 또는 일본의 세력을 배척함.
[排詆 배저] 물리치며 비방함.
[排折 배절] 물리쳐 기세를 꺾음.
[排除 배제] 물리쳐 덜어 버림. 배척하여 제거함.
[排擠 배제] 배함(排陷).
[排斥 배척] 물리치어 내침.
[排出 배출] ㉠밀어 내보냄. ㉡배설(排泄).
[排置 배치] 벌여 놓음.
[排布 배포] 《韓》 마음속으로 일을 이리저리 계획(計劃)함.
[排陷 배함] 배격하여 죄에 빠뜨림.
[排行 배항] ㉠한 겨레 중에서 장유(長幼)·존비(尊卑) 등에 의한 순서. 배항(輩行). ㉡열을 지

어 늘어섬.
[排貨 배화] 어떠한 사람 또는 어떠한 나라의 물화(物貨)를 배척(排斥)하여 매매(賣買) 거래를 아니함.
◉擊排. 譏排. 防排. 旁排. 謗排. 水排. 安排. 按排. 觝排. 擠排. 嘲排. 推排. 衝排. 彭排.

8 ⑪ [掖] 人名 액 ㉤陌 羊益切 yè

字解 ①겨드랑이 액 腋(肉部 八畫)과 同字. '衣逢一之衣'《禮記》. ②낄 액 겨드랑이에 낌. '一以赴外殺之'《左傳》. ③곁부축할 액 곁에서 도와줌. '扶一'. '誘一其君也'《詩經》. ④곁채 액, 곁문 액 주요한 건물 곁에 있는 채, 또는 문. '闌入尙方一門'《漢書》. ⑤후궁 액 뒤쪽에 있는 궁전. '恃宮一聲勢'《後漢書》. ⑥성 액 성(姓)의 하나.
字源 篆文 形聲. 扌(手)+夜〔音〕. '夜야·액'은 亦+夕으로, '亦역'과 통하여, '겨드랑이'의 뜻. '手수'를 더하여, 겨드랑이에 끼다의 뜻을 나타냄.

[掖隷 액례] 후궁(後宮)에 딸린 관원이나 하인.
[掖門 액문] 궁전의 양쪽 곁에 있는 작은 문.
[掖省 액성] 궁전 안에 있는 관서.
[掖垣 액원] 궁중의 정전(正殿) 곁에 있는 담.
[掖誘 액유] 도와 인도함.
[掖庭 액정] 궁녀가 있는 궁전. 후궁(後宮). 후정(後庭).
◉宮掖. 闕掖. 禁掖. 蘭掖. 丹掖. 鳳掖. 縫掖. 扶掖. 西掖. 仙掖. 宸掖. 誘掖. 提掖. 振掖. 樞掖.

8 ⑪ [掘] 人名 ㊀ 굴 ①-③㉤物 衢物切 jué / ④㉤月 其月切 / ㊁ 궐 ㉤月 苦骨切 kū

字解 ㊀ ①팔 굴 ㉠우묵하게 팜. '辟若一井'《孟子》. ㉡파냄. 땅속의 매장물을 캐냄. '採一北芒及南山佳石'《北史》. ②우뚝솟을 굴 崛(山部 八畫)과 통용. '洪臺一其獨出兮'《揚雄》. ③다할 굴 다 들임. '一變極物窮情'《太玄經》. ④암굴 굴, 구멍 굴 窟(穴部 八畫)과 통용. '窮巷一門'《戰國策》. ㊁ 뚫을 궐 구멍을 뚫음. '一地爲臼'《易經》.
字源 篆文 形聲. 扌(手)+屈(屈)〔音〕. '屈굴'은 '厥궐'과 통하여, '후벼 내다'의 뜻. 또, '구부리다'의 뜻. 허리를 굽혀서 구멍을 파다의 뜻을 나타냄.

[掘檢 굴검] 시체를 파내어 검증함.
[掘起 굴기] 우뚝 솟음. 굴기(崛起).
[掘門 굴문] 구멍과 같은 가난한 집의 문(門).
[掘變 굴변] ㉠갖은 변화를 함. ㉡무덤을 파내어 생긴 변고.
[掘移 굴이] 무덤을 옮김.
[掘鑿 굴착] 굴천(掘穿).
[掘穿 굴천] 우묵하게 팜.
[掘塚 굴총] 무덤을 파냄.
◉開掘. 亂掘. 濫掘. 露天掘. 盜掘. 發掘. 試掘. 鑿掘. 採掘.

8 ⑪ [掛] 高人 괘 ㉢卦 古賣切 guà

筆順 一 十 扌 扩 扩 挂 挂 掛
字解 걸 괘 걸쳐 놓음. '一軸'. '一一以象三'《易經》.
字源 形聲. 扌(手)+卦〔音〕
參考 挂(手部 六畫)는 俗字.

[掛冠 괘관] 벼슬을 내놓음. 사직함.
[掛念 괘념] 마음에 두고 잊지 아니함.
[掛曆 괘력] 벽에 걸어 놓고 보는 일력(日曆)이나 달력.
[掛書 괘서] 익명(匿名)의 게시문(揭示文).
[掛錫 괘석] 《佛敎》 순행(巡行)하던 중이 석장(錫杖)을 걸어 둔다는 뜻으로, 중이 한 곳에 머무름을 이름. 순석(巡錫)의 대(對).
[掛鐘 괘종] 걸어 두고 보는 시계.
[掛軸 괘축] 걸어 놓는 서화축.

8 ⑪ [掞] ㊀ 섬 ㉢豔 舒贍切 shàn / ㊁ 염 ①㉢豔 以贍切 yàn / ②㉡琰 以冉切 yǎn

字解 ㊀ 퍼질 섬, 펼 섬 널리 퍼짐. 널리 퍼지게 함. '摛藻一天庭'《左思》. ㊁ ①불꽃 염, 탈 염 炎(火部 四畫)과 통용. '長麗前一光耀明'《漢書》. ②날카로울 염 剡(刀部 八畫)과 통용. '剸一度擬'《馬融》.
字源 形聲. 扌(手)+炎〔音〕. '炎염'은 타오르는 불길의 뜻. 타오르게 하여 빛나게 하다의 뜻을 나타냄.

[掞張 섬장] 문장(文章)이 화려함.
[掞藻 섬조] 사조(詞藻)가 풍부함. 문장이 아름다움.
◉擊掞. 剸掞.

8 ⑪ [捆] 〔곤〕
捆(手部 七畫〈p. 872〉)의 俗字

8 ⑪ [掾] 〔록〕
摝(手部 十一畫〈p. 900〉)과 同字

8 ⑪ [拼] 〔병·평〕
拼(手部 六畫〈p. 868〉)의 本字

8 ⑪ [掷] ㊀ 치 ①㉢寘 直吏切 zhì / ②㉡紙 丈里切 / ㊁ 식 ㉤職 常職切 zhí

字解 ㊀ ①던질 치 멀리 던짐. '一, 投也'《集韻》. ②가질 치 손에 쥠. '一, 持也'《集韻》. ㊁ 짚을 식 지팡이를 짚음. '拄杖曰一'《廣韻》.

8 ⑪ [掠] 高人 ㊀ 략 ㉤藥 離灼切 lüè / ㊁ 량 ㉢漾 力讓切 lüè

筆順 一 十 扌 扌' 扌 扌 掠 掠
字解 ㊀ ①노략질할 략 탈취함. '一奪'. '一於郊野, 以足軍食'《戰國策》. ②볼기칠 략, 매질할 략 죄인을 매질함. '一笞'. '下獄一治'《漢書》. ㊁ 노략질할 량, 볼기칠 량, 매질할 량 ㊀과 뜻이 같음.
字源 篆文 形聲. 扌(手)+京〔音〕. '京경'은 '略략'과 통하여, '노략질하다'의 뜻. '手

수'를 더하여, '탈취하다'의 뜻을 나타냄.

[掠劫 약겁] 노략질하고 위협함.
[掠盜 약도] 노략질함. 강탈함.
[掠抄 약초] 약탈(掠奪).
[掠治 약치] 매질하며 죄인(罪人)을 심문(審問)함.
[掠奪 약탈] 폭력을 써서 억지로 빼앗음.
[掠笞 약태] 죄인을 매질함.
◉劫掠. 考掠. 拷掠. 寇掠. 鹵掠. 虜掠. 擄掠. 盜掠. 剝掠. 搒掠. 肆掠. 殺掠. 掃掠. 殘掠. 採掠. 楚掠. 侵掠. 奪掠. 笞掠. 暴掠. 剽掠.

8 ⑪ [揎] 순 ㊀霰 船釧切 shuàn

字解 다림볼 순 물건의 수평(水平) 또는 수직(垂直)을 알기 위하여 다림줄을 늘여 보는 일. '一, 望繩取正'《集韻》.

8 ⑪ [採] 中人 채 ㊤賄 倉宰切 cǎi

筆順 一 丨 扌 扩 扩 扩 拦 採

字解 ①캘 채, 딸 채 채굴하거나 적취(摘取)함. '一鑛'. '一摘'. '秋冬則勸民山一'《史記》. ②가릴 채 골라 씀. '一擇'. '屬文著辭, 有可觀一'《後漢書》. ③나무꾼 채 초부(樵夫). '芻牧薪一'《戰國策》.

字源 形聲. 扌(手)+采〔音〕. '采채'는 과실을 따다의 뜻. 뒤에 '手수'를 덧붙임.

[採決 채결] 가부(可否)를 묻고 채택(採擇)하여 결정(決定)함.
[採工 채공] 광부(鑛夫).
[採光 채광] 실내(室內)에 광선(光線)을 받아들임.
[採鑛 채광] 광물(鑛物)을 캐냄.
[採掘 채굴] 땅속에 있는 물건을 캐냄.
[採根 채근] ㉠식물(植物)의 뿌리를 캐냄. ㉡일의 근원(根源)을 캐냄.
[採金 채금] 금(金)을 캠.
[採納 채납] ㉠의견을 받아들임. ㉡사람을 가려 뽑아서 씀.
[採得 채득] 수탐(搜探)하여 사실(事實)을 찾아냄.
[採問 채문] 더듬어 찾아서 물음. 탐문(探問).
[採訪 채방] 모르는 곳을 물어 가며 찾음.
[採伐 채벌] 나무를 베어 냄.
[採算 채산] 수지(收支)가 맞고 안 맞는 셈.
[採蔘 채삼] 인삼(人蔘)을 채취함.
[採拾 채습] ㉠주움. 주워 모음. ㉡나무를 하고 열매를 줍는다는 뜻으로, 구차한 생활을 함을 이름.
[採薪之憂 채신지우] 자기의 병(病)의 겸칭(謙稱).
[採藥 채약] 약재(藥材)를 채취함.
[採用 채용] 사람을 뽑아 씀.
[採挹 채읍] 물을 퍼냄. 뜸.
[採字 채자] 인쇄소(印刷所)에서 원고(原稿)대로 활자(活字)를 골라 뽑는 일. 문선(文選).
[採摘 채적] 잎 같은 것을 땀.
[採點 채점] 점수(點數)를 매김.
[採種 채종] 씨앗을 골라서 받음.
[採集 채집] 잡거나 따거나 캐거나 하여 모음.
[採摭 채척] 주움. 주워 모음. 채습(採拾).
[採取 채취] ㉠캐어 냄. ㉡풀이나 나뭇가지 같은 것을 베어 냄.
[採炭 채탄] 석탄(石炭)을 캐어 냄.
[採探 채탐] 채방(採訪).
[採擇 채택] 가려 뽑음.
[採擷 채힐] ㉠손으로 잘라 땀. ㉡옷섶을 여며 접어 띠에 끼우고 물건을 그 속에 넣음.
◉捃採. 博採. 訪採. 伐採. 收採. 搜採. 薪採. 綜採.

8 ⑪ [探] 中人 탐 ㊥覃 他含切 tàn

筆順 一 丨 扌 扩 扩 抨 挥 探

字解 ①더듬을 탐 ㉠찾음. '一索'. '一賾索隱'《易經》. ㉡밝히려고 함. 구명(究明)함. '春秋深一其本'《漢書》. ㉢엿봄. 염탐함. '一偵'. '已一先君之邪志'《穀梁傳》. ②찾을 탐 가 봄. 방문함. '一友'. '在昔一賞猶可數, 深景秀句今得傳'《梅堯臣》.

字源 篆文 形聲. 扌(手)+罙〔音〕. '罙담'은 본디, 깊은 태(胎) 속에서 아기를 더듬어 꺼내는 모양을 본뜸. '手수'를 덧붙여, '더듬다, 찾다'의 뜻을 나타냄. '探탐'은 '罙' 부분이 변형된 것.

[探看 탐간] 찾아봄.
[探檢 탐검] 탐색(探索)하고 검사함.
[探抉 탐결] 찾아냄.
[探求 탐구] 더듬어서 구(求)함.
[探究 탐구] 더듬어서 연구(硏究)함.
[探騎 탐기] 적정(敵情)을 살피는 기병(騎兵).
[探囊中之物 탐낭중지물] 주머니 속의 물건을 찾아 갖는다는 뜻. 일이 매우 쉬움의 비유.
[探卵之患 탐란지환] 어미 새가 나간 사이에 새집의 알을 빼앗길까 염려하는 근심. 전(轉)하여, 자기가 사는 곳을 습격당할까 두려워하는 근심.
[探問 탐문] 더듬어 찾아서 물음.
[探聞 탐문] 더듬어 캐어 들음.
[探訪 탐방] ㉠탐문(探問)하여 찾아봄. ㉡기자 등이 기사 재료를 얻기 위하여 그 목적 인물(目的人物)을 찾아감.
[探報 탐보] 더듬어 찾아 알림.
[探査 탐사] 더듬어 조사(調査)함.
[探賞 탐상] 경치 좋은 곳을 찾아가서 구경함.
[探索 탐색] ㉠실상(實狀)을 더듬어서 찾음. ㉡범죄자의 행방이나 그 죄상을 살펴 캐어 냄.
[探勝 탐승] 경치 좋은 곳을 찾아다님.
[探勝客 탐승객] 경치 좋은 곳을 찾아다니는 사람.
[探尋 탐심] 탐토(探討).
[探龍頷 탐용함] 용의 턱 안의 구슬을 더듬는다는 뜻으로, 큰 이익(利益)을 얻기 위하여 큰 모험(冒險)을 무릅씀을 이름. 탐호혈(探虎穴).
[探友 탐우] 벗을 찾음. 벗의 집을 방문함.
[探禹穴 탐우혈] 하(夏)나라의 우왕(禹王)이 들어갔다는 굴을 찾는다는 뜻으로, 명산대천(名山大川)을 탐방(探訪)함을 이름.
[探韻 탐운] 시를 지을 때 운자(韻字)를 찾음.
[探驪龍 탐이룡] 이룡(驪龍)의 턱 밑을 더듬어 여의주(如意珠)를 얻음. 목숨을 걸고 위험을 무릅써서 영광(榮光)을 얻음의 비유(比喩). 이룡

(驪龍)은 검은 용(龍).

[探偵 탐정] ㉠남의 사정을 몰래 염탐함. 또, 그 사람. ㉡죄인을 찾음. 또, 그 사람. 형사(刑事).

[探情 탐정] 남의 의향(意向)을 넌지시 살핌.

[探題 탐제] ㉠시회(詩會)에서 지을 제목을 찾음. ㉡《佛敎》 법회(法會)에서 논의의 제목을 내고, 또 그 문답을 판단하는 중.

[探照 탐조] 찾아내기 위하여 광선(光線)을 멀리 비춤.

[探知 탐지] 더듬어 알아냄.

[探春 탐춘] 봄의 경치를 찾아 구경함.

[探湯 탐탕] 열탕(熱湯)에 손을 넣어 본다는 뜻으로, 더위에 괴로워하는 모양, 고생하는 모양, 또는 두려워하여 경계하는 모양 등의 비유로 쓰임.

[探討 탐토] 더듬어 찾음. 탐구(探究).

[探險 탐험] 위험(危險)을 무릅쓰고 찾아다니며 살핌.

[探虎穴 탐호혈] 호랑이 굴을 찾는다는 뜻으로, 매우 위험(危險)한 짓을 함을 이름.

[探花 탐화] ㉠꽃을 찾아 구경함. ㉡탐화랑(探花郞).

[探花郞 탐화랑] 과거(科擧)에 셋째로 급제한 사람. 탐화(探花).

[探花蜂蝶 탐화봉접] 꽃을 찾는 벌과 나비란 뜻으로, 여색에 빠진 사람을 일컫는 말.

[探花宴 탐화연] 당대(唐代)에 새로 급제(及第)한 진사(進士)가 처음으로 모여 하는 잔치.

[探候 탐후] 남의 안부(安否)를 물음.

◉窮探. 內探. 密探. 搜探. 試探. 幽探. 偵探. 精探.

8 ⑪ **[掤]** 붕 ㊥蒸 筆陵切 bīng

字解 전동뚜껑 붕 화살을 넣는 통의 뚜껑. '抑釋一忌'《詩經》.

字源 篆文 形聲. 扌(手)+朋〔音〕

8 ⑪ **[接]** 中人 접 ㉧葉 卽葉切 jiē

筆順 一 寸 扌 扩 扩 控 接 接

字解 ①사귈 접 교차함. '交一'. '兵不一刃'《呂氏春秋》. ②모일 접, 모을 접 회합함. 회합하게 함. '偃兵一好'《國語》. ③이을 접 ㉠이어 맞춤. '一合'. '一骨'. ㉡이어받음. 계승함. '漢興, 一秦之弊'《史記》. ㉢연함. 잇닮. '一續'. '水光一天'《蘇軾》. ㉣계속함. '一踵'. '堂上一武'《禮記》. ④접할 접 이어서 닿음. 인접(隣接)함. '州一夜郞諸夷'《唐書》. ⑤가까이할 접 가까이 감. '一近'. ⑥대접할 접 대우함. '一待'. '一客'. ⑦접붙일 접 나무에 접을 붙임. '一木'. ⑧성 접 성(姓)의 하나.

字源 篆文 形聲. 扌(手)+妾〔音〕. '妾첩'은 귀인을 가까이에서 모시는 시녀. 손과 손을 가까이하다, 사귀다, 잇다, 접하다의 뜻을 나타냄.

[接客 접객] 손을 대접함.

[接居 접거] 잠시 동안 머물러 삶.

[接見 접견] 맞아들여 봄.

[接境 접경] 경계가 서로 닿음. 또, 그곳.

[接界 접계] 접경(接境).

[接骨 접골] 다쳐서 뼈가 어긋났을 때 뼈를 맞추는 것.

[接骨木 접골목] 말오줌나무.

[接口 접구] 음식을 겨우 입에 대었다 뗄 정도로 조금 먹음.

[接近 접근] ㉠가까이 감. ㉡거리가 가까워짐.

[接納 접납] 맞아들여 접견함. 신용하여 그의 말을 들음.

[接談 접담] 접대하며 대담(對談)함.

[接待 접대] ㉠손을 맞아 대접함. ㉡《佛敎》 사람에게 음식을 줌.

[接頭語 접두어] 단어 앞에 붙어서 그 뜻을 강(強)하게 하거나, 또는 다른 뜻을 첨가하는 말.

[接鸞鳳翅 접란봉시] 난조(鸞鳥)와 봉황(鳳凰)이 날개를 맞댄다는 뜻으로, 수재(秀才)가 함께 과거(科擧)에 급제(及弟)함의 비유(比喩).

[接隣 접린] 인접(隣接).

[接木 접목] 나무를 접(接)붙임. 또, 그 나무.

[接目 접목] 잠을 자기 위하여 눈을 붙임.

[接武 접무] 전인(前人)의 사업을 계속함. 종무(踵武).

[接吻 접문] 입을 맞춤. 키스.

[接聞 접문] 직접 본인으로부터 들음.

[接物 접물] ㉠외물(外物)과의 교섭(交涉). ㉡타인(他人)과의 교제.

[接尾語 접미어] 단어의 끝에 붙여 그 뜻을 강(強)하게 하거나, 또는 다른 뜻을 첨가하는 말.

[接伴 접반] 빈객(賓客)의 시중을 듦. 또, 그 사람.

[接本 접본] 접목(接木)할 때 그 바탕이 되는 나무.

[接賓 접빈] 손님을 대접(待接)함.

[接席 접석] 자리를 가까이 대어 앉음.

[接續 접속] 연속함. 이음.

[接續詞 접속사] 단어와 단어, 또는 구절과 구절 사이를 잇는 품사.

[接手 접수] 손을 잇댐.

[接收 접수] 받아서 거둠.

[接受 접수] 서류(書類)를 받아들임.

[接樹 접수] 접목(接木).

[接脣 접순] 접구(接口).

[接膝 접슬] 무릎을 가까이 맞대고 앉음.

[接神 접신] 신령(神靈)을 접(接)함.

[接語 접어] 서로 말을 주고받음.

[接輿 접여] 춘추 시대(春秋時代)의 초(楚)나라 사람. 성(姓)은 육(陸). 이름은 통(通). 접여(接輿)는 자(字). 소왕(昭王) 때에 정령(政令)이 무상(無常)하매 머리를 풀고 짐짓 미친 체하여 벼슬에 나아가지 않으므로, 사람들이 초광(楚狂)이라 일컬었음. 공자(孔子)의 문 앞을 지나며 공자를 풍자하여 노래를 읊은 일이 있다 함.

[接遇 접우] 손을 맞아 대접함. 접대(接待).

[接引 접인] 가까이 불러들임.

[接任 접임] 후임(後任).

[接戰 접전] 서로 어울려 싸움.

[接足 접족] 발을 붙임. 발을 들여놓음.

[接踵 접종] ㉠사람이 끊이지 않고 계속하여 왕래함. ㉡사물이나 사건이 잇따라 생김.

[接觸 접촉] ㉠맞붙어서 닿음. ㉡사귐.

[接合 접합] ㉠한데 닿아 붙음. ㉡한데 대어 붙임. ㉢자웅(雌雄)의 구별(區別)이 없는 두 개의 세

포(細胞)가 서로 붙는 현상(現象).
◉間接. 款接. 關接. 交接. 近接. 內接. 待接. 面接. 密接. 反接. 賓接. 相接. 順接. 實接. 逆接. 延接. 連接. 迎接. 禮接. 容接. 熔接. 外接. 應接. 引接. 隣接. 直接. 親接.

8 ⑪ [控] 人名 ㊀ 공 ㊄送 苦貢切 kòng
㊁ 강 ㊉江 苦江切 qiāng

筆順 扌 扌' 扩 扩 护 控 控 控

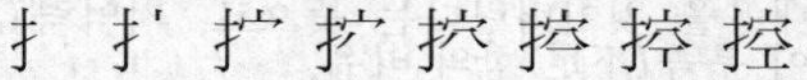

字解 ㊀ ①당길 공 ㉠잡아당김. '一弦'. '弦不再一'《班固》. ㉡당겨 못 가게 하거나 못하게 함. 제어함. '一馬'. '一壓'. ②고할 공 아룀. '一訴'. '一于大邦'《詩經》. ③던질 공 투척함. '時則不至, 而一於地而已矣'《莊子》. ㊁ 칠 강 때림. '一捲'. '一其頤'《莊子》.

字源 篆文 形聲. 扌(手)+空〔音〕. '空공'은 빈 곳의 뜻. 활을 당겨서 활시위와의 공간을 만들다의 뜻에서, '당기다'의 뜻을 나타냄. 또, 파생하여, 가까운 사람이라 하여 끌어 당기다의 뜻도 나타냄.

[控捲 강권] 주먹으로 침. 권(捲)은 권(拳).
[控摶 공단] 생명을 아끼고 귀중히 여김.
[控勒 공륵] 공어(控御).
[控馬 공마] 말의 고삐를 당김.
[控轡 공비] 고삐를 당겨서 제어함.
[控訴 공소] 제일심(第一審)의 판결에 불복하여 상급 법원에 복심(覆審)을 청구함. '항소(抗訴)'의 구칭(舊稱).
[控訴法院 공소법원] 공소 사건을 심리하는 법원. '항소 법원(抗訴法院)'의 구칭(舊稱).
[控壓 공압] 제어하여 누름.
[控御 공어] ㉠말을 어거함. ㉡남의 자유를 제어하여 다스림.
[控馭 공어] 공어(控御).
[控禦 공어] 당기어 못하게 하고 막음.
[控引 공인] 잡아당김.
[控制 공제] ㉠남의 자유를 제어(制御)함. ㉡진정(鎭定)함.
[控除 공제] 빼놓음. 빼어 버림.
[控弦 공현] ㉠활의 시위를 잡아당김. ㉡활을 잘 쏘는 병사. 궁수(弓手).
◉磬控. 矯控. 歸控. 提控. 鎭控.

8 ⑪ [推] 中人 ㊀ 추 ㊉支 叉隹切 tuī
㊁ 퇴(추㊗) ㊉灰 他回切 tuī

筆順 扌 扌' 扌 扌' 扩 扌 推 推

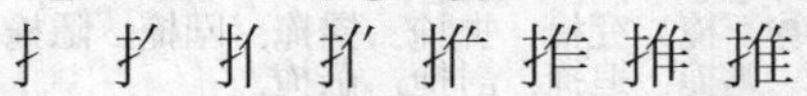

字解 ㊀ ①옮을 추 천이(遷移)함. '一移'. '寒暑相一而歲成焉'《易經》. ②밀 추 ㉠밀어 올림. 나은 사람을 내세움. '一薦'. '一賢讓能'《書經》. ㉡숭배하여 높이 받듦. 추앙함. '一戴'. '乃是一國所一'《晉書》. ㉢밀어 올라가 캐어 냄. 연유를 캐어 냄. 궁구함. '一窮'. '有意其一本之也'《漢書》. ㊁ ①밀 퇴 ㉠뒤에서 밂. '一輓'. '或輓之, 或一之'《左傳》. ㉡옮김. '一赤心置人腹中'《後漢書》. ㉢밀어서 줌. 양여함. '一食食我'《史記》. ②밀어젖힐 퇴 밀어 엶. 또는, 배제(排除)함. '不一人危'《穀梁傳》.

字源 篆文 形聲. 扌(手)+隹〔音〕. '隹추'는 '出출'과 통하여, '나다'의 뜻. 손으로 밀어내다의 뜻을 나타냄.

[推勘 추감] 추문(推問).
[推去 추거] 찾아내어 가져감.
[推擧 추거] 사람을 천거(薦擧)함. 추천.
[推古 추고] 옛날을 미루어 생각함.
[推考 추고] ㉠도리(道理) 또는 사정을 미루어 생각함. ㉡《韓》관원(官員)의 허물을 추문(推問)하여 고찰(考察)함.
[推故 추고] 거짓말로 핑계함.
[推敲 추고] 퇴고(推敲).
[推轂 추곡] ㉠수레를 뒤에서 밂. 전(轉)하여, 추천(推薦)함. ㉡도움. 도와서 일을 성취시킴.
[推官 추관] 당(唐)나라 때에 관찰사(觀察使) 밑에 속하였던 벼슬 이름. 뒤에는 제주(諸州)에 두었다가 송대(宋代) 이후에는 각부(各府)에 두어 주로 형벌에 관한 일을 관장하였음.
[推校 추교] 추고(推考) ㉠.
[推究 추구] 근본을 캐어 들어가며 연구함.
[推鞠 추국] 죄상(罪狀)을 국문(鞠問)함.
[推鞫 추국] 추국(推鞠).
[推窮 추궁] 잘못한 일에 대하여 엄하게 따져서 밝힘.
[推及 추급] 미루어 미침. 또, 미루어 미치게 함.
[推給 추급] 찾아서 내어 줌.
[推納 추납] 찾아서 바침.
[推奴 추노] 도망한 종을 찾아서 데려옴.
[推斷 추단] ㉠추측(推測)하여 판단(判斷)함. ㉡죄상(罪狀)을 심문하여 처단(處斷)함.
[推談 추담] 핑계로 하는 말.
[推戴 추대] 떠받듦.
[推量 추량] 미루어 헤아림.
[推論 추론] ㉠사리를 미루어 논급(論及)함. ㉡기지(旣知)의 사실에 의하여 미지의 사실을 논단(論斷)함.
[推理 추리] 이치(理致)를 미루어 생각함.
[推明 추명] 추리(推理)하여 밝힘.
[推問 추문] 죄인을 심문함.
[推步 추보] 천체(天體)의 운행(運行)을 관측(觀測)하여 달력을 만드는 일.
[推服 추복] 추앙(推仰)하여 복종함.
[推本 추본] 근본을 추구(推究)함.
[推俸 추봉] 자기 급료(給料)를 남에게 양보함.
[推辭 추사] 남에게 사양하고 자기는 거절함.
[推算 추산] 미루어 셈함. 미루어 헤아림.
[推上 추상] 바벨(barbell)을 어깨까지 올린 다음 머리 위로 천천히 들어 올리는 운동.
[推尙 추상] 존중함.
[推想 추상] 미루어 생각함. 또, 그 생각.
[推選 추선] 추천하여 뽑음.
[推誠 추성] 자기의 참뜻을 남에게 전(傳)하여 믿도록 함.
[推頌 추송] 추존(推尊)하고 칭송(稱頌)함.
[推刷 추쇄] ㉠받을 것을 죄다 거두어들임. ㉡부역(賦役)·병역(兵役)을 기피(忌避)하거나 달아난 노비를 색출하여 해당 장소로 보내던 일.
[推數 추수] 장래의 운수(運數)를 미리 헤아려 앎.
[推食 추식] 음식을 사양(辭讓)하여 남에게 권함.
[推尋 추심] 찾아내어 가져감.
[推仰 추앙] 높이 받들어 우러러봄.
[推讓 추양] 남을 밀어서 나아가게 하고 자기는 사양(辭讓)함.
[推衍 추연] 추연(推演).
[推演 추연] 미루어 넓힘.
[推閱 추열] 죄인을 심문(訊問)함.

[推譽 추예] 추장(推奬).
[推原 추원] 근원을 추구(推究)함.
[推委 추위] 책임(責任)을 남에게 전가(轉嫁)함.
[推諉 추위] 추위(推委).
[推恩 추은] 은혜를 남에게 미루어 미치게 함.
[推挹 추읍] 추앙(推仰)함. 존숭함.
[推移 추이] 변하여 옮김.
[推引 추인] 끌어올려 씀.
[推一事可知 추일사가지] 한 가지 일을 미루어 다른 모든 일을 알 수 있음.
[推奬 추장] 추천(推薦)하여 칭찬함.
[推定 추정] ㉠미루어 생각하여 판정(判定)함. 추측하여 정함. ㉡법률에서 어떠한 사실에 대하여 반대의 증거가 없는 이상 그것이 정당하다고 인정하는 일.
[推尊 추존] 추앙(推仰)하여 존경함.
[推重 추중] 추앙(推仰)하여 존중히 여김.
[推知 추지] 미루어 앎.
[推進 추진] 밀어 나아감.
[推進機 추진기] 원동기(原動機)에 의하여 움직여 선박(船舶)·비행기(飛行機) 등을 추진하는 장치(裝置). 프로펠러.
[推此可知 추차가지] 이 일을 미루어 다른 일을 알 수 있음.
[推捉 추착] 죄인을 찾아서 잡음.
[推察 추찰] 미루어 살핌.
[推薦 추천] 사람을 천거(薦擧)함.
[推築 추축] 옆에서 쿡쿡 찔러 의사를 통하거나 사정을 깨닫게 함.
[推測 추측] 미루어 생각함.
[推治 추치] 죄인을 심문하여 다스림.
[推託 추탁] ㉠다른 일을 핑계로 거절함. ㉡천거하여 일을 맡김.
[推擇 추택] 인재(人才)를 가려 등용(登用)함.
[推劾 추핵] 죄인을 심리(審理)함.
[推敲 퇴고] 시문(詩文)의 자구(字句)를 여러 번 고침. 당(唐)나라 시인 가도(賈島)가 승고월하문(僧敲月下門)이라는 시를 쓸 때에 밀 퇴(推)자를 쓸까 두드릴 고(敲)자를 쓸까 하고 생각에 잠겼다가 마침 지나가던 경조윤(京兆尹) 한퇴지(韓退之)의 행차하는 행렬에 부딪쳐 고(敲)자로 하라는 지도를 받았다는 고사에서 나온 말.
[推倒 퇴도] 밀어 넘어뜨림.
[推輓 퇴만] 수레를 뒤에서 밀고 앞에서 끎. 전(轉)하여, 추천함.
◉究推. 輓推. 排推. 邪推. 上援下推. 選推. 類推.

8 ⑪ [掩] [人名] 엄 [上]琰 衣儉切 yǎn

[筆順] 扌 扩 扩 扴 掎 掩 掩 掩

[字解] ①가릴 엄 안 보이게 하거나 막음. '一蔽'. '諺有一目捕雀'《後漢書》. ②숨길 엄 감춤. '一意打兒女'(본의는 아니면서 자식을 때림)《李義山雜纂》. ③닫을 엄 문을 닫음. '一門'. '席門常一'《南史》. ④엄습할 엄 불의에 침. '一擊'. '大夫不一羣'《禮記》. ⑤비호할 엄 뒤덮어서 보호함. '一護'. '矜憐, 撫一之也'《爾雅》.

[字源] 篆文 形聲. 扌(手)+奄[音]. '奄엄'은 '가리다'의 뜻. 손으로 가리다의 뜻을 나타냄.

[掩蓋 엄개] ㉠가림. ㉡덮개. ㉢적(敵)의 탄환을 막기 위하여 참호(塹壕) 등의 위를 가리는 지붕.
[掩擊 엄격] 불시에 공격함. 적이 뜻하지 않는 사이에 침.
[掩口 엄구] 손으로 입을 가림.
[掩卷 엄권] 책을 덮고 독서(讀書)를 그만둠.
[掩卷輒忘 엄권첩망] 읽던 책을 덮고 나면, 곧 그 내용을 잊어버린다는 뜻으로, 기억력(記憶力)이 부족(不足)함의 비유.
[掩匿 엄닉] 덮어서 숨김.
[掩埋 엄매] 엄토(掩土).
[掩目捕雀 엄목포작] 참새를 잡는데 참새가 보고 날아갈까 두려워 자기의 눈을 가리고 잡는다는 뜻으로, 자기 자신을 기만(欺瞞)함의 비유.
[掩門 엄문] 문을 닫음.
[掩鼻 엄비] 냄새가 싫어서 코를 막음.
[掩伺 엄사] 남몰래 형편을 살핌.
[掩殺 엄살] 엄습하여 죽임.
[掩塞 엄색] 닫아 막아 가림.
[掩襲 엄습] 불시에 습격함. 뜻밖에 침.
[掩身 엄신] 가난하여 허름한 옷으로 겨우 몸만 가림.
[掩掩 엄엄] 향기가 대단히 나는 모양.
[掩苒 엄염] 바람이 초목을 불어 흔드는 모양.
[掩映 엄영] 막아 가림. 그늘지게 함.
[掩翳 엄예] ㉠가림. ㉡그늘.
[掩耀 엄요] 빛을 가림.
[掩泣 엄읍] 얼굴을 가리고 욺.
[掩意打兒女 엄의타아녀] 본의는 아니면서 자식을 때림.
[掩耳盜鈴 엄이도령] '엄이도종(掩耳盜鐘)'을 보라.
[掩耳盜鐘 엄이도종] 귀를 가리고 종을 훔친다는 뜻으로, 나쁜 짓을 하고 남의 비난을 받기 싫어하여도 아무 소용이 없다는 말.
[掩障 엄장] 병풍(屛風).
[掩迹 엄적] 잘못한 형적(形迹)을 가림.
[掩涕 엄체] 우는 얼굴을 가림.
[掩置 엄치] 숨겨 둠. 감추어 둠.
[掩土 엄토] 흙이나 덮어서 겨우 지내는 장사.
[掩討 엄토] 엄격(掩擊).
[掩閉 엄폐] 막아 닫음.
[掩蔽 엄폐] 보이지 않도록 가리어 숨김. 또, 그 물건.
[掩護 엄호] ㉠비호(庇護)함. ㉡적(敵)을 막아 자기편을 가려 보호함.
◉干掩. 究掩. 撫掩. 掃掩. 圍掩. 隱掩. 持掩. 遮掩. 追掩. 討掩. 蔽掩.

8 ⑪ [措] [人名] [一] 조 [去]遇 倉故切 cuò / [二] 책 [入]陌 側格切 zé

[筆順] 扌 扌 扌 拼 拼 拼 措 措

[字解] [一] ①놓을 조 ㉠둠. '一置'. '一之于參保介之御間'《禮記》. ㉡하던 것을 놓고 하지 아니함. '學之弗能, 弗一也'《中庸》. ②베풀 조 시행함. '擧而一之天下之民'《易經》. ③쓸 조 사용함. '時一之宜也'《中庸》. ④처리할 조 처치함. 조처함. '一置'. '一大'. ⑤거조 조 행동거지. '周惶失一'《李嶠》. ⑥섞을 조, 섞일 조 錯(金部 八畫)와 통함. '內一齊晉'《史記》. [二] 잡을 책 추포(追捕)함. 쫓아가 잡음. '迫一青徐盜賊'

《漢書》.
[字源] 篆文 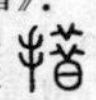 形聲. 扌(手)+昔(㫺)〔音〕. '㫺석'은 '날을 거듭하다'의 뜻. 다른 물건 위에 겹쳐 놓다의 뜻을 나타냄.

[措大 조대] 서생(書生). 큰일을 조처할 수 있다는 뜻으로, 서생의 미칭(美稱)으로 쓰였으나, 전(轉)하여, 조롱 또는 겸손의 뜻을 나타낼 때에도 씀.
[措辭 조사] 시문(詩文)의 어구(語句)의 배치.
[措手不及 조수불급] 일이 너무 촉급(促急)하여 손을 댈 여가가 없음.
[措止 조지] 조치(措置)㉡.
[措處 조처] 조치(措置)㉡.
[措置 조치] ㉠쌓아 둠. ㉡일을 처리함.
[措畫 조획] 조치(措置)㉡.
◉改措. 擧措. 規措. 注措. 廢措. 刑措.

8 ⑪ [掫] 추 [平]尤 子侯切 zōu 
[字解] ①야경돌 추 야경(夜警)을 돎. '賓將一, 主人辭'《左傳》. ②성 추 성(姓)의 하나.
[字源] 篆文  形聲. 扌(手)+取〔音〕. '取취'는 '꼭 가지다'의 뜻. 딱따기를 꼭 쥐고 야경 돌다의 뜻을 나타냄.

◉干掫.

8 ⑪ [揀] 동 [上]董 覩動切 dǒng
[字解] 칠 동 두드림. '一, 打也'《玉篇》.

8 ⑪ [掬] 국 [入]屋 居六切 jū 
[字解] ①움킬 국 두 손으로 움켜쥠. '舟中之指可一也'《左傳》. ②손바닥 국 수장(手掌). '受珠玉者以一'《禮記》.
[字源] 形聲. 扌(手)+匊〔音〕. '匊국'은 '뜨다'의 뜻.
[參考] 匊(勹部 六畫)은 同字.

[掬弄 국롱] 물을 두 손으로 떠서 장난함.
[掬水 국수] 두 손을 오목히 하여 물을 뜸. 또, 그 물.
[掬壤 국양] 한 움큼의 흙.
[掬飮 국음] 물을 손으로 떠 마심.
◉手掬. 挹掬. 一掬. 舟中指可掬.

8 ⑪ [揵] 견 qián
[字解] 멜 견 짐을 짊어짐. '一, 俗謂以肩擧物也'《中華大字典》.

8 ⑪ [掯] [現] 긍 kèn
[字解] 《現》 ①주저할 긍 꾸물거리고 하려 하지 않음. ②억누를 긍 압복(壓伏)함. ③억지로 긍 무리하게.

8 ⑪ [掜] 예 ①[上]薺 研啓切 nǐ ②[去]霽 研計切 yì
[字解] ①비길 예 견줌. ②땅길 예 손의 심줄이 켕김. '兒子終日握, 而手不一'《莊子》.

8 ⑪ [捱] 애 [平]佳 宜佳切 ái
[字解] ①막을 애 항거함. ②늘어질 애 길어져 느슨하여짐.
[字源] 形聲. 扌(手)+厓〔音〕.

8 ⑪ [掙] 쟁 [平]庚 初耕切 zhèng
[字解] 찌를 쟁 뾰족한 물건을 들이밂.
[字源] 形聲. 扌(手)+爭〔音〕.

8 ⑪ [掂] 점 [平]鹽 丁廉切 diān
[字解] 손대중할 점 손으로 물건의 무게를 헤아림. '一, 手量一也'《字彙》.
[字源] 形聲. 扌(手)+店〔音〕.

8 ⑪ [掝] [一] 혹 [入]職 獲北切 huò [二] 획 [入]陌 呼麥切 huò
[字解] [一] 흐릴 혹 혼몽함. '以己之潐潐, 受人之一一'《荀子》. [二] 찢을 획, 째질 획 擭(手部 十二畫)과 同字.

8 ⑪ [掚] 량 [上]養 里養切 [去]漾 力讓切 liǎng
[字解] 꾸밀 량 장식(裝飾)함. '一, 整飾也. 春秋傳曰, 御下一馬'《集韻》.

8 ⑪ [捭] 〔비〕 畀(田部 三畫〈p. 1462〉)와 同字

8 ⑪ [掹] 〔증〕 拯(手部 六畫〈p. 865〉)과 同字

8 ⑪ [掤] 〔도〕 擣(手部 十四畫〈p. 913〉)와 同字

8 ⑪ [揔] 〔총〕 摠(手部 十一畫〈p. 903〉)의 俗字

9 ⑬ [掔] 〔연〕 擥(手部 十一畫〈p. 899〉)의 俗字

9 ⑬ [掔] 완 [去]翰 烏貫切 wàn
[字解] 팔뚝 완 腕(肉部 八畫)과 同字. '麗于一'《儀禮》.
[字源] 篆文 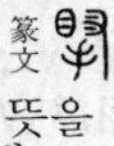 形聲. 手+臤〔音〕. '臤완'은 '도려내다'의 뜻. 손으로 도려내듯이 꽉 쥐다의 뜻을 나타내며, 또, 그 '팔·손목'의 뜻을 나타냄.

9 ⑬ [揫] 추 [平]尤 卽由切 jiū
[字解] 모을 추 모이게 함. '一斂九藪之動物'《馬融》.
[字源] 篆文  形聲. 手+秋(烁)〔音〕. '烁추'는 농작물을 모아 묶다의 뜻.

9 ⑬ [揱] 삭 [入]覺 所角切 xiāo(shuò)

[字解] ①팔날씬할 삭 팔이 가늘고 긴 모양. '一, 長臂皃'《廣韻》. ②빨 삭 끝이 예리하게 뾰족한 모양. '望其輻, 欲其一爾而纖也'《周禮》.
[字源] 篆文 形聲. 手+削〔音〕. '削삭'은 '깎다'의 뜻. 가늘게 깎다의 뜻. 또, 팔이 가늘고 길다의 뜻을 나타냄.

9 ⑬ [搒] 방 [平]陽 博旁切 bāng
[字解] ①막을 방 방위(防衛)함. 지킴. '一, 捍也, 衛也'《集韻》. ②벌여놓을 방 나란히 늘어놓음. '一, 竝也'《集韻》.

9 ⑫ [揝] 잠 ①[上]感 子感切 zǎn ②[現] zuàn
[字解] ①손떨릴 잠 撍(手部 十二畫)과 同字. '一, 手動也'《集韻》. ②《現》쥘 잠, 잡을 잠

9 ⑫ [掾] 연 [去]霰 以絹切 yuàn
[字解] 아전 연 하급 관리. 속관. '一吏'. '王導辟爲一'《晉書》.
[字源] 篆文 形聲. 扌(手)+彖〔音〕. '彖연'은 가를 돌다의 뜻. 그다지 중요하지 않은 주변적인 일을 다루다의 뜻에서, '돕다, 하급 관리'의 뜻을 나타냄.

[掾吏 연리] 하급 관리. 속관.
[掾史 연사] 연리(掾吏).
◉計掾. 郡掾. 老掾. 三語掾. 書掾. 丞掾. 縣掾.

9 ⑫ [揀] [人名] [一] 간 [上]潸 古限切 jiǎn 拣
[二] 련 [去]霰 郎甸切
[筆順] 扌 扌 扌 扌 扌 揀 揀 揀
[字解] [一] 가릴 간 ㉠구별함. 분간함. '博愛容衆, 無所一擇'《魏志》. ㉡간발(簡拔)함. 뽑음. '選一召募官健三千人'《舊唐書》. [二] 가릴 련 [一]과 뜻이 같음.
[字源] 形聲. 扌(手)+柬〔音〕. '柬간'은 '가리다'의 뜻. '手수'를 더하여, '뽑다'의 뜻을 나타냄.

[揀選 간선] ㉠사람을 선택(選擇)함. ㉡선발(選拔)한 후에 임명함.
[揀擇 간택] ㉠가림. 구별함. ㉡《韓》왕자(王子)·왕녀(王女)의 배우자(配偶者)를 고름.
◉分揀. 選揀. 閱揀. 料揀. 汰揀.

9 ⑫ [揃] 전 [上]銑 卽淺切 jiǎn
[字解] ①자를 전 분단(分斷)함. 翦(羽部 九畫)과 同字. '一剽'. '公旦自一其爪, 以沈於河'《史記》. ②뽑을 전 뽑아냄. '吾年五十, 拭鏡一白'《唐書》.
[字源] 篆文 形聲. 扌(手)+前(歬)〔音〕. '歬전'은 '剪전'의 原字로, '베다'의 뜻. '手수'를 더하여, 가지런히 베다의 뜻을 분명히 함.

[揃落 전락] 멸망시킴. 망쳐 버림.
[揃刈 전예] 가지런히 자름.
[揃平 전평] 베어 평정(平定)함.
[揃剽 전표] 잘라 가름.

9 ⑫ [揄] [人名] [一] 유 [平]虞 羊朱切 yú
[二] 요 [平]蕭 餘招切 yáo
[字解] [一] ①끌 유 질질 끎. '一長袂'《史記》. ②빈정거릴 유 조롱함. '揶一'. '市人皆大笑, 擧手邪一之'《後漢書》. ③퍼낼 유 절구질한 곡식을 퍼냄. '或舂或一'《詩經》. [二] 요적(揄狄)옷 요 꿩을 수놓은 옛날의 귀부인(貴婦人)의 옷. 褕(衣部 九畫)와 통용. '夫人一狄'《禮記》.
[字源] 篆文 形聲. 扌(手)+兪〔音〕. '兪유'는 뽑아 내다의 뜻. 손으로 뽑아내다, 끌어내다의 뜻을 나타냄.

[揄狄 요적] 꿩을 수놓은 옛날 귀부인의 옷.
[揄袂 유메] 소매가 길게 늘어짐. 또, 그 소매.
[揄揚 유양] ㉠끌어올림. ㉡칭찬함. 박수갈채함.
◉挑揄. 邪揄. 選揄. 揶揄. 樞揄.

9 ⑫ [揗] 순 [上]軫 食尹切 xún
[去]震 食閏切
[字解] ①어루만질 순 위로(慰勞)함. '一, 摩也.(段注) 廣雅曰手相安慰也, 今人撫循字, 古蓋作一'《說文》. ②좇을 순 순종함. 循(彳部 九畫)과 통용. '一, 順也'《廣雅》.
[字源] 篆文 形聲. 扌(手)+盾〔音〕. '盾순'은 '循순'과 통하여, '좇다, 순종하다'의 뜻을 나타냄.

9 ⑫ [揆] [人名] 규 [上]紙 求癸切 kuí
[筆順] 扌 扌 扌 扌 扌 揆 揆 揆
[字解] ①헤아릴 규 상량(商量)함. '一度'. '一之以日'《詩經》. ②법도 규 법칙. 도(道). '一一'. '先聖後聖, 其一一也'《孟子》. ③꾀 규 계략. '一策'. '內參機一'《北史》. ④벼슬 규, 벼슬아치 규 관직. 또는 관리. '百一均任'《魏志》. ⑤재상 규 대신. '桓溫居一'《晉書》.
[字源] 篆文 形聲. 扌(手)+癸〔音〕. '癸규'는 '헤아리다'의 뜻. 뒤에, '手수'를 더하여, '헤아리다'의 뜻을 분명히 함.

[揆敍 규서] 헤아려 차례를 정함.
[揆一 규일] 그 도(道)는 모두 동일함.
[揆地 규지] 재상의 지위(地位).
[揆策 규책] 계책(計策).
[揆度 규탁] 헤아림.
◉機揆. 納揆. 端揆. 道揆. 百揆. 省揆. 首揆. 右揆. 一揆. 左揆. 準揆. 測揆. 度揆.

9 ⑫ [揉] 유 ①-③[平]尤 耳由切 róu
④⑤[上]有 忍九切 róu
[字解] ①주무를 유 손으로 주물러 부드럽게 함. '暖手一雙目'《王建》. ②순하게할 유 유순하게 함. '一此萬邦'《詩經》. ③섞일 유 한데 섞임. 난잡함. '雜一'. '事跡錯一'《史通》. ④휠 유 구부러지게 함. '一木爲耒'《史記》. ⑤바로잡을 유 구부러짐과 곧음을 바로잡음. '一, 直也'《廣雅》.
[字源] 形聲. 扌(手)+柔〔音〕. '柔유'는 '부드럽다'의 뜻. 손으로 부드럽게 하다, 주무르다의 뜻을 나타냄.

◉矯揉. 紛揉. 雜揉. 錯揉.

9 ⑫ [⿰扌兗] 연 [上]銑 以轉切 yǎn

[字解] 움직일 연 가만히 있지 않음. 抁(手部 四畫)과 同字.

9 ⑫ [揎] 선 [平]先 須緣切 xuān

[字解] 걷을 선 소매를 걷어 올려 어깨를 드러냄. '玉腕半—雲碧袖'《蘇軾》.
[字源] 形聲. 扌(手)+宣〔音〕

9 ⑫ [掿] 낙 [入]覺 昵角切 nuò

[字解] 잡을 낙 쥠. '—, 手—也'《篇海》.

9 ⑫ [描] [人名] 묘 [平]蕭 武瀌切 miáo

[筆順] 扌 扌 扌 扌 措 措 描 描
[字解] 그릴 묘 묘사함. '—畫'. '嘗以左手—寫'《圖繪寶鑑》.
[字源] 形聲. 扌(手)+苗〔音〕. '苗묘'는 '貌모'와 통하여, 모양, 형태의 뜻. 물건의 모양을 손으로 그리다의 뜻을 나타냄.

[描摸 묘모] 묘사(描寫).
[描摹 묘모] 묘모(描摸).
[描寫 묘사] 사물(事物)을 있는 그대로 그림.
[描畫 묘화] 그림을 그림.
◉白描. 線描. 素描. 點描. 寸描.

9 ⑫ [提] [高人] [一] 제 ①-⑥[平]齊 杜奚切 tí
⑦⑧[上]薺 典禮切 dǐ
[二] 시 [平]支 是支切 shí

[筆順] 扌 扣 担 担 捍 揘 揘 提
[字解] [一] ①끌 제 손으로 끎. 끌고 감. '長者與之—攜'《禮記》. ②들 제 손에 가짐. '范蠡乃左—鼓'《國語》. ③걸 제 게시(揭示)함. '—名責實'《淮南子》. ④거느릴 제 통솔함. '—督'. ⑤점잖이걸을 제 '好人——'《詩經》. ⑥던질 제 투척함. '太后以冒絮—文帝'《史記》. ⑦끊을 제 단절함. '離而不—心'《禮記》. ⑧성 제 성(姓)의 하나. [二] 떼지어날 시 '歸飛——'《詩經》.
[字源] 篆文 形聲. 扌(手)+是〔音〕. '是시'는 숟가락총이 길게 내밀린 '수저'의 뜻. 팔을 내밀어 들다의 뜻을 나타냄.

[提提 시시] 새가 떼 지어 나는 모양.
[提綱 제강] 제요(提要).
[提擧 제거] ㉠관리(管理)함. ㉡감독관(監督官).
[提擊 제격] 무기를 들고 침.
[提供 제공] 바치어 이바지함.
[提控 제공] 끌어당겨 제어(制御)함. 견제(牽制).
[提琴 제금] ㉠명(明)·청(淸) 때의 현악기의 하나. 호금(胡琴). ㉡바이올린.
[提起 제기] ㉠들어 올림. ㉡말을 꺼냄. ㉢제출(提出).
[提督 제독] ㉠군대를 거느리는 사람. ㉡청(淸)대에 성(省)의 군사(軍事)를 맡은 벼슬. ㉢함대(艦隊)의 사령관(司令官).
[提頭 제두] 문장 중의 천자(天子)에 관한 글자를 다른 줄의 처음에 옮겨 써서 경의(敬意)를 표하는 일.

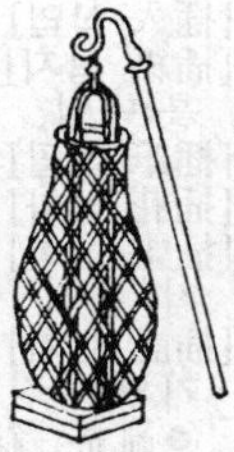
[提燈㉠]

[提燈 제등] ㉠손에 들고 다니는 등(燈). ㉡《佛敎》등불을 들고 부처님 앞에서 축원하는 일.
[提封 제봉] 봉강(封疆). 영지(領地).
[提挈 제설] ㉠손에 듦. ㉡제시(提示)함. 게시(揭示)함. ㉢손을 끎. 서로 도움.
[提醒 제성] 잊어버린 것을 깨우침.
[提示 제시] 어떠한 의사를 드러내어 보임.
[提撕 제시] ㉠손에 듦. ㉡후진(後進)을 이끎. 가르쳐 인도함. ㉢떨쳐 일으킴.
[提握 제악] 손에 꼭 듦.
[提案 제안] 의안(議案)을 제출(提出)함. 또, 그 의안.
[提掖 제액] 도와 인도(引導)함.
[提要 제요] 요점을 듦. 요령(要領)을 제시함.
[提議 제의] 의론(議論)을 제출함.
[提耳面命 제이면명] 귀를 쥐고 얼굴을 맞대어 명령한다는 뜻으로, 친절히 가르쳐 줌을 이름.
[提提 제제·시시] ㉠점잖이 걷는 모양. ㉡조용한 모양. 침착한 모양. ㉢'시시(提提)'를 보라.
[提唱 제창] ㉠처음으로 주장함. 제시하여 창도(唱道)함. ㉡《佛敎》종지(宗旨)의 대강(大綱)을 들어서 그 의의를 설명함.
[提出 제출] 의견(意見)이나 안건(案件)을 내어 놓음.
[提刑 제형] 지방에서 형벌·옥사(獄舍)의 일을 맡은 벼슬.
[提衡 제형] 서로 같음. 서로 동등함.
[提携 제휴] ㉠서로 손을 끎. ㉡서로 도와줌. ㉢주의·의견이 같은 사람들이 연합함.
[提攜 제휴] 제휴(提携).
◉煩惱卽菩提. 菩提. 奉提. 攝提. 閻浮提. 前提. 左提. 招提. 槌提. 孩提.

9 ⑫ [揞] 암 [上]感 烏感切 ǎn
[去]勘 烏紺切

[字解] ①감출 암 넣어 둠. '—, 藏也'《廣雅》. ②덮을 암 손으로 덮음. '—, 手覆'《廣韻》.

9 ⑫ [揷] [人名] 삽 [入]洽 楚洽切 chā

[筆順] 扌 扌 扦 扦 拆 揷 揷 揷
[字解] ①꽂을 삽 ㉠꼭 끼워 있게 함. '—入'. '使妃嬪輩爭—艷花'《開元遺事》. ㉡박아 세움. '露檄—羽'《漢書 註》. ②가래 삽 鍤(金部 九畫)과 同字. '立則杖—'《戰國策》.
[字源] 篆文 形聲. 扌(手)+臿〔音〕. '臿삽'은 절구에 절굿공이를 꽂아 넣은 모양의 會意 문자. '手수'를 더하여, '꽂다'의 뜻을 나타냄.
[參考] ①揷(次條)은 俗字. ②挿(手部 七畫)은 '揷'의 略字.

[揷架 삽가] 서가(書架).
[揷匙 삽시] 숟가락을 밥그릇에 꽂음.
[揷秧 삽앙] 볏모를 꽂음.
[揷羽 삽우] 군대를 소집하는 격문(檄文)에 새의

깃을 꽂는 일. 지급(至急)함을 표시하기 위함임.
[揷入 삽입] 끼워 넣음. 꽂아 들여보냄.
[揷紙 삽지] 인쇄(印刷)할 때 기계(機械)에 종이를 먹임.
[揷筆 삽필] 써 넣음. 기입함. 가필(加筆).
[揷花 삽화] 꽃을 꽂음.
[揷畫 삽화] 설명(說明)을 똑똑히 하기 위하여 서적·잡지·신문 등에 끼워 넣는 그림.
[揷話 삽화] 문장·담화 가운데에 끼워 넣은, 본줄기와는 직접 관련이 없는 이야기. 에피소드.
◉亂揷. 斜揷. 散揷. 秧揷. 銀釵揷. 雜揷. 栽揷. 種揷. 表揷.

9 ⑫ [揷] [人名] 揷(前條)의 俗字

[筆順] 扌 扌 扌 扞 扦 扦 揷 揷

9 ⑫ [揕] 침 [去]沁 知鴆切 zhèn

[字解] 찌를 침 뾰족한 것을 들이밂. '手持匕首—之'《史記》.
[字源] 形聲. 扌(手)+甚[音]

9 ⑫ [揬] 돌 [入]月 陀骨切 tú

[字解] ①찌를 돌, 문지를 돌 '—, 衝—也'《玉篇》. '—, 揩也'《一切經音義》. ②당을 돌 부딪침. '塘—, 觸也'《集韻》.
[字源] 形聲. 扌(手)+突[音]. '突돌'은 '찌르다'의 뜻. 손으로 찌르다의 뜻을 나타냄.

9 ⑫ [揈] [一] 횡 [平]庚 呼宏切 hōng
[二] 현 [去]霰 翾縣切 xuàn
[三] 국 [入]屋 居六切 jū

[字解] [一] ①칠 횡 또, 치는 소리. '—, 擊也'《集韻》. '—, 擊聲'《廣韻》. ②휘두를 횡 '—, 揮也'《集韻》. ③《現》 쫓을 횡 '—走'. [二] 칠 현 '拘, 博雅, 擊也. 或从訇'《集韻》. [三] 움킬 국 두 손으로 움켜쥠. 掬(手部 八畫)과 통용.

9 ⑫ [揖] [人名] [一] 읍 [入]緝 伊入切 yī
[二] 집 [入]緝 卽入切 jí

[字解] [一] ①읍할 읍 공수(拱手)하고 절함. '—讓'. '—巫馬斯而進之'《論語》. ②사양할 읍 사퇴함. '—大福之恩'《漢書》. [二] 모일 집 한데 모임. 輯(車部 九畫)과 통용. '螽斯羽, ——兮'《詩經》.
[字源] 篆文 形聲. 扌(手)+咠[音]. '咠집·읍'은 '모으다'의 뜻. 좌우의 손을 가슴에 모았다가 앞으로 내미는 예(禮)의 뜻을 나타냄.

[揖別 읍별] 읍(揖)하고 헤어짐. 인사하고 헤어짐.
[揖遜 읍손] 읍양(揖讓).
[揖讓 읍양] ㉠읍(揖)하여 겸손한 뜻을 표시함. ㉡천자(天子)의 지위를 서로 양여(讓與)하는 일. 선양(禪讓). 방벌(放伐)의 대(對).
[揖揖 집집] 모이는 모양.
◉拱揖. 端揖. 拜揖. 三揖. 肅揖. 聳揖. 長揖. 獻揖.

9 ⑫ [揚] [中·人] 양 [平]陽 與章切 yáng

[筆順] 扌 扌 扣 押 担 挰 揚 揚

[字解] ①오를 양 위로 떠오름. '飛—'. '浮—'. ②날 양 ㉠하늘을 낢. '中強則—'《周禮》. ㉡바람에 흩날림. '塵不—'《列子》. ③날릴 양 날게 함. 전(轉)하여, 이름 따위를 들날림. '—名於後世'《孝經》. ④나타날 양 드러남. '滿內而外—'《楚辭》. ⑤나타낼 양 드러냄. '顯—'. '宣—'. ⑥칭찬할 양 찬양함. '稱—'. '褒—'. ⑦도끼 양 '干戈戚—'《詩經》. ⑧땅이름 양 구주(九州)의 하나. 북쪽은 회수(淮水)를 경계로 하고 남쪽은 바다에 이르는 지역. 곧, 지금의 저장(浙江)·장시(江西)·푸젠(福建)의 제성(諸省). '淮海惟—州'《書經》. ⑨성 양 성(姓)의 하나. ⑩《韓》 흉배(胸背) 양 관복(官服)의 가슴과 등에 붙이는 수놓은 헝겊 조각. '無—黑團領'은 흉배를 달지 않은 관복.

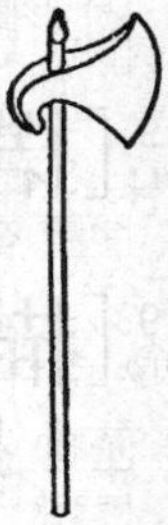
[揚⑦]

[字源] 甲骨文 金文 篆文 形聲. 扌(手)+昜[音]. '昜양'은 '해가 뜨다'의 뜻. '手수'를 더하여, '오르다'의 뜻을 나타냄.

[揚歌 양가] 큰 소리로 노래를 부름.
[揚揭 양게] '게양(揭揚)'과 같음.
[揚歷 양력] ㉠발탁하여 그의 재능을 시험하여 봄. ㉡기왕(旣往)의 사실을 널리 알림.
[揚錨 양묘] 닻을 걷어 올림.
[揚眉 양미] ㉠눈썹을 쳐들고 봄. ㉡원기(元氣)가 왕성한 모양.
[揚水 양수] 물을 자아올림. 「한 모양.
[揚揚 양양] 뜻을 이루어 만족한 모양. 득의(得意)
[揚揚自得 양양자득] 뜻을 이루어 뽐내는 모양.
[揚言 양언] 소리를 높여 말함. 공언(公言)함.
[揚州 양주] 자해(字解) ❽을 보라.
[揚州夢 양주몽] 가장 번화한 양저우(揚州)에서 호화롭게 놀던 옛날의 추억.
[揚州之鶴 양주지학] 모든 낙(樂)을 일신(一身)에 모으려고 함의 비유.
[揚擲 양척] 들어 올려 던짐.
[揚簸 양파] 까부름.
[揚鞭 양편] 채찍을 듦. 씩씩하게 말을 몲을 이름.
◉揭揚. 激揚. 高揚. 光揚. 對揚. 騰揚. 發揚. 浮揚. 奮揚. 飛揚. 賞揚. 宣揚. 扇揚. 煽揚. 升揚. 我武維揚. 昂揚. 抑揚. 搖揚. 悠揚. 鷹揚. 意氣揚揚. 引揚. 旌揚. 止揚. 贊揚. 闡揚. 稱揚. 播揚. 簸揚. 褒揚. 飄揚. 顯揚.

9 ⑫ [揭] 구 [上]麌 果羽切 jǔ

[字解] 성 구 성(姓)의 하나.

9 ⑫ [揆] 규 [平]齊 苦圭切 kuī

[字解] ①걸 규 갈고리에 걸리게 함. 당겨 붙임. '—, 中鉤'《廣韻》. ②찌를 규, 쨀 규 刲(刀部 六畫)와 同字. '刲, 說文, 刺也. 或作—'《集韻》.

9 ⑫ [揢] 객 [入]陌 苦格切 kè

[字解] ①움켜쥘 객 가짐. 손에 쥠. '一, 手把著也'《廣韻》. ②잡을 객 체포함. '一, 搦也'《集韻》.

9 ⑫ [搜] 수 [平]尤 所鳩切 sōu

[字解] ①찾을 수 수색함. 搜(手部 十畫)와 同字. '大一上林'《漢書》. ②화살소리 수 화살이 빨리 나는 소리. '束矢其一'《詩經》.

[字源] 形聲. 扌(手)+叜〔音〕. '叜수'는 손으로 더듬다의 뜻. '搜수'의 原字. '叜'가 假借로서 다른 뜻으로 쓰이게 되매, '手수'를 덧붙임. 뒤에 '搜'로 바뀜.

9 ⑫ [換] [高人] 환 [去]翰 胡玩切 huàn

[筆順] 扌 扩 扩 护 捣 捣 掐 換

[字解] ①바꿀 환 교환함. '一易'. '以金貂一酒'《晉書》. ②갈 환 교체함. '一衣'. '宜選才幹之士, 往一之'《韓愈》. ③바뀔 환, 갈릴 환 교체됨. 변이(變移)함. '一局'. '物一星移幾度秋'《王勃》. ④고칠 환 변경함. '變一'. '損益修一四千四百餘事'《宋史》.

[字源] [篆文] 形聲. 扌(手)+奐〔音〕. '奐환'은 전의 것과 바꾸다의 뜻. '手수'를 덧붙여, 동작을 분명히 함.

[換家 환가] 집을 서로 바꾸어 듦.
[換價 환가] 값으로 환산함. 또, 그 값.
[換穀 환곡] 곡식(穀食)을 서로 바꿈.
[換骨奪胎 환골탈태] 고인(古人)의 시문(詩文)의 뜻을 따고 그 어구(語句)만 고치어 자기의 시문으로 하는 일.
[換局 환국] 시국(時局) 또는 판국(版局)이 바뀜.
[換氣 환기] 공기(空氣)를 바꾸어 넣음.
[換買 환매] 물건과 물건을 직접 서로 바꿈.
[換名 환명] 남의 성명(姓名)으로 행세(行世)함.
[換父易祖 환부역조] 문벌(門閥)의 지체를 높이기 위하여 부정(不正)한 수단으로 절손(絕孫)된 양반(兩班)의 집을 이어 자기의 조상을 바꾸는 일.
[換算 환산] 단위(單位)가 다른 수량으로 고치어 계산함.
[換歲 환세] 해가 바뀜. 새해가 됨.
[換心腸 환심장]《韓》마음이 전보다 나쁘게 아주 달라짐.
[換鵞 환아] 진(晉)나라의 왕희지(王羲之)가 도사(道士)의 부탁을 받아 도덕경(道德經)을 베껴 주고 그 답례로 거위를 얻은 고사(故事). 전(轉)하여, 필적(筆跡)의 뜻으로 쓰임.
[換言 환언] 바꾸어 말함.
[換用 환용] 바꾸어 씀.
[換銀 환은] 환전(換錢).
[換衣 환의] 옷을 갈아입음.
[換腸 환장]《韓》환심장(換心腸).
[換錢 환전] 서로 종류가 다른 화폐와 화폐 또는 화폐와 지금(地金)을 교환하는 일.
[換節 환절] 계절이 바뀜.
[換質 환질] 질을 바꿈.
[換票 환표] ㉠표를 바꿈. 또, 그 표. ㉡선거에 있어서 어떤 후보자를 당선시킬 목적으로 다른 후보자의 표를 줄이고 그 후보자의 표를 늘이기 위하여 표를 바꿔치는 일.
[換品 환품] 물품을 다른 물품과 바꿈.
[換刑 환형] 벌금 또는 과료(科料)를 바치지 못한 사람을 구류(拘留) 처분하는 일.
[換形 환형] 모양이 전과 달라짐.
◉改換. 更換. 交換. 變換. 乘換. 易換. 引換. 轉換. 替換. 招換. 抽換. 置換. 兌換. 互換.

9 ⑫ [揄] [一] 유 ㊤紙 愈水切 wěi
[二] 타 ㊤哿 吐火切 tuǒ

[字解] [一] ①버릴 유 내버림. '一, 棄也'《廣雅》. ②잡을 유 손에 쥠. '捫摸曰一'《一切經音義》. [二] ①떨어뜨릴 타 떨어지게 함. '一, 俗云, 落'《玉篇》. ②헤아릴 타 셈. '一, 揲也'《集韻》. ③잴 타 높이를 잼. '一, 揣也'《集韻》.

9 ⑫ [揾] 문 ㊤吻 武粉切 wěn

[字解] 닦을 문 씻음. 抆(手部 四畫)과 同字.

[字源] [篆文] 形聲. 扌(手)+昬(昏)〔音〕

9 ⑫ [揠] 알 [入]黠 烏黠切 yà

[字解] 뽑을 알 박혀 있는 것을 뽑아냄. '宋人有閔其苗之不長而一之者'《孟子》.

[字源] [篆文] 形聲. 扌(手)+匽〔音〕. '匽언'은 '누르다'의 뜻. 풀이나 나무 따위를 꼭 눌러 놓고 그 심을 빼다의 뜻을 나타냄.

9 ⑫ [揌] 시 [平]灰 蘇來切 sāi

[字解] ①움직일 시 '一, 動也'《廣雅》. ②가릴 시 선택함. '一, 擇也'《集韻》.

9 ⑫ [揜] 엄 ㊤琰 衣儉切 yǎn

[字解] ①가릴 엄 掩(手部 八畫)과 同字. '一蔽'. '浮雲一日'《傳習錄》. ②곤박할 엄 고생함. '篤以不一'《禮記》. ③빠를 엄 빨리 돌아가는 모양. '一乎反鄉'《司馬相如》. ④이을 엄 계승함. '能一迹於文武'《荀子》.

[字源] [篆文] 形聲. 扌(手)+弇〔音〕. '弇엄'은 '奄엄'과 통하여, '가리다'의 뜻. 뒤에 '手수'를 덧붙임.

[揜匿 엄닉] 가리어 감춤.
[揜耳偸鈴 엄이투령] '엄이도종(掩耳盜鐘)'과 같음.
[揜取 엄취] 덮어 가리어 잡음.
[揜蔽 엄폐] 가리어 감춤. 가림.
[揜乎 엄호] 빨리 돌아가는 모양.

9 ⑫ [摯] 치 [去]寘 陟利切 zhì

[字解] ①찌를 치 '一, 刺也'《說文》. ②이를 치 도달함. 다다름. '一, 一日, 刺之財至也'《說文》. ③칠 치 손으로 두드림. '一, 一日, 搏也'《集韻》. ④빼앗을 치 재물 같은 것을 약탈함. '一, 又劫財也'《廣韻》.

[字源] [篆文] 形聲. 扌(手)+致〔音〕. '致치'는 '이르다, 미치다'의 뜻. 손으로 찔러 다다르다의 뜻을 나타냄.

9
⑫ [握] 人名 악 ㊀覺 於角切 wò

字解 ①쥘 악 ㉠주먹을 쥠. '終日—而手不掜'《莊子》. ㉡손에 쥠. '掌—'. '—粟出卜'《詩經》. ㉢잡음. 점유(占有)함. '且—權則爲卿相'《揚雄》. ②줌 악 주먹으로 쥘 만한 분량. 또는, 그만한 크기. 한 움큼. '宋廟之牛, 角—'《禮記》. ③주먹 악 '汗沾兩—色如茱'《陸游》. ④손아귀 악 수중. '金丹滿—'《李白》. ⑤손잡이 악 쥐는 곳. '箭籌長尺有—'《儀禮》. ⑥장막 악, 휘장 악 幄(巾部 九畫)과 통용. '翟車具面, 維總有—'《周禮》.

字源 篆文 形聲. 扌(手)＋屋〔音〕. '屋옥'은 부드럽게 싸다의 뜻. 손 안에 싸서 넣다, 쥐다의 뜻을 나타냄.

[握乾統坤 악건통곤] 천자(天子)의 자리에 올라 천하를 다스림.
[握力 악력] 물건을 쥐는 힘.
[握沐 악목] 악발(握髮).
[握髮 악발] 인재(人材)를 구하려고 애씀의 비유. 옛날, 주공(周公)이 감던 머리를 쥐고 방문(訪問)한 인사(人士)를 지체하지 않고 만났다는 고사(故事)에서 온 말. 악목(握沐).
[握符之尊 악부지존] 천지(天地)의 부서(符瑞)를 잡은 높은 지위. 곧, 천자(天子)의 자리.
[握手 악수] ㉠두 사람이 서로 손을 마주 잡아 친밀한 정을 표시함. ㉡죽은 사람을 위하여 쓰는 도구(道具)의 이름. ㉢서양식 예법으로서 반가워하거나 또는 사화(私和)하는 뜻을 나타내기 위하여 서로 손을 마주 잡는 일.
[握兩把汗 악양파한] 두 손에 땀을 쥠. 다급할 때 몹시 두려워함. 악한(握汗).
[握月擔風 악월담풍] 달을 손아귀에 넣고 바람을 어깨에 메었다는 뜻으로, 풍월(風月)을 무척 사랑함의 표현.
[握齪 악착] '악착(齷齪)'과 같음.
[握齱 악추] 악착(握齪).
◉秉握. 拳握. 捲握. 秉握. 一握. 掌握. 提握. 吐握. 把握.

9
⑫ [揣] 췌(취㊍) ㊤紙 初委切 chuǎi

字解 ①헤아릴 췌 ㉠촌탁함. 추측함. '—度'. '善用天下者, 必—諸侯之情'《鬼谷子》. ㉡잼. 측량함. '不—其本, 而齊其末'《孟子》. ②시험할 췌 뜻을 알아봄. '令褘往—延意指'《蜀志》. ③불릴 췌 금속을 단련함. '—而銳之'《老子》. ④성 췌 성(姓)의 하나.

字源 篆文 形聲. 扌(手)＋耑〔音〕. '耑단'은 사물의 시작의 뜻. 시작함에 있어서, 이것저것 헤아리다의 뜻을 나타냄.

[揣摩 췌마] 자기의 마음으로 남의 마음을 헤아림.
[揣時 췌시] 시세를 헤아려 짐작함.
[揣知 췌지] 헤아려 앎.
[揣度 췌탁] 헤아림. 촌탁(忖度).
[揣探 췌탐] 헤아려서 알아냄.
◉究揣. 鉤揣. 譏揣. 磨揣. 不揣. 研揣.

9
⑫ [揋] 외 ㊥灰 烏回切 wēi

字解 끌 외 잡아끎. '—, 掎也'《集韻》.

9
⑫ [揥] 체 ㊦霽 他計切 tì, dì

字解 ①빗치개 체 가르마를 타는 제구. '象之—也'《詩經》. ②버릴 체 내버림. '意徘徊而不能—'《陸機》.

字源 形聲. 扌(手)＋帝〔音〕. '帝제'는 '摘적'과 통하여, 손끝으로 쥐다의 뜻. 머리털을 손끝으로 쥐듯이 쓸어 올리기 위한 도구, '빗치개'의 뜻을 나타냄.

9
⑫ [揩] 개 ㊥佳 口皆切 kāi

字解 ①닦을 개 씻음. '歎息無言—病目'《蘇軾》. ②지울 개 말소함. '皆有—字注字處'《韓愈》.

字源 形聲. 扌(手)＋皆〔音〕

9
⑫ [揭] 人名 게(계㊍) ㊦霽 去例切 qì

筆順 扌 扌 扌 扌 扌 揭 揭 揭

字解 ①들 게 높이 듦. 고거(高擧)함. '—揚'. '—竿爲旗'《漢書》. ②걸 게 게시함. '—貼'. '偏牒諸路, 昭—通衢'《癸辛雜識》. ③질 게 등에 짐. '數賜縑帛, 擔—而去'《史記》. ④걷을 게 옷의 아랫도리를 걷음. '淺則—'《詩經》.

字源 篆文 形聲. 扌(手)＋曷〔音〕. '曷갈'은 '걸다'의 뜻. '手수'를 더하여 '높이 걸다'의 뜻을 나타냄.

[揭竿 게간] ㉠장대를 세움. ㉡난리를 불러일으키는 뜻으로 쓰임.
[揭開 게개] 봉(封)한 것을 뜯음.
[揭揭 게게] ㉠긴 모양. ㉡높이 솟은 모양. ㉢빨리 달리는 모양. ㉣물건이 빠지려고 하는 모양.
[揭榜 게방] 간판을 내어 겖.
[揭斧入淵 게부입연] 도끼를 들고 산에 들어가야 할 것을 산에는 들어가지 않고 못에 들어간다는 뜻으로, 물건을 적당한 곳에 쓰지 않고 엉뚱한 곳에 씀을 이름.
[揭示 게시] 여러 사람에게 알리기 위하여 써서 붙이거나 내어 걸어 두고 보게 함.
[揭揚 게양] 높이 겖.
[揭載 게재] 글이나 그림을 신문(新聞)·잡지(雜誌)에 실음.
[揭帖 게첩] 게첩(揭貼).
[揭貼 게첩] 걸어 붙임.
[揭傒斯 게혜사] 원(元)나라의 문학자. 원사걸(元四傑)의 한 사람으로, 자(字)는 만석(曼碩). 한림원(翰林院) 시강학사(侍講學士)로 있으면서, 정사(正史) 편찬의 총재관(總裁官)을 명 받고 요사(遼史)에 이어 금사(金史)를 편술하다 과로(過勞)로 인하여 몰(沒)하였음. 〈게문안공전집(揭文安公全集)〉 14권이 있음.
[揭曉 게효] 게시하여 깨우침.
◉高揭. 別揭. 負揭. 上揭. 昭揭. 揚揭. 前揭. 旌揭. 表揭. 標揭. 掀揭.

9
⑫ [揯] 긍 ㊥蒸 古恒切 gèn

字解 당길 긍 바싹 당김 '—, 引急也'《說文》.

[字源] [篆文] 形聲. 扌(手)+恆〔音〕. '恆긍'은 달의 엄숙한 운행(運行)을 이름. 실을 바싹 당겨 둘러치다의 뜻을 나타냄.

9 ⑫ [揮] [高人] 휘 [平]微 許歸切 huī 挥

[筆順] 扌 扩 扩 扩 捛 揎 揎 揮

[字解] ①휘두를 휘 ㉠휘휘 돌리며 움직임. '一刀紛紜'《韓愈》. ㉡서화를 쓰거나 그림. '一毫'. '一筆如流星'《李頎》. ②뿌릴 휘 액체를 뿌림. '一汗成雨'《戰國策》. ③지휘할 휘 지시함. '指一'. '抽戈而一'《梁元帝》. ④대장기 휘 지휘하는 기(旗). '戎士介而揚一'《張衡》.

[字源] [篆文] 形聲. 扌(手)+軍〔音〕. '軍군'은 '두르다'의 뜻. 손을 돌리다, 휘두르다의 뜻을 나타냄.

[揮却 휘각] 물리치고 돌아보지 않음.
[揮喝 휘갈] 큰 소리로 외치며 지휘(指揮)함.
[揮劍 휘검] 칼을 휘두름.
[揮霍 휘곽] ㉠빠른 모양. ㉡뿌려 버린다는 뜻으로, 돈을 함부로 헤프게 씀을 이름.
[揮刀 휘도] 날붙이를 휘두름.
[揮掉 휘도] 떨쳐 움직임. 분기(奮起)함.
[揮淚 휘루] 눈물을 뿌림.
[揮淚斬馬謖 휘루참마속] 제갈량(諸葛亮)의 장수 마속(馬謖)이 양(亮)의 명령을 거슬러 가정(街亭)의 싸움에 패하였으므로, 양(亮)이 눈물을 머금고 속(謖)을 베어 그 죄를 다스린 고사(故事)에서, 정(情)에 흐르지 않고 법대로 벌할 것은 벌함을 이름.
[揮拍 휘박] 쳐 울림. 쳐서 소리나게 함.
[揮發 휘발] 액체(液體)가 보통의 온도에도 저절로 기체(氣體)로 변하여 공중으로 나는 작용(作用).
[揮發油 휘발유] 평온(平溫)에서 휘발(揮發)하여 기체가 되기 쉬운 기름. 특히, 석유(石油)에서 만든 무색투명의 경유(輕油).
[揮掃 휘소] 휘둘러 씀. 힘 있게 운필(運筆)하는 형용.
[揮灑 휘쇄] 붓을 휘둘러 먹을 뿌림. 곧, 서화를 쓰거나 그림.
[揮手 휘수] 손을 휘두름.
[揮揚 휘양] 휘둘러 일으킴.
[揮帳 휘장] 둘러치는 장막(帳幕).
[揮帳壯元 휘장장원] 《韓》 과거(科擧)에 첫째로 급제(及第)하여 그의 글이 과장(科場)에 게시(揭示)되어 찬양을 받는 사람.
[揮斥 휘척] ㉠멋대로 감. 방종(放縱). ㉡빨리 감. ㉢힘차게 떨침.
[揮涕 휘체] 눈물을 뿌림.
[揮筆 휘필] 휘호(揮毫).
[揮汗 휘한] 땀을 뿌림.
[揮毫 휘호] 붓을 휘둘러서 글씨를 쓰거나 그림을 그림.
[揮攉 휘확] 손을 휘두름.
◉發揮. 素揮. 手揮. 指揮. 布揮. 毫揮.

9 ⑫ [揲] 설 [入]屑 食列切 shé

[字解] ①맥짚을 설 손의 맥을 짚음. '一荒爪幕'《史記》. ②셀 설 하나하나 집어 셈. '一蓍'. '一之以四, 以象四時'《易經》.

[字源] [篆文] 形聲. 扌(手)+枼〔音〕. '枼엽'은 '牒첩'과 통하여, '패'의 뜻. 패를 손에 들고 세다의 뜻을 나타냄.

[揲蓍 설시] 시초점(蓍草占)을 칠 때 시초(蓍草)를 셈.

9 ⑫ [揳] [一] 설 [入]屑 先結切 xiè [二] 혈 [入]屑 奚結切 xié [三] 할 [入]黠 訖黠切 jiá

[字解] [一] ①일비뚤게할 설 바르지 않음. '一, 攕一, 不方正也'《廣韻》. ②막을 설 '一, 塞也'《正韻》. [二] 잴 혈 絜(糸部 六畫)과 同字. '不揣長, 不一大'《荀子》. [三] ①탈 할 탄주(彈奏)함. '趙女鄭姬設形容一鳴琴'《史記》. ②칠 할 擊(手部 十三畫)과 통함. '乃捶一牽曳於前'《後漢書》.

[字源] 形聲. 扌(手)+契〔音〕

9 ⑫ [揟] [人名] 서 [平]魚 新於切 xū

[字解] ①거를 서 물을 걸러 찌끼를 제거(除去)함. '一, 取水沮也'《說文》. ②물뜨는그릇 서 '一, 取水具也'《廣韻》. ③고기잡을 서 '一, 一曰, 取魚也'《集韻》. ④고을이름 서 '一次'는 현(縣)의 이름. '武威有一次縣'《說文》.

[字源] 形聲. 扌(手)+胥〔音〕

9 ⑫ [援] [高人] 원 [平]元 雨元切 yuán

[筆順] 扌 扩 扩 扩 扩 揺 揺 援

[字解] ①당길 원 ㉠끌어당김. 잡아당김. '嫂溺, 一之以手'《孟子》. ㉡먼 데의 것을 당겨 손에 쥠. '一筆'. '一琴奏別鵠之曲'《南史》. ㉢가까이 끌어 씀. '擧賢一能'《禮記》. ㉣끌어 증거로 삼음. '一例'. '一引他經'《公羊傳 序》. ②매달릴 원 도와 달라고 붙들고 늘어짐. '在下位, 不一上'《中庸》. ③뽑을 원 발취(拔取)함. '不肖者敢一而廢之'《荀子》. ④구원할 원 구조함. '一助'. '子欲手一天下乎'《孟子》. ⑤도움 원 구원. '爲四隣之一, 結諸侯之信'《國語》. ⑥성 원 성(姓)의 하나.

[字源] [篆文] 形聲. 扌(手)+爰〔音〕. '爰원'은 '당기다'의 뜻. '手수'를 더하여, 뜻을 분명히 함.

[援繫 원계] 출세(出世)할 연줄.
[援救 원구] 도와 구해 줌. 구원(救援).
[援軍 원군] 구원하는 군대(軍隊).
[援例 원례] 전례(前例)를 끎.
[援路 원로] 원병(援兵)이 오는 길.
[援兵 원병] 구원(救援)하는 군사.
[援庇 원비] 구원하여 비호함.
[援手 원수] 물에 빠진 사람의 손을 잡아당겨 꺼내 준다는 뜻으로, 남을 구제함을 이름.
[援引 원인] ㉠서로 끌어 도움. ㉡증거로 끌어 댐.
[援助 원조] 도와줌. 구하여 줌.
[援筆 원필] 붓을 끌어당김. 붓을 손에 쥠.
[援護 원호] 구원하여 보호(保護)함. 도와주며 보살핌.

◉牽援. 孤立無援. 救援. 畔援. 攀援. 赴援. 蚍蜉蟻子之援. 聲援. 勢援. 良援. 攣援. 應援. 引援. 隣援. 資援. 增援. 支援. 戚援. 推援. 後援.

9 ⑫ [揵] 건 ①②[平]先 渠焉切 qián ③-⑤[上]阮 巨偃切 jiàn

[字解] ①멜 건 어깨에 멤. '一弓韣九鞬'《後漢書》. ②들 건 들어 올림. '一鰭掉尾'《司馬相如》. ③막을 건 틀어막음. 통하지 못하게 함. '一石菑'《史記》. ④닫을 건 문 따위를 닫음. '將內一'《莊子》. ⑤둑 건 물을 막는 설비. '下淇園之竹, 以爲一'《漢書》.

[字源] 形聲. 扌(手)+建〔音〕

9 ⑫ [揶] [人名] 야 [平]麻 余遮切 yé

[字解] 빈정거릴 야 조롱함. '擧手一揄之'《後漢書》.

[字源] 形聲. 扌(手)+耶〔音〕

9 ⑫ [揘] 황 [平]庚 呼橫切 huáng

[字解] 칠 황 때림. '竿殳之所一畢'《張衡》.

9 ⑫ [揻] 함 [上]感 戶感切 hàn

[字解] 흔들 함, 움직일 함 '一, 搖也'《說文》.

[字源] 形聲. 扌(手)+咸〔音〕

9 ⑫ [捺] 〔날〕
捺(手部 八畫〈p.877〉)의 俗字

9 ⑫ [摒] 〔병〕
摒(手部 十一畫〈p.903〉)의 俗字

9 ⑫ [揪] 〔추〕
揫(手部 九畫〈p.885〉)과 同字

[字源] 形聲. 扌(手)+秋〔音〕

9 ⑫ [揯] 〔경〕
挭(手部 七畫〈p.874〉)과 同字

9 ⑫ [摶] 〔단〕
摶(手部 十一畫〈p.901〉)과 同字

9 ⑫ [搼] 〔등〕
榺(木部 九畫〈p.1086〉)과 同字

9 ⑫ [撋] 〔연〕
撋(手部 十二畫〈p.903〉)과 同字

[字源] [篆文] 形聲. 扌(手)+耎〔音〕. '耎연'은 '유약(柔弱)하다'의 뜻. 물에 담가 손으로 부드럽게 하다, 물에 적시다의 뜻을 나타냄.

9 ⑫ [撰] 〔찬〕
撰(手部 十二畫〈p.907〉)의 本字

9 ⑫ [揔] 〔총〕
摠(手部 十一畫〈p.903〉)의 俗字

[字源] 形聲. 扌(手)+忽〔音〕

9 ⑫ [揑] 〔날〕
捏(手部 七畫〈p.873〉)의 俗字

10 ⑭ [搴] 건 [平]先 丘虔切 qiān [上]銑 九輦切

[字解] 뺄 건, 뽑을 건 뽑아 가짐. '一出'. '一長茭兮沈美玉'《史記》.

[字源] 形聲. 手+寒〈省〉〔音〕. '寒한'은 '춥다'의 뜻. 걸치고 있는 것을 벗어 추운 모양에서, '빼다'의 뜻을 나타냄.

[搴旗 건기] 적(敵)에게 이기고 기(旗)를 빼앗음.
[搴出 건출] 뽑아냄.
[搴擷 건힐] 뽑아 가짐.

10 ⑭ [搼] 〔권〕
拳(手部 六畫〈p.863〉)의 本字

10 ⑭ [搫] [一] 반 [平]寒 薄官切 bān [二] 파 [平]歌 薄波切 pó

[字解] [一] ①바르지않을 반 춤사위가 바르지 않음. ②옮길 반 搬(手部 十畫)과 同字. [二] ①터닦을 파 '一場拄翳'《潘岳》. ②헤칠 파 '一, 又披散也'《廣韻》.

[字源] [篆文] 形聲. 手+般〔音〕. '般반'은 '돌다, 펴지다'의 뜻. 춤사위가 너무 돌아 움직여서 바르지 않다의 뜻을 나타냄.

10 ⑬ [搆] 구 [平]尤 居侯切 gòu

[字解] 끌 구 끌어당김.

[字源] 形聲. 扌(手)+冓〔音〕

10 ⑬ [搉] 각 [入]覺 苦角切 què

[字解] ①두드릴 각, 칠 각 때림. '支斷戚夫人手足, 一其眼'《漢書》. ②끌 각 끌어 따옴. 인용함. '揚一古今'《漢書》. ③헤아릴 각 상량(商量)함. '商一古今'《北史》. ④도거리할 각 독차지함. 榷(木部 十畫)과 통용. '般輸一巧於斧斤'《班固》.

[字源] [篆文] 形聲. 扌(手)+隺〔音〕. '隺각·학'은 '敲고'와 통하여, '두드리다'의 뜻을 나타냄.

[搉巧 각교] 교묘한 솜씨를 독점함. 아주 교묘함.
[搉揚 각양] 개요(概要). 대략(大略).
[搉場 각장] 매매를 감독(監督)하는 곳.
◉商搉. 詳搉. 揚搉. 研搉.

10 ⑬ [損] [高·人] 손 [上]阮 蘇本切 sǔn

[筆順] 扌 扌ᄀ 扌ᄆ 扌ᄆ 捐 捐 損 損

[字解] ①덜 손 감소함. 또는, 삭감함. '有能增一一字者, 予千金'《史記》. ②잃을 손 상실함. 손해를 봄. '一失'. '費日一工'《鹽鐵論》. ③낮출 손 낮게 함. '貶一'. '常自退一'《晉書》. ④상할 손 잔상(殘傷)함. '兆人傷一'《後漢書》. ⑤손괘 손 육십사괘(六十四卦)의 하나. 곧, ䷨〈태하

(兌下), 간상(艮上)〉. 아래를 덜고 위를 보태는 상(象). '一有孚吉'《易經》.
[字源] 篆文 會意. 扌(手)+隕〈省〉〔音〕. '隕운'은 '떨어지다'의 뜻. 손으로 떨어뜨리는 모양에서, '덜다, 손상하다'의 뜻을 나타냄.

[損減 손감] 삭감함. 또, 감소함.
[損金 손금] 손해(損害)난 돈.
[損氣 손기] 몹시 자극(刺戟)을 받아서 기운이 상함.
[損年 손년] ㉠나이를 낮추어 적게 말함. ㉡젊은 나이.
[損亡 손망] 손실(損失).
[損耗 손모] 손실(損失).
[損福 손복] 복(福)이 덜림.
[損傷 손상] ㉠떨어지고 상(傷)함. ㉡상처를 입음.
[損上剝下 손상박하] 나라에 손해(損害)를 끼치고 백성의 재물(財物)을 빼앗음.
[損省 손생] 덞. 줄이고 생략함.
[損膳 손선] 천자(天子)가 식선(食膳)의 수를 줄여 검약(儉約)하게 하는 일. 식비(食費)를 덞.
[損失 손실] 덜리어 잃어짐. 축나서 잃어 버림.
[損抑 손억] 만심(慢心)을 억제함. 겸하(謙下)함.
[損友 손우] 이(利)롭지 않은 벗.
[損挹 손읍] 손억(損抑).
[損益 손익] ㉠손해(損害)와 이익(利益). ㉡증감(增減).
[損者三友 손자삼우] 사귀어 불리한 세 종류의 벗. 곧, 편벽(便辟)·선유(善柔)·편녕(便佞)의 벗.
[損瘠 손척] 쇠약하고 수척함.
[損下益上 손하익상] 아랫사람을 해롭게 하고 윗사람을 이롭게 함.
[損害 손해] ㉠이익(利益)을 못 봄. ㉡덜려 해(害)가 됨.
[損害賠償 손해배상] 남에게 손해(損害)를 끼쳤을 때 그에 상당(相當)한 것을 물어 줌.
◉減損. 降損. 鐫損. 缺損. 謙損. 滿招損. 耗損. 費損. 削損. 傷損. 銷損. 衰損. 瘦損. 抑損. 汚損. 挹損. 酌損. 裁損. 增損. 侵損. 破損. 貶損. 毁損. 虧損.

10 ⑬ [搏] 박 ㊀藥 補各切 bó

[字解] ①칠 박 ㉠때림. '一殺'. '一牛之蝱'《史記》. ㉡격투함. 싸움. '晉侯夢與楚子一'《左傳》. ㉢날개를 침. '一搖'. '一扶搖羊角而上者九萬里'《莊子》. ㉣손으로 쳐서 울림. '彈箏一髀'《史記》. ②잡을 박 체포함. '務一執'《禮記》. ③질 박 움키어 가짐. '鑠金百鎰, 盜跖不一'《史記》.
[字源] 金文 篆文 形聲. 扌(手)+尃〔音〕. '尃부'는 '斧부'와 통하여, 도끼나 메로 치다의 뜻. '手수'를 더하여, '치다'의 뜻을 나타냄.

[搏擊 박격] ㉠후려 냅다 갈김. ㉡날개를 침.
[搏景 박경] 사람의 그림자를 침. 일의 이룰 수 없음을 이름. 영(景)은 영(影).
[搏拊 박부] ㉠현악기를 탐. ㉡악기 이름. '부(拊)'를 보라.
[搏殺 박살] 때려죽임.
[搏噬 박서] 치며 깨묾.
[搏搖 박요] 날개를 쳐 훨훨 낢.
[搏牛之蝱不可以破蟣蝨 박우지맹불가이파기슬] 소에 붙은 등에는 손으로 쳐서 죽일 수 있으나, 속에 있는 이는 그렇게 되지 아니함. 외부의 적은 멸하기 쉬워도 내부의 적은 이기기가 힘듦.
[搏戰 박전] 격투(格鬪).
[搏執 박집] 포박(捕搏)함.
[搏鬪 박투] 격투(擊鬪).
[搏獲 박획] 쳐 잡음.
◉擊搏. 徒搏. 脈搏. 鵬搏. 手搏. 龍攘虎搏. 龍虎相搏. 捽搏. 執搏. 虎搏.

10 ⑬ [㨙] 혜 ①②㊥佳 戶佳切 xié / ③㊦霽 胡計切 xì / ④㊤薺 戶禮切

[字解] ①끼울 혜 둘 사이에 끼움. '一, 挾物'《廣韻》. ②도울 혜 도와줌. '一, 扶也'《集韻》. ③바꿀 혜 교환함. '杭越之間, 謂換曰一'《集韻》. ④걸 혜 높이 겖. '一, 揭也'《集韻》.

10 ⑬ [搐] 축 ㊀屋 勅六切 chù

[字解] 땅길 축 힘줄이 땅겨 아픔. '一二指一'《漢書》.
[字源] 形聲. 扌(手)+畜〔音〕

10 ⑬ [搒] 방 ①㊦漾 補曠切 bàng / ②㊥庚 薄庚切 péng

[字解] ①배저을 방 榜(木部 十畫)과 同字. '一人船人也'《廣韻》. ②매질할 방, 볼기칠 방 '吏一笞數千'《漢書》.
[字源] 篆文 形聲. 扌(手)+旁〔音〕. '旁방'은 '좌우로 퍼지다'의 뜻. 좌우로 펼쳐서 덮어씌우다의 뜻을 나타내며, '榜방'과 통하여, 노를 저어 배를 움직이다의 뜻을 나타냄. 또, '旁방'과 통하여, '매질하다'의 뜻을 나타냄.

[搒具 방구] 죄인(罪人)을 고문(拷問)하는 기구(機具).
[搒掠 방략] 죄인(罪人)을 매질함.
[搒人 방인] 뱃사공.
[搒捶 방추] 매질함.
[搒笞 방태] 방략(搒掠).
◉結搒. 械搒. 敲搒. 笞搒.

10 ⑬ [搓] 차 ㊥歌 七何切 cuō

[字解] 비빌 차 손으로 문지름. '柳細一難似, 花新染未乾'《陸游》.
[字源] 形聲. 扌(手)+差〔音〕

◉挼搓.

10 ⑬ [搷] 전 ㊥先 徒年切 tián

[字解] ①칠 전 두드림. '一鳴鼓些. (注) 一, 擊也'《楚辭》. ②날릴 전 이름 따위를 들날림. '一, 揚也'《廣雅》. ③당길 전 잡아당김. '一, 引也'《集韻》.

10 ⑬ [㨜] [一] 건 ㊥元 渠言切 / ㊥先 丘虔切 qián / [二] 간 ㊥刪 丘顏切

[字解] [一] ①서로도울 건 '一, 相援也'《說文》. ②멜 건 어깨에 멤. '一, 以肩擧物也'《通雅》. ③서로들추어낼 건 '一, 互訐告也'《通雅》. [二] 서로도울 간, 멜 간, 서로들추어낼 간 [一]과 뜻이 같음.
[字源] 形聲. 扌(手)+虔〔音〕

10 ⑬ [搔] 소 [平]豪 蘇遭切 sāo

[字解] ①긁을 소 손톱 따위로 긁음. '一頭'. '一首踟躕'《詩經》. ②떠들 소 騷(馬部 十畫)와 통용. '所在一擾'《吳志》.
[字源] [篆文] 形聲. 扌(手)+蚤〔音〕. '蚤소'는 벼룩의 뜻. 벼룩에 물린 곳을 손으로 긁다의 뜻을 나타냄.

[搔頭 소두] ㉠머리를 긁음. ㉡비녀.
[搔首 소수] 머리를 긁음. 걱정이 있는 때의 형용(形容).
[搔癢 소양] 가려운 곳을 긁음.
[搔擾 소요] 여럿이 들고일어나 떠듦. 소요(騷擾).
◉抑搔. 爬搔.

10 ⑬ [搽] 차 chá

[字解] 바를 차, 칠할 차 분이나 약 같은 것을 바름. '一, 俗字. 敷也. 如婦女敷粉曰一粉, 瘡瘍敷藥曰一藥之類'《中華大字典》.
[字源] 形聲. 扌(手)+茶〔音〕

10 ⑬ [搖] [高人] 요 [平]蕭 餘昭切 yáo / [去]嘯 弋照切 搖

[筆順] 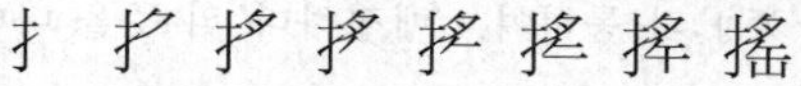

[字解] ①흔들릴 요 ㉠요동함. '動一'. '一者不定'《管子》. ㉡인심이 흔들려 떠들썩함. '嶺微驚一'《宋史》. ②흔들 요 요동시킴. '夾而一之'《周禮》. ③움직일 요 이동함. 장소를 옮김. '天星盡一'《漢書》. ④성 요 성(姓)의 하나.
[字源] [篆文] 形聲. 扌(手)+䍃〔音〕. '䍃요'는 억양을 붙여서 읊조리다의 뜻. 손으로 상하 좌우로 움직이다, 흔들다의 뜻을 나타냄.

[搖撼 요감] 흔들림. 또, 흔듦.
[搖車 요거] 어린애를 태우고 흔들어서 잠을 재우는 수레.
[搖動 요동] 흔들림. 또, 흔듦. 동요(動搖).
[搖頭顚目 요두전목] 머리를 흔들고 눈을 굴리면서 몸을 움직임. 곧, 침착성 없이 행동함.
[搖落 요락] 흔들리어 떨어짐.
[搖籃 요람] ㉠젖먹이 어린애를 누이거나 앉히고 흔드는 작은 채롱. ㉡'사물이 발달하기 시작한 처소. 또는 그 시기'를 이르는 말.
[搖鈴 요령] ㉠솔발(率鈸). ㉡불가(佛家)에서 법요(法要)를 행할 때에 흔드는 기구(器具).
[搖尾而乞憐 요미이걸련] 비굴하게 사람들의 연민(憐憫)을 비는 것을 개가 꼬리를 흔드는 것에 비유한 말.
[搖舌 요설] 혀를 놀림. 곧, 웅변(雄辯)함.
[搖脣鼓舌 요순고설] 입술을 움직거리고 혀를 참. 곧, 함부로 남의 좋고 나쁨을 지껄여 비평(批評)함.
[搖揚 요양] 흔들리어 오름. 또, 흔들어 올림.
[搖漾 요양] ㉠물이 움직이는 모양. ㉡물고기가 헤엄쳐 움직이는 모양.
[搖曳 요예] ㉠흔들흔들 움직임. ㉡이리저리 거닒. 배회함.
[搖搖 요요] ㉠근심이 되어 마음이 안정(安定)하지 아니한 모양. ㉡흔들흔들 흔들리는 모양.
[搖車 요차] 동차(童車). 유모차(乳母車).
[搖蕩 요탕] 요동(搖動).
[搖盪 요탕] 요동(搖動).
[搖會 요회] 계(契). 무진(無盡).
◉傾搖. 驚搖. 鼓搖. 亂搖. 獨搖. 動搖. 搏搖. 步搖. 扶搖. 消搖. 須搖. 翅搖. 震搖. 遷搖. 招搖. 超搖. 蕩搖. 漂搖. 飄搖.

10 ⑬ [搡] 상 ①②[上]養 寫朗切 sǎng / ③[去]漾 四浪切

[字解] ①칠 상 손으로 침. '一, 擯也'《集韻》. ②내던지려할 상 던지려고 하는 기세(氣勢). '一, 投擲之勢'《字彙》. ③누를 상 꼭 눌러 움직이지 못하게 함.

10 ⑬ [搞] 고 ①[平]肴 丘交切 qiāo / ②[去]號 口到切 kào / ③[現] gǎo

[字解] ①칠 고 두드림. '敲, 說文, 橫撾也. 或作一'《集韻》. ②기댈 고 靠(非部 七畫)와 同字. '靠, 說文, 相違也. 或从手'《集韻》. ③《現》할 고, 지을 고 본디 서남(西南) 방언(方言)으로 근자(近者)에 널리 쓰임.

10 ⑬ [搇] 금 [去]沁 丘禁切 qìn

[字解] 누를 금 손으로 누름. '一, 按也'《集韻》.

10 ⑬ [搗] [人名] 도 [上]晧 覩老切 dǎo 擣

[字解] 찧을 도 擣(手部 十四畫)와 同字. '和一塗之'《聖濟總錄》.
[字源] 形聲. 扌(手)+島〔音〕

[搗衣 도의] 다듬이질함.
[搗精 도정] 현미(玄米)를 찧거나 쓿어서 등겨를 내어 희고 깨끗하게 만듦.
◉麻搗.

10 ⑬ [搘] 지 [平]支 旨而切 zhī

[字解] 버틸 지, 괼 지 '一捂'. '一頤問樵客'《王維》.
[字源] 形聲. 扌(手)+耆〔音〕

[搘捂 지오] 버팀. 굄.

10 ⑬ [搚] 랍 [入]合 盧合切 lā

[字解] 꺾을 랍 拉(手部 五畫)과 同字. '一幹而殺之'《公羊傳》.
[字源] 形聲. 扌(手)+脅〔音〕

10 [搜] [高人] [一] 수 [平]尤 所鳩切 sōu
⑬ [二] 소 [上]巧 山巧切 shǎo

[字解] [一] 찾을 수 ㉠수색함. '一查'. '閉城門大一'《漢書》. ㉡구(求)함. '獨旁一而遠紹'《韓愈》. [二] 어지러울 소 난잡함. '炎風日一攪'《韓愈》.

[字源] 篆文 形聲. 篆文은 扌(手)+叟(叜)〔音〕. 뒤에 '叜수'가 변하여 '叟수'로 됨. 挍(手部 九畫)의 字源을 보라.

[搜攪 소교] ㉠난잡함. 어지러움. ㉡뒤섞음. 휘저음. 교란(攪亂).
[搜檢 수검] 수사하여 조사함.
[搜攷 수고] 이것저것 찾아서 상고(詳考)함.
[搜求 수구] 수색(搜索).
[搜得 수득] 찾아 얻음.
[搜攬 수람] 수채(搜採).
[搜訪 수방] 인재(人材)를 찾음.
[搜査 수사] 찾아 조사(調査)함.
[搜索 수색] 수사하여 탐색함. 찾아 구함.
[搜神記 수신기] 진(晉)나라의 간보(干寶)가 신괴(神怪)한 설화(說話)를 모은 책. 원래는 30권. 지금 통용되는 20권 본(本)은 후대의 사람이 유서(類書) 따위에서 모은 것임.
[搜集 수집] 찾아서 모음.
[搜採 수채] 인재(人材)를 찾아 씀.
[搜聚 수취] 찾아 모음.
[搜探 수탐] 수색(搜索).
[搜討 수토] 수색(搜索).
◉窮搜. 冥搜. 研搜. 精搜. 特搜.

10 [㨛] 섬 ①[上]琰 失冉切 shǎn
⑬ ②[去]豔 舒贍切 shàn

[字解] ①빨리움직일 섬 번개같이 빠른 모양. '一降丘以馳敵'《潘岳》. ②펼 섬 掞(手部 八畫)과 同字.

10 [搢] [人名] 진 ①[去]震 卽刃切 jìn
⑬ (②창[本]) ②[上]養 卽兩切

[字解] ①꽂을 진 끼움. '一笏'. '天子一珽'《禮記》. ②흔들 진 요동시킴. '一鐸'《國語》.

[字源] 篆文 形聲. 扌(手)+晉〔音〕. '晉진'은 두 개의 화살을 아래로 향하게 하여 그릇에 꽂는 모양을 본떠, '꽂다'의 뜻. '晉'이 '나아가다'의 뜻으로 쓰이게 되자, '手수'를 덧붙여, '꽂다'의 뜻을 분명히 함.

[搢紳 진신] 홀(笏)을 조복(朝服)의 대대(大帶)에 꽂음. 곧, 의관 속대(衣冠束帶)를 함. 전(轉)하여, 높은 벼슬아치·귀현(貴顯)한 사람.
[搢笏 진홀] 홀(笏)을 조복(朝服)의 대대(大帶)에 꽂음.

10 [搤] 액 [入]陌 於革切 è
⑬

[字解] ①조를 액 손으로 조름. '一殺'. '一天下之吭, 而拊其背'《史記》. ②쥘 액 잡음. '釋弓一劍'《史記》. ③막을 액 통하지 못하게 함. '因而一之可也'《管子》.

[字源] 篆文 形聲. 扌(手)+益〔音〕. '益익'은 좁아서 답답하다의 뜻. 손으로 잡다, 조르다의 뜻을 나타냄.

[搤殺 액살] 목을 졸라 죽임.
[搤腕 액완] 분하여 팔짓을 하며 벼름.
[搤咽拊背 액인부배] 상대방의 급소(急所)를 누르고 호되게 침. 앞뒤에서 들이쳐 빠져나갈 길을 없게 함.
[搤亢 액항] 목을 조름. 급소(急所)를 누름. 요충(要衝)을 제압함.
[搤吭 액항] 목을 조른다는 뜻으로, 요해처(要害處)에 웅거하여 적(敵)을 제압(制壓)함을 이름.

10 [搮] 률 [入]質 力質切 lì
⑬

[字解] 다스릴 률 물건을 손질함. '一, 以手理物'《集韻》.

10 [搥] [一] 추 [平]支 直追切 chuí
⑬ [二] 퇴 [平]灰 都回切 duī

[字解] [一] 칠 추 망치 같은 것으로 침. 槌(木部 十畫)와 同字. '一一鼓爲一嚴'《唐書》. [二] 던질 퇴 투척함. '一提仁義'《揚子法言》.

[字源] 形聲. 扌(手)+追〔音〕. '追추'는 '椎추'와 통하여, '망치'의 뜻.

[搥鼓 추고] 북을 침.

10 [搦] 닉 [入]職 女力切 nuò
⑬

[字解] 잡을 닉 ㉠손에 쥠. '舟子於是一棹'《郭璞》. ㉡체포함. '金鳳欲飛遭掣一'《錢俶》.

[字源] 篆文 形聲. 扌(手)+弱〔音〕. '弱약'은 부드럽게 구부러지다의 뜻. 손으로 부드럽게 굽히다의 뜻에서, '누르다, 묶다'의 뜻을 나타냄.

10 [搣] [一] 멸 [入]屑 亡列切 miè
⑬ [二] 혈 [入]屑 翾劣切

[字解] [一] ①문지를 멸 손으로 비빔. '一, 挲也'《說文》. ②잡을 멸 붙잡음. 쥠. '一, 捽也'《廣雅》. ③뽑을 멸 잡아 뽑. '一, 手拔'《廣韻》. [二] 뽑을 혈 '沐浴揃一寡合同'《急就篇》.

[字源] 篆文 形聲. 扌(手)+威〔音〕. '威멸·혈'은 '끄다'의 뜻. 손으로 비벼 끄다의 뜻을 나타냄.

10 [搕] [一] 갑 [入]合 克盍切 kē
⑬ [二] 압 [入]合 烏合切 è

[字解] [一] ①취할 갑 '一, 取也'《集韻》. ②칠 갑 두드림. '一, 打也. 擊也'《字彙》. [二] ①가릴 압 손으로 가림. '一, 以手盍也'《廣韻》. ②똥 압 '一搕'은 똥. '一, 一搕, 糞也'《廣韻》.

10 [搑] [一] 용 [上]腫 而隴切 ①②róng
⑬ [平]冬 而容切
[二] 낭 [平]江 濃江切 ①②náng
[上]講 匿講切 ③nǎng

[字解] [一] ①밀 용 밀어붙임. '一, 推擣也'《說文》. ②수레밀 용 수레를 되밂. '�, 推車. 或作一'《廣韻》. ③거둘 용 '一, 收也'《廣雅》. [二] ①밀 낭 [一]❶과 뜻이 같음. ②막을 낭 '一, 一曰, 窒也'《集韻》. ③찌를 낭 '攮, 撞也. 刺也. 或作一'《集韻》.

[字源] 形聲. 扌(手)+茸〔音〕

10 [搯] 〔추〕
⑬ 搊(手部 十二畫〈p.908〉)의 俗字

10 [搨] 탑 ⓐ合 託合切 tà
⑬
字解 ①베낄 탑 필사(筆寫)함. '八會舊文多一寫'《皮日休》. ②박을 탑 비석에 종이를 대고 비문 같은 것을 박아 냄. '一本'. '古碣憑人一'《王建》.
字源 形聲. 扌(手)+昜〔音〕. '昜탑'은 '깃털로 덮다'의 뜻. 덮다, 돌을 종이로 덮듯이 하여 탑본을 뜨다의 뜻을 나타냄.

[搨本 탑본] 금석(金石)에 새긴 그림이나 문자에 종이를 대고 박아 냄. 또, 그 종이.
[搨寫 탑사] 베낌. 필사(筆寫)함.
[搨床 탑상] 교의·와상(臥床) 등의 총칭(總稱).
[搨影 탑영] 본래의 형상을 본떠서 그림.
[搨前 탑전] 임금의 자리 앞.
[搨地錢 탑지전] 당대(唐代)에 다상(茶商)에게서 거둔 돈.
◉膽搨. 摹搨. 寫搨. 傳搨. 筆搨. 饗搨.

10 [搪] 당 ㊥陽 徒郎切 táng
⑬
字解 ①막을 당 통하지 못하게 함. '一塞'. ②부딪칠 당 충돌함. '一突'. '千里相一挨'《王安石》.
字源 形聲. 扌(手)+唐〔音〕

[搪突 당돌] ㉠부딪침. 충돌함. ㉡느닷없이. 돌연(突然).
[搪塞 당색] 막음. 통하지 못하게 함.

10 [搬] 人名 반 ㊥寒 薄官切 bān
⑬
字解 옮길 반 般(手部 十畫)과 同字. ㉠운반함. '一運之勞'《夢溪筆談》. ㉡이사함. '擇日一住'《尺牘雙魚》.
字源 形聲. 扌(手)+般〔音〕. '般반'은 큰 배를 움직이다의 뜻. '般'에 여러 가지 뜻이 파생되매, '手수'를 더하여, '나르다'의 뜻을 나타냄.

[搬運 반운] 운반(運搬)함.
[搬移 반이] 이사(移徙)함.
[搬住 반주] 반이(搬移)함.
◉運搬.

10 [搻] 납 ⓐ合 諾荅切 nà
⑬
字解 칠 납 때림. 두드림. 抐(手部 四畫)과 同字. '一, 打也'《集韻》.

10 [搭] 탑 ⓐ合 吐盍切 dā, ⑤tà
⑬
字解 ①탈 탑 탈것에 탐. '一乘'. '可一我船而去'《龍圖公案》. ②실을 탑 물건을 실음. '一載'. ③칠 탑 때림. '一奴肋折'《北史》. ④걸 탑 걸쳐 놓음. '一住'. '夜深斜一秋千索'《韓偓》. ⑤박을 탑 搨(手部 十畫)과 同字. '韓幹馬本摸一時'《梅堯臣》. ⑥성 탑 성(姓)의 하나.
字源 形聲. 扌(手)+荅〔音〕

[搭鉤 탑구] 물건을 거는 고리.
[搭船 탑선] 배를 탐.
[搭乘 탑승] 배·수레 따위에 올라탐.
[搭載 탑재] 배·수레 따위에 물건을 실음.
[搭住 탑주] 걸쳐 놓음.
◉挂搭. 頭搭. 鐵搭. 踔搭.

10 [搋] ㊀ 치 ㊤紙 丑豸切 chǐ
⑬ ㊁ 이 ㊥支 余支切 yí
㊂ 차 ㊥佳 丑皆切 chuāi
字解 ㊀ ①가를 치 나누어 가름. '一, 析也'《集韻》. ②끌 치 잡아당김. '一, 拽也'《集韻》. ㊁ 희롱할 이 놀림. 비웃음. 歋(欠部 十畫)와 同字. ㊂ 칠 차 주먹질함.

10 [搯] 도 ㊥豪 土刀切 tāo
⑬
字解 ①꺼낼 도 속에 있는 것을 뽑아냄. '一擢胃腎'《韓愈》. ②두드릴 도 때림. '無一膺'《國語》.
字源 篆文 形聲. 扌(手)+舀〔音〕. '舀도'는 절구에서 물건을 꺼내다의 뜻. '手수'를 덧붙여, '꺼내다'의 뜻을 나타냄.

[搯膺 도응] 가슴을 두드림.
[搯擢 도탁] 뽑아냄. 꺼냄.

10 [搰] 골 ⓐ月 戶骨切 hú
⑬
字解 ①팔 골 땅을 팜. '狐埋之, 而狐一之'《國語》. ②흐리게할 골 혼탁하게 함. '水之性淸, 土者一之'《呂氏春秋》. ③힘쓸 골 부지런히 일하는 모양. '一一然用力甚多, 而見功寡'《莊子》.
字源 篆文 形聲. 扌(手)+骨〔音〕. '骨골'은 움푹 팬 곳, '구멍'의 뜻. 손으로 구멍을 파다의 뜻을 나타냄.

[搰搰 골골] 힘쓰는 모양. 힘들여 일하는 모양.

10 [搩] ㊀ 걸 ㊤屑 渠列切 jié
⑬ ㊁ 책 ⓐ陌 陟格切 zhǎ
字解 ㊀ 멜 걸 어깨에 멤. '一, 擔也'《集韻》. ㊁ 뼘으로잴 책 뼘으로 재어 봄. '一, 手度物'《集韻》.
字源 形聲. 扌(手)+桀〔音〕

10 [搱] 〔여〕
⑬ 舁(臼部 四畫〈p.1879〉)의 俗字

10 [搶] 창 ①-③㊥陽 七羊切 qiāng
⑬ ④㊥庚 鋤庚切 chéng 抢
字解 ①부딪칠 창 충돌함. '以頭一地爾'《戰國策》. ②모일 창 집합함. '一楡枋'《莊子》. ③빼앗을 창 약탈함. '白晝一奪'《康熙字典》. ④어지러울 창 문란함. '國制一攘'《漢書》.
字源 形聲. 扌(手)+倉〔音〕. '倉창'은 '刅창'과 통하여, '다치다'의 뜻. 손으로 세차게 상처를 내다, 찌르다의 뜻을 나타냄.

[搶攘 창양] 어지러움. 문란(紊亂)함.
[搶地 창지] 머리를 숙여 땅에 부딪침.
[搶奪 창탈] 빼앗음. 탈취(奪取)함.

◉掉搶. 攙搶.

10 ⑬ [搛] [一] 렴 [平]鹽 離鹽切 lián
[二] 겸 [平]鹽 堅嫌切 jiān

[字解] [一] 장구칠 렴 '㪘, 擊鼓謂之㪘. 或从手'《集韻》. [二] 낄 겸 끼어 가짐. '一, 夾持也'《集韻》.

10 ⑬ [摼] 강 [平]江 古雙切 gāng

[字解] 들 강 짊어짐. 扛(手部 三畫)과 통용. '大駕鹵簿, 有一鼓'《晉書》.

10 ⑬ [搾] [人名] [現] 착 (자[本]) [去]禡 側駕切 zhà

[字解] 《現》짤 착 짜냄. 榨(木部 十畫)의 俗字. '一取'.

[字源] 形聲. 扌(手)+穴+乍〔音〕. '手수'는 본래는 '木목'임. '乍자'는 '만들다'의 뜻. 나무로 만든 기름틀의 구멍에서 기름을 만들어 내는 모양에서, '짜다'의 뜻을 나타냄.

[搾乳 착유] 젖을 짬.
[搾取 착취] ㉠꼭 누르거나 비틀어서 즙(汁)을 짜냄. ㉡자본가(資本家)가 노동자(勞動者)를 임금에 상당한 시간 이상(以上)으로 부려서 생기는 과잉 생산물을 자기 소유로 함.
◉壓搾.

10 ⑭ [搿] 격 gé

[字解] ①두손으로안을 격 '一, 俗字, 吳方言, 兩手合抱之曰一'《辭海》. ②힘써사귈 격 '一, 引申爲結交'《漢語大字典》. '魚一魚, 蝦一蝦, 王八一合鱉親家'《中國諺語資料》.

10 ⑬ [搲] 와 ①[平]麻 烏瓜切 wā
②[上]馬 烏瓦切 wǎ
③[去]禡 烏化切 wà

[字解] ①움킬 와 움켜쥠. '一, 以手捉物'《集韻》. ②긁을 와 손으로 긁음. '吳俗謂手爬物曰一'《集韻》. ③당길 와 끌어당김. '吳人謂挽曰一'《集韻》.

10 ⑬ [搸] 색 [入]藥 蘇各切 suǒ

[字解] ①더듬을 색 손으로 찾음. '摸一'. ②찾을 색 索(糸部 四畫)과 통용. '三以一數'《太玄經》.

◉摸搸.

10 ⑬ [搵] [一] 온 [去]願 烏困切 wèn
[二] 올 [入]月 烏沒切 wù

[字解] [一] ①잠길 온 물에 젖음. 물듦. '一, 沒也. (段注)謂湛浸於中也'《說文》. ②담글 온, 물들일 온 '一, 擩也'《廣雅》. ③누를 온 손가락으로 누름. '一, 指按也'《六書故》. [二] 잡을 올 손으로 물건을 잡는 모양. '一, 手撩物皃'《廣韻》.

[字源] 篆文 形聲. 扌(手)+昷〔音〕. '昷온'은 '가득 차다'의 뜻. '가라앉다, 물에 젖다'의 뜻을 나타냄.

10 ⑬ [搌] 전 [去]霰 陟扇切 zhǎn

[字解] ①걷을 전 걷어 올림. ②닦을 전 씻음.

10 ⑬ [搹] 격 [入]陌 古核切 gé

[字解] 쥘 격 손에 쥠. 가짐. '苴經大一'《儀禮》.

[字源] 篆文 形聲. 扌(手)+鬲〔音〕. '扼액'과 통하여, '쥐다, 가지다'의 뜻을 나타냄.

10 ⑬ [搊] 추 [平]尤 楚鳩切 chōu

[字解] 탈 추 손으로 현악기를 탐. '爲一琵琶'《唐書》.

[字源] 形聲. 扌(手)+芻〔音〕. '芻추'는 '趨추'와 통하여, 종종걸음으로 가다의 뜻. 악기를 손톱으로 타다의 뜻을 나타냄.

10 ⑬ [携] [中人] 휴 [平]齊 戶圭切 xié

[筆順] 扌 扌 扩 扩 搉 推 携 携

[字解] ①끌 휴 이끎. 이끌고 감. '一其妻子'《公羊傳》. ②들 휴 손에 가짐. '一帶'. '如取如一'《詩經》. ③떨어질 휴 분리함. '節度不一'《國語》. ④연할 휴 이음. '杓一龍角'《漢書》. ⑤성 휴 성(姓)의 하나.

[字源] 篆文 形聲. 扌(手)+隽(巂)〔音〕. '巂휴'는 '系계'와 통하여, '잇다, 연결하다'의 뜻. '손을 잡다'의 뜻을 나타냄.

[參考] 攜(手部 十八畫)는 本字.

[携家 휴가] 가족을 데리고 감.
[携筇 휴공] 지팡이를 가짐.
[携帶 휴대] 몸에 가짐. 몸에 지니고 다님.
[携扶 휴부] 도와줌.
[携手 휴수] 손을 끎.
[携手同歸 휴수동귀] 거취(去就)를 같이함.
[携貳 휴이] 사이가 나쁨. 사이가 나빠짐. 사이가 틀림.
[携引 휴인] 끌고 감. 함께 감.
[携持 휴지] 휴대(携帶).
[携行 휴행] 무엇을 몸에 지니고 가거나 다님. 지참하여 감.
◉睽携. 扶携. 連携. 提携. 必携. 解携.

10 ⑬ [搰] [一] 홀 [入]月 胡骨切
[二] 혼 ①[平]元 胡昆切 hún
②[上]阮 戶兗切
[三] 곤 [上]阮 古本切

[字解] [一] ①밀 홀 손으로 밂. 일설에, 두드림. '一, 手推之也'《說文》. ②길 홀 '一, 一曰, 掘也'《集韻》. [二] ①밀 혼 [一]❶과 뜻이 같음. ②길 혼 [一]❷와 뜻이 같음. [三] 길 곤 [一]❷와 뜻이 같음.

[字源] 形聲. 扌(手)+圂〔音〕

10 ⑬ [搟] [一] 攇(手部 十六畫〈p.917〉)과 同字
[二] 擀(手部 十一畫〈p.901〉)의 訛字

10 ⑬ [搎] 〔비〕
批(手部 四畫〈p.848〉)의 本字

10 ⑬ [摂] 〔섭·녑〕
攝(手部 十八畫〈p.918〉)의 略字

10 ⑬ [揆] 〔규〕
揆(手部 九畫〈p.886〉)의 本字

10 ⑭ [搟] 국 [入]屋 居六切 jū
[字解] 집을 국 손끝으로 집음. '一, 撮也'《說文》.
[字源] 形聲. 扌(手)+𥷚〈省〉〔音〕

11 ⑮ [摩] [人名] 마 [平]歌 莫婆切 mó
[字解] ①갈 마 닳게 하기 위하여 문지름. '研一'. '研一之工'《周禮》. ②비빌 마 문지름. '一擦'. '濯手以一之, 去其皾'《禮記》. ③만질 마 쓰다듬음. 또, 어루만짐. '撫一'. '手一其頂'《陳書》. ④가까이할 마 가까이 감. 접근함. '一壘而還'《左傳》. 전(轉)하여, 필적(匹敵)·근사(近似)의 뜻으로 쓰임. '一李杜'. ⑤헤아릴 마 상량(商量)함. '揣一臆測'. '古之善一者'《鬼谷子》.
[字源] 篆文 形聲. 手+麻〔音〕. '麻마'는 삼 껍질이 물에 담가 놓는 동안 문드러져 찌부러지는 모양에서, '뭉개다'의 뜻. 손으로 비벼 으깨다의 뜻을 나타냄.

[麻訶衍 마가연] 마하연(摩訶衍).
[摩伽陀 마가타] 《佛敎》 범어(梵語) magadha의 음역(音譯). 중인도(中印度)에 있던 나라 이름. 왕사성(王舍城)이 있던 곳. 마갈(摩竭).
[摩竭 마갈] 마가타(摩伽陀).
[摩乾軋坤 마건알곤] 천지(天地)에 가까이 다가섬.
[摩刮 마괄] 갈고 깎음.
[摩尼 마니] ㉠《佛敎》 아주 귀한 구슬. 보주(寶珠). ㉡마니교(摩尼敎).
[摩尼敎 마니교] 서력(西曆) 3세기경에 페르시아인(人) 마니가 창도(唱導)한 것으로, 선(善)·악(惡) 이원교(二元敎)를 기초(基礎)로 하고 기독교(基督敎)·불교(佛敎)의 교의(敎義)를 넣어 만든 한 종교(宗敎).
[摩羅 마라] ㉠《佛敎》 불상(佛像)의 머리 위를 꾸미는 조화(造花). ㉡백합(百合)의 이칭(異稱).
[摩羅伽陀 마라가타] 《佛敎》 칠보(七寶)의 하나. 금시조(金翅鳥)의 입가에서 나오는 녹색의 구슬. 일체의 제독(諸毒)을 물리친다 함.
[摩壘 마루] ㉠적(敵)의 성루(城壘)에 접근함. ㉡남의 시문(詩文) 따위가 옛 대가(大家)에 필적(匹敵)함을 칭찬하여 이르는 말.
[摩利支天 마리지천] 《佛敎》 일광(日光)을 신화(神化)한 하늘. 제석천(帝釋天)의 권속(眷屬)이며, 호국호민(護國護民)의 신(神).
[摩滅 마멸] 닳아서 없어짐. 마멸(磨滅).
[摩撫 마무] ㉠손으로 문지름. ㉡어루만짐. 위무함.
[摩民 마민] 백성을 어루만짐. 백성을 위무함.
[摩拂 마불] 서로 스침.
[摩沙 마사] 손으로 문지름.
[摩戛 마알] 서로 스쳐 소리가 남. 또, 그 소리.
[摩耶 마야] ㉠《佛敎》 마하마야(摩訶摩耶)의 약(略). 대술(大術)·대환(大幻) 등의 뜻. ㉡석가모니(釋迦牟尼)의 생모(生母). 마야 부인(摩耶夫人).
[摩切 마절] ㉠갈아 반들반들하게 함. ㉡격려(激勵)함. ㉢마찰(摩擦)함. ㉣나무람. 비방함.
[摩頂放踵 마정방종] 정수리로부터 마멸(摩滅)시켜 발꿈치까지 이른다는 뜻. 분골쇄신(粉骨灑身)함을 이름.
[摩擦 마찰] 두 물건이 서로 닿아서 비빔.
[摩天 마천] 하늘에 닿을 만큼 높음. 땅 위에 높이 솟음.
[摩天樓 마천루] 고층 건물(高層建物)을 이름. skyscraper의 역어(譯語)임.
[摩訶衍 마하연] 《佛敎》 대승(大乘).
◉肩摩. 刮摩. 矯摩. 規摩. 循摩. 按摩. 軋摩. 戛摩. 研摩. 維摩. 切摩. 撮摩. 揣摩. 編摩. 護摩.

11 ⑮ [摯] [人名] 지 [去]寘 脂利切 zhì
[筆順] 土 圭 坴 幸 執 執 摯 摯
[字解] ①잡을 지 손에 쥠. '以鷹擊毛一爲治'《史記》. ②이를 지 옴. '大命不一'《書經》. ③올릴 지 진언(進言)함. '近習之人, 其一諂也固矣'《戰國策》. ④지극할 지 정의(情意) 같은 것이 극진함. '眞一'. '甲鍛不一, 則不堅'《周禮》. ⑤사나울 지 鷙(鳥部 十一畫)와 통용. '前有一獸'《禮記》. ⑥폐백 지 贄(貝部 十一畫)와 통용. '庶人之一匹'《禮記》. ⑦성 지 성(姓)의 하나.
[字源] 甲骨文 篆文 形聲. 手+執〔音〕. '執집'은 '잡다'의 뜻. 손으로 단단히 잡다의 뜻을 나타냄.

[摯拘 지구] 잡음. 잡아맴. 구속함.
[摯獸 지수] 맹수(猛獸).
◉懇摯. 極摯. 六摯. 眞摯.

11 ⑮ [摹] 모 [平]虞 莫胡切 mó
[字解] ①본뜰 모 모방함. '一倣'. '規一弘遠矣'《漢書》. ②베낄 모 글 같은 것을 그대로 옮겨 씀. 摸(手部 十一畫)와 同字. '一本'. '其觀視及一寫者'《後漢書》.
[字源] 篆文 形聲. 手+莫(茻)〔音〕. '茻막'은 더듬어 찾다의 뜻. '더듬다'의 뜻을 나타냄.

[摹倣 모방] 본뜸. 본받음.
[摹本 모본] 사본(寫本).
[摹寫 모사] 베낌.
◉鉤摹. 規摹. 描摹. 似摹. 臨摹. 傳摹.

11 ⑮ [摮] 오 [平]豪 五勞切 áo
[字解] 칠 오 때림. '一殺'. '以斗一而殺之'《公羊傳》.

[摮殺 오살] 때려죽임.

11 ⑮ [摰] 얼 [入]屑 倪結切 niè
[字解] 위태할 얼 '轂小而長則柞, 大而短則一'《周禮》.

11 ⑮ [摲] 참 [上]感 在敢切 chàn

[字解] 칠 참 공격함.
[字源] 篆文 形聲. 手+斬〔音〕. '斬참'은 '베다'의 뜻. 손으로 베어 내다, 치다의 뜻을 나타냄.

11 ⑮ [⿱略手] 략 [入]藥 力灼切 lüè
[字解] 노략질할 략 약탈함. 掠(手部 八畫)의 俗字.

11 ⑮ [⿱研手] 연 [平]先 五堅切 yán
[字解] 갈 연 연마(硏磨)함. 전(轉)하여, 연구함.
[字源] 篆文 形聲. 手+硏〔音〕. '硏연'은 '갈다'의 뜻. 손으로 갈다, 문지르다의 뜻.
[參考] ⿱研手(手部 九畫)은 俗字.

11 ⑮ [撃] 〔격〕
擊(手部 十三畫〈p. 908〉)의 略字

11 ⑭ [摋] 살 [入]曷 桑割切 sà
[字解] ①칠 살 손으로 후려침. '宋萬臂—仇牧'《公羊傳》. ②지울 살, 쓸 살 지워 버림. 또, 쓸어 없애 버림. '與世抹—'《韓愈》.
[字源] 形聲. 扌(手)+殺〔音〕

◉抹摋. 弊摋.

11 ⑭ [摎] 규 [平]尤 居尤切 jiū
[字解] ①졸라맬 규 단단히 동여맴. '殤之經, 不—垂'《儀禮》. ②구할 규 찾음. '—天道'《張衡》. ③묶을 규 한데 묶음. '葉相—結'《漢書》. ④성 규 성(姓)의 하나.
[字源] 篆文 形聲. 扌(手)+翏〔音〕. '翏료'는 날개를 잇대어 합친 모양으로, 'ㄐ규'와 통하여, 달라붙다, 감기어 붙다의 뜻. 손이 감기게 하다, 졸라매어 죽이다의 뜻을 나타냄.

[摎結 규결] 한데 묶은 것처럼 뭉침.
[摎流 규료] 두루 수색(搜索)함.
[摎流 규류] 빙 돌아서 흐름.

11 ⑭ [⿰扌堇] 근 [去]問 居焮切 jìn
[字解] ①닦을 근, 씻을 근 '—, 飾也. (段注) 飾, 各本作拭, 今正, 云云, 飾拭, 正俗字'《說文》. ②깨끗이할 근 청결하게 함. '—, 淸也'《玉篇》.
[字源] 篆文 形聲. 扌(手)+堇〔音〕

11 ⑭ [摚] [一] 당 [平]陽 徒郎切 [二] 정 [平]庚 除庚切 chēng
[字解] [一] 막을 당 '—, 博雅, 距也'《集韻》. [二] 막을 정 [一]과 뜻이 같음.

11 ⑭ [摏] 용(송[本]) [平]冬 書容切 chōng
[字解] 찌를 용, 칠 용 '—其喉, 以戈殺之'《左傳》.
[字源] 形聲. 扌(手)+舂〔音〕. '舂용'은 '절구질하다'의 뜻.

11 ⑭ [摐] 창 [平]江 楚江切 chuāng
[字解] ①칠 창 두드림. '—金鼓吹鳴籟'《司馬相如》. ②뒤섞일 창, 어지러울 창 뒤섞여 혼란함. 분착(紛錯)함. '聞君遊靜境, 雅具更——'《陸龜蒙》.
[字源] 形聲. 扌(手)+從〔音〕

[摐摐 창창] ㉠소리가 크면서 명랑한 모양. ㉡뒤얽혀 어지러운 모양.

11 ⑭ [摞] [人名] 라 [平]歌 落戈切 [去]箇 魯過切 luò
[字解] 다스릴 라 '—, 博雅, 理也'《集韻》.

11 ⑭ [摼] [一] 갱 ①[平]庚 口莖切 kēng ②㊤梗 苦杏切 [二] 견 [平]先 輕煙切 qiān
[字解] [一] ①머리칠 갱 머리를 두드림. '—, 擣頭也'《說文》. ②종칠 갱 '—, 擊鐘也'《集韻》. [二] 끌 견 牽(牛部 七畫)과 통용. '牽, 說文, 引前也. 古作—'《集韻》.
[字源] 形聲. 扌(手)+堅〔音〕

11 ⑭ [摑] 괵(귁[本]) [入]陌 古獲切 guó 掴
[字解] 칠 괵 후려갈김. '—其口'《避暑錄話》.
[字源] 形聲. 扌(手)+國〔音〕

11 ⑭ [摓] 봉 [平]冬 符容切 féng, pěng
[字解] ①꿰맬 봉 縫(糸部 十一畫)과 同字. ②받들 봉 두 손으로 받듦. '—策定數'《史記》. ③클 봉 逢(辵部 七畫)과 통용. '—衣淺帶'《莊子》.
[字源] 形聲. 扌(手)+逢〔音〕

11 ⑭ [摤] 창 ㊤養 七兩切 qiǎng
[字解] ①닦을 창 돌 같은 것으로 갈아 닦음. '—, 磨滌也'《集韻》. ②찌를 창 '—, 突也'《字彙》.

11 ⑭ [摔] 솔 [入]質 山律切 shuāi
[字解] 버릴 솔 내던짐.
[字源] 形聲. 扌(手)+率〔音〕

11 ⑭ [摘] [高人] 적 [入]錫 他歷切 zhāi
[筆順] 扌 扌 扩 拧 揥 揥 摘 摘
[字解] ①딸 적 잡아뗌. '—搎'. '——使瓜好, 再—令瓜稀'《唐書》. ②들추어낼 적 지적함. 적발함. '—奸'. '指—經史謬誤'《北史》. ③손가락질할 적 손가락으로 가리킴. '—齊行列'《傅毅》. ④움직일 적 움직여 가게 함. '兼去—船行'《元稹》.
[字源] 篆文 形聲. 扌(手)+啇(啻)〔音〕. '啻적'은 중심으로 모으다의 뜻. 다섯 손가

락을 모아서 과일 열매 따위를 따다, 들추어내다의 뜻을 나타냄.

[摘奸 적간] 간악(奸惡)한 일을 적발함.
[摘抉 적결] 적발(摘發).
[摘錄 적록] 요점(要點)을 추려 적은 기록(記錄).
[摘發 적발] 숨은 일을 들추어냄.
[摘擗 적벽] ㉠수족(手足)을 굽힘. 몸을 굽힘. ㉡예절(禮節)이 아주 바른 모양.
[摘要 적요] 요점(要點)을 추려 적음. 또, 그 문서(文書).
[摘載 적재] 요점(要點)을 추려 실음. 또, 그 문서(文書).
[摘齊 적제] 일일이 지적(指摘)하여 가지런히 함.
[摘掇 적철] 손가락으로 집어 땀.
[摘草 적초] 풀잎을 땀.
◉刊摘. 抉摘. 譏摘. 掐摘. 擿摘. 指摘. 採摘. 探摘. 討摘.

11 ⑭ [摗] [一] 수 [平]尤 先侯切 sōu
[二] 송 [上]董 損動切 sǒng
[字解] [一] 취할 수 가짐. '摟—, 取也'《集韻》. [二] 달릴 송 말이 재갈을 흔들면서 뛰어감. 駷(馬部 七畫)과 同字.

11 ⑭ [摘] [一] 치 [平]支 丑知切 chī
[二] 리 [平]支 隣知切 lí
[字解] [一] 펼 치 아름답게 표현함. '—藻'. '—翰振藻, 非爲乏人'《齊書》. [二] 펼 리 [一]과 뜻이 같음.
[字源] 篆文 形聲. 扌(手)+离〔音〕. '离리·치'는 '列렬'과 통하여, '잇대다'의 뜻. '攡리'와 통하여, 손으로 펴다, 말하다의 뜻을 나타냄.

[摛藻 이조] 미문(美文)을 지음.
[摛翰 이한] 글을 지음.

11 ⑭ [摜] 관 [去]諫 古患切 guàn
[字解] ①《現》 던질 관. ②익힐 관 慣(心部 十一畫)과 同字.
[字源] 篆文 形聲. 扌(手)+貫〔音〕. '貫관'은 '익다'의 뜻. '익다, 익히다'의 뜻을 나타냄.

11 ⑭ [摝] 록 [入]屋 盧谷切 lù
[字解] 흔들 록 진동(振動)시킴. '鼓人皆三鼓, 司馬—鐸'《周禮》.
[字源] 形聲. 扌(手)+鹿〔音〕

11 ⑭ [摕] [一] 제 [去]霽 都計切 dì
[二] 철 [入]屑 徒結切 dì
[字解] [一] ①집을 제 손끝으로 집음. '—, 撮取也'《說文》. ②가질 제 취(取)함. '—, 取也'《廣雅》. ③빼을 제 채어 가짐. '超殊榛—飛鼯. (註)—, 捎取之'《張衡》. [二] 집을 철, 가질 철, 빼을 철 [一]과 뜻이 같음.
[字源] 篆文 形聲. 扌(手)+帶〔音〕. '帶대'는 몸에 착용(着用)하다의 뜻. 손끝으로 집다의 뜻을 나타냄.

11 ⑭ [摟] 루 [平]尤 落侯切 lōu, lǒu
[字解] 끌 루 ㉠이끎. 이끌어서 모음. '五霸者, 一諸侯以伐諸侯者也'《孟子》. ㉡꾀어 끎. 유인함. '踰東家牆, 而—其處子'《孟子》.
[字源] 篆文 形聲. 扌(手)+婁〔音〕. '婁루'는 끊어지는 일이 없게 계속하다의 뜻. 손으로 차례차례 끌어당기다의 뜻을 나타냄.

[摟搜 누수] 끌어 모음. 찾아서 모음.

11 ⑭ [摡] 개 [去]隊 古代切 gài
[字解] 닦을 개 씻음. '帥女官而濯—'《周禮》.
[字源] 篆文 形聲. 扌(手)+既〔音〕. '既기'는 가득 차서 넘치다의 뜻. 넘칠 정도의 물을 써서 씻다의 뜻을 나타냄. 또, 그릇에 넘칠 만큼 물건을 담다의 뜻도 나타냄.

11 ⑭ [摢] 호 [去]遇 胡故切 hù
[字解] 속일 호 기만함. '—弄'.

[摢弄 호롱] 속임. 기만(欺瞞)함.

11 ⑭ [摌] 산 [上]潸 所簡切 chǎn
[字解] ①움직일 산 손으로 움직이게 함. '—, 以手核物'《廣韻》. ②고를 산 손으로 선택함. '捍—, 手精擇物也'《集韻》.

11 ⑭ [摣] 자 [平]麻 莊加切 zhā
[字解] 잡을 자 움켜잡음. '—狒猬'《張衡》.
[字源] 形聲. 扌(手)+虘〔音〕

11 ⑭ [摦] 화 [去]禡 胡化切 huà
[字解] 넓을 화 광대함. '大者不—'《左傳》.
[字源] 篆文 形聲. 扌(手)+瓠〔音〕

11 ⑭ [摧] [一] 최 [平]灰 昨回切 cuī
[二] 좌 [去]箇 寸臥切 cuò
[字解] [一] ①꺾을 최 ㉠부러뜨림. '寒風—樹木'《古詩》. ㉡기를 꺾음. '—辱宰相'《漢書》. ②꺾일 최 전항의 수동사. '已見松柏—爲薪'《劉廷芝》. ③누를 최 억압함. '能—剛爲柔'《史記》. ④막을 최 저지함. '室人交徧—我'《詩經》. ⑤밀칠 최 배제함. '擠—'. ⑥멸할 최 멸망함. '先祖于—'《詩經》. ⑦이를 최 옴. '—, 至也, 楚語也'《揚子方言》. [二] 꼴 좌, 꼴벨 좌 마소에 먹이는 풀. 또, 그 풀을 벰. '—之秣之'《詩經》.
[字源] 篆文 形聲. 扌(手)+崔〔音〕. '崔최'는 '碎쇄'와 통하여, '깨뜨리다, 부수다'의 뜻. 손으로 부수다의 뜻을 나타냄.

[摧肝膽 최간담] 갖은 고생을 함. 고심참담(苦心慘憺)함.
[摧感 최감] 기가 꺾이고 마음이 슬픔.
[摧擊 최격] 쳐 꺾음.
[摧哽 최경] 슬피 울어 목멤.

[摧枯 최고] '최고납후(摧枯拉朽)'를 보라. 납고(拉枯).
[摧枯拉朽 최고납후] 마른 나무를 꺾고 썩은 나무를 부러뜨림. 일이 대단히 용이함의 비유.
[摧枯折腐 최고절부] 최고납후(摧枯拉朽).
[摧拉 최랍] 꺾음.
[摧北 최배] 기세가 꺾이어 패(敗)하여 달아남.
[摧謝 최사] 굴복하여 사죄함.
[摧傷 최상] 기가 꺾이고 몸이 상함.
[摧碎 최쇄] 부숨. 또, 부서짐.
[摧抑 최억] ㉠꺾어 누름. ㉡마음이 슬퍼 눌림.
[摧辱 최욕] 기를 꺾어 욕보임.
[摧殘 최잔] 꺾어 손상을 입힘. 또, 꺾이어 손상을 입음.
[摧沮 최저] 기세(氣勢)가 꺾이어 풀이 죽음.
[摧折 최절] 꺾음. 또, 꺾임.
[摧剉 최좌] 최절(摧折).
[摧挫 최좌] 최절(摧折).
[摧破 최파] 깸. 또, 깨짐.
[摧朽 최후] '최고납후(摧枯拉朽)'를 보라.
◉擊摧. 單易折衆難摧. 木秀林風摧. 悲摧. 玉折蘭摧. 玉摧. 擠摧. 墮摧.

11 ⑭ [搰] 호 ①[上]麌 後五切 hù ②[去]遇 呼誤切

[字解] ①순조롭지못할 호 원활하지 못함. '抪—, 不順理'《集韻》. ②펼 호 베풀어 폄. '體用相彙, 彌綸布—'《路史》.

11 ⑭ [摷] [一] 초 ①②[平]肴 側交切 jiǎo ③[平]肴 初交切 chāo [二] 료 [平]蕭 落蕭切 [三] 로 [平]豪 郎刀切

[字解] [一] ①칠 초 '—, 拘擊也'《說文》. ②끊을 초, 벨 초 剿(刀部 十三畫〈p. 269〉)와 통용. ③다할 초 다잡음. '—鯤鮞殄水族'《張衡》. [二] ①움직일 료 '—, 動也'《廣雅》. ②칠 료 '—, 擊也'《廣韻》. [三] ①고기잡을 로 '—, 取也'《廣雅》. ②칠 로 '—, 擊也'《廣雅》.
[字源] 形聲. 扌(手)+巢〔音〕

11 ⑭ [摭] 척 [入]陌 之石切 zhí

[字解] 주울 척 습득(拾得)함. 또는 주워 모음. '—拾'. '采經—傳'《漢書》.
[字源] 篆文 形聲. 扌(手)+庶〔音〕. '庶서'는 집 안의 해충을 연기로 몰아내다의 뜻. '手수'를 더하여, '잡다'의 뜻을 나타냄.

[摭拾 척습] 주움.
[摭採 척채] 척습(摭拾).
◉鉤摭. 捃摭. 攟摭. 窮摭. 掎摭. 收摭. 拾摭. 采摭. 採摭.

11 ⑭ [摲] [一] 삼 [平]咸 師咸切 shàn [二] 참 [去]陷 楚鑑切 chàn

[字解] [一] 벨 삼 풀을 벰. '君子之於禮也, 有—而播也'《禮記》. [二] 벨 참 [一]과 뜻이 같음.

11 ⑭ [摦] 선 [去]霰 隨戀切 xuàn

[字解] ①돌을 선 손으로 높이 올림. '—, 手挑物'《集韻》. ②끌 선 길게 끌어당김. '—, 長引也'《玉篇》.

11 ⑭ [摳] 구 [平]尤 恪侯切 kōu [平]虞 豈俱切 kōu

[字解] ①걷을 구 옷의 아랫도리를 걷어 올림. '—衣趨隅'《禮記》. ②던질 구 투척함. '以瓦—者巧'《列子》. ③더듬을 구 손으로 더듬어 가짐. '以黃金—者惛'《列子》. ④올벼 구 '—揄'는 일찍 익는 벼. '—揄, 旋也. 秦晉, 凡物樹稼早成熟, 謂之旋, 燕齊之間, 謂之—揄'《揚子方言》.
[字源] 篆文 形聲. 扌(手)+區〔音〕. '區구'는 '홱 움직이다'의 뜻. 옷자락을 홱 걷어 올리다의 뜻을 나타냄.

[摳揄 구유] 다른 것보다 일찍 익는 벼.
[摳衣 구의] 옷의 아랫도리를 걷어 올림.

11 ⑭ [摴] 저 [平]魚 丑居切 shū

[字解] ①노름 저 '—蒱'. '老子入胡爲—蒱'《太平御覽》. ②성 저 성(姓)의 하나.
[字源] 篆文 形聲. 扌(手)+雩〔音〕

[摴蒱 저포] 도박의 한 가지.

11 ⑭ [摬] [一] 영 ①②[去]敬 於慶切 yǐng ③[上]梗 於丙切 yǐng [二] 강 [上]養 巨兩切

[字解] [一] ①맞힐 영 쳐서 맞힘. '—, 中擊也'《說文》. ②다치게할 영 쳐서 다치게 함. '—, 傷擊也'《玉篇》. ③칠 영 '—, 擊也'《廣雅》. [二] 칠 강 [一] ❸과 뜻이 같음.
[字源] 形聲. 扌(手)+竟〔音〕

11 ⑭ [摵] 색 [入]陌 山責切 shè

[字解] 우수수떨어질 색 낙엽이 우수수 떨어지는 소리. '楓葉荻花秋——'《白居易》.
[字源] 篆文 形聲. 扌(手)+戚〔音〕. '戚척'은 재빠른 모양을 나타내는 의태어(擬態語).

[摵摵 색색] 나뭇잎이 우수수 떨어지는 소리.
◉蕭摵.

11 ⑭ [摼] 건 [平]元 居言切 jiān

[字解] 저포짝 건 저포(樗蒱)에 쓰이는 말. '—子, 樗蒱采名'《集韻》.

11 ⑭ [摶] [一] 단 [平]寒 度官切 tuán [二] 전 [平]先 朱遄切 zhuān

[字解] [一] ①칠 단 ㉠손바닥으로 침. '—埴之工二'《周禮》. ㉡날개를 침. '大鵬—扶搖'《莊子》. ②둥글 단 원형임. 團(囗部 十一畫)과 통용. '欲生而—'《周禮》. ③뭉칠 단 손으로 둥글게 뭉침. '毋—飯'《禮記》. ④모을 단 취합(聚合)함. '—國不在敦古'《管子》. ⑤늘어질 단 축 늘어진 모양. '——以應懸兮'《張衡》. ⑥새이름 단 '—黍'는 꾀꼬리. '聲詩辨—黍, 比興思無窮'《孫處》. [二] ①

줄 전 장악함. '一三國之兵'《史記》. ②오로지 전 專(寸部 八畫)과 同字. '琴瑟之一一'《左傳》.
字源 篆文 形聲. 扌(手)+專〔音〕. '專전'은 실을 실패에 감다의 뜻. 손으로 둥글게 뭉치다의 뜻을 나타냄.

[摶摶 단단] 늘어진 모양. 축 처진 모양.
[摶飯 단반] 밥을 뭉침. 또, 그 밥. 주먹밥.
[摶沙 단사] 모래를 뭉침. 또, 그 뭉친 것. 단결력(團結力)이 적은 비유(譬喩)로 쓰임.
[摶埴 단치] ㉠진흙을 침. ㉡도공(陶工).
[摶心 전심] '전심(專心)'과 같음.
[摶一 전일] '전일(專一)'과 같음.

11 ⑭ [摸] 人名 모 ①㊀藥 慕各切 mō (①막㊥) ②㊥虞 莫胡切 mó

筆順 扌 扌 扩 扩 扩 措 搢 摸

字解 ①더듬을 모 손으로 더듬어 찾음. '一索'. '能手一其文讀之'《後漢書》. ②본뜰 모 摹(手部 十一畫)와 同字. '文宗勅, 一詔本'《唐書》.
字源 形聲. 扌(手)+莫〔音〕. '莫막'은 '더듬어 찾다'의 뜻. '手수'를 더하여, '쓰다듬다, 더듬다, 본뜨다'의 뜻을 나타냄.

[摸稜 모릉] 일을 결정하는 데 태도를 명백(明白)히 하지 아니함.
[摸稜 모릉] 모릉(摸棱)
[摸倣 모방] 흉내를 냄. 본을 뜸.
[摸本 모본] 원본(原本)을 본떠 베낀 책.
[摸寫 모사] 베낌.
[摸索 모색] 더듬어 찾음.
[摸擬 모의] 모방(模倣).
[摸造 모조] 흉내 내어 만듦.
[摸搨 모탑] 비문(碑文) 등의 탑본(搨本)을 만듦.
[摸繪 모회] 본떠 그림.
◉抾摸. 撈摸. 陶摸. 描摸. 捫摸. 手摸. 收摸. 尋摸.

11 ⑭ [搴] 천 ㊥先 親然切 qiān

字解 꽂을 천 '一, 插也'《集韻》.

11 ⑭ [摺] 人名 ㊀ 접 ㊀葉 之涉切 zhé (섭㊥) ㊁ 랍 ㊀合 盧合切 lā

字解 ㊀ ①접을 접 꺾어서 겹침. '一疊'. '衣帶卷一'《南史》. ②주름 접 접힌 데. '袪襄蹙一'《方鳳》. ㊁ 꺾을 랍 拉(手部 五畫)과 同字. '折脇一齒'《史記》.
字源 篆文 形聲. 扌(手)+習〔音〕. '習습'은 새가 깃을 겹쳐 합치다의 뜻. '꺾어서 접다'의 뜻을 나타냄.

[摺拉 납랍] 꺾음.
[摺齒 납치] 이를 부러뜨림.
[摺本 접본] 접은 책.
[摺扇 접선] 접는 부채.
[摺奏 접주] 천자(天子)에게 직달(直達)하는 상주문(上奏文).
[摺紙 접지] ㉠종이를 접음. 또, 접은 종이. ㉡장책(粧冊)할 때 책장을 접음.
[摺疊 접첩] 접음.

◉卷摺. 手摺. 轉摺. 折摺. 接摺. 奏摺.

11 ⑭ [摻] ㊀ 삼 ㊤琰 所斬切 shǎn ㊁ 섬 ㊥鹽 思廉切 xiān ㊂ 참 ㊦勘 七勘切 càn

字解 ㊀ 잡을 삼 쥠. '一執子之袪兮'《詩經》. ㊁ 섬섬할 섬 가냘프고 고운 모양. '一一女手'《詩經》. ㊂ 칠 참 악곡(樂曲)에 맞추어 세 번 북을 침. '疊鼓誰一漁陽撾'《古詩》.
字源 篆文 形聲. 扌(手)+參〔音〕. '參삼'은 '많다'의 뜻. 많은 것을 손으로 거두어 잡다의 뜻을 나타냄. '纖섬'과 통하여, '가늘다, 섬섬하다'의 뜻도 나타냄.
參考 摻(手部 十二畫)은 俗字.

[摻執 삼집] 잡음. 쥠.
[摻摻 섬섬] 흰 손이 가냘프고 고운 모양. 섬섬(纖纖).

11 ⑭ [摽] 표 ①-③㊤篠 符少切 piǎo ④⑤㊥蕭 撫招切 biāo ⑥㊥肴 披交切 biāo

字解 ①칠 표 '一擊'. 두드림. '長木之斃, 無不一也'《左傳》. ②가슴칠 표 슬퍼하여 가슴을 두드리는 모양. '寤辟有一'《詩經》. ③떨어질 표 낙하함. '一有梅'《詩經》. ④손짓할 표 손짓하여 부름. '一使者'《孟子》. ⑤칼끝 표 도말(刀末). '一末之功'《漢書》. ⑥버릴 표 내던짐. '一劍而去之'《公羊傳》.
字源 篆文 形聲. 扌(手)+票(㶾)〔音〕. '㶾표'는 높이 오르다, 날아 흩어지다의 뜻. 손으로 쳐서 튀어 흩어져 떨어뜨리다의 뜻을 나타냄.

[摽擊 표격] 침. 두드림.
[摽末 표말] ㉠칼끝. ㉡근소(僅少).
[摽梅 표매] 난숙(爛熟)하여 떨어진 매실(梅實)이라는 뜻으로, 혼기(婚期)가 지난 여자를 이름.
[摽榜 표방] 사람의 선행(善行)을 표창하기 위하여 그 사실을 패에 적어 문 같은 데 거는 일. 표방(標榜).
[摽擗 표벽] 슬퍼하여 가슴을 두드림.
[摽然 표연] 높이 올라가는 모양.
[摽幟 표치] 안표(眼標). 표지(標識).
◉擗摽. 寤摽. 長木斃無不摽.

11 ⑭ [擗] 벽 ㊀職 拍逼切 pì

字解 쨀 벽 절개함. 疈(田部 十五畫)과 통용. '不一痤則寖益'《韓非子》.

[擗痤 벽좌] 곪은 데를 째어 고름을 짜냄.

11 ⑭ [揞] 음 ㊥侵 挹淫切 yīn

字解 조용할 음 愔(心部 九畫)과 同字. '推其一一, 擠其揭揭'《淮南子》.

[揞揞 음음] 깊숙하고 조용한 모양.

11 ⑭ [摫] 규 ㊥支 居隋切 guī

字解 마를 규 옷을 재단함. '一, 裁也, 梁益之

間, 裂帛爲衣, 曰一'《揚子方言》.

11 ⑭ [摙] 련 ㊤銑 力展切 liǎn

[字解] 멜 련 등에 짐. '以錢買井水, 不受錢者, 一水還之'《南史》.

11 ⑭ [摒] 병 [去]敬 畀政切 bìng

[字解] 가든히할 병 정돈함. '一擋不盡'《晉書》.

[字源] 形聲. 扌(手)＋屛〔音〕. '屛병'은 물리쳐 제거하다의 뜻.

[摒擋 병당] 정돈함. 가든히 함.

11 ⑭ [摠] 〔총〕 總(糸部 十一畫〈p. 1767〉)과 同字

[字源] 形聲. 扌(手)＋悤〔音〕

11 ⑭ [摢] 〔거〕 據(手部 十三畫〈p. 912〉)의 俗字

11 ⑭ [摣] 〔촬〕 撮(手部 十二畫〈p. 907〉)과 同字

11 ⑭ [摶] 〔전〕 揃(手部 九畫〈p. 886〉)의 俗字

11 ⑭ [搗] 〔도〕 擣(手部 十四畫〈p. 913〉)와 同字

11 ⑭ [摢] 〔거〕 據(手部 十三畫〈p. 912〉)의 俗字

12 ⑯ [擊] 돈 [平]元 dūn

[字解] 칠 돈 '一, 擊也'《集韻》.

12 ⑯ [擎] 撇(次條)과 同字

12 ⑮ [撇] 별 [入]屑 普蔑切 piē

[字解] ①칠 별 때림. '一波而濟水'《王褒》. ②삐침 별 서법(書法)의 한 가지. '人'의 'ノ' 따위. '長一須迅其鋒'《書法離鉤》. ③닦을 별 눈물·콧물을 닦음. '一涕抆淚'《王褒》.

[字源] 篆文 形聲. 扌(手)＋敝〔音〕. '敝폐'는 '깨뜨리다'의 뜻. '手수'를 더하여, '닦아 없애다, 털어 없애다'의 뜻을 분명히 함.

◉漂撇.

12 ⑮ [撅] [一] 궐 [入]月 居月切 juē
[二] 게 [去]霽 姑衛切 guì

[字解] [一] ①칠 궐 공격함. '一高昌, 纓突厥'《唐書》. ②팔 궐 발굴함. '一其城郭'《杜牧》. [二] 걷을 게 옷의 아랫자락을 걷어 올림. 揭(手部 九畫)와 同字. '不涉不一'《禮記》.

[字源] 篆文 形聲. 扌(手)＋厥〔音〕. '厥궐'은 '파다'의 뜻. '手수'를 더하여, '뚫다, 파다'의 뜻을 나타냄.

◉不涉不撅.

12 ⑮ [撈] [人名] 로 [平]豪 魯刀切 lāo

[字解] ①잡을 로 물속에 들어가 채취함. 또는 물속의 물건을 잡음. '一魚'. '山禿逾高採, 水窮益深一'《舒元輿》. ②《韓》 끙게 로 씨를 뿌린 뒤에 씨앗이 흙에 덮이게 하는 농구(農具).

[字源] 形聲. 扌(手)＋勞〔音〕

[撈救 노구] 물에 빠진 것을 건져 구함.
[撈魚 노어] 물고기를 포획함. 어로(漁撈).
[撈採 노채] 물속으로 들어가 채취(採取)함.
[撈取 노취] 노채(撈採).
◉牽撈. 漁撈. 拗撈.

12 ⑮ [擴] 광 [去]漾 古曠切 guàng

[字解] ①찰 광, 채울 광 충족(充足)시킴. '一, 充也'《集韻》. ②풀이름 광 초명(草名). '一, 艸名, 爾雅, 傅, 一目, 一名, 縷艸'《集韻》.

12 ⑮ [撛] [人名] 린 ㊤軫 良忍切 lǐn

[字解] 뺄 린 뽑음. '一白刃以萬舞, 危冬葉之待霜'《潘岳·西征賦》.

12 ⑮ [撴] [現] 돈 dūn

[字解] 《現》 ①던질 돈. ②칠 돈 타격(打擊)함. ③흔들릴 돈.

12 ⑮ [撊] 한 ㊤潸 下赧切 xiàn

[字解] 성낼 한 불끈 화냄. '一然授兵登陴'《左傳》.

[字源] 形聲. 扌(手)＋閒〔音〕

[撊然 한연] 불끈 성내는 모양.

12 ⑮ [撋] 연 [平]先 而緣切 ruán

[字解] 비빌 연 손으로 문지름. '煩一, 猶捼挱'《阮孝緖》.

[字源] 形聲. 扌(手)＋閏〔音〕

◉煩撋.

12 ⑮ [撎] 의 [去]寘 乙冀切 yì

[字解] 읍할 의 공수(拱手)하고 절함. '九曰, 肅拜. (註) 但俯下手, 今時一, 是也'《周禮》.

[字源] 篆文 形聲. 扌(手)＋壹〔音〕. '揖읍'과 같은 뜻으로, 무릎을 꿇고 고개는 그대로 두고 손만을 늘어뜨리는 절의 뜻을 나타냄.

12 ⑮ [撍] 잠 ①②㊤感 子感切 zǎn
③④[平]覃 作含切 zān

[字解] ①손떨릴 잠 '一, 手動也'《集韻》. ②잡을 잠 손에 쥠. '一, 又執持'《字彙》. ③다할 잠

'一, 盡也'《廣韻》. ④빠를 잠 날램. '一, 疾也'《集韻》.

12 ⑮ [撏] 잠 ㊥覃 昨含切 xián

字解 딸 잠 달려 있는 것을 뗌. '溫李諸人, 困於一撦'《劉克莊》.

字源 形聲. 扌(手)+尋〔音〕. '尋심'은 '찾다'의 뜻. 손으로 더듬어 따다의 뜻을 나타냄.

[撏撦 잠차] 이것저것 여러 가지를 땀.

12 ⑮ [撐] 탱 ㊥庚 中庚切 chēng

字解 ①버팀목 탱 지주(支柱). '摧杌饒孤一'《韓愈》. ②버틸 탱 굄. '一拄'. '斷橋無力強支一'《趙元》. ③배저을 탱 배〔船〕를 저음. '一刺'. '破月銜雲取次一'《朱熹》.

字源 形聲. 扌(手)+牚〔音〕. '牚탱'은 '버팀목'의 뜻. 버팀목을 버티다의 뜻을 나타냄.

參考 撑(次條)은 俗字.

[撐船 탱선] 배를 저음.
[撐刺 탱자] 배를 저음.
[撐腸拄腹 탱장주복] 배가 터지도록 먹음. 실컷 먹음.
[撐拄 탱주] 버팀. 또, 버팀목.
[撐支 탱지] 버팀. 굄.
◉孤撐. 支撐. 枝撐.

12 ⑮ [撑] 撐(前條)의 俗字

12 ⑮ [撒] 人名 살 ㊦曷 桑葛切 sā

字解 ①놓을 살 방치(放置)함. '望見巉巘多退步, 有誰一手肯承當'《淸珙》. ②흩을 살 흩어지게 함. '一壞'. '北人種麥漫一'《本草》. ③뿌릴 살 물 같은 것을 뿌림. '一水'. ④성 살 성(姓)의 하나.

字源 形聲. 扌(手)+散〔音〕. '散산'은 '흩다'의 뜻. '手수'를 더하여, '흩뿌리다'의 뜻을 나타냄.

[撒壞 살괴] 산산이 부숨. 부수어 흩음.
[撒扇 살선] 접는 부채.
[撒水 살수] 물을 뿌림.
[撒手 살수] 손을 놓음. 방치(放置)함.
[撒菽 살숙] 콩을 뿌림.
[撒布 살포] 뿌림.
[撒火 살화] 한자(漢字) '灬'의 일컬음.
◉漫撒.

12 ⑮ [撤] 人名 철 ㊦屑 直列切 chè

筆順 扌 扌 扌 揥 揥 揥 撤 撤

字解 거둘 철, 치울 철 ㉠제거함. '一去'. '不一薑'《論語》. ㉡그만둠. 폐(廢)함. '減膳一樂'《唐書》.

字源 形聲. 扌(手)+徹〈省〉〔音〕. '徹철'은 식사 뒤치다꺼리의 뜻. 눈앞의 것을 모두 치워 버리다의 뜻을 나타냄.

[撤去 철거] 거두어 치워 버림.
[撤簾 철렴] 어린 임금이 자란 뒤에 모후(母后)의 수렴(垂簾)의 정치(政治)를 폐(廢)함.
[撤兵 철병] 주둔(駐屯)하였던 군대(軍隊)를 거두어 들임.
[撤床 철상] 음식상을 거두어 치움.
[撤瑟 철슬] 옛날에 병이 중하면 집안 사람들이 현악기를 타지 않았으므로, 전(轉)하여 병의 위독함을 이름.
[撤市 철시] 시장(市場)·가게 등의 문을 닫음.
[撤任 철임] 면직(免職)함.
[撤廛 철전] 철시(撤市).
[撤除 철제] 철거(撤去).
[撤饌 철찬] 제사 지낸 음식을 거두어 치움.
[撤退 철퇴] 거두어 가지고 물러감.
[撤罷 철파] 철폐(撤廢).
[撤廢 철폐] 거두어 치워 그만둠. 마련했던 일을 폐지함.
[撤捕 철포] 체포 명령을 취소함.
[撤回 철회] 내거나 보낸 것을 도로 거두어들임.

12 ⑮ [擷] 결 ㊦屑 奚結切 xié

字解 묶을 결 '一, 束也'《廣雅》.

12 ⑮ [撓] 人名 ■ 뇨 ㊤巧 奴巧切 náo / ㊦效 尼敎切 náo / ■ 효 ㊥蕭 馨幺切 xiāo

字解 ■ ①휠 뇨 ㉠구부러짐. '一屈'. '不膚一, 不目逃'《孟子》. ㉡정당하지 아니함. '枉辟邪一之人'《呂氏春秋》. ㉢구부러지게 함. '一折棟梁'《後漢書》. ㉣정당히 하지 아니함. '一法治之'《史記》. ②꺾일 뇨 용기가 꺾임. '師徒一敗'《左傳》. ③어지러울 뇨, 어지럽힐 뇨 혼란함. 또, 혼란하게 함. '一亂我同盟'《左傳》. ■ 돌 효 순환함. '一挑無極'《莊子》.

字源 篆文 形聲. 扌(手)+堯〔音〕. '堯요'는 '弱약'과 통하여, '나긋나긋하다'의 뜻. 손으로 나긋나긋하게 휘다의 뜻을 나타냄. 또, '擾요'와 통하여, '어지럽히다'의 뜻도 나타냄.

[撓改 요개] 휘어서 고침.
[撓屈 요굴] 휘어 굽음. 또, 휘어 굽힘.
[撓撓 요뇨] 흔들리는 모양. 움직이는 모양.
[撓亂 요란] 어지러움. 또, 어지럽힘.
[撓法 요법] 법(法)을 굽힘. 법률을 남용(濫用)함.
[撓擾 요요] 요란(擾亂)함. 또, 요란하게 함.
[撓折 요절] 휘어 꺾음. 부러뜨림.
[撓敗 요패] 용기가 꺾이어 패함.
[撓挑 효조] 순환(循環)하는 모양.
◉鼓撓. 曲撓. 攪撓. 屈撓. 逗撓. 百折不撓. 煩撓. 擾撓. 枉撓. 折撓. 摧撓. 侵撓. 敗撓. 陷撓. 回撓.

12 ⑮ [撶] 획 ㊦陌 胡麥切 huò

字解 ①가슴칠 획 슬퍼하여 가슴을 침. '一, 擗也'《集韻》. ②찢을 획, 째질 획 摵(手部 八畫)과 同字.

12 ⑮ [撕] 시 ㊥齊 先稽切 xī

字解 끌 시 손을 잡고 끎. '提一之'《漢書》.

[字源] 形聲. 扌(手)＋斯〔音〕

◉提撕.

12 ⑮ **[撙]** 준 ㊤阮 玆損切 zǔn

[字解] ①누를 준 억제함. 또, 겸양함. '恭敬—節'《禮記》. ②꺾을 준 부러뜨림. '伏軾—銜'《戰國策》. ③모일 준 한데 많이 모이는 모양. '齊總總以——'《揚雄》.
[字源] 形聲. 扌(手)＋尊〔音〕

[撙節 준절] 눌러 절제함. 겸양(謙讓)함. 일설에는, 자기 감정을 억제하고 법도(法度)를 따름.
[撙撙 준준] 많이 모이는 모양. 득실득실한 모양.
◉節撙. 薦撙.

12 ⑮ **[撚]** [人名] 년 ㊤銑 乃殄切 niǎn

[字解] ①꼴 년 비비어 꼼. '—紙'. ②탈 년 비파 같은 것을 탐. '輕攏慢—撥復挑'《白居易》. ③밟을 년 발로 밟음. '前後不相—'《淮南子》. ④노 년 종이·실 등을 꼰 것. '金—千絲翠萬行'《楊萬里》.
[字源] 篆文 形聲. 扌(手)＋然〔音〕. '然연'은 '타다'의 뜻. 불길이 소용돌이치듯 손으로 비벼 꼬다의 뜻을 나타냄.

[撚斷 연단] 꼬아 끊음.
[撚撥 연발] 비파 같은 것을 탐.
[撚絲 연사] 꼰 실.
[撚紙 연지] 지노.
◉慢撚. 攏撚. 折撚. 紙撚.

12 ⑮ **[撖]** 치 [去]寘 直利切 zhì

[字解] 상당(相當)하게할 치 서로 합당하게 함. '—, 持物使相當也'《集韻》.

12 ⑮ **[撝]** [一] 휘 [平]支 許爲切 huī
[二] 위 [平]支 于嬀切 wěi

[字解] [一] ①찢을 휘 쨈. '—介鮮'《馬融》. ②가리킬 휘, 휘두를 휘 지시(指示)함. 지휘함. '—指'. '瞋目而—之'《淮南子》. [二] 도울 위 보좌(保佐)함. '事貌用恭—肅'《太玄經》.
[字源] 篆文 形聲. 扌(手)＋爲〔音〕. '爲위'는 인위(人爲)를 가하다의 뜻. '돕다'의 뜻을 나타냄. 또, '麾휘'와 통하여 '가리키다'의 뜻도 나타냄.

[撝謙 휘겸] 겸양(謙讓)함.
[撝戈 휘과] 창을 휘둘러 지휘함.
[撝損 휘손] 휘겸(撝謙).
[撝挹 휘읍] 휘겸(撝謙).
[撝指 휘지] 지시(指示)함.
◉奮撝. 指撝.

12 ⑮ **[搴]** 건 ㊤銑 九件切 qiān

[字解] 뽑아낼 건 '—, 拔取也. 南楚語'《說文》.
[字源] 形聲. 扌(手)＋寒〔音〕

12 ⑮ **[撜]** [一] 증 [去]徑 蒸證切 zhěng
[二] 쟁 [平]庚 除庚切 chéng

[字解] [一] 건질 증, 도울 증 拯(手部 六畫)과 同字. '子路—溺而受牛謝'《淮南子》. [二] 닿을 쟁 접촉함. '不爲手所—'《韓愈》.
[字源] 拯·折의 別體 形聲. 扌(手)＋登〔音〕

12 ⑮ **[撞]** [人名] 당 [平]江 宅江切 zhuàng

[字解] ①부딪칠 당 충돌함. '—突'. ②칠 당 두드림. '善待問者, 如—鐘'《禮記》.
[字源] 篆文 形聲. 扌(手)＋童〔音〕. '童동'은 의성어(擬聲語)로, '둥' 하는 소리. 손으로 '둥' 치다의 뜻을 나타냄.

[撞撞 당당] 계속해서 치는 모양.
[撞突 당돌] 부딪침. 충돌(衝突)함.
[撞木 당목] 징을 치는 정자형(丁字形)의 불구(佛具).
[撞入 당입] 돌입(突入)함.
[撞着 당착] ㉠서로 맞부딪침. ㉡앞뒤가 맞지 아니함.
◉擊撞. 突撞. 白撞. 舂撞. 衝撞. 香撞.

12 ⑮ **[撌]** 귀 [去]寘 丘愧切 guì

[字解] 떨 귀 떨어 버림.

12 ⑮ **[撟]** 교 ㊤篠 居夭切 jiǎo 挢

[字解] ①들 교 위로 올림. '仰—首以高視兮'《揚雄》. ②굳셀 교 강한 모양. '—然剛折端志'《荀子》. ③칭탁할 교, 바로잡을 교 矯(矢部 十二畫)와 同字. '—制以令天下'《漢書》. '—枉, 過其正'《漢書》.
[字源] 篆文 形聲. 扌(手)＋喬〔音〕. '喬교'는 '높다'의 뜻. 손을 높이 하다, 들다의 뜻을 나타냄.

[撟然 교연] ㉠굳센 모양. 강한 모양. ㉡올라간 모양.
[撟引 교인] 몸을 주무르고 두드리어 피를 잘 돌게 함. 안마(按摩)함.
[撟制 교제] '교제(矯制)'와 같음.
◉天撟.

12 ⑮ **[撠]** 극 [入]陌 几劇切 jǐ

[字解] ①칠 극 때림. '救鬪者不搏—'《史記》. ②가질 극 소지함. '—膠葛, 騰九閎'《揚雄》.
[字源] 形聲. 扌(手)＋戟〔音〕. '戟극'은 '미늘창'의 뜻. 손에 미늘창을 들고 치다의 뜻을 나타냄.

◉搏撠.

12 ⑮ **[撨]** [一] 초 [平]蕭 蘇彫切 xiāo
[二] 수 [平]尤 先侯切 sōu

[字解] [一] ①고를 초 골라 가짐. '—, 擇也'《廣

韻》. ②취할 초 가짐. '一, 取也'《廣韻》. ③닦을 초 씻음. '一, 拭也'《集韻》. 三 밀 수 밀침. '一, 推也'《集韻》.

字源 形聲. 扌(手)+焦〔音〕

12 ⑮ [撢] 탐 ㊀勘 他紺切 tàn

字解 더듬을 탐 더듬어 찾음. 探(手部 八畫)과 同字. '誦王志者, 若一取王之志'《周禮 疏》.

字源 篆文 形聲. 扌(手)+覃(㔆)〔音〕. '㔆담'은 깊이 내려가다의 뜻. 깊이 내려가서 더듬어 찾다의 뜻을 나타냄.

12 ⑮ [撣] 一 탄 ㊤旱 蕩旱切 dǎn 二 선 ㊥先 市連切 chán 掸

字解 一 들 탄 손에 가짐. '提禍一一'《太玄經》. 二 당길 선 끌어당김. '一援'.

字源 篆文 形聲. 扌(手)+單〔音〕

[撣援 선원] 끌어당김. 견인(牽引)함.
[撣撣 탄탄] 듦. 손에 가짐.

12 ⑮ [撥] 人名 一 발 ㊁曷 北末切 bō 二 벌 ㊁月 房越切 fá 拨

字解 一 ①다스릴 발 治(水部 五畫)와 뜻이 같음. '一亂反正'. '一亂世反諸正'《公羊傳》. ②덜 발 제거함. '秦一去古文'《史記》. ③휠 발 휜 것이 반대쪽으로 휨. '弓一矢鉤'《戰國策》. ④퉁길 발 반발(反撥)함. '一條'. ⑤벌릴 발 오므라진 것을 펴서 엶. '衣毋一'《禮記》. ⑥탈 발 현악기를 튀김. '細一紫雲金鳳語'《李羣玉》. ⑦채 발 현악기를 타는 채. '曲終收一當心畫'《白居易》. ⑧상엿줄 발 상여를 끄는 줄. '廢輤而設一'《禮記》. 二 방패 벌 대순(大盾). '矛戟劍一'《史記》.

字源 篆文 形聲. 扌(手)+發〔音〕. '發발'은 '놓다'의 뜻. 손으로 퉁기다의 뜻을 나타냄. 또, 어지러워진 상태를 퉁겨서 제거하다의 뜻에서, '다스리다'의 뜻을 나타냄.

[撥去 발거] 제거(除去)함.
[撥弓 발궁] 휘어져서 바르지 아니한 활.
[撥棄 발기] 떨어 버림.
[撥鐙法 발등법] 운필(運筆)의 법(法). 등불을 걸 듯이 급하지 않게, 또 느리지 않게 한다는 뜻. 등(鐙)은 등화(燈火).
[撥亂 발란] 난리를 평정(平定)함.
[撥亂反正 발란반정] 난리를 평정(平定)하여 질서 있는 세상으로 회복함.
[撥剌 발랄] ㉠활을 당긴 모양. ㉡활발(活潑)하게 약동(躍動)하는 모양.
[撥无 발무] 무시하여 물리침. 고려하지 아니함.
[撥撥 발발] 물고기가 펄쩍펄쩍 뛰는 모양.
[撥條 발조] 용수철.
◉啓撥. 亂撥. 挑撥. 反撥. 撩撥. 指撥. 觸撥. 擺撥.

12 ⑮ [搜] 수 ㊥尤 所丘切 sōu

字解 바람소리 수 바람이 부는 소리. '甄后塘上行云, 邊地多悲風, 樹木何一一'《藝林伐山》.

12 ⑮ [撦] 차 ㊤馬 昌者切 chě

字解 찢을 차 열개(裂開)함. '一裂'. '困于撏一'《劉克莊》.

字源 形聲. 扌(手)+奢〔音〕

[撦裂 차열] 손으로 찢음.

12 ⑮ [撩] 료 ㊥蕭 落蕭切 liáo

字解 ①다스릴 료 처리함. '理亂, 謂之一理'《通俗文》. ②돋울 료 싸움을 돋움. '持長矛一戰'《魏志》. ③어지러울 료 산란함. '上一之木, 鳥所不集'《太玄經 註》.

字源 篆文 形聲. 扌(手)+尞〔音〕. '尞료'는 '料료'와 통하여, '헤아리다'의 뜻. 난을 잘 헤아려 다스리다의 뜻을 나타냄. 또, '繚료'와 통하여, 엉키어 어지러워지다의 뜻도 나타냄.

[撩亂 요란] 어지러움. 산란함.
[撩理 요리] 다스리어 정돈함. 정리(整理)함.
[撩摘 요적] 땀. 잡아뗌.
[撩戰 요전] 싸움을 돋움. 도전(挑戰).

12 ⑮ [撫] 人名 무 ㊤麌 芳武切 fǔ 抚

筆順 扌 扌 扌 扌 扌 撫 撫 撫

字解 ①어루만질 무 ㉠쓰다듬음. '一孤松而盤桓'《陶潛》. ㉡애무함. '嫂常一汝而言曰'《韓愈》. ㉢위로함. 위안함. '慰一'. '一四夷'《孟子》. ②좇을 무 따름. '一于五辰'《書經》. ③누를 무 손으로 누름. '君一僕之手'《禮記》. ④기댈 무 의지함. '一式'《禮記》. ⑤칠 무 두드림. '坐者一掌擊節'《晉書》. ⑥성 무 성(姓)의 하나.

字源 篆文 形聲. 扌(手)+無〔音〕. '無무'는 '덮어씌우다'의 뜻. 손을 덮어씌워서 쓰다듬다, 위안하다의 뜻을 나타냄.

[撫劍 무검] 칼자루를 쥐고 칼을 빼려 함. 안검(按劍).
[撫結 무결] 친하여 사귐을 맺음.
[撫敎 무교] 어루만지며 가르침.
[撫鞠 무국] 무육(撫育).
[撫軍 무군] ㉠고대(古代)에 태자(太子)가 그 아버지인 제후를 따라 출정(出征)할 때의 칭호. ㉡장군(將軍)의 명호(名號). ㉢명청 시대(明淸時代)의 순무(巡撫)의 별칭(別稱).
[撫琴 무금] 거문고를 탐.
[撫勞 무로] 무위(撫慰).
[撫弄 무롱] 현악기(絃樂器)를 타고 놂.
[撫摩 무마] 손으로 어루만짐. 사람의 마음을 잘 타일러 위로(慰勞)함.
[撫綏 무수] 무안(撫安).
[撫循 무순] 어루만져 복종하게 함.
[撫安 무안] 어루만져 편안하게 함.
[撫養 무양] 무육(撫育).
[撫馭 무어] 무어(撫御).
[撫御 무어] 어루만져 통어(統御)함.
[撫慰 무위] 어루만지며 위로함. 위무(慰撫).
[撫有 무유] 어루만져 보유함.

[撫柔 무유] 어루만져 유순하게 함.
[撫育 무육] 어루만져 기름.
[撫字 무자] 어루만지며 사랑함. 사랑하며 기름. 자(字)는 '애육(愛育)'의 뜻.
[撫情 무정] 자기의 감정을 눌러 가라앉힘. 감정을 추스름.
[撫存 무존] 위로하고 휼문(恤問)함.
[撫緝 무즙] 무즙(撫輯).
[撫輯 무즙] 어루만져 화락하게 함.
[撫鎭 무진] 어루만져 진정(鎭定)함.
[撫抱 무포] 어루만져 안아 줌.
[撫恤 무휼] 백성을 어루만져 위로하며 물질로써 은혜를 베풂.
◉監撫. 敎撫. 督撫. 摩撫. 宣撫. 綏撫. 巡撫. 安撫. 愛撫. 慰撫. 柔撫. 恩撫. 制撫. 存撫. 拯撫. 鎭撫. 招撫. 懷撫.

12 ⑮ [播] 高·人 파 ㊀箇 補過切 bō

筆順 扌 扩 扩 扦 揺 播 播 播

字解 ①뿌릴 파 씨를 뿌림. '一種'. '其始一百穀'《詩經》. ②펼 파 널리 퍼뜨림. '傳一'. '一其說於士大夫間矣'《十八史略》. ③베풀 파 널리 시행함. 널리 미치게 함. '一敷'. '王一告之'《書經》. ④헤칠 파 흩뜨림. '北一爲九河'《書經》. ⑤버릴 파 내버림. 방기(放棄)함. '一弓矢'《說苑》. ⑥달아날 파 도망함. 또, 방랑함. '一遷'. '一越'. '伐殷逋一臣'《書經》. ⑦까불 파 簸(竹部 十三畫)와 통용. '鼓筴一精'《莊子》. ⑧성 파 성(姓)의 하나.

字源 金文 篆文 古文 形聲. 扌(手)+番〔音〕. '番번·파'는 논밭에 씨를 뿌리다의 뜻. 뒤에 '番'이 다른 뜻으로 쓰이게 되자 '手수'를 더함.

[播告 파고] 널리 고함. 포고(布告).
[播棄 파기] 버림. 방기(放棄).
[播弄 파롱] 조롱함. 희롱함.
[播敷 파부] 널리 폄. 널리 베풂.
[播植 파식] 씨를 뿌리고 모종을 함.
[播殖 파식] 파식(播植).
[播越 파월] 방랑(放浪)함.
[播種 파종] 씨앗을 뿌림.
[播州 파주] 주(州)의 이름. 구이저우 성(貴州省)내에 있음.
[播遷 파천] ㉠먼 나라를 유랑(流浪)함. ㉡임금이 도성(都城)을 떠나 난리를 피(避)함.
[播蕩 파탕] 파월(播越).
◉宣播. 揚播. 流播. 傳播. 種播. 逋播. 弘播. 掀播.

12 ⑮ [撮] 人名 촬 ㊀曷 倉括切 cuō

字解 ①집을 촬 ㉠손가락 끝으로 집음. '鴟鵂夜一蚤察毫末'《莊子》. ㉡요점을 집음. 요점을 추림. '一要'. '一名法之要'《漢書》. ②모을 촬 한데 모음. '其居處足以一徒成黨'《孔子家語》. ③자밤 촬 손가락 끝으로 집을 만한 분량. '一土'. ④양이름 촬 양(量)의 단위. 규(圭)의 네 배(倍). 규(圭)는 기장 예순네 알의 양. ⑤《韓》찍을 촬 사진을 찍음. '一影'.

字源 篆文 形聲. 扌(手)+最〔音〕. '最최'는 '撮촬'의 원자(原字)로, 손끝으로 집다의 뜻을 나타냄. '最'가 '가장'의 뜻으로 전용되자, '手수'를 더하여 구별함.

[撮記 촬기] 요점(要點)을 추려 적음. 또, 그 문서.
[撮壤 촬양] 촬토(撮土).
[撮影 촬영] 사진(寫眞)·영화(映畫)를 찍음.
[撮要 촬요] 요점을 추림. 또, 요점을 추려 적은 문서.
[撮土 촬토] 한 줌의 흙.
◉簡撮. 括撮. 圭撮. 摶撮. 一撮. 捉撮. 抄撮. 把撮. 攫撮. 會撮.

12 ⑮ [撰] 人名 ㊀ 찬 ㊤潸 雛皖切 zhuàn ㊁ 선 ㊤銑 士免切 xuǎn

筆順 扌 扌 扌 扌 扌 押 押 撰

字解 ㊀①지을 찬 시문 따위를 지음. '一述'. '共一國書'《北史》. ②적을 찬 기록함. '密一事情'《北齊書》. ③가질 찬 '結一至思'《楚辭》. ④일 찬 사항. '以體天地之一'《易經》. ⑤저술 찬 저작. '出於後人僞一'《楊愼外集》. ㊁ ①가릴 선 選(辵部 十二畫)과 同字. '一良馬者, 非以逐狐狸, 將以射麋鹿'《淮南子》. ②가질 선 쥠. '一杖屨'《禮記》.

字源 形聲. 扌(手)+巽〔音〕. '巽손'은 가지런히 정돈하다의 뜻. '手수'를 더하여, '가리다'의 뜻을 나타냄.

[撰錄 찬록] 글을 지어 기록함. 또, 그 기록.
[撰文 찬문] 글을 지음. 또, 그 글.
[撰述 찬술] 책을 지음. 저술(著述).
[撰著 찬저] 찬술(撰述).
[撰定 찬정] 문서를 작성하여 정함.
[撰集 찬집] 사실을 수집(收集)하여 기록함.
[撰次 찬차] 책을 저술하는 데 순서에 따라 씀.
◉改撰. 考撰. 官撰. 論撰. 杜撰. 私撰. 刪撰. 修撰. 新撰. 演撰. 自撰. 著撰. 精撰. 製撰. 纂撰. 抄撰. 勅撰.

12 ⑮ [撱] 타 ㊤哿 吐火切 tuǒ

字解 길쭉할 타 橢(木部 十二畫)와 同字. '一圓'.

[撱圓 타원] 길쭉한 원형(圓形). 타원(橢圓).

12 ⑮ [撲] 人名 ㊀ 박 ㊅覺 蒲角切 pū ㊁ 복 ㊅屋 普木切 pū 扑

筆順 扌 扌 扌 扌 扌 揣 撲 撲

字解 ㊀①칠 박 두드림. '一殺'. '摧一大寇'《後漢書》. ②찌를 박 자극함. '剖之如有煙一口鼻'《劉基》. ③엎드러질 박 넘어짐. '朽杌欋傾一'《韓愈》. ㊁ ①종아리채 복 扑(手部 二畫)과 同字. '桎梏鞭一, 以加小人'《申鑒》. ②길들이지않을 복 아직 조련(調練)이 되지 아니함. '若馭一馬'《荀子》.

字源 金文 篆文 形聲. 扌(手)+菐〔音〕. '菐복'은 쳤을 때에 나는 '팍' 소리의 의성어. '手수'를 더하여, '치다'의 뜻을 나타냄.

[撲落 박락] 때려 떨어뜨림.

[撲滿 박만] 아이들이 돈을 모아 두는 작은 질그릇. 벙어리.
[撲滅 박멸] 짓두들겨서 아주 없애 버림.
[撲罰 박벌] 태형(笞刑).
[撲朔 박삭] ㉠헛디디어 넘어짐. ㉡토끼.
[撲朔迷離 박삭미리] 토끼의 암수 구별이 분명하지 않다는 뜻으로, '남자인지 여자인지 분명하지 않음'을 이름.
[撲殺 박살] 때려죽임.
[撲地 박지] ㉠지상(地上)에 하나 가득됨. ㉡갑자기.
[撲殄 박진] 박멸(撲滅).
[撲打 박타] 두드림. 때림.
[撲破 박파] 때려 부숨.
[撲筆 박필] 붓을 집어 던짐. 척필(擲筆).
[撲馬 복마] 길들지 않은 말.
◉擊撲. 亂撲. 相撲. 殲撲. 翦撲. 剿撲. 勦撲. 打撲.

12 ⑮ **[擂]** ㊀ 추 ㊥尤 丑鳩切 chōu
㊁ 류 ㊤宥 力救切 liù

字解 ㊀ 당길 추 끌어당김. 抽(手部 五畫)와 同字. ㊁손으로흙고를 류 손으로 흙을 고름. '梂之橐橐 (註) 梂, 謂—土也'《詩經》.
字源 篆文 別體 形聲. 扌(手)+留〔音〕. '留류'는 깊이 통하는 구멍의 뜻. 구멍에서 손으로 당겨 뽑다의 뜻을 나타냄.

12 ⑮ **[撳]** ㊐ 근 qìn

字解 《現》누를 근 손이나 손가락으로 누름. 또, 앞으로 기울어짐.

12 ⑮ **[撖]** ㊀ 감 ①②㊤豏 苦減切 qiǎn
①③㊥覃 口含切 qiān
㊁ 함 ㊤豏 胡黤切 hàn

字解 ㊀ ①걸 감 '—, 挂也'《玉篇》. ②위태로울 감 '—, 一曰, 危也'《玉篇》. ③성 감 성(姓)의 하나. ㊁ 성 함 성(姓)의 하나.

12 ⑮ **[撁]** 〔견〕
牽(牛部 七畫〈p. 1382〉)의 古字

12 ⑮ **[撘]** 〔탑〕
搭(手部 十畫〈p. 896〉)과 同字

12 ⑮ **[撡]** ㊀ 摻(手部 十一畫〈p. 902〉)의 俗字
㊁ 操(手部 十三畫〈p. 910〉)의 俗字

12 ⑮ **[擄]** 〔거〕
據(手部 十三畫〈p. 912〉)의 俗字

12 ⑮ **[擣]** 〔도〕
擣(手部 十四畫〈p. 913〉)의 本字

13 ⑰ **[擊]** 中人 격 ㊇錫 古歷切 jī 击

筆順 一 亘 亘 車 車 軗 毄 擊

字解 ①칠 격 ㉠두드림. '—鼓'. '孔子—磬'《史記》. ㉡공격함. '—退'. '急—勿失'《史記》. ㉢다툼. 싸움. '日夜相—于前'《莊子》. ②부딪칠 격 충돌함. '肩摩轂—'. '車轂—'《戰國策》. ③죽일 격 쳐죽임. '刲羊—豕'《國語》. ④마주칠 격 눈으로 봄. '目—'.
字源 篆文 形聲. 手+毄〔音〕. '毄격'은 수레가 서로 부딪치다의 뜻. '手수'를 더하여, '치다'의 뜻을 나타냄.

[擊劍 격검] 장검(長劍)을 쓰는 기술.
[擊磬 격경] 경(磬)쇠를 침.
[擊叩 격고] 문을 두드리어 찾음. 방문(訪問).
[擊鼓 격고] 북을 침.
[擊毬 격구] 장(杖)으로 공을 쳐 우열을 다투는 옛 무술(武術), 또는 유희.
[擊斷 격단] ㉠쳐서 끊음. ㉡함부로 형벌을 줌.
[擊撞 격당] 격부(擊拊).
[擊滅 격멸] 쳐서 멸(滅)함.
[擊蒙 격몽] 몽매(蒙昧)한 아동의 지혜를 계몽하여 주는 일. 전(轉)하여, 교육(敎育).
[擊搏 격박] 침.
[擊拊 격부] 악기(樂器) 같은 것을 침.
[擊掊 격부] ㉠쳐부숨. ㉡격부(擊拊).
[擊殺 격살] 쳐죽임.
[擊賞 격상] 손뼉을 치며 칭찬함.
[擊碎 격쇄] 쳐서 분쇄함.
[擊壤 격양] 신 같은 목제구를 땅에 세우고 몇 걸음 떨어진 곳에서 이와 같은 물건을 던져 맞추는 유희. 일설(一說)에는, 땅을 두드리며 박자를 맞춤.
[擊攘 격양] 쳐 물리침.
[擊壤歌 격양가] 풍년이 들어 농부가 태평(太平)한 세월(歲月)을 구가(謳歌)하는 노래.
[擊壤集 격양집] 책 이름. 20권. 송(宋)나라의 소옹(邵雍)의 시집(詩集).
[擊刺 격자] ㉠찔러 죽임. 죽임. ㉡격검(擊劍).
[擊賊笏 격적홀] 당(唐)나라의 단수실(段秀實)이 홀(笏)을 들어 반신(叛臣) 주자(朱泚)의 이마를 친 고사(故事).
[擊節嘆賞 격절탄상] 무릎이나 궁둥이를 치면서 탄복하며 칭찬함.
[擊斬 격참] 쳐 벰.
[擊墜 격추] 비행기를 쏘아 떨어뜨림.
[擊沈 격침] 배를 쳐서 침몰(沈沒)시킴.
[擊柝 격탁] 딱따기를 침. 딱따기를 치며 야경을 돎. 또, 그 사람.
[擊退 격퇴] 적군을 쳐서 물리침.
[擊破 격파] 쳐서 깨뜨림.
◉挌擊. 肩摩轂擊. 敲擊. 攻擊. 撾擊. 毆擊. 急擊. 技擊. 撻擊. 撞擊. 突擊. 目擊. 尾擊. 迫擊. 搏擊. 駁擊. 反擊. 排擊. 掊擊. 奮擊. 射擊. 襲擊. 掩擊. 迎擊. 要擊. 邀擊. 遊擊. 刺擊. 狙擊. 電擊. 霆擊. 提擊. 縱擊. 直擊. 進擊. 遮擊. 銃擊. 摧擊. 追擊. 推擊. 捶擊. 出擊. 衝擊. 打擊. 彈擊. 盪擊. 笞擊. 討擊. 痛擊. 鬪擊. 鞭擊. 砲擊. 爆擊. 合擊. 夾擊. 挾擊. 橫擊.

13 ⑯ **[擕]** 〔휴〕
攜(手部 十八畫〈p. 918〉)의 俗字

13 ⑰ **[擘]** 人名 벽 ㊇陌 博厄切 bò

字解 ①쪼갤 벽 가름. '—裂'. '塗皆乾—之'《禮記》. ②당길 벽 활을 당김. '弓弩手張曰—'《康熙字典》. ③엄지손가락 벽 무지(拇指). '巨—'.

'首大如一'《爾雅》.
[字源] 篆文 形聲. 手+辟〔音〕. '辟벽'은 '쪼개다, 열다'의 뜻. 손으로 가르다, 쪼개다를 뜻함.

[擘窠 벽과] 전각(篆刻)에 쓰는 서체(書體). 일설(一說)에는, 큰 글자. 대서(大書).
[擘裂 벽렬] 조갬. 가름.
[擘柳風 벽류풍] 봄에 부는 질풍(疾風).
[擘指 벽지] 엄지손가락.
[擘畫 벽획] 처리함. 처분함.
◉巨擘. 雲擘.

13 ⑰ **[擎]** [人名] 경 [平]庚 渠京切 qíng

[筆順]

[字解] 들 경 높이 듦. '書從稚子一'《杜甫》.
[字源] 形聲. 手+敬〔音〕. '敬경'은 '삼가다'의 뜻. 삼가 손을 위로 올리다의 뜻을 나타냄.

[擎劍 경검] 검을 높이 듦.
◉騈擎. 提擎. 攜擎.

13 ⑯ **[撻]** [人名] 달 [入]曷 他達切 tà 挞

[字解] ①매질할 달 매·채찍 따위로 때림. '一罰'. '罰不敬, 一其背'《儀禮》. ②빠를 달 속함. '一彼殷武'《詩經》.
[字源] 篆文 形聲. 扌(手)+達〔音〕. '達달'은 매질할 때의 소리를 나타내는 의성어. '手수'를 더하여, '매질하다'의 뜻을 나타냄.

[撻脛 달경] 정강이를 내리침.
[撻戮 달륙] 달욕(撻辱).
[撻罰 달벌] 매로 때려 벌을 줌. 또, 그 형벌.
[撻辱 달욕] 매로 때려 욕을 보임.
[撻笞 달태] 매질함.
◉撾撻. 扑撻. 戮撻. 杖撻. 楚撻. 捶撻. 笞撻. 鞭撻.

13 ⑯ **[撼]** 감 [上]感 胡感切 hàn

[字解] 흔들 감, 흔들릴 감 요동시킴. 요동함. '搖一'. '蚍蜉一大樹'《韓愈》.
[字源] 形聲. 扌(手)+感〔音〕. '感감'은 큰 자극에 대하여 마음이 크게 흔들리다의 뜻. '手수'를 더하여, '흔들다, 움직이다'의 뜻을 나타냄.

[撼頓 감돈] 흔들흔들하다가 넘어짐.
[撼動 감동] 흔듦. 요동시킴.
◉敲撼. 搖撼. 震撼. 擺撼.

13 ⑯ **[擓]** 괴 [平]佳 苦淮切 kuǎi

[字解] ①문지를 괴 '一, 揩摩'《廣韻》. ②닦을 괴 '一, 摩拭也'《玉篇》. ③《現》긁을 괴, 팔에걸 괴, 뜰 괴.

13 ⑯ **[撽]** 교 ①[去]嘯 苦弔切 qiào ②[上]篠 吉了切

[字解] ①칠 교 옆에서 침. '一以馬捶'《莊子》. ②가질 교 손에 쥠. '一, 持也'《集韻》.
[字源] 篆文 形聲. 扌(手)+敫〔音〕. '敫격'은 '치다'의 뜻. 손으로 치다, 두드리다의 뜻을 나타냄.

13 ⑰ **[擊]** 擊(前條)와 同字

13 ⑯ **[擂]** 〔굴〕
掘(手部 八畫〈p. 880〉)의 本字

13 ⑯ **[擃]** 〔양·녕〕
攘(手部 十七畫〈p. 917〉)의 俗字

13 ⑯ **[擡]** 〔대〕
擡(手部 十四畫〈p. 913〉)의 俗字

13 ⑯ **[撾]** 과 [平]歌 古禾切 zhuā 挝

[字解] ①칠 과 ㉠때림. '一撻'. '一婦翁'《魏志》. ㉡북을 침. '一鼓'. '更鼓畏添一'《蘇軾》. ②북채 과 북을 치는 채. '操一之次'《宣和畫譜》.
[字源] 會意. 扌(手)+過. '過과'는 '나무라다'의 뜻. 잘못을 책하여 손으로 때리다의 뜻을 나타냄.

[撾鼓 과고] 북을 침.
[撾撻 과달] 때림. 침.
[撾殺 과살] 때려죽임. 박살(撲殺).
◉亂撾. 連撾. 參撾.

13 ⑯ **[擕]** 번 [平]元 符袁切 fán

[字解] 비빌 번 손으로 문지름. '一擱, 挼也'《集韻》.

13 ⑯ **[擁]** [高人] 옹 [上]腫 於隴切 yōng [平]冬 於容切 yōng 拥

[筆順]

[字解] ①길 옹 ㉠겨드랑이에 낌. '一書抱籍'《蔡邕》. ㉡가짐. 소유함. '一天下之樞'《漢書》. ㉢호위함. '一護'. '嬰甲胄, 一衛親族'《後漢書》. ②안을 옹 품에 안음. '一抱'. '走則一之'《禮記》. ③들 옹 손에 가짐. '太公一彗'《漢書》. ④가릴 옹, 막을 옹 '一遏'. '一蔽其面'《禮記》.
[字源] 篆文 形聲. 扌(手)+雍(雝)〔音〕. '雝옹'은 '에워싸다'의 뜻. 손으로 에워싸다, 안다의 뜻을 나타냄.

[擁衾 옹금] 이불로 몸을 덮음.
[擁戴 옹대] 옹위(擁衛)하여 두목으로 추대(推戴)함.
[擁立 옹립] 옹호(擁護)하여 세움.
[擁書 옹서] 서적을 겨드랑이에 낌. 서적을 가짐.
[擁膝 옹슬] 무릎을 깍지 껴 안음.
[擁身扇 옹신선] 몸을 가리는 큰 부채.
[擁遏 옹알] 막아 통하지 못하게 함.
[擁閼 옹알] 옹알(擁遏).
[擁佑 옹우] 옹호하고 도와줌.
[擁衛 옹위] 부축하여 호위(護衛)함.
[擁節杖旄 옹절장모] 천자(天子)로부터 하사(下賜)받은 절모(節旄)를 지님. 사신(使臣)이 되어 국외(國外)에 가 있음을 이름.

[擁腫 옹종] 부음. 부풀어오름.
[擁蔽 옹폐] 덮거나 막아서 가림.
[擁抱 옹포] 품에 안음. 포옹(抱擁).
[擁護 옹호] 부축하여 보호(保護)함.
◉密擁. 屛擁. 捧擁. 扶擁. 圍擁. 簇擁. 抱擁. 夾擁.

13 ⑯ [擂] 뢰 ①[平]灰 力堆切 léi ②[去]隊 盧對切 lèi

[字解] ①갈 뢰 연마함. ②돌내려굴릴 뢰 礌(石部 十五畫)와 同字. '一石車'《唐書》. ③《韓》 고무래 뢰 '一木'은 고무래.
[字源] 形聲. 扌(手)+雷〔音〕. '雷뢰'는 '우레'의 뜻. 우르릉 소리를 내며 갈다의 뜻을 나타냄.

13 ⑯ [擄] [人名] 로 ㊤麌 郞古切 lǔ 掳

[字解] ①노략질할 로 약탈함. 虜(部首)와 同字. ②사로잡을 로 虜(虍部 六畫)와 同字.
[字源] 形聲. 扌(手)+虜〔音〕. '虜로'는 '사로잡다'의 뜻.

13 ⑯ [擅] [人名] 천 [去]霰 時戰切 shàn

[字解] ①천단 천 제멋대로 하는 일. 전횡(專橫). '此所謂一也'《管子》. ②천단할 천 제멋대로 함. '一恣'. '六卿一權'《史記》. ③멋대로 천 제 마음대로. '一將其兵'《史記》.
[字源] 篆文 形聲. 扌(手)+亶〔音〕. '亶단'은 '單단'과 통하여, '하나'의 뜻. 손 안에 일괄하여 쥐다, 멋대로 하다의 뜻을 나타냄.

[擅權 천권] 권리(權利)를 마음대로 함. 전권(專權).
[擅斷 천단] 제가 하고 싶은 대로 결단(決斷)함.
[擅私 천사] 제멋대로 함.
[擅赦 천사] 멋대로 죄수를 놓아줌.
[擅殺 천살] 제 마음대로 죽임.
[擅議 천의] 마음대로 의논하여 결정함.
[擅恣 천자] 전횡(專橫)함.
[擅場 천장] 장중(場中)에 필적(匹敵)할 만한 사람이 없음. 독무대(獨舞臺).
[擅朝 천조] 조정(朝廷)에서 전권(專權)함.
[擅許 천허] 제 마음대로 허가(許可)함.
[擅橫 천횡] 전횡(專橫)함.
◉奸擅. 獨擅. 雄擅. 恣擅. 專擅. 豪擅.

13 ⑯ [擡] 잡 [入]合 ①②私盍切 sà ③才盍切 zá

[字解] ①부서지는소리 잡 '一, 破聲'《集韻》. ②가질 잡 손에 가짐. '一, 一曰, 持也'《集韻》. ③혼잡할 잡 '攦一'은 소란함. 어수선함. '攦一, 和攪也'《集韻》.

13 ⑯ [擇] [高人] 택 [入]陌 場伯切 zé 择

[筆順] 扌 扌 扌 扌 扌 擇 擇 擇

[字解] 가릴 택 ㉠고름. 선택함. '選一'. '一善固執之'《中庸》. ㉡구별함. 차별함. '牛羊何一焉'《孟子》. '與惡劍無一'《呂氏春秋》.
[字源] 金文 篆文 形聲. 扌(手)+睪〔音〕. '睪택·역'은 차례로 나타나는 것 중에서 가려내다의 뜻. 손으로 가리다의 뜻을 나타냄.

[擇交 택교] 벗을 골라서 사귐.
[擇隣 택린] 주택을 정하는 데 우선 이웃의 인심(人心)부터 살핌. 전(轉)하여, 살기 좋은 곳으로 이사(移徙)함. 복린(卜隣).
[擇壻 택서] 사윗감을 고름.
[擇善 택선] 선(善)을 택(擇)함.
[擇言 택언] 도(道)에 맞는 옳은 말.
[擇用 택용] 골라서 씀.
[擇偶 택우] 짝을 고름. 배필(配匹)을 고름.
[擇人 택인] 인재(人材)를 고름.
[擇日 택일] 좋은 날짜를 고름.
[擇定 택정] 선정(善定)함.
[擇地 택지] 좋은 땅을 고름.
[擇處 택처] 살 곳을 고름.
[擇出 택출] 골라냄.
[擇品 택품] 좋은 물품을 고름.
[擇行 택행] 남의 모범이 될 만한 선행(善行).
[擇婚 택혼] 혼처(婚處)를 고름.
◉揀擇. 簡擇. 監擇. 妙擇. 選擇. 收擇. 練擇. 財擇. 銓擇. 精擇. 採擇. 推擇.

13 ⑯ [擉] 착 [入]覺 測角切 chuò

[字解] ①작살 착 물고기를 찔러 잡는 물건. '罔繩一刃, 以除蟲蛇惡物'《韓愈》. ②찌를 착 작살로 찔러 잡음. '一鼈於江'《莊子》.
[字源] 形聲. 扌(手)+蜀〔音〕

13 ⑯ [操] [高人] 조 ①-③[平]豪 七刀切 cāo ④-⑥[去]號 七到切 cāo

[筆順] 扌 扌 扌 扌 扌 操 操 操

[字解] ①잡을 조 쥠. '一几杖以從'《禮記》. ②부릴 조 사역(使役)함. '一縱'. '津人一舟若神'《莊子》. ③성 조 성(姓)의 하나. ④지조 조 절개. '志一'. '熹少有節一'《後漢書》. ⑤풍치 조 운치. '淸整有風一'《南史》. ⑥곡조 조 금곡(琴曲). 또, 금곡의 이름. '龜山一'(孔子 作). '樂詩曲一'《後漢書》.
[字源] 篆文 形聲. 扌(手)+喿〔音〕. '喿소·조'는 '巢소'와 통하여, 둥지를 틀다의 뜻. 새가 둥지를 틀 듯 손을 교묘하게 놀리다, 조종하다의 뜻을 나타냄. 또, 손에 꼭 쥐다의 뜻. 파생하여, '지조'의 뜻을 나타냄.

[操檢 조검] 마음의 단속.
[操觚 조고] 글을 씀. 문필(文筆)에 종사함.
[操練 조련] 군대를 실전(實戰)에 익히기 위한 연습.
[操弄 조롱] 제멋대로 다룸.
[操履 조리] 조행(操行).
[操舍 조사] 취함과 버림. 굳게 지킴과 지키지 않음. 취사(取捨).
[操束 조속] 단속(團束)함.
[操守 조수] ㉠절개(節槪)를 지킴. ㉡절개(節槪).
[操植 조식] 조수(操守).
[操心 조심] 삼가 주의함.
[操業 조업] ㉠절개(節槪)와 업적. ㉡작업을 실시 「함.
[操韻 조운] 지조와 운치(韻致).

[操作 조작] 일을 함. 또, 일.
[操切 조절] 법령(法令)을 엄하게 지켜 백성을 억누름.
[操井臼 조정구] ㉠우물물을 긷고 쌀을 찧음. ㉡하녀에게만 맡기지 않고 직접 밥을 짓고 빨래를 함.
[操縱 조종] 마음대로 다룸. 자유(自由)로 부림.
[操舟 조주] 배를 부림.
[操持 조지] 조수(操守).
[操柁 조타] 키를 잡음.
[操筆 조필] 붓을 듦.
[操行 조행] 몸을 가지는 행실(行實). 품행(品行).
◉高操. 德操. 士操. 常操. 霜操. 俗操. 松柏操. 殊操. 心操. 雅操. 烈操. 節操. 貞操. 情操. 志操. 淸操. 體操. 稟操. 風操. 賢操.

13 ⑯ [擓] 괴 [去]泰 古外切 guài

[字解] 거둘 괴 거두어들임. '一, 收也'《集韻》. '有巢氏一菘秸以爲蓐'《路史》.

13 ⑯ [擋] [現] 당 [去]漾 丁浪切 dàng 挡

[字解] 《現》 가든히할 당 정돈함. '摒一'.
[字源] 形聲. 扌(手)+當〔音〕

◉摒擋.

13 ⑯ [擏] 경 [平]庚 渠京切 qíng

[字解] 도지개 경 檠(木部 十三畫)과 同字.
[字源] 形聲. 扌(手)+敬〔音〕

◉排擏.

13 ⑯ [擐] [一] 관 [平]刪 古還切 guān
[二] 환 [去]諫 胡慣切 huàn

[字解] [一] 꿸 관 갑옷을 꿰어 입음. '一甲'. '躬一甲胄'《左傳》. [二] 꿸 환 [一]과 뜻이 같음.
[字源] 篆文 形聲. 扌(手)+睘〔音〕. '睘선'은 '돌다'의 뜻. 갑옷과 투구를 몸에 두르다, 꿰어 입다의 뜻을 나타냄.

[擐甲 환갑] 갑옷을 입음.

13 ⑯ [擌] 숙 [入]屋 所六切 sù

[字解] 칠 숙 치는 소리. '飛罕一箭'《張衡》.

13 ⑯ [擒] [人名] 금 [平]侵 巨金切 qín

[字解] ①사로잡을 금 생포함 '七縱七一'《漢晉春秋》. ②포로 금 생포한 적(敵). '坐守襄平成一耳'《晉書》.
[字源] 形聲. 扌(手)+禽〔音〕. '禽금'은 '사로잡다'의 뜻. '手수'를 더하여, '사로잡다'의 뜻을 나타냄.

[擒縛 금박] 잡아 묶음.
[擒生 금생] 포로(捕虜).
[擒賊先擒王 금적선금왕] 적도(賊徒)를 사로잡으려면 우선 그 괴수(魁首)부터 사로잡아야 함.
[擒縱 금종] 생금(生擒)함과 석방함.
[擒捉 금착] 사로잡음.
[擒斬 금참] 사로잡음과 베어 죽임. 또, 사로잡아서 베어 죽임.
◉拘擒. 縛擒. 生擒. 就擒. 七縱七擒.

13 ⑯ [擔] [高·人] 담 ①②[平]覃 都甘切 dān
③[去]勘 都濫切 dàn 担

[筆順] 扌 扩 扩 扩 扩 扩 擔 擔

[字解] ①멜 담 짐을 어깨에 멤 '一銃'. '負書一囊'《戰國策》. ②맡을 담 부담함. 인수함. '一任'. '荷一大事'《白居易》. ③짐 담 하물 또는 부담한 일. '棄一號泣'《齊書》.
[字源] 形聲. 扌(手)+詹〔音〕. '詹첨·섬'은 위에 받치어 덮어 가리다의 뜻. 어깨를 덮듯 메다의 뜻을 나타냄.
[參考] 担(手部 五畫)은 俗字.

[擔架 담가] 들것.
[擔鼓 담고] 견우성(牽牛星)의 이칭(異稱).
[擔具 담구] 물건을 메어 나르는 데 쓰는 기구.
[擔軍 담군] 《韓》 담부(擔夫).
[擔當 담당] 일을 맡아 함.
[擔頭 담두] 머리에 얹음. 또는 그 물건.
[擔保 담보] ㉠맡아서 보증(保證)함. ㉡채권(債權)을 보전하기 위하여 제공(提供)된 보증.
[擔夫 담부] 물건을 메어서 옮기는 사람.
[擔稅 담세] 납세의 의무를 짐.
[擔任 담임] 책임(責任)을 지고 일을 맡아봄.
[擔着 담착] 담당(擔當).
[擔責 담책] 담임(擔任).
[擔銃 담총] 총(銃)을 어깨에 멤.
[擔板漢 담판한] 널을 메고 가는 사나이. 이 사나이는 한쪽밖에 볼 수 없으므로 사물의 일면(一面)만 아는 사람을 이름.
[擔荷 담하] ㉠물건을 짐. ㉡책임을 짐.
◉加擔. 滿擔. 武擔. 搬擔. 步擔. 負擔. 分擔. 左擔. 重擔. 荷擔.

13 ⑯ [擖] 엽 [入]葉 弋涉切 yè

[字解] 키바닥 엽 까부는 키의 바닥. '執箕膺一'《禮記》.
[字源] 篆文 形聲. 扌(手)+葛〔音〕

13 ⑯ [擗] 벽 ①[入]陌 房益切 pì
②③[入]錫 匹歷切 pǐ

[字解] ①가슴칠 벽 슬퍼하여 가슴을 침. '一踊哭泣'《孝經》. ②굽힐 벽 손발을 구부림. '擿一爲禮'《莊子》. ③뻐갤 벽 쨈. 가름. 擘(手部 十三畫)과 同字.
[字源] 形聲. 扌(手)+辟〔音〕. '辟벽'은 '劈벽'과 통하여, '째다'의 뜻. 손으로 뻐개어 열다의 뜻을 나타냄.

[擗踊 벽용] 가슴을 치고 뛰며 슬퍼함.
[擗摽 벽표] 벽용(擗踊).

13 ⑯ [擀] 간 [上]旱 古旱切 gǎn

[字解] 펼 간 손으로 물건을 폄. '一, 以手伸物'《集韻》.

13 ⑯ [擛] 〔금〕 捦(手部 八畫〈p. 878〉)과 同字

13 ⑯ [據] [高人] 거 ㊀御 居御切 jù 据

[筆順] 扌 扌 扩 扩 扩 摅 擄 據

[字解] ①의거할 거 ㉠증거로 삼음. '一實'. '援一徵之'《郭璞》. ㉡의지함. '一於德, 依於仁'《論語》. ㉢의탁함. '亦有兄弟, 不可以一'《詩經》. ②웅거할 거 땅을 차지하고 막아 지킴. '一守'. '先一北山上者勝'《史記》. ③누를 거 억누름. '猛獸不一'《老子》. ④의거 거 의지할 데. '州失郡一'《後漢書》.

[字源] [篆文] 形聲. 扌(手)+豦〔音〕. '豦거'는 짐승이 뒤엉켜 있음의 뜻. 손을 서로 얽히게 하다, 의지하다, 기대다의 뜻을 나타냄.

[參考] 拠(手部 五畫)는 俗字.

[據古 거고] 고사에 의거함.
[據德 거덕] 덕(德)을 굳게 지킴.
[據守 거수] 웅거하여 지킴.
[據軾 거식] 수레의 앞쪽에 댄 가로나무에 몸을 기댐. 복식(伏軾).
[據實 거실] 사실(事實)에 의거함.
[據鞍顧眄 거안고면] 말 안장(鞍裝)에 걸터앉아서 전후좌우를 돌아봄. 위세가 어엿한 모양.
[據有 거유] 일정한 지역을 차지하고 있음.
[據依 거의] 의지함. 의거(依據). 「짐.
[據掌 거장] 왼손으로 오른손을 덮쳐 눌러 어루만
[據點 거점] 의거하여 지키는 곳. 활동의 근거지.
[據虛搏影 거허박영] 허공(虛空)에 의거하여 그림자를 친다는 뜻으로, 확실한 근거(根據)나 좋은 기회(機會)를 얻지 못함의 비유.
[據火 거화] '개똥벌레〔螢〕'의 이칭(異稱).
◉考據. 群雄割據. 根據. 論據. 屯據. 蟠據. 保據. 本據. 憑據. 擁據. 雄據. 原據. 援據. 依據. 引據. 典據. 專據. 竊據. 占據. 準據. 證據. 鎭據. 侵據. 割據. 確據.

13 ⑯ [揲] 설 ㊇屑 食列切 shé

[字解] 셀 설 揲(手部 九畫)과 同字. '一之以三策'《漢書》.

13 ⑯ [撿] 〔검〕檢(木部 十三畫〈p. 1115〉)과 同字

[字源] [篆文] 形聲. 扌(手)+僉〔音〕. '僉첨'은 많은 사람이 이구동성으로 같은 말을 하다의 뜻. '手수'를 더하여, 같은 진실을 말하도록 조사하다의 뜻을 나타냄.

13 ⑯ [擑] 〔접〕 接(手部 八畫〈p. 882〉)과 同字

13 ⑯ [攜] 〔휴〕 攜(手部 十八畫〈p. 918〉)의 俗字

[擕] 〔휴〕 手部 十三畫(p. 908)을 보라.

14 ⑱ [擥] [人名] 람 ㊤感 盧敢切 lǎn

[字解] ①쥘 람 손에 쥠. '一取'. '飯必捧一'《管子》. ②캘 람 채취함. '夕一洲之宿莽'《楚辭》. ③총찰할 람 주관함. '皆親一焉'《蜀志 註》.

[字源] [篆文] 形聲. 手+監〔音〕. '監감·람'은 '斂렴'과 통하여, 갖추어 거두다의 뜻. 이것저것 있는 것을 거두어서 가지다의 뜻을 나타냄.

[參考] 擥(手部 十四畫)·攬(手部 二十一畫)은 同字.

[擥要 남요] 요점을 추림.
[擥取 남취] 손에 쥠.
◉摻擥.

14 ⑱ [擪] 엽 ㊇葉 於葉切 yè

[字解] 누를 엽 손가락으로 누름. '彈琴一笛'《張衡》.

[字源] [篆文] 形聲. 手+厭〔音〕. '厭염·엽'은 '씌우다'의 뜻. 손으로 누르다의 뜻을 나타냄.

◉擊擪. 埋擪. 藏擪. 偏擪.

14 ⑱ [擧] [中人] 거 ㊤語 居許切 jǔ 举

[筆順] 𠂉 ⺁ 𦥑 𦥑 𦦙 與 舉 擧

[字解] ①들 거 ㉠높이 들어 올림. '一手'. '一百鈞'《孟子》. ㉡손에 쥠. '一杯'. '一酒於亭上以屬客'《蘇軾》. ㉢사실이나 예(例)를 듦. '一證'. '一一篇之要, 而約言之'《中庸章句》. ㉣모두 합침. '一國而與仲子爲讎'《史記》. ②날 거 새가 낢. '色斯一矣'《論語》. ③키울 거 애를 키움. '一子'. 또, 자람. 키워짐. '嬰告其母曰, 勿一也'《史記》. ④빼앗을 거 ㉠성을 탈취함. '五旬而一之'《孟子》. ㉡재화를 몰수함. '凡財物犯禁者一之'《周禮》. ⑤주울 거 습득함. 착복함. '財物之遺者, 民莫之一'《呂氏春秋》. ⑥올릴 거 기용(起用)함. '一賢才'《論語》. 또, 기용됨. '有賢才而不一者'《說苑》. ⑦일으킬 거 ㉠사물을 시작함. 행함. '一兵'. '一事'. ㉡몸을 일으킴. '一身赴淸池'(못에 투신자살함)《古詩》. ㉢흥(興)하게 함. '一廢國'《中庸》. ⑧모두 거 다. '一國'. '事物之理, 一集目前'《司馬光》. ⑨거동 거 행동. '一一一動'. '人主無過一'《漢書》. ⑩거사 거 행사(行事). 계획. '美一'. '今日之一, 非本願也'《晉書》. ⑪과거 거 관리 등용의 시험. '孝廉之一'《漢書》. ⑫성 거 성(姓)의 하나.

[字源] [篆文] 形聲. 手+與〔音〕. '與여·거'는 다 함께 손을 합하여 물건을 들어 올림의 뜻. 여기에 '手수'를 붙이어, 힘을 합해서 물건을 들어 올리다의 뜻을 나타냄.

[參考] 举(手部 六畫)는 略字.

[擧家 거가] 온 집안.
[擧皆 거개] 모두. 거의 다.
[擧擧 거거] 행동거지(行動擧止)가 단정한 모양.
[擧國 거국] 온 나라. 전국(全國). 「함.
[擧國一致 거국일치] 전 국민이 마음을 한가지로
[擧動 거동] ㉠행동거지. ㉡임금이 대궐 밖으로

나가는 일.
[擧頭 거두] 머리를 듦.
[擧論 거론] 말을 꺼냄. 의제(議題)를 제출(提出)함.
[擧杯 거배] 술잔을 듦. 술을 마심.
[擧白 거백] 술잔을 듦. 또, 술을 권함.
[擧兵 거병] 군사를 일으킴.
[擧事 거사] 큰 일을 일으킴.
[擧散 거산] 모두 흩어짐.
[擧世 거세] 온 세상(世上).
[擧手 거수] 손을 위로 듦.
[擧業 거업] 과거(科擧) 공부.
[擧義 거의] 의병(義兵)을 일으킴.
[擧人 거인] 향시(鄕試)에 급제하고 다시 회시(會試)(중앙 정부의 관리 등용 시험)를 보는 사람. 전(轉)하여, 과거(科擧)를 볼 자격이 있는 사람.
[擧一反三 거일반삼] 한 가지 일을 들어 보이면, 스스로 반성하여 세 가지를 미루어 앎.
[擧子 거자] ㉠거인(擧人). ㉡난 아들을 키움.
[擧場 거장] 과거의 시험장.
[擧措 거조] 행동거지(行動擧止).
[擧朝 거조] 온 조정(朝廷). 조정의 관원 전부.
[擧族 거족] ㉠온 혈족. 일족(一族). ㉡전 민족(全民族).
[擧踵 거종] 발돋움함.
[擧座 거좌] 만좌(滿座).
[擧酒 거주] 술을 듦. 술을 마심.
[擧證 거증] 증거를 듦.
[擧止 거지] 행동거지(行動擧止).
[擧風 거풍] 물건을 바람에 쐼.
[擧劾 거핵] 죄상을 들어 탄핵함.
[擧行 거행] 치름. 집행함.
[擧火 거화] ㉠횃불을 켬. ㉡불을 듦. ㉢불을 땜. ㉣밥을 지음. 곧, 생활함.
[擧孝 거효] 효자(孝子)를 등용함.
◉輕擧. 高擧. 貢擧. 過擧. 糾擧. 濫擧. 內擧. 萬擧. 枚擧. 覓擧. 毛擧. 美擧. 辟擧. 備擧. 選擧. 收擧. 雙擧. 略擧. 列擧. 外擧. 移擧. 一擧. 任擧. 壯擧. 再擧. 持擧. 徵擧. 錯擧. 察擧. 薦擧. 推擧. 吹擧. 稱擧. 廢擧. 包擧. 遐擧. 夥擧. 鄕擧. 豪擧.

14 ⑰ [擠] 제 ㊀霽 子計切 jǐ 挤

字解 ①밀칠 제 ㉠밀어제침. 밀어 떨어뜨림. '反一之, 又下石焉'《韓愈》. ㉡배척함. '排一'. '一有罪'《荀子》. ②떨어질 제 낙하(落下)함. '知一于溝壑矣'《左傳》.
字源 篆文 形聲. 扌(手)+齊〔音〕. '齊제'는 가지런히 정돈하다의 뜻. 양손을 합쳐 밀치다의 뜻을 나타냄.

[擠排 제배] 배제(排擠)함.
[擠陷 제함] 사람을 모함하여 죄나 고경(苦境)에 빠뜨림.
[擠害 제해] 배제(排擠)하여 해침.
◉傾擠. 排擠. 讒擠.

14 ⑰ [擡] 人名 대 ㊥灰 徒哀切 tái 抬

筆順 扌 扌 扌 扌 擡 擡 擡 擡

字解 들 대 들어 올림. '一擧'. '使人一頭不得'《天寶遺事》.
字源 形聲. 扌(手)+臺〔音〕. '臺대'는 흙을 높이 쌓은 전망대의 뜻. 높이 들어 올리다의 뜻을 나타냄.
參考 抬(手部 五畫)는 俗字.

[擡擧 대거] ㉠들어 올림. ㉡탁용(擢用)함.
[擡頭 대두] ㉠머리를 듦. 전(轉)하여, 일어남. ㉡문장(文章) 중에서 경의를 표하기 위하여 귀인(貴人)의 성명 위에 한 자 간격을 비워 두는 서식(書式).

14 ⑰ [擢] 人名 탁 ㉧覺 直角切 zhuó

筆順 扌 扌 扌 扌 扌 擢 擢 擢

字解 ①뽑을 탁 ㉠뽑아 버림. '一德塞性'《莊子》. ㉡선발함. '拔一'. '一之乎賓客之中'《戰國策》. ②빼낼 탁 솟음. 또, 특출함. '一秀'. '一雙立之金莖'《班固》.
字源 篆文 形聲. 扌(手)+翟〔音〕. '翟적·탁'은 깃이 높이 올라가는 꿩, 높다, 뛰어오르다의 뜻. '手수'를 더하여, 높은 쪽으로 빼어 내다의 뜻을 나타냄.

[擢擧 탁거] 발탁하여 중용(重用)함.
[擢登 탁등] 탁승(擢昇).
[擢拔 탁발] 신발함. 발탁(拔擢).
[擢賞 탁상] 많은 중에서 뽑아내어 칭찬함.
[擢秀 탁수] ㉠뛰어남. 빼남. 또, 그 사람. ㉡초목이 무성하게 자람.
[擢授 탁수] 발탁(拔擢)하여 고관(高官)을 수여(授與)함.
[擢昇 탁승] 발탁(拔擢)하여 승진(昇進)시킴.
[擢用 탁용] 발탁(拔擢)하여 등용함.
[擢第 탁제] 과거에 급제(及第)함. 등제(登第).
◉簡擢. 擧擢. 甄擢. 登擢. 拔擢. 選擢. 優擢. 奬擢. 銓擢. 挺擢. 旌擢. 薦擢. 超擢. 寵擢. 抽擢. 表擢.

14 ⑰ [擣] 一 도 ㊤晧 都皓切 dǎo 二 주 ㊥尤 陳留切 chóu

字解 一 ①찧을 도 절구에 찧음. '我心憂傷, 惄焉如一'《詩經》. ②칠 도 두드리거나 공격함. '批亢一虛'《史記》. 二 뺄 주 빽빽함. 꽉 참. 稠(禾部 八畫)와 同字. '上有一著, 下有神龜'《史記》.
字源 篆文 形聲. 扌(手)+壽〔音〕. '壽수'는 길게 계속하다의 뜻. 시간을 들여 절구에 넣고 찧다의 뜻을 나타냄.

[擣衣 도의] 다듬이질함.
[擣剉 도좌] 짓찧음.
[擣虛 도허] 적의 방비(防備)가 허술한 곳을 치거나 적이 방비를 게을리 하고 있을 때를 타서 침. 승허(乘虛).
[擣著 주시] 총생(叢生)한 시초(蓍草).

14 ⑰ [擯] 은 ㊀問 於靳切 yìn

字解 ①가를 은 가지런히 나눔. '一, 劑也'《集韻》. ②달 은, 잴 은 바르게 달거나 잼. '一, 一曰, 平量'《集韻》.

14 ⑰ [擦] 人名 찰 ㉧黠 初戛切 cā

字解 비빌 찰 되게 문지름. '摩一'.

字源 形聲. 扌(手)+察〔音〕. '察찰'은 물건을 비빌 때의 소리의 의성어.

[擦過傷 찰과상] 스치거나 문질려서 벗어진 상처.
[擦傷 찰상] 찰과상(擦過傷).
◉塗擦. 摩擦.

14 ⑰ [擿] 〔치〕
躓(足部 十一畫〈p. 1478〉)와 同字

14 ⑰ [擩] 유 ㉤麌 而主切 rǔ

字解 물들 유 감염(感染)함. '耳一目染, 不學以能'《韓愈》.

字源 篆文 形聲. 扌(手)+需〔音〕. '需수'는 물에 젖어 부드럽다의 뜻. 물에 담가 부드럽게 하다, 담그다의 뜻을 나타냄.

[擩嚌 유제] 맛봄. 깊이 들어감.

14 ⑰ [擬] 人名 의 ㉤紙 魚紀切 nǐ 拟

筆順 扌 扌 扌 扌 扌 扌 擬 擬

字解 ①헤아릴 의 상량(商量)함. '一之而後言'《易經》. ②비길 의 ㉠흉내 냄. 본뜸. '一古'. '侈一於君'《漢書》. ㉡견줌. '乃與五經相一'《後漢書》.

字源 篆文 形聲. 扌(手)+疑〔音〕. '疑의'는 사람이 고개를 들고, 지팡이에 의지한 채 생각에 잠겨 꼼짝 않고 서 있는 모양. 생각을 굴려 헤아리다의 뜻을 나타냄. 또, 두 개의 물건을 의심스러울 정도로 비슷하게 만들다의 뜻에서, '비기다'의 뜻도 나타냄.

[擬經 의경] 경서(經書)를 본떠서 지음. 또, 본떠서 지은 경서.
[擬古 의고] 옛날 시문(詩文)의 체(體)를 본뜸.
[擬律 의율] 법률을 사실에 적용함.
[擬議 의의] 헤아림. 재량(裁量)함.
[擬人 의인] 물건을 사람에 비김. 무정한 물체를 유정한 사람처럼 취급함.
[擬作 의작] 본떠 지음.
[擬制 의제] 견주어 만듦. 견주어 제정함.
[擬造 의조] 의작(擬作).
[擬足投跡 의족투적] 발 디딜 데를 살피면서 걸음. 두려워하여 삼가면서 걷는다는 뜻.
[擬態 의태] 곤충(昆蟲)이 자신의 위험을 방어하기 위하여 그 자신의 모양을 다른 물건과 비슷하게 하는 현상.
◉模擬. 妙擬. 配擬. 比擬. 備擬. 倫擬. 銓擬. 注擬. 儔擬. 準擬. 進擬. 僭擬. 度擬.

14 ⑰ [攂] 단 ㉤緩 覩管切 duǎn

字解 자새질할 단 '一, 一曰, 轉籆也'《集韻》.

14 ⑰ [擭] ■ 화 ㉦禡 胡化切 huò ■ 확 ㉧藥 胡郭切 huò ■ 획 ㉧陌 一虢切 wò

字解 ■ 덫 화 동물을 잡는 기구. '罟一陷阱之中'《中庸》. ■ 덫 확 ■과 뜻이 같음. ■ 잡을 획 쥠. '抄本末一蘄猢'《張衡》.

字源 篆文 形聲. 扌(手)+蒦〔音〕. '蒦획'은 '쥐다'의 뜻. '手수'를 더하여, '쥐다, 잡다'의 뜻을 분명히 나타냄.

◉罟擭. 阱擭. 捕擭.

14 ⑰ [擯] 빈 ㉦震 必仞切 bìn 摈

字解 ①물리칠 빈 배척함. '一斥'. '寡不勝衆, 遂見一棄'《崔寔》. ②인도할 빈 儐(人部 十四畫)과 同字. '一介'. '凡四方之使者, 大客則一'《周禮》.

字源 儐의 別體 形聲. 扌(手)+賓〔音〕. '賓빈'은 외래자(外來者)의 뜻. 딴 나라 사람으로서 물리치다의 뜻을 나타냄. 또, '儐빈'과 통하여, 외래자를 인도하는 사람의 뜻도 나타냄.

[擯却 빈각] 빈척(擯斥).
[擯介 빈개] 주객(主客) 사이에 서서 주선(周旋)하는 사람.
[擯棄 빈기] 빈척(擯斥).
[擯相 빈상] 빈객(賓客)의 일을 맡은 벼슬. 나가서 빈객을 마지함을 빈(擯)이라 하고, 들어가서 예(禮)를 돕는 것을 상(相)이라 함.
[擯斥 빈척] 물리쳐 버림.
◉排擯. 嘲擯.

14 ⑰ [擱] 각 gē 搁

字解 놓을 각 잡은 것을 놓음. '及見此文一筆'《南史》.

字源 形聲. 扌(手)+閣〔音〕. '閣각'은 문을 닫아 두는 말뚝의 뜻. 움직이지 않게 되다의 뜻을 나타냄.

[擱坐 각좌] 배가 좌초(坐礁)함.
[擱淺 각천] ㉠배가 좌초(坐礁)함. ㉡상점(商店)의 자본이 떨어져 운영을 못함.
[擱筆 각필] 쓰던 글을 멈추고 붓을 놓음. 각필(閣筆).

14 ⑰ [擰] 녕 ㉥庚 泥耕切 níng 拧

字解 어지러울 녕 '搶一'은 어지러워짐.

字源 形聲. 扌(手)+寧〔音〕

◉搶擰.

14 ⑰ [擤] 형 ㉤梗 呼梗切 xǐng

字解 코풀 형 코를 풂.

字源 會意. 扌(手)+鼻. '手수'와 '鼻비'를 합쳐, 손으로 코를 풀다의 뜻을 나타냄.

14 ⑰ [擺] 〔배〕
拜(手部 五畫〈p. 854〉)의 古字

14 ⑰ [擥] 〔람〕
攬(手部 十四畫〈p. 912〉)과 同字

[字源] 形聲. 扌(手)+監〔音〕

14 ⑰ [擫] 〔엽〕
擪(手部 十四畫〈p. 912〉)과 同字

14 ⑰ [⿰扌團] 〔단〕
摶(手部 十一畫〈p. 901〉)과 同字

14 ⑰ [⿰扌僕] 〔박〕
撲(手部 十二畫〈p. 907〉)과 同字

15 ⑲ [攀] [人名] 반 ㊣刪 普班切 pān

[字解] ①더위잡고오를 반 나무를 타거나 산 같은 것을 기어오름. '—登'. '百歲老翁—枯枝'《晉書》. ②당길 반 끌어당김. '—輦卽利而舍'《國語》.
[字源] 形聲. 手+樊〔音〕. '樊번'은 '拔발'과 통하여, '당기다'의 뜻.

[攀桂 반계] 계수나무에 기어 올라간다는 뜻으로, 과거에 급제함을 이름.
[攀登 반등] 더위잡고 오름. 기어 올라감.
[攀戀 반련] 수레에 기어 올라가 사모한다는 뜻으로, 관민(官民)이 어진 장관(長官)이 떠날 때 사모함을 이름.
[攀龍附鳳 반룡부봉] 용의 비늘을 끌어 잡고 봉황의 날개에 붙는다는 뜻으로, 영주(英主)를 섬겨 공명(功名)을 세움을 이름.
[攀慕 반모] 의지하고 그리워함.
[攀附 반부] 반연(攀緣)[ㄴ].
[攀栖鶻之危巢 반서골지위소] 높은 나무 위에 있는 송골매가 깃들인 둥우리에 기어 올라간다는 뜻으로, 고산 절벽(高山絕壁)에 기어오름을 이름.
[攀緣 반연] ㉠기어 올라감. ㉡세력이 있는 사람을 의뢰함. ㉢《佛敎》 원인을 도와서 결과를 맺게 하는 작용.
[攀龍麟 반용린] '반룡부봉(攀龍附鳳)'을 보라.
[攀龍麟附鳳翼 반용린부봉익] 반룡부봉(攀龍附鳳).
[攀援 반원] 반연(攀緣)[ㄱ][ㄴ].
[攀轅臥轍 반원와철] 수레의 멍에를 끌어당기고 바퀴 아래에서 자며 수레가 가지 못하게 한다는 뜻으로, 지방관(地方官)이 떠나는 것을 섭섭히 여기어 그 유임(留任)을 간청(懇請)하는 정(情)의 간절함을 이름.
◉牽攀. 登攀. 仰攀. 連攀. 躋攀. 追攀.

15 ⑱ [擲] [人名] 척 ㊅陌 直炙切 zhì 掷

[字解] 던질 척 ㉠내던짐. 투척함. '投—'. '卿試—地, 當作金石聲也'《晉書》. ㉡내버림. 방기함. '棄—邐迤'《杜牧》.
[字源] 形聲. 扌(手)+鄭〔音〕. '鄭정'은 '擿척'과 통하여, '내던지다'의 뜻.

[擲去 척거] 내던져 버림.
[擲柶 척사] 윷. 윷놀이.
[擲梭 척사] ㉠베를 짜느라고 북을 이쪽저쪽으로 던짐. ㉡광음(光陰)이 빠름의 비유.
[擲殺 척살] 내던져 죽임.
[擲地作金石聲 척지작금석성] 땅에 던지면 아름다운 금석(金石) 소리가 난다는 뜻으로, 시문(詩文)이 썩 잘되어 사구(辭句)가 아름답고 운치(韻致)도 훌륭함을 이름.
◉乾坤一擲. 挑擲. 跳擲. 放擲. 打擲. 投擲. 拋擲.

15 ⑱ [擴] [高·人] 확 ㊈藥 闊鑊切 kuò 扩

[筆順] 扌 扩 护 护 擴 擴 擴 擴

[字解] 넓힐 확 확대함. '—張'. '凡有四端於我者, 知皆—而充之矣'《孟子》.
[字源] 形聲. 扌(手)+廣〔音〕. '廣광'은 '넓다'의 뜻. '廣'과 구별하여, '넓히다'의 뜻을 나타내기 위하여, '手수'를 덧붙임.
[參考] 拡(手部 五畫)은 略字.

[擴大 확대] 늘여서 크게 함.
[擴大鏡 확대경] 몇 배나 늘여서 비춰 보는 거울. 볼록 렌즈·현미경(顯微鏡) 따위.
[擴聲器 확성기] 음성을 크게 하여 먼 곳까지 들리게 하는 기계.
[擴張 확장] 늘여서 넓게 함.
[擴充 확충] 넓히어 충실(充實)하게 함.
◉軍擴.

15 ⑱ [攆] 련 niǎn 撵

[字解] 쫓을 련 쫓아냄. '你誠心要—他也好'《紅樓夢》.

15 ⑱ [擷] 힐(혈[本]) ㊅屑 胡結切 xié 撷

[字解] 뽑을 힐 손으로 뽑음. '雨中—園蔬'《蘇軾》.
[字源] 篆文 形聲. 扌(手)+頡〔音〕

[擷芳 힐방] 방초(芳草)를 캠.
◉搴擷. 採擷. 掇擷. 探擷.

15 ⑱ [⿰扌蔑] [一] 멸 ㊅屑 莫結切 miè
[二] 미 ㊈霽 莫計切 mì

[字解] [一] ①칠 멸 때림. '—, 擊也'《廣雅》. ②비뚤 멸 모양이 바르지 못하고 뒤틀림. 일이 잘못됨. '—偰, 不方正'《集韻》. [二] ①마를 미 옷감을 맞추어 자름. '—, 裁也'《廣韻》. ②씻어버릴 미 지워 버림. '—, 拭滅也'《集韻》.

15 ⑱ [擸] 랍 ㊅合 盧盍切 là

[字解] 꺾을 랍 부러뜨림. '拉—'은 나무가 꺾이는 소리.
[字源] 篆文 形聲. 扌(手)+巤〔音〕

◉拉擸.

15 ⑱ [擺] [人名] 파 ㊤蟹 北買切 bǎi 摆

[字解] ①열 파 밀쳐 엶. '—牲班禽'《馬融》. ②흔들 파 요동시킴. '搖舌—吻歸之仙'《王令》. ③털 파 흔들어 텂. '—落'. ④벌여놓을 파 진열함.

'一列'.
[字源] 形聲. 扌(手)+罷〔音〕. '罷파'는 '發발'과 통하여, '열다'의 뜻.

[擺動 파동] 흔들어 움직임. 또, 흔들려 움직임.
[擺落 파락] 털어 버림. 털어 떨어뜨림.
[擺弄 파롱] 흔들어 완롱(玩弄)함.
[擺撥 파발] ㉠그만둠. 밀어젖힘. ㉡《韓》공문(公文)을 급히 보내기 위하여 설치한 역참(驛站).
[擺列 파열] 벌여 놓음. 진열(陳列).
[擺脫 파탈] ㉠밀어 없앰. 제거함. ㉡달아남. 도망함.
◉搖擺.

15 ⑱ [擻] 수 [上]有 蘇后切 sǒu
[字解] 털어버릴 수 털어 없앰. '抖—'.
[字源] 形聲. 扌(手)+數〔音〕

15 ⑱ [攞] 라 [上]哿 郎可切 luǒ
[字解] 흔들릴 라 요동(搖動)함. '—, 挋—, 搖也'《集韻》.

15 ⑱ [擽] [一] 략 [入]藥 離灼切 lüè
[二] 력 [入]錫 郎擊切 lì
[字解] [一] 칠 략 때림. '—合其跗'《唐書》. [二] 문지를 력 비빔. '或摟撓—捋'《嵇康》.
[字源] 形聲. 扌(手)+樂〔音〕

15 ⑱ [撝] 휘 [平]微 許歸切 huī
[字解] ①떨칠 휘, 다할 휘 揮(手部 九畫)와 同字. '—散之者也'《太玄經》. ②옮길 휘 이동함. '天渾而— (註) —, 猶移也'《太玄經》.

15 ⑱ [擾] [人名] 요 [上]篠 而沼切 rǎo
[字解] ①길들일 요 짐승 같은 것을 길들임. '—柔'. '—畜龍'《左傳》. 전(轉)하여, 가축. '其畜宜六—'《周禮》. ②순할 요 유순함. '—而毅'《書經》. ③어지러울 요, 어지럽힐 요 ㉠난잡함. 난잡하게 함. '德用不—'《左傳》. ㉡소란함. 소란하게 함. '—亂'. '俶—天紀'《書經》. ④편안히할 요 안일(安逸)하게 함. '安—邦國'《周禮》.
[字源] 篆文 形聲. 扌(手)+憂(夒)〔音〕. '夒노'는 '惄녁'과 통하여, '마음을 상하다'의 뜻. '夒'는 뒤에 그릇되어 '憂우'로 바뀜. 마음을 상하게 하여 어지럽히다의 뜻을 나타냄.

[擾亂 요란] 소란함. 또, 소란하게 함.
[擾攘 요양] 요란(擾亂).
[擾擾 요요] 어지러운 모양. 소란한 모양.
[擾柔 요유] 길들여 유순하게 함.
[擾奪 요탈] 어지럽게 하여 빼앗음.
◉苛擾. 驚擾. 攪擾. 群擾. 騰擾. 煩擾. 紛擾. 騷擾. 俶擾. 馴擾. 撓擾. 憂擾. 雲擾. 雜擾. 侵擾. 惶擾. 喧擾.

15 ⑱ [擿] [一] 척 [入]陌 直炙切 zhì
[二] 적 [入]錫 他歷切 tī
[字解] [一] ①긁을 척 손가락으로 긁음. '指—無痟癢'《列子》. ②던질 척 투척함. '引匕首, 以—秦王'《史記》. ③비녀다리 척 잠고(簪股). '以瑇瑁爲—'《後漢書》. [二] 들출 적 적발함. '發姦—伏'《漢書》.
[字源] 篆文 形聲. 扌(手)+適〔音〕. '適적'은 어면 중심이 되는 한 점을 따라 똑바로 향해 가다의 뜻. 목적물을 향해 던지다의 뜻을 나타냄. 또, '摘적'과 통하여, 손끝으로 집어 들다의 뜻을 나타냄.

[擿抉 적결] 적발(擿發).
[擿觖 적결] 적결(擿抉).
[擿發 적발] 비밀(祕密) 또는 좋지 못한 사실(事實)을 들추어냄.
[擿伏 적복] 숨긴 나쁜 일을 들추어냄.
[擿盡 적진] 모두 적발함.
◉檢擿. 鉤擿. 發擿. 指擿.

15 ⑱ [㩧] 박 [入]覺 蒲角切 bó
[字解] ①칠 박 '—, 擊也'《廣雅》. ②치는소리 박 물건을 두드릴 때 나는 소리. '—, 擊聲'《廣雅》.

15 ⑱ [攄] [人名] 터 [平]魚 丑居切 shū
[字解] ①펼 터 널리 퍼뜨림. '獨—意乎宇宙之外'《班固》. ②오를 터 높이 뛰어오름. '八乘—而超驤'《後漢書》. ③헤칠 터 헤뜨림. '奮六經以—頌'《漢書》. ④성 터 성(姓)의 하나.
[字源] 會意. 扌(手)+慮. '慮려'는 생각을 이리저리 굴리다의 뜻. 손으로 둘러 펴다의 뜻을 나타냄.

[攄得 터득] 스스로 생각하거나 연구하여 알아냄.
[攄頌 터송] 칭송하는 말을 늘어놓음.
[攄抱 터포] 마음속의 생각을 터놓고 이야기함.

15 ⑱ [攃] 찰 [入]曷 桑割切 sǎ
[字解] 뿌릴 찰 던져 헤뜨림. '星如—沙出'《韓愈》.

15 ⑱ [㩠] [一] 鏖(金部 十一畫〈p.2415〉)와 同字
[二] 捊(手部 七畫〈p.874〉)의 古字

15 ⑱ [擐] 〔관〕
擐(手部 十三畫〈p.911〉)의 本字

15 ⑱ [攂] 〔뢰〕
擂(手部 十三畫〈p.910〉)의 本字

15 ⑱ [攜] 〔휴〕
攜(手部 十八畫〈p.918〉)의 俗字

15 ⑱ [攅] 〔찬〕
攢(手部 十九畫〈p.919〉)의 俗字

16 ⑲ [攟] 군 [去]問 居運切 jùn
[字解] 주울 군 捃(手部 七畫)과 同字. '—摭秦法'《漢書》.
[字源] 篆文 形聲. 扌(手)+麇〔音〕. '麇군'은 '묶다'의 뜻. 손으로 주워서 묶다의 뜻으로, '집다, 줍다'의 뜻을 나타냄.

[攈摭 군척] 주움. 주워 모음.

16 ⑲ [攇] 헌 [上]阮 虛偃切 xiǎn

[字解] ①비길 헌 서로 견줌. '—, 博雅, 擬也'《集韻》. ②맬 헌 잡아 묶음. '—, 一曰, 手約物'《集韻》. ③흔들어움직일 헌 진동함. '時尋楚撻, 以相震—'《蜀志》.

16 ⑲ [攉] [一] 확 [入]藥 虛郭切 huò
[二] 각 [入]覺 訖岳切 què

[字解] [一] 손뒤집을 확 '搖手曰揮, 反手曰—'《康熙字典》. [二] ①도거리할 각 이익을 독점함. 搉(手部 十畫)·榷(木部 十畫)과 同字. '令豪吏猾民, 辜而—之'《漢書》. ②헤아릴 각 상량(商量)함. 搉(手部 十畫)·榷(木部 十畫)과 同字. '豈可謂無大揚—乎'《淮南子》.

[字源] 形聲. 扌(手)+霍〔音〕

[攉較 확교] 견줌. 비교함.
[攉麪 확면] 국수를 반죽함.
◉商攉. 揚攉. 揮攉.

16 ⑲ [攍] 영 [平]庚 以成切 yíng

[字解] 멜 영 등에 짐. '—, 負也'《廣雅》.

16 ⑲ [攌] 환 [上]潸 戶版切 huǎn

[字解] 목책 환 울짱. '—如囚拘'《史記》.

16 ⑲ [㩭] 효 [上]巧 下巧切 jiǎo

[字解] 어지러울 효, 어지럽힐 효 난잡하게 함. '—, 亂也'《集韻》.

16 ⑲ [㩮] 뇨 [上]篠 niǎo

[字解] 딸 뇨 손으로 땀. '—, 摘也'《集韻》.

16 ⑲ [攏] 롱 [上]董 力董切 lǒng

[字解] ①합칠 롱 하나로 함. '—萬川乎巴梁'《郭璞》. ②어루만질 롱 쓰다듬음. '輕—慢撚撥復挑'《白居易》. ③묶을 롱 속박함. '且請—船頭'《丁仙芝》.

[字源] 形聲. 扌(手)+龍〔音〕

◉牽攏. 撈攏. 拗攏.

16 ⑲ [攋] [一] 랄 [入]曷 盧達切 là
[二] 뢰 ①[上]蟹 洛駭切 lài
②[去]泰 落蓋切

[字解] [一] 뒤적거릴 랄 손으로 펼침. '撥—, 手披也'《集韻》. [二] ①버릴 뢰 내버림. '把—, 弃去也'《類篇》. ②찢어버릴 뢰 갈라 찢음. '—, 毁裂'《集韻》.

16 ⑲ [攐] 건 [平]先 去乾切 qiān

[字解] 걷을 건 褰(衣部 十畫)과 同字. '可—裳而越也'《淮南子》.

[字源] 篆文 形聲. 扌(手)+褰〔音〕. '褰건'은 아랫도리옷의 뜻. 손으로 옷자락을 걷다의 뜻을 나타냄.

16 ⑲ [攎] 로 [平]虞 落胡切 lú

[字解] ①잡을 로 잡아 가짐. 붙잡음. '—, 挐持也'《說文》. ②당길 로 끌어당김. '—, 引也'《廣雅》. ③베풀 로 벌여 놓음. '—, 張也'《揚子方言》. ④거둘 로 거두어들임. '—, 一曰, 斂也'《集韻》.

[字源] 篆文 形聲. 扌(手)+盧〔音〕

16 ⑲ [攊] 〔략〕
擽(手部 十五畫〈p. 916〉)과 同字

17 ⑳ [攔] 란 [平]寒 落干切 lán

[字解] 막을 란 차단함. '以足—之'《聞見錄》.

[字源] 形聲. 扌(手)+闌〔音〕. '闌란'은 '막아 가두다'의 뜻. '手수'를 더하여, '가로막다'의 뜻을 나타냄.

[攔街 난가] 길을 가로막음. 도로를 차단함.
◉拘攔. 排攔. 遮攔.

17 ⑳ [攖] 영 [平]庚 於盈切 yīng

[字解] ①가까이할 영 접근함. '虎負嵎莫之敢—'《孟子》. ②어지러울 영 혼란함. '汝愼無—人心'《莊子》. '—而後成者也'《莊子》. ③걸릴 영 매달림.

[字源] 形聲. 扌(手)+嬰〔音〕. '嬰영'은 여자의 목걸이로, '걸리다'의 뜻.

[攖寧 영녕] 마음이 항상 조용하고 편안하여 외물(外物)에 의하여 혼란되지 아니함.

17 ⑳ [攕] [一] 섬 [平]鹽 師炎切 xiān
[二] 삼 [平]咸 所咸切 xiān

[字解] [一] 손고울 섬 손이 가냘프고 예쁨. 纖(糸部 十七畫)과 통용. '—, 好手皃, 詩曰, ——女手'《說文》. [二] 손고울 삼 [一]과 뜻이 같음.

[字源] 篆文 形聲. 扌(手)+韱〔音〕. '纖섬'과 통하여, '가냘픈 손'의 뜻을 나타냄.

17 ⑳ [攑] [一] 건 [平]元 丘言切 qiān
[二] 거 [上]語 jǔ

[字解] [一] 들 건 들어 올림. '—, 擧也'《說文》. [二] 擧(手部 十四畫〈p. 912〉)의 俗字.

17 ⑳ [攘] [人名] [一] 양 [平]陽 汝陽切 ráng
[去]漾 人樣切 ràng
[二] 녕 [平]庚 尼庚切 níng

[字解] [一] ①물리칠 양 쫓아 버림. 배격함. '—夷'. '外—四夷'《詩經 序》. ②덜 양 제거함. '—之剔之'《詩經》. ③걷을 양 소매를 걷어 올림. '—臂'. '—袂而正議'《漢書》. ④물러날 양 뒤로 물러섬. '左右—辟'《禮記》. ⑤훔칠 양 도둑질함. '—竊'. '其父—羊'《論語》. ⑥겸손할 양 讓(言部 十七畫)과 통용. '堯之克—'《漢書》. [二]

어지러울 녕, 어지럽힐 녕 분란함. 소란함. 소란하게 함. '搶—'. '傾側擾—楚魏之間'《漢書》.
字源 篆文 形聲. 扌(手)+襄〔音〕. '襄양'은 옷 속에 부적 같은 것을 넣어 요사스러운 기운을 물리치다의 뜻. '手수'를 더하여, '물리치다'의 뜻을 나타냄. 또, 남의 물건을 품안에 숨겨 훔치다의 뜻도 나타냄.

[攘袂 양메] 소매를 걷어 올리고 벌떡 일어남. 투메(投袂).
[攘伐 양벌] 쳐서 물리침.
[攘臂 양비] 팔을 걷어 올림. 분기(奮起)함.
[攘夷 양이] 이적(夷狄)을 쫓음.
[攘竊 양절] 훔침.
[攘除 양제] 물리쳐 없앰.
[攘斥 양척] 물리쳐 버림.
[攘攘 영녕] 혼란한 모양.
◉狂攘. 寇攘. 毆攘. 猛攘. 擾攘. 揖攘. 竊攘. 進攘. 搶攘. 礫攘. 奪攘. 蕩攘. 披攘. 攫攘.

17 ⑳ [攥] 〔분〕
坌(土部 五畫〈p. 443〉)과 同字

17 ⑳ [攐] 건 ㊤先 丘虔切 qiān ㊤銑 九件切 qiǎn
字解 ①뽑을 건 搴(手部 十畫)과 同字. '—蓬'《列子》. ②업신여길 건 모멸함. '望我而笑, 是—也'《淮南子》.
字源 形聲. 扌(手)+寋〔音〕

17 ⑳ [撜] 〔쟁〕
幨(巾部 十七畫〈p. 683〉)과 同字

17 ⑳ [攙] 참 ㊤咸 士咸切 chān 搀
字解 찌를 참 속으로 들이밂. '長松—天龍起立'《蘇軾》.
字源 篆文 形聲. 扌(手)+毚〔音〕. '毚삼·참'은 끼어들다의 뜻. 끼어들어 뒤섞다, 칼로 찔러 끼어들다, 찌르다의 뜻을 나타냄.

[攙捔 참각] 찔러 꿰.
[攙叉 참차] 날카로운 창이나 작살.
[攙奪 참탈] 옆에서 불쑥 나와 빼앗음.

18 ㉑ [攛] 찬 ㊀翰 取亂切 cuān 撺
字解 ①던질 찬 투척함. ②권할 찬 권유함. 종용함. '告老兄且莫相—掇'《朱熹》.
字源 形聲. 扌(手)+竄〔音〕

[攛掇 찬철] 권함. 종용(慫慂)함.

18 ㉑ [攏] 송 ㊤腫 息拱切 sǒng 扨
字解 ①잡을 송 손에 쥠. '曾奉郊宮爲近侍, 分明——羽林槍'《杜甫》. ②밀 송 밀침. '—, 推也'《集韻》. ③뺄 송 뽑아냄. '—, 挺也'《禮部韻略》. ④솟구칠 송 솟게 함. '—身思狡兎'《杜甫》.

18 ㉑ [攜] 〔휴〕
携(手部 十畫〈p. 897〉)의 本字

18 ㉑ [攦] 〔박〕
擈(手部 十五畫〈p. 916〉)의 本字

18 ㉑ [攝] 高入 ■ 섭 ㊀葉 書涉切 shè ■ 녑 ㊀葉 奴協切 niè 摄
筆順 扌 扌 扌 扌 扌 扌 揖 攝
字解 ■ ①당길 섭 끌어당김. '皆—弓而馳'《史記》. ②쥘 섭 잡음. '請—飮焉'《左傳》. ③가질 섭 소유함. '故能—固不解'《國語》. ④걷을 섭 걷어 올림. '—齊升堂'《論語》. ⑤도울 섭 보좌함. '朋友攸—'《詩經》. ⑥거느릴 섭 관할(管轄)함. '總—百揆'《晉書》. ⑦겸할 섭 겸무함. '兼—'. '官事不—'《論語》. ⑧성낼 섭 성내어 봄. '目—之'《史記》. ⑨빌릴 섭 남의 물건을 빌려씀. '—束帛'《禮記》. ⑩추포할 섭 쫓아가 잡음. '—少司馬'《國語》. ⑪대신할 섭 남을 대신함. '—行政事'《史記》. 또, 대리(代理). '王莽居—, 變漢制'《漢書》. ⑫낄 섭 양쪽 사이에 낌. '—乎大國之間'《論語》. ⑬다스릴 섭 양생함. '善—生者'《老子》. ⑭잡맬 섭 고결(固結)함. '—緘縢'《莊子》. ⑮두려워할 섭 무서워함. '—讋者弗取'《漢書》. ⑯성 섭 성(姓)의 하나. ⑰으를 섭 위압함. '—威之'《左傳》. ■ 고요할 녑 조용함. '天下—然'《漢書》.
字源 篆文 形聲. 扌(手)+聶〔音〕. '聶섭·녑'은 귀를 맞추다의 뜻. 손으로 가지런히 추려서 가지다의 뜻을 나타냄.

[攝兼 섭겸] 관직을 겸함. 겸섭(兼攝).
[攝官 섭관] 벼슬을 겸함. 또, 그 벼슬.
[攝念 섭념] 마음을 가다듬음.
[攝理 섭리] ㉠대리하여 다스림. ㉡신(神)이 이 세상의 모든 일을 다스리는 일.
[攝生 섭생] 양생(養生)함.
[攝讋 섭섭] 두려워함.
[攝心 섭심] 《佛教》 마음을 가다듬어 흩어지지 않게 함.
[攝氏寒暖計 섭씨한란계] 스웨덴 사람 셀시우스(Celsius)가 창안(創案)한 빙점(氷點)을 0도(度)로 하고 비등점(沸騰點)을 100도(度)로 하는 한란계(寒暖計).
[攝養 섭양] 섭생(攝生).
[攝葉 섭엽] 구겨져 펴지지 아니함.
[攝位 섭위] 임시로 지위에 앉음. 어떤 직위(職位)의 대리를 함.
[攝衣 섭의] 옷매무시를 바르게 함.
[攝政 섭정] 임금을 대리하여 정사(政事)를 맡아 봄.
[攝提 섭제] 대각성(大角星) 좌우에 있는, 북두칠성(北斗七星)의 자루 쪽에 해당하는 세 별의 이름.
[攝提格 섭제격] 고갑자(古甲子)에서 십이지(十二支)의 인(寅)의 일컬음.
[攝衆 섭중] 《佛教》 중생을 두둔하여 보호함.
[攝取 섭취] ㉠양분(養分)을 빨아들임. ㉡《佛教》 부처의 자비(慈悲)가 중생(衆生)을 제도(濟度)함.
[攝判 섭판] 조관(朝官)으로서 다른 직책을 겸함.
[攝行 섭행] 대리(代理)함.
[攝護腺 섭호선] 남성 생식기(生殖器)의 하나. 방광(膀胱)의 밑, 요도(尿道)의 시부(始部)를 둘러싼 선(腺).

[攝然 엽연] 조용한 모양. 고요한 모양.
◉假攝. 兼攝. 控攝. 管攝. 權攝. 代攝. 督攝. 董攝. 調攝. 綜攝. 震攝. 鎭攝. 總攝. 統攝. 包攝.

18 ㉑ [攫] 작 ㊁藥 卽略切 jué

字解 ①가릴 작 선택함. '一, 擇也'《廣雅》. ②들 작 들어 올림. '一, 一曰, 擱也'《集韻》. ③제할 작 제거(除去)함. '一, 一曰, 捎也'《集韻》. ④깎을 작 깎아 없앰. '一, 削也'《字彙》.

18 ㉑ [擢] ■ 국 ㊁沃 拘玉切 jú ■ 구 ㊀虞 權俱切 qú

字解 ■ ①움킬 국 붙잡음. '一, 爪持也'《說文》. ②버릴 국 내버림. '故不一所有. (註)一, 去也'《太玄經》. ■ 잎무성할 구 나뭇가지의 잎이 무성한 모양. '一疎, 枝葉敷布皃'《集韻》.
字源 篆文 形聲. 扌(手)+瞿〔音〕. '攫확'과 같은 뜻으로, '붙잡다'의 뜻을 나타냄.

18 ㉑ [攙] 〔참〕 攙(手部 十七畫〈p.918〉)과 同字

18 ㉑ [攟] 〔군〕 攟(手部 十九畫〈p.919〉)과 同字

18 ㉑ [攡] 〔옹〕 擁(手部 十三畫〈p.909〉)의 本字

19 ㉓ [攣] 人名 련 ㊀先 呂員切 luán ㊂霰 龍眷切 liàn 挛

字解 ①걸릴 련 매어져 연(連)함. 견련(牽連)됨. '一拘'. '有孚, 一如'《易經》. ②오그라질 련 병으로 손발 같은 것이 오그라듦. '一踠'. '蹙齃膝一'《史記》. ③그리워할 련 戀(心部 十九畫)과 통용. '一一顧念我'《漢書》.
字源 篆文 形聲. 手+䜌〔音〕. '䜌련'은 '捋랄'과 통하여, 양손으로 서로 당기다의 뜻. '끌다, 오그라들다, 걸리다'의 뜻을 나타냄.

[攣拘 연구] 구속당함.
[攣拳 연권] 굽음. 고부라짐.
[攣急 연급] 켕김. 땅김.
[攣攣 연련] 그리워하는 모양. 연련(戀戀).
[攣躄 연벽] 손발이 굽어 펴지지 아니함.
[攣如 연여] 걸려 연(連)한 모양.
[攣踠 연원] 손발이 고부라져 펴지지 않는 병.
[攣子 연자] 쌍둥이. 쌍생아(雙生兒).
◉脚攣. 牽攣. 痙攣. 繫攣. 拘攣. 拳攣. 綿攣. 攣攣.

19 ㉒ [攡] ■ 리 ㊀支 呂支切 lí ■ 치 ㊀支 抽知切 chī

字解 ■ 베풀 리 물건을 차려 놓음. '玄者, 幽一萬類而不見形者也'《太玄經》. ■ 펼 치 널리 폄. 摛(手部 十一畫)와 同字.

19 ㉒ [攎] 〔달〕 撻(手部 十三畫〈p.909〉)의 古字

19 ㉒ [攟] 군 ㊂問 俱運切 jùn

字解 주울 군 捃(手部 七畫)·攈(手部 十六畫)과 同字. '收一而蒸, 納要也'《國語》.
字源 形聲. 扌(手)+麕〔音〕

19 ㉒ [攞] 라 ㊁哿 來可切 luǒ

字解 ①가릴 라 간택(揀擇)함. '一, 揀也'《集韻》. ②찢을 라 쨈. '一, 裂也'《集韻》.
字源 形聲. 扌(手)+羅〔音〕

19 ㉒ [攢] 人名 찬 ㊀寒 祖官切 cuán 攒

字解 ①모일 찬 鑽(金部 十九畫)과 통용. '一生'. '一立叢倚'《司馬相如》. ②모을 찬 한 곳에 모이게 함. '一戾莎'《漢書》. ③뚫을 찬 구멍을 팜. '相梨曰一之'《禮記》.
字源 形聲. 扌(手)+贊〔音〕. '贊찬'은 '全전'과 통하여, '갖추어지다'의 뜻. '手수'를 더하여, '한데 모으다'의 뜻을 나타냄.
參考 攅(手部 十五畫)은 俗字.

[攢擊 찬격] 집중 공격함.
[攢宮 찬궁] 장사 지내기 전에 천자(天子)의 관을 모시어 두는 궁전. 빈전(殯殿).
[攢羅 찬라] 모여서 늘어섬.
[攢立 찬립] 모여 섬.
[攢眉 찬미] 눈살을 찌푸림.
[攢峯 찬봉] 모여 겹쳐 있는 산봉우리.
[攢生 찬생] 무더기로 자람. 총생(叢生).
[攢所 찬소] 찬궁(攢宮).
[攢攢 찬찬] 모여 있는 모양.
[攢叢 찬총] ㉠풀숲. ㉡모임. 또, 모음.
[攢蹙 찬축] 한 군데에 빽빽이 모임.
[攢聚 찬취] 빽빽이 모임.
[攢賀 찬하] 합장(合掌)하고 축하(祝賀)함.

19 ㉒ [攌] 관 ㊀刪 姑還切 guān

字解 관계할 관 손을 맞잡음. 서로 상관함. '一神明而定摹'《太玄經》.

19 ㉒ [攤] 탄 ㊀寒 他干切 tān 摊

字解 ①펼 탄 책 같은 것을 폄. '一書滿牀'《世說》. ②헤칠 탄 흐트러뜨림. '白晝一錢高浪中'《杜甫》.
字源 篆文 形聲. 扌(手)+難〔音〕. '難난'은 '展전'과 통하여, '펼치다'의 뜻. '手수'를 더하여, '펴다'의 뜻을 나타냄.

[攤賭 탄도] 도박.
[攤飯 탄반] 식후(食後)의 낮잠.
[攤書 탄서] 책을 폄.
[攤場 탄장] 도박장.
[攤錢 탄전] 돈을 흩음. 전(轉)하여, 돈치기. 또는 도박.
[攤戲 탄희] 도박.

19 ㉒ [攦] 려 ㊂霽 郞計切 lì

字解 꺾을 려 부러뜨림. '一工倕之指'(공수(工

侳)는 유명한 목수의 이름)《莊子》.
[字源] 形聲. 扌(手)+麗〔音〕

20 ㉓ [攩] 당 ㊤養 底朗切 dǎng

[字解] ①무리 당 黨(黑部 八畫)과 통용. ②칠 당 몽치로 침.
[字源] [篆文] 形聲. 扌(手)+黨〔音〕. 서로 손을 잡다, 무리의 뜻을 나타냄.

20 ㉓ [攪] [人名] 교 ㊤巧 古巧切 jiǎo

[字解] 어지러울 교, 어지럽힐 교 분란함. 혼란하게 함. '一亂'. '祇一我心'《詩經》.
[字源] [篆文] 形聲. 扌(手)+覺〔音〕. '覺각'은 '交교'와 통해, '뒤섞이다'의 뜻. '手수'를 더하여, 손으로 휘저어 어지럽히다의 뜻을 나타냄.

[攪攪 교교] 뒤섞여 어지러운 모양.
[攪亂 교란] 어지럽게 함.
[攪撓 교요] 교란(攪亂).
◉亂攪. 悲攪. 縈攪. 情攪.

20 ㉓ [攥] 찰 ㊇曷 子括切 zuàn

[字解] 잡을 찰 손에 쥠. '一, 把也'《集韻》.

20 ㉓ [攫] [人名] 확 ㊇藥 居縛切 jué

[字解] 움킬 확 움켜쥠. '鷙蟲一搏'《禮記》.
[字源] [篆文] 形聲. 扌(手)+矍〔音〕. '矍확'은 '움켜쥐다'의 뜻. '手수'를 더하여, 뜻을 더욱 분명히 함.

[攫金者不見人 확금자불견인] 돈에 환장한 자는 돈 외에는 아무것도 보이지 아니함. 물욕(物慾)에 가리우면 의리·염치를 모름.
[攫拏 확나] 움켜쥐고 끌어당김.
[攫裂 확렬] 움켜쥐고 찢음.
[攫搏 확박] 움켜쥐고 후려갈김.
[攫噬 확서] 움켜다가 마구 씹어 먹음.
[攫攘 확양] 주먹을 쥐고 소매를 걷어 올림.
[攫援 확원] 움켜쥐고 끌어당김.
[攫鳥 확조] 딴 동물을 잡아 죽이는 맹금(猛禽). 지조(鷙鳥).
◉拏攫. 擘攫. 蟬攫. 一攫千金. 觸攫.

21 ㉔ [攬] [人名] 람 ㊤感 盧敢切 lǎn

[字解] 잡을 람 쥠. 擥(手部 十四畫)과 同字. '主將之法, 在務一英雄之心'《六韜》.
[字源] [篆文] 形聲. 篆文은 扌(手)+監〔音〕. '監감'은 '斂렴'과 통하여, 가지런히 거두다의 뜻. 이것저것 있는 것을 한데 모아 가지다의 뜻을 나타냄. 뒤에, 扌(手)+覽〔音〕의 形聲文字가 됨.

[攬轡澄淸 남비징청] 말의 고삐를 잡고 천하를 깨끗이 한다는 뜻으로, 재상이 되어 어지러운 천하를 바로잡으려고 하는 큰 뜻을 이름.
[攬要 남요] 요점을 추림.
[攬筆 남필] 붓을 잡음. 집필(執筆).
◉搴攬. 收攬. 延攬. 願攬. 招攬. 總攬.

21 ㉔ [攭] [一] 라 ㊤哿 魯果切 luǒ [二] 례 ㊄霽 力霽切 lì

[字解] [一] 벌거숭이 라 몸에 우모(羽毛)가 없는 모양. '一, 無毛羽貌'《韻會》. '一一兮其狀, 屢化如神'《荀子》. [二] 나눌 례, 나누어질 례 '一, 分判也'《正韻》.

[攭攭 나라] 우모(羽毛)가 없는 모양.
[攭兮 예혜] 나눔. 나누어짐.

21 ㉔ [⿰扌霸] 〔파〕
欛(木部 二十一畫〈p. 1126〉)와 同字

21 ㉔ [攓] 〔건〕
攐(手部 十二畫〈p. 905〉)의 本字

22 ㉕ [⿰扌疊] 첩 ㊇帖 徒協切 dié

[字解] ①거둘 첩 거두어들임. '一, 收也'《玉篇》. ②걸 첩 위에 걸어 놓음. '一, 掛一'《廣韻》. ③배열할 첩 벌여 놓음. '一, 排也'《集韻》.

22 ㉕ [攮] 낭 ㊤養 乃黨切 nǎng

[字解] ①밀 낭 '一, 推一也'《字彙》. ②《現》 찌를 낭 비수(匕首)로 찌름.

支 (4획) 部
〔지탱할지부〕

0 ④ [支] [中人] 지 ㊥支 章移切 zhī

[筆順] 一 十 ㄅ 支

[字解] ①가지 지 ㉠초목의 가지. 枝(木部 四畫)와 同字. '芄蘭之一'《詩經》. ㉡종파(宗派)에서 갈린 지파(支派). '本一百世'《詩經》. ②팔다리 지 두 팔과 두 다리. 肢(肉部 四畫)와 同字. '一體'. '發於聲, 見乎四一'《張載》. ③갈릴 지, 가를 지 분리함. 분리시킴. '一離其德'《莊子》. ④헤아릴 지 계산함. '一地計衆'《大戴禮》. ⑤버틸 지 ㉠쓰러지지 않게 가눔. '天之所一, 不可壞也'《左傳》. ㉡의지하게 함. 굄. '暫拳一手一頤臥'《韓愈》. ㉢맞서서 겨룸. '魏不能一'《戰國策》. ㉣배겨 냄. '皆知其資材不足以一長久也'《國語》. ⑥지출 지 지불. '其五曰, 收一'《宋史》. ⑦지급 지 급여. '冬至有特一'《宋史》. ⑧지지 지 십이지(十二支). '干一'. '明帝時, 以反一之日不受章奏'《後漢書》. ⑨성 지 성(姓)의 하나.
[字源] [篆文] [古文] 象形. 대나무나 나무의 가지를 손에 든 모양을 본뜨며, 버티다, 가지를 치다, 가르다의 뜻을 나타냄.
[參考] 부수(部首)로서, '지탱할지'로 불려, 주로 몸, 방(傍)으로 쓰이며, 가지로 갈리다의 뜻을 나타냄.

[支干 지간] 십이지(十二支)와 십간(十干). 간지(干支).
[支結 지결] 가슴이 막혀 답답한 열병(熱病).
[支徑 지경] 갈림길. 지로(支路).
[支計 지계] 지출의 계산.
[支供 지공] 음식(飮食)을 이바지함.
[支過 지과] 겨우 지탱하여 살아 나아감.
[支局 지국] 본사(本社)·본국(本局)의 출장소(出張所).
[支劵 지권] 어음.
[支給 지급] 지출하여 급여함. 내어 줌.
[支那 지나] 중국(中國). 한토(漢土). 진(秦)의 전와(轉訛)라 함.
[支途 지도] 금전의 용도(用途).
[支郞 지랑] 중. 승려(僧侶).
[支路 지로] 갈림길.
[支流 지류] ㉠물의 원줄기에서 갈려 흐르는 물줄기. ㉡지파(支派).
[支離 지리] ㉠이리저리 흩어짐. 지리멸렬함. ㉡형체가 완전하지 못함. ㉢곱사등이. ㉣옛날의 백정(白丁)의 이름. ㉤진(陣)의 이름.
[支離滅裂 지리멸렬] 여지(餘地)없이 흩어져 갈피를 잡을 수 없음.
[支脈 지맥] 갈라져 나간 산맥(山脈)이나 엽맥(葉脈).
[支撥 지발] 돈을 치러 줌. 값을 내어 줌.
[支放 지방] 지발(支撥).
[支配 지배] ㉠사무(事務)를 구분하여 처리함. ㉡맡아 다스림.
[支配階級 지배계급] 정치적·경제적·사회적으로 지배적 세력을 가진 계급(階級).
[支別 지별] 갈라져 나간 것. 지파(支派)·지류(支流) 등.
[支保 지보] 지탱하여 보존(保存)함.
[支部 지부] 본부(本部)에서 갈라져 나가 그 소재지의 소관 사무를 맡아보는 곳.
[支分 지분] ㉠가름. 분할함. ㉡지해(支解).
[支分節解 지분절해] 지체(肢體)를 가르고 관절(關節)을 분해한다는 뜻으로, 문장 같은 것을 상세히 해석함을 이름.
[支庶 지서] ㉠서자(庶子). 지자(支子). ㉡지족(支族).
[支署 지서] 본서(本署)에서 갈라져 나가 그 소재지의 소관 사무를 맡은 관서(官署).
[支線 지선] 기차 등의 본선(本線)에서 갈라져 나간 선(線).
[支所 지소] 본소(本所)에서 갈라져 나가 그 소재지의 소관 사무를 맡은 곳.
[支屬 지속] 지족(支族).
[支孼 지얼] ㉠움. ㉡첩의 몸에서 난 아들. 서자(庶子).
[支葉碩茂 지엽석무] 가지와 잎이 크고 무성하다는 뜻으로, 지파(支派)가 번성함을 이름.
[支裔 지예] ㉠지파(支派). ㉡원손(遠孫).
[支吾 지오] 버팀. 반항함.
[支用 지용] 배당하여 씀. 나누어서 씀.
[支移 지이] 나누어 옮김. 수송(輸送)함.
[支頤坐 지이좌] 두 손으로 턱을 괴고 앉음.
[支子 지자] ㉠첩의 몸에서 난 아들. 서자(庶子). ㉡맏아들 이외(以外)의 아들.
[支障 지장] 일을 하는 데에 거치적거림. 장애(障礙).
[支節 지절] 뼈마디. 골절(骨節).
[支族 지족] 종가(宗家)에서 갈라져 나온 혈족(血族).
[支存 지존] 지보(支保).
[支柱 지주] 버티는 기둥. 버팀목.
[支胄 지주] 지파(支派)의 자손. 지손(支孫).
[支證 지증] 증거(證據).
[支地 지지] 땅을 잼. 토지를 측량함.
[支持 지지] ㉠지탱함. 버팀. ㉡찬동(贊同)하여 뒷받침함.
[支川 지천] 강(江)·내의 지류(支流).
[支廳 지청] 본청(本廳)의 관할(管轄) 밑에서 본청과 분리하여 소재지의 소관 사무를 맡은 관청(官廳).
[支體 지체] 몸. 지체(肢體).
[支出 지출] ㉠갈려 나옴. ㉡첩의 몸에서 난 아들. ㉢금전·물품의 지불.
[支度 지탁] ㉠헤아림. 짐작함. ㉡벼슬 이름. 출납(出納)의 일을 맡았음.
[支撐 지탱] 버팀. 배겨 남.
[支派 지파] 종파(宗派)에서 갈라져 나간 파(派).
[支婆 지파] 자녀(子女)가 있는 서모(庶母).
[支抗 지항] 항거하여 버팀.
[支解 지해] 수족을 절단하는 형벌(刑罰). 또, 그 형벌을 가함.
[支犒 지호] 금품을 주어 위로함.
◉干支. 幹支. 氣管支. 反支. 本支. 分支. 四支. 收支. 十二支. 約支. 焉支. 燕支. 月支. 離支. 條支. 地支. 指支. 度支. 撑支. 特支.

2 ⑥ [攲] 기 ㉰寘 去智切 qì

字解 ①기울 기 한쪽으로 기울어짐. '一, 傾也'《廣韻》. ②우러러볼 기 우러러보는 모양. '一, 頤皃'《玉篇》.
字源 形聲. 匕+支〔音〕

5 ⑨ [跂] 기 ㉯紙 過委切 guǐ

字解 ①얹을 기 얹어 놓음. '一, 載也'《廣雅》. ②시렁 기 물건을 얹어 놓는 시렁. '庋, 閣藏食物, 或作一'《集韻》. ③걸상 기 의자(椅子). '一, 椅也'《玉篇》. ④베개 기 '一, 枕也'《玉篇》.
字源 形聲. 立+支〔音〕

6 ⑩ [赦] 시 ㉰寘 是義切 shì

字解 메주 시 간장을 담그는 원료. '鹽一千合'《史記》.
字源 篆文 [篆] 俗體 [俗] 形聲. 赤+支〔音〕. '豉시'와 동일어 이체자(同一語異體字)로, '메주'의 뜻을 나타냄.
參考 赦(支部 六畫)은 別字.

◉鹽赦.

6 ⑩ [㝪] 지 ㉮支 章移切 zhī

字解 많을 지 다수(多數)임. '炙炰夥, 清酤一'《張衡》.

6 ⑩ [攱] 〔기〕
攲(支部 八畫〈p. 922〉)와 同字

字源 篆文 形聲. 危+支〔音〕. '危위'는 '쪼그리다, 기울다'의 뜻. '기울다'의 뜻을 나타냄.

7 ⑪ [敧] 기 ㊥支 渠羈切 qí

字解 ①곁가지 기 옆으로 뻗은 나뭇가지. '一, 字林, 橫首枝也'《集韻》. ②움날 기 옆에서 움이 남. 또, 그 움. '一, 一曰, 木別生'《集韻》.

8 ⑫ [攲] 기 ㊥支 居宜切 jī

字解 기울어질 기 경사짐. 비스듬함. '一一側側海門帆'《吳融》.

字源 篆文 形聲. 支+奇〔音〕. '支지'는 갈려 나온 가지. '奇기'는 비스듬히 기울어서 서다의 뜻.

參考 攱(前前條)는 同字, 攱(次次次條)는 俗字.

[攲架 기가] 위의 판때기를 비스듬히 사면(斜面)이 되게 단 책상. 서견대(書見臺) 같은 것.
[攲攲 기기] 기울어진 모양.
[攲器 기기] 물을 알맞게 넣지 않으면 기울어져 엎어진다고 하는, 금속(金屬)으로 만든 그릇. 중용(中庸)을 지키기 위하여 좌우(座右)에 놓고 경계(警戒)로 삼았다 함.

[攲器]

[攲案 기안] 기가(攲架).
[攲枕 기침] 자지 않고 베개를 세우고 기대 있음.
◉傾攲. 斜攲.

12 ⑯ [攳] 심 ㊥侵 徐心切 xún

字解 길 심 짧지 아니함. '踔一枝'《後漢書》.

12 ⑯ [攭] 人名 리 ㊤寘 力地切 lì

字解 바를 리 '一, 正也'《字彙》.

16 ⑳ [攱] 〔기〕
攲(支部 八畫〈p. 922〉)의 俗字

攴(攵) (4획) 部

〔칠복부(등글월문부)〕

0 ④ [攴] 복 ㊀屋 普木切 pū

筆順 丨 ⺊ 𠂉 攴

字解 칠 복 가볍게 똑똑 두드림.

字源 篆文 形聲. 又+卜〔音〕. '卜복'은 폭 소리를 나타내는 의성어. 손으로 폭 소리가 나게 치다, 두드리다의 뜻.

參考 단독 문자로는 거의 쓰이지 않고, 부수로서 치다, 강제하다, 특정한 행동을 하게 하다 등의 뜻을 포함하는 문자를 이룸. 속(俗)에 '文문'과의 생김새의 대비에서 '등글월문'이라 이름. 또, 몸, 곧 방(旁)이 될 때에는 생략된 변형자체인 '攵'이 흔히 쓰임.

0 ④ [攵] 攴(前條)과 同字

筆順 ノ 𠂉 𠂉 攵

參考 '攴복'의 생략된 변형으로, 몸, 곧 방(旁)이 될 때에 흔히 쓰임.

2 ⑥ [收] 中 人 수 ㊥尤 式州切 shōu

筆順 丨 ㄐ 屮 屮 收 收

字解 ①거둘 수 한데 모아들임. '一穫'. '我其一之'《詩經》. ②길을 수 물을 길음. '井一勿幕'《易經》. ③쇠할 수 쇠잔함. '彭澤菊初一'《中宗》. ④가질 수 소지함. '一以奔褒'《國語》. ⑤잡을 수 체포함. '一捕'. '此宜無罪, 女反一之'《詩經》. ⑥쉴 수 그만둠. 그침. '秦可以少割而一害也'《戰國策》. ⑦가든히할 수 정제함. '一斂'. '一其威也'《禮記》. ⑧쓸 수 등용함. '一採'. '陽一其身, 而實疏之'《韓非子》. ⑨뒤턱가로나무 수 수레 뒤의 횡목(橫木). '小戎俴一'《詩經》. ⑩성 수 성(姓)의 하나.

字源 篆文 形聲. 攵(攴)+ㄐ〔音〕. 'ㄐ규'는 '달라붙다, 휘감기다'의 뜻. 물건을 휘감아 가지다, 거두다의 뜻을 나타냄.

[收家 수가] 빚쟁이의 청구(請求)로 관청에서 빚진 사람의 집을 몰수(沒收)함.
[收監 수감] 체포하여 옥에 가둠. 입뢰(入牢). 하옥(下獄). 투옥(投獄). 입감(入監).
[收檢 수검] 조사하여 정리함.
[收繫 수계] 체포하여 옥에 가둠.
[收管 수관] 죄인을 보관(保管)함.
[收敎 수교] 데려다가 가르침.
[收金 수금] 돈을 거두어들임.
[收納 수납] 거두어들여서 바침.
[收單 수단] 영수증(領收證).
[收得 수득] 거두어들임. 받음.
[收攬 수람] 모아들임. 모아 가짐.
[收纜 수람] 배의 닻줄을 거둠. 곧, 출범(出帆)함.
[收掠 수략] 약탈함.
[收斂 수렴] ㉠곡식 등을 거두어들임. 수확(收穫). ㉡조세(租稅)를 거두어들임. ㉢몸을 단속함. 근신함. 정신을 차림. ㉣한군데로 모임. ㉤수축시킴.
[收斂劑 수렴제] ㉠피부(皮膚)를 수렴(收斂)시켜서 종기(腫氣)의 피막(皮膜)을 형성(形成)시키는 약제(藥劑). ㉡위장(胃腸)을 수렴시켜서 설사(泄瀉)를 그치게 하는 약제.
[收錄 수록] 모아서 기록(記錄)함. 또, 그 문서.
[收買 수매] 물건을 거두어 사들임.
[收沒 수몰] 재산을 관청에서 빼앗아 들임. 몰수(沒收).
[收縛 수박] 체포하여 결박함.
[收復 수복] 회복함.
[收捧 수봉] ㉠남에게 빌려 준 돈을 거두어들임. ㉡세금을 징수(徵收)함.
[收司連坐 수사연좌] 남의 죄에 걸려듦.
[收生嫗 수생구] 해산할미. 산파(產婆).
[收稅 수세] 조세(租稅)를 거두어들임. 징세(徵

稅). 정세(征稅).
[收贖 수속] 죄인(罪人)의 속전(贖錢)을 거둠.
[收刷 수쇄] ㉠흩어진 물건을 주워 거둠. 수습(收拾). ㉡남에게 빌려 준 돈을 거두어들임. 수봉(收捧).
[收受 수수] 거두어 받음.
[收熟 수숙] 거두어들일 수 있도록 충분(充分)히 익음.
[收拾 수습] ㉠흩어진 물건을 주워 거둠. ㉡치움. 정리함. 정돈함. ㉢산란한 마음을 가라앉힘.
[收屍 수시] 송장의 얼굴·수족(手足) 등을 바로 잡음.
[收視反聽 수시반청] 외욕(外欲)에 마음이 팔리지 아니함. 물욕에 마음이 쏠리지 아니함.
[收按 수안] 체포하여 조사함.
[收養 수양] 남의 자식(子息)을 거두어 기름.
[收養女 수양녀] 남의 자식을 데려다 기른 딸. 수양딸.
[收養子 수양자] 남의 자식을 데려다 기른 아들. 수양아들.
[收瘞 수예] 거두어 장사 지냄. 수장(收葬).
[收用 수용] ㉠거두어들여 씀. ㉡공공(公共)의 이익을 위하여 본인의 의사를 묻지 않고 강제적으로 재산권을 취득(取得)하여 국가나 제삼자의 소유로 옮김.
[收容 수용] ㉠데려다 넣어 둠. ㉡거두어 넣어 둠. ㉢범죄자를 교도소에 가둠. 또, 단체 생활을 할 사람이나 도망갈 염려가 있는 사람을 한데 모아 둠.
[收陰 수음] 직녀성(織女星).
[收益 수익] 이익(利益)을 거두어들임. 또, 그 이익.
[收入 수입] 곡물 또는 금전 등을 거두어들임. 또, 그 물건이나 금액.
[收葬 수장] 거두어 장사 지냄.
[收藏 수장] 거두어서 깊이 간직함.
[收載 수재] 거두어 실음.
[收錢 수전] 돈을 거둠.
[收支 수지] 수입(收入)과 지출(支出).
[收之桑楡 수지상유] 전일에 실패한 일을 후일에 회복함의 비유.
[收集 수집] 거두어 모음.
[收採 수채] 채용함. 등용함.
[收摭 수척] 주워 모음.
[收擅 수천] 거두어들여 혼자 차지함.
[收縮 수축] 오그라듦. 또, 오그라들게 함.
[收聚 수취] 거두어 모음.
[收齒 수치] 조관(朝官)으로 등용함.
[收擇 수택] 가려 씀.
[收捕 수포] 체포함.
[收合 수합] 거두어 모음.
[收劾 수핵] 체포하여 죄상을 조사함.
[收穫 수확] 곡식을 거두어들임. 또, 그 곡식.
[收賄 수회] 뇌물(賂物)을 받음.
[收恤 수휼] 거두어 구휼(救恤)함.
◉減收. 農收. 買收. 沒收. 未收. 薄收. 查收. 善收. 稅收. 所收. 拾收. 押收. 掩收. 年收. 領收. 壽收. 月收. 日收. 藏收. 田收. 接收. 定收. 增收. 徵收. 撤收. 秋收. 聚收. 還收. 黃收. 回收. 厚收. 吸收.

2 ⑥ **[攷]** 人名 〔고〕 考(老部 二畫〈p. 1815〉)의 古字

筆順 一 丂 丂 丂 攷 攷

字源 篆文 形聲. 攵(攴)+丂〔音〕. '攴복'은 '치다'의 뜻. '丂교'는 구부러진 조각칼의 뜻. 조각칼이나 끌 따위를 치다의 뜻에서, 파생하여 '생각하다'의 뜻을 나타냄.

3 ⑦ **[斈]** 〔학〕 學(子部 十三畫〈p. 565〉)의 俗字

3 ⑦ **[攸]** 人名 유 ①-⑤㊥尤 以周切 yōu ⑥㊤有 以九切

筆順 丿 亻 亻 攸 攸 攸 攸

字解 ①바 유 어조사(語助辭). 所(戶部 四畫)와 뜻이 같음. '四方—同'《詩經》. ②곳 유 장소. '爲韓姞相—'《詩經》. ③달릴 유 질주(疾走)하는 모양. 일설(一說)에는, 헤엄치는 모양. '—然而逝'《孟子》. ④아득할 유 썩 먼 모양. '—外寓'《漢書》. ⑤성 유 성(姓)의 하나. ⑥위태할 유 걸려 있어 위태로운 모양. '湫乎, —乎'《左傳》.

字源 甲骨文 金文 篆文 會意. 人+攵(攴)+丨(水). '攴복'은 손으로 가볍게 두드리다의 뜻. '丨'는 물의 象形의 생략형. 사람의 등에 물을 끼얹어 손으로 씻는 모양에서, '깨끗이 씻다'의 뜻이나, 길게 줄기를 이루어 흐르는 물의 뜻을 나타냄. '滌척'의 原字. 假借하여, 조자(助字)로 쓰임.

[攸然 유연] ㉠빨리 달리는 모양. 일설(一說)에는, 헤엄치는 모양. ㉡태연한 모양. 침착하고 여유 있는 모양.
[攸攸 유유] 썩 먼 모양. 아득한 모양.
[攸乎 유호] 걸려 있거나 매달려 위태로운 모양.

3 ⑦ **[改]** 中人 개 ㊤賄 古亥切 gǎi

筆順 ㄱ ㄱ 己 己 己 改 改

字解 ①고칠 개 ㉠바로잡음. '—革'. '過則勿憚—'《論語》. ㉡변경함. '—名'. '歲寒無—色'《李德林》. ②고쳐질 개 전항의 자동사. '前圖未—'《楚辭》. ③성 개 성(姓)의 하나.

字源 篆文 形聲. 攵(攴)+己〔音〕. '己기'는 황송해서 딱딱해지다의 뜻. 황송해서 딱딱해지도록 만들다, 고쳐지다의 뜻을 나타냄.

[改嫁 개가] 과부(寡婦) 또는 이혼(離婚)한 여자가 다른 남자에게로 시집감. 재초(再醮). 개초(改醮). 재가(再嫁). 재혼(再婚). 재연(再緣).
[改刻 개각] 고쳐 새김.
[改刊 개간] 깎아서 지워 고쳐 씀.
[改過 개과] 잘못을 고침.
[改過自新 개과자신] 허물을 고쳐 스스로 새로워지게 함.
[改過遷善 개과천선] 허물을 고치고 착하게 됨.
[改棺 개관] 이장(移葬)할 때에 관(棺)을 새로 장만함.
[改觀 개관] ㉠면목(面目)을 일신(一新)함. ㉡견해(見解)를 바꿈.
[改構 개구] 구조를 고침. 고쳐 꾸밈.

[改金 개금]《佛敎》불상(佛像)에 금칠을 다시 함.
[改年 개년] 새해. 신년(新年).
[改都 개도] 도읍을 옮김. 천도(遷都).
[改頭換面 개두환면] 마음은 고치지 아니하고 겉으로만 달라진 체함. 또, 일을 근본적으로 고치지 아니하고 겉만 다르게 꾸밈. 지엽만 고치고 근본을 그대로 둠.
[改良 개량] 나쁜 점(點)을 고치어 좋게 함. 개선(改善).
[改量 개량] 다시 측량(測量)함.
[改良主義 개량주의] ㉠자본주의 사회(資本主義社會)의 폐해(弊害)를 국가(國家)의 힘으로 조정(調整)하려는 주의. ㉡자본주의(資本主義) 제도(制度)의 범위(範圍) 안에서 그 폐해(弊害)를 개선(改善)하려는 주의.
[改勵 개려] 마음을 고쳐 힘씀.
[改曆 개력] ㉠역법(曆法)을 고침. ㉡개년(改年).
[改盟 개맹] 맹세를 고침.
[改名 개명] 이름을 고침.
[改命 개명] ㉠지금까지 행한 일을 고침. ㉡개명(改名).
[改備 개비] 갈아 내고 다시 장만함.
[改莎草 개사초]《韓》무덤의 떼를 갈아입힘.
[改色 개색] ㉠빛깔을 갈아 칠함. ㉡빛깔이 달라짐.
[改善 개선] 나쁜 것을 고치어 좋게 함. 개량(改良).
[改選 개선] 새로 선거(選擧)함. 고쳐 뽑음.
[改姓 개성] 성(姓)을 고침.
[改歲 개세] 개년(改年).
[改俗 개속] 나쁜 풍속을 고침.
[改修 개수] 고쳐 닦음. 몸을 닦아 나쁜 점을 고침.
[改新 개신] 고치어 새롭게 함.
[改心 개심] 마음을 고침.
[改易 개역] ㉠고침. 변경함. ㉡딴것으로 바꿈.
[改悟 개오] 개전(改悛).
[改寤 개오] 개오(改悟).
[改玉改行 개옥개행] 옥(玉)은 패옥(佩玉). 행(行)은 행보(行步). 패옥은 행보를 조절하는 것이므로 패옥을 갈면 보조(步調)도 고치지 않을 수 없다는 뜻으로, 법(法)을 고치면 사물도 따라서 달라짐을 비유한 말.
[改元 개원] ㉠연호(年號)를 고침. ㉡정치를 고침. ㉢제왕 또는 왕조(王朝)가 바뀜.
[改議 개의] ㉠고치어 의논(議論)함. ㉡회의(會議)에서 다른 사람의 동의(動議)를 고침.
[改異 개이] 특별히 우대함.
[改印 개인] 도장(圖章)을 다시 새김.
[改作 개작] 고치어 다시 지음. 또, 고치어 다시 만듦.
[改葬 개장] 이장(移葬)함. 면례(緬禮)함.
[改悛 개전] 잘못을 뉘우쳐 고침. 마음을 바로 먹음.
[改正 개정] 고치어 바르게 함. 옳게 고침.
[改定 개정] 고치어 다시 정(定)함.
[改訂 개정] 문장(文章) 등의 틀린 곳을 고침. 정정(訂正).
[改題 개제] 제목(題目)을 고침. 또, 그 고친 제목.
[改造 개조] 고치어 다시 만듦.
[改宗 개종] ㉠다른 종교(宗敎)나 종지(宗旨)를 믿음. ㉡주의를 바꿈.
[改鑄 개주] 다시 주조함.
[改進 개진] 고치고 나아감. 구폐(舊弊)를 고치고 새로운 방침을 세워 나아감.
[改着 개착] 옷을 갈아입음.
[改撰 개찬] 고치어 찬술(撰述)함. 다시 지음.
[改竄 개찬] 문장의 자구(字句)를 고침.
[改轍 개철] 수레가 통행하는 길을 고친다는 뜻으로, 이전의 방법을 고침을 이름. 역철(易轍).
[改醮 개초] 개가(改嫁).
[改築 개축] 고치어 건축(建築)함.
[改春 개춘] 개년(改年).
[改置 개치] 바꾸어 둠.
[改漆 개칠] ㉠다시 고치어 칠함. ㉡그은 획(畫)에 다시 붓을 댐.
[改稱 개칭] 고치어 일컬음. 이름이나 호칭을 고침.
[改痛 개통] 염병(染病)·이질(痢疾) 등의 병(病)이 나았다가 다시 더침.
[改版 개판] 판목(板木)을 고치어 새김. 또, 조판(組版)을 고치어 짬.
[改編 개편] ㉠책 따위를 고쳐 다시 엮음. ㉡군대·단체의 조직을 다시 편성함.
[改窆 개폄] 개장(改葬).
[改廢 개폐] 고치거나 폐지(廢止)함. 개정과 폐지.
[改標 개표] 표목(標木)·표지(標識) 따위를 고침.
[改革 개혁] 새롭게 뜯어고침.
[改絃 개현] 거문고의 가락을 고친다는 뜻으로, 법도(法度)를 고침의 비유.
[改號 개호] ㉠호칭 또는 호를 고침. ㉡개원(改元).
[改化 개화] 악(惡)을 고치어 교화(敎化)를 받음.
[改換 개환] 고침. 변경함.
[改悔 개회] 후회하여 고침.
[改畫 개획] 글씨의 획에 군붓질을 함.
◉刊改. 更改. 過勿憚改. 塗改. 摩改. 變改. 刪改. 省改. 修改. 釐改. 悛改. 朝令暮改. 朝變夕改. 增改. 懲改. 竄改. 遷改. 回改. 悔改.

3
⑦ **[攻]** 高·人 공 ㊥東 古紅切 gōng

筆順 一 丅 工 … 攻 攻

字解 ①칠 공 ㉠공격함. '一守'. '造一自鳴條'《書經》. ㉡책망함. '一駁'. '小子, 鳴鼓而一之, 可也'《論語》. ㉢괴롭힘. '蚤蝨羣一, 臥不獲安'《抱朴子》. ②다스릴 공 ㉠정돈함. '左不一于左'《書經》. ㉡병을 다스림. '一砭'. '瘡瘍以五毒一之'《周禮》. ③닦을 공 ㉠학문을 연구함. '專一'. '一乎異端'《論語》. ㉡문질러 윤기를 냄. 옥 같은 것을 갊. '他山之石, 可以一玉'《詩經》. ④지을 공 만듦. '庶民一之'《詩經》. ⑤굳을 공 견고함. '我車旣一'《詩經》. ⑥불깔 공 거세함. '頒馬一特'《周禮》. ⑦성 공 성(姓)의 하나.

字源 金文 篆文 形聲. 攵(攴)+工〔音〕. '攴복'은 '치다'의 뜻. '工공'은 끌 따위 연장의 象形. 끌을 두드려 물건을 만들다의 뜻을 나타내며, 또, 군사상·농업상의 해를 제거하다, 공격하다의 뜻을 나타냄.

[攻擊 공격] ㉠나아가 적을 침. 공벌(攻伐). ㉡엄하게 논박함. 몹시 꾸짖음.
[攻苦 공고] 역경에 처하여 학문(學問)을 열심히 연구(硏究)함.
[攻苦食啖 공고식담] 역경(逆境)에 처하여 거친

음식을 먹음.
[攻媿集 공괴집] 책 이름. 송(宋)나라의 누약(樓鑰)의 문집(文集). 총 120권(卷).
[攻究 공구] 사리(事理)를 연구함.
[攻掘 공굴] 힘을 다하여 팜.
[攻略 공략] 공탈(攻奪).
[攻療 공료] 병을 다스림. 치료(治療). 공위(攻熨).
[攻駁 공박] 남의 잘못을 논박하고 공격함.
[攻拔 공발] 성(城)이나 보루(堡壘) 따위를 공격하여 함락시킴.
[攻伐 공벌] 죄 있는 무리를 침. 토벌(討伐). 정벌(征伐).
[攻伐之劑 공벌지제] 독하게 만든 약제(藥劑). 약 기운이 강한 약제.
[攻掊 공부] 공료(攻療).
[攻城野戰 공성야전] 성을 침과 들에서 싸움. 성을 공격하는 전쟁과 산야(山野)에서 하는 전쟁.
[攻城略地 공성약지] 성(城)을 치고 땅을 빼앗음.
[攻城砲 공성포] 성벽(城壁) 기타 견고(堅固)한 건축물(建築物)을 파괴할 목적으로 쓰는 큰 대포(大砲).
[攻勢 공세] 공격하는 태세. 진취(進取)의 태도(態度).
[攻守 공수] 침과 지킴.
[攻守同盟 공수동맹] 동맹국(同盟國)의 한 나라가 동맹국 이외(以外)의 나라와 전쟁(戰爭)을 하게 될 때에 동맹국을 도와서 같이 공격(攻擊)도 하고 수비(守備)도 하는 동맹(同盟).
[攻硏 공연] 공구(攻究).
[攻玉 공옥] ㉠옥(玉)을 갊. ㉡지덕(知德)을 닦음.
[攻圍 공위] 포위하여 공격함.
[攻熨 공위] 환부(患部)를 따뜻이 하여 병을 다스림. 전(轉)하여, 치료(治療).
[攻蹂 공유] 공격하여 유린함.
[攻戰 공전] 공격하여 싸움. 전(轉)하여, 전쟁(戰爭).
[攻錯 공착] 돌로 옥(玉)을 갈아 흠을 없앰. 남의 장점을 본받아 자기의 단점을 고침의 비유.
[攻取 공취] 공격하여 빼앗음.
[攻奪 공탈] 공격하여 빼앗음.
[攻討 공토] 공벌(攻伐).
[攻破 공파] 공격하여 깨뜨림.
[攻砭 공폄] 돌침을 놓아 병을 고침.
[攻剽 공표] 으르고 쳐 물건을 약탈함.
[攻學 공학] 학문을 연구함. 연학(硏學).
[攻陷 공함] 공발(攻拔).
[攻獲 공획] 공격하여 빼앗음.
◉強攻. 群攻. 難攻. 內攻. 反攻. 先攻. 速攻. 水攻. 守攻. 硏攻. 遠交近攻. 專攻. 正攻. 造攻. 拙攻. 進攻. 侵攻. 剽攻. 夾攻. 火攻. 環攻. 後攻.

3 ⑦ [攷] 〔수〕
收(攴部 二畫〈p. 922〉)의 俗字

4 ⑧ [放] 中人 방 ①-⑪㊀漾 甫妄切 fàng ⑫-⑮㊤養 分兩切 fǎng

筆順 ' 亠 方 方 方' 方⺈ 於 放

字解 ①내칠 방 추방함. '一逐'. '一驩兜于崇山'《書經》. ②놓을 방 ㉠둠. 하지 아니함. '隱居一言'《論語》. ㉡석방함. '一免'. '開一無罪之人'《書經 傳》. ㉢불을 지름. '一火菰葑'《晉書》. ㉣발사(發射)함. '無令矰繳一'《王績》. ③놓일 방 석방됨. '屈平旣一, 游於江潭'《楚辭》. ④내놓을 방 동물 같은 것을 내놓아 기름. '一牧'. '一牛于桃林之野'《書經》. ⑤내걸 방 게시(揭示)함. '一榜'. '一進士標'《賈公談錄》. ⑥낼 방 빛을 발함. '目若一光也'《酉陽雜俎》. ⑦버릴 방 내버림. '一棄'. ⑧꾸어줄 방 대여함. 또, 돈놀이함. '一債'. ⑨필 방 꽃이 핌. '花一林逋村'《趙師秀》. ⑩방자할 방 방종함. '一肆'. '諸候一恣'《孟子》. ⑪멋대로할 방 거리낌 없이 함. '一言'. '大一其辭'《韓愈》. ⑫이를 방 다다름. '一乎四海'《孟子》. ⑬의할 방 의지함. '一於利而行'《論語》. ⑭본받을 방 모방함. '一傚'. '民將焉一'《國語》. ⑮성 방 성(姓)의 하나.

字源 篆文 形聲. 攵(攴)+方〔音〕. '方방'은 '좌우로 퍼지다'의 뜻. '攴복'은 '강제하다'의 뜻. 억지로 좌우로 넓게 펴다, 떼어 놓다의 뜻을 나타냄.

[放暇 방가] 휴가(休暇).
[放歌 방가] 큰 소리로 노래를 부름.
[放遣 방견] 용서하여 보냄.
[放課 방과] 그날 학과(學課)를 끝냄.
[放光 방광] 광선을 내쏨.
[放曠 방광] 방달(放達).
[放校 방교] 교칙을 위반한 학생을 학교에서 내쫓음. 퇴학(退學). 출학(黜學).
[放歸 방귀] 놓아 돌아가게 함.
[放殛 방극] 귀양 보냄. 유배(流配)함.
[放禽 방금] 가두었던 새를 놓아줌.
[放棄 방기] ㉠내버림. 돌보지 아니함. ㉡내버려 둠. 용서함.
[放念 방념] 마음에 두지 않음. 안심함.
[放尿 방뇨] 오줌을 눔.
[放達 방달] 마음이 활달하여 남의 구속을 받지 아니함.
[放談 방담] ㉠생각나는 대로 거리낌 없이 말함. 또, 그 이야기. ㉡되는대로 마구 지껄임.
[放膽文 방담문] 문법·자구 등에 그리 구애하지 않고 기탄없이 자기의 사상을 토로하는 글.
[放豚 방돈] ㉠놓아먹이는 돼지. ㉡제멋대로 버릇없이 자라난 아이.
[放濫 방람] 방자하고 난폭함.
[放浪 방랑] 정처 없이 떠돌아다님
[放論 방론] 거리낌 없이 논함.
[放流 방류] ㉠추방당하여 유랑(流浪)함. ㉡귀양 보냄.
[放賣 방매] 물건을 내다 팖.
[放免 방면] 용서하여 놓아줌.
[放牧 방목] 소·말·양(羊) 따위를 놓아서 기름.
[放民 방민] 방인(放人).
[放飯流歠 방반유철] 게걸들린 듯이 밥을 입에 가득 넣어 먹고 국이나 물을 훌쩍훌쩍 소리 내어 들이마심. 곧, 예절에 어그러진 식사(食事)를 함.
[放榜 방방] 방(榜)을 내겲. 과거(科擧)에 급제한 사람의 이름을 표찰(標札)에 써서 게시함.
[放伐 방벌] 추방함과 토벌함. 곧, 학정(虐政)을 일삼는 천자(天子)에게는 무력(武力)을 써서라도 내쫓거나 토벌해야 된다는 사상(思想)으로, 천자의 지위는 유덕(有德)한 이에게 전해져야 한다는 선양(禪讓)과 함께, 선양방벌(禪讓放

伐)로 병칭(竝稱)되는 역성혁명(易姓革命)을 인정한 군주 경질법(君主更迭法)의 하나임. 방살(放殺).
[放辟 방벽] 자기 멋대로 함.
[放步 방보] 걸음을 마음대로 걸음.
[放紛 방분] 분란(紛亂).
[放糞 방분] 똥을 눔.
[放士 방사] 방인(放人).
[放射 방사] ㉠내쏨. ㉡바퀴살 모양으로 한 곳에서 그 주위(周圍)에 각각 직선(直線)으로 내뻗침.
[放赦 방사] 용서하여 놓아줌.
[放肆 방사] 방자(放恣).
[放飼 방사] 가축을 놓아먹임.
[放散 방산] ㉠흩뜨림. 또, 흩어짐. ㉡방자(放恣).
[放殺 방살] 방벌(放伐).
[放生 방생] 《佛敎》 공덕(功德)을 쌓기 위하여 잡힌 새나 짐승을 놓아서 살려 줌.
[放生會 방생회] 《佛敎》 사월 파일(四月八日)에 방생(放生)을 행하는 불사(佛事).
[放釋 방석] 죄인(罪人)을 놓아줌. 석방(釋放).
[放禪 방선] 《佛敎》 참선(參禪)을 쉼.
[放聲 방성] 소리를 크게 지름.
[放笑 방소] 큰 소리로 웃음.
[放率 방솔] 가식(假飾)이 없음. 솔직함.
[放送 방송] ㉠놓아 보냄. ㉡라디오·텔레비전을 통하여 뉴스·강연·연예 따위를 보냄.
[放送局 방송국] 방송하는 곳.
[放手 방수] ㉠욕심이 많고 방자함. ㉡손을 놓음. 손을 뗌.
[放囚 방수] 죄수를 놓아줌.
[放神 방신] ㉠마음이 내키는 대로 함. 하고 싶은 대로 함. ㉡방념(放念).
[放心 방심] ㉠마음을 다잡지 아니하고 풀어 놓아 버림. ㉡잃어버린 양심. ㉢방자한 마음.
[放夜 방야] 성문(城門)을 열어 놓고 통행금지를 풀어 마음대로 놀게 함. 또, 그 밤.
[放洋 방양] 배를 타고 해외(海外)에 감.
[放語 방어] 거리낌 없이 하는 말.
[放言 방언] ㉠조금도 거리낌 없이 말함. ㉡세사(世事)를 말하지 아니함. 여기서 '放'은 '置'의 뜻.
[放言高論 방언고론] 거리낌 없이 언론(言論)을 함.
[放牛于桃林之野 방우우도림지야] 전쟁에 쓰던 소를 도림(桃林)(땅 이름)의 들에 방목(放牧)함. 전란(戰亂)이 그치고 천하가 태평함을 이름.
[放吟 방음] 큰 소리로 읊음.
[放鷹 방응] 새를 잡기 위하여 매를 놓아줌. 매사냥.
[放人 방인] 산야(山野)에 숨어 속세(俗世)의 구속을 받지 않고 자기 뜻대로 사는 사람.
[放佚 방일] 방일(放逸).
[放逸 방일] 제멋대로임. 방자(放恣)함.
[放溢 방일] ㉠방일(放逸). ㉡흘러 넘침.
[放任 방임] 제대로 되어 가게 내버려 둠.
[放恣 방자] 꺼리는 것이 없이 멋대로 굶. 기탄없이 행동함.
[放資 방자] 자본을 내놓음. 투자(投資)함.
[放電 방전] 음전(陰電)과 양전(陽電)이 서로 접촉하여 중화(中和)하여 없어짐.
[放情溝壑 방정구학] 산천(山川) 사이에서 소요(消遙)하며 마음껏 즐김.
[放鳥 방조] ㉠새를 날려 보냄. 또, 그 새. ㉡방생회(放生會) 등에서 공덕을 쌓기 위하여 잡힌 새를 날려 보냄.
[放縱 방종] 방자(放恣).
[放走 방주] 경주(競走).
[放志 방지] 뜻대로 함. 마음먹은 대로 함. 또, 그 뜻.
[放債 방채] 돈놀이.
[放擲 방척] 내던져 버림.
[放逐 방축] ㉠좇아냄. ㉡방축향리(放逐鄕里)의 약어(略語).
[放逐鄕里 방축향리] 우리나라에서 벼슬을 삭탈(削奪)하고 제 시골로 내리 쫓던 형(刑).
[放出 방출] 한꺼번에 내어 놓음.
[放黜 방출] 물리쳐 내쫓음.
[放置 방치] 그대로 내버려 둠.
[放誕 방탄] 아무 분수(分數)없이 큰소리를 함.
[放蕩 방탕] ㉠방자(放恣). ㉡칠칠찮음. ㉢주색(酒色)에 빠짐.
[放下 방하] ㉠내림. 내려놓음. ㉡내버려 둠. 방치(放置).
[放學 방학] ㉠방과(放課). ㉡학교의 휴가.
[放鶴亭 방학정] 장쑤 성(江蘇省) 동산현(銅山縣) 남쪽 운룡산(雲龍山)에 있는 정자. 송(宋)나라 희령 연간(熙寧年間)에 장천기(張天驥)가 세우고 소동파(蘇東坡)가 그를 위하여 〈방학정기(放鶴亭記)〉를 지었음.
[放銜 방함] 재갈을 벗김.
[放火 방화] ㉠일부러 불을 놓음. 불을 지름. ㉡등불을 켬.
[放還 방환] 귀양살이하던 사람을 놓아 집으로 돌려보냄.
◉間放. 酣放. 開放. 蠲放. 曠放. 宏放. 百花齊放. 奔放. 邪放. 奢放. 肆放. 釋放. 疎放. 遨放. 雄放. 流放. 幽放. 遊放. 淫放. 湮放. 任放. 恣放. 粗放. 縱放. 天放. 追放. 黜放. 誕放. 通放. 頹放. 廢放. 下放. 閑放. 解放. 豪放. 荒放. 橫放.

4 ⑧ [攽] 반 ㊥刪 逋還切 bān
字解 ①나눌 반, 나뉠 반 나눔. 나뉨. '乃惟孺子─'《周書》. ②나누어줄 반 頒(頁部 四畫)·班(玉部 六畫)과 뜻이 같음.
字源 篆文 形聲. 攵(攴)+分〔音〕. '分분'은 '나누다'의 뜻. 나누어 흩다, 붙어 있는 것을 나누어서 널리 주다의 뜻을 나타냄.

4 ⑧ [㧛] 비 ㊥支 匹支切 pī
字解 ①그릇금갈 비 그릇이 깨어져 감. '─, 器破也'《集韻》. ②옷해질 비 옷이 해어져 감.

4 ⑧ [攼] 〔계〕
启(口部 八畫〈p. 385〉)와 同字

4 ⑧ [㪁] 一 금 ㊥侵 巨金切 qín
二 감 ㊥覃 口含切 kān
字解 一 가질 금 손에 쥠. '─, 說文, 持也'《集韻》. 二 층날 감 가지런하지 않음. '─敧, 不齊'《集韻》.

4 ⑧ [㪃] 〔교〕
教(攴部 七畫〈p. 931〉)의 古字

4 ⑧ [敎] 〔교〕
敎(攴部 七畫〈p. 931〉)와 同字

4 ⑧ [政] 中·人 정 ①-⑥㊀敬 之盛切 zhèng ⑦⑧㊀庚 諸盈切 zhēng

筆順 一 丅 下 正 正 政 政 政

字解 ①정사 정 정치. '一教'. '爲一以德'《論語》. 전(轉)하여, 널리 사물을 다스리는 일. '財一'. '家一'. ②법정 법제. 금령(禁令). '道之以一'《論語》. ③구실 정 이무(吏務). '棄一而役'《國語》. ④부역 정 국가의 노역(勞役). '五十不從力一'《禮記》. ⑤바로잡을 정 바르게 함. '肅一黎心'《江淹》. ⑥성 정 성(姓)의 하나. ⑦구실 정 조세. 征(彳部 五畫)과 통용. '掌均地一'《周禮》. ⑧칠 정 정벌(征伐). '一適伐國'《史記》.

字源 金文 篆文 形聲. 攵(攴)+正〔音〕. '攴복'은 '강제하다'의 뜻. '正정'은 '바르게 하다'의 뜻. 강제하여 바로잡다, 정치의 뜻을 나타냄.

[政綱 정강] 정치의 강령(綱領).
[政客 정객] 정치에 관계(關係)하는 사람. 정계(政界)에서 활동하는 사람.
[政見 정견] 정치상의 의견이나 식견.
[政經 정경] 정도(政道).
[政界 정계] 정치의 사회(社會).
[政教 정교] ㉠정치와 교육(教育). 정치와 교화. ㉡정치와 종교(宗教).
[政局 정국] 정치의 국면(局面).
[政權 정권] ㉠정치에 참여(參與)하는 권리(權利). ㉡정치를 행하는 권력(權力). 정병(政柄).
[政談 정담] 정론(政論).
[政黨 정당] 정견(政見)을 같이하는 사람들이 정치 권력에의 참여를 목적으로 조직하는 단체. 정사(政社).
[政道 정도] 정치의 길. 시정(施政)의 방법. 정사를 하는 방법.
[政塗 정도] ㉠정도(政道). ㉡정사(政事)에 참여하는 지위.
[政略 정략] ㉠정치상(政治上)의 책략(策略). ㉡지모(智謀)와 방략(方略).
[政令 정령] ㉠정전(政典). ㉡정치상(政治上)의 명령(命令).
[政論 정론] 정치상의 언론. 정치에 관한 의론. 정담(政談).
[政理 정리] 정치(政治).
[政網 정망] 정사(政事)의 기율(紀律).
[政務 정무] 정치에 관한 사무.
[政法 정법] ㉠정전(政典). ㉡정도(政道). ㉢정치와 법률(法律).
[政變 정변] 정계(政界)의 큰 변동.
[政柄 정병] 정치를 행하는 권력. 정권(政權).
[政本 정본] ㉠농업(農業). ㉡예의(禮儀).
[政府 정부] 국가(國家)의 정무(政務)를 행사(行使)하는 기관(機關).
[政社 정사] 정치상의 일을 목적으로 하여 조직한 단체. 정치상의 결사.
[政事 정사] ㉠정치상(政治上)의 일. ㉡정치(政治).
[政事堂 정사당] 천하(天下)의 정사를 의론하는 곳.
[政聲 정성] 선정(善政)으로 들날리는 명성.
[政術 정술] 정치상의 술책(術策). 정책(政策).
[政如魯衛 정여노위] 정치가 서로 비슷함을 이름. 노(魯)나라 시조(始祖) 주공(周公)과 위(衛)나라 시조 강숙(康叔)은 형제임.
[政如蒲盧 정여포로] 바른 정치를 하면, 부들과 갈대가 빨리 자라듯이, 그 효과가 빨리 나타남을 이름.
[政要 정요] 정치의 안목(眼目). 시정(施政)의 요령.
[政友 정우] 정치상의 주의·행동을 같이하는 벗.
[政院 정원] 《韓》 승정원(承政院)의 약칭(略稱).
[政者正也 정자정야] 정치(政治)의 본뜻은 천하를 바르게 한다는 뜻임.
[政績 정적] 정치상의 공적.
[政典 정전] 정치상의 법도(法度)와 규칙.
[政條 정조] 정전(政典).
[政策 정책] 시정상(施政上)의 방책.
[政廳 정청] ㉠정무(政務)를 행하는 관청. ㉡조선조(朝鮮朝) 때 이조(吏曹)나 병조(兵曹)의 전관(銓官)이 궁중에서 정사를 보던 곳.
[政體 정체] ㉠정치를 하는 방식. ㉡국가가 주권을 운용하는 형식.
[政樞 정추] 정요(政要).
[政治 정치] 국가의 주권자가 그 영토(領土) 및 백성을 다스림.
[政治家 정치가] ㉠정치에 정통(精通)한 사람. ㉡정치를 맡아보는 사람. 위정자(爲政者).
[政治界 정치계] 정치상(政治上)의 의론과 활동이 행하여지는 사회.
[政治犯 정치범] 일국(一國)의 정치적 질서(秩序)를 문란(紊亂)하게 하는 범죄(犯罪). 국사범(國事犯).
[政治學 정치학] 국가의 기원(起源)·조직(組織)·성질 기타 정책 따위에 관한 사항을 연구하는 학문.
[政海 정해] 기복 파란(起伏波瀾)이 많은 정계(政界).
[政刑 정형] 정치와 형벌(刑罰).
[政化 정화] 나라를 다스려 백성을 교화함. 또, 정치와 교화(教化).
[政況 정황] 정계(政界)의 상황(狀況).
◉苛政. 家政. 結繩之政. 曲政. 寬政. 舊政. 國政. 軍政. 亂政. 內政. 農政. 大政. 德政. 文政. 民政. 邦政. 法政. 秕政. 善政. 攝政. 聖政. 衰政. 垂簾之政. 市政. 始政. 施政. 時政. 新政. 失政. 惡政. 壓政. 良政. 糧政. 力政. 逆政. 王政. 外政. 郵政. 爲政. 議政. 仁政. 林政. 臨政. 立政. 財政. 專政. 帝政. 祭政. 朝政. 執政. 參政. 親政. 七政. 八政. 布政. 暴政. 虐政. 學政. 行政. 憲政. 刑政. 惠政. 酷政. 荒政.

5 ⑨ [政] 政(前條)과 同字

5 ⑨ [敂] 구 ㊤有 古厚切 kòu

字解 두드릴 구 침. 또는 남을 찾아가서 문을 두드림. '凡四方賓客一關, 則爲之告'《周禮》.
字源 形聲. 攴+句〔音〕. '叩고'·'扣구' 등과 통하여, '두드리다'의 뜻을 나타냄.

5 ⑨ [敃] 人名 ㊀ 민 ㊀眞 眉貧切 mǐn ㊁ 분 ㊀文 敷文切 fēn

筆順 ㄱ ㅋ 巳 巳 民 民 民 敃

字解 ❶ ①강인할 민 굳셈. '一, 彊也'《說文》. ②힘쓸 민 힘써 함. '一, 勉也'《玉篇》. ❷ 어지러울 분 분잡(紛雜)한 모양. '一, 亂皃'《集韻》.

字源 金文 篆文 會意. 民+攵(攴). '民민'은 '백성'의 뜻. '攴복'은 '강제하다'의 뜻. 백성에게 노동을 강요하다의 뜻에서, '힘쓰다'의 뜻을 나타냄.

5 ⑨ [敁] 점 ㊥鹽 丁兼切 diān

字解 달 점 손으로 무게를 달아 봄. '一敠, 以手稱物'《類篇》.

5 ⑨ [故] 中人 고 ㊀遇 古暮切 gù, ⑩gǔ

筆順 一 十 ナ 古 古 古 古 故

字解 ①일 고 ㉠사건. 사항. '知幽明之一'《易經》. ㉡사변. '事一'. '國有一, 則令宿'《周禮》. ②예 고 ㉠옛날. '今一'. ㉡옛일. '典一'. '溫一而知新'《論語》. ㉢오래됨. '一址'. '一國者, 非有喬木之謂也'《孟子》. ③옛벗 고 옛 친구. '敬一'《周禮》. ④본디 고 본래. '非一生於人之性也'《荀子》. ⑤예부터 고 옛날부터. 오래전부터. 구래(舊來). '食其一得幸太后'《史記》. ⑥옛날에 고 이전에. '一居'. '一事蔡公'《左傳》. ⑦죽을 고 '物一'. '一人'. ⑧짐짓 고 일부러. '一意'. '一不爲禮'《史記》. ⑨연고 고 이유. 까닭. '凡物之然也, 必有一也'《呂氏春秋》. ⑩훈고 고 주석. 주해. '魯一二十五卷'《漢書》. ⑪고로 고 그런고로. '夫然一生則親安之'《孝經》. ⑫성 고 성(姓)의 하나.

字源 金文 篆文 形聲. 攵(攴)+古〔音〕. '古고'는 오래되고 딱딱하다의 뜻. '攴복'은 '강제하다'의 뜻. 억지로 낡고 딱딱하게 만들어 버리다의 뜻에서, '일부러, 죽다, 재앙' 등의 뜻을 나타내며, '古고'와 통하여, '오래되다'의 뜻을, '固고'와 통하여, '본래'의 뜻도 나타냄.

[故家 고가] 여러 대(代)를 벼슬이 떨어지지 않고 잘 살아오는 집안.
[故家大族 고가대족] 여러 대(代)를 두고 현달(顯達)한, 문벌(門閥)이 좋은 집안.
[故家世族 고가세족] 고가대족(故家大族).
[故居 고거] 이전에 살던 집.
[故故 고고] 자주. 종종.
[故袴 고고] 전에 만든 바지.
[故交 고교] 오래전부터 사귐. 구교(舊交).
[故丘 고구] 고향(故鄕).
[故舊 고구] 사귄 지 오래된 친구.
[故國 고국] ㉠건국(建國)한 지 오래된 나라. ㉡고향. ㉢본국(本國).
[故國山川 고국산천] 고향 또는 본국(本國)의 산과 내.
[故君 고군] 옛날에 섬긴 군주.
[故券 고권] 오래된 어음.
[故記 고기] 옛날의 기록.
[故基 고기] 옛터.
[故都 고도] 옛날의 도읍. 구도(舊都).
[故道 고도] ㉠옛길. 구도(舊道). ㉡선왕(先王)이 걸어온 길.
[故例 고례] 예로부터 내려오는 관례.
[故老 고로] ㉠연로하고 유덕(有德)한 사람. ㉡노인.
[故路 고로] ㉠옛길. ㉡고도(故道).
[故老相傳 고로상전] 늙은이들의 말로 전(傳)하여 내려옴.
[故吏 고리] 본디 벼슬아치였던 사람.
[故里 고리] 고향(故鄕).
[故買 고매] 훔친 물건인 줄 알면서 삼.
[故方 고방] ㉠옛날의 의술(醫術). 예전 약방문. ㉡예전 방법.
[故犯 고범] 고의로 저지른 죄.
[故步 고보] 본디의 걸음걸이.
[故夫 고부] 전남편. 전부(前夫).
[故府 고부] 옛날부터 있는 부고(府庫).
[故事 고사] ㉠옛날부터 전(傳)해 내려오는 유래(由來)있는 일. ㉡옛일.
[故山 고산] 고향(故鄕).
[故殺 고살] 고의로 사람을 죽임.
[故巢 고소] 전에 살던 새집.
[故俗 고속] 옛 풍속. 고속(古俗).
[故粟 고속] 묵은 벼.
[故式 고식] 옛 의식(儀式).
[故實 고실] 옛날에 있던 사실.
[故心 고심] 예부터 품은 생각.
[故尋事端 고심사단] 일부러 일을 일으킴.
[故吾 고오] 옛날의 나. 이전의 나.
[故友 고우] 사귄 지 오랜 벗. 옛 친구.
[故宇 고우] 고택(古宅).
[故苑 고원] 옛 동산.
[故園 고원] ㉠고원(故苑). ㉡고향(故鄕).
[故遊 고유] 옛날에 놀던 일.
[故陰 고음] 가을과 겨울을 이름.
[故衣 고의] ㉠헌 옷. ㉡입은 지 오래된 옷.
[故意 고의] ㉠일부러 하는 마음. 짐짓 하는 마음. ㉡고인(故人)의 정의(情意).
[故誼 고의] 옛 정의.
[故人 고인] ㉠고구(故舊). ㉡죽은 사람. ㉢벗에 대하여 자기를 일컫는 말.
[故人疎 고인소] 옛 친구도 친하게 사귀어 주지 아니함.
[故人之意 고인지의] 옛 친구를 잊지 않는 마음.
[故資 고자] 이전부터 있는 자산.
[故雌 고자] 죽은 암새. 전(轉)하여, 전처(前妻)의 비유.
[故粧 고장] 전날에 한 화장.
[故障 고장] 사고로 말미암은 탈.
[故情 고정] 전부터 사귀어 온 정의(情誼).
[故程 고정] ㉠본디 걸어온 길. ㉡옛길.
[故制 고제] 옛날의 제도.
[故縱 고종] 일부러 놓아줌. 죄인을 고의(故意)로 석방함.
[故主 고주] 옛날에 섬긴 임금, 또는 주인.
[故疇 고주] 옛 밭. 예전에 갈던 밭. '疇'는 밭두둑.
[故池 고지] 옛 못.
[故地 고지] 옛날에 소유하였던 땅.
[故址 고지] 옛날의 성터나 집터.
[故志 고지] ㉠이전부터 품은 뜻. ㉡옛날의 기록(記錄).
[故知 고지] 오래전부터 아는 사람.
[故紙 고지] ㉠못 쓰는 종이. 휴지. ㉡서적(書籍).

[故智 고지] 옛 사람의 지혜. 옛날에 쓴 일이 있는 지략(智略).
[故瘡 고창] 옛날에 입은 상처.
[故處 고처] 이전에 살던 곳.
[故寵 고총] 예전에 받은 총애. 또는 예전과 변함없는 총애.
[故態 고태] 평소의 거동(擧動).
[故宅 고택] 옛날에 살던 집.
[故土 고토] ㉠옛날에 놀던 땅. ㉡고향.
[故敗 고패] 낡아 찢어짐.
[故編 고편] 옛 서적.
[故窆 고폄] 쓴 지 오래된 묘혈(墓穴).
[故弊 고폐] 오래되어 떨어짐. 또, 그 물건.
[故鄕 고향] 자기가 나서 자란 곳.
[故墟 고허] 고지(故址).
[故濠 고호] 옛날에 판 해자(垓字).
◉久故. 舊故. 今故. 多故. 大故. 無故. 物故. 變故. 事故. 喪故. 世故. 細故. 小故. 然故. 緣故. 溫故. 有故. 義故. 姻故. 掌故. 典故. 親故. 他故. 訓故.

5 ⑨ [敄] 무 [去]遇 亡遇切 wù / [上]麌 文甫切 wǔ

[字解] 힘쓸 무 '一, 強也'《玉篇》.
[字源] 形聲. 攵(攴)+矛〔音〕

5 ⑨ [㪅] 〔경〕
更(曰部 三畫〈p. 1006〉)의 本字

6 ⑩ [敋] [一] 격 [入]陌 古伯切 gé / [二] 괵 [入]陌 古伯切 guó

[字解] [一] 칠 격 손으로 갈김. 挌(手部 六畫)과 同字. [二] 칠 괵 摑(手部 十一畫)과 통용.

6 ⑩ [效] [中人] 효 [去]效 胡教切 xiào 

[筆順] 丶 亠 亣 六 㐬 交 交' 效

[字解] ①본받을 효 본받아 배움. '放一'. '一法之爲坤'《易經》. ②힘쓸 효 힘써 함. '一忠'. '願一愚忠'《漢書》. ③드릴 효 바침. '一馬一羊者, 右牽之'《禮記》. ④나타낼 효 드러냄. '一徵'. '雖妙必一情'《史記》. ⑤줄 효 수여함. '宣王有志而後一官'《左傳》. ⑥공 효 공적. '一勞'. '上嘉其功一'《漢書》. ⑦보람 효 효험. '一果'. '儒者已試之一'《漢書》. ⑧성 효 성(姓)의 하나.
[字源] 甲骨文  金文  篆文 形聲. 攵(攴)+交〔音〕. '攴복'은 나무 채찍을 손에 든 모양에서, '때리다'의 뜻. '交교'는 '學학'과 통하여, '배우다'의 뜻. 채찍질하여 배우게 하다, 본받다의 뜻을 나타내며, 파생(派生)하여, '보람'의 뜻을 나타냄.
[參考] 効(力部 六畫)는 俗字.

[效果 효과] ㉠보람. ㉡좋은 결과. 성과(成果).
[效能 효능] ㉠보람. 효험(效驗). ㉡능률(能率).
[效力 효력] ㉠보람. 효험(效驗). ㉡힘을 씀. 진력(盡力)함.
[效勞 효로] 공로(功勞).
[效顰 효빈] 월(越)나라의 미인 서시(西施)가 불쾌한 일이 있어 얼굴을 찡그렸더니 한 추녀(醜女)가 그걸 보고 흉내 냈다는 고사(故事)에서 나온 말로서, 무턱대고 남의 흉내를 냄을 이름.
[效用 효용] ㉠보람. 효험(效驗). ㉡힘써 일을 함.
[效尤 효우] 남의 좋지 못한 일을 흉내 냄.
[效績 효적] 공적(功績)을 세움. 또, 그 공.
[效情 효정] 진정(眞情)을 다함. 정성을 다함.
[效徵 효징] 징후(徵候)를 나타냄.
[效忠 효충] 충성(忠誠)을 다함.
[效則 효칙] 본받아서 법(法)을 삼음.
[效驗 효험] 보람.
◉大效. 功效. 奇效. 勞效. 明效. 慕效. 無效. 微效. 發效. 仿效. 放效. 倣效. 法效. 報效. 符效. 奮效. 事效. 師效. 成效. 速效. 殊效. 時效. 神效. 失效. 實效. 藥效. 良效. 靈效. 偉效. 有效. 績效. 奏效. 卽效. 陳效. 忠效. 則效. 特效. 驗效. 顯效. 勳效.

6 ⑩ [敆] [一] 갑 [入]合 古沓切 gé / [二] 합 [入]洽 轄夾切 hé

[字解] [一] 만날 갑, 합할 갑 '一, 合會也'《說文》. [二] 만날 합, 합할 합 [一]과 뜻이 같음.
[字源] 篆文  形聲. 攴+合〔音〕. '攴복'은 가볍게 두드리다의 뜻. '合합'은 '합치다'의 뜻. 밖에서 힘을 가하여 합치도록 하다의 뜻을 나타냄. 자연히 합쳐지는 '合합'의 상대되는 문자임.

6 ⑩ [敉] 미 [上]紙 綿婢切 mǐ 

[字解] 어루만질 미 어루만져 편안히 함. '一寧武圖功'《書經》.
[字源] 金文  篆文  形聲. 攵(攴)+米〔音〕. '米미'는 '民민'과 통하여, '많은 백성'의 뜻. 쓰다듬어서 백성을 편안하게 하다의 뜻을 나타냄.

[敉功 미공] 천하를 편안하게 한 공.
[敉寧 미녕] 무마(撫摩)하여 편안하게 함.

6 ⑩ [敌] [一] 활 [入]黠 乎刮切 huá / [二] 기 [去]寘 去智切

[字解] [一] 다할 활 힘씀. '一, 盡也'《集韻》. [二] 헐레벌떡거릴 기 걸어서 숨이 참.

6 ⑩ [敊] [一] 축 [入]屋 丑六切 chù / [二] 수 [去]有 舒救切 shōu

[字解] [一] 앓을 축 아픈 모양. '一, 病貌'《類篇》. [二] 얻을 수, 거둘 수 획득함. 收(攴部 二畫)와 同字.
[參考] 敊(支部 六畫)는 別字.

[致] 〔치〕
至部 三畫(p. 1877)을 보라.

7 ⑪ [敍] [高人] 서 [上]語 徐呂切 xù 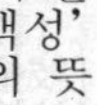

[筆順] 丿 人 亼 亽 全 余 余' 敍

[字解] ①차례 서 ㉠순차. 급. '一次'. '官府之六一'《周禮》. ㉡등급. '行其秩一'《周禮》. ②차례매길 서 순서를 정함. '以一其財'《周禮》. ③차례정해질 서 순서가 정하여짐. '百揆時一'《書經》. ④늘어설 서 차례로 섬. '不得齒一'《蜀志》. ⑤서문 서 머리말. 序(广部 四畫)와 同字. '首

章總一, 以發端也'《詩經 傳》. ⑥서지을 서 서문을 지음. '向一此書'《曾鞏》. ⑦줄 서 관작을 줌. '一爵'. '咸加一擢'《晉書》. ⑧베풀 서 진술함. '一懷'. '具自申一'《晉書》. ⑨성 서 성(姓)의 하나.

字源 甲骨文 篆文  形聲. 攴+余〔音〕. '攴복'은 '치다, 두드리다'의 뜻. '余여'는 자유로이 뻗다의 뜻. 자유로이 뻗는데 때려 제약을 가해서, 질서를 세우다, 순서를 매기다, 베풀다의 뜻을 나타냄.

參考 敍(次條)는 俗字.

[敘景 서경] 경치를 서술함.
[敘景詩 서경시] 자연의 풍광을 노래한 시.
[敘論 서론] ㉠순서를 따라 논함. ㉡권두(卷頭)의 의론(議論).
[敘別 서별] 작별을 고함. 고별(告別).
[敘事 서사] 사실을 서술(敘述)함.
[敘事文 서사문] 사실(事實)을 있는 그대로 서술하는 글.
[敘事詩 서사시] 작가 자신의 감상(感想)을 섞지 않고 주로 사실(事實)을 서술(敘述)하는 시(詩).
[敘說 서설] 차례를 따라 설명함.
[敘述 서술] 차례(次例)를 따라 말함.
[敘用 서용] 벼슬을 주어 등용(登用)함.
[敘任 서임] 관위(官位)를 수여함.
[敘爵 서작] 관작을 수여함.
[敘情 서정] 자기의 정서(情緖)를 그려 냄.
[敘情文 서정문] 자기의 정서(情緖)를 표현하는 글.
[敘情詩 서정시] 자기의 정서(情緖)를 표현한 시(詩). 서사시(敘事詩)의 대(對).
[敘擢 서탁] 관직에 등용함.
[敘懷 서회] 회포(懷抱)를 풂.
[敘勳 서훈] 훈장(勳章)을 내림.
◉甄敘. 撰敘. 論敘. 倒敘. 登敘. 等敘. 班敘. 封敘. 詳敘. 述敘. 昇敘. 略敘. 列敘. 位敘. 自敘. 銓敘. 節敘. 旌敘. 眞敘. 陳敘. 秩敘. 輯敘. 次敘. 暢敘. 遷敘. 追敘. 齒敘. 平敘.

7 ⑪ [敍] 敘(前條)의 俗字

7 ⑪ [敏] 高人 민 ㊤軫 眉殞切 mǐn

筆順 ノ 𠂉 ㇒ 𠂒 每 每 敏 敏

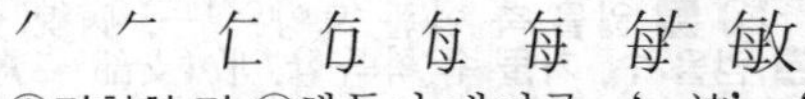

字解 ①민첩할 민 ㉠행동이 재빠름. '一速'. '一於事而愼於言'《論語》. ㉡총명하여 정체함이 없음. '穎一'. '一而好學'《論語》. ②공손할 민 공근(恭謹)함. '恭一'. '書其敬一任恤者'《周禮》. ③힘쓸 민 힘써 함. '人道一政'《中庸》. ④엄지발가락 민 장지(將指). '履帝武一歆'《詩經》. ⑤성 민 성(姓)의 하나.

字源 甲骨文 金文 篆文 形聲. 攵(攴)+每〔音〕. '每매'는 '晦회'와 통하여, '어둡다'의 뜻. 사람의 의식이 분명히 떠오르기 전에 손으로 때리는 기습의 모양에서, '민첩하다'의 뜻을 나타냄. 또 '勉면'과 통하여, '힘쓰다'의 뜻이나, '拇무'와 통하여, '엄지발가락'의 뜻도 나타냄.

[敏感 민감] 감각이 예민함.
[敏給 민급] 말주변이 좋음.
[敏達 민달] 민첩하고 통달함.
[敏邁 민매] 민첩하고 고매(高邁)함.
[敏贍 민섬] 재주가 많고 예민함.
[敏速 민속] 날쌤. 재빠름.
[敏識 민식] 민첩하고 식견이 있음.
[敏銳 민예] 총명하고 예민함.
[敏悟 민오] 총명함.
[敏腕 민완] 민첩한 수완.
[敏切 민절] 민첩하고 적절함.
[敏俊 민준] 민첩하고 준수(俊秀)함.
[敏智 민지] 민첩한 지혜(智慧). 재빠른 슬기.
[敏疾 민질] 날쌤. 재빠름.
[敏捷 민첩] 재빠름.
[敏黠 민할] 재빠르고 교활함.
[敏慧 민혜] 재빠르고 슬기로움.
[敏活 민활] 민첩하고 활발함.
◉恪敏. 彊敏. 敬敏. 警敏. 恭敏. 過敏. 勤敏. 謹敏. 機敏. 端敏. 明敏. 博敏. 辯敏. 膚敏. 不敏. 詳敏. 遜志時敏. 秀敏. 時敏. 深敏. 穎敏. 銳敏. 叡敏. 貞敏. 精敏. 齊敏. 俊敏. 雋敏. 駿敏. 捷敏. 聰敏. 通敏. 便敏. 該敏. 慧敏.

7 ⑪ [救] 中人 구 ㊄宥 居祐切 jiù

筆順 一 亅 才 才 求 求 求 救

字解 ①구원할 구 건짐. 구조함. '一命'. '一護'. ②도울 구 조력함. '凡民有喪, 匍匐一之'《詩經》. ③막을 구 못하게 함. 방어함. '一禦'. '女不能一與'《論語》. ④구원 구, 도움 구 구조. 조력. '求一於齊'《戰國策》. ⑤성 구 성(姓)의 하나.

字源 金文 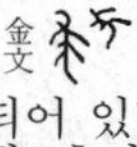 篆文 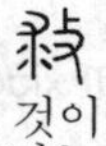 形聲. 攵(攴)+求〔音〕. '攴복'은 '치다'의 뜻. '求구'는 분산되어 있던 것이 한 점에 모이다의 뜻. 무질서하게 흩어지려는 것에 제동을 걸어서 다스려 막아 수습하다, 구하다의 뜻을 나타냄.

[救過不贍 구과불섬] 아무리 자기의 과실을 고치려고 힘써도 시간이 모자람.
[救國 구국] 나라를 환란(患亂)에서 건짐.
[救急 구급] 위급한 것을 구원함.
[救急方 구급방] ㉠위급(危急)한 병(病)에 쓰는 약방문. ㉡위급을 구(救)하는 방법.
[救急策 구급책] 위급(危急)을 구(救)하는 방책.
[救難 구난] ㉠어려운 지경에서 건져 줌. ㉡병난(兵難)을 진압함.
[救療 구료] 병(病)을 구(救)하여 고쳐 줌. 요구(療救). 구약(救藥).
[救命 구명] 목숨을 건져 줌.
[救兵 구병] 구원(救援)하는 군사(軍士). 구원병(救援兵).
[救焚拯溺 구분증닉] 불에 타거나 물에 빠진 위태로운 자를 구함. 곧, 남의 곤액(困厄)을 구하여 줌.
[救貧 구빈] 빈민을 구제함.
[救生圈 구생권] 배에 비치하는 구명대(救命袋).
[救世 구세] 세상 사람을 구제함.
[救世濟民 구세제민] 세상과 민생(民生)을 구제함. 구세(救世).
[救世主 구세주] ㉠세상 사람을 구제하는 사람. ㉡그리스도의 별칭(別稱).

[救時 구시] 시폐(時弊)를 고쳐 쇠(衰)해진 세상을 바로잡음.
[救藥 구약] 구료(救療).
[救禦 구어] 막음. 방어함.
[救援 구원] 도와 건져 줌.
[救災 구재] 재난에서 건져 냄.
[救濟 구제] 사람을 구원하여 건져 줌.
[救助 구조] 어려운 지경에 있는 사람을 도와 건져 줌.
[救助船 구조선] 파선(破船)을 당한 사람을 구(救)하는 배.
[救出 구출] 구(救)하여 냄.
[救弊 구폐] 폐해(弊害)를 고침.
[救扞 구한] 도와 막음.
[救解 구해] 남의 죄나 잘못을 변명함.
[救護 구호] 구제(救濟)하고 보호(保護)함. 원조하고 보호하여 위난(危難)에서 면하게 함.
[救火 구화] 불을 끔. 소화(消火).
[救火夫 구화부] 불을 끄는 사람. 소방부(消防夫). 소방서원(消防署員).
[救火揚沸 구화양비] 불에 타고 있는 자를 구하려고 끓는 물을 퍼 올림. 곧, 더욱더욱 괴롭힘을 이름.
[救火投薪 구화투신] 불을 끄려고 섶나무를 던짐. 곧, 오히려 해(害)를 더 크게 함을 이름.
[救荒 구황] 흉년(凶年)이 들어 기근(饑饉)에 허덕이는 빈민을 구조함.
[救恤 구휼] 물품(物品)을 베풀어 곤궁(困窮)한 사람을 도와줌.
◉匡救. 矜救. 貸救. 防救. 扶救. 垂救. 申救. 營救. 外救. 療救. 援救. 濟救. 存救. 拯救. 振救. 賑救. 後救.

7
⑪ [敔] 어 ㊤語 魚巨切 yǔ

字解 ①막을 어 금(禁)함. ②악기이름 어 목제(木製)의 악기. 모양은 복호(伏虎, 엎드린 범) 같으며, 등 위 스물일곱 개의 깔쭉깔쭉한 부분이 있어, 그것을 채로 마찰하여 소리를 냄. 음악을 그치게 할 때 사용함. '一, 禁也. 一曰樂器. 控楬也. 形如木虎'《說文》.

[敔②]

字源 金文 篆文 形聲. 攵(攴)+吾[音]. '吾오'는 엇갈리게 되다의 뜻. 등 쪽에 깔쭉깔쭉한 부분이 새겨져 있고, 웅크리고 있는 호랑이의 모양을 한, 나무 악기의 뜻을 나타냄. 또, '圉어, 禦어'와 통하여, '막다'의 뜻으로 쓰임.

◉柷敔.

7
⑪ [教] 中人 교 ㊀效 古孝切 jiào

筆順 ノ メ 乂 考 孝 孝 教 教

字解 ①가르침 교 ㉠학문. 도덕. '先生施一'《管子》. ㉡교육. 훈계. 지도. '溫柔敦厚, 詩一也'《禮記》. ㉢덕화. '刑一竝用'《荀悅》. ㉣종교. '佛老, 異方一耳'《唐書》. ②교령 교 왕·제후의 명령. '一令'. '皆願奉一'《史記》. ③가르칠 교 알게 함. '一授'. '十三一汝織'《古詩》. ④하여금 교 …로 하여금 …하게 함. '令'과 연용(連用)하기도 함. '一人如此發憤勇猛向前'《朱熹》. ⑤성 교 성(姓)의 하나.

字源 甲骨文 金文 篆文 古文 形聲. 攵(攴)+孝(爻)[音]. '爻교'는 가르치는 이와 배우는 이의 사귐의 뜻에서, '배우다, 가르치다'의 뜻을 나타냄. '攴복'은 '채찍질하다'의 뜻으로, 이를 더하여, '가르치다'의 뜻을 분명히 함.

參考 教(次條)는 俗字.

[教諫 교간] 가르치고 훈계함. 충고함.
[教戒 교계] 가르치어 훈계함.
[教誡 교계] 교계(教戒).
[教科 교과] 가르치는 과목(科目).
[教科書 교과서] 학교(學校)에서 교과(教科)로 쓰는 책(冊).
[教官 교관] ㉠교화(教化)를 맡은 벼슬아치. ㉡교수의 직무를 맡은 관원.
[教觀 교관] 《佛教》 한 종문(宗門)의 이론인 교상(教相)과 실천을 뜻하는 관법(觀法).
[教具 교구] 학교에서 교수(教授)에 쓰이는 도서·표본 따위의 온갖 기구.
[教區 교구] 종교를 펴는 데 있어 편의상(便宜上) 나눈 구역.
[教國 교국] 한 종교를 국교(國教)로 삼은 나라.
[教勸 교권] 가르치고 권함.
[教權 교권] ㉠스승으로서의 권위. ㉡종교상(宗教上)의 권력.
[教規 교규] 교수상의 규칙. 교칙(校則).
[教禁 교금] 교훈과 금제(禁制).
[教團 교단] 같은 종지(宗旨)를 믿는 사람의 단체.
[教壇 교단] 교실(教室)에서 선생(先生)이 강의할 때 올라서는 단.
[教堂 교당] 종교 단체(宗教團體)의 신자(信者)가 모여 예배하는 집.
[教徒 교도] 종교(宗教)를 믿는 사람들. 신도(信徒).
[教道 교도] 교도(教導).
[教導 교도] 가르치고 지도(指導)함.
[教督 교독] 교훈하고 감독함.
[教鍊 교련] ㉠가르치어 단련(鍛鍊)시킴. ㉡군사(軍士)를 훈련(訓鍊)함.
[教令 교령] 제후(諸侯)나 왕(王)의 명령.
[教勒 교륵] 가르치고 단속함.
[教理 교리] 종교상의 이치(理致).
[教命 교명] 황후(皇后)의 명령.
[教務 교무] ㉠종교(宗教)에 관한 사무. ㉡교수(教授)에 관한 사무.
[教門 교문] 교회·종파(宗派)란 뜻으로, 불교(佛教) 또는 회교(回教)를 가리켜 이름.
[教坊 교방] ㉠가무(歌舞)를 가르치는 관아(官衙). ㉡관기(官妓). ㉢조선조 때 장악원(掌樂院)의 아악(雅樂)을 맡은 좌방(左坊)과 속악(俗樂)을 맡은 우방(右坊)의 총칭.
[教範 교범] 교수(教授)의 법식(法式). 교정(教程).
[教本 교본] ㉠교육의 근본. 교육의 시초. ㉡교과서(教科書).
[教父 교부] 천주교의 성자(聖者).
[教士 교사] ㉠병사(兵士)를 가르침. ㉡가르쳐 잘

훈련된 병사.
[教師 교사] 학문(學問)·기예(技藝)를 가르치는 사람. 스승.
[教唆 교사] 남을 선동(煽動)하여 못된 일을 하게 함.
[教相 교상]《佛教》 ㉠석가 일대(一代)의 설법(說法)의 교리(教理). ㉡각종(各宗)의 교리.
[教相判釋 교상판석] 교판(教判).
[教書 교서] ㉠영국에서 국왕으로부터 의회에 발하거나, 의회의 한 원(院)으로부터 다른 원(院)에 발하는 서면(書面). ㉡미국에서 대통령 또는 주지사(州知事)가 국회 또는 주의회(州議會)에 사무를 보고하는, 입법상(立法上)의 주의를 촉구하기 위하여 발하는 서면.
[教勢 교세] 종교의 형세.
[教授 교수] ㉠도덕·학예를 생도에게 가르침. ㉡교수의 직무를 맡은 관원. 교관(教官). ㉢조선조 때 사학(四學)의 유생(儒生)을 가르치던 벼슬아치. ㉣대학의 가장 높은 급의 교사.
[教馴 교순] 가르치어 길들임.
[教習 교습] 가르쳐 익히게 함.
[教示 교시] ㉠가르쳐 보임. ㉡가르침.
[教室 교실] 학교에서 수업하는 방.
[教案 교안] ㉠교수상(教授上) 필요한 사항(事項), 곧 모든 학과(學科)의 교수(教授)의 목적·순서·방법 등을 적은 초안(草案). 교수 초안(教授草案). ㉡청(淸)나라 때 기독교와 백성의 분쟁(紛爭)에 관한 소송 사건.
[教養 교양] ㉠가르치어 기름. 교육(教育). ㉡학식을 바탕으로 하여 닦은 수양(修養).
[教外別傳 교외별전]《佛教》 문자·언어에 의하여 가르치는 것이 아니라, 바로 이심전심(以心傳心)으로 석가여래가 깨달은 진리를 전하는 일. 선종(禪宗)에서 주장하는 교의(教義)임.
[教擾 교요] 짐승을 가르치어 길들임.
[教友 교우] ㉠가르치고 이끌어 주는 벗. ㉡같은 교(教)를 믿는 사람.
[教員 교원] 교육 기관에서 학생을 직접 지도·교육하는 사람. 교사(教師).
[教喩 교유] 가르치어 깨우침. 교유(教諭).
[教誘 교유] 잘 달래어 가르침.
[教諭 교유] ㉠가르치어 깨우침. ㉡명청 시대(明淸時代)의 현학(縣學)의 교관(教官).
[教育 교육] ㉠가르쳐 기름. 사람을 가르치어 지덕(知德)을 성취(成就)하게 함. ㉡전체적인 인간 형성(形成)의 사회적 과정.
[教意 교의] 교육의 취지.
[教義 교의] ㉠교육의 본지(本旨). ㉡종교상(宗教上)의 종지(宗旨).
[教肄 교이] 교습(教習).
[教人 교인]《韓》 교(教)를 믿는 사람.
[教子以義方 교자이의방] 올바른 길로써 자식을 교육시킴.
[教場 교장] ㉠교실(教室). ㉡교련(教練)하는 곳.
[教材 교재] 교수(教授)에 쓰는 재료.
[教典 교전] ㉠교화(教化)의 법. ㉡종교의 근거가 되는 법전(法典).
[教程 교정] ㉠교수(教授)의 방법 및 형식. ㉡교수하는 사항의 정도. ㉢교수의 과정.
[教弟 교제] 교우(教友)에 대한 자기의 겸칭(謙稱).
[教祖 교조] 한 종교를 처음으로 세운 사람. 교주(教主).
[教條 교조] ㉠교훈의 조목(條目). ㉡종교상의 신조(信條).
[教宗 교종]《佛教》 불교의 두 파 중의 하나로서 교리(教理)를 중심으로 하여 세운 종파. 선종(禪宗)의 대.
[教主 교주] ㉠종교(宗教)를 창시(創始)한 사람. 교조(教祖). ㉡도교(道教)의 종이 된 폐후(廢后).
[教旨 교지] ㉠종교의 취지. ㉡교육의 취지. ㉢《韓》 조선조 때 사품(四品) 이상의 벼슬의 사령(辭令).
[教職 교직] ㉠학생(學生)을 가르치는 직무(職務). ㉡교회(教會)에서 신자(信者) 또는 여러 사람을 교도(教導)하는 직무.
[教治 교치] 가르쳐 다스림.
[教則 교칙] 교수상의 규칙.
[教勅 교칙] 가르치고 신칙함.
[教卓 교탁] 교단(教壇) 앞에 놓은 탁자.
[教派 교파] 종교(宗教)의 갈래.
[教判 교판]《佛教》 교상판석(教相判釋)의 준말. 석가(釋迦) 일대(一代)의 설법(說法)을 각 종파(宗派)의 입장에서 분류·해석하는 일. 천태종(天台宗)의 오시팔교(五時八教), 화엄종(華嚴宗)의 오교십종(五教十宗) 등.
[教鞭 교편] 교사(教師)가 생도(生徒)를 가르칠 때 가지는 회초리.
[教學 교학] ㉠가르치는 일과 배우는 일. ㉡가르치어 배우게 함. ㉢교육과 학문.
[教學半 교학반] 남을 가르쳐 보면 어려운 곳이 나타나 자기도 공부하게 되므로 자기의 수양에 도 반은 도움이 됨.
[教學相長 교학상장] 남을 가르치는 일과 스승에게서 배우는 일이 서로 도와서 자기의 학업을 증진시킴.
[教刑 교형] 학업을 게을리 하는 생도를 매질하는 형벌.
[教化 교화] ㉠교육(教育)하여 감화(感化)시킴. 가르쳐 착한 사람이 되게 함. ㉡《佛教》 진리(眞理)를 가르쳐 선(善)으로 인도함.
[教會 교회] ㉠종교 단체(宗教團體)의 신도의 모임. ㉡예배당(禮拜堂).
[教誨 교회] 가르쳐 타이름.
[教訓 교훈] 훈계함.
◉監理教. 告教. 高教. 孔教. 舊教. 國教. 權教. 基督教. 喇嘛教. 多神教. 德教. 道教. 名教. 明教. 文教. 密教. 邦教. 背教. 拜火教. 婦教. 佛教. 不言教. 邪教. 師教. 四言教. 三教. 三遷之教. 象教. 釋教. 仙教. 宣教. 善教. 禪教. 說教. 聖教. 聲教. 世教. 俗教. 收教. 垂教. 殉教. 時教. 信教. 新教. 實教. 耶蘇教. 餘教. 五教. 外教. 妖教. 誘教. 儒教. 遺教. 諭教. 陰教. 異教. 理教. 仁教. 一神教. 典教. 傳教. 正教. 政教. 庭教. 淨教. 助教. 調教. 祖先教. 宗教. 至教. 指教. 天道教. 天主教. 七教. 胎教. 布教. 風教. 下教. 顯教. 鴻教. 回教. 回回教. 曉教.

7 ⑪ [教] 教(前條)의 俗字·簡體字

7 ⑪ [敓] 탈 ㊀曷 徒活切 duó

字解 ①훔칠 탈, 빼앗을 탈 몰래 가짐. 강제로

빼앗음. 奪(大部 十一畫)과 통용. '—, 彊取也'《說文》. ②성 탈 성(姓)의 하나.

字源 金文 篆文 形聲. 攵(支)+兌〔音〕. '兌태·탈'은 빠져 떨어지다의 뜻. 강제로 뽑다, 훔치다의 뜻을 나타냄.

7 ⑪ [敖] 人名 오 ①-③㊀號 魚到切 ào ②-④㊁豪 五勞切 áo

字解 ①거만할 오 교만함. 傲(人部 十一畫)와 同字. '—不可長'《禮記》. ②놀 오 희롱하며 놂. 멋대로 놂. 遨(辵部 十一畫)와 同字. '—遊' '以—以遊'《詩經》. ③시끄러울 오 嗷(口部 十一畫)와 同字. '百姓驩—'《荀子》. ④성 오 성(姓)의 하나.

字源 金文 篆文 會意. 篆文은 出+放. '出출'은 '나다'의 뜻. '放방'은 '풀어놓다'의 뜻. 자유로이 나가 놀다의 뜻을 나타냄. 파생하여, '거만하다'의 뜻으로 쓰임.

[敖蔑 오멸] 교만하여 남을 업신여김.
[敖民 오민] 빈둥빈둥 노는 백성.
[敖不可長 오불가장] 교만한 마음을 키워서는 안 됨.
[敖敖 오오] ㉠긴 모양. 일설(一說)에는, 기뻐하는 모양. ㉡시끄러운 모양.
[敖遊 오유] ㉠놀며 지냄. 희롱하며 놂. ㉡이곳 저곳을 돌아다님.
[敖倉 오창] 허난 성(河南省) 성고현(成皐縣)의 서북(西北)쪽에 있는 산(山) 이름. 진(秦)나라 때에 이 곳에 곳집이 있었음.
[敖惰 오타] 교만하고 게으름.
◉踞敖. 笑敖. 燕敖. 遊敖. 逸敖. 怠敖. 喧敖.

7 ⑪ [敗] 中人 패 ㊀卦 薄邁切 bài 補邁切 bài 败

筆順 丨 冂 月 月 目 貝 貯 敗

字解 ①패할 패 ㉠짐. '勝—'. '秦軍佯—而走'《史記》. ㉡실패함. '成—'. ②패하게할 패 전항(前項)의 타동사. '公—宋師于菅'《公羊傳》. ③무너질 패, 부서질 패 퇴락함. 또, 파손함. '頹—'. '轉折車—'《史記》. ④무너뜨릴 패, 부술 패 깨뜨림. 손상을 입힘. '反道—德'《書經》. ⑤해칠 패 떨어짐. '—絮'. '安貧着—衣'《司空曙》. ⑥썩을 패 부패함. '腐—'. '魚餒而肉—'《論語》. ⑦기근 패 흉년. '豐年補—'《穀梁傳》. ⑧재앙 패 재화. '四方有—'《禮記》. ⑨성 패 성(姓)의 하나.

字源 金文 篆文 籀文 形聲. 攵(支)+貝〔音〕. '貝패'는 '敝폐'와 통하여, '부서지다'의 뜻. '攴복'은 동작을 가하다의 뜻. 패하다, 패하게 하다의 뜻을 나타냄.

[敗家 패가] ㉠가산(家產)을 탕진(蕩盡)한다든지 하여 집안을 망침. ㉡황폐한 집.
[敗家亡身 패가망신] 가산(家產)을 탕진(蕩盡)하고 몸을 망(亡)침.
[敗却 패각] 패하여 퇴각함.
[敗缺 패결] 실패(失敗).
[敗鼓 패고] 못 쓰게 된 북. 부서진 북.
[敗軍 패군] 싸움에 진 군대.
[敗軍之將 패군지장] 싸움에 진 장수.
[敗軍之將不可以言勇 패군지장불가이언용] 전쟁에 패한 장수는 무용(武勇)을 말할 자격이 없음.
[敗潰 패궤] 전쟁에 져 무너짐.
[敗笈 패급] 부서진 책 상자.
[敗撓 패뇨] 져서 기세가 꺾임.
[敗衄 패뉵] 전쟁에 짐.
[敗德 패덕] 덕의(德義)를 그르침. 또, 덕의에 어그러진 행위. 패덕(悖德).
[敗遁 패둔] 전쟁에 져 달아남.
[敗亂 패란] 전쟁에 져 어지러움.
[敗爛 패란] 썩어 문드러짐.
[敗漏 패루] 구멍이 뚫려 샘.
[敗柳 패류] 잎이 떨어진 버들.
[敗亡 패망] 패(敗)하여 망(亡)함.
[敗盟 패맹] 맹세를 어김. 파약(破約).
[敗滅 패멸] 패(敗)하여 멸망(滅亡)함.
[敗沒 패몰] ㉠패망(敗亡). ㉡패하여 죽음.
[敗聞 패문] 패보(敗報).
[敗舫 패방] 부서진 배.
[敗北 패배] 싸움에 져 달아남. 싸움에 짐.
[敗壁 패벽] 무너진 벽. 파벽(破壁).
[敗兵 패병] 전쟁에 진 군사.
[敗報 패보] 싸움에 패한 통보(通報).
[敗腐 패부] 썩음. 부패(腐敗).
[敗死 패사] 패전(敗戰)하여 죽음.
[敗散 패산] 패(敗)하여 흩어짐.
[敗喪 패상] 패망(敗亡).
[敗傷 패상] 깨짐. 손상함.
[敗絮 패서] 헌솜.
[敗勢 패세] 패(敗)할 형세(形勢).
[敗訴 패소] 송사(訟事)에 짐.
[敗俗 패속] 쇠패(衰敗)한 풍속(風俗). 문란(紊亂)한 풍속.
[敗碎 패쇄] 부서짐.
[敗數 패수] 패운(敗運).
[敗業 패업] 실패한 일. 또, 일을 실패함.
[敗餘 패여] 패전(敗戰)한 후(後).
[敗葉 패엽] 낙엽(落葉).
[敗屋 패옥] 퇴락한 집.
[敗運 패운] 쇠(衰)하거나 패할 운수.
[敗肉 패육] 썩은 고기.
[敗衣 패의] 떨어진 옷. 해진 옷.
[敗子 패자] 가산(家產)을 탕진하는 탕자(蕩子).
[敗字 패자] 획이나 점(點)이 떨어지거나 해져 온전하지 못한 글자.
[敗殘 패잔] 패(敗)하여 쇠잔(衰殘)한 나머지.
[敗盞 패잔] 깨진 술잔.
[敗將 패장] 패군지장(敗軍之將).
[敗醬 패장] 여랑화(女郎花)의 별칭(別稱). 마타리.
[敗敵 패적] 싸움에 진 적(敵).
[敗績 패적] ㉠대패(大敗). ㉡패업(敗業).
[敗戰 패전] 싸움에 짐.
[敗氈 패전] 해진 담요.
[敗兆 패조] 싸움에 질 징조.
[敗卒 패졸] 전쟁에 진 군사.
[敗走 패주] 패(敗)하여 달아남.
[敗酒 패주] 상한 술.
[敗紙 패지] ㉠찢어진 종이. 못 쓰게 된 종이. ㉡휴지.
[敗徵 패징] 패조(敗兆).
[敗天公 패천공] 헌 패랭이.
[敗村 패촌] 쇠폐(衰廢)한 촌락(村落).

[敗退 패퇴] 싸움에 패하여 물러감. 패각(敗却).
[敗頽 패퇴] 무너짐. 퇴락함.
[敗敝 패폐] 해짐. 떨어짐. 패폐(敗弊).
[敗筆 패필] 낡은 붓.
[敗荷 패하] 시들어 마르거나 찢어진 연(蓮)잎. 고하(枯荷).
[敗朽 패후] 썩음.
[敗興 패흥] 흥취(興趣)가 중간에 깨어짐. 파흥(破興).
◉傾敗. 寡敗. 壞敗. 潰敗. 大敗. 覆敗. 腐敗. 不敗. 散敗. 酸敗. 惜敗. 善敗. 成敗. 損敗. 衰敗. 勝敗. 失敗. 連敗. 零敗. 完敗. 撓敗. 優勝劣敗. 淪敗. 一敗. 沮敗. 全敗. 前敗. 戰敗. 慘敗. 退敗. 頹敗. 破敗. 禍敗. 荒敗. 朽敗. 虧敗. 興敗.

7 ⑪ [⿰旱攴] [一] 한 [去]翰 侯旰切 hàn
[二] 하 [上]哿 虛我切 hě

[字解] [一] 막을 한 扞(手部 三畫)과 통용. '一我于艱'《周書》. [二] 칠 하 때림.
[字源] 金文 篆文 形聲. 攴+旱[音]. '旱한'은 '干간'과 통하여, '무기'의 뜻. '막다'의 뜻을 나타냄.

7 ⑪ [敕] 〔칙〕
勅(力部 七畫〈p.277〉)과 同字

7 ⑪ [⿰完攴] 〔구〕
寇(宀部 八畫〈p.590〉)와 同字

7 ⑪ [⿰孛攴] 〔발〕
勃(力部 七畫〈p.276〉)과 同字

[赦] 〔사〕
赤部 四畫(p.2210)을 보라.

8 ⑫ [敝] 폐 [去]霽 毗祭切 bì

[字解] ①해질 폐 떨어짐. '一甲'. '一衣閒步'《史記》. ②깨질 폐 부수어짐. '一屐'. '甕一漏'《易經》. ③질 폐 싸움에 패함. '一於韓'《左傳》. ④버릴 폐 내버림. '冠而一之可也'《禮記》. ⑤피폐할 폐 지치고 쇠약함. '刑肅而俗一'《禮記》. ⑥피폐하게할 폐 피로하여 야위게 함. '以一楚人'《左傳》. ⑦해진옷 폐 폐의. '一予又改爲兮'《詩經》. ⑧줌통 폐 활의 한가운데의 손으로 잡는 곳. '薄其一'《周禮》. ⑨겸사 폐 자기의 겸칭으로 쓰이는 접두사. '一族'. '一邑以賦與陳蔡從'《左傳》. ⑩가릴 폐 蔽(艸部 十二畫)와 통용. '自執宰一膝'《漢書》.
[字源] 甲骨文 篆文 形聲. 攵(攴)+㡀[音]. '㡀폐'는 해진 옷의 뜻. '攴복'은 동작을 뜻하며, '해지다'의 뜻을 나타냄.

[敝褐 폐갈] 해어진 옷. 허름한 무명옷.
[敝甲 폐갑] 해진 갑옷.
[敝蓋 폐개] 찢어진 수레의 덮개.
[敝蹻 폐갹] 해진 짚신. 전(轉)하여, 폐물(廢物).
[敝居 폐거] 폐려(敝廬).
[敝筐 폐광] 부서진 대광주리.
[敝垢 폐구] 해지고 때 묻음.
[敝裘 폐구] 해진 갖옷.
[敝鬼 폐귀] 여귀(厲鬼).
[敝屐 폐극] 부서진 나막신.
[敝衲 폐납] 해진 중의 옷.
[敝廬 폐려] 낡은 집. 전(轉)하여, 자기 집의 겸칭(謙稱).
[敝履 폐리] 해진 신. 전(轉)하여, 버려도 아깝지 않은 물건. 폐물(廢物).
[敝笠 폐립] 헌 갓. 파립(破笠).
[敝賦 폐부] 자기가 바치는 공물(貢物)의 겸칭(謙稱).
[敝舍 폐사] 폐려(敝廬).
[敝屣 폐사] 폐리(敝履).
[敝蹝 폐사] 폐리(敝履).
[敝惡 폐악] 낡아 나쁨.
[敝縕 폐온] 폐온포(敝縕袍).
[敝縕袍 폐온포] 해진 솜옷.
[敝邑 폐읍] 자기가 사는 읍(邑)의 겸칭(謙稱).
[敝衣 폐의] 해진 옷.
[敝人 폐인] ㉠비천(卑賤)한 사람. ㉡지친 병사(兵士). ㉢자기의 겸칭(謙稱).
[敝帳 폐장] 해진 휘장.
[敝族 폐족] 영락(零落)한 겨레. 전(轉)하여, 자기 겨레의 겸칭(謙稱).
[敝處 폐처] 자기가 있는 곳의 겸칭. 당지(當地).
[敝帚 폐추] 해진 비.
[敝敝焉 폐폐언] 고심참담하여 궁리하는 모양.
[敝篋 폐협] 부서진 상자.
[敝虧 폐휴] 가려서 보이지 않음.
◉刻敝. 蠹敝. 鈍敝. 靡敝. 衰敝. 餘敝. 裂敝. 刓敝. 積敝. 彫敝. 穿敝. 頹敝. 破敝. 罷敝. 敗敝. 毁敝.

8 ⑫ [敟] 전 [上]銑 多殄切 diǎn

[字解] ①맡을 전, 주장할 전 직무를 맡음. 典(八部 六畫)과 통용. '一, 主也'《說文》. ②떳떳할 전 '一, 常也'《玉篇》.
[字源] 篆文 形聲. 攵(攴)+典[音]. '典전'은 '법전(法典)'의 뜻. 강제하여 법전을 지키게 하다, 직무를 주장하다의 뜻을 나타냄.

8 ⑫ [敜] 녑 [入]葉 奴協切 niè

[字解] 막을 녑 틀어막음. '一乃穽'《書經》.
[字源] 篆文 形聲. 攵(攴)+念[音]. '念녑'은 언제까지나 깊숙이 가두다의 뜻. 구멍을 발라 막다의 뜻을 나타냄.

8 ⑫ [敡] 이 [去]寘 以豉切 yì

[字解] ①업신여길 이 경멸(輕蔑)함. '一, 侮也'《說文》. ②고칠 이 새로 고침. '一, 改也'《佩觿集》. ③기뻐할 이 좋아함. '一, 說也'《篇海》. ④간편할 이 손쉬움. '輕簡爲一'《廣韻》.
[字源] 篆文 形聲. 攴+易[音]. '易이'는 '업신여기다'의 뜻. 상대를 공격하여 업신여기다, 경멸하다의 뜻을 나타냄.
[參考] 敭(攴部 九畫)은 別字.

8 ⑫ [敞] [人名] 창 [上]養 昌兩切 chǎng

[筆順] 丨 丿 ⺌ 尙 尙 尙 尙攵 敞
[字解] 통창(通敞)할 창 토지가 높고 판판하며 앞

이 탁 트이어 있음. '一豁'. '行營高一地'《史記》. 전(轉)하여, 관대(寬大)하다는 뜻으로 쓰임. '爽塏以閒一'《張衡》.

字源 篆文 形聲. 攵(攴)+尙〔音〕. '尙상'은 '堂당'과 통하여, 높고 큰 집의 뜻. 높고 큰 집을 만들다의 뜻이나, 땅이 높아 전망이 좋다의 뜻을 나타냄.

[敞麗 창려] 광활(廣闊)하고 화려함.
[敞罔 창망] ㉠큰 모양. ㉡실의(失意)한 모양. 창망(愴惘).
[敞豁 창활] 앞이 탁 트이어 넓음.
[敞怳 창황] 귀가 먹먹하여 분명하게 들리지 않는 모양.
◉高敞. 寬敞. 廣敞. 博敞. 疎敞. 幽敞. 夷敞. 峻敞. 淸敞. 洞敞. 通敞. 平敞. 豊敞. 開敞. 弘敞. 華敞.

8 ⑫ [敠] ㊀ 탈 ㉧曷 丁括切 duō ㊁ 철 ㉧屑 七絕切 què

字解 ㊀ ①드레질할 탈 무게를 잼. '敁一, 知輕重也'《廣韻》. ②스스로올 탈 청(請)하지 않은 데에 옴. '一敠, 不迎自來也'《集韻》. ③더디먹을 탈 천천히 먹음. '一敠, 食不速也'《類篇》. ㊁ 끊을 철 절단함. '一, 斷也'《集韻》.

字源 形聲. 攴+叕〔音〕

8 ⑫ [敢] 中人 감 ㊤感 古覽切 gǎn

筆順 一 エ 干 于 干 耳 耳 敢

字解 ①굳셀 감 용맹스러움. '勇一'. '一毅善戰'《唐書》. ②결단성있을 감 '一然'. '潔廉而果一者也'《大戴禮》. ③감히할 감 감행(敢行)함. '若聖與仁, 吾則豈一'《論語》. ④감히 감 ㉠과단성 있게. '一行'. ㉡송구함을 무릅쓰고. '一固辭'《禮記》. ㉢함부로. '子在, 回何一死'《論語》.

字源 金文 篆文 籒文 會意. 金文은 又+又+占의 변형(變形). 양손으로 '占점'의 위쪽 부분의 '卜복'을 무리하게 눌러 휘게 만든 모양에서, 이치에 맞지 않는 짓을 억지로 하다, 감히의 뜻을 나타냄. 籒文은 '𢽿감'으로, 殳+彐+曰의 會意. '殳수'는 '攴복'과 마찬가지로, '강제하다'의 뜻. '彐계'는 '爪조'와 마찬가지로, 손의 象形. '曰모'는 범(犯)하다의 뜻. '敢감'은 이 籒文이 변형한 것임.

[敢決 감결] 감단(敢斷).
[敢斷 감단] 과감하게 결단함. 과단성(果斷性)이 있음. 용단(勇斷).
[敢不生心 감불생심] 감히 하려고 마음먹지 못함.
[敢不生意 감불생의] 감불생심(敢不生心).
[敢死 감사] 생명을 아끼지 아니함. 결사(決死).
[敢言之地 감언지지] 거리낌 없이 말할 만한 자리.
[敢然 감연] 과감한 모양. 단호(斷乎).
[敢往 감왕] 감연(敢然)히 감.
[敢勇 감용] 과감하고 용맹함.
[敢爲 감위] 감행(敢行).
[敢毅 감의] 과감하고 굳셈.
[敢爭 감쟁] 감연(敢然)히 다툼.
[敢戰 감전] 죽음을 결단하고 싸움. 필사적으로 싸움.
[敢行 감행] 과감하게 행함.
◉果敢. 趫敢. 吾豈敢. 勇敢.

8 ⑫ [敨] 敢(前條)의 古字

8 ⑫ [敪] ㊀ 작 ㉧藥 尺約切 chuò ㊁ 소 ㊤篠 徙了切 diào

字解 ㊀ 빼앗을 작 '一, 奪取物也'《集韻》. ㊁ 두드릴 소 때림. 침. '一, 撲也'《集韻》.

8 ⑫ [豥] ㊀ 탁 ㉧覺 竹角切 zhuó ㊁ 독 ㉧屋 丁木切 dū

字解 ㊀ ①칠 탁 두드림. '一, 擊也'《說文》. ②던질 탁 '一, 擿也'《類篇》. ㊁ 두드리는소리 독 '一, 擊聲'《廣韻》.

字源 形聲. 攴+豕〔音〕

8 ⑫ [散] 中人 산 ①-⑨㊤旱 蘇旱切 sàn ⑩㊤旱 蘇旱切 sǎn

筆順 一 十 卄 廾 昔 昔 背 散

字解 ①헤어질 산 흩어짐. 이산함. '一亂'. '財聚則民一'《大學》. ②헤칠 산 흩뜨림. '風以一之'《易經》. ③내칠 산 추방함. '一舍諸宮中'《公羊傳》. ④쓸모없을 산 '一材'. '一人又惡知一木'《莊子》. ⑤한산할 산 한가함. '一官'. ⑥한산 산 한가. 겨를. '投閒置一'《韓愈》. ⑦가루약 산 '一藥'. '胃一'. '授以漆葉靑黏一'《後漢書》. ⑧금곡 산 거문고의 가곡. '廣陵一'《晉書》. ⑨절룩거릴 산 跚(足部 五畫)과 同字. '槃一行汲'《史記》. ⑩성 산 성(姓)의 하나.

字源 甲骨文 金文 篆文 甲骨文은 會意로 林+攴. 나무를 따로따로 흩어지게 하는 모양을 본뜸. 金文은 竹+肉+攴. 대나무의 속을 껍질로부터 분리하는 모양에서, 뿔뿔이 흩어지게 하다의 뜻을 나타냄. 篆文은 形聲으로 肉+㪔〔音〕. '㪔산'은 동일어 이체자(同一語異體字)임. '散산'은 篆文의 생략체임.

[散見 산견] 여기저기 보임.
[散缺 산결] 흩어져 없어져 모자람.
[散穀 산곡] 흩어진 곡식(穀食).
[散官 산관] 관명(官名)만 있고 직무가 없는 명예직. 건위 장군(建威將軍)·광록대부(光祿大夫) 따위. 산직(散職).
[散關 산관] 지명(地名). 산시 성(陝西省) 보계현(寶鷄縣)의 서남에 있는 대산령(大散嶺) 위를 이름. 일명(一名), 대산관(大散關).
[散騎省 산기성] 위(魏)나라 때 둔 관서(官署). 산기시랑(散騎侍郎)을 장관(長官)으로 하여, 시중(侍中)과 나란히 천자(天子)를 모시고 계략(計略)을 짜는 것이 임무임. 송(宋)·제(齊)·북주(北周) 때에는 집서성(集書省)이라 하였는데, 수(隋)나라 때 폐지하였음. 기성(騎省)이라고도 함.
[散畓 산답] 《韓》 여기저기 흩어져 있는 한 사람의 논.
[散落 산락] 뿔뿔이 흩어짐.
[散亂 산란] ㉠정신(精神)이 어수선함. ㉡흩어져 어지러움.
[散錄 산록] 붓 가는 대로 적음. 또는 그 글. 만

록(漫錄).
[散僚 산료] 일이 많지 않아 한가한 관리.
[散吏 산리] 직책이 한가한 관리.
[散離 산리] 산지사방(散之四方)으로 흩뜨림. 또, 산지사방으로 흩어짐.
[散馬 산마] 안장을 얹지 않은 말.
[散漫 산만] 어수선하게 흩어져 퍼져 있음.
[散亡 산망] ㉠흩어져 없어짐. ㉡흩어져 도망감.
[散賣 산매] 《韓》 물건을 낱으로 팖.
[散木 산목] 쓸모없는 나무.
[散文 산문] 자수(字數)의 제한 또는 운율(韻律)의 규정이 없는 보통의 글. 운문(韻文)의 대(對).
[散紊 산문] 흐트러져 어지러움. 문란함.
[散髮 산발] ㉠머리를 풀어 헤침. 또, 풀어 헤친 머리. ㉡관직을 사퇴하고 한가한 몸이 됨. 사직하고 은거함.
[散兵 산병] ㉠병정(兵丁)을 일정한 거리(距離)를 격(隔)하여 흩어 놓음. 또, 그 병정. ㉡흩어져 있는 병정. ㉢임무를 맡지 아니한 병정. ㉣군대를 해산함.
[散步 산보] 한가히 거닒. 산책(散策).
[散士 산사] ㉠사관(仕官)하지 아니하는 재야 인사(在野人士). ㉡쓸모없는 선비.
[散史 산사] 사관(仕官)하지 않는 재야의 문사(文士), 또는 사가(史家).
[散賜 산사] 나누어 줌.
[散釋 산석] ㉠녹아 없어짐. ㉡일의 의혹이 풀림.
[散殊 산수] 각양각색임.
[散失 산실] 흩어져 없어짐. 산일(散逸).
[散樂 산악] 중국의 속악(俗樂).
[散液 산액] 여러 군데로 스며듦.
[散藥 산약] 가루약.
[散陽 산양] 겨울에 너무 따뜻한 일.
[散熱 산열] 열을 방산(放散)함.
[散冗 산용] 일이 없음. 한가함.
[散鬱 산울] 울적함을 풂.
[散員 산원] 직무가 적어 한가한 벼슬아치.
[散位 산위] 명목만 있고 직무가 없는 지위(地位).
[散儒 산유] ㉠썩은 선비. 아무 소용없는 학자. ㉡한가한 학자.
[散人 산인] ㉠쓸모없는 사람. ㉡한가(閑暇)한 사람.
[散佚 산일] 산일(散逸).
[散逸 산일] ㉠흩어져 없어짐. ㉡한가. 한산(閒散). ㉢마음이 어수선함. 마음이 전일(專一)하지 아니함.
[散軼 산일] 흩어져 없어짐. 산일(散佚).
[散在 산재] 여기저기 흩어져 있음.
[散材 산재] 쓸모없는 재목.
[散財 산재] 재산을 나누어 줌.
[散齋 산재] ㉠칠 일간(七日間)의 재계(齋戒). ㉡재계(齋戒)가 끝남.
[散炙 산적] 쇠고기에 양념을 하여 꼬챙이에 꿰어서 구운 음식(飮食).
[散錢 산전] ㉠사슬돈. ㉡돈을 뿌림. 돈을 흩음.
[散卒 산졸] 도망하여 흩어진 군사. 패잔(敗殘)한 군사.
[散地 산지] ㉠적(敵)과 싸우는 자기의 영역(領域). ㉡권세가 없어 한산한 지위(地位).
[散職 산직] 한가한 직책. 산관(散官).
[散盡 산진] 흩어 없앰. 써 없앰.
[散帙 산질] 질(帙)이 차지 않는 책.
[散秩 산질] 일정한 직책이 없는 관리(官吏).
[散策 산책] 한가히 거닒.
[散擲 산척] 던져 흩뜨림.
[散置 산치] 흩어 놓음.
[散敗 산패] 흩어져 패함. 전쟁에 져 흩어짐.
[散布 산포] 흩어 폄. 흩뜨림.
[散花 산화] ㉠떨어져 흩어지는 꽃. ㉡꽃을 흩뜨림. ㉢무곡(舞曲)의 이름. ㉣쓰촨 성(四川省) 성도(成都)에 있는 누각(樓閣) 이름.
[散華 산화] 《佛敎》 부처에게 공양(供養)하고 꽃을 흩뜨림.
[散會 산회] 회가 끝나고 사람이 흩어져 돌아감.
◉家資分散. 開散. 驚散. 乖散. 潰散. 逃散. 徒散. 亡散. 耗散. 霧散. 靡散. 泮散. 畔散. 槃散. 發散. 放散. 迸散. 分散. 犇散. 飛散. 費散. 四散. 消散. 疏散. 踈散. 蕭散. 瑣散. 衰散. 獸集鳥散. 施散. 零散. 冗散. 雲散. 雲消霧散. 雲集露散. 流散. 融散. 移散. 離散. 離合集散. 湮散. 一散. 逸散. 集散. 追散. 聚散. 退散. 敗散. 飄散. 披散. 閑散. 解散. 胡散. 擴散. 渙散. 荒散.

8 ⑫ [敦] [高·人]
[一] 돈 ㊥元 都昆切 dūn, ②tún
[二] 퇴 ㊥灰 都回切 duī
[三] 대 ㊦隊 都內切 duì
[四] 단 ㊥寒 度官切 tuán
[五] 조 ㊥蕭 丁聊切 diāo
[六] 도 ㊦號 大到切 dào

[筆順] 亠 古 古 亨 亨 享 𦎫 敦

[字解] [一] ①도타울 돈 독후(篤厚)함. '一厚'. '示一朴'《史記》. ②진칠 돈 진(陣)을 침. '鋪一淮濆'《詩經》. '一萬騎於中營兮'《揚雄》. ③힘쓸 돈 노력함. '一衆神, 使式道兮'《漢書》. ④동독(董督)할 돈 감독함. '使虞一匠事'《孟子》. ⑤세울 돈 직립하게 함. '一杖'《莊子》. ⑥성 돈 성(姓)의 하나. [二] ①다스릴 퇴 '一商之旅'《詩經》. ②혼자잘 퇴 쓸쓸히 혼자 유숙(留宿)하는 모양. '一彼獨宿'《詩經》. ③던질 퇴 투척함. 던져 줌. '王事一我'《詩經》. ④정할 퇴 단정(斷定)함. '今日試使士一劍'《莊子》. [三] ①제기 대 서직(黍稷)을 담는 제기. '有虞氏之兩一'《禮記》. ②쟁반 대 남을 대접하는 데 쓰는 쟁반. '若合諸侯則共珠槃玉一'《周禮》. [四] ①모일 단 떼 지어 모이는 모양. '一彼行葦'《詩經》. ②외주렁주렁달릴 단 외가 주렁주렁 많이 달린 모양. '有一瓜苦'《詩經》. [五] 아로새길 조 조각함. '一琢其旅'《詩經》. [六] 덮을 도 燾(火部 十四畫)와 통용.

[敦[三]①]

[字源] 金文 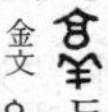 篆文 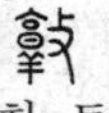 形聲. 篆文은 攵(攴)+𦎧〔音〕. '𦎧순'은 또 亯+羊으로, '亯형·팽'은 두툼한 토기(土器)의 象形. '羊양'은 양의 象形. 양고기를 오랜 시간 삶기 위한 두툼한 질그릇의 모양에서, '두껍다'의 뜻. '屯둔'과 통하여, '모이다'의 뜻을 나타내고, 집중적으로 '치다'의 뜻도 나타내면서, '攴복'이 덧붙여짐.

[敦槩 대개] 평미레.
[敦牟 대모] 서직(黍稷)을 담는 그릇.
[敦固 돈고] 인정이 두텁고 의지가 견고함.

[敦篤 돈독] 인정이 두터움.
[敦樂 돈락] 대단히 즐김.
[敦勉 돈면] 정성을 들여 힘씀.
[敦睦 돈목] 정애(情愛)가 두텁고 화목(和睦)함.
[敦穆 돈목] 인정이 두텁고 화목함.
[敦朴 돈박] 돈후(敦厚)하고 질박(質朴)함.
[敦迫 돈박] 재촉함.
[敦厖 돈방] 돈후(敦厚) ❶.
[敦尙 돈상] ㉠인정이 두텁고 순박함. ㉡돈숭(敦崇).
[敦淳 돈순] 인정이 두텁고 순박함.
[敦崇 돈숭] 깊이 존숭(尊崇)함.
[敦實 돈실] 돈후하고 충실함.
[敦雅 돈아] 돈후하고 고상함.
[敦圄 돈어] 범 비슷한 작은 짐승. 일설(一說)에는, 신선(神仙)의 이름.
[敦圉 돈어] 격앙(激昂)함. 성을 냄.
[敦悅 돈열] 대단히 기뻐함.
[敦閱 돈열] 정성을 들여 조사함.
[敦愿 돈원] 인정이 두텁고 순함.
[敦喩 돈유] 돈유(敦諭).
[敦諭 돈유] 친절하게 타이름.
[敦牂 돈장] 십이지(十二支) 중의 오(午)의 별칭(別稱).
[敦至 돈지] 극진한 마음이 두루 미침.
[敦忠 돈충] 돈후하고 충실함.
[敦趣 돈취] 재촉함.
[敦學 돈학] 학문에 열중함.
[敦害 돈해] 큰 해.
[敦化 돈화] 돈후(敦厚)한 교화(敎化).
[敦和 돈화] 돈목(敦穆).
[敦煌 돈황] ㉠한(漢)나라 때의 군(郡) 이름. ㉡간쑤 성(甘肅省)의 현명(縣名). 남쪽에 유명한 천불동(千佛洞)이 있는데, 육조(六朝) 시대의 불교 미술의 유적(遺蹟)을 보존하고 있고, 경권 도서(經卷圖書)가 많이 발굴되어 유명함.
[敦厚 돈후] ㉠인정(人情)이 많음. 심덕이 두터움. ㉡사물에 정성을 들임.
[敦弓 조궁] 옛날에 천자(天子)가 쓰던, 그림을 그려 장식한 활.
[敦琢 조탁] 옥(玉)을 새기고 쫌. 어진 사람을 가려냄. 조탁(彫琢).
◉可敦. 困敦. 大敦. 陪敦. 安敦. 鋪敦.

8 ⑫ [敤] 과 ㊤哿 苦果切 kě
(去)箇 苦臥切

字解 ①갈 과 연마(硏磨)함. '一, 硏治也'《說文》. ②칠 과 두드림. '一, 擊也'《廣雅》.
字源 形聲. 攴+果〔音〕

8 ⑫ [敍] 록 ①(入)屋 盧谷切 lù
②(入)沃 力玉切

字解 ①두드릴 록 똑똑 침. '一, 擊也'《類篇》. ②똑똑소리 록 두드리는 소리. '一, 撲聲也'《類篇》.

[鼓] 〔고〕 部首(p.2715)를 보라.

9 ⑬ [敇] 련 (去)霰 郎甸切 liàn

字解 ①두드릴 련 다짐. 단련(鍛鍊)함. '一, 搥打物也'《廣韻》. ②가릴 련 선택함. '一, 擇也'《集韻》.

9 ⑬ [敨] ■一 취(剩(俗)) ㊤紙 初委切 chuǎi
■二 천 ㊤銑 尺兗切
■三 타 ㊤哿 丁果切 duǒ

字解 ■一 ①헤아릴 취 셈함. 재어 봄. '一, 量也'《廣韻》. ②시험할 취 시도해 봄. '一, 試也'《玉篇》. ■二 ①헤아릴 천. ②시험할 천. ■三 달 타 저울에 무게를 닮.

9 ⑬ [敬] 中人 경 (去)敬 居慶切 jìng

筆順

字解 ①공경 경 존경. '君臣主一'《孟子》. ②공경할 경 '一仰'. '一親者, 不敢慢於天'《孝經》. ③삼갈 경 조심. 근신. '一者禮之本也'《國語》. ④삼갈 경 경계하여 조심함. '一愼'. '執事一'《論語》.
字源 金文 金文 篆文 形聲. 攵(攴)+苟〔音〕. '苟극'은 머리를 특별한 모양으로 하고, 몸을 굽혀 신에게 비는 모양을 본뜸. '攴복'은 어떤 동작을 하다의 뜻. 비는 사람의 등 뒤에서 쳐서 삼가는 태도를 촉구하는 모양에서, '삼가다, 공경하다'의 뜻을 나타냄.

[敬虔 경건] 공경하는 마음으로 깊이 삼감.
[敬戒 경계] 삼가고 경계함.
[敬共 경공] 경공(敬恭).
[敬恭 경공] 삼가고 공손(恭遜)함.
[敬具 경구] 삼가 갖춤.
[敬懼 경구] 삼가고 두려워함.
[敬勤 경근] 삼가고 근면함.
[敬謹 경근] 공경하고 삼감.
[敬諾 경낙] 삼가 승낙함.
[敬內義外 경내의외] 근신(謹愼)으로써 내심(內心)을 바르게 하고, 의(義)로써 외물(外物)을 바르게 함.
[敬昵 경닐] 공경하고 친애(親愛)함.
[敬待 경대] 공경하여 대접(待接)함.
[敬覽 경람] 삼가 봄.
[敬禮 경례] ㉠경의(敬意)를 표하여 인사함. 또, 그 인사. ㉡존경(尊敬)함.
[敬老 경로] 노인을 공경(恭敬)함.
[敬慕 경모] 존경하고 사모(思慕)함.
[敬文 경문] 정중한 태도와 예의 바른 모양.
[敬敏 경민] 삼가고 총명함.
[敬拜 경배] 공경하여 절함.
[敬白 경백] 공경하여 사룀. 보통 편지 끝에 씀.
[敬服 경복] 존경하여 복종(服從)함.
[敬復 경복] 공경하여 답장(答狀)한다는 뜻으로, 편지의 서두(書頭)에 쓰는 말.
[敬敷 경부] 삼가 보급시킴.
[敬事 경사] ㉠공경하며 섬김. ㉡삼가 일을 함.
[敬遜 경손] 신중하고 공손함.
[敬順 경순] 삼가 순종함.
[敬崇 경숭] 존경하고 숭앙(崇仰)함.
[敬承 경승] ㉠삼가 계승(繼承)함. ㉡삼가 받아 보거나 들음. 배승(拜承).
[敬勝怠則吉 경승태즉길] 조심하는 마음이 게으른 마음을 이길 때에는 길(吉)함.
[敬視 경시] 삼가 봄.

[敬神 경신] 신(神)을 공경함.
[敬愼 경신] 삼감. 조심함. 근신함.
[敬心 경심] 공경하는 마음.
[敬仰 경앙] 공경하고 우러러봄.
[敬愛 경애] 공경하고 사랑함.
[敬若 경약] 경순(敬順).
[敬讓 경양] 삼가 사양함.
[敬語 경어] 공경하는 뜻을 나타내는 말.
[敬憶 경억] 공경하는 마음을 품음.
[敬畏 경외] 삼가고 두려워함.
[敬遇 경우] 경대(敬待).
[敬遠 경원] 공경하기는 하되 가까이하지 아니함.
[敬挹 경읍] 공경(恭敬)함.
[敬應 경응] 삼가 명령에 응함.
[敬意 경의] 공경하는 뜻.
[敬異 경이] 공경하여 특별히 대우함.
[敬亭山 경정산] 안후이 성(安徽省)에 있는 산(山).
[敬弔 경조] 존경하여 조상함.
[敬尊 경존] 존경함.
[敬從 경종] 존경하여 복종함.
[敬重 경중] 공경하고 중(重)히 여김.
[敬止 경지] 공경함. 근신함. 지(止)는 조사(助辭).
[敬職 경직] 직무를 중히 여김.
[敬天 경천] 하느님을 공경함.
[敬聽 경청] 삼가 들음. 근청(謹聽).
[敬寵 경총] 공경하고 총애함.
[敬忠 경충] 임금을 공경하고 충성을 다함.
[敬稱 경칭] 공경하여 부르는 칭호.
[敬憚 경탄] 공경하고 어려워함.
[敬歎 경탄] 존경하고 탄복함.
[敬下 경하] 아랫사람을 소홀히 취급하지 아니함.
[敬厚 경후] 공경하여 후대함.
◉虔敬. 謙敬. 恭敬. 久敬. 謹敬. 起敬. 篤敬. 拜敬. 不敬. 誠敬. 肅敬. 崇敬. 愛敬. 廉敬. 禮敬. 畏敬. 友敬. 莊敬. 齊敬. 尊敬. 祇敬. 推敬. 忠敬. 親敬. 表敬. 和敬. 歡敬. 孝敬. 欽敬.

9 ⑬ [敬] 敬(前條)의 本字

9 ⑬ [敦] 쟁 [平]庚 宅耕切 chéng
[字解] ①두드릴 쟁 종 같은 것을 침. '一, 撞也'《集韻》. ②부딪칠 쟁 충돌함. '一, 觸也'《集韻》.

9 ⑬ [敗] 두 ㊤麌 徒古切 dù
[字解] 닫을 두, 막을 두 杜(木部 三畫)와 同字. '一, 閉也'《說文》. '一, 塞也'《廣韻》.
[字源] [篆文]  形聲. 攵(攴)+度〔音〕. '度도'는 '막다〔杜〕, 발라 메우다〔塗〕'의 뜻. 찧어 굳혀서 막아 닫다의 뜻을 나타냄.

9 ⑬ [敫]
[一] 약 [入]藥 以灼切 jiǎo
[二] 교 ①㊤篠 吉了切 jiǎo ②[平]蕭 牽幺切 qiāo
[三] 격 [入]錫 吉歷切 qiāo
[字解] [一] ①해그림자옮아갈 약 해 그림자가 옮아가는 모양. '一, 光景流皃'《說文》. ②성 약 성(姓)의 하나. [二] ①해그림자옮아갈 교, 성 교 [一]과 뜻이 같음. ②칠 교 두드림. '一, 擊也'《集韻》. [三] 삼갈 격 '一, 敬也'《集韻》.
[字源] 會意. 白+放

9 ⑬ [敭] 〔양〕 揚(手部 九畫〈p.888〉)의 古字
[參考] 敡(攴部 八畫)는 別字.

9 ⑬ [数] 〔수〕 數(攴部 十一畫〈p.940〉)의 俗字·簡體字

9 ⑬ [敨] 〔돈·단·대·도〕 敦(攴部 八畫〈p.936〉)과 同字

10 ⑭ [敳] [一] 애 [平]灰 五來切 ái [二] 촉 [入]沃 朱欲切 zhú
[字解] [一] ①다스릴 애 고침. '一, 有所治也'《說文》. '一, 改理也'《集韻》. ②성 애 성(姓)의 하나. '一氏, 八凱隕一之後, 以王父字爲氏'《通志》. [二] 칠 촉 북을 두드림. '一, 擊鼓也'《集韻》.
[字源] [篆文] 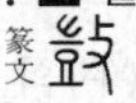 形聲. 攴+豈〔音〕. '豈기·개'는 군대에서 쓰는 악기의 뜻. 그 악기를 두드리며 개선하여 군대를 다스리다의 뜻에서, 파생하여, '다스리다'의 뜻을 나타냄.

10 ⑭ [敲] [人名] 고 [平]肴 口交切 qiāo 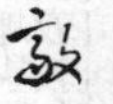
[筆順] 亠 亩 亨 高 高 髙 敲
[字解] ①두드릴 고, 칠 고 가볍게 톡톡 두드림. 또, 회초리 같은 것으로 때림. '一門'. '奪之杖以一之'《左傳》. ②매 고 짧은 회초리. '執一扑, 以鞭笞天下'《賈誼》.
[字源] [篆文]  形聲. 支+高〔音〕. '支복'은 '치다'의 뜻. '高고'도 '두드리다'의 뜻. 합쳐서, '두드리다'의 뜻을 나타냄.

[敲撼 고감] 두드리고 흔듦.
[敲擊 고격] 고알(敲戛).
[敲金擊石 고금격석] 금석(金石)을 두들겨 청아(淸雅)한 소리를 낸다는 뜻으로, 시문(詩文)의 성조(聲調)가 훌륭함을 이름.
[敲拉 고랍] 쳐부숨.
[敲門 고문] 문을 두드려 사람을 찾음.
[敲朴 고박] 매. 회초리. 짧은 것은 '敲', 긴 것은 '朴'이라 함.
[敲榜 고방] 매질함.
[敲戛 고알] 두드림. 때림.
[敲折 고절] 쳐 꺾음.
◉推敲.

10 ⑭ [敲] 敲(前條)와 同字

10 ⑭ [敾] 합 [入]合 克盍切 kè
[字解] 두드릴 합 때림. 침. '一, 敲也'《集韻》.

10 ⑭ [敿] 감 [去]陷 口陷切 qiàn
[字解] ①탐할 감 '一, 貪也'《集韻》. ②맞을 감 합당함. '一, 物相値合也'《類篇》.

10 ⑭ [㪉] 一 개 ㊀泰 丘蓋切 kài 二 갈 ㊃曷 丘葛切 kě

字解 一 ①욕보일 개 치욕을 줌. '—, 辱也'《廣雅》. ②칠 개 공격함. '—, 伐也'《玉篇》. ③두드릴 개 '—, 擊也'《玉篇》. 二 적(敵) 갈 원수. '—, 敵也'《集韻》.

10 ⑭ [䵃] 비 ㊥支 篇夷切 pī

字解 집쓸릴 비 집이 허물어져 감.

11 ⑮ [敵] 中人 적 ㊃錫 徒歷切 dí

筆順 亠 亣 产 产 商 商 啇 敵

字解 ①원수 적 구수(仇讎). '仇—'. '相爲—讎'《書經》. ②짝 적 상대. 적수. '匹—'. '劍者一人之—'《史記》. ③적 적 대항 또는 전쟁의 상대방. '強—'. '勝—而益強'《孫子》. ④필적할 적 대등함. '貴賤不—'《禮記》. ⑤겨룰 적 대항함. 저항함. '諸侯—王所愾'《左傳》.

字源 篆文 形聲. 攵(攴)+啇(啻)〔音〕. '啻적'은 중심으로 따라가다의 뜻. 맞서 가는 상대, 원수, 상대의 뜻을 나타냄.

[敵愾 적개] ㉠군주(君主)에게 원한을 품고 있는 자에게 대항함. ㉡적(敵)을 대하는 의분(義憤).
[敵愾心 적개심] 의분을 느껴 적과 싸우고자 하는 성난 마음.
[敵境 적경] 적국(敵國)의 국경(國境).
[敵國 적국] ㉠자기 나라와 싸우는 나라. 또, 원수의 나라. 적(敵)의 나라. ㉡국력이 비슷한 나라. 대등(對等)한 나라. ㉢재주가 비상하여 한 사람으로써 능히 적의 나라와 겨룰 만한 인재를 칭찬하여 이르는 말. ㉣거부(巨富)이어서 한 나라의 재산(財產)과 비등(比等)한 사람.
[敵國外患 적국외환] 우리에게 적대(敵對)하는 강국(強國)과 밖에서 일어나는 우환.
[敵國破謀臣亡 적국파모신망] 적국이 있는 동안은 모신(謀臣)이 우대를 받으나, 적국이 망하면 모반할까 염려하여 죽임.
[敵軍 적군] 적국(敵國)의 군대.
[敵機 적기] 적국(敵國)의 항공기.
[敵對 적대] 마주 대적하여 싸움. 서로 맞섬.
[敵對視 적대시] 적(敵)으로 여겨 봄. 원수로 생각함.
[敵禮 적례] 대등(對等)의 예(禮).
[敵虜 적로] 적을 욕하여 이르는 말.
[敵壘 적루] 적군의 보루(堡壘).
[敵侔 적모] 힘이 필적(匹敵)함. 힘이 대등함.
[敵背 적배] 적의 후면(後面).
[敵兵 적병] 적국(敵國)의 병사(兵士).
[敵產 적산] 적이 소유한 재산.
[敵船 적선] 적국(敵國)의 선박(船舶).
[敵勢 적세] 적군(敵軍)의 형세(形勢).
[敵手 적수] ㉠재주나 힘이 맞서는 사람. ㉡원수.
[敵讎 적수] 원수.
[敵視 적시] 적대시(敵對視).
[敵影 적영] 적병의 그림자.
[敵偶 적우] 필적(匹敵)함.
[敵耦 적우] 적우(敵偶).
[敵僞 적위] 적의 계략(計略).
[敵應 적응] 적으로써 마주 대함.
[敵意 적의] 적대시(敵對視)하는 마음.
[敵將 적장] 적군(敵軍)의 장수(將帥).
[敵場 적장] 적지(敵地).
[敵戰 적전] 적대(敵對)하여 싸움.
[敵前上陸 적전상륙] 적군(敵軍)의 면전(面前)에서 위험(危險)을 무릅쓰고 상륙(上陸)함.
[敵情 적정] 적군(敵軍)의 형편(形便). 적군의 정세(情勢).
[敵地 적지] 적군(敵軍)의 땅.
[敵彈 적탄] 적군(敵軍)이 쏜 총포(銃砲)의 탄환(彈丸).
[敵艦 적함] 적군(敵軍)의 군함(軍艦).
[敵丸 적환] 적탄(敵彈).
◉強敵. 劍一人敵. 勁敵. 勍敵. 公敵. 仇敵. 寇敵. 國敵. 劇敵. 棋敵. 難敵. 論敵. 大敵. 對敵. 萬人敵. 無敵. 腹背受敵. 不敵. 索敵. 小敵. 讎敵. 宿敵. 詩敵. 弱敵. 戀敵. 外敵. 雄敵. 怨敵. 利敵. 仁者無敵. 隣敵. 一人敵. 殘敵. 政敵. 朝敵. 衆寡不敵. 天敵. 匹敵. 抗敵.

11 ⑮ [敷] 人名 부 ㊤虞 芳無切 fū

筆順 ㇒ 亠 甫 甫 専 専 旉 敷

字解 ①펼 부 ㉠베풂. '—政'. '翕受—施'《書經》. ㉡넓게 깖. '—筵席'《穆天子傳》. ②퍼질 부 널리 미침. '—廣'. '文命—于四海'《書經》. ③나눌 부 분할함. '禹—土'《書經》. ④두루 부, 널리 부 너르게. '—宣'. '—求先王'《詩經》. ⑤초목무성할 부 '篠簜既—'《漢書》. ⑥성 부 성(姓)의 하나.

字源 金文 篆文 形聲. 攵(攴)+尃〔音〕. '尃부'는 볏모를 벌여 깔다의 뜻. '攴복'을 더하여, '펴다, 깔다'의 뜻을 분명히 나타냄.

[敷告 부고] 널리 알림. 포고(布告).
[敷廣 부광] 퍼짐. 또, 퍼지게 함.
[敷敎 부교] ㉠교육을 보급(普及)시킴. ㉡종교를 널리 폄. 포교(布敎).
[敷求 부구] 널리 구함.
[敷道 부도] 도를 널리 폄.
[敷敷 부부] 꽃이 피는 모양.
[敷宣 부선] 널리 보급(普及)시킴.
[敷設 부설] 펴서 베풀어 놓음. 깔아서 설치함.
[敷施 부시] 정교(政敎)를 널리 베풀어 폄.
[敷揚 부양] 널리 세상에 나타냄.
[敷衍 부연] ㉠알기 쉽게 자세히 늘어놓아 설명함. ㉡널리 퍼지게 함.
[敷演 부연] 부연(敷衍)❶.
[敷榮 부영] 꽃이 활짝 핌.
[敷愉 부유] 즐김.
[敷政 부정] 정사를 베풂. 시정(施政).
[敷奏 부주] 아룀.
[敷贊 부찬] 널리 알려 명백하게 함.
[敷治 부치] 부정(敷政).
[敷土 부토] 토지를 나눔. 토지를 구획함.
[敷化 부화] 널리 교화(敎化)를 베풂.
◉光敷. 紛敷. 森敷. 誕敷. 弘敷.

11 ⑮ [㪥] 자 ㊥麻 側加切 zhā

字解 ①손가락으로누를 자 '—, 指按也'《集韻》.

②취할 자 가짐. '一, 取也'《玉篇》.

11 ⑮ [數] 中人 ━ 수 ①-⑧㊀遇 色句切 shù ⑨⑩㊤麌 所矩切 shǔ ━ 삭 ㊀覺 所角切 shuò ━ 촉 ㊀沃 趨玉切 cù 数 数

筆順 ㄇ 甘 昌 曲 婁 婁 婁 數

字解 ━ ①셈 수 ㉠수량. '量一'. '書其一'《周禮》. ㉡계산. 산법(算法). '算一'. '禮·樂·射·御·書·一'《周禮》. ②이치 수 도리. '理一'. '必然之一'. '固其一也'《管子》. ③운수 수 운명. '命一'. '天之曆一, 在汝躬'《書經》. ④꾀 수 권모(權謀). '權一'. '精練策一'《魏志》. ⑤정세 수 형편. '知先後遠近縱舍之一'《呂氏春秋》. ⑥등급 수 품등(品等). '滋而後有一'《左傳》. ⑦재주 수 기술. '奕之爲一, 小一也'《孟子》. ⑧두어 수, 서너너덧 수, 대여섯 수 이삼의. 삼사의. 사오의. 오륙의. '一年'. '一口之家'《孟子》. ⑨셈할 수 ㉠계산함. '一邦用'《周禮》. ㉡셈에 넣음. 들어 말함. '諸曹以下僕遬不足一'《漢書》. ⑩헤아릴 수 추측함. 살핌. '一往者順, 知來者逆'《易經》. ⑪책할 수 죄목을 일일이 세어 책망함. '一罪'. '使吏一之'《左傳》. ━ ①자주 삭 여러 번. '頻一'. '一改條約'《唐書》. ②자주할 삭 여러 번 함. '事君一斯辱矣'《論語》. ③빨리할 삭 급히 함. '一之則不中'《淮南子》. ━ 촘촘할 촉 구멍이 썩 잚. '一罟不入洿池'《孟子》.

字源 篆文 會意. 夊(攴)+婁. '攴복'은 '치다'의 뜻. '婁루'는 끊이지 않고 계속하다의 뜻. 계속해서 치다의 뜻에서, '책하다, 세다'의 뜻을 나타냄.

參考 数(攴部 九畫)는 俗字.

[數窮 삭궁] 자주 궁함. 운수가 자주 막힘. 운수가 자주 사나움.
[數尿症 삭뇨증] 오줌이 자주 마려운 병.
[數白 삭백] 자주 아룀.
[數便症 삭변증] 대변이 자주 마려운 병.
[數數 삭삭] ㉠자주. 여러 번. ㉡바쁜 모양. 분망한 모양.
[數遞 삭체] 관원(官員)이 자주 갈림.
[數嚥 삭초] 여러 번 씹음.
[數家 수가] ㉠두셋 또는 서너너덧 집. ㉡술수(術數)를 닦은 사람.
[數刻 수각] 잠시(暫時).
[數箇 수개] 두어 개(個) 또는 서너너덧 개(個).
[數口 수구] 두서넛 또는 대여섯 사람. 수인(數人).
[數奇 수기] 운수(運數)가 불길함. 운수가 사나움.
[數器 수기] 저울.
[數年 수년] 이삼사 년 또는 사오 년.
[數多 수다] 수효(數爻)가 많음.
[數量 수량] ㉠수(數)와 분량(分量). ㉡분량(分量).
[數理 수리] 수의 이치. 수학(數學)의 이론(理論).
[數萬 수만] 만의 두서넛, 또는 대여섯 배가 되는 수.
[數米而炊 수미이취] 쌀알을 세어서 밥을 지음. 곧, 하는 짓이 번거롭고 잔달 뿐 보람이 적음을 이름.
[數四 수사] 두서넛 또는 서너너덧 번. 재사(再四).
[數詞 수사] 수나 차례를 나타내는 품사.
[數世 수세] 이삼세(二三世). 사오세(四五世).
[數語 수어] 많지 아니한 말. 두어 마디 말.
[數月 수월] 두서너 달.
[數人 수인] 두서넛 또는 두서너덧 사람.
[數日 수일] 두서너 날.
[數字 수자] ㉠몇 자. 서너너덧 글자. ㉡수를 나타내는 글자.
[數節 수절] ㉠대〔竹〕의 두서너 마디. ㉡문장 등의 두서너 구절.
[數罪 수죄] 범죄 행위(犯罪行爲)를 일일이 들어 책망함.
[數珠 수주] 《佛敎》 작은 구슬을 꿴 고리. 염불(念佛)할 때 손으로 세어 돌려서 횟수를 헤아림. 염주(念珠).

[數珠]

[數斟 수짐] 술을 두서너 잔 따름.
[數次 수차] 자주. 두서너 차례.
[數處 수처] 두서너 군데.
[數學 수학] 수·양 및 공간에 관하여 연구하는 학문.
[數行 수행] ㉠두서너 줄. 또는 너더댓 줄. ㉡뚝뚝 떨어지는 눈물. ㉢두서너 줄, 또는 너더댓 줄의 글자.
[數回 수회] 수차(數次).
[數爻 수효] 수(數).
[數罟 촉고] 촘촘한 그물.
[數數 촉촉] 삭삭(數數)㉡.

◉假數. 個數. 概數. 件數. 計數. 係數. 公倍數. 公約數. 過數. 夥數. 九數. 口數. 權謀術數. 權數. 金谷酒數. 級數. 基本數. 奇數. 記數. 氣數. 基數. 機數. 旣知數. 幾何級數. 多數. 端數. 大數. 代數. 對數. 度數. 都數. 等數. 枚數. 面數. 名數. 命數. 冥數. 無理數. 無萬數. 無數. 物價指數. 未知數. 反數. 倍數. 番數. 煩數. 變數. 負數. 部數. 分數. 不名數. 比例係數. 頻數. 詐數. 算數. 上數. 常數. 成數. 星數. 小數. 少數. 素數. 手數. 術數. 乘數. 矢數. 實數. 暗數. 約數. 陽數. 易數. 逆數. 歷數. 曆數. 禮數. 完全數. 偶數. 耦數. 優數. 運數. 元數. 員數. 越數. 有理數. 有數. 陰數. 里數. 異數. 人數. 因數. 字數. 自然數. 底數. 全數. 點數. 正數. 定數. 整數. 除數. 酒數. 周波數. 指數. 智數. 差數. 策數. 最大公約數. 最小公倍數. 被乘數. 被除數. 函數. 恒數. 虛數. 回數. 畫數.

11 ⑮ [敶] 인 ㊀震 羊進切 yìn

字解 찡을 인, 칠 인 짓찡음. 두드림. '一, 擣也'《集韻》.

11 ⑮ [敹] 료 ㊥蕭 落蕭切 liáo 敹

字解 가릴 료 선택함. '善一乃甲冑'《書經》.

字源 金文 篆文 會意. 夊(攴)+寀. '攴복'은 가볍게 두드리다의 뜻. '寀미'는 '罙미'와 같아, '冒모'의 뜻. '冒昧모매'를 쳐서 가린다고 하는 설이 있지만, 그 뜻은 분명치 않음. 일설에는, '寀'는 '宷심'의 잘못이며, '宷'에 '자세하다'의 뜻이 있어, 깊이 파고들어 자세히 밝히다, 가리다의 뜻이라고 함.

11 ⑮ [敶] 진 ㊀震 直刃切 zhèn

字解 ①벌여놓을 진 진열함. '一鐘按鼓'《楚辭》. ②진칠 진, 진 진 陣(阜部 七畫)과 통용.

字源 篆文 形聲. 攵(攴)+陳〔音〕

11 ⑮ [敺] 〔구〕
驅(馬部 十一畫〈p.2606〉)의 古字

字源 驅의 古字 形聲. 攴+區〔音〕

11 ⑮ [敺] 敺(前條)와 同字

11 ⑮ [敻] 형 ㊀敬 休正切 xiòng

字解 ①아득할 형 시간적으로나 공간적으로 대단히 멂. '一古'. '一不見人'《李華》. ②성 형 성(姓)의 하나.

字源 篆文 會意. 𥃩+目+攴. '𥃩'은 여자의 사타구니의 象形. '攴복'은 강제적으로 동작을 가하다의 뜻. 깊숙한 여자의 사타구니를 무리하게 보는 모양에서, '찾다, 멀다'의 뜻을 나타냄.

[敻古 형고] 아득한 옛날. 태고(太古).
[敻然 형연] 먼 모양.
[敻絕 형절] 대단히 멂. 멀리 떨어져 있음.
◉儵敻.

12 ⑯ [敿] 교 ㊤篠 居夭切 jiǎo

字解 맬 교 잡아맴. 묶음. '一乃干'《書經》.

字源 篆文 形聲. 攴+喬〔音〕

12 ⑯ [敼] 희 ㊤紙 於已切 yǐ

字解 희롱할 희 놀림. '一, 戲也'《篇海》.

12 ⑯ [敾] 人名 〔선〕
繕(糸部 十二畫〈p.1771〉)과 同字

12 ⑯ [敲] 一 교 ㊥蕭 苦幺切 qiāo
二 오 ㊥肴 五交切
三 격 ㊇錫 苦擊切

字解 一 칠 교 '一, 玉篇云, 擊也'《廣韻》. 二 칠 오 一과 뜻이 같음. 三 칠 격 一과 뜻이 같음.

字源 形聲. 攴+堯〔音〕

12 ⑯ [整] 高人 정 ㊤梗 之郢切 zhěng

筆順 一 市 束 束' 敕 敕 整 整

字解 ①가지런할 정 정돈됨. '一齊'. '望虜陣不一'《魏志》. ②가지런히할 정 정돈함. '爰一其旅'《詩經》.

字源 金文 篆文 形聲. 束+攵(攴)+正〔音〕. '束속'은 '묶다'의 뜻. '攴복'은 '치다'의 뜻. 묶거나 치거나 하여 바르게 정돈하다의 뜻을 나타냄.

[整軍 정군] 군대를 정돈함.
[整頓 정돈] 가지런히 함.
[整旅 정려] 군대를 정돈시킴. 군세를 정비함.
[整厲 정려] 몸을 바로잡고 기운을 차림.
[整列 정렬] 가지런히 벌여 섬.
[整勒 정륵] 정연(整然)히 다스림.
[整理 정리] 가지런히 바로잡아 다스림.
[整武 정무] 전쟁 준비를 갖춤.
[整比 정비] 가지런히 하여 늘어놓음.
[整秀 정수] 단정하고 준수(俊秀)함.
[整肅 정숙] 의용(儀容)이 바르고 엄숙(嚴肅)함.
[整飾 정식] 몸을 가지런하게 차리고 맵시를 꾸밈.
[整嚴 정엄] 정숙(整肅).
[整然 정연] 질서 있는 모양. 정제(整齊)된 모양.
[整容 정용] 용모를 가다듬음.
[整妝 정장] 정식(整飾).
[整整 정정] 정연(整然).
[整齊 정제] 가지런함. 또, 가지런히 함.
[整峻 정준] 바르고 거룩함. 단정하고 엄함.
[整地 정지] 땅을 고르게 만듦.
[整飭 정칙] 정돈됨. 조리가 섬.
◉恪整. 高整. 寬整. 規整. 均整. 謹整. 端整. 補整. 秀整. 修整. 肅整. 嚴整. 完整. 威整. 裁整. 精整. 齊整. 調整. 峻整. 峭整. 平整.

12 ⑯ [整] 整(前條)과 同字

12 ⑯ [敽] 란 ㊀翰 郎段切 luàn

字解 ①번거로울 란 괴롭힘. '一, 煩也'《說文》. ②어지러울 란 분란함. '一, 亂也'《玉篇》. ③게으를 란 나태함. '一, 惰也'《玉篇》.

字源 篆文 形聲. 攴+𤔔〔音〕. '𤔔란'은 '어지럽다'의 뜻. '攴복'을 더하여, 실이 엉키게 하다, 번거롭다의 뜻을 나타냄.

13 ⑰ [斁] 一 역 ㊇陌 羊益切 yì
二 두 ㊀遇 當故切 dù

字解 一 ①싫어할 역 싫증이 남. 물림. '服之無一'《詩經》. ②성(盛)할 역 '庸鼓有一'《詩經》. 二 패할 두 殬(歹部 十三畫)와 同字. '彝倫攸一'《書經》.

字源 金文 篆文 形聲. 攵(攴)+睪〔音〕. '攴복'은 '치다'의 뜻. '睪역'은 '차례로 당기다'의 뜻. 실꾸리처럼 뭉쳐 있던 것을 당겨서 풀다의 뜻을 나타냄. 흥미가 풀리다, 싫어져서 손을 떼다, 싫어하다의 뜻도 나타냄.

◉耗斁. 衰斁. 墮斁.

13 ⑰ [敳] 뢰 ㊥灰 盧回切 léi

字解 꺾을 뢰 부러뜨림. '一, 摧也'《玉篇》.

13 ⑰ [斂] 人名 렴 ㊤琰 良冉切 liǎn

筆順 𠆢 亼 合 合 命 僉 僉' 僉ᐟ 斂

字解 ①거둘 렴 ㉠거두어들임. 모아들임. '收一'. '一時五福'《書經》. ㉡오므림. '韓必一手'《史記》. ②염할 렴 염습(斂襲)함. '衣尸曰小一, 以尸入棺曰大一'《辭海》. ③감출 렴 ㉠넣어 둠.

저장함. '挾日而一之'《周禮》. ㉡죽음. '宿姦老蠹爲一迹'《唐書》. ④단속할 렴 잡도리를 함. '閉戶自一'《漢書》. ⑤줄잡아 렴 최소한. '一三百里'《史記》. ⑥성 렴 성(姓)의 하나.
[字源] 篆文 形聲. 攵(攴)+僉[音]. '僉첨'은 많은 사람이 이구동성으로 말하다의 뜻. '攴복'을 더하여, '합쳐서 거두다'의 뜻을 나타냄.

[斂丐 염개] 빌어 모음. 얻어 모음.
[斂去 염거] 하는 일을 그만두고 물러감.
[斂髮 염발] 머리를 쪽 찌거나 틀어 올림.
[斂手 염수] 손을 오므림.
[斂膝 염슬] 무릎을 단정히 하고 앉음.
[斂容 염용] 용모를 단정히 함.
[斂翼 염익] ㉠폈던 날개를 오므리고 쉼. 보금자리에 들어감. 즙익(戢翼). ㉡물러나 움츠림.
[斂衽 염임] 옷섶을 여밈. 몸을 단정히 하여 경의를 표함. 정금(整襟).
[斂葬 염장] 시체를 거두어 장사 지냄.
[斂藏 염장] 저장함. 넣어 둠.
[斂迹 염적] 염적(斂跡).
[斂跡 염적] 종적을 감춤.
[斂錢 염전] 돈을 거둠. 또, 거두어 모은 돈.
[斂足 염족] 발을 움츠림. 두려워하여 밖으로 나가지 못함. 과족(裹足).
[斂聚 염취] 모아들임.
[斂昏 염혼] 황혼(黃昏).
[斂穫 염확] 수확(收穫).
◉苛斂. 拘斂. 踢斂. 蹶斂. 大斂. 頭會箕斂. 薄斂. 襞斂. 賦斂. 舒斂. 稅斂. 小斂. 收斂. 讎斂. 畏斂. 徵斂. 秋斂. 聚斂. 後斂. 翕斂.

13 ⑰ [斀] 탁 [入]覺 竹角切 zhuó
[字解] 궁형(宮刑) 탁 거세(去勢)의 형벌(刑罰). 劅(刀部 十三畫)과 同字. '一, 去陰之刑也'《說文》.
[字源] 篆文 形聲. 攴+蜀[音]. '攴복'은 '채찍질하다'의 뜻. '蜀촉'은 불쾌한 나방의 애벌레의 뜻. 가장 불쾌한 형벌인 궁형(宮刑)의 뜻을 나타냄.

13 ⑰ [䝧] 군 [平]文 衢云切 qún
[字解] ①대거침범할 군 '一, 說文, 朋侵也'《說文》. ②벗 군 '一, 朋也'《玉篇》.
[字源] 形聲. 攴+羣[音]

14 ⑱ [斃] [人名] 폐 [去]霽 毗祭切 bì
[字解] ①넘어질 폐 ㉠엎드러짐. '一踣'. ㉡넘어져 죽음. '一於車中'《左傳》. ㉢실패함. '多行不義, 必自一'《左傳》. ②넘어뜨릴 폐 죽여 넘어지게 함. '射之一一人'《禮記》.
[字源] 獘의 別體 形聲. 死+敝[音]. '敝폐'는 '부서지다'의 뜻. '死사'를 더하여, '넘어져 죽다'의 뜻을 나타냄.

[斃仆 폐부] 폐사(斃死).
[斃踣 폐부] 넘어짐. 엎드러짐.
[斃死 폐사] 쓰러져 죽음.
[斃而後已 폐이후이] 죽을 때까지 힘씀. 사이후이(死而後已).
◉僵斃. 餒斃. 殞斃. 誅斃. 摧斃. 疲斃.

14 ⑱ [斅] [一] 수 [平]尤 市流切 chóu
[二] 추 [平]尤 陳留切 chóu
[字解] [一] ①버릴 수 내버림. '無我一兮'《詩經》. ②칠 수 토벌함. '一, 周書以爲討'《說文》. [二] ①버릴 추. ②칠 추.
[字源] 篆文 形聲. 攴+壽[音]

14 ⑱ [斀] 탁(착[本]) [入]覺 敕角切 chuō
[字解] ①줄 탁 아랫사람에게 줌. '一, 授也'《廣韻》. ②찌를 탁 '一, 刺也'《類篇》. ③아플 탁 '一杖, 痛至也'《集韻》. ④찧을 탁 방아를 찧음. '一, 舂也'《集韻》. ⑤다질 탁 땅을 다짐. '一, 築也'《集韻》.

14 ⑱ [䝧] 총 [去]送 徂送切 zòng
[字解] 스스로올 총 청(請)하지 않은 데에 옴. '敪一, 不迎自來也'《集韻》.

14 ⑱ [斄] [一] 만 [去]願 叉萬切 chuàn
[二] 취 [去]霽 充芮切
[三] 쵀 [去]卦 楚快切
[字解] [一] 쓿을 만 애벌방아를 찧음. '一, 小舂也'《說文》. [二] 쓿을 취 방아를 찧음. [三] 몽글릴 쵀 곡식의 까끄라기를 떨어지게 함. '一, 除穀芒也'《篇海》.
[字源] 篆文 形聲. 攴+算[音]

15 ⑲ [斄] 〔태〕
邰(邑部 五畫〈p. 2332〉)와 同字
[字源] 篆文 形聲. 𠩺+來[音]

16 ⑳ [斆] 〔돈·단·대〕
敦(攴部 八畫〈p. 936〉)의 本字

16 ⑳ [斅] [人名] 효 [去]效 胡教切 xiào
[筆順] 𠂉 𦥑 𦥯 𦥯 學 學 學 斅
[字解] 가르칠 효 교육함. '一于民'《書經》.
[字源] 學의 古文 形聲. 攴+學[音]. '學학'은 '배우다'의 뜻. '攴복'은 '채찍질하다'의 뜻. 채찍질하여 배우게 하다, 가르치다의 뜻을 나타냄.

[斅學半 효학반] 남을 가르치는 것은 자기에게도 상당히 공부가 되므로 반(半)은 자기의 학문을 닦는 결과가 된다는 말. 교학반(敎學半).
◉模斅. 庠斅.

16 ⑳ [斆] 斅(前條)와 同字

16 ⑳ [斆] 〔괴〕
壞(土部 十六畫〈p. 471〉)의 籀文

18 ㉒ [敺] 녑 ㊀葉 尼輒切 niè

字解 서로미칠 녑 마주 미침. 서로 만남. '敏—, 相及也'《集韻》.

[變] 〔변〕 言部 十六畫(p.2164)을 보라.

文 (4획) 部

〔글월문부〕

0 ④ [文] 中·人 문 ①-⑨㊥文 無分切 wén ⑪⑫㊤問 文運切 wén

筆順 ' 亠 ナ 文

字解 ①글월 문 ㉠어구. '不以—害辭'《孟子》. ㉡문장. '一筆'. '誦詩書, 屬—'《漢書》. ㉢산문(散文). 시(詩)의 대(對). '詩—之類'《蘇軾》. ㉣학문·예술. 무(武)의 대. '—武'. '行有餘力, 則以學—'《論語》. ㉤서책. 기록. '古—盡發'《揚雄》. ②글자 문 '—字'. '書同—'《中庸》. ③문채 문 ㉠무늬. '—繡'. '五色成—而不亂'《禮記》. ㉡채색. '共其絲纊組—之物'《周禮》. ㉢아름다운 외관. '—質'. '先王之立禮也, 有本有—'《禮記》. ㉣예악·제도 등 국가 사회를 빛나게 하는 것. '—物'. '—明'. '郁郁乎—哉'《論語》. ④법 문 법률. '舞—'. '不拘—法'《史記》. ⑤결 문 나무·돌·피부 등의 결. '—理'. ⑥엽전 문 네모진 구멍이 있는 둥근 돈. 또, 돈을 세는 수사(數詞). '一—'. '漢一斤金四兩, 直二千五百—'《董彦遠》. ⑦아름다울 문 선미(善美)함. '—曜'. '樂盈而反, 以反爲—'《禮記》. ⑧빛날 문 화려함. '—而類'《荀子》. ⑨성 문 성(姓)의 하나. ⑩《韓》문 문 신의 크기를 나타내는 말. 일 문은 2.4센티미터. ⑪꾸밀 문 ㉠모양이 나도록 함. '—竿'. '—之以禮樂'《論語》. ㉡참이 아닌 것을 그럴듯하게 만듦. '—過'. '小人之過也, 必—'《論語》. ⑫자자할 문 입묵(入墨)함. '—面'. '被髮—身'《禮記》.

字源 甲骨文 金文 篆文 象形. 사람의 가슴을 열어, 거기에 입묵(入墨)한 문양이 있는 모양을 본떠, '무늬, 문채(文彩)'의 뜻을 나타냄.

參考 부수(部首)로서 '무늬, 문채'의 뜻을 포함하는 글자를 이룸. 이름은 '글월문'.

[文竿 문간] 아름답게 꾸민 낚싯대.
[文甲 문갑] 대모(玳瑁)의 별칭(別稱).
[文匣 문갑] 문서나 문구(文具) 따위를 넣어 두는 긴 궤.
[文傑 문걸] 문호(文豪).
[文格 문격] ㉠문장의 품격(品格). ㉡글을 짓는 격식(格式).
[文檄 문격] 여러 사람이 차례로 돌려 보도록 쓴 글. 회장(廻狀).
[文庫 문고] ㉠책을 쌓아 두는 곳집. 서고(書庫). ㉡서적·문서를 담는 상자. ㉢출판물의 한 형태. 널리 보급하기 위하여 값이 싸고 소형임.
[文稿 문고] 문장의 초고.
[文縠 문곡] 무늬 있는 오글쪼글한 비단.
[文曲星 문곡성] 구성(九星) 중의 넷째 별.
[文科 문과] 《韓》㉠문관(文官)을 시험하여 뽑던 과거(科擧). ㉡대학(大學)의 한 분과(分科). 인문 과학에 관한 학문을 연구하는 과목.
[文過 문과] 과실(過失)을 고칠 생각은 하지 않고 어름어름 꾸밈.
[文過其實 문과기실] 문식(文飾)이 너무 지나침.
[文過遂非 문과수비] 허물을 어름어름 숨기고 뉘우치지 아니함.
[文官 문관] 문사(文事)로써 섬기는 벼슬아치. 무관(武官) 이외의 관원(官員).
[文巧 문교] 겉을 꾸밈.
[文交 문교] 글로써 사귀는 일. 문인의 교제. 문자교(文字交).
[文教 문교] ㉠문치(文治)로 백성을 교화(敎化)함. ㉡교육(敎育).
[文驕 문교] 학식(學識)을 믿고 부리는 교만.
[文句 문구] 글귀.
[文具 문구] ㉠오로지 율령(律令)을 존중히 여겨 법문(法文)이 구비됨. ㉡문방구(文房具).
[文券 문권] 토지(土地)·가옥(家屋) 등의 권리를 양도하는 증권(證券).
[文軌 문궤] 천하 통일(天下統一)을 이름. 중용(中庸)의 서동문 거동궤(書同文車同軌)에 연유된 말.
[文禽 문금] ㉠'산치(山雉)'의 별칭(別稱). 고운 무늬가 있는 새라는 뜻. ㉡'공작(孔雀)'의 별칭. ㉢'원앙(鴛鴦)'의 별칭.
[文錦 문금] 고운 비단.
[文氣 문기] 문장(文章)의 기세(氣勢).
[文綺 문기] 채문(彩文)이 있는 비단.
[文恬武嬉 문념무희] 세상(世上)이 태평(太平)하기 때문에 문관이나 무관이 모두 편안하여 즐거워함. 곧, 안일(安逸)에 빠짐을 이름. 문념무희(文恬武熙).
[文壇 문단] 문인(文人)의 사회(社會). 문학계(文學界).
[文談 문담] 문장 또는 문학에 관한 이야기.
[文答 문답] 글로써 회답함.
[文德 문덕] 학문(學問)의 덕(德). 문교(文敎)의 힘.
[文牘 문독] 공문서(公文書).
[文棟 문동] 문단(文壇)의 동량(棟梁). 문종(文宗).
[文力 문력] 글의 힘. 글을 하는 힘.
[文練 문련] 누인 고운 비단.
[文例 문례] 문장을 쓰는 법의 실례.
[文綾 문릉] 비단. 문증(文繒).
[文吏 문리] ㉠문관(文官). ㉡법률(法律)을 맡은 벼슬아치.
[文理 문리] ㉠문맥(文脈). 문장(文章)의 조리(條理). ㉡나무·피부 등의 결. ㉢사물(事物)을 깨달아 아는 힘. ㉣문과(文科)와 이과(理科).
[文林 문림] ㉠문단(文壇). ㉡시문(詩文)을 모은 책.
[文馬 문마] 아름답게 장식한 말.
[文莫 문막] 힘씀. 힘써 인의(仁義)를 행함.
[文罔 문망] 문망(文網).
[文望 문망] 학문상(學問上)의 명망(名望).
[文網 문망] 법. 법망(法網). 규범(規範).
[文脈 문맥] 글의 맥락(脈絡).
[文盲 문맹] 무식하여 글자를 읽지 못함. 또, 그 사람. 까막눈이.

[文面 문면] ㉠얼굴에 입묵(入墨)함. 또, 그 얼굴. ㉡글에 나타난 뜻.
[文名 문명] 시문(詩文)을 잘 짓는다는 명성. 글을 잘한다는 명예(名譽).
[文命 문명] 문덕(文德)의 교화(敎化).
[文明 문명] ㉠문덕(文德)이 갖추어져 빛남. ㉡학술(學術)·교화(敎化)가 진보하고 풍속(風俗)이 미화(美化)하여진 상태.
[文貌 문모] 몸가짐. 예모(禮貌).
[文木 문목] 쓸모 있는 좋은 나무.
[文廟 문묘] 공자(孔子)를 모신 사당(祠堂). 공자묘(孔子廟).
[文武 문무] ㉠문사(文事)와 무사(武事). 문덕(文德)과 무덕(武德). 문식(文識)과 무략(武略). ㉡주(周)나라의 문왕(文王)과 무왕(武王).
[文武兼全 문무겸전] 문식(文識)과 무략(武略)을 다 갖춤.
[文武百官 문무백관] 모든 문관(文官)과 무관(武官).
[文武兩道 문무양도] 문(文)과 무(武)의 두 도(道).
[文武之道 문무지도] 주(周)나라의 문왕(文王)과 무왕(武王)의 도(道). 곧, 성인(聖人)의 도.
[文無害 문무해] 법률을 남용하여 사람을 해치지 아니함. 문(文)은 형법(刑法).
[文武火 문무화] 화력(火力)이 약(弱)한 불과 강(強)한 불.
[文墨 문묵] 시문을 짓거나 서화를 그리는 일.
[文墨從事 문묵종사] 문필(文筆)에 종사함.
[文物 문물] 문화에 관한 사물. 곧, 예악(禮樂)·제도(制度) 따위.
[文房 문방] 학문을 하는 방. 독서 또는 집필을 하는 방. 서재(書齋).
[文舫 문방] 화려하게 꾸민 놀잇배.
[文房具 문방구] 문방제구(文房諸具).
[文房四友 문방사우] 종이·붓·먹·벼루. 지(紙)·필(筆)·묵(墨)·연(硯).
[文房諸具 문방제구] 종이·붓·먹·벼루 및 글 쓰는 데 필요한 모든 기구(器具).
[文範 문범] 모범이 될 만한 문장. 또, 그런 문장을 모아 엮은 책.
[文法 문법] ㉠법(法). 법률. ㉡문장(文章)의 구성에 관한 법칙(法則).
[文法吏 문법리] 법률에 환한 벼슬아치.
[文辯 문변] 문장과 변론(辯論).
[文柄 문병] 학문상 또 문치상(文治上)의 권세.
[文府 문부] 서고(書庫).
[文簿 문부] 문서(文書)와 장부(帳簿).
[文不加點 문불가점] 글이 썩 잘되어 한 점(點)도 가필(加筆)할 데가 없음.
[文備 문비] 학문·교육상의 준비(準備). 무비(武備)의 대(對).
[文憑 문빙] 증거(證據)가 될 만한 서류(書類).
[文士 문사] ㉠문필(文筆)에 종사(從事)하는 사람. ㉡소설·희곡 등의 작가.
[文史 문사] 문장과 역사. 시문을 짓거나 사서(史書)를 읽는 일.
[文事 문사] 학문·예술 등에 관한 일. 무사(武事)의 대(對).
[文思 문사] ㉠시문(詩文) 속에 담겨 있는 사상(思想). ㉡문(文), 곧 천지(天地)를 경위(經緯)하여 다스림과 사(思), 곧 도덕(道德)의 순일(純一)한 완비(完備).
[文詞 문사] ㉠글에 쓰인 말. ㉡문장과 사구(辭句). 문사(文辭).
[文駟 문사] 아름다운 말 네 마리가 끄는 수레.
[文辭 문사] 문사(文詞).
[文書 문서] 글을 쓴 것의 총칭. 서적·서류 따위.
[文犀 문서] 무늬 있는 뿔을 가진 무소.
[文石 문석] 빛 또는 무늬가 화려한 돌. 마노(瑪瑙) 따위.
[文選 문선] ㉠명문(名文)을 가려 뽑아 모은 책. ㉡인쇄소에서 원고(原稿)대로 활자(活字)를 고르는 일. 채자(採字). ㉢주대(周代) 이후 양대(梁代)까지의 시문(詩文)을 모은 책. 30권(卷). 양(梁)나라의 소명 태자(昭明太子) 소통(蕭統)이 편찬한 것. 뒤에 당(唐)나라의 이선(李善)이 주석을 가하여 60권(卷)으로 하였음.
[文選爛秀才半 문선난수재반] 송(宋)나라 때 과거(科擧)를 보는 선비는 모두 문선(文選)을 암송(暗誦)하였는데, 문선에 난숙(爛熟)하면 과거에 급제하여 수재(秀才)가 되는 자격의 반은 얻은 셈이 된다는 뜻.
[文宣王 문선왕] 공자(孔子)의 시호(諡號). 당(唐)나라 현종(玄宗)이 개원(開元) 27년에 추시(追諡)하였음.
[文聲 문성] 문명(文名).
[文勢 문세] 글의 힘.
[文艘 문소] 화려하게 꾸민 배.
[文殊 문수] 《佛敎》 범어(梵語) manjusri의 음역. 묘덕(妙德)·묘길상(妙吉祥)이란 뜻. 여래(如來)의 왼편에 있는 지혜(智慧)를 맡은 보살. 오른손에 지검(智劍)을, 왼손에 청련화(青蓮花)를 가졌음. 불성(佛性)을 명견(明見)하여 법신(法身)·반야(般若)·해탈(解脫)의 삼덕(三德)을 구족(具足)하고, 불가사의한 지혜를 가진 보살임. 문수보살(文殊菩薩).
[文綉 문수] 문수(文繡).
[文繡 문수] 그린 무늬와 수놓은 무늬.
[文殊菩薩 문수보살] 《佛敎》 문수(文殊).
[文術 문술] 학술(學術). 학문(學問).
[文飾 문식] ㉠화려하게 꾸밈. ㉡겉만 번드르르하게 꾸밈.
[文識 문식] 학문과 지식.
[文臣 문신] 문관(文官)인 신하(臣下).
[文身 문신] 피부에 바늘로 찔러서 먹물 따위를 들임. 또, 그 글씨·그림·무늬. 자자(刺字). 입묵(入墨).
[文臣不愛錢 문신불애전] 문관은 결백하여 사리(私利)를 꾀하지 않고 충성(忠誠)을 다함.
[文深 문심] 모든 일에 깊이 주의를 함. 용의주도(用意周到)함.
[文心雕龍 문심조룡] 남조(南朝) 양(梁)나라의 유협(劉勰)이 지은, 문장의 체재(體裁)와 교졸(巧拙)을 논한 책. 10권(卷) 50편(篇).
[文雅 문아] ㉠풍치(風致)가 있고 아담(雅澹)함. 우아함. ㉡문장(文章)과 풍아(風雅).
[文樂 문악] 문사(文事)의 음악. 무악(武樂)의 대(對).
[文按 문안] 문안(文案)㉠.
[文案 문안] ㉠문장의 초고. ㉡책상. 궤안(几案).
[文野 문야] 문명과 야만.
[文弱 문약] ㉠문학만 숭상(崇尙)하여 약(弱)함. ㉡우아(優雅)하고 유순함.
[文魚 문어] ㉠무늬가 있는 물고기. ㉡날개가 있어 난다는 물고기. ㉢'잉어[鯉]'의 별칭(別稱). ㉣갯장어. ㉤낙짓과에 속하는 연체동물. 8개의 발이 있음.

[文語 문어] 글과 말. 문장과 언어.
[文言 문언] ㉠주역(周易)의 십익(十翼)의 하나. 건곤(乾坤) 두 괘(卦)의 오묘한 이치를 해석한 것. ㉡교묘하게 꾸미기만 하고 내용이 없는 말. ㉢문장 중의 어구(語句). 문구(文句).
[文彦博 문언박] 송(宋)나라의 현상(賢相). 개휴(介休) 사람. 자(字)는 관부(寬夫). 인(仁)·영(英)·신(神)·철(哲)의 4조(朝)에 걸쳐 50년간 출장 입상(出將入相)하여 이름이 국내외에 떨쳤음. 치사(致仕)한 후 부필(富弼)·사마광(司馬光) 등과 낙양기영회(洛陽耆英會)를 만들었음. 시호(諡號)는 충렬(忠烈). 문집(文集)에 〈노공집(潞公集)〉이 있음.
[文如春華 문여춘화] 글월의 아름다움이 봄철에 피는 꽃과 같음의 뜻. '문장(文章)의 화려함'을 이르는 말.
[文淵閣 문연각] 청(淸)나라 때 자금성(紫禁城) 남쪽에 있던 사고전서(四庫全書)를 보관하던 전각(殿閣).
[文藝 문예] ㉠학문과 기예. ㉡문학과 미술. 곧, 시가(詩歌)·소설(小說)·그림·조각(彫刻) 등의 총칭.
[文譽 문예] 문명(文名).
[文藝復興 문예부흥] 14세기부터 16세기까지에 걸쳐서 유럽에 일어난 예술상(藝術上)·문화상의 혁신 운동. 르네상스(Renaissance).
[文王 문왕] ㉠주(周)나라 무왕(武王)의 아버지. 성(姓)은 희(姬). 이름은 창(昌). 은(殷)나라 주왕(紂王) 때 서백(西伯)이 되어 인자(仁慈)로써 백성을 다스렸음. 주왕(紂王)이 폭역(暴逆)하므로 제후(諸侯)들이 모두 서백(西伯)을 좇아 군주(君主)로 받들었음. 뒤에 그의 아들 무왕(武王)이 은(殷)나라를 멸망시키고 즉위(卽位)하자 문왕(文王)이라 시호(諡號)를 추증하였음. ㉡춘추(春秋) 시절, 초(楚)나라의 왕. 초문왕(楚文王).
[文王鼎 문왕정] 구리로 만든 네모진 화로(火爐).
[文曜 문요] 문채(文彩)가 있고 빛나는 것. 해·달·별 등을 이름.
[文耀 문요] 아름다운 빛.
[文友 문우] 글벗. 글로써 친한 벗.
[文運 문운] 학문(學問)과 예술(藝術)이 크게 일어나는 운수. 문화가 흥성하는 기세.
[文雄 문웅] 시문(詩文)·학식이 일세(一世)에 뛰어난 사람. 문호(文豪).
[文苑 문원] ㉠문단(文壇). ㉡시문을 모은 것. 시문집(詩文集). ㉢조선조의 홍문관(弘文館), 또는 예문관(藝文館)의 별칭(別稱).
[文苑英華 문원영화] 책 이름. 총 1천 권. 송(宋)나라의 이방(李昉) 등이 칙명(勅命)을 받들어 편찬한 것으로, 양대(梁代)의 말기부터 당대(唐代)에 이르는 명문을 모아 37류(類)로 분류하여 수록(收錄)하였음.
[文囿 문유] 문단(文壇).
[文儒 문유] 문학을 잘하는 학자.
[文衣 문의] 무늬가 있는 고운 옷.
[文意 문의] 글의 뜻. 문장의 뜻.
[文義 문의] 글의 뜻. 문의(文意).
[文鷁 문익] 선수(船首)에 익조(鷁鳥)를 그린 아름다운 배. 천자(天子)가 놀잇배로 쓰던 것임.
[文人 문인] ㉠문덕(文德)이 있는 사람. 사람을 교화하는 덕이 있는 사람. ㉡시문을 짓는 사람. 문필에 종사하는 사람. 문사(文士).
[文引 문인] 증거가 되는 문서.
[文茵 문인] 무늬가 있는 요. 호피(虎皮)로 만든 요.
[文人相輕 문인상경] 문인은 교(驕)가 많아서 서로 상대를 깔보는 버릇이 있음.
[文子 문자] 책 이름. 2권. 저자 미상(著者未詳). 일설(一說)에는, 주(周)나라의 신근(辛銒)〈노자(老子)의 제자로서 자(字)는 문자(文子)〉의 찬(撰)이라 함. 노자(老子)의 설(說)을 13편에 나누어 해설하였음.
[文字 문자] 언어(言語)의 음(音)과 뜻을 표시하는 시각적(視覺的) 기호(記號). 글자.
[文者貫道之器也 문자관도지기야] 문장(文章)이란 사람으로서 닦아야 할 도(道)를 표현하여 먼 훗날까지도 길이 전해 주는 그릇이라는 말.
[文字交 문자교] 문교(文交).
[文字癖 문자벽] 문장·학문을 대단히 좋아하는 일.
[文字獄 문자옥] 자기가 쓴 문장 때문에 화를 당하는 일. 필화(筆禍).
[文字飮 문자음] 시문을 지으면서 하는 잔치.
[文章 문장] ㉠무늬. 문채(文采). ㉡예악(禮樂)·제도(制度) 등 한 나라의 문명을 형성하는 것. ㉢글. 글월.
[文場 문장] ㉠문단(文壇). ㉡과거를 보는 곳. 과장(科場). 장옥(場屋).
[文章軌範 문장궤범] 책 이름. 송(宋)나라의 사방득(謝枋得)이 한(漢)·진(晉)·당(唐)·송(宋) 여러 대의 문장을 모아 편찬한 것임. 7권, 69편임.
[文章三易 문장삼이] 글은 알기 쉽고, 글자가 어렵지 않으며, 읽기 쉬워야 한다는 말.
[文章宿老 문장숙로] 문장계(文章界)의 노대가(老大家).
[文章一小技 문장일소기] 문장은 하찮은 한 기예(技藝)에 불과함.
[文章絕唱 문장절창] 세상에 드문 명문(名文).
[文章憎命達 문장증명달] 문장가는 대개 불우(不遇)하다는 말.
[文才 문재] 글을 잘 쓰는 재주. 문필의 재능.
[文梓 문재] 결이 고운 가래나무.
[文籍 문적] 서적(書籍).
[文籍雖滿腹不如一囊錢 문적수만복불여일낭전] 학문을 암만 잘하여도 실행이 따르지 아니하면 주머니 속에 든 돈만도 못함.
[文典 문전] ㉠문덕(文德), 곧 사람을 교화하는 덕에 관한 법칙. ㉡문법(文法)·어법(語法)을 설명한 책(冊).
[文政 문정] 문치(文治).
[文情 문정] 글 속에 풍기는 정취(情趣). 글의 운치. 문치(文致).
[文祖 문조] ㉠선조(先祖)의 문덕(文德)이 있는 것. ㉡요(堯)임금의 시조(始祖)의 묘(廟).
[文藻 문조] ㉠시문(詩文)을 짓는 재주. 문재(文才). ㉡문장(文章)의 멋. 문채(文采).
[文鳥之夢 문조지몽] 진(晉)나라 사람 나함(羅含)이 어느 날 낮잠을 자다가 문채가 아름다운 새가 입속에 날아든 꿈을 꾸었는데, 이 말을 들은 어떤 사람이 나함은 후에 반드시 문명(文名)이 있을 것이라고 예언하더니, 이 말이 후에 과연 적중(的中)하였다는 고사(故事).
[文宗 문종] 문학의 대가(大家). 문호(門豪).
[文種 문종] ㉠학문을 좋아하는 아들. ㉡춘추 시

대(春秋時代) 월(越)나라 사람. 자(字)는 회(會). 월왕(越王) 구천(句踐)의 대부(大夫)가 되어 오(吳)나라를 멸망시키는 데 공을 세웠으나, 반란을 꾸민다는 의심을 받아 죽음을 당했음. 「일.
[文酒 문주] 글과 술. 시문을 짓고 술을 마시는
[文珠 문주] 무늬가 있는 구슬.
[文中子 문중자] 수(隋)나라 왕통(王通)의 사시(私諡). 또, 그의 저술(著述)인 〈문중자중설(文中子中說)〉의 약칭(略稱)이기도 함. 총 10권. 문답체(問答體)로써 유(儒)·불(佛)·도(道) 삼교(三敎)의 일치를 논하였는데, 문체(文體)는 논어(論語)를 모방하였음.
[文證 문증] 글로 적은 증명이나 증거.
[文繒 문증] 화려한 비단.
[文織 문직] 무늬가 있는 직물.
[文職 문직] 문관(文官).
[文陣 문진] 문학의 세계. 문장의 우열을 경쟁하는 것을 군진(軍陣)에 비유하여 이른 말.
[文質 문질] 문화(文華)와 질박(質朴). 화려함과 수수함.
[文質彬彬 문질빈빈] 문(文)과 질(質)이 잘 조화됨. 예악(禮樂)과 도의(道義)를 모두 갖춤.
[文質三統 문질삼통] 하(夏)·은(殷)·주(周) 삼대(三代)의 정사(政事)의 특색(特色)을 이르는 말로, 은나라는 질(質)을, 주나라는 문(文)을 숭상한 것처럼, 왕조(王朝)에 따라 돌아가며 채용되어 예제(禮制) 개제(改制)의 원리가 된 것을 이름.
[文質遞興 문질체흥] 시대의 변천을 이름. 어느 시대에는 문(文)이 숭상(崇尙)되고, 어느 시대에는 질(質)이 숭상되어 형식(形式)과 실질(實質)이 번갈아 융체(隆替)한다는 뜻.
[文集 문집] 한 사람의 시문(詩文)을 모은 책(冊).
[文徵明 문징명] 명(明)나라 장주(長洲) 사람. 호(號)는 형산(衡山). 시문서화(詩文書畫)에 능하였음. 사시(私諡)는 정헌 선생(貞獻先生). 저서에 〈보전집(甫田集)〉이 있음.
[文昌星 문창성] 북두칠성(北斗七星)의 국자 머리에서 여섯째 별. 학문을 맡은 별. 또는, 사록(司祿)으로서 대보(大寶), 곧 왕을 돕는 별임.
[文采 문채] ㉠오성(五聲)이 화합하고 상응하여 아름다운 음곡(音曲)을 이름. ㉡무늬 있는 피륙. ㉢장식(裝飾)·의복 등이 화려한 것을 이름. ㉣문장(文章)·저술(著述)이 훌륭한 것. ㉤모양. 풍채.
[文彩 문채] 문채(文采).
[文綵 문채] 문채(文采).
[文天祥 문천상] 남송(南宋) 말기의 충신. 자(字)는 송서(宋瑞), 호(號)는 문산(文山). 원병(元兵)이 쳐들어왔을 때 포로가 되었으나 굴하지 않고, 정기(正氣)의 노래를 지어서 그의 충절(忠節)을 보이고 죽었음. 작품에 〈문산집(文山集)〉·〈문산시집(文山詩集)〉 등이 있음.
[文體 문체] 문장의 체재(體裁).
[文燭 문촉] '남천촉(南天燭)'의 별칭.
[文冢 문총] 문장의 초고(草稿)를 묻은 곳.
[文榱 문최] 무늬를 새긴 화려한 서까래.
[文治 문치] 문덕(文德)에 의하여 정치(政治)를 행함. '무단(武斷)'의 대(對).
[文致 문치] ㉠법률을 남용하여 처벌함. ㉡글의 운치(韻致). 문정(文情). ㉢속여 꾸밈.
[文套 문투] 글을 짓는 격식(格式).
[文葩 문파] 아름다운 꽃.
[文圃 문포] 문단(文壇).
[文豹 문표] 얼룩무늬가 있는 표범.
[文風 문풍] 문학을 숭상하는 기풍.
[文筆 문필] ㉠시문(詩文)을 짓는 재주. ㉡시문(詩文). 육조 시대(六朝時代)에 운문(韻文)을 문(文), 산문을 필(筆)이라 하였음. ㉢글과 글씨. 문여필(文與筆).
[文筆家 문필가] 문필(文筆)에 종사하는 사람.
[文學 문학] ㉠학문(學問). ㉡자연 과학 및 정치, 법률·경제 등에 관한 이외의 학문의 총칭. 곧, 순문학(純文學)·사학(史學)·철학(哲學) 등. ㉢사상·감정을 상상의 힘에 의하여 말 또는 글로 나타낸 예술 작품. 소설·시가(詩歌)·희곡·평론 등. ㉣한대(漢代)에 박사(博士)를 도와 교수(敎授)를 맡은 벼슬.
[文翰 문한] ㉠문필(文筆). 한(翰)은 필(筆). ㉡문서(文書). ㉢빛이 고운 새.
[文翰家 문한가] 대대(代代)로 뛰어난 문필가(文筆家)가 난 집안.
[文蛤 문합] 무명조개.
[文行忠信 문행충신] 공자(孔子)가 사람을 교육하는 데 근본으로 삼은 네 가지 덕. 곧, 문학·덕행(德行)·충성(忠誠)·신실(信實).
[文軒 문헌] ㉠아름답게 꾸민 수레. ㉡화려하게 꾸민 난간(欄干).
[文憲 문헌] 학문의 법. 학문의 도.
[文獻 문헌] ㉠전적(典籍)과 현자(賢者). 옛날의 문물(文物)과 제도(制度)를 알 수 있는 증거가 되는 것. ㉡연구 자료가 되는 책(冊).
[文獻通考 문헌통고] 책 이름. 원(元)나라 마단림(馬端臨)의 찬(撰). 348권. 두우(杜佑)의 〈통전(通典)〉을 다시 증보(增補)하여 송대(宋代)에 이르기까지의 제도(制度)·문헌(文獻) 등의 연혁(沿革)을 이십사문(二十四門)에 분류하여 기술하였음. 명청 시대(明淸時代)의 〈속문헌통고(續文獻通考)〉·〈황문헌통고(皇文獻通考)〉와 합하여 삼통고(三通考)라 함.
[文獻學 문헌학] 고전(古典)을 자료로 하여 민족(民族)의 언어(言語)와 문학(文學)을 연구하여 그 문화(文化)의 성질(性質)을 밝히는 학문.
[文衡 문형] ㉠과거의 시관(試官). ㉡조선조의 대제학(大提學)의 별칭.
[文豪 문호] 크게 뛰어난 문학가. 문장의 대가.
[文化 문화] ㉠학문이 진보하여 세상이 개화(開化)함. ㉡위력(威力)이나 형벌을 쓰지 않고 백성을 가르쳐 인도함. 문덕(文德)으로 교화함. ㉢자연을 이용하여 인류의 이상을 실현시켜 나아가는 정신 활동.
[文華 문화] ㉠문화(文化)의 빛. 개화(開化)의 아름다움. ㉡문장과 재화(才華).
[文話 문화] ㉠문장에 관한 담화. 문담(文談). ㉡고상한 말. 속어(俗語)가 아닌 말.
[文化史 문화사] 인간의 정신적·사회적 활동의 역사. 특히, 학문·예술·종교 등의 발달을 밝힌 역사.
[文化生活 문화생활] 현대(現代) 문명(文明)의 성과(成果)를 충분히 이용하는 생활.
[文華殿 문화전] 북경(北京)의 자금성(紫禁城) 안에 있던 궁전. 청대(淸代)에 매년 2월에 이곳에서 경연(經筵)을 베풀었음. 문화전 대학사(文華殿大學士)는 최고의 문직(文職)이었음.
[文會 문회] 문학상의 모임.

[文勳 문훈] 학문상의 공훈.
◉甲骨文. 檄文. 經文. 契文. 古文. 高文. 公文. 空文. 關文. 口文. 具文. 歐文. 舊文. 構文. 國文. 今文. 金文. 金石文. 奇文. 綺文. 紀行文. 論文. 能文. 單文. 短文. 達文. 獨文. 同文. 賣文. 名文. 明文. 舞文. 美文. 博文. 駁文. 斑文. 跋文. 放膽文. 白文. 騈文. 變文. 複文. 本文. 浮文. 不文. 佛文. 祕文. 碑文. 四六文. 死文. 斯文. 散文. 上文. 尙文. 序文. 誓文. 成文. 省文. 小心文. 屬文. 守文. 修文. 繡文. 繩文. 時文. 詩文. 深文. 雅文. 案文. 語文. 言文. 諺文. 麗文. 譯文. 衍文. 戀文. 艶文. 英文. 例文. 禮文. 藝文. 宂文. 龍文. 右文. 郁文. 韻文. 雄文. 原文. 願文. 遺文. 移文. 人文. 印文. 一文. 日文. 逸文. 刺文. 咨文. 作文. 雜文. 長文. 全文. 前文. 電文. 箋文. 篆文. 錢文. 節文. 正文. 程文. 祭文. 弔文. 條文. 藻文. 左文. 主文. 注文. 呪文. 重文. 證文. 地文. 誌文. 織文. 贊文. 撰文. 讖文. 彩文. 天文. 綴文. 祝文. 脫文. 下文. 漢文. 現代文. 互文. 好文. 混文. 弘文. 和文. 華文. 畫文. 桓文. 回文. 廻文. 戱文.

2 ⑥ [齐] 〔제〕
齊(部首〈p.2720〉)의 俗字·簡體字

3 ⑦ [𡕒] 〔거〕
擧(手部 十四畫〈p.912〉)의 俗字

3 ⑦ [孝] 〔학〕
學(子部 十三畫〈p.565〉)의 俗字

[吝] 〔린〕
口部 四畫(p.358)을 보라.

4 ⑧ [斉] 〔제〕
齊(部首〈p.2720〉)의 俗字

6 ⑩ [斋] 〔재〕 齋(齊部 三畫〈p.2721〉)와 同字·簡體字

7 ⑪ [斎] 〔재〕
齋(齊部 三畫〈p.2721〉)의 俗字

7 ⑪ [覔] 〔각·교〕
覺(見部 十三畫〈p.2093〉)의 俗字

7 ⑪ [斌] 人名 빈 ㊥眞 府巾切 bīn

筆順 亠 文 文 𢻫 𢻫 斌 斌 斌

字解 빛날 빈 彬(彡部 八畫)과 同字. '一一碩人'《蔡邕》.

字源 會意. 文+武. '文문'은 '무늬'의 뜻. '武무'는 '씩씩하다'의 뜻. 문화적 요소와 용맹스러움과의 조화가 잡혀 있다의 뜻을 나타냄.

[斌斌 빈빈] 문(文)과 질(質), 곧 문화(文華)와 질박(質朴)이 적당히 섞여 잘 조화한 모양.
◉頒斌. 章斌.

8 ⑫ [斑] 人名 반 ㊥刪 布還切 bān

字解 얼룩 반 여러 빛깔이 섞여 얼룩얼룩함. 또, 그 무늬. '一點'. '貍首之一然'《禮記》.

字源 篆文 辬 會意. 篆文은 文+辡. '辡변'은 '나누다'의 뜻. 색채에 농담의 경계가 있음, 얼룩의 뜻을 나타냄. '斑반'은 俗字였으나, '辬반' 대신 쓰이게 되었음.

[斑鳩 반구] 산비둘기.
[斑禿 반독] 머리가 군데군데 빠지는 병.
[斑蘭 반란] 반란(斑斕). 「蘭).
[斑斕 반란] 무늬가 있어 아름다운 모양. 반란(斑
[斑馬 반마] 얼룩무늬가 있는 말.
[斑猫 반묘] 독충(毒蟲)의 이름. 몸의 길이는 한 치쯤 되고 회흑색(灰黑色) 바탕에 적(赤)·청(靑) 또는 흑색(黑色)의 반점(斑點)이 있음. 가뢰.
[斑文 반문] 반문(斑紋).
[斑紋 반문] 얼룩얼룩한 무늬. 아롱진 무늬.
[斑駁 반박] 여러 가지 빛이 섞인 모양.
[斑斑 반반] ㉠얼룩무늬가 있는 모양. ㉡여기저기 흩어져 있는 모양. 점점(點點).
[斑髮 반발] 흰 털이 섞인 머리.
[斑白 반백] 흰 것과 검은 것이 반씩 섞인 머리털. 또, 그런 노인.
[斑然 반연] 얼룩얼룩한 모양.
[斑衣 반의] ㉠무늬가 있는 고운 옷. ㉡'반죽(斑竹)'의 별칭(別稱).
[斑節蝦 반절하] '참새우'의 별칭(別稱).
[斑點 반점] 얼룩얼룩하게 박힌 점. 얼룩점.
[斑紬 반주] 명주실과 무명실을 섞어 짠 피륙. 아랑주.
[斑竹 반죽] 대나무의 일종. 표피(表皮)에 반점(斑點)이 있음.
[斑枝花 반지화] 열대 지방에서 자라는 판야과(panja科)에 속하는 낙엽 교목. 열매를 따서 솜 대신으로 씀. 케이폭수(kapok樹).
[斑疹 반진] 성홍열(猩紅熱).
[斑布 반포] 무명의 한 가지. 반베.
◉爛斑. 鬢斑. 一斑. 雀斑. 豹斑. 虎斑. 纈斑.

8 ⑫ [斐] 人名 비 ㊤尾 敷尾切 fěi

字解 문채날 비 문채가 있어 화려한 모양. '一然成章'《論語》.

字源 篆文 形聲. 文+非〔音〕. '非비'는 '賁비'와 통하여, '꾸밈'의 뜻. '文문'은 '무늬'의 뜻. '문채'의 뜻을 나타냄.

[斐文 비문] 아름다운 장식.
[斐斐 비비] ㉠문채가 있어 화려한 모양. ㉡가벼운 모양.
[斐然 비연] 비비(斐斐)㉠.
◉狂斐. 有斐. 萋斐.

9 ⑬ [斒] 반 ㊥刪 方閑切 bān

字解 얼룩얼룩할 반 얼룩얼룩하여 아름다운 모양. '一斕'.

字源 形聲. 文+扁〔音〕

[斒斕 반란] 얼룩얼룩하여 아름다움.

9 ⑬ [斔] 환 ㊦翰 呼玩切 huàn

字解 무늬 환 문채(文采). '一斕, 文采'《集韻》.

11 ⑮ [嫠] 리 ㊥支 里之切 lí

字解 엷은무늬 리 흐린 무늬. 담채(淡彩). '一, 微畫文也'《說文》.

字源 篆文 形聲. 文+𠩺〔音〕

15 ⑲ [斔] 〔유〕 斞(斗部 九畫〈p. 950〉)와 同字

17 ㉑ [斕] 란 ㊥刪 力閑切 lán

字解 얼룩얼룩할 란 얼룩얼룩하여 아름다운 모양. '曉得異石靑一斑'《蘇軾》.

字源 形聲. 文+闌〔音〕

[斕斑 난반] 얼룩얼룩하여 아름다움. ◉斑斕.

斗 (4획) 部

〔말두부〕

0 ④ [斗] 中人 두 ㊤有 當口切 dǒu

筆順 丶 丶 斗 斗

字解 ①말 두 ㉠용량(容量)의 단위. 열 되. '一糧'. '一者, 聚升之量也'《漢書》. ㉡위의 용량을 되는 용기. '大如一'《孔子家語》. 전(轉)하여, 널리 용량을 되는 용기, 곧 양기(量器)의 뜻으로 쓰임. '掊一折衡'《莊子》. ②구기 두 술을 푸는, 자루가 긴 연모. '飮可五六一, 徑醉矣'《史記》. ③별이름 두 남북에 있는 성수(星宿)의 이름. 북쪽에 있는 일곱 별을 '北一', 남쪽에 있는 여섯 별을 '南一'라 함. '日中見一'《易經》. ④조두(刁斗) 두 군중(軍中)에서 치는 징(鉦)의 일종. 낮에는 밥을 짓는 데 쓰고, 밤에는 야경을 돌 때 침. '擊一宿危樓'《陸瓊》. ⑤갑자기 두 홀연(忽然)히. '一覺霜毛一半加'《韓愈》. ⑥성 두 성(姓)의 하나.

[斗②]

字源 金文 篆文 象形. 물건의 양을 되기 위한 자루 달린 국자의 象形으로, '열 되, 말'의 뜻을 나타냄.

參考 부수(部首)로서, '국자, 뜨다, 재다'의 뜻을 포함하는 문자를 이룸.

升 斛 合 龠 斗 升 斛 合 龠 斗

[斗斛]

[斗覺 두각] 갑자기 깨달음.
[斗格 두격] 평미레.
[斗斛 두곡] ㉠한 말과 한 섬. ㉡용량(容量). 되.
[斗栱 두공] 기둥 위에 받쳐 들보·마룻대를 괴는 목재(木材). 박로(欂櫨).
[斗極 두극] 북두성(北斗星)의 별칭.
[斗箕 두기] 이십팔수(二十八宿) 중의 두성(斗星)과 기성(箕星).
[斗南 두남] ㉠북두칠성(北斗七星)의 남(南)쪽. ㉡천하(天下).
[斗南一人 두남일인] 북두칠성(北斗七星) 이남(以南)에서 제일가는 사람. 천하에서 제일가는 훌륭한 인물.
[斗膽 두담] '대담(大膽)'과 같음.
[斗大 두대] 말만 한 크기. 말만큼 큼.
[斗量 두량] 말로 곡식(穀食)을 됨. 전(轉)하여, 말로 될 만큼 많음.
[斗糧 두량] 한 말의 양식. 전(轉)하여, 얼마 안 되는 양식.
[斗祿 두록] 얼마 안 되는 녹봉(祿俸).
[斗門 두문] 수문(水門).
[斗米 두미] ㉠한 말의 쌀. ㉡얼마 안 되는 녹미(祿米).
[斗柄 두병] 북두칠성(北斗七星) 중 자루 쪽의 세 별.
[斗星 두성] 북두성(北斗星)의 별칭.
[斗城 두성] 한(漢)나라 장안(長安)의 별칭(別稱). 성남(城南)은 남두(南斗) 모양을 하고, 성북(城北)은 북두(北斗) 모양을 하였으므로 이름.
[斗筲 두소] ㉠한 말들이 되와 한 말 두 되들이 죽기(竹器). 전(轉)하여, 작은 국량(局量). ㉡얼마 안 되는 녹. 박봉(薄俸).
[斗筲之人 두소지인] 변변치 못한 사람. 국량(局量)이 작은 사람.
[斗宿 두수] 이십팔수(二十八宿)의 하나. 곧, 두성(斗星).
[斗藪 두수] ㉠범어(梵語)의 두타(頭陀)의 역어로, 탐욕을 떨어 버림을 뜻하는 말. ㉡두려워서 떠는 모양.
[斗升之水 두승지수] 약간의 물.
[斗升之活 두승지활] 약간의 은혜. 또, 약간의 은혜를 베풀어 목숨이 살아남.
[斗食 두식] 하루에 한 말 남짓한 식록(食祿)을 받는 벼슬아치. 박봉의 하급 관리.
[斗室 두실] 말만 한 방. 썩 작은 방.
[斗十千 두십천] 미주(美酒) 한 말의 값이 만 전(萬錢)이나 된다는 뜻.
[斗屋 두옥] 오두막집.
[斗牛 두우] 이십팔수(二十八宿) 중의 북두성(北斗星)과 견우성(牽牛星).
[斗宇 두우] 온 세상. 우주(宇宙).
[斗入 두입] 쑥 들어감.
[斗儲 두저] 얼마 안 되는 저축.
[斗折蛇行 두절사행] 북두칠성의 꺾인 모양 또는 뱀이 굼틀굼틀 가는 모양같이 길 또는 강 같은 것이 꼬불꼬불함을 이름.
[斗刁 두조] 군중(軍中)에서 쓰는 징의 일종. 낮에는 밥 짓는 데 쓰고, 밤에는 야경을 돌 때 침. 조두(刁斗).
[斗酒 두주] ㉠말술. ㉡많은 술.
[斗酒百篇 두주백편] 술을 많이 마시고 시를 잘 지음.
[斗出 두출] 쑥 내밂. 돌출함.
[斗稱 두칭] 되와 저울.
[斗桶 두통] 말.
[斗杓 두표] 두병(斗柄).

[斗護 두호] 뒤덮어 보호함. 두둔함.
◉高斗. 科斗. 筋斗. 金斗. 南斗. 漏斗. 膽如斗. 墨斗. 北斗. 星斗. 升斗. 玉斗. 熨斗. 刁斗. 抽斗. 泰斗. 泰山北斗. 火斗.

0 ④ [斗] 斗(前條)의 本字

[科] 〔과〕 禾部 四畫(p. 1612)을 보라.

5 ⑨ [斟] 〔짐〕 斟(斗部 九畫〈p. 950〉)과 同字

6 ⑩ [料] 中人 료 ㊥蕭 落蕭切 liào ㊤嘯 力弔切 liào

筆順 丷 䒑 半 米 米 米 米 料

字解 ①되질할 료 용량을 됨. '一量'. '嘗爲季氏吏, 一量平'《史記》. ②셀 료 수를 셈. '一民於太原'《國語》. ③헤아릴 료 요량함. 추측함. '一度'. '君侯自一, 能孰與蒙恬'《史記》. ④잡아당길 료 잡아끎. '一虎頭, 編虎須'《莊子》. ⑤거리 료 감. '材一'. '山色供詩一'《杜甫》. ⑥녹 료 급여. 봉급. '給外官半一'《唐書》. ⑦《韓》 요금 료 어떤 대상으로서 내는 돈. '手數一'. '過怠一'.

字源 金文 篆文 會意. 米+斗. '米미'는 쌀. '斗두'는 말의 象形. 합쳐서, 쌀을 말로 되다의 뜻에서, 일반적으로 '헤아리다'의 뜻을 나타냄.

[料簡 요간] 헤아려 뽑음. 가려냄.
[料給 요급] 급료(給料).
[料得 요득] 추측함.
[料量 요량] ㉠앞일에 대하여 잘 생각함. ㉡양기(量器)로 됨. 되질함. ㉢회계(會計).
[料理 요리] ㉠일의 처리를 함. ㉡음식을 조리함. 또, 그 음식.
[料米 요미] 급료(給料)로 주는 쌀.
[料民 요민] 인구(人口)를 셈.
[料外 요외] 뜻밖. 생각 밖.
[料峭 요초] 봄바람이 찬 모양.
[料度 요탁] 헤아림. 촌탁함.
◉見料. 計料. 給料. 科料. 過怠料. 廩料. 塗料. 無料. 肥料. 史料. 思料. 飼料. 色料. 損料. 送料. 手數料. 授業料. 詩料. 食料. 審料. 顏料. 御料. 逆料. 燃料. 染料. 原料. 有料. 飲料. 衣料. 資料. 雜料. 材料. 質料. 諦料. 香料.

6 ⑩ [斡] 알 ㊅曷 烏括切 wò

字解 ①풀 알 물을 떠 올림. '一, 抒也'《集韻》. ②되어담을 알 말〔斗〕로 되어서 담음. '一, 斗取物也'《集韻》.

6 ⑩ [斛] 斛(次條)과 同字

7 ⑪ [斛] 人名 곡(괵 俗) ㊅屋 胡谷切 hú

字解 휘 곡 열 말의 용량. 또, 그 용량을 되는 연모. '十斗曰一'《儀禮》.

字源 篆文 形聲. 斗+角〔音〕. '斗두'는 국자를 본뜬 것. '角각'은 뿔의 象形. 뿔로 만든 국자의 뜻에서, '말'의 뜻을 나타냄. 또, 용량의 단위로 열 말을 나타냄.

◉銅斛. 斗斛. 萬斛. 石斛. 小斛. 升斛. 儲斛.

7 ⑪ [斜] 高人 ㊀ 사 ㊥麻 似嗟切 xié(xiá) ㊁ 야 ㊥麻 以遮切 yé

筆順 𠆢 𠆢 亼 全 余 余 余 斜

字解 ㊀ ①비낄 사 비스듬함. '一面'. '夜讀書隨月光, 光一, 則握卷升屋'《南史》. ②기울 사 해나 달이 서쪽으로 기욺. '日一'. '起視江月一'《孟浩然》. ③성 사 성(姓)의 하나. ㊁ 골짜기 이름 야 산시 성(陝西省)에 있는 골짜기 이름. '一谷'. '西自褒一'《漢書》.

字源 篆文 形聲. 斗+余〔音〕. '斗두'는 국자의 象形. '余여'는 뻗다의 뜻. 손을 뻗어 국자로 뜨다의 뜻을 나타냄. 또, '衺사'와 통하여, '비스듬하다'의 뜻으로 쓰임.

[斜坑 사갱] 비스듬히 판 갱도(坑道).
[斜徑 사경] 비스듬하게 난 소로.
[斜傾 사경] 비스듬히 기욺. 경사짐.
[斜橋 사교] 비스듬히 놓은 다리.
[斜攲 사기] 비스듬히 기욺. 경사짐.
[斜路 사로] ㉠비탈길. ㉡비스듬하게 난 길.
[斜面 사면] 경사진 면. 비스듬한 표면. 수평면(水平面)에 대하여 이름.
[斜邊 사변] ㉠경사진 변(邊). ㉡직각 삼각형의 가장 긴 변. ㉢평면 다각형의 한 변을 밑변으로 보았을 때 이와 비껴 마주치는 다른 변.
[斜瞥 사별] 곁눈질하여 잠깐 봄. 흘긋 봄.
[斜封官 사봉관] 당(唐)나라 중종(中宗) 때 청알(請謁)에 의하여 제수(除授)된 벼슬. 이 경우에 비스듬히 봉한 사령서(辭令書)를 썼으므로 이름.
[斜斜 사사] ㉠비스듬한 모양. 바르지 아니한 모양. ㉡비·눈 따위가 뿌리는 모양.
[斜插 사삽] 비스듬히 꽂음.
[斜線 사선] ㉠비스듬하게 그은 줄. ㉡한 직선이나 평면에 수직이 아닌 선.
[斜視 사시] ㉠곁눈질함. ㉡사팔눈. 사안(斜眼).
[斜眼 사안] 사팔눈.
[斜陽 사양] 사일(斜日).
[斜縈 사영] 비스듬히 얽힘.
[斜雨 사우] 바람에 날려 뿌리는 비.
[斜月 사월] 지는 달. 기울어진 달.
[斜日 사일] 지는 해. 석양(夕陽).
[斜截 사절] 비스듬하게 끊음.
[斜照 사조] 사일(斜日).
[斜竹 사죽] ㉠과실을 그릇에 괼 때에 무너지지 않도록 꽂는 대꼬챙이. ㉡물건을 빳빳하게 하기 위하여 끼는 가는 대오리.
[斜瞻 사첨] 곁눈질하여 봄.
[斜矗 사촉] 비스듬히 솟음.
[斜塔 사탑] 비스듬히 기운 탑.
[斜皮 사피] 북의 줄을 늦추었다 졸랐다 하는 가죽 고리.
[斜漢 사한] 은하(銀河).
[斜巷 사항] 유곽(遊廓).
[斜曛 사훈] 사휘(斜暉).

[斜暉 사휘] 저녁때의 비끼는 햇빛.
[斜谷 야곡] 골짜기 이름. 산시 성(陝西省)에 있음.
◉傾斜. 盤斜. 狹斜. 廻斜. 橫斜.

7 ⑪ [㪷] 〔두〕
斗(部首〈p. 948〉)의 俗字

8 ⑫ [斜] 〔방〕
斢(斗部 十畫〈p. 950〉)의 本字

8 ⑫ [斝] 가 [上]馬 古疋切 jiǎ

[字解] 옥잔 가 헌수(獻酬)의 예(禮)에 쓰는, 옥(玉)으로 만든 술잔. '洗爵奠―'《詩經》.
[字源] 甲骨文 篆文 會意. 吅+斗. '吅'은 두 개의 귀가 있는 술 그릇의 象形. '斗두'는 술을 뜨는 국자를 본뜬 것. 제사에 쓰이는 '술잔'의 뜻을 나타냄.

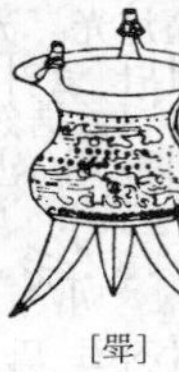
[斝]

◉瓊斝. 壽斝. 玉斝.

8 ⑫ [斞] 斟(次次條)과 同字

9 ⑬ [斞] 유 [上]麌 以主切 yǔ
[字解] 열엿말 유 용량의 단위. 庾(广部 九畫)와 통용. '絲三邸漆三―'《周禮》.
[字源] 金文 篆文 形聲. 斗+臾〔音〕. '庾유'와 통함.

9 ⑬ [斟] [人名] 짐(침[本]) [平]侵 職深切 zhēn
[字解] ①술따를 짐 ㉠잔에 술을 따름. '用―婢典―'《雲仙散錄》. ㉡잔에 술을 따라 마심. 음주함. '獨―'. '且邀明月伴孤―'《蘇軾》. ②짐작할 짐 헤아림. '而後王―酌焉'《國語》. ③머뭇거릴 짐 주저함. '意―愖而不澹兮'《後漢書》. ④성 짐 성(姓)의 하나.
[字源] 篆文 形聲. 斗+甚〔音〕. '斗두'는 국자의 象形. '甚심'은 '探탐'과 통하여, 국 따위를 국자로 더듬어서 찾다, 뜨다의 뜻을 나타냄.

[斟問 짐문] 물어봄. 알아봄.
[斟愖 짐심] 주저함.
[斟酌 짐작] ㉠잔에 술을 따름. ㉡선악을 헤아려 취사(取捨)함. ㉢사정을 추찰(推察)함. ㉣요량하여 처리함.
[斟酒 짐주] 술을 따름.
◉滿斟. 細斟. 小斟. 盈斟. 酌斟. 淺斟. 獻斟.

9 ⑬ [斛] 조 [平]蕭 吐彫切 tiāo(qiāo)
[字解] ①휘 조 속을 파서 만든 열 말의 되. '―, 斛旁有庣也'《說文》. ②부딪칠 조 '―, 一曰, 突也'《說文》. ③날카로울 조 '―, 一曰, 一利也'《說文》.
[字源] 篆文 形聲. 斗+庣〔音〕. '庣조'는 '넓다〔寬〕'의 뜻. 열 말들이 말, 곡(斛)의 안쪽을 넓혀서 만든 말의 뜻을 나타냄.

10 ⑭ [斠] 각 [入]覺 古岳切 jiào
[字解] 평미레질할 각 '―, 平斗斛量也'《說文》.
[字源] 篆文 形聲. 斗+冓〔音〕.

10 ⑭ [斡] [人名] [一] 간 [上]旱 古緩切 guǎn [二] 알 [入]曷 烏括切 wò
[字解] [一] 주장할 간 주관함. 幹(干部 十畫)과 同字. '欲擅―山海之貨'《漢書》. [二] ①돌 알 선전(旋轉)함. '―運'. '―流而遷兮'《賈誼》. ②성 알 성(姓)의 하나.
[字源] 篆文 會意. 斗+倝. '斗두'는 '국자'의 뜻. '倝간'은 '자루'의 뜻. 국자의 자루의 뜻을 나타냈으나, '亘환'과 통하여, '돌다'의 뜻을 나타냄.

[斡棄 알기] 내버림.
[斡流 알류] 물이 돌아 흐름. 또는 돌아 흐르는 물.
[斡旋 알선] ㉠돎. 선전(旋轉)함. 또, 돌림. 돌게 함. ㉡남의 일을 주선(周旋)하여 줌. 돌봄. ㉢사세(事勢)를 만회하여 손실을 미봉(彌縫)함.
[斡運 알운] 돎. 운행(運行)함.
[斡遷 알천] 돌아 옮음. 또, 돌려 옮김.
◉排斡. 旋斡. 運斡. 移斡. 擅斡. 廻斡.

10 ⑭ [斢] 방 [平]陽 普郎切 pāng
[字解] 되넘칠 방 곡식 같은 것을 말에 되고 남음.
[字源] 篆文 形聲. 斗+旁(㫄)〔音〕

[魁] 〔괴〕
鬼部 四畫(p. 2635)을 보라.

11 ⑮ [斣] 루 [上]有 朗斗切 lǒu
[字解] 겁탈할 루 병기(兵器) 따위로 남의 물건을 강제로 뺏음. '斢―, 兵奪人物'《廣韻》.

11 ⑮ [斦] 적 [入]錫 都歷切 dí
[字解] 될 적, 말 적 곡식을 됨. 또, 그 되는 말. '―, 量器'《集韻》.

12 ⑯ [斢] 주(두[本]) [上]有 天口切 tǒu
[字解] 겁탈할 주 '―斣'.

13 ⑰ [斣] [一] 축 [入]屋 昌六切
[二] 주 [去]宥 都豆切 dòu
[字解] [一] ①맞바꿀 축 서로 물건을 교환하여 비김. '相易物俱等爲―'《說文》. ②겨룰 축 경주(競走)를 하여 힘을 비교함. '―, 競走角力也'《玉篇》. [二] 맞바꿀 주, 겨룰 주 [一]과 뜻이 같음.
[字源] 篆文 形聲. 斗+蜀〔音〕.

13 ⑰ [斞] 구 [平]虞 舉朱切 jū
[字解] ①뜰 구 액체를 떠냄. '勺, 尊升, 所以―酒也'《儀禮 註》. ②성 구 성(姓)의 하나. '―,

見直音幷氏族通志'《萬姓統譜》.

字源 篆文 形聲. 斗＋㚼〔音〕

19 ㉓ [𣂛] ▣ 판 去願 芳万切 juàn
▣ 권 去願 居願切 juàn

字解 ▣ ①퍼쏟을 판 퍼내어 버림. 퍼내어 따름. '一, 抒扇也'《說文》. ②될 판 분량을 됨. '一, 量也'《集韻》. ▣ 퍼낼 권 확〔臼〕 속의 것을 담아 올림.

字源 篆文 形聲. 斗＋䜌〔音〕

斤 (4획) 部
〔날근부〕

0 ④ [斤] 高人 근 平文 擧欣切 jīn

筆順 ㇀ 厂 斤 斤

字解 ①근 근 중량의 단위. 열여섯 냥. '酒一升, 脯一一'《後漢書》. ②도끼 근, 자귀 근 나무를 찍고 패거나, 깎는 연장. '一斧'. '斧一以時入山林'《孟子》. ③벨 근 나무를 벰. '橫一山木'《南史》. ④살필 근 명찰(明察)하는 모양. '一一其明'《詩經》. ⑤삼갈 근 근신하는 모양. '一一謹愼'《後漢書》. ⑥성 근 성(姓)의 하나.

[斤②]

字源 甲骨文 金文 篆文 象形. 甲骨文은 구부러진 자루 끝에 날을 단 자귀 모양을 본떠, '도끼, 베다'의 뜻을 나타냄.

參考 부수(部首)로서, 음부(音符), 의부(意符)가 되어, '도끼, 베다'의 뜻을 포함하는 문자를 이룸. 속(俗)에 '날근방(旁)'으로 이름.

[斤斤 근근] ㉠명찰(明察)하는 모양. ㉡삼가는 모양.
[斤斗 근두] 재주넘기. 공중제비.
[斤兩 근량] 무게. 중량(重量).
[斤量 근량] ㉠무게. 중량(重量). ㉡저울로 무게를 닮.
[斤斧 근부] 도끼.
[斤稱 근칭] 백 근(斤)까지 달 수 있는 큰 저울.
◉斧斤. 郢斤. 運斤. 黃斤.

1 ⑤ [斥] 高人 척 入陌 昌石切 chì

筆順 ㇀ 厂 斤 斤 斥

字解 ①물리칠 척 배척함. '一黜'. '大國之求, 無禮以一之'《左傳》. ②가리킬 척 손가락질함. '一言'. '目晉侯一殺'《穀梁傳》. ③나타날 척 나와서 눈에 띔. '寇盜充一'《左傳》. ④엿볼 척 몰래 살핌. 염탐함. '一候'. '一山澤之險'《左傳》. ⑤넓힐 척 개척함. '一地'. '視作一土者'《漢書》. ⑥개펄 척 염분이 많은 해변의 땅. '一鹵'. '乾而不一'《管子》.

字源 篆文 形聲. 篆文은 广＋屰〔音〕. '屰역'은 '却각'과 통하여, '물리치다'의 뜻. 집을 물리치다의 뜻에서, 일반적으로, '물리치다'의 뜻을 나타냄.

[斥去 척거] 물리쳐 버림. 배척하여 제거함.
[斥拒 척거] 배척하여 거절함.
[斥遣 척견] 물리침. 제거함.
[斥譴 척견] 꾸짖고 물리침.
[斥棄 척기] 버림. 내버림.
[斥騎 척기] 척후의 기병.
[斥鹵 척로] 염분이 많아 곡식이 안되는 땅.
[斥賣 척매] 싼값으로 마구 팖.
[斥兵 척병] 적정(敵情)을 염탐하는 군사. 척후병(斥候兵).
[斥非 척비] 비위(非違)를 물리침.
[斥邪 척사] 요사스러운 것을 물리침.
[斥埴 척식] 붉은 찰흙. 척(斥)이 적(赤)으로 잘못 통용된 것임.
[斥言 척언] 손가락질하여 말함.
[斥絶 척절] 물리쳐 끊고 사귀지 않음.
[斥地 척지] 땅을 개척함.
[斥竄 척찬] 물리쳐 먼 곳으로 귀양 보냄.
[斥斥 척척] 광대(廣大)한 모양.
[斥逐 척축] 쫓아냄. 몰아냄.
[斥逐鴻鵠兮近習鴟梟 척축홍곡혜근습치효] 기러기나 고니 같은 큰 새를 내쫓고 올빼미 같은 악조(惡鳥)를 가까이함. 훌륭한 인물을 배척하고 도리어 소인(小人)을 가까이함의 비유.
[斥黜 척출] 물리쳐 채용하지 아니함.
[斥埴 척치] 척식(斥埴).
[斥退 척퇴] 물리침.
[斥罷 척파] 물리쳐 그만둠.
[斥虎 척호] 큰 호랑이.
[斥呼姓名 척호성명] 어른의 성명(姓名)을 함부로 부름.
[斥和 척화] 화의(和議)를 배척함.
[斥蠖 척확] 자벌레. 척확(尺蠖).
[斥候 척후] 적군(敵軍)의 형편을 엿봄. 또, 그 군사. 척후병(斥候兵).
◉排斥. 非斥. 擯斥. 疎斥. 攘斥. 指斥. 叱斥. 竄斥. 逐斥. 黜斥. 退斥. 貶斥.

[欣] 〔흔〕
欠部 四畫(p. 1127)을 보라.

4 ⑧ [斦] ▣ 은 平文 語斤切 yín
▣ 질 入質 職日切 zhì

字解 ▣ ①두도끼 은 도끼 두 자루. '一, 二斤也'《說文》. ②밝을 은 '爾雅·毛傳曰, 一, 明也'《說文 段注》. ③다듬잇돌 은 '一, 增韻, 砧也'《康熙字典》. ▣ 모탕 질.

字源 會意. 斤＋斤

4 ⑧ [斨] 장 平陽 七羊切 qiāng

字解 도끼 장 자루를 박는 구멍이 네모진 도끼. '取彼斧一'《詩經》.

字源 金文 篆文 形聲. 斤＋爿〔音〕. '爿장'은 '길다'의 뜻. 긴 자루 달린 도끼로, 특히 자루를 네모난 구멍에 끼운 것을 가리킴.

◉斧斨.

[所] 〔소〕
戶部 四畫(p. 840)을 보라.

4 ⑧ [斧] [人名] 부 [上]麌 方矩切 fǔ

[字解] ①도끼 부 나무를 찍거나 패는 연장. 군기(軍器)·의장(儀仗) 또는 살육하는 형구로도 쓰임. '一鉞'. '一斤以時入山林'《孟子》. ②찍을 부, 벨 부 나무 같은 것을 찍음. '一氷持作糜'《魏武帝》.

[字源] 金文 篆文 形聲. 斤+父〔音〕. '斤근'은 구부러진 자루의 도끼를 본뜬 것. '父부'는 망치, 채찍, 도끼 따위를 손에 든 모양. '도끼'의 뜻을 나타냄.

[斧柯 부가] ㉠도끼의 자루. ㉡정치를 하는 권력.
[斧斤 부근] 도끼. 큰 도끼와 작은 도끼.
[斧木 부목] 도끼로 베기만 하고 다듬지 아니한 나무.
[斧劈 부벽] 산악(山岳) 또는 암석을 그리는 데 도끼로 쪼갠 금처럼 그리는 화법(畫法).
[斧氷 부빙] 얼음을 쪼갬.
[斧鉞 부월] ㉠작은 도끼와 큰 도끼. 옛날 형벌에 쓰이던 도끼임. 전(轉)하여, 정벌(征伐). ㉡형벌(刑罰).
[斧依 부의] 부의(斧扆).
[斧扆 부의] 빨간 비단에 자루가 없는 도끼의 모양을 수놓은 것을 겉에 바른 머릿병풍. 천자(天子)가 제후를 대할 때 등 뒤에 쳐 놓던 것임.
[斧斨 부장] 도끼.
[斧藻 부조] 깎아 꾸밈. 수식(修飾)함.
[斧質 부질] 부질(斧鑕).
[斧鑕 부질] ㉠죄인을 죽이는 데 쓰이는 도끼와 쇠 모탕. ㉡사형(死刑). 주륙(誅戮).
[斧鑕之刑 부질지형] 사형(死刑).
[斧鑿痕 부착흔] ㉠도끼와 끌의 자국. ㉡시문·서화 따위에 너무 기교를 부려 부자연스러움을 이름.
[斧鑊 부확] 도끼로 찍어 죽이는 형벌과 가마솥에 삶아 죽이는 형벌. 모두 중형(重刑).
◉鬼斧. 雷斧. 螳螂斧. 伐性之斧. 齋斧. 鑱斧. 樵斧.

4 ⑧ [斦] 〔사〕
斯(斤部 八畫〈p. 953〉)의 古字

5 ⑨ [斫] [人名] 작 [入]藥 之若切 zhuó

[字解] ①찍을 작, 칠 작 찍거나 쳐서 끊음. '一斬'. '拔戟一杌'《後漢書》. ②성 작 성(姓)의 하나.

[字源] 篆文 形聲. 斤+石〔音〕. '石석'은 '斫작·책'과 통하여, 나무를 베어 내다의 뜻. 도끼로 베다의 뜻을 나타냄.

[斫卻 작각] 찍어 베어서 버림. 찍어 버림.
[斫斷 작단] 찍어 끊음.
[斫撻 작달] 찍기도 하고치기도 함.
[斫刀 작도] 《韓》 짚·꼴 같은 것을 써는 연장.
[斫刺 작자] 찍어 죽임.
[斫斬 작참] 찍어 벰.
◉鹵斫. 劈斫. 芟斫. 闇斫. 邀斫. 刺斫. 長斫. 斬斫. 採斫.

5 ⑨ [斪] 구 [平]虞 其俱切 qú

[字解] 호미구, 괭이 구 흙을 파헤치는 농구. '一斸, 所以斫也. (段注) 斤斧, 所以斫木, 一斸, 所以斫地'《說文》.

[字源] 篆文 形聲. 斤+句〔音〕

6 ⑩ [斳] 〔근〕
近(辵部 四畫〈p. 2288〉)의 本字

7 ⑪ [斬] [人名] 참 [上]豏 側減切 zhǎn 斩

[字解] ①벨 참 베어 죽임. '一首'. '一殺賊諜'《周禮》. ②끊어질 참 다함. 없어짐. '君子之澤, 五世而一'《孟子》. ③도련하지않은상복 참 자락의 끝 둘레를 접어 꿰매지 않은 상복. '一衰'. '晏嬰麤縗一'《左傳》.

[字源] 篆文 會意. 斤+車. '斤근'은 자귀의 象形. '車차'는 묶은 나무의 象形의 변형. 자귀로 베다의 뜻을 나타냄.

[斬奸狀 참간장] 악인(惡人)을 참살한 경위를 적은 글발.
[斬姦狀 참간장] 참간장(斬奸狀).
[斬決 참결] 베어 깨뜨림. 베어 끊음.
[斬馘 참괵] 참수(斬首).
[斬級 참급] 적의 목을 벰.
[斬斷 참단] 베어 끊음. 베어 죽임.
[斬頭 참두] 목을 벰.
[斬馬劍 참마검] 말을 베어 두 동강 낼 수 있는 예리한 칼.
[斬髮 참발] 머리를 깎음.
[斬伐 참벌] ㉠쳐 멸함. 토멸(討滅)함. ㉡죄인을 베어 죽임. ㉢나무를 벰.
[斬蛇劍 참사검] 한(漢)나라 고조(高祖)가 백사(白蛇)를 참살한 명검(名劍).
[斬殺 참살] 목을 베어 죽임.
[斬首 참수] 목을 벰. 단두(斷頭).
[斬新 참신] 가장 새로움. 참(斬)은 조사(助辭). '嶄新'은 속용(俗用)임.
[斬刻之哀 참염지애] 가슴을 에는 듯한 슬픔이란 뜻으로, 상중(喪中)의 슬픔을 이름.
[斬刈 참예] ㉠초목을 벰. ㉡베어 죽임. 참살(斬殺). ㉢소진(消盡)시킴.
[斬斫 참작] 찍어 벰.
[斬截 참절] 목을 베고 수족을 끊음.
[斬釘截鐵 참정절철] 일을 단행함의 비유.
[斬除 참제] 베어 없앰.
[斬罪 참죄] 참형에 해당하는 죄(罪).
[斬衰 참최] 오복(五服)의 하나. 거친 삼베로 짓고 아랫단을 꿰매지 않은 상복(喪服). 외간상(外艱喪)에 입음.
[斬刑 참형] 목을 베는 형벌.
[斬獲 참획] 참수(斬首)와 포획(捕獲). 목을 벰과 사로잡음.
◉擊斬. 擒斬. 斷斬. 屠斬. 俘斬. 要斬. 腰斬.

7 ⑪ [斮] 라 [上]哿 來可切 luǒ

[字解] 칠 라 두드림. '一, 柯擊也'《說文》.

[字源] 形聲. 斤+良〔音〕

7 **[断]** 〔단〕
⑪ 斷(斤部 十四畫〈p. 956〉)의 俗字

8 **[斮]** [一] 착 [入]覺 側角切 zhuó
⑫ [二] 작 [入]覺 側略切 zhuó

[字解] [一] 벨 착 끊어 자름. '一朝涉之脛'《書經》. [二] 깎을 작 깎아 냄. '魚則一之'《爾雅》.
[字源] 篆文 形聲. 斤+昔(𦣞)〔音〕. '𦣞석'은 '柞작'과 통하여, 나무를 베어 버리다의 뜻. '베다'의 뜻을 나타냄.

◉剢斮. 脯斮.

8 **[斯]** [高人] 사 [平]支 息移切 sī
⑫

[筆順] 一 卄 甘 其 其⁻ 斯 斯 斯

[字解] ①찍을 사 찍어 쪼갬. '斧以一之'《詩經》. ②이 사 此(止部 二畫)와 뜻이 같음. '一道'. '天之將喪一文也'《論語》. ③어조사 사 무의미의 조자(助字). '湛湛露一'《詩經》. ④떠날 사, 떨어질 사 '不知一齊國幾千萬里'《列子》. ⑤흴 사 하얌. '有兔一首'《詩經》. ⑥천할 사 비천(卑賤)함. 廝(广部 十二畫)와 통용. '職一祿薄'《後漢書》. ⑦성 사 성(姓)의 하나.
[字源] 金文 篆文 會意. 其+斤. '斤근'은 도끼를 본뜬 것으로, '쪼개다'의 뜻. '其기'는 키의 象形으로, 키질해서 가르다의 뜻. '쪼개다, 가르다'의 뜻을 나타냄. '此차'와 통하여, 假借하여 '이'의 뜻을 나타냄.

[斯界 사계] 이 도(道)의 사회. 어떠한 일에 관계되는 그 사회(社會). 그 전문(專門) 방면.
[斯道 사도] ㉠이 도(道). 성인(聖人)의 도. ㉡유교의 도덕. ㉢각자가 종사하는 학문 또는 기예에 관한 방면.
[斯盧 사로] '서라벌(徐羅伐)'과 같음.
[斯文 사문] ㉠이 학문. 이 도(道). ㉡유학(儒學).
[斯民 사민] 이 백성.
[斯世 사세] 이 세상.
[斯須 사수] 잠깐 동안. 수유(須臾).
[斯人而有斯疾 사인이유사질] '덕행이 뛰어난 이런 사람이 이런 질병에 걸리다니.'라는 뜻으로, 그 병에 걸린 것을 대단히 애석히 여겨 하는 말.
[斯學 사학] 이 학문(學問). 그 학문.
◉如斯. 鸒斯. 瓦斯. 螽斯. 波斯. 㧋斯.

8 **[斪]** 〔기〕
⑫ 剞(刀部 八畫〈p. 262〉)와 同字

8 **[斵]** 〔잔〕
⑫ 剗(刀部 八畫〈p. 260〉)과 同字

[頎] 〔기〕
頁部 四畫(p. 2542)을 보라.

9 **[新]** [中人] 신 [平]眞 息隣切 xīn
⑬

[筆順] 亠 立 辛 辛 辛 亲 新 新

[字解] ①새 신 새로움. '一舊'. '咸與惟一'《書經》. 또, 새로운 사물. '溫故知一'《論語》. 또, 새로 안 사람. '禮一親故'《國語》. ②새롭게할 신 혁신함. '日一其德'《易經》. ③새로 신 처음으로. '一作南門'《公羊傳》. ④나라이름 신 왕망(王莽)이 한(漢)나라를 찬탈하여 세운 왕조. 16년 만에 멸망하였음. (8~23) ⑤성 신 성(姓)의 하나.
[字源] 金文 篆文 形聲. 篆文은 斤+木+辛〔音〕. '辛신'은 '베다'의 뜻. 나무를 베어 장작으로 하다의 뜻을 나타냄. '薪신'의 原字. 또, 벤 단면이 선명한 데서 파생하여, 새롭다의 뜻도 나타냄.

[新柯 신가] 새로 나온 가지.
[新家 신가] 새로 지은 집.
[新嫁 신가] 새로 시집옴. 또, 그 여자. 새댁. 신부(新婦).
[新嫁娘 신가낭] 새댁. 신부(新婦).
[新刻 신각] 새로운 판각(版刻). 신판(新版).
[新刊 신간] 책을 새로 간행함. 또, 그 책. 신간 서적.
[新墾 신간] 토지(土地)를 새로 개간(開墾)함. 또, 그 토지.
[新腔 신강] 새로 지은 노래의 곡조.
[新疆 신강] 지명(地名). 중국 서부(西部)의 북(北)쪽, 러시아·몽골·아프가니스탄·카슈미르에 접한 지역 이름. 지금의 신장웨이우얼〔新疆維吾爾〕 자치구(自治區)의 땅. 대부분 터키계 종족인데, 한(漢)족·러시아 인 등 13 종족이 모여 삶. 중앙에는 톈산 산맥(天山山脈)이 있고, 고산·초원·사막 들로 이루어진 극히 건조한 지대임. 고래로 아시아 대륙 동서 교통의 간선(幹線)임. 성도(省都)는 디화(迪化). 지금은 우루무치 시(烏魯木齊市)로 고침.
[新開 신개] 신간(新墾).
[新渠 신거] 새로 판 도랑.
[新建 신건] ㉠새로 세움. ㉡현(縣) 이름. 장시 성(江西省)에 있음.
[新潔 신결] 새로워 더럽지 아니함.
[新京 신경] ㉠신도(新都). ㉡시명(市名). 원래, 만주국(滿洲國)의 수도(首都)로, 지금의 창춘(長春)임.
[新莖 신경] 새로 나온 줄기.
[新古 신고] 신구(新舊).
[新故 신고] 신구(新舊).
[新曲 신곡] ㉠새로 지은 가곡(歌曲). ㉡유행가(流行歌).
[新穀 신곡] 햇곡식.
[新科 신과] ㉠새 형벌. ㉡새로운 과목(科目).
[新官 신관] ㉠새로 임명(任命)된 벼슬아치. ㉡새로 부임한 벼슬아치.
[新敎 신교] ㉠새 종교. ㉡16세기경 독일(獨逸)의 종교 개혁자(宗敎改革者) 루터가 로마 구교(舊敎), 곧 가톨릭교의 잘못된 것을 반대하고 새로 설립(設立)한 교파(敎派). 프로테스탄트.
[新舊 신구] 새로움과 묵음. 또, 새것과 묵은 것.
[新舊思想 신구사상] 새로운 사상(思想)과 묵은 사상.
[新舊歲 신구세] 새해와 묵은해.
[新國 신국] 새로 건국한 나라.
[新局面 신국면] 새로 전개(展開)되는 국면(局面).
[新鬼 신귀] 근자에 죽은 사람의 혼령.
[新規 신규] 새로운 규칙(規則).

[新奇 신기] 새롭고 기이(奇異)함. 진부(陳腐)의 대.
[新記錄 신기록] 종래에 없던 새로운 기록.
[新紀元 신기원] ㉠새로운 기원(紀元). ㉡획기적인 사실로 말미암아 새로운 방향으로 나아가게 된 새로운 시대.
[新機軸 신기축] 전에 있던 것과 판이(判異)한 새로운 방법 또는 체제.
[新娘 신낭] 새댁. 신부(新婦).
[新浪漫主義 신낭만주의] 우주(宇宙)·인생의 근저(根底)에 잠재(潛在)한 신비적 방면에 접촉하고자 노력하는 문예상(文藝上)의 한 주의.
[新年 신년] 새해. 설.
[新茶 신다] 새싹을 따서 만든 차(茶). 향기가 좋은 차.
[新唐書 신당서] 송(宋)나라의 구양수(歐陽修)·송기(宋祁) 등이 칙명(勅命)을 받들어 구당서(舊唐書)를 개수(改修)한 사서(史書). 당대(唐代)의 역사를 기술한 것으로 모두 225권(卷).
[新大陸 신대륙] 남북아메리카 대륙을 이름.
[新都 신도] 새로 정한 도읍. 새 서울.
[新渡 신도] ㉠새로 도래(渡來)함. 또, 그런 것. ㉡새로 만든 나루터.
[新稻 신도] ㉠새로 심은 볏모. ㉡새로 베어 거둔 벼.
[新羅 신라] 우리나라 삼국 시대의 한 나라. 시조는 박혁거세(朴赫居世). 도읍은 경주(慶州). 제29대 태종 무열왕(太宗武烈王) 7년(660)에 백제(百濟)를 멸하고 제30대 문무왕(文武王) 8년(669)에 고구려(高句麗)를 멸하여 삼국을 통일하였고, 제56대 경순왕(敬順王) 때에 고려 태조 왕건(王建)에게 망하였음. (B.C. 57~A.D. 935)
[新郞 신랑] ㉠새로 장가간 사람. 새서방. ㉡새로 급제한 진사(進士).
[新郞君 신랑군] 신랑(新郞)의 경칭.
[新來 신래] ㉠새로 옴. 또, 그 사람. ㉡《韓》 새로 문과(文科)에 급제(及第)한 사람.
[新涼 신량] 첫가을의 서늘한 기운. 초량(初涼).
[新涼宜燈火 신량의등화] 서늘한 첫가을에는 등잔불 밑에서 독서하기가 좋음.
[新旅 신려] 새로 타국에서 온 사람.
[新麗 신려] 새롭고 고움. 또, 그런 것.
[新曆 신력] ㉠새 책력. ㉡양력(陽曆).
[新綠 신록] 새잎의 푸른빛. 또, 새잎.
[新論 신론] ㉠새로운 의론. ㉡책 이름. 한(漢)나라 환담(桓譚)의 저(著). 29편(篇). 당세(當世)의 행사(行事)를 기술하였는데, 그 대부분이 없어져서 현재 전하지 아니함.
[新律 신률] 신율(新律).
[新立 신립] ㉠새로 즉위(卽位)함. 또, 새로 즉위케 함. 또, 그 사람. ㉡새로 세움.
[新茗 신명] 신다(新茶).
[新牡 신모] 젊은 남자(男子).
[新募 신모] 새로 모집함.
[新沐者必彈冠 신목자필탄관] 새로 머리를 감은 사람은 반드시 갓의 먼지를 턴다는 뜻으로, 자기를 깨끗이 하려고 하는 자는 외물(外物)로 인하여 더럽혀지지 않을까 하고 항상 조심한다는 말.
[新聞 신문] ㉠새로운 소식(消息). 새로운 견문(見聞). ㉡새 소식이나 여론을 빨리 보도하는 정기 간행물(定期刊行物).
[新米 신미] 햅쌀.
[新味 신미] ㉠그해에 처음으로 맛보는 음식. 만물. ㉡새로운 맛. 새 맛.
[新民 신민] 백성을 가르쳐 새롭게 함.
[新發意 신발의] 《佛敎》 새로 불문(佛門)에 들어온 사람.
[新方 신방] ㉠새로운 약방문. ㉡새로운 방법.
[新房 신방] 신랑(新郞)과 신부(新婦), 곧 신혼부부가 같이 자는 방.
[新榜 신방] 새로 과거(科擧)에 급제한 사람의 성명을 게시하는 방.
[新魄 신백] 초승달.
[新法 신법] ㉠새로 제정한 법. ㉡송(宋)나라 때 왕안석(王安石)이 제정한 청묘법(靑苗法)·보갑법(保甲法) 등의 법. ㉢새로운 방법.
[新兵 신병] 새로 뽑은 군사(軍士).
[新報 신보] 새로운 보도(報道). 새로운 소식.
[新本 신본] ㉠아직 더럽혀지지 않은 새 책. ㉡새로 나온 책.
[新附 신부] 새로 붙좇음. 또, 그 백성.
[新婦 신부] ㉠며느리. 자부(子婦). ㉡처음으로 시집간 여자(女子). 새색시.
[新婦禮 신부례] 《韓》 신부(新婦)가 처음으로 시집에 와서 살 때 시집에서 행하는 의식(儀式).
[新思想 신사상] 새로운 사상.
[新山 신산] 《韓》 새로 쓴 산소(山所).
[新嘗 신상] ㉠가을에 햇곡식으로 제수를 차려 제사 지냄. ㉡천자(天子)가 햇곡식을 먹음.
[新相知 신상지] ㉠새로 사귄 친구. ㉡새 애인. 신혼의 아내.
[新生 신생] ㉠새로 생겨남. ㉡신앙에 의하여 새로운 생활로 들어감.
[新生面 신생면] 새로운 방면. 신기축(新機軸).
[新生命 신생명] 정신적으로 개혁한 새로운 생명.
[新生活 신생활] 새 시대에 적응(適應)한 새로운 생활.
[新序 신서] 책 이름. 10권. 전한(前漢) 유향(劉向)의 찬(撰). 춘추 시대(春秋時代)로부터 한초(漢初)에 이르기까지의 일사(逸事)를 수록하였음.
[新書 신서] ㉠새로 나온 책(冊). ㉡새 책. 고서(古書)의 대(對).
[新壻 신서] 새로 얻은 사위.
[新釋 신석] 새로운 해석. 또, 그 해석을 내림.
[新選 신선] 새로 가려서 뽑음.
[新鮮 신선] 새롭고 산뜻함. 새로움.
[新設 신설] 새로 베풂.
[新說 신설] ㉠새로 세운 학설이나 의견. ㉡처음으로 듣는 이야기. 새로운 이야기.
[新星 신성] ㉠새로 발견한 별. ㉡새로 하늘에 갑자기 나타나 며칠 동안 빛을 환히 보이다가 다시 빛이 꺼져 버리는 별.
[新歲 신세] 새해.
[新世界 신세계] ㉠새로 발견한 대륙. 곧, 남북(南北)아메리카 대륙과 오스트레일리아 대륙을 일컬음. ㉡지금까지 없던 새로운 세계.
[新小說 신소설] 《韓》 갑오경장(甲午更張) 이후의 개화 시대를 배경으로 하여 창작된 일군(一群)의 소설. 곧, 고대 소설과 현대 소설 사이의 과도기적 소설로서 묵은 제도의 타파, 새 문화 생활에의 지향 등이 그 주제임.
[新訟 신송] 새로 일으킨 소송(訴訟).
[新修 신수] ㉠새로 수선함. ㉡새로 편수(編修)함.
[新愁 신수] 지금까지 없었던 새로운 근심.

[新樹 신수] 새잎이 나온 나무.
[新習 신습] ㉠새로 배워 익힘. ㉡새 풍습.
[新詩 신시] ㉠새로 지은 시. ㉡신식(新式)으로 지은 시.
[新式 신식] 새로운 형식.
[新新 신신] 차차로 새로워짐.
[新芽 신아] 새로 돋은 싹.
[新蛾 신아] 갓 나온 나방. 전(轉)하여, 부녀자의 가늘게 그린 눈썹.
[新樂 신악] 새로운 음악. 곧, 서양 음악.
[新案 신안] 새로운 고안(考案)이나 제안(提案).
[新鶯 신앵] 초춘에 깊은 산에서 나와 우는 꾀꼬리.
[新約 신약] ㉠새로운 약속. ㉡신약 전서(新約全書).
[新藥 신약] ㉠새로 발명한 약. ㉡양약(洋藥).
[新約全書 신약전서] 기독교의 경전(經典). 구약전서(舊約全書)와 함께 성서(聖書)로 일컬어짐. 27권. 예수의 전기(傳記), 교회(教會)의 역사, 서간(書簡), 묵시록(默示錄) 등으로 되어 있음.
[新陽 신양] 신춘(新春).
[新樣 신양] 새로운 양식. 신식(新式).
[新語 신어] ㉠새로 생긴 말. ㉡전한(前漢)의 육가(陸賈)가 고조(高祖)를 위하여 정치·도덕·수신(修身)에 관하여 저술하여 진헌(進獻)한 책. 2권.
[新譯 신역] ㉠새로 번역함. ㉡《佛敎》 당대(唐代) 이전의 경전(經典)의 번역을 구역(舊譯)이라고 하는 데 대하여 당대 이후의 번역을 이름.
[新英 신영] 새로 핀 꽃.
[新詠 신영] 새로 지은 시 또는 노래. 근영(近詠).
[新銳 신예] 새롭고 기세가 날카로움. 신진기예(新進氣銳).
[新五代史 신오대사] 책 이름. 75권(卷). 송(宋)나라의 구양수(歐陽修)가 사찬(私撰)한 양(梁)·당(唐)·진(晉)·한(漢)·주(周)의 오대(五代)의 사서(史書).
[新雨 신우] 새로 온 비.
[新元 신원] 새해. 설날.
[新月 신월] ㉠초승달. ㉡새로 떠서 비치는 달.
[新柔 신유] 새로 나온 초목의 싹.
[新律 신율] 새로 제정한 법률.
[新恩 신은] 《韓》 신래(新來) ❶.
[新邑 신읍] ㉠새로 생긴 읍(邑). ㉡새로 이사하여 삶.
[新衣 신의] 새 옷.
[新意 신의] 신의(新義).
[新義 신의] 새 뜻. 새로운 해석.
[新儀 신의] ㉠새로운 의식(儀式). ㉡새로운 예법.
[新異 신이] 신기(新奇)하고 이상함.
[新人 신인] ㉠새로 결혼한 사람. 신랑 또는 신부. ㉡새로 한 사회에 나와 아직 이름이 알려지지 아니한 사람. ㉢새로운 사상을 가진 사람.
[新任 신임] 새로 임명(任命)됨.
[新入 신입] 새로 들어옴.
[新字 신자] 새로 만든 글자.
[新作 신작] 새로 지음. 또, 그 작품이나 저술.
[新妝 신장] 신장(新粧).
[新粧 신장] 새로 한 단장(丹粧).
[新裝 신장] 새로운 복장(服裝).
[新著 신저] 새로 지은 책(冊).
[新田 신전] ㉠새로 개간(開墾)한 전지. ㉡새로 사들인 전지.
[新典 신전] 새로운 전례(典例). 새로운 의식(儀式).
[新占 신점] 집터나 묏자리를 새로 잡음.
[新接 신접] 《韓》 ㉠새로 살림을 이룸. ㉡새로 옮겨 와서 삶.
[新正 신정] 새해의 정월. 또, 설.
[新定 신정] ㉠새로 정함. ㉡새로 평정(平定)함.
[新亭 신정] 지금의 장쑤 성(江蘇省) 강녕현(江寧縣)의 남(南)쪽에 있던 정자 이름. 동진(東晉) 때에 여러 명사들이 놀던 곳임. '노로정(勞勞亭)' 또는 '창림관(滄臨觀)'이라고도 함.
[新政 신정] ㉠새로운 정치. 또는 정령(政令). ㉡정령을 새로 제정함.
[新訂 신정] 새로 정정함.
[新情 신정] 새로 사귄 정. 새로 든 정.
[新制 신제] ㉠새로운 제도(制度). ㉡새로운 체제(體制).
[新帝 신제] 새로 즉위한 황제.
[新製 신제] 새로 지음. 또, 그 물건.
[新造 신조] 새로 만듦.
[新條 신조] ㉠새로 나온 법률. ㉡새로 나온 가지.
[新調 신조] 신곡(新曲).
[新卒 신졸] 아직 싸워 본 경험이 없는 병졸. 신병(新兵).
[新注 신주] ㉠새로 주(注)를 닮. ㉡경학(經學)에서 송(宋)나라 이후의 학자의 주석을 이름. 한·당(漢唐)의 주(注)를 고주(古注)라고 할 때의 상대어임.
[新知 신지] ㉠새로 앎. ㉡새로 안 지 얼마 안 되는 사람.
[新祉 신지] 새해의 복(福).
[新陳 신진] 새것과 묵은 것.
[新進 신진] ㉠어떤 사회에 새로 나옴. 또, 그 사람. ㉡새로 벼슬에 오른 이.
[新陳代謝 신진대사] ㉠묵은 것은 차례로 가고 새것이 이에 대신(代身)함. ㉡생물체(生物體)에서 영양물을 섭취(攝取)·배설(排泄)하는 작용.
[新什 신집] 새로 장만한 기물(器物).
[新着笠 신착립] 《韓》 관례(冠禮)를 지낸 뒤 나이 좀 많아져서 비로소 초립을 벗고 갓을 쓰던 일.
[新撰 신찬] 새로 책(冊)을 편찬함. 또, 그 책.
[新參 신참] ㉠새로 벼슬한 사람이 처음으로 관청에 들어감. ㉡새로 들어옴. 또, 그 사람.
[新采 신채] 새로 캠. 채(采)는 채(採).
[新薦 신천] 새 자리.
[新晴 신청] 오랫동안 날씨가 좋지 않다가 비로소 햇빛이 남.
[新體 신체] ㉠새로운 체재(體裁). ㉡수당(隋唐) 이후에 확립한 율시(律詩)·배율(排律)·절구(絕句)를 이름.
[新草 신초] 《韓》 그해에 처음 난 담배. 햇담배.
[新村運動 신촌운동] 일부(一部)의 문인·학자들이 현 사회의 부패에 느낀 바 있어 농촌에 들어가 호조(互助)와 우애(友愛)로 기초를 삼아 농민을 계몽하여 새 마을을 조직하여 이상 사회의 모범으로 삼자고 주장한 운동.
[新秋 신추] 초가을.
[新築 신축] 새로 지음. 또, 그 집.
[新春 신춘] ㉠새봄. ㉡새해.
[新趣 신취] 새로운 정취(情趣). 새로운 멋.
[新特 신특] 갓 시집온 아내. 새색시.
[新派 신파] 새로 나온 유파(流派).

[新版 신판] 새로 된 출판(出版). 또, 새로 출판된 책.
[新編 신편] 새로 편집함. 또, 그 책.
[新品 신품] 새로운 물품.
[新學 신학] ㉠새로운 학문. ㉡학문을 배우기 시작함. ㉢《佛教》 불문(佛門)에 들어와 얼마 안 되는 사람. 신발의(新發意).
[新銜 신함] 새로 임명된 벼슬.
[新穴 신혈] 광물을 채굴하다가 새로 발견된 광맥.
[新螢 신형] 새로 나온 개똥벌레.
[新戶 신호] 새로 살림을 차린 집.
[新昏 신혼] 신혼(新婚).
[新婚 신혼] 새로 혼인함. 갓 결혼함.
[新興 신흥] 새로 일어남.
[新禧 신희] 새해의 복(福).
◉改新. 更新. 白頭如新. 生新. 鮮新. 送舊迎新. 刷新. 時新. 迎新. 溫故知新. 維新. 履新. 一新. 日新. 日日新又日新. 自新. 作新. 鼎新. 珍新. 斬新. 嶄新. 清新. 最新. 吐故納新. 革新.

9 ⑬ [㫁] 〔단〕
斷(斤部 十四畫〈p.956〉)과 同字

10 ⑭ [新] 新(前前條)의 本字

10 ⑭ [斲] 착 [入]覺 竹角切 zhuó 
[字解] 깎을 착 깎아 냄. '匠人一而小之'《孟子》.
[字源] 篆文  形聲. 斤+㽬〔音〕. '㽬두'는 굽 달린 제기(祭器)를 본떠, '직립(直立)하다'의 뜻. 물건을 세워 놓고 도끼로 직각으로 베다의 뜻을 나타냄.

[斲礱 착롱] 깎고 갊.
[斲輪老手 착륜노수] 경험이 많은 사람을 이름. 장자(莊子)의 '是以行年七十, 而老斲輪'에서 나온 말.
[斲木 착목] 딱따구리. 탁목조(啄木鳥).
[斲削 착삭] 큰 나무를 찍어 쪼개고 작은 나무를 깎음. 전(轉)하여, 제재(制裁)함.
[斲喪 착상] 손상(損傷)을 입힘.
◉刻斲. 礱斲. 撲斲. 郢斲. 彫斲.

10 ⑭ [𣃔] 〔단〕
斷(斤部 十四畫〈p.956〉)의 俗字

12 ⑯ [斮] 〔착〕
斮(斤部 八畫〈p.953〉)의 本字

13 ⑰ [斶] 촉 [入]沃 樞玉切 chù 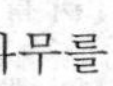
[字解] 사람이름 촉 인명(人名). '齊宣王見顏一'《戰國策》.

13 ⑰ [斵] 〔착〕
斲(斤部 十畫〈p.956〉)의 俗字

14 ⑱ [斷] [高,人] 단 [上]旱 徒管切 duàn [去]翰 丁貫切 duàn 断 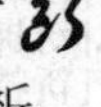
[筆順] 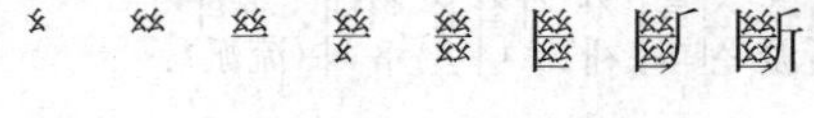

[字解] ①끊을 단 ㉠절단함. '一絕'. '二人同心, 其利一金'《易經》. ㉡그만둠. 폐지함. '一食'. '長一腥膻, 持齋蔬食'《梁書》. ㉢거절함. '自可一來信'《古詩》. ②끊어질 단 계속되지 아니함. '一續'. '萬世不一'《隋書》. ③조각 단 한 조각. '比犧樽於溝中之一'《莊子》. ④결단할 단 결정하거나 재결함. '一定'. '以一天下之疑'《易經》. ⑤결단 단 결단력. 과단성. '儒而少一'《晉書》. ⑥단연 단 단연히. '一而敢行'《史記》. ⑦나눌 단, 나누일 단 '剛柔一矣'《易經》. ⑧한결같을 단 전일(專一)하여 변하지 않는 모양. 성실하고 전일한 모양. '一一兮無他技'《大學》.
[字源] 甲骨文  金文 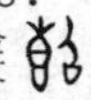 篆文  會意. 篆文은 㡭+斤. '㡭절'은 이어진 실을 본뜬 것. '斤근'은 도끼의 象形. 연결된 것을 끊다의 뜻을 나타냄.
[參考] 断(斤部 七畫)은 俗字.

[斷簡 단간] 여러 조각이 난 문서. 문서의 단편.
[斷簡零墨 단간영묵] 단간(斷簡).
[斷見 단견] 《佛教》 일체 만물이 무상(無常)하여 실재하지 않는 것과 같이 사람도 한번 죽으면 다시 이 세상에 태어나지 않는다고 생각하는 망견(妄見). 상견(常見)의 대(對).
[斷決 단결] 재단하여 결정함.
[斷經 단경] 경도(經度)가 그침.
[斷交 단교] 교제(交際)를 끊음.
[斷橋 단교] ㉠끊어진 다리. ㉡다리를 끊어 적이 건너오지 못하게 함.
[斷金 단금] 쇠붙이도 끊을 만큼 우정(友情)이 대단히 깊음을 이름.
[斷金契 단금계] 쇠붙이도 끊을 만큼 마음이 철석 같은 우정(友情). 지극히 친밀한 교우(交友).
[斷金侶 단금려] 지극히 친밀한 벗.
[斷棄 단기] 절교하여 돌아보지 않음.
[斷機之戒 단기지계] 학문(學問)을 중도(中途)에서 그만두는 것은, 짜던 베를 칼로 베는 것과 같이, 아무 보람도 없이 지금까지 들인 공이 수포(水泡)로 돌아간다는 경계(警戒). 맹자(孟子)의 어머니가 짜던 베를 끊고 맹자를 훈계한 고사(故事)에서 나온 말.
[斷念 단념] 생각을 끊어 버림. 염두에 전혀 두지 아니함.
[斷剸 단단] 칼로 끊음. 절단함.
[斷斷 단단] 성실하고 전일(專一)한 모양. 전일하여, 변하지 않는 모양.
[斷斷無他 단단무타] 성실(誠實)하여 딴마음이 없음.
[斷斷相約 단단상약] 굳게 서로 약조(約條)함.
[斷斷乎 단단호] 단호(斷乎)히.
[斷頭 단두] 목을 벰.
[斷頭臺 단두대] 죄인(罪人)의 목을 베는 대(臺).
[斷落 단락] 한 문장 중에서 크게 끊은 곳.
[斷爛 단란] 여러 조각이 남.
[斷爛朝報 단란조보] 여러 조각이 난 조정(朝廷)의 기록이라는 뜻. 왕안석(王安石)이 춘추(春秋)를 헐뜯은 말.
[斷例 단례] 죄인을 처단한 전례(前例). 판례(判例).
[斷末魔 단말마] 《佛教》 임종(臨終)의 고통. 또는 죽는 찰라(刹那).
[斷梅 단매] 매우(梅雨)가 그침.
[斷面 단면] 베어 낸 면.
[斷髮 단발] 머리털을 짧게 자름. 또, 그 머리.

[斷髮文身 단발문신] 머리털을 짧게 자르고 몸에 입묵(入墨)함. 야만(野蠻)의 풍속임.
[斷房 단방] 《韓》 남편(男便)이 아내와 같이 자지 아니함.
[斷碧 단벽] 나무의 푸른빛이 빽빽하게 들어차지 아니하여 띄엄띄엄 틈이 난 모양.
[斷壁 단벽] 깎아지른 듯한 낭떠러지. 절벽(絕壁).
[斷峯 단봉] 험준한 산봉우리.
[斷不容貸 단불용대] 조금도 용서(容恕)하지 아니함.
[斷碑 단비] 조각난 비.
[斷臂 단비] 팔뚝을 자름. 또, 자른 팔뚝.
[斷槎 단사] 엮은 것이 풀어진 뗏목.
[斷產 단산] 아이를 낳던 부녀(婦女)가 아이를 못 낳게 됨.
[斷線 단선] ㉠실이 끊어짐. 또, 끊어진 실. ㉡전선이 끊어져 전기가 통하지 아니함.
[斷續 단속] 끊어졌다 이어졌다 함.
[斷續器 단속기] 전지(電池) 또는 발전기(發電機)의 전로(電路) 속에 끼워서 전류(電流)를 단속(斷續)시키는 장치(裝置).
[斷送 단송] 헛되이 보냄. 허송(虛送)함.
[斷水 단수] ㉠물이 나오지 아니함. ㉡수도의 급수(給水)를 끊음.
[斷岫 단수] 험준한 산의 산혈(山穴).
[斷袖 단수] 남색(男色). 한(漢)나라 애제(哀帝)가 동현(董賢)을 지극히 총애하여 낮잠 자다가 깨었을 때 동현이 애제의 소매를 깔고 자므로 차마 흔들어 깨우지 못하여 소매를 끊고 일어난 고사(故事)에서 나온 말.
[斷褏 단수] 단수(斷袖).
[斷凘 단시] 녹아서 여러 조각이 난 석얼음.
[斷食 단식] 식사(食事)를 끊음.
[斷岸 단안] 단애(斷崖).
[斷案 단안] 판단(判斷).
[斷遏 단알] 끊어 막음.
[斷厓 단애] 단애(斷崖).
[斷崖 단애] 깎아지른 듯한 낭떠러지.
[斷言 단언] 딱 잘라 말함.
[斷然 단연] 단호(斷乎).
[斷烟 단연] 끊어져 이어지지 않은 연기. 또는 운기(雲氣).
[斷煙 단연] ㉠단연(斷烟). ㉡담배를 끊음.
[斷獄 단옥] 죄를 다스림. 죄인을 처리함.
[斷牛馬截盤匜 단우마절반이] 아주 예리한 검(劍)을 이름. 반이(盤匜)는 동기(銅器)임.
[斷雲 단운] 조각조각 끊어진 구름. 조각구름.
[斷飮 단음] 술을 끊음.
[斷而敢行鬼神避之 단이감행귀신피지] 뜻한 바를 용맹스럽게 단행하면 난관을 극복하고, 귀신까지도 피하여 달아남.
[斷章 단장] 시문 중의 한 토막.
[斷腸 단장] 몹시 슬퍼서 창자가 끊어지는 듯함.
[斷長補短 단장보단] 긴 것을 잘라서 짧은 것에 보탠다는 뜻으로, 장점이나 넉넉한 부분(部分)에서 단점이나 부족(不足)한 것을 보충(補充)함을 이름. 절장보단(截長補短).
[斷章取義 단장취의] 원작자의 본의(本意)의 여하를 불문하고 시문 중에서 자기가 소용되는 부분만을 따서 마음대로 해석하여 씀.
[斷腸花 단장화] ㉠추해당(秋海棠)의 별칭(別稱). ㉡몹시 슬픈 마음을 일으키게 하는 꽃.
[斷折 단절] 꺾음. 부러뜨림.
[斷絕 단절] ㉠끊음. 또, 끊어짐. ㉡절손(絕孫)함.
[斷截 단절] 끊음.
[斷定 단정] 결단을 내려 정함.
[斷情 단정] 사랑을 끊음. 정을 끊음.
[斷齊畫粥 단제획죽] 냉이로 국을 끓이고 이것을 엉기게 하여 갈라 먹음. 가난을 꾹 참고 고학함을 이름.
[斷鐘 단종] 띄엄띄엄 들리는 종소리.
[斷罪 단죄] 죄를 처단(處斷)함.
[斷指 단지] ㉠자기의 결심(決心)이 굳은 것을 나타내기 위하여 손가락을 자르는 일. ㉡부모(父母)의 병환(病患)이 위중(危重)할 때 손가락을 잘라 그 피를 먹게 하는 일.
[斷趾 단지] 발을 자름.
[斷察 단찰] 잘 살펴 결단을 내림.
[斷礎 단초] 조각이 난 주춧돌.
[斷取 단취] 끊어 가짐.
[斷層湖 단층호] 단층 운동으로 말미암아 우묵하게 꺼진 땅에 생긴 호수.
[斷綻 단탄] 옷이 타짐. 또, 타진 데.
[斷片 단편] 여러 조각을 낸 중의 한 조각. 토막.
[斷編 단편] 여러 조각이 나서 완전하지 못한 글이나 책.
[斷篇 단편] 단편(斷編).
[斷限 단한] 기한을 정함.
[斷割 단할] 칼로 끊음. 절단함.
[斷港絕潢 단항절황] 연락이 두절된 것의 비유.
[斷行 단행] 딱 결단을 내려 실행함.
[斷絃 단현] ㉠현악기(絃樂器)의 줄이 끊어짐. 또, 그 줄. ㉡아내의 죽음의 비유.
[斷乎 단호] 일단 결심한 것을 과단성 있게 행하는 모양.
[斷魂 단혼] 단장(斷腸).
◉間斷. 剛斷. 健康診斷. 隔斷. 擊斷. 決斷. 果斷. 鞠斷. 叫斷. 禁斷. 論斷. 壟斷. 道斷. 獨斷. 同斷. 明斷. 武斷. 無斷. 不斷. 剖斷. 聖斷. 速斷. 宸斷. 兩斷. 臆斷. 言語道斷. 嚴斷. 易斷. 英斷. 豫斷. 勇斷. 優柔不斷. 雄斷. 一刀兩斷. 斫斷. 腸斷. 裁斷. 專斷. 切斷. 絕斷. 截斷. 節斷. 精斷. 制斷. 縱斷. 中斷. 卽斷. 診斷. 遮斷. 斬斷. 處斷. 擅斷. 聽斷. 寸斷. 勅斷. 沈斷. 判斷. 橫斷.

16 ⑳ [㡭斤] 斷(前條)의 本字

21 ㉕ [斸] [一] 촉 [入]沃 陟玉切 zhú
[二] 착 [入]覺 之角切

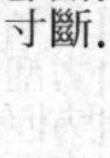

[字解] [一] 찍을 촉 도끼로 찍음. [二] 찍을 착 [一]과 뜻이 같음.
[字源] 篆文 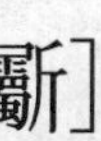 形聲. 斤+屬〔音〕. '屬속·촉'은 '달라붙다'의 뜻. 땅에 붙여서 흙을 끊다의 뜻으로, '찍다'의 뜻을 나타냄.

方 (4획) 部
〔모방부〕

0 ④ [方] [中人] 방 [平]陽 府良切 fāng

筆順 ' 亠 亐 方

字解 ①모질 방, 모 방 네모짐. 또, 그 형상. '正一形'. '規矩一員之至也'《孟子》. 전(轉)하여, 품행이 방정함. '智欲圓而行欲一'《淮南子》. 또, 땅. 대지(大地). 땅은 네모지다 하여 이른 말. '戴圓履一'《淮南子》. ②방위 방 방향. '四一'. '云誰之思, 西一美人'《詩經》. ③이제 방 지금. '我一先君後臣'《史記》. ④길 방 방법. '一途'. '可謂仁之一也已'《論語》. ⑤떳떳할 방 일정함. 변하지 않음. '賞罰無一'《呂氏春秋》. ⑥견줄 방 비교함. '子貢一人'《論語》. ⑦바야흐로 방 이제 한창. '血氣一剛'《論語》. ⑧가질 방 소유함. '維鵲有巢, 維鳩一之'《詩經》. ⑨배나란히세울 방 선박을 병렬(竝列)시킴. '一舟而濟於河'《莊子》. ⑩당할 방 때를 당함. '一今之時'《莊子》. ⑪향할 방 대(對)함. '日一南'《史記》. ⑫거스를 방 거역함. '一命虐民'《孟子》. ⑬나눌 방 구별함. '不可一物'《國語》. ⑭널조각 방 목판(木版). '不及百名, 書於一'《儀禮》. ⑮술법 방 신선술(神仙術). '一士欲煉以求奇藥'《史記》. ⑯의술 방 의학. '夫子之爲一也'《史記》. ⑰나라 방 국가. 국토. '異一之所生'《劉向》. ⑱성 방 성(姓)의 하나.

字源 甲骨文 [글자] 金文 [글자] 篆文 [글자] 象形. 甲骨文은 [글자]+[글자]로 나눌 수 있음. '[글자]'는 칼의 象形. 양쪽으로 내민 손잡이가 있는 쟁기의 象形으로, 나란히 서서 논밭을 가는 모양에서, 나란히 늘어서다, 곁의 뜻을 나타냄. 일설에는, '[글자]'는 사람을 본뜬 것으로, 요사스러운 기운을 제거하기 위한 효수(梟首)의 의례(儀禮)를 본뜬 것이라고 함.

參考 부수(部首)로서의 '方방'은 '㫃(㫄)언'의 왼쪽 절반의 모양을 딴 것이며, '㫃'은 기(旗)가 바람에 펄럭이는 모양을 본뜸. 기의 뜻을 포함하는 문자를 이룸. 이름은 '모방'.

[方駕 방가] ㉠수레를 나란히 하여 감. ㉡필적(匹敵)함.
[方舸 방가] 배를 나란히 함.
[方角 방각] 동서남북의 향방(向方).
[方酣 방감] 바야흐로 주흥(酒興)이 한창임.
[方匣 방갑] 네모진 갑(匣).
[方槩 방개] 바른 절개(節槪).
[方客 방객] 신선(神仙)의 술법(術法)을 닦는 사람. 도사(道士).
[方檢 방검] 방정(方正)한 행동.
[方格 방격] 바른 표준.
[方潔 방결] 바르고 깨끗함. 방정하고 청렴결백함.
[方京 방경] 방형(方形)의 창고.
[方計 방계] 방책(方策).
[方孔 방공] ㉠네모진 구멍. ㉡엽전 따위의 구멍.
[方丘 방구] 서울의 북쪽 교외에 있는 방형(方形)의 언덕. 옛날에 하지(夏至)에 지기(地祇)에게 제사 지내던 곳.
[方矩 방구] ㉠사각(四角). ㉡자. 곡척(曲尺).
[方國 방국] 사방의 여러 나라.
[方珪 방규] 차(茶)의 별칭(別稱).
[方今 방금] 이제. 금방. 당금(當今).
[方伎 방기] 의약(醫藥)의 기술.
[方技 방기] 방기(方伎).
[方內 방내] ㉠나라 안. ㉡지경 안. ㉢사람이 사는 이 세상.

[方途 방도] 일을 치러 갈 길.
[方冬 방동] 음력(陰曆) 시월(十月)의 별칭(別稱). 초동(初冬).
[方頭魚 방두어] 바닷물고기의 한 가지. 옥돔. 오도미.
[方等 방등] 《佛敎》 ㉠진여(眞如)·실상(實相)의 묘리(妙理). ㉡대승(大乘)의 경전(經典).
[方略 방략] 꾀. 방책(方策).
[方良 방량] 못〔澤〕의 도깨비. 망량(魍魎).
[方廉 방렴] 방결(方潔).
[方里 방리] 일 리(一里) 사방(四方). 사방(四方) 일 리(一里)의 면적(面積).
[方笠 방립] 방갓.
[方望 방망] 근교(近郊)에서 사방(四方)의 신(神)에 제사 지냄. 또, 그 제사.
[方面 방면] ㉠네모반듯한 얼굴. ㉡어떤 방향의 지방. ㉢전문적으로 나아가는 쪽.
[方面寄 방면기] 한 지방을 지키는 장수의 임무.
[方命 방명] 명령을 어김.
[方聞 방문] 행실이 방정하고 학문이 넓음.
[方物 방물] ㉠지방(地方)의 산물. ㉡사물(事物)을 식별함. ㉢일상(日常)의 일.
[方伯 방백] ㉠주대(周代)에 한 지방의 제후(諸侯)의 장(長)인 대제후(大諸侯). ㉡《韓》 관찰사(觀察使)의 별칭.
[方伯連帥 방백연수] 지방의 대제후(大諸侯). 연수(連帥)는 10개국을 지배하는 장관.
[方法 방법] 일정한 목적을 이루기 위하여 취하는 솜씨. 수단(手段).
[方士 방사] ㉠신선(神仙)의 술법(術法)을 닦는 사람. 도사(道士). ㉡주대(周代)의 관명(官名). 사직(司直)의 벼슬. 재판관(裁判官).
[方社 방사] 사방(四方)의 신(神)과 토지(土地)의 신.
[方山冠 방산관] 옛 악인(樂人)들이 쓰던 관(冠). 당송(唐宋) 시대에는 은사(隱士)들이 썼음.

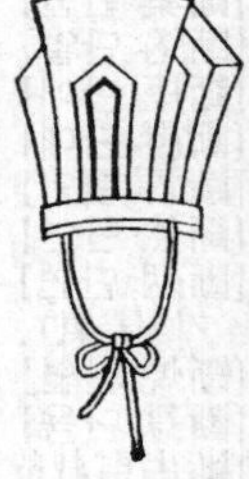
[方山冠]

[方牀 방상] 방형(方形)의 침상(寢牀).
[方相 방상] 역귀(疫鬼)를 쫓는 신(神).
[方顙 방상] 방액(方額).
[方相氏 방상씨] 주대(周代)의 관명(官名). 방상(方相)의 형상을 하고 역귀(疫鬼)를 쫓는 의식(儀式)을 행함.
[方書 방서] ㉠사방(四方)의 책. ㉡방술(方術)의 책.
[方席 방석] 깔고 앉는 작은 자리.
[方俗 방속] 지방의 풍속.
[方術 방술] ㉠방사(方士)의 술법(術法). 장생불사(長生不死)의 법(法). ㉡방법(方法)과 기술(技術).
[方式 방식] 일정한 형식(形式).
[方神 방신] 사방을 맡은 신(神).
[方雅 방아] 방정(方正)하고 우아(優雅)함.
[方案 방안] 방법(方法)의 고안(考案).
[方額 방액] 네모진 이마.
[方羊 방양] ㉠노고(勞苦)하는 모양. ㉡이리저리 거닒. 배회함. 방양(彷徉).
[方言 방언] 사투리.
[方輿 방여] 땅. 곤여(坤輿).
[方輿勝覽 방여승람] 책 이름. 30권. 송(宋)나라

축목(祝穆)의 찬(撰). 군명(郡名)·풍속(風俗)·명승(名勝)·토산(土産)·산천(山川) 등에 관한 시부서기(詩賦序記)를 많이 수록하였음.
[方椽 방연] 네모진 서까래.
[方裔 방예] 변방(邊方). 변경(邊境).
[方枘圓鑿 방예원조] 네모진 자루와 둥근 구멍이란 뜻으로, 서로 맞지 않는 것의 비유.
[方外 방외] ㉠언행(言行)을 바르게 함. ㉡지경(地境) 밖. ㉢이역(異域). 이적(夷狄)의 땅. ㉣세속(世俗) 사람의 테 밖.
[方外侶 방외려] 속세를 떠난 무리. 도사(道士)·승려(僧侶) 따위.
[方外地 방외지] 중국 밖의 땅.
[方外學 방외학] 유교(儒敎)에서 도교·불교를 이르는 말.
[方員 방원] 방원(方圓).
[方圓 방원] 모진 것과 둥근 것. 방형(方形)과 원형(圓形).
[方圓可施 방원가시] 무슨 일을 하여도 잘함을 이름.
[方圓殊合鉤繩異態 방원수합구승이태] 방(方)은 사각(四角), 원(圓)은 동그라미, 구(鉤)는 곡(曲), 승(繩)은 직(直). 양자(兩者)의 성질이 서로 달라서 맞지 않음의 비유.
[方位 방위] 방각(方角)과 위치(位置). 동서남북(東西南北)을 기준으로 십육방위(十六方位)·삼십이방위(三十二方位) 등으로 나눔.

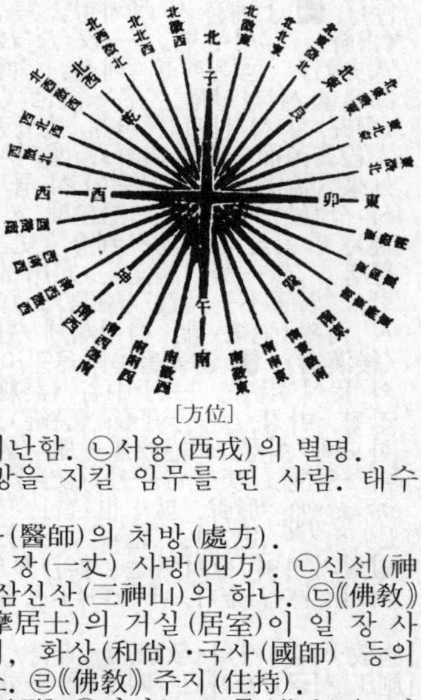

[方位]

[方人 방인] ㉠인물을 비교·논평함. 일설(一說)에는, 남의 허물을 비난함. ㉡서융(西戎)의 별명.
[方任 방임] 사방을 지킬 임무를 띤 사람. 태수(太守) 따위.
[方子 방자] 의사(醫師)의 처방(處方).
[方丈 방장] ㉠일 장(一丈) 사방(四方). ㉡신선(神仙)이 산다는 삼신산(三神山)의 하나. ㉢《佛敎》 유마 거사(維摩居士)의 거실(居室)이 일 장 사방이었던 데서, 화상(和尙)·국사(國師) 등의 높은 중의 처소. ㉣《佛敎》 주지(住持).
[方長不折 방장부절] ㉠자라는 초목(草木)을 꺾지 아니함. ㉡앞길에 바랄 것이 있는 사람이나 일에 대하여 헤살을 놓지 아니함.
[方底而圓蓋 방저이원개] 아래가 네모진 것에 둥근 뚜껑의 뜻. 서로 맞지 않음의 비유. 원개방저(圓蓋方底).
[方田 방전] 정방형의 전지(田地). 또, 전지의 종횡의 길이를 똑같이 함. 균전(均田).
[方田均稅法 방전균세법] 송(宋)나라 신종(神宗) 때 왕안석(王安石)이 제정한 신법(新法)의 하나로서, 동서남북 각 천 보(千步)를 한 방전(方田)으로 하고, 토질(土質)에 의하여 조세(租稅)를 다섯 등급으로 나눈 제도.
[方折 방절] 직각(直角)으로 꺾임.
[方井 방정] 정간(井間)을 맞추어 짠 천정(天井).
[方正 방정] ㉠언행이 바르고 점잖음. ㉡한대(漢代)의 과거(科擧) 과목.
[方劑 방제] 조제(調劑)한 약.
[方舟 방주] ㉠배를 나란히 함. 또, 나란히 가는 두 척의 배. ㉡방형(方形)의 배.
[方州 방주] ㉠땅. 토지(土地). ㉡구주(九州)의 땅. ㉢주(州)의 자사(刺史).
[方峻 방준] 방정하고 준수함.
[方重 방중] 방정하고 진중(鎭重)함.
[方志 방지] ㉠바른 마음. ㉡한 지방(地方)에 관한 사항을 적은 기록(記錄).
[方直 방직] 바르고 곧음.
[方陣 방진] 방형(方形)의 진(陣).
[方陳 방진] 방진(方陣).
[方鎭 방진] 한 지방을 진수(鎭戍)하는 벼슬. 당(唐)나라의 절도사(節度使) 같은 것.
[方策 방책] 꾀. 계책.
[方礎 방초] 네모진 주춧돌.
[方寸 방촌] ㉠마음. ㉡사방(四方) 한 치. ㉢근소(僅少)한 면적(面積).
[方寸之間 방촌지간] 가슴속. 흉중(胸中).
[方寸之木可使高於岑樓 방촌지목가사고어잠루] 사방(四方) 한 치의 나무도 높고 뾰족한 누각보다 더 높게 쓰인다는 뜻으로, 사물을 비교하는 데 표준을 잘못 잡으면 아주 낮은 것을 아주 높은 것보다 높다고 잘못 판단할 수 있다는 말.
[方錐 방추] 네모진 송곳.
[方針 방침] ㉠앞으로 나아갈 일정한 방향(方向)과 계획(計畫). ㉡나침반(羅針盤)의 방위(方位)를 가리키는 자석(磁石)으로 만든 바늘.
[方榻 방탑] 방형(方形)의 의자.
[方宅 방택] 방형(方形)의 대지(垈地).
[方土 방토] 나라. 한 지방.
[方便 방편] ㉠《佛敎》 편의에 따라 사람을 인도하는 방법. ㉡임기응변(臨機應變)의 처리.
[方苞 방포] 청(淸)나라 때의 학자(學者)이며 문인(文人). 안후이(安徽) 동성(桐城) 사람. 호(號)는 망계(望溪). 학(學)은 정주(程朱)를 종(宗)으로 삼고, 문장은 한구(韓歐)를 배워 동성파(桐城派)의 시조(始祖)가 되었음. 저서에 〈망계문집(望溪文集)〉 등이 있음.
[方幅 방폭] ㉠규칙. 규정. ㉡가는 곳마다. 도처에.
[方夏 방하] 사방(四方)과 중하(中夏).
[方解石 방해석] 천연적(天然的)으로 산출되는 탄산석회(炭酸石灰)의 결정(結晶). 순수한 것은 무색투명하여 유리 광택을 냄.
[方行 방행] ㉠널리 보급됨. ㉡제 마음대로 행동함. 횡행(橫行).
[方向 방향] 향하는 쪽. 방위(方位).
[方響 방향] 국악기의 하나. 금부(金部) 또는 체명(體鳴) 악기의 하나임.
[方頰 방협] 네모진 뺨.
[方形 방형] 네모진 형상(形狀).
[方壺 방호] ㉠배는 둥글고 주둥이가 네모진 병. ㉡삼신산(三神山)의 하나. 곧, 방장(方丈).
[方圜 방환] 방원(方圓).
[方環 방환] 네모진 고리.
[方皇 방황] '방황(彷徨)'과 같음.
[方賄 방회] 지방의 산물. 방물(方物).
[方孝孺 방효유] 명(明)나라 때의 학자. 자(字)는 희직(希直). 문장을 잘하였으며 기절(氣節)이

곤아 정난(靖難)의 난(亂)을 당하여 책형(磔刑)을 당하였음. 저서(著書)에 〈손지재고(遜志齋稿)〉·〈후성집(侯成集)〉·〈희고당고(希古堂稿)〉가 있음.

[方厚 방후] 방정(方正)하고 돈후(敦厚)함.

◉艮方. 間方. 坎方. 甲方. 開方. 乾方. 庚方. 癸方. 古方. 故方. 坤方. 公方. 矩方. 禁方. 南方. 多方. 端方. 當方. 大方. 東方. 等方. 萬方. 卯方. 無方. 未方. 百方. 別方. 丙方. 本方. 北方. 比方. 祕方. 巳方. 四方. 四方八方. 朔方. 三方. 上方. 尙方. 西方. 先方. 蘇方. 巽方. 殊方. 戌方. 十方. 時方. 申方. 辛方. 神方. 新方. 雙方. 藥局方. 良方. 兩方. 五方. 午方. 外方. 外下方. 遠方. 酉方. 遊必有方. 乙方. 義方. 醫方. 二方. 異方. 離方. 寅方. 一方. 任方. 立方. 子方. 正方. 諸方. 地方. 直方. 辰方. 震方. 處方. 陟方. 丑方. 忠方. 他方. 兌方. 八方. 平方. 下方. 遐方. 漢方. 亥方. 行方. 向方. 後方.

2
⑥ [㫃] 언 ㊤阮 於幰切 yǎn
㊤銑 於蹇切

字解 깃발펄럭일 언 깃발이 바람에 펄럭이는 모양. '一, 旌旗之游, 一蹇之皃'《說文》.

字源 象形. 기(旗)가 바람에 펄럭이는 모양을 본뜸.

3
⑦ [斺] ㊀ 전 ㊤銑 丑善切 chǎn
㊁ 징 ㊥蒸 宅江切
㊂ 당 ㊥江 陟陵切

字解 ㊀ 깃대 전 '一, 旌旗柱'《集韻》. ㊁ 깃대 징 ㊀과 뜻이 같음. ㊂ 깃대 당 ㊀과 뜻이 같음.

字源 形聲. 丨+㫃〔音〕

4
⑧ [於] 中人 ㊀ 어 ㊥魚 央居切 yú, ④yū
㊁ 오 ㊥虞 哀都切 wū

筆順 ' ㅗ 方 方 方' 於 於 於

字解 ㊀ ①어조사 어 전후 자구(字句)의 관계를 나타내는 말. 于(二部 一畫)와 뜻이 같음. '夫子至一是邦也'《論語》. ②기댈 어 의거함. 의지함. '冠昏之所一'《韓愈》. '心相一'《曹植》. ③있을 어 在(土部 三畫)와 뜻이 같음. '軒冕在前, 非義弗乘, 斧越一後, 義死不避'《說苑》. ④성 어 성(姓)의 하나. ㊁ ①오홉다할 오 감탄사. 아아. '一乎不顯'《詩經》. ②땅이름 오 지명(地名). '商一'. ③까마귀 오 烏(火部 六畫)의 古字. '一鵲與處'《穆天子傳》.

字源 金文 烏의 古文 烏의 古文 象形. 본디, '烏오'와 같음. 까마귀의 울음소리의 의성어(擬聲語)에서, 감탄사 '아'로 쓰이고, 假借하여 '관계, 피동, 비교' 등을 나타내는 어조사로 쓰이게 됨.

參考 扵(手部 四畫)는 俗字.

[於是乎 어시호] 이에 있어서. 이제야.
[於焉間 어언간] 어느덧. 어느 사이에.
[於越 어월] 월(越)나라. 어(於)는 발어사(發語辭).
[於邑 오읍] 슬퍼서 기가 막히는 모양.
[於菟 오토] 범〔虎〕의 이칭(異稱).
[於乎 오호] 아아. 감탄(感歎)하는 소리.
[於皇 오황] 오호(於乎).
[於戲 오희] 오호(於乎).

◉甚至於. 依於. 紅於.

4
⑧ [斻] 항 ㊥陽 寒剛切 háng

字解 ①배나란히맬 항 '一, 方舟也'《說文》. ②건널 항 배로 물을 건넘. '北一涇流'《後漢書》.

字源 形聲. 方+亢〔音〕

[放] 〔방〕
攴部 四畫(p. 925)을 보라.

4
⑧ [㫄] 〔방〕
旁(方部 六畫〈p. 962〉)의 本字

5
⑨ [施] 中人 ㊀ 시 ①-⑥㊥支 式支切 shī
⑦⑧㊦寘 施智切 shī
⑨-⑪㊤紙 賞是切 shǐ
㊁ 이 ①-③㊦寘 以豉切 yì
④㊥支 余支切 yí

筆順 ㅗ 方 方 方' 方' 方 施 施

字解 ㊀ ①베풀 시 ㉠차림. '一設'. '彰一五色'《書經》. ㉡시행함. '一政'. '君嗣不可一刑'《十八史略》. ㉢은혜를 베풂. '博一於民'《論語》. ②전할 시 전달됨. '名一後世'《淮南子》. ③기시(棄屍)할 시 시체를 버려 뭇사람에게 보임. '秦人殺冀芮而一之'《國語》. ④기뻐할 시 '一一從外來'《孟子》. ⑤곱사등이 시 꼽추. '戚一'. ⑥성 시 성(姓)의 하나. ⑦은혜 시 '德一普也'《易經》. ⑧공로 시 '功一到今'《史記》. ⑨자랑할 시 뽐냄. '無一勞'《論語》. ⑩버릴 시 유기(遺棄)함. '君子不一其親'《論語》. ⑪느슨할 시, 늦출 시 이완(弛緩)함. 이완하게 함. '一刑屯北邊'《後漢書》. ㊁ ①옮을 이, 옮길 이 移(禾部 六畫)와 뜻이 같음. '一于中谷'《詩經》. ②뻗을 이 연장됨. 미침. '一于子孫'《詩經》. ③미칠 이 어느 한도에 이름. '絕族無一服'《儀禮》. ④기울 이 비스듬함. '庚子日一兮'《史記》.

字源 篆文 形聲. 㫃+也〔音〕. '㫃언'은 기를 본뜬 것. '也야'는 '넘실거리다'의 뜻. 넘실거리며 펄럭이는 기의 모양에서, 점점 미치어 가다, 옮다, 베풀다의 뜻을 나타냄.

[施敬 시경] 경의(敬意)를 베풂. 경의를 보임.
[施工 시공] 공사(工事)를 착수하여 진행함.
[施療 시료] 무료로 치료해 줌.
[施物 시물] 《佛敎》 시주(施主)가 베푸는 재물(財物).
[施米 시미] 시여(施與)하는 쌀.
[施粉 시분] 분을 바름. 화장을 함.
[施肥 시비] 논밭에 거름을 줌.
[施舍 시사] ㉠은덕(恩德)을 베풀어, 노역(勞役)이나 부채(負債)를 면제해 줌. ㉡여객(旅客)을 숙박하게 함. 또, 그곳. 객사. 주막. ㉢줌과 주지 아니함. ㉣흥함과 망함. 흥폐(興廢).
[施捨 시사] 희사(喜捨)함.
[施賞 시상] 상품(賞品)을 줌.
[施設 시설] 베풀어서 설비(設備)함.
[施施 시시] ㉠나아가기 어려운 모양. 또는 천천히 가는 모양. ㉡기뻐하는 모양.

[施視 시시] 조망(眺望).
[施餓鬼 시아귀]《佛教》 음식을 아귀(餓鬼)에게 베풀어 준다는 뜻으로, 무연(無緣)의 망자(亡者)의 혼령을 위로하여 독경(讀經)·공양(供養)하는 일.
[施予 시여] 시여(施與).
[施與 시여] 남에게 물건을 줌.
[施用 시용] 시행(施行).
[施爲 시위] 시행(施行).
[施閏章 시윤장] 청(淸)나라 때의 문학자. 호(號)는 우산(愚山). 명사(明史)를 편수하고, 시독(侍讀)에 승진했음. 시(詩)에 뛰어나 왕사정(王士禎)과 함께 이름을 나란히 하였음. 저서에 〈학여당집(學餘堂集)〉 78권이 있음.
[施恩 시은] 은혜(恩惠)를 베풂.
[施人愼勿念 시인신물념] 남에게 물건을 베풀고 은인연(恩人然)하지 말라는 뜻.
[施展 시전] 베풀어 폄.
[施政 시정] 정무(政務)를 시행함.
[施從 시종] 이종(施從).
[施主 시주]《佛教》 ㉠부처 또는 중에게 물건을 주는 사람. ㉡장례·법사(法事) 등을 행하는 주인공(主人公).
[施賑 시진] 시여하여 진휼(賑恤)함.
[施策 시책] 계책(計策)을 베풂.
[施鍼 시침] 몸에 침을 놓아 병을 고침.
[施行 시행] ㉠실지로 베풀어 행함. ㉡중·빈민 등에게 재물을 줌.
[施惠 시혜] 은혜(恩惠)를 베풂.
[施化 시화] 만물(萬物)을 기름.
[施從 이종] 안 보이게 하며 뒤를 밟음.
◉倒行逆施. 博施. 布施. 普施. 報施. 敷施. 西施. 實施. 雲行雨施. 遺施. 張施. 財施. 振施. 陳施. 戚施. 惠施.

5 ⑨ [旀] [韓] 며

[字解]《韓》 한국어의 '며' 음을 표기하기 위하여 만든 문자.

5 ⑨ [斿] 유 [平]尤 以周切 yóu

[字解] ①깃발 유 기각(旗脚). '一旆'. '建大常十有二一'《周禮》. ②놀 유 游(水部 九畫)와 同字. '泛泛滇滇從高一'《漢書》.
[字源] 會意. 㫃+子. '㫃언'은 깃대에 단 기드림을 본뜬 것. '子자'는 '流류'의 생략체로, '흐르다'의 뜻. 바람에 날려 흐르듯 나부끼는 깃발의 뜻을 나타냄.

[斿旐 유조] 깃발이 있는 기.
[斿旆 유패] 깃발. 기각(旗脚). 또, 깃발이 있는 기.
◉旗斿. 飈斿.

5 ⑨ [旆] 〔패〕 旆(方部 六畫〈p. 962〉)의 訛字

[瓬] 〔방〕 瓦部 四畫(p. 1448)을 보라.

6 ⑩ [旂] 기 [平]微 渠希切 qí

[字解] ①기 기 교룡(交龍)을 그리고 방울을 단 붉은 기. '有虞氏之一'《禮記》. ②성 기 성(姓)의 하나.
[字源] 甲骨文 金文 篆文 形聲. 㫃+斤〔音〕. '斤근'은 '祈기'와 통하여, 행복을 빌다의 뜻. 제후가 신에게 행복을 구하고, 백성에게 명령을 내릴 때에 쓰는 기의 뜻을 나타냄. 장식 방울이 달려 있는 것이 甲骨文에 잘 나타나 있음.

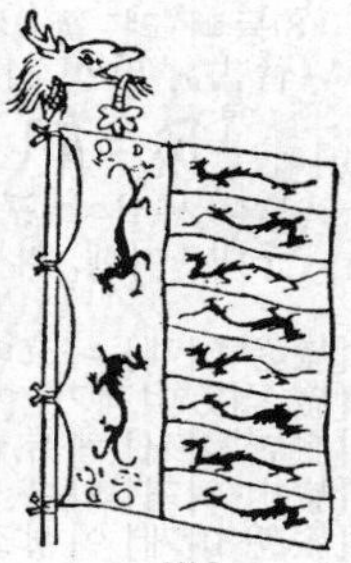
[旂]

[旂常 기상] 기(旗). 상(常)은 해와 달을 그린 기.
[旂旐 기조] 기(旗). 조(旐)는 귀사(龜蛇)를 그린 기.
◉旗旂. 大旂. 旛旂. 神旂. 御旂. 龍旂. 羽旂. 玄旂.

6 ⑩ [旃] 전 [平]先 諸延切 zhān

[字解] ①기 전 비단으로 만든 깃발과 기드림이 달린, 무늬 없는 붉은 기. '一以招大夫'《左傳》. ②어조사 전 之(丿部 三畫)와 뜻이 같음. '虞公求一'《左傳》. ③모직물 전 氈(毛部 十三畫)과 同字. '一裘'. '荷一被毳者'《漢書》. ④성 전 성(姓)의 하나.
[字源] 甲骨文 金文 篆文 形聲. 㫃+丹〔音〕. '㫃언'은 기, '丹단'은 '붉다'의 뜻. 붉은 기의 뜻을 나타냄.

[旃①]

[旃裘 전구] 털옷.
[旃陀羅 전다라]《佛教》 범어(梵語) candala의 음역(音譯). 악인(惡人)·살자(殺者)란 뜻으로, 인도 최하급(最下級)의 종족(種族).
[旃檀 전단] ㉠단향목(檀香木). ㉡뛰어난 재덕(才德), 또는 훌륭한 시문(詩文) 등의 비유.
[旃毛 전모] 모직물(毛織物)의 털.
[旃蒙 전몽] 고갑자(古甲子)에서 십간(十干) 중의 을(乙).
[旃茵 전인] 담요.
[旃旌 전정] 기(旗).
◉曲旃. 勉旃. 戎旃.

6 ⑩ [旅] [中人] 려 [上]語 力擧切 lǚ

[筆順] 亠 方 方 方' 方ヶ 旅 旅 旅

[字解] ①나그네 려 ㉠객지에 기류하는 일. '羈一之臣'《左傳》. ㉡여인(旅人). '于時舍一'《詩經》. ②여행할 려 멀리 감. '一于明年之次'《左傳》. ③무리 려 다수의 사람. '一力'. '敢煩里一'《左傳》. ④군사 려 오백 명의 군사. '五卒爲一'《周禮》. 전(轉)하여, 군대. '師一'. '爰整其一'《詩經》. ⑤여괘 려 육십사괘(六十四卦)의 하나. 곧, ䷷〈간하(艮下) 이상(離上)〉. 머무른 곳을 떠나지 않는 상(象). ⑥벌여놓을 려, 늘어설 려 진열함. 또, 줄지어 섬. '一見'. '殽核惟一'《詩經》. ⑦산신제지낼 려 '季氏一於泰山'《論語》.

⑧등뼈 려 膂(肉部 十畫)와 통용. '一力絶群'《晉書》. ⑨성 려 성(姓)의 하나.

字源 甲骨文 金文 篆文 會意. 㫃+从. '㫃언'은 군기(軍旗)를 본뜬 것. 많은 사람이 군기를 앞세우고 가다의 뜻에서, '군대, 여행'의 뜻을 나타냄.

[旅客 여객] 나그네.
[旅客機 여객기] 여객을 태워 나르는 비행기.
[旅居 여거] 체류함. 기우(寄寓)함.
[旅拒 여거] 막음. 항거함.
[旅憩 여게] 여행길에서 쉼.
[旅苦 여고] 여행(旅行)할 때 당하는 고생. 나그네의 고생.
[旅館 여관] 나그네를 묵게 하는 집.
[旅券 여권] 외국을 여행하는 사람에게 허가(許可)하여 주는 문서(文書). 여행권(旅行券).
[旅途 여도] 여로(旅路).
[旅力 여력] ㉠뭇사람의 힘. ㉡등뼈의 힘. 손의 힘. 완력. 여력(膂力).
[旅路 여로] 나그네의 길.
[旅泊 여박] 여차(旅次).
[旅拜 여배] 늘어서서 절함.
[旅費 여비] 여행하는 데 드는 돈.
[旅舍 여사] 여관(旅館).
[旅思 여사] 여행 중의 심정. 객정(客情).
[旅生 여생] 씨를 뿌리지 않아도 저절로 남. 자생(自生). 야생(野生).
[旅愁 여수] 객지(客地)에서의 수심(愁心). 나그네의 수심. 객수(客愁).
[旅酬 여수] 의식(儀式)이 끝난 뒤에 식에 참여한 사람들이 술잔을 돌려 가며 마시는 예(禮).
[旅樹 여수] 가로수(街路樹).
[旅宿 여숙] ㉠여관(旅館). ㉡여차(旅次).
[旅食 여식] 타향에서 삶.
[旅心 여심] 여행(旅行)할 때 마음에 우러나는 회포(懷抱).
[旅鴈 여안] 먼 곳으로 날아가는 기러기.
[旅楹 여영] 큰 기둥.
[旅獒 여오] ㉠서융(西戎)에서 나는 개의 일종(一種). ㉡서경(書經)의 편명(篇名).
[旅寓 여우] ㉠여관(旅館). ㉡여차(旅次).
[旅衣 여의] 여행 옷.
[旅人 여인] 나그네. 여객(旅客).
[旅逸 여일] 나그네가 되어 방랑함.
[旅裝 여장] 길 떠날 차림.
[旅前 여전] 떼 지어 전진함.
[旅店 여점] 여관(旅館).
[旅亭 여정] 여관(旅館).
[旅情 여정] 여사(旅思).
[旅程 여정] 여행하는 노정(路程).
[旅中 여중] 객지(客地)에 있는 동안. 객중(客中).
[旅進旅退 여진여퇴] ㉠함께 나아가고 함께 물러섬. ㉡여러 사람과 진퇴(進退)를 같이함. 식견(識見)이나 지조(志操)가 없음의 비유.
[旅次 여차] 여행 중의 숙박(宿泊). 타향에서의 우거(寓居).
[旅窓 여창] 나그네가 거처하는 방.
[旅體 여체] 객지(客地)에 있는 몸. 객체(客體).
[旅炊 여취] 여행길에서 밥을 지어 먹음.
[旅抱 여포] 여사(旅思).
[旅行 여행] 먼 길을 감.
[旅行免狀 여행면장] 여권(旅券).
[旅見 여현] 늘어서서 알현(謁見)함.
[旅魂 여혼] 여사(旅思).
◉客旅. 軍旅. 羈旅. 蓄旅. 賓旅. 師旅. 商旅. 逆旅. 義旅. 征旅. 振旅. 行旅.

6 ⑩ [㫌] 旅(前條)의 古字

6 ⑩ [旄] 모 ①㊥豪 莫袍切 máo ②㊤號 莫報切 mào

字解 ①기 모 이우(犛牛)의 꼬리로 장식한 지휘하는 기. '干一'. '右秉白一以麾'《書經》. ②늙은이 모 耄(老部 四畫)와 통용. '反其一倪'《孟子》.

字源 金文 篆文 形聲. 㫃+毛[音]. '㫃언'은 나부끼는 기를 본뜬 것. '毛모'는 털의 象形. 긴 털이 있는 쇠꼬리를 깃대에 꾸민 기의 뜻을 나타냄. 파생하여, '늙은이'의 뜻을 나타냄.

[旄①]

[旄丘 모구] 앞이 높고 뒤가 낮은 언덕.
[旄旗 모기] 이우(犛牛)의 꼬리를 단 기.
[旄倪 모예] 노인과 소아.
[旄牛 모우] 소의 일종. 털이 길. 이우(犛牛).
[旄鉞 모월] 천자(天子)의 명(命)을 받은 장수가 갖는 기와 도끼.
◉干旄. 白旄. 騂旄. 羽旄. 節旄. 旌旄.

6 ⑩ [旆] 패 ㊤泰 蒲蓋切 pèi

字解 ①기 패 ㉠잡색(雜色)의 기. 기폭(旗幅)의 끝이 갈라져 제비 꽁지처럼 되어 있음. '白一央央'《詩經》. ㉡큰 기. 또, 널리 일반의 기의 뜻으로도 쓰임. '一旌'. '設二一而退之'《左傳》. ②깃발날릴 패 '胡不一一'《詩經》.

字源 形聲. 㫃+巿[音]. '巿패'는 '나뉘다'의 뜻. 끝이 제비 꽁지처럼 째진 기의 뜻을 나타냄.

[旆①㉠]

[旆旌 패정] 기(旗).
[旆旆 패패] 깃발이 날리는 모양.
◉卷旆. 錦旆. 旗旆. 鑾旆. 大旆. 反旆. 白旆. 幡旆. 飛旆. 旋旆. 羽旆. 斿旆. 戎旆. 征旆. 旌旆. 酒旆. 遲旆. 抗旆. 懸旆.

6 ⑩ [旂] 〔기〕 旗(方部 十畫〈p.965〉)와 同字

6 ⑩ [旁] 人名 ㊀ 방 ①-③㊥陽 步光切 páng ④㊤漾 蒲浪切 bàng ㊁ 팽 ㊥庚 晡橫切 bēng

字解 ㊀ ①곁 방 옆. 傍(人部 十畫)과 同字. '兩一'. '食於道一'《漢書》. ②널리 방 너르게. 두루. '一求'. '獨一搜而遠紹'《韓愈》. ③방 방 한자(漢字)의 우방(右方)의 일컬음. '文書暗偏一'《程俱》. ④기댈 방 의지함. '一日月'《莊子》. ㊁ 달릴 팽 말이 쉬지 않고 달리는 모양. '駟介一一'《詩經》.

字源 甲骨文 [glyph] 金文 [glyph] 篆文 [glyph] 形聲. 甲骨文·金文은 凡+方〔音〕. '凡범'은 퍼져 흩어지다의 뜻. '方방'은 좌우로 퍼지다의 뜻. 좌우로 펼쳐진 부분, '곁'의 뜻을 나타냄. 《說文》에서는, 篆文을 二+闕+方〔音〕으로 설명하는데, '闕'이라 한 것은 그 부분의 자형의 해설을 할 수 없었기 때문임.

[旁格 방격] 빠짐없이 널리 궁구(窮究)함.
[旁系 방계] 갈려서 나뉜 계통(系統). 방계(傍系). 직계(直系)의 대(對).
[旁觀 방관] 상관하지 아니하고 곁에서 보기만 함. 방관(傍觀).
[旁觀者審當局者迷 방관자심당국자미] 옆에서 보는 사람의 판단은 공평하고, 직접 일을 당하는 사람은 도리어 판단을 잘못함.
[旁求 방구] 널리 구(求)함.
[旁國 방국] 이웃 나라.
[旁近 방근] 곁. 근처.
[旁唐 방당] 한없이 퍼짐.
[旁睞 방래] 곁을 두루 봄.
[旁錄 방록] 두루 베껴 기록함.
[旁魄 방박] 방박(旁礴).
[旁薄 방박] 방박(旁礴).
[旁礴 방박] ㉠뒤섞음. 혼동(混同)함. ㉡널리 퍼짐.
[旁舍 방사] 곁의 작은 집.
[旁死魄 방사백] 음력으로 매월 초이틀. 초하루는 사백(死魄)이라 함.
[旁生 방생] ㉠널리 골고루 삶. 만물(萬物)이 생성(生成)함을 이름. ㉡《佛敎》 축생(畜生).
[旁搜 방수] ㉠널리 찾음. ㉡널리 고증함. 방인(旁引).
[旁若無人 방약무인] 좌우(左右)에 사람이 없는 것같이 언행을 기탄(忌憚)없이 함. 방약무인(傍若無人).
[旁午 방오] ㉠왕래(往來)하는 사람이 많음. ㉡일이 번잡(繁雜)함. 바쁨.
[旁議 방의] 옆에서 보고 이러니저러니 말함.
[旁人 방인] 곁의 사람.
[旁引 방인] 널리 인용(引用)함. 자세히 고증함.
[旁尊 방존] 가까운 친척을 이르는 말. ㉠형제의 아들. ㉡백숙부(伯叔父).
[旁綜 방종] 널리 종합함.
[旁注 방주] 본문의 옆의 주해.
[旁註 방주] 방주(旁注).
[旁進 방진] 두루 이르러 통함.
[旁暢 방창] 널리 사방으로 퍼짐.
[旁妻 방처] 첩(妾).
[旁燭 방촉] 빠짐없이 두루 비춤.
[旁矚 방촉] 두루 봄.
[旁側 방측] ㉠옆. 곁. ㉡측근자(側近者).
[旁通 방통] 곡진(曲盡)함.
[旁牌 방패] 전쟁 때 화살·창·돌 따위를 막는 무기. 보병용(步兵用)의 장형(長形)과 기병용(騎兵用)의 원형(圓形)이 있음.
[旁行 방행] ㉠널리 퍼짐. ㉡횡서(橫書). ㉢횡행(橫行)함.
[旁蹊曲徑 방혜곡경] 정도(正道)를 밟지 않고 그른 방법으로 일을 함.

[旁牌]

[旁旁 팽팽] 말이 쉬지 않고 달리는 모양.
◉岐旁. 路旁. 四旁. 兩旁. 扁旁. 偏旁. 海旁.

7 ⑪ [旊] 방 ㊤養 妃网切 fǎng

字解 옹기장 방 옹기장이. 도공(陶工). '一人爲簋'《周禮》.

[旊人 방인] 옹기장이. 도공(陶工).

7 ⑪ [㫂] 〔류〕 旒(方部 九畫〈p. 965〉)의 俗字

7 ⑪ [旇] ㊀비 ㊥支 敷羈切 pī ㊁피 ㊧寘 平義切 bì

字解 ㊀ ①기휘날릴 비 기(旗)가 바람에 나부끼는 모양. '一, 旌旗披靡也'《說文》. ②옷펄럭일 비 옷이 바람에 날리는 모양. '一, 衣服貌'《廣韻》. ③지휘(指揮)할 비 손짓하여 일을 시킴. '麾謂之一'《集韻》. ㊁ 기휘날릴 피, 옷펄럭일 피, 지휘할 피 ㊀과 뜻이 같음.

字源 篆文 [glyph] 形聲. 㫃+皮〔音〕. '皮피'는 찢어져서 튀어 흩어지다의 뜻. 기가 나부끼다의 뜻을 나타냄.

7 ⑪ [旋] 高人 선 ㊥先 似宣切 xuán

筆順 亠 方 方 扩 扩 旃 旋 旋

字解 ①돌릴 선 ㉠돌게 함. '一轉'. '一乾轉坤'《韓愈》. ㉡방향을 돌림. 돌아섬. '一踵'《史記》. ②돌 선 회전함. '一回'. '一入雷淵'《楚辭》. ③돌아올 선 도로 옴. '凱一'. '玉輦望南斗, 未知何日一'《李商隱》. ④빠를 선 동안이 짧음. '一興一廢'. '殃一至'《史記》. ⑤조금 선 좀. '病一已'《史記》. ⑥오줌 선 소변. '夷射姑一焉'《左傳》. ⑦두를 선 빙 두름. '東郊十里香塵一'《僧用晦》. ⑧성 선 성(姓)의 하나.

字源 甲骨文 [glyph] 金文 [glyph] 篆文 [glyph] 會意. 疋+㫃. '㫃언'은 기드림의 象形으로, 헤엄쳐 다니다의 뜻. '疋필'은 발을 본뜬 것. 발로 빙글빙글 걸어 돌아다니다의 뜻을 나타냄.

[旋乾轉坤 선건전곤] 천지(天地)를 회전한다는 뜻으로, 천하(天下)의 형세를 일신(一新)함을 이름.
[旋曲 선곡] 돌아 굽음.
[旋觀 선관] 돌면서 봄.
[旋軍 선군] 군사를 돌이켜 돌아가거나 돌아옴.
[旋歸 선귀] 돌아감.
[旋螺 선라] 나사.
[旋流 선류] 돌아 흐름.
[旋毛 선모] 소용돌이 모양으로 난 머리털. 가마.
[旋舞 선무] 돌며 춤을 춤.
[旋反 선반] 돌아감.
[旋盤 선반] 갈이 기계. 공작(工作) 기계의 하나.
[旋復 선복] 돌아옴.
[旋師 선사] 싸움에 이기고 군사(軍士)를 인솔하여 돌아옴.
[旋斡 선알] 돎. 또, 돌림.
[旋淵 선연] 소용돌이치는 깊은 못.
[旋渦 선와] 소용돌이침. 또, 소용돌이.

[旋日 선일] 이틀에 걸침.
[旋轉 선전] 빙빙 돌아감.
[旋踵 선종] ㉠돌아섬. 전(轉)하여, 물러남. 후퇴함. ㉡돌아설 만한 동안. 곧, 잠시(暫時).
[旋止 선지] 돌아옴.
[旋飇 선표] 선풍(旋風).
[旋風 선풍] 회오리바람.
[旋風筆 선풍필] 자유자재로 쓰는 재필(才筆).
[旋辟 선피] 주저함.
[旋環 선환] 돎. 또, 돌림.
[旋還 선환] 선귀(旋歸).
[旋回 선회] 돎. 또, 돌림.
[旋興旋廢 선흥선폐] 갑자기 흥하였다가 갑자기 쇠한다는 뜻으로, 변천(變遷)이 심함을 이름.
◉凱旋. 螺旋. 班旋. 般旋. 盤旋. 斡旋. 縈旋. 渦旋. 往旋. 轉旋. 周旋. 便旋. 飄旋. 環旋. 回旋. 廻旋.

7 ⑪ [旌] [人名] 정 [平]庚 子盈切 jīng

[字解] ①기 정 깃대 위에 이우(犛牛)의 꼬리를 달고 이것을 새털로 장식한 기. '大夫以一'《孟子》. 또, 널리 기의 총칭. '一旗'. '朝有進善之一'《史記》. ②나타낼 정 표시함. 또는, 밝힘. 표창(表彰)함. '一表'. '一別淑慝'《書經》. ③성 정 성(姓)의 하나.

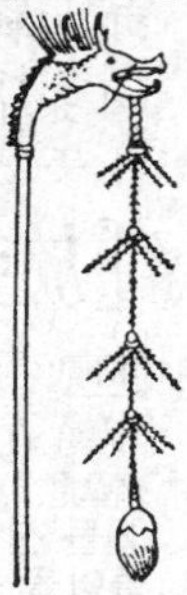
[旌①]

[字源] 篆文 形聲. 㫃+生〔音〕. '㫃언'은 기를 본뜬 것. '生생'은 '精정'과 통하여, 사졸(士卒)을 정진(精進)케 하는 '기'의 뜻을 나타냄.

[旌竿 정간] 깃대.
[旌簡 정간] 등용(登用)하여 표창함.
[旌蓋 정개] 기(旗)와 일산(日傘).
[旌揭 정게] 나타내어 게시(揭示)함.
[旌鼓 정고] 기와 북.
[旌旂 정기] 기(旗)의 총칭(總稱).
[旌旗 정기] 기(旗).
[旌閭 정려] 충신(忠臣)·효자(孝子)·열녀(烈女) 등을 그 살던 고을에 정문(旌門)을 세워 표창(表彰)함.
[旌勞 정로] 공로를 표창함.
[旌錄 정록] 공을 표창하여 기록함.
[旌命 정명] ㉠현사(賢士)를 부르고 인재(人材)를 등용함. ㉡현사(賢士)를 초청(招請)하는 사자(使者)를 이름.
[旌銘 정명] 죽은 사람의 이름을 쓴 기. 명정(銘旌).
[旌旄 정모] 기(旗).
[旌門 정문] ㉠기(旗)를 세워 만든 문. 제사·연회 때 만듦. ㉡충신·효자·열녀 등을 표창하기 위하여 그 집 앞에 세운 붉은 문. 홍문(紅門).
[旌別 정별] 선인(善人)과 악인(惡人)을 구별하는 일.
[旌賞 정상] 선행(善行) 또는 공적(功績)을 표창함.
[旌敍 정서] 표창하여 서임(敍任)함.
[旌揚 정양] 표창하여 드러냄. 칭양(稱揚).
[旌引 정인] 표창하여 끌어올림.
[旌節 정절] 사신(使臣)이 가지고 다니는 부절(符節) 구실을 하는 기.

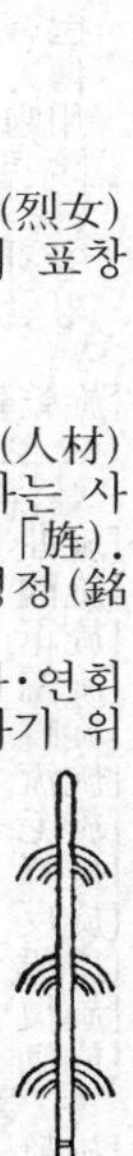
[旌節]

[旌旐 정조] 기(旗).
[旌寵 정총] 표창(表彰)하고 총애함.
[旌幟 정치] 기치(旗幟).
[旌擢 정탁] 표창하고 발탁함.
[旌旆 정패] 기(旗).
[旌褒 정포] 정상(旌賞).
[旌表 정표] ㉠기치(旗幟). ㉡선행(善行)을 표창(表彰)함.
[旌夏 정하] 행렬(行列)의 표로 쓰는 큰 기.
[旌顯 정현] 정표(旌表).
[旌麾 정휘] 기(旗).
◉旗旌. 銘旌. 霓旌. 羽旌. 危旌. 流旌. 旒旌. 駐旌. 彰旌. 追旌. 旆旌. 表旌. 懸旌. 麾旌.

7 ⑪ [旍] 旌(前條)과 同字

7 ⑪ [旎] 니 [上]紙 女氏切 nǐ

[字解] 깃발펄펄날 니 旖(方部 十畫)를 보라.
[字源] 形聲. 㫃+尼〔音〕

7 ⑪ [族] [中人] [一] 족 [入]屋 昨木切 zú [二] 주 [去]宥 千候切 zòu

[筆順] 亠 亍 方 扩 扩 旌 族 族

[字解] [一] ①겨레 족 ㉠일가. 집안. '一人'. '以親九一'《書經》. ㉡인종(人種)의 유별(類別). '民一'. '斯拉夫一'. ②백집 족 백가(百家). '四閭爲一'《周禮》. ③무리 족 동류(同類). '方命圮一'《書經》. ④성 족 성씨(姓氏). '羽父請諡與一'《左傳》. ⑤족멸할 족 씨를 멸함. '罪人以一'《書經》. ⑥떼질 족 한데 모임. '一居'. '木一生爲灌'《爾雅》. [二] 풍류가락 주 음악의 절주(節奏). 奏(大部 六畫)와 통용. '使有節一'《漢書》.
[字源] 甲骨文 金文 篆文 會意. 㫃+矢. '㫃언'은 기의 象形. '矢시'는 화살을 본뜬 것. 군기(軍旗) 아래에 많은 화살이 모이는 모양에서, '모이다'의 뜻을 나타냄.

[族居 족거] 모여 삶.
[族系 족계] 가계(家系).
[族姑 족고] 아버지의 재종 자매(再從姊妹). 재당고모(再堂姑母).
[族黨 족당] 같은 종문(宗門)이나 계통에 속하는 겨레붙이. 족속(族屬).
[族類 족류] 동족(同族).
[族望 족망] 씨족(氏族)의 명망(名望). 가문(家門)의 성망(聲望).
[族滅 족멸] 멸족(滅族)함.
[族母 족모] 족고(族姑).
[族味 족미] 메추라기〔鶉〕의 별칭.
[族別 족별] ㉠친족의 갈래. ㉡종류에 의하여 나눔. 유별(類別).
[族譜 족보] 씨족(氏族)의 계보(系譜).
[族父 족부] 아버지의 재종형제(再從兄弟). 재당숙(再堂叔).
[族殺 족살] 족멸(族滅).
[族生 족생] 떼 지어 남. 족생(簇生).
[族姓 족성] ㉠일족(一族)의 성씨(姓氏). ㉡동성(同姓)과 이성(異姓). ㉢족망(族望).

[族屬 족속] 겨레붙이.
[族緣 족연] 친족의 인연.
[族燕 족연] 한 집안의 잔치.
[族夷 족이] 족멸(族滅).
[族人 족인] 동종(同宗)인 사람.
[族姻 족인] 인척(姻戚).
[族子 족자] ㉠동종(同宗)의 아들. ㉡형제의 아들. 조카. ㉢삼종형제(三從兄弟)의 아들.
[族長 족장] 한 겨레의 장(長).
[族制 족제] 가족 제도.
[族祖父 족조부] 조부의 종형제. 재종조부(再從祖父).
[族誅 족주] 족멸(族滅).
[族曾王父 족증왕부] 아버지의 종조부(從祖父).
[族戚 족척] 친척(親戚).
[族親 족친] 유복친(有服親) 이외의 한 집안.
[族庖 족포] 보통의 요리인.
[族兄弟 족형제] 삼종형제(三從兄弟).
◉家族. 甲族. 彊族. 巨族. 擧族. 系族. 高族. 官族. 九族. 舊族. 國族. 群族. 眷族. 貴族. 近族. 技族. 大族. 同族. 萬族. 蠻族. 望族. 名族. 毛族. 苗族. 門族. 美族. 民族. 班族. 蕃族. 閥族. 父族. 附族. 部族. 分族. 非族. 匪族. 士族. 三族. 庶族. 姓族. 盛族. 世族. 勢族. 小族. 素族. 疏族. 水族. 殊族. 氏族. 魚族. 語族. 王族. 右族. 遺族. 類族. 異族. 姻族. 鱗族. 一族. 鼎族. 宗族. 種族. 戚族. 賤族. 親族. 敝族. 品族. 寒族. 血族. 豪族. 洪族. 華族. 皇族.

7 ⑪ [旑] [一] 의 ㊤紙 於綺切 yǐ
[二] 아 ㊤哿 烏可切 ě
[字解] [一] ①기휘날릴 의 旖(方部 十畫)의 略字. ②기(旗) 의 '一旎, 旌旂也'《集韻》. [二] 기휘날릴 아, 기(旗) 아 [一]과 뜻이 같음.

7 ⑪ [旉] 〔부〕
敷(攴部 十一畫〈p. 939〉)의 古字

8 ⑫ [旐] 조 ㊤篠 治小切 zhào
[字解] 기 조 ㉠기폭(旗幅)을 길이가 여덟 자 되는 비단으로 만든 기. '綢練設一夏也'《禮記》. ㉡거북과 뱀을 그린 폭이 넓은 검은 빛깔의 기. '龜蛇爲一'《周禮》.

[旐㉡]
[字源] 篆文 形聲. 㫃+兆〔音〕. '兆조'는 점칠 때 길흉을 아는 거북의 뜻. 거북과 뱀을 그린 기의 뜻을 나타냄.

◉白旐. 飛旐. 喪旐. 斿旐. 旒旐. 旌旐. 玄武旐.

8 ⑫ [旎] 나 ㊤哿 乃可切 nuǒ
[字解] ①기펄렁일 나 기(旗)가 바람에 나부끼는 모양. '旑一, 旌旗皃'《集韻》. ②기(旗) 나 '旑一, 旌旂也'《集韻》.

9 ⑬ [旒] 류 [平]尤 力求切 liú
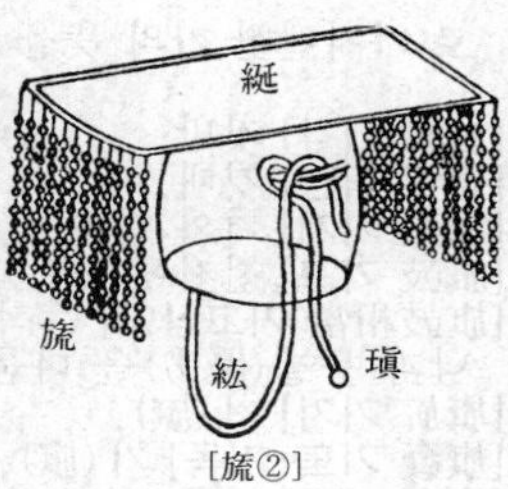

[旒②]
[字解] ①깃발 류 기각(旗脚). '爲下國綴一'《詩經》. ②면류관 끈 류 면류관의 주옥을 꿰어 늘어뜨린 끈. 천자(天子)는 열두 줄, 제후(諸侯)는 아홉 줄, 상대부(上大夫)는 일곱 줄, 하대부(下大夫)는 다섯 줄임. '一冕'. '天子玉藻, 十有二一'《禮記》.
[字源] 形聲. 㫃+流〈省〉〔音〕. '㫃언'은 기의 象形. '流류'는 '흐르다'의 뜻. 바람에 휘날리는 기의 부분, '깃발'의 뜻을 나타냄.

[旒旗 유기] 기각(旗脚)이 있는 기.
[旒冕 유면] 실로 구슬을 꿰어 앞뒤에 늘어뜨린 귀인(貴人)의 갓.
[旒旌 유정] 기각(旗脚)이 열둘 있는 기.
[旒綴 유철] 깃발.
◉冕旒. 旌旒. 宸旒. 玉旒. 凝旒. 藻旒. 珠旒. 采旒.

9 ⑬ [旓] 소 [平]肴 所交切 shāo
[字解] 깃발 소 기각(旗脚). '建光耀之長一兮'《漢書》.

◉長旓.

9 ⑬ [旕] [韓] 엇
[字解] 《韓》 ①땅이름 엇 땅 이름. ②엇시조(旕時調) 엇 엇시조.

10 ⑭ [旖] 의 [平]支 於綺切 yǐ
[字解] ①깃발펄펄날 의 '一旎'는 깃발이 펄럭이는 모양. '一旎從風'《史記》. ②구름피어오를 의 '一旎'는 구름이 피어오르는 모양. '乘雲蜺之一旎兮'《漢書》. ③성할 의 '一旎'는 성(盛)한 모양. '紛一旎乎都房'《楚辭》.
[字源] 篆文 形聲. 㫃+奇〔音〕. '奇기'는 '기대다'의 뜻. 기가 나부끼는 모양을 나타냄.

[旖旎 의니] ㉠깃발이 펄럭이는 모양. ㉡구름이 피어오르는 모양. ㉢성(盛)한 모양.

10 ⑭ [旗] [高人] 기 [平]支 渠之切 qí
[筆順] 亠 方 方 㫃 旃 旃 旗 旗
[字解] ①기 기 곰과 범을 그린 기. '師都建一'《周禮》. 또, 널리 기의 총칭. '旌一'. '下可以建五丈一'《史記》. ②표 기 표지(標識). '佩, 衷之一也'《左傳》. ③군대 기 청조 시대(淸朝時代)의 군대의 일컬음. '八一'. '建一辨色'《大淸會典》. ④별이름 기 성수(星宿)의 하나. '東北曲十二星爲一'《史記》. ⑤성 기 성(姓)의 하나.
[字源] 篆文 形聲. 㫃+其〔音〕. '其기'는 '정연(整然)하다'의 뜻. 사각형, 직사각형으

로 가지런한 기의 뜻을 나타냄.

[旗脚 기각] 깃발.
[旗竿 기간] 깃대.
[旗鎧 기개] 기와 갑옷.
[旗鼓 기고] 전쟁에 쓰는 기와 북.
[旗鼓相當 기고상당] ㉠적(敵)과 승패를 결함. ㉡남과 우열(優劣)을 다툼.
[旗旂 기기] 기(旗).
[旗纛 기도·기독] 기(旗).
[旗頭 기두] 기를 드는 사람. 기수(旗手).
[旗手 기수] 기를 드는 사람.
[旗章 기장] 기의 표지(標識). 기치(旗幟).
[旗亭 기정] 술집. 주점. 전(轉)하여, 요릿집. 여관.
[旗旌 기정] 기(旗).
[旗志 기지] 기장(旗章).
[旗幟 기치] ㉠군기(軍旗). ㉡기의 표지(標識). 전(轉)하여, 거취(去就)·찬부(贊否)의 태도.
[旗幟鮮明 기치선명] ㉠기의 빛이 선명함. ㉡주의(主義)·방침(方針)·태도(態度) 등이 명확함.
[旗幟槍劍 기치창검] 군중(軍中)에서 쓰는 기(旗)·창(槍)·칼 따위.
[旗旆 기패] 기(旗).
[旗幅 기폭] 깃발. 기면(旗面).
[旗標 기표] 기장(旗章).
[旗下 기하] 휘하(麾下).
[旗艦 기함] 사령 장관(司令長官) 또는 사령관(司令官)이 타고 있는 군함.
[旗號 기호] 기장(旗章).
◉校旗. 國旗. 軍旗. 軍艦旗. 鷺旗. 綠旗. 萬國旗. 反旗. 半旗. 叛旗. 白旗. 幡旗. 兵旗. 社旗. 船旗. 星條旗. 手旗. 信旗. 牙旗. 聯隊旗. 龍旗. 羽旗. 優勝旗. 旒旗. 義旗. 赤旗. 戰旗. 旌旗. 弔旗. 酒旗. 采旗. 青旗. 太極旗. 八旗. 降旗.

10 ⑭ [旙] 분 ㊤阮 部本切 běn
字解 배뜸 분 선박(船舶)의 지붕을 덮는 거적. '一, 舟篷也'《韻會》.

11 ⑮ [旛] ㊀휘 ㊥微 許歸切 huī ㊁운 ㊤阮 古本切 gǔn
字解 ㊀ ①표기(標旗) 휘 표지 있는 기(旗). 徽(巾部 十一畫)와 同字. ②움직일 휘 움직거리게 함. '一, 動也'《玉篇》. ㊁ 기이름 운 기명(旗名). '一, 旗名'《集韻》.

14 ⑱ [旛] 번 ㊥元 孚遠切 fān
字解 기 번 깃발을 가로 길게 하여 늘어뜨린 기. 전(轉)하여, 기의 총칭. '一旂'. '立靑一'《後漢書》.
字源 篆文 形聲. 㫃+番〔音〕. '番번'은 방사상(放射狀)으로 퍼지다의 뜻. 바람에 날려 펄쳐지며 올라가는 기, '기드림'의 뜻을 나타냄.

[旛]

[旛旂 번기] 기(旗).
[旛旛 번번] 깃발 따위가 펄럭이는 모양.
[旛幟 번치] 기(旗)의 표지(標識). 표지(標識)를 한 기.
◉勝旛. 信旛. 春旛. 風旛. 降旛. 花旛.

14 ⑱ [旚] 표 ㊥蕭 甫遙切 biāo
字解 기휘날릴 표 기(旗)가 바람에 나부끼는 모양. '一, 旌旗飛揚皃'《說文》.
字源 篆文 形聲. 㫃+猋〔音〕. '猋표'는 '회오리바람'의 뜻. 기가 바람에 펄럭이다의 뜻을 나타냄.

14 ⑱ [旜] 〔당〕
幢(巾部 十二畫〈p. 682〉)과 同字.

15 ⑲ [旜] 전 ㊥先 諸延切 zhān
字解 기 전 기폭(旗幅)이 붉은 기. 공경(公卿)이 세우는 것임. 旃(方部 六畫)과 同字. '孤卿建一'《周禮》.

◉建旜.

15 ⑲ [旝] 괴 ㊦泰 古外切 kuài
字解 ①기 괴 기폭(旗幅)이 붉으며 대장이 지휘하는 데 쓰는 기. '一動而鼓'《左傳》. ②돌쇠뇌 괴 돌을 발사하는 쇠뇌. '又爲大一連弩'《唐書》.
字源 篆文 形聲. 㫃+會〔音〕

◉旗旝. 翔旝. 矢旝. 旟旝. 雲旝. 旌旝.

15 ⑲ [旞] 수 ㊦寘 徐醉切 suì
字解 기 수 새털로 깃대의 꼭대기를 장식한 기. '道車載一'《周禮》.
字源 篆文 形聲. 㫃+遂〔音〕

16 ⑳ [旟] 여 ㊥魚 以諸切 yú
字解 ①기 여 송골매를 그려 일을 급속히 함을 상징한 기(旗). '州里建一'《周禮》. ②펄렁거릴 여 기(旗) 같은 것이 바람에 펄렁거림. '髮則有一'《詩經》.
字源 篆文 形聲. 㫃+與〔音〕. '與여'는 여럿이서 들다의 뜻. 여럿이서 들어 올리는 기의 뜻을 나타냄.

[旟]

[旟旝 여괴] 기(旗).
[旟旆成陰 여패성음] 기가 그늘을 이룬다는 뜻으로, 기가 많음의 형용.
◉干旟.

无(旡) (4획) 部
〔없을무부·이미기방부〕

0 ④ [无] 人名 무 ㊤麌 武夫切 wú

[筆順] 一 二 天 无

[字解] 없을 무 毋(部首)·無(火部 八畫)와 同字. 역경(易經)과 노자(老子)에는 이 자를 썼음. '厲一咎'《易經》.

[字源] 無의 奇字 指事. '無무'의 奇字. '舞무·無무'의 甲骨文 ' '는 춤추는 사람의 象形으로, '춤추다'의 뜻을 나타내며, 假借하여 '없다'의 뜻으로도 쓰임. '无무'는 이 춤추는 사람의 象形의 생략체로, '없다'의 뜻을 나타냄.

[无疆 무강] 끝이 없음. 무강(無疆). 무궁(無窮).
[无垢 무구] ㉠더럽지 않음. 청정(淸淨). ㉡가사(袈裟).
[无漏 무루]《佛敎》번뇌를 끊고 생사를 해탈(解脫)함.
[无妄 무망] ㉠육십사괘(六十四卦)의 하나. 곧, ䷘〈진하(震下), 건상(乾上)〉. 진실하고 속임이 없는 상(象). 거짓이 없는 상(象). ㉡뜻밖에 도래(到來)함.
[无妄之災 무망지재] 뜻밖의 재변(災變).
[无明 무명]《佛敎》본성(本性)이 번뇌에 가려져서 사리(事理)에 어두움.
[无上道 무상도]《佛敎》그 위에 더할 나위 없이 뛰어난 깨달음. 곧, 사념(邪念)을 버리고 불과(佛果)를 얻는 일. 보리(菩提).
[无上道心 무상도심]《佛敎》보리심(菩提心).
◉撥无.

0 ④ [旡] 기 [去]未 居豙切 jì

[字解] 목멜 기 음식을 먹을 때 구역질이 나서 숨이 막힘. '一, 飮食屰氣不得息曰一'《說文》.

[字源] 甲骨文 篆文 古文 象形. 甲骨文은 앉은 사람이 얼굴을 돌려 외면한 모양을 본떠, '숨이 막히다, 물리다'의 뜻을 나타냄.

[參考] 부수(部首)로서, 얼굴을 돌려 외면하는 상태에 관한 문자를 이룸. 속(俗)에 '이미기(旣)방(旁)'이라 이름.

5 ⑨ [既] 旣(次條)의 俗字

7 ⑪ [旣] [中][人] [一] 기 [去]未 居豙切 jì
[二] 희 [去]未 許旣切 xì

[筆順] 丿 白 白 皀 皀 皀 旣

[字解] [一] ①이미 기 ㉠벌써. '一已'. '一醉以酒, 一飽以德'《詩經》. ㉡원래. '爾酒一淸'《詩經》. ②다할 기 ㉠다 마침. '言未一'《韓愈》. ㉡다 없어짐. '日有食之, 一'《左傳》. ㉢다 없앰. '一月'《書經》. ③성 기 성(姓)의 하나. [二] 쌀 희, 녹미 희 餼(食部 十畫)와 통용. '一稟稱事'《中庸》.

[字源] 甲骨文 金文 篆文 形聲. 皀+旡[音]. '皀조'는 식기에 담은 맛있는 좋은 음식의 象形. '旡기'는 외면하는 사람의 象形. 맛있는 좋은 음식을 다 먹고 외면하는 사람의 모양에서, 다하다의 뜻을 나타내고, 파생하여 '이미'의 뜻을 나타냄.

[旣決 기결] 이미 된 결정(決定).
[旣決囚 기결수] 유죄(有罪)의 판결(判決)을 받은 사람.
[旣得權 기득권] 정당(正當)한 수단에 의하여 이미 얻은 권리(權利).
[旣望 기망] 음력 16일.
[旣生魄 기생백] 음력 17일의 별칭(別稱).
[旣設 기설] 이미 차려 놓음. 미리 베풀어 놓음.
[旣成 기성] 이미 이루어짐.
[旣往 기왕] 이전.
[旣往不咎 기왕불구] 이왕지사(已往之事)는 나무라지 아니함.
[旣爲 기위]《韓》이미. 벌써.
[旣已 기이] 이미. 벌써.
[旣以 기이] 기이(旣已). 이(以)는 이(已)와 통용.
[旣張之舞 기장지무]《韓》기왕(旣往) 시작(始作)한 일이니 중간(中間)에 그만둘 수는 없다는 말. 벌린 춤.
[旣定 기정] 이미 결정됨.
[旣濟 기제] ㉠육십사괘(六十四卦)의 하나. 곧, ䷾〈이하(離下), 감상(坎上)〉. 일이 이미 이루어진 상(象). ㉡일이 이미 끝남. 미제(未濟)의 대(對).
[旣知 기지] 이미 앎.
[旣婚 기혼] 이미 혼인을 하였음.
◉皆旣. 肆旣. 蝕旣. 終旣.

7 ⑪ [旣] 旣(前條)의 俗字

9 ⑬ [旤] 〔화〕 禍(示部 九畫〈p. 1601〉)의 古字

日 (4획) 部
〔날일부〕

0 ④ [日] [中][人] 일 [入]質 人質切 rì

[筆順] 丨 冂 日 日

[字解] ①해 일 ㉠태양. '一月'. '天無二一'《孟子》. ㉡낮의 길이. '春一遲遲'《詩經》. ②날 일 ㉠하루. '一一'. '一受千金之賜'《韓愈》. ㉡때. 시기. '壯者以暇一, 修其孝悌忠信'《孟子》. ③낮 일 밤의 대. '夜以繼一'《孟子》. ④나날 일 나날이. 매일. '一改月化'. '又一新'《大學》. ⑤접때 일 이왕에. '一者'. '一世過此也'《左傳》. ⑥나라이름 일 일본(日本)의 약칭.

[字源] 甲骨文 金文 篆文 古文 象形. 태양을 본뜬 것으로, '해'의 뜻을 나타냄.

[參考] 부수(部首)로서, 태양, 명암(明暗), 시간 등에 관한 문자를 이룸. 이름은 '날일'.

[日角 일각] 이마의 중앙의 뼈가 해 모양으로 융기(隆起)한 것. 귀인(貴人)의 상(相).
[日脚 일각] 태양의 빛이 직선으로 쫙 비치는 형용. 햇발. 햇살.
[日刊 일간] 날마다 인쇄함. 또, 그 인쇄물.
[日旰 일간] 일모(日暮).
[日間 일간] 며칠 되지 아니한 동안. 며칠 사이.

[日改月化 일개월화] 날로 달로 변천함.
[日居月諸 일거월저] ㉠해여, 달이여. 임금과 신하, 또, 나라님과 그의 부인, 또, 부모(父母)님에 비유됨. '居'와 '諸'는 조사(助辭)임. ㉡날과 달이 지나가는 일. 곧, 세월이 감을 이름.
[日計 일계] 날마다 계산(計算)함. 또, 그 계산.
[日計不足歲計有餘 일계부족세계유여] 목전의 이익은 없어도 시일이 오래되면 결국은 이익이 있음을 이름.
[日計表 일계표] 날마다 계산(計算)한 것을 적어 전체(全體)를 환히 알아보게 만든 표(表).
[日高三丈 일고삼장] 아침 해가 벌써 높이 오름.
[日工 일공] ㉠날마다 공전을 받으며 하는 일. 날품팔이. ㉡하루의 공전.
[日課 일과] 날마다 하는 일, 또는 과정(課程).
[日官 일관] 천문(天文)을 맡은 벼슬아치. 천관(天官).
[日光 일광] 햇빛.
[日光浴 일광욕] 햇빛에 쬐어 건강(健康)을 증진(增進)하는 일.
[日晷 일구] ㉠일영(日景). ㉡해시계.
[日久月深 일구월심] 날이 오래되고 달이 깊어진다는 뜻으로, '시간이 자꾸 가서 오래될수록 자꾸 더하여짐'을 이르는 말.
[日軌 일궤] 태양이 운행하는 궤도.
[日勤 일근] 날마다 근무(勤務)함.
[日給 일급] ㉠품삯을 날마다 줌. ㉡하루의 급료(給料).
[日氣 일기] 그날의 천기(天氣). 날씨.
[日記 일기] 날마다 일어난 사실(事實)을 적은 기록(記錄).
[日旗 일기] 해의 모양을 그린 기(旗).
[日記豫報 일기예보] 날씨를 미리 알리는 일.
[日暖風和 일난풍화] 일기(日氣)가 따뜻하고 바람이 화창(和暢)함.
[日旦 일단] 아침.
[日東 일동] 일본(日本).
[日落西山 일락서산] 해가 서산에 짐.
[日來 일래] ㉠며칠 사이. ㉡날마다 옴.
[日力 일력] ㉠종일 하는 일. ㉡나날이 하는 일.
[日曆 일력] ㉠일기(日記). ㉡날마다 한 장씩 떼거나 넘겨 보는 책력(冊曆).
[日錄 일록] 일기(日記).
[日輪 일륜] 해.
[日陵月替 일릉월체] 나날이 쇠해 감.
[日母 일모] 해. 태양.
[日暮 일모] 날이 저묾.
[日暮途遠 일모도원] 해는 저물고 갈 길은 멂. 나이는 먹어 이미 늙었으나, 할 일이 많음의 비유.
[日沒 일몰] 해가 짐.
[日薄西山 일박서산] 해가 짐. 전(轉)하여, 늙어서 여명(餘命)이 얼마 남지 아니한 뜻으로 쓰임.
[日邊 일변] ㉠해의 가. 일제(日際). ㉡대궐(大闕) 부근. ㉢하루하루 셈을 치는 변리.
[日本 일본] 아시아 극동(極東)에 있는 나라 이름. 왜국(倭國).
[日俸 일봉] 하루의 급료. 일급(日給).
[日復日 일부일] 날마다. 나날이.
[日不暇給 일불가급] 일이 많아 종일 쉬지 아니하여도 시간이 모자람. 일역부족(日亦不足).
[日不暇休 일불가휴] 일불가급(日不暇給).
[日不移晷 일불이구] 시간이 얼마 경과(經過)하지 아니함.
[日費 일비] 날마다 드는 비용(費用).
[日射病 일사병] 뜨거운 일광의 직사(直射)를 받아서 발생하는 질환.
[日削月朘 일삭월선] 나날이 다달이 줄어듦. 백성이 가혹한 세금 징수 때문에 생활이 어렵게 됨을 이르는 말.
[日削月割 일삭월할] 나날이 쇠해짐.
[日常 일상] 늘. 항상(恒常).
[日常茶飯事 일상다반사] 항용 있는 일. 항다반(恒茶飯).
[日上三竿 일상삼간] 해가 높이 떠서 아침이 이미 늦음.
[日夕 일석] ㉠낮과 밤. ㉡저녁.
[日星 일성] 해와 별.
[日收 일수] 《韓》 본전(本錢)과 변리(邊利)를 일정(一定)한 날짜에 나누어 날마다 거두어들이는 빚.
[日數 일수] ㉠그날의 운수(運數). ㉡날의 수효(數爻).
[日乘 일승] 일기(日記).
[日食 일식] 일식(日蝕).
[日蝕 일식] 달이 태양(太陽)과 지구(地球) 사이에 와서 해를 가리는 현상(現象). 일식(日食).
[日新 일신] 날마다 새로워짐.
[日新月盛 일신월성] 나날이 새로워지고 다달이 왕성하여짐.
[日甚 일심] 나날이 심(甚)하여짐.
[日夜 일야] ㉠주야(晝夜). 낮과 밤으로. 일석(日夕). ㉡평상(平常).
[日御 일어] ㉠제후(諸侯)의 나라에서 천문(天文)을 맡은 벼슬아치. ㉡해. 태양.
[日語 일어] 일본(日本)말. 일본어(日本語).
[日域 일역] ㉠해 뜨는 곳. ㉡해가 비치는 곳. 천하(天下).
[日亦不足 일역부족] 종일(終日) 하여도 시간이 모자람.
[日景 일영] 일영(日影).
[日影 일영] 해의 그림자.
[日午 일오] 정오(正午).
[日曜 일요] 칠요(七曜)의 하나. 토요일의 다음 날. 일요일(日曜日).
[日用 일용] 날마다 드는 씀씀이.
[日用凡百 일용범백] 《韓》 날마다 쓰는 모든 물건(物件).
[日用品 일용품] 날마다 쓰는 물품.
[日月 일월] ㉠해와 달. ㉡시일(時日)의 경과(經過). ㉢광음(光陰).
[日月無私照 일월무사조] 일월(日月)은 공평(公平)하게 비친다는 뜻으로, 지공무사(至公無私)함의 비유.
[日月不爲一物晦其明 일월불위일물회기명] 일월은 한 물건을 위하여 그 밝음을 어둡게 하지 않는다는 뜻으로, '명군(明君)은 한 사람을 위하여 법을 굽히지 아니함'을 비유한 말.
[日月逝矣歲不我與 일월서의세불아여] 세월은 쉬지 않고 자꾸 흘러가 우리를 기다려 주지 않음.
[日月星辰 일월성신] 일월(日月)과 성신(星辰). 곧, 해와 달과 별.
[日月蝕 일월식] 일식(日蝕)과 월식(月蝕).
[日月如流 일월여류] 세월은 유수(流水)와 같이 쉬지 않고 흘러 어느덧 달이 바뀌고 해가 감.
[日月麗天 일월여천] 일월이 하늘에 걸려 있음. 여(麗)는 부(附).

[日月欲明浮雲蔽之 일월욕명부운폐지] 일월의 밝은 것을 본래의 선심(善心) 또는 군주의 총명(聰明)에 비유하고 사욕 또는 간신(奸臣)을 뜬 구름에 비유한 말로서, 사람의 본성(本性)은 착한데 사욕이 이를 가림을 이르거나, 군주는 총명한데 간신이 이 총명을 가림을 이름.
[日月逾邁 일월유매] 세월이 쉬지 않고 가 버린다는 뜻으로, 늙어서 죽을 때가 가까워짐을 이르는 말.
[日益 일익] 나날이 더욱.
[日人 일인] 일본(日本) 사람.
[日日 일일] 날마다. 매일.
[日日新又日新 일일신우일신] 날마다 자꾸 진보(進步)함.
[日子 일자] ㉠날짜. ㉡날수. ㉢해〔太陽〕의 아들.
[日字 일자] 날짜.
[日者 일자] ㉠그날그날의 길흉을 점치는 사람. ㉡이전에. 왕자(往者).
[日昨 일작] ㉠일전(日前). ㉡어제.
[日積月累 일적월루] 나날이 쉬지 않고 쌓음.
[日前 일전] 지나간 날. 며칠 전(前).
[日程 일정] 그날에 할 일, 또는 분량.
[日際 일제] 태양 가까이. 일변(日邊).
[日中 일중] 오정(午正) 때. 한낮.
[日中則移月滿則虧 일중즉이월만즉휴] 해가 중천(中天)에 뜨면 기울고 달은 차면 이지러짐. 곧, 성(盛)한 자는 반드시 쇠(衰)함의 비유.
[日中則昃月盈則食 일중즉측월영즉식] 일중즉이월만즉휴(日中則移月滿則虧).
[日增月加 일증월가] 날로 달로 증가함. 나날이 늘어감.
[日支 일지] 일급(日給).
[日至 일지] ㉠동지(冬至). ㉡하지(夏至).
[日誌 일지] 일기(日記).
[日知錄 일지록] 청(淸)나라의 고염무(顧炎武)가 경사(經史)의 고증(考證)을 한 책. 32권. 인거(引據)가 광범(廣範)하고 정확(精確)함.
[日直 일직] ㉠매일의 당직(當直). ㉡주간(晝間)의 당직.
[日辰 일진] 날의 간지(干支).
[日進 일진] 나날이 진보함.
[日進月步 일진월보] 날이 가고 달이 바뀜에 따라 자꾸 진보함.
[日次 일차] 날의 순서.
[日參 일참] 나날의 출근.
[日淺 일천] 시작한 뒤로 날짜가 많지 아니함.
[日出 일출] ㉠해가 뜸. ㉡나날이 나옴.
[日出三竿 일출삼간] 해가 높이 뜬 오전(午前) 여덟 시경.
[日出而作日入而息 일출이작일입이식] 해가 뜨면 일하고 해가 지면 쉼. 곧, 자연(自然)에 따라 일하고 쉼.
[日就月將 일취월장] 학문(學問)이 날로 달로 진보(進步)함.
[日昃 일측] 일모(日暮).
[日晡 일포] 해 질 무렵. 晡는 신시(申時)로, 오후 3시～5시임.
[日餔 일포] 일포(日晡).
[日下 일하] ㉠해가 비치는 아래. ㉡해가 뜨는 동쪽 나라. ㉢서울. 도읍. ㉣천하(天下). 세계.
[日限 일한] 확정한 날의 기한.
[日行 일행] 하루의 행정(行程).
[日魂 일혼] 해의 신(神).
[日和 일화] 일광(日光)이 화창함.
[日華 일화] 햇빛.
[日後 일후] 나중. 뒷날.
[日暈 일훈] 햇무리.
[日興 일흥] ㉠매일 흥겨워함. ㉡매일 흥겨워하는 일. 매일 즐거워하는 일.
◉佳日. 暇日. 隔日. 竟日. 頃日. 過日. 課日. 曠日. 近日. 今日. 忌日. 期日. 吉日. 落日. 納日. 臘日. 曩日. 來日. 累日. 旦日. 當日. 大祭日. 冬日. 同日. 每日. 明日. 明後日. 未日. 拜日. 排日. 白日. 百日. 不日. 社日. 斜日. 朔日. 三七日. 上日. 生日. 曙日. 夕日. 昔日. 先日. 數日. 旬日. 時日. 惡日. 安息日. 愛日. 良日. 餘日. 曆日. 歷日. 連日. 烈日. 永日. 寧日. 翳日. 往日. 畏日. 曜日. 旭日. 元日. 月日. 異日. 翌日. 翼日. 人日. 一日. 昨日. 殘日. 再昨日. 積日. 前日. 節日. 除日. 祭日. 朝日. 終日. 主日. 晝日. 週日. 中日. 卽日. 遲日. 辰日. 盡日. 凄日. 天日. 晴天白日. 初日. 秋霜烈日. 秋日. 祝日. 逐日. 春日. 七七日. 他日. 誕生日. 擇日. 平日. 夏日. 閒日. 抗日. 向日. 嚮日. 好日. 晦日. 後日. 曛日. 休日. 凶日.

1
⑤ [旦] 高人 단 ㊀翰 得按切 dàn

筆順 丨 ⼌ ⽇ 日 旦

字解 ①아침 단 해 돋을 무렵. '一夕'. '正月朔一'《書經》. ②밝을 단 밤이 샘. '長夜漫漫何時一'《甯戚》. ③밤새울 단 철야함. '誰與獨一'《詩經》. ④성 단 성(姓)의 하나.

字源 金文 篆文 指事. '日일'에 지평선을 가리키는 '一일'을 더하여, 지평선 위에 태양이 나타나며 밝아져 가는 이른 아침의 뜻을 나타냄.

[旦那 단나]《佛敎》시주(施主). 단나(檀那).
[旦旦 단단] ㉠매일 아침. 매조(每朝). ㉡매일. ㉢환한 모양. 명백한 모양. 또, 간절(懇切)한 모양.
[旦來 단래] 아침부터. 조래(朝來).
[旦望 단망] ㉠초하루와 보름. ㉡주공단(周公旦)과 태공망(太公望).
[旦明 단명] 새벽. 해 뜰 무렵.
[旦暮 단모] ㉠아침저녁. 조석(朝夕). ㉡절박(切迫)함.
[旦復旦 단부단] 매일(每日).
[旦夕 단석] 단모(旦暮).
[旦昔 단석] 아침과 저녁. 아침저녁. 단석(旦夕).
[旦月 단월] 음력 6월의 별칭(別稱).
[旦日 단일] ㉠내일. 익일(翌日). ㉡내일 아침. 익조(翌朝).
[旦朝 단조] 아침.
[旦晝 단주] ㉠아침과 낮. ㉡낮.
[旦昏 단혼] 아침저녁. 조석. 단모(旦暮).
◉穀旦. 今旦. 吉旦. 每旦. 昧旦. 明旦. 拂旦. 朔旦. 三旦. 爽旦. 歲旦. 晨旦. 元旦. 月旦. 一旦. 日旦. 正旦. 早旦. 遲旦. 震旦. 淸旦. 平旦. 曉旦. 詰旦.

1
⑤ [旧] 〔구〕
舊(臼部 十二畫〈p. 1881〉)의 俗字

2 ⑥ [早] 中·人 조 ㊤皓 子皓切 zǎo

筆順 丨 ㄇ 日 日 旦 早

字解 ①새벽 조 이른 아침. '莫知晚與—'《儲光羲》. ②이를 조 ㉠아침이 이름. '—朝而晏退'《說苑》. ㉡때가 아직 오지 아니함. '盛服將朝, 尙—'《左傳》. ㉢급속함. '汝亦大—計'《莊子》. ③일찍 조 ㉠먼저. 서둘러. '由辨之不—辨也'《易經》. ㉡급히. '—救之'《戰國策》. ④성 조 성(姓)의 하나.

字源 篆文 會意. 篆文은 日+甲. '日일'은 '해'의 뜻. '甲갑'은 사람의 머리를 본뜬 것. 사람의 머리 위에 태양이 뜨기 시작하는 이른 아침의 뜻에서, '이르다'의 뜻을 나타냄. 뒤에, '甲' 부분이 '十십'으로 생략됨.

[早計 조계] 너무 급히 서두름.
[早孤 조고] 어려서 어버이를 여읨.
[早急 조급] 급히 서두름.
[早起 조기] 일찍 일어남.
[早年 조년] 젊은 나이. 만년(晚年)의 대(對).
[早旦 조단] 조조(早朝).
[早達 조달] ㉠나이 젊어서 높은 지위에 오름. 또, 빠른 출세. ㉡어려도 어른같이 보임. 숙성함.
[早稻 조도] 올벼.
[早涼 조량] 철보다 일찍 선선하여짐.
[早老 조로] 나이에 비하여 일찍 늙음.
[早漏 조루] 교합(交合)할 때 사정(射精)이 병적으로 빠름.
[早晚 조만] ㉠이름과 늦음. ㉡아침과 저녁. ㉢이르든지 늦든지. 어느 때든. ㉣가까운 장래에.
[早梅 조매] 꽃이 일찍 피는 매화나무.
[早發 조발] ㉠꽃이 일찍 핌. ㉡아침 일찍 출발함. 조행(早行).
[早白 조백] 40세 이전에 머리털이 세는 일.
[早死 조사] 일찍 죽음.
[早產 조산] 달이 차기 전에 아이를 낳음.
[早霜 조상] 철보다 이르게 오는 서리.
[早雪 조설] 철보다 이르게 내리는 눈.
[早成 조성] 숙성(夙成)함.
[早世 조세] 일찍 죽음. 젊은 나이에 죽음. 조요(早夭).
[早歲 조세] 나이가 젊음.
[早衰 조쇠] 일찍 쇠약(衰弱)함.
[早穗 조수] 올벼의 이삭.
[早熟 조숙] 일찍 익음.
[早食 조식] 조반을 일찍 먹음.
[早晨 조신] 조조(早朝).
[早衙 조아] 관아(官衙)에서 아침 일찍 하는 벼슬아치의 조회(朝會).
[早鴉 조아] 새벽에 우는 까마귀.
[早晏 조안] 이름과 늦음. 또는, 이르건 늦건. 조만(早晚).
[早秧 조앙] 일찍 낸 모.
[早穰 조양] 올벼.
[早刈 조예] 곡식을 일찍 벰.
[早夭 조요] 조세(早世).
[早早 조조] 빨리.
[早朝 조조] 이른 아침. 새벽.
[早潮 조조] 아침에 밀려왔다가 나가는 조수(潮水).
[早秋 조추] 이른 가을. 초추(初秋).
[早春 조춘] 이른 봄. 초춘(初春).
[早出暮入 조출모입] 아침 일찍 나가서 해가 져서 돌아옴.
[早退 조퇴] 정각 이전에 물러감.
[早行 조행] 아침에 일찍 길을 떠남.
[早慧 조혜] 나이가 어려서부터 슬기가 있음. 숙성함.
[早婚 조혼] 나이가 어려서 혼인함.
[早曉 조효] 새벽.
◉晚早. 尙早. 曙早. 歲早. 春早. 侵早.

2 ⑥ [昆] 요 ㊤篠 鳥皎切 yǎo

字解 아득할 요 '—, 望遠也'《玉篇》.

字源 會意. 日+匕

[亘] 〔선〕 二部 四畫(p. 81)을 보라.

2 ⑥ [旭] 人名 욱 ㊅沃 許玉切 xù

筆順 丿 九 九 旭 旭 旭

字解 ①아침해 욱 아침에 떠오르는 해. '—光'. '—日'. '初—纔照, 露華半晞'《劇談錄》. ②해뜰 욱 아침에 해가 뜨는 모양. '——'. '—日始旦'《詩經》. ③교만할 욱 거만한 모양. 또, 만족한 모양. '——蹻蹻, 憍也'《爾雅 釋訓》. ④성 욱 성(姓)의 하나.

字源 篆文 形聲. 日+九〔音〕. '九구'는 굴곡(屈曲)하여 다하다의 뜻. 아침 해가 지평선에 나올 때까지의 빛남이, 처음에는 안정되지 못하고 굴곡하는 듯하다가, 이윽고 지평선에 나오면 빛이 극에 이르는 데서, 아침 해가 돋는 모양, 아침 해의 뜻을 나타냄.

[旭光 욱광] 아침 햇빛.
[旭旦 욱단] 아침 해가 뜰 무렵.
[旭旭 욱욱] ㉠아침 해가 처음으로 나타나는 모양. ㉡아침 해가 돋는 모양. 기세가 좋은 모양의 비유. ㉢자득(自得)한 모양. 교만한 모양. ㉣고동(鼓動)하는 소리. ㉤망연자실한 모양.
[旭日 욱일] 아침 해. 조양(朝陽).
[旭卉 욱훼] ㉠아름답고 많은 모양. 일설에는, 알기 어려움을 이름. ㉡빠름. 민첩함.
[旭暉 욱휘] 욱광(旭光).
◉朗旭. 始旭. 陽旭. 朝旭. 晴旭. 初旭. 紅旭.

2 ⑥ [旮] ㊀ 가 現 gā ㊁ 욱 ㊅沃 許玉切 xù

字解 ㊀《現》모퉁이 가 귀퉁이. ㊁ 旭(前條)의 俗字.

2 ⑥ [旨] 人名 지 ㊤紙 職雉切 zhǐ

筆順 ㇐ 匕 ㇐ 旨 旨 旨

字解 ①맛 지 음식의 맛. '甘—'. 또, 맛있는 음식. '食—不甘'《論語》. ②맛있을 지 '爾酒既—'《詩經》. ③아름다울 지 선미(善美)함. '王曰, —哉'《書經》. ④뜻 지 ㉠의향. '高—'. '有—無簡不聽'《禮記》. ㉡의의. '—義'. '語高而—深'《韓愈》. ㉢천자(天子)의 뜻. 성지(聖旨). '奉

使稱一'《漢書》.

字源 甲骨文 金文 篆文 古文 會意. 甲骨文·金文에서는, 匕+口. '匕비'는 숟가락의 象形. 숟가락으로 입에 흘려 넣는 모양에서, '맛있다'의 뜻을 나타냄. 篆文에서는, 匕+甘.

[旨甘 지감] 맛이 있음. 또, 맛있는 음식.
[旨意 지의] 뜻. 생각. 의향(意向).
[旨義 지의] 뜻. 의의(意義).
[旨酒 지주] 맛 좋은 술.
[旨酒嘉殽 지주가효] 맛 좋은 술과 훌륭한 안주.
[旨蓄 지축] 미리 준비하여 둔 맛 좋은 음식.
[旨趣 지취] 지의(旨意).
◉甘旨. 經旨. 高旨. 內旨. 來旨. 論旨. 大旨. 微旨. 密旨. 本旨. 上旨. 宣旨. 聖旨. 宸旨. 雅旨. 嚴旨. 淵旨. 令旨. 叡旨. 奧旨. 要旨. 遠旨. 違旨. 諭旨. 綸旨. 恩旨. 懿旨. 精旨. 朝旨. 詔旨. 宗旨. 主旨. 天旨. 趣旨. 勅旨. 稱旨. 特旨.

2
⑥ [旬] 高人 순 ㊥眞 詳遵切 xún

筆順 ノ 勹 旬 旬 旬 旬

字解 ①열흘 순 10일. '一朔'. '三百有六一有六日'《書經》. ②열번 순 10회. '一年之間'《後漢書》. ③두루미칠 순 골고루 미침. '來一來宣'《詩經》. ④고를 순 균일함. '雖一无咎'《易經》. ⑤찰 순 제 돌이 꼭 참. '一月'. '一歲間, 免兩司隷'《漢書》. ⑥성 순 성(姓)의 하나.

字源 甲骨文 金文 篆文 古文 甲骨文은 현악기의 조율기(調律器)의 象形으로, 고른 해거름, 10일 동안의 뜻을 나타냄. 金文 이후로, 日+勻〔音〕의 形聲. '勻균'은 '같다'의 뜻. '日일'을 더하여, 뜻을 분명히 함.

[旬刊 순간] 열흘에 한 번 간행함. 또, 그 간행물.
[旬間 순간] 음력 초열흘경.
[旬年 순년] 10년.
[旬望間 순망간] 음력 열흘부터 보름까지의 사이.
[旬朔 순삭] 열흘날과 초하루. 또, 열흘간.
[旬宣 순선] 널리 사방(四方)을 다스려 왕명(王命)을 두루 폄.
[旬歲 순세] 만 1년.
[旬旬 순순] 왔다 갔다 빙빙 도는 모양.
[旬液 순액] 열흘에 한 번 비가 옴.
[旬餘 순여] 10여 일.
[旬月 순월] 만 1개월.
[旬日 순일] 열흘. 열흘간.
[旬葬 순장] 죽은 지 10일 만에 지내는 장사(葬事).
[旬前 순전] 음력(陰曆) 초열흘 전.
◉三旬. 上旬. 一旬. 币旬. 中旬. 初旬. 下旬. 浹旬.

3
⑦ [旱] 高人 한 ㊤翰 侯旰切 hàn

筆順 丨 冂 日 旦 旦 旱 旱

字解 가물 한 비가 오래 오지 아니함. '一災'. '一旣太甚'《詩經》.

字源 篆文 形聲. 日+干〔音〕. '干간'은 '暵한'과 통하여, '가뭄'의 뜻. '日일'을 더하여, '가뭄'의 뜻을 나타냄.

[旱乾 한건] 가물.
[旱儉 한검] 가물어서 곡식이 잘 자라지를 않음.
[旱氣 한기] 가물.
[旱道 한도] 한로(旱路).
[旱稻 한도] 육도(陸稻).
[旱路 한로] 육로(陸路).
[旱潦 한로] 가물과 장마. 한재와 수해.
[旱雷 한뢰] 가문 날에 나는 우레.
[旱魃 한발] 가물.
[旱騷 한소] 가물의 소동(騷動).
[旱熱 한열] 날이 가물고 더움.
[旱炎 한염] 불꽃 같은 더위.
[旱災 한재] 가물로 생기는 재앙.
[旱田 한전] 밭.
[旱祭 한제] 기우제(祈雨祭).
[旱則資舟水則資車 한즉자주수즉자차] 가물 때에는 배를 사 두고, 장마 때에는 수레를 사 둔다는 뜻으로, 값이 오름을 기다려 이(利)를 꾀함을 이름.
[旱徵 한징] 가물의 징조(徵兆).
[旱天 한천] 가문 하늘. 또, 여름의 하늘.
[旱害 한해] 가물의 피해.
[旱荒 한황] 가물로 인하여 전답이 황무함.
[旱蝗 한황] 한재(旱災)와 황해(蝗害).
[旱凶 한흉] 가물로 인하여 흉년이 듦.
◉枯旱. 大旱. 水旱. 炎旱. 永旱. 堯旱. 涔旱. 湯旱. 涸旱. 亢旱. 炕旱. 蝗旱.

3
⑦ [旲] 人名 ■ 대 ㊥灰 徒來切 tái ■ 영 yīng

字解 ■ 햇빛 대 일광(日光). '一, 日光也'《玉篇》. ■ 클 영 모양이 큼. '一, 大也'《篇海》.

字源 形聲. 日+大〔音〕

3
⑦ [昆] 참 ㊤豏 丑減切 chǎn

字解 햇빛비출 참 햇빛이 비춤. '一, 日光照也'《玉篇》.

字源 指事. 해가 산 위에 나와 비추다의 뜻을 나타냄.

3
⑦ [旰] 간 ㊤翰 古案切 gàn, ②hàn

字解 ①해질 간, 늦을 간 해가 져서 늦음. '一食'. '日一, 天子忘食'《漢書》. ②성(盛)할 간 '皓皓一一'《王延壽》.

字源 篆文 形聲. 日+干〔音〕. '干간'은 '마르다, 줄어들다'의 뜻. '해가 지다'의 뜻을 나타냄.

參考 旰(次條)는 別字.

[旰旰 간간] 성(盛)한 모양.
[旰食 간식] 천자 또는 제후(諸侯)가 정무(政務)에 바빠 밤늦게 식사함.
◉爛旰. 宵旰. 澔旰.

3
⑦ [盱] 人名 우 ㊥虞 況于切 xū

字解 ①클 우 '廣一營表'《漢書》. ②해뜰 우.

字源 形聲. 日+于(亏)〔音〕. '于우'는 '華화'와 통하여, '화려하다'의 뜻. 해가 막 떴을 때

의 화려한 아침의 뜻을 나타냄.
参考 旴(前條)은 別字.

3 ⑦ [时] 〔시〕 時(日部 六畫〈p. 985〉)의 俗字·簡體字

[更] 〔경〕 日部 三畫(p. 1006)을 보라.

3 ⑦ [旨] 〔지〕 旨(日部 二畫〈p. 970〉)의 俗字

3 ⑦ [旮] 〔기〕 期(月部 八畫〈p. 1022〉)의 古字

4 ⑧ [昌] 中·人 창 ㊥陽 尺良切 chāng

筆順 丨 冂 冃 日 日 昌 昌 昌

字解 ①창성할 창 번성함. '一運'. '邦乃其一'《漢書》. ②착할 창 선미(善美)함. '禹拜一言'《書經》. ③아름다울 창 용모가 고움. 일설(一說)에는, 장건(壯健)함. '子之一兮'《詩經》. ④물건 창 '百一皆生於土'《莊子》. ⑤창포 창 菖(艸部 八畫)과 통용. '一本'. ⑥성 창 성(姓)의 하나.

字源 金文 篆文 籒文 象形. 빛을 내쏘는 해를 본뜬 것으로, 주목할 만한 굉장함의 뜻에서, '성하다, 햇빛, 좋다'의 뜻을 나타냄. 篆文은 金文의 변형.

[昌國 창국] 번창한 나라.
[昌樂 창락] 번영하여 즐김.
[昌黎 창려] 허베이 성(河北省)에 있는 현(縣)의 이름.
[昌本 창본] 창포(菖蒲)의 뿌리.
[昌阜 창부] 창부(昌富).
[昌富 창부] 창성하고 부강함.
[昌盛 창성] 성(盛)함. 번창(繁昌)함.
[昌世 창세] 잘 다스려 번영하는 세상.
[昌羊 창양] 창양(昌陽).
[昌陽 창양] 창포(菖蒲)의 별칭(別稱). 장생(長生)하는 약이라 함.
[昌言 창언] 옳은 말. 착한 말.
[昌運 창운] 창성한 운(運).
[昌歜 창잠] 창포(菖蒲)로 담근 김치. 창포 김치.
[昌朝 창조] 창성한 조정이라는 뜻으로, 당대(當代)의 조정을 이름.
[昌昌 창창] 창성한 모양.
[昌平 창평] 나라가 창성(昌盛)하고 세상(世上)이 태평(泰平)함.
[昌披 창피] 옷을 입고 띠를 두르지 아니한 모양. 전(轉)하여, 단속(團束)이 잘 안되어 문란(紊亂)한 모양. 창피(猖披).
◉高昌. 文昌. 百昌. 蕃昌. 繁昌. 阜昌. 盛昌. 壽昌. 隆昌. 殷昌. 猖昌. 熾昌. 豐昌.

4 ⑧ [旻] 人名 민 ㊥眞 武巾切 mín

筆順 丨 冂 冃 日 旦 旦 旻 旻

字解 ①하늘 민 가을 하늘. '一天疾威'《詩經》. 또, 널리 하늘의 범칭(泛稱)으로 쓰임. '和吹度穹一'《薛能》. ②성 민 성(姓)의 하나.

字源 篆文 形聲. 日+文〔音〕. '文문'은 '閔민'과 통하여, 가련하게 여기다의 뜻. 만물이 시들어 떨어지는 슬픈 계절인 가을의 하늘의 뜻을 나타냄.

[旻天 민천] ㉠가을 하늘. ㉡하늘.
◉高旻. 九旻. 穹旻. 澄旻. 蒼旻. 淸旻. 秋旻. 火旻.

4 ⑧ [昂] 人名 앙 ㊥陽 五剛切 áng

筆順 丨 冂 冃 日 昂 昂 昂 昂

字解 ①밝을 앙 환한 모양. '顒顒一一, 如圭如璋'《詩經》. ②들 앙 머리를 듦. '黍熟頭低, 麥熟頭一'《談藪》. ③높을 앙 '低'의 대. '左低右一'《柳宗元》. ④오를 앙 높이 오름. '一騰'. '物價踴一'《唐書》. ⑤뜻높을 앙 뜻이 높고 뛰어남. '軒一'. '不自激一'《漢書》. ⑥말이저벅저벅걸을 앙 준마가 머리를 쳐들고 기운차게 달리는 모양. '一一若千里之駒'《楚辭》. ⑦성 앙 성(姓)의 하나.

字源 篆文 形聲. 日+卬〔音〕. '卬앙'은 '우러러보다', '높다'의 뜻. 해가 높이 뜨다, 오르다의 뜻을 나타냄.
参考 昻(日部 五畫)은 俗字.

[昂貴 앙귀] 물건 값이 많이 오름. 등귀(騰貴).
[昂騰 앙등] 물건 값이 오름. 등귀(騰貴).
[昂昂 앙앙] ㉠준마(駿馬)가 머리를 쳐들고 저벅저벅 걷는 모양. ㉡뜻이 높고 뛰어난 모양. ㉢밝은 모양.
[昂然 앙연] 거드럭거리는 모양. 자부(自負)하는 모양.
[昂聳 앙용] 높이 솟음.
◉激昂. 巍昂. 低昂. 左低右昂. 軒昂.

4 ⑧ [昃] 측 ㊇職 阻力切 zè

字解 ①기울 측 ㉠정오가 지나 해가 서쪽으로 기욺. '自朝至于日中一'《書經》. ㉡한쪽으로 기욺. '過則一'《揚子法言》. ②하오 측 오후. '日向一'《宋書》.

字源 甲骨文 篆文 篆文 形聲. 日+仄〔音〕. '仄측'은 '기울다'의 뜻. 해가 서쪽으로 기울다의 뜻을 나타냄.

◉盈昃. 月昃. 日昃. 下昃. 虧昃.

4 ⑧ [昗] 昃(前條)과 同字

4 ⑧ [昆] 人名 곤 ㊥元 古渾切 kūn

筆順 丨 冂 冃 日 旦 昆 昆 昆

字解 ①형 곤 아우의 대(對). '一弟'. '謂他人一'《詩經》. ②뒤 곤 나중. '一命于元龜'《書經》. ③자손 곤 후예. '一後'. '垂裕後一'《書經》. ④같을 곤 동일함. '噍噍一鳴'《漢書》. ⑤많을 곤 중다(衆多)함. '一蟲'. ⑥벌레 곤 곤충(昆蟲). '一蟲毋作'《禮記》. ⑦성 곤 성(姓)의 하나.

字源 金文 篆文 象形. 발이 많은 벌레의 象形. '곤충'의 뜻을 나타냄.

[昆季 곤계] 맏형과 막내아우. 전(轉)하여, 형제(兄弟).
[昆刀 곤도] 곤오(昆吾)에서 만든 잘 드는 칼.
[昆侖 곤륜] ㉠'곤륜(崑崙)'과 같음. ㉡둥근 모양.
[昆侖瓜 곤륜과] 가지〔茄〕의 이칭(異稱).
[昆鳴 곤명] 함께 욺. 떼 지어 욺.
[昆明池 곤명지] 중국의 서남방의 곤명(昆明)이라고 하는 오랑캐 나라에 있는 못.
[昆苗 곤묘] 곤후(昆後).
[昆孫 곤손] 내손(來孫)의 아들.
[昆陽 곤양] ㉠한(漢)나라 때의 현(縣) 이름. 지금의 허난 성(河南省) 섭현(葉縣). 후한(後漢)의 광무제(光武帝)가 왕망(王莽)의 대군(大軍)을 격파한 곳. ㉡윈난 성(雲南省)에 있는 현(縣) 이름.
[昆裔 곤예] 곤후(昆後).
[昆吾 곤오] 옛날의 오랑캐 나라 이름.
[昆吾劍 곤오검] 곤오(昆吾)에서 만든 명검(名劍).
[昆玉 곤옥] 남의 형제를 높여 이르는 말.
[昆夷 곤이] 곤오(昆吾)라고 하는 서쪽에 있는 오랑캐.
[昆弟 곤제] 형제(兄弟).
[昆仲 곤중] 남자의 형제(兄弟).
[昆池 곤지] 곤명지(昆明池).
[昆蟲 곤충] ㉠많은 벌레. ㉡절지동물(節肢動物)의 곤충강(昆蟲綱)에 속하는 동물. 머리·가슴·배의 세 부분이 명확히 나뉘고 발이 여섯임. 메뚜기·딱정벌레·파리·나비 따위.
[昆布 곤포] 갈색조(褐色藻) 곤포속(昆布屬)의 총칭(總稱). 뿌리는 바다 밑 바위에 달라붙고 잎은 좁고 긴 띠와 같음. 식용(食用)으로 함. 다시마.
[昆後 곤후] 자손. 후예(後裔).
◉玉昆. 弟昆. 諸昆. 天昆. 後昆.

4 ⑧ [昇] 高人 승 ㊥蒸 識蒸切 shēng

筆順 丨 冂 日 日 旦 早 昇 昇

字解 ①오를 승 ㉠해가 떠오름. '東一西沒'《宋史》. ㉡위로 올라감. '一降'. '嶺壁窮晨一'《韓愈》. ㉢승진함. '便佞巧宦, 早一朝籍'《舊唐書》. ②올릴 승 올라가게 함. '一級'. ③성 승 성(姓)의 하나.

字源 篆文 形聲. 日+升〔音〕. '升승'은 떠서 올리다의 뜻. '해가 뜨다'의 뜻을 나타냄.

[昇降 승강] 오르고 내림.
[昇降機 승강기] 사람 또는 짐을 싣고 자동적(自動的)으로 오르내리는 장치(裝置). 엘리베이터.
[昇喬 승교] 교목(喬木)을 올라감. 전(轉)하여, 영전(榮轉)함.
[昇交點 승교점] 유성(遊星)이 남쪽으로부터 북쪽을 향하여 황도(黃道)를 지나는 점(點).
[昇級 승급] 등급을 올림. 또, 등급이 올라감.
[昇給 승급] 봉급(俸給)이 오름.
[昇騰 승등] 오름. 올라감.
[昇敍 승서] 벼슬을 올림.
[昇仙 승선] 하늘에 올라가 신선이 됨.
[昇躋 승제] 오름. 올라감.
[昇進 승진] 벼슬이나 지위가 오름.
[昇陟 승척] 오름. 올라감.
[昇天 승천] ㉠하늘에 올라감. ㉡하늘에 올라가 신선(神仙)이 됨. ㉢기독교(基督教)에서 신자(信者)가 죽음.
[昇天入地 승천입지] 하늘에 오르고 땅에 들어감.
[昇沈 승침] 인생(人生)의 영고성쇠(榮枯盛衰).
[昇平 승평] 태평(泰平)한 세상(世上). 승평(升平).
[昇遐 승하] 임금이 세상을 떠남.
[昇汞 승홍] 무색 반투명(半透明)의 결정체(結晶體)로 된 약품(藥品). 염화제이수은(鹽化第二水銀).
[昇華 승화] 고체(固體)에 열(熱)을 가할 때 액체(液體)가 되는 일이 없이 직접 기체(氣體)로 되는 현상.
◉紘昇. 上昇. 定昇. 提昇. 擢昇.

4 ⑧ [昊] 人名 호 ㊤皓 胡老切 hào

筆順 丨 冂 日 日 旦 旦 昗 昊

字解 ①하늘 호 여름 하늘. '以禋祀祀一天'《周禮》. 또, 널리 하늘의 범칭(汎稱)으로 쓰임. '忍饑未擬窮呼一'《蘇軾》. ②성 호 성(姓)의 하나.

字源 金文 篆文 形聲. 篆文은 日+夭(昦)〈省〉〔音〕. '昦오'는 얼굴이 큰 사람을 본뜬 것. 해가 한창 빛나고 있는 하늘의 뜻을 나타냄. '昦'는 뒤에, 하늘의 뜻에 끌리어, '天천'으로 바뀜.

[昊蒼 호창] 하늘.
[昊天 호천] ㉠여름 하늘. ㉡하늘. ㉢하느님. 상제(上帝).
[昊天罔極 호천망극] 부모(父母)의 은혜(恩惠)는 넓고 큼이 하늘같이 한(限)이 없음.
[昊天無窮 호천무궁] 호천망극(昊天罔極).
[昊昊 호호] 성(盛)한 모양.
◉穹昊. 蒼昊. 淸昊. 晴昊.

4 ⑧ [杳] ㊀ 계 ㊦霽 古惠切 guì ㊁ 경 ㊤迥 畎迥切 jiǒng

字解 ㊀ 성 계 성(姓)의 하나. ㊁ 나타날 경 炅(火部 四畫〈p. 1325〉)과 同字. '炅, 說文, 見也. 或作一'《集韻》.

4 ⑧ [昜] 中人 ㊀ 역 ㊇陌 羊益切 yì ㊁ 이 ㊦寘 以豉切 yì

筆順 丨 冂 日 日 月 昜 昜 昜

字解 ㊀ ①바꿀 역 교환함. '交一'. '以小一大'《孟子》. ②고칠 역 변개함. '變一'. '聖人一之以書契'《易經》. ③바뀔 역 달라짐. '不一乎世'《易經》. ④바꿈 역 변화. '生生之謂一'《易經》. ⑤점 역 괘효(卦爻)의 변화에 의하여 길흉화복을 아는 법. '掌三一之法'《周禮》. ⑥주역 역 오경(五經)의 하나. '一經'. '從田何受一'《漢書》. ⑦성 역 성(姓)의 하나. ㊁ ①쉬울 이 ㉠용이함. '難一'. '乾以一知'《易書》. ㉡…하기 쉬움. '一惑難曉'《韓愈》. ②간략할 이, 간략히할 이 간편함. 간편하게 함. '一簡'. '一關市, 來商旅'《呂氏

春秋》. ③홀하게여길 이 경시함. '輕―'. '能慮勿―'《史記》. ④소홀히할 이 경홀하게 함. '俾君子―怠'《公羊傳》. ⑤다스릴 이 가다듬어 보살핌. '―其田疇'《孟子》. ⑥편편할 이 평탄함. '―則用車'《淮南子》.

字源 甲骨文 金文 篆文 象形. 도마뱀을 본뜬 것. 광선의 형편에 따라 그 빛깔이 변화해서 보이므로, '바뀌다'의 뜻을 나타냄. 假借하여, '쉽다'의 뜻도 나타냄.

[易經 역경] 오경(五經)의 하나. 복서(卜筮)를 통하여 윤리·도덕을 설명한 책. 주역(周易)이라고도 함.
[易斷 역단] 역(易)에 의한 길흉화복의 판단.
[易理 역리] 역(易)의 이치.
[易象 역상] 역의 괘(卦)에 나타나는 현상.
[易書 역서] 점(占)에 관한 일을 기록한 책.
[易筮 역서] 역리(易理)에 의한 점.
[易聖 역성] 역리(易理)에 환한 사람.
[易姓革命 역성혁명] 중국 고대의 정치 사상. 천명(天命)에 의하여 유덕(有德)한 사람이 왕위에 오르고, 천의(天意)에 반하는 자는 왕위를 잃는다는 견해. 역세혁명(易世革命).
[易世革命 역세혁명] 역성혁명(易姓革命).
[易俗 역속] 나쁜 습속을 고침.
[易水 역수] 허베이 성(河北省)에 있는 강(江) 이름. 형가(荊軻)가 연(燕)나라의 태자(太子) 단(丹)과 헤어진 곳.
[易數 역수] 역리(易理)를 따져서 길흉(吉凶)을 미리 아는 술법(術法).
[易牙 역아] 제(齊)나라 환공(桓公)을 섬긴 환관(宦官). 음식의 요리를 맡았음.
[易衣竝食 역의병식] 한 벌의 옷을 서로 바꾸어 가며 입고, 2~3일 동안에 하루 치의 밥을 먹음. 극빈(極貧)한 모양.
[易者 역자] 점치는 사람. 점쟁이.
[易子析骸 역자석해] 자기 자식을 양식과 바꾸어 먹고, 시체의 뼈를 장작 대신 땜. 농성(籠城)하여 무척 고생함을 형용한 말.
[易田 역전] 땅이 척박하여 1년 걸러 경작하는 전지.
[易傳 역전] 역경(易經)의 주해서(註解書).
[易占 역점] 주역(周易)에 의하여 점을 침. 또, 그 점.
[易地皆然 역지개연] 사람은 입장을 바꾸어 같은 처지에 있게 되면 모두 같은 행위를 함.
[易地思之 역지사지] 처지(處地)를 바꾸어서 생각함.
[易簀 역책] 증삼(曾參)이 그의 병이 위독할 때, 그가 깔고 누운 대자리가 그의 신분에 맞지 않는다 하여 바꾸어 깔고 죽었다는 고사(故事)에서, 사람의 죽음. 또, 그의 임종(臨終).
[易蜴 역척] '수궁(守宮)'의 별칭(別稱).
[易簡 이간] 간단하고 쉬움. 간이(簡易)함.
[易慢 이만] 업신여김.
[易與 이여] 상대(相對)하기 쉬움. 다루기 쉬움.
[易易 이이] 쉬운 모양.
[易直 이직] 간편함. 간이함.
[易怠 이태] 경홀(輕忽)히 여겨 게을리 함.
[易行道 이행도] 《佛敎》 아미타불(阿彌陀佛)의 본원(本願)에 의하여 극락(極樂)에 왕생(往生)함. 난행도(難行道)의 대(對).
◉間易. 簡易. 改易. 凱易. 輕易. 寬易. 廣易. 交易. 樂易. 難易. 談何容易. 盜易. 萬世不易. 慢易. 謾易. 侮易. 貿易. 僻易. 變易. 保護貿易. 不易. 朔易. 三易. 率易. 順易. 循易. 市易. 安易. 閹易. 容易. 柔易. 流易. 怡易. 移易. 自由貿易. 點易. 左建外易. 周易. 賤易. 遷易. 侵易. 便易. 平易. 諧易. 險易. 革易. 和易. 換易.

4 ⑧ [昌] 〔두〕 豆(部首〈p. 2170〉)의 古字

[杲] 〔고〕 木部 四畫(p. 1047)을 보라.

[果] 〔과〕 木部 四畫(p. 1046)을 보라.

4 ⑧ [明] 中·人 명 ㊥庚 武兵切 míng

筆順 丨 ㄇ ㅂ 日 盯 盷 明 明

字解 ①밝을 명 ㉠환히 비침. '―月'. '月―星稀'《蘇軾》. ㉡사리에 밝음. '―哲'. '辨之弗―弗措也'《中庸》. ㉢눈이 밝음. '離婁之―'《孟子》. ㉣현명함. '聰―'. '元首―哉'《書經》. 또 현명한 사람. 어진 이. '黜陟幽―'《書經》. ㉤날이 밝음. '東方―矣'《詩經》. ②밝힐 명 ㉠밝게 함. '在―明德'《大學》. ㉡증거를 댐. '證―'. ③밝게 명 환하게. 판연(判然)하게. '―斷'. '―示百官'《左傳》. ④나타날 명 명료함. '著―'. ⑤흴 명 하얌. '水碧沙―兩岸苔'《錢起》. ⑥빛 명 광채. '發采揚―'《嵇康》. ⑦낮 명 주간. '晦―'. ⑧새벽 명 이튿날 새벽. '待―而入'《漢書》. 전(轉)하여, 이튿날을 '―日'이라 함. ⑨이승 명 이 세상. '幽―'. '分知隔―幽'《韓愈》. ⑩신령 명 귀신. '神―'. ⑪시력 명 안력. '喪其―'《禮記》. ⑫일월 명 해와 달. '天見其―'《荀子》. ⑬명나라 명 주원장(朱元璋)이 원(元)나라를 이어 세운 왕조(王朝). 수도(首都)는 처음에 금릉(金陵)에 정하였다가, 3대 성조(成祖) 때 북경(北京)으로 천도(遷都)하였음. 17대 277년 만에 유적(流賊) 이자성(李自成)에게 멸망당하였음. (1368~1644) ⑭성 명 성(姓)의 하나.

字源 甲骨文 金文 篆文 古文 會意. 甲骨文에서부터 '明명' '朙명' 두 체(體)가 있음. '明'은 日+月로, '밝다'의 뜻. '朙'은 囧+月로, '囧경'은 창문을 본뜬 것. 창문을 비추는 달의 뜻에서 '밝다'의 뜻을 나타냄. 뒤에, '明'으로 통일됨.

[明鑑 명감] ㉠맑은 거울. ㉡높은 식견(識見). ㉢귀감(龜鑑).
[明降 명강] 분명하게 내림.
[明彊 명강] 마음이 총명하고 의지가 강함.
[明見萬里 명견만리] 아주 총명(聰明)하여 먼 앞일을 환히 내다봄.
[明決 명결] 명단(明斷).
[明潔 명결] 밝고 깨끗함.
[明經 명경] ㉠경서(經書)의 뜻을 명백히 함. ㉡과거(科擧)의 과목. 경의(經義)를 고시함.
[明鏡 명경] ㉠맑은 거울. ㉡명백히 함.
[明鏡爲醜婦之冤 명경위추부지원] 악인이 착한 사람을 꺼림의 비유.

[明鏡止水 명경지수] 맑은 거울과 잠잠한 물이란 뜻으로, 마음의 본체(本體)의 허명(虛明)함의 비유.
[明戒 명계] 명백한 경계(警戒).
[明公 명공] 높은 자리에 있는 사람의 존칭(尊稱).
[明果 명과] 사리(事理)에 밝고 결단성이 있음.
[明官 명관] 《韓》 선정(善政)을 베푸는 수령(守令).
[明光 명광] 밝은 빛.
[明敎 명교] 인륜(人倫)의 명분(名分)을 밝히는 교훈.
[明君 명군] 명철한 군주.
[明規 명규] 명백한 규범(規範).
[明記 명기] 분명히 기록함. 밝히어 적음.
[明穊 명기] 밝고 빽빽함. 밝고 많음. 기(穊)는 주(稠).
[明年 명년] 이듬해. 내년(來年).
[明旦 명단] 명조(明朝).
[明斷 명단] 판단을 밝게 내림.
[明達 명달] 지혜(智慧)가 밝아서 사리(事理)에 통달(通達)함.
[明答 명답] 분명(分明)한 대답.
[明堂 명당] ㉠천자(天子)가 제후(諸侯)를 인견(引見)하는 궁전. ㉡천자가 정사(政事)를 보는 궁전. ㉢《韓》 썩 좋은 묏자리.

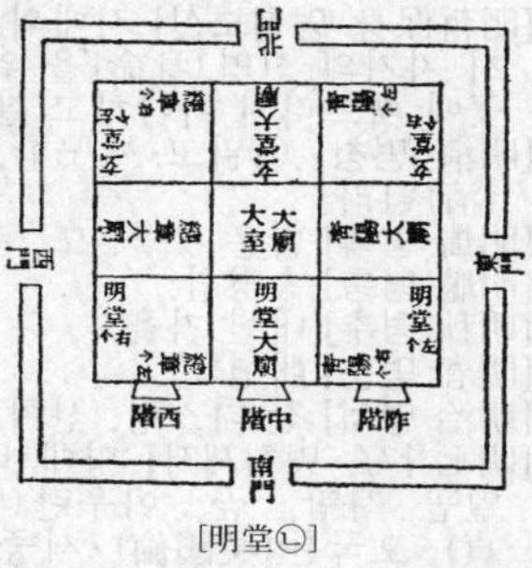

[明堂㉡]

[明德 명덕] ㉠공명정대한 덕행. ㉡더럽히지 아니한 천부자연(天賦自然)의 본성(本性). 곧, 인의예지(仁義禮智)의 덕. ㉢자기의 덕성(德姓)을 밝힘.
[明度 명도] 밝은 재능(才能).
[明渡 명도] 성(城)이나 집 따위를 남에게 넘겨주거나 맡김.
[明道 명도] 밝은 도(道). 또, 도(道)를 밝힘.
[明道學派 명도학파] 송(宋)나라의 정호(程顥)〈호(號)는 명도(明道)〉가 주창(主唱)한 유학(儒學)의 한 파(派).
[明瞳 명동] 맑은 눈동자.
[明卵 명란] 《韓》 명태(明太)의 알.
[明朗 명랑] 밝고 쾌활한 모양.
[明良 명량] 임금은 현명하고 신하는 충량(忠良)함.
[明亮 명량] 똑똑하고 분명(分明)함.
[明麗 명려] 산수의 경치가 맑고 고움.
[明了 명료] 분명함. 명료(明瞭).
[明瞭 명료] 분명(分明)함. 똑똑함.
[明滅 명멸] 불이 켜졌다 꺼졌다 함.
[明命 명명] 하늘이 내린 명령. 천명(天命). 휴명(休命).
[明明 명명] 썩 밝은 모양.
[明明白白 명명백백] 아주 명백함.
[明明地 명명지] 명백히. 지(地)는 조사(助辭).
[明明赫赫 명명혁혁] 밝게 빛나는 모양.
[明眸 명모] 맑은 눈동자.
[明眸皓齒 명모호치] 맑은 눈동자와 흰 이. 곧, 미인의 형용(形容).
[明目 명목] 밝은 눈.
[明目張膽 명목장담] 두려워하지 않고 용기(勇氣)를 내어 일을 함.
[明懋 명무] 공명(公明)하고 성대(盛大)함.
[明文 명문] ㉠명백히 기입된 조문. ㉡증서(證書).
[明媚 명미] 아름답고 고움.
[明敏 명민] 총명하고 민첩함.
[明礬 명반] 황산알루미늄과 황산칼륨과의 복염(複鹽). 맛이 시고 무색투명하며 약재 또는 매염제(媒染劑)로 씀.
[明發 명발] 새벽.
[明白 명백] 아주 분명(分明)함.
[明法 명법] ㉠법률을 밝힘. 또, 밝은 법률. ㉡과거(科擧)의 과목. 법을 고시(考試)함.
[明辟 명벽] 명군(明君). 벽(辟)은 군(君).
[明辨 명변] 명확히 판별(判別)함.
[明辯 명변] 명백한 변설(辯舌).
[明府 명부] 태수(太守)·현령(縣令)의 존칭(尊稱).
[明分 명분] 당연히 지켜야 할 분수.
[明妃 명비] 전한(前漢)의 원제(元帝)의 비(妃) 왕소군(王昭君)의 별칭(別稱). 진(晉)나라 때 문제(文帝)〈사마소(司馬昭)〉의 휘(諱)를 피하여 명군(明君)이라 일컬었고, 또 후에 다시 고쳐서 명비(明妃)라 불렀음.
[明史 명사] 책 이름. 이십사사(二十四史)의 하나. 332권. 목록(目錄) 4권. 청(淸)나라의 장정옥(張廷玉) 등이 세종(世宗)의 칙명(勅命)을 받들어 찬(撰)한 명(明)나라의 역사.
[明師 명사] 현명한 스승.
[明賞 명상] 드러내어 칭찬함.
[明恕 명서] 총명하고 인정이 있음.
[明庶風 명서풍] 동풍(東風).
[明夕 명석] 내일 저녁.
[明宣 명선] 분명하게 베풂. 명시(明示)함.
[明鮮 명선] 밝고 고움.
[明蟾 명섬] 명월(明月).
[明星 명성] 샛별.
[明聖 명성] 지덕(智德)이 뛰어남. 또, 그런 사람.
[明細 명세] 분명하고 자세함.
[明卲 명소] 밝고 아름다움.
[明水 명수] 신(神)에게 올리는 물. 정화수(井華水).
[明秀 명수] 사리(事理)에 밝고 재주가 뛰어남.
[明淑 명숙] 공명(公明)하고 선량함.
[明肅 명숙] 명확하고 엄숙함.
[明習 명습] 환히 습득(習得)함.
[明示 명시] 똑똑히 드러내어 보임. 분명하게 가리킴.
[明眎 명시] 토끼〔兔〕의 별칭(別稱).
[明時 명시] ㉠때를 밝혀 착오가 없음. ㉡태평한 세상. 잘 다스려진 때.
[明視 명시] ㉠똑똑히 봄. ㉡똑똑히 보임. ㉢토끼〔兔〕의 이칭(異稱).
[明識 명식] 환히 앎. 또, 밝은 식견.
[明信 명신] ㉠확실한 음신(音信). ㉡밝은 참마음.
[明神 명신] 신령(神靈).
[明愼 명신] 명확하고 신중함.
[明悉 명실] 다 명백히 앎.
[明十才子 명십재자] 명대(明代)의 시인 열 사람. 곧, 이몽양(李夢陽)·하경명(何景明)·서정경(徐禎卿)·변공(邊貢)·고인(顧璘)·정선부(鄭善夫)·진기(陳沂)·주응등(朱應登)·강해(康海)·왕구사(王九思).

[明暗 명암] 밝음과 어두움.
[明夜 명야] 내일 밤.
[明若觀火 명약관화] 불을 보는 듯이 환하게 살필 수가 있음.
[明嶷 명억] 명혜(明慧).
[明言 명언] 분명(分明)히 말함.
[明穎 명영] 총명하고 뛰어남.
[明銳 명예] 총명하고 예민함.
[明叡 명예] 총명함.
[明悟 명오] ㉠환히 깨달음. ㉡총명하고 민첩함.
[明王 명왕] 명군(明君).
[明遠 명원] 명확하고 심원(深遠)함.
[明月 명월] ㉠밝은 달. ㉡보름달. 만월(滿月). ㉢새달. 내월(來月). ㉣명월지주(明月之珠).
[明月爲燭 명월위촉] 밝은 달로 등불을 대신함.
[明月之珠 명월지주] 밤에 광채를 발하는 구슬.
[明幽 명유] ㉠밝음과 어두움. 명암(明暗). ㉡현명한 사람과 우매한 사람. ㉢이승과 저승. 유명(幽明).
[明儒學案 명유학안] 명대(明代)의 유학자(儒學者)의 학파·학설과 약전(略傳)을 계통적으로 기술한 책. 청(淸)나라 황종희(黃宗羲) 저(著). 62권.
[明允 명윤] 공명(公明)하고 진실함.
[明潤 명윤] 번드럽게 나는 윤(潤).
[明衣 명의] ㉠재계(齋戒)할 때 목욕한 후 입는 속옷. ㉡죽은 사람의 몸을 닦은 후 입히는 속옷.
[明夷 명이] 육십사괘(六十四卦)의 하나. 곧, ䷣〈이하(離下), 곤상(坤上)〉. 현인(賢人)이 암군(暗君)을 만나 화(禍)를 당하는 상(象). 이(夷)는 상(傷).
[明夷待訪錄 명이대방록] 청(淸)나라의 황종희(黃宗羲)가 치평(治平)의 법(法)을 논한 책. 1권 21편.
[明禋 명인] 밝고 깨끗하게 하여 제사 지냄.
[明日 명일] 내일(來日).
[明箴 명잠] 밝은 경계(警戒). 훈계(訓戒).
[明匠 명장] 학문·기예 등에 뛰어난 사람. 명장(名匠).
[明妝 명장] 화려한 화장.
[明章 명장] 명백하게 나타냄. 환히 드러냄.
[明才 명재] 사리(事理)에 밝은 재주.
[明著 명저] ㉠현저함. ㉡명확히 함.
[明殿 명전] 무덤의 옆에 짓는 전당.
[明廷 명정] 명부(明府).
[明淨 명정] 밝고 깨끗함.
[明正其罪 명정기죄] 명백하게 죄명(罪名)을 집어내어 바로잡음.
[明詔 명조] 밝은 조서(詔書).
[明朝 명조] ㉠내일 아침. ㉡활자(活字)의 한 체(體). 명조체(明朝體).
[明燥 명조] 밝고건조함.
[明主 명주] 명군(明君).
[明珠 명주] ㉠야광주(夜光珠). ㉡뛰어난 사람의 비유.
[明紬 명주] 《韓》 견사(絹絲)로 무늬 없이 짠 피륙.
[明珠闇投 명주암투] 야광주(夜光珠)를 어두운 밤중에 집어던진다는 뜻으로, 지극히 귀(貴)한 보물(寶物)도 남에게 예(禮)를 갖추어 주지 아니하면 도리어 원한을 삼을 이름.
[明主愛一嚬一笑 명주애일빈일소] 현명한 군주는 신하 앞에서 함부로 희로애락의 정을 나타내지 아니함.
[明珠出老蚌 명주출노방] '개천에서 용 난다.'와 비슷한 말로서, 보잘것없는 아버지가 훌륭한 아들을 낳음을 이름.
[明證 명증] 명백한 증거(證據). 또, 명백하게 증명함.
[明旨 명지] 분명한 뜻.
[明指 명지] 명지(明旨).
[明智 명지] 밝은 슬기.
[明眞 명진] 공명(公明)하고 진실함.
[明徵 명징] 명증(明證).
[明澄 명징] 아주 맑음.
[明察 명찰] 환히 살핌. 똑똑히 살핌.
[明察秋毫 명찰추호] 눈이 잘 보여 추호(秋毫)라도 분간함. 안력(眼力)이 아주 밝음.
[明暢 명창] 소리가 맑고 유창함.
[明窓淨几 명창정궤] 밝은 창 밑에 놓은 깨끗한 책상. 곧, 잘 정돈된 서재(書齋)의 형용.
[明窓塵 명창진] '단사(丹砂)'의 별칭(別稱).
[明天 명천] ㉠밝은 하늘. ㉡내일(來日).
[明天子 명천자] 현명한 천자.
[明哲 명철] 사리에 밝음. 또, 그 사람.
[明哲保身 명철보신] 사태와 사리에 환하게 밝아서 자기의 신명(身命)을 위험한 자리에나 욕된 곳에 빠뜨리지 아니하고 잘 보전함.
[明淸 명청] ㉠맑고 깨끗함. ㉡명(明)나라와 청(淸)나라.
[明燭 명촉] 밝은 촛불. 또, 촛불을 밝게 함.
[明聰 명총] 총명함.
[明秋 명추] 내년 가을.
[明春 명춘] 내년 봄.
[明治 명치] 잘 다스림. 선치(善治).
[明七才子 명칠재자] 명대(明代)의 유명한 시인 일곱 사람. 곧, 이우린(李于鱗)·왕세정(王世貞)·오국륜(吳國倫)·서중행(徐中行)·종신(宗臣)·양유예(梁有譽)·사무진(謝茂秦).
[明快 명쾌] 말이나 글의 조리(條理)가 명백(明白)하여 마음에 시원함.
[明太 명태] 《韓》 연기류(軟鰭類)에 속(屬)하는 한지(寒地) 심해어(深海魚). 모양은 대구 같으나 몸이 작고 홀쭉함. 언 것은 동태(凍太)라 하고 마른 것은 북어(北魚)라 함.
[明表 명표] 확실한 표지(標識).
[明河 명하] 은하수(銀河水). 천한(天漢).
[明解 명해] 명백(明白)한 해석.
[明驗 명험] 현저한 효험(效驗).
[明絢 명현] 밝고 무늬가 있음. 곱고 아름다움.
[明顯 명현] 환히 나타남. 나타나 알려짐.
[明火 명화] 일광(日光)에서 취(取)하여 신(神)에게 올리는 불.
[明火賊 명화적] 《韓》 불한당.
[明確 명확] 명백하고 확실함.
[明皇 명황] 당(唐)나라 현종(玄宗)을 이름.
[明效 명효] 명백한 효험. 현저한 효험. 명험(明驗).
[明曉 명효] 환히 깨달음. 분명히 앎.
[明後日 명후일] 모레.
[明訓 명훈] 명교(明敎).
[明暉 명휘] 명광(明光).
[明輝 명휘] 환히 빛남. 또, 환한 빛.
◉簡明. 講明. 開明. 甄明. 決明. 啓明. 高明. 公明. 光明. 究明. 糾明. 克明. 旗幟鮮明. 旦明. 大明. 燈明. 滅明. 無明. 文明. 未明. 微明. 發明. 辨明. 辯明. 分明. 不明. 山紫水明.

詳明. 爽明. 喪明. 石決明. 釋明. 鮮明. 說明. 聖明. 聲明. 昭明. 水明. 羞明. 神明. 晨明. 失明. 言明. 嚴明. 黎明. 英明. 睿明. 月明. 威明. 有明. 幽明. 柳暗花明. 恩讎分明. 因明. 自明. 哉生明. 著明. 貞明. 精明. 齊明. 照明. 證明. 澄明. 彰明. 天明. 闡明. 淸明. 聰明. 推明. 通明. 透明. 判明. 平明. 表明. 解明. 虛明. 賢明. 顯明. 晦明. 休明. 欽明.

4 ⑧ [旺] 人名 왕 ㊄漾 于放切 wàng

筆順 丨 ⺆ 日 日 旷 旺 旺 旺

字解 ①고울 왕 아름다움. '寄一于四時之戊己'《通書》. ②성할 왕 왕성함. '一運'. '犬生一子, 其家興一'《田家雜占》. ③성 왕 성(姓)의 하나.

字源 形聲. 日+王〔音〕. '王왕'은 '크다'의 뜻. 크고 성한 해, 성하다의 뜻을 나타냄.

[旺盛 왕성] 사물이 성(盛)함.
[旺運 왕운] 왕성(旺盛)한 운수.
◉寄旺. 分旺. 盛旺. 興旺.

4 ⑧ [旼] 人名 민 ㊉眞 武巾切 mín

筆順 丨 ⺆ 日 日 旷 旷 旼 旼

字解 온화할 민 성품이 온화한 모양. '一一穆穆, 君子之能'《史記》.

4 ⑧ [昐] 人名 분 ㊉文 方文切 fēn

字解 햇빛 분 일광(日光). '一, 日光也'《玉篇》.

4 ⑧ [昄] 판 ㊤潸 布綰切 bǎn

字解 클 판 '爾土宇一章. (傳)一, 大也'《詩經》.

字源 篆文 形聲. 日+反〔音〕

[昄章 판장] 크고 밝음.

4 ⑧ [旽] 人名 ㊀ 돈 ㊉元 他昆切 tūn ㊁ 순 ㊄震 朱閏切 zhùn

字解 ㊀ 먼동틀 돈 날이 샘. 暾(日部 十二畫)과 同字. ㊁ 지성스러울 순 간절한 모양. 정성스러운 모양. '一一, 懇誠'《集韻》.

4 ⑧ [昈] 호 ㊤麌 侯古切 hù

字解 밝을 호 환함. '一分殊事'《揚雄》.

字源 篆文 形聲. 日+戶〔音〕

4 ⑧ [昉] 人名 방 ㊤養 分网切 fǎng

筆順 丨 ⺆ 日 日 旷 旷 昉 昉

字解 ①밝을 방 환함. ②비로소 방 처음으로. '衆一同疑'《列子》. ③마침 방 때마침. '始滅, 一於此乎'《公羊傳》. ④성 방 성(姓)의 하나.

字源 篆文 形聲. 日+方〔音〕. '方방'은 양옆으로 퍼지다의 뜻. 아침 햇빛이 사방으로 빛나다의 뜻에서, '밝다'의 뜻을 나타냄.

4 ⑧ [昕] 人名 흔 ㊉文 許斤切 xīn

筆順 丨 ⺆ 日 日 旷 旷 昕 昕

字解 새벽 흔 해 뜰 무렵. '凡行事必用昏一'《儀禮》.

字源 篆文 形聲. 日+斤〔音〕. '斤근'은 '開개'와 통하여, '열다'의 뜻. 햇빛이 열리다, 아침의 뜻을 나타냄.

◉大昕. 昒昕. 昏昕.

4 ⑧ [昳] 결 ㊇屑 古穴切 jué

字解 일식빛깔 결 일식(日食) 때의 빛깔. '一, 日食色也'《玉篇》.

4 ⑧ [昑] 人名 금 ㊤寢 丘甚切 qǐn

筆順 丨 ⺆ 日 日 旷 昑 昑 昑

字解 밝을 금 '一, 明也'《玉篇》.

4 ⑧ [昒] ㊀ 물 ㊇物 文弗切 hū ㊁ 홀 ㊇月 呼骨切 hū

字解 ㊀ 어둑새벽 물 밤이 장차 밝으려 할 때. '一爽'《漢書》. ㊁ 어둑새벽 홀 ㊀과 뜻이 같음.

字源 篆文 篆文 形聲. 日+勿〔音〕. '勿물'은 똑똑히 보이지 않다의 뜻. 햇빛이 희미하여 아직 잘 보이지 않다의 뜻에서, '어둑새벽'을 뜻함.

[昒爽 물상] 어둑새벽.
[昒昕 물흔] 물상(昒爽).

4 ⑧ [旿] 人名 오 ㊤麌 疑古切 wǔ ㊄遇 五故切 wù

筆順 丨 ⺆ 日 日 旷 旷 旿 旿

字解 밝을 오 햇빛이 비치어 밝음. 대낮의 밝음. '日當午而盛明爲一'《正韻牋》.

字源 形聲. 日+午〔音〕

4 ⑧ [昍] 훤 ㊉元 許元切 xuān

字解 밝을 훤 '一, 明也'《集韻》.

[東] 〔동〕 木部 四畫(p. 1045)을 보라.

4 ⑧ [昏] 高人 혼 ①-⑤㊉元 呼昆切 hūn ⑥㊄願 呼困切 hùn

筆順 一 ㇄ ⺁ 氏 氏 昏 昏 昏

字解 ①날저물 혼 해가 지고 어둑어둑해짐. 또, 그때. 황혼. '一暮叩人之門戶'《孟子》. ②어두울 혼 ㉠잘 보이지 아니함. '一暗'. ㉡어리석음. '一愚'. '我獨若一'《老子》. ③일찍죽을 혼 요사함. '札瘥夭一'《左傳》. ④어지러울 혼, 어지럽힐 혼 혼란함. 또, 혼란하게 함. '一棄厥肆祀'《書

經》. ⑤장가들 혼 婚(女部 八畫)과 통용. '宴爾新一'《詩經》. ⑥성 혼 성(姓)의 하나.
[字源] 甲骨文 金文 篆文 指事. 甲骨文은 사람의 발 밑으로 해가 떨어진 모양에서, '황혼'의 뜻을 나타냄. 篆文은 '人인'이 '氏씨'의 꼴로 바뀜.

[昏季 혼계] 나이가 젊고 어리석음.
[昏困 혼곤] 정신(精神)이 흐릿하고 기운이 까무러져서 고달픔.
[昏君 혼군] 사리(事理)에 어두운 임금. 암군(暗君).
「함.
[昏棄 혼기] 마음이 어둡고 혼란하여 일을 함부로
[昏倒 혼도] 정신(精神)이 아뜩하여 넘어짐.
[昏亂 혼란] 어둡고 어지러움.
[昏禮 혼례] 혼인 예식. 혼례(婚禮).
[昏忘 혼망] 정신(精神)이 흐려서 잘 잊어버림.
[昏盲 혼맹] 어두움. 사리에 어두움.
[昏明 혼명] ㉠빛 같은 것의 어두움과 밝음. ㉡사리에 어두움과 밝음.
[昏眊 혼모] 안력(眼力)이 약해져 잘 보이지 아니함.
[昏耄 혼모] 늙어 정신이 흐리고 기운이 쇠약(衰弱)함.
[昏眸 혼모] 흐린 눈동자.
[昏莫 혼모] 혼모(昏暮).
[昏暮 혼모] 혼황(昏黃).
[昏夢 혼몽] 흐린 꿈.
[昏瞢 혼몽] 혼맹(昏盲).
[昏瞀 혼무] 혼맹(昏盲).
[昏墨 혼묵] 입묵(入墨). 문신(文身).
[昏迷 혼미] 마음이 미혹(迷惑)하고 흐리멍덩함.
[昏憊 혼비] 고달픔. 피로함.
[昏睡 혼수] ㉠정신(精神)이 혼혼(昏昏)하여 잠이 듦. ㉡의식(意識)이 없어져 인사불성이 됨.
[昏夙 혼숙] ㉠황혼과 새벽. 아침과 저녁. ㉡하루 종일.
[昏晨 혼신] 혼효(昏曉).
[昏鴉 혼아] 황혼에 우는 까마귀.
[昏闇 혼암] 어두움.
[昏壒 혼애] 어둡고 먼지가 잃. 전(轉)하여, 세상이 어지러움.
[昏夜 혼야] 밤.
[昏曀 혼예] 구름이 끼어 어두움.
[昏愚 혼우] 위인(爲人)이 어리석음.
[昏姻 혼인] ㉠결혼. 혼인(婚姻). ㉡남녀의 정욕.
[昏恣 혼자] 우매하고 방자함.
[昏絶 혼절] 혼도(昏倒).
[昏墊 혼점] 어지러워지고 물에 빠진다는 뜻으로, 수해(水害)를 당하여 고생함의 뜻.
[昏定晨省 혼정신성] 조석(朝夕)으로 부모의 안부(安否)를 물어서 살핌.
[昏鐘 혼종] 황혼에 치는 종. 만종(晩鐘).
[昏晝 혼주] 낮과 밤.
[昏札 혼찰] 일찍 죽음. 요사(夭死).
[昏醉 혼취] 대단히 취하여 정신을 차리지 못함.
[昏惰 혼타] 혼태(昏怠).
[昏椓 혼탁] 내시. 환관(宦官).
[昏怠 혼태] 마음이 흐리고 일을 게을리 함. 미련하고 게으름.
[昏暴 혼포] 어리석고 사나움.
[昏虐 혼학] 우매하고 잔인함.
[昏眩 혼현] 현기증이 남.
[昏惑 혼혹] 혼미(昏迷).
[昏昏 혼혼] 정신이 아뜩하여 흐린 모양.
[昏黃 혼황] 황혼(黃昏).
[昏晦 혼회] 어두움.
[昏曉 혼효] 저녁과 새벽.
[昏黑 혼흑] 해가 져서 캄캄함.
[昏昕 혼흔] 어두운 새벽.
◉老昏. 童昏. 冥昏. 眊昏. 耄昏. 昭昏. 夙昏. 晨昏. 新昏. 斂昏. 幽昏. 在昏. 定昏. 早昏. 重昏. 天昏. 黃昏.

4 ⑧ [昔] [中人] 석 [入]陌 思積切 xī
[筆順] 一 十 … 昔
[字解] ①예 석 옛날. '古一'. ②접때 석 어제 또는 이삼일 이전, 또는 단지 기왕(既往)의 뜻으로 쓰임. '疇一之夜'《禮記》. ③저녁 석, 밤 석 夕(部首)과 同字. '爲一一之期'《左傳》. ④오랠 석 오래됨. '誰一然矣'《詩經》. ⑤성 석 성(姓)의 하나.
[字源] 甲骨文 金文 篆文 籀文 會意. 日＋龷(㐺). '㐺우'는 많이 포개어 쌓은 고깃점의 象形. 햇볕에 말린 고기, '포'의 뜻을 나타냄. '腊석'의 原字. 또, '昨작'과 통하여, 假借하여 '옛날'의 뜻을 나타냄.

[昔年 석년] 왕년(往年).
[昔談 석담] 옛날이야기.
[昔昔 석석] 매일 밤. 매야(每夜).
[昔歲 석세] ㉠작년(昨年). ㉡왕년(往年).
[昔愁 석수] 옛날의 우수(憂愁).
[昔時 석시] 옛적.
[昔陽 석양] 산시 성(山西省)에 있는 지명(地名).
[昔彦 석언] 옛날의 현사(賢士).
[昔人 석인] 옛날 사람.
[昔日 석일] ㉠옛적. ㉡어제. 또는 사오일 전.
[昔者 석자] ㉠예전. ㉡어제. 또는 사오일 전.
[昔在 석재] 옛적.
◉古昔. 今昔. 曩昔. 夙昔. 宿昔. 往昔. 在昔. 疇昔. 通昔. 平昔.

4 ⑧ [曶] 〔물〕 昒(日部 四畫〈p.977〉)의 本字

4 ⑧ [旹] 〔시〕 時(日部 六畫〈p.985〉)의 古字

4 ⑧ [旾] 〔춘〕 春(日部 五畫〈p.982〉)의 古字

4 ⑧ [皆] 〔개〕 皆(白部 四畫〈p.1512〉)와 同字

5 ⑨ [星] [中人] 성 [平]青 桑經切 xīng
[筆順] 丨 ㄇ … 星
[字解] ①별 성 하늘의 작은 천체. '恆一'. '曆象日月一辰'《書經》. 또, 별은 1년에 하늘을 일주(一週)한다 하여, 세월·광음의 뜻으로 씀. '一霜'. '物換一移幾度秋'《王勃》. ②별이름 성 이십팔수(二十八宿)의 하나. 주조칠수(朱鳥七宿)

의 넷째 성수(星宿)로서 남방에 속하며, 별 일곱으로 이룸. '一宿'. '七一, 一名天都'《隋書》. ③희뜩희뜩할 성 백발이 희뜩희뜩한 모양. '一一白髮垂'《謝靈運》. ④성 성 성(姓)의 하나.
字源 金文 篆文 古文 別體 形聲. 본디, 晶+生〔音〕. '晶정'은 별을 본뜬 것. '生생'은 '淸청'과 통하여, '맑다'의 뜻. 맑은 빛의 별을 뜻함.

[星工 성공] 천문(天文)을 맡은 사람.
[星官 성관] 천문(天文)을 맡은 벼슬아치.
[星光 성광] 별의 빛.
[星群 성군] 별 무리.
[星期 성기] ㉠음력 7월 7일. 칠석(七夕). ㉡혼인(婚姻)날. ㉢일주일(一周日). 또는, 일요일(日曜日).
[星斗 성두] 별.
[星羅 성라] 별처럼 벌여 있음.
[星羅碁布 성라기포] 별이나 바둑돌처럼 벌여 있음.
[星羅宿列 성라수열] 성라(星羅).
[星曆 성력] 천문역법(天文曆法).
[星離雨散 성리우산] 빨리 이산(離散)함.
[星芒 성망] 별의 광망(光芒).
[星霧 성무] 하늘 위에 빛나는 무수(無數)한 별.
[星盤 성반] 방위(方位)를 측정하는 기계(器械). 자석반(磁石盤).
[星奔 성분] 별똥처럼 빨리 달림.
[星使 성사] 천자(天子)의 사신(使臣). 칙사(勅使).
[星槎 성사] 먼 곳으로 항행(航行)하는 데 쓰는 뗏목.
[星楂 성사] 한(漢)나라 때 사람 장건(張騫)이 황허(黃河)의 근원을 탐사(探査)하려고 뗏목에 탔다가 자기도 모르는 사이에 하늘로 올라가 견우(牽牛)·직녀(織女)의 두 별을 보았다는 고사(故事).
[星散 성산] 별처럼 사방으로 흩어짐.
[星算 성산] 천문역수(天文曆數).
[星象 성상] 별에 나타난 형상(形象).
[星霜 성상] 세월(歲月).
[星星 성성] 머리털이 희뜩희뜩한 모양.
[星宿 성수] ㉠이십팔수(二十八宿)의 하나. 자해(字解) ❷를 보라. ㉡성좌(星座).
[星數 성수] 사람의 운수(運數).
[星術 성술] 천문으로 치는 점(占). 점성술(占星術).
[星辰 성신] 별.
[星夜 성야] 별빛이 밝은 밤.
[星影 성영] 별의 그림자.
[星雨 성우] 운성(隕星).
[星雲 성운] 은하(銀河)의 군데군데에 구름이나 안개같이 많이 모여 있는 별들.
[星雲說 성운설] 태양계(太陽系)의 기원(起源)에 관한 한 가설(假說). 곧, 태양(太陽)은 원래 고온도(高溫度)의 대기(大氣)에 싸여서 회전하던 성운상(星雲狀)의 뜨거운 가스였다는 설. 독일의 칸트와 프랑스의 라플라스 등이 주장하였음.
[星位 성위] ㉠성좌(星座). ㉡높은 관위(官位).
[星楡 성유] 하늘에 심어 놓은 느릅나무. 많은 별을 가리킴.
[星移 성이] 별의 위치가 옮겨짐. 전(轉)하여, 세월이 감의 뜻.
[星子 성자] 장시 성(江西省)에 있는 현(縣)의 이름.
[星傳 성전] 아주 급한 역전(驛傳).
[星占 성점] 별의 빛과 위치 등으로 치는 점(占).
[星座 성좌] 별의 자리를 보기 위하여 하늘을 몇 부분으로 나눈 구역.
[星津 성진] 성좌(星座).
[星次 성차] 성좌(星座).
[星讖 성참] 천문과 예언(豫言). 또, 그 서적.
[星軺 성초] 먼 곳으로 가는 사신(使臣)이 타는 수레.
[星馳 성치] 별똥이 떨어지듯 아주 빨리 달림.
[星土 성토] 별이 맡았다고 하는 땅. 천하(天下)를 그 위치에 응(應)하는 하늘의 성좌(星座)에 배당하여 각 성좌는 그 땅을 각각 맡는다고 함.
[星布 성포] 성라(星羅).
[星河 성하] 은하(銀河).
[星學 성학] 천문학(天文學).
[星寒 성한] 조금 추움.
[星漢 성한] 성하(星河).
[星行 성행] ㉠하늘에 별이 있는 이른 아침에 감. 또는 해가 진 후 날이 어둡도록 감. ㉡성치(星馳).
[星行夜歸 성행야귀] 하늘에 별이 있는 이른 아침에 가서 밤늦게 귀가함.
[星行電征 성행전정] 별똥 또는 번개와 같이 빨리 감.
[星火 성화] ㉠아주 작은 숯불. ㉡유성(流星)의 빛. 전(轉)하여, 일이 대단히 급(急)함의 비유.
◉客星. 巨星. 景星. 經星. 九星. 金星. 羅星. 落落如晨星. 老人星. 大熊星. 德星. 明星. 木星. 炳如日星. 北斗七星. 飛星. 三星. 參星. 瑞星. 曙星. 歲星. 小星. 水星. 晨星. 列星. 五星. 妖星. 燿星. 隕星. 衛星. 流星. 遊星. 殘星. 長星. 張星. 將星. 占星. 中星. 重星. 衆星. 辰星. 天王星. 樞星. 七星. 太白星. 土星. 破軍星. 孛星. 恒星. 海王星. 行星. 彗星. 惑星. 火星. 曉星. 輝星.

5
⑨ **[是]** 中人 시 ㊤紙 承紙切 shì

筆順 丨 口 日 旦 早 早 昰 是

字解 ①이 시 ㉠지시(指示)하는 말. '一日'. '夫子至於一邦也'《論語》. ㉡도구법(倒句法)으로서 사용하는 말. '慢遊好, 傲虐一作'《書經》. ㉢여기. 이곳. '今其人在一'《史記》. ②옳을 시 바름. '一耶非耶'. '別異同, 明一非'《禮記》. ③바로잡을 시 바르게 함. '一正文字'《後漢書》. ④옳게여길 시 '一認'. '一古非今'《漢書》. ⑤대저 시 夫(大部 一畫)와 뜻이 같음. '今一大鳥獸'《禮記》. ⑥성 시 성(姓)의 하나.
字源 金文 篆文 籒文 會意. 早+止. '早조'는 자루가 긴 숟가락의 象形. '止지'는 발을 본뜬 것으로, 곧고 긴 자루를 뜻함. '숟가락'의 뜻을 나타냈으나, '正정'과 통하여, '바르다'의 뜻으로 쓰였기 때문에, 篆文에 日+正의 會意文字가 됨. 假借하여 '이'의 뜻으로 쓰임.

[是非 시비] ㉠옳음과 그름. 선악(善惡). ㉡시시비비(是是非非).

[是非曲直 시비곡직] 옳고 그르고, 굽고 곧음.
[是非之心 시비지심] 선(善)을 옳게 여기고, 악을 그르게 여기는 마음.
[是非叢中 시비총중] 시비로 말썽이 많은 속.
[是非波 시비파] 다툼. 소동. 분쟁.
[是是非非 시시비비] 옳은 것을 옳다 하고, 그른 것을 그르다 함.
[是耶非耶 시야비야] 옳다고 해야 할는지 그르다고 해야 할는지 알 수 없어, 판단을 잘 내리지 못함.
[是認 시인] 옳다고 인정함.
[是日 시일] 이날.
[是正 시정] 잘못된 것을 바로잡음.
◉國是. 黨是. 滔滔皆是. 不是. 社是. 先是. 實事求是. 若是. 於是. 如是. 由是. 有是. 以是.

5 ⑨ [昱] 人名 욱 ㊇屋 余六切 yù

筆順 丨 冂 日 旦 昱

字解 빛날 욱 햇빛 같은 것이 밝은 모양. '——'. '日以—乎晝'《太玄經》.
字源 甲骨文 金文 篆文 會意. 日+立. 해가 서다의 뜻에서, '밝다, 빛나다'의 뜻을 나타냄.

[昱昱 욱욱] 햇빛이 밝은 모양. 햇빛이 환하게 비치는 모양.
◉焜昱. 晃昱.

5 ⑨ [昴] 人名 묘 ㊤巧 莫飽切 mǎo

字解 별이름 묘 이십팔수(二十八宿)의 하나. 백호칠수(白虎七宿) 넷째 성수(星宿)로서, 별 일곱으로 구성되었음. '—宿'. '日短星—'《書經》.
字源 篆文 形聲. 日+卯(丣)〔音〕

[昴宿 묘수] 이십팔수의 하나. 자해(字解)를 보라.
[昴畢 묘필] 두 성수(星宿)의 이름. 곧, 묘수(昴宿)와 필수(畢宿).
◉星昴.

5 ⑨ [昪] 변 ㊁霰 皮變切 biàn

字解 ①즐길 변 좋아 즐기는 모양. '—, 喜樂皃'《說文》. ②환할 변 밝음. '—, 明也'《玉篇》. ③햇빛 변 일광(日光). '—, 日光皃'《廣韻》.
字源 篆文 形聲. 日+弁〔音〕. '弁변'은 '翩편'과 통하여, 새가 가볍게 날다의 뜻. '日일'은 태양의 상징인 빛남, 기쁨의 뜻. 즐겁게 새가 나는 모양을 나타냄.

5 ⑨ [昜] 人名 〔양〕 陽(阜部 九畫〈p. 2468〉)의 古字
字源 甲骨文 篆文 象形. 해가 지상에 떠오르는 모양을 본떠 '해가 뜨다, 따스하다'의 뜻.

5 ⑨ [昻] 人名 〔앙〕 昂(日部 四畫〈p. 972〉)의 俗字

5 ⑨ [昰] 人名 ❶ 是(日部 五畫〈p. 979〉)의 本字 ❷ 夏(夊部 七畫〈p. 476〉)의 古字

筆順 丨 冂 日 旦 昰

5 ⑨ [皁] 〔조〕 早(日部 二畫〈p. 970〉)의 本字

5 ⑨ [昺] 人名 昞(次條)과 同字

筆順 丨 冂 日 旦 昺

5 ⑨ [昞] 人名 〔병〕炳(火部 五畫〈p. 1327〉)과 同字

筆順 丨 冂 日 日一 日丆 昞

字源 形聲. 日+丙〔音〕. '丙병'은 넓은 대(臺)의 象形으로, '넓혀지다'의 뜻. 해가 퍼지다, 밝다를 뜻함.
參考 昺(前條)은 同字.

5 ⑨ [映] 高人 영 ㊁敬 於敬切 yìng

筆順 丨 冂 日 日冂 日口 映

字解 ①비칠 영 광선이 반사함. '—射'. '千里鶯啼綠—紅'《杜牧》. ②미시 영 지금의 오후 2시경. '日在午曰亭, 在未曰—'《梁元帝纂要》.
字源 篆文 形聲. 日+央〔音〕. '央앙'은 亢항'과 통하여, 붕긋 솟아오르다의 뜻. 다른 것으로부터 빛을 받아, 그 자체가 본래 가지고 있는 색채 등이 솟아올라 똑똑히 보이다, 반사해서 비치다의 뜻을 나타냄.

[映帶 영대] 경치나 빛깔이 서로 비치고 어울림.
[映發 영발] 광채가 번쩍번쩍 빛남.
[映射 영사] 광선(光線)이 반사함.
[映寫 영사] 환등(幻燈)이나 영화를 상영(上映)함.
[映山紅 영산홍] 석남과에 속하는 관목(灌木). 담홍색의 꽃이 핌.
[映雪讀書 영설독서] 눈빛으로 글을 읽음. 진(晉)나라의 손강(孫康)은 극빈하여 겨울에 눈빛으로 책을 읽었다 함.
[映窓 영창] 《韓》 방(房)을 밝게 하기 위하여 낸 두 쪽의 미닫이.
[映彩 영채] 환하게 빛나는 채색(彩色).
[映徹 영철] 비쳐 빛남.
[映奪 영탈] 눈이 부심.
[映畫 영화] 활동사진(活動寫眞).
◉光映. 窺映. 博映. 反映. 放映. 炳映. 寫映. 上映. 掩映. 榮映. 耀映. 陰映. 蔭映. 殘映. 照映. 徹映. 淸映. 透映. 虛映. 暉映. 輝映.

5 ⑨ [昣] 人名 진 ㊤軫 止忍切 zhěn

字解 밝을 진 환하다. '—, 明也'《集韻》.

5 ⑨ [昤] 人名 령 ㊥靑 郞丁切 líng

筆順 丨 冂 日 日丿 日𠆢 昤

字解 햇빛 령 맑게 갠 날의 일광(日光). '—曨,

日光也'《廣韻》.
字源 形聲. 日＋令〔音〕.

5 ⑨ [昧] 人名 매 ㊀隊 莫佩切 mèi

字解 ①어두울 매 ㉠어둠침침함. '一一'. '路幽一以險隘'《楚辭》. ㉡어리석음. '愚一'. '兼弱攻一'《書經》. ㉢눈이 밝지 아니함. '目不別五色之章爲一'《左傳》. ②어둑새벽 매 날이 샐 무렵. '一爽'. '士曰一旦'《詩經》. ③탐할 매 탐냄. '楚王是故一於一來'《左傳》. ④무릅쓸 매 冒(冂部 七畫)와 뜻이 같음. '一死再拜'《漢書》.
字源 金文 篆文 形聲. 日＋未〔音〕. '未미'는 '微미'와 통하여, 똑똑히 보이지 않다의 뜻. 날이 샐 무렵의 뜻을 나타냄.

[昧谷 매곡] 해가 지는 곳.
[昧旦 매단] 매상(昧爽).
[昧例 매례] 관례(慣例)에 어두움.
[昧茫 매망] 어두움.
[昧昧 매매] ㉠어두운 모양. ㉡침잠(沈潛)한 모양.
[昧沒 매몰] 뜻이 분명하지 아니함.
[昧蒙 매몽] ㉠어두움. ㉡어리석음. 몽매(蒙昧).
[昧瞀 매무] 매몽(昧蒙).
[昧死 매사] 죽기를 무릅쓰고 상소(上疏)함. 상소한 것이 부당하면 사형을 받아도 감수(甘受)하겠다는 뜻.
[昧事 매사] 사리(事理)에 어두움.
[昧爽 매상] 날이 새려고 먼동이 틀 때. 어둑새벽.
[昧者 매자] 사리(事理)에 어두운 사람.
◉童昧. 茫昧. 盲昧. 冥昧. 蒙昧. 瞢昧. 矇昧. 杳昧. 眇昧. 蕪昧. 迷昧. 不昧. 三昧. 深昧. 暗昧. 曖昧. 翳昧. 頑昧. 窈昧. 愚昧. 幼昧. 幽昧. 隱昧. 寂昧. 造昧. 拙昧. 草昧. 虛靈不昧. 虛昧. 昏昧. 荒昧. 晦昧.

5 ⑨ [昩] 말 ㊁曷 莫撥切 mò

字解 ①흐릴 말 날이 흐리어 음침함. '一, 日中不明也'《集韻》. ②별 말 하늘의 별. '一, 星也'《廣韻》.
字源 形聲. 日＋末〔音〕.

5 ⑨ [昨] 中人 작 ㊁藥 在各切 zuó

筆順 丨 ㄇ 日 日' 日˜ 昨 昨 昨

字解 ①어제 작 작일. '一今'. '周一來'《莊子》. ②예 작 과거. '覺今是而一非'《陶潛》. ③성 작 성(姓)의 하나.
字源 篆文 形聲. 日＋乍〔音〕. '乍작'은 '徂저'와 통하여, 가 버리다의 뜻. 가 버린 때, 어제, 옛날의 뜻을 나타냄.

[昨今 작금] 어제와 이제. 근래(近來).
[昨年 작년] 지난해.
[昨冬 작동] 지난겨울.
[昨晩 작만] 작석(昨夕).
[昨暮 작모] 어제저녁.
[昨夢 작몽] 어젯밤의 꿈.
[昨非 작비] 지금까지의 잘못. 또, 이전의 과실. 과거의 잘못.
[昨夕 작석] 어제저녁.
[昨宵 작소] 작석(昨夕).
[昨失 작실] 어제의 실패(失敗).
[昨夜 작야] 어젯밤.
[昨月 작월] 지난달.
[昨日 작일] 어제.
[昨朝 작조] 어제 아침.
[昨秋 작추] 지난가을.
[昨春 작춘] 지난봄.
[昨夏 작하] 지난여름.
◉一昨. 再昨. 疇昨.

5 ⑨ [昫] 후(구俗) ㊀虞 匈于切 xū ㊀遇 香句切 xù

字解 따뜻이할 후 煦(火部 九畫)와 同字. '一嫗覆育'《淮南子》.
字源 篆文 形聲. 日＋句〔音〕. '句구'는 '구부리다, 에워싸다'의 뜻. 해로 에워싸다의 뜻으로, 해의 따사로움, 따뜻하다의 뜻을 나타냄.

[昫嫗 후구] 따뜻하게 함. 양육함. 애무함.

5 ⑨ [昭] 高人 소 ㊀蕭 止遙切 zhāo

筆順 丨 ㄇ 日 日ᄀ 日ᄁ 昭 昭 昭

字解 ①밝을 소 ㉠환히 빛남. '一光'. '於一于天'《詩經》. ㉡환히 나타남. '一著'. '百姓一明'《書經》. ②밝힐 소 환히 나타나게 함. '君子以自一明德'《易經》. ③밝게 소 환히. 명백히. '敢一告于皇皇后帝'《論語》. ④신주차례 소 종묘·사당의 신주의 서차(序次)에서 목(穆)의 위. '一穆'. '天子七廟, 三一三穆'《禮記》. ⑤성 소 성(姓)의 하나.
字源 篆文 形聲. 日＋召〔音〕. '召소'는 '부르다'의 뜻. 해를 부르다의 뜻에서 파생하여, '밝다'의 뜻을 나타냄.

[昭鑒 소감] 하느님이나 귀신이 환히 내려다봄.
[昭光 소광] 환한 빛. 광명(光明).
[昭君 소군] 왕소군(王昭君)을 이름.
[昭代 소대] ㉠밝게 다스려진 세상. 태평한 세상. ㉡당대(當代)의 미칭(美稱).
[昭朗 소랑] 밝음.
[昭名 소명] 환히 드러난 명성(名聲).
[昭明 소명] 밝음. 환함.
[昭明太子 소명태자] 양(梁)나라 무제(武帝) 소연(蕭衍)의 장자(長子). 이름은 소통(蕭統). 소명(昭明)은 그의 시호(諡號)임. 총명하여 다섯 살에 오경(五經)에 통(通)하였고, 성품이 인자하고 효성이 지극하여 상중(喪中)에 너무 슬퍼하여 31세로 요절(夭折)하였음. 주진(周秦) 이래의 시문(詩文)을 편찬하여 〈문선(文選)〉 30권을 편찬하였음.
[昭穆 소목] 종묘(宗廟)에 신주를 모시는 차례. 천자(天子)는 태조(太祖)를 중앙에 모시고 2세·4세·6세는 소(昭)라 하여 왼편에, 3세·5세·7세는 목(穆)이라 하여 오른편에 모시어 삼소·삼목의 칠묘(七廟)이고, 제후는 이소·이목의 오묘(五廟)임.
[昭懋 소무] 밝고 성대(盛大)함.

[昭詳 소상] 분명하고 자세함.
[昭雪 소설] 누명(陋名)을 씻음.
[昭昭 소소] ㉠밝은 모양. ㉡빛나는 모양.
[昭蘇 소소] 다시 살아남. 소생함.
[昭示 소시] 명시(明示)함.
[昭陽 소양] 천간(天干) 계(癸)의 고갑자(古甲子) 이름.
[昭然 소연] 소소(昭昭).
[昭烈 소열] 소열 황제(昭烈皇帝). 곧, 촉한(蜀漢)의 시조(始祖)인 유비(劉備)를 이름.
[昭耀 소요] 환히 빛남.
[昭應 소응] 환히 감응(感應)함.
[昭儀 소의] 한(漢)나라 원제(元帝) 때 처음으로 둔 여관(女官)의 이름. 지위는 승상(丞相)과 비등함.
[昭著 소저] 환히 나타남.
[昭憲 소헌] 밝은 법. 훌륭한 법.
[昭乎 소호] 밝은 모양.
[昭昏 소혼] 밝음과 어두움.
[昭和 소화] 세상이 태평하고 군민(君民)이 일치(一致)함.
[昭煥 소환] 소명(昭明).
[昭回 소회] 해·달 같은 것이 환히 비추며 돎.
◉光昭. 明昭. 宣昭. 全昭. 布昭. 顯昭.

5 ⑨ [昳] 질 ㉧屑 徒結切 dié

字解 ①기울 질 해가 서산(西山)에 기욺. '至日一, 皆會'《漢書》. ②고울 질 용모가 아름다움. '形貌一麗'《戰國策》.

字源 篆文 形聲. 日+失〔音〕. '失실'은 빠져나오다의 뜻. 해가 하늘에서 빠져나가듯이 기울다의 뜻을 나타냄.

[昳麗 질려] 용모가 아름다움.

5 ⑨ [昵] ㊀ 닐 ㉧質 尼質切 nì ㊁ 녜 ㉦薺 乃禮切 nǐ ㊂ 직 ㉧職 質力切 zhì

字解 ㊀ 친할 닐 친근함. '一近'. '一比罪人'《書經》. 또, 그 사람. 측근자. '官不及私一'《書經》. ㊁ 아비사당 녜 부친의 사당. '典祀無豐于一'《書經》. ㊂ 풀 직, 아교 직 점착제(黏着劑). '凡一之類, 不能方'《周禮》.

字源 暱의 別體 形聲. 日+尼〔音〕. '尼니'는 '가까이하다'의 뜻.

[昵懇 일간] 친근함.
[昵交 일교] 친(親)함. 또, 그 사람.
[昵眷 일권] 사랑하여 돌보아 줌. 또, 두터운 은애(恩愛).
[昵近 일근] 친근(親近)함. 또, 그 사람. 측근자(側近者).
[昵藩 일번] 왕실(王室)에 친근한 특별 관계가 있는 번병(藩屛).
[昵比 일비] 일근(昵近).
[昵狎 일압] 측근(側近)에서 버릇없이 굶.
[昵戲 일희] 가까이 접촉하여 희롱함.
◉敬昵. 私昵. 狎昵. 友昵. 遠昵. 親昵.

5 ⑨ [昲] 비 ㉮未 芳未切 fèi

字解 마를 비 건조함. '酒未清, 肴未一'《列子》.

[昲悅 비열] 우울한 모양. 울적한 모양.

5 ⑨ [昢] 불 ㉧月 普沒切 pò

字解 새벽 불 해 뜰 무렵. 또, 해나 달이 뜨기 시작하여 빛이 아직 환하지 않은 모양. '時一一兮旦旦'《楚辭》.

字源 會意. 日+出. 합쳐서, '해돋이, 새벽'의 뜻을 나타냄.

[昢昢 불불] 해나 달이 뜨기 시작하여 빛이 아직 환하지 않은 모양.

5 ⑨ [昡] 人名 현 ㉮霰 熒絹切 xuàn

字解 햇빛 현 일광. '世幽昧以一曜兮'《楚辭》.

字源 形聲. 日+玄〔音〕

5 ⑨ [昶] 人名 창 ㉦養 丑兩切 chǎng ㉮漾 丑亮切

筆順 一 丁 亣 永 永 永 昶 昶

字解 ①해길 창 해가 긺. ②통할 창, 화창할 창 暢(日部 十畫)과 同字. '固以和一而足耽矣'《嵇康》.

字源 金文 篆文 會意. 日+永. '永영'은 '길다'의 뜻. 해가 길다의 뜻을 나타냄.

5 ⑨ [昼] 〔주〕 晝(日部 七畫〈p.990〉)의 俗字

5 ⑨ [昝] 잠 ㉦感 子感切 zǎn

字解 성 잠 성(姓)의 하나.

5 ⑨ [春] 中人 춘 ㉺眞 昌脣切 chūn

筆順 一 二 三 夫 夫 夫 春 春 春

字解 ①봄 춘 ㉠사시(四時)의 첫째. '一秋'. '一者何. 歲之始也'《公羊傳》. ㉡젊은 시대. '一年少'《水滸傳》. ㉢남녀의 연정. '一機'. '有女懷一'《詩經》. ②술 춘 술〔酒〕의 별칭. '五壺買一'《司空圖》. ③성 춘 성(姓)의 하나.

字源 金文 篆文 形聲. 篆文은 日+艸+屯〔音〕. '屯둔'은 떼 지어 모이다의 뜻. 풀이 햇빛을 받아 무리 지어 나는 모양에서, '봄철'의 뜻을 나타냄.

[春歌 춘가] 봄에 노래 부름. 또는 봄 노래.
[春間 춘간] 봄 사이.
[春江 춘강] 봄철의 강물.
[春耕 춘경] 봄에 하는 논밭갈이.
[春景 춘경] 봄철의 경치.
[春季 춘계] 봄의 계절.
[春困 춘곤] 봄철에 고달픈 기운.
[春官 춘관] 주대(周代) 육관(六官)의 하나. 예법(禮法)·제사(祭祀)의 일을 맡음. 대종백(大宗伯)이 그 장(長)임.
[春光 춘광] 봄 경치.
[春郊 춘교] 봄 경치가 좋은 교외.

[春宮 춘궁] 태자(太子)가 거처하는 궁전. 전(轉)하여, 태자. 동궁(東宮).
[春窮 춘궁] 《韓》 농가(農家)에서 묵은 곡식은 떨어지고 보리는 아직 여물지 않아 끼니를 잇기 어려운 때. 곧, 음력 3~4월경. 보릿고개.
[春閨 춘규] 부인(婦人)의 침방(寢房). 전(轉)하여, 처첩(妻妾).
[春氣 춘기] 봄기운.
[春期 춘기] 봄의 기간(期間).
[春祺 춘기] 춘안(春安).
[春機 춘기] ㉠춘정(春情)이 발작하는 동기(動機). ㉡춘의(春意).
[春機發動期 춘기발동기] 춘정(春情)이 발작하는 시기(時期). 남자는 15~16세경, 여자는 13세경.
[春暖 춘난] 봄철의 따뜻한 기운.
[春堂 춘당] 《韓》 남의 아버지의 존칭.
[春等 춘등] 등급(等級)을 춘추(春秋)의 둘로 나눈 그 첫째, 또는 춘하추동의 넷으로 나눈 그 첫째.
[春蘭 춘란] ㉠봄의 난초. ㉡난초의 한 가지. 잎이 가늘고 길며 봄새에 약간 푸른 빛깔의 흰 꽃이 핌.
[春蘭秋菊俱不可廢 춘란추국구불가폐] 봄의 난초와 가을의 국화는 각각 특색이 있어 모두 버릴 수 없음.
[春露秋霜 춘로추상] 춘로는 은택(恩澤), 추상은 위엄(威嚴)의 비유.
[春梅 춘매] 봄에 피는 매화나무.
[春麥 춘맥] 봄보리.
[春眠 춘면] 봄새의 노곤한 졸음.
[春夢 춘몽] 봄의 짧은 밤에 꾸는 꿈. 전(轉)하여, 덧없는 세상일.
[春蕪 춘무] 봄의 들.
[春坊 춘방] 춘궁(春宮).
[春芳 춘방] 봄의 방초(芳草).
[春服 춘복] 봄에 입는 옷.
[春分 춘분] 이십사절기(二十四節氣)의 하나. 경칩(驚蟄)과 청명(淸明) 사이에 있는 절기. 태양이 적도(赤道) 위에 직사(直射)하여 주야의 장단이 같은 때. 곧, 양력 3월 21~22일경.
[春分點 춘분점] 태양이 남쪽에서 북쪽으로 통과하여 적도(赤道)를 직사(直射)하는 점(點).
[春氷 춘빙] 봄의 얼음.
[春事 춘사] 봄의 일. 농사(農事)를 이름.
[春三朔 춘삼삭] 음력(陰曆) 정월·2월·3월의 석달.
[春色 춘색] 봄 경치.
[春雪 춘설] 봄에 오는 눈.
[春宵 춘소] 봄 저녁. 봄밤.
[春宵一刻値千金 춘소일각치천금] 봄밤의 한 시각(時刻)의 광경은 천금과 비길 만한 가치가 있음. 소식(蘇軾)의 '춘야시(春夜詩)'의 한 구절임.
[春誦夏弦 춘송하현] 봄에는 가악(歌樂)의 편장(篇章)을 읊고, 여름에는 거문고를 탐. 전(轉)하여, 학문을 닦음을 이름.
[春水 춘수] 봄철에 흐르는 물.
[春愁 춘수] 봄의 수심. 봄철에 일어나는 뒤숭숭한 생각.
[春睡 춘수] 춘면(春眠).
[春樹暮雲情 춘수모운정] 먼 곳의 벗을 그리워하는 정을 이름.
[春蒐秋獮 춘수추선] 봄 사냥과 가을 사냥.
[春笋 춘순] ㉠봄의 죽순(竹筍). ㉡미인의 가는 손가락의 비유.
[春信 춘신] 봄 소식(消息). 곧, 꽃이 피고 새가 울기 시작함을 이르는 말.
[春申君 춘신군] 전국 시대(戰國時代)의 초(楚)나라의 재상(宰相) 황헐(黃歇)의 봉호(封號). 20여 년간 재상으로 있었고, 문하(門下)에 식객(食客)이 3천여 명 있었다 함.
[春心 춘심] ㉠남녀의 정욕. ㉡봄에 느끼는 정서(情緖).
[春安 춘안] 봄의 평안(平安). 편지에 쓰는 말.
[春鶯囀 춘앵전] 중국 당(唐)나라 고종(高宗)이 앵성(鶯聲)을 듣고 악사(樂士) 백명달(白明達)에게 짓게 한 무곡(舞曲).
[春約 춘약] 천자(天子)가 종묘에 지내는 봄 제사.
[春藥 춘약] 춘정(春情)을 도와 일으키는 약제(藥劑).
[春陽 춘양] 봄볕. 전(轉)하여, 봄의 계절.
[春餘 춘여] 봄의 끝. 얼마 남지 않은 봄.
[春王正月 춘왕정월] 봄의 정월. 춘정월(春正月)과 뜻이 같음. 왕(王)은 주왕(周王)의 천하(天下)임을 나타낸 말.
[春雨 춘우] 봄에 오는 비. 봄비.
[春雲 춘운] 봄 하늘의 구름.
[春院 춘원] 봄의 햇빛이 비추는 집.
[春月 춘월] 봄밤의 달.
[春闈 춘위] 춘궁(春宮).
[春柔 춘유] 봄의 부드러움.
[春遊 춘유] 봄놀이.
[春融 춘융] 봄이 화창한 모양.
[春意 춘의] ㉠이른 봄에 만물(萬物)이 발생(發生)하려고 하는 기분. ㉡춘정(春情)❶.
[春蚓秋蛇 춘인추사] 봄의 지렁이와 가을의 뱀. 글씨가 가늘고 꼬부라져서 서툴고 필세(筆勢)가 약함을 이름.
[春日遲遲 춘일지지] 봄날이 길어서 저무는 것이 더딤.
[春蠶 춘잠] 봄에 치는 누에.
[春裝 춘장] 봄 차림.
[春節 춘절] 봄철.
[春情 춘정] ㉠남녀(男女)의 정욕(情慾). ㉡춘의(春意)❶.
[春薺 춘제] 봄에 나는 냉이.
[春潮 춘조] 봄의 조수(潮水).
[春酒 춘주] 봄에 담가 겨울에 익는 술.
[春至花開秋來葉落 춘지화개추래엽락] 때에 따라 변화하는 자연의 오묘(奧妙)한 이치를 이름.
[春盡 춘진] 봄이 다함. 봄이 끝남.
[春草 춘초] ㉠박주가릿과에 속하는 다년초(多年草). 백미꽃. 백미(白薇). ㉡봄철의 부드러운 풀.
[春秋 춘추] ㉠봄과 가을. ㉡어른의 나이. ㉢공자(孔子)가 저술한 노(魯)나라의 역사. 1권. 은공(隱公)부터 애공(哀公)까지 12공(公), 242년간의 역사를 엮었음. ㉣역사(歷史)의 범칭(泛稱). ㉤주(周)나라 평왕(平王)의 동천(東遷) 이후부터 위열왕(威烈王)까지 280년간. 곧, 공자(孔子)가 지은 〈춘추(春秋)〉의 연차(年次).
[春秋高 춘추고] 늙음. 고령(高齡)임.
[春秋繁路 춘추번로] 〈춘추(春秋)〉의 오의(奧義)를 논(論)한 책. 17권(卷). 한(漢)나라 동중서(董仲舒)의 찬(撰)이라 함.
[春秋富 춘추부] 연소(年少)함.

[春秋三傳 춘추삼전] 〈춘추(春秋)〉의 세 가지 해석서(解釋書). 곧, 좌씨전(左氏傳)·공양전(公羊傳)·곡량전(穀梁傳).
[春秋時代 춘추시대] 〈춘추(春秋)〉에 기재되어 있는 시대. 주(周)나라 평왕(平王)의 동천(東遷)부터 위열왕(威烈王)까지의 280년간.
[春秋十二列國 춘추십이열국] 춘추 시대(春秋時代)에 할거(割據)한 열두 제후(諸侯)의 나라. 곧, 주(周)나라와 동성(同姓)의 나라인 노(魯)·위(衛)·정(鄭)·진(晉)·조(曹)·채(蔡)·연(燕)과 이성(異姓)의 나라인 송(宋)·제(齊)·진(陳)·초(楚)·진(秦).
[春秋長 춘추장] 춘추고(春秋高).
[春秋戰國 춘추전국] 주(周)나라 평왕 이후를 춘추 시대(春秋時代)라 하고, 위열왕(威烈王) 이후부터 진(秦)나라 시황(始皇)의 통일까지를 전국(戰國)이라 함.
[春秋鼎盛 춘추정성] 나이가 바야흐로 한창임.
[春秋筆法 춘추필법] 〈춘추(春秋)〉와 같이 엄정한 필법.
[春雉自鳴 춘치자명] 《韓》 봄철에 꿩이 스스로 운다는 뜻으로, 시키거나 요구하지 아니하여도 제출물로 함을 이르는 말.
[春葩 춘파] 춘화(春華).
[春風 춘풍] 봄바람.
[春風君 춘풍군] 지연(紙鳶)의 이칭(異稱). 연.
[春風一度 춘풍일도] 남녀가 한 번 교접(交接)함.
[春風秋雨 춘풍추우] 봄바람과 가을비. 지나가는 세월(歲月)을 이르는 말.
[春風和氣 춘풍화기] 봄날의 화창(和暢)한 기운.
[春夏 춘하] 봄과 여름.
[春夏秋冬 춘하추동] 봄·여름·가을·겨울. 곧, 1년의 사시(四時).
[春旱 춘한] 봄가뭄.
[春恨 춘한] 춘수(春愁).
[春寒 춘한] 봄추위.
[春寒老健 춘한노건] 《韓》 봄추위와 노인의 건강. 사물(事物)이 오래가지 못함을 이르는 말.
[春花 춘화] 봄에 피는 꽃.
[春畫 춘화] 남녀(男女)가 교합(交合)하는 광경을 그린 그림.
[春華 춘화] 봄에 피는 꽃.
[春華涌泉 춘화용천] 문사(文詞)가 화려하고 문사(文思)가 무궁무진함을 비유한 말.
[春華秋實 춘화추실] ㉠봄의 꽃과 가을의 열매. ㉡문화(文華)와 덕행(德行).
[春曉 춘효] 봄의 새벽.
[春暄 춘훤] 춘난(春暖).
[春暉 춘휘] ㉠봄의 따뜻한 햇빛. ㉡부모의 따뜻한 보호.
[春興 춘흥] 봄의 흥미(興味).
◉季春. 九春. 今春. 來春. 晩春. 末春. 望春. 孟春. 賣春. 暮春. 發春. 芳春. 富春. 思春. 三春. 上春. 常春. 惜春. 小春. 頌春. 首春. 壽春. 新春. 陽春. 迎春. 宜春. 一枚春. 一花開天下春. 立春. 早春. 肇春. 仲春. 靑春. 晴春. 初春. 探春. 賀春. 回春. 懷春. 熙春.

5 ⑨ [昚] 〔신〕
愼(心部 十畫〈p. 805〉)의 古字

5 ⑨ [昬] 〔혼〕
昏(日部 四畫〈p. 977〉)과 同字
參考 당태종(唐太宗)의 휘(諱)를 피하여 '昬'으로 쓰게 되었다고 함. 일설에는, '昬'의 俗字.

6 ⑩ [晃] 人名 황 ㊤養 胡廣切 huǎng
筆順 丨 冂 日 旦 旦 早 昇 晃
字解 ①밝을 황, 빛날 황 '光盱盱以——'《郭璞》. ②성 황 성(姓)의 하나.
字源 篆文 形聲. 日+光〔音〕. '光광'은 '빛'의 뜻. 햇빛이 밝다의 뜻을 나타냄.
參考 晄(日部 六畫)과 同字.

[晃朗 황랑] 밝은 모양.
[晃曜 황요] 빛남.
[晃耀 황요] 황요(晃曜).
[晃昱 황욱] ㉠밝음. ㉡번쩍번쩍 빛남.
[晃蕩 황탕] 빛이 번쩍번쩍하며 이리저리 옮기는 모양.
[晃晃 황황] 빛나는 모양. 밝은 모양.
◉光晃. 朱晃. 炫晃. 眩晃. 炯晃. 皓晃.

6 ⑩ [晏] 人名 안 ㊦諫 烏澗切 yàn
筆順 丨 冂 日 旦 旦 早 星 晏 晏
字解 ①맑을 안 하늘이 맑음. '天淸日—'《漢書》. ②저물 안 해가 저묾. '及年歲之未—兮'《楚辭》. ③늦을 안 이르지 아니함. '—起'. '冉子退朝, 子曰, 何—也'《論語》. ④화락(和樂)할 안 '言笑——'《詩經》. ⑤편안할 안 안온함. '—息'. '方隅淸—'《魏志》. ⑥고울 안 아름답고 깨끗함. '恙裘—兮'《詩經》. ⑦성 안 성(姓)의 하나.
字源 篆文 形聲. 日+安〔音〕. '安안'은 '화락하다'의 뜻. 화창한 날, 하늘이 맑다의 뜻을 나타냄. 또, '安'은 집에 들어와 편안하다의 뜻. 태양이 서쪽으로 들어가 안정되는 저녁때, 늦다의 뜻도 나타냄.

[晏駕 안가] 임금이 돌아감. 붕어(崩御).
[晏起 안기] 늦게 일어남.
[晏寧 안녕] 천하가 잘 다스려져 태평함. 안녕(安寧).
[晏眠 안면] 아침 늦게까지 잠.
[晏息 안식] 편안히 쉼. 안식(安息).
[晏晏 안안] 화락(和樂)한 모양.
[晏如 안여] 마음이 편안(便安)하고 침착한 모양.
[晏然 안연] 안여(晏如).
[晏嬰 안영] 안자(晏子).
[晏嬰之狐裘 안영지호구] 제(齊)나라의 재상(宰相) 안영(晏嬰)이 한 벌의 여우 털 갖옷을 30년이나 입었다는 고사(故事)에서, 매우 검약(儉約)함을 이름.
[晏娛 안오] 편안히 즐거워함.
[晏子 안자] ㉠춘추 시대(春秋時代)의 제(齊)나라의 명신(名臣). 이름은 영(嬰), 자(字)는 평중(平仲). 영공(靈公)·장공(壯公)·경공(景公)을 섬기어 재상(宰相)이 되었으며, 공검 역행(恭儉力行)으로 유명함. ㉡안자춘추(晏子春秋).
[晏子春秋 안자춘추] 제(齊)나라 안영(晏嬰)의 언행(言行)을 기술한 책. 8권. 저자(著者) 미상(未詳). 단지 '안자(晏子)'라고도 함.

[晏朝 안조] 편안히 잘 다스려진 조정(朝廷).
[晏淸 안청] 세상이 평화롭고 깨끗함.
◉普晏. 息晏. 安晏. 寧晏. 靜晏. 淸晏.

6 ⑩ [晁] 人名 조 ㊥蕭 直遙切 cháo 晁

筆順 ㅁ 日 旦 旦 旦 晁 晁 晁

字解 ①벌레이름 조. ②성 조 성(姓)의 하나. ③아침 조 朝(月部 八畫)의 古字.

字源 形聲. 日＋兆〔音〕.

6 ⑩ [昰] 〔시〕 是(日部 五畫〈p.979〉)의 籀文

6 ⑩ [時] 中人 시 ㊥支 市之切 shí 时

筆順 日 日 日一 日十 日土 旹 時 時

字解 ①때 시 ㉠세월. '一日'. '歲一日月星辰'《左傳》. ㉡연대. '朕獨不能與此人同一哉'《漢書》. ㉢기회. '一機'. '圖之此爲一矣'《左傳》. ㉣운명. '遇不遇者一也'《韓詩外傳》. ㉤당시. 그때. '一人'. '以佐一政'《後漢書》. ㉥적당한 시기. '斧斤以一入山林'《孟子》. ②철 시 사철. '天有四一, 春夏秋冬'《禮記》. ③시 시 하루의 12분의 1 또는 24분의 1. '午一'. '掌夜一'《周禮》. ④때맞출 시 시기에 알맞음. 적기(適期)임. '陰陽調, 風雨一'《漢書》. ⑤때에 시 그때. '一王陵見而怪其美士'《史記》. ⑥엿볼 시 적당한 때를 엿봄. '孔子一其亡也, 而往拜之'《論語》. ⑦때때로 시 가끔. 또, 기회 있을 때마다. '學而一習之'《論語》. ⑧좋을 시 훌륭함. '爾殽旣一'《詩經》. ⑨이 시 是(日部 五畫)와 同字. '一日'. '黎民於變一雍'《書經》. ⑩성 시 성(姓)의 하나.

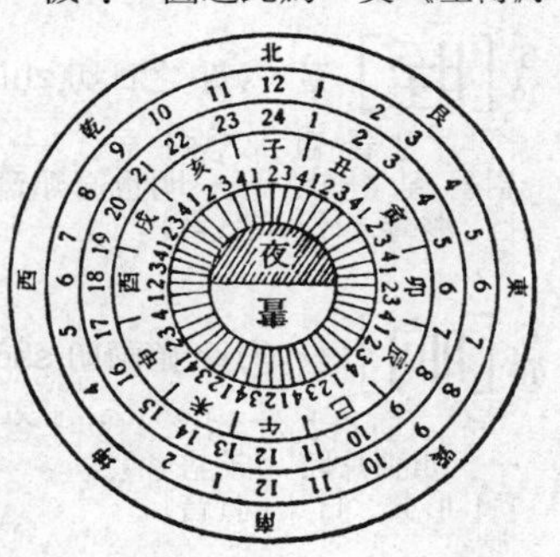
[時③]

字源 甲骨文 篆文 古文 形聲. 日＋寺〔音〕. '寺사·시'는 '之지'와 통하여, '가다'의 뜻. 진행해 가는 해, '때'의 뜻을 나타냄.

[時價 시가] 그때의 값. 현시(現時)의 시세(時勢).
[時刻 시각] ㉠시간의 한 점. 짧은 시간. ㉡시간(時間).
[時間 시간] ㉠때. ㉡때와 때의 사이. ㉢과거(過去)·현재(現在)·미래(未來)의 무한한 연속.
[時艱 시간] 당시의 난국(難局).
[時感 시감] 돌림감기(感氣).
[時客 시객] 무궁화(無窮花)의 별칭.
[時傑 시걸] 당시의 호걸.
[時計 시계] 자동적으로 시간(時間)을 가리키는 기계.
[時局 시국] 당면한 국내 및 국제 정세.
[時禽 시금] 시조(時鳥).
[時急 시급] 때가 임박(臨迫)함.
[時氣 시기] 시절(時節).
[時期 시기] 정(定)한 때.
[時機 시기] 기회(機會).
[時談 시담] 당시의 이야깃거리.
[時代 시대] 시간을 역사적으로 구분한 한 기간.
[時代思想 시대사상] 한 시대의 사회 일반(社會一般)에 널리 통하는 사상.
[時代思潮 시대사조] 시대 사상(時代思想)의 조류.
[時代相 시대상] 한 시대에 나타난 사상이나 상황(狀況).
[時代精神 시대정신] 한 시대의 사회 인심(人心)을 지배하는 정신.
[時代錯誤 시대착오] 시대(時代)의 추세(趨勢)를 따르지 아니하는 착오.
[時令 시령] ㉠1년간에 행하는 정치상(政治上) 또는 의식상(儀式上)의 순서의 기록. 연중행사(年中行事). ㉡절기(節氣).
[時論 시론] ㉠그 시대의 여론(輿論). ㉡조선조 정조(正祖) 때 일어나서 벽론(辟論)과 맞서던 당파(黨派).
[時流 시류] 당시(當時)의 풍조.
[時望 시망] 당시의 인망(人望).
[時命 시명] ㉠그때그때의 명령. ㉡그때그때의 정부의 명령. ㉢운수. 운명.
[時髦 시모] 시언(時彥).
[時務 시무] ㉠그 시대의 급무(急務). ㉡춘(春)·하(夏)·추(秋) 삼시(三時)의 농무(農務).
[時文 시문] ㉠위진(魏晉) 이후에 과거(科擧)에 쓰이던 사륙변려문(四六騈儷文). ㉡당시(當時) 일반(一般)이 널리 쓰는 글. 그 시대(時代)에 쓰는 글.
[時輩 시배] ㉠그 당시의 사람들. 그 당시의 현인(賢人)들. ㉡때를 만나서 기를 펴는 사람들.
[時變 시변] ㉠시세(時勢)의 변천. ㉡기후의 변천, 또는 불순(不順).
[時病 시병] ㉠시폐(時弊). ㉡시질(時疾).
[時報 시보] ㉠때때로 알리는 보도. ㉡방송(放送)에서, 때를 알리는 보도(報道).
[時服 시복] 철에 따라 입는 옷.
[時不再來 시부재래] 한번 간 때는 다시 오지 아니함.
[時分 시분] ㉠짧은 시간. ㉡시기(時期).
[時不可失 시불가실] 호기(好機)를 놓쳐서는 안 됨.
[時祀 시사] 시제(時祭).
[時事 시사] 그때에 생긴 사건. 그 당시에 일어난 「일.
[時序 시서] 돌아가는 철의 차례.
[時鮮 시선] 철을 따라 새로 나오는 물고기, 또는 음식물.
[時世 시세] 그때의 세상(世上).
[時歲 시세] 때. 세월.
[時勢 시세] ㉠그때의 물건 값. ㉡그때의 형세(形勢).
[時世粧 시세장] 그 당시 유행하는 화장.
[時俗 시속] 그 시대의 풍속·습관.
[時速 시속] 한 시간의 속력.
[時羞 시수] 제사에 쓰이는, 그 철에 나는 음식물.
[時習 시습] ㉠때때로 복습함. ㉡시속(時俗).
[時時 시시] 가끔. 때때로.
[時時刻刻 시시각각] 시간이 흐름에 따라. 시각

(時刻)마다.
[時食 시식] 그 철에 나는 음식.
[時新 시신] 그 철에 새로나는 과일·야채 따위.
[時夜 시야] ㉠닭이 울어 밤의 때를 알림. 또, 그 때. ㉡닭〔鷄〕의 별칭.
[時彥 시언] 당시의 걸출한 인물.
[時疫 시역] 유행병(流行病).
[時雨 시우] 철에 맞추어 오는 비.
[時雨之化 시우지화] 초목이 시우(時雨)에 의하여 잘 자라듯이 교화(教化)가 널리 미침을 이름.
[時運 시운] 시대(時代)의 운수.
[時運不幸 시운불행] 시대(時代)의 운수(運數)가 불행(不幸)함.
[時月 시월] ㉠때와 달. 사시(四時)와 열두 달. ㉡수개월.
[時宜 시의] 그때의 사정에 맞음.
[時議 시의] 그때의 사람들의 의론.
[時移事往 시이사왕] 세월이 바뀌고 사물(事物)이 변천(變遷)하는 일.
[時人 시인] 그때의 사람.
[時日 시일] ㉠때와 날. ㉡좋은 날. 길일(吉日). ㉢때. 세월. ㉣이날. 시일(是日).
[時者難得而易失 시자난득이이실] 좋은 기회는 얻기 어렵고, 또 자칫하면 놓치기 쉬움.
[時在 시재] 《韓》 현재에 가지고 있는 돈, 또는 곡식.
[時哉時哉 시재시재] 좋은 때를 만난 것을 탄미(歎美)하는 말.
[時田 시전] 사철의 사냥. 사시(四時)의 전렵(田獵).
[時節 시절] ㉠철. ㉡사람의 일생을 구분한 한동안.
[時政 시정] ㉠그때그때에 행하는 정사(政事). ㉡당시의 정치. 당시의 정령(政令).
[時祭 시제] ㉠춘(春)·하(夏)·추(秋)·동(冬) 사시(四時)에 일월(日月)·산천(山川) 등에 지내는 제사. 시사(時祀). ㉡《韓》 시향(時享).
[時鳥 시조] 철을 따라 우는 새.
[時宗 시종] 1세(世)에 존경을 받는 사람.
[時中 시중] 시의(時宜).
[時疾 시질] 때에 따라 유행하는 병.
[時差 시차] 태양시(太陽時)와 평균시(平均時)와의 차.
[時體 시체] 그 시대의 풍속·습관.
[時針 시침] 시계(時計)의 짧은 바늘.
[時稱 시칭] 당시의 명예. 시예(時譽).
[時態 시태] 당시의 세상 형편.
[時牌 시패] 시간을 적어 거는 패.
[時評 시평] 그때 사람들의 비평.
[時弊 시폐] 그 당시의 폐단(弊端).
[時風 시풍] ㉠철을 따라 부는 바람. ㉡시속(時俗).
[時下 시하] 요새. 이때.
[時享 시향] ㉠시제(時祭). ㉡《韓》 매년 음력 시월(十月)에 조상의 산소(山所)에 가서 지내는 제사. ㉢《韓》 매년 음력 2월·5월·8월·11월에 사당(祠堂)에 지내는 제사.
[時好 시호] 유행(流行).
[時豪 시호] 시걸(時傑).
[時乎時乎 시호시호] 시재시재(時哉時哉).
[時貨 시화] 그때그때의 일용에 필요한 물화. 미곡·축산물 등을 이름.
[時和年豐 시화연풍] 나라가 태평(太平)하고 곡식이 잘됨.
[時患 시환] 그 시대의 환난.
[時會 시회] ㉠때를 정하여 회합함. ㉡시운(時運).
[時效 시효] 일정한 기간의 경과에 의하여 권리가 발생 또는 소멸하는 일.
[時候 시후] 기후(氣候).
[時諱 시휘] 당시에 기휘(忌諱)하는 일. 그 시대에 저촉(抵觸)되는 언행.
◉計時. 瓜時. 舊時. 近時. 今時. 及時. 落時. 曩時. 農時. 累時. 多時. 當時. 同時. 每時. 明時. 微時. 民時. 報時. 不時. 非常時. 非時. 已時. 四時. 賞不踰時. 常時. 昔時. 盛時. 歲時. 少時. 隨時. 瞬時. 食時. 良時. 年時. 零時. 五時. 五教時. 往時. 幼時. 應時. 二六時. 異時. 一霎時. 一時. 臨時. 暫時. 適時. 田時. 戰時. 定時. 濟時. 卽時. 天時. 淸時. 寸時. 片時. 平時. 餔時. 彼一時此一時. 恒時. 現時. 花時.

6 ⑩ [暅] 훤 [平]元 許元切 xuān 

[字解] 마를 훤, 말릴 훤 건조함. 건조시킴. 烜(火部 六畫)과 同字. '日以一之'《易經》.

[字源] 形聲. 日+亘〔音〕

6 ⑩ [晊] 질 [入]質 之日切 zhì

[字解] ①클 질 모양이 큼. '一, 大也'《爾雅》. ②밝을 질 환함. '一, 明也'《類篇》.

[字源] 形聲. 日+至〔音〕

6 ⑩ [晌] 상 [上]養 始兩切 shǎng 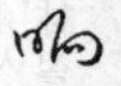

[字解] ①대낮 상 정오. ②때 상 시각(時刻). '片一, 卽謂片時'《成語考》.

[字源] 形聲. 日+向〔音〕

◉半晌. 片晌.

6 ⑩ [晐] 해 [平]灰 古哀切 gāi 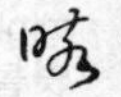

[字解] 갖출 해 구비함. 該(言部 六畫)와 同字. '執箕帚, 以一姓於王宮'《國語》.

[字源] 形聲. 日+亥〔音〕. '亥해'는 돼지의 온몸의 골격을 그린 꼴로, 두루, 전부에 걸치다의 뜻. 햇빛이 두루 미치다의 뜻을 나타냄.

6 ⑩ [晈] 〔교〕 皎(白部 六畫〈p. 1512〉)와 同字 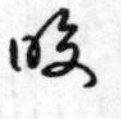

[字源] 形聲. 日+交〔音〕

6 ⑩ [昵] 〔닐·녜〕 昵(日部 五畫〈p. 982〉)과 同字

6 ⑩ [晄] 〔황〕 晃(日部 六畫〈p. 984〉)과 同字

[字源] 篆文 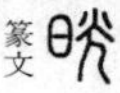 形聲. 日+光〔音〕

6 ⑩ [晒] 〔쇄〕 曬(日部 十九畫〈p. 1004〉)의 俗字

字源 形聲. 日＋西〔音〕.

6 ⑩ [晉] 人名 진 ㉤震 卽刃切 jìn 晋

筆順 一 亠 亖 亞 亞 亞 晉 晉

字解 ①나아갈 진 進(辵部 八畫)과 同字. '一接'. ②꽂을 진 搢(手部 十畫)과 同字. '王一大圭'《周禮》. ③억누를 진 억제함. '諸侯一, 大夫馳'《周禮》. ④전괘 진 육십사괘(六十四卦)의 하나. 곧, ䷢〈곤하(坤下), 이상(離上)〉. 명성(明盛)한 상(象). '一康侯用錫馬蕃庶'《易經》. ⑤진나라 진 ㉠주대(周代)의 제후국(諸侯國)의 하나. 산시(山西)·즈리(直隷) 양성(兩省)의 남경(南境)과 허난 성(河南省)의 북경(北境)을 영유하였음.(B.C. ?~B.C. 276) ㉡사마염(司馬炎)이 삼국(三國)의 위(魏)나라의 선위(禪位)를 받아 세운 왕조. 처음에 뤄양(洛陽)에 도읍하였다가 후에 건강(建康)에 천도(遷都)하였음. 전자를 서진(西晉), 후자를 동진(東晉)이라 일컬음.(265~419) ㉢오대(五代) 때 석경당(石敬塘)이 후당(後唐)을 이어 세운 왕조. 후진(後晉)이라고도 함.(936~946) ⑥성 진 성(姓)의 하나.

字源 甲骨文 金文 篆文 象形. 두 대의 화살을 그릇에 꽂아 넣는 모양을 본떠, '끼우다'의 뜻을 나타내었으나, '進진'과 통하여, '나아가다'의 뜻을 나타내게 됨. '搢진'의 原字.

[晉鼓 진고] 북의 한 가지. 길이 6척 6촌이고 양면(兩面)을 칠 수 있게 되었음.

[晉鼓]

[晉文公 진문공] 진(晉)나라의 문공(文公). 춘추 오패(春秋五覇)의 한 사람으로 이름은 중이(重耳). 부친 헌공(獻公)이 여희(驪姬)를 사랑하여 그의 형(兄)인 태자(太子) 신생(申生)을 죽였으므로 그는 다른 나라로 피신(避身)하였다가 진(秦)나라의 도움을 입어 다시 돌아가서 위(位)에 올라 현신(賢臣)을 등용하여 제후(諸侯)의 맹주(盟主)가 되었음.

[晉山 진산] 《佛敎》 주지(住持)가 되어 새 절에 들어가는 일. 진산(進山).

[晉書 진서] 당(唐)나라의 태종(太宗)이 방현령(房玄齡)·이연수(李延壽) 등에게 명하여 편찬케 한 서진(西晉) 및 동진(東晉)의 사서(史書). 130권. 기전체(紀傳體)로 되었음.

[晉接 진접] 나아가 면회함.

◉東晉. 孟晉. 三晉. 西晉. 兩晉. 呂秦牛晉. 六晉. 隆晉. 後晉.

6 ⑩ [晋] 人名 晉(前條)의 俗字·簡體字

筆順 一 丅 亚 亚 亚 亚 晋 晋

[耆] 〔기〕 老部 四畫(p.1816)을 보라.

7 ⑪ [晜] 곤 ㉠元 古渾切 kūn

字解 ①형 곤 昆(日部 四畫)과 同字. '父之一弟'《爾雅》. ②뒤 곤 후(後). '來孫之子, 爲一孫'《爾雅》.

字源 篆文 會意. 篆文은 弟＋日(眔). '眔답'은 '많다'의 뜻. '昆곤'과 통하여, '형'의 뜻. 일설에는, 弟＋昆〈省〉〔音〕.

[晜孫 곤손] 내손(來孫)의 아들. 현손(玄孫)의 손자.

[晜弟 곤제] 형제. 곤제(昆弟).

7 ⑪ [晟] 人名 성 ㉤敬 承正切 shèng

筆順 日 旦 旦 昃 昃 晟 晟 晟

字解 밝을 성 환함.

字源 篆文 形聲. 日＋成〔音〕. '成성'은 '이루어지다'의 뜻. 해가 완전히 빛나다의 뜻에서, '밝다'의 뜻을 나타냄.

7 ⑪ [晠] 人名 晟(前條)과 同字

筆順 日 旪 旪 旷 昕 晘 晠 晠

7 ⑪ [㬉] 난 ①㉡潸 奴板切 nǎn ②㉤諫 乃諫切 nàn

字解 ①찔 난 날씨가 무더움. '一, 溫溼也'《說文》. ②불그레할 난 붉음. '一, 小赤'《類篇》.

字源 篆文 形聲. 日＋赧〈省〉〔音〕. '赧난'은 불에 쬔 붉은빛의 뜻. 붉다, 쪄서 데우다의 뜻을 나타냄.

7 ⑪ [晨] 高人 신 ㉠眞 食隣切 chén

筆順 日 旦 旦 尸 尸 尼 尼 晨

字解 ①새벽 신 샐녘. '一旦'. '夜鄕一'《詩經》. ②새벽알릴 신 닭이 울어 새벽을 알림. '牝雞無一'《書經》. ③별이름 신 이십팔수(二十八宿)의 하나인 방성(房星)의 이칭(異稱). '農祥一正'《張衡》.

字源 篆文 別體 形聲. 日＋辰〔音〕. '辰신·진'은 '脣순'과 통하여, 빨간 입술의 뜻. 아침놀 속에 해가 뜨려고 할 무렵, 새벽의 뜻을 나타냄.

[晨釭 신강] 새벽의 등잔불.

[晨客 신객] 이른 아침에 찾아온 손.

[晨耕 신경] 이른 아침부터 논밭을 갊.

[晨雞 신계] 새벽에 우는 닭. 새벽을 알리는 닭.

[晨光 신광] 아침 햇빛.

[晨晷 신구] 신광(晨光).

[晨起 신기] ㉠아침 일찍 일어남. ㉡아침에 일어남.

[晨旦 신단] 아침.

[晨暾 신돈] 아침의 해.

[晨明 신명] 샐녘. 새벽. 여명(黎明).

[晨暮 신모] 신혼(晨昏).

[晨門 신문] 새벽에 문을 여는 것을 맡은 문지기.

[晨報 신보] 조간신문(朝刊新聞).

[晨牝 신빈] 새벽을 알리는 암탉이라는 뜻으로, 일을 제멋대로 하는 부녀자의 비유.

[晨夕 신석] 새벽과 저녁. 아침저녁.
[晨星 신성] 샛별. 효성(曉星). 전(轉)하여, 소수(少數)·희소(稀少)의 비유(譬喩).
[晨省 신성] 이른 아침에 부모(父母)의 침소(寢所)에 가서 밤새의 안부(安否)를 살피는 일.
[晨星落落 신성낙락] 새벽에 별이 드문드문 보이는 것과 같이 친구가 차차 적어짐을 이름.
[晨夜 신야] 새벽부터 밤늦게까지 열심(熱心)히 일을 함.
[晨入夜歸 신입야귀] 아침 일찍 출사(出仕)하고 밤늦게 귀가(歸家)함.
[晨粧 신장] 아침의 화장.
[晨征 신정] 신행(晨行).
[晨霽 신제] 새벽에 비가 갬.
[晨朝 신조] 신단(晨旦).
[晨鐘 신종] 새벽에 치는 종.
[晨餐 신찬] 조반(朝飯).
[晨炊 신취] 새벽에 밥을 지음.
[晨飆 신표] 아침에 부는 회오리바람.
[晨風 신풍] ㉠새벽에 부는 바람. ㉡송골(松鶻)매의 별칭(別稱).
[晨行 신행] 새벽에 감.
[晨昏 신혼] 아침저녁. 밤낮. 조석(朝夕).
[晨暉 신휘] 아침의 햇빛.
◉鷄晨. 今晨. 牝鷄之晨. 伺晨. 霜晨. 一日難再晨. 早晨. 淸晨. 花晨. 詰晨.

7
⑪ [曡] 〔첩〕
疊(田部 十七畫〈p. 1475〉)과 同字

7
⑪ [晩] 中·人 만 ㊤阮 無遠切 wǎn

筆順 冂 日 日' 日'' 日⺈ 昍 晩 晩

字解 ①저물 만, 해질 만 해가 저묾. 해가 서산에 짐. '登臨日將—'《楊師道》. ②늦을 만 ㉠때가 늦음. '—時之歎'. '君何相見之—'《史記》. ㉡중년(中年) 이후임. '—學'. '孔子—而喜易'《史記》. ㉢끝임. '—唐'. '雖—周亦郊焉'《漢書》. ③저녁 만 해 질 무렵. '—餐'. '伏見蚤—'《漢書》. ④성 만 성(姓)의 하나.

字源 篆文 形聲. 日+免〔音〕. '免면'은 신생아(新生兒)가 태어나는 모양을 본떠, 빠져나오다의 뜻. 햇빛이 지상으로부터 빠져나가 버린 때, 해 질 녘의 뜻을 나타냄.

參考 㬅(日部 七畫)은 同字.

[晩駕 만가] 천자(天子)의 죽음. 붕어(崩御). 안가(晏駕).
[晩稼 만가] 늦게 심은 벼.
[晩景 만경] ㉠저녁 경치(景致). ㉡저녁 햇빛.
[晩境 만경] 늙바탕. 노경(老境).
[晩交 만교] 늙바탕의 친구(親舊). 늦게 사귄 친구.
[晩年 만년] 늙바탕. 노후(老後).
[晩達 만달] 늙바탕에 현달(顯達)함.
[晩唐 만당] ㉠당(唐)나라의 말년(末年). ㉡당대(唐代)의 시(詩)를 초당(初唐)·성당(盛唐)·중당(中唐)·만당(晩唐)의 사기(四期)로 구분한 하나로서, 문종(文宗)의 태화(太和) 이후 당말(唐末)에 이르기까지의 80년간. 두목(杜牧)·이상은(李商隱)·온정균(溫庭筠) 등이 대표적 시인임.
[晩到 만도] 늦게 옴.
[晩稻 만도] 늦벼.
[晩冬 만동] 늦겨울. 곧 음력(陰曆) 12월.
[晩得 만득] 늦게 자식을 낳음.
[晩登 만등] 열매가 늦게 익음.
[晩來 만래] ㉠저녁때. ㉡노래(老來).
[晩涼 만량] 저녁의 서늘함. 서늘한 저녁.
[晩雷 만뢰] 저녁때 울리는 천둥.
[晩暮 만모] ㉠저녁. ㉡만년(晩年).
[晩飯 만반] 저녁밥. 석반(夕飯).
[晩福 만복] 늙바탕에 트인 복.
[晩生 만생] ㉠선배(先輩)에게 대한 자기의 겸칭. 후생(後生). ㉡만득(晩得).
[晩成 만성] 늦게 성취함. 늦게야 이루어짐.
[晩世 만세] 근세(近世).
[晩歲 만세] ㉠만년(晩年). ㉡곡식이 늦게 익는 해.
[晩熟 만숙] 늦게 익음.
[晩時 만시] 때가 늦음.
[晩時之歎 만시지탄] 기회(機會)를 잃은 한탄(恨歎).
[晩食 만식] ㉠저녁밥. 석반(夕飯). ㉡늦게 식사를 함. 또, 그 식사.
[晩食當肉 만식당육] 배가 고플 때 음식(飮食)을 먹으면 맛이 없는 것이라도 고기만큼이나 입에 당김.
[晩鶯 만앵] 늦봄에 우는 꾀꼬리. 노앵(老鶯).
[晩陽 만양] 지는 해. 석양(夕陽).
[晩煙 만연] 저녁때의 연기.
[晩炎 만염] 늦더위.
[晩悟 만오] 늦게 깨달음.
[晩運 만운] 만년(晩年)에 트인 운수.
[晩酌 만작] 저녁에 술을 마심.
[晩笛 만적] 저녁에 부는 피리 소리.
[晩節 만절] ㉠만년(晩年). ㉡만년의 절개.
[晩霽 만제] 저녁에 비가 갬.
[晩眺 만조] 저녁의 조망(眺望).
[晩照 만조] 저녁때에 비추는 불그레한 햇빛. 석조(夕照).
[晩潮 만조] 저녁때에 밀려 들어왔다가 나가는 바닷물. 석수(汐水).
[晩鐘 만종] 저녁에 치는 종소리.
[晩餐 만찬] 저녁 식사.
[晩凄 만처] 저녁의 쓸쓸함. 쓸쓸한 저녁.
[晩晴 만청] 저녁에 비가 갬. 또, 그 하늘. 만제(晩霽).
[晩秋 만추] 늦가을. 곧, 음력(陰曆) 9월.
[晩春 만춘] 늦봄. 곧, 음력(陰曆) 3월.
[晩就 만취] 만성(晩成).
[晩翠 만취] 겨울에도 변하지 않는 초목의 푸른빛.
[晩風 만풍] 저녁에 부는 바람.
[晩霞 만하] 저녁놀.
[晩夏 만하] 늦여름.
[晩學 만학] 중년(中年) 이후의 수학(修學).
[晩餉 만향] 만찬(晩餐).
[晩婚 만혼] 중년(中年) 이후의 결혼.
[晩禾 만화] 늦벼.
[晩花 만화] 늦게 피는 꽃.
[晩暉 만휘] 만조(晩照).
◉今晩. 明晩. 歲晩. 畹晩. 昨晩. 早晩. 朝晩.

7
⑪ [晛] 人名 현 ㊦霰 形甸切 xiàn
㊤銑 胡典切 xiàn 晛

筆順 冂 日 日ǀ 日冂 日冂 日目 日貝 晛

字解 햇빛 현 일광. '雨雪瀌瀌, 見一日消'《詩經》.
字源 篆文 形聲. 日+見〔音〕. '見견·현'은 '나타나다'의 뜻. 해가 나타나다의 뜻을 나타냄.

7 ⑪ [晙] 人名 준 去震 子峻切 jùn

筆順 ㅣ 日 日' 日亠 日允 日夋 晙 晙

字解 ①밝을 준 환함. '一, 明也'《說文新附》. ②이를 준 늦지 않음. '一, 早也'《爾雅》.
字源 篆文 形聲. 日+夋〔音〕

7 ⑪ [晞] 人名 희 平微 香衣切 xī

筆順 ㅣ 日 日' 日ㄨ 日ㄨ 日乂 晞 晞

字解 ①마를 희, 말릴 희 건조함. 건조시킴. '白露未一'《詩經》. ②밝을 희 날이 밝음. '東方未一'《詩經》.
字源 篆文 形聲. 日+希〔音〕. '希희'는 '듬성듬성하다'의 뜻. 곡물이나 머리털 따위를 틈이 있게 하여 통풍이 잘되도록 하고, 햇빛에 쬐어 말리다의 뜻을 나타냄.

[晞堁 희과] 희토(晞土).
[晞髮 희발] 감은 머리를 말림.
[晞土 희토] 마른 흙. 마른땅. 희과(晞堁).
[晞和 희화] 화창(和暢)함.

7 ⑪ [晡] 포 平虞 博孤切 bū

字解 ①신시 포 오후 세 시부터 다섯 시까지의 사이. '一時復'《漢書》. ②저녁 포 해가 저물 때. '一夕'. '朝一給與御食'《北齊書》.
字源 形聲. 日+甫〔音〕

[晡夕 포석] 저녁때. 박모(薄暮).
[晡時 포시] 신시(申時). 곧, 오후(午後) 세 시부터 다섯 시까지의 사이.
[晡食 포식] 저녁밥. 저녁 식사. 또, 저녁 식사를 함.
[晡下 포하] 오후 다섯 시 후(後).
◉三晡. 日晡. 朝晡. 中晡. 下晡. 曉晡.

7 ⑪ [晤] 人名 오 去遇 五故切 wù

筆順 ㅣ 日 日一 日T 日五 日五 晤 晤

字解 ①밝을 오 총명함. 영명(英明)함. '英一'. '少秀一'《唐書》. ②만날 오 상봉함. 또, 마주 대함. '可與一歌'《詩經》.
字源 篆文 形聲. 日+吾〔音〕. '吾오'는 '번갈다'의 뜻. 밤에 갈음하여, 날이 밝다, 밝다의 뜻을 나타냄.

[晤歌 오가] 마주 대하고 노래함.
[晤對 오대] 만남. 면회함.
[晤語 오어] 마주 대하고 이야기함. 서로 터놓고 이야기함.
[晤言 오언] 오어(晤語).

◉款晤. 面晤. 秀晤. 神晤. 言晤. 英晤.

7 ⑪ [晥] 人名 환 上潸 戶版切 wǎn

筆順 ㅣ 日 日' 日宀 日宀 日宀 晥 晥

字解 밝을 환 어둡지 않고 환한 모양. '一彼牽牛'《詩經》.

7 ⑪ [晦] 人名 회 去隊 荒內切 huì

筆順 ㅣ 日 日' 日𠂉 日𠂉 日⺊ 晦 晦

字解 ①그믐 회 음력의 매월 말일. '一朔'. ②밤 회, 어둠 회 '一昧'. '陰陽風雨一明'《左傳》. ③어두울 회 ㉠캄캄함. '一夜'. '窈冥晝一'《史記》. ㉡분명하지 아니함. '志而一'《左傳》. ④감출 회 숨김. '一名'. '韜一'. '深自一匿'《隋書》. ⑤얼마못될 회 얼마 안 됨. 또, 얼마 안 가서. '鮮生民之一在'《班固》. ⑥시들 회 초목이 조상(凋傷)함. '寂歷百草一'《江淹》.
字源 甲骨文 篆文 甲骨文의 '每매'는 假借로, 본래는 머리를 쪽 찌는 부인을 본뜬 것이지만, '夢몽'과 통하여, '어둡다'의 뜻을 나타냄. 해가 어둡다의 뜻을 분명히 하기 위해, 뒤에 '日일'이 덧붙여짐. '晦회'는 日+每〔音〕의 形聲.

[晦間 회간] 그믐께. 월말경.
[晦匿 회닉] 종적(蹤迹)을 감춤. 또, 자기의 재주를 감추고 어리석은 체함.
[晦昧 회매] ㉠어두컴컴함. ㉡우매(愚昧)함.
[晦盲 회맹] ㉠캄캄함. 어두움. ㉡눈이 어두움. ㉢세상이 어지러워 컴컴함.
[晦名 회명] 이름을 숨김. 세상에 이름이 알리지 않게 함.
[晦明 회명] ㉠낮과 밤. 주야(晝夜). ㉡초목이 무성함과 조상(凋傷)함.
[晦冥 회명] 어두컴컴함.
[晦朔 회삭] 그믐과 초하루.
[晦澀 회삽] 문장의 의미가 어려워서 잘 통하지 아니함.
[晦塞 회색] 캄캄하게 아주 꽉 막힘.
[晦庵 회암] 송대(宋代)의 학자인 주자(朱子)가 학문을 강론하던 서재(書齋) 이름. 지금의 푸젠 성(福建省) 연양현(連陽縣) 서북(西北)쪽에 있음. 이로 인하여, 후세 사람들이 주자(朱子)를 회암(晦庵) 선생이라 부름.
[晦夜 회야] 어두운 밤. 암야(暗夜).
[晦日 회일] 그믐날.
[晦藏 회장] 회닉(晦匿).
[晦在 회재] 남은 것이 얼마 안 됨.
[晦迹 회적] 종적(蹤迹)을 감춤.
[晦初間 회초간] 그믐초승.
[晦顯 회현] 어두컴컴함과 환히 나타남. 감춤과 드러냄. 세상에 알려짐과 알려지지 않음.
[晦惑 회혹] 사리에 어두워 의혹(疑惑)함.
[晦晦 회회] 어두운 모양. 캄캄한 모양.
◉高晦. 韜晦. 明晦. 冥晦. 朔晦. 月晦. 幽晦. 隱晦. 陰晦. 湮晦. 自晦. 潛晦. 遵養時晦. 顯晦. 昏晦.

7 ⑪ [晧] 人名 호 上皓 胡老切 hào

[筆順] 晧 晧
[字解] 밝을 호, 해뜰 호 환한 모양. '戈殳—旰'《曹植》.
[字源] 篆文 形聲. 日+告〔音〕. '告호'는 '好호'와 통하여, 마음에 들다의 뜻. 마음에 드는 탐탁한 햇빛의 뜻을 나타냄.

[晧旰 호간] 광채(光彩)가 성(盛)한 모양.

7 ⑪ [哱] 패 [去]隊 蒲昧切 bèi
[字解] 어두울 패 밝지 아니함. '旭日晻—'《左思》.
◉晻哱.

7 ⑪ [晣] 〔절〕 晢(日部 七畫〈p.990〉)과 同字

7 ⑪ [晩] 〔만〕 晚(日部 七畫〈p.988〉)과 同字

7 ⑪ [晝] [中·人] 주 [去]宥 陟救切 zhòu 昼
[筆順] 書 晝 晝
[字解] ①낮 주 밤의 대(對). '—夜'. '臣卜其—'《左傳》. ②성 주 성(姓)의 하나.
[字源] 篆文 會意. 日+畫〈省〉. '畫획'은 '구획 짓다'의 뜻. '畫' 자의 '田'을 '日'로 고쳐 낮의 뜻을 확실히 함. 해돋이에서 해질 때까지 태양이 나와 있는 동안으로서 구획 지어진 시간, '낮'의 뜻을 나타냄.
[參考] 昼(日部 五畫)는 俗字.

[晝間 주간] 낮 동안.
[晝耕夜誦 주경야송] 낮에는 농사(農事)일을 하고, 밤에는 글을 읽음.
[晝錦 주금] 비단옷을 입고 낮에 다닌다는 뜻으로, 출세(出世)하여 귀향(歸鄕)함의 비유.
[晝錦堂 주금당] 송(宋)나라의 명신(名臣) 한기(韓琦)가 지금의 허난 성(河南省) 안양현(安陽縣)에 세운 당(堂). 구양수(歐陽修)가 이를 두고 〈주금당기(晝錦堂記)〉를 지었음.
[晝想夜夢 주상야몽] 낮에 생각하던 것을 밤에 꿈꿈.
[晝宵 주소] 주야(晝夜).
[晝食 주식] 낮에 먹는 밥. 점심.
[晝夜 주야] 밤과 낮. 밤낮.
[晝夜兼行 주야겸행] ㉠밤낮 쉬지 않고 감. ㉡일을 밤낮을 가리지 않고 급히 서둘러 함.
[晝夜不息 주야불식] 밤낮으로 쉬지 않음.
[晝如錦 주여금] 여러 가지 꽃이 일제히 핀 형용.
[晝日 주일] ㉠하루. 일일(一日). ㉡낮. 낮 동안. ㉢낮 동안의 태양(太陽).
[晝餐 주찬] 점심. 오찬(午餐).
[晝寢 주침] 낮잠. 오수(午睡).
[晝學 주학] 낮에 배우는 공부.
◉旦晝. 白晝. 永晝. 以夜繼晝. 殘晝. 正晝. 靜晝. 淸晝. 晴晝. 平晝. 昏晝.

7 ⑪ [晢] [人名] [一] 절 [入]屑 旨熱切 zhé [二] 제 [去]霽 征例切 zhì
[筆順] 折 哲 晢
[字解] [一] 밝을 절 소명(昭明)함. '明作—'《書經》. [二] 별반짝반짝할 제 '明星——'《詩經》.
[字源] 篆文 篆文 形聲. 日+折(斷)〔音〕. '斷절'은 물건과 물건이 잘 분리하다의 뜻. '晢철'과 통하여, 햇빛이 밝다는 뜻의 '日일'을 덧붙여서, '밝다'의 뜻을 나타냄.
[參考] 晣(日部 七畫)과 同字.

[晢晢 절절·제제] ㉠빛나는 모양. ㉡별이 반짝이는 모양.
◉昭晢.

7 ⑪ [哮] 〔효〕 哮(口部 七畫〈p.375〉)와 同字

8 ⑫ [晶] [人名] 정 [平]庚 子盈切 jīng
[筆順] 晶 晶
[字解] ①맑을 정 투명함. '八月涼風天氣—'《宋之問》. ②수정 정 투명한 석영(石英). '以玉—爲盤'《三輔黃圖》.
[字源] 篆文 象形. 아주 맑은 별빛의 모양을 본떠 '빛, 밝다'의 뜻을 나타냄.

[晶系 정계] 결정(結晶)의 형식(形式)에 의한 구별.
[晶光 정광] 번쩍번쩍하는 빛.
[晶耀 정요] 맑게 빛나는 모양.
[晶晶 정정] 번쩍번쩍 빛나는 모양.
[晶熒 정형] 번쩍번쩍 빛나는 모양.
◉結晶. 瓊晶. 光晶. 石晶. 鮮晶. 水晶. 玉晶.

8 ⑫ [景] [中·人] [一] 경 [上]梗 居影切 jǐng [二] 영 [上]梗 於境切 yǐng
[筆順] 景
[字解] [一] ①빛 경 햇빛. '流—曜之韡曄'《張衡》. ②별 경 양지. '—竟也, 明所照有竟限也'《爾雅》. ③밝을 경 환히 밝음. '—行行止'《詩經》. ④클 경 '—命'. '介爾—福'《詩經》. ⑤우러러볼 경 사모함. '—慕'. '萬世—仰'《金史》. ⑥경치 경 풍경. '—色'. '良辰美—'《陳書》. ⑦남풍 경 남쪽에서 부는 바람. '南方—風夏至至'《史記》. ⑧성 경 성(姓)의 하나. [二] 그림자 영 影(彡部 十二畫)과 同字. '汎汎其—'《詩經》.
[字源] 篆文 形聲. 日+京〔音〕. '京경'은 높은 언덕의 뜻. 높은 언덕에서의 점점 높아지는 햇빛의 뜻에서, '빛, 경치'의 뜻을 나타냄.

[景刻 경각] 시간. 시각. 광음(光陰).
[景概 경개] 경치(景致).
[景觀 경관] 경치(景致).
[景光 경광] ㉠상서로운 빛. 서광(瑞光). ㉡세월. 광음(光陰).
[景教 경교] 기독교의 일파. 당태종(唐太宗) 때 중국에 전래하였음.
[景命 경명] 하늘의 큰 명령. 대명(大命).
[景慕 경모] 경앙(景仰).
[景物 경물] 풍물(風物). 경치.
[景福 경복] 큰 복.
[景鑠 경삭] 큰 미덕(美德). '鑠'은 '美'를 뜻함.

[景象 경상] 경치(景致).
[景色 경색] 경치(景致).
[景星 경성] 상서로운 별.
[景勝 경승] 경치가 좋음. 또, 그곳.
[景仰 경앙] 덕을 사모하여 우러러봄.
[景曜 경요] 햇빛. 해.
[景雲 경운] 상서로운 구름.
[景迹 경적] ㉠훌륭한 행적(行跡). ㉡쉬파리.
[景祚 경조] 큰 복조(福祚). 경복(景福).
[景胄 경주] 훌륭한 후사(後嗣).
[景徵 경징] 상서로운 조짐. 상서(祥瑞). 서징(瑞徵).
[景天 경천] 형화(螢火)의 이칭(異稱). 반딧불.
[景趣 경취] 경치(景致).
[景致 경치] 산천 수륙(山川水陸)의 아름다운 현상.
[景風 경풍] ㉠사시(四時)의 온화한 바람. ㉡서남풍(西南風). ㉢남풍(南風).
[景行 경행] 큰길. 한길. 일설(一說)에는, 밝은 행위.
[景況 경황] 상황(狀況).
[景象 영상] 그림자의 형태.
[景從 영종] 그림자같이 따라다니며 떨어지지 아니함.
[景響 영향] '영향(影響)'과 같음.
◉佳景. 孤景. 光景. 晷景. 近景. 倒景. 晩景. 暮景. 美景. 返景. 背景. 斜景. 山景. 殺風景. 三景. 敍景. 夕景. 雪景. 小景. 韶景. 瀟湘八景. 淑景. 勝景. 實景. 夜景. 野景. 良景. 麗景. 煙景. 遠景. 月景. 幽景. 日景. 全景. 前景. 絕景. 點景. 情景. 照景. 澄景. 借景. 秋景. 春景. 八景. 風景. 好景. 後景.

8 ⑫ [晸] [人名] 정 [上]梗 知領切 zhěng

[筆順] 丨 ㄇ 日 旦 早 早 晸 晸 晸

[字解] 해돋을 정 아침 해가 솟는 모양. '一, 日出皃'《集韻》.

[字源] 形聲. 日+政〔音〕

8 ⑫ [晷] 구(궤·귀[本]) [上]紙 居洧切 guǐ

[字解] ①햇빛 구 일광. '焚膏油以繼一'《韓愈》. ②해그림자 구 해의 진행에 따라 장단이 변하는 그림자. 이 그림자의 장단으로 시간을 잼. '要以一景'《漢書》. ③그림자 구 '月一呈祥'《謝莊》.

[字源] 篆文 形聲. 日+咎〔音〕. '咎구'는 '이르다'의 뜻. 햇빛에 의해서 생기는 물건의 그림자가 땅바닥에 이르는 모양에서, '그림자'의 뜻을 나타냄.

[晷刻 구각] 시각(時刻). 광음(光陰).
[晷景 구경·귀영] 해 그림자. 또, 구의(晷儀)의 그림자.
[晷儀 구의] 해의 경도(經度)를 재는 기둥. 해시계의 일종.
◉繼晷. 光晷. 窮晷. 短晷. 暮晷. 迅晷. 日晷. 寸晷.

8 ⑫ [暑] 〔서〕
暑(日部 九畫〈p. 993〉)의 略字

[量] 〔량〕
里部 五畫(p. 2370)을 보라.

8 ⑫ [晫] [人名] 탁 [入]覺 竹角切 zhuó

[筆順] 丨 ㄇ 日 日 日' 日' 晫 晫 晫

[字解] 한창밝을 탁 썩 밝은 모양. '一, 明盛貌'《玉篇》.

[字源] 形聲. 日+卓〔音〕. '卓탁'은 높이 뛰어나다의 뜻. 해가 높이 떠서 밝다의 뜻을 나타냄.

8 ⑫ [晾] 량 liàng

[字解] 쬘 량 햇빛에 쬐어 말림. '一, 曬暴也'《字彙補》.

8 ⑫ [晲] 예 [上]薺 研啓切 nǐ

[字解] 해기울 예 해가 서쪽으로 기울어짐. '一, 日昳也'《玉篇》.

8 ⑫ [晬] 수(쉬[本]) [去]隊 子對切 zuì

[字解] 돌 수, 생일 수 난 후 첫 번의 생일. 첫돌. 또, 널리 생일. '一宴'.

[字源] 篆文 形聲. 日+卒〔音〕. '卒졸'은 '끝나다, 다하다'의 뜻. 1년이 한 바퀴 돌다의 뜻을 나타냄.

8 ⑫ [晱] 첩 [入]葉 卽涉切 jiē

[字解] 해저물어갈 첩 '一, 日欲沒也'《集韻》.

8 ⑫ [晹] [人名] 역 [入]陌 卽涉切 yì

[筆順] 丨 ㄇ 日 日 日ᄆ 日ᄆ 晹 晹

[字解] ①별날 역 흐리었다가 구름 사이에서 해가 잠깐 비침. '一, 日覆雲暫見也'《說文》. ②별시원찮을 역 햇볕이 약함. '一, 日無光也'《廣韻》.

[字源] 篆文 形聲. 日+易〔音〕. '易역'은 '바뀌다'의 뜻. 해가 구름에 가려졌다가 다시 나타나다의 뜻을 나타냄.

[參考] 暘(日部 九畫)은 別字.

8 ⑫ [晴] [中人] 청 [平]庚 疾盈切 qíng

[筆順] ㄇ 日 日ᅳ 日ᅮ 日ᆂ 晴 晴 晴

[字解] 갤 청 비가 그치고 하늘이 맑음. '一天'. '天一而見景星'《史記》.

[字源] 形聲. 日+靑〔音〕. '靑청'은 '맑다'의 뜻. 하늘이 맑아 해가 보이다, 개다의 뜻을 나타냄.

[晴耕雨讀 청경우독] 갠 날은 논밭 갈고 비 오는 날은 책 읽는다는 뜻으로, 부지런히 일하며 공부함을 이르는 말.
[晴空 청공] 맑게 갠 하늘. 청천(晴天).
[晴旦 청단] 맑게 갠 아침.
[晴嵐 청람] 갠 날에 보이는 남기(嵐氣).
[晴朗 청랑] 하늘이 깨끗이 개어서 맑고 화창함.
[晴巒 청만] 갠 날에 보이는 산.
[晴明 청명] 하늘이 개어 밝음.
[晴霄 청소] 청공(晴空).

[晴雨 청우] 하늘이 맑음과 비가 옴. 청천(晴天)과 우천(雨天).
[晴雨計 청우계] 기압(氣壓)의 고저(高低)에 의하여 비가 오고 아니 옴을 짐작하는 기계(器械). 기압계.
[晴旭 청욱] 맑은 하늘에 뜬 아침 해.
[晴雲秋月 청운추월] 갠 하늘에 뜬 구름과 가을 하늘에 뜬 밝은 달. 깨끗한 마음의 비유.
[晴陰 청음] 하늘이 맑음과 비가 옴.
[晴川 청천] 갠 날의 맑은 내.
[晴天 청천] 맑게 갠 하늘.
[晴天白日 청천백일] ㉠맑게 갠 날씨. ㉡마음이 결백하여 조금도 뒤가 구린 구석이 없음.
[晴天霹靂 청천벽력] 맑은 하늘에 날벼락이란 뜻으로, 갑자기 일어난 변동을 이름.
[晴虛 청허] 청공(晴空).
[晴昊 청호] 푸른 하늘. 청천(晴天).
[晴好雨奇 청호우기] 산수(山水)의 경치가 청천(晴天)이나 우천(雨天)에도 다 좋음.
[晴和 청화] 맑게 개어 날씨가 화창함.
[晴暄 청훤] 하늘은 개고 날은 따뜻함.
◉新晴. 陰晴. 秋晴. 春晴. 快晴.

8 ⑫ **[晻]** [一] 암 ㊤感 烏感切 ǎn [二] 엄 ㊤琰 衣儉切 yǎn

[字解] [一] 어두울 암 暗(日部 九畫)과 同字. '一昧'. '是姦人將以盜名於一世者也'《荀子》. [二] ①햇빛침침할 엄 '日一一其將暮兮'《班彪》. ②음우 엄 구름이 잔뜩 낀 상태에서 내리는 비. '有一淒淒'《呂氏春秋》.
[字源] 篆文 形聲. 日＋奄〔音〕. '奄엄'은 '가리다'의 뜻. 해를 가리는 구름이 있어, '어둡다'의 뜻을 나타냄.

[晻昧 암매] ㉠어두움. ㉡어리석음.
[晻世 암세] 기강(紀綱)이 문란한 난세(亂世).
[晻藹 암애] 수목(樹木)이 무성하여 아래가 어둠침침한 모양.
[晻曖 엄애] 햇빛이 침침한 모양.
[晻濭 엄애] 구름이 낀 모양.
[晻晻 엄엄] 햇빛이 침침한 모양.

8 ⑫ **[晣]** 제 [去]霽 征例切 zhé, zhì

[字解] 밝을 제 환함. '雖司命, 其不一. (注)一, 昭晰也'《後漢書》.

8 ⑫ **[晼]** 원 ㊤阮 於阮切 wǎn

[字解] 해질 원 해가 넘어감. '白日一晚其將入兮'《楚辭》.
[字源] 形聲. 日＋宛〔音〕

[晼晚 원만] 해가 짐.

8 ⑫ **[暀]** 왕 ㊤養 于兩切 wǎng

[字解] ①빛나고고울 왕 찬란(燦爛)함. 旺(日部 四畫)과 同字. '一一, 美也. (注)一一, 美盛之貌'《爾雅》. ②덕(德) 왕 '一, 德也'《廣韻》.
[字源] 篆文 形聲. 日＋往〔音〕. '旺왕'과 통하여, 크고 성하다, 아름답게 빛나다의 뜻을 나타냄.

8 ⑫ **[晚]** 〔만〕 晚(日部 七畫〈p. 988〉)과 同字

8 ⑫ **[晳]** 〔석〕 昔(日部 四畫〈p. 978〉)의 本字

8 ⑫ **[晰]** 晳(次條)과 同字

8 ⑫ **[晳]** [人名] 석 [入]陌 思積切 xī

[筆順] 一 十 木 木⁻ 杧 析 晳 晳

[字解] ①밝을 석 환함. 분명함. '忘昭一之害'《蔡邕》. ②성 석 성(姓)의 하나.
[字源] 形聲. 日＋析〔音〕
[參考] 晰(前條)과 同字.

◉明晳.

8 ⑫ **[普]** [高人] 보 ㊤麌 滂古切 pǔ

[筆順] 丷 䒑 並 並 並 並 普 普

[字解] ①넓을 보 두루 넓음. '一天之下'《孟子》. ②나라이름 보 프러시아, 곧 보로사(普魯士)의 약칭(略稱). '一佛戰爭'. ③성 보 성(姓)의 하나.
[字源] 篆文 形聲. 日＋並(竝)〔音〕. '竝병'은 나란히 퍼지다의 뜻, 햇빛이 널리 퍼지다의 뜻을 나타냄.

[普告 보고] 널리 알림. 포고(布告).
[普及 보급] 널리 퍼짐. 또, 널리 퍼뜨림.
[普覃 보담] 보급(普及).
[普魯士 보로사] '프러시아(Prussia)'의 음역(音譯).
[普氾 보범] 보범(普汎).
[普汎 보범] 두루 미침. 보편(普遍).
[普率 보솔] 보천지하솔토지빈(普天之下率土之濱).
[普衍 보연] 두루 퍼짐.
[普恩 보은] 두루 은혜를 베풂. 또, 두루 베푸는 은혜.
[普照 보조] 두루 비침.
[普天之下率土之濱 보천지하솔토지빈] 하늘이 두루 덮고 있는 밑, 육지가 연속해 있는 한(限)의 해빈(海濱)이라는 뜻으로, 천하(天下)를 이름.
[普請 보청] 《佛敎》 ㉠두루 동지(同志)에게 청(請)함. ㉡여러 사람에게 두루 기부를 청하여 절을 세움.
[普通 보통] ㉠통상(通常). ㉡일반(一般).
[普徧 보편] 보편(普遍).
[普遍 보편] 두루 미침.
[普現 보현] 널리 두루 나타남. 도처에 출현함.
[普洽 보흡] 두루 미침. 두루 퍼짐.
◉優普. 流普. 周普. 澤普. 偏普. 遍普. 弘普. 洽普.

8 ⑫ **[智]** [高人] 지 [去]寘 知義切 zhì

筆順 ノ 𠂉 ⺈ 矢 矢 知 智 智

字解 ①슬기 지 ㉠지혜. '一力'. '是非之心, 一之端也'《孟子》. ㉡꾀. 모략. '吾寧鬪一'《史記》. 또, 슬기가 있는 사람. '師賢而友一'《孔叢子》. ②슬기로울 지 '一謀'. '夙一早成'《後漢書》. ③성 지 성(姓)의 하나.

字源 甲骨文 金文 金文 篆文 會意. 본디, '知지'와 같음. 甲骨文은 矢+于+口. '于우'는 도려내기 위한 칼을 본뜬 것. 화살이나 칼을 나란히 놓고 빌어서 신의 뜻을 아는 모양에서, '알다'의 뜻을 나타냄. 뒤에, '日일'을 더하여, 지혜로운 발언을 하는 사람의 뜻으로 쓰임.

[智鑑 지감] 슬기가 있어 사물을 잘 분간하는 감식(鑑識).
[智劍 지검] 지혜검(智慧劍).
[智見 지견] 《佛敎》 지혜(智慧). 지혜와 식견(識見).
[智計 지계] 지모(智謀).
[智故 지고] 꾀. 모략(謀略).
[智巧 지교] ㉠교묘하고 슬기로움. ㉡교활한 슬기.
[智囊 지낭] 슬기 주머니란 뜻으로, 지혜가 많은 사람을 이름.
[智能 지능] 슬기의 작용. 지력(智力).
[智德 지덕] 지혜와 덕행(德行).
[智德體 지덕체] 지육(智育)과 덕육(德育)과 체육(體育).
[智略 지략] 지모(智謀).
[智慮 지려] 슬기 있는 생각.
[智力 지력] 슬기의 힘. 지혜(智慧)의 작용.
[智謀 지모] 슬기 있는 꾀.
[智法 지법] 지혜가 있어 법을 적절히 잘 씀.
[智辯 지변] 재치 있는 변설(辯舌).
[智士 지사] 슬기가 있는 선비.
[智算 지산] 지모(智謀).
[智數 지수] 지모(智謀).
[智術 지술] 지모(智謀).
[智識 지식] 지혜와 견식(見識).
[智欲圓而行欲方 지욕원이행욕방] 슬기는 둥글둥글하여 막히는 데가 없어야 하고, 품행은 방정(方正)하여 예절에 맞아야 함.
[智勇 지용] 재지(才智)와 용기.
[智僞 지위] 얕은꾀.
[智育 지육] 지능(智能)의 계발(啓發)을 목적으로 하는 교육(敎育).
[智意 지의] 지혜(智慧).
[智仁勇 지인용] 슬기와 어짊과 날램. 지혜와 인자(仁慈)와 용기.
[智者 지자] 슬기가 있는 사람.
[智者見於未萌 지자견어미맹] 지자(智者)는 일이 일어나기 전에 미리 앎.
[智者不惑 지자불혹] 지자(智者)는 사리(事理)를 잘 알므로 일을 당하여 의혹(疑惑)하는 일이 없음.
[智者一失 지자일실] 슬기로운 사람도 많은 생각 가운데에는 간혹 실책(失策)이 있음.
[智齒 지치] 사랑니.
[智慧 지혜] 슬기.
[智慧劍 지혜검] 결단성 있는 지력(智力)을 예리한 검(劍)에 비유(譬喩)하여 이른 말.
[智慧出有大僞 지혜출유대위] 인지(人智)가 열려 지능의 활동이 왕성하여지면 커다란 속임이 생겨나게 됨.

◉奸智. 姦智. 傑智. 巧智. 權智. 根本智. 金剛智. 奇智. 機智. 老馬智. 多智. 膽智. 獨智. 萬智. 明智. 無智. 民智. 敏智. 辯智. 佛智. 私智. 上智. 贍智. 性智. 聖智. 世智. 術智. 臣智. 神智. 實智. 心智. 深智. 餘智. 靈智. 銳智. 叡智. 五智. 龍智. 仁義禮智. 才智. 全智. 至智. 眞智. 聰智. 通智. 賢智. 慧智.

8 ⑫ [啓] ■ 계 ㊤薺 康禮切 qǐ ■ 견 ㊀霰 去戰切 qǐ

字解 ■ ①갤 계 낮에 비가 갬. '一, 雨而晝止'《廣韻》. ②성 계 성(姓)의 하나. ■ 갤 견, 성 견 ■과 뜻이 같음.

字源 形聲. 日+啓〈省〉〔音〕

8 ⑫ [晋] 〔진〕 晉(日部 六畫〈p. 987〉)의 俗字

9 ⑬ [暈] 人名 훈(운㊍) ㊀問 王問切 yùn 暈

字解 ①무리 훈 햇무리. 혹은, 달무리. '一輪'. '兩軍相當日一'《史記》. 또, 등불이나 촛불의 둘레에 보이는 그리 밝지 않은 빛. 등화(燈火)의 외염(外焰). '夢覺燈生一'《韓愈》. ②현기증날 훈 눈이 아찔하여 어지러움. '眼一夜書多'《姚合》.

字源 甲骨文 篆文 形聲. 日+軍〔音〕. '軍군'은 '돌다'의 뜻. 해나 달의 주위에 나타나는 빛의 고리의 뜻을 나타냄. 甲骨文은 象形.

[暈輪 훈륜] 달무리. 또는 햇무리.
[暈船 훈선] 뱃멀미.
[暈圍 훈위] 훈륜(暈輪).

◉船暈. 暗暈. 月暈. 油暈. 日暈. 酒暈. 醉暈. 眩暈.

9 ⑬ [暑] 中人 서 ㊤語 舒呂切 shǔ 暑

筆順 ㄇ 日 旦 早 昰 昮 暑 暑

字解 ①더울 서 열이 많음. '一氣'. '土潤溽一'《禮記》. ②더위 서 '一退'. '一寒一一'《易經》. ③여름 서 '一天'. '一月未嘗褻袒'《南史》.

字源 篆文 形聲. 日+者〔音〕. '者자'는 섶을 모아 쌓고 태우다의 뜻. 태양이 물건을 찔 정도로 뜨겁다의 뜻을 나타냄.

[暑暍 서갈] 더위 먹음.
[暑氣 서기] 더운 기운. 여름의 더위.
[暑門 서문] 남방(南方)의 별칭.
[暑魃 서발] 한발(旱魃)의 신(神). 또, 한발. 가뭄.
[暑伏 서복] 여름의 대단히 더운 때. 삼복(三伏)때.
[暑歲 서세] 대단히 가문 해.
[暑濕 서습] 덥고 습기가 많음. 무더움.
[暑熱 서열] 더움. 또, 더위.
[暑炎 서염] 대단한 더위.
[暑溽 서욕] 무더움. 무더위. 욕서(溽暑).
[暑雨 서우] 여름의 염천(炎天)에 오는 비.
[暑鬱 서울] 서욕(暑溽).

[暑月 서월] 여름.
[暑威 서위] 대단한 더위.
[暑節 서절] 더운 시절. 삼복 때.
[暑症 서증] 더위로 인하여 일어나는 병(病).
[暑天 서천] 여름 하늘.
[暑滯 서체] 더위로 인하여 생기는 체.
[暑退 서퇴] 더위가 물러감.
◉劇暑. 大暑. 猛暑. 薄暑. 防暑. 伏暑. 盛暑. 小暑. 銷暑. 嚴暑. 烈暑. 熱暑. 炎暑. 溽暑. 隆暑. 一寒一暑. 殘暑. 蒸暑. 處暑. 暴暑. 避暑. 寒暑. 向暑. 酷暑.

9 ⑬ **[暄]** [人名] 훤 [平]元 況袁切 xuān

[筆順] 日 日 日' 日" 日宀 暄 暄 暄

[字解] 따뜻할 훤 온난함. '一日'. '敍溫郁則寒谷成一'《劉峻》.
[字源] 形聲. 日+宣〔音〕. '宣선'은 '두루 퍼지다'의 뜻. 해가 두루 퍼지다, 따뜻하다의 뜻을 나타냄.

[暄暖 훤난] 따뜻함.
[暄妍 훤연] 곱고 아름다움.
[暄燠 훤욱] 따뜻함.
[暄日 훤일] 따뜻한 날.
[暄天 훤천] 따뜻한 일기(日氣).
[暄風 훤풍] 따뜻한 바람. 봄바람.
[暄寒 훤한] 날이 춥고 더운 것을 말하여 서로 인사하는 일. 한훤(寒暄).
[暄和 훤화] 따뜻하고 화창(和暢)함.
◉微暄. 負暄. 涼暄. 餘暄. 晴暄. 春暄. 寒暄.

9 ⑬ **[暇]** [高人] 가 [去]禡 胡駕切 xiá

[筆順] 日 日 日' 日" 日ᄀ 日ᄇ 日段 暇

[字解] ①겨를 가 틈. '應接不一'. '壯者以一日, 修其孝悌忠信'《孟子》. ②한가할 가 한적함. '一逸'. '好以一'《左傳》.
[字源] 篆文 形聲. 日+叚〔音〕. '叚가·하'는 잠재적인 가치가 있는 가공하지 않은 옥(玉)의 뜻. 잠재적인 가치가 있는 시간, '겨를'의 뜻을 나타냄.

[暇景 가경] 가일(暇日).
[暇隙 가극] 겨를. 틈. 여가(餘暇).
[暇時 가시] 한가한 때.
[暇餘 가여] 틈. 겨를. 여가(餘暇).
[暇豫 가예] 가일(暇逸).
[暇日 가일] 틈이 있는 날. 한가(閑暇)한 날.
[暇逸 가일] 한가히 놂.
◉公暇. 官暇. 寬暇. 賜暇. 小暇. 餘暇. 應接不暇. 逸暇. 請暇. 寸暇. 間暇. 閑暇. 休暇.

9 ⑬ **[暆]** 이 [平]支 弋支切 yí

[字解] ①해다닐 이 태양(太陽)이 운행(運行)하는 모양. '一, 日行貌'《正字通》. ②해기울 이 해가 서쪽으로 기울어 감. '古語呼日斜曰一'《正字通》.
[字源] 篆文 形聲. 日+施〔音〕. '施시·이'는 '옮다'의 뜻. 해가 옮기다, 해가 기울다의 뜻을 나타냄.

9 ⑬ **[暉]** [人名] 휘 [平]微 許歸切 huī 晖

[筆順] 日 日 日' 日冖 日冖 暉 暉 暉

[字解] ①빛 휘 煇(火部 九畫)와 同字. '一芒'. '君子之光, 其一吉也'《易經》. ②빛날 휘 광휘를 발함. '一映'. '景星垂一於淸漢'《南史》. ③성 휘 성(姓)의 하나.
[字源] 篆文 形聲. 日+軍〔音〕. '軍군'은 둥글게 에워싸다의 뜻. 햇빛이 둥글게 빛나 퍼지다의 뜻에서, 빛나다의 뜻을 나타냄.
[參考] 暈(日部 九畫)과 '暉'는 본디 같은 글자이지만, 지금은 '暈'은 '무리', '暉'는 '빛'으로 보고 혼용하지 않음.

[暉芒 휘망] 빛.
[暉映 휘영] 빛나 비춤.
[暉煜 휘욱] 빛남.
[暉暉 휘휘] ㉠햇빛이 비추는 모양. ㉡하늘이 개어서 밝은 모양.
◉耿暉. 光暉. 金暉. 落暉. 晩暉. 斜暉. 夕暉. 素暉. 晨暉. 餘暉. 炎暉. 流暉. 殘暉. 朝暉. 淸暉. 秋暉. 春暉.

9 ⑬ **[暌]** 규 [平]齊 去圭切 kuí

[字解] 어길 규 서로 어겨 떨어짐. '一合'. '爾來雲雨一'《白居易》.
[字源] 形聲. 日+癸〔音〕.

[暌索 규색] 이산(離散)함.
[暌違 규위] 떨어져 격(隔)함.
[暌合 규합] 서로 떨어짐과 합침.

9 ⑬ **[暏]** [一] 도 [上]麌 當古切 dǔ
[二] 서 [去]御 常恕切 shǔ

[字解] [一] 새벽 도 '一, 旦明也'《說文》. [二] 새벽 서 [一]과 뜻이 같음.
[字源] 形聲. 日+者〔音〕.

9 ⑬ **[暍]** 갈(알[本]) [入]月 於歇切 yē

[字解] 더위먹을 갈 서증(暑症)에 걸림. '一死'. '一者望冷風於秋'《淮南子》.
[字源] 篆文 形聲. 日+曷〔音〕. '曷갈'은 해치다, 가득 차다, 머무르다의 뜻. 해의 더위가 가득 차서 해치다, 더위 먹다의 뜻을 나타냄.

[暍死 갈사] 더위 먹어 죽음.
[暍人 갈인] 더위 먹은 사람.
◉暑暍. 熱暍. 宛暍.

9 ⑬ **[暖]** [中人] [一] 난 [上]旱 乃管切 nuǎn
[二] 훤 [平]元 許元切 xuān

[筆順] 日 日 日一 日ᅮ 日ᅮ 日ᅮ 暖 暖

[字解] [一] ①따뜻할 난 온난함. '一風'. '冬一而兒號寒'《韓愈》. ②따뜻이할 난 온난하게 함.

'一房'. '煦一寒禽日漸蘇'《元稹》. 三 부드러울 훤 유화한 모양. '一一'. '有一姝者'《莊子》.
字源 會意. 日+爰. '爰원'은 '亘환'과 통하여, '건너다'의 뜻. 해가 건너가서 따뜻하다의 뜻을 나타냄.

[暖國 난국] 따뜻한 나라. 온난한 국가.
[暖氣 난기] 따뜻한 기운.
[暖帶 난대] 열대(熱帶)와 온대(溫帶) 중간에 있는 지대(地帶). 열대만은 못하고 온대보다는 따뜻한 곳.
[暖爐 난로] ㉠화로. ㉡스토브.
[暖流 난류] 온도가 높은 해류(海流).
[暖房 난방] ㉠따뜻하게 하여 놓은 방. 또, 방을 따뜻하게 함. ㉡이사(移徙)한 것을 축하하여 이웃 사람들이 돈을 갹출하여 베푸는 잔치.
[暖席 난석] 몸의 훈기로 따뜻하여진 자리. 또, 자리를 따뜻하게 함.
[暖眼 난안] 기뻐하는 눈매. 사랑을 머금은 눈.
[暖熱 난열] 따뜻함.
[暖衣 난의] 옷을 충분히 입어 몸을 따뜻하게 함. 또, 따뜻한 옷.
[暖翠 난취] 봄의 갠 날의 산빛.
[暖飽 난포] 옷을 따뜻하게 입고 밥을 배불리 먹음. 의식에 아무 걱정 없이 넉넉하게 삶.
[暖風 난풍] 따뜻한 바람.
[暖紅 난홍] 해. 태양(太陽).
[暖姝 훤주] 유순하고 애교 있는 모양.
[暖暖姝姝 훤훤주주] 유순하여 거역(拒逆)하지 않는 모양.
◉輕暖. 溫暖. 柔暖. 春暖. 飽暖. 寒暖. 和暖. 喧暖.

9
⑬ [暝] 暖(前條)과 同字
字源 形聲. 日+耎〔音〕. '耎연'은 '부드럽다'의 뜻. 부드러운 해, 따뜻하다의 뜻을 나타냄.

9
⑬ [暗] 中人 암 ㊀勘 烏紺切 àn

筆順 ｜ 日 日' 日'' 旷 暗 暗 暗

字解 ①어두울 암 ㉠빛이 밝지 않음. '明一'. '出入時光一'《論衡》. ㉡어리석음. '昏一'. '識一鳴蛙, 智昏文蛤'《晉書》. ㉢눈이 어두움. '濁則目一'《雲笈七籤》. ㉣개명(開明)되지 않음. '時一而文章者, 君子之眞也'《班固》. ㉤보이지 않음. 숨어 있음. '一礁'. ②밤 암 낮의 대(對). '車駕逼一乃還'《晉書》. ③몰래 암 남이 알지 못하게. '一殺'. '林園一換四時春'《白居易》. ④외울 암 諳(言部 九畫)과 통용. '一誦'. ⑤성 암 성(姓)의 하나.
字源 篆文 形聲. 日+音〔音〕. '音음'은 '陰음'과 통하여, '흐리다'의 뜻. 태양이 흐린 하늘 때문에 빛이 없다, '어둡다'의 뜻을 나타냄.

[暗渠 암거] 땅속으로 낸 도랑.
[暗劍殺 암검살] 음양가(陰陽家)에서 구성(九星)의 방위(方位) 중 가장 흉(凶)하다고 하는 방위의 이름.
[暗計 암계] 비밀의 꾀. 암모(暗謀).
[暗溝 암구] 암거(暗渠).
[暗君 암군] 어리석은 임금.
[暗鬼 암귀] 어두운 데 보이는 도깨비.
[暗記 암기] 마음속에 기억(記憶)하여 잊지 아니함. 욈.
[暗澹 암담] ㉠어두컴컴하여 곱지 않은 모양. ㉡희망이 없고 막연함.
[暗毒 암독] 성질이 음험(陰險)하고 흉악함.
[暗燈 암등] 어두운 등잔불.
[暗淚 암루] 남몰래 흘리는 눈물.
[暗流 암류] ㉠겉에 나타나지 아니하고 땅속으로 흐르는 물. ㉡표면에 나타나지 아니하는 알력(軋轢).
[暗碼 암마] 암호(暗號). 또, 암호의 전보.
[暗昧 암매] ㉠어리석어 사리를 분간 못함. 또, 그 사람. ㉡확실하지 아니함. 분명하지 아니함.
[暗埋 암매] 파묻혀 꺼멓게 됨.
[暗賣 암매] 물건을 남몰래 팖.
[暗謀 암모] 암계(暗計).
[暗射 암사] ㉠과녁 또는 목표 없이 활을 쏨. ㉡보이지 않는 적병·적진을 대중하여 쏨.
[暗算 암산] 마음속으로 계산함.
[暗殺 암살] 사람을 몰래 죽임.
[暗笑 암소] 마음속으로 비웃음.
[暗疏 암소] 보지 않고 외어 씀.
[暗誦 암송] 책을 보지 않고 욈.
[暗數 암수] ㉠마음속으로 셈함. ㉡남을 속여 넘기는 꾀.
[暗筍 암순] 아직 땅 위로 나오지 아니한 죽순(竹筍).
[暗示 암시] 넌지시 알림.
[暗室 암실] 광선이 들어오지 아니하는 어두운 방(房).
[暗暗 암암] ㉠어두운 모양. ㉡깊은 모양. 그윽한 모양.
[暗暗裏 암암리] 아무도 모르는 사이. 남이 모르는 동안.
[暗夜 암야] 어두컴컴한 밤.
[暗弱 암약] 어리석고 약함.
[暗愚 암우] 어리석어 사리를 분간 못함.
[暗雲 암운] 검은 구름. 전(轉)하여, 불온(不穩)한 형세.
[暗葬 암장] 남의 땅에 몰래 매장(埋葬)함.
[暗箭 암전] 불의(不意)에 쏘는 화살.
[暗轉 암전] 벼슬아치가 비밀리에 승진함.
[暗潮 암조] 눈에 보이지 않는 조류(潮流). 전(轉)하여, 겉으로 나타나지 않는 세력의 변화, 또는 그 충돌. 암암리의 풍조(風潮).
[暗主 암주] 암군(暗君).
[暗中 암중] 어두운 속.
[暗中摸索 암중모색] 어두운 가운데에서 물건을 더듬어 찾음. 전(轉)하여, 어림으로 일을 추측함.
[暗唱 암창] 암송(暗誦).
[暗礁 암초] 물속에 숨어 있는 바위.
[暗鬪 암투] 암암리에 다툼.
[暗愎 암퍅] 성질이 음흉스럽고 강퍅(剛愎)함.
[暗恨 암한] 남몰래 품은 원한.
[暗合 암합] 우연(偶然)히 일치함.
[暗海 암해] 광선(光線)이 이르지 아니하는 어두운 바다 속.
[暗行 암행] 남모르게 다님. 비밀(祕密)히 다님.
[暗行御史 암행어사] 우리나라에서 지방의 치적(治績)의 양부(良否)와 백성의 질고(疾苦)를 살피기 위하여 특파(特派)하던 비밀한 사신(使臣).

[暗香 암향] 어디서 나는지 알 수 없는 그윽한 향기.
[暗號 암호] 비밀(祕密)한 신호.
[暗火 암화] 거의 꺼진 숯불.
[暗黑 암흑] ㉠어두컴컴함. ㉡공명정대하지 아니함. ㉢세상이 어지러움.
[暗黑面 암흑면] ㉠사물(事物)이 명백하지 아니한 방면(方面). ㉡사회 또는 개인의 비참하고 추잡한 방면.
[暗黑時代 암흑시대] 세태가 혼란하여 전쟁이 끊임없이 일어나는 시대.
[暗喜 암희] 내심(內心)으로 몰래 기뻐함.
◉輕暗. 汨暗. 短暗. 明暗. 暝暗. 白暗. 愚暗. 幽暗. 隱暗. 虧暗. 黑暗.

9 ⑬ [暕] 一 간 ㊤濟 古限切 jiǎn 二 란 ㊥寒 郎干切 lán

字解 一 갤 간 아침에 흐렸다가 햇살이 남. 오랜만에 날이 갬. '一, 陰旦日明也'《廣韻》. 二 그늘에말릴 란 '一, 陰乾也'《集韻》.

9 ⑬ [暘] 人名 양 ㊥陽 與章切 yáng 旸

字解 ①해돋이 양 일출(日出). '宅嵎夷曰一谷'《書經》. ②말릴 양 볕에 말림. 일설(一說)에는, 날이 갬. '日雨, 曰一'《書經》. ③밝을 양 환함. '天晏一者, 辰星曉燭'《論衡》.
字源 篆文 形聲. 日+昜〔音〕. '昜양'은 해가 높이 오르다의 뜻. 높이 오른 태양, '해돋이'의 뜻에서, '밝다, 낮'의 뜻을 나타냄.
參考 晹(日部 八畫)은 別字.

[暘谷 양곡] 동쪽의 해 돋는 곳.
[暘烏 양오] 태양(太陽)의 이칭(異稱). 양오(陽烏).
[暘夷 양이] 갑옷의 이름.
[暘燥 양조] 햇볕에 말림.

9 ⑬ [暚] 환 ㊦翰 呼玩切 huàn

字解 나라이름 환 '璽一'은 옛 나라 이름. '埻端·璽一, 在昆侖虛東南'《山海經》.

9 ⑬ [暐] 人名 위 ㊤尾 于鬼切 wěi 時

筆順 日 日' 日ㅗ 日立 暗 暗 暐 暐

字解 환할 위 빛이 환한 모양. '玄素之一一'《曹植》.
字源 形聲. 日+韋〔音〕.

[暐暐 위위] 빛이 환한 모양.

9 ⑬ [晅] 훤 ㊤阮 火遠切 xuǎn

字解 마를 훤, 말릴 훤 건조함. 건조시킴. '日以一之'《易經》.

9 ⑬ [暒] 〔청〕
晴(日部 八畫〈p.991〉)과 同字

9 ⑬ [暎] 人名 〔영〕
映(日部 五畫〈p.980〉)과 同字

筆順 日 日' 日丷 日艹 暗 暗 暎 暎

9 ⑬ [暟] 〔온〕
𣈶(日部 十畫〈p.997〉)의 俗字

9 ⑬ [暁] 〔효〕
曉(日部 十二畫〈p.1000〉)의 俗字

9 ⑬ [暋] 人名 민 ①㊤軫 眉殞切 mǐn ②㊥眞 眉貧切 mín

字解 ①강할 민 굳셈. 敃(攴部 五畫)과 同字. '一不畏死'《書經》. ②번민할 민 번뇌함. '慰一沈屯'《莊子》.
字源 篆文 形聲. 日+敃〔音〕

◉慰暋.

9 ⑬ [景] 경 jìng

字解 ①햇빛 경 해의 빛깔. '一, 日色也'《川篇》. ②景(日部 八畫〈p.990〉)의 俗字.

10 ⑭ [暠] 호(고㊍) ㊤皓 古老切 gǎo

字解 흴 호, 밝을 호 皓(白部 七畫)와 同字. '一然白首'《漢書》.
字源 形聲. 日+高〔音〕

[暠然 호연] 흰 모양.

10 ⑭ [暝] 人名 명 ㊥青 莫經切 míng

字解 ①어두울 명 冥(冖部 八畫)과 同字. '晦一'. '誰昭誰一'《汲冢周書》. ②질 명 해가 짐. '晻晻日欲一'《古詩》. ③잘 명 잠을 잠. '甘一乎澗潤之域'《淮南子》. ④밤 명 낮의 대(對). '待一合神光'《許敬宗》. ⑤성 명 성(姓)의 하나.
字源 形聲. 日+冥〔音〕. '冥명'은 '어둡다'의 뜻. 햇빛이 희미하다의 뜻을 나타냄.

[暝暝 명명] ㉠어두운 모양. ㉡쓸쓸한 모양. 적적한 모양.
[暝帆 명범] 해가 진 뒤에 가는 배의 돛. 또, 밤에 가는 배.
[暝投 명투] 해가 진 뒤에 투숙함.
◉甘暝. 闇暝. 晦暝.

10 ⑭ [暚] 人名 요 ㊥蕭 餘招切 yáo

字解 ①햇빛 요 '一, 日光也'《玉篇》. ②밝을 요 '一, 明也'《集韻》.

10 ⑭ [暟] 개 ㊤賄 苦亥切 kǎi

字解 ①비출 개 해가 비춤. ②아름다울 개 '一, 美德也'《揚子方言》.
字源 形聲. 日+豈〔音〕

[暟暟 개개] 아름다운 모양.

10 ⑭ **[晶]** 온 ㊤元 烏昆切 wēn

字解 따스할 온 아침 햇볕이 따뜻함.
參考 晶(日部 九畫)은 俗字.

10 ⑭ **[暭]** 호 ㊤晧 胡老切 hào

字解 ①밝을 호 밝게 빛남. ②흴 호 皞(白部 十畫)와 同字.
字源 篆文  形聲. 日＋皋〔音〕. '皋고·호'는 희게 빛나다의 뜻. 희게 빛나는 해의 뜻을 나타냄.
參考 暤(日部 十一畫)는 俗字.

10 ⑭ **[㬎]** ━ 현 ㊤銑 呼典切 xiǎn ═ 압 ㊇合 五合切 xiǎn ☰ 금 ㊤寑 渠飮切

字解 ━ ①밝을 현 顯(頁部 十四畫〈p.2557〉)과 同字. '一, 著也. 光也'《類篇》. ②시끄러울 현 '一, …或曰, 衆口皃'《說文》. ③마디실 현 마디 많은 명주실. '一, …或言爲繭. 繭者, 絮中往往有小繭也'《說文》. ④머리꾸미개 현 '一, 頭明飾也'《類篇》. ⑤성 현 성(姓)의 하나. ═ 밝을 압, 시끄러울 압, 마디실 압, 머리꾸미개 압, 성 압 ━과 뜻이 같음. ☰ 밝을 금, 시끄러울 금, 마디실 금, 머리꾸미개 금, 성 금 ━과 뜻이 같음.
字源 會意. 日＋絲

10 ⑭ **[暢]** 高人 창 ㊦漾 丑亮切 chàng 畅

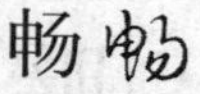

筆順 冂 日 申 申' 申旦 申昜 暢 暢

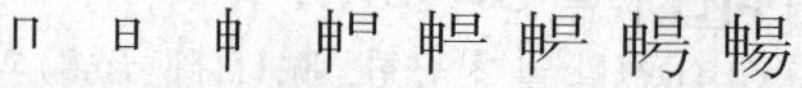

字解 ①통할 창 통달함. '通一'. '一於四支'《易經》. ②자랄 창 성장함. '夸條直一'《司馬相如》. ③화창할 창 날씨나 마음씨가 부드럽고 밝음. 또, 화락(和樂)함. '一適'. '神識恬一'《晉書》. ④펼 창 진술함. '一敍'. '述一往事'《越絕書》. ⑤성 창 성(姓)의 하나.
字源 形聲. 申＋昜〔音〕. '昜양'은 편안하게 오르다의 뜻. '申신'은 '뻗다'의 뜻. 아무런 방해도 없이 뻗다의 뜻을 나타냄.

[暢達 창달] ㉠자람. 성장함. ㉡통달(通達)함.
[暢茂 창무] 무성(茂盛)하게 자람.
[暢敍 창서] 술회(述懷)함.
[暢遂 창수] 창무(暢茂).
[暢月 창월] 음력(陰曆) 11월의 별칭(別稱).
[暢適 창적] 화락(和樂)함.
[暢暢 창창] 화락(和樂)한 모양.
[暢快 창쾌] 마음이 시원하고 유쾌함.
[暢洽 창흡] 두루 미침.
●酣暢. 朗暢. 明暢. 茂暢. 博暢. 溥暢. 敷暢. 舒暢. 宣暢. 雄暢. 流暢. 條暢. 進暢. 通暢. 播暢. 布暢. 遐暢. 諧暢. 顯暢. 協暢. 和暢. 曉暢. 休暢.

10 ⑭ **[暣]** 人名 기 ㊦未 丘旣切 qì

筆順 日 旷 旷 旷 暣 暣 暣 暣

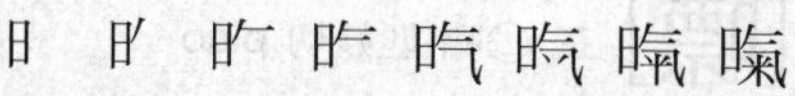

字解 ①별기운 기 '一, 日氣也'《集韻》. ②성 기 성(姓)의 하나.

10 ⑭ **[㬅]** 내 ㊤賄 曩亥切 nài

字解 날흐릴 내 '埃一, 日無光也'《說文》.
字源 篆文 形聲. 日＋能〔音〕

10 ⑭ **[曆]** 〔력〕 曆(日部 十二畫〈p.1001〉)의 略字

10 ⑭ **[暜]** 〔보〕 普(日部 八畫〈p.992〉)의 本字

[嘗] 〔상〕 口部 十一畫(p.400)을 보라.

11 ⑮ **[暴]** 中人 ━ 포(폭俗) ㊦號 薄報切 bào ═ 폭 ㊇屋 蒲木切 pù

筆順 ⺜ 旦 异 昱 𣈆 暴 暴 暴

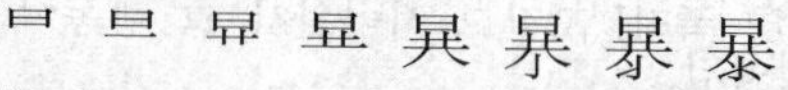

字解 ━ ①사나울 포 ㉠난폭함. '一惡'. '性行一如雷'《古詩》. ㉡격렬함. '一風雨'. '終風且一'《詩經》. ②사나움 포 난폭. '以一易一兮'《史記》. 또, 난폭한 짓. 폭행. '凶歲子弟多一'《孟子》. 또, 난폭한 사람. 무뢰한. '折一禁悍'《韓詩外傳》. ③급할 포 돌연(突然)함. '何興之一也'《史記》. ④갑자기 포 급작스럽게. '一富'. '淮渚一溢'《南史》. ⑤모질게굴 포 학대함. '敢行一虐'《書經》. ⑥맨손으로칠 포 도수(徒手)로 때림. '一虎馮河'《論語》. ⑦불끈일어날 포 갑자기 일어나거나, 또는 솟아 나오는 모양. '貨財一一如水源'《荀子》. ⑧성 포 성(姓)의 하나. ═ ①쬘 폭 햇빛에 쬠. 曝(日部 十五畫)과 同字. '一日一之'《孟子》. ②나타날 폭 드러남. '近事一著'《後漢書》. ③나타낼 폭 드러냄. '一露'. '一之於民'《孟子》.
字源 暴의 篆文  暴의 篆文  지금 '暴포'로 쓰이는 글자를《說文》은 '暴포'와 '暴포'의 두 자로 갈라, '暴'는 日＋出＋廾＋夲의 會意, '暴'는 日＋出＋廾＋米의 會意로 설명, '暴'는 '사납다, 빠르다'의 뜻. '暴'는 쌀을 햇빛에 쬐다의 뜻이라 풂. 일설에는, 본래 '暴'를 日＋出＋米＋廾의 會意로 보고, '日일'은 해를 본뜬 것. '廾입'은 양손의 象形, 出＋米의 부분은 동물을 째어 열어 놓은 모양을 본뜬 것으로 봄. 동물의 털가죽을 째어 펴서 해에 쬐는 모양에서, 햇빛에 쬐어 말리다의 뜻을 나타내고, 이 작업이 거친 데서, '사납다, 갑작스럽다'의 뜻을 나타낸다고 해설함.

[暴棄 포기] 자포자기(自暴自棄).
[暴慢 포만] 난폭(亂暴)하고 교만함.
[暴惡 포악] 사납고 악함.
[暴殄天物 포진천물] 하늘의 조물(造物)을 함부로 살상(殺傷)함.
[暴天物 포천물] 포진천물(暴殄天物).
[暴暴 포포] 갑자기 일어나는 모양. 또, 갑자기 솟아 나오는 모양.
[暴虐 포학] 횡포하고 잔인함. 또, 몹시 학대함. 모질게 굶.
[暴虎馮河 포호빙하] 용기가 지나쳐 범을 맨손으로 쳐 죽이고, 황허(黃河) 강을 도섭(徒涉)하여 건넌다는 뜻으로, 무모하게 위험한 짓을 함을 이름.

[暴橫 포횡] 횡포(橫暴)함.
[暴苛 폭가] 난폭하고 가혹함.
[暴客 폭객] ㉠도둑. ㉡폭한(暴漢).
[暴擧 폭거] 난폭한 거조(擧措).
[暴桀 폭걸] 흉포(凶暴)함.
[暴君 폭군] 사나운 임금.
[暴貴 폭귀] 갑자기 출세함. 갑자기 현달(顯達)함.
[暴起 폭기] 느닷없이 일어남.
[暴怒 폭노] 격노(激怒)함.
[暴徒 폭도] 폭동을 일으키는 무리.
[暴動 폭동] 뭇사람이 함부로 소란을 일으키어 사회의 안녕을 해치는 일.
[暴騰 폭등] 물가가 갑자기 뛰어오름.
[暴落 폭락] 물가가 갑자기 무척 떨어짐.
[暴濫 폭람] 흉포하고 참람(僭濫)함.
[暴掠 폭략] 폭행을 하며 노략질함.
[暴略 폭략] 폭략(暴掠).
[暴戾 폭려] 모질고 사나워서 그 행동이 인도에 벗어남.
[暴厲 폭려] 사나움.
[暴力 폭력] 무법(無法)한 완력.
[暴露 폭로] ㉠비밀 같은 것이 드러남. 또는 드러나게 함. ㉡들에서 지내어 비바람을 맞음. ㉢물건이 드러나서 풍설·우로(雨露)에 바래짐.
[暴露文學 폭로문학] 자본주의 사회의 숙폐(宿弊)를 폭로하는 프로 문학.
[暴吏 폭리] 포악한 관리. 사나운 벼슬아치.
[暴利 폭리] 부당한 큰 이익(利益).
[暴杯 폭배] 순배(巡杯)로 들지 않고 한 사람에게만 술을 권(勸)하는 일.
[暴兵 폭병] 도둑.
[暴富 폭부] 갑자기 부자가 됨.
[暴死 폭사] 갑자기 죽음.
[暴師 폭사] ㉠군대를 노숙(露宿)시킴. ㉡군대를 원정(遠征)시킴.
[暴書 폭서] 책을 좀이 먹지 않게 하기 위하여 햇볕에 쬠.
[暴食 폭식] 음식(飮食)을 함부로 많이 먹음.
[暴室 폭실] 궁중(宮中)에 있는, 포백(布帛)을 짜거나 염색 등을 하는 것을 맡은 관아(官衙).
[暴揚 폭양] 널리 세상에 퍼뜨림. 공표함.
[暴言 폭언] 난폭하게 하는 말.
[暴逆 폭역] 난폭하여 도덕에 거슬림. 또, 그 사람.
[暴雨 폭우] 갑자기 많이 쏟아지는 비.
[暴威 폭위] 난폭한 위세(威勢).
[暴飮 폭음] 술을 함부로 많이 마심.
[暴溢 폭일] 갑자기 넘침.
[暴恣 폭자] 난폭하고 방자함.
[暴著 폭저] ㉠환히 나타남. ㉡알려짐. 발각됨.
[暴敵 폭적] 난폭한 적(敵).
[暴政 폭정] 난폭한 정사(政事).
[暴注 폭주] 비가 몹시 쏟아짐.
[暴秦 폭진] 난폭한 진(秦)나라.
[暴疾 폭질] ㉠사납고 빠름. ㉡갑자기 앓음. 또, 급환(急患).
[暴漲 폭창] ㉠갑자기 창일(漲溢)함. 느닷없이 범람함. ㉡물가(物價)가 급히 뛰어오름.
[暴處 폭처] 한데 있어 우로(雨露)를 맞음.
[暴醉 폭취] 술이 갑자기 취(醉)함.
[暴風 폭풍] 몹시 세게 부는 바람.
[暴風雨 폭풍우] 폭풍과 함께 쏟아지는 큰비.
[暴悍 폭한] 사나움.
[暴寒 폭한] 별안간 몹시 추운 추위.
[暴漢 폭한] 함부로 사나운 짓을 하는 사람.
[暴抗 폭항] 난폭하게 대항함.
[暴行 폭행] 난폭한 행동.
[暴豪 폭호] 사납고 강함.
[暴酷 폭혹] 사납고 모짊.
[暴興 폭흥] 갑자기 일어남.
◉苛暴. 刻暴. 剛暴. 強暴. 槁暴. 狂暴. 驕暴. 亂暴. 陵暴. 猛暴. 肆暴. 逆暴. 威暴. 淫暴. 自暴. 恣暴. 殘暴. 粗暴. 躁暴. 侵暴. 虐暴. 昏暴. 橫暴. 凶暴.

11 ⑮ [暡] 망 ㊤養 母朗切 mǎng

字解 희미할 망, 흐릴 망 햇빛이 약함. 흐림. '曭—, 日無光不明也'《玉篇》.

11 ⑮ [曂] 황 ㊤養 虎晃切 huǎng

字解 더위 황 쨍쨍 쬐어 더움. '—, 旱熱也'《集韻》.

11 ⑮ [暤] 〔호〕

皞(日部 十畫〈p.997〉)의 俗字

11 ⑮ [暯] 막 ㊀藥 末各切 mò

字解 ①어두울 막 밝지 않음. '—, 冥也'《集韻》. ②없을 막 텅 비어 있음. '—, 虛無也'《字彙》.

11 ⑮ [暱] 닐 ㊀質 尼質切 nì

字解 ①친할 닐 친근함. 昵(日部 五畫)과 同字. '—近'. '不義不—'《左傳》. ②가까이할 닐 접근함. '無自—焉'《詩經》.

字源 篆文 形聲. 日+匿〔音〕

[暱近 일근] ㉠가까운 사람과 친함. ㉡친근(親近)히 함.
[暱愛 일애] 친애(親愛)함.
[暱就 일취] 일근(暱近) ㉡.
[暱嫌 일혐] 사혐(私嫌).
◉親暱.

11 ⑮ [暲] 人名 장 ㊥陽 諸良切 zhāng

筆順 日 日亠 日立 日产 暗 暗 暲 暲

字解 ①해돋을 장 아침 해가 떠오름. '—, 日光上進皃'《集韻》. ②밝을 장 환함. '—, 明也'《玉篇》.

字源 形聲. 日+章〔音〕

11 ⑮ [暳] 혜 ㊦霽 呼惠切 huì

字解 별반짝거릴 혜.

11 ⑮ [瞟] 표 ㊦嘯 匹妙切 piào

字解 바랠 표 볕에 쬠. 볕에 말림. '—, 曝也'《廣雅》.

11 ⑮ [暵] 한 [上]旱 呼旱切 hàn

[字解] ①마를 한, 말릴 한 건조함. 건조시킴. 또, 건조하는 모양. '一乾'. '一其乾矣'《詩經》. ②더울 한 열이 있음. '旱一則舞雩'《周禮》.

[字源] 甲骨文 篆文 形聲. 日＋𦰩(堇)〔音〕. '堇근'은 甲骨文에 의하면, 축문을 받든 무당이 불에 휩싸이는 모양을 본떠, '가뭄'의 뜻을 나타냄. 뒤에, '日일'을 더하여, '말리다'의 뜻을 분명히 함.

[暵乾 한건] 햇볕에 쬐어 말림. 또는 마름.
◉乾暵. 炎暵. 旱暵.

11 ⑮ [𣊫] 〔구〕 熰(火部 十一畫〈p.1350〉)와 同字

11 ⑮ [暫] [高人] 잠 [去]勘 藏濫切 zàn

[筆順] 一 亘 亘 車 車 斬 斬 暫

[字解] ①잠깐 잠 잠시. '一定'. '一遇姦宄'《書經》. ②별안간 잠 창졸간. 졸지에. '武夫力而拘諸原, 婦人一而免諸國'《左傳》.

[字源] 篆文 形聲. 日＋斬〔音〕. '斬참'은 '베다'의 뜻. 베어져 나간 시간, '잠깐'의 뜻을 나타냄.

[暫間 잠간] 《韓》 잠시(暫時).
[暫留 잠류] 잠시 머무름.
[暫別 잠별] 잠시 이별(離別)함.
[暫逢 잠봉] 잠깐 만남.
[暫不離側 잠불리측] 잠시도 옆을 떠나지 아니함.
[暫時 잠시] 오래지 않은 동안. 조금 동안. 잠깐.
[暫遊 잠유] 잠시 놂.
[暫定 잠정] 잠시 정함. 잠깐 임시로 정함.
[暫住 잠주] 잠시 삶.
[暫且 잠차] 잠시(暫時).
[暫偸 잠투] 일시(一時)를 미봉(彌縫)함.
[暫許 잠허] 잠시 허락함.

11 ⑮ [暬] 설 [入]屑 私列切 xiè

[字解] 설만할 설 褻(衣部 十一畫)과 同字. '曾我一御'《詩經》.

[字源] 篆文 會意. 日＋埶

[暬御 설어] ㉠버릇없이 친압(親狎)함. ㉡군주(君主)를 측근에서 모심. 또, 그 신하. 시신(侍臣).

11 ⑮ [暮] [中人] 모 [去]遇 莫故切 mù

[筆順] ' ⺾ 艹 苜 草 莫 暮 暮

[字解] ①저물 모, 해질 모 해가 저묾. 해가 짐. '日一途遠'《史記》. ②늦을 모 ㉠끝에 가까움. '一春'. ㉡때에 늦음. 뒤늦음. '廉叔度來何一'《漢書》. ㉢나이 먹음. 연로함. '一年'. '恐美人之遲一'《楚辭》. ③밤 모 낮의 대(對). '一夜'. '一去次而敢止'《楚辭》. ④성 모 성(姓)의 하나.

[字源] 形聲. 日＋莫〔音〕. '莫막·모'는 해 저물 때의 뜻. 뒤에, '莫'이 부정, 의문, 금지의 조사(助辭)로 주로 쓰이게 되매, '日일'을 더하여, 구별하여 쓰게 됨.

[暮笳 모가] 저녁때의 호가(胡笳)의 소리.
[暮改 모개] 아침에 정한 것을 저녁에 고침.
[暮景 모경] ㉠저녁때의 경치. ㉡모경(暮境).
[暮境 모경] 늙바탕. 노경(老境).
[暮年 모년] 늙바탕. 만년(晩年).
[暮冬 모동] 음력(陰曆) 12월의 별칭(別稱). 늦겨울. 만동(晩冬).
[暮齡 모령] 모년(暮年).
[暮暮 모모] 매일 밤. 매야(每夜).
[暮帆 모범] 저녁때의 배의 돛. 저녁때 가는 배.
[暮思 모사] 저녁때의 슬픈 생각.
[暮山 모산] 저녁때의 산.
[暮商 모상] 음력(陰曆) 9월의 이칭(異稱). 모추(暮秋).
[暮色 모색] 저물어 가는 어스레한 빛.
[暮雪 모설] 저녁때 오는 눈.
[暮歲 모세] ㉠연말(年末). 세모(歲暮). ㉡노년(老年).
[暮愁 모수] 저녁때 느끼는 쓸쓸한 생각. 저녁때의 구슬픈 생각.
[暮鴉 모아] 저녁때의 까마귀.
[暮靄 모애] 저녁때 낀 안개.
[暮夜 모야] 밤.
[暮煙 모연] 저녁때 나는 연기.
[暮雨 모우] 저녁때 오는 비.
[暮雲 모운] 저녁때 낀 구름.
[暮雲春樹 모운춘수] 저녁 구름과 봄날의 나무라는 뜻으로, 친구를 생각하는 정(情)이 간절함을 이름.
[暮節 모절] ㉠음력 12월의 별칭. ㉡중양(重陽). 곧, 9월 9일의 별칭.
[暮潮 모조] 저녁때 밀려오는 조수. 석수(汐水).
[暮鐘 모종] 저녁때 치는 종. 만종(晩鐘).
[暮天 모천] 해 질 녘의 하늘.
[暮秋 모추] 음력(陰曆) 9월의 별칭(別稱). 늦가을. 만추(晩秋).
[暮春 모춘] 음력(陰曆) 3월의 별칭(別稱). 늦봄. 만춘(晩春).
[暮齒 모치] 모년(暮年).
[暮砧 모침] 밤에 하는 다듬이질. 또, 그 소리.
[暮夏 모하] 음력(陰曆) 6월의 별칭(別稱). 늦은 여름.
[暮霞 모하] 저녁놀.
◉旦暮. 晩暮. 冥暮. 薄暮. 商暮. 夕暮. 歲暮. 衰暮. 晨暮. 野暮. 澆暮. 淪暮. 日暮. 殘暮. 朝暮. 遲暮. 昏暮.

12 ⑯ [曇] [人名] 담 [平]覃 徒含切 tán

[字解] ①구름낄 담 '一天'. ②구름 담 하늘에 낀 구름. '月華揚彩一'《楊愼》. ③성 담 성(姓)의 하나.

[字源] 篆文 會意. 日＋雲. 해가 구름 속으로 가라앉아서 흐리다의 뜻을 나타냄.

[曇曇 담담] ㉠검은 구름의 모양. ㉡구름이 끼는 모양.
[曇天 담천] 구름이 낀 하늘.
◉悉曇. 優曇. 赤曇. 晴曇.

12 ⑯ [㬎] 〔현·압·금〕 㬎(日部 十畫〈p.997〉)과 同字

12 ⑯ [曅] 〔엽〕
曄(日部 十二畫〈p. 1000〉)과 同字

12 ⑯ [暸] 료 [平]蕭 憐蕭切 liáo
[字解] 밝을 료 '一, 明也'《集韻》.
[字源] 形聲. 日+尞〔音〕. '尞료'는 횃불이 밝다의 뜻. 해가 밝다, 밝다의 뜻을 나타냄.
[參考] 瞭(目部 十二畫)는 別字.

12 ⑯ [暾] [人名] 돈 [平]元 他昆切 tūn
[筆順] 日 旷 旷 晫 暯 暯 暾 暾
[字解] 먼동틀 돈, 아침해 돈 욱일(旭日). '一將出兮東方'《楚辭》.
[字源] 形聲. 日+敦〔音〕

[暾暾 돈돈] ㉠햇빛이 환한 모양. ㉡불빛이 환한 모양.
◉晨暾. 早暾. 朝暾. 初暾. 海暾. 曉暾.

12 ⑯ [曀] 예 [去]霽 於計切 yì
[字解] ①음산할 예 구름이 끼고 바람이 붊. '終風且一'《詩經》. ②가릴 예 가려 안 보이게 함. '雲風一日光'《爾雅 疏》.
[字源] [篆文] 形聲. 日+壹〔音〕. '壹일'은 항아리를 밀폐하는 모양을 본뜸. 하늘을 구름이 덮어 가려서 흐리다의 뜻을 나타냄.

[曀曀 예예] 날이 흐려 어두운 모양.
[曀風 예풍] 날이 흐릴 때 부는 바람.
◉霾曀. 氛曀. 晻曀. 煙曀. 幽曀. 陰曀. 塵曀. 昏曀.

12 ⑯ [曈] [人名] 동 [平]東 他紅切 tóng
[字解] 해뜰 동 해가 뜨는 모양. '已見日一一'《李白》.
[字源] [篆文] 形聲. 日+童〔音〕. '童동'은 '꿰뚫다'의 뜻. 아침 햇빛이 뚫고 지나가다의 뜻에서, 날이 밝으려 하다의 뜻을 나타냄.

[曈曈 동동] 해 돋는 모양. 해가 뜨는 모양.
[曈曨 동롱] ㉠해 돋는 모양. 해가 뜨는 모양. ㉡깨달은 바가 있어 마음이 환하여지는 모양.

12 ⑯ [暿] [人名] 〔희〕
熹(火部 十二畫〈p. 1356〉)와 同字

12 ⑯ [暻] [人名] 경 [上]梗 俱永切 jǐng
[筆順] 日 旦 昌 暠 暠 暻 暻 暻
[字解] 밝을 경 환함. '一, 明也'《集韻》.
[字源] 形聲. 日+景〔音〕

12 ⑯ [曉] [高人] 효 [上]篠 馨皛切 xiǎo 晓
[筆順] 日 旪 旪 昛 晔 曉 曉 曉
[字解] ①새벽 효 '一起'. '向一辭去'《晉書》. ②밝을 효 환함. '冥冥之中, 獨見一焉'《淮南子》. ③깨달을 효 환히 앎. '通一'. '不一世務'《宋史》. ④타이를 효 알아듣게 일러 줌. '一諭'. '指一南越'《史記》. ⑤사뢸 효 아뢺. '未一大將軍'《漢書》. ⑥성 효 성(姓)의 하나.
[字源] [篆文] 形聲. 日+堯〔音〕. '堯요'는 '높다'의 뜻. 해가 높이 뜰 무렵, '새벽'의 뜻을 나타냄.

[曉暇 효가] 아침의 한가한 때.
[曉角 효각] 새벽에 들리는 각적(角笛)의 소리.
[曉鷄 효계] 새벽을 알리는 닭의 우는 소리. 또, 그 시각.
[曉告 효고] 타이름. 알아듣도록 이름.
[曉鼓 효고] 새벽을 알리는 북소리.
[曉光 효광] 새벽의 날 새는 빛. 서광(曙光).
[曉起 효기] 새벽에 일어남. 일찍 일어남.
[曉氣 효기] 새벽의 운기(雲氣).
[曉旦 효단] 새벽.
[曉達 효달] 깨달아 통달함. 환히 앎. 자세히 앎.
[曉暾 효돈] 아침 햇빛.
[曉頭 효두] 꼭두새벽. 먼동이 트기 전인 이른 새벽.
[曉得 효득] 깨달아 앎.
[曉燈 효등] 새벽의 등잔불.
[曉露 효로] 아침의 이슬.
[曉了 효료] 깨달음. 요해(了解)함.
[曉霧 효무] 아침 안개.
[曉梵 효범] 아침의 경(經) 읽는 소리.
[曉霜 효상] 새벽의 서리.
[曉色 효색] ㉠새벽의 밝은 빛. ㉡새벽의 경치.
[曉夕 효석] 아침저녁. 조석(朝夕).
[曉宣 효선] 선명(宣明)함.
[曉雪 효설] 새벽에 오는 눈.
[曉星 효성] ㉠새벽에 보이는 별. ㉡샛별. 「練).
[曉習 효습] 깨달아 익음. 익혀 환히 앎. 숙련(熟
[曉示 효시] 타이름. 유시(諭示).
[曉鴉 효아] 새벽에 우는 까마귀.
[曉然 효연] 요연(瞭然).
[曉悟 효오] ㉠깨달음. ㉡깨닫게 함.
[曉雨 효우] 새벽에 오는 비.
[曉月 효월] 새벽의 달.
[曉喩 효유] 효유(曉諭).
[曉諭 효유] 알아듣게 타이름.
[曉妝 효장] 새벽 화장.
[曉箭 효전] 새벽의 시각(時刻). '箭'은 시각을 가리키는 누각(漏刻)의 바늘.
[曉鐘 효종] 새벽에 치는 종. 또, 그 소리.
[曉籌 효주] 효전(曉箭).
[曉暢 효창] 효달(曉達).
[曉天 효천] ㉠새벽 하늘. ㉡새벽녘.
[曉風 효풍] 새벽에 부는 바람.
[曉解 효해] 효득(曉得).
[曉鬟 효환] 부인의 아침의 흐트러진 머리.
◉開曉. 揭曉. 今曉. 達曉. 洞曉. 明曉. 沒分曉. 分曉. 拂曉. 諳曉. 慰曉. 精曉. 早曉. 知曉. 清曉. 春眠不覺曉. 通曉. 解曉. 昏曉.

12 ⑯ [曄] [人名] 엽 [入]葉 筠輒切 yè 晔

[筆順] 日 旪 旪 旪 曄 曄 曄 曄

[字解] 빛날 엽 광휘를 발함. 또, 그 모양. '列缺一其照夜'《後漢書》.

[字源] 篆文 篆文 會意. 日+華(䔢). '䔢화'는 '화려하다'의 뜻. 햇빛이 화려하게 빛나다의 뜻을 나타냄.

[曄然 엽연] 성(盛)한 모양.
[曄曄 엽엽] 엽연(曄然).
[曄煜 엽욱] 소리가 성(盛)한 모양.
◉炳曄. 暐曄. 韡曄. 赫曄. 熒曄.

12 ⑯ [曃] 태 [去]隊 他代切 dài

[字解] 희미할 태 '曖一'는 밝지 아니한 모양. '時曖一其曭莽兮'《楚辭》.

[字源] 形聲. 日+逮〔音〕

◉曖曃.

12 ⑯ [暹] [人名] 섬 [平]鹽 息廉切 xiān 暹

[筆順] 日 尸 尸 尸 尸 尸 暹 暹

[字解] ①햇살오를 섬 일광(日光)이 올라감. 해가 떠오름. '西淪則東一'《柳貫》. ②나라이름 섬 '一羅'는 Siam의 음역(音譯)으로서, 현재의 태국(泰國).

[字源] 會意. 日+進. 해가 나아가다의 뜻을 나타냄.

[暹羅 섬라] 태국(泰國)의 1939년 이전의 국호(國號).
◉東暹.

12 ⑯ [暨] 기 [去]寘 其冀切 jì 暨

[字解] ①및 기 그 밖에 또. 급(及). 與(臼部 七畫)와 뜻이 같음. '汝羲一和'《書經》. ②미칠 기 이름. 다다름. '一及'. '上求不一'《國語》. ③굳셀 기 용맹한 모양. '戎容一一'《禮記》.

[字源] 篆文 形聲. 旦+旣〔音〕. '旣기'는 '다하다, 미치다'의 뜻. 해가 간신히 지평선에 이르러 보이기 시작하다의 뜻에서, '미치다'의 뜻을 나타냄.

[暨及 기급] 이름. 다다름. 미침.
[暨暨 기기] 굳세고 용감한 모양. 용감하고 과단성이 있는 모양.

12 ⑯ [曧] 속 [入]屋 蘇谷切 sù

[字解] ①말릴 속 볕에 말림. '一, 燥也'《集韻》. ②바랠 속 볕에 쬠. '一, 暴也'《篇海》.

12 ⑯ [暼] 별 [入]屑 普蔑切 piē

[字解] 해지는기세 별 해가 지려고 하는 기세(氣勢). '一一, 日落勢也'《集韻》.

[字源] 形聲. 日+敝〔音〕

12 ⑯ [曆] [高人] 력 [入]錫 郎擊切 lì 历

[筆順] 厂 厂 厂 厂 厤 曆 曆 曆

[字解] ①책력 력 역법(曆法). 또는, 역서(曆書). '視一復開書'《古詩》. 전(轉)하여, 연대·수명·운명 등의 뜻으로 쓰임. '一數'. '周過其一, 秦不及期'《漢書》. ②수력, 셈 력 수효. 계수(計數). '此其大一也'《管子》. ③일기 력 일지(日誌). '子宜置一卷一, 晝之所爲, 夜必書之'《蘇軾》.

[字源] 篆文 形聲. 日+厤〔音〕. '厤력'은 집 안에 벼를 가지런히 늘어놓는 모양을 본떠, 순서 있게 늘어놓다의 뜻. 날의 경과(經過)를 정연히 차례를 매겨 배열하다, '달력'의 뜻을 나타냄.

[曆官 역관] 역법(曆法)을 맡은 벼슬.
[曆紀 역기] 책력(冊曆).
[曆年 역년] ㉠세월(歲月). ㉡책력에 정한 1년.
[曆命 역명] 역수(曆數)와 천명(天命). 운명.
[曆尾 역미] 연말(年末). 세말(歲末).
[曆法 역법] 천체(天體)의 운행(運行)을 추산(推算)하여 세시(歲時)를 정하는 방법. 책력을 만드는 방법.
[曆本 역본] 역서(曆書).
[曆象 역상] ㉠책력을 추산(推算)하여 천문(天文)을 봄. ㉡일월성신(日月星辰)의 일컬음.
[曆書 역서] 책력(冊曆).
[曆數 역수] ㉠운명. 운수. ㉡책력.
[曆術 역술] 일월 운행의 현상에 의거하여 책력을 만드는 방법.
[曆日 역일] ㉠책력. ㉡책력에 정한 날. 또, 세월(歲月).
[曆正 역정] 역관(曆官).
[曆草 역초] 역협(曆莢).
[曆莢 역협] 명협(蓂莢)의 별칭.
◉改曆. 舊曆. 紀曆. 算曆. 三統曆. 西曆. 星曆. 新曆. 略曆. 陽曆. 月曆. 律曆. 陰曆. 日曆. 冊曆. 太陽曆. 太陰曆. 還曆.

13 ⑰ [曏] 향 [上]養 許兩切 xiàng

[字解] ①접때 향 이전에. '一者右宰穀臣之觴吾子也'《呂氏春秋》. ②향할 향 向(口部 三畫)과 同字.

[字源] 篆文 形聲. 日+鄕〔音〕. '鄕향'은 '향하다'의 뜻. 해가 앞쪽을 향하다, 곧 과거를 향해 가 버린 날, 지나간 날의 뜻으로, '접때, 지난날'의 뜻을 나타냄.

[曏者 향자] 접때. 이전에.

[暴] 〔포〕 言部 十畫(p. 2151)을 보라.

13 ⑰ [曒] [一] 교 [上]篠 吉了切 jiǎo
[二] 호 [上]皓 下老切

[字解] [一] ①밝을 교 환함. '恢獨一然, 不汙於法. (注) 一, 明也'《後漢書》. ②흰옥석 교 옥석(玉石)의 흰 것. '一, 玉石之白者'《五經文字》. [二] 밝을 호, 흰옥석 호 [一]과 뜻이 같음.

13 ⑰ [曖] [人名] 애 [去]隊 烏代切 ài 暧

字解 ①희미할 애 환하지 않음. 흐림. '一然'. '時一一其將罷兮'《楚辭》. ②가릴 애 가림. '甘是堙一'《漢書》.
字源 形聲. 日+愛〔音〕. '愛애'는 '달라붙다'의 뜻. 해에 구름이 달라붙다, 어둡다, 흐리다의 뜻을 나타냄.

[曖昧 애매] 흐림. 확실하지 아니함.
[曖曖 애애] 밝지 않은 모양. 흐린 모양.
[曖然 애연] 침침한 모양. 흐린 모양.
[曖曃 애태] 밝지 아니한 모양. 희미한 모양.
◉暗曖. 映曖. 幽曖. 隱曖. 堙曖. 曃曖.

13 ⑰ [曒] 경 ㊤敬 渠映切 jìng

字解 ①밝을 경 환함. '一, 明也'《玉篇》. ②마를 경 '一, 乾也'《類篇》.
字源 形聲. 日+敬〔音〕

13 ⑰ [曦] 〔희〕 曦(日部 十六畫〈p.1003〉)의 俗字

14 ⑱ [曙] 人名 서 ㊤御 常恕切 shǔ

筆順 日 日' 日ᄑ 日罒 曙 曙 曙 曙

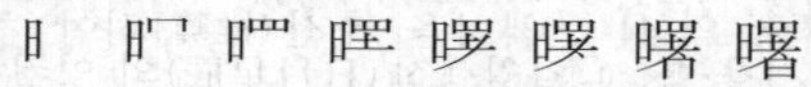

字解 ①새벽 서 날이 샌 때. '一鐘'. '魂煢煢而至一'《楚辭》. ②밝을 서 날이 샘. '日入于虞淵之汜, 一於蒙谷之浦'《淮南子》.
字源 篆文 形聲. 日+署〔音〕. '署서'는 '赭자'와 같은 계통의 글자로, 햇빛이 붉게 빛나기 시작하다, '새벽'의 뜻을 나타냄.

[曙更 서경] 새벽의 시각.
[曙景 서경] 서색(曙色) ㉡.
[曙光 서광] ㉠새벽의 날 새는 빛. 동틀 때 비추는 빛. ㉡암흑(暗黑) 속의 광명. 좋은 일이 일어나려는 조짐.
[曙色 서색] ㉠동틀 때의 밝은 빛. ㉡동틀 때의 경치.
[曙星 서성] 새벽에 보이는 별. 효성(曉星).
[曙鴉 서아] 서오(曙烏).
[曙鶯 서앵] ㉠새벽에 나는 꾀꼬리. ㉡새벽에 우는 꾀꼬리.
[曙野 서야] 새벽의 들.
[曙烏 서오] ㉠새벽에 나는 까마귀. ㉡새벽에 우는 까마귀.
[曙月 서월] 새벽에 보이는 달.
[曙日 서일] 아침 해.
[曙鐘 서종] 새벽에 치는 종(鐘). 또, 그 소리.
[曙天 서천] ㉠새벽 하늘. ㉡새벽.
[曙曦 서희] 서일(曙日).
◉開曙. 拂曙. 煙曙. 殘曙. 徹曙. 淸曙. 初曙. 昏曙.

14 ⑱ [曖] 애 ㊤泰 於蓋切 ài

字解 ①햇빛 애 태양의 빛. '一, 日色也'《玉篇》. ②흐릴 애 어두움. '一, 當是日不明'《正字通》.

14 ⑱ [曚] 몽 ㊥東 謨蓬切 méng

字解 ①어스레할 몽 날이 아직 완전히 밝지 않아 어두움. '一曨'. '曠若發一'《後漢書》. ②어리석을 몽 우매함. '一昧'.
字源 形聲. 日+蒙〔音〕. '蒙몽'은 '가리다, 덮다'의 뜻. 햇빛이 가려져서 어스레하다의 뜻을 나타냄.

[曚曨 몽롱] 햇빛이 흐릿함.
[曚昧 몽매] ㉠어두움. ㉡어리석음. 몽매(蒙昧).

14 ⑱ [暴] 〔포〕 暴(日部 十一畫〈p.997〉)의 本字

14 ⑱ [曘] 人名 유 ㊥虞 日朱切 rú

字解 ①어두울 유 '曲學所習, 一昧所守'《舊唐書》. ②햇빛 유 일광(日光). 해의 빛깔. '一, 日色也'《玉篇》. '一, 日光'《字彙》.

14 ⑱ [曝] 급 ㊇緝 去急切 qì

字解 ①쬘 급 햇빛에 쬠. '一, 曝也'《廣雅》. ②마르려할 급 '一, 欲乾也'《玉篇》.

14 ⑱ [曛] 훈 ㊥文 許云切 xūn

字解 ①어스레할 훈 땅거미가 짐. '天色正一'《舊唐書》. ②황혼 훈 해 진 뒤의 어스레한 때. '一黃'. '夕一嵐氣陰'《謝靈運》.
字源 形聲. 日+熏〔音〕. '熏훈'은 연기에 그을리다의 뜻. 그을린 것 같은 지는 해의 빛을 나타냄.

[曛霧 훈무] 저녁 안개.
[曛日 훈일] 석양(夕陽).
[曛霞 훈하] 저녁놀. 만하(晩霞).
[曛黃 훈황] 해 진 뒤의 어둑어둑한 때. 황혼(黃昏).
[曛黑 훈흑] 해가 져서 어둑어둑함. 또, 그 시각. 황혼(黃昏).
◉暮曛. 微曛. 薄曛. 斜曛. 夕曛. 殘曛. 朝曛.

14 ⑱ [曞] 대 ㊤隊 徒對切 duì

字解 무성할 대 숲이 무성(茂盛)함. '一兮若松榯'《宋玉》.

14 ⑱ [曜] 人名 요 ㊤嘯 弋照切 yào

筆順 日 日' 日ᄏ 日ᄏᄏ 日羽 曜 曜 曜

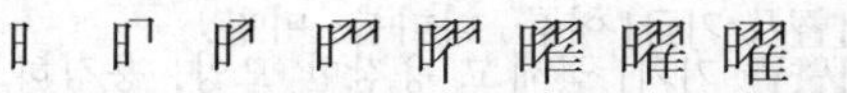

字解 ①빛 요 광휘. '日出有一'《詩經》. ②빛날 요 광휘를 발함. '一一'. '百華一九枝'《王筠》. ③일월성신 요 일월(日月)을 '兩一'라 하고, 이에 목·화·토·금·수의 오성(五星)을 합쳐 '七一'라 함. '七一爲之盈縮'《穀梁傳》. ④《韓》요일 요 칠요(七曜)를 날에 배분하여 부르는 이름. 그 연이은 7일을 일주일이라 함.
字源 形聲. 日+翟〔音〕. '翟적'은 높이 뛰어오르다의 뜻. '햇빛'의 뜻을 나타냄.

[曜靈 요령] 태양(太陽)의 별칭.
[曜魄 요백] 북두성(北斗星)의 별칭.
[曜曜 요요] 빛나는 모양.

[曜煜 요욱] 빛남. 광휘를 발함.
◉景曜. 光曜. 九曜. 文曜. 三曜. 兩曜. 榮曜. 靈曜. 二曜. 日曜. 照曜. 七曜. 昡曜. 顯曜. 皓曜. 火曜. 煥曜. 晃曜. 輝曜.

14 ⑱ [⿰卜曹] 〔갈〕
碣(石部 九畫〈p. 1577〉)의 古字

15 ⑲ [曝] 폭 (入)屋 蒲木切 pù

[字解] 쬘 폭 햇볕에 쬠. '一衣'. '冬一其日'《陶潛》. 전(轉)하여, 한데 두어 우로(雨露)를 맞거나 맞게 함. '一露墻壁外'《杜甫》.
[字源] 形聲. 日+暴〔音〕. '暴포·폭'은 '쬐다'의 뜻으로, '曝폭'의 原字.

[曝露 폭로] ㉠겉으로 드러남. ㉡한데 있어 우로(雨露)를 맞음. 폭로(暴露).
[曝背 폭배] 등을 햇볕에 쬠.
[曝書 폭서] 책을 햇볕에 쬐어 좀이 먹는 것을 방지함.
[曝衣 폭의] 옷을 햇볕에 쬠.

15 ⑲ [曠] [人名] 광 (去)漾 苦謗切 kuàng 旷

[筆順] 日 旷 … 曠

[字解] ①빌 광 공허함. '一古'. '率彼一野'《詩經》. ②밝을 광 환함. '一若發曚'《後漢書》. ③비울 광 공허하게 함. '一安宅而弗居'《孟子》. ④헛되이지낼 광 허송(虛送)함. '一歲'. '一日十年'《漢書》. ⑤넓을 광 광활함. '一原'. '器宇宏一'《晉書》. ⑥멀 광 요원함. '一塗'. '遙途崄一'《晉書》. ⑦성 광 성(姓)의 하나.
[字源] 篆文 形聲. 日+廣〔音〕. '廣광'은 '넓고 크다'의 뜻. 해가 넓게 비추어 밝다의 뜻을 나타냄. 파생(派生)하여, 너무 넓어 공허하다의 뜻을 나타냄.

[曠古 광고] 옛날을 공허하게 한다는 뜻으로, 비교할 만한 것이 예전에 없음을 이름. 공전(空前). 미증유(未曾有).
[曠廓 광곽] 넓고 큼.
[曠官 광관] 벼슬아치가 직무(職務)를 게을리 함.
[曠曠 광광] 광대(廣大)한 모양.
[曠闕 광궐] 국정(國政)이 해이(解弛)하여 소루(疏漏)함.
[曠年 광년] 오랜 세월.
[曠達 광달] 활달(豁達)함.
[曠淡 광담] 마음이 넓고 담담함.
[曠澹 광담] 광담(曠淡).
[曠代 광대] 광세(曠世).
[曠度 광도] 넓은 도량.
[曠塗 광도] 먼 길.
[曠朗 광랑] 광대(廣大)하고 명랑함.
[曠邈 광막] 넓고 멂.
[曠望 광망] 넓은 조망(眺望). 널리 바라봄.
[曠夫 광부] 장년(壯年)의 독신자.
[曠世 광세] 세상(世上)에 드묾.
[曠歲 광세] ㉠허송세월(虛送歲月)함. ㉡광년(曠年).
[曠世之度 광세지도] 세상 사람 중에 다시 없을 만큼 큰 도량.
[曠世之才 광세지재] 세상(世上)에 드문 재주.
[曠野 광야] 광활(曠濶)한 들.
[曠然 광연] ㉠무사(無事)한 모양. ㉡광활하여 조망(眺望)을 가리는 것이 없음. 곧, 넓은 모양.
[曠原 광원] 광야(曠野).
[曠遠 광원] 넓고 멂.
[曠恩 광은] 광대한 은혜.
[曠夷 광이] 넓고 평탄함.
[曠日 광일] 쓸데없이 세월을 보냄.
[曠日彌久 광일미구] 쓸데없이 시간만 끎.
[曠日持久 광일지구] 오랜 세월을 견디어 냄.
[曠適 광적] 마음이 넓어 스스로 만족함.
[曠典 광전] 광고(曠古)의 성전(盛典).
[曠絶 광절] 뒤가 끊어짐. 없어짐.
[曠職 광직] ㉠관직(官職)을 비워 둠. ㉡직무를 게을리 함.
[曠快 광쾌] 광활하여 상쾌함.
[曠蕩 광탕] ㉠광활하여 끝이 없는 모양. ㉡광달(曠達).
[曠盪 광탕] ㉠광대(廣大)한 모양. 광탕(曠蕩). ㉡죄를 용서함.
[曠土 광토] 공지(空地).
[曠廢 광폐] 버리고 돌보지 아니함.
[曠海 광해] 넓은 바다.
[曠廓 광확] 넓고 큼.
[曠濶 광활] 넓고 탁 트임.
[曠懷 광회] 활달(豁達)한 마음. 또, 마음을 활달하게 가짐.
◉間曠. 開曠. 高曠. 空曠. 宏曠. 久曠. 蕪曠. 放曠. 疎曠. 崇曠. 深曠. 淵曠. 恬曠. 遼曠. 怨曠. 遠曠. 怡曠. 淸曠. 超曠. 沖曠. 蕩曠. 平曠. 廢曠. 遐曠. 崄曠. 玄曠. 浩曠. 弘曠.

15 ⑲ [⿸广⿰日黃] 曠(前條)과 同字

15 ⑲ [矋] 려 (去)霽 力制切 lì
[字解] 햇빛성할 려 '一, 日光盛'《集韻》.

16 ⑳ [曦] [人名] 희 (平)支 許羈切 xī

[筆順] 日 … 曦 曦

[字解] 햇빛 희 일광. '一光'. '朝一射崖赤'《范梈》.
[字源] 形聲. 日+羲〔音〕. '羲희'는 '義의'와 통하여, '규칙적이다'의 뜻. 운행이 바른 태양의 뜻을 나타냄.
[參考] 曦(日部 十三畫)는 俗字.

[曦光 희광] 햇빛. 일광.
[曦月 희월] 해와 달. 또, 일광(日光)과 월광(月光).
[曦軒 희헌] 해. 태양(太陽).
◉丹曦. 晩曦. 曙曦. 朝曦. 朱曦. 赫曦.

16 ⑳ [曨] 롱 (平)東 盧紅切 lóng 昽

[字解] 어스레할 롱 날이 아직 완전히 밝지 아니함. '曚一'. '日通一而上度'《江淹》.
[字源] 篆文 形聲. 日+龍〔音〕. '龍룡'은 분명하지 않은 모양을 나타내는 의태어(擬態語). 아직 어스레하다, 새벽 여명의 뜻을 나타냄.

[曨曨 농롱] 어둠침침한 모양. 어스레한 모양.
◉曈曨. 葱曨.

16 ⑳ [曥] 려 [平]魚 力魚切 lú

[字解] ①해빛깔 려 태양의 빛깔. '一, 日色也'《篇海》. ②해비출 려 햇살이 비춤. '一, 日照也'《篇海》.

16 ⑳ [曣] [人名] 연 [去]霰 於甸切 yàn

[字解] 청명할 연 해가 뜨고 구름이 없음.
[字源] 篆文 形聲. 日+燕〔音〕

[曣嗢 연온] 안개가 낀 모양.
[曣晛 연현] 해가 뜸.

17 ㉑ [曩] 낭 [上]養 奴朗切 nǎng

[字解] ①접때 낭 ㉠이전. 지난번. '一日'. '猶有一之態'《楚辭》. ㉡이전에. '一者志入而已'《左傳》. ②성 낭 성(姓)의 하나.
[字源] 篆文 形聲. 日+襄〔音〕. '襄양'은 '오르다'의 뜻. 해가 앞으로 거슬러 오르다의 뜻으로, '접때, 이전, 옛날'의 뜻을 나타냄.

[曩昔 낭석] 옛날. 낭일(曩日).
[曩歲 낭세] 지난해.
[曩時 낭시] 낭일(曩日).
[曩日 낭일] 전날. 지난번.
[曩者 낭자] 낭일(曩日). 자(者)는 조사(助辭).
[曩勳 낭훈] 전에 세운 공훈.
◉疇曩.

19 ㉓ [曫] [一] 란 [平]寒 落官切 luán
[二] 만 [平]刪 謨還切
[三] 련 [去]霰 郞甸切

[字解] [一] 황혼 란 해가 질 때. '一, 日且昏時也'《說文》. [二] 황혼 만 [一]과 뜻이 같음. [三] 황혼 련 [一]과 뜻이 같음.

19 ㉓ [曬] 쇄 [去]卦 所賣切 shài 晒

[字解] 쬘 쇄 볕에 쬠. '一書'. '白日一光'《漢書》.
[字源] 篆文 會意. 日+麗. '麗려'는 가지런하게 늘어놓다의 뜻. 해를 향해 정연하게 늘어놓다, 볕에 쬐다의 뜻을 나타냄.

[曬書 쇄서] 서적을 햇볕에 쬠.

19 ㉓ [㬮] [一] 난 [去]翰 奴案切 [平]刪 女閑切 nàn
[二] 날 [入]曷 乃曷切

[字解] [一] 따뜻할 난 훈훈함. 또, 따뜻한 모양. '一, 溫也. 安也'《玉篇》. '一, 暍一, 暖狀'《廣韻》. [二] 따뜻할 날 [一]과 뜻이 같음.
[字源] 形聲. 日+難〔音〕

19 ㉓ [曪] 라 [上]哿 朗可切 luǒ

[字解] 어두울 라 태양에 빛이 없음. '一, 曮一, 日無光'《集韻》.

20 ㉔ [曭] 당 [上]養 他朗切 tǎng

[字解] 희미할 당 어스레함. '時曖曃其一莽兮'《楚辭》.
[字源] 形聲. 日+黨〔音〕

[曭莽 당망] 어스레한 모양. 햇빛이 희미한 모양.
[曭漭 당망] 당망(曭莽).

20 ㉔ [曮] 엄 [上]琰 魚檢切 yǎn

[字解] ①해다닐 엄 태양이 운행(運行)함. '一, 日行'《篇海》. ②해운행길 엄 태양이 운행(運行)하는 길. '日躔謂之一'《類篇》.
[字源] 形聲. 日+嚴〔音〕

21 ㉕ [曯] 촉 [入]沃 朱欲切 zhú

[字解] 비출 촉 빛이 비춤. '一, 照也'《韻會》.

曰 (4획) 部
〔가로왈부〕

0 ④ [曰] [中人] [一] 왈(월[本]) [入]月 王伐切 yuē
[二] 월 [入]物 王勿切 yuē

[筆順] 丨 冂 冃 曰

[字解] [一] ①가로되 왈 말하되. 말하기를. '帝一, 疇咨若時'《書經》. ②이를 왈 일컬음. …라 말함. '宅嵎夷, 一暘谷'《書經》. [二] 말낼 월 발어사(發語辭). '一若稽古帝堯'《書經》.
[字源] 甲骨文 金文 篆文 象形. 입과 날숨을 본떠, 목소리를 내어 말하다의 뜻을 나타냄.
[參考] ①'日일' 이외에 '曰왈'의 자형(字形)을 지닌 문자를 모으기 위해 편의적으로 부수로 설정함. 이름은 '가로왈'. ②日(部首)은 別字.

2 ⑥ [曳] [人名] 예 [去]霽 餘制切 yè

[字解] ①끌 예 ㉠땅에 늘어뜨리고 감. '子有衣裳, 弗一弗婁'《詩經》. ㉡끌어당김. '一仆'. '鉤一出賓墻下'《程史》. ㉢끌고 다님. 짚음. '率然一杖, 徒行城邑'《南史》. ②끌릴 예 전항의 피동사. '賢聖逆一兮, 方正倒植'《賈誼》. ③고달플 예 피로함. '年雖疲一, 猶庶幾名賢之風'《後漢書》.
[字源] 篆文 象形. 얽힌 실의 한쪽을 양손으로 끌어 올리는 모양을 본떠, '끌다'의 뜻을 나타냄.

[曳裾 예거] ㉠옷자락을 땅에 질질 끎. ㉡남몰래 방문(訪問)함.
[曳尾 예미] 벼슬하여 구속을 받기보다는 고향에서 가난하게 지낼지라도 몸이 편안하기를 바람

을 이름. '예미도중(曳尾塗中)' 참조.
[曳尾塗中 예미도중] 거북은 죽어서 점치는 데 쓰이어 귀하게 되는 것보다는 살아서 꼬리를 진흙 속에서 끌고 다니기를 더 좋아함. 전(轉)하여, 벼슬아치가 되어 속박받는 것보다는 필부(匹夫)로서 편안히 살기를 원함을 이름. 장자(莊子)가 재상(宰相) 벼슬을 거절할 때 한 말임.
[曳白 예백] 지필(紙筆)을 손에 들고서도 시문(詩文)을 짓지 못함.
[曳仆 예부] 끌어당겨 넘어뜨림.
[曳曳 예예] 길게 뻗치는 모양.
[曳牛却行 예우각행] 소를 끌고 뒷걸음질 쳐 감. 매우 힘이 셈을 이름.
[曳杖 예장] 지팡이를 끎. 지팡이를 짚고 감. 놀러 감.
[曳長裾 예장거] 긴 옷자락을 땅에 끌면서 궁궐(宮闕)에 출입함.
◉牽曳. 鉤曳. 陵曳. 倒曳. 搖曳. 遙曳. 掣曳. 馳曳. 跛曳.

2
⑥ [曲] 中人 곡 ㊅沃 丘玉切 qū, ⑨qǔ

筆順 丨 冂 冃 由 曲 曲

字解 ①굽을 곡 ㉠굽음. 휨. '一線'. '不待自一之木'《鹽鐵論》. ㉡마음이 굽음. '邪一'. '師儒之席, 不拒一士'《柳宗元》. ②굽힐 곡 전항(前項)의 타동사. '一筆'. '一法'. '一學以阿世'《史記》. ③곡진할 곡 간절함. 정성을 다함. '一允微誠'《庾信》. ④자세할 곡 상세함. '委一'. ⑤자세히 곡 상세하게. '一盡'. '一暢旁通'《朱熹》. ⑥간사 곡 사벽(邪辟). '一私'. '以一合於趙王'《戰國策》. ⑦구석 곡 변우(邊隅). '一知之人, 觀於道之一隅'《荀子》. ⑧잠박 곡 누에를 기르는 제구. '簿一'. '具一植籧筐'《禮記》. ⑨가락 곡 곡조. '音一'. '歌一'. '其一彌高, 其和彌寡'《宋玉》. ⑩마을 곡 부락. '部一'. '鄕一'. ⑪성 곡 성(姓)의 하나.

字源 金文 篆文 象形. 나무나 대나무를 구부려 만든 그릇을 본떠 '굽다'의 뜻을 나타냄.

[曲徑 곡경] 꼬불꼬불한 길.
[曲境 곡경] 몹시 어려운 지경. 곤경(困境).
[曲曲 곡곡] 꼬불꼬불한 모양.
[曲肱之樂 곡굉지락] 침구(寢具)도 넉넉지 못하여 팔을 베고 자는 청빈(淸貧)에 만족하며 도(道)를 탐구하는 즐거움.
[曲局 곡국] 주먹처럼 묶은 부인(婦人)의 머리털.
[曲鞠 곡국] 자세히 사정을 물어 조사함.
[曲當 곡당] 빠짐없이 당함. 자세히 일일이 당함.
[曲突徙薪 곡돌사신] 화재를 예방하기 위하여 굴뚝을 꼬불꼬불하게 만들고 아궁이 근처의 나무를 딴 곳으로 옮긴다는 뜻으로, 화(禍)를 미연(未然)에 방지함의 비유.
[曲論 곡론] 이치(理致)에 어그러진 의론(議論).
[曲流 곡류] 꾸불꾸불 흘러가는 물. 굽이쳐 흐르는 물.
[曲馬 곡마] 말을 타고 하는 재주.
[曲木 곡목] 굽은 나무. 휜 나무.
[曲眉 곡미] 초승달처럼 가늘고 굽은 눈썹. 미인(美人)의 눈썹의 형용.
[曲媚 곡미] 자기의 의사를 굽혀 남에게 아첨함. 그른 줄 알면서 남에게 아첨함.
[曲房 곡방] 후미진 방. 밀실(密室).
[曲法 곡법] 법을 굽힘. 법을 어김.
[曲辯 곡변] 그른 것을 옳다고 하는 변설(辯舌).
[曲屛 곡병] 머릿병풍(屛風).
[曲譜 곡보] 악보(樂譜).
[曲阜 곡부] 산둥 성(山東省)에 있는 현(縣) 이름. 공자(孔子)의 산소(山所)가 있음.
[曲庇 곡비] 법을 굽혀 악인을 비호(庇護)함.
[曲士 곡사] ㉠마음이 바르지 않은 사람. ㉡두멧사람. 향곡(鄕曲) 사람.
[曲私 곡사] 간사(姦邪). 사곡(私曲).
[曲榭 곡사] 구부러지게 만든 정자.
[曲蔘 곡삼] 꼬리를 꼬부리어 말린 삼.
[曲生綃 곡생초] 씨올을 빛이 다른 두 가지 흰 실로 섞바꾸어 짜서 문채가 나는 비단.
[曲漵 곡서] 곡포(曲浦).
[曲線 곡선] 구부러진 선(線).
[曲蟺 곡선] 지렁이〔蚯蚓〕의 별칭(別稱).
[曲線美 곡선미] ㉠곡선(曲線)을 써서 나타낸 미(美). ㉡육체의 곡선에서 나타나는 아름다움.
[曲說 곡설] 편벽되어 바르지 아니한 이론(理論).
[曲成 곡성] 사물(事物)의 변동에 따라 꼼꼼히 만듦.
[曲城 곡성] 굽은성.
[曲水 곡수] 굽이굽이 흐르는 물.
[曲水流觴 곡수유상] 굽이쳐 흐르는 물결에 잔을 띄우며 시(詩)를 짓고 노는 잔치.
[曲水之宴 곡수지연] 곡수유상(曲水流觴).
[曲繩 곡승] 법을 어김. 도의에 어그러진 일을 함.
[曲言 곡언] 넌지시 하는 말. 언외(言外)에 뜻이 있는 말. 직언(直言)의 대(對).
[曲宴 곡연] 궁중(宮中)에서 베푸는 작은 연회.
[曲影 곡영] 굽은 그림자.
[曲藝 곡예] 하찮은 기예.
[曲撓 곡요] ㉠휨. 굽음. ㉡원죄(冤罪)로 죽음.
[曲踊 곡용] ㉠가락을 맞추어 뜀. ㉡뛰기. 무도(舞蹈).
[曲允 곡윤] 작은 성실(誠實).
[曲引 곡인] 음악의 가락.
[曲牆 곡장] 능묘(陵墓) 뒤에 두른 낮은 토담.
[曲在我 곡재아] 잘못이 자기에게 있음.
[曲全 곡전] 굽어 아주 소용이 없는 나무는 사람이 베어 가지 않아 온전할 수 있다는 뜻으로, 자기를 굽힘으로써 자기의 몸을 온전히 할 수 있다는 노자(老子)의 가르침.
[曲折 곡절] ㉠꼬불꼬불함. ㉡자세한 사정. 복잡한 내막. ㉢문장 같은 것이 변화가 많음. 평범치 않음.
[曲節 곡절] 곡조(曲調).
[曲釘 곡정] 'ㄱ' 자처럼 대가리가 구부러진 못.
[曲調 곡조] 가사(歌詞)·음악(音樂)의 가락.
[曲從 곡종] 임시변통으로 자기의 의사를 굽혀 좇음.
[曲坐 곡좌] 어른 앞에서 바로 앉지 않고 모로 앉음.
[曲直 곡직] ㉠이치(理致)의 옳고 그름. ㉡굽음과 곧음.
[曲盡 곡진] ㉠마음과 힘을 다함. ㉡자세히 설명함.
[曲暢 곡창] 자세하게 통달(通達)함.
[曲尺 곡척] ㉠'ㄱ' 자 모양으로 만든 자. 곱자. ㉡직각(直角)으로 꺾인 형상. 구형(矩形).
[曲聽 곡청] 부득이 자기의 의사를 굽혀 남의 말

을 들음.
[曲浦 곡포] 꼬불꼬불한 갯벌.
[曲筆 곡필] 고의(故意)로 사실을 날조(捏造)하여 씀.
[曲學 곡학] 정도(正道)에 벗어난 학문(學問).
[曲學阿世 곡학아세] 도(道)에서 벗어난 학문을 닦아 세상에 아부함.
[曲解 곡해] 잘못 해석함. 곱새김.
[曲形 곡형] 굽은 형상.
[曲惠 곡혜] 작은 은혜.
[曲護 곡호] 곡비(曲庇).
◉歌曲. 歌謠曲. 姦曲. 款曲. 交響曲. 九曲. 舊曲. 屈曲. 卷曲. 拳曲. 同工異曲. 彎曲. 灣曲. 名曲. 妙曲. 舞曲. 盤曲. 譜曲. 部曲. 祕曲. 悲曲. 私曲. 邪曲. 詞曲. 序曲. 旋曲. 小夜曲. 俗曲. 水曲. 褶曲. 新曲. 心曲. 阿曲. 雅曲. 樂曲. 夜曲. 餘曲. 艶曲. 婉曲. 歪曲. 迂曲. 紆曲. 隅曲. 元曲. 圓舞曲. 委曲. 遺曲. 音曲. 隣曲. 一曲. 作曲. 前奏曲. 終曲. 淸曲. 編曲. 平曲. 河曲. 海曲. 鄕曲. 協奏曲. 戱曲. 詰曲.

2 [臾] 〔유〕
⑥ 臾(臼部 二畫〈p.1878〉)의 俗字

3 [更] [中人] [一] 경 [平]庚 古行切 gēng
⑦ [二] 갱 [去]敬 古孟切 gèng 

[筆順] 一 丆 𠀀 冂 百 更 更

[字解] [一] ①고칠 경 변개함. '變一'. '君子問一端'《禮記》. ②바꿀 경 교대함. '一代'. '一僕未可終也'《禮記》. ③고쳐질 경, 바뀔 경 이상의 피동사. '應國之稱號, 亦一矣'《管子》. ④갚을 경 배상함. '不足以一之'《淮南子》. ⑤이을 경 연속함. '姓利相一'《國語》. ⑥겪을 경 겪어 지내 옴. '一事未多'《隋書》. 또, 일을 많이 겪은 사람. 경험이 많은 사람. '尊老尙一'《魏書》. ⑦지날 경 통과함. '欲通使道, 必一匈奴中'《張騫》. ⑧시각 경 해 질 녘부터 새벽까지 5등분한 야간의 시각. '五一'. '衛以嚴一之署'《張衡》. ⑨번갈아 경 갈마들어. '祕舞一奏'《張衡》. ⑩성 경 성(姓)의 하나. [二] 다시 갱 재차. '一生'. '一穿一門出'《史記》.

[字源] 金文  篆文  會意. 攴+丙. '攴복'은 '치다'의 뜻. '丙병'은 받침의 象形. 받침을 두 개 포개어서 압력을 가해 단단하게 굳혀 판판하게 하다의 뜻에서, '바꾸다, 고치다, 다시'의 뜻을 나타냄.

[更嫁 갱가] 다시 시집감. 재가(再嫁).
[更起 갱기] 다시 일어남.
[更發 갱발] 다시 발생(發生)함. 다시 일어남.
[更逢 갱봉] 다시 만남. 다시 봄.
[更生 갱생] ㉠죽을 지경에서 다시 살아남. ㉡못 쓰게 된 것을 다시 손을 대어 쓰게 만듦.
[更選 갱선] 다시 뽑음.
[更蘇 갱소] 다시 소생(蘇生)함.
[更少年 갱소년] 다시 젊어짐.
[更新 갱신] 다시 새로워짐.
[更進 갱진] ㉠다시 나아감. 더 나아감. ㉡다시 드림. 다시 올림.
[更改 경개] 고침.
[更鼓 경고] 밤에 쳐서 시간을 알리는 북.
[更代 경대] 교대함.
[更漏 경루] 밤 동안의 시간(時間)을 알리는 누수(漏水).
[更番 경번] 교대로 번듦. 번갈아 지킴.
[更僕未可終 경복미가종] 주객(主客)의 이야기가 길어서 시중드는 종자(從者)가 몇 사람 번갈아 들어도 끝이 나지 아니함. 전(轉)하여, 사물(事物)이 많은 모양.
[更賦 경부] 한대(漢代)의 부세(賦稅)의 한 가지. 번갈아 수자리를 하러 가는 대신으로 내는 조세.
[更巡 경순] 번갈아 돎.
[更始 경시] 고쳐 다시 함.
[更新 경신] 고치어 새롭게 함.
[更衣 경의] ㉠옷을 갈아입음. ㉡뒷간에 감.
[更張 경장] ㉠거문고 줄을 고쳐 맴. ㉡해이(解弛)한 사물을 고치어 긴장하게 함. ㉢사회적(社會的)·정치적(政治的)으로 부패(腐敗)한 제도(制度)를 고치어 새롭게 함.
[更點 경점] ㉠《韓》 북과 징을 쳐서 알리던 경(更)과 점(點). 하룻밤을 오경으로 나누고 일경(一更)을 다시 오점(五點)으로 나누어 경(更)에는 북을, 점(點)에는 징을 침. ㉡《佛敎》 초경(初更)·이경(二更)·삼경(三更)·사경(四更)·오경(五更)을 맞추어 치는 종(鐘).
[更正 경정] 개정(改正)함.
[更定 경정] 개정(改定)함.
[更訂 경정] 개정(改訂)함.
[更造 경조] 고쳐 만듦.
[更籌 경주] 물시계의 한 가지. 밤의 시각을 잼.
[更迭 경질] 교대함. 교체(交遞)함.
[更遞 경체] 경질(更迭).
[更革 경혁] 고침. 개혁(改革)함.
[更互 경호] 번갈아. 교호(交互).
[更化 경화] 고쳐 교화(敎化)함. 고쳐 새롭게 함.
[更換 경환] 바꿈. 교환(交換)함.
◉改更. 變更. 紛更. 四更. 三更. 曙更. 深更. 嚴更. 五更. 二更. 悛更. 卒更. 踐更. 初更. 革更.

3 [曳] 〔예〕
⑦ 曳(日部 二畫〈p.1004〉)의 俗字

4 [曶] 홀 [入]月 呼骨切 hū
⑧

[字解] ①말 홀, 말낼 홀 말을 꺼냄. '一, 出气詞也'《說文》. ②가벼이여길 홀 忽(心部 四畫)과 통용. '於時人皆一之'《漢書》. ③사람이름 홀 주(周)나라 때의 사람 이름.

[字源] 篆文  篆文은 會意. 𠔿+曰. '𠔿'은 말의 기(氣)가 나오는 모양의 象形. '曰왈'은 '말하다'의 뜻. '曶홀'은 曰+勿〔音〕의 形聲. '忽홀'과 통하여, '가벼이 하다'의 뜻으로 쓰임.

4 [昬] 〔서〕
⑧ 書(曰部 六畫〈p.1007〉)의 俗字

5 [曷] [人名] 갈 [入]曷 胡葛切 hé 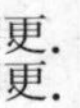
⑨

[字解] ①어찌 갈 어찌하여. 何(人部 五畫)와 뜻이 같음. '一爲'. '一不委心任去留'《陶潛》. ②어느때 갈 어느 때에. '時日一喪'《書經》.

[字源] 篆文 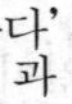 形聲. 曰+匃〔音〕. '匃갈'은 '빌다, 청하다'의 뜻. 축문을 높이 들어 행복을 빌다의 뜻을 나타냈으나, 의문의 조사로 假借

하게 됨. '謁알'의 原字.

[曷爲 갈위] 어찌하여.

5 ⑨ [冐] 〔모·묵〕
冒(冂部 七畫〈p. 223〉)의 訛字

5 ⑨ [曺] 〔책〕
曹(日部 六畫〈p. 1008〉)과 同字

6 ⑩ [書] 中人 서 ㊥魚 傷魚切 shū 书 书

筆順 ㄱ ㅋ ㅋ ㅋ 拿 聿 聿 書 書

字解 ①글 서 ㉠문장. 기록. '一同文'《中庸》. ㉡책. '一冊'. '桓公讀一乎堂上'《莊子》. ②편지 서 서한. '一翰'. '使貽子產一'《左傳》. ③장부 서 기록하는 책. '簿一'. ④서경 서 오경의 하나. 곧, 상서(尙書). '詩一'. '一云, 孝乎惟孝'《論語》. ⑤글자 서 문자. '一足以記姓名而已'《史記》. ⑥글씨 서 ㉠필법. '學一不成'《史記》. ㉡필적. '取人以身·言·一·判'《資治通鑑》. ⑦쓸 서 글씨를 씀. 문자로 적음. '一紳'. '一其德行道藝'《周禮》. ⑧성 서 성(姓)의 하나.

字源 金文 金文 篆文 形聲. 篆文은 聿+者〔音〕. '聿율'은 '붓'의 뜻. '者자'는 섶을 그러모은 모양을 본뜸. '箸저'와 통하여, 사물을 모아 적다의 뜻을 나타냄.

[書架 서가] 책(冊)을 얹어 두는 시렁.
[書家 서가] 글씨를 잘 쓰는 사람.
[書簡 서간] 편지(便紙).
[書劍 서검] 책과 칼. 문(文)과 무(武).
[書格 서격] 글씨를 쓸 때 팔뚝을 받치어 팔목이 종이에 닿지 않도록 하는 제구.
[書經 서경] 중국 최고(最高)의 경서(經書). 오경(五經) 또는 십삼경(十三經)의 하나로 우(虞)·하(夏)·상(商)·주(周) 4대(代)의 사실(史實)·사상(思想) 등을 기록하여 100편(編)으로 된 것을 공자(孔子)가 산정(刪正)하였다고 함. 현존하는 것은 58편(編)뿐임. 서(書) 또는 상서(尙書)라고도 함.
[書計 서계] 서사(書寫)와 계산. 글씨와 셈.
[書契 서계] ㉠중국의 태고의 글자. 나무에 새긴 글자. ㉡문자(文字)를 나무에 새겨 약속의 표지로 한 부서(符書). ㉢《韓》우리나라에서 옛날에 일본 정부(日本政府)와 왕래하던 문서.
[書庫 서고] 책(冊)을 넣어 두는 곳집.
[書賈 서고] 책을 파는 사람. 서적상(書籍商).
[書工 서공] 서가(書家).
[書館 서관] 책사(冊肆).
[書卷 서권] 서책(書冊).
[書笈 서급] 등에 지고 다니도록 만든 책 상자. '급(笈)' 참조.
[書記 서기] ㉠적음. 기록함. 또, 그것. 기록. ㉡책. 전적(典籍). ㉢문서·기록을 맡아보는 사람.
[書堂 서당] ㉠서재(書齋). ㉡글방.
[書刀 서도] 옛날에 대쪽에 글자를 새기거나, 또 그 글자를 깎아 지우는 데 쓰던 칼. '도필(刀筆)' 참조.
[書牘 서독] 편지(便紙).
[書童 서동] 글방에 다니며 공부하는 아이.
[書頭 서두] 글의 첫머리.
[書蠹 서두] ㉠서적(書籍)을 좀먹는 벌레. 곧, 반대좀. 두어(蠹魚). ㉡책을 탐독(耽讀)하는 사람. 독서광(讀書狂). ㉢책을 건성으로 읽는 사람. 책을 읽어도 그 뜻을 해득 못하는 사람.
[書燈 서등] 글 읽을 때 켜 놓는 등불.
[書簏 서록] ㉠책 상자. ㉡서주(書廚) ❷.
[書樓 서루] 층집으로 된 서재(書齋).
[書類 서류] 기록(記錄). 문서(文書).
[書吏 서리] 문서·기록을 맡은 벼슬아치. 서기(書記).
[書林 서림] 책을 많이 모아 둔 곳. 전(轉)하여, 책(冊)을 파는 가게.
[書面 서면] ㉠글의 겉면에 나타난 대강. 문면(文面). ㉡편지. 문서(文書).
[書名 서명] 책의 이름.
[書目 서목] 책의 목록. 도서 목록.
[書目答問 서목답문] 청(淸)나라의 장지동(張之洞)이 경사자집(經史子集)의 사부(四部)에 관하여 반드시 읽어야 할 좋은 책의 서목(書目)을 열기한 책.
[書房 서방] ㉠서재(書齋). ㉡'남편'을 속되게 이르는 말. ㉢벼슬 없는 사람의 성(姓) 뒤에 붙여 부르는 말.
[書法 서법] 글씨 쓰는 법.
[書癖 서벽] 글 읽기를 좋아하는 버릇.
[書棚 서붕] 서가(書架).
[書士 서사] 《韓》대서(代書)를 업으로 하는 사람.
[書史 서사] ㉠서책(書冊). ㉡서체(書體)에 관한 기록.
[書司 서사] 《佛教》서기(書記) ❸.
[書社 서사] 주대(周代)의 제도(制度)에서 이십오가(二十五家)의 토지. 이십오가를 일 리(一里)로 하고 한 이(里)에 한 사(社)를 세워 그 호구(戶口)와 전지(田地)의 면적 등을 기록한 장부를 그 사에 보관하였으므로 이름.
[書肆 서사] 책(冊)을 파는 가게.
[書寫 서사] 글씨를 베낌.
[書辭 서사] 적힌 말. 서면(書面)의 언사(言辭).
[書生 서생] 학업(學業)을 닦는 젊은이.
[書聖 서성] 서예(書藝)의 명인(名人). 글씨를 썩 잘 쓰는 사람.
[書塾 서숙] 글방.
[書式 서식] 증서(證書)·원서(願書) 등을 쓰는 일정한 양식.
[書信 서신] 편지(便紙).
[書紳 서신] 잊지 않기 위하여 큰 띠〔大帶〕에 적어 둠.
[書室 서실] 서재(書齋).
[書案 서안] ㉠책상(冊床). ㉡문서의 초안(草案). 또, 문서.
[書語 서어] 책에 있는 말.
[書言故事 서언고사] 송(宋)나라의 호계종(胡繼宗)이 고사(故事)와 성어(成語)를 분류·해석하고 그 출전(出典)을 밝힌 책. 12권.
[書役 서역] 글씨를 줄곧 쓰는 일.
[書筵 서연] 《韓》왕세자(王世子)가 강서(講書)하는 곳.
[書屋 서옥] 서재(書齋).
[書傭 서용] 필경(筆耕). 또, 필경을 하는 사람. 필생(筆生).
[書院 서원] ㉠당(唐)나라 이후의 학교(學校)의 일컬음. ㉡서재(書齋). ㉢조선조 때 선비들이 모여서 학문을 강론하고 석학(碩學) 또는 충절

(忠節)로 죽은 사람들을 제사 지내던 곳. 중종(中宗) 때에 주세붕(周世鵬)이 풍기(豐基)에 백운동 서원(白雲洞書院)을 이룩한 데서 시작함.
[書幃 서위] 서재(書齋)에 친 휘장.
[書帷 서유] 서재(書齋)에 친 휘장. 전(轉)하여, 서재.
[書淫 서음] 지나치게 글 읽기를 좋아함. 또, 그 사람.
[書意 서의] ㉠서면(書面)의 의미. 씌어 있는 글의 뜻. ㉡서법(書法)의 정신.
[書狀 서장] 편지(便紙).
[書齋 서재] 책을 쌓아 두고 글을 읽고 쓰고 하는 방. 서실(書室).
[書跡 서적] 필적(筆跡).
[書籍 서적] 책. 서책(書冊).
[書典 서전] 책. 서적. 경전(經典).
[書傳 서전] ㉠고인(古人)이 저술한 책. ㉡서경(書經)을 주석(註釋)한 책.
[書店 서점] 책방. 책사(冊肆).
[書題 서제] 적음. 기록함. 또, 그것.
[書種 서종] 학문을 하는 사람. 독서의 종자라는 뜻.
[書佐 서좌] 문서·기록을 맡은 사람. 서기(書記).
[書罪 서죄] 《韓》 조신(朝臣) 중 죄를 범한 자가 있을 때 감찰(監察)이 그의 죄상을 흰 널빤지에 써서 그의 집 문 위에 붙이는 일.
[書廚 서주] ㉠책·문서 따위를 간직하여 두는 시렁. ㉡책을 읽기만 하고 뜻은 잘 해득하지 못하는 사람을 조롱하는 말. ㉢박학(博學)하고 기억력이 좋은 사람.
[書中 서중] 책(冊) 가운데. 글 속.
[書證 서증] 문서로써 하는 증거.
[書鎭 서진] 책장이나 종이쪽이 바람에 날아가지 않도록 누르는 물건. 대개는 납으로 만듦. 문진(文鎭).
[書帙 서질] ㉠책갑(冊匣). ㉡책. 서적.
[書札 서찰] 편지(便紙).
[書窓 서창] 서재(書齋)의 창(窓).
[書冊 서책] 책. 서적(書籍).
[書策 서책] 책. 서책(書冊). '策'은 죽간(竹簡).
[書尺 서척] ㉠편지. ㉡서진(書鎭).
[書籤 서첨] 책의 제목(題目)으로 쓴 글씨.
[書帖 서첩] 명필(名筆)의 글씨를 모은 책(冊).
[書牒 서첩] 글씨를 쓰는 대쪽.
[書體 서체] ㉠글씨의 모양. 글씨의 체재(體裁). ㉡글씨체. 곧, 해서(楷書)·행서(行書)·초서(草書) 등.
[書癡 서치] 글 읽기에만 골몰하여 세상일을 돌아보지 않는 사람. 독서광(讀書狂).
[書板 서판] 글씨를 쓸 때에 종이 밑에 까는 널조각.
[書圃 서포] 서림(書林).
[書鋪 서포] 책 가게. 서점. 책사(冊肆).
[書幅 서폭] 글씨를 써서 꾸민 족자.
[書標 서표] 읽던 곳을 찾기 쉽도록 책갈피에 끼워 두는 종이 오리.
[書學 서학] 서법(書法)에 관한 학문.
[書翰 서한] 편지(便紙).
[書函 서함] 편지(便紙). 또, 편지를 넣는 통.
[書香 서향] ㉠책의 향기. 학문을 하는 기풍(氣風)이 있는 사람을 이름. ㉡학자의 자제(子弟)가 그의 가업(家業)을 잘 계승하는 일.
[書篋 서협] 책 상자.
[書畫 서화] 글씨와 그림.
◉家書. 歌書. 覺書. 簡書. 講書. 經書. 古文書. 古書. 故書. 公文書. 官書. 校書. 國書. 軍書. 群書. 券書. 貴書. 謹書. 琴書. 禁書. 奇書. 寄書. 洛書. 落書. 亂書. 內書. 來書. 能書. 丹書. 但書. 答書. 唐書. 大書. 代書. 圖書. 讀書. 蠹書. 謄書. 賣書. 銘書. 謀書. 墨書. 文書. 密書. 返書. 方書. 謗書. 背書. 白書. 帛書. 法書. 壁書. 兵書. 覆書. 報書. 腹中書. 奉書. 封書. 副書. 符書. 簿書. 焚書. 佛書. 飛書. 祕書. 四大奇書. 私文書. 四書. 司書. 史書. 沙書. 私書. 赦書. 寫書. 辭書. 三書. 上書. 尙書. 璽書. 署書. 誓書. 石室金匱書. 善書. 選書. 星書. 聖書. 細書. 俗書. 曬書. 手書. 殳書. 詩書. 信書. 新書. 惡書. 樂書. 雁書. 良書. 洋書. 易書. 曆書. 譯書. 葉書. 念書. 艷書. 隸書. 五車書. 傭書. 羽書. 爰書. 原書. 願書. 僞書. 緯書. 遺書. 儒書. 類書. 六書. 音書. 淫書. 醫書. 吏書. 異書. 移書. 裏書. 鯉書. 印書. 一書. 逸書. 賃書. 臨書. 字書. 雜書. 長書. 藏書. 著書. 全書. 前書. 塡書. 篆書. 占書. 淨書. 正書. 精書. 制書. 詔書. 調書. 尊書. 竹書. 證書. 珍書. 眞書. 尺書. 添書. 捷書. 牒書. 靑書. 淸書. 抄書. 草書. 寸書. 叢書. 勅書. 親書. 七書. 投書. 特筆大書. 平書. 曝書. 漢書. 函書. 緘書. 楷書. 行書. 鄕書. 血書. 惠書. 好書. 回書. 稀書. 戲書.

6 ⑩ [𣌾] 책 ㊇陌 楚革切 cè

字解 고할 책 책(冊)에 써서 알림. '一, 告也'《說文》.

字源 形聲. 日+冊〔音〕

6 ⑩ [㑹] 〔회〕
會(曰部 九畫〈p. 1011〉)의 古字

6 ⑩ [曺] 韓 〔조〕
曹(曰部 七畫〈p. 1009〉)와 同字

參考 《韓》 성(姓)으로서 우리나라에서는 흔히 이 자를 쓰고, 중국에서는 '曹'를 씀.

7 ⑪ [曼] 人名 만 ㊄願 無販切 wàn

筆順 丨 冂 日 日 旦 昌 冒 曼

字解 ①길 만 짧지 않음. '一聲'. '孔一且碩'《詩經》. ②아름다울 만 ㉠살결이 고움. 용모가 미려함. '一麗'. '鄭女一姬'《漢書》. ㉡말이 미려함. 언변이 있음. '一辭以自解'《漢書》. ③가벼울 만 무겁지 않음. '一煖'. ④없을 만 無(火部 八畫)와 뜻이 같음. '行有之也, 病一之也'《揚子法言》. ⑤성 만 성(姓)의 하나.

字源 金文 金文 篆文 金文에서는 길게 째진 눈을 강조한 여성의 象形이나, 모자를 쓰고 눈의 아래위에 손을 대어 화장하는 모양을 본뜬 것이 있음. 篆文은 日(冃)+目+又의 會意. '冃모'는 모자의 象形. 멋을 부려 아름답다, 흡치르르하다의 뜻을 나타냄. 또, 화장하는 시간처럼 길다의 뜻도 나

타냄.

[曼煖 만난] 가볍고 따뜻함.
[曼麗 만려] 살결이 아름답고 고움.
[曼理皓齒 만리호치] 고운 살결과 흰 이. 미인(美人)의 형용.
[曼曼 만만] 긴 모양. 끝이 없는 모양.
[曼帛 만백] 고운 비단.
[曼膚 만부] 고운 살결.
[曼辭 만사] 교묘한 말. 아름다운 말. 교사(巧辭).
[曼羨 만선] 성대(盛大)한 모양.
[曼聲 만성] 긴소리.
[曼壽 만수] 오래 삶. 장수(長壽).
[曼延 만연] 길게 연속함.
[曼衍 만연] ㉠끝이 없음. 무한히 넓음. ㉡널리 퍼짐.
[曼頰皓齒 만협호치] 아름다운 뺨과 흰 이. 미인(美人)의 형용.
[曼漶 만환] 분명하지 아니한 모양. 책·판목(版木)·비문(碑文) 등이 낡고 닳아 변별(辨別)할 수 없게 됨을 이름.
[曼姬 만희] 아름다운 여자. 미인(美人).
◉美曼. 靡曼. 延曼. 衍曼. 婉曼. 柔曼. 長曼.

7 ⑪ [曹] 人名 조 (平)豪 昨勞切 cáo

筆順

字解 ①무리 조 ㉠떼. '乃造其一'《詩經》. ㉡동류. '我一'. '爾一'. '分一循行郡國'《史記》. ②짝 조 자기와 상대되는 자. 법원에서 원고와 피고를 병칭하여 '兩一'라 함. '就聽訟之地言之則曰一'《周禮正義》. ③마을 조 관청. '一司'. '世祖凡分六一'《後漢書》. ④방 조 실내(室內). '坐一治事'《漢書》. ⑤조나라 조 춘추 시대(春秋時代)의 제후(諸侯)의 나라. 지금의 산둥 성(山東省) 안에 있었음. ⑥성 조 성(姓)의 하나.

字源 甲骨文 金文 篆文 會意. 甲骨文은 棘+口. 金文·篆文은 棘+曰. '東동'은 나무를 중심으로 하여 묶은 주머니의 象形. '棘조'는 재판할 때 원고와 피고가 각자 맹세를 나타내는 화살 따위가 든 주머니를 들고 마주 선 모양을 나타냄. '曰왈'은 입을 본뜬 것. 옥사(獄事)를 관장하다의 뜻. 또, 서로 마주 보는 짝의 뜻을 나타냄. '曹조'는 '曺조'의 생략체.

參考 성(姓)으로서, 우리나라에서는 曺(曰部六畫)를 흔히 씀.

[曹大家 조대가] 후한(後漢) 사람. 조수(曹壽)의 아내 반소(班昭)의 일컬음. 부름을 받아 궁중(宮中)에 들어가 후비(后妃)와 여러 귀인(貴人)을 가르쳤으므로 이 칭호를 받음. 대가(大家)는 여자의 존칭.
[曹劉 조류] ㉠조조(曹操)와 유비(劉備). ㉡조식(曹植)과 유정(劉楨).
[曹瞞 조만] 위(魏)나라의 조조(曹操)를 이름. 그의 유자(幼字)를 아만(阿瞞)이라고 한 데에 기인함.
[曹孟德 조맹덕] '조조(曹操)'를 보라.
[曹輩 조배] 동아리. 무리.
[曹丕 조비] 위(魏)나라의 문제(文帝). 자(字)는 환(桓). 조조(曹操)의 장자(長子). 부왕의 뒤를 이어 위왕(魏王)이 되고, 다시 후한(後漢)의 헌제(獻帝)를 추방하여 칭제(稱帝)하고 위(魏)나라를 세웠음.
[曹司 조사] ㉠벼슬아치의 집무하는 방. ㉡낮은 벼슬아치. 속료(屬僚).
[曹植 조식] 중국 삼국 시대(三國時代)의 위(魏)나라 문제(文帝) 조비(曹丕)의 아우. 자(字)는 자건(子建). 시문(詩文)에 뛰어나고 〈칠보시(七步詩)〉의 고사(故事)로 유명함. 〈조자건집(曹子建集)〉 10권을 저술하였음.
[曹娥 조아] 동한(東漢)의 효녀(孝女). 나이 열네 살 때에 그의 아버지가 강물에 빠져 죽으매, 이를 슬퍼하여 십칠주야(十七晝夜)를 울며 지내다가 끝내 강물에 몸을 던져 죽었음.
[曹娥江 조아강] 조아(曹娥)가 몸을 던진 강(江). 지금의 저장 성(浙江省)에 있음.
[曹偶 조우] 동배(同輩).
[曹魏 조위] 중국 삼국 시대(三國時代)의 위(魏)나라. 조비(曹丕)가 건국하였으므로 이름.
[曹操 조조] 후한(後漢) 사람. 자(字)는 맹덕(孟德). 권모(權謀)에 능하고 시(詩)를 잘하였음. 헌제(獻帝) 때 재상(宰相)이 되고, 위왕(魏王)으로 봉(封)함을 받았음. 그의 아들 비(丕)가 제위(帝位)에 올라 무제(武帝)라 추존(追尊)하였음.
[曹參 조참] 한(漢)나라의 공신(功臣). 고조(高祖)를 보필하여 천하를 평정하고 평양후(平陽侯)로 봉후(封侯)되었음. 소하(蕭何)의 뒤를 이어 재상(宰相)이 되어 하(何)의 정책을 그대로 시행하였으므로 세상에서 소규조수(蕭規曹隨)라 일컫고, 또 소조(蕭曹)라 병칭(竝稱)함.
◉卿曹. 工曹. 功曹. 官曹. 末曹. 法曹. 兵曹. 分曹. 朋曹. 兒曹. 我曹. 若曹. 汝曹. 椽曹. 禮曹. 吾曹. 獄曹. 六曹. 吏曹. 爾曹. 重曹. 刑曹. 戶曹. 豪曹.

7 ⑪ [曽] 〔증·층〕 曾(曰部 八畫〈p. 1010〉)의 俗字

8 ⑫ [最] 中人 최 (去)泰 祖外切 zuì

筆順

字解 ①가장 최 제일. '一高'. '秦滅六國, 楚一無罪'《史記》. ②모두 최 모조리. '一從高帝'《史記》. ③우두머리 최 수위(首位). 관리의 치적(治績)이나 공적의 일등. '功一'. '猶無益於殿一'《漢書》. ④모일 최, 모을 최 한군데 모이거나 모음. '物何爲一之哉'《莊子》. ⑤성 최 성(姓)의 하나.

字源 篆文 會意. 冃+取. '冃모'는 두건의 象形. 두건을 손끝으로 집어 올리는 모양에서, 손끝으로 쥐다의 뜻을 나타냄. '撮촬'의 原字. 손끝으로 집어내다의 뜻에서 파생하여, 다른 것과 구별하여 특별히 문제 삼다, 가장, 특히의 뜻을 나타냄.

[最敬禮 최경례] 가장 정중한 경례.
[最古 최고] 가장 오래됨.
[最高 최고] 가장 높음.
[最久 최구] 가장 오램.
[最貴 최귀] 가장 귀(貴)함.
[最近 최근] ㉠가장 가까움. ㉡지나간 지 얼마 안

되는 날.
[最急 최급] 썩 급함. 가장 급함.
[最嗜 최기] 가장 즐김.
[最緊 최긴] 매우 긴함. 가장 요긴함.
[最多 최다] 가장 많음.
[最短 최단] 가장 짧음.
[最大 최대] 가장 큼.
[最良 최량] 아주 좋음.
[最晩 최만] 아주 늦음.
[最末 최말] 맨 끝.
[最尾 최미] 맨 꼬리. 맨 끝.
[最上 최상] 맨 위.
[最上乘 최상승] 《佛敎》 절대 유일(絕對唯一)의 교법(敎法). 제일의(第一義).
[最先 최선] 맨 먼저.
[最善 최선] 가장 좋음. 가장 훌륭함.
[最小 최소] 가장 작음.
[最少 최소] ㉠가장 적음. ㉡가장 젊음.
[最勝 최승] 가장 우수함.
[最新 최신] 가장 새로움.
[最甚 최심] 가장 심함.
[最深 최심] 가장 깊음.
[最惡 최악] 가장 못됨. 가장 나쁨.
[最愛 최애] 가장 사랑함.
[最長 최장] ㉠가장 길. ㉡가장 나이가 많음. ㉢가장 우수함.
[最低 최저] 가장 낮음.
[最適 최적] 가장 적당하거나 적합함.
[最前 최전] 맨 앞. 선두(先頭).
[最殿 최전] ㉠성적(成績)의 상(上)과 하(下). ㉡군대의 맨 뒤에 있음. 또, 그 사람.
[最終 최종] 맨 끝. 맨 나중.
[最重 최중] ㉠가장 무거움. ㉡가장 귀하고 중요함.
[最初 최초] 맨 처음.
[最親 최친] 가장 친함.
[最下 최하] 맨 아래.
[最惠國 최혜국] 통상 조약국(通商條約國) 가운데 가장 유리한 조약을 맺은 나라.
[最好 최호] ㉠가장 좋아함. ㉡썩 좋음.
[最後 최후] 맨 뒤. 맨 나중.
[最後通牒 최후통첩] 국제 분쟁(國際紛爭)에서 평화적 처리를 위한 교섭이 뜻대로 진행되지 않을 경우에 상대국(相對國)에 대하여 최후의 요구를 제출하여 24시간 내지 48시간 이내에 회답하기를 요구하는 문서(文書). 이를 수락하지 않으면 자유행동으로 해결하겠다는 위협성(威脅性)을 띤 것임.
◉考最. 功最. 尤最. 殿最.

8 ⑫ [曾] 中·人 ㊀ 증 ㊥蒸 作滕切 zēng ㊁ 층 ㊥蒸 昨棱切 céng 曾 𠢄

筆順 ノ 八 㒰 㒰 㒰 㒰 曾 曾

字解 ㊀ ①일찍 증 일찍이. 이전에. 지금까지. '未一有'. '一待客夜食'《史記》. ②이에 증 乃(ノ部 一畫)와 뜻이 같음. '一是以爲孝乎'《論語》. ③거듭 증 다시 덧포개어. '一歃歔余鬱邑兮'《楚辭》. ④거듭할 증 한 것을 또 함. '一孫'. ⑤더할 증 增(土部 十二畫)과 同字. '一益其所不能'《孟子》. ⑥성 증 성(姓)의 하나. ㊁ 층 층 層(尸部 十二畫)과 同字. '登閬風之一城兮'《後漢書》.

字源 金文 篆文 會意. 八+田+曰. '田전'은 시루를 본뜬 것. '曰'은 '曰왈' 자가 아니고, 열을 가해 증기를 내기 위한 기구의 象形. 이들을 합쳐서, 거듭하다, 시루의 뜻을 나타냄. 글 허두에 쓰이어, '곧'이나 '일찍이'와 같은 부사로 쓰이는 것은 假借한 것임.
參考 曽(曰部 七畫)은 俗字.

[曾經 증경] 일찍이. 이전에.
[曾曲 증곡] 깊숙한 구석.
[曾鞏 증공] 북송(北宋)의 문인(文人). 자(字)는 자고(子固). 문장(文章)에 뛰어나 구양수(歐陽修)와 어깨를 겨루었으며, 당송 팔대가(唐宋八大家)의 한 사람임. 시문집(詩文集)에 〈원풍유고(元豐類稿)〉가 있음.
[曾國藩 증국번] 청조(淸朝)의 명신(名臣). 자(字)는 백함(伯涵). 시호(諡號)는 문정(文正). 장발적(長髮賊)의 난(亂)을 평정하는 데 공을 세웠고, 양강 총독(兩江總督)·직례(直隷) 총독을 역임(歷任)하였음. 경학(經學)·문장(文章)에도 뛰어나 유저(遺著)에 〈증문정공전집(曾文正公全集)〉이 있음.
[曾大父 증대부] 증조(曾祖).
[曾閔 증민] 증삼(曾參)과 민자건(閔子騫). 모두 공자(孔子)의 제자로서 효행(孝行)으로 유명함.
[曾伯祖 증백조] 증조부의 형.
[曾史 증사] 증(曾)은 증삼(曾參)으로 인(仁)을 행한 사람, 사(史)는 사추(史鰌)로서 의(義)를 행한 사람.
[曾思 증사] 거듭 깊이 생각함.
[曾參 증삼] 증자(曾子).
[曾孫 증손] 아들의 손자.
[曾孫女 증손녀] 아들의 손녀(孫女). 손자의 딸.
[曾臣 증신] 말위(末位)의 신하. 군주에 대하여 신하가 쓰는 겸칭(謙稱).
[曾往 증왕] 일찍이. 지나간 때.
[曾遊 증유] 전에 논 일이 있음.
[曾益 증익] 늘림. 더함. 증익(增益).
[曾子 증자] 공자(孔子)의 제자(弟子)로 이름은 삼(參). 자(字)는 자여(子輿). 효행(孝行)으로 유명함.
[曾前 증전] 증왕(曾往).
[曾祖 증조] 증조부(曾祖父).
[曾祖母 증조모] 아버지의 할머니. 할아버지의 어머니.
[曾祖父 증조부] 할아버지의 아버지.
[曾靑 증청] 먹으면 몸이 경쾌하여져서 늙지 않는다고 하는 선약(仙藥)의 이름.
◉孫曾.

8 ⑫ [朁] 참 ㊤感 七感切 cǎn

字解 일찍 참 일찍이. 이에. '一, 曾也'《說文》. '一, 發語辭也'《玉篇》.

字源 金文 篆文 金文은 會意로, 旡+旡. '旡기'는 사람의 머리 부분이 뒤를 향하고 있는 모양을 본뜸. 과거를 돌아보고 말하다, 일찍이, 이미의 뜻으로 쓰임. 뒤에, '曰왈'이 더해져서, 曰+兟〔音〕의 形聲이 됨.

8 ⑫ [替] 高·人 체 ㊦霽 他計切 tì

[筆順] 一 二 夫 夫 夫= 扶 替 替

[字解] ①폐할 체 폐기(廢棄)함. 폐지함. '一懈'. '薦可而一不'《國語》. 또, 폐기당함. '兄其一乎'《左傳》. ②멸할 체, 쇠할 체 절멸(絕滅)함. 또, 쇠퇴함. '一衰'. '君之家嗣其一乎'《國語》. ③갈 체, 바꿀 체 교환함. '以山光水色, 一其玉肌花貌'《蘇軾》. ④갈마들 체 교대함. '一代'. ⑤성 체 성(姓)의 하나.

[字源] 金文 篆文 別體 別體 會意. 曰+扶(竝). '曰왈'은 '말하다'의 뜻. '竝병'은 나란히 선 두 사람의 象形. 金文에서는 입을 벌린 두 사람의 象形. 두 벼슬아치가 큰 소리를 질러 인계를 하고 갈마드는 모양에서, '갈리다, 바뀌다'의 뜻을 나타냄.

[替壞 체괴] 쇠퇴(衰頹)함.
[替代 체대] 서로 번갈아 대신함. 교체함.
[替番 체번] 번갈아듦.
[替衰 체쇠] 쇠퇴(衰頹)함.
[替懈 체해] 폐기(廢棄)하고 게을리 함.
[替換 체환] ㉠갊. ㉡바뀜. 갈마듦.
◉交替. 闕替. 陵替. 代替. 對替. 衰替. 崇替. 掩替. 淪替. 隆替. 釐替. 堙替. 殘替. 振替. 頹替. 廢替. 獻替. 興替.

8 ⑫ [㑹] 會(次條)의 俗字

9 ⑬ [會] [中][人] [一] 회 [去]泰 黃外切 huì [二] 괴 [去]泰 古外切 kuài 会

[筆順] 人 亼 合 命 侖 侖 僉 會

[字解] [一] ①모일 회 ㉠회합함. '一同'. '俱一大道口'《古詩》. ㉡하나가 됨. 일치함. '筆與手一'《陶弘景》. ②모을 회 모이게 함. '大一耆老'《晉書》. ③모임 회 회합. '詩一'. '周人作一, 而民始疑'《禮記》. ④반드시 회 꼭. 필연. '一當有業'《顏延之》. ⑤마침 회 때마침. '一遇'. '一閣下, 辱臨敀第'《柳宗元》. ⑥기회 회 적당한 시기. '烈士立功之一'《三國志》. ⑦셈 회 계산. 월계(月計)를 요(要), 세계(歲計)를 '一'라 함. '孔子嘗爲委吏矣, 曰一計當而已'《孟子》. ⑧깨달을 회 이해함. '一得'. '智者融一'《隋煬帝》. ⑨그림 회 繪(糸部 十三畫)와 통용. '日月星辰山龍華蟲作一'《書經》. [二] 그릴 괴 '一, 畫也'.

[字源] 金文 篆文 象形. 시루에 뚜껑을 덮은 모양을 본떠, 물을 끓이는 부분과 김을 통하게 하는 부분과 뚜껑이 잘 맞다의 뜻을 나타냄.

[參考] 会(人部 四畫)는 俗字.

[會減 회감] 주고받을 것을 비기고 남은 것을 셈함.
[會客 회객] ㉠모인 손〔客〕. ㉡손을 모음.
[會見 회견] 서로 만나 봄.
[會計 회계] ㉠모아 셈함. 합산(合算). ㉡금전이나 물품의 출납(出納)의 계산.
[會稽之恥 회계지치] 패전(敗戰)하여 받은 잊을 수 없는 수치. 오왕(吳王) 부차(夫差)와 회계산(會稽山)에서 싸우다가 지고 잡혀 받은 굴욕을 잊지 않기 위하여 월왕(越王) 구천(句踐)이 와신상담(臥薪嘗膽)한 끝에 마침내 부차와 싸워 이겨서 설치(雪恥)한 고사(故事)에서 나온 말.
[會館 회관] ㉠집회(集會)하는 데 쓰는 건물. ㉡동향인(同鄕人) 또는 동업자 간의 친선·이익을 도모하기 위한 기관.
[會規 회규] 회(會)의 규칙(規則).
[會期 회기] ㉠회합하는 시기(時期). ㉡개회로부터 폐회까지의 기간.
[會談 회담] 한곳에 모여 이야기함.
[會堂 회당] ㉠종교 단체의 집회소(集會所). 예배당. ㉡회관(會館)㉠.
[會同 회동] ㉠모임. ㉡주대(周代)의 제도(制度)에서 제후(諸侯)가 모여 천자(天子)에게 알현(謁見)함. 또, 천자가 제후를 모아 놓고 회견함.
[會得 회득] 깨달음. 이해함. 요해(了解).
[會獵 회렵] ㉠여러 사람이 모여서 사냥함. ㉡회전(會戰).
[會禮 회례] 회합의 예.
[會了 회료] 회득(會得).
[會流 회류] 물줄기가 한데 모여 흐름.
[會立 회립] 모여 섬.
[會盟 회맹] 모여서 맹세(盟誓)함.
[會名 회명] 회의 이름.
[會務 회무] 회의 사무(事務).
[會報 회보] 회에 관한 일을 회원에게 보고하는 문서.
[會費 회비] 회의 경비(經費)에 충당하기 위하여 회원이 부담하는 돈.
[會社 회사] 《韓》 영리를 추구할 목적으로 하는 사단 법인(社團法人). 유한(有限) 회사·합명(合名) 회사·합자(合資) 회사·주식(株式)회사의 네 가지가 있음.
[會上 회상] 《佛敎》 대중이 모인 법회(法會).
[會商 회상] 상의(商議)함.
[會席 회석] 여러 사람이 모인 자리.
[會釋 회석] 《佛敎》 법문(法文)의 어려운 뜻을 이해하도록 해석함.
[會所 회소] 여러 사람이 모이는 처소. 집회하는 장소.
[會試 회시] 각 성(省)의 향시(鄕試)에 급제한 사람이 경사(京師)에 모여 다시 보는 시험. 이 시험에 급제하면 진사(進士)가 됨.
[會式 회식] 《佛敎》 법회(法會)의 의식(儀式).
[會食 회식] 여러 사람이 모여 같이 음식(飮食)을 먹음.
[會心 회심] 마음에 듦. 마음에 맞음.
[會審 회심] 법관(法官)이 모여 사건을 심리(審理)함.
[會心處 회심처] 마음에 꼭 맞는 곳. 유쾌(愉快)한 점.
[會宴 회연] 여러 사람이 모여 여는 잔치.
[會悟 회오] 깨달음.
[會晤 회오] 회견(會見). 면회(面會)함.
[會友 회우] 같은 회의 회원.
[會遇 회우] 만남. 마주침.
[會員 회원] 회를 조직(組織)한 사람.
[會飮 회음] 모여 술을 마심.
[會意 회의] ㉠뜻을 깨달음. ㉡회심(會心). ㉢한자(漢字)의 구성법(構成法)의 이름. 육서(六書)의 한 가지. 둘 이상의 글자를 합하여 한 글자를 만들고, 또 그 뜻도 합성(合

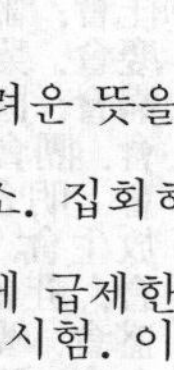
武
信
[會意㉢]

成)한 것. 곧, '戈'와 '止'를 합하여 싸움·용기의 뜻의 '武'가, '人'과 '言'을 합하여 미쁨의 뜻의 '信'이 된 것 따위.
[會議 회의] ㉠여러 사람이 모여 의론함. ㉡어떤 사항을 평의(評議)하는 기관. 합의체의 기관.
[會者定離 회자정리]《佛敎》만나는 자는 반드시 헤어지는 법임. 이 세상의 무상(無常)함을 이른 말.
[會長 회장] 회(會)를 대표하는 사람.
[會場 회장] 회의(會議)를 하는 곳.
[會葬 회장] 장사 지내는 데 참여함.
[會田 회전] 여러 사람이 모여 사냥함.
[會戰 회전] 적과 만나 싸움. 어울리어 싸움.
[會弔 회조] 여러 사람이 모여 함께 조상(弔喪)함.
[會朝 회조] 제후(諸侯)가 모여 천자(天子)에게 알현(謁見)하거나 딴 제후와 만남.
[會主 회주] 회를 주장하는 사람.
[會中 회중] ㉠회를 하는 도중. ㉡《佛敎》설법(說法)을 하는 도중.
[會衆 회중] 많이 모인 군중.
[會集 회집] 모임. 또, 모음.
[會檐 회첨] 처마가 'ㄱ' 자형으로 굽어진 곳.
[會稡 회최] 회췌(會萃).
[會萃 회췌] 모음.
[會聚 회취] 회집(會集).
[會則 회칙] 회의 규칙(規則).
[會通 회통] 사물이 함께 어울리는 일과 변화하는 일. 잘 이해(理解)되어 막힘이 없음.
[會下 회하]《佛敎》사승(師僧) 밑에서 참선(參禪)·수학(修學)하는 학도(學徒).
[會合 회합] 여러 사람이 모임.
[會話 회화] 마주 대하여 이야기함. 서로 만나서 이야기함.
◉佳會. 歌會. 嘉會. 講習會. 開會. 牽強附會. 慶會. 契會. 高會. 公廳會. 公會. 交會. 敎會. 構會. 國民會. 國會. 期會. 機會. 農會. 茶菓會. 團會. 堂會. 大會. 都會. 圖會. 洞會. 面會. 明會. 文會. 門會. 密會. 博覽會. 發會. 放生會. 法會. 附會. 婦人會. 傅會. 分會. 司會. 社會. 散會. 三會. 尙齒會. 相會. 商會. 盛會. 聖會. 歲會. 小會. 續會. 屬會. 詩會. 心會. 雅會. 安陀會. 夜會. 年會. 宴會. 領會. 要會. 邀會. 龍華會. 盂蘭盆會. 元會. 儒林會. 流會. 融會. 議會. 理會. 臨會. 入會. 再會. 全會. 際會. 朝會. 照會. 宗會. 座談會. 酒會. 集會. 參會. 千歲會. 總會. 聚會. 親睦會. 脫會. 退會. 閉會. 學會. 合會. 饗會. 夾谷會. 協會. 好會. 婚會. 鴻門會. 歡送會. 休會.

10 ⑭ [朅] ㊀ 걸 ㉧屑 丘竭切 qiè ㊁ 흘 ㉧月 去謁切

字解 ㊀ 갈 걸 가 버림. '回車一來兮'《司馬相如》. ㊁ 헌걸찰 흘 씩씩한 모양. '庶士有一'《詩經》.
字源 篆文 形聲. 去+曷〔音〕. '曷갈'은 '절단하다'의 뜻. 관계를 끊고 떠나가다의 뜻을 나타냄.

[朅來 걸래] 가고 옴.

10 ⑭ [輴] 輴(次條)과 同字

10 ⑭ [輴] 인 ㉤震 羊晉切 yìn

字解 작은북 인, 북소리 인 큰북을 치기 전에 치는 작은북. 또, 그 북소리. '一, 小鼓在大鼓上, 擊之以引樂也'《玉篇》.
字源 篆文 形聲. 申+柬〔音〕. '柬간'은 '고르다, 구별하다'의 뜻. 큰북과 구별하여, 그 전에 두드리는 작은북의 뜻을 나타냄.

10 ⑭ [朁] 〔체〕 替(日部 八畫〈p. 1010〉)와 同字

12 ⑯ [朁] 〔체〕 替(日部 八畫〈p. 1010〉)와 同字

月 (4획) 部
〔달월부〕

0 ④ [月] 中·人 월 ㉧月 魚厥切 yuè

筆順 丿 刀 月 月

字解 ①달 월 ㉠지구의 위성. 태음(太陰). '一光'. '莫大乎日一'《易經》. ㉡한 해의 12분의 일. '年一'. '孟春之一'《禮記》. ㉢달을 세는 수사(數詞). '三一不知肉味'《論語》. ②세월 월 광음. '歲一不待人'《陶潛》. ③다달이 월 달마다. 매월. '日省一試'《中庸》. ④성 월 성(姓)의 하나.
字源 甲骨文 金文 篆文 篆文 象形. 달이 이지러진 모양을 본떠, '달'의 뜻을 나타냄. 형성 문자의 음부(音符)가 될 때에는, 도려내어져서 '이지러지다'의 뜻을 공유(共有)하게 됨.
參考 부수로서, 달과 관계 있는 문자를 모음. '舟주'의 변형인 '月'도 이 부수에 포함됨. '肉육'이 변으로 될 때의 '月육달월'과는 다름.

[月脚 월각] 땅 위에 비치는 달빛.
[月刊 월간] 매달 한 번씩 간행함.
[月建 월건] 달의 간지(干支).
[月頃 월경] 한 달쯤. 달포.
[月卿 월경] 경(卿)의 지위에 있는 사람. 서경(書經)에 있는 '경사유월(卿士惟月)'에 나온 말.
[月經 월경] 달거리. 경도(經度).
[月季 월계] 월계화(月季花).
[月計 월계] 한 달 동안의 회계(會計). 또는 통계(統計).
[月桂 월계] ㉠달 속에 있다는 계수나무. ㉡달 그림자. 달빛을 이름. ㉢과거(科擧)의 급제. 등과(登科). ㉣월계수(月桂樹).
[月桂冠 월계관] ㉠옛날 그리스에서 경기(競技)에 우승(優勝)한 사람에게 쓰이던 월계(月桂) 잎으로 장식한 관(冠). ㉡우승의 영예.
[月桂樹 월계수] 녹나뭇과에 속하는 상록 교목(常綠喬木). 잎은 피침형(披針形). 꽃은 황백색. 열매는 난형(卵形). 열매와 잎은 향료(香料)로 씀.
[月季花 월계화] 장미과(科)에 속하는 상록 소관

목(常綠小灌木). 홍색·백색 꽃이 사철 핌. 꽃은 한약재(漢藥材)로 씀. 사계화(四季花). 월계(月季). 장춘화(長春花).
[月雇 월고] 달에 얼마씩으로 품삯을 정하여 사람을 고용하는 일.
[月光 월광] 달빛.
[月球 월구] 달. 태음(太陰).
[月窟 월굴] ㉠달 속에 있다는 굴. 달 속. ㉡달빛 어린 빈 굴. ㉢서역(西域) 월지국(月氏國)이 있는 곳.
[月窟水 월굴수] 월굴(月窟)에서 솟아 나오는 물.
[月宮 월궁] 달 속에 있는 항아(姮娥)가 산다는 궁전. 월세계(月世界).
[月宮殿 월궁전] 월궁(月宮).
[月宮姮娥 월궁항아] 미인(美人)을 이르는 말.
[月琴 월금] 모양이 비파(琵琶)와 같고 줄이 넷인 악기.
[月給 월급] 다달이 받는 급료(給料).
[月氣 월기] 달빛. 월광(月光).
[月吉 월길] 매달 첫날. 초하루. 삭일(朔日).
[月內 월내] 한 달 안.
[月旦 월단] ㉠매달 첫날. 초하루. 삭일(朔日). ㉡인물평(人物評). 월단평(月旦評).
[月旦評 월단평] 월단(月旦) ㉡.
[月當 월당] 달을 단위로 정한 배당이나 수당. 또는 그 금액.
[月臺 월대] 궁전 앞에 있는 섬돌.
[月頭 월두] 월초(月初).
[月落烏啼霜滿天 월락오제상만천] 달은 서산에 기울고 까마귀는 울고, 서리가 가득히 내렸음. 가을의 새벽을 읊은 구(句).
[月廊 월랑] 행랑(行廊).
[月來 월래] 1~2개월 이래. 수개월 이래.
[月麗于箕 월려우기] 달이 기성(箕星)에 걸렸다는 뜻으로, 바람이 불 징조를 이름. 기성은 바람을 맡은 별.
[月麗于畢 월려우필] 달이 필성(畢星)에 걸렸다는 뜻으로, 비가 올 징조를 이름. 필성은 비를 맡은 별.
[月曆 월력] 달력.
[月令 월령] ㉠매년 행하여야 할 정령(政令)을 12개월에 할당하여 규정한 것. ㉡철. 시후(時候).
[月齡 월령] ㉠신월(新月)을 영(零)으로 하여 기산(起算)하는 날수. ㉡한 살 미만의 갓난애를 달수로 헤아리는 나이.
[月靈 월령] 월혼(月魂).
[月老 월로] 월하노인(月下老人).
[月露 월로] 달밤의 이슬.
[月老繩 월로승] 월하노인(月下老人)이 지니고 다니며 남녀의 인연을 맺어 준다는 주머니의 붉은 끈.
[月料 월료] 월급(月給).
[月輪 월륜] 달의 둘레. 전(轉)하여, 달.
[月廩 월름] 다달이 타는 녹미(祿米).
[月利 월리] 달로 계산하는 변리. 달변.
[月滿則虧 월만즉휴] 달이 보름달이 되면 이지러짐. 곧, 사물은 흥성(興盛)하면 반드시 쇠망(衰亡)한다는 말.
[月末 월말] 그달의 마지막. 그달의 끝.
[月面 월면] ㉠달의 표면(表面). ㉡달과 같이 생긴 아름다운 얼굴.
[月明 월명] ㉠달빛이 밝음. ㉡월광(月光).
[月尾 월미] 월말(月末).
[月半 월반] ㉠달의 한가운데. 곧, 15일. 보름날. ㉡상현(上弦)·하현(下弦)의 달.
[月魄 월백] 월혼(月魂).
[月白風淸 월백풍청] 달은 밝고 바람은 신선함. 달이 밝은 가을밤의 경치를 형용한 말.
[月報 월보] 다달이 내는 보고(報告). 또, 그 글.
[月奉 월봉] 월봉(月俸).
[月俸 월봉] 월급(月給).
[月賦 월부] 물건 값 또는 빚 등을 다달이 나누어 지불함.
[月費 월비] 다달이 쓰는 비용.
[月事 월사] 월경(月經).
[月榭 월사] 달을 바라보기 위하여 만든 정자.
[月朔 월삭] 그달의 첫날. 초하루. 삭일(朔日).
[月産 월산] 한 달 동안의 생산(生産). 또, 그 양(量).
[月色 월색] 달빛.
[月夕 월석] ㉠달 밝은 저녁. ㉡음력 8월 보름날 밤의 일컬음. ㉢월말(月末).
[月世界 월세계] 달의 세계(世界).
[月梳 월소] 얼레빗.
[月水 월수] 월경(月經).
[月收 월수] ㉠다달이 들어오는 돈. 매월의 수입. ㉡《韓》 본전(本錢)에 변리(邊利)를 얹어서 다달이 갚아 가는 빚.
[月始 월시] 월초(月初).
[月食 월식] 월식(月蝕).
[月蝕 월식] 지구(地球)가 해와 달 사이에 와서 햇빛을 가리기 때문에 달의 전부 또는 일부가 어두워 보이지 않는 현상.
[月信 월신] 월경(月經).
[月氏 월씨] 월지(月氏).
[月兒 월아] 월자(月子).
[月娥 월아] 달 속에 있다는 선녀.
[月額 월액] 매월(每月)의 정액(定額). 달마다 정한 액수(額數).
[月夜 월야] 달밤.
[月餘 월여] 한 달 남짓.
[月域 월역] 서쪽 끝에 있는 먼 나라.
[月影 월영] 달의 그림자. 달빛.
[月盈則食 월영즉식] 월만즉휴(月滿則虧).
[月耀 월요] 월광(月光).
[月曜日 월요일] 칠요(七曜)의 하나. 일요일(日曜日)의 다음 날.
[月容 월용] 달같이 예쁘게 생긴 얼굴.
[月暈 월운] 월훈(月暈).
[月月 월월] 다달이. 매월(每月).
[月銀 월은] 월급으로 주는 돈.
[月陰 월음] ㉠달이 흐림. 또는, 달 그림자. 월영(月影). ㉡월건(月建).
[月日 월일] ㉠달과 해. 일월(日月). ㉡날짜. 연월일(年月日).
[月子 월자] 달. 자(子)는 조사(助辭). 월아(月兒).
[月姊 월자] 달〔月〕의 별칭(別稱).
[月章星句 월장성구] 화려한 장구(章句). 금장 옥구(金章玉句).
[月前 월전] 한 달쯤 전. 달포 전.
[月定 월정] 달로 정함.
[月終 월종] 월말(月末).
[月中 월중] ㉠달이 밝은 때. ㉡달 가운데.
[月氏 월지] 한대(漢代)에 간쑤 성(甘肅省)의 서북에 나라를 세웠던 종족(種族). 흉노(匈奴)·오손(烏孫)에게 패하여 일부는 서주(西走)하여

중앙아시아에 옮겨 살았는데 이를 대월지(大月氏)라 하고, 본래의 땅에 머무른 것을 소월지(小月氏)라 함. 「月」.
[月次 월차] ㉠하늘에서의 달의 위치. ㉡매월(每
[月彩 월채] 월광(月光).
[月初 월초] 그달의 처음.
[月兔 월토] 달〔月〕의 별칭(別稱). 달 속에 토끼가 산다는 전설(傳說)에서 나온 말.
[月波 월파] 달빛이 비치는 물결.
[月牌 월패] 달 모양으로 되거나 달을 그린 패(牌).
[月評 월평] 다달이 일어나는 일을 다달이 하는 비평(批評).
[月表 월표] 어떠한 일을 달마다 기록하여 보기 쉽게 만든 표(表).
[月下 월하] 달빛이 비추는 곳.
[月下老人 월하노인] 남녀의 인연을 맺어 주는 신(神). 혼인 중매(婚姻中媒)의 신(神).
[月下氷人 월하빙인] 월하노인(月下老人)과 빙상인(氷上人). 모두 혼인을 중매하는 신(神). 전(轉)하여, 혼인을 중매하는 사람. 중매쟁이.
[月形 월형] 달의 형상.
[月魂 월혼] 달의 혼령. 전(轉)하여, 달.
[月華 월화] 달빛. 월광(月光).
[月環 월환] 달같이 둥근 고리. 둥근 옥고리.
[月晦 월회] 그믐날.
[月候 월후] 월경(月經).
[月暈 월훈] 달무리.
◉佳月. 嘉月. 各月. 江月. 客月. 隔月. 缺月. 傾月. 鏡花水月. 季月. 桂月. 孤月. 觀月. 光風霽月. 皎月. 極月. 今月. 期月. 吉月. 落月. 臘月. 朗月. 來月. 弄月. 朧月. 端月. 澹月. 當月. 大月. 滿月. 望月. 每月. 名月. 明月. 卯月. 眉月. 半月. 本月. 斜月. 朔月. 産月. 三五月. 上月. 祥月. 霜月. 生年月. 暑月. 夕月. 先月. 雪月. 歲月. 小月. 素月. 水月. 旬月. 申月. 新月. 心月. 良月. 亮月. 涼月. 偃月. 年月. 連月. 令月. 迎月. 盈月. 吳牛喘月. 猿猴取月. 閏月. 一簡風月. 日月. 一片月. 臨月. 殘月. 前月. 正月. 暢月. 千里月. 淸月. 初月. 秋月. 片月. 風月. 寒月. 弦月. 皓月. 花月. 花鳥風月. 曉月.

2 ⑥ [肰] 〔복〕 服(月部 四畫〈p.1016〉)의 古字

2 ⑥ [有] 中人 ㊀ 유 ㊤有 云久切 yǒu ㊁ 우 ㊦宥 尤救切 yòu

筆順 ノ ナ 𠂇 有 有 有

字解 ㊀ ①있을 유 ㉠존재함. '一無'. '一文在其手'《左傳》. ㉡생김. 일어남. '日一食之'《左傳》. ㉢가지고 있음. '陳文子一馬十乘'《論語》. ②가질 유 보유함. 보지(保持)함. '所一…國者, 不可以不愼'《大學》. ③소유 유 가진 물건. '尺土非復漢一'《曹植》. ④고을 유 州(巛部 三畫)와 뜻이 같음. '奄有九一'《詩經》. ⑤또 유 又(部首)와 뜻이 같음. '十一二年'. '朞三百一六旬一六日'《書經》. ⑥성 유 성(姓)의 하나. ㊁ 또 우 又(部首)와 同字. '邪說暴行一作'《孟子》.
字源 甲骨文 金文 篆文 形聲. 肉+又〔音〕. '又우'는 오른손의 象形으로, '有유'의 原字. 金文에서, 밑에 '肉육'을 덧붙임. 고기를 가지다, 있다, 고기 등의 식사를 권하다의 뜻을 나타냄. 《說文》에서는 月+又〔音〕.
參考 문자의 성립상으로, 의부(意符)인 '月월'은 '肉육'이지만, 《康熙字典》에 따라, '月'부(部)에 넣음.

[有價 유가] 값이 있음.
[有間 유간] ㉠병(病)이 차도(差度)가 있음. ㉡사이가 벌어짐. ㉢조금 지나서. 잠시 후에. ㉣여가(餘暇)가 있음. 잠깐 틈이 남.
[有頃 유경] 잠시 후. 얼마 되지 않아. 유간(有間). 위간(爲間).
[有故 유고] 사고(事故)가 있음.
[有功 유공] 공로(功勞)가 있음.
[有口無行 유구무행] 입에 발린 말만 있고 실행(實行)하는 바가 없음.
[有給 유급] 급료(給料)가 있음.
[有期 유기] 일정한 기한이 있음.
[有機 유기] 생활 기능을 가지고 있음.
[有羅紈者必有麻蒯 유나환자필유마괴] 화려(華麗)한 옷을 입은 사람은 반드시 초라한 옷을 입을 때가 옴. 영화(榮華)로운 생활은 영구(永久)히 계속하지는 못함.
[有年 유년] 풍년(豐年)이 듦.
[有能 유능] 재능이 있음.
[有能有不能 유능유불능] 사람은 저마다 장점(長點)과 단점(短點)이 있음. 사람마다 재능(才能)이 다름.
[有待之身 유대지신] ㉠장차 일을 하려고 시기를 기다리고 있는 몸. ㉡《佛教》 남의 조력을 얻어 생존하는 범부(凡夫)의 몸.
[有德 유덕] 덕행(德行)이 있음. 또, 그 사람.
[有德者必有言 유덕자필유언] 덕(德)이 있는 사람은 반드시 본받을 만한 훌륭한 말을 함.
[有道 유도] ㉠도덕이 몸에 배어 있음. 또, 그 사람. ㉡천하(天下)가 잘 다스려지고 있음. ㉢한대(漢代)의 과거(科擧)의 한 가지.
[有道之士 유도지사] 도덕을 지닌 사람.
[有毒 유독] 독기(毒氣)가 있음.
[有力 유력] ㉠힘이 있음. ㉡세력이 있음.
[有漏 유루] 《佛教》 번뇌(煩惱)에 얽매이어 오도(悟道)하지 못함.
[有利 유리] 이익이 있음. 이로움.
[有理 유리] 이치가 있음.
[有望 유망] 앞으로 잘될 듯함. 희망(希望)이 있음.
[有名 유명] 이름이 있음. 이름이 세상에 널리 퍼져 있음.
[有名無實 유명무실] 소문만 굉장하고 이름만 훌륭할 뿐, 그 실질이 없음.
[有苗 유묘] 옛날에 중국의 남방에 있던 오랑캐 이름. 삼묘(三苗).
[有無 유무] ㉠있음과 없음. ㉡《佛教》 유무(有無)에 집착하는 그릇된 생각.
[有無相通 유무상통] 있고 없는 것을 서로 융통함.
[有文事者必有武備 유문사자필유무비] 학문에 조예가 있는 자는 반드시 무예(武藝)도 갖춤. 문(文)과 무(武)는 겸비(兼備)하여야 함을 이름.
[有髮僧 유발승] ㉠《佛教》 머리를 깎지 않은 중. ㉡속인(俗人)으로서 불도(佛道)를 닦는 사람. ㉢무욕(無慾)한 생활을 하는 사람.
[有別 유별] 차별(差別)이 있음. 다름.
[有病 유병] 병(病)이 있음.

[有病不治恒得中醫 유병불치항득중의] 병이 있더라도 그대로 두는 것은 중등(中等)의 의원(醫員)에게 치료를 받는 것과 같다는 뜻으로, 돌팔이 의원의 두려움을 이름.
[有福 유복] 복이 있음.
[有服親 유복친] 상복(喪服)을 입는 가까운 친척.
[有夫 유부] 남편이 있음.
[有夫姦 유부간] 남편이 있는 부녀(婦女)가 남편이 아닌 다른 남자와 간통(姦通)함.
[有夫女 유부녀] 남편이 있는 여자.
[有北 유북] 북방(北方)의 한랭(寒冷)하여 농사가 안 되는 땅.
[有非常之事然後立非常之功 유비상지사연후입비상지공] 비상한 일이 있은 다음에야 비로소 비상한 공(功)을 세울 수가 있음. 곧, 태평(泰平)한 세상에는 공을 세우기가 어렵다는 뜻.
[有史 유사] 역사가 시작됨.
[有司 유사] 벼슬아치. 관리(官吏).
[有事 유사] ㉠일이 있음. ㉡사건이 있음. 사변(事變)이 있음.
[有産 유산] 재산(財産)이 많음.
[有産階級 유산계급] 자본가·지주 등 재산이 많아 노동하지 않고서도 풍족한 생활을 할 수 있는 계급.
[有償 유상] 어떤 행위의 결과에 대하여 보상(報償)이 있는 일. 곧, 일방(一方)에서 얻은 이익에 대하여 다른 일방의 보상이 있는 일.
[有償沒收 유상몰수] 몰수의 대상물에 대하여 적당한 값을 주고 하는 몰수.
[有象無象 유상무상] ㉠천지간(天地間)에 있는 모든 물체(物體). 만물(萬物). 삼라만상(森羅萬象). ㉡어중이떠중이.
[有色 유색] 색이 있음.
[有色人種 유색인종] 살빛이 황색(黃色)·회색(灰色)·흑색(黑色) 따위의 빛깔을 띤 인종. 백색인종(白色人種)의 대(對).
[有生 유생] 생명이 있음. 또, 그것. 생물(生物).
[有生物 유생물] 제 스스로 생활을 영위하는 것. 곧, 동물과 생물.
[有生者必有死 유생자필유사] 생명이 있는 것은 반드시 죽음. 죽음이란 면할 길이 없음. 생자필멸(生者必滅).
[有性 유성] 암수 양성(兩性)의 생식(生殖)에 의하여 신생체(新生體)가 생겨나는 현상.
[有稅 유세] 세금이 매겨 있음.
[有勢 유세] 세력이 있음. 유력(有力).
[有巢氏 유소씨] 상고(上古)의 전설적 성인(聖人). 사람에게 집을 짓는 것을 가르쳤다 함.
[有數 유수] ㉠정해진 운명이 있음. 인연(因緣). ㉡손가락으로 셀 수 있을 만큼 두드러짐. 주요(主要)한 몇몇 안에 들 만큼 훌륭함. 굴지(屈指).
[有始無終 유시무종] 처음은 있고 끝이 없음. 곧, 시작만 하고 결과(結果)를 맺지 못함.
[有始有終 유시유종] 시작할 때부터 끝을 맺을 때까지 변함이 없음.
[有始必有終 유시필유종] 사물(事物)에는 한정이 있어 시작이 있으면 반드시 끝이 있음.
[有時乎 유시호] 어떠한 때에는. 혹 가다가는.
[有識 유식] ㉠학식(學識)이 있음. 문견(聞見)이 많음. 또, 그 사람. ㉡철이 남.
[有信 유신] 신용(信用)이 있음. 믿음성이 있음.
[有神論 유신론] 우주(宇宙) 이외에 인격적(人格的)인 신(神)이 존재하여 그 신의 힘으로 우주가 창조(創造)되었다는 견해.
[有心 유심] ㉠마음에 생각하고 있음. 유정(有情). ㉡주의(注意)를 기울임. 무심(無心)의 대(對).
[有耶無耶 유야무야] 어물어물함. 흐리멍덩함.
[有若 유약] 공자(孔子)의 문인(門人). 자(字)는 자유(子有).
[有若無 유약무] 있어도 없는 것과 같이 한다는 뜻으로, '재덕(才德)을 자랑하지 않음'을 이름.
[有言者不必有德 유언자불필유덕] 훌륭한 말을 하는 사람이 반드시 덕(德)이 있는 사람이라고는 할 수 없음. 덕은 없어도 말을 번드르르하게 잘하는 사람이 있음.
[有餘 유여] 남음이 있음. 여유가 있음.
[有餘涅槃 유여열반] 《佛敎》 온갖 번뇌를 말끔히 없앴으나, 아직 그 번뇌의 근거가 되는 육신(肉身)이 남아 있는 경지.
[有要 유요] 필요가 있음. 소중함.
[有用 유용] 이용(利用)할 수 있음. 소용(所用)이 있음.
[有勇而無義爲亂 유용이무의위란] 다만 용기만 있고 의(義)가 없으면 세상을 어지럽히게 됨.
[有虞氏 유우씨] 순(舜)임금을 이름. 요(堯)임금의 선양(禪讓)을 받기 전에 우(虞)에 나라를 세웠으므로 이름.
[有爲 유위] ㉠능력이 있음. 쓸모가 있음. ㉡일이 있음. 업무가 있음. ㉢《佛敎》 여러 가지 인연(因緣)에 의하여 생기는 모든 현상(現象).
[有爲轉變 유위전변] 《佛敎》 이 세상의 사물은 인연(因緣)에 의하여 이루어져 있어 항상 변천하여 잠시도 가만히 있지 않는 일. 인생의 무상(無常)함을 이름.
[有爲之才 유위지재] 큰일을 할 수 있는 재능.
[有意 유의] 뜻이 있음. 생각이 있음.
[有意莫遂 유의막수] 마음에는 간절하여도 뜻대로 되지 아니함.
[有益 유익] 이익이 있음. 이로움.
[有日 유일] 날수가 많음. 오랫동안임. 오래됨.
[有子生女 유자생녀] 아들딸을 많이 낳음.
[有財餓鬼 유재아귀] ㉠《佛敎》 제사 때 버린 음식을 주워 먹는 득기귀(得棄鬼)·야차(夜叉)·나찰(羅刹) 등 세력귀(勢力鬼)의 총칭(總稱). ㉡수전노(守錢奴).
[有政 유정] 정치. '有'는 조자(助字). 정사(政事).
[有情 유정] ㉠인정(人情)이 있음. ㉡정취(情趣)가 있음. ㉢《佛敎》 살아서 여러 가지 감정을 가지고 있는 존재. 무정(無情)의 대(對).
[有頂天 유정천] 《佛敎》 구천(九天) 중에서 가장 높은 곳. 비상천(非想天).
[有助 유조] 도움이 있음.
[有足 유족] 모자람이 없이 넉넉함.
[有終 유종] 끝이 있음. 끝을 잘 맺음.
[有終之美 유종지미] 끝까지 잘하여 일의 결과가 훌륭하게 됨을 이름.
[有罪 유죄] 죄(罪)가 있음.
[有主之物 유주지물] 주인이 있는 물건.
[有衆 유중] 조정(朝廷)에서 백성을 이르는 말. 백성.
[有志 유지] ㉠뜻이 있음. 또, 그 사람. ㉡남달리 세상일을 근심함. 또, 그 사람.
[有智無智校三十里 유지무지교삼십리] 지혜(智慧)가 있는 사람과 지혜 없는 사람과의 차이(差異)가 대단한 것을 이르는 말.

[有志者事竟成 유지자사경성] 사람은 하고자 하는 뜻만 있으면 무엇이든지 이룰 수가 있음.
[有進無退 유진무퇴] 앞으로 나아가기만 하고 뒤로 물러나지 아니함.
[有體 유체] 형체가 있음. 또, 그것.
[有治人無治法 유치인무치법] 나라를 다스리는 사람은 있어도 나라를 잘 다스리는 법령은 없음. 곧, 법(法)에 힘이 있는 것이 아니요, 이를 활용하는 사람에게 힘이 있음을 이름.
[有恥且格 유치차격] 수치(羞恥)를 알아야 바른 길에 이름.
[有表 유표] 여럿 속에서 특별(特別)히 두드러짐.
[有夏 유하] ㉠중국 본토를 중국 사람이 부르는 말. 중화(中華). ㉡우(禹)임금을 시조(始祖)로 하는 중국 고대의 왕조. 하(夏)나라. 하후씨(夏后氏).
[有何面目 유하면목] 무슨 면목으로. 사람을 대할 낯이 없음을 이름.
[有限 유한] 일정한 한도가 있음.
[有閑 유한] ㉠겨를이 있음. 시간의 여유가 있음. 한가함. ㉡재산이 넉넉하여 생활에 여유가 있어 틈이 많음.
[有閑階級 유한계급] 사회(社會)의 생산적(生産的) 활동에는 관계하지 않고, 자기가 소유한 자본(資本)의 이윤(利潤)으로 생활하는 계급(階級).
[有害 유해] 해(害)가 있음. 해가 됨.
[有害無益 유해무익] 해(害)는 있되 이익은 없음.
[有形 유형] 모양이나 형체가 있음. 또, 그것. 유형물(有形物).
[有形無跡 유형무적] 혐의는 있으나 증거가 드러나지 않음.
[有形無形 유형무형] ㉠유형(有形)과 무형(無形). ㉡형체(形體)의 유무(有無)가 분명하지 아니함.
[有形物 유형물] 형체가 있는 물건.
[有效 유효] 보람이 있음. 효과가 있음.
◉兼有. 固有. 公有. 共有. 官有. 光有. 具有. 國有. 大有. 萬有. 無有. 撫有. 無何有. 未曾有. 并有. 倂有. 保有. 富有. 私有. 所有. 奄有. 掩有. 領有. 烏有. 專有. 絕無僅有. 占有. 特有. 含有. 享有. 希有. 稀有.

4 ⑧ [朊] 人名 원 ㊤阮 虞遠切 ruǎn
字解 달빛희미할 원 '—, 月光微也'《玉篇》.

4 ⑧ [朋] 中·人 붕 ㊥蒸 步崩切 péng
筆順 丿 刀 月 月 月ノ 朋 朋 朋
字解 ①벗 붕 ㉠친구. '—友'. '有—自遠方來'《論語》. ㉡동문수학하는 사람. '以—友講習'《易經》. ②떼 붕 무리. '—溺'. '羣居而—飛'《山海經》. ③쌍 붕 한 쌍. '—酒斯饗'《詩經》. ④쌍조개 붕 전화(錢貨)로 사용하는 한 쌍의 조개. '錫我百—'《詩經》. ⑤성 붕 성(姓)의 하나.
字源 甲骨文 金文 鳳의古文 象形. 甲骨文·金文은, 몇 개의 조개를 실로 꿰어서 두 줄로 늘어놓은 모양을 본떠, '패거리'의 뜻을 나타냄. 篆文은 본래, 봉(鳳)새의 象形으로, '봉황새'의 뜻을 나타내었으나, '朋붕'과 음이 비슷하게 되면서, 假借하여 '무리, 벗'의 뜻으로 쓰이게 됨.
[朋姦 붕간] 붕당(朋黨)을 맺고 나쁜 짓을 함.
[朋故 붕고] 벗. 친구.
[朋黨 붕당] 이해나 주의(主義) 등이 같은 사람끼리 모여 당외(黨外) 사람들을 배척하는 단체.
[朋徒 붕도] 한동아리. 한패.
[朋僚 붕료] 동료(同僚).
[朋類 붕류] 붕배(朋輩).
[朋輩 붕배] 신분·연령 등이 비슷한 벗.
[朋比 붕비] 붕당을 지어 아부(阿附)함.
[朋飛 붕비] 떼 지어 낢.
[朋友 붕우] ㉠친구(親舊). 벗. ㉡동문수학(同門受學)하는 벗.
[朋友有信 붕우유신] 오륜(五倫)의 하나. 벗 사이에는 신의(信義)가 있어야 함.
[朋淫 붕음] 떼를 지어 주색에 탐닉(耽溺)함.
[朋儕 붕제] 동배(同輩). 제배(儕輩).
[朋曹 붕조] 붕도(朋徒).
[朋酒 붕주] 한 쌍의 항아리에 담은 술.
[朋儔 붕주] 벗. 친구.
[朋知 붕지] 벗. 친구(親舊).
[朋執 붕집] 벗. 친구(親舊).
[朋好 붕호] 벗 사이의 정의(情誼). 우정(友情).
◉佳朋. 高朋. 交朋. 舊朋. 群朋. 君子朋. 同朋. 面朋. 文朋. 百朋. 賓朋. 師朋. 小人朋. 狎朋. 良朋. 僚朋. 友朋. 僞朋. 有朋. 眞朋. 親朋. 好朋.

4 ⑧ [服] 中·人 복 ㊇屋 房六切 fú 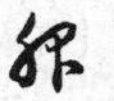
筆順 丿 刀 月 月 月ᄀ 肝 服 服
字解 ①옷 복 의복. '被—'. '車—以庸'《書經》. ②말 복 네 마리가 끄는 마차에서 멍에를 끼고 달리는 안쪽의 두 말. 바깥쪽의 두 마리의 말은 '驂'이라 함. '兩—上襄'《詩經》. ③직책 복 맡은 직무. '無替厥—'《書經》. ④일 복 처리하여야 할 일. '昭哉嗣—'《詩經》. ⑤구역 복 주대(周代)에 왕기(王畿)의 밖 주위에서부터 5백 리마다 설정(設定)한 구역. '九—'. '弼成五—'《書經》. ⑥복 복 복제(服制). 또, 상복(喪服). '喪—'. '絕族無移—'《禮記》. ⑦입을 복 옷을 입음. '非先王之法服, 不敢—'《孝經》. ⑧잡을 복 쥠. '—兵擐甲'《國語》. ⑨찰 복 칼 따위를 참. '—劍臂刃'《呂氏春秋》. ⑩좇을 복 ㉠따름. '—從'. '四罪而天下咸—'《書經》. ㉡복죄(伏罪)함. '—罪'. '五罰不—'《書經》. ⑪행할 복 수행함. '—行'. '上身—以先之'《管子》. ⑫쓸 복 사용함. 채용함. '旨哉說, 乃言惟—'《書經》. ⑬생각할 복 '—念'. '吾—女也'《莊子》. ⑭다스릴 복 바로잡아 처리함. '—之無斁'《詩經》. ⑮익을 복 익숙해짐. '—其水土'《漢書》. ⑯먹을 복 약 같은 것을 먹음. '—藥'. '令更—丸藥'《史記》. ⑰탈 복 탈것에 탐. '—牛乘馬'《書經》. ⑱전동 복 箙(竹部 八畫)과 통용. '象弭魚—'《詩經》. ⑲올빼미 복 鵩(鳥部 五畫)의 별칭(別稱). '楚人命鵩曰—'《史記》. ⑳길 복 匐(勹部 九畫)과 통용. '扶—救之'《禮記》. ㉑성 복 성(姓)의 하나.
字源 甲骨文 金文 篆文 古文 形聲. 月(舟)+艮[音]. '艮복'은 사람을 위에서 누르고 있는 모양으로, 사람을 거

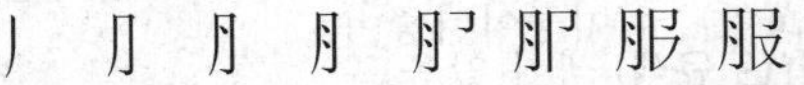

느리다, 붙이다의 뜻이지만, 일반적으로 몸에 붙이다, 붙다의 뜻으로 쓰임. '舟주'는 '배'의 뜻. 배의 양쪽에 붙이는 널빤지의 뜻을 나타냄. 파생하여, 본체(本體)에 곁들이다의 뜻을 나타냄.

[服勤 복근] 힘든 일에 부지런히 종사함.
[服金石 복금석] 금석(金石)을 복용(服用)함. 금석(金石)은 도가(道家)가 복용하는 불로불사(不老不死)의 약.
[服念 복념] 늘 마음에 두어 잊지 않는 일.
[服匿 복닉] 흉노(匈奴)가 주락(酒酪)을 담는 데 쓰는 그릇. 악기(樂器)의 대용(代用)을 함.
[服勞 복로] 복근(服勤).
[服馬 복마] 말 네 마리가 끄는 마차에서 안쪽의 두 마리의 말.
[服務 복무] 직무(職務)에 힘씀.
[服物 복물] 의복과 기물(器物).
[服事 복사] ㉠일을 당하여 함. 종사함. ㉡복종하여 섬김.
[服色 복색] 옷의 빛깔.
[服屬 복속] 복종(服從)하여 붙좇음.
[服松實 복송실] 송실(松實)을 먹으며 선술(仙術)을 배움.
[服食 복식] ㉠의복과 음식. ㉡도가(道家)에서 장생불사(長生不死)의 약을 복용하는 일.
[服飾 복식] ㉠옷의 장식. 제복(制服)에 다는 장식. ㉡옷과 장식.
[服藥 복약] 약(藥)을 먹음.
[服御 복어] 천자(天子)가 쓰는 의복(衣服)·거마(車馬) 따위.
[服馭 복어] ㉠말을 부림. 말을 어거함. ㉡복어(服御).
[服役 복역] ㉠공역(公役)에 복무함. ㉡남의 밑에서 지휘를 받아 일을 함. ㉢징역(懲役)을 삶.
[服翫 복완] 의복과 몸에 지니고 다니는 물건, 곧 가락지·노리개 따위.
[服用 복용] ㉠약(藥)을 먹음. ㉡옷을 입음. ㉢몸에 지니고 씀.
[服膺 복응] 잘 지켜 잠시도 잊지 아니함.
[服餌 복이] 도가(道家)에서 장생불사의 약을 먹는 일. 널리 약을 먹는 뜻으로도 쓰임.
[服人 복인] 《韓》 기년(朞年) 이하의 복(服)을 입는 사람.
[服章 복장] 제복(制服)에 다는 장식. 복식(服飾).
[服裝 복장] 옷차림.
[服制 복제] ㉠상복(喪服)의 제도(制度). ㉡신분·직업 등의 상하에 따른 의복의 제도.
[服從 복종] 남의 명령 또는 의사에 따름.
[服罪 복죄] 죄(罪)에 대한 형벌(刑罰)에 복종(服從)하여 받음.
[服中 복중] 복(服)을 입는 동안.
[服秩 복질] 제복(制服)과 질록(秩祿).
[服車 복차] 공사(公事)에 쓰는 수레.
[服佩 복패] 명심(銘心)하여 잊지 않음.
◉嘉服. 感服. 敬服. 傾服. 輕服. 公服. 款服. 校服. 九服. 軍服. 屈服. 詭服. 鬼服. 歸服. 克服. 忌服. 奇服. 朞服. 箕服. 內服. 大禮服. 頓服. 冬服. 冕服. 綿服. 誣服. 美服. 微服. 法服. 不服. 賓服. 私服. 思服. 上服. 常服. 喪服. 鮮服. 說服. 褻服. 慴服. 盛服. 素服. 率服. 首服. 肅服. 順服. 馴服. 熠服. 承服. 僧服. 矢服. 臣服. 信服. 心服. 壓服. 野服. 洋服. 魚服. 御服. 麗服. 燕尾服. 悅服. 厭服. 禮服. 五服. 畏服. 元服. 威服. 儒服. 戎服. 衣服. 儀服. 夷服. 異服. 章服. 正服. 征服. 制服. 除服. 祭服. 朝服. 調服. 祇服. 震服. 鎭服. 着服. 慙服. 草服. 衰服. 追服. 推服. 春秋服. 緇服. 歎服. 憚服. 脫服. 通常服. 佩服. 便服. 平服. 被服. 夏服. 寒服. 韓服. 降服. 駭服. 胡服. 歡服. 荒服. 懷服. 侯服. 欣服. 欽服.

4
⑧ [肦] 반 ㉲刪 逋還切 bān

字解 나눌 반 나누어 줌. 분배함. 頒(頁部 四畫)과 同字.
字源 形聲. 月+分〔音〕
參考 肦(肉部 四畫)은 別字.

4
⑧ [朒] 〔뉵〕
朒(月部 六畫〈p. 1017〉)과 同字.
參考 朒(肉部 四畫)은 別字.

5
⑨ [朏] 비 ㊤尾 妃尾切 fěi

字解 초승달 비 음력 초사흗날에 뜨는 달. '魄—'. '三月惟丙午—'《書經》.
字源 金文 篆文 會意. 月+出. 달이 나오기 시작하여, 아직 빛이 밝지 않은 것, '초승달'의 뜻을 나타냄.

[朏明 비명] 동이 틀 무렵.
[朏魄 비백] 초승달.
◉魄朏.

5
⑨ [朎] 령 ㉲靑 郎丁切 líng

字解 달빛영롱할 령 아름다운 달빛. '—朧, 月光也'《集韻》.
字源 形聲. 月+令〔音〕. '令령'은 '뛰어나다'의 뜻. 달의 아름다운 빛의 뜻을 나타냄.

5
⑨ [朐] 구 ㉲虞 其俱切 qú

字解 멍에 구 軥(車部 五畫)와 同字. '繇—汰輈'《左傳》.
字源 形聲. 月+句〔音〕
參考 朐(肉部 五畫)는 別字.

◉繇朐.

[前] 〔전〕
刀部 七畫(p. 257)을 보라.

6
⑩ [朒] 뉵 ㉧屋 女六切 nǜ

字解 ①초하루의달 뉵 음력 초하루에 동쪽에 보이는 달. '審朓—以定朔'《五代史》. ②줄어들 뉵 작게 됨. '與月盈—'《埤雅》. ③주눅들 뉵 '縮—'은 기가 꺾여 움츠러듦. '王侯縮—, 不任事'《漢書》.
字源 篆文 篆文 形聲. 月+肉〔音〕. '肉육'은 비틀린 고깃점의 뜻. 비틀어

꼬인 것 같은 달, 초하루의 달의 뜻을 나타냄. 또, 줄어들다의 뜻도 나타냄.
[參考] 朒(月部 四畫)과 同字.

◉盈朒. 朓朒. 縮朒.

6 ⑩ [朓] 조 [上]篠 土了切 tiǎo

[字解] 그믐달 조 음력 그믐에 서쪽에 보이는 달. '審—朒以定朔'《五代史》.
[字源] 篆文 形聲. 月＋兆〔音〕. '兆조'는 '쪼개지다, 떨어지다'의 뜻. 달이 서쪽으로 기울어 쪼개진 것 같은 '그믐달'의 뜻을 나타냄.

[朓朒 조뉵] 그믐달과 초하루의 달.

6 ⑩ [朕] [人名] 짐 [上]寢 直稔切 zhèn 朕

[字解] ①나 짐 원래 일반의 자칭(自稱)이었으나, 진시황(秦始皇) 이후로 천자(天子)의 자칭으로만 쓰이게 되었음. '—爲始皇帝'《史記》. ②조짐 짐 '—兆'. '未成兆—'《淮南子》.
[字源] 甲骨文 金文 金文 篆文 形聲. 篆文은 舟＋关〔音〕. '关조·짐'은 위를 향하여 밀어 올리다의 뜻. 배가 상류를 향해 거슬러 올라갈 때, 지나간 자국이 그려지는 모양에서, '표시, 자국'의 뜻을 나타냄. 파생하여, '조짐'의 뜻도 나타냄. 假借하여, 나, 천자의 자칭(自稱)의 뜻을 나타냄. 金文에서, '八팔'을 수반하는 자형(字形)은, 물이 갈라지는 모양을 나타냄.

[朕兆 짐조] 조짐. 전조(前兆).
◉兆朕. 地朕. 天朕. 沖漠無朕.

6 ⑩ [朔] [中人] 삭 [入]覺 所角切 shuò

[筆順] 丶 丷 䒑 屰 屰 屰 朔 朔

[字解] ①초하루 삭 음력의 매월 첫날. '—望'. '秋七月壬辰—'《春秋》. ②처음 삭 시초. '皆從其—'《禮記》. ③북녘 삭 북방. '—風'. '宅—方, 曰幽都'《書經》. ④정삭 삭 고대(古代)에 천자(天子)가 연말(年末)에 이듬해의 달력을 제후(諸侯)에게 나누어 주고, 겸하여 정령(政令)을 내린 일. 제후(諸侯)는 이를 종묘(宗廟)에 보관하였다가, 매월 초하루에 한 마리의 양(羊)의 희생(犧牲)을 차려 종묘에 고하고, 그달의 달력을 꺼내어 시행하였음. '奉—'. '子貢欲去告—之餼羊'《論語》. ⑤성 삭 성(姓)의 하나.
[字源] 篆文 形聲. 月＋屰〔音〕. '屰역'은 본디로 되돌아가다의 뜻. 완전히 이지러진 달이 다시 되돌아가는 초하루의 뜻을 나타냄.

[朔禽 삭금] 기러기〔雁〕의 별칭(別稱).
[朔氣 삭기] 북방의 기운. 한기(寒氣).
[朔南 삭남] 내(內)몽골의 고비 사막(沙漠) 남쪽의 땅.
[朔旦 삭단] 초하룻날 아침.
[朔旦冬至 삭단동지] 음력 11월 초하루에 드는 동지. 20년에 한 번 있는데, 고래(古來)로 이날을 축하했음.
[朔東 삭동] 내몽골(內蒙古)의 고비 사막(沙漠)의 동쪽.
[朔漠 삭막] 북방의 사막. 곧, 고비 사막.
[朔望 삭망] ㉠음력 초하루와 15일. 초하루와 보름. ㉡삭망전(朔望奠)의 약어(略語).
[朔望奠 삭망전] 상가(喪家)에서 다달이 초하루와 보름에 지내는 제사.
[朔方 삭방] 북(北)쪽. 북방.
[朔邊 삭변] 북쪽의 변경(邊境).
[朔北 삭북] 북(北)쪽. 북쪽 오랑캐의 땅.
[朔霏 삭비] 북쪽 변경(邊境)에서 펄펄 나는 눈.
[朔雪 삭설] 북쪽 오랑캐 땅의 눈.
[朔月 삭월] 삭일(朔日).
[朔月貰 삭월세] 《韓》 다달이 일정한 돈을 주고 남의 집을 빌려 사는 세. 사글세.
[朔牖 삭유] 북향한 창. 북창(北窓).
[朔日 삭일] 음력 매달 초하루.
[朔地 삭지] 삭북(朔北)의 땅. 북쪽 오랑캐의 땅. 현재의 몽골의 땅.
[朔吹 삭취] 삭풍(朔風).
[朔飇 삭표] 북쪽에서 불어오는 맵고 찬 바람.
[朔風 삭풍] 북쪽에서 부는 바람. 북풍(北風).
[朔晦 삭회] 초하루와 그믐.
◉告朔. 幕朔. 邊朔. 奉朔. 北朔. 涉朔. 旬朔. 元朔. 月朔. 幽朔. 陰朔. 正朔. 晦朔.

7 ⑪ [朘] 전 [平]先 子泉切 juān

[字解] 쪼그라질 전 위축함. '民日削月—'《漢書》.
[字源] 形聲. 月＋夋〔音〕
[參考] 脧(肉部 七畫)는 別字.

7 ⑪ [望] [中人] 망 [去]漾 巫放切 wàng / [平]陽 武方切

[筆順] 亠 亡 切 胡 胡 朢 望 望

[字解] ①바라볼 망 ㉠먼 데를 봄. '眺—'. '出沒—平原'《魏徵》. ㉡마주 대함. '兩山相—如門'《地理通釋》. ②바랄 망 기대함. '希—'. '海內企—之意'《後漢書》. ③원망할 망 못마땅하게 여겨 책함. '責—'. '絳侯—袁盎'《史記》. ④엿볼 망 몰래 봄. '覘—知之'《吳志》. ⑤우러러볼 망 앙모함. '—慕'. '良人者所仰—而終身也'《孟子》. ⑥조망 망 바라보는 바. '窮目極—'《漢書》. ⑦소망 망 바라는 바. '過—'《漢書》. ⑧앙망 망 앙모하는 바. '民—如草, 我澤如春'《曹植》. ⑨원망 망 원한. '大臣不服罪, 懷恚—'《後漢書》. ⑩이름 망 명성. '名—'. '令聞令—'《詩經》. ⑪망제 망 산천에 지내는 제사. 또, 그 제사를 지냄. '—于山川'《書經》. ⑫보름 망 음력 보름날의 밤. '朔—'. '月幾—'《易經》. ⑬성 망 성(姓)의 하나.
[字源] 甲骨文 金文 金文 朢의 篆文 朢의 古文 甲骨文은 象形으로 기지개를 켠 사람 위에 강조(強調)한 눈의 모양을 본떠, 멀리 바라보다의 뜻을 나타냄. 金文에서부터, 假借하여 '보름달'의 뜻으로 쓰이게 되어, '月월'을 덧붙여서 '朢망'이 되고, 다시 '臣신' 대신 음부(音符)인 '亡망'을 더하여 '望망'이 됨. '바라보다, 보름달'의 뜻을 나타냄.

[望間 망간] 보름께.

[望見 망견] 멀리 바라봄.
[望溪集 망계집] 청(淸)나라의 방포(方苞)의 시문집(詩文集).
[望哭 망곡] 먼 곳에서 임금·부모(父母)의 상(喪)을 당하고 요배(遙拜)하며 슬프게 욺.
[望九 망구] 아흔 살을 바라보는 나이. 곧, 여든한 살.
[望氣 망기] 하늘의 운기(雲氣)를 바라보고 길흉(吉凶)을 점침.
[望斷 망단] 바라던 일이 실패로 돌아감.
[望臺 망대] 먼 곳을 조망(眺望)하거나 적군(敵軍)의 동정(動靜)을 망(望)보는 누대(樓臺).
[望樓 망루] 망대(望臺).
[望六 망륙] 예순 살을 바라보는 나이. 곧, 쉰한 살.
[望履 망리] 얼굴을 마주 대하지 아니하고 그의 신을 내려다본다는 뜻으로, 귀인(貴人)·장자(長者)와의 면회(面會)를 겸손하게 이르는 말.
[望望 망망] ㉠뜻을 잃은 모양. 실의(失意)한 모양. ㉡부끄러워하는 모양. 일설(一說)에는, 돌보지 않고 가 버리는 모양.
[望慕 망모] 우러러 사모함. 앙모(仰慕).
[望聞問切 망문문절] 한의학(漢醫學)에서 네 가지 진찰법(診察法). 곧, 환자의 안색을 보고, 그에게 병세(病勢)를 들은 후, 다시 상세히 병증(病症)을 질문하고, 맥을 보는 일.
[望拜 망배] 멀리 바라보고 절함.
[望百 망백] 백 살을 바라보는 나이. 곧, 아흔한 살.
[望堡 망보] 망을 보는 보루(堡壘).
[望夫石 망부석] 무창(武昌)의 북산(北山)에 있는 돌의 이름. 정부(貞婦)가 전쟁에 나가는 남편을 전송(餞送)하고 멀어져 가는 그의 뒷모습을 바라보다가 선 채로 돌로 화해 버렸다는 전설이 있음.
[望肥馬塵 망비마진] 부귀(富貴)한 이가 살진 말을 타고 외출할 때 배웅 나가서 그가 먼지를 내며 말을 달리는 것을 뒤에서 오래도록 바라보며 경의를 표한다는 뜻으로, 부귀한 사람에게 아첨함을 이름.
[望祀 망사] 망질(望秩).
[望祠 망사] 망질(望秩).
[望床 망상]《韓》큰 잔치에 볼품으로 과실(果實)·떡·어육(魚肉) 들을 높이 괴어 놓는 상(床).
[望色 망색] 안색을 살핌. 얼굴빛을 보아 병을 진찰함.
[望舒 망서] 달〔月〕의 어자(馭者).
[望羊 망양] ㉠멀리 바라보는 모양. ㉡건잡을 수 없는 모양. 망양(望洋).
[望洋 망양] 망양(望羊).
[望洋之歎 망양지탄] 위대한 인물 또는 심원(深遠)한 학문에 대하여 자기의 범용(凡庸) 또는 천단(淺短)을 깨달아 크게 한탄하는 일.
[望外 망외] 바라던 것보다 지나침. 기대한 이상.
[望雲之慶 망운지경] 천자(天子)의 은광(恩光)을 이름.
[望雲之情 망운지정] 객지에서 고향에 있는 부모(父母)를 생각하는 마음.
[望遠鏡 망원경] 먼 곳에 있는 물체를 보는 데 쓰는 안경(眼鏡)의 일종.
[望月 망월] ㉠음력(陰曆) 보름날 밤의 달. 보름달. 만월(滿月). ㉡달을 바라봄.
[望前 망전] 음력으로 보름날 전.
[望帝 망제] 두견(杜鵑)의 별칭(別稱).
[望祭 망제] 망질(望秩).
[望潮魚 망조어] 꼴뚜기.
[望族 망족] 명망(名望)이 있는 집안.
[望柱 망주]《韓》망주석(望柱石)의 약어(略語).
[望柱石 망주석]《韓》무덤 앞에 세우는 한 쌍(雙)의 돌기둥.
[望秩 망질] 섶을 태우며 멀리 산천의 신에게 제사 지냄.
[望蜀 망촉] 만족할 줄 모름. 자꾸 욕심을 더 냄. 득롱망촉(得隴望蜀).
[望七 망칠] 일흔 살을 바라보는 나이. 곧, 예순한 살.
[望八 망팔] 여든 살을 바라보는 나이. 곧, 일흔한 살.
[望風 망풍] ㉠먼 데서 바라봄. ㉡기세(氣勢)를 바라봄.
[望風而靡 망풍이미] 멀리 바라보고 놀라서 싸우지도 않고 흩어져 달아남.
[望鄕 망향] 고향(故鄕)을 바라보고 그리워함.
[望後 망후] 음력으로 보름날 후.
◉可望. 懇望. 渴望. 觖望. 顧望. 鵠望. 冠蓋相望. 觀望. 曠望. 翹望. 闕望. 企望. 祈望. 旣望. 器望. 冀望. 落望. 大望. 待望. 德望. 登望. 名望. 文望. 聞望. 門望. 民望. 非望. 思望. 朔望. 想望. 先望. 羨望. 盛望. 聲望. 勢望. 所望. 守望. 宿望. 柴望. 時望. 信望. 失望. 雅望. 仰望. 野望. 熱望. 令望. 譽望. 要望. 欲望. 憂望. 怨望. 遠望. 願望. 有望. 位望. 威望. 意望. 倚門望. 人望. 一望. 資望. 才望. 展望. 切望. 絶望. 覘望. 眺望. 族望. 重望. 衆望. 志望. 悵望. 責望. 瞻望. 囑望. 春望. 太公望. 風望. 鶴望. 鄕望. 候望. 勳望. 希望.

7 ⑪ [朢] 望(前條)과 同字

7 ⑪ [朖] 朗(次條)의 本字

7 ⑪ [朗] 人名 랑 ㊤養 盧黨切 lǎng 朗

筆順 ' ㇇ ㅋ ㇏ 自 良 朗 朗

字解 ①밝을 랑 환하고 맑음. '一月'. '是日也, 天一氣淸'《王羲之》. ②성 랑 성(姓)의 하나.

字源 篆文 形聲. 月+良〔音〕. '良랑'은 '좋다'의 뜻. 좋은 달의 뜻에서, '밝다'의 뜻을 나타냄.

[朗旦 낭단] 구름 한 점 없는 아침.
[朗達 낭달] 명랑하고 창달(暢達)함.
[朗讀 낭독] 소리를 높여 읽음.
[朗朗 낭랑] ㉠소리가 명랑한 모양. ㉡밝은 모양.
[朗拔 낭발] 명철(明哲)하고 출중(出衆)함.
[朗發 낭발] 환히 나타남.
[朗報 낭보] 명랑하고 반가운 소식.
[朗嘯 낭소] 명랑하게 소리를 길게 빼어 음송(吟誦)함.
[朗誦 낭송] 소리를 높여 읽거나 욈.
[朗然 낭연] 낭랑(朗朗).
[朗詠 낭영] 명랑하게 소리를 높여 시가(詩歌)를

읊음.
[朗悟 낭오] 지혜가 밝아 빨리 깨달음.
[朗月 낭월] 밝은 달. 명월(明月).
[朗吟 낭음] 낭영(朗詠).
[朗暢 낭창] 낭달(朗達).
[朗徹 낭철] 밝고 맑음.
[朗抱 낭포] 명랑한 마음.
◉開朗. 潔朗. 高朗. 曠朗. 皎朗. 明朗. 爽朗. 昭朗. 疏朗. 英朗. 燎朗. 潤朗. 融朗. 清朗. 晴朗. 聰朗. 通朗. 炯朗. 鴻朗.

7 ⑪ [朙] 〔명〕 明(日部 四畫〈p. 974〉)의 古字

[勝] 〔승〕 力部 十畫(p. 281)을 보라.

8 ⑫ [朝] 中人 조 ①②㊥蕭 陟遙切 zhāo ③-⑪㊥蕭 直遙切 cháo

筆順 一 十 古 古 直 卓 朝 朝

字解 ①아침 조 ㉠새벽부터 조반 때까지. '一夕'. ㉡새벽부터 정오 때까지. '崇一其雨'《詩經》. ㉢널리, 날·시간 등의 뜻으로 쓰임. '一一之忿忘其身'《論語》. ②나라이름 조 '一鮮'은 나라 이름. '一, 又一鮮, 國名'《廣韻》. ③조정 조 ㉠제왕이 정사를 재결하는 곳. '一廷'. '一與下大夫言'《論語》. ㉡한 임금이 재위하는 기간. '列聖一'. '歷一佐命'《唐書》. ④마을 조 관아(官衙). '山谷鄙生, 未嘗識郡一'《後漢書》. ⑤뵐 조 ㉠신하가 조정에 나아가 임금을 배알함. '一見'. '稱病不一'《漢書》. ㉡고대(古代)에는 아들이 부모를 뵙거나 존경하는 사람을 찾아가 뵙는 데도 썼음. '昧爽而一'《禮記》. '日往一相如'《史記》. ⑥조회받을 조 제왕이 정사(政事)를 봄. '朞年不聽一'《呂氏春秋》. ⑦부를 조 호출함. '一西靈於九濱'《楚辭》. ⑧모일 조 회합함. '耆老皆一于庠'《禮記》. ⑨흐를 조 흘러 들어감. '江漢一宗于海'《書經》. ⑩왕조 조 한 왕조(王朝)의 통치 기간. '清一'. '漢一之刑以弊'《舊唐書》. ⑪성 조 성(姓)의 하나.

字源 金文 篆文 본디, 茻+日의 會意로, 초원(草原)에 해가 뜨는 모양이었으나, 金文은 그것을 생략한 '卓조'와 조류(潮流)가 바닷가에 이르는 모양을 덧붙여 이루어짐. 篆文에서는 그것을 그릇 倝+舟〔音〕으로 함. '아침, 조정(朝廷)'의 뜻을 나타냄.

[朝家 조가] 제왕(帝王)의 집. 황가(皇家). 왕실(王室).
[朝駕 조가] 아침 일찍 수레에 말을 맴. 아침에 일찍 출발함.
[朝歌夜絃 조가야현] 아침에는 노래하고 저녁에는 거문고를 탄다는 뜻으로, 종일 즐거이 놂을 이름.
[朝刊 조간] 아침에 발행함. 또, 그 신문.
[朝綱 조강] 조장(朝章).
[朝講 조강] 《佛敎》 아침에 불도(佛徒)들이 모여 불경을 강론함.
[朝改暮變 조개모변] 조변석개(朝變夕改).
[朝譴 조견] 천자(天子)의 견책(譴責).
[朝哭 조곡] 소상(小喪)까지 날마다 이른 아침에 궤연(几筵) 앞에서 곡하는 일.
[朝貢 조공] 제후(諸侯)나 속국(屬國)의 사신이 내조(來朝)하여 공물(貢物)을 바치는 일.
[朝官 조관] 조신(朝臣).
[朝冠 조관] 조신(朝臣)이 조정(朝廷)에 나갈 때에 쓰는 관.
[朝宮 조궁] 대궐. 궁전(宮殿).
[朝眷 조권] 조은(朝恩).
[朝權 조권] 조정의 권병(權柄). 조정의 권력.
[朝闕 조궐] 대궐. 궁궐(宮闕).
[朝貴 조귀] 조정의 귀인(貴人). 지위가 높은 조신(朝臣).
[朝菌 조균] 아침에 났다가 저녁에 시들어 죽는다는 버섯. 단명(短命) 또는 무상(無常)의 비유로 쓰임. 조로(朝露).
[朝槿 조근] 무궁화. 무궁화는 아침에 피었다가 저녁에 시들므로, 변하기 쉬운 것의 비유로 쓰임.
[朝覲 조근] 조현(朝見).
[朝寄 조기] 조정의 위임(委任).
[朝端 조단] 조정에서 늘어선 신하의 제1위. 조신(朝臣)의 수위(首位).
[朝堂 조당] 조정(朝廷).
[朝暾 조돈] 아침 해.
[朝得暮失 조득모실] 아침에 얻었다가 저녁에 잃는다는 뜻으로, 얻은 지 얼마 안 되어서 잃어버리는 것을 이름.
[朝嵐 조람] 아침의 남기(嵐氣).
[朝來 조래] 아침부터. 아침 일찍부터.
[朝令 조령] ㉠아침에 명령을 내림. ㉡조정에서 내리는 명령.
[朝令暮改 조령모개] 아침에 영(令)을 내렸다가 저녁에 고친다는 뜻으로, 법령(法令)이 자주 변경됨을 이름.
[朝露 조로] ㉠아침 이슬. ㉡덧없는 사물의 비유. 조균(朝菌).
[朝命 조명] 조정(朝廷)의 명령. 천자의 명령. 군명(君命).
[朝名市利 조명시리] 명예(名譽)는 조정(朝廷)에서 경쟁하고 이익은 저자에서 다툰다는 뜻으로, 무슨 일이든 적당한 곳에서 다루어야 한다는 말.
[朝暮 조모] 아침과 저녁. 조석(朝夕).
[朝謨 조모] 조정의 계책(計策). 조정의 정책.
[朝暮人 조모인] 목숨이 조석(朝夕)에 달려 있는 사람. 얼마 안 되어 죽을 사람.
[朝務 조무] 조정의 정무(政務). 정사(政事).
[朝儛 조무] 두 하천(河川)의 이름. 조수(朝水)는 허난 성(河南省) 내향현(內鄕縣)의 동북에서 발원하여 신야현(新野縣)에서 바이허(白河) 강과 합침. 지금은 조하(勺河)라고 부름. 무(儛)는 무(潕)의 잘못이고, 지금은 '舞·潕'를 씀. 무수(潕水)는 허난(河南) 비양현(泌陽縣)의 서북에서 발원하여, 엽(葉)·무양(舞陽)을 거쳐 여남하(汝南河)의 상류(上流)가 됨. 조무(朝儛)를 산(山)이라고 주석한 것은 잘못임.
[朝霧 조무] 아침 안개.
[朝聞夕改 조문석개] 아침에 잘못한 일을 들으면 저녁에 고친다는 뜻으로, 자기의 과실을 알면 주저하지 않고 바로 고침을 이름.
[朝聞夕死 조문석사] 아침에 도(道)를 들으면 그날 저녁에 죽어도 유감(遺憾)이 없다는 말. 공자(孔子)가 한 말임.
[朝班 조반] 조차(朝次).

[朝飯 조반] 아침밥.
[朝飯夕粥 조반석죽] 아침에는 밥을, 저녁에는 죽을 먹는다는 뜻으로, 가난한 살림을 이름.
[朝發夕至 조발석지] 아침에 출발(出發)하여 저녁에 도착(到着)함.
[朝拜 조배] 조하(朝賀).
[朝變夕改 조변석개] 아침저녁으로 뜯어고친다는 뜻으로, 일을 자주 변경함을 이름.
[朝柄 조병] 조권(朝權).
[朝報 조보] 조선조 때 승정원(承政院)에서 처리한 사항을 매일 아침에 반포(頒布)하던 통보(通報).
[朝服 조복] 조신(朝臣)이 조정에 나갈 때 입는 예복(禮服). 조의(朝衣).

[朝服]

[朝不慮夕 조불려석] 형세가 절박하여 아침에 저녁 일을 예측하지 못함. 곧, 당장을 걱정할 뿐이고 앞일을 걱정할 겨를이 없음.
[朝不謀夕 조불모석] 조불려석(朝不慮夕).
[朝不食夕不食 조불식석불식] 아침밥도 못 먹고 저녁밥도 못 먹는다는 뜻으로, 생활이 아주 구차하여 끼니를 항상 굶음.
[朝聘 조빙] 제후(諸侯)가 내조(來朝)하여 천자(天子)에게 알현(謁見)함.
[朝社 조사] 조정과 사직(社稷). 전(轉)하여, 황실(皇室)과 국토(國土).
[朝事 조사] ㉠새벽의 제사(祭祀). ㉡조정(朝廷)의 일.
[朝辭 조사] 임금에게 말미를 받고 그 은혜를 감사하며 하직함.
[朝散大夫 조산대부] 조관(朝官)으로서 실직(實職)이 없는 대부(大夫).
[朝三暮四 조삼모사] 송(宋)나라 저공(狙公)이 여러 원숭이에게 상수리를 아침에 세 개, 저녁에 네 개씩 주겠다고 하니 원숭이들이 노하므로, 그러면 아침에 네 개, 저녁에 세 개씩 주겠노라 한즉 원숭이들이 기뻐하였다는 고사(故事)에서 나온 말로, 눈앞에 당장 보이는 차이만을 알고 결과가 똑같은 것을 모르거나, 간사한 꾀로 남을 농락(籠絡)함을 이르는 말.
[朝霜 조상] 아침의 서리.
[朝生 조생] ㉠무궁화(無窮花)의 별칭(別稱). 아침에만 개화(開花)하므로 이름. ㉡단명(短命)의 비유.
[朝夕 조석] ㉠아침과 저녁. ㉡아침의 근무(勤務)와 저녁의 근무. ㉢아침저녁으로 문안을 드림. ㉣날마다. 항상.
[朝夕飯 조석반] 아침밥과 저녁밥. 끼니.
[朝鮮 조선] 상고 때부터 써 내려오던 우리나라의 이름. 처음에 단군(檀君)이 다스리던 때를 고조선(古朝鮮), 이성계(李成桂)가 고려(高麗)를 이어 세운 나라를 조선(朝鮮) 또는 근세 조선(近世朝鮮)이라 함. 다만 삼한(三韓)·삼국(三國)·고려(高麗) 때와 대한 제국(大韓帝國)·일본의 식민지로 있던 때도 흔히 '조선'으로 일컬었음.
[朝飧 조손] 조반(朝飯).
[朝宿邑 조숙읍] 천자(天子)가 제후(諸侯)에게 내조(來朝)하였을 때의 숙박(宿泊) 등의 비용(費用)을 쓰게 하기 위하여 하사(下賜)하는 경교(京郊)의 채지(采地). '탕목읍(湯沐邑)' 참조.
[朝市 조시] ㉠조정과 저자. ㉡명리(名利)의 경쟁이 심한 곳. ㉢아침에 서는 장.
[朝市眷戀之徒 조시권련지도] 명리(名利)에 연연(戀戀)하는 무리.
[朝食 조식] 아침밥.
[朝臣 조신] 조정에 출사(出仕)하는 신하. 조관(朝官).
[朝紳 조신] 조정(朝廷)의 대관(大官).
[朝衙 조아] 아침 일찍 조정에 출사(出仕)함. 조아(早衙).
[朝謁 조알] 조정에서 군주에게 알현(謁見)함. 조현(朝見).
[朝靄 조애] 아침 안개.
[朝野 조야] 조정(朝廷)과 재야(在野). 정부(政府)와 민간(民間).
[朝野僉載 조야첨재] 당(唐)나라의 장작(張鷟)이 지은 그의 견문록(見聞錄). 6권. 현재 전하는 것은 후인(後人)이 많이 보집(補輯)하였음.
[朝陽 조양] ㉠산(山)의 동쪽. ㉡조욱(朝旭).
[朝宴 조연] 조정에서 하는 연회.
[朝列 조열] 조차(朝次).
[朝榮 조영] ㉠아침에 번영함. ㉡아침에 피는 꽃.
[朝榮夕滅 조영석멸] 아침에 반짝했다가 저녁에 망함. 인생의 덧없음을 이름. 제행무상(諸行無常).
[朝盈夕虛 조영석허] 조영 석멸(朝榮夕滅).
[朝右 조우] 조정의 고관(高官).
[朝雨 조우] 아침에 오는 비.
[朝旭 조욱] 아침 해. 조돈(朝暾).
[朝雲 조운] ㉠아침의 구름. ㉡소동파(蘇東坡)의 첩(妾)의 이름.
[朝雲暮雨 조운모우] 남녀의 정교(情交).
[朝威 조위] 조정의 위광(威光).
[朝恩 조은] 조정(朝廷)의 은혜(恩惠). 임금의 은혜.
[朝隱 조은] 조정의 은사(隱士). 조정에서 벼슬은 하되 명리(名利)에 담박(淡泊)한 사람.
[朝衣 조의] 조복(朝服).
[朝意 조의] 조정의 의사.
[朝儀 조의] 조정의 의식(儀式).
[朝議 조의] 조정의 의론(議論). 묘의(廟議).
[朝日 조일] ㉠아침 해. ㉡천자(天子)가 조정(朝廷)에 나가는 날. ㉢아침 일찍 조정에 출사(出仕)함.
[朝章 조장] 조정의 의식(儀式)과 전장(典章).
[朝籍 조적] 조정의 벼슬아치의 명부.
[朝廷 조정] 나라의 정치(政治)를 의론·집행하는 곳.
[朝政 조정] 조정의 정사(政事).
[朝薺暮鹽 조제모염] 아침에는 냉이를, 저녁에는 소금을 먹는다는 뜻으로, 몹시 가난한 생활을 이름.
[朝朝 조조] 매일 아침.
[朝朝暮暮 조조모모] 매일 아침과 매일 밤.
[朝宗 조종] ㉠제후(諸侯)가 천자(天子)에게 배알함. ㉡강물이 바다에 흘러드는 일.
[朝從 조종] 조현(朝見)과 호종(扈從).
[朝種暮穫 조종모확] 아침에 심었다가 저녁에 거두어들인다는 뜻으로, 시일(時日)이 없음의 비유(譬喩).
[朝旨 조지] 조의(朝意).
[朝直 조직] 조정의 숙직(宿直).

[朝秦暮楚 조진모초] 아침에는 진(秦)나라에 있다가 저녁에는 초(楚)나라에 간다는 뜻으로, 주소(住所)가 일정하지 않음을 이름.
[朝次 조차] 조정에 있어서의 백관(百官)의 석차. 조열(朝列).
[朝餐 조찬] 조반(朝飯).
[朝參 조참] 벼슬아치가 조정에 나아감.
[朝出暮歸 조출모귀] ㉠아침에 일찍 나오고 저녁에 늦게 들어가므로, 늘 집에 없음. ㉡사물(事物)이 쉬지 않고 변천함을 이름.
[朝聚暮散 조취모산] 아침에 모였다가 저녁에 헤어진다는 뜻으로, 이합집산(離合集散)이 무상함을 이름.
[朝寢 조침] 아침잠.
[朝哺 조포] 조찬(朝餐).
[朝晡 조포] 아침과 저녁. 조석(朝夕).
[朝賀 조하] 군신(群臣)이 입조(入朝)하여 천자(天子)에게 하례(賀禮)함. 또, 그 말.
[朝霞 조하] 아침놀.
[朝享 조향] 내조(來朝)하여 천자(天子)에게 물품을 드림.
[朝饗 조향] 조반(朝飯).
[朝憲 조헌] 조정의 법. 나라의 법. 국헌(國憲).
[朝見 조현] 신하(臣下)가 아침에 입궐하여 천자(天子)에게 배알(拜謁)함.
[朝虹 조홍] 아침에 서쪽에 서는 무지개.
[朝化 조화] 조정의 교화(敎化).
[朝會 조회] ㉠백관(百官)이 조현(朝見)하기 위하여 조정에 모임. ㉡학교 같은 데서 아침에 모이는 회.
[朝暉 조휘] 아침 햇빛.
[朝曦 조희] 아침 해.
◉國朝. 歸朝. 今朝. 南北朝. 南朝. 內朝. 來朝. 每朝. 明朝. 廟朝. 本朝. 北朝. 三朝. 盛朝. 聖朝. 歲朝. 崇朝. 市朝. 晨朝. 晏朝. 兩朝. 歷朝. 王朝. 外朝. 元朝. 僞朝. 六朝. 異朝. 一朝. 入朝. 在朝. 前朝. 早朝. 終朝. 參朝. 天朝. 淸朝. 治朝. 退朝. 廢朝. 花朝. 皇朝. 詰朝.

8 ⑫ [期] 中人 기 ㊥支 渠之切 qī(qí) ㊥支 居之切 ③jī

筆順 一 卄 廿 甘 其 期 期 期

字解 ①때 기 시기. '一間'. '歸妹愆一'《易經》. ②한 기 한정. '一限'. '萬壽無一'《詩經》. ③돌 기 ㉠만 일주야. '叔孫旦而立, 一焉'《左傳》. ㉡만 일주년. 朞(次條)와 同字. '一年'. '當一之日'《易經》. ④백년 기 백년간. '一頤'. '百年曰一'《禮記》. ⑤바랄 기 희망을 가짐. 요망함. '一待'. ⑥기약할 기 약속함. '一約'. '與老人一, 後何也'《史記》. ⑦기다릴 기 '以一年者'《莊子》. ⑧모일 기 회합함. '一於司里'《國語》. ⑨정할 기 결정함. '一死非勇也'《左傳》. '凡萬民之一于市者'《周禮》. ⑩말더듬거릴 기 '口曰訥一一艾艾'《書言故事》. ⑪목표삼을 기 목적으로 함. '刑一于無刑'《書經》. ⑫구할 기 요구함. '非一不同, '所急異務也'《漢書》. ⑬성 기 성(姓)의 하나.

字源 金文 篆文 古文 形聲. 金文은 日+其〔音〕. '其기'는 정연히 구획 지음의 뜻. 구획 지어진 시간의 뜻을 나타냄. 또, 파생(派生)하여 일정 기간에 일정한 효과가 거두어지는 것을 기다림의 뜻으로도 되었음. 篆文은 月+其〔音〕.

[期間 기간] 미리 정한 일정한 시간.
[期期 기기] 말을 더듬는 모양.
[期內 기내] 기한 내.
[期年 기년] 만 1년. 1주년. 기년(朞年).
[期待 기대] 희망을 가지고 기다림.
[期度 기도] 일정한 법도.
[期圖 기도] 기대하고 도모함.
[期望 기망] 기대(期待).
[期門 기문] ㉠후한(後漢) 때의 천자(天子)의 호위병. ㉡군문(軍門).
[期服 기복] 기년(期年)의 복(服). 곧, 조부모·백숙부모(伯叔父母)·적손(嫡孫)·형제 등의 복(服). 기복(朞服). '자최(齊衰)' 참조.
[期成 기성] 어떤 일이 꼭 이루어지기를 기약함.
[期歲 기세] 기년(期年).
[期約 기약] 때를 작정(作定)하여 약조(約條)함.
[期月 기월] ㉠만 1개월. ㉡1주년. 만 1년. 기년(期年).
[期頤 기이] 백세(百歲)를 이름.
[期日 기일] 작정(作定)한 날짜.
[期節 기절] 때. 기회. 철. 계절(季節).
[期親 기친] 기년(朞年)의 복(服)을 입는 관계에 있는 친척. 조부모·숙부·형제 등.
[期必 기필] 확정(確定)하여 틀림이 없음. 꼭 되기로 작정(作定)함.
[期限 기한] 미리 정한 시기.
[期會 기회] ㉠미리 시일을 정하고 모임. ㉡때. 기회. ㉢1년간의 회계.
◉佳期. 嫁期. 瓜期. 歸期. 今期. 納期. 農期. 農繁期. 短期. 同期. 滿期. 末期. 無期. 半減期. 半期. 死期. 思春期. 星期. 所期. 時期. 失期. 年期. 延期. 獵期. 豫期. 有期. 一期. 任期. 長期. 適期. 前期. 定期. 早期. 周期. 週期. 中期. 次期. 初期. 最期. 秋期. 春期. 學期. 好期. 婚期. 後期.

8 ⑫ [朞] 人名 기 ㊥支 居之切 jī

字解 돌 기 1주년. 期(前條)와 통용. '一三百有六旬有六日'《書經》.

字源 形聲. 月+其〔音〕

[朞年 기년] 만 1년. 기년(期年).
[朞月 기월] ㉠만 1개월. ㉡만 1년. 1주년. 기년(朞年). 기월(期月).
◉大朞. 小朞.

[塍] 〔승〕 土部 十畫(p. 460)을 보라.

[媵] 〔잉〕 女部 十畫(p. 544)을 보라.

10 ⑭ [朚] 황 ㊤養 呼晃切 huǎng

字解 달빛어슴푸레할 황 '朦一'은 달빛이 희미함. '朦一, 月不明也'《集韻》.

10 ⑭ [朜] 〔릉〕 淩(冫部 八畫〈p. 230〉)과 同字

10 ⑭ **[朢]** 망 [去]漾 巫放切 wàng

[字解] ①보름 망 음력 15일. 만월(滿月)이 됨. 보름달. '一, 月滿也'《說文》. ②望(月部 七畫)과 同字.

[字源] 篆文 會意. 月+臣+壬

11 ⑮ **[膡]** 〔승〕 塍(土部 十畫〈p.460〉)의 俗字

12 ⑯ **[朣]** [人名] 동 [平]東 徒東切 tóng

[字解] ①달빛밝으려할 동 '一朧'은 달이 떠오르기 시작하여 밝으려고 하는 모양. '月一朧以含光兮'《潘岳》. ②흐릴 동 '一朦'은 흐린 모양. 어렴풋한 모양. '湖色濃蕩漾, 海光漸一朦'《陶翰》.

[字源] 形聲. 月+童〔音〕

[朣朧 동롱] 달이 떠오르기 시작하여 밝으려 하는 모양.

[朣朦 동몽] 흐린 모양. 희미한 모양.

[謄] 〔등〕 言部 十畫(p.2150)을 보라.

[賸] 〔잉〕 貝部 十畫(p.2205)을 보라.

14 ⑱ **[朦]** [人名] 몽 [平]東 莫紅切 méng

[字解] 흐릴 몽 달빛 같은 것이 흐린 모양. 어슴푸레한 모양. '一一'. '一朧煙, 霧曉'《李嶠》.

[字源] 篆文 形聲. 月+蒙〔音〕. '蒙몽'은 덮어 보이지 않음의 뜻. 달이 구름에 가려 흐리고 보이지 않다의 뜻을 나타냄.

[朦狡 몽교] 우매하고 교활함.

[朦朧 몽롱] ㉠달빛이 흐린 모양. ㉡사물이 분명하지 아니한 모양. 어둠침침한 모양. ㉢정신이 흐리멍덩한 모양. 의식이 확실치 아니한 모양.

[朦朧世界 몽롱세계] 흐리멍덩하게 나타난 판국.

[朦朦 몽몽] ㉠달빛이 흐린 모양. ㉡안개가 끼거나 가랑비가 와 침침한 모양. ㉢정신이 흐린 모양.

◉朣朦.

[蠃] 〔라〕 虫部 十三畫(p.2036)을 보라.

[羸] 〔리〕 羊部 十三畫(p.1803)을 보라.

16 ⑳ **[朧]** 롱 [平]東 盧紅切 lóng 胧

[字解] 흐릴 롱 달빛 같은 것이 흐린 모양. '朦一'. '紙窗弄色如一月'《范成大》.

[字源] 篆文 形聲. 月+龍〔音〕

[朧光 농광] 흐린 달빛.

[朧朧 농롱] 흐린 모양.

[朧月 농월] 흐린 달.

◉朣朧. 朦朧.

[贏] 〔영〕 貝部 十三畫(p.2208)을 보라.

[臝] 〔라〕 肉部 十七畫(p.1869)을 보라.

20 ㉔ **[⿰月黨]** 당 [上]養 坦朗切 tǎng

[字解] 달빛어슴푸레할 당 달빛이 희미함. '一, 月不明'《篇海》.

木 (4획) 部

〔나무목부〕

0 ④ **[木]** [中人] 목 [入]屋 莫卜切 mù

[筆順] 一 十 才 木

[字解] ①나무 목 ㉠선 나무. 수목(樹木). '灌一'. '百穀草一麗于土'《易經》. ㉡벤 나무. 재목(材木). '朽一不可雕也'《論語》. ㉢나무를 재료로 하여 제작한 것. '一像'. '皆著一履屐'《後漢書》. ㉣오행의 첫째. 방위로는 동쪽, 사계(四季)로는 봄, 간지(干支)로는 갑(甲)·을(乙)에 배당함. '巽爲一'《易經》. ②관 목 목제의 관곽(棺槨). '入一'. '如是而嫁, 則就一矣'《左傳》. ③목제악기 목 나무로 만든 악기. 팔음(八音)의 하나임. '石·金·土·革·絲·一·匏·竹'《周禮》. ④질박할 목 순박함. '剛毅一訥近於仁'《論語》. ⑤차꼬 목 죄인(罪人)의 수족 따위에 끼우는 형구(刑具). 고랑·칼 따위. 질곡(桎梏). ⑥별이름 목 목성(木星). '一孛循環相起伏'《文天祥》. ⑦요일 목 목요일(木曜日). ⑧《韓》 무명 목 면포(綿布). ⑨성 목 성(姓)의 하나.

[字源] 甲骨文 金文 篆文 象形. 대지(大地)를 덮은 나무의 모양을 본떠, '나무'의 뜻을 나타냄.

[參考] '木'을 의부(意符)로 하여, 여러 가지 나무의 종류, 나무의 부분, 나무로 만들어진 것, 나무의 상태 등을 나타내는 문자를 이룸.

[木稼 목가] 상고대.

[木假山 목가산] 모양이 산같이 된 자연목(自然木).

[木刻 목각] 나무쪽에 서화(書畫)를 새김.

[木強 목강] 순박(淳朴)하나 고집이 있음.

[木彊 목강] 목강(木強).

[木強則折 목강즉절] 너무 강한 것은 도리어 부러지기 쉽다는 말.

[木居士 목거사] 목상(木像).

[木劍 목검] 나무로 만든 검(劍).

[木梗 목경] 목우(木偶).

[木梗之患 목경지환] 객사(客死)하여 고향으로 돌아가지 못하는 일.

[木階 목계] 사닥다리.

[木工 목공] 나무로 물건을 만드는 장색(匠色). 목수.
[木公 목공] 소나무의 별칭(別稱).
[木瓜 목과] 모과나무.
[木棺 목관] 나무로 만든 관(棺).
[木橋 목교] 나무로 놓은 다리. 나무다리.
[木屐 목극] 나막신.
[木克土 목극토] 오행설(五行說)에서 목(木)은 토(土)를 이긴다는 말.
[木根 목근] 나무뿌리.
[木槿 목근] 무궁화(無窮花)나무.
[木琴 목금] 타악기(打樂器)의 하나. 실로폰(xylophone).
[木器 목기] 나무로 만든 그릇.
[木乃伊 목내이] 미라(mirra)의 음역(音譯).
[木訥 목눌] 순박하고 말이 적음.
[木刀 목도] 나무로 만든 칼. 목검(木劍).
[木桃 목도] 산사자(山査子)의 별칭(別稱).
[木頭菜 목두채] 두릅나물.
[木蘭 목란] 목련(木蓮) ㉠.
[木蘭辭 목란사] 고악부(古樂府)의 이름. 양대(梁代)에 목란이라는 여자가 남장(男裝)을 하고 부친을 대신하여 전쟁에 나가 이기고 열두 해 만에 돌아온 일을 주제로 한 오언(五言)으로 된 고시(古詩). 작자 미상(作者未詳).
[木蓮 목련] ㉠목련과(木蓮科)에 속하는 낙엽 교목(落葉喬木). 꽃은 백색 또는 암자색(暗紫色)임. 목란(木蘭). ㉡목부용(木芙蓉)의 별칭(別稱).
[木理 목리] 나뭇결. 연륜(年輪).
[木馬 목마] 나무로 만든 말.
[木磨 목마] 벼를 갈아서 껍질을 벗기는 데 쓰는 기구(器具). 매통.
[木末 목말] 나무 끝. 목초(木杪).
[木麥 목맥] 메밀.
[木綿 목면] ㉠판야과(panja科)에 속하는 열대(熱帶)에서 나는 교목(喬木). 홍색(紅色) 꽃이 피며 열매에 붙은 백모(白毛)는 담요 따위의 원료가 되고 직조(織造)는 무명만 못함. 거패(去貝). 고패(古貝). 케이폭수(kapok樹). ㉡《韓》무명. 면포(綿布).
[木緜 목면] 목면(木綿).
[木母 목모] 매화나무의 별칭.
[木紋 목문] 나무의 무늬.
[木物 목물] 나무로 만든 물건.
[木蜜 목밀] ㉠대추나무의 별칭. ㉡호깨나무.
[木防己 목방기] 댕댕이덩굴.
[木杯 목배] 나무로 만든 술잔. 나무 잔.
[木本 목본] ㉠나무의 밑동. ㉡목질(木質)의 식물. 곧, 나무. 초본(草本)의 대(對).
[木芙蓉 목부용] 아욱과에 속하는 낙엽 관목(落葉灌木). 잎은 둥글고 꽃은 담홍색(淡紅色) 또는 백색(白色)인데, 그 모양이 무궁화(無窮花)와 같음. 관상용으로 심음.
[木佛 목불] 나무로 만든 불상(佛像).
[木像 목상] 나무로 만든 우상(偶像). 목우(木偶).
[木生火 목생화] 오행설(五行說)에서 목(木)에서 화(火)가 생긴다는 말.
[木犀 목서] 물푸레나무.
[木石 목석] ㉠나무와 돌. 목재(木材)와 석재(石材). ㉡감정이 둔하거나 인정이 통 없는 사람의 비유.
[木石難傅 목석난부] 나무에도 돌에도 붙을 데가 없다는 뜻으로, 가난하고 고단(孤單)하여 의지할 데가 없음을 이름.
[木石不傅 목석불부] 목석난부(木石難傅).
[木石爲徒 목석위도] 나무와 돌을 도제(徒弟)로 삼는다는 뜻으로, 산중(山中)에 은거함을 이름.
[木石漢 목석한] 인정이 없고 감정이 둔한 사나이.
[木舌 목설] 목탁(木鐸)을 이름.
[木屑 목설] 톱밥.
[木姓 목성] 《韓》술가(術家)에서 오행(五行) 중 목(木)에 속하는 성(姓)을 이름. 곧, 김(金)·박(朴)·고(高)·최(崔)·유(劉)·차(車) 등.
[木星 목성] 태양(太陽)에서 다섯째로 가까운 최대 혹성(惑星). 체적(體積)은 지구(地球)의 약 1,316배(倍). 약 11년 399일 걸려 태양(太陽)을 한 바퀴 돎. 세성(歲星). 태성(太星).
[木梳 목소] 나무로 만든 빗.
[木食 목식] 나무 열매를 먹고삶.
[木實 목실] 나무의 열매.
[木實繁者披其枝 목실번자피기지] 열매가 너무 많이 열면 가지가 부러진다는 뜻으로, 신하가 권력이 너무 강하여지면 임금의 자리가 위태하여짐을 이름.
[木罌缶 목앵부] 나무통에 물을 담아 여러 개를 죽 한 줄로 띄우고, 그 위에 판자를 깔아 물을 건너는 장치.
[木野狐 목야호] 바둑판. 또는 장기판.
[木魚 목어] 《佛敎》불경(佛經)을 읽을 때에 두드리는 제구. 나무로 물고기 모양으로 본떠 만드는데, 길쭉하게 만든 것과 둥글게 만든 두 종류가 있음. 길쭉한 것은 방(梆)이라고 함. 식사(食事) 시간을 승려에게 알리는 데 걸어 놓고 쳤음. 우리나라에서 둥근것은 목탁(木鐸)이라고 함. 어(魚)는 밤낮 눈을 뜨므로, 부단(不斷)히 근수(謹修)한다는 뜻에서 붙인 말이라고도 함.

[木魚]

[木葉 목엽] 나무의 잎.
[木纓 목영] 나무 구슬을 꿰어 만든 갓끈.
[木王 목왕] ㉠가래나무[梓]의 별칭(別稱). ㉡《韓》개오동나무.
[木旺之節 목왕지절] 오행(五行)의 목(木)이 성하는계절. 곧, 봄철.
[木偶 목우] 나무로 만든 사람. 목상(木像). 목경(木梗). 목인(木人).
[木牛流馬 목우유마] 소나 말 모양으로 된 기계 장치를 한 수레. 제갈량(諸葛亮)이 만들어 군량(軍糧)을 운반하는 데 썼다 함.
[木偶人 목우인] 목우(木偶).
[木耳 목이] 담자균류(擔子菌類) 목이버섯과(科)에 속하는 버섯의 하나. 뽕나무나 말오줌나무 등의 죽은 나무에서 많이 남. 사람의 귀 모양으로 생겼음. 요리(料理)·약재(藥材)로 씀. 목이버섯.
[木人 목인] 나무로 만든 사람. 목우(木偶).
[木人石心 목인석심] 나무 같은 사람으로 돌 같은 마음을 가졌다는 뜻. 감정(感情)이 무딘 사람을 이름.
[木匠 목장] 목공(木工).
[木材 목재] 재목(材木).

[木賊 목적] 속샛과에 속하는 상록 숙근초(宿根草). 속새.
[木釘 목정] 나무못.
[木製 목제] 나무를 재료(材料)로 하여 만듦. 또, 그 물건.
[木造 목조] 목제(木製).
[木主 목주] 나무로 만든 신주(神主).
[木柵 목책] 말뚝을 박아 만든 울. 울짱.
[木處而顚土處而病 목처이전토처이병] 사람이 새처럼 나무 위에 살면 풍우로 나무에서 거꾸러져 떨어지고, 짐승처럼 혈거(穴居)하면 습기(濕氣) 때문에 병이 남.
[木尺 목척] 나무 자.
[木天蓼 목천료] 개다래나무.
[木杪 목초] 나무 끝.
[木枕 목침] 나무토막으로 만든 베개.
[木鐸 목탁] ㉠추를 나무로 만든 큰 방울. 고대(古代)에 문사(文事) 및 법령(法令) 등에 관한 교령(敎令)을 발(發)할 때 쳤음. 금탁(金鐸)의 대(對). ㉡세상 사람을 가르쳐 인도하는 사람. 세인(世人)을 지도할 만한 사람. ㉢《韓》 목어(木魚).

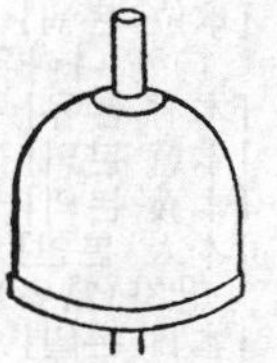
[木鐸㉠]

[木炭 목탄] ㉠숯. ㉡그림을 그리는 숯.
[木兎 목토] 부엉이.
[木通 목통] 으름덩굴.
[木桶 목통] 나무로 만든 통. 나무통.
[木版 목판] 나무에 새긴 책판(冊版).
[木牌 목패] 나무로 만든 패(牌).
[木皮 목피] 나무껍질.
[木筆 목필] ㉠목제(木製)의 붓. ㉡연필(鉛筆). ㉢신이(辛夷), 곧 백목련(白木蓮)의 별칭.
[木香 목향] 국화과에 속하는 다년초. 뿌리는 소화제(消化劑)로 씀.
[木丸 목환] 하무의 한 가지. 소리를 내지 못하게 하기 위하여 입에 물리는 목제(木製)의 공.
[木患子 목환자] 무환자나무. 무환자(無患子).
◉佳木. 嘉木. 坑木. 巨木. 勁木. 經木. 古木. 枯木. 高木. 槀木. 曲木. 果木. 灌木. 怪木. 壞木. 喬木. 丘木. 群木. 樛木. 老木. 大木. 臺木. 盲龜浮木. 名木. 苗木. 墓木. 伐木. 斧木. 負木. 副木. 腐木. 絲蘿托喬木. 散木. 算木. 山川草木. 插木. 修木. 樹木. 植木. 薪木. 良禽擇木. 陽木. 烏木. 烏文木. 烏啄木. 圓孔方木. 柔木. 異木. 林木. 立木. 雜木. 材木. 椄木. 直木. 珍木. 質木. 草木. 叢木. 就木. 啄木. 泰山梁木. 土木. 板木. 寒木. 香木. 好文木. 花木.

0 ④ [兀] 一 알 ㊀曷 五割切 è
二 애 ㊄隊 牛代切 ài
三 돈 ㊥元 都昆切 dǔn

[字解] 一 그루터기 알 櫱(木部 二十畫〈p. 1125〉)의 古字. 二 나무뻗지않을 애 나무의 끝이 구부러져 뻗지 않음. '一, 木屈頭不出也'《集韻》. 三 ①나무베어침목(枕木)만들 돈. ②도토(陶土) 돈 자기(磁器)를 만드는 흙의 일종.
[參考] 不(一部 三畫)은 別字.

0 ④ [朩] 一 빈 ㊄震 匹刃切 pìn
二 패 ㊄卦 匹卦切

[字解] 一 ①삼껍질 빈 삼 줄기에서 벗긴 껍질. '一, 分枲莖皮也'《說文》. ②삼베 빈 삼베 조각. '一, 麻片'《集韻》. 二 ①삼껍질 패 一❶과 뜻이 같음. ②삼 패 林(木部 四畫)와 同字.
[字源] 象形. '屮'은 삼〔大麻〕의 줄기. '八'은 그 껍질을 줄기에서 벗긴 모양. 삼의 줄기에서 벗긴 껍질의 뜻을 나타냄.

1 ⑤ [术] 〔술·수〕
術(行部 五畫〈p. 2048〉)의 簡體字

1 ⑤ [本] [中人] 본 ㊤阮 布忖切 běn 

[筆順] 一 十 才 木 本

[字解] ①밑 본 나무의 밑동. 전(轉)하여, 줄기. '一支'. '枝大於一'《史記》. ②근원 본 시작. 원시(原始). '其一在人心之惑於物也'《禮記》. ③근본 본 ㉠기본. '一義'. '皆以修身爲一'《大學》. ㉡조상. 부모. '報一反始'《禮記》. ㉢종가(宗家). '一支百世'《詩經》. ㉣고향. 본국. '遼西流人, 悉有戀一之心'《晉書》. ㉤원천(原泉). '必以天地爲一'《禮記》. ㉥천품. 성질. '必反其一'《呂氏春秋》. ④농사 본 농업. '彊一而節用'《荀子》. ⑤본전 본 이자에 대한 본전. '子一相侔'《韓愈》. ⑥바탕 본 소지(素地). 밑절미. '豫爲後地曰張一'《左傳 註》. ⑦예 본 왕석(往昔). '一俗'《周禮》. ⑧첩 본 서첩 또는 화첩. '榻兩一進'《書斷》. ⑨책 본 전적(典籍). '一人持一, 一人對讀'《西溪叢語》. ⑩본디 본 원래. '一欲以全民也'《漢書》. ⑪근본으로할 본 기본으로 삼음. '一之則無'《論語》. ⑫이 본 此(止部 二畫)와 뜻이 같음. '一年'. '珠官拜一州'《王維》. ⑬본 본 초목 등을 세는 수사(數詞). '稚杉戢戢三千一'《蘇軾》. ⑭성 본 성(姓)의 하나.
[字源] 金文 篆文 篆文 古文 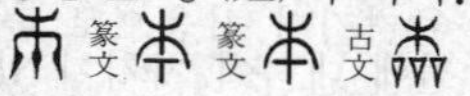 指事. 나무 밑동 뿌리 부분에 그 표시를 덧붙여, '근본'의 뜻을 나타냄.

[本家 본가] ㉠본집. ㉡친정(親庭).
[本覺 본각] 《佛敎》 본래의 소명(昭明)·청정(淸淨)한 성덕(性德).
[本幹 본간] 근간(根幹).
[本據 본거] 근거(根據).
[本貫 본관] ㉠시조(始祖)가 난 땅. 관향(貫鄕). ㉡본적(本籍).
[本館 본관] 분관(分館)이나 별관에 대하여 주장이 되는 건물.
[本校 본교] ㉠분교(分校)에 대하여 그 주장이 되는 학교. ㉡타교(他校)에 대한 자기 학교.
[本局 본국] ㉠분국(分局)에 대하여 그 근본이 되는 국. ㉡딴 국에 대하여 자기가 있는 국.
[本國 본국] 타국(他國)에 대하여 자기 나라. 곧, 자기의 국적(國籍)이 있는 나라.
[本郡 본군] 자기가 현재 있는 군. 이 군.
[本根 본근] 본원(本源).
[本金 본금] 본전(本錢).
[本紀 본기] 기전체(紀傳體)의 사서(史書)에서 임금의 일생의 사적(事績)을 기록한 전기(傳紀).
[本年 본년] 올해. 이해.
[本能 본능] 타고날 때부터 가지고 있는 성능(性能).
[本隊 본대] ㉠본부(本部)의 군대. ㉡딴 부대에 대한 자기 소속의 대(隊).
[本宅 본댁] 상주(常住)하는 집. 본집. 본저(本邸).

[本道 본도] ㉠바른 도(道). 올바른 길. ㉡주장되는 큰길. ㉢딴 도(道)에 대하여 자기가 있는 도(道).
[本來 본래] ㉠사물이 전하여 내려온 그 처음. 본디. ㉡처음부터. 본디.
[本來空 본래공]《佛教》만유(萬有)는 본디부터 실재(實在)하지 않고 빈 것이라는 뜻.
[本來面目 본래면목]《佛教》본래의 심성(心性). 본성(本性).
[本來無一物 본래무일물]《佛教》본래공(本來空).
[本領 본령] 본래부터 갖추고 있는 특성(特性). 특질(特質).
[本論 본론] 언론(言論)·저서(著書)의 주되는 의론(議論).
[本壘 본루] ㉠본거(本據)가 되는 곳. ㉡야구장의 타자가 공을 치는 자리. 홈 베이스.
[本流 본류] 강·내 등의 원줄기.
[本利 본리] 본전(本錢)과 이자(利子).
[本末 본말] ㉠일의 처음과 나중. ㉡물건의 처음과 끝.
[本望 본망] 본디부터의 소망.
[本名 본명] 본이름.
[本命 본명] ㉠타고난 수명(壽命). ㉡생년(生年)의 간지(干支).
[本務 본무] 근본(根本)되는 임무 또는 직무.
[本文 본문] 주석·번역 등의 원문장.
[本方 본방] 의서(醫書)에 있는 것을 그대로 적은 약방문(藥方文).
[本邦 본방] 자기의 나라. 본국(本國).
[本俸 본봉] 주(主)가 되는 봉급.
[本部 본부] 어떤 기관(機關)이나 단체의 중심이 되는 조직.
[本分 본분] ㉠사람마다 갖추고 있는 분수(分數). ㉡의무(義務)로 행하여야 할 책임.
[本寺 본사]《佛教》㉠자기가 처음으로 출가하여 중이 된 절. ㉡딴 절에 대하여 자기가 있는 절. ㉢본산(本山).
[本社 본사] ㉠사(社)의 본부(本部). ㉡딴 회사에 대하여 자기가 근무(勤務)하는 회사. 당사(當社).
[本事 본사] ㉠근본이 되는 일. ㉡근본이 되는 임무. 곧, 농사(農事)를 이름. ㉢솜씨. 기능(技能).
[本山 본산]《佛教》㉠한 종파(宗派)에 예속(隷屬)되어 있는 각 사찰(寺刹)을 통솔하는 절. ㉡딴 절에 대하여 자기가 있는 절. 본사(本寺).
[本色 본색] ㉠본디부터 갖추고 있는 빛. 특유(特有)의 빛. ㉡본디의 면목(面目). 본디의 형태. ㉢본령(本領).
[本生家 본생가] 양자(養子)된 사람의 본디의 부모의 집.
[本書 본서] 이 책(冊). 이 문서.
[本船 본선] 주가 되는 배.
[本線 본선] 간선(幹線).
[本性 본성] 본디의 성질(性質).
[本姓 본성] 본디 가졌던 성(姓).
[本始 본시] 시초(始初).
[本是 본시] 본디. 본래부터.
[本式 본식] ㉠참된 법식(法式). ㉡이 법식.
[本室 본실] 정실(正室). 본처(本妻).
[本心 본심] ㉠본디부터 갖추고 있는 양심(良心). ㉡본정(本情).
[本案 본안] ㉠근본(根本)되는 안건(案件). ㉡이 안건.
[本業 본업] ㉠근본(根本)되는 직업. ㉡농업(農業).
[本然 본연] 본디 그대로의 자연(自然)이나 상태.
[本然之性 본연지성] 사람이 본디부터 가지고 있는 심성(心性). 지선(至善)하고 조금도 사욕이 없는 천부자연(天賦自然)의 성(性). 기질지성(氣質之性)의 대(對).
[本營 본영] 주장(主將)이 있는 군영(軍營). 본진(本陣).
[本原 본원] 본원(本源).
[本源 본원] ㉠근원(根源). ㉡근원에 기본을 둠.
[本願 본원] ㉠본래의 소원. ㉡《佛教》부처·보살이 중생을 교화하려고 세운 발원(發願).
[本月 본월] 이달.
[本位 본위] ㉠본래의 자리. 근본(根本)의 위치. ㉡한 나라의 통화(通貨) 단위의 기준.
[本有 본유] 본디부터 있음.
[本意 본의] ㉠근본의 뜻. ㉡본정(本情).
[本義 본의] 근본의 뜻. 본뜻.
[本人 본인] ㉠자기(自己). 저. ㉡바로 그 사람. 당자(當者).
[本日 본일] 이날. 오늘.
[本籍 본적] 본관(本貫)의 호적(戶籍). 또, 그 호적이 소재하는 곳.
[本傳 본전] ㉠그 사람의 전기(傳記). ㉡기본이 되는 전기(傳記).
[本錢 본전] ㉠사업하는 밑천이 되는 돈. ㉡변리가 붙지 않은 밑돈.
[本情 본정] 본디의 마음. 본마음.
[本第 본제] 고향(故鄕)에 있는 자기의 집. 본집.
[本朝 본조] ㉠지방의 주군(州郡)에 대하여 군주(君主)의 조정. 묘당(廟堂). ㉡우리나라. 아조(我朝).
[本尊 본존]《佛教》㉠신앙의 중심으로 정(定)한 부처·보살. ㉡절의 본당(本堂)에 안치(安置)한 불상(佛像). ㉢석가모니(釋迦牟尼)를 으뜸가는 부처라는 뜻으로 이르는 말.
[本宗 본종] 동본동성(同本同性)의 일가붙이.
[本種 본종] 본디부터 그 땅에 있던 종자. 재래종(在來種).
[本主 본주] ㉠소유자(所有者). ㉡본 주인. 원주인.
[本支 본지] 종손(宗孫)과 지손(支孫). 온 겨레붙이.
[本地 본지] ㉠자기(自己)가 사는 땅. 이 땅. 당지(當地). ㉡《佛教》본문(本門)의 증과(證果)를 얻는 지위.
[本旨 본지] ㉠근본(根本)되는 취지(趣旨). ㉡본디의 뜻. 본뜻.
[本指 본지] 본지(本旨)❶.
[本紙 본지] ㉠신문·잡지·문서 등의 주되는 부문의 지면(紙面). 부록(附錄)의 대(對). ㉡이 신문. 이 잡지. 이 문서.
[本誌 본지] 딴 잡지에 대하여 자기가 관계하고 있는 잡지. 또는 바로 말하고 있는 이 잡지.
[本支百世 본지백세] 종손(宗孫)과 지손(支孫)의 집안이 백 세를 잇는다는 뜻으로, 한 겨레붙이의 자손이 번성함을 이름.
[本職 본직] 겸직(兼職)·부업(副業)이 아닌 근본되는 직업 또는 직무.
[本陣 본진] 본영(本營).
[本疾 본질] 여러 가지 증세 중 주장이 되는 질병.
[本質 본질] ㉠본바탕. ㉡본래부터 갖추고 있는

사물 독자(獨自)의 성질.
[本妻 본처] 본 아내. 정실(正室).
[本處 본처] ㉠본고장. ㉡이곳.
[本體 본체] ㉠참된 형체(形體). 사물의 정체(正體). ㉡현상(現象)의 근저(根柢)가 되는 실상(實相).
[本體論 본체론] 우주(宇宙)의 본체(本體)에 대하여 연구하는 철학.
[本草 본초] ㉠풀과 나무. ㉡식물(植物) 및 약재(藥材)에 관한 학문. 본초학(本草學).
[本初子午線 본초자오선] 지구(地球) 상의 경도(經度)를 측정(測定)하는 기준이 되는 자오선.
[本草學 본초학] 식물(植物) 및 약물(藥物)을 연구하는 학문.
[本趣 본취] 본래의 취지.
[本土 본토] ㉠자기(自己)가 사는 땅. 이 땅. ㉡고향(故鄕). ㉢속지(屬地)에 대하여 주되는 땅. 본국(本國). ㉣섬에 대하여 그 소속된 육지. ㉤《佛敎》 부처가 사는 나라. 정토(淨土).
[本土之民 본토지민] 대대(代代)로 그 고장에서 붙박이로 사는 사람.
[本統 본통] ㉠본 계통. ㉡본 혈통.
[本鄕 본향] 자기가 사는 시골.
[本刑 본형] ㉠판결로써 선고(宣告)된 주형(主刑). ㉡본래 받을 형(刑).
[本形 본형] 본디의 형상(形狀).
[本惑 본혹] 《佛敎》 탐(貪)·진(瞋)·치(癡)·만(慢)·의(疑) 등의 근본 번뇌(煩惱). 수혹(隨惑)의 대(對).
[本會 본회] 딴 회에 대하여 자기가 속하는 회. 이 회.
[本懷 본회] 본래 품은 생각 또는 소원. 본마음.
[本會議 본회의] ㉠각 분과 회의(分科會議)에 대한 주장되는 회의. ㉡이번의 회의. 이 회의.
◉假本. 刻本. 脚本. 刊本. 刊行本. 巾箱本. 見本. 絹本. 缺本. 古本. 股本. 稿本. 官本. 校本. 教本. 校閱本. 國本. 劇本. 根本. 基本. 農爲國本. 端本. 單行本. 唐本. 大本. 貸本. 臺本. 圖本. 讀本. 謄本. 摹本. 邦本. 配本. 副本. 粉本. 事本. 寫本. 石本. 善本. 搨本. 小本. 疏本. 袖珍本. 新本. 原刊本. 元本. 原本. 院本. 僞本. 異本. 人本. 印本. 臨搨本. 子本. 資本. 張本. 藏本. 底本. 正本. 製本. 珍本. 眞本. 槧本. 抄本. 初本. 草本. 拓本. 板刻本. 板本. 版本. 標本. 合本. 孝者德之本.

1 ⑤ **[札]** [人名] 찰 [入]黠 側八切 zhá

[字解] ①패 찰 ㉠얇고 작은 나뭇조각. ㉡글씨를 쓰는 조그마한 나뭇조각. '上令尙書給筆—'《漢書》. ②편지 찰 '書—'. ③미늘 찰 갑옷의 미늘. '射之, 徹七—焉'《左傳》. ④적을 찰 씀. '—, 署也'《廣韻》. ⑤노 찰 배를 젓는 막대기. '櫂, 又謂之—'《釋名》. ⑥일찍죽을 찰 요사(夭死)함. '民不夭—'《左傳》. ⑦돌림병 찰 전염병. '國凶—'《周禮》.

[字源] 篆文 會意. 木+乙. '乙을'은 조각(彫刻)칼을 본뜬 모양. 나무를 날붙이로 깎아 만든 나무패의 뜻.

[札記 찰기] 조목(條目)으로 나누어 기술하는 일. 또, 그 책.
[札喪 찰상] 요사(夭死).
[札書 찰서] 찰간(札簡)에 적은 기록(記錄).
[札瘥夭昏 찰차요혼] 병이나 불행.
[札札 찰찰] ㉠매미가 시끄럽게 우는 소리. ㉡베 짜는 소리. ㉢밭을 가는 소리.
[札翰 찰한] 편지(便紙).
◉簡札. 鑑札. 甲札. 改札. 開札. 禁札. 落札. 名札. 毛札. 木札. 門札. 芳札. 榜札. 書札. 聖札. 細札. 手札. 贋札. 御札. 玉札. 夭札. 瑤札. 印札. 入札. 正札. 紙札. 寸札. 出札. 片札. 標札. 翰札.

1 ⑤ **[未]** [中人] 미 [去]未 無沸切 wèi

[筆順] 一 二 キ 才 未

[字解] ①여덟째지지 미 십이지(十二支)의 제8위. 시간으로는 오후 1시부터 3시까지, 방위로는 서남방, 달로는 6월, 띠로는 양에 배당함. '太歲在—, 曰協洽'《爾雅》. ②아닐 미 ㉠부정(否定)의 말. '—之有也'《論語》. ㉡아직 …하지 아니함. '—知'. '學詩乎, 對曰—也'《論語》. ③미래 미 장래. '且徵其—也'《荀子》. ④계속될 미 '—, 續也'《揚子方言》. ⑤가지잎우거질 미 나무가 나이를 먹어 가지 잎이 우거짐. '—, 木老枝葉重也'《說文通訓》. ⑥성 미 성(姓)의 하나.

[字源] 甲骨文 金文 篆文 象形. 나무에 어린 가지가 뻗은 모양을 본떠, '어리다, 작다, 조금'의 뜻을 나타내었는데, 차용(借用)하여, 부정(否定)의 조사(助辭)로 사용되며, 또, 십이지(十二支)의 여덟째로도 쓰임.

[參考] 末(次條)은 別字.

[未嫁 미가] 아직 시집가지 아니함.
[未可信 미가신] 아직 꼭 믿을 수 없음.
[未可必 미가필] 아직 꼭 그렇게 되기를 바랄 수 없음.
[未刊 미간] 책을 아직 박지 아니함. 또, 그 책.
[未勘 미감] 아직 마감하지 아니함.
[未開 미개] ㉠아직 민도(民度)가 낮고 문명(文明)하지 못한 상태. ㉡꽃이 아직 피지 않음. ㉢토지가 아직 개간되지 않음.
[未開人 미개인] 인지(人智)가 아직 덜 깬 인종(人種).
[未擧 미거] 《韓》 철이 아니 나서 아둔함.
[未見 미견] 아직 보지 못함.
[未見書 미견서] 아직 보지 아니한 책.
[未決 미결] ㉠아직 결정(決定)이 나지 아니함. ㉡법정(法廷)에서 유죄(有罪) 무죄(無罪)의 결정이 나지 아니함.
[未決案 미결안] 아직 결정(決定)이 나지 아니한 안건(案件).
[未經事 미경사] 아직 일을 겪어 보지 아니함. 또, 그 일.
[未果 미과] 아직 수행하지 못함.
[未久 미구] 동안이 오래지 않음.
[未及 미급] 아직 미치지 못함.
[未幾 미기] 동안이 얼마 걸리지 않음.
[未納 미납] 아직 바치지 아니하거나 못함.
[未達 미달] 어떤 한도에 이르지 못함.
[未得 미득] 아직 얻지 못함.
[未來 미래] ㉠아직 오지 않은 때. 장래(將來). ㉡《佛敎》 세상(世上)의 하나. 죽은 뒤의 세상. 내세(來世).

[未來記 미래기] 장래의 일을 예언한 기록.
[未來事 미래사] 앞으로 닥쳐올 일.
[未來永劫 미래영겁] 영원(永遠).
[未來派 미래파] 최근 프랑스에서 일어난 예술상(藝術上)의 일파(一派). 모든 전통과 과거에 반항하고 현대의 물질문명을 찬미하여 동적(動的) 감각의 표현을 주장하고, 미래의 꿈의 아름다움을 나타내려고 하는 것이 특색임.
[未練 미련] ㉠익숙하지 못함. ㉡단념(斷念)할 수 없음.
[未了 미료] ㉠아직 끝이 나지 아니함. ㉡아직 깨닫지 못함.
[未了因 미료인] 《佛敎》 현세(現世)에서 아직 맺지 못한 전생의 인연.
[未滿 미만] 일정한 수에 차지 아니함.
[未末 미말] 미시(未時)의 마지막 시각(時刻). 곧, 오후 3시경.
[未忘 미망] 잊지 못함. 잊을 수 없음.
[未亡人 미망인] 남편이 죽은 부녀(婦女). 남편이 죽으면 따라서 함께 죽어야 할 것인데, 아직 죽지 아니한 사람이라는 뜻. 과부(寡婦).
[未萌 미맹] ㉠싹이 아직 트지 아니함. ㉡변고(變故)가 아직 생기지 아니함. ㉢아직 일이 일어나기 전.
[未明 미명] 날이 아직 밝기 전(前). 날 샐 녘.
[未聞 미문] 아직 듣지 못함.
[未發 미발] ㉠일이 아직 일어나지 아니함. ㉡아직 겉으로 나타나지 아니함. ㉢《佛敎》 오욕 칠정(五慾七情)이 일어나지 아니함.
[未方 미방] 이십사방위(二十四方位)의 하나. 서(西)쪽에서 조금 남(南)쪽으로 가까운 방위(方位).
[未辨東西 미변동서] 동서를 분간하지 못함. 사리(事理)를 분변(分辨)하지 못함.
[未分明 미분명] 분명하지 못함.
[未備 미비] 아직 다 갖추지 못함. 완전하지 못함.
[未死心 미사심] 사후(死後)까지도 남을 충성된 마음.
[未詳 미상] 아직 자세하지 아니함.
[未嘗不 미상불] 아닌 게 아니라 과연.
[未嘗非 미상비] 미상불(未嘗不).
[未嘗入城府 미상입성부] 벽촌(僻村)에 살아 아직 도읍(都邑)에 가 본 일이 없음.
[未成 미성] 아직 완성되지 아니함.
[未成年 미성년] 아직 만 20세가 되지 아니함. 또, 그 사람.
[未成娶 미성취] 아직 장가를 안 듦.
[未成品 미성품] 아직 다 이루지 못한 물품.
[未收 미수] 아직 거두어들이지 못함.
[未遂 미수] 목적했던 바를 이루지 못함.
[未遂犯 미수범] 범죄 행위를 착수한 뒤에 그 목적(目的)을 이루지 못한 행위. 또, 그 사람.
[未熟 미숙] ㉠과실(果實)이 아직 익지 아니함. ㉡음식이 덜 익음. ㉢일이 익숙하지 못함. ㉣경험이 부족함.
[未時 미시] 오후(午後) 1시부터 3시까지의 시각(時刻).
[未熄 미식] 어떤 사건이나 변고가 그치지 않음.
[未信 미신] 아직 믿을 수 없음.
[未審 미심] ㉠아직 확실(確實)하지 아니하여 마음이 놓이지 아니함. ㉡자세히 알지 못함.
[未安 미안] ㉠마음이 편(便)하지 못하고 거북함. ㉡남에게 대하여 겸연쩍은 마음이 있음.
[未央 미앙] ㉠아직 중간이 되지 아니함. ㉡아직 다하지 아니함.
[未央宮 미앙궁] 한(漢)나라의 유명한 궁전(宮殿). 그 터는 산시 성(陝西省) 장안현(長安縣)의 서북에 있음.
[未央柳 미앙류] 미앙궁(未央宮)의 정원에 심은 버들. 미인(美人)의 모습의 비유로 쓰임.
[未然 미연] 아직 그렇게 되지 아니함. 아직 일이 일어나지 아니함.
[未穩 미온] 아직 평온(平穩)하지 않음.
[未完 미완] 아직 완결(完結)하지 못함. 아직 끝이 아니 남.
[未雨綢繆 미우주무] 비가 내리기 전에 미리 새 둥지의 문을 닫아 동여맨다는 뜻으로, 사변이 일어나기 전에 미리 방비함을 이름.
[未月 미월] 음력 6월의 별칭.
[未易才 미이재] 얻기 어려운 인재(人才).
[未正 미정] 미시(未時)의 중간. 곧, 오후(午後) 2시 정각.
[未定 미정] 아직 결정하지 못함. 아직 정하여지지 아니함.
[未定稿 미정고] 아직 퇴고(推敲)하지 아니한 초고(草稿).
[未丁年 미정년] 미성년(未成年).
[未定草 미정초] 미정고(未定稿).
[未濟 미제] ㉠미료(未了). ㉡육십사괘(六十四卦)의 하나. 곧, ䷿〈감하(坎下), 이상(離上)〉. 일이 아직 이루어지지 아니한 상(象).
[未製品 미제품] 아직 완전히 되지 아니한 물품.
[未竣 미준] 아직 준공하지 못함.
[未曾有 미증유] 지금까지 아직 한 번도 있어 본 적이 없음.
[未知 미지] 알지 못함.
[未知鹿死誰手 미지녹사수수] 누가 천하(天下)를 차지할지 알 수 없음.
[未盡 미진] 아직 다하지 못함.
[未着 미착] 아직 도착하지 아니함.
[未初 미초] 미시(未時)의 첫 시각(時刻). 곧, 오후 1시경.
[未測深淺 미측심천] 아직 깊은지 얕은지 알지 못함. 물·상황(狀況)·인품(人品) 등에 대하여 이름.
[未快 미쾌] 아직 병이 쾌하지 않음.
[未妥 미타] 타당하지 아니함.
[未畢 미필] 아직 끝내지 못함.
[未協 미협] 아직 뜻에 맞지 아니함.
[未瑩 미형] 똑똑하지 못하고 어리석음.
[未婚 미혼] 아직 혼인을 하지 아니함.
[未遑 미황] 미처 겨를을 내지 못함.
[未洽 미흡] 흡족하지 못함.
◉己未. 丙午丁未.

1 ⑤ [末] 中人 말 入曷 莫撥切 mò

筆順 一 二 十 末 末

字解 ①끝 말 ㉠나무 끝. 우듬지. '木上曰一'《說文》. ㉡첨단(尖端). '一端'. '獻杖者執一'《禮記》. '若錐之處囊中. 其一立見'《史記》. ㉢하위(下位). 아래쪽. '一席'. '編於百主之一'《漢書》. ㉣종말. '一日'. '是月之一, 擇吉日大合樂'《禮記》. ㉤중요하지 아니한 부분. '瑣一'.

'反本成一'《荀子》. ㉥신하. 백성. '本一弱'《易經》. ②꼭대기 말 정상(頂上). '起于青蘋之一'《宋玉》. ③사지 말 수족(手足). '四一'. '風淫一疾'《左傳》. ④장사 말 상업. '上農除一'《史記》. ⑤말세 말 난세. '叔一澆訛'《後漢書》. ⑥가루 말 '粉一'. '燒爲灰一'《晉書》. ⑦천할 말 미천함. '位一名卑'《南史》. ⑧늙을 말 나이 먹음. '武王一受命'《中庸》. ⑨가벼울 말 경(輕)함. '不爲一減'《左傳》. ⑩자손 말 후예(後裔). '垂及後世裔一也'《書經 疏》. ⑪등 말 '一僂而後耳'《素問》. ⑫작을 말 '淺智之所爭則一矣'《呂氏春秋》. ⑬쇠할 말 쇠퇴함. '彊弩之一力, 不能入魯縞'《漢書》. ⑭지울 말 抹(手部 五畫)과 통용. '一殺災異'《漢書》. ⑮없을 말 無(火部 八畫)와 뜻이 같음. '一之難也'《論語》. ⑯말 말 勿(勹部 二畫)과 뜻이 같음. '一有原'《禮記》. ⑰마침내 말 드디어. 기어이. '我則一惟成德之彥'《書經》. ⑱성 말 성(姓)의 하나.

字源 金文 篆文 篆文 指事. '木목' 위에 가로획을 그어 나무 끝의 뜻을 나타냄.

參考 未(前條)는 別字.

[末減 말감] 형벌을 경하게 함.
[末甲 말갑] 말석(末席)의 급제(及第).
[末境 말경] 끝판. 늙바탕.
[末季 말계] 마지막 때. 끝.
[末計 말계] 마지막으로 써 보는 계책(計策). 궁여지책(窮餘之策).
[末光 말광] ㉠빛의 나머지. 여광(餘光). ㉡임금의 위광(威光)의 나머지. 여덕(餘德).
[末技 말기] 쓸모없는 기예. 변변치 못한 재주.
[末期 말기] ㉠노쇠하거나 쇠약한 시기. 끝장에 가까운 동안. ㉡《佛敎》 임종(臨終).
[末女 말녀] 막내딸.
[末年 말년] ㉠일생의 말기. 늘그막. ㉡말세(末世).
[末茶 말다] 가루로 만든 차(茶).
[末端 말단] 맨 끄트머리. 끝.
[末代 말대] ㉠말세(末世). ㉡후세(後世).
[末大必折 말대필절] 초목의 지엽이 커지면 줄기가 부러진다는 뜻으로, 지손(支孫)이 강성하여지면 반드시 종가(宗家)를 멸망시킨다는 말.
[末路 말로] ㉠행로(行路)의 종점. ㉡사람의 살아가는 끝장. 말년(末年). 노후(老後). ㉢일이 망해 가는 길. 쇠(衰)하여진 끝.
[末僚 말료] 낮은 벼슬아치. 속관(屬官).
[末流 말류] ㉠혈통의 끝. 곧, 자손(子孫). 말예(末裔). ㉡하류(下流). ㉢말세(末世). ㉣낮은 지위(地位). 또, 그 지위에 있는 사람. 말배(末輩).
[末利 말리] ㉠눈앞에 보이는 작은 이익(利益). ㉡상공업(商工業)의 이익.
[末尾 말미] 끝. 말단(末端).
[末民 말민] 상공업에 종사하는 백성.
[末班 말반] 제일 낮은 지위.
[末杯 말배] ㉠차례로 돌아가는 맨 나중의 잔. ㉡술자리에서의 마지막 잔.
[末輩 말배] 남의 밑에 있는 하찮은 사람들.
[末法 말법] ㉠하찮은 법(法). ㉡《佛敎》 삼시(三時)의 하나. 정법(正法)·상법(像法)이 지나고 나중에 오는 약 1만 년간의 일컬음. 이 기간에 불교가 가장 퇴폐한다고 함.
[末伏 말복] 삼복(三伏) 중의 마지막 복. 입추(立秋) 후의 첫째 경일(庚日).
[末寺 말사] 《佛敎》 본산(本山)에 부속된 사찰(寺刹).
[末殺 말살] 지워 없앰. 뭉개어 없앰. 말살(抹殺).
[末緖 말서] 전인(前人)이 남긴 공업(功業).
[末席 말석] ㉠맨 끝자리. 맨 끝의 좌석. ㉡지위의 맨 끝. 수석(首席)의 대(對).
[末世 말세] ㉠정치·도덕·풍속 따위가 아주 쇠퇴한 시대. 망해 가는 세상. ㉡늙바탕. 만년(晚年). 노경(老境).
[末俗 말속] 말세(末世)의 풍속(風俗).
[末孫 말손] 먼 자손(子孫).
[末藥 말약] 가루약(藥).
[末言 말언] 아주 보잘것없는 말.
[末業 말업] 상공업(商工業). 본업(本業)의 대(對).
[末葉 말엽] ㉠말세(末世). ㉡말예(末裔).
[末裔 말예] 자손. 후예(後裔).
[末藝 말예] 말기(末技).
[末運 말운] 막다른 운수.
[末位 말위] 끝자리.
[末日 말일] 그달의 마지막 날. 그믐날.
[末子 말자] 막내아들.
[末作 말작] 상공업(商工業). 말업(末業).
[末節 말절] 사소한 일. 지엽(枝葉)에 관한 일.
[末弟 말제] 끝의 아우.
[末造 말조] 말세(末世).
[末座 말좌] 말석(末席).
[末職 말직] 맨 끝자리의 벼슬.
[末疾 말질] ㉠수족(手足)의 병. ㉡난치(難治)의 병.
[末戚 말척] 먼 친척.
[末梢 말초] ㉠나뭇가지의 끝. ㉡물건의 맨 끝. 말단(末端).
[末梢神經 말초신경] 신경 중추(神經中樞)에서 나와 가늘게 온몸에 퍼진 신경.
[末派 말파] 끝 파(派).
[末學 말학] ㉠미숙한 학문. 천박한 학문. ㉡후진(後進)의 학자(學者). 후학(後學). 후배(後輩).
[末項 말항] 마지막의 조항.
[末行 말행] 글의 마지막 줄.
◉結末. 季末. 記事本末. 端末. 木末. 眇末. 本末. 粉末. 四末. 席末. 細末. 歲末. 瑣末. 始末. 年末. 澆末. 宂末. 月末. 顚末. 終末. 週末. 天末. 淺末. 篇末. 學期末. 亥末. 毫末.

1 ⑤ [朮] 人名 출 ①②㊀質 食聿切 shú ③㊀質 直律切 zhú

字解 ①차조 출 秫(禾部 五畫)과 同字. ②성 출 성(姓)의 하나. ③삽주 출 국화과(科)에 속하는 다년초. 뿌리는 백출(白朮) 또는 창출(蒼朮)이라 하여, 한약재로 씀. '一, 山薊'《爾雅》.

字源 秫의 別體 象形. 차조를 본뜬 모양으로, '차조'의 뜻을 나타냄. '秫출'의 原字.

1 ⑤ [朩] 一 발 ㊀曷 普活切 bó 二 패 ㊀隊 補昧切 bèi

字解 一 우거질 발 초목(草木)이 무성한 모양. '一, 艸木盛一一然'《說文》. 二 우거질 패 一과 뜻이 같음.

字源 形聲. 屮+八〔音〕

1 ⑤ [东] 〔동〕 東(木部 四畫〈p. 1045〉)의 簡體字

2
⑥ [朴] 中·人 박 入覺 匹角切 pǔ(pú), ②pò

筆順 一 十 才 木 朴 朴

字解 ①나무껍질 박 목피(木皮). '膚如桑一'《崔駰》. ②팽나무 박 느릅나뭇과(科)에 속하는 낙엽 교목(落葉喬木). 담황색 꽃이 피며, 황적색의 열매는 단맛이 있음. 목재는 단단하여 기구재로 쓰임. ③순박할 박 꾸밈이 없음. 질박함. 樸(木部 十二畫)과 同字. '素一'. '示敦一'《史記》. ④떨어질 박 '一, 離也'《廣雅》. ⑤클 박 '焉得夫一牛'《楚辭》. ⑥갑자기 박 '一, 猝也'《廣雅》. ⑦칠 박 때림. '一擊賣請'《史記》. ⑧성 박 성(姓)의 하나.

字源 篆文 形聲. 木+卜〔音〕. '卜복'은 '팍·폭' 소리를 나타내는 의성어(擬聲語). '팍' 소리를 내는 두꺼운 나무껍질의 뜻. '樸박'과 통하여, '순박함'의 뜻으로 쓰임.

[朴刀 박도] 칼집이 없는 칼.
[朴鈍 박둔] 무기(武器)가 예리하지 않음.
[朴魯 박로] 순박하고 어리석음.
[朴陋 박루] 박야(朴野).
[朴茂 박무] 순박하고 인정이 많음.
[朴澀 박삽] 순박하고 깔깔함.
[朴素 박소] 질박(質朴)하고 검소(儉素)함. 꾸밈이 없음. 소박(素朴).
[朴實 박실] 순박하고 진실함.
[朴野 박야] 질박하고 촌스러움.
[朴直 박직] 순박하고 정직함.
[朴質 박질] 순박하고 질박함.
[朴忠 박충] 순박하고 충실함.
◉簡朴. 骾朴. 魯朴. 戇朴. 敦朴. 鄙朴. 素朴. 疏朴. 淳朴. 純朴. 醇朴. 頑朴. 愿朴. 質朴. 忠朴. 厚朴.

2
⑥ [机] 人名 궤 上紙 居履切 ②jǐ 平支 居夷切 jī

字解 ①책상 궤 几(部首)와 同字. '一上'. '渙奔其一'《易經》. ②나무이름 궤 느릅나무 비슷한 나무 이름. '一, 一木也'《說文》. '單狐之山多一木'《山海經》.

字源 篆文 形聲. 木+几〔音〕. '几궤'는 '책상'의 뜻. 뒤에, '木목'을 덧붙였음.

[机上 궤상] 책상 위.
[机上之論 궤상지론] 실천성이 없는 허황한 이론. 실제에 적합하지 않은 의론. 탁상공론(卓上空論).
[机案 궤안] 책상.
[机下 궤하] 책상 아래. 편지에서 받는 이의 이름 밑에 붙여 쓰는 경칭.

2
⑥ [朻] 규 平尤 居虯切 jiū

字解 ①높은나무 규 '一, 說文云, 高木也'《廣韻》. ②굽어늘어질 규 나무의 가지가 아래로 늘어져 굽은 모양. '木下句曰一, 上句曰喬'《爾雅》.

字源 篆文 形聲. 木+丩〔音〕. '丩규'는, '뒤얽힘'의 뜻. 나뭇가지가 밑으로 구부러져 엉키다, 구부러진 나무의 뜻을 나타냄.

2
⑥ [朽] 人名 후 上有 許久切 xiǔ

字解 ①썩을 후 ㉠부패함. '腐一'. '茶蓼一止'《詩經》. ㉡폐(廢)하여 전하지 아니함. '甘惡名之速一'《陳琳》. ㉢늙어 폐인이 됨. '年一齒落'《晉書》. ②썩은냄새 후 殠(歹部 十畫)와 통용. '鼻將窒者, 先覺焦一'《列子》.

字源 金文 㱙의 別體 形聲. 木+丂〔音〕. '丂고'는 '굽다'의 뜻. 썩어 굽은 나무의 뜻. 㱙(歹部 二畫)은 동일어(同一語) 이체자(異體字).

[朽骨 후골] 썩은 뼈.
[朽壞 후괴] 후패(朽敗).
[朽斷 후단] 썩어서 끊어짐.
[朽鈍 후둔] 무디어 아무 소용이 없음.
[朽老 후로] 나이 늙고 기력이 쇠함.
[朽滅 후멸] 썩어 없어짐.
[朽木糞牆 후목분장] ㉠썩은 나무는 조각(彫刻)할 수 없고 부패한 담은 칠할 수가 없음. 곧, 마음이 썩어 배우고자 하는 뜻이 없는 사람은 가르칠 수 없다는 말. ㉡인도(人道)가 퇴폐하여진 난세(亂世)를 비유하여 이름.
[朽木糞土 후목분토] 후목분장(朽木糞牆).
[朽腐 후부] 썩음. 부패함.
[朽索馭六馬 후삭어육마] 썩은 새끼로 여섯 필의 말을 부린다는 뜻으로, 대단히 위험함을 비유하여 이름.
[朽損 후손] 썩어서 헒.
[朽穢 후예] 썩어 더러움.
[朽棧 후잔] 썩은 사닥다리.
[朽折 후절] 썩어 부러짐.
[朽條 후조] 썩은 끈. 썩은 새끼.
[朽條腐索 후조부삭] 썩은 끈과 새끼. 전(轉)하여, 아무 소용이 없는 것.
[朽敗 후패] 썩어서 무너지거나 깨어짐.
[朽廢 후폐] 썩어 못 쓰게 됨.
◉枯朽. 老朽. 鏤氷雕朽. 腐朽. 不朽. 三不朽. 衰朽. 草木俱朽. 焦朽. 摧枯拉朽. 頹朽. 敗朽.

2
⑥ [朼] 비 上紙 卑履切 bǐ

字解 수저 비 나무로 만든 숟가락. 제사 때에 씀. '乃一載'《儀禮》.

2
⑥ [朾] 정 ①②平庚 宅耕切 chéng ③平庚 中莖切 zhēng ④平庚 癡貞切 tīng

字解 ①칠 정 두드림. ②쐐기 정. ③나무베는소리 정. ④땅이름 정 '虛一'은 춘추 시대(春秋時代)의 송(宋)나라의 지명(地名).

字源 篆文 形聲. 木+丁〔音〕. '丁정'은 '釘정'의 原字로서, '치다'의 뜻. 나무로 치다, 또 그 지팡이의 뜻을 나타냄.

2
⑥ [朷] 一 도 平豪 都勞切 dāo 二 초 平蕭 田聊切 tiáo 三 목 入屋 莫卜切 mù

字解 一 ①나무이름 도 '一, 木名'《玉篇》. ②나무고갱이 도 나무의 속. 목심(木心). '木心曰一'《集韻》. 二 나뭇가지질 초 나뭇가지가 떨어짐. '一, 枝落也, 通作條'《集韻》. 三 뽕가지칠 목 뽕나무 가지를 자름. '一, 刀治桑也'《集韻》.

字源 形聲. 木+刀〔音〕

2
⑥ [朸] 력 ㊀職 ①盧則切 lè
㊀職 ②林直初 lì

字解 ①나이테 력 연륜(年輪). 목리(木理). ② 구석 력 집의 구석. 옥우(屋隅).

字源 篆文 形聲. 木+力〔音〕. '力력'은 '理이'와 통하여, '줄금, 결'의 뜻. 나무의 줄금, '나이테'의 뜻을 나타냄.

2
⑥ [朳] 팔 ㊀點 博拔切 bā

字解 고무래 팔 '一, 無齒杷也'《玉篇》.

字源 形聲. 木+八〔音〕

2
⑥ [朹] ㊀ 구 ㊥尤 巨鳩切 qiú
㊁ 궤 ㊤紙 居洧切 guǐ

字解 ㊀ 산사나무 구 장미과에 속하는 낙엽 교목(落葉喬木). 과실은 산사자(山査子)라 하여 약용으로 함. 아가위나무. ㊁ 궤 궤 簋(竹部 十一畫)의 古字.

字源 簋의 古文 形聲. 木+九〔音〕

2
⑥ [朷] ㊀ 잉 ①㊥蒸 如乘切 réng
①②㊦徑 而證切
㊁ 이 ㊥支 人之切

字解 ㊀ ①나무이름 잉 '一, 一木也'《說文》. ② 수레멈추는나무 잉 '一, 一曰, 止車木'《集韻》. ㊁ 나무이름 이 '一, 木名'《集韻》.

字源 形聲. 木+乃〔音〕

2
⑥ [朱] 中·人 주 ㊥虞 章俱切 zhū

筆順 丿 𠂉 𠂉 牛 牛 朱

字解 ①붉을 주, 붉은빛 주 적색(赤色). '一肉'. 또, 적색의 물건. '被一佩紫'《夏侯湛》. '惡紫之奪一也'《論語》. ②연지 주 화장품의 하나. '傅粉施一'《顏氏家訓》. ③난쟁이 주 侏(人部 五畫)와 통용. '一儒一儒, 使我敗於邾'《左傳》. ④그루 주, 줄기 주 株(木部 六畫)와 통용. '幹以一數'《正字通》. ⑤성 주 성(姓)의 하나.

字源 甲骨文 金文 篆文 指事. '木목'의 중심에 한 획을 덧붙여, 나무의 벤 단면의 심이 붉음의 뜻을 나타냄.

[朱闕 주궐] 붉은 칠을 한 대궐.
[朱紐 주뉴] 옥으로 만든 붉은 단추.
[朱丹 주단] 붉은색.
[朱螺 주라] 붉은 칠을 한 소라 껍데기로 만든 악기(樂器).
[朱欄 주란] 붉은 칠을 한 난간.
[朱蠟 주랍] 편지 같은 것을 봉하는 데 쓰는 붉은 밀.
[朱鷺 주로] 따오기.
[朱樓畫閣 주루화각] 화려(華麗)한 누각(樓閣).
[朱笠 주립] 융복(戎服)을 입을 때에 쓰던 붉은 대삿갓.
[朱買臣 주매신] 전한(前漢) 무제(武帝) 때의 문신(文臣). 자(字)는 옹자(翁子). 처음에 집이 가난하여 살림이 어려울 때 그의 아내는 참지 못하여 그를 버리고 달아났는데, 그가 뒤에 회계(會稽)의 태수(太守)가 되어 그 고을을 지날 때 그 아내는 스스로 부끄러이 여겨 목매어 죽었다 함.
[朱明 주명] 여름〔夏〕의 아칭(雅稱).
[朱墨 주묵] ㉠주홍빛의 먹. ㉡붉은 먹과 검은 먹으로 이동(異同)을 구별하거나 첨삭(添削)을 가함. ㉢붉은 먹과 검은 먹으로 장부에 지출(支出)과 수입(收入)을 적음.
[朱門 주문] ㉠붉은 칠을 한 문(門). ㉡지위(地位)가 높은 사람이나 부호(富豪)의 집.
[朱門家 주문가] 지위가 높고 지체가 높은 사람의 집. 귀인(貴人)의 집 문에는 붉은 칠을 한 데서 이름.
[朱砂 주사] 판상(板狀)·섬유상(纖維狀)·입상(粒狀), 혹은 괴상(塊狀)으로 된 광택이 있는 붉은 광물. 진사(辰砂).
[朱色 주색] 붉은빛.
[朱書 주서] 주묵(朱墨)으로 글씨를 씀. 또, 그 글씨.
[朱錫 주석] 놋쇠.
[朱脣皓齒 주순호치] 붉은 입술과 흰 이라는 뜻으로, 미인(美人)을 형용하는 말.
[朱殷 주안] 검붉은빛. 적흑색(赤黑色).
[朱顏 주안] ㉠술을 마셔 붉어진 얼굴. ㉡'홍안(紅顏)'과 같음.
[朱硯 주연] 주묵(朱墨)을 가는 데 쓰는 벼루.
[朱幃 주위] 붉은 휘장.
[朱肉 주육] 인주(印朱).
[朱衣吏 주의리] 향도(鄕導)하는 벼슬아치.
[朱衣象笏 주의상홀] 붉은 옷과 상아(象牙) 홀(笏). 주의(朱衣)는 시어사(侍御史)의 제복(制服).
[朱衣點頭 주의점두] 과거(科擧)에 응시(應試)한 문장이 선(選)에 들어 급제함. 점두(點頭)는 승낙한다는 뜻으로, 머리를 끄덕임.
[朱印 주인] 인주로 찍는 도장.
[朱子 주자] 주희(朱熹)의 경칭(敬稱).
[朱泚 주자] 당(唐)나라의 반신(叛臣). 덕종(德宗) 때 태위(太尉)가 되고 뒤에 경원(涇原)의 절도사(節度使) 요영언(姚令言)이 반란을 일으켰을 때 추대되어 제위(帝位)에 오르고 국호(國號)를 대진(大秦)이라 하였으나, 얼마 후에 이성(李晟)에게 쫓기어 망하였음.
[朱紫 주자] ㉠붉은빛과 자줏빛. ㉡정(正)과 사(邪). ㉢붉은빛과 자줏빛의 옷 또는 인끈. 전(轉)하여, 고위 관리(高位官吏).
[朱子學 주자학] 남송(南宋)의 주희(朱熹)가 주장한 유학(儒學).
[朱雀 주작] 이십팔수(二十八宿) 중 남방(南方)에 있는 정(井)·귀(鬼)·유(柳)·성(星)·장(張)·익(翼)·진(軫)의 일곱 성수의 총칭. 사신(四神)의 하나로서 남쪽 하늘을 맡은 신령(神靈). 붉은 봉황(鳳凰)의 형상으로 상징함. 전(轉)하여, 남방. 남쪽. 주조(朱鳥).

[朱雀]

[朱全忠 주전충] 오대(五代) 때의 양(梁)나라의 태조(太祖). 당(唐)나라의 소종(昭宗)을 죽이고, 그 아들 애제(哀帝)를 세웠다가 이어 선위(禪位)의 형식을 밟아 제위(帝位)에 올랐음.

[朱點 주점] 주묵(朱墨)으로 찍은 점.
[朱點沙器 주점사기] 주묵(朱墨)으로 붉은 점을 찍어 만든 사기.
[朱鳥 주조] ㉠빛이 붉은 새. ㉡주작(朱雀).
[朱陳之好 주진지호] 주씨(朱氏)와 진씨(陳氏)의 두터운 세의(世誼). 서주(徐州)의 주진촌(朱陳村)에 주씨와 진씨만이 살아 대대로 혼인을 하였으므로, 전(轉)하여 양가(兩家)에서 대대로 통혼(通婚)하는 사이라는 뜻으로 쓰임.
[朱天 주천] 구천(九天)의 하나. 서남쪽의 하늘.
[朱土 주토] ㉠빛이 붉은 흙. 적토(赤土). ㉡석간주(石間硃).
[朱筆 주필] ㉠주묵(朱墨)을 찍어 글씨를 쓰는 붓. ㉡주서(朱書).
[朱夏 주하] 여름.
[朱汗 주한] 피와 같은 빛의 땀. 대단히 수고하여 흘리는 땀의 뜻으로 쓰임. 한혈(汗血).
[朱檻 주함] 붉은 칠을 한 난간(欄干).
[朱戶 주호] ㉠붉은 칠을 한 지게문. 천자(天子)가 공로(功勞)가 있는 제후(諸侯)에게 주는 구석(九錫)의 하나. ㉡권세(權勢)가 있는 집. 권가(權家).
[朱紅 주홍] 적색(赤色)과 주황색(朱黃色)의 중간 빛.
[朱黃 주황] 주색(朱色)과 황색(黃色)의 중간 빛.
[朱晦庵 주회암] 주희(朱熹).
[朱熹 주희] 남송(南宋)의 대유학자. 휘주(徽州)·무원(婺源) 사람. 자(字)는 원회(元晦) 또는 중회(仲晦). 호(號)는 회암(晦庵)·회옹(晦翁)·고정(考亭) 등임. 경학(經學)에 정통하여 송학(宋學)을 대성(大成)하였는데 그 학(學)을 주자학(朱子學)이라 일컬으며, 우리나라 조선(朝鮮) 시대의 유학(儒學)에 큰 영향을 미쳤음. 저서로는 〈시집전(詩集傳)〉·〈대학중용장구혹문(大學中庸章句或問)〉·〈논어맹자집주(論語孟子集註)〉·〈근사록(近思錄)〉·〈통감강목(通鑑綱目)〉 등이 있음.
[朱曦 주희] 붉은 햇빛이라는 뜻으로, 여름 아침의 해를 이름.
◉丹朱. 彤朱. 純朱. 楊朱. 印朱. 彫朱. 堆朱. 纁朱.

2 ⑥ [朿] [一] 자 [去]寘 七賜切 cì
[二] 극 [入]職 訖力切 jì

[字解] [一] 가시 자 나무의 가시. '一, 木芒也'《說文》. [二] 가시나무 극 棘(木部 八畫)과 同字.
[字源] 甲骨文 金文 篆文 象形. 가시를 본뜬 모양. '가시'의 뜻.

2 ⑥ [朶] [人名] 타 [上]哿 丁果切 duǒ

[字解] ①늘어질 타 나뭇가지 또는 열매가 휘늘어짐. '解語花枝嬌——'《趙師牧》. 전(轉)하여, 휘늘어진 물건, 한 떨기의 휘늘어진 꽃 등. '數—梅花'. '冠笄冠—'《宋史》. ②움직일 타 움직이게 함. '觀我—頤'《易經》. ③가지 타 꽃이 달린 가지. '白花檐外—'《杜甫》. ④성 타 성(姓)의 하나.
[字源] 篆文 會意. 乃+木. '乃내'는 일찍이 金文에서부터 조사(助辭)로 쓰이어 본뜻은 분명치 않으나, 늘어진 활 모양 비슷하여 '느즈러짐, 늘어짐'의 뜻을 나타내는 것으로 추측됨. 나뭇가지가 늘어지다, 축 처지다의 뜻을 나타냄.

[朶雲 타운] 오색(五色)의 수운(垂雲)이라는 뜻으로, 남의 편지의 경칭(敬稱).
[朶頤 타이] 턱을 움직인다는 뜻으로, 먹고자 하는 모양, 선망(羨望)하는 모양, 강한 나라가 약한 나라를 병탄(倂呑)하고자 하는 모양 등을 이름.
[朶朶 타타] ㉠많은 가지. 꽃이 많이 모인 모양. ㉡가지의 휘늘어진 모양.
◉萬朶. 滿朶. 瑤朶. 雲朶. 月朶. 耳朶. 粗朶. 花朶.

2 ⑥ [朵] 朶(前條)와 同字

2 ⑥ [杀] 〔살·쇄〕
殺(殳部 七畫〈p. 1157〉)의 簡體字

2 ⑥ [杈] 〔권〕 權(木部 十八畫〈p. 1123〉)의 俗字·簡體字

2 ⑥ [杂] 〔잡〕
雜(隹部 十畫〈p. 2489〉)의 簡體字

3 ⑦ [李] [中·人] 리 [上]紙 良士切 lǐ

[筆順] 一 十 才 木 杢 李 李

[字解] ①자두나무 리 장미과(科)에 속하는 낙엽교목(落葉喬木). ②자두 리 자두나무의 열매. '投我以桃, 報之以—'《詩經》. ③다스릴 리 理(玉部 七畫)와 통용. '司—'. ④재판관 리 법관(法官). 옥관(獄官). '國子爲—'《管子》. ⑤별이름 리 '熒惑爲—'《史記》. ⑥심부름꾼 리 사자(使者). '行—之往來'《左傳》. ⑦성 리 성(姓)의 하나.
[字源] 篆文 古文 會意. 木+子. '子자'는 '어린이, 열매'의 뜻. 열매가 많이 열리는 자두나무의 뜻을 나타냄.

[李廣 이광] 서한(西漢)의 무장(武將). 무제(武帝) 때에 북평(北平) 태수(太守)가 되었음. 흉노(匈奴)와 대소(大小) 칠십여전(七十餘戰)에 참획(斬獲)한 바가 많아 흉노(匈奴)는 그를 비장군(飛將軍)이라고 부르며 매우 두려워하였음.
[李光地 이광지] 청(淸)나라의 학자. 문연각 대학사(文淵閣大學士)에 오르고 〈주자전서(朱子全書)〉를 비롯한 여러 칙찬서(勅撰書)를 편집하였으며, 〈주역통론(周易通論)〉 외에 여러 저술이 있음.
[李光弼 이광필] 당(唐)나라 숙종(肅宗) 때의 절도사(節度使). 안사(安史)의 난(亂)을 평정(平定)하고 대종(代宗) 때에 임회군왕(臨淮郡王)에 봉(封)함을 받았음.
[李克用 이극용] 오대(五代) 때의 당(唐)나라 시조.
[李唐 이당] 이연(李淵)이 세운 당(唐)나라.
[李德裕 이덕유] 당(唐)나라 무종(武宗) 때의 재상(宰相). 길보(吉甫)의 아들. 저술에 〈이문요집(李文饒集)〉이 있음.
[李桃 이도] 앵두의 별칭.
[李東陽 이동양] 명(明)나라 때의 대학자(大學者). 효종(孝宗) 때에 대학사(大學士)가 되었음.
[李杜 이두] 이백(李白)과 두보(杜甫).
[李杜韓柳 이두한류] 당(唐)나라의 이백(李白)·

두보(杜甫)·한유(韓愈)·유종원(柳宗元)의 병칭(竝稱). 이(李)·두(杜)는 시(詩)에 뛰어나고, 한(韓)·유(柳)는 문장에 뛰어남.

[李陵 이릉] 전한(前漢) 때의 무인(武人). 무제(武帝) 때에 흉노(匈奴)와 싸워 고군분투하다가 항복하니 선우(單于)가 그를 우교왕(右校王)으로 삼았음.

[李夢陽 이몽양] 명대(明代)의 문학자. 자(字)는 헌길(獻吉). 호(號)는 공동자(空同子). 시(詩)와 고문(古文)을 잘하였고, 명나라 십재자(十才子)의 한 사람임. 저술에 〈공동자집(空同子集)〉이 있음.

[李密 이밀] ㉠동진(東晉)의 무양(武陽) 사람. 자(字)는 영백(令伯). 일찍이 부모를 여의고 할머니에게서 자랐는데, 그 효성이 지극하매 무제(武帝)가 이를 기리어 태자세마(太子洗馬)의 벼슬을 내렸으나, 그는 진정표(陳情表)를 올려 이를 사양하였음. ㉡당(唐)나라 초기의 양평(襄平) 사람. 자(字)는 현수(玄邃). 처음에 수(隋)나라를 섬기다가 당조(唐朝)에 귀의(歸依)하여 광록경(光祿卿)의 벼슬을 받았으나, 뒤에 모반하여 피살당하였음.

[李攀龍 이반룡] 명대(明代)의 문학자. 자(字)는 우린(于鱗). 시(詩) 및 고문(古文)을 잘하여 명(明)나라의 칠재자(七才子)의 한 사람으로 꼽힘.

[李白 이백] 성당(盛唐) 때의 대시인(大詩人). 자(字)는 태백(太白). 호(號)는 청련(靑蓮). 두보(杜甫)와 함께 시종(詩宗)으로 존앙받음. 〈이태백집(李太白集)〉 30권이 있음.

[李父 이부] 범〔虎〕의 이칭(異稱).

[李斯 이사] 초(楚)나라의 상채(上蔡) 사람. 진(秦)나라의 객경(客卿)이 되어 시황제(始皇帝)를 도와 천하를 통일하고 군현제(郡縣制)를 창립함. 2세 황제(皇帝) 때에 참소(讒訴)를 만나 피살당하였음.

[李思訓 이사훈] 당(唐)나라의 종족(宗族). 그림을 잘하여 북종화(北宗畫)의 비조(鼻祖)가 됨. 한때 좌무위대장군(左武衛大將軍)이 되었으므로, 혹은 이장군(李將軍)이라고도 함.

[李商隱 이상은] 만당(晩唐) 때의 시인. 자(字)는 의산(義山). 온정균(溫庭筠)과 함께 온리(溫李)로 불리며 후세에 그의 시파(詩派)를 서곤체(西崑體)라 이름. 저서로는 〈옥계생시(玉谿生詩)〉·〈번남문집(樊南文集)〉 등이 있으며, 또 〈의산잡찬(義山雜纂)〉의 저자라고도 전해 옴.

[李善 이선] 당(唐)나라의 학자. 〈문선(文選)〉의 주(註)를 냈음.

[李晟 이성] 당(唐)나라 때의 장군(將軍). 덕종(德宗) 때에 주자(朱泚)의 난(亂)을 평정하여 그 공(功)으로 사도(司徒)가 되고, 이어 서평왕(西平王)으로 봉(封)함을 받았음.

[李世民 이세민] 당(唐)나라의 태종(太宗). 이연(李淵)의 제이자(第二子). 그 아버지에게 권하여 거병(擧兵)하여, 곧 천하를 통일했음. 방현령(房玄齡)·두여회(杜如晦)·위징(魏徵) 등의 명신(名臣) 명장(名將)을 적재적소에 쓰고, 제도를 정비(整備)했으며, 영토를 넓혔음.

[李時珍 이시진] 명(明)나라의 학자. 본초(本草)와 의학(醫學)에 연구가 깊어 〈본초강목(本草綱目)〉을 저술하였음.

[李漁 이어] 명말(明末) 청초(淸初)의 문인(文人). 자(字)는 입옹(笠翁). 시곡(詩曲)·문장에 뛰어나고 평론가로서는 김성탄(金聖嘆)과 병칭(竝稱)됨. 전기(傳奇)·소설의 저작으로, 〈합금회문전(合錦廻文傳)〉·〈육포단(肉蒲團)〉 등이 전해 옴.

[李如松 이여송] 명대(明代)의 장군. 임진왜란(壬辰倭亂) 때 우리나라에 왔었음.

[李淵 이연] 당(唐)나라의 시조(始祖)인 고조(高祖)의 이름. 재위(在位) 9년.

[李邕 이옹] 당(唐)나라 때의 문인(文人)·정치가. 현종(玄宗) 때에 북해(北海)의 태수(太守)가 되었고, 뒤에 이임보(李林甫)에게 피살당하였음. 재예(才藝)에 뛰어나고 글씨로도 유명함. 저서로는 〈이북해집(李北海集)〉이 있음.

[李衛公問對 이위공문대] 당(唐)나라의 이정(李靖)이 태종(太宗)과 함께 병법(兵法)을 논한 것을 후세 사람이 모은 책. 3권.

[李膺 이응] 후한(後漢) 때의 양성(襄城) 사람. 자(字)는 원례(元禮). 영제(靈帝) 때에 당고(黨錮)를 만나 피살당하였음.

[李耳 이이] ㉠주(周)나라의 노담(老聃), 곧 노자(老子)의 이름. ㉡범〔虎〕의 이칭(異稱).

[李林甫 이임보] 당(唐)나라 현종(玄宗) 때의 재상(宰相). 성품이 음흉하여 이묘(李猫)라고 불리었음.

[李自成 이자성] 명말(明末)의 유적(流賊). 숭정(崇禎) 15년에 허난(河南)·후베이(湖北)를 통일하고, 이듬해에 신순왕(新順王)이라 자칭. 17년엔 국호(國號)를 대순(大順)이라 하고 국도 북경(北京)을 공략하였으나, 나중에 오삼계(吳三桂)에게 패하여 죽었음.

[李勣 이적] 당초(唐初)의 명장(名將). 자(字)는 무공(懋功). 본성명(本姓名)은 서세적(徐世勣), 당(唐)나라에 귀순하여 이성(李姓)을 받았음. 고종(高宗) 때에 고구려(高句麗)를 쳤음.

[李存勗 이존욱] 오대(五代)의 당(唐)나라 임금 장종(莊宗)의 이름.

[李泌 이필] 당대(唐代)의 명신(名臣). 현종(玄宗) 때에 동궁(東宮)에 공봉(供奉)하고 숙종(肅宗) 때에 국사(國史)에 참여하였으며, 뒤에 업현후(鄴縣侯)에 봉(封)함을 받았음.

[李賀 이하] 당대(唐代)의 시인. 자(字)는 장길(長吉).

[李下不整冠 이하부정관] 열매가 열린 자두나무 밑에서는 갓을 고쳐 쓰지 아니한다는 뜻으로, 손을 올려 갓을 고쳐 쓰면 자두를 따려고 하지 않나 하는 의심을 받으므로 남에게 의심 살 일은 조심해서 피하여야 한다는 말. '과전불납리(瓜田不納履)'와 같은 말.

[李下之冠 이하지관] 혐의(嫌疑)를 받기 쉬운 일. '이하부정관(李下不整冠)'을 보라.

[李沆 이항] 북송(北宋)의 명신(名臣). 자(字)는 태초(太初). 태종(太宗)·진종(眞宗)의 양대를 섬겼음.

[李鴻章 이홍장] 청말(淸末)의 정치가. 자(字)는 소전(小荃). 태자태부 문화전 대학사(太子太傅文華殿大學士)가 되었고, 태평천국(太平天國)의 난(亂) 평정에 공을 세웠으며, 그 후 여러 외국과의 외교 교섭에 수완을 발휘하였음. 저서로는 〈이문충공전서(李文忠公全書)〉 등이 있음.

[李花 이화] 자두꽃.

[李華 이화] 성당(盛唐) 때의 문인(文人). 자(字)는 하숙(遐叔). 조주(趙州) 사람. 현종(玄宗) 때에 감찰어사(監察御史)가 되었음.

[李希烈] 이희열 당(唐)나라 때의 절도사(節度

使). 덕종(德宗) 때에 모반(謀反)하여 제호(帝號)를 자칭하고 국호(國號)를 초(楚)라고 하였으나, 뒤에 부하에게 독살(毒殺)되었음.
◉穠李. 道邊苦李. 桃李. 鼠李. 楯李. 郁李. 薁李. 夏李. 行李.

3 ⑦ [杏] 人名 행 ㊤梗 何梗切 xìng

筆順 一 十 才 木 木 杏 杏 杏

字解 ①살구나무 행 장미과(科)에 속하는 낙엽 교목(落葉喬木). 씨는 행인(杏仁)이라 하여 약재로 씀. '牧童遙指一花村'《杜牧》. ②살구 행 살구나무의 열매. '一仁'. ③은행나무 행 '一, 銀杏'《正字通》. ④성 행 성(姓)의 하나.
字源 甲骨文 篆文 形聲. 木+向〈省〉〔音〕.

[杏壇 행단] ㉠단(壇)의 이름. 산둥 성(山東省) 취푸 현(曲阜縣)의 공자(孔子)의 묘전(廟前)에 있음. ㉡학문을 가르치는 곳. 공자(孔子)가 행단(杏壇) 위에 앉고 제자가 그 곁에서 강학(講學)한 고사(故事)에서 나옴.
[杏林 행림] ㉠살구나무 숲. ㉡의사(醫師)의 미칭(美稱). 옛적의 뛰어난 의원(醫員) 동봉(董奉)이 보수(報酬)를 받지 않고 중병자(重病者)가 나으면 살구나무 다섯 그루, 경환자(輕患者)가 나으면 한 그루씩 심게 하여 수년 후에는 살구나무 숲을 이루었다는 〈신선전(神仙傳)〉의 고사(故事)에 유래함.
[杏園 행원] 동산 이름. 산시 성(陝西省) 장안현(長安縣)의 서쪽 곡강지(曲江池)의 옆에 있으며, 당(唐)나라 때에는 과거에 급제한 이들이 이곳에서 놀았음.
[杏仁 행인] 살구씨의 알맹이. 약재(藥材)로 씀.
[杏子木 행자목] 은행(銀杏)나무의 목재.
[杏花 행화] 살구꽃.
[杏花村 행화촌] ㉠살구꽃이 만발한 마을. ㉡술집.
◉銀杏. 青杏.

3 ⑦ [杍] 一 자 ㊤紙 卽里切 zǐ 二 리 ㊤紙 良士切 lǐ

字解 一 ①나무다듬질기구 자 나무를 다듬는 데 쓰는 기구(器具). '治木器曰一'《集韻》. ②목수 자 목공(木工). '一, 木工'《正字通》. 二 李(木部 三畫)의 古字.

3 ⑦ [杅] 우 ①-③㊥虞 羽俱切 yú ④㊦遇 王遇切 wū

字解 ①바리 우 물을 마시는 그릇. '一不穿'《公羊傳》. ②목욕통 우 '浴時入一, 浴竟出一'《禮記》. ③만족할 우 만족하게 여기는 모양. '是一一亦富人已'《荀子》. ④누를 우 견제함. '秦得燒掇焚一君之國'《史記》.
字源 形聲. 木+于〔音〕.

[杅杅 우우] 만족하게 여기는 모양.

3 ⑦ [杆] 人名 간 ㊦翰 古案切 gàn ㊥寒 居寒切 gān

筆順 一 十 才 木 木 杆 杆

字解 ①나무이름 간 ㉠박달나무. 자작나뭇과의 낙엽 아교목(亞喬木). 단목(檀木). '一, 檀木'《廣韻》. ㉡산뽕나무. 뽕나뭇과의 낙엽 활엽 교목. '一, 柘也'《廣雅》. ②쓰러진나무 간. ③몽둥이 간. ④방패 간 창·칼·화살 따위를 막아내는 무기. '披鎧一'《漢書》. ⑤난간 간 속(俗)에 '欄干'을 '欄一'으로 씀.
字源 形聲. 木+干〔音〕. '干간'은 '막다'의 뜻. 나무로 만든 '방패'의 뜻을 나타냄.

◉鎧杆. 楯杆. 欄杆. 槍杆.

3 ⑦ [杄] 천 ㊥先 親然切 qiān

字解 고욤나무 천 '椑一'은 감나무의 일종. 櫏(木部 十五畫)과 同字.

3 ⑦ [杇] 오 ㊥虞 哀都切 wū ㊦遇 烏故切

字解 ①흙손 오 벽 따위에 흙을 바르는 연장. '槾謂之一'《爾雅》. ②흙질할 오 벽 따위에 흙을 바름. '糞土之牆, 不可一也'《論語》.
字源 篆文 形聲. 木+亏〔音〕. '亏오'는 활처럼 굽음의 뜻. 손잡이가 굽은 흙손의 뜻을 나타냄.

◉泥杇.

3 ⑦ [杍] 〔후〕 朽(木部 二畫〈p. 1030〉)의 訛字

3 ⑦ [杈] 차 ①②㊥麻 初牙切 chā, ①chà ③㊥佳 初佳切 ④㊦禡 楚嫁切 chà

字解 ①가장귀진나무 차, 가지 차 나뭇가지. 또, 나무의 가장귀진 데. '突一枒而皆折'《杜甫》. ②작살 차 물고기를 찍어 잡는 기구. '以一刺泥中'《周禮 註》. ③농구 차 농구(農具)의 하나. 볏단을 끼워 잡거나 경지(耕地)를 평평히 고르는 데 쓰이는 나무 기구. '一把, 平田具也'《廣韻》. ④울짱 차 마책(馬柵).
字源 篆文 形聲. 木+叉〔音〕. '叉차'는 손가락 사이를 벌려 무엇을 끼운 모양을 본뜸.

◉排杈. 魚杈.

3 ⑦ [杉] 人名 삼 ㊥咸 所咸切 shān, shā

筆順 一 十 才 木 木 杉 杉

字解 삼나무 삼 낙우송과(科)에 속하는 상록 교목(常綠喬木). '稚一戢戢三千本'《蘇軾》.
字源 形聲. 木+彡〔音〕

[杉籬 삼리] 삼목 울.
◉老杉. 小杉. 稚杉. 檜杉.

3 ⑦ [杋] 人名 범 ㊤豏 扶嚴切 fán

筆順 一 十 才 木 朷 杋 杋

字解 나무이름 범 '一, 俗呼爲水浮木也'《玉篇》.

[字源] 形聲. 木＋凡〔音〕

3 ⑦ [杌] 올 ①[入]月 魚厥切 wò ②[入]月 五忽切 wù

[字解] ①등걸 올 나무를 베고 난 그루터기. ②위태할 올 위태한 모양. 불안한 모양. '邦之一隉'《書經》.
[字源] 形聲. 木＋兀〔音〕. '兀올'은 대머리의 象形. 가지 없는 나무의 뜻을 나타냄.

[杌隉 올얼] 위태한 모양. 불안한 모양.
◉檮杌.

3 ⑦ [材] [中][人] 재 [平]灰 昨哉切 cái [去]隊 昨代切

[筆順] 一 十 才 木 木一 村 材

[字解] ①재목 재 건축·기구 등의 재료로 쓰이는 나무. '一木'. '一朴委積'《楚辭》. 전(轉)하여, 널리 딴 천연 재료의 뜻으로 쓰임. '石一'. '其一足以備器用'《左傳》. ②자품 재 자질(資質). 바탕. '一質'. '必因其一而篤焉'《左傳》. ③재주 재 재능. 才(手部)와 同字. '一能'. '任官惟賢一'《書經》. ④헤아릴 재 裁(衣部 六畫)와 통용. '治萬變, 一萬物'《荀子》. ⑤쓸 재 사용함. '聖人於物也, 無不一'《呂氏春秋》. ⑥나무뿌리 재 지상에 드러나 있는 뿌리. '駕而乘一'《左傳》. ⑦나무열매 재 '掌斂疏一'《周禮》. ⑧길 재 '教人不盡其一'《禮記》. ⑨성 재 성(姓)의 하나.
[字源] [篆文] 材 形聲. 木＋才〔音〕. '才재'는 강물의 범람을 막기 위해 세워진 나무의 象形. 건축용의 곧은 목재(木材)의 뜻을 나타냄. 또, '才'가 범람을 막는 뜻인 데서, 나무를 베어 사각형의 좋은 재목으로 정제(精製)한 것의 뜻이라고도 함.

[材幹 재간] ㉠재주와 간능(幹能). ㉡재목(材木).
[材官 재관] 무관(武官). 무변(武弁).
[材器 재기] 재주와 국량(局量).
[材能 재능] 재주와 능력.
[材力 재력] 타고난 능력.
[材料 재료] 물건을 만드는 감.
[材木 재목] 건축(建築)의 재료(材料)로 쓰는 나무.
[材武 재무] 재간(材幹)과 무용(武勇).
[材士 재사] 힘이 센 사람.
[材臣 재신] 재능이 있는 신하.
[材藝 재예] 재능과 기예(技藝).
◉乾材. 宏材. 教材. 器材. 木材. 茂材. 文材. 薄材. 凡材. 散材. 石材. 詩材. 藥材. 良材. 梁材. 雄材. 人材. 印材. 逸材. 資材. 梓材. 樗櫟材. 製材. 題材. 主材. 俊材. 鐵材. 取材.

3 ⑦ [杔] [一] 탁 [入]藥 闥各切 tuō [二] 척 [入]陌 陟格切 zhé

[字解] [一] 나무이름 탁 탁로(杔櫨). 일설(一說)에는, 병꽃나무. '一櫨木名'《集韻》. [二] ①쳇다리 척, 술주자 척 술을 거를 때 쓰이는 기구. '一櫨, 漉酒器'《集韻》. ②대접받침 척 기둥머리를 장식하는 나무. 주두(柱枓). '一, 一曰, 柱上枅'《集韻》.
[字源] 形聲. 木＋乇〔音〕

3 ⑦ [村] [中][人] 촌 [平]元 此尊切 cūn

[筆順] 一 十 才 木 木一 村 村

[字解] ①마을 촌 시골. '一落'. '一中聞有此人'《陶潛》. ②촌스러울 촌 '薛駙馬有一氣, 主羞之'《隋唐嘉話》.
[字源] 形聲. 木＋寸〔音〕. '邨촌'의 俗字.

[村家 촌가] 촌집.
[村歌 촌가] 촌에서 부르는 노래.
[村間 촌간] 시골 마을의 사이.
[村甲 촌갑] 한 마을의 우두머리. 촌장(村長).
[村居 촌거] 시골 마을에 삶.
[村郊 촌교] 촌야(村野).
[村妓 촌기] 촌에 있는 기생.
[村氣 촌기] 시골티.
[村童 촌동] 시골 아이.
[村落 촌락] 촌. 마을.
[村閭 촌려] 촌의 입구의 문. 또, 촌.
[村老 촌로] 촌에 사는 노인(老人).
[村里 촌리] 마을.
[村氓 촌맹] 촌에서 사는 백성.
[村民 촌민] 촌에서 사는 백성. 촌맹(村氓).
[村坊 촌방] 시골 마을.
[村婦 촌부] 촌에서 사는 여자.
[村夫子 촌부자] 시골 선생.
[村舍 촌사] 촌가(村家).
[村書 촌서] 시골 사람이 보는 속된 책.
[村墅 촌서] 시골에 있는 별장(別莊).
[村俗 촌속] 시골의 풍속(風俗).
[村叟 촌수] 촌로(村老).
[村市 촌시] 시골 장.
[村神 촌신] 마을의 신사(神祠). 마을의 신(神).
[村野 촌야] 시골. 촌.
[村釀 촌양] 촌주(村酒).
[村塢 촌오] ㉠시골의 둑. ㉡마을. 촌락(村落).
[村媼 촌온] 시골 노파(老婆).
[村翁 촌옹] 촌로(村老).
[村儒 촌유] 시골 유학자.
[村邑 촌읍] 시골의 대소의 촌락.
[村人 촌인] 촌사람.
[村長 촌장] 한 마을의 우두머리. 촌정(村正).
[村莊 촌장] 촌집. 촌가(村家).
[村笛 촌적] 시골 사람이 부는 피리.
[村正 촌정] 한 마을의 우두머리. 촌장(村長).
[村酒 촌주] 시골의 술.
[村學究 촌학구] ㉠시골의 학자. ㉡학식이 좁고 고루한 사람.
[村學堂 촌학당] 시골의 서당(書堂).
[村漢 촌한] 촌놈. 시골뜨기.
[村巷 촌항] 먼 시골의 궁벽한 길거리.
◉江村. 孤村. 農村. 模範村. 無醫村. 僻村. 山村. 散村. 野村. 漁村. 全村. 集村. 寒村. 鄉村.

3 ⑦ [杓] [人][名] [一] 표 [平]蕭 甫遙切 biāo [二] 작 [入]藥 市若切 sháo(shuó)

[筆順] 一 十 才 木 木' 杓 杓

[字解] [一] ①북두자루 표 북두칠성의 자루를 이룬 부분. '斗一'. '一至四爲魁, 五至七爲一'《漢

書》. ②당길 표 끌어당김. '勁—國門之關'《淮南子》. ③맬 표 잡아맴. '爲人—者死'《淮南子》. [二] 구기 작 술 같은 것을 뜨는 국자 비슷한 것. '—子'. '沛公不堪桮—'《史記》.

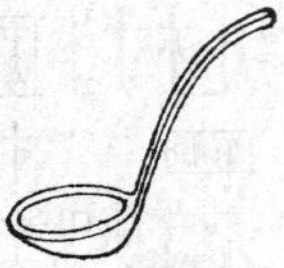

[杓二]

[字源] 篆文 形聲. 木+勺〔音〕. '勺작'은, '국자'의 뜻. 국자 자루의 뜻을 나타냄.

◉杅杓. 杯杓. 桮杓. 柄杓. 玉杓. 盞杓. 酒杓. 樽杓. 犧杓.

3 ⑦ [杕] [一] 체 [去]霽 特計切 dì [二] 타 ㊤哿 待可切 duò

[字解] [一] 우뚝설 체 나무가 하나 우뚝 선 모양. 일설(一說)에는, 지엽이 무성한 모양. '有—之杜'《詩經》. '—, 木盛皃'《廣韻》. [二] 키 타 선박의 방향을 잡는 배 뒤에 장치한 기구. '毁舟爲—'《淮南子》.

[字源] 金文 篆文 形聲. 木+大〔音〕. '大대'는 편안하게 쉬고 있는 사람을 본뜬 모양. 편안한 자세로 홀로 우뚝 서 있는 나무의 뜻.

3 ⑦ [杖] [人名] 장 ㊤養 直兩切 zhàng

[筆順] 一 十 才 木 木一 杧 杖

[字解] ①지팡이 장 걸을 때에 손에 짚는 막대기. '几—'. '植其—而芸'《論語》. ②몽둥이 장 길고 굵은 막대기. '大—則逃走'《孔子家語》. ③짚을 장 지팡이 같은 것을 짚음. '—劍'. '五十—於家'《禮記》. ④때릴 장 지팡이·몽둥이 등으로 때림. '—罰'. '自—三十'《晉書》. ⑤장형(杖刑) 장 오형(五刑)의 하나. 곤장(棍杖)으로 때리는 형벌. '時制—罪'《金史》. ⑥창자루 장 창의 자루. '操—以戰'《呂氏春秋》. ⑦잡을 장 쥠. '左—黃鉞'《書經》. ⑧의지할 장 의뢰함. '—信以晉'《左傳》.

[字源] 篆文 形聲. 木+丈〔音〕. '丈장'은 나무 몽둥이를 손에 든 모양. 긴 나무 몽둥이의 뜻.

[杖家 장가] 주대(周代)에 50세부터 집에서만 지팡이를 짚는 것을 허락한 일. 전하여, 50세의 일컬음.
[杖劍 장검] 단지 검(劍) 하나만을 지팡이 삼아 의지할 뿐이고, 달리 아무 의지할 것이 없다는 뜻.
[杖笻 장공] 지팡이.
[杖國 장국] 주대(周代)에 70세부터 나라 안에서 지팡이를 짚는 것을 허락한 일. 전(轉)하여, 70세의 일컬음.
[杖毒 장독] 곤장(棍杖)을 맞은 상처(傷處)에 나는 독(毒).
[杖問 장문] 곤장(棍杖)을 치며 심문(訊問)함.
[杖鉢 장발] 중이 가지는 석장(錫杖)과 바리때. 중이 이것을 가지고 탁발(托鉢)하러 다님. 전(轉)하여, 탁발승(托鉢僧).
[杖罰 장벌] 곤장(棍杖)으로 때리는 벌.
[杖扶 장부] 지팡이를 짚음.
[杖殺 장살] 때려 죽임.
[杖于國 장우국] 나라 안에서 지팡이를 짚는다는 뜻으로, 나이 70세가 됨을 이름. '장국(杖國)'을 보라.
[杖朝 장조] 주대(周代)에 80세가 되면 조정(朝廷)에서 지팡이를 짚는 것을 허락한 일. 전(轉)하여, 80세의 일컬음.
[杖罪 장죄] 장형(杖刑).
[杖策 장책] 말을 채찍질함.
[杖鄕 장향] 주대(周代)에 60세부터 고향(故鄕)에서 지팡이를 짚는 것을 허락한 일. 전(轉)하여, 60세의 일컬음.
[杖刑 장형] 오형(五刑)의 하나. 곤장(棍杖)으로 볼기를 때리는 형벌.

◉曲杖. 鳩杖. 毆杖. 盲者失杖. 錫杖. 藜杖. 吟杖. 拄杖. 鐵杖. 鞭杖.

3 ⑦ [杙] 익 [入]職 與職切 yì

[字解] 말뚝 익 ㉠땅에 박은 말뚝. '橜—'. '以—抉其傷而死'《左傳》. ㉡짐승을 매어 두는 말뚝. '狙猴之—'《莊子》.

[字源] 金文 篆文 形聲. 木+弋〔音〕. '弋익'은 말뚝을 본뜬 모양으로, '杙익'의 原字. 나중에, '木목'을 덧붙였음.

◉橜杙. 椿杙. 長杙. 狙杙.

3 ⑦ [杜] [人名] 두 ㊤麌 徒古切 dù

[筆順] 一 十 才 木 木一 杜 杜

[字解] ①팥배나무 두 장미과에 속하는 낙엽 교목(落葉喬木). 흰 꽃이 피고 열매는 10월에 익음. 감당(甘棠). 당리(棠梨). '有杕之—'《詩經》. ②막을 두 틀어막음. '—塞'. '—口裹足'《史記》. ③끊을 두 '—, 絕也'《正字通》. ④뿌리 두 '—, 根也'《廣雅》. ⑤성 두 성(姓)의 하나.

[字源] 金文 篆文 形聲. 木+土〔音〕. '土토'는 그득히 충실함의 뜻. 나무로 막다의 뜻을 나타냄.

[杜康 두강] 술을 최초로 빚었다는 사람. 전(轉)하여, 술의 이칭(異稱).
[杜隔 두격] 막아 격리(隔離)함.
[杜鵑 두견] ㉠두견잇과(科)에 속하는 새. 뻐꾸기 비슷한 철새임. 촉(蜀)나라 망제(望帝)의 죽은 넋이 화(化)하여 되었다는 전설이 있음. 두견새. 소쩍새. 두우(杜宇). 두백(杜魄). 불여귀(不如歸). 촉조(蜀鳥). 자규(子規). ㉡두견화(杜鵑花).
[杜鵑酒 두견주] 진달래꽃을 섞어 빚은 술.
[杜鵑花 두견화] 진달래. 진달래꽃.
[杜口 두구] ㉠입을 다묾. 함구(緘口). ㉡'거미'의 딴 이름.
[杜多 두다] 중. 사문(沙門).
[杜牧 두목] 만당(晩唐) 때의 시인. 자(字)는 목지(牧之). 호(號)는 번천(樊川). 두보(杜甫)에 대하여 소두(小杜)라 일컬음.
[杜門不出 두문불출] 집 속에만 들어 있고 밖에 나가지 아니함.
[杜魄 두백] 두견(杜鵑)㉠을 보라.
[杜甫 두보] 성당(盛唐) 때의 대시인(大詩人). 자(字)는 자미(子美). 호(號)는 소릉(少陵). 이백(李白)과 함께 그 이름을 나란히 하여 이두(李

杜)라고 불림. 그의 시는 웅혼(雄渾) 침통(沈痛)하며 충후(忠厚)의 정이 충일(充溢)함. 〈두공부집(杜工部集)〉 20권의 저술이 있음.
[杜塞 두색] 막음. 틀어막음.
[杜少陵 두소릉] 두보(杜甫).
[杜氏 두씨] 두강(杜康)을 이름. 전(轉)하여, 술을 만드는 사람.
[杜若 두약] 양하과(蘘荷科)에 속하는 다년초. 여름에 황적색 꽃이 핌.
[杜如晦 두여회] 당(唐)나라 건국(建國)의 명신(名臣). 자(字)는 극명(克明). 태종(太宗) 때에 우복야(右僕射)가 되었고, 내국공(萊國公)으로 봉(封)함을 받았음. 방현령(房玄齡)과 함께 정사(政事)를 맡았으므로 세상에서 방두(房杜)라고 병칭(竝稱)함.
[杜預 두예] 서진(西晉)의 정치가·학자. 오(吳)나라를 치는 데 대공(大功)을 세웠으며, 〈춘추좌씨경전집해(春秋左氏經傳集解)〉를 지었음.
[杜宇 두우] 촉(蜀)나라 망제(望帝)의 이름. 죽은 후 그의 혼이 두견(杜鵑)새가 되었다는 고사(故事)에서, 두견(杜鵑)의 이칭(異稱)으로 되었음. 「막힘.
[杜絕 두절] 교통(交通)·통신(通信) 등이 끊어져
[杜撰 두찬] 틀린 곳이 많은 저작(著作).
[杜閉 두폐] 두색(杜塞).
[杜蘅 두형] 족두리풀.
◉老杜. 小杜. 要杜. 李杜.

3
⑦ [杝] [人名] [一] 이 [平]支 弋支切 yí
[二] 치 [上]紙 池爾切 zhì

[字解] [一] ①나무이름 이 백양(白楊) 비슷한 나무로서, 관재(棺材)로 쓰임. '一棺四寸'《孝經註》. ②횃대 이 옷걸이. 의항(衣桁). 椸(木部 九畫)와 뜻이 같음. [二] ①쪼갤 치 장작을 결에 따라서 팸. '析薪一矣'《詩經》. ②떨어질 치 낙하함. ③바자울 치 '柴垣曰一, 木垣曰柵'《說文》. ④펼 치 펼침. '地一其緒'《太玄經》.
[字源] 篆文 形聲. 木+也〔音〕. '也야'는 굽이쳐 뻗음의 뜻. '바자울'의 뜻을 나타냄.

3
⑦ [杞] [人名] 기 [上]紙 墟里切 qǐ

[筆順] 一 十 才 木 杞 杞 杞

[字解] ①소태나무 기 소태나뭇과에 속하는 낙엽소교목(落葉小喬木). 열매가 몹시 써서 약재로 씀. '南山有一'《詩經》. ②나무이름 기 ㉠ '一柳'는 고리버들. '性猶一柳也'《孟子》. ㉡ '枸一'는 구기자나무. ③나라이름 기 주대(周代)의 나라로, 우왕(禹王)의 자손이 통치하였음. 지금의 허난 성(河南省) 기현(杞縣). '一不足徵'《論語》. ④성 기 성(姓)의 하나.
[字源] 甲骨文 金文 篆文 形聲. 木+己〔音〕. '己기'는 사람이 무릎 꿇는 형태로 구부린 실패를 본뜬 모양. 구부려 바구니 따위를 겯는 데 쓰이는 나무, '구기자나무'의 뜻을 나타냄.

[杞柳 기류] 버들과(科)에 속하는 낙엽 관목(落葉灌木). 가는 가지로 버들고리·키 등을 만듦. 고리버들.
[杞憂 기우] 쓸데없는 걱정. 기(杞)나라 사람이 하늘이 무너지지 않을까 하고 걱정하였다는 고사(故事)에서 나옴.
[杞人憂天 기인우천] 기우(杞憂).
[杞人之憂 기인지우] 기우(杞憂). 「목임.
[杞梓 기재] 소태나무와 가래나무. 모두 좋은 재
◉苦杞. 枸杞. 樹杞. 苞杞.

3
⑦ [杠] [人名] 강 [平]江 古雙切 gāng

[筆順] 一 十 才 木 杠 杠 杠

[字解] ①다리 강 작은 다리. 외나무다리 같은 것. '一梁'. '徒一成'《孟子》. ②깃대 강 기(旗)의 대. '素綿韜一'《爾雅》. ③들 강 扛(手部 三畫)과 통용. '力能一鼎'《漢書》.
[字源] 篆文 形聲. 木+工〔音〕

[杠梁 강량] 다리. 교량(橋梁).
◉徒杠. 石杠. 雲杠. 長杠.

3
⑦ [杒] [一] 인 [去]震 而振切 rèn
[二] 이 [平]支 人之切 ér

[字解] [一] ①나무이름 인 '一, 木名'《廣韻》. ②바퀴굄목 인 軔(車部 三畫)과 同字. [二] 수레채가죽이 소차(小車)의 수레채를 감는 꾸미개 가죽. '一, 小車槃'《集韻》.
[字源] 形聲. 木+刃〔音〕

3
⑦ [杚] [一] 골 [入]月 古忽切 gǔ
[二] 개 [去]隊 柯愛切 gài

[筆順] 一 十 才 木 杚 杚 杚

[字解] [一] ①평평할 골, 평평하게할 골. ②갈 골, 문지를 골 '一, 摩也'《廣雅》. [二] 평미레 개 평목(平木). '一, 同槩. 平斗木'《玉篇》.
[字源] 形聲. 木+气〔音〕

3
⑦ [杪] 〔표〕
杓(木部 三畫〈p. 1035〉)의 訛字

3
⑦ [束] [高人] 속 [入]沃 書玉切 shù

[筆順] 一 丆 冖 市 申 束 束

[字解] ①묶을 속 ㉠단으로 동여맴. '牆有茨, 不可一也'《詩經》. ㉡결박함. '一縛以刑罰'《史記》. ②맬 속 잡아맴. '士皆釋甲一馬'《左傳》. ③단속할 속 잡도리를 단단히 함. '一身自修'《後漢書》. ④묶음 속, 단 속 한 묶음. '一薪'(단나무). '生芻一一, 其人如玉'《詩經》. ⑤다섯필 속 포백(布帛) 다섯 필(疋). '納幣一一'《禮記》. ⑥열조각 속 포(脯) 10매(枚). '一脩之肉'《穀梁傳》. ⑦쉰개 속 화살 50본(本). '一矢其搜'《詩經》. ⑧모을 속 '布於布, 一於帛'《漢書》. ⑨약속할 속 언약을 맺음. '約一'. '定要一耳'《史記》. ⑩성 속 성(姓)의 하나.
[字源] 甲骨文 金文 篆文 象形. 땔나무를 묶은 모양을 본떠, '단 짓다, 묶다, 매다'의 뜻을 나타냄.

[束高閣 속고각] 속지고각(束之高閣).

[束帶 속대] 관(冠)을 쓰고 띠를 띰. 위의(威儀) 있는 예장(禮裝)을 함.
[束縛 속박] ㉠묶음. 얽어맴. ㉡자유를 구속함.
[束髮 속발] 성인(成人)이 되어 결발(結髮)하고 관(冠)을 씀.
[束帛 속백] 비단 다섯 필을 각각 양 끝에서 마주 말아서 한 묶음으로 한 것. 옛날에 예물(禮物)로 썼음.

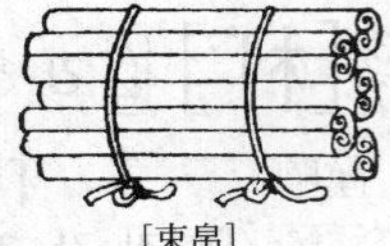
〔束帛〕

[束帛加璧 속백가벽] 속백(束帛)에 옥을 보탬. 옛날에 가장 값나가는 예물로 여겼음.
[束晳 속석] 진(晉)나라의 학자. 자(字)는 광미(廣微). 박학다문(博學多聞)하여 잔결(殘缺)이 많은 죽서(竹書)의 정리를 맡아 많은 의의(疑義)를 바로잡았음.
[束手 속수] ㉠팔짱을 끼고 아무것도 하지 아니함. ㉡저항하지 아니하고 귀순(歸順)함.
[束修 속수] 몸을 단속하고 마음을 닦음.
[束脩 속수] ㉠묶은 포육(脯肉). 옛날에 예물(禮物)로 썼음. ㉡처음으로 스승에게 뵐 때 쓰는 예물. ㉢입학(入學)할 때에 내는 돈. ㉣성인(成人)이 되어 의관(衣冠)을 갖춤. ㉤속수(束修).
[束手無策 속수무책] 어찌할 도리가 없음.
[束薪 속신] 단나무.
[束裝 속장] 행장(行裝)을 차림.
[束之高閣 속지고각] 묶어서 시렁 높이 얹어 둠. 오래 사용하지 않는다는 뜻.
◉檢束. 結束. 繫束. 拘束. 局束. 窘束. 羈束. 絡束. 追束. 申束. 約束. 要束. 裝束. 纏束.

3 ⑦ [杘] 치 ㊂寘 丑利切 chì

字解 ①얼레자루 치 실을 감는 기구의 자루. '一, 篗柄也'《說文》. ②속일 치 '嘿一, 多詐'《廣韻》.
字源 篆文 別體 形聲. 木+尸〔音〕

3 ⑦ [宋] 망 ㊥陽 武方切 莫郎切 máng

字解 들보 망 간과 간 사이의 두 기둥을 건너지르는 나무. '大木爲一'《韓愈》.
字源 甲骨文 篆文 形聲. 木+亡〔音〕. '亡망'은 감춰져 보이지 않음의 뜻. 감춰져 보이지 않는 마룻대의 뜻을 나타냄.

3 ⑦ [枈] 매 ㊥灰 謨杯切 méi

字解 ①어리석을 매 아둔함. '今俗以一爲癡獃字'《正字通》. ②매화나무 매 某(木部 五畫)와 同字.
參考 呆(口部 四畫)는 別字이나, 속(俗)에 '一'를 '어리석을매'로 통용함.

3 ⑦ [来] 〔래〕 來(人部 六畫〈p. 124〉)의 俗字

3 ⑦ [杀] 〔살·쇄〕 殺(殳部 七畫〈p. 1157〉)과 同字

3 ⑦ [条] 〔조〕 條(木部 七畫〈p. 1073〉)의 俗字

[呆] 〔보〕 口部 四畫(p. 353)을 보라.

[床] 〔상〕 广部 四畫(p. 694)을 보라.

4 ⑧ [柔] 서 ㊤語 象呂切 shù

字解 상수리나무 서 杼(木部 四畫)와 同字. '一, 栩也'《說文》.
字源 形聲. 木+予〔音〕

4 ⑧ [林] 中·人 림 ㊥侵 力尋切 lín

筆順 一 十 才 木 木一 村 材 林

字解 ①수풀 림 숲. '山一'. '依彼平一'《詩經》. 전(轉)하여, 사물이 많이 모이는 곳. '藝一'. '儒一'. '亦當世得失之一也'《史記》. ②많을 림 중다(衆多)한 모양. '一立'. '有壬有一'《詩經》. ③들 림 야외(野外). '郊外曰野, 野外曰一'《詩經 傳》. '施于中一'《詩經》. ④모일 림 '一, 聚也'《廣雅》. ⑤성 림 성(姓)의 하나.
字源 甲骨文 金文 篆文 會意. 木+木. 나무가 늘어선 모양에서, '수풀'의 뜻을 나타냄.

[林間 임간] 숲 사이.
[林間暖酒燒紅葉 임간난주소홍엽] 숲 사이에서 단풍 든 잎으로 술을 데워 마시는 것은 대단히 풍류스럽다는 뜻.
[林檎 임금] 장미과(科)에 속하는 낙엽 교목(落葉喬木). 또, 그 열매. 사과보다 작고 맛이 덜함. 능금나무. 능금.
[林麓 임록] 평지(平地)의 숲과 산록(山麓)의 숲.
[林林 임림] 떼 지어 모인 모양.
[林立 임립] 죽 늘어섬.
[林木 임목] 숲의 나무.
[林薄 임박] ㉠수풀. ㉡초목(草木)이 무성한 야외(野外).
[林府 임부] 숲과 곳집. 곧, 물건이 많이 모이는 곳.
[林霏 임비] 임애(林靄).
[林產 임산] 산림(山林)의 산물(產物).
[林森 임삼] 대단히 많은 모양.
[林藪 임수] ㉠수풀. 전(轉)하여, 처사(處士)가 은둔(隱遁)하는 땅. ㉡사물(事物)이 많이 모이는 곳.
[林深則鳥棲 임심즉조서] 숲이 깊으면 새가 깃들인다는 뜻. 전(轉)하여, 사람이 인의(仁義)를 쌓으면 만물이 저절로 귀의(歸依)한다는 비유.
[林靄 임애] 숲 사이에 떠오르는 운기(雲氣).
[林野 임야] 나무가 무성한 들.
[林業 임업] 산림(山林)을 경영(經營)하는 사업.
[林園 임원] 숲이 무성한 동산.
[林樾 임월] 숲의 그늘.
[林政 임정] 산림(山林)에 관한 행정.
[林鍾 임종] 임종(林鐘).
[林鐘 임종] ㉠십이율(十二律)의 하나. ㉡음력 6월의 이칭(異稱).
[林中不賣薪 임중불매신] 나무가 많은 곳에서는 장작이 팔리지 아니한다는 뜻으로, 사물(事物)

은 필요한 장소가 아니면 찾는 사람이 없음을 이르는 말.

[林慙澗愧 임참간괴] 숲과 시내가 부끄러워한다는 뜻으로, 비속(卑俗)한 사람들이 함부로 집을 지으면 그 토지의 산수(山水)를 더럽힌다는 말.

[林泉 임천] ㉠숲과 샘. 곧, 수목이 울창하고 샘물이 흐르는 산중(山中), 또는 정원(庭園). ㉡세상을 버리고 은둔(隱遁)하기에 알맞은 곳.

[林杪 임초] 숲의 나무의 끝.

[林則徐 임칙서] 청말(淸末)의 정치가. 푸젠(福建) 후관(候官) 사람. 자(字)는 소목(少穆). 호(號)는 사촌노인(竢村老人). 저장 염운사(浙江鹽運使)·장쑤 안찰사(江蘇按察使)·허난 포정사(河南布政使)·하동하도총독(河東河道總督)·호광총독(湖廣總督) 등을 역임. 흠차 대신(欽差大臣)으로서 아편(阿片) 무역(貿易)을 단속하였음. 뒤에 태평천국(太平天國) 진압차(鎭壓次) 광시(廣西)로 가는 도중에 병사하였음.

[林逋 임포] 송(宋)나라의 은사(隱士). 화정 선생(和靖先生)이라고도 함. 서호(西湖)의 고산(孤山)에 살며 20년간이나 시정(市井)에 내려오지 아니하고 매화(梅花)와 학(鶴)을 사랑하였음.

[林學 임학] 삼림의 배양(培養)·보호(保護)·관리(管理) 및 임정(林政) 등을 연구하는 학문.

◉桂林. 鷄林. 故林. 枯林. 空林. 喬林. 舊林. 綠林. 檀林. 茂林. 文林. 密林. 芳林. 保安林. 士林. 詞林. 辭林. 山林. 森林. 霜林. 書林. 禪林. 說林. 笑林. 疏林. 樹林. 植林. 深林. 營林. 藝林. 瑤林. 鬱林. 園林. 原始林. 幽林. 儒林. 肉山脯林. 自林. 字林. 淨林. 造林. 酒池肉林. 竹林. 榛林. 處女林. 緇林. 評林. 學林. 寒林. 翰林. 杏林. 花林.

4 ⑧ [朩]

패 ㊄卦 匹卦切 pài

[字解] ①삼 패 대마(大麻). '一, 葩之總名也'《說文》. ②삼베 패 삼의 섬유로 짠 천. '一, 麻紵也'《廣韻》.

[字源] 會意. 朩+朩

4 ⑧ [杳]

[人名] 묘(요㊍) ㊤篠 烏皎切 yǎo (miǎo)

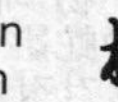

[字解] ①어두울 묘 어둠침침함. '日一一而西匿'《張衡》. ②깊을 묘 깊고 넓은 모양. '一乎如入於淵'《管子》. ③아득할 묘 아득히 멂. '一旭卉兮'《揚雄》.

[字源] [篆文]  會意. 木+日. 해〔日〕가 나무〔木〕 밑으로 지다, 해가 서쪽으로 져서 어두워짐.

[杳昧 묘매] 묘명(杳冥).

[杳冥 묘명] 그윽하고 어두움.

[杳杳 묘묘] 어두운 모양. 또, 깊은 모양.

[杳渺 묘묘] 그윽하고 먼 모양.

[杳邃 묘수] 그윽한 모양.

[杳然 묘연] ㉠그윽하고 먼 모양. ㉡오래되어 정신(精神)이 알쏭달쏭한 모양.

[杳窅 묘요] 심원(深遠)한 모양.

[杳篠 묘조] 묘요(杳窅).

[杳乎 묘호] 깊고 넓은 모양.

◉空杳. 霧杳. 深杳. 天杳. 青杳.

4 ⑧ [枣]

〔조〕棗(木部 八畫〈p. 1074〉)의 俗字·簡體字

4 ⑧ [杰]

[人名] 〔걸〕 傑(人部 十畫〈p. 166〉)의 俗字

[筆順] 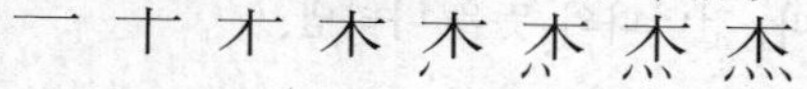

4 ⑧ [枃]

[人名] 진 ㊄震 卽刃切 jìn

[字解] ①바디 진(筬也). ②사침대 진 '凡織先經以一梳然使不亂'.

4 ⑧ [杪]

초 ㊤篠 亡沼切 miǎo
㊄效 楚敎切

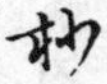

[字解] ①나무끝 초 나무의 끝. '一頭'. ②가는가지 초 '木細枝謂之一'《揚子方言》. ③끝 초 말단. 시절(時節)의 끝. '一春'. '冢宰制國用, 必于歲之一'《禮記》. ④작을 초 秒(禾部 四畫)와 통용. '一, 小也'《廣雅》.

[字源] [篆文]  形聲. 木+少〔音〕. '少소'는 '가늘다'의 뜻. 나무 끝의 가는 부분, 곧 나무의 끝을 가리키며, 파생(派生)되어, '끝'의 뜻을 나타냄.

[杪頭 초두] 나무의 끝. 꼭대기.

[杪歲 초세] 연말(年末). 세모(歲暮).

[杪小 초소] 끝이 작음.

[杪杪 초초] 가는 모양.

[杪秋 초추] 가을의 끝. 만추(晩秋).

[杪春 초춘] 봄의 끝. 모춘(暮春).

◉竿杪. 木杪. 分杪. 歲杪. 月杪. 林杪. 枝杪. 秋杪. 花杪.

4 ⑧ [殳]

수 ㊀虞 市朱切 shū

[字解] 창 수 창(槍)의 한 가지. '一, 軍中士所持殳也'《說文》.

[字源] [篆文]  形聲. 木+殳〔音〕. '殳수'는 쌍날창(槍)의 뜻. 목제(木製)의 쌍날창의 뜻을 나타냄.

4 ⑧ [杬]

[人名] ㊀ 원 ㊀元 愚袁切 yuán
㊁ 완 ㊀寒 吾官切 wán

[字解] ㊀ 나무이름 원 교목(喬木)의 하나. 나무껍질이 두껍고 쓴맛이 있음. 일설(一說)에는, 팥꽃나무라 함. '緜一杶櫨'《左思》. ㊁ 어루만질 완 안마(按摩).

[字源] 形聲. 木+元〔音〕

4 ⑧ [枚]

험 ①㊀鹽 虛嚴切 xiān
②㊀鹽 丘廉切 qiān

[字解] ①가래 험 흙을 치는 가래. '一, 鍬屬'《玉篇》. ②물뽑아내는기구 험 물을 밖으로 내보내는 기구(器具). '一, 泄水器'《集韻》.

[字源] 形聲. 木+欠〔音〕. '欠흠'은 입을 벌리다의 뜻. 땅에 구멍을 파는 '괭이'의 뜻을 나타냄.

4 ⑧ [杭]

[人名] 항 ㊀陽 胡郎切 háng

[字解] ①건널 항, 건넬 항 航(舟部 四畫)과 同字.

'一葦一之'《詩經》. ②나룻배 항 '呼渡津航爲一'《揚子方言》. ③고을이름 항 '一州'는 지금의 저장 성(浙江省)의 성도(省都).
字源 抗의 別體 形聲. 木+亢〔音〕. '亢항'은 '行행'과 통하여, '가다'의 뜻. 나무배로 가다, 건너다의 뜻을 나타냄.

◉餘杭. 一葦杭. 天杭.

4 ⑧ [柹] 폐 ㊀去隊 芳廢切 fèi

字解 대팻밥 폐 '風吹削一'《後漢書》.
字源 篆文 形聲. 木+朩〔音〕. '朩패'는 풀이 갈라짐의 뜻. 나무를 깎아 나무에서 떨어져 갈라진 '대팻밥'의 뜻을 나타냄. 나중에 변형(變形)되어 '柿'로 됨.
參考 ①柿(木部 五畫)·林(木部 四畫)은 別字. ②柿(次條)는 俗字.

◉木柹. 削柹.

4 ⑧ [柿] 柹(前條)의 俗字

參考 柿(木部 五畫)는 別字.

4 ⑧ [杯] 中 人 배 ㊀平灰 布回切 bēi

筆順 一 十 才 木 杧 杯 杯 杯

字解 ①잔 배 술잔. 桮(木部 七畫)와 同字. '一酒'. '一棬不能飮焉'《禮記》. ②대접 배 국을 담는 대접. '幸分我一一羹'《史記》.
字源 形聲. 木+不〔音〕
參考 盃(皿部 四畫)는 俗字.

[杯圈 배권] 배권(杯棬).
[杯棬 배권] 나무를 휘어 만든 술잔.
[杯盤狼藉 배반낭자] 술잔과 그릇이 산란(散亂)해 있음. 주석(酒席)이 어지러움.
[杯酒 배주] 술잔에 따른 술. 술.
[杯中物 배중물] 술잔에 따른 술.
[杯中蛇影 배중사영] 아무것도 아닌 일을 쓸데없이 걱정하여 괴로워하는 일. 진(晉)나라의 악광(樂廣)이 친구와 술을 먹을 때 그 친구가 잔 속에 비친 뱀의 그림자를 보고 마음이 선뜩하여 병들었다가, 나중에 그 뱀의 그림자가 벽에 걸린 활의 그림자인 것을 안 후 병이 저절로 나았다는 고사(故事)에서 나온 말.
[杯池 배지] 잔과 같이 썩 작은 못.
◉擧杯. 乾杯. 瓊杯. 金杯. 螺杯. 茶杯. 木杯. 返杯. 觴杯. 玉杯. 流杯. 銀杯. 一杯. 酒杯. 天杯.

4 ⑧ [杵] 人 名 저 ㊀上語 昌與切 chǔ

字解 ①공이 저 절굿공이. '一臼'. '斷木爲一'《易經》. ②다듬잇방망이 저 '一聲'. '秋山響砧一'《儲光羲》. ③방패 저 무기(武器)의 한 가지. '流血漂一'《書經》.
字源 篆文 形聲. 木+午〔音〕. '午오'는 공이를 본뜬 모양. '午'가 십이지(十二支)의 '말'의 뜻으로 쓰이게 되어, '木목'을 덧붙였음.

[杵臼 저구] 절굿공이와 절구.
[杵臼之交 저구지교] 귀천(貴賤)을 가리지 않고 사귀는 일.
[杵聲 저성] 다듬이질하는 소리.
[杵孫 저손] 딸이 낳은 자식.
[杵砧 저침] 다듬이질.
◉臼杵. 急杵. 繁杵. 玉杵. 天杵. 鐵杵. 促杵. 槌杵. 砧杵. 血流漂杵.

4 ⑧ [杶] 춘 ㊀平眞 丑倫切 chūn

字解 참죽나무 춘 멀구슬나뭇과에 속하는 낙엽 교목(落葉喬木). 옛날에, 금재(琴材) 또는 수레의 복토(伏兔) 재료로 많이 썼음. 향춘(香椿). '一幹栝柏'《書經》.
字源 篆文 別體 古文 形聲. 木+屯〔音〕

4 ⑧ [杷] 人 名 파 ①-③㊀平麻 蒲巴切 pá ④㊀去禡 白駕切 bà

字解 ①발고무래 파 갈퀴 모양의 고무래. 땅을 고르거나 곡류를 긁어 모으는 농구. '屈竹作一'《王褒》. ②비파나무 파 枇(木部 四畫)를 보라. '枇一'. '枇一橪柿'《司馬相如》. ③비파 파 琶(玉部 八畫)와 통용. '枇一, 本出於胡中, 馬上所鼓也'《釋名》. ④자루 파 欛(木部 二十一畫)와 同字. '犀一麈尾'《晉書》.
字源 篆文 形聲. 木+巴〔音〕. '巴파'는 반반하게 펴다의 뜻. 지면(地面)을 반반하게 고르는 나무 자루가 달린 농구(農具), '발고무래'의 뜻을 나타냄.

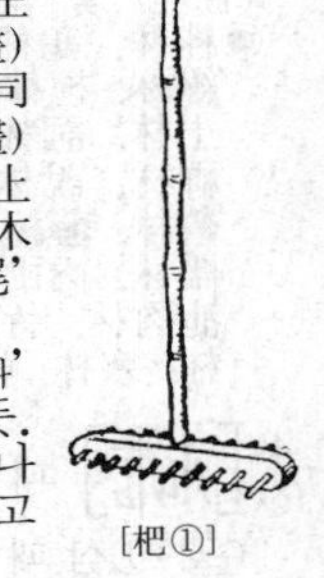
[杷①]

[杷車 파거] 병거(兵車)의 한 가지. 쇠뇌를 장치한 병거.
[杷土 파토] 땅을 평평하게 고름.
◉枇杷. 鐵杷. 拖杷.

4 ⑧ [杻] 人 名 ㊀ 뉴 ㊀上有 女久切 niǔ ㊁ 추 ㊀上有 敕久切 chǒu ㊂ 축 ㊀韓

字解 ㊀ 감탕나무 뉴 감탕나뭇과에 속하는 상록 교목(常綠喬木). 궁재(弓材)로 쓰임. '山有栲, 隰有一'《詩經》. ㊁ 수갑 추 손을 채우는 형구. 고랑. '死罪絞而加一'《唐書》. ㊂《韓》싸리 축 콩과에 속하는 낙엽 관목.
字源 形聲. 木+丑〔音〕. '丑추'는 '비틀다'의 뜻. 손을 비틀어 채우는 '고랑'의 뜻을 나타냄.

◉加杻. 鉗杻. 械杻. 鞭杻.

4 ⑧ [杼] ㊀ 저 ㊀上語 直呂切 zhù ㊁ 서 ①㊀上語 神與切 shù ②㊀去御 常恕切

字解 ㊀ ①북 저 베틀에 딸린 씨를 푸는 제구. '母投一下機'《十八史略》. ②얇을 저 두껍지 않음. '凡爲輪, 行澤者欲一'《周禮》. ㊁ ①상수리나무 서 '食一栗'《莊子》. ②물통 서 물을 품는

통. 또, 통으로 물을 품음. '一井易水'《管子》.
字源 篆文 形聲. 木+予〔音〕. '予여'는 베틀에 쓰이는 제구인 북의 象形으로, '북의' 뜻. 나중에 '木목'을 덧붙였음.

[杼栗 서율] 도토리. 상수리.
[杼軸 저축] 베틀의 북. 전(轉)하여, 문장(文章)을 짓는 일.
◉機杼. 弄杼. 梭杼. 曾母投杼. 投杼.

4 ⑧ [松] 中人 송 ㊥冬 祥容切 sōng

筆順 一 十 オ 木 木' 朳 松 松

字解 ①소나무 송 소나뭇과에 속하는 상록 교목(常綠喬木). 솔. '一竹'. '千歲之一'《史記》. ② 성 송 성(姓)의 하나.
字源 篆文 別體 形聲. 木+公〔音〕

[松江 송강] ㉠장쑤 성(江蘇省) 남쪽 경계에 있던 도시. 지금은 상해시(上海市) 쑹장 현(松江縣)에 속함. ㉡장쑤 성의 강. 우쑹 강(吳淞江)의 별명(別名). 타이후 호(太湖)에서 발원하여 상해(上海)의 황푸 강(黃浦江)으로 흘러 들어감. ㉢만주 쑹화 강(松花江) 유역의 지역. 동쪽으로 장백(長白)산맥과 북쪽으로 소흥안령(小興安嶺)이 뻗어 산지를 이루고 강에 연한 곳은 대평야이며, 철도 및 수운(水運)이 발달했음.
[松江之鱸 송강지로] 상해시(上海市) 쑹장 현(松江縣)의 송강에서 나는 농어. 맛이 좋음.
[松炬 송거] 관솔불.
[松雞 송계] 들꿩. 뇌조(雷鳥) 비슷함.
[松膏 송고] 송지(松脂).
[松喬之壽 송교지수] 적송자(赤松子)와 왕지교(王之喬)의 수(壽). 두 사람이 모두 장수(長壽)하였다는 신선(神仙)임. 전(轉)하여, 장수(長壽)를 이름.
[松毬 송구] 솔방울.
[松菊猶存 송국유존] 소나무와 국화가 아직도 남아 있다는 뜻으로, 난세(亂世)에도 지사(志士)가 있음을 이름.
[松菊主人 송국주인] 소나무와 국화의 임자라는 뜻으로, 은둔(隱遁)한 사람을 이름.
[松菌 송균] 송이(松栮).
[松肌 송기] 소나무의 어린 가지의 속껍질.
[松濤 송도] ㉠소나무가 바람에 흔들려 나는 소리. 송뢰(松籟). ㉡차(茶)를 끓일 때 나는 소리.
[松羅 송라] ㉠여라(女蘿). ㉡《韓》 소나무겨우살잇과(科)에 속하는 기생 지의류(寄生地衣類)의 하나. 이뇨(利尿)·거담제(祛痰劑) 등의 약재로 씀. 소나무겨우살이.
[松露 송로] ㉠소나무 잎에 앉은 이슬. ㉡버섯의 일종. 갓과 자루의 구분이 없고 맛이 좋음.
[松籟 송뢰] 바람에 소나무가 흔들리는 소리.
[松林 송림] 소나무의 숲.
[松煤 송매] 소나무를 때어서 생긴 그을음.
[松明 송명] 관솔불. 송거(松炬).
[松木 송목] 소나무.
[松肪 송방] 송진(松津).
[松柏 송백] ㉠소나무와 측백나무. 모두 상록수(常綠樹)이므로, 굳은 절개(節槪)를 비유하여 이름. ㉡장수(長壽)를 비유하여 이름.
[松柏之操 송백지조] 송백이 사시(四時)에 그 빛을 변치 않음과 같은 굳은 절개.
[松餠 송병] 《韓》 송편.
[松蕈 송심] 송이(松栮).
[松楊 송양] 송양나무.
[松魚 송어] 연어과(鰱魚科)에 속하는 바닷물고기. 연어 비슷함. 여름에 산란(產卵)하러 강을 거슬러 올라옴.
[松煙 송연] 송매(松煤).
[松葉 송엽] 솔잎.
[松韻 송운] 송뢰(松籟).
[松油 송유] 소나무의 가지를 짧게 잘라서 불에 구워 받은 기름.
[松栮 송이] 송이과(松栮科)에 속하는 버섯. 송림(松林)에 군생(群生)함. 독특한 향기(香氣)가 있고 맛이 좋음. 송이버섯.
[松子 송자] 솔방울.
[松田 송전] 솔밭.
[松節 송절] 소나무의 마디.
[松竹 송죽] 소나무와 대나무.
[松脂 송지] 소나무에서 분비하는 끈끈한 수지(樹脂). 송향(松香). 송고(松膏). 송진(松津).
[松津 송진] 송지(松脂).
[松蟲 송충] 송충나방의 유충. 소나무 잎을 갉아먹는 해충임. 송충이.
[松翠 송취] 소나무의 푸른빛.
[松香 송향] 송지(松脂).
[松火 송화] 관솔불. 송명(松明).
[松花 송화] 소나무의 꽃가루.
[松黃 송황] 송화(松花).
◉勁松. 古松. 孤松. 枯松. 高松. 喬松. 落葉松. 老松. 茂松. 蟠松. 水松. 瘦松. 詩松. 旅松. 連理松. 五鬣松. 五粒松. 五葉松. 陸松. 長松. 赤松. 貞松. 蒼松. 青松.

4 ⑧ [板] 高人 판 ㊤潸 布綰切 蒲限切 bǎn

筆順 一 十 オ 木 木' 杇 板 板

字解 ①널조각 판 판자. '一榜'. '在其一屋'《詩經》. 전(轉)하여, 널리 나무 외의 것에도 쓰임. '鐵一'. '銅一'. '石一重疊躋'《孟郊》. ②판목 판 글자나 그림을 새긴 나무. '出一'. '已鏤一文集'《宋史》. ③조서 판 조칙(詔勅)을 쓴 것을 '詔一'이라 함. '使作詔一'《後漢書》. ④딱따기 판 시각(時刻)을 알리거나 경계(警戒)하느라고 마주쳐 소리 내는 두 개의 나무토막. '七星挂城聞漏一'《李賀》. ⑤직첩 판 사령서(辭令書). 고신(告身). '府一則爲行參軍'《宋書》. ⑥글 판 문장. 서독(書牘). '發兵自防, 露一上言'《南史》. ⑦홀 판 조현(朝見)할 때 오른손에 쥐는 패. '手一'. '投一棄官而去'《後漢書》. ⑧길 판 열자 또는 여덟 자의 길이. '城下不沈者三一'《戰國策》. ⑨배반할 판 反(又部 二畫)과 뜻이 같음. '上帝一一'《詩經》. ⑩성 판 성(姓)의 하나.
字源 形聲. 木+反〔音〕. '版판'과 동일어(同一語) 이체자(異體字).

[板刻 판각] 그림이나 글씨를 나뭇조각에 새김.
[板榜 판방] ㉠널조각. ㉡게시판(揭示板).
[板本 판본] 목판으로 인쇄한 책.
[板魚 판어] 넙치, 곧 비목어(比目魚)의 별칭(別稱).
[板屋 판옥] 판자로 벽을 한 집.

[板子 판자] 널빤지.
[板墻 판장] 널판장.
[板檐 판첨] 판자로 이은 처마.
[板蕩 판탕] 정치를 잘못하여 나라가 어지러워짐.
[板板 판판] 반측(反側)하는 모양. 모반(謀叛)하는 모양.
◉看板. 甲板. 乾板. 露板. 漏板. 木板. 苗板. 拍板. 負板. 石板. 壽板. 數板. 玉板. 詔板. 珠板. 籌板. 鐵板. 出板. 漆板. 平板. 響板. 活板. 黑板.

4
⑧ [极] 겁 [入]葉 巨業切
[入]葉 其輒切 jí
[字解] 길마 겁 당나귀의 등에 얹어 짐을 싣는 안장. '一, 驢上負版'《廣韻》.
[字源] 篆文 形聲. 木+及〔音〕

4
⑧ [枅] 〔계〕
枅(木部 六畫〈p. 1063〉)의 俗字

4
⑧ [枇] [人名] 비 ①②[平]支 房脂切 pí
③④[去]寘 毗至切 bì
⑤[上]紙 卑履切 bǐ
[筆順] 一 十 才 木 木 木ᄂ 杜 枇
[字解] ①비파나무 비 '一杷'는 장미과(科)에 속하는 상록 교목(常綠喬木). 꽃은 황백색. 비파(琵琶) 모양의 둥근 장과(漿果)는 식용함. '一杷橪柹'《司馬相如》. ②비파 비 琵(玉部 八畫)와 통용. '一杷馬上所鼓'《釋名》. ③참빗 비 빗살이 촘촘한 대빗. ④빗을 비 빗으로 머리를 빗음. '頭不一沐'《後漢書》. ⑤수저 비 숟가락. '一以桑'《禮記》.
[字源] 篆文 形聲. 木+比〔音〕

[枇杷 비파] ㉠비파나무. 자해(字解)❶을 보라. ㉡'비파(琵琶)'와 같음.

4
⑧ [枉] [人名] 왕 [上]養 紆往切 wǎng
[筆順] 一 十 才 木 木一 木二 杆 枉
[字解] ①굽을 왕 ㉠휨. '一屈'. ㉡마음이 굽음. '邪一'. '能使一者直'《論語》. 또, 이상의 명사(名詞). '擧直錯諸一'《論語》 ②굽힐 왕 굽게 함. '一法'. '一玉衡於炎火兮'《楚辭》. ③원죄 왕 억울한 죄. '軍中皆呼一'《唐書》. 또, 원죄에 빠뜨림. '申嚴百刑, 毋或一橈'《禮記》. ④헛되이 왕 '雲雨巫山一斷腸'《李白》. ⑤성 왕 성(姓)의 하나.
[字源] 篆文 形聲. 篆文은 木+皇〔音〕. '皇왕'은 '匡광'과 통하여, 대·버들 따위의 굽은 것을 바로잡다, 구부려서 모양을 내다의 뜻. 나무를 구부림의 뜻에서, '굽히다'의 뜻을 나타냄.

[枉駕 왕가] 남의 방문(訪問)의 경칭(敬稱). 왕림(枉臨).
[枉刻 왕각] 법(法)을 굽혀 남을 해침.
[枉車 왕거] 왕가(枉駕).
[枉徑 왕경] ㉠꼬불꼬불한 소로(小路). ㉡사곡(邪曲).
[枉告 왕고] 무고(誣告)함.
[枉顧 왕고] 왕가(枉駕).
[枉曲 왕곡] ㉠왕법(枉法). ㉡사곡(邪曲).
[枉屈 왕굴] 굽음. 또, 굽힘.
[枉己 왕기] 자기의 뜻을 굽혀서 남에게 순종(順從)함. 굴기(屈己).
[枉道 왕도] 정도(正道)를 굽혀 남에게 아첨함.
[枉戮 왕륙] 왕요(枉撓).
[枉臨 왕림] 왕가(枉駕).
[枉法 왕법] 법(法)을 굽힘.
[枉死 왕사] 억울한 죄로 죽음. 원사(冤死).
[枉矢 왕시] ㉠굽은 화살. 자기 화살의 겸칭(謙稱). ㉡별 이름.
[枉撓 왕요] 원죄(冤罪)에 빠뜨림.
[枉罪 왕죄] 억울한 죄. 원죄(冤罪).
[枉尺而直尋 왕척이직심] 여덟 자를 곧게 하기 위하여는 한 자를 굽힘. 대(大)를 위하여는 소(小)를 희생시킴.
[枉奪 왕탈] 억지로 빼앗음.
[枉酷 왕혹] 혹독하게 학대함.
◉姦枉. 誣枉. 邪枉. 阿枉. 怨枉. 冤枉. 幽枉.

4
⑧ [杫] 지(시[本]) [去]寘 斯義切 sì
[字解] ①도마 지 고기 따위를 다지는 판. '一, 肉机'《廣韻》. ②나무이름 지 '一, 木名, 可以爲器'《集韻》.

4
⑧ [枊] 앙 [去]漾 五良切 àng
[字解] ①말뚝 앙 말을 매어 두는 말뚝. '著馬一'《蜀志》. ②단단할 앙 '一, 堅也'《類篇》. ③쪼구미 앙 건물의 동자기둥. '飛一鳥踊'《何晏》.
[字源] 篆文 形聲. 木+卬〔音〕
[參考] 柳(木部 五畫)는 別字.

◉馬枊.

4
⑧ [枋] [人名] [一] 방 [平]陽 府良切 fāng
[二] 병 [去]敬 陂病切 bìng
[字解] [一] ①나무이름 방 수레를 만드는 재료로 쓰는 나무의 하나. '其杞其一'《管子》. ②어살 방 어전(魚箭). '蜀人以一偃魚曰一'《揚子方言》. ③다목 방 蘇(艸部 十六畫)를 보라. '蘇一'. [二] 자루 병 柄(木部 五畫)과 同字. '受醴面一'《儀禮》. '內史掌王八一之法'《周禮》.
[字源] 篆文 形聲. 木+方〔音〕. '方방'은 '늘어놓다'의 뜻. 나무를 나란히 늘어놓아 물을 막고 고기를 잡다의 뜻을 나타내며, 또 나무를 나란히 늘어놓다, 뗏목의 뜻을 나타냄.

◉界枋. 蘇枋.

4
⑧ [枌] 분 [平]文 符分切 fén
[字解] ①흰느릅나무 분 느릅나무의 일종. 백유(白楡). '東門之一'《詩經》. ②마룻대 분 이중 지붕의 마룻대.
[字源] 篆文 形聲. 木+分〔音〕

[枌楡 분유] ㉠느릅나무. ㉡고향(故鄕). 한고조(漢高祖)가 고향의 풍(豐)에서 느릅나무 두 주

(株)를 심어 토지의 신(神)으로 삼은 고사(故事)에서 유래함.

[枌楡同契 분유동계] 고향을 같이함.

4 ⑧ [枂] 월 ①②入曷 五活切 wò ③入月 魚厥切 yuè

字解 ①벗길 월 나무껍질을 벗김. '一, 去樹皮'《廣韻》. ②대접받침 월 '柮一'은 주두(柱頭)의 나무. '柮一, 柱耑木'《集韻》. ③용마루기와 월 용마루에 이는 기와. '一, 鞍瓦'《集韻》.

4 ⑧ [枏] 人名 남 平覃 那含切 nán

字解 ①녹나무 남 녹나뭇과(科)에 속하는 상록 교목(常綠喬木). 예장(橡樟). '江南出一梓'《史記》. ②굴거리나무 남 대극과(大戟科)에 속하는 상록 교목(常綠喬木). 교양목(交讓木). '黃金山有一木'《任昉》.

字源 篆文 形聲. 木+冄〔音〕

4 ⑧ [枑] 一 困(口部 四畫〈p. 422〉)의 古字 二 梱(木部 七畫〈p. 1071〉)과 同字

4 ⑧ [枎] 부 平虞 防無切 fū

字解 ①퍼질 부 '一疏'는 나뭇가지가 무성하여 사방으로 퍼진 모양. '逶屋樹一疏'《陶潛》. ②곁 부 옆. '夫鵲去高木而巢一技'《淮南子》.

字源 篆文 形聲. 木+夫〔音〕

[枎疏 부소] 나뭇가지가 무성하여 사면으로 퍼진 모양. 부소(扶疏).

4 ⑧ [枙] 一 와 平歌 吾禾切 ě 二 액 入陌 乙革切 è

字解 一 옹이 와 나무의 마디. '木節曰一'《集韻》. 二 재앙 액 厄(厂部 二畫)의 俗字.

字源 形聲. 木+厄〔音〕

4 ⑧ [析] 高人 석 入錫 先擊切 xī

筆順 一 十 才 木 朩 析 析 析

字解 ①가를 석, 나눌 석 ㉠해부함. '一才士之脛'《淮南子》. ㉡분석함. '疑義相與一'《陶潛》. ②쪼갤 석 조각이 나게 함. '一薪如之何'《詩經》. ③나누일 석 갈라짐. '厥民一'《書經》. '藩國自一'《漢書》. ④성 석 성(姓)의 하나.

字源 金文 篆文 會意. 木+斤. '斤근'은 '도끼'의 뜻. 도끼로 나무를 쪼개다, 패다의 뜻.

參考 折(手部 四畫)·柝(木部 五畫)은 別字.

[析肝 석간] 간을 가름. 뱃속을 보임. 진심(眞心)을 토로함. 피간담(披肝膽).
[析別 석별] 이별(離別).
[析析 석석] 나뭇가지에 부는 바람 소리.
[析薪 석신] 장작을 쪼갬. 땔나무를 팸.
[析出 석출] 분석(分析)하여 냄.
◉開析. 乖析. 辨析. 剖析. 分析. 申析. 條析. 綜析. 通析. 判析. 割析. 解析.

4 ⑧ [枸] 구 平尤 居侯切 gòu

字解 ①구부러질 구 휘어짐. '檃栝之生, 爲一木也'《荀子》. ②닥나무 구 뽕나뭇과의 낙엽 관목. '一, 同構, 楮木也'《篇海》.

字源 形聲. 木+勾〔音〕

4 ⑧ [枑] 호 去遇 胡誤切 hù

字解 울짱 호 목책(木柵). '梐一'. '設梐一再重'《周禮》.

字源 篆文 形聲. 木+互〔音〕. 엇갈리게 교차하는 뜻. '울짱·목책(木柵)'의 뜻을 나타냄.

◉梐枑.

4 ⑧ [枒] 야 平麻 余遮切 yē

字解 야자나무 야 椰(木部 九畫)와 同字. '櫻一'《左思》.

字源 篆文 形聲. 木+牙〔音〕. '牙아'는 상하(上下)가 엇물리는 엄니의 象形. 엄니처럼 나뭇가지가 돌출하여 뒤섞임의 뜻.

◉迦枒. 杈枒. 枕枒.

4 ⑧ [枓] 人名 一 주 上麌 之庾切 zhǔ 二 두 上有 當口切 dǒu

筆順 一 十 才 木 朩 朩 枓 枓

字解 一 구기 주 술 따위를 푸는 국자 비슷한 제구. '沃水用一'《禮記》. 二 두공(枓栱) 두 옥로(屋櫨).

字源 篆文 形聲. 木+斗〔音〕. '斗두'는 자루가 달린 구기·되의 뜻. 목제(木製)의 구기, 두공의 뜻을 나타냄.

[枓栱 두공] 기둥 위의 방형(方形)의 나무. 대들보를 받침. 옥로(屋櫨).

4 ⑧ [枕] 高人 침 ①-上寢 草荏切 zhěn ④去沁 之任切 ②zhèn ⑤平侵 之任切 chén

筆順 一 十 才 木 朩 朩 枕 枕

字解 ①베개 침 잘 때 베고 자는 물건. '一席'. '高一而臥'《史記》. ②벨 침 베개를 벰. '曲肱而一之'《論語》. ③임(臨)할 침 내려다봄. '北一大江'《漢書》. ④성 침 성(姓)의 하나. ⑤말뚝 침 소를 매는 말뚝. '一, 繫牛杙也'《廣韻》.

[枕①]

字源 篆文 形聲. 木+冘〔音〕. '冘음'은 사람이 머리 밑에 베개를 베는 모양을 나타냄. '木목'을 덧붙여, '베개'의 뜻을 나타냄.

[枕經藉書 침경자서] 밤낮 독서(讀書)에 깊이 탐닉(耽溺)하는 일.
[枕骨 침골] 두개골의 뒤쪽 아랫부분을 이룬 뼈.

[枕戈 침과] 창을 베개 삼고 잔다는 뜻으로, 국방(國防)을 생각하여 안면(安眠)하지 않고 비상(非常)에 대비함.
[枕肱 침굉] 팔뚝을 베고 잠.
[枕囊 침낭] 자루 모양의 베개.
[枕帶 침대] 강(江) 같은 데 임(臨)하여 둘러쌈.
[枕頭 침두] 베갯머리.
[枕流漱石 침류수석] 진(晉)나라의 손초(孫楚)가 '돌을 베개 삼아 베고 흐르는 물로 양치질한다(枕石漱流).'고 하려던 것이 말이 잘못 나와 '흐르는 물을 베개 삼아 베고 돌로 양치질한다.'고 하니, 이 말을 들은 왕제(王濟)가 그런 말이 어디 있느냐고 하니까 '흐르는 물을 베개 삼아 벰은 귀를 씻기 위함이요, 돌로 양치질함은 이를 닦기 위함이라.'고 받아넘긴 고사(故事)로서, 호승지벽(好勝之癖)이 강함을 이름. 수석침류(漱石枕流).
[枕木 침목] ㉠물건 밑을 괴어 놓는 나무토막. ㉡철도(鐵道)의 선로(線路)를 받치는 나무토막.
[枕旁刀 침방도] 호신용(護身用)으로 머리맡에 놓는 칼.
[枕邊 침변] 베갯머리. 머리맡.
[枕屛 침병] 머릿병풍.
[枕上 침상] ㉠베갯머리. 머리맡. ㉡베개 위.
[枕席 침석] ㉠베개와 자리. ㉡잠자리.
[枕腕 침완] 왼손을 오른팔의 팔꿈치 밑에 받치고 글씨를 쓰는 일.
[枕藉 침자] 서로 베개를 삼고 잠. 겹쳐 잠.
[枕簟 침점] ㉠베개와 대자리. ㉡잠자리. 침구(寢具).
[枕側 침측] 베갯머리. 머리맡.
◉警枕. 孤枕. 曲肱枕. 羈枕. 圓木警枕. 愁枕. 邯鄲枕.

4
⑧ [枘] 예 [去]霽 而銳切 ruì

[字解] 장부 예 나무 끝을 구멍에 맞추어 박기 위하여 깎아 가늘게 만든 부분. '一鑿不相容'. '鑿不圍一'《莊子》.

[枘鑿不相容 예조불상용] 둥근 장부는 네모진 구멍에 들어가 맞지 아니한다는 뜻으로, 쌍방의 사물이 서로 맞지 아니함을 이름.

4
⑧ [枚] [人名] 매 [平]灰 莫杯切 méi

[字解] ①낱 매 셀 수 있게 된 얇은 물건의 하나하나. 장. '一數'. '木器髹者千一'《史記》. ②낱낱이 매 일일이. 하나하나. '一擧'. '一卜功臣'《書經》. ③줄기 매 나무줄기. '莫莫葛藟, 施于條一'《詩經》. ④채찍 매 말의 채찍. 마편(馬鞭). '以一數闔'《左傳》. ⑤하무 매 군인이 떠들지 못하도록 입에 물리는 나무 막대. '夜銜一擊項梁定陶'《漢書》. ⑥서까래 매 '雙一旣脩'《何晏》. ⑦거둘 매 '一, 收也'《廣雅》. ⑧점 매 복서(卜筮). '洞曉龜一'《晉書》. ⑨널리 매 광범(廣範)히. '一筮之'《左傳》. ⑩성 매 성(姓)의 하나.

[字源] 金文 篆文 會意. 木+攵(攴). '攴복'은 손에 채찍을 든 모양을 본뜸. 손에 든 채찍, 나무 줄기의 뜻을 나타냄. 전(轉)하여, 나무쪽 따위 얇고 납작한 것을 세는 말로도 쓰임.

[枚擧 매거] 낱낱이 들어 말함.
[枚枚 매매] 잔 모양. 자세한 모양.
[枚卜 매복] 일일이 점침.
[枚筮 매서] 널리 점침.
[枚數 매수] 종이 같은 얇은 것의 수효(數爻).
[枚移 매이] 관청끼리 공문을 서로 주고받음.
[枚陳 매진] 낱낱이 진술(陳述)함.
◉條枚. 銜枚.

4
⑧ [杚] [一] 개 [去]隊 古對切 gài
[二] 골

[字解] [一] 평미레 개 평목(平木). '一, 平斗木'《集韻》. [二] 扢(木部 三畫)의 本字.

4
⑧ [枝] [中人] [一] 지 [平]支 章移切 zhī
[二] 기 [平]支 翹移切 qí

[筆順] 一 十 才 木 朩 杧 枝 枝

[字解] [一] ①가지 지 초목의 가지. '一幹'. '一布葉分'《左傳》. 전(轉)하여, 본근(本根)에서 갈려 나온 것. '一族'. '本一百世'《左傳》. ②팔다리 지 肢(肉部 四畫)와 同字. '爲長者折一'《孟子》. ③갈라질 지 분기(分岐)함. 岐(山部 四畫)와 통용. '江汜一分, 東入大江'《水經注》. ④지지 지 십이지(十二支). '幹一'. '寅卯爲一'《博雅》. ⑤가지칠 지 가지가 나옴. '中通外直, 不蔓不一'《周敦頤》. ⑥흩어질 지 분산함. '中心疑者, 其辭一'《易經》. ⑦버틸 지 붙들어 굄. 지지(支持)함. '一梧'. '師曠之一策也'《莊子》. ⑧버팀목 지 지주(支柱). '漂嶢峴, 而一柱張'《王延壽》. ⑨성 지 성(姓)의 하나. [二] 육손이 기 손가락의 수가 여섯 있는 불구(不具). '一指'. '一指, 手有六指也'《三倉》.

[字源] 篆文 形聲. 木+支〔音〕. '支지'는 '가지'의 뜻. '木목'을 덧붙여, '가지'의 뜻을 나타냄.

[枝指 기지] 손가락이 보통 사람보다 하나 더 많음. 육손이.
[枝幹 지간] ㉠가지와 줄기. ㉡십간(十干)과 십이지(十二支). ㉢수족(手足)과 구간(軀幹).
[枝莖 지경] 가지와 줄기.
[枝岐 지기] 원줄기에서 갈라져 나온 흐름.
[枝隊 지대] 본대(本隊)에서 갈라져 나온 별동대(別動隊).
[枝大本必披 지대본필피] 가지가 줄기보다 크면 반드시 찢어짐.
[枝連蔓引 지련만인] 관련자를 모조리 검거함.
[枝水 지수] 지류(支流).
[枝葉 지엽] ㉠가지와 잎. ㉡중요(重要)하지 아니한 부분. ㉢자손(子孫).
[枝梧 지오] 버팀. 저항함.
[枝胤 지윤] 지족(枝族).
[枝節 지절] ㉠나무의 가지와 마디. ㉡곡절(曲節)이 많은 사단(事端)의 비유.
[枝族 지족] 지족(支族).
[枝指 지지] '기지(枝指)'의 오독(誤讀).
[枝戚 지척] 지족(枝族).
[枝梢 지초] 가지.
[枝解 지해] 사지(四肢)를 찢어 발기는 형벌.
◉幹枝. 桂林一枝. 嫩枝. 木枝. 芳枝. 疎枝. 垂枝. 弱枝. 楊枝. 連理枝. 連枝. 越鳥巢南枝. 爲長者折枝. 條枝. 宗枝. 竹外一枝. 竹枝. 戚枝. 叢枝. 風不鳴枝. 寒枝. 皇枝.

4
⑧ **[枖]** 요 ㊀蕭 於喬切 yāo
㊤篠 於北切 yǎo

字解 ①나무어리고번성할 요 '一, 木少盛皃'《說文》. ②나무이름 요 '一, 木名'《集韻》. ③나무꽃무성할 요 '一, 木華茂也'《玉篇》.

字源 形聲. 木+夭〔音〕

4
⑧ **[杚]** 〔강〕
綱(糸部 八畫〈p. 1747〉)의 古字

[牀] 〔상〕
爿部 四畫(p. 1369)을 보라.

4
⑧ **[東]** 中人 동 ㊀東 德紅切 dōng 东 东

筆順 一 丅 亓 戸 百 亘 申 東 東

字解 ①동녘 동 동방. '一西'. '一伐諸侯'《史記》. ②동녘으로갈 동 동쪽으로 향하여 감. '吾亦欲一'《漢書》. ③봄 동 오행설(五行說)에서 동쪽은 봄에 배당하므로 이름. '一風'. '平秩一作'《書經》. ④주인 동 옛날에는 객(客)은 서(西)쪽에, 주인은 동쪽에 자리 잡은 데서 이름. '一家蹇驢許借我'《杜甫》. ⑤성 동 성(姓)의 하나.

字源 甲骨文 金文 篆文 象形. 자루의 양 끝을 동여맨 모양을 본뜸. 무거운 자루를 움직임의 뜻에서, 만물(萬物)을 잠에서 흔들어 깨우는 태양이 솟아오르는 쪽, '동쪽'의 뜻을 나타냄.

[東家 동가] ㉠동쪽 이웃의 집. ㉡고용인이 주인을 이르는 말. 옛날에 주인은 집의 동쪽 채에 있었으므로 이름. ㉢동가구(東家丘).

[東家丘 동가구] 공자(孔子)의 서쪽 이웃에 사는 사람이 공자가 성인(聖人)임을 알지 못하고 단지 동가구(東家丘)라고 불렀다는 고사(故事). 전(轉)하여, 대인물(大人物)도 동향(同鄕) 사람에게는 평범(平凡)히 보임을 이름. 구(丘)는 공자의 이름.

[東家女 동가녀] 동쪽 이웃집의 여자. 미인을 이름.

[東家食西家宿 동가식서가숙] 먹을 것과 잘 곳이 없이 떠돌아다님을 이름.

[東京 동경] ㉠뤄양(洛陽). 서경(西京), 곧 장안(長安)에 대하여 일컫는 말. 동도(東都). ㉡고려 시대(高麗時代)의 경주(慶州)의 이름.

[東經 동경] 본초 자오선(本初子午線)을 0도로 하고, 동쪽으로 180도까지의 사이의 경선(經線).

[東京夢華錄 동경몽화록] 송(宋)나라의 맹원로(孟元老)가 북송(北宋)의 서울이던 동경(東京), 곧 변경(汴京)의 풍속과 도성(都城)의 모양을 기술한 풍속서(風俗書). 모두 10권.

[東皐 동고] 봄의 논.

[東觀 동관] 한(漢)나라의 궁중(宮中)의 서고(書庫).

[東郊 동교] ㉠봄의 들. ㉡동쪽의 교외(郊外)의 땅.

[東膠 동교] 주대(周代)의 대학(大學).

[東國 동국] '조선(朝鮮)'의 별칭.

[東君 동군] ㉠태양(太陽)의 신(神). ㉡봄을 맡은 동쪽의 신. 청제(靑帝).

[東宮 동궁] ㉠황태자(皇太子) 또는 왕세자(王世子)의 궁전. ㉡황태자 또는 왕세자. 청궁(靑宮). 동(東)은 주역(周易)에서 진괘(震卦), 진(震)은 장남(長男)이고 동(東)에 속하므로 이름. ㉢황태후(皇太后).

[東南 동남] ㉠동(東)쪽과 남(南)쪽. ㉡동남간(東南間).

[東南風 동남풍] 동남간(東南間)에서 불어오는 바람.

[東都 동도] 뤄양(洛陽). 동경(東京).

[東道主 동도주] 주인(主人)이 되어 내방(來訪)한 손의 안내(案內)를 하는 사람.

[東流 동류] ㉠동쪽으로 흐름. ㉡강(江)의 별칭(別稱). 중국의 강은 모두 동쪽으로 흐르므로 이름.

[東籬 동리] 동쪽에 있는 울타리.

[東籬君子 동리군자] '국화(菊花)'의 별칭(別稱).

[東林黨 동림당] 명(明)나라 말년(末年)에 일어난 당파(黨派). 정권(政權)의 쟁탈을 일삼았기 때문에 명나라가 빨리 멸망하였음.

[東問西答 동문서답] 묻는 말에 대하여 엉뚱한 소리로 하는 대답.

[東班 동반] ㉠문관(文官)의 반열(班列). ㉡문관(文官).

[東半球 동반구] 지구(地球)의 동쪽 부분.

[東方 동방] 동쪽.

[東方朔 동방삭] 전한(前漢) 때의 사람. 자(字)는 만천(曼倩). 무제(武帝)를 섬기어 금마문시중(金馬門侍中)이 되었으며, 해학(諧謔)과 변설(辯舌)에 능하였음.

[東壁 동벽] ㉠동쪽에 있는 벽. ㉡문장(文章)을 맡은 별〔星〕의 이름. 전(轉)하여, 문학(文學). 또는 도서관(圖書館).

[東部 동부] 동쪽 부분.

[東北 동북] ㉠동쪽과 북쪽. ㉡동북간(東北間).

[東北風 동북풍] 동북(東北)에서 불어오는 바람.

[東奔西走 동분서주] 사방(四方)으로 바쁘게 다님.

[東司 동사]《佛敎》사찰(寺)의 뒷간. 등사(登司)〈측귀(廁鬼)의 이름〉의 전와(轉訛).

[東床 동상] 사위.

[東牀 동상] 동상(東床).

[東西 동서] ㉠동쪽과 서쪽. ㉡동양과 서양. ㉢방향(方向). ㉣물건. 산물(產物). 동서남북에서 나는 물건의 뜻임.

[東序 동서] ㉠하대(夏代)의 대학. 왕궁(王宮)의 동쪽에 있었으므로 이름. ㉡동쪽편의 방. '서(序)' 참조.

[東西南北 동서남북] 동쪽·서쪽·남쪽·북쪽의 사방(四方).

[東西南北人 동서남북인] ㉠주거(住居)가 일정하지 않은 사람. 각처(各處)로 유랑(流浪)하는 사람. ㉡각처에서 모인 사람.

[東西不辨 동서불변] 동과 서를 분별하지 못함. 곧, 아무것도 모름.

[東西洋 동서양] 동양(東洋)과 서양(西洋).

[東閃西忽 동섬서홀] 여기서 얼씬, 저기서 번쩍함.

[東陲 동수] 나라의 동쪽 변방.

[東亞 동아] 동쪽 아시아.

[東嶽 동악] '태산(泰山)'의 별칭(別稱).

[東洋 동양] 서양(西洋)에 대하여 동쪽의 아시아를 일컫는 말.

[東瀛 동영] 동쪽 바다.

[東湧西沒 동용서몰] 동쪽에서 솟아 서쪽에 가라

앉는다는 뜻으로, 자유자재로 행동하며 신속함을 이름.
[東雲 동운] ㉠동쪽 하늘의 구름. ㉡동틀 녘. 새벽녘.
[東垣 동원] '의원(醫員)'의 별칭(別稱). 금(金)나라의 의원 이고(李杲)가 자기를 동원 노인(東垣老人)이라 일컬은 데서 나온 말.
[東魏 동위] 후위(後魏)의 효종(孝宗)이 서분(西奔)한 뒤, 고환(高歡)이 효정제(孝靜帝)를 옹립하여 세운 나라. (534~550)
[東夷 동이] 중국의 동쪽 나라의 족속. 동쪽 오랑캐.
[東作 동작] 봄에 경작(耕作)함. 또, 그 농사.
[東儲 동저] 동궁(東宮). 황태자.
[東漸 동점] 점차 동쪽으로 옮김.
[東丁 동정] ㉠물방울이 떨어지는 소리. ㉡패옥(佩玉)의 소리.
[東井 동정] 성좌(星座)의 이름. 곧, 정수(井宿).
[東征西伐 동정서벌] 여러 나라를 이리저리 정벌(征伐)함.
[東帝 동제] ㉠동방(東方)의 제왕(帝王). ㉡봄의 신(神). 동황(東皇). 동군(東君).
[東朝 동조] ㉠황태후(皇太后)의 궁전. 전(轉)하여, 황태후. ㉡황태자(皇太子)의 궁전. 전하여, 황태자.
[東周 동주] 주(周)나라 평왕(平王)부터 난왕(赧王)까지의 시대. 뤄양(洛陽)에 도읍하여 동방(東方)에 있었으므로 이름.
[東晉 동진] 서진(西晉)이 멸망한 후 그 일족인 낭야왕(琅琊王) 사마예(司馬睿)가 세운 나라. 서울인 건업(建業)이 서진(西晉)의 서울인 뤄양(洛陽)의 동남쪽에 있으므로 동진(東晉)이라 함. (317~420)
[東窓 동창] 동쪽에 있는 창(窓).
[東天 동천] 동쪽 하늘. 또, 밝을 녘의 하늘.
[東遷 동천] ㉠동쪽으로 옮김. ㉡주(周)나라 평왕(平王)이 도읍을 풍호(豐鎬) 지방에서 동쪽에 있는 뤄양(洛陽)으로 옮긴 일.
[東取西貸 동취서대] 여러 곳에 빚을 짐.
[東馳西走 동치서주] 동분서주(東奔西走).
[東坡巾 동파건] 건(巾)의 한 가지. 소동파(蘇東坡)가 썼으므로 이름.

[東坡巾]

[東敗西喪 동패서상] 가는 곳마다 실패(失敗)함.
[東風 동풍] 동(東)쪽에서 불어오는 바람. 또, 봄바람.
[東風吹馬耳 동풍취마이] 마이동풍(馬耳東風).
[東漢 동한] ㉠한(漢)나라의 유수(劉秀), 곧 광무제(光武帝)가 뤄양(洛陽)에 도읍한 후부터 헌제(獻帝)까지의 시대. 후한(後漢). ㉡오대(五代) 때의 북한(北漢).
[東海 동해] 동(東)쪽에 있는 바다.
[東海揚塵 동해양진] 바다가 육지(陸地)로 변함.
[東行西走 동행서주] 동분서주(東奔西走).
[東向 동향] 동쪽으로 향함. 동향(東鄕). 동향(東嚮).
[東鄕 동향] 동쪽으로 향함. '鄕'은 '嚮'. 동향(東向). 동향(東嚮).
[東嚮 동향] 동향(東向). 동향(東鄕).
[東胡 동호] 흉노(匈奴)의 동쪽에 부락을 이루어 살던 몽골 족(Mongol族).
[東華錄 동화록] 청(淸)나라의 장양기(蔣良驥)가 청(淸)나라 태조(太祖)로부터 세종(世宗)의 옹정(雍正) 13년까지의 일을 편찬한 사서(史書). 32권.
[東皇 동황] 봄의 신(神). 또, 봄. 동제(東帝).
[東后 동후] 동쪽 제후(諸侯).
◉江東. 關東. 極東. 近東. 南東. 大東. 山東. 吾道東. 遼東. 遠東. 日東. 丁東. 正東. 泰東. 河東. 海東. 活東.

4 ⑧ **[枢]** 〔추·우〕
樞(木部 十一畫〈p. 1102〉)의 俗字

[來] 〔래〕
人部 六畫(p. 124)을 보라.

4 ⑧ **[果]** 中·人 ㊀ 과 ㊤哿 古火切 guǒ
㊁ 관 ㊦翰 古玩切 guàn

筆順 丨 口 日 旦 甲 甲 果 果

字解 ㊀ ①실과 과 나무 열매. '一實'. 전(轉)하여, 결말. 사물의 귀결(歸結). '結一'. '必以業一爲證'《舊唐書》. ②날랠 과 용감함. '由也一'《論語》. ③과단성있을 과 '行必一'《論語》. ④해낼 과 수행(遂行)함. '善者一而已'《老子》. ⑤과연 과 ㉠정말. '一然'. '詰之一服'《十八史略》. ㉡의심하여 다짐하는 말. '一聖人法乎'《歐陽修》. ⑥마침내 과 필경. '一伏劍而死'《呂氏春秋》. ⑦성 과 성(姓)의 하나. ㊁ 강신제 관 술을 땅에 뿌려 신령(神靈)의 강림(降臨)을 비는 제사. '以待一將'《周禮》.

字源 甲骨文 金文 篆文 象形. 나무에 열매가 달린 모양을 본떠, 나무의 열매의 뜻을 나타냄. 파생하여, '해내다'의 뜻을 나타냄.

[果敢 과감] 과단성(果斷性)이 있게 일을 함. 용감하게 실행함.
[果決 과결] 과단(果斷).
[果勁 과경] 과단성이 있고 굳셈.
[果斷 과단] 용기(勇氣) 있게 결단함.
[果蓏 과라] 나무 열매와 풀 열매. 또, 그 초목(草木).
[果蠃 과라] ㉠쥐참외. ㉡나나니벌.
[果木 과목] 과실이 열리는 나무.
[果物 과물] 과실(果實).
[果報 과보] 인과응보(因果應報).
[果腹 과복] 실컷 먹음. 배가 잔뜩 부르게 먹음.
[果松 과송] 잣나무.
[果樹 과수] 과목(果木).
[果是 과시] 과연(果然).
[果實 과실] 먹을 수 있는 나무의 열매.
[果然 과연] ㉠진실로 그러함. ㉡배부른 모양. ㉢긴꼬리원숭이. 장미원(長尾猿).
[果銳 과예] 과단성이 있고 예민함.
[果勇 과용] 과단성이 있고 용감함.
[果園 과원] 과목(果木)을 심은 동산.
[果毅 과의] 결단성이 있고 굳셈.
[果子 과자] 과실(果實).
[果蔕 과체] 과실(果實)의 꼭지.
[果下馬 과하마] 아주 작은 말.
[果悍 과한] 과단성이 있고 굳셈.
[果刑 과형] 죄 있는 자는 반드시 처벌함.
◉甘果. 剛果. 結果. 勁果. 輕果. 奇果. 茶果. 名果. 茗果. 佛果. 碩果. 仙果. 善果. 實果.

惡果. 業果. 英果. 勇果. 雄果. 因果. 殘果. 珍果. 效果.

4 ⑧ [杲] [人名] [一] 고 [上]晧 古老切 gǎo
[二] 호 [上]晧 下老切

[字解] [一] ①밝을 고 어둡지 않고 환함. '一一出日'《詩經》. ②높을 고 '一乎如登乎天'《管子》. ③성 고 성(姓)의 하나. [二] 밝을 호, 높을 호 [一]과 뜻이 같음.

[字源] 篆文 會意. 日+木. 해가 나무보다 높이 뜬 데서, 햇빛이 밝다의 뜻이나 높다의 뜻을 나타냄.

[杲杲 고고] 밝은 모양.
[杲乎 고호] 높은 모양.

4 ⑧ [杹] 화 [去]禡 呼霸切 huà

[字解] 목부용 화 나무 이름. 목부용(木芙蓉). '一, 木名. 皮可爲索'《廣韻》.

4 ⑧ [枀] 〔송〕 松(木部 四畫〈p. 1041〉)과 同字

[字源] 形聲. 木+公〔音〕

[枀] 〔변〕 釆部 一畫(p. 2365)을 보라.

5 ⑨ [査] [高人] 사 [平]麻 鉏加切 chá, ③⑤zhā

[筆順] 一 十 才 木 木 杏 杳 查

[字解] ①사실(査實)할 사 조사함. '檢一'. '審一'. '支一停積'《續文獻通考》. ②떼 사 뗏목. 槎(木部 十畫)과 同字. '巨一浮西海上'《拾遺記》. ③풀명자나무 사 樝(木部 十一畫)과 同字. '山一'. ④찌끼 사 渣(水部 九畫)와 同字. '無因滓一滓'《張憲》. ⑤성 사 성(姓)의 하나.

[字源] 形聲. 木+且〔音〕. '且차'는 '겹쳐 쌓다'의 뜻. 나무를 겹친 뗏목의 뜻을 나타냄. '楂사·槎사'의 原字. 나중에는 '察찰'과 통하여, '사실하다'의 뜻을 나타냄.

[査問 사문] 조사(調査)하여 물어봄.
[査受 사수] 조사하여 받음.
[査丈 사장] 토지를 잼. 측량(測量).
[査滓 사재] 찌끼. 앙금. 사재(渣滓).
[査正 사정] 조사하여 그릇된 것을 바로잡음.
[査定 사정] 조사하여 결정함.
[査照 사조] 사실(査實)하기 위하여 조회(照會)함.
[査察 사찰] ㉠조사하여 살핌. ㉡주로 사상적인 동태를 조사 처리하던 경찰의 한 직분.
◉監査. 檢査. 考査. 內査. 踏査. 搜査. 審査. 精査. 照査. 調査. 主査. 走査. 探査.

5 ⑨ [柰] [人名] [一] 내 [去]泰 奴帶切 nài
[二] 나 [去]箇 奴箇切 nài

[筆順] 一 十 才 木 李 李 李 柰

[字解] [一] ①능금나무 내 능금나무의 일종. 또, 그 열매. '三一曜丹白之色'《潘岳》. ②어찌 내 奈(大部 五畫)와 同字. ③성 내 성(姓)의 하나. [二] 어찌 나 那(邑部 四畫)와 同字. 흔히, 何(人部 五畫)와 연용(連用)함. '何一'. '人莫予一'《揚雄》.

[字源] 篆文 形聲. 木+示〔音〕. '示시'는 제단(祭壇)의 뜻. 제사에 바치는 나무, 능금나무의 뜻을 나타냄.

[柰子 내자] 능금.
[柰脯 내포] 능금을 얇게 저며 말려서 만든 포.
[柰何 내하] 어찌하여.
◉丹柰. 何柰.

5 ⑨ [枯] [高人] 고 [平]虞 苦胡切 kū

[筆順] 一 十 才 木 朩 杧 枯 枯

[字解] ①마를 고 ㉠초목이 마름. '一木'. '蓬斷草一, 凜若霜晨'《李華》. ㉡겨울에 초목의 잎이 말라 떨어짐. '草木蚤一'《禮記》. ㉢물이 마름. '一渴'. '淵生珠, 而厓不一'《荀子》. ㉣야위어 뼈만 남음. '形容一槁'《楚辭》. ㉤살이 썩어 없어지고 마른 뼈만 남음. '一骨'. '一將功成萬骨一'《曹松》. ②말릴 고 마르게 함. '斬斷一磔'《荀子》. ③마른나무 고 말라서 죽은 나무. 고목(枯木). '已獨集於一'《國語》.

[字源] 篆文 形聲. 木+古〔音〕. '古고'는 '굳다'의 뜻. 나무가 말라서 굳어지다의 뜻.

[枯渴 고갈] 물이 바짝 마름.
[枯僵 고강] 말라 죽어 쓰러짐.
[枯腔 고강] 말라서 속이 허공이 되는 일.
[枯耕 고경] 아무렇게나 되는대로 밭을 갊.
[枯槁 고고] ㉠초목(草木)이 말라 죽음. ㉡고목(枯木). ㉢영락(零落)함. ㉣야윔. ㉤생기(生氣)가 없음.
[枯骨 고골] 송장의 살이 썩어 없어진 뼈.
[枯淡 고담] 활기(活氣)가 없고 담담(淡淡)함.
[枯林 고림] 말라 죽은 나무숲.
[枯木 고목] 말라 죽은 나무.
[枯木發榮 고목발영] 고목생화(枯木生花).
[枯木死灰 고목사회] 말라 죽은 나무와 불이 꺼진 재. 사람이 욕심이 없거나 생기가 없음의 형용.
[枯木生花 고목생화] 말라 죽은 나무에서 꽃이 핀다는 뜻으로, 쇠(衰)한 사람이 다시 일어남을 이름.
[枯木朽株 고목후주] 세상에 버림을 받은 불우(不遇)한 몸을 비유하여 이름.
[枯腐 고부] 말라 썩음.
[枯死 고사] 말라 죽음.
[枯蟬 고선] 매미 허물.
[枯松 고송] 마른 소나무.
[枯柴 고시] 마른 섶나무.
[枯厓 고애] 초목이 나지 않은 험준(險峻)한 낭떠러지.
[枯壤 고양] 메마른 땅.
[枯楊生稊 고양생제] 시든 버드나무에 새 움이 돋는다는 뜻으로, 노인이 젊은 여자에게 장가듦을 이르는 말.
[枯楊生華 고양생화] 시든 버드나무에 꽃이 핀다는 뜻으로, 늙은 여자가 자기보다 젊은 남편을 얻음을 이르는 말.
[枯魚 고어] 건어(乾魚).

[枯榮 고영] 성쇠(盛衰). 영고(榮枯).
[枯腸 고장] 건조한 창자, 곧 빈 속이라는 뜻으로, 문재(文才)가 없음을 이름.
[枯磧 고적] 초목이 나지 않은 황량(荒涼)한 사주(沙洲).
[枯折 고절] 말라 꺾임.
[枯條 고조] 말라 죽은 가지.
[枯燥 고조] 건조(乾燥).
[枯肺 고폐] 건조한 흉중(胸中). 목마른 가슴.
[枯旱 고한] 초목이 말라 탈 지경의 대단한 가뭄.
[枯朽 고후] 말라 썩음. 또, 그것.
◉乾枯. 槁枯. 根露條枯. 傷枯. 魚枯. 榮枯. 一將功成萬骨枯. 凋枯. 偏枯. 涸枯.

5
⑨ [枮] 一 섬 ㊥鹽 息廉切 xiān
二 침 ㊥侵 知林切 zhēn

字解 一 삼목(杉木) 섬 소나뭇과의 상록 교목. 櫼(木部 十三畫)과 뜻이 같음. 二 모탕 침 椹(木部 九畫)과 同字.
字源 篆文 形聲. 木+占〔音〕

5
⑨ [枰] 人名 평 ㊥庚 符兵切 píng

筆順 一 十 才 木 木一 木丷 木丷 枰
字解 ①판 평 바둑판·장기판, 또는 쌍륙(雙六)판. '所志不過一一之上'《韋曜》. ②은행나무 평 은행나뭇과(科)에 속하는 낙엽 교목. 공손수(公孫樹). '華楓一櫨'《司馬相如》.
字源 篆文 形聲. 木+平〔音〕. 반반한 널빤지로 만든 대(臺)의 뜻으로, '쌍륙판·바둑판'의 뜻을 나타냄.

◉棊枰. 石枰. 楸枰.

5
⑨ [栟] 변 ㊋霰 皮變切 biàn

字解 대접받침 변 기둥머리의 장식. 주두(柱頭). '一, 柱上欂櫨也'《玉篇》.

5
⑨ [枳] 人名 지 ㊤紙 諸氏切 zhǐ

字解 ①탱자나무 지 운향과(科)에 속하는 낙엽 교목(落葉喬木). 구귤(枸橘). '橘踰淮而北爲一'《周禮》. ②해칠 지 적해(賊害)함. '率過以小罪, 謂之一'《孔叢子》.
字源 篆文 形聲. 木+只〔音〕

[枳殼 지각] 탱자나무. 또, 탱자.
[枳椇 지구] 호깨나무.
[枳棘 지극] ㉠탱자나무와 가시나무. ㉡탱자나무의 가시.
[枳棘非鸞鳳所棲 지극비난봉소서] 탱자나무나 가시나무처럼 좋지 않은 나무에는 난(鸞)새나 봉황(鳳凰) 같은 영조(靈鳥)는 깃들이지 않음. 곧, 천한 자리나 낮은 지위에는 걸사(傑士)가 있을 자리가 아님을 이름.
[枳實 지실] 탱자.
◉棘枳. 南橘北枳. 荊枳.

5
⑨ [枴] 괘 ㊤蟹 乖買切 guǎi

字解 지팡이 괘 걸을 때 짚는 막대기. '一, 老人拄杖也'《廣韻》. '賜以木一一'《五代史》.
字源 形聲. 木+另〔音〕

[枴杖 괘장] 노인의 지팡이.

5
⑨ [枵] 효 ㊥蕭 許嬌切 xiāo

字解 ①빌 효 공허함. '一空'. '虎頭鼠尾, 外肥內一'《林下偶談》. ②주릴 효 배를 곯음. '一腹'. '糧盡衆一'《唐書》.
字源 篆文 形聲. 木+号〔音〕. '号효'는 목이 쉼, 닳아 무지러짐의 뜻. 나무가 구새 먹어 속이 빈 모양을 나타내며, 일반적으로 '공허함, 텅 빔'의 뜻을 나타냄.

[枵空 효공] 공허(空虛)함.
[枵腹 효복] 주린 배. 공복(空腹).
[枵然 효연] 큰 모양.

5
⑨ [枷] 人名 가 ①②㊥麻 古牙切 jiā
③㊋禡 居迓切 jià

字解 ①도리깨 가 곡식을 두드려 떠는 농구. '夜連一響到明'《范成大》. ②칼 가 죄인의 목에 씌우는 칼. '一鎖'. '獄吏欲爲脫一'《北史》. ③횃대 가 架(木部 五畫)와 同字. '男女不同椸一'《禮記》.
字源 篆文 形聲. 木+加〔音〕. '加가'는 '위에 얹다'의 뜻. 자루 끝에 막대가 달린 도리깨, 목에 씌우는 칼의 뜻을 나타냄.

[枷鎖 가쇄] 죄인(罪人)의 목에 씌우는 칼과 발에 채우는 쇠사슬.
[枷囚 가수] 죄인(罪人)의 목에 칼을 씌우고 가둠.
◉械枷. 連枷. 椸枷.

5
⑨ [柀] 피 ㊤紙 甫委切 bǐ

字解 ①삼(杉)나무 피 소나뭇과의 상록 교목. ②비자나무 피 비자나뭇과에 속하는 상록 침엽수. '榧, 一名一子'《羣芳譜》. ③가를 피 짜갬. '一, 一曰, 析也'《說文》.
字源 篆文 形聲. 木+皮〔音〕. '皮피'는 껍질, 껍질을 벗기다의 뜻. 그 껍질을 벗겨 사용하는 나무, 곧 '삼나무'의 뜻을 나타냄.

5
⑨ [枸] 人名 구 ①㊤麌 俱雨切 jǔ
②㊤有 古厚切 gǒu
③④㊥尤 古侯切 gōu

字解 ①호깨나무 구 갈매나뭇과(科)에 속하는 낙엽 교목(落葉喬木). 과실은 맛이 있음. '南山有一'《詩經》. ②구기자나무 구 '一杞'. '貢一杞黃精'《唐書》. ③탱자나무 구 '一橘'. '枳一來巢'《宋玉》. ④굽을 구 휨. '一木'.
字源 篆文 形聲. 木+句〔音〕. '句구'는 '구부러지다'의 뜻. 작은 굽은 나무, 가지가 굽은 나무, 구기자나무의 뜻을 나타냄.

[枸骨 구골] 감탕나뭇과에 속하는 상록 활엽 교목(喬木). 여름에 흰 꽃이 핌.
[枸橘 구귤] 운향과(科)에 속하는 낙엽 교목(落

葉喬木). 열매는 귤(橘) 비슷하고 향기가 나며 약재로 씀. 탱자나무.
[枸杞 구기] 가짓과(科)에 속하는 낙엽 관목(落葉灌木). 열매는 붉으며 약재로 씀. 구기자나무.
[枸杞子 구기자] 구기자나무의 열매. 강장제(強壯劑)로 씀.
[枸木 구목] 굽은 나무.
[枸櫞 구연] 레몬(lemon). 영몽(檸檬)이라고도 함.
◉株枸. 枳枸.

5 ⑨ [枹] 一 부 ㊥虞 防無切 fú 二 포 ㊥肴 布交切 bāo

字解 一 ①북채 부 북을 치는 채. '援一而鼓'《左傳》. ②삽주 부 국화과의 다년초. 마계(馬薊). 二 ①더부룩이날 포 총생(叢生)함. '樸屬叢生者爲一'《爾雅 註》. ②졸참나무 포 참나뭇과의 낙엽 활엽 교목. '槲有二種. 一種, 叢生小者名一'《本草》.
字源 篆文 形聲. 木+包〔音〕

[枹鼓 부고] ㉠북채와 북. ㉡도둑을 경계하여 치는 북.

5 ⑨ [枻] 一 예 ㊤霽 餘制切 yì 二 설 ㊀屑 細列切 xiè

字解 一 노 예 배를 젓는 막대기. '鼓一而去'《楚辭》. 二 도지개 설 활을 바로잡는 틀. '檠一, 正弓弩之器'《韻會》.
字源 形聲. 木+世〔音〕

◉蘭枻. 艣枻. 柂枻.

5 ⑨ [柹] 柿(次條)의 本字

5 ⑨ [柨] 시 ㊤紙 鉏里切 shì ㊤寘 時吏切

字解 ①감나무 시 감나뭇과(科)에 속하는 낙엽교목(落葉喬木). 중요 과수(果樹)임. ②감 시 감나무의 열매. '棗栗榛一'《禮記》.
字源 篆文 形聲. 木+㚒〔音〕
參考 ①柹(前條)는 本字. ②柿(次條)는 俗字.

[柹餅 시병] 곶감.
[柹雪 시설] 곶감 거죽에 생기는 흰 가루.
[柹漆 시칠] 날감에서 채취한 떫은 즙.
◉乾柹. 澀柹. 霜柹. 樽柹. 紅柹. 烘柹. 黑柹.

5 ⑨ [柿] 人名 柨(前條)의 俗字

字源 形聲. 木+市〔音〕
參考 杮(木部 四畫)는 別字.

5 ⑨ [枺] 말 ㊀曷 莫葛切 mò

字解 ①오구목(烏臼木) 말 대극과의 낙엽 교목. ②기둥 말 지주(支柱). '欐一欂櫨, 以相支持. (註) 欐一, 柱也'《淮南子》.

5 ⑨ [柁] 타 ㊤哿 徒可切 duò

字解 키 타 선박의 고물에 장치하여 방향을 잡는 제구. 舵(舟部 五畫)와 同字. '一手'. '操一正櫂'《晉書》.
字源 形聲. 木+它〔音〕. '它타'는 구불거리다의 뜻. 배를 구불구불 나아가게 하기 위한 키의 뜻을 나타냄.

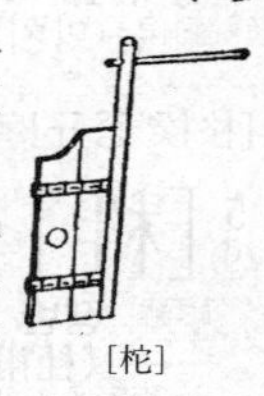
〔柁〕

[柁樓 타루] 키를 잡는 선실(船室)의 다락.
[柁手 타수] 키잡이.
◉起柁. 司柁. 失柁. 轉柁. 風柁.

5 ⑨ [柂] 一 이 ㊥支 余知切 yí 二 타 ㊤哿 待可切 duò

字解 一 나무이름 이 杝(木部 三畫)와 同字. '一棺'《禮記》. 二 키 타 柁(前條)·舵(舟部 五畫)과 同字. '凌波縱一'《郭璞》.
字源 形聲. 木+㐌〔音〕. '柁타'와 통하여, '키'의 뜻으로 쓰임.

5 ⑨ [柄] 人名 병 ㊤敬 陂病切 bìng

筆順 一 十 木 木 朩 朩 柄 柄

字解 ①자루 병 기구(器具)의 손잡이. '斗一'. '酢夫人執一'《禮記》. ②근본 병 밑절미. '坤爲地爲一'《易經》. ③권세 병 권력. '權一'. '二一, 刑德也'《韓非子》.
字源 篆文 別體 形聲. 木+丙〔音〕. '丙병'은 밖으로 내밀다, 내뻗다의 뜻. 도구의 내민 손잡이, 자루의 뜻을 나타냄. 別體도 木+秉〔音〕의 形聲. '秉병'은 '잡다'의 뜻. 손에 잡다, '자루'의 뜻을 나타냄.

[柄授 병수] 권력(權力)을 수여함.
[柄臣 병신] 권력(權力)을 잡은 신하.
[柄用 병용] 중용(重用)하여 정권(政權)을 잡게 「함.
◉國柄. 權柄. 談柄. 斗柄. 文柄. 民柄. 兵柄. 笑柄. 威柄. 二柄. 宰柄. 政柄. 朝柄. 八柄. 刑柄. 話柄.

5 ⑨ [柅] 人名 니 ㊤紙 女履切 nǐ ㊥支 女夷切

字解 ①고임목 니 수레를 정지시키는 나무. 바퀴 굄목. '繫于金一'《易經》. ②살필 니 명찰(明察)함. '楗一姦冒'《唐書》. ③성할 니 무성한 모양. '總莖一一'《左思》.
字源 篆文 形聲. 木+尼〔音〕. '尼니'는 '들러붙다'의 뜻. 수레바퀴 밑에 착 들러붙어 멈추는 나무, 바퀴 굄목의 뜻을 나타냄.

[柅柅 이니] 초목(草木)이 무성(茂盛)한 모양.
[柅杜 이두] 두절(杜絶).

5 ⑨ [柊] 人名 종 ㊥東 職戎切 zhōng

字解 ①종엽 종 '一葉'은 파초(芭蕉) 비슷한 상록 초본(常綠草本). 높이 2~3척(尺)임. ②박달목서 종 물푸레나뭇과(科)에 속하는 상록 아교목(常綠亞喬木). 구골(枸骨). ③망치 종 작은

망치. '一楑'.
[字源] 形聲. 木+冬〔音〕. '柊楑종규'는 귀신을 쫓는 망치의 뜻.

[柊楑 종규] 작은 망치.

5 ⑨ [柈] 반 [平]寒 薄官切 pán
[字解] 쟁반 반 槃(木部 十畫)과 同字. '焦糖幸一一'《杜甫》.
[字源] 形聲. 木+半〔音〕

[柈杅 반우] 쟁반·주발 등 물건을 담는 그릇.

5 ⑨ [柍] [一] 영 [平]庚 於驚切 yīng
[二] 앙 [平]陽 於良切 yāng
[去]漾 於亮切 yàng
[字解] [一] ①나무이름 영 ㉠녹나무. 녹나뭇과의 상록 활엽 교목. ㉡살구나무. 살구. ②도리깨 영 '一, 打穀具'《集韻》. [二] 가운데 앙 중앙. '日月纔經于一桭'《揚雄》.
[字源] [篆文] 形聲. 木+央〔音〕

5 ⑨ [栀] 치 [平]支 章移切 zhī
[字解] 치자나무 치 '一, 黃木可染者'《說文》.
[字源] 形聲. 木+卮〔音〕

5 ⑨ [⿰木尻] [一] 고 [上]晧 苦浩切 kǎo
[平]豪 丘刀切
[二] 곡 [入]沃 拘玉切
[三] 국 [入]屋 居六切 jú
[字解] [一] ①붉나무 고 '一, 山樗也'《說文》. ②수유나무 고 '一, 茱萸也'《廣雅》. [二] 사갈 곡 산에 오를 때 미끄러지지 않게 신는 못 박은 신. '檋, 山行所乘, 以鐵如錐, 施之屐下. 或从尻'《集韻》. [三] 나무이름 국 '一, 木名'《廣韻》.
[字源] 形聲. 木+尻〔音〕

5 ⑨ [柎] 부 ①②[平]虞 甫無切 fū
③-⑥[上]麌 斐父切 fǔ
⑦[去]遇 符遇切 fù
[字解] ①꽃받침 부 화악(花萼). '圓葉而白一'《山海經》. ②뗏목 부 桴(木部 七畫)와 同字. '方舟投一'《管子》. ③줌통 부 弣(弓部 五畫)와 同字. '有一焉'《周禮》. ④칼자루 부 '削授一'《禮記》. ⑤기댈 부 의지함. '父老一枝而論'《管子》. ⑥성 부 성(姓)의 하나. ⑦따를 부 액체를 따름. '以魁一之'《儀禮》.
[字源] [篆文] 形聲. 木+付〔音〕. '付부'는 '바싹 붙다'의 뜻. 꽃에 바싹 붙은 '꽃받침'의 뜻.

◉撥柎. 兪柎. 車柎. 楄柎.

5 ⑨ [柏] [人名] [一] 백 [入]陌 博陌切 bǎi(bó)
[二] 박 [入]陌 博陌切 pó
[筆順] 一 十 才 木 木′ 札′ 柏 柏
[字解] [一] ①나무이름 백 측백나무, 곧 '側一'과, 노송나무, 곧 '扁一'의 총칭. '一葉酒'. '楄柎栝一'《書經》. ②성 백 성(姓)의 하나. ③《韓》 잣나무 백, 잣 백 소나뭇과에 속하는 상록 교목. 또, 그 열매. '一葉茶'. [二] 닥칠 박 迫(辵部 五畫)과 통용. '一冬日'《漢武帝》. '白백'은 측백나무 열매의 象形.
[字源] [篆文] 形聲. 木+白〔音〕. '白백'은 측백나무 열매의 象形.

[柏車 백거] 산에서 쓰는 큰 수레.
[柏臺 백대] ㉠한대(漢代)의 어사대(御史臺)의 이칭(異稱). 울 안에 측백(側柏)을 심은 데서 이름. ㉡청대(淸代)의 안찰사(按察使)의 이칭(異稱).
[柏梁臺 백량대] 한(漢)나라 무제(武帝)가 원정(元鼎) 2년에 향백(香柏)을 양재(梁材)로 써서 세운 대(臺).
[柏梁體 백량체] 한시(漢詩)의 한 체(體). 칠언(七言)으로 매구(每句)에 압운(押韻)함. 한무제(漢武帝)가 축조(築造)한 백량대(柏梁臺)에서 군신(群臣)을 모아 놓고 짓게 한 칠언 연구(七言聯句)에서 시작되었음.
[柏葉茶 백엽다] 《韓》 잣나무 잎을 넣어 달인 차.
[柏葉壽 백엽수] 장수(長壽). 측백나무 잎이 상록인 것을 장수에 비유하여 이른 말. 송백수(松柏壽).
[柏葉酒 백엽주] 사기(邪氣)를 쫓기 위하여 설에 마시는 측백나무 잎을 넣어 빚은 술.
[柏酒 백주] 백엽주(柏葉酒).
[柏舟之操 백주지조] 미망인(未亡人)의 망부(亡夫)에 대한 절개. 과부의 굳은 절개. 시경(詩經)의 백주편(柏舟篇)은 공백(共伯)의 처 공강(共姜)이 남편이 죽은 뒤 재가(再嫁)를 불응하고 지은 시이므로 이름.
◉石柏. 雪中松柏. 松柏. 水柏. 竹柏. 叢柏. 側柏. 稚柏. 扁柏. 香柏.

5 ⑨ [柆] 랍 [入]合 落合切 lā
[字解] 부러진나무 랍 '一, 折木也'《說文》.
[字源] [篆文] 形聲. 木+立〔音〕. '立립'은 서 있다의 뜻. 부러져서 고사목(枯死木)이 되어 있는 나무의 뜻을 나타냄.

5 ⑨ [柑] [人名] [一] 감 [平]覃 古三切 gān
[二] 겸 [平]鹽 其淹切 qián
[字解] [一] 홍귤나무 감 운향과(芸香科)에 속하는 상록 교목(常綠喬木). 과수(果樹)임. 감자나무. '一別種有八'《橘錄》. [二] ①재갈먹일 겸 입에 재갈을 물림. 鉗(金部 五畫)과 同字. '一馬而秣之'《公羊傳》. ②다물 겸 鉗(金部 五畫)과 同字. '畏刑一口'《漢書》.
[字源] 形聲. 木+甘〔音〕. '甘감'은 '달다'의 뜻. 단 열매가 열리는 홍귤나무의 뜻을 나타냄.

◉金柑. 蜜柑. 乳柑. 甜柑. 黃柑.

5 ⑨ [柘] 자 [去]禡 之夜切 zhè
[字解] ①산뽕나무 자 뽕나뭇과(科)에 속하는 낙엽 교목. 산이나 들에 자생(自生)함. 산상(山桑). '弓人取幹之道, 一爲上'《周禮》. ②성 자

성(姓)의 하나.
字源 篆文 形聲. 木+石〔音〕

◉白柘. 桑柘.

5 ⑨ [柙] 一 합 入洽 胡甲切 xiá
二 갑 入洽 古狎切 jiǎ

字解 一 ①나무이름 합 향나무의 일종. '木則楓一豫章'《左思》. ②우리 합 짐승을 가두어 기르는 곳. '虎兕出於一'《論語》. ③수감할 합 죄인을 체포하여 우리에 가둠. '生束縛而一, 以予齊'《管子》. 二 궤 갑 상자. 匣(匚部 五畫)과 통용. '有干將之劍者, 一而藏之'《莊子》.
字源 篆文 古文 形聲. 木+甲〔音〕. '甲갑'은, '壓압' 따위와 통하여, '누르다'의 뜻. 짐승 따위를 잡아 가두기 위한 '우리'의 뜻을 나타냄.

◉檢柙. 籠柙. 虎柙.

5 ⑨ [柚] 人名 一 유 去宥 余救切 yòu
二 축 入屋 直六切 zhóu

筆順 一 十 才 木 朩 析 柚 柚

字解 一 유자나무 유 운향과(芸香科)에 속하는 상록 교목(常綠喬木). '厥包橘一'《書經》. 二 바디 축 軸(車部 五畫)과 同字. '杼一其空'《詩經》.
字源 篆文 形聲. 木+由〔音〕

◉橘柚. 鐳柚. 橙柚. 杼柚. 臭柚.

5 ⑨ [柝] 人名 탁 入藥 闥各切 tuò

字解 ①딱따기 탁 야경 돌 때 두드리는 나무. '魯擊一聞於邾'《左傳》. ②열 탁, 열릴 탁 '廓四方, 一八極'《淮南子》. ③터질 탁 갈라짐. 說文에는 榛(木部 九畫)으로 나옴. '土裂曰榛, 木判曰一'《說文 段注》.
字源 金文 篆文 形聲. 木+斥(㡿)〔音〕. '㡿척'은 '쪼개다'의 뜻. 나무를 쪼개다, 쪼개서 만든 '딱따기'의 뜻을 나타냄.
參考 析(木部 四畫)·拆(手部 五畫)은 別字.

◉擊柝. 警柝. 鼓柝. 關柝. 金柝. 烽柝. 宵柝. 夜柝. 魚柝. 偃柝. 弛柝. 罷柝. 抱柝. 寒柝.

5 ⑨ [柛] 신 平眞 失人切 shēn

字解 나무쓰러질 신 나무가 저절로 쓰러짐. '木自斃, 一'《爾雅》.

5 ⑨ [柶] 一 사 上紙 象齒切 sì
二 이 平支 盈之切 yí

字解 一 ①보습 사 '一, 臿也'《說文》. ②흙담는 들것 사 '一, 一曰, 徙土輂. 齊人語也'《說文》. 二 배바닥물퍼내는그릇 이 '㴒斗謂之一'《廣雅》.
字源 形聲. 木+㠯〔音〕

5 ⑨ [柞] 一 작 入藥 則落切 zuò
二 책 入陌 側格切 zé

字解 一 ①조롱나무 작 조롱나뭇과에 속하는 상록 교목. '維一之枝'《詩經》. ②떡갈나무 작 참나뭇과(科)에 속하는 낙엽 교목. 작목(柞木). 二 ①발매할 책 벌목함. '載芟載一'《詩經》. ② 좁을 책 협착함. '轂小而長則一'《周禮》.
字源 篆文 形聲. 木+乍〔音〕. '乍사·작'은 나무의 작은 가지를 치는 모양을 본떠, 나무를 베어 없애다의 뜻을 나타냄. '柞작'의 原字. 나중에 '木목'을 덧붙여, 뜻을 분명히 했음.

[柞蠶 작잠] 누에의 일종. 떡갈나무 잎을 먹음. 산누에.
◉高柞. 至柞.

5 ⑨ [柢] 저 上薺 都禮切 dǐ
去霽 都計切

字解 ①뿌리 저 목근(木根). '深根固一'《老子》. ②밑 저 밑절미. 사물의 근본. 底(广部 五畫)와 통용. '根一'. ③싹틀 저 생겨남. 어떠한 기운(機運)이 열림. '萌一疇昔'《左思》.
字源 篆文 形聲. 木+氐〔音〕. '氐저'는 '낮다'의 뜻. 나무의 낮은 부분, '뿌리'의 뜻을 나타냄.

◉根柢. 深根固柢. 株柢.

5 ⑨ [柣] 질 入質 直一切 zhì

字解 문지방 질 문한(門限). '一謂之閾'《爾雅》.

5 ⑨ [柤] 一 사 平麻 側加切 zhā
二 조 上語 壯所切 zǔ

字解 一 ①풀명자나무 사 樝(木部 十一畫)와 同字. '洞庭之山多一'《山海經》. ②난간 사 '一以木爲闌'《集韻》. 二 도마 조 俎(人部 七畫)와 통용.
字源 篆文 形聲. 木+且〔音〕. '且차·저·조'는 '짜맞추다'의 뜻. 나무를 짜 맞춰서 만든 '난간'의 뜻을 나타냄.

5 ⑨ [柩] 人名 구 去宥 巨救切 jiù

字解 널 구 관(棺). '一車'. '一不早出, 不暮宿'《禮記》.
字源 篆文 別體 籒文 形聲. 木+匛〔音〕. 篆文의 '匛구'는 또, 匚+久〔音〕. '久구'는 '오랫동안'의 뜻. 장기(長期)에 걸쳐 사람의 시체를 담아 두는 목제(木製)의 궤, '관(棺)'의 뜻을 나타냄.

[柩車 구차] 관을 싣는 수레.

5 ⑨ [柮] 돌(①올本) ①入月 五忽切 wù
②入月 當沒切 duò

字解 ①마들가리 돌 杌(木部 三畫)과 통용. '榾一'. '杌, 樹無枝也. 或作一'《集韻》. ②끄트러기 돌 '一, 檮一也'《說文》.
字源 篆文 形聲. 木+出〔音〕

◉榾柮.

5 ⑨ [柌] 사 ㊥支 詳茲切 cí

字解 낫자루 사 낫의 손잡이. '一, 鎌柄也'《玉篇》.

5 ⑨ [柯] 人名 가 ㊥歌 古俄切 kē

字解 ①모밀잣밤나무 가 참나뭇과(科)에 속하는 상록 교목(常綠喬木). 목재는 건축재로 씀. ②가지 가 나뭇가지. '一葉'. '眄庭一以怡顏'《陶潛》. ③줄기 가 풀의 줄기. '濯靈芝以朱一'《張衡》. ④바리 가 반기(飯器). '魯人以榶, 衞人用一'《荀子》. ⑤자루 가 도끼 자루. '伐一伐一, 其則不遠'《詩經》. ⑥성 가 성(姓)의 하나.

字源 篆文 形聲. 木+可〔音〕. '可가'는 '굽은 갈고리'의 뜻. 갈고리 모양의 도끼 자루의 뜻.

[柯葉 가엽] 가지와 잎. 지엽(枝葉).
[柯亭 가정] 피리. 가정적(柯亭笛)이라고도 함. 후한(後漢)의 문인(文人) 채옹(蔡邕)이 저장 성(浙江省) 회계(會稽) 땅의 가정(柯亭)에서 머무르고 있을 때 유숙하고 있는 집의 대나무 서까래를 잘라 피리를 만들었다는 고사(故事)에서 나옴.
[柯亭笛 가정적] 가정(柯亭).
[柯條 가조] 나뭇가지. 지조(枝條).
◉高柯. 喬柯. 繁柯. 伐柯. 斧柯. 霜柯. 修柯. 庭柯. 條柯. 枝柯. 直柯. 寒柯.

5 ⑨ [柱] 高人 주 ①-③㊤麌 直主切 zhù ④-⑥㊦遇 株遇切

筆順 一 十 才 木 木' 杧 桂 柱

字解 ①기둥 주 ㉠보·도리 따위를 받치는 나무. '一石'. '秦王環一而走'《史記》. 전(轉)하여, 널리 괴어 버티는 물건의 뜻으로 쓰임. '天一折, 地維絕'《史記》. ㉡의지하여 기대는 것. 믿는 것. '一石臣'. ②기러기발 주 현악기의 줄을 고르는 데 쓰는 제구. 줄 밑에 괴어 소리를 조절함. 안족(雁足). '雁一'. '膠一而鼓瑟'《史記》. ③성 주 성(姓)의 하나. ④버틸 주 굄. '鼎也, 不可以一車'《韓愈》. ⑤비방할 주 기자(譏刺)함. '連一五鹿君'《漢書》. ⑥막을 주 통하지 못하게 함. '藜藋一乎鼪鼬之逕'《莊子》.

[柱②]

字源 篆文 形聲. 木+主〔音〕. '主주'는 일정 기간 정지(靜止)함의 뜻. 움직이지 않는 나무, '기둥'의 뜻을 나타냄.

[柱幹 주간] ㉠기둥과 줄기. ㉡가장 중요한 곳.
[柱國 주국] 집에 있어서의 기둥과 같이, 나라 안의 중요한 곳.
[柱頭 주두] ㉠기둥의 윗머리. 대접받침. ㉡암꽃술의 대가리. 암술머리.
[柱梁 주량] 기둥과 대들보.
[柱聯 주련] 기둥 혹은 바람벽 같은 데에 써 붙이는 연구(聯句).
[柱史 주사] 주하사(柱下史)㉡.
[柱石 주석] 기둥과 주추. 전(轉)하여, 국가의 중임(重任)을 진 사람의 비유.
[柱石之寄 주석지기] 가장 중요한 임무(任務).
[柱石之臣 주석지신] 나라에 아주 중요(重要)한 신하(臣下).
[柱臣 주신] 주석지신(柱石之臣).
[柱質 주질] 기둥과 주추. 주석(柱石).
[柱礎 주초] 기둥 아래에 받쳐 놓는 돌. 주춧돌.
[柱下史 주하사] ㉠도서(圖書)를 맡은 벼슬. ㉡노자(老子). 노자가 주하사(柱下史) 벼슬을 지냈으므로 이름. ㉢한대(漢代)의 시어사(侍御史)의 별칭(別稱).
◉膠柱. 琴柱. 銅柱. 氷柱. 石柱. 楹柱. 影柱. 底柱. 電柱. 題柱. 雕柱. 中流底柱. 支柱. 鐵柱. 礎柱. 花柱.

5 ⑨ [柹] 거 ㊥魚 去魚切 qū

字解 길마 거 '一, 极也'《說文》.

字源 形聲. 木+去〔音〕

5 ⑨ [柴] 자 ㊥支 才支切 cí

字解 나무이름 자 녹나무〔楠〕의 일종.

5 ⑨ [柲] 비 ㊦寘 兵媚切 bì

字解 ①자루 비 창·도끼 등의 자루. '以爲鍼一'. ②도지개 비 활을 바로잡는 틀. '弓檠曰一'《周禮》.

字源 篆文 形聲. 木+必〔音〕. '必필'은, 무기(武器)에 단단히 달린 자루를 본뜬 모양. 나중에 '木목'을 덧붙여, '자루'의 뜻을 나타냄.

5 ⑨ [柳] 中人 류 ㊤有 力久切 liǔ

筆順 一 十 才 木 杧 杉 柳 柳

字解 ①버드나무 류 버들과에 속하는 낙엽 교목(落葉喬木). 가늘고 긴 가지가 죽죽 늘어짐. 버들. '一腰'. '一態花容'《杜荀鶴》. ②별이름 류 이십팔수(二十八宿)의 하나. 주작 칠수(朱雀七宿)의 셋째 성수(星宿)로, 별 여덟 개로 구성됨. '一宿'. '季夏九月日在一'《禮記》. ③모일 류 '秋祀一穀華山'《尙書大傳》. ④성 류 성(姓)의 하나.

字源 金文 篆文 形聲. 木+卯〔音〕. '卯묘'는 '流류'와 통하여, '흐르다'의 뜻. 긴 가지가 흐르는 것 같은 모양의 나무, '능수버들'의 뜻.

[柳公權 유공권] 당(唐)나라의 서가(書家). 자(字)는 성현(誠懸). 경학(經學)에도 뛰어났으며, 벼슬이 태자태보(太子太保)에 이르렀음.
[柳塘 유당] 유제(柳堤).
[柳綠 유록] 푸른빛과 노란빛과의 중간 빛.
[柳綠花紅 유록화홍] 버들은 푸르고 꽃은 분홍빛임. 곧, 인공을 가하지 않은 자연(自然) 그대로의 상태를 이름.
[柳眉 유미] 버들잎 모양의 아름다운 눈썹. 곧, 미인(美人)의 눈썹의 형용.
[柳絲 유사] 버드나무 가지. 유조(柳條).

[柳色 유색] 버들의 푸른빛.
[柳絮 유서] 버들개지.
[柳絮才 유서재] 진(晉)나라의 사씨(謝氏)의 딸이 시(詩)를 짓는데 눈〔雪〕을 버들개지에 비유(譬喩)하여 '未若柳絮因風起'라 한 고사(故事)에서, 여자의 뛰어난 문재(文才)를 이름.
[柳宿 유수] 이십팔수(二十八宿)의 하나. 자해(字解)❷를 보라.
[柳眼 유안] 버들잎의 새싹.
[柳暗花明 유암화명] 버들은 우거져 그늘이 어둡고 꽃은 피어서 환함. 곧, 농촌의 봄의 아름다운 경치.
[柳煙 유연] 버드나무를 스쳐 지나가는 연기.
[柳葉 유엽] 버드나무 잎. 버들잎.
[柳葉眉 유엽미] 유미(柳眉).
[柳影 유영] 버드나무의 그림자.
[柳營 유영] 장군(將軍)의 진영. 막부(幕府). 또, 장군(將軍). 한(漢)나라의 주아부(周亞夫)가 세류(細柳) 〈지금의 산시 성 함양현(陝西省咸陽縣) 서남쪽〉에 진을 쳤을 때 군기(軍紀)를 엄정히 하여 그의 권위가 대단히 현양(顯揚)된 고사(故事)에서 유래함.
[柳腰 유요] ㉠버드나무 가지의 가늘고 부드러움의 형용. ㉡버드나무 가지와 같은 아리따운 미인(美人)의 허리.
[柳陰 유음] 버드나무의 그늘.
[柳堤 유제] 버드나무를 심은 제방.
[柳條 유조] 버드나무 가지.
[柳宗元 유종원] 당대(唐代)의 문호(文豪). 자(字)는 자후(子厚). 감찰어사(監察御史)를 거쳐 예부원외랑(禮部員外郞)을 지내다가 왕숙문(王叔文)의 당(黨)으로 몰려 유주자사(柳州刺史)로 좌천되어 그곳에서 죽었음. 당송 팔대가(唐宋八大家)의 한 사람으로 문장은 한유(韓愈)와 겨루며, 시(詩)는 왕유(王維)·맹호연(孟浩然)에 다음간다 함.
[柳枝 유지] 버드나무 가지.
[柳態 유태] 버드나무 가지와 같은 고운 맵시. 곧, 미인(美人)의 자태.
[柳態花容 유태화용] 미인의 자태.
[柳巷花街 유항화가] 화류가(花柳街). 유곽(遊廓).
◉杞柳. 未央柳. 翠柳. 細柳. 衰柳. 垂柳. 岸柳. 楊柳. 折柳. 堤柳. 枝垂柳. 青柳. 蒲柳. 河柳. 花柳.

5 ⑨ [柭] [一] 발 [入]曷 北末切 bā
[二] 팔 [入]黠 布拔切 bó
[三] 불 [入]物 敷勿切 fú
[四] 패 [去]隊 蒲蓋切 pèi
[五] 별 [入]屑 必列切 biē

[字解] [一] ①도리깨 발 '一, 棓也'《說文》. ②살촉 발 '一, 矢末'《集韻》. [二] 도리깨 팔, 살촉 팔 [一]과 뜻이 같음. [三] 도리깨 불, 살촉 불 [一]과 뜻이 같음. [四] 나무지엽돋을 패 '一, 木生柯葉也'《篇海》. [五] 도리깨 별 [一]❶과 뜻이 같음.
[字源] 形聲. 木+犮〔音〕.

5 ⑨ [栁] 柳(前前條)와 同字

5 ⑨ [树] 〔수〕 樹(木部 十二畫〈p. 1107〉)의 簡體字

5 ⑨ [柫] 불 [入]物 分勿切 fú
[字解] 도리깨 불 콩·보리 따위를 떠는 농구. 연가(連枷). '一, 擊禾連枷也'《說文》.
[字源] 篆文 形聲. 木+弗〔音〕. '弗불'은 '털어 없애다'의 뜻. 콩·조 따위의 껍질을 제거하는 데 쓰이는 농구(農具)로서, 장대 끝에 회전하도록 짧은 휘추리를 달아, 휘둘러 치는 것.

5 ⑨ [柵] [人名] 책 [入]陌 楚革切 zhà
[字解] ①울짱 책 목책(木柵). '柴一'. ②성채 책 보루(堡壘). '連營樹一'《魏志》. ③잔교 책 높이 걸쳐 놓은 다리. '跨淮立橋一'《陳書》. ④말뚝 책 '一, 杙也'《廣雅》.
[字源] 篆文 形聲. 木+冊(冊)〔音〕. '冊책'은, 끈으로 엮어 맨 팻말의 象形. 나무나 대를 엮어 만든 '울타리'의 뜻.
[柵壘 책루] 성채(城砦). 작은 성.
◉橋柵. 豚柵. 木柵. 堡柵. 城柵. 水柵. 柴柵. 連柵. 營柵. 垣柵. 離柵. 籬柵. 竹柵. 重柵. 鐵柵. 荒柵.

5 ⑨ [栅] 柵(前條)과 同字

5 ⑨ [柶] 사 [去]寘 息利切 sì
[字解] ①수저 사 숟가락. '加一于觶'《儀禮》. ②《韓》윷 사 작고 둥근 통나무 두 개를 반으로 쪼개어, 네 쪽으로 만든 장난감. 또, 그것으로 노는 놀이. '擲一'.
[字源] 篆文 形聲. 木+四〔音〕. '四사'는 'ㅿ사'와 통하여, '작게 가르다, 나누다'의 뜻. 단술 따위를 뜨는 나무 숟가락의 뜻을 나타냄.
◉擲柶.

5 ⑨ [柖] [人名] 소 ①②[平]蕭 市昭切 sháo
③[上]篠 市沼切 shào
[筆順] 一 十 木 杛 杛 柖 柖 柖
[字解] ①과녁 소 화살로 맞히는 목표. '一, 又射的也'《廣韻》. ②나무흔들릴 소 수목(樹木)이 흔들리는 모양. '一, 樹搖皃'《說文》. ③욕상(浴牀) 소 목욕할 때 앉아서 하는 길이 2척(尺), 너비 4척(尺)의 네모진 나무 깔개. '浴牀, 謂之一'《廣雅》.
[字源] 篆文 形聲. 木+召〔音〕. '召소'는, 구부러져 흔들리다의 뜻. 나무가 흔들리는 모양.

5 ⑨ [柷] 축 [入]屋 昌六切
之六切 zhù
[字解] 악기이름 축 음악을 시작할 때 울리는 악기. 방 이 척 사 촌(方二尺四寸), 깊이 일 척 팔 촌(一尺八寸)의 통 속에 좌우로 흔들어 쳐서 소리를 내는 자루를 장치했음. '合止一敔'《書經》.

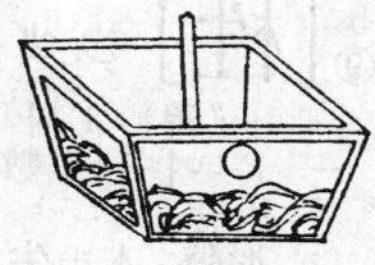

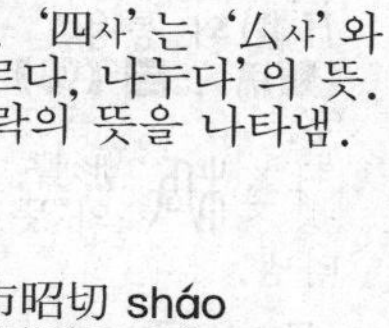
[柷]

字源 篆文 形聲. 木+祝〈省〉〔音〕

[柷敔 축어] 악기의 이름. 축(柷)은 음악을 시작할 때, 어(敔)는 그칠 때 울림.

5 ⑨ **[柜]** ㊀ 거 (上)語 居許切 jǔ ㊁ 구 (上)麌 果羽切 jǔ

字解 ㊀ 느티나무 거 느릅나뭇과에 속하는 낙엽 교목(落葉喬木). ㊁ 낙숫물통 구 낙숫물을 받는 그릇. '一, 居受溜水器'《周禮 注》.

字源 篆文 形聲. 木+巨〔音〕

5 ⑨ **[柾]** 人名 ㊀ 구 (去)宥 巨救切 jiù ㊁ 정 (日)

筆順 一 十 木 木 朩 杆 柾 柾

字解 ㊀ 널 구 관(棺). 柩(木部 五畫)와 같음. ㊁《日》나무바를 정 나뭇결이 바름.

字源 會意. 木+正

5 ⑨ **[柃]** 령 (平)青 郎丁切 líng

字解 사스레피나무 령 차나뭇과(科)에 속하는 작은 상록 교목(常綠喬木).

字源 篆文 形聲. 木+令〔音〕

5 ⑨ **[柧]** ㊀ 고 (平)虞 古胡切 gū ㊁ 외 (韓)

字解 ㊀ ①모 고 모서리. 觚(角部 五畫)와 同字. '漢興破一爲圜'《史記》. ②술잔 고 觚(角部 五畫)와 통용. '一, 鐮一也. 一曰, 鄕飮酒爵也'《類篇》. ㊁《韓》욋가지 외 椳(木部 九畫)와 同字.

字源 篆文 形聲. 木+瓜〔音〕. '瓜과'는 '우묵함'의 뜻. 목제(木製) '술잔'의 뜻을 나타냄.

5 ⑨ **[柸]** 배 (平)灰 抛裴切 pēi

字解 한할 배 '一治'는 원한을 품음. '止罵一治'《淮南子》.

5 ⑨ **[⿰木乎]** ㊀ 로 (平)虞 落胡切 (上)麌 郎古切 lú ㊁ 도 (平)虞 通都切 ㊂ 호 (平)虞 荒胡切

字解 ㊀ 나무이름 로 거망옻나무의 무리. '一, 木名. 可染繪'《廣韻》. ㊁ 나무이름 도 ㊀과 뜻이 같음. ㊂ 나무이름 호 ㊀과 뜻이 같음.

字源 形聲. 木+乎〔音〕

5 ⑨ **[栍]** (韓) 생

字解 《韓》①찌 생 표지(標識). ②장승 생 '長一'은 이수(里數)를 표하기 위하여 길가에 세운 푯말.

字源 形聲. 木+生〔音〕

[栍竹 생죽] 찌의 대쪽.

5 ⑨ **[枿]** ㊀〔얼〕櫱(木部 十六畫〈p. 1122〉)과 同字 ㊁〔폐〕蘗(艸部 十七畫〈p. 1991〉)와 同字

字源 形聲. 木+卉〔音〕. '卉훼'는 많은 초목의 뜻. 그루터기의 움의 뜻을 나타냄.

5 ⑨ **[枱]** 〔사〕 耜(耒部 五畫〈p. 1819〉)와 同字

字源 篆文 別體 形聲. 木+台〔音〕. '台태·이'는 '쟁기'의 끝. '台'가 '기쁨'의 뜻으로 파생되매, '木목'이 덧붙여짐.

5 ⑨ **[柠]** 〔저〕 楮(木部 九畫〈p. 1087〉)와 同字

5 ⑨ **[枏]** 〔남〕 柟(木部 四畫〈p. 1043〉)과 同字

5 ⑨ **[栏]** 〔란〕 欄(木部 十七畫〈p. 1123〉)의 簡體字

5 ⑨ **[柗]** 〔송〕 松(木部 四畫〈p. 1041〉)의 俗字

[相] 〔상〕 目部 四畫(p. 1532)을 보라.

5 ⑨ **[柬]** 人名 간 (上)潸 古限切 jiǎn

字解 ①가릴 간 揀(手部 九畫)과 同字. '安燕而血氣不惰, 一理也'《荀子》. ②편지 간 簡(竹部 十二畫)과 同字. '大勝詩客裁成一'《皮日休》.

字源 金文 篆文 會意. 束+八. '束속'은, 동여맨 자루를 본뜬 모양. '八팔'은 그 자루 속에 선별(選別)해서 넣은 물건의 象形. '가리다'의 뜻을 나타냄.

[柬書 간서] 편지. 간서(簡書).

5 ⑨ **[枲]** 시 (上)紙 胥里切 xǐ

字解 모시풀 시 쐐기풀과(科)에 속하는 다년초. 섬유는 모시의 원료임. '岱畎絲一'《書經》.

字源 篆文 籀文 形聲. 木(朩)+台〔音〕

5 ⑨ **[架]** 高人 가 (去)禡 古訝切 jià

筆順 ㄱ 力 力 加 加 架 架 架

字解 ①시렁 가 물건을 얹어 놓게 된 장치. '書一'. '陳書滿一'《嫏嬛記》. ②횃대 가 옷걸이. '衣一'. '衣服在一'《晉書》. ③말뚝 가 땅에 박는 몽둥이. '斬去梢, 仍爲一'《種樹書》. ④건너지를 가 가로 대어 놓음. 가설함. '一空'. '險路一橋'《傳燈錄》. ⑤얽을 가 얽어 만듦. '一屋'. ⑥능가할 가 훨씬 뛰어남. '專相淩一'《詩品》.

字源 形聲. 木+加〔音〕. '加가'는 '더하다'의 뜻. '木목'을 덧붙여 건너질러 매는 시렁, 걸다의 뜻을 나타냄.

[架架 가가] 새소리의 형용.
[架空 가공] ㉠공중(空中)에 건너지름. ㉡터무니 없음. 근거(根據)가 없음.
[架橋 가교] 다리를 놓음. 교량(橋梁)을 가설(架設)함.
[架設 가설] 건너지르는 공사를 함.
[架槽 가조] 나무로 만든 홈통.
◉結架. 構架. 戟架. 懶架. 擔架. 燈架. 書架. 石架. 十字架. 玉架. 屋架. 衣架. 銃架. 層架. 筆架.

5 ⑨ [某] 高人 一 모 ㊤有 莫厚切 mǒu / 二 매 ㊥灰 謀杯切 méi

筆順 一 十 卄 廾 甘 苴 茸 某

字解 一 아무 모 ㉠성명을 알 수 없는 사람. '一甲'. '使勇士一者往殺之'《公羊傳》. ㉡어떠한 일. 어떠한 물건. '問品味, 子食于一乎'《禮記》. ㉢일부러 이름을 명시(明示)하지 아니할 때 씀. '惟爾玄孫一'《書經》. ㉣자기의 겸칭. '蘇仙公, 白母曰, 一受命當仙, 被召有期'《神仙傳》. 二 매화나무 매 梅(木部 七畫)의 古字.
字源 金文 篆文 古文 會意. 甘(曰)+木. '曰왈'은 기원(祈願)의 말의 뜻. 아들을 점지해 주도록 비는 데 쓰이는 나무, 매화나무의 뜻을 나타냈으나, 나중에 假借하여 대명사로 쓰이게 됨. '曰'은, 뒤에 '甘감'으로 변형(變形)되었음.

[某家 모가] 아무개의 집.
[某國 모국] 어떤 나라.
[某年 모년] 어떤 해. 아무 해.
[某某 모모] 아무아무.
[某事 모사] 어떤 일.
[某所 모소] 어떤 곳. 아무 곳.
[某氏 모씨] 아무개. 아무 양반.
[某也某也 모야모야] 모모(某某).
[某月 모월] 어느 달. 아무 달.
[某人 모인] 아무개. 어떤 사람.
[某日 모일] 어떤 날. 아무 날.
[某種 모종] 어떤 종류(種類).
[某處 모처] 어떤 곳. 아무 곳.

5 ⑨ [柒] 一 〔칠〕漆(水部 十一畫〈p. 1283〉)의 俗字 二 〔칠〕七(一部 一畫〈p. 11〉)의 代用字

5 ⑨ [染] 高人 염 ㊤琰 而琰切 rǎn / ㊦豔 而豔切

筆順 丶 丶 氵 氿 氿 沈 卆 染

字解 ①물들일 염 ㉠염색함. '一料'. '掌一絲帛'《周禮》. ㉡색칠함. 바름. '割鮮一輪'《史記》. ②적실 염 액체에 젖게 함. '一筆'. '蒸牲一身'《嵇康》. ③물들 염 ㉠염색이 됨. '出游泥而不一'《周敦頤》. ㉡감화되어 몸에 뱀. '感一'. '一善一心, 萬劫不朽'《夏文彦》. ④옮을 염 병 같은 것이 옮음. '傳一'. '疫癘不相一也'《晉書》. ⑤익숙해질 염 습관이 됨. '漸一朝事, 頗識典物'《後漢書》. ⑥더러울 염, 더러워질 염 때 묻음. 또, 더럽혀짐. '一心'. '眞性本來無所一'《張喬》. ⑦더럽힐 염 더럽게 함. '轉相誣一'《後漢書》. ⑧성 염 성(姓)의 하나.
字源 篆文 會意. 氿+木. '氿궤'는, 구멍에서 솟구쳐 나오는 샘물의 뜻. 수액(樹液) 따위로 물들임의 뜻을 나타냄.

[染家 염가] 염색(染色)을 업으로 하는 집.
[染工 염공] 염색(染色)하는 직공.
[染料 염료] 물감.
[染色 염색] 피륙 따위에 물을 들임. 또, 들인 물.
[染俗 염속] 세속(世俗)의 풍조(風潮)에 물듦.
[染習 염습] 습관(習慣).
[染心 염심] 《佛敎》 더러워진 마음.
[染愛 염애] 깊은 자애(慈愛).
[染汚 염오] 더러워짐. 또, 더럽힘.
[染指 염지] 손가락을 솥 안의 국 속에 넣음. 곧, 음식의 맛을 봄.
[染着 염착] ㉠마음이 사물에 집착(執着)함. ㉡속세(俗世)의 뜻.
[染草 염초] 염료(染料)가 되는 풀.
[染筆 염필] 붓에 먹 같은 것을 찍어 글씨를 쓰거나 그림을 그림.
[染翰 염한] 염필(染筆). 한(翰)은 필(筆).
[染化 염화] ㉠덕(德)에 감화됨. ㉡가르쳐 감화시킴.
◉感染. 舊染. 捺染. 世染. 心染. 愛染. 汚染. 濡染. 荏染. 傳染. 漸染. 點染. 織染. 塵染. 遷染. 沾染. 浸染. 薰染. 揮染.

5 ⑨ [柔] 中人 유 ㊥尤 耳由切 róu

筆順 マ マ 予 矛 矛 柔 柔 柔

字解 ①부드러울 유 ㉠유연함. '一毛'. '荏染一木'《詩經》. ㉡초목의 싹이 나온 지 얼마 안 됨. '薇亦一止'《詩經》. ㉢온순함. '和一'. '曰一與剛'《易經》. ㉣약함. '一弱'. '一能制剛'. '一情綽態'《曹植》. ②편안히할 유 심신을 편안하게 함. '一遠人'《中庸》. '輯一爾類'《詩經》. ③복종할 유 좇음. '我且一之矣'《左傳》.
字源 篆文 會意. 木+矛. '矛모'는 '창'의 뜻. 창 자루가 될 수 있는 유연한 나무의 뜻에서, '부드럽다'의 뜻을 나타냄.

[柔強 유강] 부드러우며 강함.
[柔謹 유근] 점잖고 신중함.
[柔佞 유녕] 유미(柔媚).
[柔能制剛 유능제강] 약한 자가 도리어 강한 자를 이김. 약한 것을 보이고 적(敵)의 허술한 기회를 타 능히 강한 것을 제압함.
[柔道 유도] ㉠유순(柔順)의 도(道). ㉡맨손으로 상대자를 넘어뜨리거나 또는 메어치는 무술(武術). 올림픽 경기(競技)의 한 종목임.
[柔良 유량] 유순하고 선량함. 또, 그러한 사람.
[柔曼 유만] 살결이 부드럽고 고움.
[柔毛 유모] ㉠양(羊)의 이칭(異稱). ㉡부드러운 털.
[柔撫 유무] 회유(懷柔)하고 위무함.
[柔媚 유미] ㉠연약하고 예쁨. ㉡점잖은 체하며 아첨함.
[柔範 유범] 유훈(柔訓).
[柔色 유색] 부드러운 안색(顏色).
[柔淑 유숙] 유순하고 정숙(貞淑)함.
[柔順 유순] 온화하고 공순(恭順)함.

[柔術 유술] 유도(柔道).
[柔弱 유약] ㉠부드럽고 약함. ㉡유순하고 약함.
[柔茹剛吐 유여강토] 연한 것은 먹고, 딱딱한 것은 뱉음. 곧, 약자를 업신여기고 강자를 두려워함의 비유.
[柔亦不茹剛亦不吐 유역불여강역불토] 부드럽다고 하여도 먹지 않고 억세다고 하여도 뱉지 않는다는 뜻으로, 약자(弱者)라고 하여 업신여기지 않고 강자(強者)라고 하여 두려워하지 아니함을 이름.
[柔軟 유연] 부드럽고 연함.
[柔然 유연] 북적(北狄)의 하나. 동호(東胡)의 별종(別種). 후위(後魏)에게 멸망당하였음.
[柔輭 유연] 유연(柔軟).
[柔豔 유염] 부드럽고 윤이 돎.
[柔婉 유완] 유순(柔順).
[柔愿 유원] 유순하고 공근(恭謹)함.
[柔懦 유유] 유약하고 겁이 많음.
[柔易 유이] 유순하고 인자함.
[柔日 유일] 십간(十干)의 을(乙)·정(丁)·기(己)·신(辛)·계(癸)의 날.
[柔情 유정] 부드러운 인정(人情).
[柔兆 유조] 십간(十干) 중의 병(丙)의 별칭(別稱).
[柔質 유질] 억세지 않고 부드러운 성질·체질.
[柔脃 유취] 연약(軟弱)함.
[柔毳 유취] 부드러운 솜털.
[柔惰 유타] 유약(柔弱)하고 나태함.
[柔翰 유한] 붓〔筆〕의 이칭(異稱). 한(翰)은 필(筆).
[柔惠 유혜] ㉠유순하게 순종함. ㉡애지중지함. 또는 자애(慈愛).
[柔和 유화] 유순하고 온화함.
[柔滑 유활] 부드럽고 윤기가 돎.
[柔訓 유훈] 부녀자에 대한 교훈. 유범(柔範). 여훈(女訓).
◉剛柔. 輕柔. 寬柔. 嬌柔. 猫柔. 不剛不柔. 善柔. 纖柔. 弱柔. 溫柔. 擾柔. 優柔. 陰柔. 仁柔. 直柔. 輯柔. 摧剛爲柔. 和柔. 懷柔.

5 ⑨ **[柴]** 人名 ㊀시 ㊥佳 士佳切 chái ㊁채(재㊍) ㊦卦 仕懈切 zhài

筆順 丨 ⺊ 止 此 此 些 柴 柴

字解 ㊀ ①섶 시 땔나무, 또는 잡목. '一草'. ②삭정이 시 말라 죽은 가지. '樹枳棘與薪一'《楚辭》. ③시제사 시, 시제사지낼 시 섶을 불살라 천제(天帝)에게 지내는 제사. 또, 그 제사를 지냄. '至于岱宗一'《書經》. ④성 시 성(姓)의 하나. ㊁ ①지킬 채 호위함. '一箕子之門'《淮南子》. ②막을 채 틀어막음. '趣舍聲色, 以一其內'《莊子》. ③울짱 채 목책(木柵). '鹿一'. '結一營'《吳志》.

字源 篆文 形聲. 木+此〔音〕. '此차'는 '疵자'와 통하여 '상처 자리'의 뜻. 창상(創傷)처럼 가는 '나뭇가지, 땔나무·잡목(雜木)'의 뜻.

[柴車 시거] ㉠장식이 없는 수레. ㉡나쁜 수레. 쓸모없는 수레.
[柴扃 시경] 시비(柴扉).
[柴轂 시곡] 시거(柴車).
[柴壇 시단] 시망(柴望) 때 섶을 태우는 단.
[柴望 시망] 섶으로 불을 피워 산천(山川)에 제사지냄.
[柴木 시목] 땔나무.
[柴門 시문] ㉠사립문. ㉡문을 닫음. 외부와 접촉을 끊음. 두문(杜門).
[柴扉 시비] 사립짝. 사립문.
[柴市 시시] 북평(北平)의 북쪽 가에 있는 거리 이름. 송(宋)나라 재상(宰相) 문천상(文天祥)이 순국(殉國)한 곳으로서, 명초(明初)에 그곳에 문승상사(文丞相祠)를 세웠음.
[柴瘠 시척] 시훼(柴毀).
[柴草 시초] 연료(燃料)로 쓰는 마른풀.
[柴炭 시탄] 땔나무와 숯. 연료(燃料).
[柴荊 시형] ㉠잎나무와 가시나무. ㉡시호(柴戶).
[柴戶 시호] 섶으로 결은 대문이란 뜻으로, 변변치 못한 집 또는 가난한 집을 이르는 말.
[柴火 시화] 섶나무를 피운 불.
[柴毀 시훼] 상(喪)을 당하여 너무 슬퍼하여 몸이 여윔. 설괘(說卦)의 괘상(卦象)에 의하여 시(柴)에 척(瘠)의 뜻이 있음. 애훼(哀毀).
[柴營 채영] 성채(城砦).
◉郊柴. 茅柴. 藩柴. 薪柴.

5 ⑨ **[桒]** 〔상〕 桑(木部 六畫〈p. 1065〉)의 俗字

5 ⑨ **[栄]** 〔영〕 榮(木部 十畫〈p. 1097〉)의 俗字

5 ⑨ **[亲]** 〔친〕 親(見部 九畫〈p. 2091〉)의 俗字·簡體字

5 ⑨ **[荣]** 〔영〕 榮(木部 十畫〈p. 1097〉)의 俗字·簡體字

6 ⑩ **[桨]** 〔장〕 槳(木部 十一畫〈p. 1104〉)의 簡體字

6 ⑩ **[栓]** 人名 전 ①②㊥先 山員切 shuān ③㊦霰 數眷切 shuàn

筆順 一 十 才 木 朩 朰 栓 栓

字解 ①나무못 전 목정(木釘). ②마개 전 속(俗)에 병마개의 뜻으로 씀. ③평미레 전 '一, 槩也'.

字源 形聲. 木+全〔音〕. '全전'은 '보전하다'의 뜻. 물건이 움직이지 않도록 보지하는 나무못의 뜻을 나타냄.

6 ⑩ **[栖]** 人名 서 ①㊥齊 先稽切 qī ②㊦霽 思計切

筆順 一 十 木 朩 栢 栢 栖 栖

字解 ①깃들일 서, 살 서 棲(木部 八畫)와 同字. '養馬者宜一之深林'《莊子》. ②보금자리 서 棲(木部 八畫)와 同字. '一, 雞所宿也'《廣韻》.

字源 形聲. 木+西〔音〕. '西서'는 '대바구니'의 象形. 나무 위에 새가 만든 대바구니 모양의 보금자리의 뜻을 나타냄.

參考 숙어(熟語)는 棲(木部 八畫)와 함께 참고할 것.

[栖憩 서게] 서식(棲息).
[栖遁 서둔] 세상을 피하여 숨어 삶.
[栖泊 서박] 머묾. 숙박함.

[栖栖 서서] 바쁜 모양.
[栖息 서식] ㉠어떤 곳에서 삶. 서식(棲息). ㉡주거(住居). 집.
[栖遲 서지] 벼슬을 하지 않고 놀며 지냄. 서지(棲遲).

6 ⑩ [栙] 항(강[俗]) [平]江 下江切 xiáng
[字解] ①돛 항 배의 돛. '—, —雙也'《說文》. ②펴지않은돛 항 '—雙, 帆未張'《廣韻》.
[字源] 篆文 形聲. 木+夅〔音〕

6 ⑩ [栘] [一] 이 [平]支 弋支切 yí [二] 체 [平]齊 成櫅切 yí
[字解] [一] 산이스랏나무 이 장미과(科)에 속하는 낙엽 관목(落葉灌木). 당체(棠棣). [二] 산이스랏나무 체 [一]과 뜻이 같음.
[字源] 篆文 形聲. 木+多〔音〕. '多다'는 '移이'의 생략체로서, '가로 뻗음'의 뜻. 가로 뻗어 축 늘어지는 나무, 산이스랏나무의 뜻을 나타냄.

[栘楊 이양] 잎이 둥근 버드나무의 일종.

6 ⑩ [栯] [一] 욱 [入]屋 乙六切 yù [二] 유 [上]有 云九切 [去]宥 尤救切 yǒu
[字解] [一] 산이스랏나무 욱 욱리(栯李). '—, —李'《廣韻》. [二] 나무이름 유 '—, 木名. 服之不妬'《廣韻》.

6 ⑩ [栝] [一] 괄 [入]曷 古活切 kuò [二] 첨 [去]豔 他念切 tiǎn
[字解] [一] ①향나무 괄 향나뭇과에 속하는 상록 침엽 교목(常綠針葉喬木). '杶榦—柏'《書經》. ②틀이름 괄 휜 물건을 바로잡는 틀. '枸木必待檃—蒸揉, 然後直也'《荀子》. [二] ①땔나무 첨 '—, 炊竈木'《說文》. ②활고자 첨 '—, 一曰, 矢—. 築弦處'《集韻》.
[字源] 篆文 形聲. 木+舌〔音〕

[栝樓 괄루] 박과(科)에 속하는 다년생 만초(蔓草). 노랑하눌타리.
◉檃栝.

6 ⑩ [栟] 〔병〕
栟(木部 八畫〈p. 1080〉)의 俗字

6 ⑩ [梠] 려 [上]語 力擧切 lǚ
[字解] ①소나무 려 소나무〔松〕의 일종. '庾沙彌母亡, 晝夜號痛, 墓忽生—松百餘株'《南史》. ②나무이름 려 화살대로 쓰이는 나무 이름. '—, 木中箭笴者'《玉篇》.

6 ⑩ [校] [中人] 교 ①②[去]效 胡敎切 xiào ③-⑪[去]效 古孝切 jiào ⑫[上]巧 吉巧切 jiǎo
[筆順] 一 十 才 木 木' 杧 校 校
[字解] ①학교 교 '學—'. '郡國曰學, 侯國曰—'《漢書》. ②본받을 교 배움. 效(攴部 六畫)와 통용. '不敬宗廟, 則民乃上—'《管子》. ③가르칠 교 敎(攴部 七畫)와 뜻이 통함. '王乃—劍士七日'《莊子》. ④질곡 교 차꼬와 수갑·칼 등의 총칭. '履—滅趾'《易經》. ⑤부대 교 군대(軍隊)의 구분. '內增七—'《漢書》. ⑥장교 교 부대를 지휘 호령 하는 사람. '皆諸—力戰之功也'《漢書》. ⑦끊을 교 고사(考査)함. 헤아림. '比年入學, 中年考—'《禮記》. ⑧셀 교 계산함. '憂患不可勝—'《荀子》. ⑨사실할 교 조사함. '檢—'. '卽部吏案—'《漢書》. ⑩교정할 교 '—書'. '—中五經祕書'《漢書》. ⑪갚을 교 '足以—於秦矣'《戰國策》. ⑫성 교 성(姓)의 하나. ⑬빠를 교 신속함. '釋之則不—'《周禮》.
[字源] 篆文 形聲. 木+交〔音〕. '交교'는 짜 맞춤, 섞여 어우러짐의 뜻. 나무를 짜 맞춤의 뜻에서, 고랑·차꼬·나무 울타리의 뜻을 나타냄. 또, '較교'와 통하여, '비교하다'의 뜻을 나타내며, 또 '學학'과 통하여, '학교'의 뜻으로 쓰임.

[校歌 교가] 학교에서 기풍(氣風)을 발양(發揚)하기 위하여 그 학교의 학생이나 생도에게 부르게 하는 노래.
[校刻 교각] 교정(校正)하여 판각(版刻)함.
[校競 교경] 경쟁함.
[校覽 교람] 조사하여 봄.
[校獵 교렵] 짐승이 도망가지 못하도록 담을 쌓고 사냥을 함.
[校了 교료] 인쇄물(印刷物)의 교정(校正)의 종료(終了).
[校理 교리] 책을 조사 정리함.
[校門 교문] 학교의 문(門).
[校服 교복] 학교의 제복(制服).
[校比 교비] 비교하여 조사함.
[校舍 교사] ㉠학교. ㉡학교의 건물.
[校序 교서] 학교(學校). 상서(庠序).
[校書 교서] ㉠책을 비교·대조하여 이동 정오(異同正誤)를 조사함. 또, 그 사람. ㉡학자(學者)의 천칭(賤稱). ㉢기녀(妓女)의 이칭(異稱). 당(唐)나라 때 기녀 설도(薛濤)가 문재(文才)가 있어 능히 교서(校書)를 한 고사(故事)에서 나옴.
[校書如掃塵 교서여소진] 문서를 몇 번 교정하여도 그때마다 틀린 곳이 있으니, 마치 쓸어도 곧 또 쌓이는 먼지를 쓰는 것과 같음.
[校讎 교수] 교정(校正). 교(校)는 혼자서 교정하는 것이고, 수(讎)는 두 사람이 마주 앉아 한 사람은 읽고, 한 사람은 고쳐 쓰는 방식의 교정임.
[校試 교시] 시험. 고시(考試).
[校飾 교식] 장식(裝飾).
[校閱 교열] 교정하고 검열(檢閱)함.
[校友 교우] ㉠동창생인 벗. ㉡한 학교 안의 직원과 졸업생과 재학생.
[校尉 교위] ㉠벼슬 이름. 한(漢)의 무제(武帝) 때, 성문 교위(城門校尉)·사례 교위(司隸校尉) 등을 두고 둔병(屯兵)을 관리했음. ㉡명(明)나라 때, 금의위(錦衣衛) 소속의 위사(衛士).
[校醫 교의] 학교의 촉탁(囑託)으로 두는 의사(醫師).
[校人 교인] ㉠예전에, 지(池)·소(沼)·택(澤)의 일을 맡은 벼슬아치. ㉡왕(王)의 마정(馬政)을

맡은 사람.
[校長 교장] ㉠한대(漢代)에 능묘(陵墓)를 맡은 벼슬아치. ㉡졸오(卒伍)의 우두머리. 대장(隊長). ㉢학교의 장(長).
[校正 교정] 사본(寫本) 또는 인쇄물을 원본과 대조하여 그 잘못된 곳을 고침.
[校定 교정] 대조하여 고침.
[校訂 교정] 교정(校正).
[校則 교칙] 학교의 규칙(規則).
[校度 교탁] 생각하여 꾀함.
[校風 교풍] 학교의 기풍(氣風).
[校學 교학] 한(漢)나라 때, 지방(地方)에 설립한 학교. 군국(郡國)에는 학(學), 현(縣)·도(道)·읍(邑)·후국(侯國)에는 교(校)를 두었음.
[校合 교합] ㉠한 가지의 책에 이본(異本)이 있을 경우 그것을 비교 대조 하여 같고 다름을 알아내는 일. ㉡교정(校正).
[校覈 교핵] 조사하고 연구함. 핵(覈)은 고구(考究).
◉勘校. 檢校. 計校. 考校. 課校. 仇校. 軍校. 貴校. 登校. 母校. 放校. 辨校. 別校. 兵校. 覆校. 本校. 部校. 分校. 射校. 庠校. 讎校. 量校. 研校. 料校. 戎校. 入校. 將校. 再校. 銓校. 參校. 初校. 推校. 他校. 通校. 退校. 廢校. 學校. 鄕校. 黌校. 休校.

6 ⑩ [栩] 허(후[本]) [上]麌 況羽切 xǔ

[字解] ①상수리나무 허 참나뭇과에 속하는 상록 교목(常綠喬木). '集于苞一'《詩經》. ②기뻐할 허 기뻐하는 모양. '夢爲蝴蝶, 一一然蝴蝶也'《莊子》. ③성 허 성(姓)의 하나.
[字源] 篆文 形聲. 木+羽〔音〕. '羽우'는 '깃'의 뜻. 깃털처럼 잎이 흩날리는 낙엽수(落葉樹)의 뜻을 나타냄.

[栩栩 허허] 기뻐하는 모양.

6 ⑩ [株] [高·入] 주 [平]虞 鐘輸切 zhū / [平]虞 陟輸切 zhū

[筆順] 一 十 木 朩 杧 杧 杵 株

[字解] ①뿌리 주 나무뿌리. '困于一木'《易經》. ②줄기 주 나무줄기. '宋人守一, 冀復得兎'《韓非子》. ③그루 주 나무를 세는 수사(數詞). '梅三一'. '成都有桑八百一'《蜀志》. ④《韓》 주식 주 은행·회사 등의 출자자 등이 갖는 권리. '一式'. '一主'.
[字源] 篆文 形聲. 木+朱〔音〕. '朱주'는 나무의 벤 자리가 붉음의 뜻. 나무를 벤 '그루터기'의 뜻을 나타냄.

[株價 주가] 주권(株券)의 가격.
[株拘 주구] 그루터기.
[株券 주권] 주식(株式)의 증권(證券).
[株連 주련] 연루자(連累者)를 모조리 형벌에 처함.
[株連蔓引 주련만인] 주련(株連).
[株戮 주륙] 연루자(連累者)를 모두 죽임.
[株送 주송] 한 범죄자(犯罪者)가 체포됨으로 말미암아 동범(同犯)이 계속 체포당하는 일.
[株守 주수] 구습(舊習)만 고수(固守)하며, 변통성이 없는 사람을 비웃는 말. 송(宋)나라의 한 농부가, 토끼가 달아나다가 나무그루에 부딪쳐 죽는 것을 보고, 농사도 팽개치고, 그 나무그루에 토끼가 다시 와서 부딪치기를 기다렸다는 고사에서 나온 말. 수주대토(守株待兎).
[株式 주식] 주식회사(株式會社)의 자본(資本)의 단위.
[株枿 주얼] 그루터기.
[株主 주주] 주권(株券)을 가지고 있는 사람.
◉枯株. 舊株. 根株. 老株. 新株. 連株. 朽株.

6 ⑩ [栫] 천 [去]霰 在甸切 jiàn

[字解] ①어살 천 섶나무를 물속에 꽂아 물고기를 잡는 설비. 어전(魚箭). '一澱爲涔'《郭璞》. ②울 천 울타리. ③둘러막을 천 울타리로 둘러막음. '囚諸樓臺, 一之以棘'《左傳》.
[字源] 篆文 形聲. 木+存〔音〕. '存존'은 '넣어 둠'의 뜻. 물고기를 잡아 쭉 넣어 두는 장치의 뜻을 나타냄.

6 ⑩ [栱] 공 [平]冬 渠容切 qióng

[字解] 나무이름 공 '高陵土山, 其木乃一'《管子》.
[字源] 篆文 形聲. 木+邛〔音〕

6 ⑩ [栭] 이 [平]支 如之切 ér

[字解] ①두공 이 기둥 위의 방형(方形)의 나무. 대들보를 받침. 옥로(屋櫨). '繡一雲楣'《張衡》. ②산밤나무 이 밤나무의 일종. 밤알이 잚. '子如細栗可食, 今江東亦呼爲一栗'《爾雅 註》. ③버섯이름 이 고목(枯木)에 나는 버섯의 한 가지. '芝一菱椇'《禮記》.
[字源] 篆文 形聲. 木+而〔音〕

6 ⑩ [栿] 복 [入]屋 房六切 fú

[字解] ①들보 복 '一, 梁也'《集韻》. ②엎을 복 겹침. 포갬. 작은 나무를 큰 나무 위에 덧얹음. '今人以小木附大木上爲一'《正字通》.
[字源] 形聲. 木+伏〔音〕

6 ⑩ [栰] 벌 [入]月 房越切 fá

[字解] 뗏목 벌 筏(竹部 六畫)과 同字. '有火一'《魏書》.
[字源] 形聲. 木+伐〔音〕

6 ⑩ [栱] 공 [上]腫 居悚切 gǒng

[字解] ①두공 공 기둥 위의 방형(方形)의 나무. 대들보를 받침. 옥로(屋櫨). '一, 柱頭斗一'《正字通》. ②말뚝 공 '杙大者, 謂之一'《爾雅》.
[字源] 形聲. 木+共〔音〕

[栱枅 공계] 가로 걸친 보. 가로보.
[栱斗 공두] 두공(枓栱).
◉斗栱. 梁栱.

6 ⑩ [栲] 고 [上]晧 苦浩切 kǎo [平]豪 丘刀切

[字解] ①멀구슬나무 고 멀구슬나뭇과(科)에 속하는 낙엽 교목(落葉喬木). 산저(山樗). '山有一'《詩經》. ②고리 고 버들고리. 유기(柳器). '一栳'.

[字源] 形聲. 木+考〔音〕

[栲栳 고로] 고리. 버들고리. 유기(柳器).

6 ⑩ [棙] 려 [去]霽 郎計切 lì

[字解] 나무이름 려 비파(枇杷) 비슷한 열매를 맺는 나무. '一, 果似枇杷子'《玉篇》.

6 ⑩ [栳] 로 [上]晧 盧晧切 lǎo

[字解] 고리 로 버들고리. 유기(柳器). '栲一'.

[字源] 形聲. 木+老〔音〕

6 ⑩ [栴] 전 [平]先 諸延切 zhān

[字解] 단향목 전 자단(紫檀)·백단(白檀) 등의 향나무. '一檀根芽, 漸漸生長, 纔欲成樹, 香氣昌成'《觀佛三昧經》.

[字源] 形聲. 木+旃〈省〉〔音〕

[栴檀 전단] 자단(紫檀)·백단(白檀) 등의 향나무의 총칭. 동인도 지방(東印度地方)의 원산(原產). 향기가 많이 나는 상록 교목(常綠喬木)임.

6 ⑩ [栮] 이 [上]紙 忍止切 ěr

[字解] 목이버섯 이 담자균류(擔子菌類)에 속하는 나무 버섯. 목이(木栮). '漢嘉一脯美勝肉'《陸游》.

6 ⑩ [栵] [一] 례 [去]霽 力制切 liè [二] 렬 [入]屑 良辥切 liè

[字解] [一] 늘어설 례 나무가 죽 늘어서 있음. '其灌其一'《詩經》. [二] 산밤나무 렬 '一, 栭'《爾雅》.

[字源] 篆文 形聲. 木+列(𠛱)〔音〕. '𠛱렬'은 '늘어서다'의 뜻. 작은 나무가 죽 늘어서 나다의 뜻을 나타냄.

6 ⑩ [核] [高人] 핵 [入]陌 下革切 hé

[筆順] 一 十 木 木' 杧 杧 核 核

[字解] ①씨 핵 단단한 알맹이로 된 씨. '一果'. '賜果于君前, 其有一者懷其一'《禮記》. ②핵심 핵 사물의 가장 요긴한 곳. '一心'. '文吏不學, 世之教, 無一也'《論衡》. ③실과 핵 밤·용안(龍眼) 같은 과실. '殽一旣盡'《蘇軾》. ④각삭할 핵, 엄할 핵 覈(襾部 十三畫)과 통용. '剋一太至'《莊子》. ⑤확실할 핵 틀림없음. '一實'. ⑥사실할 핵, 궁구할 핵 깊이 조사함. '綜一名實'《漢書》. ⑦바를 핵 올바름. '其文直, 其事一'《漢書》.

[字源] 篆文 形聲. 木+亥〔音〕. '亥해'는 '己기'와 통하여, '단단하다'의 뜻. 과실의 중심의 단단한 부분, '씨'의 뜻을 나타냄.

[核果 핵과] 살 속의 씨가 단단한 핵으로 변한 실과. 살구·복숭아 따위.
[核膜 핵막] 세포핵의 겉을 싸고 있는 얇은 껍질.
[核算 핵산] 합계(合計)함. 합산(合算)함.
[核實 핵실] 확실한 사실.
[核心 핵심] 사물(事物)의 중심이 되는 가장 요긴(要緊)한 부분.
[核質 핵질] 세포(細胞)의 핵 속에 있는 물질. 핵단백질로 됨.
◉結核. 剋核. 實核. 練核. 原子核. 精核. 綜核. 中核. 肴核.

6 ⑩ [根] [中人] 근 [平]元 古痕切 gēn

[筆順] 一 十 木 木ㄱ 杛 柦 根 根

[字解] ①뿌리 근 식물의 땅속에 있는 부분. '木一'. '其民食草一木實'《列子》. ②근본 근 사물의 본원(本原). '一元'. '重爲經一'《老子》. ③밑동 근 하부. '山一'. '舌一遺味輕浮齒'《蘇軾》. ④뿌리박을 근 ㉠뿌리가 생김. '木樹一於土'《淮南子》. ㉡생김. 근원이 됨. '仁義禮智一於心'《孟子》. ⑤뿌리뽑을 근 뿌리째 없앰. '一絕'. '攻之不一'《後漢書》. ⑥성 근 성(姓)의 하나. ⑦근 근 수학(數學)에서 제곱근·세제곱근·네제곱근 따위의 총칭.

[字源] 篆文 形聲. 木+艮(皀)〔音〕. '皀흔'은 '머묾'의 뜻. 식물(植物)을 지상(地上)에 고정시키는 부분, '뿌리'의 뜻을 나타냄.

[根幹 근간] ㉠뿌리와 줄기. ㉡근본.
[根據 근거] ㉠사물의 토대. ㉡이론·의견 등의 그 근본이 되는 의거(依據).
[根耕 근경]《韓》그루갈이.
[根莖 근경] ㉠뿌리와 줄기. ㉡근본(根本). ㉢지하경(地下莖)의 하나. 지상(地上) 또는 지중(地中)을 옆으로 뻗는, 뿌리 모양의 줄기. 연근(蓮根) 따위.
[根痼 근고] 고질(痼疾).
[根冠 근관] 뿌리 끝의 모자 모양의 분열 생장(分裂生長)하는 조직.
[根究 근구] 근본까지 캐어 연구함.
[根拳而土易 근권이토역] 뿌리는 주먹처럼 말리고 흙은 바뀜. 곧, 나무를 너무 자주 이식(移植)하고 손질하여 도리어 그 생장(生長)을 해침.
[根氣 근기] ㉠근본이 되는 힘. ㉡인내하고 감당(堪當)할 만한 정력(精力).
[根基 근기] 밑동. 근본적인 토대. 기초(基礎).
[根器 근기]《佛教》근성(根性)과 기량(器量). 타고난 성질과 재능.
[根瘤 근류] 콩과(科) 식물 등의 뿌리에 세균(細菌) 따위가 침입하여 혹 모양으로 이상 발육한 조직.
[根脈 근맥] 일이 발생(發生)한 유래.
[根本 근본] 사물(事物)의 생겨나는 본바탕.
[根性 근성] ㉠기력(氣力)의 근원과 선악(善惡)의 습관. ㉡《佛教》사람의 타고난 성질.
[根刷 근쇄] 끝까지 파고듦. 궁구(窮究)함.

[根元 근원] 근본(根本).
[根源 근원] 나무뿌리와 물이 흘러나오는 곳. 전(轉)하여, 근본(根本).
[根柢 근저] ㉠초목의 뿌리. ㉡사물의 근원(根源).
[根絶 근절] 뿌리째 없애 버림.
[根腫 근종] 《韓》 근이 박힌 종기(腫氣).
[根種 근종] 주장되는 근원. 본원(本源).
[根證 근증] 의론·의견 등의 근본이 되는 증거.
[根塵 근진] 《佛教》 눈·귀·코·혀·몸·뜻의 육근(六根)과 이에 대하는 색(色)·성(聲)·향(香)·미(味)·촉(觸)·법(法)의 육진(六塵).
[根着 근착] 뿌리가 박힘.
[根蔕 근체] ㉠뿌리와 꼭지. ㉡근본. 토대(土臺).
[根治 근치] ㉠근본부터 고쳐 다스림. ㉡병을 근본부터 고침.
◉球根. 舊根. 氣根. 男根. 鈍根. 苗根. 無根. 盤根. 病根. 本根. 舍根. 山根. 善根. 舌根. 性根. 宿根. 巖根. 藕根. 雲根. 六根. 耳根. 利根. 籬根. 精根. 主根. 柱根. 支根. 直根. 草根. 禍根.

6 ⑩ [栻] [人名] 식 [入]職 設職切 shì

[筆順] 一 十 才 木 杠 杆 栻 栻

[字解] 점판 식 점치는 기구. '—, 梮也, 梮有天地, 所以推陰陽占吉凶. 以楓子棗心木爲之'《博雅》.
[字源] 形聲. 木+式〔音〕

6 ⑩ [格] [高·人] [一] 격 [入]陌 古伯切 gé
[二] 각 [入]藥 古落切 gé

[筆順] 一 十 才 木 杪 杪 柊 格

[字解] [一] ①이를 격 ㉠다다름. 미침. '—于上下'《書經》. ㉡감동(感動)하여 통함. '—于皇天'《書經》. ②올 격 이리로 옴. '來—'. '帝曰, —汝舜'《書經》. ③바로잡을 격 바르게 함. '—心'. '—君心之非'《孟子》. ④궁구할 격 연구함. '—物致知'. ⑤겨룰 격 저항함. 대적(對敵)함. '—虜'. '驅群羊而攻猛虎, 虎之與羊不—明矣'《史記》. ⑥칠 격 때림. '—鬪'. '斷獄者急於篣—酷烈之痛'《後漢書》. ⑦오를 격 올라감. 올림. '—, 陞也'《而雅》. '——, 擧也'《爾雅》. '庶有—命'《書經》. ⑧거부할 격 버팀. '而嚴家無—虜者'《史記》. ⑨법 격 법식. 표준. '—式'. '言有物, 而行有—也'《禮記》. ⑩자리 격 지위. 품등. '合—'. '登—者二百七十八人'《南史》. ⑪시렁 격 물건을 얹어 놓는 장치. '書—'. '挂肉—'《周禮註》. ⑫자품 격 인품. '人—'. '資—'. ⑬격자 격 선(線)을 종횡(縱橫)으로 방형(方形)이 되게 한 것. '閣子窗—'《夢溪筆談》. ⑭성 격 성(姓)의 하나. [二] ①가지 각 나무의 긴 가지. '有枝—如角'《史記》. ②그칠 각 중지함. '沮—'. '太后議—'《史記》. ③막을 각 저지함. '毋—其言'《說苑》.
[字源] 甲骨文 金文 篆文 形聲. 木+各〔音〕. '各각'은 '이르다'의 뜻. 나무의 가지가 이르러 닿다, 쑥 내밀다의 뜻을 나타냄.

[格格 격격] ㉠드는 모양. 들어 올리는 모양. ㉡새 소리.
[格納庫 격납고] 항공기(航空機)·자동차 등을 넣어 두는 곳집.
[格談 격담] 격에 맞는 말.
[格度 격도] 품격(品格)과 도량(度量).
[格令 격령] 율령(律令).
[格例 격례] 일정한 전례(前例).
[格虜 격로] 주인(主人)의 명령을 거역(拒逆)하는 노복(奴僕).
[格命 격명] ㉠명령대로 행함에 이름. ㉡장수(長壽)를 누리는 사람.
[格物 격물] 사물(事物)의 이치(理致)를 연구함.
[格物致知 격물치지] 사물(事物)의 이치(理致)를 연구하여 온전한 지식에 가 닿음.
[格範 격범] 모범(模範).
[格殺 격살] 때려죽임.
[格式 격식] ㉠규칙(規則). ㉡격에 맞는 법식(法式).
[格心 격심] 바른 마음.
[格言 격언] 사리에 적당하여 본보기가 될 만한 묘하게 된 짧은 말.
[格外 격외] 규정(規定) 밖. 파격(破格).
[格戰 격전] 격투(格鬪).
[格制 격제] 품위(品位). 자격.
[格條 격조] 규칙(規則). 규정.
[格調 격조] ㉠시가(詩歌)의 체재(體裁)와 성조(聲調). ㉡품격. 인격.
[格致 격치] 격물치지(格物致知).
[格鬪 격투] 서로 맞붙어 치고받고 싸움.
[格訓 격훈] 훈계(訓戒).
◉家格. 歌格. 價格. 降格. 綱格. 古格. 骨格. 句格. 具格. 舊格. 歸格. 規格. 氣格. 來格. 同格. 凡格. 變格. 別格. 本格. 寺格. 詞格. 相格. 常格. 賞格. 書格. 性格. 俗格. 手格. 昇格. 嚴格. 令格. 彝格. 人格. 逸格. 字格. 姿格. 資格. 沮格. 絕格. 正格. 定格. 調格. 志格. 天格. 體格. 恥格. 破格. 標格. 品格. 風格. 筆格. 扞格. 合格. 形格.

6 ⑩ [桁] [人名] [一] 형 [平]庚 戶庚切 héng
[二] 항 ①② [平]陽 胡郎切 háng
③ [去]漾 下浪切 hàng

[字解] [一] ①도리 형 기둥과 기둥 위에 건너지르는 나무. '小者爲之椽—'《新論》. ②가로나무 형 교량·정간(井幹) 등의 가로지르는 나무. '井—鳥鳴破曙煙'《高啓》. [二] ①차꼬 항 형구(刑具)의 하나. 족가(足枷). '—楊'. ②배다리 항 航(舟部 四畫)과 同字. '燒朱雀—, 以挫其鋒'《晉書》. ③횃대 항 의가(衣架). '還視—上無懸衣'《古樂府》.
[字源] 形聲. 木+行〔音〕. '行행·항'은 십자로(十字路)의 象形. 나무를 열십자로 짜서 얹은 도리의 뜻을 나타냄.

[桁楊 항양] 죄인의 발목에 채우는 형구(刑具). 차꼬. 족가(足枷).
[桁衣 항의] 횃대에 건 옷.
[桁梧 형오] 도리와 기둥.
◉屋桁. 衣桁.

6 ⑩ [桂] [高·人] 계 [去]霽 古惠切 guì

[筆順] 一 十 才 木 木一 木十 杜 桂

字解 ①계수나무 계 녹나뭇과(科)의 상록 교목. 껍질은 계피(桂皮). '―樹'. '―櫂蘭槳'《蘇軾》. ②성 계 성(姓)의 하나.

字源 篆文 形聲. 木+圭〔音〕

[桂窟 계굴] 달〔月〕의 이칭(異稱). 달 속에 계수나무가 있다는 전설에서 나온 말.
[桂輪 계륜] 계월(桂月).
[桂林一枝 계림일지] ㉠진사(進士)〈과거(科擧)〉에 급제한 일의 겸칭(謙稱). 진(晉)나라 극선(郤詵)이 겨우 계수나무의 가지 하나를 꺾은 데 불과하다고 말한 고사(故事)에서 나옴. ㉡청수(淸秀)하고 출중(出衆)한 인품(人品)의 비유.
[桂魄 계백] 계월(桂月).
[桂蟾 계섬] 계월(桂月).
[桂樹 계수] 녹나뭇과(科)에 속하는 열대 지방(熱帶地方)에 나는 상록 교목(常綠喬木). 근간(根幹)의 두꺼운 껍질은 육계(肉桂)라 하여 약재로 씀. 계수나무.
[桂心 계심] 계피(桂皮)의 겉껍질을 벗긴 속껍질. 약재(藥材)로 씀.
[桂玉之艱 계옥지간] ㉠타국(他國)에서 계수나무보다 비싼 장작을 때고 옥보다도 귀한 음식을 먹고 사는 고생. ㉡물가(物價)가 비싼 도회(都會)에서 고학(苦學)함을 이름.
[桂月 계월] ㉠달〔月〕의 이칭(異稱). 달 속에 계수나무가 있다는 전설(傳說)에서 나온 말. 계륜(桂輪). 계백(桂魄). 계섬(桂蟾). ㉡음력 8월의 이칭(異稱).
[桂荏 계임] 차조기.
[桂籍 계적] 과거(科擧)에 급제(及第)한 사람의 명부(名簿).
[桂枝 계지] 계수나무의 잔가지. 약재로 씀.
[桂戚 계척] 황후(皇后)의 친정 집안.
[桂秋 계추] 계수나무 꽃이 피는 계절. 가을. 가을철.
[桂皮 계피] 계수나무의 껍질. 약재로 씀.
[桂海 계해] 남해(南海). 남해에 계수나무가 있으므로 이름.
◉金桂. 牡桂. 芳桂. 蟾桂. 手攀仙桂. 巖桂. 月桂. 月中桂. 肉桂. 銀桂. 折桂.

6 ⑩ [桃] 高人 도 ㊥豪 徒刀切 táo

筆順 一 十 才 木 杉 杉 杉 桃

字解 ①복숭아나무 도, 복숭아 도 장미과(科)에 속하는 낙엽 교목(落葉喬木). 또, 그 열매. 열매는 식용. 씨는 약재로 씀. 옛날에, 선목(仙木)으로서, 사기(邪氣)를 쫓는 데 썼음. '―花'. '仲春―始華'《禮記》. ②성 도 성(姓)의 하나.

字源 篆文 形聲. 木+兆〔音〕. '兆조'는 점칠 때 나타나는 갈라진 금의 象形으로, '쪼개지다'의 뜻. 두 개로 깨끗이 쪼갤 수 있는 나무의 열매, '복숭아'의 뜻을 나타냄.

[桃李 도리] ㉠복숭아나무와 자두나무. ㉡복숭아와 자두. ㉢자기가 천거(薦擧)한 현사(賢士). 또, 자기가 시험에서 채용한 문인(門人). ㉣미인(美人)의 자색(姿色)의 비유.
[桃李不言下自成蹊 도리불언하자성혜] 복숭아나무와 자두나무는 열매가 맛이 있어서 따 먹으러 오는 사람이 많은 까닭에 자연히 그곳에 길이 생긴다는 뜻으로, 덕이 있는 사람은 무언중에 남을 감복시킴을 비유한 말.
[桃林處士 도림처사] 소〔牛〕의 이칭(異稱).
[桃符 도부] 복숭아나무로 만든 부적(符籍). 옛날 정월 초하루에 문에 붙였음.
[桃三李四 도삼이사] 복숭아나무는 심은 지 3년 만에 열매를 맺고, 자두는 4년 만에 맺음.
[桃茢 도열] 복숭아나무와 갈대의 이삭. 부정풀이 하는 데 씀.
[桃夭 도요] 여자의 혼기(婚期). 시집가는 여자를 복숭아꽃에 비유하여 이르는 말.
[桃源 도원] ㉠선경(仙境). 별천지(別天地). 도연명(陶淵明)의 〈도화원기(桃花源記)〉에 나온 말. ㉡천태산(天台山)의 이칭(異稱).
[桃仁 도인] 복숭아 씨.
[桃雀 도작] 뱁새. 곧, 초료(鷦鷯)의 이명(異名).
[桃蟲 도충] 도작(桃雀).
[桃弧 도호] 복숭아나무로 만든 활.
[桃紅李白 도홍이백] 복숭아꽃은 다홍빛이고, 자두 꽃은 흼. 전(轉)하여, 미인(美人)들의 아리따운 가지가지 모습.
[桃花 도화] 복숭아꽃.
[桃花臉 도화검] 복숭아꽃과 같이 예쁜 얼굴.
[桃花馬 도화마] 황백(黃白) 두 빛깔이 섞인 말.
[桃花粉 도화분] 연지(臙脂).
[桃花扇 도화선] 청(淸)나라의 공상인(孔尙仁)이 지은 전기 소설(傳奇小說). 명대(明代)의 문인(文人) 후조종(侯朝宗)과 명기(名妓) 이향군(李香君)과의 정사(情事)를 그린 것으로 〈장생전(長生殿)〉과 함께 청대(淸代) 희곡(戲曲)의 쌍벽을 이룸.
[桃花水 도화수] 복숭아꽃이 필 무렵에 봄비가 오고 눈이 녹아 불은 강의 물.
[桃花酒 도화주] 복숭아꽃을 넣고 빚은 술.
◉木桃. 蟠桃. 白桃. 仙桃. 櫻桃. 夭桃. 越桃. 銀桃. 李桃. 天桃. 扁桃. 含桃. 夾竹桃. 胡桃. 黃桃.

6 ⑩ [桄] 人名 광 ①㊥陽 古黃切 guāng ②㊤漾 古曠切 guàng

筆順 一 十 才 木 杊 杪 桄 桄

字解 ①광랑 광 '―榔'은 야자과(椰子科)에 속하는 상록 교목(常綠喬木). 꽃으로는 사탕을 만들고, 줄기의 수부(髓部)에서는 전분(澱粉)을 취함. ②가로목 광 배나 수레에 쓰이는 횡목(橫木). '―, 舟前木'《集韻》. '―, 車下橫木也'《疏證》.

字源 篆文 形聲. 木+光〔音〕

[桄桹 광랑] 광랑(桄榔).
[桄榔 광랑] 자해(字解)❶을 보라.

6 ⑩ [桅] ㊀ 외 ㊥灰 五灰切 wéi ㊁ 괴 ㊤紙 過委切 guǐ

字解 ㊀ 돛대 외 장간(檣竿). '―, 小船上檣竿也'《廣韻》. ㊁ 치자나무 괴 '―, 黃木可染者'《說文》.

字源 篆文 形聲. 木+危〔音〕. '危위'는 '높다'의 뜻. 배의 높은 돛대의 뜻을 나타냄.

또, '梔치'의 訛字로서 '치자나무'의 뜻으로도 쓰임.

[桅杆 외간] 돛대.
[桅檣 외장] 돛대.

6 ⑩ [框] 광 ㊥陽 去王切 kuàng

字解 문얼굴 광 문틀. '門—'.
字源 形聲. 木+匡〔音〕

6 ⑩ [桋] 이 ㊥支 以脂切 yí

字解 멧대추나무 이 대추나무의 일종. '隰有杞—'《詩經》.
字源 篆文 形聲. 木+夷〔音〕

6 ⑩ [桎] 人名 질 ㊀質 之日切 zhì

字解 ①차꼬 질 형구(刑具)의 한 가지. 족가(足枷). '—梏'. '—, 足械也'《說文》. ②차꼬채울 질 차꼬를 채움. 전(轉)하여, 자유를 구속함. '儒學自—'《東哲》. ③막힐 질, 막을 질 통하지 아니함. 부자유스러움. '其靈臺一而不—'《莊子》. ④쐐기 질 틈새에 박아서 사개가 물러나지 못하게 하는 물건. '爲周之—鎋'《詩經 箋》.
字源 篆文 形聲. 木+至〔音〕. '至지'는 '窒질'과 통하여, '막다'의 뜻. 발을 막아 부자유스럽게 하는 나무, 곧 '차꼬'의 뜻을 나타냄.

[桎梏 질곡] 수갑과 차꼬. 전(轉)하여, 자유를 속박(束縛)하는 일.
[桎鎋 질할] ㉠수레바퀴의 비녀장. ㉡긴요(緊要)한 부분.
[桎檻 질함] 차꼬를 채워 옥에 가둠.
◉梏桎. 窮桎. 囚桎.

6 ⑩ [桐] 人名 동 ㊥東 徒紅切 tóng

筆順 一 十 才 木 朷 枂 桐 桐

字解 ①오동나무 동 오동과(科)에 속하는 낙엽교목(落葉喬木). '梧—'. '仲春之月, —始華'《禮記》. ②거문고 동 '久厭凡—不復彈'《蘇轍》. ③통할 동 통하게 함. '—車馬於瀆上'《史晨碑》. ④가벼이 동 경박함. '毋—好逸'《漢書》. ⑤성 동 성(姓)의 하나.
字源 金文 篆文 形聲. 木+同〔音〕. '同동'은 '筒통'과 통하여, '통'의 뜻. 나무로서 속이 통처럼 되어 있는 오동나무의 뜻을 나타냄.

[桐棺 동관] 오동나무로 짠 관(棺). 관의 가장 조악(粗惡)한 것.
[桐君 동군] 거문고. 오동나무로 몸체를 만들므로 이름.
[桐城派 동성파] 청(淸)나라 때 일어난 고문가(古文家)의 한 파(派). 안후이 성(安徽省)의 동성(桐城)에 대표자 방포(方苞)·요내(姚鼐) 등이 살았으므로 이름. 한유(韓愈)·구양수(歐陽修)의 문장을 표준으로 삼고, 정호(程顥)·주희(朱熹) 등의 철학을 기반으로 함.
[桐油 동유] 유동(油桐)의 씨에서 짜낸 건성(乾性)의 기름.
[桐油紙 동유지] 동유(桐油)를 짜서 결은 종이.
[桐人 동인] 오동나무로 만든 인형(人形).
[桐子 동자] ㉠오동나무의 열매. ㉡아이. 동자(童子).
◉白桐. 凡桐. 新桐. 梧桐. 油桐. 紫桐. 絃桐.

6 ⑩ [桓] 人名 환 ㊥寒 胡官切 huán

筆順 一 十 才 木 朩 桁 桓 桓

字解 ①굳셀 환 힘세고 날랜 모양. '——于征'《詩經》. ②머뭇거릴 환 주저하여 앞으로 잘 나아가지 않는 모양. '盤—'. ③푯말 환 우정(郵亭)의 표목(標木). 또, 이정표(里程標). '葬寺門—東'《漢書》. ④하관틀 환 하관(下棺)할 때 쓰는 나무틀. '三家視—楹'《禮記》. ⑤클 환 '玄王—撥'《詩經》. ⑥근심할 환 걱정함. 咺(口部六畫)과 통용. '—, 憂也'《廣雅》. ⑦성 환 성(姓)의 하나.
字源 篆文 形聲. 木+亘(亘)〔音〕. '亘환'은 '두르다'의 뜻. 건물 네 구석에 둘러 세운 나무로, 역참(驛站)의 표지(標識)의 뜻을 나타냄. '趄'와 통하여, '위엄 있다'의 뜻도 나타냄.

[桓圭 환규] 오서(五瑞)의 하나. 공작(公爵)의 작위(爵位)를 가진 사람이 갖는 길이 9촌(寸)의 홀(笏).
[桓溫 환온] 동진(東晉)의 정치가·무인(武人). 자(字)는 원자(元子). 벼슬이 대사마(大司馬)에 이르렀으며, 황제(皇帝) 혁(奕)을 폐위(廢位)하고 간문제(簡文帝)를 옹립한 후 찬탈(簒奪)의 음모를 꾸미다가 이루지 못하고 병사(病死)하였음.

[桓圭]

[桓玄 환현] 동진(東晉)의 역신(逆臣). 자(字)는 경도(敬道). 안제(安帝) 때 도독형강팔주군사(都督荊江八州軍事)·형강이주자사(荊江二州刺史)가 되고 드디어 안제(安帝)를 폐위(廢位), 스스로 제위(帝位)에 올랐다가 유유(劉裕) 등에게 주살당하였음.
[桓桓 환환] 굳센 모양. 힘세고 날랜 모양.
◉盤桓. 三桓. 烏桓.

6 ⑩ [桔] 人名 길(결㊍) ㊀屑 古屑切 jié

筆順 一 十 才 木 朩 杧 杧 桔 桔

字解 ①도라지 길 '—梗'은 초롱꽃과에 속하는 다년초. 뿌리는 식용함. '—梗辛微溫'《本草經》. ②두레박틀 길 '—槔'는 물을 긷는 장치. '子獨不見夫—槔者乎, 引之則俯, 舍之則仰'《莊子》.
字源 篆文 形聲. 木+吉〔音〕

[桔槔]

[桔梗 길경] 도라지.
[桔槔 길고] 한끝에는 두레박, 다른 한끝에는 돌을 매달아 물을 퍼내게 만든 틀. 두레박틀.

6 ⑩ [样] [一] 양 [平]陽 與章切 yáng [二] 상 [平]陽 徐羊切 [三] 장 [平]陽 則郞切

[字解] [一] ①누에시렁기둥 양 '槌, 齊謂之一'《揚子方言》. ②様(木部 十一畫)의 簡體字. [二] 누에시렁기둥 상 [一]❶과 뜻이 같음. [三] 누에시렁기둥 장 [一]❶과 뜻이 같음.

6 ⑩ [柏] 구 [上]有 巨九切 jiù

[字解] 오구목(烏臼木) 구 열대 원산의 낙엽 교목(落葉喬木). '烏一'.

[字源] 形聲. 木+臼〔音〕

◉烏柏.

6 ⑩ [栒] 순 [上]軫 聳尹切 sǔn

[字解] 악기다는틀 순 簨(竹部 十二畫)·筍(竹部 六畫)과 同字. '懸鐘磬之木, 直立者爲虡, 橫牽者爲一'《爾雅》.

6 ⑩ [枅] [一] 계 [平]齊 古奚切 jī [二] 견 [平]先 經天切

[字解] [一] 두공(斗栱) 계 옥로(屋櫨). '短者以爲朱儒一櫨'《淮南子》. [二] 두공 견 [一]과 뜻이 같음.

[字源] [篆文] 枅 形聲. 木+幵〔音〕. '幵견'은 네모의 모양을 나타냄. 기둥 위에 얹어 마룻대를 받치는 각재(角材)의 뜻을 나타냄.

[參考] 枅(木部 四畫)는 俗字.

◉栱枅.

6 ⑩ [梒] [一] 협 [入]洽 轄夾切 xiá [二] 겁 [入]葉 巨業切 gé [三] 갑 [入]合 古沓切 gé [四] 합 [入]合 侯閤切 hé

[字解] [一] 칼집 협 검초(劍鞘). '一, 劒柙也'《說文》. [二] 칼집 겁 [一]과 뜻이 같음. [三] 칼집 갑 [一]과 뜻이 같음. [四] 자귀나무 합 '一, 一楿, 木名, 朝舒暮卷'《集韻》.

[字源] 形聲. 木+合〔音〕

6 ⑩ [梅] 〔매〕 梅(木部 七畫〈p. 1067〉)의 略字

6 ⑩ [梀] [一] 색 [入]陌 山責切 sè [二] 석 [入]錫 霜狄切 [三] 자 [去]寘 七賜切 cì [四] 척 [入]陌 丑亦切

[字解] [一] ①멧대추나무 색 '一, 梀也'《說文》. ② 위를향한가지 색 '梀, 木枝上生. 或从朿'《集韻》. [二] 멧대추나무 석, 위를향한가지 석 [一]과 뜻이 같음. [三] 차양 자 처마. '一, 楣屬'《集韻》. [四] 서까래 척 '一, 椽'《集韻》.

[字源] 形聲. 木+策〈省〉〔音〕

6 ⑩ [栧] 〔예〕 枻(木部 五畫〈p. 1049〉)와 同字

6 ⑩ [桙] 〔우·모〕 鉾(金部 六畫〈p. 2392〉)와 同字

[字源] 形聲. 木+牟〔音〕. '牟모'는 '矛모'와 통하여, '미늘창'의 뜻. 나무로 만든 미늘창의 뜻을 나타냄.

6 ⑩ [桉] 〔안〕 案(木部 六畫〈p. 1064〉)과 同字

[字源] 形聲. 木+安〔音〕

6 ⑩ [栢] [人名] 〔백〕 柏(木部 五畫〈p. 1050〉)의 俗字

[字源] 形聲. 木+百〔音〕

6 ⑩ [栽] [中人] 재 ①-③[平]灰 祖才切 zāi ④[去]隊 昨代切 zài 栽

[筆順] 一 十 土 丰 耒 栽 栽 栽

[字解] ①심을 재 초목을 심음. '一培'. '一者培之'《中庸》. ②묘목 재 모나무. '爲乞桃一二百根'《杜甫》. ③성 재 성(姓)의 하나. ④담틀 재 토담을 쌓는 데 쓰는 긴 널조각. '水昏正而一'《左傳》.

[字源] [篆文] 栽 形聲. 木+𢦏〔音〕. '𢦏재'는, 才+戈로서, '才재'나 '戈과'나 모두 강물의 범람을 막기 위한 기구(器具)의 상형. 강 속에 세운 나무의 뜻에서, 전(轉)하여, 초목(草木)을 세우다, 심다의 뜻을 나타냄. 《說文》에서는 토담을 쌓을 때에 양 측면에 세우는 긴 널의 뜻이라 함. 또, '才재'는 잘라 버리다의 뜻으로서, 심은 나무의 가지를 잘라 가지런히 하다의 뜻이라고도 함.

[栽培 재배] 초목을 심어 가꿈. 초목을 기름.
[栽盆 재분] 초목을 심은 그릇.
[栽插 재삽] 꺾꽂이를 하여 심음.
[栽植 재식] 초목을 심음.
◉分栽. 盆栽. 新栽. 移栽. 前栽.

6 ⑩ [栗] [高人] 률 [入]質 力質切 lì 栗

[筆順] 一 丆 币 襾 覀 覀 栗 栗

[字解] ①밤나무 률 참나뭇과에 속하는 낙엽 교목(落葉喬木). 과수(果樹)의 하나. ②밤 률 밤나무의 열매. '饋食之籩, 其實一'《周禮》. ③단단할 률 견실함. '縝密而一'《禮記》. ④공손할 률 공근(恭謹)함. '寬而一'《書經》. ⑤엄할 률 위엄이 있음. '位欲嚴, 政欲一'《司馬法》. ⑥떨 률 전율함. '戰一'. '不寒而一'《漢書》. ⑦추울 률 '二之日一烈'《詩經》. ⑧여물 률 곡식이 잘 익어 단단함. '實穎實一'《詩經》. ⑨건널 률 건너뜀. 넘음. '一階不過二等'《儀禮》. ⑩성 률 성(姓)의 하나.

[字源] [甲骨文] [甲骨文] [篆文] [古文] 甲骨文은, 나무 위에 밤송이가 달려 있는 것을 본뜬 모양으로, '밤'의 뜻을 나타냄. 篆文은 會意로서, 卤+木.

[栗殼 율각] 밤의 껍질.
[栗烈 율렬] 몸이 떨리도록 대단히 추운 모양.

[栗栗 율률] ㉠많은 모양. ㉡두려워하는 모양. 전전긍긍하는 모양.
[栗尾筆 율미필] 붓의 일종(一種).
[栗房 율방] 밤송이.
[栗鼠 율서] 다람쥐.
[栗園 율원] 밤나무가 많이 난 동산. 밤나무 동산.
[栗刺 율자] 밤송이의 가시.
◉繭栗. 股栗. 茅栗. 橡栗. 柴栗. 猥栗. 戰栗. 貞栗. 棗栗. 墜栗. 縮栗. 鬻栗. 行栗. 猴栗.

6 ⑩ **[栱]** 공 [上]腫 居悚切 gǒng

[字解] 수갑 공 拲(手部 六畫)과 同字.

6 ⑩ **[栞]** [人名] 간 [平]寒 苦寒切 kān

[字解] 표할 간 산길의 도표(道標)로서 나뭇가지를 꺾거나 나무를 깎아서 표함. '隨山一木'《書經》. 또, 그 표지(標識). '一, 槎識也'《說文》.
[字源] 古文 篆文 形聲. 木+幵〔音〕. '幵견'은 '자르다'의 뜻. 나무에 칼자국을 내거나 꺾거나 하여 길잡이로 삼은 '도표(道標)'의 뜻을 나타냄.

6 ⑩ **[桀]** [人名] 걸 [入]屑 渠列切 jié

[字解] ①홰 걸 닭이 앉는 홰. '雞棲于一'《詩經》. ②사나울 걸 흉포함. '凶一'. '多暴一子弟'《史記》. ③교활할 걸 교할(巧黠)함. '一黠奴, 人之所患也'《史記》. ④들 걸 들어 올림. '一石以投人'《左傳》. ⑤뛰어날 걸 傑(人部 十畫)과 同字. '一俊'. '千人曰英, 萬人曰一'《辨名記》. ⑥떠날 걸 사라짐. '一, 去也'《廣雅》. ⑦하왕이름 걸 하(夏)나라 말대(末代)의 임금. 폭군으로 유명함. '一紂'. '一犬吠堯'. ⑧성 걸 성(姓)의 하나.
[字源] 篆文 會意. 舛+木. '舛천'은 좌우 양발의 象形. 나무 기둥에 두 발을 결박한 모양에서, 책형(磔刑)의 뜻을 나타냄.

[桀桀 걸걸] 잡초(雜草) 따위가 만연(蔓延)한 모양.
[桀犬吠堯 걸견폐요] 옛적 하(夏)나라 걸왕(桀王) 같은 포학(暴虐)한 사람이 기르는 개는 요(堯)임금과 같은 성군(聖君)을 보고도 짖는다는 뜻으로, 사람은 선악(善惡)을 불문(不問)하고 각기 그 주인(主人)에게 충성(忠誠)을 다한다는 말.
[桀步 걸보] 게〔蟹〕의 별칭(別稱).
[桀惡 걸악] 사납고 악함.
[桀驁 걸오] ㉠성질이 사납고 교만함. ㉡길들지 아니한 사나운 말.
[桀紂 걸주] 하(夏)나라의 걸왕(桀王)과 은(殷)나라의 주왕(紂王)을 아울러 이르는 말. 포악무도(暴惡無道)한 임금.
[桀俊 걸준] 재주와 슬기가 뛰어난 사람. 준걸(俊傑).
[桀駿 걸준] 걸준(桀俊).
[桀黠 걸할] 능갈치고 약빠름. 교할(巧黠).
◉姦桀. 彊桀. 雄桀. 俊桀. 暴桀. 夏桀. 凶桀.

6 ⑩ **[案]** [中人] 안 [去]翰 烏旰切 àn

[筆順] 宀 宀 安 安 安 安 案 案
[字解] ①안석 안 앉을 때 몸을 기대는 물건. '一席'. '張幕設一'《周禮》. ②책상 안 서안(書案). '一頭'. '窺室惟一几'《丘爲》. ③소반 안 밥상. '自持一, 進食甚恭'《史記》. ④주발 안 식기. '持一而食'《鹽鐵論》. ⑤지경 안 경계. '參國起一'《國語》. ⑥초안 안 초고. '議一'. '千一百牘'《唐書》. ⑦안건 안 조사·논증(論證)을 요하는 사건. '牒一塡委'《唐書》. ⑧상고할 안 생각함. '一之當今之務'《漢書》. ⑨어루만질 안 '一撫'. '一劍以前'《史記》. ⑩누를 안 멈춤. '一節未舒'《史記》. ⑪볼 안 자세히 봄. '一程度'《淮南子》.

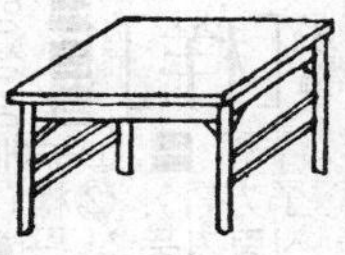
[案②]

[字源] 篆文 形聲. 木+安〔音〕. '安안'은 '안정하다'의 뜻. 안정된 책상의 뜻.
[參考] 桉(木部 六畫)은 同字.

[案件 안건] 토의(討議)하거나 취조할 사건(事件).
[案檢 안검] 조사(調査)함.
[案功 안공] 공로의 유무(有無)를 살펴 바로잡음.
[案几 안궤] 책상(冊床).
[案內 안내] 《韓》 ㉠인도하여 일러 줌. ㉡주인에게 데려다 줌. ㉢안내서. 안내인.
[案堵 안도] 사는 곳에서 편안히 지냄. 안도(安堵).
[案牘 안독] 조사하는 데 필요한 문서. 공문서(公文書).
[案頭 안두] ㉠안상(案上). ㉡책상(冊床)머리.
[案摩 안마] '안마(按摩)'와 같음.
[案脈 안맥] 맥을 짚어 봄. 병을 진찰(診察)함. 진맥(診脈).
[案撫 안무] 어루만져 위로함. 안무(按撫).
[案文 안문] 초 잡은 문서.
[案問 안문] 죄를 신문(訊問)함. 안문(按問).
[案比 안비] 상고하고 견주어 봄.
[案山 안산] 《韓》 집터나 묏자리 맞은편에 있는 산.
[案山子 안산자] 사람 형상을 만들어 헌 삿갓 같은 것을 씌워서 논밭에 세워 놓는 것. 참새 따위를 못 오게 함. 허수아비.
[案上 안상] 책상 위.
[案席 안석] 사람이 앉을 때에 몸을 기대는 기구(器具).

[案山子]

[案衍 안연] ㉠우묵하게 패어 낮은 모양. ㉡평평하지 않은 모양.
[案察 안찰] 안검(案檢).
[案出 안출] 생각하여 냄.
[案致 안치] 죄인(罪人)을 철저히 조사함.
[案下 안하] ㉠책상 아래. ㉡편지에서 받는 이의 이름 밑에 붙여 쓰는 말.
[案行 안행] 순찰(巡察)함.
◉改訂案. 建議案. 決議案. 考案. 公案. 敎案. 几案. 起案. 斷案. 答案. 圖案. 名案. 文案. 飜案. 法律案. 腹案. 私案. 査定案. 上奏案. 書案. 成案. 食案. 新案. 玉案. 獄案. 愚案. 原案. 議案. 立案. 提案. 奏案. 草案. 懸案.

6 ⑩ **[桊]** 권 ①[去]霰 居倦切 juàn ②[平]先 驅圓切 quān

[字解] ①쇠코뚜레 권 쇠코에 꿰뚫어 매는 고리. '一, 牛拘'《廣韻》. ②나무바리때 권 나무를 휘

어서 만든 작은 그릇. '一, 屈木盂也'《集韻》.
[字源] 篆文  形聲. 篆文은 木+𢍏〔音〕. '𢍏권'은 구부림의 뜻. 나무를 구부려 만든 코뚜레나 작은 그릇의 뜻을 나타냄.

6 ⑩ [桑] [高·人] 상 [平]陽 息郎切 sāng 

[筆順] 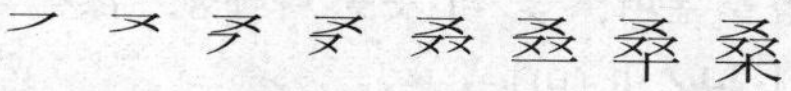

[字解] ①뽕나무 상 뽕나뭇과에 속하는 낙엽 교목(落葉喬木). 잎을 누에의 먹이로 함. '齊魯千畝一麻'《史記》. ②뽕잎딸 상 '東鄕躬一'《禮記》. ③뽕나무심을 상 뽕나무를 재배하여 누에를 침. 또, 그 업(業). 양잠(養蠶). '農一'. '耕一者益衆'《漢書》. ④성 상 성(姓)의 하나.
[字源] 甲骨文 篆文  甲骨文은 지엽(枝葉)이 유연한 뽕나무를 본뜬 모양으로, '뽕나무'의 뜻. 篆文은, 叒+木의 會意.

[桑稼 상가] 양잠(養蠶)과 농사. 농상(農桑).
[桑間濮上 상간복상] 음란한 음악의 이름. 복수(濮水) 가에 있는 뽕나무 숲 사이에서 유행하였으므로 이름.
[桑年 상년] 48세의 일컬음. 상(桑)의 속자(俗字) '桒'은 '十' 넷과 '八' 하나로 된 글자이므로 이름.
[桑土綢繆 상두주무] 비바람이 오기 전에 새가 뽕나무 뿌리를 물어다가 새둥주리의 구멍을 막는다는 뜻으로, 환난(患難)을 미연에 방지함을 이름.
[桑林 상림] ㉠뽕나무 숲. ㉡은(殷)나라의 탕왕(湯王)이 대한(大旱) 때에 기우제(祈雨祭)를 지낸 숲.
[桑麻 상마] 뽕나무와 삼. 전(轉)하여, 양잠(養蠶)과 방적(紡績).
[桑麻交 상마교] 시골에 사는 사람끼리의 교제.
[桑門 상문] 《佛敎》 범어(梵語)인 Sramana의 음역(音譯)어. 불도(佛徒). 중. 사문(沙門).
[桑濮音 상복음] 상간복상(桑間濮上).
[桑蓬之志 상봉지지] 천하(天下)를 위하여 일해서 공명(功名)을 세우고자 하는 뜻. 옛날에 남아가 출생하면 뽕나무 활에 쑥대 화살을 당기어 장래에 천하를 위하여 큰 공을 세우기를 빌며 천지 사방(天地四方)에 쏘았으므로 이름.
[桑婦 상부] 뽕 따는 부녀(婦女).
[桑飛 상비] 뱁새. 곧, 초료(鷦鷯)의 이명(異名).
[桑椹 상심] 뽕나무의 열매. 오디.
[桑葚 상심] 상심(桑椹).
[桑野 상야] ㉠동쪽. 동방(東方). ㉡뽕나무를 심은 들.
[桑葉 상엽] 뽕잎. 뽕.
[桑楡 상유] ㉠뽕나무와 느릅나무. ㉡해 질 녘의 해의 그림자. 일모(日暮). 지는 해의 그림자가 뽕나무와 느릅나무 끝에 남아 있다는 뜻에서 이름. ㉢노년(老年)을 비유해서 이르는 말. 만년(晩年). ㉣동(東)쪽에 대하여 서(西)쪽, 아침에 대하여 저녁의 뜻. ㉤서쪽의 해 지는 곳.
[桑柘 상자] 뽕나무와 산뽕나무.
[桑梓 상자] ㉠뽕나무와 가래나무. 옛날에 집 담 밑에 뽕나무와 가래나무를 심었음. ㉡향리(鄕里)의 주택 또는 고향을 이름.
[桑梓之鄕 상자지향] 누대(累代) 조상(祖上)의 무덤이 있는 고향(故鄕).
[桑苧 상저] 뽕나무와 모시풀. 전(轉)하여, 양잠과 방적(紡績).
[桑田 상전] 뽕나무 밭.
[桑田碧海 상전벽해] 뽕나무 밭이 변하여 푸른 바다가 된다는 뜻으로, 시세(時勢)의 변천(變遷)이 심함을 이름.
[桑中 상중] 정든 남녀의 밀회(密會). 〈시경(詩經)〉에 '상중(桑中)'이라고 하는 시제(詩題) 내용에 음분(淫奔)한 소재를 읊었으므로 이름.
[桑中之喜 상중지희] 정든 남녀의 밀회(密會)의 기쁨. 남녀 불의(不義)의 낙(樂). 상중(桑中) 참조.
[桑織 상직] 뽕나무를 심고 베를 짬.
[桑樞甕牖 상추옹유] 뽕나무로 된 지게문과 헌 독 주둥이로 된 봉창. 매우 가난한 집.
[桑海 상해] 상전벽해(桑田碧海).
[桑戶 상호] 뽕나무 가지로 엉성하게 만든 문. 가난한 집의 모양.
[桑弧 상호] 뽕나무 활. 옛날에 사내아이를 낳으면 이 활 여섯 개로 여섯 개의 대화살을 천지 사방(天地四方)에 쏘았음.
[桑扈 상호] 산비둘기, 곧 반구(斑鳩)의 이명(異名).
[桑灰水 상회수] 뽕나무의 잿물. 종기를 씻거나, 찜질에 사용함.
◉耕桑. 穀桑. 給桑. 農桑. 陌上桑. 扶桑. 檿桑. 翳桑. 柔桑. 蠶桑. 楮桑. 稺桑. 苞桑.

6 ⑩ [契] [一] 결 [入]屑 苦結切 qì
[二] 계 [去]霽 苦計切 qì
[字解] [一] 끊을 결 절단함. '陽貨借邑人之車, 一其軸'《左傳》. [二] ①새길 계 契(大部 六畫)·鍥(金部 九畫)와 통용. '一, 刻也'《說文》. ②빠질 계 결여(缺如)함. 없음. '一, 缺也'《廣雅》. ③근심할 계 걱정함. '一一, 憂也'《廣雅》.
[字源] 篆文  會意. 㓞+木. '㓞계'는 '새기다'의 뜻. 나무에 새기다의 뜻을 나타냄.

6 ⑩ [桌] 〔탁〕
卓(十部 六畫〈p. 307〉)의 古字

6 ⑩ [桒] 〔상〕
桑(木部 六畫〈p. 1065〉)의 俗字

6 ⑩ [栾] 〔란〕
欒(木部 十九畫〈p. 1125〉)의 俗字

6 ⑩ [栘] [一] 挧(手部 六畫〈p. 865〉)의 訛字
[二] 栘(木部 七畫〈p. 1071〉)의 訛字

6 ⑩ [栅] 〔책〕
柵(木部 五畫〈p. 1053〉)의 本字

6 ⑩ [桧] 〔회〕 檜(木部 十三畫〈p. 1115〉)의 俗字·簡體字

6 ⑩ [栈] 〔잔·전〕
棧(木部 八畫〈p. 1076〉)의 俗字

6 ⑩ [桜] 〔앵〕
櫻(木部 十七畫〈p. 1122〉)의 俗字

[臬] 〔얼〕
自部 四畫(p. 1875)을 보라.

[柴] 〔시〕
木部 五畫(p. 1056)을 보라.

7 ⑪ [梵] [人名] 범 [去]陷 扶泛切 fàn

[字解] ①깨끗할 범 범어(梵語) Brahman의 음역(音譯)으로, 청정(淸淨)의 뜻. '淨修一行'《法華經》. 전(轉)하여, 불교 또는 인도에 관한 사물에 쓰임. '一唄'. '聞雲入一宮'《朱餘慶》. ②바라문 범 인도의 귀족. '爲一士師'《法華經》. ③범어 범 인도의 고대어(古代語). 산스크리트. '一文'. '宋上貝書多譯一'《周伯琦》. ④성 범 성(姓)의 하나.

[字源] 篆文 形聲. 林+凡〔音〕. '凡범'은 '바람'의 뜻. 수풀 위를 부는 바람의 뜻을 나타냈으나, 범어(梵語) Brahman의 음역자(音譯字)로서 쓰임.

[梵家 범가] 범우(梵宇).
[梵閣 범각]《佛敎》범궁(梵宮).
[梵偈 범게] 불경의 시사(詩詞).
[梵宮 범궁]《佛敎》절. 사찰(寺刹).
[梵衲 범납]《佛敎》중을 달리 이르는 말. '衲'은 법의.
[梵文 범문] 범어(梵語)로 된 글.
[梵坊 범방] 범우(梵宇).
[梵本 범본] 범어(梵語)로 쓰인 서적.
[梵士 범사] 인도(印度)의 귀족. 곧, 바라문(婆羅門).
[梵書 범서] ㉠범어(梵語)로 기록한 책. ㉡불경.
[梵聲 범성] ㉠청정(淸淨)한 소리. ㉡부처의 소리. ㉢경 읽는 소리.
[梵嫂 범수] 중의 아내.
[梵樂 범악] ㉠인도의 음악. ㉡불교(佛敎)의 음악.
[梵語 범어] 인도(印度)의 고대어(古代語).
[梵王 범왕]《佛敎》범천왕(梵天王).
[梵王宮 범왕궁] 범궁(梵宮).
[梵宇 범우] 절. 사찰(寺刹).
[梵音 범음]《佛敎》㉠부처의 음성. 여래(如來)의 청정(淸淨)한 소리. ㉡경 읽는 소리. ㉢범어(梵語).
[梵字 범자] 인도(印度)의 옛날 글자.
[梵殿 범전]《佛敎》범궁(梵宮).
[梵鐘 범종] 절에서 치는 종. 절에 있는 종.
[梵刹 범찰]《佛敎》절. 사찰(寺刹).
[梵唱 범창] ㉠불문(佛門)의 게송(偈頌). ㉡독경(讀經).
[梵冊 범책] 불교의 서적.
[梵天 범천]《佛敎》범천왕(梵天王).
[梵天王 범천왕]《佛敎》㉠바라문교의 교조인 조화(造化)의 신(神). ㉡제석천(帝釋天)과 같이 부처의 좌우(左右)에 모시는 신.
[梵唄 범패]《佛敎》여래(如來)의 공덕을 찬양하는 노래.
[梵學 범학]《佛敎》불경에 관한 학문.
[梵行 범행] 청정(淸淨)한 행위.
[梵夾 범협] 불교의 경문(經文).
◉釋梵. 仙梵. 晨梵. 夜梵. 午梵. 幽梵. 淸梵. 香梵. 曉梵.

7 ⑪ [埜] 〔야〕 野(里部 四畫〈p.2369〉)의 古字

7 ⑪ [梎] 〔근〕 根(木部 六畫〈p.1059〉)의 本字

7 ⑪ [梦] 〔몽〕 夢(夕部 十一畫〈p.483〉)의 俗字

7 ⑪ [桼] 칠 [入]質 親吉切 qī

[字解] 옻 칠, 옻나무 칠 漆(水部 十一畫)과 同字. '木汁名一. 因名其木曰一'《說文 段注》.

[字源] 篆文 象形. 나무〔木〕에 여섯 점(點)을 가(加)하여, 수액(樹液)을 채취하는 모양을 본떠, '옻'의 뜻을 나타냄. '漆칠'의 原字.

[彬] 〔빈〕 彡部 八畫(p.734)을 보라.

7 ⑪ [桯] [人名] 정 [平]靑 他丁切 tīng

[筆順] 一 十 才 木 [illegible] [illegible] 桯 桯

[字解] ①기둥 정 집의 기둥. '一圍倍之'《周禮》. ②탁자 정 침대 앞에 놓아 두는 탁자. '榻前几, 江沔之間曰一'《揚子方言》.

[字源] 篆文 形聲. 木+呈〔音〕

[桯凳 정등] 침대 앞에 놓아 둔 기다란 탁자.

7 ⑪ [桮] 배 [平]灰 布回切 bēi

[字解] ①술잔 배 杯(木部 四畫)와 同字. '案上不過三一'《漢書》. ②그릇 배 나무를 구부려 만든 그릇. '義猶一棬也'《孟子》. ③성 배 성(姓)의 하나.

[字源] 篆文 形聲. 木+否〔音〕. '否부'는 붕긋이 크다의 뜻. 무엇을 담기 위한 넉넉한 그릇, '술잔'의 뜻.

[參考] 杯(木部 四畫)·盃(皿部 四畫)는 俗字.

[桮棬 배권] 나무를 구부려 만든 술잔.
[桮勺 배작] 배작(桮杓).
[桮杓 배작] 술잔과 술을 뜨는 구기. 전(轉)하여, 음주(飮酒).

7 ⑪ [桲] 발 [入]月 蒲沒切 bō, ②po

[字解] ①도리깨 발 곡식을 두드려 떠는 농구(農具). 연가(連枷). '一, 今連枷, 所以打穀也'《玉篇》. ②올발 발 '榅一'은 장미과(科)에 속하는 낙엽 교목(落葉喬木). 과실은 달고 향기가 있음. 마르멜로. ③지팡이 발 '一, 杖也'《廣雅》.

[字源] 形聲. 木+孛〔音〕

◉榅桲.

7 ⑪ [桵] 유 [平]支 儒隹切 ruǐ

[字解] 두릅나무 유 두릅나뭇과의 낙엽 관목. '白一, 棫也'《說文》.

[字源] 篆文 形聲. 木+妥〔音〕

7 ⑪ [桴] 부 ①②[平]尤 縛謀切 fú ③[平]虞 芳無切

[字解] ①마룻대 부 집의 용마루 밑에 서까래가 걸리게 된 나무. '荷棟一而高驤'《班固》. ②북채 부 북을 치는 채. 枹(木部 五畫)와 同字. '蕢一而土鼓'《禮記》. ③떼 부 뗏목. '一筏'. '乘一

浮于海'《論語》.

字源 金文 篆文 形聲. 木+孚〔音〕. '孚부'는 '浮부'와 통하여, '뜨다'의 뜻. 집 속의 떠 있는 부분, 마룻대의 뜻. 또, 뜨게 하기 위해 짜 엮은 나무, 뗏목의 뜻.

[桴鼓 부고] 북을 북채로 침.
[桴筏 부벌] 떼. 뗏목.
[桴炭 부탄] 타던 장작을 꺼서 만든 숯.
◉鼓桴. 重桴.

7 ⑪ [桶] 人名 ■ 통 ㊤董 他孔切 tǒng ■ 용 ㊤腫 尹竦切 yǒng

筆順 二 十 木 朩 朩 杧 桶 桶

字解 ■ 통 통 나무로 만든 원형(圓形)의 용기. '水一'. '市中有一物, 如小一而無底'《癸辛雜識》. ■ 되 용 곡식 같은 것의 분량을 되는 네모진 그릇. '平斗一權衡丈尺'《史記》.

字源 篆文 形聲. 木+甬〔音〕. '甬용'은 속이 텅 빈 종(鐘)의 자루의 象形. 속이 빈 목기(木器), '통'의 뜻.

◉斗桶. 水桶. 貯水桶. 天水桶. 漆桶.

7 ⑪ [棥] 분 ㊥文 符分切 fén

字解 향나무 분 향목(香木)의 일종. '一, 香木也'《說文》.

字源 篆文 形聲. 木+棥〔音〕

7 ⑪ [桷] 각 ㊀覺 古岳切 jué

字解 ①서까래 각 네모진 서까래. '椽一'. '刻桓宮一'《左傳》. ②가지 각 가로 뻗은 나뭇가지. '或得其一'《易經》.

字源 篆文 形聲. 木+角〔音〕. '角각'은 '모나다'의 뜻. 각재(角材)의 '서까래'의 뜻을 나타냄.

◉巨桷. 樸桷. 椽桷. 龍桷. 朱桷. 榱桷.

7 ⑪ [桭] 人名 진 ㊥眞 職隣切 zhēn

字解 ①처마 진 지붕의 가장자리 부분. '梜一, 屋端'《類篇》. ②기둥사이 진 두 기둥의 사이. '一, 兩楹間也'《廣韻》. ③가지런히할 진 정돈함. '一, 整也'《集韻》.

7 ⑪ [栝] 괄 ㊀曷 古活切 kuò

筆順 木 朩 朩 杧 栝 栝 栝 栝

字解 ①도지개 괄 활·화살이 굽은 것을 바로잡는 틀. '一, 檃也'《說文》. ②오늬 괄 栝(木部 六畫〈p. 1057〉)과 통용. ③나무이름 괄 노송(老松)나무.

字源 形聲. 木+舌〔音〕

7 ⑪ [桂] ■ 광 ㊥陽 渠王切 kuáng ■ 왕 ㊤養 紆往切 wǎng

字解 ■ 물푸는그릇 광 '一, 汲具'《集韻》. ■ 굽힐 왕 枉(木部 四畫)의 古字. '一, 說文, 衺曲也. 隷作枉'《集韻》.

7 ⑪ [梂] ■ 구 ㊥尤 巨鳩切 qiú ■ 곡 ㊀沃 拘玉切 ■ 국 ㊀屋 居六切

字解 ■ ①상수리 구 상수리나무의 열매. '一, 櫟實'《說文》. ②끌끝 구 '一, 一曰, 鑿首'《說文》. ③자루 구 기구(器具)의 손잡이. '一, 柎也'《廣雅》. ④산사나무 구 '一, 山樝也'《唐本草》. ■ 상수리 곡, 끌끝 곡, 자루 곡, 산사나무 곡 ■과 뜻이 같음. ■ 상수리 국, 끌끝 국, 자루 국, 산사나무 국 ■과 뜻이 같음.

字源 形聲. 木+求〔音〕

7 ⑪ [桹] 랑 ㊥陽 魯當切 láng

字解 ①광랑 랑 桄(木部 六畫)을 보라. '桄一'. ②배널 랑 선판(船板). '一, 船板名'《正字通》. ③몽둥이 랑 긴 막대기. '鳴一厲響'《潘岳》.

字源 金文 篆文 形聲. 木+良〔音〕

[桹桹 낭랑] 나무를 서로 치는 소리.
◉桄桹. 枸桹. 鳴桹. 柔桹.

7 ⑪ [梃] 人名 정 ㊤迥 徒鼎切 tǐng

字解 ①막대기 정 ㉠기름한 나무토막. 곤봉. '可使制一以撻秦楚之堅甲利兵矣'《孟子》. ㉡지팡이. '杖謂之一'《小爾雅》. ②지저깨비 정 목편(木片). '一, 木片'《廣雅》. ③대 정 줄기를 세는 수사(數詞). '酒二器, 甘蔗百一'《魏書》. ④지레 정 지렛대. 공간(槓杆).

字源 篆文 形聲. 木+廷〔音〕. '廷정'은 똑바로 뻗음의 뜻. 쭉 곧은 지팡이의 뜻을 나타냄.

◉牽梃. 白梃. 直梃. 筆梃. 橫梃.

7 ⑪ [桫] 사 ㊥歌 素何切 suō

字解 사라(桫欏)나무 사 열대 지방에 나는 다년생의 목본성(木本性) 은화식물(隱花植物). '一欏, 木名. 出崑崙山'《廣韻》.

字源 形聲. 木+沙〔音〕

7 ⑪ [梅] 高人 매 ①-③㊥灰 莫杯切 méi ④㊤賄 母罪切

筆順 一 十 木 朩 杧 梅 梅 梅

字解 ①매화나무 매 장미과에 속하는 낙엽 교목(落葉喬木). '一實'. '看了一花睡過春'《陸游》. ②매우(梅雨) 매 매화나무 열매가 익을 무렵에 오는 장마. '閩人以立夏後逢庚入一, 芒種後逢壬出一'《四時纂要》. ③어두울 매 晦(日部 七畫)와 뜻이 같음. '䁤容瞿瞿一一'《禮記》. ④성 매 성(姓)의 하나.

字源 篆文 別體 形聲. 木+每〔音〕

參考 楳(木部 九畫)는 同字.

[梅毒 매독] 화류병(花柳病)의 한 가지. 창병(瘡病).
[梅霖 매림] 매우(梅雨).
[梅林止渴 매림지갈] 위(魏)나라의 조조(曹操)가 인심(人心)의 기미(機微)를 살펴 군인들에게 가는 길에 매화나무 숲이 있다고 하여 갈증(渴症)을 풀게 하였다는 고사(故事).
[梅梅 매매] 허둥대는 초상(初喪) 때의 모양.
[梅信 매신] 매화꽃이 피기 시작하였다는 소식.
[梅實 매실] 매화나무의 열매. 식용·약용함.
[梅堯臣 매요신] 송대(宋代)의 시인(詩人). 자(字)는 성유(聖兪). 도관원외랑(都官員外郞)을 지냈으며, 구양수(歐陽修)와는 시우(詩友)였음. 저술에 〈완릉집(宛陵集)〉 60권, 부록(附錄) 1권이 있음.
[梅雨 매우] 매실(梅實)이 익을 무렵에 오는 긴 「장마.
[梅菹 매저] 소금에 절인 매실(梅實).
[梅竹 매죽] 매화나무와 대나무.
[梅妻鶴子 매처학자] 풍류(風流)가 있는 생활을 이름. 임화정(林和靖)이 처자 없이 홀로 서호(西湖)에 은거(隱居)하여 울안에 매화나무를 심고 학을 기른 고사(故事)에서 나온 말.
[梅天 매천] 매우(梅雨)가 올 때의 흐린 하늘.
[梅夏 매하] 매우(梅雨)의 철.
[梅花 매화] 매화나무의 꽃.
◉落梅. 蠟梅. 斷梅. 白梅. 松竹梅. 野梅. 鹽梅. 英梅. 烏梅. 臥龍梅. 月梅. 入梅. 殘梅. 早梅. 塹梅. 窓梅. 靑梅. 出梅. 探梅. 摽梅. 寒梅. 紅梅. 黃梅.

7 ⑪ [梏] 人名 ■ 곡 ㉧沃 古沃切 gù
■ 각 ㉧覺 古岳切 jué

字解 ■ ①수갑 곡 형구(刑具)의 하나. 고랑. '桎一'. '中罪桎一'《周禮》. ②수갑채울 곡 고랑을 채움. '執而一之'《左傳》. ③묶을 곡 묶어 맴. 잡음. '帝乃一之疏屬之山'《山海經》. ④꿸 곡 목을 꿰뚫음. '一華氏于朝'《左傳》. ⑤어지럽힐 곡 혼란하게 함. '有一亡之矣'《孟子》. ■ 클 각 覺(見部 十三畫)과 뜻이 통함. '有一德行'《禮記》.
字源 篆文 形聲. 木+告〔音〕. '告고'는 잡힌 소를 바쳐 고하다의 뜻. 잡기 위한 목제(木製)의 형구(刑具), '고랑'의 뜻을 나타냄.

[梏亡 곡망] 어지럽게 하여 멸(滅)함.
[梏桎 곡질] '질곡(桎梏)'과 같음.
◉鉗梏. 羈梏. 杖梏. 重梏. 桎梏. 脫梏.

7 ⑪ [棟] ■ 촉 ㉧屋 千木切 sù
■ 속 ㉧屋 桑谷切 sù
■ 은 ㉮問 於靳切 yìn

字解 ■ 서까래 촉 짧은 서까래. '一, 短椽也. (註) 今大屋重橑下, 四隅多爲短椽, 卽此也'《說文》. ■ 서까래 속 ㊀과 뜻이 같음. ■ 다발 은, 다발지을 은 묶음. '一, 束也'《集韻》.
字源 篆文 形聲. 木+束〔音〕. '束속'은 '다발 짓다, 묶다'의 뜻. 나무를 다발 짓다의 뜻을 나타냄.

7 ⑪ [梐] 폐 ㉤薺 傍禮切 bì

字解 ①울짱 폐 목책(木柵). '一枑'. ②옥 폐 감옥. '周一'《孔子家語》.
字源 篆文 形聲. 木+坒〔音〕. '坒비·폐'는 나란히 하다, 늘어놓다의 뜻. 나무를 나란히 세운 목책(木柵), '울짱'의 뜻을 나타냄.

7 ⑪ [梌] 도 ㉠虞 同都切 tú

字解 ①개오동나무 도 능소화과에 속하는 낙엽 교목. 노나무. '一, 木名, 楸也'《集韻》. ②단풍나무 도 '北方人謂楓曰一'《畿輔通志》.

7 ⑪ [梓] 人名 재(자㊍) ㉤紙 卽里切 zǐ

筆順 一 十 木 杧 栏 梓 梓 梓

字解 ①가래나무 재 가래나뭇과(科)에 속하는 낙엽 교목(落葉喬木). 일설(一說)에는, 개오동나무. '一爲百木之長'《埤雅》. ②목수 재 목공. '一人'. '攻木之工七, 輪·輿·弓·廬·匠·車·一'《周禮》. ③판목 재 글자나 그림을 새긴 나무. '上一'. '一本未興'《文海披沙》. ④나무그릇 재 목기(木器). '杯盂之屬亦謂一'《禮記疏》. ⑤관재 관(棺). '一宮'. ⑥성 재 성(姓)의 하나.
字源 篆文 別體 形聲. 木+宰〈省〉〔音〕. '宰재'는 백관(百官)의 장(長)의 뜻. 용도가 넓어 백목(百木)의 장으로 일컬어지는 '가래나무'의 뜻을 나타냄.

[梓柩 재구] 재궁(梓宮).
[梓宮 재궁] 천자(天子)의 관(棺). 가래나무로 만들었으므로 이름.
[梓里 재리] 고향(故鄕). 상자(桑梓) 참조.
[梓人 재인] ㉠순(簨)·거(簴)·음기(飮器)·사후(射侯)를 만드는 목수. ㉡목수(木手). 또, 목수(木手)의 우두머리.
[梓匠輪輿 재장윤여] 재인(梓人)·장인(匠人)·윤인(輪人)·여인(輿人). 곧, 목수(木手)와 수레를 만드는 장인(匠人).
[梓材 재재] 가래나무 재목.
◉橋梓. 桐梓. 文梓. 上梓. 桑梓.

7 ⑪ [桾] 군 ㉠文 擧云切 jūn
㉮問 俱運切

字解 고욤나무 군 '一櫏'은 고욤나무. '平仲一櫏'《左傳》.
字源 形聲. 木+君〔音〕

[桾櫏子 군천자] 고욤.

7 ⑪ [梔] 치 ㉠支 章移切 zhī

字解 치자나무 치 '一子'는 꼭두서닛과에 속하는 상록 관목(常綠灌木). 열매는 약재 또는 염료로 쓰임.
字源 篆文 形聲. 木+卮〔音〕

[梔子 치자] 자해(字解)를 보라.

7 ⑪ [梘] ■ 견 ①②㉮霰 經電切 jiàn
③㉤銑 吉典切 jiǎn
■ 간 ㉮諫 居莧切 jiàn

[字解] [一] ①마개 견 아가리를 막는 물건. '一, 栓也'《集韻》. ②사실할 견 검사함. '一, 檢也'《集韻》. ③홈통 견 물을 받아 내는 홈통. 筧(竹部 七畫)과 同字. '一, 通水器'《類篇》. [二] 관싸개 간 관(棺)을 덮어 싸는 포목. '一, 棺衣'《集韻》.
[字源] 形聲. 木+見〔音〕

7 ⑪ [梖] 패 [去]泰 博蓋切 bèi

[字解] 패다나무 패 '一多'는 인도에서 나는 상록교목(常綠喬木). 껍질은 경문(經文)을 쓰는 데 사용함. '一多木出摩伽陀國'《酉陽雜俎》.
[字源] 形聲. 木+貝〔音〕
[參考] 棏(木部 八畫)는 別字.

[梖多 패다] 범어 patra의 음역(音譯). 자해(字解)를 보라.

7 ⑪ [梬] 영(잉[俗]) [上]梗 以整切 yǐng

[字解] 고욤나무 영 감나뭇과에 속하는 낙엽 교목. 군천(桾櫏). '樝梨一栗'《漢書》.
[字源] 篆文 梬 形聲. 木+甹〔音〕

7 ⑪ [梗] [人名] 경 [上]梗 古杏切 gěng / [去]敬 居孟切

[筆順] 一 十 木 木 朩 栢 梗 梗

[字解] ①가시나무 경 가시가 있는 나무. '一林爲之靡拉'《張衡》. ②가시 경 나무의 가시. '筆力於枝一極適健'《圖繪寶鑑》. ③근심 경 걱정. '至今爲一'《詩經》. ④막을 경 재난을 방지함. '以時招一'《周禮》. ⑤막힐 경 통하지 아니함. '一塞' '以道一, 共投元忠'《北史》. ⑥곧을 경 정직함. '一一亮直'《孔叢子》. ⑦굳셀 경 강함. 강맹(強猛)함. '鋤其強一'《淮南子》. ⑧인형 경 우인(偶人). '木一'. '吾所學者, 眞土一耳'《莊子》. ⑨바뀔 경 '一者, 更也. 歲終更始, 受介祉也'《風俗通》. ⑩깨달을 경 憬(心部 十二畫)과 뜻이 통함. '一, 覺也'《揚子方言》. ⑪대강 경 대개. '略擧其一槪'《左思》.
[字源] 篆文 梗 形聲. 木+更(㪅)〔音〕. '㪅경'은 '단단함'의 뜻. 단단한 가시가 있는 산두릅나무의 뜻을 나타냄.

[梗槪 경개] 개요(槪要). 대략(大略). 대강.
[梗梗 경경] 정직(正直)한 모양.
[梗寇 경구] 강하여 복종치 않는 원수. 또, 복종치 않고 원수가 됨.
[梗澀 경삽] 막혀 통하지 아니함.
[梗塞 경색] 막힘.
[梗礙 경애] 막히어 방해함. 막혀 통하지 않음.
[梗正 경정] 강하고 바름.
◉艱梗. 剛梗. 強梗. 骨梗. 桔梗. 木梗. 蕪梗. 生梗. 榛梗. 土梗. 悍梗.

7 ⑪ [梆] 방 [平]江 博江切 bāng

[字解] ①나무이름 방 '一, 木名'《集韻》. ②목탁방 옛적에, 관아에서 사람을 부르는 신호로 치던 기구. 나무에 구멍을 뚫어 놓은 것으로, 이를 때리면 소리가 나게 됨. 혹은 통으로도 만듦. '一, 斲木三尺許, 背上穿直孔. 今官衙設之, 爲號召之節. 或以竹截作筒, 兩頭留竹節, 旁穿小孔, 擊之有聲, 亦曰一'《正字通》.
[字源] 形聲. 木+邦〔音〕. '邦방'은 '팡'하는 소리를 나타내는 의성어(擬聲語). 목제(木製)의 타악기의 뜻을 나타냄.

7 ⑪ [梛] 나 [平]歌 囊何切 nuó

[字解] 구나나무 나 '栒一'는 버드나무 비슷한 나무. 여름에 담홍색 꽃이 핌.
[字源] 形聲. 木+那〔音〕

7 ⑪ [梣] 침 [平]侵 鋤針切 chén

[字解] 구주물푸레나무 침 '夫一木色青翳'《淮南子》.
[字源] 篆文 梣 形聲. 木+岑〔音〕

7 ⑪ [梜] 협 [入]葉 古協切 jiā

[字解] 젓가락 협 筴(竹部 七畫)과 同字. '羹之有菜者, 用一'《禮記》.
[字源] 篆文 梜 形聲. 木+夾〔音〕. '夾협'은 양 겨드랑이에 끼움의 뜻. '젓가락'의 뜻을 나타냄.

[梜匕 협비] 젓가락과 숟가락.
[梜提 협제] 젓가락.

7 ⑪ [梠] 려 [上]語 力擧切 lǚ

[字解] 처마 려 지붕의 도리 밖으로 내민 부분. '屋一'. '一, 梼端連綿木名. 說文, 楣也'《廣韻》.
[字源] 金文 梠 篆文 梠 形聲. 木+呂〔音〕. '呂려'는 한 줄로 죽 잇다의 뜻. 서까래를 고르게 하는 나무, 곧 '평고대'의 뜻을 나타냄.

◉大梠. 屋梠. 雀梠. 榱梠.

7 ⑪ [梪] 두 [上]宥 徒候切 dòu

[字解] ①제기이름 두 나무로 만든 두(豆). '木豆謂之一'《說文》. ②넉되 두 4승(升)의 일컬음. '合十曰升, 升四曰一'《廣雅》.
[字源] 篆文 梪 形聲. 木+豆〔音〕. '豆두'는, 굽 달린 그릇. 목제(木製)의 그릇의 뜻.

7 ⑪ [梡] [人名] 관 [上]旱 苦管切 kuǎn

[筆順] 一 十 木 木 朩 栙 梡 梡

[字解] 도마 관 순(舜)임금 시절의 네 발이 있는 도마. '俎用一嶡'《禮記》.
[字源] 篆文 梡 形聲. 木+完〔音〕

7 ⑪ [梢] [人名] [一] 소 ㊥看 所交切 shāo
[二] 초(소[本]) ㊥看 所交切 shāo

[字解] [一] ①마들가리 소 곁가지가 없는 긴 가지. '一, 一櫂'《爾雅》. ②막대기 소 악공(樂工)이 쥐는 막대기. '飾玉一以舞歌'《漢書》. ③잡나무 소 작은 잡목(雜木). '曳一肆柴'《淮南子》. ④키 소 艄(舟部 七畫)와 同字. '今人謂篙師爲一子'《字彙》. [二] ①나무끝 초 나무의 꼭대기. 우듬지. '林一出沒'《畫史》. ②끝 초 말미(末尾). '末一'. '垂一植髮'《顏延之》. ※'초' 음은 인명자로 쓰임.
[字源] [篆文] 形聲. 木+肖〔音〕. '肖소'는 '小소'와 통하여, '작다'의 뜻.

[梢溝 초구] 개간하지 않은 땅의 도랑.
[梢梢 초초] ㉠나무 끝이 바람에 움직이는 소리. ㉡작은 모양. ㉢꼬리가 늘어진 모양.
◉老梢. 末梢. 茂梢. 蕭梢. 玉梢. 正梢. 枝梢. 抽梢.

7 ⑪ [梫] 침 ㊥侵 子心切 qǐn
㊤寢 七稔切

[字解] 침(梫)나무 침 높이 2 내지 3미터 되는 나무. 잎을 달여 살충제로 씀. '一, 葉似枇杷而大, 白華, 冬夏長靑'《韻會》.
[字源] [篆文] 形聲. 木+寑〈省〉〔音〕.

7 ⑪ [梧] [人名] 오 ①-⑤㊥虞 五乎切 wú
⑥㊦遇 五故切 wù

[筆順] 一 十 木 朩 杧 梧 梧 梧

[字解] ①벽오동나무 오 벽오동과에 속하는 낙엽교목(落葉喬木). '一桐'. '舍其一檟, 養其樲棘'《孟子》. ②책상 오 서안(書案). '一右'. ③거문고 오 '惠子之據一也'《莊子》. ④버틸 오 '枝一'는 맞서서 겨룸. 또는, 쓰러지지 않게 가눔. '諸將皆慴服, 莫敢枝一'《史記》. ⑤성 오 성(姓)의 하나. ⑥장대할 오 '魁一'는 장대(壯大)한 모양. '魁一奇偉'《史記》.
[字源] [篆文] 形聲. 木+吾〔音〕

[梧檟 오가] ㉠벽오동나무와 개오동나무. 모두 양재(良材)임. ㉡남보다 뛰어난 사람의 비유.
[梧桐 오동] ㉠벽오동나무. 청동(靑桐). ㉡새의 이름. 길이 예닐곱 치. 몸빛은 회색이고 날개는 검으며 꽁지는 짧음.
[梧桐一葉 오동일엽] 벽오동나무의 잎이 하나 떨어지는 것을 보고 가을이 온 것을 안다는 말.
[梧鼠 오서] 날다람쥐, 곧 오서(鼯鼠)를 이름.
[梧鼠技窮 오서기궁] 날다람쥐는 날고, 나무를 타고, 헤엄치고, 달리고, 흙을 파는 다섯 가지 재주를 가졌으나 어느 것이나 미숙하여서 궁지에 빠지는 일이 많다는 뜻으로, 여러 가지 일을 수박 겉 핥기로 하기보다는 한 가지 일에 전일(專一)하여야 함을 비유한 말.
[梧右 오우] 책상 오른쪽이라는 뜻으로, 편지에서 수신인(受信人)의 이름 밑에 쓰는 말.
[梧月 오월] 음력(陰曆) 7월의 별칭(別稱).
[梧前 오전] '오하(梧下)'를 보라.
[梧下 오하] 책상 아래라는 뜻으로, 편지에서 수신인(受信人) 이름 밑에 쓰는 경어(敬語).
◉槁梧. 魁梧. 碧梧. 枝梧. 蒼梧. 翠梧.

7 ⑪ [梒] 함 ㊥覃 胡男切 hán

[字解] 앵두나무 함, 앵두 함 '一, 一桃'《廣韻》.

7 ⑪ [梩] 리 ㊥支 里之切 lí

[字解] 흙담는들것 리 흙을 운반하는 농구. 삼태기. 일설(一說)에는, 삽〔鍤〕 또는 가래〔鍬〕라고 함. '反虆一而掩之'《孟子》.
[字源] 相의 別體 形聲. 木+里〔音〕

7 ⑪ [梭] [人名] 사 ㊥歌 蘇禾切 suō

[字解] 북 사 베틀에 딸린 제구. '一杼'. '網得一一'《晉書》.
[字源] [篆文] 形聲. 木+夋〔音〕

[梭杼 사저] 베 짜는 북. 전하여, 베 짜는 일. 길쌈.
[梭投 사투] 일의 경과의 빠름을, 베 짤 때 북이 빨리 왔다 갔다 하는 데 비유한 말.
◉金梭. 機梭. 鶯梭. 杼梭. 停梭.

7 ⑪ [梸] [一] 렬 ㊇屑 力輟切 liè
[二] 랄 ㊇曷 郎活切

[字解] [一] ①나무이름 렬 '一, 木名'《廣韻》. ②돛대 렬 '一, 舟檣也'《類篇》. [二] 나무이름 랄, 돛대 랄 [一]과 뜻이 같음.
[字源] 形聲. 木+寽〔音〕

7 ⑪ [梮] 국 ㊇沃 衢六切 jú
㊇沃 居玉切 jú

[字解] ①동철 국 밑에 징을 박아 미끄러지지 않게 한 등산용신. '山行則一'《漢書》. ②소반 국 '一, 輿食器'《集韻》. ③삼태기 국 '一, 一曰, 土轝'《集韻》.
[字源] 形聲. 木+局〔音〕

7 ⑪ [梎] 각 ㊇覺 克角切 qiào

[字解] 탱자나무 각 운향과에 속하는 낙엽 교목. 지각(枳殼). '枳一, 有實如柚'《篇海》.

7 ⑪ [梯] [人名] 제 ㊥齊 天黎切 tī

[筆順] 一 十 木 杧 杧 栫 梯 梯

[字解] ①사닥다리 제 '一階'. '視城中則有雲一飛樓'《六韜》. 전(轉)하여, 사물이 차차로 올라가거나 진행하는 경로. '階一'. '毋曠其衆以爲亂一'《國語》. ②기댈 제 의지함. '西王母一几而戴勝杖'《山海經》. ③성 제 성(姓)의 하나.
[字源] [篆文] 形聲. 木+弟〔音〕. '弟제'는 '순서'의 뜻. 순서를 밟아 오르내리는 사다리를 뜻함.

[梯階 제계] 사닥다리.

[梯嶝 제등] 산으로 올라가는 비탈길.
[梯索 제삭] 바로 만든 사닥다리.
[梯山航海 제산항해] 험한 산에 사닥다리를 놓고 올라가고 배를 타고 바다를 건넌다는 뜻으로, 아주 먼 곳으로 가거나 아주 먼 곳에서 옴을 이름. 제항(梯航).
[梯衝 제충] 운제(雲梯)와 충차(衝車). 모두 공성(攻城)하는 데 쓺.
[梯航 제항] ㉠제산 항해(梯山航海). ㉡인도(引導)하는 것. 안내(案內).
[梯形 제형] 상대하는 두 변만이 서로 평행되는 사변형(四邊形). 사다리꼴.
◉階梯. 鉤梯. 突梯. 飛梯. 雲梯. 危梯. 罪梯. 懸梯. 禍梯.

7 ⑪ [械] [高人] 계 ㊀卦 胡介切 xiè

[筆順] 一 十 木 朩 朩 栯 械 械

[字解] ①형틀 계 차꼬·수갑·칼 따위. '一杻'. '受一於陳'《司馬遷》. ②형틀채울 계 형틀을 채워 자유를 구속함. '一繫以歸'《十八史略》. ③기구 계 용기(用器). '一器'. '器一之資'《漢書》. ④병장기 계 무기(武器). '一謂弓矢戈殳矛戟也'《周禮 註》. ⑤틀 계 기교를 베푼 장치. '開諸船底, 以木掩之, 名爲船一'《晉書》.
[字源] [篆文] 形聲. 木+戒〔音〕. '戒계'는 '징계, 훈계하다'의 뜻. 징계를 위해 만들어진 목제(木製)의 수갑·고랑의 뜻을 나타냄.

[械繫 계계] 죄인에게 형구(刑具)를 채워 신체의 자유를 구속함.
[械梏 계곡] 형틀.
[械器 계기] 그릇. 도구(道具). 기계(器械).
[械用 계용] 그릇. 기구. 기물(器物).
[械桎 계질] 형틀.
[械杻 계추] 형틀.
◉甲械. 梏械. 器械. 機械. 木械. 兵械. 手械. 戎械. 利械. 天械.

7 ⑪ [梱] [人名] 곤 ①-⑤㊤阮 苦本切 kǔn
⑥㊀願 苦悶切

[字解] ①문지방 곤 閫(門部 七畫)과 同字. '一外'. '外言不入于一'《禮記》. ②칠 곤 두드림. '一纂組'《淮南子》. ③이룰 곤 됨. 성취(成就)함. '一, 就也'《廣雅》. ④도살할 곤 짐승을 잡음. '一, 屠也'《廣雅》. ⑤《韓》 포장한화물(貨物) 곤. ⑥가지런히할 곤, 다발지을 곤 '取矢一之'《通訓》.
[字源] [篆文] 形聲. 木+困〔音〕. '困곤'은 '가둠'의 뜻. 출입구에 칸막이를 하여 안에 가두는 나무, 문지방의 뜻을 나타냄.

[梱外 곤외] ㉠문지방 밖. 문밖. 문외(門外). ㉡나라 밖. 국외(國外). 곤(梱)은 국문(國門).
[梱外之任 곤외지임] 국외(國外)에 관한 임무. 장군(將軍)의 직임(職任)을 이름.

7 ⑪ [梗] 〔갑〕
匣(匚部 五畫〈p. 293〉)과 同字

7 ⑪ [梲] [一] 절 ㊇屑 職悅切 zhuō
[二] 탈 ㊇曷 他括切 tuō

[字解] [一] 동자기둥 절 들보 위의 짧은 기둥. '藻一'《論語》. [二] ①막대기 탈 곤봉(棍棒). '執彈而招鳥, 揮一而招狗'《淮南子》. ②벗을 탈 脫(肉部 七畫)과 통용. '始乎一'《荀子》.
[字源] [篆文] 形聲. 木+兌〔音〕. '兌태·탈'은 빠져 나옴의 뜻. 들보 위에 빠져 나와 있는 지주(支柱), 동자기둥의 뜻을 나타냄.

7 ⑪ [梴] 전 ㊥先 丑延切 chān

[字解] ①길 전 나무가 긴 모양. '松桷有一'《詩經》. ②다듬잇돌 전 碰(石部 七畫)과 뜻이 같음. '碰機, 自關而東, 謂之一'《揚子方言》.
[字源] [篆文] 形聲. 木+延〔音〕. '길게 뻗다'의 뜻. 나무가 길게 뻗은 모양의 뜻.

7 ⑪ [梶] [人名] 미 ㊤尾 武斐切 wěi

[字解] 나무끝 미 나무의 끝. '一, 木杪也'《集韻》.
[字源] 形聲. 木+尾〔音〕. '尾미'는 '꽁지, 끝'의 뜻.

7 ⑪ [桱] 경 ①②㊀徑 古定切 jìng
③㊥青 堅靈切

[字解] ①나무이름 경 삼(杉)나무 비슷한 나무. '一, 一木, 似杉而梗'《集韻》. ②실패 경 '一, 經絲具'《類篇》. ③탁자 경 침대(寢臺) 앞에 두는 탁자. '一, 桯也'《說文》.
[字源] 形聲. 木+巠〔音〕

7 ⑪ [梳] [人名] 소 ㊥魚 所葅切 shū

[字解] ①빗 소 얼레빗. '白齒一'. '朝有諷諫, 猶髮之有一'《唐書》. ②빗을 소 머리를 빗음. '一沐'. '頭蓬不暇一'《揚雄》.
[字源] [篆文] 形聲. 木+疏〈省〉〔音〕. '疏소'는 갈라서 통하게 함의 뜻. 머리를 빗는 빗의 뜻.

[梳盥 소관] 머리를 빗고 손을 씻음.
[梳沐 소목] 머리를 빗고 몸을 씻음.
[梳髮 소발] 머리를 빗음.
[梳洗 소세] 머리를 빗고 낯을 씻음.
[梳櫛 소즐] 빗질함.
◉瓊梳. 髺梳. 妝梳. 櫛梳. 爬梳.

7 ⑪ [梠] 〔부〕
枹(木部 五畫〈p. 1049〉)와 同字

7 ⑪ [桺] 〔류〕
柳(木部 五畫〈p. 1052〉)의 本字

7 ⑪ [梛] 〔야〕
椰(木部 九畫〈p. 1083〉)와 同字
[字源] 形聲. 木+邪〔音〕

7 ⑪ [梦] [一] 촬 ㊇曷 子末切 zuò
[二] 잠 ㊤感 子感切 zǎn

[字解] [一] ①좁을 촬 '一, 笮也'《集韻》. ②손가락형(刑) 촬 拶(手部 六畫)의 訛字. '一, 指刑. 俗呼一子. 卽拶字之譌'《正字通》. [二] 손가락형

(刑) 잠 ㊀❷와 뜻이 같음.

7 ⑪ **[梄]** 〔유〕 槱(木部 十一畫〈p. 1099〉)와 同字

字源 形聲. 木+酉〔音〕

7 ⑪ **[桿]** 〔간〕 杆(木部 三畫〈p. 1034〉)의 俗字

[梆] 〔침〕 邑部 八畫(p. 2339)을 보라.

7 ⑪ **[梁]** 高人 량 ㊥陽 呂張切 liáng

筆順 氵 汈 汈 汈 沕 沕 泈 梁

字解 ①들보 량 옥량(屋梁). '不可以爲棟—'《莊子》. ②나무다리 량 나무로 만든 교량. 또, 다리를 놓음. '造舟爲—'《詩經》. ③징검돌 량 징검다리로 놓은 돌. '在彼淇—'《詩經》. ④발담 량 물을 막아 고기를 잡는 설비. 어량(魚梁). '無逝我—'《詩經》. ⑤둑 량 제방. '—, 水堤也'《水經注》. ⑥기장 량 수수. 粱(米部 七畫)과 뜻이 통함. '肥貴人則高—之疾也'《素問》. ⑦강할 량 굳셈. '彊—不能與天爭'《後漢書》. ⑧관(冠)골 량, 양 량 관의 앞이마에서 뒤로 골이 지게 한 것. '公侯三—, 博士兩—'《漢書》. ⑨양나라 량 ㉠전국 시대(戰國時代)의 위(魏)나라가 대량(大梁)에 천도(遷都)한 이후의 칭호. (B.C. 403～B.C. 225) ㉡남조(南朝)의 하나. 소연(蕭衍)이 제(齊)나라의 선위(禪位)를 받아 세운 왕조(王朝). 건강(建康)에 도읍. (502～557) ㉢오대(五代)의 하나. 주전충(朱全忠)이 당(唐)나라의 선위(禪位)를 받아 세운 왕조. 대량(大梁)에 도읍. 사가(史家)가 이를 후량(後梁)이라 일컬음. (907～923) ⑩양주 량 우공 구주(禹貢九州)의 하나. 지금의 쓰촨 성(四川省)의 대부분과 산시(陝西)·간쑤(甘肅) 두 성(省)의 일부분. '華陽黑水, 惟—州'《書經》. ⑪성 량 성(姓)의 하나.

字源 金文 篆文 古文 會意. 水+刅+木. '刅인'은, 어량(魚梁)의 象形. 金文에는 물의 흐름을 돌로 막은 모양을 볼 수 있음. 물 흐름의 양안(兩岸)을 막은 어량의 뜻을 나타냄.

[梁桷 양각] 들보와 서까래.
[梁棟 양동] 들보와 마룻대. 전(轉)하여, 중임(重任)을 맡을 만한 사람. 중요한 인물. 동량(棟梁).
[梁麗 양려] 들보.
[梁欐 양려] 들보.
[梁木 양목] ㉠들보. ㉡현인(賢人)의 비유.
[梁父吟 양보음] 시(詩)의 제명(題名). 제갈량(諸葛亮)의 작(作)이라 함. 양보(梁父)는 태산(泰山) 아래에 있는 작은 산. 사람을 죽여 이 산에 장사 지냄을 읊음.
[梁甫吟 양보음] 양보음(梁父吟).
[梁山泊 양산박] 산둥 성(山東省)의 지명. 수호전(水滸傳)의 송강(宋江)·임충(林沖)·주귀(朱貴) 등이 이곳에 모여 조정에 반항하였으므로, 호걸(豪傑)·야심가(野心家)의 소굴(巢窟)의 뜻으로 쓰임.
[梁上君子 양상군자] 도적(盜賊)의 이칭(異稱). 후한(後漢) 사람 진식(陳寔)이 밤에 들보 위에 있는 도둑을 발견하고 자손들을 불러 '사람은 본래부터 악한 것이 아니라 나쁜 습관 때문에 악인(惡人)이 되는 법이니 저 들보 위의 군자가 곧 그러니라.' 하며 들보 위의 도둑을 가리키니, 그 도둑이 크게 놀라 사죄(謝罪)하고 간 고사(故事)에서 나온 말.
[梁楹 양영] 들보와 기둥. 전(轉)하여, 중임(重任)을 맡은 사람.
[梁園 양원] ㉠한대(漢代)의 양효왕(梁孝王)의 동산. ㉡황실(皇室).
[梁棧 양잔] 잔교(棧橋).
[梁材 양재] 들보가 될 수 있는 큰 재목.
[梁柱 양주] ㉠대들보와 기둥. ㉡다리를 받치는 기둥. ㉢콧대. 콧날.
[梁州 양주] 우공 구주(禹貢九州)의 하나. 지금의 쓰촨 성(四川省)의 대부분과 산시(陝西)·간쑤(甘肅) 두 성(省)의 일부분.
◉強梁. 彊梁. 高梁. 膏梁. 橋梁. 跳梁. 棟梁. 柏梁. 浮梁. 飛梁. 鼻梁. 山梁. 石梁. 魚梁. 輿梁. 屋梁. 雲梁. 陸梁. 堤梁. 梯梁. 舟梁. 杜梁. 津梁. 脊梁. 澤梁. 河梁.

7 ⑪ **[梟]** 人名 효 ㊥蕭 古堯切 xiāo

字解 ①올빼미 효 부엉이 비슷한 맹금(猛禽). 고래(古來)로 어미 새를 잡아먹는다고 오신(誤信)하여, 불효조(不孝鳥)라 일컬음. '—鴟'. '爲—爲鴟'《詩經》. ②목베어달 효 목을 베어 나무 또는 옥문(獄門) 등에 매닮. '—首'. '—故塞王欣頭櫟陽市'《漢書》. ③효용할 효 사납고 날램. '—悍'. '致—騎助漢'《漢書》. ④영웅 효 걸출한 자. '爲天下—'《淮南子》. ⑤어지럽힐 효 '以—亂天下'《荀子》. ⑥꼭대기 효 산정. '其山之—'《管子》. ⑦성 효 성(姓)의 하나.

字源 篆文 篆文 會意. 鳥+木. 새〔鳥〕를 나무〔木〕 위에 찔러 얹어 놓은 모양으로, 올빼미, 효수(梟首)의 뜻을 나타냄. 올빼미는 불효(不孝)의 새이므로, 이것을 목 베어 매달았다가, 5월 5일에 그것을 끓인 국물을 관리들에게 본때를 보이기 위해 먹였다고 함.

[梟獍 효경] 효파경(梟破獍).
[梟鏡 효경] 효경(梟獍).
[梟騎 효기] 효용(驍勇)한 기병(騎兵).
[梟亂 효란] 민심(民心)을 소란하게 하여 세상을 어지럽힘.
[梟鸞 효란] 올빼미와 난조(鸞鳥)의 뜻으로, 소인(小人)과 군자, 또는 간당(奸黨)과 충신(忠臣)의 비유로 쓰임.
[梟盧 효로] '도박(賭博)'을 이름.
[梟猛 효맹] 굳세고 사나움.
[梟名 효명] 효용(驍勇)하다는 평판.
[梟木 효목] 효수(梟首)하는 나무.
[梟首 효수] 목을 베어 나무 같은 데 매닮.
[梟帥 효수] 용맹한 장수(將帥).
[梟首警衆 효수경중] 효수(梟首)를 행하여 뭇사람을 경계(警戒)함.
[梟示 효시] 효수(梟首)하여 경중(警衆)하는 뜻으로, 뭇사람에게 보임.
[梟勇 효용] 굳세고 사나움.

[梟雄 효웅] 사납고 날랜 영웅. 효용(梟勇)한 영웅.
[梟夷 효이] 죽여서 그 목을 옥문(獄門)에 매다는 일.
[梟將 효장] 효용(梟勇)한 장군(將軍).
[梟鴟 효치] ㉠올빼미. ㉡악인(惡人)의 비유. 올빼미가 어미 새를 잡아먹는다고 한 데서 이름.
[梟破獍 효파경] 악인(惡人)의 비유. 효(梟)는 어미 새를 잡아먹는 올빼미, 파경(破獍)은 아비 짐승을 잡아먹는 짐승.
[梟哺 효포] 악조(惡鳥) 올빼미도 감화(感化)하면 효조(孝鳥)로서 반포(反哺)를 한다는 뜻으로, 불효자(不孝子)의 개과(改過)를 비유한 말.
[梟悍 효한] 굳세고 사나움.
◉老梟. 鴟梟. 鴟梟. 土梟.

7
⑪ [梨] 高人 리 ㊤支 力脂切 lí

筆順 一 二 千 禾 利 利 梨 梨

字解 ①배나무 리 능금나뭇과에 속하는 낙엽 교목(落葉喬木). 과수(果樹)의 하나. '一花'. ②배 리 배나무의 열매. '一棗'. ③쪼갤 리 가름. '分一單于'《淮南子》. ④좇을 리 따름. '之旁郡國一來'《史記》. ⑤성 리 성(姓)의 하나.
字源 篆文 形聲. 木+㓟〔音〕. '㓟리'는 '利리'의 古字. 과수(果樹), 배나무.

[梨雪 이설] 배꽃. 흰 눈〔雪〕에 견주어 말한 것임.
[梨園 이원] ㉠배나무를 심은 동산. ㉡당(唐)나라 현종(玄宗)이 속악(俗樂)을 익히게 하던 곳. ㉢배우(俳優)의 사회. 연극계(演劇界).
[梨園弟子 이원제자] ㉠당(唐)나라 현종(玄宗)에게 속악(俗樂)을 배우던 사람. ㉡배우(俳優).
[梨棗 이조] ㉠배와 대추. ㉡판목(版木)에는 배나무와 대추나무가 제일 좋으므로, 전(轉)하여 출판(出版)의 뜻으로 쓰임.
[梨花 이화] 배나무 꽃. 배꽃.
◉鹿梨. 棠梨. 木梨. 鳳梨. 山梨. 阿闍梨. 阿遮梨. 玉梨.

7
⑪ [桬] 사 ㊤麻 所加切 shā

字解 사당(沙棠)나무 사 '一棠'은 배나무의 일종. 꽃은 붉고, 열매 맛은 자두 비슷한데 씨가 없음. '一棠, 木名, 出崑崙山'《廣韻》.
字源 形聲. 木+沙〔音〕

7
⑪ [條] 高人 조 ㊤蕭 徒聊切 tiáo 条

筆順 亻 亻 ⺅ 攸 攸 悠 條 條

字解 ①가지 조 곁가지. '枝一'. '伐其一枚'《詩經》. ②유자나무 조 운향과에 속하는 상록 교목(喬木). '有一有梅'《詩經》. ③조리 조 맥락. '一貫'. '有一而不紊'《書經》. ④끈 조 노·줄 따위. '喪冠一屬'《禮記》. ⑤줄 조 가늘고 긴 물건을 세는 수사(數詞). '一抹朱絃四十一'《王仁裕》. ⑥법규 조 '一規'. '科一既備, 民多僞態'《戰國策》. ⑦조목 조 '約法爲二十一'《舊唐書》. ⑧조목으로나눌 조 조목별로 함. '一陳'. '一奏毋有所諱'《漢書》. ⑨길 조 짧지 않음. '厥木惟一'《書經》. ⑩멀 조 '一暢乎四'《太玄經》. ⑪가르침 조 '一, 敎也'《廣韻》. ⑫통할 조 통달함. 달함. '一達'. '聲氣遠一'《漢書》. ⑬휘파람불 조 휘파람을 부는 모양. '一其歗矣'《詩經》. ⑭가지칠 조 가지를 절단함. '蠶月一桑'《詩經》. ⑮동북풍 조 동북쪽에서 부는 바람. 팔풍(八風)의 하나. '一風自是出'《山海經》. ⑯성 조 성(姓)의 하나.
字源 甲骨文 篆文 形聲. 木+攸〔音〕. '攸유'는, 사람의 등에, 줄기를 이루어 흐르는 물을 끼얹어 씻음의 뜻. 나무의 줄기를 이루는 부분, 작은 가지의 뜻을 나타냄.

[條柯 조가] 가지. 나뭇가지. 지가(枝柯).
[條綱 조강] 조리(條理)와 강기(綱紀).
[條件 조건] ㉠사건의 조목(條目). ㉡규정(規定)한 사항. 규약한 일.
[條決 조결] 조리(條理)를 밝혀 결정함.
[條貫 조관] 조리(條理).
[條款 조관] ㉠조규(條規). ㉡조목(條目).
[條規 조규] 조문(條文)으로 된 규정.
[條達 조달] ㉠나뭇가지가 자라는 것같이 사방으로 퍼져 통함. ㉡팔찌.
[條對 조대] 조목조목 들어 대답함.
[條列 조렬] 조열(條列).
[條例 조례] 조목조목 나눈 규례.
[條理 조리] 사물의 가닥, 또는 경로. 맥락(脈絡).
[條枚 조매] 가지와 줄기. 지간(枝幹).
[條目 조목] 여러 가닥으로 나눈 항목.
[條文 조문] 조목으로 나누어 적은 글.
[條白 조백] 조리를 세워 일을 명백하게 함.
[條法 조법] 법. 법규(法規).
[條分 조분] 조목으로 나눔.
[條分縷析 조분누석] 이로(理路) 정연하게 세분(細分)하여 분석함.
[條寫 조사] 조목별로 쓰거나 베낌.
[條序 조서] 차례. 질서(秩序).
[條析 조석] 조리를 따져 분석함.
[條約 조약] ㉠조문(條文)으로 된 약속. ㉡나라와 나라와의 합의(合議)에 의하여 국제간(國際間)의 권리와 의무(義務)를 설정하는 계약, 또는 그 조문.
[條列 조열] 조목조목 열거(列擧)함.
[條制 조제] 법률(法律)의 조목.
[條條 조조] ㉠질서가 잡힌 모양. ㉡정체(停滯) 없이 도는 모양. ㉢줄마다. 모든 줄이. ㉣가지마다. 모든 가지가. ㉤어지러운 모양.
[條奏 조주] 조목별로 써서 상주(上奏)함.
[條枝 조지] 가지.
[條陳 조진] 조목별로 써서 진술함.
[條鬯 조창] 조창(條暢).
[條暢 조창] 평안(平安)하고 느긋함.
[條風 조풍] 동북방에서 불어오는 바람. 동북풍(東北風).
[條項 조항] 조목(條目).
[條彙 조휘] 조목의 분류.
◉柯條. 綱條. 箇條. 枯條. 科條. 敎條. 金科玉條. 禁條. 嫩條. 別條. 常條. 線條. 纖條. 細條. 蕭條. 修條. 信條. 新條. 柳條. 章條. 前條. 正條. 政條. 詔條. 枝條. 鐵條. 逐條. 朽條.

8
⑫ [森] 人名 삼 ㊤侵 所今切 sēn 

[筆順] 一 十 木 木 本 杢 柰 森 森

[字解] ①나무 빽빽할 삼 '一羅'. '蕭一繁茂'《潘岳》. ②성할 삼 무성한 모양. 또는, 왕성한 모양. '鬱一'. '一奉璋以階列'《潘岳》. ③오싹할 삼 무섭거나 차가워 움츠러지는 모양. '山氣一岑入葛衣'《元好問》. ④늘어설 삼 벌이어 섬. '一列'. '衆星燦然一'《梅堯臣》. ⑤우뚝솟을 삼 치솟음. '松一上曾雲, 柏踞抱幽石'《范成大》. ⑥축 늘어질 삼 '蜛蝫一衰以垂翹'《郭璞》. ⑦많을 삼 '百神一其備從兮'《後漢書》. ⑧성 삼 성(姓)의 하나.

[字源] 甲骨文 篆文 形聲. 세 개의 '木목'으로, 나무가 많은 곳, '숲'의 뜻을 나타냄.

[森羅 삼라] 나무가 무성하게 늘어섬.
[森羅萬象 삼라만상] 우주 사이에 존재하는 일체(一切)의 사물과 현상.
[森列 삼렬] 죽 늘어섬.
[森林 삼림] 나무가 많이 난 곳. 숲.
[森立 삼립] 빽빽하게 들어서 있음.
[森壁 삼벽] 길게 연(連)한 낭떠러지.
[森敷 삼부] 삼포(森布).
[森森 삼삼] ㉠높이 솟은 모양. ㉡수목이 배게 들어서 무성한 모양.
[森竦 삼송] 우거져 치솟음. 한데 모아 우뚝 솟음.
[森竪 삼수] 곤두섬.
[森嚴 삼엄] 정제하고 엄숙함. 장엄함.
[森然 삼연] ㉠나무가 배게 들어서 무성(茂盛)한 모양. ㉡죽 늘어선 모양. ㉢삼엄(森嚴)한 모양.
[森蔚 삼위] 수목이 빽빽이 우거진 모양.
[森岑 삼잠] 몸이 오싹하도록 추운 모양. 음랭(陰冷)한 모양.
[森挺 삼정] 높이 빼어난 모양.
[森萃 삼췌] 컴컴할 정도로 빽빽이 우거짐.
[森翠 삼취] 빽빽이 우거진 수목(樹木)의 푸르름.
[森布 삼포] 연하여 죽 늘어섬.
[森閑 삼한] 고요한 모양.
◉凜森. 疎森. 蕭森. 嚴森. 鬱森. 林森. 淸森.

8 ⑫ [棼] 분 [平]文 符分切 fén

[字解] ①들보 분 짧은 들보. ②삼베 분 마포(麻布). '素車一蔽'《周禮》. ③어지러울 분, 어지럽힐 분 문란함. 문란하게 함. '一一'. '猶治絲而一之也'《左傳》. ④누각 분 높고 큰 집. 전각(殿閣). '一, 閣也'《廣雅》.

[字源] 篆文 形聲. 林+分〔音〕. '分분'은 '갈라지다'의 뜻. 나무가 갈라져 버려 정리되지 않고 어지럽다의 뜻을 나타냄.

[棼棼 분분] 어지러운 모양.

8 ⑫ [棽] [人名] [一]림 [平]侵 犂沈切 lín [二]침 [平]侵 丑林切 chēn

[字解] [一] 무성할 림 나뭇가지가 우거진 모양. '鳳蓋一麗'《班固》. [二] 뒤덮일 침 [一]과 뜻이 같음.

[字源] 篆文 形聲. 林+今〔音〕

[棽麗 임려] 나뭇가지가 무성한 모양. 전(轉)하여, 덮어 가린 모양.

8 ⑫ [棗] [人名] 조 ㊤晧 子皓切 zǎo

[字解] ①대추나무 조 갈매나뭇과의 낙엽 교목(落葉喬木). 과목(果木)의 하나. ②대추 조 대추나무의 열매. '婦摯, 舅用一栗'《儀禮》. ③성 조 성(姓)의 하나.

[字源] 篆文 會意. 朿+朿. '朿자'는 '가시'의 뜻. 가시가 많은 대추나무의 뜻을 나타냄.

◉乾棗. 酸棗. 肉棗. 李棗. 樗棗.

8 ⑫ [棘] [人名] 극 [入]職 紀力切 jí

[字解] ①가시나무 극 가시가 있는 초목(草木). '一茨'. '凡草木刺人, 江湘之閒, 謂之一'《揚子方言》. ②멧대추나무 극 대추나무의 일종. '園有一'《詩經》. ③가시 극, 침 극 가시. 바늘. '一, 箴也'《廣雅》. ④창 극 무기의 하나. '一門'. '拔一以逐之'《左傳》. ⑤감옥 극 '係用徽纆, 寘于叢一'《易經》. ⑥꾸밀 극, 늘어놓을 극 '啓一賓商'《楚辭》. ⑦빠를 극 亟(二部 七畫)과 통용. '玁狁孔一'《詩經》. ⑧야윌 극 파리함. '一者欲肥, 肥者欲一'《呂氏春秋》. ⑨성 극 성(姓)의 하나.

[字源] 篆文 會意. 朿+朿. '朿자'는, 가시가 돋친 나무를 본뜬 모양. 가시가 있는 나무, '가시나무'의 뜻을 나타냄.

[棘鬣魚 극렵어] 도미.
[棘籬 극리] 가시나무 울타리.
[棘門 극문] 창(槍)을 여러 개 죽 세운 문.
[棘矢 극시] 가시나무로 만든 화살.
[棘院 극원] 극위(棘圍).
[棘圍 극위] 문과(文科)의 과거(科擧)를 보는 장소. 과장(科場). 사방에 가시나무를 둘렀으므로 이름.
[棘人 극인] 친상중(親喪中)에 있는 사람의 자칭(自稱).
[棘刺 극자] 가시.
[棘茨 극자] 가시나무. 형극(荊棘).
[棘針 극침] ㉠가시. ㉡살을 에는 듯한 찬바람의 형용.
◉艱棘. 槐棘. 九棘. 杞棘. 蒙棘. 列棘. 棫棘. 姿棘. 枳棘. 草棘. 楚棘. 叢棘. 險棘. 荊棘.

8 ⑫ [楚] 〔초〕 楚(木部 九畫〈p. 1082〉)의 俗字

8 ⑫ [椐] 거 [平]魚 九魚切 jū 去魚切

[字解] ①느티나무 거 柜(木部 五畫)·欅(木部 十七畫)와 통용. ②영수목(靈壽木) 거 대나무 비슷하며, 마디가 있는 나무 이름. 지팡이로 씀. '其檉其一'《詩經》. ③따를 거 '一一'는 따르는 모양. '一一彊彊'《枚乘》. ④울짱 거 '疎籬, 靑徐曰一'《釋名》.

[字源] 篆文 形聲. 木+居〔音〕. '居거'는 '굽다'의 뜻. 마디가 있고 구부러진 나무, '영수목(靈壽木)'의 뜻을 나타냄.

8 ⑫ [棙] [一]유 [平]支 儒隹切 ruǐ [二]위 [平]支 邕危切 wēi

[字解] [一] 두릅나무 유 梜(木部 七畫)와 同字. [二] 굽정이 위 호미〔鋤〕의 일종. '一, 田器'《集韻》.

8 ⑫ [棅] [人名] 병 [去]敬 陂病切 bìng
[上]梗 補永切

[筆順] 一 十 木 木' 木'' 木ᆿ 梀 棅

[字解] 자루 병 柄(木部 五畫)과 同字. '權數之一, 吾已得聞之矣'《管子》.

[字源] 柄의 別體 棅 形聲. 木+秉〔音〕. '秉병'은 '잡다'의 뜻. 손으로 잡다, '자루'의 뜻을 나타냄.

8 ⑫ [棔] 혼 [平]元 呼昆切 hūn

[字解] 자귀나무 혼 콩과에 속하는 낙엽 교목. 합환목(合歡木). '合一, 木名, 一名, 合歡'《廣韻》.

[字源] 形聲. 木+昏〔音〕

8 ⑫ [棉] [人名] 면 [平]先 武延切 mián

[筆順] 一 十 木 木' 木门 木白 棉 棉

[字解] ①목화 면 무궁화과에 속하는 초본(草本), 또는 목본(木本). 열매를 싼 섬유로 면사(綿絲)를 만듦. '木一'. '交趾安定縣有木一樹'《張勃》. ②서까래 면 '一, 屋聯一'《廣韻》.

[字源] 會意. 木+帛. '帛백'은 '깁'의 뜻. 깁을 만드는 '목화'의 뜻을 나타냄.

[棉布 면포] 무명.
[棉花 면화] 솜.
◉木棉. 米棉. 印棉. 草棉.

8 ⑫ [棌] [人名] 채 [上]賄 此宰切
[去]隊 倉代切 cǎi

[字解] 참나무 채 떡갈나무·상수리나무 등의 총칭. '一椽不刮'《史記》.

[字源] 形聲. 木+采〔音〕

[棌椽不刮 채연불괄] 산에서 베어 와서 다듬지 않고 얹은 서까래. 일설(一說)에, 채(棌)는 채(採)와 통함.

8 ⑫ [㭿] 앙 [平]陽 魚剛切 áng

[字解] 추녀 앙 '飛一'은 추녀. 처마의 귀. '屋斜角謂之飛一'《類篇》.

8 ⑫ [棍] [人名] [一] 혼 [上]阮 胡本切 hùn
[二] 곤 [去]願 古困切 gùn

[字解] [一] 묶을 혼 동여맴. '一申椒與菌桂兮'《漢書》. [二] ①몽둥이 곤, 곤장 곤 '一棒'. '杖無首尾, 以堪撻人, 曰一'《品字箋》. ②악한(惡漢) 곤 무뢰한. '里言謂之打一'《李紳》.

[字源] 形聲. 木+昆〔音〕. '昆곤'은 발이 많은 곤충의 象形. 많은 나무를 묶다의 뜻을 나타냄.

[棍徒 곤도] 무뢰배(無賴輩).
[棍棒 곤방] 이십사반 무예(二十四般武藝)의 한 가지. 또, 이 무예에 쓰는 막대기.
[棍棒 곤봉] ㉠방망이. 몽둥이. ㉡체조용 기구.
[棍杖 곤장] 죄인의 볼기를 치는 몽둥이.
◉柴棍. 惡棍. 遊棍.

8 ⑫ [棕] [人名] 종 [平]東 子紅切 zōng

[筆順] 一 十 木 木' 木宀 木宀 棕 棕

[字解] 종려나무 종 '一櫚'는 야자과에 속하는 상록 교목(常綠喬木). 큰 잎은 부채살처럼 째졌으며, 노르스름하면서 잔 꽃은 종어(棕魚)라 하여 요리(料理)에 씀. 椶(木部 九畫)과 同字.

[字源] 形聲. 木+宗〔音〕

[棕櫚 종려] 자해(字解)를 보라.
[棕魚 종어] 종려나무의 꽃. 자해(字解)를 보라.

8 ⑫ [棆] 륜 [平]眞 力迍切 lún

[字解] 나무이름 륜 녹나무 비슷한 나무의 이름. '一, 梗屬, 似豫章'《爾雅 註》.

[字源] 篆文 棆 形聲. 木+侖〔音〕

8 ⑫ [棒] [人名] 봉(방[本]) [上]講 步項切 bàng
[去]漾 蒲浪切 bàng

[筆順] 一 十 木 木' 木ᆖ 栐 椿 棒

[字解] ①몽둥이 봉 '棍一'. '人馬逼戰, 刀不如一'《魏書》. ②칠 봉 몽둥이로 침. '赤棒一之'《北齊書》.

[字源] 形聲. 木+奉〔音〕. '奉봉'은 '받들어 가지다'의 뜻. 추켜올리는 나무, '지팡이, 치다'의 뜻을 나타냄.

[棒喝 봉갈] 선가(禪家)의 문답(問答)에서 깨닫지 못하는 사람을 몽둥이로 때리거나 큰 소리로 꾸짖는 수행(修行).
[棒球 봉구] 야구(野球).
◉敲棒. 棍棒. 突棒. 三十棒. 杖棒. 鐵棒. 痛棒.

8 ⑫ [棎] 섬 [平]鹽 視占切 chán

[字解] 나무이름 섬 과수(果樹)의 이름. 배나무 비슷함. '一榴禦霜'《左思》.

8 ⑫ [棓] [一] 봉(방[本]) [上]講 步項切 bàng
[去]漾 蒲浪切
[二] 부 [上]有 普后切 pǒu

[字解] [一] ①몽둥이 봉, 지팡이 봉 棒(前前條)과 同字. '持一白一'《周書》. ②도리깨 봉 곡식을 두드려 떠는 농구. '僉, …自關而西, 謂之一'《方言》. ③칠 봉 몽둥이로 침. '以次一殺'《魏志》. [二] 발판 부 높은 곳에 올라가기 위하여 설치하여 놓은 널. '踊于一而窺客'《公羊傳》.

[字源] 篆文 棓 形聲. 木+音〔音〕

◉巨棓. 白棓.

8 ⑫ [棖] 정 [平]庚 直庚切 chéng

[字解] ①문설주 정 문미(門楣)와 문지방 사이의 문의 양편에 세운 기둥. '大夫中—與闑之閒'《禮記》. ②기둥 정 지팡이. '—, 杖也'《說文》. ③멈출 정 '—, 止也'《廣雅》. ④따를 정 '—, 隨也'《揚子方言》. ⑤칠 정 때림. '以物—撥之, 應手灰滅'《謝惠連》.
[字源] 篆文 形聲. 木+長〔音〕. '長장'은 '길다'의 뜻. 긴 나무, 곧 '기둥'의 뜻을 나타냄.

[棖棖 정정] 현악기(絃樂器)를 치는 소리.

8 ⑫ **[棙]** 려 [去]霽 郎計切 lì

[字解] ①채 려 비파를 타는 채. '琵琶, 其撥曰—'《集韻》. ②태엽 려 용수철 장치. '彫木爲鸞鶴, 置機—于腹中'《廣記》. ③비틀 려 되돌림. '—手覆羹'《韓愈》.
[字源] 形聲. 木+戾〔音〕

◉機棙. 關棙.

8 ⑫ **[棝]** 고 [去]遇 古暮切 gù / [上]麌 果五切

[字解] 쥐덫 고 쥐를 잡는 틀. '—斗, 可射鼠'《說文》.
[字源] 篆文 形聲. 木+固〔音〕

8 ⑫ **[棚]** [人名] 붕 [平]庚 薄庚切 péng / [平]蒸 步崩切

[字解] ①시렁 붕 물건을 얹는 두 개의 장나무. '書—'. '爲乞巧—'《東京歲時記》. ②잔교 붕 나무를 건너질러 놓은 다리. '—棧' '治戰—雲橋'《唐書》. ③누각 붕 관람하기 위하여 세운 바라크식(式)의 건물. '—屋拉然有聲'《輟耕錄》.
[字源] 篆文 形聲. 木+朋〔音〕. '朋붕'은 '凡범'과 통하여, '확산(擴散)하다'의 뜻. 나무를 짜 맞춰서 건너질러 인공적으로 넓혀 만들어진 평면인 '시렁'의 뜻을 나타냄.

[棚棧 붕잔] 잔교(棧橋).
◉高棚. 山棚. 書棚. 涼棚. 帳棚. 戰棚. 彩棚.

8 ⑫ **[棜]** 어 [去]御 依倨切 yù

[字解] 가자(架子) 어 술그릇 및 기타 음식을 올려놓고 나르는 판판한 판자. 가자. '大夫側尊用—'《禮記》.

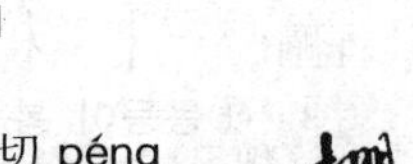
[棜]

[字源] 形聲. 木+於〔音〕

8 ⑫ **[棟]** [人名] 동 [去]送 多貢切 dòng 栋

[筆順] 一 十 木 木 朩 栢 棟 棟

[字解] ①마룻대 동 집의 용마루 밑에 서까래가 걸치게 된 나무. '上—'. '—折榱崩'《左傳》. 전(轉)하여, 중요한 인물의 비유. '—梁'. '養吾—也'《國語》. ②용마루 동 옥척(屋脊). '—隆. 吉'《易經》. ③성 동 성(姓)의 하나.
[字源] 篆文 形聲. 木+東〔音〕. '東동'은 '重중'과 통하여, '무겁다'의 뜻. 집 가운데에서 가장 무게가 실리는 중요 부분, '마룻대'의 뜻.

[棟幹 동간] 마룻대가 될 만한 재목. 전(轉)하여, 뛰어난 재능.
[棟梁 동량] ㉠마룻대와 들보. ㉡중임(重任)을 맡은 사람. 국가의 중신(重臣). 한 파(派)의 영수(領袖). ㉢중임(重任). 양동(梁棟).
[棟梁之器 동량지기] 중임(重任)을 맡을 만한 기량(器量).
[棟梁之材 동량지재] 마룻대와 들보가 되는 재목이란 뜻으로, 중임(重任)을 맡을 만한 인재(人材).
[棟甍 동맹] 마룻대 위에 얹는 기와. 전(轉)하여, 최고의 중요한 인물.
[棟宇 동우] 용마루와 처마. 마룻대와 처마. 전(轉)하여, 집. 가옥(家屋).
[棟折榱崩 동절최붕] 마룻대가 부러지면 서까래가 무너진다는 뜻으로, 위에 있는 사람이 망하면 아래에 있는 사람까지도 망함을 이름.
◉巨棟. 高棟. 國棟. 累棟. 文棟. 病棟. 複棟. 飛棟. 梁棟. 楹棟. 屋棟. 雲棟. 隆棟. 藻棟. 汗牛充棟.

8 ⑫ **[棣]** [一] 체 [去]霽 特計切 dì, ②tì / [二] 태 [去]隊 徒對切 dài

[字解] [一] ①산앵두나무 체 앵둣과에 속하는 낙엽관목(落葉灌木). 당체(棠棣). 산이스랏나무. '常—, —'《爾雅》. ②통할 체 유통함. '萬物—通'《漢書》. ③성 체 성(姓)의 하나. [二] 익숙할 태 '威儀——, 不可選也'《詩經》.
[字源] 篆文 形聲. 木+隶〔音〕. '隶이·대'는 앞 사람을 뒤에서 따라붙는 뜻으로, 차례로 줄지어 있음의 뜻. 꽃이 죽 잇달아 있는 나무, '산앵두나무'의 뜻을 나타냄.

[棣棠 체당] 죽도화나무.
[棣鄂之情 체악지정] 형제(兄弟)의 두터운 우애(友愛). 만발(滿發)하여 화미(華美)한 산앵두나무 꽃에 견준 말임.
[棣通 체통] 서로 상통함.
[棣華 체화] ㉠산앵두나무 꽃. ㉡형제(兄弟). 체악지정(棣鄂之情) 참조.
[棣棣 태태] 위의(威儀)에 익숙한 모양. 숙달(熟達)한 모양.
◉唐棣. 棠棣. 常棣. 赤棣. 青棣.

8 ⑫ **[椄]** [一] 삽 [入]洽 色甲切 shà / [二] 첩 [入]葉 疾葉切 jié

[字解] [一] 나무결일어날 삽 나무의 결이 일어나는 모양. '—, 木理起貌'《集韻》. [二] 접할 첩 닿음. '—, 接也'《篇海》.

8 ⑫ **[棧]** [人名] [一] 잔 [上]潸 士限切 zhàn / [二] 전 [平]眞 鋤臻切 chén 栈

[字解] [一] ①잔교 잔 험한 골짜기에 나무로 건너질러 놓은 다리. '燒絕—道'《史記》. ②창고 잔 화물 창고. '貨—'. ③장선 잔 마루 밑에 가로 댄 마루청의 받침목. '編之以阜—'《莊子》. ④

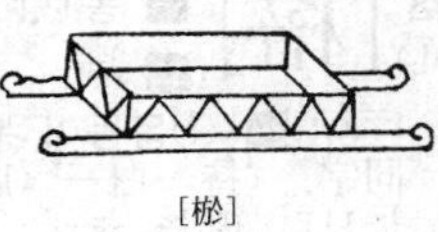

주막 잔 여인숙. 여관. '一房'. ⑤우리 잔 짐승을 기르는 곳. 울. '羊一雞塒接'《劉弇》. ⑥장강틀 잔 관(棺)을 메는 틀. '賓奠幣于一左服'《儀禮》. ⑦쇠북 잔 음악용의 작은 종. '大鐘謂之鏞, 小者謂之一'《爾雅》. ⑧성 잔 성(姓)의 하나. [二] 성할 전 물건이 많아 성(盛)한 모양. '叢棘一一'《漢書》.

[字源] 篆文 形聲. 木+戔〔音〕. '戔전'은 얇고 평평하게 깎아 냄의 뜻. 나무를 평평하게 늘어놓은 잔교(棧橋)의 뜻을 나타냄.

[棧閣 잔각] 잔도(棧道).
[棧車 잔거] 죽목(竹木)을 통째로 써서 만든, 가죽을 대거나 칠을 하지 않은 수레. 사인(士人)이 탐.
[棧徑 잔경] 잔도(棧道).
[棧橋 잔교] 《韓》 ㉠잔도(棧道). ㉡부두(埠頭)에서 선박에 걸쳐 놓아 오르내리게 된 다리.
[棧道 잔도] 산골짜기에 높이 건너질러 놓은 다리.
[棧房 잔방] ㉠창고. 곳집. ㉡주막. 여관.
[棧雲 잔운] ㉠구름을 헤치고 들어가는 것 같은 높은 산길. ㉡잔도(棧道) 부근에 뜬 구름.
[棧棧 전전] ㉠물건이 많아 성(盛)한 모양. ㉡초목이 무성한 모양.
◉劍棧. 曲棧. 斷棧. 磴棧. 馬棧. 棚棧. 飛棧. 石棧. 羊棧. 梁棧. 雲棧. 危棧. 虹棧. 朽棧.

8 ⑫ [榙] [一] 탑 ㊇合 他合切 tà [二] 답 ㊇合 達合切 tà

[字解] [一] 주두 탑, 대접받침 탑 '一, 柱斗謂之一'《類篇》. [二] 주두 답, 대접받침 답 [一]과 뜻이 같음.

8 ⑫ [棫] 역 ㊇職 雨逼切 yù

[字解] 두릅나무 역 두릅나뭇과에 속하는 낙엽 관목(落葉灌木). 잎·뿌리·열매는 건위제(健胃劑)로 씀. 일설(一說)에는, 떡갈나무〔柞〕. '瑟彼柞一'《詩經》.

[字源] 金文 篆文 形聲. 木+或〔音〕

8 ⑫ [棬] 권 ①②㊥先 丘圓切 quān ③㊥元 九元切 juàn

[字解] ①나무그릇 권 나무를 휘어 만든 둥근 그릇. '能順杞柳之性, 而以爲桮一乎'《孟子》. ②힘쓸 권 捲(手部 八畫)과 통용. '一一乎, 后之爲人也'《呂氏春秋》. ③코뚜레 권 '五尺童子引其一'《呂氏春秋》.

[字源] 形聲. 木+卷〔音〕. '卷권'은 '구부리다'의 뜻.

[棬樞 권추] 나무를 휘어 만든 문의 지도리라는 뜻으로, 가난한 집을 이름.

8 ⑫ [椈] 엄 ㊤琰 衣儉切 yǎn

[字解] 능금나무 엄 능금나무의 일종.

8 ⑫ [棰] 추 ㊤紙 主縈切 chuí

[字解] ①매 추 때리는 휘추리. 회초리. '一楚之下, 何求不得'《漢書》. ②매질할 추, 칠 추 '薄腊曰脯, 一之而施薑桂'《周禮註》.

[字源] 形聲. 木+垂〔音〕. '垂수'는 '늘어지다'의 뜻. 손에서 늘어뜨려져 있는 '지팡이, 회초리'의 뜻을 나타냄.

[棰楚 추초] 매. 회초리.
◉笞棰.

8 ⑫ [棱] 릉 ㊥蒸 魯登切 léng

[字解] ①모 릉 ㉠모서리. '廉一'. '上觚一而棲金雀'《班固》. ㉡규각(圭角). 모난 성질. '剛一疾惡'《後漢書》. ②위엄 릉 서슬. 신령의 위엄. '威一憺乎列國'《漢書》.

[字源] 篆文 形聲. 木+夌〔音〕. '夌릉'은 산처럼 모가 남의 뜻. 모퉁이, 귀퉁이, 뾰족이 내민 곳의 뜻을 나타냄.

[棱棱 능릉] 모가 난 모양. 세력(勢力)이 있는 모양.
◉剛棱. 觚棱. 摸棱. 眉棱. 兵棱. 鋒棱. 嚴棱. 廉棱. 雄棱. 威棱. 衣棱. 風棱.

8 ⑫ [棡] 강 ㊥陽 居郎切 gāng

[字解] ①울가로나무 강 울짱이나 토담의 가로 댄 나무. '一, 横牆木'《玉篇》. ②강(棡)나무 강 교목(喬木)의 하나. '一, 高木也'《篇海》.

[字源] 形聲. 木+岡〔音〕

8 ⑫ [棲] [人名] 서 ①-③㊥齊 先稽切 qī ④-⑥㊦霽 思計切 栖

[筆順] 一 十 木 朩 枦 桂 棲 棲 棲

[字解] ①깃들일 서 보금자리에서 삶. '雞一于塒'《詩經》. ②살 서 머물러 삶. '一息'. '衡門之下, 可以一遲'《詩經》. ③쉴 서 휴식함. '心一淸虛之域'《蔡邕》. ④집 서 주거(住居). '山林隱遁一'《郭璞》. ⑤보금자리 서 새집. '鳴鳳無卑一'《孟郊》. ⑥잠자리 서 '二嫂使治朕一'《孟子》.

[字源] 西의 別體 形聲. 木+妻〔音〕. '妻처'는, '私사'와 통하여, 아주 조용하다의 뜻. 새가 나무에서 조용히 쉬고 있다, 살다의 뜻을 나타냄.

[棲居 서거] 주거(住居). 집.
[棲禽 서금] 나무에서 사는 새. 나무 위에 있는 새.
[棲遁 서둔] 세상을 등지고 삶. 은거(隱居).
[棲伏 서복] 뜻을 얻지 못하여 은거(隱居)하고 있음. 민간(民間)에 있음.
[棲棲 서서] ㉠거마(車馬)를 검열(檢閱)하는 모양. ㉡바쁘고 안정(安定)되지 아니한 모양.
[棲屑 서설] 왕래(往來)하는 모양.
[棲宿 서숙] 서식(棲息) ㉠.
[棲息 서식] ㉠동물(動物)이 어떤 곳에 삶. ㉡삶. 생존함.
[棲神之域 서신지역] 분묘(墳墓)의 경칭(敬稱).
[棲偃 서언] 세상을 피하여 숨어 삶.
[棲隱 서은] 세상을 피하여 삶. 은거(隱居)함.
[棲止 서지] 삶. 머무름.
[棲遲 서지] 은퇴(隱退)하여 삶. 놀며 지냄. 유식(游息).

◉鷄棲. 故棲. 高棲. 羈棲. 單棲. 同棲. 鳳棲. 山居木棲. 山棲. 水棲. 宿棲. 雙棲. 嚴棲. 良禽相木棲. 幽棲. 隱棲. 林深鳥棲. 特棲.

8 ⑫ [棷] [一] 추 [平]尤 側鳩切 zōu [二] 수 [上]有 蘇后切 sǒu

[字解] [一] 섶 추 섶나무. [二] 늪 수, 수풀 수 藪(艸部 十五畫)와 同字. '鳳凰麒麟, 皆在郊—'《禮記》.

[字源] 篆文 形聲. 木+取〔音〕. '取취'는 취(取)하여 거둠의 뜻. 취하여 거두는 땔나무의 뜻을 나타냄.

8 ⑫ [棹] [高人] [一] 도(조[本]) [去]效 直教切 zhào [二] 탁 [入]覺 直角切 zhuō

[字解] [一] ①노 도 배를 젓는 기구. '一聲'. '驚—逐驚流'《謝靈運》. ②노저을 도 '或命巾車, 以—孤舟'《陶潛》. [二] 책상 탁 '一, 倚卓也'《正字通》.

[字源] 形聲. 木+卓〔音〕. '卓탁'은 높이 뛰어오르다의 뜻. 배를 나아가게 하기 위하여, 높이 올렸다가 미는 장대의 뜻을 나타냄.

[棹歌 도가] 도창(棹唱).
[棹郞 도랑] 뱃사공.
[棹聲 도성] ㉠노 젓는 소리. ㉡도창(棹唱).
[棹唱 도창] 배를 저으며 노래함. 또, 뱃노래.
◉幾棹. 倚棹.

8 ⑫ [⿰木咎] [一] 고 [平]豪 古勞切 gāo [二] 구 [上]有 巨九切 gāo

[字解] [一] ①두레박 고 槹(木部 十一畫)와 同字. ②거망옻나무 고 옻나뭇과의 낙엽 교목. '—, —木也'《說文》. [二] 두레박 구, 거망옻나무 구 [一]과 뜻이 같음.

[字源] 篆文 形聲. 木+咎〔音〕

8 ⑫ [棺] [人名] 관 ①[平]寒 古丸切 guān ②[去]諫 古玩切 guàn

[字解] ①널 관 관. '一槨'. '有虞氏瓦—'《禮記》. ②입관할 관 시체를 관에 넣음. '—而出之'《左傳》.

[字源] 篆文 形聲. 木+官〔音〕. '官관'은 '둘러싸다'의 뜻. 사체(死體)를 감싸서 밖으로 둘러싸는 관의 뜻을 나타냄.

[棺蓋 관개] 관을 덮는 베.
[棺槨 관곽] 관(棺)과 곽(槨). 속널과 겉널.
[棺柩 관구] 관(棺).
[棺櫝 관독] 관곽(棺槨).
[棺材 관재] 관곽(棺槨)을 만드는 재목(材木).
[棺板 관판] 관재(棺材).
◉蓋棺. 空棺. 椁棺. 石棺. 入棺. 出棺.

8 ⑫ [棿] [一] 예 [平]齊 五稽切 ní [二] 얼 [入]屑 倪結切 niè

[字解] [一] 끌채끝 예 멍에를 끌채에 잇는 나무. 輗(車部 八畫)와 同字. [二] 위태할 얼 위태한 모양. 불안한 모양. '圜方杌—'《太玄經》.

8 ⑫ [棪] 염 [上]琰 以冉切 yǎn [平]鹽 余廉切

[字解] ①나무이름 염 붉은 대추 비슷한 열매가 열림. '堂庭之山, 多—木'《山海經》. ②재염(梓棪)나무 염 큰 나무의 일종. '梓—, 樹大十圍. 材貞勁, 非利剛截不能剋. 堪作船. 其實類棗'《異物志》.

[字源] 篆文 形聲. 木+炎〔音〕

8 ⑫ [椀] [人名] 완 [上]旱 烏管切 wǎn

[字解] 주발 완 음식을 담는 작은 식기. 공기 따위. '一器'. '木—盛之'《北史》.

[字源] 形聲. 木+宛〔音〕. '宛'은 낭창낭창하게 굽다의 뜻. 나무로 만든 둥근 식기, 공기의 뜻을 나타냄.

[椀器 완기] 주발·공기 같은 작은 식기(食器).
◉金椀. 木椀. 玉椀. 汁椀.

8 ⑫ [椄] 접 ①[入]葉 卽葉切 jiē ②[入]葉 疾葉切 jié

[字解] ①접붙일 접 접목(接木)함. ②형틀 접 형구(刑具). '桁楊—槢'《莊子》.

[字源] 篆文 形聲. 木+妾〔音〕. '妾첩'은, '다가붙다'의 뜻. 나무를 한데 이어 붙이다의 뜻을 나타냄.

[椄槢 접습] 형틀. 형구(刑具).

8 ⑫ [⿰木肩] 〔계〕 枅(木部 六畫〈p.1063〉)과 同字

8 ⑫ [棯] [一] 임 [上]寢 忍甚切 rěn [二] 심 [上]寢 式荏切 shěn

[字解] [一] 과일이름 임 '一, 果名'《玉篇》. [二] 나무이름 심.

[字源] 形聲. 木+念〔音〕

8 ⑫ [椅] [人名] 의 [平]支 於離切 yī [上]紙 於綺切 yǐ

[字解] ①의나무 의 산유자나뭇과에 속하는 낙엽 교목(落葉喬木). 세공재(細工材)로 씀. '一桐梓漆'《詩經》. 일설(一說)에는, 개오동나무. ②벽오동나무 의 '一, 今人云梧桐, 是也'《字彙》. ③교의 의 의자. '一子'. '一, 坐具'《正字通》.

[字源] 篆文 形聲. 木+奇〔音〕. '奇기'는 '寄기'와 통하여, '다가서다'의 뜻. 기대어 의지하는 교의(交椅)의 뜻. 平聲일 때에는 나무의 이름.

[椅几 의궤] 안석(案席).
[椅子 의자] 걸터앉아 몸을 뒤로 기대는 기구. 교의(交椅).
◉高椅. 雲椅. 靑椅.

8 ⑫ [⿰木曶] 홀 [入]月 呼骨切 hū

[字解] 나무높을 홀 나무가 높은 모양. '一, 高皃'《廣韻》.

[字源] 形聲. 木+曶〔音〕

8 ⑫ [棢] 주 ①②[平]尤 直由切 chóu ③[去]宥 職救切 zhòu

[字解] ①나무이름 주 상록수(常綠樹)의 한 가지. '虎首之山多—椐'《山海經》. ②내이름 주 수명(水名). '自投於—水'《莊子》. ③상앗대 주 '木—'는 배를 젓는 삿대. '木—, 船篙木也'《廣韻》.

[字源] [篆文] 形聲. 木+周〔音〕

8 ⑫ [椔] 〔치〕 椔(木部 九畫〈p. 1090〉)의 俗字

8 ⑫ [椇] 구 [上]麌 俱雨切 jǔ

[字解] ①호깨나무 구 갈매나뭇과에 속하는 낙엽 교목(落葉喬木). 또, 그 열매. '枳—'. '婦人之贄, —·榛·脯·脩·棗·栗'《禮記》. ②적대 구 발이 굽은 은대(殷代)의 적대(炙臺). '殷俎以—'《禮記》.

[字源] 形聲. 木+具〔音〕

[參考] 椇(木部 七畫)는 別字.

8 ⑫ [椈] 국 [入]屋 居六切 jú

[字解] 측백나무 국 편백과(柏科)에 속하는 상록 교목(常綠喬木). '暢臼以—'《禮記》.

8 ⑫ [棪] 삼 [去]陷 所鑒切 shàn

[字解] 차양 삼 처마 끝에 내어 댄 것. '屋東西榮柱外之宇爲—'《六書故》.

8 ⑫ [椋] 량 [平]陽 呂張切 liáng

[字解] 푸조나무 량 느릅나뭇과에 속하는 낙엽 교목(落葉喬木). 자흑색(紫黑色)의 작은 열매는 식용함.

[字源] [篆文] 形聲. 木+京〔音〕

[椋木 양목] 푸조나무. 양자목(椋子木).

8 ⑫ [椌] 강 [平]江 苦江切 qiāng

[字解] 악기이름 강 축(柷)의 작은 것. '鞉鼓—楬'《禮記》.

[字源] [篆文] 形聲. 木+空〔音〕

8 ⑫ [棶] 래 [平]灰 落哀切 lái

[字解] ①푸조나무 래 '卽—'는 느릅나뭇과에 속하는 낙엽 교목. ②송양(松楊)나무 래 '—椋'은 지칫과에 속하는 낙엽 활엽 교목. 여름에 흰 꽃이 피며, 잎이 감나무 잎과 비슷함. '—椋, 木名'《廣韻》.

[字源] 形聲. 木+來〔音〕

8 ⑫ [植] [中人] [一] 식 [入]職 常職切 zhí [二] 치 [去]寘 直吏切 zhí 植

[筆順] 一 十 木 木 杧 枯 植 植

[字解] [一] ①심을 식 ㉠재배함. '—樹'. '東西—松柏'《古詩》. 전(轉)하여, 초목의 총칭. '動—'. '促爾耕, 勗爾—'《柳宗元》. ㉡그곳에 근거를 두게 함. '—民'. '—字'. ②세울 식 곧추세움. 또, 섬. 수립(樹立)함. '—其杖而芸'《論語》. '髮—目裂'《呂氏春秋》. '—虡旗于中'《周禮》. [二] ①감독 치 공사의 감독관. '宋華元爲—巡功'《左傳》. ②둘 치 置(网部 八畫)와 통용. '—璧秉珪'《書經》.

[字源] [篆文] [別體] 形聲. 木+直〔音〕. '直직'은 똑바름의 뜻. 곧추선 나무의 뜻에서, 식물(植物)이나 기둥의 뜻을 나타냄. 또, 곧추세우다의 뜻에서, 나무를 심다의 뜻을 나타냄.

[植木 식목] 나무를 심음. 심은 나무.
[植物 식물] ㉠초목(草木)의 총칭. ㉡동물과 함께 둘로 구분한 생물계(生物界)의 한 부문. 대체로 세포막이 있고 탄소 동화 작용을 함. 세균류(細菌類)·조류(藻類)·양치(羊齒)식물·겉씨식물·속씨식물 등으로 구분함.
[植物學 식물학] 식물(植物)의 구조(構造)·형태·생리(生理)·분류 등에 관한 사항을 연구하는 학문.
[植民 식민] 국민의 일부분을 국외(國外)에 영주(永住)를 목적으로 이주시킴.
[植樹 식수] 식목(植木).
[植藝 식예] 식목(植木).
[植耳 식이] 귀를 기울임. 송이(竦耳).
[植字 식자] 인쇄소에서 활자(活字)를 가지고 원고대로 판(版)을 짬.
[植種 식종] 심음.
◉貇植. 耕植. 灌植. 倒植. 動植. 茂植. 培植. 蕃植. 扶植. 樹植. 蒔植. 列植. 藝植. 誤植. 移植. 淨植. 種植. 播植.

8 ⑫ [椎] [人名] 추 [平]支 直追切 chuí, ⑥zhuī

[字解] ①몽치 추 망치. 방망이. '—鑿'. '袖四十斤鐵—'《史記》. ②칠 추 몽치로 침. '—打'. '引—破之'《戰國策》. ③순박할 추 가식(假飾)이 없음. '樸—少文'《漢書》. ④어리석을 추 우둔함. '皆—魯無能爲者'《蘇軾》. ⑤상투 추 '—, 又—髻'《廣韻》. ⑥등뼈 추 척추골(脊椎骨). '三—下間主胸中熱'《素問》.

[字源] [篆文] 形聲. 木+隹〔音〕. '隹추·최'는 '堆퇴'와 통하여, '높다'의 뜻. 두툼한 나무망치의 뜻을 나타냄.

[椎車 추거] 상고(上古)의 질박한 수레.
[椎擊 추격] 추타(椎打).
[椎魯 추로] 우둔(愚鈍)하여 변통성이 없음.
[椎輪 추륜] ㉠바퀴에 살이 없는 질박한 수레. ㉡사물(事物)의 시초(始初).
[椎埋 추매] 사람을 때려죽이고 파묻어 그 죄적(罪跡)을 감춤.
[椎政 추정] 상고(上古)의 질박(質朴)한 정사(政事).
[椎鑿 추착] 몽치와 끌. 전(轉)하여, 목수(木手)의 연장. 추착(錐鑿).
[椎打 추타] 침. 때림.

[椎破 추파] 몽치로 때려 부숨.
[椎剽 추표] 폭력을 써서 위협함.
◉樸椎. 張良椎. 舂椎. 鐵椎.

8 ⑫ [椏] 아 ㊥麻 於加切 yā

字解 가장귀 아 수목의 분기(分岐). 나무의 아귀. '江東謂樹岐曰一杈'《揚子方言》.
字源 形聲. 木+亞〔音〕

◉樹椏. 杈椏.

8 ⑫ [梁] 량 ㊤養 里養切 liǎng

字解 송진(松津) 량 '一, 松脂也'《類篇》.

8 ⑫ [椐] 굴 ㊀物 渠勿切 jué

字解 그루터기 굴, 토막나무 굴 베어 낸 나무 그루. 자른 나무. '一, 斷木也'《集韻》.

8 ⑫ [椑] ㊀ 비 ①②㊥齊 部迷切 pí ③㊥支 府移切 bēi ㊁ 벽 ㊀陌 房益切 bì

字解 ㊀ ①술통 비 둥근 술통. '都人酒滿一'《袁凱》. ②성 비 성(姓)의 하나. ③감나무 비 과수의 하나. '宜都出大一'《荊州記》. ㊁ 널 벽 관(棺). '三年之戒, 以一從'《禮記》.
字源 篆文 形聲. 木+卑〔音〕. '卑비'는 '작다'의 뜻. 작고도 속된 휴대용의 둥근 술통의 뜻을 나타냄.

◉烏椑. 風字椑.

8 ⑫ [棈] ㊀ 천 ㊦霰 倉甸切 qiàn ㊁ 청 ㊥庚 親盈切

字解 ㊀ 나무이름 천 '一, 木名'《廣韻》. ㊁ 나무이름 청 ㊀과 뜻이 같음.

8 ⑫ [椒] 人名 초 ㊥蕭 卽消切 jiāo

字解 ①산초나무 초 운향과에 속하는 낙엽 관목(落葉灌木). 잎에 특이한 향기가 있으며, 열매는 위약(胃藥)으로 씀. 분디나무 비슷함. '山一', '一聊之實'《詩經》. ②산꼭대기 초 산정(山頂). '菊散芳於山一'《謝莊》. ③향기로울 초 향기가 좋음. '一蘭'. '有一其馨'《詩經》. ④성 초 성(姓)의 하나.
字源 形聲. 木+叔〔音〕

[椒丘 초구] 중앙은 높고, 사방이 무너진 언덕. 일설(一說)에, 산초나무가 나는 언덕.
[椒蘭 초란] ㉠산초나무와 난초. ㉡향기가 좋은 것. ㉢군주(君主)의 친척. ㉣아첨 잘하는 사람을 이름.
[椒房 초방] 초벽(椒壁)을 두른 후비(后妃)의 궁전(宮殿). 전(轉)하여, 후비(后妃).
[椒房之親 초방지친] 후비(后妃)의 친정(親庭)의 겨레. 외척(外戚).
[椒壁 초벽] 산초(山椒) 열매를 섞어 바른 벽. 산초는 열매가 많이 열므로 자손의 번성(繁盛)을 축원하는 뜻으로 바름.
[椒觴 초상] 초주(椒酒).
[椒掖 초액] 초방(椒房).
[椒屋 초옥] 초방(椒房).
[椒庭 초정] 초방(椒房).
[椒酒 초주] 산초(山椒)를 담가 빚은 술.
[椒花頌 초화송] 신년(新年)의 축사(祝詞).
◉芳椒. 夫椒. 山椒. 巖椒. 越椒. 蜀椒. 胡椒.

8 ⑫ [椓] 탁 ㊀覺 竹角切 zhuó

字解 ①칠 탁 ㉠두드림. '一之丁丁'《詩經》. ㉡공격함. '又使一之'《左傳》. ②다질 탁 땅을 쳐 다짐. '一之橐橐'《詩經》. ③궁형 탁 음부를 썩히는 형벌. '劓刖一黥'《書經》. ④내시 탁 환관(宦官). '昏一靡共'《詩經》. ⑤쫄 탁 쪼아 먹음. 啄(口部 八畫)과 통용. '諒不登樔而一螽兮'《曹大家》.
字源 篆文 形聲. 木+豖〔音〕. '豖축'은, 나무망치로 칠 때의 소리를 나타내는 의성어(擬聲語). 나무망치로 치다의 뜻. 전(轉)하여, '손상하다'의 뜻을 나타냄. 또, '豖'의 본뜻은 '거세하다'의 뜻과도 통용됨.

◉昏椓.

8 ⑫ [椊] ㊀ 졸 ㊀月 昨沒切 zuó ㊁ 취 ㊦寘 秦醉切 cuì

字解 ㊀ 장부 졸 재목을 이어 맞출 때 내민 부분. '一杌, 以柄內孔'《廣韻》. ㊁ 나무썩을 취 나무가 썩음. '一, 木朽'《集韻》.
字源 形聲. 木+卒〔音〕

8 ⑫ [棆] 韓 명

字解 《韓》 홈통 명 물이 흐르거나 타고 내리도록 만든 반원형의 긴 물건.

8 ⑫ [棵] ㊀ 관 ㊤旱 苦管切 kuǎn ㊁ 과 ㊤哿 古火切 kē ㊂ 괘 韓

字解 ㊀ 땔나무 관 자른 그대로의 나무. '一, 斷木也'《集韻》. ㊁ 도마 과 도마의 한 가지. '一, 俎名'《集韻》. ㊂ 《韓》 괘 괘 현악기의 현(絃)을 괴는 기둥.
字源 形聲. 木+果〔音〕

8 ⑫ [棤] 효 ㊥肴 何交切 xiáo

字解 치자나무 효 꼭두서닛과의 상록 관목(常綠灌木). '一, 一桃, 梔子也'《廣韻》.

8 ⑫ [栟] 병 ㊥庚 府盈切 bīng

字解 종려나무 병 '一櫚'는 종려(棕櫚)와 뜻이 같음. '訶陵國雖大屋亦覆以一櫚'《唐書》.
字源 篆文 形聲. 木+幷〔音〕

[栟櫚 병려] 종려(棕櫚)나무.

8 ⑫ [椖] 〔방〕
榜(木部 十畫〈p. 1092〉)의 本字

8 ⑫ [椁] 〔곽〕
槨(木部 十一畫〈p. 1104〉)과 同字

[字源] 篆文 形聲. 篆文은 木+𩫖〔音〕. '𩫖곽'은 도시의 외곽의 象形. 나무로 겉을 싼 것, '관(棺)'의 뜻을 나타냄.

8 ⑫ [棤] [一] 석 ㉧陌 思積切
[二] 작 ㉧藥 七約切 cuò

[字解] [一] 나무껍질두꺼울 석 '一, 皮甲錯也'《廣韻》. [二] 나무껍질두꺼울 작 [一]과 뜻이 같음.

8 ⑫ [棞] 〔곤〕
梱(木部 七畫〈p. 1071〉)과 同字

8 ⑫ [検] 〔검〕
檢(木部 十三畫〈p. 1115〉)의 俗字

8 ⑫ [椗] 〔정〕
碇(石部 八畫〈p. 1574〉)의 俗字

8 ⑫ [棋] [人名] 棊(次條)와 同字

[筆順] 一 十 才 木 村 栟 柑 棋 棋

8 ⑫ [棊] 기 ㊥支 渠之切 qí, ③jī

[字解] ①바둑 기 ㉠놀이의 한 가지. '一譜'. '舜造圍一, 丹朱善之'《博物志》. ㉡바둑을 둠. '安一常劣于玄'《晉書》. ②말 기 바둑돌과 장기, 윷 따위의 말로 쓰는 물건. '弈者擧一不定, 不勝其耦'《左傳》. ③근본 기 기본. 토대. '萬物根一'《史記》.

[字源] 篆文 形聲. 木+其〔音〕. '其기'는 '정연(整然)하다'의 뜻. 정연하게 선(線)이 그어진 '장기판'의 뜻을 나타냄.

[棊客 기객] 바둑 두는 사람.
[棊局 기국] 바둑판.
[棊盤 기반] 바둑판.
[棊譜 기보] 바둑 두는 법을 적은 책.
[棊聖 기성] 바둑의 명인(名人).
[棊列 기열] 바둑돌과 같이 죽 늘어섬.
[棊子 기자] 바둑돌.
[棊戰 기전] 바둑을 둠.
[棊峙 기치] 마주 대하여 늘어섬. 여럿이 서로 대치함.
[棊枰 기평] 바둑판.
[棊布 기포] 바둑판에 놓인 바둑돌과 같이 여기저기 무수히 흩어져 있음.
◉國棊. 根棊. 博棊. 象棊. 圍棊. 將棊. 布棊. 弈棊.

8 ⑫ [棐] [人名] 비 ㊤尾 府尾切 fěi

[字解] ①도지개 비 트집 간 활을 바로잡는 기구. '按, 一, 盞弓弩之類'《說文 段注》. ②도울 비 보좌함. '越天一忱辭'《書經》. ③비자나무 비 榧(木部 十畫)와 同字. '見門生一几滑淨作書'《晉書》. ④광주리 비 篚(竹部 十畫)와 同字. '賦入貢一'《漢書》.

[字源] 篆文 形聲. 木+非〔音〕. '非비'는 좌우로 열림의 뜻. 좌우 양쪽에서 덧대는 받침목(木), 도지개의 뜻을 나타내며, 전(轉)하여, '돕다'의 뜻을 나타냄.

◉篤棐.

8 ⑫ [棠] [人名] 당 ㊥陽 徒郞切 táng

[字解] ①팥배나무 당 장미과에 속하는 낙엽 교목(落葉喬木). '甘一'. '一梨'. ②산앵두나무 당 장미과에 속하는 낙엽 관목. 열매는 약재로 쓰임. 산이스랏나무. '一棣'. ③방죽 당 둑. 塘(土部 十畫)과 통용. '遊于一行'《列子》. ④성 당 성(姓)의 하나.

[字源] 篆文 形聲. 木+尙〔音〕.

[棠梨 당리] 팥배나무.
[棠棣 당체] 산앵두나무. 산이스랏나무.
◉甘棠. 錦棠. 落棠. 沙棠. 棣棠. 秋海棠. 海棠.

8 ⑫ [𣘦] 棠(前條)과 同字

8 ⑫ [棻] 〔분〕
梤(木部 七畫〈p. 1067〉)과 同字

[字源] 形聲. 木+芬〔音〕. '芬분'은 '향기'의 뜻.

8 ⑫ [棨] [人名] 계 ㊤薺 康禮切 qǐ

[字解] ①부절(符節) 계 부신(符信). '一者刻木爲合符也'《漢書 注》. ②창 계 '一戟'은 적흑색(赤黑色)의 비단으로 싼 나무창. 군주(君主)의 전구자(前驅者)가 가짐. '一戟遙臨'《王勃》.

[字源] 篆文 形聲. 木+启〈省〉〔音〕. '启계'는 '열다'의 뜻. 열어서 보이는 나무 부절(符節)의 뜻.

[棨戟 계극] 자해(字解)를 보라.
[棨信 계신] 궁중(宮中)을 출입할 때 신표(信標)로 들고 다니는 계극(啓戟).
◉幢棨.

8 ⑫ [棸] 추 ㊥尤 側鳩切 zōu

[字解] 성 추 성(姓)의 하나. '一子內史'《詩經》.

8 ⑫ [棃] 〔리〕
梨(木部 七畫〈p. 1073〉)의 本字

8 ⑫ [栞] 〔간〕
栞(木部 六畫〈p. 1064〉)과 同字

8 ⑫ [椉] 〔승〕
乘(丿部 九畫〈p. 56〉)의 古字

8 ⑫ [棄] [高人] 기 ㊦寘 詰利切 qì 弃

[筆順] 亠 去 杏 奋 奋 垚 查 棄

字解 ①버릴 기 ㉠내버림. '放—'. '—之則如可惜'《後漢書》. ㉡돌보지 아니함. '鼠壤有餘蔬而—妹, 不仁也'《莊子》. ㉢잊어버림. '其庸可—乎'《左傳》. ㉣물리침. 배척함. '不安職則—'《荀子》. ②폐할 기 폐기됨. 스러짐. '水官—矣'《左傳》.

字源 甲骨文 [glyph] 甲骨文 [glyph] 金文 [glyph] 篆文 [glyph] 古文 [glyph] 籀文 [glyph] 會意. 甲骨文은, 子＋其＋廾＋기타. 기타의 부분은 분명치 않으나 '其기'는 키〔箕〕의 象形. '廾'는 양손을 본뜬 모양. 태어난 아이를 키에 얹어 버리는 모양에서, '버리다'의 뜻을 나타냄. 篆文은, 廾＋華＋㐬〈省〉. '華필'은 쓰레기를 밀어제치는 도구의 象形. 이 도구를 손에 든 채 아이를 버림의 뜻을 나타냄.

[棄却 기각] ㉠버림. 내버림. ㉡법원(法院)에서 수리한 소송을 심리한 결과, 그 이유가 없거나 절차·기간 등을 어긴 것을 도로 물리치는 일.
[棄甲曳兵而走 기갑예병이주] 갑옷을 벗어 버리고 무기(武器)를 질질 끌고 도망감. 패군(敗軍)의 형용(形容).
[棄去 기거] 버림. 물리침.
[棄溝壑 기구학] 구렁에 버려짐. 폐물(廢物)이라 하여 버려 쓰이지 않음을 이름.
[棄群臣 기군신] 임금이 신하를 버림. 제왕이 죽음을 이름.
[棄權 기권] 권리를 버리고 행사하지 아니함.
[棄末 기말] 중요하지 않은 일을 버림.
[棄物 기물] ㉠버릴 물건. 버린 물건. ㉡쓸데없는 물건.
「하고 감.
[棄背 기배] ㉠존속(尊屬)이 죽음. ㉡버림. 배반
[棄世 기세] ㉠세상을 초월하여 인사(人事)를 돌아보지 아니함. 세상과의 관계를 끊음. ㉡별세(別世).
[棄市 기시] 죄인의 목을 베어 죽이고 그 시체를 시가(市街)에 버려둠.
[棄兒 기아] 내버린 아이.
[棄如土 기여토] 흙을 버리듯이 내버리고 돌보지 아니함.
[棄捐 기연] ㉠버림. 쓰지 아니함. 또, 버림받음. ㉡사재(私財)를 내놓아 남을 도와줌.
[棄財 기재] 재물을 버림.
[棄地 기지] 버려두고 이용하지 아니하는 땅.
[棄擲 기척] 내던짐.
[棄置 기치] 버려둠.
「비유.
[棄唾 기타] 뱉어 버린 침. 버려 아깝지 않은 것의
[棄筆 기필] 붓을 버림. 문필(文筆)을 떠나 다른 일에 종사함.
[棄孩 기해] 버린 아이. 기아(棄兒).
[棄灰之刑 기회지형] 재를 길바닥에 버린 자를 벌주는 형벌. 가혹한 형벌.
◉滅棄. 耗棄. 放棄. 背棄. 排棄. 屛棄. 焚棄. 擯棄. 燒棄. 揚棄. 捐棄. 遠棄. 委棄. 遺棄. 離棄. 自暴自棄. 斥棄. 黜棄. 打棄. 唾棄. 惰棄. 怠棄. 投棄. 破棄. 罷棄. 播棄. 廢棄. 抛棄. 荒棄. 毁棄.

[渠] 〔거〕
水部 九畫(p.1256)을 보라.

[集] 〔집〕
隹部 四畫(p.2481)을 보라.

9
⑬ [楚] 人名 초 ㊤語 創擧切 chǔ

筆順 一 十 木 林 林 林 楚 楚 楚

字解 ①가시나무 초 가시가 있는 잡목. '荊—'. ②모형(牡荊) 초 마편초과에 속하는 낙엽 관목(落葉灌木). 잎은 이뇨(利尿)의 약제로 쓰임. 인삼목(人蔘木). '言刈其—'《詩經》. ③매 초 매질하는 회초리. '夏—二物, 以收其威'《禮記》. ④매질할 초 '—撻'. '民無夏—之憂'《漢書》. ⑤줄지을 초 줄지어 늘어섬. '籩豆有—'《詩經》. ⑥아플 초 고통을 느낌. 또, 가슴 아픔. '痛—'. '慷慨含辛—'《陸機》. ⑦고울 초 선명한 모양. '衣裳——'《詩經》. ⑧우거질 초 가시나무 같은 것이 무성한 모양. '——者茨'《詩經》. ⑨초나라 초 ㉠춘추 전국 시대(春秋戰國時代)의 나라. 도읍은 영(郢). 진(秦)나라에 망하였음. (B.C. ?~B.C. 223) ㉡오대(五代)의 십국(十國)의 하나. 마은(馬殷)이 호남(湖南) 지방에 세운 나라. 도읍은 장사(長沙). 육주(六主) 45년 만에 남당(南唐)에게 멸망당하였음. (907~951) ⑩땅 이름 초 후난(湖南)·후베이(湖北) 두 성(省)의 통칭(通稱). ⑪성 초 성(姓)의 하나.

字源 金文 [glyph] 篆文 [glyph] 形聲. 林＋疋〔音〕. '林림'은 군생(群生)해 있는 나무, '수풀'의 뜻. '疋필·소'는 '酢초'와 통하여, 자극이 있는 것의 뜻을 나타냄. 군생(群生)하며, 가시의 자극을 가진 '장미'의 뜻을 나타냄.

[楚棘 초극] 가시나무.
[楚撻 초달] 회초리로 종아리를 때림.
[楚毒 초독] 고초(苦楚).
[楚尾吳頭 초미오두] 초(楚)나라와 오(吳)나라 중간에 있는 땅.
「채.
[楚扑 초복] 가시나무 회초리. 가시나무 종아리
[楚俘 초부] 초수(楚囚).
[楚囚 초수] ㉠타국에 사로잡힌 초나라 사람. ㉡타국에 사로잡힌 자. ㉢타향에서 고향 생각이 절실히 나는 사람. ㉣불우(不遇)하여 고생하는 사람.
[楚囚泣 초수읍] 타향에서 방황하며 고향에 돌아갈 수 없음을 슬피 여겨 욺.
[楚王失弓楚人得之 초왕실궁초인득지] 활을 잃어버린 사람은 초(楚)나라 임금이고 이것을 주운 사람은 초(楚)나라 사람이므로, 대국적으로 보면 손실(損失)이 없다는 말.
[楚王好細腰宮中多餓死 초왕호세요궁중다아사] 초(楚)나라 영왕(靈王)이 허리 가는 궁녀(宮女)를 사랑하기 때문에 궁녀(宮女)들이 허리를 가늘게 하기 위하여 굶어서 아사하는 자(者)가 많았다는 옛일에서 나온 말로, 윗사람이 좋아하는 것이 편벽되면 아랫사람이 이것을 따르느라고 폐단이 많이 생김을 이름.
[楚腰 초요] 미인(美人)의 가는허리. 초왕호세요궁중다아사(楚王好細腰宮中多餓死) 참조.
[楚人一炬 초인일거] 초(楚)나라의 항우(項羽)가 진(秦)나라의 궁전(宮殿)을 불사른 고사(故事).
[楚材晉用 초재진용] 딴 사람의 것을 자기가 이용함. 또는 타국의 인재를 이용함.
[楚切 초절] 음조(音調)가 비통함.
[楚楚 초초] ㉠가시나무가 우거진 모양. ㉡선명(鮮明)한 모양. ㉢고통을 견디지 못하는 모양.
[楚痛 초통] 대단히 아프고 괴로움. 통초(痛楚).

◉苦楚. 翹楚. 榜楚. 酸楚. 三楚. 辛楚. 哀楚. 凄楚. 尺吳寸楚. 淸楚. 棰楚. 惻楚. 痛楚. 夏楚.

9 ⑬ [楙] 〔무〕
茂(艸部 五畫〈p. 1911〉)의 古字
[字源] 甲骨文 金文 篆文 形聲. 林+矛〔音〕. '茂무'의 古字. '矛모'는 '冃모'와 통하여, '덮다'의 뜻. 숲이 덮어 가려 무성하다의 뜻을 나타냄.

9 ⑬ [椰] [人名] 야 [平]麻 以遮切 yē
[字解] 야자나무 야 야자과에 속하는 상록 교목(常綠喬木). 열대(熱帶) 지방에 많이 나며, 열매는 식용함. '一子'. '一葉無陰'《左思》.
[字源] 形聲. 木+耶〔音〕

[椰杯 야배] 야자(椰子)나무 열매로 만든 술잔.
[椰樹 야수] 야자나무.
[椰子 야자] 야자나무. 또, 그 열매.
[椰漿 야장] 야자나무 열매의 즙(汁).

9 ⑬ [椳] 외 [平]灰 烏恢切 wēi
[上]賄 鄔賄切
[字解] ①문지도리 외 문짝을 여닫게 하는 물건. 문장부·돌쩌귀 따위. '樞謂之一'《爾雅》. ②((韓)) 욋가지 외 벽(壁)을 치려고 댓가지·싸리·잡목 따위를 가로세로 얽은 것.
[字源] 篆文 形聲. 木+畏〔音〕. '畏외'는 움푹 팸의 뜻. 문(門)의 회전축(回轉軸)의 뜻을 나타냄.

9 ⑬ [椶] 소 [平]豪 蘇遭切 sōu
[字解] 배 소 艐(舟部 九畫)·艘(舟部 十畫)와 同字. '發河南以東漕船五百一, 徙民避水'《漢書》.
[字源] 篆文 形聲. 木+叜〔音〕

9 ⑬ [楀] [一] 우 [上]麌 王矩切 yǔ
[二] 구 [上]麌 俱雨切 jǔ
[字解] [一] 나무이름 우 '一, 一木也'《說文》. [二] ①나무이름 구 [一]과 뜻이 같음. ②성 구 성(姓)의 하나. '一維師氏, (箋)一, 氏也'《詩經》.
[字源] 篆文 形聲. 木+禹〔音〕

9 ⑬ [椷] [一] 감 [平]咸 胡讒切 jiān
[二] 함 [平]覃 胡南切 hán
[字解] [一] ①함 감 궤짝. ②잔 감 술잔. [二] 넣을 함 용납(容納)함. '辰星過太白, 閒可一劍'《漢書》.
[字源] 篆文 形聲. 木+咸〔音〕. '咸함'은 넣어 봉(封)함의 뜻. 물건을 넣어 두는 목제(木製)의 궤의 뜻을 나타냄.

9 ⑬ [椵] ①[去]禡 古訝切
가 ②[上]馬 古疋切 jiǎ
③[平]麻 何加切 jiā
[字解] ①말뚝 가 땅에 박아 세우는 나무. '一, 杙也'《集韻》. ②나무이름 가 유자나무의 일종. '一, 柚屬也. 子大如盂, 皮厚二三寸, 中似枳. 食之少味'《爾雅 註》. ③칼 가 목에 씌우는 형틀. 枷(木部 五畫)와 통용. '一, 囚械也'《集韻》.
[字源] 篆文 形聲. 木+叚〔音〕

9 ⑬ [榇] [一] 내((②니[俗]) [去]霽 乃計切 nài
[二] 날 [入]曷 乃曷切 nà
[字解] [一] ①능금나무 내 능금나무의 일종. 柰(木部 五畫〈p. 1047〉)의 俗字. '一, 俗柰字'《字彙》. ②죽은나무 내 나무가 말라죽음. '一, 木立死也'《集韻》. [二] 움틀 날 베어 낸 나무뿌리에서 움이 트는 모양. '一, 枿生貌'《集韻》.

9 ⑬ [椸] 이 [平]支 弋支切 yí
[字解] 횃대 이 옷걸이. 箷(竹部 九畫)와 同字. '男女不同一架'《禮記》.
[字源] 篆文 形聲. 木+施〔音〕. '施시·이'는 깃발이 나부끼는 모양. 옷을 거는 목제(木製)의 횃대.

[椸架 이가] 횃대.

9 ⑬ [椹] [一] 침 [平]侵 知林切 zhēn
[二] 심 [上]寢 食荏切 shèn
[字解] [一] ①모탕 침 '不足以當一質'《史記》. ②과녁 침 사적(射的). '射甲革一質'《周禮》. ③다듬잇돌 침 砧(石部 五畫)·碪(石部 九畫)과 통용. '一, 擣衣, 以石爲質'《正字通》. [二] ①오디 심 뽕나무 열매. 葚(艸部 九畫)과 同字. '桑一'. '積乾一以禦饑'《魏略》. ②버섯 심 균류(菌類). '經春夏生菌, 謂之一'《博物志》.
[字源] 形聲. 木+甚〔音〕. '甚심'은 '枕침'과 통하여, '베개'의 뜻. 나무 따위를 자를 때 밑에 대는 나무의 뜻을 나타냄.

[椹質 침질] ㉠모탕. ㉡죄인을 참살(斬殺)하는 대(臺).
◉戴椹. 木椹. 桑椹.

9 ⑬ [椽] [人名] 연 [平]先 直攣切 chuán
[去]霰 柱戀切
[字解] ①서까래 연 둥근 서까래. '一桷'. '茅屋采一'《漢書》. ②기어오를 연, 사다리 연 '一能踰, 則一於踰'《管子》.
[字源] 篆文 形聲. 木+彖〔音〕. '彖단'은 '傳전'과 통하여, 차례로 전하다의 뜻. 지붕의 가로대 사이에 이어서 건너지른, '서까래'의 뜻을 나타냄.

[椽桷 연각] 둥근 서까래와 네모진 서까래.
[椽端 연단] 서까래 끝.
[椽大之筆 연대지필] 서까래와 같이 큰 붓이라는 뜻으로, 대문장(大文章)·대논문(大論文)을 이름.
[椽木 연목] 서까래.
[椽燭 연촉] 서까래 같은 큰 초.
[椽筆 연필] 연대지필(椽大之筆).
◉短椽. 婦椽. 修椽. 屋椽. 竹椽. 采椽. 簷椽. 榱椽.

9 ⑬ [桥] 첨 [去]豔 他念切 tiàn

[字解] 땔나무 첨, 부지깽이 첨 부엌에서 때는 나무. 또, 아궁이 불을 헤치는 막대기.

9 ⑬ **[椿]** [人名] 춘 [平]眞 丑倫切 chūn

[筆順] 一 十 木 朩 栏 楱 椿 椿

[字解] ①참죽나무 춘 멀구슬나뭇과에 속하는 낙엽 교목(落葉喬木). 상고(上古)에, 대춘(大椿)이란 나무가 만 년 이상을 살았다는 장자(莊子)의 우언(寓言)에 의하여, 장수(長壽)의 비유로 쓰임. '一壽'. '上古有大一者, 以八千歲爲春, 八千歲爲秋'《莊子》. ②아버지 춘 '今人以一萱擬父母'《藝苑卮言》.

[字源] 形聲. 木+春〔音〕

[參考] 椿(木部 十一畫)은 別字.

[椿年 춘년] 춘수(椿壽).
[椿堂 춘당] 춘부(椿府).
[椿齡 춘령] 춘수(椿壽).
[椿府 춘부] 아버지의 일컬음.
[椿府丈 춘부장] 남의 아버지의 경칭(敬稱).
[椿壽 춘수] 장수(長壽).
[椿庭 춘정] 춘부(椿府).
[椿萱 춘훤] 춘당(椿堂)과 훤당(萱堂). 곧, 부모(父母)의 일컬음.
◉老椿. 大椿. 仙椿. 松椿. 靈椿. 玉椿. 莊椿.

9 ⑬ **[楂]** 사 [平]麻 鉏加切 chá, zhā

[字解] ①떼 사 뗏목. '廻一急凝浪'《何遜》. ②풀명자나무 사 樝(木部 十一畫)와 同字. ③까치우는소리 사 '鵲鳴聲一一'《韓愈》. ④성 사 성(姓)의 하나.

[字源] 形聲. 木+查〔音〕

[楂楂 사사] 까치가 우는 소리.
◉巨楂. 浮楂. 星楂.

9 ⑬ **[楄]** 편 [平]先 房連切 pián

[字解] ①각목 편 각재(角材). '一部, 方木也'《說文》. ②무환자나무 편 '名曰天一. 方莖而葵狀. 服者不唖'《山海經》. ③액자 편 편액(扁額). '爰有禁一'《何晏》.

[字源] 篆文 形聲. 木+扁〔音〕. '扁편'은 '편평함'의 뜻. 짜 맞추어 마루를 까는 널의 뜻을 나타냄.

[楄柎 편부] 널 속의 시체를 올려놓는 바닥. 옛날에, 각목(角木)을 나란히 깔아서 만들었음.

9 ⑬ **[楪]** [一] 엽 [入]葉 與涉切 yè [二] 접 [入]葉 達協切 dié [三] 섭 [入]葉 悉協切 xiè

[字解] [一] 들창 엽 벽에 낸 창. '一, 牖也'《玉篇》. [二] 마루 접 댓조각으로 바닥을 깐 마루. '一, 牀簀也'《類篇》. [三] 작은쐐기 섭 '㮘一, 小楔'《集韻》.

[字源] 形聲. 木+葉〔音〕

9 ⑬ **[楅]** [一] 복 [入]屋 方六切 bī [二] 벽 [入]職 彼側切 bī

[字解] [一] ①쇠뿔가로나무 복 소가 뿔로 받는 것을 막기 위하여 두 뿔 끝에 가로 댄 나무. '夏而一衡'《詩經》. ②살그릇 복 화살을 나란히 세워 두는 제구. '設一于中庭南'《儀禮》. [二] 쇠뿔가로나무 벽, 살그릇 벽 [一]과 뜻이 같음.

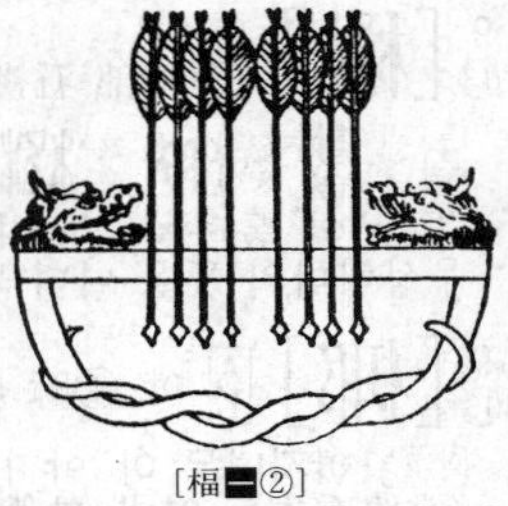
[楅[一]②]

[字源] 篆文 形聲. 木+畐〔音〕. '畐복·벽'은 겹들여 덧붙임의 뜻. 쇠뿔에 겹들여 다는 나무의 뜻. 또, '箙복'과 통하여, '전동(箭筒)'의 뜻.

9 ⑬ **[椯]** 타 ㊤哿 都果切 duǒ

[字解] ①회초리 타 매. '一, 箠也'《說文》. ②헤아릴 타 측량함. 추측함. 揣(手部 九畫)와 뜻이 같음. '一, 一曰, 度也'《說文》. ③틀릴 타 '狂馬一木. (註) 一, 差也'《太玄經》.

[字源] 篆文 形聲. 木+耑〔音〕. '耑단'은, '箠추·棰추'와 통하여, '회초리·매'의 뜻을 나타냄. 나무의 자루 끝에 바늘을 단 말채의 뜻을 보임. '揣취'와 통하여, '헤아림〔度〕'의 뜻에, '剟철'과 통하여, '깎다'의 뜻으로도 쓰임.

9 ⑬ **[楊]** [高人] 양 [平]陽 與章切 yáng 杨

[筆順] 一 十 木 木口 相 梍 楊 楊

[字解] ①버들 양 버드나뭇과에 속하는 낙엽 교목(落葉喬木). 냇버들. '一柳依依'《詩經》. ②오를 양, 올릴 양 揚(手部 九畫)과 통용. '古假一爲揚'《說文 段注》. ③성 양 성(姓)의 하나.

[字源] 篆文 形聲. 木+昜〔音〕. '昜양'은 '오르다'의 뜻. 길게 뻗어 오르는 나무의 뜻을 나타내며, 또 '오르다, 올리다'의 뜻을 나타냄.

[楊巨源 양거원] 당대(唐代)의 시인(詩人). 자(字)는 경산(景山). 국자 사업(國子司業)을 거쳐 태화(太和) 연간에 하동(河東)의 소윤(少尹)을 지냈음.
[楊國忠 양국충] 당(唐)나라 양귀비(楊貴妃)의 사촌 오빠. 처음 이름은 쇠(釗). 현종(玄宗) 때에 어사(御史)를 거쳐 재상(宰相)이 되어 불법(不法)을 행하다가 안녹산(安祿山)의 난에 피난 도중 마외역(馬嵬驛)에서 진현례(陳玄禮)의 군사(軍士)에게 참살(斬殺)당하였음.
[楊貴妃 양귀비] 양태진(楊太眞).
[楊柳 양류] 버들. 버드나무. '楊'은 갯버들, '柳'는 수양버들.
[楊柳觀音 양류관음]《佛敎》바위 위에 앉아 왼손엔 버들가지를 쥐고 오른손은 오른쪽 젖가슴 위에 얹고 앉은 모양의 관음보살. 버들이 춘풍에 나부끼듯이 중생(衆生)의 제원(諸願)에 좇는 뜻을 나타낸 것임.
[楊萬里 양만리] 송대(宋代)의 시인(詩人). 길수(吉水) 사람. 자(字)는 정수(廷秀). 효종(孝

宗)·광종(光宗)·영종(寧宗)의 삼조(三朝)를 섬겨 벼슬이 비서감(祕書監)에 이르렀음. 일찍이 장준(張浚)이 성의정심(誠意正心)의 학(學)을 권하였으므로 서재 이름을 성재(誠齋)라 지어 성재 선생(誠齋先生)이라 일컬어졌음. 그의 시는 육유(陸游)·범성대(范成大)와 병칭(竝稱)되며, 저서에 〈성재역전(誠齋易傳)〉·〈성재집(誠齋集)〉·〈시화(詩話)〉 등이 있음.

[楊墨 양묵] 양주(楊朱)와 묵적(墨翟). 양주는 위아설(爲我說)·이기주의(利己主義), 묵적, 곧, 묵자(墨子)는 겸애설(兼愛說)을 주장하였음.

[楊愼 양신] 명대(明代)의 학자. 자(字)는 용수(用修). 호(號)는 승암(升庵). 세종조(世宗朝)에 경연강관(經筵講官)으로 있을 때 천자(天子)를 역간(力諫)하다가 삭적(削籍)당하고 윈난(雲南)으로 유배당하였음. 저술(著述)이 많기로는 명대(明代) 제일인데, 그중 〈단연총록(丹鉛總錄)〉은 가장 널리 알려져 있음.

[楊子哭岐路 양자곡기로] 양주읍기(楊朱泣岐).

[楊隄 양제] 냇버들을 심은 둑.

[楊朱泣岐 양주읍기] 양주(楊朱)가 갈림길에서 울었다는 고사(故事). 전(轉)하여, 사람도 갈림길에서 갈리듯이 마음 쓰기 여하에 따라서, 착한 사람도 되고 몹쓸 사람도 됨을 이름.

[楊枝 양지] ㉠냇버들 가지. ㉡이를 닦는 용구(用具). 이쑤시개. 처음 불교도(佛敎徒)들에게 냇버들 가지로 이를 깨끗이 하도록 한 데서 이름.

[楊震 양진] 후한(後漢)의 학자. 자(字)는 백기(伯起). 학식이 많고 제자가 많아 당시 사람들이 관서(關西)의 공자(孔子)라고 일컬었음. 성정이 충직(忠直)하여 태위(太尉)로 있을 때 불의(不義)를 탄핵하여 역간(力諫)하다가 참소를 당하여 관직을 파면당하고 스스로 독을 마시고 죽었음.

[楊太眞 양태진] 당(唐)나라 현종(玄宗)의 비(妃). 양국충(楊國忠)의 사촌 누이로 재색(才色)이 뛰어나 현종의 총애를 받았으나, 안녹산(安祿山)이 난을 일으키매 현종과 함께 피난하여 마외역(馬嵬驛)에 이르러 관군(官軍)에게 책망당하고 목매어 죽었음. 양귀비(楊貴妃).

◉枯楊. 白楊. 水楊. 赤楊. 朱楊. 蒲楊. 黃楊.

9
⑬ [楈] 서 [平]魚 相居切 xū
[去]御 息據切

[字解] ①나무이름 서 종려(棕櫚)나무 비슷한 나무. ②쟁기 서 '一, 犂也'《類篇》.

[字源] 篆文 形聲. 木+胥〔音〕.

9
⑬ [椱] [一] 부 [去]有 扶富切 fù
[二] 복 [入]屋 房六切 fù

[字解] [一] 말코 부 길쌈할 때 짠 베를 감는 대. [二] 말코 복 [一]과 뜻이 같음.

[字源] 篆文 形聲. 木+夏(复)〔音〕

9
⑬ [楑] 규 [平]支 渠追切 kuí

[字解] ①망치 규 작은 망치. '柊一'. ②규나무 규. ③헤아릴 규 揆(手部 九畫)와 통용.

[字源] 篆文 形聲. 木+癸〔音〕. 나무 이름. 또, '揆규'와 통하여, '헤아리다'의 뜻으로도 쓰임.

9
⑬ [楎] [一] 휘 [平]微 許歸切 huī
[二] 혼 [平]元 戶昆切 hún

[字解] [一] ①말뚝 휘 땅에 박는 몽둥이. '杙在牆者, 謂之一'《爾雅》. ②횃대 휘 옷걸이. '不敢懸于夫之一椸'《禮記》. [二] 쟁기 혼 말 두 필이 끄는 쟁기. '一, 三爪犂曰一'《說文》.

[字源] 篆文 形聲. 木+軍〔音〕. '軍군'은 둥글게 둘려 있다의 뜻. 구부러진 자루가 달린 쟁기의 뜻을 나타냄.

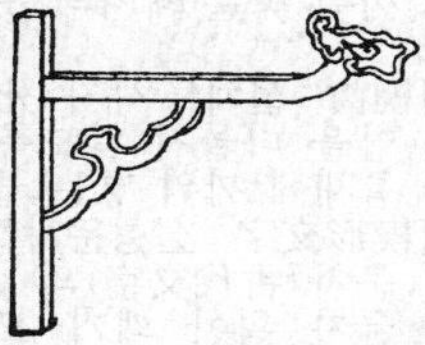
〔楎椸〕

[楎椸 휘이] 횃대. 옷을 걸게 가로 나무를 장치한 것. 휘(楎)는 세로 나무, 이(椸)는 가로 나무. 옷걸이. 의가(衣架).

9
⑬ [楇] [一] 화 [去]箇 胡臥切 huò
[二] 과(괘[俗]) ①[平]歌 古禾切 guō
②㊤馬 苦瓦切 kuǎ

[字解] [一] 기름통 화 수레의 바퀴통에 치는 기름을 담는 그릇. '一, 車中盛膏以塗輪者'《字彙》. [二] ①물레 과 실을 잣는 틀. 방차(紡車). '一, 紡車也'《集韻》. ②회초리 과 옆으로 때리는 매. '一, 横檛杖'《類篇》.

[字源] 篆文 形聲. 木+咼〔音〕. '咼과·화'는 '둥근 구멍'의 뜻. 둥근 구멍이 벌어져 있는 목제(木製)의 기름통의 뜻을 나타냄.

9
⑬ [楓] [人名] 풍 [平]東 方戎切 fēng 枫

[筆順] 一 十 木 朾 朳 枫 楓 楓

[字解] 단풍나무 풍 단풍나뭇과에 속하는 낙엽 교목(落葉喬木). '丹一'. '停車坐愛一林晩, 霜葉紅於二月花'《杜牧》.

[字源] 篆文 形聲. 木+風〔音〕. '風풍'은 '바람'의 뜻. 바람을 매개(媒介)로 하여 종자가 날아가는 '단풍나무'의 뜻을 나타냄.

[楓菊 풍국] 단풍나무와 국화.

[楓錦 풍금] 단풍잎의 비단. 아름답게 물든 단풍잎을 비단에 비겨 이른 말.

[楓落吳江冷 풍락오강랭] 보는 바가 듣는 바에 미치지 못한 경우의 비유. 당(唐)나라의 정세익(鄭世翼)이 최신명(崔信明)의, 풍락오강랭(楓落吳江冷)의 구절을 듣고 직접 만났을 때, 그 나머지 시 구절을 읽어 보고 실망했다는 고사(故事)에서 온 말.

[楓林 풍림] 단풍나무 수풀.

[楓宸 풍신] 제왕(帝王)의 궁전(宮殿). 옛날에 궁중에 단풍나무를 많이 심었으므로 이름.

[楓嶽 풍악] 가을의 금강산의 딴 이름.

[楓岸 풍안] 단풍나무가 있는 기슭.

[楓葉 풍엽] 단풍나무 잎. 신나무 잎.

[楓陛 풍폐] 단풍나무가 있는 섬돌. 궁전(宮殿).

◉江楓. 錦楓. 丹楓. 霜楓. 赤楓.

9
⑬ [楔] [人名] 설 [入]屑 先結切 xiē(xiè)

[筆順] 一 十 木 朾 栣 椈 楔 楔

[字解] ①문설주 설 문미(門楣)와 문지방 사이의

문의 양쪽에 세운 기둥. '棖闑居—'《韓愈》. ② 쐐기 설 물건과 물건과의 틈에 박아서, 사개가 물러나지 못하게 하는 물건. '小者以爲楫—'《淮南子》. ③앵두나무 설 '—, 荊桃'《爾雅》.
[字源] 篆文 形聲. 木+契〔音〕. '契계·결·설'은 깎아 새김의 뜻. 새겨 넣듯이 틈새에 끼워 박는 쐐기의 뜻.

[楔齒 설치] 사자(死者)가 입을 다물지 않도록 이의 틈새에 끼워 넣는 물건.
[楔形文字 설형문자] 고대 문자(古代文字)의 하나. 글자 획이 쐐기 모양임. 기원전(紀元前) 3500여 년에 바빌로니아·아시리아·페르시아 등에서 썼음.
◉枷楔. 居楔.

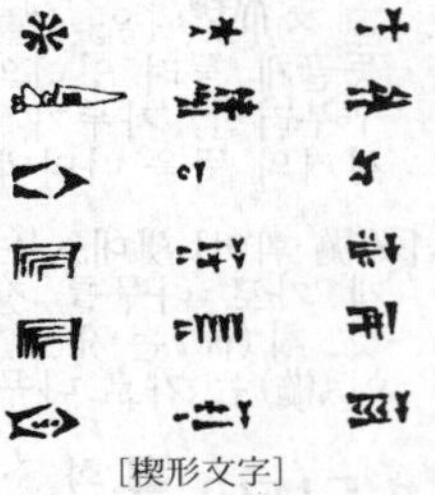
[楔形文字]

9 ⑬ [楉] 약 [入]藥 而灼切 ruò
[字解] 석류나무 약 '—榴, 石榴也'《廣雅》.
[字源] 形聲. 木+若〔音〕

9 ⑬ [楗] [人名] 건 [去]願 渠建切 jiàn / [上]銑 巨展切
[筆順] 一 十 木 … 楗
[字解] ①문빗장 건 문을 잠그는 나무때기. '關—之固'《淮南子》. ②방죽 건 물을 막기 위하여 대나 나무를 세우고 풀과 흙으로 메운 둑. '下淇園之竹以爲—'《史記》.
[字源] 篆文 形聲. 木+建〔音〕. '建건'은 '세우다'의 뜻. 문을 닫아 걸기 위해 설치하는 나무, 빗장의 뜻을 나타냄.
◉鈕楗. 關楗. 楅楗.

9 ⑬ [楖] 즐 [入]質 阻瑟切 jí, jié
[字解] ①나무이름 즐 '—栗'은 나무의 한 가지로서, 선가(禪家)에서 지팡이를 만드는 데 많이 쓰임. '—栗, 木名. 可爲杖'《廣韻》. ②빗 즐 櫛(木部 十五畫)과 同字. '刮摩之工, 玉·—·雕·矢·磬'《周禮》.

[楖栗 즐률] 자해(字解)❶을 보라.

9 ⑬ [楀] 우 [去]遇 元具切 yù
[字解] 허수아비 우, 제웅 우 '—, 俑類也, 卽木偶'《正字通》.

9 ⑬ [楛] [一] 호 [上]麌 侯古切 hù / [二] 고 [上]麌 康五切 kǔ
[字解] [一] 나무이름 호 모형(牡荊) 비슷한 나무로서, 화살을 만들기에 적합하다고 함. '—矢'. '惟箘簵—'《書經》. [二] 거칠 고 만든 물건이 거침. '—慢'. '問—者勿告也'《荀子》.
[字源] 篆文 形聲. 木+苦〔音〕. '苦고'는 딱딱하고 울퉁불퉁함의 뜻. 거침·조잡함의 뜻을 나타내며, 또 울퉁불퉁 매끄럽지 못한 나무의 뜻을 보임.

[楛耕 고경] 함부로 밭을 갊.
[楛僈 고만] 견고(堅固)하지 아니함.
[楛矢 호시] 호목(楛木)으로 만든 화살.
◉竄楛.

9 ⑬ [楝] 련 [去]霰 郎甸切 liàn
[字解] 멀구슬나무 련 멀구슬나뭇과에 속하는 낙엽 교목(落葉喬木). 근피(根皮)·과실은 약재로 쓰임. 전단(旃檀). '其樹—'《淮南子》.
[字源] 篆文 形聲. 木+柬〔音〕
◉苦楝. 馬楝. 衰楝.

9 ⑬ [楞] [人名] 릉 [平]蒸 魯登切 léng
[字解] 모 릉 棱(木部 八畫)과 同字. 불교의 능엄경(楞嚴經)은 특히 이 자를 씀.
[字源] 會意. 木+四+方. 네모난 나무의 뜻.

[楞角 능각] 모.

9 ⑬ [椦] 등 [去]徑 唐亘切 dèng
[字解] 멜 등 짊어짐. '—, 負擔也'《類篇》.

9 ⑬ [楟] 정 [平]青 特丁切 tíng
[字解] 문배나무 정 장미과에 속하는 낙엽 교목(落葉喬木). '橙柹楟—'《左思》.

9 ⑬ [楡] [人名] 유 [平]虞 羊朱切 yú
[筆順] 一 十 木 … 楡
[字解] ①느릅나무 유 느릅나뭇과에 속하는 낙엽 교목(落葉喬木). 수피(樹皮)는 약용. 즙(汁)은 도료(塗料)로 함. '—令人瞑'《嵇康》. ②옮길 유 輸(車部 九畫)와 뜻이 통함. '—漏率刻'《太玄經》. ③흔들 유 搖(手部 十畫)와 통용. '使—臂胥肘'《素問》. ④성 유 성(姓)의 하나.
[字源] 篆文 形聲. 木+兪〔音〕. '兪유'는 나무를 파서 만든 '마상이'의 뜻. 기구 세공(細工)에 쓰이는 느릅나무의 뜻을 나타냄.

[楡柳 유류] 느릅나무와 버드나무.
[楡塞 유새] 변방(邊方)의 요새.
[楡錢 유전] ㉠느릅나무의 열매의 깍지. 모양이 돈과 비슷함. ㉡유협전(楡莢錢).
[楡莢 유협] ㉠느릅나무의 잎이 나기 전에 가지 사이에 나는 꼬투리. ㉡한(漢)나라 때의 돈의 이름. 유전(楡錢)·유협전(楡莢錢)이라고도 함.
[楡莢雨 유협우] 늦봄에 오는 비.
[楡莢錢 유협전] 한(漢)나라 때의 돈의 이름.
◉姑楡. 榔楡. 大楡. 白楡. 枌楡. 山枌楡. 桑楡. 閃楡. 種楡. 地楡.

9 ⑬ [楢] [人名] 유 ①[平]尤 以周切 yóu / ②[上]有 以九切 yǒu

字解 ①졸참나무 유 참나뭇과에 속하는 낙엽 교목(落葉喬木). 수피(樹皮)는 염료(染料)로 씀. 일설(一說)에는, 섬속소리나무〔枹〕. '崌山, 其木多—'《山海經》. ②화톳불피울 유 '薪之—之'《詩經》.

字源 篆文 形聲. 木+酋〔音〕

9 ⑬ **[楣]** 人名 미 (平)支 武悲切 méi

字解 ①문미 미 문 위에 가로 댄 상인방. '門—'. '—, 門戶上橫梁也'《辭海》. ②처마 미 '接棟連—'《王勃》. ③들보 미 楣(木部 九畫)와 同字. '堂則物當—'《儀禮》.

字源 篆文 形聲. 木+眉(𥃩)〔音〕. '𥃩미'는 '눈썹'의 뜻. 집의 눈썹 비슷한 부분, '처마'의 뜻을 나타냄.

[楣間 미간] 처마. 차양.
◉門楣. 長楣. 柱楣.

9 ⑬ **[楤]** 총 ㊤董 損動切 sǒng

字解 두릅나무 총 두릅나뭇과에 속하는 관목(灌木). 수피(樹皮)는 당뇨병·신장병의 약재로 씀.

字源 形聲. 木+悤〔音〕

9 ⑬ **[楥]** 원 ①②(去)願 虛願切 xuàn / ③(去)霰 于眷切 yuán

字解 ①신골 원 신의 골. 신의 모형. '—, 履法也'《說文》. ②얼레 원 실을 감는 기구. ③느티나무 원 느릅나뭇과에 속하는 낙엽 교목.

字源 篆文 形聲. 木+爰〔音〕. '爰원'은 '緩완'의 뜻으로서, '느슨함·여유 있음'의 뜻. 신발 속에 여유를 만드는 목제(木製)의 신골의 뜻에서, 일반적으로 모형의 뜻을 나타냄.

9 ⑬ **[楦]** 楥(前條)의 俗字

字源 形聲. 木+宣〔音〕

9 ⑬ **[楨]** 人名 정 (平)庚 陟盈切 zhēn (zhēng) 桢

筆順 一 十 木 木' 朩 朩 柏 植 楨

字解 ①광나무 정 물푸레나뭇과에 속하는 상록 교목(常綠喬木). '女—'. '太山之上多—木'《山海經》. ②담치는나무 정 담을 칠 때 담의 두 끝에 세우는 나무. '—榦'. ③근본 정 의지가 되는 것·사람. '維周之—'《詩經》.

字源 篆文 形聲. 木+貞〔音〕. '貞정'은 '곧다'의 뜻. 쭉 곧은 나무, 기둥, 또 담 양 끝에 세우는 지주(支柱)의 뜻을 나타냄.

[楨榦 정간] 담을 치는 데 담의 두 끝에 세우는 나무와 양쪽에 있는 기둥. 모두 담을 치는 데 중요한 것이므로, 전(轉)하여 근본·기초의 뜻으로 쓰임. 또, 인재(人材)에 비유함.
◉家楨. 幹楨. 國楨. 基楨. 女楨.

9 ⑬ **[楫]** 人名 一 즙 (入)葉 卽葉切 jí / 二 집 (入)緝 籍入切 jí

筆順 一 十 木 朩 朩 朩 榀 楫

字解 一 ①노 즙 배 젓는 기구. '舟—'. '剡木爲—'《易經》. ②노저을 즙 '丞徒—之'《詩經》. 二 노 집, 노저을 집 一과 뜻이 같음.

字源 篆文 形聲. 木+咠〔音〕. '咠즙·집'은 그러모으다의 뜻. 물을 자기 앞으로 끌어당기어 배를 나아가게 하는 노의 뜻을 나타냄.

[楫師 즙사] 노 젓는 사람. 뱃사공.
◉渡江楫. 鷩楫. 桴楫. 飛楫. 艤楫. 操楫. 舟楫.

9 ⑬ **[楬]** 갈 (入)月 其謁切 jié

字解 ①표말 갈 표로 박아 세우는 말뚝. '—櫫也'《說文》. ②패 갈 적어서 게시하는 나무패. '—而璽之'《周禮》.

字源 篆文 形聲. 木+曷〔音〕. '曷갈'은 멈추어 의심하여 물음의 뜻. 통행인이 발을 멈추어 보게 하는 팻말의 뜻을 나타냄.

[楬櫫 갈저] 표말(標杙).

9 ⑬ **[楮]** 人名 저 ㊤語 丑呂切 chǔ 楮

筆順 一 十 木 朩 朩 朩 楮 楮 楮

字解 ①닥나무 저 뽕나뭇과에 속하는 낙엽 관목(落葉灌木). 껍질은 종이의 원료가 됨. '葉有瓣曰—, 無曰構'《酉陽雜俎》. ②종이 저 '寸—'. '—先生'. '敗—遺墨人爭寶'《眞德秀》. ③돈 저 지폐. '—券'. '不能行—'《宋史》. ④성 저 성(姓)의 하나.

字源 篆文 別體 形聲. 木+者〔音〕. '者자'는 '써넣다'의 뜻. 문자(文字)를 써넣는 목피(木皮)로 만든 종이의 뜻을 보이며, 또 그 원료인 '닥나무'의 뜻을 나타냄.

[楮券 저권] 종이의 어음. 또, 지폐(紙幣).
[楮墨 저묵] 종이와 먹.
[楮先生 저선생] 종이〔紙〕의 별칭(別稱).
[楮實 저실] 닥나무의 열매. 약재로 씀.
[楮冊 저책] 종이로 만든 책.
[楮策 저책] 저책(楮冊).
[楮幣 저폐] 지폐(紙幣).
[楮表 저표] 종이의 표면.
[楮貨 저화] 저폐(楮幣).
◉謙楮. 別楮. 玉楮. 尺楮. 寸楮. 片楮. 毫楮.

9 ⑬ **[楯]** 人名 一 순 ㊤軫 食尹切 shǔn / 二 준 ㊤軫 敕準切 chūn

字解 一 ①난간 순 '欄—'. '秦始皇時有陛—郞'《史記》. ②방패 순 盾(目部 四畫)과 통용. '矛—'. '揚—六十'《左傳》. ③뽑을 순 뽑. '引—萬物'《淮南子》. 二 책상 준 '死得於滕—之上'《莊子》. ※'순' 음은 인명자로 쓰임.

字源 篆文 形聲. 木+盾〔音〕. '盾순'은 '방패'의 뜻. 목제(木製)의 두툼한 방패의 뜻을 나타냄. 또, 가로막기 위한 '난간'의 뜻도 나타냄.

◉堅栕. 欄栕. 短栕. 矛栕. 鐵栕. 板栕. 陛栕.

9
⑬ [栕] 긍 [去]徑 居鄧切 gèn

[字解] 건널 긍 강을 배로 건넘. '一, 竟也'《廣韻》.

[字源] 形聲. 木＋恆〔音〕

[參考] 亙(二部 四畫〈p. 81〉)은 古字.

9
⑬ [梟] [一] 참 [平]咸 鋤銜切 chán
[二] 탁 [入]藥 闥各切

[字解] [一] 혜성이름 참 欃(木部 十七畫〈p. 1123〉)과 同字. '欃, 爾雅, 彗星爲欃槍. 一曰, 木名, 或省'《集韻》. [二] 나뭇잎떨어질 탁 '一, 木葉陊也'《說文》.

[字源] 形聲. 木＋㲋〔音〕

9
⑬ [楰] 유 [平]虞 羊朱切 yú
[上]麌 以主切

[字解] 광나무 유 물푸레나뭇과에 속하는 상록 관목(常綠灌木). 과실은 약재로 쓰임. 여정목(女貞木). '北山有一'《詩經》.

[字源] 篆文 形聲. 木＋臾〔音〕

9
⑬ [椷] 위 [平]微 於非切 wēi

[字解] 변기 위 대소변을 누는, 나무로 만든 변기. '一窬'. '一虎子也, 古之受大小溲者, 皆以虎子呼之'《賈逵》.

[字源] 篆文 形聲. 木＋威〔音〕

[椷窬 위두] 변기(便器).

9
⑬ [極] [中人] 극 [入]職 渠力切 jí 极

[筆順] 一 十 木 木ᅳ 朾 柯 極 極

[字解] ①용마루 극 옥척(屋脊). '夫妻臣妾登一'《莊子》. ②극처 극 ㉠사물의 최상 최종의 곳. '此布衣之一'《十八史略》. ㉡사물의 지극히 미묘한 곳. '君子無所不用其一'《大學》. ㉢진선(眞善) 또는 도덕의 근본. '莫匪爾一'《詩經》. ㉣극악(極惡). 지흉(至凶). '威用六一'《書經》. ㉤우주의 끝. '四一'. '南一'. ③극 극 ㉠전극(電極). ㉡자석(磁石)에서 자력이 가장 센 두 끝. ㉢구(球)의 대원(大圓) 및 소원의 평면에 수직되는 직경의 양 끝. ④별이름 극 북극성. '一星'. ⑤임금자리 극 제위(帝位). '登一'. '體元御一'《唐書》. ⑥멀 극 거리가 멂. '望涔陽兮一浦'《楚辭》. ⑦빠를 극 '出入甚一'《荀子》. ⑧다할 극 ㉠없어짐. '澹然無一'《淮南子》. ㉡다 들임. '一其數, 遂定天下之象'《易經》. ⑨마칠 극 끝남. '焉知其一'《呂氏春秋》. ⑩그칠 극 멈춤. '曷其有一'《詩經》. ⑪이를 극 다다름. '駿一于天'《詩經》. ⑫극진할 극 극도에 이름. '一土木之美'《通鑑》. ⑬극히 극 지극히. '軍一簡易'《史記》. ⑭성 극 성(姓)의 하나.

[字源] 篆文 形聲. 木＋亟〔音〕. '亟극'은 '힐문하다, 추궁하다'의 뜻. '木목'을 덧붙여, 가옥(家屋)의 최고의 곳에 있는 용마루의 뜻을 나타냄. '극(極), 끝, 극(極)하다'의 뜻을 나타냄.

[極奸 극간] 몹시 간악(奸惡)함.
[極諫 극간] 힘껏 간(諫)함. 극력(極力) 간함.
[極艱 극간] 몹시 가난함.
[極竭 극갈] 다함. 다 들임. 또, 다 없어짐.
[極光 극광] 지구의 남북 양극에 가까운 지방의 공중에 때때로 나타나는 극히 아름다운 빛의 현상. 오로라.
[極口發明 극구발명] 온갖 말을 다하여 변명함.
[極口讚頌 극구찬송] 온갖 말로 칭찬함.
[極窮 극궁] ㉠끝까지 궁구(窮究)함. ㉡극도에 달함. 극진한 데 이름. 궁극(窮極).
[極圈 극권] 지구의 남북 양극으로부터 각각 66.5도(度) 되는 곳의 위선(緯線).
[極貴 극귀] 극히 귀함.
[極難 극난] 몹시 어려움.
[極南 극남] 남쪽 끝.
[極端 극단] ㉠맨 끝. ㉡중용(中庸)을 벗어나 한쪽으로 아주 치우침.
[極度 극도] 궁극(窮極)한 정도.
[極東 극동] ㉠동쪽 끝. ㉡동양의 가장 동쪽 부분. 곧, 우리나라·중국·필리핀·일본 등의 총칭.
[極樂 극락] ㉠극진히 즐거워함. 또, 더할 나위 없는 환락. ㉡《佛教》 극락세계(極樂世界).
[極樂世界 극락세계] 《佛教》 아미타불(阿彌陀佛)의 거소(居所)인 정토(淨土). 불가(佛家)의 이상 세계.
[極力 극력] 있는 힘을 다함. 조금도 힘을 아끼지 아니함. 「함.
[極論 극론] 충분히 의론함. 끝까지 캐어 논(論)
[極流 극류] 지구의 남북극 방면에서 적도(赤道) 방면으로 흘러 내려오는 한류(寒流).
[極律 극률] 사형(死刑)에 해당할 죄(罪)를 정한 법률(法律).
[極望 극망] 극목(極目).
[極罵 극매] 극도로 꾸짖음.
[極目 극목] 시력이 미치는 한.
[極妙 극묘] 지극히 묘(妙)함.
[極罰 극벌] 극형(極刑).
[極北 극북] 북쪽 끝.
[極祕 극비] 절대적인 비밀.
[極貧 극빈] 지극히 가난함.
[極上 극상] 제일 좋음. 제일 높음. 최상(最上).
[極上品 극상품] 제일 좋은 품질.
[極西 극서] 서쪽 끝.
[極暑 극서] 극심한 더위.
[極星 극성] 북극성(北極星). 또, 남극성(南極星).
[極盛 극성] ㉠몹시 왕성함. ㉡《韓》 성질이 지악스럽고 과격(過激)함.
[極盛則敗 극성즉패] 너무 성하면 필경에는 패망(敗亡)함.
[極甚 극심] 아주 심함.
[極惡 극악] 극히 악함.
[極言 극언] 의견을 충분히 말함.
[極熱 극열] 지극히 더움.
[極右 극우] 극단의 우익 사상(右翼思想).
[極戰 극전] 필사(必死)의 싸움.
[極點 극점] 극도(極度)에 이른 점.
[極際 극제] 극한(極限).
[極尊 극존] ㉠천자(天子). 지존(至尊). ㉡부모.

양친.
[極左 극좌] 극단의 좌익 사상(左翼思想).
[極盡 극진] 마음을 다함.
[極處 극처] 끝 닿은 곳. 궁극한 곳.
[極侈 극치] 지극히 사치함.
[極致 극치] 극단에 이른 경지(境地).
[極擇 극택] 지극히 정밀하게 선택함.
[極痛 극통] ㉠몹시 원통(寃痛)함. ㉡몹시 아픔.
[極浦 극포] 먼 데까지 뻗쳐 있는 개펄.
[極品 극품] ㉠가장 높은 직품(職品). ㉡극상품(極上品).
[極風 극풍] 지구가 자전(自轉)하기 때문에 남북양극(兩極)의 주위에 항상 일어나는 서풍(西風).
[極限 극한] 궁극(窮極)의 한계.
[極寒 극한] 극심한 추위.
[極害 극해] 지극한 해. 극심한 해독(害毒).
[極刑 극형] 사형(死刑).
[極凶 극흉] 극히 흉악(凶惡)함.
◉坤極. 究極. 窮極. 歸極. 南極. 來極. 登極. 罔極. 無極. 北極. 四極. 三極. 消極. 宸極. 兩極. 陽極. 五極. 六極. 陰極. 紫極. 底極. 積極. 定極. 宗極. 終極. 中極. 至極. 天極. 踐極. 太極. 八極. 皇極.

9 ⑬ [楷] 人名 해(개本) ㊤蟹 苦駭切 kǎi ㊥佳 古諧切 jiē

筆順 一 十 木 术 杙 栱 楷 楷

字解 ①본 해 본보기. 모범. 법식. '一模'. '今世行之, 後世以爲一'《禮記》. ②본뜰 해 본받음. '天子模一李元禮'《後漢書》. ③해서 해 서체(書體)의 하나. 예서(隸書)에서 변한 것으로 자형(字形)이 가장 방정(方正)한 것. '一書'. '上谷王次仲, 始作一法'《晉書》. ④곧을 해 바름. '彊一堅勁, 用在楨幹, 失在專固'《人物志》.
字源 篆文 形聲. 木+皆〔音〕. '皆개'는 모두 갖춰짐의 뜻. 가지가 한 방향으로 나는 나무의 이름을 나타냄. 또, 파생(派生)하여 상성(上聲)일 때에는 '본·모범'의 뜻을 나타냄.

[楷隷 해례] 해서(楷書)의 이칭(異稱).
[楷模 해모] 해칙(楷則).
[楷書 해서] 서체(書體)의 하나. 후한(後漢)의 왕차중(王次仲)이 예서(隸書)를 변화시켜 쓰기 시작한 것으로, 점과 획을 따로따로 하여 방정(方正)하게 씀. 정서(正書)·진서(眞書)라고도 함.
[楷式 해식] 해칙(楷則).
[楷字 해자] 해서(楷書).
[楷篆 해전] 해서(楷書)와 전서(篆書).
[楷正 해정] 자획(字畫)이 바름.
[楷則 해칙] 본보기. 모범(模範).
◉官楷. 模楷. 妙楷. 女楷. 隷楷. 眞楷.

9 ⑬ [楸] 人名 추 ㊥尤 七由切 qiū

筆順 一 十 木 术 杅 杅 桫 楸

字解 ①개오동나무 추 능소화과에 속하는 낙엽교목(落葉喬木). 노나무. '一梧早脫'《埤雅》. ②《韓》 가래나무 추. ③바둑판 추 '一局'. '閑對弈一傾一壺'《段成式》.
字源 篆文 形聲. 木+秋〔音〕

[楸局 추국] 추평(楸枰).
[楸枰 추평] 바둑판.

9 ⑬ [楕] 一 성 ㊤梗 息井切 shěng 二 가 ㊦禡 居迓切 三 시 ㊦寘 斯義切 sì

字解 一 ①쳇다리 성 인 쌀을 담은 소쿠리를 얹어 놓는 받침대. '一, 木參交目支炊籅者也'《說文》. ②도마 성 고기 써는 도마. '一, 肉几也'《集韻》. 二 도마 가 一❷와 뜻이 같음. 三 도마 시 一❷와 뜻이 같음.
字源 形聲. 木+省〔音〕

9 ⑬ [桿] 〔간〕 竿(竹部 三畫〈p. 1654〉)과 同字

9 ⑬ [楀] 〔구〕 枸(木部 五畫〈p. 1048〉)와 同字

9 ⑬ [楹] 人名 영 ㊥庚 以成切 yíng

筆順 一 十 木 杙 杓 㮀 楹 楹

字解 기둥 영 둥글고 큰 기둥. '一棟'. '一階俎豆之間'《漢書》.
字源 篆文 形聲. 木+盈〔音〕. '盈영'은 '차다, 그득해지다'의 뜻. 천장과 바닥과의 사이에 가득 세운 '기둥'의 뜻을 나타냄.

[楹桷 영각] 기둥과 서까래.
[楹階 영계] 당(堂) 위의 굵은 기둥과 당에 올라가는 계단.
[楹棟 영동] 기둥과 마룻대. 곧, 가장 중요한 인물.
[楹柱 영주] 기둥.
[楹帖 영첩] 주련(柱聯).
◉絜楹. 丹楹. 鳳楹. 梁楹. 瑤楹. 銀楹. 雕楹. 彩楹. 華楹.

9 ⑬ [楺] 유 ㊤有 忍九切 rǒu

字解 휠 유 나무를 구부림. 揉(手部 九畫)와 통용. '一木爲耒'《易經》.
字源 形聲. 木+柔〔音〕

9 ⑬ [椴] 단 ㊦翰 徒玩切 duàn

字解 무궁화나무 단 아욱과의 낙엽 관목(落葉灌木).
字源 形聲. 木+段〔音〕

9 ⑬ [楋] 후 ㊥尤 戶鉤切 hóu

字解 과실이름 후, 나무이름 후 '一, 一桃. 又一櫟, 木也'《廣韻》.

9 ⑬ [楩] 편 ㊥先 房連切 pián

[字解] 나무이름 편 남방(南方)에서 나는 녹나무 비슷한 교목(喬木). '一楩豫章'《司馬相如》.
[字源] 形聲. 木+便〔音〕

9 ⑬ [楴] 제 [去]霽 他計切 tì
[字解] 빗치개 제 가르마를 타는 물건. '象之一也'《詩經》.
[字源] 形聲. 木+帝〔音〕. '帝제'는 잡도리하다의 뜻. 머리털을 잡도리하는 빗치개·비녀의 뜻을 나타냄.

9 ⑬ [楱] 주 [去]宥 倉奏切 còu / 才奏切 zòu
[字解] 나무이름 주 귤(橘)나무의 일종. '黃甘橙一'《司馬相如》.
[字源] 形聲. 木+奏〔音〕

9 ⑬ [椔] 치 [去]寘 側吏切 / [平]支 側持切 zī
[字解] 죽은나무 치 말라 죽어 서 있는 나무. '木立死, 一'《爾雅》. '葦蕢壤, 燔一翳, 卻立而視之'《韓愈》.
[參考] 椔(木部 八畫)는 俗字.

9 ⑬ [椺] [一] 격 [入]錫 戶狄切 xí / [二] 보 [韓]
[字解] [一] 술잔 격. [二]《韓》들보 보 梁(木部 七畫)과 뜻이 같음.

9 ⑬ [榌] [韓] 비
[字解]《韓》사닥다리 비.

9 ⑬ [椾] 〔전〕 牋(片部 八畫〈p. 1372〉)의 古字

9 ⑬ [楳] 〔매〕 梅(木部 七畫〈p. 1067〉)와 同字

9 ⑬ [概] 〔개〕 槪(木部 十一畫〈p. 1098〉)의 略字

9 ⑬ [⿰木面] 〔면〕 棉(木部 八畫〈p. 1075〉)의 俗字

9 ⑬ [⿰木㡿] 〔탁〕 柝(木部 五畫〈p. 1051〉)의 本字

9 ⑬ [椶] 〔종〕 椶(木部 八畫〈p. 1075〉)과 同字
[字源] 篆文 形聲. 木+㚇〔音〕

9 ⑬ [⿰木盃] 〔배〕 杯(木部 四畫〈p. 1040〉)와 同字

9 ⑬ [⿰木⿱襾更] 〔경〕 梗(木部 七畫〈p. 1069〉)의 本字

9 ⑬ [椭] 〔타〕 橢(木部 十二畫〈p. 1111〉)의 俗字

9 ⑬ [楠] [人名] 〔남〕 枏(木部 四畫〈p. 1043〉)의 俗字
[筆順] 一 十 木 木一 木十 枘 楠 楠
[字源] 形聲. 木+南〔音〕

9 ⑬ [榅] 〔온〕 榲(木部 十畫〈p. 1093〉)의 俗字

9 ⑬ [楼] 〔루〕 樓(木部 十一畫〈p. 1100〉)의 俗字

9 ⑬ [業] [中·人] 업 [入]葉 魚怯切 yè 业 業
[筆順] 丷 业 业 丵 丵 丵 丵 業
[字解] ①종다는널 업 종·북 등을 거는 가로 댄 나무를 씌우는 큰 장식 널. '設一設虡'《詩經》. ②업 업 ㉠일. 근무. '一務'. '暢於四支, 發於事一'《易經》. ㉡학습. '學一'. '所習必有一'《禮記》. ㉢생계. '爲子孫一耳'《史記》. ㉣경영. 직업. '生一'. '賣漿賤小一也'《史記》. ㉤기초. 기업(基業). '君子創一垂統, 爲可繼也'《孟子》. ㉥불교에서의 인(因)을 과(果)로 하게 하는 소행. '一切生法, 皆屬一因'《成實論》. ③공업 공적. '功一'. '富有之謂大一'《易經》. ④업으로삼을 업 일을 경영함. '宜一其家者'《韓愈》. ⑤이미 업 벌써. '一已'. '良一爲取履'《史記》. ⑥위태할 업 위태한 모양. '累卵一一'《大玄經》. ⑦시작할 업 처음으로 함. '項梁一之'《史記》. ⑧차례 업 순서. '民從事有一'《國語》. ⑨클 업 '一, 大也'《廣韻》. ⑩높을 업 '增槃一峨'《後漢書》. ⑪성 업 성(姓)의 하나.
[字源] 金文 篆文 古文 象形. 톱니 모양의 들쭉날쭉한 장식을 한 악기(樂器)를 거는 널의 象形으로, 그 장식판(板)의 뜻을 나타냄. 음형상(音形上)으로는 '嚴엄' 따위와 통하여, 엄격한 학술·기예의 습득(習得) 행위, 일의 뜻으로 쓰임.

[業苦 업고]《佛教》악업(惡業)의 응보(應報)로 받는 고통.
[業果 업과] 업보(業報).
[業力 업력] ㉠사업(事業)에 힘쓰는 힘. ㉡《佛教》과보(果報)를 이끄는 업인(業人)의 큰 힘.
[業務 업무] 생업(生業)의 일.
[業病 업병]《佛教》업보(業報)로 받는 병.
[業報 업보] 업인(業因)의 응보.
[業業 업업] ㉠위태로운 모양. ㉡위구(危懼)하는 모양. 두려워하는 모양. ㉢강장(強壯)한 모양. ㉣고대(高大)한 모양. 높은 모양.
[業冤 업원] 전생(前生)의 죄업(罪業)으로 이승에서 받는 고통(苦痛).
[業猶 업유] 아직도. 오히려.
[業已 업이] 이미. 벌써.
[業因 업인]《佛教》선악(善惡)의 보응(報應)이 일어나는 원인.
[業績 업적] 공업. 공적.
[業精於勤 업정어근] 학문은 부지런히 힘쓰면 힘쓸수록 진보함.
[業次 업차] 업무의 순서.
[業畜 업축] 전생(前生)의 죄업(罪業)으로 이승에

태어난 축생(畜生). 학대(虐待)를 받는 짐승.
[業戶 업호] 지주(地主)의 집. 지주.
[業火 업화]《佛敎》㉠불같이 성내는 마음. ㉡악업(惡業)의 고보(苦報)인 지옥(地獄)의 맹화(猛火).
◉家業. 稼業. 開業. 擧業. 兼業. 經國大業. 經業. 苦業. 工業. 功業. 課業. 官業. 勸業. 箕裘之業. 企業. 起業. 基業. 樂業. 農業. 大業. 德業. 同業. 萬世之業. 末業. 民業. 別業. 本業. 婦業. 丕業. 非業. 司業. 事業. 產業. 三業. 常業. 商業. 生業. 緖業. 先業. 善業. 成業. 盛業. 世業. 所業. 受業. 修業. 授業. 宿業. 術業. 習業. 始業. 失業. 實業. 雅業. 惡業. 夜業. 漁業. 餘業. 烈業. 營業. 藝業. 王業. 偉業. 因業. 林業. 資業. 作業. 雜業. 專業. 傳業. 轉業. 正業. 定業. 淨業. 停業. 帝業. 祖業. 操業. 卒業. 從業. 終業. 罪業. 職業. 創業. 天業. 賤業. 醜業. 就業. 怠業. 統業. 罷業. 覇業. 廢業. 畢業. 學業. 行業. 現業. 鴻業. 回天事業. 興業.

9 ⑬ [楘] 목 [入]屋 莫卜切 mù
[字解] 수레채가죽 목 수레채에 감아 장식하는 가죽. '五一梁輈'《詩經》.
[字源] 篆文 形聲. 木+敄〔音〕

9 ⑬ [⿱剿木] 초(소[本]) [去]效 所敎切 xiāo
[字解] 뾰족이깎을 초 나무 위 끝을 뾰족이 깎음.

9 ⑬ [楶] 절 [入]屑 子結切 jié
[字解] 동자기둥 절 들보 위에 세우는 짧은 기둥. 쪼구미. '一梲之材, 不荷棟梁之任'《班彪》.
[字源] 篆文 形聲. 木+咨〔音〕. '咨자'는 벌여 놓다의 뜻.

9 ⑬ [楽] 〔악〕
樂(木部 十一畫〈p. 1104〉)의 俗字

9 ⑬ [桌] 〔률〕
栗(木部 六畫〈p. 1063〉)의 古字

10 ⑭ [尌] 〔수〕
樹(木部 十二畫〈p. 1107〉)의 古字

10 ⑭ [榢] 〔가〕
架(木部 五畫〈p. 1054〉)의 俗字

10 ⑭ [槗] 〔교〕
橋(木部 十二畫〈p. 1109〉)의 俗字

10 ⑭ [榎] 가 [上]馬 古疋切 jiǎ
[字解] ①개오동나무 가 檟(木部 十三畫)와 同字. '用一與楚'《爾雅翼》. ②회초리 가 매질하는 회초리. '一楚'.
[字源] 形聲. 木+夏〔音〕

[榎楚 가초] 회초리.

10 ⑭ [榑] 부 [平]虞 防無切 fú
[字解] 부상 부 해 돋는 곳에 있다는 신목(神木). 扶(手部 四畫)와 同字. '朝發一桑'《淮南子》.
[字源] 篆文 形聲. 木+専〔音〕

[榑桑 부상] 해 돋는 곳에 있다는 신목(神木). 부상(扶桑).

10 ⑭ [榏] 익(역[本]) [入]錫 五歷切 yì
[字解] 배 익 익(鷁)새의 형상을 선수(船首)에 장식한 배. 艗(舟部 十畫)과 同字. '一, 舟也'《玉篇》.

10 ⑭ [榔] 랑 [平]陽 魯當切 láng
[字解] 빈랑나무 랑 '檳一'은 종려나뭇과에 속하는 상록 교목(常綠喬木). 과실은 식용·약용으로 함.
[字源] 形聲. 木+郞〔音〕

[榔榆 낭유] 참느릅나무의 딴 이름.

10 ⑭ [榕] [人名] 용 [平]冬 餘封切 róng
[筆順] 一 十 木 木' 栘 栨 榕 榕
[字解] 용나무 용 뽕나뭇과(科)에 속하는 상록 교목(常綠喬木). 간지(幹枝)에서 땅에 늘어지는 뿌리가 생겨 만연(蔓延)함. 남방에 남. 여름에 흰 꽃이 핌. '閩中多一樹'《榕城隨筆》.
[字源] 形聲. 木+容〔音〕

10 ⑭ [榐] [一] 전 [上]銑 知輦切 zhǎn
[二] 년 [去]霰 女箭切 niàn
[三] 진 [去]震 直刃切 zhèn
[字解] [一] ①잔 전 술잔. ②나무길 전 나무가 긴 모양. '一, 檣一, 樹長貌'《集韻》. [二] 가는도구 년 물건을 갈거나 타는 도구. '一, 轢物器'《集韻》. [三] 나무이름 진 '一, 木名'《集韻》.

10 ⑭ [榛] [人名] 진 [平]眞 側詵切 zhēn
[字解] ①개암나무 진 자작나뭇과에 속하는 낙엽관목(落葉灌木). 열매는 식용·약용으로 함. '山有一'《詩經》. ②가시나무 진 황무지에 난생(亂生)하는 잡목(雜木). '下田長荊一'《李商隱》. ③덤불 진 잡목·잡초가 우거진 곳. '一蕪'. '披一採蘭'《晉書》.
[字源] 篆文 形聲. 木+秦〔音〕. '秦진'은 '우거지다'의 뜻. 잡목이 무성한 덤불의 뜻을 나타내며, 또 지엽(枝葉)이 우거진 '개암나무'의 뜻을 나타냄.

[榛栗 진률] ㉠개암나무와 밤나무. ㉡산밤나무.
[榛莽 진망] 잡초·잡목이 우거진 데. 덤불.
[榛蕪 진무] ㉠잡목·잡초가 성함. 또, 그 땅. ㉡정도(正道)를 해치는 물건.
[榛薉 진예] 진예(榛穢).

[榛穢 진예] ㉠진망(榛莽). ㉡나쁜 풍습. 또는 나쁜 정사(政事).
[榛樾 진월] 무성한 나무 그늘.
[榛栗 진율] ㉠산밤나무. ㉡개암나무와 밤나무.
[榛刺 진자] ㉠나무의 가시. ㉡가시나무.
[榛榛 진진] 초목이 난생(亂生)한 모양.
[榛叢 진총] 잡초·잡목이 우거진 곳. 덤불.
[榛荊 진형] 진자(榛刺).
[榛薈 진회] 진무(榛蕪)㉠.
◉刺榛. 叢榛. 荊榛. 荒榛.

10 ⑭ [榜] 방 ①-③[上]養 北朗切 bǎng ④-⑦[去]漾 補曠切 bàng ⑧⑨[平]庚 薄庚切 bēng

[字解] ①패 방 문자를 적어 표지(標識)로 하는 목패(木牌). '凌雲殿, 一未題, 而匠者誤釘之'《晉書》. ②방목 방 과거 급제자의 성명을 공시(公示)하는 패. 또는 발표서. '放一'. '裴延齡爲吏部, 作長名一詮註法'《唐書》. ③방써붙일 방 써서 게시함. 표시(標示)함. '共相標一'《後漢書》. ④매 방. 매질할 방 매로 때림. '一掠'. '一笞數千'《史記》. ⑤떼 방. 배 방 '涉人於是榜一'《郭璞》. ⑥노 방 배 젓는 막대기. '一聲催曉渡江心'《貢師泰》. ⑦배저을 방 노로 배를 저음. 搒(手部 十畫)과 同字. '一聲'. '自一船送妻'《南史》. ⑧도지개 방 트집 간 활을 바로잡는 도구. 㮁(木部 八畫)은 本字. '㮁, 所目輔弓弩也'《說文》. ⑨도울 방 '一, 輔也'《廣雅》.

[字源] 篆文 形聲. 木+旁(㫄)〔音〕. '㫄방'은 '곁'의 뜻. 활의 양쪽에 대어 활의 트집 간 데를 고치다, 바로잡다의 뜻을 나타냄.

[榜歌 방가] 뱃노래.
[榜檠 방경] 도지개.
[榜具 방구] 죄인을 고문하는 형틀.
[榜掠 방략] 볼기 쳐 고문함.
[榜令 방령] 패에 기록한 정령.
[榜賣 방매] 값을 공시(公示)하여 팖.
[榜目 방목] 과거(科擧)에 급제(及第)한 사람의 이름을 기록(記錄)한 책.
[榜文 방문] 여러 사람에게 알리기 위하여 길거리에 써 붙이는 글.
[榜服 방복] 볼기 쳐 복죄(伏罪)시킴.
[榜船 방선] 상앗대로 배를 저음.
[榜聲 방성] 노로 배를 젓는 소리.
[榜示 방시] 패에 써서 게시함.
[榜眼 방안] 과거(科擧) 급제(及第)의 제2위. 눈은 둘이므로 둘째의 은어(隱語)로 쓴 것임.
[榜額 방액] 편액(扁額). 또, 편액을 겖.
[榜人 방인] 뱃사공.
[榜楚 방초] 방태(榜笞).
[榜捶 방추] 곤장.
[榜笞 방태] 매질함. 벌(罰)로 볼기 침.
◉歌榜. 高榜. 放榜. 賞榜. 試榜. 吳榜. 酒榜. 板榜. 標榜. 懸榜. 夾榜. 黃榜.

10 ⑭ [槝] [一] 오 [平]虞 汪胡切 wū [二] 올 [入]月 烏沒切 wēn

[字解] [一] ①나무이름 오 '一㭤, 木, 中箭笴'《玉篇》. ②땡감 오 '一椑'는 덜 익어 떫은 감. '一椑, 青桸也'《類篇》. [二] 올발 올 榲(木部 十畫)과 同字.

10 ⑭ [榠] 명 [平]青 莫經切 míng

[字解] 명사나무 명 '一樝'는 장미과에 속하는 낙엽 교목(落葉喬木). 모과(木瓜)나무와 비슷함. 타원형의 장과(漿果)는 떫고, 약용(藥用)하며, 꽃은 분홍색임. '一樝, 木葉花實, 酷類木瓜'《蘇頌圖經》.

[字源] 形聲. 木+冥〔音〕

[榠樝 명사] 자해(字解)를 보라.

10 ⑭ [榡] 소 [去]遇 蘇故切 sù

[字解] 바탕 소 물건의 자료. 감. 소재(素材). '一, 器未飾也'《類篇》.

[字源] 形聲. 木+素〔音〕

10 ⑭ [⿰木索] 색 [入]陌 色窄切 suǒ

[字解] 사스레피나무 색 '一柃'은 차나뭇과에 속하는 상록 교목. 잿물을 받아 염료(染料)로 씀.

[⿰木索柃 색령] 자해(字解)를 보라.

10 ⑭ [榤] 걸 [入]屑 渠列切 jié

[字解] ①홰 걸 桀(木部 六畫)과 同字. '雞棲于杙爲一'《爾雅》. ②말뚝 걸 '一, 杙也'《玉篇》.

10 ⑭ [⿰木⿱巩木] 공 [平]冬 渠容切 qióng

[字解] ①거룻배 공 돛 없는 작은 배. '南楚江湘, 凡艇之小而深者, 謂之一'《揚子方言》. ②밉살스러울 공 '一松'은 밉살맞은 모양. '一松, 可憎之貌'《廣韻》.

10 ⑭ [⿰木畟] 직 [入]職 子力切 jì

[字解] 나무이름 직 소나무 비슷한 나무. 결이 곱고 가시가 있음. '樫松楔一'《張衡》.

[字源] 篆文 形聲. 木+畟〔音〕

10 ⑭ [榥] [人名] 황 [上]養 胡廣切 huàng

[筆順] 一 十 木 木" 朩日 桿 榥 榥

[字解] ①책상 황 서안(書案). '一, 讀書牀'《品字箋》. ②창문 황 천을 바른 채광창(採光窓). '交綺對一'《張協》.

[字源] 形聲. 木+晃〔音〕

◉欄榥. 鏤榥. 軒榥.

10 ⑭ [榬] 원 [平]元 雨元切 yuán

[字解] ①얼레 원 실을 감는 틀. '籆, 一也, 所以絡絲也'《揚子方言》. ②종거는나무 원 종·북 등을 걸어 두는 기구. '懸鐘磬之一'《管子》. ③성 원 성(姓)의 하나.

10
⑭ [榧] [人名] 비 [上]尾 府尾切 fěi

[字解] 비자나무 비 주목과에 속하는 상록 교목(常綠喬木). 과실은 기름을 짬. '一似黏, 而材光文彩如柏'《爾雅翼》.
[字源] 形聲. 木+匪〔音〕. '匪비'는 좌우로 열리다의 뜻. 바늘과 같은 잎이 좌우로 열려 있는 '비자나무'의 뜻을 나타냄.

10
⑭ [榨] 자 [去]禡 側駕切 zhà

[字解] ①기름틀 자 기름을 짜는 틀. ②술주자 자 술을 거르는 틀. '酒一'. ③짤 자 기름 같은 것을 짜냄. ④거를 자 술을 거름. '光祿寺一酒'《大明會典》.
[字源] 形聲. 木+窄〔音〕. '窄착'은 '짜다'의 뜻. 기름이나 술을 짜는 나무 기구의 뜻을 나타냄.

10
⑭ [榭] 사 [去]禡 辝夜切 xiè

[字解] ①정자 사 대(臺) 위에 있는 정자. '亭一'. '宮室臺一'《書經》. ②사정 사 강무(講武)하는 곳. '三郤將謀於一'《左傳》. ③사당 사 내실(內室) 없는 사당. '成周宣一火'《春秋》. ④곳집 사 악기를 넣어 두는 창고. '一者, 所以藏樂器'《漢書》.
[字源] 篆文 形聲. 木+射(䠶)〔音〕. '䠶사'는 활로 살을 쏘다의 뜻에서 곧추 높이 돌출함의 뜻. 기둥이 곧추선 높은 전각(殿閣).

◉傾榭. 故榭. 高榭. 曲榭. 觀榭. 廣榭. 露榭. 累榭. 樓榭. 舞榭. 水榭. 深榭. 瑤榭. 雲榭. 危榭. 亭榭. 疊榭. 層榭.

10
⑭ [榩] 건 [平]先 渠焉切 qián

[字解] ①모탕 건 나무를 패거나 쪼갤 때에 받치는 나무토막. '椹謂之一'《爾雅》. ②곳집 건 쌀 창고. '一, 廩也. 構木爲之'《廣韻》.

10
⑭ [榰] 지 [平]支 章移切 zhī

[字解] ①주추 지 기둥 밑에 괴어 놓은 나무. 옛날에는 나무를 썼음. ②버틸 지 넘어지지 않게 버팀. '一梧'. '相一柱也'《爾雅 註》.
[字源] 篆文 形聲. 木+耆〔音〕. '耆지'는 '支지'와 통하여, '버티다'의 뜻. 나무로 된 토대의 뜻을 나타내며, 또 '버티다'의 뜻도 나타냄.

[榰梧 지오] 버팀.
[榰柱 지주] 버팀목. 또, 버팀목으로 버팀.

10
⑭ [榱] 최 [平]支 所追切 cuī

[字解] 서까래 최 '一桷'. '飾華一與璧璫'《張衡》.
[字源] 篆文 形聲. 木+衰〔音〕. '衰쇠'는 '도롱이'의 뜻. 도롱이로 엮어진 띠·사초와 같이, 마룻대에서 처마로 뻗은 '서까래'의 뜻을 나타냄.

[榱桷 최각] 서까래.
[榱椽 최연] 서까래.
[榱題 최제] 서까래의 끝. 서까래의 끝이 처마에 닿은 곳.
◉桷榱. 高榱. 文榱. 飛榱. 華榱.

10
⑭ [榲] [一] 올 [入]月 烏沒切 wēn
[二] 온 [平]元 烏昆切 wēn

[字解] [一] 올발 올 '一桲'은 장미과에 속하는 낙엽 교목(落葉喬木). 과실은 달며, 식용함. 마르멜로. [二] ①삼목(杉木) 온 낙우송과에 속하는 상록 교목. ②뿌리 온 나무의 뿌리.
[字源] 形聲. 木+昷〔音〕

[榲桲 올발] 자해(字解)[一]을 보라.

10
⑭ [榷] [一] 교 [去]效 居效切 jiào
[二] 각 [入]覺 古岳切 què

[字解] [一] 외나무다리 교 독목교(獨木橋). '以木渡水曰一'《漢書 註》. [二] 도거리할 각 정부가 전매(專賣)하여 이익을 독점함. '一酤'. '初一酒酤'《漢書》.
[字源] 篆文 形聲. 木+隺〔音〕. '隺각·학'은 '단단함'의 뜻. 단단한 나무를 건너지른 외나무다리의 뜻을 나타냄.

[榷酤 각고] 관부(官府)의 술의 전매(專賣).
[榷管 각관] 관부(官府)의 전매(專賣) 또는 독점.
[榷茶 각다] 차(茶)에 세금을 매김.
[榷會 각회] 매매(賣買)의 소개를 붙여 이익을 독점함.
◉酤榷. 辜榷. 官榷. 禁榷. 茶榷. 稅榷. 利榷. 掌榷. 征榷. 酒榷.

10
⑭ [榴] [人名] 류 [平]尤 力求切 liú

[字解] 석류나무 류 석류나뭇과에 속하는 낙엽 교목(落葉喬木). 근피(根皮)·수피(樹皮)·과피(果皮) 등은 약재로 씀. '石一'. '五月一花照眼明'《韓愈》.
[字源] 形聲. 木+留〔音〕

[榴散彈 유산탄] 속에 무수한 작은 탄알을 넣어서 만든 대포알.
[榴花 유화] 석류(石榴)나무의 꽃.
◉石榴. 安石榴. 若榴. 紅榴.

10
⑭ [榤] 결 [入]屑 吉屑切 jié

[字解] 두레박틀 결 桔(木部 六畫)과 同字. '林端擧一槔'《王維》.

[榤槔 결고] 두레박틀.

10
⑭ [榻] 추 [平]尤 楚鳩切 chōu

[字解] ①쇠코뚜레 추 소의 코를 꿰뚫어 고삐를 매는 고리. '一, 牛鼻繫繩具'《類篇》. ②뒤틀린 널 추 판목이 바르지 못함. '一, 板木不正'《廣韻》.

10
⑭ [榌] 비 [平]支 房脂切 pí

字解 평고대 비 처마 끝에 가로 댄 나무. '樓檻文—'《張衡》.
字源 篆文 形聲. 木+昆〔音〕

10 ⑭ [榻] 人名 탑 (入)合 吐盍切 tà

字解 ①걸상 탑 긴 의자. '連—而坐'《晉書》. ②거친무명 탑 거친 면직물. '—布皮革千石'《史記》.

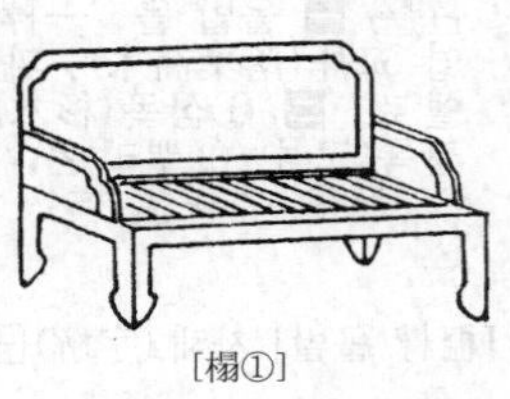
[榻①]

字源 篆文 形聲. 木+㬰〔音〕. '㬰탑'은 밑에 있는 것을 덮어 가리다의 뜻.

[榻牀 탑상] 걸상·와상(臥床) 등의 총칭(總稱).
[榻子 탑자] 걸상. 침대.
[榻前 탑전] 임금의 자리 앞.
[榻布 탑포] 거칠고 두꺼운 무명.
◉講榻. 獨榻. 木榻. 牀榻. 石榻. 禪榻. 御榻. 臥榻. 矮榻. 淨榻. 草榻. 華榻.

10 ⑭ [榻] 榻(前條)의 訛字

10 ⑭ [榯] 시 (平)支 市之切 shí

字解 ①나무곧게설 시 우뚝 솟음. 수목(樹木)이 직립(直立)함. '其始出也, 𥉌兮若松—'《宋玉》. ②문설주 시 문지도리를 지탱하게 하는 부분. '落—, 持門樞'《類篇》.
字源 形聲. 木+時〔音〕. '時시'는 '峙'와 통하여, '우뚝 솟다'의 뜻.

10 ⑭ [榼] 합 (入)合 苦盍切 kē

字解 ①통 합 물통·술통 따위. '足以溢壺—'《淮南子》. ②뚜껑 합 그릇의 아가리를 덮는 물건. '行人執—承飮'《左傳》. ③칼집 합 '以木爲劍衣. 若今刀—'《禮記 疏》.
字源 篆文 形聲. 木+盍(盇)〔音〕. '盇합'은 '덮다'의 뜻. 술 그릇을 덮는 나무 덮개, '술통'의 뜻을 나타냄.

◉金榼. 芳榼. 甁榼. 玉榼. 酒榼. 樽榼. 香榼. 壺榼.

10 ⑭ [榾] 골 (入)月 古忽切 gǔ

字解 ①등걸 골 나무를 베고 난 그루터기. '—柮'. '古墓深林盡株—'《元稹》. ②나무이름 골 '枸—'은 호랑가시나무.
字源 形聲. 木+骨〔音〕

[榾柮 골돌] 등걸.

10 ⑭ [榿] [一] 기 (平)支 丘其切 qī [二] 개 (上)蟹 苦駭切 桤

字解 [一] 나무이름 기 오리나무. 자작나뭇과의 낙엽 교목. 빨리 자라 3년 후면 큰 나무가 된다 함. '飽聞—樹三年大'《杜甫》. [二] 나무이름 개 [一]과 뜻이 같음.
字源 形聲. 木+豈〔音〕

10 ⑭ [槁] 人名 고 (上)皓 古老切 gǎo

字解 ①마를 고 ㉠말라 죽음. '—木'. '七八月之間, 旱則苗—矣'《孟子》. ㉡건조함. '—魚曰商祭'《禮記》. ②말라죽은나무 고 고목(枯木). '若振—然'《荀子》. ③쌓을 고 축적함. '去表之—'《左傳》. ④위로할 고 犒(牛部 十畫)와 同字. 槀(木部 十畫)와 同字. '以膏潤物曰槀'《說文段注》. ⑤짚 고 稾(禾部 十畫)와 통용. '特箭—而莖立'《馬融》.
字源 甲骨文 篆文 形聲. 木+高〔音〕. '高고'는 '確확'과 통하여, '굳다'의 뜻. 나무가 굳어지다, 말라 죽다의 뜻을 나타냄.

[槁木 고목] 말라 죽은 나무. 고목(枯木).
[槁木死灰 고목사회] 형상은 고목(枯木) 같고 마음은 불이 꺼진 재 같아 생기가 없거나 욕심이 없음.
[槁壤 고양] 마른 흙.
[槁魚 고어] 건어(乾魚).
[槁梧 고오] 거문고. 마른 오동나무로 만들므로 이름.
[槁枝 고지] 말라 죽은 가지. 고지(枯枝).
[槁悴 고췌] ㉠말라 오그라듦. ㉡여윔.
[槁項 고항] 수척(瘦瘠)한 목덜미.
◉枯槁. 苗槁. 衰槁. 凋槁. 振槁. 摧槁. 黃槁.

10 ⑭ [槇] [一] 전 (平)先 都年切 diān [二] 진 (上)軫 章忍切 zhěn

字解 [一] 나무끝 전 우듬지. '人頂曰顚, 木頂曰—'《說文 段注》. [二] 결고울 진 나뭇결이 촘촘함. '—, 木密'《廣韻》.
字源 篆文 形聲. 木+眞〔音〕. '眞진'은 '거꾸로'의 뜻. 거꾸로 쓰러진 나무의 뜻을 나타냄. 또, '眞'은 '顚전'과 통하여 '꼭대기'의 뜻. 나무 끝의 뜻을 나타냄.

10 ⑭ [槅] [一] 혁 (入)陌 古核切 gé [二] 핵 (入)陌 下革切 hé

字解 [一] 멍에 혁 마소의 목에 얹는 기구. '商旅連—'《張衡》. [二] 씨 핵 실과 핵 核(木部 六畫)과 同字. '肴—四陳'《左思》.
字源 篆文 形聲. 木+鬲〔音〕. '鬲격'은 사이를 두다, 이에 짝의 뜻. 수레와 말과의 연결 부위에 쓰이는 목제(木製) '멍에'의 뜻을 나타냄.

10 ⑭ [槈] 누 (去)宥 奴豆切 nòu

字解 낫 누 끝을 땅에 박아 풀 같은 것을 깎는 연장. '挾其槍刈—鎛'《管子》.
字源 篆文 別體 形聲. 木+辱〔音〕. '辱욕'은 풀 베는 기구의 象形. '辱'이 주로 굴욕(屈辱)의 뜻으로 쓰이게 되자 '槈누'·'鎒누'·'耨누' 따위가 쓰이게 되었음.

10 ⑭ [槏] [一] 겸 (上)豏 苦減切 qiǎn [二] 렴 (平)鹽 離鹽切 lián

字解 [一] ①문 겸 방의 출입구. '—, 戶也'《說

文》. ②문설주 겸 창문의 기둥. ③벼이름 겸 벼〔稻〕의 일종. '—, 稻名'《集韻》. [二] 난간 렴, 모렴 廉(广部 十畫)과 同字.

[字源] 篆文 形聲. 木+兼〔音〕. '兼겸'은 '아우름'의 뜻. 양쪽에서 합치는 문의 뜻을 나타냄.

10 ⑭ [㯆] 비 [去]寘 平祕切 bèi

[字解] 붉나무 비 옻나뭇과에 속하는 낙엽 소교목(落葉小喬木). 나뭇잎에 곤충이 기생하여 된 오배자(五倍子)는 염료(染料)·약용으로 함. '其木乃—'《管子》.

10 ⑭ [構] [高人] 구 [去]宥 古候切 gòu 构

[筆順] 一 十 木 朩 栣 構 構 構

[字解] ①얽을 구 ㉠집 등을 얽어 만듦. '—筏'. '—造'. '厥子乃弗肯堂, 矧肯—'《書經》. '築土—木'《淮南子》. ㉡생각을 얽어 짬. '—想'. '文章宏富, 善—新調'《漢書》. ㉢없는 사실을 꾸며 해침. '—誣'. '—陷'. '宣姜與公子朔, —急子'《左傳》. ㉣합침. '男女—精'. ②맺을 구 만듦. 지음. '—釁'. '怨之所—'《荀子》. '—怨於諸侯'《孟子》. ③이룰 구 이루어짐. '事已—矣'《漢書》. ④경영 구 사업. '永懷先—'《齊書》. ⑤서까래 구 '華堂傾—, 廣宅頹墉'《陸雲》. ⑥꾸지나무 구 뽕나뭇과에 속하는 낙엽 교목. 수피는 종이의 원료. '—膠可以塗丹砂'《物類相感志》.

[字源] 篆文 形聲. 木+冓〔音〕. '冓구'는 '짜 맞추다'의 뜻. 나무를 얽어 짜 맞추다, 꾸미다, 이루다의 뜻.

[構難 구난] 서로 화난(禍難)을 맺는다는 뜻으로, 서로 전쟁 같은 것을 함을 이름.
[構內 구내] 주위(周圍)를 둘러싼 그 안. 관공서나 큰 구조물(構造物) 같은 데에 딸린 울 안.
[構亂 구란] 반란을 일으킴. 전쟁을 일으킴.
[構誣 구무] 터무니없는 사실(事實)을 꾸미어 남을 속임.
[構兵 구병] 출병(出兵)하여 전쟁을 함.
[構思 구사] 구상(構想)함.
[構思十年 구사십년] 진(晉)나라의 좌사(左思)가 10년간 구상하여 삼도(三都)〈위도(魏都)·촉도(蜀都)·오도(吳都)〉의 부(賦)를 지은 고사(故事).
[構殺 구살] 없는 죄를 씌워 죽임.
[構想 구상] ㉠구성(構成)한 사상(思想). ㉡사상(思想)을 얽어 놓음. ㉢예술 작품을 창작하기 위하여 그 내용·형식 등을 생각함.
[構成 구성] 얽어 만듦.
[構怨 구원] 원한을 맺음.
[構刺 구자] 없는 사실을 꾸미어 책망하거나 비방함.
[構造 구조] ㉠얽어 만듦. ㉡만든 본새.
[構譖 구참] 없는 죄를 꾸며 참소함.
[構築 구축] 얽어 만들어 쌓아 올림.
[構陷 구함] 없는 사실을 꾸미어 남을 모함(謀陷)함.
[構會 구회] 참소(譖訴)를 당하여 죄를 받음.
[構釁 구흔] 불화(不和)의 씨를 만듦.
◉改構. 結構. 高構. 功構. 宏構. 巧構. 奇構. 基構. 機構. 堂構. 修構. 宿構. 靈構. 鱗構. 造構. 雕構. 讒構. 天構. 築構. 層構. 解構. 虛構. 興構.

10 ⑭ [槌] [人名] [一] 추 [平]支 直追切 chuí
[二] 퇴 [平]灰 都回切 duī 槌

[字解] [一] ①망치 추 짧은 몽둥이. '—鑿'. '雙—亂擊'《魏書》. ②칠 추 망치 따위로 침. '—牀便大怒'《古詩》. [二] ①망치 퇴, 칠 퇴 [一]과 뜻이 같음. ②내던질 퇴 팽개침. 搥(手部 十畫)와 통용. '—提仁義'《法言》.

[字源] 篆文 形聲. 木+追〔音〕. '追추'는 '椎추'와 통하여, '망치'의 뜻. 나무망치의 뜻을 나타냄.

[槌碎 추쇄] 망치로 쳐 부숨.
[槌心 추심] 가슴을 침.
[槌杵 추저] 망치.
[槌鑿 추착] 망치와 끌.
◉金槌. 椰槌. 木槌. 研槌. 鐵槌.

10 ⑭ [槍] [人名] 창 [平]陽 七羊切 qiāng 枪

[字解] ①창 창 무기의 하나. '—劍'. '選諸軍中善用—槊者'《宋史》. ②다다를 창 이름. '見獄吏則頭—地'《漢書》. '我決起而飛, —楡枋'《莊子》. ③《現》 소총(小銃) 창. ④성 창 성(姓)의 하나.

[字源] 篆文 形聲. 木+倉〔音〕. '倉창'은 '刅창'과 통하여, 상처를 입다의 뜻. 상처를 입히는 '창'의 뜻.

[槍杆 창간] 창 자루.
[槍幹 창간] 창간(槍杆).
[槍劍 창검] 창과 칼.
[槍旗 창기] 차(茶)나무의 싹. 차나무의 싹은 창 같고 잎은 기 같으므로 이름.
[槍壘 창루] 뾰족한 나무를 세워 적(賊)의 침입을 막는 성채(城砦).
[槍法 창법] 창을 쓰는 법.
[槍手 창수] 창을 쓰는 사람. 또, 창을 가진 군사(軍士).
[槍術 창술] 창을 다루어 쓰는 법.
[槍攘 창양] 어지러운 모양.
◉機槍. 亂槍. 短槍. 刀槍. 手槍. 長槍. 挺槍. 竹槍. 鐵槍. 標槍.

10 ⑭ [槎] 사 ①②[平]麻 鉏加切 chá
③[上]馬 士下切 槎

[字解] ①떼 사 뗏목. 査(木部 五畫)·楂(木部 九畫)와 同字. '乘—'《北史》. '流—去上天池'《庾信》. ②성 사 성(姓)의 하나. ③엇찍을 사 비스듬히 찍음. 柞(木部 五畫)과 통용. '山不—櫱'《國語》.

[字源] 篆文 形聲. 木+差〔音〕. '差차'는 한결같지 않음의 뜻. 나무를 고르지 않게 엮은 뗏목의 뜻을 나타냄. 또, '差'는 싹 베다의 뜻을 나타내는 의성어(擬聲語). 나무를 비스듬히 찍다의 뜻도 나타냄.

[槎枿 사얼] 그루터기에서 나는 싹. 움.
[槎櫱 사얼] 사얼(槎枿).
◉江槎. 斷槎. 泛槎. 仙槎. 流槎.

10 ⑭ [槐] [人名] 괴 [平]佳 戶乖切 huái
[平]灰 戶恢切

[字解] ①홰나무 괴 콩과에 속하는 낙엽 교목(落葉喬木). 회화나무. 주대(周代)에, 조정(朝廷)에 이 나무를 세 그루 심어서 삼공(三公)의 좌석의 표지(標識)로 하였으므로, '三一'를 삼공(三公)의 위계(位階)의 뜻으로 씀. '面三一, 三公位焉'《周禮》. ②성 괴 성(姓)의 하나.

[字源] 篆文 形聲. 木+鬼〔音〕. '鬼귀'는 둥근 덩어리의 뜻. 나무줄기가 굽어져 옹두리가 생긴 나무의 뜻을 나타냄.

[槐棘 괴극] 삼괴 구극(三槐九棘). 곧, 삼공구경(三公九卿).
[槐木 괴목] 홰나무. 회화나무.
[槐門 괴문] 삼공(三公)의 딴 이름.
[槐宸 괴신] 궁전(宮殿).
[槐實 괴실] 홰나무의 열매. 살충(殺蟲)·타태제(墮胎劑)로 씀.
[槐嶽 괴악] 고위 고관(高位高官).
[槐安國 괴안국] 개미의 서울. '남가몽(南柯夢)'을 참조하라.
[槐安夢 괴안몽] '남가몽(南柯夢)'과 같음.
[槐安王 괴안왕] 개미〔蟻〕의 이칭(異稱).
[槐葉 괴엽] ㉠홰나무의 잎. ㉡대신(大臣)·공경(公卿)을 이름.
[槐位 괴위] 삼공(三公)의 지위.
[槐庭 괴정] 조정(朝廷)의 이칭(異稱).
[槐鼎 괴정] 삼공(三公)의 지위.
[槐座 괴좌] 괴정(槐鼎).
[槐枝 괴지] 홰나무의 가지.
[槐秋 괴추] 과거(科擧)를 볼 나이. 과거를 음력 7월경의 홰나무 꽃이 노래질 무렵에 보므로 이름.
[槐風 괴풍] 공경(公卿)을 이름.
[槐鉉 괴현] 괴정(槐鼎).
[槐花 괴화] 홰나무의 꽃. 지혈(止血)·이질(痢疾)·치질(痔疾)·회충(蛔蟲) 등에 약재(藥材)로 씀.
[槐黃 괴황] 홰나무의 열매로 만든 황색(黃色)의 물감.
◉公槐. 老槐. 大槐. 三槐. 台槐. 堠槐.

10 ⑭ [槓] 공 [平]江 古雙切 gāng

[字解] 막대기 공 '一杆'은 지렛대.

[字源] 形聲. 木+貢〔音〕

[槓杆 공간] ㉠막대기. ㉡지레.
[槓桿 공간] 지레. 지렛대.
[槓解 공해] 짐을 져 날라서 보냄.

10 ⑭ [榫] 순 [上]軫 悚尹切 sǔn

[字解] 장부 순 나무 끝을 구멍에 맞추어 박기 위하여 깎아 가늘게 만든 부분. '枘鑿者一卯也'《明道語錄》.

[字源] 形聲. 木+隼〔音〕

10 ⑭ [槄] [一] 도 [平]豪 土刀切 tāo
[二] 토 [上]晧 他浩切

[字解] [一] 가나무 도 '一, 山楸'《集韻》. [二] 가나무 토 [一]과 뜻이 같음.

10 ⑭ [榣] 요 [平]蕭 餘昭切 yáo

[字解] ①움직일 요 나무가 흔들림. '一, 樹動也'《說文》. ②나무 요 큰 나무. '一木不生危'《國語》.

[字源] 篆文 形聲. 木+䍃〔音〕. '䍃요'는 '흔들리다'의 뜻. 나무가 흔들려 움직이다의 뜻을 나타냄.

10 ⑭ [㮫] 할 ①[入]曷 何葛切 hé
②[入]黠 下瞎切 xiá

[字解] ①덧댄나무 할 나무의 구르는 것을 보조하는 재목. '一, 所以輔木轉也'《玉篇》. ②도지개 할 트집 간 활을 바로잡는 틀. '一, 木所以正弓也'《集韻》.

10 ⑭ [榶] 당 [平]陽 徒郎切 táng

[字解] ①주발 당 음식을 담는 작은 식기. '魯人以一, 衞人用柯, 齊人用一革'《荀子》. ②산앵두나무 당 당체(唐棣). '一, 一棣, 木名'《廣韻》.

10 ⑭ [槉] 질 [入]質 秦悉切 jí

[字解] 두공 질 기둥 위의 방형(方形)의 나무. 옥로(屋櫨).

10 ⑭ [榐] 전 [平]先 諸延切 zhān

[字解] 단향목 전 栴(木部 六畫)과 同字.

10 ⑭ [榟] 〔재〕
梓(木部 七畫〈p. 1068〉)와 同字

10 ⑭ [棡] 〔강〕
剛(刀部 八畫〈p. 260〉)과 同字

10 ⑭ [榍] 〔설〕
楔(木部 九畫〈p. 1085〉)과 同字

10 ⑭ [槔] 〔고〕
槹(木部 十一畫〈p. 1099〉)의 本字

10 ⑭ [概] 〔개〕槪(木部 十一畫〈p. 1098〉)의 略字·簡體字

10 ⑭ [様] 〔양〕
樣(木部 十一畫〈p. 1103〉)의 略字

10 ⑭ [榖] 곡 [入]屋 古祿切 gǔ

[字解] 꾸지나무 곡 뽕나뭇과에 속하는 낙엽 교목. 수피(樹皮)는 제지용(製紙用). 닥나무〔楮〕와 비슷함. '其下維一'《詩經》.

[字源] 篆文 形聲. 木+㱿〔音〕. '㱿각'은 단단한 껍질의 뜻. 수피(樹皮)가 단단한 '닥나무'의 뜻을 나타냄.

[參考] 穀(禾部 十畫)은 別字.

10 ⑭ [榦] [一] 간 [去]翰 古案切 gàn
[二] 한 [平]寒 河干切 hán

[字解] [一] ①담결기둥 간 담을 치는 데 좌우 양쪽

에 세우는 기둥. '峙其楨—'《書經》. ②줄기 간 나무의 줄기. '根—'. '枝不得大於—'《淮南子》. ③바로잡을 간 바르게 함. '—不庭方'《詩經》. [二] 우물난간 한 정란(井闌). '跳梁井—之上'《莊子》.

[字源] [篆文] 形聲. 木+倝〔音〕. '倝간'은 깃대의 象形. 잘 뻗은 나무의 줄기, 난간 따위의 굵고 긴 기둥의 뜻. '幹간'의 本字.

◉井榦. 楨榦. 板榦.

10 ⑭ **[榺]** [人名] 승 [去]徑 詩證切 shèng

[字解] 도투마리 승 베틀의 날을 감는 틀. '—, 機持經者'《說文》.

[字源] [篆文] 形聲. 木+朕〔音〕

10 ⑭ **[槑]** 〔매〕
梅(木部 七畫〈p. 1067〉)의 古字

10 ⑭ **[榮]** [中人] 영 [平]庚 永兵切 róng 荣

[筆順]

[字解] ①비첨 영 양쪽 끝이 번쩍 들린 처마. 비우(飛宇). '升自東—'《禮記》. ②오동나무 영 오동(梧桐). '—, 桐木'《爾雅》. ③꽃 영 풀의 꽃. '木謂之華, 草謂之—'《爾雅》. ④영화 영 영달. '—辱'. '欲—而惡辱'《呂氏春秋》. ⑤빛 영 ㉠광명. '日月合—'《傅玄》. ㉡윤택. 윤. '此五藏所生之外—也'《素問》. ⑥피 영 혈액. '—衞不行'《內經》. ⑦필 영 꽃이 핌. '半夏生, 木堇—'《禮記》. ⑧성할 영 ㉠무성함. '—茂'. '木欣欣向—'《陶潛》. ㉡창성함. '室宮—與'《荀子》. ⑨번영할 영 번성하고 영화로움. '仁則—, 不仁則辱'《孟子》. ⑩나타날 영 이름이 나타남. '其名無不—者'《呂氏春秋》. ⑪즐길 영, 즐거움 영 '非以翟爲—'《國語》. ⑫버릴 영 '—汝之糧'《列子》. ⑬성 영 성(姓)의 하나.

[字源] [金文] [篆文] 象形. 金文은 타오르는 횃불을 엇걸어 세운 화톳불을 본뜬 모양으로, 세차게 빛나는 모양에서, '번영하다'의 뜻을 나타냄.

[榮枯 영고] ㉠무성함과 시듦. ㉡성(盛)함과 쇠(衰)함. 성쇠(盛衰).
[榮枯盛衰 영고성쇠] 성함과 쇠함. 개인이나 사회 등의 성쇠(盛衰)가 일정치 않음을 이름.
[榮光 영광] ㉠영화(榮華)스러운 현상. 빛나는 명예. 광영(光榮). ㉡서기(瑞氣).
[榮貴 영귀] 벼슬이 높고 귀(貴)함.
[榮達 영달] 영귀(榮貴).
[榮塗 영도] 영예로운 길.
[榮落 영락] 영고(榮枯).
[榮樂 영락] 번영하여 즐거움.
[榮祿 영록] 영질(榮秩).
[榮利 영리] 영달(榮達)과 이익.
[榮名 영명] 좋은 명예. 영예(榮譽). 영명(令名).
[榮慕 영모] 우러러 사모함.
[榮茂 영무] 무성함.
[榮問 영문] 영명(榮名).
[榮美 영미] 화려하고 아름다움.
[榮班 영반] 명예 있는 지위.
[榮富 영부] 번창(繁昌)함.
[榮羨 영선] 영모(榮慕).
[榮養 영양] 입신양명(立身揚名)하여 미복(美服)·감지(甘旨)로 부모를 봉양함.
[榮榮 영영] 번성한 모양.
[榮譽 영예] 영광(榮光)스러운 명예.
[榮耀 영요] 번성하고 빛남.
[榮辱 영욕] 영화(榮華)와 치욕.
[榮位 영위] 영광(榮光)스러운 지위.
[榮衞 영위] 몸을 보양(保養)하는 혈기(血氣). 영위(營衞).
[榮位勢利 영위세리] 명예와 지위와 권력과 이익.
[榮潤 영윤] 집이 번성하고 재산이 많음.
[榮滋 영자] 무성함.
[榮爵 영작] 높고 귀(貴)한 작위.
[榮轉 영전] 좋은 지위(地位)나 높은 지위로 옮김.
[榮進 영진] 관등(官等)이 오름.
[榮秩 영질] 높은 관직(官職). 또, 그 녹봉(祿俸).
[榮泉 영천] 좋은 샘.
[榮寵 영총] 임금의 은총(恩寵).
[榮悴 영췌] 번성함과 초췌(憔悴)함.
[榮親 영친] 부모(父母)를 영화(榮華)롭게 함.
[榮品 영품] 영반(榮班).
[榮顯 영현] 영달(榮達)하여 명망이 나타남.
[榮華 영화] ㉠초목이 무성함. ㉡몸이 귀(貴)하게 되어서 이름이 남.
[榮孝 영효] 부모를 영화롭게 하는 효도.
◉枯木發榮. 枯榮. 過榮. 光榮. 驕榮. 槿花一日榮. 美榮. 繁榮. 勢榮. 安榮. 恩榮. 長榮. 尊榮. 淸榮. 寵榮. 虛榮. 顯榮. 好榮. 華榮. 歡榮.

10 ⑭ **[榘]** 구 [上]麌 俱雨切 jǔ

[字解] 곱자 구, 법 구 矩(矢部 五畫)와 同字. '何時俗之工巧兮, 滅規—而改鑿'《楚辭》.

[字源] 形聲. 木+矩〔音〕

[榘矱 구확] 모범(模範).
[榘矱 구확] 구확(榘矱).

10 ⑭ **[槊]** [一] 삭 [入]覺 所角切 shuò
[二] 소 [韓]

[字解] [一] ①창 삭 무기의 하나. 矟(矛部 七畫)과 同字. '橫—賦詩'《蘇軾》. ②쌍륙 삭 놀이의 한 가지. '棊—以自娛'《韓愈》. [二]《韓》 옷속 소 이불이나 요 따위의 속에 두는 물건.

[字源] [篆文] 形聲. 木+朔〔音〕. '朔삭'은 반항하여 맞섬의 뜻. 적(敵)을 맞아 공격하는 나무 자루가 달린 창의 뜻을 나타냄.

◉劍槊. 戟槊. 棊槊. 刀槊. 矛槊. 牟槊. 氷槊. 握槊.

10 ⑭ **[槃]** [人名] 반 [平]寒 薄官切 pán

[字解] ①쟁반 반 운두가 낮고 둥글넓적한 그릇. 盤(皿部 十畫)과 同字. '少者奉—'《禮記》. ②즐길 반 般(舟部 四畫)과 同字. '考—在澗'《詩經》.

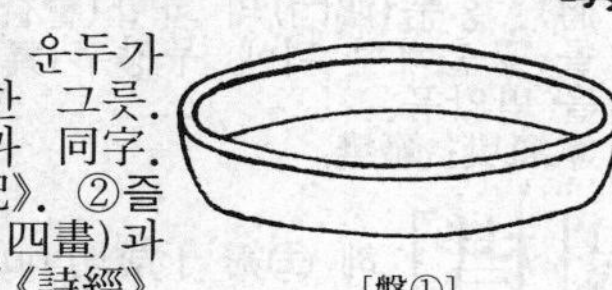

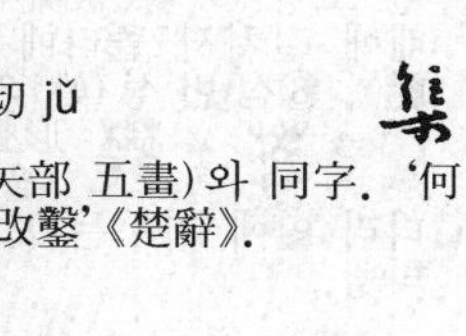
[槃①]

③멈출 반 정지함. '一停'.
字源 甲骨文 金文 篆文 籀文 形聲. 木+般〔音〕. '般반'은 큰 배의 뜻. 큰 배의 모양을 한 '쟁반'의 뜻을 나타냄.

[槃木 반목] 사면으로 퍼진 나무.
[槃跚 반산] 반산(槃散).
[槃散 반산] 절름거리는 모양.
[槃停 반정] 정지함.
◉考槃. 涅槃. 玉槃.

10 ⑭ [桊] 〔권〕
桊(木部 六畫〈p. 1064〉)의 本字

10 ⑭ [槃] 〔곡〕
穀(木部 十畫〈p. 1096〉)과 同字

10 ⑭ [稾] 〔고〕
槁(木部 十畫〈p. 1094〉)의 本字

10 ⑭ [槖] 〔탁〕
橐(木部 十二畫〈p. 1113〉)의 俗字

11 ⑮ [樊] 人名 번 ㊥元 附袁切 fán

字解 ①울 번 울타리. '一籬'. '止於一'《詩經》. ②농 번 버들·싸리 따위로 만든 그릇. 또, 새장. '一籠'. '不期畜於一中'《莊子》. ③끝 번 가. '以游于天地之一'《淮南子》. ④곁 번 부근. '夏則休乎山一'《莊子》. ⑤에워쌀 번 포위함. '一以藩圃'《左思》. ⑥어수선할 번 분잡(紛雜)한 모양. '一然殽亂'《莊子》. ⑦뱃대끈 번 말의 배에 걸쳐서 졸라매는 줄. '一纓十有再就'《周禮》. ⑧성 번 성(姓)의 하나.
字源 金文 篆文 形聲. 廾+楙〔音〕. '楙번'은 '울타리'의 뜻. 두 손으로 울타리 안에 가두는 모양에서, '새장'의 뜻을 나타냄.

[樊籠 번롱] 새장. 전(轉)하여, 자유를 속박당한 좁은 경계(境界).
[樊籬 번리] ㉠울. 울타리. ㉡학술·문장 등의 길로 들어가는 문호(門戶)의 비유.
[樊素小蠻 번소소만] 당(唐)나라 백낙천(白樂天)의 두 첩(妾)의 이름.
[樊於期 번어기] 전국 시대(戰國時代) 진(秦)나라의 무장(武將). 뒤에 연(燕)나라에 망명(亡命)하여 자기의 목을 형가(荊軻)에게 내주어 그로 하여금 이를 가지고 진왕(秦王) 정(政)을 찌르러 가게 하였음.
[樊然 번연] 분잡(紛雜)한 모양. 어지러운 모양. 어수선한 모양.
[樊中 번중] 새장 안.
[樊遲 번지] 춘추 시대(春秋時代)의 노(魯)나라 사람. 이름은 수(須). 공자(孔子)의 문인(門人).
[樊噲 번쾌] 한(漢)나라 고조(高祖)의 무장(武將). 홍문(鴻門)의 회합(會合)에서 고조(高祖)를 구출하여 뒤에 무양후(舞陽侯)로 봉(封)함을 받았음.
◉籠樊. 籬樊.

11 ⑮ [槥] 혜 ㊤霽 于歲切 huì

字解 널 혜 작은 관. '一櫝'. '令, 從軍死者, 爲一, 歸其縣'《漢書》.
字源 篆文 形聲. 木+彗〔音〕. '彗혜'는 '작다'의 뜻. 작은 관(棺)의 뜻을 나타냄.

[槥車相望 혜거상망] 전사자(戰死者)가 많음. 종군하다가 죽은 자는 작은 관에 시체를 넣어 수레에 실어서 고향에 보내므로 이름.
[槥櫝 혜독] 작은 관.

11 ⑮ [概] 高人 개 ㊤隊 古代切 gài

筆順 木 杙 枳 柙 桹 梎 槪 概

字解 ①평미레 개 평목(平木). '正權一'《禮記》. ②평미리칠 개 평평하게 고름. '釜鼓滿則人一之, 人滿則天一之'《管子》. ③달 개 저울질함. 또, 저울. '食饗不爲一'《禮記》. ④대개 개 대강. '一要'. '一乎皆常有聞者也'《莊子》. ⑤절개 개 절조. '節一'. '常慕先達一'《江淹》. ⑥풍채 개 풍도. '豪爽有風一'《晉書》. ⑦풍치 개 경치. '極都城之勝一'《舊唐書》. ⑧느낄 개 감동(感動)함. '臣愚而不一於王心邪'《史記》. ⑨개탄할 개 慨(心部 十一畫)와 통용. '感一而自殺'《史記》. ⑩물댈 개, 씻을 개 漑(水部 十一畫)와 통용. '一祭器也'《周禮》.
字源 篆文 形聲. 木+旣〔音〕. '旣기'는 용기(容器)에 잔뜩 들어 있는 것이 넘쳐서 밖으로 흘러나옴의 뜻. 쌀을 되에 담아 수북한 윗부분을 평미리쳐서 밖으로 넘쳐흐르게 하는 평미레의 뜻을 나타내며, 파생(派生)하여, '대개'의 뜻을 나타냄.

[概見 개견] 대충 봄.
[概觀 개관] 대충 봄. 대체로 봄. 개략(概略)을 봄. 또는 대체적인 관찰.
[概括 개괄] 개요(概要)를 잡아 한데 뭉뚱그림.
[概念 개념] 많은 관념(觀念) 속에서 공통되는 요소를 추상(抽象)하여 종합한 하나의 관념.
[概略 개략] 대략(大略). 대충.
[概論 개론] 개요(概要)의 논설.
[概算 개산] 대충 어림한 계산.
[概尙 개상] 절조(節操).
[概說 개설] 대개의 설명.
[概數 개수] 짐작으로 잡은 수효.
[概言 개언] 대략을 들어 말함. 또, 그 말.
[概然 개연] 감격하는 모양. 또, 슬퍼하는 모양.
[概要 개요] 개략(概略)의 요지.
[概則 개칙] 대체(大體)의 규칙.
[概乎 개호] 대개. 대체.
◉感概. 耿概. 梗概. 景概. 高概. 權概. 氣概. 端概. 大概. 敦概. 少概. 純概. 勝概. 英概. 義概. 一概. 節概. 貞概. 至概. 志概. 淸概. 忠概. 退概. 風概.

11 ⑮ [榝] ㊀ 살 ㊀黠 所八切 shā ㊁ 설 ㊀屑 山列切 xiè

字解 ㊀ 오수유살 운향과의 낙엽 교목. 한방에서 건위(健胃)·살충(殺蟲)으로 쓰임. '一又欲充夫佩幃'《楚辭》. ㊁ 쐐기 설 楔(木部 九畫)과 同字.
字源 篆文 形聲. 木+殺〔音〕

11 ⑮ [樺] 화 [去]禡 胡化切 huà

[字解] 종가로퍼질 화 종이 납작하고 큰 모양. '今鐘一矣'《左傳》.

11 ⑮ [槭] [一] 척(축[本]) [入]屋 子六切 qī(cù) [二] 색 [入]陌 率摑切 sè

[字解] [一] 단풍나무 척 단풍나뭇과에 속하는 낙엽 교목(落葉喬木). '相彼一矣, 亦類其楓'《蕭穎士》. [二] 앙상할 색 나뭇잎이 떨어져 앙상한 모양. '庭樹一以灑落'《潘岳》.

[字源] 篆文 形聲. 木+戚〔音〕

[槭槭 색색] 나뭇잎이 시들어 떨어지는 모양.
◉凋槭.

11 ⑮ [槢] [一] 습 [入]緝 似入切 xí [二] 접 [入]葉 達協切 dié

[字解] [一] ①나무이름 습 단단한 나무의 일종. '一, 一木也'《說文》. ②형틀 습 형구(刑具). '吾未知聖知之不爲桁楊椄一也'《莊子》. [二] 들보 접 대들보. '一, 梁也. 莊子, 桁楊椄一'《集韻》.

[字源] 篆文 形聲. 木+習〔音〕. 나무의 이름. 질이 단단한 나무.

11 ⑮ [槮] 삼 ①②[平]咸 師銜切 shēn ③[上]感 桑感切 sēn

[字解] ①밋밋할 삼 나무가 긴 모양. '森一柞樸'《馬融》. ②앙상할 삼 꽃이나 잎이 떨어져 가지가 앙상한 모양. '莇櫹一之可哀兮'《楚辭》. ③섶 삼 고기를 잡기 위하여 묶어서 물속에 쌓은 섶. '一謂之涔'《爾雅》.

[字源] 篆文 形聲. 木+參〔音〕. '參참'은 뒤섞여 어우러짐의 뜻. 나무가 길게 뻗어 우거져 뒤섞임의 뜻을 나타냄.

11 ⑮ [槱] 유 [上]有 與久切 yǒu [平]尤 夷周切 yóu

[字解] ①화톳불놓을 유 하늘에 제사 지내기 위하여 화톳불을 놓음. '薪之一之'《詩經》. ②제사이름 유 화톳불을 놓고 하늘에 지내는 제사.

[字源] 篆文 別體 形聲. 木+火+酉〔音〕

[槱燎 유료] 화톳불.
◉柴槱.

11 ⑮ [樌] 〔권〕 權(木部 十八畫〈p. 1123〉)의 俗字

11 ⑮ [槲] 곡 [入]屋 胡谷切 hú

[字解] 떡갈나무 곡 참나뭇과에 속하는 낙엽 교목. '古木高生一'《許渾》.

[字源] 形聲. 木+斛〔音〕

[槲櫪 곡력] 떡갈나무와 상수리나무. 잡목을 이름.

11 ⑮ [槎] [一] 다 [平]麻 直加切 chá [二] 도 [平]虞 同都切 tú

[字解] [一] 차나무 다 茶(艸部 六畫)와 同字. [二] 개오동나무 도 개오동나무의 이명(異名). '一, 楸木別名'《廣韻》.

11 ⑮ [槵] 환 [去]諫 胡慣切 huàn

[字解] 무환자나무 환 무환자나뭇과에 속하는 낙엽 교목. 과실을 삶은 물은 세탁하는 데 씀. '一, 木名, 無患也. 皮子可澣'《集韻》.

[字源] 形聲. 木+患〔音〕. '患환'은 '無患子무환자'의 '患'의 음과 뜻을 나타냄.

11 ⑮ [樻] 귀 [去]隊 古對切 guì

[字解] 상자바닥 귀 상자의 밑바닥.

[字源] 篆文 形聲. 木+國〔音〕

11 ⑮ [樀] 적 [入]錫 徒歷切 dí [入]錫 都歷切

[字解] ①추녀 적 지붕의 갓. '檐謂之一'《爾雅》. ②실패 적 실을 감는 제구. '一, 一曰, 機上卷絲器'《集韻》. ③소리 적 두드리는 소리. '叩門聲一一'《白居易》.

[字源] 篆文 形聲. 篆文은 木+啻〔音〕

[樀樀 적적] 문 두드리는 소리.

11 ⑮ [槔] 고 [平]豪 居勞切 gāo

[字解] 두레박고 물 긷는 기구. '桔一'.

[字源] 篆文 形聲. 木+皐(皋)〔音〕

[參考] 橰(木部 十畫)는 本字. 槹(木部 十二畫)는 同字.

◉桔槔.

11 ⑮ [槻] [人名] 규 [平]支 居隋切 guī

[字解] ①둥근느티나무 규 담팔수과(膽八樹科)에 속하는 상록 교목. ②물푸레나무 규 물푸레나뭇과의 낙엽 소교목.

[字源] 形聲. 木+規〔音〕

11 ⑮ [槦] [人名] 용 [平]冬 餘封切 yōng

[字解] ①나무이름 용 '槝一'은 나무의 이름. '槝一, 木名, 材中箭笴'《集韻》. ②무기걸이 용 무기를 걸어 두는 틀. '兵架謂之一'《集韻》.

11 ⑮ [槽] [人名] 조 [平]豪 昨勞切 cáo

[字解] ①구유 조 마소의 먹이를 담는 통. '一櫪'. '三馬同食一一'《晉書》. ②술통 조 술을 저장해 두는 그릇. '捧罌承一'《劉伶》. ③물통 조 물을 저장해 두는 그릇. '水一'. '雲湧浴一朝自暖'《王安石》. ④홈통 조 널로 만든 통수로(通水路). '安流復其故道謂之復一水'《宋史》. ⑤비파바탕 조 현악기·비파의 줄을 매는 몸체. '檀一'. '賀懷智善琵琶, 以石爲一'《開元遺事》. ⑥

절구 조 곡식 같은 것을 빻는 제구. '茶—藥臼杵聲中'《范成大》.
[字源] 篆文 形聲. 木+曹(𣍘)〔音〕. '𣍘조'는 마주 봄의 뜻. 마주 향한 두 쌍의 면(面)이 있는 사각형 또는 직사각형의 통의 뜻을 나타냄.

[槽櫪 조력] ㉠말구유. ㉡말구유와 마판. ㉢마구간이나 외양간.
[槽廠 조창] 마구간.
◉架槽. 金槽. 檀槽. 馬槽. 三馬同槽. 石槽. 浴槽. 霤槽. 酒槽. 齒槽. 鯿槽.

11 ⑮ [槿] [人名] 근 [上]吻 居隱切 jǐn

[筆順] 木 杧 栉 栉 棤 槿 槿 槿
[字解] 무궁화나무 근 아욱과에 속하는 낙엽 관목(落葉灌木). 꽃은 한국의 국화(國花)임. '—花一日榮'. '松樹千年終是朽, 一花一日自爲榮'《白居易》.
[字源] 形聲. 木+堇〔音〕

[槿籬 근리] 무궁화 산울타리.
[槿域 근역] 한국(韓國)의 별칭.
[槿花 근화] 무궁화(無窮花).
[槿花心 근화심] 무궁화는 아침에 피었다가 저녁에 시든다는 데서, '변하기 쉬운 소인(小人)의 마음'을 비유하여 이르는 말.
[槿花一日榮 근화일일영] 무궁화는 아침에 피었다가 저녁에 시든다는 뜻으로, 잠시의 영화 또는 사람의 영화의 덧없음을 비유하는 말.
◉瞑槿. 暮槿. 木槿. 芳槿. 朝槿.

11 ⑮ [⿰木⿴衣可] 아 ①[上]哿 烏可切 ě ②[平]歌 於何切 ē
[字解] ①무성할 아 '—檹'는 나무가 무성한 모양. '—檹, 木盛貌'《玉篇》. ②가지휘청거릴 아 나뭇가지가 가늘고 길며 약한 모양. '—檹, 樹枝長弱皃'《集韻》.

11 ⑮ [樁] [一] 장 [平]江 都江切 zhuāng [二] 용 [平]冬 書容切 chōng
[字解] [一] 말뚝 장 '—杙'. '斬拔栫與—'《韓愈》. [二] 칠 용 두드림. '扼其喉, 而—其心'《晉書》.
[字源] 篆文 形聲. 木+舂〔音〕. '舂용'은 위에서 내리 찧다의 뜻.
[參考] 椿(木部 九畫)은 別字.

[樁杙 장익] 말뚝.
[樁柱 장주] 말뚝.

11 ⑮ [樜] 자 [去]禡 之夜切 zhè
[字解] 산뽕나무 자 柘(木部 五畫)와 同字.
[字源] 篆文 形聲. 木+庶〔音〕

11 ⑮ [樅] 종 [平]冬 七恭切 cōng 枞
[字解] ①전나무 종 소나뭇과에 속하는 상록 침엽 교목(常綠針葉喬木). '—木外臧椁十五具'《漢書》. ②들쭉날쭉할 종 '崇牙之貌——然也'《詩經 傳》. ③칠 종 종·북 같은 것을 쳐 울림. '—金鼓'《司馬相如》. ④성 종 성(姓)의 하나.
[字源] 篆文 形聲. 木+從〔音〕. '從종'은 세로〔縱〕, 곧 '똑바름'의 뜻. 곧게 뻗는 나무, '전나무'의 뜻을 나타냄.

[樅樅 종종] ㉠들쭉날쭉한 모양. ㉡잎이 무성하여 검푸른 모양.

11 ⑮ [樋] 통 [平]東 他東切 tōng
[字解] 나무이름 통 나무의 하나.
[字源] 形聲. 木+通〔音〕

11 ⑮ [樏] 류 [平]支 倫追切 léi
[字解] ①찬합 류 반찬이나 술안주를 담는 여러 층으로 된 그릇. ②나막신 류 밑에 징을 박아 미끄러지지 않게 한 등산용 신.
[字源] 形聲. 木+累〔音〕

11 ⑮ [樘] 탱(쟁[俗]) [平]庚 丑庚切 chēng
[字解] 기둥 탱 집의 기둥. '—, 柱也'《說文》.
[字源] 篆文 形聲. 木+堂〔音〕. '堂당'은 '건물'의 뜻. 건물을 지탱하는 기둥의 뜻을 나타냄.

11 ⑮ [樒] 밀 [入]質 美筆切 mì
[字解] 침향 밀 팥꽃나뭇과에 속하는 상록 교목(常綠喬木). 수지(樹脂)에서 취하는 향료(香料)로 유명함. '—, 字林, 香木也. 似槐'《集韻》.
[字源] 形聲. 木+密〔音〕

11 ⑮ [樓] [高·人] 루 [平]尤 落侯切 lóu 楼
[筆順] 木 朾 杩 梠 榵 樓 樓 樓
[字解] ①다락 루 다락집. 이층집. '—閣'. '美人居—上, 臨見大笑之'《史記》. ②망루 루 높이 지어 적을 정찰하거나 먼 곳을 바라보는 건물. '—觀'. '光武舍城—上'《後漢書》. ③겹칠 루 모임. '嶔崟離—'《王延壽》.
[字源] 篆文 形聲. 木+婁〔音〕. '婁루'는 가공(加工)한 데다 다시 가공을 함의 뜻. 위로 위로 치솟는 건조물(建造物)의 뜻.

[樓角 누각] 누각(樓閣)의 모퉁이.
[樓閣 누각] 다락집.
[樓居 누거] 다락집에 삶.
[樓車 누거] 망루(望樓)가 있는 수레.
[樓鼓 누고] 누대(樓臺)에 설치해 둔 북.
[樓觀 누관] 망루(望樓).
[樓宮 누궁] 이층(二層)으로 된 궁전.
[樓闕 누궐] 위가 다락으로 된 문.
[樓臺 누대] 누각(樓閣).
[樓頭 누두] 누상(樓上).
[樓蘭 누란] 한(漢)·위(魏) 시대의 사서(史書)에

나오는 서역(西域)의 지명. 원명(原名)은 크로라이나(Kroraina). 타림 분지(盆地) 동편의 로브(Lob) 지방에 있던 오아시스로 상업 도시(商業都市)였음.
[樓櫓 누로] 성(城)의 망루(望樓).
[樓門 누문] 누궐(樓闕).
[樓榭 누사] 다락집으로 된 정자.
[樓上 누상] ㉠누각(樓閣)의 위. ㉡망루(望樓)의 위.
[樓船 누선] 망루(望樓)가 있는 배.
[樓月 누월] 누상(樓上)에서 바라보는 달.
[樓子 누자] 다락집. 이층집.
[樓艦 누함] 망루(望樓) 있는 함선.
[樓航 누항] 누선(樓船).

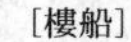
[樓船]

◉高樓. 禁樓. 妓樓. 登樓. 摩天樓. 望樓. 門樓. 舫樓. 白玉樓. 烽樓. 飛樓. 山雨欲來風滿樓. 書樓. 船樓. 城樓. 水樓. 戍樓. 崇樓. 蜃氣樓. 蜃樓. 岳陽樓. 玉樓. 危樓. 岑樓. 鐘樓. 朱樓. 酒樓. 重樓. 倡樓. 青樓. 譙樓. 層樓. 行樓. 紅樓. 畫樓. 黃鶴樓. 候樓.

11 ⑮ [樔] ㊀ 소 ㊥肴 鉏交切 cháo ㊁ 초 ㊤篠 子了切 jiǎo

字解 ㊀ 풀막 소 소택(沼澤)에 있는 야만인의 집. 또는 소택의 풀을 지키는 사람이 있는 집. '一, 澤中守草樓'《說文》. ㊁ 끊을 초, 끊일 초 剿(刀部 十一畫)와 同字. '命一絕而不長'《漢書》.

字源 篆文 形聲. 木+巢〔音〕. '巢소'는 새의 둥지의 뜻. 소택(沼澤)의 망보는 집의 뜻을 나타냄.

11 ⑮ [槴] 호 ㊤麌 後五切 hù

字解 ①문갑(文匣) 호 서류(書類)를 넣어 두는 상자. '一, 藉書具'《集韻》. ②통발 호 물고기를 잡는 제구. '一, 一曰, 取魚具'《集韻》.

11 ⑮ [樕] 속 ㊁屋 桑谷切 sù

字解 ①덤불 속 총생(叢生)한 소목(小木). '林有樸一'《詩經》. ②떡갈나무 속 참나뭇과에 속하는 낙엽 교목(落葉喬木). '槲一'.

字源 篆文 形聲. 木+欶〔音〕

◉槲樕.

11 ⑮ [樗] 人名 저 ㊥魚 抽居切 chū

字解 ①가죽나무 저 소태나뭇과에 속하는 낙엽 교목(落葉喬木). '采茶薪一'《詩經》. 잎은 냄새가 이상하고, 재목은 옹이가 많아 쓸모가 없으므로, 무용(無用)의 뜻으로 쓰임. '櫟一'. '豈有松柏後身化爲一櫟'《隋書》. ②성 저 성(姓)의 하나.

字源 篆文 形聲. 木+雩〔音〕

[樗櫟 저력] 쓸모없는 나무. 전(轉)하여, 아무 소용(所用)이 없는 사람의 비유.
[樗櫪 저력] 저력(樗櫟).
[樗木 저목] 가죽나무.
[樗散 저산] 저력지재(樗櫟之材)의 준말로, 아무 소용이 없는 사람의 비유.
[樗材 저재] 쓸모없는 재목. 전(轉)하여, 쓸모없는 사람.
[樗蒲 저포] 쌍륙. 노름. 도박. 옛날에 저(樗)·포(蒲)의 열매로 주사위를 만들었으므로 이름.
◉薪樗. 櫟樗.

11 ⑮ [標] 高·人 표 ㊥蕭 甫遙切 biāo ㊤篠 方小切 标

筆順 木 杆 杆 栖 栖 標 標 標

字解 ①나무끝 표 나무의 끝. 우듬지. '大本而小一'《管子》. ②가지 표 높은 데 있는 나뭇가지. '上如一枝, 民如野鹿'《莊子》. ③꼭대기 표 '少陰, 所謂一也'《素問》. ④처음 표 시작. '本一不同'《素問》. ⑤표 표 ㉠표적 또는 표시. '一識'. '立兩一, 以別新舊'《晉書》. ㉡목표. 준적(準的). '一準'. '立一簡試'《晉書》. ⑥표할 표 표를 하여 나타냄. '一示'. '一之以翠翳'《郭璞》. ⑦나타날 표, 나타낼 표 드러남. 눈에 뜨임. 또, 표현(表現)함. '一空'. '相一榜'《後漢書》. ⑧적을 표 기록함. '名一於奇紀'《孫綽》. ⑨세울 표 '黃琬之早一聰察'《任昉》.

字源 篆文 形聲. 木+票(㶾)〔音〕. '㶾표'는 불똥이 높이 튀어오름의 뜻. 나무의 높은 곳, 우듬지의 뜻을 나타내며, 전(轉)하여, 높아서 눈에 띄는 안표(眼標)의 뜻을 나타냄.

[標鑑 표감] 나타나 보임. 눈에 뜨임.
[標格 표격] 목표로 하는 품격(品格).
[標季 표계] 끝. 말단.
[標高 표고] ㉠긍지(矜持)가 높음. ㉡바다의 수준면(水準面)에서의 높이.
[標空 표공] 공중에 나타남.
[標記 표기] 표가 되는 기록이나 부호.
[標旗 표기] 목표로 세운 기.
[標內 표내] 목표의 범위 안.
[標燈 표등] 신호·목표가 되는 등불.
[標末 표말] 표목(標木).
[標木 표목] 표로 박아 세운 말뚝.
[標榜 표방] ㉠남의 선행(善行)을 칭송하기 위하여 그 사실을 패에 적어 문 같은 데 걺. ㉡명목(名目)을 붙여 칭송함. ㉢주의·주장 같은 것을 어떠한 명목을 붙여 내세움.
[標本 표본] 하나를 보여서 다른 한 종류(種類)의 물건의 표준(標準)을 삼는 물건.
[標石 표석] 푯돌.
[標秀 표수] 두드러지게 빼어남. 특별히 뛰어남.
[標樹 표수] 신나서 내세움. 남의 눈을 끎.
[標示 표시] 표를 하여 나타내 보임.
[標語 표어] 주의(主義)·강령(綱領)·이념(理念) 등을 간명하게 표현한 짧은 어구(語句).
[標儀 표의] 겉에 나타난 의용(儀容).
[標章 표장] 표지(標識).
[標的 표적] 목적으로 삼는 사물.
[標點 표점] 표적(標的).
[標挺 표정] 두드러지게 뛰어남. 표수(標秀).
[標程 표정] 모범. 표준(標準).

[標題 표제] 표기(表記)의 제목.
[標柱 표주] 목표를 세운 기둥.
[標註 표주] 본문(本文)의 난(欄) 위에 다는 주해(註解). 두주(頭註).
[標峻 표준] 높이 나타남. 눈에 띄게 높음.
[標準 표준] ㉠목표(目標). ㉡규범(規範)이 되는 준칙(準則).
[標準時 표준시] 경도(經度)가 다름에 따라 다른 지방시(地方時)의 불편을 피하기 위하여 일정한 자오선 위에 있는 지방시(地方時)를 일정한 구역 안에서 표준(標準)으로 삼는 시간.
[標準語 표준어] 한 나라 안의 표준(標準)이 되는 공용어(公用語).
[標枝 표지] 높은 데 있는 나뭇가지.
[標指 표지] 목표로 하는 주지(主旨).
[標紙 표지] 증서로 적어 둔 글발의 종이.
[標識 표지] 어떤 사물을 나타내는 표시. 표(標).
[標徵 표징] 겉으로 드러나는 상징.
[標札 표찰] 문패(門牌).
[標軸 표축] 표장(表裝)과 권축(卷軸). 곧, 표구(表具). 장황(裝潢).
[標致 표치] ㉠나타난 취지 또는 정취. ㉡용모가 아름다움.
[標置 표치] 두드러져 나타남. 또, 남의 목표가 됨.
[標幟 표치] 표지(標識).
[標塔 표탑] 목표로 삼기 위하여 세운 탑.
[標牌 표패] 방패(旁牌).
[標品 표품] 표본(標本).
[標顯 표현] 나타내어 보임. 또, 나타나 보임.
[標堠 표후] 이정(里程)을 표시하기 위하여 쌓아 올린 둔덕.
●孤標. 高標. 器標. 銅標. 名標. 目標. 世標. 里程標. 風標.

11 ⑮ [槐] 두 ㊥尤 當侯切 dōu

字解 ①나무이름 두 '一, 木名'《集韻》. ②곧은 뿌리 두 잔뿌리가 나지 않은 나무뿌리. '木根入地無枝椏曰, 一'《正字通》.

11 ⑮ [樛] 규 ㊥尤 居虯切 jiū

字解 ①늘어져휠 규 나뭇가지가 아래로 늘어져 굽음. '南有一木'《詩經》. ②돌고돌 규, 두루다닐 규 꾸불꾸불함. 주류(周流)함. '一流'. '遠紆廻以一流'《班彪》. ③동여맬 규 묶음. 맴. '不一垂'《儀禮》. ④구할 규 '一天道其焉如'《張衡》. ⑤성 규 성(姓)의 하나.
字源 金文 篆文 形聲. 木+翏〔音〕. '翏료'는, 양 날개와 꽁지깃이 나란히 합쳐진 모양으로, 나란히 연속해 있음, 달라붙음의 뜻. 달라붙어 감기는 나무, 축 늘어진 나무의 뜻.

[樛流 규류] 두루 돌아다님. 주류(周流).
[樛木 규목] 나뭇가지가 늘어져 아래로 굽은 나무.
[樛垂 규수] 드리워진 띠를 동여맴.
[樛枝 규지] 굽은 나뭇가지.

11 ⑮ [樝] 사 ㊥麻 側加切 zhā

字解 풀명자나무 사 장미과에 속하는 낙엽 소관목(落葉小灌木). 열매는 모과(木瓜) 비슷한데, 맛이 몹시 심. '禮義法度, 其猶一梨橘柚耶'《莊子》.
字源 篆文 形聲. 木+虘〔音〕

●榠樝.

11 ⑮ [樨] 닐 ㊀質 尼質切 nì

字解 나무이름 닐 '一, 木名'《類篇》.

11 ⑮ [樚] 록 ㊀屋 盧谷切 lù

字解 고패 록 ㉠우물의 물을 긷기 위하여 두레박줄을 오르내리게 한 고패. '一櫨, 井上汲水器'《韻會》. ㉡무거운 물건을 끌어당기거나 올리는 데 쓰이는 도르래. '道險臥一櫨'《庾信》.
字源 形聲. 木+鹿〔音〕

[樚櫨 녹로] 우물의 물을 긷기 위하여 고패를 장치한 나무.

11 ⑮ [樞] 人名 ㊀ 추 ㊥虞 昌朱切 shū ㊁ 우 ㊥尤 烏侯切 ōu 枢

筆順 木 朩 析 柘 楅 樞 樞 樞

字解 ㊀ ①지도리 추 문의 지도리. '戶一'. '一, 謂之椳'《爾雅》. ②고동 추 ㉠운전 활동을 맡은 장치. '施機設一'《吳越春秋》. ㉡가장 중요한 점. '一機'. '人君者管分之一要也'《荀子》. ③근본 추 '經營四方, 還反於一'《淮南子》. ④한가운데 추 중앙. 중심이 되는 것. '中一'. '韓魏, 天下之一也'《史記》. ⑤처음 추 시작. '事在一'《太玄經》. ⑥별이름 추 북두칠성(北斗七星)의 첫째 별. '一星'. '影雜繞一之電'《常袞》. ⑦성 추 성(姓)의 하나. ㊁ 나무이름 우 느릅나무의 일종. '山有一'《詩經》.
字源 篆文 形聲. 木+區〔音〕. '區구'는 확 움직임의 뜻. 여닫이문을 원활히 개폐(開閉)하는 데 편리하도록 고안된 축(軸)의 부분의 뜻.

[樞機 추기] ㉠사물의 긴하고 중요한 데. 중요한 기관. ㉡중요한 정무(政務). 국가의 대정(大政).
[樞紐 추뉴] 문장 중의 주안(主眼)이 되는 곳.
[樞務 추무] 추요(樞要)한 기무(機務).
[樞密 추밀] 군사(軍事)나 정무(政務)에 관한 비밀을 요하는 중요한 사항.
[樞密使 추밀사] 추밀원(樞密院)의 장관(長官). 당(唐)나라 때 처음으로 둔 벼슬로서 오로지 기밀 문서(機密文書)를 취급하였다가 후당(後唐)에 이르러 재상(宰相)과 동등(同等)하게 되었고, 송(宋)나라에 이르러서는 오로지 병마(兵馬)의 추기(樞機)를 관장(管掌)하여 재상(宰相)과 대립하였음.
[樞密院 추밀원] 추밀사(樞密使)가 사무를 보는 관아(官衙).
[樞柄 추병] 정치상의 권력.
[樞府 추부] 추밀원(樞密院).
[樞祕 추비] 중요하고 비밀임. 또, 그 정사(政事).
[樞相 추상] 추밀사(樞密使).

[樞星 추성] 북두칠성의 첫째 별.
[樞要 추요] 가장 요긴하고 중요로움.
[樞軸 추축] ㉠문의 지도리와 수레의 굴대. 전(轉)하여, 사물의 가장 중요한 부분. ㉡권력(權力)이나 정치(政治)의 중심(中心).
[樞轄 추할] ㉠추요(樞要). ㉡정사상(政事上)의 중요한 곳. ㉢중직(重職).
[樞衡 추형] ㉠문지도리와 저울대. ㉡추요(樞要)의 직(職).
◉機樞. 道樞. 萬樞. 門樞. 桑樞. 宸樞. 握樞. 要樞. 政樞. 中樞. 天樞. 戶樞.

11 ⑮ [樆] 一 리 ㊥支 呂支切 lí 二 치 ㊥支 抽知切 chī

字解 一 문배나무 리 장미과에 속하는 낙엽 교목. '在山曰一, 人植曰梨'《爾雅 疏》. 二 무성할 치 나무가 우거짐. '一, 布木也'《集韻》.

11 ⑮ [樟] 人名 장 ㊥陽 諸良切 zhāng

筆順 木 朩 朩 栌 梓 棓 樟 樟

字解 녹나무 장 녹나뭇과에 속하는 상록 교목(常綠喬木). '橡一'. '臣郡有枯一更生'《晉書》.
字源 形聲. 木+章〔音〕

[樟腦 장뇌] 녹나무에서 취하는 백색 결정체(結晶體)로서 강한 향기가 있음. 향료(香料) 또는 강심제(強心劑)·방충제(防蟲劑) 등의 약재로 쓰임.
[樟木 장목] 녹나무.
◉橡樟. 烏樟. 釣樟.

11 ⑮ [権] 〔교〕 権(木部 十畫〈p. 1093〉)의 俗字

11 ⑮ [樞] 〔긍〕 樞(木部 九畫〈p. 1088〉)의 本字

11 ⑮ [樠] 一 만 ㊥寒 母官切 mán 二 문 ㊥元 莫奔切 mán 三 랑 ㊤養 里黨切 lǎng

字解 一 ①흑단 만 감나뭇과에 속하는 상록 교목(常綠喬木). '烏孫國, 山多松一'《漢書》. ②진흐를 만 나무의 진이 나와서 흐름. 또, 진. '以爲門戶, 則液一'《莊子》. 二 흑단 문, 진흐를 문 一과 뜻이 같음. 三 나무이름 랑 느릅나무의 일종. '楚王遂行, 卒于一木之下'《左傳》.
字源 篆文 形聲. 木+㒼〔音〕. '㒼만'은 '가득 참'의 뜻. 나무진 따위가 그득 배어 있는 나무, 소나무류의 뜻을 나타냄.

[樠木 낭목] 느릅나무의 일종.

11 ⑮ [樤] 수 ㊥尤 息流切 xiū

字解 ①나무밋밋할 수 나무가 긺. '一, 木長也'《正字通》. ②나무이름 수 '一, 木名'《玉篇》.

11 ⑮ [模] 高入 모 ㊥虞 莫胡切 mú, mó

筆順 木 朩 朩' 栱 栱 栉 植 模

字解 ①법 모 법식. 규범. '陳三皇之軌一'《張衡》. ②본 모 본보기. '一範'. '邦之宗一'《晉書》. ③무늬 모 어룽진 문채. '繽乎其猶一繡'《書經》. ④거푸집 모 주형(鑄型). '鑄器, 必先用蠟爲一'《洞天淸錄》. ⑤본뜰 모 본받음. '以身一之'《武帝內傳》. ⑥모양 모 형상. '異狀奇一此奇匹'《王惲》. ⑦문지를 모 비빔. '印一履踪'《名勝志》.
字源 篆文 形聲. 木+莫〔音〕. '莫막·모'는 찾아 구함의 뜻. 같은 모양의 것을 구하기 위한 목형(木型), 파생(派生)하여 '본보기'의 뜻을 나타냄.

[模仿 모방] 모방(模倣).
[模倣 모방] 본받음. 본뜸. 흉내를 냄.
[模範 모범] 배워서 본받을 만함. 또, 그 사물. 본보기.
[模寫 모사] 본떠 그대로 그림.
[模繡 모수] 무늬.
[模襲 모습] 모방(模倣).
[模樣 모양] 꼴. 형상(形狀). 상태(狀態).
[模擬 모의] 본떠서 함. 모방(模倣).
[模造 모조] 본떠 만듦. 모방하여 만듦.
[模造品 모조품] 모방(模倣)하여 만든 물품.
[模則 모칙] 본보기. 모범(模範).
[模表 모표] 본보기. 모범(模範).
[模楷 모해] 모표(模表).
[模憲 모헌] 모표(模表).
[模型 모형] ㉠똑같은 형상의 물건을 만들어 내기 위한 틀. ㉡물건의 원형대로 줄여 만든 본.
[模糊 모호] 분명(分明)하지 아니한 모양. 흐리터분하여 똑똑하지 아니한 모양.
[模效 모효] 모방(模倣).
[模傚 모효] 모방(模倣).
◉宏模. 軌模. 規模. 德模. 道模. 範模. 師模. 聖模. 世模. 遺模. 臨模. 宗模. 楷模. 洪模.

11 ⑮ [樣] 高入 一 양 ㊦漾 弋亮切 yàng 二 상 ㊤養 似兩切 xiàng 样

筆順 木 朩 朩 栏 栏 样 樣 樣

字解 一 ①본 양 본보기. 양식. '一制'. '所貌依一畫葫蘆'《長編》. ②모양 양 형상. '同一'. '淵角殊一'《任昉》. ③무늬 양 어룽진 문채. '繡一'. '猶戀機中錦一新'《王建》. ④처럼 양 …같이. '岷山玉一淸, 岷水眼一明'《楊萬里》. 二 상수리나무 상 橡(木部 十二畫)과 同字.
字源 篆文 形聲. 木+羕(羕)〔音〕. '橡상'의 정자(正字)로서, 칠엽수(七葉樹)의 열매의 뜻을 나타냈으나, 가차(假借)하여 모양·형상·상태의 뜻을 보임.

[樣相 양상] 모습. 모양. 상태.
[樣式 양식] ㉠꼴. 모양. 형상. ㉡일정한 형식.
[樣子 양자] ㉠꼴. 형식(形式). ㉡본보기. 모범.
[樣制 양제] 양식(樣式).
[樣態 양태] 사물의 존재나 행동의 모습. 상태.
◉各樣. 舊樣. 宮樣. 今樣. 多樣. 圖樣. 同樣. 模樣. 貌樣. 文樣. 別樣. 時樣. 式樣. 新樣. 尋常一樣. 字樣. 左樣. 形樣. 花樣.

11 ⑮ [樉] 상 ㊤養 所兩切 shuǎng

字解 ①나무더부룩할 상 '一, 木茂貌'《集韻》. ②나무이름 상 '一, 木名'《廣韻》.

11 ⑮ [槨] 人名 곽 入藥 古博切 guǒ

字解 덧널 곽 외관(外棺). '范獻子去其柏一'《左傳》.

字源 形聲. 木+郭〔音〕. '郭곽'은 겉을 싼 것의 뜻. 관(棺)의 겉을 싸다, 외관(外棺)의 뜻을 나타냄.

[槨柩 곽구] 널.

11 ⑮ [槺] 강 平陽 苦岡切 kāng

字解 빌 강 공허함. '委參差以一梁'《司馬相如》.

11 ⑮ [槫] 단 平寒 徒官切 tuán

字解 ①둥글 단 '曾枝剡棘圓果一兮'《楚辭》. ②영구차 단 '輲, 載柩車也, 或作一'《集韻》.

字源 形聲. 木+專〔音〕

11 ⑮ [槾] 만 ①平寒 母官切 màn ②-④去翰 莫半切 màn

字解 ①흙손 만 鏝(金部 十一畫)과 同字. '一, 杇也'《說文》. ②탐할 만 '一, 貪也'《廣雅》. ③나무이름 만 나무의 하나. ④나무진 만 수지(樹脂). '一, 一曰, 木脂'《集韻》.

字源 篆文 形聲. 木+曼〔音〕. '曼만'은 길게 뻗쳐 폄의 뜻. 잘 이긴 벽토(壁土)를 얇게 펴서 바르다, '흙손'의 뜻을 나타냄.

11 ⑮ [梓] 신 平眞 疏臻切 shēn

字解 팥배나무 신 장미과에 속하는 낙엽 교목(落葉喬木). '杜, 東齊海岱之間, 謂之一'《揚子方言》.

11 ⑮ [槎] 산 ①上潸 所簡切 chǎn ②去諫 所晏切 shàn

字解 ①나무이름 산 과수의 이름. 복숭아 비슷한 열매가 엶. '一, 木名'《玉篇》. ②요 산 잠자리에 까는 것. '一, 牀蓐也'《集韻》.

11 ⑮ [槤] 련 ①上銑 力展切 liǎn ②平先 力延切 lián

字解 ①제기 련 서직(黍稷)을 담는 제기(祭器). '夏后氏四一, 殷六瑚'《禮記》. ②빗장 련 문빗장.

字源 篆文 形聲. 木+連〔音〕

11 ⑮ [樑] 人名 량 平陽 呂張切 liáng

筆順 木 朾 朷 枂 梆 梁 樑 樑

字解 들보 량 梁(木部 七畫)의 俗字. '以爲舟航柱一'《淮南子》.

字源 形聲. 木+梁〔音〕

11 ⑮ [樒] 〔장〕 槳(木部 十一畫〈p.1104〉)과 同字

11 ⑮ [榛] 〔칠〕 漆(水部 十一畫〈p.1283〉)과 同字

11 ⑮ [槸] 〔얼〕 槷(木部 十一畫〈p.1104〉)과 同字

字源 篆文 別體 形聲. 木+埶〔音〕

11 ⑮ [欅] 〔천〕 欆(木部 十五畫〈p.1120〉)과 同字

11 ⑮ [槝] 〔로〕 櫓(木部 十五畫〈p.1120〉)와 同字

11 ⑮ [横] 〔횡〕 橫(木部 十二畫〈p.1111〉)의 略字

11 ⑮ [穎] 경 ①②上迥 畎迥切 jiǒng ③-⑤上梗 擧影切

字解 ①상자 경 대나무로 결은 상자. '一, 一曰, 篋也'《類篇》. ②책상 경 발이 달린 책상. '一, 足几也'《類篇》. ③송곳자루 경 '一, 一曰, 錐柄'《集韻》. ④칼코등이 경 칼자루의 슴베 박은 쪽의 목에 감은 쇠테. '一, 一曰, 刀鐶'《集韻》. ⑤나무이름 경 '一, 木名'《集韻》.

11 ⑮ [槳] 장 上養 卽兩切 jiǎng

字解 노 장 배 젓는 나무. 큰 것을 '櫓', 작은 것을 '一'이라 함. '桂櫂兮蘭一'《楚辭》.

字源 形聲. 木+將〔音〕. '將장'은 '나아가게 하다'의 뜻. 배를 나아가게 하다, '노'의 뜻을 나타냄.

參考 樒(木部 十一畫)은 同字.

◉輕槳. 蘭槳.

11 ⑮ [槷] 얼 入屑 五結切 niè

字解 ①칠 얼 두드림. '無一而固'《周禮》. ②기둥 얼 땅의 고저를 측량할 때 세우는 기둥. '置一以縣'《周禮》. ③위태로울 얼 '摯, 讀爲一. 謂輻危一也'《周禮 注》.

字源 形聲. 木+埶〔音〕

參考 槸(木部 十一畫)은 同字.

11 ⑮ [樂] 中人 ㊀ 악 入覺 五角切 yuè, yào ㊁ 락 入藥 盧各切 lè ㊂ 요 去效 五教切 yào 乐

筆順 ′ 白 白 糹白 絈 𢆶 樂 樂

字解 ㊀ ①풍류 악 음악. '一隊'. '王語暴以好一'《孟子》. ②아뢸 악 음악을 연주함. '獨一樂, 與人一樂, 孰樂'《孟子》. ③악인(樂人) 악 가수(歌手). 연주자. '齊人歸女一'《論語》. ④악기 악 '太師抱一, 箕子拘囚'《史記》. ⑤낳을 악 남. 태어남. '地載以一'《淮南子》. ⑥성 악 성(姓)의 하나. ㊁ ①즐길 락 기뻐함. 쾌하게 여김. '所一而玩'《易經》. ②즐거움 락 쾌락. '苦一'. '回也不改其一'《論語》. ③즐거울 락 쾌함. '有朋自遠

方來, 不亦一乎'《論語》. ④즐겁게할 락 '一爾妻孥'《詩經》. ▣ 좋아할 요 마음에 들어 바람. '仁者一山, 智者一水'《論語》. 또, 좋아하는 바. 바라는 바. '益者三一, 損者三一'《論語》.

字源 甲骨文 金文 篆文 象形. 《說文》은 '白'이 큰 북, '幺'이 작은 북, '木'이 그것을 받치는 받침대로서, 악기를 본뜬 모양으로 보는데, 도토리가 달린 상수리나무, 또는 그와 비슷한 악기, 방울의 象形임. 음악의 뜻에서, 파생(派生)하여, '즐겁다'의 뜻을 나타냄.

[樂康 낙강] 즐겁고 편안함.
[樂境 낙경] ㉠즐거운 장소. 낙토(樂土). ㉡즐거운 경우.
[樂觀 낙관] ㉠즐겁게 봄. 재미있게 봄. ㉡일을 쉽게 봄. ㉢인생(人生)을 즐겁게 봄.
[樂郊 낙교] 낙토(樂土).
[樂國 낙국] 낙향(樂鄕).
[樂極 낙극] ㉠알맞은 마음의 즐거움을 얻음. ㉡최고의 낙.
[樂極悲 낙극비] 낙극애생(樂極哀生).
[樂極哀生 낙극애생] 낙이 지나치면 반드시 슬픔이 생김.
[樂樂 낙락] 대단히 즐거운 모양.
[樂浪 낙랑] 전한(前漢)의 무제(武帝)가 조선(朝鮮)의 위우거(衛右渠)를 치고 그 지방에 둔 사군(四郡)의 하나. 지금의 평양(平壤) 부근으로 이 지방의 고분(古墳)에서 한문화(漢文化)에 관한 출토품(出土品)이 많음.
[樂事 낙사] 즐거운 일.
[樂生 낙생] 이 세상에 난 것을 기뻐함.
[樂歲 낙세] 풍년이 든 해.
[樂修 낙수] 《佛敎》 삼수(三修)의 하나. 법신(法身), 곧 불타의 몸이 열반의 경지에 이르는 법.
[樂勝 낙승] 힘을 들이지 않고 쉽게 이김.
[樂是苦因 낙시고인] 안락은 고생의 원인임.
[樂園 낙원] ㉠괴로움이나 고통 없이 안락하게 살 수 있는 즐거운 장소. ㉡천국(天國).
[樂易 낙이] 마음이 즐겁고 편안함.
[樂以忘憂 낙이망우] 도(道)를 즐겨 근심을 잊음.
[樂而不淫 낙이불음] 즐거워하되 그 정도를 넘지 아니함.
[樂軼 낙일] 즐거이 놂.
[樂戰 낙전] ㉠기분 좋게 싸움. 또, 그 싸움. 쾌전(快戰). ㉡싸우기 수월하여 쉽게 이길 만한 싸움. ㉢싸움을 두려워하지 아니함.
[樂地 낙지] 즐거운 장소.
[樂嗟苦咄 낙차고돌] 즐거울 때나 괴로울 때나 항상 쾌활하지 아니함.
[樂天 낙천] ㉠천명(天命)을 즐김. ㉡당대(唐代)의 시인(詩人) 백거이(白居易)의 호(號).
[樂天主義 낙천주의] 인생을 진선미(眞善美)의 가치 있는 것으로 긍정하는 세계관, 또는 인생관.
[樂土 낙토] 즐거운 장소.
[樂鄕 낙향] 낙토(樂土).
[樂懽 낙환] 낙환(樂歡).
[樂歡 낙환] 즐거워하고 기뻐함. 또, 즐거움. 환락(歡樂).
[樂歌 악가] 악곡(樂曲)이나 악장(樂章)에 따라 부르는 노래.
[樂曲 악곡] 음악(音樂)의 곡조.
[樂官 악관] 조정(朝廷)에서 음악을 연주하는 벼슬아치.
[樂廣 악광] 서진(西晉) 사람. 자(字)는 언보(彥輔). 벼슬이 상서령좌복야(尙書令左僕射)에 이르렀음. 식견(識見)이 뛰어나고 담론(談論)을 잘하였으며, 사위 위개(衛玠)와 함께 명망(名望)이 높아 당시의 논자(論者)가 '婦翁氷淸, 女壻玉潤'이라고까지 하였음.
[樂劇 악극] 음악(音樂)을 극의 내용의 표현에 합치시킨 연극(演劇).
[樂器 악기] 음악(音樂)에 쓰는 기구.
[樂隊 악대] 음악을 연주하는 단체.
[樂律 악률] 음악의 가락.
[樂理 악리] 음악(音樂)의 이치.
[樂譜 악보] 음악(音樂)의 곡조(曲調)를 일정한 문자 또는 기호로써 적은 곡보(曲譜).
[樂府 악부] ㉠한대(漢代)에 가사(歌辭)·악률(樂律)을 제정하기 위하여 설치한 관사(官司). ㉡한(漢)나라의 악부(樂府)에서 제정한 가요(歌謠). 전(轉)하여, 그 체제(體制)에 따라 지은 시가(詩歌).
[樂語 악어] 배우가 연기(演技)하기 전에 하는 말.
[樂毅 악의] 전국 시대(戰國時代)의 연(燕)나라 소왕(昭王)의 장수. 조(趙)·초(楚)·한(韓)·위(魏)·연(燕) 다섯 나라의 연합군을 거느리고 제(齊)나라를 쳐서 70여 성(城)을 빼앗았으나 소왕(昭王)이 죽은 후 뒤를 이은 혜왕(惠王)은 그를 중용(重用)치 아니하여 조(趙)나라로 가서 중용되었음.
[樂人 악인] 음악을 연주하는 것을 업으로 하는 사람.
[樂章 악장] 음악에 쓰는 노래.
[樂典 악전] 음악의 법식을 설명한 문서.
[樂正 악정] 악관(樂官)의 장(長).
[樂山樂水 요산요수] 산수(山水)를 좋아함.
[樂此不疲 요차불피] 좋아서 하는 일은 아무리 하여도 지치지 않음.
◉假樂. 嘉樂. 酣樂. 康樂. 凱樂. 苦樂. 鼓樂. 苦中作樂. 管樂. 觀樂. 軍樂. 君子三樂. 鈞天樂. 極樂. 金石樂. 妓樂. 器樂. 道樂. 獨樂. 同苦樂. 同樂. 萬歲樂. 武樂. 文樂. 般樂. 拔苦與樂. 伯樂. 法樂. 備樂. 祕樂. 絲竹樂. 散樂. 先憂後樂. 盛樂. 聲樂. 俗樂. 雅樂. 安樂. 哀樂. 愛樂. 女樂. 宴樂. 燕樂. 悅樂. 說樂. 寧樂. 禮樂. 娛樂. 憂樂. 優樂. 爲善最樂. 遊樂. 音樂. 淫樂. 飮樂. 佚樂. 逸樂. 寂滅爲樂. 典樂. 奏樂. 至樂. 快樂. 耽樂. 太平樂. 豐樂. 偕樂. 行樂. 享樂. 和樂. 歡樂. 後樂. 忻樂. 喜樂. 嬉樂. 戲樂.

11 ⑮ **[槧]** ▣ 참 ㊤感 才敢切 qiàn ▣ 첨 ㊀豔 七豔切 qiàn 槧

字解 ▣ ①분판 참 글씨를 쓰는 널조각. '斷木爲一'《論衡》. 전(轉)하여, 글씨를 쓰거나 문장을 지음. '叔孫通一人也'《揚子法言》. ②판 참 책의 판본(版本). '宋一'. '元一'. ▣ 편지 첨 간독(簡牘). '時作寄我一'《王令》.

字源 篆文 形聲. 木+斬〔音〕. '斬참'은 '베다'의 뜻. 문자(文字)를 깎아 새기기 위한 판목의 뜻을 나타냄.

[槧本 참본] 판목(版木)으로 인쇄한 책. 판각본(版刻本).
[槧人 참인] 학문을 하는 사람. 독서인(讀書人).

◉簡槩. 削槩. 鉛槩. 懷鉛提槩.

11 ⑮ **[槩]** 〔개〕
槪(木部 十一畫〈p. 1098〉)와 同字

12 ⑯ **[樷]** 〔총〕
叢(又部 十六畫〈p. 333〉)의 古字
[字源] 形聲. 林+取〔音〕. '取취'는 '聚취'와 통하여, 모이다의 뜻. 숲처럼 떼 지어 모이다의 뜻을 나타냄.

12 ⑯ **[橖]** [一] 당 [平]陽 徒郎切 táng
[二] 탱 [去]敬 恥孟切
[平]庚 坤庚切 chēng
[字解] [一] 바퀴굄목 당 '一, 車木'《集韻》. [二] ①버팀 탱 '一, 柱也'《集韻》. ②버팀목 탱 樘(木部 十一畫〈p. 1100〉)과 同字. '樘, 說文, 衺柱也. 或作橕·牚·一'《集韻》.

12 ⑯ **[樲]** 이 [去]寘 而至切 èr
[字解] 멧대추나무 이 갈매나뭇과에 속하는 낙엽 교목(落葉喬木). 대추나무와 비슷하나, 열매가 둥글고 가시가 있는 것이 다름. '養其一棘'《孟子》.
[字源] 篆文 形聲. 木+貳〔音〕

[樲棘 이극] 멧대추나무와 가시나무. 모두 양재(良材)가 아님.

12 ⑯ **[橭]** 심 [平]侵 徐林切 xún
[字解] 나무이름 심 서촉(西蜀) 지방에서 나는 큰 나무. 홰나무와 비슷하다 함. '亦猶疎林螢耀, 而與夫一木龍燭也'《左思》.

12 ⑯ **[橁]** 춘 [平]眞 敕倫切 chūn
[字解] 참죽나무 춘 '孟莊子斬其一, 以爲公琴'《左傳》.
[字源] 篆文 形聲. 木+筍〔音〕

12 ⑯ **[樴]** 직 [入]職 之翼切 zhí
[字解] 말뚝 직 소 또는 짐승을 매어 두는 말뚝. '一謂之杙'《爾雅》.
[字源] 篆文 形聲. 木+戠〔音〕. '戠직'은 '弋익'과 통하여, '말뚝'의 뜻. '木목'을 덧붙여 뜻을 분명히 했음.

12 ⑯ **[橎]** [一] 번 [上]阮 府袁切 fán
[二] 파 [平]歌 府遠切
[字解] [一] 나무이름 번 재질(材質)이 단단하며, 꽃은 피지 않고 열매가 열리는 나무. '一, 說文, 木也. 一曰, 剛木, 不華而實'《集韻》. [二] 나무이름 파 [一]과 뜻이 같음.
[字源] 形聲. 木+番〔音〕

12 ⑯ **[橅]** [人名] 무(모[俗]) [平]虞 莫胡切 mó
[字解] 법 무 법칙. 규범. 模(木部 十一畫)와 뜻이 같음.
[字源] 形聲. 木+無〔音〕. '模모'와 통하여, 본·법의 뜻을 나타냄.

12 ⑯ **[樵]** [人名] 초 [平]蕭 昨焦切 qiáo
[筆順] 木 朩 朩' 朩隹 樵 樵 樵 樵
[字解] ①땔나무 초 화목. 잡목. '一採'. '無打採一者, 以誘之'《左傳》. ②나무할 초 땔나무를 함. '一夫'. '一彼桑斯'《詩經》. ③나무꾼 초 나무하는 사람. '一歌'. '問一, 一不知'《王安石》. ④불사를 초 '焚之者何. 一之也'《公羊傳》. ⑤망루 초 譙(言部 十二畫)와 同字. '爲塹壘木一'《漢書》.
[字源] 篆文 形聲. 木+焦〔音〕. '焦초'는 '불태움'의 뜻. 땔나무의 뜻에서, 파생(派生)하여 '나무를 하다'의 뜻을 나타냄.

[樵家 초가] 나무꾼의 집.
[樵歌 초가] 나무꾼이 부르는 노래.
[樵徑 초경] 나무꾼이 다니는 길. 나뭇길. 초로(樵路).
[樵謳 초구] 초가(樵歌).
[樵汲 초급] 나무하는 일과 물 긷는 일.
[樵女 초녀] 나무하는 여자.
[樵奴 초노] 나무하는 머슴. 나무하는 종.
[樵童 초동] 땔나무를 하는 아이.
[樵路 초로] 나무꾼이 다니는 길. 나뭇길.
[樵夫 초부] 나무꾼.
[樵婦 초부] 나무하는 여자. 또, 나무꾼의 아내.
[樵蘇 초소] ㉠나무를 하고 풀을 벰. 또, 그 사람. 나무꾼. ㉡시골 사람의 생업(生業).
[樵叟 초수] ㉠늙은 나무꾼. ㉡나무꾼.
[樵漁 초어] 나무를 하는 일과 고기를 잡는 일. 또, 그 사람. 나무꾼과 어부.
[樵隱 초은] 나무꾼과 은자(隱者). 또, 나무꾼이 된 은자.
[樵子 초자] 나무꾼.
[樵笛 초적] 나무꾼이 부는 피리.
[樵採 초채] 땔나무를 함.
[樵戶 초호] 나무꾼의 집. 초가(樵家).
◉耕樵. 晩樵. 山樵. 薪樵. 漁樵. 芻樵.

12 ⑯ **[橃]** [一] 벌 [入]月 房越切 fá
[二] 발 [入]曷 北末切 fá
[字解] [一] ①큰배 벌 큰 선박(船舶). '一, 海中大船'《說文》. ②떼 벌 뗏목을 엮은 것. '廣韻, 一下曰, 木一. 說文云, 海中大船. 謂, 說文所說者古義. 今義則同筏也'《說文 段注》. [二] ①큰배 발. ②떼 발.
[字源] 篆文 形聲. 木+發〔音〕. '發발'은 '내보내다'의 뜻. 나무를 내려보내기 위한 '뗏목'의 뜻을 나타냄.

12 ⑯ **[樸]** [人名] [一] 박 [入]覺 匹角切 pǔ
[入]屋 博木切 pú
[二] 복 [入]屋 蒲木切 pú
朴
[字解] [一] ①통나무 박 자르기만 하고 아직 다듬지 아니한 나무. '旣勤一斲'《書經》. 또, 건목만 친 목재(木材). '斲雕爲一'《史記》. ②순박할 박 외모를 꾸미지 않으며 거짓이 없음. '質一'.

'民敦而俗一'《孔子家語》. ③근본 박 '知一則復歸於一'《呂氏春秋》. 🅑 ①달라붙을 복 밀착함. '欲其一屬而微至'《周禮》. ②더부룩하게날 복 무더기로 총생(叢生)함. '芃芃棫一'《詩經》. ③푸조나무 복 느릅나뭇과(科)에 속하는 낙엽 교목. 잎으로 그릇을 닦고, 재목은 세공재·기구재로 씀.

字源 篆文 形聲. 木+菐〔音〕. '菐복'은 '卜복'과 통하여, '퍽'하고 쪼개짐의 뜻. '퍽'하고 단순히 빠개지기만 한 나무의 뜻에서, 가공을 하지 않은 자연 그대로의 감·바탕의 뜻을 나타냄.

[樸彊 박강] 꾸밈이 없고 마음이 강함.
[樸頭 박두] 화살의 한 가지. 촉을 나무로 하였는데, 무과를 보일 때나 활쏘기를 배울 때 사용하였음.
[樸鈍 박둔] ㉠날카롭지 아니함. 무딤. ㉡꾸밈이 없고 둔함.
[樸魯 박로] 순박하고 어리석음. 박우(樸愚).
[樸鄙 박비] 꾸밈이 없고 촌스러움.
[樸素 박소] 인공(人工)을 가하지 아니함. 본새대로 있음.
[樸淳 박순] 순하고 꾸밈이 없음. 순박함.
[樸愼 박신] 순박하고 신중함.
[樸實 박실] 순박하고 진실함.
[樸野 박야] 꾸밈이 없고 촌스러움.
[樸愚 박우] 질박하고 어리석음.
[樸壹 박일] 소박하고 정직함.
[樸拙 박졸] 소박하고 졸렬함.
[樸重 박중] 순박하고 묵중함. 순박하고 경솔하지 아니함.
[樸直 박직] 순박하고 정직함.
[樸質 박질] 꾸밈이 없음. 질박함.
[樸椎 박추] 질소(質素)하고 꾸밈이 없음.
[樸學 박학] ㉠고대(古代)의 질박한 학문. 지금은 통용 안 되는 학문. ㉡소박한 학문. 명예나 이익을 목적으로 하지 않는 학문.
[樸厚 박후] 질박하고 인심이 후함.
[樸樕 복속] 총생(叢生)한 작은 나무. 전(轉)하여, 하찮은 사람. 평범한 사람.
◉簡樸. 古樸. 謹樸. 鄙樸. 散樸. 素樸. 純樸. 醇樸. 粗樸. 拙樸. 質樸.

12 ⑯ **[橈]** 나 ①㊤哿 奴可切 nuǒ ②(平)歌 囊何切 nuó

字解 ①나무무성할 나 '橈一, 木盛皃'《集韻》. ②가지휘청거릴 나 나뭇가지가 연약한 모양. '橈一, 枝弱皃'《集韻》.

12 ⑯ **[樹]** 中人 수 ①(去)遇 常句切 shù ②㊤麌 臣庾切 shù 树 樹

筆順 木 木* 枯 桔 桂 桂 樹 樹

字解 ①나무 수 서 있는 산 나무. '一木'. '斫大一, 白而書之'《史記》. ②초목 수 식물의 총칭. '萍一根于水, 木一根于土'《淮南子》. ③담 수 병장(屛障). '屛謂之一'《爾雅》. ④담세울 수 담을 둘러쳐 세움. '邦君一塞門'《論語》. ⑤근본 수 '一, 本也'《廣雅》. ⑥성 수 성(姓)의 하나. ⑦심을 수 식물을 심음. '一藝'. '不封不一'《易經》. ⑧세울 수 서게 함. '一立'. '一勳'. '一德務滋'《書經》.

字源 甲骨文 篆文 籒文 形聲. 木+尌〔音〕. '尌수'는 '樹수'의 原字로서, 본디 木+寸+豆〔音〕인데, 甲骨文에서는 '木'의 부분이 보리의 象形인 것도 있음. 수목(樹木)이나 농작물을 세워 심어서, '안정시키다, 세우다'의 뜻을 나타냄.

[樹間 수간] 수목(樹木)의 사이. 나무 사이.
[樹幹 수간] 나무의 줄기.
[樹冠 수관] 나무의 위의 가지가 달려 있는 부분.
[樹根 수근] ㉠나무의 뿌리. ㉡근본을 세움. 기초를 세움.
[樹黨 수당] 당파(黨派)를 세움.
[樹齡 수령] 나무의 나이.
[樹林 수림] 나무가 우거진 수풀.
[樹立 수립] 굳게 섬. 또, 굳게 세움.
[樹末 수말] 나무 끝.
[樹木 수목] 산 나무.
[樹勢 수세] 나무의 자라나는 기세.
[樹樹 수수] 모든 나무. 나무마다.
[樹植 수식] ㉠나무를 심음. ㉡수립(樹立).
[樹液 수액] 나무에서 흘러나오는 액체.
[樹葉 수엽] 나뭇잎.
[樹影 수영] 나무의 그림자.
[樹藝 수예] 곡식 따위를 심고 가꿈.
[樹腰 수요] 나무줄기의 하부(下部).
[樹欲靜而風不止 수욕정이풍부지] 나무가 가만히 서 있으려 하여도 바람이 그치지 않음. 아들이 어버이에게 효도(孝道)하려고 생각하였을 때는 이미 어버이는 죽어 이 세상에 없는 비애(悲哀)를 이름.
[樹陰 수음] 나무 그늘.
[樹蔭 수음] 수음(樹陰).
[樹子 수자] 천자의 명령으로 후사(後嗣)가 된 제후(諸侯)의 아들.
[樹顚 수전] 나무 꼭대기.
[樹種 수종] 수예(樹藝).
[樹枝 수지] 나뭇가지.
[樹脂 수지] 나무의 진.
[樹杪 수초] 나무 끝.
[樹畜 수축] 초목을 가꾸고 짐승을 기름.
[樹皮 수피] 나무의 껍질.
[樹下 수하] 나무 밑. 나무 그늘.
[樹勳 수훈] 공을 세움.
◉街路樹. 嘉樹. 巨樹. 蒹葭依玉樹. 瓊樹. 孤樹. 枯樹. 果樹. 喬樹. 落葉樹. 綠樹. 隴樹. 大樹. 暮雲春樹. 茂樹. 密樹. 芳樹. 屛樹. 菩提樹. 墳樹. 蚍蜉撼大樹. 娑羅雙樹. 珊瑚樹. 三珠樹. 常綠樹. 修樹. 崇樹. 雙斧伐孤樹. 藥樹. 列樹. 瑩樹. 玉樹. 瑤林瓊樹. 聳樹. 苑樹. 叢樹. 針葉樹. 標樹. 花樹. 闊葉樹. 朽樹.

12 ⑯ **[橧]** 🅐 심 (平)侵 才淫切 qín 🅑 잠 (平)鹽 慈鹽切 qián

字解 🅐 ①고깃깃 심 추울 때 고기를 잡기 위하여 물속에 풀포기나 나무를 잠가 두는 것. 섶. '一, 積柴水中以取魚也'《集韻》. ②구주물푸레나무 심 梣(木部 七畫)과 뜻이 같음. 🅑 고깃깃 잠, 구주물푸레나무 잠.

12 ⑯ **[櫼]** 전 ①(平)先 則前切 jiān ②(去)霰 子賤切 jiàn

字解 ①작은밤 전 알이 작은 밤. '趙·魏之閒, 謂栗之小者曰一'《集韻》. ②산매(山梅) 전 매화나무의 일종. '一, 山梅也'《類篇》.

12 ⑯ **[樺]** [人名] 화 [去]禡 胡化切 huà / [平]麻 戶花切

[筆順] 木 杧 杵 桦 榉 樺 樺 樺

[字解] 자작나무 화 자작나뭇과에 속하는 낙엽 교목(落葉喬木). 수피(樹皮)는 표면이 희며, 약재(藥材)로 씀. '煙霞爲一綿千載'《麻九疇》.

[字源] 形聲. 木+華〔音〕

[樺巾 화건] 자작나무 껍질로 만든 건.

12 ⑯ **[樽]** [人名] 준 [平]元 祖昆切 zūn

[字解] ①술그릇 준 단지 비슷한 술 그릇. 술통. 尊(寸部 九畫)·罇(缶部 十二畫)과 同字. '一杓'. '有酒盈一'《陶潛》. ②그칠 준 그만둠. '一流遁之觀'《淮南子》.

[字源] 形聲. 木+尊〔音〕. '尊존·준'은 '술통'의 뜻. '尊'이 '존중하다'의 뜻으로도 쓰이게 되자, '木목'를 붙여 구별함.

[樽罍 준뢰] 술 그릇. 술 단지.
[樽實 준실] ㉠술 그릇에 가득 담긴 것. ㉡제사에 올리는 술 그릇.
[樽杓 준작] 술 그릇과 구기.
[樽俎 준조] ㉠술 그릇과 도마. 모두 연회(宴會)에 필요한 제구. ㉡연회에서 하는 평화스러운 외교상(外交上)의 교섭(交涉).
[尊俎折衝 준조절충] 주석(酒席)에서 외국 사신과 담소하면서 그의 요구를 물리쳐 자국(自國)의 주장을 관철시킴. 전(轉)하여, 외국과의 교섭에서 국위(國威)를 손상시키지 아니함.
[樽酒 준주] 술 그릇의 술.
[樽榼 준합] 술 그릇. 술 단지.
◉空樽. 金樽. 晩樽. 芳樽. 雙樽. 瓦樽. 彝樽. 殘樽. 酒樽. 瓢樽.

12 ⑯ **[樾]** 월 [入]月 王伐切 yuè

[字解] ①나무그늘 월 수음(樹蔭). '蔭暍人于一下'《淮南子》. ②가로수 월 길거리에 심은 나무. '設燎相屬, 道一爲枯'《唐書》.

[字源] 形聲. 木+越〔音〕

◉街樾. 道樾. 茂樾. 脩樾. 深樾. 林樾. 榛樾. 青樾. 翠樾.

12 ⑯ **[槸]** 결 [入]屑 古屑切 jié

[字解] 두레박틀 결 桔(木部 六畫)과 同字.

12 ⑯ **[樿]** 전 [上]銑 旨善切 shàn / [去]霰 時戰切 shàn

[字解] 회양목 전 회양목과에 속하는 상록 교목(常綠喬木). 결이 곱고 단단하여 도장·빗 등 세공의 기구를 만듦. 황양(黃楊). '櫛用一櫛'《禮記》.

[字源] 篆文 形聲. 木+單〔音〕

[樿杓 전작] 회양목으로 만든 구기.
[樿櫛 전즐] 회양목으로 만든 빗.

12 ⑯ **[橄]** [人名] 감 [上]感 古覽切 gǎn

[字解] ①감람나무 감 '一欖'은 감람과에 속하는 상록 교목(常綠喬木). 아시아 열대 지방에서 야생함. '漢武帝破南越, 得一欖百餘本'《三輔黃圖》. ②성 감 성(姓)의 하나.

[字源] 形聲. 木+敢〔音〕

[橄欖 감람] 자해(字解) ❶을 보라.
[橄欖石 감람석] 유리 같은 광택을 가진 결정체의 광물.
[橄欖油 감람유] 올리브유(olive油).

12 ⑯ **[樻]** 궤 [上]紙 丘愧切 kuì

[字解] 영수목(靈壽木) 궤 대나무 비슷하고 마디가 있음. 椐(木部 八畫)와 뜻이 같음.

[字源] 篆文 形聲. 木+貴(賮)〔音〕

12 ⑯ **[橇]** [一] 취 [去]霽 租芮切 cuì / [二] 교 [平]蕭 起囂切 qiāo

[字解] [一] 썰매 취 진흙 위를 가는 키같이 생긴 탈것. 지금은 눈 위에서 씀. '泥行乘一'《史記》. [二] 썰매 교 [一]과 뜻이 같음.

[字源] 形聲. 木+毳〔音〕. '毳취'는 '蕝체'와 통하여, 동철(冬鐵)의 뜻. 나무로 만든 동철, 또 썰매의 뜻으로 쓰임.

12 ⑯ **[棗]** 조 [平]豪 臧曹切 zāo

[字解] 날샐 조 '一, 日出明'《集韻》.

[字源] 會意. 東+東

12 ⑯ **[橈]** [人名] [一] 요 [平]蕭 如招切 ráo / [二] 뇨 [去]效 奴教切 náo / [平]肴 尼交切

[字解] [一] 노 요 짧은 노. '楫謂之一'《博雅》. [二] ①휠 뇨 ㉠구부러짐. '轅直且無一也'《周禮》. ㉡구부림. '毋或枉一'《禮記》. ②꺾일 뇨 기세가 꺾임. '師徒一敗'《左傳》. ③약할 뇨 연약함. 또, 약해짐. '棟一凶'《易經》. ④약하게할 뇨 '謀一楚權'《漢書》. ⑤헤칠 뇨 흩어지게 함. '一萬物'《易經》.

[字源] 篆文 形聲. 木+堯〔音〕. '堯요'는 '弱약'과 통하여, 낭창낭창함의 뜻. 낭창낭창 휘어진 나무의 뜻.

[橈橈 요요] ㉠휘는 모양. ㉡연약한 모양.
[橈敗 요패] 기세를 꺾어 패하게 함. 또, 기세가 꺾여 패함.
[橈凶 요흉] 약해져 나빠짐.
◉屈橈. 蘭橈. 不橈. 孅橈. 柔橈. 層橈. 廻橈.

12 ⑯ **[橉]** 린 ①[去]震 良刃切 lìn / ②[上]軫 良忍切

[字解] ①나무이름 린 이 나무를 땐 재는 약용 또는 물감으로 쓰인다고 함. '一杞稹薄於潯涘'《郭璞》. ②문지방 린 '枕戶一而臥'《淮南子》.

[字源] 形聲. 木+粦〔音〕

12 [橏] [一] 전 [上]銑 旨善切 zhǎn
⑯ [二] 건 [上]銑 九件切 jiǎn

[字解] [一] ①옹두리 전 나무에 생기는 혹. '一, 木瘤'《集韻》. ②나무이름 전 '一, 木名'《集韻》. ③마른나무 전 말라 죽은 나무. [二] 나무밋밋할 건 '一樺'은 나무가 길다란 모양. '一樺, 樹長皃'《集韻》.

12 [橋] [中人] [一] 교 [平]蕭 巨嬌切 qiáo
⑯ [平]蕭 丘祆切
[二] 고 [平]豪 居勞切 jiǎo 桥

[筆順] 木 杧 杧 栎 栎 桥 橋 橋

[字解] [一] ①다리 교 교량. '一頭'. '初作河一'《史記》. ②시렁 교 나무를 가로질러 물건을 얹어 두게 한 것. '笄加于一'《儀禮》. ③업신여길 교 깔봄. '一泄者人之殃也'《荀子》. ④가로나무 교 두레박틀의 가로 댄 나무. '一直植立而不動, 俯仰取制焉'《淮南子》. ⑤나무이름 교 나무의 하나. '一木高而仰, 梓木晉而附'《尙書大傳》. ⑥높을 교 喬(口部 九畫)와 통용. '山有一松'《詩經》. ⑦성 교 성(姓)의 하나. ⑧어그러질 교 이치에 어그러짐. '其與一言無擇'《呂氏春秋》. ⑨가마 교 轎(車部 十二畫)와 同字. '山行卽一'《史記》. ⑩고칠 교 바로잡음. 교정함. 矯(矢部 十二畫)와 통용. '一飾其性情'《荀子》. [二] 셀 고 세찬 모양. '欲惡去就, 於是一起'《莊子》.

[字源] 篆文 形聲. 木+喬〔音〕. '喬교'는 '높다'의 뜻. 골짜기를 흐르는 내에 높이 놓인 다리의 뜻.

[橋起 고기] 세차게 일어남. 발기(勃起).
[橋脚 교각] 교체(橋體)를 받치는 기둥.
[橋閣 교각] 잔각(棧閣).
[橋道 교도] 다리와 길.
[橋頭 교두] 다리의 근처. 교변(橋邊).
[橋梁 교량] 다리.
[橋流水不流 교류수불류] 자기 입장에 너무 집착(執着)하면 사물이 거꾸로 보임을 이름.
[橋畔 교반] 다리의 근처.
[橋邊 교변] 다리의 근처.
[橋泄 교설] 업신여김.
[橋松 교송] 높은 소나무. 일설(一說)에는, 말라 죽어 가지가 없는 소나무.
[橋言 교언] 이치에 어그러진 말.
[橋彴 교작] 외나무다리. 독목교(獨木橋).
[橋梓 교재] 부자(父子)의 존비(尊卑). 부자의 도(道). 전(轉)하여, 부자(父子). 교(橋)나무는 키가 커서 위를 향하게 되므로 부도(父道)에 비유하고, 재(梓) 곧 가래나무는 키가 낮아 자(子)의 도(道)에 비유함.
[橋丁 교정] 다리를 지키는 사람.
[橋柵 교책] 교량(橋梁)과 목책(木柵).
◉架橋. 可動橋. 屈橋. 斷橋. 踏橋. 跳開橋. 獨木橋. 木橋. 浮橋. 飛橋. 石橋. 船橋. 鞍橋. 烏鵲橋. 雲橋. 陸橋. 圯橋. 棧橋. 長橋. 釣橋. 鐵橋. 土橋. 板橋.

12 [橑] [一] 로 [上]晧 盧皓切 lǎo
⑯ [二] 료 [平]蕭 落蕭切 lǎo

[字解] [一] ①서까래 로 '桂棟兮蘭一'《楚辭》. ②장작 로, 나뭇조각 로 '雕一然後爨之'《管子》. [二] 우산살 료 '一, 一曰, 蓋骨'《廣韻》.

[字源] 篆文 形聲. 木+尞〔音〕. '尞료'는, 연속해 있음, 줄지어 있음의 뜻. 마룻대에서 처마에 건너지르는 '서까래'의 뜻을 나타냄.

◉覆橑.

12 [橕] 탱 [平]庚 丑庚切 chēng
⑯

[字解] 버틸 탱 쓰러지지 않게 굄. 또, 버팀기둥. '一, 又一柱也'《廣韻》. '離樓梧以相一'《司馬相如》.

[字源] 形聲. 木+掌〔音〕

[橕刺 탱척] 배를 저음.
◉枝橕.

12 [橘] [人名] 귤 [入]質 居聿切 jú
⑯

[筆順] 木 杧 杧 柽 柽 梧 橘 橘

[字解] 귤나무 귤, 귤 귤 운향과에 속하는 작은 상록 교목(常綠喬木). '一顆'. '一踰淮而北, 爲枳'《周禮》. 또, 그 열매. '一中之樂'.

[字源] 篆文 形聲. 木+矞〔音〕. '矞율'은 '과시(誇示)하다'의 뜻. 그 나무에 시위적(示威的)인 가시가 있는 '귤나무'의 뜻을 나타냄.

[橘顆 귤과] 귤나무의 열매. 귤.
[橘餠 귤병] 귤을 물이나 사탕에 조려 만든 중국식 음식.
[橘葉 귤엽] 귤나무의 잎. 약재로 씀.
[橘井 귤정] 의사(醫師)·의생(醫生)의 별칭. 진(晉)나라의 소선공(蘇仙公)이 귤을 심고 우물을 파서 환자에게 그 귤나무 잎을 먹이고 물을 마시게 하여 병을 고쳤다는 〈신선전(神仙傳)〉에 나오는 고사(故事)에서 유래함.
[橘正果 귤정과] 귤 알맹이를 꿀에 재어 두었다가 끓여 낸 음식.
[橘中之樂 귤중지락] 바둑 또는 장기를 두는 즐거움. 파앙(巴卬) 사람이 뜰에 있는 큰 귤나무의 열매를 쪼개니 그 안에서 두 노인이 장기를 두며 즐거워하고 있었다는 〈유명록(幽冥錄)〉에 나오는 고사(故事)에서 유래함.
[橘包 귤포] 밀감·귤 같은 과일.
[橘皮 귤피] 귤나무 종류의 열매의 껍질. 누렇게 익은 것을 말린 껍질을 진피(陳皮), 날것을 말린 껍질을 청피(靑皮)라고 함. 모두 건위(健胃)·발한약(發汗藥)으로 씀.
[橘核 귤핵] 귤의 씨.
[橘紅 귤홍] 안에 있는 흰 부분을 긁어 버린 귤껍질. 거담(祛痰)·건위제(健胃劑)로 씀.
[橘花 귤화] 귤나무의 꽃. 차의 원료로 씀.
[橘化爲枳 귤화위지] 화이난(淮南)의 귤을 화이베이(淮北)에 옮겨 심으면 탱자가 된다는 뜻으로, 사람도 경우(境遇)에 따라 그 기질(氣質)이 변함을 이름.
◉甘橘. 柑橘. 枸橘. 金橘. 盧橘. 綠橘. 朱橘. 包橘. 香橘.

12 [橙] [人名] 등(① ①[平]庚 宅耕切 chéng
⑯ 증[本]) ②[去]徑 都鄧切 dèng

[字解] ①등자나무 등 운향과에 속하는 작은 상록

교목(常綠喬木). 귤 비슷한 누런 열매는 약재로 씀. '黃甘—橪'《司馬相如》. ②등상 등 일종의 책상. '使韋仲將懸—書之'《晉書》.
[字源] 篆文 形聲. 木+登〔音〕. '登등'은 '올리다, 얹다'의 뜻. 몸을 얹다, 발판, 걸상의 뜻을 나타냄.

[橙黃橘綠時 등황귤록시] 등자는 노랗고 귤은 푸른 때. 곧, 초동(初冬)의 계절.
[橙黃色 등황색] 붉은빛을 띤 누런 빛깔.
◉橘橙. 綠橙. 木橙. 霜橙. 朱橙. 香橙. 黃橙.

12 ⑯ [橒] [人名] 운 ㊥文 王分切 yún

[字解] ①나무무늬 운 연륜·나뭇결 같은 나무의 무늬. '—, 木文'《玉篇》. ②나무이름 운 '—, 木名'《集韻》.
[字源] 形聲. 木+雲〔音〕

12 ⑯ [橛] 궐 ㊇月 居月切 jué / ㊇月 其月切 jué

[字解] ①말뚝 궐 '—杙'. '旁樹長—'《爾雅 註》. ②문지방 궐 '椳—與楝梁'《杜牧》. ③등걸 궐 그루터기의 몸. '若—株駒'《列子》. ④재갈 궐 마함(馬銜). '前有—飾之患'《莊子》.
[字源] 篆文 形聲. 木+厥〔音〕. '厥궐'은 '돌을 파다'의 뜻. 돌을 뚫어 파서 세우는 '말뚝'의 뜻을 나타냄.

[橛橛 궐궐] 서서 요동하지 않는 모양.
[橛飾 궐식] 말의 재갈과 가슴걸이.
[橛杙 궐익] 말뚝.
◉株橛.

12 ⑯ [橝] 담 ㊥覃 徒含切 tán

[字解] ①서까래 담 지붕 끝의 처마. ②시렁 담 잠박을 올리는 시렁. ③나무이름 담 橉(木部 十二畫)의 별칭(別稱). 이 나무를 땐 재는 약제(藥劑)와 염료(染料)로 쓰인다 함. '攀瑤木之—枝兮'《楚辭》.
[字源] 篆文 形聲. 木+覃(㽎)〔音〕

12 ⑯ [機] [高人] 기 ㊥微 居依切 jī 机

[筆順] 木 朩 朩ㄠ 朩ㄠㄠ 桦 機 機 機

[字解] ①틀 기 기계. '—關'. '虞—張'《書經》. ②재치 기 기교(技巧). '—巧'. '爲—變之巧者'《孟子》. ③거짓 기 허위. 또, 나쁜 책략(策略). '—心'. '—械之心, 藏於胸中'《淮南子》. ④베틀 기 베 짜는 틀. '—杼'. '其母投杼下—, 踰牆而走'《史記》. ⑤계기 기 동인(動因). '其—如此'《大學》. ⑥기틀 기 고동. 사북. '樞—'. '此皆達於治亂之—'《淮南子》. ⑦때 기 ㉠시기. '遲重少決, 失在後—'《魏志》. ㉡기회. '乘—'. '成敗之—, 在此一擧'《後漢書》. ⑧실마리 기 단서(端緖). '啓—于身後'《後漢書》. ⑨조짐 기 '知—道者, 不可挂以髮'《素問》. ⑩작용 기 활동. '嗜慾深者, 天—淺'《莊子》. ⑪권세 기 권병(權柄). '後裔握—'《後漢書》. ⑫별이름 기 북두칠성의 셋째 별. '北斗魁星第三爲—'《後漢書 注》.
[字源] 篆文 形聲. 木+幾〔音〕. '幾기'는 '세밀함'의 뜻. 세밀한 장치가 되어 있는 기구(器具)의 뜻을 나타냄.

[機警 기경] 기민(機敏).
[機警有鋒 기경유봉] 열쌔고 재빠름.
[機械 기계] ㉠기교(技巧). ㉡허위(虛僞). ㉢여러 가지 기관(機關)이 조직적으로 장치되어 어느 다른 힘을 받아 움직이어 자동적으로 일을 하는 장치.
[機械力 기계력] 기계가 일을 하는 능력(能力).
[機械之心 기계지심] 기심(機心).
[機管 기관] 중요한 임무.
[機關 기관] ㉠장치(裝置). ㉡어떤 에너지를 기계력으로 변화시키는 장치. ㉢어떤 목적을 달성하기 위한 시설.
[機巧 기교] ㉠기계(機械)의 장치. ㉡교사(巧詐). ㉢임기응변(臨機應變)하여 재치 있게 활동함.
[機構 기구] ㉠얽어 잡은 구조. ㉡기계의 내부 구조. ㉢부서(部署) 등의 조직. 활동 단위로서의 조직체.
[機根 기근] 《佛敎》 근성(根性).
[機器 기기] 기계를 통틀어 이르는 말.
[機能 기능] 활동. 작용(作用).
[機略 기략] 임기응변(臨機應變)의 계략.
[機謀 기모] 기략(機略).
[機務 기무] 기밀(機密)한 정무.
[機敏 기민] 눈치가 빠르고 민첩함.
[機密 기밀] ㉠중요하고 비밀(祕密)한 일. ㉡비밀에 붙여 발설하지 아니함.
[機辯 기변] 임기응변의 변설(辯說).
[機變 기변] 임기응변의 책략(策略).
[機鋒 기봉] 예민한 칼날.
[機梭 기사] 기저(機杼).
[機先 기선] ㉠사단(事端)이 일어나기 전. 일이 일어나려고 하는 바로 그 전(前). ㉡남이 하기 전에 약삭빠르게 먼저 시작함.
[機心 기심] 교사(巧詐)한 마음.
[機業 기업] 직조(織造)하는 일.
[機緣 기연] 어떠한 기회와 인연.
[機運 기운] 기회와 시운(時運).
[機猷 기유] 꾀. 계략(計略).
[機宜 기의] 시기 또는 형편에 알맞음.
[機杼 기저] ㉠베틀의 북. ㉡문사(文辭)의 결구(結構).
[機杼成一家 기저성일가] 독특한 문장을 지어 일가(一家)를 이룸을 이름.
[機政 기정] 중요한 정사(政事).
[機綜 기종] 베틀의 바디.
[機智 기지] 임기응변하는 슬기.
[機軸 기축] ㉠기관(機關) 또는 차륜(車輪)의 축(軸). ㉡국정(國政)의 긴요한 중심.
[機檻 기함] 날짐승을 잡기 위한 장치가 있는 우리.
[機會 기회] 어떤 일을 해 나가는 데 꼭 알맞은 고비. 좋은 때.
[機畫 기획] 꾀. 책략.
◉軍機. 大機. 待機. 動機. 萬機. 孟母斷機. 無機. 兵機. 佛郞機. 飛行機. 事機. 世機. 乘機. 時機. 神機. 愼機. 失機. 心機. 危機. 有機. 應機. 杼機. 電機. 戰機. 轉機. 織機. 天機. 樞機. 投機. 航空機. 衡機. 好機. 禍機.

12 ⑯ [橓] [人名] 순 [去]震 輪閏切 shùn

[字解] 무궁화나무 순 아욱과의 낙엽 교목. 근화(槿花). 목근(木槿). 蕣(艸部 十二畫)과 同字.

12 ⑯ [橡] [人名] 상 [上]養 徐兩切 xiàng

[字解] ①상수리나무 상 참나뭇과에 속하는 낙엽 교목(落葉喬木). ②상수리 상 상수리나무의 열매. '與邑人山拾—'《晉書》.

[字源] 形聲. 木+象〔音〕

12 ⑯ [橢] 타 [上]哿 他果切 tuǒ 楕

[字解] ①길쭉할 타 가늘고 긺. '蟦, 小而—'《爾雅》. ②둥글고길쭉할 타 '—圓'. '小—之'《漢書》.

[字源] [篆文] 形聲. 木+隋〔音〕. '隋타'는 '무너짐'의 뜻. 모양이 가늘고 길게 일그러진 목기(木器)의 뜻을 나타냄.

[橢圓 타원] ㉠길쭉하게 둥근 원(圓). ㉡두 정점(定點)에서의 거리의 합친 길이가 언제나 일정한 점(點)의 궤적(軌跡).
◉科橢. 順橢.

12 ⑯ [橦] [一] 동 [平]東 徒紅切 tóng
[二] 충 [平]冬 昌容切 chōng
[三] 장 [平]江 傳江切 chuáng

[字解] [一] 나무이름 동 꽃을 따서 베를 짤 수 있다는 나무. '漢女輸—布'《王維》. [二] ①병거(兵車) 충 적진을 돌파하는 전차(戰車). '楯櫓鉤—'《晉書》. ②찌를 충 공격함. '衝輣—城'《後漢書》. ③나무토막 충 나무의 한 토막. '一, 木一截也'《集韻》. [三] ①장대 장 길고 밋밋한 나무나 대. 또, 깃대. '揭鳴鳶之脩—'《後漢書》. ②돛대 장 '決帆摧—'《木華》.

[字源] [篆文] 形聲. 木+童〔音〕. '童동'은 '찌르다, 치다'의 뜻. 장막(帳幕)에 세우는 기둥, 또, '기둥'의 뜻을 나타냄.

[橦布 동포] 동(橦)이라는 나무의 꽃을 원료로 하여 짠 베.
[橦城 충성] 성을 쳐서 깨뜨림.
◉尋橦.

12 ⑯ [⿰木舄] 석 [入]陌 思積切 xì

[字解] 나막신 석 나무를 파서 만든 신. '—, 木履也'《集韻》.

12 ⑯ [権] 〔권〕
權(木部 十八畫〈p. 1123〉)의 俗字

12 ⑯ [橧] 증 [平]蒸 作滕切 zēng

[字解] ①집 증 '—巢'는 장작이나 섶나무를 높이 쌓고 그 위에서 기거하는 일종의 집. '先王未有宮室, 夏則居—巢'《禮記》. ②다락 증 지붕 없는 누각. '—桴重棼'《張衡》.

[字源] 形聲. 木+曾〔音〕

[橧桴 증부] 지붕이 없는 누각(樓閣).
[橧巢 증소] 자해(字解) ❶을 보라.

12 ⑯ [橪] 연 ①[上]銑 人善切 rǎn
②[平]先 烏前切 yān

[字解] ①좀대추나무 연 대추나무의 일종. 열매는 대추보다 작고 심. '枇杷—柹'《史記》. ②향풀이름 연 '—支'는 향초(香草)의 하나. '采—支于中洲'《楚辭》.

[字源] [篆文] 形聲. 木+然〔音〕

[橪支 연지] 향초(香草) 이름.

12 ⑯ [橫] [高人] 횡 ①-⑨[平]庚 戶盲切 héng
⑩[去]敬 戶孟切 hèng

[筆順] 木 木 杧 杧 栟 横 横 橫

[字解] ①가로 횡 세로의 대(對). 동서 또는 좌우의 방향. '縱—'. '不別—之與縱'《東方朔》. ②옆 횡 곁. 측면. '—眸'. '—擊之'《左傳》. ③가로놓을 횡 '坐—弓'《儀禮》. ④가로놓일 횡 ㉠가로누움. 옆으로 이어짐. 가로 길게 뻗침. '—中流兮揚素波'《漢武帝》. ㉡꽉 참. 막힘. '以—於天下'《禮記》. ⑤가로지를 횡 횡단함. '—過'. '—江東來'《蘇軾》. ⑥섞일 횡 '涕—集而成行'《楚辭》. ⑦방자할 횡 방일함. '—恣'. '—暴'. '時—潰以陽遂'《王褒》. ⑧연횡 횡 전국 시대(戰國時代)에 관동(關東)의 육국(六國)을 연합하여 관서(關西)의 진(秦)나라를 복종시키려고 한 정책. '趙魏困—'《千字文》. ⑨성 횡 성(姓)의 하나. ⑩거스를 횡 상리(常理)에 어그러짐. 도덕에 어긋남. '待我以—逆'《孟子》.

[字源] [金文] [篆文] 形聲. 木+黃〔音〕. '黃황'은 몸에 옆으로 차는 띠구슬의 뜻에서, '옆'의 뜻도 나타내며, 또 문을 닫기 위한 가로대, 빗장의 뜻에서 '보통, 옆'의 뜻을 보임.

[橫柯 횡가] 가로퍼진 나무의 가지.
[橫擊 횡격] 측면(側面)에서 공격함.
[橫見 횡견] 곁눈으로 봄.
[橫過 횡과] 질러감. 횡단함.
[橫貫 횡관] 가로 꿰뚫음.
[橫斷 횡단] ㉠가로 끊음. ㉡가로 지나감.
[橫談 횡담] 실컷 이야기함.
[橫帶 횡대] 관(棺)을 묻은 뒤 광중(壙中)의 위를 덮는 널.
[橫堵 횡도] 땅바닥에 쓰러진 담.
[橫道 횡도] ㉠길에 누워 있음. ㉡옳지 아니한 도(道). 그른 길.
[橫得 횡득] 뜻밖에 이(利)를 얻음.
[橫濫 횡람] 횡일(橫溢).
[橫歷 횡력] 마음대로 편력(遍歷)함. 마음 내키는 대로 두루 돌아다님.
[橫領 횡령] ㉠남의 물건을 불법하게 빼앗음. ㉡남에게 부탁(付託)받은 물건을 영유(領有)함.
[橫流 횡류] 물이 멋대로 흐름. 범람(氾濫)함.
[橫罹 횡리] 뜻밖의 재앙(災殃)에 걸림.
[橫磨劍 횡마검] 날이 선 칼을 허리에 차고 있는 군사.
[橫眸 횡모] 곁눈.
[橫目 횡목] 사람의 눈.

[横目縱鼻 횡목종비] 눈은 가로, 코는 세로로 된 사람의 면모(面貌).
[横文 횡문] 가로로 쓰는 글자. 곧, 서양 문자.
[横聞 횡문] 똑바로 듣지 못하고 그릇 들음.
[横民 횡민] 횡포(横暴)한 백성.
[横放 횡방] 방사(放肆)함.
[横步 횡보] 모로 걷는 걸음.
[横分 횡분] 가로로 끊어 나눔.
[横死 횡사] 비명(非命)의 죽음. 변사.
[横斜 횡사] 비스듬함. 기욺.
[横肆 횡사] 횡방(横放).
[横槊賦詩 횡삭부시] 마상(馬上)에서 창을 뉘어 놓고 시를 지음. 곧, 진중(陣中)에서 시가(詩歌)를 읊는 풍류의 멋을 이름. 위(魏)나라 조조(曹操)가 오(吳)나라를 칠 때 적벽(赤壁)에서 시를 지은 고사(故事)에서 나온 말.
[横產 횡산] 아이를 가로로 낳음. 곧, 태아의 팔부터 낳음.
[横塞 횡색] 가로막음. 가로막힘.
[横書 횡서] 가로글씨.
[横線 횡선] 가로줄.
[横說竪說 횡설수설] ㉠자유자재로 설명함. ㉡조리(條理)가 없는 말을 함부로 지껄임.
[横數 횡수] 뜻밖의 운수(運數).
[横竪說去 횡수설거] 횡설수설(横說竪說).
[横厄 횡액] 불의(不意)의 재액(災厄).
[横逆 횡역] 상리(常理)에 어그러짐.
[横臥 횡와] 가로누음. 모로 누움.
[横夭 횡요] 요사(夭死).
[横議 횡의] 멋대로 논의(論議)함.
[横逸 횡일] 방자(放恣)함.
[横溢 횡일] 물이 가로로 흘러넘침.
[横恣 횡자] 횡방(横放).
[横棧橋 횡잔교] 해안에 평행되게 만든 배다리.
[横財 횡재] 뜻밖에 얻은 재물(財物).
[横笛 횡적] 가로로 부는 피리. 저.
[横轉 횡전] 옆으로 회전함.
[横絶 횡절] 횡단(横斷).
[横截 횡절] 횡단(横斷).
[横征 횡정] 가혹한 징세(徵稅). 무모하게 연공(年貢)을 징수하는 일.
[横政 횡정] 폭정(暴政).
[横徵 횡징] 조세를 제멋대로 거두어들임.
[横草之功 횡초지공] 전쟁에 나가 산야(山野)를 치구(馳驅)하며 세운 공로.
[横奪 횡탈] 무법하게 가로채어 빼앗음.
[横波 횡파] 곁눈질함.
[横暴 횡포] 제멋대로 굴며 몹시 난포함.
[横幅 횡폭] 가로의 넓이.
[横披 횡피] 서화(書畫)의 두루마리.
[横被 횡피] 널리 미침.
[横虐 횡학] 함부로 잔학한 짓을 함.
[横行 횡행] ㉠모로 감. ㉡거리낌 없이 마음대로 돌아다님. ㉢멋대로 행함.
[横行介士 횡행개사] 게〔蟹〕의 아칭(雅稱).
[横行闊步 횡행활보] 횡행(横行)❶❷.
[横禍 횡화] 불의(不意)의 재난(災難).
◉強横. 劍横. 驕横. 權横. 貴横. 連横. 專横. 從横. 縱横. 天横. 擅横. 暴横. 合從連横. 豪横. 猾横.

12 ⑯ [槔] 고 ㊥虞 苦胡切 gū

字解 ①목련 고 목련과에 속하는 낙엽 교목(落葉喬木). 신이(辛夷). ②나무이름 고 '牡—'는 느릅나무의 일종. '以牡—午貫象齒而焚之'《周禮》. ③퍼질 고 나무가 사면으로 뻗어 퍼짐. '—, 木四布也'《廣韻》.

12 ⑯ [橲] 人名 ㊥韓 희

筆順 木 朩 朩 桔 桔 橲 橲 橲

字解 《韓》 사람이름 희.

12 ⑯ [橨] 분 ①㊥文 符分切 fén ②③㊤吻 父吻切 fèn

字解 ①나무이름 분 은행나무. '—, 枰仲木別名'《廣韻》. ②발 분 기물(器物)의 발. '—, 柎也'《廣雅》. ③뱃전 분 '—, 舟邊也'《集韻》.

12 ⑯ [橞] ㊥韓 덕

字解 산 덕 산(山) 이름으로 많이 쓰임.

12 ⑯ [橵] ㊥韓 산

字解 《韓》 산자(橵子) 산 지붕의 서까래 위에 흙을 받기 위해 가로로 펴 엮은 나뭇개비.

12 ⑯ [樠] 〔미〕 楣(木部 九畫〈p. 1087〉)의 本字

12 ⑯ [橰] 〔고〕 槹(木部 十一畫〈p. 1099〉)와 同字

12 ⑯ [檮] 〔도〕 檮(木部 十四畫〈p. 1117〉)의 本字

12 ⑯ [橨] 〔경〕 耕(耒部 四畫〈p. 1818〉)과 同字

12 ⑯ [橆] 〔무〕 無(火部 八畫〈p. 1335〉)의 古字

12 ⑯ [橩] 경 ㊥庚 葵營切 qióng

字解 ①나무이름 경 '—, 木名'《玉篇》. ②쌍륙 의주사위 경 '—, 樗蒲戲骰子也'《正字通》.

12 ⑯ [橞] 혜 ㊦霽 胡桂切 huì

字解 나무이름 혜 '—, 木名'《廣韻》.
字源 形聲. 木+惠〔音〕

12 ⑯ [橐] ■ 포 ①㊦效 披教切 pào ②㊥看 薄交切 páo ■ 환 ㊦翰 胡玩切

字解 ■ ①덧칠할 포 옻을 거듭 칠함. '—, 桼垸已, 復桼之'《說文》. ②적흑색칠 포 적흑색(赤黑色)의 옻칠. '—, 赤黑漆'《廣韻》. ■ 적흑색칠 환 ■❷와 뜻이 같음.
字源 形聲. 桼+包〔音〕

12 ⑯ [橖] 〔탑〕 榻(木部 十畫〈p. 1094〉)과 同字

12 ⑯ [橊] 〔류〕
榴(木部 十畫〈p. 1093〉)의 本字

12 ⑯ [椮] 〔삼〕
槮(木部 十一畫〈p. 1099〉)의 俗字

[橚] 〔숙〕
木部 十三畫(p. 1113)을 보라.

12 ⑯ [橆] 무 ㊤麌 文甫切 wǔ

字解 ①우거질 무 무성함. 蕪(艸部 十二畫)와 同字. '庶草蕃—'《書經》. ②없을 무 無(火部 八畫)와 同字. '秦以—作无'《字彙》.

字源 篆文 會意. 篆文은 林+亡〔音〕. '林림'은 나무가 많음, '亡모'는 '蕪무'로서 '우거짐'의 뜻. 나무가 잔뜩 우거지다의 뜻을 나타냄. '亡'가 음부(音符)를 겸하는 形聲으로도 생각할 수 있음.

12 ⑯ [橐] 탁 ㊅藥 他各切 tuó

字解 ①전대 탁 주머니의 한 가지. '于—于囊'《詩經》. ②풀무 탁 바람을 일으키는 제구. '鼓—吹埵, 以消銅鐵'《淮南子》. ③절구질하는소리 탁 '椓之——'《詩經》.

字源 篆文 形聲. 橐〈省〉+石〔音〕. '橐곤'은 '자루'의 뜻. '石석'은 '宕탕'의 생략자(省略字)로서, '속이 빔'의 뜻. 단, 篆文의 형태로 보면, '束'의 중앙에 음부(音符)인 '囸(宕)'이 끼인 모양으로, 속에 무엇을 넣고 위아래를 동이는 자루로 생각됨.

[橐籥 탁약] 대장간에서 불을 일으키는 도구. 풀무.
[橐吾 탁오] 국화과에 속하는 상록 다년초(常綠多年草). 털머위.
[橐中 탁중] 주머니 속.
[橐中裝 탁중장] 전대에 넣어 가지고 다니는 소중한 물건.
[橐駝 탁타] ㉠낙타(駱駝)의 이칭(異稱). ㉡꼽추. ㉢나무를 가꾸는 것을 직업으로 하는 사람. 탁타사(橐駝師).
[橐駝師 탁타사] 탁타(橐駝) ㉢.
[橐橐 탁탁] ㉠절구질 소리. ㉡신발 소리.
◉空橐. 錦橐. 囊橐. 鑪橐. 倒橐. 垂橐. 炎橐. 張橐. 布橐. 行橐. 革橐.

12 ⑯ [橤] 人名 예 ㊤紙 乳捶切 ruǐ

字解 ①드리울 예 축 늘어짐. '——'. '佩玉蘂—, 無以繫之'《易林》. ②꽃술 예 화예(花蘂). 蘂(艸部 十六畫)와 同字. ③모일 예 '—, 聚也'《廣雅》.

字源 形聲. 木+惢〔音〕

[橤橤 예예] ㉠드리운 모양. ㉡꽃술마다.

12 ⑯ [檥] 의 ㊄寘 宜寄切 yì

字解 준마이름 의 '白—'는 백마(白馬)로 주목왕(周穆王)의 팔준마(八駿馬)의 하나. '右驂赤驥而左白—'《列子》.

12 ⑯ [橜] 〔궐〕
橛(木部 十二畫〈p. 1110〉)의 本字

12 ⑯ [橥] 一 후 ㊥虞 況于切 xū
二 규 ㊥支 俱爲切

字解 一 양날쟁기 후 '—, 芣臿也'《說文》. 二 쟁기 규 '䤕, 廣雅, 臿也. 或作—'《集韻》.

字源 形聲. 木+入+畾〔音〕

13 ⑰ [橿] 人名 강 ㊥陽 居良切 jiāng

筆順 木 朩 栕 桓 槆 橿 橿 橿

字解 ①감탕나무 강 감탕나뭇과에 속하는 상록교목(常綠喬木). 동청(冬青). ②굳셀 강 강성한 모양. '左右——'《太玄經》.

字源 篆文 形聲. 木+畺〔音〕. '畺강'은 '硬경'과 통하여, '단단함'의 뜻. 단단한 재질(材質)의 나무의 뜻.

[橿橿 강강] 강성(強盛)한 모양.

13 ⑰ [檎] 금 ㊄沁 居廕切 jìn

字解 울짱 금, 사립짝 금 집을 둘러막는 울. 또, 사립문. '—, 方言, 格也, 謂今竹木格, 一曰, 所以扞門'《集韻》.

13 ⑰ [檡] 一 택 ㊅陌 場伯切 zhái
二 탁 ㊅藥 達各切
三 역 ㊅陌 夷益切
四 석 ㊅陌 施隻切 shì
五 도 ㊥虞 同都切 tú

字解 一 나무이름 택 '—, —棘, 善理堅刃者, 可以爲射決'《廣韻》. 二 나무이름 탁 一과 뜻이 같음. 三 나무이름 역 一과 뜻이 같음. 四 ①나무이름 석 一과 뜻이 같음. ②고욤 석 '—, 樗棗'《廣韻》. 五 범 도 '於—'는 호랑이의 별명. '謂虎於—'《漢書》.

13 ⑰ [橚] 人名 숙 ㊅屋 息逐切 sù

筆順 木 朩 杮 柎 栣 棣 樵 橚

字解 ①밋밋할 숙 나무가 곧게 자라 긴 모양. '—矗森萃'《左思》. ②무성할 숙 초목이 무성한 모양. '—爽櫹槮'《張衡》.

字源 篆文 形聲. 木+肅〔音〕

[橚爽 숙상] 초목이 무성한 모양.
[橚矗 숙촉] 나무가 곧고 긴 모양.

13 ⑰ [檀] 高人 단 ㊥寒 徒干切 tán

筆順 木 朩 杧 枦 槆 檀 檀 檀

字解 ①박달나무 단 자작나뭇과에 속하는 낙엽교목(落葉喬木). '爰有樹—'《詩經》. ②단향목 단 자단(紫檀)·백단(白檀) 등의 향나무의 총칭. '栴—'. ③성 단 성(姓)의 하나.

字源 篆文 形聲. 木+亶〔音〕

[檀家 단가]《佛敎》 절에 시주(施主)하는 사람의 집.
[檀車 단거] 백성에게서 징발(徵發)한 수레. 병역(兵役)에 쓰는 짐수레. 박달나무로 만들었으므로 이름.
[檀口 단구] 붉은 입술. 전(轉)하여, 미인(美人). 박달나무는 붉으므로 이름.
[檀國 단국] 단군(檀君)이 개국(開國)하였다는 나라 이름. 배달나라.
[檀君 단군] 우리나라의 시조(始祖)로 조선(朝鮮)을 개국(開國)하였다 함. 이름은 왕검(王儉).
[檀君紀元 단군기원] 단군이 즉위한 서기전 2333년을 원년(元年)으로 하는 기원.
[檀那 단나]《佛敎》 ㉠시주(施主). ㉡보시(布施).
[檀徒 단도]《佛敎》 단가(檀家)의 사람들.
[檀欒 단란] 대가 가늘고 긴 모양.
[檀郞 단랑] ㉠처첩(妻妾)이 남편을 부르는 경칭. ㉡비복(婢僕)이 주인(主人)을 부르는 경칭.
[檀林 단림] ㉠박달나무 숲. ㉡《佛敎》 절. 사찰(寺刹). ㉢《佛敎》 중이 학문(學問)을 닦는 곳.
[檀越 단월]《佛敎》 단나(檀那)㉠.
[檀槽 단조] 자단(紫檀)으로 만든 비파(琵琶)의 동체(胴體).
[檀板 단판] 악기 이름. 박자를 치는 데 쓰는 널빤지.
◉槐檀. 文檀. 白檀. 紫檀. 旃檀. 黑檀.

13 ⑰ [檄] [人名] 격 [入]錫 胡狄切 xí

[筆順] 木 朩 杓 桌 梟 楞 楞 檄

[字解] ①격서(檄書) 격 격문(檄文). 또, 징소(徵召)하는 문서. '飛―'. '爲―召通'《漢書》. ②편지 격 간독(簡牘). '爲文―告楚相'《史記》. ③회장(回狀) 격 회문(廻文). '佗移―'《史記》. ④격서보낼 격 격서를 발송함. '―飛捕劇賊馬友'《宋史》.

[字源] 篆文 形聲. 木+敫〔音〕. '敫격'은 '치다'의 뜻. 팻말에 쓰인, 사람의 마음을 쳐서 움직이는 격서(檄書)의 뜻.

[檄文 격문] ㉠특별한 경우에 군병을 모집하거나, 세상 사람들의 흥분을 일으키거나, 또는 적군을 효유(曉喩), 혹은 힐책(詰責)하기 위하여 발송하는 글발. ㉡급히 여러 사람에게 알리는 글발.
[檄召 격소] 징소(徵召)하는 글을 보내어 부름.
[檄糴 격적] 빠른 모양.
[檄致 격치] 격소(檄召).
◉軍檄. 文檄. 奉檄. 捧檄. 飛檄. 羽檄. 長檄. 牋檄.

13 ⑰ [檇] 취 [平]支 醉綏切 [去]寘 將遂切 zuì

[字解] ①과실이름 취 '―李'는 과실의 하나. ②땅이름 취 '―李'는 지명(地名). '―, 地名. 春秋傳, 越敗吳於―李'《集韻》.

[字源] 篆文 形聲. 木+雋〔音〕

[檇李 취리] ㉠과실의 이름. ㉡땅 이름.

13 ⑰ [櫨] 거 [平]魚 求於切 qú

[字解] 울타리 거 나무를 엮어 둘러친 울. '―, 籬也'《廣雅》.

13 ⑰ [檉] [人名] 정 [平]庚 丑貞切 chēng 柽

[字解] 위성류 정 위성류과(渭城柳科)에 속하는 낙엽 교목(落葉喬木). 수사류(垂絲柳). 정원수로 심음. 잎은 약용. '其―其椐'《詩經》.

[字源] 篆文 形聲. 木+聖〔音〕

[檉柳 정류] 위성류(渭城柳).

13 ⑰ [檴] [一] 공 [去]送 古送切 gòng [二] 담 [上]感 都感切 dǎn [三] 구 [上]麌 郡羽切 jù

[字解] [一] 작은잔 공 작은 술잔. [二] 함 담 '―, 匧類'《類篇》. [三] 져나르는기구 구 짐을 져서 나르는 기구. '―, ―簋, 負戴器'《集韻》.

13 ⑰ [檎] [人名] 금 [平]侵 巨金切 qín 檎

[字解] 능금나무 금 '林―'은 과수(果樹)의 하나. '其園則有林―枇杷'《左思》.

[字源] 形聲. 木+禽〔音〕

◉林檎.

13 ⑰ [檐] [一] 첨 [平]鹽 余廉切 yán [二] 담 [去]勘 都濫切 dān

[字解] [一] ①처마 첨 추녀. '飛―'. '復廟重―'《禮記》. ②전 첨 화로·갓·모자 따위의 전. '笠―'. '折花簪之, 壓損帽―'《雲仙雜記》. [二] 질 담 擔(手部 十三畫)과 통용. '猶―竿而欲定其末'《管子》.

[字源] 篆文 形聲. 木+詹〔音〕. '詹첨'은 처마 밑에서 지껄이다의 뜻. '木목'을 덧붙여, '처마'의 뜻을 나타냄.

[檐階 첨계] 댓돌.
[檐端 첨단] 처마 끝.
[檐鈴 첨령] 처마에 단 풍경(風磬).
[檐雨 첨우] 처마에서 떨어지는 빗물.
◉敲檐. 堂檐. 帽檐. 茆檐. 飛檐. 深檐. 屋檐. 笠檐. 朱檐. 重檐. 牕檐. 屠檐. 頹檐. 破檐.

13 ⑰ [檍] [人名] 억 [入]職 於力切 yì

[筆順] 木 杧 杧 杧 棓 楮 檍 檍

[字解] 감탕나무 억 감탕나뭇과의 상록 활엽 교목. 단단하여 세공재(細工材)로 씀.

[字源] 形聲. 木+意〔音〕

13 ⑰ [檔] 당 ①[平]陽 都郎切 dāng ②[去]漾 丁浪切 dàng 档

[字解] ①책상 당 서안(書案). ②문서 당 문서(文書).

[字源] 形聲. 木+當〔音〕

[檔案 당안] 변외(邊外) 지역과 주고받는 공문서

(公文書).
[檔冊 당책] 관문서(官文書).

13 ⑰ [檖] 수 [去]寘 徐醉切 suì

[字解] ①돌배나무 수 능금나뭇과에 속하는 낙엽 교목(落葉喬木). 배보다 작은 열매가 열림. '隰有樹—'《詩經》. ②따를 수 순종함. '披斷撥—'《淮南子》. ③깊을 수 깊숙함. '疏房—貎'《荀子》.
[字源] 形聲. 木+遂〔音〕

13 ⑰ [檛] 과 [平]麻 陟瓜切 zhuā

[字解] 채찍 과 말의 채찍. '壯士執—隨之'《五代史》.
[字源] 會意. 木+過

◉岌檛. 鐵檛.

13 ⑰ [檈] 선 ①②[平]先 似宣切 xuán ③[去]霰 隋戀切

[字解] ①둥근책상 선 원탁(圓卓). '—, 圜案也'《說文》. ②식탁 선 식사를 하는 대(臺). '—, 承食之案'《廣韻》. ③갈이질할 선 끈으로 돌려 갈이틀의 굴대를 돌림. 또, 나무 그릇을 만듦. '—, 繩轉軸也'《集韻》.
[字源] [篆文] 形聲. 篆文은 木+瞏〔音〕. '瞏선'은 둥글게 돌다의 뜻. 목제의 둥근 책상을 이름.

13 ⑰ [檜] [人名] 회 [去]泰 古外切 guì, kuài 桧

[筆順] 木 … 檜

[字解] ①노송나무 회 소나뭇과에 속하는 상록 교목(常綠喬木). 편백(扁柏). '—楫松舟'《詩經》. ②회나라 회 춘추(春秋) 시대의 나라 이름. '鄶'로도 씀. '—國在禹貢豫州外方之北, 滎波之南'《詩經 詩譜序》.
[字源] [篆文] 形聲. 木+會〔音〕

[檜風 회풍]《詩經(시경)》의 열다섯 국풍(國風)의 하나.
[檜皮 회피] 노송나무 껍질. 지붕을 이며, 또 약용(藥用)으로 함.
◉古檜. 老檜. 松檜. 壽檜. 崇檜. 貞檜. 蒼檜. 朽檜.

13 ⑰ [檝] [一] 즙 [入]葉 卽葉切 jí [二] 집 [入]緝 秦入切 jí

[字解] [一] 노 즙 楫(木部 九畫)과 同字. '不須舟—'《管子》. [二] 노 집 [一]과 뜻이 같음.
[字源] 形聲. 木+戢〔音〕

[檝櫂 즙도] 노.
[檝師 즙사] 뱃사공.

13 ⑰ [檟] 가 [上]馬 古疋切 jiǎ 榎

[字解] 개오동나무 가 능소화과에 속하는 낙엽 교목(落葉喬木). 고대에 관곽의 재료로 하였음. 열매는 약용함. '樹吾墓—'《左傳》.
[字源] [篆文] 形聲. 木+賈〔音〕. '賈가'는 덮어 가리다의 뜻. 덮어 가리듯 지엽(枝葉)이 무성한 나무의 뜻을 나타냄.

[檟楚 가초] 매. 회초리.
◉山檟. 梧檟. 樲檟. 楸檟.

13 ⑰ [橾] [一] 수 [上]有 蘇后切 shū [二] 추 [平]虞 山芻切 shū [三] 초 [平]蕭 千遙切 qiāo

[字解] [一] 바퀴통 수 수레바퀴의 축이 들어가는 구멍. '—, 車轂中空也'《說文》. [二] 바퀴통 추 [一]과 뜻이 같음. [三] 가래 초 흙을 치는 농구(農具). '—, 鍫也'《集韻》.
[字源] [篆文] 形聲. 木+喿〔音〕

13 ⑰ [檢] [高人] 검 [上]琰 居奄切 jiǎn 检

[筆順] 木 … 檢

[字解] ①봉함 검 문서의 비밀을 보지하기 위하여 봉한 곳에 글자를 쓰거나 표시를 하는 일. '金—玆發, 玉牒斯刊'《劉克莊》. ②금제할 검 검속(檢束)함. 단속함. '—遏'. '狗彘食人食, 而不知—'《孟子》. ③조사할 검 사실(査實)함. '—査'. '遣使巡—河北'《北史》. ④법 검 법식. '先自爲—式儀表'《淮南子》. ⑤행검 검 조행. '不治素—'《蜀志》. ⑥초고 검 초안(草案). '公家文書稿, 中書謂之草, 樞密院謂之底, 三司謂之—'《春明退朝錄》. ⑦본 검 모형. '—範模也'《爾雅註》. ⑧성 검 성(姓)의 하나.
[字源] [篆文] 形聲. 木+僉〔音〕. '僉첨'은 여럿이 한결같은 소리를 하다의 뜻. 증언(證言)이 서로 앞뒤가 맞을 때까지 문초하기 위해 사용된 수갑(手匣)의 뜻을 나타냄. 금제하다, 조사하다, 조사한 후에 서명하다의 뜻 따위를 나타냄.

[檢擧 검거] ㉠범죄·범칙 등의 자취를 살피며, 그 증거를 걷어 모음. ㉡범죄의 용의자를 잡아감.
[檢考 검고] 조사하고 생각함. 검사함. 취조함.
[檢校 검교] 검고(檢考).
[檢句 검구] 취조함.
[檢究 검구] 조사하여 근원을 캠.
[檢踏 검답] 검사하기 위해 실지 답사함.
[檢督 검독] 검사하고 독려(督勵)함.
[檢問 검문] 관헌(官憲)이 미심한 사람을 조사하여 물어봄.
[檢訪 검방] 조사하여 물어봄.
[檢覆 검복] 여러 번 조사함.
[檢封 검봉] 검사하여 봉(封)함.
[檢事 검사] ㉠일을 취조함. ㉡죄인을 기소하는 사법 행정관.
[檢查 검사] 실상을 조사해 시비·우열 등을 판정함.
[檢算 검산] 계산의 정확하냐, 아니냐의 검사.
[檢詳 검상] 송대(宋代)에 추밀원(樞密院)에 소속되어 기밀문서(機密文書)를 관장하던 관직(官職).

[檢索 검색] 검사(檢査)하여 찾음.
[檢束 검속] 자유행동을 못하도록 단속함. 억제하여 방종하지 못하도록 함.
[檢讎 검수] 대조하여 조사함.
[檢屍 검시] 변사체(變死體)를 검증함.
[檢視 검시] 조사하여 자세히 봄.
[檢疫 검역] 전염병의 유무를 조사함.
[檢閱 검열] 검사하여 봄.
[檢印 검인] 서류(書類)나 물건을 검사(檢査)하고 찍는 도장.
[檢字 검자] 한자(漢字) 색인(索引)의 한 법. 글자를 총획순(總畫順)으로 배열하고 소속된 부수(部首)나 페이지 등을 적은 것.
[檢定 검정] 검사하여 자격의 유무, 조건의 적부(適否) 등을 판정함.
[檢證 검증] ㉠검사하여 증명함. ㉡판사가 증거할 사물을 임검(臨檢)함.
[檢眞 검진] 민사 소송에서 사사 문서의 진부(眞否)를 검사함.
[檢診 검진] 검사하기 위하여 하는 진찰(診察).
[檢察 검찰] ㉠점검(點檢)하여 살핌. ㉡범죄 증거를 살핌.
[檢討 검토] 내용을 검사하면서 토구(討究)함.
◉格檢. 考檢. 拘檢. 禁檢. 覊檢. 督檢. 名檢. 防檢. 覆檢. 聖檢. 細檢. 素檢. 收檢. 受檢. 搜檢. 巡檢. 繩檢. 訊檢. 案檢. 量檢. 禮檢. 儀檢. 印檢. 臨檢. 點檢. 操檢. 參檢. 追檢. 探檢. 行檢.

13 ⑰ [櫑] 뢰 [平]灰 盧回切 léi
[字解] ①나무이름 뢰 '一, 木名'《集韻》. ②무기 이름 뢰 성(城) 위 같은 데서 내려뜨리는 돌덩이나 나무토막. '矢石一木併下, 止傷老幼'《遼史》.
[字源] 形聲. 木+畾〔音〕

13 ⑰ [檣] 장 [平]陽 在良切 qiáng 檣
[字解] 돛대 장 돛을 달기 위하여 배에 세운 기둥. 범주(帆柱). '一竿'. '拊衿倚舟一'《王粲》.
[字源] 形聲. 木+嗇〔音〕

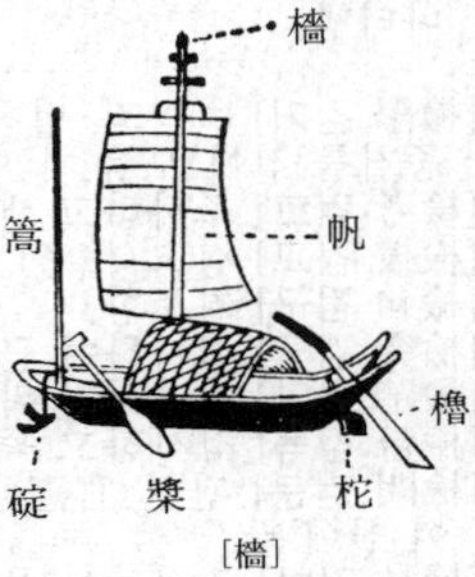

[檣]

[檣竿 장간] 돛대.
[檣頭 장두] 돛대의 꼭대기.
[檣樓 장루] 함선의 돛대 위에 있는 망루(望樓).
[檣牙 장아] '수영(水營)'의 별칭(別稱).
[檣桅 장외] 돛대. 장죽(檣竹).
[檣竹 장죽] 장외(檣桅).
◉高檣. 歸檣. 帆檣. 船檣. 連檣. 列檣. 危檣. 舟檣.

13 ⑰ [檥] 의 [上]紙 魚倚切 yǐ
[字解] 배댈 의 배를 언덕에 대어 출발의 준비를 함. 艤(舟部 十三畫)와 同字. '亭長一船待項羽'《史記》.
[字源] [篆文] 形聲. 木+義〔音〕. '義의'는, 적절하고 옳다의 뜻. 나무를 세워 사람이 행하여야 할 바른 본보기를 보이다의 뜻으로, '艤의'와 통하여, '의장(艤裝)하다'의 뜻을 나타냄.

[檥船 의선] 배를 언덕에 대고 출발의 준비를 함.

13 ⑰ [檞] 해 [上]蟹 佳買切 jiě, xiè
[字解] 송진 해 송지(松脂).
[字源] 形聲. 木+解〔音〕

13 ⑰ [檻] 함 [上]感 虎感切 hǎn
[字解] 나무틈 함 나무가 갈라져서 벌어진 사이. '一, 木裂'《集韻》.

13 ⑰ [檦] 표 [上]篠 方小切 biǎo
[字解] ①표 표 나무로 된 표(表). '列一建旌'《魏書》. ②기둥 표 집의 기둥. '一株欂櫨'《淮南子》.

13 ⑰ [榦] 간 [去]翰 居案切 gàn
[字解] ①산뽕나무 간 뽕나뭇과의 낙엽 교목. 산상(山桑). '一, 木名, 柘也'《集韻》. ②박달나무 간 자작나뭇과의 낙엽 교목. '一, 一曰, 檀也'《集韻》.

13 ⑰ [橽] 달 [入]曷 他達切 tà
[字解] ①수채 달 '一, 所以洩水也'《類篇》. ②《韓》 박달나무 달 檀(木部 十三畫)과 뜻이 같음.

13 ⑰ [檓] 훼 [上]紙 虎委切 huǐ
[字解] 큰산초나무 훼 산초나무의 일종. '一, 大椒'《爾雅》.

13 ⑰ [櫓] 〔로〕
櫓(木部 十五畫〈p. 1120〉)와 同字

13 ⑰ [橇] 〔국〕
椈(木部 七畫〈p. 1070〉)과 同字
[字源] 形聲. 木+菊〔音〕. '菊국'은 '삼태기'의 뜻. 나무를 삼태기처럼 엮은 동철(冬鐵)의 뜻을 나타냄.

13 ⑰ [樸] 〔박〕
樸(木部 十二畫〈p. 1106〉)과 同字

13 ⑰ [檘] 〔벽〕
檗(木部 十三畫〈p. 1117〉)과 同字

13 ⑰ [檆] 〔삼〕
杉(木部 三畫〈p. 1034〉)과 同字

13 ⑰ [檠] [人名] 〔경〕
檠(木部 十三畫〈p. 1117〉)과 同字
[筆順] 木 朩 朩 朩 朩 朩 朩 檠

13 ⑰ [櫛] 〔즐〕
櫛(木部 十五畫〈p. 1120〉)의 訛字

[檇] 〔취〕
木部 十三畫(p. 1114)을 보라.

13 ⑰ [檃] 은 [上]吻 倚謹切 yǐn
[去]問 於靳切

[字解] ①도지개 은 휜 것을 곧게 바로잡는 기구. '枸木必將待一栝烝矯然後直'《荀子》. ②바로잡을 은 '商量雅俗, 一括眞僞'《任昉》.
[字源] 篆文 形聲. 木+隱〈省〉〔音〕. '隱은'은 '누르다'의 뜻. 눌러서 굽은 데를 바로잡음. '도지개'의 뜻을 나타냄.

[檃栝 은괄] 도지개. 휜 것을 곧게 하는 것을 은(檃)이라 하고, 뒤틀린 방형(方形)을 바로잡는 것을 괄(栝)이라 함.

13 ⑰ [檕] 계 [去]霽 古詣切 xì
[平]齊 苦奚切

[字解] ①두레박멈추개 계 두레박줄의 끝에 묶어 매달아서 두레박이 되내려가게 한 나무. '一, 繘耑木也'《說文》. ②두레박틀가로나무 계 두레박을 매다는 가로 나무. '一, 當爲桔槔上橫木, 所以轉機'《康熙字典》.
[字源] 篆文 形聲. 木+毄(毄)〔音〕. '毄역'은 수레바퀴와 축(軸) 멈추개가 부딪침의 뜻. 두레박의 멈추개, 두레박틀의 가로 나무의 뜻을 나타냄.

13 ⑰ [檗] 벽 [入]陌 博厄切 bò

[字解] 황벽나무 벽 운향과에 속하는 낙엽 교목(落葉喬木). 속껍질은 황백피(黃白皮)라 하여 약용하며, 또 황색의 물감으로도 씀. '黃一'. '一離朱楊'《司馬相如》.
[字源] 篆文 形聲. 木+辟〔音〕. '辟벽'은 '劈벽'과 통하여, '찢다'의 뜻. 그 수피(樹皮)를 찢어 쪼개어, 염료(染料)·약용(藥用)으로 하는 나무, '황벽나무'의 뜻.
◉苦檗. 染檗. 吐檗. 含檗. 黃檗.

13 ⑰ [橐] 표 [平]蕭 毗霄切 pāo

[字解] 자루불룩할 표 자루가 가득 담겨서 불룩한 모양. '一, 囊張大皃'《說文》.
[字源] 金文 篆文 形聲. 橐〈省〉+缶〔音〕. '橐곤'은 '자루', '缶부'는 배가 불룩한 양병으로, 자루가 불룩한 모양을 나타냄. 金文으로 보면, 아래위를 묶은 '束속'의 '口' 안에 음부(音符)인 '缶'가 들어 있는 모양으로 설명할 수 있음.

13 ⑰ [檠] 경 [平]庚 渠京切 qíng
[上]梗 居影切

[字解] ①등경걸이 경 등잔을 걸어 놓는 제구. '燈一'. '長一八尺空自長'《韓愈》. ②등불 경 등화(燈火). '一間茅屋對寒一'《劉克莊》. ③도지개 경 트집 간 활을 바로잡는 틀. '弓待一而後能調'《淮南子》. ④바로잡을 경 트집 간 활을 바로잡음. '能一弓弩'《漢書》.
[字源] 篆文 形聲. 木+敬〔音〕. '敬경'은 '조지다'의 뜻. 활의 양쪽에서 단단히 조지는 '도지개'의 뜻을 나타냄.

[檠燈 경등] 촉대(燭臺)에 올려놓은 등불.
[檠榺 경설] 궁노(弓弩)를 바로잡는 기구. 도지개.
◉孤檠. 短檠. 燈檠. 榜檠. 排檠. 寒檠.

14 ⑱ [檬] 몽 [平]東 莫紅切 méng

[字解] ①영몽 몽 檸(次條)을 보라. ②망고 몽 '一果'는 옻나뭇과의 상록 교목. 망고(mango)의 음역(音譯).
[字源] 形聲. 木+蒙〔音〕

14 ⑱ [檸] 녕 [上]梗 拏梗切 níng
[平]庚 尼庚切 níng

[字解] 영몽 녕 '一檬'은 레몬(lemon)의 음역(音譯). 운향과에 속하는 작은 상록 교목(常綠喬木). 또, 그 열매. 구연(枸櫞).
[字源] 形聲. 木+寧〔音〕

[檸檬 영몽] 자해(字解)를 보라.

14 ⑱ [檼] [人名] 은 [去]問 於靳切 yìn
[上]吻 倚謹切 yǐn

[字解] ①마룻대 은 이중(二重)의 지붕의 마룻대. '一, 卽今複屋棟'《正字通》. ②도지개 은 檃(木部 十三畫)과 同字.
[字源] 篆文 形聲. 木+㥯〔音〕. '㥯은'은 '숨김'의 뜻. 이중(二重) 지붕의 마룻대의 뜻을 나타냄. 숨겨져 보이지 않기 때문에 이름.

14 ⑱ [橾] 답 [入]合 徒合切 tà

[字解] 자두 답 '格一'은 자두의 일종. '一, 果名. 說文, 格一. 似李'《集韻》.
[字源] 形聲. 木+遝〔音〕

14 ⑱ [檮] 도 [平]豪 徒刀切 táo
[上]晧 都皓切

[字解] ①등걸 도 나무의 베고 난 그루터기. ②어리석을 도 무지몽매함. '不揆一昧'《郭璞》.
[字源] 篆文 形聲. 木+壽(𠷎)〔音〕

[檮昧 도매] 어리석음. 무지몽매함. 우매(愚昧). 몽매(蒙昧).
[檮杌 도올] ㉠악목(惡木)의 이름. ㉡초(楚)나라 역사. 악(惡)한 것을 기록하여 후세에 경계한다는 뜻에서 이름. ㉢악인(惡人). ㉣서수(瑞獸)의 이름. 일설(一說)에는, 악수(惡獸)의 이름. ㉤그루터기. 등걸.

14 ⑱ [檷] [一] 니 [上]紙 乃倚切 nǐ
[二] 미 [上]紙 母婢切 mí
[三] 녜 [上]薺 奴禮切 nǐ

[字解] [一] ①물레자루 니 물레의 손잡이. '一, 絡絲柎也'《說文》. ②산이름 니 '一枸'는 산(山)의

이름. '一, 一枸, 山名'《集韻》. [二] 물레자루 미, 산이름 미 [一]과 뜻이 같음. [三] 물레자루 녜, 산이름 녜 [一]과 뜻이 같음.
[字源] 形聲. 木+爾〔音〕

14 ⑱ [⿰木箋] 전 [平]先 則先切 jiān
[字解] 향나무이름 전 '不沈不浮者, 曰一香'《梁書》.

14 ⑱ [檳] [人名] 빈 [平]眞 必鄰切 bīng 槟
[字解] 빈랑나무 빈, 빈랑 빈 '一榔'은 야자과에 속하는 상록 교목(常綠喬木). 또, 그 열매. 빈랑자(檳榔子). '何須竟晒食一榔'《盧綸》.
[字源] 形聲. 木+賓〔音〕

[檳榔 빈랑] 자해(字解)를 보라.

14 ⑱ [⿰木緊] 긴 [上]軫 頸忍切 jǐn
[字解] 나뭇결치밀할 긴 나무의 결이 배고 잔 나무. '一, 木文理密緻也'《正字通》.

14 ⑱ [檻] [人名] 함 [上]豏 胡黤切 jiàn, kǎn 槛
[字解] ①난간(欄干) 함 '一欄'. '攀殿一, 一折'《漢書》. ②우리 함 짐승 또는 죄수를 가두어 두는 곳. '獸兕出一'《晉書》. '瞻覺其詐, 便破一出之'《晉書》. '養虎豹犀象者, 爲之圈一'《淮南子》. ③함정 함 '其毁壞一穽'《後漢書》. ④잡을 함 붙잡아 가둠. '羣王被囚一之困'《晉書》. ⑤욕기 함 목욕하는 그릇. '同一而浴'《莊子》. ⑥막을 함 폐색(閉塞)함. '一塞大異'《漢書》.
[字源] [篆文] 形聲. 木+監〔音〕. '監감'은 '보다'의 뜻. 죄수·맹수(猛獸) 따위를 가두어 감시하는 '우리'의 뜻을 나타냄.

[檻欄 함란] 난간.
[檻櫺 함령] 난간의 격자창(格子窓).
[檻邊 함변] 난간 가.
[檻塞 함색] 담 같은 것으로 둘러싸 막음.
[檻送 함송] 죄인이나 맹수(猛獸)를 울 안에 가두어 송치(送致)함.
[檻羊 함양] 우리 안에 갇힌 양. 남에게 제어(制御)당하는 것의 비유.
[檻獄 함옥] 감옥.
[檻外 함외] 난간 밖.
[檻穽 함정] 우리와 함정(陷穽). 전(轉)하여, 속박당한 경우(境遇).
[檻倉 함창] 감옥.
[檻泉 함천] 곧게 솟아 나오는 샘.
[檻致 함치] 맹수 또는 죄수를 가두어 송치(送致)함.
[檻檻 함함] 수레가 가는 소리.
[檻虎 함호] 우리 속의 범.
◉江檻. 圈檻. 機檻. 欄檻. 籠檻. 鏤檻. 獸檻. 櫺檻. 折檻. 朱雲折檻. 朱檻. 桎檻. 横檻.

14 ⑱ [檘] 벽 [入]陌 弼戟切 bì
[字解] 중깃 벽 벽의 욋가지를 엮기 위하여 듬성듬성 세운 기둥. '一, 壁柱也'《說文》.
[字源] [篆文] 形聲. 木+薜〔音〕

14 ⑱ [櫆] 괴 [平]灰 苦回切 kuí
[字解] 북두성 괴 '一師'는 북두성(北斗星)의 별명. '一師, 一曰, 北斗星'《字彙補》.

14 ⑱ [檽] 누 [去]宥 乃豆切 nòu
[字解] 나무이름 누 재목은 관곽(棺槨)을 만들며, 껍질은 물감으로 쓰는 나무. '江南一梓以爲棺槨'《潛夫論》.
[字源] 形聲. 木+需〔音〕

14 ⑱ [檵] 계 [去]霽 古詣切 jì
[字解] ①구기자나무 계 가짓과의 낙엽 관목. '一, 枸杞也'《說文》. ②단단한나무 계 '一, 一曰, 堅木也'《說文》.
[字源] [篆文] 形聲. 木+繼〈省〉〔音〕. '繼계'는 '잇다, 이어지다'의 뜻. 가지가 갈라져서 차례로 이어지고 있는 나무, '구기자나무'의 뜻을 나타냄.

14 ⑱ [檴] 확 [入]藥 胡郭切 huò
[字解] 나무이름 확 느릅나무의 일종. '無浸一薪'《詩經》.
[字源] [樗의 別體] 形聲. 木+蒦〔音〕

14 ⑱ [檯] 대 [平]灰 徒哀切 tái
[字解] ①나무이름 대 '一, 木名也'《廣韻》. ②상대 탁자(卓子).

14 ⑱ [檶] [一] 겸 [平]鹽 丘廉切 qiān [二] 렴 [平]鹽 力鹽切 lián
[字解] [一] 개수통 겸 개숫물을 버리는 통. [二] 경대 렴 匳(匚部 十三畫)의 俗字.

14 ⑱ [櫂] [人名] 도 [去]效 直教切 zhào
[字解] 노 도 배 젓는 막대기. 짧은 노를 '棹', 긴 노를 '一'라 함. '在旁撥水曰一'《釋名》.
[字源] [篆文] 形聲. 木+翟〔音〕. '翟적'은 '빼내다〔擢〕, 뛰어오르다〔躍〕' 따위의 뜻. 물속에서 빼내는 노.

[櫂歌 도가] 뱃노래.
[櫂唱 도창] 도가(櫂歌).
◉輕櫂. 飛櫂. 迅櫂. 征櫂. 弧櫂.

14 ⑱ [櫅] [一] 자 [平]齊 祖稽切 jī [二] 제 [去]霽 才詣切 jì
[字解] [一] ①흰대추나무 자 '一, 白棗'《爾雅》. ②수레바퀴통나무 자 느릅나무의 일종. 바퀴통을 만듦. '一楡, 堪作車轂'《唐韻》. [二] 그루터기 제, 토막나무 제 나무의 베어 낸 부분. 또, 나무토막. '一, 斷木也'《類篇》.

[字源] 篆文 形聲. 木＋齊〔音〕

14 ⑱ **[櫃]** [人名] 궤 [去]寘 求位切 guì 柜

[字解] 함 궤 궤. '一櫝'. '玉與石而同一'《東方朔》.
[字源] 形聲. 木＋匚＋貴〔音〕. '匚방'은 상자의 象形. '貴귀'는 '귀하다'의 뜻. 귀한 것을 넣어 두는 나무 상자의 뜻을 나타냄.

[櫃櫝 궤독] 함. 궤.
◉鈐櫃. 飯櫃. 書櫃. 朱櫃.

14 ⑱ **[櫄]** 〔염〕
檿(木部 十四畫〈p.1119〉)과 同字

14 ⑱ **[櫂]** 〔탁〕
柝(木部 五畫〈p.1051〉)과 同字

14 ⑱ **[櫅]** 〔무〕
橆(木部 十二畫〈p.1113〉)의 本字

14 ⑱ **[櫁]** 〔밀〕
樒(木部 十一畫〈p.1100〉)과 同字

14 ⑱ **[櫀]** 〔기〕
桊(木部 八畫〈p.1081〉)와 同字

14 ⑱ **[櫄]** 〔춘〕
杶(木部 四畫〈p.1040〉)과 同字

14 ⑱ **[櫈]** 〔등〕
凳(几部 十二畫〈p.235〉)과 同字

14 ⑱ **[櫉]** 〔표〕
檦(木部 十三畫〈p.1116〉)의 訛字

14 ⑱ **[檾]** 경 [上]梗 去潁切 qǐng
[上]迥 口迥切 jiǒng

[字解] 어저귀 경 아욱과에 속하는 일년초. 섬유는 마사(麻絲)보다 조금 약함. 백마(白麻). 경마(苘麻).
[字源] 篆文 形聲. 林＋熒〈省〉〔音〕. 본뜻은 어저귀. 삼 비슷한 데서 글자에 삼의 뜻의 '林파'가 들어감.

14 ⑱ **[櫜]** 곤 [上]阮 古本切 gǔn

[字解] ①전대 곤 주머니. '一, 橐也'《說文》. ②큰다발 곤 '一, 大束也'《廣韻》.
[字源] 篆文 形聲. 東＋圂〔音〕. '圂혼'은 우리 속의 돼지로서, 자루의 모양을 나타냄. 단, 이 篆文은 무엇으로 푹 싼 돼지의 아래위를 묶어 동인 자(字)로도 볼 수 있음.

14 ⑱ **[檿]** 염 [上]琰 於琰切 yǎn

[字解] 산뽕나무 염 뽕나뭇과에 속하는 낙엽 교목(落葉喬木). 산상(山桑). '一桑'. '厥篚一絲'《書經》.
[字源] 篆文 形聲. 木＋厭〔音〕

[檿絲 염사] 산뽕나무의 잎으로 기른 누에고치로 뽑은 실.
[檿桑 염상] 산뽕나무.

14 ⑱ **[櫫]** 함 [上]感 呼覽切 jiàn

[字解] 딱딱할 함 토지(土地)가 굳음. '凡糞種彊一用蕡'《周禮》.

15 ⑲ **[櫋]** 면 [平]先 武延切 mián

[字解] 처마 면 평고대. '擗蕙一兮既張'《楚辭》.
[字源] 篆文 形聲. 木＋臱(魯)〔音〕. '魯변'은 '가장자리'의 뜻. 처마 끝에 대는 목재, 평고대의 뜻을 나타냄.

[櫋梠 면려] 차양. 추녀 끝에 덧댄 까대기.

15 ⑲ **[櫌]** 우 [平]尤 於求切 yōu

[字解] 곰방메 우 흙덩이를 부스러뜨리는 메. 땅을 고르거나 씨를 덮는 데 씀. 耰(耒部 十五畫)와 同字. 일설(一說)에는, 호미 자루. '鉏一白梃'《史記》.
[字源] 篆文 形聲. 木＋憂〔音〕. '憂우'는 머리가 크고 무겁다의 뜻. 논밭의 흙을 고르기 위한 끝 부분이 무거운 농구의 뜻을 나타냄.

[櫌]

15 ⑲ **[櫗]** [一] 멸 [入]屑 茫結切 miè
[二] 메 [去]霽 彌蔽切 mèi

[字解] [一] 나무끈 멸 가는 나무로 꼰 새끼 끈. '一, 木索也'《玉篇》. [二] 나무작을 메 '一楔'은 나무가 가늘고 작은 모양. 또, 나무가 똑바르지 못함. '一楔, 細小貌'《類篇》.

15 ⑲ **[櫍]** 질 [入]質 之日切 zhì

[字解] 모탕 질 모탕. 鑕(金部 十五畫)과 同字.
[字源] 篆文 形聲. 木＋質〔音〕. 무엇을 자르거나 얹거나 하는 목제(木製)의 받침대(臺).

15 ⑲ **[櫎]** 황 [上]養 虎廣切 huǎng

[字解] ①방장 황 창문에 치는 휘장. '房櫎對一'《左思》. ②책상 황 榥(木部 十畫)과 同字.
[字源] 篆文 形聲. 木＋廣〔音〕. '廣광'은 '펼쳐지다'의 뜻. '선반·챙' 따위의 뜻을 나타냄.

15 ⑲ **[櫑]** 뢰 ①[平]灰 魯回切 léi
②[上]賄 落猥切 lěi

[字解] ①술그릇 뢰 구름과 우레 무늬를 새긴 단지 비슷한 그릇. 罍(缶部 十五畫)와 同字. ②칼자루장식 뢰 칼자루의 녹로(鹿盧)의 장식. '帶一具劍'《漢書》.
[字源] 金文 篆文 別體 別體 籒文 形聲. 木＋畾〔音〕. '畾뢰'는 거듭된 번개무늬의 뜻. 벼락의 모양을 조각한 술 그릇의 뜻을 나타냄.

[櫑具 뇌구] 칼자루의 녹로(鹿盧)의 장식.

15 ⑲ **[欏]** 가(라[本]) ㊤哿 朗可切 luǒ

[字解] 나무기울 가 '一椏'는 나무가 비스듬히 기운 모양. '一椏, 樹斜貌'《類篇》.

15 ⑲ **[櫓]** [人名] 로 ㊤麌 郎古切 lǔ 櫓

[字解] ①방패 로 큰 방패. '矛一'. '禮義爲干一'《禮記》. ②노 로 배를 젓는 막대기. 艪(舟部 十五畫)와 同字. '一聲'. '船尾曰柂, 在旁曰一'《釋名》. ③망루 로 지붕이 없는 망루(望樓). '樓一千里'《漢書》.

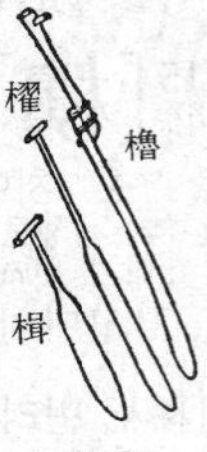

[櫓②]

[字源] 篆文 別體 形聲. 木+魯〔音〕. '魯로'는 '露로'와 통하여, 드러나서 노출되다의 뜻. 지붕이 없는 '망루'의 뜻을 나타냄.

[櫓聲 노성] ㉠노 젓는 소리. ㉡기러기 우는 소리.
◉樓櫓. 望櫓. 矛櫓. 修櫓. 楯櫓. 逆櫓.

15 ⑲ **[櫚]** [人名] 려 [平]魚 力居切 lú 榈

[字解] 종려 려 '棕一'는 야자과에 속하는 상록교목(常綠喬木).
[字源] 形聲. 木+閭〔音〕

◉棕櫚.

15 ⑲ **[櫛]** [人名] 즐 [入]質 阻瑟切 jié 栉

[筆順] 木 木⺮ 木笁 梤 椊 榸 櫛 櫛

[字解] ①빗 즐 머리를 빗는 제구. '梳一'. '不同巾一'《禮記》. ②빗을 즐 빗질함. '一沐'. '冠者不一'《禮記》. ③늘어설 즐 빗의 살처럼 죽 늘어섬. '一一'. '密一壘重'《馬融》. ④긁을 즐 긁어냄. '一垢爬痒'《韓愈》.

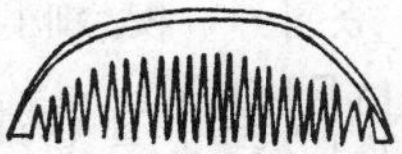
[櫛①]

[字源] 篆文 形聲. 木+節〔音〕. '節절'은 '마디'의 뜻. 빗살이 절도 있게 줄지어 선 빗의 뜻을 나타냄.

[櫛盥 즐관] 세수를 하고 머리를 빗음.
[櫛沐 즐목] 머리를 감고 빗질함.
[櫛比 즐비] 빗살과 같이 촘촘히 죽 늘어섬.
[櫛梳 즐소] 머리를 빗음.
[櫛櫛 즐즐] 빗살과 같이 촘촘히 죽 늘어선 모양.
[櫛風沐雨 즐풍목우] 바람으로 머리 빗고 비로 목욕(沐浴)한다는 뜻. 곧, 외지(外地)를 분주히 돌아다니며 간난신고(艱難辛苦)함. 풍즐우목(風櫛雨沐).
◉巾櫛. 冠櫛. 盥櫛. 沐櫛. 密櫛. 象櫛. 梳櫛. 櫛櫛. 爬櫛. 風櫛.

15 ⑲ **[櫛]** 櫛(前條)의 訛字

15 ⑲ **[櫝]** 독 [入]屋 徒谷切 dú 椟

[字解] ①함 독 궤. '匱一'. '龜玉毀於一中'《論語》. ②널 독 관(棺). '棺一'. '給櫬一'《漢書》. '公將爲之一'《左傳》. ③넣을 독 궤에 넣음. '一而藏之'《國語》. ④목침 독 '一, 木枕也'《說文》.
[字源] 篆文 形聲. 木+賣〔音〕. '賣독'은 무엇을 넣어 두는 '궤'의 뜻. 목제(木製)의 함 또는 관(棺)의 뜻을 나타냄.

◉劍櫝. 故櫝. 棺櫝. 筐櫝. 匱櫝. 金櫝. 單櫝. 玉櫝. 筆櫝.

15 ⑲ **[櫞]** 연 [平]先 與專切 yuán 橼

[字解] 구연 연 '枸一'은 운향과에 속하는 상록교목(常綠喬木). 영몽(檸檬)이라고도 함. 레몬(lemon).
[字源] 形聲. 木+緣〔音〕

◉枸櫞.

15 ⑲ **[櫏]** 천 [平]先 七然切 qiān

[字解] 고욤나무 천 '梫一'은 고욤나무. '梫一, 木名, 子如馬乳'《集韻》.

15 ⑲ **[櫥]** [現] 주 chú 橱

[字解] 《現》 장 주 의걸이·찬장·책장 따위. '碗一'. '衣一'. '書一'.

15 ⑲ **[櫟]** 력 [入]錫 郎擊切 lì 栎

[字解] ①상수리나무 력 ㉠참나뭇과에 속하는 낙엽 교목(落葉喬木). '山有苞一'《詩經》. ㉡재목으로 쓸 수 없으므로 쓸모없는 나무로서 '樗'와 병칭(竝稱)함. '自愧一樗非遠器'《司馬光》. ②난간(欄干) 력 '重一中'《史記》. ③문지를 력 擽(手部 十五畫)과 통용. '嫂詳爲羹盡, 一釜'《史記》. ④칠 력 '一蜚遽'《漢書》. ⑤밟고넘을 력 轢(車部 十五畫)과 통용. '注一機稽'《史記》. ⑥성 력 성(姓)의 하나.
[字源] 金文 篆文 形聲. 木+樂〔音〕. '樂락'은 도토리가 달려 있는 상수리나무를 본뜬 모양. '樂'이 '즐겁다' 따위의 뜻이 파생(派生)된 관계로 '木목'을 덧붙이게 되었음.

[櫟散 역산] 쓸모없는 것을 이름.
[櫟樗 역저] ㉠무용(無用)의 재목. ㉡재주 없는 사람. 쓸모없는 사람.
[櫟炭 역탄] 상수리나무의 숯.
◉樗櫟. 苞櫟.

15 ⑲ **[櫳]** 랍 [入]合 落答切 là

[字解] 쥐똥나무 랍 물푸레나뭇과에 속하는 낙엽관목(落葉灌木). 백랍목(白蠟木).

15 ⑲ **[櫢]** 수 ㊤有 蘇偶切 sǒu

[字解] 무성할 수 '一櫺'는 나무가 우거진 모양. '卽蹴縮以一櫺'《黃香》.

[櫢檽 수누] 나무가 무성한 모양.

15 ⑲ [櫖] 려 [去]御 良據切 lǜ

[字解] 등나무 려, 덩굴풀 려 '一, 諸一, 山櫐'《廣韻》.

15 ⑲ [櫔] 려 [去]霽 力制切 lì

[字解] 나무이름 려 밤 비슷한 열매가 열리는 나무. '歷兒之山, 其上多櫔, 多一木'《山海經》.
[字源] 形聲. 木＋厲〔音〕

15 ⑲ [櫡] 〔회〕
箸(竹部 九畫〈p.1674〉)와 同字
[字源] 篆文 形聲. 木＋箸〔音〕

15 ⑲ [⿰木雋] 〔취〕
檇(木部 十三畫〈p.1114〉)와 同字

15 ⑲ [櫕] 〔찬〕
欑(木部 十九畫〈p.1125〉)의 俗字

15 ⑲ [⿰木⿱罒袁] 〔선〕
檈(木部 十三畫〈p.1115〉)의 本字

15 ⑲ [櫜] 고 [平]豪 古勞切 gāo
[去]號 居號切

[字解] ①활집 고 궁의(弓衣). '一韔'. '請垂一而入'《左傳》. ②갑옷전대 고 갑옷을 넣어 두는 전대. '名之曰建一'《禮記》. ③전동 고 화살을 넣는 통. '右屬一鞬'《左傳》. ④보따리 고 보퉁이. '鼛金而解一'《楊愼》. ⑤쌀 고 포장함. '載一弓矢'《詩經》.
[字源] 篆文 形聲. 櫜〈省〉＋咎〔音〕

[櫜鞬 고건] 활집과 전동. 동개.
[櫜韜 고도] 활집과 칼전대.
[櫜韔 고창] 활집.
◉建櫜. 戢櫜.

15 ⑲ [櫐] 루 [上]紙 力軌切 lěi

[字解] 등나무 루 콩과(科)에 속하는 만목(蔓木). '五隱之土, 其種一葛'《管子》.
[字源] 形聲. 木＋畾〔音〕

16 ⑳ [櫧] 저 [平]魚 章魚切 zhū　槠

[字解] 종가시나무 저 참나뭇과에 속하는 상록 활엽 교목. 재목은 단단하여 기구재로 쓰임. 중국 등지에 남. 떡갈나무는 잘못 일컫는 말. '前山, 其木多一'《山海經》.
[字源] 形聲. 木＋諸〔音〕

[櫧子 저자] 종가시나무의 열매.

16 ⑳ [櫰] 회 [平]佳 戶乖切 huái
[上]賄 戶賄切

[字解] 개회화나무 회 콩과에 속하는 낙엽 교목. '槐樹, 葉大色黑者, 名爲一'《爾雅 註》.
[字源] 形聲. 木＋褱〔音〕

16 ⑳ [櫨] 로 [平]虞 落胡切 lú　栌

[字解] ①거망옻나무 로 옻나뭇과에 속하는 낙엽 교목(落葉喬木). '黃一'. '楓柙一櫪'《張衡》. ②두공(枓栱) 로 기둥 위의 방목(方木). 옥로(屋櫨). '欂一'. '短者以爲朱儒枅一'《淮南子》.
[字源] 篆文 形聲. 木＋盧〔音〕

◉枅櫨. 欂櫨. 欂櫨. 楊櫨. 屋櫨. 黃櫨.

16 ⑳ [櫯] 소 [平]虞 孫租切 sū

[字解] 다목 소 콩과에 속하는 작은 교목. 소방목(蘇枋木). '一枋木, 可染緋'《玉篇》.

16 ⑳ [櫩] 염 ①-③[平]鹽 余廉切 yán
④[上]琰 以冉切 yǎn

[字解] ①처마 염 추녀. '飛一'. ②댓돌 염 처마 밑에 죽 놓은 돌. '曲屋步一'《楚辭》. ③낭하 염 복도. '步一周流'《司馬相如》. ④이을 염 부러진 나무를 이어 줌. '績折木謂之一'《集韻》.
[字源] 形聲. 木＋閻〔音〕

◉飛櫩.

16 ⑳ [櫦] 탁 [入]藥 他各切 tuò

[字解] 딱따기 탁 밤에 순라(巡邏) 돌 때 치는 나무판. 柝(木部 五畫)과 同字. '縣壺以序聚一'《周禮》.
[字源] 篆文 形聲. 木＋橐〔音〕

16 ⑳ [櫪] 력 [入]錫 郎擊切 lì　枥

[字解] ①마판 력 마구간에 깔아 놓은 널빤지. '老驥伏一, 志在千里'《魏武帝》. ②말구유 력 말 먹이를 담아 주는 그릇. '寄宿班氏第舍馬一間'《史記》. ③상수리나무 력 櫟(木部 十五畫)과 同字. '一樹山中處處有之'《本草別錄》.
[字源] 篆文 形聲. 木＋歷〔音〕. '歷력'은 순서대로 들어섬의 뜻. 마구간에 깔아 놓은 널빤지, 곧 마구간 바닥의 '장선(長線)'의 뜻을 나타냄.

[櫪廐 역구] 말구유와 마구간.
[櫪馬 역마] ㉠마구간에 매어 있는 말. ㉡속박되어 자유를 잃은 것의 비유.
[櫪飼 역사] 마구간에서 말을 먹임.
[櫪皁 역조] 마구간. 조력(皁櫪).
◉故櫪. 老驥伏櫪. 馬櫪. 皁櫪. 槽櫪.

16 ⑳ [櫭] [一] 걸 [入]屑 巨列切 jié
[二] 계 [去]霽 其例切 jì
[三] 기 [去]寘 巨至切 jì

[字解] [一] 못 걸, 나무못 걸 '檢一, 釘也'《廣雅》.

[二] 나무못 계, 못 계 [一]과 뜻이 같음. [三] 수레비녀장 기 수레바퀴의 비녀장. '一, 車木鍺'《類篇》.

16 ⑳ **[櫬]** [一] 츤 [去]震 初覲切 chèn [二] 친 [去]震 七刃切 qìn

[字解] [一] ①널 츤 관(棺). '穆姜爲一'《左傳》. ②오동나무 츤 '一, 梧'《爾雅》. [二] 무궁화나무 친 '一, 木槿'《爾雅》.

[字源] 篆文 形聲. 木+親〔音〕. '親친'은 친하게 하다, 가까이하다의 뜻. 시체(屍體)에 가까운 관(棺)의 안쪽 널의 뜻을 나타냄.

[櫬宮 츤궁] 천자(天子)의 관(棺).
◉靈櫬. 幽櫬. 重櫬. 銜壁輿櫬.

16 ⑳ **[樻]** 〔궤〕
樻(木部 十二畫〈p. 1108〉)의 本字

16 ⑳ **[⿰木褭]** 뇨 [上]篠 乃了切 niǎo

[字解] 나무휘청휘청할 뇨 나무가 기다랗고 약한 모양. '一, 木長弱皃'《集韻》.

16 ⑳ **[櫳]** 롱 [平]東 盧紅切 lóng

[字解] ①창(窓) 롱 큰 창. '一櫺'. '房一虛兮風冷冷'《班婕妤》. ②우리 롱 짐승을 가두어 기르는 우리. '一, 檻也. 養獸所也'《廣韻》.

[字源] 篆文 形聲. 木+龍〔音〕. '龍룡'은 '처넣음'의 뜻. 짐승을 가두어 넣은 '우리'의 뜻.

[櫳櫺 농령] 격자창(格子窓).
[櫳檻 농함] 짐승을 가두어 두는 우리.
◉房櫳. 簾櫳. 玉櫳. 彫櫳. 珠櫳. 紅櫳.

16 ⑳ **[櫇]** 빈 [平]眞 符眞切 pín

[字解] 빈랑나무 빈 야자과에 속하는 상록 교목. 빈랑수(檳榔樹). '一, 字亦作檳, 今檳榔樹也'《說文通訓定聲》.

[字源] 篆文 形聲. 木+頻〔音〕

16 ⑳ **[櫲]** 여 [去]御 羊茹切 yù

[字解] 녹나무 여 녹나뭇과에 속하는 상록 교목(常綠喬木).

[字源] 形聲. 木+豫〔音〕

[櫲樟 여장] 녹나무.

16 ⑳ **[⿰木霍]** 곽 [入]覺 苦角切 què

[字解] 탱자나무 곽 운향과에 속하는 낙엽 교목. 지각(枳殼). '一, 枳木, 有實如柚'《玉篇》.

16 ⑳ **[櫶]** [人名] 헌 xiǎn

[筆順] 木 木宀 木宀丰 木宀丰 木寓 櫶 櫶 櫶

[字解] ①나무이름 헌 헌목(櫶木). 현목(蜆木). 상록 교목. 단엽 호생. 백색의 꽃이 핌. ②《韓》 사람이름 헌.

16 ⑳ **[櫷]** [韓] 귀

[字解] 《韓》 느티나무 귀.

16 ⑳ **[⿰木隨]** 〔타〕
橢(木部 十二畫〈p. 1111〉)의 俗字

16 ⑳ **[⿰木覧]** 〔람〕
欖(木部 二十一畫〈p. 1125〉)의 俗字

[櫹] 〔숙〕
木部 十七畫(p. 1123)을 보라.

16 ⑳ **[櫫]** 저 [平]魚 陟魚切 zhū

[字解] 말뚝 저 '楬一, 有所表識'《廣韻》.

16 ⑳ **[櫱]** 얼 [入]屑 魚列切 niè

[字解] 움 얼 베어 낸 나무의 뿌리에서 나는 싹. 蘖(艸部 十七畫)과 同字.

[字源] 篆文 別體 古文 古文 形聲. 木+辥〔音〕. '辥얼'은 날붙이로 '자르다'의 뜻. 베어 낸 그루터기에서 돋아나는 '움'의 뜻을 나타내며, 파생(派生)하여, 사물의 시초·처음의 뜻을 나타냄.

[櫱芽 얼아] 움. 나무 그루터기에 돋아나는 새싹.

16 ⑳ **[⿱龍木]** 〔롱〕
櫳(木部 十六畫〈p. 1122〉)과 同字

[字源] 篆文 形聲. 木+龍〔音〕

17 ㉑ **[櫸]** 거 [上]語 居許切 jǔ

[字解] ①느티나무 거 '一樹, 山中處處有之'《本草別錄》. ②고리버들 거 기류(杞柳). 柜(木部 五畫)와 통용.

[字源] 形聲. 木+擧〔音〕

17 ㉑ **[⿰木戲]** 희 [平]支 虛宜切 xī

[字解] 구기 희 국자. '一, 杓也'《玉篇》.

17 ㉑ **[櫺]** 령 [平]青 郎丁切 líng

[字解] ①격자창 령 欞(木部 二十四畫)과 同字. '檻一'. '一檻邳張'《何晏》. ②처마 령 '屋梠謂之一'《揚子方言》.

[字源] 篆文 形聲. 木+霝〔音〕. '霝령'은 연속해 있음의 뜻. 격자(格子)가 줄지어 있는 '살창'의 뜻.

[櫺檻 영함] 격자창(格子窓)으로 꾸민 난간.
◉曲櫺. 疎櫺. 檻櫺.

17 ㉑ **[櫻]** [人名] 앵 [平]庚 烏莖切 yīng

[字解] 앵두나무 앵 함도(含桃). '一桃'. '紫禁

朱一出上蘭'《王維》.
字源 篆文 形聲. 木+嬰〔音〕. '嬰영'은 목걸이를 두르다의 뜻. 목걸이의 구슬과 같은 열매를 맺는 나무, 앵두나무의 뜻을 나타냄.

[櫻桃 앵도] ㉠앵두나무. ㉡앵두나무의 열매. ㉢앵순(櫻脣).
[櫻脣 앵순] 앵두 같은 입술이라는 뜻으로, 미인(美人)의 입술을 이름.
[櫻花 앵화] 앵두나무 꽃.
◉梅櫻. 山櫻. 殘櫻. 朱櫻. 春櫻.

17 ㉑ [欂] ▣ 박 ⓐ藥 補各切 bó ▣ 벽 ⓐ錫 蒲歷切 bó

字解 ▣ ①두공(枓栱) 박 '一櫨'는 기둥 위의 방목(方木). 옥로(屋櫨). '一櫨謂柱上方木也'《禮記 註》. ②중깃 박 欂(木部 十四畫)과 同字. ▣ 두공 벽, 중깃 벽 ▣과 뜻이 같음.
字源 篆文 形聲. 木+薄〔音〕. '薄박'은 '넓게 깔다'의 뜻. 마룻대에서 처마에 걸쳐 건너지르는 '서까래'의 뜻을 나타냄.

[欂櫨 박로] 자해(字解)를 보라.

17 ㉑ [欃] 산 ⓟ刪 數還切 shuān

字解 빗장 산 문의 빗장. '一, 閉門機也'《集韻》.

17 ㉑ [欃] 참 ①②ⓟ咸 士咸切 chán ③ⓖ陷 士懺切 zhàn

字解 ①살별이름 참 '一槍'은 혜성의 하나로서, 전쟁의 전조(前兆)라 함. '彗星爲一槍'《爾雅》. ②나무이름 참 박달나무. '一, 檀木別名'《廣韻》. ③수문(水門) 참 '一, 水門'《廣韻》.
字源 形聲. 木+毚〔音〕

[欃槍 참창] 자해(字解)를 보라.

17 ㉑ [檈] 선 ⓟ先 似宣切 xuán

字解 대추나무 선 대추나무의 일종. '一, 棗屬'《集韻》.
字源 篆文 形聲. 木+還〔音〕

17 ㉑ [欀] 양(상本) ⓟ陽 息良切 xiāng

字解 나무이름 양 껍질 속에 쌀 같은 것이 있어 이것을 찧어 떡 또는 국수를 만든다는 나무. '文一楨橿'《左思》.

17 ㉑ [櫼] ▣ 첨 ⓟ鹽 將廉切 jiān ▣ 삼 ⓟ咸 所咸切 shān

字解 ▣ 쐐기 첨 틈에 박아 놀지 않게 하는 나무. '一, 楔也'《說文》. ▣ 삼목 삼 杉(木部 三畫)과 同字.
字源 篆文 形聲. 木+韱〔音〕. '韱섬'은 '가늘다'의 뜻. 틈새를 막기 위한 가느다란 나무, '쐐기'의 뜻을 나타냄.

17 ㉑ [欄] 高人 란 ⓟ寒 落干切 lán 栏

筆順 木 杍 枊 椚 椚 檲 欄 欄

字解 ①난간 란 '一干'. '句一'. '一簇青煙鎖玉樓, 半垂一畔半垂溝'《羅隱》. ②울간 란 짐승을 기르는 곳. '一之羊'《嵇康》. ③난 란 지면(紙面)에 설정한 부분의 계선(界線). 또는 그 경계선의 안. '家庭一'. '一外'. ④우물난간 란 '井'자 모양으로 짠 우물의 난간. '井幹者, 井上木一也'《漢書 注》.
字源 篆文 形聲. 木+闌〔音〕. '闌란'은 문에 건너질러 출입을 막는 나무의 뜻. '木목'을 더하여, '난간, 틀'의 뜻을 나타냄.

[欄角 난각] 굽은 난간의 모서리.
[欄干 난간] 누각이나 층계나 다리의 가장자리를 막은 물건.
[欄杆 난간] 난간(欄干).
[欄內 난내] 서적(書籍) 등의 가장자리에 있는 줄 안. 난(欄)의 안.
[欄邊 난변] 난간의 주변.
[欄衫 난삼] 생원(生員)·진사(進士)에 합격했을 때 입던 예복. 녹색이나 검은빛의 단령(團領)에 각기 같은 빛의 선을 둘렀음.
[欄楯 난순] 난간(欄干).
[欄外 난외] ㉠난간 밖. ㉡서적(書籍)의 가장자리에 있는 줄 밖. 난(欄)의 밖.
[欄字馬 난자마] 기병(騎兵)의 척후(斥候). 정기(偵騎).
[欄檻 난함] 난간(欄干).
◉空欄. 句欄. 扶欄. 石欄. 玉欄. 牛欄. 危欄. 殿欄. 井欄. 朱欄. 朱絲欄. 叉欄. 檻欄.

17 ㉑ [欆] 섭 ⓐ葉 悉協切 xiè

字解 대자리 섭 '椢一'은 대오리를 엮어 만든 자리. 죽점(竹簟). '椢一, 簟名'《集韻》.

17 ㉑ [櫹] 〔숙〕 橚(木部 十三畫〈p. 1113〉)과 同字
字源 形聲. 木+蕭〔音〕

17 ㉑ [櫾] 〔유〕 柚(木部 五畫〈p. 1051〉)와 同字
字源 篆文 形聲. 木+繇〔音〕

17 ㉑ [櫽] 〔은〕 檃(木部 十三畫〈p. 1117〉)의 本字

18 ㉒ [權] 中人 ▣ 권 ⓟ先 巨員切 quán ▣ 관 ⓖ翰 古玩切 guàn 权

筆順 木 朩 朩 朩 櫵 櫂 櫂 權

字解 ▣ ①저울추 권 저울의 추. 일설(一說)에는, 저울의 대. '正一槩'《禮記》. ②저울 권 중량을 다는 용기. '謹一量'《漢書》. ③꾀 권 ㉠모책. '中一後勁'《左傳》. ㉡기지(機智). 수단. '一謀術數'. '一險之平'《荀子》. ④저울질할 권 ㉠저울에 닮. '然後一之'《周禮》. ㉡경중·대소를 분별

[權▣①]

함. '不一輕重'《荀子》. ⑤꾀할 권 모책을 씀. '任輕者易一'《淮南子》. ⑥고르게할 권 편파(偏頗)하지 않게 함. '原父子之情, 立君臣之義, 以一之'《禮記》. ⑦권도 권 ㉠수단은 정도(正道)에 맞지 아니하나 결과는 정도에 맞는 일. '巽以行一'《易經》. ㉡임기응변의 방도(方途). '嫂溺, 援之以手者, 一也'《孟子》. ⑧권세 권 권력. '一柄'. '親一者不能與人柄'《莊子》. ⑨권섭 권, 권섭할 권 임시로 직무를 대리하여 봄. '一攝'. '一字, 唐始用之. 韓愈一知國子博士, 三歲爲眞'《鼠璞》. ⑩구차할 권 구차스러움. '一假日以餘榮'《左思》. ⑪무궁화 권 목근(木槿). '一, 黃華'《爾雅》. ⑫시초 권 사물의 시초. '一輿'. ⑬광대뼈 권 顴(頁部 十八畫)과 통용. '靨輔承一'《曹植》. ⑭성(姓) 권 성(姓)의 하나. [二] 봉화 관 爟(火部 十八畫)과 통용. '見通一火'《後漢書》.

[字源] [篆文] 形聲. 木+雚〔音〕. '雚관'은 '援원'과 통하여, '당김'의 뜻. 저울에 다는 물건의 무게와 같은 중력(重力)으로 당기는 추(錘)의 뜻을 나타냄. 추(錘)를 가감(加減)하여 '달다'의 뜻이나, 거기서 파생(派生)된 '권세(權勢)'의 뜻으로도 쓰임.

[權家 권가] ㉠권문세가(權門勢家). ㉡병법가(兵法家). 권모(權謀)를 주로 하므로 이름.
[權奸 권간] 권세 있는 간신(奸臣).
[權官 권관] ㉠권력이 있는 벼슬. ㉡겸섭(兼攝)하는 관직. 겸관(兼官).
[權敎 권교]《佛敎》대승(大乘)에 들어가는 계제(階梯)의 방편인 교(敎). 실교(實敎)의 대(對).
[權貴 권귀] 권세 있고 지위가 높음. 또, 그 사람.
[權奇 권기] 기묘한 꾀.
[權能 권능] 권리를 주장하고 행사(行使)할 수 있는 능력(能力).
[權德輿 권덕여] 당대(唐代)의 유학자. 뤄양(洛陽) 사람. 자(字)는 재지(載之). 덕종(德宗) 때에 예부상서(禮部尙書)를 지냈음. 〈권문공집(權文公集)〉이 있음.
[權度 권도] 저울과 자. 전(轉)하여, 사물이 의거하여 좇아야 할 법도(法度).
[權道 권도] ㉠수단 방법은 정도(正道)가 아니나 목적은 정도(正道)에 맞는 방식. ㉡임기응변(臨機應變)의 방편.
[權略 권략] 임기응변의 꾀.
[權力 권력] ㉠남을 강제(強制)하여 복종(服從)시키는 힘. ㉡치자(治者)가 피치자(被治者)에게 복종을 강요(強要)하는 힘.
[權利 권리] ㉠권세(權勢)와 이익. 이권(利權). ㉡세력을 떨침. ㉢수단을 써서 이익을 꾀함. ㉣특정한 이익을 주장하며, 또는 향수(享受)할 수 있는 법률상의 능력.
[權謀 권모] 임기응변(臨機應變)의 꾀.
[權謀術數 권모술수] 사람을 속이는 임기응변의 꾀와 수단.
[權門 권문] 권문세가(權門勢家).
[權門勢家 권문세가] 권세 있는 집안.
[權變 권변] 권략(權略).
[權柄 권병] 권력을 가지고 마음대로 사람을 좌우할 수 있는 힘.
[權詐 권사] 권모(權謀)와 사기(詐欺).
[權攝 권섭] 임시로 직무를 대리(代理)하여 봄.
[權勢 권세] 권력(權力).
[權數 권수] 권모술수(權謀術數).
[權術 권술] 권모술수(權謀術數).
[權臣 권신] 권력 있는 신하.
[權實 권실]《佛敎》㉠방편과 진실. ㉡권교(權敎)와 실교(實敎). ㉢대승(大乘)과 소승(小乘).
[權輿 권여] 사물의 시초.
[權要 권요] 권력 있는 주요(主要)한 지위(地位).
[權右 권우] 권력이 있는 지위에 있는 사람.
[權威 권위] ㉠권력(權力)과 위엄(威嚴). ㉡대가(大家). 태두(泰斗).
[權宜 권의] 임시(臨時)의 조치(措置).
[權益 권익] 권리와 이익(利益).
[權制 권제] ㉠권력과 법제(法制). 힘과 법. ㉡권력으로 남을 제어함.
[權戚 권척] 권력이 있는 제왕의 겨레.
[權寵 권총] 권력이 있으며 임금의 총애를 받는 사람.
[權稱 권칭] 저울.
[權便 권편] 편의(便宜)함.
[權窆 권폄] 임시로 하는 매장(埋葬).
[權限 권한] 권능(權能)의 범위.
[權幸 권행] 임금의 굄을 받는 권신(權臣).
[權現 권현] 권화(權化).
[權衡 권형] ㉠저울추와 저울대. 또, 저울. ㉡균형(均衡). ㉢품평(品評).
[權化 권화]《佛敎》부처·보살이 중생을 제도(濟度)하기 위하여 이 세상에 나타나는 일. 또, 그 화신(化身).
[權兇 권흉] 권세를 함부로 쓰는 흉악한 사람.
◉公權. 公民權. 國權. 棄權. 大權. 物權. 民權. 發言權. 兵權. 兵馬權. 秉分權. 分權. 私權. 司法權. 選擧權. 勢權. 所有權. 實權. 五權. 威權. 利權. 人權. 自由權. 著作權. 全權. 占有權. 政權. 制空權. 制海權. 朝權. 宗主權. 主權. 中央集權. 質權. 執權. 債權. 擅權. 天賦人權. 治外法權. 親權. 特權. 版權. 霸權. 被選擧權. 譎權.

18 ㉒ [欆] 쌍 [平]江 疎江切 shuāng

[字解] 돛 쌍 배의 돛. '一, 棹船羽'《玉篇》.
[字源] 形聲. 木+雙〔音〕

18 ㉒ [欇] 섭 [入]葉 書涉切 shè / [入]葉 時攝切

[字解] 까치콩 섭 콩과에 속하는 일년생 만초(蔓草). '一, 虎櫐'《爾雅》.
[字源] 形聲. 木+聶〔音〕

18 ㉒ [欋] 구 [平]虞 其俱切 qú

[字解] ①쇠스랑 구 발이 넷 있는 쇠스랑. '齊魯謂四齒杷曰一'《釋名》. ②서릴 구 나무의 뿌리가 엉겨 착잡(錯雜)함. '木大則根一'《淮南子》.

18 ㉒ [欌] [人名] [韓] 장

[字解]《韓》장롱 장 옷장이나 책장 따위와 같이 무엇을 넣어 두는 세간. '衣一'. '饌一'. '冊一'.

18 ㉒ [欃] 〔참〕
欃(木部 十七畫〈p.1123〉)과 同字

18 ㉒ [櫼] 〔침〕
梣(木部 七畫〈p. 1069〉)과 同字

18 ㉒ [櫷] 〔척〕
槭(木部 十一畫〈p. 1099〉)의 俗字

18 ㉒ [欂] 잡 ㊅合 昨合切 zá
字解 섞일 잡 雜(隹部 十畫)과 통용. '水火旣納, 陰陽不一'《元包經》.

19 ㉓ [欄] ㊀ 선 ㊉先 所員切 shuān
㊁ 관 ㊉刪 姑還切 guān
字解 ㊀ 말뚝 선 '一, 豎木杙'《集韻》. ㊁ 손댈 관 상관(相關)함. '一, 手相關付也'《集韻》.

19 ㉓ [欐] 려 ㊄霽 郎計切 lì
㊤薺 盧啓切
字解 ①들보 려 집의 들보. '餘音遶梁一'《列子》. ②거룻배 려 작은 배. '呼吸呑船一'《曹植》.
字源 形聲. 木+麗〔音〕. '麗려'는 곱게 벌여 서다의 뜻.

[欐佹 여궤] 버팀목. 지주(支柱).

19 ㉓ [欇] 첩 ㊅葉 七接切 qiè
字解 주걱 첩 밥주걱. '一, 飯枈也'《集韻》.

19 ㉓ [欑] 찬 ㊉寒 在丸切 cuán
字解 모을 찬, 모일 찬 한데 모아 쌓음. 또는 한데 모여 쌓임. '一至于上'《禮記》.
字源 篆文 形聲. 木+贊〔音〕. '贊찬'은 한 곳에 모으다, 모이다의 뜻. 모여 떼 지어 있는 수목(樹木)의 뜻을 나타냄. 또 '贊찬'은 '全전'과 통하여, '갖춰지다'의 뜻. 갖춰져 모여 나는 나무의 뜻을 나타냄.
參考 欑(木部 十五畫)은 俗字.

19 ㉓ [欚] 리 ㊉支 呂支切 lí
字解 울타리 리 섶이나 대나무를 엮어 친 울타리. 籬(竹部 十九畫)와 同字.

19 ㉓ [欌] 촬 ㊅曷 宗括切 zuó
字解 꼬챙이 촬 나무로 만든 꼬챙이. '一, 木錐'《玉篇》.

19 ㉓ [欏] 라 ㊉歌 魯何切 luó
㊄箇 郎佐切
字解 돌배나무 라 능금나뭇과에 속하는 낙엽 교목(落葉喬木). '一木出湖廣'《格物要論》.
字源 形聲. 木+羅〔音〕

[欏落 나락] 울타리. 잡목·대나무 따위를 얽어서 만든 울타리.

19 ㉓ [欛] 〔파〕
欛(木部 二十一畫〈p. 1126〉)의 俗字

19 ㉓ [欒] 人名 란 ㊉寒 落官切 luán
字解 ①모감주나무 란 무환자나뭇과에 속하는 낙엽 교목. 목재는 기구재. 씨는 염주용. '樹以一'《周禮 疏》. ②곡계(曲枅) 란 두공(枓栱)의 일부로서, 위에서 누르는 하중(荷重)을 버티는 횡목(橫木). '一櫨疊施'《左思》. ③둥글 란 '披書寓直月團一'《陸羽》. ④모일 란 떼 지음. '修竹檀一, 夾水碧鮮'《枚乘》.
字源 金文 篆文 形聲. 木+䜌〔音〕. '䜌란'은 실이 엉켜 계속됨의 뜻.

[欒栱 난공] 곡계(曲枅)와 두공(枓栱).
[欒欒 난란] 몸이 수척한 모양.
[欒櫨 난로] 난공(欒栱).
[欒荊 난형] 멀구슬나무.
◉團欒. 檀欒. 彫欒. 朱欒. 香欒.

20 ㉔ [欓] 당 ㊤養 多朗切 dǎng
字解 ①나무통 당 나무로 만든 통(桶). '一, 木桶也'《類篇》. ②머귀나무 당 '一子'는 운향과의 낙엽 교목. 식수유(食茱萸). '一, 茱萸類'《玉篇》.

20 ㉔ [欕] ㊞ 엄
字解 《韓》엄나무 엄 두릅나뭇과에 속하는 낙엽 활엽 교목. 자동(刺桐).

20 ㉔ [欔] 〔구〕
柩(木部 五畫〈p. 1051〉)와 同字

20 ㉔ [欗] 〔얼〕
櫱(木部 十六畫〈p. 1122〉)과 同字

20 ㉔ [欔] 곽 ㊅藥 厥縛切 jué
字解 ①나무이름 곽 '一, 木名'《集韻》. ②가래 곽 가래〔鍬〕의 일종. '一, 鋻屬, 與钁同類'《正字通》.

21 ㉕ [欖] 人名 람 ㊤感 盧敢切 lǎn
㊄勘 盧瞰切
字解 감람나무 람 '橄一'은 감람과에 속하는 상록 교목(常綠喬木).
字源 形聲. 木+覽〔音〕

◉橄欖.

21 ㉕ [欗] 란 ㊉寒 郎干切 lán
字解 나무이름 란 '一, 木名, 桂類'《集韻》.
字源 形聲. 木+蘭〔音〕

21 ㉕ [欘] ㊀ 탁 ㊅覺 直角切 zhuó
㊁ 촉 ㊅沃 陟玉切 zhú
字解 ㊀ 호미 탁 농구의 하나. '一, 鋤也'《類篇》. ㊁ ①도끼 촉 자귀. '一, 斫也'《說文》. ②도끼자루 촉 자귀의 자루. '一, 一曰, 斤柄'《廣韻》.

[字源] [篆文] 形聲. 木+屬〔音〕. '屬속·촉'은 '들러붙다'의 뜻. 목제(木製)의 도끼 자루의 뜻을 나타냄.

21 ㉕ **[欙]** 〔류〕
樏(木部 十一畫〈p.1100〉)와 同字
[字源] [篆文] 形聲. 木+纍〔音〕. '纍'는 '겹치다'의 뜻. 눈 올 때 설피 밑에 덧대는 '동철(冬鐵)'의 뜻을 나타냄.

21 ㉕ **[欛]** 파 [去]禡 必駕切 bà
[字解] 칼자루 파 杷(木部 四畫)와 同字. '得此一柄'《丹鉛錄》.
[字源] 形聲. 木+霸〔音〕
[參考] 欛(木部 十九畫)는 俗字.

[欛柄 파병] 칼자루.
◉劍欛. 刀欛. 話欛.

22 ㉖ **[欜]** 만 [平]刪 烏關切 wān
[字解] 굽은나무 만 '一, 曲木'《集韻》.

22 ㉖ **[欜]** 낭 [平]陽 奴當切 náng
[字解] ①나무이름 낭 '一, 木名'《集韻》. ②그릇 낭 '一, 盛物器'《六書故》.

22 ㉖ **[欝]** 〔울〕
鬱(鬯部 十九畫〈p.2632〉)의 俗字

23 ㉗ **[欞]** 欜(前前條)의 本字

24 ㉘ **[欞]** 〔령〕
櫺(木部 十七畫〈p.1122〉)과 同字
[字源] 形聲. 木+靈〔音〕

[鬱] 〔울〕
鬯部 十九畫(p.2632)을 보라.

欠 (4획) 部
〔하품흠부〕

0 ④ **[欠]** [人名] 흠(검[本]) [去]陷 去劍切 qiàn
[筆順] ノ ⺈ ケ 欠
[字解] ①하품 흠 저절로 입이 벌려지면서 나오는 호흡. '噫一爲飄風'《韓愈》. ②하품할 흠 '君子一伸, 侍坐者請出'《禮記》. ③모자랄 흠 부족함. '虧一'. '所懷無一一'《韓愈》. ④빚 흠 부채. 또, 공세(貢稅)의 미납(未納). '其餘自小民已上, 大率皆有積一'《蘇軾》.
[字源] [篆文] 象形. 사람이 입을 벌리고 있는 모양을 본떠, 입을 벌리다, '하품'의 뜻을 나타냄.
[參考] ①'欠'을 의부(意符)로 하여, 숨을 들이쉬다, 내쉬다 등, 입을 벌리는 일, 또 그런 상태를 수반하는 기분의 움직임에 관한 문자를 이룸. ②속(俗)에 缺(缶部 四畫)의 略字로 씀.

[欠缺 흠결] 흠축(欠縮).
[欠負 흠부] 세금을 미납(未納)함. 미진(未進).
[欠事 흠사] 결점이 있는 일.
[欠伸 흠신] 하품과 기지개. 또, 하품을 하거나 기지개를 켬.
[欠身 흠신] 경의(敬意)를 표(表)하기 위하여 몸을 굽힘.
[欠身答禮 흠신답례] 몸을 굽혀서 답례(答禮)함.
[欠員 흠원] 결원(缺員).
[欠剩 흠잉] 모자람과 나머지. 부족함과 남음.
[欠籍 흠적] 미납(未納)을 기록하는 장부(帳簿).
[欠典 흠전] 흠사(欠事).
[欠錢 흠전] 빚. 부채(負債).
[欠節 흠절] 잘못된 점. 모자라는 곳.
[欠點 흠점] 흠절(欠節).
[欠租 흠조] 조세(租稅)의 미납(未納).
[欠處 흠처] 흠절(欠節).
[欠縮 흠축] 일정(一定)한 수에 부족(不足)이 생김.
[欠乏 흠핍] 이지러져서 모자람.
◉呵欠. 舊欠. 負欠. 伸欠. 噫欠. 違欠. 遺欠. 積欠. 逋欠. 懸欠. 虧欠.

2 ⑥ **[次]** [中人] 차 ①-⑫[去]寘 七四切 cì ⑬[平]支 千咨切 zī
[筆順] 一 冫 ン 汐 次 次
[字解] ①버금 차 둘째. 다음. '一席'. '一將'. '太上有立德. 其一有立功'《左傳》. ②이을 차 계승함. 뒤를 이음. '論孟一之'《中庸章句》. '青與白相一也'《周禮》. ③차례 차 순서. 등급. 위치. '一序'. '以功一定朝位'《漢書》. ④매길 차 순서를 정함. '以一位常'《周禮》. ⑤사처 차 숙사(宿舍). '旅卽一'《易經》. ⑥머무를 차 유숙함. 군대에서는 이틀 이상 유숙함을 이름. '王一于河朔'《書經》. ⑦진영 차 영사(營舍). '師陳焚一'《左傳》. ⑧성좌 차 천체의 성수(星宿). '日窮于一'《禮記》. ⑨번 차 횟수. '兩一'. '第二一交涉'. ⑩이를 차 도달함. '內深一骨'《史記》. ⑪안 차 속. '喜怒哀樂, 不入于胷一'《莊子》. ⑫성 차 성(姓)의 하나. ⑬나아가지않을 차 '其行一且'《易經》.
[字源] [甲骨文] [金文] [篆文] [古文] 象形. 사람이 한숨을 쉬는 모양을 본떠, '묵다'의 뜻을 나타냄. 또, '齊제'와 통하여, 순서 있게 가지런히 함의 뜻이나 다음에 계속되다의 뜻도 나타냄.
[參考] 汝(水部 四畫)은 別字.

[次骨 차골] 원한(怨恨)이 골수(骨髓)에 사무침.
[次期 차기] 다음의 시기(時期).
[次男 차남] 둘째 아들.
[次女 차녀] 둘째 딸.
[次代 차대] ㉠다음 대(代). ㉡다음 시대(時代).
[次等 차등] 다음가는 등급.
[次例 차례] 순서(順序).
[次路 차로] 차로(次輅).

[次輅 차로] 천자(天子)가 타는 수레.
[次配 차배] 후처(後妻).
[次比 차비] 순서. 차례.
[次舍 차사] ㉠궁중(宮中)의 숙직하는 곳. ㉡궁중에서 숙직하는 사람.
[次上 차상] 시문(詩文)을 평하는 네 등급 중의 첫째 등급.
[次序 차서] 순서. 차례(次例).
[次敍 차서] 순서. 차례.
[次席 차석] 다음 자리.
[次兒 차아] 부모가 둘째 아들을 일컫는 말.
[次養 차양] 《韓》 차양자(次養子)의 약어(略語).
[次養子 차양자] 《韓》 죽은 맏아들의 양자가 될 만한 자(者)가 없을 때에 조카뻘 되는 사람을 아들로 삼은 양자. 그가 낳은 아들을 망인(亡人)의 사자(嗣子)로 삼음.
[次韻 차운] 남이 지은 시의 운자(韻字)를 따서 시를 지음. 또, 그 시(詩).
[次位 차위] ㉠다음가는 자리. 또, 그 사람. ㉡순서. 차례.
[次子 차자] 차남(次男).
[次將 차장] 제2위의 장수. 부장(副將).
[次點 차점] 득점 또는 득표 수가 다음가는 점수나 표수.
[次帝 차제] ㉠다음 천자(天子). ㉡황태자(皇太子).
[次第 차제] 순서. 차례(次例).
[次座 차좌] 다음의 좌석.
[次中 차중] 시문(詩文)을 평하는 네 등급 중의 둘째 등급.
[次下 차하] 시문(詩文)을 평하는 네 등급 중의 둘째 등급.
[次號 차호] ㉠다음 번호(番號). ㉡정기 간행물의 다음 호(號).
[次回 차회] 다음번.
◉客次. 更次. 階次. 官次. 今次. 路次. 論次. 屢次. 目次. 班次. 不次. 比次. 舍次. 常次. 序次. 席次. 選次. 星次. 世次. 宿次. 順次. 信次. 語次. 言次. 業次. 旅次. 年次. 連次. 列次. 越次. 位次. 類次. 鱗次. 一次. 前次. 詮次. 躔次. 苫次. 漸次. 亭次. 造次. 朝次. 職次. 差次. 撰次. 纂次. 遷次. 草次. 齒次. 編次. 巷次. 胸次.

2 ⑥ [欢] 〔환〕 歡(欠部 十八畫〈p. 1136〉)의 俗字·簡體字

3 ⑦ [㰦] 히 [平]支 馨夷切 xī
[字解] 신음할 히 끙끙거리며 앓는 소리를 냄. 吚(口部 三畫)와 同字. '一, 呻吟也'《玉篇》.

3 ⑦ [㰰] 이 [上]紙 余耳切 yǐ
[字解] 기침할 이 '一, 欬也'《玉篇》.

3 ⑦ [㰲] [一] 해 [平]灰 呼來切 hāi
[二] 희 [平]支 虛其切 xī
[字解] [一] ①빙그레웃을 해 '一, 笑不壞顏也'《玉篇》. ②희롱하며웃는소리 해 𣢂(欠部 四畫)와 통용. [二] 빙그레웃을 희, 희롱하며웃는소리 희 [一]과 뜻이 같음.

4 ⑧ [𣢑] [一] 기 [去]未 居氣切 jì
[去]寘 几利切
[二] 글 [入]物 居乙切 ①qì
[字解] [一] ①바랄 기 '一, 一曰, 幸也'《集韻》. ②말더듬을 기 '一, 一曰, 口不便言'《說文》. ③기(氣) 기 氣(气部 六畫〈p. 1172〉)와 통용. [二] ①줄 글 시여(施與)함. ②말더듬을 글 吃(口部 三畫〈p. 344〉)과 통용. '吃, 說文, 言蹇難也. 或作一'《集韻》.
[字源] 形聲. 欠+气〔音〕

4 ⑧ [欣] [人名] 흔 [平]文 許斤切 xīn 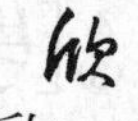
[筆順] 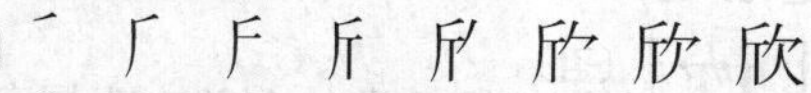
[字解] ①기뻐할 흔 기쁘게 여김. '一快'. '一喜'. '乃瞻衡宇, 載一載走'《陶潛》. ②기쁨 흔 전항의 명사. '萬國含一'《宋書》. ③즐길 흔 '一, 樂也'《爾雅》. ④힘셀 흔 짐승이 힘이 셈. '兔絶有力, 一'《爾雅》. ⑤성 흔 성(姓)의 하나.
[字源] 篆文  形聲. 欠+斤〔音〕. '斤근'은 무엇을 잘게 썰기 위한 날붙이의 뜻. 기쁨 때문에 종종걸음 치듯이 호흡을 찔름거리게 되고, 마음이 들뜨게 되는 뜻을 나타냄.

[欣嘉 흔가] 기뻐하며 칭찬함.
[欣感 흔감] 기뻐하며 감동(感動)함.
[欣求 흔구] 《佛敎》 진심(眞心)으로 보리(菩提)를 구함.
[欣求大寶 흔구대보] 《佛敎》 진심으로 기뻐하여 불법(佛法)의 진리를 구함.
[欣諾 흔낙] 기꺼이 승낙함.
[欣待 흔대] 흔연히 대접함.
[欣睹 흔도] 흔도(欣覩).
[欣覩 흔도] 기뻐하며 봄. 흔첨(欣瞻). 흔촉(欣矚).
[欣慕 흔모] 기쁜 마음으로 사모함.
[欣服 흔복] 기뻐하여 좇음. 열복(悅服).
[欣賞 흔상] 기뻐하며 칭찬함.
[欣悚 흔송] 기뻐함과 두려워함. 흔쾌함과 송구함.
[欣躍 흔약] 기뻐서 뜀. 흔희작약(欣喜雀躍).
[欣懌 흔역] 흔희(欣喜).
[欣然 흔연] 기뻐하는 모양. 흔흔(欣欣).
[欣悅 흔열] 흔희(欣喜).
[欣說 흔열] 흔열(欣悅).
[欣厭 흔염] 기뻐함과 미워함. 좋아함과 싫어함.
[欣玩 흔완] 기뻐하며 완상(玩賞)함.
[欣愉 흔유] 흔희(欣喜).
[欣讚 흔찬] 흔상(欣賞).
[欣戚 흔척] 기뻐함과 슬퍼함. 기쁨과 슬픔.
[欣瞻 흔첨] 기뻐하며 봄.
[欣矚 흔촉] 기뻐하며 봄.
[欣快 흔쾌] 기쁘고 상쾌함.
[欣歎 흔탄] 흔상(欣賞).
[欣幸 흔행] 행복한 것을 기뻐함. 기뻐하며 다행으로 여김.
[欣欣 흔흔] ㉠기뻐하는 모양. 흔연(欣然). ㉡초목이 잘 자라 싱싱한 모양.
[欣欣然 흔흔연] 흔연(欣然).
[欣喜 흔희] 기뻐함.
[欣喜雀躍 흔희작약] 흔약(欣躍).
◉樂欣. 悅欣. 幽欣. 含欣. 歡欣. 驩欣.

4 ⑧ **[欦]** 함 [平]覃 呼含切 hān [平]咸 虛咸切

[字解] ①빙그레웃을 함 '一, 含笑也'《說文》. ②슬기로울 함 지혜로움. '一, 一曰, 多智也'《集韻》. ③탐할 함 욕심을 냄. '一, 貪欲也'《玉篇》.

[字源] 篆文 形聲. 欠+今〔音〕. '今금'은 덮어 함축하다의 뜻. 웃으려 하다가 그것을 덮다, 미소 짓다의 뜻.

4 ⑧ **[欧]** 〔구〕 歐(欠部 十一畫〈p.1134〉)의 俗字

4 ⑧ **[欤]** 〔여〕 歟(欠部 十四畫〈p.1136〉)의 俗字

4 ⑧ **[炊]** 〔감〕 欿(欠部 八畫〈p.1132〉)과 同字

[㱙] 〔자〕 歹部 四畫(p.1148)을 보라.

5 ⑨ **[㰦]** 거 [去]御 丘倨切 qù

[字解] 하품할 거 呿(口部 五畫)와 同字. '口一而不能合'《莊子》.

5 ⑨ **[㰲]** 희 [平]支 虛宜切 xiā

[字解] 허덕일 희 숨가쁘게 허덕임. '欬一'. '欬一, 氣逆也'《集韻》.

5 ⑨ **[欨]** 구(후[本]) [上]麌 況羽切 xū

[字解] ①불 구 입김으로 붊. 呴(口部 五畫)와 同字. ②웃을 구 벙긋 웃음. 또, 벙긋 웃는 모양. '其康樂者聞之則一愉歡釋'《嵇康》. ③하품할 구 '一, 一曰, 欠也'《集韻》.

[字源] 篆文 形聲. 欠+句〔音〕. '欠흠'은 입을 벌린 사람의 象形. '句구'는 입을 오므려 훅하고 입김을 부는 소리의 의성어(擬聲語). 훅하고 입김을 내뿜음의 뜻.

[欨愉 구유] 웃으며 기뻐함.

5 ⑨ **[㰤]** [一] 가 [去]禡 枯駕切 qiè [二] 하 [上]哿 虛我切 hē

[字解] [一] ①껄껄웃을 가 '一, 大張口笑也'《玉篇》. ②숨 가 '一, 息也'《廣雅》. ③입벌리고숨쉴 가 입을 쩍 벌리고 호흡을 함. '一, 張口息也'《集韻》. [二] 웃는소리 하 呵(口部 五畫)와 同字. '一一, 大笑也'《廣韻》.

5 ⑨ **[㰹]** 함 [平]覃 胡甘切 hán

[字解] 혹 함 혹시(或是). '一, 或也'《集韻》.

5 ⑨ **[㰮]** 〔신〕 呻(口部 五畫〈p. 363〉)과 同字

6 ⑩ **[欬]** 해 [去]隊 苦愛切 kài

[字解] 기침 해, 기침할 해 '一嗽'. 咳(口部 六畫)와 同字. '車上不廣一'《禮記》. 또, 기침이 나는 병. '國多風一'《禮記》.

[字源] 甲骨文 篆文 形聲. 欠+亥〔音〕. '亥해'는 기침 소리의 의성어(擬聲語).

[欬嗽 해수] 기침.
[欬逆 해역] 기침이 나는 병. 또, 가래침.
[欬疾 해질] 기침이 나는 병. 해역(欬逆).
[欬唾 해타] 기침하며 가래침을 뱉음.
[欬唾成珠 해타성주] 기침하여 뱉은 가래침이 주옥(珠玉)이 된다는 뜻으로, 세력 있는 사람의 말이 잘 통함의 비유. 또는 일기가성(一氣呵成)의 시문(詩文)이 아주 교묘함의 비유로 쓰임. 해타 성주(咳唾成珠).

●謦欬. 廣欬. 勞欬. 軌欬. 嚨欬. 風欬.

6 ⑩ **[欯]** 힐 [入]質 許吉切 xì

[字解] ①기뻐할 힐 '一, 喜也'《說文》. ②웃을 힐 '一, 笑也'《廣韻》.

[字源] 篆文 形聲. 欠+吉〔音〕. '吉길'은 좋다, 경사스럽다, 상서롭다의 뜻.

6 ⑩ **[㰲]** 궤 [上]紙 古委切 guǐ

[字解] 고달플 궤, 피로할 궤 '一, 疲極也'《集韻》.

6 ⑩ **[欱]** 합 [入]合 呼合切 hē

[字解] ①들이마실 합 혹 들이마심. '一野歕山'《班固》. ②합할 합 '上一下一'《太玄經》.

[字源] 篆文 形聲. 欠+合〔音〕. '合합'은 입을 합치다의 뜻. 들이마심.

6 ⑩ **[欮]** 궐 [入]月 居月切 jué

[字解] ①숨찰 궐, 가쁠 궐 쿨룩거려 숨이 차며 괴로워함. '吳楚有大木. 其名爲櫾, 食其皮汁, 已憤一之病'《列子》. ②팔 궐, 뚫을 궐 '一, 穿也'《廣雅》. '一, 掘也'《玉篇》.

6 ⑩ **[㰬]** 순 [平]眞 須倫切 xún

[字解] ①가쁠 순 숨이 차고 가쁨. '一, 氣逆也'《廣韻》. ②미더울 순 '一, 信也'《玉篇》. ③기뻐할 순 기뻐하는 모양.

6 ⑩ **[㰻]** [一] 이 [去]寘 乙糞切 yì [二] 인 [平]眞 伊眞切 yīn

[字解] [一] 흐느껴울 이 목메어 욺. '一, 嚘也'《說文》. [二] 한탄할 인 개탄함. 탄식함. '一歔, 嘅也'《集韻》.

[字源] 篆文 形聲. 欠+因〔音〕. '因인'은 '堙인'과 통하여, '막히다'의 뜻. 숨이 막히다, 목이 메다, 흐느끼는 일.

[㰻欹 이아] 당나귀의 울음소리.
[㰻嚘 인우] 개탄하는 일.
[㰻歔 인우] 개탄함.

7 ⑪ **[欲]** [中人] 욕 [入]沃 余蜀切 yù

[筆順] ノ ハ ㅅ 冫 谷 谷 谷' 欲 欲

[字解] ①하고자할 욕 하려 함. '一明明德於天下'

《大學》. ②바랄 욕 ㉠원함. '人之所—也'《孟子》. ㉡…하여야 함. …함을 요함. '膽—大, 而心—小'《孫思邈》. ㉢탐함. '人情—生而惡死'《呂氏春秋》. ③하려할 욕 장차 …려 함. '—雨'(비가 오려 함). '—墮不墮'《古銘》. ④욕 욕 칠정(七情)의 하나. 욕심. '情—'. '性之—也'《禮記》. ⑤순할 욕 온순한 모양. '敬以—'《禮記》.

[字源] 篆文  形聲. 欠+谷〔音〕. '欠흠'은 사람이 입을 벌린 모양. '谷곡·욕'은 '容용'과 통하여, 무엇을 넣다, 담다의 뜻. 무엇을 입에 넣으려 함의 뜻에서, 하고자 하다, 원하다의 뜻을 나타냄.

[欲界 욕계]《佛教》욕심(欲心)이 많은 세계. 색계(色界)·무색계(無色界)와 합(合)하여 삼계(三界)라 함.
[欲界三欲 욕계삼욕]《佛教》욕계의 세 가지 욕심. 곧, 음식욕(飮食欲)·수면욕(睡眠欲)·음욕(淫欲).
[欲哭逢打 욕곡봉타] 울려고 하는 아이를 때려서 울게 한다는 뜻으로, 불평을 품고 있는 사람을 선동함을 비유하는 말.
[欲巧反拙 욕교반졸] 잘하려고 하다가 도리어 잡쳐 놓음.
[欲求 욕구] 바람. 구(求)함. 탐냄.
[欲氣 욕기] 탐내는 마음. 욕심(欲心).
[欲望 욕망] ㉠바람. 원함. 탐냄. ㉡부족을 느껴 이를 채우고자 하는 마음.
[欲不可從 욕불가종] 사욕(私欲)은 억제하여야 한다는 말.
[欲死無地 욕사무지] 죽으려고 하여도 죽을 만한 곳이 없음. 아주 분(憤)하고 원통(冤痛)함을 이름.
[欲生 욕생]《佛教》삼신(三信)의 하나. 서방 극락에 태어나고 싶은 생각.
[欲性 욕성]《佛教》바라는 마음. 탐내는 마음. 갖고 싶어하는 마음.
[欲燒筆硯 욕소필연] 남의 시문을 보고 속이 상하여 붓과 벼루를 태워 버리고 싶어한다는 뜻으로, 남의 시문(詩文)을 보고서 자기의 문재(文才)의 부족(不足)을 한탄(恨歎)함을 이름.
[欲速不達 욕속부달] 일을 속히 하고자 하면 도리어 이루지 못함.
[欲速之心 욕속지심] 속(速)히 되기를 바라는 마음.
[欲食其肉 욕식기육] 그 사람의 고기를 먹고 싶다는 뜻으로서, 어버이의 원수(怨讎)를 갚고자 함을 이름.
[欲心 욕심] ㉠탐내는 마음. ㉡정욕(情欲).
[欲有 욕유]《佛教》욕계(欲界).
[欲刺 욕자]《佛教》재욕(財欲)·색욕(色欲)·식욕(食欲)·명예욕(名譽欲)·수면욕(睡眠欲)의 오욕(五欲)은 사람을 괴롭히는 것이 마치 바늘로 살을 찌르는 것 같다 하여 이르는 말.
[欲炙之色 욕적지색] 남의 물건을 보고 갖고 싶어하는 마음이 얼굴에 드러남을 이름.
[欲情 욕정] ㉠욕망(欲望). 욕심(欲心). ㉡애욕(愛慾)의 마음. 색정(色情).
[欲塵 욕진]《佛教》㉠더러운 욕심. 욕심 때문에 더럽혀진 마음을 먼지에 비겨 이른 말. ㉡육욕(六欲)과 오진(五塵).
[欲海 욕해] 욕심의 바다. 욕심이 넓고 깊은 것을 바다에 비겨 이른 말.
[欲火 욕화]《佛教》불같은 욕심.

◉寡欲. 口腹欲. 克伐怨欲. 耆欲. 內欲. 多欲. 大欲. 名欲. 私欲. 色欲. 羨欲. 食欲. 愛欲. 肉欲. 耳目欲. 利欲. 人欲. 財欲. 節欲. 情欲. 制欲. 貪欲. 飽暖生淫欲.

7 ⑪ [欷] 희 [平]微 香衣切 xī [去]未 許旣切 

[字解] 한숨쉴 희, 흐느낄 희 탄식함. 또는, 흑흑 느끼어 욺. '歔—'. '坐者悽—'《張衡》.
[字源] 篆文  形聲. 欠+希〔音〕. '希희'는 '斤근'과 통하여, 조금씩 하다의 뜻. 숨을 조금씩 쉬면서 울다, 흐느껴 울다의 뜻을 나타냄.

[欷泣 희읍] 희허(欷歔).
[欷吁 희우] 탄식함. 또는 탄식하는 소리.
[欷歔 희허] 한숨을 쉼. 또, 흐느껴 욺.
◉長欷. 悽欷. 涕欷. 歔欷.

7 ⑪ [㰯] [一] 투 [去]宥 他候切 tòu / [二] 구(후[本]) [去]宥 呼漏切 hòu

[字解] [一] ①받아들이지않을 투 침을 뱉고 받아들이지 않음. '咅, 相與語, 唾而不受也. …—, 咅或从豆欠'《說文》. ②침뱉는소리 투 '—, 唾聲'《集韻》. ③아이흉악할 투 '數—'는 어린애가 흉악함. '—, 數—, 小兒凶惡'《集韻》. [二] 받아들이지않을 구, 침뱉는소리 구, 아이흉악할 구 [一]과 뜻이 같음.

7 ⑪ [㰮] 신 [上]軫 時忍切 shèn [去]震 時刃切

[字解] 손가락질하며웃을 신 辴(辰部 十二畫)과 同字. '—, 指而笑也'《說文》.
[字源] 篆文  形聲. 欠+辰〔音〕

7 ⑪ [欸] 애 [平]灰 烏開切 āi [上]賄 於改切 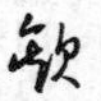

[字解] ①한숨쉴 애 탄식함. '—秋冬之緖風'《楚辭》. ②어 애 ㉠놀라는 소리. '今人暴見事之不然者, 必出聲曰—'《陳芳》. ㉡그렇다고 대답하는 소리. '——效忠信'《柳宗元》.
[字源] 篆文  形聲. 欠+矣〔音〕. '矣의'는 어기(語氣)를 나타내는 의성어(擬聲語). '한탄함'의 뜻을 나타냄.

[欸乃 애내] 뱃노래. 일설(一說)에는, 노 젓는 소리.
[欸欸 애애] 남의 말을 그렇다고 대답하는 소리.

7 ⑪ [欱] 합 [入]合 呼合切 xiā

[字解] ①숨쉴 합 '—, 息也'《廣雅》. ②가쁠 합 '—, 氣逆也'《玉篇》. ③신음할 합 '—吹'. '—吹', 呻也'《集韻》.

7 ⑪ [欶] [一] 삭 [入]覺 所角切 shuò / [二] 수 [去]宥 蘇奏切 sòu

[字解] [一] ①빨아들일 삭. ②붙을 삭 부착함. '淬霜露, —蹢趹'《淮南子》. [二] 기침 수 嗽(口部 十一畫)와 同字. '—, 欬也'《集韻》.
[字源] 篆文  形聲. 欠+束〔音〕. '欠흠'은 사람이 입을 벌린 모양을 본뜸. '束속'은 '다발 짓다, 묶다'의 뜻. 입을 오므려 홀짝홀짝

들이마시다의 뜻을 나타냄.

7 ⑪ [㰹] 〔함〕 欦(欠部 四畫〈p. 1128〉)과 同字

7 ⑪ [欵] 〔관〕 款(欠部 八畫〈p. 1131〉)의 俗字

7 ⑪ [欶] 〔관〕 款(欠部 八畫〈p. 1131〉)과 同字

[赥] 〔혁〕 赤部 四畫(p. 2211)을 보라.

8 ⑫ [欹] [一] 기 [平]支 丘奇切 qī
[二] 의 [平]支 於離切 yī

[字解] [一] 기울 기 한쪽으로 기욺. 攲(支部 八畫)와 통용. '一側'. [二] 어 의 탄미(歎美)하는 소리. 猗(犬部 八畫)와 통용. '一歟'.

[欹傾 기경] 기측(欹側).
[欹斜 기사] 한쪽으로 비스듬히 기울어짐.
[欹危 기위] 기울어 위험함.
[欹直 기직] 기욺과 반듯함.
[欹側 기측] 기욺. 기울어짐.
[欹歟 의여] 탄미(歎美)하는 소리.

8 ⑫ [欺] [高·人] 기 [平]支 去其切 qī

[筆順] 一 十 卄 甘 甘 其 其' 欺

[字解] ①속일 기 기만함. '一罔'. '誠其意者, 毋自一也'《大學》. ②거짓 기 기만. 허위. '甚矣哉爲一也'《劉其》. ③깔볼 기 업신여김. '見陵於人爲一負'《李翊》. ④탐할 기 '晉魏河內之北, 謂惏曰殘, 楚謂之貪, 南楚江湘之間, 謂之一'《揚子方言》.

[字源] 篆文 形聲. 欠+其〔音〕. '欠흠'은 사람이 입을 크게 벌린 모양을 본뜸. '其기'는 '기대하다'의 뜻. 큰 기대를 갖게 하면서 배반함, 속임의 뜻을 나타냄.

[欺誑 기광] 속임.
[欺君 기군] 임금을 속임.
[欺君罔上 기군망상] 임금을 속임.
[欺弄 기롱] 속이고 놀림.
[欺瞞 기만] 속임.
[欺謾 기만] 속이고 업신여김.
[欺罔 기망] 속임.
[欺冒 기모] 속여 침범함. 속임.
[欺誣 기무] 속임.
[欺負 기부] ㉠속이고 배반함. ㉡깔보고 속임.
[欺詐 기사] 속임.
[欺世 기세] 세상을 속임.
[欺世盜名 기세도명] 세상 사람을 속이고 허명(虛名)을 내놓음.
[欺笑 기소] 업신여기고 비웃음.
[欺心 기심] ㉠남을 속이려는 마음. ㉡자기의 양심을 속임.
[欺訛 기와] 속임.
[欺情 기정] 속마음을 드러내지 않음.
[欺天 기천] 하늘을 속임.
[欺諂 기첨] 속이고 아첨함.
[欺誕 기탄] 속임. 허풍을 침. 또, 거짓. 허풍.
[欺殆 기태] 속여 위태롭게 함.
[欺詒 기태] 속임.
[欺騙 기편] 남을 속여 금품(金品)을 빼앗음.
[欺蔽 기폐] 속이고 숨김.
[欺惑 기혹] 속여 미혹하게 함.
◉誑欺. 謾欺. 誣欺. 詐欺. 自欺. 詆欺. 調欺. 誕欺. 虎豹豈受犬羊欺.

8 ⑫ [欻] 훌 [入]物 許勿切 xū

[字解] ①일 훌 바람 같은 것이 생김. '靈氣翕一'《柳宗元》. ②희미할 훌 흐린 모양. '指畫變恍一'《韓愈》. ③홀연 훌 홀연히. 갑자기. '一然'. '神山崔巍, 一從背見'《張衡》.

[字源] 篆文 會意. 欠+炎. '欠흠'은 크게 입을 벌린 모양. '炎염'은 '불꽃'의 뜻. 불을 불어 일으키다의 뜻을 나타냄. 순간적으로 불길이 일어나는 데서, '倏忽숙홀'(홀연·갑자기)의 뜻으로 쓰임.

[欻然 훌연] 훌홀(欻忽).
[欻忽 훌홀] 홀연히. 갑자기.
[欻吸 훌흡] 바람 같은 것이 빨리 부는 모양.
◉奄欻. 飄欻. 歘欻. 悅欻. 洶欻. 翕欻.

8 ⑫ [欼] [一] 치 [上]紙 測紀切 chǐ
[二] 최 [去]卦 楚快切 chuài

[字解] [一] 씹을 치. [二] 산적한입에넣을 최 산적(散炙)을 한입에 넣고 먹음. '一, 一擧盡臠也'《集韻》.

8 ⑫ [欽] [人名] 흠 ①-④[平]侵 去金切 qīn
⑤[去]沁 丘禁切 qìn 钦

[筆順] ノ 𠆢 亼 今 余 金 金' 欽

[字解] ①공경할 흠 조심하고 존경함. '一哉一哉'《書經》. 전(轉)하여, 칙명(勅命)을 나타내는 접두사(接頭辭)로 쓰임. '一定'. '今御音曰一敕, 御使曰一命'《正字通》. ②부러워할 흠 선망(羨望)함. '一羨'. '煙霞得所一'《李嶠》. ③굽을 흠, 구부러질 흠 '變生而一頤折頞'《後漢書》. ④성 흠 성(姓)의 하나. ⑤누를 흠 '按謂之一'《李翊》.

[字源] 金文 篆文 形聲. 欠+金〔音〕. '金금'은 '含함'과 통하여, 머금어 덮다의 뜻. '欠흠'은 '하품'의 뜻. 입을 벌리기를 참으며 하품을 하는 모양에서, '삼가다'의 뜻을 나타냄.

[欽念 흠념] 공경하여 생각함. 삼가 생각함.
[欽命 흠명] 황제(皇帝)의 명령.
[欽明文思 흠명문사] 요(堯)임금의 덕을 칭송한 말. 흠(欽)은 몸을 삼감, 명(明)은 이치에 환함, 문(文)은 문장(文章)이 외부에 빛남, 사(思)는 생각이 깊음.
[欽慕 흠모] 인격을 존경하여 우러러 따름. 사모함.
[欽味 흠미] 상미(賞味)함.
[欽服 흠복] 공경(恭敬)하고 심복(心服)함.
[欽奉 흠봉] 칙명(勅命)을 받듦.
[欽尙 흠상] 존경하고 숭앙(崇仰)함.
[欽羨 흠선] 흠앙(欽仰)하여 부러워함.

[欽崇 흠숭] 흠상(欽尙).
[欽仰 흠앙] 공경하여 앙모(仰慕)함.
[欽愛 흠애] 흠모(欽慕).
[欽若 흠약] 공경하여 순종함.
[欽挹 흠읍] 공경하여 겸양함.
[欽咨 흠자] 공경하여 문의함. 공손히 물음.
[欽定 흠정] 황제(皇帝)가 친히 만들거나 명령하여 제정함.
[欽遵 흠준] 황제의 명령을 받들어 시행함. 칙명(勅命)을 준수(遵守)함.
[欽差 흠차] 칙명(勅命)을 띠고 사신(使臣)으로 감. 또, 그 사신.
[欽天監 흠천감] 명대(明代) 이후에 천문역수(天文曆數)의 관측을 맡은 관아.
[欽天曆 흠천력] 오대(五代) 때의 달력.
[欽勅 흠칙] 칙명(勅命).
[欽歎 흠탄] 인격을 존경하여 찬탄함.
[欽恤之典 흠휼지전] 죄를 저지른 사람에게 대하여 신중히 심의(審議)하라는 뜻의 은전(恩典).
[欽欽 흠흠] ㉠사모(思慕)하는 모양. ㉡삼가는 모양. ㉢종소리가 가락에 맞는 모양.
[欽喜 흠희] 기뻐함.
◉德欽. 丞欽. 仰欽. 歔欽.

8 ⑫ [欶] 졸 ㊀質 卽聿切 zú

字解 ①빨 졸 입으로 빪. '一, 吮也'《玉篇》. ②마실 졸 음식을 마심. '口飮謂之一'《集韻》.

8 ⑫ [款] 人名 관 ㊤旱 苦管切 kuǎn

筆順 一 十 士 圭 幸 柰 款 款

字解 ①정성 관 성의(誠意). '一誠'. '披一'《晉書》. ②정의 관 친근한 정. '通一'. '結一諸侯'《公羊傳》. ③사랑할 관 '情意稍一'《南史》. ④두드릴 관 문을 열어 달라고 두드림. '一關請見'《史記》. ⑤이를 관 도달함. '繞黃山, 而一牛首'《張衡》. ⑥머무를 관 두류(逗留)함. '斷絶雖殊念, 俱爲歸慮一'《謝靈運》. ⑦음자(陰字) 관 금석(金石)에 음각(陰刻)한 문자. '文鏤無一識'《史記》. 전(轉)하여, 널리 서화가 등의 인장의 뜻으로도 쓰임. '落一'. ⑧항목 관 계약서·장부 등의 조목. '一項目'. '命具一'《宋史》. 전(轉)하여, 경비. '借一'. ⑨빌 관 공허함. '一言不聽'《漢書》. ⑩느릴 관 완만함. '一一'. '御一段馬'《後漢書》. ⑪한탄할 관 탄식함. '始皇方獵六國而翦牙一'《揚子法言》. ⑫문서 관 '前代遺篇墜一, 因得槩見'《雲谷雜記》.

字源 篆文 別體 會意. 欠+祟(祟·柰)〔音〕. '欠흠'은 입을 크게 벌린 사람을 본뜬 모양. '祟수'는 '빌미'의 뜻. '柰내'는 빨간 능금의 뜻. 사람이 무엇인가의 대상(對象)(祟·柰)에 대하여 개방적으로 큰 입을 벌리고, 게다가 꾸밈이 없는 모양에서, '기뻐하다, 가까이하다'의 뜻을 나타내며, 목소리를 내면서 문을 두드림의 뜻을 나타냄. 또, 종정(鐘鼎) 따위에 구멍을 내다, 새기다의 뜻이나, 새겨진 법률문 조항(條項)의 뜻도 나타냄. 이 자(字)에는 뜻의 다양함과 자형(字形)의 불분명함이 원인으로 정설(定說)이 없음.

[款啓 관계] 작은 구멍을 통(通)한다는 뜻으로, 문견(聞見)이 적음의 비유.
[款曲 관곡] ㉠다정하고 성의가 있음. ㉡자세한 사정. 위곡(委曲).
[款款 관관] ㉠충실한 모양. ㉡느린 모양. 완만한 모양. ㉢혼자 즐기는 모양.
[款關 관관] 관문(關門)을 열어 달라고 두드림.
[款款之愚 관관지우] 자기의 정성(精誠)의 겸사(謙辭).
[款段 관단] ㉠걸음이 느린 것. ㉡망아지.
[款談 관담] 터놓고 하는 이야기.
[款待 관대] 정성(精誠)껏 대우(待遇)함. 후하게 대접함.
[款冬 관동] 국화과에 속하는 다년초. 새순은 껍질을 벗기어 나물을 무쳐 먹음. 머위.
[款東 관동] 관동(款冬).
[款門 관문] 문을 열어 달라고 두드림.
[款伏 관복] 죄인이 자백하고 복죄(伏罪)함.
[款服 관복] 진심으로 복종함. 심복(心服)함.
[款附 관부] 관복(款服).
[款署 관서] 낙관(落款)함.
[款誠 관성] 정성. 성의.
[款狎 관압] 다정하여 터놓고 사귐.
[款額 관액] 작정한 액수.
[款語 관어] 관화(款話).
[款言 관언] 터무니없는 말. 거짓말. 허언(虛言).
[款然 관연] 성의를 가지고 다정하게 사귀는 모양.
[款晤 관오] 만나 터놓고 다정하게 이야기함.
[款要 관요] 정성. 성의. 진정(眞情).
[款引 관인] 관복(款伏).
[款識 관지] 금석(金石)에 새긴 글자. 양각(陽刻)한 글자를 지(識)라 함.
[款項 관항] ㉠대별(大別)과 중별(中別). ㉡경비. 비용.
[款項目 관항목] 대별(大別)과 중별(中別)과 세별(細別).
[款浹 관협] 다정함. 친밀함.
[款話 관화] 터놓고 이야기함. 다정하게 이야기함.
[款懷 관회] 진심(眞心). 성의.
[款洽 관흡] 우정이 두터움. 극친함.
◉懇款. 悃款. 交款. 舊款. 落款. 納款. 丹款. 誠款. 約款. 愚款. 愿款. 游款. 陰款. 篆款. 定款. 條款. 陳款. 借款. 淸款. 忠款. 衷款. 通款.

8 ⑫ [欿]
一 유 ㊤有 於糾切 yǒu
二 구 ㊤有 巨九切
三 우 ㊤有 於口切 ǒu
四 표 ㊤篠 平表切
五 교 ㊤篠 巨夭切

字解 一 코찡그릴 유 '一, 蹴鼻也'《說文》. 二 코찡그릴 구 一과 뜻이 같음. 三 토할 우 '一, 歐吐'《廣韻》. 四 토할 표 三과 뜻이 같음. 五 토할 교 三과 뜻이 같음.

字源 形聲. 欠+咎〔音〕

8 ⑫ [歽] 자 ㊁寘 資四切 zì

字解 ①깨어날 자 까무러쳤다가 소생함. '戰見血曰傷. 亂或爲惛, 死而復生爲一'《說文》. ②앓을 자 병을 앓음. '一, 病也'《廣雅》.

字源 篆文 形聲. 死+次〔音〕

8
⑫ **[欿]** 감 ㊤感 胡感切 kǎn

[字解] ①서운할 감 만족하지 않는 모양. '自視一然'《孟子》. ②구멍 감 坎(土部 四畫)과 同字. '一陷'. '一用牲'《左傳》. ③근심할 감 시름에 젖음. '一愁悴而委惰'《楚辭》. ④구할 감 구(求)하여 찾음. '一, 欲得也'《說文》.

[字源] 篆文 形聲. 欠+臽〔音〕. '臽함'은 '움푹 패다, 빠지다'의 뜻. 우울해서 무엇인가를 한탄하며 구하다의 뜻을 나타냄.

[欿憾 감감] 일이 뜻대로 되지 않아 원한을 품음.
[欿然 감연] 서운한 모양. 뜻에 차지 않는 모양.
[欿陷 감함] 함정(陷穽).

8
⑫ **[歇]** 〔헐〕
歇(欠部 九畫〈p.1132〉)의 俗字

9
⑬ **[歃]** 삽 [入]洽 山洽切 shà

[字解] ①마실 삽 훅 들이마심. '一血'은 맹세할 때 희생(犧牲)의 피를 들이마시는 일. 일설(一說)에는, 그 피를 입가에 바르는 일. '王當一血而定從'《史記》. ②끼워넣을 삽 꽂음. 插(手部 九畫)과 통용.

[字源] 篆文 形聲. 欠+臿〔音〕. '臿삽'은 '吸흡'과 통하여, '들이마시다'의 뜻. 사람이 입을 벌리고 홀짝 들이마심의 뜻을 나타냄.

[歃盟 삽맹] 피를 마시어 맹약(盟約)을 맺음. 맹삽(盟歃).
[歃血 삽혈] 자해(字解) ❶을 보라.
◉盟歃.

9
⑬ **[歁]** [一] 함 [平]覃 呼含切 xiān
[二] 감 [去]陷 許鑒切 xiàn

[字解] [一] 방그레웃을 함 欣(欠部 四畫)과 同字. [二] 부르짖을 감 '一, 叫也'《集韻》.

9
⑬ **[歊]** [一] 교 [去]嘯 古弔切 jiào
[二] 격 [入]錫 古歷切

[字解] [一] ①초가조(楚歌調) 교 격하고 애절하게 부르는 노래 방식. ②악기이름 교 호루라기의 종류. '一, 今樂器燻箎之屬有一子. 俗稱叫柴'《正字通》. [二] 삼갈 격 '一, 敬也'《廣韻》.

[字源] 形聲. 欠+噭〈省〉〔音〕

9
⑬ **[歆]** [人名] 흠 [平]侵 許金切 xīn

[字解] ①흠향할 흠 신(神)이 제사 음식의 기(氣)를 마심. '一享'. '上帝居一'《詩經》. ②받을 흠 남이 대접하는 것을 기꺼이 받음. '民一而德之'《國語》. ③부러워할 흠 선망(羨望)함. '無然一羨'《詩經》. ④움직일 흠 마음이 동함. '履帝武敏一'《詩經》.

[字源] 篆文 形聲. 欠+音〔音〕. '音음'은 악기(樂器)에서 나는 소리의 뜻. 신(神)이 제사 때의 음악을 기쁘게 받아들임의 뜻을 나타냄.

[歆嘗 흠상] 신명(神明)에게 제수를 차려 제사 지냄.
[歆羨 흠선] 부러워함.
[歆豔 흠염] 부러워함.
[歆饗 흠향] 신명(神明)이 제사 음식의 기(氣)를 마심.

9
⑬ **[歅]** [一] 인 [平]眞 於眞切 yīn
[二] 연 [平]先 因蓮切 yān

[字解] [一] ①의심할 인 '無所一者'《莊子》. ②사람이름 인 진(秦)나라 목공(穆公) 때 말〔馬〕의 감정가의 이름. '一, 人名, 秦穆公時, 有九方一'《集韻》. [二] ①의심할 연. ②사람이름 연.

9
⑬ **[歍]** 언 [去]願 於建切 yàn

[字解] 크게소리쳐부를 언 '一, 大呼用力'《廣韻》.

9
⑬ **[歇]** [人名] [一] 헐 [入]月 許竭切 xiē
[二] 갈 [入]曷 許葛切 xiè

[字解] [一] ①쉴 헐 ㉠그침. '憂未一也'《左傳》. ㉡휴식함. '一息'. ②다할 헐 다 없어짐. '谷無以盈, 將恐一'《老子》. [二] 개 갈 猲(犬部 九畫)과 통용. '載獫一驕'《詩經》.

[字源] 篆文 形聲. 欠+曷〔音〕. '曷갈'은 '割할'과 통하여, '절단(切斷)하다'의 뜻. 일을 중단하고 쉬다의 뜻.

[歇驕 갈교] 주둥이가 짧은 개.
[歇家 헐가] 주막. 여관(旅館).
[歇價 헐가] 《韓》 싼값. 헐한 값.
[歇脚 헐각] 잠시 다리를 쉼.
[歇看 헐간] 정신(精神)이 없거나 탐탁스럽지 않을 때 물건이나 일을 소홀히 보아 넘김.
[歇泊 헐박] 묵음. 숙박함.
[歇宿 헐숙] 헐박(歇泊).
[歇息 헐식] 휴식함. 쉼.
[歇杖 헐장] 장형(杖刑)을 형식으로만 행하는 일.
[歇坐 헐좌] 휴식하는 일.
[歇治 헐치] ㉠병(病)을 가볍게 보고 치료(治療)를 소홀히 함. ㉡죄를 가볍게 다스림. 가볍게 벌(罰)함.
[歇後 헐후] 어떤 성어(成語)의 끝을 생략하고 그 윗부분만으로 전부의 뜻을 갖게 하는 일종의 은어(隱語). 예컨대 서경(書經)의 '우우형제(友于兄弟)'라는 말의 뜻을 '우우(友于)'만으로 나타내는 따위.
[歇欻 헐훌] 깊숙하고 조용한 모양.
◉間歇. 憩歇. 露歇. 耗歇. 消歇. 衰歇. 零歇. 凋歇. 休歇.

9
⑬ **[歂]** 천 ①②[平]先 市緣切 chuán
③㊤銑 市兗切 chuǎn

[字解] ①들이마실 천 숨을 들이마심. '一, 口氣引也'《說文》. ②성(姓) 천 '一, 亦姓'《集韻》. ③헐떡거릴 천 喘(口部 九畫)과 同字. '喘, 說文, 疾息也. 或从欠'《集韻》.

[字源] 篆文 形聲. 欠+耑〔音〕

9
⑬ **[歖]** [一] 희 [平]支 虛其切 xī
[二] 이 ㊤紙 於几切 yǐ
[三] 후 [去]宥 許候切 hòu

[字解] [一] 갑자기기뻐할 희 '一, 卒喜也'《說文》. [二] 나귀울 이 '一, 一欸, 驢鳴'《廣韻》. [三] 나쁘고거칠 후 '一, 數一, 凶麤也'《集韻》.

9 ⑬ **[歈]** 유 [平]虞 羊朱切 yú

[字解] ①노래 유 오(吳)나라에서 부르는 노래. '吳—越吟'《庾信》. 또, 널리 노래의 뜻으로도 쓰임. '吳—蔡謳, 奏大呂 (註)—·謳, 皆歌也'《楚辭》. ②기뻐할 유 愉(心部 九畫)와 통용. '陳醴發悴顔, 色—暢眞心'《劉伶》.

[字源] 篆文 形聲. 欠+兪〔音〕. '欠흠'은 기(氣)를 방출(放出)하다, '兪유'는 속을 동그랗게 에어 내다의 뜻. 성기(聲氣)를 토해 내며 노래하는 일.

9 ⑬ **[歁]** 감 ①[上]感 苦感切 kǎn ②[平]覃 枯含切 kè

[字解] ①나쁠 감 먹고도 배가 덜 차서 감질이 남. '—, 食不滿也'《說文》. ②성에차지않을 감, 서운할 감 마음에 흡족하지 않음. '—, 意不滿也'《集韻》.

[字源] 篆文 形聲. 欠+甚〔音〕. '欠흠'은 '모자람'의 뜻. '甚심'은 '깊다'의 뜻. 먹고도 성에 차지 않는 일.

9 ⑬ **[歌]** 〔가〕 歌(欠部 十畫〈p. 1133〉)의 俗字

9 ⑬ **[款]** 〔관〕 款(欠部 八畫〈p. 1131〉)과 同字

[飮] 〔음〕 食部 四畫(p. 2570)을 보라.

10 ⑭ **[歉]** [一] 겸 [上]琰 苦簟切 qiàn [二] 감 [去]陷 口陷切 qiàn

[字解] [一] ①흉년들 겸 흉년이 들어 곡식이 모자람. '—饉'. '久歲不登, 公私—敝'《宋書》. ②성에차지않을 겸 ㉠만족하게 여기지 아니함. 적음. 모자람. '—然'. '—, 少也'《廣雅》. '仁生於—義生於豐'《文中子》. ㉡먹은 것이 성에 차지 않음. '—, 食不飽'《廣韻》. [二] 탐할 감 탐냄.

[字源] 篆文 形聲. 欠+兼〔音〕. '欠흠'은 '결(缺)하다, 부족하다'의 뜻. '兼겸'은 마음이 두 군데에 걸쳐서, 어느 한쪽만으로는 성에 차지 않다의 뜻. 마음에 차지 않다의 뜻을 나타냄.

[歉饉 겸근] 곡물(穀物)이 잘 여물지 않아 부족함. 기근(饑饉).
[歉年 겸년] 흉년(凶年).
[歉歲 겸세] 흉년(凶年).
[歉然 겸연] 뜻에 차지 아니한 모양. 만족하게 여기지 않는 모양.
[歉敝 겸폐] 흉년(凶年)이 들어 백성이 고생함.
◉饑歉.

10 ⑭ **[歋]** 협 [入]葉 虛業切 xié

[字解] 호흡맞출 협, 숨들이마실 협 '—, 翕气也'《說文》.

[字源] 篆文 形聲. 欠+脅〔音〕. '脅협'은 '翕흡'과 통하여, '합치다'의 뜻.

10 ⑭ **[歊]** [人名] 효 [平]蕭 許嬌切 xiāo

[字解] ①김오를 효 수증기·열기 따위가 오르는 모양. '吐金景兮—浮雲'《班固》. ②더운김 효 열기(熱氣). '涬溶雲而散—烝'《漢書》.

[字源] 篆文 形聲. 欠+高〔音〕. '高고'는 '높다'의 뜻. 입김이 높이 위로 오름.

◉煩歊. 炎歊. 瘴歊. 熇歊.

10 ⑭ **[歋]** 치 [平]支 充之切 chī

[字解] 비웃을 치 嗤(口部 十畫)와 同字. '或受—於拙目'《陸機》.

10 ⑭ **[歌]** [中·人] 가 [平]歌 古俄切 gē

[筆順] 一 ㄧ 可 可 哥 哥 哥' 歌

[字解] ①노래 가 ㉠곡조를 붙여 부르는 소리. 협의(狹義)로는, 음악이 따르는 것을 '—', 음악이 없는 것을 '謠'라 함. '詩—'. '—謠'. '詩言志, —永言'《書經》. ㉡한시(漢詩)의 한 체(體). 악부(樂府)에 연원(淵源)하며, 고시(古詩)에 속함. '放情曰—'《白石道人詩說》. ②노래할 가 ㉠노래를 부름. '誦明月之詩, —窈窕之章'《蘇軾》. ㉡음악에 맞추어 노래를 부름. '我—且謠'《詩經》. ㉢새가 지저귐. '鳥—花舞太守醉'《歐陽修》. ③노래지을 가 노래를 지음. '論—文武之德'《漢書》. ④성 가 성(姓)의 하나.

[字源] 金文 篆文 別體 形聲. 欠+哥〔音〕. '欠흠'은 사람이 입을 벌리는 모양을 본뜸. '哥가'는 可+可. '可가'는 큰 목소리를 냄의 뜻. 사람이 입을 벌리고 큰 소리로 노래 부르다의 뜻을 나타냄. 또, 哥는 歌의 原字.

[歌客 가객] 노래를 잘 부르는 사람.
[歌曲 가곡] 노래의 가락. 성악(聲樂)의 곡보(曲譜).
[歌工 가공] 노래를 부르는 사람.
[歌嘔 가구] 노래를 부름. 또는 노래.
[歌謳 가구] 가구(歌嘔).
[歌劇 가극] 음악(音樂)과 가무(歌舞)를 섞어서 하는 연극(演劇).
[歌妓 가기] 노래를 잘 부르는 기생.
[歌壇 가단] 가인(歌人)들의 사회.
[歌童 가동] 노래 부르는 아이.
[歌樓 가루] 기생집. 기루(妓樓).
[歌舞 가무] ㉠노래와 춤. ㉡노래하고 춤춤.
[歌舞伎 가무기] 가무(歌舞)를 업으로 하는 예인(藝人).
[歌舞地 가무지] 가무(歌舞)를 하며 흥성하게 놀아 영화(榮華)를 극(極)한 곳.
[歌榜 가방] 뱃노래를 부르면서 젓는 노. 또 뱃노래를 부르면서 노를 저음.
[歌抃 가변] 손뼉을 치며 노래함.
[歌詞 가사] ㉠노래의 내용이 되는 글. ㉡조선 때 시가의 한 형식. 4·4조(調)를 바탕으로 한 일종의 장편 산문시(散文詩).
[歌辭 가사] 가사(歌詞)㉡.
[歌嘯 가소] 소리를 길게 빼어 노래 부름.
[歌頌 가송] 공덕(功德)을 찬송하는 노래. 송가(頌歌).
[歌手 가수] 노래 부르는 것을 업(業)으로 삼는 「사람.

[歌詩 가시] 노래와 시. 시가(詩歌).
[歌様 가양] 노래를 부르는 법.
[歌謠 가요] 노래. 또, 노래를 부름.
[歌媛 가원] 가기(歌妓).
[歌人 가인] 노래를 부르는 사람.
[歌倡 가창] 노래를 부름.
[歌唱 가창] 노래를 부름. 또, 노래.
[歌吹海 가취해] 노래를 부르고 피리를 불며 흥성하게 노는 곳. 유흥(遊興)하는 곳.
[歌板 가판] 노래의 박자를 맞출 때 쓰는 널판.
[歌唄 가패] 《佛教》 부처의 덕(德)을 찬미하는 노래를 부름.
[歌篇 가편] 노래의 내용이 되는 말. 노래.
[歌行 가행] 한시(漢詩)의 한 체(體). 악부(樂府)·고시(古詩)와 같이 가(歌)와 행(行)을 겸한 것.
[歌呼 가호] 큰 소리로 노래를 부름. 방가(放歌).
[歌喉 가후] 노래 부르는 소리.
[歌戲 가희] 노래를 부르며 희롱함.
◉酣歌. 凱歌. 愷歌. 擊壤歌. 古歌. 孤歌. 高歌. 狂歌. 郊歌. 校歌. 嬌歌. 謳歌. 國歌. 軍歌. 菱歌. 短歌. 踏歌. 對歌. 悼歌. 棹歌. 道歌. 櫂歌. 童歌. 登歌. 挽歌. 輓歌. 蠻歌. 名歌. 牧歌. 民歌. 放歌. 榜歌. 悲歌. 四面楚歌. 山歌. 聖歌. 嘯歌. 俗歌. 頌歌. 詩歌. 樂歌. 秧歌. 哀歌. 壤歌. 漁歌. 宴歌. 艷歌. 詠歌. 謠歌. 吟歌. 俚歌. 離歌. 作歌. 長歌. 田歌. 情歌. 朝歌. 縱歌. 奏歌. 唱歌. 淸歌. 樵歌. 醉歌. 稱歌. 巷歌. 行歌. 鄕歌. 弦歌. 浩歌. 豪歌.

10 ⑭ [歃] 합 [入]合 呼合切 hē

[字解] ①기침할 합. ②훅들이마실 합 크게 들이마심.

10 ⑭ [歍] [一] 오 [平]虞 哀都切 wū
[二] 앵 [平]陽 yāng

[字解] [一] ①한숨쉴 오 탄식함. '一欽'. ②헛구역날 오 '心有所惡若吐也'《說文》. [二] 울 앵 흐느껴 욺. '增欷一唈'《淮南子》.
[字源] 篆文 形聲. 欠+烏〔音〕. '烏오'는 의성어(擬聲語). '欠흠'은 입을 벌림의 뜻. 울컥거려 토하다의 뜻을 나타냄.

[歍唈 앵읍] 흐느껴 욺.
[歍欽 오흠] 탄식하는 소리.

10 ⑭ [歎] [一] 수 [去]眞 思萃切 shì
[二] 관 [上]旱 苦管切 kuǎn

[字解] [一] 물을 수 '一, 問也'《玉篇》. [二] 款(欠部 八畫)의 本字.

10 ⑭ [歋] 이 [平]支 弋支切 yè

[字解] 서로웃을 이 손을 들어 서로 희학질하며 웃음. '人相笑相一瘉'《集韻》.
[字源] 篆文 形聲. 欠+虒〔音〕. 유쾌하게 떠들면서 희학질하며 웃다의 뜻을 나타냄.

11 ⑮ [歎] [高人] 탄 [去]翰 他旦切 tàn
[平]寒 他干切

[筆順] 一 艹 廿 甘 苷 堇 歎 歎

[字解] ①한숨쉴 탄 탄식함. '一傷'. '當食不一'《禮記》. ②칭찬할 탄 찬탄함. '一賞'. '孔子屢一之'《禮記》. ③화답할 탄 남의 시가(詩歌)에 응하여 대답함. '壹倡而三一'《禮記》. ④한숨 탄 탄식. '聞之者含一'《宋書》. ⑤신음할 탄 '戚斯一'《禮記》. ⑥성 탄 성(姓)의 하나.
[字源] 篆文 籒文 形聲. 欠+鷬〈省〉〔音〕. 籒文도 形聲. 欠+鷬〔音〕. '鷬난'은 '難난'과 통하여, '어렵다'의 뜻. 곤란한 일을 당하여 소리를 지르다, 한탄하다의 뜻을 나타냄.
[參考] 嘆(口部 十一畫)과 同字.

[歎嘉 탄가] 감탄하며 가상히 여김.
[歎感 탄감] 감탄함.
[歎慨 탄개] 탄식하며 분개함. 개탄(慨歎).
[歎哭 탄곡] 탄식하며 욺.
[歎悼 탄도] 탄식하며 애도(哀悼)함.
[歎美 탄미] 탄상(歎賞).
[歎伏 탄복] 탄복(歎服).
[歎服 탄복] 감탄(感歎)하여 심복함.
[歎憤 탄분] 탄식하며 분개함. 탄개(歎慨).
[歎辭 탄사] 감탄하여 하는 말.
[歎傷 탄상] 탄식하며 서러워함.
[歎賞 탄상] 감탄(感歎)하여 칭찬함.
[歎惜 탄석] 탄식하며 애석히 여김.
[歎羨 탄선] 감탄하며 부러워함.
[歎聲 탄성] ㉠탄식하는 소리. ㉡감탄하는 소리.
[歎息 탄식] ㉠한숨을 쉬며 한탄함. ㉡감탄함.
[歎譽 탄예] 감탄하여 칭찬함.
[歎惋 탄완] 한탄함.
[歎願 탄원] 사정을 말하여 도와주기를 몹시 바람.
[歎異 탄이] 출중한 것을 감탄함. 뛰어나게 다른 것을 감탄함.
[歎嗟 탄차] 한탄함. 차탄(嗟歎).
[歎稱 탄칭] 탄상(歎賞).
[歎咤 탄타] 탄식하며 서러워함.
[歎恨 탄한] 한탄함.
[歎嘻 탄희] 탄식하며 슬퍼함.
[歎噫 탄희] 탄식함.
◉感歎. 慨歎. 噱歎. 敬歎. 驚歎. 悼歎. 亡羊之歎. 望洋之歎. 麥秀歎. 慕歎. 憤歎. 悲歎. 髀肉之歎. 傷歎. 賞歎. 黍離之歎. 嘯歎. 愁歎. 哀歎. 永歎. 詠歎. 寤歎. 懊歎. 惋歎. 憂歎. 一倡三歎. 咨歎. 長歎. 嗟歎. 讚歎. 慙歎. 稱歎. 痛歎. 風樹之歎. 恨歎. 浩歎.

11 ⑮ [歑] 호 [平]虞 荒烏切 hū

[字解] ①숨내쉴 호 '出曰一, 入曰哈'《說文》. ②불어따사롭게할 호 '一, 溫吹也'《說文》.
[字源] 篆文 形聲. 欠+虖〔音〕. '虖호'는 '짖다'의 뜻. 숨을 세게 내뿜어 따스하게 함.

11 ⑮ [歐] [人名] 구 ①②[上]有 烏后切 ǒu 欧
③-⑤[平]尤 烏侯切 ōu

[字解] ①토할 구 뱉음. '一吐'. '跪據樹一絲'《山海經》. ②칠 구 구타함. 毆(殳部 十一畫)와 同字. '一打'. '欲一之'《史記》. ③노래할 구 謳(言部 十一畫)와 통용. '百姓一歌'《三公山碑》. ④성 구 '一陽'은 복성(複姓). ⑤구라파 구 유럽

(Europe)의 약칭(略稱). '一亞'.
[字源] 篆文 形聲. 欠＋區〔音〕. '欠흠'은 사람이 입을 벌리고 있는 모양. '區구'는 '구별함'의 뜻. 유해(有害)한 것을 구별하여 '토하다'의 뜻을 나타냄.

[歐九 구구] 송(宋)나라의 구양수(歐陽修). 배항(輩行)이 아홉 번째이므로 이름.
[歐歐 구구] 새소리의 형용.
[歐刀 구도] 죄인의 목을 베는 칼.
[歐羅巴洲 구라파주] 육대주(六大洲)의 하나. 아시아 서북부에 접한 대륙과 그에 딸린 도서(島嶼). 유럽 주(洲).
[歐文 구문] 유럽 여러 나라의 말로 쓰여진 글. 또, 그 글자.
[歐美 구미] 유럽 주와 아메리카 주.
[歐泄 구설] 구토(嘔吐).
[歐亞 구아] 유럽 주와 아시아 주. 서양(西洋)과 동양(東洋).
[歐冶子 구야자] 춘추 시대(春秋時代)에 명검(名劍)을 만들기로 유명한 대장장이의 이름.
[歐陽修 구양수] 송(宋)나라의 학자. 자(字)는 영숙(永叔). 호(號)는 취옹(醉翁) 또는 육일거사(六一居士). 과거에 급제하여 경력(慶曆) 이후 한림원시독학사(翰林院侍讀學士)·추밀부사(樞密副使)·참지정사(參知政事) 등을 역임하였는데, 그동안 누차 군소배(羣小輩)의 참소를 입어 파출(罷黜)당하였으나 지기(志氣)가 자약(自若)하였음. 군서(羣書)에 널리 통하고 시문(詩文)으로 천하에 이름을 날려 당송 팔대가(唐宋八大家)의 한 사람으로 꼽힘. 저서에 〈신당서(新唐書)〉·〈신오대사(新五代史)〉 기타 시문집(詩文集) 등이 있음.
[歐陽詢 구양순] 당대(唐代)의 서예가(書藝家). 자(字)는 신본(信本). 수(隋)나라 때 태상박사(太常博士)를 지내고 당(唐)나라 때에 들어 태자솔경령(太子率更令)·홍문관학사(弘文館學士) 등을 역임하였음. 경사(經史)에 정통(精通)하고 모든 서체(書體)를 자유로이 썼는데 그중 특히 해서(楷書)에 뛰어났음. 그의 서풍(書風)은 왕희지(王羲之) 이래의 정통파의 흐름을 이어받고 그 위에 신시대의 정신을 북돋운 독특한 전형미(典型美)를 창작해 내었음. 또, 칙령을 받고 〈예문유취(藝文類聚)〉 1백 권을 편찬함.
[歐逆 구역] ㉠구토(嘔吐). ㉡욕지기. 구역(嘔逆).
[歐褚 구저] 구양순(歐陽詢)과 저수량(褚遂良). 모두 서예(書藝)의 대가.
[歐洲 구주] 구라파주(歐羅巴洲).
[歐打 구타] 침. 구타(毆打). 「泄).
[歐吐 구토] 배 속에 있는 음식을 게움. 구설(歐
[歐化 구화] 유럽의 여러 나라의 풍속·사상에 감화됨.
◉南歐. 東歐. 北歐. 西歐. 中歐.

11 ⑮ [歠] 최 [去]卦 楚快切 chuài
[字解] ①씹을 최 입으로 씹음. '一, 齧也'《廣韻》. ②산적한입에넣을 최 嘬(口部 十二畫)와 同字.

11 ⑮ [歒] 적 [入]錫 他歷切 tì
[字解] 선웃음칠 적 '一欬'은 어린아이가 기뻐서 웃는 모양. '一欬, 小人喜笑貌'《集韻》.
[字源] 形聲. 欠＋商〔音〕

11 ⑮ [歑] 강 [平]陽 苦岡切 kāng
[字解] ①속빌 강 주려서 배가 허함. '一, 飢虛也'《說文》. ②기근 강 흉년이 듦. '四穀不升曰一'《廣雅》.
[字源] 形聲. 欠＋康〔音〕

11 ⑮ [歙] 〔음〕
飮(食部 四畫〈p. 2570〉)의 本字

11 ⑮ [歓] 〔환〕
歡(欠部 十八畫〈p. 1136〉)의 俗字

12 ⑯ [歔] 허 [平]魚 朽居切 xū
[字解] ①흐느낄 허 훌쩍훌쩍 욺. '泣一欷而霑衿'《東方朔》. ②두려워할 허 공구하는 모양. '增一欷余鬱邑兮'《楚辭》. ③숨내쉴 허 콧김을 내쉼. '一, 一曰, 出气也'《說文》.
[字源] 篆文 形聲. 欠＋虛〔音〕. 흔히, '歔欷허희'로 사용되어, 흐느껴 우는 소리의 의성어.

[歔泣 허읍] 훌쩍거리며 욺.
[歔欷 허희] ㉠흑흑 느끼어 욺. ㉡두려워하는 모양.
◉歒歔. 欷歔.

12 ⑯ [歙] 흡 ①-③[入]緝 許及切 xī ④[入]葉 虛涉切 xié
[字解] ①들이쉴 흡 吸(口部 四畫)과 同字. ②거둘 흡 수렴(收斂)함. '將欲一之, 必固張之'《老子》. ③맞을 흡 일치함. 翕(羽部 六畫)과 同字. '郡中一然歸仁'《漢書》. ④줄어들 흡 수축(收縮)함. '張一其舌'《論衡》.
[字源] 篆文 形聲. 欠＋翕〔音〕. '翕흡'은 날개깃을 합침의 뜻. 코를 수축(收縮)시켜 숨을 들이쉬다의 뜻을 나타냄. 또, '慴습'과 통하여, 두려워 움츠림의 뜻도 나타냄.

[歙然 흡연] 일치 화합(一致和合)하는 모양. 흡연(翕然).
◉張歙. 歂歙.

12 ⑯ [歟] 흑 [入]職 迄得切 hēi
[字解] ①기침 흑 '一, 咳也'《集韻》. ②침뱉는소리 흑 '一, 一曰, 唾聲'《集韻》.

12 ⑯ [歕] 분 [平]元 普魂切 pēn
[字解] ①불 분 입김을 내어 보냄. 재채기함. '一, 吹气也'《說文》. '歕野一山'《班固》. ②뱉을 분 토함. '一飯'. '一, 口含物一散也'《玉篇》.
[字源] 篆文 形聲. 欠＋賁〔音〕. '賁분'은 '내뿜다〔噴〕'의 뜻. 입김을 내뿜는 일.

[歕飯 분반] 먹던 밥을 뱉음.

12 ⑯ [歘] 〔훌〕
欻(欠部 八畫〈p. 1130〉)의 本字

12 ⑯ [歓] 〔환〕
歡(欠部 十八畫〈p. 1136〉)의 俗字

[歗] 〔소〕
欠部 十三畫(p. 1136)을 보라.

13 ⑰ [歛] 감 [去]勘 呼濫切 hàn

[字解] ①줄 감 수여함. '一, 與也'《廣雅》. ②바랄 감 원함. '一, 欲也'《廣雅》.
[字源] 形聲. 欠+僉〔音〕
[參考] 斂(攴部 十三畫)은 別字.

13 ⑰ [歞] [一] 격 [入]錫 馨激切 xì
[二] 혜 [去]霽 槩計切
[三] 체 [去]霽 他計切

[字解] [一] ①침뱉는소리 격 '一, 且唾聲'《說文》. ②방그레웃을 격 '一, 一曰, 小笑'《說文》. [二] 침뱉는소리 혜, 방그레웃을 혜 [一]과 뜻이 같음. [三] 침뱉는소리 체, 방그레웃을 체 [一]과 뜻이 같음.
[字源] 形聲. 欠+敫〔音〕

13 ⑰ [歝] 〔역·두〕
斁(攴部 十三畫〈p. 941〉)의 古字

13 ⑰ [歜] [一] 잠 [上]感 徂感切 zàn
[二] 촉 [入]沃 尺玉切 chù

[字解] [一] 김치 잠 침채(沈菜). '饗有昌一'《左傳》. [二] ①노할 촉 대로(大怒)함. 또, 노기(怒氣). '一, 盛气怒也'《說文》. ②사람이름 촉 인명(人名). '甘一'·'丙一'은 춘추 시대(春秋時代)의 사람.
[字源] 篆文 形聲. 欠+蜀〔音〕

13 ⑰ [歔] 희 [平]支 虛宜切 xī

[字解] 서로웃을 희 '一, 相笑也'《集韻》.

13 ⑰ [歗] 소 [去]嘯 蘇弔切 xiào

[字解] 휘파람불 소 嘯(口部 十三畫)와 同字. '條其一矣'《詩經》.
[字源] 篆文 形聲. 欠+肅〔音〕

14 ⑱ [歟] [人名] 여 [平]魚 以諸切 yú 欤

[字解] 그런가 여 ㉠의문사(疑問辭). '子非三閭大夫一'《史記》. ㉡추측사(推測辭). '其達者一'《史記》. ㉢부정사(不定辭). '秦一漢一, 將近代一'《李華》.
[字源] 篆文 形聲. 欠+與〔音〕. '欠흠'은 숨을 내쉬다의 뜻. '與여'는 '누긋함'의 뜻. 기식(氣息)이 누긋하고 편안한 일.

◉也歟. 猗歟.

15 ⑲ [歠] 철 [入]屑 昌悅切 chuò

[字解] ①들이마실 철 마셔 넘김. '毋一醢'《禮記》. 또, 마시는 음식. '進熱一'《戰國策》. ②마시게할 철 '不一役只'《楚辭》.
[字源] 篆文 別體 形聲. 㱃〈省〉+叕〔音〕. '㱃음'은 '마시다'의 뜻. '叕철'은 철하다, 글을 짓다의 뜻. 숨을 쉬면서 천천히 마시다, 홀짝홀짝 마시다의 뜻을 나타냄.

[歠粥 철죽] 죽을 마심. 죽을 먹음.
◉大歠. 飱歠. 流歠. 飮歠. 餔歠.

15 ⑲ [𣤻] 우 [平]尤 於求切 yōu

[字解] 개탄할 우 분개하여 탄식함. '終日號而不一'《老子》.

18 ㉒ [歡] [中人] 환 [平]寒 呼官切 huān 欢

[筆順] 艹 芇 茾 萑 雚 歡

[字解] ①기뻐할 환 즐거워함. '一迎'. '欣喜一愛, 樂之官也'《禮記》. ②기쁘게할 환 '一感閭里'《湘山野錄》. ③기쁨 환 희열. 즐거움. '平生一'. '啜菽飮水盡其一'《禮記》. ④정의(情誼) 환 친분. 교정(交情). '勞苦如平生一'《漢書》. ⑤사랑할 환 '聞一在揚州, 相送楚山頭'《古樂府》.
[字源] 篆文 形聲. 欠+雚〔音〕. '雚환'은 '喚환'과 통하여, '부르다'의 뜻. 사람이 서로 큰 소리로 부르는 모양에서, '기뻐하다'의 뜻을 나타냄.

[歡暇 환가] 즐거운 겨를.
[歡康 환강] 즐거워함. 기뻐함.
[歡客 환객] 반가운 손. 가객(佳客).
[歡敬 환경] 기뻐하고 공경함.
[歡媾 환구] 좋은 혼처(婚處). 좋은 배필(配匹).
[歡待 환대] 환영하여 대접함. 정성껏 후하게 대접함.
[歡樂 환락] 즐거워함. 또, 즐거움.
[歡樂極兮哀情多 환락극혜애정다] 환락이 극도에 이르면 비애(悲哀)가 많이 생김.
[歡慕 환모] 기뻐하며 사모함.
[歡伯 환백] 술〔酒〕의 별칭(別稱). 소수(掃愁). 소요공(逍遙公).
[歡抃 환변] 즐거운 나머지 손뼉을 침. 손뼉을 치며 기뻐함.
[歡服 환복] 기뻐하여 심복함.
[歡聲 환성] 기뻐하는 소리.
[歡笑 환소] 즐거워서 웃음.
[歡悚 환송] 즐거움과 두려움. 환락과 송구(悚懼).
[歡心 환심] 기뻐하는 마음. 즐거워하는 마음.
[歡呀 환아] 환호(歡乎).
[歡愛 환애] 기뻐하고 사랑함.
[歡躍 환약] 기뻐하여 뜀. 뛰며 기뻐함.
[歡語 환어] 환담(歡談)함.
[歡宴 환연] 즐거운 잔치.
[歡然 환연] 기뻐하는 모양. 즐거워하는 모양.
[歡悅 환열] 환희(歡喜).
[歡靨 환엽] 웃을 때 생기는 보조개.
[歡迎 환영] 기쁜 마음으로 맞음.
[歡榮 환영] 환희와 영화(榮華).

[歡娛 환오] 환락(歡樂).
[歡愉 환유] 즐거워함. 또, 즐거움.
[歡遊 환유] 즐겁게 놂.
[歡恩 환은] 화목하게 지내는 은혜.
[歡適 환적] 기뻐하여 만족히 여김.
[歡情 환정] 환심(歡心).
[歡戚 환척] 기쁨과 슬픔. 희비(喜悲).
[歡天喜地 환천희지] 대단히 기뻐함.
[歡楚 환초] 기쁨과 슬픔. 희비(喜悲).
[歡醉 환취] 술을 즐거이 마시고 취함.
[歡謔 환학] 재미있게 희학질함.
[歡諧 환해] 화목(和睦)함.
[歡駭 환해] 기뻐하며 놀람.
[歡愜 환협] 환적(歡適).
[歡呼 환호] 기뻐서 고함을 지름.
[歡會 환회] 즐거운 모임.
[歡洽 환흡] 즐거워하며 화합함.
[歡喜 환희] 대단히 기뻐함. 또, 큰 기쁨.
[歡喜天 환희천] 《佛教》 구천팔백의 귀왕(鬼王)을 거느리고 삼천 세계(三千世界)에서 놀며 삼보(三寶)를 가지고 중생을 이롭게 한다는 밀교(密教)의 신(神). 이 신(神)에 빌면 소원이 성취되고 특히 부부가 화합(和合)하며 아들을 낳는다고 함.
◉強歡. 結歡. 交歡. 極歡. 樂歡. 忭歡. 悲歡. 菽水歡. 至歡. 平生歡. 割歡. 合歡. 忻歡. 欣歡.

18 [歠] [一] 첩 ㊀葉 尺涉切 chè
㉒ [二] 업 ㊀葉 於業切 yé

[字解] [一] 기(氣)동(動)할 첩 기(氣)가 동(動)하는 모양. '一一, 氣動貌'《集韻》. [二] 취할 업 취(取)함. '一, 取也'《玉篇》.

19 [欒] [一] 란 ㊉寒 落官切 luán
㉓ [二] 권 ㊂霰 古倦切

[字解] [一] ①하품할 란 하품을 하는 모양. '一, 欠皃'《說文》. ②깨닫지못할 란 마음이 미혹(迷惑)되어 이치를 깨닫지 못하는 모양. '一, 心惑不悟皃'《集韻》. [二] 하품할 권, 깨닫지못할 권 [一]과 뜻이 같음.
[字源] 形聲. 欠+䜌〔音〕

止 (4획) 部
〔그칠지부〕

0 [止] [中人] 지 ㊤紙 諸市切 zhǐ
④

[筆順] 丨 ⺊ 止 止

[字解] ①발 지 趾(足部 四畫)와 同字. '一, 足也'《廣韻》. '北一'《儀禮》. ②거동 지 행동거지. 범절. '擧一'. '容一'. '人而無一'《詩經》. ③그칠 지 ㉠정지함. '一水'. '行一'. ㉡멈추게 됨. '中一'. '寇盜不爲衰一'《史記》. ㉢멎음. 없어짐. '一, 滅也'《廣雅》. '言論自此衰一'《世說新語補》. ④머무를 지 ㉠발을 멈춤. '過客一'《老子》. ㉡일정한 곳에 있음. '在一於至善'《大學》. ㉢유숙함. '一宿'. '汝來省吾, 一歲'《韓愈》. ⑤그만둘 지 ㉠중지함. 폐함. '廢一'. '未成一簣, 一, 吾一也'《論語》. ㉡나음. 치유됨. 없앰. '疾乃一'《呂氏春秋》. ㉢버림. '一念慮'《淮南子》. ⑥살 지 거주함. '居一'. '邦畿千里, 惟民所一'《詩經》. ⑦족할 지 만족함. 충분함. '知一不殆'《老子》. ⑧이를 지 옴. 도달함. '魯侯戾一'《詩經》. ⑨조용할 지 고요함. '口容一'《禮記》. ⑩막을 지 ㉠금함. '禁一'. '靖郭君不能一'《呂氏春秋》. ㉡막아 못 가게 함. '一子路宿'《論語》. ⑪사로잡을 지 생포함. '輅秦伯, 將一之'《左傳》. ⑫사로잡힐 지 생포당함. '是以皆一'《詩經》. ⑬겨우 지 오직. '一可以一宿'《莊子》. ⑭어조사 지 무의미의 조사(助辭). '百室盈一, 婦子寧一'《詩經》. ⑮성 지 성(姓)의 하나.
[字源] 甲骨文 篆文 象形. 멈춰 서는 발의 뜻. '止지'가 '멈추다'의 뜻으로 전용(專用)되자, 발의 뜻에는 '趾지'가 쓰이게 됨.
[參考] '止'를 의부(意符)로 하여, '걷다, 멈춰 서다' 등 발의 움직임이나 시간의 경과에 관한 문자를 이룸.

[止艮 지간] 머무름.
[止渴 지갈] 갈증(渴症)을 풂.
[止渴之計 지갈지계] 위(魏)나라 무제(武帝)가 목마른 군사들에게 전방(前方)에 매화나무 숲이 있으니 그곳까지 가면 갈증을 풀 수 있다고 호령하고 전진하게 한 고사(故事). 전(轉)하여, 임기응변(臨機應變)의 계책, 방편(方便)의 뜻으로 쓰임.
[止戈 지과] 전쟁을 그만둠.
[止觀 지관] 《佛教》 많은 망상(妄想)을 억제하고 만유(萬有)의 진리를 관조(觀照)하여 깨닫는 일.
[止頓 지돈] 군대가 한곳에 머무름.
[止戾 지려] 머무름. 또, 머무르게 함.
[止泊 지박] 머무름. 또, 머무르게 함.
[止謗 지방] 비방을 그치게 함.
[止水 지수] ㉠흐르지 않고 괴어 있는 물. ㉡조용하여 움직이지 않는 마음의 비유.
[止宿 지숙] 유숙함. 머무름.
[止息 지식] 머물러 쉼.
[止遏 지알] 막음.
[止於止處 지어지처] ㉠일정(一定)한 숙소(宿所)가 없이 어디든지 이르는 곳에서 머물러 잠. ㉡사리(事理)에 맞추어 그쳐야 옳을 자리에서 그침.
[止接 지접] 한때 삶.
[止駐 지주] 머무름.
[止痛 지통] 아픔이 그침.
◉呵止. 諫止. 擧止. 憩止. 敬止. 禁止. 動止. 棲止. 樹欲靜而風不止. 抑止. 容止. 底止. 沮止. 停止. 制止. 終止. 住止. 中止. 進止. 懲止. 遮止. 廢止. 行止. 休止.

0 [少] 달 ㊀曷 他達切 tà
③

[字解] 밟을 달 '一, 蹈也'《說文》.
[字源] 象形. '발'의 모양으로, '밟다'의 뜻을 나타냄.

1 [正] [中人] 정 ①-⑰㊂敬 之盛切 zhèng
⑤ ⑱-⑳㊉庚 諸盈切 zhēng

[筆順] 一 丅 下 正 正

止 歹 殳 毋 比 毛 氏 气

字解 ①바를 정 ㉠도리에 맞음. '邪'의 대. '廉—'. ㉡비뚤어지지 않고 곧음. 기울지 않음. '傾'의 대. '儀—而景—'《荀子》. '剛健中—'《易經》. ㉢틀리지 아니함. '譌'의 대. '眞—者少'《北史》. ㉣바름. 바른 일. 바른 도(道). '以順爲—者, 妾婦之道也'《孟子》. ㉤바른 이. 바른 사람. 군자(君子). '昔先—保衡'《書經》. ②바로잡을 정 ㉠바르게 함. 곧게 함. '各—性命'《易經》. ㉡개선(改善)함. '革—法度'《魏志》. ㉢정제(整齊)함. '—其衣冠'《論語》. ㉣죄를 다스림. 문초함. '賊殺其親, 則—之'《周禮》. ③정할 정 결정함. '—月要'《周禮》. ④질정할 정 모르는 것을 물어 바로 앎. '就有道而—'《論語》. ⑤순수할 정 섞임이 없음. '—白'. '—赤'. ⑥미리 작정할 정 예기(豫期)함. '必有事焉而勿—'《孟子》. ⑦바로 정 ㉠바르게. '—告天下'《漢書》. ㉡틀림없이. 확실히. '—唯弟子不能及也'《論語》. ⑧단지 정 다만. '—頗重聽何傷'《漢書》. ⑨네모 정 방형(方形). '不量鑿而—柄兮'《楚辭》. ⑩가운데 정 한가운데. '乃四方之中—也'《詩經 箋》. ⑪상도 정 떳떳한 도리. '奇—'. ⑫정 정 위계의 상하를 나타내는 말로, '從'의 대. '——品'. ⑬본 정 사물에 관하여 주가 되는 것. '副'의 대. '—本'. '立—妻'《愼子》. ⑭맏아들 정 적장자(嫡長子). '諸侯與—而不與賢'《穀梁傳》. ⑮장관 정 벼슬의 장관. '樂—'. ⑯정사 정 政(攴部 五畫)과 同字. '仲春班馬—'《禮記》. ⑰성 정 성(姓)의 하나. ⑱첫 정 세수(歲首). '—月'. ⑲과녁 정 과녁의 한가운데. '—鵠'. ⑳구실 정 征(彳部 五畫)과 통용. '司馬不—'《周禮》.

字源 甲骨文 金文 篆文 古文 古文 會意. 甲骨文은 口+止. '口국'은 국읍(國邑)의 象形으로, '나라, 마을'의 뜻. '止지'는 발을 본뜬 모양. 다른 나라로 곧장 진격(進擊)하다의 뜻으로, '征정'의 原字. '바르다, 바로잡다'의 뜻을 나타냄.

[正家 정가] 한 가정을 바르게 이끎.
[正價 정가] 정당(正當)한 값.
[正刻 정각] 작정(作定)한 바로 그 시각(時刻).
[正覺 정각]《佛教》진정한 깨달음.
[正諫 정간] 바른말로 간함.
[正格 정격] ㉠바른 격식(格式). 바른 규격. ㉡한시(漢詩)에서 최초의 구(句)의 둘째 글자가 측자(仄字)로 시작된 것. 편격(偏格)의 대(對).
[正見 정견]《佛教》팔정도(八正道)의 하나. 바른 깨달음. 사견(邪見)의 대.
[正徑 정경] 바른길. 정도(正道).
[正逕 정경] 정경(正徑).
[正卿 정경] ㉠상대부(上大夫) 중에서 선발되어 정치에 참여하는 사람. ㉡조선조 때 정이품(正二品) 이상의 벼슬아치. 아경(亞卿)의 대(對).
[正經 정경] ㉠바른 유학(儒學)의 서적. ㉡정도(正道).
[正系 정계] ㉠바른 계통(系統). ㉡바른 혈통(血統).
[正計 정계] 바른 계책(計策).
[正鵠 정곡] 과녁의 한가운데에 있는 점(點). 정(正)은 포제(布製), 곡(鵠)은 혁제(革製)의 과녁의 점임.

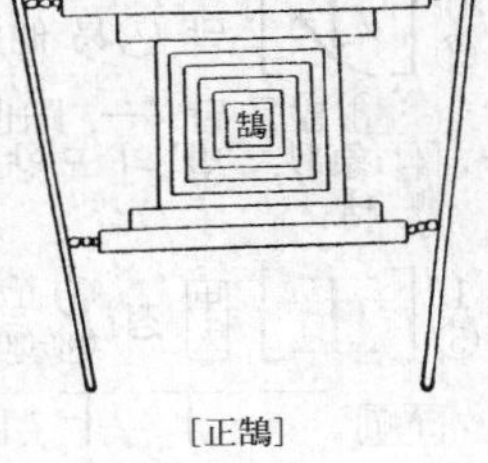

[正鵠]

[正攻 정공] 기계(奇計)를 쓰지 않고 정정당당히 공격함. 또 정면(正面)에서 공격함.
[正課 정과] 장정(壯丁)에 대하여 과(課)하는 부역(賦役). 반과(半課)의 대(對).
[正教 정교] 바른 가르침.
[正軌 정궤] 정도(正道).
[正規 정규] 바른 규칙. 정식의 규정.
[正襟 정금] 옷깃을 여미고 몸을 단정히 함.
[正忌 정기] 죽은 사람의 기일(忌日)과 같은 매년(每年)의 날. 상월 명일(祥月命日).
[正氣 정기] ㉠만물(萬物)의 근원이 되는 기(氣). 지공(至公)·지대(至大)·지정(至正)한 천지의 원기. ㉡바른 기상(氣象).
[正器 정기] ㉠바른 그릇. 규격에 맞는 그릇. ㉡법률(法律).
[正氣歌 정기가] 송(宋)나라 사람 문천상(文天祥)이 원(元)나라에 잡혀 옥중(獄中)에 있을 때 지은 오언 고시(五言古詩). 충군애국(忠君愛國)의 뜻을 읊음.
[正南 정남] 똑바로 남쪽.
[正念 정념] ㉠바른 생각. ㉡《佛教》바르고 어지럽지 아니한 생각.
[正旦 정단] 정월 초하룻날 아침. 설날 아침. 원단(元旦).
[正堂 정당] 몸채. 정방(正房).
[正當 정당] 옳고 당연함. 이치에 당연함.
[正大 정대] 바르고 큼. 정정당당함.
[正對 정대] 옳게 대답함. 또, 그 대답.
[正德 정덕] ㉠정의에 맞는 덕. ㉡자기의 덕을 바르게 함.
[正度 정도] ㉠바른 규칙. 정칙(正則). ㉡규칙을 바로잡음.
[正途 정도] 정도(正道).
[正道 정도] 바른 도(道). 사람이 행하여야 할 바른길.
[正東 정동] 똑바로 동쪽.
[正臘 정랍] 동지(冬至) 다음의 제삼(第三)의 술일(戌日)에 하는 제사. 납제(臘祭).
[正路 정로] 정도(正道).
[正論 정론] 바른 의론. 또, 의론을 바르게 함.
[正利 정리] 정당한 방법으로 얻은 이익.
[正理 정리] ㉠바른 이치. ㉡정당한 이유(理由).
[正立 정립] 똑바로 섬.
[正脈 정맥] 바른 계통. 정계(正系).
[正面 정면] 바로 마주 보이는 면.
[正名 정명] 이름을 바로잡음. 명목(名目)과 실제가 부합(符合)하게 함. 대의명분(大義名分)을 밝힘.
[正命 정명] 정당한 수명(壽命). 와석 종신(臥席終身)하거나 정의(正義)를 위하여 죽는 목숨을 이름.
[正文 정문] 본문(本文). 주석·단서(但書)·부기(附記) 등의 대(對).
[正門 정문] 정면에 있는 문.
[正味 정미] 참맛.
[正方 정방] ㉠정사각(正四角). ㉡방향을 바로잡음. ㉢바름. 방정(方正)함.
[正房 정방] 집의 몸채. 가장(家長)이 거처하는 곳.
[正犯 정범] 두 사람 이상이 공동하여 죄를 범하였을 때의 그들 중 주(主)되는 자. 종범(從犯)의 대(對).

[正法 정법] ㉠바른 법. 바른 법칙. ㉡《佛教》 바른 법문(法門). 바른 교의(教義). 사법(私法)의 대(對).
[正法時 정법시]《佛教》 바른 교법(教法)이 행하여 지는 시기. 곧, 석가의 입멸(入滅) 후 5백 년간의 일컬음.
[正兵 정병] 기책(奇策)을 쓰지 않고 정정당당히 싸우는 군대. 기병(奇兵)의 대(對).
[正服 정복] 정식의 예복(禮服).
[正本 정본] 원본(原本). 부본(副本)·등본(謄本) 등의 대(對).
[正夫 정부] 인부(人夫)의 두목.
[正否 정부] 바름과 바르지 못함. 옳고 그름. 정사(正邪). 시비(是非).
[正副 정부] ㉠주장과 버금. ㉡정본(正本)과 부본(副本).
[正妃 정비] 본처(本妻). 후세(後世)에는 군주(君主) 또는 황족의 정실(正室)의 일컬음.
[正士 정사] 바른 선비. 방정한 사람.
[正史 정사] ㉠기전체(紀傳體)의 역사. 사기(史記)·한서(漢書) 따위. ㉡정식의 역사. 적확한 역사. 잡사(雜史)·패사(稗史)의 대(對).
[正邪 정사] ㉠정도(正道)와 사도(邪道). 정직함과 간사함. 시비(是非). 선악(善惡). 곡직(曲直). ㉡간사한 마음을 바로잡음.
[正使 정사] 으뜸의 사신(使臣). 부사(副使)의 대(對).
[正辭 정사] ㉠말을 고침. ㉡바른말.
[正朔 정삭] ㉠정월과 초하루. 해의 처음과 달의 처음. 전(轉)하여, 달력. 역수(曆數). ㉡왕자(王者)가 새로 건국(建國)하면 반드시 달력을 고쳐 천하(天下)에 반포(頒布)하여 그 달력이 통치권이 행하여지는 영역에서 쓰이므로 신민(臣民)이 되는 것을 '奉——'이라 함.
[正常 정상] 바르고 떳떳함.
[正像末 정상말]《佛教》 정법시(正法時)와 상법시(像法時)와 말법시(末法時). 곧, 석가의 입멸(入滅) 후의 세 시대.
[正色 정색] ㉠안색(顏色)을 바로잡아 엄정하게 가짐. ㉡섞인 것이 없는 순수한 빛. 곧, 청(靑)·적(赤)·황(黃)·백(白)·흑(黑)의 오색(五色). ㉢원래의 빛. 변하지 아니한 원빛.
[正西 정서] 똑바로 서쪽.
[正書 정서] ㉠서체(書體)의 하나. 해서(楷書)와 같음. ㉡초 잡았던 글을 정식으로 베껴 씀.
[正聲 정성] 음률(音律)에 맞는 바른 소리.
[正歲 정세] 하력(夏曆). 곧, 하(夏)나라 달력의 정월. 사시(四時)의 정(正)을 얻었다는 뜻.
[正俗 정속] 도리(道理)에 맞는 바른 풍속.
[正續 정속] 서적·문장 등의 정편(正篇)과 속편(續篇).
[正始 정시] 올바르게 시작함. 또, 올바른 시작.
[正視 정시] 똑바로 봄.
[正式 정식] ㉠정당한 방법. ㉡바른 격식. 규정에 맞는 격식.
[正身 정신] 본인(本人)을 이름. 대신(代身)의 대(對).
[正室 정실] ㉠본처(本妻). 측실(側室)의 대(對). ㉡맏아들. 장자(長子).
[正心 정심] ㉠바른 마음. ㉡마음을 바르게 함.
[正心誠意 정심성의] ㉠마음을 바르게 하고 뜻을 정성스럽게 함. ㉡허식(虛飾)이 없는 진심.
[正雅 정아] 시경(詩經)의 소아(小雅)의 녹명(鹿鳴)부터 청청자아(菁菁者莪)까지의 22편을 정소아(正小雅), 대아(大雅)의 문왕(文王)부터 권아(券阿)까지의 18편을 정대아(正大雅)라 하며 이를 통틀어 정아(正雅)라 함. 정아는 왕도(王道)가 행하여져 정교(政教)가 올발랐을 때의 작(作)이라 하며 변아(變雅)에 대하여 이름.
[正衙 정아] 당(唐)나라의 선정전(宣政殿)의 일컬음.
[正樂 정악] 바른 음악. 속악(俗樂)이 아닌 음악.
[正顏 정안] 얼굴빛을 바로잡아 엄정하게 가짐. 정색(正色).
[正陽 정양] ㉠정오(正午). ㉡음력 정월(正月)의 별칭(別稱).
[正言 정언] 바른말. 또, 바른말을 함. 꺼리지 않고 직언(直言)함.
[正業 정업] 정당(正當)한 직업(職業).
[正營 정영] 두려워하여 안절부절못하는 모양.
[正午 정오] 한낮. 낮 열두 시. 오정(午正).
[正誤 정오] ㉠틀린 것을 고침. ㉡바름과 틀림. 바른 것과 틀린 것.
[正譌 정와] 정오(正誤).
[正容 정용] 용모를 바로잡음.
[正友 정우] 마음이 바른 벗.
[正員 정원] ㉠그 일에 중요한 사람. 또, 그 수. ㉡자격이 있는 회원. 객원(客員) 등의 대(對).
[正月 정월] 그 해의 첫 달. 곧, 1월(月).
[正位 정위] 바른 자리. 정당한 위치. 전(轉)하여, 예(禮)의 비유.
[正閏 정윤] ㉠평년(平年)과 윤년(閏年). ㉡바른 계통과 가외의 계통. 정통(正統)과 윤통(閏統).
[正音 정음] ㉠글자의 바른 음. ㉡《韓》 훈민정음.
[正意 정의] 바른 뜻. 바른 마음. 정심(正心).
[正義 정의] ㉠바른 도의. 사람으로서 지켜야 할 올바른 도리. 정도(正道). ㉡바른 뜻 또는 해석.
[正誼 정의] 정의(正義).
[正議 정의] 정론(正論).
[正人 정인] 바른 사람. 방정한 사람.
[正因 정인]《佛教》 사물(事物)의 본유(本有). 연인(緣因)의 대(對).
[正因緣 정인연]《佛教》 육근(六根)을 인(因)으로 하고 육진(六塵)을 연(緣)으로 하여 일체제법(一切諸法)을 생성(生成)하는 이치. 사인연(邪因緣)의 대(對).
[正日 정일]《佛教》 ㉠사후(死後)의 49일. ㉡매년의 기일(忌日).
[正字 정자] ㉠자획이 바른 글자. 속자(俗字)·와자(訛字)·약자(略字) 등의 대(對). ㉡서적의 문자를 교정하는 벼슬. ㉢조선조 때 홍문관(弘文館)·승문원(承文院)·교서관(校書館)의 정구품(正九品) 벼슬.
[正爵 정작] ㉠이긴 사람이 진 사람의 술잔의 술을 마시는 일. ㉡작위(爵位).
[正嫡 정적] ㉠본처(本妻). ㉡본처에서 난 맏아들.
[正殿 정전] 조회(朝會)·의식(儀式)을 행하는 궁전. 노침(路寢).
[正定 정정] 문서의 틀린 곳을 고침. 교정(校定).
[正正堂堂 정정당당] ㉠정정지기당당지진(正正之旗堂堂之陣)의 준말. ㉡태도가 훌륭한 모양. 정면에서 사내답게 일을 행하는 태도를 형용한 말.
[正正之旗堂堂之陣 정정지기당당지진] 가지런히 늘어선 군기(軍旗)와 사기(士氣)가 떨치는 군진(軍陣). 사기가 왕성하고 질서가 정연한 군

대를 형용하여 이름.
[正條 정조] 바른 줄.
[正宗 정종] 바른종통(宗統).
[正坐 정좌] 반듯이 앉음. 단정하게 앉음.
[正晝 정주] 한낮. 정오(正午).
[正中 정중] ㉠한가운데. ㉡정오(正午).
[正支 정지] ㉠법정상(法定上)의 지출. ㉡본가(本家)와 분가(分家).
[正直 정직] 마음이 바르고 곧음.
[正眞 정진] ㉠바르고 참됨. 거짓이 없음. ㉡《佛教》불타(佛陀)의 별칭.
[正察 정찰] 바르게 살핌.
[正妻 정처] 본처. 정실(正室).
[正體 정체] 본래의 형체. 정식의 체재(體裁).
[正初 정초] 정월 초승.
[正出 정출] 본처에서 남. 또, 그 자녀. 적출(嫡出).
[正徵 정치] 바른 치음(徵音).
[正則 정칙] 바른 규칙. 변칙(變則)의 대(對).
[正寢 정침] 정전(正殿).
[正統 정통] ㉠바른 계통. ㉡바른 혈통. 특히, 천자(天子)의 바른 혈통을 이름.
[正偏覺 정편각] 정편지(正偏知).
[正偏知 정편지] 《佛教》 부처의 십호(十號)의 하나. 부처는 정리(正理)를 구명(究明)하여 모르는 것이 없다는 뜻. 등정각(等正覺).
[正平 정평] 바르고 공평함.
[正評 정평] 공정한 비평.
[正幣 정폐] 일정(一定)한 폐백(幣帛).
[正風 정풍] 바른 국풍(國風)의 시(詩). 시경(詩經)의 주남(周南)·소남(召南) 등 25편의 일컬음. 변풍(變風)의 대(對).
[正學 정학] ㉠바른 학문. 곡학(曲學)의 대(對). ㉡명(明)나라 방효유(方孝孺)의 서재(書齋) 이름.
[正解 정해] 바른 해석.
[正行 정행] 《佛教》 극락(極樂)에 가기 위하여 마음을 닦는 깨끗한 행업(行業). 또, 그것을 닦는 사람.
[正號 정호] 바른 호(號). 바른 호칭.
[正確 정확] 바르고 확실함.
[正會 정회] 정월 초하루에 조정(朝廷)에 참하(參賀)하는 일.
◉幹正. 諫正. 剛正. 改正. 檢正. 更正. 梗正. 鯁正. 考正. 公正. 匡正. 校正. 矯正. 鞫正. 歸正. 糾正. 規正. 謹正. 奇正. 農正. 端正. 斷正. 讜正. 反正. 撥正. 方正. 不正. 巳正. 司正. 邪正. 查正. 修正. 讎正. 肅正. 純正. 順正. 是正. 雅正. 嚴正. 午正. 里正. 釐正. 子正. 嫡正. 貞正. 整正. 齊正. 朝正. 宗正. 酒正. 中正. 眞正. 淸正. 峭正. 忠正. 彈正. 判正. 平正. 賀正. 革正. 好正.

2 ⑥ [此] [中人] 차 ㊤紙 雌氏切 cǐ 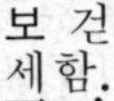

[筆順] 丨 卜 卝 止 止 此

[字解] ①이 차 ㉠가장 가까운 사물을 가리키는 말. 이것. '彼—'. '去彼取—'《老子》. ㉡가장 가까운 장소를 가리키는 말. 이곳. '與我會—'《史記》. ②이에 차 발어사(發語辭). 玆(玄部 五畫)와 뜻이 같음. '有德—有人, 有人—有土'《大學》.

[字源] 甲骨文  金文  篆文 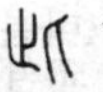 會意. 止+匕. '止지'는 '발'의 뜻. '匕비'는 조금 벌리다의 뜻. '跐지'의 原字로, 보폭(步幅)을 조금 벌리고 딛다의 뜻을 나타냈으나, 일찍부터 발밑이란 뜻에서인지, '이(것)·여기'의 뜻의 근칭(近稱) 지시 대명사로 쓰이고 있음.

[此君 차군] 대나무〔竹〕의 아칭(雅稱).
[此等 차등] 이들. 이것들.
[此生 차생] 이승.
[此時 차시] 이때. 지금.
[此岸 차안] 《佛教》 이 물가의 언덕. 깨닫지 못하고 고생하며 사는 상태를 이름. 피안(彼岸)의 대(對).
[此外 차외] 이 밖. 이외의.
[此一時彼一時 차일시피일시] 이전과 지금은 사정이 다름.
[此處 차처] 이곳. 여기.
[此豸 차치] 요염하게 아리따움. 자태(姿態)의 고운 모양.
[此學 차학] 성인(聖人)의 도(道)를 닦는 학문. 유학(儒學).
[此項 차항] 이 종류.
[此回 차회] 이번. 금번.
[此後 차후] 이다음.
◉去彼取此. 若此. 如此. 一至此. 止此. 彼此.

[企] 〔기〕 人部 四畫(p.104)을 보라.

3 ⑦ [帇] 〔회〕 會(曰部 九畫〈p.1011〉)의 古字

3 ⑦ [步] [中人] 보 [去]遇 薄故切 bù 

[筆順] 丨 卜 卝 止 𣥂 步 步

[字解] ①걸음 보 발걸음. '行—'. '失其故—, 匍匐而返'《後漢書》. ②걸을 보 ㉠보행함. '—行'. '王朝—自周'《書經》. ㉡천천히 걸음. '走者之速, —者之遲'《說苑》. ③걸릴 보 걸어가게 함. 끌고 감. '—路馬必中道'《禮記》. ④보병 보 걷는 군사. '—騎羅些'《楚辭》. ⑤처할 보 처세함. '高—當年'《晉書》. ⑥행위 보 행동. '易跡更—'《蜀志》. ⑦운수 보 운명. '天—'. '國—蔑資'《詩經》. ⑧천자의자리 보 제위(帝位). '改玉改—'《國語》. ⑨나루 보 나루터. '蓄船至泊—'《韓愈》. ⑩여섯자 보 지적(地積)의 단위. 곧, 사방 6척. '數以六爲紀, 六尺爲—'《史記》.

[字源] 甲骨文  甲骨文  金文  篆文  象形. 좌우의 발〔止〕의 象形으로, '걷다'의 뜻. 甲骨文에는 다시 '行행'을 더한 형태가 있는데, 길을 걷다의 뜻을 나타냄.

[步轎 보교] 뚜껑이 정자(亭子)의 지붕 모양으로 된 가마.
[步軍 보군] 보병(步兵).
[步屈蟲 보굴충] 자벌레.
[步騎 보기] 보병(步兵)과 기병(騎兵).
[步擔 보담] 짐을 지고 걸어감.
[步道 보도] 사람이 걸어 다니는 길.
[步廊 보랑] 걸어 다니는 복도(複道).
[步量 보량] 발걸음으로 측량함.

[步曆 보력] 천문(天文)을 측산(測算)하는 법.
[步輦 보련] 사람이 끄는 수레.
[步馬 보마] 말에게 걸음걸이를 가르침.
[步武 보무] ㉠얼마 안 되는 상거(相距). 보(步)는 6척, 또는 6자 4치, 무(武)는 그 절반. ㉡걸음걸이.
[步撥 보발] 조선조 때 급한 공문(公文)을 걸어서 전송(傳送)하던 사람. 서울과 동래(東萊) 사이 또 서울과 경성(鏡城) 사이에 두었었음.
[步法 보법] 걷는 법(法).
[步兵 보병] 도보로 전투하는 병정.
[步步 보보] 걸을 때마다. 일보 일보(一步一步).
[步步生蓮花 보보생연화] 걸음마다 연꽃이 핀다는 뜻으로, '미인(美人)의 걸음걸이'의 비유(比喩).
[步士 보사] 보졸(步卒).
[步石 보석] 디디고 다니려고 깔아 놓은 돌. 디딤「돌.
[步涉 보섭] 길을 걷고 물을 건넘.
[步搖 보요] 부녀자의 머리의 장식품. 걸어다닐 때 매달린 구슬이 흔들리므로 이름.
[步障 보장] 대나무를 세워서 친 장막(帳幕).
[步戰 보전] 보행하며 싸움.
[步調 보조] 걸음걸이의 속도. 걸음걸이.
[步卒 보졸] 보병(步兵).
[步走 보주] 도보(徒步)로 달림. 아무것도 타지 않고 달림.
[步檐 보첨] 걸어다니는 복도(複道). 보랑(步廊).
[步哨 보초] 보병(步兵)의 초병(哨兵). 경계·감시의 임무를 맡은 보병. 부대의 경계를 맡은 직책. 또, 그 병사.
[步趨 보추] ㉠발을 크게 떼어 걷는 걸음과 발을 가까이 떼어 걷는 걸음. ㉡큰 걸음과 종종걸음. ㉢걸음걸이.
[步驟 보취] ㉠보통으로 걸음과 달림. ㉡천천히 걸음과 빨리 걸음.
[步測 보측] 걸음 수로 거리를 잼.
[步行 보행] 걸어감.
[步環 보환] 보조(步調)를 맞추기 위하여 차는 구슬.
◉却步. 間步. 遽步. 健步. 蹇步. 頃步. 故步. 顧步. 驅步. 國步. 跬步. 金蓮步. 急行無善步. 徒步. 塗步. 獨步. 登步. 漫步. 武步. 百尺竿頭進一步. 俯步. 散步. 舒步. 仙步. 船步. 速步. 姸步. 蓮步. 五十步百步. 玉步. 緩步. 月步. 游步. 吟步. 一步. 日進月步. 地步. 進步. 疾步. 天步. 初步. 促步. 寸步. 推步. 趨步. 馳步. 坦步. 行步. 闊步. 橫步.

4 ⑧ [歩] 步(前條)의 訛字

[肯] 〔긍〕 肉部 四畫(p. 1838)을 보라.

4 ⑧ [岓] 〔근〕 近(辵部 四畫〈p. 2288〉)의 古字

4 ⑧ [歧] 기 ㊥支 巨支切 qí

字解 ①갈림길 기 두 갈래로 갈라진 길. '臨一矩步'《顏延之》. ②갈래 기 분기(分岐). '麥穗兩一'《後漢書》. ③갈릴 기 岐(山部 四畫)와 同字. '一, 音岐'《華嚴經音義》. ④육발이 기 발가락이 여섯 개임. 跂(足部 四畫)와 同字. '一, 說文, 足多指也'《集韻》.
字源 形聲. 止+支〔音〕. '止지'는 '발'의 뜻. '支지'는 가지가 갈라진 것의 뜻.

[歧歧 기기] 날아다니는 모양.
[歧路 기로] 갈림길. 기로(岐路).
[歧軒 기헌] 기백(歧伯)과 황제 헌원씨(黃帝軒轅氏). 모두 의가(醫家)의 비조(鼻祖)로서, 서로 문난(問難)하여 내경(內經)이란 의서(醫書)를 지었다 함.
[歧黃 기황] 기헌(歧軒).
◉多歧. 旁歧. 分歧. 地歧. 他歧. 橫歧.

4 ⑧ [武] 中人 무 ㊤麌 文甫切 wǔ

筆順 一 二 千 千 亍 正 武 武

字解 ①굳셀 무 강함. 무용(武勇)이 있음. 용감함. '一猛'. '孔一有力'《詩經》. ②군용(軍容) 무 병위(兵威). 위력(威力). '非敢耀一也'《左傳》. ③병법 무 전술. '乃命將帥, 講一習射御'《禮記》. ④병장기 무 병기·무기. '一庫'. ⑤무인 무 무사(武士). '爲天下顯一'《淮南子》. ⑥무사 무 군사(軍事)에 관계되는 일. '文'의 대. '文一'. '乃偃一修文'《書經》. ⑦무악이름 무 주무왕(周武王)이 지은 무악(舞樂). '武王作一'《漢書》. ⑧악기이름 무 금속의 악기. 곧, 종 같은 것. '始奏以文, 復亂以一'《禮記》. ⑨발자취 무 족적. '接一'《禮記》. ⑩자취 무 유업(遺業). '繩其祖一'《詩經》. ⑪이을 무 계승함. '下一惟周'《詩經》. ⑫반걸음 무 한 발짝의 거리. 곧, 석자. 삼 척(三尺). '步一尺寸之間'《國語》. ⑬성 무 성(姓)의 하나.
字源 甲骨文 金文 篆文 會意. 止+戈. '止지'는 발을 본뜬 모양으로 '가다'의 뜻. 창을 들고 전장에 싸우러 나가다의 뜻.

[武家 무가] 대대로 호반(虎班)의 벼슬을 하는 집안. 무관집.
[武幹 무간] 무예(武藝)의 재간.
[武強 무강] 굳세고 강함.
[武經 무경] 병법(兵法)에 관한 글, 또는 책.
[武經七書 무경칠서] 칠서(七書)❷과 같음.
[武庫 무고] ㉠무기를 넣어 두는 곳집. 군기고(軍器庫). ㉡박학다식(博學多識)한 사람의 비유.
[武功 무공] 전쟁에서 세운 공(功).
[武科 무과] 무예(武藝)와 병서(兵書)에 통(通)한 사람을 시취(試取)하는 과거(科擧).
[武官 무관] ㉠육·해·공군의 장교(將校). ㉡무과(武科) 출신(出身)의 벼슬아치.
[武具 무구] 무기(武器).
[武伎 무기] 무기(武技).
[武技 무기] 무술(武術). 무예(武藝).
[武氣 무기] 무인(武人)의 기상(氣象).
[武器 무기] 전쟁에 쓰이는 기구. 병기(兵器).
[武斷 무단] 무력(武力)으로 억압하여 다스림. 문치(文治)의 대(對).
[武斷政治 무단정치] 무력(武力)으로 억압하여 전단(專斷)하는 정치.
[武德 무덕] 무인(武人)의 권위(權威)와 덕망(德望).
[武道 무도] ㉠무인이 닦아야 할 도(道). ㉡무기(武器).

[武略 무략] 군사상의 책략(策略). 전략(戰略).
[武梁祠畫像 무량사화상] 무씨(武氏)의 묘전(墓前)의 석실(石室) 안의 벽에 그려 있는 옛날의 제왕·충신·효자·현부(賢婦)의 화상(畫像). 산둥 성(山東省) 자샹 현(嘉祥縣) 무택산(武宅山)에 있음.
[武力 무력] 군대의 힘. 군사상(軍事上)의 힘.
[武陵桃源 무릉도원] 이 세상(世上)과 따로 떨어진 별천지(別天地). 선경(仙境). 도잠(陶潛)이 지은 도화원기(桃花源記)에 진(晉)나라 태원연간(太原年間)에 무릉(武陵)에 사는 한 어부가 배를 타고 계류(溪流)를 거슬러 올라가 복숭아나무 숲이 있는 데를 지나서 굴을 발견하고 그 안에 들어가 보니 선경(仙境)이 있었다는 고사(故事)가 실려 있음.
[武猛 무맹] 날래고 사나움. 용맹함.
[武名 무명] 무인(武人)으로서의 명성.
[武廟 무묘] 중국 삼국(三國) 촉(蜀)의 관우(關羽)를 모신 묘(廟). 청(淸)나라 때, 경사(京師) 및 각성(各省)에 이를 세워, 춘추(春秋) 중월(中月) 길일(吉日) 및 5월 13일에 제사(祭祀)를 지내며, 문묘(文廟)와 함께 숭배함. 관제묘(關帝廟). 관악묘(關岳廟).
[武弁 무변] ㉠한대(漢代)에 무관(武官)이 쓰던 관(冠). ㉡무사(武士).

[武弁㉠]

[武步 무보] 얼마 안 되는 길이. 무(武)는 석 자, 보(步)는 여섯 자. 보무(步武).
[武夫 무부] ㉠무사(武士). ㉡옥(玉) 비슷한 돌. 무부(珷玞).
[武備 무비] 군비(軍備).
[武士 무사] 군사. 군인.
[武事 무사] 무인(武人)에 관계되는 일. 전쟁·무예에 관한 일. 문사(文事)의 대(對).
[武石 무석] 능(陵) 앞에 세우는 무관(武官)의 석상(石像). 무석인(武石人).
[武術 무술] 무예. 무기(武技).
[武臣 무신] 무관(武官)인 신하.
[武烈 무열] 무공(武功).
[武英殿 무영전] 북경(北京)에 있는 궁전. 청(淸)나라 때 이곳에서 십삼경(十三經)·이십이사(二十二史) 등을 교각(校刻)하였음.
[武英殿聚珍版書 무영전취진판서] 청(淸)나라 건륭연간(乾隆年間)에 영락대전(永樂大典) 중에서 진서(珍書)를 모아 무영전(武英殿)에서 취진판(聚珍版)으로 간행(刊行)한 것. 모두 139종(種).
[武藝 무예] 무기(武技).
[武藝十八事 무예십팔사] 열여덟 가지 무예. 시대에 따라 약간 다름. 십팔반무예(十八般武藝).
[武王 무왕] 주(周)나라 임금. 문왕(文王)의 아들. 아우 주공(周公) 단(旦)과 협력하여 은(殷)나라를 멸하고 태공망(太公望)을 사사(師事)하여 선정을 베풀었음.
[武勇 무용] 무예(武藝)에 뛰어나고 용감함. 또, 그 사람.
[武運 무운] ㉠무사(武事)·무인(武人)의 운수. ㉡전쟁의 승패의 운수.
[武威 무위] ㉠무력(武力)의 위세(威勢). ㉡군세고 위엄이 있음.
[武衛 무위] 튼튼한 호위(護衛).
[武夷九曲 무이구곡] 무이(武夷)는 푸젠 성(福建省)에 있는 산 이름. 산중(山中)에 구곡계(九曲溪)가 있고 풍경(風景)이 매우 좋음. 송(宋)나라 주희(朱熹)가 일찍이 구곡가(九曲歌)를 지었음.
[武人 무인] 무사(武士). 군인(軍人).
[武將 무장] 군대의 장수. 무술(武術)에 뛰어난 장수.
[武裝 무장] ㉠전쟁 때에 하는 군인의 몸차림. ㉡전쟁 준비로 하는 장비.
[武則天 무측천] 당(唐)나라 고종(高宗)의 황후. 성(姓)은 무(武). 이름은 조(曌). 고종(高宗)의 사후(死後)에 그의 아들 중종(中宗)과 예종(睿宗)을 폐(廢)하고 스스로 제위(帝位)에 올라 국호(國號)를 주(周)라고 고치고 음학(淫虐)의 생활을 하였음. 시호(諡號)를 측천 황후(則天皇后)라 함. 후에 재상 장간지(張柬之) 등에 의해 폐위됨.
[武學 무학] 무사(武士)가 닦아야 할 학문. 병학(兵學).
[武后 무후] 당(唐)나라 고종(高宗)의 황후 무씨(武氏). 측천무후(則天武后). 무측천(武則天).
[武勳 무훈] 무공(武功).
[武戲 무희] ㉠무술(武術)의 유희. ㉡힘겨룸.
◉講武. 經文緯武. 乃文乃武. 黷武. 文武. 步武. 不武. 上文右武. 尙武. 聖武. 習武. 神武. 偃武. 硏武. 演武. 練武. 閱武. 英武. 靈武. 睿聖文武. 勇武. 右武. 右文左武. 雄武. 威武. 允文允武. 壯武. 材武. 踵武. 振武. 湯武. 玄武. 豪武. 驍武.

5 ⑨ [岠] 거 ㊤語 其呂切 jù
字解 ①이를 거 다다름. 距(足部 五畫)와 同字. '騰空虛, 一連卷'《揚雄》. ②막을 거 저지함. 拒(手部 五畫)와 同字. '一, 止也'《說文》. ③어긋날 거 어그러짐. '一, 違也. 戾也'《玉篇》.
字源 篆文 岠 形聲. 止+巨〔音〕. '巨거'는 격(隔)하다, 사이를 두다의 뜻. '저지하다, 막다'의 뜻을 나타냄.

5 ⑨ [歫] 〔가〕 訶(言部 五畫〈p. 2112〉)의 古字

5 ⑨ [歪] 人名 ■ 왜 ■ 외 ■ 의 ㊥佳 烏乖切 wāi, wǎi
字解 ■ 비뚤 왜 바르지 아니함. 기욺. '俗合不正二字, 改作一'《正字通》. ■ 비뚤 외. ■ 비뚤 의.
字源 會意. 正+不. '바르지 않다'의 뜻을 나타냄.

[歪曲 왜곡] 비뚤게 함. 굽혀 바르지 않게 함.
[歪曲 외곡] 왜곡(歪曲).
[歪曲 의곡] 왜곡(歪曲).
[歪詩 의시] 격식에 맞지 않는 한시(漢詩). 졸렬한 시.

6 ⑩ [歬] 〔전〕 前(刀部 七畫〈p. 257〉)의 本字

6 ⑩ [歭] 치 ①㊥支 陳知切 chí ②㊤紙 直里切 zhì

字解 ①머뭇거릴 치 주저함. '一躇'. ②비축할 치 峙(山部 六畫)와 同字. '一乃糗糧'《書經》.

字源 篆文 形聲. 止+寺〔音〕. '止지'는 '발'의 뜻. '寺사·시'는 '멈추다'의 뜻. 발을 멈추어 머뭇거리다의 뜻을 나타냄.

6 ⑩ [𧿹] 〔근〕 跟(足部 六畫〈p. 2230〉)과 同字

6 ⑩ [耻] 〔치〕 恥(心部 六畫〈p. 772〉)의 俗字

6 ⑩ [齒] 〔치〕 齒(部首〈p. 2722〉)의 古字

8 ⑫ [齒] 저 ㊀御 陟慮切 zhù

字解 담을 저 물건을 그릇에 담음. '吳俗謂盛物於器曰一'《集韻》.

[歯] 〔치〕 凵部 十畫(p. 239)을 보라.

8 ⑫ [帰] 〔귀〕 歸(止部 十四畫〈p. 1144〉)의 古字

8 ⑫ [堂] ■ 탱 ㊥庚 抽庚切 chēng ■ 상 ㊀漾 式亮切

字解 ■ ①밟을 탱 밟음. '一, 蹋也'《集韻》. ② 벋디딜 탱 벋디디어 막음. '維角一之'《周禮》. ■ 바로잡을 상 '一, 正也'《周禮疏》.

字源 篆文 形聲. 止+尙〔音〕. '尙상'은 '오르다'의 뜻. 오르는 일을 멈추다의 뜻을 나타냄.

9 ⑬ [歲] 中人 세 ㊀霽 相銳切 suì 岁

筆順 ⺊ 屮 产 产 岸 岸 歳 歲

字解 ①목성 세 태양계의 다섯째 유성(遊星). '一星'. '一在星紀'《左傳》. ②해 세 ㉠일 년. '一入'. '孔子居陳三一'《史記》. ㉡곡식이 잘 여무는 해. 풍년. '國人望君, 如望一焉'《左傳》. ㉢새해. 신년(新年). '一朝'. '元旦早晨賀一'《雜纂新續》. ㉣세월. 광음. '一時'. '翫一而愒日'《左傳》. ③해마다 세 매년. '一幣'. '必使諸侯一貢'《漢書》. ④나이 세 ㉠연령. '同郡又同一'《晉書》. ㉡일생. '可以卒一'《史記》. ⑤성 세 성(姓)의 하나.

字源 甲骨文 金文 篆文 形聲. 步+戉〔音〕. '步보'는 '걷다'의 뜻. '戉월'은 큰 도끼의 象形. 희생을 째어 찢어서 해마다 제사 드리는 의식(儀式)의 모양에서, 곡식의 결실(結實), '해'의 뜻을 나타냄. '步'는 일 년의 끝에서 다음의 한 해로 한 걸음 옮겨 걷다의 뜻에서 덧붙여진 것으로 생각됨.

[歲計 세계] 세입과 세출의 통계.
[歲功 세공] ㉠해마다 하여야 할 일. ㉡농사(農事).
[歲貢 세공] 속국(屬國) 등에서 해마다 바치는 공물(貢物).
[歲久 세구] 세월이 많이 지나감.
[歲旦 세단] 정월 초하루 아침. 원단(元旦).
[歲德 세덕] 1년 내내 유덕(有德)한 방위에 있다고 하는 신(神).
[歲晚 세만] 세말(歲末).
[歲末 세말] 한 해가 거의 다 지나가고 새해가 가까워 오는 섣달그믐께. 세밑. 연말(年末).
[歲莫 세모] 세모(歲暮).
[歲暮 세모] 세말(歲末).
[歲米 세미] 세초(歲初)에 정부(政府)에서 노인(老人)에게 주던 쌀.
[歲拜 세배] 섣달그믐이나 정초(正初)에 웃어른에게 하는 인사. 세알(歲謁).
[歲費 세비] 1년간의 비용. 세용(歲用).
[歲事 세사] 1년 중의 행사. 연중행사(年中行事).
[歲殺 세살] 음양가(陰陽家)에서 제사 지내는 팔장신(八將神)의 하나. 이 신(神)이 있는 방위(方位)를 향하여 장가들거나 수선 등을 하는 것을 꺼림.
[歲序 세서] 세월(歲月). 세월의 추이(推移)하는 순서라는 뜻.
[歲星 세성] 목성(木星).
[歲歲 세세] 해마다. 매년.
[歲首 세수] 세초(歲初).
[歲時 세시] ㉠세월(歲月). ㉡해와 사철. 세성(歲星)의 운행과 사시(四時)의 순환. ㉢연중(年中)의 때때.
[歲時記 세시기] 1년 중에 계절에 따른 사물·행사 등을 열기(列記)한 책.
[歲謁 세알] 세배(歲拜).
[歲陽 세양] 십간(十干). 세음(歲陰)의 대(對).
[歲餘 세여] ㉠1년 남짓. ㉡겨울.
[歲用 세용] 1년간의 비용. 세비(歲費).
[歲月 세월] 흘러가는 시간. 광음(光陰).
[歲月如流 세월여류] 세월이 물과 같이 빨리 흘러감.
[歲肉 세육] 정초(正初)에 쓰는 쇠고기와 돼지고기.
[歲陰 세음] 십이지(十二支). 세양(歲陽)의 대(對).
[歲儀 세의] 세밑에 선사하는 물건.
[歲入 세입] 회계 연도(會計年度)의 한 해 동안의 수입(收入).
[歲在 세재] 세차(歲次).
[歲前 세전] 설을 맞기 전.
[歲除 세제] 섣달그믐날 밤. 제석(除夕).
[歲終 세종] 그 해의 마지막. 세밑.
[歲次 세차] ㉠세성(歲星) 곧 목성(木星)이 머무는 위치. 목성은 그 궤도(軌道)가 십이차(十二次)로 되었으며 10년에 궤도를 일주함. ㉡해를 간지(干支)를 좇아 정한 차례.
[歲差 세차] 춘분(春分)이 되는 때가 해마다 조금씩 틀리는 일.
[歲饌 세찬] 《韓》 ㉠세밑에 선사하는 물건. ㉡세배(歲拜) 온 사람에게 대접(待接)하는 음식(飮食).
[歲初 세초] 그 해의 처음.
[歲出 세출] 회계 연도(會計年度)의 한 해 동안의 지출(支出).
[歲幣 세폐] ㉠예물(禮物)로서 해마다 보내는 일정한 액의 금품. ㉡우리나라에서 해마다 음력 10월에 중국에 가는 사신(使臣)이 가지고 가던 선물.
[歲寒 세한] ㉠추운 계절이 됨. 또, 겨울. ㉡노년(老年)을 달리 이르는 말. ㉢역경(逆境). 또는

난세 (亂世)를 이르는 말. ㉣간난(艱難)에 조우(遭遇)하여도 기(氣)가 죽지 않는 일.
[歲寒三友 세한삼우] 겨울철 관상용(觀賞用)의 세 가지 나무. 곧, 소나무·대나무·매화(梅花)나무.
[歲寒松柏 세한송백] 추운 겨울철에도 잎이 푸른 소나무와 측백나무. 역경(逆境)에서도 지조(志操)를 굳게 지키는 사람의 비유.
[歲寒操 세한조] 역경(逆境)에서도 변하지 않는 굳은 지조. '세한송백(歲寒松柏)' 참조.
[歲刑 세형] 음양가(陰陽家)에서 제사 지내는 팔장신(八將神) 중의 지신(地神). 이 신(神)의 방위에 향하여 경작하는 것을 꺼림.
[歲況 세황] 설을 맞은 정황(情況).
[歲後 세후] 설을 쇤 뒤.
◉改歲. 開歲. 客歲. 去歲. 儉歲. 歉歲. 頃歲. 故歲. 舊歲. 饋歲. 近歲. 今歲. 飢歲. 樂歲. 曩歲. 來歲. 累歲. 同歲. 萬萬歲. 晩歲. 萬歲. 暮歲. 富歲. 比歲. 昔歲. 惜歲. 首歲. 熟歲. 弱歲. 穰歲. 歷歲. 年歲. 連歲. 閱歲. 迎歲. 寧歲. 往歲. 早歲. 肇歲. 終歲. 千萬歲. 千歲. 千秋萬歲. 杪歲. 齠歲. 髫歲. 太歲. 豐歲. 荒歲. 凶歲.

9 ⑬ [歳] 歲(前條)의 略字

[頉] 〔탈〕 頁部 三畫(p. 2541)을 보라.

9 ⑬ [歰] 〔삽〕 澁(水部 十二畫〈p. 1297〉)과 同字
字源 篆文 會意. 丌+止+丌+止. 2쌍의 서로 반대되는 방향의 '止지'를 합쳐서, 발이 잘 나아가지 않는 모양에서, '막히다, 껄끄럽다'의 뜻을 나타냄.

10 ⑭ [歴] 歷(次次條)의 略字

[歯] 〔치〕 部首(p. 2722)를 보라.

12 ⑯ [歷] 中人 력 ㊀錫 郞擊切 lì 历

筆順 厂 厂 厈 厤 厤 厤 厤 歷

字解 ①지낼 력 겪음. 세월을 보냄. '經一'. '多一年所'《書經》. '一世彌光'《張衡》. ②다닐 력 감. '橫一天下'《戰國策》. ③넘을 력 지나침. 유월(踰越)함. '不一位而相與言'《孟子》. ④셀 력 수를 셈. 또, 수효. '一, 數也'《爾雅》. ⑤매길 력 차례를 정함. '一卿大夫至於庶民土田之數'《禮記》. ⑥가릴 력 '一吉日以齋戒'《司馬相如》. ⑦어지러울 력 문란함. 혼란함. '一者獄之所由生也'《大戴禮》. ⑧다할 력 하나도 빼지 아니함. 모조리 함. '一周唐之所進以爲法'《漢書》. ⑨엇걸 력 교착(交錯)시킴. '交臂一指'《莊子》. ⑩성길 력 촘촘하지 아니함. '齞脣一齒'《宋玉》. ⑪두루 력 빠짐없이 널리. '一告爾百姓于朕志'《書經》. ⑫가마 력 가마솥. '銅一爲棺'《史記》. ⑬달력 력 曆(日部 十二畫)과 통용. '黃帝造一'《漢書》. ⑭마판 력 櫪(木部 十六畫)과 同字. '伏一千駟'《漢書》. ⑮성 력 성(姓)의 하나.
字源 甲骨文 金文 金文 篆文 形聲. 止+厤〔音〕. '止지'는 발을 본뜬 형상. '厤력'은 옥내(屋內)에 벼를 죽 줄지어 놓은 모양. 적당히 줄 이은 벼 사이를 걷다의 뜻에서, '지내다'의 뜻을 나타냄.

[歷擧 역거] 일일이 들어 말함.
[歷劫 역겁] 긴 세월을 지냄. 많은 햇수를 경과함.
[歷階 역계] 층계를 한 계단에 한 발씩 디디고 올라감. 층계를 급히 올라감.
[歷官 역관] 역임(歷任).
[歷觀 역관] 역람(歷覽). 두루 봄.
[歷級 역급] 역계(歷階).
[歷年 역년] ㉠세월을 지냄. 해를 겪음. 또, 그 겪은 해. 지낸 햇수. ㉡여러 해. 누년(累年).
[歷代 역대] 여러 대. 대대(代代). 누대(累代).
[歷落 역락] ㉠뒤섞인 모양. ㉡소리가 끊이지 않는 모양.
[歷亂 역란] ㉠어지러워 순서가 없는 모양. ㉡꽃이 어지럽게 핀 모양.
[歷覽 역람] 일일이 봄. 두루 봄.
[歷來 역래] 지금까지. 종래(從來).
[歷歷 역력] ㉠뚜렷한 모양. 분명한 모양. 똑똑한 모양. ㉡사물이 질서정연하게 늘어선 모양.
[歷路 역로] 지나가는 길.
[歷臨 역림] 두루 들름. 죽 들름.
[歷問 역문] 역방(歷訪).
[歷訪 역방] 여러 사람을 차례로 방문함. 또는 명승고적(名勝古蹟)을 차례로 구경함.
[歷仕 역사] 두 대(代) 이상의 임금을 섬김.
[歷史 역사] ㉠인류 사회의 변천(變遷)·흥망(興亡)의 과정 또는 기록. ㉡어떤 사물의 오늘날에 이르는 동안 겪어 온 자취. 내력(來歷).
[歷事 역사] 역사(歷仕).
[歷史小說 역사소설] 역사(歷史)의 사실(事實)을 주제(主題)로 한 소설.
[歷山王 역산왕] 마케도니아의 임금 알렉산더 대왕(大王).
[歷世 역세] 역대(歷代).
[歷數 역수] ㉠하나하나 셈. 일일이 셈. ㉡달력. 역수(曆數). ㉢운명(運命). 명수(命數).
[歷巡 역순] 두루 순방(巡訪)함. 여러 곳을 다님.
[歷然 역연] 역력(歷歷) ❶.
[歷葉 역엽] 역대(歷代).
[歷運 역운] 운수. 천운(天運).
[歷遊 역유] 두루 유람함.
[歷日 역일] ㉠세월(歲月). ㉡달력. 역일(曆日).
[歷任 역임] 여러 벼슬을 차례로 지냄.
[歷稔 역임] 역년(歷年).
[歷詆 역저] 일일이 비방함.
[歷節風 역절풍] 뼈마디가 아프거나 붓거나 하여 잘 놀지 않는 병.
[歷朝 역조] ㉠역대(歷代)의 조정(朝廷). ㉡역대의 천자(天子). 대대의 임금.
[歷齒 역치] 성긴 이. 잇바디가 고르지 않음.
◉經歷. 勤歷. 覽歷. 來歷. 累歷. 登歷. 綿歷. 僻歷. 涉歷. 巡歷. 閱歷. 游歷. 遊歷. 履歷. 寂歷. 典歷. 前歷. 職歷. 踐歷. 淸歷. 探歷. 通歷. 徧歷. 遍歷. 學歷. 行歷. 橫歷.

14 ⑱ [歸] 中人 귀 ①-⑩㊥微 擧韋切 guī ⑪㊀寘 求位切 kuì 归

筆順 ㇀ 自 阜 皀 歸 歸 歸 歸

字解 ①돌아갈 귀, 돌아올 귀 온 길을 감. 간 길을 옴. '回—'. '使者—, 則必拜送于門外'《禮記》. ②돌려보낼 귀 ㉠온 길을 도로 가게 함. '—馬于華山之陽'《書經》. ㉡반환함. '齊人來—鄆·讙·龜陰之田'《春秋》. ③시집갈 귀 '之子于—'《詩經》. ④붙좇을 귀 따름. '—依'. '民之攸—'《詩經》. ⑤편들 귀 한편이 됨. '天下—仁焉'《論語》. ⑥맡길 귀 위임함. '請—死于司寇'《左傳》. ⑦맞을 귀 틀리지 않음. '私惠不—德'《禮記》. ⑧마칠 귀 끝냄. '以貪—之'《左傳》. ⑨뜻 귀 지취(旨趣). '同—而殊途'《易經》. ⑩성 귀 성(姓)의 하나. ⑪보낼 귀 물건을 줌. '—孔子豚'《論語》.

字源 甲骨文 金文 篆文 籀文 會意. 본래, 自+帚. '自퇴'는, 신(神)에게 바치는 날고기의 象形. '帚추'는 비를 본뜬 모양. 사람이 돌아왔을 때 정결히 한 장소에서 신(神)에게 감사 드린 모양에서, '돌아오다'의 뜻을 나타냄. 뒤에, '발'의 뜻을 나타내는 '止지'를 덧붙여, 그 뜻을 분명히 했음.

[歸家 귀가] 집으로 돌아감.
[歸去 귀거] 돌아감.
[歸去來 귀거래] 귀거(歸去). '來'는 조사(助辭).
[歸結 귀결] 끝을 맺음. 또, 그 결과.
[歸京 귀경] 서울로 돌아감.
[歸耕 귀경] 벼슬을 내놓고 전원에 돌아가 농사를 지음.
[歸敬 귀경]《佛教》부처를 믿고 존경함.
[歸咎 귀구] 허물을 남에게 돌림.
[歸國 귀국] 제 나라로 돌아감.
[歸覲 귀근] 집으로 돌아가 어버이를 뵘. 귀성(歸省).
[歸禽 귀금] 저녁때 보금자리로 돌아가는 새.
[歸期 귀기] 돌아가거나 돌아올 때. 또는 그 기한.
[歸納 귀납] 많은 사실의 일치점(一致點)을 구(求)하여 일반적 원리(原理)를 알아내는 추리. 연역(演繹)의 대(對).
[歸寧 귀녕] ㉠시집간 여자(女子)가 친정(親庭) 부모를 뵈러 감. ㉡남자가 고향에 돌아가서 부모를 뵘.
[歸農 귀농] ㉠다른 직업(職業)을 버리고 다시 농사하러 돌아감. ㉡노는 사람을 권(勸)하여 농사를 짓게 함.
[歸斷 귀단] 벌어졌던 일이 끝이 남.
[歸途 귀도] 귀로(歸路).
[歸道山 귀도산] 도산(道山)으로 돌아간다는 뜻으로, 도가(道家)에서 사람이 죽음을 이름. 도산(道山)은 도가(道家)가 신선이 산다는 봉래산(蓬萊山)을 이르는 말.
[歸洛 귀락] 서울로 돌아감. 귀경(歸京).
[歸來 귀래] ㉠돌아옴. ㉡대(臺)의 이름. 한(漢)나라의 무제(武帝)가 세움.
[歸老 귀로] 늙어서 치사(致仕)함.
[歸路 귀로] 돌아가는 길.
[歸馬放牛 귀마방우] 전쟁(戰爭)에 사용한 말과 소를 놓아 보낸다는 뜻으로, 다시 전쟁을 하지 않음을 이름.
[歸馬于華山之陽 귀마우화산지양] 주(周)나라 무왕(武王)이 은(殷)나라를 멸(滅)한 뒤 전마(戰馬)를 화산(華山)의 남쪽에 방목(放牧)하여 천하(天下)에 다시 싸움을 하지 않을 것을 알린 고사(故事).
[歸妹 귀매] 육십사괘(六十四卦)의 하나. 곧, ䷵〈태하(兌下), 진상(震上)〉. 못[澤]과 우레[震] 또는 소녀(少女)와 장자(長子)의 상으로, 누이동생을 시집보내는 상(象)임.
[歸命 귀명] ㉠귀순(歸順). ㉡《佛教》제 신명(身命)을 바쳐 부처의 가르침을 따름. 깊이 불교에 귀의(歸依)함.
[歸命頂禮 귀명정례]《佛教》옛날, 인도(印度)의 최경례(最敬禮). 최존(最尊)한 자기의 머리를 부처의 발에 대고 절을 하는 것.
[歸沐 귀목] 집에 돌아가 머리를 감음. 전(轉)하여, 관리가 휴가를 얻고 집에 가서 쉬는 일.
[歸帆 귀범] 돌아가는 범선(帆船). 귀주(歸舟).
[歸伏 귀복] 귀순하여 항복함.
[歸服 귀복] 귀순하여 항복함.
[歸附 귀부] 충심(衷心)으로 따라붙음.
[歸思 귀사] 집 또는 고향으로 돌아가고 싶은 마음.
[歸性 귀성]《佛教》미혹(迷惑)이 없는 본성(本性)으로 돌아가는 일.
[歸省 귀성] 부모(父母)를 뵈러 고향으로 돌아감. 고향에 가서 부모를 뵘.
[歸屬 귀속] 돌아가 어느 소속이 됨.
[歸宿 귀숙] ㉠돌아가 잠. 숙사로 돌아감. ㉡귀착(歸着) ❶.
[歸順 귀순] 사모하여 따름. 또, 반항심(反抗心)을 버리고 순종(順從)함. 귀복(歸服).
[歸心 귀심] ㉠마음을 둠. 사모하여 진심으로 붙좇음. ㉡집 또는 고향(故鄉)으로 돌아가고자 하는 마음.
[歸雁 귀안] ㉠봄에 북쪽으로 돌아가는 기러기. 봄 기러기. ㉡저녁때 보금자리로 돌아가는 기러기.
[歸養 귀양] 고향으로 가서 휴양함.
[歸與 귀여] 돌아가자고 재촉하는 말.
[歸臥 귀와] 벼슬을 사양하고 고향으로 돌아가 은거함.
[歸有光 귀유광] 명대(明代)의 학자. 자(字)는 희보(熙甫). 호(號)는 진천(震川). 가정(嘉靖) 연간에 과거에 급제하였으며, 고문(古文)을 잘하여 명대(明代)의 대가(大家)가 되었음. 저술에〈오수리록(吳水利錄)〉·〈진천집(震川集)〉등이 있음.
[歸依 귀의] ㉠돌아가 의지함. ㉡신앙(信仰)하고 숭배(崇拜)함. 신불(神佛)의 위덕(威德)에 귀순하여 의탁함.
[歸一 귀일] 한군데로 귀착(歸着)함.
[歸一轍 귀일철] ㉠같은 길로 돌아감. ㉡같은 상태가 됨.
[歸任 귀임] 임지로 돌아감.
[歸葬 귀장] 타향에서 죽은 사람을 고향으로 운구(運柩)하여 장례를 지냄.
[歸寂 귀적]《佛教》중의 죽음. 입적(入寂).
[歸田 귀전] ㉠공전(公田)을 되돌림. ㉡벼슬을 내놓고 고향으로 돌아가 농사를 지음.
[歸田錄 귀전록] 책 이름. 송(宋)나라 구양수(歐陽修)의 찬(撰). 그가 치사(致仕)한 후에 조정(朝廷)의 일사(逸事)·사대부(士大夫)의 담론(談論) 및 해학(諧謔) 등을 주로 적은 견문록(見聞錄).
[歸正 귀정] 바른길로 돌아옴.
[歸程 귀정] 귀로(歸路).

[歸朝 귀조] ㉠사신(使臣)이 외국(外國)에서 본국(本國)으로 돌아옴. ㉡귀국(歸國).
[歸舟 귀주] 돌아가는 배.
[歸着 귀착] ㉠돌아가 닿음. ㉡낙착(落着)됨.
[歸趨 귀추] 귀취(歸趣).
[歸趣 귀취] 낙착하는 곳. 귀착점(歸着點).
[歸土 귀토] 사람이 죽음을 이름.
[歸投依杖 귀투의장] 귀투(歸投)는 아들이 아버지에게 의지하는 일, 의장(依杖)은 백성이 임금에게 의지하는 일. 전(轉)하여, 부처를 믿고 그 도움에 의뢰하는 일.
[歸降 귀항] 귀복(歸服).
[歸航 귀항] 배로 돌아감. 또, 돌아가는 배. 돌아가는 항해.
[歸鄕 귀향] 고향(故鄕)으로 돌아감.
[歸化 귀화] ㉠덕(德)에 감화되어 붙좇음. ㉡어떠한 나라의 인민(人民)이 그 나라의 국적(國籍)을 벗고 다른 나라의 국적(國籍)을 얻음.
[歸還 귀환] 돌아감. 돌아옴.
[歸休 귀휴] 휴가를 얻어 집으로 돌아가 쉼.
◉凱歸. 告歸. 來歸. 逃歸. 望歸. 暮歸. 復歸. 不歸. 不如歸. 星行夜歸. 殊途同歸. 視死如歸. 吾誰與歸. 遺歸. 依歸. 異路同歸. 入寶山空手歸. 適歸. 投歸. 虛往實歸. 回歸. 懷歸.

14 ⑱ [歸] 歸(前條)와 同字

歹(歺)(4획) 部
〔죽을사부〕

0 ④ [歹] 一 알 ㉧曷 牙葛切 è 二 대 ㉤賄 等在切 dǎi

筆順 一 丆 歹 歹

字解 一 앙상한뼈 알 살을 발라낸 뼈. 二 나쁠 대 어그러짐. 패려궂음.
字源 象形. 살이 깎여 없어진 사람의 백골(白骨) 시체의 象形으로, 앙상한 뼈의 뜻을 나타냄. 本字는 '歺', '歹'은 그 생략체임.
參考 ①歺(次條)은 同字. ②부수(部首)로서 '죽을사(死)부'로 이름하여, '죽음'에 관한 문자를 이룸.

0 ⑤ [歺] 歹(前條)과 同字

0 ⑤ [歺] 歹(前前條)과 同字
字源 甲骨文 篆文 象形. 살이 깎여 없어진 사람의 백골(白骨) 시체의 象形으로, 뿔뿔이 따로 떨어진 '뼈'의 뜻을 나타냄.
參考 '歺'이 자획(字畫)의 일부가 될 때에는, 흔히 '歹(前前條)' 또는 '歺(前條)'의 형태를 취함.

0 ③ [歹] 대 ㉤賄 多改切 dǎi
字解 ①나쁠 대 어긋남. '一, 好之反也. 悖德逆行曰一'《字彙》. ②너 대, 나 대 이인칭(二人稱). 또, 자칭(自稱). '南蠻稱人曰一, 自稱, 亦曰一'《炎徼紀聞》.

2 ⑥ [歽] 후 ㉤有 許久切 xiǔ ㉥宥 許救切
字解 썩을 후, 썩일 후 朽(木部 二畫)와 同字. '一其肉而棄'《列子》.
字源 篆文 別體 形聲. 歺+丂〔音〕. '丂후'는 '굽다'의 뜻. 신선도가 떨어져서 썩다의 뜻을 나타냄.

2 ⑥ [死] 中人 사 ㉤紙 息姊切 sǐ

筆順 一 厂 歹 歹 歹' 死

字解 ①죽을 사 ㉠생명이 없어짐. '一亡'. '觸槐而一'《左傳》. ㉡서인(庶人)이 죽음. 붕(崩)·훙(薨)·졸(卒)의 대(對). '小人曰一'《禮記》. ㉢망함. '一於安樂'《孟子》. 또, 전(轉)하여, 효력이 없거나 실제로 행하여지지 아니함의 비유로 쓰임. '一法'. '一語'. ㉣꺼짐. '獨立每看斜日盡, 一坐直至孤燈一'《王諲》. ㉤끝남. '故知一生之說'《易經》. ②죽일 사 살육함. '殺人者一'《史記》. ③말라죽을 사 고사(枯死)함. '桑穀一'《漢書》. ④다할 사 다 없어짐. '惡言一焉'《荀子》. ⑤죽음 사 사망. '生一'. '事一如事生'《中庸》. ⑥목숨걸 사 죽음을 두려워하지 않음. '出行乃得一友'《後漢書》. ⑦주검 사 사해(死骸). '求谷吉等一'《漢書》.
字源 金文 篆文 古文 會意. 歺+人. '歺알'은 백골(白骨)의 象形. 무릎 꿇은 사람 앞의 시체의 뜻에서, '죽다'의 뜻을 나타냄.

[死街 사가] 죽은 듯이 쓸쓸한 길거리.
[死諫 사간] 죽음으로써 간(諫)함.
[死去 사거] 사망(死亡).
[死境 사경] 죽게 된 경우(境遇). 살아날 길이 없을 때, 또는 장소.
[死苦 사고] 《佛教》 사고(四苦)의 하나. 죽음의 고통.
[死公 사공] 결의(決意)가 없고 흐리멍덩한 사람을 욕하는 말.
[死交 사교] 죽을 때까지 변(變)하지 아니하는 교분(交分).
[死句 사구] 시문(詩文) 중에서 뜻이 얕아 남을 감동시키지 못하는 구. 활구(活句)의 대(對).
[死肌 사기] 썩어 피가 통하지 아니하는 살. 썩어 문드러진 살.
[死期 사기] 죽을 때. 임종(臨終).
[死黨 사당] ㉠당을 위하여 죽을힘을 다함. ㉡죽음을 각오하고 단결한 당(黨).
[死力 사력] 죽을힘. 결사적으로 쓰는 힘.
[死亡 사망] 사람이 죽음.
[死滅 사멸] 죽어 없어짐.
[死命 사명] 죽게 된 목숨. 목숨.
[死沒 사몰] 죽는 일. 사망. 사거(死去).
[死無餘恨 사무여한] 죽어도 아무 한이 없음.
[死文 사문] 쓸데없는 문장.
[死物 사물] 생명이 없는 것. 활동하지 아니하는 「것.
[死魄 사백] 음력 매월 초하루. 백(魄)은 달의 윤곽의 빛이 없는 부분. 곧, 달빛이 소멸한 음력

초하루 때이므로 이름. 생백(生魄)의 대(對).
[死法 사법] 실제로 시행되지 아니하는 법.
[死別 사별] 죽어서 이별(離別)함.
[死不瞑目 사불명목] 한이 많아서 죽어서도 눈을 감지 못함.
[死士 사사] 죽음을 각오한 선비. 결사(決死)의 사(士).
[死徙 사사] ㉠장사(葬事)와 이사(移徙). ㉡사형(死刑)과 유형(流刑).
[死狀 사상] 거의 죽게 된 상태.
[死相 사상] ㉠죽은 사람의 얼굴. ㉡얼마 안 되어 죽을 것 같은 얼굴. 죽을상.
[死傷 사상] 죽음과 다침. 또, 죽은 사람과 다친 사람.
[死生 사생] 죽음과 삶.
[死生決斷 사생결단] 죽고 사는 것을 돌아보지 아니함.
[死生契闊 사생계활] 사생(死生)을 같이하기로 약속하고 동고동락(同苦同樂)함.
[死生關頭 사생관두] 죽고 사는 것이 달린 위험(危險)한 고비.
[死生爲一條 사생위일조] 죽고 사는 것을 하나로 함. 죽어도 애달파하지 않고 살아도 담담(淡淡)함.
[死生有命 사생유명] 죽고 사는 것은 명(命)이 있어 인력(人力)으로 어찌할 도리가 없음.
[死線 사선] 죽을 고비.
[死聲 사성] 슬픈 소리. 가요(歌謠) 따위의 슬픈 가락.
[死勢 사세] 죽을 형세(形勢).
[死所 사소] 죽을 곳.
[死水 사수] 괸 물. 흐르지 않는 물.
[死囚 사수] 사형(死刑)의 죄를 범한 죄수.
[死守 사수] 죽기를 한(限)하고 지킴. 결사적으로 지킴.
[死屍 사시] 송장. 시체.
[死心 사심] 죽기를 결심한 마음.
[死兒 사아] 죽은 아들. 사자(死子).
[死藥 사약] 먹으면 죽는 독약.
[死語 사어] 현대에 쓰이지 않는 말. 죽은말. 폐어(廢語).
[死王 사왕]《佛敎》사람의 생사를 맡은 왕. 곧, 지옥(地獄)의 염라대왕(閻羅大王).
[死友 사우] ㉠죽을 때까지 교분(交分)을 변(變)하지 아니하는 친구(親舊). ㉡죽은 벗.
[死爲酒壺 사위주호] 죽어서 술병이 됨. 대단히 술을 즐김을 이름.
[死有餘辜 사유여고] 죽어도 오히려 죄가 남음. 죽어도 그 죄를 갚을 수 없음.
[死而可瞑 사이가명] 안심하고 죽을 수 있음.
[死而後已 사이후이] 죽어야 그만둠. 죽을 때까지 쉬지 않고 함.
[死人 사인] 죽은 사람.
[死因 사인] 죽은 원인(原因).
[死子 사자] ㉠죽은 아들. ㉡바둑에서 죽어 따낸 돌.
[死者 사자] 죽은 사람.
[死者不可復生 사자불가부생] 한 번 죽은 사람은 다시 살아날 수는 없음.
[死作閻羅王 사작염라왕] 죽으면 평범한 귀신이 되지 않고 저승의 염라대왕이 되겠다는 뜻으로, 수(隋)나라 사람 한금호(韓擒虎)가 호기(豪氣)를 부린 말.
[死藏 사장] 활용(活用)하지 않고 감추어 둠.
[死戰 사전] 죽기를 결단(決斷)하고 싸움.
[死節 사절] 절개(節槪)를 지켜 죽음.
[死罪 사죄] ㉠죽어 마땅한 죄(罪). 죽을죄. ㉡임금에게 상주(上奏)할 때 황공(惶恐)한 뜻을 나타내는 말. ㉢편지에서 자기의 큰 과오를 사죄(謝罪)하는 말.
[死中求生 사중구생] 사중구활(死中求活).
[死中求活 사중구활] 죽을 곳에서 도망할 길을 찾음. 궁경(窮境)에 빠져서도 만회책을 강구함.
[死地 사지] ㉠도망하여 피할 수 없는 땅. 위험한 곳. ㉡생명을 버리는 곳. 죽을 곳.
[死志 사지] 결사(決死)의 각오.
[死之五等 사지오등] 신분에 따라 다른, 사람의 죽음의 명칭(名稱)의 다섯 등급의 구별. 곧, 천자(天子)는 붕(崩), 제후(諸侯)는 훙(薨), 대부(大夫)는 졸(卒), 사(士)는 불록(不祿), 서인(庶人)은 사(死).
[死且不避 사차불피] 죽을지라도 피하지 아니함. 죽음도 피하지 않을 텐데 항차 딴것은 말할 필요도 없음.
[死且不朽 사차불후] 죽을지라도 이름은 후세(後世)에 길이 남음.
[死處 사처] 사소(死所).
[死體 사체] 죽은 몸. 시체(屍體).
[死草 사초] 말라 죽은 풀.
[死胎 사태] 배 속에서 죽은 태아.
[死鬪 사투] 죽도록 싸움. 결사적으로 싸움.
[死敗 사패] 멸망함.
[死學 사학] 실제에 소용없는 학문. 또, 활용하지 못하는 학문.
[死骸 사해] 사체(死體). 주검.
[死血 사혈] 상처에 시커멓게 모인 피.
[死刑 사형] 죄인(罪人)의 목숨을 끊는 형벌. 사죄(死罪).
[死或重於泰山或輕於鴻毛 사혹중어태산혹경어홍모] 사람의 생명을 바쳐야 하는 데 있어서는, 경우에 따라서 경중(輕重)이 대단히 다른데, 그 경중은 다만 의(義)에 의하여 결정된다는 뜻.
[死火 사화] 꺼진 불.
[死禍 사화] 죽는 화(禍).
[死活 사활] 죽음과 삶. 죽느냐 사느냐의 갈림. 생사(生死).
[死灰 사회] ㉠불기운이 없어진 재. 식은 재. ㉡과욕(寡欲)하여 명리(名利)에 담박한 마음의 비유. ㉢세력이 없는 사람의 비유.
[死灰復然 사회부연] 세력을 잃은 사람이 다시 득세(得勢)하는 비유. 연(然)은 연(燃).
[死後 사후] 죽은 뒤.
◉假死. 諫死. 敢死. 強死. 客死. 檢死. 決死. 輕死. 枯死. 狂死. 君辱臣死. 急死. 徒死. 頓死. 凍死. 萬死. 昧死. 沒死. 未知生焉知死. 悶死. 半死. 變死. 病死. 仆死. 焚死. 憤死. 不老不死. 瀕死. 生死. 水死. 殊死. 瘦死. 殉死. 視生如死. 餓死. 壓死. 良死. 佯死. 養生送死. 疫死. 轢死. 誤死. 獄死. 枉死. 夭死. 冤死. 有生者必有死. 縊死. 溺死. 人生自古誰無死. 戰死. 情死. 朝生暮死. 罪不容死. 罪死. 卽死. 慘死. 墜死. 醉生夢死. 致死. 討死. 敗死. 斃死. 必死. 橫死.

2 ⑦ [歺] 死(前條)의 本字

[列] 〔렬〕
刀部 四畫(p.246)을 보라.

3 ⑦ [歼] 〔섬〕
殲(歹部 十七畫〈p.1155〉)의 簡體字

4 ⑧ [歾] [一] 몰 [入]月 莫勃切 mò
[二] 문 [上]吻 武粉切 wěn

[字解] [一] ①죽을 몰 沒(水部 四畫)의 古字. '將何以—'《左傳》. ②다할 몰 '詘其節, 執其術, 共所—'《太玄經》. [二] 목벨 문 刎(刀部 四畫)과 同字.
[字源] 篆文 別體 形聲. 歺+勿〔音〕. '勿물'은 '없다, 없어지다'의 뜻. 죽어서 뼈가 되고, 모습이 없어지다의 뜻에서, '죽다, 다하다'의 뜻을 나타냄.

4 ⑧ [歿] [人名] 몰 [入]月 莫勃切 mò

[字解] 죽을 몰 沒(水部 四畫)과 同字. '戰—'《後漢書》.
[字源] 歾의 別體 形聲. 歹(歺)+殳(叟)〔音〕

◉蕪歿. 殟歿. 隕歿. 戰歿. 存歿. 陣歿.

4 ⑧ [殁] 歿(前條)의 俗字

4 ⑧ [殀] 요 [上]篠 於兆切 yāo(yǎo)

[字解] ①일찍죽을 요 요사함. '—壽不貳'《孟子》. ②죽일 요 베어 죽임. 참살함. '不—夭'《禮記》.
[字源] 形聲. 歹(歺)+夭〔音〕. '夭요'는 '젊다'의 뜻. '歹알'은 '시체'의 뜻. '요절(夭折)'의 뜻을 나타냄.

[殀壽 요수] 단명(短命)과 장수(長壽). 요수(夭壽).

4 ⑧ [⿰歹月] [一] 잔 [平]寒 昨干切 cán
[二] 찬 [去]翰 才贊切
[三] 월 [入]黠 五刮切
[入]曷 五活切
[四] 발 [入]曷 北末切

[字解] [一] 짐승먹던찌꺼기 잔 '—, 禽獸所食餘也'《說文》. [二] 짐승먹던찌꺼기 찬 [一]과 뜻이 같음. [三] 짐승먹던찌꺼기 월 [一]과 뜻이 같음. [四] 짐승먹던찌꺼기 발 [一]과 뜻이 같음.
[字源] 會意. 歹(歺)+月
[參考] '殘잔'과 동일어 이체자(同一語異體字).

4 ⑧ [⿰歹欠] 자 [去]寘 資四切 zì

[字解] 까무러쳤다깨어날 자 '—, 死而復生也'《篇海》.

4 ⑧ [⿰歹内] 눌 [入]月 內骨切 nè

[字解] 마음어지러울 눌 '殟—, 心亂也'《玉篇》.

4 ⑧ [⿰歹凶] 흉 [平]冬 許容切 xiōng
[上]腫 許拱切

[字解] 흉할 흉 凶(凵部 二畫)과 同字.

5 ⑨ [殂] 조 [平]虞 昨胡切 cú

[字解] 죽을 조 임금의 죽음을 휘(諱)하여 이름. '帝乃—落'《書經》.
[字源] 篆文 古文 形聲. 歹(歺)+且〔音〕. '且조'는 '徂조'와 통하여, '가다'의 뜻. 죽음의 세계로 가다, '죽다'의 뜻을 나타냄.

[殂落 조락] 죽음. 임금이 죽음. 후세(後世)에는 정통(正統)이 아닌 임금이 죽음을 일컬음. 조락(徂落).
[殂沒 조몰] 임금이 죽음.
[殂逝 조서] 귀인(貴人)이 죽음.
[殂殞 조운] 죽음. 목숨을 잃음.

5 ⑨ [⿰歹皮] 피 ①[平]支 敷羈切 pī
②[上]紙 匹靡切 pǐ

[字解] ①살가를 피 살을 가름. '—, 剖肉也'《類篇》. ②꺾을 피 부러뜨림. '—, 折也'《集韻》.

5 ⑨ [殃] [高人] 앙 [平]陽 於良切 yāng

[筆順] 一 丆 歹 歹 歹 歹冂 歹口 殃

[字解] ①재앙 앙 주로, 하늘이나 신명(神明)이 내리는 재화(災禍). 벌력. '—禍'. '作不善, 降之百—'《書經》. '必有天—'《淮南子》. ②패할 앙 '—, 敗也'《廣雅》. ③해칠 앙 해를 끼침. '—民者, 不容於堯舜之世'《孟子》.
[字源] 篆文 形聲. 歹(歺)+央〔音〕. '央앙'은 목에 칼을 쓴 사람의 象形. '재앙'의 뜻을 나타냄.

[殃慶 앙경] 재앙(災殃)과 경사(慶事).
[殃咎 앙구] 앙화(殃禍).
[殃及池魚 앙급지어] ㉠뜻하지 아니한 재앙을 당함. 재앙이 아무 관계없는 딴 사물에까지 미침. 옛날에 초(楚)나라의 성문(城門)이 탔을 때 불을 끄느라고 못물을 퍼내 없애서 못 안의 고기가 다 죽었다는 고사(故事)에서 나옴. ㉡화재가 일어남.
[殃戮 앙륙] 천벌을 받아 죽음.
[殃罰 앙벌] 하늘이 내리는 벌. 천벌.
[殃孽 앙얼] 앙화(殃禍).
[殃災 앙재] 재앙(災殃).
[殃敗 앙패] ㉠재앙을 받음. ㉡손상(損傷)함.
[殃禍 앙화] 죄악의 과보(果報)로 받는 재앙.
◉苛殃. 咎殃. 百殃. 餘殃. 積不善餘殃. 池魚殃. 天殃.

5 ⑨ [⿰歹失] 질 [入]質 丑吏切 chì

[字解] 염병귀신 질 역병신(疫病神).

5 ⑨ [殄] [人名] 진 [上]銑 徒典切 tiǎn

[字解] ①끊어질 진, 다할 진 절멸함. 없어짐. '—滅'. '餘風未—'《書經》. ②끊을 진, 멸할 진 절멸시킴. '—滅'. '不—厥慍'《孟子》. ③앓을 진, 앓게할 진 병듦. 병들게 함. '—瘁'. '夏以水—

草, 而芟夷之'《周禮》. ④죽을 진 '胤嗣一殀'《沈約》. ⑤모조리 진 남김없이. '邦國一瘁'《詩經》.
[字源] [篆文] [古文] 形聲. 歹(歺)+㐱〔音〕. '㐱진'은 '다함'의 뜻. 죽어 뼈로 화하여 '없어지다'의 뜻에서, '다하다, 끊어지다'의 뜻을 나타냄.

[殄戮 진륙] 죽여 없앰. 모두 죽임.
[殄滅 진멸] 모조리 망함. 또, 무찔러 모조리 없애 버림.
[殄沒 진몰] 아주 가라앉아 보이지 아니함.
[殄殲 진섬] 진멸(殄滅).
[殄墜 진추] 멸망함.
[殄瘁 진췌] 병들어 초췌함. 병들고 시달리어 마침내 망함.
[殄破 진파] 모두 격파되어 망함.
◉戡殄. 剋殄. 撲殄. 消殄. 淪殄. 湮殄. 誅殄. 勦殄. 破殄. 暴殄.

5 ⑨ [⿰歹民] [一] 면 [上]銑 彌袞切 mèn
[二] 혼 [平]元 呼昆切 hūn
[字解] [一] 불쌍히여길 면 '一, 矜也'《集韻》. [二] 흐릴 혼 어두움. 殙(歹部 九畫)과 同字. '以黃金注者一'《莊子》.

5 ⑨ [⿰歹古] 고 [平]虞 苦胡切 kū
[字解] 마를 고 고사(枯死)함. '一, 枯也'《說文》.
[字源] 形聲. 歹(歺)+古〔音〕

5 ⑨ [殆] [高·人] 태 [上]賄 徒亥切 dài
[筆順] 一 丆 歹 歹 歹𠂉 歹厶 殆 殆
[字解] ①위태할 태 위험함. '一危'. '亦曰一哉'《大學》. ②위태롭게할 태 '一諸侯也'《公羊傳》. ③위태로워할 태 위태롭게 여김. '當此時也, 論士一之'《呂氏春秋》. ④해칠 태 해를 끼침. '身見一'《淮南子》. ⑤무서워할 태 '一於蝍蛆'《淮南子》. ⑥지칠 태 피곤함. '一, 向云, 疲困之謂'《釋文》. ⑦무너질 태, 패할 태 '一, 壞也'《廣雅》. '一, 敗也'《廣雅》. ⑧가까이할 태 접근함. '無小人一'《詩經》. ⑨가까울 태 비슷함. '一於不可'《孟子》. ⑩거의 태 아마. '一不可復'《孟子》. ⑪처음 태 시초에. '一及公子同歸'《詩經》.
[字源] [篆文] 形聲. 歹(歺)+台〔音〕. '歺알'은 '사체(死體)'의 뜻. '台태'는 '始시'·'胎태'와 통하여, '조짐'의 뜻. 죽음의 조짐의 뜻에서, '위태롭다'의 뜻. 《詩經 毛傳》에 '殆始也'로 나와 있어 훈(訓)을 처음의 뜻으로 하는 예도 있음. 또, 하마터면 …할 뻔하다, 거의 …하다의 뜻에 쓰임.

[殆危 태위] '위태(危殆)'와 같음.
◉困殆. 欺殆. 百戰不殆. 思而不學殆. 危殆. 知止不殆. 疲殆. 虧殆.

5 ⑨ [⿰歹冬] 〔종〕
終(糸部 五畫〈p.1725〉)의 古字

6 ⑩ [殈] 혁 [入]錫 呼昊切 xù
[入]陌 呼役切
[字解] 알깰 혁, 알깨질 혁 새알을 깸. 알이 터짐. '卵生者不一'《禮記》.
[字源] 會意. 歹(歺)+血

6 ⑩ [殅] 승 [平]蒸 山矜切 shēng
[上]迥 色庱切
[字解] 죽어갈 승 죽어 가는 모양. '殅一, 欲死皃'《玉篇》.

6 ⑩ [殉] [高·人] 순 [去]震 辭閏切 xùn
[平]眞 松倫切
[筆順] 一 丆 歹 歹 歹 歹勹 殉 殉
[字解] ①따라죽을 순 죽은 사람을 따라 죽음. '一死'. '以一葬, 非禮也'《禮記》. ②바칠 순 목숨을 바침. '一難'. '一國家之急'《漢書》. '貪夫一財'《史記》. ③구할 순 바라 찾음. '一于貨色'《集韻》. ④경영할 순 영위함. '豈余身之足一兮'《漢書》. ⑤돌 순 '一尸不肯去'《後漢書》.
[字源] 形聲. 歹(歺)+旬〔音〕. '旬순'은 '徇순'과 통하여, '따르다'의 뜻. 사자(死者)의 뒤를 따르다의 뜻을 나타냄.

[殉教 순교] 자기의 믿는 종교(宗敎)를 위하여 목숨을 바침.
[殉國 순국] 나라를 위하여 목숨을 바침.
[殉難 순난] 순국(殉國).
[殉道 순도] 인도(人道)를 위하여 목숨을 바침.
[殉利 순리] 너무 이익을 탐내다가 목숨을 잃음.
[殉名 순명] 명예를 위하여 목숨을 버림. 명예를 손상시키지 않기 위하여 죽음.
[殉死 순사] 임금이나 남편 등의 죽음을 따라 자살함.
[殉葬 순장] ㉠흙으로 만든 수레나 풀로 만든 허수아비를 죽은 사람의 옆에 묻는 일. ㉡후세(後世)에는 순사(殉死)한 사람을 임금과 같이 묻는 일.
[殉節 순절] 순사(殉死).
[殉職 순직] 직무(職務)를 위하여 목숨을 버림.
◉慕殉. 無殉. 外殉.

6 ⑩ [殔] [一] 시 [去]寘 息利切 sì
[二] 이 [去]寘 羊至切
[字解] [一] ①무덤구덩이 시 관(棺)을 묻을 구덩이. '一, 埋棺之坎也'《字彙》. ②묻을 시 관(棺)을 굿에 묻음. '威公薨, 一九月不得葬'《呂氏春秋》. ③가매장(假埋葬)할 시 길가에 가매장함. '假葬於道側曰一'《釋名》. ④늘어놓을 시 주검을 무덤 구덩이에 벌여 놓음. '一, 訓爲陳. 謂陳尸於坎'《儀禮 疏》. [二] 무덤구덩이 이, 묻을 이, 가매장할 이, 늘어놓을 이 [一]과 뜻이 같음.

6 ⑩ [⿰歹米] 미 [上]薺 母禮切 mǐ
[字解] 싸라기 미 반 동강으로 부스러진 쌀. '一, 米半壞也'《類篇》.

6 ⑩ [殊] [高·人] 수 [平]虞 市朱切 shū
[筆順] 一 丆 歹 歹 歹 歹𠂉 殊 殊
[字解] ①벨 수 베어 죽임. '一死者相枕也'《莊

子》. ②결심할 수 각오함. '軍皆一死戰'《史記》. ③끊을 수, 끊어질 수 단절함. 단절됨. '斷其後之木, 而弗一'《左傳》. ④거의죽을 수 중상을 입었으나 아직 목숨이 끊어지지 않음. '使人刺蘇秦, 不死, 一而走'《史記》. ⑤다를 수 틀림. '一塗同歸'. '人同類而智一'《呂氏春秋》. ⑥지날 수 넘음. '年一七十'《後漢書》. ⑦뛰어날 수 특이(特異)함. '一恩'. '立一勳于魏室'《李德林》. ⑧특히 수 유달리. 특별히. '一勝'. '一異乎公路'《詩經》. ⑨클 수 '超一榛'《張衡》.

[字源] 篆文  形聲. 歹(歺)+朱〔音〕. '歺알'은 '사체(死體)'의 뜻. '朱주'는 '殳수'와 통하여, '치다'의 뜻. '죽이다'의 뜻을 나타냄. 전(轉)하여, '특이(特異)하다'의 뜻을 나타냄.

[殊境 수경] 외국(外國).
[殊功 수공] 특별히 뛰어난 공훈.
[殊怪 수괴] 아주 괴이(怪異)함.
[殊眷 수권] 특별한 권애(眷愛).
[殊技 수기] ㉠뛰어난 기예(技藝). ㉡가진 기예가 서로 다름.
[殊能 수능] 뛰어난 능력. 특별한 재능.
[殊塗同歸 수도동귀] 가는 길은 다르나 돌아가는 바는 같음.
[殊等 수등] 등급을 달리함. 또, 다른 등급.
[殊量 수량] 뛰어난 재간. 뛰어난 국량(局量).
[殊力 수력] 뛰어난 능력. 뛰어난 공.
[殊禮 수례] ㉠예를 달리함. ㉡특별한 예우(禮遇).
[殊類 수류] 다른 종류.
[殊命 수명] 특별한 명령. 특명(特命).
[殊妙 수묘] 아주 묘함. 절묘(絕妙)함.
[殊方 수방] ㉠방법을 달리함. 또, 다른 방향. ㉡외국. 타국.
[殊邦 수방] 외국. 이방(異邦).
[殊服 수복] ㉠입는 옷을 달리함. 또, 다른 옷. ㉡옷차림을 달리한 사람. 곧, 외국인.
[殊死 수사] ㉠죽음을 각오함. ㉡베어 죽임.
[殊私 수사] 수은(殊恩).
[殊狀 수상] ㉠형상을 달리함. 모양이 다름. ㉡딴 것과 틀린 형상. 특별히 기이한 형상. 평상시와 다른 형상.
[殊賞 수상] 특수한 상.
[殊常 수상] ㉠보통과 다르게 뛰어남. ㉡보통과 달라 이상함.
[殊祥 수상] 대단히 상서로운 일.
[殊聲 수성] 소리를 달리함. 또, 다른 소리.
[殊俗 수속] ㉠풍속을 달리함. ㉡풍속이 다른 나라 사람.
[殊勝 수승] ㉠특별히 뛰어남. ㉡《佛敎》 기특(奇特)함.
[殊域 수역] 외국(外國). 이역(異域).
[殊裔 수예] 먼 나라.
[殊容 수용] 뛰어난 용모.
[殊尤 수우] 특별히 뛰어남.
[殊遇 수우] 특별한 대우.
[殊優 수우] 특별히 뛰어남.
[殊越 수월] 남보다 월등히 나음. 특별히 뛰어남.
[殊位 수위] 특히 높은 지위. 특별한 지위.
[殊恩 수은] 특별한 은총(恩寵).
[殊音 수음] 보통 음악과 다른 음악. 이상한 음악.
[殊異 수이] 특이함. 특별히 다름.
[殊獎 수장] 특별한 권장(勸獎).
[殊才 수재] 뛰어난 재주.
[殊績 수적] 수공(殊功).
[殊絕 수절] 특별히 뛰어남. 초절(超絕).
[殊廷 수정] ㉠외국의 조정. ㉡수정(殊庭).
[殊庭 수정] 봉래산(蓬萊山)에 있다고 하는 신선이 사는 곳.
[殊操 수조] 뛰어난 지조.
[殊族 수족] 다른 겨레. 이족(異族).
[殊宗 수종] 다른 종파(宗派). 또, 그 교의(敎義).
[殊智 수지] 특별히 뛰어난 슬기.
[殊珍 수진] 특히 진귀한 보배.
[殊轍 수철] 다른 수레바퀴 자국. 다른 진로(進路).
[殊寵 수총] 수은(殊恩).
[殊鬪 수투] 결사적으로 싸움.
[殊特 수특] 특별히 다름. 특별히 뛰어남. 특이(特異)함.
[殊品 수품] ㉠품류(品類)를 달리함. ㉡훌륭한 물품.
[殊行 수행] 특별히 훌륭한 행위.
[殊鄕 수향] 다른 곳. 이향(異鄕).
[殊刑 수형] 특별히 엄한 형벌.
[殊號 수호] 특별한 명칭.
[殊荒 수황] 오랑캐가 사는 먼 나라.
[殊效 수효] ㉠수공(殊功). ㉡특효(特效).
[殊勳 수훈] 특별히 뛰어난 훈공.
◉魁殊. 等殊. 萬殊. 優殊. 差殊. 卓殊. 特殊. 懸殊.

6 ⑩ [殆] 락 [入]藥 盧各切 luò

[字解] 죽을 락 '殂一'은 죽음. '殂一, 死也'《類篇》.

6 ⑩ [殎] 〔자〕
欶(欠部 八畫〈p. 1131〉)와 同字

6 ⑩ [残] 〔잔〕
殘(歹部 八畫〈p. 1151〉)의 俗字

6 ⑩ [殌] 란 [去]翰 力換切 luàn

[字解] 까무러칠 란 죽음에 임하여 혼미(昏迷)에 빠지는 모양. '一, 諸物臨死時, 迷離沒亂貌'《字彙補》.

7 ⑪ [殍] 표 [上]篠 平表切 piǎo 

[字解] 주려죽을 표 아사(餓死)함. 또, 그 주검. '一餓'. '民多流一'《遼史》.

[殍殣 표근] 굶주려 죽음. 아사(餓死).
[殍餓 표아] 아사(餓死).
◉餓殍.

7 ⑪ [殏] 구 [平]尤 巨鳩切 qiú

[字解] 마칠 구, 죽을 구 '一, 終也'《爾雅》.

7 ⑪ [殑] 긍 [平]蒸 其矜切 qíng

[字解] ①허깨비나올 긍 허깨비가 나타남. '殑一, 鬼出'《集韻》. ②죽어갈 긍 죽어 가는 모양. '一殑, 欲死皃'《集韻》.

8 ⑫ [殗] 一 업 ㉧葉 於業切 yè
二 엄 ㉤鹽 衣廉切 yān

字解 一 ①앓을 업 가벼운 병을 앓음. '凡病而不甚者, 曰一殜'《揚雄》. ②겹칠 업 중첩함. '重葩一葉'《左思》. 二 죽을 엄 '一, 殁也'《集韻》.

[殗殜 업엽] 가벼운 병.
[殗葉 업엽] 겹친 나뭇잎.

8 ⑫ [殚] 졸 ①㉧質 子聿切 zú
②㉧月 倉沒切

字解 ①죽을 졸 대부(大夫)의 죽음을 일컬음. '大夫死曰一'《說文》. ②갑자기죽을 졸 급사(急死)함. '一, 暴終也'《類篇》.

字源 篆文 形聲. 歹(歺)+卒〔音〕. '卒졸'은 '죽다'의 뜻. 죽어서 뼈로 화(化)한다는 뜻으로, 특히 대부(大夫)의 죽음을 이름.

8 ⑫ [殖] 人名 식 ㉧職 常職切 zhí

筆順 一 ア 万 歹 歹' 殖 殖 殖

字解 ①심을 식 식물을 심음. '農一嘉穀'《書經》. ②세울 식 건립함. '以一義方'《國語》. ③자랄 식 성장함. '其生不一'《左傳》. ④번성할 식 무성함. '五穀所一'《呂氏春秋》. ⑤불을 식 ㉠수효 또는 이자 같은 것이 늚. '貨財一焉'《中庸》. ㉡번식함. '同姓不婚, 惡不一'《國語》. ⑥불릴 식 전항의 타동사. '一利'. '不一貨利'《書經》. ⑦성 식 성(姓)의 하나.

字源 篆文 形聲. 歹(歺)+直〔音〕. '歺알'은 사골(死骨)의 象形. '直직'은 '똑바르다, 곧다'의 뜻. 곧게 뻗은 경직(硬直)된 사체(死體)의 뜻에서, 일반적으로, '뻗다, 불어나다'의 뜻을 나타냄.

[殖利 식리] 이익(利益)을 늘림.
[殖民 식민] 국외의 미개지에 국내의 인민을 이주시켜 영주하게 하는 일. 또, 그 이민(移民). 식민(植民).
[殖産 식산] ㉠식재(殖財). ㉡생산(生產)을 늘림.
[殖成 식성] 우거져 번성함.
[殖殖 식식] 평탄하고 바른 모양.
[殖財 식재] 재산을 늘림.
[殖種 식종] 심음.
[殖貨 식화] 식재(殖財).
◉墾殖. 耕殖. 農殖. 蕃殖. 繁殖. 富殖. 生殖. 養殖. 藝殖. 油殖. 利殖. 滋殖. 增殖. 拓殖. 播殖. 豐殖. 學殖. 貨殖.

8 ⑫ [殘] 위 ①②㉤支 於爲切 wēi
③㉥寘 於僞切 wèi

字解 ①병들 위 '一, 病也'《說文》. ②말라죽을 위 시들어 죽음. '一, 枯死'《廣韻》. ③사슴고기 위 땅속에 묻어 냄새를 없앤 사슴 고기. '今益州有鹿一者'《禮記 註》.

字源 篆文 形聲. 歹(歺)+委〔音〕. '委위'는 '시들다'의 뜻. 시들어 오므라들어서 뼈가 되다의 뜻으로, 말라 죽다, 이울어 시들다의 뜻을 나타냄.

8 ⑫ [殕] 一 부 ㉡有 方九切 fǒu
二 복 ㉧職 鼻墨切 bó

字解 一 썩을 부 부패함. '一, 敗也'《廣雅》. 二 쓰러질 복 踣(足部 八畫)과 同字. '或拜跪跳躍倒一於地'《杜光庭》.

8 ⑫ [踦] 기 ㉤支 去奇切 qī
㉡紙 居綺切

字解 ①버릴 기, 죽을 기 버림. 또 죽음. '一, 棄也. 俗語謂死曰大一'《說文》. ②나머지 기 '一, 盈也'《廣雅》.

字源 篆文 形聲. 歹(歺)+奇〔音〕

8 ⑫ [殘] 高人 잔 ㉤寒 昨干切 cán 残

筆順 一 ア 歹 歹一 歹ヘ 殀 殘 殘

字解 ①해칠 잔 적해(賊害)함. '一害于爾萬姓'《書經》. ②죽일 잔 살해함. '放弑其君, 則一之'《周禮》. ③멸할 잔 멸망시킴. '欲一中山'《戰國策》. ④잔인할 잔, 사나울 잔 모짊. 포악함. '一酷'. '嚴而不一'《漢書》. 또, 그러한 사람. 흉악한 사람. '取彼凶一'《書經》. ⑤쇠잔할 잔 쇠하여 약함. 퇴폐함. 또, 멸망함. '一民'. '本國一, 社稷壞'《戰國策》. ⑥허물 잔, 무너뜨릴 잔 또, 무너짐. 패함. '淄水至, 則汝一矣'《戰國策》. ⑦탐할 잔 욕심 부림. '晉魏河內之北, 謂惏曰一'《揚子方言》. ⑧미워할 잔 '凡人一罵, 謂之鉗'《揚子方言》. ⑨남을 잔 잔존함. 또, 나머지. '一餘'. '帥其一卒'《呂氏春秋》. ⑩턱찌끼 잔 먹다 남은 찌끼. '食一'《高僧傳》. ⑪재앙 잔 흠. 해독. '大利之一也'《呂氏春秋》. ⑫삶은고기 잔 '燕臛羊一'《崔駰》.

字源 篆文 形聲. 歹(歺)+戔〔音〕. '戔전'은 토막토막 자르다의 뜻. '손상하다'의 뜻을 나타냄. 전(轉)하여, 남은 찌꺼기의 뜻도 나타냄.

參考 残(歹部 六畫)은 俗字.

[殘苛 잔가] 잔혹(殘酷).
[殘簡 잔간] 산일(散逸)하고 남은 문서(文書).
[殘釭 잔강] 잔등(殘燈).
[殘缺 잔결] 이지러져서 덜림. 빠짐. 모자람.
[殘更 잔경] 깊은 밤. 심경(深更).
[殘膏賸馥 잔고잉복] 남아 있는 기름과 향기라는 뜻으로, 뒤에 남은 의미나 음조(音調) 등의 맛 또는 후세(後世)까지 남은 유풍(遺風)과 여향(餘香)을 이름.
[殘果 잔과] ㉠남은 과실. ㉡상한 과실.
[殘壞 잔괴] 파손(破損)함. 또, 파손됨.
[殘菊 잔국] ㉠늦가을까지 피어 남아 있는 국화. ㉡서리를 맞아 상한 국화.
[殘闕 잔궐] 잔결(殘缺).
[殘戟 잔극] 싸움터에 묻혀 남은 창.
[殘金 잔금] 남은 돈.
[殘奇 잔기] 잔여(殘餘).
[殘期 잔기] 나머지 기간.
[殘年 잔년] 잔생(殘生).
[殘黨 잔당] 치고 남은 무리. 남은 도당(徒黨).
[殘徒 잔도] 잔당(殘黨).
[殘盜 잔도] 아직 다 잡지 못하여 남은 도둑.
[殘毒 잔독] 잔인(殘忍)하고 악독함.
[殘冬 잔동] 얼마 남지 않은 겨울. 늦겨울. 만동(晚冬).

[殘凍 잔동] 봄이 되어 아직도 녹지 않고 남은 얼음.
[殘蠹 잔두] 좀먹어 떨어뜨림.
[殘燈 잔등] 꺼지려고 하는 등불.
[殘略 잔략] ㉠빠지기도 하고 생략되기도 함. ㉡잔략(殘掠).
[殘掠 잔략] 잔해(殘害)하고 노략(擄掠)질함.
[殘曆 잔력] ㉠연말의 남은 날수. ㉡잔생(殘生).
[殘瀝 잔력] 잔적(殘滴).
[殘淚 잔루] 눈물 자국.
[殘壘 잔루] 남아 있는 보루(堡壘).
[殘留 잔류] 남아서 처져 있음.
[殘戮 잔륙] 잔살(殘殺).
[殘吏 잔리] 백성을 못살게 구는 잔인한 벼슬아치.
[殘亡 잔망] ㉠패하여 망함. ㉡패하여 도망함. ㉢잔멸(殘滅).
[殘梅 잔매] 제철이 지난 뒤에 피는 매화나무.
[殘氓 잔맹] 잔존(殘存)한 백성.
[殘猛 잔맹] 잔인하고 사나움.
[殘滅 잔멸] 잔해(殘害)하여 멸망(滅亡)시킴.
[殘命 잔명] 잔생(殘生).
[殘夢 잔몽] 아직 다 꾸지 않은 꿈.
[殘務 잔무] 남은 사무(事務). 아직 다 처리 못한 사무.
[殘民 잔민] 피폐(疲弊)한 백성.
[殘飯 잔반] 먹다 남은 밥. 대궁.
[殘芳 잔방] 잔화(殘花).
[殘杯冷炙 잔배냉적] 먹다 남은 술과 다 식은 고기구이. 곧, 먹다 남은 술과 안주.
[殘伐 잔벌] 토벌하여 멸함.
[殘兵 잔병] 싸움에 패한 뒤의 살아남은 군사(軍士). 패잔병.
[殘病 잔병] 불구자가 되는 중한 병. 폐질(癈疾). 또, 그 병을 앓음.
[殘部 잔부] ㉠남은 부곡(部曲). ㉡남은 부분.
[殘碑 잔비] 깨진 비석.
[殘寺 잔사] 퇴락한 절.
[殘山剩水 잔산잉수] 산수(山水)의 남은 것. 곧, 보잘것없는 작은 경치.
[殘殺 잔살] 잔인하게 죽임.
[殘生 잔생] 얼마 남지 않은 목숨. 여생(餘生).
[殘暑 잔서] 늦여름의 더위. 또, 여름이 지나고도 아직 남은 더위.
[殘曙 잔서] 날 샐녘.
[殘蟬 잔선] 만추(晩秋)에 우는 매미.
[殘雪 잔설] 녹다가 남은 눈.
[殘星 잔성] 새벽에 보이는 별.
[殘息 잔식] 잔생(殘生). 잔천(殘喘).
[殘惡 잔악] 잔인(殘忍)하고 악독함.
[殘雁 잔안] 철 늦게 날아드는 기러기.
[殘額 잔액] 남은 금액. 잔금(殘金).
[殘鶯 잔앵] 봄이 지난 뒤에 우는 꾀꼬리. 노앵(老鶯).
[殘夜 잔야] 샐녘. 미명(未明).
[殘陽 잔양] 석양(夕陽). 잔일(殘日).
[殘餘 잔여] 처져 있는 나머지.
[殘驛 잔역] 퇴락한 역참(驛站).
[殘煙 잔연] 사라져 가는 연기.
[殘熱 잔열] 잔서(殘暑).
[殘炎 잔염] ㉠잔서(殘暑). ㉡잔염(殘燄).
[殘燄 잔염] 다 꺼지지 않고 남아 있는 불꽃.
[殘英 잔영] 다 지지 않고 아직 남은 꽃. 잔화(殘花).
[殘塋 잔영] 무너진 무덤.
[殘營 잔영] 파괴된 진영(陣營).
[殘雨 잔우] 거의 다 오고 얼마 안 있다가 그칠 비.
[殘燠 잔욱] 남은 더위.
[殘月 잔월] 날이 밝을 때까지 남아 있는 달. 새벽달.
[殘邑 잔읍] 피폐(疲弊)한 고을.
[殘忍 잔인] 차마 할 수 없는 무자비한 행위를 거리낌 없이 함.
[殘日 잔일] ㉠석양(夕陽). ㉡남은 일수(日數). 여일(餘日).
[殘滓 잔재] 찌끼.
[殘賊 잔적] ㉠잔해(殘害). ㉡인의(仁義)를 손상함. 또, 그 사람. ㉢남은 도둑. 아직 다 잡지 못하여 남아 있는 도둑.
[殘滴 잔적] ㉠아직 떨어지지 않고 붙어 있는 물방울. ㉡남은 술. 여적(餘滴).
[殘敵 잔적] 패하고 남은 적군. 아직 다 쳐 무찌르지 못해 남아 있는 적.
[殘政 잔정] 잔인(殘忍)한 정치.
[殘租 잔조] 기한 내에 못 받는 구실.
[殘照 잔조] 지는 햇빛.
[殘族 잔족] 살아남은 겨레.
[殘存 잔존] 남아서 처져 있음.
[殘晝 잔주] 저녁때가 가까운 낮. 거의 해가 지게 된 때.
[殘尊 잔준] 잔준(殘樽).
[殘樽 잔준] 아직 술이 남은 술 그릇.
[殘疾 잔질] 잔병(殘病).
[殘菜 잔채] 먹다 남은 나물.
[殘喘 잔천] 잔생(殘生).
[殘礎 잔초] 헐어 없어진 건물의 남은 주춧돌.
[殘燭 잔촉] 거의 다 꺼져 가는 촛불.
[殘秋 잔추] 얼마 남지 않은 가을. 늦가을. 만추(晩秋).
[殘醜 잔추] 아주 다 무찔러 없애지 못하여 남은 악당(惡黨).
[殘春 잔춘] 얼마 남지 않은 봄. 늦봄. 만춘(晩春).
[殘破 잔파] 부숨. 또, 부서짐.
[殘葩 잔파] 잔화(殘花).
[殘敗 잔패] 쇠잔(衰殘)하여 패함.
[殘編 잔편] 산일(散逸)하고 남은 책. 잔본(殘本).
[殘編斷簡 잔편단간] 책의 떨어진 쪽지.
[殘廢 잔폐] 쇠잔(衰殘)하여 퇴폐함.
[殘暴 잔포] 잔인(殘忍)하고 포악함.
[殘品 잔품] 남은 물품.
[殘風 잔풍] 한참 불고 난 뒤에 쉬 그칠 바람.
[殘夏 잔하] 얼마 남지 않은 여름. 늦여름. 만하(晩夏).
[殘虐 잔학] 잔인(殘忍)하고 포학함.
[殘恨 잔한] 남은 원한. 잊혀지지 않는 원한. 유한(遺恨).
[殘寒 잔한] 입춘 뒤의 추위.
[殘榼 잔합] 잔준(殘樽).
[殘害 잔해] ㉠해침. ㉡죽임.
[殘骸 잔해] 남아 있는 시체.
[殘香 잔향] 뒤에까지 남아 있는 향기. 여향(餘香).
[殘鄕 잔향] 쇠잔한 시골. 퇴폐한 시골.
[殘戶 잔호] 피폐(疲弊)한 민가(民家).
[殘酷 잔혹] 잔인하고 가혹함.
[殘紅 잔홍] 아직 다 지지 않고 남아 있는 붉은 꽃.
[殘花 잔화] ㉠떨어지고 남은 꽃. ㉡쇠잔한 꽃. 상한 꽃. 빛이 바랜 꽃.
[殘懷 잔회] 잊혀지지 않는 생각.

[殘橫 잔횡] 잔인하고 횡포함.
[殘殽 잔효] 먹다 남은 안주.
[殘毁 잔훼] 훼손(毁損)함.
[殘暉 잔휘] 잔조(殘照).
[殘虧 잔휴] 부서지고 이지러짐.
[殘兇 잔흉] 쳐서 다 없애지 못하여 남은 흉당(凶黨).
[殘痕 잔흔] 남은 자취. 흔적.
◉老殘. 漏殘. 無殘. 相殘. 燒殘. 衰殘. 零殘. 除殘. 凋殘. 彫殘. 摧殘. 侵殘. 殫殘. 敗殘. 廢殘. 荒殘. 膾殘.

8 ⑫ [殈] [一] 완 ㊤阮 委遠切 yuǎn [二] 왈 ㊇曷 烏括切 wò

[字解] [一] 사람죽는모양 완 '一, 人死皃'《集韻》. [二] 역한냄새 왈 좋지 못한 냄새. '一, 臭氣'《集韻》.

8 ⑫ [殙] 혼 ㊥元 呼昆切 hūn

[字解] ①흐릴 혼 어리석음. 惛(心部 八畫)과 同字. '以黃金注者一'《莊子》. ②지칠 혼 '一, 極也'《廣雅》. ③앓을 혼 병듦. '一, 病也'《廣雅》. ④죽어갈 혼 '一, 欲死也'《聲類》. ⑤죽을 혼 공명을 이루지 못하고 죽음. '一, 又未立名而死'《廣韻》. ⑥불쌍히여길 혼 '一, 矜也'《類篇》.
[字源] [篆文] [篆文] 形聲. 歹(歺)＋昏〔音〕. '昏혼'은 '어둡다, 어리석다'의 뜻. 생기가 없어 어리석음의 뜻을 나타냄.

9 ⑬ [殟] 殙(前條)의 本字

9 ⑬ [殜] 엽 ㊇葉 與涉切 yè

[字解] ①병들 엽 '一殗, 病也'《集韻》. ②쇠할 엽 기력이 감퇴함. '一, 一曰, 微也'《集韻》.

9 ⑬ [殛] 극 ㊇職 紀力切 jí

[字解] ①죄줄 극 형벌에 처함. 죽임. '一鯀于羽山'《書經》. ②꾸짖을 극 견책함. '是糾是一'《左傳》.
[字源] [篆文] 形聲. 歹(歺)＋亟〔音〕. '亟극'은 '힐문(詰問)하다, 추궁하다'의 뜻. 사람을 추궁하여 죽게 하다의 뜻을 나타냄.

◉糾殛. 明殛. 放殛. 罰殛. 流殛. 誅殛. 竄殛.

[飧] 〔손〕 食部 四畫(p. 2571)을 보라.

9 ⑬ [殨] 훼 ㊦隊 許穢切 huì

[筆順] 一 歹 歹 歽 殀 殄 殨 殨

[字解] 지칠 훼 지침. 나른함. '殢一'.

10 ⑭ [殞] [人名] 운 ㊤軫 于敏切 yǔn ㊤吻 羽粉切

[字解] ①죽을 운 사망함. '一死'. '尙復投一'《梁書》. ②떨어질 운 낙하함. '一石'. '槁葉夕一'《潘岳》. ③떨어뜨릴 운 낙하시킴. '莫不一涕'《淮南子》.
[字源] 形聲. 歹(歺)＋員〔音〕. '員원'은 둥그렇게 되다의 뜻. '歺알'은 '사체(死體)'의 뜻. 나뭇잎 따위가 말라 죽어 동그랗게 오그라들어 떨어지다, 죽다의 뜻을 나타냄.

[殞命 운명] 숨이 떨어짐. 죽음.
[殞死 운사] 죽음.
[殞霜 운상] 내린 서리.
[殞石 운석] 땅 위에 떨어진 별똥의 한 가지. 유성(流星)이 다 타지 아니하고 떨어진 것. 운석(隕石).
[殞碎 운쇄] 운명(殞命).
[殞殪 운에] 운폐(殞斃).
[殞泣 운읍] 눈물을 떨어뜨리며 욺. 낙루(落淚).
[殞斃 운폐] 죽어 쓰러짐.
◉凋殞. 秋殞. 灰殞.

10 ⑭ [殟] [一] 올 ㊇月 烏沒切 wēn [二] 온 ㊥元 烏渾切 wēn

[字解] [一] ①병급할 올 급한 병으로 민절(悶絶)함. '悒一絶兮咕復蘇'《楚辭》. ②낙태할 올 태아가 죽어서 썩음. '一, 胎敗也'《說文繫傳》. ③심란할 올 번민함. '一, 心悶'《廣韻》. ④죽어갈 올 '烏一, 欲死也'《一切經音義》. ⑤천천할 올 완만(緩漫)한 모양. '縱弛一歿'《傅毅》. [二] ①병들 온 '一, 病也'《廣雅》. ②지칠 온 피로함. '一, 極也'《廣韻》.
[字源] [篆文] 形聲. 歹(歺)＋昷〔音〕. '昷온'은 안에 가득하다의 뜻. 기(氣)가 안에 가득하여 졸도하다의 뜻을 나타냄.

10 ⑭ [殠] 추 ㊦宥 尺救切 chòu

[字解] ①썩은내 추 악취(惡臭). '上不泄一'《漢書》. ②썩은내날 추 악취가 남. '單于得漢美食好物, 謂之一惡'《漢書》.
[字源] [篆文] 形聲. 歹(歺)＋臭〔音〕. '歺알'은 뿔뿔이 된 뼈의 象形. 썩은 냄새의 뜻을 나타냄.

[殠惡 추악] 냄새가 고약함. 맛이 나쁨.

10 ⑭ [殪] 의 ㊦寘 於賜切 yì

[字解] 시들어죽을 의 '一, 物凋死'《廣韻》.

10 ⑭ [殨] [一] 애 ㊥灰 五來切 ái [二] 개 ㊥灰 古哀切

[字解] [一] 태 애 죽은 태(胎). 양(羊)을 죽여 그 태(胎)를 꺼냄. '一, 殺羊出其胎也'《說文》. '一, 胎也'《廣雅》. [二] 태 개 [一]과 뜻이 같음.
[字源] 形聲. 歹(歺)＋豈〔音〕

10 ⑭ [殞] 〔명〕 冥(冖部 八畫〈p. 226〉)과 同字

11 ⑮ [殣] 근 ㊦震 渠遴切 jìn, jǐn

[字解] ①굶어죽을 근 아사(餓死)함. 또, 그 사람. '殍一'. '道一相望'《左傳》. ②묻을 근 시체를 파묻음. '尙或一之'《詩經》. ③뵐 근 覲(見部

十一畫)과 통용.

字源 篆文 形聲. 歹(歺)+堇〔音〕. '堇근'은 흙을 바르다의 뜻. 길가에서 행려사(行旅死)한 사람을 관(棺) 따위를 쓰지 않고 매장(埋葬)함의 뜻을 나타냄.

◉道殣. 殍殣. 行殣.

11 ⑮ [殤] 상 ㊥陽 式羊切 shāng

字解 일찍죽을 상 요사(夭死). 16세부터 19세까지에 죽는 것을 '長—', 12세부터 15세까지를 '中—', 8세부터 11세까지를 '下—', 7세 이하를 '無服之—'이라 함. '周人以殷人之棺椁葬長—'《禮記》.

字源 篆文 形聲. 歹(歺)+傷〈省〉〔音〕. '傷상'은 '상처 입다'의 뜻. 20세 미만(未滿)에 일찍 죽다의 뜻.

[殤宮 상궁] 젊어서 죽은 자의 영혼(靈魂). '宮궁'은 '躬궁'의 가차(假借)로서, '몸'의 뜻.
[殤死 상사] 나이가 20세 미만에 죽음.
[殤子 상자] 젊은 나이에 죽은 사람.
◉家殤. 國殤. 無服殤. 夭殤. 長殤. 中殤. 之殤. 彭殤. 下殤.

11 ⑮ [殢] ㊀ 체 ㊤霽 他計切 tì ㊁ 혜 ㊤霽 呼計切 tì

字解 ㊀ ①느른할 체 깨나른하게 지쳐 버림. '—, 極也'《廣雅》. ②정체할 체, 막힐 체 '—, 滯也'《字彙》. ㊁ 느른할 혜 ㊀❶과 뜻이 같음.

字源 形聲. 歹(歺)+帶〔音〕. '帶대'는 띠처럼 휘감기다의 뜻. 생기가 없어져서 피로가 휘감기다의 뜻을 나타냄.

11 ⑮ [殥] 인 ㊥眞 翼眞切 yín

字解 멀 인 요원함. 또, 그곳. '九州之外, 乃有八—'《淮南子》.

11 ⑮ [殧] 〔륙〕 戮(戈部 十一畫〈p.836〉)의 俗字

12 ⑯ [殪] 에 ㊤霽 於計切 yì

字解 ①쓰러질 에 죽어 쓰러짐. 죽음. '—仆'. '奔—百餘里間'《後漢書》. ②쓰러뜨릴 에 죽여 쓰러뜨림. '—此大兕'《詩經》. ③다할 에 다 없앰. 또, 다 없어짐. '將可—也'《左傳》. ④끊을 에, 멸할 에 절멸(絶滅)시킴. '天乃大命文王, —戎殷'《書經》.

字源 篆文 古文 形聲. 歹(歺)+壹〔音〕. '壹일'은 오로지하다의 뜻. 외곬으로 숨통을 끊음의 뜻을 나타냄.

[殪仆 에부] 죽어 쓰러짐. 죽음.
◉馬殪. 射殪. 殞殪.

12 ⑯ [殨] 궤(회㊍) ①㊤賄 戶賄切 ②㊤隊 胡對切 huì

字解 ①종기터질 궤 종기가 터져 고름이 나옴. '—, 腫決也'《廣韻》. ②문드러질 궤 짓무름. '—, 爛也'《說文》.

字源 篆文 形聲. 歹(歺)+貴(貴)〔音〕. '貴귀'는 '毁훼'와 통하여, '찌부러지다'의 뜻. 생기를 잃고 무너짐의 뜻을 나타냄.

12 ⑯ [殫] 탄 ㊥寒 都寒切 dān

字解 ①다할 탄 ㉠다 없어짐. '—竭'. '財—力痛'《李華》. ㉡다 없앰. '—其地之出'《柳宗元》. ②쓰러질 탄, 쓰러뜨릴 탄 죽음. 또, 죽임. '上山斫檀, 榽榼先—'《爾雅》. ③두루 탄 빠짐없이 널리. '—洽'. '—見洽聞'《班固》.

字源 篆文 形聲. 歹(歺)+單〔音〕. '單단'은 '袒단'과 통하여, '드러나다'의 뜻. '歺알'은 사체(死體)의 뼈의 형상. 백골(白骨)이 드러남의 뜻에서, '다하다'의 뜻을 나타냄.

[殫竭 탄갈] 다 없어짐. 또, 다 없앰.
[殫竭心力 탄갈심력] 심력(心力)을 다 기울임.
[殫極 탄극] 다 없어짐.
[殫極之綆斷幹 탄극지경단간] 두레박줄이 우물난간에 자꾸 닿아 두레박줄도 닳아 끊어지지마는 우물 난간도 또한 닳아 끊어진다는 뜻. 곧, 미력(微力)이나마 무슨 일을 힘써 하면 성사(成事)할 수 있다는 비유.
[殫亡 탄망] 다함. 없어짐.
[殫誠 탄성] 성심(誠心)을 다함.
[殫殘 탄잔] 모두 멸함. 절멸시킴. 또, 모두 멸망함.
[殫盡 탄진] 탄갈(殫竭).
[殫洽 탄흡] ㉠두루 앎. 널리 앎. ㉡두루 미침. 빠짐없이 미침.
◉力殫. 智殫. 飄殫. 疲殫.

12 ⑯ [殭] 등 ㊤徑 徒亘切 dèng

字解 앓을 등 괴로워하며 앓음. '殑, 殑—, 困病皃'《集韻》.

13 ⑰ [殬] 〔라〕 贏(歹部 十九畫〈p.1155〉)의 本字

13 ⑰ [殭] 강 ㊥陽 居良切 jiāng ㊤漾 居亮切

字解 ①굳어질 강 주검이 단단히 굳어져서 썩지 않음. '—, 死不朽也'《廣韻》. ②누에말라죽을 강 누에가 희게 말라 굳어져서 죽음. '—蠶'.

字源 形聲. 歹(歺)+畺〔音〕. '畺강'은 '굳어지다'의 뜻. 죽어서 굳어지다의 뜻을 나타냄.

[殭蠶 강잠] 희게 말라 굳어져서 죽은 누에.

13 ⑰ [殮] 人名 렴 ㊤豔 力驗切 liàn

字解 염할 렴 염습(殮襲)함. '小—於戶內, 大—於阼'《禮記》.

字源 形聲. 歹(歺)+僉〔音〕. '僉첨'은 '거두다'의 뜻. 시체를 거두어 염습하다의 뜻을 나타냄.

13 ⑰ [殬] 두 ㊤遇 當故切 dù

字解 썩을 두 퇴패(頹敗)함. '彝倫攸—'《書經》.

字源 篆文 形聲. 歹(歺)+睪〔音〕. '斁두'와 통하여, 퇴패되다의 뜻을 나타냄.

13 ⑰ [斃] 몰 ㊅月 莫突切 zhài

字解 임종할 몰 임종(臨終). '臨死之時日一斃'《篇海》.

14 ⑱ [殯] 人名 빈 ㊄震 必刃切 bìn

字解 ①초빈할 빈 시체를 입관(入棺)한 후 장사 지낼 때까지 안치(安置)함. '一於五父之衢'《禮記》. ②파묻힐 빈 매몰됨. '道帙長一, 法筵久埋'《孔稚圭》.

字源 篆文 形聲. 歹(歺)+賓〔音〕. '賓빈'은 '손님'의 뜻. 사람의 사체(死體)를 매장(埋葬)하기 전에 죽음의 세계로부터의 손님으로서 관(棺)에 넣어 둠의 뜻을 나타냄.

[殯宮 빈궁] ㉠발인(發靷)할 때까지 천자(天子)의 관(棺)을 안치하는 궁전. ㉡《韓》 세자(世子) 또는 세자비의 관을 안치하는 궁전을 이름.
[殯歿 빈석] 장사 지낼 때까지 입관한 시체를 안치하는 구덩이.
[殯所 빈소] 발인(發靷)할 때까지 관을 놓아두는 「방.
[殯殿 빈전] ㉠빈궁(殯宮) ❶. ㉡《韓》 왕 또는 왕비의 관(棺)을 안치하는 궁전을 이름.
◉歸殯. 祓殯. 虞殯. 帷殯.

15 ⑲ [殰] 독 ㊅屋 徒谷切 dú

字解 낙태할 독 유산함. '胎生者不一'《禮記》.

字源 篆文 形聲. 歹(歺)+賣〔音〕

◉墮殰.

15 ⑲ [殱] 殲(次條)의 俗字

17 ㉑ [殲] 人名 섬 ㊉鹽 子廉切 jiān

字解 ①멸할 섬 모두 죽음. 섬멸당함. '齊人一于遂'《春秋》. ②섬멸할 섬 모조리 죽임. '一厥渠魁'《書經》.

字源 篆文 形聲. 歹(歺)+韱〔音〕. 原字는 '𢦏'이며, 수많은 사람을 열마 남지 않을 때까지 모조리 죽임의 뜻을 나타냄. 뒤에, '시체'의 뜻인 '歺알'을 덧붙여, '모두 죽이다'의 뜻을 나타냄.

[殲滅 섬멸] 남김없이 모두 무찔러 멸망(滅亡)시킴. 또, 여지없이 멸망함.
[殲撲 섬박] 토멸(討滅)함.
[殲夷 섬이] ㉠죽거나 상하거나 함. 또, 멸망함. ㉡모조리 무찔러 죽임.
◉剋殲. 兵殲. 殄殲. 盡殲.

17 ㉑ [殨] 란 ㊄翰 郞旰切 làn

字解 문드러질 란 부란(腐爛)함.

19 ㉓ [殱] ㊀ 라 ㊤哿 魯果切 luǒ
㊁ 뢰 ㊄箇 魯過切
㊄泰 郞外切

字解 ㊀ ①축류역병 라 '一, 畜産疫病'《廣韻》. ②병들 라 '一, 病也'《廣雅》. ㊁ 축류역병 뢰, 병들 뢰 ㊀과 뜻이 같음.

字源 形聲. 歹(歺)+羸〔音〕

殳 (4획) 部

〔갖은등글월문부〕

0 ④ [殳] 수 ㊉虞 市朱切 shū

筆順 丿 几 殳 殳

字解 몽둥이 수 길이 1장(丈) 2척(尺)의 여덟모진 몽둥이.

字源 金文 篆文 象形. 손에 나무 몽둥이를 든 모양을 본뜨며, '치다, 때리다'의 뜻을 나타냄.

參考 부수(部首)로서, 속(俗)에 갖은등글월문이라 이름. '殳'를 의부(意符)로 하여, '치다, 때리다, 부수다' 등의 뜻을 갖는 문자를 이룸.

4 ⑧ [殳] ㊀ 침 ㊤寢 陟甚切 zhěn
㊁ 금 ㊉侵 巨金切 qín

字解 ㊀ 칩떠칠 침 밑에서 위로 올려 침. '一, 下擊上也'《說文》. ㊁ ①다스릴 금 '一, 治也'《玉篇》. ②제어할 금 누름. '一制也'《玉篇》. ③금할 금 '一, 禁也'《集韻》.

字源 篆文 形聲. 殳+冘〔音〕. '冘음'은 '가라앉히다'의 뜻. 쳐서 가라앉히다의 뜻으로, '금하다, 누르다'의 뜻을 나타냄.

4 ⑧ [殴] 〔구〕
毆(殳部 十一畫〈p. 1160〉)의 略字

5 ⑨ [段] 高人 단 ㊄翰 徒玩切 duàn

筆順 ′ 丨 ㇀ 𠂆 𠃊 ⺩ 段

字解 ①조각 단 단편. '片一'. '揮劍截蛟, 數一而去'《晉書》. ②갈림 단 구분. '一落'. '自古諸歷失分一'《五代史》. ③가지 단 종류. 등급(等級). '因賜物百一'《舊唐書》. ④포목 단 '賜茶葉綵一'《十六國春秋》. ⑤반필 단 포목 한 필의 반. 緞(糸部 九畫)과 同字. '有風從東來, 吹帛一一, 高數十丈'《金史》. ⑥포 단 腶(肉部 九畫)과 同字. '婦執笲棗栗一脩以見'《禮記》. ⑦수단 단 방법. '此人在風塵時節, 便是偏霸手一'《謝上蔡語錄》. ⑧단련할 단 불림. '一, 椎物也'《說文》. ⑨칠 단 몽치로 때림. '一氏爲鎛器'《周禮》. ⑩나눌 단 분할함. '斷一也, 分爲異段也'《釋名》. ⑪성 단 성(姓)의 하나.

字源 金文 篆文 會意. 殳+𠂆. '殳수'는 인공(人工)을 가함의 뜻. '𠂆'은, 金文에서는 암석(巖石)이나 벼랑에 구획을 지어 점차 높이 오를 수 있게 한 모양을 본뜸. 벼랑 따위에 손을 대어 오르내리기 편리하게 한 층층대, 구분의 뜻을 나타냄.

[段階 단계] ㉠층계. 계단(階段). ㉡등급(等級).

순서.
[段丘 단구] 물에 쓸려 간 흙·모래가 강과 바다에 지층(地層)을 이루어서 쌓인 토지.
[段落 단락] ㉠문장의 큰 부분. ㉡일이 다 된 끝. 결말.
[段成式 단성식] 당(唐)나라의 문인(文人). 시(詩)를 잘 지어 명성이 이상은(李商隱)·온정균(溫庭均)과 가지런하였으며 저서에 〈유양잡조(酉陽雜俎)〉가 있음.
[段脩 단수] 얇게 저며 말린 고기. 포. 단(段)은 단(腶).
[段食 단식] 《佛教》 밥·고기·채소 등의 유형(有形)의 음식.
[段氏 단씨] 대장장이. 단(段)은 단(鍛).
[段玉裁 단옥재] 청대(清代)의 학자. 자(字)는 약응(若膺), 호(號)는 무당(懋堂). 대진(戴震)의 문인(門人)으로, 음운(音韻)과 자학(字學)에 뛰어났으며 〈설문해자주(說文解字注)〉·〈고문상서찬이(古文尙書撰異)〉·〈경운루집(經韻樓集)〉 등의 저술이 있음.
◉階段. 款段. 區段. 大段. 分段. 上段. 手段. 中段. 綵段. 片段. 下段.

6 ⑩ [殷] 人名 ㊀ 은 ①-⑨㊥文 於斤切 yīn ⑩㊤吻 倚謹切 yǐn ㊁ 안 ㊥刪 烏閑切 yān

筆順 ⼀ 厂 户 户 戶 肙 肞 殷

字解 ㊀ ①성할 은 은성함. '一昌'. '惟一于民'《書經》. ②많을 은 '一其盈矣'《詩經》. ③클 은 '翼一不逝'《莊子》. ④당할 은 해당함. '衡一中州河濟之間'《史記》. ⑤근심할 은 근심하는 모양. '憂心一一'《詩經》. ⑥바로잡을 은 바르게 함. '日中星鳥以一仲春'《書經》. ⑦가운데 은 중앙. '九江孔一'《書經》. ⑧은나라 은 탕왕(湯王)이 하(夏)나라를 멸하고 세운 왕조. 원래는 상(商)나라라고 하였는데, 반경(盤庚)이 도읍을 은(殷)〈지금의 허난 성(河南省) 언사현(偃師縣)〉으로 옮긴 뒤에 은(殷)나라로 개칭(改稱)하였음. 제28대 주왕(紂王)에 이르러 주무왕(周武王)에게 멸망을 당하였음.(B.C. 1766~B.C. 1123) '自彼一商'《詩經》. ⑨천둥소리 은 뇌성. '一其雷'《詩經》. ⑩성 은 성(姓)의 하나. ㊁ 검붉은빛 안 적흑색. '左輪朱一'《左傳》.

字源 金文 篆文 會意. 殳+㐆. '㐆은'은 몸의 선대칭(線對稱)의 모양을 본떠, 임신하여 배가 커짐의 뜻. '殳수'는 강제적으로 어떤 상태(狀態)로 되게 하다의 뜻. 임신으로 배를 크게 하는 모양에서, '성(盛)함, 많음'의 뜻을 나타냄.

[殷紅 안홍] 검붉은빛. 적흑색.
[殷鑑 은감] 거울삼아 경계(警戒)하여야 할 가까운 전례. 은감불원(殷鑑不遠).
[殷鑑不遠 은감불원] 은(殷)나라 주왕(紂王)이 거울로 삼아 경계하여야 할 일은 전대(前代)의 하(夏)나라 걸왕(桀王)이 어질지 못한 정치를 하여 망한 일이라는 뜻으로, 자기가 거울로 삼아 경계하여야 할 선례(先例)는 바로 가까이에 있다는 말.
[殷遣 은견] 예(禮)를 후히 하여 보냄.
[殷曠 은광] 성대(盛代)함.
[殷勤 은근] ㉠친절함. 공손함. ㉡남녀간의 애정. 은근(慇懃).
[殷起 은기] 은성하게 일어남.
[殷大 은대] 번성하고 큼.
[殷同 은동] 제후(諸侯)가 함께 천자(天子)에게 알현한 후 천자가 제후에게 정령(政令)을 내리는 일.
[殷雷 은뢰] 요란한 우렛소리.
[殷滿 은만] 많아 가득 참. 충만함.
[殷盤 은반] 은(殷)나라 임금 반경(盤庚)이 지은 경계. 곧, 〈서경(書經)〉의 반경편(盤庚篇).
[殷繁 은번] 은창(殷昌)하고 번성함. 번영함.
[殷阜 은부] 무성함. 번성함.
[殷富 은부] 재물이 넉넉하고 번영함.
[殷事 은사] 삭망(朔望) 차례.
[殷商 은상] 중국 고대에 탕왕(湯王)이 창건(創建)한 왕조(王朝). 처음에 상(商)이라고 하다가 후에 은(殷)으로 개칭하였음.
[殷盛 은성] 번성함. 번창함.
[殷實 은실] 인구가 많고 재물이 넉넉함.
[殷憂 은우] 깊은 근심. 큰 근심.
[殷殷 은은] ㉠대단히 근심하는 모양. ㉡우레·대포(大砲) 등의 소리가 요란하게 울리는 모양. ㉢성(盛)한 모양.
[殷奠 은전] 넉넉한 제수(祭需).
[殷正 은정] 은(殷)나라 때의 정월. 전(轉)하여, 은나라 때에 시행한 달력.
[殷祭 은제] 성대한 제사.
[殷足 은족] 재물이 넉넉함. 풍족함.
[殷湊 은주] 많이 모임.
[殷軫 은진] 은진(殷賑).
[殷賑 은진] 번화(繁華)함.
[殷昌 은창] 번창(繁昌)함. 번성함.
[殷充 은충] 은만(殷滿).
[殷熾 은치] 은창(殷昌).
[殷豐 은풍] 풍성(豐盛)함.
[殷墟 은허] 은(殷)나라 도읍의 유적(遺跡)이라고 하는 곳. 지금의 허난 성(河南省) 안양현(安陽縣)에 있음. 갑골 문자(甲骨文字)가 많이 발견된 것으로 유명함.
[殷戶 은호] 부호(富豪).
[殷懷 은회] 자꾸 솟아나는 생각. 은은한 회포.
◉鳴殷. 彌殷. 純殷. 力殷. 寧殷. 情殷. 豐殷.

6 ⑩ [毅] ㊀ 개 ㊥灰 苦哀切 gāi ㊁ 해 ㊤賄 下改切

字解 ㊀ ①강묘(剛卯) 개 '一改'는 정월 묘일(卯日)에 사기(邪氣)를 물리치기 위하여 차는 물건. 금(金)·옥(玉)·복숭아나무 따위로 만듦. '一, 一改, 大剛卯也, 目逐精鬽'《說文》. ②웃음소리 개 '一陔'는 웃는 소리. '陔, 一陔'《廣韻》. ㊁ 강묘 해, 웃음소리 해 ㊀과 뜻이 같음.

字源 形聲. 殳+亥〔音〕

6 ⑩ [毅] 毅(前條)의 訛字

6 ⑩ [㱿] 〔각〕 㱿(殳部 八畫〈p. 1157〉)의 本字

6 ⑩ [殺] 〔살〕 殺(殳部 七畫〈p. 1157〉)의 訛字

[般] 〔반〕
舟部 四書(p. 1887)을 보라.

7 ⑪ [𣪍] [一] 투 [平]尤 [去]宥 度侯切 tóu
[二] 대 [去]泰 大透切 duì
[字解] [一] 던질 투 멀리서 겨냥하여 침. 投(手部 四畫〈p. 851〉)의 古字. '一, 繇擊也. 古文投如此'《說文》. [二] 몽치 대 祋(示部 四畫〈p. 1591〉)의 古字.
[字源] 形聲. 殳+豆〔音〕

7 ⑪ [殺] [中][人] [一] 살 [入]黠 所八切 shā
[二] 쇄 [去]卦 所拜切 shài 杀
[筆順] ノ ㄨ 㐅 㐅 杀 杀 杀 殺
[字解] [一] ①죽일 살 ㉠살해함. '一戮'. '行一不義, 一一不辜'《孟子》. ㉡사형(死刑)에 처함. '罪人曰一'《釋名》. ②죽을 살 '絶其哺乳, 立可餓一'《魏志》. ③벨 살 풀을 벰. '利以一草'《禮記》. ④지울 살 문대어 없앰. '摩挲猶抹一'《釋名》. ⑤멸할 살 없앰. '一生者不死'《莊子》. ⑥깰 살 깨뜨림. '一風景'《李商隱》. ⑦마를 살 말라 죽음. 시듦. '隕霜不一草'《春秋》. ⑧잡을 살 사냥감을 잡음. '天子一則下大綏'《禮記》. ⑨다스릴 살 '一, 治也'《初學記》. ⑩어조사 살 어세(語勢)를 강하게 하는 조사(助辭). '愁一'. '笑一天下人'《唐書》. [二] ①덜 쇄 감삭(減削)함. '減一'. '非帷裳必一之'《論語》. ②빠를 쇄 신속함. '東風莫一吹'《白居易》. ③매우 쇄 심히. 대단히. '一有好處'《容齋隨筆》.
[字源] [金文] [篆文] 會意. 殳+杀. '杀살'은 멧돼지 따위 동물의 象形. '죽이다, 희생'의 뜻을 나타냄. 또, 전(轉)하여, '깎아 냄, 감삭(減削)함'의 뜻도 나타냄.

[殺菌 살균] 병균을 죽임.
[殺氣 살기] ㉠추동(秋冬)의 한기(寒氣). ㉡소름이 끼치도록 무시무시한 기운.
[殺氣衝天 살기충천] 살기(殺氣)가 하늘을 찌르는 듯함.
[殺年 살년] 대단히 흉년이 든 해.
[殺掠 살략] 사람을 죽이고 재물(財物)을 빼앗음.
[殺略 살략] 살략(殺掠).
[殺虜 살로] 살획(殺獲).
[殺戮 살륙] 사람을 무찔러 죽임.
[殺母蛇 살모사] 독사(毒蛇)의 일종. 껍질을 벗기고 내장(內臟)을 빼어 낸 살은 강장제(強壯劑)로 씀. 살무사. 복사(蝮蛇). 「짓.
[殺伐 살벌] ㉠살해(殺害). ㉡거칠고 무시무시한
[殺伐之聲 살벌지성] 음악의 곡조가 거세고 급하여 무시무시한 느낌을 주는 소리.
[殺父之讎 살부지수] 자기 아버지를 죽인 원수(怨讎).
[殺傷 살상] 죽임과 부상을 입힘. 또, 죽이고 상처(傷處)를 입힘.
[殺生 살생] ㉠죽임과 살림. 생살(生殺). ㉡《佛教》십악(十惡)의 하나. 산목숨을 죽이는 일.
[殺星 살성] 사람의 명수(命數)를 맡았다고 하는 별.
[殺矢 살시] ㉠가까운 거리에서 쏠 때 쓰는 화살. ㉡사냥에 쓰는 화살.
[殺身成仁 살신성인] 자기 몸을 희생하여 인(仁)을 이룸. 세상을 위하여 생명을 바침.
[殺獄 살옥] 사람을 죽인 큰 사건.
[殺越 살월] 사람을 죽여 쓰러뜨림.
[殺戮 살육] 살륙(殺戮).
[殺意 살의] 사람을 죽이려는 생각.
[殺人 살인] 사람을 죽임.
[殺人劍 살인검] 살인도(殺人刀).
[殺人刀 살인도] 사람을 죽이는 칼. 활인도(活人刀)의 대(對).
[殺人者死 살인자사] 사람을 죽인 자는 마땅히 죽어야 함을 이르는 말.
[殺入 살입] 맹렬한 기세로 돌입함.
[殺之無惜 살지무석] 죽여도 아까울 것이 없다는 뜻으로, 죄악(罪惡)이 매우 중(重)함을 이름.
[殺蟲 살충] 벌레를 죽임.
[殺風景 살풍경] 매몰하고 흥취가 없음. 너무 비속(鄙俗)하여 흥이 깨짐.
[殺害 살해] 사람을 죽임.
[殺活 살활] 죽임과 살림.
[殺獲 살획] 죽임과 사로잡음. 또, 죽이고 사로잡음.
[殺到 쇄도] 한꺼번에 와 몰려듦.
[殺損 쇄손] 줄어짐. 줄임.
[殺下 쇄하] 볼이 야윔. 또, 야윈 볼. 수척한 뺨.
◉減殺. 坑殺. 格殺. 擊殺. 故殺. 撾殺. 絞殺. 拘殺. 毆殺. 濫殺. 拉殺. 惱殺. 屠殺. 毒殺. 抹殺. 忙殺. 謀殺. 默殺. 撲殺. 射殺. 相殺. 生殺. 笑殺. 愁殺. 讎殺. 肅殺. 襲殺. 暗殺. 壓殺. 扼殺. 掩殺. 鏖殺. 鬱殺. 幽殺. 誘殺. 縊殺. 自殺. 殘殺. 戕殺. 炙殺. 賊殺. 族殺. 誅殺. 鴆殺. 斬殺. 慘殺. 刺殺. 擅殺. 銃殺. 追殺. 捶殺. 醉殺. 他殺. 笞殺. 妬殺. 必殺. 虐殺. 刑殺. 活殺.

7 ⑪ [𣪏] 〔감〕
敢(攴部 八畫〈p. 935〉)의 本字

7 ⑪ [殸] [一] 경 ①[去]徑 苦定切 qìng
②[平]庚 口莖切 kēng
[二] 성 [平]庚 書盈切 shēng
[字解] [一] ①경쇠 경 磬(石部 十一畫〈p. 1584〉)의 籀文. ②적(敵) 경 상대(相對). '一, 敵也'《廣韻》. [二] 소리 성 聲(耳部 十一畫〈p. 1828〉)의 古字.

7 ⑪ [㱿] 〔학〕
殼(口部 十畫〈p. 398〉)의 訛字

8 ⑫ [殼] [人][名] 각 [入]覺 苦角切 ké, qiào 壳
[筆順] 一 十 士 声 声 壳 壳 殼
[字解] ①껍질 각 ㉠조개·알 등의 껍데기. '卵一'. '蝸牛之一'. '如鳥一之裹黃'《唐書》. ㉡과실 등의 두꺼운 껍질. '木葉幹一'《列子》. ㉢곡물의 외피(外皮). 겨. '其穀一有紅白二色'《本草》. ㉣탈피한 껍질. 허물. '脫皮一'. '蟬蛻亡一'《後漢書》. ㉤둘러싼 굳은 외피(外皮). '破煩惱一'《李邕》. ②등딱지 각 갑각(甲殼). '玄武縮于一中兮'《張衡》. ③씨 각 껍질 속의 알맹이. '一, 果核'《正字通》. ④칠 각 내리침. '君將一之'《左傳》.

字源 篆文 形聲. 篆文은 殳+肯〔音〕. '肯각'은 속이 껍질로 돼 있는 것의 象形. '殳수'는 '치다'의 뜻. 쳐서 속에 든 것을 끄집어낸 '껍질'의 뜻을 나타냄. 뒤에 '几궤'가 더해져서 '殼'이 됨.

[殼果 각과] 견과(堅果).
[殼斗 각두] 참나무·떡갈나무 등의 열매의 밑받침. 깍정이.
[殼物 각물] 패류(貝類).
[殼實 각실] 참되고 정직함. 성실함. 각(殼)은 각「(愨).
[殼族 각족] 패류(貝類).
◉介殼. 堅殼. 卵殼. 蟬殼. 蠣殼. 地殼. 皮殼.

8 ⑫ [㲉] ㊀구 ㊤有 居祐切 ㊥尤 尼猷切 jiù ㊁뉴 ㊥尤 去秋切

字解 ㊀ ①구부릴 구 '—, 揉屈也'《說文》. ②세게칠 구 '—, 強擊'《廣韻》. ㊁ 구부릴 뉴, 세게칠 뉴 ㊀과 뜻이 같음.
字源 形聲. 殳+臼〔音〕

8 ⑫ [殽] 효 ①-④㊥肴 胡茅切 yáo ⑤㊤效 後敎切 xiào

字解 ①섞일 효, 섞을 효 뒤섞임. 뒤섞음. '混—'. '鑄作錢布, 皆用銅, —以連錫'《漢書》. ②어지러울 효, 어지럽힐 효 혼란함. 혼란하게 함. '賢不肖混—'《漢書》. ③뼈붙은살 효 뼈를 발라내지 않은 살. '左—右胾'《禮記》. ④안주 효 肴(肉部 四畫)와 同字. '—核維旅'《詩經》. ⑤본받을 효 效(攴部 六畫)와 同字. '夫禮必本於天, —於地'《禮記》.
字源 篆文 形聲. 殳+肴〔音〕. '肴효'는 '섞다'의 뜻. '뒤섞임'의 뜻을 나타냄.

[殽亂 효란] 뒤섞이어 어지러움.
[殽羞 효수] ㉠술안주. ㉡요리. 음식.
[殽雜 효잡] 혼잡함.
[殽函 효함] 효산(殽山)과 함곡관(函谷關). 모두 진(秦)나라의 요해처.
[殽核 효핵] 술안주와 과실.
◉嘉殽. 山殽. 牲殽. 肉殽. 殘殽. 酒殽. 菜殽. 混殽. 渾殽.

9 ⑬ [殿] 高人 전 ㊤霰 堂練切 diàn ㊤霰 都甸切

筆順 ㄱ ㅋ 尸 屏 屈 展 屍 殿

字解 ①큰집 전 ㉠고대(高大)하고 장엄한 건물. 궁성·불각(佛閣) 따위. '—閣'. '—堂'. '佛—'. '先作前—阿房'《史記》. ㉡정무(政務)를 보는 곳. '—, 丞相所坐屋也'《漢書 註》. ②후군전 ㉠후진(後陣)의 군대. '寘諸戎車之—'《左傳》. ㉡최후까지 남아서 적을 방어하는 일. '奔而—'《論語》. ③하공 전 치적(治績)의 하등. '最'의 대(對). '課—最之間'《漢書》. ④진정(鎭定)할 전 진압하여 안정하게 함. '—天子之邦'《詩經》. ⑤성 전 성(姓)의 하나.
字源 篆文 形聲. 篆文은 屍+殳. '屍둔'은 대(臺)에 앉은 사람의 엉덩이의 象形. 엉덩이를 때리다의 뜻이기는 하지만, 엉덩이 그 자체의 뜻을 나타냄. 또, 파생(派生)되어, 엉덩이와 같은 안정감이 있는 큰 집의 뜻도 나타냄.

[殿角 전각] 궁전의 지붕의 모퉁이.
[殿閣 전각] 궁전(宮殿).
[殿喝 전갈] 궁전 위에서 제지함.
[殿階 전계] 궁전에 올라가는 계단.
[殿軍 전군] 전후(殿後) ㉡.
[殿內 전내] 전각·궁전 등의 안.
[殿闥 전달] 궁중(宮中)의 소문(小門). 전(轉)하여, 궁중(宮中). 대궐 안.
[殿堂 전당] 전우(殿宇).
[殿闌 전란] 전란(殿欄).
[殿欄 전란] 궁전의 난간(欄干). 「道).
[殿廊 전랑] 궁전(宮殿)·전당(殿堂) 등의 복도(複
[殿廡 전무] 궁전의 처마.
[殿本 전본] 청초(清初)에 무영전(武英殿)에서 출판한 어제(御製) 및 경사(經史)의 책.
[殿舍 전사] 궁전(宮殿).
[殿上 전상] 궁전의 위.
[殿上虎 전상호] 송(宋)나라 사람 유안세(劉安世)가 직간(直諫)한 고사(故事)에 의하여 궁전 위에서 임금을 준절히 직간하는 사람을 일컬음.
[殿試 전시] ㉠천자(天子)가 친히 진사(進士)의 시험을 행함. 또, 그 시험. ㉡조선(朝鮮) 때 임금이 참석하여 행하던 과거(科擧)의 마지막 시험.
[殿衙 전아] 마을. 관청. 관아(官衙).
[殿宇 전우] ㉠신체(神體)·불상(佛像) 등을 안치하는 건물. ㉡궁전.
[殿元 전원] 전시(殿試)에 장원 급제(壯元及第)한 사람.
[殿前司 전전사] 송(宋)나라 때 둔 관아(官衙). 금위(禁衛)의 수호 및 호종(扈從)·경필(警蹕) 등을 맡았음.
[殿中 전중] 궁전 안. 궁중(宮中).
[殿中省 전중성] 위(魏)나라 때 둔 관아(官衙). 공봉(供奉) 등을 맡았음.
[殿最 전최] ㉠선봉(先鋒)과 후군(後軍). ㉡관리의 성적의 열등과 우등. ㉢조선(朝鮮) 때 감사(監司)가 음력 유월과 섣달에 관하 수령의 치적(治績)을 심사하여 정부에 보고하던 우열(優劣). 치적이 가장 좋은 것을 최(最)라 하고 가장 열등(劣等)한 것을 전(殿)이라 하였음.
[殿版 전판] 전본(殿本).
[殿陛 전폐] 궁전의 섬돌. 전계(殿階).
[殿下 전하] ㉠궁전 아래. ㉡한(漢)나라 이전에는 제후(諸侯)의 존칭. 그 이후에는 황태자·제왕(諸王)의 존칭.
[殿檻 전함] 전란(殿欄).
[殿後 전후] ㉠궁전의 뒤. ㉡퇴각할 때 군의 맨 뒤에 있어 적의 추격을 막는 군대. 전군(殿軍). 후군(後軍). ㉢하지하(下之下). 최하등(最下等).
[殿屎 전히] 끙끙거리며 앓음. 신음함.
◉高殿. 宮殿. 金殿. 禁殿. 錦殿. 綺殿. 內殿. 大殿. 舞殿. 拜殿. 梵殿. 別殿. 寶殿. 伏魔殿. 佛殿. 上殿. 水殿. 升殿. 神殿. 幄殿. 御殿. 玉殿. 外殿. 浴殿. 月宮殿. 紫宸殿. 前殿. 正殿. 祭殿. 朱殿. 珠殿. 直殿. 清涼殿. 寢殿. 太極殿. 便殿. 行殿. 華殿. 後殿.

9 ⑬ [毁] 高人 훼 ㊤紙 許委切 huǐ ㊤寘 況僞切 huì

[筆順] ′ 𠂆 𦥑 臼 㿟 㲋 毀

[字解] ①헐 훼 ㉠무너뜨림. 또, 깨짐. '一破'. '一壞也. 破也'《廣韻》. '一泉臺'《春秋》. ㉡험담을 함. '一訾'. '誰一誰譽'《論語》. ②무너질 훼 헐어짐. '一墜'. '行成於思, 一於隨'《韓愈》. ③상할 훼 또, 상하게 함. '不敢一傷'《孝經》. ④멸할 훼 망하게 함. '自一其家'《左傳》. ⑤없앨 훼 제거함. '至於廟門不一牆'《禮記》. ⑥꺾일 훼 '趙不以一搆矣'《戰國策》. ⑦이갈 훼 소아가 젖니를 갊. '男八歲一齒'《白虎通》. ⑧양재(禳災)할 훼 기도를 들여 재앙을 물리침. '凡外祭, 一事用尨'《周禮》. ⑨야윌 훼 수척해짐. '一瘠'. '一不滅性'《孝經》.

[字源] 篆文 古文 形聲. 土＋毇〈省〉〔音〕. '毇훼'는 쌀을 절구에 찧음의 뜻. 흙을 빻아 으깨다의 뜻에서, '헐다, 깨뜨리다'의 뜻을 나타냄.

[毀家黜送 훼가출송] 한 고을 한 동네의 풍기(風紀)를 어지럽게 한 사람의 집을 헐고 다른 곳으로 내쫓음. 훼가출동(毀家黜洞).
[毀壞 훼괴] 부숨. 무너뜨림.
[毀棄 훼기] 헐거나 깨뜨려 버림. 또, 헐려 버림을 당함.
[毀短 훼단] 남의 단처를 꼬집고 헐뜯어 말함.
[毀頓 훼돈] 헒. 부숨. 또, 헐림. 부서짐.
[毀滅 훼멸] 상중(喪中)에 너무 슬퍼하여 몸이 야위고 기운이 없어짐.
[毀慕 훼모] 몸이 야위도록 사모함.
[毀薄 훼박] ㉠퇴폐하여 천박해짐. ㉡비방하고 경멸함.
[毀謗 훼방] 헐어 말함. 헐뜯음. 비방함. 또, 비방.
[毀病 훼병] 훼질(毀疾).
[毀服 훼복] 웃옷을 벗고 사죄(謝罪)함.
[毀誹 훼비] 헐뜯음. 비방함. 또, 비방.
[毀削 훼삭] 헐고 깎아 냄. 없애고 쓰지 아니함.
[毀傷 훼상] 몸에 상처(傷處)를 냄.
[毀損 훼손] ㉠헐거나 깨뜨려 쓰지 못하게 함. ㉡체면(體面)을 손상함.
[毀碎 훼쇄] ㉠깨뜨려 부숨. ㉡깨져 산산조각이 「남.
[毀顏 훼안] 근심하여 야윈 얼굴.
[毀言 훼언] 헐어서 하는 말. 비난.
[毀譽 훼예] 비방(誹謗)함과 칭찬함. 비방과 칭찬. 비난과 명예.
[毀譽褒貶 훼예포폄] 훼예(毀譽).
[毀惡 훼오] 헐뜯고 미워함.
[毀屋 훼옥] ㉠퇴락한 집. 무너진 집. ㉡집을 부「숨.
[毀瓦畫墁 훼와획만] 기와를 헐고 흙손질한 벽에 금을 그음. 곧, 남의 집에 해를 끼친다는 말.
[毀辱 훼욕] 헐어 말하여 욕보임.
[毀垣 훼원] 무너진 담.
[毀訾 훼자] 헐뜯음. 헐어 말함. 비방함.
[毀沮 훼저] 부숨. 파괴함.
[毀詆 훼저] 헐뜯음. 비방함.
[毀折 훼절] 헐고 부러뜨림. 또, 헐고 부러짐. 부서짐.
[毀節 훼절] 절개를 깨뜨림. 변절함.
[毀玷 훼점] 흠. 결점.
[毀疾 훼질] 상중(喪中)에 너무 슬퍼하여 병을 얻음. 또, 그 병.
[毀譖 훼참] 헐뜯음. 참소(讒訴)함. 참훼(譖毀). 참훼(讒毀).
[毀讒 훼참] 훼참(毀譖).
[毀瘠 훼척] 너무 슬퍼하여 몸이 수척(瘦瘠)하여 「짐.
[毀瘠骨立 훼척골립] 바싹 말라서 뼈만 앙상하게 드러남.
[毀撤 훼철] 부수어 치워 버림.
[毀墜 훼추] 무너져 떨어짐.
[毀齓 훼츤] 훼치(毀齒).
[毀齒 훼치] 어린아이가 젖니를 갊.
[毀破 훼파] 헒. 부숨. 깨뜨림.
[毀敗 훼패] ㉠헒. 부숨. 깨뜨림. ㉡남의 실패를 헐어 말함.
[毀敝 훼폐] 헒. 부숨. 깨뜨림. 또, 헐어짐. 부서짐. 깨짐.
[毀廢 훼폐] ㉠헐뜯는 말을 믿고 물리침. ㉡비난하여 물리침.
[毀瑕 훼하] 흠. 과실(過失). 결점.
◉求全之毀. 短毀. 謗毀. 背毀. 誹毀. 猜毀. 詆毀. 積毀. 憎毀. 譖毀. 讒毀. 頹毀. 破毀. 荒毀.

9 ⑬ [毁] 毀(前條)의 俗字

9 ⑬ [㲉] 〔격〕 毄(殳部 十畫〈p.1159〉)의 訛字

[彀] 〔구〕 弓部 十畫(p.727)을 보라.

[㝅] 〔누〕 子部 十畫(p.564)을 보라.

[嗀] 〔학〕 口部 十畫(p.398)을 보라.

10 ⑭ [毃] 각 [入]覺 苦角切 qiāo

[字解] 칠 각 ㉠머리를 때림. '奪之杖, 以一之'《左傳》. ㉡옆에서 침. '一, 橫擿也'《釋文》.

[字源] 篆文 形聲. 殳＋高〔音〕. '高고'는 '敲고'와 통하여, '두드리다'의 뜻. '殳수'도 '때리다'의 뜻. 합쳐서 머리를 때리다의 뜻을 나타냄.

10 ⑭ [毄] [一] 격 [入]錫 苦擊切 jī [二] 계 [去]霽 吉詣切 jì

[字解] [一] ①부딪칠 격 서로 부딪침. '一, 相擊中也'《說文》. ②털 격 힘 있게 흔들어 텂. '和弓一摩'《周禮》. ③애쓸 격 힘써 용력(用力)함. '勤苦用力曰一'《集韻》. [二] 매어기를 계 붙들어 매어 기름. '農桑一畜'《漢書》.

[字源] 篆文 會意. 殳＋軎. '殳수'는 '치다'의 뜻. '軎'은 수레바퀴 굴대의 끝의 뜻. 수레와 수레가 맞닿아, 바퀴 굴대의 비녀장이 서로 부딪치다의 뜻을 나타냄.

10 ⑭ [𣪍] [一] 동 [平]冬 徒冬切 tóng [二] 홍 [平]東 火宮切

[字解] [一] 궁궁울리는소리 동 속이 빈 것을 칠 때 울리는 소리. '一, 擊空聲也'《說文》. [二] 궁궁울리는소리 홍 [一]과 뜻이 같음.

[字源] 形聲. 殳＋宮〔音〕

10 [毁] 〔훼〕
⑭ 毁(殳部 九畫〈p.1158〉)의 古字

[穀] 〔곡〕
木部 十畫(p.1096)을 보라.

11 [毅] [人名] 의 [去]未 魚既切 yì
⑮

[筆順] 亠 立 产 彥 彥 豙 豙 毅

[字解] ①굳셀 의 의지가 강함. 과감(果敢)함. '剛―'. '擾而―'《書經》. '士不可以不弘―'《論語》. ②성발끈낼 의 함부로 화냄. '―而不勇'《國語》. ③이길 의 승리함. '―, 勝也'《爾雅》. ④성 의 성(姓)의 하나.

[字源] 篆文 篆文 形聲. 殳+豙(豪)〔音〕. '殳수'는 '때림'의 뜻. '豙의'는 바늘에 찔린 멧돼지가 털을 곤두세우며 성내다의 뜻. 함부로 성을 냄의 뜻에서, 전(轉)하여, 굳세게 결단함의 뜻을 나타냄.

[毅武 의무] 의지가 강하고 용맹함.
[毅魄 의백] 영웅(英雄)의 기백. 굳센 정신.
[毅然 의연] 의지가 강하여 사물에 동하지 않는 모양. 용감하고 굳센 모양.
[毅勇 의용] 의지가 굳세고 용기가 있음.
◉敢毅. 強毅. 剛毅. 果毅. 明毅. 嚴毅. 英毅. 勇毅. 雄毅. 忠毅. 沈毅. 豪毅. 弘毅. 驍毅.

11 [毆] [人名] 구 ①[上]有 烏后切 ōu 殴
⑮ ②[平]虞 虧于切 qū

[字解] ①칠 구 때림. '―打'. '拳所一擊, 無不顛踣'《隋書》. ②말몰 구, 달릴 구 驅(馬部 十一畫)와 통용.

[字源] 金文 篆文 形聲. 殳+區〔音〕. '殳수'는 '때리다'의 뜻. '區구'는 '구획 짓다, 구별 짓다'의 뜻. 때려서 사악(邪惡)한 것과 구별을 지음의 뜻.
[參考] 殴(殳部 四畫)는 略字.

[毆擊 구격] 구타(毆打).
[毆繫 구계] 때리고 결박함.
[毆縛 구박] 구계(毆繫).
[毆殺 구살] 때려죽임.
[毆傷 구상] 때려서 상처(傷處)를 냄.
[毆杖 구장] 때리고 매질함.
[毆打 구타] 때림. 두들김.
[毆斃 구폐] 때려죽임. 타살함.

12 [毈] 단 [去]翰 徒玩切 duàn
⑯

[字解] 알곯을 단 알이 부화(孵化)되지 않고 곯음. '鳥卵不―'《淮南子》.

[字源] 篆文 形聲. 卵+段〔音〕

12 [毇] 훼 [上]紙 許委切 huǐ
⑯

[字解] 쌀쓿을 훼 한 섬의 쌀을 쓿어 아홉 말이 되게 함. '―, 糲米一斛, 舂爲九斗也'《說文》.

[字源] 篆文 會意. 臼+米+殳. '臼구'는 절구를 본뜬 형상. '米미'는 쌀의 象形. '殳수'는 '치다'의 뜻. 쌀을 절구에 찧다의 뜻을 나타냄.

12 [磬] 〔소〕
⑯ 韶(音部 五畫〈p.2537〉)와 同字

[穀] 〔곡〕
米部 十畫(p.1706)을 보라.

13 [觳] 각 [入]覺 苦角切 què
⑰

[字解] ①새알 각 조란(鳥卵). '貫雞―于歲首'《束晳》. ②껍질 각 무엇의 표면을 싸고 있는 것. '―, 一曰, 物之孚甲'《集韻》.

[轂] 〔곡〕
車部 十畫(p.2275)을 보라.

14 [毉] 〔의〕
⑱ 醫(酉部 十一畫〈p.2361〉)와 同字

[字源] 形聲. 巫+殹〔音〕. '巫무'는 '무당'의 뜻. '殹'는 주문(呪文)의 의성어(擬聲語). 주문을 외는 '무당·의사'의 뜻을 나타냄.

15 [繄] [人名] 예 [去]霽 乙例切 yì
⑲

[字解] 아름다울 예 '―, 美也'《字彙補》.

19 [毊] 효 [平]蕭 許嬌切 xiāo
㉓

[字解] 큰경쇠 효 경(磬)쇠 가운데 소리가 높은 것. '大磬謂之―'《爾雅》.

20 [鬹] 〔계〕
㉔ 系(糸部 一畫〈p.1709〉)와 同字

毋 (4획) 部
〔말무부〕

0 [毋] [人名] 무 ①②[平]虞 武夫切 wú
④ ③[平]尤 迷浮切 móu

[筆順] ㄴ 口 毋 毋

[字解] ①없을 무 無(火部 八畫)와 同字. '―意―必'《論語》. ②말 무 금지의 말. '臨難―苟免'《禮記》. ③관이름 무 '―追'는 하대(夏代)의 치포관(緇布冠).

[字源] 金文 篆文 象形. 본디 '母모'와 동형(同形)으로, 어머니의 뜻을 나타냈지만, 篆文에서 두 점(點)을 하나의 세로획으로 고쳐, '없다'의 뜻으로 쓰이게 됨.
[參考] ①'毋'가 의부(意符)가 되는 문자의 예는 없지만, 유사한 모양의 '毋' 등을 포함하여, 자형 분류상 부수(部首)로 세워짐. ②毌(次條)은 別字.

[毋望 무망] ㉠뜻밖. 의외(意外). ㉡희망이 없음. 믿을 수 없음.
[毋望之福 무망지복] 뜻밖의 행복.
[毋追 무추] 하대(夏代)의 치포관.

[毋害 무해] 비할 데가 없음. 무비(無比).
◉四毋. 將毋.

0 ④ [毌] 〔관〕
貫(貝部 四畫〈p.2189〉)과 同字

字源 甲骨文 篆文 象形. 물건에 구멍을 내어, 꿰뚫는 모양을 본떠, '꿰뚫다'의 뜻을 나타냄. '貫관'의 原字.
參考 毋(前條)는 別字.

1 ⑤ [母] 中人 모 ㊤麌 謀補切 ㊤有 莫厚切 mǔ

筆順 ㄴ 𠃊 𠃍 𠃑 母

字解 ①어미 모 모친. '父—'. '—兮鞠我'《詩經》. 전(轉)하여, 어머니뻘의 여자. '叔—'. '姑—'. 또, 유모(乳母). '生三人. 公與之—'《國語》. 또, 같은 물건 중에 크거나 무거운 것은 '—', 작거나 가벼운 것은 '子'라 함. '子—環'. 또, 소생(所生)의 근원 또는 근본의 뜻으로 쓰임. '—財'. '—音'. '有名萬物之—'《老子》. ②밑천 모 본전(本錢). 원금(元金). '—錢'. '州郡闕—錢'《宋史》. ③할미 모 나이 먹은 여자. '諸—漂'《史記》. ④엄지 모 엄지손가락. 拇(手部 五畫)와 同字. ⑤암컷 모 금수의 암놈. '五—雞二—彘'《孟子》.

字源 甲骨文 金文 篆文 指事. '女여'는 '여성'의 뜻. 두 점(點)은 두 팔로 아이를 안는 모양이라고도 하고, 아이에게 젖을 먹이는 모양이라고도 함. 아이를 낳아 기르는 사람, '어머니'의 뜻을 나타냄. 甲骨文·金文은 象形으로도 생각됨.
參考 毋(前前條)·毌(前條)은 別字.

[母家 모가] 며느리의 친정.
[母薑 모강] 씨를 받기 위해 심은 생강.
[母系 모계] 어머니 쪽의 계통(系統).
[母校 모교] 자기가 졸업(卒業)한 학교.
[母敎 모교] 어머니의 교훈(敎訓).
[母國 모국] 외국(外國)에 있어서 자기의 본국(本國)을 가리키는 말.
[母女 모녀] 어머니와 딸.
[母黨 모당] 어머니 편의 일가.
[母大姑 모대고] 아내가 남편의 누이를 부르는 말.
[母道 모도] 어머니로서 마땅히 지켜야 할 도덕.
[母妹 모매] 동복(同腹)의 손아래 누이. 동모매(同母妹).
[母範 모범] 어머니로서의 의범(儀範).
[母喪 모상] 어머니의 상사(喪事).
[母先亡 모선망] 어머니가 아버지보다 먼저 세상을 떠남.
[母性 모성] 여자가 어머니로서 갖는 특성(特性).
[母性愛 모성애] 어머니의 자식에 대한 깊은 애정.
[母氏 모씨] 어머니.
[母語 모어] ㉠어머니로부터 배운 기틀이 되는 말. ㉡제 나라 말. 모국어(母國語).
[母韻 모운] 모음(母音).
[母乳 모유] 난 어머니의 젖.
[母音 모음] 성대(聲帶)의 진동을 받은 소리가 마찰을 받지 않고 나는 유성음(有聲音). 홀소리.
[母儀 모의] 모범(母範).
[母子 모자] ㉠어머니와 아들. ㉡원금과 이자.
[母字 모자] 반절(反切)의 둘째 글자.
[母姊 모자] 어머니와 누나.
[母慈 모자] 어머니의 자애(慈愛). 어머니의 알뜰한 사랑.
[母財 모재] 모전(母錢).
[母錢 모전] 원금(元金). 자전(子錢)의 대(對).
[母弟 모제] 동복(同腹)의 아우. 동모제(同母弟).
[母主 모주] 어머니의 존칭. 어머님.
[母酒 모주] 밑술.
[母體 모체] 어머니의 몸. 어머니.
[母親 모친] 어머니.
[母胎 모태] 어머니의 태(胎) 안.
[母兄 모형] 동복(同腹)의 형. 동모형(同母兄).
[母兄弟 모형제] ㉠부모가 같은 형제. ㉡어머니만 같은 형제.
[母后 모후] 황태후(皇太后).
[母訓 모훈] 어머니의 교훈.
◉家母. 假母. 嫁母. 季母. 繼母. 國母. 鬼母. 老母. 同母. 木母. 蚊母. 民母. 伯母. 保母. 父母. 生母. 庶母. 西王母. 世母. 水母. 叔母. 媤母. 食母. 實母. 亞母. 阿母. 嶽母. 養母. 王母. 蓐母. 雲母. 乳母. 姨母. 異母. 益母. 字母. 慈母. 丈母. 嫡母. 錢母. 諸母. 祖母. 從母. 主母. 酒母. 曾祖母. 知母. 天下母. 哲母. 出母. 親母. 貝母. 漂母. 賢母. 禍母. 酵母. 後母.

2 ⑥ [毎] 每(次條)의 俗字

3 ⑦ [每] 中人 매 ㊤賄 武罪切 měi ㊦隊 莫佩切 měi

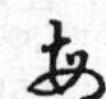

筆順 ノ 𠂉 𠂉 𠂉 每 每 每

字解 ①매양 매 늘. 항상. '——'. '—與臣論此事'《諸葛亮》. ②마다 매 그 때에는 늘. '—日'. '—月入見'《魏書》. ③비록 매 아무리 그렇다 하나. '—有良朋'《詩經》. ④탐낼 매 탐(貪)함. '衆庶—生'《漢書》. ⑤풀우거질 매 풀이 무성한 모양. '原田——'《左傳》. ⑥어두울 매 어리석음. '故天下——大亂'《莊子》. ⑦어릴 매 작음. '—牛者, 牛之小者也'《逸周書》. ⑧성 매 성(姓)의 하나.

字源 甲骨文 金文 篆文 象形. 머리 장식을 달고 결발(結髮)하는 여성을 본뜬 형상이지만, 假借하여, '늘, 매양'의 뜻으로 쓰임. 일설에는, 屮+母〔音〕의 形聲으로 보고, 풀이 무성하다의 뜻을 나타낸다고 설명함.
參考 毎(前條)는 俗字.

[每家 매가] 집집마다. 매호(每戶).
[每卷 매권] 권마다. 각 권.
[每期 매기] 일정(一定)한 시기 또는 기한마다.
[每年 매년] 해마다.
[每度 매도] 번번이. 매회(每回).
[每斗 매두] 한 말마다.
[每碼 매마] 한 마(碼)마다.
[每每 매매] ㉠항상. 늘. 언제나. ㉡초목이 무성한 모양. 일설(一說)에는 밭이 아름다운 모양. ㉢어지러워 어두운 모양. 혼란한 모양.
[每名 매명] 각 사람.
[每文 매문] 여러 가지 체(體)의 글.

[每物 매물] 물건마다. 여러 가지 물건.
[每番 매번] 번번이.
[每事 매사] 일마다. 여러 가지의 일.
[每事可堪 매사가감] 매사를 감당할 만함.
[每事不成 매사불성] 일마다 실패함.
[每事盡善 매사진선] 무슨 일이고 다 잘함.
[每朔 매삭] 달마다. 다달이.
[每常 매상] 항상. 늘. 번번이.
[每歲 매세] 매년(每年).
[每升 매승] 되마다.
[每夜 매야] 밤마다.
[每樣 매양] 《韓》 항상 그 모양으로.
[每月 매월] 매달. 달마다.
[每人 매인] 사람마다.
[每日 매일] 날마다.
[每朝 매조] 아침마다. 매일 아침.
[每週 매주] 각 주 또는 주간마다.
[每次 매차] 번번이. 매회(每回).
[每尺 매척] 한 자마다.
[每天 매천] 매일(每日).
[每貼 매첩] 한 첩(貼)마다.
[每匹 매필] 마소 따위의 각 마리마다.
[每戶 매호] 집집마다. 각(各) 집.
[每回 매회] 번번이.
[每懷 매회] 생각할 때마다.

3 ⑦ [毎] 每(前條)의 俗字

3 ⑦ [毐] 애 ㊤賄 於改切 ǎi

[字解] 음란한사람 애 진(秦)나라의 '嫪—'는 음란한 사람이었으므로, 진나라 사람들이 음란한 자를 '嫪—'라고 욕하였음.
[字源] 篆文 會意. 士+毋

4 ⑧ [毒] [高·人] [一] 독 [入]沃 徒沃切 dú
[二] 대 [去]隊 待戴切 dài

[筆順] 一 二 丰 龶 龶 青 毐 毒

[字解] [一] ①독 독 건강을 해쳐 생명을 위험케 하는 성분. '聚—藥, 以供醫事'《周禮》. 전(轉)하여, 해독·고통을 이름. '害—'. '惟汝自生—'《書經》. ②유독하게할 독 독약을 사용하여 해를 끼침. '秦人—涇上流'《左傳》. ③해칠 독 해롭게 함. '惟君子能好其正, 小人—其正'《禮記》. ④괴로워할 독, 괴롭게할 독 고통을 느낌. 고통을 줌. '分骸斷首, 以—生民'《後漢書》. ⑤근심할 독 우려함. '僊聖—之'《列子》. ⑥미워할 독, 한탄할 독 미워하여 한탄함. 또, 원망함. '—縱橫之敗俗'《馮衍》. ⑦다스릴 독 정돈하여 처리함. '以此—天下'《易經》. ⑧자랄 독, 기를 독 생장함. 키움. 양육함. '亭之—之'《老子》. ⑨분개할 독, 분개 독 성냄. '哀僕夫之坎—兮'《楚辭》. ⑩편안할 독 '—, 安也'《廣雅》. ⑪나라이름 독 '天—'·'身—'은 후세의 천축(天竺), 지금의 인도(印度). ⑫성 독 성(姓)의 하나. [二] 거북 대 '—冒'는 바다거북의 이름. 瑇(玉部 九畫)·玳(玉部 五畫)와 同字. '犀象—冒'《漢書》.
[字源] 篆文 古文 古文 會意. 屮+毐. '屮철'은, 풀〔草〕의 뜻. '毐애'는 사람이 음란해지다의 뜻. 사람을 음란하게 하는 풀의 뜻을 나타냄.

[毒感 독감] 아주 독한 감기(感氣).
[毒計 독계] 악독한 계교.
[毒蠱 독고] 독충(毒蟲).
[毒公 독공] 초오두(草烏頭)의 별칭.
[毒氣 독기] 독(毒)이 있는 기운. 해독이 되는 성분(成分).
[毒女 독녀] 성병(性病)이 있는 여자.
[毒厲 독려] 독질(毒疾).
[毒龍 독룡] ㉠독이 있는 용. ㉡번뇌(煩惱)의 비유.
[毒物 독물] 독이 있는 물질(物質).
[毒蝮 독복] 독사(毒蛇).
[毒婦 독부] 악독(惡毒)한 계집.
[毒蛇 독사] 독아(毒牙)가 있어서 물 때에 독액(毒液)을 분비하는 뱀.
[毒槊 독삭] 독약을 바른 창.
[毒殺 독살] 독약을 먹여 죽임.
[毒暑 독서] 매섭게 더움. 지독히 더움. 또, 그 더위. 혹서(酷暑).
[毒噬 독서] 독충에게 물림.
[毒舌 독설] 악랄하게 혀를 놀려 남을 해치는 말. 신랄한 욕.
[毒性 독성] 독기(毒氣)가 있는 성분.
[毒素 독소] 유기 물질(有機物質), 특히 고기·단백질(蛋白質) 등이 썩어서 생기는 독(毒)이 있는 화합물.
[毒水 독수] 독이 있는 물.
[毒手 독수] ㉠남을 해치는 흉악한 자의 손. 흉수(兇手). ㉡얄미운 악한 꾀. 남을 해치는 악랄한 수단.
[毒獸 독수] 독한 짐승.
[毒矢 독시] 살촉에 독약(毒藥)을 바른 화살.
[毒弑 독시] 독약을 써서 웃어른을 죽임.
[毒心 독심] 악독한 마음.
[毒牙 독아] ㉠물 때에 독액(毒液)을 내보내는 어금니. 곧, 독사(毒蛇) 같은 것의 어금니. ㉡독수(毒手)[ㄴ].
[毒液 독액] 독이 있는 액체.
[毒藥 독약] 독이 있는 약(藥).
[毒言 독언] 남을 해치는 말. 욕.
[毒熱 독열] 독서(毒暑).
[毒焰 독염] 독기(毒氣)가 있는 불꽃.
[毒瓦斯 독와사] 인축(人畜)에 해(害)가 되는 독(毒)이 있는 가스. 독가스.
[毒刃 독인] 흉한(兇漢)이 쓰는 칼.
[毒刺 독자] 독이 있는 가시. 전(轉)하여, 유해물(有害物). 악인(惡人).
[毒瘴 독장] 열병(熱病)을 일으키는 나쁜 기운. 장기(瘴氣).
[毒賊 독적] 괴롭히고 해침.
[毒種 독종] 성미가 악독한 사람이나 짐승의 종자.
[毒酒 독주] 독약(毒藥)을 탄 술. 또, 독한 술.
[毒疾 독질] 악독한 병(病).
[毒質 독질] 독살스러운 성질.
[毒瘡 독창] 독성(毒性)이 있는 부스럼.
[毒草 독초] 독이 있는 풀.
[毒蟲 독충] 독이 있는 벌레.
[毒嘴 독취] 악독(惡毒)한 말을 하는 주둥이.
[毒針·毒鍼 독침] ㉠독자(毒刺). ㉡남을 해치거나 자살하기 위한, 독을 묻힌 바늘이나 침.

[毒筆 독필] 남을 비방(誹謗)하여 쓰는 글.
[毒害 독해] ㉠해침. 잔해(殘害). ㉡독약(毒藥)을 먹여 죽임. 독살(毒殺).
[毒血 독혈] 독이 있는 악혈.
[毒患 독환] 근심. 걱정.
[毒虺 독훼] 독사(毒蛇).
◉蠱毒. 鑛毒. 丹毒. 荼毒. 蠹毒. 梅毒. 無毒. 黴毒. 防毒. 煩毒. 病毒. 三毒. 消毒. 辛毒. 身毒. 魚毒. 餘毒. 煙毒. 鉛毒. 炎毒. 怨毒. 有毒. 流毒. 遺毒. 瘴毒. 中毒. 疢毒. 酖毒. 鴆毒. 慘毒. 創毒. 天毒. 楚毒. 胎毒. 痛毒. 害毒. 解毒. 酷毒. 火毒. 禍毒. 患毒. 凶毒.

[貫] 〔관〕 貝部 四畫(p.2189)을 보라.

10 ⑭ **[毓]** 육 [入]屋 余六切 yù

[字解] ①기를 육 育(肉部 四畫)과 同字. '以蕃鳥獸, 以一草木'《周禮》. ②어릴 육 '一, 稚也'《廣韻》. ③성 육 성(姓)의 하나.
[字源] 育의 別體 會意. 每+㐬. '每매'는 머리 장식을 붙이고 머리를 묶고 있는 여성의 象形. '㐬류'는 태어난 아이를 물로 씻어 내리는 의식(儀式)의 모양을 나타냄. '育육'의 이체자(異體字).

[毓德 육덕] 덕(德)을 기름.
[毓物 육물] 무엇을 기름.
◉都毓. 產毓. 養毓. 擁毓. 利毓. 蓄毓.

比(4획) 部
〔견줄비부〕

0 ④ **[比]** [中人] 비 ①-⑥㊤紙 卑履切 bǐ ⑦-⑮[去]寘 必至切(bì) ⑯[平]支 房脂切 bǐ

[筆順] 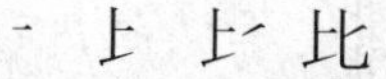

[字解] ①견줄 비 ㉠비교함. '一較'. '一校民之有道者'《國語》. '凡禮事, 贊小宰一官府之具'《周禮》. ㉡겨눔. '每自一於管仲樂毅'《蜀志》. ㉢비김. '白一狼, 赤一心'《史記》. ㉣겨룸. '一力而爭智'《人物志》. ②무리 비 동류(同類). '擬其倫一'《魏志》. ③엮을 비 편집함. '一輯其義'《漢書》. ④다스릴 비 庀(广部 二畫)와 同字. '大胥一樂官'《周禮》. ⑤전례 비 선례(先例). '必察小大之一, 以成之'《禮記》. ⑥따를 비 좇음. '克順克一'《詩經》. '義之與一'《論語》. ⑦도울 비 보좌함. '足以一大事'《國語》. ⑧아첨할 비 아유함. '君子周而不一'《論語》. ⑨친할 비 친밀함. '親一'. '使小國事大國, 大國一小國'《周禮》. ⑩미칠 비 及(又部 二畫)과 뜻이 같음. '一于文王'《詩經》. ⑪이마적 비 근래. 작금. '一來'. '一得軟脚病'《韓愈》. ⑫자주 비 여러 번. '中山再戰一勝'《戰國策》. ⑬나란할 비, 나란히할 비 늘어섬. '櫛一'. '其一如櫛'《詩經》. ⑭오늬 비 화살의 시위에 끼게 된 부분. '夾其一以設其羽'《周禮》. ⑮비괘 비 육십사괘(六十四卦)의 하나. 곧, ䷇〈곤하(坤下), 감상(坎上)〉으로서, 천하가 한 사람을 우러러보는 상(象). ⑯이웃 비 인근. '一郡'. '不敎鵝鴨惱一隣'《杜甫》.
[字源] 甲骨文 金文 篆文 古文 會意. 두 사람이 늘어선 모양에서, 늘어섬, 가까이하여 도움의 뜻을 나타냄.
[參考] 부수(部首)로서의 '比'에는 일정한 뜻이 없으며, 자형(字形) 분류상 부수로 세워짐.

[比價 비가] 다른 물건과 비교하여 매긴 값.
[比干 비간] 은대(殷代)의 사람. 주왕(紂王)의 숙부인데 주왕의 악정(惡政)을 간하다가 피살되었다 함.
[比居 비거] 다섯 집이 반(班)을 이루어 삶. 또, 그 반.
[比肩 비견] ㉠어깨를 나란히 함. 나란히 섬. ㉡서로 비슷함.
[比肩隨踵 비견수종] 어깨를 나란히 하고 발뒤꿈치를 따름. 곧, 계속하여 끊이지 않고 잇닮. 속출함.
[比境 비경] 경계가 서로 닿음. 접경(接境)함.
[比校 비교] 비교(比較).
[比較 비교] 견줌.
[比丘 비구] 《佛敎》 불교에 귀의(歸依)하여 구족계(具足戒)를 받은 남자 중.
[比丘尼 비구니] 《佛敎》 불교에 귀의(歸依)하여 구족계(具足戒)를 받은 여자 중.
[比郡 비군] 이웃의 군(郡).
[比年 비년] 해마다. 매년. 연년(年年).
[比黨 비당] 서로 아첨하여 도당(徒黨)을 맺음. 또, 그 도당.
[比等 비등] 서로 비슷함.
[比來 비래] 요사이. 근래.
[比閭 비려] 다섯 집으로 이룬 비(比)와 스물다섯 집으로 이룬 려(閭). 전(轉)하여, 마을. 동네.
[比例 비례] ㉠모범이 될 만한 선례(先例). 전례(典例). ㉡종래의 예에 따름. 선례를 좇음. ㉢두 수의 비가 다른 두 수의 비와 같은 일. 또, 그 계산법.
[比類 비류] ㉠겨눔. 비슷함. ㉡비슷한 종류. 동류(同類).
[比倫 비륜] 비류(比類).
[比隣 비린] 이웃. 인근.
[比侔 비모] 같음. 비등함.
[比目魚 비목어] 넙치.
[比方 비방] 견줌. 비교함.
[比附 비부] 친근(親近)함.
[比部 비부] 위(魏)나라 때부터 명(明)나라 초기까지 있었던 벼슬 이름. 법률·회계 등을 맡았음.
[比比 비비] 자주. 빈번히.
[比殺 비살] 연이어 죽임. 차례로 죽임.
[比歲 비세] 비년(比年).
[比疎 비소] ㉠비여(比余). ㉡비교가 되지 않음.
[比數 비수] 비교하며 셈.
[比順 비순] 온화하고 유순함. 온순함.
[比如 비여] 예(例)컨대. 예를 들면.
[比余 비여] 흉노(匈奴)의 왕이 장식으로 머리에 꽂는 빗.
[比屋 비옥] 나란히 죽 선 집.
[比月 비월] 달마다. 매월.
[比喩 비유] 사물의 설명에 있어서 그와 비슷한 다른 사물을 빌어 표현함.

[比率 비율] ㉠비교하여 셈. 서로 비교함. ㉡어떤 수나 양의 다른 수나 양에 대한 비(比).
[比擬 비의] 견줌. 겨눔. 비김.
[比翼 비익] '비익연리(比翼連理)'를 보라.
[比翼連理 비익연리] 비익(比翼)의 새와 연리(連理)의 가지. 비익조는 한 새가 눈 하나와 날개 하나만 있어서 두 마리가 서로 나란히 해야 비로소 두 날개를 이루어 날 수 있다고 하는 새이며, 연리지(連理枝)는 두 나무의 가지가 서로 접해서 목리(木理)가 합친 가지임. 모두 부부(夫婦)의 의가 대단히 좋거나 남녀간의 애정이 썩 깊음의 비유.

[比翼鳥]

[比翼鳥 비익조] '비익연리(比翼連理)'를 보라.
[比日 비일] 날마다. 매일.
[比踵 비종] 발뒤꿈치를 나란히 한다는 뜻으로, 계속하여 나옴을 이름. 속출(續出). 접종(接踵).
[比周 비주] ㉠비(比)는 아첨하며 사귀는 일, 주(周)는 정도(正道)로써 사귀는 일. ㉡두루 친함. 널리 친함. 서로 친함.
[比竹 비죽] 죽순(竹筍)의 별칭.
[比準 비준] 서로 견주어 비추어 봄.
[比集 비집] 함께 모임.
[比輯 비집] 모아 엮음. 편집함.
[比次 비차] 순서. 또, 순서를 정함.
[比行 비행] 나란히 감.
[比況 비황] 견줌. 비교함.
[比興 비흥] ㉠재미가 있음. 흥이 남. ㉡비유하여 재미있게 말함.
◉校比. 對比. 等比. 無比. 排比. 駢比. 附比. 朋比. 連比. 屋比. 倫比. 昵比. 隣比. 鱗比. 接比. 周比. 櫛比. 親比. 諧比. 協比. 和比.

2 ⑥ [毕] 〔필〕
畢(田部 六畫〈p.1466〉)의 簡體字

[坒] 〔비〕
土部 四畫(p.440)을 보라.

5 ⑨ [毖] [人名] 비 [去]寘 兵媚切 bì
[字解] ①삼갈 비 근신함. '懲―'. '予其懲而―後患'《詩經》. ②고달플 비 피로함. '無―于恤'《書經》. ③멀 비 가깝지 않음. '―, 遠也'《廣雅》. ④알릴 비 고(告)함. '―, 告也'《廣韻》. ⑤졸졸 흐를 비 샘물이 졸졸 흐르는 모양. '―彼泉水'《詩經》.
[字源] 篆文 形聲. 比+必〔音〕. '比비'는 '자꾸 하다'의 뜻. '必필'은 '閉폐'와 통하여, 들어박혀 조용히 하다의 뜻. 마음을 냉정히 하여 한 가지 일에 정신을 집중시키는 모양에서, 삼가다, 마음을 번거롭게 하다의 뜻을 나타냄. 또 '比비'와 통하여, 친하게 돕다의 뜻도 나타냄.

[毖勞 비로] 삼가 위로함.
[毖涌 비용] 샘물이 솟아 나와 흐름.
◉敦毖. 閟毖. 深毖. 懲毖. 淸毖. 劼毖.

[皆] 〔개〕
白部 四畫(p.1512)을 보라.

5 ⑨ [毗] [人名] 비 [平]支 房脂切 pí
[字解] ①도울 비 보좌함. 조력함. '―益'. '天子是―'《詩經》. '人大喜邪, ―於陽'《莊子》. ②명백할 비 분명함. '―, 明也'《揚子方言》. ③스러질 비 쇠퇴함. 폐함. '―, 廢也'《揚子方言》. ④벗겨질 비 剝(刀部 八畫)과 통용. '―劉, 暴樂也'《爾雅》. ⑤번민할 비 '―, 懣也'《揚子方言》. ⑥배꼽 비. ⑦성 비 성(姓)의 하나.
[字源] 篆文 形聲. 篆文은 囟+比〔音〕. '囟신'은 통기(通氣) 구멍의 象形. '比비'는 '頻빈'과 통하여, 주름이 지게 하다의 뜻. 주름 있는 통기 구멍의 모양을 한 인체(人體)의 배꼽의 뜻을 보임. '比비'와 통하여, '돕다'의 뜻도 나타냄.
[參考] 毘(次條)는 同字.

[毗尼 비니] 《佛敎》 구족계(具足戒)를 굳게 지키는 여승(女僧).
[毗嵐 비람] 《佛敎》 가장 격심한 바람.
[毗盧舍那 비로사나] 《佛敎》 범어(梵語) Vairocana의 음역. 광명편조(光明遍照)라 번역함. 불덕(佛德)의 빛이 두루 밝게 비춘다는 뜻. 또, 대일여래(大日如來)를 이름.
[毗邦憲 비방헌] 국헌(國憲)에 의하여 임금을 도와 나라를 다스림.
[毗補 비보] 도와 보충함.
[毗沙門 비사문] 《佛敎》 범어(梵語) Vaisramana의 음역. 다문(多聞)이라 번역함. 사천왕(四天王)의 하나. 무장(武裝)하고 북방을 지키며 재보(財寶)를 관장(管掌)함.
[毗首 비수] 《佛敎》 인도의 공장(工匠)을 맡은 부처.
[毗首羯磨 비수갈마] 《佛敎》 불상의 조각을 잘하였다는 인도의 공장(工匠). 현재 부처로서 받듦.
[毗倚 비의] 의지함. 의뢰함.
[毗益 비익] 도와 이롭게 함.
[毗翼 비익] 도움. 보좌함.
[毗佐 비좌] 도움. 보좌함.
[毗贊 비찬] 도움.
◉兼毗. 夸毗. 茶毗. 胥毗.

5 ⑨ [毘] 毗(前條)와 同字

[琵] 〔비〕
玉部 八畫(p.1429)을 보라.

9 ⑬ [⿱㲋夬] 결 [入]屑 古穴切 jué
[字解] 짐승이름 결 ㉠성성(猩猩)이 비슷한 짐승. '―, ―獸也. 佀狌狌'《說文》. ㉡너구리 비슷한 짐승. '―, 獸名. 似狸'《廣韻》.
[字源] 形聲. 㲋+夬〔音〕

13 ⑰ [毚] 참 [平]咸 士咸切 chàn
[平]咸 鋤銜切
[字解] ①약은토끼 참 교토(狡兔). 일설(一說)에

는, 걸음이 빠른 토끼. '躍躍一兔'《詩經》. ②약빠를 참 교활함. '一, 獪也'《廣雅》. ③조금 참 약간. 불과. 纔(糸部 十七畫)와 통용.

字源 篆文 會意. 㲋+兔. '㲋착'은 토끼 비슷한 짐승의 뜻. '兔토'는, 토끼를 본뜬 모양. 재빠른 토끼가 동시에 달아나서 사람의 눈을 속임의 뜻에서, 발빠른 토끼, 교활한 토끼의 뜻을 나타냄.

[毚欲 참욕] 욕심 많음. 탐욕스러움.
[毚兔 참토] 발빠른 토끼. 교토(狡兔).

14 ⑱ [毚] 毚(前條)과 同字

毛 (4획) 部

〔터럭모부〕

0 ④ [毛] 中·人 모 ①-⑩㊥豪 莫袍切 máo ⑪㊤號 莫報切 mào

筆順 一 二 三 毛

字解 ①털 모 ㉠사람 또는 짐승의 털. '羽一'. '不屬于一'《詩經》. ㉡수염 또는 머리카락. '手拇一脈'《國語》. ㉢물건의 거죽에 생기는 실 모양의 것. '桃多一. 拭治去一'《禮記 疏》. ㉣지극히 가벼운 것의 비유. '德輶如一'《詩經》. ②짐승 모 길짐승. '其蟲一'《禮記》. ③희생 모 털이 순색(純色)인 희생(犧牲). '羣公不一'《史記》. ④모피 모 털이 붙은 가죽. '衣一而冒皮'《漢書》. ⑤털뜯을 모 털을 없애 버림. '一炰胾羹'《詩經》. ⑥나이차례 모 모발의 흑백 곧, 연령의 고하로 석차를 정하는 일. '王之燕, 諸侯一'《周禮》. ⑦풀 모 자라는 풀. '食土之一'《左傳》. ⑧풀자랄 모 유용(有用) 식물이 자람. '不一之地'《公羊傳》. ⑨근소 모 약간. '有益毫一'《漢書》. ⑩성 모 성(姓)의 하나. ⑪고를 모 택(擇)함. '一, 擇也'《集韻》.

字源 金文 篆文 象形. 털이 나 있는 모양을 본뜸.

參考 '毛'를 의부(意符)로 하여, 털, 털로 만들어진 것 등에 관한 문자를 이룸.

[毛角 모각] 조류(鳥類)의 머리 위의 털이 뿔 모양을 이룬 것.
[毛莨 모간] 미나리아재비. 자라풀.
[毛褐 모갈] 모의(毛衣).
[毛擧 모거] ㉠세세한 일까지 일일이 듦. ㉡세세한 일을 들추어냄.
[毛骨 모골] 터럭과 뼈.
[毛孔 모공] 피부에서 털이 나오는 아주 작은 구멍. 털구멍.
[毛狗 모구] 이리〔狼〕의 별칭(別稱).
[毛根 모근] 터럭이 모공(毛孔) 속에 박힌 부분(部分).
[毛起 모기] 무서워서 몸의 털이 곤두섬.
[毛奇齡 모기령] 청대(淸代)의 학자. 자(字)는 대가(大可), 호는 전시재(傳是齋). 명(明)나라가 망한 후 은둔(隱遁)하였다가 강희 연간(康熙年間)에 한림원검토(翰林院檢討)에 임명되어 잠시 명사(明史)를 찬수(纂修)하고 사임한 후 다시 관도(官途)에 나서지 않았음. 고증학(考證學)에 연구가 깊었고 시(詩)·고문(古文) 및 서화(書畫)를 잘하였으며, 세상에서 서하 선생(西河先生)이라 일컬었음. 저술한 것을 경집(經集)과 문집(文集)으로 나누는데, 경집이 50종(種), 문집은 시(詩)·부(賦)·잡저(雜著)를 합쳐서 234권이 있음.
[毛毯 모담] 담요.
[毛翎 모령] ㉠새털. 전(轉)하여, 새. 조류(鳥類). ㉡짐승과 새.
[毛類 모류] 짐승. 모족(毛族).
[毛襪 모말] 털로 만든 버선.
[毛物 모물] 짐승. 수류(獸類).
[毛髮 모발] ㉠머리카락. ㉡근소. 약간.
[毛絲 모사] 털실.
[毛色 모색] ㉠깃이나 털의 빛. ㉡비단의 검은빛.
[毛毨 모선] 새나 짐승이 털을 갈아 함치르르함.
[毛遂 모수] 전국 시대(戰國時代) 조(趙)나라 평원군(平原君)의 식객(食客). 진(秦)나라가 조(趙)나라를 쳤을 때 자천(自薦)하여 평원군(平原君)을 따라 초(楚)나라에 가서 안검(按劍)하고 초왕(楚王)을 위협하여 합종(合從)의 협약을 맺게 하였음.
[毛銖 모수] 아주 적은 분량.
[毛詩 모시] 한(漢)나라 사람 모형(毛亨)과 모장(毛萇)이 전(傳)한 중국 고대의 시. 곧, 지금의 시경(詩經).
[毛延壽 모연수] 한대(漢代)의 화가(畫家). 인물화(人物畫)에 능하였음. 원제(元帝)의 궁인(宮人) 왕장(王嬙), 곧 소군(昭君)이 뇌물을 보내지 않으므로 그 상(像)을 일부러 추하게 그려 바친 것이 드러나서 기시(棄市)의 형(刑)을 받았음.
[毛穎 모영] 붓〔筆〕의 아칭(雅稱).
[毛羽 모우] 털과 깃. 짐승의 털과 새의 털. 전(轉)하여, 짐승과 새.
[毛衣 모의] 모피(毛皮)로 만든 옷. 갖옷.
[毛刺 모자] ㉠초목의 줄기나 가지에 나는 가시. ㉡고슴도치〔蝟〕의 별칭.
[毛萇 모장] 한(漢)나라의 학자. 벼슬이 북해태수(北海太守)에 이르렀으며, 모형(毛亨)에게서 가르침을 받은 시고훈전(詩詁訓傳)을 관장경(貫長卿)에게 전수(傳授)하였음. '모시(毛詩)·모형(毛亨)' 참조(參照).
[毛嬙 모장] 고대의 미인(美人)의 이름. 전(轉)하여, 미인.
[毛族 모족] 짐승. 수류(獸類).
[毛錐 모추] 모필(毛筆)의 아칭(雅稱).
[毛錐子 모추자] 모추(毛錐).
[毛蟲 모충] 모족(毛族).
[毛布 모포] ㉠모직물(毛織物). ㉡담요.
[毛皮 모피] 털이 붙은 짐승의 가죽.
[毛筆 모필] 붓.
[毛亨 모형] 육국(六國) 때의 노(魯)나라 학자. 시경(詩經)의 고훈전(詁訓傳)을 지어 모장(毛萇)에게 전수(傳授)하였음. 세상에서 그를 대모공(大毛公), 모장(毛萇)을 소모공(小毛公)이라고도 함. '모시(毛詩)' 참조(參照).
◉輕毛. 九牛一毛. 德輶如毛. 斑毛. 髮毛. 不毛. 鬢毛. 旋毛. 鮮毛. 雪毛. 純毛. 鵝毛. 羊毛. 如燎毛. 燕毛. 穎毛. 氄毛. 牛毛. 羽毛.

蝟毛. 柔毛. 二毛. 旃毛. 地毛. 毳毛. 脫毛. 兎角龜毛. 土毛. 豪毛. 紅毛. 鴻毛.

0 ④ [毛] 삼 [平]覃 蘇干切 sān

[字解] ①석 삼 셋. ②땅이름 삼 지명. '一陽'.

2 ⑥ [毢] 녕 [去]徑 尼證切 nèng

[字解] 개털 녕 개의 털. '毰一'.

[尾] 〔미〕 尸部 四畫(p.619)을 보라.

4 ⑧ [毤] 개 [去]卦 居拜切 jiè

[字解] 솜털 개 짐승의 가는 털. '獸毛細曰一'《集韻》.

4 ⑧ [毥] 분 [平]文 府文切 fēn

[字解] 털빠질 분 '一, 毛落也'《集韻》.

4 ⑧ [毦] 포 [平]豪 普袍切 pāo

[字解] ①털일어날 포 털이 일어난 모양. '一, 毛起皃'《集韻》. ②가벼울 포 '一, 輕也'《集韻》.

5 ⑨ [毨] [一] 령 [平]青 郎丁切 líng [二] 련 [平]先 靈年切 líng

[字解] [一] 털엉킬 령 털이 길고 엉켜 있음. [二] 털엉킬 련 [一]과 뜻이 같음.

5 ⑨ [毠] 〔가〕 袈(衣部 五畫〈p.2060〉)와 同字

5 ⑨ [毡] 〔전〕 氈(毛部 十三畫〈p.1169〉)·氊(毛部 十三畫〈p.1169〉)의 俗字·簡體字

6 ⑩ [毨] 선 [上]銑 蘇典切 xiǎn

[字解] 털갈 선 가을에 털갈이를 하여 함치르르함. '鳥獸毛一'《書經》.

[字源] 篆文 形聲. 毛+先〔音〕. '先선'은 '고르다'의 뜻. 가을이 되어 털이 한창 함치르르해진 조수(鳥獸)를 고르다의 뜻을 나타냄.

6 ⑩ [毢] 새(시[俗]) [平]灰 蘇來切 sāi

[字解] 날개벌릴 새 새가 날개를 펴고 분노(奮怒)하는 모양. '一, 按, 鳥奮怒則羽張, 與毰毸同義'《康熙字典》.

6 ⑩ [毧] 융 [平]東 而中切 róng

[字解] 솜털 융 가는 털. '一, 細毛'《玉篇》.

[字源] 形聲. 毛+戎〔音〕

6 ⑩ [毦] 이 [去]寘 仍吏切 ěr

[字解] ①깃장식 이 우모(羽毛)의 장식. '齎黃金旄牛一'《後漢書》. ②모직물 이 '一, 罽也'《廣雅》. ③향초(香草) 이름 이 '揚皓一, 擢紫茸'《郭璞》.

[字源] 篆文 形聲. 毛+耳〔音〕. '耳이'는 많고 성(盛)한 모양. 깃털 장식이 한창인 모양.

[毦筆 이필] 깃으로 장식한 붓.

◉結毦. 白毦. 幡毦. 旋毦. 纓毦. 華毦.

[耗] 〔모〕 耒部 四畫(p.1819)을 보라.

6 ⑩ [毣] [一] 목 [入]屋 莫卜切 mù [二] 모 [去]號 莫報切 mào

[字解] [一] ①인정깊을 목 '一一'은 정이 깊은 모양. 일설(一說)에는, 곰곰 생각하는 모양. '極竭一一之思'《漢書》. ②솔솔불 목 '一一'은 바람이 솔솔 부는 모양. '覺風一一而過'《柳宗元》. ③좋을 목 아름다운 모양. '一, 好皃'《廣韻》. [二] 어두울 모 눈이 어두운 모양. '一, 目少精也'《集韻》.

[字源] 形聲. 羽+毛〔音〕

[毣毣 목목] 자해(字解)[一]❶❷를 보라.

[耄] 〔모〕 老部 四畫(p.1816)을 보라.

7 ⑪ [毬] [人名] 구 [平]尤 巨鳩切 qiú

[字解] 공 구 차거나 치는 구형(球形)의 운동 용구. '擊一'. '尙穿城蹋一'《史記》. 전(轉)하여, 공같이 둥근 물건. '一子'. '玻璃一燈'《范成大》.

[字源] 篆文 形聲. 毛+求〔音〕. '求구'는 공, 공같이 둥근 것의 뜻. 털실 같은 것을 둥글게 공처럼 뭉친 '공'의 뜻을 나타냄.

[毬工 구공] 공을 만드는 직공(職工).
[毬燈 구등] 공같이 둥근 등. 구등(球燈).
[毬馬 구마] 격구(擊毬)할 때 타는 말.
[毬子 구자] ㉠공. ㉡공같이 둥근 것.
[毬場 구장] 격구(擊毬)를 하는 운동장. 타구장(打毬場).

◉氣毬. 燈毬. 步毬. 手毬. 野毬. 氈毬. 庭毬. 蹴毬. 打毬. 香毬. 花毬. 戲毬.

7 ⑪ [毭] 부 [平]虞 芳無切 fū

[字解] ①새털갈 부 새가 털갈이 때에 빠진 털. '鳥解毛曰一'《集韻》. ②담(毯) 부 모직물의 한 가지. '一, 罽也'《集韻》.

7 ⑪ [毮] 사 [平]麻 所加切 shā

[字解] ①털너털너털할 사 털이 긴 모양. '一, 長毛貌'《正字通》. ②털옷 사 裟(衣部 七畫)와 同字.

7 ⑪ [毫] [高人] 호 [平]豪 胡刀切 háo

[筆順] 丶 亠 亠 亠 古 亭 亭 毫 毫

[字解] ①잔털 호 길고 뾰족한 가는 털. '秋一爲小'《莊子》. ②조금 호 근소. '一末'. '一一'. '有益一毛'《漢書》. ③붓 호 모필. '揮一'. '或含一而邈然'《陸機》. ④호 호 척도(尺度) 또는 분량의 단위. 1리(釐)의 10분의 1. '十絲日一, 十一日釐'《算經》.
[字源] 形聲. 毛+高〈省〉〔音〕. '高고'는 '豪호'와 통하여, '호저(豪猪)'의 뜻. 호저와 같은 길고 뾰족한 털의 뜻을 나타냄.

[毫光 호광] 사방으로 비쳐 퍼지는 털 같은 가느다란 빛.
[毫端 호단] 붓끝.
[毫釐 호리] 자 눈 또는 저울눈의 호(毫)와 이(釐). 전(轉)하여, 아주 짧은 거리나 극히 적은 분량.
[毫釐不差 호리불차] 조금도 틀리지 아니함.
[毫釐之失差以千里 호리지실차이천리] 처음에 조금 틀리면 나중에 큰 차이가 난다는 말.
[毫釐之差 호리지차] 조금의 차이.
[毫釐千里 호리천리] 호리지실차이천리(毫釐之失差以千里).
[毫末 호말] 터럭 끝. 전(轉)하여, 아주 작거나 적은 것. 또, 근소. 약간.
[毫末斧柯 호말부가] 나무는 조그마할 때 뽑아 버리지 아니하면 나중에 없애는 데 도끼를 써야 한다는 뜻. 곧, 사물은 그 시초에 처리하지 아니하면 나중에는 처리하기 곤란함을 이름.
[毫末之利 호말지리] 썩 적은 이익.
[毫芒 호망] 가는 털과 꺼끄러기. 전(轉)하여, 아주 작거나 적은 것. 또, 근소. 약간.
[毫毛 호모] 가는 털. 전(轉)하여, 근소. 약간.
[毫無 호무] 조금도 없음.
[毫髮 호발] 가는 털과 모발(毛髮). 전(轉)하여, 근소. 약간.
[毫分縷析 호분누석] 썩 잘게 분석함.
[毫纖 호섬] 근소. 약간. 또, 아주 작은 사물.
[毫素 호소] 호저(毫楮).
[毫楮 호저] 붓과 종이.
[毫揮 호휘] 붓을 놀림. 글씨를 쓰거나 그림을 그림. 휘호(揮毫).
◉健毫. 描毫. 微毫. 白毫. 鋒毫. 分毫. 絲毫. 纖毫. 修毫. 涓毫. 柔毫. 一毫. 逸毫. 長毫. 彩毫. 秋毫. 兎毫. 揮毫.

8 ⑫ [毳] 취 ①-⑦[去]霽 此芮切 cuì
(⑧절[本]) ⑧[入]屑 租悅切 qiāo 
[字解] ①솜털 취 부드럽고 가는 털. '一毛'. '鴻一性輕, 積之沈舟'《新論》. ②배밑털 취 복모(腹毛). '腹下之一'《韓詩外傳》. ③모직물 취 부드러운 털로 짠 직물. '荷旃被一者'《王褒》. ④털가죽 취 모피(毛皮). '南金北一'《沈約》. ⑤연약할 취 부드럽고 약함. 또, 그것. '事小敵一, 則偸可用也'《荀子》. ⑥맛날 취 연하고 맛이 있음. 또, 그 고기. 脆(肉部 六畫)와 통용. '旦夕得甘一, 以養親'《史記》. ⑦성 취 성(姓)의 하나. ⑧썰매 취 橇(木部 十二畫)와 통용. '泥行乘一'《漢書》.
[字源] 金文 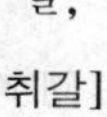 篆文 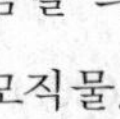 會意. 毛+毛+毛. 밀생(密生)한 짐승 털의 모양에서, 텁수룩한 털, '솜털'의 뜻을 나타냄.

[毳毼 취갈] 모직물.
[毳褐 취갈] ㉠털옷. ㉡천(賤)한 사람.
[毳衲 취납] 모직물로 만든 승의(僧衣). 중이 입는 털옷.
[毳幕 취막] 취장(毳帳).
[毳幔 취만] 취장(毳帳).
[毳冕 취면] 주대(周代)의 관(冠)의 하나.
[毳毛 취모] 새의 배 밑에 나는 부드럽고 가는 털.
[毳衣 취의] ㉠대부(大夫)의 제복(制服). ㉡승려(僧侶)의 법복(法服).
[毳帳 취장] 모직물로 만든 장막.
◉甘毳. 綿毳. 毛毳. 霜毳. 雪毳. 細毳. 軟毳. 柔毳. 翼毳. 氈毳.

8 ⑫ [毰] 배 [平]灰 薄回切 péi
[字解] ①날개펼 배 날개를 펴는 모양. 또는 봉황이 춤추는 모양. '一, 一毸, 說文, 張羽貌'《正字通》. ②어지러울 배 눈발이 어지러이 내리는 모양. '晴天鏡裏雪一毸'《王安石》.

8 ⑫ [毯] 담 [上]感 吐敢切 tǎn 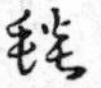
[字解] 담요 담 모포(毛布). '一子'. '悉取軍中氈一'《五代史》.
[字源] 形聲. 毛+炎〔音〕. '炎염'은 '불길'의 뜻. 불길처럼 털이 일어난 '담요'의 뜻을 나타냄.

[毯子 담자] 담요. 모포.
◉罽毯. 氌毯. 毛毯. 絨毯. 茵毯. 地毯.

8 ⑫ [⿰炎毛] 毯(前條)과 同字

8 ⑫ [毴] [一] 용 [上]腫 而勇切 rǒng
[二] 모 [去]號 莫報切 mào
[字解] [一] 많을 용, 모일 용 많음. 또, 모임. '一, 衆也. 聚也'《玉篇》. [二] 새털성할 모 '一, 鳥毛盛也'《廣韻》.

8 ⑫ [毱] 〔국〕
鞠(革部 八畫〈p. 2526〉)과 同字
[字源] 形聲. 毛+匊〔音〕. '匊국'은 양손으로 뜨다의 뜻. 양손으로 떠 올릴 정도의 구형(球形)의 털 공의 뜻을 나타냄.

8 ⑫ [⿰米毛] 毱(前條)과 同字

8 ⑫ [毲] 탈 [入]曷 都括切 duō 
[字解] 모직물 탈 오랑캐 나라에서 생산하는 털로 짠 직물. '文繡罽一'《後漢書》.

8 ⑫ [⿰來毛] 리 [平]支 里之切 lí
[字解] ①센털 리 세고 곱은 털. ②털일어날 리 털이 읾. '一, 毛起'《廣韻》.

9 ⑬ [毸] 새(시[俗]) [平]灰 素回切 sāi
[字解] 봉황날 새, 날개벌릴 새 '毰一'는 봉황이 나는 모양. 또, 날개를 펴는 모양. '毰一, 鳳舞皃'《集韻》.

9 ⑬ [毶] 수 ㊥尤 疎鳩切 sōu

字解 무늬놓은모직 수 '氍—'는 무늬를 놓은 모직물. '氍—, 織毛有文者'《類篇》.

9 ⑬ [毷] 모 ㊤號 莫報切 mào

字解 ①담요 모 모포(毛布). ②번민할 모 '—毸'는 번민하는 모양. '擧子不捷, 而醉飽, 謂之打—毸'《唐國史補》.

字源 形聲. 毛+冒〔音〕

[毷毷 모모] 번민하는 모양.
[毷毸 모소] 번민하는 모양.

9 ⑬ [毽] 건 ㊤霰 經電切 jiàn

字解 제기 건 엽전을 몇 장 겹치고 그 구멍에 새의 깃털을 꽂아 신 뒤축으로 차서 노는 장난감. '—, 抛足之戲具'《字彙補》.

9 ⑬ [毾] 방 ㊤養 北朗切 bǎng

字解 털로짠천 방 방형(方形) 또는 비낀 무늬가 든 모직물.

9 ⑬ [毹] 유 ㊥虞 羊朱切 yú

字解 담요 유 모포(毛布). '獻蒲桃大馬氍—等物'《南史》.

字源 篆文 形聲. 毛+兪〔音〕

9 ⑬ [毼] 변 ㊤銑 薄泫切 biàn

字解 털엉킬 변 '—毸, 毛毿也'《玉篇》.

9 ⑬ [毻] 타 ㊤箇 湯臥切 tuò / ㊤哿 他果切

字解 털갈 타 새나 짐승이 털을 갊. '—毛新鴻小'《庾信》.

9 ⑬ [毼] 一 할(갈㊐) ㊀曷 胡葛切 hé / 二 갈 ㊀曷 丘葛切 kě

字解 一 ①모직물 할 털로 짠 직물의 한 가지. '作文繡織㲪—'《後漢書》. ②새이름 할 鶡(鳥部 九畫)과 同字. '輕毛—雞'《後漢書》. 二 그릇 갈 칠하지 않은 굽이 달린 나무 그릇. 楬(木部 九畫)과 同字. '桓不飾曰楬, 或作—'《集韻》.

字源 形聲. 毛+曷〔音〕

◉罽毼. 毛毼. 毳毼.

9 ⑬ [毠] 가 ㊥麻 古牙切 jiā

字解 털옷 가 '—毟'는 털옷. '—, —毟, 毛衣'《廣韻》.

10 ⑭ [毾] 탑 ㊀合 吐盍切 tà

字解 담요 탑 모포(毛布). '天竺國有細好—㲪'《後漢書》.

字源 篆文 形聲. 毛+㽙〔音〕. '㽙탑'은 밑에 있는 것을 덮다의 뜻. 바닥을 덮는 모직의 깔개를 이름.

[毾㲪 탑등] 담요.

10 ⑭ [氆] 당 ㊥陽 徒郞切 táng

字解 ①담(毯) 당 모직물. 또, 구불구불한 무늬 있는 모직물. '—, 罽也'《廣韻》. ②관끈장식 당 관영(冠纓) 위의 장식. '—, 冠纓上飾'《正字通》.

[髦] 〔모〕 髟部 四書(p. 2624)을 보라.

11 ⑮ [氁] 모 ㊥虞 莫胡切 mú

字解 모직물 모 털로 짠 무늬 있는 직물의 한 가지. '—子用粉土黃檀子'《輟耕錄》.

11 ⑮ [毵] 삼 ㊥覃 蘇含切 sān

字解 ①털길 삼 털이 긴 모양. '——然與衆毛異'《詩經疏》. ②축늘어질 삼 가늘고 긴 것이 축 늘어진 모양. '綠岸——楊柳垂'《孟浩然》.

字源 形聲. 毛+參〔音〕

[毵毵 삼삼] 자해(字解)를 보라.

11 ⑮ [氀] 一 루 ㊥虞 力朱切 lǘ / 二 두 ㊥尤 當侯切 dōu

字解 一 모직물 루 털로 짠 직물의 한 가지. '作文繡織—毼'《後漢書》. 二 열등할 두 '—毼, 今人謂性劣者爲—毼'《字彙》.

[氀毼 누갈] 모직물(毛織物)의 한 가지.

11 ⑮ [氁] 氀(前條)와 同字

11 ⑮ [氂] 리 ㊥支 里之切 lí

字解 ①꼬리 리 검정 소나 말의 꼬리. '馬—截玉'《淮南子》. ②억센털 리 억세고 꼬불꼬불한 털. '以—裝衣'《漢書》. ③긴털 리 장모(長毛). '足下生—'《後漢書》. ④잡털 리 잡모(雜毛). '雜毛曰—'《小爾雅》. ⑤모직물 리 털로 짠 직물. '錦繡罽—'《華陽國志》. ⑥이 리 척도(尺度) 및 분량의 단위. 호(毫)의 십 배. 釐(里部 十一畫)와 통용. '不失毫—'《漢書》.

字源 篆文 會意. 犛〈省〉+毛. 검정 소의 꼬리의 뜻을 나타냄.

◉馬氂. 毛氂. 白氂. 毫氂.

11 ⑮ [氃] 〔계·결〕 髻(髟部 六書〈p. 2626〉)와 同字

[麾] 〔휘〕
麻部 四畫(p. 2697)을 보라.

12 ⑯ [氆] 방 [上]養 布廣切 pǔ
[字解] 서양융 방 '—氌'는 서역(西域)에서 산출하는 융모(羢毛)의 천. '—氌, 西蕃羢毛織者'《字彙》.

12 ⑯ [氄] 용 [上]腫 而隴切 rǒng
[字解] 솜털 용 부드럽고 가는 털. '鳥獸—毛'《書經》.
[字源] 會意. 毛+𦓝

◉落氄. 手氄. 子氄. 飽氄.

12 ⑯ [氃] 동 [平]東 徒東切 tóng
[字解] 털모양 동 '氋—'은 털의 모양. 털이 날리는 모양. '氋—, 毛散貌'《正字通》. '氋—而不肯舞'《世說》.

12 ⑯ [㲫] 복 [入]屋 蒲木切 pú
[字解] 털엉킬 복 털이 엉킴. '毻—, 毛不理'《集韻》.

12 ⑯ [㲪] 등 [平]蒸 都滕切 dēng
[字解] ①담요 등 모포(毛布). '天竺國有細好毾—'《後漢書》. ②털흩어질 등 털이 흩어지는 모양.
[字源] 篆文 形聲. 毛+登〔音〕. '登등'은 '충실(充實)하다'의 뜻.

12 ⑯ [𣰢] 㲪(前條)과 同字

12 ⑯ [𣰖] 초 [平]蕭 卽消切 jiāo
[字解] ①투구깃털 초 투구 위의 삭모(槊毛). '靑顚毛曰—'《集韻》. ②깃부서질 초 새의 깃이 찢어지고 부서짐. 譙(言部 十二畫)와 同字. '—, 羽殺也'《正字通》.

12 ⑯ [氅] 氅(次條)의 俗字

12 ⑯ [氅] 창 [上]養 昌兩切 chǎng
[字解] ①새털 창 새의 우모(羽毛). ②새털옷 창 새털로 짠 옷. '—衣'. '衣鶴—'《新五代史》.
[字源] 篆文 形聲. 毛+敞〔音〕. '敞창'은 '넓다, 펴지다'의 뜻.
[參考] 氅(前條)은 俗字.

◉團氅. 白氅. 雪氅. 素氅. 繡氅. 羽氅. 元氅. 鶴氅. 玄氅.

13 ⑰ [氈] [人名] 전 [平]先 諸延切 zhān 毡
[字解] ①모전 전 솜털로 만든 모직물. 또, 이 천으로 만든 요. '毛—'. '共其毳皮爲—'《周禮》. ②성 전 성(姓)의 하나.
[字源] 篆文 形聲. 毛+亶〔音〕. '亶선'은 '展전'과 통하여, '펴서 넓히다'의 뜻. 깔아 펼치는 '털 자리'의 뜻.

[氈裘 전구] 모전(毛氈)으로 만든 의복(衣服). 전(轉)하여, 이적(夷狄)의 의복.
[氈笠 전립] 털실로 짠 갓.
[氈帽 전모] 모전(毛氈)으로 만든 모자.
[氈案 전안] 모전(毛氈)을 깐 책상.
[氈帳 전장] 모전(毛氈)으로 만든 장막(帳幕). 또, 이것을 쓰는 이적(夷狄)의 옥사(屋舍).
[氈毳 전취] ㉠모전(毛氈). ㉡전구(氈裘).
◉佳氈. 茵氈. 馬氈. 綿氈. 毛氈. 戎氈. 靑氈. 敗氈. 好氈. 花氈.

13 ⑰ [氊] 氈(前條)의 俗字

13 ⑰ [氉] 소 [去]號 蘇到切 sào
[字解] ①뻣뻣한털 소 억센 털. ②번민할 소 毷(毛部 九畫)를 보라. '毷—'.
[字源] 形聲. 毛+喿〔音〕

14 ⑱ [氋] 몽 [平]東 謨蓬切 méng
[字解] 털흩어질 몽 '—氃'은 털이 흩어지는 모양. '—氃而不肯舞'《世說》.

14 ⑱ [𣰠] 녕 [平]庚 乃庚切 míng
[字解] 북슬개 녕 털이 많은 개. '—, 大多毛, 謂之—'《集韻》.

14 ⑱ [㲯] 람 [平]覃 盧監切 rán
[字解] 털길 람 털이 긴 모양. '巖花垂露碧—毿'《朱熹》.

15 ⑲ [氌] 로 [上]麌 郎古切 lǔ
[字解] 서역융 로 서역에서 산출하는 융모(羢毛)의 천. '氆—, 西蕃羢毛織者'《字彙》.

18 ㉒ [氍] 구 [平]虞 其俱切 qú
[字解] 담요 구 모포(毛布). '獻蒲桃大馬—毹等物'《南史》.
[字源] 篆文 形聲. 毛+瞿〔音〕

[氍毹 구유] 담요.

22 ㉖ [氎] 첩 [入]葉 徒協切 dié
[字解] 모직물 첩 명주같이 고운 모직물. '隴右道, 厥賦有毛毲白—'《唐書》.
[字源] 形聲. 毛+疊〔音〕

氏 (4획) 部

〔각시씨부〕

0 [氏] 中·人 ❶ 씨(시㊍) ㊤紙 承紙切 shì
④ ❷ 지 ㊥支 章移切 zhī

筆順 一 𠂆 𠂉 氏

字解 ❶ ①씨 씨 ㉠한 성(姓) 중에서 계통의 종별(種別)을 표시하는 칭호. '天子建德, 因生以賜姓, 胙之土, 而命之一'《左傳》. ㉡후세(後世)에는 성(姓)과 구별하지 않고 혼용함. '姓一後世不復別, 但曰姓某一, 雖史筆亦然'《趙彦衛》. ㉢왕조(王朝) 또는 제후(諸侯)의 봉지(封地)에 붙여 쓰는 칭호. '伏羲一'. '有扈一不服'《史記》. ㉣관직에 붙여 쓰는 칭호. 세습(世襲)의 제도에서 생긴 것임. '太史一'. '職方一掌天下之圖'《周禮》. ㉤사람을 지칭하는 데 붙여 쓰는 칭호. '伯一吹壎, 仲一吹篪'《詩經》. ㉥시집간 여자의 친가(親家)의 성에 붙여 쓰는 칭호. '某一來歸'《儀禮》. ②성 씨 성(姓)의 하나. ❷ 나라이름 지 '大月一'는 기원전 5세기 중엽에 중앙아시아의 아무다리야 강(江) 유역에 터키 계통의 민족이 세운 나라. 또, 그 민족.

字源 甲骨文 金文 篆文 象形. 甲骨文·金文은 '民민'의 자형(字形)과 아주 비슷한 모양으로, 비스듬한 획은 두 눈꺼풀이 감겨져 있는 모양, 세로획은 날카로운 날붙이의 모양. 날붙이에 찔려 멀게 된 눈의 형상을 본뜸. 눈이 찌부러져 볼 수 없게 된 피지배 씨족(被支配氏族)의 뜻에서, 성씨(姓氏)의 뜻을 나타냄. 일설(一說)에는, '匙시(숟가락)'의 原字.

參考 유사한 모양의 '民'을 포함하여, 자형(字形) 분류상 부수(部首)로 세워짐.

[氏名 씨명] 성명(姓名).
[氏譜 씨보] 씨족의 계보(系譜). 족보.
[氏族 씨족] ㉠겨레. 족속(族屬). ㉡원시 사회(原始社會)에서 공동의 조상을 가진 혈족 단체(血族團體).
◉葛天氏. 舅氏. 挑氏. 名氏. 母氏. 無名氏. 伯氏. 師氏. 釋氏. 姓氏. 叔氏. 越裳氏. 月氏. 宗氏. 左氏. 仲氏.

1 [氐] 저 ①②㊤薺 典禮切 dǐ
⑤ ③-⑥㊥齊 都奚切 dī

字解 ①근본 저 근원. '維周之一'《詩經》. ②대저 저 抵(手部 五畫)와 同字. '大一皆遇告'《漢書》. ③오랑캐이름 저 파촉(巴蜀) 부근에 살던 민족. 후에, 한중(漢中)·하동(河東)에 이주하여 번성하여, 오호(五胡)의 하나로 손꼽히게 되었음. '自彼一羌, 莫敢不來享'《詩經》. ④별이름 저 이십팔수(二十八宿)의 하나. 청룡 칠수(青龍七宿)의 셋째 성수(星宿)로서, 별 넷으로 구성되었음. '一宿'. '一四星, 東方之宿, 一者, 言萬物皆至也'《史記》. ⑤숙일 저 低(人部 五畫)와 同字. '一首仰給'《漢書》. ⑥낮을 저 低(人部 五畫)와 同字. '其賈一賤'《漢書》.

字源 篆文 指事. 氏+一. '氏씨'는 예리한 날붙이의 象形. '一일'은 그 날붙이를 가는 편평한 숫돌의 뜻을 나타냄. '砥지'의 原字일 것으로 추측됨. 칼날을 바닥에 대는 모양에서, '낮추다, 이르다' 따위의 뜻을 나타냄.

[氐羌 저강] 서융(西戎)의 종족. 티베트 족(族)에 속함.
[氐首 저수] 고개를 숙임.
[氐宿 저수] 이십팔수(二十八宿)의 하나. 자해(字解) ❹를 보라.
[氐賤 저천] 값이 쌈.

1 [民] 中·人 민 ㊥眞 彌隣切 mín
⑤

筆順 ㇆ ㇅ 巳 尸 民

字解 ①백성 민 ㉠뭇사람. 인류. '烝一乃粒'《書經》. ㉡국가의 통치를 받는 사람. 국민. '一以君爲心, 君以一爲體'《禮記》. ㉢토착(土着)의 민중. '一, 安土者也'《後漢書》. ㉣벼슬하지 않은 사람. 평민. '宜一宜人'《詩經》. ㉤자기 이외의 뭇사람. '一莫不穀, 我獨何害'《詩經》. ②어두울 민 어리석음. '一之爲言, 固猶瞑也'《春秋繁露》. ③성 민 성(姓)의 하나.

字源 金文 篆文 古文 古文 象形. 한쪽 눈을 바늘로 찌른 형상을 본떠, 한쪽 눈이 찌부러져 먼 노예·피지배(被支配) 민족의 뜻에서, '백성'의 뜻을 나타냄.

[民家 민가] 백성의 집.
[民間 민간] 백성들의 사회.
[民苦 민고] 백성의 괴로움.
[民困 민곤] 백성의 빈곤(貧困).
[民功 민공] 백성의 일. 민사(民事).
[民國 민국] 주권(主權)이 국민에게 있는 나라.
[民軍 민군] 민병(民兵).
[民窮 민궁] 백성이 가난하여 구차함.
[民權 민권] ㉠국민의 권리. ㉡국민이 정치에 참여하는 권리.
[民權主義 민권주의] 민권(民權)의 신장(伸長)을 주장하는 주의. 삼민주의(三民主義)의 하나.
[民極 민극] 백성이 지켜야 할 중정(中正)의 길. '極'은 지상(至上)의 표준.
[民團 민단] ㉠외국(外國)의 일정한 곳에 살고 있는 동족(同族)으로써 조직된 자치 단체. '거류민단(居留民團)'의 준말. ㉡지방의 백성이 서로 단결하여 군사 훈련을 하며 도적을 방비하는 단체.
[民德 민덕] 백성의 덕(德). 민간의 도덕.
[民度 민도] 백성의 빈부(貧富)와 문화(文化)의 정도.
[民亂 민란] 백성이 떠들고 일어나는 소요.
[民力 민력] 백성의 노력(勞力). 또는 재력(財力).
[民曆 민력] 민간(民間)에서 보는 책력(冊曆).
[民力休養 민력휴양] 과세(課稅)와 부담(負擔)을 적게 하여 백성의 재력을 넉넉히 하는 일.
[民立 민립] 민간(民間)에서 설립함.
[民瘼 민막] 백성이 악정(惡政)에 시달리는 일.
[民望 민망] ㉠백성의 희망. 여망(輿望). ㉡세상 사람이 우러러 따르는 덕망(德望). 인망(人望). ㉢백성의 본보기.
[民母 민모] ㉠백성의 어머니라는 뜻으로, 황후(皇后)를 이름. ㉡아버지의 본처(本妻). 적(嫡)

어머니. 큰어머니.
[民牧 민목] 제후(諸侯) 또는 지방 장관.
[民無信不立 민무신불립] 윗사람이 신의가 없으면 그 지배하의 백성은 동요하여 떨어져 나감.
[民法 민법] ㉠백성이 지켜야 할 법. ㉡사권(私權)의 통칙(通則)을 규정한 법률.
[民變 민변] 폭동. 혁명.
[民兵 민병] 백성이 스스로 편제(編制)한 의용병.
[民福 민복] 국민의 행복.
[民部 민부] 인사(人事)·호적(戶籍) 등의 일을 맡은 벼슬. 후주(後周) 때 처음 두었는데, 수(隋)나라 초기에 일시(一時) 탁지(度支)라 하였고, 당(唐)나라 때 호부(戶部)라 고쳤음.
[民社 민사] 백성과 사직(社稷). 국민과 나라.
[民事 민사] ㉠백성의 일. ㉡백성에 관한 일. 정사(政事). 정치. ㉢부역(賦役). ㉣사권(私權)에 관한 재판 또는 소송 사건.
[民生 민생] ㉠백성의 생활. 백성의 생계(生計). ㉡사람의 천성(天性).
[民生於三 민생어삼] 백성은 군(君)·부(父)·사(師) 삼자(三者)에 의하여 생존(生存)함.
[民生主義 민생주의] 백성의 생활을 풍요롭게 하는 주의. 삼민주의(三民主義)의 하나.
[民庶 민서] 백성. 서민(庶民).
[民選 민선] 백성이 뽑음.
[民設 민설] 민간의 설치 경영.
[民性 민성] 백성의 성질(性質).
[民聲 민성] 백성의 소리. 민간의 여론(輿論).
[民俗 민속] 백성의 풍속. 민간의 풍습.
[民俗學 민속학] 민간에 전하는 풍속(風俗)·습관(習慣)·신앙(信仰)·전설(傳說) 등을 연구하는 학문.
[民時 민시] 농사철. 농사짓기에 한창 바쁠 때. 농시(農時).
[民心 민심] 백성의 마음.
[民心無常 민심무상] 백성의 마음은 일정하지 않아 군주(君主)가 선정(善政)을 베풀면 사모하고 악정(惡政)을 하면 앙심을 품음.
[民約說 민약설] 국가 및 법률은 인류(人類)의 계약(契約)에 의하여 성립된 것이라고 하는 설(說). 프랑스의 루소에 의하여 제창되었음.
[民業 민업] 백성이 경영(經營)하는 사업(事業).
[民營 민영] 민간의 경영. 관영(官營)·공영(公營)의 대(對).
[民藝 민예] 민간(民間)의 생활 속에서 태어난 조형(造型) 미술. 공예품 따위. 민속 예술.
[民屋 민옥] 민가(民家).
[民謠 민요] 민간에 널리 퍼진 유행가.
[民擾 민요] 민란(民亂).
[民用 민용] ㉠백성의 이용(利用). ㉡백성의 재화(財貨). ㉢백성의 기구(器具).
[民怨 민원] 백성의 원망(怨望).
[民有 민유] 민간의 소유(所有). 국유(國有)·공유(公有)의 대(對).
[民隱 민은] 민중의 괴로움. 민생고(民生苦).
[民意 민의] 백성의 뜻. 국민의 의사.
[民彝 민이] 사람이 지켜야 할 떳떳한 도리(道理). 곧, 부자(父子)에게는 자효(慈孝), 형제에게는 우애(友愛) 같은 것.
[民人 민인] 민서(民庶).
[民財 민재] 백성의 재산(財産).
[民賊 민적] 백성을 해치는 나쁜 놈. 국민의 적.
[民籍 민적] ㉠일반 백성의 호적. ㉡그 나라 국민으로서의 호적(戶籍).
[民政 민정] 백성의 안녕(安寧)·행복(幸福)을 도모(圖謀)하는 정치.
[民情 민정] ㉠백성의 정상(情狀). 백성의 사정과 형편. ㉡민심(民心).
[民族 민족] 인종을 언어와 풍속 등을 표준으로 하여 가른 집단(集團).
[民族性 민족성] 그 민족(民族)에 특유(特有)한 성질.
[民族主義 민족주의] ㉠민족성의 견지(堅持)를 부르짖는 주의. ㉡한 민족으로 한 나라를 만들자는 주의.
[民主 민주] ㉠백성의 우두머리. 군주(君主). ㉡국가의 주권(主權)이 전체 국민에게 속하는 정체(政體). 공화제(共和制)의 정치(政治).
[民主政治 민주정치] 주권이 국민에게 있는 정치.
[民主主義 민주주의] 주권이 국민에게 있으며 국민에 의하여 정치를 행하는 주의.
[民衆 민중] 백성의 무리. 민간의 일반 사람들.
[民智 민지] 백성의 지식의 정도.
[民之司命 민지사명] 오곡(五穀)을 이름.
[民天 민천] 양식(糧食)을 이름.
[民治 민치] 국민을 다스림.
[民則 민칙] 백성이 지켜야 할 규칙.
[民帑 민탕] 백성의 재산. 민재(民財).
[民弊 민폐] 국민에게 폐단이 되는 일.
[民表 민표] 백성의 모범.
[民風 민풍] 민속(民俗).
[民害 민해] 국민의 피해.
[民獻 민헌] ㉠백성들이 헌상(獻上)하는 일. ㉡백성 중의 현자(賢者).
[民戶 민호] 민가(民家).
◉姦民. 居民. 輕民. 公民. 寡民. 官民. 丘民. 國民. 窮民. 飢民. 難民. 農民. 得民. 萬民. 末民. 牧民. 白民. 邊民. 保民. 浮民. 不敎民. 貧民. 士民. 四民. 生民. 庶民. 先民. 善民. 細民. 小民. 市民. 植(殖)民. 臣民. 新民. 安民. 愛民. 野民. 良民. 黎民. 頑民. 擾民. 愚民. 流民. 遺民. 義民. 移民. 人民. 佚民. 逸民. 賊民. 齊民. 濟民. 兆民. 住民. 重民. 衆民. 烝民. 天民. 賤民. 村民. 土民. 平民. 下民. 鄕民. 豪民. 鰥民.

2 ⑥ [氒] 궐 ㊅月 居月切 jué

筆順 氒

字解 ①뿌리 궐, 밑동 궐 '一, 木本也'《說文》. ②厥(厂部 十畫〈p.322〉)의 古字.

字源 會意. 氏+十

[昏] 〔혼〕 日部 四畫(p. 977)을 보라.

4 ⑧ [氓] 人名 맹 ㊥庚 莫耕切 méng, máng

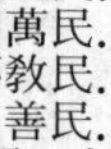

字解 백성 맹 서민(庶民). '一俗'. '天下之民, 皆悅而願爲之一矣'《孟子》.

字源 篆文 形聲. 民+亡〔音〕. '亡망'은 '盲맹'과 통하여, '소경'의 뜻. 어리석은 백성의 뜻을 나타냄.

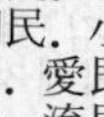

[氓隷 맹례] 비천(卑賤)한 백성. 천민(賤民).

[氓俗 맹속] ㉠민간의 풍속. 민속(民俗). ㉡백성. 국민.
◉貧氓. 庶氓. 安氓. 野氓. 黎氓. 殘氓. 蒼氓. 疲氓. 遐氓.

5 ⑨ [䍃] 〔사〕 伺(人部 五畫〈p. 114〉)의 俗字

6 ⑩ [㲽] 질 ㊈質 陟栗切 zhì

字解 ①건드릴 질 건드림. '一, 觸也'《說文》. ②뽑을 질 손으로 뽑음. '一, 手拔物也'《廣韻》.
字源 篆文 形聲. 氏+失〔音〕. '氏저'는 땅에 이르다, '失실'은 발이 무엇에 걸려 넘어지다[跌]의 뜻. 발에 걸려 넘어져서 무엇에 닿다의 뜻.

气 (4획) 部

〔기운기부〕

0 ④ [气] ■ 기 ㊀未 去旣切 qì ■ 걸 ㊈物 去訖切 qǐ

筆順 丿 𠂉 𠂈 气

字解 ■ ①기운 기 氣(气部 六畫)와 同字. '天地人物之氣雖別, 而一氣字義實同'《康熙字典》. ②줄 기 내어 줌. '一, 與人物也'《廣韻》. ■ 빌 걸 乞(乙部 二畫)과 同字. '一乞本同一字也'《古今印史》.
字源 金文 篆文 象形. 본디, 뭉게뭉게 피어오르는 구름, 상승 기류(上昇氣流)를 본뜬 모양으로, '수증기·숨·입김'의 뜻을 나타냄. '氣기'와 동일어(同一語) 이체자(異體字).
參考 '气'를 의부(意符)로 하여, 기(氣)·기운에 관한 문자를 이룸.

2 ⑥ [気] 〔기〕 氣(气部 六畫〈p. 1172〉)의 俗字

2 ⑥ [氕] 〔기〕 氣(气部 六畫〈p. 1172〉)의 略字

2 ⑥ [氖] 氖(次次條)와 同字

3 ⑦ [氙] 〔서〕 氙(气部 六畫〈p. 1174〉)와 同字

4 ⑧ [氖] 내 nèi

字解 네온(neon) 내 원소(元素)의 이름.

4 ⑧ [氛] 분 ㊥文 符分切 ㊥文 府文切 fēn

字解 ①기운 분 ㉠일에 앞서 나타나 길흉(吉凶)을 보이는 기(氣). '梓愼望一'《左傳》. ㉡나쁜 기(氣). 요기(妖氣). 흉기(凶氣). '一祥'. '一祲, 妖氣'《廣韻》. ②재앙 분 흉화(凶禍). '一邪歲增'《漢書》.
字源 篆文 別體 形聲. 气+分〔音〕. '气기'는 상승 기류(上昇氣流)의 象形. '分분'은 '분산(分散)하다'의 뜻. 흩어져 가다, 길흉(吉凶)을 암시하는 구름의 뜻을 나타냄. '雰분'은 동일어(同一語) 이체자(異體字).

[氛垢 분구] 먼지.
[氛氣 분기] 공중(空中)에 보이는 운연(雲煙) 같은 기운.
[氛厲 분려] 나쁜 병.
[氛霾 분매] 어두컴컴하게 오는 토우(土雨).
[氛邪 분사] 불길(不吉)한 기운. 흉기(凶氣). 일설(一說)에는, 흉한 일. 재앙(災殃).
[氛祥 분상] 불길한 기운과 상서로운 기운.
[氛坱 분앙] 먼지. 진애(塵埃).
[氛埃 분애] 먼지.
[氛曀 분에] 구름이 낌.
[氛氳 분온] 기운이 왕성하게 오르는 모양.
[氛妖 분요] 재해. 화(禍).
[氛圍氣 분위기] ㉠지구(地球)를 싸고 있는 대기(大氣). ㉡어떤 장면이나 또는 회합에 있어서 일시적으로 떠도는 기분.
[氛祲 분침] ㉠바다 위에 낀 짙은 안개. ㉡요악스러운 기운.
[氛囂 분효] 세속(世俗)의 시끄러운 일.
◉絳氛. 垢氛. 暝氛. 祥氛. 俗氛. 埃氛. 涼氛. 氳氛. 妖氛. 紫氛. 塵氛. 淸氛. 翠氛. 霞氛. 囂氛.

4 ⑧ [炁] 氣(次條)의 古字

6 ⑩ [氣] 中人 기 ㊀未 去旣切 qì

筆順 丿 𠂉 𠂈 气 気 氙 氧 氣

字解 ①기운 기 ㉠만물 생성(生成)의 근원. 만유(萬有)의 근원. '精一爲物, 遊魂爲變'《易經》. ㉡심신(心神)의 세력. 원기. '浩然之一'. '一, 體之充也'《孟子》. ㉢세력. 힘. 기세. '一銳'. '一蓋世'《史記》. ㉣풍(風)·우(雨)·회(晦)·명(明)·한(寒)·서(暑) 등의 자연의 현상. '天有六一'《左傳》. ㉤수증기·연기 등이 공중에 올라가 보이는 현상. '直有金寶一'《史記》. ㉥냄새·빛·열 같은 감각으로 그 존재를 아는 현상. '貴一臭也'《禮記》. ㉦풍취(風趣). '一味'. '有林下風一'《世說》. ②공기 기 땅을 포위한 유동체. '天積一耳'《列子》. ③숨 기 호흡. '一息'. '屛一似不息者'《論語》. ④기질 기 성질. '志彊而一弱'《列子》. ⑤마음 기 의사. '百姓無怨一'《史記》. ⑥기후 기 시후(時候). '務順時一'《後漢書》. ⑦절후 기 음력에서 1년을 24분(分) 한 기간. 절기. '五日謂之候, 三候謂之一'《內經》. ⑧말을 기 냄새를 맡음. '執食飮者勿一'《禮記》.
字源 篆文 別體 別體 形聲. 米+气〔音〕. '米미'는 쌀알처럼 작은 것의 뜻. '气기'는 뭉게뭉게 피어오르는 상승 기류(上昇氣流)의 뜻. '운기(雲氣)·수증기(水蒸氣)'의 뜻을 나타냄.
參考 気(p. 1172)는 俗字.

[氣槩 기개] 씩씩한 기상(氣象)과 꿋꿋한 절개.

기개(氣概).
[氣蓋世 기개세] 기세(氣勢)가 대단하여 세상 사람을 압도(壓倒)함.
[氣格 기격] 품격(品格). 기품(氣品).
[氣決 기결] 의기(意氣)와 결단. 일설(一說)에는, 기상(氣象)이 뛰어나고 결단력이 있음.
[氣骨 기골] 기혈(氣血)과 골격. 의기(意氣)와 지조. 옹졸하게 굽히지 않는 의기(意氣). 기개(氣概).
[氣孔 기공] ㉠식물의 잎·줄기·가지 등에 있어 체중(體中)의 수증기를 발산하는 작은 구멍. 숨구멍. ㉡곤충류(昆蟲類)의 몸 옆쪽에 있어 호흡 작용을 하는 구멍.
[氣管 기관] 호흡기의 일부. 호흡이 통하는 길.
[氣管支 기관지] 기관(氣管)의 하단(下端)에서 분기(分岐)하여 폐(肺)로 들어가는 작은 기관.
[氣球 기구] 가벼운 기체(氣體)를 넣어 공중(空中)으로 높이 올라가게 하는 둥근 주머니. 풍선(風船).
[氣圈 기권] 대기(大氣)가 지구(地球)를 싸고 있는 구역.
[氣根 기근] ㉠일을 감내(堪耐)하는 체력과 의지. 근기(根氣). 정력(精力). ㉡지상(地上)에 있어 공중의 수분(水分)을 섭취하는 뿌리.
[氣囊 기낭] ㉠조류(鳥類)의 흉부와 복부에 있어 폐와 연결된 주머니. 그 안에 공기를 드나들게 하여 몸의 무게를 증감시키는 작용을 함. ㉡가스를 넣은 주머니.
[氣短 기단] 기력(氣力)이 약(弱)함.
[氣量 기량] 마음의 작용. 도량(度量).
[氣力 기력] ㉠심신(心身)의 힘. 원기. 근기. 체력. ㉡증기(蒸氣)나 압착 공기의 힘.
[氣流 기류] 대기(大氣)의 유동(流動).
[氣類 기류] 마음이 맞은 사람. 의기가 투합(投合)하는 동지(同志).
[氣脈 기맥] 혈맥(血脈). 전(轉)하여, 쌍방의 감정·의사 등의 소통(疏通). 상호 간의 연락.
[氣母 기모] ㉠우주(宇宙)의 원기의 근원. ㉡무지개〔虹〕의 별칭(別稱).
[氣門 기문] ㉠인체(人體) 중에서 땀이 모여 있는 곳. ㉡기공(氣孔)❶.
[氣味 기미] ㉠냄새와 맛. ㉡정취(情趣).
[氣魄 기백] 씩씩한 기상(氣象)과 진취성(進就性)이 있는 정신.
[氣癖 기벽] 굴(屈)하지 않는 성질.
[氣不足 기부족] 《韓》 기력(氣力)이 부족하여 생기는 병(病).
[氣分 기분] ㉠성품(性稟). ㉡쾌·불쾌를 느끼는 마음의 상태.
[氣尙 기상] 고상(高尙)한 인격(人格). 또는, 그러한 것을 지닌 사람.
[氣象 기상] ㉠기품(氣稟)이 겉으로 드러난 상태. ㉡경치(景致). ㉢풍(風)·우(雨)·음(陰)·청(晴)·한(寒)·서(暑) 등과 같은 자연계(自然界)의 변화. 공중(空中)에서 일어나는 현상.
[氣象臺 기상대] 기상(氣象)을 관측(觀測)하는 높은 대(臺).
[氣象萬千 기상만천] 경치가 천태만상(千態萬象)으로 변화함.
[氣色 기색] ㉠태도와 안색(顏色). ㉡힘. 기세. ㉢천기(天氣)와 경치(景致).
[氣性 기성] 기질(氣質).
[氣盛 기성] 기력(氣力)이 왕성함.
[氣成虹 기성홍] 의기(意氣)가 왕성한 것을 기운이 엉겨 무지개를 이룬 데 비유한 말.
[氣勢 기세] 의기(意氣)가 장(壯)한 형세.
[氣習 기습] 성미와 버릇. 기질과 습관.
[氣息 기식] 숨. 호흡(呼吸).
[氣食牛 기식우] 소를 삼킬 만한 큰 기상(氣象)을 형용한 말.
[氣壓 기압] 대기(大氣)가 지구의 표면에 미치는 압력(壓力).
[氣弱 기약] 기운이 약(弱)함.
[氣焰 기염] 대단한 기세.
[氣燄 기염] 기염(氣焰).
[氣銳 기예] 의기가 날카롭고 왕성함.
[氣溫 기온] 대기(大氣)의 온도.
[氣勇 기용] 일을 하는 데 겁이 없고 과단성이 있음. 용감함.
[氣宇 기우] 도량(度量). 기국(器局).
[氣運 기운] ㉠운수(運數). ㉡시세(時勢)의 돌아가는 형편. 시운(時運).
[氣韻 기운] 기품(氣品).
[氣鬱 기울] 심기(心氣)가 울적함.
[氣絶 기절] ㉠숨이 끊어짐. 죽음. ㉡한때 정신(精神)을 잃고 숨이 막힘.
[氣節 기절] ㉠기개(氣概)와 절개. ㉡기후(氣候)❶.
[氣志 기지] 마음씨.
[氣盡脈盡 기진맥진] 기진역진(氣盡力盡).
[氣盡力盡 기진역진] 기력(氣力)이 죄다 없어짐.
[氣質 기질] 기품(氣稟).
[氣質之性 기질지성] 기질의 성(性)은 기(氣)에서 생겨나므로, 기의 청탁(淸濁)·후박(厚薄)에 따라 선악(善惡)·현우(賢愚)의 차별이 생긴다는 정주학파(程朱學派)의 학설.
[氣體 기체] 자유로 유동(流動)하며 일정한 형체(形體)가 없는 물체. 곧, 산소·질소·탄산가스·수증기 등.
[氣縮 기축] 무서워 몸을 움츠림.
[氣臭 기취] 냄새.
[氣泡 기포] 거품.
[氣胞 기포] 허파 속의 기관세지(氣管細枝)의 끝에 있는 작은 주머니.
[氣品 기품] ㉠품격(品格). ㉡고상한 성품. ㉢풍취(風趣).
[氣稟 기품] 타고난 성질과 품격.
[氣風 기풍] 기상과 풍도(風度).
[氣乏 기핍] 기력(氣力)이 부족함.
[氣海 기해] ㉠대기(大氣)를 바다에 비하여 일컫는 말. ㉡신체의 정기(精氣)가 모인다고 일컫는 배꼽 아래 한 치 닷 푼쯤 되는 곳.
[氣虛 기허] 기력(氣力)이 허약함.
[氣血 기혈] 원기(元氣)와 혈액.
[氣俠 기협] 협기(俠氣).
[氣戶 기호] 콧구멍. 비공(鼻孔).
[氣化 기화] ㉠물질이 변하여 딴 종류의 것이 됨. ㉡액체가 기체로 변함.
[氣候 기후] ㉠1년간을 구획한 기간의 일컬음. 곧, 5일(日)을 1후(候), 15일(日)을 1기(氣)로 하고 1년을 24기(氣), 72후(候)로 나눔. ㉡대기의 변동과 수륙의 형세에 따라서 생기는 조습(燥濕)·청우(晴雨)·한서(寒暑) 등의 현상.
◉佳氣. 嘉氣. 脚氣. 感氣. 剛氣. 絳氣. 江湖之氣. 蓋世之氣. 客氣. 居移氣. 激氣. 景氣. 驚氣. 空氣. 狂氣. 驕氣. 鬼氣. 根氣. 奇氣. 暖氣. 嵐氣. 怒氣. 短氣. 膽氣. 毒氣. 同氣. 望氣. 猛氣. 病氣. 浮氣. 氛氣. 雰圍氣. 士氣.

邪氣. 辭氣. 山氣. 殺氣. 爽氣. 瑞氣. 暑氣. 盛氣. 聲氣. 韶氣. 秀氣. 淑氣. 純氣. 習氣. 濕氣. 勝氣. 時氣. 食氣. 食牛之氣. 神氣. 心氣. 夜氣. 語氣. 熱氣. 英氣. 靈氣. 銳氣. 傲氣. 外氣. 妖氣. 勇氣. 雨氣. 雲氣. 元氣. 有死心無生氣. 陰氣. 意氣. 義氣. 二氣. 理氣. 二十四氣. 人氣. 人生感意氣. 一氣. 日氣. 逸氣. 溢氣. 一團和氣. 紫氣. 磁氣. 才氣. 積氣. 電氣. 節氣. 正氣. 精氣. 腫氣. 鍾氣. 酒氣. 蒸氣. 志氣. 脂粉氣. 天氣. 淸氣. 晴氣. 聽氣. 臭氣. 醉氣. 稚氣. 胎氣. 妬氣. 霸氣. 平旦之氣. 風氣. 寒氣. 海氣. 香氣. 血氣. 俠氣. 馨氣. 浩氣. 豪氣. 顥氣. 浩然之氣. 魂氣. 火氣. 和氣. 換氣. 活氣. 候氣. 薰氣.

6 ⑩ [氤] 인 (平)眞 於眞切 yīn

字解 기운어릴 인 '一氳'은 천지의 기(氣)가 서로 합하여 어린 모양. '春物其一氳'《宋之問》.

字源 形聲. 气+因〔音〕. '因인'은 '다가가다'의 뜻.

[氤氳 인온] 천지의 기(氣)가 서로 합하여 어린 모양.
[氤縕 인온] 인온(氤氳).

6 ⑩ [氥] 서 xī

字解 크세논(xenon) 서 원소(元素)의 이름. Xe.

7 ⑪ [氪] 극 kè

字解 크립톤 극 크립톤(krypton). 원소(元素)의 이름. Kr.

7 ⑪ [氱] 〔소〕
霄(雨部 七畫〈p. 2500〉)와 同字

8 ⑫ [氮] ⿹气亶(次次條)과 同字

10 ⑭ [氳] 온 (平)文 於云切 yūn

字解 ①기운어릴 온 氤(气部 六畫)을 보라. ②기운성할 온 기(氣)가 왕성하게 오르는 모양. '氛一'.

字源 形聲. 气+𥁕〔音〕. '𥁕온'은 접시에 담은 따끈한 찜의 象形. 기운이 성하게 피어오르다의 뜻을 나타냄.

12 ⑯ [⿹气亶] 담 dàn

字解 질소(窒素) 담 원소(元素)의 이름. N.

水(氵)(4획) 部
〔물수부〕

0 ④ [水] [中人] 수 ㊤紙 式軌切 shuǐ

筆順 亅 刁 氺 水

字解 ①물 수 ㉠산소와 수소로 이루어진 액체. '一火'. '今夫一, 一勺之多'《中庸》. ㉡물이 흐르거나 괸 곳. 곧, 내·호수·바다 등. '若涉大一'《書經》. ㉢물의 범람. 곧, 홍수. '堯禹有九年之一'《漢書》. ㉣오행(五行)의 하나. 고대에, 우주를 구성하는 원소(元素)로 생각되었음. 계절로는 겨울, 방위로는 북(北), 오성(五星)으로는 진성(辰星), 오음(五音)으로는 우(羽), 십간(十干)으로는 임계(壬癸)에 배당함. '五行, 一曰一'《書經》. ②물일 수 물을 긷거나 물을 사용하여 하는 일. '助爾薪一之勞'《梁昭明太子》. ③평평할 수 수평(水平). 평준(平準). '一, 準也, 準平物也'《釋名》. ④평평하게할 수 수준기(水準器)를 써서 물건을 평평하게 함. '一地以縣'《周禮》. ⑤수성 수 유성(遊星) 중에서 가장 작고 태양에 가장 가까운 별. 진성(辰星). ⑥성 수 성(姓)의 하나.

字源 甲骨文 金文 篆文 象形. 흐르는 물의 象形으로, '물'의 뜻을 나타냄.

參考 '水'가 변이 될 때에는 '氵'의 꼴을 취하며, 삼수(三水)변으로 이름. '水'를 의부(意符)로 하여, 물·강의 이름, 또 물의 상태나 물을 수반하는 동작에 관한 문자를 이룸.

[水脚 수각] ㉠배의 운임. 뱃삯. 선가(船價). ㉡배의 물속으로 들어가는 부분.
[水閣 수각] 물가나 물 위에 있는 누각(樓閣).
[水干 수간] 물가. 수애(水涯).
[水閘 수갑] 수문(水門).
[水客 수객] ㉠뱃사공. ㉡마름꽃〔菱花〕의 별칭(別稱).
[水居 수거] ㉠물가의 마을에서 생장해 배질·헤엄 같은 것에 익숙함. 또, 그 사람. ㉡물속에서 삶. 또, 그런 것. 곧, 어류(魚類)와 패류(貝類).
[水渠 수거] 도랑. 구거(溝渠).
[水鏡 수경] ㉠달〔月〕의 딴 일컬음. ㉡맑고 깨끗한 인격의 비유.
[水鷄 수계] 오릿과에 속하는 물새. 비오리.
[水曲 수곡] 수애(水涯).
[水穀道 수곡도] 창자. 장(腸).
[水攻 수공] ㉠강물을 막아 적의 성을 침수(浸水)하게 함. ㉡용수(用水)의 길을 끊어 성안에 있는 적병이 갈증으로 고생하게 함.
[水瓜 수과] 수박.
[水郭 수곽] 수향(水鄕).
[水光 수광] 물의 빛. 수색(水色).
[水廣則魚游 수광즉어유] 물이 넓으면 고기가 모여 논다는 뜻으로, 덕(德)이 있으면 사람이 자연히 따름의 비유.
[水怪 수괴] ㉠물가에 있는 기괴한 돌. ㉡물속의 괴물(怪物).
[水蛟 수교] 교룡(蛟龍).
[水膠 수교] ㉠아교(阿膠)의 일종. 짐승의 껍데기·뿔·발굽 등으로 만듦. ㉡물때〔水垢〕.
[水口 수구] 물이 흘러나오는 아가리.
[水狗 수구] ㉠새의 이름. 쇠새의 일종. ㉡수달(水獺).
[水龜 수구] 남생이.
[水國 수국] 지소(池沼)·하천(河川) 등이 많은 땅.
[水菊 수국] 범의귓과에 속하는 낙엽 소관목(落葉小灌木). 잎은 넓고 꽃은 작은 꽃이 모여 구

형(毬形)으로 핌. 관상용(觀賞用)으로 심음.
[水軍 수군] 배를 타고 싸우는 군대. 해군(海軍).
[水葵 수규] 순채(蓴菜).
[水克火 수극화] 오행설(五行說)에서 물은 불을 이긴다는 말.
[水芹 수근] 미나리.
[水根 수근] ㉠논에 댈 물이 나오는 곳. ㉡수생 식물(水生植物)의 뿌리.
[水禽 수금] 물새.
[水祇 수기] 물귀신. 수신(水神).
[水氣 수기] ㉠물기. 습기. ㉡수증기(水蒸氣). ㉢수종(水腫). ㉣신경(腎經)의 음기.
[水難 수난] ㉠수해(水害). ㉡익사(溺死)·파선(破船)·침몰 등 물로 말미암아 일어나는 재난.
[水弩 수노] 사영(射影)의 별칭. 물여우.
[水耨 수누] 물갈이.
[水能載舟又覆舟 수능재주우복주] 물은 배를 띄우기도 하고 전복시키기도 한다는 뜻으로, 백성도 군주가 선정(善政)을 베풀면 추앙하여 사모하고 악정을 행하면 앙심(怏心)을 품고 해치고자 한다는 말.
[水斷龍舟陸剸犀甲 수단용주육단서갑] 물 위에서는 용을 그린 배를 자르고 육지에서는 물소 가죽으로 만든 갑옷을 자른다는 뜻. 칼의 예리함을 이름.
[水獺 수달] 족제빗과에 속하는 짐승. 물가 또는 늪가에 굴을 파고 살며 개구리·게·물고기 등을 잡아먹음. 가죽은 모피 중에서 가장 질이 좋음. 물개. 수구(水狗).
[水獺皮 수달피] 수달(水獺)의 가죽.
[水大 수대] 《佛敎》 개인(個人) 및 만물(萬物)을 구성하는 사대(四大)의 하나.
[水碓 수대] 물방아. 수마(水磨).
[水道 수도] ㉠뱃길. 물길. 항로(航路). 수로(水路). ㉡물이 흐르는 통로. ㉢음료수·사용수(使用水) 등을 공급하는 설비. 상수도(上水道).
[水稻 수도] 논에 심는 벼.
[水到渠成 수도거성] 물이 흐르면 자연히 도랑이 된다는 뜻으로, 때가 오면 일이 자연히 이루어지거나, 학문을 열심히 닦아 조예(造詣)가 깊어지면 명성(名聲)이 저절로 난다는 말.
[水到魚行 수도어행] 물이 흘러오면 고기가 그 물속으로 다닌다는 뜻으로, 무슨 일이건 때가 오면 저절로 이루어진다는 말.
[水豚 수돈] 놓엇과(科)에 속하는 민물고기. 궐어(鱖魚). 쏘가리.
[水痘 수두] 급성의 발진성(發疹性) 전염병. 작은마마. 풍두(風痘).
[水竇 수두] 도랑. 구거(溝渠).
[水落 수락] 흐르는 물의 양이 줆.
[水落石出 수락석출] ㉠흐르는 물이 줄어 얕아졌기 때문에 돌이 수면 위에 드러남. 겨울에 하천의 물이 줄었을 때의 경치를 이름. ㉡사건의 진상이 드러남.
[水量 수량] 물의 분량.
[水力 수력] 물의 힘. 물이 흐르는 힘.
[水簾 수렴] ㉠폭포(瀑布). ㉡개구리밥.
[水路 수로] ㉠뱃길. 물길. ㉡물이 흐르는 통로.
[水老鴉 수로아] 가마우지.
[水雷 수뢰] 폭발약을 튼튼한 용기(容器) 속에 재여 물속에서 폭발시켜서 적함(敵艦)을 파괴·격침하는 장치의 병기(兵器).
[水潦 수료] ㉠빗물. 우수(雨水). ㉡장마. 장맛비. ㉢물이 괸 곳. 물구덩이.
[水蓼 수료] 여뀌의 일종. 택료(澤蓼).
[水龍 수룡] 싸움배. 전선(戰船).
[水漏 수루] 물시계.
[水樓 수루] 수각(水閣).
[水流 수류] 물의 흐름.
[水陸 수륙] ㉠물과 뭍. 하해(河海)와 육지. ㉡하해와 육지에서 나는 식물(食物). ㉢수로(水路)와 육로(陸路).
[水陸竝進 수륙병진] 바다 또는 강과 육지에서 군대가 아울러 나아감.
[水陸齋 수륙재] 《佛敎》 불가(佛家)에서 수륙(水陸)의 잡귀(雜鬼)를 위하여 재(齋)를 올리는 일.
[水陸珍味 수륙진미] 수륙(水陸)에서 나는 맛있는 음식. 산해진미(山海珍味).
[水陸會 수륙회] 수륙재(水陸齋).
[水輪 수륜] ㉠동공(瞳孔). ㉡《佛敎》 수미산(須彌山)을 받들고 있는 삼륜(三輪)의 하나. ㉢《佛敎》 만물(萬物)을 구성하는 오륜(五輪)의 하나.
[水利 수리] 물의 편리. 곧, 물이 많아서 관개(灌漑)·음료(飮料)의 공급·선박의 왕래 등에 편리한 일.
[水理 수리] ㉠하천(河川)의 분맥(分脈). ㉡땅속에 흐르는 물의 줄기. 수맥(水脈).
[水馬 수마] ㉠소금쟁이. 수민(水黽). ㉡실고깃과에 속하는 바닷물고기. 해마(海馬). ㉢속력이 빠른 배. 경주(輕舟). 수차(水車).
[水磨 수마] 물방아. 수대(水碓).
[水沫 수말] ㉠물거품. ㉡안개같이 튀어 오르는 물방울. 비말(飛沫).
[水媒 수매] 물에서 자라는 현화식물(顯花植物)이 물을 매개(媒介)로 하여 수정(受精)하는 일.
[水脈 수맥] ㉠땅속에 흐르는 물의 줄기. ㉡뱃길. 항로(航路). 수로(水路).
[水面 수면] 물의 표면.
[水綿 수면] 녹조류(綠藻類)에 속하는 담수조(淡水藻)의 총칭. 돌 위에서도 나므로 석의(石衣)라고도 하며 헝클어진 머리카락 모양으로 물속에 떠 있기도 하므로 수발(水髮) 또는 석발(石髮)이라고도 함. 한방(漢方)에서 약용(藥用)함.
[水明 수명] 물이 맑음.
[水母 수모] ㉠해파릿과(科)에 속하는 강장동물(腔腸動物)의 하나. 갓 모양이고 많은 촉수(觸手)가 있으며 식용(食用)함. 해파리. 해월(海月). ㉡물귀신. 수신(水神).
[水霧 수무] 하천(河川) 위에 낀 안개.
[水墨 수묵] ㉠그림을 그리는 데 쓰는 진하지 않은 먹. ㉡수묵화(水墨畫).
[水墨畫 수묵화] 당(唐)나라 중엽부터 시작된 동양화의 하나. 채색(彩色)을 쓰지 아니하고 수묵(水墨)의 짙고 옅은 조화로써 초자연적 표현을 주로 하는 그림. 묵화(墨畫).
[水門 수문] 저수지나 수로(水路)에 설치하여 물의 유통(流通)을 조절하는 문. 물문.
[水紋 수문] 수면(水面)의 물결이 이룬 무늬.
[水黽 수민] 소금쟁이.
[水泊 수박] 배가 정박(渟泊)하는 곳.
[水畔 수반] 물가. 수애(水涯).
[水髮 수발] 수면(水綿).
[水傍 수방] 물가. 수애(水涯).
[水伯 수백] 물귀신. 하백(河泊). 수신(水神).

[水碧 수벽] 수정(水晶) 비슷한 보석의 이름.
[水邊 수변] 물가. 수애(水涯).
[水兵 수병] 수군(水軍)에 소속된 군사. 해군의 병사.
[水步 수보] 수병(水兵)과 보병(步兵).
[水夫 수부] 수수(水手).
[水府 수부] ㉠수중(水中)의 구역(區域). ㉡물귀신. 수신(水神). 또, 그 거처(居處). 용궁(龍宮). ㉢별 이름.
[水部 수부] 하(夏)나라 때의 벼슬 이름. 하천(河川)을 맡았음.
[水霏 수비] 물 위에 낀 안개.
[水濱 수빈] 물가. 수애(水涯).
[水死 수사] 물에 빠져 죽음. 익사(溺死)함.
[水師 수사] ㉠해군(海軍). 수군(水軍). ㉡뱃사공. 수수(水手).
[水榭 수사] 물가에 있는 정자. 물가에 지은 집.
[水瀉 수사] ㉠물같이 쏟는 심한 설사(泄瀉). ㉡택사과에 속하는 다년초(多年草). 쇠귀나물.
[水梭花 수사화]《佛敎》중이 물고기를 말하는 은어(隱語). 물고기를 먹는 것을 금하고 있으므로 야채 같은 이름을 지어 부른 말.
[水產 수산] 물속에서 생산되는 물건. 곧, 어개류(魚介類)·해조류(海藻類) 따위. 수산물(水產物).
[水蔘 수삼] 말리지 않은 인삼. 생삼(生蔘). 건삼(乾蔘)의 대(對).
[水上 수상] ㉠물가. 수애(水涯). ㉡물 위. 수면(水面). ㉢상류(上流).
[水色 수색] ㉠물빛. 연한 남빛. ㉡물의 경치.
[水生木 수생목] 오행설(五行說)에서 물은 나무를 낳는다는 말.
[水栖 수서] 수서(水棲).
[水棲 수서] 물속에서 삶.
[水鼠 수서] 땃쥣과에 속하는 동물. 물가에서 혈거(穴居)하며 물속에 들어가 새우·지렁이·곤충 등을 잡아먹음. 물쥐.
[水石 수석] ㉠물과 돌. ㉡물과 돌로 이루어진 경치. 천석(泉石).
[水仙 수선] ㉠물속에서 사는 신선(神仙). ㉡수선화과에 속하는 다년초(多年草). 관상용으로 심음. 인경(鱗莖)은 약재(藥材)로 씀. 수선화(水仙花).
[水蘚 수선] 개구리밥[萍]의 별칭. 수화(水花).
[水泄 수설] 물같이 쏟는 심한 설사. 수사(水瀉).
[水性 수성] 물의 성질.
[水城 수성] 물가의 성(城).
[水星 수성] 태양계의 행성(行星) 중에서 가장 작으며 태양에 가장 가까운 별. 진성(辰星).
[水聲 수성] 물 흐르는 소리.
[水勢 수세] 물이 흐르는 기세.
[水素 수소] 비금속 화학 원소(非金屬化學元素)의 하나. 무색무취(無色無臭)의 기체로서 물질 중에서 가장 가벼움.
[水松 수송] ㉠해조(海藻)의 하나. 얕은 바다의 바위 위에 착생(着生)함. ㉡향목(香木)의 하나.
[水訟 수송] 물 싸움의 송사(訟事). 물 때문에 일어나는 소송.
[水送山迎 수송산영] 지나는 도중(途中)에 산수(山水)의 경치가 자꾸 변하는 것을 형용한 말.
[水手 수수] 뱃사공.
[水宿 수수] 이십팔수(二十八宿) 중의 북방(北方)의 일곱 성수(星宿). 현무 칠수(玄武七宿).
[水隨方圓器 수수방원기] 물은 그것을 넣는 그릇에 따라 네모지게도 되고 동그랗게도 된다는 뜻으로, 백성은 임금의 선악에 감화되어 착하게도 되고 악하게도 됨을 비유하는 말. 또, 사람은 사귀는 벗의 영향을 받는다는 비유로도 쓰임.
[水宿 수숙·수수] ㉠배 안에서 묵음. ㉡'수수(水宿)'를 보라.
[水術 수술] 헤엄치는 법. 수영법.
[水柹 수시] 감의 한 가지. 물가에 특히 많이 나며 맛이 닮.
[水蝕 수식] 빗물이나 하천(河川)의 유수(流水) 또는 바다의 파도 등이 지표(地表)를 침식(浸蝕)하는 작용.
[水神 수신] 물귀신. 하백(河伯).
[水心 수심] 물의 중앙. 연못 또는 하천 등의 중심.
[水深 수심] 물의 깊이.
[水潯 수심] 물가. 수애(水涯).
[水阿 수아] 물가. 수애(水涯).
[水鴨 수압] 오리.
[水壓 수압] 물의 압력(壓力).
[水涯 수애] 물가.
[水厄 수액] ㉠물에 빠져 죽는 액(厄). 익사(溺死). 수난(水難). ㉡차(茶)를 너무 많이 마시는 일.
[水陽 수양] 하천(河川)의 북쪽. 수음(水陰)의 대(對).
[水楊 수양] 땅버들.
[水楊藤 수양등] 인동과에 속하는 덩굴진 낙엽 관목(落葉灌木). 인동덩굴. 겨우살이덩굴.
[水魚 수어] ㉠물에 사는 고기. ㉡물과 고기. '수어지교(水魚之交)'를 보라.
[水魚之交 수어지교] ㉠물과 물고기가 서로 떨어질 수 없듯이 서로 지극히 친밀한 것. ㉡지극히 가까운 군신(君臣) 사이를 이름. ㉢부부(夫婦)를 이름.
[水驛 수역] 물가의 배가 정박(渟泊)하는 곳. 나루.
[水烟 수연] 수연(水煙).
[水煙 수연] 물 위에 낀 안개.
[水鉛 수연] 희금속(稀金屬)의 하나. 몰리브덴.
[水英 수영] 미나리. 수근(水芹).
[水影 수영] ㉠물의 신기루(蜃氣樓). ㉡물의 그림자.
[水玉 수옥] ㉠수정(水晶)의 별칭(別稱). ㉡파리(玻璃)의 별칭.
[水溫 수온] 물의 온도.
[水甕 수옹] 물동이.
[水旺之節 수왕지절] 오행설(五行說)에서 말하는 물이 왕성한 철. 곧, 겨울.
[水浴 수욕] 목욕. 냉수욕(冷水浴).
[水茸 수용] 마르지 않은 녹용(鹿茸).
[水庸 수용] 도랑. 구거(溝渠).
[水湧石出 수용석출] 물이 용솟음치고, 돌이 불쑥 나온다는 뜻으로, 시문(詩文)을 짓는 재주가 비상함의 비유.
[水牛 수우] 물소.
[水虞 수우] 옛날의 관명(官名). 지소(池沼)·하천(河川) 등의 금령(禁令)을 맡은 벼슬.
[水雲 수운] ㉠물과 구름. ㉡흐르는 물과 떠도는 구름 사이를 방랑함.
[水運 수운] 배로 화물을 운반하는 일. 수로(水路)에 의한 운송.

[水雲鄕 수운향] 물이 흐르고 구름이 떠도는 곳이라는 뜻으로, 속기(俗氣)를 떠난 깨끗하고 맑은 곳을 이름.
[水原 수원] 수원(水源).
[水源 수원] 물이 흘러나오는 근원.
[水月 수월] ㉠물과 달. ㉡물 위에 비치는 달의 그림자. ㉢눈으로는 볼 수 있으나 손으로는 잡을 수 없는 것의 비유. ㉣인품(人品)이 청미(淸美)한 것을 이르는 말. ㉤가슴의 급소(急所).
[水位 수위] 강·바다·호수 등의 수량(水量)의 높이.
[水栗 수율] 마름〔菱芰〕의 별칭.
[水銀 수은] 상온(常溫)에서 액체(液體)를 이룬 유일한 금속 원소(金屬元素). 빛이 은백색(銀白色)임.
[水陰 수음] ㉠물의 별칭(別稱). 음(陰)에 속하기 때문임. ㉡하천(河川)의 남안(南岸). 수양(水陽)의 대(對).
[水衣 수의] ㉠수면(水綿). ㉡푸른 이끼.
[水荏 수임] 들깨.
[水長 수장] ㉠물의 흐름이 길. ㉡물이 불어 많음. 수위(水位)가 높음.
[水葬 수장] 시체를 물속에 장사 지냄.
[水漿 수장] 음료(飮料).
[水災 수재] 수해(水害).
[水底 수저] 물이 실린 바닥. 물 밑.
[水賊 수적] 해적(海賊).
[水滴 수적] ㉠물방울. ㉡연적(硯滴).
[水滴石穿 수적석천] 물방울이 수없이 떨어지면 돌에도 구멍이 뚫린다는 뜻으로, 꾸준히 노력하면 무슨 일이고 할 수 있다는 말.
[水積成川 수적성천] 소량의 물이 모여 쌓여서 내가 됨. 곧, 진합태산(塵合泰山)과 같은 뜻으로서, 조금씩 모인 것이 많이 된다는 말.
[水田 수전] 논. 한전(旱田)·육전(陸田)의 대(對).
[水殿 수전] ㉠물 위에 세운 누각(樓閣). ㉡물가에 지은 집. ㉢천자(天子)가 타는 배.
[水戰 수전] 바다나 강 같은 물 위에서의 싸움. 수상(水上)의 전쟁.
[水正 수정] 옛날, 오관(五官)의 하나로, 물을 다스리는 벼슬.
[水亭 수정] 물가나 못 가운데에 지은 정자.
[水程 수정] 수로(水路)의 노정(路程). 물길. 항로(航路).
[水晶 수정] 육방정계(六方晶系)의 결정(結晶)을 이룬 무색투명의 석영(石英). 인재(印材)·장식품 등으로 쓰임. 육방석(六方石).
[水精 수정] ㉠달〔月〕의 별칭(別稱). ㉡수정(水晶).
[水晶宮 수정궁] 수정으로 지은 아름다운 궁전.
[水晶簾 수정렴] 수정으로 만든 구슬을 꿰어 꾸민 발.
[水際 수제] 물가. 수애(水涯).
[水蚤 수조] 물벼룩.
[水鳥 수조] 물새.
[水槽 수조] 물통.
[水調 수조] 곡조(曲調)의 이름. 상조(商調)의 곡(曲)으로서 당(唐)나라 때에는 십일 첩(十一疊)으로 이루어졌는데, 앞의 오 첩(五疊)은 노래이고 뒤의 육 첩은 합주(合奏)임.
[水族 수족] 물속에서 사는 동물.
[水腫 수종] 살가죽이 부르터 오르고 그 속에 물이 괸 것. 물집.
[水準 수준] ㉠평면(平面)이 수평(水平)이 졌나 안 졌나를 조사하는 기구. 수준기(水準器). ㉡표준(標準). 레벨.
[水準器 수준기] 수준❶.
[水中 수중] 물속.
[水中莖 수중경] 수생 식물(水生植物)의 물속에 잠긴 줄기. 물속에서 양분을 섭취하여 뿌리와 같은 구실을 함.
[水蒸氣 수증기] 물이 증발한 김. 증기(蒸氣).
[水芝 수지] ㉠연(蓮)의 별칭(別稱). ㉡오이〔瓜〕의 별칭(別稱).
[水至淸則無魚 수지청즉무어] 물이 너무 맑으면 물고기가 몸을 감출 데가 없어 살지 않는다는 뜻으로서, 사람도 너무 결백하면 남이 따르지 않음을 이름.
[水疾 수질] 뱃멀미.
[水質 수질] 물의 물리학적·화학적·세균학적 품질.
[水且 수차] 연(蓮)의 별칭(別稱). 수지(水芝).
[水次 수차] ㉠수로(水路)의 숙역(宿驛). ㉡물가에 있는 망루(望樓).
[水車 수차] ㉠빠른 배. 경쾌한 배. 경주(輕舟). 수마(水馬). ㉡농구(農具)의 하나. 논에 물을 대는 양수기(揚水機). 용골차(龍骨車). ㉢물레방아.
[水鷔 수찰] 논병아리. 되강오리.
[水站 수참] 배가 정박하는 곳.
[水脹 수창] 신장병으로 몸이 붓는 병.
[水菖蒲 수창포] 붓꽃.
[水彩 수채] 채료(彩料)를 물에 녹여 그림을 그리는 일.
[水菜 수채] 미나리. 수근(水芹).
[水蠆 수채] 잠자리〔蜻蛉〕의 유충(幼蟲).
[水柵 수책] 흐르는 물을 막기 위하여 물속에 베푼 목책(木柵).
[水處 수처] 수거(水居)❷.
[水尺 수척] 수준(水準)❶.
[水天 수천] ㉠물과 하늘. ㉡인도 신화(印度神話) 중에서 최고의 신(神). 물속에 살며 물을 맡고, 또 서방(西方)을 수호함.
[水泉 수천] 샘.
[水天髣髴 수천방불] 먼 데 아득히 보이는 바다의 물과 하늘이 한 빛깔이어서 분별할 수 없음. 수천방불(水天彷彿).
[水天一碧 수천일벽] 구름 한 점이 없어 바다의 물이나 하늘이 한결같이 푸르게 보임.
[水鐵 수철] 무쇠.
[水靑木 수청목] 물푸레나무.
[水淸無大魚 수청무대어] '수지청즉무어(水至淸則無魚)'와 뜻이 같음.
[水草 수초] ㉠물 또는 물가에서 나는 풀. ㉡물과 풀.
[水村 수촌] 물가의 마을. 수향(水鄕).
[水苔 수태] 수면(水綿).
[水態 수태] ㉠물의 경치. ㉡물이 흐르는 형상.
[水澤 수택] 소택(沼澤).
[水土 수토] ㉠하천과 육지. ㉡그 지방의 기후·풍토(風土).
[水土不服 수토불복] 수토(水土)가 몸에 맞지 않아서 몸이 상함.
[水波 수파] 물결. 파도.
[水敗 수패] 수해(水害).

[水平 수평] ㉠중력(重力)의 방향과 직각을 이룬 상태. 잔잔한 수면처럼 평평한 상태. ㉡수준(水準) ❶.
[水萍 수평] ㉠개구리밥〔萍〕의 별칭(別稱). 부평(浮萍). ㉡자고(慈姑)의 별칭. 쇠귀나물.
[水平動 수평동] 지진(地震)의 진동이 수평(水平)의 방향으로 진동하는 일. 상하동(上下動)의 대(對).
[水平線 수평선] 정지한 물의 평면에 평행하는 직선. 지평선(地平線).
[水泡 수포] ㉠물거품. ㉡덧없는 인생의 비유. ㉢헛된 수고의 비유.
[水豹 수표] ㉠동물의 이름. 교룡(蛟龍) 비슷함. ㉡바다표범.
[水筆 수필] 항상 먹물이 마르지 않게 하는 붓. 쓰지 않을 때는 뚜껑을 끼워 습기를 보전함. 건필(乾筆)의 대(對).
[水旱 수한] 큰물과 가뭄. 수해와 한재.
[水旱蟲雹霜 수한충박상] 농사의 다섯 가지 재해. 곧, 수해·한재·충해·우박 및 이른 서리의 해.
[水檻 수함] 배의 난간. 뱃전.
[水缸 수항] 물을 넣어 두는 항아리.
[水害 수해] 홍수로 인한 재해.
[水行 수행] ㉠물 위를 감. 바다·강·호수 등을 건너감. ㉡물의 흐름.
[水鄕 수향] 수촌(水村).
[水衡 수형] 한대(漢代)의 벼슬. 경사(京師)의 하천(河川) 및 상림원(上林苑)을 관장하고 아울러 세무(稅務)를 맡았음.
[水衡之錢 수형지전] 한대(漢代)에 수형(水衡)이 관장한 금전. 수형의 돈은 천자(天子)에 속함. 선제(宣帝)가 평릉(平陵)의 이민(移民)의 집을 세울 때, 수형이 맡아 둔 돈으로 비용을 썼기 때문에, 이렇게 이름.
[水虎 수호] 상상상(想像上)의 짐승 이름. 수당(水唐).
[水狐 수호] 날도래과에 속하는 곤충의 유충. 물여우.
[水滸傳 수호전] 원(元)나라의 시내암(施耐庵)이 지은 소설(小說). 칠십일 회(七十一回) 이후는 나관중(羅貫中)이 지었다고도 전함. 송말(宋末)에 발간된 선화유사(宣和遺事)에 의거해 송나라의 휘종(徽宗) 때에 일어난 군도(群盜)의 사적을 그린 것으로 삼국지연의(三國志演義)·서유기(西遊記)·금병매(金瓶梅)와 함께 중국 소설의 사대기서(四大奇書)로 일컬어짐.
[水紅花 수홍화] 들쭉나무.
[水火 수화] ㉠물과 불. ㉡일상생활에 없어서는 안 될 물건. ㉢성질이 정반대되는 지극히 나쁜 사이의 비유. ㉣익은 음식. ㉤재난. 익사·화상 등의 큰 고통, 또는 대단히 위험한 것의 비유. ㉥물과 불 같은 맹렬한 기세의 비유.
[水化 수화] ㉠물에 빠져 죽음. ㉡물의 작용으로 암석·지질(地質) 등에 일어나는 변화.
[水花 수화] ㉠연(蓮)의 별칭(別稱). 수지(水芝). ㉡해화석(海花石)의 별칭(別稱). ㉢개구리밥〔萍〕의 별칭. 수선(水蘚).
[水華 수화] 수화(水花) ❶.
[水火無交 수화무교] 물이나 불과 같은 생활에 꼭 필요한 것도 서로 빌리지 않는다는 뜻으로, 조금도 교제하지 아니함의 비유.
[水患 수환] 수해(水害).
[水候 수후] 물의 조절. 수량(水量)의 가감(加減).
[水虺 수훼] 물속에 사는 뱀. 물뱀.
[水嬉 수희] 물놀이. 뱃놀이.
◉渴不飮盜泉水. 渴水. 渠水. 激水. 硬水. 鏡水. 溪水. 高山流水. 曲水. 九年之水. 藍水. 南陽菊水. 耐水. 冷水. 漏水. 湍水. 潭水. 淡如水. 大水. 桃花水. 萬水. 明鏡止水. 墨水. 防水. 放水. 排水. 碧水. 覆水. 符水. 噴水. 死水. 砂水. 山水. 上水. 生水. 逝水. 疏水. 垂水. 薪水. 我田引水. 惡水. 野水. 魚水. 軟水. 屋上建瓴水. 玉水. 溫水. 渦水. 潦用水. 雨水. 雲水. 流觴曲水. 流水. 陸水. 飮水. 凝水. 以石投水. 理水. 引水. 一水. 一衣帶水. 入水. 猪水. 滴水. 積水. 井水. 淨水. 渟水. 精水. 靜水. 潮水. 注水. 宙水. 衆水. 止水. 池水. 知者如水. 地下水. 澄水. 進水. 千里萬水. 天水. 泉水. 淸水. 秋水. 春水. 出水. 治水. 浸水. 濁水. 湯水. 風水. 下水. 河水. 寒水. 海水. 行水. 行雲流水. 香水. 湖水. 洪水. 涬水. 吃水.

1 ⑤ [氷] 中人 빙 ①-⑥㊥蒸 筆陵切 bīng ⑦㊤徑 逋孕切

筆順 亅 冫 氵 氺 氷

字解 ①얼음 빙 물이 얼어 굳어진 것. '一山'. '一水爲之, 而寒于水'《荀子》. ②얼 빙 물이 얾. '一結'. '孟冬水始一'《禮記》. ③식힐 빙 서늘하게 함. 냉각(冷却)함. '不欲其以冷語一人爾'《外史檮杌》. ④기름 빙 지방. '肌膚若一雪'《莊子》. ⑤전동뚜껑 빙 시통(矢筩)의 뚜껑. '執一而踞'《左傳》. ⑥성 빙 성(姓)의 하나. ⑦차가울 빙 냉함. '一, 冷迫也'《集韻》.

字源 金文 仌의 篆文 篆文 俗體 形聲. 篆文은 水+冫(仌)〔音〕. '仌빙'은 얼음의 象形으로, '얼음'의 뜻을 나타내며, '冰빙'의 原字. 뒤에 '水수'를 덧붙여, '冰빙'이 되고, 다시 생략되어, '氷빙'이 되었음.

參考 冰(冫部 四畫)은 本字.

[氷鑑 빙감] ㉠얼음을 담아 음식을 식히는 데 쓰는 단지. ㉡얼음의 거울이라는 뜻으로, 명철한 지인지감(知人之鑑)이 있는 시관(試官).
[氷結 빙결] 얼음이 얾.
[氷潔 빙결] 얼음과 같이 깨끗함.
[氷鏡 빙경] ㉠빙륜(氷輪). ㉡결백한 인물의 형용.
[氷庫 빙고] 얼음 창고.
[氷谷 빙곡] 박빙심곡(薄氷深谷)의 준말. 엷은 얼음과 깊은 골짜기라는 뜻으로, 두려워하여 조심조심하는 경우의 비유로 쓰임.
[氷菓 빙과] 아이스크림·아이스케이크 따위.
[氷塊 빙괴] 얼음덩이.
[氷窖 빙교] 얼음을 저장하는 움집.
[氷甌 빙구] 얼음을 넣는 단지. 깨끗한 것의 비유.
[氷筋 빙근] 고드름. 빙주(氷柱).
[氷衿 빙금] 무서워하여 가슴이 서늘한 모양. 오싹해짐.
[氷肌 빙기] ㉠얼음같이 깨끗하고 아름다운 살결. ㉡매화(梅花)의 형용. 빙기옥골(氷肌玉骨).
[氷肌玉骨 빙기옥골] ㉠얼음처럼 깨끗한 살결과 옥 같은 뼈란 뜻으로, 미인의 모습을 이름. ㉡매화(梅花)의 형용. 빙기(氷肌).
[氷囊 빙낭] 얼음찜질에 쓰는 얼음을 담는 주머니.
[氷腦 빙뇌] '용뇌향(龍腦香)'과 같음.

[氷糖 빙당] 얼음사탕.
[氷堂酒 빙당주] 허난 성(河南省) 활현(滑縣)에서 빚은 술의 이름.
[氷臺 빙대] 쑥〔艾〕의 별칭(別稱).
[氷凍 빙동] 얼음.
[氷冷 빙랭] 얼음처럼 참. 몹시 추움.
[氷涼 빙량] 대단히 서늘함.
[氷溜 빙류] 얼음이 녹아 방울져 떨어짐.
[氷輪 빙륜] 달〔月〕의 별칭(別稱).
[氷檗 빙벽] 얼음을 마시고 황벽나무를 먹는다는 뜻으로서, ㉠괴로운 생활을 함. ㉡여자가 절개를 지킴을 이름.
[氷膚 빙부] 얼음같이 희고 깨끗한 살결.
[氷山 빙산] ㉠얼음의 산. 바다에 뜨는 산 같은 얼음덩이. ㉡믿을 수 없는 사물의 비유.
[氷上 빙상] 얼음 위.
[氷霜 빙상] 얼음과 서리. 굳은 절개의 비유로 쓰임.
[氷釋 빙석] ㉠얼음이 녹음. ㉡깨끗이 의혹이 풀리는 일.
[氷釋理順 빙석이순] 의문이 얼음 녹듯이 죄다 풀려 이치를 환히 알게 됨.
[氷鮮 빙선] 얼음에 채운 생선.
[氷雪 빙설] ㉠얼음과 눈. ㉡깨끗한 피부의 비유.
[氷雪心 빙설심] 더럽히지 아니한 깨끗한 마음.
[氷雪操 빙설조] 깨끗하고 굳은 지조.
[氷消 빙소] 얼음이 녹듯이 자취도 없이 사라짐.
[氷水 빙수] 얼음물.
[氷叟 빙수] 장인(丈人)을 달리 이르는 말. 빙옹(氷翁) ❶.
[氷筍 빙순] 빙주(氷柱)의 별칭(別稱). 고드름.
[氷室 빙실] 얼음을 저장하여 두는 곳. 얼음 창고.
[氷心 빙심] 맑고 깨끗한 마음. 결백한 마음.
[氷洋 빙양] 사철 얼음이 녹지 않는 해양(海洋). 남극에 남빙양, 북극에 북빙양이 있음.
[氷魚 빙어] 물고기의 한 가지.
[氷語 빙어] 혼인을 중매하는 사람의 말.
[氷玉 빙옥] ㉠얼음과 구슬. 아무 흠집이 없어 깨끗하고 아름다움의 형용. ㉡장인과 사위를 이름. 진(晉)나라 사람 위개(衞玠)가 장인 악광(樂廣)과 함께 명망(名望)이 높아 당시의 논자(論者)가 '婦翁氷清, 女壻玉潤'이라고 한 데서 나온 말.
[氷翁 빙옹] ㉠장인(丈人)의 높임말. 빙장(氷丈). ㉡중매인(仲媒人). 빙인(氷人).
[氷原 빙원] 남극·북극 지방의 두꺼운 얼음으로 덮인 벌판.
[氷凝 빙응] 얼어 굳음.
[氷夷 빙이] 물귀신. 하백(河伯). 빙이(馮夷).
[氷人 빙인] 혼인을 중매하는 사람. 영호책(令狐策)이 꿈에 얼음 위에 섰는데, 얼음 밑〔氷下〕의 노인과 말을 주고받았다는 고사에서 나온 말. 월하빙인(月下氷人). 빙옹(氷翁).
[氷刃 빙인] 잘 갈아서 서슬이 시퍼런 칼.
[氷姿玉骨 빙자옥골] 빙기옥골(氷肌玉骨).
[氷蠶 빙잠] 누에의 한 가지. 산속의 상설(霜雪) 속에 생산됨.
[氷點 빙점] 물이 얼기 시작하는 온도. 섭씨(攝氏)로는 0도, 화씨(華氏)로는 32도.
[氷井 빙정] 얼음을 저장하여 두는 곳.
[氷晶石 빙정석] 알루미늄을 만드는 광석.
[氷柱 빙주] 고드름.
[氷廚 빙주] 여름에 휘장(揮帳)을 치고 음식을 요리하는 곳.
[氷天 빙천] 북쪽 끝의 하늘. 아주 추운 땅.
[氷清 빙청] 마음 같은 것이 얼음같이 맑고 깨끗함.
[氷廳 빙청] 당(唐)나라의 사부(祠部)의 이칭(異稱). 깨끗하고 추웠기 때문임.
[氷清玉潔 빙청옥결] 마음이 아주 깨끗하여 조금도 티가 없음.
[氷清玉潤 빙청옥윤] 훌륭한 장인과 훌륭한 사위의 비유. 빙옥(氷玉) ❷을 보라.
[氷炭 빙탄] 얼음과 숯불.
[氷炭不同器 빙탄부동기] 얼음과 불타는 숯은 성질이 상반(相反)되어 한 그릇에 담을 수 없음. 화합(和合)할 수 없음의 비유. 빙탄불상용(氷炭不相容).
[氷炭不相容 빙탄불상용] 얼음과 숯불같이 성질이 정반대이어서 서로 용납 못 함.
[氷炭相愛 빙탄상애] 얼음은 숯불로 녹아서 물의 본성(本性)으로 되돌아가고 숯불은 얼음 때문에 꺼져서 다 타지 않고 숯으로서 그냥 남으므로 서로 사랑함의 비유로 쓰임.
[氷河 빙하] ㉠얼음이 얼어붙은 강. ㉡높은 산에서 응고(凝固)한 만년설(萬年雪)이 얼음이 되어 서서히 흘러내리는 것.
[氷海 빙해] ㉠'칼집'을 달리 이르는 말. ㉡남북극 지방의 얼어붙은 바다.
[氷解 빙해] 빙석(氷釋).
[氷絃 빙현] 당(唐)나라의 백수정(白秀貞)이 헌상(獻上)하였다는 비파(琵琶). 현(絃)을 빙잠(氷蠶)의 고치를 켠 실로 만들었다고 함.
[氷壺 빙호] 얼음을 넣은, 옥으로 만든 병. 결백한 마음의 비유.
[氷壺玉鑑 빙호옥감] 지극히 깨끗한 마음의 비유.
[氷壺秋月 빙호추월] 지극히 청명한 마음의 비유.
[氷魂 빙혼] 얼음과 같이 맑고 깨끗한 넋이라는 뜻으로, 매화(梅花)의 형용으로 쓰임.
[氷渙 빙환] 얼음이 녹음.
[氷紈 빙환] 빛이 곱고 얼음같이 흰 명주.
[氷滑 빙활] 얼음지치기. 스케이팅.
[氷戲 빙희] 얼음지치기. 스케이팅.
●堅氷. 結氷. 薄氷. 泮氷. 伐氷. 涉春氷. 垂氷. 如氷. 雨氷. 六月氷. 履薄氷. 履氷. 積氷. 製氷. 鑽火得氷. 採氷. 千歲氷. 春氷. 夏蟲疑氷. 寒氷. 畫脂鏤氷.

1
⑤ [永] 中人 영 ㊤梗 于憬切 yǒng

筆順 丶 亅 … 永

字解 ①길 영 ㉠강 같은 것의 흐름이 긺. 거리가 긺. '江之一矣, 不可方思'《詩經》. ㉡시간이 긺. 오램. '一久'. '其寧惟一'《左傳》. ②멀 영 요원함. '齊秦悠一'《張衡》. ③깊을 영 얕지 아니함. '啜過始知眞味一'《蘇軾》. ④길게할 영 길게 늘임. '歌一言'《書經》. ⑤길이 영 오래도록. 영구히. '一住'. '萬世一賴'《書經》. ⑥노래할 영 '誰之一號'《詩經》. ⑦성 영 성(姓)의 하나.

字源 金文 篆文 象形. 지류(支流)를 흡수하여 아우르는 긴 유역(流域)을 가진 강의 象形으로, '길다'의 뜻을 나타냄.

[永歌 영가] 소리를 길게 빼어 노래를 부름.
[永嘉學派 영가학파] 남송(南宋) 때 주자학파(朱

子學派)에 대하여 일어난 학파. 여조겸(呂祖謙)·섭적(葉適)·진부량(陳傅良) 등이 이 학파의 중요 인물임. 사공(事功)을 숭상함.
[永感 영감] 부모가 모두 돌아가 영구히 비애를 느낌.
[永康 영강] 길이 안강(安康)함.
[永劫 영겁] 지극히 긴 세월. 영원한 세월. 영원(永遠).
[永訣 영결] 영원의 이별(離別). 사별(死別).
[永久 영구] 길고 오램. 세월이 한없이 계속됨.
[永久齒 영구치] 배냇니가 빠진 뒤에 나는 이.
[永晷 영구] 영일(永日).
[永年 영년] ㉠오랜 세월. ㉡장수(長壽). 영생(永生).
[永答 영답] 길이 기대(期待)에 부응(副應)함.
[永代 영대] 영세(永世).
[永代講 영대강]《佛教》죽은 사람의 명복을 빌기 위하여 해마다 절에서 신도를 모아 불경(佛經)을 강설(講說)하는 일.
[永代經 영대경]《佛教》죽은 사람의 명복을 빌기 위하여 절에서 매월의 기일(忌日)마다 경(經)을 읽는 일.
[永圖 영도] 먼 장래를 위한 계획.
[永樂大典 영락대전] 명(明)나라 때에 해진(解縉)·요광효(姚廣孝) 등이 영락제(永樂帝)의 칙명(勅命)을 받들어 편찬한 중국 최대의 유서(類書). 22,877권, 11,095책으로 경사자집(經史子集)에 있는 천문(天文)·지지(地志)·음양(陰陽)·의복(醫卜)·승도(僧道)·기예(技藝)의 어휘를 운(韻)의 순서로 배열 유취(類聚)하였음. 여러 난리에 불타거나 산일(散逸)되어 현재는 60여 책이 남았음.
[永樂錢 영락전] 명(明)나라 영락(永樂) 9년에 주조한 청동전(靑銅錢). 표면에 영락통보(永樂通寶)라는 네 글자가 새겨져 있으므로 이름.
[永賴 영뢰] 길이길이 믿고 의뢰함.
[永眠 영면] 영원히 잠을 잠. 곧, 죽음.
[永命 영명] 장수(長壽). 영생(永生).
[永慕 영모] 죽을 때까지 부모를 잊지 아니함.
[永別 영별] 영구한 이별. 사별(死別).
[永福 영복] 영조(永祚).
[永生 영생] ㉠장수(長壽). 장생(長生). ㉡영원히 생존함. ㉢《佛教》번뇌를 벗어나 진리를 깨닫는 일. 열반(涅槃). ㉣《佛教》미타(彌陀)의 정토(淨土). 이 정토에서 나면 무량(無量)의 장수(長壽)를 누리므로 이름.
[永逝 영서] 영구히 감. 곧, 죽음. 영면(永眠). 장서(長逝).
[永世 영세] 영구한 세대. 무한(無限)한 세월.
[永世不忘 영세불망] 길이길이 잊지 아니함.
[永世中立 영세중립] 국제법상(國際法上) 영구히 타국과 전쟁하거나, 타국의 보호를 받거나, 타국과 동맹을 맺거나 하지 못하는 대신, 그 독립과 영토의 보전이 다른 나라들로부터 보장을 받는 일.
[永嘯 영소] 소리를 길게 빼어 읊음.
[永續 영속] 오래 계속함. 영구히 계속함.
[永綏 영수] 길이길이 편안함.
[永壽 영수] 장수(長壽).
[永夜 영야] 긴 밤.
[永陽 영양] 화창한 봄날. 영일(永日).
[永言 영언] 노래를 이름.
[永延 영연] 영구(永久).
[永永 영영] 길이길이. 영구히.
[永譽 영예] 오래가는 명예(名譽). 영구의 명예.
[永遠 영원] 영구(永久).
[永日 영일] ㉠긴 날. 긴 낮. ㉡화창한 봄날.
[永字八法 영자팔법] 길영자(永) 한 자로써 나타낸 모든 글자를 쓰는 데 공통(共通)한 여덟 가지 운필법(運筆法). 진(晉)나라의 왕희지(王羲之)가 발명한 것이라고도 하고, 혹은 그가 위부인(衛夫人)에게서 교시(敎示)를 받았다고도 하며, 또 한(漢)나라 채옹(蔡邕)의 창의(創意)라고도 함.

[永字八法]

[永葬 영장] 편안하게 장사 지냄. 안장(安葬).
[永絕 영절] 아주 끊어져 없어짐.
[永制 영제] 영구히 행할 제도.
[永祚 영조] 길이길이 계속되는 복조(福祚).
[永存 영존] 영원히 존재함.
[永終 영종] 오래 보존함.
[永住 영주] 일정한 곳에 오래 삶.
[永晝 영주] 긴 낮. 긴 주간(晝間).
[永蟄 영칩] 영면(永眠).
[永歎 영탄] 길게 한숨 쉬며 한탄함. 장탄(長歎).
[永宅 영택] 영구히 사는 주택. 곧, 무덤.
[永窆 영폄] 완전하게 장사 지냄. 완폄(完窆).
[永平 영평] ㉠옛날의 부(府)의 이름. 지금의 노룡현(盧龍縣). ㉡후한(後漢)의 명제(明帝), 진(晉)나라의 혜제(惠帝), 북위(北魏)의 선무제(宣武帝) 등이 쓰던 연호(年號).
[永廢 영폐] 영구히 폐지함.
[永巷 영항] ㉠궁중(宮中)의 긴 복도(複道). ㉡궁녀(宮女). 또, 그들이 거처하는 곳. 후궁(後宮). ㉢죄 있는 궁녀(宮女)를 유폐(幽閉)하는 곳.
[永巷歌 영항가] 한고조(漢高祖)의 척부인(戚夫人)이 여후(呂后) 때문에 영항(永巷)에 유폐(幽閉)되어 절구질하면서 부른 노래.
[永好 영호] 오래도록 사이좋게 지냄.
[永懷 영회] 오래도록 마음속에 품음.
◉悠永. 隆永. 雋永.

1 ⑤ [氶] ㊀ 증 ㊤迥 蒸上聲 zhěng ㊦徑 諸應切 zhèng ㊁ 승 ㊥蒸 辰陵切 chéng

字解 ㊀ ①건질 증, 도울 증 拯(手部 六畫〈p.865〉)과 同字. '一, 與抍同. 救助也'《康熙字典》. ②현이름 증 '一, 縣名'《集韻》. ③사람이름 증 '一, 晉譙王名'《廣韻》. ④나라이름 증 '一鄉'은 한(漢)나라의 후국(侯國)의 이름. '承, 承鄉, 漢侯國名. 或作一'《集韻》. ㊁ 건질 승, 도울 승, 현이름 승, 사람이름 승, 나라이름 승 ㊀과 뜻이 같음.

2 ⑥ [氼] 〔닉〕
溺(水部 十畫〈p.1273〉)의 古字

2 ⑦ [求] 中人 구 ㊥尤 巨鳩切 qiú

筆順 一 十 寸 才 求 求 求

字解 ①구할 구 ㉠바람. '欲一'. '富而可一'《論

語》. ㉡찾음. '索一'. '如有一而弗得'《禮記》. ㉢힘씀. '君子行禮, 不一變俗'《禮記》. ㉣초래함. '是自一禍也'《孟子》. ②요구 구 '民之所以避一者多'《商子》. ③끝 구 '世德作一'《詩經》. ④빌 구 구걸함. '童蒙一我'《易經》 ⑤탐낼 구 탐함. '不忮不一'《論語》. ⑥책할 구 책망함. '所一乎子'《中庸》. ⑦모을 구, 모일 구 逑(辵部 七畫)와 통용. ⑧성 구 성(姓)의 하나.

[字源] 甲骨文 金文 篆文 古文 象形. 찢어발긴 모피(毛皮)의 모양을 본뜸. '裘구'의 原字로서, '가죽 옷'의 뜻. 假借하여, '구하다, 찾다'의 뜻으로 쓰임.

[求假 구가] 말미를 구함. 휴가(休暇)를 얻음.
[求乞 구걸] 남에게 돈·곡식(穀食) 등을 거저 달라고 청함.
[求旦 구단] 새벽이 오기를 바람.
[求道 구도] ㉠바른 도(道)를 찾음. ㉡《佛教》 안심입명(安心立命)의 도(道)를 찾음.
[求黽 구맹] 대〔竹〕의 일종.
[求法 구법] 《佛教》 불법(佛法)을 구함.
[求福不回 구복불회] 복(福)을 구하는 데 도리(道理)에 어긋나는 짓을 하지 아니함.
[求不得 구부득] 《佛教》 구하여도 얻지 못함. 소망이 달성되지 아니함.
[求不得苦 구부득고] 《佛教》 팔고(八苦)의 하나. 구하여도 얻지 못하는 고통.
[求備於一人 구비어일인] 한 사람에게 재덕(才德)이 겸비(兼備)하기를 바람.
[求仕 구사] 벼슬을 구(求)함.
[求師 구사] 스승을 구함.
[求嗣 구사] 자식(子息)을 보려고 첩(妾)을 둠.
[求償 구상] 배상 또는 상환을 요구함.
[求索 구색] 구(求)하여 찾음.
[求尋 구심] 찾음.
[求心力 구심력] 원운동(圓運動)하는 물체를 원의 중심으로 끌어당기는 힘. 원심력(遠心力)의 대(對).
[求愛 구애] 사랑을 받기를 바람.
[求言 구언] 임금이 신하(臣下)의 직언(直言)을 구함.
[求譽 구예] 명예를 구함.
[求牛 구우] ㉠복(福)을 빌기 위하여 신(神)에게 바치는 소. ㉡소를 구함.
[求友 구우] 벗을 구함.
[求雨 구우] 기우(祈雨).
[求偶 구우] 배우자(配偶者)를 구함. 아내를 구함. 구황(求凰).
[求全 구전] 완전하기를 바람.
[求田問舍 구전문사] 전답과 가옥을 사려고 묻는다는 뜻으로, 자기 일신상의 이익에만 마음을 쓰고 국가의 대사에는 무관심함을 이름.
[求全之毁 구전지훼] 몸을 닦고 행실을 온전히 하고자 하다가 도리어 남에게 듣는 비방.
[求諸己 구제기] 자기 자신(自己自身)에게서 구함. 남을 책망(責望)하지 않고 자기 자신을 책망함.
[求之不得 구지부득] 구(求)하여도 얻지 못함.
[求職 구직] 직업(職業)을 구(求)함.
[求學 구학] 배움의 길을 찾음.
[求刑 구형] 형벌(刑罰) 주기를 요구함.
[求婚 구혼] 혼처(婚處)를 구함.
[求凰 구황] 구우(求偶).
◉渴求. 強求. 購求. 同氣相求. 同類相求. 反求. 旁求. 訪求. 搜求. 營求. 要求. 欲求. 諸求. 誅求. 徵求. 請求. 追求. 探求.

2 ⑥ [氽] 탄 ㊤阮 土墾切 tǔn

[字解] ①뜰 탄 사람이 물 위에 뜸. '人在水上爲一'《字林撮要》. ②뜨게할 탄 띄움. '一, 水推物也'《字彙》.

2 ⑥ [休] 〔닉·뇨〕
溺(水部 十畫〈p. 1273〉)의 古字

[字源] 篆文 會意. 人+水. 사람이 물에 가라앉아 빠지다의 뜻을 나타냄.

2 ⑤ [氾] [人名] 범 ①-④[去]陷 孚梵切 fàn
⑤[平]鹽 扶嚴切 fán

[字解] ①넘칠 범 물이 넘침. '一濫'. '河水決濮陽, 一郡十六'《漢書》. ②넓을 범 광대함. 汎(水部 三畫)과 同字. '一博'. '一埽反道'《禮記》. ③많을 범 여러. 여럿. '普一無私'《淮南子》. ④뜰 범 물에 떠서 불안정한 모양. '一虖若不繫之舟'《漢書》. ⑤물이름 범 허난 성(河南省)을 북류(北流)하는 황하(黃河)의 지류(支流). 사수(氾水)라고도 함. '項羽大司馬曹咎, 渡兵一水'《漢書》.

[字源] 篆文 形聲. 氵(水)+㔾〔音〕. '㔾범'은 '汎범'과 통하여, '널리 퍼지다'의 뜻. 물이 넘쳐 널리 퍼지다의 뜻을 나타냄.

[氾濫 범람] ㉠물이 넘쳐 흐름. ㉡널리 미침.
[氾論 범론] ㉠널리 논함. ㉡대체에 관한 이론. 통론(通論).
[氾博 범박] 대단히 넓음. 광대함.
[氾氾 범범] 물에 떠서 불안정한 모양.
[氾船 범선] 배를 띄움.
[氾埽 범소] 널리 쓺.
[氾水 범수] 자해(字解)❺를 보라.
[氾溢 범일] 물이 넘쳐 벌창함.
[氾乎 범호] 떠서 움직이는 모양.
◉廣氾. 博氾. 普氾. 淸氾.

2 ⑤ [氿] [一] 궤 ㊤紙 居洧切 guǐ
[二] 구 [平]尤 渠尤切 qiú

[字解] [一] 샘 궤 곁구멍에서 솟아 나오는 샘. '有洌一泉'《詩經》. [二] 물가 구 '一, 水厓也'《集韻》.

[字源] 篆文 形聲. 氵(水)+九〔音〕. '九구'는 꺾어져 막다른 곳이 됨의 뜻. 굴곡(屈曲)한 구멍 속에서 흘러나오는 샘의 뜻을 나타냄.

[氿泉 궤천] 측면에서 솟아 나오는 샘.

2 ⑤ [汉] 〔한〕
漢(水部 十一畫〈p. 1286〉)의 簡體字

2 ⑤ [汀] [人名] 정 ①②[平]青 他丁切 tīng
③[去]徑 他定切 tìng

[筆順] 丶 冫 氵 氵一 汀

[字解] ①물가 정 물가의 평지. 둔치. '一沙'. '一曲舟已隱'《謝靈運》. ②모래섬 정 얕은 물 가운데에 토사(土沙)가 쌓여 물 위에 나타난 곳. '搴一洲兮杜若'《楚辭》. ③뜻이루지못할 정 뜻을

못 이름. '—瀅不遂志'《廣韻》.
[字源] 篆文 別體 形聲. 氵(水)+丁〔音〕. '丁정'은 못을 처박아 고정시킴의 뜻. 물의 움직임이 안정되어 오는 곳, '물가'의 뜻을 나타냄.

[汀曲 정곡] 물가. 물가의 굽어 들어간 곳.
[汀蘭 정란] 물가에 난 난초.
[汀沙 정사] 물가의 모래.
[汀岸 정안] 물가.
[汀瀯 정영] 정형(汀瀅).
[汀洲 정주] 얕은 물 가운데 토사(土沙)가 쌓여 물 위에 나타난 곳.
[汀瀅 정형] 물이 맑고 깨끗한 모양.
◉江汀. 鷗汀. 蘆汀. 鷺汀. 綠汀. 斜汀. 沙汀. 漁汀. 遙汀. 遠汀. 長汀. 洲汀.

2 [汁] ⑤ [人名] [一] 즙 [入]緝 之入切 zhī
[二] 협 [入]葉 檄頰切 xié

[筆順] 丶 冫 氵 氵一 汁

[字解] [一] ①즙 즙 ㉠진액(津液). '果—'. '—獻涗於醆酒'《禮記》. ㉡물질을 혼합한 액체. '墨—'. ②국물 즙 ㉠국의 국물. '烹雞, 多—'《後漢書》. ㉡남의 덕으로 얻는 공리(功利). '彼勸太子戰攻, 欲啜—者衆'《史記》. ③진눈깨비 즙 비가 섞인 눈. '天時雨—'《禮記》. [二] 맞을 협, 화합할 협 協(十部 六畫)과 통용. '—洽'. '五緯相—'《張衡》.
[字源] 篆文 形聲. 氵(水)+十〔音〕. '十십'은 '探탐'과 통하여, '탐색하다, 찾다'의 뜻. 과실 속에 함유된 액(液)을 찾아 짜내는 '즙'의 뜻을 나타냄.

[汁滓 즙재] 즙(汁)을 짜낸 찌끼.
[汁洽 협흡] 고갑자(古甲子)의 미(未). 협흡(協洽).
◉藍汁. 膽汁. 茗汁. 目汁. 墨汁. 米汁. 蜜汁. 腥汁. 乳汁. 肉汁. 殘汁. 灰汁.

2 [汃] ⑤ 팔 [入]黠 普八切 pà

[字解] ①물결치는소리 팔 물결이 요란하게 치는 소리. 또, 물이 흐르는 모양. '砏—輣軋'《張衡》. ②빛날 팔 물이 번쩍이는 모양. '好鳥鳴丁丁, 小溪光——'《杜牧》.
[字源] 篆文 形聲. 氵(水)+八〔音〕.

[汃汃 팔팔] ㉠물이 흐르는 모양. ㉡물결이 요란하게 치는 소리.

2 [汇] ⑤ [一] 〔회〕匯(匚部 十一畫〈p. 294〉)의 簡體字
[二] 〔휘〕彙(彐部 十畫〈p. 730〉)의 簡體字

3 [汞] ⑦ [人名] 홍 [上]董 胡孔切 gǒng
[去]送 胡貢切(hòng)

[字解] 수은 홍 은백색의 액체인 금속. '眞—產于離'《參同契 註》.

◉甘汞. 昇汞. 眞汞.

3 [汊] ⑥ 차 [去]禡 楚嫁切 chà

[字解] 두갈래진내 차 갈래 져서 흐르는 물. 또, 그 곳. '行跐川—'《韓愈》.
[字源] 形聲. 氵(水)+叉〔音〕. '叉차'는 두 갈래의 뜻. 물이 두 갈래 지는 곳의 뜻을 나타냄.

3 [汋] ⑥ [一] 삭 [入]覺 士角切 zhuó
[二] 작 [入]藥 職略切 zhuó

[字解] [一] ①물결치는소리 삭 물결이 일어나는 소리. '有水聲——然也'《釋名》. ②윤날 삭 윤기가 돎. 윤택함. '—, 澤也. 有潤澤也'《釋名》. [二] ①물소리 작 '—, 水聲'《集韻》. ②익힐 작 불에 삶음. '新菜可—'《爾雅 註》. ③따를 작, 퍼낼 작 酌(酉部 三畫)과 통용. '—, 讀如酌酒尊中之酌'《周禮 註》.
[字源] 篆文 形聲. 氵(水)+勺〔音〕. 본뜻은 세차게 물결치는 소리. '勺작'은 의성어적인 음부(音符). 또, '勺작'은 '퍼내다, 따르다〔杓·酌〕'의 뜻. 물을 푸다의 뜻을 나타냄.

[汋汋 삭삭] 물결치는 소리.
[汋約 작약] 유순하고 얌전한 모양. 작약(綽約).
[汋淘 작도] 삶음. 찜.

3 [汎] ⑥ [人名] 범 [去]陷 孚梵切 fàn

[筆順] 丶 冫 氵 氿 汎 汎

[字解] ①뜰 범 물 위에 둥둥 뜨는 모양. 또, 띄움. '浮—'. '亦—其流'《詩經》. '—舟於河'《國語》. ②떠돌 범 표류함. '—, 任風波自縱也'《正字通》. ③넓을 범 ㉠광대함. '眇—滄流'《沈約》. ㉡보편적임. 널리 …함. '—愛'. '—稱'. '普—加一級'《魏書》. ④많을 범 '普—'《淮南子》. ⑤빠를 범 '——其景'《詩經》. ⑥성 범 성(姓)의 하나.
[字源] 篆文 形聲. 氵(水)+凡〔音〕. '凡범'은 '바람'의 뜻. 바람같이 가볍게 뜨다의 뜻, 바람처럼 퍼지다의 뜻을 나타냄.

[汎濫 범람] ㉠물이 넘쳐 흐름. ㉡학문에 널리 통함. 범섭(汎涉).
[汎論 범론] ㉠널리 논함. ㉡대체에 관한 이론. 통론(通論).
[汎理論 범리론] 만유(萬有)의 본체(本體)를 이성(理性)이라고 하는 유심론(唯心論)의 일파(一派)의 이론.
[汎汎 범범] ㉠물에 뜨는 모양. ㉡물이 넓게 흐르는 모양.
[汎說 범설] 종합적으로 설명함. 또, 그 설명. 총설(總說).
[汎涉 범섭] 널리 통함. 어느 일에나 두루 통함. 박섭(博涉).
[汎性說 범성설] 무엇에나 그리고 무엇보다도 성적(性的)인 것을 강조하는 프로이트의 이론.
[汎神教 범신교] 범신론(汎神論)을 믿는 교(敎).
[汎神論 범신론] 만유(萬有)는 곧 신(神)이요 신(神)은 곧 만유(萬有)라고 하는 종교관 내지 철학관. 불교의 교리, 그리스의 사상 등이 이에 속함.
[汎心論 범심론] 만물에 다 마음이 있다고 하는 학설.
[汎愛 범애] 차별(差別)이 없이 널리 사랑함. 박

애(博愛).
[汎游 범유] ㉠뱃놀이를 함. ㉡범섭(汎涉).
[汎意論 범의론] 만유(萬有)의 본체(本體)를 의지(意志)라고 하는 유심론(唯心論)의 일파(一派)의 학설. 쇼펜하우어의 학설이 이에 속함.
[汎溢 범일] 물이 넘쳐 벌창함.
[汎採 범채] 널리 재료(材料)를 모음.
[汎稱 범칭] 넓은 범위로 쓰는 명칭.
[汎沛 범패] 성(盛)한 모양.
[汎剽 범표] 가벼움. 경솔함.
◉滿汎. 眇汎. 普汎. 浮汎.

3 ⑥ [汍] [人名] 환 [平]寒 胡官切 wán

[字解] 눈물흐를 환 눈물이 줄줄 흐르는 모양. '淚―瀾而雨集'《馮衍》.
[字源] [篆文] 形聲. 氵(水)+丸〔音〕. '丸환'은 '둥글다'의 뜻. 눈물이 뚝뚝 떨어지는 모양.

3 ⑥ [汏] 대 [去]泰 徒蓋切 tài

[字解] ①물결 대 파도. '齊吳榜而擊―'《楚辭》. ②씻을 대 세탁함. ③일 대 쌀을 읾. '祝淅米於堂. (註) 淅, ―也'《儀禮》. ④지날 대 통과함. 汰(水部 四畫)와 뜻이 같음. '伯棼射王―輈'《左傳》. ⑤교만할 대 스스로 뽐냄. '―哉叔氏'《禮記》. ⑥지나칠 대 도가 지나침. '―, 太過也'《集韻》.
[字源] [甲骨文] [篆文] 形聲. 氵(水)+大〔音〕. '大대'는 편안하게 쉬고 있는 사람의 象形. 물에 몸을 담그고 더러움을 씻는 사람의 형상에서, 쌀을 일다의 뜻을 나타냄.
[參考] 본래, 汰(水部 四畫)는 別字.

3 ⑥ [汐] [人名] 석 [入]陌 祥易切 xī(xì)

[筆順] 丶 氵 氵 汐 汐 汐

[字解] 석수 석 저녁때에 밀려 들어왔다가 나가는 조수(潮水). '潮―'. '滄海之水入於江, 謂之潮, 江湖之水歸於滄海, 謂之―'《海潮論》.
[字源] 形聲. 氵(水)+夕〔音〕. 저녁때 밀려드는 조수의 뜻을 나타냄.

◉歸汐. 暮汐. 上汐. 夜汐. 潮汐. 海汐.

3 ⑥ [汔] 흘 [入]物 許訖切 qì

[字解] 거의 흘 거반. '―可少康'《詩經》.
[字源] 形聲. 氵(水)+乞〔音〕

3 ⑥ [汒] 망 [平]陽 莫郎切 máng / [上]養 母朗切 mǎng

[字解] ①총급할 망 황급함. 총망(悤忙)한 모양. '―, 悤遽皃'《集韻》. ②망연할 망 망연함. 어두움. '―若於夫子之所言矣'《莊子》.
[字源] 形聲. 氵(水)+亡〔音〕

[汒若 망약] 총망(悤忙)한 모양.
[汒焉 망언] 아무 생각 없이 멍한 모양.

3 ⑥ [汜] 사 [上]紙 詳里切 sì

[字解] ①지류 사 본류(本流)에서 갈라졌다가 다시 본류로 합치는 지류(支流). '江有―'《詩經》. ②웅덩이 사 움푹 패어 물이 괸 곳. '窮瀆, ―'《爾雅》. ③물가 사 수애(水涯). '猶有汰沃之―'《淮南子》. ④물이름 사 허난 성(河南省)을 북류(北流)하는 황하(黃河)의 지류(支流). 범수(氾水)라고도 함. '―水'.
[字源] [甲骨文] [篆文] 形聲. 氵(水)+巳〔音〕

[汜水 사수] 자해(字解) ❹를 보라.
◉潤汜. 東汜. 蒙汜. 西汜. 朱汜. 淸汜.

3 ⑥ [汕] [人名] 산 [去]諫 所晏切 shàn / [上]潸 所簡切

[字解] ①오구 산 그물의 한 가지. '白魚在―'《柳貫》. ②뜰 산 오구로 고기를 떠서 잡음. '魴鱒可罩―'《韓愈》.
[字源] [篆文] 形聲. 氵(水)+山〔音〕

[汕汕 산산] 오구로 물고기를 떠서 잡는 모양. 일설(一說)에는, 물고기가 노는 모양.
◉罩汕.

3 ⑥ [汚] [高人] [一] 오 ①-⑥[平]虞 哀都切 wū / ⑦[去]遇 烏路切 wù / [二] 와 [平]麻 烏瓜切 wā

[筆順] 丶 氵 氵 汀 汗 汚

[字解] [一] ①괸물 오 정지한 물. '潢―行潦之水'《左傳》. ②낮을 오 ㉠하등(下等)임. '埤―'. ㉡땅이 낮음. '隆'의 대(對). '―隆'. ③더러울 오 ㉠불결함. '―濁'. '衣盡―'《史記》. ㉡마음이나 행실이 더러움. '―吏'. ④더럽힐 오 더럽게 함. '―損'. '―名'. '以佛事―吾先人'《五代史》. ⑤더러움 오 ㉠때. '煩澣公服, 則無垢―'《詩經 疏》. ㉡수치. 치욕(恥辱). '無蹇―之名'《漢書》. ⑥굽힐 오 뜻을 굽힘. '―不至阿其所好'《孟子》. ⑦빨 오 더러운 것을 빪. 씻음. '薄―我私'《詩經》. [二] 팔 와 움푹 들어가게 팜. '―尊而抔飮'《禮記》.
[字源] [篆文] 形聲. 氵(水)+亏〔音〕. '亏오'는 '움푹 팸'의 뜻. 우묵한 웅덩이에 괸 물, 파생(派生)하여, '더럽히다'의 뜻을 나타냄.
[參考] 汙(次條)는 同字.

[汚奸 오간] 더럽히고 욕보임.
[汚渠 오거] 더러운 도랑.
[汚壞 오괴] 오손(汚損)하고 파괴함.
[汚垢 오구] 때.
[汚君 오군] 마음이 더러운 군주.
[汚泥 오니] 진흙. 수렁.
[汚瀆 오독] ㉠더러운 도랑. ㉡작은 도랑. ㉢더러움. 또, 더럽힘.
[汚蠹 오두] 더럽히고 해침.
[汚萊 오래] 땅이 황무함. 낮은 땅에 물이 괴고, 높은 땅에 풀이 무성함.
[汚隆 오륭] 땅의 낮음과 높음. 전(轉)하여, 쇠퇴(衰退)함과 융성(隆盛)함.
[汚吏 오리] 청렴(淸廉)하지 못한 벼슬아치.

[汚衊 오멸] ㉠피를 흘려 더럽힘. ㉡남의 명예(名譽)를 손상시킴.
[汚名 오명] 더러워진 이름. 나쁜 평판(評判).
[汚墨 오묵] 더러움.
[汚物 오물] 더러운 물건.
[汚庳 오비] 낮은 땅. 축축한 땅.
[汚邪 오사] ㉠더럽고 잘못된 일. ㉡낮은 땅.
[汚世 오세] 더러운 세상.
[汚俗 오속] 나쁜 풍속.
[汚損 오손] 더럽힘. 더럽게 함.
[汚水 오수] 구정물. 더러워진 물.
[汚染 오염] ㉠더럽힘. 또, 더러워짐. ㉡때.
[汚穢 오예] ㉠더러움. 또, 더러운 것. ㉡더럽힘. ㉢더러운 일. 부정(不淨).
[汚辱 오욕] ㉠더럽히고 욕되게 함. ㉡수치. 치욕.
[汚窳 오유] 이지러짐.
[汚膺 오응] 우묵 들어간 가슴.
[汚賊 오적] 더럽히고 해침. 또, 그 사람.
[汚點 오점] ㉠때. ㉡흠. 결점.
[汚池 오지] 웅덩이.
[汚濁 오탁] 더럽고 흐림.
[汚下 오하] ㉠낮음. 우묵하게 들어감. ㉡천(賤)함.
[汚壑 오학] 수채. 더러운 도랑.
[汚行 오행] 더러운 행위.
[汚尊 와준] 땅을 파서 술동이의 대용(代用)을 함. 고대의 풍속임.
◉姦汚. 涅汚. 點汚. 塵汚. 臭汚. 濁汚. 貪汚. 潢汚. 虧汚.

3 ⑥ [汙] 汚(前條)와 同字
[參考] 汗(次次條)은 別字.

3 ⑥ [汚] 汚(前前條)와 同字

3 ⑥ [汗] [高·人] 한 ①-⑤[去]翰 侯旰切 hàn
⑥[平]寒 胡安切 hán
[筆順] 丶 丶 氵 汀 汗 汗
[字解] ①땀 한 피부에서 나오는 액체. '揮—成雨'《史記》. ②땀날 한 땀이 나옴. 땀을 냄. '匈喘膚—'《漢書》. 또, 땀은 한번 나오면 다시 들어가지 않으므로, 나왔다 다시 돌아가지 않음의 비유로 쓰임. '渙—'. ③탁할 한 탁해짐. 흐림. '—, 濁也'《漢書》. ④윤택 한, 윤택해질 한 '飮—吭吭'《太玄經》. ⑤성 한 성(姓)의 하나. ⑥추장이름 한 '可—'은 돌궐(突厥)의 임금 이름. '可—, 蕃王稱'《廣韻》.
[字源] 篆文 形聲. 氵(水)+干〔音〕. '干간'은 '旱한'과 통하여, 볕이 쬠, 가뭄의 뜻. 더워서 땀이 나는 뜻을 나타냄.
[參考] 汙(前前條)는 別字.

[汗簡 한간] 푸른 대를 불에 구워 진을 빼낸 댓조각. 옛날 종이가 없었던 시대에 문서(文書)를 쓰기 위하여 사용하였음. 전(轉)하여, 문서(文書), 서적(書籍), 또는 역사(歷史)의 뜻으로 쓰임.
[汗垢 한구] 땀과 때.
[汗流浹背 한류협배] 무서워하거나 부끄러워하여 땀이 나서 등에 흠씬 뱀. 한출첨배(汗出沾背).
[汗馬 한마] ㉠한혈마(汗血馬). ㉡한마지로(汗馬之勞).
[汗馬之勞 한마지로] ㉠말이 땀을 흘리며 이룬 공로. 곧, 전공(戰功). ㉡물건을 운반하는 데 겪는 수고.
[汗漫 한만] ㉠아득히 먼 모양. 대단히 넓은 모양. ㉡흘게 늦음. 매조지가 없음. 방만(放漫).
[汗背 한배] 한출첨배(汗出沾背).
[汗衫 한삼] 여름옷의 한 가지. 땀받이. 한의(汗衣).
[汗顔 한안] ㉠두렵거나 부끄러워 얼굴에 땀이 남. ㉡힘들여 일을 하여 얼굴에 땀이 남.
[汗液 한액] 땀.
[汗疣 한우] 땀띠. 한진(汗疹).
[汗牛充棟 한우충동] 수레에 실어 운반하면 소가 땀을 흘리고, 방 안에 쌓으면 마룻대까지 닿는다는 뜻으로, 책이 많음을 이름.
[汗襦 한유] 땀받이. 한삼(汗衫).
[汗衣 한의] 땀받이.
[汗酒 한주] '소주(燒酒)'의 별칭.
[汗疹 한진] 땀띠.
[汗袗 한진] 땀받이. 한삼(汗衫).
[汗喘 한천] 땀을 내면서 헐떡거림.
[汗靑 한청] 한간(汗簡).
[汗出沾背 한출첨배] 부끄럽거나 무서워서 나는 땀이 등을 적심.
[汗汗 한한] 물이 끝 닿은 데가 없이 넓은 모양.
[汗眩 한현] 땀이 눈에 흘러 들어가서 눈이 쓰리고 잘 보이지 아니함.
[汗血馬 한혈마] 하루에 천 리(千里)를 달린다는 피 같은 땀을 흘리는 명마(名馬). 지금의 아라비아 지방에서 나는 말. 한마(汗馬).
◉驚汗. 愧汗. 瀾汗. 冷汗. 淚汗. 盜汗. 發汗. 悚汗. 羞汗. 握雨把汗. 腋汗. 油汗. 流汗. 綸言如汗. 戰汗. 香汗. 血汗. 惶汗.

3 ⑥ [泅] 수 [平]尤 似由切 qiú
[字解] 헤엄칠 수 '—, 浮行水上也'《說文》.
[字源] 甲骨文 篆文 別體 形聲. 甲骨文·別體는 水+囚〔音〕. '囚수'는 '游유'와 통하여, '헤엄치다'의 뜻을 나타냄. 篆文은 氵(水)+子의 會意.

3 ⑥ [汈] [人名] [一] 년 [去]霰 奴甸切 niàn
[二] 상 [平]陽 式羊切
[三] 인 [上]軫 爾軫切 rěn
[字解] [一] 물이름 년 '—, —水也'《說文》. [二] 물이름 상 [一]과 뜻이 같음. [三] ①끈적거릴 인 '涊—'은 끈적거림. 젖어서 서로 붙음. '—, 涊—, 溼相著'《集韻》. ②더럼 인, 때 인 '涊—'은 더럼 또는 때. '涊—, 亦垢濁也'《說文 段注》.
[字源] 形聲. 氵(水)+刃〔音〕

3 ⑥ [汛] 신 [去]震 息晉切 xùn
[字解] ①뿌릴 신 물을 뿌림. 물을 끼얹어 씻음. '盡—掃前聖數千載功業'《揚雄》. ②넘칠 신, 조수(潮水) 신 '潮—往來'《宋史》. ③신문할 신 캐어물어 조사함. 訊(言部 三畫)과 통용.
[字源] 篆文 篆文 形聲. 氵(水)+卂〔音〕. '卂신'은 빨리 날다의 뜻. 물이 확 흩뿌려짐의 뜻을 나타냄.

[汛掃 신소] 물을 뿌리고 깨끗이 소제함.
[汛灑 신쇄] 물을 뿌림.

3 ⑥ [汝] 中人 여 ㊤語 人渚切 rǔ

筆順 丶 丶 氵 氵 汝 汝

字解 ①너 여 대등 이하의 사람에 대한 호칭. '一輩'. '予欲左右有民, 一翼'《書經》. ②물이름 여 허난 성(河南省)을 흘러 화이수이(淮水) 강으로 들어가는 강. '一水'. '遵彼一墳'《詩經》. ③성 여 성(姓)의 하나.

字源 甲骨文 篆文 形聲. 氵(水)+女〔音〕. 甲骨文도 같음. 강(江)의 이름. 전(轉)하여, '너'의 뜻으로 쓰임.

[汝南月旦 여남월단] 인물의 비평. 월단(月旦).
[汝等 여등] 너희들.
[汝輩 여배] 너희들.
[汝曹 여조] 너희들.
◉爾汝.

3 ⑥ [江] 中人 강 ㊥江 古雙切 jiāng

筆順 丶 丶 氵 氵 汀 江

字解 ①물이름 강 양쯔 강(揚子江)을 예전에는 단지 '一'이라 하였음. 하(河), 곧 황하(黃河)와 병칭하여 '一河'라 함. 속칭을 '大一'·'長一'이라 함. '一水三千里, 家書十五行'《袁凱》. 전(轉)하여, 큰 강의 통칭(通稱)으로 쓰임. '黑龍一'. '白露橫一'《蘇軾》. ②같이할 강 함께함. 공공(公共). '一, 公也. 諸水流入於其中, 所公共也'《釋名》. ③바칠 강 '一者貢也. 珍物可貢獻也'《風俗通》. ④별이름 강 '天潢旁一星'《史記》.

字源 金文 篆文 形聲. 氵(水)+工〔音〕. '工공'은 '公공'과 통하여, 많은 수계(水系)를 공공(公共)의 광장처럼 삼켜 버리는 큰 강의 뜻을 나타냄.

[江介 강개] 양쯔 강(揚子江) 부근의 땅.
[江口 강구] ㉠강어귀. ㉡나루. ㉢강변.
[江南 강남] 양쯔 강의 남쪽 지역. 옛 초(楚)나라와 월(越)나라의 땅.
[江南橘化爲枳 강남귤화위지] 강남(江南)의 귤(橘)을 강북(江北)에 이식(移植)하면 탱자로 변(變)한다는 뜻으로, 사람도 환경(環境)에 따라서 품성(品性)이 변함을 이름.
[江南一枝春 강남일지춘] 강남(江南)에서 매화(梅花) 한 가지를 친구에게 보낸 고사(故事).
[江豚 강돈] '해돈(海豚)'의 별칭(別稱). 돌고래.
[江東 강동] 양쯔 강(揚子江)의 동쪽. 곧, 지금의 장쑤 성(江蘇省). 옛날 오(吳)나라의 땅으로서, 초(楚)나라의 항우(項羽)가 기병(起兵)한 지방.
[江頭 강두] 강가.
[江樓 강루] 강가의 누각(樓閣).
[江流 강류] ㉠양쯔 강(揚子江)의 흐름. ㉡강의 흐름. 하류(河流).
[江陵 강릉] 춘추 시대(春秋時代)의 초(楚)나라의 도읍 영(郢)의 땅. 지금의 후베이 성(湖北省) 강릉현(江陵縣).
[江靡 강미] 강가. 강변(江邊).
[江泯 강민] 민산(泯山)이 있는 지방. 곧, 파촉 지방(巴蜀地方).
[江畔 강반] 강가.
[江邊 강변] 강가.
[江北 강북] 양쯔 강(揚子江) 이북(以北)의 지역(地域).
[江氛 강분] 강 위에 낀 안개.
[江濱 강빈] ㉠양쯔 강(揚子江) 가. ㉡강가.
[江山 강산] 강과 산. 산천(山川).
[江山之助 강산지조] 산수(山水)의 경치가 사람의 시정(詩情)을 돕는 일.
[江上 강상] ㉠강(江)가. ㉡양쯔 강(揚子江) 가.
[江西 강서] 양쯔 강 중류에 있는 성(省). 삼면이 산지이고 북부는 평야임. 고온 다우(高溫多雨)하며 곡류·면화·차(茶)·마포(麻布) 등을 산출하고 텅스텐의 산출은 세계 제일임. 성도(省都)는 난창 시(南昌市).
[江船 강선] 양쯔 강(揚子江)을 오르내리는 배.
[江蘇 강소] 중국 동부에 있는 성(省). 양쯔 강(揚子江) 및 화이수이(淮水) 강 수계(水系)의 대평야로 수운(水運)이 편리하며 철도도 발달되었음. 쌀·생사의 산출이 많고 공업은 상해(上海)를 중심으로 발달되었음. 성도(省都)는 난징 시(南京市).
[江水 강수] ㉠강(江)물. ㉡양쯔 강(揚子江)의 물.
[江心 강심] 강의 한가운데.
[江靄 강애] 강분(江氛).
[江煙 강연] 강 위에 낀 안개.
[江瑤珠 강요주] 돌조갯과(科)에 속하는 바닷물조개. 안다미조개. 살조개.
[江右 강우] 양쯔 강(揚子江)의 서쪽 지방. 곧, 지금의 장시 성(江西省).
[江雨 강우] 강 수면에 내리는 비.
[江月 강월] 강물에 비치는 달의 그림자.
[江渚 강저] ㉠양쯔 강(揚子江) 가. ㉡강가.
[江汀 강정] 강가.
[江亭 강정] 강가에 있는 정자.
[江左 강좌] 양쯔 강(揚子江)의 동쪽 지방. 곧, 지금의 장쑤 성(江蘇省).
[江珠 강주] '호박(琥珀)'의 별칭(別稱).
[江中 강중] 강(江)의 가운데.
[江天 강천] ㉠강과 하늘. ㉡강물과 하늘이 이어진 사이.
[江村 강촌] 강(江)가의 마을.
[江沱 강타] 양쯔 강(揚子江)과 타수(沱水). 타수는 양쯔 강의 지류(支流).
[江表 강표] 강좌(江左).
[江風 강풍] 강(江)바람.
[江楓 강풍] 양쯔 강(揚子江) 가에 있는 단풍.
[江河 강하] ㉠양쯔 강(揚子江)과 황하(黃河). ㉡큰 강.
[江夏 강하] 한대(漢代)의 군(郡) 이름. 지금의 후베이 성(湖北省) 운몽현(雲夢縣)의 동남.
[江漢 강한] 양쯔 강(揚子江)과 한수이(漢水) 강. 또, 그 부근의 지방.
[江檻 강함] 강에 임(臨)한 난간.
[江海 강해] 강(江)과 바다.
[江鄕 강향] 강촌(江村).
[江湖 강호] ㉠강(江)과 호수(湖水). ㉡삼강(三江)과 오호(五湖). 곧, 옛날의 오(吳)나라와 월(越)나라의 요처(要處). ㉢세상. 속세(俗世). ㉣관직을 떠나 은거(隱居)해 있는 시골. 또는 시인 묵객(詩人墨客)이 파묻혀 있는 시골.
[江湖散人 강호산인] 얽매이는 일 없이 가고 싶은

곳을 마음 내키는 대로 다니는 사람.
[江湖之氣 강호지기] ㉠민간인의 기풍. ㉡은거하고 싶어 하는 마음.
[江湖之人 강호지인] 민간(民間)에 있는 사람. 벼슬하지 않은 사람.
◉曲江. 九江. 錦江. 大江. 渡江. 白露横江. 碧江. 三江. 遡江. 烏江. 入江. 長江. 淸江. 楚江. 楓江. 河江. 寒江.

3
⑥ [池] 高人 지 ㊥支 直離切 chí

筆順 丶 丶 氵 汀 汁 池

字解 ①못 지 ㉠물이 괸 넓고 깊은 곳. '一沼'. '蛟龍之山有一, 方七百里'《括地志》. ㉡벼루 따위 기물을 오목하게 파서 물을 담는 곳. '硯一'. '墨一'. ②해자 지 성(城) 밖을 둘러 판 못. '城一'. '一非不深也'《孟子》. ③베풀 지 '咸一備矣'《禮記》. ④성 지 성(姓)의 하나.
字源 篆文 形聲. 氵(水)+也〔音〕. '也야'는 '꾸불꾸불하다'의 뜻. 꾸불꾸불한 모양의 물웅덩이, 못의 뜻을 나타냄.

[池閣 지각] 연못가에 있는 누각.
[池塘 지당] 못의 둑.
[池頭 지두] 못가. 지빈(池濱).
[池蓮 지련] 못에 심은 연(蓮).
[池面 지면] 못의 표면.
[池畔 지반] 못가.
[池濱 지빈] 못가. 지변(池邊).
[池榭 지사] 지정(池亭).
[池上 지상] ㉠못의 물 위. ㉡못가.
[池沼 지소] 못.
[池籞 지어] 양어장(養魚場).
[池魚籠鳥 지어농조] 연못의 고기와 새장의 새라는 뜻으로, 자유롭지 못한 몸의 비유로 쓰임.
[池魚之殃 지어지앙] 초(楚)나라의 성문(城門)에 불이 나서 옆에 있는 못의 물로 불을 껐기 때문에 물이 말라서 그 못에 있던 고기가 모두 죽었다는 고사(故事)에서 나온 말로, 횡액(横厄)의 비유로 쓰임.
[池苑 지원] 연못과 동산.
[池亭 지정] 못가에 있는 정자.
[池荷 지하] 지련(池蓮).
[池隍 지황] 물이 없는 해자(垓字).
[池潢 지황] 못.
◉古池. 枯池. 昆明池. 昆池. 溝池. 金城湯池. 溟池. 墨池. 城池. 沼池. 澠池. 漁池. 硯池. 蓮池. 鹽池. 洿池. 瑤池. 園池. 臨池. 貯水池. 電池. 差池. 滄池. 天池. 湯池. 陂池. 筆池. 荷池. 咸池. 荒池. 潢池.

4
⑧ [沓] 人名 답 ㊀合 徒合切 tà

字解 ①겹칠 답 중첩함. '噂一背憎'《詩經》. ②합칠 답 합함. '天與地一'《揚雄》. ③탐할 답 탐냄. '其民一貪而忍'《國語》. ④끓을 답 물 같은 것이 끓어 넘침. '發怒庢一'《枚乘》. ⑤유창할 답 언변이 있는 모양. '語多一一若水之流'《說文》.
字源 篆文 會意. 水+日. '水수'는 합류(合流)하여 물살이 빨라진 물의 뜻. 물의 흐름처럼 막힘없이 말하다, 지껄이다의 뜻을 나타냄.
參考 畓(田部 四畫)은 別字.

[沓沓 답답] ㉠말이 많고 유창(流暢)한 모양. ㉡빨리 걷는 모양. ㉢조용히 기뻐하여 좇는 모양. ㉣북 치는 소리.
[沓茫 답망] 먼 모양. 아득한 모양.
[沓雜 답잡] 혼잡함.
[沓潮 답조] 썰물과 밀물이 서로 합침.
[沓至 답지] 몰려옴. 빈번히 옴.
[沓貪 답탐] 탐냄. 재리(財利)를 탐함.
[沓風 답풍] 풍병(風病).
[沓合 답합] 중첩(重疊)함.
◉棼沓. 紛沓. 雜沓. 積沓. 重沓. 貪沓. 頹沓.

4
⑦ [汨] 人名 ㊀ 골 ㊀月 古忽切 gǔ
㊁ 멱 ㊀錫 莫狄切 mì

字解 ㊀ ①다스릴 골 정돈하여 처리함. '別生分類, 作一作'《孔安國》. ②통할 골 막힌 것을 통하게 함. '決一九川'《國語》. ③어지럽힐 골 혼란케 함. '一陳其五行'《書經》. ④잠길 골 물속에 가라앉음. '一沒一朝伸'《杜甫》. ⑤물결 골 파도. '與一偕出'《莊子》. ㊁ 물이름 멱 초(楚)나라 굴원(屈原)이 투신자살하였다는, 장시 성(江西省)에서 발원(發源)하여 후난 성(湖南省)으로 흐르는 강. '一水'. '一羅'. '源出豫章, 分二水, 一南流曰一水'《一統志》.
字源 篆文 形聲. 氵(水)+冥〈省〉〔音〕
參考 汩(次條)은 別字.

[汨汨 골골] ㉠물결치는 소리의 형용. ㉡매몰(埋沒)한 모양.
[汨篤 골독] 한 가지 일에만 정신(精神)을 다함.
[汨董 골동] 골동품. 골동(骨董).
[汨沒 골몰] ㉠물속에 잠김. 가라앉음. ㉡세상에 나타나지 못함. 현달(顯達)하지 못함. ㉢한 일에만 몰두함.
[汨陳 골진] 난잡하게 늘어놓음.
[汨活 골활] 물이 빨리 흐르는 모양.
[汨羅 멱라] 멱수(汨水)와 나수(羅水)가 합류하여 이룬 강. 후난 성(湖南省)에 있음. 이소(離騷)를 지은 초(楚)나라 굴원(屈原)이 투신자살한 곳.
[汨羅之鬼 멱라지귀] 멱라에 빠져 죽은 굴원(屈原)의 넋. 전(轉)하여, 물에 빠져 죽은 귀신.
[汨水 멱수] 자해(字解)㊁를 보라.
◉陵汨. 紛汨. 淟汨. 墮汨. 蕩汨. 滑汨.

4
⑦ [汩] 人名 율 ㊀質 于筆切 yù

字解 ①흐를 율 물이 흐름. '一一'. '浩浩沅湘, 分流一兮'《楚辭》. ②빠를 율 속함. '一流'. '一徂南土'《史記》. ③맑을 율 청정함. '一磑磑以璀璨'《王延壽》. ④성 율 성(姓)의 하나.
字源 篆文 形聲. 氵(水)+曰〔音〕
參考 汨(前條)은 別字.

[汩流 율류] 물이 빨리 흐름. 또, 빠른 흐름.
[汩遙 율요] 빨리 걸음. 달림.
[汩越 율월] 밝은 모양. 빛나는 모양.
[汩汩 율율] ㉠물이 흐르는 모양. ㉡문장(文章) 따위가 거침없이 나아가는 모양.

[汩湟 율황] 물이 흐르는 모양.
◉宓汩. 拂汩. 瑟汩. 減汩. 洄汩. 卉汩.

4 ⑦ [汪] [人名] 왕 [平]陽 烏光切 wāng

[筆順] 丶 丶 氵 汀 汇 汗 汪

[字解] ①넓을 왕 ㉠깊고 넓음. '一然平靜'《淮南子》. ㉡광대함. '一洋'. '一是土也'《國語》. ②못 왕 물이 흐린 못. '尸諸周氏之一'《左傳》. ③바다 왕 남방의 바다. '賓之祝融之一'《楊萬里》. ④성 왕 성(姓)의 하나.

[字源] 金文 𣲴 篆文 𣲴 形聲. 篆文은 氵(水)＋𡉚〔音〕. '𡉚왕'은 '넓고 크다'의 뜻. 물이 넓고도 깊음의 뜻을 나타냄.

[汪端 왕단] 청(淸)나라 여류 시인. 전당(錢塘) 사람. 자(字)는 윤장(允莊). 저술에 〈자연호학재집(自然好學齋集)〉이 있음.
[汪浪 왕랑] 눈물이 줄줄 흐르는 모양. 눈물이 자꾸 나오는 모양.
[汪倫 왕륜] 당(唐)나라 경현(涇縣) 사람. 이백(李白)이 도화담(桃花潭)에서 놀 때 항상 가양(家釀)의 미주(美酒)를 대접하였으므로, 고맙게 여겨 시를 지어 주었는데, 그중에 '桃花潭水深千尺, 不及汪倫送我情'이란 구절이 있음.
[汪罔 왕망] 우(虞)·하(夏)·상(商) 시대에 국경의 산을 지키는 일을 맡은 벼슬.
[汪茫 왕망] 물이 한없이 넓은 모양.
[汪洋 왕양] ㉠넓고 큰 모양. 광대한 모양. ㉡여유 있는 모양. 조용한 모양. 점잖은 모양.
[汪漾 왕양] 왕랑(汪浪).
[汪然 왕연] ㉠눈물이 줄줄 흐르는 모양. ㉡물이 깊고 넓은 모양.
[汪濊 왕예] 넓고 깊은 모양.
[汪汪 왕왕] ㉠물이 깊고 넓은 모양. ㉡도량(度量)이 넓은 모양.

4 ⑦ [沑] [一] 유 [上]有 人九切
[二] 뉴 [上]有 女九切 niǔ
[三] 뉵 [入]屋 女六切 nù

[字解] [一] ①물빠를 유. ②사랑할 유 '一, 又溫也'《廣韻》. [二] 젖을 뉴 '一, 溼也'《集韻》. [三] ①진흙 뉵 '一, 泥也'《集韻》. ②파문모일 뉵 파문(波紋)이 모임. '一, 踳一, 水文聚'《廣韻》.

[字源] 形聲. 氵(水)＋丑〔音〕

4 ⑦ [汭] [人名] 예 [去]霽 而銳切 ruì

[字解] ①물굽이 예 수류(水流)의 굽어 후미진 곳. '會於漢一而還'《左傳》. ②물합치는곳 예 두 하천의 물이 합쳐 흐르는 곳. '釐降二女于嬀一'《書經》. ③물가 예 수애(水涯). '斲多之一'《穆天子傳》. ④안쪽 예 內(入部 二畫)와 통용. '涇屬渭一'《書經》. ⑤물북편 예 수류(水流)의 북쪽. '徯于洛之一'《書經》.

[字源] 篆文 𣲙 形聲. 氵(水)＋內〔音〕. '內내'는 '들어감'의 뜻. 흐르는 강물이 육지로 쑥 들어간 곳, 후미의 뜻을 나타냄.

4 ⑦ [汰] [人名] 태 [去]泰 他蓋切 tài

[筆順] 丶 丶 氵 汀 汁 汏 汰

[字解] ①지날 태 통과함. '伯棼射王一輈'《左傳》. ②일 태, 추릴 태 물에 일어 추려 냄. '淘一'. '沙之一之, 瓦礫在後'《晉書》. ③씻을 태 세탁함. '洮一學者之累惑'《後漢書》. ④사치할 태 호사스럽게 지냄. '一侈'. '般樂奢一'《荀子》. ⑤흐릴 태 결백하지 않고 혼탁(混濁)함. '反潔爲一'《新書》. ⑥미끄러울 태, 미끄러질 태 '一而仆地'《棠隱比事》. ⑦심할 태 汏(水部 三畫)와 同字. '一, 太過也'《廣韻》. ⑧놀 태 큰 물결. 파도. '齊吳榜以擊一'《楚辭》.

[字源] 形聲. 氵(水)＋太〔音〕. 물에 잠겨 편안히 있는 사람의 모양에서, '씻다, 사치하다'의 뜻을 나타냄.

[參考] 원래, 汏(水部 三畫)는 別字.

[汰揀 태간] 가림. 선택함.
[汰金 태금] 물에 일어 사금(沙金)을 골라냄.
[汰兵 태병] 병사를 골라서 뽑아냄.
[汰沙 태사] 읾. 물에 일어 고름.
[汰肆 태사] 방자(放恣)함.
[汰沃 태옥] 바다와 하늘이 닿은 데서 흐르는 물소리.
[汰冗 태용] 쓸데없는 인원을 도태함.
[汰侈 태치] 분수에 넘치는 사치.
[汰虐 태학] 거만하고 잔인함.
◉簡汰. 擊汰. 淘汰. 沙汰. 洗汰. 人爲淘汰. 澖汰. 銓汰. 精汰. 澄汰. 滌汰. 蕩汰.

4 ⑦ [汫] [一] 경 [上]迥 徂醒切 jǐng
[二] 정 [平]青 疾正切

[字解] [一] ①표류할 경 표류함. '一涏'. ②물적은 시내 경 수량이 적은 시내. '一涏'. [二] 물모양 정 물의 모양. '一濙'.

4 ⑦ [汲] [人名] 급 [入]緝 居立切 jí

[筆順] 丶 丶 氵 汈 汈 汲 汲

[字解] ①길을 급 물을 길음. '一器'. '綆短者, 不可以一深'《莊子》. ②당길 급 ㉠끌어당김. '匠人大一其版'《周禮》. ㉡끌어들임. 추천 또는 등용함. '銓衡一引'《陳書》. ㉢끌어올림. 이끎. '一鄭伯'《穀梁傳》. ③취(取)할 급 '一, 取也'《廣雅》. ④분주할 급 쉬지 않고 부지런히 힘씀. 彶(彳部 四畫)과 통용. '一一, 劇也'《廣雅》. ⑤거짓 급 허위. '狂狂一一'《莊子》. ⑥성 급 성(姓)의 하나.

[字源] 篆文 𣲵 形聲. 氵(水)＋及〔音〕. '及급'은 '吸흡'과 통하여, '빨아들이다'의 뜻. 물을 끌어들이다의 뜻을 나타냄.

[汲綆 급경] 두레박줄. 급삭(汲索).
[汲古 급고] 고서를 탐독함.
[汲古閣 급고각] 명말(明末)의 모진(毛晉)의 서고(書庫) 이름. 장서(藏書)를 복각(復刻)하여 널리 세상에 보급시켰음.
[汲汲 급급] 쉬지 않고 힘쓰는 모양. 조급히 하려고 서두르는 모양.
[汲汲乎 급급호] 조급히 하려고 서두르는 모양.
[汲器 급기] 물 긷는 그릇. 두레박.
[汲道 급도] 급로(汲路).
[汲路 급로] 물을 길러 다니는 길.

[汲流 급류] 흐르는 물을 길음.
[汲索 급삭] 급경(汲綆).
[汲水 급수] 물을 길음.
[汲黯 급암] 한대(漢代)의 간신(諫臣). 자(字)는 장유(長孺). 복양(濮陽) 사람. 경제(景帝) 때에 태자세마(太子洗馬)가 되고, 무제(武帝) 때에 동해(東海)의 태수(太守)를 거쳐 구경(九卿)의 반열(班列)에 올랐음. 성정(性情)이 엄격하고 직간(直諫)을 잘하여 무제(武帝)로부터 옛날의 사직(社稷)의 신하(臣下)에 가깝다는 평을 들었음.
[汲引 급인] ㉠물을 길어 올림. ㉡인재(人材)를 등용함.
[汲泉 급천] 샘물을 길음.
[汲冢周書 급총주서] 진(晉)나라 태강(太康) 2년에 급군(汲郡)의 사람 부준(不準)이 위(魏)나라 양왕(襄王)의 무덤을 발굴하여 얻었다는 선진(先秦)의 고서(古書).
◉漑汲. 谷汲. 寄汲. 隴耕井汲. 引汲.

4 ⑦ [汴] 변 [去]霰 皮變切 biàn
[字解] ①물이름 변 허난 성(河南省)을 흘러 황하(黃河)로 들어가는 강. '河一分流'《後漢書》. ②땅이름 변 허난 성(河南省) 개봉현(開封縣)의 고칭(古稱). 후량(後梁) 및 북송(北宋)의 도읍이었음. '一梁'이라고도 함. ③성 변 성(姓)의 하나.
[字源] 篆文 形聲. 氵(水)+卞〔音〕. 《說文》의 篆文은 水+反〔音〕. '反반'과 '卞변'은 음(音)이 통하여, 뒤에 '汴변'이 쓰이게 되었음.

[汴京 변경] 자해(字解) ❷를 보라.
[汴徐 변서] 허난 성(河南省) 변주(汴州)와 장쑤 성(江蘇省)의 서주(徐州).
[汴水 변수] 자해(字解) ❶을 보라.

4 ⑦ [汳] 汴(前條)과 同字

4 ⑦ [汶] [人名] 문 ①②[去]問 亡運切 wèn ③[平]文 無分切 wén ④[平]元 謨奔切 mén
[筆順] 丶 ⺀ 氵 氵丨 汴 汸 汶
[字解] ①물이름 문 산둥 성(山東省)에 있는 강(江). 셋이 있어 이를 합쳐 삼문(三汶)이라 함. '在一上矣'《論語》. ②성 문 성(姓)의 하나. ③끈끈한침 문 '一, 黏唾'《廣韻》. ④수치 문 치욕. '安能以身之察察, 受物之一一者乎'《楚辭》.
[字源] 篆文 形聲. 水+文〔音〕

[汶汶 문문] 부끄러운 모양. 수치스러운 모양.
[汶上 문상] 문수(汶水) 가.
[汶水 문수] 자해(字解) ❶을 보라.

4 ⑦ [汸] 방 [平]陽 府良切 pāng
[字解] 괄괄흐를 방 물이 세차게 흐르는 모양. '一一加河海'《荀子》.
[字源] 方의 別體 形聲. 氵(水)+方〔音〕

[汸汸 방방] 물이 세차게 흐르는 모양.

4 ⑦ [泐] [一] 력 [入]職 林直切 lì [二] 륵 [入]職 歷德切 lè
[字解] [一] 물엉겨붙을 력 '一, 水凝合皃'《廣韻》. [二] 돌부스러질 륵 泐(水部 五畫)의 俗字.

4 ⑦ [決] [中人] 결 [入]屑 古穴切 jué
[筆順] 丶 ⺀ 氵 氵ㄱ 氵コ 氵夬 決
[字解] ①터질 결 제방 같은 것이 무너져 물이 흘러나옴. '一潰'. '河一不可復壅'《史記》. ②터뜨릴 결 전항의 타동사. '一河之勢'. '一漳水, 灌鄴旁'《呂氏春秋》. ③끊을 결 이로 끊음. '齒一'《禮記》. ④넘칠 결 '賁星墜而勃海一'《淮南子》. ⑤판단할 결 판별함. '判一'. '定親疏, 一嫌疑'《禮記》. ⑥결정할 결 결단함. '一心'. '豈掩于衆人之言, 而以冥冥一事也'《戰國策》. ⑦이별할 결 헤어짐. 訣(言部 四畫)과 同字. '李陵與武一去'《漢書》. ⑧상처입힐 결 상해(傷害)함. '故一指而身死'《淮南子》. ⑨결코 결 결단코. '一不相鬪矣'《戰國策》. ⑩반드시 결 꼭. 기어코. '寡人一講矣'《戰國策》. ⑪감연히 결 과감하게. '我一起而飛'《莊子》. ⑫깍지 결 활 쏠 때 오른쪽 엄지손가락에 끼는 기구. '一拾'. ⑬틈 결 缺(缶部 四畫)과 同字. '過一隙也'《史記》.

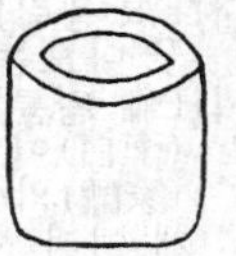
[決⑫]

[字源] 篆文 形聲. 氵(水)+夬〔音〕. '夬결'은 '도려내다'의 뜻. 물이 개먹어 둑에 구멍이 나다의 뜻에서, '결정하다'의 뜻을 나타냄.

[決價 결가] 값을 결정함.
[決江河源障之以手 결강하원장지이수] 양쯔 강(揚子江)이나 황하(黃河) 같은 큰 강(江)의 수원(水源)을 터놓고 흐르지 못하도록 손으로 막는다는 뜻으로, 애써도 보람이 없고, 헛수고함을 이름.
[決去 결거] 헤어짐. 결별(訣別).
[決決 결결] 물이 넘쳐흐르는 모양.
[決壞 결괴] 둑이 터져 무너짐. 결궤(決潰).
[決潰 결궤] ㉠둑이 터져 무너짐. 또, 둑을 무너뜨려 물을 터놓음. ㉡썩어 문드러짐.
[決潰水於千仞之隄 결궤수어천인지제] 천 길이나 되는 높은 둑을 무너뜨리고 물을 터놓는다는 뜻으로, 기세(氣勢)가 맹렬하여 당해 낼 수 없음을 이름.
[決隙 결극] 갈라진 틈.
[決起 결기] 급히 일어남. 빨리 일어남.
[決斷 결단] ㉠단호히 정함. ㉡송사(訟事)를 판결함.
[決斷力 결단력] 결단할 수 있는 능력(能力).
[決斷性 결단성] 결단력이 있는 성질.
[決答 결답] 확답(確答).
[決裂 결렬] ㉠갈라 나눔. 재할(裁割). ㉡부숨. 파괴함.
[決吻 결문] 째진 입술.
[決鼻 결비] '토끼〔兎〕'의 별칭(別稱).
[決死 결사] 죽기를 각오함.
[決死隊 결사대] 죽기를 각오하고 달려드는 부대나 무리.
[決算 결산] 일정한 기간 동안의 수입과 지출의

총계.
[決色 결색] 각오(覺悟)를 한 안색.
[決選 결선] 최후에 결정하는 선거.
[決遂 결수] 결습(決拾).
[決拾 결습] 깍지와 팔찌. 모두 활 쏠 때 쓰는 기구임.
[決勝 결승] 최후의 승부(勝負)를 결정함.
[決勝千里之外 결승천리지외] 몸은 유악(帷幄) 안에 있어 천 리나 떨어진 먼 곳에서 승리할 뛰어난 꾀를 정함.
[決心 결심] 마음을 결정함. 또, 결정한 마음.
[決然 결연] ㉠단호히. ㉡급히.
[決獄 결옥] 죄를 판결함.
[決雲兒 결운아] '매〔鷹〕'의 별칭(別稱).
[決意 결의] 결심(決心).
[決議 결의] 평의(評議)하여 결정함.
[決眥 결자] 성을 내어 눈을 부릅뜸.
[決雌雄 결자웅] 승부(勝負)를 겨룸.
[決裁 결재] 하급관(下級官)이 내놓은 안(案)을 상관(上官)이 승인하는 일.
[決戰 결전] 승부를 결정하기 위한 싸움.
[決絕 결절] 영구한 이별. 영별(永別).
[決定 결정] ㉠결단(決斷)하여 작정함. ㉡《佛敎》부처의 가르침을 굳게 믿음.
[決眥 결제] 결자(決眥).
[決志 결지] 결심(決心).
[決着 결착] 결말이 남.
[決策 결책] 계책(計策)을 결정함.
[決處 결처] 결정(決定)하여 조처함.
[決驟 결취] 빨리 달림.
[決鬪 결투] ㉠승부를 결정하기 위한 싸움. ㉡원한 또는 풀기 어려운 말다툼이 있을 때에 힘 또는 무기로 싸워 승부를 결정함.
[決判 결판] 옳고 그름을 가려 판정함.
[決敗 결패] 무너뜨림.
[決河之勢 결하지세] 둑이 터져 강물이 맹렬히 흐르는 것 같은 형세. 맹렬한 형세.
[決行 결행] 단호히 행함. 단행함.
◉敢決. 堅決. 果決. 壞決. 潰決. 漏決. 斷決. 剖決. 辭決. 速決. 按決. 臆決. 勇決. 留決. 議決. 引決. 臨決. 自決. 裁決. 剸決. 奏決. 卽決. 參決. 採決. 處決. 取決. 齒決. 判決. 解決. 諧決. 許決. 後決.

4 ⑦ [汽] 人名 ㊀기 ㊁去未 丘旣切 qì ㊁흘 ㊅入物 許訖切 qì

筆順 丶 丶 氵 氵 汇 汽 汽

字解 ㊀ ①김 기 증기. 수증기. '一車'. '一, 水气也'《集韻》. ②가까울 기, 접근할 기 '一, 相摩近也'《集韻》. ㊁ ①말라붙을 흘 물이 말라붙음. '一, 水涸也'《說文》. ②다할 흘 진(盡)함. 떨어짐. ③흘러내릴 흘 눈물이 흘러내림. '一, 或曰, 泣下'《說文》. ④거의 흘 거반. 汔(水部 三畫)과 同字.

字源 篆文 形聲. 氵(水)+气〔音〕. '气기'는 '입김'의 뜻. 물이 증발하여 마르다, 또, 그 김의 뜻을 나타냄.

[汽罐 기관] 불을 때어 물을 끓여 증기(蒸氣)를 일으키는 큰 가마.
[汽機 기기] 증기 기관(蒸氣機關).
[汽船 기선] 증기 기관(蒸氣機關)의 작용으로 다니는 배. 화륜선(火輪船).
[汽笛 기적] 기차·기선 따위의 증기의 힘으로 내는 고동.
[汽車 기차] 증기 기관(蒸氣機關)의 작용(作用)으로 궤도 위를 다니는 수레. 화차(火車).

4 ⑦ [汾] 人名 분 ㊉平文 符分切 fén

筆順 丶 丶 氵 氵 汃 汾 汾

字解 ①물이름 분 산시 성(山西省)에서 발원(發源)하여 황하(黃河)로 들어가는 강. '一水'. '一河'. '冀州, 其浸一潞'《周禮》. ②많을 분 紛(糸部 四畫)과 同字. '一沄沸渭'《揚雄》. ③클 분 '一王之甥'《詩經》.

字源 篆文 形聲. 氵(水)+分〔音〕

[汾水 분수] 자해(字解)❶을 보라.
[汾沄 분운] 많고 성(盛)한 모양.
[汾河 분하] 분수(汾水).
◉溫汾.

4 ⑦ [沁] 人名 심 ㊄去沁 七鴆切 qìn ㊤上寢 所錦切

筆順 丶 丶 氵 氵 沁 沁 沁

字解 ①물이름 심 산시 성(山西省)에서 발원(發源)하여 허난 성(河南省)을 거쳐 황하(黃河)로 들어가는 강. '一水'. '一河'. ②더듬어찾을 심 물건을 물속에 넣어서 딴 물건을 찾음. '盜索不敢一'《韓愈》. ③밸 심 스며들어 감. '一痕'. '襪羅塵一'《趙聞禮》. ④성 심 성(姓)의 하나.

字源 篆文 形聲. 氵(水)+心〔音〕. '心심'은 '侵침'과 통하여, 속 깊숙이 스미다의 뜻. '스며들다'의 뜻을 나타냄.

[沁水 심수] 자해(字解)❶을 보라.
[沁河 심하] 심수(沁水).
[沁痕 심흔] 밴 흔적. 스며들어 간 자국.

4 ⑦ [沂] 人名 ㊀기 ㊉平微 魚衣切 yí ㊁은 ㊉平眞 魚巾切 yīn

筆順 丶 丶 氵 氵 汇 沂 沂

字解 ㊀ 물이름 기 산둥 성(山東省)에서 발원(發源)하여 사수(泗水)로 들어가는 강. '一水'. '一河'. '浴于一'《論語》. ㊁ 지경 은 圻(土部 四畫)·垠(土部 六畫)과 통용. '漢良受書於邳一'《漢書》.

字源 篆文 形聲. 氵(水)+斤〔音〕

[沂水 기수] 자해(字解)㊀을 보라.
[沂河 기하] 기수(沂水).
[沂垠 은은] 변방. 변경(邊境).

4 ⑦ [沃] 人名 옥 ㊅入沃 烏酷切 wò ㊅入屋 烏谷切

筆順 丶 丶 氵 氵 汗 沃 沃

字解 ①물댈 옥 관개함. 전(轉)하여, 계발(啓發)함. '啓乃心, 一朕心'《書經》. ②적실 옥 축

임. '一, 濕也'. '一, 漬也'《廣雅》. ③흐를 옥 '雲霞之所一蕩'《王巾》. ④아름다울 옥 싱싱하게 아름다움. '夭之一一'《詩經》. ⑤성할 옥 무성함. 또는, 장성함. '其葉一若'《詩經》. ⑥부드러울 옥 유연함. '其葉有一'《詩經》. ⑦기름질 옥 걸찬. '肥一'. '一野'. '一土之民'《國語》. ⑧장마 옥 임우(霖雨). '烈野無一霖'《梅堯臣》. ⑨거품 옥, 거품일 옥 '其動漂泄一涌'《素問》. ⑩성 옥 성(姓)의 하나.

字源 篆文 形聲. 篆文은 氵(水)+芺〔音〕. '芺오·요'는 머리를 풀어 헤친 젊은 무녀(巫女)의 象形. 싱싱하게 젊다의 뜻을 나타냄.《說文》은 물을 대다의 뜻으로 되어 있는데, 이것은 '浴욕'과 통하는 것으로 본 해석임. 싱그럽게 젊다의 뜻에서, 풍성하고 생산적이다, 기름지다의 뜻을 나타냄.

[沃盥 옥관] 물을 대야에 떠서 손을 씻음.
[沃灌 옥관] 물을 댐.
[沃度 옥도] 할로겐족(族)에 속하는 원소(元素)의 한 가지. 금속광택이 나는 암자색의 비늘 모양의 결정체(結晶體)로서, 염소(鹽素)나 취소(臭素)와 비슷한 성질이 있고 알코올에 잘 녹음.
[沃霖 옥림] 장마.
[沃滅 옥멸] 물을 뿌려 불을 끔.
[沃美 옥미] 땅이 걸차 작물이 잘됨.
[沃洗 옥세] 술잔을 물에 헹구어 씻음.
[沃素 옥소] 원소(元素)의 하나. 금속광택이 있는 흑자색의 결정. 취기(臭氣)가 있음.
[沃野 옥야] 기름진 들.
[沃野千里 옥야천리] 기름진 들이 썩 넓음.
[沃若 옥약] ㉠무성(茂盛)한 모양. ㉡부드럽고 윤이 흐르는 모양.
[沃壤 옥양] 옥토(沃土).
[沃衍 옥연] 기름지고 평탄(平坦)함.
[沃瀛 옥영] 못. 소택(沼澤).
[沃沃 옥옥] 성(盛)하고 아름다운 모양.
[沃饒 옥요] 땅이 비옥하고 물자가 넉넉함. 또, 그 땅.
[沃腴 옥유] 기름짐. 비옥함.
[沃日 옥일] 큰 바다. 대해(大海).
[沃沮 옥저] ㉠함경도(咸鏡道) 일대에 살던 고조선(古朝鮮)의 한 부족. 또, 그 부족이 세운 나라. 동옥저(東沃沮)와 북옥저(北沃沮)가 있었음. ㉡비옥한 땅.
[沃田 옥전] 기름진 밭. 전지(田地).
[沃疇 옥주] 기름진 경지(耕地).
[沃地 옥지] 옥토(沃土).
[沃瘠 옥척] 기름짐과 메마름.
[沃濯 옥탁] 뿌려 씻는다는 뜻으로, 비가 옴을 이름.
[沃土 옥토] 기름진 땅.
◉啓沃. 膏沃. 曲沃. 灌沃. 肥沃. 衍沃. 饒沃.

4 ⑦ [沄] 人名 운 ㊥文 王分切 yún

筆順 丶 氵 氵 沪 沄 沄 沄

字解 ①돌아흐를 운 전류(轉流)하는 모양. '一一逆素浪'《杜甫》. ②깊을 운 넓고 깊은 모양. '望一一兮視冥冥'《李華》. ③넓을 운 광대한 모양. '湘流之一一'《柳宗元》.

字源 篆文 形聲. 氵(水)+云〔音〕. '云운'은 '돌다'의 뜻. 물이 돌아 흐르는 모양을 나타냄.

[沄沄 운운] 자해(字解) ❶❷❸을 보라.
◉汾沄. 潺沄. 玄沄.

4 ⑦ [沅] 人名 원 ㊥元 愚袁切 yuán ㊤阮 五遠切

筆順 丶 氵 氵 汇 沅 沅 沅

字解 물이름 원 후난 성(湖南省)을 흘러 둥팅 호(洞庭湖)로 들어가는 강. '一水'. '一有芷兮, 澧有蘭'《楚辭》.

字源 篆文 形聲. 氵(水)+元〔音〕

[沅江 원강] 원수(沅水).
[沅湘 원상] 원수(沅水)와 상수(湘水).
[沅水 원수] 자해(字解)를 보라.
[沅芷澧蘭 원지예란] 원수(沅水)에서 나는 구릿대와 예수(澧水)에서 나는 난초. 모두 유명한 향초(香草)임.

4 ⑦ [沆] 人名 항 ①②㊤養 胡朗切 hàng ③㊥陽 胡郎切 háng

筆順 丶 氵 氵 氵 汁 沆 沆

字解 ①넓을 항 ㉠강이나 호수가 광대한 모양. '一茫'. '一漭逶天浮'《王安石》. ㉡물이 깊고 넓은 모양. '飄飄可終年, 一瀁安是非'《江淹》. ②괸물 항 괴어서 흐르지 않는 물. '停水, 東方曰都. 一名一'《說文》. ③흐를 항, 건널 항 '一, 水流皃. 一曰, 渡也'《集韻》.

字源 篆文 形聲. 氵(水)+亢〔音〕. '亢항'은 '羕양'과 통하여, '길다'의 뜻. 길고 끝없는 수택(水澤)의 뜻을 나타냄.

[沆漑 항개] 물이 느리게 흐르는 모양.
[沆茫 항망] 수면(水面)이 광대(廣大)한 모양.
[沆漭 항망] 물이 광대(廣大)한 모양.
[沆瀁 항양] 물이 깊고 넓은 모양.
[沆瀣 항해] 이슬 기운. 일설(一說)에는, 바다의 기운. 또 일설에는, 북방(北方) 야반(夜半)의 기운.
◉漭沆. 朝沆.

4 ⑦ [沇] 人名 ■ 연 ㊤銑 以轉切 yǎn ■ 유 ㊤紙 愈水切 wěi

筆順 丶 氵 氵 氵 沿 汴 沇

字解 ■ ①물이름 연 제수(濟水)의 상류. '道一水東流爲濟'《書經》. ②고을이름 연 주(州)의 이름. 兗(儿部 七畫)과 통용. '角亢氐, 一州'《漢書》. ③흐를 연 물이 졸졸 흐르는 모양. '一一四塞'《漢書》. ④침향 연 '一水'는 침향(沈香)의 별칭(別稱). '一水薰衣白壁堂'《獨孤及》. ■ 흐를 유 '一溶'은 물이 산골짜기를 흐르는 모양. '一溶淫鬻'《司馬相如》.

字源 金文 篆文 古文 古文 形聲. 氵(水)+允〔音〕. 古文의 '㕣연'은 會意. 八+口. '沿연'은 形聲. 水+㕣〔音〕. 물 이름.

[沇水 연수] ㉠제수(濟水)의 상류. ㉡'침향(沈香)'

의 별칭(別稱).
[沇沇 연연] 물이 졸졸 흐르는 모양.
[沇溶 유용] 물이 산골짜기를 흐르는 모양.

4 ⑦ [汱] 견 ㊤銑 姑泫切 quǎn

字解 ①물떨어질 견 물이 떨어지는 모양. '一, 墜也. (注) 一, 水落貌'《爾雅》. ②스밀 견 물이 스밈. '一, 又伏水也'《廣韻》.

4 ⑦ [沈] 高人 一 침 ㊥侵 直深切 chén 二 심 ㊤寢 式荏切 shěn

筆順 丶 丶 氵 氵 氵冖 氵⺈ 沈

字解 一 ①가라앉을 침 ㉠물속에 가라앉음. 잠김. 빠짐. '浮一'. '載一載浮'《詩經》. ㉡마음이 가라앉음. 침착함. '一重'. '性一敏寬和'《晉書》. ②빠질 침 ㉠물에 빠져 죽음. 익사(溺死)함. '一, 溺也'《集韻》. ㉡탐닉함. '一溺'. '一湎冒色'《書經》. ③가라앉힐 침 ㉠가라앉게 함. '一舟'. '周公自揃其蚤一之河'《史記》. ㉡물속에 던져 넣음. '一, 投物於水中也'《字彙》. ④영락할 침 '白首一下吏'《蘇軾》. ⑤막힐 침 정체함. 멈춤. '一, 止也'《廣雅》. '以揚一伏, 而黜散越也'《國語》. ⑥진흙 침 이토(泥土). '一有履'《莊子》. ⑦호수 침 호소(湖沼). '有潮當一'《述征記》. 二 ①즙 심 즙액(汁液). 瀋(水部 十五畫)과 同字. '爲檢一故設撥'《禮記》. ②성 심 성(姓)의 하나. '一德潛'.

字源 甲骨文 金文 篆文 形聲. 氵(水)+冘〔音〕. '冘音'은 사람이 머리밑에 괴는 베개의 象形으로, 머리를 받쳐 안정시킴의 뜻을 나타냄. 물속에 가라앉음의 뜻을 나타냄. 甲骨文에서는 水+牛의 會意가 '沈'자를 나타냄.

參考 沉(欠次條)은 俗字.

[沈德潛 심덕잠] 청(淸)나라의 시인(詩人). 장주(長洲) 사람. 자(字)는 확사(確士). 호는 귀우(歸愚). 나이 칠십이 넘어 비로소 벼슬하여 편수(編修)로 있다가 고종(高宗)에게 발탁되어 내각학사(內閣學士)·예부시랑(禮部侍郞)을 역임하였음. 시문(詩文)에 능할 뿐만 아니라 역대(歷代)의 시(詩)의 원류(源流)에 조예가 깊어 변석(辨析)이 정심(精審)함. 저서에 〈오조시별재(五朝詩別裁)〉·〈시원(詩源)〉·〈죽소헌시초(竹嘯軒詩鈔)〉·〈서호지찬(西湖志纂)〉·〈귀우시문초(歸愚詩文鈔)〉가 있음.
[沈約 심약] 양(梁)나라의 문인(文人). 무강(武康) 사람. 자(字)는 휴문(休文). 널리 학문에 통하고 시문(詩文)을 잘하였으며, 장서(藏書)가 2만 권에 이르렀다 함. 송(宋)나라와 제(齊)나라를 섬겨 사도(司徒)·좌장사(左長史) 등을 지내고 양(梁)나라 무제(武帝) 때 상서복야(尙書僕射)·상서령(尙書令)을 역임하였음. '진서(晉書)〉·〈송서(宋書)〉·〈제기(齊紀)〉·〈양무기(梁武紀)〉·〈송문장지(宋文章志)〉·〈사성운보(四聲韻譜)〉 등의 저술이 있음.
[沈酣 침감] ㉠대단히 취함. ㉡사물(事物)에 탐닉(耽溺)함.
[沈降 침강] 가라앉음.
[沈痼 침고] 고질(痼疾).
[沈果 침과] 침착하고 과단성이 있음.
[沈屈 침굴] 영락(零落)함.
[沈年 침년] 오랜 세월. 다년간.
[沈淖 침뇨] 가라앉음. 빠짐. 전(轉)하여, 쇠(衰)함.
[沈溺 침닉] ㉠침몰(沈沒). ㉡술·계집·노름 따위에 빠짐. ㉢고경(苦境)에 빠짐. ㉣습질(濕疾).
[沈斷 침단] 침착하게 처단함.
[沈澹 침담] 침착하고 조용함.
[沈頓 침돈] 기운이 빠짐.
[沈亂 침란] 탐닉(耽溺)하여 어지러움.
[沈慮 침려] 침사(沈思).
[沈寥 침료] 쓸쓸함.
[沈淪 침륜] ㉠침몰(沈沒). ㉡고경(苦境)에 빠짐. 영락(零落)함.
[沈綸 침륜] 낚싯줄을 가라앉힘. 또, 그 낚싯줄.
[沈漫 침만] 빠짐. 탐닉(耽溺)함.
[沈眠 침면] 코를 골며 곤히 잠.
[沈湎 침면] 주색(酒色)에 빠져 헤어나지 못함.
[沈綿 침면] 병이 낫지 않고 오래 끎.
[沈謀 침모] 깊이 생각하여 꾀를 짜냄. 또, 깊은 꾀.
[沈木 침목] 가라앉은 나무.
[沈沒 침몰] 물속에 가라앉음. 물속에 빠져 들어감.
[沈墨 침묵] 조용함. 침묵(沈默).
[沈默 침묵] 말이 없이 가만히 있음. 잠잠함.
[沈敏 침민] 침착하고 민첩함.
[沈伏 침복] 뜻을 얻지 못하고 시골에 파묻혀 있음.
[沈浮 침부] ㉠물 위에 떠오름과 물속에 가라앉음. ㉡떴다 가라앉았다 함. ㉢남을 따라 행동함. 세속(世俗)을 좇음. ㉣영고성쇠(榮枯盛衰).
[沈思 침사] 생각에 잠김. 깊이 생각함.
[沈翔 침상] 물속에 잠김과 하늘을 낢. 전(轉)하여, 어류(魚類)와 조류(鳥類).
[沈塞 침색] 가라앉혀 막음. 또, 가라앉아 막힘.
[沈船破釜 침선파부] 목숨을 걸고 싸움을 이름.
[沈設 침설] 수중(水中)에 설치함.
[沈愁 침수] 수심에 잠김. 깊은 수심.
[沈粹 침수] 마음이 침착하고 순수함.
[沈邃 침수] 침심(沈深).
[沈柹 침시] 침감.
[沈猜 침시] 침착하고 시기심이 많음.
[沈心 침심] 침사(沈思).
[沈深 침심] 마음이 침착하고 생각이 깊음.
[沈審 침심] 침착하고 사리에 밝음.
[沈痾 침아] 침고(沈痼).
[沈壓 침압] 가라앉아 눌림.
[沈魚落雁 침어낙안] 고기는 부끄러워서 물속으로 들어가고, 기러기는 부끄러워서 땅에 떨어진다는 뜻으로, 미인(美人)의 형용.
[沈抑 침억] 침울(沈鬱).
[沈玉 침옥] 하백(河伯)에 제사 지낼 때 옥을 물속에 던져 가라앉히는 예(禮). 또, 그 옥.
[沈壅 침옹] 쌓여 막힘.
[沈勇 침용] 침착하고 용맹함.
[沈牛 침우] ㉠물소의 일종. ㉡제사(祭祀) 때 소를 물에 가라앉히는 예(禮). 또, 그 소.
[沈憂 침우] 근심에 잠김. 깊은 근심.
[沈鬱 침울] 마음이 울적함.
[沈菀 침원] 침울(沈鬱).
[沈遠 침원] 침심(沈深).
[沈陰 침음] 음산함.

[沈疑 침의] 의심하여 깊이 생각함.
[沈毅 침의] 마음이 침착하고 의지가 강함.
[沈懿 침의] 침착하고 온화함.
[沈佚 침일] 탐닉(耽溺)함.
[沈潛 침잠] ㉠물속에 가라앉음. ㉡성정이 가라앉아서 외모에 드러나지 않음. ㉢마음을 진정하고 깊이 생각함.
[沈壯 침장] 침착하고 웅장함.
[沈藏 침장] 가라앉아 숨음. 또, 가라앉혀 숨김.
[沈滓 침재] 앙금.
[沈寂 침적] 조용함. 한적함.
[沈積 침적] 물속에 가라앉아 쌓임.
[沈澱 침전] 액체(液體) 속에 섞인 물건이 밑바닥에 가라앉음. 또, 그 가라앉은 앙금.
[沈正 침정] 위인(爲人)이 침착(沈着)하고 바름.
[沈停 침정] 가라앉아 머묾.
[沈情 침정] 마음을 가라앉힘.
[沈靜 침정] 마음이 가라앉아 조용함.
[沈竈產鼃 침조산와] 지백(智伯)이 조양자(趙襄子)의 성(城)을 수공(水攻)할 때, 성중(城中)이 물바다가 되어 솥이 물속에 오랫동안 가라앉아서 마침내 개구리가 그 안에 들끓게 되었다는 고사(故事).
[沈朱 침주] 진홍색.
[沈珠 침주] 구슬을 가라앉힌다는 뜻으로, 귀인(貴人)이 죽음을 이름.
[沈重 침중] 침착(沈着)하고 진득함.
[沈漬 침지] 물건을 물속에 담금.
[沈鷙 침지] 침의(沈毅).
[沈質 침질] 침착한 성질.
[沈着 침착] ㉠가라앉음. 침몰(沈沒). ㉡성질(性質)이 가라앉고 착실함.
[沈斥 침척] 바닷물이 들어와 염분이 있는 땅. 척로(斥鹵).
[沈天 침천] 구천(九天) 중의 여덟째 하늘.
[沈滯 침체] ㉠가라앉아 머묾. ㉡벼슬이 오르지 아니함. ㉢일이 잘되어 나가지 아니함.
[沈醉 침취] 술에 몹시 취(醉)함.
[沈沈 침침] ㉠밤이 깊어 조용한 모양. ㉡성(盛)한 모양. ㉢초목이 무성한 모양. ㉣깊은 모양. ㉤조용한 모양. 또, 침착한 모양.
[沈浸 침침] 가라앉혀 담금.
[沈浸醲郁 침침농욱] ㉠농후(濃厚)한 맛 속에 깊이 잠긴다는 뜻으로, 묘(妙)한 곳을 십분(十分) 완미(玩味)함을 이름. ㉡근심이 되어 마음이 몹시 아픔.
[沈痛 침통] 마음에 깊이 감동(感動)됨.
[沈退 침퇴] 침착하여 함부로 나아가지 아니함. 침착하고 무욕(無欲)함.
[沈下 침하] 가라앉음. 또는 가라앉힘.
[沈悍 침한] 침착하고 사나움.
[沈香 침향] 팥꽃나뭇과에 속하는 상록 교목(常綠喬木). 또, 그 수지(樹脂). 동인도(東印度)의 특산으로 향료(香料)로 쓰임.
[沈惑 침혹] 무엇을 몹시 좋아하여 거기에 빠짐.
[沈厚 침후] 침중(沈重).
[沈酗 침후] 술을 과음하고 주정(酒酊)이 심함.
◉擊沈. 轟沈. 浮沈. 消沈. 鎖沈. 升沈. 深沈. 寥沈. 陸沈. 湮沈. 爆沈.

4 ⑦ [汄] 칙 ㉧職 阻力切 zè

字解 ①물흐르는모양 칙 '湢—, 水流皃'《集韻》. ②수세(水勢) 칙 '湢—, 水勢'《廣韻》.

4 ⑦ [沉] 沈(前前條)의 俗字

4 ⑦ [沌] 人名 돈 ①②㊤阮 徒損切 dùn ③④㊥元 徒渾切 tún ⑤㊦願 都困切 dùn

字解 ①막힐 돈 물이 유통(流通)하지 않음. '—, 水不通'《集韻》. ②기운덩어리 돈 '渾—'은 천지가 아직 개벽(開闢)되지 않아 모든 사물이 확실히 구별되지 않는 상태. ③물결칠 돈 물결이 세차게 치는 기세. '——渾渾, 狀如奔馬'《枚乘》. ④돌 돈 빙빙 도는 모양. '渾渾——, 形圓而不可敗'《孫子》. ⑤어리석을 돈 우매한 모양. '愚人之心也哉——兮'《老子》.

字源 形聲. 氵(水)+屯〔音〕. '屯둔'은 '떼 지어 모이다'의 뜻. 물이 뒤섞이다의 뜻을 나타냄.

[沌沌 돈돈] 자해(字解) ❷❸❹를 보라.
◉殄沌. 混沌. 渾沌.

4 ⑦ [沍] 호(②혁㊍) ①㊦遇 胡故切 hù ②㉧陌 轄格切

字解 ①닫을 호, 막을 호 폐색(閉塞)함. '固陰—寒'《左傳》. ②얼 호 얼음이 얾. '川池瀑—'《列子》.

字源 形聲. 氵(水)+互〔音〕

[沍陰 호음] 음기(陰氣)가 응결함.
[沍涸 호학] 얼어 굳음.
[沍寒 호한] 꽝꽝 얼어붙는 심한 추위.

4 ⑦ [汧] 〔견〕 汧(水部 六畫〈p. 1221〉)의 俗字

4 ⑦ [沐] 人名 목 ㉧屋 莫卜切 mù

筆順 丶 冫 氵 氵 汁 汴 沐

字解 ①머리감을 목 머리를 감음. '—髮'. '—浴'. '新—者彈冠'《楚辭》. 전(轉)하여, 윤택(潤澤)하게 하는 뜻으로도 쓰임. '冬無宿雪, 春不澳—'《後漢書》. ②씻을 목 '—蘭澤'《宋玉》. ③뜨물 목 머리 감는 데 쓰는 쌀뜨물. '丐——我'《史記》. ④베어없앨 목 제거함. '—涂樹之枝'《管子》. ⑤다스릴 목 '夫子助之—椁'《禮記》. ⑥성 목 성(姓)의 하나.

字源 篆文 形聲. 氵(水)+木〔音〕. '木목'은 '尨방'과 통하여, 삽살개처럼 머리가 늘어짐의 뜻. 물로 머리를 감다의 뜻을 나타냄.

[沐槨 목곽] 결이 고운 널.
[沐髮 목발] 머리를 감음. 또, 감은 머리.
[沐洗 목세] 목욕(沐浴) ㉠.
[沐浴 목욕] ㉠머리를 감고 몸을 씻음. ㉡은혜를 입음. 목은(沐恩).
[沐雨 목우] '목우즐풍(沐雨櫛風)'을 보라.
[沐雨櫛風 목우즐풍] 비로 머리를 감고 바람으로 머리를 빗질한다는 뜻으로, 풍우를 무릅쓰고 동분서주함을 이름. 즐풍목우(櫛風沐雨).
[沐恩 목은] 은혜를 입음.

[沐日 목일] 벼슬아치가 집에 가서 목욕하는 날. 곧, 휴일(休日).
[沐澡 목조] 목욕(沐浴) ❶.
[沐櫛 목즐] 머리를 감고 빗음.
[沐汗 목한] 미역 감은 것처럼 땀을 흘림.
[沐猴 목후] 원숭이. 미후(獼猴)의 전음(轉音)으로서 초(楚)나라의 방언(方言)임.
[沐猴而冠 목후이관] 원숭이가 관을 씀. 곧, 외모는 사람 같지만 마음은 원숭이처럼 미련하다고 냉소(冷笑)한 말.
◉歸沐. 三薰三沐. 洗沐. 梳沐. 握沐. 雨沐. 燠沐. 澡沐. 櫛沐. 湯沐. 澣沐. 薰沐. 休沐.

4 ⑦ [沏] 절 ㊀屑 千結切 qiè

字解 ①물살빠를 절 '鬱―迭而隆頹'《木華》. ②물소리 절 '―, 水聲'《廣韻》. ③갈 절 문질러 갊. '激勢相―'《木華》.

[沏迭 절질] 물살이 빠른 모양.

4 ⑦ [沒] 高 入 ㊀ 몰 ㊀月 莫勃切 mò, ⑨méi ㊁ 매 ㊍隊 莫佩切 mèi

筆順 丶 冫 氵 氵 沪 沒 沒

字解 ㊀ ①빠질 몰 가라앉음. '沈―'. '乃夫―人'《莊子》. ②다할 몰 다 없어짐. '舊穀旣―'《論語》. ③마칠 몰 끝마침. 끝남. '未―喪'《禮記》. ④망할 몰 멸망시킴. '―, 滅也'《小爾雅》. ⑤지나칠 몰 정도를 넘음. '君子不以美―禮'《禮記》. ⑥숨을 몰 은닉함. '乍―乍出'《北史》. ⑦죽을 몰 사망함. '―年'. '晏子―十有七年'《說苑》. ⑧탐할 몰 탐냄. '不―爲後'《國語》. ⑨없을 몰 '―常識'. '怕―有枝葉花實'《傳習錄》. ⑩빼앗을 몰 몰수함. '官―'. '―入縣官'《周禮註》. ⑪들어갈 몰 '冒―輕儳'《國語》. ⑫성 몰 성(姓)의 하나. ㊁ ①빠져가라앉을 매 '―, 沈溺也'《集韻》. ②어두울 매 어리석음. '何――也'《左傳》.

字源 篆文 形聲. 氵(水)+殳(㱙)〔音〕. '回몰'은 소용돌이치는 물속에 손을 넣어 무엇을 꺼내다의 뜻. 뒤에 '水수'를 덧붙여, '가라앉다'의 뜻을 나타냄.

參考 没(次條)은 同字.

[沒却 몰각] ㉠없애 버림. ㉡무시(無視)함. 잊음.
[沒覺 몰각] 지각이 없음. 몰지각(沒知覺).
[沒經界 몰경계] 경계를 분간하지 못함.
[沒涇渭 몰경위] 경위를 분간하지 못함.
[沒骨 몰골] 화법(畫法)의 하나. 윤곽(輪廓)의 선(線)을 나타내지 않고 먹으로나 채색으로 그리는 일.
[沒官 몰관] 죄인의 재산 또는 가족을 관아에서 몰수함.
[沒交涉 몰교섭] 관련이 없음. 무관계함.
[沒喫 몰끽] 몰식(沒食).
[沒奈何 몰내하] 몰법자(沒法子).
[沒年 몰년] ㉠죽은 해. ㉡죽은 나이.
[沒能 몰능] 할 수 없음.
[沒溺 몰닉] 물에 빠짐.
[沒頭 몰두] 일에 열중함.
[沒落 몰락] ㉠영락(零落)함. ㉡성(城) 따위가 함락됨. ㉢멸망(滅亡)함.
[沒略 몰략] 협박하여 억지로 빼앗음. 약탈함.
[沒了 몰료] 없어짐.
[沒利 몰리] 이익(利益)을 잃어버림.
[沒沒 몰몰] ㉠빠져 가라앉는 모양. 몰락하는 모양. ㉡매몰(埋沒)함.
[沒沒求活 몰몰구활] 구차하게 오래 살려고 함.
[沒法子 몰법자] 방법이 없음. 할 도리가 없음.
[沒分數 몰분수] 아무 분수(分數)가 없음.
[沒分曉 몰분효] 몰분수(沒分數).
[沒死 몰사] 죄다 죽음.
[沒殺 몰살] 죄다 죽임.
[沒常識 몰상식] 상식(常識)이 없음.
[沒書 몰서] 신문·잡지에 기고(寄稿)한 것이 게재되지 않는 일.
[沒世 몰세] ㉠한평생. ㉡영구히.
[沒誦 몰송] 죄다 욈.
[沒收 몰수] 백성이 소유한 물건을 관아에서 거두어들임. 몰입(沒入).
[沒數 몰수] 깡그리. 죄다. 온통. 전부(全部).
[沒膝 몰슬] 무릎까지 빠짐. 무릎이 빠질 만한 깊이임.
[沒食 몰식] 죄다 먹음.
[沒食子 몰식자] 오배자(五倍子).
[沒廉恥 몰염치] 염치(廉恥)가 없음.
[沒了期 몰요기] 끝이 없음.
[沒用 몰용] 쓸모없음. 소용없음.
[沒有 몰유] 없음.
[沒飮 몰음] 술을 무한정(無限定)하고 많이 마심.
[沒意義 몰의의] ㉠이유가 없음. 까닭이 없음. ㉡의미가 없음.
[沒人 몰인] 물속에 들어가 채취(採取)하는 사람. 잠수부(潛水夫).
[沒人情 몰인정] 인정(人情)이 없음.
[沒入 몰입] ㉠어떤 데에 빠짐. 또는 빠뜨림. ㉡백성의 물건을 관아에서 거두어들임. ㉢죄인을 거두어 관아의 노비(奴婢)로 삼음.
[沒字碑 몰자비] 무식쟁이.
[沒地 몰지] ㉠죽어서 땅속에 묻힘. 수명이 다 되어 죽음. ㉡전쟁에서 대패(大敗)할 땅.
[沒趣味 몰취미] 취미(趣味)가 없음. 취미를 모름.
[沒齒 몰치] ㉠수명이 다할 때까지. 한평생. ㉡배냇니가 빠지는 나이. 곧, 남자 8세, 여자 7세.
[沒巴鼻 몰파비] ㉠손잡이가 없음. ㉡흔적이 없음.
[沒敗 몰패] 아주 패(敗)함.
[沒風 몰풍] 풍치(風致)가 없음.
[沒風流 몰풍류] 풍류스러운 데가 없음. 풍치가 없음. 속됨.
[沒風致 몰풍치] 풍치(風致)가 없음.
[沒後 몰후] 죽은 뒤.
◉汨沒. 埋沒. 滅沒. 泯沒. 病沒. 覆沒. 神出鬼沒. 掩沒. 夭沒. 雲散鳥沒. 淪沒. 隱沒. 溺沒. 湮沒. 日沒. 潛沒. 籍沒. 陣沒. 出沒. 沈沒. 敗沒. 漂沒. 陷沒.

4 ⑦ [没] 沒(前條)과 同字

4 ⑦ [泜] 人名 지 ㊤支 陳尼切 zhǐ

字解 ①멈출 지 멈춤. 또, 닿음. '―, 箸止也'《說文》. ②가지런할 지 가지런한 모양. '――庶類, 含甘吮滋. (注) ――, 齊貌'《後漢書》.

字源 篆文 形聲. 氵(水)+氏〔音〕

[泜泜 지지] 가지런한 모양.

4 ⑦ [沔] [人名] 면 [上]銑 彌兗切 miǎn

[字解] ①물이름 면 산시 성(陝西省)을 흐르는 한수이(漢水) 강의 지류. '一水'. '逾于一'《書經》. ②물그득히흐를 면 물이 많아 넘실넘실 흐르는 모양. '一彼流水'《詩經》. ③빠질 면 湎(水部 九畫)과 통용. '流一沈佚'《史記》.

[字源] 篆文 形聲. 氵(水)+丏〔音〕. '丏면'은 '덮어 막다'의 뜻. 물이 그득 덮여 차는 모양, 빠지다의 뜻을 나타냄. 전(轉)하여, 강의 이름.

[沔水 면수] 자해(字解) ❶을 보라.
[沔涎 면연] 물이 흐르는 모양.
◉淸沔. 湛沔.

4 ⑦ [汮] 균 [平]眞 居勻切 jūn

[字解] 물이름 균 허난 성(河南省) 서부를 남쪽으로 흘러, 후베이 성(湖北省) 균현(均縣)에서 한수이(漢水) 강으로 흘러드는 강. 지금의 석수(淅水)와 그 하류(下流)인 단강(丹江).

4 ⑦ [沕] [人名] [一] 물 [入]物 文弗切 wù [二] 밀 [入]質 美筆切 mì

[字解] [一] 아득할 물 깊어 아득한 모양. '一穆無窮兮'《賈誼》. [二] 숨을 밀 잠복함. '一深潛以自珍'《史記》.

[字源] 形聲. 氵(水)+勿〔音〕

[沕漠 물막] 아득한 모양. 어두운 모양.
[沕穆 물목] 깊어 아득한 모양.
[沕潏 물율] 물이 숨어 흐르는 모양.
◉軋沕.

4 ⑦ [沖] [人名] 충 [平]東 直弓切 chōng

[筆順] 丶 丶 氵 氵 沪 沪 沖

[字解] ①빌 충 공허함. '虛一'. '大盈若一'《老子》. ②깊을 충 '深一'. '泳之彌廣挹, 之彌一'《潘尼》. ③온화할 충 유화(柔和)함. '一和'. '無累在淵一'《蕭慤》. ④높이날 충 하늘 높이 날아올라감. '一飛一天'《史記》. ⑤어릴 충 유소함. '幼一'. '惟予一弗及知'《書經》. ⑥부딪칠 충 속(俗)에, 衝(行部 九畫)의 대자(代字)로 쓰임. '子午相一'. ⑦용솟음칠 충 물이 용솟음쳐 움직임. '一, 涌繇也'《說文》. ⑧성 충 성(姓)의 하나.

[字源] 甲骨文 金文 篆文 形聲. 氵(水)+中〔音〕. '中중'은 '속'의 뜻. 물의 속의 뜻에서, '깊다'의 뜻을 나타냄.

[沖曠 충광] 빔. 공허함.
[沖眷 충권] 깊은 권애(眷愛). 깊은 은총(恩寵).
[沖襟 충금] 가슴. 흉금(胸襟).
[沖氣 충기] 충화지기(沖和之氣).
[沖年 충년] 어린 나이.
[沖淡 충담] 성질이 맑고 깨끗하며 욕심이 없음.
[沖澹 충담] 충담(沖淡).
[沖漠 충막] ㉠막연(漠然)한 모양. 어렴풋한 모양. ㉡공허하고 광막(廣漠)한 모양.
[沖寞 충막] 충적(沖寂).
[沖寞無眹 충막무짐] 공허하고 광막하여 아무 조짐(兆眹)도 볼 수 없음.
[沖昧 충매] 어리고 어리석음.
[沖妙 충묘] 오묘(奧妙)함.
[沖想 충상] 깊은 생각.
[沖損 충손] 충양(沖讓).
[沖弱 충약] 나이가 어림.
[沖讓 충양] 허심탄회하고 겸손함.
[沖盈 충영] 빔과 참. 허실(虛實). 영허(盈虛).
[沖幼 충유] 어림. 유충(幼沖).
[沖融 충융] 온화함. 화기(和氣)가 돎.
[沖挹 충읍] 충양(沖讓).
[沖人 충인] 어린애. 천자(天子)의 겸칭(謙稱).
[沖子 충자] 어린아이. 동자(童子).
[沖寂 충적] 공허하고 조용함. 볼 만한 형적(形迹), 들을 만한 음성이 없음.
[沖積 충적] 토사가 물에 흘러내려 쌓임.
[沖靜 충정] 허심탄회하고 조용함.
[沖操 충조] 겸양(謙讓)한 마음.
[沖天 충천] 하늘 높이 올라감.
[沖沖 충충] ㉠늘어진 모양. ㉡근심하는 모양. ㉢얼음을 써는 소리.
[沖退 충퇴] 충양(沖讓).
[沖虛 충허] ㉠빔. 공허함. ㉡허심탄회함.
[沖虛眞經 충허진경] 책 이름. '열자(列子)'의 별칭.
[沖和 충화] ㉠유화(柔和)함. 온화함. ㉡원기. 정기(精氣).
[沖和之氣 충화지기] 천지간(天地間)의 조화된 기(氣).
◉謙沖. 大盈若沖. 飛沖. 深沖. 淵沖. 幼沖. 虛沖. 和沖.

4 ⑦ [沘] 비 [上]紙 卑履切 bǐ [平]支 房脂切

[字解] 물이름 비 허난 성(河南省)을 흐르는 강. '漢軍復與甄阜梁丘賜, 戰於一水西'《後漢書》.

[字源] 形聲. 氵(水)+比〔音〕

[沘水 비수] 자해(字解)를 보라.

4 ⑦ [沙] [高·人] 사 ①-⑥[平]麻 所加切 shā ⑦[去]禡 所嫁切 shà

[筆順] 丶 丶 氵 氵 沙 沙 沙

[字解] ①모래 사 돌의 부스러기. '一石'. '爲萬餘囊, 滿盛一, 壅水上流'《史記》. ②물가 사 물가의 모래땅. '鳧鷖在一'《詩經》. ③사막 사 넓은 모래벌판. '少草木多大一'《漢書》. ④모래일 사 모래가 일어남. '風一晦暝'《舊唐書》. ⑤일 사, 추릴 사 쌀 같은 것을 읾. 추려 냄. '一汰'. '一之汰之'《晉書》. ⑥사붙이 사 얇은 옷감. 紗(糸部 四畫)와 통용. '素一'《周禮》. ⑦목쉴 사 '鳥皫色而一鳴, 鬱'《禮記》.

[字源] 金文 篆文 別體 會意. 氵(水)+少. 물속의 작은 돌, '모래'의 뜻을 나타냄.

[沙界 사계]《佛敎》갠지스 강(江)의 모래처럼 무수(無數)한 세계.

[沙工 사공] 뱃사공.
[沙丘 사구] 모래로 이룬 언덕.
[沙鷗 사구] 물가 모래 위에 있는 갈매기.
[沙金 사금] 모래흙 속에 섞인 금.
[沙禽 사금] 물가의 모래 위에 사는 물새.
[沙器 사기] 백토(白土)로 구워 만든 그릇. 사기그릇.
[沙泥 사니] 모래와 진흙.
[沙棠 사당] 과수(果樹)의 한 가지. 재목으로 배를 만듦.
[沙羅雙樹 사라쌍수] '사라쌍수(娑羅雙樹)'와 같음.
[沙礫 사력] 모래와 자갈.
[沙鹵 사로] 소금기가 있는 모래밭.
[沙漏 사루] 모래가 새는 분량에 의하여 시간을 재는 기계. 모래시계.
[沙幕 사막] 사막(沙漠).
[沙漠 사막] 모래만 깔리고 초목(草木)이 나지 않는 넓은 들.
[沙木 사목] '삼목(杉木)'의 별칭(別稱).
[沙門 사문]《佛敎》중.
[沙彌 사미]《佛敎》비구(比丘)가 될 만큼 아직 수행이 익지 않은 어린 중.
[沙彌尼 사미니]《佛敎》비구니(比丘尼)가 될 만큼 아직 수행(修行)이 익지 않은 여자 중.
[沙鉢 사발] 사기(沙器)로 된 밥그릇.
[沙鉢通文 사발통문]《韓》주모자(主謀者)를 숨기기 위하여 관계자의 성명을 둥글게 뺑 돌려 적은 통문.
[沙防 사방] ㉠흙·모래·돌 등으로 쌓은 방축(防築). ㉡《韓》사태(沙汰)를 방지함.
[沙蔘 사삼] 초롱꽃과에 속하는 다년생 만초(蔓草). 뿌리는 식용·약용으로 함. 더덕.
[沙書 사서] 모래땅 위에서 글씨를 쓰거나 그림을 그리는 장난.
[沙石 사석] 모래와 돌.
[沙噀 사손] '해삼(海蔘)'의 별칭(別稱).
[沙匙 사시] ㉠사기 숟가락. ㉡서양식(西洋式)의 숟가락.
[沙壤 사양] 모래땅.
[沙魚 사어] 모래무지.
[沙淤 사어] 사니(沙泥).
[沙衍 사연] ㉠사저(沙渚). ㉡고비 사막(沙漠).
[沙煙 사연] 사진(沙塵).
[沙蠶 사잠] 바닷가의 진흙 속에 사는 가늘고 긴 빨간 벌레. 낚싯밥으로 쓰임. 갯지렁이.
[沙場 사장] ㉠모래톱. ㉡사막(沙漠). ㉢전쟁터. 전장(戰場).
[沙渚 사저] 모래 강변.
[沙田 사전] 모래가 많은 밭.
[沙汀 사정] 사저(沙渚).
[沙鳥 사조] 사금(沙禽).
[沙洲 사주] 해안에 저절로 생기는 모래톱.
[沙中偶語 사중우어] 신하(臣下)가 몰래 모반(謀叛)하려고 의논하는 일. 한고조(漢高祖)가 공신(功臣) 20여 인(人)을 봉(封)하였을 때 여러 장수들이 모래땅 위에 앉아서 수군거리는 것을 보고 수상히 여겨 장양(張良)에게 물었더니, 장양이 그들은 논공행상(論功行賞)에 불평을 품고 배반하려고 서로 의논하는 것이라고 대답한 고사(故事)에서 나온 말.
[沙地 사지] 모래땅.
[沙塵 사진] 모래가 섞인 먼지.
[沙川 사천] 모래가 많은 내.
[沙草 사초] 모래 위에 나는 풀.
[沙蟲 사충] '사영(射影)'과 같음.
[沙嘴 사취] 사주(沙洲)의 불쑥 나온 부문.
[沙汰 사태] ㉠쌀을 일어 모래를 가려냄. ㉡사람 또는 물건을 가림. ㉢시비곡직(是非曲直)을 바로잡음. 선악을 가림. ㉣《韓》산비탈 같은 것이 무너지는 현상.
[沙土 사토] 모래가 많은 흙.
[沙盒 사합] 사기로 만든 공기.
[沙戶 사호] 물가에 있는 집.
[沙虹 사홍] '새우〔鰕〕'의 별칭(別稱).
◉驚沙. 金沙. 丹沙. 博浪沙. 白沙. 細沙. 流沙. 泥沙. 磧沙. 汀沙. 汰沙. 土沙. 堆沙. 平沙. 風沙. 恆沙.

4 ⑦ [沚] 人名 지 ㊤紙 諸市切 zhǐ ㊦寘 職吏切

筆順 ㇔ 氵 氵 汁 沚 沚

字解 물가 지 바다·강·호수 등의 물결이 쳐 밀려오는 수변(水邊). 또, 강섬. '于沼于—'《詩經》.

字源 甲骨文 篆文 形聲. 水+止〔音〕. '止지'는 '멈추다'의 뜻. 물이 멈추어 있는 곳, 물가의 뜻. 또 일설(一說)에 '止지'는 '발'의 뜻. 물결이 발을 씻을 정도의 곳, '물가'를 뜻한다고도 함.

◉洲沚. 中沚.

4 ⑦ [泮] 반 ㊦翰 普半切 pàn

字解 ①물가 반 수애(水涯). '輞川有芙蓉—'《唐書》. ②흐를 반 물이 흐름. '—, 水流也'《集韻》.

字源 形聲. 氵(水)+片〔音〕

參考 泮(水部 五畫)의 古字.

4 ⑦ [汯] 굉 ㊥庚 乎萌切 hóng

字解 빨리흐를 굉, 물결일 굉 수세(水勢)가 빠름. 또, 물결이 읾. '泓—㴏瀑'《郭璞》.

字源 形聲. 氵(水)+玄〔音〕

[汯汩 굉골] 물이 넓은 모양.
[汯汯 굉굉] 물이 빨리 흐르는 모양.

4 ⑦ [洽] ㊀ 감 ㊦勘 古暗切 gàn ㊁ 함 ㊥覃 胡南切 hán ㊂ 잠 ㊥侵 鋤簪切 cén

字解 ㊀ ①배바닥에괸물 감 배 안에 스며들어온 흙탕물. '淦, 水入船中也. … —, 淦或从今'《說文》. ②젖을 감 물기가 많음. '涵, 說文, 水澤多也. …或从今'《集韻》. ㊁ 배바닥에괸물 함, 젖을 함 ㊀과 뜻이 같음. ㊂ ①못 잠 '—, 池也'《集韻》. ②돌이름 잠 '曰號山. 多—石'《山海經》.

4 ⑦ [汥] ㊀ 지 ㊥支 章移切 zhī ㊁ 기 ㊥支 巨支切 ㊦寘 奇寄切 jì ㊂ 피 ㊦寘 平義切

字解 ㊀ ①물모이는곳 지 '—, 水都也.(段注)

水都者, 水所聚也'《說文》. ②지류 지 분류(分流). '一, 一曰, 分流'《集韻》. [二] ①물모이는곳 기, 지류 기 [一]과 뜻이 같음. ②물되돌아올 기 '一, 水戾'《廣韻》. [三] ①물모이는곳 피 [一]❶과 뜻이 같음. ②물되돌아올 피 [二]❷와 뜻이 같음.
[字源] 形聲. 氵(水)+支〔音〕

4 ⑦ [沛] [人名] 패 ㊅泰 普蓋切 博蓋切 pèi

[字解] ①늪 패 잡초가 무성한 늪. 초택(草澤). '一澤'. '水草雜處曰一'《管子 註》. ②갈 패 가는 모양. '一吾乘兮桂舟'《楚辭》. ③흐를 패 흐르는 모양. '灌二江而湍一'《郭璞》. ④넉넉할 패 풍성풍성한 모양. '一若有餘'《公羊傳》. ⑤많을 패 많은 모양. '一焉競溢'《王褒》. ⑥클 패 큰 모양. '一然自大'《漢書》. ⑦비올 패 비가 줄기차게 오는 모양. '一然下雨'《孟子》. ⑧빠를 패 속한 모양. '靈之神, 神哉一'《漢書》. ⑨성할 패 성대(盛大)한 모양. 또는, 왕성한 모양. '一然德教, 溢乎四海'《孟子》. ⑩넘어질 패 자빠짐. '顚一必於是'《論語》. ⑪덮일 패, 어두울 패 '豐其一'《易經》. ⑫보(洑) 패 논에 물을 대기 위해 봇물을 막은 저수지. '遇旱歲, 開以灌田, 名之曰一'《三餘贅筆》. ⑬고을이름 패 한고조(漢高祖)의 고향. 지금의 장쑤 성 패현(沛縣). '上還過一, 留置酒一宮'《史記》.
[字源] 篆文 形聲. 氵(水)+市〔音〕. '市패'는 '앞치마'의 뜻. 앞치마와 같은 너비로 물이 풍부하게 흐르다, 늪의 뜻을 나타냄.

[沛公 패공] 한고조(漢高祖)가 제위(帝位)에 오르기 전의 칭호. 패(沛)에서 기병(起兵)하였으므로 이름.
[沛宮 패궁] 패(沛)에 있는 궁전.
[沛艾 패애] ㉠용모가 준수(俊秀)한 모양. ㉡말의 생김새가 용장(勇壯)한 모양.
[沛焉 패언] 많은 모양.
[沛然 패연] ㉠성대(盛大)한 모양. ㉡큰 모양. ㉢비가 줄기차게 오는 왕성한 모양. ㉣물이 줄기차게 흘러내리는 모양. ㉤대단히 감동(感動)하는 모양. ㉥은택(恩澤)이 널리 미치는 모양.
[沛澤 패택] 풀이 우거진 얕은 못.
[沛沛 패패] ㉠걸어가는 모양. ㉡두려워하는 모양.
[沛乎 패호] 성대(盛大)한 모양.
◉滂沛. 汎沛. 湍沛. 顚沛. 造次沛.

4 ⑦ [次] 〔연〕
涎(水部 七畫〈p.1231〉)의 本字

4 ⑦ [汴] 〔류〕
流(水部 七畫〈p.1233〉)의 古字

4 ⑦ [汹] 〔흉〕
洶(水部 六畫〈p.1219〉)과 同字

4 ⑦ [汥] 〔유〕
攸(攴部 三畫〈p.923〉)와 同字

4 ⑦ [沿] 〔연〕
沿(水部 五畫〈p.1202〉)의 俗字

4 ⑦ [沢] 〔택〕
澤(水部 十三畫〈p.1300〉)의 俗字

4 ⑦ [沪] 〔로〕
瀘(水部 十六畫〈p.1313〉)의 略字

4 ⑦ [沪] 〔호〕
滬(水部 十一畫〈p.1279〉)의 簡體字

[泛] 〔범〕
水部 五畫(p.1208)을 보라.

4 ⑧ [忝] 〔첨〕
添(水部 八畫〈p.1252〉)과 同字

5 ⑨ [泉] [中人] 천 ㊥先 疾緣切 quán

[筆順] ′ 冂 白 白 白 白 皁 泉 泉

[字解] ①샘 천 수원(水源). '山下出一'《易經》. ②돈 천 고대에 금전을 '一'이라 하였음. 샘처럼 유통(流通)하기 때문에 이른 말. '一布'. '貨一'. '一與錢, 今古異名'《周禮 疏》. ③성 천 성(姓)의 하나.
[字源] 甲骨文 篆文 象形. 바위틈 구멍에서 솟아 나오는 샘의 象形으로, 샘의 뜻을 나타냄.

[泉金 천금] 돈. 금전(金錢).
[泉界 천계] 황천(黃泉). 저승.
[泉路 천로] 저승으로 가는 길.
[泉龍 천룡] 도마뱀. 곧, '석척(蜥蜴)'의 별칭(別稱).
[泉脈 천맥] 땅속에 있는 물줄기.
[泉府 천부] 주대(周代)에 시세(市稅)를 받는 일과 공비(公費)로 물품을 사들여 다시 그것을 원가로 파는 일을 맡아보던 관아(官衙).
[泉石 천석] 샘과 돌. 산과 물. 전(轉)하여, 산수의 경치. 수석(水石).
[泉石膏肓 천석고황] 산수(山水)를 사랑하는 것이 너무 정도에 지나쳐 마치 불치(不治)의 고질(痼疾)과 같음.
[泉聲 천성] 샘물이 흐르는 소리.
[泉水 천수] 샘물.
[泉涯 천애] 샘 가.
[泉壤 천양] 저승.
[泉韻 천운] 물이 흐르는 소리.
[泉源 천원] 샘물의 근원(根源). 물이 흐르는 근원. 수원(水源).
[泉幣 천폐] 천포(泉布).
[泉布 천포] 돈을 가리키는 말. 금전.
[泉下 천하] 황천지하(黃泉之下). 저승.
[泉響 천향] 천성(泉聲).
[泉華 천화] 온천(溫泉)에 생기는 탕화(湯花).
[泉貨 천화] 돈. 금전.
◉澗泉. 甘泉. 溪泉. 鑛泉. 九泉. 氿泉. 冷泉. 噴泉. 沸泉. 飛泉. 深泉. 巖泉. 言泉. 淵泉. 冽泉. 鹽泉. 靈泉. 醴泉. 溫泉. 涌泉. 龍泉. 源泉. 林泉. 井泉. 酒泉. 澄泉. 鐵泉. 淸泉. 寒泉. 檻泉. 鹹泉. 懸泉. 貨泉. 黃泉.

5 ⑩ [泰] [中人] 태 ㊅泰 他蓋切 tài

[筆順] 一 三 夫 夫 夫 泰 泰 泰 泰

[字解] ①클 태 太(大部 一畫)와 同字. '橫一河'

《漢書》. ②풍요로울 태 넉넉함. '西風謂之一風'《爾雅》. ③편안할 태 편안하여 구애됨이 없음. '君子一而不驕'《論語》. ④통(通)할 태 '天地交一'《易經》. ⑤너그러울 태 성품이 너그럽고 인색하지 않음. '用財欲一'《荀子》. ⑥교만할 태 거만함. 뽐냄. '一侈'. '不以一乎'《孟子》. ⑦심히 태 대단히. '昊天一憮'《詩經》. ⑧미끄러울 태 미끄러짐. '一, 滑也'《說文》. ⑨술동이 태 술을 담는 질그릇. '一, 有虞氏之尊也'《禮記》. ⑩태괘 태 육십사괘(六十四卦)의 하나. 곧, ☷〈건하(乾下), 곤상(坤上)〉으로, 음양(陰陽)이 조화되어 사물이 통리(通利)하는 상(象). ⑪성 태 성(姓)의 하나.

字源 甲骨文 篆文 古文 形聲. 甲骨文은 水+大〔音〕. '大대'는 편안히 자적하는 사람의 象形. 물에 잠겨 몸의 때를 씻고 편안히 쉬고 있는 사람의 모양에서, '편안함'의 뜻을 나타냄. 古文은 그 변형(變形). 篆文은 '収+水+大〔音〕로서, '収수'는 두 손으로 물을 떠서 몸을 씻는 모양을 나타냄. '汱대·汰태'와 같은 자(字)였으나, '汱·汰'는 주로, 쌀 따위를 일다, 일어서 추려 내다의 뜻을, '泰'는 '편안함'의 뜻을 나타냄.

[泰國 태국] '타이'의 한자(漢字) 이름.
[泰龜 태귀] 큰 거북.
[泰壇 태단] 하늘에 제사 지내는 단(壇).
[泰東 태동] ㉠동쪽 끝. 극동(極東). ㉡동양(東洋).
[泰斗 태두] ㉠태산북두(泰山北斗)의 약어(略語). ㉡그 방면에서 썩 권위가 있는 사람.
[泰山 태산] ㉠오악(五嶽)의 하나. 산둥 성(山東省) 봉안현(奉安縣)에 있는 명산(名山). ㉡장인(丈人). 태산에 장인봉(丈人峯)이 있는 데서 나온 말. ㉢끄떡없음의 비유.
[泰山府君 태산부군] 신(神)의 이름. 사람의 생사(生死)를 맡았다 함.
[泰山北斗 태산북두] ㉠태산(泰山)과 북두성(北斗星). ㉡세상(世上)에 존앙(尊仰)을 받는 사람의 비유(譬喩).
[泰山不讓土壤 태산불양토양] 태산은 작은 흙덩어리라도 싫어하지 않고 포용(包容)하기 때문에 큰 산이 되어 있다는 뜻으로, 사람도 마음을 크고 넓게 가져 어떠한 사람이라도 받아들여야만 큰 인물이 될 수 있다는 비유.
[泰山崩於前而色不變 태산붕어전이색불변] 태산이 눈앞에서 무너져도 조금도 안색이 변하지 아니한다는 뜻으로, 태연자약함을 이름.
[泰山巖巖 태산암암] ㉠태산(泰山)이 험준한 모양. ㉡인품이 뛰어나고 의지가 굳음의 비유.
[泰山壓卵 태산압란] 큰 산이 알을 누른다는 뜻으로, 일이 대단히 쉬운 것을 비유하는 말.
[泰山峻嶺 태산준령] 큰 산(山)과 험(險)한 재.
[泰山之霤穿石 태산지류천석] 태산의 물방울이 옛날부터 끊이지 않고 떨어져서 돌에 구멍을 뚫는 것과 같이 작은 힘이라도 자꾸 쌓으면 큰 공을 이룬다는 비유.
[泰山之安 태산지안] 태산이 움직이지 않는 것처럼 안정(安定)함을 이름.
[泰山頹梁木折 태산퇴양목절] 일대(一代)의 현인(賢人)이나 군자(君子)가 죽음을 이름. 태산은 산 중에서 가장 높은 산이고, 대들보는 집 짓는 재목 중에서 가장 중요한 재목이므로, 태산이 무너지고 대들보가 부러지는 데 비유한 말.
[泰山鴻毛 태산홍모] 아주 무거운 것과 아주 가벼운 것의 비유.
[泰色 태색] 뽐내는 빛. 거만한 기색.
[泰西 태서] 서양(西洋).
[泰安 태안] 태평(泰平).
[泰然 태연] 기색(氣色)이 아무렇지도 아니한 모양. 자약(自若)한 모양.
[泰然自若 태연자약] 침착하여 조금도 마음이 동요되지 아니하는 모양.
[泰運 태운] 태평(太平)한 운수.
[泰一 태일] 천지 만물의 생성(生成)의 근원. 우주의 본체. 태일(太一).
[泰日 태일] 태평(泰平)한 날.
[泰初 태초] 천지(天地)의 시초(始初). 태초(太初).
[泰侈 태치] 뽐내고 사치함.
[泰平 태평] 나라가 잘 다스려져 편안함. 태평(太平).
[泰風 태풍] 서풍(西風). 서풍은 만물을 성숙시킨다 하여 이르는 말.
◉交泰. 驕泰. 矜泰. 岱泰. 否泰. 奢泰. 安泰. 寧泰. 靜泰. 淸泰. 侈泰. 豐泰. 歡泰. 熙泰.

5 ⑧ **[沫]** 人名 말 ㊀曷 莫撥切 mò

字解 ①거품 말 ㉠물의 거품. 큰 것을 '泡', 작은 것을 '一'이라 함. '拊拂瀑一'《郭璞》. ㉡물이 끓을 때 나는 거품. '凡酌茶置諸盌, 令一餑均'《茶經》. ㉢입에서 나오는 침의 거품. 게거품. '疲驂喘一白'《曾鞏》. ②비말 말 튀어 올랐다가 흩어지는 물방울. '更相觸搏, 飛一起濤'《木華》. ③거품일 말 '冰井騰一'《夏侯湛》. ④땀 흘릴 말 '霑赤汗, 一流赭'《漢書》. ⑤말 말 그만둠. 그침. '芬至今猶未一'《楚辭》. '身服義而未一'《楚辭》. ⑥물이름 말 '一水'는 쓰촨 성(四川省)에서 발원(發源)하는 대도하(大渡河)를 이름.

字源 篆文 形聲. 氵(水)+末〔音〕. '末말'은 '나무의 끝'의 뜻. 튀어 흩어진 물의 끝, '물보라'의 뜻을 나타냄.

[沫餑 말발] 끓는 물의 거품.
[沫沸 말비] 거품이 부글부글 끓어오름.
[沫水 말수] 쓰촨 성(四川省) 노산현(蘆山縣) 서북에서 발원(發源)하는 민장(岷江) 강의 지류(支流). 지금은 대도하(大渡河)라 함.
◉瓊沫. 浪沫. 跳沫. 迸沫. 浮沫. 噴沫. 沸沫. 飛沫. 水沫. 涎沫. 流沫. 珠沫. 濺沫. 泡沫. 瀑沫. 幻沫.

5 ⑧ **[泭]** 부 ㊥虞 芳無切 fú ㊥虞 防無切 fú

字解 ①작은떼 부 '乘汜一以下流'《楚辭》. ②물거품 부 물 위에 뜬 거품. '一, 水上一漚'《廣韻》.

字源 篆文 形聲. 氵(水)+付〔音〕. '付부'는 '붙이다'의 뜻. 나무를 붙여 엮어서 강물을 건너는 떼.

5 ⑧ **[沬]** 一 매 ㊦隊 莫佩切 mèi 二 회 ㊦隊 呼內切 huì

字解 一 ①땅이름 매 은대(殷代)의 도읍 조가(朝歌)를 이름. 현재의 허난 성(河南省) 기현

(淇縣). '一之鄕矣'《詩經》. ②어둑어둑할 매 약간 어두움. 어스레함. '日中見一'《易經》. ■ 씻을 회 낯을 씻음. '王乃洮一水'《漢書》.

字源 甲骨文 古文 古文 篆文은 形聲. 水+未〔音〕. 낯을 씻다의 뜻. 甲骨文은 장발(長髮)의 사람이 무릎을 굽혀 수반(水盤)에 낯을 씻는 모습을 본뜸. 古文의 '頮'는 頁+廾+水의 會意. '頁혈', 곧 얼굴을 '廾공', 곧 좌우의 손을 써서 물로 씻다의 뜻. 또 하나의 古文은 頁+水의 會意字.

5 ⑧ [沮] 人名 저 ①-⑤㊤語 慈呂切 jǔ ⑥㊦御 將預切 jù ⑦㊥魚 子魚切 jū

字解 ①그칠 저 그만둠. '何日斯一'《詩經》. ②막을 저 저지함. 방해를 함. '一格'. '一之以兵'《禮記》. ③꺾일 저 기가 꺾임. '一喪'. '傅長沙而志一'《謝靈運》. ④샐 저 틈에서 흘러나옴. '地氣一泄'《禮記》. ⑤적실 저, 담글 저 물에 적심. 또는, 물속에 담금. '何益湍一'《唐書》. ⑥습한 땅 저 습지(濕地). '山川一澤'《禮記》. ⑦물이름 저 산시 성(陝西省)을 흐르는 웨이수이(渭水) 강의 지류(支流). 의군수(宜君水)라고도 함. '漆一旣從'《書經》.

字源 甲骨文 金文 篆文 形聲. 氵(水)+且〔音〕. '且저'는 겹쳐 괴다의 뜻. 물이 많은 질퍽질퍽한 땅을 가리킴. 金文은 '水수'가 생략된 형태. 전(轉)하여, 강의 이름.

[沮格 저격] 막음. 방지(防止)함.
[沮恐 저공] 저섭(沮懾).
[沮勸 저권] 악을 방지(防止)하고 선을 장려함.
[沮氣 저기] 무서워서 기가 죽음.
[沮衄 저뉵] 기가 꺾이어 패(敗)함.
[沮短 저단] 방해하고 비방함.
[沮誹 저비] 방해하고 비방함.
[沮索 저삭] 기력이 소진(消盡)함.
[沮散 저산] 저지당해 흩어져 달아남.
[沮喪 저상] 기가 꺾임.
[沮色 저색] 마음에 내키지 않는 기색. 싫어하는 기색(氣色).
[沮泄 저설] 틈에서 흘러나옴. 샘.
[沮懾 저섭] 의기가 저상(沮喪)하여 두려워함.
[沮水 저수] 자해(字解)❼을 보라.
[沮岸 저안] ㉠붕괴된 벼랑. ㉡벼랑을 무너뜨림. 또는 벼랑이 무너짐.
[沮遏 저알] 저지(沮止).
[沮抑 저억] 억제(抑制)함.
[沮洳 저여] 저택(沮澤).
[沮擾 저요] 기가 꺾여 마음이 산란함.
[沮議 저의] 의론을 저지함.
[沮訾 저자] 저비(沮誹).
[沮止 저지] 막아서 못하게 함. 저알(沮遏).
[沮惴 저췌] 저섭(沮懾).
[沮澤 저택] 습지(濕地).
[沮敗 저패] 저지당하여 패(敗)함.
[沮廢 저폐] 의기가 저상하고 피폐함.
[沮害 저해] 방해하여 해침.
[沮解 저해] 사이를 가름. 이간함.
[沮駭 저해] 방해하여 놀라게 함.
[沮壞 저회] 무너짐.
◉愧沮. 謗沮. 排沮. 怨沮. 慚沮. 毁沮.

5 ⑧ [沱] 타 ①-③㊥歌 徒河切 tuó ④㊤哿 徒可切 duò

字解 ①물이름 타 쓰촨 성(四川省)을 흐르는 강으로서, 양쯔 강(揚子江)의 지류임. '一江'. '岷山導江, 東別爲一'《書經》. ②눈물흐를 타 눈물이 흐르는 모양. '一若'. '涕泗滂一'《易經》. ③비쏟아질 타 큰비가 오는 모양. '俾滂一矣'《詩經》. ④흐를 타 물이 흐르는 모양. '灢一, 沙水往來皃'《廣韻》.

字源 金文 篆文 形聲. 氵(水)+它〔音〕. '它타'는 꾸불꾸불한 모양. 굽이쳐 흐르는 물의 뜻에서, 눈물이나 큰비의 모양을 나타냄.

[沱江 타강] 자해(字解)❶을 보라.
[沱若 타약] 눈물이 흐르는 모양.
◉滂沱. 滹沱.

5 ⑧ [沲] 沱(前條)와 同字

5 ⑧ [河] 中人 하 ㊥歌 胡歌切 hé

筆順 丶 冫 氵 氵 汀 河 河 河

字解 ①물이름 하 황하(黃河)를 옛날에는 단지 '一'라 하였음. 양쯔 강(揚子江)과 병칭하여 '江一'라 함. '導一積石, 至于龍門'《書經》. 또, 널리 강의 뜻으로도 쓰임. '在一之洲'《詩經》. ②운하 하 개착(開鑿)한 수로(水路). '鑿一開渠'《宋史》. ③강섬 하 강 가운데의 모래톱. '乃遯于荒野, 入宅于一'《書經》. ④은하 하 천한(天漢). '明一在天'《歐陽修》. ⑤신(神) 하 정령(精靈). ㉠강(江)의 신(神). 하백(河伯). '一者水之伯'《孝經緯援神契》. ㉡사독(四瀆)의 정(精). '一者四瀆之精也'《春秋緯考異郵》. ㉢음(陰)의 정(精). '一者陰之精'《公羊傳 注》. ⑥성 하 성(姓)의 하나.

字源 甲骨文 金文 篆文 形聲. 氵(水)+可〔音〕. '可가'는 갈고리 모양으로 '굽다'의 뜻. 甲骨文에서는 水+갈고리꼴의 곡선(曲線). 그 모양에서 분명하듯이, 굽이쳐 흐르는 황하(黃河)의 뜻. 뒤에 일반적으로 '강'의 뜻을 나타내게 되었음.

[河干 하간] 강가. 강변(江邊). 하변.
[河江 하강] 황하(黃河)와 양쯔 강(揚子江).
[河渠 하거] 강과 도랑. 하천과 구거(溝渠).
[河鼓 하고] '견우성(牽牛星)'의 별칭.
[河曲智叟 하곡지수] 황하(黃河) 가에 사는 슬기 있는 노인.
[河口 하구] 바다·호수 등으로 흘러 들어가는 강의 어귀.
[河南 하남] ㉠황하(黃河) 이남의 땅. 사서(史書)에는 지금의 허난 성(河南省) 지방을 가리키는 것으로 생각되는 것과 지금의 네이멍구 자치구 하투(河套) 이내의 땅을 가리키는 것으로 생각되는 두 가지 경우가 보임. ㉡중국 본부(中國本部) 중앙에 위치하는 성(省) 이름. 면적은 17만 제곱킬로미터이며, 산업이 발달하고 소맥(小麥)의 산출은 중국 제일임.
[河內 하내] 황하 이북의 땅.

[河圖 하도] 복희씨(伏羲氏) 때 황하(黃河)에서 길이 8척(尺)이 넘는 용마(龍馬)가 등에 지고 나왔다는 그림으로, 주역(周易)의 팔괘(八卦)의 근원이 된 것.

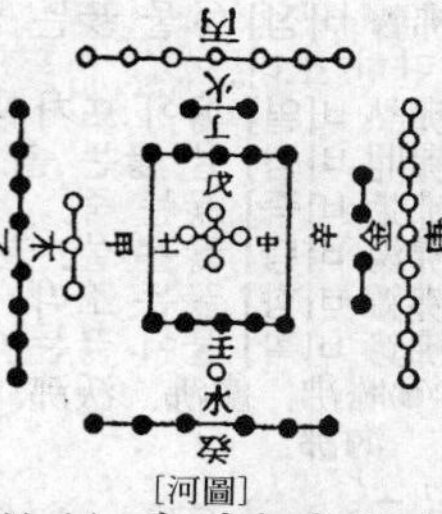

[河圖]

[河圖洛書 하도낙서] 하도(河圖)와 낙서(洛書). 낙서는 하우씨(夏禹氏)의 구년 치수(九年治水) 때 뤄수이(洛水) 강에서 나온 신귀(神龜)의 등에 있었다는 글로, 〈서경(書經)〉 중의 홍범구주(洪範九疇)의 기원(起源)이 된 것.
[河豚 하돈] 참복과에 속하는 바닷물고기. 복. 복어.
[河東 하동] 황하(黃河)의 동쪽의 땅. 전국 시대(戰國時代)의 위(魏)나라의 영토이며, 후세(後世)의 하동군(河東郡).
[河東獅子吼 하동사자후] 하동에서 사자(獅子)가 으르렁거린다는 뜻으로, 아내가 사납고 질투심이 많음을 이름. 소동파(蘇東坡)의 벗 진조(陳慥)의 아내 유씨(柳氏)가 손님 앞에서 남편을 큰 소리로 꾸짖었으므로, 소동파가 이를 두고 지은 시(詩)에 이른 말.
[河東三鳳 하동삼봉] 형제가 다 어짊을 찬미(讚美)하는 말. 당(唐)나라 하동의 설수(薛收)와 그의 조카 원경(元敬), 조카의 족형(族兄) 인덕음(德音)을 두고 이른 말.
[河洛 하락] 황하(黃河)와 뤄수이(洛水) 강. 뤄수이(洛水) 강은 허난 성(河南省)을 흐르는 황하(黃河)의 지류(支流).
[河梁 하량] 강에 놓은 다리. 강 다리.
[河梁別 하량별] 송별(送別). '하량지음(河梁之吟)'을 보라.
[河梁之吟 하량지음] 흉노(匈奴)에게 사신(使臣) 갔다가 잡힌 소무(蘇武)가 한(漢)나라와 흉노(匈奴)가 화친(和親)을 맺어 본국으로 돌아가게 되었을 때 흉노에게 항복하여 그 밑에서 신하 노릇 하던 이릉(李陵)이 소무에게 지어 준 송별(送別)의 오언시(五言詩). 그 시의 첫 구는 '攜手上河梁'이라 하였으므로 이름. 전(轉)하여, 송별의 시의 뜻으로 쓰임.
[河靈 하령] 하백(河伯).
[河鹿 하록] 개구리의 일종. 산간(山間)의 시내에 많이 살며, 여름에 아름다운 소리를 내어 욺. 석계(石雞).
[河漏 하루] 메밀. 또, 메밀국수.
[河流 하류] 강(江)의 흐름. 강.
[河馬 하마] 하마과에 속하는 짐승. 사하라 사막 이남의 아프리카에 분포함.
[河目 하목] 움푹 들어간 눈. 현인(賢人)의 상(相)이라 함.
[河畔 하반] 강가. 강변. 하변(河邊).
[河伯 하백] 물귀신. 수신(水神).
[河邊 하변] 강가. 강변.
[河北 하북] ㉠황하 이북의 땅. 지금의 허베이(河北)·산둥(山東) 두 성(省) 및 허난 성(河南省) 중 황하 이북의 땅. ㉡성(省) 이름. 중국 북부(北部)에 있으며, 동북부는 발해(渤海)에 임하고, 서쪽은 산시 성(山西省)에 접함. 성도(省都)는 스자좡 시(石家莊市). 성 중부(中部)의 베이징 시(北京市)·톈진 시(天津市)는 정부 직할시(政府直轄市)임.
[河汾 하분] 황하(黃河)와 펀허(汾河) 강. 펀허 강은 황하의 지류로서 산시 성(山西省)을 흐름.
[河不出圖 하불출도] 성대(聖代)에는 황하(黃河)에서 그림이 나왔으나, 지금은 난세(亂世)여서 그러한 상서(祥瑞)가 나타나지 않는다고 공자(孔子)가 탄식한 말.
[河濱 하빈] ㉠황하(黃河) 가. ㉡강가. 강변. 하변(河邊).
[河氷 하빙] 강에 언 얼음.
[河朔 하삭] ㉠황하(黃河)의 북쪽. ㉡황하 이북의 땅. 하북(河北).
[河朔之飮 하삭지음] 피서(避暑)의 주연(酒宴).
[河山之陽 하산지양] 강의 북쪽과 산의 남쪽의 양지바른 농경(農耕)에 적당한 땅.
[河上 하상] ㉠강 위. ㉡강가. 강변. 하변(河邊). ㉢황하(黃河) 가.
[河床 하상] 하천 밑의 지반(地盤).
[河西 하서] 황하(黃河) 이서(以西)의 땅. 지금의 간쑤 성(甘肅省) 지방.
[河水 하수] ㉠강물. ㉡황하(黃河)의 물. 황하의 흐름.
[河身 하신] 강의 물이 흐르는 부분.
[河心 하심] 강물이 흘러가는 한복판. 강의 중심.
[河嶽 하악] 황하(黃河)와 오악(五嶽). 전(轉)하여, 지상(地上)의 고대(高大)한 것의 뜻.
[河岸 하안] 하천(河川) 양쪽의 둔덕.
[河陽 하양] 지명(地名). 지금의 허난 성(河南省) 맹현(孟縣)의 땅. 당(唐)나라 때 군진(軍鎭)을 두었음.
[河魚 하어] 민물고기. 담수어(淡水魚).
[河魚腹疾 하어복질] 배 속의 병. 고기는 배 속에서부터 부패하므로 이름.
[河域 하역] 하천의 유역(流域). 강가.
[河外 하외] 황하(黃河) 이남의 땅. 하남(河南).
[河雲 하운] 은하수. 은하(銀河).
[河源 하원] ㉠황하(黃河)의 수원(水源). ㉡강의 수원.
[河潤 하윤] 강물의 윤택(潤澤). 강물의 혜택. 전(轉)하여 은혜. 은택(恩澤).
[河宗 하종] 하백(河伯).
[河津 하진] 강가에 있는 나루. 하항(河港).
[河清 하청] 황하(黃河)의 물이 맑음. 황하는 탁류가 항상 흘러 맑아 본 일이 없으므로 기대할 수 없는 사물의 비유로 쓰임.
[河清海晏 하청해안] 강물은 맑고 바다는 잔잔하다는 뜻으로, 태평한 세상을 이름.
[河漢 하한] ㉠황하(黃河)와 한수이(漢水) 강. 한수이 강은 후베이 성(湖北省)을 흘러 양쯔 강(揚子江)으로 들어가는 강. ㉡은하수. 은하(銀河).
[河漢其言 하한기언] 말하는 바가 막연하여 그 뜻을 알기가 어려움. 언론(言論)의 취지가 막연함. '하한지언(河漢之言)'을 보라.
[河漢之言 하한지언] 막연한 말. 은하수는 아득한 하늘에 있으므로 이름.
[河海 하해] ㉠황하(黃河)와 바다. ㉡강과 바다.
[河海不擇細流 하해불택세류] 강과 바다는 조그마한 시냇물도 모두 받아들이므로 크다는 뜻으로, 사람도 도량이 커서 사람을 잘 용납(容納)하여야 한다는 말.
[河海之澤 하해지택] 넓고 큰 은택.
[河滸 하호] 강가. 강변. 하변(河邊).

[河湟 하황] 황하(黃河)와 황수(湟水). 또, 그 유역(流域). 황수는 간쑤 성(甘肅省)을 흐르는 황하의 지류(支流).
◉江河. 九河. 大河. 渡河. 氷河. 馮河. 山河. 三獸渡河. 三豕渡河. 三河. 星河. 兩河. 運河. 銀河. 以指測河. 天河. 暴虎馮河. 懸河. 黃河.

5 ⑧ [沴] [一] 려 [去]霽 郎計切 lì [二] 전 [上]銑 徒典切 zhěn

[字解] [一] ①해칠 려 상해(傷害)함. '惟金—木'《漢書》. ②물가 려 수변(水邊). '負—'《漢書》. ③요기(妖氣) 려 기후가 고르지 못하여 생기는 재화(災禍). 병마(病魔)를 가져오는 악기(惡氣). '—氣'. '六—之作'《漢書》. ④찰 려 그득참. '—, 音麗. …云滿也'《釋文》. [二] 어지러울 전 능란(陵亂)함. '陰陽之氣有—'《莊子》.
[字源] [篆文] 形聲. 본래는, 水+黎〈省〉〔音〕이었으나, '㐱'가 '㐱진'으로 잘못 전(傳)해졌음. '黎려'는 '履리'와 통하여, '밟다'의 뜻. 물이 제자리걸음 하다, 괴어 흐르지 않다의 뜻을 나타냄.

[沴氣 여기] 나쁜 기(氣).
[沴孽 여얼] 재앙(災殃). 요얼(妖孽).
◉氛沴. 傷沴. 妖沴. 雲沴. 陰沴. 災沴. 祲沴. 虹沴.

5 ⑧ [泼] 발 [入]月 府伐切 fā

[字解] ①흘러들어갈 발 물이 유입(流入)함. 물을 댐. '鏟臨崖之阜陸, 決陂潢而相—'《木華》. ②쳐낼 발 물이 통하게 함. '—, 渫也. 通流也'《正字通》.

5 ⑧ [沸] [人名] [一] 비 [去]未 方味切 fèi [二] 불 [入]物 敷勿切 fú

[字解] [一] ①끓을 비 물이 끓음. '—湯'. '—騰'. '如—如羹'《詩經》. 전(轉)하여, 물 끓듯이 일어남. 들끓음. '市里喧—'《南史》. ②끓일 비 전항의 타동사. '以水沃之, 便如煎—'《述異記》. ③끓는물 비 열탕(熱湯). '以指撓—'《荀子》. [二] ①용솟음할 불 물이 솟아오름. 샘솟음. '觱—檻泉'《詩經》. ②거센물소리 불 '—乎暴怒'《司馬相如》.
[字源] [篆文] 形聲. 氵(水)+弗〔音〕. '弗불'은 '噴분'과 통하여, '내뿜다'의 뜻. 물이 내뿜다, 샘솟다, 용솟음치다의 뜻을 나타냄.

[沸涫 불관] 물이 솟아오르는 모양.
[沸潰 불궤] 물결이 세차게 일어 둑이 무너짐.
[沸沫 불말] 자꾸 이는 거품.
[沸沸 불불] 물이 솟아오르는 모양.
[沸水 불수] 솟아오르는 물. 분수(噴水).
[沸然 불연] 성을 불끈 내는 모양.
[沸渭 불위] 불안한 모양.
[沸泉 불천] 용솟음하는 샘.
[沸波 불파] '저구(鴡鳩)'의 별칭(別稱). 물수리. 징경이.
[沸乎 불호] 불연(沸然).
[沸羹 비갱] 끓는 물. 시끄러운 말의 비유.
[沸騰 비등] ㉠끓음. 끓어오름. ㉡떠들썩함. 의론 등이 물 끓듯 함.
[沸聲 비성] ㉠물 끓는 소리. ㉡시끄러운 소리. 요란한 소리.
[沸熱 비열] 끓어 뜨거워짐.
[沸鼎 비정] 물 끓는 솥.
[沸粥 비죽] 끓는 죽.
[沸湯 비탕] 끓는 물. 열탕(熱湯).
[沸響 비향] 끓는 소리.
[沸鑊 비확] 물이 끓는 가마솥.
◉騰沸. 糜沸. 沃沸. 煮沸. 鼎沸. 觱沸. 喧沸. 洶沸.

5 ⑧ [油] [中人] 유 ①-⑤[平]尤 以周切 yóu ⑥[去]宥 余救切 yòu

[筆順] 丶 丷 氵 汩 汩 油 油 油

[字解] ①기름 유 지방(脂肪)의 액체. 또, 가연성(可燃性)의 액체. '膏—'. '石—'. '積—滿萬石自然生火'《博物志》. ②구름일 유 구름이 뭉게뭉게 일어나는 모양. '—然作雲'《孟子》. ③나가지못할 유 잘 전진하지 못하는 모양. '—然若將可越而終不可及'《孔子家語》. ④흐를 유 물이 흐르는 모양. '—油, 流也'《廣雅》. ⑤성 유 성(姓)의 하나. ⑥윤 유, 윤낼 유 광. 또, 광을 냄. 釉(采部 五畫)와 同字. '—, 與釉同. 物有光也'《篇海》.
[字源] [篆文] 形聲. 氵(水)+由〔音〕. '由유'는 '酉유'와 통하여, '독, 항아리'의 뜻. 항아리 속의 액체로, '기름'의 뜻을 나타냄.

[油袴 유고] 《韓》 유(油)바지. 비 올 때 마부(馬夫)들이 입던 바지.
[油菓 유과] '유밀과(油蜜菓)'의 약어.
[油泥 유니] 기름때. 때.
[油膩 유니] 기름기가 많음.
[油麻 유마] 호마(胡麻).
[油幕 유막] 기름을 먹인 장막.
[油幔 유만] 유막(油幕).
[油蜜菓 유밀과] 우리나라 음식의 한 가지. 반죽한 쌀가루나 밀가루를 적당한 모양으로 빚어 말린 다음 기름에 지져 꿀이나 조청을 바르고 튀밥 또는 깨고물 따위를 입힌 조과(造果).
[油粕 유박] 깻묵.
[油衫 유삼] 비·눈 등을 막기 위하여 옷 위에 덧입는 기름에 결은 옷.
[油狀 유상] 기름과 같은 상태.
[油素 유소] 명주.
[油松 유송] 잣나무.
[油盎 유앙] 기름을 넣는 동이.
[油然 유연] ㉠구름이 뭉게뭉게 이는 모양. ㉡잘 전진하지 못하는 모양. ㉢개의치 않는 모양. 태연한 모양. ㉣여유 있고 침착한 모양. ㉤함축(含蓄)하여 나타내지 않는 모양.
[油煙 유연] 기름·관솔 등이 탈 때 잘 타지 않아 생기는 썩 잔 탄소(炭素) 가루. 먹의 원료로 씀.
[油煙墨 유연묵] 유연(油煙)으로 만든 먹.
[油雲 유운] 비가 내릴 듯한 구름. 비구름.
[油油 유유] ㉠물이 조용히 흐르는 모양. ㉡공손한 모양. 삼가는 모양. ㉢여유 있는 모양. 침착한 모양. ㉣곡초·풀 같은 것이 무성하여 잎이 윤이 나서 번드르르한 모양.
[油衣 유의] 기름 먹인 옷. 유삼(油衫).
[油紙 유지] ㉠기름 먹인 종이. ㉡기름과 종이.
[油畫 유화] 기름기 있는 채색(彩色)으로 그린 서

양식(西洋式)의 그림.
◉肝油. 鯨油. 膏油. 桐油. 燈油. 石油. 石灰油. 聖油. 松根油. 獸油. 食油. 魚油. 牛油. 原油. 醬油. 精油. 製油. 重油. 香油. 揮發油.

5
⑧ [淟] 전 ㊥先 徒年切 tián

字解 물결퍼질 전 수세(水勢)가 광대(廣大)한 모양. '溟洒渺漭, 汗汗——'《郭璞》.
字源 形聲. 氵(水)+田〔音〕

5
⑧ [泒] 고 ㊥虞 古胡切 gū

字解 물이름 고 저룡하(豬龍河)의 상류(上流). 지금의 사허(沙河). '—, 水在鴈門'《廣韻》.
字源 形聲. 氵(水)+瓜〔音〕

5
⑧ [治] 中人 치 ①-⑫㊦寘 直利切 zhì ⑬⑭㊥支 直之切 chí

筆順 丶 冫 氵 氵 汁 汁 治 治 治

字解 ①다스릴 치 ㉠정돈함. '一物者不於物'《呂氏春秋》. ㉡바로잡음. '上—祖禰'《禮記》. ㉢편안하게 함. 평정함. '—亂持危'《中庸》. '以—人情'《禮記》. ㉣만듦. '能多者莫不—'《淮南子》. ㉤감독함. '遂—之'《周禮》. ㉥죄를 다스림. '—罪'. '鞠—'. '—臣之罪, 以告先帝之靈'《諸葛亮》. ㉦나라 등을 다스림. '—家'. '—國'. '欲—其國者, 先齊其家'《大學》. ㉧수리함. '繕—郵亭'《漢書》. ㉨병을 다스림. '—療'. '掌養疾馬而乘—之'《周禮》. ㉩다스려 이끎. 물을 이끌어 넘치지 않게 함. '禹之—水, 水之道也'《孟子》. ②다스려질 치 전항의 자동사. '家齊而后國—'《大學》. ③익힐 치 배워 익힘. '—其大體'《周禮》. ④견줄 치 ㉠비교함. '皆無敢與趙—'《戰國策》. ㉡필적함. '公等足與—乎'《漢書》. ⑤빌 치 구걸함. '凡新甿之—, 皆聽之'《周禮》. ⑥정사 치 정령(政令). 정치. '擧舜而敷—焉'《孟子》. ⑦공 치 공적. '以敍進其—'《周禮》. ⑧감영 치 지방 장관의 정청(政廳)의 소재지. '省—'. '縣—'. '徙—櫟陽'《史記》. ⑨도읍할 치 도읍을 정함. '—秦中'《漢書》. ⑩도울 치 '穰侯之—秦也'《戰國策》. ⑪사람의길 치 정도(正道). '人之大倫曰—'《太玄經》. ⑫벽돌 치 바닥에 까는 벽돌. '—, 甎也'《廣雅》. ⑬물이름 치 ㉠현재의 소고천(小沽川). 산둥 성(山東省) 액현(掖縣)의 양구산(陽丘山)에 발원(發源), 자오저우만(膠州灣)으로 흘러듦. ㉡현재의 탑수(漯水). 산둥 성(山東省) 범현(范縣)의 북쪽에서 발원하여 쓰수이(泗水) 강으로 흘러듦. ⑭성 치 성(姓)의 하나.
字源 篆文 形聲. 氵(水)+台〔音〕. '台이'는 '司사'와 통하여, '다스리다'의 뜻. 물을 다스리다의 뜻에서, 일반적으로 '다스리다'의 뜻을 나타냄.

[治家 치가] 집안일을 처리(處理)함. 살림살이.
[治強 치강] 나라가 잘 다스려지고 군대가 강함.
[治繭 치견] 누에고치에서 실을 자아냄.
[治具 치구] ㉠접대(接待)의 준비를 함. ㉡정치를 하는 데 필요한 법령·예악(禮樂) 등.
[治國 치국] ㉠나라를 다스림. ㉡잘 다스려진 나라.
[治國平天下 치국평천하] 나라를 다스리고 세상(世上)을 편안하게 함.
[治痰 치담] 담병(痰病)을 고침.
[治道 치도] 길을 닦음.
[治毒 치독] 독기를 다스려 없앰.
[治亂 치란] ㉠잘 다스려짐과 어지러움. ㉡혼란한 세상을 다스림.
[治亂之藥石 치란지약석] '형벌(刑罰)'의 비유.
[治亂興亡 치란흥망] 나라가 잘 다스려짐과 어지러움과 흥함과 망함.
[治冷 치랭] 냉기(冷氣)를 다스림.
[治鍊 치련] 금속(金屬)·석재(石材)·목재(木材) 등을 불리고 다듬음.
[治療 치료] 병을 다스리어 낫게 함.
[治理 치리] 다스림. 다스려짐. 또, 다스리는 일. 정사(政事). 정치.
[治木 치목] 재목(材木)을 다듬음.
[治民 치민] 백성을 다스림.
[治方 치방] 나라를 다스리는 방법. 치술(治術).
[治邦 치방] 치국(治國).
[治法 치법] ㉠나라를 다스리는 방법. ㉡병을 다스리는 방법. 치료법. 치술(治術).
[治辨 치변] 다스리어 분별함.
[治兵 치병] 군대를 훈련함.
[治病 치병] 치료(治療).
[治本 치본] ㉠나라를 다스리는 근본(根本). ㉡병(病)의 근원을 없애 버림. 곧, 근본적 치료.
[治山 치산] ㉠산소(山所)를 매만져서 다듬음. ㉡산(山)을 잘 다스림.
[治產 치산] 살림살이를 경리(經理)함. 생업을 다스려 수입을 늘림.
[治喪 치상] 초상(初喪)을 치름.
[治生 치생] 생활의 방도를 세움.
[治書侍御史 치서시어사] 한대(漢代)에 정위(廷尉)의 주사(奏事)를 심사(審査)하여 의옥(疑獄)을 판결하여 육품(六品) 이하의 관리의 비위(非違)를 바로잡던 벼슬. 당대(唐代)에는 어사중승(御史中丞)이라 하였음.
[治鼠而壞里閭 치서이괴이려] 쥐를 잡기 위하여 동내(洞內) 문(門)을 부순다는 뜻으로, 작은 일을 하기 위하여 큰일을 그르침의 비유(比喩). 우리나라 속담의 '빈대 미워 집에 불 놓는다.'와 뜻이 같음.
[治石 치석] 석재(石材)를 다듬음.
[治世 치세] ㉠태평(太平)한 세상(世上). 잘 다스려진 세상. ㉡세상(世上)을 다스림. ㉢그 군주(君主)의 재위(在位)하는 동안.
[治所 치소] 정부(政府)가 있는 곳.
[治粟內史 치속내사] 진대(秦代)의 구경(九卿)의 하나. 천하(天下)의 미곡(米穀)·재화(財貨)를 맡은 벼슬. 한대(漢代)에는 대사농(大司農)이라 고쳤음.
[治粟都尉 치속도위] 한대(漢代)에 농업과 염철(鹽鐵)의 일을 관리한 벼슬.
[治送 치송] 행장(行裝)을 차려 보냄.
[治水 치수] 물을 잘 다스려 그 피해를 막음.
[治術 치술] 치법(治法).
[治濕 치습] 병(病)의 근원(根源)인 습기(濕氣)를 고침.
[治安 치안] ㉠나라가 잘 다스려져 편안(便安)함. 치강(治康). ㉡나라를 잘 다스려 편안하게 함.

[治熱 치열] 병의 열기를 다스림.
[治外法權 치외법권] 남의 나라의 국토 안에 있으면서도 그 나라의 법률을 좇지 않는 국제법상의 권리.
[治要 치요] 나라를 다스리는 데 중요한 일. 치국(治國)의 요(要).
[治癒 치유] 병이 나음.
[治育 치육] 다스려 기름.
[治人 치인] ㉠백성을 다스림. ㉡백성을 다스리는 사람. 나라를 다스리는 사람. 치자(治者). 왕자(王者).
[治任 치임] 치행(治行) ❶.
[治者 치자] 한 나라를 통치(統治)하는 사람. 통치자.
[治粧 치장] 잘 매만져서 꾸밈. 곱게 모양을 냄.
[治裝 치장] 행장(行裝)을 차림. 여행의 준비를 함.
[治迹 치적] 백성을 다스린 성적. 시정(施政)의 형적.
[治績 치적] 정치상의 공적(功績).
[治田 치전] 밭을 손질함.
[治典 치전] 나라를 다스리는 법전.
[治點 치점] 군데군데 고침.
[治定 치정] ㉠다스리어 정(定)함. 제정(制定). ㉡다스려져 안정함.
[治第 치제] 저택(邸宅)을 지음. 가옥(家屋)을 건축함.
[治罪 치죄] 죄(罪)를 다스림.
[治中 치중] 관명(官名). 주(州)의 자사(刺史). 곧, 지방 장관의 부관(副官).
[治天下 치천하] 천하를 통치(統治)함.
[治體 치체] 세상을 다스리는 방법. 정치의 방법.
[治最 치최] 정치를 행한 성적이 제 1 등임.
[治平 치평] 세상이 잘 다스려져 태평(泰平)함.
[治風 치풍] 병(病)의 풍기(風氣)를 다스림.
[治下 치하] 다스리는 범위(範圍)의 안. 지배하. 통치하(統治下).
[治繲 치해] 헌 옷을 기움.
[治行 치행] ㉠길을 떠나려고 행장(行裝)을 차림. ㉡백성을 잘 다스린 공적.
[治縣 치현] 현(縣)을 다스림. 또, 그 사람. 현지사(縣知事).
[治忽 치홀] 치란(治亂).
[治化 치화] 착한 정치(政治)로 백성을 다스려 교화(敎化)함.
◉官治. 敎治. 灸治. 鞠治. 根治. 內治. 德治. 明治. 無爲治. 文治. 民治. 邦治. 法治. 不治. 善治. 繕治. 修治. 繩治. 掠治. 完治. 外治. 療治. 吏治. 理治. 自治. 資治. 全治. 政治. 主治. 至治. 推治. 統治. 平治.

5
⑧ [沰] 탁 ㊇藥 他各切 tuō

字解 ①떨어뜨릴 탁 떨어뜨림. 또는 돌을 던짐. '―, 落也, 磓也'《玉篇》. ②떨어질 탁 물방울이 뚝뚝 떨어짐. '上火不落, 下火滴―'《四民月令》. ③붉을 탁 '―, 赭也'《廣韻》.

5
⑧ [沼] 人名 소 ㊤篠 之少切 zhǎo ㊦嘯 之笑切

筆順 丶 冫 氵 氵 沪 沼 沼 沼

字解 늪 소 못. 둥근 것을 '池', 굽은 것을 '―'라 함. '于―于沚'《詩經》.

字源 篆文 形聲. 氵(水)＋召〔音〕. '召소'는 불러들이다, 불러오다의 뜻. 하천(河川)의 유역(流域)이 변해서, 그 결과 본류(本流)에서 물을 불러들인 것처럼 되어서 생긴 '늪'의 뜻을 나타냄.

[沼氣 소기] 지소(池沼) 중에서 발생하는 가스. 탄화수소(炭化水素). 메탄.
[沼畔 소반] 늪가. 못가.
[沼上 소상] 못가. 소반(沼畔).
[沼池 소지] 늪. 못.
[沼澤 소택] 늪. 못.
◉臺沼. 淵沼. 苑沼. 池沼. 淸沼. 湖沼.

5
⑧ [沽] 人名 고 ①②㊥虞 古胡切 gū ③-⑤㊤麌 公戶切 gǔ

字解 ①팔 고 물건을 팖. '―劵'. '求善賈而―諸'《論語》. ②살 고 물건을 삼. '―酒市脯'《論語》. ③술장수 고 술을 파는 사람. '屠―'. '―者亦知酒之多少'《尸子》. ④등한할 고 소홀함. '以爲―也'《禮記》. ⑤거칠 고 물건이 조악(粗惡)함. '等, 謂功―上下'《周禮 註》.

字源 金文 篆文 形聲. 氵(水)＋古〔音〕

[沽激 고격] 자기의 감정을 굽혀 명예를 구함.
[沽劵 고권] 매도한 증서. 매도증(賣渡證).
[沽喫 고끽] 사서 먹음.
[沽賣 고매] 팖.
[沽名 고명] 명예를 구함.
[沽售 고수] 매매(賣買).
[沽酒 고주] 산 술. 시장에 파는 술.
[沽販 고판] 매매(賣買).
◉屠沽. 市沽. 衒沽.

5
⑧ [沾] 人名 ㊀첨 ㊥鹽 他兼切·張廉切 zhān ㊁점(첨㊍) ㊥鹽 癡廉切 chān ㊂첩 ㊇葉 他兼切 tiān

字解 ㊀젖을 첨, 적실 첨 霑(雨部 八畫)과 뜻이 같음. '―寒'. '汗出―背'《史記》. ㊁엿볼 점 覘(見部 五畫)과 통용. '我喪也斯―'《禮記》. ㊂경망할 첩 경박한 모양. '――自喜耳'《史記》.

字源 篆文 形聲. 氵(水)＋占〔音〕. '占점'은 점(點)을 붙이다의 뜻. 수분(水分)이 점이 되어 붙다, 젖다의 뜻을 나타냄. 또, 파생(派生)하여, 이익이 늘다, 더하다〔添〕의 뜻도 나타냄.

[沾薄 첨박] 국물이 많아 맛이 없음.
[沾濕 첨습] 젖음. 또, 적심.
[沾染 첨염] 젖어 뱀. 성질·습관 등이 변함을 이름.
[沾濡 첨유] 젖음. 또, 적심.
[沾寒 첨한] 비에 젖어서 추움.
[沾洽 첨흡] ㉠넓게 미침. 멀리 퍼짐. ㉡학문이 널리 통함.
[沾沾 첩첩] 경망한 모양.
◉均沾.

5
⑧ [沿] 高人 연 ㊥先 與專切 yán, yàn

筆順 丶 冫 氵 氵 氵 沿 沿 沿

[字解] ①물따라내려갈 연 수류(水流)를 좇아 내려감. '一于江海'《書經》. 전(轉)하여, 널리 해안·도로 등을 끼고 감에도 쓰임. '一海'. '一道'. ②좇을 연 따름. 인(因)함. '一襲'. '故明王, 以相一也'《禮記》. ③굽이진곳 연 강물이 구부러져 돌게 된 곳. '水限亦曰一'《中華大字典》.
[字源] [篆文] 形聲. 氵(水)+㕣〔音〕. '㕣연'은 '緣연'과 통하여, '휘감기다, 얽히다, 관련되다'의 뜻. 강을 따라 내려가다의 뜻에서, 길 따위를 따라가다, …을 끼고 가다의 뜻을 나타냄.
[參考] 沿(水部 四畫)은 俗字.

[沿改 연개] 연혁(沿革).
[沿階草 연계초] 실겨우살이풀.
[沿道 연도] 큰길 가에 있는 지역. 연로(沿路).
[沿路 연로] 연도(沿道).
[沿泛 연범] 배를 타고 물을 따라 내려감.
[沿邊 연변] 국경·강·도로 등에 인접(隣接)한 지역.
[沿線 연선] 철도 선로(鐵道線路)를 따라서 인접(隣接)하여 있는 지역.
[沿習 연습] 옛날부터 내려오는 습관. 종래의 관습.
[沿襲 연습] 전례(前例)를 좇음.
[沿岸 연안] 강(江)물이나 바닷가를 따라서 인접(隣接)하여 있는 일대(一帶)의 지방.
[沿海 연해] ㉠바닷가에 있는 일대(一帶)의 땅. ㉡육지에 가까운 바다.
[沿海州 연해주] 시베리아 동남단(東南端) 헤이룽 강(黑龍江)·우수리 강(江)·동해에 둘러싸인 지방. 옛날, 숙신(肅愼)·말갈(靺鞨)·여진족의 거주지였음.
[沿革 연혁] 변천(變遷)되어 온 내력.
◉泝沿. 襲沿. 尋沿. 洄沿.

5 ⑧ [㳂] 沿(前條)의 本字

5 ⑧ [況] [高人] 황 [去]漾 許訪切 kuàng

[筆順] 丶 冫 氵 氵 氵口 氵口 況 況

[字解] ①비유할 황 비유를 끌어대어 설명함. '每下愈一'《莊子》. ②견줄 황 비교함. 겨눔. '成名一乎諸侯'《荀子》. ③더할 황 자심해짐. '亂一斯削'《詩經》. ④더욱 황 더욱더. '衆一厚之'《國語》. ⑤줄 황 貺(貝部 五畫)과 同字. '一使臣, 以大禮'《國語》. ⑥이에 황 자(玆)에. '一也永歎'《詩經》. ⑦모양 황 형편. '狀一'. '老一青燈外'《許衡》. ⑧하물며 황 황차. '一乎以不賢人之招招賢人乎'《孟子》.
[字源] [篆文] 形聲. 氵(水)+兄〔音〕. 본뜻은 분명치 않지만, '樣양'과 통하여, '모양·상황(狀況)'의 뜻을 나타냄. 또, 형(兄)은 아우와 동렬(同列)에 서다의 뜻에서인지, '비교하다'의 뜻도 나타냄. 또, 假借하여, 발어(發語)의 조사(助辭)로 쓰임.
[參考] 况(二部 五畫)은 別字.

[況味 황미] 있는 곳의 형편.
[況且 황차] 하물며.
[況厚 황후] 더욱 후하게 함.
◉近況. 來況. 老況. 比況. 狀況. 情況.

5 ⑧ [泂] [人名] 형 ㊤迥 戶頂切 jiǒng

[筆順] 丶 冫 氵 氵丨 汀 泂 泂 泂

[字解] ①멀 형 迥(辵部 五畫)과 同字. '一酌彼行潦'《詩經》. ②깊을 형 물이 깊고 넓은 모양. '登高臨下水一一'《北史》. ③추울 형, 찰 형 '一, 滄也'《說文》. '一, 寒也'《廣雅》.
[字源] [篆文] 形聲. 氵(水)+冋〔音〕. '冋경'은 '冂경'과 마찬가지로, 아득히 멂의 뜻. 물이 깊고 아득한 일. 파생(派生)하여, '춥다'의 뜻도 나타냄.

[泂泂 형형] 물이 깊고 넓은 모양.

5 ⑧ [泑] [一] 유 ㊤有 於糾切 yǒu
[平]尤 於虯切 yōu
[二] 요 [平]肴 於交切 āo

[字解] [一] ①물빛검을 유 '一, 水黑色也'《康熙字典》. ②호수이름 유 지금의 신장 성(新疆省)에 있는 호수. 나포박(羅布泊). '不周之山, 東望一澤, 河水所潛也'《山海經》. ③잿물 유 유약(釉藥). '窯器色光滑者, 俗謂一'《正字通》. [二] 물이름 요 '一水'. '長沙之山. 泚水出焉, 北流注于一水'《山海經》.
[字源] [篆文] 形聲. 氵(水)+幼〔音〕

5 ⑧ [泄] [人名] [一] 설 [入]屑 私列切 xiè
[二] 예 [去]霽 餘制切 yì

[字解] [一] ①샐 설 틈에서 흘러나옴. 전(轉)하여, 비밀 따위가 드러남. '漏一'. '微謀外一之謂也'《管子》. ②넘칠 설 물이 넘쳐 나옴. '一, 泆也'《廣雅》. ③섞을 설 한데 섞음. '頗一用之'《後漢書》. ④없앨 설 제거함. 또, 줄임. '俾民憂一'《詩經》. '濟其不及, 以一其過'《左傳》. ⑤일어날 설 발생함. 흥기(興起)함. '陽氣發一'《禮記》. ⑥설사할 설 '一痢'. '爲脇痛嘔一'《素問》. ⑦업신여길 설 깔봄. '憍一者人之殃也'《荀子》. ⑧알릴 설 고(告)함. '平原君曰, 勝已一之矣'《戰國策》. ⑨그칠 설 쉼. '戲·一, 歇也'《揚子方言》. ⑩친압해질 설 친한 나머지 버릇없이 굶. '武王不一邇'《孟子》. ⑪통할 설 '精一于目'《淮南子》. ⑫성 설 성(姓)의 하나. [二] ①많을 예 '桑者一一兮'《詩經》. ②날개칠 예 '一一其羽'《詩經》.
[字源] [篆文] 形聲. 氵(水)+世〔音〕. '世세'는 '曳예'와 통하여 '잡아 늘이다'의 뜻. 괸 물을 잡아 늘이다, 새게 하다의 뜻을 나타냄.

[泄氣 설기] 방귀를 뀜.
[泄露 설로] 새어 나옴. 드러남. 또, 들추어냄. 폭로함.
[泄痢 설리] 설사(泄瀉).
[泄瀉 설사] 배탈이 났을 때에 누는 물찌똥.
[泄散 설산] 새어 나와 흩어짐.
[泄用 설용] 섞어 씀. 혼용함.
[泄泄 예예] ㉠앞을 다투어 나가는 모양. 경진(競進)하는 모양. ㉡많은 모양. ㉢날개를 치는 모양.
◉歐泄. 漏泄. 謀泄. 排泄. 滲泄. 舒泄. 流泄. 下泄.

5 ⑧ [泅] 수 ㊥尤 似由切 qiú

字解 헤엄칠 수 수영을 함. '一泳'. '習於水, 勇於一'《列子》.

字源 篆文 形聲. 氵(水)+囚〔音〕. '囚수'는 '游유'와 통하여, '헤엄치다'의 뜻.

[泅泳 수영] 헤엄침.

5 ⑧ [泆] 일 ㊀質 夷質切 yì

字解 ①음탕할 일 음란하고 방자함. '驕奢淫一'《左傳》. ②넘칠 일 물이 출렁거려 넘침. '一湯'. '入于河, 一爲滎'《書經》.

字源 篆文 形聲. 氵(水)+失〔音〕. '失실'은 '벗어나다'의 뜻. 물이 유로(流路)를 벗어나 멋대로 넘치다의 뜻을 나타냄.

[泆陽 일양] 머리는 표범 같고 꼬리는 말 같다고 하는 상상(想像)의 짐승. 일설(一說)에는, 귀신 이름.
[泆然 일연] 풀리어 제멋대로 가는 모양.
[泆湯 일탕] 끓어 넘치는 물.
◉決泆. 奔泆. 淫泆.

5 ⑧ [泊] 高人 박 ㊀藥 傍各切 bó, ⑦pō

筆順 丶 丶 氵 氵' 氵'' 泊 泊 泊

字解 ①배댈 박 배를 물가에 대어 정지시킴. 정박(停泊)함. '一船'. '風利不得一也'《晉書》. ②머무를 박 ㉠정지함. '洪厓先生乘鸞, 所憩一也'《水經 注》. ㉡유숙함. 묵음. '宿一'. '夜一靈臺驛'《吹簫記》. 또, 머무는 곳. '凌波赴一'《束晳》. ㉢일시 몸을 의탁함. 몸을 붙임. 우거(寓居)함. '聞君太平世, 栖一靈臺側'《陳子昂》. ㉣푹 쉼. 휴식함. '一, 息也'《韻會》. ③머물게 할 박 정지시킴. '中流兮風一之'《韓愈》. ④조용할 박 마음이 조용하고 담담함. '澹一'. '我獨一兮其未兆'《老子》. ⑤얇을 박 薄(艸部 十三畫)과 同字. '氣有厚一'《論衡》. ⑥흐를 박 물이 흐르는 모양. '一如四海之池徧觀'《漢書》. ⑦호수 박, 늪 박 '北人以止水爲一'《六書故》.

字源 形聲. 氵(水)+白〔音〕. '白백'은 '迫박'과 통하여, 바짝 다가감의 뜻. 배가 바짝 접근하여 머무는 물가의 뜻에서, '머물다, 묵다'의 뜻을 나타냄.

[泊栢 박백] 잔물결.
[泊船 박선] 배를 댐. 돛을 내림.
[泊如 박여] ㉠마음이 조용하고 욕심이 없는 모양. ㉡물이 흐르는 모양. 일설(一說)에는, 물이 넓은 모양.
[泊然 박연] 박여(泊如) ㉠.
[泊乎 박호] 박여(泊如) ㉠.
[泊懷 박회] 담박(淡泊)한 마음.
◉假泊. 繫泊. 淡泊. 澹泊. 宿泊. 夜泊. 淹泊. 旅泊. 恬泊. 外泊. 流泊. 停泊. 渟泊. 碇泊. 舟泊. 駐泊. 止泊. 萍泊. 漂泊. 飄泊. 楓橋夜泊. 虛泊. 休泊.

5 ⑧ [浒] 휘 ①②㊦未 許貴切 huì ③㊤尾 詡鬼切 huǐ

字解 ①물결무늬 휘 파문(波紋). '一, 水波紋也'《廣韻》. ②물결소리 휘 '濩一濩渭'는 물결의 소리. '霍一濩渭, 蕩雲沃日'《木華》. ③흐를 휘 물이 흐르는 모양.

5 ⑧ [泌] 人名 ㊀비 ㊦寘 兵媚切 bì ㊁필 ㊀質 毗必切 bì

筆順 丶 丶 氵 氵' 氵ソ 泌 泌 泌

字解 ㊀①샘물졸졸흐를 비 '一之洋洋'《詩經》. ②스밀 비 스며나옴. '分一'. ㊁ 샘물졸졸흐를 필, 스밀 필 ㊀과 뜻이 같음.

字源 篆文 形聲. 水+必〔音〕. '必필'은 '閉폐'와 통하여, '닫다'의 뜻. 닫혀진 곳에서 가만히 흘러나오는 물의 뜻을 나타냄.

[泌尿器 비뇨기] 소변을 배출하는 기관(器管). 신장(腎臟)·수뇨관(輸尿管)·방광(膀胱)·요도(尿道)의 총칭(總稱).
◉分泌. 洋泌. 幽泌. 淸泌. 衡泌.

5 ⑧ [泏] ㊀출 ㊀質 竹律切 zhú ㊁골 ㊀月 苦骨切 kū

字解 ㊀ 물솟을 출 물이 솟아 나오는 모양. '原流一一'《文子》. ㊁ 물건널 골 涉(水部 七畫)과 同字. '奉命全璧, 身一項營'《班固》.

字源 篆文 形聲. 水+出〔音〕. '出출'은 '나오다'의 뜻. 물이 흘러나오는 모양을 나타냄.

[泏泏 출출] 물이 솟아 나와 흐르는 모양.
◉手泏.

5 ⑧ [泐] 륵 ㊀職 盧則切 lè

字解 ①돌부서질 륵 돌이 풍화 작용으로 자연히 갈라져 부서짐. '石有時而一'《周禮》. ②물줄기 륵 수맥(水脈). ③새길 륵, 쓸 륵 勒(力部 九畫)의 借字. '手一'《수서(手書)·서간(書簡)》.

字源 篆文 形聲. 水+防〔音〕. '防륵'은 산(山) 줄기의 뜻. '물줄기·수맥(水脈)'의 뜻을 나타냄.

5 ⑧ [泓] 人名 홍 ㊥庚 戶萌切 hóng

筆順 丶 丶 氵 氵7 氵7 泓 泓 泓

字解 ①물속깊을 홍 물이 깊은 모양. '極一量而海運'《郭璞》. ②물맑을 홍 '一澄龍首渠'《梁簡文帝》. ③물이름 홍 허난 성(河南省)을 흐르는 환수(渙水)의 지류. '一水'. '宋公及楚人戰于一'《春秋》.

字源 篆文 形聲. 水+弘〔音〕. '弘홍'은 '넓다'의 뜻. 물이 외견(外見)은 얕고 좁아 뵈지만, 밑이 깊고 넓은 모양을 나타냄.

[泓宏 홍굉] 소리가 큰 모양.
[泓汯 홍굉] 물이 소용돌이치는 모양.
[泓量 홍량] 물이 깊어 수량(水量)이 많음.
[泓水 홍수] 자해(字解) ❸을 보라.
[泓然 홍연] ㉠물이 차는 모양. ㉡물이 깊은 모양.
[泓渟 홍정] 깊은 웅덩이.
[泓澄 홍징] 물이 깊고 맑음.

[泓涵 홍함] 물이 깊은 모양.
[泓泓 홍홍] ㉠물이 깊은 모양. ㉡물이 맑은 모양. ●陶泓. 寶泓. 石泓. 淵泓. 坳泓. 澄泓. 寒泓.

5 ⑧ [泔] [一] 감 ①-④[平]覃 古三切 gān
[二] 함 [上]感 戶感切 hàn

[字解] [一] ①뜨물 감 쌀뜨물. '周謂潘曰一'《說文》. ②삶을 감 물에 넣고 익힘. 또, 쌀뜨물에 담금. '曾子食魚有餘, 曰, 一之'《荀子》. ③쉴 감 음식이 쉼. '今謂食久味變曰一'《新方言》. ④달 감 맛이 닮. '秦之水, 一最而稽'《管子》. [二] 찰 함 가득 참. '秬鬯一淡'《揚雄》.
[字源] [篆文] 形聲. 水+甘〔音〕. '甘감'은 속에 무엇을 함유함의 뜻. '쌀뜨물'을 이름.

[泔淡 감담] 물이 가득 찬 모양.

5 ⑧ [法] [中人] 법 [入]洽 方乏切 fǎ

[筆順] 丶 氵 氵 汁 汁 法 法 法

[字解] ①법 법 ㉠형벌. 처벌. '一律'. '惟作五虐之刑, 曰一'《書經》. ㉡제도. 규칙. '謹修其一, 而審行之'《禮記》. ㉢일정하여 변치 않음. 상경(常經). '守典奉一'《禮記》. '當故不改曰一'《管子》. ㉣사람이 지켜야 할 길. 예의. 도리. '非先王之一服, 不敢服'《孝經》. '一者天下之至道也'《管子》. ㉤모범. 본보기. '行而世爲天下一'《中庸》. ㉥준칙(準則). '論藥一, 定五味'《史記》. ㉦방법. '戰一'. '敎籍兵一'《史記》. ㉧도의(道義). '三綱淪而九一斁'《韓愈》. ㉨가르침. 종교. '佛一'. '一門'. ②골 법 모형(模型). '治器一, 謂之鎔'《史記 註》. ③본받을 법 모범으로 삼음. '天下一之'. '崇效天, 卑一地'《易經》. ④법국 법 프랑스의 약칭(略稱). '一國'. ⑤성 법 성(姓)의 하나.
[字源] [金文] [篆文] [今文] [古文] 會意. 金文은 水+廌+去. '廌치'는 고대(古代) 재판 때 쓰인 신수(神獸). 재판에 져서 더럽혀진 '廌'를 가죽 부대에 넣어 물에 던지고 가 버리는 모양에서, '법(法)·규칙'의 뜻을 나타냄. 뒤에, 생략된 '法'이 쓰이게 됨.

[法家 법가] ㉠전국 시대(戰國時代)에 도덕보다도 엄한 법으로써 나라를 다스려야 한다고 주장하던 학파. 관자(管子)·신불해(申不害)·상앙(商鞅)·한비자(韓非子) 등이 이 학파에 속함. ㉡법(法)으로써 임금을 바로잡는 세신(世臣). ㉢법률을 닦는 학자.
[法駕 법가] 임금이 타는 수레.
[法綱 법강] 법률과 기율(紀律).
[法炬 법거]《佛教》법등(法燈).
[法偈 법게] 불가(佛家)에서 교법(敎法)을 설명하는 귀글.
[法戒 법계] 모범과 경계.
[法界 법계]《佛教》㉠불법(佛法)의 세계. ㉡불교도(佛教徒)의 사회. 불문(佛門).
[法階 법계] 불교를 닦는 사람의 수행(修行) 계급.
[法故 법고] 법칙(法則)과 고사(故事).
[法鼓 법고]《佛教》㉠부처의 설법(說法). 북을 치는 것에 비유하여 이른 말. ㉡법당(法堂)의 동북우(東北隅)에 두는 북.
[法供 법공] 부처에게 지내는 제사.
[法科 법과] ㉠법률. ㉡법률의 학과. ㉢《佛教》불교의 계율(戒律).
[法官 법관] 재판관. 사법관(司法官).
[法冠 법관] 관의 한 가지. 원래 초(楚)나라 사람이 쓰던 관으로 진한(秦漢) 때 법관(法官)이 썼으므로 해치관(獬豸冠)이라고도 함.

[法冠]

[法橋 법교] 설법(說法)하여 중생(衆生)을 제도(濟度)하는 일. 사람을 피안(彼岸)으로 건너가게 하는 다리에 비유하여 이른 말.
[法久弊生 법구폐생] 좋은 법도 오래되면 폐해가 생김.
[法國 법국] 프랑스. 불란서(佛蘭西).
[法宮 법궁] 정전(正殿).
[法權 법권] 법률의 권한.
[法規 법규] 법률상의 규정. 법(法).
[法禁 법금] 법률로써 금하는 일. 금제(禁制).
[法紀 법기] 법강(法綱).
[法器 법기]《佛教》㉠불제자(佛弟子)가 될 만한 기량(器量)이 있는 사람. 불도(佛道)를 수행할 수 있는 사람. ㉡불전(佛前)에 공양(供養)할 때 쓰는 그릇. 불구(佛具).
[法難 법난] 포교(布敎)하다가 박해(迫害)를 받는 재난(災難).
[法談 법담]《佛教》불법(佛法)의 요의(要義)를 설명하여 주는 이야기. 설법(說法).
[法堂 법당]《佛教》불상(佛像)을 안치(安置)하고, 또 설법(說法)도 하는 절의 정당(正堂). 법전(法殿).
[法幢 법당] 도량(道場)의 표지(標識)로 세우는 기. 전(轉)하여, 남과 다른 견해를 내세우거나 새 종파(宗派)를 만드는 일.
[法度 법도] 법(法). 법률과 제도.
[法道 법도]《佛教》불법(佛法)의 도(道). 불도(佛道).
[法燈 법등]《佛教》㉠불전(佛前)에 올리는 등불. ㉡불법(佛法)을 어두운 데를 밝히는 등불에 비유하여 이른 말.
[法螺 법라] ㉠바다 고둥의 하나. 소라고둥. ㉡소라고둥의 껍데기로 만든 악기. 곧, 소라. 군중(軍中)에서 신호로 불거나 절에서 수법(修法)할 때 불었음.

[法螺㉡]

[法樂 법락] 불법(佛法)을 신앙하여 얻는 즐거움. 법열(法悅).
[法臘 법랍]《佛教》중의 출가(出家)한 후의 햇수. 법세(法歲).
[法郎 법랑] 프랑스의 화폐 프랑(franc)의 음역(音譯).
[法侶 법려]《佛教》중. 승려(僧侶).
[法力 법력]《佛教》불법(佛法)의 힘. 수법 공덕(修法功德)의 힘.
[法令 법령] 법률과 명령의 총칭.
[法例 법례] ㉠법(法). ㉡모든 법령에 통하는 규칙. ㉢법률상의 관습 또는 관례.
[法論 법론] ㉠법학의 한 분과(分科). 법리학(法理學). ㉡《佛教》부처에 관한 의론. 종론(宗論).
[法流 법류] 법통(法統).
[法類 법류]《佛教》같은 종지(宗旨)에 속하는 중.

또, 같은 종지에 속하는 중끼리 부르는 호칭.
[法輪 법륜] 부처의 교법(敎法). 불법의 힘을 전륜성왕(轉輪聖王)이 가진 산악(山岳)도 평탄하게 만들 수 있는 윤보(輪寶)의 힘에 견주어 이른 말.
[法律 법률] 백성이 지켜야 할 나라의 율령(律令). 법. 국법(國法).
[法吏 법리] 법관(法官).
[法理 법리] 법률의 원리.
[法理學 법리학] 법학의 한 분과. 법률의 본질의 근본 원리를 밝히는 학문. 법률 철학.
[法馬 법마] 저울추(錘).
[法網 법망] 법의 그물. 법률. 범죄자가 법률의 제재를 벗어날 수 없음을 물고기나 새가 그물을 벗어날 수 없는 데 비유한 말.
[法名 법명]《佛敎》 ㉠죽은 사람에게 지어 주는 이름. 계명(戒名). ㉡중에게 종문(宗門)에서 지어 주는 이름. 승명(僧名).
[法務 법무] ㉠법률상의 사무. ㉡《佛敎》 불법(佛法)에 관한 사무. 곧, 법회(法會)·사찰(寺刹) 등의 사무.
[法文 법문] ㉠법률의 조문(條文). 법령의 문장. ㉡프랑스의 어문. 프랑스 어의 문장. 프랑스어. ㉢불법(佛法)의 문장. 곧, 경(經)·논(論)·석(釋) 등의 문장.
[法門 법문]《佛敎》 불법(佛法)으로 들어가는 문. 불문(佛門).
[法問 법문]《佛敎》 불법(佛法)에 관하여 문답함. 또, 그 문답.
[法物 법물]《佛敎》 법사(法師)에게서 물려받은 전답이나 금전 같은 재물.
[法味 법미] 불교의 취의(趣意). 불교의 묘미(妙味).
[法寶 법보] 불경(佛經)을 보배에 견주어 일컫는 말.
[法服 법복] ㉠제정된 정식(正式)의 의복. 제복(制服). ㉡법정에서 판사·검사·변호사 등이 입는 옷. ㉢《佛敎》 법의(法衣).
[法事 법사]《佛敎》 추선(追善)·공양(供養) 등을 위하여 하는 행사. 불사(佛事).
[法師 법사] ㉠도사(道士)의 한 계급. ㉡중. 승려(僧侶). ㉢불법(佛法)에 정통하여 그 교법(敎法)의 스승이 되는 사람.
[法嗣 법사]《佛敎》 법통(法統)을 계승하는 사람. 종지(宗旨)의 계승자.
[法三章 법삼장] 한고조(漢高祖)가 제정한 삼장(三章)의 법률. 전(轉)하여, 지극히 간략한 법률.
[法床 법상]《佛敎》 설법(說法)하는 중이 올라앉는 상(床).
[法相 법상] ㉠일정한 인상(人相). ㉡《佛敎》 제법(諸法)의 상(相). 곧, 일체 만유(一切萬有)의 모습. ㉢《佛敎》 법문(法門)의 의리(義理)의 차별.
[法像 법상] 불상(佛像).
[法相宗 법상종]《佛敎》 십삼종(十三宗)의 하나. 해심(解深)·밀교(密敎)·성유식론(成唯識論) 등을 근거로 하여 세운 종지(宗旨). 우주의 본체(本體)보다도 현상(現象)을 주로 하여 분류 설명하였는데, 모든 현상은 오직 마음의 변화에 불과하다고 주장함.
[法書 법서] ㉠법률에 관한 책. ㉡법첩(法帖).
[法席 법석]《佛敎》 설법(說法)하는 모임의 자리. 법회(法會)의 자리. 법연(法筵).
[法性 법성]《佛敎》 변화 없는 법(法)의 진성(眞性). 제법(諸法)의 본성(本性). 만유(萬有)의 본체(本體). 진여(眞如).
[法星 법성] 형혹성(熒惑星). 이 별은 집법(執法)을 맡았으므로 이름.
[法城 법성]《佛敎》 불교의 가르침. 불법(佛法). 불법은 견고하고 신뢰할 수 있으며, 또한 온갖 악을 막는다 하여 성(城)에 비유하여 일컫는 말.
[法聲 법성]《佛敎》 ㉠설법(說法)하는 소리. ㉡경을 읽는 소리.
[法性宗 법성종]《佛敎》 신라 오교(五敎)의 하나. 원효 대사(元曉大師)가 개창(開創)한 종파. 해동종(海東宗).
[法性土 법성토]《佛敎》 삼불토(三佛土)의 하나.
[法歲 법세] 법랍(法臘).
[法水 법수]《佛敎》 불법(佛法). 불법은 중생(衆生)의 번뇌를 씻어 정하게 한다 하여 물에 비유하여 일컫는 말.
[法守 법수] 법을 지킴.
[法數 법수]《佛敎》 불교의 교의(敎義) 중에서 수(數)로 이루어진 것. 사제(四諦)·십이인연(十二因緣)·육도(六道) 같은 것.
[法術 법술] 법률로 나라를 다스리는 방법.
[法式 법식] ㉠법. 법도(法度). ㉡《佛敎》 불사(佛事)에 관한 예절과 의식(儀式).
[法臣 법신] 법을 잘 지키는 신하.
[法身 법신]《佛敎》 삼신(三身)의 하나. 불법(佛法)을 깨달은 몸.
[法身德 법신덕]《佛敎》 삼덕(三德)의 하나.
[法身佛 법신불]《佛敎》 삼신불(三身佛)의 하나.
[法身塔 법신탑]《佛敎》 사리(舍利)를 안치(安置)하는 둥근 탑.
[法衙 법아] 송사(訟事)를 재판하는 관아(官衙).
[法案 법안] 법률의 안건. 법률의 초안(草案).
[法眼 법안]《佛敎》 불법(佛法)을 관찰하여 깨닫는 눈.
[法藥 법약] 불법(佛法)의 별칭(別稱). 불법이 중생(衆生)의 번뇌를 없애는 것을 약에 비유하여 일컫는 말.
[法語 법어] ㉠본받을 만한 말. 법언(法言). ㉡프랑스 어. 불어(佛語). ㉢불교의 정법(正法)을 설명하는 말.
[法言 법언] 본받을 만한 말. 법어(法語).
[法業 법업] 법사(法事).
[法筵 법연] ㉠도(道)를 강설(講說)하는 좌석. ㉡《佛敎》 불법(佛法)을 강설하는 장소. 법석(法席).
[法悅 법열]《佛敎》 불법(佛法)을 듣고 신앙함으로써 얻는 무상(無上)의 기쁨.
[法王 법왕] ㉠《佛敎》 불법(佛法)의 우두머리. 곧, 석가여래의 존칭. ㉡교황(敎皇).
[法要 법요]《佛敎》 ㉠불법(佛法)의 요의(要義). ㉡법사(法事).
[法雨 법우]《佛敎》 불법(佛法)의 은혜. 불법이 중생(衆生)을 교화하여 베푸는 은덕을 비가 동식물을 생존하게 하는 은덕에 비유하여 일컫는 말.
[法位 법위]《佛敎》 ㉠진여(眞如)의 별칭(別稱). 온갖 법(法)이 안주(安住)하는 자리라는 뜻임. ㉡중의 지위. 승위(僧位).
[法威 법위]《佛敎》 불교의 위력.

[法音 법음]《佛教》불법(佛法) 또는 경을 읽는 소리.
[法衣 법의]《佛教》중이 입는 옷. 장삼(長衫)·가사(袈裟) 같은 것. 법복(法服).
[法意 법의] 법률의 정신.
[法義 법의]《佛教》불법(佛法)의 의의(意義).
[法醫學 법의학] 의학과 자연 과학을 기초로 하여 법률상의 문제를 연구하고 해석하여 감정(鑑定)하는 학문.
[法人 법인] 자연인(自然人)이 아니고 법률상으로 인격을 인정받아서 권리·의무와 행사의 능력을 부여(賦與)받은 주체(主體).
[法印 법인]《佛教》불교를 외도(外道)와 구별하기 위한 표지(標識). 불법(佛法)이 참되고 부동 불변(不動不變)함을 나타내는 표.
[法子 법자] ㉠저울추(錘). 법마(法馬). ㉡《佛教》불법(佛法)을 닦는 사람.
[法杖 법장]《佛教》불법(佛法)의 별칭(別稱).
[法場 법장]《佛教》설법(說法)·불사(佛事) 등을 행하는 장소.
[法藏 법장] ㉠보물(寶物)을 보관하는 곳집. 보장(寶藏). ㉡《佛教》경문(經文)을 넣어 두는 곳집. ㉢《佛教》불교의 가르침. 불교의 교법(教法).
[法跡 법적]《佛教》불교의 유포(流布)의 흔적.
[法敵 법적]《佛教》불법(佛法)을 적대하는 것. 불교의 적. 불적(佛敵).
[法典 법전] 법(法). 법률. 법령(法令). 또, 그 책.
[法殿 법전]《佛教》법당(法堂).
[法廷 법정] 송사(訟事)를 재판하는 곳.
[法定 법정] 법률로 정함.
[法庭 법정] 법정(法廷).
[法程 법정] 법. 법식(法式).
[法制 법제] ㉠법(法). 법령. ㉡법률과 제도. 또, 법률상의 제도.
[法弟子 법제자]《佛教》불교의 가르침을 받는 제자.
[法條 법조] ㉠법. 법규. ㉡법률의 조문. 법규의 조항.
[法曹 법조] 법관(法官).
[法從 법종] 천자(天子)를 호종(扈從)함.
[法座 법좌] ㉠바른 좌석. ㉡《佛教》설법(說法)하는 장소.
[法主 법주] ㉠《佛教》법왕(法王)❶. ㉡한 종파(宗派)의 우두머리.
[法酒 법주] 예의 바른 주연(酒宴). 예작(禮酌).
[法志 법지] 법률의 기록. 지(志)는 지(誌).
[法職 법직] 법을 맡은 관직.
[法帖 법첩] 법칙(法則)으로 삼을 만한 글씨본. 체법(體法)이 될 만한 명필의 서첩(書帖). 법서(法書).
[法體 법체]《佛教》㉠우주 만유(宇宙萬有)의 본체(本體). 우주 만유의 진상(眞相). ㉡중의 자태(姿態).
[法治 법치] 법률(法律)에 의하여 나라를 다스림.
[法治國 법치국] 법률에 의하여 정치를 하는 나라.
[法則 법칙] 법(法). 제령(制令).
[法統 법통] 불법(佛法)의 전통(傳統).
[法學 법학] 법률(法律)의 원리(原理) 및 그 적용(適用)을 연구하는 학문.
[法海 법해]《佛教》바다처럼 넓고 깊은 불법(佛法)의 세계. 불도(佛道).
[法憲 법헌] 법. 법규.
[法號 법호] 법명(法名).
[法化 법화]《佛教》㉠부처의 교화(教化). ㉡자기의 제자.
[法貨 법화] 국법(國法)으로 제정(制定)하여 통용하는 화폐.
[法華 법화]《佛教》법화경(法華經)의 약칭(略稱).
[法華經 법화경]《佛教》묘법연화경(妙法蓮華經)의 약칭(略稱). 중국에서 가장 널리 유포(流布)한 대승 경전(大乘經典)의 하나.
[法華三昧 법화삼매]《佛教》전심(專心)으로 법화경을 송독(誦讀)하여 그 묘리(妙理)를 깨닫는 일.
[法華宗 법화종]《佛教》법화경(法華經)을 종지(宗旨)로 하는 불교의 한 종파(宗派).
[法會 법회]《佛教》㉠설법하는 모임. ㉡법사(法事).
[法效 법효] 본받음. 모범으로 삼음.
[法喜 법희]《佛教》법열(法悅).
◉苛法. 家法. 刻法. 格法. 古法. 故法. 骨法. 公法. 過法. 觀法. 教法. 九法. 句法. 舊法. 九府圜法. 國法. 軍法. 拳法. 歸法. 揆法. 金法. 弄法. 大法. 徒法. 萬法. 末法. 猛法. 滅法. 明法. 摹印四法. 妙法. 舞文弄法. 無法. 舞法. 無法法. 文法. 民法. 方法. 繁法. 犯法. 兵法. 不法. 佛法. 非法. 司馬法. 司法. 私法. 師法. 算法. 三舍法. 三章法. 相法. 常法. 商法. 像法. 書法. 說法. 成法. 聖法. 世法. 訴訟法. 修法. 式法. 新法. 心法. 心外無別法. 什五法. 案法. 藥法. 嚴法. 如法. 永字八法. 禮法. 五家法. 獄法. 王法. 枉法. 遺法. 六法. 律法. 義法. 儀法. 理法. 一條鞭法. 立法. 字法. 作法. 作詩四法. 典法. 戰法. 正法. 制法. 條法. 峻法. 準法. 遵法. 卽心是法. 眞法. 陣法. 眞如卽是萬法. 懺法. 峭法. 八法. 篇法. 風法. 筆法. 漢法. 憲法. 懸法. 刑法. 護法. 酷法. 畫有六法. 圜法.

5
⑧ [泗] [人名] 사 [去]寘 息利切 sì 

[筆順] 丶 冫 氵 氵丨 汀 泗 泗 泗

[字解] ①물이름 사 산둥 성(山東省)에서 발원(發源)하여, 장쑤 성(江蘇省)을 거쳐 화이수이 강으로 들어가던 강. 지금은 화이수이에 들어가지 않고 운하(運河)로 흐름. '一水'. '一河'. '事夫子於一洙之間'《禮記》. ②콧물 사 비액(鼻液). '涕一滂沱'《詩經》.

[字源] 篆文  形聲. 氵(水)+四〔音〕

[泗濱浮磬 사빈부경] 쓰수이(泗水) 강에서 나는 경쇠를 만드는 돌.
[泗上 사상] 쓰수이(泗水) 강의 가. 공자(孔子)가 사상(泗上)에서 제자에게 도(道)를 가르쳤으므로, 공자의 학파(學派)의 뜻으로 쓰임.
[泗上弟子 사상제자] 공자(孔子)의 문인(門人).
[泗水 사수] 사하(泗河).
[泗洙 사수] 쓰수이(泗水)와 주수이(洙水). 모두 노(魯)나라에 있는 강 이름임. 공자(孔子)가 이 근처에서 제자들을 가르쳤으므로, 전(轉)하

여 공자(孔子)의 학(學)을 이름.
[泗河 사하] 자해(字解)❶을 보라.
◉洙泗. 隕泗. 涕泗.

5 ⑧ [泙] 팽 [平]庚 披庚切 pēng

[字解] 물결셀 팽 물결이 센 모양. 또, 그 소리. 澎(水部 十二畫)과 同字. '一湃'. '湍一洞湝者, 彌數千里'《柳宗元》.
[字源] 篆文 形聲. 氵(水)＋平〔音〕

[泙湃 팽배] 물결이 센 모양.

5 ⑧ [泚] 체 [上]薺 千禮切 cǐ

[字解] ①물맑을 체 '新臺有一'《詩經》. ②땀날 체 땀이 나는 모양. '其顙有一'《孟子》. ③담글 체 액체 속에 담금. '一筆'.
[字源] 篆文 形聲. 氵(水)＋此〔音〕. '此차'는 빛이 맑고 선명함의 뜻. 물이 맑음의 뜻을 나타냄.

[泚筆 체필] 붓으로 먹물을 찍음.

5 ⑧ [泛] [人名] [一] 범 [去]陷 孚梵切 fàn
[二] 봉 [上]腫 方勇切 fěng
[三] 핍 [入]洽 房法切 fá

[字解] [一] ①뜰 범 물 위에 뜸. 또, 띄움. 汎(水部 三畫)과 同字. '一一'. '一樓船兮濟汾河'《漢武帝》. ②흐를 범 물이 흐르는 모양. '一, 流皃'《玉篇》. ③물찰 범 물이 차는 모양. '一灩, 水滿貌'《韻會》. ④넓을 범 광대함. 또, 보편적임. 널리. 汎(水部 三畫)과 同字. '一稱'. '一論物理'《吳志》. [二] 엎을 봉 전복시킴. '覂(襾部 五畫)과 同字. '一駕之馬'《漢書》. [三] 물소리 핍 물소리가 자질자질하게 나는 모양. '一, 涉聲微小貌'《康熙字典》.
[字源] 篆文 形聲. 氵(水)＋乏(㐵)〔音〕. '㐵법'은 '汎범'과 통하여, '뜨다, 넓어지다, 퍼지다'의 뜻. '물에 뜨다'의 뜻을 나타냄.

[泛看 범간]《韓》눈여겨보지 않고 데면데면 봄.
[泛過 범과]《韓》정신(精神)없이 데면데면하게 지나감.
[泛觀 범관] 널리 봄. 두루 봄. 실컷 봄.
[泛菊會 범국회] 음력 9월 9일, 곧, 중양절(重陽節)에 국화를 술 위에 띄워 마시는 잔치. 등고회(登高會).
[泛讀 범독]《韓》데면데면 읽음.
[泛覽 범람] 널리 봄. 두루 봄.
[泛論 범론] 널리 논(論)함. 전체에 걸쳐 논함.
[泛泛 범범] 물 위에 뜬 모양.
[泛使 범사] 바다를 건너오는 외국의 사신.
[泛漾 범양] 물 위에 둥둥 뜸.
[泛溢 범일] 물이 넘침. 범람(氾濫)함.
[泛舟 범주] 떠 있는 배.
[泛漲 범창] 물이 불어 넘칠 지경임. 물이 창일(漲溢)함.
[泛聽 범청]《韓》데면데면하게 들음.
[泛浸 범침] 물에 띄워 적심.
[泛稱 범칭] ㉠넓은 범위로 쓰는 명칭. ㉡넓은 범위로 부름. 일반적으로 일컬음.
[泛宅 범택] 배〔船〕의 별칭(別稱).
[泛駕之馬 봉가지마] 수레를 전복시키는 사나운 말. 전(轉)하여, 상도(常道)를 좇지 않는 영웅(英雄)의 비유로 쓰임.
◉游泛. 萍泛. 飄泛.

5 ⑧ [流] 〔충〕
流(水部 六畫〈p. 1222〉)의 本字

5 ⑨ [荥] 〔형〕滎(水部 十畫〈p. 1268〉)의 略字·簡體字

5 ⑧ [泜] [一] 지 [平]支 旨夷切 chí
[二] 저 [去]霽 丁計切 dì
[三] 치 [上]紙 直几切 zhì

[字解] [一] 물이름 지 남지수(南泜水)와 북지수(北泜水)가 있음. 남지수는 허베이 성(河北省) 임성현(臨城縣)의 서남(西南)에서 발원(發源)하는 강. '敦與之山一水出其陰'《山海經》. 북지수는 허베이 성 원씨현(元氏縣)에서 발원(發源)하는 강. '斬餘一水上'《漢書》. [二] 물이름 저 [一]과 뜻이 같음. [三] 물이름 치 여수(汝水)의 지류(支流). 滍(水部 十畫)와 同字. '楚子上救之, 與晉師夾一而軍'《左傳》.
[字源] 篆文 形聲. 氵(水)＋氐〔音〕

[泜水 지수·저수] 자해(字解)[一]을 보라.
[泜水 치수] '치수(滍水)'와 같음.

5 ⑧ [泃] [一] 구 ①[平]尤 居侯切 gōu
②[去]遇 俱遇切 jū
[二] 거 [平]魚 其余切 jū

[字解] [一] ①물소리 구 '一, 水聲'《集韻》. ②물이름 구 허베이 성(河北省) 계현(薊縣)의 북쪽 황애구(黃崖口)에서 발원함. '一, 水名. 在北地'《集韻》. [二] 물이름 거 [一]❷와 뜻이 같음.

5 ⑧ [泞] [一] 저 [上]語 丈呂切 zhù
[二] 녕 [平]青 乃定切 nìng

[字解] [一] ①맑을 저 깊게 맑음. '泱漭澹一'《木華》. ②조용할 저 '一, 澹也'《字彙》. ③물머무를 저 물이 멈추는 모양. '一, 水停貌'《篇海》. [二] 濘(水部 十四畫)의 簡體字.

5 ⑧ [泝] 소 [去]遇 桑故切 sù

[字解] ①거슬러올라갈 소 溯(水部 十畫)와 同字. '一流'. '沿漢一江'《左傳》. ②향할 소 면(面)함. '一洛背河'《張衡》. ③맞이할 소 '其一於日乎'《揚子法言》. ④갈 소 '一, 行也'《一切經音義》. ⑤흐를 소 물이 흐름. '一八埏'《司馬相如》.
[字源] 篆文 別體 形聲. 氵(水)＋斥(㡿)〔音〕. '㡿척'은 제자리로 되돌아가다의 뜻. 물이 역류(逆流)하다, 거슬러 오르다의 뜻을 나타냄. 別體는 辵＋朔〔音〕의 形聲.

[泝流 소류] 물을 거슬러 올라감.
[泝沿 소연] 물을 거슬러 올라감과 물을 따라 내려감.
[泝游 소유] 물을 따라 내려감.
[泝洄 소회] 물을 거슬러 올라감.

5 ⑧ [泠] 人名 령 ㊥青 郎丁切 líng

字解 ①맑을 령 청명함. '一然'. '一, 淸一水也'《廣韻》. ②온화할 령 화창함. '一風'. ③맑은 소리 령 물 또는 바람의 맑은 소리. '淸淸一一'《宋玉》. ④깨우칠 령 환히 알도록 가르침. '舜之將死, 眞一禹曰, 汝戒之哉'《莊子》. ⑤깨달을 령 聆(耳部 五畫)과 통용. '精神曉一'《淮南子》. ⑥물이름 령 산시 성(陝西省)에서 발원하여 북류(北流)하는 웨이수이(渭水)의 지류(支流). '一水'. ⑦악인(樂人) 령 伶(人部 五畫)과 통용. '晉侯見鍾儀, 問其族, 對曰一人也'《左傳》. ⑧떨어질 령 낙하함. 零(雨部 五畫)과 통용. '同僚涕一'《冀州從事郭君碑》. ⑨성 령 성(姓)의 하나.

字源 篆文 形聲. 水+令〔音〕. '令령'은 소리가 맑다의 뜻. 물소리 따위의 형용에 쓰임. 전(轉)하여, 물 이름.

[泠官 영관] 음악을 맡은 관리. 영관(伶官).
[泠冽 영렬] 서늘하고 맑음.
[泠泠 영령] ㉠물의 맑은 소리. ㉡바람의 맑은 소리. ㉢음성이 성한 모양. ㉣신선한 모양. 또, 찬 모양.
[泠水 영수] 자해(字解)❻을 보라.
[泠眼 영안] ㉠사물(事物)에 집착(執着)이 없는 눈매. ㉡싸늘한 눈. 차가운 눈.
[泠然 영연] ㉠맑은 모양. 시원한 모양. ㉡음성(音聲)이 성(盛)한 모양. ㉢물이 흐르는 모양. ㉣바람이 솔솔 부는 소리.
[泠人 영인] 악공(樂工). 악인(樂人). 영인(伶人).
[泠風 영풍] ㉠온화한 바람. 화풍(和風). ㉡미풍(微風).
◉淸泠. 曉泠.

5 ⑧ [泡] 人名 포 ㊥肴 匹交切 pào 薄交切 pāo

字解 ①거품 포 물거품. '一沫'. '夢幻一影'《金剛經》. ②성할 포 왕성함. '一溲'. '一, 盛也, 江淮之間曰一'《揚子方言》. ③흐를 포 물이 흐르는 모양. '一一, 流也'《廣雅》. ④물이름 포 포수(泡水). 장쑤 성(江蘇省) 패현(沛縣)의 남쪽을 흘러, 쓰수이(泗水) 강으로 들어감.

字源 篆文 形聲. 氵(水)+包〔音〕. '包포'는 싸서 불룩하다의 뜻. 공기를 싸서 부푼 물, '거품'의 뜻을 나타냄.

[泡沫 포말] 물거품. 덧없는 세상의 비유.
[泡飯 포반] 물을 많이 넣고 지은 밥. 죽.
[泡山 포산] 덧없는 이 세상. 속세(俗世).
[泡溲 포수] 성(盛)한 모양.
[泡影 포영] 물거품과 그림자라는 뜻으로, 덧없는 세상의 비유로 쓰임.
[泡泡 포포] 물이 흐르는 모양. 일설(一說)에는, 물이 솟아 나오는 소리.
[泡幻 포환] 물거품과 환상이라는 뜻으로, 덧없는 세상의 비유로 쓰임.
◉氣泡. 水泡. 雨泡. 電泡. 幻泡.

5 ⑧ [波] 中人 ㊀ 파 ㊥歌 博禾切 bō(pō) ㊁ 피 ①㊥支 班糜切 bēi ②㊤寘 彼義切 bì

筆順 丶 丶 氵 氵 汀 汴 涉 波

字解 ㊀ ①물결 파 ㉠파도. '一紋'. '大一爲瀾, 小一爲淪'《爾雅》. ㉡흐름. 수류(水流). '一流'. '分一而共源'《後漢書》. ㉢어수선한 사단(事端). '言者風一也'《莊子》. ㉣주름. '羅幕生繡一'《范成大》. ㉤매체(媒體) 안에서 각 부분에 진동(振動)이 점차로 전파하는 현상. '電一'. ②물결일 파 파도가 일어남. '洞庭一兮木葉下'《楚辭》. ③쏟아져흐를 파 물이 용솟음쳐 흐름. '一, 水涌流也'《說文》. ④움직일 파 동요함. '其孰能不一'《莊子》. ⑤눈영채 파 안광(眼光). '秋一'. '託微一以通辭'《曹植》. ⑥촉촉히적실 파 영향을 미침. 흘러 전함. '其一及晉國者, 君之餘也'《左傳》. ⑦달릴 파 뜀. '老少奔一'《韓愈》. ⑧발버둥칠 파 '跑謂之一, 立謂之站'《俗呼小錄》. ⑨성 파 성(姓)의 하나. ㊁ ①방죽 피 陂(阜部 五畫)와 同字. '後游雷一, 天大風'《漢書》. ②따라갈 피 강을 따라 내려감. '一, 循水行也'《續字彙補》.

字源 篆文 形聲. 氵(水)+皮〔音〕. '皮피'는 '털가죽'의 뜻. 모피(毛皮)처럼 물결치는 물, '파도'의 뜻을 나타냄.

[波羅蜜 바라밀] ㉠과실(果實)의 한 가지. ㉡《佛教》생사(生死)의 지경을 벗어나 피안(彼岸)에 도달하는 일.
[波羅蜜多 바라밀다] 《佛教》 바라밀(波羅蜜)❶.
[波羅夷 바라이] 《佛教》 육취계(六聚戒)의 하나. 극악(極惡)의 죄.
[波若 반야] 《佛教》 반야(般若).
[波帝 바제] 《佛教》 남의 아내.
[波光 파광] 물결의 빛. 물결의 경치.
[波及 파급] 영향(影響)이나 여파(餘波)가 차차 전하여 먼 데까지 미침.
[波濤 파도] 물결.
[波動 파동] ㉠물결의 움직임. ㉡물질(物質)의 한 부분에 변위(變位)가 생겼을 때 그것에 인접한 부분에 차례로 같은 성질의 변위가 생기는 현상.
[波頭 파두] 물결의 위. 바다의 위. 해상(海上).
[波羅 파라] 범〔虎〕의 별칭(別稱).
[波瀾 파란] ㉠물결. 파도(波濤). ㉡어수선한 사단(事端). ㉢문장(文章)의 변화(變化)·생동(生動).
[波瀾萬丈 파란만장] 사건이 복잡하여 변화가 대단히 심함을 이름.
[波浪 파랑] 파도(波濤).
[波流 파류] 물의 흐름이라는 뜻으로, 무궁무진한 세상의 변천의 비유로 쓰임.
[波稜菜 파릉채] 시금치.
[波稜草 파릉초] 파릉채(波稜菜).
[波文 파문] 파문(波紋).
[波紋 파문] 물결의 무늬.
[波斯 파사] 나라 이름. 현재의 이란.
[波狀 파상] 물결과 같은 형상(形狀).
[波線 파선] 물결같이 구불구불하게 된 선(線).
[波旬 파순] 범어(梵語) pâpiyás의 음역(音譯). 마왕(魔王)·악마(惡魔)·악인(惡人) 등의 뜻. 불도(佛道)에 정진(精進)하는 사람의 수행(修行)을 방해하는 자를 이름.
[波臣 파신] 어류(魚類)의 별칭(別稱). 파도의 졸개라는 뜻.
[波心 파심] 물결의 중심.
[波影 파영] 물결의 그림자. 파도의 반사하는 빛.

[波涌 파용] 물결이 용솟음침.
[波涌雲亂 파용운란] 사물(事物)이 혼란함의 비유.
[波溢 파일] 물결이 넘침.
[波長 파장] 파동(波動)의 최고점(最高點)에서 다음 파동의 최고점(最高點)까지의 길이. 전파(電波)·광파(光波)·수파(水波)·음파(音波) 등은 모두 각기 파장이 있음.
[波底 파저] 물결의 밑.
[波際 파제] 물결과 물결의 사이.
[波菜 파채] 파릉채(波稜菜).
[波蕩 파탕] 물결과 같이 움직임. 소란하여 평온하지 아니함.
[波波 파파] ㉠떡의 한 가지. 밀가루로 만든 것으로 속에 소를 넣음. ㉡마음이 초조함. ㉢신음하는 소리. 고통을 참는 소리.
[波河 파하] 강을 따라 내려감.
[波駭 파해] 한 물결이 일면 딴 물결이 이에 따르듯이 모두 놀라 동요함.
[波鴻 파홍] 물새.
[波痕 파흔] 물결 자국. 파도의 흔적.
◉江湖多風波. 巨波. 鯨波. 驚波. 光波. 淈泥揚波. 金波. 瀾波. 綠波. 短波. 濤波. 微波. 發波. 白波. 翻波. 碧波. 奔波. 沸波. 逝波. 世波. 細波. 素波. 水波. 修波. 嘶波. 心波. 眼波. 陽侯波. 偃波. 餘波. 烟波. 簾波. 月波. 隆波. 恩波. 銀波. 音波. 長波. 電波. 中波. 志在烟波. 瞋波. 蒼波. 千頃波. 千波萬波. 秋波. 平波. 風波. 海不揚波. 洪波.

5 ⑧ **[泣]** [中·人] [一] 읍 [入]緝 去急切 qì [二] 립 [入]緝 力入切 lì

[筆順] 丶 冫 氵 氵' 氵亠 汁 泣 泣

[字解] [一] ①울 읍 소리는 내지 않고 눈물만 흘리며 욺. '一涕'. '一血三年'《禮記》. ②울음 읍 우는 일. '周人有路傍之一'《梁武帝》. ③눈물 읍 '一數行下'《漢書》. ④우려할 읍 근심함. 또, 우려. '一于道'《太玄經》. [二] ①원활치않을 립 혈액순환이 잘 안 됨. '血凝於脈者爲一'《素問》. ②빠를 립 바람이 빠름. '猋一, 風疾貌'《漢書 注》.

[字源] [篆文] 會意. 氵(水)+立. '立립'은 지상(地上)에 선 사람을 본뜬 모양. 사람이 흘리는 물, 곧 '눈물'의 뜻을 나타냄. '吸흡'과 통하여, 숨을 들이켜 흐느껴 울다의 뜻을 나타냄.

[泣諫 읍간] 울면서 간(諫)함.
[泣哭 읍곡] 소리를 내어 몹시 욺. 통곡함.
[泣禱 읍도] 눈물을 흘리며 기도를 드림.
[泣訴 읍소] 눈물로써 하소연함.
[泣杖 읍장] 한(漢)나라의 한백유(韓伯兪)는 효성이 지극하였는데 하루는어머니에게 매를 맞고 슬피 울므로 어머니가 그 까닭을 물은즉, 여태까지는 매를 맞을 때마다 아팠는데 오늘은 아프지 않으니, 어머니의 기력이 쇠한 것 같아서 슬퍼 운다고 대답한 고사(故事).
[泣罪 읍죄] 하(夏)나라 우왕(禹王)이 죄인을 보고 자신의 부덕(不德)함을 책하여 운 고사(故事). 백성을 사랑함의 비유.
[泣斬馬謖 읍참마속] 촉(蜀)나라 제갈공명(諸葛孔明)이, 부하인 마속(馬謖)이 명령을 어기어 패배를 초래했을 때, 법을 세우기 위해 울면서 그를 처형한 고사(故事). 큰 규율(規律)을 유지하기 위해서는 자기의 사랑하는 자라도 처벌하는 일.
[泣請 읍청] 울면서 청(請)함.
[泣涕 읍체] 눈물을 흘리면서 욺.
[泣恨 읍한] 울며 한(恨)함. 울며 슬퍼함.
[泣血 읍혈] 눈물을 흘리며 욺. 몹시 슬피 욺.
◉感泣. 哭泣. 悲泣. 傷泣. 灑泣. 垂泣. 新亭對泣. 哀泣. 掩泣. 戀泣. 殞泣. 飮泣. 啼泣. 涕泣. 楚囚泣. 慟泣. 抱璞泣. 歔泣. 號泣.

5 ⑧ **[泥]** [高·人] 니 ①-⑧[平]齊 奴低切 ní ⑨⑩[上]薺 乃禮切 nǐ ⑪[去]霽 奴計切 nì

[筆順] 丶 冫 氵 氵𠃍 氵コ 沪 沪 泥

[字解] ①진흙 니 이토(泥土). '一濘'. '菭其一而揚其波'《楚辭》. 전(轉)하여, 진흙 비슷한 것. '金一'. ②진창 니 땅이 곤죽같이 진 곳. '一行'. '猶逢蜀坂一'《孟浩然》. ③흐릴 니 흙탕물이 됨. '井一不食'《易經》. ④약할 니 재력(才力)이 적음. '威夷長脊而一'《爾雅》. ⑤가까울 니 '一, 邇也. 邇, 近也'《釋名》. ⑥붙일 니 풀로 붙임. '紅錦一窻遶四廊'《花蘂夫人》. ⑦벌레이름 니 동해(東海)에서 난다는 뼈 없는 벌레. 물이 있으면 살고, 물이 없으면 진흙같이 된다고 함. '一醉'. '先拚一飮醉如一'《杜甫》. ⑧성 니 성(姓)의 하나. ⑨이슬짙을 니 이슬이 많이 내린 모양. '零露一一'《詩經》. ⑩야드르르할 니 잎이 야드르르한 모양. '維葉一一'《詩經》. ⑪막힐 니, 거리낄 니 정체(停滯)함. 구애함. '拘一'. '致遠恐一'《論語》.

[字源] [篆文] 形聲. 氵(水)+尼〔音〕. '尼니'는 두 사람이 들러붙은 모양의 象形. 들러붙는 '진흙'의 뜻을 나타냄.

[泥工 이공] 미장이. 이장(泥匠).
[泥溝 이구] 흙탕물이 흐르는 도랑. 전(轉)하여, 오탁(汚濁)한 경우(境遇).
[泥金 이금] ㉠금박(金箔) 가루를 아교에 갠 것. 글씨를 쓰거나 그림을 그리는 데 씀. ㉡진사(進士)에 급제(及第)한 통보(通報).
[泥濘 이녕] 진창.
[泥淖 이뇨] 이녕(泥濘).
[泥泥 이니] 자해(字解)⑨⑩을 보라.
[泥塗 이도] ㉠진창길. ㉡천(賤)한 지위나 경우. ㉢천하고 쓸모없는 것.
[泥塗軒冕 이도헌면] 고위 고관(高位高官)을 진흙처럼 하찮게 여김.
[泥潦 이료] 이녕(泥濘).
[泥龍 이룡] ㉠기우제(祈雨祭)에 쓰는 용의 상(像). ㉡무용지물(無用之物)의 비유.
[泥淪 이륜] 진창에 빠짐. 나쁜 길에 빠져 몸이 더럽혀짐.
[泥犁 이리]《佛敎》범어(梵語) naraya의 음역(音譯). 지옥(地獄). 나락(奈落).
[泥鏝 이만] 흙손.
[泥蟠 이반] 진흙 속에 웅크리고 있음.
[泥沙 이사] ㉠진흙과 모래. ㉡'낮은 지위(地位)'의 비유. ㉢버려 아깝지 않은 것의 비유.
[泥像 이상] 이소인(泥塑人).
[泥塑人 이소인] 흙으로 만든 사람의 형상.
[泥水 이수] 흙탕물.

[泥首 이수] 죄진 사람이 사죄(謝罪)하는 뜻을 표하기 위하여 머리에 진흙 칠을 함.
[泥淤 이어] 진흙. 이토(泥土).
[泥牛 이우] 진흙으로 만든 소. 옛날에 이것을 만들어 입춘(立春) 전날에 제사 지냈음.
[泥牛入海 이우입해] 이우가 바다에 들어간다는 뜻으로, 한번 간 후 다시 돌아오지 않음의 비유.
[泥飲 이음] 술을 많이 마심.
[泥人 이인] 이소인(泥塑人).
[泥滓 이재] ㉠진흙과 찌끼. 침전물(沈澱物). ㉡오탁(汚濁)한 것의 비유. ㉢비천(卑賤)한 자의 비유.
[泥田鬪狗 이전투구] 진탕에서 싸우는 개의 뜻으로, 강인한 성격의 함경도 사람을 평한 말.
[泥中 이중] 진흙 속. 진창 가운데.
[泥蛭 이질] 진흙 속에 사는 거머리.
[泥醉 이취] 술에 몹시 취함.
[泥炭 이탄] 토탄(土炭).
[泥土 이토] 진흙.
[泥孩 이해] 진흙으로 만든 어린아이의 형상.
[泥行 이행] 진창 속을 감. 진창이 된 길을 감.
[泥滑 이활] 땅이 진창으로 되어 미끄러움.
[泥痕 이흔] 진흙이 묻은 흔적.
◉抱泥. 金泥. 塗泥. 白玉投泥. 佛泥. 雪泥. 仰泥. 淤泥. 汚泥. 雲泥. 銀泥. 溺泥. 紫泥. 鄣泥. 黏泥. 塵泥. 靑泥. 醉如泥. 濁如泥. 堆泥.

5 ⑧ [注] 中·人 주 ①-⑫㊤遇 之戍切 zhù ⑬-⑯㊤遇 株遇切 ⑰㊤宥 陟救切 zhòu

筆順 丶 丶 氵 氵' 氵亠 氵亠 注 注

字解 ①흐를 주 물이 흐름. '流一'. '豐水東一'《詩經》. ②흐름 주 수류(水流). '微派涓一'《水經注》. ③물댈 주 물을 끌어 댐. '灌一'. '一塡閼之水'《漢書》. ④부을 주 물을 따라 넣음. '傾一'. '挹水而一之'《荀子》. ⑤비올 주 비가 내림. '請雨三日而雨一'《晉書》. ⑥뜻둘 주 마음을 둠. '一意'. '君人者上一'《管子》. ⑦메길 주 화살을 활시위에 끼움. '射之不中, 又一'《左傳》. ⑧모일 주 한데 모임. '令禽一于虞中'《周禮》. ⑨붙을 주 부착함. 붙임. '一旄首曰旌'《爾雅》. ⑩칠 주 때림. '以黃金一者殙'《莊子》. ⑪걸 주 도박에 겖. '孤一'. ⑫쏠 주 사용함. '百姓皆一其耳目'《老子》. ⑬적을 주 기록함. '一記'. '記物曰一'《通俗文》. ⑭주낼 주 주석을 함. '有揩字一字處'《韓愈》. ⑮주 주 주해. 주석. 註(言部 五畫)와 통용. '一疏'. '遂竊以爲己一'《世說》. ⑯성 주 성(姓)의 하나. ⑰부리 주 咮(口部 六畫)와 통용. '以一鳴者'《周禮》.

字源 篆文 形聲. 氵(水)+主〔音〕. '主주'는 멈추다, 머물게 하다의 뜻. 물을 일정 기간 모아 정지(靜止)시키기 위해 용기(容器)에 퍼 옮기다의 뜻에서, 물을 부어 따르다, 대다의 뜻을 나타냄. 일설(一說)에는, '主주'는 '屬속'과 통하여, 차례로 연결되다의 뜻에서, 물을 계속 붓다, 흘러들게 하다, 대다의 뜻.

[注脚 주각] 주석(注釋). 본문의 사이에 써넣은 것을 주(注), 아래에 써넣은 것을 각(脚)이라 함.
[注見 주견] 자기의 주견(主見)이 없이 남의 의견에 맹종(盲從)하는 일.
[注記 주기] ㉠적음. 기록함. ㉡《佛敎》 절에서 논의할 때 논제(論題)를 읽는 것을 맡는 중.
[注力 주력] 힘을 들임.
[注連 주련] 물을 뿌려 깨끗이 하여 집의 입구에 쳐 놓는 새끼. 출관(出棺) 후에 망귀(亡鬼)가 다시 집으로 돌아오지 못하게 하는 것임.
[注慕 주모] 외곬으로 사모함.
[注目 주목] 주의하여 봄. 자세히 살펴봄.
[注文 주문] 주석(注釋)한 글.
[注射 주사] ㉠주입(注入). ㉡끼얹음. 뿌림. ㉢액체 의약을 주사기에 넣어 몸의 피하(皮下)·혈관(血管) 등에 주입(注入)하는 일.
[注瀉 주사] 끼얹음. 뿌림. 주사(注射).
[注釋 주석] 서적의 본문(本文)의 해설(解說).
[注疏 주소] 서적의 본문(本文)의 해설(解說). 소(疏)는 주(注)를 기초로 하여 더욱 자세히 설명을 가한 것.
[注視 주시] 주목(注目).
[注心 주심] 마음을 기울임. 전심(專心).
[注委 주위] 위임(委任) 함.
[注音符號 주음부호] 1918년에 중국 정부에서 제정한 중국 표음 부호(標音符號).
[注意 주의] ㉠마음에 둠. 유의(留意)함. ㉡경계(警戒)함. 조심함.
[注入 주입] ㉠쏟아 넣음. 부어 넣음. ㉡기억과 암송을 주로 하여 아동이나 학생에게 지식을 넣어줌.
[注措 주조] 처리(處理). 조치(措置).
[注錯 주조] 주조(注措).
[注下 주하] 부어 내려가게 함.
[注解 주해] 주석(注釋).
[注訓 주훈] 주석(注釋).
◉脚注. 居注. 傾注. 孤注. 灌注. 眷注. 記注. 起注. 頭注. 跗注. 奔注. 湍注. 飛注. 四注. 散注. 水注. 御注. 雨注. 委注. 流注. 儀注. 日注. 轉注. 仄注. 評注. 標注. 豐注. 懸注. 洄注.

5 ⑧ [泫] 人名 현 ①-③㊤銑 胡畎切 xuàn ④㊥先 胡涓切 xuán ⑤㊤霰 熒絹切 xuàn

筆順 丶 丶 氵 氵' 氵亠 氵亠 泫 泫

字解 ①이슬빛날 현 이슬이 일광을 받아 반짝임. '花上露猶一'《謝靈運》. ②이슬떨어질 현 이슬이 뚝뚝 떨어지는 모양. '一一露盈條'《謝惠連》. ③눈물흘릴 현 눈물을 줄줄 흘리는 모양. '孔子一然流涕'《禮記》. ④깊을 현 물이 깊음. '瀇滉困一'《郭璞》. ⑤뒤섞을 현 혼합함. '一湣, 混合也'《集韻》.

字源 篆文 形聲. 氵(水)+玄〔音〕. '玄현'은 덮이어 어둡다의 뜻. 물이 숨어서 가만히 흐름의 뜻을 나타냄.

[泫露 현로] 떨어지는 이슬.
[泫流 현류] 눈물이 흘러내림.
[泫湣 현면] 뒤섞이는 모양.
[泫然 현연] 눈물이 줄줄 흐르는 모양.
[泫沄 현운] 물이 솟아나 흐르는 모양.
[泫泣 현읍] 눈물을 흘리며 욺.
[泫歎 현탄] 눈물을 흘리며 한탄함.
[泫泫 현현] ㉠눈물이 줄줄 흐르는 모양. ㉡이슬이 뚝뚝 떨어지는 모양.
◉涙泫. 悲泫. 潸泫. 涕泫.

5 ⑧ [泮] [人名] [一] 반 [去]翰 普半切 pàn
[二] 판 [去]翰 普半切

[字解] [一] ①반수 반 반궁(泮宮)의 동서의 문 이남에 호(濠)를 파 빙 돌린 물. '思樂—水'《詩經》. ②녹을 반 날이 풀려 얼음이 녹음. '迨冰未—'《詩經》. ③경계 반, 밭두둑 반 畔(田部 五畫)과 同字. '隰則有—'《詩經》. [二] 나누일 판 判(刀部 五畫)과 同字. '天地剖—'《史記》.

[字源] [篆文] 形聲. 氵(水)+半〔音〕. '半반'은 '절반'의 뜻. 천자(天子)의 벽옹(辟雍)이 사면에 물을 두른 데 대하여, 제후(諸侯)의 국학(國學)은 동서 두 문 이남의 반면(半面)에만 물을 둘렀으므로, 주(周)나라 때의 제후의 학교의 뜻을 나타냄.

[泮宮 반궁] 주대(周代)에 제후(諸侯)의 도읍에 설립한 대학(大學). 향사례(鄕射禮)를 가르친 곳으로 동서(東西)의 문(門) 이남(以南)에 물로 둘려 있음.

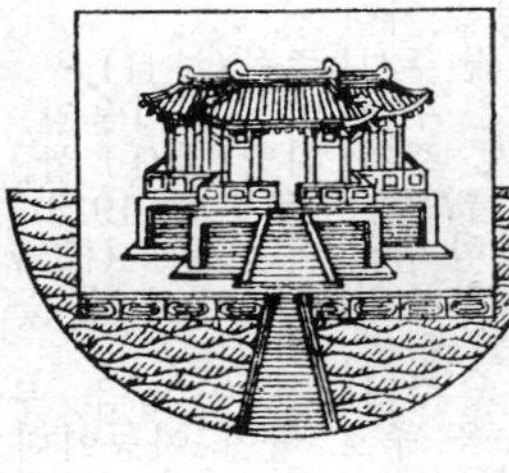
[泮宮]

[泮水 반수] 자해(字解)[一]❶을 보라.
[泮汗 반한] 땀을 흘림.

5 ⑧ [沶] [一] 이 [平]支 與之切 yí
[二] 지 [平]支 陳尼切 chí
[三] 시 [去]寘 神至切 shì
[上]紙 直利切 shì
[四] 치 [去]寘 士止切

[字解] [一] 물이름 이 후베이 성(湖北省) 방현(房縣)의 남쪽을 흘러 언수(鄢水)로 흘러드는 강. '—, 水名'《集韻》. [二] ①물가 지 坻(土部 五畫〈p. 441〉)와 同字. '—, 說文, 小睹. 或作—'《集韻》. ②고을이름 지 '—陵'은 한(漢)나라의 후읍(侯邑)의 이름. '—陵康侯魏駟'《漢書》. [三] 현이름 시 '—鄕'은 현(縣)의 이름. '—, —鄕, 縣名'《集韻》. [四] 현이름 치 [三]과 뜻이 같음.

5 ⑧ [泯] [人名] 민 [上]軫 武盡切 mǐn
[平]眞 彌隣切 mǐn

[字解] 멸한 민, 다할 민 멸망함. 없어짐. '—滅'. '幸此書之不—'《中庸章句》.

[字源] [篆文] 形聲. 氵(水)+民〔音〕. '民민'은 '昏혼'과 통하며, '어둡다, 희미하다'의 뜻. 물에 떠내려가서 보이지 않게 되다, 멸망하다의 뜻을 나타냄.

[泯棄 민기] 망실(亡失)됨.
[泯亂 민란] 규칙·질서·도덕 같은 것이 없어져 사회가 문란함.
[泯滅 민멸] 멸망함. 절멸함. 없어짐.
[泯沒 민몰] 민멸(泯滅).
[泯默 민묵] 입을 다물고 말을 아니함.
[泯泯 민민] ㉠물의 흐름이 넓고 맑은 모양. ㉡넓고 어두운 모양. 일설(一說)에는, 멸망하려고 하는 모양. 또, 어지러운 모양.
[泯然 민연] 멸망하는 모양.
[泯絶 민절] 민멸(泯滅).
◉夷泯. 眩泯.

5 ⑧ [泱] [一] 앙 ①[平]陽 於良切 yāng
②[上]養 烏朗切 yāng
[二] 영 [平]庚 於驚切 yīng

[字解] [一] ①깊을 앙 물이 깊고 넓은 모양. '維水——'《詩經》. ②넓을 앙 광대한 모양. '過乎—漭之壄'《司馬相如》. [二] 구름일 영 구름이 이는 모양. '天——以垂雲'《潘岳》.

[字源] [篆文] 形聲. 氵(水)+央〔音〕. '央앙'은 끝이 없다, 성하다 등의 뜻. 물이나 흰 구름의 형용에 쓰임.

[泱漭 앙망] ㉠넓은 모양. 큰 모양. ㉡새벽에 아직 환히 밝지 아니하며 어슴푸레한 모양.
[泱泱 앙앙·영영] ㉠물이 깊고 넓은 모양. ㉡바람소리가 굉장한 모양. ㉢'영영(泱泱)'을 보라.
[泱鬱 앙울] 성(盛)한 모양.
[泱泱 영영] 구름이 이는 모양.

5 ⑧ [泲] 제 [上]薺 子禮切 jǐ

[字解] ①강이름 제 濟(水部 十四畫)와 同字. 허베이 성(河北省)에서 발원. ②땅이름 제 제수(泲水) 가의 지명. '出宿于—'《詩經》. ③맑은술 제 약주. '淸, 謂醴之—者'《周禮 註》.

5 ⑧ [洯] 〔결〕
決(水部 四畫〈p. 1188〉)의 本字

5 ⑧ [泳] [高人] 영 [去]敬 爲命切 yǒng

[筆順] 丶 冫 氵 氵 氵 汀 汸 泳 泳

[字解] ①무자맥질할 영 물속을 잠행(潛行)함. 헤엄침. '之游之'《詩經》. ②헤엄 영 수영. '濯髮浴—'《郭璞》.

[字源] [金文] [篆文] 形聲. 金文은 止+永〔音〕. 뒤에 氵(水)+永〔音〕. '止지'는 발의 象形. '永영'은 긴 내의 象形. 손발을 길게 잡아 늘이어 물을 건너다, 헤엄치다의 뜻을 나타냄.

[泳法 영법] 헤엄치는 법.
[泳涯 영애] 성인(聖人)의 도(道)에 따라 무자맥질을 함.
◉競泳. 背泳. 水泳. 力泳. 浴泳. 遠泳. 游(遊)泳. 平泳. 涵泳.

5 ⑧ [泬] 혈 [入]屑 呼決切 jué, ②xuè

[字解] ①간사할 혈 사벽(邪僻)함. '事泂—而好還'《潘岳》. ②빌 혈 공허한 모양. '—寥兮天高而氣淸'《楚辭》.

[字源] [篆文] 形聲. 氵(水)+穴〔音〕. '穴혈'은 '구멍'의 뜻. 구멍으로부터 물이 나오는 뜻을 나타냄.

[泬寥 혈료] 공허한 모양.
[泬泬 혈혈] 공허한 모양.

5 ⑧ [泇] 가 [平]麻 居牙切 jiā

[字解] ①물 가 '—, 水也'《玉篇》. ②물이름 가 발원지(發源地)가 둘 있어, 동가(東泇)는 산둥성(山東省) 비현(費縣)의 동남쪽 기산(箕山)에

서 발원하고, 서하(西河)는 서남쪽 포독산(抱犢山)에서 발원하여, 장쑤 성(江蘇省) 비현(邳縣)에서 합류(合流)하여 운하(運河)로 흘러듦.

5 ⑧ [沭] 술 [入]質 食聿切 shù

[字解] 물이름 술 산둥 성(山東省) 기수현(沂水縣)에서 발원(發源)하여, 동남(東南)으로 흐르는 쓰수이(泗水) 강의 지류(支流). '一水'. '青州其浸沂一'《周禮》.

[字源] 篆文 形聲. 氵(水)+朮〔音〕

5 ⑧ [泟] 〔정〕 經(赤部 七畫〈p. 2211〉)과 同字

5 ⑧ [汨] 〔루〕 淚(水部 八畫〈p. 1240〉)와 同字

5 ⑧ [⿱古水] 〔극〕 克(儿部 五畫〈p. 195〉)의 古字

5 ⑧ [泻] 〔사〕 瀉(水部 十五畫〈p. 1311〉)의 俗字

6 ⑨ [洀] [一] 주 [平]尤 之由切 zhōu [二] 반 [平]寒 蒲官切 pán

[字解] [一] 파문 주 물결의 무늬. [二] 서성거릴 반 盤(皿部 十畫)과 同字. '意者君乘駮馬而一桓'《管子》.

[洀桓 반환] 서성거림. 반환(盤桓).

6 ⑨ [洄] 회 [平]灰 戶恢切 huí

[字解] ①돌아흐를 회 회류함. '更相一注'《後漢書》. ②거슬러올라갈 회 물의 흐름의 반대 방향으로 감. '溯一從之'《詩經》.

[字源] 篆文 形聲. 氵(水)+回〔音〕. '回회'는 '돌다'의 뜻. 물이 돌아 흐르는 뜻을 나타냄.

[洄洑 회복] 돌아 흐름.
[洄汨 회율] 물이 흐르는 모양.
[洄注 회주] 물이 돌아 흘러 들어감.
[洄洄 회회] 물이 흐르는 모양.
◉灣洄. 泝洄. 溯洄. 淸洄. 潫洄.

6 ⑨ [洊] 천 [去]霰 在甸切 jiàn

[字解] ①이를 천 瀳(水部 十七畫)과 同字. '水一至'《易經》. ②연거푸 천 잇달아 여러 번. '一歲.

[字源] 會意. 氵(水)+存. '存존'은 이어져 유지되다의 뜻. 물이 여기저기로부터 이어져 흘러서 오다의 뜻을 나타냄.

[洊雷 천뢰] ㉠천둥소리가 자주 나는 일. ㉡태자(太子)를 달리 이르는 말. 외경(畏敬)할 만한 사람의 뜻임.
[洊歲 천세] 2년간. 또는 격년(隔年).

6 ⑨ [洋] [中][人] 양(⑦ [平]陽 與章切 yáng 상[本]) [平]陽 似羊切 xiáng

[筆順] 丶 冫 氵 氵丷 氵䒑 氵⺷ 洋

[字解] ①큰바다 양 대해(大海). '大一'. '海一'. '中有白水一'《徐兢》. ②큰물결 양 대파(大波). '望一向若而歎'《莊子》. ③서양 양 서양(西洋)의 약칭(略稱). '一式'. '一樂'. ④넓을 양, 클 양, 성할 양 광대한 모양. 성대한 모양. '一一'. '聲名一溢乎中國'《中庸》. ⑤넘칠 양 충만하여 퍼짐. '一普'. '德一而恩普'《史記》. ⑥성 양 성(姓)의 하나. ⑦강이름 양 '一水'. 산둥 성(山東省) 중부에서 발원하여, 북으로 흘러 바다에 들어감. 한수이(漢水) 강의 지류(支流). 현재의 미하(瀰河).

[字源] 甲骨文 篆文 形聲. 氵(水)+羊〔音〕. '羊양'은 '巨거'와 통하여, '크다'의 뜻. 큰물, 바다보다도 큰 수역(水域)의 뜻으로 씀.

[洋館 양관] ㉠구미 각국의 공사관. 또는 영사관. ㉡서양식으로 지은 집.
[洋菊 양국] 국화과에 속하는 다년초(多年草). 달리아.
[洋弓 양궁] 서양식 활.
[洋琴 양금] 악기의 한 가지. 피아노.
[洋女 양녀] 서양(西洋)의 여자.
[洋燈 양등] 남포등.
[洋龍 양룡] 펌프.
[洋襪 양말] 실로 뜬 서양식 버선.
[洋木 양목] 당목(唐木).
[洋普 양보] 광대하여 두루 미침.
[洋服 양복] 서양식 의복.
[洋本 양본] ㉠서양의 서적. ㉡양장(洋裝)한 서적.
[洋絲 양사] 양실.
[洋傘 양산] 박쥐우산.
[洋書 양서] 서양의 서적.
[洋船 양선] 서양(西洋)의 배.
[洋屬 양속] 서양(西洋)에서 만든 피륙의 총칭.
[洋式 양식] 서양식(西洋式).
[洋食 양식] 서양식의 음식.
[洋樂 양악] 서양(西洋) 음악(音樂).
[洋藥 양약] ㉠서양 의술에 의하여 만든 약(藥). ㉡서양에서 수입한 약.
[洋洋 양양] ㉠물이 세차게 흐르는 모양. ㉡한없이 넓은 모양. 끝이 보이지 않는 모양. ㉢광대(廣大)한 모양. ㉣많은 모양. ㉤성대(盛大)한 모양. ㉥선미(善美)한 모양. ㉦귀착(歸着)할 곳이 없는 모양. ㉧느린 모양. ㉨멀리 가는 모양. ㉩도처(到處)에 두루 충만(充滿)한 모양.
[洋屋 양옥] 서양식(西洋式)의 집.
[洋擾 양요] 《韓》 서양 사람 때문에 일어난 난리. 조선 고종(高宗) 3년에 프랑스 군함이 강화도(江華島)를 포격한 난리와, 고종 8년에 미국 군함이 강화도에 침입한 난리.
[洋銀 양은] 구리·아연·니켈의 합금(合金).
[洋醫 양의] ㉠서양인(西洋人)의 의사(醫師). ㉡서양 의학(西洋醫學)을 배운 의사(醫師).
[洋夷 양이] 서양(西洋) 사람을 하대(下待)하여 일컫는 말.
[洋人 양인] 서양 사람. 서양인(西洋人).
[洋溢 양일] 넘침. 가득 차서 넘쳐 나옴. 널리 충만함.
[洋裝 양장] ㉠복색(服色)을 서양식으로 차림. ㉡책을 서양식으로 꾸밈.
[洋制 양제] 서양(西洋)의 제도(制度). 서양의 격식(格式).
[洋酒 양주] 서양산(西洋産)이거나 서양식으로

양조(釀造)한 술.
[洋紙 양지] 서양식(西洋式)의 종이.
[洋鐵 양철] 얇은 쇠에 주석을 도금(鍍金)한 것. 생철.
[洋燭 양촉] 양초.
[洋葱 양총] 양파.
[洋漆 양칠] 페인트칠.
[洋學 양학] 서양의 학문.
[洋行 양행] ㉠중국(中國)에 있는 서양 사람의 큰 상점. ㉡《韓》서양(西洋)으로 감.
[洋火 양화] 성냥.
[洋畫 양화] 서양식(西洋式)의 그림.
[洋靴 양화] 구두.
[洋灰 양회] 건축 재료(建築材料)의 접합제(接合劑)로 쓰는 고운 가루. 시멘트.
◉開洋. 極洋. 近洋. 南洋. 內洋. 大洋. 渡洋. 東洋. 茫洋. 放洋. 滂洋. 北洋. 西洋. 汪洋. 外洋. 遠洋. 韓洋. 海洋. 浩洋. 洸洋. 潢洋.

6 ⑨ [洌] 人名 렬 ㉧屑 良辥切 liè

筆順 丶 丶 氵 氵 沥 沥 洌 洌

字解 ①맑을 렬 액체가 맑음. '井一寒泉食'《易經》. ②찰 렬 한랭함. '一風過而增悲哀'《宋玉》. ③물이름 렬 우리나라의 한강(漢江)의 옛 이름. '一水'.

字源 篆文 形聲. 氵(水)+列(列)〔音〕. '列렬'은 목을 베다의 뜻. 몸이 베어질 만큼 차고 맑은 물, '맑다, 차다'의 뜻을 나타냄.

[洌水 열수] 우리나라 한강(漢江)의 고칭(古稱).
[洌風 열풍] 찬바람. 한풍(寒風).
◉甘洌. 冷洌. 凝洌. 淸洌.

6 ⑨ [洎] 一 계(기㉵) ㉮寘 几利切 jì 二 기 ㉮寘 其冀切 jì

字解 一 ①윤택할 계 '越之水重濁而一'《管子》. ②부을 계 물을 부음. '一鑊水'《周禮》. ③국물 계 고깃국의 국물. '去其肉, 而以其一饋'《左傳》. 二 미칠 기 曁(日部 十二畫)와 同字. '於斯胥一'《張衡》.

字源 篆文 形聲. 氵(水)+自〔音〕

6 ⑨ [洏] 이 ㉬支 如之切 ér

字解 눈물흘릴 이 '涕流連一'《王粲》.

字源 篆文 形聲. 氵(水)+而〔音〕

6 ⑨ [洑] 人名 一 복 ㉧屋 房六切 fú 二 보 ㊙

字解 一 ①돌아흐를 복 회류(回流)함. 일설(一說)에는, 스며 흐름. '一流何處入'《杜甫》. ②나루 복 배가 정박하는 곳. '有魯家一長風一'《范成大》. 二《韓》보 보 논에 물을 대기 위하여 둑을 쌓고 흐르는 물을 막아 두는 곳.

字源 形聲. 氵(水)+伏〔音〕. '伏복'은 밑에 숨다의 뜻. 숨어서 흐르다의 뜻을 나타냄.

[洑流 복류] 소용돌이쳐 흐름. 또, 그 흐름.
◉怒洑. 湍洑. 倒洑. 淹洑. 洄洑.

6 ⑨ [洒] 人名 一 쇄 ㉤蟹 所蟹切 sǎ 二 세 ㉤薺 先禮切 xǐ 三 선 ①-③㉤銑 蘇典切 xiǎn ④⑤㉤阮 蘇很切 sěn 四 최 ㉤賄 取猥切 cuǐ

字解 一 ①뿌릴 쇄 물을 뿌려 소제함. '一埽'. '弗一弗埽'《詩經》. ②시원할 쇄 마음에 조금도 티가 없어 상쾌함. '瀟一'. '胸中一落, 如光風霽月'《十八史略》. 二 씻을 세 ㉠세탁함. '一濯其心'《左傳》. ㉡설치함. 명예를 회복함. '願比死者一一之'《孟子》. 三 ①엄숙할 선 장엄하고 정숙한 모양. '君子之飮酒, 受一爵, 而色一如也'《禮記》. ②깊을 선 물이 깊음. '望厓一而高岸'《爾雅》. ③뿌릴 선 살포(撒布)함. '屑桂與薑, 以一諸上'《禮記》. ④떨 선 추워 오들오들 떠는 모양. '令人一一時寒'《素問》. ⑤놀랄 선 놀라는 모양. '羣臣莫不一然變色易容者'《史記》. 四 험할 최 험준한 모양. 일설(一說)에는, 고운 모양. 선명한 모양. '新臺有一'《詩經》.

字源 篆文 形聲. 氵(水)+西(覀)〔音〕. '覀서'는 술 따위를 거르는 대바구니의 象形. 물을 부어서 씻다의 뜻을 나타냄.

[洒洒 선선] 추워 덜덜 떠는 모양.
[洒如 선여] 엄숙한 모양.
[洒然 선연] 놀라는 모양.
[洒濯 세탁] 씻음. 깨끗하게 함. 세탁(洗濯).
[洒落 쇄락] 마음에 조금도 티가 없어 시원함. 마음에 아무 집착(執着)이 없어 상쾌함. 쇄락(灑落).
[洒埽 쇄소] 물을 뿌리고 비로 쓺.
[洒掃 쇄소] 쇄소(洒埽).
[洒掃應對 쇄소응대] 소제와 접대(接待). 연소자가 할 일을 이름.
[洒洒落落 쇄쇄낙락] 쇄락(洒落)한 모양.
[洒脫 쇄탈] 속기(俗氣)를 벗어나 시원함.
◉糞洒. 瀟洒. 澣洒.

6 ⑨ [洗] 中人 一 세 ㉤薺 先禮切 xǐ 二 선 ㉤銑 蘇典切 xiǎn

筆順 丶 丶 氵 氵 氵 洪 泮 洗

字解 一 ①씻을 세 닦음. 깨끗하게 함. '一濯'. '聖人以此一心'《易經》. ②그릇 세 낯·손 등을 씻은 물을 버리는 그릇. '設一, 直于東榮'《儀禮》. ③성 세 성(姓)의 하나. 二 ①씻을 선 발을 닦음. '一足'. '使兩女子一'《史記》. ②조촐할 선 깨끗함. '自一腆, 致用酒'《書經》. ③성 선 성(姓)의 하나.

字源 金文 篆文 形聲. 氵(水)+先〔音〕. '先선'은 '湔전'과 통하여, 씻다의 뜻. 물로 씻다의 뜻을 나타냄. '洗'의 金文은 止+舟의 會意 문자로서, 수반(水盤)에 발을 씻는 모양을 나타냄.

[洗腆 선전] 정중히 음식을 대접함.
[洗足 선족] 발을 씻음.
[洗肝 세간] 간(肝)을 씻어 깨끗하게 한다는 뜻으로, 마음을 깨끗하게 함을 이름.
[洗甲 세갑] 세병(洗兵).
[洗刮 세괄] 씻고 문지른다는 뜻으로, '기왕사(旣往事)나 비밀을 들추어냄'을 이르는 말.
[洗垢求瘢 세구구흔] 공연스레 남의 흠을 꼬치꼬치 캐어 들추어냄. 취모멱자(吹毛覓疵).

[洗煉 세련] ㉠씻고 불림. 전(轉)하여, 손질하여 완성함. ㉡사상(思想)·시문(詩文) 등을 잘 다듬음. ㉢수양에 의하여 인격이 원만하고 고상하게 됨.
[洗練 세련] 세련(洗煉).
[洗禮 세례] 기독교의 의식(儀式)의 하나. 지금까지의 죄악을 씻어 버리고 새사람이 된다는 표로, 새로 입교(入敎)하려는 사람의 머리에 점수(點水)하는 예(禮).
[洗馬 세마] 진한 시대(秦漢時代)의 태자궁(太子宮)의 속관(屬官). 행계(行啓)의 전구(前驅)가 되고 석전(釋奠) 때 태자를 돕는 일을 맡았으며, 진대(晉代) 이후에는 도적(圖籍)을 맡았음.
[洗面 세면] 낯을 씻음.
[洗沐 세목] ㉠머리를 감음. 한대(漢代)에 관리는 5일간에 하루 집에서 쉬며 머리를 감았고, 당대(唐代)에는 10일간에 하루 집에서 쉬며 머리를 감았음. ㉡관리가 휴가를 얻어 집으로 돌아가 쉬는 일.
[洗兵 세병] ㉠무기(武器)를 깨끗이 닦음. ㉡무기를 닦아 무기고(武器庫)에 넣어 둔다는 뜻으로, 전쟁을 그만두는 일.
[洗雪 세설] 치욕을 씻어 명예를 회복함. 설치(雪恥)함.
[洗手 세수] ㉠손을 씻음. ㉡도둑이 개심(改心)하고 정업(正業)에 종사함. ㉢《韓》 세면(洗面).
[洗拭 세식] 씻고 닦음.
[洗心 세심] 마음의 더러운 것을 씻어 냄. 과오를 뉘우쳐 마음을 고침. 개심(改心)함.
[洗眼 세안] ㉠눈을 씻음. ㉡주의하여 봄.
[洗如 세여] 상쾌한 모양. 깨끗한 모양.
[洗悟 세오] 깨닫게 함. 또, 깨달음.
[洗浴 세욕] 목욕을 함.
[洗胃 세위] 마음을 고친다는 뜻. 개심(改心).
[洗熨 세위] 옷을 빨아 다림.
[洗宥 세유] 무죄(無罪)임을 밝혀 석방함.
[洗耳 세이] ㉠옛날에 허유(許由)라는 사람이 요(堯)임금이 자기에게 선양(禪讓)하겠다고 하는 말을 듣고 귀가 더러워졌다 하여 귀를 냇물에서 씻은 고사(故事). 전(轉)하여, 세상의 명리(名利)를 조금도 바라지 않는다는 뜻. ㉡삼가 들음. 경청(傾聽)함.
[洗淨 세정] 씻어 깨끗하게 함.
[洗滌 세척] 깨끗이 씻음.
[洗濯 세탁] 세척(洗滌).
[洗盪 세탕] 씻음. 씻어 버림.
[洗汰 세태] 씻어 버림.
◉姑洗. 盥洗. 磨洗. 沐洗. 杯洗. 刪洗. 聖洗. 昭洗. 梳洗. 刷洗. 水洗. 領洗. 沃洗. 湔洗. 淨洗. 澡洗. 懺洗. 滌洗. 擢洗. 筆洗.

6 ⑨ [洣] 미 ㊀薺 母禮切 mǐ

字解 물이름 미 후난 성(湖南省)을 흘러 상수(湘水)로 합치는 강. 다릉강(茶陵江). '一, 水名, 在茶陵'《集韻》.

6 ⑨ [洙] 人名 수 ㊥虞 市朱切 zhū

筆順 丶 冫 氵 氵 汁 汼 泮 洙

字解 ①물이름 수 쓰수이(泗水) 지류(支流)로서 둘이 있는데, 하나는 공자(孔子)의 출생지인 산둥 성(山東省) 취푸 현(曲阜縣)에서 발원(發源)하여 기수(沂水)와 합쳐 쓰수이(泗水)로 흘러 들어가고, 또 하나는 산둥 성 비현(費縣)에서 발원하여 서쪽으로 흘러 쓰수이로 들어감. '一泗'. '一水出泰山郡蓋縣臨樂子山, 西北入泗'《漢書》. ②성 수 성(姓)의 하나.

字源 篆文 形聲. 氵(水)+朱〔音〕.

參考 속(俗)에, 예로부터 '물가수'로 훈(訓)하여 왔음.

[洙泗 수사] 주수이(洙水)와 쓰수이(泗水). 모두 강 이름. 공자(孔子)가 이 근처에서 제자(弟子)들에게 도를 가르쳤으므로, 전(轉)하여 공자의 문하(門下)의 뜻으로 쓰임.
[洙泗學 수사학] 공맹(孔孟)의 학(學). 유학(儒學).
[洙水 수수] 자해(字解) ❶을 보라.
◉泗洙.

6 ⑨ [洚] 홍 ㊥東 戶公切 hóng

字解 큰물 홍 洪(水部 六畫)과 同字. '一水警余'《孟子》.

字源 篆文 形聲. 氵(水)+夅〔音〕. '夅항'은 '洪홍'과 통하여, '큰물'의 뜻. 물이 불어 강이 넘쳐흐르다의 뜻을 나타냄.

[洚洞 홍동] 홍수가 난 모양.
[洚水 홍수] 큰물. 홍수(洪水).

6 ⑨ [洁] ㊀ 길 ㉧質 居質切 jí ㊁ 결 古屑切 jié

字解 ㊀물이름 길 '一, 水也'《玉篇》. ㊁ 潔(水部 十二畫)의 簡體字.

6 ⑨ [洤] 채 ㊃卦 楚解切 chài

字解 개채, 나루 채 바다 등이 뭍으로 움푹 패어 들어간 어귀. 포변(浦邊). '一, 水浦也'《集韻》.

6 ⑨ [洛] 人名 락 ㉧藥 盧各切 luò

筆順 丶 冫 氵 氵 汐 汷 洛 洛

字解 ①물이름 락 황하(黃河)의 지류(支流)로서 둘이 있는데, 하나는 산시 성(陝西省) 낙남현(雒南縣)에서 발원(發源)하여, 이수이(伊水) 강과 합쳐 황하로 흘러 들어감. 옛날에는 '雒'으로도 썼음. '伊一'. '導一自熊耳'《書經》. 하나는 산시 성 정변현(定邊縣)에서 발원하여, 웨이수이(渭水) 강과 합쳐 황하로 흘러 들어감. '瞻彼一矣'《詩經》. ②서울이름 락 뤄수이(洛水) 강의 북쪽에 위치하여, 동주(東周)가 이곳에 도읍을 정하였고, 그 후 후한(後漢)·서진(西晉)·후위(後魏)·수(隋)·오대(五代) 등도 이곳을 수도로 하였음. 곧, 뤄양(洛陽). '周公朝于一'《書經》. ③성 락 성(姓)의 하나.

字源 金文 篆文 形聲. 氵(水)+各〔音〕.

[洛京 낙경] 뤄양(洛陽)의 고칭(古稱).
[洛黨 낙당] 송(宋)나라 정이(程頤)의 당(黨).

[洛東 낙동] 뤄수이(洛水) 또는 뤄양의 동쪽.
[洛洛 낙락] 물이 흘러 내려가는 모양.
[洛閩之學 낙민지학] 정주(程朱)의 학파(學派). 정주학(程朱學). 두 정자(程子, 程顥, 程頤)는 뤄양(洛陽) 사람이고, 주희(朱熹)는 민중(閩中, 지금의 福建省) 사람이므로 일컬음.
[洛師 낙사] 뤄양(洛陽). 사(師)는 경사(京師), 곧 서울이라는 뜻.
[洛書 낙서] 하(夏)나라의 우(禹)임금이 홍수(洪水)를 다스릴 때 뤄수이에서 나온 신귀(神龜)의 등에 있었다고 하는 마흔다섯 점으로 된 무늬. 홍범구주(洪範九疇)와 팔괘(八卦)의 근원이 되었다 함. '하도(河圖)' 참조.

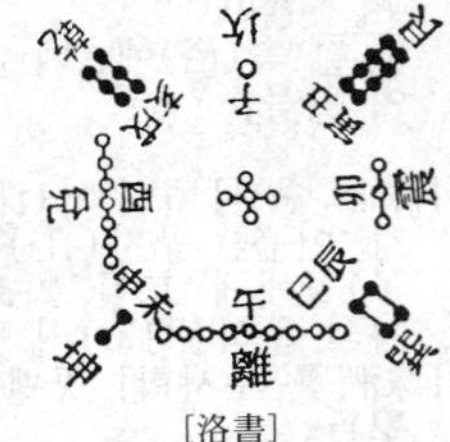

[洛書]

[洛城 낙성] 뤄양 성(洛陽城). 허난 성(河南省) 뤄양 현(洛陽縣)의 동쪽에 있었음.
[洛誦 낙송] 책을 읽는 일. 독서(讀書). 낙(洛)은 낙(絡)과 통함. 책은 글자를 연락하여 읽는 것이므로 이름.
[洛神 낙신] 뤄수이의 귀신. 복희씨(宓羲氏)의 딸 복비(宓妃)가 뤄수이에 빠져 죽은 넋이라 함.
[洛陽 낙양] 허난 성(河南省)의 수도(首都). 뤄수이(洛水)의 북방(北方)에 있음. 뤄양. 자해(字解)❷를 보라.
[洛陽伽藍記 낙양가람기] 후위(後魏)의 양현지(楊衒之) 찬(撰). 총 5권. 위(魏)나라 때 불교가 융성하여 거찰(巨刹)이 뤄양(洛陽)에 많이 건축되었었는데, 영희(永熙)의 난리에 모두 회신(灰燼)되었음. 그 구문(舊聞)을 수록하고 고적(古蹟)을 상기(詳記)하였음.
[洛陽紙價貴 낙양지가귀] ㉠진(晉)나라 사람 좌사(左思)가 제도부(齊都賦)와 삼도부(三都賦)를 지었을 때 뤄양(洛陽) 사람들이 다투어서 전사(傳寫)하였기 때문에 뤄양(洛陽)의 종이 값이 비싸진 옛일. ㉡저서(著書)가 많이 팔리는 것을 이름.
[洛陽花 낙양화] 낙화(洛花).
[洛外 낙외] 뤄양(洛陽)의 시외(市外). 서울 밖.
[洛邑 낙읍] 뤄양(洛陽).
[洛子 낙자] 《佛敎》 가사(袈裟)의 한 가지.
[洛中 낙중] 뤄양(洛陽)의 시중(市中). 서울 안.
[洛蜀朔三黨 낙촉삭삼당] 송(宋)나라 철종(哲宗) 때에 정치상(政治上)으로 대립한 낙당(洛黨)·촉당(蜀黨)·삭당(朔黨)의 세 당파. 낙당은 뤄양 사람 정이(程頤)의 일파(一派), 촉당은 촉(蜀)의 사람 소식(蘇軾)의 일파, 삭당은 동광(東光) 사람 유지(劉摯)의 일파. 원우 삼당(元祐三黨).
[洛學 낙학] 송(宋)나라 사람 정호(程顥)·정이(程頤)의 학설. 성명이기(性命理氣)의 학.
[洛花 낙화] 모란(牡丹)의 별칭(別稱).
◉駕洛. 京洛. 歸洛. 上洛. 渭洛. 伊洛. 入洛. 花洛.

6 ⑩ [洜] 洛(前條)의 古字

6 ⑨ [洞] 中人 ■ 동 ㊀送 徒弄切 dòng ■ 통 ㊀送 徒弄切 dòng (동㊍) 洞

筆順 丶 丶 氵 汌 汌 洞 洞 洞 洞

字解 ■ ①골 동 ㉠깊은 구멍. 굴. '一穴'. '傍爲土一'《宋史》. ㉡깊은 골짜기. 구렁. '一壑'. '仙女一在京山縣東南'《名山記》. ②연할 동 연통(連通)함. '連房一戶'《後漢書》. ③깊을 동 '思一希微'《陸倕》. ④빌 동 공허함. '心氣內一'《素問》. ⑤진실할 동 질박하고 성실함. '一一乎, 屬屬乎'《禮記》. ⑥빠를 동 물의 흐름이 빠름. '潰渭一河'《班固》. ⑦성 동 성(姓)의 하나. ⑧《韓》 동네 동 부락. '一里'. ■ 꿰뚫을 통 ㉠관통함. '一貫'. '括蔽一胸'《史記》. ㉡통달함. '一徹'. '遂兮一兮'《淮南子》.

字源 篆文 洞 形聲. 氵(水)+同〔音〕. '同동'은 속이 비었다는 뜻. 물이 빠져나가는 '굴'의 뜻을 나타냄.

[洞口 동구] 《韓》 동네로 들어가는 어귀.
[洞窟 동굴] 굴. 깊고 넓은 굴.
[洞宮 동궁] ㉠연(燕)나라 소왕(昭王)의 궁전의 이름. ㉡당(唐)나라 사람이 도교(道敎)의 절을 일컫는 말.
[洞洞 동동] 진실한 모양. 질박하고 성실한 모양.
[洞洞屬屬 동동촉촉] 성실하고 전일(專一)한 모양.
[洞里 동리] 《韓國》 마을. 동네.
[洞門 동문] 굴의 입구.
[洞房 동방] ㉠깊숙한 데 있는 방. ㉡부인(婦人)의 방. 침방(寢房).
[洞房花燭 동방화촉] 침방(寢房)에 비치는 환한 촛불. 전(轉)하여, 신방(新房)에 켠 환한 촛불.
[洞庭湖 동정호] 호수(湖水) 이름. 후난 성(湖南省) 북부에 있는, 중국 제2의 담수호(淡水湖). 상수(湘水) 등 주위의 하천을 수용하고, 장강(長江)에 연(連)함. 호수 속에 섬이 많고, 악양루(岳陽樓)와 소상팔경(瀟湘八景) 등의 명승(名勝)이 있음.
[洞天 동천] ㉠하늘과 통함. ㉡신선이 사는 곳.
[洞天福地 동천복지] 천하(天下)의 명산(名山)과 승경(勝境). 신선이 사는 곳.
[洞壑 동학] 구렁.
[洞穴 동혈] 동굴(洞窟).
[洞戶 동호] ㉠연이은 집. ㉡굴의 입구. 동문(洞門).
[洞鑒 통감] 통견(洞見).
[洞開 통개] 문짝을 활짝 열어 놓음.
[洞開獄門 통개옥문] 죄(罪)의 경중(輕重)을 묻지 않고 은사(恩赦)로 죄인(罪人)을 모두 놓아 줌.
[洞見 통견] 환하게 내다봄. 통찰(通察).
[洞貫 통관] ㉠꿰뚫음. 관통함. ㉡앞뒤의 조리가 닿음. 조리가 관통함.
[洞觀 통관] 통견(洞見).
[洞究 통구] 환히 구명(究明)함.
[洞達 통달] 꿰뚫음. 달통(達通)함.
[洞朗 통랑] 환함.
[洞闢 통벽] 통개(洞開).
[洞分 통분] 환하게 나눔. 명확하게 나눔.
[洞簫 통소] 취주 악기(吹奏樂器)의 한 가지. 퉁소.
[洞視 통시] 통견(洞見).
[洞然 통연] 환한 모양. 명확한 모양.
[洞井 통정] 깊이 판 우물.

[洞照 통조] 환하게 비춤.
[洞察 통찰] 온통 밝히어 살핌. 환하게 살핌.
[洞徹 통철] ㉠환히 비침. 투명(透明)함. ㉡환하게 통함. 환하게 앎.
[洞燭 통촉] 아랫사람의 사정을 깊이 헤아려 살핌.
[洞豁 통활] 탁 트이어 넓음.
[洞曉 통효] 환하게 깨달아서 앎.
◉嵌洞. 泱洞. 空洞. 白鹿洞. 仙洞. 雪洞. 淵洞. 乳洞. 幽洞. 紫洞. 鍾乳洞. 千佛洞. 土洞. 通洞. 包洞. 風洞. 霞洞. 港洞. 虛洞. 胡洞. 浩洞. 虹洞. 洚洞. 鴻洞.

6 ⑨ [洟] [一] 이 [平]支 以脂切 yí
[二] 체 [去]霽 他計切 tì

[字解] [一] 콧물 이 비액(鼻液). '垂涕—'《禮記》. [二] 눈물 체 涕(水部 七畫)와 同字. '不敢唾—'《禮記》.
[字源] 篆文 形聲. 氵(水)+夷〔音〕. '夷이·체'는 '涕체'와 통하여, 차츰 흘러나오는 물의 뜻. '콧물'의 뜻을 나타냄.

◉鼻洟. 涕洟. 唾洟.

6 ⑨ [津] [人名] 진 [平]眞 將隣切 jīn

[筆順] 丶 冫 氵 氵 汀 浔 浔 津

[字解] ①나루 진 도선장(渡船場). '一渡'. '使子路問—焉'《論語》. 또, 배가 발착하는 곳. 포구. 항구. '一驛'. '泛舟俱遠—'《杜甫》. ②언덕 진 변애(邊崖). '日出九—'《呂氏春秋》. ③연줄 진 인연(夤緣). '欲之困無—耳'《晉書》. ④길 진 경로(徑路). '分流合智—'《庾肩吾》. ⑤진액 진 생물의 몸 안에서 생겨나는 액체. '松—'. '露菊傾—'《王勃》. ⑥침 진 입속의 액체. '—唾'. '今人望梅生—, 食芥墮淚'《埤雅》. ⑦윤택할 진 '—潤'. '二曰, 川澤, 其民黑而—'《周禮》. ⑧넘칠 진 넘쳐흐르는 모양. '興味——'.
[字源] 篆文 形聲. 篆文은 氵(水)+聿〔音〕. '聿진'은 '進진'과 통하여, '나아가다'의 뜻. 물을 나아가는 배의 발착소(發着所)의 뜻을 나타냄.

[津徑 진경] 나루로 가는 소로(小路).
[津氣 진기] ㉠진액의 끈끈한 기운. ㉡우러나오는 속 기운.
[津渡 진도] 나루.
[津頭 진두] 나루.
[津梁 진량] ㉠나루와 다리. 전(轉)하여, 물을 건너는 시설. ㉡부처가 사람을 제도(濟度)하는 일. ㉢동분서주(東奔西走). ㉣일을 하기 위한 방편. 계제(階梯).
[津筏 진벌] 나루와 떼. 전(轉)하여, 물을 건너는 설비.
[津岸 진안] 나루.
[津涯 진애] 배를 대는 언덕. 포구(浦口). 일설(一說)에는, 끝. 한(限).
[津液 진액] ㉠생물체 내에서 생겨나는 액체. 진. ㉡진타(津唾).
[津驛 진역] 나루. 또, 포구(浦口). 항구(港口).
[津要 진요] 요해처(要害處). 목.
[津潤 진윤] 윤택함. 또, 윤택하게 함.
[津頤 진이] 침.
[津人 진인] 나루의 뱃사공.
[津店 진점] 나루터에 있는 가게.
[津津 진진] ㉠넘쳐흐르는 모양. 전(轉)하여, 맛이 아주 좋거나 퍽 재미가 있는 모양. ㉡악(惡)한 모양. 나쁜 모양.
[津唾 진타] 침.
[津埭 진태] 배가 정박하는 곳. 나루.
[津航 진항] 나룻배.
◉江津. 膏津. 關津. 渡津. 孟津. 問津. 迷津. 芳津. 星津. 梁津. 餘津. 要津. 飴津. 河津. 玄津. 洪津.

6 ⑨ [洧] [人名] 유 [上]紙 榮美切 wěi

[筆順] 丶 冫 氵 氵 汁 汁 洧 洧

[字解] 물이름 유 허난 성(河南省) 덩펑 현(登封縣)에서 발원(發源)하여 동(東)으로 흐르는 강으로서, 밀현(密縣)을 거쳐 대외진(大隗鎭)에서 진수(溱水)와 합쳐 쌍박하(雙洎河)가 됨. '—水'.
[字源] 甲骨文 篆文 形聲. 氵(水)+有〔音〕

[洧盤 유반] 간쑤 성(甘肅省) 엄자산(崦嵫山)에서 발원(發源)하는 강.
[洧水 유수] 자해(字解)를 보라.
[洧河 유하] 유수(洧水).

6 ⑨ [洆] 승 [平]蒸 辰陵切 chéng

[字解] 빠질 승 빠져서 가라앉음. '—, 沒也'《廣雅》.

6 ⑨ [洨] 효 [平]肴 胡茅切 xiáo
[去]效 後教切

[字解] ①물이름 효 '—河'는 허베이 성(河北省) 획록현(獲鹿縣)에서 발원(發源)하는 강. 사효(斯洨)라고도 하고, 또 동수(童水)·녹천수(鹿泉水)·정경수(井陘水)라고도 일컬음. ②고을이름 효 안후이 성(安徽省)에 있던 현명(縣名). 후한(後漢)의 허신(許愼)이 이곳의 장관을 지냈으므로, 세인(世人)이 그를 '—長'이라 함.
[字源] 篆文 形聲. 氵(水)+交〔音〕

[洨河 효하] 자해(字解)❶을 보라.

6 ⑨ [洩] [人名] [一] 예 [去]霽 餘制切 yì
[二] 설 [入]屑 私列切 xiè

[字解] [一] ①훨훨날 예 비상(飛翔)하는 모양. '翔霧連軒, ——淫淫'《木華》. ②바람따를 예 바람을 따르는 모양. '或掣掣——于裸人之國'《木華》. [二] ①샐 설 泄(水部 五畫)과 同字. '—漏'. '振河海而不—'《中庸》. ②줄 설, 덜 설 감소함. 감함. '濟其不足, 以—其過'《左傳》. ③성 설 성(姓)의 하나.
[字源] 形聲. 氵(水)+曳〔音〕. '曳예'는 '끌다'의 뜻. 물이 실을 끌듯이 넘치다, '새다'의 뜻을 나타냄.

[洩氣 설기] 방귀를 뀜.
[洩漏 설루] ㉠물이 샘. 또, 물이 새게 함. ㉡비밀

(祕密)이 새어 알려짐. 또, 비밀이 새어 나가게 함. 누설(漏洩).
[洩洩 예예] ㉠훨훨 나는 모양. ㉡바람을 따르는 모양.
◉露洩. 漏洩.

6
⑨ [洪] 高人 홍 ㊥東 戶公切 hóng

筆順 丶 冫 氵 氵一 汁 泔 洪 洪

字解 ①큰물 홍 대수(大水). '湯湯一水方割'《書經》. ②클 홍 '一大'. '一惟我幼沖人'《書經》. ③성 홍 성(姓)의 하나.
字源 篆文 形聲. 氵(水)+共〔音〕. '共공'은 넓고 크다의 뜻. '큰물'의 뜻을 나타냄.

[洪軌 홍궤] 홍모(洪模).
[洪規 홍규] 큰 꾀. 대계(大計).
[洪鈞 홍균] 하늘. 또, 조화(造化).
[洪基 홍기] 큰 사업의 기초. 또, 제왕의 사업의 기초.
[洪寧 홍녕] 나라가 지극히 잘 다스려져 태평함.
[洪大 홍대] 넓고 큼. 아주 큼. 광대(廣大).
[洪陶 홍도] 위대한 도공(陶工)이라는 뜻. 조물주(造物主)의 비유로 쓰임.
[洪圖 홍도] 큰 꾀. 원대한 계략.
[洪濤 홍도] 큰 물결.
[洪洞 홍동·홍통] ㉠큰 굴. ㉡'홍통(洪通)'을 보라.
[洪瀾 홍란] 홍도(洪濤).
[洪量 홍량] 큰 도량. 홍량(弘量).
[洪潦 홍료] 홍수(洪水).
[洪流 홍류] 큰 물의 흐름. 큰 강. 대하(大河).
[洪霖 홍림] 큰 장마.
[洪模 홍모] 큰 법. 대법(大法).
[洪謨 홍모] 큰 계책. 원대한 계책.
[洪茂 홍무] 아주 성대(盛大)함.
[洪伐 홍벌] 홍훈(洪勳).
[洪範 홍범] 하(夏)나라 우(禹)임금 때에 낙수이(洛水)에서 나온 신귀(神龜)의 등에 있었다는 구장(九章)의 문장(文章)으로서, 천하(天下)를 다스리는 대법(大法)으로 삼는 것.
[洪範九疇 홍범구주] '구주(九疇)'와 같음.
[洪福 홍복] 큰 행복(幸福).
[洪覆 홍복] 하늘. 상천(上天). 전(轉)하여, 천자(天子)의 은혜. 천은(天恩).
[洪算 홍산] 긴 수명. 장수(長壽).
[洪緖 홍서] 홍기(洪基).
[洪纖 홍섬] 홍세(洪細).
[洪聲 홍성] 큰 소리. 또, 큰 명성.
[洪細 홍세] 큼과 작음. 전(轉)하여, 모조리. 빠짐없이.
[洪水 홍수] 큰물.
[洪秀全 홍수전] 청(淸)나라 광둥(廣東) 사람. 장발적(長髮賊)의 두목으로서 멸만 흥한(滅滿興漢)을 표방하고 1850년에 기병(起兵)하여 태평천국(太平天國)을 세우고 천제(天帝)의 차자(次子)라 자칭하였음. 일시 세력을 크게 떨쳤으나, 뒤에 증국전(曾國荃)의 군사에 포위되어 자살하였음.
[洪業 홍업] 큰 사업. 또, 제왕의 사업.
[洪淵 홍연] 도량이 크고 생각이 깊음. 광연(廣淵).
[洪溶 홍용] 물이 넓고 깊음.
[洪元 홍원] 큰 근원. 대본(大本).
[洪原 홍원] 넓은 들.
[洪源 홍원] 천지개벽(天地開闢)의 최초.
[洪儒 홍유] 큰 유학자. 대학자. 홍유(鴻儒).
[洪恩 홍은] 큰 은혜.
[洪飮 홍음] 술을 많이 마심. 호음(豪飮).
[洪涔 홍잠] 큰비. 대우(大雨).
[洪才 홍재] 큰 재능. 대재(大才).
[洪族 홍족] 고귀(高貴)한 겨레. 귀족(貴族).
[洪鐘 홍종] 큰 종.
[洪胄 홍주] 홍족(洪族).
[洪志 홍지] 큰 뜻. 대지(大志).
[洪智 홍지] 아주 뛰어난 슬기. 대지(大志).
[洪津 홍진] 큰 나루.
[洪川 홍천] 큰 하천(河川). 큰 강.
[洪醉 홍취] 대단히 취함. 대취(大醉).
[洪蕩 홍탕] 수면(水面)이 넓은 모양.
[洪通 홍통] 널리 통함.
[洪統 홍통] 훌륭한 혈통(血統). 뛰어난 계통.
[洪波 홍파] 큰 물결. 홍도(洪濤).
[洪飆 홍표] 맹렬한 바람. 대풍(大風).
[洪惠 홍혜] 큰 은혜. 홍은(洪恩).
[洪化 홍화] 큰 교화(敎化). 널리 미치는 덕화(德化).
[洪荒 홍황] ㉠태고(太古). ㉡천지(天地). ㉢넓고 큼.
[洪勳 홍훈] 큰 공훈.
[洪輝 홍휘] 홍대(洪大)한 광휘. 큰 빛

6
⑨ [洫] 혁 ㊀職 況逼切 xù

字解 ①봇도랑 혁 논 사이의 물을 통하게 한 도랑. '溝一'. '田有封一'《左傳》. ②해자 혁 성을 빙 둘러싼 못. '築城伊一'《詩經》. ③수문 혁 수도(水道)의 문. '作方梁石一'《後漢書》. ④빌 혁 공허함. '滿者一之'《管子》. ⑤외람할 혁, 참람할 혁 분수에 넘침. '所行之備而不一'《莊子》.
字源 篆文 會意. 氵(水)+血. '血혈'은 돌아 흐르는 '피'의 뜻. 혈관처럼 돌아 흐르는 논 사이의 '봇도랑'의 뜻을 나타냄.

◉溝洫. 老洫. 白洫. 城洫. 田洫. 治洫.

6
⑨ [洮] 조 ㊥豪 土刀切 táo

字解 ①물이름 조 ㉠간쑤 성(甘肅省)을 흐르는 황하(黃河)의 지류. 파이서하(巴爾西河). '一水, 出隴西臨洮. 東北入河'《說文》. ㉡산시 성(山西省)을 흐르는 강. ②씻을 조, 빨 조 세수함. 또는 세탁함. '王乃一頮水'《書經》. '一汰學者之累惑'《後漢書》.
字源 篆文 形聲. 氵(水)+兆〔音〕

[洮水 조수] 자해(字解)❶을 보라.
[洮汰 조태] ㉠씻음. 씻어 없앰. 세탁. 도태(陶汰). ㉡윤택하게 함.
[洮河 조하] 조수(洮水).

6
⑨ [洲] 高人 주 ㊥尤 職流切 zhōu

筆順 丶 冫 氵 氵 氵丿 沙 洲 洲 洲

字解 ①섬 주, 모래톱 주 사주(沙洲). 작은 섬.

'一島'. '在河之一'《詩經》. ②뭍 주 대륙. '五大一'.
字源 形聲. 氵(水)+州〔音〕. '州주'는 물 가운데의 모래톱의 象形.

[洲島 주도] 섬.
[洲漵 주서] 모래톱과 개펄. 물가. 수변(水邊).
[洲嶼 주서] 작은 섬.
[洲淤 주어] 모래톱. 사주(沙洲).
[洲渚 주저] 모래톱. 사주(沙洲).
[洲汀 주정] 모래톱. 사주(沙洲).
[洲沚 주지] 모래톱. 사주(沙洲).
◉孤洲. 登瀛洲. 滿洲. 溟洲. 芳洲. 白鷺洲. 白洲. 四大部洲. 四洲. 沙洲. 神洲. 十洲. 鸚鵡洲. 瀛洲. 五大洲. 汀洲. 中洲. 滄浪洲. 滄洲. 磧洲.

6 ⑨ [洭] 광 ㊥陽 去王切 kuāng

字解 물이름 광 후난 성(湖南省) 계양현(桂陽縣)에서 발원(發源)하는 강으로, 광둥 성(廣東省)의 북강(北江)의 상류(上流). '一, 水名. 出桂陽含洭縣'《廣韻》.
字源 形聲. 氵(水)+匡〔音〕

6 ⑨ [洳] 여 ①㊤御 人恕切 rù ②㊥魚 人諸切 rú

字解 ①습한땅 여 습지. '彼汾沮一, 言采其莫'《詩經》. ②강이름 여 북경시(北京市)에서 발원하여, 남류(南流)해서 구하(泃河)에 합류함.
字源 形聲. 氵(水)+如〔音〕

[洳河 여하] 강 이름. 허베이 성(河北省)에서 발원(發源)하는 강.
◉沮洳.

6 ⑨ [洵] 人名 ㊀ 순 ㊥眞 相倫切 xún ㊁ 현 ㊤霰 翾縣切 xuàn

筆順 丶 冫 氵 氵 汋 汋 洵 洵

字解 ㊀ ①진실로 순 참으로. '一美且都'《詩經》. ②소리없이울 순 소리 없이 눈물을 흘리며 욺. '請無瘠色, 無一涕'《國語》. ③고를 순 旬(日部 二畫)과 同字. '一直且侯一'《詩經》. ㊁ 멀 현 요원함. '吁嗟一兮'《詩經》.
字源 篆文 形聲. 氵(水)+旬〔音〕. '恂순'과 통하여, '참으로'의 뜻을 나타냄.

[洵涕 순체] 소리 없이 눈물을 흘리며 욺.

6 ⑨ [洶] 人名 흉 ㊤腫 許拱切 xiōng

字解 용솟음할 흉 물이 세차게 솟아오름. 또, 그 소리. '一淵'. '波濤一涌'《司馬相如》.
字源 篆文 形聲. 氵(水)+匈〔音〕. '匈흉'은 불길한 일을 앞에 두고 가슴이 설레다의 뜻. 물이 용솟음치다의 뜻을 나타냄.
參考 汹(水部 四畫)은 同字.

[洶急 흉급] 물이 세차게 흐름. 수세(水勢)가 급함.
[洶動 흉동] 소동(騷動)함.
[洶淵 흉연] 물이 용솟음치는 깊은 못.
[洶涌 흉용] 흉용(洶湧).
[洶湧 흉용] 물이 용솟음치는 모양. 또, 그 소리.
[洶溶 흉용] 들끓음. 비등(沸騰)함.
[洶洶 흉흉] ㉠고동(鼓動)하는 모양. 또, 그 소리. ㉡수세(水勢)가 세찬 모양. 또, 세차게 흐르는 물소리. ㉢떠들썩한 모양. ㉣인심이 몹시 수선스러운 모양.

6 ⑨ [洸] 人名 ㊀ 광 ㊥陽 古黃切 guāng ㊁ 황 ㊤養 戶廣切 huàng

筆順 丶 冫 氵 氵 氵 氵 泩 洸

字解 ㊀ ①굳셀 광 용맹한 모양. '武夫一一'《詩經》. ②성낼 광 노(怒)하는 모양. '有一有潰'《詩經》. ㊁ ①깊을 황 물이 깊고 넓은 모양. 滉(水部 十畫)과 同字. '一洋'. ②황홀할 황 恍(心部 六畫)과 同字. '西望崐崙之軋沕一忽兮'《司馬相如》.
字源 篆文 形聲. 氵(水)+光〔音〕. '光광'은 '빛나다'의 뜻. 물이 솟아 빛나다의 뜻을 나타냄.

[洸洸 광광] ㉠굳센 모양. ㉡물이 솟아나와 희게 빛나는 모양.
[洸洋 황양] ㉠물이 깊고 넓은 모양. ㉡학설·의론 등이 광대하고 심원(深遠)한 모양.
[洸漾 황양] 황양(洸洋).
[洸忽 황홀] 분명하지 아니한 모양. 흐린 모양.

6 ⑨ [洸] 洸(前條)의 本字

6 ⑨ [浂] 〔담〕 淡(水部 八畫〈p. 1241〉)의 俗字

6 ⑨ [洺] 〔치〕 治(水部 五畫〈p. 1201〉)와 同字

6 ⑨ [浊] 〔탁〕濁(水部 十三畫〈p. 1303〉)의 俗字·簡體字

6 ⑨ [洍] 사 ㊤紙 詳里切 sì

字解 물모여들 사 본류(本流)에서 갈라졌다 다시 본류에 합치는 강물. 汜(水部 三畫)과 同字.
字源 篆文 形聲. 氵(水)+𦣞〔音〕

6 ⑨ [洹] 人名 ㊀ 원 ㊥元 雨元切 huán ㊁ 환 ㊥寒 胡官切 huán

筆順 丶 冫 氵 氵 汇 洹 洹 洹

字解 ㊀ 물이름 원 허난 성(河南省) 북부의 임현(林縣)에서 발원하여, 동류(東流)하여 안양시(安陽市)를 거쳐 내황현(內黃縣)에서 위하(衛河)로 들어가는 강. 일명 안양하(安陽河). 소진(蘇秦)과 육국(六國)이 이 강가에서 동맹의 약속을 맺은 것으로 유명함. '一水出上黨泫民縣'《水經》. '令天下將相盟於一水之上'《戰國策》. ㊁ 세차게흐를 환 '一一'은 물이 세차게 흐르는 모양. 또, 성(盛)한 모양. '一一水流盛也'《辭海》.

[字源] 甲骨文 金文 篆文 形聲. 氵(水)+亘(亘)〔音〕. '亘환'은 '讙환'과 통하여, 서로 소리를 질러 시끄럽다의 뜻. 물은 소리를 내어 흐르는 모양을 나타냄.

[洹水 원수] ㉠자해(字解)[一]을 보라. ㉡현(縣) 이름. 북주(北周) 시대에 설치. 현재의 허베이 성(河北省) 내.
[洹洹 환환] 물이 세차게 흐르는 모양.

6 ⑨ [活] [中][人] [一] 활 [入]曷 戶括切 huó
[二] 괄 [入]曷 古活切 guō

[筆順] 丶 丶 氵 氵 汇 汗 汗 活 活

[字解] [一] ①살 활 ㉠생존함. '一物'. '民非水火不生一'《孟子》. ㉡살아 나감. 목숨을 이음. '以焦飯得一'《世說》. ㉢소생함. '得此馬一矣'《晉書》. ㉣활발함. 또, 생동(生動)함. '一潑'. '一句'. '人心一'《朱子語類》. '雨餘山態一'《杜牧》. ②살릴 활 전항(前項)의 타동사. '相天子一百姓'《十八史略》. ③살림 활 생계. 호구(餬口). '共汝掃市作一也'《魏書》. [二] 물괄괄흐를 괄 물이 콸콸 흐르는 소리. '北流一一'《詩經》.
[字源] 篆文 形聲. 氵(水)+舌〔音〕. '舌괄'은 본디 '昏괄'로 쓰고, 굳은 맹세를 깨는 모양을 나타냄. 물이 둑을 부수고 멋대로 흐르다의 뜻에서, 전(轉)하여 '살다'의 뜻을 나타냄.

[活活 괄괄] 물이 콸콸 흐르는 소리.
[活計 활계] 살아갈 방도. 생계(生計).
[活句 활구] 시문(詩文) 중의 생동(生動)하는 글귀.
[活劇 활극] ㉠격투·탐정·모험 등이 활발하게 벌어진 영화의 장면이나 연극. ㉡연극·영화 등에서 보는 바와 같은 격렬한 실제의 투쟁.
[活氣 활기] 활발한 생기.
[活東 활동] 올챙이.
[活動 활동] ㉠활발하게 움직임. ㉡생기(生氣)가 있음. 생동(生動)함. ㉢《韓》무슨 일을 이루기 위하여 돌아다님.
[活動寫眞 활동사진] 영화(映畫).
[活力 활력] 활동하는 힘. 또, 생활하는 힘.
[活路 활로] 살아날 길.
[活鱗 활린] 산 물고기.
[活舞臺 활무대] 자기 힘을 충분히 발휘하여 활동(活動)할 수 있는 무대.
[活物 활물] 살아 있는 동식물.
[活剝生呑 활박생탄] 타인의 시문을 그대로 따서 자기의 작품으로 삼음.
[活潑 활발] 생기(生氣)가 있음. 원기(元氣)가 좋음.
[活潑潑 활발발] 활발발지(活潑潑地).
[活潑潑地 활발발지] 활기가 넘친 모양.
[活法 활법] 활용하는 법.
[活佛 활불] ㉠덕이 높은 중의 존칭. ㉡나마교(喇嘛敎)의 교주(敎主)의 속칭(俗稱).
[活貧黨 활빈당] 부자(富者)의 재물을 빼앗아 가난한 사람을 구제(救濟)하는 도둑의 무리.
[活師 활사] 올챙이.
[活詞 활사] 산 말. 생동(生動)하는 말.
[活殺 활살] 생살(生殺).
[活殺自在 활살자재] 살리고 죽이는 것을 마음대로 함. 마음대로 부림.
[活水 활수] 흐르는 물.
[活眼 활안] 사물(事物)을 밝게 보는 견식(見識). 뛰어난 안식(眼識).
[活躍 활약] ㉠기운차게 뛰어다님. ㉡기운차게 활동함.
[活語 활어] ㉠현재 쓰이는 말. ㉡활용하는 품사(品詞). 용언(用言).
[活用 활용] ㉠잘 응용함. 유용하게 씀. ㉡어미(語尾)의 변화(變化).
[活人 활인] ㉠산 사람. ㉡사람을 살림. 사람의 생명을 구원함.
[活人劍 활인검] 사람을 살리는 칼. 칼은 사람을 살상하는 연장이지만, 쓰는 방도 여하에 따라서는 사람을 살리는 연장이 될 수 있음을 이름. 살인검(殺人劍)의 대(對).
[活人畫 활인화] 배경을 적당하게 꾸미고 분장(扮裝)한 사람이 그 속에 들어가서 그림 속의 사람처럼 꾸미는 구경거리.
[活字 활자] 활판(活版)을 짜기 위하여 연(鉛)·안티몬 등을 원료로 하여 주조(鑄造)한 글자.
[活字版 활자판] 활판(活版).
[活脫 활탈] ㉠흙을 이겨 물건의 형상을 만드는 기예(技藝). ㉡아주 비슷함. 꼭 닮음.
[活版 활판] 식자(植字)하여 만든 인쇄판.
[活火 활화] 타는 불.
[活火山 활화산] 현재 불을 뿜고 있는 산. 분화(噴火)하는 산.
◉汨活. 共同生活. 苟活. 救活. 獨活. 斗升活. 賣文爲活. 汲汲求活. 敏活. 復活. 死中求活. 死活. 生活. 雪活. 芽活. 快活. 愛活. 養活. 原活. 圓活. 自活. 藏活. 全活. 濟活. 存活. 草間求活. 快活. 脫活. 偸活. 函活.

6 ⑨ [洼] 와 [平]麻 烏爪切 wā

[字解] 웅덩이 와 窪(穴部 九畫)와 同字. '似一者, 似汙者'《莊子》.
[字源] 篆文 形聲. 氵(水)+圭〔音〕. '圭규'는 '窪규·와'와 통하여, 우묵한 구덩이의 뜻. 깊은 못의 뜻을 나타냄.

[洼水 와수] 물웅덩이.

6 ⑨ [浀] 곡 [入]沃 丘玉切 qū

[字解] 물이름 곡 曲(曰部 二畫)과 통용. '一池, 水名'《正字通》.

6 ⑨ [洈] [一] 위 [平]支 魚爲切 wéi
[二] 궤 [上]紙 過委切 wéi

[字解] [一] 물이름 위 후베이 성(湖北省) 당양현(當陽縣)의 동쪽을 흘러, 장수(漳水)로 들어가는 강. '一, 一水, 出南郡高城一山, 東入繇'《說文》. [二] 물이름 궤 [一]과 뜻이 같음.
[字源] 形聲. 氵(水)+危〔音〕

6 ⑨ [浤] 〔도〕 渡(水部 九畫〈p. 1256〉)와 同字

6 ⑨ [洽] [人][名] [一] 흡 [入]洽 侯夾切 qià, xiá
[二] 합 [入]合 葛合切 hé

筆順 丶 冫 氵 氵 氵 洽 洽 洽

字解 ㊀ ①두루미칠 흡 널리 미침. '一普'. '好生之德, 一于民心'《書經》. 또, 두루 미치는 일. '推其博一'《後漢書》. ②화목할 흡 화합함. '一和'. '與道不一'《舊五代史》. ㊁ 강이름 합 산시 성(陝西省)에서 발원하여, 황하(黃河)로 들어감. 금수하(金水河).

字源 篆文 形聲. 氵(水)+合〔音〕. '合합'은 '합치다'의 뜻. 물이 합류하다, 두루 미치다, 물줄기가 모이다, 물기를 머금다의 뜻을 나타냄.

[洽覽 흡람] 널리 책을 봄. 박람(博覽).
[洽聞 흡문] 견문(見聞)이 넓음. 다문(多聞).
[洽博 흡박] 학문이 넓고 사리에 통함.
[洽普 흡보] 널리 미침. 두루 미침.
[洽比 흡비] 서로 화합(和合)함.
[洽然 흡연] 아주 흡족(洽足)한 모양.
[洽著 흡저] 널리 세상에 알려짐.
[洽足 흡족] 아주 넉넉함. 조금도 모자람이 없음.
[洽暢 흡창] 두루 통(通)함. 널리 미침.
[洽浹 흡협] 흡박(洽博).
[洽化 흡화] 널리 덕(德)에 감화됨.
[洽和 흡화] 서로 화목함.
[洽歡 흡환] 서로 화목하여 기뻐함.
[洽驩 흡환] 흡환(洽歡).
[洽恰 흡흡] 빽빽이 차거나 대단히 많은 모양.
◉光洽. 博洽. 普洽. 溥洽. 宣洽. 渥洽. 淵洽. 優洽. 遠洽. 流洽. 隆洽. 精洽. 祖洽. 周洽. 重熙累洽. 沾洽. 通洽. 該洽. 協洽. 浹洽. 化洽. 和洽. 驩洽.

6 ⑨ [派] 高人 파 ㊄卦 匹卦切 pài

筆順 丶 冫 氵 氵 汀 汇 派 派 派

字解 ①갈라질 파 갈라져 흐름. 갈라져 나옴. 분기(分岐)함. '百川一別, 歸海而會'《左思》. ②갈래 파 ㉠갈라져 나온 물. '流九一乎潯陽'《郭璞》. ㉡갈라져 나온 계통. '黨一'. '學一'. '具書支一'《宋書》. ③가를 파 나눔. 분배함. '輪一'. '一遣'. '疏一天潢'《北史》.

字源 甲骨文 篆文 形聲. 氵(水)+𠂢〔音〕. '𠂢파'는 흐름이 갈라져 있는 모양을 본떠서, '지류, 갈라짐'의 뜻을 나타냄. '水수'를 더하여, 뜻을 분명히 함.

[派遣 파견] ㉠사방으로 사람을 나누어 보냄. ㉡사명(使命)을 띄워서 사람을 보냄.
[派系 파계] 동종(同宗)에서 갈려 나온 계통(系統).
[派別 파별] 여러 갈래로 나뉘어 갈림.
[派譜 파보] 동종(同宗) 중의 한 파의 계보(系譜).
[派索 파색] 부당한 금액을 부과하여 징수(徵收)함.
[派生 파생] 근본에서 갈리어 나와 생김. 또, 그 것.
[派送 파송] 파견(派遣).
[派引 파인] 나누어 끎.
◉江西詩派. 硬派. 黨派. 同源別派. 萬派. 末派. 門派. 別派. 分派. 疏派. 軟派. 姚派. 右派. 流派. 一派. 宗派. 左派. 支派. 特派. 河東派. 學派.

6 ⑨ [洿] ㊀ 오 ㊥虞 哀都切 wū ㊁ 호 ㊤麌 侯古切 hù

字解 ㊀ ①웅덩이 오 움푹하게 패어 물이 괸 곳. '數罟不入一池'《孟子》. ②우묵할 오 오목함. 또, 오목하게 함. '一其宮而豬焉'《禮記》. ㊁ ①더럼 호 오염(汚染). '治舊一'《左傳》. ②물들일 호 염색함. '以墨一色其周垣'《漢書》. ③깊을 호 물이 깊음. '川谷何一'《楚辭》.

字源 篆文 形聲. 氵(水)+夸〔音〕. '夸과'는 '구덩이'의 뜻. 구덩이에 괸 흙탕물의 뜻을 나타냄.

[洿濘 오녕] 진창. 이녕(泥濘).
[洿池 오지] 웅덩이. 못.
[洿色 호색] 물들임. 염색함.

6 ⑨ [流] 〔류〕
流(水部 七畫〈p. 1233〉)의 本字

6 ⑨ [洔] 人名 지 ㊤紙 諸市切 zhǐ

字解 물가 지 수애(水涯). 沚(水部 四畫)와 同字. '飮於枝一之中'《穆天子傳》.

字源 篆文 形聲. 氵(水)+寺〔音〕. '寺시'는 '저장하다'의 뜻. 흐르지 않고 괴어 있는 물.

6 ⑨ [洺] 人名 명 ㊥庚 武幷切 míng

字解 ①물이름 명 허난 성(河南省) 무안현(武安縣)에서 발원(發源)하여, 허베이 성(河北省) 대륙택(大陸澤)으로 흘러 들어가는 강. '一水'. ②고을이름 명 북주(北周) 때 두었던 주(州)의 하나. 지금의 허베이 성(河北省)의 일부. '廣平府漢曰廣平, 唐曰一州'《廣輿記》.

字源 篆文 形聲. 氵(水)+名〔音〕

[洺水 명수] 자해(字解)❶을 보라.

6 ⑨ [洝] ㊀ 안 ㊄翰 烏旰切 àn ㊁ 알 ㊅曷 阿葛切 è

字解 ㊀ 더운물 안 미지근한 물. ㊁ 습윤할 알 '窌一, 濕潤也'《集韻》.

字源 篆文 形聲. 氵(水)+安〔音〕. '安안'은 '안온하다'의 뜻. 미지근한 물의 뜻을 나타냄.

6 ⑨ [汧] 견 ㊥先 苦堅切 qiān

字解 ①물이름 견 산시 성(陝西省) 룽 현(隴縣)의 서북부에서 발원하여 웨이허(渭河)로 흘러 들어가는 강. 용어천(龍魚川). '一水'. '一水出右扶風一縣西北, 入渭'《說文》. ②못 견 솟던 물이 그치고 이루어진 못. 또, 물이 둑을 부수고 흘러들어 이루어진 못. '水決之澤爲一'《爾雅》. ③떠다닐 견 '聲類曰, 一, 漂也'《枚乘注》.

字源 篆文 形聲. 氵(水)+幵〔音〕

6 ⑨ [洒] ㊀ 세 ㊄霽 蘇計切 xì ㊁ 신 ㊄震 思晉切

字解 ㊀ 물이름 세 안후이 성(安徽省) 푸양 현

(阜陽縣)에서 발원(發源)하여, 잉수이(潁水)로 흘러드는 강. '一, 一水. 出汝南新郪入潁'《說文》. 二 물이름 신 一과 뜻이 같음.
字源 形聲. 氵(水)+囟〔音〕

6 ⑨ [洗] 충 ㊥東 昌嵩切 chōng
字解 ①산밑샘 충 '一, 山下泉也'《玉篇》. ②물소리 충 '一淙'은 물소리.

6 ⑨ [涑] 一 색 ㊀陌 色責切 sè 二 지 ㊂寘 疾智切 zì
字解 一 ①가랑비내릴 색 漬(水部 十一畫)의 古字. 가랑비가 내리는 모양. '一, 小雨霝皃'《說文》. ②성 색 성(姓)의 하나. 二 담글 지 물에 적심. '漬, 說文, 漚也. 古作一'《集韻》.
字源 篆文 形聲. 氵(水)+束〔音〕. '束자'는 '가시'로, '가늘다'의 뜻. '가랑비'의 뜻을 나타냄.

6 ⑨ [洱] 이 ㊤紙 而止切 ěr
字解 강이름 이 이수(洱水). 허난 성(河南省) 내향현(內鄕縣)에서 발원(發源)하여, 육수(淯水)와 합치는 강. '一, 水名'《廣韻》.
字源 形聲. 氵(水)+耳〔音〕

6 ⑨ [洇] 〔인〕 湮(水部 九畫〈p.1266〉)과 同字
字源 篆文 形聲. 氵(水)+因〔音〕. '因인'은 '堙인'과 통하여, '가라앉다'의 뜻. 물에 가라앉다의 뜻을 나타냄. 파생(派生)하여, 강물의 이름.

6 ⑨ [洕] 〔연〕 涓(水部 七畫〈p.1231〉)의 俗字

6 ⑨ [涙] 〔니〕 泥(水部 五畫〈p.1210〉)의 俗字

6 ⑨ [洴] 〔병〕 洴(水部 八畫〈p.1253〉)의 俗字

6 ⑨ [浅] 〔천〕 淺(水部 八畫〈p.1251〉)의 俗字

[桼] 〔칠〕 木部 五畫(p.1055)을 보라.

[染] 〔염〕 木部 五畫(p.1055)을 보라.

7 ⑪ [㶞] 〔해〕 海(水部 七畫〈p.1227〉)와 同字

7 ⑩ [浘] 一 미 二 매 ㊤尾 無匪切 wěi
字解 一 흐를 미 물이 흐르는 모양. '河水一一'《韓詩外傳》. 二 샘밑 매 샘의 밑바닥.

[浘浘 미미] 물이 흐르는 모양.

7 ⑩ [浵] 동 ㊥冬 徒冬切 tóng ㊥東 徒紅切
字解 물깊을 동 '汪一'. '汪一, 水深'《集韻》.

7 ⑩ [浙] 人名 절 ㊀屑 旨熱切 zhè
字解 ①물이름 절 저장 성(浙江省)에 있는 첸탕 강(錢塘江)의 하류(下流). '至錢塘臨一江'《史記》. ②땅이름 절 저장 성 지방의 총칭. '及幸一'《宋史》.
字源 篆文 形聲. 氵(水)+折〔音〕. '折절'은 꺾이어 구부러지다의 뜻. '水수'를 붙여 굴곡이 많은 강, 저장(浙江)의 뜻을 나타냄.

[浙江 절강] ㉠성(省)의 이름. 장쑤 성(江蘇省)의 남쪽에 있으며, 동지나해(東支那海)에 면(面)함. 면적은 약 10만 제곱 킬로, 남부는 열대(熱帶)에 가까워 기후가 온난함. 주산업은 농업과 양잠. 성도는 항저우(杭州). ㉡저장 성에 있는 첸탕 강(錢塘江)의 하류(下流).
◉閩浙. 兩浙.

7 ⑩ [湓] 분 ㊂願 蒲悶切 bèn
字解 ①물소리 분 '一, 水聲'《廣韻》. ②솟아날 분 물이 솟아 나오는 모양. '一, 水出皃'《集韻》.

7 ⑩ [浚] 人名 준 ㊂震 私閏切 jùn
筆順 丶 丶 氵 汁 汸 浚 浚 浚
字解 ①깊을 준 물이 깊음. '一照'. '水道一利'《漢書》. ②칠 준 준설함. '一井'. '冬一洙'《春秋》. ③걸터들일 준 재물을 탐내어 걸터들임. '一我以生'《左傳》. ④기다릴 준 대망(待望)함. '夙夜一明有家'《書經》. ⑤빼앗을 준 탐내어 탈취함. '一民財'.
字源 篆文 形聲. 氵(水)+夋〔音〕. '夋준'은 '出출'과 통하여, '내다'의 뜻. 물속으로부터 괴어 있는 진흙 따위를 퍼내다, 치다의 뜻을 나타냄.

[浚急 준급] 물이 깊고 빨리 흐름.
[浚渫 준설] 우물이나 개울의 진흙 또는 강바닥의 모래를 침.
[浚井 준정] 우물을 침.
[浚照 준조] 깊고 맑음.
[浚塹 준참] 깊은 참호(塹濠). 또, 참호를 깊게 팜.
[浚則 준칙] 깊이 본받음. 본받아 열심히 따라 익힘.
[浚湖 준호] 호수를 깊게 팜. 또, 깊은 호수.
◉宏浚. 急浚. 幽浚.

7 ⑩ [浞] 착 ㊀覺 士角切 zhuó
字解 ①담글 착 액체 속에 넣음. ②사람이름 착 '寒一'은 하(夏)나라 때 사람으로, 예(羿)를 죽이고 그의 지위를 빼앗았다는 사람.
字源 篆文 形聲. 氵(水)+足〔音〕

7 ⑩ [浡] 발 ㊀月 蒲沒切 bó

字解 ①우쩍일어날 발 갑자기 성하게 일어나는 모양. '苗一然興之矣'《孟子》. ②용솟음할 발 물이 솟아 나옴. '原流泉一'《淮南子》.
字源 形聲. 氵(水)+孛〔音〕. '孛발'은 갑자기 성(盛)해지는 뜻. 물이 왕성히 솟다의 뜻을 나타냄.

[浡然 발연] 성(盛)하게 일어나는 모양. 발연(勃然).
[浡滃 발옹] 성(盛)한 모양.
[浡潏 발휼] 물이 콸콸 솟는 모양.
◉滂浡. 滏浡. 澤浡.

7 ⑩ [浣] 人名 완(환本) 去翰 胡玩切 huàn

筆順 丶 冫 氵 氵' 氵宀 浐 浣 浣

字解 ①빨 완, 씻을 완 '一腸'. ②말미 완 관리의 휴가. 옛날에, 관리가 열흘마다 하루의 휴가를 얻어 집에서 목욕한 데서 유래함. ③열흘 완 일순(一旬). '上一'.
字源 篆文 形聲. 氵(水)+完〔音〕. '完완'은 '두르다'의 뜻. 물을 두르듯이 하여 부어서 씻다의 뜻을 나타냄.

[浣沐 완목] 발을 씻고 머리를 감음.
[浣雪 완설] 원죄(冤罪)를 씻어 줌.
[浣染 완염] 세탁하여 염색함.
[浣慰 완위] 울적한 마음이 사라지고 상쾌하여짐.
[浣腸 완장] 창자를 씻음. 전(轉)하여, 약물을 항문(肛門)에서 직장(直腸) 안으로 주입(注入)하는 일.
[浣滌 완척] 씻음. 빪.
[浣草 완초] '천문동(天門冬)'의 별칭.
[浣花溪 완화계] 쓰촨 성(四川省)에 있는 계곡(溪谷). 두보(杜甫)의 고택(故宅)이 있음.
[浣花日 완화일] 음력 4월 19일. 이날 완화계(浣花溪)에서 놀이를 하는 사람이 많으므로 이름.
◉湔浣.

7 ⑩ [涆] 간 去翰 侯旰切 hàn

字解 빨리흐를 간 물이 빨리 흐르는 모양. '滮滮一一'《左思》.

[涆涆 간간] 물이 빨리 흐르는 모양.

7 ⑩ [浽] 수 平支 息遺切 suī

字解 ①부슬비 수 '微一'는 부슬부슬 내리는 가랑비. '一微, 小雨'《集韻》. ②물이름 수 강(江)의 이름.

7 ⑩ [涇] 人名 경 平青 古靈切 jīng 泾

筆順 丶 冫 氵 氵 氵巛 氵巛 涇 涇

字解 ①물이름 경 간쑤 성(甘肅省) 화평현(化平縣)과 구위안 현(固原縣) 두 군데에서 발원(發源)하여 합류(合流)한 후, 산시 성(陝西省)에 이르러 웨이수이(渭水)로 흘러 들어가는 강. '一水'. '一屬渭汭'《書經》. ②통(通)할 경 '一流之大'《莊子》.
字源 金文 篆文 形聲. 氵(水)+巠〔音〕. '巠경'은 '똑바르다'의 뜻.

[涇流 경류] 물줄기.
[涇水 경수] 자해(字解)❶을 보라.
[涇渭 경위] 경수(涇水)는 흐리고 웨이수이(渭水)는 맑음. 전(轉)하여, 사물(事物)의 청탁(淸濁)을 이름.
[涇渭分 경위분] 청탁 시비(淸濁是非)의 구별이 분명함.
[涇河 경하] 경수(涇水).

7 ⑩ [消] 中·人 소 平蕭 相邀切 xiāo

筆順 丶 冫 氵 氵' 氵'' 氵业 消 消

字解 ①사라질 소 ㉠없어짐. 멸망함. '一滅'. '小人道一也'《易經》. ㉡녹아 없어짐. '冰凍一釋'《禮記》. ㉢닳아 없어짐. 또, 흩어짐. '一耗'. '九事, 七爲一'《太玄經》. ㉣다함. 다 없어짐. 소진(消盡)함. '鳥獸之害人者一'《孟子》. ②사라지게할 소 전항의 타동사. '一却'. '樂琴書, 以一憂'《陶潛》. ③쓸 소 속어(俗語)로서, 사용함. 또, 가(可)하다는 뜻으로 쓰임. '不一言說'.
字源 篆文 形聲. 氵(水)+肖〔音〕. '肖초'는 '적다'의 뜻. 물이 적어지다, 사라지다의 뜻을 나타냄.

[消却 소각] ㉠꺼 물리침. 사라지게 함. ㉡써 없앰. 소비함.
[消渴 소갈] 목이 마르며 소변이 자꾸 나오는 병. 당뇨병(糖尿病) 같은 것.
[消遣 소견] 울적한 마음을 풂. 한 군데에 마음을 붙이어 근심을 잊고 지냄. 심심소일을 함.
[消光 소광] 소일(消日).
[消救 소구] 재난(災難)을 꺼 없애고 구함.
[消極 소극] 부정(否定)·수동(受動)·퇴영(退嬰)·보수(保守)·고식(姑息)·무위(無爲)·미온(微溫) 등의 뜻을 나타내는 말. 적극(積極)의 대(對).
[消痰 소담] 담(痰)을 없애 버림.
[消毒 소독] 약으로 병균(病菌)을 박멸함. 병균을 죽여 전염병을 예방함.
[消磨 소마] ㉠닳아 없어짐. ㉡세월을 보냄.
[消亡 소망] 사라져 없어짐. 없어짐. 소실(消失).
[消滅 소멸] 사라져 없어짐.
[消耗 소모] 써서 없어짐. 또, 써서 줄게 함. 써서 닳게 함.
[消弭 소미] 소복(消伏).
[消伏 소복] 재앙(災殃)을 꺼 없앰. 재앙을 없어지게 함.
[消費 소비] 써 없앰.
[消散 소산] 흩어져 없어짐. 또, 흩어 없앰.
[消索 소색] 소실(消失).
[消暑 소서] 더위를 사라지게 함. 소하(消夏).
[消釋 소석] 녹아 없어짐.
[消瘦 소수] 소척(消瘠).
[消食 소식] 먹은 음식(飮食)이 삭음.
[消息 소식] ㉠없어짐과 생김. 줆과 붊음. ㉡변화(變化). ㉢왕래(往來). ㉣동정(動靜). 안부(安否). ㉤편지. 음신(音信). 통신(通信).
[消失 소실] 사라져 없어짐. 없어짐.
[消搖 소요] 이리저리 거닐어 돌아다님. 한가로운

모양. 소요(逍遙).
[消憂 소우] 소견(消遣).
[消印 소인] 말소(抹消)하기 위하여 찍은 도장.
[消日 소일] 세월을 보냄.
[消長 소장] 쇠하여 줄어 감과 성하여 늘어 감. 영고성쇠(榮枯盛衰).
[消停 소정] 잠시 쉼.
[消殄 소진] 소실(消失).
[消暢 소창] 갑갑한 마음을 시원하게 풂.
[消瘠 소척] 몸이 쇠약하여 수척해짐.
[消滯 소체] 체한 음식을 소화시킴.
[消沈 소침] 마음이 사그라지고 활기(活氣)가 없어짐.
[消蕩 소탕] 쳐 없앰. 「쐼.
[消風 소풍] 답답한 마음을 풀기 위하여 바람을
[消夏 소하] 더위를 사라지게 함. 피서(避暑). 소하(銷夏).
[消閒 소한] 소견(消遣).
[消閑 소한] 소견(消遣).
[消歇 소헐] 소실(消失).
[消魂 소혼] 낙담(落膽)함. 실망함.
[消火 소화] 불을 끔.
[消化 소화] ㉠사물(事物)이 소멸하여 변화함. 지금까지 지닌 형태가 없어지고 새로운 형태로 변함. ㉡먹은 것을 삭혀서 내림. ㉢《韓》 듣거나 읽은 것을 잘 이해함.
[消火栓 소화전] 화재가 일어났을 때 급수(給水)하기 위한 수도의 장치.
◉抹消. 芒消. 氷消. 削消. 身興煙消. 捐消. 雲散霧消. 取消. 解消.

7 ⑩ [渖] 담 ㊥覃 他甘切 tān

字解 ①높은물결 담 '一, 滃泪, 峻波皃'《集韻》. ②물이름 담 '一, 水名'《篇海》.

7 ⑩ [浤] 굉 ㊥庚 戶萌切 hóng

字解 바닷물용솟음칠 굉 바닷물이 용솟음치는 모양. '崩雲屑雨, 一一汩汩'《木華》.

字源 形聲. 氵(水)+宏〔音〕

[浤浤 굉굉] 요란스레 파도치는 소리. 또, 물이 용솟음치는 모양.

7 ⑩ [浯] 〔활〕 活(水部 六畫〈p. 1220〉)의 本字

7 ⑩ [浥] ㊀ 읍 ㊇緝 於汲切 yì ㊁ 압 ㊇洽 烏洽切 yà

字解 ㊀ ①젖을 읍, 적실 읍 비나 물에 젖음. 또는 적심. '渭城朝雨一輕塵'《王維》. ②성 읍 성(姓)의 하나. ㊁ 흐를 압 물이 흘러 내려감. '乍一乍堆'《郭璞》.

字源 篆文 形聲. 氵(水)+邑〔音〕. '濕合'과 통하여, '젖다'의 뜻을 나타냄.

[浥浥 읍읍] 향기가 떠도는 모양.
◉厭浥. 潤浥.

7 ⑩ [浦] 高人 포 ㊤麌 滂古切 pǔ

筆順 丶 丶 氵 汇 汇 沪 浦 浦

字解 ①개 포 개펄. '一溆'. '率彼淮一'《詩經》. ②성 포 성(姓)의 하나.

字源 篆文 形聲. 氵(水)+甫〔音〕. '甫보'는 깔려 퍼져 나가는 뜻. 퍼져 나가는 물, '개펄'의 뜻을 나타냄.

[浦口 포구] 갯가의 작은 항구.
[浦灣 포만] 후미. 물가의 휘어서 굽어진 곳.
[浦溆 포서] 개. 개펄.
◉曲浦. 極浦. 煙浦. 合浦. 海浦.

7 ⑩ [浧] ㊀ 정 ㊤梗 丑郢切 chéng ㊁ 영 ㊤梗 以整切 yǐng

字解 ㊀ 통할 정, 흐를 정 막히지 않고 통함. 통류(通流)함. ㊁ 앙금 영 침전물(沈澱物).

字源 形聲. 氵(水)+呈〔音〕

7 ⑩ [浩] 高人 호 ㊤晧 胡老切 hào

筆順 丶 丶 氵 氵 汁 浩 浩 浩

字解 ①넓을 호 ㉠큰 물이 넓게 흐르는 모양. '一一滔天'《書經》. ㉡광대한 모양. '一一其天'《中庸》. ②넉넉할 호 풍부함. '有餘曰一'《禮記》. ③성 호 성(姓)의 하나.

字源 篆文 形聲. 氵(水)+告〔音〕. '告고'는 '好호'와 통하여, '좋다'의 뜻. 마음이 충만할 만큼 넉넉한 물의 뜻을 나타냄.

[浩歌 호가] 큰 소리로 노래함.
[浩劫 호겁] ㉠지극히 긴 시간. 무한한 시간. ㉡큰 재난(災難). ㉢궁전의 계단. 섬돌.
[浩曠 호광] 광대(廣大)함.
[浩氣 호기] 호연지기(浩然之氣).
[浩大 호대] 넓고 큼.
[浩洞 호동] 넓고 텅 빔.
[浩漫 호만] ㉠많음. ㉡광대(廣大)함.
[浩茫 호망] 호양(浩洋).
[浩淼 호묘] 호양(浩洋).
[浩渺 호묘] 호양(浩洋).
[浩緲 호묘] 호양(浩洋).
[浩博 호박] 넓음.
[浩繁 호번] 인총(人總)이 많음. 대단히 번화함.
[浩洋 호양] 물이 광대(廣大)한 모양.
[浩漾 호양] 호양(浩洋).
[浩瀁 호양] 호양(浩洋).
[浩壤 호양] 광대한 토지.
[浩穰 호양] 인총(人總)이 많음. 호번(浩繁).
[浩然 호연] ㉠물이 세차게 흐르는 모양. 전(轉)하여, 성대(盛大)하게 흘러 다니는 모양. ㉡마음이 넓고 뜻이 큰 모양. ㉢물이 세차게 흐르듯이 돌아갈 생각이 간절한 모양.
[浩然之氣 호연지기] 널리 천지간(天地間)에 유통하는 정대(正大)한 원기. 또, 사람의 마음에 차 있는 정대(正大)한 기운.
[浩恩 호은] 큰 은혜. 대은(大恩).
[浩飮 호음] 술을 대단히 많이 마심. 호음(豪飮).
[浩唱 호창] 호가(浩歌).
[浩歎 호탄] 대단히 탄식함.
[浩湯 호탕] 호호탕탕(浩浩湯湯).

[浩蕩 호탕] ㉠호양(浩洋). ㉡뜻이 분방(奔放)한 모양.
[浩汗 호한] 호양(浩洋).
[浩瀚 호한] ㉠호양(浩洋). ㉡서책이 많은 모양.
[浩浩 호호] ㉠호양(浩洋). ㉡광대(廣大)한 모양.
[浩浩湯湯 호호탕탕] 호양(浩洋).

7
⑩ [浪] [中人] 랑 [去]漾 來宕切 làng

[筆順] 丶 丶 氵 氵 氵 沪 浪 浪

[字解] ①물결 랑 파도. '波—'. '冒—而進'《南史》. ②물결일 랑 파도가 일어남. '溫泉毖涌而自—'《左思》. ③표랑할 랑 유랑함. '放—'. '—跡寄滄洲'《李白》. ④방자할 랑 방종함. '—士'. '縱—大化中'《陶潛》. ⑤눈물흐를 랑 눈물이 흐르는 모양. '霑余襟之——'《楚辭》. ⑥함부로 랑 마구. '—費'. '—戰爲下策'《資治通鑑》. ⑦성 랑 성(姓)의 하나.

[字源] [篆文] 形聲. 氵(水)+良〔音〕. '良량'은 놀치는 물결을 나타내는 의태어. '水수'를 덧붙여, '물결'의 뜻을 나타냄.

[浪浪 낭랑] 눈물이 흐르는 모양.
[浪漫主義 낭만주의] 전통(傳統)에 사로잡히지 아니하고 사상·감정의 자유와 개성을 중요시하며, 자연에의 동경을 주의로 하는 문예상(文藝上)의 한 사조(思潮).
[浪孟 낭맹] 뜻을 잃은 모양. 실의(失意)한 모양.
[浪費 낭비] 재물을 함부로 씀.
[浪士 낭사] 방종한 선비. 망령을 떠는 선비.
[浪死 낭사] 쓸데없는 죽음. 개죽음.
[浪舌 낭설] 터무니없는 말을 함.
[浪說 낭설] 터무니없는 소문.
[浪潯 낭심] 물결이 쳐들어오는 물가.
[浪語 낭어] 함부로 지껄이는 말.
[浪游 낭유] 이리저리 돌아다니며 놂.
[浪人 낭인] 일정한 주소가 없는 사람. 방랑하는 사람. 또, 일정한 직업이 없이 노는 사람.
[浪子 낭자] 일정한 직업 없이 빈들빈들 노는 남자. 주색(酒色)에 빠진 자.
[浪迹 낭적] 이리저리 유랑(流浪)함.
[浪傳 낭전] 함부로 세상에 전함. 경솔하게 선포(宣布)함.
[浪戰 낭전] 함부로 싸움.
[浪志 낭지] 망령된 마음.
[浪職 낭직] 직무를 태만히 함.
[浪海 낭해] 물결이 이는 바다.
[浪花 낭화] ㉠헛꽃. ㉡물결이 서로 부딪쳐 흩어지는 모양을 꽃에 비유하여 이른 말.
◉巨浪. 激浪. 驚浪. 高浪. 樂浪. 怒浪. 慢浪. 孟浪. 猛浪. 無風起浪. 放浪. 浮浪. 奔浪. 飛浪. 澀浪. 隨波逐浪. 逆浪. 煙浪. 汪浪. 聊浪. 流浪. 銀浪. 淋浪. 長浪. 縱浪. 走浪. 駿浪. 蒼浪. 滄浪. 濁浪. 波浪. 漂浪. 風浪. 謔浪.

7
⑩ [浬] 리 [平]支 陵之切 lǐ

[字解] 해리(海里) 리 영어 노트(knot)의 역어(譯語). 해상(海上)의 거리를 나타내는 단위. 약 1,852 미터임.

[字源] 形聲. 氵(水)+里〔音〕

7
⑩ [浭] 경 [平]庚 古行切 gēng

[字解] 물이름 경 계(薊) 운하(運河)의 상류(上流). 허베이 성(河北省) 준화현(遵化縣)의 동쪽 경계(境界)에서 발원(發源)하여, 서류(西流)하다가 누수(灅水)와 합류(合流)하여, 계현(薊縣)을 거쳐 바다로 흘러듦. '—, 水名. 出北平'《廣韻》.

7
⑩ [浮] [中人] 부 [平]尤 縛謀切 fú(fóu)

[筆順] 丶 丶 氵 氵 氵 泙 浮 浮

[字解] ①뜰 부 ㉠물 위에 뜸. '—游'. '五馬—渡江'《晉書》. ㉡공중에 뜸. '—雲'. '景風翔慶雲—'《列子》. ㉢배·떼를 타고 물 위를 감. '乘桴—于海'《論語》. ㉣흐름을 따라 내려감. '—於濟漯'《書經》. ㉤근거가 없음. '—辭'. '胥動以—言'《書經》. ㉥들뜸. 침착하지 아니함. 경솔함. '—薄'. '—淺行于衆庶'《漢書》. ㉦불안정함. 덧없음. '—漚'. '逍遙—世'《阮籍》. ②띄울 부 뜨게 함. '—舟江海'《文子》. ③찌 부 낚시찌. '釣絲之半, 繫以荻梗, 謂之—子'《雞肋編》. ④부낭 부 사람이 가라앉지 않기 위하여 몸에 지니는 용구(用具). '百人抗—'《淮南子》. ⑤가벼울 부 무겁지 아니함. '疏其穢, 而鎭其—'《國語》. ⑥앞설 부 앞에 나섬. '鮮以不—于天時'《書經》. ⑦지날 부 초과함. 지나침. '恥名之—於行'《禮記》. ⑧넘칠 부 넘쳐흐름. '披山麓而溢—'《應瑒》. ⑨벌주 부 벌로 마시게 하는 술. 벌배. '若是者—'《禮記》. ⑩성 부 성(姓)의 하나.

[字源] [金文] [篆文] 形聲. 氵(水)+孚〔音〕. '孚부'는 '包포'와 통하여, 둘러싸 부풀다의 뜻. 물 위로 부풀어오르다, 뜨다의 뜻을 나타냄.

[浮家泛宅 부가범택] 배 안에 지은 집.
[浮客 부객] 부랑(浮浪)하는 손. 나그네.
[浮輕 부경] ㉠경솔(輕率)함. ㉡부피는 크고 무게는 가벼움.
[浮競 부경] 아첨하여 이욕(利慾)을 다투어 구함.
[浮誇 부과] ㉠자랑하는 모양. 뽐내는 모양. ㉡과장(誇張)함. 허풍을 침. ㉢사실보다 과장됨.
[浮光 부광] 물에 비친 달.
[浮巧 부교] 실용(實用)이 못되는 기교(技巧).
[浮橋 부교] 배와 배를 잇대어 잡아매고 널빤지를 그 위에 깐 다리. 배다리.
[浮垢 부구] 때.
[浮漚 부구] ㉠부말(浮沫). ㉡덧없는 것의 비유.
[浮氣 부기] ㉠아지랑이. ㉡《韓》부증(浮症).
[浮寄 부기] 몸 붙일 곳이 없음. 인생의 덧없음을 이름.
[浮囊 부낭] 물에 빠지지 않고 뜨게 하기 위하여 몸에 지니는 공기주머니. 부대(浮袋).
[浮溺 부닉] 뜸과 빠짐.
[浮屠 부도] ㉠부처. ㉡승려(僧侶). ㉢불탑(佛塔). ㉣불교(佛敎).
[浮圖 부도] ㉠부도(浮屠). ㉡주사위.
[浮動 부동] ㉠떠서 움직임. ㉡《韓》마음이 진득하지 못하고 이랬다저랬다 함.
[浮嵐 부람] 떠 있는 남기(嵐氣).
[浮浪 부랑] 일정한 직업·주소 없이 이리저리 떠

돌아다님. 또, 그 사람.
[浮浪人 부랑인] 일정한 주소·직업 없이 이리저리 떠돌아다니는 사람.
[浮梁 부량] ㉠부교(浮橋). ㉡장시 성(江西省)에 있는 지명(地名). 차(茶)의 산지.
[浮麗 부려] 겉만 화려함.
[浮弄 부롱] 물 위에 떠서 희롱함.
[浮利 부리] 물거품처럼 덧없는 이익.
[浮末 부말] 상업(商業)을 이름.
[浮沫 부말] 떠 있는 거품.
[浮名 부명] 실제보다 지나친 뜬 이름. 허황(虛荒)한 명성.
[浮木 부목] 물 위에 떠 있는 나무.
[浮沒 부몰] 부침(浮沈).
[浮文 부문] 부박(浮薄)한 문장. 실제에 소용없는 문장. 내용이 없는 형식적인 문장.
[浮靡 부미] 부박(浮薄)하고 화려함.
[浮民 부민] 떠돌아다니는 백성.
[浮薄 부박] 마음이 들뜨고 경솔함. 경박함.
[浮泛 부범] ㉠물 위에 뜸. ㉡뱃놀이를 함.
[浮辯 부변] ㉠부박(浮薄)한 언론. ㉡실제에 소용없는 언론.
[浮浮 부부] ㉠뜨거운 기운이 오르는 모양. ㉡물이 많고 세찬 모양. ㉢가는 모양.
[浮費 부비] 낭비(浪費).
[浮辭 부사] 성실하지 아니한 언사. 무근(無根)한 언사.
[浮山 부산] 광시 성(廣西省)에 있는 산. 매화(梅花)로 유명함.
[浮生 부생] 덧없는 인생(人生).
[浮生半日閒 부생반일한] 속세(俗世)를 떠난 잠시의 한정(閑靜).
[浮生若夢 부생약몽] 인생은 꿈같이 덧없음.
[浮石 부석] 화산(火山)에서 분출(噴出)한 용암(熔巖)의 한 가지. 구멍이 송송 뚫려 있으며 가벼워서 물 위에 뜸.
[浮說 부설] 근거 없는 소문. 뜬소문.
[浮涉 부섭] 물을 건넘.
[浮世 부세] 덧없는 세상.
[浮疏 부소] 언행이 경박하고 거칢.
[浮埃 부애] 가벼운 진애(塵埃). 먼지.
[浮壒 부애] 부애(浮埃).
[浮言 부언] 부설(浮說).
[浮言流說 부언유설] 떠돌아다니는 헛된 소문.
[浮豔 부염] 경박하고 요염함. 겉만 아름다움.
[浮影 부영] 물 위에 뜬 그림자.
[浮榮 부영] 덧없는 이 세상의 영화(榮華).
[浮譽 부예] 부명(浮名).
[浮鷖 부예] 물 위에 뜬 갈매기.
[浮訛 부와] 아무 근거 없는 거짓말.
[浮冗 부용] 쓸데없는 것.
[浮雲 부운] ㉠떠다니는 하늘의 구름. 뜬구름. ㉡멀리 떨어져 있어 아무 상관이 없거나, 무어라 종잡을 수 없음의 비유. ㉢소인(小人)의 비유.
[浮雲富貴 부운부귀] 뜬구름같이 덧없는 불의(不義)의 부귀.
[浮雲翳白日 부운예백일] 뜬구름이 해를 가린다는 뜻으로, 소인이 군주(君主)의 총명(聰明)을 가리어 어둡게 함을 비유하는 말.
[浮雲朝露 부운조로] 뜬구름과 아침 이슬. 덧없는 인생(人生), 또는 그런 세상의 비유.
[浮雲之志 부운지지] 하늘의 뜬구름처럼, 불의(不義)의 부귀(富貴)를 바라는 마음.
[浮月 부월] 물 위에 뜬 달.
[浮游 부유] ㉠물 위나 공중에 뜸. ㉡떠돌아다님. 사방을 돌아다님. 주류(周流). ㉢하루살이. 부유(蜉蝣).
[浮遊 부유] 떠돌아다님. 사방을 돌아다님. 부유(浮游).
[浮淫 부음] ㉠물에 떠서 고기를 잡고 즐기는 일. ㉡경박하고 방탕함. 또는 그 사람.
[浮蟻 부의] 술 위에 뜬 거품. 부저(浮蛆).
[浮議 부의] 믿을 수 없는 의론. 불확실한 이야기.
[浮人 부인] 떠돌아다니는 사람. 부랑인(浮浪人).
[浮子 부자] 낚시찌.
[浮雜 부잡] 부박(浮薄)하고 추잡함.
[浮蛆 부저] 술 위에 뜬 거품.
[浮躁 부조] 침착하지 못하고 경솔함.
[浮腫 부종] 몸이 부어오르는 병.
[浮塵子 부진자] 멸굿과(科)의 작은 곤충으로, 벼의 큰 해충임. 풀멸구.
[浮淺 부천] 천박함.
[浮侈 부치] 부박(浮薄)하고 사치함.
[浮沈 부침] ㉠물 위에 뜸과 물속으로 가라앉음. ㉡영고성쇠(榮枯盛衰). ㉢한의학에서, 부맥(浮脈)과 침맥(沈脈).
[浮湛 부침] 영고성쇠(榮枯盛衰)가 돌고 돎의 비유.
[浮惰 부타] 경솔하고 게으름.
[浮誕 부탄] 부박(浮薄)하고 황탄(荒誕)함.
[浮萍 부평] ㉠논이나 연못에 나는 다년생 수초(水草). 물 위에 뜸. 개구리밥. ㉡일정한 주거 없이 떠돌아다니는 사람의 비유.
[浮暴 부폭] 경솔하고 사나움.
[浮漂 부표] 물 위에 떠다님.
[浮標 부표] 물 위에 띄워 암초(暗礁) 등의 소재나 항로 등을 나타내는 표지(標識).
[浮航 부항] 부교(浮橋).
[浮虛之說 부허지설] 떠돌아다니는 허황된 풍설.
[浮華 부화] 천박하고 화려함. 겉만 꾸미고 성실하지 아니함.
[浮幻 부환] 떠 있는 환영(幻影).
[浮黃 부황] 오래 굶어서 살이 붓고 누른빛이 나는 병.
[浮喧 부훤] 시끄러움. 소란함.
[浮休 부휴] 부동(浮動)과 휴지(休止). 생사(生死).
◉輕浮. 羅浮. 拍浮. 闊浮. 澆浮. 溢浮. 沈浮. 萍浮.

7 ⑩ [浮] 浮(前條)와 同字

7 ⑩ [涛] 〔도〕濤(水部 十四畫〈p.1308〉)의 俗字·簡體字

7 ⑩ [澀] 〔삽〕 澁(水部 十二畫〈p.1297〉)의 簡體字

7 ⑩ [渋] 〔한〕 漢(水部 十一畫〈p.1286〉)의 俗字

7 ⑩ [浯] 人名 오 ㊀虞 五乎切 wú

字解 ①물이름 오 ㉠'一水'는 산둥 성(山東省)

쥐센 현(莒縣) 오산(浯山)에서 발원(發源)하여, 동북으로 흐르는 유수(濰水)의 지류(支流). ㉡'一溪'는 후난 성(湖南省) 기양현(祁陽縣)에서 발원(發源)하여, 북으로 흐르는 상수(湘水)의 지류. ②성 오 성(姓)의 하나.
字源 篆文 形聲. 氵(水)+吾〔音〕

[浯溪 오계] 자해(字解) ❶㉡을 보라.
[浯水 오수] 자해(字解) ❶㉠을 보라.

7 ⑩ [浴] 中人 욕 ㉧沃 余蜀切 yù

筆順 丶 丶 氵 氵 氵 浴 浴 浴

字解 ①미역감을 욕, 목욕할 욕 '一客'. '新一者必振衣'《楚辭》. ②미역감길 욕 전항의 타동사. '圉人一馬'《禮記》. ③미역 욕, 목욕 욕 '海水一'. '燂湯請一'《禮記》. ④입을 욕 받음. '一化'. '有澡身而一德'《禮記》. ⑤성 욕 성(姓)의 하나.
字源 篆文 形聲. 氵(水)+谷〔音〕. '谷욕'은 낮게 우묵 들어간 대야의 뜻. 대야에 더운 물을 부어 미역 감다의 뜻을 나타냄.

[浴客 욕객] ㉠목욕하는 사람. ㉡목욕하러 오는 손.
[浴斛 욕곡] 욕기(浴器).
[浴金 욕금] 도금(鍍金).
[浴禽 욕금] 미역 감는 새.
[浴器 욕기] 목욕하는 그릇.
[浴沂之樂 욕기지락] 제자와 같이 교외(郊外)에서 노는 즐거움.
[浴童 욕동] 미역 감는 아이.
[浴佛 욕불] 《佛敎》 석가(釋迦)가 탄생한 음력 4월 초파일에 석가의 상(像)에 향수를 뿌리는 행사. 관불회(灌佛會).
[浴佛日 욕불일] 《佛敎》 음력 4월 초파일의 석가 탄생일.
[浴室 욕실] 목욕통(沐浴桶)의 설비가 있는 방.
[浴餘 욕여] 욕후(浴後).
[浴衣 욕의] 목욕할 때 입는 옷.
[浴日 욕일] ㉠아침에 해가 처음으로 떠서 빛이 물결과 상하(上下)함. ㉡국가에 큰 공이 있음의 비유.
[浴殿 욕전] 욕실(浴室).
[浴槽 욕조] 목욕통.
[浴鐵 욕철] 철갑(鐵甲)을 입힌 군마(軍馬). 갑옷을 입어 마치 쇠 속에서 목욕하는 것같이 보이므로 이름.
[浴湯 욕탕] 목욕탕.
[浴桶 욕통] 목욕통.
[浴化 욕화] 덕화(德化)를 입음.
[浴後 욕후] 목욕한 뒤.
◉乾浴. 盥浴. 裸浴. 冷浴. 沐浴. 森林浴. 三釁三浴. 洗浴. 水浴. 溫浴. 日光浴. 入浴. 澡浴. 湯浴. 土浴. 海水浴. 混浴. 火浴. 休浴. 釁浴.

7 ⑩ [浶] 로 ㊥豪 郎刀切 láo

字解 놀랄 로 놀라 소요(騷擾)하는 모양. '撈蓼一浪'《張衡》.

[浶浪 노랑] 놀라 소동하는 모양.

7 ⑩ [涏] 人名 ❶ 정 ㊤迥 徒鼎切 tǐng ❷ 전 ㊦霰 堂練切 diàn

字解 ❶ 물찰 정 흐르는 냇물이 참. '一, 涇寒'《廣韻》. ❷ ①흠치르르할 전 '燕燕尾一一'《漢書》. ②아름다울 전 '一, 美好皃'《廣韻》.

7 ⑩ [海] 中人 해 ㊤賄 呼改切 hǎi

筆順 丶 丶 氵 氵 汇 海 海 海 海

字解 ①바다 해 해양. '一陸'. '江漢朝宗于一'《書經》. 전(轉)하여, 사물(事物)이 모이는 곳. '學一'. '文一'. '許下, 人物之一也'《抱朴子》. 또, 광대(廣大)한 모양. '一容'. ②바닷물 해 해수(海水). '煮一爲鹽'《漢書》. ③성 해 성(姓)의 하나.
字源 金文 篆文 形聲. 氵(水)+每〔音〕. '每매·회'는 어둡다의 뜻. 넓고 깊고 어두운 '바다'의 뜻을 나타냄.

[海角 해각] ㉠바다 쪽으로 가늘고 길게 쑥 내민 땅. 갑(岬). ㉡바다의 한 모퉁이. 해우(海隅).
[海榷 해각] 소금의 전매(專賣). 또, 전매하는 소금.
[海客 해객] ㉠항해(航海)하는 사람. ㉡지나는 손. 여느 손. 보통의 손.
[海頸 해경] 해협(海峽).
[海警 해경] ㉠해안(海岸)의 경비(警備). ㉡'해안 경비대'의 준말.
[海賈 해고] 해상(海商).
[海枯石爛 해고석란] 바다가 마르고 돌이 썩어 문드러진다는 뜻으로, '그 시기(時期)가 결코 오지 않음'의 비유.
[海曲 해곡] ㉠바다의 한 모퉁이. 바다가 육지로 깊숙이 들어간 곳. 해우(海隅). ㉡섬의 별칭(別稱).
[海關 해관] 연해(沿海)에 설치한 세관(稅關).
[海嶠 해교] 해변(海邊)의 험준한 산.
[海狗 해구] 물개. 북태평양에 사는 바다 짐승.
[海寇 해구] 바다에서 노략질하거나 바다를 통해 침입하는 구적(寇賊).
[海鷗 해구] 바다 위를 나는 갈매기.
[海狗腎 해구신] 물개 수컷의 생식기. 보신 강정제로 쓰임.
[海國 해국] 사방이 바다로 둘러싸인 나라. 섬나라.
[海軍 해군] ㉠바다에서 싸우기 위하여 조직한 군대. ㉡해상(海上)의 군비의 총칭.
[海軍士官學校 해군사관학교] 해군의 정규 사관을 양성하는 학교. 수업 연한 4년.
[海氣 해기] 바다 위에 어린 기운.
[海內 해내] 사해(四海)의 안이라는 뜻으로, 국내(國內) 또는 천하(天下)를 이름.
[海女 해녀] ㉠해신(海神)의 딸. ㉡바다 속에 들어가서 해산물을 채취하는 여자.
[海獺 해달] 족제빗과에 속하는 알래스카에서 나는 짐승. 그 모피는 모피 중 최고품임.
[海膽 해담] 극피동물(棘皮動物)의 하나. 모양은 밤송이 같으며, 근해(近海)의 얕은 암초(暗礁) 사이에 삶. 성게.
[海棠 해당] 장미과에 속하는 낙엽 관목(落葉灌木). 분홍 꽃이 핌. 꽃은 향료(香料), 과실은 약재(藥材)로 씀. 때찔레. 해당화.
[海岱 해대] 옛날의 청(靑)·서(徐) 두 주(州)의

지역. 동해(東海)와 태산(泰山, 곧 岱山) 사이에 있으므로 이름. 지금의 산둥 성(山東省) 지방.
[海帶 해대] '곤포(昆布)'의 별칭(別稱). 다시마.
[海島 해도] 바다 가운데에 있는 섬.
[海盜 해도] 해적(海賊).
[海道 해도] 해로(海路).
[海圖 해도] 바다의 심천(深淺)·암초(暗礁)의 위치·조류(潮流)의 방향·항로 표지(航路標識) 등을 기록한 지도.
[海濤 해도] 바다의 큰 물결.
[海豚 해돈] 돌고랫과에 속하는 바다 짐승. 돌고래.
[海墩 해돈] 바다의 해돋이.
[海東 해동] '한국(韓國)'의 별칭(別稱). 발해(渤海)의 동쪽에 있는 나라라는 뜻임.
[海桐 해동] 두릅나뭇과에 속하는 낙엽 교목(落葉喬木). 엄나무.
[海螺 해라] 고둥의 한 가지. 소라.
[海驢 해려] 물갯과에 속하는 바다 짐승. 강치.
[海靈 해령] 바다의 신령. 해신(海神).
[海路 해로] 바다의 배가 다니는 길.
[海樓 해루] 해변의 누각(樓閣).
[海流 해류] 일정한 방향으로 흐르는 바닷물.
[海陸 해륙] 바다와 뭍. 해양과 대륙.
[海里 해리] 해상(海上)의 거리의 단위. 약 1,852 미터. 노트.
[海狸 해리] 설치류(齧齒類)에 속하는 물가에 사는 짐승. 모피는 진귀(珍貴)함. 비버.
[海馬 해마] ㉠실고깃과에 속하는 바닷물고기. 머리가 말 비슷하며 직립하여 헤엄침. ㉡듀공과에 속하는 바다 짐승. 인어(人魚). 듀공.
[海鰻 해만] 뱀장어 비슷한 바닷물고기. 갯장어.
[海灣 해만] 바다의 후미진 곳.
[海面 해면] 바닷물의 표면.
[海綿 해면] 해산(海産)의 하등 동물. 또, 그 면상(綿狀)의 뼈를 정제(精製)한 것.
[海霧 해무] 바다 위에 끼는 안개.
[海門 해문] 해협(海峽).
[海物 해물] 해산물(海産物).
[海味 해미] 바다에서 나는 식물(食物). 곧, 생선·조개 등.
[海舶 해박] 바다에서 항해하는 큰 배.
[海畔 해반] 바닷가. 해변(海邊).
[海髮 해발] 해조류(海藻類)를 이름.
[海方 해방] 해외의 나라. 외국.
[海防 해방] 연해(沿海)의 방비.
[海旁 해방] 바닷가. 해변(海邊).
[海邊 해변] 바닷가.
[海兵 해병] ㉠해군(海軍)의 병졸. ㉡해병대(海兵隊)의 병졸.
[海堡 해보] 해중(海中)에 축조(築條)한 포대(砲臺).
[海不揚波 해불양파] 바다에 파도가 일지 않는다는 뜻으로, 천하(天下)가 태평함을 이름.
[海濱 해빈] 바닷가. 해변(海邊).
[海瀕 해빈] 바닷가. 해변(海邊).
[海士 해사] ㉠바다 속에 들어가서 해산물을 채취하는 사람. 해인(海人). ㉡'해군 사관학교'의 준말.
[海事 해사] ㉠해상(海上)에서 하는 일. ㉡바다에 관한 모든 일.
[海蛇 해사] 물속에서 헤엄치며 물고기를 잡아먹는 뱀.
[海産 해산] 해산물(海産物).
[海産物 해산물] 바다에서 나는 물건. 어개(魚介)·조류(藻類) 등.
[海蔘 해삼] 바다 속에서 사는 극피동물(棘皮動物)의 한 가지. 맛이 좋음. 해서(海鼠).
[海上 해상] ㉠바다 위. ㉡바다 위의 하늘. ㉢해로(海路).
[海商 해상] 해운(海運)에 의하여 하는 장사. 또, 그 장수.
[海象 해상] 바다코끼릿과에 속하는 바다 짐승. 물개 비슷한데, 코가 약간 돌출하여 늘어짐. 남북극에 분포함. 바다코끼리.
[海色 해색] 바다의 경치.
[海恕 해서] 널리 용서(容恕)함.
[海鼠 해서] 해삼(海蔘).
[海澨 해서] 바다와 육지가 맞닿은 곳. 바닷가. 해안(海岸).
[海汐 해석] 썰물.
[海扇 해선] 바닷조개의 하나. 살과 패주(貝柱)는 식용으로 함. 가리비.
[海舌 해설] 해파리. 해월(海月)❷.
[海星 해성] 극피동물(棘皮動物)의 하나. 모양은 성형(星形) 또는 오각형(五角形)이고, 복면(腹面)의 중앙에 입이 있으며, 외면은 석회질(石灰質)로 덮여 있음. 불가사리.
[海嘯 해소] ㉠조수(潮水)가 바닷물과 충돌하여 거센 물결을 일으킬 때의 소리. ㉡해일(海溢).
[海松 해송] ㉠소나뭇과에 속하는 상록 침엽 교목(常綠針葉喬木). 곰솔. ㉡잣나무.
[海松子 해송자] 해송(海松)의 열매. 잣.
[海水 해수] 바닷물.
[海獸 해수] 바다 속에서 사는 포유동물. 고래·물개·강치 등. 바다 짐승.
[海水浴 해수욕] 바닷물에 목욕(沐浴)하는 일.
[海市 해시] 신기루(蜃氣樓).
[海市蜃樓 해시신루] ㉠해시(海市). ㉡'공허한 환상을 믿을 수 없음'의 비유.
[海神 해신] 바다의 신(神). 바다 귀신.
[海心 해심] 바다의 한가운데.
[海嶽 해악] ㉠동해(東海)의 태산(泰山)이 있는 지방. 곧, 산둥 성(山東省) 지방. ㉡바다와 큰 산. 사해(四海)와 오악(五嶽). 전(轉)하여, 은혜(恩惠) 등의 높고 깊음의 비유. ㉢북송(北宋)의 서화가 미불(米芾)의 호(號).
[海岸 해안] 바닷가의 언덕. 바닷가. 해변(海邊).
[海岸警備隊 해안경비대] 1946년에 창설된 우리나라 해군의 모체(母體).
[海岸線 해안선] ㉠바다와 육지가 서로 접한 경계선. ㉡해안의 연도(沿道)에 있는 선로(線路).
[海若 해약] 해신(海神)의 이름.
[海洋 해양] 바다.
[海魚 해어] 바다에서 나는 물고기. 바닷물고기.
[海燕 해연] ㉠바다제비. ㉡왜형류(歪形類)에 속하는 동물. 몸은 원반상(圓盤狀)이고 겉에 가시가 촘촘히 났으며, 몸빛은 갈색임. 얕은 바다의 모랫바닥에 서식함.
[海壖 해연] 바닷가. 해변(海邊).
[海軟風 해연풍] 낮에 바다에서 육지로 부는 바람.
[海鹽 해염] 바다에서 나는 소금.
[海蘊 해온] 해조(海藻)의 하나. 실같이 가늘고 빛이 검푸르며 물 위에 뜸. 식용함.
[海王星 해왕성] 태양(太陽)에서 가장 먼 곳에 있는 태양계(太陽系)의 유성(遊星). 부피는 지구

의 약 72배임.
[海外 해외] 사해(四海)의 밖이라는 뜻으로, 외국(外國)을 이름. 국외(國外).
[海容 해용] 해함(海涵).
[海牛 해우] 포유류(哺乳類)에 속하는 바다 짐승.
[海宇 해우] 해내(海內).
[海隅 해우] 바다의 모퉁이. 바다의 구석. 바다의 끝.
[海雲 해운] 바다 위에 뜬 구름.
[海運 해운] ㉠해수(海水)의 움직임. ㉡해상(海上)의 조운(漕運).
[海員 해원] 선박(船舶)의 선장(船長) 이외의 승무원.
[海月 해월] ㉠해상(海上)에 뜬 달. ㉡강장동물(腔腸動物)의 하나. 모양은 갓 비슷하여 바다 위를 떠돌아다님. 수월(水月). 해파리.
[海衣 해의] 김.
[海人 해인] ㉠바다 속에 들어가 해산물을 채취하는 사람. 보자기. ㉡해중(海中)의 괴물(怪物).
[海印 해인] 《佛教》 각자(覺者)가 제법(諸法)을 비추어 봄이, 바다가 만상(萬象)을 비추듯 완벽하다는 뜻으로, '부처의 슬기'의 비유.
[海人草 해인초] 홍조류(紅藻類)에 속하는 해조(海藻). 회충약으로 씀.
[海日 해일] 해상(海上)에 뜬 해.
[海溢 해일] 바닷물이 불시(不時)에 일어나서 맹렬한 물결이 육지로 넘쳐 들어오는 일.
[海子 해자] 북변(北邊)의 방언(方言)으로서 호소(湖沼)를 이름.
[海葬 해장] 바다에 장사(葬事) 지냄.
[海藏 해장] ㉠용궁(龍宮)의 보장(寶藏). ㉡도시(都市)에서 은거(隱居)함.
[海底 해저] 바다의 밑바닥.
[海賊 해적] 해상(海上)에서 배를 습격(襲擊)하여 재물(財物)을 빼앗는 강도(強盜).
[海甸 해전] 해변(海邊)의 마을. 해변 지방.
[海戰 해전] 해상(海上)에서 하는 전쟁.
[海程 해정] 해상(海上)의 이정(里程).
[海際 해제] 바닷가. 해변(海邊).
[海鳥 해조] 바닷가나 섬에서 어패(魚貝) 등을 잡아먹고 사는 새.
[海潮 해조] ㉠바닷물. 해수(海水). ㉡바다의 조수(潮水)의 흐름. 조류(潮流).
[海藻 해조] 바다에서 나는 조류(藻類).
[海潮音 해조음] ㉠해조(海潮)의 소리. ㉡여러 중이 경을 읽는 소리. 멀리 들리는 웅장(雄壯)한 해조(海潮)의 소리에 비유한 말.
[海中孤魂 해중고혼] 바다 속에 빠져 죽은 외로운 물귀신.
[海鯽 해즉] 바닷물고기의 하나. 망성어(望星魚).
[海錯 해착] 해산물(海產物). 착(錯)은 복잡하다는 뜻으로, 해중의 산물은 종류가 많아 복잡하므로 이름.
[海菜 해채] 미역.
[海天 해천] ㉠해상(海上)의 하늘. ㉡바다와 하늘.
[海陬 해추] ㉠해우(海隅). ㉡바닷가의 벽촌(僻村).
[海鰌 해추] ㉠고래. 경어(鯨魚). ㉡병선(兵船)의 이름. ㉢미꾸라지의 일종. 바다에 삶.
[海聚 해취] 바닷가의 마을. 해변의 부락.
[海苔 해태] ㉠해조(海藻). ㉡해조(海藻)를 원료로 하여 만든 식료. 김·청태 따위.
[海表 해표] 바다의 바깥. 해외(海外).
[海豹 해표] 물개와 비슷한 바다 짐승. 북극해에 분포함. 바다표범.
[海風 해풍] 바다에서 불어오는 바람.
[海壑 해학] 바다와 구렁. 또, 단지 바다를 이름. 전(轉)하여, 은혜(恩惠)가 대단히 큰 것의 비유.
[海涵 해함] 바다처럼 도량(度量)이 커서 남을 널리 포용함. 해용(海容).
[海港 해항] 해변에 있는 항구.
[海峽 해협] 육지와 육지 사이에 끼어 있는 바다의 좁은 부분.
[海花石 해화석] 산호(珊瑚)의 일종. 군체(群體)를 이름.
[海濶從魚躍 해활종어약] 바다는 넓어 물고기가 멋대로 뛰놀게 내버려 둔다는 뜻으로, 도량(度量)이 커서 '작은 일에 거리끼지 않음'의 비유.
◉歌吹海. 巨海. 苦海. 公海. 曠海. 金山玉海. 氣海. 南海. 浪海. 內海. 譚海. 踏海. 大海. 渡海. 蹈海. 東海. 溟海. 渤海. 百川學海. 法海. 碧海. 福聚海. 北海. 佛海. 裨海. 濱海. 四海. 死海. 山海. 桑海. 西海. 樹海. 艘海. 壽山福海. 愁海. 淳海. 深海. 愛欲之海. 鶯花海. 浴海. 硯海. 淵海. 領海. 瀛海. 外海. 雲海. 陸海. 銀海. 以蠡測海. 裏海. 人海. 臨海. 絕海. 精衛填海. 梯山航海. 鑄山煮海. 酒海. 塵海. 滄海. 蒼海. 青海. 學海. 翰海. 航海. 寰海. 荒海. 環海. 黃海.

7 ⑩ [浸] 高人 침 ㊀沁 子鴆切 jìn

筆順 丶 冫 氵 氵 浔 浔 浸 浸

字解 ①잠글 침, 담글 침, 적실 침 '一漬'. '一彼苞稂'《詩經》. ②잠길 침, 젖을 침 전항의 피동사. '一水'. '城不一者三版'《史記》. ③물댈 침 물을 대어 윤택하게 함. '一彼稻田'《詩經》. ④밸 침 스미어 들어감. '一染'. '一潤之譖'《論語》. ⑤번질 침, 나아갈 침 점진(漸進)함. '剛一而長'《易經》. ⑥차츰차츰 침 점차로. '一漸'. '殺氣一盛, 陽氣日衰'《呂氏春秋》. ⑦좀 침 약간. '理宗在位久, 政理一怠'《宋史》. ⑧큰물 침 홍수. '大一稽天'《莊子》.

字源 篆文 形聲. 氵(水)+侵〈省〉[音]. '侵침'은 '범하다'의 뜻. 물이 차츰 범하다, 잠기다의 뜻을 나타냄.

[浸假 침가] 자연히 변화함.
[浸灌 침관] 물을 댐.
[浸肌 침기] 살갗에 스며듦.
[浸禮 침례] 기독교의 한 파인 침례교에서 행하는 세례(洗禮)의 일종. 침례교의 신자가 된 것을 증명하기 위하여 온몸에 물을 적시는 의식(儀式).
[浸液 침석] 침지(浸漬)❶.
[浸水 침수] 물에 잠김.
[浸濕 침습] 물에 잠겨서 젖음.
[浸蝕 침식] 빗물 또는 흐르는 물이 지각(地殼)·암석(巖石) 등을 차츰차츰 개먹어 들어감.
[浸染 침염] 차츰차츰 물듦. 점차로 감화됨.
[浸潤 침윤] 점점 배어 들어감.
[浸潤之譖 침윤지참] 물이 차츰차츰 배어 들어가듯이 남을 여러 번 차츰차츰 헐뜯어서 곧이듣게 하는 참소(譖訴).
[浸淫 침음] 차츰차츰 배어 들어감.

[浸漸 침점] 차츰차츰 나아감. 점진(漸進)함.
[浸種 침종] 종자를 물에 담가 불림.
[浸漬 침지] ㉠물속에 담금. 또, 물이 깊이 배어 들어감. ㉡유언비어 등이 점차로 믿어짐의 비유.
[浸沈 침침] 스미어 번져 들어감.
[浸透 침투] 스미어 젖어서 속속들이 들어감.
◉溉浸. 巨浸. 驚浸. 稽浸. 灌浸. 漫浸. 泛浸. 淳浸. 潦浸. 積浸. 漬浸. 沈浸. 漂浸. 涵浸.

7 ⑩ [浹] 人名 협 ㉧葉 子協切 jiā, jiá

筆順 丶 冫 氵 氵一 氵ㅅ 氵ㅅㅅ 浹 浹

字解 ①두루미칠 협 널리 미침. 빠짐없이 퍼짐. 보급함. '一和'. '敎化一洽'《漢書》. ②사무칠 협 깊이 미치어 닿음. '不一於骨髓'《淮南子》. ③젖을 협 액체가 묻어 축축하게 됨. '一一'. '開卷涕流, 拜嘉汗一'《張舜民》. ④돌 협 일주함. '周一'. '不足以一萬物之變'《荀子》. ⑤일주 협 한 바퀴 도는 일. '一日'은 십간(十干)의 첫째인 갑(甲)부터 계(癸)까지 한 바퀴 돈 열흘간.

字源 篆文 形聲. 氵(水)+夾〔音〕. '夾협'은 '끼우다'의 뜻. 물로 물건을 끼우다, 적시다의 뜻을 나타냄.

[浹時 협시] 한때. 일시(一時).
[浹寓 협우] 천하(天下).
[浹日 협일] 십간(十干)의 갑(甲)부터 계(癸)에 이르는 날짜. 곧, 열흘간.
[浹渫 협접] 물결이 연한 모양. 또, 물이 흐르는 모양.
[浹辰 협진] 십이지(十二支)의 자(子)부터 해(亥)에 이르는 날짜. 곧, 12일간.
[浹浹 협협] 젖은 모양.
[浹和 협화] 모두 화합(和合)함. 모두 화목함.
[浹洽 협흡] ㉠두루 미침. 보급함. ㉡협화(浹和).
◉款浹. 均浹. 普浹. 流浹. 濡浹. 洽浹.

7 ⑩ [沖] 충 ㊤東 敕中切 chōng

字解 깊을 충 '一瀜'은 물이 깊고 넓은 모양. '一瀜沆瀁'《木華》.

[沖瀜 충융] 물이 깊고 넓은 모양.

7 ⑩ [泂] 형 ㊤梗 烏猛切 jiǒng

字解 소용돌이칠 형 '一濙'은 물이 빙빙 돌다가 흘러 내려가는 모양. '泓汯一濙'《郭璞》.

[泂濙 형경] 소용돌이치며 흐르는 모양.

7 ⑩ [涍] 人名 효 ㊤肴 許交切 xiào

筆順 丶 冫 氵 汁 汼 涍 涍 涍

字解 물이름 효 '一, 水名, 在南郡'《集韻》. '一, 水名在河南'《集韻》.

7 ⑩ [浼] ■ 매 ㊤賄 武罪切 měi ■ 면 ㊤銑 美辨切 miǎn

字解 ■ 더럽힐 매 명예 등을 손상케 함. '爾焉能一我哉'《孟子》. 전(轉)하여, 남에게 폐를 끼치는 뜻으로 쓰임. ■ 편히흐를 면 '一一'은 물이 편히 흐르는 모양. '河水一一'《詩經》.

字源 篆文 形聲. 氵(水)+免〔音〕. '免면'은 자식을 낳다의 뜻. 해산(解產) 때의 물로 더럽히다의 뜻을 나타냄.

[浼浼 면면] 물이 편히 흐르는 모양.
◉塵浼.

7 ⑩ [浿] 人名 패 ㊤泰 普蓋切 pèi ㊤卦 普拜切

筆順 丶 冫 氵 氵｜ 氵冂 浿 浿 浿

字解 물이름 패 우리나라 압록강(鴨綠江). 일설(一說)에는, 대동강(大同江) 또는 예성강(禮成江)의 고칭(古稱). '一水出遼東塞外, 西南至樂浪縣西入海'《漢書》.

字源 篆文 形聲. 氵(水)+貝〔音〕

7 ⑩ [涂] 도 ㊤虞 同都切 tú

字解 ①길 도 途(辵部 七畫)와 同字. ㉠밭도랑을 따라 난 길. '洫上有一'《周禮》. ㉡통행하는 길. 도로. '設國之五溝五一'《周禮》. ㉢당(堂) 앞의 벽돌을 깐 길. '堂一謂之陳'《爾雅》. ②섣달 도 음력 12월의 별칭. '十二月爲一月'《爾雅》. ③성 도 성(姓)의 하나.

字源 篆文 形聲. 氵(水)+余〔音〕. '余도'는 제초구(除草具)의 象形. 제초구 같은 형상의 흙손으로 벽에 흙을 바르는 뜻을 나타냄. 또, '途도'와 통하여, '길'의 뜻도 나타냄.

[涂涂 도도] 이슬이 많이 내린 모양.
[涂月 도월] 음력 12월의 이칭(異稱).

7 ⑩ [涅] 녈(날㊗) ㉧屑 奴結切 niè

字解 ①개흙 녈 물 밑의 염료(染料)로 쓰이는 고운 검은 흙. '以一染緇'《淮南子》. ②검은물들일 녈 '髮'. '一而不緇'《論語》.

字源 篆文 形聲. 氵(水)+土+日〔音〕. '日일'은 '泥니'와 통하여, '개흙'의 뜻. 물 밑의 흙의 뜻을 나타냄.

[涅墨 열묵] 자자(刺字). 입묵(入墨).
[涅槃 열반] 《佛敎》 도(道)를 완전히 이루고 모든 번뇌와 고통을 끊어 불생불멸(不生不滅)의 법성(法性)을 깨달은 해탈(解脫)의 경지.
[涅槃會 열반회] 《佛敎》 석존(釋尊)이 입멸(入滅)한 날인 2월 15일에 그의 유덕(遺德)을 추모하고 봉찬(奉讚)하기 위하여 행하는 법회(法會).
[涅髮 열발] 머리에 까만 물을 들임.
[涅汚 열오] 까맣게 물들임.
[涅齒 열치] 이를 까맣게 물들임. 또, 그 이.
◉刻涅. 緇涅.

7 ⑩ [浧] 涅(前條)의 俗字

7 ⑩ [涉] 高人 섭 ㉧葉 時攝切 shè

[筆順] 丶 冫 氵 氵 汁 沚 沚 涉 涉

[字解] ①건널 섭 도보로 물을 건넘. '徒—'. '利—大川'《易經》. 건너는 일. 건너는 곳. '濟有深—'《詩經》. ②겪을 섭. 거칠 섭 경과함. 지냄. '歷—'. '經—'. '背秋—冬'《枚乘》. ③거닐 섭 돌아다님. '園日—以成趣'《陶潛》. ④통할 섭 널리 통함. '精—'. '博—書記'《後漢書》. ⑤관계할 섭 관계를 가짐. '交—'. '干—'. '轉更無相—'《竹坡詩話》. ⑥성 섭 성(姓)의 하나.

[字源] 甲骨文 金文 篆文 會意. 氵(水)+步. 물속을 걷다, 건너다의 뜻을 나타냄. 파생(派生)하여, 경과하다의 뜻이나, '관련하다'의 뜻을 나타냄.

[涉禽 섭금] 얕은 물속을 걸어다니며 물고기·곤충 등을 잡아먹는 새. 두루미·백로·황새 같은 것.
[涉歷 섭력] ㉠물을 건너 산을 넘음. ㉡지냄. 경과함. ㉢널리 경험함. ㉣책을 많이 읽음.
[涉獵 섭렵] ㉠여러 가지 책을 널리 읽음. ㉡여러 가지 물건을 구하려고 널리 돌아다님.
[涉世 섭세] 세사(世事)를 경력함. 세상일을 많이 겪음.
[涉水 섭수] 물을 건넘.
[涉于春氷 섭우춘빙] 봄철의 얼음을 건넘. 매우 위험함의 비유.
[涉秋 섭추] 가을철을 지남.
◉干涉. 經涉. 關涉. 交涉. 徒涉. 登涉. 冒涉. 沒交涉. 博涉. 跋涉. 汎涉. 步涉. 浮涉. 試涉. 歷涉. 沿涉. 獵涉. 遊涉. 精涉. 濟涉. 通涉. 該涉.

7 ⑩ [涊] 년 [上]銑 乃殄切 niǎn

[字解] 땀날 년 땀이 나는 모양. '—然汗出'《枚乘》.

[涊然 연연] 땀이 나오는 모양.
◉淟涊.

7 ⑩ [涌] [人名] 용 [上]腫 余隴切 yǒng

[筆順] 丶 冫 氵 氵 氵 洧 涌 涌

[字解] ①솟아날 용 물이 용출(涌出)함. '泉—'. '洶—澎湃'《司馬相如》. ②떠오를 용 ㉠뭉게뭉게 떠오름. '騰雲似—煙, 密雨如散絲'《張協》. ㉡떠올라 나타남. '雪峯缺處—冰輪'(冰輪은 달)《蘇軾》.

[字源] 篆文 形聲. 氵(水)+甬〔音〕. '甬용'은 무거운 종(鐘)의 象形으로, '用용'과 통하여, '들어 올리다'의 뜻. 물이 들어 올려지다, 솟다의 뜻을 나타냄.

[涌起 용기] 왕성하게 일어남.
[涌沫 용말] 솟아오르는 거품.
[涌煙 용연] 뭉게뭉게 피어오르는 연기.
[涌裔 용예] 물결이 움직여 가는 모양.
[涌溢 용일] 물이 솟아나 넘침.
[涌泉 용천] 솟아 나오는 샘.
[涌出 용출] 물이 솟아 나옴.
[涌潏 용휼] 용출(涌出).
◉坌涌. 沸涌. 洶涌. 掀涌.

7 ⑩ [涎] 연(①②선[本]) [平]先 夕連切 xián / [去]霰 予線切 yàn

[字解] ①침 연 구액(口液). '流—'. '垂—相告'《新書》. ②점액 연 끈끈한 액체. '—篆'. '煎之有—'《炮炙論》. ③졸졸흐를 연 물이 졸졸 흐르는 모양. '涵—'. '迆—八裔'《木華》.

[字源] 篆文 形聲. 氵(水)+延〔音〕. '延연'은 '늘어지다'의 뜻. 늘어지는 물, 입에서 흘리는 침의 뜻을 나타냄. 篆文은 회의(會意)로서, 欠+水. '欠흠'은 사람이 입을 벌리고 있는 모양의 형상임. 사람의 입으로부터의 물, 입에서 흘리는 침의 뜻을 나타냄.

[涎沫 연말] 침과 거품.
[涎涎 연연] 윤택이 있는 모양.
[涎篆 연전] 달팽이 같은 벌레가 내는 점액(粘液)이 전자(篆字) 같이 보이는 것을 이름.
◉垂涎. 蝸涎. 流涎.

7 ⑩ [涑] [一] 수 [平]尤 速侯切 sōu / [二] 속 [入]屋 桑谷切 sù

[字解] [一] 헹굴 수 발로 밟아 빤 후 손으로 헹굼. '—, 澣也'《說文》. [二] 물이름 속 '—水'는 산시 성(山西省) 강현(絳縣)에서 발원(發源)하여 산시 성(陝西省)을 흐르는 황하(黃河)의 지류(支流). '—川'. '伐我—水'《左傳》.

[字源] 篆文 形聲. 氵(水)+束〔音〕. '束속'은 '漱수'와 통하여, '헹구다'의 뜻. '水수'를 붙여, 발로 밟아 빨아 다시 손으로 헹구다의 뜻을 나타냄.

[涑水 속수] 자해(字解)[二]를 보라.
[涑水記聞 속수기문] 송대(宋代)의 구사(舊事)를 잡기(雜記)한 책. 송(宋)나라 사마광(司馬光) 찬(撰). 16권.
[涑川 속천] 속수(涑水).

7 ⑩ [涒] 군(톤[本]) [平]元 他昆切 tūn

[字解] ①클 군 '—, 大'《淮南子 注》. ②신 군 '—灘'은 십이지(十二支)의 신(申)의 이칭(異稱). '太歲在申曰—灘'《爾雅》.

[字源] 篆文 形聲. 氵(水)+君〔音〕

[涒灘 군탄] 십이지(十二支)의 신(申)의 별칭(別稱).

7 ⑩ [涓] [人名] 연(견[本]) [平]先 古玄切 juān

[筆順] 丶 冫 氵 氵 氵 汩 涓 涓

[字解] ①물방울 연 수적(水滴). '—滴'. '大海滴微—'《張正見》. ②졸졸흐르는물 연 세류(細流). '微—細水'《水經 注》. ③물졸졸흐를 연 '泉——而始流'《陶潛》. ④가릴 연 선택함. '—吉日陟中壇'《左思》. ⑤깨끗할 연 정결함. '—潔'. ⑥근소할 연 약간. '細—'.

[字源] 篆文 形聲. 氵(水)+肙〔音〕. '肙연'은 가늘고 작다의 뜻. 작은 흐름의 뜻을 나타냄.

[參考] 涓(水部 六畫)은 俗字.

[涓潔 연결] 깨끗함.
[涓吉 연길] 길일(吉日)을 택(擇)함.
[涓流 연류] 졸졸 흐르는 흐름. 작은 시내. 세류(細流).
[涓埃 연애] ㉠물방울과 먼지. ㉡근소(僅少).
[涓壒 연애] 연애(涓埃).
[涓涓 연연] 물이 졸졸 흐르는 모양.
[涓然 연연] 훌쩍훌쩍 우는 모양. 현연(泫然).
[涓人 연인] ㉠임금의 좌우에 소제(掃除)를 맡은 사람. ㉡내시. 환관(宦官).
[涓滴 연적] ㉠물방울. ㉡조금. 근소(僅少).
[涓塵 연진] 연애(涓埃).
[涓毫 연호] ㉠물방울과 터럭. ㉡조금. 근소(僅少).
[涓澮 연회] 연류(涓流).
◉瘦涓. 中涓. 塵涓.

7 ⑩ [涔] 잠 [平]侵 鋤針切 cén

[字解] ①괸물 잠 길바닥 같은 데 괸 물. '牛蹏之—'《淮南子》. ②큰물 잠 홍수. '—旱災害之殃'《淮南子》. ③못 잠 양어(養魚)하는 못. '渟—障潰'《馬融》. ④눈물흐를 잠 눈물이 줄줄 흐르는 모양. '—淚猶在袂'《江淹》. ⑤비죽죽올 잠 비가 세차게 오는 모양. '——寒雨繁'《杜甫》.
[字源] [篆文] 形聲. 氵(水)+岑〔音〕. '岑잠'은 '높다'의 뜻. 장마로 인해 물이 높이 불다의 뜻, 파생(派生)하여, '적시다'의 뜻을 나타냄.

[涔淚 잠루] 줄줄 흘리는 눈물.
[涔雲 잠운] 우기(雨氣)가 있는 구름.
[涔涔 잠잠] ㉠비가 많이 오는 모양. ㉡고생(苦生)하는 모양. ㉢하늘에 구름이 끼어 어두운 모양. ㉣눈물을 흘리는 모양.
[涔蹄 잠제] 조금 괸 물. 겨우 소의 발굽이 들어갈 만하다는 뜻.
[涔旱 잠한] 큰물과 가물.
◉洪涔.

7 ⑩ [涕] [人名] 체 [上]薺 他禮切 tì

[字解] ①눈물 체 '—淚'. '—零如雨'《詩經》. ②울 체 눈물을 흘리며 욺. '—欷'. '紆予袂長—'《曹植》.
[字源] [篆文] 形聲. 氵(水)+弟〔音〕. '弟제'는 '차례'의 뜻. 차례로 흘러 떨어지는 '눈물'의 뜻을 나타냄.

[涕零 체령] 눈물이 뚝뚝 떨어짐.
[涕淚 체루] 눈물.
[涕泗 체사] 체이(涕洟).
[涕泣 체읍] ㉠눈물. ㉡눈물을 흘리며 욺.
[涕洟 체이] ㉠눈물과 콧물. ㉡눈물과 콧물을 흘리며 욺.
[涕泫 체현] 눈물을 흘림.
[涕欷 체희] 눈물을 흘리며 흑흑 느껴 욺.
◉感涕. 迸涕. 鼻涕. 傷涕. 垂涕. 洵涕. 失涕. 掩涕. 隕涕. 流涕. 泣涕. 歎涕. 揮涕.

7 ⑩ [涖] [人名] 리 [去]寘 力至切 lì

[字解] ①임할 리 臨(臣部 十一畫)과 뜻이 같음. '—止'. '明吏事, —南曹五年'《唐書》. ②물소리 리 물 흐르는 소리. '——下瀨'《司馬相如》.
[字源] 會意. 氵(水)+位. '位위'는 사람이 서다의 뜻. 물가에 서다, 임하다의 뜻을 나타냄.

[涖涖 이리] 물이 흐르는 소리.
[涖政 이정] 정사(政事)를 봄.
[涖止 이지] 임(臨)함. 내림(來臨)함.

7 ⑩ [涗] 세 [去]霽 舒芮切 shuì

[字解] ①잿물 세 '—水'는 재에 물을 부어 받아서 내린 물. '以—水漚其絲七日'《周禮》. ②미지근한물 세. ③맑을 세, 맑게할 세 '盎齊—酌'《周禮》.
[字源] [篆文] 形聲. 氵(水)+兌〔音〕. '兌태'는 벗겨져 떨어지다의 뜻. 더럼이 벗겨져 떨어진 정수(精粹), 정수만으로 만들다, 똑똑 떨어지다의 뜻을 나타냄.

[涗水 세수] 자해(字解) ❶을 보라.

7 ⑩ [涘] 사 [上]紙 牀史切 sì

[字解] 물가 사 수애(水涯). '在河之—'《詩經》.
[字源] [篆文] 形聲. 氵(水)+矣〔音〕. '矣의'는 '머무르다'의 뜻. 물이 머무르는 곳, '물가'의 뜻.

◉涯涘. 河涘.

7 ⑩ [浰] [一] 련 [去]霰 郞甸切 liàn [二] 리 [去]寘 力至切 lì

[字解] [一] 빨리흐를 련 '倏眒倩—'《司馬相如》. [二] 빨리흐를 리 [一]과 뜻이 같음.
[字源] 形聲. 氵(水)+利〔音〕

[浰頭 이두] 광동 성(廣東省)에 있는 산(山) 이름. 만적(蠻賊)이 이곳을 근거지로 삼았으므로 왕양명(王陽明)이 토평하였음.

7 ⑩ [浢] 두 [去]宥 大透切 dòu

[字解] 강이름 두 현 산시 성(山西省) 예성현(芮城縣) 동쪽, 중조산(中條山) 기슭에서 발원하여 황하(黃河)로 흘러 들어가는 강. 의가구(儀家溝)라고도 함. '乃次於—水之陽'《穆天子傳》.

7 ⑩ [浟] [一] 유 [平]尤 以周切 yóu [二] 적 [入]錫 亭歷切 dí

[字解] [一] 흐를 유 물이 흐르는 모양. 滺(水部 十一畫)와 同字. '—洟瀲灩'《木華》. [二] 바랄 적 '——'은 이(利)를 바라는 모양. '其欲——'《漢書》.
[字源] 形聲. 氵(水)+攸〔音〕

[浟洟 유역] 물이 흐르는 모양.
[浟浟 적적] 이(利)를 바라는 모양.

7 ⑩ [浝] 방(망[本]) [平]江 莫江切 máng

字解 물이름 방 허난 성(河南省) 제원현(濟源縣) 서북쪽의 망산(莽山)에서 발원(發源)하는 강. '一, 一水也'《說文》.
字源 形聲. 氵(水)+尨〔音〕

7 ⑩ [涀] 견 ㊀霰 胡甸切 xiàn

字解 물이름 견 허난 성(河南省)에 있는 강. '灃水出焉, 東流注于一水'《山海經》.

7 ⑩ [浜] 人名 ㊀ 병 ㊥庚 布耕切 bāng ㊁ 빈 ㊥眞 卑民切 bīn

字解 ㊀ 선거(船渠) 병 배를 매어 두는 곳. 선구(船溝). '絕橫斷港, 謂之一'《李翊》. ㊁ 물가 빈 濱(水部 十四畫)의 俗字.
字源 形聲. 氵(水)+兵〔音〕

7 ⑩ [流] 中人 류 ㊥尤 力求切 liú

筆順 丶 氵 氵 氵 汒 浐 浐 流 流

字解 ①흐를 류 ㉠액체가 내려감. '一水'. '如川之一'《詩經》. ㉡떠내려감. '譬彼舟一'《詩經》. ㉢쏠림. 지나침. '說者一於辯'《孔子家語》. ㉣세월이 감. '鬱鬱一年度'《杜甫》. ㉤별·총탄·화살 등이 날아 지나감. '一丸'. '觸白刃冒一矢'《司馬相如》. ㉥번져 퍼짐. '一布'. '地道變盈而一謙'《易經》. ㉦옮겨 감. '德之一行, 速於置郵而傳命'《孟子》. ㉧미침. 이름. '澤一苗裔'《史記》. ㉨빙빙 돎. 주전(周轉)함. '周一無不徧'《禮記》. ㉩방랑함. '一浪'. '漂一二十年'《蘇軾》. ㉪절제(節制)를 잃음. '一優'. '樂勝則一'《禮記》. ㉫근원 없이 일어남. '一聞'. '一言一說'《荀子》. ㉬곁눈질함. '一眄'. '鄭伯視一而行速'《左傳》. ②흐르게할 류, 흘릴 류 전항(前項)의 타동사. '一涕'. '何其血之一杵也'《孟子》. ③흐름 류 ㉠흐르는 물. '激一'. '從一下而忘反'《孟子》. ㉡흐르는 방향. '逆一而上'《爾雅》. ㉢유전(流傳)하는 바. '承一而宣化'《漢書》. ④내릴 류 강하(降下)함. '七月一火'《詩經》. ⑤내칠 류, 귀양보낼 류 추방함. 유배(流配)함. '乃一王於彘'《國語》. ⑥구할 류 찾아 얻음. 바람. '左右一之'《詩經》. ⑦달아날 류 도주함. '楚襄王一淹于城陽'《戰國策》. ⑧펼 류 늘어놓음. '品物一形'《易經》. ⑨갈래 류 분파(分派). '九一分而微言隱'《穀梁傳》. ⑩핏줄 류 혈통. '男女婚嫁, 皆得勝一'《北史》. ⑪품위 류 등급. '上一'. '是第二一中人耳'《世說》. ⑫유(類) 류, 무리 류 비류(比類). 동류. '陰陽家一'. '與天地同一'《孟子》.
字源 篆文 會意. 氵(水)+㐬. '㐬돌'은 거꾸로 된 아이의 象形. 양수(羊水)와 함께 나서 흘러오는 아이의 모습에서, '흐르다'의 뜻을 나타냄.

[流丐 유개] 유랑(流浪)하는 거지.
[流乞 유걸] 유개(流丐).
[流憩 유게] 이리저리 거닐며 쉼.
[流景 유경] 해가 질 무렵의 경치.
[流官 유관] 내지(內地)에서 만지(蠻地)로 파견된 벼슬아치.
[流觀 유관] 전체를 훑어봄.
[流光 유광] ㉠덕(德)을 후세(後世)에 전함. ㉡환하게 비치는 빛. ㉢옮겨 가는 광음(光陰). 경과하는 시간. 세월(歲月). ㉣물결에 비치는 월광(月光).
[流求 유구] '유구(琉球)'와 같음.
[流寇 유구] 유적(流賊).
[流殛 유극] 유죄(流罪)에 처함. '殛'은 죄(罪)의 뜻.
[流金鑠石 유금삭석] 금석(金石)을 녹여 흐르게 한다는 뜻으로, 몹시 덥거나 뜨거움을 이름.
[流金焦土 유금초토] 유금삭석(流金鑠石).
[流棄 유기] 버림을 받아 방랑함.
[流內 유내] 수당(隋唐)의 관제(官制)에서, 위대(魏代)의 구품(九品)의 제도를 이어받고, 다시 그 아래에 구급(九級)을 두었는 바 이를 유외(流外)라 일컬은 데 대하여 구품을 '一一'라 일컬었음.
[流年 유년] ㉠흐르는 세월(歲月). ㉡한 사람의 1년간의 운명. 1년의 신수(身數). 소운(小運).
[流帶 유대] 흘러내려 돎.
[流毒 유독] 해독을 끼침. 또, 그 해독.
[流動 유동] 흘러 움직임. 이리저리 옮김.
[流動體 유동체] 기체(氣體)·액체(液體)의 총칭.
[流頭 유두] 《韓》 명절(名節)의 하나. 음력(陰曆) 유월 보름날. 신라 때 풍속에 나쁜 일을 덜어 버리기 위하여 동쪽으로 흐르는 물에 머리를 감았다 함.
[流落 유락] 영락(零落)하여 유랑(流浪)함.
[流覽 유람] 전체를 죽 봄.
[流浪 유랑] 이리저리 방랑함.
[流略 유략] 서적(書籍)을 이름. 구류칠략(九流七略)을 줄인 말.
[流麗 유려] 글이나 말이 유창(流暢)하고 아름다움.
[流連 유련] 노는 데 팔려 집으로 돌아가기를 잊음.
[流漣 유련] 눈물이 흐르는 모양.
[流連荒亡 유련황망] 주색(酒色)·수렵(狩獵) 등에 탐닉(耽溺)하여 집으로 돌아갈 줄 모름.
[流露 유로] 진상(眞相)이 나타남. 또, 진상을 숨김없이 나타냄.
[流利 유리] 문장(文章) 같은 것이 막힘없이 통함.
[流離 유리] ㉠유랑(流浪). ㉡광채(光彩)가 있는 모양. ㉢떼어 헤침. ㉣올빼미. ㉤유리(琉璃).
[流馬 유마] 촉한(蜀漢)의 제갈량(諸葛亮)이 발명하였다고 하는 군수품을 나르는 수레. 모양이 말 비슷하다 함.
[流優 유만] 음란(淫亂)함.
[流漫 유만] 유만(流優).
[流沫 유말] 거품을 내며 흐르는 물. 또, 그 거품.
[流亡 유망] 일정한 주거가 없이 방랑(放浪)함. 또, 그 사람.
[流麥 유맥] 후한(後漢)의 고봉(高鳳)이 독서(讀書)에 몰두하여 폭우가 쏟아지는 줄도 몰라 마당에 넌 보리를 모두 떠내려 보냈다는 고사(故事).
[流眄 유면] 곁눈질함.
[流湎 유면] 술에 빠짐. 술에 침면(沈湎)함.
[流目 유목] 눈을 여기저기 옮겨 봄.
[流聞 유문] 뜬소문이 들림. 또, 그 소문.
[流民 유민] 고향(故鄕)을 떠나 유랑(流浪)하는 백성.
[流泊 유박] 방랑함. 표박(飄泊).

[流盼 유반] 유면(流眄).
[流放 유방] 유찬(流竄).
[流芳 유방] ㉠명성을 후세에 전함. 유방 후세(流芳後世). ㉡전해 오는 명예.
[流芳後世 유방후세] 유방(流芳) ❶.
[流杯 유배] ㉠잔을 물 위에 띄움. ㉡곡수연(曲水宴)에서 물 위에 띄우는 술잔.
[流配 유배] 죄인(罪人)을 귀양 보냄.
[流輩 유배] 동배(同輩).
[流筏 유벌] 산(山)에서 베어 낸 나무를 강(江)물에 띄워 보내는 뗏목.
[流別 유별] 계통을 따라 가름.
[流普 유보] 널리 퍼짐. 보급됨.
[流奔 유분] 흐르고 달림. 인정 같은 것이 경박함을 이름.
[流死 유사] 떠내려가 죽음.
[流沙 유사] ㉠사막(沙漠). ㉡중국 서방(西方)에 있는 큰 사막. 곧, 고비 사막.
[流事 유사] 확실하지 않은 일. 근거 없는 일.
[流徙 유사] 백성이 피난(避難)하여 유랑함.
[流產 유산] 태아(胎兒)가 달이 차기 전(前)에 죽어 나옴.
[流散 유산] 유랑(流浪)하여 흩어짐. 또, 그 사람.
[流殺 유살] 떠내려 보내어 죽임.
[流傷 유상] 유행병(流行病)에 사람이 상함.
[流觴 유상] 유상곡수(流觴曲水).
[流觴曲水 유상곡수] 굽이 꺾여 흐르는 물에 술잔을 띄워 그 잔이 자기 앞에 오기 전에 시(詩)를 짓는 일. 진(晉)나라의 왕희지(王羲之)가 난정(蘭亭)에서 처음 시작함.
[流逝 유서] 물이 한번 내려가 다시 돌아오지 아니함.
[流宣 유선] 널리 폄. 보급시킴.
[流羨 유선] 충분히 여유가 있음.
[流霰 유선] 날며 흩어져 떨어지는 싸라기눈.
[流泄 유설] 흘러 내려가 샘.
[流說 유설] 무근지설(無根之說).
[流星 유성] ㉠별안간 공중(空中)에 나타나서 빠르게 지나가는 광체(光體). 별똥별. ㉡봉화(烽火). ㉢옛날의 보검(寶劍)의 이름.
[流星光底 유성광저] 칼의 빛이 번쩍하는 아래.
[流蘇 유소] 오색(五色)의 실로 만든 술. 기(旗)·장막(張幕) 등에 닮.
[流俗 유속] ㉠옛날부터 전(轉)해 오는 풍속(風俗). 세상에 돌아다니는 풍속. ㉡세상. 세상 사람. 속인(俗人).
[流水 유수] ㉠흐르는 물. ㉡신속(迅速)한 사물(事物)의 비유. ㉢강(江)을 달리 이른 말.
[流輸 유수] 이리저리 옮겨 나름.
[流水不腐 유수불부] 흐르는 물은 썩지 않는다는 뜻으로, 늘 운동(運動)하는 것은 썩지 않음을 비유한 말.
[流水韻 유수운] 물의 흐름과 같은 음조(音調). 음조가 고상하고 아름다운 음악을 이름.
[流矢 유시] 빗나간 화살.
[流澌 유시] 얼음이 흘러 내려감.
[流失 유실] 떠내려가서 없어짐.
[流心 유심] 방종(放縱)한 마음.
[流亞 유아] 비견(比肩)할 만한 인물. 아류(亞流).
[流餓 유아] 굶주려 유랑(流浪)함. 또, 그 백성.
[流喝 유애] 목이 쉼.
[流鶯 유앵] 이 나무에서 저 나무로 날아다니며 우는 꾀꼬리. 일설(一說)에는, 고운 소리로 지저귀는 꾀꼬리.
[流語 유어] 유언(流言).
[流言 유언] 근거(根據)가 없는 소문.
[流言蜚語 유언비어] 유언(流言).
[流言止於智者 유언지어지자] 근거 없는 말을 슬기 있는 사람은 곧이듣지 아니함.
[流淹 유엄] 달아나 숨음.
[流易 유역] 변천(變遷)함.
[流域 유역] 물이 흘러가는 지역(地域).
[流衍 유연] 널리 퍼짐.
[流涎 유연] 부러워하여 침을 흘림. 또, 먹고 싶어 하여 침을 흘림.
[流悅 유열] 좋아하여 탐닉(耽溺)함.
[流詠 유영] 세상에 널리 퍼뜨려 노래 부름.
[流哇 유왜] 음란한 유행가.
[流外 유외] '유내(流內)'를 보라.
[流宂 유용] 유랑(流浪)하는 사람.
[流用 유용] ㉠정한 용도(用途) 이외에 딴 곳에 돈을 씀. ㉡공금(公金)을 사사로이 씀.
[流庸 유용] 떠돌아다니면서 고용살이함.
[流傭 유용] 유용(流庸).
[流寓 유우] 방랑하다가 타향에서 우거(寓居)함.
[流淫 유음] 행실의 문란함이 지나침.
[流議 유의] ㉠지엽(枝葉)의 의론(議論). ㉡세속(世俗)의 의론. ㉢의론을 퍼뜨림.
[流人 유인] ㉠방랑하는 사람. ㉡귀양살이하는 사람.
[流入 유입] 흘러 들어옴.
[流賊 유적] 각처(各處)로 돌아다니는 도적(盜賊).
[流謫 유적] 귀양. 귀양살이.
[流鏑 유적] 말을 타고 달리면서 활을 쏨.
[流傳 유전] 널리 퍼짐. 널리 전파됨.
[流箭 유전] 유시(流矢).
[流轉 유전] ㉠빙빙 돎. ㉡변천함. ㉢널리 퍼짐. 또, 널리 세상에 전함. ㉣시문(詩文)의 구(句)에 생기가 돎. ㉤《佛敎》 대불 세계(大佛世界)의 사물(事物)이 끊임없이 변천함. ㉥《佛敎》 생사인과(生死因果)가 윤전(輪轉)하여 한이 없음.
[流腫 유종] 독기가 다리로 내려가 붓는 병. 각기(脚氣).
[流罪 유죄] 유형(流刑).
[流注 유주] ㉠흘러 들어감. 또, 흘러 들어가게 함. ㉡《佛敎》 인연(因緣)에 의하여 끊임없이 생멸(生滅)함.
[流湊 유주] 흘러 내려가 모임.
[流車軸 유차축] 수레의 굴대만 한 굵은 비가 내림. 호우(豪雨)의 형용(形容).
[流竄 유찬] 귀양을 보냄.
[流暢 유창] 하는 말이나 글 읽는 것이 조금도 거침이 없음.
[流瘠 유척] 유랑(流浪)하여 야윔. 또, 그 사람.
[流歠 유철] 쭉 들이마심. 홀쩍홀쩍 들이마심.
[流涕 유체] 눈물을 흘리며 욺. 또, 흘리는 눈물.
[流睇 유체] 곁눈질함. 또, 곁눈질.
[流滯 유체] 흐름과 막힘.
[流體 유체] 유동체(流動體).
[流出 유출] 흘러 나감. 또, 흘러 나가게 함.
[流彈 유탄] 빗나간 탄환(彈丸).
[流宕 유탕] 유락(流落).
[流通 유통] ㉠막힘없이 흘러 통(通)함. ㉡세상에 널리 통용됨. 또, 세상에 널리 퍼짐.
[流波 유파] ㉠흐르는 물결. ㉡흘겨보는 눈의 비

유. 추파(秋波)를 보냄.
[流派 유파] ㉠지류(支流). ㉡어떠한 파(派)에서 갈려 나온 파. 분파(分派).
[流播 유파] 널리 퍼짐. 또, 널리 퍼뜨림.
[流萍 유평] 떠내려가는 부평초(浮萍草).
[流弊 유폐] 예전부터 전해 내려오는 폐해(弊害). 또, 세상에 널리 퍼진 폐습(弊習).
[流布 유포] 세상에 널리 퍼짐. 또, 세상에 널리 퍼뜨림.
[流逋 유포] 유망(流亡).
[流漂 유표] 정처 없이 떠돌아다님. 유랑함. 표류(漂流).
[流飄 유표] 유랑(流浪).
[流品 유품] ㉠백관(百官)을 이름. ㉡후위(後魏)의 일품(一品)에서 구품(九品)까지를 이름. ㉢사람의 도덕·학문이 사회적으로 누리고 있는 지위(地位). 인품(人品).
[流風 유풍] ㉠선인(善人)이 남긴 미풍. 유폐(流弊)의 대(對). ㉡음악 소리가 바람을 타고 들려옴.
[流霞 유하] ㉠떠도는 운기(雲氣). ㉡신선이 마신다는 미주(美酒)의 이름.
[流汗 유한] 부끄럽거나 괴로워서 땀을 흘림. 또, 그 땀.
[流行 유행] ㉠흘러감. 전(轉)하여, 널리 퍼짐. ㉡세상(世上)에 일시적으로 널리 퍼지어 행하여짐.
[流行病 유행병] 전염하여 유행하는 병.
[流響 유향] ㉠강물이 흐르는 소리. ㉡바람 따라 들려오는 음향.
[流血 유혈] ㉠피를 흘림. 또, 피가 흐름. ㉡흐르는 피.
[流血成川 유혈성천] 피가 흘러서 내를 이룬다는 뜻으로, 전사자(戰死者)가 많음을 이르는 말.
[流血漂杵 유혈표저] 전쟁이 격렬하여 유혈(流血)이 방패〔杵〕를 표류(漂流)하게 함.
[流浹 유협] 유흡(流洽).
[流刑 유형] 죄인(罪人)을 먼 곳으로 추방하여 그 곳에 있게 하는 형벌(刑罰). 귀양.
[流形 유형] ㉠각각 형상을 갖추어 지상(地上)에 널리 퍼짐. ㉡지상(地上)에 널리 퍼져 있는 만물의 형상. 삼라만상(森羅萬象).
[流螢 유형] 날아다니는 개똥벌레. 비형(飛螢).
[流彗 유혜] 나는 혜성(彗星).
[流戶 유호] 유랑(流浪)하는 민호(民戶).
[流汞 유홍] 수은(水銀).
[流火 유화] ㉠화성(火星)이 7월부터 서쪽으로 차차 내려감. ㉡음력 7월의 별칭(別稱).
[流花 유화] 냇물에 흘러가는 꽃.
[流丸 유환] ㉠유탄(流彈). ㉡구르는 공. 구르는 구형(球形)의 물건.
[流黃 유황] ㉠구슬. 옥(玉). ㉡녹색(綠色)의 견포(絹布). 또는, 노란 고치실로 짠 천. 유황(留黃). ㉢'유황(硫黃)'과 같음. ㉣대오리로 엮은 자리의 이름.
[流潢 유황] 물이 흘러 내려가는 못.
[流暉 유휘] 지나가는 광음(光陰). 흐르는 세월.
[流洽 유흡] ㉠윤택함. 또, 윤택하게 함. ㉡널리 퍼짐.
◉江流. 激流. 溪流. 貫流. 交流. 九流. 繆流. 急流. 氣流. 暖流. 亂流. 湍流. 對流. 大法東流. 同流. 等流. 灣流. 末流. 名流. 門流. 放流. 傍流. 配流. 輩流. 翻流. 凡流. 碧流. 伏流. 本流. 分流. 奔流. 飛流. 瀉流. 上流. 細流. 小流. 俗流. 水流. 漱石枕流. 隨波同流. 順流. 習流. 勝流. 時流. 迅流. 亞流. 我流. 安流. 斡流. 暗流. 女流. 逆流. 涓流. 渦流. 羽流. 原流. 源流. 遠流. 應對如流. 泥流. 一刀流. 一流. 溢流. 日月如流. 潺流. 長流. 嫡流. 積流. 截斷衆流. 底流. 電流. 諸流. 儕流. 第一流. 條流. 潮流. 從善如流. 主流. 周流. 中流. 支流. 直流. 川流. 淸流. 緇流. 枕石漱流. 他流. 濁流. 通流. 投鞭斷流. 貶流. 漂流. 風流. 筆翰如流. 下流. 河流. 學流. 寒流. 合流. 海流. 混流. 洪流. 還流. 回流. 橫流.

7 ⑩ [浛] 함 ①㊀勘 胡紺切 hàn ②-④㊥覃 胡南切 hán

字解 ①진흙 함 흙탕물. 또, 물이 진흙 따위와 섞임. '一, 水和泥也'《玉篇》. '一, 泥皃'《集韻》. ②뱃바닥에괸물 함 淦(水部 八畫)과 同字. '淦, 水入舟隙, 謂之淦. 或从含'《集韻》. ③잠길 함 '一, 方言, 沈也. 或作涵·淦'《集韻》. ④땅이름 함 '一洸'은 지금의 광둥 성(廣東省) 영덕현(英德縣)의 서북쪽.

7 ⑩ [湇] 〔육〕
淯(水部 八畫〈p. 1253〉)의 訛字

7 ⑩ [淀] 〔선〕
漩(水部 十一畫〈p. 1288〉)과 同字

字源 篆文 形聲. 氵(水)+旋〈省〉〔音〕. '旋선'은 '돌다'의 뜻. 물이 돌아 소용돌이치다의 뜻을 나타냄.

7 ⑩ [洓] 〔숙〕
淑(水部 八畫〈p. 1239〉)과 同字

7 ⑩ [浲] 人名 ▬ 洚(水部 六畫〈p. 1215〉)과 同字
▬ 逢(水部 十一畫〈p. 1291〉)과 同字

7 ⑩ [淂] 〔득〕
得(彳部 八畫〈p. 745〉)의 俗字

7 ⑩ [浧] 〔왕〕
汪(水部 四畫〈p. 1187〉)의 本字

7 ⑩ [渫] 〔설〕
渫(水部 九畫〈p. 1258〉)과 同字

[酒] 〔주〕
酉部 三畫(p. 2351)을 보라.

8 ⑫ [淼] 묘 ㊤篠 亡沼切 miǎo

字解 아득할 묘 수면(水面)이 아득하게 넓은 모양. '一一'. '狀滔天以一茫'《郭璞》.

字源 篆文 會意. 물수(水)를 석 자 합하여, 너르디너른 끝없는 물의 모양을 나타냄.

[淼漫 묘만] 묘망(淼茫).
[淼茫 묘망] 물이 한없이 넓은 모양.
[淼淼 묘묘] 묘망(淼茫).

8 ⑪ [湈] 담 ㊥覃 他酣切 tān

字解 ①높은파도 담 '㴴—·㴴—'은 높은 파도. '㴴—淼而爲魁'《木華》. ②파도갑자기일 담.

8 ⑪ [浦] 浦(前條)과 同字

8 ⑪ [淴] ■ 홀 ㊀月 呼骨切 hū
■ 민 mǐn

字解 ■ ①검푸를 홀 '—, 靑黑色'《說文》. ②아주깨끗할 홀 '—, 大淸也'《玉篇》. ■ 맞을 민 적합함. '心愛綿—'《楞嚴經》.

字源 篆文 篆文 形聲. 氵(水)+曶〔音〕

8 ⑪ [涪] 부 ①㊥尤 蒲侯切 póu
②③㊥尤 縛謀切 fú

字解 ①거품 부 물의 거품. '—漚'. ②물이름 부 쓰촨 성(四川省) 쑹판 현(松潘縣)에서 발원(發源)하여, 동남으로 흐르는 자링 강(嘉陵江)의 지류(支流). '—江'. '—水出廣漢屬國剛氏游徼外'《水經注》. ③성 부 성(姓)의 하나.

字源 篆文 形聲. 氵(水)+咅(杏)〔音〕

[涪江 부강] 자해(字解) ❷를 보라.
[涪漚 부구] 물거품.
[涪水 부수] 부강(涪江).
[涪翁 부옹] ㉠후한(後漢) 사람. 침경 진맥법(針經診脈法)의 저자의 호(號). 성명 미상. ㉡송(宋)나라 시인 황정견(黃庭堅)의 호(號).

8 ⑪ [涫] 관 ㊤翰 古玩切 guàn

字解 끓을 관 물이 끓음. '氣—灩其若波'《楚辭》.

字源 篆文 形聲. 氵(水)+官〔音〕. '官관'은 끓는 소리의 형용.

[涫涫 관관] 물이 끓는 모양.
[涫沸 관비] 물이 끓음.
[涫湯 관탕] 끓는 물.

8 ⑪ [涬] 人名 행 ㊤迥 胡頂切 xìng

字解 ①클 행 큰 모양. '大同乎溟—'《莊子》. ②당길 행 끌어당김. '無綵攣以—己兮'《張衡》.

字源 形聲. 氵(水)+幸〔音〕

◉溟涬. 水涬. 鴻涬.

8 ⑪ [涯] 高人 애 ㊥佳 五佳切 yá

筆順 丶 冫 氵 氵 汇 汇 汇 涯 涯

字解 ①물가 애 수변(水邊). '水—'. '若涉大水, 其無津—'《書經》. ②끝 애 맨 끝. 한계. '—限'. '吾生也有—, 而知也無—'《莊子》.

字源 篆文 形聲. 氵(水)+厓〔音〕. '厓애'는 '벼랑'의 뜻. 벼랑과 물의 접점(接點), '물가'의 뜻을 나타내며, 전(轉)하여, '끝'의 뜻을 나타냄.

參考 漄(水部 十一畫)는 同字.

[涯角 애각] 아주 먼 궁벽한 곳.
[涯分 애분] 신분(身分)에 알맞은 정도. 본분(本分).
[涯涘 애사] 애안(涯岸).
[涯岸 애안] ㉠물가. 수변(水邊). ㉡한(限). 한계.
[涯垠 애은] 안착(安着)하여 편안한 모양.
[涯際 애제] 애안(涯岸).
[涯坻 애지] 물가. 수변(水邊).
[涯限 애한] 끝. 한계. 애안(涯岸).
◉境涯. 窮涯. 無涯. 邊涯. 濱涯. 生涯. 水涯. 一涯. 際涯. 津涯. 天涯. 通涯.

8 ⑪ [涳] 공 ㊥東 苦紅切 kōng

字解 ①물곧게흐를 공 '—, 直流也'《說文》. ②가랑비 공 '—濛, 細雨'《集韻》. ③성 공 성(姓)의 하나.

字源 篆文 形聲. 氵(水)+空〔音〕

8 ⑪ [液] 人名 ■ 액 ㊀陌 洋益切 yè
■ 석 ㊀陌 施隻切 shì

筆順 丶 冫 氵 氵 氵 汁 液 液 液

字解 ■ ①즙 액, 진 액 즙액(汁液). 진액. '津—'. '病不以湯—'《史記》. ②곁 액 掖(手部 八畫)과 통용. '—廷, 媵未充'《漢書》. ③성 액 성(姓)의 하나. ■ ①담글 석 액체 속에 넣음. '浸—'. '春—角'《周禮》. ②흩을 석 흩어지게 함. 해산(解散)함. '渙兮其若冰之—'《文中子》.

字源 篆文 形聲. 氵(水)+夜〔音〕. '夜야·액'은 '繹역'과 통하여, 잇달아 이어지다의 뜻. 실을 당기듯이 이어지는 물, '즙'의 뜻을 나타냄.

[液槾 액문·액만] 진이 흐름.
[液庭 액정] 내전(內殿). 액정(掖庭).
[液汁 액즙] 즙(汁).
[液體 액체] 체적(體積)은 있으나 유동(流動)하는 물체. 물·기름 따위.
[液化 액화] 기체(氣體) 또는 고체(固體)가 액체(液體)로 변함.
◉甘液. 膏液. 肌液. 丹液. 毒液. 芳液. 鼻液. 散液. 仙液. 消液. 樹液. 粹液. 藥液. 瀝液. 靈液. 溶液. 融液. 淫液. 滋液. 粘液. 黏液. 精液. 汁液. 蒸液. 脂液. 津液. 體液. 浸液. 唾液. 湯液. 太液. 癈液. 血液.

8 ⑪ [涵] 人名 함 ㊥覃 胡男切 hán

筆順 丶 冫 氵 汀 汀 涵 涵 涵 涵

字解 ①담글 함, 적실 함 물에 담금. 또는, 물에 적심. '沈—'. '海—春育'《王僧孺》. ②넣을 함 안에 넣음. '胸次要—蓄'《王炎》. ③들일 함 받아들임. 용납함. '亂之初生, 僭始既—'《詩經》. ④가라앉을 함 침몰함. '—泳乎其中'《左思》.

字源 篆文 形聲. 氵(水)+函(圅)〔音〕. '圅함'은 '포함하다'의 뜻. 수분을 포함하다, 적시다의 뜻을 나타냄.

參考 涵(水部 十畫)은 本字.

[涵碧 함벽] 푸른빛을 적신다는 뜻으로, 하늘이나

바다의 푸름을 이르는 말.
[涵養 함양] ㉠은덕을 베풀어서 기름. ㉡학식을 넓혀서 심성(心性)을 닦음. 함육(涵育).
[涵淹 함엄] ㉠담금. 적심. ㉡숨음. 잠복함.
[涵泳 함영] 헤엄침.
[涵濡 함유] 은덕(恩德)을 입음.
[涵育 함육] 함양(涵養).
[涵咀 함저] 뜻을 새겨서 궁구함. 음미(吟味)함.
[涵暢 함창] 수양하여 발달시킴.
[涵蓄 함축] 넣어 쌓아 둠.
[涵浸 함침] 담금.
[涵煦 함후] 은덕을 베풀어 기름.
◉韜涵. 潛涵. 沈涵. 包涵. 海涵. 渾涵. 泓涵.

8 ⑪ [涷] 동 [平]東 德紅切 dōng [去]送 多貢切 dòng
[字解] ①소나기 동 '今江東呼夏月暴雨爲—雨'《爾雅 註》. ②얼 동 凍(冫部 八畫)과 同字.
[字源] 篆文 形聲. 氵(水)+東〔音〕. '東동'은 '꿰뚫다'의 뜻. 꿰뚫듯 한 여름 소나기의 뜻을 나타냄.

[涷雨 동우] 소나기.

8 ⑪ [淉] [一] 과 [上]哿 古火切 guǒ [二] 관 [去]翰 古玩切 guàn
[字解] [一] 물이름 과 '—, —水也'《說文》. [二] 강신제지낼 관 祼(示部 十三畫)과 同字. '祼, 灌祭也. 亦从水'《集韻》.
[字源] 形聲. 氵(水)+果〔音〕

8 ⑪ [涸] [一] 학 [入]藥 下各切 hé [二] 후 [去]遇 胡故切 hào
[字解] [一] ①마를 학 물이 마름. '—渴'. '仲秋之月, 水始—'《禮記》. ②말릴 학 물을 말림. '不—澤而漁'《淮南子》. [二] 마를 후, 말릴 후 [一]과 뜻이 같음.
[字源] 篆文 形聲. 氵(水)+固〔音〕. '固고'는 '枯고'와 통하여, '마르다'의 뜻. 물이 마르다의 뜻을 나타냄.

[涸渴 학갈] 물이 마름.
[涸乾 학건] 액체가 증발(蒸發)함.
[涸鮒 학부] 학철부어(涸轍鮒魚).
[涸水 학수] 물이 마른 하천(河川).
[涸陰 학음] 혹한(酷寒). 대단한 추위.
[涸渚 학저] 물이 마른 물가.
[涸轍 학철] 학철부어(涸轍鮒魚).
[涸轍鮒魚 학철부어] 수레바퀴 자국에 괸 물에 있는 붕어라는 뜻으로, 사람의 아주 곤궁(困窮)한 경우를 이름.
[涸冱 학호] 물이 얼어붙음.
◉竭涸. 乾涸. 蹇涸. 枯涸. 窮涸. 匱涸. 滲涸. 凝涸. 燥涸. 焦涸. 冱涸.

8 ⑪ [涼] [中人] 량 ①-⑧[平]陽 呂張切 liáng ⑨⑩[去]漾 力讓切 liàng
[筆順] 丶 丶 氵 氵 汁 泞 涼 涼
[字解] ①서늘할 량 약간 추움. '—秋'. '孟秋之月, —風至'《禮記》. ②서늘한바람 량 양풍. 또, 서늘한 기운. '消暑招—'《拾遺記》. ③맑을 량 깨끗함. '其性爲—'《素問》. ④얇을 량 두텁지 못함. '虢多—德'《左傳》. ⑤슬퍼할 량 상심함. '撫錦幙而虛—'《江淹》. ⑥쐴 량 바람에 쐼. '暴—之'《唐書》. ⑦맑은술 량 醇(酉部 八畫)과 同字. '水·漿·醴·—·醫·酏'《周禮》. ⑧성 량 성(姓)의 하나. ⑨도울 량 보좌함. '—彼武王'《詩經》. ⑩진실로 량 참으로. '—日不可'《詩經》.
[字源] 篆文 形聲. 氵(水)+京〔音〕. '京경'은 '良량'과 통하여, '좋다'의 뜻. 좋은 물의 뜻에서, 파생(派生)하여, '서늘하다'의 뜻을 나타냄.
[參考] 凉(冫部 八畫)은 俗字.

[涼囷 양균] 곳집의 쌀을 축냄. 쌀을 많이 써서 밥상을 잘 차린다는 뜻.
[涼氣 양기] 서늘한 기운.
[涼德 양덕] 얇은 덕. 두텁지 못한 심덕(心德). 박덕(薄德).
[涼涼 양량] ㉠선선한 모양. ㉡경박(輕薄)한 모양.
[涼味 양미] 서늘한 멋.
[涼薄 양박] 발〔簾〕.
[涼夕 양석] 서늘한 저녁.
[涼扇 양선] 부채.
[涼水 양수] 냉수(冷水).
[涼颸 양시] 서늘한 바람. 양풍(涼風).
[涼夜 양야] 서늘한 밤.
[涼炎 양염] 선선함과 더움. 전(轉)하여, 낙백(落魄)함과 번성(繁盛)함.
[涼雨 양우] 선선한 비.
[涼月 양월] 가을밤의 달.
[涼蔭 양음] 선선한 그늘.
[涼意 양의] 양미(涼味).
[涼州 양주] ㉠전량(前涼)·후량(後涼)의 수도(首都). 지금의 간쑤 성(甘肅省) 동부에 있음. 신장 성(新疆省)으로 들어가는 요로(要路)이며 명승(名勝)이 많음. ㉡가곡(歌曲)의 이름.
[涼秋 양추] 서늘한 가을. 음력 9월경.
[涼快 양쾌] 서늘함.
[涼風 양풍] ㉠서늘한 바람. 선들바람. ㉡북풍(北風). ㉢서남풍(西南風).
[涼夏 양하] 서늘한 여름.
◉輕涼. 南涼. 納涼. 冷涼. 晩涼. 微涼. 北涼. 悲涼. 爽涼. 西涼. 新涼. 炎涼. 五涼. 前涼. 早涼. 凄涼. 淸涼. 初涼. 招涼. 秋涼. 逐涼. 抱炭希涼. 曝涼. 寒涼. 荒涼. 後涼.

8 ⑪ [涰] 철 [入]屑 株劣切 chuò
[字解] 눈물흘릴 철 눈물을 흘리며 욺. 啜(口部 八畫)과 통용.

8 ⑪ [涽] 혼 [平]元 呼昆切 hūn
[字解] ①흐릴 혼 혼탁(混濁)한 모양. ②정하지않은 혼 미정(未定)의 모양. '——淑淑'《荀子》.
[字源] 形聲. 氵(水)+昏〔音〕. '昏혼'은 날이 저물어 어둡다의 뜻.

8 ⑪ [浬] [一] 누 [上]有 乃后切 nǒu [二] 유 [平]虞 櫱主切 rǔ
[字解] [一] ①물이름 누 '—, 水也'《說文》. ②술 누 [二]와 뜻이 같음. [二] 술 유 진한 술. '—, 酒也'《廣雅》.

字源 形聲. 氵(水)+乳〔音〕

8 ⑪ [涿] 탁 入覺 竹角切 zhuó

字解 ①들을 탁 물이 방울져 떨어짐. '一, 流下滴也'《說文》. ②칠 탁 두드림. '壺, 謂瓦鼓, 一, 擊之也'《周禮 註》.

字源 甲骨文 篆文 形聲. 氵(水)+豖〔音〕. '豖축'은 두드리는 소리를 나타내는 의성어(擬聲語). 물이 방울져 떨어지다의 뜻을 나타냄.

[涿鹿 탁록] ㉠현재의 허베이 성(河北省) 탁록현(涿鹿縣). 동남쪽에 해당하며, 황제(黃帝)가 치우(蚩尤)와 싸운 곳이라 전함. ㉡이마에 가(加)하는 형벌.

[涿州 탁주] 허베이 성(河北省)에 있는 황제(黃帝)가 4천 년 전에 도읍하였다는 곳. 사적(史蹟)이 많으며 삼국사(三國史)에서 유명한 소열황제(昭烈皇帝) 유비(劉備)의 출신지.

◉瀧涿. 泄涿.

8 ⑪ [淀] 人名 정(전本) 去霰 堂練切 diàn

筆順 丶 冫 氵 氵 氵宀 氵宀 淀 淀

字解 얕은물 정 물이 흐르다가 괸 얕은 곳. '一如淵而淺'《左思 魏都賦 註》.

字源 會意. 氵(水)+定. 물이 어떤 한 곳에 흐르지 않고 괴어 변하지 않는 뜻을 나타냄.

◉碧淀. 淤淀.

8 ⑪ [淄] 人名 치 平支 側持切 zī

字解 ①물이름 치 산둥 성(山東省) 내무현(萊蕪縣)에서 발원(發源)하여, 동북으로 흘러 황하(黃河)로 들어가는 강. '俗傳云, 禹理水功畢, 土石黑, 數理之中, 波若漆, 故謂之一水也'《括地志》. ②검은빛 치 흑색. '恩隆好合, 遂忘一蠹'《後漢書》. ③검은물들 치, 검은물들일 치 '涅而不一'《史記》.

字源 形聲. 氵(水)+甾〔音〕

[淄蠹 치두] 빛이 검어지고 좀먹음.

[淄澠辨味 치면변미] 제환공(齊桓公)의 신하(臣下) 역아(易牙)가 맛을 잘 알아 치수(淄水)와 면수(澠水)의 물맛을 보고 알아냈다는 고사(故事). 그 일에 도통한 사람은 보통 사람이 알 수 없는 것을 잘 알아낼 수 있다는 비유.

◉臨淄.

8 ⑪ [淮] 一 왕 上養 羽兩切 wǎng
二 광 去漾 古況切 wàng

字解 一 갈 왕 물속으로 감. '因江潭一記兮'《揚雄》. 二 갈 광 一과 뜻이 같음.

8 ⑪ [淅] 人名 석 入錫 先擊切 xī

筆順 丶 冫 氵 氵 汁 汴 淅 淅 淅

字解 ①일 석 쌀을 읾. '矛頭一米, 劍頭炊'《晉書》. ②인쌀 석 물에 인 쌀. '接一而行'《孟子》. ③눈비소리 석 눈비가 오거나 바람이 부는 소리. '一一'. '霰一瀝而先集'《謝惠連》. ④쓸쓸할 석 처량한 모양. '飛霜早一瀝'《李白》.

字源 篆文 形聲. 氵(水)+析〔音〕. '析석'은 풀어 헤치다의 뜻. 물에 넣고 흔들어, 풀어 헤치고 일다의 뜻을 나타냄.

[淅瀝 석력] ㉠바람이 불거나 비가 내리는 소리. ㉡쓸쓸한 모양.

[淅米 석미] 쌀을 읾.

[淅淅 석석] ㉠바람 소리. ㉡방울 소리.

[淅然 석연] 가을같이 쓸쓸한 모양.

8 ⑪ [淆] 人名 효 平肴 胡茅切 xiáo

字解 ①흐릴 효, 어지러울 효 혼탁함. 또는, 혼란함. '混一'. '溷一無別'《漢書》. ②흐리게할 효, 어지럽힐 효 전항(前項)의 타동사. '一之不濁'《後漢書》.

字源 形聲. 氵(水)+肴〔音〕. '肴효'는 '뒤섞이다'의 뜻. 물이 혼합물로 흐려지다의 뜻을 나타냄.

[淆亂 효란] 효문(淆紊).

[淆紊 효문] 뒤섞여 문란(紊亂)함.

◉紛淆. 混淆. 溷淆.

8 ⑪ [淇] 人名 기 平支 渠之切 qí

筆順 丶 冫 氵 氵 汁 泔 淇 淇

字解 물이름 기 허난 성(河南省) 임현(林縣)에서 발원(發源)하는 황하(黃河)의 지류(支流). '一水'. '送子涉一'《詩經》.

字源 篆文 形聲. 氵(水)+其〔音〕

[淇水 기수] 자해(字解)를 보라.

[淇園 기원] 위국(衛國) 기수(淇水) 가까이 있는 동산. 대나무의 명산지(名産地)임.

[淇園長 기원장] '대나무〔竹〕'의 별칭.

[淇河 기하] 기수(淇水).

8 ⑪ [淈] 굴 入月 古忽切 gǔ

字解 ①흐릴 굴, 흐리게할 굴 혼탁함. 또, 혼탁하게 함. '何不一其泥而揚其波'《楚辭》. ②어지러울 굴, 어지럽힐 굴 혼란함. 또, 혼란케 함. '一泥而潛蟠'《張衡》. ③다할 굴 물건이 다 없어짐. '洸洸乎不一盡'《荀子》. ④흐를 굴 막힌 물이 통하여 흐르는 모양. '潏潏一一'《司馬相如》.

字源 篆文 形聲. 氵(水)+屈(屈)〔音〕. '屈굴'은 '파다'의 뜻. 물속에서 진흙을 파서 흐리게 하다의 뜻을 나타냄.

[淈淈 굴굴] ㉠막힌 물이 통하여 흐르는 모양. ㉡국내가 소란한 모양.

[淈盡 굴진] 다함. 다 없어짐.

◉汨淈.

8 ⑪ [淋] 人名 림 平侵 力尋切 lín

筆順 ` ⺀ 氵 汁 汁 沐 淋 淋

字解 ①뿌릴 림 물을 뿌림. '雨—日炙野火燎'《韓愈》. ②물방울떨어질 림 물방울이 떨어지는 모양. 또, 비가 오는 모양. '聽長空之——'《曹植》. ③장마 림 霖(雨部 八畫)과 同字. '滋—旣浹旬'《皮日休》. ④임질 림 痳(疒部 八畫)과 同字. '消—逐水'《鮑照》.

字源 篆文 形聲. 氵(水)+林〔音〕. '林림'은 '立립'과 통하여, '서다'의 뜻. 곧추선 것을 타고 물이 흘러 떨어지다, 듣다의 뜻을 나타냄.

[淋浪 임랑] 어지러운 모양. 일설(一說)에는, 땀이 자꾸 흐르는 모양.
[淋瀝 임력] 물방울 또는 빗방울이 뚝뚝 떨어지는 모양.
[淋漉 임록] 임리(淋漓) ㉠.
[淋漓 임리] ㉠피 또는 땀 같은 것이 줄줄 흐르는 모양. ㉡원기가 넘치는 모양. ㉢비 오는 소리.
[淋離 임리] ㉠긴 모양. ㉡큰 모양.
[淋淋 임림] 비가 오는 모양. 또, 물방울이 떨어지는 모양.
[淋滲 임삼] 우모(羽毛)가 나기 시작하는 모양.
[淋灑 임쇄] ㉠뚝뚝 떨어지는 모양. 뿌리는 모양. ㉡끊이지 않는 모양.
[淋池 임지] 물이 사철 흘러 들어가는 못.
[淋疾 임질] 성병(性病)의 일종. 요도(尿道) 점막에 염증(炎症)이 일어남.
[淋巴 임파] 영어(英語) lymph의 음역(音譯). 신체 조직(身體組織) 사이를 유통하는 무색(無色)의 액체. 혈관과 조직을 연결하며 세균 침입을 방지함. 임파액(淋巴液).
[淋巴腺 임파선] 임파가 유통하는 관(管)이 모여 있는 불룩한 부분.
[淋巴液 임파액] 임파(淋巴).
[淋汗 임한] ㉠땀. ㉡《佛敎》 선가(禪家)가 여름에 땀을 씻기 위하여 목욕하는 일.
◉積淋. 風別雨淋.

8
⑪ [淌] 창 ㊤漾 尺亮切 chàng

字解 ①큰물결 창 큰 파도. ②흐를 창 물이 흐르는 모양. '—游灝減'《淮南子》.

字源 形聲. 氵(水)+尙〔音〕

[淌游 창유] 물이 흐르는 모양.

8
⑪ [淑] 中人 숙 ㊀屋 殊六切 shū

筆順 ` ⺀ 氵 汁 汁 洢 洣 淑

字解 ①착할 숙 선량함. 정숙함. 주로, 부인의 미덕(美德)을 이름. '—女'. '—人君子'《詩經》. ②맑을 숙 '—, 淸湛也'《說文》. ③사모할 숙 경모(敬慕)함. '予私—諸人也'《孟子》. ④잘 숙 좋게. '—問'. '—愼其身'《詩經》. ⑤비로소 숙 俶(人部 八畫)과 통용. '—獻無常數'《儀禮》. ⑥성 숙 성(姓)의 하나.

字源 金文 篆文 形聲. 氵(水)+叔〔音〕. 金文에서는 '弔조'와 같은 자. 타인의 불운을 애도하는 뜻에서, '선량하다'의 뜻을 나타내게 되었음. 의미상 맑은 물과 공통점이 있기 때문에, '水수'를 붙여, '맑다, 좋다'의 뜻을 나타냄.

[淑景 숙경] ㉠봄볕. ㉡화창한 봄의 경치.
[淑均 숙균] 선량하고 공평함.
[淑氣 숙기] 봄의 따뜻한 기운.
[淑女 숙녀] 정숙한 여자. 착하고 부덕(婦德)이 있는 여자. 교양과 예의와 품격을 갖춘 부녀.
[淑德 숙덕] 착하고 올바른 덕(德). 주로 부인(婦人)의 미덕(美德)을 이름.
[淑儷 숙려] 선량한 배필. 착한 배우자(配偶者).
[淑類 숙류] 좋은 종류(種類).
[淑茂 숙무] 마음씨가 곱고 덕행이 뛰어남.
[淑問 숙문] ㉠좋은 평판. 선량하다는 소문. ㉡송사(訟事)를 공평하게 잘 처결함.
[淑美 숙미] 정숙하고 아름다움.
[淑媚 숙미] 정숙하고 아름다움.
[淑範 숙범] 부인(婦人)의 바른 규범.
[淑祥 숙상] 좋은 조짐. 길조(吉兆). 상서(祥瑞).
[淑性 숙성] 선량하고 얌전한 성질.
[淑愼 숙신] ㉠잘 삼감. ㉡마음이 선량(善良)하고 신중함.
[淑心 숙심] 선량한 마음. 고운 마음.
[淑艾 숙예] 군자(君子)의 도(道)를 따라 몸을 잘 다스림.
[淑譽 숙예] 정숙(貞淑)하다는 평판.
[淑婉 숙완] 정숙하고 유순함.
[淑郁 숙욱] 좋은 향기. 향기가 왕성함.
[淑媛 숙원] ㉠재덕(才德)이 빼어난 여자. 숙녀(淑女). ㉡여관(女官)의 이름.
[淑胤 숙윤] 선량한 자손.
[淑人 숙인] ㉠선량하고 덕이 있는 사람. ㉡송(宋)나라의 제도(制度)에서 상서(尙書) 이상의 벼슬아치의 부인에게 주던 칭호. 또, 명(明)·청(淸) 시대의 제도에서 삼품(三品) 지위의 부인에게 주던 칭호.
[淑姿 숙자] 착하고 얌전한 모습.
[淑弟 숙제] 착한 아우. 남의 아우를 높이어 이르는 말.
[淑眞 숙진] 선량하고 진실함.
[淑質 숙질] 선량한 성질. 숙성(淑性).
[淑哲 숙철] 선량하고 현명함. 또, 그 사람.
[淑淸 숙청] ㉠잘 다스려져서 맑음. ㉡맑고 명랑함.
[淑湫 숙추] 쓸쓸함.
[淑慝 숙특] 선악(善惡). 선행(善行)과 악행(惡行).
[淑行 숙행] 선량한 행위.
[淑化 숙화] 바른 교화(敎化).
[淑訓 숙훈] 부녀자에 대한 교훈. 여자의 바른 교훈.
[淑姬 숙희] 숙녀(淑女).
◉明淑. 不淑. 私淑. 純淑. 淵淑. 令淑. 英淑. 婉淑. 柔淑. 貞淑. 閑淑. 諧淑. 賢淑.

8
⑪ [淖] ㊀ 뇨 ㊤效 奴敎切 nào
㊁ 작 ㊀藥 尺約切 chuò

字解 ㊀ ①진흙 뇨 이토(泥土). '泥—'. '濯—汚泥之中'《史記》. ②진창 뇨 땅이 곤죽같이 된 곳. '有—於前'《左傳》. ③젖을 뇨 물이 묻음. '—乎如在於海'《管子》. ④온화할 뇨 마음이 부드러움. '嘉薦普—'《儀禮》. ⑤빠질 뇨 가라앉음. '世沈—而難論兮'《東方朔》. ㊁ 얌전할 작

綽(糸部 八畫)과 통용. '一約若處子'《莊子》.
字源 篆文 形聲. 氵(水)+卓〔音〕. '卓탁'은 '弱약'과 통하여, '낭창낭창하다'의 뜻. '진흙, 젖다'의 뜻을 나타냄.

[淖濘 요녕] 진창.
[淖溺 요닉] 녹음. 용해(溶解)함.
[淖糜 요미] 묽은 죽.
[淖乎 요호] 젖는 모양.
[淖約 작약] 정숙(貞淑)함.
◉講淖. 濘淖. 泥淖. 霖淖. 渟淖. 漬淖. 沈淖.

8 ⑪ [淘] 人名 도 ㊥豪 徒刀切 táo

字解 ①일 도 ㉠쌀을 읾. '令水淨一'《齊民要術》. ㉡물건을 읾. '沙恨無金盡日一'《殷文圭》. 전(轉)하여, 가려냄. '一汰'. ②칠 도 준설(浚渫)함. '監一在城渠'《東京夢華錄》. ③개통할 도 유통(流通)하게 함. '開一舊河'《宋史》. ④씻을 도 세정(洗淨)함. '千一萬漉雖辛苦'《劉禹錫》.
字源 形聲. 氵(水)+匋〔音〕. '匋도'는 '도기(陶器)'의 뜻. 질그릇에 쌀을 넣고 물을 부어 잡물을 제거하다, 일다의 뜻이나 '치다'의 뜻을 나타냄.

[淘金 도금] 사금(沙金)을 읾.
[淘淘 도도] 물이 흐르는 모양.
[淘漉 도록] 물로 읾.
[淘米 도미] 쌀을 읾.
[淘洗 도세] 일고 씻음.
[淘汰 도태] ㉠물로 일어서 쓸데없는 것을 흘려 버리고 좋은 것만 가림. ㉡많은 것 가운데에서 필요하지 않은 부분을 가려내어 버림. ㉢깨끗이 씻음.
[淘河 도하] 유금류(游禽類)의 해조(海鳥). 사다새. 가람조(伽藍鳥).
◉開淘. 冷淘. 淨淘.

8 ⑪ [淙] 人名 종 ㊥冬 藏宗切 cóng

筆順 氵 氵 氵' 氵宀 氵宀 淙 淙 淙

字解 ①물댈 종 물을 흘러 들어가게 함. '一大壑與沃焦'《郭璞》. ②물소리 종 물이 흐르는 소리. 또, 물이 흐르는 모양. '石泉一一'《高適》.
字源 篆文 形聲. 氵(水)+宗〔音〕

[淙然 종연] 종종(淙淙).
[淙潺 종잔] 물이 흐르는 소리. 또, 물이 흐르는 모양.
[淙琤 종쟁] ㉠옥(玉)이 울리는 소리. ㉡물이 흐르는 소리.
[淙淙 종종] ㉠물이 흐르는 소리. 또, 물이 흐르는 모양. ㉡금석(金石)의 소리.
◉飛淙. 潺淙. 懸淙.

8 ⑪ [淚] 高人 루 ㊤寘 力遂切 lèi 泪

筆順 氵 氵 氵 氵 氵 氵 淚 淚

字解 ①눈물 루 '揮一'. '士皆垂一涕泣'《戰國策》. ②울 루 눈물을 흘리며 욺. '泣一想望'《後漢書》.
字源 形聲. 氵(水)+戾〔音〕. '戾려'는 '黎려'와 통하여, 빈틈없이 늘어놓이다의 뜻. 끊이지 않고 잇닿는 '눈물'의 뜻을 나타냄.

[淚管 누관] 눈물이 흘러나오는 관(管).
[淚蠟 누랍] 촛농. 촉루(燭淚).
[淚墨 누묵] 눈물이 섞인 먹물. 눈물을 흘리며 쓰는 글.
[淚水 누수] 눈물.
[淚眼 누안] 눈물이 괸 눈.
[淚妝 누장] 우는 얼굴의 화장. 우는 얼굴.
[淚珠 누주] 눈물의 구슬. 눈물.
[淚竹 누죽] 대나무의 일종. 반죽(斑竹).
[淚河 누하] 눈물의 강. 몹시 흐르는 눈물을 비유하여 이르는 말.
[淚汗 누한] 눈물과 땀.
[淚痕 누흔] 눈물의 흔적(痕迹).
◉感淚. 巾淚. 苦淚. 落淚. 蠟淚. 別淚. 崩城之淚. 悲淚. 聲淚. 垂淚. 愁淚. 暗淚. 熱淚. 零淚. 謬淚. 隕淚. 幽淚. 流淚. 淫淚. 飮淚. 離淚. 一掬淚. 慈淚. 粧淚. 丈夫淚. 千行淚. 睫淚. 涕淚. 燭淚. 催淚. 墮淚. 瞎兒一淚. 含淚. 血淚. 紅淚. 揮淚.

8 ⑪ [淝] 비 ㊥微 符非切 féi

字解 물이름 비 안후이 성(安徽省) 허페이 시(合肥市)의 서북에서 발원하여 흐르는 회수(淮水)의 지류(支流). 전진왕(前秦王) 부견(苻堅)이 동진(東晉)과 회전(會戰)하여 대패한 전쟁터임. '一水出九江成德縣廣陽鄕'《水經》.

[淝水 비수] 자해(字解)를 보라.
[淝泉 비천] 수원(水源)은 같으나 흘러 내려가는 데가 다른 샘.

8 ⑪ [淗] 거 ㊥魚 九魚切 jū

字解 물이름 거 '一, 水也'《說文》.
字源 形聲. 氵(水)+居〔音〕

8 ⑪ [淫]
㊀ 와 ㊥歌 烏禾切 wō
㊁ 뇌 ㊤賄 弩罪切
㊂ 위 ㊤寘 於僞切

字解 ㊀ ①흐릴 와 맑지 아니함. '一, 濁也'《廣雅》. ②담글 와 '一, 漚也'《集韻》. ③산이름 와 '蔥聾曰之山, …又東十五里, 曰一山'《山海經》. ㊁ 흐릴 뇌 '浽, 博雅, 濁也. 或作一'《集韻》. ㊂ ①물모이는곳 위 '一, 水所聚也'《集韻》. ②담글 위 ㊀❷와 뜻이 같음.

8 ⑪ [淞] 人名 송 ㊥冬 息恭切 sōng

筆順 氵 氵 氵 氵 氵 氵 淞 淞

字解 물이름 송 '吳一江'은 장쑤 성(江蘇省) 타이후 호(太湖)에서 발원하여 황푸 강(黃浦江)과 합치는 강. 오송(吳淞)은 이 강이 바다로 들어가는 어귀에 있음. '剪取吳一半江水'《杜甫》.
字源 形聲. 氵(水)+松〔音〕

[淞陵江 송릉강] 오송강(吳淞江)의 별칭(別稱).

8
⑪ [淟] 전 ㊤銑 他典切 tiǎn

[字解] ①빠질 전 침몰함. '一汩不傳'《洪遵泉志》. ②때낄 전 때가 낌. 또, 때. 오예(汚穢). 구탁(垢濁). '切一涊之流俗'《楚辭》.
[字源] 形聲. 氵(水)＋典〔音〕.

[淟汩 전골] 빠짐. 침몰함. 골몰(汩沒).
[淟涊 전년] 때. 또, 때가 끼어 더러움.
[淟濁 전탁] 때. 오예(汚穢).

8
⑪ [渒] [一] 비 [去]寘 匹備切 pì
[二] 패 [去]泰 普蓋切 pèi

[字解] [一] ①물이름 비 ㉠안후이 성(安徽省) 곽산현(霍山縣)에서 발원하여 동북으로 흐르는 회수(淮水)의 지류(支流). 비수(沘水). 백사하(白沙河). ㉡허난 성(河南省) 광산현(光山縣)에서 발원(發源)하여 북으로 흐르는 회수(淮水)의 지류(支流). 백로하(白露河). ②더부룩할 비 무성한 모양. '萑葦一一'《詩經》. ③배떠날 비 배가 가는 모양. '一彼涇舟'《詩經》. [二] 움직일 패 흔들리는 모양. '其旂一一'《詩經》.
[字源] 篆文 形聲. 氵(水)＋畀〔音〕.

[渒渒 비비·패패] ㉠무성한 모양. 더부룩한 모양. ㉡패패(渒渒)를 보라.
[渒水 비수] 자해(字解)[一]❶을 보라.
[渒渒 패패] 흔들리는 모양. 움직이는 모양.

8
⑪ [淡] [高人] [一] 담 ㊤感 徒敢切 dàn
[二] 염 ㊤琰 以冉切 yàn

[筆順] 丶 冫 氵 氵' 氵ソ 沙 淡 淡

[字解] [一] ①싱거울 담 맛이 심심함. 또, 맛이 없음. '一味'. '大味必一'《漢書》. 또, 싱거운 음식. 맛없는 음식. 조식(粗食). '攻苦食一'《史記》. ②엷을 담 빛 같은 것이 짙지 아니함. '一色'. '一雲'. '往往以色暈一而成'《宣和畫譜》. ③담박할 담 집착(執着)이 없음. 욕심이 없음. '一如'. '君子之道, 一而不厭'《中庸》. 또, 그러한 일. 담박. '君子之交, 一若水'《莊子》. ④성 담 성(姓)의 하나. [二] 질펀히흐를 염 물이 질펀하게 흐르는 모양. '潰一一而竝入'《宋玉》.
[字源] 甲骨文 篆文 形聲. 氵(水)＋炎〔音〕. '炎염'은 세차게 타오르는 불꽃의 뜻. 햇볕을 받아 지면으로부터 세차게 타오르는 아지랑이의 뜻을 나타내며, 전(轉)하여, '엷다, 담박하다'의 뜻을 나타냄.

[淡交 담교] 담박한 교제.
[淡喫 담끽] 조금씩 먹음.
[淡濃 담농] 엷음과 진함. 묽음과 진함. 농담(濃淡).
[淡淡 담담·염염] ㉠욕심이 없고 마음이 깨끗한 모양. 담박한 모양. 담여(淡如). ㉡'염염(淡淡)'을 보라.
[淡漠 담막] 담박(淡泊).
[淡墨 담묵] 진하지 아니한 먹물.
[淡味 담미] 심심한 맛.
[淡泊 담박] 욕심(慾心)이 없고 깨끗함. 집착(執着)이 없음.
[淡碧 담벽] 연한 푸른빛.
[淡色 담색] 진하지 아니한 빛.
[淡成甘壞 담성감회] 교우(交友)는 담담하여야 하며 아기자기하여서는 오래가지 아니함.
[淡水 담수] 짠맛이 없는 맑은 물. 단물.
[淡愁 담수] 대단치 않은 걱정.
[淡水魚 담수어] 담수에 사는 물고기.
[淡食 담식] 짜게 먹지 아니함.
[淡雅 담아] 담박하고 우아(優雅)함. 욕심이 없고 고상함.
[淡若水 담약수] 물과 같이 담박함.
[淡如 담여] 담박한 모양. 담담(淡淡).
[淡如水 담여수] 담약수(淡若水).
[淡烟 담연] 엷은 연기. 부연 연기.
[淡然 담연] 담여(淡如).
[淡雲 담운] 엷은 구름.
[淡月 담월] 으스름달. 흐린 달.
[淡迤 담이] 물결에 휩쓸려 내려가는 모양.
[淡爾 담이] 담박한 모양. 욕심이 없는 모양.
[淡粧 담장] 엷은 화장.
[淡妝濃抹 담장농말] 엷은 화장과 짙은 화장.
[淡竹 담죽] 대나무의 일종. 솜대.
[淡粥 담죽] 묽은 죽.
[淡彩 담채] 엷은 채색. 산뜻한 채색.
[淡菜 담채] 바닷조개의 한 가지. 홍합(紅蛤). 동해부인(東海夫人).
[淡晴 담청] 구름이 조금 끼었으나 하늘이 맑음. 또, 그 하늘.
[淡巴菰 담파고] 영어(英語) tobacco의 음역(音譯). 담배.
[淡婆姑 담파고] 담파고(淡巴菰).
[淡紅 담홍] 엷은 분홍빛.
[淡黃 담황] 엷은 황색(黃色).
[淡淡 염염] 물이 질펀하게 흐르는 모양.
◉簡淡. 泔淡. 古淡. 枯淡. 曠淡. 冷淡. 濃淡. 澹淡. 大味必淡. 宣淡. 疏淡. 雅淡. 黯淡. 恬淡. 湛淡. 粗淡. 慘淡. 沖淡. 平淡.

8
⑪ [淢] [一] 역 [入]職 雨逼切 yù
[二] 혁 [入]職 況逼切 xù

[字解] [一] 빨리흐를 역 '潔淚一汩'《張衡》. [二] 도랑 혁, 해자 혁 洫(水部 六畫)과 同字. '築城伊一'《詩經》.
[字源] 金文 篆文 形聲. 氵(水)＋或〔音〕. '或혹'은 왕성한 상태를 나타내는 의태어. 왕성하고 세차게 잘 흐르는 물의 뜻을 나타냄.

[淢汩 역골] 빨리 흐르는 모양.
◉汩淢. 溝淢.

8
⑪ [淤] 어 [去]御 依倨切 yū

[字解] ①진흙 어, 앙금 어 이토(泥土). '一泥'. '畎瀆潤一'《杜篤》. ②먹기싫을 어 飫(食部 四畫)와 통용. '一賜犒功'《後漢書》. ③작은섬 어 소주(小洲). '三輔謂之一'《揚子方言》.
[字源] 篆文 形聲. 氵(水)＋於〔音〕. '於어'는 '歍오'와 통하여, 가슴이 막히어 욕지기가 나다의 뜻. 괴어 있는 '진흙'의 뜻을 나타냄.

[淤泥 어니] 진흙. 흙탕.
[淤賜 어사] 음식물을 먹기 싫도록 진탕 하사(下賜)함.
[淤閼 어알] 진흙이 쌓여 물이 막힘.
◉泥淤.

8 ⑪ [淛] 제 [去]霽 征例切 zhè

[字解] 물이름 제 절강(浙江)의 고칭(古稱). '禹治水, 以至一河'《山海經》.
[字源] 形聲. 氵(水)+制〔音〕

[淛江 제강] 제수(淛水).
[淛水 제수] 절강(浙江)의 고칭(古稱).

8 ⑪ [淥] 록 [入]屋 盧谷切 lù / [入]沃 力玉切

[字解] ①거를 록 여과(濾過)함. 漉(水部 十一畫)과 同字. ②거른물 록, 거른술 록 여과한 물 또는 술. '更盡杯中一'《王禹偁》. ③맑을 록 물이 맑음. 또, 맑은 모양. '一水'. '水一一'《張衡》. ④성 록 성(姓)의 하나.
[字源] 漉의 別體 形聲. 氵(水)+彔〔音〕. '彔록'은 갓 퍼 올린 물의 뜻. 맑은 물의 뜻을 나타냄.

[淥淥 녹록] 물이 맑은 모양.
[淥水 녹수] 맑은 물.

8 ⑪ [淦] 감 [去]勘 古暗切 gàn / [平]覃 古南切

[字解] ①배바닥에괸물 감 '一, 水入船中也'《說文》. ②진흙 감 '一, 一曰, 泥也'《說文》. ③물이름 감 장시 성(江西省) 청강현(清江縣)에서 발원(發源)하여 북으로 흐르는 공강(贛江)의 지류(支流). ④성 감 성(姓)의 하나.
[字源] 篆文 形聲. 氵(水)+金〔音〕

8 ⑪ [淨] [中][人] 정 [去]敬 疾政切 jìng

[筆順] 氵 氵 氵 氵 浐 浐 浄 淨
[字解] ①깨끗할 정 ㉠정함. '清一'. '亭亭一植'《周敦頤》. ㉡사념(邪念)이 없음. '新愁百慮一'《袁朗》. ②깨끗이할 정 '鶴豈浴一'《鮑照》. ③악역 정 악인역(惡人役). '傳奇以戲爲稱. 其名欲顚倒而無實也. …塗汚不潔, 而命以一也'《莊嶽委談》.
[字源] 篆文 形聲. 氵(水)+爭〔音〕

[淨巾 정건] 깨끗한 두건이라는 뜻으로, 중의 두건.
[淨潔 정결] 깨끗함. 결백함.
[淨戒 정계] 불문(佛門)의 계율(戒律). 오계(五戒)·십계(十戒) 같은 것.
[淨界 정계]《佛教》㉠정토(淨土). ㉡청정(清淨)한 지역(地域). 곧, 사원(寺院)의 영역.
[淨空 정공] 맑은 하늘.
[淨教 정교] 깨끗한 교(教). 곧, 불교(佛教).
[淨宮 정궁] 절. 사찰(寺刹).
[淨几 정궤] 깨끗한 책상.
[淨利 정리] 순이익.
[淨名尉 정명위]《佛教》유마보살(唯摩菩薩)의 별칭(別稱).
[淨飯王 정반왕] 석가(釋迦)의 부친. 인도 히말라야 산 남쪽 가비라성(迦毘羅城)의 성주(城主).
[淨碧 정벽] 깨끗하고 푸름.
[淨福 정복]《佛教》깨끗한 행복. 불법(佛法)에 의하여 받는 행복. 불교에 귀의(歸依)하여 얻는 행복.
[淨寫 정사] 정서(淨書).
[淨色 정색] 깨끗한 빛. 맑은 빛.
[淨書 정서] 초 잡은 글씨를 새로 바르게 씀. 청서(清書).
[淨洗 정세] 깨끗이 씻음.
[淨沼 정소] 물이 맑은 못.
[淨掃 정소] 깨끗이 쓺.
[淨水 정수] ㉠깨끗한 물. ㉡손을 씻는 물.
[淨漱 정수] 깨끗이 빪.
[淨植 정식] 깨끗이 섬.
[淨眼 정안] ㉠눈을 씻음. ㉡눈을 흘김. ㉢《佛教》바르게 보는 힘.
[淨業 정업]《佛教》깨끗한 행위. 온갖 선한 행업(行業). 선업(善業).
[淨域 정역] ㉠정토(淨土). ㉡정원(淨院).
[淨院 정원] 절. 불사(佛寺).
[淨琉璃 정유리]《佛教》㉠청정(清淨)하고 투명한 유리. 전(轉)하여, 청정한 것의 비유. ㉡약사여래(藥師如來)의 정토(淨土). 또, 아름다운 세계. 이상경(理想境).
[淨壹 정일] 순수(純粹)함.
[淨財 정재] 깨끗한 재물(財物)이라는 뜻으로, 자선(慈善)을 위하여 내는 의연금(義捐金)이나 절에 내는 기부금.
[淨存 정존] 경비를 빼고 남은 돈. 잉여금(剩餘金).
[淨地 정지] 정토(淨土).
[淨饌 정찬] 육류(肉類)가 없는 식사.
[淨刹 정찰] ㉠절. 사찰(寺刹). ㉡정토(淨土).
[淨榻 정탑] 깨끗한 걸상.
[淨土 정토]《佛教》번뇌의 속박을 벗어난 아주 깨끗한 세상. 불(佛)·보살(菩薩)이 있는 국토. 예토(穢土)의 대(對).
[淨土宗 정토종] 불교의 한 파. 염불의 공덕에 의하여 극락에 왕생(往生)함을 본지(本旨)로 함. 종조(宗祖)는 보현(普賢).
[淨土之學 정토지학] 불교의 학문.
[淨玻璃鏡 정파리경]《佛教》지옥의 염마청(閻魔廳)에 있다는 거울. 죽은 사람의 얼굴을 비추면 생전의 소행(所行)이 다 나타난다 함.
[淨化 정화] 깨끗하게 함.
[淨話 정화] 불법(佛法)의 이야기. 법화(法話).
◉簡淨. 潔淨. 鏡淨. 光淨. 明淨. 不淨. 鮮淨. 洗淨. 英淨. 瑩淨. 六根清淨. 自淨. 清淨. 滑淨.

8 ⑪ [淩] 릉 [平]蒸 力膺切 líng

[字解] ①달릴 릉, 지날 릉 달려감. 지나감. '汎海一山'《木華》. ②떨 릉 전율함. '一, 慄也'《爾雅》. ③성 릉 성(姓)의 하나.
[字源] 篆文 形聲. 氵(水)+夌〔音〕. '夌릉'은 타 넘어가다의 뜻. 물이 높은 곳을 타

넘어가다의 뜻을 나타냄.
參考 淩(冫部 八畫)은 別字.

8 ⑪ [淪] 人名 륜 ㊥眞 力迍切 lún ㊤軫 縷尹切

字解 ①잔물결 륜 소파(小波). '一漪'. '小波爲一'《爾雅》. ②빠질 륜 침몰함. '沈一'. '今殷其一喪'《書經》. ③거느릴 륜 이끎. '一胥以鋪'《詩經》. ④성 륜 성(姓)의 하나.

字源 篆文 形聲. 氵(水)+侖〔音〕. '侖륜'은 '輪륜'과 통하여, '바퀴'의 뜻. 바퀴처럼 퍼지는 잔물결의 뜻을 나타냄. 또, '累루'와 통하여, 피로가 겹쳐서 물에 가라앉다의 뜻도 나타냄.

[淪缺 윤결] 쇠하여 없어짐.
[淪屈 윤굴] 영락(零落)하여 펴지 못함. 침체(沈滯)함.
[淪棄 윤기] 가라앉아 버림. 또, 숨어 나타나지 아니함.
[淪匿 윤닉] 숨어서 나타나지 아니함.
[淪溺 윤닉] 빠짐. 침몰함.
[淪落 윤락] ㉠영락(零落)함. ㉡쇠망(衰亡)함.
[淪埋 윤매] 파묻혀 없어짐.
[淪滅 윤멸] 윤상(淪喪).
[淪暮 윤모] 영락(零落)하여 늙음.
[淪沒 윤몰] 빠짐. 침몰(沈沒)함. 몰락(沒落)함.
[淪謝 윤사] 연달아 이 세상을 떠남.
[淪喪 윤상] 망(亡)하여 없어짐.
[淪塞 윤색] 침체(沈滯)하여 막힘. 불운(不運)함.
[淪失 윤실] 멸망하여 없어짐.
[淪翳 윤예] 가라앉아 숨음.
[淪猗 윤의] 윤의(淪漪).
[淪漪 윤의] 잔물결. 세파(世波).
[淪殄 윤진] 절멸(絕滅)함.
[淪替 윤체] 쇠(衰)함.
[淪墜 윤추] 빠져 떨어짐. 쇠하여 없어짐.
[淪敗 윤패] 영락(零落)함. 출세(出世)하지 못함.
[淪飄 윤표] 윤패(淪敗).
[淪陷 윤함] 빠짐. 영락(零落)함.
[淪晦 윤회] 잠겨 숨음.
●憤淪. 蘊淪. 隱淪. 煙淪. 焦淪. 沈淪. 頹淪. 漂淪. 混淪.

8 ⑪ [淫] 高人 음 ㊥侵 餘針切 yín

筆順 丶 氵 氵 沪 浮 浮 淫 淫

字解 ①담글 음 물에 담금. '沈一'. '水一之'《周禮》. ②방탕할 음 방종함. '一佚'. '一德不倦'《禮記》. ③음란할 음 음탕함. '一行'. '男女不一'《管子》. ④탐할 음 탐냄. '示不一也'《禮記》. ⑤넘칠 음 넘쳐흐름. '積蘆灰以止一水'《淮南子》. ⑥과할 음 정도에 지나침. '一樂'. '罔一于樂'《書經》. ⑦심할 음 우심함. '朕之過一矣'《列子》. ⑧클 음 대단함. '一夷'. '既有一威'《詩經》. ⑨오랠 음 장구함. '底著滯一'《國語》. ⑩미혹할 음 혹란(惑亂)하게 함. '富貴不能一'《孟子》. ⑪윤택할 음, 윤택하게할 음 '施玉色外一'《楚辭》.

字源 篆文 形聲. 氵(水)+㸒〔音〕. '㸒음'은 爪+壬으로, 손을 내밀고 앞으로 나아가 구하는 모양에서, '과도(過度), 심하다'의 뜻을 나타냄. 지나치게 내리는 비의 뜻에서, '빠지다, 음란'의 뜻을 나타냄.

[淫巧 음교] 교묘하게 눈가림하여 꾸밈. 또, 그 기예(技藝).
[淫狡 음교] 음란하고 교활함.
[淫驕 음교] 음란하고 교만함.
[淫具 음구] ㉠생식기(生殖器). ㉡색정(色情)의 발동을 돕는 기구. 또, 수음(手淫)을 돕는 기구.
[淫女 음녀] 음탕(淫蕩)한 계집. 색욕(色慾)이 많은 여자.
[淫溺 음닉] 과도(過度)하게 탐닉함.
[淫盜 음도] 음란한 짓을 하고 도둑질을 함.
[淫慆 음도] 방종(放縱)함.
[淫樂 음락·음악] ㉠과도(過度)한 환락. ㉡'음악(淫樂)'을 보라.
[淫亂 음란] 음탕하고 난잡함.
[淫濫 음람] 과도(過度)히 함부로 함.
[淫厲 음려] 재앙(災殃). 탈.
[淫潦 음료] 장마. 큰물.
[淫淚 음루] 그치지 않고 자꾸 쏟아지는 눈물.
[淫霖 음림] 장마.
[淫湎 음면] 주색(酒色)에 침면(沈湎)함. 주색에 빠짐.
[淫巫 음무] 부정(不正)한 무당.
[淫靡 음미] 음탕함.
[淫放 음방] 음란하고 방종함. 음황(淫荒).
[淫辟 음벽] 음벽(淫僻).
[淫僻 음벽] 지나치게 괴벽함.
[淫婦 음부] 음란한 부인. 음녀(淫女).
[淫奔 음분] ㉠남녀가 야합(野合)함. ㉡음탕(淫蕩)한 행동을 함.
[淫朋 음붕] 주색(酒色)으로 맺은 벗.
[淫非 음비] 음란하고 바르지 아니함.
[淫費 음비] 낭비(浪費).
[淫事 음사] ㉠음란한 일. ㉡성교(性交).
[淫祀 음사] 함부로 제사 지냄. 부정(不正)한 귀신을 제사 지냄.
[淫思 음사] 곰곰 생각함. 깊이 생각함.
[淫祠 음사] 부정(不正)한 귀신(鬼神)을 모시는 집.
[淫詞 음사] 음사(淫辭).
[淫辭 음사] 음란한 말. 부정(不正)한 언사. 음사(淫詞).
[淫書 음서] 음탕한 일을 적은 책.
[淫媟 음설] 음설(淫褻).
[淫褻 음설] 음란하고 외설(猥褻)함.
[淫聲 음성] 음란한 음악.
[淫水 음수] ㉠넘치는 물. 범람(氾濫)하는 물. ㉡남자의 정액(精液). 또, 여자의 음부(陰部)의 분비액(分泌液).
[淫習 음습] ㉠음풍(淫風). ㉡음탕(淫蕩)한 버릇.
[淫視 음시] 곁눈질을 함.
[淫心 음심] 음탕한 마음.
[淫樂 음악] 음탕(淫蕩)한 풍악. 음란한 음악.
[淫液 음액] ㉠소리 같은 것이 죽 계속하여 끊이지 않는 모양. ㉡술에 취한 모양. ㉢음수(淫水)㉡.
[淫業 음업] ㉠부정한 직업. 상공업(商工業)을 천히 여겨 이른 말. ㉡매음(賣淫).
[淫宴 음연] 음탕한 잔치. 문란한 주연(酒宴).
[淫艷 음염] 음탕(淫蕩)하여 색정(色情)을 일으킴.

[淫裔 음예] 번갯불이 번쩍하는 모양.
[淫曀 음예] 그늘져 어두움.
[淫穢 음예] 음란하고 더러움.
[淫䵷 음와] 음왜(淫哇).
[淫哇 음왜] 음란한 소리. 또, 음란한 노래.
[淫猥 음외] 음설(淫褻).
[淫慾 음욕] 음탕(淫蕩)한 욕심. 호색(好色)하는 마음. 남녀의 정욕(情慾).
[淫雨 음우] 장마.
[淫威 음위] 대단한 위세(威勢).
[淫遊 음유] 음탕한 짓을 하며 놂.
[淫淫 음음] ㉠흐르는 모양. ㉡불어 나가는 모양. 증가하는 모양. ㉢멀리 가는 모양. ㉣왕래하는 모양.
[淫意 음의] ㉠멋대로 함. 방종함. ㉡음란한 마음. 방종한 마음.
[淫夷 음이] 대단히 부상함. 크게 다침.
[淫佚 음일] ㉠방종(放縱)한 짓을 하며 놂. ㉡남녀간의 음란한 짓.
[淫泆 음일] 음일(淫佚).
[淫逸 음일] 음일(淫佚).
[淫縱 음종] 음란하고 방종함.
[淫酒 음주] 술에 빠짐. 술로 세월을 보냄.
[淫志 음지] 음란한 뜻.
[淫侈 음치] 지나치게 사치함.
[淫濯 음탁] 지나치게 큼.
[淫貪 음탐] 음란(淫亂)한 것을 탐함.
[淫蕩 음탕] ㉠주색(酒色)에 빠짐. ㉡행동을 음란(淫亂)하게 함.
[淫怠 음태] 음탕하고 게으름.
[淫殆 음태] 음태(淫怠).
[淫慝 음특] 음탕하고 간악함.
[淫悖 음패] 음란하고 도의(道義)에 어그러짐.
[淫風 음풍] 음란한 풍속(風俗).
[淫虐 음학] 음란하고 잔학(殘虐)함.
[淫學 음학] ㉠바르지 아니한 학문. 천박한 학문. ㉡남녀의 성교(性交)에 관한 연구.
[淫行 음행] 음란(淫亂)한 행실.
[淫刑 음형] 남형(濫刑). 부당한 형벌.
[淫惠 음혜] 함부로 베푸는 은혜. 부당한 은혜.
[淫惑 음혹] 음란하고 미혹(迷惑)함.
[淫荒 음황] 주색(酒色)에 빠지어 행동이 거칢.
[淫酗 음후] 대단히 주정(酒酊)함.
[淫戲 음희] 음란한 희롱.
◉姦淫. 夸淫. 樂而不淫. 慆淫. 妄視則淫. 誣淫. 汎淫. 浮淫. 邪淫. 滲淫. 書淫. 冶容誨淫. 流淫. 沈淫. 浸淫. 荒淫.

8 ⑪ [淬] ㊀ 쉬(쵀本) (去)隊 七內切 cuì
㊁ 줄 (入)質 卽聿切 zú

字解 ㊀ ①담글 쉬 달군 칼을 물에 담가 식혀 견고하게 함. '磨—'. '火與水合爲—'《漢書》. ②물들 쉬 염색됨. '脟割輪—'《史記》. ③범할 쉬 침범함. '身—霜露'《淮南子》. ④찰 쉬 한랭함. '鳳江泠—'《劉詵》. ㊁ 흐를 줄 물이 흐르는 모양. '渺溟葰—'《杜甫》.

字源 篆文 形聲. 氵(水)+卒〔音〕. '卒졸'은 '다하다'의 뜻. 날붙이를 담금질할 때, 식히는 물이 일시에 증발해 버리는 모양에서, '담금질하다, 불리다'의 뜻을 나타냄.

[淬勵 쉬려] 쉬면(淬勉).
[淬礪 쉬려] ㉠칼을 갊. ㉡힘씀. 쉬면(淬勉).
[淬勉 쉬면] 힘씀.
◉磨淬. 礪淬.

8 ⑪ [淮] 人名 회 (平)佳 戶乖切 huái

字解 ①물이름 회 허난 성(河南省) 동백산(桐柏山)에서 발원(發源)하여, 안후이 성(安徽省)·장쑤 성(江蘇省)을 거쳐 황하로 흘러 들어가는 전장 약 1,000 km의 큰 강. '—水'. '導—自桐柏'《書經》. ②성 회 성(姓)의 하나.

字源 甲骨文 金文 篆文 形聲. 氵(水)+隹〔音〕

參考 淮(冫部 八畫)은 別字.

[淮南 회남] ㉠회수(淮水) 이남의 땅. 당(唐)나라의 십도(十道)의 하나. ㉡두부(豆腐)의 별칭(別稱). 회남왕(淮南王) 유안(劉安)이 처음 만든 데서 나온 말.
[淮南子 회남자] 한(漢)나라 회남왕(淮南王) 유안(劉安)의 찬(撰). 총 21권. 주(主)로 노장(老莊)의 도(道)로써 고금의 치란(治亂)·천문(天文)·이학(理學) 등을 설명하였음. 처음에는 내외(內外) 두 편이 있었으나 지금은 내편(內篇)만 전함. 처음에 회남홍렬(淮南鴻烈)이라고 일컬어졌고, 주석에 후한(後漢)의 고유(高誘)가 쓴 〈회남홍렬해(淮南鴻烈解)〉 21권이 있음.
[淮上 회상] 회수(淮水) 가.
[淮陰侯 회음후] 한(漢)나라 공신(功臣) 한신(韓信)의 봉작(封爵). 회음(淮陰)은 진(秦)나라가 둔 현(縣)으로서 지금의 장쑤 성(江蘇省) 청하현(淸河縣) 남쪽에 성지(城址)가 있음.
◉江淮. 秦淮. 平淮.

8 ⑪ [淰] ㊀ 심 ㊤琰 乃玷切 niǎn
㊁ 섬 ㊤琰 失冉切 shěn

字解 ㊀ ①흐릴 심 물이 혼탁함. ②물놀이칠 심 물이 움직임. 물결이 침. '巴蜀動餘—'《郝經》. ㊁ 놀랄 섬 물고기가 놀람. '魚鮪不—'《禮記》.

字源 篆文 形聲. 氵(水)+念〔音〕

8 ⑪ [深] 中人 심 (平)侵 式針切 shēn
(去)沁 式禁切

筆順 氵 … 深

字解 ①깊을 심 ㉠얕지 아니함. '淺'의 대(對). '—海'. '—則厲, 淺則揭'《詩經》. ㉡깊숙함. '—山幽谷'. '山—而獸往之'《史記》. ㉢정미(精微)함. '—奧'. '唯—也. 故能通天下之志'《易經》. ㉣심함. '—愁'. '其憂之也—'《中庸章句》. ㉤멂. '—智'. '—圖'. '其慮患也—'《孟子》. ㉥중(重)함. '—痼'. '害莫—焉'《呂氏春秋》. ㉦후함. '—厚'. '人情恩—者'《漢書》. ㉧경박하지 아니함. '—重'. '志念—矣'《史記》. ㉨엄함. 잔인함. '—文'. '外寬而內—'《漢書》. ㉩한창임. 성(盛)함. '—夜'. '三國之兵—矣'《戰國策》. ②깊게할 심 ㉠깊이 파냄. 준설(浚渫)함. '—溝'. '決河—川'《漢書》. 깊이 숨김. 감춤. '必—其爪'《周禮》. ㉡높게 함. '—壘固軍'《左傳》. ③깊게 심 매우. 심(甚)히. '—思熟考'. '—鑑物情'《漢書》. ④깊이 심 깊은 정도. '—淺'. '以土圭之法, 測土—'《周禮》. ⑤성 심 성(姓)의 하나.

字源 篆文 形聲. 篆文은 氵(水)＋穼〔音〕. '穼심'은 태내로부터 아기를 더듬어 꺼내는 모양을 본뜸. '水수'를 붙이어, 물이 안쪽으로 깊다의 뜻을 나타냄. '深'은 '㴱'의 변형.
參考 㴱(水部 十畫)은 本字.

[深苛 심가] 대단히 가혹함.
[深刻 심각] ㉠깊이 새김. ㉡대단히 엄함. 무자비함. ㉢속에 깊은 생각을 간직함. 아주 깊고 절실함.
[深坑 심갱] 깊은 구덩이.
[深更 심경] 심야(深夜).
[深耕 심경] 깊이 갊.
[深戒 심계] 깊이 경계함.
[深計 심계] 깊은 꾀. 또, 깊이 꾀함. 심모(深謀).
[深契 심계] 심교(深交).
[深溪 심계] 깊은 계곡(溪谷).
[深固 심고] 해자(垓字)는 깊고 성은 견고함.
[深辜 심고] 중한 죄. 큰 죄. 대죄(大罪).
[深痼 심고] ㉠중한 병. 고치기 어려운 병. ㉡고치기 어려운 마음의 병통.
[深谷 심곡] 깊은 산골짜기.
[深拱 심공] 깊숙한 궁중에서 팔짱을 끼고 앉아 아무 일도 관계하지 아니함.
[深廣 심광] 깊고 넓음.
[深交 심교] 깊은 교우(交友).
[深仇 심구] 원한이 깊은 원수.
[深究 심구] 깊이 연구(硏究)함.
[深溝 심구] ㉠해자(垓字)를 깊이 팜. ㉡깊은 도랑.
[深溝高壘 심구고루] 해자(垓字)를 깊게 파고 군루(軍壘)를 높이 쌓아서 방비를 엄하게 함.
[深窟 심굴] 깊은 석굴(石窟).
[深宮 심궁] 깊숙한 궁전.
[深眷 심권] 깊은 권고(眷顧).
[深閨 심규] 여자가 거처하는 깊숙한 방. 내실(內室).
[深根固柢 심근고저] 근본(根本)이 튼튼함. 또, 근본을 튼튼히 함.
[深念 심념] 깊이 생각함.
[深怒 심노] 대로(大怒)함. 또, 대로.
[深潭 심담] 깊은 소(沼).
[深堂 심당] 심궁(深宮).
[深大 심대] 깊고 큼.
[深到 심도] 깊이 이름. 깊은 이치에 도달함.
[深悼 심도] 깊이 애도(哀悼)함.
[深圖 심도] 먼 앞일을 도모(圖謀)함.
[深冬 심동] 깊은 겨울. 썩 추운 겨울.
[深藍 심람] 짙은 남색(藍色).
[深量 심량] 깊이 헤아림.
[深慮 심려] 깊은 생각.
[深綠 심록] 짙은 초록빛. 갈매.
[深林 심림] 나무가 무성(茂盛)한 깊은 숲.
[深瘼 심막] 중병(重病).
[深莽 심망] 풀이 우거진 깊은 수풀.
[深昧 심매] 깊숙하여 어둠침침함.
[深謀 심모] 깊이 꾀함. 또, 깊은 꾀. 심계(深計).
[深謀遠慮 심모원려] 깊은 꾀와 먼 장래에 대한 생각.
[深目 심목] 움푹 들어간 눈. 움펑눈.
[深目高準 심목고절] 움푹 들어간 눈과 우뚝한 코.
[深妙 심묘] 이치가 깊어 알기 어려움. 오묘(奧妙).
[深霧 심무] 짙은 안개. 자욱한 안개.
[深墨 심묵] 아주 검음. 얼굴이 대단히 검음.
[深文 심문] 법령(法令)을 엄하게 해석함. 또, 법을 엄(嚴)히 함. 또, 엄한 법률.
[深微 심미] 심오(深奧).
[深敏 심민] 슬기가 깊고 민첩함.
[深愍 심민] 대단히 불쌍히 여김.
[深密 심밀] ㉠깊어 알기 어려움. ㉡생각이 깊고 찬찬함. 치밀함. 면밀함. ㉢우거져 깊숙함. 우거져 빽빽함.
[深博 심박] 학문이 깊고 넓음.
[深薄 심박] 심연 박빙(深淵薄氷).
[深杯 심배] 크고 깊은 술잔.
[深白 심백] 눈같이 아주 흰 빛.
[深碧 심벽] 심록(深綠).
[深僻 심벽] ㉠아주 궁벽한 마을. ㉡문장 같은 것이 대단히 괴벽(怪僻)함.
[深祕 심비] ㉠깊어 알기 어려움. ㉡깊이 감추어 남에게 보이지 아니함.
[深思 심사] 깊이 생각함. 곰곰 생각함. 또, 그 생각.
[深謝 심사] ㉠깊이 사례(謝禮)함. 성심으로 사례함. ㉡깊이 사죄(謝罪)함. 성심(誠心)으로 사죄함.
[深山 심산] 깊은 산.
[深山大澤生龍蛇 심산대택생용사] 심산 대택에 용사가 난다는 뜻으로, 범상(凡常)하지 아니한 곳에 범상하지 아니한 것이 난다는 비유(比喩).
[深山幽谷 심산유곡] 깊은 산과 으슥한 골짜기.
[深省 심성] 깊이 반성함.
[深羞 심수] 심한 부끄러움. 큰 수치.
[深愁 심수] 깊은 수심. 깊은 근심.
[深邃 심수] ㉠토지가 깊숙하고 조용함. ㉡학술·의론 등이 심원(深遠)함.
[深讎 심수] 심구(深仇).
[深識 심식] 깊은 식견(識見).
[深識長慮 심식장려] 심모원려(深謀遠慮).
[深信 심신] 깊이 믿음.
[深室 심실] ㉠깊숙한 데 있는 방. ㉡죄인을 가두어 두는 방.
[深心 심심] 《佛敎》 ㉠묘리(妙理)와 선도(善道)를 구하는 마음. ㉡깊이 귀의(歸依)하는 마음.
[深甚 심심] 매우 심함.
[深深 심심] 깊은 모양.
[深深藏之 심심장지] 물건을 깊이 감추어 둠.
[深訝 심아] 대단히 의아(疑訝)함.
[深渥 심악] 대단한 은택(恩澤). 천자(天子)의 은총(恩寵)이 깊음.
[深愛 심애] 깊이 사랑함. 또, 깊은 사랑.
[深夜 심야] 깊은 밤. 한밤중.
[深語 심어] 속마음을 털어놓고 이야기함. 또, 남몰래 비밀히 이야기함.
[深言 심언] 남몰래 비밀히 하는 이야기. 밀담(密談).
[深嚴 심엄] 심오(深奧)하고 엄함.
[深淵 심연] 깊은 못. 깊은 웅덩이.
[深淵薄氷 심연박빙] 깊은 못에 언 얇은 얼음을 밟음. 곧, 대단히 위험한 장소나 처지에 있음의 비유.
[深奧 심오] 깊고 오묘(奧妙)함.
[深穩 심온] 깊숙하고 평온함.
[深窈 심요] 깊고 고요한 모양.
[深憂 심우] 깊은 근심. 큰 근심.
[深怨 심원] 깊은 원한. 심한(深恨).
[深冤 심원] 대단히 원통한 일.
[深遠 심원] ㉠깊고 멂. ㉡심장(深長)하고 원대

(遠大)함.
[深幽 심유] 심오(深奧)한 일. 또는, 심오한 도리(道理).
[深惟 심유] 깊이 생각함. 심사(深思).
[深潤 심윤] 마음이 침착하고 온화함.
[深隱 심은] 깊이 숨음.
[深衣 심의] 옛날의 귀인(貴人)의 제복(制服)의 한 가지. 윗도리와 아랫도리가 연결되었음.

[深衣]

[深意 심의] 깊은 뜻. 깊은 마음.
[深義 심의] 깊은 뜻. 깊은 의미.
[深議 심의] 충분히 의론함. 숙의(熟議)함.
[深入 심입] ㉠깊이 들어감. ㉡깊이 쳐들어감.
[深慈 심자] 깊은 자애(慈愛).
[深長 심장] 깊고 긺. 의미가 깊음.
[深藏 심장] ㉠깊이 저장함. 깊숙이 둠. ㉡깊이 숨음.
[深詆 심저] 대단히 비난함.
[深殿 심전] 심궁(深宮).
[深切 심절] ㉠아주 적절함. ㉡아주 간절함. 대단히 친절함.
[深穽 심정] 깊은 함정.
[深情 심정] 깊은 인정.
[深阻 심조] ㉠깊고 험준함. ㉡멀리 떨어져 있음.
[深造 심조] 학문의 심오한 경지에 이름. 조예(造詣)가 깊음.
[深造自得 심조자득] 학문을 깊이 연구하여 자기 힘으로 터득함.
[深坐 심좌] 깊숙이 앉음.
[深重 심중] ㉠침착하고 묵중함. ㉡깊이 겹침.
[深中隱厚 심중은후] 인정이 깊고 두터움. 마음이 바르고 인정이 두터움.
[深旨 심지] 깊은 뜻. 심오한 의미. 심의(深意).
[深池 심지] ㉠깊은 못. ㉡성(城)의 못을 깊게 함.
[深智 심지] 깊은 슬기. 원대한 지혜.
[深察 심찰] 깊이 살핌. 근본까지 캐어 자세히 조사함.
[深窗 심창] ㉠깊숙한 방에 있는 창. 전(轉)하여, 깊숙한 방. ㉡심규(深閨).
[深責 심책] 깊이 책망(責望)함.
[深泉 심천] 깊은 샘.
[深淺 심천] ㉠깊음과 얕음. ㉡깊이.
[深檐 심첨] 길게 나온 추녀.
[深叢 심총] 심망(深莽).
[深湫 심추] 심지(深池).
[深沖 심충] 깊숙하고 공허(空虛)함.
[深衷 심충] 깊이 먹은 마음.
[深翠 심취] 심록(深綠).
[深醉 심취] 술이 대단히 취함.
[深趣 심취] 깊은 멋. 깊은 정취(情趣).
[深恥 심치] 심수(深羞).
[深沈 심침] ㉠깊음. ㉡침착하여 외물(外物)에 동(動)하지 아니함. 침착하고 묵직함.
[深湛 심침] 심침(深沈).
[深耽 심탐] 깊이 탐닉(耽溺)함.
[深痛 심통] 마음이 대단히 아프고 슬픔.
[深弊 심폐] 큰 폐해.
[深壑 심학] 심곡(深谷).
[深恨 심한] 깊은 원한.
[深閑 심한] 대단히 한적(閑寂)함.
[深巷 심항] 깊숙한 골목.
[深海 심해] 깊은 바다.
[深解 심해] 깊이 이해함.
[深劾 심핵] 준엄히 탄핵(彈劾)함.
[深虛 심허] 마음이 깊고 허심탄회함.
[深玄 심현] 심오(深奧).
[深穴 심혈] 깊은 구멍.
[深峽 심협] 깊은 산협(山峽).
[深刑 심형] 엄한 형벌.
[深慧 심혜] 깊은 슬기.
[深酷 심혹] 몹시 잔인함.
[深泓 심홍] 물이 깊음.
[深紅 심홍] 진한 다홍빛.
[深豁 심활] 깊고 넓음.
[深黃 심황] 짙은 황색.
[深隍 심황] 깊은 해자(垓字).
[深懷 심회] 깊은 회포. 또, 깊이 생각함.
[深厚 심후] ㉠깊고 두터움. ㉡의미가 깊고 간절(懇切)함. ㉢은덕(恩德)이 큼.
[深黑 심흑] 새까만 빛. 또, 새까맘.
◉刻深. 艱深. 交淺言深. 湍深. 潭深. 密深. 槃深. 水深. 邃深. 純深. 淳深. 淵深. 窈深. 遙深. 優深. 幽深. 隆深. 潛深. 精深. 靚深. 靜深. 阻深. 澄深. 淺深. 淸深. 層深. 沈深. 渾深. 弘深.

8 ⑪ [淳] 人名 순 ①-⑥㊥眞 常倫切 chún ⑦㊤軫 主尹切 zhǔn

筆順 氵 氵 氵 氵 氵 淳 淳 淳

字解 ①순박할 순 순진하고 질박함. '忠一'. '澆一散樸'《漢書》. ②깨끗할 순, 맑을 순 청정(淸淨)함. '一白'. '何道眞之一粹兮'《張衡》. ③뿌릴 순 물을 뿌려 깨끗이 함. '王乃一濯饗醴'《國語》. ④클 순 '黎一耀於高辛兮'《漢書》. ⑤짤 순 염분이 있음. '表一鹵'《左傳》. ⑥성 순 성(姓)의 하나. ⑦폭 순 직물의 폭. 純(糸部 四畫)과 통용. '壹其一制'《周禮》.

字源 篆文 形聲. 氵(水)+享(䇽)〔音〕. '䇽순'은 두껍다의 뜻. 감칠맛 있는 물이라는 뜻에서, '두껍다, 진하다'의 뜻을 나타냄.

[淳潔 순결] 순박하고 결백함.
[淳氣 순기] 순박한 화기(和氣).
[淳澹 순담] 순박하고 조용함.
[淳良 순량] 순박하고 선량함.
[淳鹵 순로] 염분이 많은 척박한 땅.
[淳魯 순로] 순박(淳朴).
[淳漓 순리] 순요(淳澆).
[淳茂 순무] 깨끗하고 아름다움.
[淳美 순미] 풍속이 순후(淳厚)하고 아름다움.
[淳朴 순박] 선량(善良)하고 꾸밈이 없음.
[淳樸 순박] 순박(淳朴).
[淳白 순백] 순결하고 청백(淸白)함.
[淳粹 순수] 깨끗하고 순수(純粹)함.
[淳淳 순순] ㉠순박한 일. ㉡흘러 움직이는 모양.
[淳實 순실] 순박(淳朴)하고 진실함.
[淳深 순심] 순박하고 심중(深重)함.
[淳澆 순요] 순후(淳厚)함과 경박함.
[淳耀 순요] 크게 빛나게 함. 아주 환하게 함.
[淳質 순질] 순박(淳朴)함.
[淳濯 순탁] 물을 뿌려 깨끗이 닦음.

[淳風 순풍] 순박한 풍속(風俗).
[淳化 순화] ㉠순박하게 교화(敎化)함. 또, 순박해짐. ㉡송태조(宋太祖)의 연호(年號).
[淳和 순화] 순박하고 온화함.
[淳化閣帖 순화각첩] 송태조(宋太祖)가 한림시서(翰林侍書) 왕저(王著)에게 명하여 편찬한 법첩(法帖). 총 10권. 한(漢)·위(魏)·진(晉)·당(唐)의 명가(名家)의 필적(筆跡)을 실었음.
[淳厚 순후] 순박하고 인정이 두터움.
◉樸淳. 深淳. 溫淳. 至淳. 眞淳. 淸淳. 忠淳.

8
⑪ [淶] 래 ㊥灰 落哀切 lái

字解 ①물이름 래 '一水'. 허베이 성(河北省)을 흐르는 강. 일명 거마하(拒馬河). '幷州其浸一易'《周禮》. ②성 래 성(姓)의 하나.
字源 篆文 形聲. 氵(水)+來〔音〕

8
⑪ [混] 中人 ㊀ 혼 ㊤阮 胡本切 hùn ㊁ 곤 ㊥元 公渾切 kūn

筆順 氵 氵 氵ㄇ 沪 沪 泪 混 混

字解 ㊀ ①섞일 혼, 섞을 혼 혼잡함. 또, 혼합함. '一淆'. '一合'. '善惡一'《揚子法言》. ②합할 혼, 합칠 혼 합동함. 또, 합동하게 함. '一壹'. '故一而爲一'《老子》. ③흐릴 혼 혼탁함. '色一元氣深'《劉長卿》. ④흐를 혼 많이 흐르는 모양. 세차게 흐르는 모양. '原泉一一, 不舍晝夜'《孟子》. ⑤클 혼 '猶在于一冥之中'《淮南子》. ⑥덩어리질 혼 나뉘어지지 않고 한데 엉기어 있음. '兩儀未分, 其氣一沌'《鶡冠子》. ⑦성 혼 성(姓)의 하나. ㊁ 오랑캐이름 곤 서이(西夷)의 하나. 昆(日部 四畫)과 통용. '一夷駾矣'《詩經》.
字源 篆文 形聲. 氵(水)+昆〔音〕. '昆곤'은 떼지어 모이는 벌레의 뜻. 떼 지어 모여드는 물의 뜻에서, '섞이다'의 뜻을 나타냄.

[混夷 곤이] 옛날의 서이(西夷)의 한 종족. 또, 그 종족이 세운 나라. 곤이(昆夷).
[混堂 혼당] 목욕탕. 욕실(浴室).
[混沌 혼돈] ㉠천지(天地)가 아직 개벽(開闢)하기 전에 원기(元氣)가 나뉘어지지 않고 한데 엉겨 있는 모양. ㉡사물(事物)의 구별이 판연(判然)하지 않은 모양. ㉢소나 양의 가죽으로 만든 부대.
[混同 혼동] ㉠합쳐 하나로 함. 또, 모여듦. ㉡뒤섞음. 혼합(混合)함.
[混亂 혼란] 뒤섞이어 어지러움. 뒤죽박죽이 됨.
[混流 혼류] 합쳐 흐름. 섞이어 흐름.
[混淪 혼륜] 혼돈(混沌)㉠.
[混漫 혼만] 혼란(混亂).
[混芒 혼망] 혼망(混茫).
[混茫 혼망] 혼돈(混沌)㉠.
[混名 혼명] 별명(別名).
[混冥 혼명] 어둡고 밝지 않은 일. 고묘(高妙)하고 심원(深遠)한 곳.
[混成 혼성] 섞어 이루어짐. 또, 섞어 만듦.
[混食 혼식] 밥에 잡곡(雜穀)을 섞어 넣어 먹음.
[混植 혼식] 두 가지 이상을 섞어 심음.
[混然 혼연] 뒤섞여 구별할 수 없는 모양.
[混汚 혼오] 더러움. 오예(汚穢). 오탁(汚濁).
[混浴 혼욕] 남녀가 한데 섞여 목욕함.
[混用 혼용] 섞어 씀.
[混元 혼원] ㉠천지개벽(天地開闢)의 처음. 전(轉)하여, 천지의 총칭(總稱). 우주(宇宙). ㉡사물(事物)의 근원.
[混元代 혼원대] 천지개벽의 시대. 창세기(創世紀).
[混元衣 혼원의] 태아(胎兒)를 싸고 있는 막(膜)과 태반(胎盤). 삼. 포의(胞衣).
[混糅 혼유] 뒤섞임. 질서(秩序)가 없음.
[混一 혼일] 합쳐 하나로 만듦. 여럿을 몰아서 하나로 만듦. 통일(統一).
[混壹 혼일] 혼일(混一).
[混入 혼입] 섞여 들어감. 또, 넣어 섞음.
[混雜 혼잡] 뒤섞임. 또, 뒤섞음.
[混戰 혼전] 서로 뒤섞여 싸움. 한데 서로 어울려 싸움.
[混稱 혼칭] 혼동하여 일컬음. 또, 그 명칭.
[混濁 혼탁] 흐림. 맑지 아니함.
[混合 혼합] 뒤섞여 한데 합함. 또, 뒤섞어 한데 합침.
[混血 혼혈] 다른 종족과 교합(交合)하여 두 계통의 특징이 섞임. 또, 그 혈통.
[混血兒 혼혈아] 튀기.
[混混 혼혼] ㉠물이 많이 흐르는 모양. 물이 세차게 흐르는 모양. 또, 물이 솟아나 흐르는 모양. ㉡섞여 흐르는 모양. ㉢흐린 모양. 혼탁(混濁)한 모양. ㉣분별(分別)없는 모양. ㉤물결 소리. 파도 소리.
[混和 혼화] 섞음. 또, 섞임.
[混淆 혼효] 뒤섞임. 또, 뒤섞여 구별할 수 없음.
◉大混. 元混. 環混.

8
⑪ [淸] 中人 청 ㊥庚 七情切 qīng

筆順 氵 氵 沣 沣 淸 淸 淸 淸

字解 ①맑을 청 ㉠물이 맑음. '一水'. '在山泉水一, 出山泉水濁'《杜甫》. ㉡하늘이 맑음. '一夜'. '騰一霄而軼浮景兮'《揚雄》. ㉢눈동자가 맑음. '美目一矣'《詩經》. ㉣소리가 맑음. '一音'. '其聲一越以長'《禮記》. ㉤향기가 맑고 깨끗함. '一香'. '香遠益一'《周敦頤》. ㉥성품이 깨끗함. 또, 욕심이 없음. '一廉'. '直哉惟一'《書經》. ㉦밝음. '一鑒'. '中心不定, 則外物不一'《荀子》. ㉧간결하고 혼란하지 아니함. '一省'. '政簡刑一'. ㉨고귀(高貴)함. '一顯'. '叨冒一列'《柳宗元》. ㉩조용함. 평온함. '一時'. '古之一世'《呂氏春秋》. ②맑아질 청 맑게 됨. '泉流旣一'《詩經》. '滄浪之水一兮, 可以濯吾纓'《楚辭》. ③깨끗할 청 청결함. '一淨'. ④맑게할 청, 깨끗이할 청 '一宮'. '一其灰'《周禮》. '一道整列'《陳琳》. ⑤시원할 청 선선함. '一切'. '一有餘'《呂氏春秋》. ⑥맑은술 청 약주. '辨四飮之物, 一曰一'《周禮》. ⑦마실것 청 음료(飮料). '凡王之饋, 飮用六一'《周禮》. ⑧눈아래 청 사람의 눈의 하부. '目上爲名, 目下爲一'《詩經傳》. '子之一揚'《詩經》. ⑨뒷간 청 변소. '至穢之處, 宜常修治使潔一'《釋名》. ⑩청나라 청 만주족(滿洲族)인 누르하치(奴兒哈赤)가 명(明)나라를 멸하고 세운 왕조. 수도(首都)는 처음에는 선양(瀋陽), 나중에는 북경(北京). 신해혁명(辛亥革命)으로 망하였음. (1616~1911) ⑪성 청 성(姓)의 하나.

字源 篆文 形聲. 氵(水)+靑〔音〕. '靑청'은 깨끗하게 맑다의 뜻. 물이 깨끗이 맑다의 뜻을 나타냄.

[清歌 청가] ㉠악기의 반주(伴奏) 없이 부르는 노래. ㉡맑은 소리로 노래를 함. 또, 그 노래.
[清恪 청각] 청신(清愼).
[清澗 청간] 산골을 흐르는 맑은 시내.
[清勘 청감] 죄다 마감함.
[清鑒 청감] ㉠환히 감식(鑒識)하는 힘. ㉡자작(自作)의 시문(詩文)·서화(書畫)를 남에게 보일 때에 쓰는 경칭(敬稱).
[清江 청강] 물이 맑은 강.
[清介 청개] 마음이 깨끗하여 남과 어울리지 아니함. 청렴(清廉)하여 고립(孤立)함.
[清客 청객] ㉠매화나무〔梅〕의 별칭(別稱). ㉡식객(食客). 문객(門客).
[清儉 청검] 청렴하고 검소함.
[清潔 청결] ㉠청렴하고 결백함. 청백(清白). ㉡《韓》깨끗함. 불결(不潔)의 대(對).
[清輕 청경] 맑고 가벼움.
[清鯁 청경] 청렴하고 강직함.
[清鏡 청경] 맑은 거울. 잘 보이는 거울.
[清契 청계] 깨끗한 교분(交分).
[清溪 청계] 물이 맑은 시내.
[清苦 청고] 청렴하여 곤궁을 견디어 냄.
[清高 청고] ㉠청렴하고 고상함. ㉡토지(土地) 등이 깨끗하고 높음.
[清曲 청곡] 청아(清雅)한 가곡(歌曲).
[清公 청공] 청렴하고 공평함.
[清官 청관] ㉠지위가 낮고 녹(祿)이 많지 아니하나 뒷날에 높이 될 좋은 벼슬. 간관(諫官)·시강(侍講) 따위. 우리나라에서는 세자 시강원(世子侍講院)·홍문관(弘文館) 등에 속한 벼슬인데 이를 청환(清宦)이라고도 함. 청반(清班). ㉡청렴한 벼슬아치.
[清貫 청관] 시종(侍從)의 벼슬.
[清聒 청괄] 소리가 너무 쨍쨍하여 시끄러움.
[清光 청광] ㉠맑은 빛. 또, 달빛. ㉡귀인(貴人)의 맑은 풍채(風采).
[清狂 청광] 욕심이 없고 미친 사람 비슷함. 일설(一說)에는, 백치(白癡).
[清曠 청광] 깨끗하고 탁 트이어 넓음.
[清巧 청교] 청아(清雅)하고 교묘함.
[清教徒 청교도] 16세기(世紀) 후반기에 영국에서 국립 교회(國立教會)에 반대하고 일어난 신교도(新教徒)의 일단(一團). 성직자(聖職者)의 권위를 배격하고 모든 오락을 죄악시(罪惡視)하며 청정(清淨)한 생활을 주장하였음.
[清臞 청구] 청수(清瘦).
[清穹 청궁] 맑은 하늘. 청소(清霄).
[清宮 청궁] 집을 깨끗이 함. 집을 청소하여 환영(歡迎)의 뜻을 표함.
[清規 청규]《佛教》중의 규칙.
[清均 청균] 깨끗하고 고름.
[清琴 청금] 맑은 소리가 나는 거문고.
[清禁 청금] 대궐(大闕). 금중(禁中).
[清級 청급] 청관(清官).
[清南 청남]《韓》남인(南人)의 한 파. 조선 숙종(肅宗) 초에 남인이 서인(西人)을 몰아내고 송시열(宋時烈) 등을 죄줄 때 형(刑)을 엄하게 하기를 주장한 허목(許穆) 등의 파.
[清恬 청념] 마음이 깨끗하고 조용함.
[清寧 청녕] 조용하고 편안함. 천하(天下)가 편안하게 잘 다스려짐.
[清旦 청단] 맑은 새벽. 청신(清晨).
[清湍 청단] 물이 쏜살같이 흐르는 여울.
[清淡 청담] 청담(清澹).
[清談 청담] ㉠속(俗)되지 아니한 이야기. 청아(清雅)한 이야기. ㉡위진(魏晉) 시대에 노장학파(老莊學派)에 속하는 고절(高節)·달식(達識)의 선비들이 정계(政界)에 실망을 느껴 세사(世事)를 버리고 산림(山林)에 은거하여 청정 무위(清淨無爲)의 설(說)을 담론(談論)하던 일. 죽림칠현(竹林七賢)의 청담이 가장 유명함.
[清澹 청담] 청렴하고 담박(淡泊)함. 마음이 깨끗하고 집착(執着)이 없음.
[清黨 청당] 정당(政黨)에서 이파(異派), 또는 불량한 당원을 숙청함.
[清德 청덕] 깨끗한 덕행(德行).
[清道 청도] ㉠천자(天子)의 거둥에 앞서 도로를 깨끗이 함. ㉡천자가 거둥하거나 귀인(貴人)이 행차할 때 별배(別陪)가 앞서 가면서 사람의 통행(通行)을 금하는 일. 벽제(辟除). ㉢깨끗한 도(道).
[清塗 청도] 좋은 벼슬자리에 나아갈 길.
[清鑾 청란] 맑은 소리가 나는 방울이라는 뜻으로, 천자가 타는 수레.
[清覽 청람] ㉠맑고 깨끗한 조망(眺望). ㉡자작(自作)의 서화 등을 남에게 보일 때에 쓰는 경칭(敬稱).
[清朗 청랑] 맑고 명랑함.
[清冷 청랭] 맑고 시원함.
[清良 청량] 마음이 깨끗하고 선량함. 또, 그 사람.
[清亮 청량] ㉠마음이 맑고 밝음. ㉡소리가 맑음.
[清涼 청량] ㉠맑고 시원함. ㉡산시 성(山西省) 우타이 현(五臺縣)의 동북에 있는 산 이름. 우타이 산(五臺山).
[清涼殿 청량전] 한(漢)나라의 궁전(宮殿)의 이름.
[清麗 청려] 맑고 고움.
[清歷 청력] 아름답게 줄지어 있음.
[清漣 청련] 맑은 잔물결.
[清洌 청렬] 물이 맑고 차가움.
[清廉 청렴] 마음이 깨끗하고 욕심이 없음.
[清泠 청령] 바람·물·갠 하늘. 또는, 악기(樂器) 소리가 맑고 시원함.
[清靈 청령] 만물(萬物)의 맑은 원기. 맑은 정기(精氣).
[清弄 청롱] 청아(清雅)한 악곡(樂曲).
[清瀨 청뢰] 청단(清湍).
[清籟 청뢰] 맑은 바람 소리.
[清醪 청료] 맑은술. 약주.
[清流 청류] ㉠흐르는 맑은 물. 탁류(濁流)의 대(對). ㉡깨끗한 풍화(風化). ㉢청렴결백한 사람들. ㉣안후이 성(安徽省) 추 현(滁縣) 서남에 있는 산 이름. 후주(後周)와 남당(南唐)이 이곳에서 싸웠음.
[清律 청률] 바른 규율(規律).
[清吏 청리] 청렴한 관리.
[清邈 청막] 청원(清遠).
[清望 청망] 청렴결백하여 인망(人望)이 있는 사람. 또, 그 사람에게 주는 관직(官職).
[清猛 청맹] 마음이 깨끗하고 행동이 용맹함.
[清名 청명] 청렴하다는 명망(名望).
[清明 청명] ㉠깨끗하고 밝은 마음. ㉡잘 다스려

져 평온함. ㉢이십사기(二十四氣)의 하나. 춘분(春分)의 다음. 양력 4월 5~6일경.
[清溟 청명] 맑은 바다.
[清明風 청명풍] 동남풍(東南風).
[清眸 청모] 맑은 눈동자. 명모(明眸).
[清穆 청목] ㉠청아(清雅)하고 화기(和氣)가 있음. ㉡편지에 쓰는 말로 상대방이 건강함을 일컫는 말.
[清廟 청묘] ㉠엄숙하고 청정(清靜)한 묘(廟). 주 문왕(周文王)의 묘를 이름. ㉡문왕(文王)의 덕(德)을 찬미한 아악(雅樂).
[清門 청문] 훌륭한 가문(家門).
[清文鑑 청문감] 청(清)나라 건륭(乾隆) 46년에 부항(傅恆) 등이 칙명(勅命)에 의하여 편찬한 사서(辭書). 45권. 만주어(滿洲語)를 한역(漢譯)하였음.
[清味 청미] ㉠좋은 맛. ㉡산뜻한 정취(情趣).
[清美 청미] 맑고 아름다움.
[清敏 청민] 마음이 깨끗하고 총명함.
[清蜜 청밀] 질이 좋은 맑은 꿀.
[清謐 청밀] 청녕(清寧).
[清班 청반] 청관(清官).
[清拔 청발] 깨끗하고 빼어남. 글에 속기(俗氣)가 없는 것을 이름.
[清防 청방] 병풍(屛風).
[清白 청백] 청렴하고 결백함.
[清白吏 청백리] ㉠청렴결백한 관리. ㉡《韓》의정부(議政府)·육조(六曹)·경조(京兆)의 이품(二品) 이상의 당상관(堂上官)과 사헌부(司憲府) 대사헌(大司憲) 및 사간원(司諫院) 대사간(大司諫)이 추천하여 선정한 청렴한 벼슬아치.
[清白遺子孫 청백유자손] 청백한 가풍(家風)을 자손에게 전함.
[清梵 청범] 중의 경(經) 읽는 소리.
[清福 청복] ㉠깨끗한 복(福). ㉡상대방의 복의 경칭(敬稱).
[清氛 청분] 맑은 기(氣).
[清芬 청분] ㉠맑은 향기. ㉡깨끗한 덕행(德行).
[清濆 청분] 물이 맑은 물가.
[清泌 청비] 맑은 물이 흐름.
[清貧 청빈] 청백(清白)하여 가난함.
[清士 청사] 마음이 깨끗한 선비. 청렴한 인물.
[清祀 청사] 동지(冬至)에 지내는 제사. 납향(臘享).
[清駛 청사] 물이 맑고 빨리 흐름.
[清森 청삼] 나무가 깨끗하게 우거짐.
[清尙 청상] 청고(清高).
[清商 청상] ㉠음률(音律)의 상(商)의 소리. 오음(五音)의 하나로서 맑은 소리임. ㉡가을바람. ㉢청나라의 상인(商人).
[清爽 청상] 맑고 시원함.
[清賞 청상] ㉠깨끗하고 빼어난 일. ㉡산수(山水)에서 노는 것을 이름.
[清省 청생] 잘 조사하여 까다롭지 않게 규칙을 고치는 일.
[清書 청서] 정서(淨書)함. 또, 그것.
[清選 청선] 청관(清官).
[清雪 청설] 치욕을 깨끗이 씻음.
[清蟾 청섬] 달〔月〕.
[清贍 청섬] 조촐하고 넉넉함. 문장 같은 것이 청신(清新)하고 어휘(語彙)가 섬부(贍富)함.
[清世 청세] 잘 다스려져 조용한 세상.
[清劭 청소] 깨끗하게 이음.
[清宵 청소] 청야(清夜).
[清素 청소] 청렴하고 소박(素朴)함.
[清埽 청소] 깨끗이 소제함.
[清掃 청소] 청소(清埽).
[清霄 청소] 청궁(清穹).
[清嘯 청소] 맑은 소리로 시(詩)를 읊음.
[清率 청솔] 청렴하고 솔직함.
[清灑 청쇄] 깨끗이 소제함.
[清水 청수] 맑은 물.
[清秀 청수] ㉠맑고 빼어남. ㉡용모가 청초(清楚)하고 준수함. 미목(眉目)이 수려(秀麗)함.
[清粹 청수] 청순(清純).
[清瘦 청수] 몸이 날씬하여 고상해 보임.
[清淑 청숙] ㉠청초(清楚)하고 정숙(貞淑)함. ㉡맑아 좋음.
[清肅 청숙] 잘 다스려져 조용함.
[清純 청순] 맑고 순수함.
[清淳 청순] 청렴하고 순박(淳朴)함.
[清醇 청순] 맑고 진함. 또, 그 술.
[清瑟 청슬] 맑은 소리가 나는 큰 거문고.
[清時 청시] 청세(清世).
[清諡 청시] 청백(清白)한 이에게 내리는 시호(諡號).
[清湜 청식] 물이 맑음.
[清晨 청신] 맑은 새벽. 청단(清旦).
[清新 청신] 산뜻하고 새로움. 진부(陳腐)하지 아니함.
[清愼 청신] 청렴하고 신중함.
[清愼勤 청신근] 벼슬아치가 지켜야 할 청렴·근신·근면의 세 가지 도(道).
[清信士 청신사]《佛敎》거사(居士).
[清室 청실] ㉠깨끗한 방. ㉡방을 깨끗이 소제함.
[清實 청실] 청렴하고 신의(信義)가 있음.
[清心 청심] ㉠깨끗한 마음. ㉡마음을 깨끗하게 함. 마음을 깨끗이 가짐.
[清深 청심] 맑고 깊음.
[清審 청심] 자세하게 살핌.
[清潯 청심] 물이 맑은 물가. 물이 깨끗한 수변(水邊).
[清雅 청아] 청초(清楚)하고 아담(雅淡)함.
[清晏 청안] 깨끗하고 평안(平安)함.
[清顔 청안] 청초(清楚)한 얼굴. 고상한 얼굴. 학문과 덕행이 뛰어난 사람의 얼굴을 이름.
[清夜 청야] 맑게 갠 밤. 청소(清宵).
[清野 청야] ㉠깨끗한 들. ㉡들의 작물을 거두거나 가옥을 철거하여 쳐들어오는 적에게 양식, 또는 숙사(宿舍)의 편의를 주지 아니함.
[清約 청약] 청검(清儉).
[清揚 청양] 미목(眉目)이 수려(秀麗)함.
[清言 청언] 위진 시대(魏晉時代)에 유행한 노장(老莊)의 도(道)에 관한 담론(談論). 청담(清談).
[清嚴 청엄] 청렴하고 엄격함.
[清宴 청연] 조촐한 연회(宴會). 풍류(風流)스러운 주연(酒宴).
[清輭 청연] 청신(清新)하고 유화(柔和)함. 새롭고 부드러움.
[清映 청영] 맑고 밝음.
[清榮 청영] 무사(無事)하여 번영함.
[清影 청영] 맑은 그림자. 소나무·대나무 등의 그림자를 이름.
[清悟 청오] 청백(清白)하고 총명(聰明)함.
[清溫 청온] 청초(清楚)하고 온화함.

[淸婉 청완] 맑고 고움.
[淸畏 청외] 나라가 잘 다스려져 백성이 두려워하여 복종함.
[淸要 청요] 청환(淸宦)과 요직(要職).
[淸曜 청요] 청휘(淸暉).
[淸友 청우] 매화(梅花)의 별칭(別稱).
[淸韻 청운] 맑은 음향(音響). 청향(淸響).
[淸圓 청원] 맑고 둥긂.
[淸源 청원] 맑은 수원(水源).
[淸遠 청원] 맑고 멂. 명료하고 심원(深遠)함.
[淸愿 청원] 청백하고 신중함.
[淸月 청월] 맑은 달.
[淸越 청월] 소리가 맑고 가락이 높음.
[淸樾 청월] 청음(淸蔭).
[淸幽 청유] 속세(俗世)와 떨어진 맑고 조용한 곳.
[淸游 청유] 청유(淸遊).
[淸遊 청유] ㉠속진(俗塵)을 떠난 깨끗한 놀이. 고상한 놀이. ㉡남의 놀이의 경칭(敬稱).
[淸猷 청유] 좋은 꾀. 훌륭한 도(道).
[淸音 청음] ㉠성대(聲帶)를 진동시키지 않고 내는 소리. 맑은 소리. 무성음(無聲音). 탁음(濁音)의 대(對). ㉡맑은 음성(音聲). ㉢맑은 노래 소리.
[淸蔭 청음] 서늘한 나무 그늘. 나무 그늘.
[淸猗 청의] 청의(淸漪).
[淸漪 청의] 맑은 잔물결. 청련(淸漣).
[淸毅 청의] 청백하고 강의(剛毅)함.
[淸議 청의] 높고 깨끗한 언론(言論).
[淸夷 청이] 청평(淸平). 이(夷)는 평(平).
[淸逸 청일] 맑고 속되지 않음.
[淸日戰爭 청일전쟁] 1894년부터 1895년에 걸쳐 우리나라의 동학 농민 운동의 진압(鎭壓) 문제가 발단(發端)이 되어 일어난 청국(淸國)과 일본과의 전쟁.
[淸酌 청작] ㉠제사에 쓰는 술. 제주(祭酒). ㉡조촐한 주연(酒宴). 청연(淸宴).
[淸酌庶羞 청작서수] 제주(祭酒)와 제수(祭羞). 제사에 쓰는 술과 음식.
[淸醬 청장] 진하지 아니한 간장.
[淸齋 청재] ㉠마음을 깨끗이 하고 재계(齋戒)함. 결재(潔齋). ㉡깨끗한 방. 깨끗한 집.
[淸笛 청적] 소리가 맑은 피리.
[淸適 청적] ㉠기분이 좋음. ㉡무사(無事)하고 건강함.
[淸殿 청전] 깨끗한 궁전. 또, 궁전을 소제함.
[淸囀 청전] 새가 맑은 소리로 지저귐.
[淸切 청절] ㉠대단히 맑음. ㉡퍽 시원함. ㉢지위가 높고 직무가 중요함. ㉣슬프고 애처로움.
[淸節 청절] 깨끗한 절개. 변하지 않는 굳은 지조(志操). 청조(淸操).
[淸簟 청점] 깨끗한 대자리.
[淸正 청정] 맑고 바름.
[淸定 청정] 나라가 잘 다스려짐. 세상이 태평함.
[淸貞 청정] 마음이 깨끗하고 곧음.
[淸淨 청정] ㉠깨끗함. 정함. ㉡속세(俗世)의 번거로운 일을 떠나 마음을 깨끗하게 가짐. ㉢《佛敎》 마음이 깨끗하여 번뇌(煩惱)와 사욕(私慾)이 없음.
[淸渟 청정] 맑은 물이 괴어 있음.
[淸靖 청정] 청녕(淸寧).
[淸靜 청정] 맑고 고요함.
[淸淨寂滅 청정적멸] 청정무위(淸淨無爲)의 교(教)와 적멸위락(寂滅爲樂)의 교. 도교(道教)와 불교.
[淸霽 청제] 맑게 갬.
[淸朝 청조] ㉠청신(淸晨). ㉡청명(淸明)한 조정(朝廷)이라는 뜻으로, 당대(當代)의 왕조(王朝)의 미칭(美稱). ㉢청(淸)나라의 조정. 청왕조(淸王朝).
[淸操 청조] 깨끗한 지조. 변하지 않는 굳은 지조.
[淸族 청족] 여러 대를 절의(節義)를 지켜 온 집안.
[淸酒 청주] 맑은술. 약주(藥酒). 탁주(濁酒)의 대(對).
[淸晝 청주] 맑게 갠 낮.
[淸罇 청준] ㉠깨끗한 술 그릇. ㉡향긋한 술.
[淸池 청지] 물이 맑은 못.
[淸沚 청지] 물이 맑은 물가.
[淸芷 청지] 좋은 향기가 나는 풀.
[淸直 청직] 마음이 깨끗하고 곧음. 청백하고 정직함.
[淸眞 청진] 마음이 깨끗하고 거짓이 없음. 청백하고 진실함.
[淸秩 청질] 청관(淸官).
[淸澄 청징] 맑음. 흐리지 아니함.
[淸饌 청찬] 정한 음식.
[淸唱 청창] 맑은 소리로 노래를 부름.
[淸敞 청창] 맑고 환함. 지대가 넓어 공기 맑고 앞이 탁 트이어 있음.
[淸滌 청척] ㉠제사에 쓰는 물의 일컬음. ㉡깨끗이 씻음. 청설(淸雪).
[淸泉 청천] 물이 맑은 샘.
[淸淺 청천] 물이 맑고 얕음.
[淸徹 청철] 맑아 투명(透明)함. 맑아 환히 비침.
[淸澈 청철] ㉠맑음. 청징(淸澄). ㉡마음이 깨끗하고 밝음.
[淸淸 청청] ㉠맑은 모양. ㉡서늘한 모양.
[淸聽 청청] ㉠명료하게 잘 들림. ㉡남에게 자기 이야기를 들어 달라고 할 때에 쓰는 경칭(敬稱).
[淸楚 청초] 깨끗하고 산뜻함. 산뜻하고 고움.
[淸最 청최] 깨끗하고 훌륭함.
[淸秋 청추] ㉠공기가 맑은 가을. 음력 8월의 별칭(別稱). ㉡맑은 가을 하늘.
[淸沖 청충] 마음이 깨끗하여 아무 집착(執着)이 없음. 조금도 사심(私心)이 없음.
[淸徵 청치] 맑은 치(徵)의 음(音). 치(徵)는 오음(五音)의 하나.
[淸快 청쾌] 산뜻하여 기분이 상쾌함.
[淸卓 청탁] 마음이 깨끗하고 재주가 탁월함.
[淸濁 청탁] ㉠맑음과 흐림. 전(轉)하여, 치란(治亂)·선악(善惡)·정사(正邪)·착한 사람과 악한 사람 등의 비유로 쓰임. ㉡청음(淸音)과 탁음(濁音). ㉢청주(淸酒)와 탁주(濁酒).
[淸濁併呑 청탁병탄] 도량(度量)이 커서 선인(善人)·악인을 가리지 않고 널리 포용함.
[淸蕩 청탕] 청평(淸平). 탕(蕩)은 평(平).
[淸泰 청태] 청녕(淸寧).
[淸派 청파] 맑은 지류(支流).
[淸平 청평] 세상이 잘 다스려짐. 또, 세상을 잘 다스림.
[淸平調 청평조] 악부(樂府)의 하나. 삼장(三章). 당현종(唐玄宗)이 양귀비(楊貴妃)와 침향정(沈香亭)에서 모란을 완상(翫賞)하였을 때 이백(李白)이 명을 받들어 지은 것임.
[淸抱 청포] 깨끗한 마음. 청심(淸心).

[清標 청표] ㉠풍채(風采)가 청초하고 고상함. ㉡명월(明月)을 이름.
[清飆 청표] 청풍(清風). 「람.
[清品 청품] 좋은 벼슬. 또는 그 자리에 있는 사
[清風 청풍] 맑은 바람. 솔솔 부는 바람. 시원한 바람.
[清風朗月不用一錢買 청풍낭월불용일전매] 시원한 바람과 밝은 달은 돈 한 푼도 들이지 아니하고 누구나 다 완상(翫賞)할 수 있음.
[清風來故人 청풍내고인] 시원한 바람이 불어올 때의 기분은 옛날부터 숙친(熟親)한 벗이 찾아와 대단히 반가워하는 기분과 다름이 없음.
[清蹕 청필] 천자(天子)가 거동할 때 도로를 깨끗이 쓸고 통행하는 사람을 비키게 함.
[清夏 청하] 공기가 맑은 여름.
[清學 청학]《韓》만주어(滿洲語)에 관한 학문.
[清閒 청한] 남의 한가한 때의 경칭(敬稱).
[清閑 청한] 청한(清閒).
[清吭 청항] 맑은 소리를 내는 새의 목구멍.
[清抗 청항] 마음이 깨끗하고 고상함.
[清香 청향] 맑은 향기. 좋은 향내.
[清響 청향] 맑은 음향(音響).
[清虛 청허] 마음이 맑고 허심탄회함.
[清玄 청현] 맑고 깊숙함.
[清絃 청현] 맑은 소리가 나는 거문고의 줄.
[清顯 청현] 청환(清宦)과 현직(顯職).
[清迥 청형] 맑고 아득함.
[清魂 청혼] 깨끗한 영혼. 또는, 혼을 맑게 함.
[清化 청화] 맑고 밝은 교화(敎化). 맑은 덕화(德化).
[清和 청화] ㉠맑고 부드러움. ㉡음력 4월 초하루. ㉢음력 4월의 속칭(俗稱). ㉣잘 다스려 화평하게 함. 또, 잘 다스려져 화평함.
[清華 청화] ㉠문장(文章)이 화려함. ㉡대대로 지체가 높은 가문(家門). ㉢깨끗한 꽃.
[清曉 청효] 청신(清晨).
[清暉 청휘] 맑은 햇빛.
[清輝 청휘] 맑은 광휘.
[清徽 청휘] ㉠깨끗하고 기품(氣品)이 높음. ㉡아름다운 음성(音聲).
[清興 청흥] 속진(俗塵)을 떠난 고상한 흥취(興趣).
◉潔清. 兼清. 經清. 明清. 穆清. 密清. 俟清. 上清. 酹清. 昭清. 掃清. 淑清. 肅清. 晏清. 厲清. 餘清. 洌清. 廉清. 乂清. 月白風清. 凝清. 寅清. 直清. 澄清. 淒清. 天高氣清. 天朗氣清. 忠清. 太清. 河清. 開清. 寒清. 顯清. 血清. 華清. 廓清.

8 ⑪ [淁] ━ 접 ㊀葉 卽涉切 jie ━ 첩 ㊀葉 的協切 diē

字解 ━ 자질자질할 접 ㉠'汎—'은 물이 조금 있는 모양. 또, 급한 파도 소리. '又似流波泡溲汎—'《王褒》. ㉡'—洍'은 물이 조금 있는 모양. 또, 물이 나오는 모양. '—, —洍, 纔有水皃'《廣韻》. '—, —洍, 水出皃'《集韻》. ━ 물 첩 물의 모양. '—, 水皃'《集韻》.

8 ⑪ [淹] 人名 엄 ㊥鹽 央炎切 yān

字解 ①담글 엄, 적실 엄 '—漬'. '—之以樂好'《禮記》. ②머무를 엄 오래 체류함. '—留'. '—久於敝邑'《左傳》. ③넓을 엄 홍대(弘大)함. '—弘'. '器量—雅'《晉書》.

字源 篆文 形聲. 氵(水)+奄〔音〕. '奄엄'은 '덮다'의 뜻. 물건을 물로 덮다, 담그다의 뜻을 나타냄.

[淹貫 엄관] 엄해(淹該).
[淹久 엄구] 오래 머무름.
[淹究 엄구] 널리 연구함.
[淹留 엄류] ㉠오래 머무름. ㉡지체하여 잘 진전하지 아니함.
[淹沒 엄몰] 물속에 빠짐.
[淹泊 엄박] 엄류(淹留).
[淹博 엄박] 학식이 넓음. 해박(該博).
[淹死 엄사] 물에 빠져 죽음. 익사함. 엄폐(淹斃).
[淹數 엄삭] 느림과 빠름. 지체됨과 빨리 나아감. 지속(遲速).
[淹歲 엄세] 오랜 세월.
[淹宿 엄숙] 하룻밤을 지체함.
[淹旬 엄순] 열흘을 머무름.
[淹識 엄식] 널리 앎. 박식(博識).
[淹雅 엄아] 학문이 넓고 인품이 아담(雅淡)함.
[淹蘊 엄온] 깊이 간직하여 밖에 나타내지 아니함.
[淹緩 엄완] 지체하여 잘 진전하지 아니함.
[淹月 엄월] 한 달을 끎.
[淹漬 엄지] 담금. 물에 잠기게 함.
[淹遲 엄지] 느림. 더딤. 시간이 걸림.
[淹滯 엄체] ㉠오래 머무름. ㉡현재(賢才)가 있으면서도 낮은 지위에서 오래 썩어 승진하지 못함. 또, 그 사람.
[淹通 엄통] 엄해(淹該).
[淹斃 엄폐] 엄사(淹死).
[淹該 엄해] 널리 통함. 널리 앎. 엄박(淹博).
[淹懈 엄해] 지체하고 게으름을 피움.
[淹弘 엄홍] 넓고 큼. 홍대(弘大)함.
[淹恤 엄휼] 오래 타향에 머물러 걱정한다는 뜻으로, 오랫동안 피난(避難)함을 이름.
◉久淹. 漫淹. 流淹. 寂淹. 遲淹. 滯淹. 廢淹. 溷淹.

8 ⑪ [淺] 中人 천 ㊤銑 七演切 qiǎn 浅

筆順 氵 氵 氵 汼 浅 浅 淺 淺

字解 ①얕을 천 ㉠물이 깊지 아니함. '—瀨'. '深則厲, —則揭'《詩經》. ㉡소견·지식·학문 등이 깊지 아니함. '—薄'. '—學'. '少聞曰—'《荀子》. ㉢적음. '—鮮'. '奉祠祭之日—'《戰國策》. ②얕아질 천 얕게 됨. '東海三爲桑田, 蓬萊水又—矣'《列仙傳》. ③얕이 천 조금. '—斟低唱'. '—酌—杯酒'《白居易》. ④엷을 천 ㉠엶음. '煩挐澆—'《淮南子》. ㉡짙지 아니함. '—紅'.

字源 篆文 形聲. 氵(水)+戔〔音〕. '戔전'은 엷고 잘게 베다의 뜻. '엷은 물, 얕다'의 뜻을 나타냄.

[淺絳 천강] 엷은 적색(赤色).
[淺見 천견] ㉠얕은 생각. 천박한 소견. ㉡자기 소견의 겸칭(謙稱).
[淺近 천근] 얕고 속됨. 천박하고 비근(卑近)함.
[淺短 천단] 천열(淺劣).
[淺帶 천대] 엷은 띠. 일설(一說)에는, 띠를 느슨하게 맴. 「薄).
[淺略 천략] ㉠천박하고 소략(疏略)함. ㉡천박(淺

[淺慮 천려] 얕은 생각.
[淺露 천로] 얕아서 드러남.
[淺綠 천록] 엷은 녹색. 천록색(淺綠色).
[淺瀨 천뢰] 얕은 여울.
[淺陋 천루] 천박하고 고루함.
[淺謀 천모] 얕은꾀.
[淺聞 천문] 문견(聞見)이 적음. 과문(寡聞).
[淺薄 천박] 생각·학문 같은 것이 얕음.
[淺鮮 천선] 적음.
[淺小 천소] 얕고 작음.
[淺笑 천소] 빙그레 웃음. 미소함.
[淺水 천수] 얕은 물.
[淺術 천술] 천박한 예술.
[淺識 천식] 얕은식견(識見). 식견이 얕음.
[淺深 천심] 얕음과 깊음.
[淺靄 천애] 엷은 운기(雲氣).
[淺劣 천열] 재주·학문 등이 얕아 남만 못함.
[淺飮 천음] 천작(淺酌).
[淺紫 천자] 엷은 자색(紫色).
[淺酌 천작] 술을 조금 마심. 또, 그 조그마한 술잔치. 소연(小宴).
[淺酌低唱 천작저창] 술을 조금 마시며 낮은 소리로 노래를 부름.
[淺才 천재] 얕은 재주. 얕은 슬기. 얕은꾀.
[淺渚 천저] 얕은 물가. 물이 얕은 수변(水邊).
[淺斟 천짐] 천작(淺酌).
[淺斟低唱 천짐저창] 천작저창(淺酌低唱).
[淺淺 천천] 물이 빨리 흐르는 모양.
[淺灘 천탄] 얕은 여울.
[淺弊 천폐] 천열(淺劣).
[淺縹 천표] 엷은 옥색.
[淺學 천학] 얕은 학문. 또, 학문이 얕음.
[淺學菲才 천학비재] 학문이 넉넉지 못하고 재주가 변변치 못함.
[淺海 천해] 얕은 바다.
[淺狹 천협] 얕고 좁음.
[淺紅 천홍] 엷은 홍색. 천홍색. 담홍(淡紅).
[淺黃 천황] 엷은 황색. 천황색. 담황(淡黃).
[淺黑 천흑] 엷은 흑색. 담흑(淡黑).
◉狷淺. 空淺. 近淺. 陋淺. 短淺. 漫淺. 蕪淺. 微淺. 凡淺. 浮淺. 膚淺. 卑淺. 鄙淺. 疎淺. 深淺. 闇淺. 澆淺. 庸淺. 愚淺. 危淺. 俚淺. 淸淺. 褊淺. 荒淺.

8 ⑪ [添] [高·人] 첨 [平]鹽 他兼切 tiān

[筆順] 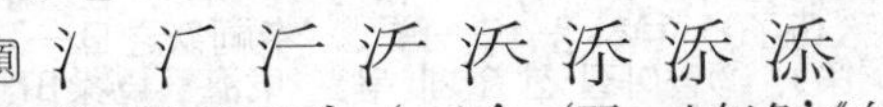

[字解] ①더할 첨 보탬. '一加'. '雨一山氣色'《白居易》. ②안주 첨 주효(酒肴). '呼下酒具爲一'《俗呼小錄》.
[字源] 形聲. 氵(水)+忝〔音〕

[添加 첨가] 덧붙임. 보탬.
[添杯 첨배] 술이 들어 있는 술잔에 술을 더 따름.
[添病 첨병] 어떤 병에 덮쳐서 다른 병이 또 생김.
[添補 첨보] 첨가하여 보충함.
[添附 첨부] 첨가하여 붙임.
[添削 첨삭] 문자를 보태거나 뺌. 곧, 시문(詩文) 같은 것을 고침.
[添算 첨산] 더 넣어서 계산(計算)함.
[添設 첨설] ㉠첨가하여 베풂. ㉡증설(增設)함.
[添入 첨입] 보태어 넣음.
[添酌 첨작] 종헌(終獻) 드린 잔에 다시 술을 가득 채움.
[添盞 첨잔] 첨배(添杯).
[添丁 첨정] ㉠아들을 낳음. 생남(生男). ㉡자기 아들의 겸칭(謙稱).
[添增 첨증] 더하여 늘임. 또, 늚.
[添竄 첨찬] 첨삭(添削).
[添齒 첨치] 나이가 한 살 더 늚.
◉加添. 介添. 多添. 別添. 相添. 增添.

8 ⑪ [滮] [一] 퓨 [平]尤 皮彪切 biāo
[二] 호 [平]虞 荒胡切 hū

[字解] [一] 흐를 퓨 물이 흐르는 모양. 淲(水部 十一畫)와 同字. '一, 水流貌. 詩曰, 一池北流'《說文》. [二] 물이름 호 '一池'는 강(江)의 이름. '滹, 滹池, 水名. 或作一'《集韻》.
[字源] 形聲. 氵(水)+彪〈省〉〔音〕

8 ⑪ [淴] 올 [入]月 烏沒切 hū

[字解] ①물솟는소리 올 '一, 水出聲'《廣韻》. ②빨리흐를 올 물이 빨리 흐르는 모양. '滃湟一泱'《郭璞》.
[字源] 形聲. 氵(水)+忽〔音〕

[淴泱 올앙] 물이 빨리 흐르는 모양.

8 ⑪ [涾] 답 [入]合 徒合切 tà

[字解] 물결출렁거릴 답 '長波一瀡'《木華》.
[字源] 篆文 形聲. 氵(水)+沓〔音〕. '沓답'은 물이 끓어 넘치다의 뜻.

[涾瀡 답타] 물결이 출렁거리는 모양.

8 ⑪ [淜] 빙 [平]蒸 扶冰切 píng

[字解] ①걸어서물건널 빙 신발을 벗고 강을 건넘. '一, 無舟渡河也'《說文》. ②물결소리 빙, 바람소리 빙 '一滂'은 물결 또는 바람이 물건을 치는 소리. '飄忽一滂'《宋玉》.
[字源] 篆文 形聲. 氵(水)+朋〔音〕

[淜滂 빙방] 물결 또는 바람이 물건을 치는 소리.

8 ⑪ [涴] [一] 완 [上]阮 於阮切 wǎn
[二] 와 [去]箇 烏臥切 wò

[字解] [一] ①물굽이쳐흐를 완 물이 구불구불 흐르는 모양. '洪瀾一演而雲廻'《郭璞》. ②성 완 성(姓)의 하나. [二] 더럽힐 와 진흙이나 먼지 등으로 더럽히거나 더러워짐. '勿使泥塵一'《韓愈》.
[字源] 形聲. 氵(水)+宛〔音〕

[涴演 완연] 물이 굽이쳐 흐르는 모양.

8 ⑪ [淏] 호 [上]麌 火五切 hù

[字解] 자루달린두레박 호 배 안의 물을 퍼내는

제구.

8 ⑪ [渕] 〔렬〕 冽(水部 六畫〈p.1214〉)의 本字

8 ⑪ [淖] 〔조〕 潮(水部 十二畫〈p.1214〉)의 本字

8 ⑪ [渫] 一 설 ㉿屑 私列切 xiè 二 예 ㊀霽 以制切 yì

字解 一 ①칠 설, 샐 설 渫(水部 九畫)과 同字. '渫, 說文, 除去也. 一曰漏也. 或作—'《集韻》. ②흩어질 설, 다할 설 '士怒未—'《班固》. ③황소 설 수소. '—, 特牛也'《龍龕手鑑》. ④성 설 성(姓)의 하나. 二 데친파 예 濊(水部 十三畫)와 同字. '葱—處末'《禮記》.

8 ⑪ [淯] 육 ㉿屋 余六切 yù

字解 물이름 육 한수(漢水)의 지류(支流). 허난 성(河南省) 숭 현(嵩縣)에서 발원(發源)하여, 후베이 성(湖北省)에서 당하(唐河)와 합침. '—河'. '攻離之山, —水出焉, 南流注于漢'《山海經》.

字源 篆文 形聲. 氵(水)+育〔音〕

[淯水 육수] 육하(淯河).
[淯河 육하] 자해(字解)를 보라.

8 ⑪ [泡] 포 ㊀效 披教切 pào

字解 ①적실 포 담금. '—漬也'《集韻》. ②맑을 포 '—, 一日, 淸也'《字彙》.

8 ⑪ [淊] 一 함 ㊤感 胡感切 hàn 二 염 ㊤琰 以冉切 yǎn

字解 一 ①흙탕물 함 흙탕물의 형용. '—, 泥水——也'《說文》. ②실삶는물 함 실을 잣는 데 쓰는 끓는 물. '—, 一日, 繅絲湯'《說文》. 二 물 가득할 염 '—, 瀲—, 水滿'《廣韻》.

字源 金文 篆文 形聲. 氵(水)+臽〔音〕. '臽함'은 '꺼져 내려앉다'의 뜻. 움푹 꺼진 곳의 '흙탕물'의 뜻을 나타냄.

8 ⑪ [洴] 병 ㊥青 薄經切 píng

字解 표백할 병 솜을 표백함. '世世以—澼絖爲事'《莊子》.

字源 形聲. 氵(水)+幷〔音〕

參考 洴(水部 六畫)은 俗字.

[洴澼 병벽] 솜을 표백(漂白)함.

8 ⑪ [淏] 人名 호 ㊤皓 下老切 hào

筆順 氵 氵 氵 氵 淂 淂 淏 淏

字解 맑을 호 맑은 모양. '—, 淸貌'《集韻》.

8 ⑪ [涶] 〔타〕 唾(口部 八畫〈p.381〉)와 同字

字源 篆文 形聲. 氵(水)+垂(坐)〔音〕

8 ⑪ [滂] 〔방〕 滂(水部 十畫〈p.1274〉)의 本字

8 ⑪ [淃] 人名 권 ㊀霰 逵眷切 juàn

字解 ①물이름 권. ②물모양 권 물의 모양.

8 ⑪ [涉] 〔삽〕 澁(水部 十二畫〈p.1297〉)의 俗字

8 ⑪ [淵] 〔연〕 淵(水部 九畫〈p.1254〉)의 俗字

8 ⑪ [渊] 〔연〕 淵(水部 九畫〈p.1254〉)의 俗字

8 ⑪ [淒] 〔처〕 凄(冫部 八畫〈p.229〉)와 同字

字源 篆文 形聲. 氵(水)+妻〔音〕. '妻처'는 '齊제'와 통하여 '갖추어지다'의 뜻. 비나 구름 따위가 갖춰져서, '춥다, 쓸쓸하다'의 뜻을 나타냄.

8 ⑪ [潪] 〔타〕 沱(水部 五畫〈p.1198〉)의 俗字

8 ⑪ [済] 人名 〔제〕 濟(水部 十四畫〈p.1307〉)의 俗字

8 ⑪ [游] 〔유〕 游(水部 九畫〈p.1259〉)의 俗字

8 ⑪ [渀] 〔미〕 瀰(水部 十七畫〈p.1315〉)의 俗字

8 ⑪ [淐] 〔창〕 漲(水部 十一畫〈p.1289〉)과 同字

8 ⑪ [淙] 〔와〕 洼(水部 六畫〈p.1220〉)와 同字

8 ⑪ [涉] 〔섭〕 涉(水部 七畫〈p.1230〉)과 同字

8 ⑪ [渓] 〔계〕 溪(水部 十畫〈p.1272〉)의 略字

8 ⑪ [浇] 〔요〕 澆(水部 十二畫〈p.1298〉)의 俗字

8 ⑪ [渴] 〔갈〕 渴(水部 九畫〈p.1260〉)의 俗字

9 ⑫ [渙] 人名 환 ㊀翰 火貫切 huàn

筆順 氵 氵 氵 氵 渙 渙 渙 渙

字解 ①흩어질 환, 풀릴 환 헤어짐. 또, 녹아 없어짐. '—散'. '—兮若冰之將釋'《老子》. ②찬란할 환 문채가 나는 모양. '—爛'. '—乎其有似也'《淮南子》. ③환괘 환 육십사괘(六十四卦)의

하나. 곧, ䷺〈감하(坎下), 손상(巽上)〉. 물건이 흩어지는 상(象). '一亨, 王假有廟'《易經》.
[字源] 篆文 形聲. 氵(水)+奐〔音〕. '奐환'은 잇달아 변화하다의 뜻. 물이 여러 가지로 변화하며 흩어지다의 뜻을 나타냄.

[渙爛 환란] 찬란한 모양.
[渙發 환발] 조서(詔書) 또는 칙명을 발포(發布)함.
[渙散 환산] 흩어짐. 또, 흩뜨림.
[渙焉 환언] 문채가 있는 모양. 찬란한 모양.
[渙然 환연] 흩어지는 모양. 또, 풀리는 모양.
[渙然氷釋 환연빙석] 얼음이 녹아 없어지듯이 의혹이나 의문이 풀리는 모양.
[渙汗 환한] 조서(詔書) 또는 칙명(勅命)을 발포(發布)함. 땀은 한번 나오면 다시 들어가지 못하듯이 조서·칙명도 한번 발포하면 다시 취소 못하고 반드시 시행하여야 하므로 이름.
[渙兮 환혜] 흩어지는 모양. 또, 녹는 모양.
[渙乎 환호] 찬란한 모양.
[渙沍 환호] 얼음이 녹음과 물이 얾.
[渙渙 환환] 물이 성(盛)한 모양.
◉叛渙. 畔渙. 散渙.

9 ⑫ [淵] [人名] 연 [平]先 烏玄切 yuān

[筆順] 氵 … 淵

[字解] ①못 연, 웅덩이 연. 물이 깊이 괸 곳. '積水成一'. '魚躍于一'《詩經》. 전(轉)하여, 사물(事物)이 많이 모이는 곳. '一藪'. '不如保殖五穀之一'《後漢書》. ②깊을 연. '一博'. '秉心塞一'《詩經》. ③조용할 연. 고요함. '曠博靜一'《曾鞏》. ④성 연. 성(姓)의 하나.
[字源] 甲骨文 金文 篆文 古文 形聲. 氵(水)+㓊〔音〕. '㓊연'은 양 기슭이 몰려 닥치고, 그 사이에 깊은 못이 있는 모양을 형상화하여, '못'의 뜻을 나타냄.
[參考] 渊(水部 八畫)·渕(水部 八畫)은 俗字.

[淵角 연각] 현인(賢人)의 상(相). 이마가 네모로, 달 모양임. 달은 수정(水精)이므로 연(淵)이라 함.
[淵角山庭 연각산정] 이마가 연각이고, 산정은 코를 이르는 말로, 현인(賢人)의 상(相)을 이름.
[淵鑑類函 연감유함] 유서(類書). 청(淸)나라 강희제(康熙帝)의 칙찬(勅撰). 총 450권. 원(元)·명(明) 이전의 고사 성어를 분류하여 설명한 백과사전식 책.
[淵客 연객] 배 타는 사람. 뱃사공. 또, 어부(漁夫).
[淵谷 연곡] 깊은 못과 깊은 골짜기.
[淵曠 연광] 깊고 넓음.
[淵極 연극] 깊은 근저(根柢).
[淵圖 연도] 연모(淵謀).
[淵洞 연동] 깊음. 또, 깊은 굴.
[淵慮 연려] 깊은 생각. 심려(深慮).
[淵令 연령] 마음이 깊고 착함. 침착하고 선량함.
[淵邈 연막] 심원(深遠)함.
[淵謀 연모] 연모(淵謨).
[淵謨 연모] 깊은 계책(計策).
[淵妙 연묘] 심원(深遠)하고 오묘(奧妙)함.
[淵默 연묵] 침착하고 말이 적음. 묵중(默重)함.
[淵微 연미] 심원(深遠)하고 미묘(微妙)함.
[淵博 연박] 학문(學問)·식견(識見) 등이 깊고 넓음.
[淵變作瀨 연변작뢰] 세상의 변천이 심함의 비유.
[淵富 연부] 심원(深遠)하고 섬부(贍富)함.
[淵氷 연빙] 깊은 못과 얇은 얼음. 위험한 것의 비유.
[淵塞 연색] 생각이 깊고 덕(德)이 가득 차 있음.
[淵沼 연소] 깊은 못.
[淵水 연수] 깊은 물. 또, 깊은 못. 웅덩이.
[淵邃 연수] 깊숙하고 고요함. 또, 심원(深遠)함.
[淵藪 연수] 연총(淵叢).
[淵淑 연숙] 생각이 깊고 마음이 착함.
[淵識 연식] 깊은 식견(識見). 깊은 생각.
[淵深 연심] 깊음.
[淵雅 연아] 침착하고 아담(雅淡)함.
[淵岳 연악] 깊은 못과 큰 산. 침착하고 흔들리지 않음의 비유.
[淵然 연연] 물이 깊고 조용한 모양.
[淵淵 연연] ㉠조용하고 깊은 모양. ㉡북 치는 소리.
[淵奧 연오] 심오(深奧)함.
[淵雲 연운] 왕포(王褒)와 양웅(揚雄). 모두 한대(漢代)의 문학가. 왕포는 자(字)가 자연(子淵)이고 양웅은 자가 자운(子雲)임.
[淵雲嚴樂 연운엄락] 왕포(王褒)와 양웅(揚雄)과 엄요(嚴要)와 서락(徐樂). 모두 전한(前漢)의 유명한 문학자.
[淵源 연원] 사물(事物)의 근원.
[淵遠 연원] 심원(深遠)함.
[淵意 연의] 연지(淵旨).
[淵湛 연잠] 물이 깊음. 물이 깊이 괴어 있음.
[淵潛 연잠] 물속 깊이 숨음.
[淵靜 연정] ㉠못이 깊고 고요함. ㉡깊고 고요함.
[淵照 연조] 깊고 밝게 앎. 깊은 이치를 환히 앎.
[淵旨 연지] 깊은 뜻.
[淵澄 연징] 깊고 맑음.
[淵泉 연천] 깊은 샘.
[淵叢 연총] 사물(事物)이 많이 모이는 곳.
[淵沖 연충] 늪처럼 깊음. 늪처럼 공허함.
[淵衷 연충] 진심(眞心).
[淵澤 연택] 깊은 못.
[淵海 연해] ㉠깊은 못과 큰 바다. ㉡깊고 큰 것의 비유.
[淵玄 연현] 심원하고 현묘함.
[淵乎 연호] 심원한 모양. 그윽한 모양.
[淵泓 연홍] 깊음.
[淵洽 연흡] 깊어 두루 미침. 깊고 널리 앎.
◉揭斧入淵. 故淵. 廣淵. 鮫鰐淵. 九淵. 潭淵. 不測之淵. 塞淵. 邃淵. 深淵. 靈淵. 虞淵. 圓淵. 爲惡入淵. 臨深淵. 積水成淵. 澶淵. 靜淵. 重淵. 澄淵. 天淵. 洪淵. 洶淵.

9 ⑫ [渃] 약 [入]藥 日灼切 ruò

[字解] 시내이름 약. '一溪'는 후베이 성(湖北省) 지강현(枝江縣)을 흐르는 시내로서, 양쯔 강(揚子江)의 지류(支流)임.

[渃溪 약계] 자해(字解)를 보라.

9 ⑫ [渚] [人名] 저 ㊤語 章與切 zhǔ

字解 ①물가 저 수애(水涯). '一岸'. ②사주(砂洲) 저 모래섬. '江有一'《詩經》.
字源 篆文 形聲. 氵(水)+者〔音〕. '者자'는 '모이다'의 뜻. 물속에 토사(土砂)가 모여서 생긴 작은섬.

[渚鷗 저구] 물가에 있는 갈매기.
[渚宮 저궁] 춘추 시대(春秋時代)의 초(楚)나라의 이궁(離宮). 후베이 성(湖北省) 장링 현(江陵縣)에 있었음.
[渚畔 저반] 저안(渚岸).
[渚岸 저안] 물가. 수애(水涯).
[渚崖 저애] 저안(渚岸).
[渚涯 저애] 저안(渚岸).
[渚煙 저연] 물가에 낀 안개.
◉鷗渚. 修渚. 煙渚. 幽渚. 洲渚. 汀渚. 淺渚. 鶴汀鳧渚. 涸渚.

9 ⑫ [減] 中人 감 ㊤豏 古斬切 jiǎn

筆順 氵 氵 汇 汇 沥 減 減 減

字解 ①덜릴 감 수량이 적어짐. 줆. '一少'. '聲望日一'《晉書》. ②덜 감 ㉠적게 함. 양을 줄임. '一半'. '實一無實之物'《後漢書》. ㉡뺌. 수를 줄임. '一百官俸給三分之一'《南史》. ③빼기 감 감산. 뺄셈. '加一乘除'. ④성 감 성(姓)의 하나.
字源 金文 篆文 形聲. 氵(水)+咸〔音〕. '咸함'은 목청껏 소리를 다 내다의 뜻. 물이 다 나오다, 줄다의 뜻을 나타냄.

[減價 감가] ㉠값을 내림. ㉡평판을 떨어뜨림. 가치가 떨어짐.
[減却 감각] 줄임. 덞. 각(却)은 조자(助字).
[減竭 감갈] 줄어 없어짐.
[減降 감강] 죄를 가볍게 함.
[減輕 감경] 등급을 내림. 구실을 가볍게 매기거나 형벌을 가볍게 내림.
[減軍 감군] 군대의 수효를 줄임.
[減剋 감극] 감삭(減削).
[減給 감급] 감하여 줌.
[減等 감등] ㉠등급을 낮춤. ㉡감형(減刑).
[減免 감면] 감하여 면제함.
[減耗 감모] 줆. 감하여짐. 또, 줄임. 감함.
[減半 감반] 반으로 줆. 또, 반으로 줄임. 반감(半減).
[減法 감법] 빼기. 감산(減算).
[減俸 감봉] 봉급을 줄임.
[減死 감사] 사형(死刑)을 감함.
[減削 감삭] 덜고 깎음. 삭감함.
[減算 감산] 빼는 계산. 빼기. 뺄셈.
[減省 감생] 덜어 줄임. 생략함.
[減膳 감선] '감선 철현(減膳徹懸)'을 보라.
[減膳徹樂 감선철악] 감선 철현(減膳徹懸).
[減膳徹懸 감선철현] 국가에 변고(變故)가 있을 때 천자(天子)·제후(諸侯)가 음식의 가짓수를 줄이고 무악(舞樂)을 정지함. 현(懸)은 걸어놓고 치는 악기(樂器).
[減稅 감세] 조세(租稅)를 감함.
[減勢 감세] 세력이 줄어짐.
[減少 감소] 줄어 적어짐. 또, 줄여 적게 함.
[減損 감손] 감소(減少).
[減殺 감쇄] 줆. 또, 줄임. 감각(減却).
[減衰 감쇠] 힘이 줄어 쇠약하여짐.
[減水 감수] 물이 줆.
[減收 감수] 수확 또는 수입이 줆.
[減售 감수] 싸게 팖. 값을 낮추어 팖.
[減壽 감수] 수명이 줄어짐.
[減數 감수] 수(數)를 뺌. 수를 줄임. 또, 그 수.
[減食 감식] 식사의 양을 줄임.
[減息 감식] 줄어 그침.
[減薪 감신] 봉급을 줄임. 감봉(減俸).
[減額 감액] 액수를 줄임.
[減員 감원] 인원을 줄임.
[減折 감절] 할인(割引)함.
[減租 감조] 감세(減稅).
[減竈 감조] 전국 시대(戰國時代)의 제(齊)나라의 장수 손빈(孫臏)이 위(魏)나라를 쳐들어간 제(齊)나라의 군사에게 명령을 내려 첫날에는 한뎃부엌을 10만을 만들게 하고, 다음 날에는 5만의 한뎃부엌을, 또 그다음 날에는 2만의 한뎃부엌을 만들게 하여, 추격하여 온 위(魏)나라 장수 방연(龐涓)이 그 한뎃부엌 수를 세어 보고서, 제나라 군사가 과반(過半)이 도망하였다고 생각하게 한 고사(故事).
[減罪 감죄] 죄를 감함.
[減之又減 감지우감] 감한 뒤에 또 감함.
[減差 감차] 병(病)이 차도가 있음.
[減撤 감철] 줄이고 철거(撤去)함.
[減縮 감축] 덜어 줄임.
[減黜 감출] 관위(官位)를 떨어뜨림.
[減退 감퇴] ㉠줄어 쇠퇴(衰退)함. ㉡줆. 또, 줄임.
[減票 감표] 빼기의 부호(符號).
[減下 감하]《韓》관원의 수를 줄임. 감원(減員).
[減刑 감형] 형벌을 가볍게 함.
[減號 감호] 감표(減票).
[減畫 감획] 글씨의 획수를 줄임.
◉加減. 蠲減. 激減. 輕減. 急減. 累減. 貸減. 末減. 耗減. 半減. 削減. 省減. 損減. 衰減. 節減. 漸減. 增減. 遞減. 縮減.

9 ⑫ [渜] 난 ①㊤旱 乃管切 nuǎn ②㊦翰 奴亂切 ③㊥寒 奴官切 nuán

字解 ①끓인물 난 '一, 湯也'《說文》. ②목욕한 물 난 목욕하고 남은 뜨거운 물. '一濯棄于坎'《儀禮》. ③강이름 난 '一, 水名. 在遼西肥如. 南入海陽'《集韻》.
字源 篆文 形聲. 氵(水)+耎〔音〕. '耎연'은 '연하다'의 뜻. 연한 물, 끓인 물의 뜻을 나타냄.

9 ⑫ [渳] 미 ㊤紙 綿婢切 mǐ

字解 ①물모양 미 '一, 水皃'《廣韻》. ②송장미역감길 미 울창주(鬱鬯酒)로 시체를 깨끗이 씻음. '一, 周禮, 大一, 謂浴尸也'《集韻》.
字源 篆文 形聲. 氵(水)+弭〔音〕

9 ⑫ [渿] 내 ㊦泰 乃帶切 nài

字解 ①물결 내 '一, 一沛, 水波皃'《玉篇》. ②물소리 내 '一, 又水聲'《玉篇》. ③거를 내 액체

를 거름.

9 ⑫ [渝] 투(유本) 平虞 羊朱切 yú

字解 ①변할 투, 변경할 투 달라짐. 또, 달라지게 함. '一移'. '一盟無享國'《左傳》. ②넘칠 투 넘쳐흐름. '沸潰一溢'《木華》. ③땅이름 투 '一州'는 쓰촨 성(四川省) 충칭(重慶)의 고칭(古稱).

字源 篆文 形聲. 氵(水)+俞〔音〕. '俞유'는 '빠져 나가다'의 뜻. 물이 어떤 상태에서 다른 상태로 변하다의 뜻에서, 일반적으로, '변하다'의 뜻을 나타냄.

[渝盟 투맹] 맹약을 깨뜨림. 약속을 어김.
[渝移 투이] 변천(變遷)함.
[渝溢 투일] 넘침. 넘쳐흐름.
[渝州 투주] 쓰촨 성(四川省) 충칭(重慶)의 고칭(古稱).
[渝替 투체] 변함. 또, 변경함.
◉不渝. 新渝. 巴渝.

9 ⑫ [渟] 人名 정 平青 特丁切 tíng

字解 ①괼 정 물이 모여 흐르지 아니함. '一一'. '決一水, 致之海'《史記》. ②머무를 정 정지함. 또, 정지하게 함. 停(人部 九畫)과 同字. '一泊'. '一車呼與共載'《後漢書》. ③물가 정 물가의 평지. 汀(水部 二畫)과 同字.

字源 形聲. 氵(水)+亭〔音〕. '亭정'은 '멎다'의 뜻. 물이 멎다의 뜻을 나타냄.

[渟膏凝碧 정고응벽] 물이 깊어 푸르고 고요한 모양.
[渟淖 정뇨] 괴어 있는 흙탕물.
[渟泊 정박] 배가 항구에서 머무름.
[渟水 정수] 괸 물.
[渟洿 정오] 괴어 있는 흙탕물.
[渟渟 정정] 물이 괴는 모양.
[渟澄 정징] 물이 괴어 맑음.
[渟蓄 정축] 물이 괴어 쌓인다는 뜻으로, 학문이 깊고 넓음을 이름.
[渟涵 정함] 물이 괴어 젖게 함.
[渟匯 정회] 물이 괴어 돎.
◉澄渟. 淸渟.

9 ⑫ [渠] 人名 거 ①-⑤平魚 強魚切 qú ⑥去御 其據切 jù

筆順 氵 汀 洰 洰 洰 渠 渠 渠

字解 ①도랑 거 개통(開通)한 수로(水路). '暗一'. '溝一必步'《禮記》. ②클 거 '一大'. '誅其一帥'《史記》. ③우두머리 거 두목. '象郡之一'《左思》. ④그 거 그 사람. '一輩'. '一會總無緣'《古詩》. ⑤성 거 성(姓)의 하나. ⑥어찌 거 詎(言部 五畫)와 同字. 어째서. 왜. '何一'·'寧一'로 연용(連用)하기도 함. '蘇君在, 儀寧一能乎'《史記》.

字源 篆文 形聲. 氵(水)+榘(桀)〔音〕. '桀구'는 '자〔尺〕'의 뜻. 자를 대고 인공적으로 만든 '도랑, 개울'의 뜻을 나타냄.

[渠渠 거거] ㉠집이 깊숙하고 넓은 모양. ㉡부지런히 힘쓰는 모양. ㉢왕성한 모양.
[渠魁 거괴] 악당(惡黨)의 우두머리. 괴수(魁首). 거수(渠帥). 거장(渠長). 거수(渠率). 수령(首領).
[渠儂 거농] 그 사람. 오농(吾儂)의 대(對).
[渠荅 거답] 마름쇠. 철질려(鐵蒺藜).
[渠大 거대] 큼.
[渠門 거문] 기(旗) 둘을 세워 진영(陣營)의 문으로 한 것.
[渠眉 거미] 옥(玉) 위에 장식으로 새긴 줄.
[渠輩 거배] 그 사람들.
[渠水 거수] 땅을 파서 통하게 한 수로(水路). 운하(運河).
[渠帥 거수] 악당의 두목. 괴수(魁首).
[渠率 거수] 거수(渠帥).
[渠堰 거언] 도랑과 둑.
[渠長 거장] 거괴(渠魁).
[渠衝 거충] 공성(攻城)하는 데 쓰는 큰 수레.
[渠黃 거황] 준마(駿馬)의 이름. 주목왕(周穆王)의 팔준마(八駿馬)의 하나.
◉溝渠. 芙渠. 船渠. 暗渠. 寧渠. 永濟渠. 雝渠. 芋渠. 義渠. 漕渠. 從渠. 車渠. 遮渠. 通濟渠. 何渠. 河渠. 汗渠. 軒渠.

9 ⑫ [渡] 高人 도 去遇 徒故切 dù

筆順 氵 汇 沪 沪 浐 浐 渡 渡

字解 ①건널 도 ㉠물을 건너감. '一來'. '項梁一淮'《史記》. ㉡지나감. 통과함. '一海'. '半隨飛雪一關山'《蘇軾》. ②건넬 도 ㉠건너게 함. '以木罌缻一軍'《史記》. ㉡가설(架設)함. '作橋, 跨一渭水'《漢書 註》. ㉢줌. 교부함. '檢括州府付一事'《資治通鑑》. ③나루 도 도선장(渡船場). '一津'. '荒城臨古一'《王維》.

字源 篆文 形聲. 氵(水)+度〔音〕. '度도'는 자를 건너 대어서 재다의 뜻. '물을 건너다'의 뜻을 나타냄.

[渡江楫 도강즙] 동진(東晉)의 오호(五胡)의 난리에 예주 자사(豫州刺史) 조적(祖逖)이 난리를 평정(平定)하기 위하여 양쯔 강(揚子江)을 건널 때 중류(中流)에서 노로 뱃전을 치며 적(賊)을 평정하지 못하면 살아서 돌아가지 않겠다고 맹세한 고사(故事).
[渡口 도구] 나루.
[渡頭 도두] 나루. 진두(津頭).
[渡得船 도득선] 대단히 기쁨의 비유.
[渡來 도래] ㉠물을 건너옴. ㉡외국에서 배를 타고 옴.
[渡船 도선] 나룻배. 진선(津船).
[渡世 도세] 세상을 살아감.
[渡日 도일] 일본(日本)으로 건너감.
[渡子 도자] 뱃사공.
[渡津 도진] ㉠나루. ㉡나루를 건넘.
[渡河 도하] 황하를 건넘. 또, 널리 강을 건넘.
[渡航 도항] 배로 물을 건넘.
[渡海 도해] ㉠배로 바다를 건넘. ㉡바다 위를 지나감.
◉古渡. 過渡. 跨渡. 官渡. 不渡. 付渡. 飛渡. 新渡. 野渡. 讓渡. 越渡. 津渡. 超渡. 喚渡.

9 ⑫ [渢] 一 풍 平東 房戎切 féng 二 범 平咸 符咸切 fán

[字解] [一] 물소리 풍 물이 흐르는 소리. 일설(一說)에는, 큰 소리. [二] ①알맞은소리 범 중용(中庸)의 소리. '一, 一一, 中庸聲'《集韻》. ②뜰 범 물 위에 뜨는 모양. '美哉, 一一乎'《左傳》.

[渢渢 범범] 중용(中庸)의 소리. 일설(一說)에는, 떴다 가라앉았다 하며 도는 모양.

9 ⑫ [渣] [人名] 사 [平]麻 側加切 zhā

[字解] ①찌끼 사 침전물. '一滓'. '得其一滓者爲物'《朱熹》. ②강이름 사 '溠, 水名. 出義陽. 一, 上同'《廣韻》.

[字源] 形聲. 氵(水)＋查〔音〕

[渣滓 사재] 찌끼. 침전물(沈澱物).

9 ⑫ [湋] 위 [平]微 雨非切 wéi

[字解] ①물돌아나갈 위 강물이 돌아 흐름. '一, 回也'《說文》. ②못 위 '一, 淵也'《廣雅》. ③물이름 위 근원은 산시 성(陝西省) 펑샹 현(鳳翔縣) 서북의 옹산(雍山) 아래, 무수(武水)와 만나 위수(渭水)로 들어감.

[字源] [篆文] 形聲. 氵(水)＋韋〔音〕. '韋위'는 '둘레, 주위'의 뜻.

9 ⑫ [渤] [人名] 발 [入]月 蒲沒切 bó

[筆順] 氵 氵 汁 泸 洁 涥 渤 渤

[字解] ①바다이름 발 황해(黃海)의 일부. 랴오둥 반도(遼東半島)와 산둥 반도(山東半島)에 둘러싸인 바다. '一海'. '不臨溟一'《梁元帝》. ②안개낄 발 '滃一'은 안개가 나와 끼는 모양. '氣滃一以霧杳'《郭璞》.

[字源] 形聲. 氵(水)＋勃〔音〕. '勃발'은 갑자기 세차게 일어나는 뜻. 물이 솟아오르는 모양을 나타냄.

[渤海 발해] ㉠황해(黃海)의 일부. 랴오둥 반도(遼東半島)와 산둥 반도(山東半島)에 둘러싸인 바다. ㉡고구려 사람 대조영(大祚榮)이 세운 나라. 고구려의 유민(流民)을 규합(糾合)하여 고구려의 고토(故土)를 거의 확보하였음. 신라 말엽(末葉)에 요(遼)나라에게 망하였음. (699~926)

[渤澥 발해] 발해(渤海) ㉠.

[渤潏 발휼] 물이 솟아나오는 모양.

◉溟渤. 滂渤. 瀨渤. 滃渤.

9 ⑫ [渥] [人名] 악 [入]覺 於角切 wò

[字解] ①짙을 악 진함. 농후함. '一味'. '顏如一丹'《詩經》. ②두터울 악 독후(篤厚)함. '一恩'. '優一'. '既優既一'《詩經》. ③젖을 악 물에 흠씬 젖음. 전(轉)하여, 은혜를 입음. '周澤未一'《韓非子》. ④적실 악, 담글 악 물에 담가 흠씬 적심. '一淳其帛'《周禮》. ⑤윤날 악 광택이 남. '一美'. '芳藹一而純美'《楚辭》. ⑥윤 악 광택. 윤택. '華陽與春一'《謝靈運》. ⑦은혜 악 은택. '荷君子之惠一'《潘岳》.

[字源] [篆文] 形聲. 氵(水)＋屋〔音〕. '屋옥'은 방의 뜻. 편히 쉴 수 있는 방과 같은, 윤택의 뜻을 나타냄.

[渥丹 악단] ㉠새빨감. ㉡붉은 얼굴의 형용.
[渥露 악로] 많이 내린 이슬. 짙은 이슬.
[渥眄 악면] 정(情)이 넘치는 눈으로 봄. 특별히 돌보아 줌.
[渥味 악미] 짙은 맛.
[渥美 악미] 윤이 나고 아름다움.
[渥飾 악식] 대단히 아름다운 장식.
[渥然 악연] 안색이 붉고 윤이 흐르는 모양.
[渥洼 악와] 강 이름. 당하(黨河)의 지류(支流)로서 간쑤 성(甘肅省) 안시 현(安西縣)에 있음.
[渥恩 악은] 두터운 은혜.
[渥赭 악자] ㉠새빨간 흙. 또, 새빨간 빛. ㉡붉은 얼굴의 형용.
[渥澤 악택] 두터운 은택(恩澤). 악은(渥恩).
[渥惠 악혜] 악은(渥恩).
[渥厚 악후] 두터움. 풍후(豐厚)함.
[渥洽 악흡] 두터운 은덕(恩德).
◉蕃渥. 聖渥. 殊渥. 深渥. 優渥. 隆渥. 霑渥. 周渥. 寵渥. 親渥. 惠渥.

9 ⑫ [湴] 팜 ①②[去]陷 蒲鑑切 bàn ③④[平]咸 皮咸切 pán

[字解] ①수렁 팜 '埿, 泥淖也. 或作一'《集韻》. ②뜰 팜 물에 뜸. '一, 又水泛也'《字彙》. ③수렁 속을갈 팜 '一, 行淖中也'《集韻》. ④흉운이름 팜 성명가(星命家)의 말로, 깊은 수렁에 빠진 것과 같은 흉운(凶運).

9 ⑫ [渦] [人名] 와 [平]歌 烏禾切 wō 涡

[字解] ①소용돌이 와 빙빙 돌며 흘러가는 물. 또, 그 형상. '一中'. '蜂房水一'《杜牧》. ②소용돌이칠 와 빙빙 돌며 흐름. '一旋'. '盤一谷轉'《郭璞》.

[字源] 形聲. 氵(水)＋咼〔音〕. '咼와'는 '亘환'과 통하여, 빙 돌다의 뜻. 도는 물, '소용돌이'의 뜻을 나타냄.

[渦紋 와문] 소용돌이꼴의 무늬.
[渦盤 와반] 소용돌이침.
[渦旋 와선] 와반(渦盤).
[渦水 와수] 소용돌이치는 물.
[渦中 와중] ㉠소용돌이치며 흘러가는 물결 가운데. ㉡분란(紛亂)한 사건의 가운데.
◉潭渦. 盤渦. 翻渦. 旋渦.

9 ⑫ [飧] [一] 손 [平]元 思渾切 sūn [二] 찬 [平]寒 七安切 cān

[字解] [一] 밥 손 飧(食部 三畫)과 통용. [二] 먹을 찬 餐(食部 七畫)과 同字.

9 ⑫ [渧] 제 [去]霽 都計切 dì

[字解] 물방울 제 떨어지는 물방울. '一毛一一沙一塵'《地藏經》.

[字源] 形聲. 氵(水)＋帝〔音〕

[渧宮 제궁] 물가의 궁전. 수궁(水宮).

9 ⑫ [渨] [一] 외 ①[平]灰 烏恢切 wēi ②[上]尾 羽鬼切 [二] 위 [上]賄 鄔賄切

[字解] [一] ①빠질 외 침몰함. ②물결일 외 '—䨓'는 파도가 이는 모양. '—䨓濆瀑'《郭璞》. [二] 흐릴 위 '—涹'는 혼탁함. 더러움. '溘—涹之奸咎兮'《楚辭》.

[字源] [篆文] 形聲. 氵(水)＋畏〔音〕. '畏외'는 움푹 패어 깊은 곳의 뜻. 깊은 물속에 빠지다의 뜻을 나타냄.

[渨䨓 외뢰] 파도가 이는 모양.
[渨涹 위와] 흐림. 혼탁함. 더러움.

9 ⑫ [渫] [人名] [一] 설 [入]屑 私列切 xiè [二] 접 [入]葉 達協切 dié

[字解] [一] ①칠 설 물 밑의 토사(土砂)를 쳐냄. '浚—'. '井—不食'《易經》. ②흩을 설 분산시킴. '淸—'. '農民有錢, 粟有所—'《漢書》. ③그칠 설 쉼. '爲歡未—'《曹植》. ④샐 설 洩(水部六畫)과 同字. '尾閭—之而不虛'《莊子》. ⑤더러울 설 '去卑辱奧—'《漢書》. ⑥업신여길 설 멸시함. '醉而不出, 是—宗也'《詩經 傳》. ⑦성 설 성(姓)의 하나. [二] ①통철할 접 통효(通曉)함. '憤眊不—'《漢書》. ②출렁출렁할 접 '浹—'은 물결이 연하는 모양. 출렁출렁하는 모양. '長波浹—, 峻湍崔嵬'《郭璞》.

[字源] [篆文] 形聲. 氵(水)＋枼〔音〕. '枼설'은 '刪산'과 통하여, '깎다'의 뜻. 물 밑의 개흙을 깎다, 치다의 뜻을 나타냄. 또, '泄설'과 통하여, 새게 하다의 뜻으로도 씀.

[渫慢 설만] 깔봄. 멸시함.
[渫渫 접접] 물결이 연하는 모양. 출렁출렁하는 모양.
◉開渫. 奧渫. 浚渫. 淸渫. 浹渫.

9 ⑫ [測] [高·人] 측 [入]職 初力切 cè

[筆順] 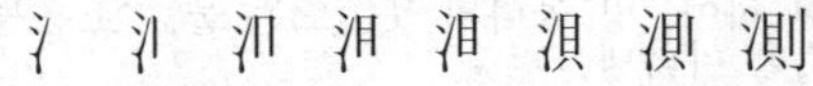

[字解] ①잴 측 ㉠물 같은 것의 깊이를 잼. '—水'. '—土深'《周禮》. ㉡광협·장단·원근·고저 등을 계량(計量)함. '—量'. '與占—之'《宋史》. ㉢헤아림. 추측함. '憶—'. '人心難—也'《漢書》. ②재어질 측 전항의 피동사. '陰陽不—之謂神'《易經》. ③맑을 측 깨끗함. '漆欲—'《周禮》.

[字源] [篆文] 形聲. 氵(水)＋則〔音〕. '則칙'은 사람이 생활의 척도로 삼는 것, '규칙'의 뜻. 자로 물의 깊이를 재다의 뜻을 나타냄.

[測角器 측각기] 각도를 재는 기계의 총칭.
[測距儀 측거의] 목표까지의 거리를 재는 광학 기계(光學器械). 화포(火砲)의 사격에 쓰임.
[測究 측구] 헤아려 구명(究明)함.
[測揆 측규] 잼. 헤아림. 측탁(測度).
[測度 측도·측탁] ㉠도수(度數)·척도(尺度)를 잼. ㉡측탁(測度)을 보라.
[測量 측량] ㉠지면(地面)·하해(河海)의 장단·고저·심천(深淺) 등을 잼. ㉡남의 마음을 추측함.
[測算 측산] 계산함.
[測鎖 측쇄] 거리를 재는 데 쓰는 쇠사슬.
[測水 측수] 물의 깊이를 잼.
[測識 측식] 헤아려 앎. 추측하여 앎.
[測辰 측신] 시각(時刻)을 잼.
[測鉛 측연] 항해(航海)할 때 바다에 던져서 바다의 깊이를 재는 기구. 줄 끝에 납을 매닮.
[測景 측영] 해의 그림자를 잼.
[測定 측정] 재어 정함. 기계(器械) 같은 것으로 잼.
[測地 측지] 토지의 광협(廣狹)·고저 등을 잼.
[測地學 측지학] 지구의 면적·형상·질량(質量) 등을 연구하는 학문.
[測天 측천] 천체(天體)의 운동을 조사함. 천체를 관측함.
[測測 측측] 날카로운 모양.
[測度 측탁] 헤아림. 추측함. 조사함.
[測海 측해] 바다의 넓이와 깊이 또는 해안선을 측량함.
[測候 측후] 천문(天文)·기상(氣象)을 관측함.
◉檢測. 計測. 觀測. 窮測. 揆測. 窺測. 目測. 步測. 不測. 實測. 豫測. 憶測. 蠡測. 原測. 精測. 天測. 推測. 深測. 討測.

9 ⑫ [渭] [人名] 위 [去]未 于貴切 wèi

[筆順] 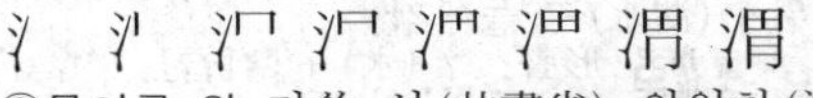

[字解] ①물이름 위 간쑤 성(甘肅省) 위원현(渭源縣)에서 발원(發源)하여, 산시 성(陝西省)을 거쳐 황해(黃海)로 들어가는 강. '—水'. '雍州, 其侵—洛'《周禮》. ②갈 위 유행(流行)함.

[字源] [篆文] 形聲. 氵(水)＋胃〔音〕

[渭南文集 위남문집] 송(宋)나라 육유(陸游)의 문집(文集). 50권. 일고(逸稿) 2권.
[渭流 위류] 위수(渭水).
[渭濱器 위빈기] 태공망(太公望) 여상(呂尙)이 위수(渭水) 가에서 낚시질하다가 문왕(文王)에게 발탁(拔擢)되어 장상(將相)이 된 고사(故事)에 의하여, 장수(將帥)가 될 재목을 이름.
[渭濱漁父 위빈어부] 태공망(太公望) 여상(呂尙)을 이름.
[渭城 위성] ㉠한(漢)나라의 현명(縣名). 지금의 산시 성(陝西省) 장안현(長安縣)의 서쪽에 있었음. 당(唐)나라 사람들이 송별(送別)하던 곳. ㉡악곡(樂曲)의 이름. 당(唐)나라 시인 왕유(王維)의 '송원이사안서시(送元二使安西詩)'의 '渭城朝雨浥輕塵'의 구(句)에서 딴 것임.
[渭水 위수] 자해(字解)를 보라.
[渭樹江雲 위수강운] 한 사람은 위수(渭水) 가에 있고 한 사람은 강수(江水) 가에 있어서 서로 먼 곳에 있는 벗을 그리워한다는 뜻으로, 먼 곳에 있는 벗을 그리워하는 간절한 정(情)을 이름. 모운 춘수(暮雲春樹).
[渭陽 위양] ㉠위수(渭水)의 북쪽. ㉡외숙(外叔)을 이름. 시경(詩經) 진풍(秦風) 위양편(渭陽篇)의 '我送舅氏, 日至渭陽'에서 나온 말.
[渭濁 위탁] 흐림. 위수(渭水)는 물이 항상 흐리므로 이름.
◉涇渭. 沸渭. 太公釣渭.

9 ⑫ [渮] 가 [平]歌 居何切 hé [上]哿 賈我切

字解 물이름 가 '一澤'은 옛날에, 허난 성(河南省)에서 산둥 성(山東省)으로 흐르던 제수(濟水)의 지류(支流). 지금은 매몰(埋沒)되어 없음. '導一澤被孟豬'《書經》.
字源 篆文 形聲. 氵(水)+苛[音]

[渮澤 가택] 자해(字解)를 보라.

9 ⑫ [港] 高人 ━ 항(강 ㊤講 古項切 gǎng
━ 홍 ㊍ ㊧送 胡貢切 hòng

筆順 氵 氵 汁 洪 洪 洪 港 港

字解 ━ ①분류 항 본류(本流)에서 갈라져 흐르는 물줄기. '沿沙下岸, 涇一極多'《宋史》. ②뱃길 항 배가 다니는 길. '開以爲一'《五代史》. ③항구 항 배가 정박하는 곳. '一灣'. '泊舟宋田一'《陳與義》. ━ 통할 홍 '一洞'은 상통(相通)함. 또, 그 모양. '一洞坑谷'《馬融》.
字源 篆文 形聲. 氵(水)+巷(巷)[音]. '巷항'은 마을 안을 뚫고 나간 길의 뜻. 수상(水上)의 길의 뜻에서, '항구'의 뜻을 나타냄. 또, 큰 강에서 갈라져 나온, 배가 지날 수 있는 지류(支流)의 뜻을 나타냄. 去聲일 때에는, '서로 통하다'의 뜻을 나타냄.

[港口 항구] 배가 정박하는 곳의 출입구. 항구의 출입구.
[港灣 항만] 해안의 만곡(灣曲)한 곳에 방파제·부두·잔교(棧橋)·창고·기중기 등의 시설을 한 수역(水域).
[港澳 항욱] 항만(港灣).
[港洞 홍통] 상통(相通)함.
◉涇港. 空港. 溝港. 軍港. 斷港. 商港. 良港. 要港. 派港.

9 ⑫ [渰] 엄 ㊤琰 衣儉切 yǎn

字解 ①구름일 엄 비가 오려고 구름이 이는 모양. '有一萋萋'《詩經》. ②찔 엄 비가 오려고 날씨가 무더움. '一浸萬物'《詩經 疏》.
字源 篆文 形聲. 氵(水)+弇[音]. '弇엄'은 '덮다'의 뜻.

9 ⑫ [渶] 人名 영 ㊥庚 於驚切 yīng

筆順 氵 氵 汁 汁 汫 泔 泔 渶

字解 ①물맑은 영. ②강이름 영 '一, 水名'《集韻》.

9 ⑫ [游] 人名 ━ 유 ㊥尤 以周切 yóu
━ 류 ㊥尤 力求切 liú

字解 ━ ①헤엄칠 유 수영함. '一龍'. '泳之一之'《詩經》. ②헤엄 유 수영. '一泳'. '禁川一者'《周禮》. ③뜰 유 ㉠가라앉지 않고 위에 있음. '一塵'. '一乎塵垢之外'《莊子》. ㉡근거 없이 생김. '一談'. '不倡一言'《禮記》. ④놀 유 ㉠재미있는 일을 하고 즐김. '一玩'. '依於德一於藝'《禮記》. ㉡사귐. '交一'. '上與造物者一'《莊子》. ㉢게으름을 피움. '一民'. '莫一食'《荀子》. ㉣떠남. 감. '一魂'. '身處江海之上, 神一於魏闕之下'《淮南子》. ⑤놀이 유 전항의 명사. '外一'. '請息交以絶一'《陶潛》. ⑥별장 유, 이궁(離宮) 유 '囿一亦如之'《周禮》. ⑦성 유 성(姓)의 하나. ━ ①기 류 旒(方部 九畫)와 同字. '鞶厲一纓'《左傳》. ②흐름 류 수류(水流). '必居上一'《漢書》.
字源 甲骨文 金文 篆文 會意. 甲骨文은 㫃+子. '㫃언'은 깃대에 단 기드림의 象形. '子자'는 '流류'의 변형자(變形字)로, '흐름'의 뜻. 물의 흐름 속을 헤엄치는 뜻을 나타냄. 《說文》에서는 㫃+汓[音]
參考 遊(辵部 九畫)는 俗字.

[游街 유가] ㉠죄인(罪人)을 조리돌림. ㉡《韓》과거(科擧)에 급제한 사람이 광대를 데리고 풍악을 잡히면서 거리를 돌며, 좌주(座主)·선배·친척 등을 찾아보는 일. 보통 사흘 동안 함.
[游間 유간] 유세(游說)하면서 이간(離間)함. 타국을 돌아다니면서 유세하여 이간질함.
[游居有常 유거유상] 교제하는 데나 거주(居住)하는 데 다 상도(常道)가 있음. 일설(一說)에는, 밖에서 놀 때나 집에 있을 때나 다 상도가 있음.
[游擊 유격] 일정한 임무가 없이 자량(自量)에 의하여 기회를 보아 적을 공격함.
[游款 유관] 사귀어 친함.
[游觀 유관] 유람(游覽).
[游光 유광] ㉠불의 신(神). 화신(火神). ㉡마귀. 악귀(惡鬼).
[游舊 유구] 사귄 지 오래된 친구. 고구(故舊).
[游軍 유군] 유격(游擊)하는 군대. 유병(游兵)의 군대.
[游闕 유궐] 유병(游兵).
[游鈞 유균] 궁중(宮中)의 연회.
[游屐 유극] ㉠신을 것을 이름. '游'는 나가서 걷는 것을 뜻함. ㉡신을 놀게 함. 걸어 돌아다님. 남을 방문(訪問)하며 돌아다님.
[游禽 유금] ㉠이리저리 날아다니는 새. ㉡물새. 수금(水禽).
[游騎 유기] 유격(游擊)하는 기병(騎兵).
[游女 유녀] ㉠밖에 나가 노는 여자. ㉡노는계집. 갈보 같은 여자.
[游談 유담] ㉠유세(游說). ㉡근거 없는 이야기.
[游道 유도] ㉠도(道)를 배움. ㉡교제(交際)의 범위.
[游冬 유동] 대극과에 속하는 다년초. 씀바귀.
[游邏 유라] 순찰(巡察)하는 군사. 순라병(巡邏兵).
[游樂 유락] 즐겁게 놂.
[游覽 유람] 구경하며 돌아다님.
[游歷 유력] 유람하며 여러 곳을 돌아다님.
[游獵 유렵] 사냥을 하며 놂. 유전(游畋).
[游龍 유룡] ㉠헤엄치는 용. 뛰어오를 기세가 있는 것의 비유. ㉡마디풀과에 속하는 일년초. 여뀌.
[游履 유리] 유보(游步).
[游離 유리] ㉠떨어져 헤어짐. ㉡원소(元素)가 다른 원소와 화합하지 아니하고 단체(單體)로 존재하거나, 화합물 가운데에서 원소가 단독으로 분리되어 있는 일.
[游牧 유목] 거처를 정하지 아니하고 수초(水草)를 따라 이주하며 목축(牧畜)을 함.
[游目 유목] ㉠눈을 움직여 봄. ㉡주의해서 살펴봄. ㉢마음대로 둘러봄.

[游沒 유몰] 수영함과 잠수(潛水)함.
[游民 유민] 게으른 백성. 놀고먹는 백성. 직업이 없는 백성.
[游盤 유반] 즐거이 놂.
[游放 유방] 멋대로 놂.
[游泛 유범] 뱃놀이를 함.
[游兵 유병] 유격(游擊)하는 군사. 유격하는 군대.
[游步 유보] 놀러 돌아다님.
[游服 유복] 놀 때 입는 평상시의 옷.
[游牝 유빈] 짐승이 교미(交尾)함.
[游士 유사] ㉠놀고먹는 선비. 유식(游食)하는 사람. ㉡유세(游說)하는 선비. ㉢여러 나라를 두루 돌아다니는 선비.
[游事 유사] 다른 나라에서 벼슬을 함.
[游絲 유사] 아지랑이.
[游肆 유사] 게으르고 방종함.
[游辭 유사] 근거 없는 말.
[游散 유산] 빈들빈들 놂.
[游說 유세] 사방으로 돌아다니며 자기 의견을 설명하여 채택하여 주기를 바람.
[游手 유수] ㉠손을 놀리고 있음. 아무것도 하지 아니함. 일설(一說)에는, 빈손. 공수(空手). ㉡놀고먹는 사람. 일정한 직업이 없이 놀고 지내는 사람.
[游手徒食 유수도식] 아무 일도 하지 않고 놀고먹음.
[游食 유식] 일도 않고 놀고먹음.
[游息 유식] 놀고 쉼.
[游食之民 유식지민] 하는 일 없이 놀고먹는 사람.
[游神 유신] 정신을 즐겁게 함.
[游狎 유압] 장난하며 놂. 희롱하며 놂.
[游揚 유양] 유세(游說)하며 칭찬함. 각처로 돌아다니며 칭찬함. 칭찬하여 널리 퍼뜨림.
[游於藝 유어예] 학예(學藝)에 마음을 붙임.
[游魚出聽 유어출청] 옛날의 거문고의 명수 호파(瓠巴)가 거문고를 타면 물속에 있던 물고기까지도 물 위에 떠올라 들었다는 고사(故事).
[游言 유언] 근거 없는 말. 유담(游談).
[游衍 유연] 멋대로 놂.
[游泳 유영] 헤엄침. 또, 헤엄.
[游豫 유예] ㉠놀며 즐김. 즐거이 놂. ㉡천자(天子)의 출유(出游). 유행(游幸).
[游玩 유완] 즐거이 놂. 재미있게 놂.
[游徼 유요] 진한 시대(秦漢時代)에 향리를 순찰하며 도둑을 금하던 벼슬.
[游虞 유우] 놀며 즐김. 즐거이 놂.
[游雲驚龍 유운경룡] 하늘거리는 구름과 놀란 용. 잘 쓴 글씨의 형용.
[游弋 유익] ㉠재미로 사냥을 함. 유렵(游獵). ㉡함선(艦船)이 해상(海上)을 떠돌며 경계함.
[游子 유자] ㉠나그네. 여객(旅客). ㉡놀고먹는 사람. 빈들빈들 노는 사람.
[游子猶行於殘月 유자유행어잔월] 나그네가 아침 일찍 길을 떠나 그 이튿날 새벽까지 길을 걸음.
[游田 유전] 유전(游畋).
[游畋 유전] 재미로 사냥함. 사냥하며 즐김.
[游偵 유정] 간첩(間諜). 세작(細作).
[游兆 유조] 십간(十干) 중의 병(丙)의 별칭(別稱). 유조(柔兆).
[游走子 유주자] 포자(胞子)의 한 가지. 난형(卵形)이고 섬모(纖毛)가 있으며 물속에서 운동함.
[游塵 유진] ㉠공중에 뜬 먼지. 지극히 가벼운 것의 비유. ㉡음란한 음악.
[游就 유취] 착한 사람과 사귐.
[游蕩 유탕] 방탕하게 놂.
[游夏 유하] 공자(孔子)의 제자 자유(子游)와 자하(子夏). 모두 문학에 뛰어남.
[游學 유학] ㉠타향(他鄕)에 가서 공부함. 또, 그 사람. ㉡다른 나라에서 와서 벼슬을 구하는 사람.
[游閑 유한] 한가롭게 놂.
[游閑公子 유한공자] 빈들빈들 노는 부호의 자제.
[游行 유행] ㉠놀며 다님. ㉡시위 행렬. 데모.
[游幸 유행] 천자(天子)가 놀러 가는 일. 천자의 놀이의 행차.
[游奕 유혁] ㉠도교(道敎)의 신(神)의 이름. 세상을 돌아다니며 사람의 선악을 살핀다 함. ㉡선함(船艦)이 방비(防備)를 위해 물 위를 떠돌아다님.
[游俠 유협] 협기(俠氣) 있는 사람. 협객(俠客).
[游魂 유혼] 영혼이 몸을 떠나 떠돌아다님. 또, 그 혼.
[游宦 유환] 먼 지방의 관리가 됨. 일설(一說)에는, 타향에서 벼슬살이를 함.
[游環 유환] 고착시키지 않고 부동(浮動)하도록 단 고리.
[游戲 유희] 장난하며 놂. 또, 장난. 놀이.
◉客游. 溪游. 觀游. 交游. 汎游. 浮游. 朋游. 上游. 先游. 遡游. 宴游. 遨游. 外游. 優游. 佚(逸)游. 絕游. 秋游. 出游. 嬉游. 惰游. 下游. 回游.

9 ⑫ [瀀] [人名] 유 [平]尤 於虯切 yōu
[字解] 깊을 유 '一, 深也'《集韻》.

9 ⑫ [湺] [人名] 보
[字解] 물이름 보.

9 ⑫ [渲] [人名] 선 [去]霰 息絹切 xuàn
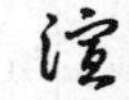
[筆順] 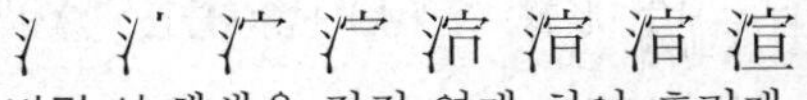
[字解] 바림 선 채색을 점점 엷게 하여 흐리게 하는 일. '一染'. '以水墨, 再三而淋之, 謂之一'《郭熙》.
[字源] 形聲. 氵(水)＋宣〔音〕

[渲淡 선담] 묽은 먹물로 한 바림.
[渲法 선법] ㉠바림. ㉡의복 등에 무늬를 넣어 염색하는 법.
[渲染 선염] 색칠할 때 한쪽을 진하게 하고 다른 쪽으로 갈수록 차츰 엷게 하는 일. 바림.

9 ⑫ [渴] [中][人] 갈(④ ①-③[入]曷 苦曷切 kě
걸[本]) ④[入]屑 渠列切 jié
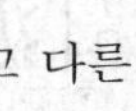
[筆順] 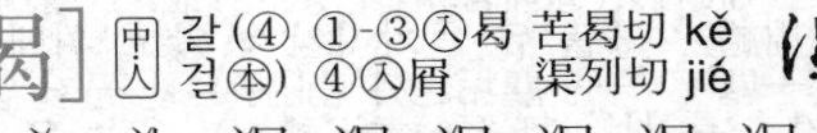
[字解] ①목마를 갈 갈증이 남. '一者易爲飮'《孟子》. '載飢載一'《詩經》. 목이 마르면 대단히 물을 마시고 싶어하므로, 전(轉)하여, 마음이 몹시 한쪽으로 쏠림을 이름. '一望'. '一仰於佛'

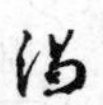

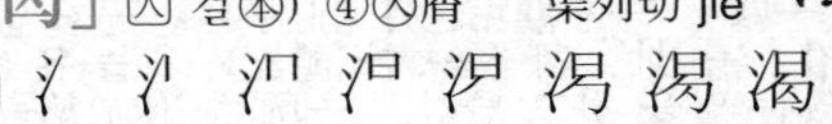

《法華經》. ②갈증 갈 목이 마른 일. '臨一掘井'. '可以解煩釋一'《魏文帝》. ③서두를 갈 급히 함. '不及時而日, 一葬也'《公羊傳》. ④마를 갈 물이 마름. 고갈함. '涸一'. '一澤用鹿'《周禮》.
字源 篆文 形聲. 氵(水)+曷〔音〕. '曷갈'은 '割할'과 통하여, '자르다'의 뜻. 물이 떨어지다, 마르다의 뜻을 나타냄.

[渴求 갈구] 대단히 애써 구함.
[渴急 갈급] 대단히 급함.
[渴驥奔泉 갈기분천] 목마른 준마(駿馬)가 샘으로 달려간다는 뜻으로, 대단히 빠름의 비유.
[渴念 갈념] 갈망(渴望).
[渴痢 갈리] 갈증이 나고 설사를 하는 병.
[渴望 갈망] 몹시 바람. 간절히 바람.
[渴命 갈명] 기갈(飢渴)로 위태로운 목숨.
[渴聞 갈문] 열심히 들음.
[渴悶 갈민] 목이 말라 괴로워함.
[渴病 갈병] 목이 마른 병. 당뇨병(糖尿病)을 이름.
[渴不飮盜泉 갈불음도천] 대단히 목말라도 도천(盜泉)이라고 하는 이름이 나쁜 샘의 물을 마시지 않는다는 뜻으로, 아무리 곤경에 빠져도 의롭지 못한 일을 하지 않음을 이름. 공자(孔子)가 산둥 성(山東省) 사수현(泗水縣)에 있는 도천(盜泉) 옆을 지날 때 목이 말랐으나 그 물을 마시지 아니한 고사(故事)에서 나온 말.
[渴想 갈상] 갈망(渴望).
[渴賞 갈상] 상(賞)을 타기를 대단히 바람.
[渴水 갈수] 가뭄으로 물이 마름.
[渴睡 갈수] 잠이 오지 아니함. 잠을 자려고 몹시 애씀.
[渴心 갈심] ㉠물을 먹고 싶어 하는 마음. ㉡간절한 욕망.
[渴仰 갈앙] 독실(篤實)히 신앙(信仰)함. 굳게 믿음.
[渴愛 갈애] 대단히 좋아함.
[渴烏 갈오] 공기의 힘으로 물을 끌어 올리는 기계(器械).
[渴而穿井 갈이천정] 목마르니 우물 판다는 뜻으로, 이미 때가 늦음의 비유. 임갈굴정(臨渴掘井).
[渴者易爲飮 갈자이위음] 목이 마른 사람은 어떤 물이고 간에 가리지 않고 마신다는 뜻으로, 덕(德)에 주린 사람은 은덕을 베푸는 사람에게 바로 심복(心腹)함의 비유로 쓰임. '시장이 반찬'과 뜻이 비슷함.
[渴葬 갈장] 장사를 서둘러 급히 치름. 사람이 죽어서부터, 장사 지내기까지 일정한 기간이 있음에도 불구하고 그 기간을 당겨 장사 지냄을 이름.
[渴筆 갈필] 그림을 그리는 데 쓰는 빳빳한 붓.
◉窮渴. 飢渴. 梅林解渴. 痟渴. 酒渴. 焦渴. 涸渴.

9 ⑫ [淴] 굉 ㊥庚 呼宏切 hōng
字解 물결소리 굉 물결이 요란하게 이는 소리. 또, 흐르는 물이 돌에 부딪치는 소리. '一浤澎湃'《周光鎬》.
字源 形聲. 氵(水)+訇〔音〕

[淴淴 굉굉] 흐르는 물이 돌에 부딪치는 소리.
◉何乃淴.

9 ⑫ [渺] 人名 묘 ㊤篠 亡沼切 miǎo
字解 ①아득할 묘 수면(水面)이 넓어 끝없는 모양. '一茫'. '一一乎如窮無極'《管子》. ②작을 묘 아주 작은 모양. '一然'. '一滄海之一粟'《蘇軾》.
字源 形聲. 氵(水)+眇〔音〕. '眇묘'는 눈에 작게 비치다의 뜻. 물이 아득히 멀리 작게 보이는 모양을 나타냄.

[渺漫 묘만] 묘묘(渺渺).
[渺茫 묘망] 묘묘(渺渺).
[渺漭 묘망] 묘묘(渺渺).
[渺沔 묘면] 묘묘(渺渺).
[渺渺 묘묘] 수면(水面)이 한없이 넓은 모양.
[渺瀰 묘미] 묘묘(渺渺).
[渺然 묘연] ㉠묘묘(渺渺). ㉡지극히 작은 모양.
◉驚渺. 杳渺. 窈渺. 縹渺. 浩渺.

9 ⑫ [滔] 〔도〕
滔(水部 十畫〈p. 1277〉)의 俗字

9 ⑫ [渻] ㊀ 생 ㊤梗 息井切 shěng
㊁ 성 ㊤梗 所景切 shěng
字解 ㊀ 덜 생 省(目部 四畫)과 同字. '一, 少減也'《說文》. ㊁ 수문(水門) 성 물꼬. '一, 一日, 水門也'《說文》.
字源 篆文 形聲. 氵(水)+省〔音〕. '省생'은 생략하다의 뜻. 물을 줄이다의 뜻을 나타냄.

9 ⑫ [渼] 人名 미 ㊤紙 無鄙切 měi
筆順 氵 氵 氵 氵 洋 渼 渼 渼
字解 ①파문 미 수면(水面)에 이는 잔물결. ②물이름 미 '一陂'는 산시 성(陝西省) 호현(鄠縣)에서 발원(發源)하여, 중난 산(終南山)의 물을 받아 서북으로 흐르는 노수(澇水)의 지류(支流). ③성 미 성(姓)의 하나.
字源 形聲. 氵(水)+美〔音〕

[渼陂 미파] 자해(字解) ❷를 보라.

9 ⑫ [渽] 人名 재 ㊥灰 祖才切 zāi
筆順 氵 氵 氵 氵 浩 渽 渽 渽
字解 ①맑을 재. ②강이름 재 '一, 水名'《集韻》.

9 ⑫ [渾] 人名 ㊀ 혼 ㊥元 戶昆切 hún
㊤阮 胡本切 hùn
㊁ 곤 ㊤阮 古本切 gǔn 浑
筆順 氵 氵 氵 氵 涓 渾 渾 渾
字解 ㊀ ①흐릴 혼 혼탁함. '一濁'. '一兮其若濁'《老子》. ②오랑캐 혼 서강(西羌)의 하나인 토욕혼(吐谷渾)의 약칭(略稱). ③성 혼 성(姓)의 하나. ④섞일 혼 뒤섞임. '賢不肖一殽'《董仲舒》. ⑤가지런히할 혼 제등(齊等)하게 함. '一人我, 同天地'《關尹子》. ⑥클 혼 '一元運物'《班

固》. ⑦온전할 혼 '類胚—之未凝'《郭璞》. ⑧둥글 혼 '天體—圓'《元史》. ⑨모두 혼 전부. 또, 아주. '—身'. '白頭搔更短, —欲不勝簪'《杜甫》. [三] 흐를 곤 滾(水部 十一畫)과 同字. '財貨—一如泉源'《荀子》.
[字源] [篆文] 形聲. 氵(水)＋軍〔音〕. '軍군'은 빙빙 돌아가다의 뜻. 물이 돌면서 성(盛)하게 흐르다의 뜻을 나타냄. 또, '混혼'과 통하여 쓰임.

[渾渾 곤곤] 큰물이 흐르는 모양.
[渾家 혼가] ㉠아내. 처(妻). ㉡온 집안. 거가(擧家).
[渾眷 혼권] 혼솔(渾率).
[渾金 혼금] 산에서 파낸 아직 정련하지 않은 금(金).
[渾金璞玉 혼금박옥] 아직 정련하지 아니한 금과 아직 다듬지 아니한 옥. 사람의 훌륭한 바탕의 비유.
[渾大 혼대] 둥글고 큼.
[渾圖 혼도] 혼천의(渾天儀).
[混沌 혼돈] ㉠천지가 아직 개벽되지 않아 모든 사물의 구별이 확실치 않은 상태. ㉡짐승의 이름.
[渾敦 혼돈] 마음이 열리지 않은 모양. 도리(道理)를 분별 못하는 모양. 또, 그 사람.
[渾淪 혼륜] 혼돈(混沌).
[渾碧 혼벽] 모두 푸름. 바라보이는 것이 모두 푸름.
[渾不似 혼불사] 비파(琵琶)와 같은 일종의 악기. 한(漢)나라 왕소군(王昭君)이 호국(胡國)에 가지고 간 비파가 부서졌을 때 호인(胡人)이 이 비파를 본떠 만든 것을 왕소군이 보고 '渾不似(조금도 비슷하지 않다.)'라고 말한 고사(故事)에서 나온 말.
[渾成 혼성] 모든 것을 모아 하나로 만듦.
[渾率 혼솔] 자기가 거느리고 있는 온 집안의 식구.
[渾身 혼신] 온몸.
[渾深 혼심] 흐리고 깊음.
[渾然 혼연] ㉠둥글어 모가 없는 모양. 규각(圭角)이 없는 모양. ㉡구별이나 차별이 없는 모양.
[渾元 혼원] 큰 원기. 곧, 자연(自然)의 기(氣).
[渾圓 혼원] ㉠아주 둥긂. ㉡모가 없음. 규각(圭角)이 없음. 원만함.
[渾融 혼융] 아주 융합(融合)함.
[渾一 혼일] 한데 몰아 합쳐 하나로 만듦. 혼일(混一).
[渾入 혼입] 섞이어 들어감. 혼입(混入).
[渾天儀 혼천의] 천체(天體)를 관측하는 데 쓰는 기계(器械). 구형(球形)의 표면에 일월성신(日月星辰)을 그리고 사각(四脚)의 틀 위에 올려놓아 회전시키면서 관측함.

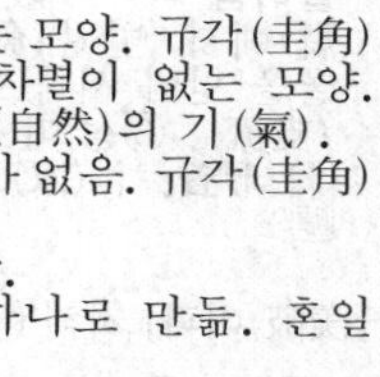
[渾天儀]

[渾濁 혼탁] 흐림. 혼탁(混濁).
[渾涵 혼함] 포함함. 포용(包容)함.
[渾浩 혼호] 물이 넘쳐흐르는 모양.
[渾渾 혼혼·곤곤] ㉠흐린 모양. 혼탁한 모양. ㉡꾸밈이 없고 간략한 모양. ㉢큰 모양. ㉣'곤곤(渾渾)'을 보라.
[渾和 혼화] 원만하고 화락(和樂)한 모양.
[渾殽 혼효] 뒤섞임. 혼효(混淆).
[渾厚 혼후] ㉠사람됨이 모 없이 원만하고 인정이 두터움. ㉡크고 넉넉함.
◉們渾. 胚渾. 奔渾. 雄渾. 全渾. 吐谷渾.

9 ⑫ [湃] [人名] 배 [去]卦 普拜切 pài

[筆順] 湃

[字解] ①물결소리 배 물결이 치는 소리. 파도 소리. '空聽餘瀾鳴—'《蘇軾》. ②물결셀 배 수세(水勢)가 센 모양. '洶涌澎—'《漢書》.
[字源] 形聲. 氵(水)＋拜〔音〕

◉滂湃. 㴔湃. 砰湃. 澎湃. 汻湃.

9 ⑫ [湄] [人名] 미 [平]支 武悲切 méi

[字解] 물가 미 수애(水涯). '所謂伊人, 在水之—'《詩經》.
[字源] [甲骨文] [篆文] 形聲. 氵(水)＋眉(𥄉)〔音〕. '𥄉미'는 '눈썹'의 뜻. 눈 옆의 눈썹과 같은, 물의 결, '물가'의 뜻을 나타냄.

◉曲湄. 水湄.

9 ⑫ [湅] 련 [去]霰 郎甸切 liàn

[字解] 삶을 련, 누일 련 練(糸部 九畫)과 同字. '㡉氏—絲'《周禮》.
[字源] [篆文] 形聲. 氵(水)＋柬〔音〕. '柬련'은 주머니 속에 물건을 가두어 넣은 모양을 본뜸. 물속에 물건을 담가 삶아서 부드럽게 하다의 뜻.

9 ⑫ [湇] 읍(급[本]) [入]緝 乞及切 qì

[字解] 국 읍 갱탕(羹湯). '凡羞有—者, 不以齊'《禮記》.
[參考] 湆(次條)은 別字.

9 ⑫ [湆] 읍(급[本]) [入]緝 去急切 qì

[字解] ①축축할 읍 축축하게 젖음. '—, 幽溼也'《說文》. ②국 읍 湇(前條)과 同字. '—, 羹汁也'《廣韻》.
[字源] [篆文] 形聲. 氵(水)＋音〔音〕. '音음'은 '어둡다(暗)'의 뜻. 어둡고 질척질척함.
[參考] 湇(前條)은 別字.

9 ⑫ [湊] [人名] 주 [去]宥 倉奏切 còu

[筆順] 湊

[字解] ①항구 주 해운(海運)의 물자 선박이 모여드는 곳. 전(轉)하여, 사람 또는 물자가 많이 모이는 곳. '作大邑成周于中土, 以爲天下之大—'《汲冢周書》. ②모일 주, 모을 주 모여듦. 회집(會集)함. '輻—'. '士爭—燕'《戰國策》. ③나갈 주 향하여 나감. 다투어 나감. '衰世—學'《淮南子》. ④살결 주 피부의 결. 腠(肉部 九畫)와 통용. '—理無滯'《文心雕龍》.

字源 篆文 形聲. 氵(水)+奏〔音〕. '奏주'는 양손을 모아 물건을 밀어붙이는 뜻. 물이 몰려드는 곳, '항구'의 뜻을 나타냄.

[湊理 주리] 살결.
[湊懣 주만] 자주 번민함.
[湊泊 주박] 배가 모임. 또, 사물(事物)이 모임.
[湊成 주성] ㉠모두 성취함. ㉡한곳에 모음.
[湊踊 주용] 모여서 뜀. 모여서 약동함.
[湊集 주집] 모임. 모여듦.
[湊出 주출] 모여 나타남.
[湊合 주합] 모음.
◉歸湊. 豆湊. 繁湊. 奔湊. 流湊. 股湊. 塡湊. 題湊. 叢湊. 鬪湊. 輻湊.

9 ⑫ [湍] 人名 ━ 단 ㊥寒 他端切 tuān / ━ 전 ㊥先 職緣切 zhuān

字解 ━ ①여울 단 물이 빨리 흐르는 곳. '淸—'. '稻生于水, 而不能生—瀨之流'《淮南子》. ②소용돌이 단 회류(回流). '性猶—水也'《孟子》. ③소용돌이칠 단 '——縈水'《孟子 註》. ④빠를 단 수세(水勢)가 빠름. '水—悍'《史記》. ━ 물이름 전 전하(湍河). 허난 성(河南省) 내향현(內鄕縣)에서 발원하여 바이허(白河)로 흘러 들어가는 강.

字源 篆文 形聲. 氵(水)+耑〔音〕. '耑단'은 '遄천'과 통하여, '빠르다'의 뜻. '여울'의 뜻을 나타냄.

[湍激 단격] 물이 대단히 빨리 흐름. 수세(水勢)가 대단히 세참.
[湍決 단결] 물이 세차게 흘러 둑을 무너뜨림.
[湍怒 단노] 수세(水勢)가 빨라 물결이 읾.
[湍湍 단단] 소용돌이치는 모양.
[湍瀧 단랑] 여울.
[湍瀨 단뢰] 여울.
[湍流 단류] 급히 흐르는 물. 급류(急流).
[湍洑 단복] 물이 소용돌이치며 흐르는 여울.
[湍水 단수] ㉠소용돌이치는 물. ㉡단류(湍流).
[湍深 단심] 물살이 빠르고 깊음.
[湍中 단중] 여울 가운데.
[湍悍 단한] 수세(水勢)가 빠름.
◉激湍. 驚湍. 鼓湍. 急湍. 奔湍. 崩湍. 飛湍. 峻湍. 淸湍. 馳湍. 懸湍.

9 ⑫ [湎] 면 ㊤銑 彌兗切 miǎn

字解 ①빠질 면 술에 빠짐. '沈—'. '天不—爾以酒'《詩經》. 전(轉)하여, 널리 사물(事物)에 탐닉(耽溺)하는 뜻으로 쓰임. '流—而忘本'《禮記》. ②변천할 면 유이 변전(流移變轉)하는 모양. '風流民化, ——紛紛'《漢書》.

字源 金文 篆文 形聲. 氵(水)+面〔音〕. '水수'는 '잠기다'의 뜻. '面면'은 얼굴을 돌리다의 뜻. 술이나 어떤 사물에 마음을 뺏기다의 뜻을 나타냄.

◉淫湎. 沈湎. 耽湎. 荒湎.

9 ⑫ [湑] 서 ㊤語 私呂切 xǔ / ㊥魚 相居切

字解 ①거를 서 술을 거름. 醑(酉部 九畫)와 同字. '有酒—我'《詩經》. ②이슬많이내릴 서 이슬이 많이 내린 모양. '零露—兮'《詩經》. ③우거질 서 초목이 무성한 모양. '其葉——'《詩經》. ④맑을 서, 깨끗할 서 '—, 淸也'《玉篇》.

字源 篆文 形聲. 氵(水)+胥〔音〕. '水수'는 '술'의 뜻. '胥서'는 '疏소'와 통하여, 방해를 제거하여 통하게 하다의 뜻. 술을 거르다의 뜻을 나타냄.

[湑湑 서서] 무성한 모양. 우거진 모양.

9 ⑫ [湓] 분 ①②㊦問 匹問切 pèn / ㊦願 普悶切 / ③㊥元 蒲奔切 pén

字解 ①용솟음할 분 물이 솟아오름. '—湧'. '河水—溢'《漢書》. ②물소리 분 '—流雷呴而電激'《郭璞》. ③물이름 분 장시 성(江西省) 서창현(瑞昌縣) 청분산(淸湓山)에서 발원(發源)하여 동으로 흐르는 양쯔 강(揚子江)의 지류(支流). '送客—浦口'《白居易》.

字源 形聲. 氵(水)+盆〔音〕. '盆분'은 '噴분'과 통하여, 뿜어내다의 뜻. 물이 솟아 넘치다의 뜻을 나타냄.

[湓口 분구] 장시 성(江西省)에 있는 지명(地名). 백낙천(白樂天)의 비파행(琵琶行)에 나옴.
[湓水 분수] 자해(字解) ❸을 보라.
[湓湧 분용] 분일(湓溢).
[湓溢 분일] 물이 용솟음쳐 넘침.

9 ⑫ [湔] 전 ㊥先 子仙切 jiān

字解 씻을 전, 빨 전 '—洗'. '君獨無意—拔僕也'《戰國策》.

字源 篆文 形聲. 氵(水)+前(歬)〔音〕. '歬전'은 '洗세·선'과 통하여, '씻다, 빨다'의 뜻을 나타냄.

[湔拔 전발] 전불(湔祓).
[湔拂 전불] 씻음. 닦음.
[湔祓 전불] 구악(舊惡)을 깨끗이 씻음.
[湔雪 전설] 오명(汚名)을 깨끗이 씻어 버림.
[湔洗 전세] 씻음. 빪.
[湔灑 전쇄] 전세(湔洗).
[湔除 전제] 깨끗이 씻어 없앰.
[湔滌 전척] 전세(湔洗).
[湔濯 전탁] 전세(湔洗).
[湔汰 전태] 씻어 읾.

9 ⑫ [湖] 中人 호 ㊥虞 戶吳切 hú

筆順 氵 氵 氵 汁 沽 沽 湖 湖

字解 ①호수 호 육지가 우묵하게 패어 물이 괸 곳. 못이나 늪보다 큼. ②성 호 성(姓)의 하나.

字源 篆文 形聲. 氵(水)+胡〔音〕. '胡호'는 '巨거'와 통하여, '크다'의 뜻. 큰 못, '호수'의 뜻을 나타냄.

[湖嵌 호감] 돌.
[湖廣 호광] 후난 성(湖南省)·후베이 성(湖北省)·광시 성(廣西省)·광둥 성(廣東省)의 총칭.
[湖南 호남] 중국 후베이 성(湖北省)에 남접(南接)하는 성(省). 삼면이 산지로 대분지를 이루고

하천이 많아 둥팅 호(洞庭湖)로 유입함. 농산물과 세계 제일의 안티몬산연(鉛) 외에 망간·웅황(雄黃)·석고 등이 산출됨. 성도(省都)는 창사(長沙).
[湖畔 호반] 호숫가.
[湖邊 호변] 호반(湖畔).
[湖北 호북] ㉠중국 둥팅 호(洞庭湖) 이북의 지역. 양쯔 강(揚子江)이 흐르고 토지가 비옥(肥沃)하여 농산물이 많이 남. ㉡중국 중앙부의 성(省). 둥팅 호 북쪽 양쯔 강·한수이(漢水)의 충적 평야(沖積平野)·후광(湖廣) 평야의 북반을 차지함. 성도(省都)는 우창(武昌). 특히 쌀·면화·차(茶)·칠(漆)·동유(桐油)·철 및 석탄 등이 남.
[湖上 호상] ㉠호수의 수면(水面). ㉡호반(湖畔).
[湖沼 호소] 호수와 늪.
[湖水 호수] ㉠육지가 우묵하게 패어 물이 괸 곳. 못이나 늪보다 훨씬 큼. ㉡호수의 물.
[湖心 호심] 호수의 한가운데. 호수의 중심.
[湖陰 호음] 호수의 남쪽.
[湖田 호전] ㉠호숫가에 있는 밭. ㉡저수지가 있고 관개(灌漑)가 편리한 밭.
[湖池 호지] 호수와 못.
[湖筆 호필] 후저우 부(湖州府)에서 나는 붓. 후저우 부는 지금의 저장 성(浙江省) 우싱 현(吳興縣).
[湖海 호해] ㉠호수와 바다. ㉡호수. ㉢세상(世上). 세간(世間). 강호(江湖).
[湖海氣 호해기] 호걸(豪傑)의 기풍.
[湖海之士 호해지사] 호걸의 기풍이 있는 재야(在野)의 인사(人士).
◉江湖. 淡水湖. 大湖. 范蠡浮湖. 山湖. 沼湖. 五湖. 人造湖. 鼎湖. 鹹湖. 火湖.

9 ⑫ **[湘]** [人名] 상 [平]陽 息良切 xiāng

[筆順] 丶 氵 氵 汁 沐 湘 湘 湘

[字解] ①삶을 상, 굶일 상 '于以—之'《詩經》. ②물이름 상 광시 성(廣西省) 싱안 현(興安縣)에서 발원(發源)하여, 후난 성(湖南省) 둥팅 호(洞庭湖)로 흘러 들어가는 강. '—江'. '過—水, 投書以弔屈原'《史記》. ③산이름 상 상산(湘山). '—, 又山名'《字彙》. ④땅이름 상 후난 성(湖南省) 창사 부(長沙府)의 고칭(古稱). 전(轉)하여, 후난 성의 약칭(略稱).
[字源] 篆文 形聲. 氵(水)＋相〔音〕

[湘江 상강] 상수(湘水).
[湘君 상군] 상비(湘妃).
[湘南 상남] 상수(湘水)의 남쪽.
[湘南潭北 상남담북] 상(湘)과 담(潭)은 모두 지명(地名). 어느 곳이나, 가는 곳마다의 뜻.
[湘簾 상렴] 반죽(斑竹)의 오리로 만든 발.
[湘靈 상령] 상수(湘水)의 신(神). 곧, 순(舜)임금의 두 비(妃) 아황(娥皇)과 여영(女英)의 넋을 이름.
[湘纍 상루] 굴원(屈原)이 원죄(冤罪)로 상수(湘水)에 투신자살한 일.
[湘流 상류] 상수(湘水).
[湘妃 상비] ㉠순(舜)임금의 두 비(妃). 곧, 아황(娥皇)과 여영(女英). ㉡상죽(湘竹).
[湘水 상수] 자해(字解) ❷를 보라.
[湘娥 상아] ㉠상령(湘靈). ㉡미인(美人).
[湘竹 상죽] 대나무의 일종. 흑색의 반점(斑點)이 있음. 반죽(斑竹). 순(舜)임금이 죽었을 때 아황(娥皇)과 여영(女英)의 두 비(妃)가 슬피 울어 떨어진 눈물이 이 대나무에 배어 얼룩이 졌다 함. 상비(湘妃).
◉瀟湘.

9 ⑫ **[湛]** [一] 잠 [上]豏 徒減切 zhàn
[二] 침 [平]侵 直深切 chén
[三] 탐(담[本]) [平]覃 丁含切 dān
[四] 음 [平]侵 夷針切 yín

[字解] [一] ①괼 잠 물이 가득 깊이 괴어 있음. '—水'. '東風至而酒—溢'《淮南子》. ②맑을 잠 물이 깨끗함. '—寂'. '水木—清華'《謝混》. ③깊을 잠 ㉠물이 얕지 아니함. '—碧'. '洞庭淵—'《魏書》. ㉡두터움. 후(厚)함. '—恩汪濊'《史記》. ④편안할 잠 '淸—幽凝'《王勃》. ⑤성 잠 성(姓)의 하나. [二] ①잠길 침 沈(水部 四畫)과 同字. '—沔'. '浮—隨行'《漢書》. ②담글 침 浸(水部 七畫)과 同字. '—諸美酒'《禮記》. [三] 즐길 탐 耽(耳部 四畫)·妉(女部 四畫)과 同字. '—樂'. '子孫其—'《詩經》. [四] 장마 음 霪(雨部 十一畫)과 同字. '久雨爲—'《論衡》.
[字源] 金文 篆文 形聲. 氵(水)＋甚〔音〕. '甚심'은 '沈침'과 통하여, '가라앉다'의 뜻을 나타냄. 또, '深심'과 통하여, 물이 깊게 괴다를 뜻함.

[湛淡 잠담] 물이 깊이 괴어 있는 모양. 잠잠(湛湛).
[湛盧之劍 잠로지검] 오왕(吳王) 합려(闔閭)가 가지고 있었다는 보검(寶劍).
[湛冥 잠명] 깊숙하여 어두움.
[湛碧 잠벽] 물이 깊어 푸른 모양.
[湛水 잠수] 괸 물.
[湛然 잠연] ㉠물이 깊고 고요한 모양. ㉡침착한 모양. 묵중(默重)한 모양. ㉢당(唐)나라의 고승. 성은 위 씨(威氏). 지자 대사(智者大師)의 6대 법손(法孫).
[湛恩 잠은] 깊은 은혜. 두터운 은혜.
[湛湛 잠잠] ㉠이슬이 많은 모양. ㉡침착한 모양. 묵중(默重)한 모양. 일설(一說)에는, 성의(誠意)가 있는 모양. 진심(眞心)이 있는 모양. ㉢물이 깊은 모양. 물이 많이 괸 모양. 잠담(湛淡).
[湛寂 잠적] 맑고 고요함. 일설에는, 깊고 고요함.
[湛靜 잠정] 침착하고 조용함.
◉浮湛. 深湛. 黯湛. 淵湛. 凝湛.

9 ⑫ **[湒]** 집 [入]緝 子入切 jí

[字解] ①비부슬부슬올 집 비가 옴. 또, 그 소리. '—, 雨下也'《說文》. ②물용솟음칠 집 샘이 솟는 모양. 濈(水部 十二畫)과 同字.
[字源] 篆文 形聲. 氵(水)＋咠〔音〕

9 ⑫ **[湜]** [人名] 식 [入]職 常職切 shí

[筆順] 丶 氵 氵 沪 汩 湜 湜 湜

字解 ①맑을 식 물이 맑아 속까지 환히 보이는 모양. '——其沚'《詩經》. ②엄정할 식 굳게 정의를 지키는 모양. '——李公'《柳宗元》.
字源 篆文 形聲. 氵(水)+是〔音〕. '是시'는 '곧바르다'의 뜻. 물이 곧바로 통해 보이다를 뜻함.

[湜湜 식식] 자해(字解)를 보라.
◉淸湜.

9 ⑫ [湏] ㊀ 회 ㉮泰 火外切 / ㉮隊 呼內切 huì / ㉯賄 虎猥切
㊁ 수 ㉰虞 相兪切

字解 ㊀ ①문드러질 회 '—, 爛也'《字彙》. ②낯 씻을 회 '沬, 洒面也. 古作—'《集韻》. ③물 회 물의 모양. '潤, 水皃. 或从頁'《集韻》. ㊁ 須(頁部 三畫)의 俗字.

9 ⑫ [湝] 개 ㉰佳 古諧切 jiē

字解 출렁출렁흐를 개 물이 많이 세차게 흐르는 모양. '淮水——'《詩經》.
字源 篆文 形聲. 氵(水)+皆〔音〕

[湝湝 개개] 물이 출렁출렁 흐르는 모양. 물이 세차게 많이 흐르는 모양.

9 ⑫ [湞] 人名 정 ㉰庚 宅耕切 zhēn

筆順 丶 氵 氵' 氵'' 氵+ 湞 湞 湞

字解 물이름 정 '—, —水'《說文》.

9 ⑫ [湟] 人名 황 ㉰陽 胡光切 huáng

字解 ①빨리흐를 황 질류(疾流)하는 모양. '潏—潨泱'《郭璞》. ②물이름 황 칭하이(靑海)에서 발원(發源)하여, 간쑤 성(甘肅省)을 거쳐 황하(黃河)로 들어가는 강. 하류(下流)는 시닝 하(西寧河)라고도 일컬음. '—河'. ③해자 황 성 둘레의 성지(城池). 호(濠). '—水'. '—池紆曲'《枚乘》.
字源 篆文 形聲. 氵(水)+皇〔音〕

[湟水 황수] 자해(字解)❷를 보라.
[湟河 황하] 황수(湟水).
[湟潏 황휼] 물의 흐름이 빠른 모양.

9 ⑫ [湢] 벽 ㉱職 彼側切 bì

字解 ①목욕간 벽 욕실(浴室). '外內不共井, 不共—浴'《禮記》. ②삼갈 벽 정숙(整肅)한 모양. '軍旅之容, —然肅然, 以固以猛'《新書》.
字源 形聲. 氵(水)+畐〔音〕

[湢然 벽연] 정숙(整肅)한 모양.
[湢浴 벽욕] 목욕간에서 목욕을 함.
[湢汖 벽칙] 물이 솟아나는 모양.

9 ⑫ [湣] ㊀ 민 ㉯軫 美隕切 mǐn
㊁ 혼 ㉰元 呼昆切 hūn

字解 ㊀ 시호이름 민 시호(諡號)에서 쓰는 글자. 閔(門部 四畫)과 同字. '春秋宋閔公, 魯閔公, 史記宋魯世家, 作—公'《正韻》. ㊁ 정하여지지않을 혼 미정(未定)의 모양. '置其滑—'《莊子》.
字源 形聲. 氵(水)+昏〔音〕

◉滑湣.

9 ⑫ [湧] 人名 용 ㉯腫 尹竦切 yǒng

筆順 丶 氵 氵' 汀 洏 湧 湧 湧

字解 솟아날 용 涌(水部 七畫)과 同字. '噴氣則雲—'《新論》.
字源 形聲. 氵(水)+勇〔音〕. '涌용'과 통하여, '솟다'의 뜻을 나타냄.

[湧沫 용말] 솟아 나오는 거품.
[湧泉 용천] ㉠솟아 나오는 샘. ㉡연달아 나오는 좋은 생각의 비유.
[湧出 용출] 솟아 나옴.
[湧潏 용휼] 솟아 나옴.
◉溢湧. 沸湧. 湓湧. 瀑湧.

9 ⑫ [湨] 격 ㉱錫 古闃切 jú

字解 물이름 격 허난 성(河南省)을 흐르는 황하(黃河)의 지류(支流). '會于—梁'《春秋》.
字源 形聲. 氵(水)+狊〔音〕

9 ⑫ [湩] 人名 동 ①㉮送 多貢切 dòng / ②㉰東 徒東切 tóng

字解 ①젖 동 유즙(乳汁). '具牛羊之—, 以洗天子之足'《穆天子傳》. ②북소리 동 '—然擊鼓'《管子》.
字源 篆文 形聲. 氵(水)+重〔音〕. '重중'은 '무겁다'의 뜻.

[湩湩 동동] 북을 치는 소리.
◉酪湩. 乳湩.

9 ⑫ [湫] 人名 ㊀ 추 ㉰尤 七由切 qiū
㊁ 초 ㉯篠 子了切 jiǎo

字解 ㊀ ①서늘할 추 선선한 모양. '—兮如風'《宋玉》. ②못 추, 웅덩이 추 '南有龍兮在山—'《杜甫》. ③근심할 추, 슬퍼할 추 '——者, 憂悲之狀也'《春秋繁露》. ㊁ ①낮을 초, 좁을 초 저습(低濕)함. 또, 협착함. '—宅'. '—隘囂塵'《左傳》. ②쌓일 초 정체(停滯)함. '有所壅閉—底'《左傳》.
字源 篆文 形聲. 氵(水)+秋(烁)〔音〕

[湫戾 초려] 되돌아옴.
[湫隘 초애] 땅이 낮고 좁음.
[湫底 초저] 정체(停滯)함. 쌓여 흩어지지 아니함.
[湫宅 초택] 저습(低濕)하고 협착(狹窄)한 집.
[湫漻 추류] 맑고 조용함.
[湫湫 추추] 근심하는 모양.

[湫兮 추혜] 선선한 모양. 청량(淸凉)한 모양.
◉澗湫. 潭湫. 深湫. 隘湫. 龍湫.

9 ⑫ [湮] 人名 인 ㊥眞 於眞切 yīn 湮

字解 ① 빠질 인 빠져 파묻힘. '首惡一沒'《史記》. ② 막힐 인 통하지 못함. '一塞'. '鬱一不育'《左傳》.

字源 甲骨文 篆文 形聲. 氵(水)+垔(㙚)〔音〕. '㙚인'은 '막다'의 뜻. 수증기나 물 따위에 의해 막혀서, 그 속에 가라앉다의 뜻을 나타냄.

[湮棄 인기] 인체(湮替).
[湮淪 인륜] 인몰(湮沒).
[湮滅 인멸] 없어져 버림. 소멸(消滅)함.
[湮沒 인몰] 가라앉아 파묻힘. 파묻혀 소멸(消滅)함.
[湮微 인미] 쇠(衰)함.
[湮放 인방] 인멸(湮滅).
[湮伏 인복] 잠겨 숨음.
[湮圮 인비] 파묻혀 부서짐.
[湮散 인산] 흩어져 없어짐.
[湮塞 인색] 막힘.
[湮厄 인액] 불행(不幸).
[湮阨 인액] 인액(湮厄).
[湮鬱 인울] 기분이 울적함.
[湮遠 인원] 먼 옛일이라 알지 못함.
[湮殄 인진] 인멸(湮滅).
[湮替 인체] 영락(零落)함.
[湮墜 인추] 인멸(湮滅).
[湮沈 인침] 인몰(湮沒).
[湮晦 인회] 없어짐. 자취를 감춤.
◉埋湮. 鬱湮. 沈湮.

9 ⑫ [湮] 湮(前條)의 俗字

9 ⑫ [湯] 高人 ㊀ 탕 ㊥陽 吐郎切 tāng ㊁ 상 ㊥陽 式羊切 shāng ㊂ 양 ㊥陽 余章切 yáng 汤 湯

筆順 氵 氵 氵 汩 涅 浧 湯 湯

字解 ㊀ ①끓인물 탕 가열한 물. '微溫一'. '燂一請浴'《禮記》. ②온천 탕 뜨뜻한 물이 솟구쳐 나오는 샘. '廻一沸於重泉'《晉書》. ③목욕간 탕 욕실(浴室). '華淸有蓮花一, 卽貴妃澡沐之室'《太眞外傳》. ④끓일 탕 물을 끓임. '夏不頻一, 非愛火也'《韓詩外傳》. ⑤탕약 탕 끓인 물약. '藥一'. '葛根一'. '其療疾合一, 不過數種'《魏志》. ⑥사람이름 탕 은 왕조(殷王朝)의 시조(始祖). '一歸自夏'《書經》. ⑦방탕할 탕 蕩(艸部 十二畫)과 통용. '子之一兮'《詩經》. ⑧성 탕 성(姓)의 하나. ㊁ 물세차게흐를 상 물이 세차게 흐르는 모양. 또, 물결이 이는 모양. '江漢一一'《詩經》. '浩浩一一'《范仲淹》. ㊂ 해돋이 양 暘(日部 九畫)과 통용. '右以一谷爲界'《司馬相如》.

字源 金文 篆文 形聲. 氵(水)+昜〔音〕. '昜양'은 뻗쳐오르다의 뜻. 자유로이 뛰어오르는 '끓는 물'의 뜻을 나타냄.

[湯湯 상상] ㉠물이 세차게 흐르는 모양. ㉡물결이 이는 모양.
[湯谷 양곡] 해가 돋는 곳. 양곡(暘谷).
[湯罐 탕관] 《韓》 국을 끓이거나 약을 달이는 작은 그릇.
[湯器 탕기] 《韓》 국이나 찌개를 담는 작은 그릇.
[湯網 탕망] 관대한 형벌을 이름. 은(殷)나라 탕왕(湯王)이 들에 나가서 사면에 그물을 쳐 놓고 짐승을 잡는 사람을 보고 그중의 삼면(三面)을 개방하여 짐승이 달아날 여지(餘地)를 주게 한 고사(故事)에서 나온 말. 개탕망(開湯網).
[湯麪 탕면] 《韓》 더운 장국에 만 국수.
[湯銘 탕명] 탕지반명(湯之盤銘).
[湯沐 탕목] 더운물로 몸을 씻음.
[湯沐邑 탕목읍] 그 읍에서 거두는 구실로 목욕의 비용에 충당하는 읍이라는 뜻으로, 천자(天子)·제후(諸侯)의 사유(私有)의 영지(領地), 곧 채지(采地)를 이름.
[湯沐之邑 탕목지읍] 탕목읍(湯沐邑).
[湯武 탕무] 은(殷)나라의 탕왕(湯王)과 주(周)나라의 무왕(武王). 모두 자기가 섬기던 임금을 방벌(放伐)하여 나라를 얻은 임금임.
[湯飯 탕반] 《韓》 더운 장국에 만 밥.
[湯盤 탕반] ㉠은(殷)나라 탕왕(湯王)이 쓰던 쟁반. ㉡탕지반명(湯之盤銘)의 약어(略語).

[湯盤㉠]

[湯餠 탕병] ㉠국수. 온면(溫麪). ㉡아이를 낳은 지 사흘 만에 그 아이의 장수(長壽)를 빌기 위하여 먹는 메밀국수.
[湯餠筵 탕병연] 아이를 낳은 지 사흘 만에 일가 친척과 친지(親知)를 초대하여 베푸는 자축(自祝)의 연회.
[湯餠會 탕병회] 탕병연(湯餠筵).
[湯水 탕수] 더운물.
[湯液 탕액] 달여 우려낸 액체.
[湯藥 탕약] ㉠달여 먹는 한약. ㉡온천(溫泉) 치료와 복약(服藥). 전(轉)하여, 치료(治療).
[湯若望 탕약망] 본명은 아담 샬(Schall, Johann Adam). 독일의 예수회 소속의 수도사. 1622년에 중국에 건너와 명(明)·청(淸) 양조(兩朝)에 벼슬하며, 천문(天文)·역법(曆法) 등을 소개하였고 망원경 등을 만들었음.
[湯媼 탕온] 탕파자(湯婆子).
[湯禹 탕우] 은(殷)나라의 탕왕(湯王)과 주(周)나라의 우왕(禹王). 모두 고대의 성왕(聖王).
[湯熨 탕울] 더운물 찜질.
[湯邑 탕읍] 탕목읍(湯沐邑).
[湯殿 탕전] 목욕간. 목욕탕.
[湯井 탕정] 온천(溫泉).
[湯鼎 탕정] 이윤(伊尹)이 요리사(料理師)가 되어 정조(鼎俎)를 등에 지고 은(殷)나라 탕왕(湯王)한테 가서 섬긴 고사(故事).
[湯劑 탕제] 달여 먹는 약. 탕약(湯藥).
[湯池 탕지] ㉠끓는 못이라는 뜻으로, 깊고 넓게 파서 적(敵)이 감히 건너올 수 없는 해자(垓字), 곧 요해(要害)의 성지(城池)를 이름. ㉡온천(溫泉).
[湯之盤銘 탕지반명] 은(殷)나라 탕왕(湯王)이 쓰던 쟁반에 새긴 명(銘). 탕명(湯銘).
[湯泉 탕천] 온천(溫泉). 탕정(湯井).
[湯婆子 탕파자] 더운물을 넣어서 몸을 덥게 하는 그릇. 쇠붙이나 사기로 만듦. 각파(脚婆).
[湯火 탕화] 끓는 물과 불.

[湯鑊 탕확] 사람을 삶아 죽이기 위하여 물을 끓이는 가마솥.
[湯鑊甘如飴 탕확감여이] 가마솥에 삶아 죽이는 극형(極刑)도 달게 받음.
[湯鑊之罪 탕확지죄] 가마솥에 끓여 죽일 만한 지극히 중한 죄.
◉葛根湯. 金湯. 蘭湯. 茶湯. 微溫湯. 般若湯. 白湯. 沸湯. 藥湯. 熱湯. 溫湯. 浴湯. 泆湯. 探湯. 香湯.

9 ⑫ [湲] [人名] [一] 원 [平]先 王權切 yuán [二] 완 [平]刪 獲頑切 yuán
[字解] [一] 흐를 원 ㉠물이 졸졸 흐르는 모양. 또, 그 소리. '觀流水兮潺—'《楚辭》. ㉡눈물이 줄줄 흐르는 모양. '橫流涕兮——'《楚辭》. [二] 흐를 완 [一]과 뜻이 같음.
[字源] 篆文 形聲. 氵(水)+爰〔音〕

[湲湲 원원] ㉠눈물이 줄줄 흐르는 모양. ㉡물고기 따위가 뒤집히는 모양.
◉潺湲.

9 ⑫ [⿰氵軌] 궤 [上]紙 矩鮪切 guǐ
[字解] ①물 궤 물의 모양. '—, 水皃'《玉篇》. ②마를 궤 물이 마름. '厬, 字又作—'《爾雅 注》. ③곁구멍에서나오는샘 궤 '厬, 仄出泉也. 或作—·氿'《集韻》.

9 ⑫ [湉] 첨 [平]鹽 徒兼切 tián
[字解] 고요히흐를 첨 물이 고요히 흐르는 모양. '澶—漠而無涯'《左思》.
[字源] 形聲. 氵(水)+恬〔音〕. '恬염'은 편안히 있다의 뜻.

[湉湉 첨첨] 물이 고요히 흐르는 모양.

9 ⑫ [湳] [人名] 남 [上]感 乃感切 nǎn
[筆順] 丶 氵 汁 汻 淸 湳 湳 湳
[字解] ①물이름 남 남수(湳水). 옛 황하의 지류로, 내몽고 자치구에서 발원하는 강. ②추장 남 '—德'은 저강(氐羌)의 추장(酋長). '虛畾—德'《潘岳》. ③성 남 성(姓)의 하나.
[字源] 篆文 形聲. 氵(水)+南〔音〕

[湳德 남덕] 저강(氐羌)의 추장(酋長).

9 ⑫ [渘] 유 [平]尤 而由切 róu
[字解] ①부드러울 유 '實—實剛'《北海相景君銘》. ②내이름 유 '—, 水名'《集韻》.

9 ⑫ [湁] 칩 [入]緝 丑入切 chì
[字解] 솟아날 칩 '—潗'은 물이 조금 솟아 나오는 모양. '—潗鼎沸'《史記》.
[字源] 篆文 形聲. 氵(水)+拾〔音〕

[湁潗 칩집] 물이 조금 솟아 나오는 모양.

9 ⑫ [湠] 탄 [去]翰 他旦切 tàn
[字解] 물너를 탄 수면(水面)이 너른 모양. '渺瀰—漫'《木華》.

9 ⑫ [湱] 획 [入]陌 虎伯切 huò
[字解] 물결부딪는소리 획 물결이 서로 부딪치는 소리. '瀄—㶁瀖'《郭璞》.

9 ⑫ [湎] 면 [去]霰 莫甸切 miàn
[字解] 창일할 면 '滇—'은 물이 벌창하게 흐르는 모양. '滇—淼漫'《左思》.

9 ⑫ [渱] 홍 [平]東 戶公切 hóng
[字解] 솟아날 홍 물이 솟아나는 모양. 일설(一說)에는, 물이 흐르는 소리. '濆—泮汗'《左思》.

9 ⑫ [湡] 우 [平]虞 遇俱切 yú
[字解] ①물이름 우 허베이 성(河北省) 싱타이 시(邢台市) 서쪽 타이항 산록(太行山麓)에서 발원하는 강. 현재의 사허(沙河) 강. ②땅이름 우 '曲拂邅迴, 以像—浯'《淮南子》.
[字源] 金文 篆文 形聲. 氵(水)+禺〔音〕

9 ⑫ [湀] 규 [上]紙 居誄切 guǐ
[字解] 샘솟아큰강으로흘러드는강 규 '—, 泉水通川'《廣韻》.
[字源] 篆文 形聲. 氵(水)+癸〔音〕

9 ⑫ [⿰氵畎] 견 [上]銑 古泫切 quǎn
[字解] 물갈이할 견 물이 담긴 논을 갊. '—, 淖耕也'《集韻》.

9 ⑫ [⿰氵叜] 〔수〕 溲(水部 十畫〈p. 1272〉)의 本字

9 ⑫ [湶] 〔천〕 泉(水部 五畫〈p. 1196〉)과 同字

9 ⑫ [渷] 〔연〕 沇(水部 四畫〈p. 1190〉)과 同字

9 ⑫ [⿰氵侵] 〔침〕 浸(水部 七畫〈p. 1229〉)과 同字

9 ⑫ [⿰氵⿸广屰] 〔소〕 遡(辵部 十畫〈p. 2318〉)와 同字

9 ⑫ [⿰氵⿸厂⿱王王] 〔광〕 洭(水部 六畫〈p. 1219〉)의 本字

9 ⑫ [温] 〔온〕 溫(水部 十畫〈p. 1268〉)의 俗字

9 ⑫ [湾] 〔만〕
灣(水部 二十二畫〈p. 1319〉)의 俗字

9 ⑫ [満] 〔만〕
滿(水部 十一畫〈p. 1281〉)의 俗字

9 ⑫ [湿] 〔습〕
濕(水部 十四畫〈p. 1306〉)의 俗字

9 ⑫ [港] 〔항〕
港(水部 九畫〈p. 1259〉)의 俗字

9 ⑫ [滋] 〔자〕
滋(水部 十畫〈p. 1275〉)의 俗字

9 ⑫ [湼] 〔녈〕
涅(水部 七畫〈p. 1230〉)의 俗字

10 ⑭ [滎] 人名 형 ①②平青 戶扃切 xíng ③平庚 娟營切 yíng

字解 ①못이름 형 허난 성(河南省) 성고현(成皐縣)에 있던 못. 한(漢)나라 평제(平帝) 때, 메워 평지(平地)가 되었음. '一波旣豬'《書經》. ②물이름 형 허난 성(河南省)을 흐르던 강. '豫州, 其川一洛'《周禮》. ③물결일 형 '一濙'은 물결이 세차게 일어나는 모양. '漩濙一濙'《郭璞》.
字源 篆文 形聲. 水+熒〈省〉〔音〕. '熒형'은 빛이 희미하다의 뜻. '熒'의 '火'를 '水'로 바꿔 놓은 꼴로, 아주 작은 물 흐름을 이름.

[滎濙 형영] 물결이 세차게 이는 모양.

10 ⑮ [滕] 등 平蒸 徒登切 téng

字解 ①오를 등 騰(馬部 十畫)과 同字. '其一口說也'《易經》. ②등나라 등 춘추 시대(春秋時代)에, 지금의 산둥 성(山東省) 등현 지방(滕縣地方)에 있던 나라. '一文公爲世子, 將之楚, 過宋'《孟子》.
字源 篆文 形聲. 水+朕(舟+关)〔音〕. '舟关짐'은 위로 보내다, 밀어 올리다의 뜻. 물이 솟아오르다, 용솟음치다의 뜻.

[滕六 등륙] 눈〔雪〕의 귀신.
[滕室 등실] 무덤. 묘혈(墓穴).
[滕王閣 등왕각] 장시 성(江西省) 난창 시(南昌市)의 장강문(章江門)의 위, 감강(贛江)이 내려다보이는 곳에 있는 누각(樓閣). 당고조(唐高祖)의 아들 등왕(滕王) 이원영(李元嬰)이 세웠음. 왕발(王勃)의 서(序)와 한유(韓愈)의 기(記)로 유명함.

10 ⑬ [溫] 中人 온 ①-⑧平元 烏渾切 wēn ⑨去問 紆問切 yùn 温

筆順 氵 氵 氵 氵冂 氵四 氵囚 溫 溫

字解 ①따뜻할 온 온난함. '一氣'. '一風始至'《禮記》. ②따뜻해질 온 '坐席未一'《易林》. ③따뜻이할 온 '冬一而夏凊'《禮記》. ④부드러울 온 온화함. 유순함. '一色'. '色思一'《論語》. ⑤순수할 온 잡된 것이 섞이지 아니함. '一其如玉'《詩經》. ⑥익힐 온 과거의 일을 연구함. 또, 복습함. '一習'. '一故而知新, 可以爲師矣'《論語》. ⑦온천 온 더운물이 나오는 샘. '湯井一谷'《潘岳》. ⑧성 온 성(姓)의 하나. ⑨쌓을 온 蘊(艸部 十六畫)과 同字. '一籍'. '飮酒一克'《詩經》.
字源 篆文 形聲. 氵(水)+昷〔音〕. '昷온'은 '따뜻하다'의 뜻. 본디, 강 이름을 나타냈었으나, 假借하여 '따뜻하다'의 뜻을 나타내게 됨.

[溫坑 온갱] 온돌(溫突).
[溫車 온거] 누워 잘 수 있는 수레.
[溫故 온고] 과거의 일을 연구함. 또, 복습함.
[溫故知新 온고지신] 옛것을 익히고 나아가 새것을 앎. 전에 배운 것을 연구하여 새로운 이치를 발명(發明)함.
[溫谷 온곡] 온천(溫泉)이 나오는 골짜기.
[溫公 온공] 사마온공(司馬溫公), 곧 송(宋)나라의 사마광(司馬光)을 이름.
[溫恭 온공] 온순하고 공손함.
[溫克 온극] 마음이 부드럽고 넓어, 남을 받아들이는 아량(雅量)이 있음.
[溫氣 온기] 따뜻한 기운. 난기(暖氣).
[溫暖 온난] 날씨가 따뜻함. 또, 따뜻한 날씨.
[溫煖 온난] 온난(溫暖).
[溫念 온념] 친절한 생각.
[溫帶 온대] 열대(熱帶)와 한대(寒帶)의 중간에 있는, 기후가 온난한 지역. 곧, 적도(赤道) 남북 각 23.5도부터 66.5도까지의 사이의 지대.
[溫度 온도] 덥고 추운 정도. 온도계에 나타난 도수.
[溫暾 온돈] 온난(溫暖).
[溫燉 온돈] 온돈(溫暾).
[溫突 온돌] 구들.
[溫冷 온랭] 따뜻함과 참.
[溫良 온량] 온화하고 선량(善良)함.
[溫涼 온량] 따뜻함과 서늘함.
[溫良恭儉讓 온량공검양] 온화(溫和)·선량(善良)·공경(恭敬)·절제(節制)·겸양(謙讓)의 다섯 가지 덕(德). 자공(子貢)이 공자(孔子)의 용모·성격을 평한 말.
[溫麗 온려] 문장(文章)이 부드럽고 아름다움을 이름.
[溫李 온리] 당(唐)나라의 시인 온정균(溫庭筠)과 이상은(李商隱).
[溫麪 온면] 《韓》 더운 장국에 만 국수. 탕면(湯麪).
[溫文 온문] 온화하고 문아(文雅)함.
[溫敏 온민] 온화하고 총명함.
[溫房 온방] 따뜻한 방. 온실(溫室).
[溫汾 온분] 물결이 일며 빙빙 도는 모양.
[溫肥 온비] 옷을 따뜻하게 잘 입고 살이 찜.
[溫史 온사] 자치통감(資治通鑑). 사마온공(司馬溫公)이 저술한 사서(史書)이므로 이름.
[溫辭 온사] 온언(溫言).
[溫色 온색] ㉠온화한 안색(顏色). 부드러운 안색. ㉡따스한 느낌을 주는 색. 적(赤)·황(黃) 따위. 난색(暖色). 한색(寒色)의 대(對).
[溫恕 온서] 마음이 온화(溫和)하고 너그러움.
[溫石 온석] ㉠따뜻하게 달군 돌. 헝겊에 싸서 몸에 대어 따뜻하게 하는 데 씀. ㉡사문석(蛇紋石)의 별칭. 불에 넣어 달구면 열이 오래가므로 이름.
[溫水 온수] 따뜻한 물.
[溫粹 온수] 온화하고 순수함. 아주 온화함.

[溫樹 온수] 한대(漢代)에 대궐 안의 온실전(溫室殿)에 심은 나무.
[溫純 온순] 온수(溫粹).
[溫淳 온순] 온화하고 순후(淳厚)함.
[溫順 온순] 온화하고 공순(恭順)함.
[溫菘 온숭] 무의 별칭(別稱).
[溫習 온습] 이미 배운 것을 다시 익힘. 복습(復習).
[溫濕 온습] 따뜻하고 습기가 있음.
[溫信 온신] 온화하고 신실(信實)함.
[溫愼 온신] 온화하고 신중함.
[溫室 온실] ㉠따뜻한 방. 난방(暖房)의 설비를 한 방. ㉡한데보다 온도를 높이 하여 그 안에서 식물을 자라게 하는 방.
[溫尋 온심] 온습(溫習).
[溫雅 온아] 온화하고 아담함.
[溫顏 온안] 온화한 안색. 화기가 도는 얼굴.
[溫言 온언] 온화한 말.
[溫如玉 온여옥] 온아(溫雅)하기가 옥(玉)과 같다는 뜻으로, 군자(君子)의 덕(德)의 아름다움의 비유.
[溫軟 온연] 따뜻하고 부드러움.
[溫熱 온열] 온난(溫暖).
[溫溫 온온] ㉠온화한 모양. 온순한 모양. ㉡윤택(潤澤)한 모양. ㉢열기(熱氣)가 나오는 모양.
[溫容 온용] 온화한 용모(容貌).
[溫燠 온욱] 온난(溫暖).
[溫愿 온원] 온공(溫恭).
[溫偉 온위] 용모(容貌)가 온화하고 몸집이 큼.
[溫柔 온유] 온후(溫厚)하고 유순함.
[溫裕 온유] 마음이 온화(溫和)하고 너그러움.
[溫柔敦厚 온유돈후] 온후(溫厚).
[溫柔鄕 온유향] ㉠따뜻하고 부드러운 동네라는 뜻으로, 미인(美人) 또는 화류(花柳)의 고장을 이름. ㉡침실(寢室). 규방(閨房).
[溫潤 온윤] 온화(溫和).
[溫衣 온의] 따스한 옷. 또, 따뜻하게 입음. 따뜻한 옷을 입음.
[溫慈 온자] 온화하고 자애심이 많음.
[溫藉 온자] 도량(度量)이 넓고 거동이 단아(端雅)함을 이름. 온자(蘊藉).
[溫材 온재] 더운 성질의 약재(藥材).
[溫井 온정] 온천(溫泉). 탕정(湯井).
[溫凊 온정] 자식이 어버이를 섬기는데 겨울에는 다습게 하고, 여름에는 시원하게 하여 드리는 일. 전(轉)하여, 효성을 다하여 부모를 봉양(奉養)하는 일. 동온하정(冬溫夏凊).
[溫情 온정] 따뜻한 마음. 깊은 인정.
[溫庭筠 온정균] 당(唐)나라의 시인. 자(字)는 비경(飛卿). 여덟 번 팔짱을 끼는 동안에 시 한 수를 지을 만큼 문사(文思)가 신속(神速)하다 하여 온팔차(溫八叉)라고도 함. 이상은(李商隱)과 이름을 나란히 하여 온리(溫李)라 일컬어짐.
[溫詔 온조] 온정(溫情)이 넘치는 조서(詔書).
[溫足 온족] 살림이 넉넉함.
[溫存 온존] ㉠친절히 위문(慰問)함. ㉡소중히 보관함.
[溫酒 온주] 술을 데움.
[溫車 온차] 온거(溫車).
[溫泉 온천] 뜨거운 물이 나오는 샘.
[溫湯 온탕] ㉠온천(溫泉). ㉡따뜻한 물.
[溫八叉 온팔차] '온정균(溫庭筠)'을 보라.
[溫飽 온포] 따뜻이 입고 배불리 먹음. 포식난의(飽食暖衣).
[溫風 온풍] ㉠따뜻한 바람. 또, 늦여름에 부는 바람. ㉡온화(溫和)한 인품(人品).
[溫被 온피] 따뜻한 이불. 또, 이불을 따뜻이 함.
[溫血動物 온혈동물] 항상 일정한 온도의 체온(體溫)을 보지(保持)하고 있는 동물. 상온 동물(常溫動物).
[溫惠 온혜] 온순(溫順). 혜(惠)는 순(順).
[溫乎 온호] 온화한 모양.
[溫好 온호] 부드러움. 온화함.
[溫和 온화] ㉠마음이 따뜻하고 화기가 있음. 온순하고 인자(仁慈)함. ㉡따뜻함.
[溫滑 온활] 따뜻하고 매끄러움.
[溫厚 온후] ㉠온화(溫和)하고 돈후(敦厚)함. ㉡따뜻하고 조용함.
[溫煦 온후] 따뜻함.
◉檢溫. 高溫. 氣溫. 等溫. 微溫. 保溫. 三寒四溫. 常溫. 粹溫. 低溫. 適溫. 靜溫. 體溫. 平溫. 寒溫. 恒溫. 和溫.

10 ⑬ [滇] 공 ㊀送 古送切 gàn

字解 물이름 공 장시 성(江西省)을 흘러 포양호(鄱陽湖)로 들어가는 강. 贛(貝部 十七畫)과 통용. '一, 水名, 出豫章, 或作灨, 通作贛'《集韻》.

10 ⑬ [溏] 당 ㊥陽 徒郎切 táng

字解 못 당 지소(池沼). '頹一委蛇'《郭璞》.
字源 形聲. 氵(水)+唐〔音〕

10 ⑬ [源] 高人 원 ㊥元 愚袁切 yuán

筆順 氵 氵 氵 沪 沥 沔 源 源

字解 ①수원 원 물이 흐르는 근원. 수근(水根). '祀山川百一'《禮記》. ②근원 원 사물이 발생하는 근본. '一委'. '刑罰之所從生有一'《大戴禮》. ③성 원 성(姓)의 하나.
字源 形聲. 氵(水)+原〔音〕. '原원'은 '근원'의 뜻. 뒤에, '原'이 평평한 들의 뜻을 나타내게 되자, '水수'를 덧붙여, '근원'의 뜻을 분명하게 했음.

[源究 원구] 근원을 구명(究明)함.
[源頭 원두] 샘의 근원. 샘의 가.
[源流 원류] 수원(水源)의 흐름. 수원. 원천(源泉).
[源源 원원] 물이 끊임없이 흐르는 모양. 전(轉)하여, 사물이 끊임없이 계속하는 모양. 연달아. 끊임없이.
[源源而來 원원이래] 끊임없이 옴. 계속(繼續)하여 옴.
[源委 원위] 근본(根本)과 여줄가리. 본말(本末). 원위(原委).
[源泉 원천] 물이 흐르는 근원. 수원(水源). 전(轉)하여, 사물이 생기는 근원. 천원(泉源).
[源淸則流淸 원청즉유청] '윗물이 맑아야 아랫물이 맑다.'와 뜻이 같음. '상탁하부정(上濁下不淨)'과 뜻이 비슷함.

[源統 원통] 근원. 본원(本原).
◉光源. 根源. 給源. 起源. 基源. 桃源. 武陵桃源. 發源. 百源. 病源. 本源. 塞源. 生源. 仙源. 溯源. 水源. 醇源. 語源. 淵源. 沿波討源. 熱源. 靈源. 奧源. 利源. 資源. 財源. 電源. 情源. 濬源. 震源. 泉源. 淸源. 河源. 遐源. 玄源. 洪源. 禍源.

10 ⑬ [溦] 미 [平]微 無非切 wēi

[字解] 이슬비 미 '一, 小雨也'《說文》.
[字源] 篆文 形聲. 氵(水)+散〔音〕. '散미'는 희미함〔微〕의 뜻. 희미한 비, '이슬비'의 뜻.

10 ⑬ [溓] [一] 렴 ①-③[平]鹽 勒兼切 lián
④[上]琰 良冉切 liǎn
[二] 점 [平]鹽 尼占切 nián

[字解] [一] ①지척지척한물 렴 중간에서 끊긴 세류(細流). ②살얼음 렴 박빙(薄氷). ③살얼음얼 렴 얇은 얼음이 어는 모양. '水一一以微凝'《潘岳》. ④담글 렴 물에 넣음. [二] 붙을 점 끈끈하여 달라붙음. '雖有深泥, 亦弗之一也'《周禮》.
[字源] 金文 篆文 別體 形聲. 氵(水)+兼〔音〕

[溓溓 염렴] 살얼음이 어는 모양.

10 ⑬ [準] [高人] [一] 준 [上]軫 之尹切 zhǔn 准
[二] 절 [入]屑 職悅切 zhuó

[筆順] 丶 氵 氵 汼 淮 準 準 準

[字解] [一] ①수준기 준 수평(水平)을 재는 기계(器械). '一繩'. '一者所以揆平取正也'《漢書》. ②법도 준 표준. 모범. '一則'. '有一如契約'《唐書》. ③평평할 준 수평(水平)함. '平一'. '推而放之東海而一'《禮記》. ④고를 준 균등(均等)함. '先定一直'《禮記》. ⑤고르게할 준 평균하게 함. '一之, 然後量之'《周禮》. ⑥바로잡을 준 바르게 함. '一人'《書經》. ⑦본받을 준 모범으로 삼음. 본뜸. '一據'. '易與天地一'《易經》. ⑧성 준 성(姓)의 하나. [二] 콧마루 절 비량(鼻梁). 頔(頁部 五畫)과 同字. '一頭'. '隆一而龍顔'《史記》.
[字源] 篆文 形聲. 氵(水)+隼〔音〕. '隼준'은 '송골매'의 뜻. 송골매 모양을 한 수준기(水準器)의 뜻을 나타냄. 또, 入聲일 때에는, 수준기 비슷한 콧마루의 뜻도 나타냄.

[準頭 절두] 코끝.
[準據 준거] ㉠본받음. 표준으로 삼아 좇음. ㉡모범. 표준.
[準規 준규] 표준으로 삼아서 따라야 할 규칙. 준칙(準則).
[準度 준도·준탁] ㉠법도. 본보기. 모범. ㉡'준탁(準度)'을 보라.
[準例 준례] 표준이 될 만한 전례(前例).
[準夫 준부] 준인(準人).
[準備 준비] 미리 마련함. 미리 갖춤.
[準繩 준승] ㉠수준기(水準器)와 먹줄. ㉡모범. 표준.
[準信 준신] 준거(準據)하여 믿음.
[準用 준용] 준거(準據)하여 적용(適用)함. 표준으로 삼아 적용함.
[準由 준유] 본받음. 표준으로 삼아 따름. 준거(準據).
[準擬 준의] 견줌. 비김.
[準人 준인] 법을 바로잡는 사람. 법을 집행하는 벼슬아치. 재판관.
[準的 준적] 표준(標準). 모범.
[準程 준정] 법(法). 본보기. 모범.
[準直 준직] 고르고 곧음. 경중(輕重)이 평균하여 중용(中庸)을 얻음.
[準則 준칙] ㉠본받음. 표준으로 삼음. ㉡표준을 삼아서 따라야 할 규칙.
[準度 준탁] 헤아림. 촌탁(忖度)함.
[準平 준평] 평평함. 평탄함.
[準行 준행] 준거(遵據)하여 행(行)함.
◉高準. 規準. 基準. 邊準. 鼻準. 常準. 盛準. 水準. 繩準. 識準. 令準. 龍準. 運準. 隆準. 依準. 彝準. 前準. 定準. 照準. 膽準. 平準. 標準. 恒準.

10 ⑬ [溔] 요 [上]篠 以沼切 yǎo

[字解] ①물벌창할 요 물이 넓고 끝이 없는 모양. '浩一'. '灝一'. '浩一, 水無際也'《玉篇》. ②물빛흴 요 물빛이 희고 깊은 모양. '沆瀁皛一'《郭璞》. ③성 요 성(姓)의 하나.
[字源] 形聲. 氵(水)+羔〔音〕

10 ⑬ [溘] 합 [入]合 口答切 kè

[字解] 갑자기 합 별안간. '一死'. '朝露一至'《江淹》.
[字源] 篆文 形聲. 氵(水)+盍(盇)〔音〕. '盇합'은 그릇에 위로부터 뚜껑을 씌운 형상. 물을 위로부터 확 씌우는 일. 전(轉)하여, '별안간, 갑자기'의 뜻.

[溘死 합사] 갑자기 죽음.
[溘謝 합사] 갑자기 죽음. 사(謝)는 거(去). 합사(溘死).
[溘逝 합서] 합사(溘死).
[溘焉 합언] 갑자기. 별안간. 사람이 갑자기 죽는 것을 말하는 데 쓰임.
[溘然 합연] 갑자기. 별안간(瞥眼間). 돌연(突然).
[溘匝 합잡] 온통 뒤덮음.
[溘溘 합합] ㉠물소리의 형용. ㉡추운 모양.

10 ⑬ [溜] [人名] 류 [去]宥 力救切 liù

[字解] ①떨어질 류 물방울이 떨어짐. '雨所一處'《酉陽雜俎》. ②흐를 류 흘러 내려감. '廻沙一碧水'《梁簡文帝》. ③물방울 류 '玉一簷下垂'《謝朓》. ④낙수고랑 류 낙숫물이 떨어지는 곳. 霤(雨部 十畫)와 同字. '三進及一'《左傳》.
[字源] 篆文 形聲. 氵(水)+留(畱)〔音〕. 애초에는, 강 이름. '畱류'는 '流류'와 통하여, '흐르다'의 뜻. 물이 떨어져 흐르다의 뜻을 나타냄.
[參考] 澑(水部 十二畫)는 本字.

[溜溜 유류] 물이 흘러 내려가는 소리.
[溜水 유수] ㉠떨어지는 물방울. ㉡괸 물.
[溜飮 유음] 음식이 체하여 신물이 나오는 병. 위

산 과다증(胃酸過多症) 같은 것.
[溜滴 유적] 떨어지는 물방울. 낙숫물 같은 것.
◉閣溜. 乾溜. 決溜. 迸溜. 飛溜. 氷溜. 瀉溜. 水溜. 滴溜. 蒸溜. 簷溜. 叢溜. 瀑溜. 軒溜. 懸溜. 廻溜.

10 ⑬ [溝] 人名 구 ㊥尤 古侯切 gōu

筆順 氵 氵 氵 汫 泄 溝 溝 溝

字解 ①봇도랑 구 전답 사이의 수로(水路). '一洫'. '井間廣四尺深四尺謂之一'《周禮》. ②도랑 구 땅을 판 통수로. '一渠'. '設國之五一五涂'《周禮》. ③시내 구 골짜기를 흐르는 물. '水注谷曰一'《爾雅》. ④해자 구 성을 빙 둘러 판 호(濠). '一池'. '深一高壘'《史記》. ⑤홈통 구 물을 이끄는 물건. '點點無聲落瓦一'《朱灣》. ⑥도랑팔 구 도랑을 팜. '城而封一之'《周禮》.

字源 篆文 形聲. 氵(水)+冓〔音〕. '冓구'는 '짜 맞추다'의 뜻. 인공적으로 그물눈처럼 조합한 '수로'의 뜻을 나타냄.

[溝阬 구갱] 구거(溝渠).
[溝渠 구거] 도랑. 통수로(通水路).
[溝甽 구견] ㉠봇도랑. 전답 사이에 만든 용수로(用水路). 구혁(溝洫). ㉡시골. 촌.
[溝淖 구뇨] 구거(溝渠).
[溝瀆 구독] 구거(溝渠).
[溝瞀 구무] 어리석음. 우매함.
[溝封 구봉] 도랑을 파고 또 흙을 높이 쌓아 올림. 경계(境界)를 만듦.
[溝塍 구승] 봇도랑과 밭두둑.
[溝猶 구유] 어리석음. 우매함. 구(溝)는 구(怐).
[溝中 구중] 도랑 안.
[溝中瘠 구중척] 곤궁하여 방랑하다가 도랑에 빠져 죽음. 표랑(漂浪)하다가 객사(客死)함.
[溝池 구지] ㉠성(城)을 빙 둘러 판 호(濠). 해자(垓字). 성지(城池). ㉡도랑과 못.
[溝壑 구학] ㉠도랑과 골짜기. ㉡죽어 자기 시체가 도랑이나 골짜기에 버림받는 일.
[溝洫 구혁] 전답 사이의 용수로(用水路). 봇도랑.
[溝淢 구혁] 구혁(溝洫).
[溝澮 구회] 구혁(溝洫).
◉金溝. 禁溝. 防溝. 排水溝. 城溝. 梢溝. 羊溝. 陽溝. 楊溝. 御溝. 五溝. 汚溝. 陰溝. 泥溝. 漕溝. 推溝. 鴻溝. 澮溝.

10 ⑬ [溟] 人名 명 ㊥靑 莫經切 míng

筆順 氵 氵 氵 汇 洰 泪 浧 溟

字解 ①어두울 명 가랑비가 부슬부슬 와서 하늘이 약간 어두운 모양. '一濛'. '密雨一沐'《太玄經》. 전(轉)하여, 물상(物象)의 환하지 아니한 모양. '經途瀴一'《木華》. ②바다 명 대해(大海). '滄一'. '北一有魚'《莊子》.

字源 篆文 形聲. 氵(水)+冥〔音〕. '冥명'은 덮이어 어둡다의 뜻. 가랑비가 내리어 어둡다의 뜻을 나타냄.

[溟漭 명망] 대단히 넓어 끝이 없는 모양. 아득한 모양.
[溟溟 명명] 어둡침침한 모양. 약간 어두운 모양.
[溟沐 명목] 부슬비. 가랑비. 세우(細雨).
[溟濛 명몽] 비가 부슬부슬 오며 하늘이 약간 어두움. 또, 그 비.
[溟渤 명발] 큰 바다. 창해(滄海).
[溟洲 명주] 큰 바다 가운데 있는 섬.
[溟池 명지] 북쪽의 큰 바다. 북명(北溟).
[溟漲 명창] 남쪽의 큰 바다. 남명(南溟).
[溟涬 명행] ㉠천지자연의 기(氣). 또, 아직 분명히 나뉘지 아니한 만물 발생(萬物發生)의 원기(元氣). ㉡끝이 없는 모양.
◉巨溟. 窮溟. 南溟. 杳溟. 北溟. 四溟. 澳溟. 重溟. 滄溟. 鴻溟.

10 ⑬ [溢] 人名 일 ㊇質 夷質切 yì

筆順 氵 氵 氵 氵 氵 泠 浛 溢 溢

字解 ①찰 일 가득 참. '充一而露積於外'《史記》. ②넘칠 일 넘쳐흐름. '一流'. '河一通泗'《史記》. ③지나칠 일 정도를 지나침. '一美'. '禁一利'《鹽鐵論》. ④교만할 일 거만함. '滿而不一'《孝經》. ⑤타이를 일 경계함. '假以一我'《詩經》. ⑥큰물 일 홍수. '凶旱水一'《禮記》. ⑦한움큼 일 한 손에 쥐거나 담는 분량. '兩手曰掬, 一手曰一'《孔叢子》. ⑧스물넉냥쭝 일 鎰(金部 十畫)과 통용.

字源 篆文 會意. 氵(水)+益. '益익'은 皿+水로, 접시에 물이 넘치다의 뜻. 물이 넘치다의 뜻을 나타냄.

[溢決 일결] 넘쳐 끊음. 물이 넘쳐 제방이 무너짐.
[溢流 일류] 넘쳐흐름.
[溢利 일리] 너무 지나친 이익. 여분(餘分)의 이익.
[溢味 일미] 더할 나위 없는 좋은 맛.
[溢美 일미] 지나치게 칭찬함.
[溢美溢惡 일미일악] 지나치게 칭찬함과 지나치게 나무람.
[溢肥 일비] 포동포동 살이 찜.
[溢譽 일예] 지나친 칭찬. 실제 이상의 명예. 과분(過分)한 명성.
[溢越 일월] 넘침.
[溢溢 일일] 물이 가득한 모양. 물이 넘치는 모양.
[溢血 일혈] 몸의 조직 사이에 일어나는 출혈(出血).
[溢喜 일희] 더할 나위 없는 기쁨.
◉驕溢. 潰溢. 濫溢. 滿溢. 放溢. 泛溢. 富溢. 湓溢. 奢溢. 羨溢. 盛溢. 洋溢. 逆溢. 衍溢. 盈溢. 饒溢. 宂溢. 涌溢. 縱溢. 增溢. 僭溢. 漲溢. 充溢. 碭溢. 暴溢. 豐溢. 匹溢. 海溢.

10 ⑬ [溥] 人名 부(①② 보㊍) ①②㊤麌 滂古切 pǔ ③㊥虞 芳無切 fū

筆順 氵 氵 氵 汇 洹 洹 浦 溥 溥

字解 ①넓을 부 광대함. '一博'. '我受命一將'《詩經》. ②두루미칠 부 널리 미침. '一被'. '一天之下, 莫非王土'《詩經》. ③펼 부 널리 폄. '一之而橫于四海'《禮記》.

字源 篆文 形聲. 氵(水)+尃〔音〕. '尃보'는 넓게 펴다의 뜻. 물이 두루 퍼지다의 뜻을 나타냄.

[溥大 부대] 넓고 큼. 큼. 광대함.

[溥博 부박] 크고 넓음. 광대함.
[溥覆 부부] 두루 덮음. 널리 덮음.
[溥長 부장] 넓고 길.
[溥將 부장] ㉠두루 도움. 장(將)은 조(助). ㉡넓고 큼.
[溥暢 부창] 널리 퍼짐.
[溥天 부천] 온 하늘. 보천(普天).
[溥被 부피] 두루 덮음. 널리 덮음.
[溥洽 부흡] 두루 미침. 두루 퍼짐.
◉宏溥. 率溥. 隆溥. 周溥.

10 ⑬ [溪] 中人 계 ㊥齊 苦奚切 xī(qī)

筆順 丶 氵 氵 氵 浐 浮 溪 溪

字解 시내 계 谿(谷部 十畫)와 同字. '一流正淸激'《韓愈》.
字源 形聲. 氵(水)+奚〔音〕. '奚해'는 실이 이어지다의 뜻. 실이 이어지듯 계속 쏟아지는 물, '시냇물'의 뜻을 나타냄.
參考 谿(谷部 十畫)는 同字.

[溪澗 계간] 산골짜기에 흐르는 물. 시내. 계류(溪流).
[溪客 계객] 연(蓮)의 별칭(別稱).
[溪徑 계경] 산골짜기의 좁은 길.
[溪谷 계곡] 산골짜기.
[溪頭 계두] 계변(溪邊).
[溪嵐 계람] 산골짜기에서 떠오르는 남기(嵐氣).
[溪嶺 계령] 산골짜기와 산봉우리.
[溪瀨 계뢰] 시내의 여울.
[溪流 계류] 산골짜기에서 흐르는 물.
[溪毛 계모] 산골짜기의 수조(水藻).
[溪邊 계변] 시냇가.
[溪聲 계성] 시냇물 소리.
[溪蓀 계손] 창포(菖蒲)의 별칭(別稱).
[溪水 계수] 시냇물.
[溪叟 계수] 계옹(溪翁).
[溪翁 계옹] 속진(俗塵)을 피하여 산골짜기에서 사는 노인.
[溪友 계우] 속진(俗塵)을 피하여 산골짜기에 사는 벗.
[溪雨 계우] 산골짜기에 내리는 비.
[溪雲 계운] 산골짜기의 구름.
[溪彴 계작] 산골짜기에 놓은 외나무다리.
[溪莊 계장] 산골짜기의 촌집.
[溪亭 계정] 산골짜기에 지은 정자.
[溪泉 계천] 산골짜기에서 나오는 샘.
[溪壑 계학] 산골짜기.
◉綠溪. 碧溪. 煙溪.

10 ⑬ [湚] 초 ㊤嘯 七肖切 qiào

字解 높은물결 초 '一, 浚波也'《集韻》.

10 ⑬ [溯] 人名 소 ㊤遇 蘇故切 sù

字解 거슬러올라갈 소 泝(水部 五畫)·遡(水部 九畫)·遡(辵部 十畫)와 同字. '一源'. '一洄從之'《詩經》.
字源 形聲. 氵(水)+朔〔音〕. '朔삭'은 '거슬러 오르다'의 뜻. 강의 흐름을 거슬러 오르다의 뜻을 나타냄.

[溯源 소원] ㉠물의 근원을 찾아 거슬러 올라감. ㉡사물의 근원을 구명(究明)함.
[溯航 소항] 배를 타고 상류(上流)로 거슬러 올라감.
[溯行 소행] 상류(上流)로 거슬러 올라감.
[溯洄 소회] 거슬러 올라감.

10 ⑬ [溱] 人名 진 ㊥眞 側詵切 zhēn

字解 ①물이름 진 허난 성(河南省) 밀현(密縣)에서 발원(發源)하여, 동남(東南)으로 흘러 유수(洧水)와 합치는 강. '褰裳涉一'《詩經》. ②이를 진 臻(至部 十畫)과 통용. '萬祥畢一'《漢書》. ③많을 진 '室家一一'《詩經》. ④성(盛)할 진 '百穀一一'《後漢書》. ⑤퍼질 진 '陽引而進, 物出一一'《揚雄》. ⑥성 진 성(姓)의 하나.
字源 篆文 形聲. 氵(水)+秦〔音〕

[溱溱 진진] ㉠많은 모양. ㉡성(盛)한 모양. ㉢퍼지는 모양.

10 ⑬ [溲] 수 ㊥尤 疎鳩切 sōu

字解 ①오줌 수 소변. '一溺'. '遺失一便'《後漢書》. ②반죽할 수 밀가루 따위를 반죽함. '糔一之'《禮記》.
字源 篆文 形聲. 氵(水)+叟(叜)〔音〕
參考 溲(水部 九畫)는 本字.

[溲器 수기] 요강(尿鋼).
[溲溺 수뇨] 오줌. 소변(小便). 또, 오줌을 눔.
[溲便 수변] 오줌. 소변.
[溲甁 수병] 요강(尿鋼).
◉偃溲. 泡溲.

10 ⑬ [渚] 지 ㊥支 陳尼切 chí

字解 ①모래톱 지, 강(江)섬 지 坻(土部 五畫)와 同字. ②이를 지 '一, 至也'《廣雅》.

10 ⑬ [溠] 자 ㊤禡 側駕切 zhà / ㊥麻 側加切

字解 ①물이름 자 후베이 성(湖北省)을 흘러 운수(溳水)로 들어가는 강. 지금의 부공하(扶恭河). '河南日豫州, 其浸波一'《周禮》. ②일 자 쌀을 물에 읾. '一, 又一淅也'.
字源 篆文 形聲. 氵(水)+差(䊒)〔音〕

10 ⑬ [溶] 人名 용 ㊥冬 餘封切 róng

筆順 丶 氵 氵 氵 泞 泞 溶 溶

字解 ①질펀히흐를 용 물이 도도(滔滔)히 흐르는 모양. '二川一一, 流入宮牆'《杜牧》. ②안한할 용 마음이 편하고 한가로운 모양. 또, 마음이 침착하고 여유가 있는 모양. '心一一其不可量兮'《楚辭》. ③녹을 용, 녹일 용 용해함. 또, 용해시킴. '一液'.
字源 篆文 形聲. 氵(水)+容〔音〕. '容용'은 많은 것을 넣다의 뜻. 광대하고 풍부한 물

의 뜻을 나타내며, '녹다'의 뜻도 나타냄.

[溶媒 용매] 물질(物質)을 녹여 용액(溶液)으로 만드는 물질(物質). 물·수은(水銀)·주정(酒精) 따위.
[溶液 용액] 용해(溶解)한 액체(液體). 또, 고체(固體)가 다른 액체 가운데에서 용해한 것.
[溶漾 용양] 물결이 움직임.
[溶然 용연] 마음이 침착하고 여유가 있는 모양.
[溶溶 용용] 자해(字解)❶❷를 보라.
[溶解 용해] 녹음. 또, 녹임.
◉動溶. 沆溶. 搖溶. 鴻溶. 洶溶.

10 ⑬ [溷] 혼 [去]願 胡困切 hùn

[字解] ①어지러울 혼 혼란함. '一淆'. '世一濁而不分兮'《楚辭》. ②흐릴 혼 맑지 아니함. '一汁'. '世謂隨夷爲一'《漢書》. ③더러울 혼 '君子不食一餘'《禮記》. ④뒷간 혼 변소. '一厠'. '門庭藩一, 皆著紙筆'《晉書》. ⑤울 혼 돼지우리. '捐於猪一中'《論衡》.
[字源] [篆文] 形聲. 氵(水)+圂[音]. '圂혼'은 '돼지우리'의 뜻. 더러운 물이 있는 돼지우리의 뜻을 나타냄. 또, '混혼'과 통하여, '어지러워지다'의 뜻도 나타냄.

[溷餘 혼여] 더러운 찌끼.
[溷穢 혼예] 더러움.
[溷汁 혼즙] 더러운 액체(液體).
[溷錯 혼착] 어지럽게 뒤섞임.
[溷厠 혼측] 변소. 뒷간.
[溷濁 혼탁] 어지럽고 흐림.
[溷軒 혼헌] 변소. 뒷간.
[溷淆 혼효] ㉠흐림. 혼탁함. ㉡어지러움. 혼란함.
◉沐浴抒溷. 糞溷. 穢溷. 圊溷. 厠溷.

10 ⑬ [滐] 걸 [入]屑 渠列切 jié

[字解] ①소용돌이칠 걸 물이 소용돌이침. '一, 水激廻'《廣韻》. ②물결갑자기일 걸 '瀰溟一而爲魁'《木華》. ③큰물 걸 큰물의 형용(形容). '一, 大水皃'《玉篇》.

10 ⑬ [溪] 〔규〕
溪(水部 九畫〈p.1267〉)의 本字

10 ⑬ [濫] 〔잠·담〕
湛(水部 九畫〈p.1264〉)의 古字

10 ⑬ [淵] 〔담〕
淵(水部 七畫〈p.1224〉)과 同字

10 ⑬ [澁] 〔삽〕
澀(水部 十二畫〈p.1299〉)의 俗字

10 ⑬ [溺] [人名] ㊀ 닉 [入]錫 奴歷切 nì ㊁ 뇨 [去]嘯 奴弔切 niào

[字解] ㊀ ①빠질 닉 ㉠물에 빠짐. '一死'. '嫂一, 援之以手者權也'《孟子》. ㉡물에 빠진 것처럼 대단히 고생함. '天下一, 援之以道'《孟子》. ㉢침면(沈湎)함. '耽一'. '一而不止'《禮記》. ②빠뜨릴 닉 전항(前項)의 타동사. '由己一之'《孟子》. ㊁ 오줌 뇨, 오줌눌 뇨 소변. 또, 소변을 봄. '一器'. '醉便一雎'《史記》.
[字源] [篆文] 形聲. 氵(水)+弱[音]. '弱약'은 '약하다'의 뜻. 물속에서 약해지다, 물에 빠지다의 뜻과 약한 물, 곧 '오줌'의 뜻을 나타냄.

[溺器 요기] 요강(尿鋼).
[溺途 익도] 세상(世上). 정욕(情欲)에 빠지는 곳이라는 뜻.
[溺沒 익몰] 물속에 빠짐.
[溺死 익사] 물속에 빠져 죽음.
[溺信 익신] 신앙(信仰)에 빠짐. 맹신(盲信)함.
[溺愛 익애] 사랑에 빠짐. 지나치게 사랑함.
[溺志 익지] 한 가지 일에 열중함.
◉救火拯溺. 湛溺. 沒溺. 焚溺. 善游者溺. 燒溺. 溲溺. 濘溺. 危溺. 遺溺. 淫溺. 墊溺. 焦溺. 沈溺. 貪溺. 耽溺. 陷溺. 惑溺.

10 ⑬ [澥] 사 [去]禡 辭夜切 xiè

[字解] 물이름 사 '瞻諸之山, 一水出焉'《山海經》.

10 ⑬ [溽] 욕 [入]沃 而蜀切 rù

[字解] ①젖을 욕 물에 젖음. '林無不一'《郭璞》. ②짙을 욕 농후함. '一露方霑衣'《隋煬帝》. ③기름질 욕 음식이 기름짐. '其飮食不一'《禮記》. ④찔 욕 무더움. '土潤一暑'《禮記》.
[字源] [篆文] 形聲. 氵(水)+辱[音]. '辱욕'은 풀을 베어 겹쳐 쌓다의 뜻. 습기가 겹치어 무덥다의 뜻을 나타냄.

[溽露 욕로] 짙은 이슬.
[溽暑 욕서] 무더움. 또, 무더위.
[溽熱 욕열] 욕서(溽暑).
◉煩溽. 卑溽. 暑溽. 潤溽. 蒸溽.

10 ⑬ [滀] 축 [入]屋 丑六切 chù

[字解] ①모일 축 물이 모임. '濆淪而一潔'《木華》. ②발끈할 축 성을 발끈 내는 모양. '一乎進我色也'《莊子》. ③빠를 축 수세(水勢)가 급함. '一水陵高'《後漢書》.
[字源] 形聲. 氵(水)+畜[音]. '畜축'은 '저축하다'의 뜻.

[滀漯 축탑] 물이 모이는 모양.
[滀乎 축호] 발끈 화를 내는 모양.

10 ⑬ [溱] 짐 [上]寢 直稔切 zhèn

[字解] 물졸졸흐를 짐 물이 졸졸 흐르는 모양. '一, 水流皃'《集韻》.

10 ⑬ [溰] 사 [平]支 息移切 sī

[字解] ①물이름 사 허베이 성(河北省) 싱타이 시(邢台市)의 동남쪽에서 발원(發源)하는 강(江). 백천하(百泉河). '一, 一水, 出趙國襄國, 東入澳'《說文》. ②물가 사 '一, 一曰, 水厓'《集韻》.
[字源] 形聲. 氵(水)+虒[音]

10 ⑬ **[滁]** 저 [平]魚 直魚切 chú

[字解] 물이름 저 안후이 성(安徽省) 허페이 현(合肥縣)에서 발원(發源)하여, 장쑤 성(江蘇省)을 흐르는 양쯔 강(揚子江)의 지류. '一河'.

[字源] 篆文 形聲. 氵(水)+除〔音〕

[滁州 저주] 현재의 안후이 성(安徽省) 저현(滁縣). 주성(州城) 서남쪽에 취옹정(醉翁亭)이 있고, 여기의 지사(知事)가 된 북송(北宋)의 구양수(歐陽修)가 그 기(記)를 지었음.
[滁河 저하] 자해(字解)를 보라.

10 ⑬ **[滂]** [人名] 방 [平]陽 普郎切 pāng

[字解] ①죽죽퍼부을 방 비가 세차게 퍼붓는 모양. '一沛'. '月離于畢, 俾一沱矣'《詩經》. ②뚝뚝떨어질 방 눈물이 연거푸 뚝뚝 떨어지는 모양. '涕泗一沱'《詩經》. ③세차게흐를 방 격류가 흐르는 모양. '一湃'.

[字源] 篆文 形聲. 氵(水)+旁〔音〕. '旁방'은 '튀어나가다'의 뜻. 물이 퍼지다, 물이 가득 차서 흐르는 모양을 나타냄.

[滂浡 방발] 불평(不平)을 품어 마음이 깨끗하지 않은 모양. 울적(鬱寂)한 모양.
[滂渤 방발] 물이 세차게 흐름. 또, 그 소리·모양.
[滂湃 방배] 수세(水勢)가 세찬 모양.
[滂濞 방비] 물이 흐르는 소리.
[滂洋 방양] 넉넉하고 넓은 모양. 성(盛)한 모양.
[滂洋洋 방양양] 수세(水勢)가 성한 모양.
[滂人 방인] 산택(山澤)을 맡은 벼슬.
[滂沱 방타] ㉠비가 죽죽 내리는 모양. 패연(沛然). ㉡눈물이 뚝뚝 떨어지는 모양.
[滂澤 방택] 장마. 황은(皇恩)의 큼을 비유한 말.
[滂沛 방패] ㉠비가 죽죽 내리는 모양. ㉡넉넉하고 큰 모양. ㉢물결치는 소리.

10 ⑬ **[滃]** 옹 ㊤董 烏孔切 wěng

[字解] ①구름일 옹 구름·안개가 이는 모양. '一一'. '氣一渤以霧杳'《郭璞》. ②용솟음칠 옹 샘이 용솟음치는 모양. '中有淸泉, 一然而仰出'《歐陽修》.

[字源] 篆文 形聲. 氵(水)+翁〔音〕. '翁옹'은 떼지어 북적거리는 모양을 나타냄.

[滃渤 옹발] 구름이나 안개가 이는 모양.
[滃然 옹연] 샘이 용솟음치는 모양.
[滃滃 옹옹] 구름이 이는 모양.
[滃鬱 옹울] 구름이 많이 끼어 날이 음침한 모양.
◉滂滃. 鬱滃.

10 ⑬ **[濅]** 〔침〕
浸(水部 七畫〈p. 1229〉)과 同字

10 ⑬ **[滄]** [人名] 창 [平]陽 七岡切 cāng 沧

[筆順] 氵 氵 氵 汵 汵 浛 滄 滄

[字解] ①찰 창 한랭함. '一一'. '天地之閒有一熱'《逸周書》. ②푸를 창 물이 푸름. '一溟'. '渺一海之一粟'《蘇軾》.

[字源] 篆文 形聲. 氵(水)+倉〔音〕. '倉창'은 '蒼창'과 통하여, '푸르다'의 뜻. 물이 푸르다의 뜻을 나타냄.

[滄江 창강] 푸릇푸릇한 강물.
[滄浪 창랑] ㉠푸른 물빛. ㉡한수이(漢水) 강의 하류(下流)를 이름. ㉢창랑주(滄浪洲).
[滄浪歌 창랑가] 〈초사(楚辭)〉와 〈맹자(孟子)〉에 실린 다음의 노래. 곧, '滄浪之水淸兮, 可以濯吾纓, 滄浪之水濁兮, 可以濯吾足'(맹자에는 '吾'가 '我'로 되어 있음). 〈초사〉에서는 인생(人生)의 일은 모두 자연히 돌아가는 대로 맡겨야 한다는 뜻이고, 〈맹자〉에서는 길흉(吉凶)·화복(禍福)은 모두 자초(自招)한 것이라는 뜻임.
[滄浪詩話 창랑시화] 서명(書名). 1권. 송(宋)나라 엄우(嚴羽)의 찬(撰). 시변(詩辨)·시체(詩體)·시법(詩法)·시평(詩評)·시증(詩證)의 오부(五部)로 나누임. 시화(詩話) 중에서 가장 걸출한 것 중의 하나임.
[滄浪洲 창랑주] 동해(東海) 중에 있어 신선(神仙)이 산다는 곳.
[滄茫 창망] 물이 푸르고 넓은 모양.
[滄溟 창명] ㉠창해(滄海). ㉡사방의 바다.
[滄桑變 창상변] 창해(滄海)가 변하여 상전(桑田)이 된다는 뜻으로, 세상의 변천이 격심함을 이름.
[滄熱 창열] 추움과 더움. 한서(寒暑).
[滄瀛 창영] 창해(滄海).
[滄洲 창주] ㉠창랑주(滄浪洲). ㉡물이 푸른 사주(砂洲)가. ㉢시골. 촌.
[滄滄 창창] 추운 모양.
[滄海 창해] ㉠큰 바다. 대해(大海). ㉡신선(神仙)이 산다는 곳.
[滄海成桑田 창해성상전] 창상변(滄桑變).
[滄海遺珠 창해유주] 대해(大海) 중에서 빠뜨린 진주(眞珠). 세상에서 진귀한 보배. 또는 세상에 알려지지 않은 현인(賢人)의 비유.
[滄海一粟 창해일속] 대해(大海) 중에 있는 한 알의 좁쌀. 곧, 지극히 큰 것 중에 있는 지극히 작은 것이라는 뜻. 천지간(天地間)에 있는 인간이 지극히 작고 덧없는 존재임을 비유한 말.
[滄海之橫流 창해지횡류] 큰 바다가 가로 흐른다는 뜻으로, '정치가 혼란하여 백성이 도탄에 빠짐'의 비유.

10 ⑬ **[滅]** [高人] 멸 [入]屑 亡列切 miè 灭

[筆順] 氵 氵 氵 汇 泝 泝 滅 滅

[字解] ①멸망할 멸, 다할 멸 망하여 없어짐. 또, 다 없어짐. '一國'. '天理幾一'《朱熹》. ②멸할 멸 없애 버림. '殲一'. '無以死傷生, 毁不一性'《孝經》. '鳥獸行則一之'《周禮》. ③죽을 멸 사망함. '寂一'. ④꺼질 멸 불이 꺼짐. '明一'. '火三月不一'《史記》. ⑤빠질 멸 침몰함. '過涉一頂'《易經》.

[字源] 篆文 形聲. 氵(水)+威〔音〕. '威멸'은 불이 꺼지다의 뜻. 물이 다하다의 뜻에서, '멸망하다, 꺼지다'의 뜻을 나타냄.

[滅却 멸각] 멸절(滅絕).

[滅口 멸구] 비밀을 보전하기 위하여 그 일을 알아 증언(證言)할 사람을 죽여 없앰.
[滅國 멸국] ㉠나라를 망침. ㉡망한 나라. 망국(亡國).
[滅度 멸도]《佛教》㉠생사(生死)의 괴로움을 없애 버리고 번뇌(煩惱)의 바다를 건너는 일. 오도(悟道). ㉡중의 죽음을 이름. 입적(入寂).
[滅道 멸도]《佛教》멸제(滅諦)와 도제(道諦). 멸(滅)은 생사(生死)의 인과(因果)를 없애 버린 열반(涅槃), 도(道)는 열반을 증명(證明)한 정도(正道)임.
[滅亂 멸란] 망하여 어지러워짐.
[滅裂 멸렬] 산산조각이 남.
[滅倫敗常 멸륜패상] 오륜(五倫)과 오상(五常)을 결딴냄.
[滅亡 멸망] 망하여 없어짐.
[滅明 멸명] 불이 꺼졌다 켜졌다 함. 어두웠다 밝았다 함. 명멸(明滅).
[滅沒 멸몰] 사라져 없어짐. 망하여 없어짐.
[滅門 멸문] ㉠한 집안이 모두 살육(殺戮)을 당함. ㉡멸문일(滅門日)의 약칭(略稱).
[滅門日 멸문일] 음양도(陰陽道)에서 백사(百事)에 다 흉하다는 대흉일(大凶日). 한 달에 닷새가 있다고 함.
[滅門之患 멸문지환] 한 집안이 모두 살육당하는 큰 재앙.
[滅法 멸법]《佛教》인간계(人間界)의 일체의 괴로움을 없애는 일.
[滅覆 멸복] 망하여 없어짐.
[滅相 멸상]《佛教》업(業)이 다하고 명(命)이 끝나서, 심신(心神)이 모두 없어짐.
[滅性 멸성] 친상(親喪)을 당하여 너무 슬퍼한 나머지 병을 얻어 죽음. 성(性)은 생명(生命).
[滅日 멸일] 멸문일(滅門日).
[滅迹 멸적] 발자국을 없앰.
[滅敵 멸적] 적을 멸함.
[滅絶 멸절] 멸하여 다 없애 버림. 또, 멸망하여 다 없어짐.
[滅族 멸족] 한 겨레를 멸함. 또는 한 겨레가 망함.
[滅種 멸종] 씨가 없어짐. 한 종류가 다 없어짐.
[滅罪 멸죄]《佛教》오도(悟道)에 장애가 되는 일체의 죄악을 없앰. 죄장(罪障)을 없애 버림.
[滅罪生善 멸죄생선]《佛教》부처의 힘으로 현세의 죄장(罪障)을 없애 버리고 후세(後世)의 선근(善根)을 도움.
[滅盡 멸진] 멸절(滅絶).
[滅後 멸후] 입멸(入滅)한 후. 불멸후(佛滅後).
●擊滅. 壞滅. 潰滅. 禽滅. 摩滅. 磨滅. 漫滅. 明滅. 微滅. 糜滅. 泯滅. 撲滅. 燔滅. 焚滅. 不滅. 佛滅. 不生不滅. 死滅. 生滅. 殲滅. 消滅. 掃滅. 衰滅. 熄滅. 薪盡火滅. 沃滅. 淪滅. 隱滅. 夷滅. 煙滅. 堙滅. 入滅. 自滅. 殘滅. 寂滅. 全滅. 電滅. 翦滅. 絕滅. 點滅. 除滅. 族滅. 誅滅. 殄滅. 勦滅. 呑滅. 盪滅. 破滅. 廢滅. 必滅. 幻滅. 灰滅. 朽滅. 毁滅.

10 ⑬ [溧] 률 ㊀質 力質切 lì

字解 물이름 률 장쑤 성(江蘇省) 율양현(溧陽縣)을 흐르는 강. '一水'. '一水出丹陽一陽縣'《說文》.

字源 篆文 形聲. 氵(水)+栗(㮚)〔音〕

10 ⑬ [滇] 전 ①㊀先 徒年切 tián ②③㊀先 都年切 diān

字解 ①성할 전 성(盛)한 모양. 또, 큰물의 모양. '泛泛一一'《漢書》. ②못이름 전 '一池'는 윈난 성(雲南省) 쿤밍 현(昆明縣)과 쿤양 현(昆陽縣)에 걸쳐 있는 호수. 쿤밍 호(昆明湖)라고도 함. 넓이 약 3백여 리. ③오랑캐이름 전 한대(漢代)의 서남이(西南夷)의 하나. 윈난 성 쿤밍 현(昆明縣) 부근이 그 근거지였음. 전(轉)하여, 윈난 성의 약칭. '靡莫之屬, 以什數, 一最大'《史記》. ④성 전 성(姓)의 하나.

字源 篆文 形聲. 氵(水)+眞〔音〕

[滇沔 전면] 수면(水面)이 넓은 모양.
[滇汚 전오] 큰물의 모양.
[滇滇 전전] 자해(字解)❶을 보라.
[滇池 전지] 윈난 성(雲南省)에 있는 호수. 쿤밍 호(昆明湖).

10 ⑬ [滈] 호 ㊤晧 胡老切 hào

字解 ①장마 호 장맛비. 임우(霖雨). ②비칠 호 물이 희게 비치는 모양. '安翔徐回, 翯乎一一'《司馬相如》.

字源 篆文 形聲. 氵(水)+高〔音〕. '高고'는 물의 부피가 높다의 뜻. '장마'의 뜻을 나타냄.

[滈池君 호지군] 셴양(咸陽) 부근에 있는 호지(滈池)의 신(神).
[滈汗 호한] 물이 넘쳐흐르는 모양.
[滈滈 호호] 물이 희게 비치는 모양.

10 ⑬ [滉] 人名 황 ㊤養 胡廣切 huàng

筆順 氵 氵 沪 浔 浔 浔 滉 滉

字解 깊을 황 물이 깊고 넓은 모양. '一瀁'. '瀇一㴒泫'《郭璞》.

字源 形聲. 氵(水)+晃〔音〕

[滉瀁 황양] 물이 깊고 넓은 모양.
[滉瀁 황양] 황양(滉瀁).

10 ⑬ [溎] ㊀ 연 ㊁霰 伊甸切 yàn ㊁ 계 ㊁霽 涓惠切 guì

字解 ㊀ 물창일할 연 물이 넓은 모양. 홍수가 진 모양. '一, 水大也'《玉篇》. ㊁ 물이름 계 '一, 水名'《集韻》.

10 ⑬ [滋] 人名 자 ㊀支 子之切 zī

筆順 氵 氵 汁 汝 汝 汝 滋 滋

字解 ①불을 자 늚. 증가함. '一殖'. '物生而後有象, 象而後有一'《左傳》. ②우거질 자 무성함. '一繁'. '苦雨數來, 五穀不一'《禮記》. ③번식할 자 동물이 늘어서 퍼짐. '鳥獸阜一'《張衡》. ④자랄 자 생장함. '草木庳小不一'《呂氏春秋》. ⑤심을 자 초목을 심음. '余既一蘭之九畹兮'《楚辭》. ⑥흐릴 자 혼탁함. '何故使吾水一'《左傳》.

⑦잦을 자 빈번함. '干戈日—'《史記》. ⑧더욱 자 한층 더. '其虐—甚'《左傳》. ⑨맛있을 자 '薄—味'《禮記》. ⑩맛있는음식 자 '含甘吮—'《漢書》. ⑪진 자 진액(津液). '必有草木之—'《禮記》.
[字源] 甲骨文 篆文 形聲. 氵(水)+玆〔音〕. '玆자'는 '붙다'의 뜻. 甲骨文은 두 가닥의 실과 두 줄기의 물의 모양으로, 실과 물이 붙는 모습에서, '붙다'의 뜻을 나타냄.

[滋多 자다] 더욱 많음.
[滋漫 자만] 널리 퍼짐.
[滋蔓 자만] 무성하여 퍼짐.
[滋茂 자무] 우거짐. 무성함.
[滋味 자미] 좋은 맛. 또, 맛이 좋은 음식.
[滋煩 자번] 더욱 번거로움.
[滋繁 자번] 우거짐. 무성함.
[滋補 자보] 자양(滋養)㉡.
[滋生 자생] 무성하게 자람. 많이 자람.
[滋碩 자석] 초목이 자라서 커짐.
[滋息 자식] 불음. 늚. 많아짐.
[滋殖 자식] 불음. 늚.
[滋甚 자심] 더욱 심함. 점점 더 심함.
[滋液 자액] 자양(滋養)이 되는 액체.
[滋養 자양] ㉠기름. 양육함. ㉡몸의 영양이 됨. 또, 그 음식.
[滋榮 자영] 번성함. 번영함.
[滋雨 자우] 초목을 알맞게 적셔 무성하게 하는 비.
[滋腴 자유] 자양분이 많은 음식.
[滋潤 자윤] 축축이 젖음. 또, 축축이 적심. 전(轉)하여, 윤택(潤澤)함. 윤택하게 함.
[滋彰 자창] 점점 더 나타남. 더욱 밝음.
[滋侈 자치] 대단한 사치.
◉翹滋. 蕃滋. 繁滋.

10 ⑬ [滍] 치 ㊤紙 直几切 zhì

[字解] 물이름 치 '—水'는 허난 성(河南省) 노산현(魯山縣)에서 발원(發源)하여 동남으로 흐르는 여수(汝水)의 지류(支流). 지금의 사허(沙河). '—川盛逸'《資治通鑑》.
[字源] 篆文 形聲. 氵(水)+蚩〔音〕

[滍水 치수] 자해(字解)를 보라.

10 ⑬ [滏] 부 ㊤麌 扶雨切 fǔ

[字解] 물이름 부 허베이 성(河北省) 자현(磁縣)에서 발원(發源)해 호타하(滹沱河)와 합치는 강. '—陽河'라고도 함. '—水'. '北臨漳—'《左思》.
[字源] 形聲. 氵(水)+釜〔音〕

[滏水 부수] 자해(字解)를 보라.
[滏陽河 부양하] 부수(滏水).

10 ⑬ [滑] [人名] [一] 활 [入]黠 戶八切 huá
[二] 골 [入]月 古忽切 gǔ

[字解] [一] ①반드러울 활 미끄러움. '圓—'. '調以—甘'《周禮》. ②미끄러질 활 미끄러운 곳에서 밀려 나가거나 넘어짐. '足—跌墜火中'《書經疏》. ③미끄럽게할 활 반드럽게 함. '滫瀡以—之'《禮記》. ④교활할 활 猾(犬部 十畫)과 통용. '—賊任威'《史記》. ⑤성 활 성(姓)의 하나. [二] ①어지러울 골 혼란함. '置不仁, 以—其中'《國語》. ②흐릴 골, 흐리게할 골 혼탁함. 또, 혼탁하게 함. '—涽'. '—其泥而揚其波'《楚辭》. ③다스릴 골 '—欲於俗思, 以求致其明'《莊子》. ④흐를 골 물이 흐르는 모양. '湧泉——'《易林》.
[字源] 篆文 形聲. 氵(水)+骨〔音〕. '骨골'은 '뼈'의 뜻. 육체 속의 뼈가 매끄럽게 움직이는 데서, '매끄럽다'의 뜻을 나타냄.

[滑稽 골계] ㉠재치가 있어 말이 유창함. ㉡남을 웃기려고 일부러 우습게 하는 말이나 짓. 익살.
[滑汩 골골] 어지러운 모양. 혼란한 모양.
[滑滑 골골] 물이 흐르는 모양.
[滑涽 골혼] 흐려 어두운 모양. 혼탁한 모양.
[滑甘 활감] 미끄럽고 맛이 좋은 음식(飮食).
[滑澾 활달] 미끄러움.
[滑磴 활등] 미끄러운 돌층계.
[滑綾 활릉] 서화(書畫)에 쓰는 비단. 반드럽고 얇음. 광견(光絹).
[滑吏 활리] 교활한 벼슬아치.
[滑痢 활리] 허설(虛泄)의 심한 증세. 허리(虛痢).
[滑便 활변] 묽게 누는 똥.
[滑氷 활빙] 얼음지치기. 스케이팅.
[滑石 활석] ㉠매끄러운 돌. 곱돌. ㉡함수규산(含水硅酸)과 마그네슘을 성분으로 하는 광물. 몸은 무르고 겉은 반질반질함. 상품(上品)은 빛이 희고 하품(下品)은 누름. 도료(塗料)·도자기·내화재(耐火材)로 쓰임.
[滑泄 활설] 설사(泄瀉)가 심한 병.
[滑賊 활적] 교활한 사람. 활적(猾賊).
[滑淨 활정] 반드럽고 깨끗함.
[滑走 활주] ㉠미끄러져 달아남. ㉡비행기가 땅 위나 물 위를 내달음.
[滑車 활차] 도르래.
[滑脫 활탈] ㉠미끄러져 벗어남. ㉡막힘이 없음. 자유자재임.
[滑澤 활택] ㉠반드럽고 윤이 있음. ㉡윤. 광택(光澤).
[滑滑 활활·골골] ㉠반들반들한 모양. 매끄러운 모양. ㉡'골골(滑滑)'을 보라.
◉凍滑. 美滑. 細滑. 軟滑. 撓滑. 圓滑. 危滑. 柔滑. 濡滑. 潤滑. 泥滑. 膩滑. 峻滑. 甜滑. 清滑. 平滑. 險滑.

10 ⑬ [溕] 몽 [去]送 蒙弄切 mèng

[字解] 가랑비 몽 濛(水部 十四畫)과 同字. '—, 微雨也'《集韻》.

10 ⑬ [滓] [人名] 재 ①②㊤紙 阻史切 zǐ
③[平]支 莊支切

[字解] ①찌끼 재 ㉠침전물. '渣—'. '動增泥—'《李陵》. ㉡허섭스레기. '汁—相將'《周禮 註》. ②때 재 더러운 것. '澡雪垢—'《馬融》. ③때낄 재 '泥而不—'《史記》.
[字源] 篆文 形聲. 氵(水)+宰〔音〕. '宰재'는 '조리하다'의 뜻. 조리할 때 밑에 가라앉는 '찌끼'의 뜻을 나타냄.

[滓穢 재예] ㉠찌끼와 더러운 것. ㉡더럽힘. 더럽

게 함.
[滓濁 재탁] 찌끼와 혼탁한 것. 오예(汚穢).
◉垢滓. 粃滓. 査滓. 渣滓. 泥滓. 塵滓. 沈滓.

10 ⑬ [滔] 人名 도 ㊥豪 土刀切 tāo

字解 ①창일할 도 물이 불어서 넘침. '——'. '浩浩—天'《書經》. ②넓을 도 '—蕩'. '—乎莫知所止息'《淮南子》. ③게을리할 도 '士不濫, 官不—'《左傳》. ④업신여길 도 깔봄. '簒漢—天'《漢書》. ⑤움직일 도 동요함. 동요시킴. '振—洪水'《淮南子》. ⑥모일 도, 모을 도 '—乎前'《莊子》. ⑦동풍 도 동쪽에서 불어오는 바람. '東方曰—風'《呂氏春秋》.
字源 篆文 形聲. 氵(水)+舀〔音〕. '舀도'는 '壽수'와 통하여, '이어지다'의 뜻. 물이 줄이어 퍼지다의 뜻을 나타냄.

[滔德 도덕] 교만하고 게으른 악덕(惡德).
[滔滔 도도] ㉠물이 창일(漲溢)하여 흐르는 모양. ㉡거침없이 말을 잘하는 모양. ㉢넓고 큰 모양. ㉣흘러가는 모양. 전(轉)하여, 세상의 풍조를 따라가는 모양. ㉤가는 모양.
[滔騰 도등] 물이 넘쳐 올라감.
[滔天 도천] ㉠큰물이 하늘에까지 창일함. ㉡하늘을 두려워하지 않고 업신여김. 죄악 등이 큼을 이름.
[滔天惡 도천악] 하늘을 업신여기는 죄악. 대악(大惡).
[滔天止勢 도천지세] 하늘까지 창일(漲溢)하여 흐르는 기세(氣勢). 대단한 기세(氣勢).
[滔蕩 도탕] 넓고 성(盛)한 모양.
[滔風 도풍] 동풍(東風).
[滔乎 도호] 광대(廣大)한 모양.
◉振滔.

10 ⑬ [渮] 가 ㊥歌 古俄切 gē

字解 진창 가 곤죽이 된 진흙. '甚淖而—'《淮南子》.
字源 篆文 形聲. 氵(水)+哥〔音〕

10 ⑬ [溭] 직 ㊀職 士力切 zé

字解 움직일 직 물건이 움직이는 모양. 또, 크고 작은 파도가 차례로 밀어닥치는 모양. '—淢濜涓'《郭璞》.
字源 形聲. 氵(水)+畟〔音〕

[溭淢 직역] 물건이 움직이는 모양.

10 ⑬ [滆] ㊀ 혁 ㊀陌 下革切 gé
㊁ 격 ㊀陌 各核切 gé

字解 ㊀ 호수이름 혁 장쑤 성(江蘇省) 창저우 시(常州市)의 서남쪽에 있는 호수. 사자호(沙子湖). '具區洮—'《郭璞》. ㊁ 호수이름 격 ㊀과 뜻이 같음.

10 ⑬ [溴] 취 ㊤宥 尺又切 xiù

字解 ①물기운 취 '—, 水氣也'《玉篇》. ②원소 이름 취 화학 원소(化學元素)의 이름. 브롬. 취소(臭素).

10 ⑬ [溛] 와 ㊥麻 烏瓜切 wā

字解 ①우묵할 와 窊(穴部 五畫)와 同字. ②울퉁불퉁할 와 평평하지 아니한 모양. '沍淪—瀤'《郭璞》.
字源 形聲. 氵(水)+窊〔音〕. '窊와'는 '우묵해지다'의 뜻.

[溛瀤 와회] 울퉁불퉁한 모양.

10 ⑬ [滈] 묘(요㊍) ㊤篠 伊鳥切 yǎo

字解 아득할 묘 '——'는 깊어서 헤아릴 수 없음. '——, 深不測'《集韻》.

10 ⑬ [潣] 섬 ㊤琰 失冉切 shǎn

字解 ①빨리흐를 섬. ②출렁거릴 섬 물이 요동하는 모양. '—泊'. '—泊汨而迆颺'《木華》.

[潣泊 섬박] 물이 출렁거리는 모양.

10 ⑬ [溹] ㊀ 삭 ㊀藥 蘇各切 suò
㊁ 색 ㊀陌 山責切 sè

字解 ㊀ 물이름 삭 '—水'는 허난 성(河南省) 형양현(滎陽縣)에서 발원(發源)하여, 현의 남쪽에서 수수(須水)와 합하여 수삭하(須索河)를 이루는 강. '—河'. '敦與之山, —水出于其陽'《山海經》. ㊁ 비내릴 색 비가 오는 모양. '——'.

[溹水 삭수] 자해(字解)㊀을 보라.
[溹河 삭하] 삭수(溹水).
[溹溹 색색] 비가 오는 모양.

10 ⑬ [溻] 합 ㊀洽 迄洽切 xiá

字解 여울 합 '—濈, 湍流'《集韻》.

10 ⑬ [溰] 의 ㊥微 魚衣切 aí

字解 흴 의 '——'는 눈·서리 같은 것이 흰 모양. '瞻彼原隰, 雾露——'《劉基》.
字源 形聲. 氵(水)+豈〔音〕

10 ⑬ [滜] ㊀ 각 ㊀覺 克角切 què
㊁ 확 ㊀藥 忽郭切
㊂ 혹 ㊀沃 胡沃切 hú

字解 ㊀ ①물댈 각 관개(灌漑). '—, 灌也'《說文》. ②젖을 각 '—, 濡也'《玉篇》. ③담글 각 '—, 漬也'《玉篇》. ㊁ 물댈 확 ㊀❶과 뜻이 같음. ㊂ 물소리 혹 '—, 水聲'《集韻》.
字源 形聲. 氵(水)+隺〔音〕

10 ⑬ [溞] 소 ㊥豪 蘇遭切 sāo

字解 일소 쌀을 읾. 또, 그 소리. '——, 淅也'《爾雅》.

10 ⑬ [涢] 운 ①[平]文 王分切 yún ②③[上]軫 于敏切 yǔn 涢

[字解] ①강이름 운 '一水'는 후베이 성(湖北省) 수현(隨縣) 서남의 대홍산(大洪山)에서 발원하여 한수이(漢水)로 흘러 들어가는 강. '一, 水名, 在南陽'《廣韻》. ②물결칠 운 '澐一·一澐'은 크고 작은 파도가 잇달아 밀려오는 모양. '一, 澐一, 波相次也'《廣韻》. ③떨어질 운 '磒落也. 通作一'.

[字源] 篆文 形聲. 氵(水)+員〔音〕

10 ⑬ [滚] 〔곤〕 滾(水部 十一畫〈p.1280〉)의 本字

10 ⑬ [漾] 〔양〕 漾(水部 十一畫〈p.1290〉)과 同字

10 ⑬ [漢] 〔한〕 漢(水部 十一畫〈p.1286〉)의 俗字

10 ⑬ [滞] 〔체〕 滯(水部 十一畫〈p.1279〉)의 俗字

10 ⑬ [漠] 〔막〕 漠(水部 十一畫〈p.1286〉)의 俗字

10 ⑬ [湿] 〔습〕 溼(水部 十畫〈p.1278〉)·濕(水部 十四畫〈p.1306〉)의 俗字

10 ⑬ [深] 〔심〕 深(水部 八畫〈p.1244〉)의 本字

10 ⑬ [溼] 〔습〕 濕(水部 十四畫〈p.1306〉)의 本字

10 ⑬ [涵] 〔함〕 涵(水部 八畫〈p.1236〉)의 本字

10 ⑬ [溵] [人名] 〔은〕 濦(水部 十四畫〈p.1306〉)과 同字

[筆順] 丶 氵 氵 氵 泸 泿 溵 溵

10 ⑬ [澭] 〔옹〕 灉(水部 十八畫〈p.1317〉)과 同字

10 ⑬ [溸] 〔소〕 溯(水部 九畫〈p.1267〉)의 俗字

10 ⑬ [滌] 〔척〕 滌(水部 十一畫〈p.1278〉)의 俗字

10 ⑬ [漁] 〔어〕 漁(水部 十一畫〈p.1282〉)의 俗字

10 ⑬ [滝] 〔롱〕 瀧(水部 十六畫〈p.1314〉)의 俗字

10 ⑬ [滙] 〔회〕 匯(匚部 十一畫〈p.294〉)의 俗字

10 ⑭ [㳅] 〔류〕 流(水部 七畫〈p.1233〉)의 古字

11 ⑮ [潁] [人名] 영 [上]梗 餘頃切 yǐng 颍

[字解] ①물이름 영 '一水'는 허난 성(河南省) 등봉현(登封縣)에서 발원(發源)하여, 안후이 성(安徽省)에서 화이수이(淮水) 강으로 흘러 들어가는 강. '荊州其浸一湛'《周禮》. ②성 영 성(姓)의 하나.

[字源] 篆文 形聲. 水+頃〔音〕

[潁水 영수] 자해(字解) ❶을 보라.

[潁水隱士 영수은사] 요(堯)임금 시대에 영수(潁水) 가에서 은거(隱居)하였다는 허유(許由)를 이름. 그는 요임금이 자기에게 천하(天下)를 내주겠다는 말을 듣고 귀가 더러워졌다 하여 영수에서 귀를 씻었다 함.

[潁川 영천] 영수(潁水).

[潁川水 영천수] 영천의 물. 영천의 흐름.

11 ⑮ [漿] [人名] 장 [平]陽 卽良切 jiāng 浆

[字解] ①미음 장 끓인 쌀의 즙(汁). '辨四飮之物. …三曰一'《周禮》. ②마실것 장 음료. '水一'. '簞食壺一'《孟子》. ③풀먹일 장 옷에 풀을 먹임. '今人一衣, 多用之'《本草》.

[字源] 篆文 古文 形聲. 水+將〔音〕. '將장'은 고기를 요리하는 모양. 조리된 마실 것의 뜻을 나타냄.

[漿果 장과] 살과 물이 많은 과실. 감·포도·귤 따위.

◉酪漿. 腦漿. 簞食壺漿. 酸漿. 仙漿. 水漿. 岩漿. 醴漿. 飮漿. 義漿. 飴漿. 酒漿. 鐵漿. 酢漿. 寒漿. 含漿. 血漿.

11 ⑮ [漐] 칩 [入]緝 丑入切 zhí

[字解] ①땀흐를 칩 '一, 汗出貌'《集韻》. ②가랑비잇따를 칩 '一一, 小雨不輟'《正字通》.

11 ⑮ [漦] 시 [平]支 俟菑切 chí

[字解] 거품 시 입에서 나오는 거품. 침방울. '龍亡而一在'《國語》. '卜請其一而藏之'《國語》.

[字源] 篆文 形聲. 水+𠩺〔音〕

11 ⑮ [漀] 경 [上]迥 棄挺切 qǐng / [平]庚 牽盈切 qǐng / [平]青 苦丁切

[字解] ①술따를 경 항아리를 기울여 술을 따름. '一, 側器傾酒漿也'《集韻》. ②옆으로나오는샘 경 '一, 側出泉也'《說文》.

[字源] 形聲. 水+殸〔音〕

11 ⑭ [滌] [人名] 척 [入]錫 亭歷切 dí 涤

[字解] ①닦을 척, 씻을 척 '洗一'. '一器於市中'《史記》. ②청소할 척 소제함. '十月一場'《詩經》. ③우리 척 희생(犧牲)을 기르는 우리. '帝牛必在一三月'《禮記》.

[字源] 篆文 形聲. 氵(水)+條〔音〕. '條조·척'은 기다란 줄의 뜻. 물을 줄무늬 모양으로

등에 흘려서 씻다의 뜻을 나타냄. 原字는 '攸'.
參考 滌(水部 十畫)은 俗字.

[滌漑 척개] 닦음. 씻음.
[滌盥 척관] 척세(滌洗).
[滌濫 척람] 음악의 템포가 빠르고 난잡함.
[滌煩子 척번자] 차(茶)의 별칭(別稱).
[滌暑 척서] 더운 기운을 씻어 버림.
[滌洗 척세] 닦음. 씻음. 세척(洗滌).
[滌滌 척척] ㉠가물어 물이 마른 모양. ㉡따뜻한 모양. 물이 흐르는 모양.
[滌濯 척탁] 빪. 씻음.
[滌蕩 척탕] 더러운 것을 씻어 버림.
[滌盪 척탕] 척탕(滌蕩).
[滌汰 척태] 척세(滌洗).
[滌瑕 척하] 흠을 씻어 버림. 결점을 없애 버림.
◉蠲滌. 削滌. 雪滌. 洗滌. 掃滌. 漱滌. 浣滌. 湔滌. 潮滌. 清滌. 蕩(盪)滌.

11 ⑭ [滫] 수 ㊤有 息有切 xiǔ ㊥尤 思留切

字解 ①뜨물 수 곡식을 씻어서 부옇게 된 물. 또, 쌀을 씻음. '一瀡以滑之'《禮記》. ②오줌 수 소변. '其漸之一'《荀子》.
字源 篆文 形聲. 氵(水)+脩〔音〕

[滫瀡 수수] ㉠뜨물. 뜨물로 국 같은 것을 끓이면 부드럽고 맛이 남. ㉡부모에게 맛있는 음식을 드리어 봉양하는 일.
◉蘭芷漸滫.

11 ⑭ [滬] 호 ㊤麌 侯古切 hù 沪

字解 ①물이름 호 '一瀆'은 장쑤 성(江蘇省)을 흐르는 우쑹 강(吳淞江)의 하류(下流). 상해현(上海縣)의 동북을 흐르므로, 전(轉)하여, 상해(上海)의 별칭. ②대어살 호 대나무를 바닷가에 죽 늘어세워서 고기를 잡는 어살. '別浦廻時魚一密'《陸游》.
字源 形聲. 氵(水)+扈〔音〕

[滬瀆 호독] 자해(字解)❶을 보라.
[滬上 호상] 상해(上海)의 별칭. 단순히 호(滬)라고도 함.

11 ⑭ [滯] 高人 체 ㊦霽 直例切 zhì 滞

字解 ①막힐 체 ㉠막혀 통하지 아니함. '流而不一'《淮南子》. ㉡말이 잘 나오지 아니함. 일이 잘 진척되지 아니함. '澀一'. '應對無一'《後漢書》. ②쌓일 체 묵어 쌓임. '一貨'. '敢告一積'《國語》. ③남을 체 ㉠빠져 남음. 잔류(殘留)함. '此有一穗'《詩經》. 또, 등용되지 않고 빠져 남은 어진 사람. 유현(遺賢). '訪賢舉一'《南史》. ㉡팔리지 않아 남음. '凡珍異之有一者'《周禮》. ④엉길 체 한 가지 일에 열중함. 집착(執着)함. '一固'. '聖人不凝一於物'《楚辭》. ⑤머무를 체 체재함. '一留'.
字源 篆文 形聲. 氵(水)+帶〔音〕. '帶'는 '띠'의 뜻. 띠를 두른 것처럼 물이 흐르지 않다, '막히다'의 뜻을 나타냄.

[滯客 체객] 가난하여 고생하는 사람.
[滯京 체경] 서울에 체류함.
[滯固 체고] 한 가지 일에 집착(執着)하여 융통성이 없음.
[滯氣 체기] 체증(滯症)의 기미.
[滯納 체납] 납세(納稅)를 지체함.
[滯念 체념] 풀지 못한 채 오랫동안 쌓인 생각.
[滯泥 체니] 거리낌. 구애(拘礙)됨.
[滯留 체류] 머물러 있음. 타향(他鄕)에 가서 오래 있음.
[滯痢 체리] 체증(滯症)으로 생기는 이질(痢疾).
[滯吝 체린] 집착(執着)함.
[滯務 체무] 밀려 남은 사무. 쌓인 사무.
[滯悶 체민] 기분이 울적(鬱寂)함.
[滯伏 체복] 체색(滯塞).
[滯想 체상] 체념(滯念).
[滯賞 체상] 밀린 상(賞). 선왕(先王) 때 공을 세우고도 아직 받지 못한 상.
[滯塞 체색] 막혀 쌓임.
[滯泄 체설] 체증(滯症)으로 일어나는 설사(泄瀉).
[滯訟 체송] 소송의 조사가 잘 진척되지 않아 밀림.
[滯囚 체수] 오랫동안 판결이 내리지 아니한 미결수(未決囚).
[滯穗 체수] 베어 가거나 따 가고 남은 이삭.
[滯礙 체애] 막힘. 밀림.
[滯淹 체엄] 체류(滯留).
[滯獄 체옥] 재판의 판결이 지체됨.
[滯雨 체우] 비에 갇혀 체류함.
[滯淫 체음] 오래 머무름. 음(淫)은 구(久).
[滯陰 체음] 여름이 되어도 음기(陰氣)가 사라지지 않는 일.
[滯積 체자] 묵혀 둔 저축(貯蓄).
[滯在 체재] 체류(滯留).
[滯積 체적·체자] ㉠밀려 쌓임. 쌓임. ㉡음식이 잘 소화되지 않아 뭉치어 생기는 병. ㉢'체자(滯積)'를 보라.
[滯滯泥泥 체체이니] 한 가지 일에 구애(拘礙)되어 융통성이 없음.
[滯沛 체패] 물이 소용돌이쳐 흐르는 모양.
[滯貨 체화] ㉠운송이 잘되지 못하여 밀려 쌓인 짐. ㉡상품이 잘 팔리지 않아 생산업자 또는 상인(商人)의 손에 남아 있어 창고에 쌓여 있는 화물(貨物).
◉蹇滯. 結滯. 稽滯. 曠滯. 羈滯. 跋滯. 澀滯. 淹滯. 延滯. 濘滯. 壅滯. 頑滯. 流滯. 濡滯. 留滯. 凝滯. 停滯. 遲滯. 沈滯.

11 ⑭ [滱] 구 ㊦宥 苦候切 ㊥尤 恪侯切 kòu

字解 물이름 구 산시 성(山西省) 혼원현(渾源縣) 남쪽의 취병산(翠屛山)에서 발원(發源)하여, 허베이 성(河北省) 내원현(淶源縣)으로 들어가 당하(唐河)가 되는 강(江). '一, 一水, 起北地靈丘, 東入河. 一水卽漚夷水. 幷州川也'《說文》.
字源 形聲. 氵(水)+寇〔音〕

11 ⑭ [漴] 종(충㊍) ①㊥江 鉏江切 chuáng ②㊥東 鉏弓切 chóng

字解 ①소낙비 종 비가 갑자기 옴. '雨急謂之

一'《集韻》. ②물소리 종 '一, 水聲'《集韻》.

11 ⑭ [滲] 人名 삼 ㊄沁 所禁切 shèn 滲

字解 ①밸 삼 물이 뱀. 물이 스미어 들어감. '一透'. '以生者血瀝死者骨, 一即爲父子'《南史》. ②샐 삼 조금씩 흘러나옴. '一涸'. '財無一漏'《宋史》.

字源 篆文 形聲. 氵(水)＋參〔音〕. '參참'은 '侵침'과 통하여, '범하다'의 뜻, 물이 조금씩 배다의 뜻을 나타냄.

[滲漉 삼록] 스미어 나옴.
[滲漏 삼루] 액체가 새어 나옴. 샘.
[滲泄 삼설] 삼루(滲漏).
[滲水 삼수] 물이 스미어 들어감. 또, 그 물.
[滲淫 삼음] 점점 스미어 들어감.
[滲入 삼입] 스미어 들어감. 뱀.
[滲出 삼출] 스미어 나옴.
[滲透 삼투] 스미어 들어감. 뱀.
[滲涸 삼학] 물이 새어 마름.
◉淋滲. 血滲.

11 ⑭ [滴] 高·人 적 ㊅錫 都歷切 dī 滴

筆順 氵 氵 氵 氵 渧 滴 滴 滴

字解 ①물방울 적 '雨一'. '流一垂水'《謝惠連》. ②물방울떨어질 적 '點一'. '香露一瀝'《拾遺記》.

字源 篆文 形聲. 氵(水)＋啇(啻)〔音〕. '啻적'은 중심에 모여들다의 뜻. 물이 표면 장력에 의해 중심의 한 점에 동글게 맺히는 물방울의 뜻을 나타냄.

[滴瀝 적력] 물방울이 떨어짐. 또, 그 소리.
[滴露 적로] 방울지어 떨어지는 이슬.
[滴水 적수] 떨어지는 물방울.
[滴滴 적적] 물방울이 떨어지는 모양.
[滴檐 적첨] 낙숫물.
◉書滴. 水滴. 餘滴. 瀝滴. 涓滴. 硯滴. 漣滴. 雨滴. 溜滴. 殘滴. 點滴. 簷滴.

11 ⑭ [滳] 상 ㊥陽 尸羊切 shāng 滳

字解 세차게흐를 상 물이 세차게 흐르는 모양. '鬱鬱芊芊, 若何一一'《列子》.

[滳滳 상상] 물이 세차게 흐르는 모양.

11 ⑭ [漝] 습 ㊅緝 席入切 xí

字解 ①그림자 습 '一, 影也'《玉篇》. ②물 습 물의 모양. '一, 湁一, 水皃'《集韻》.

11 ⑭ [滻] 산 ㊤潸 所簡切 chǎn 浐

字解 ①울 산 눈물을 흘리는 모양. '一, 出涕'《玉篇》. ②많을 산 '一一'은 많음. 일설(一說)에, 물고기가 떼 지어 헤엄치는 모양. ③물이름 산 산시 성(陝西省) 남전현(藍田縣) 서남쪽에서 발원하여, 웨이수이(渭水)로 흐르는 강. '一水'. '一, 一水, 出京兆藍田谷, 入霸'《說文》.

字源 篆文 形聲. 氵(水)＋產〔音〕

11 ⑭ [滷] 로 ㊤麌 郎古切 lǔ 卤

字解 ①짠땅 로 염분이 많이 섞인 땅. 척로(斥鹵). '一, 苦地也, 謂斥鹵可煑鹽者'《爾雅 疏》. ②짠물 로 염분을 포함한 물. 또, 간수. '一, 鹹水也'《玉篇》.

字源 形聲. 氵(水)＋鹵〔音〕. '鹵로'는 '소금기가 많은 땅'의 뜻. '짠물'의 뜻을 나타냄.

[滷蝦 노하] ㉠새우젓. ㉡곤쟁이.

11 ⑭ [滸] 人名 호 ㊥麌 呼古切 hǔ 浒

字解 물가 호 수애(水涯)의 평지(平地). '在河之一'《詩經》.

字源 形聲. 氵(水)＋許〔音〕. '許허'는 '處처'와 통하여, '곳'의 뜻. 물이 있는 곳, '물가'의 뜻을 나타냄.

◉烏滸.

11 ⑭ [滹] 호 ㊥虞 荒烏切 hū

字解 ①물이름 호 '一沱河'는 산시 성(山西省) 번치현(繁峙縣)에서 발원(發源)하여, 허베이 성(河北省)에서 바이허(白河)로 흘러 들어가는 강. '至一沱河, 無船'《後漢書》. ②성 호 성(姓)의 하나.

字源 形聲. 氵(水)＋虖〔音〕

[滹沱河 호타하] 자해(字解)❶을 보라.

11 ⑭ [漊] 루 ①㊥虞 龍珠切 lǘ ②㊤有 郎斗切 lǒu ③㊥尤 郎侯切 lóu 溇

字解 ①가랑비잇달 루 '一一, 猶縷縷也. 不絕之皃'《說文 段注》. ②봇도랑 루, 돌창 루 '一, 溝也'《集韻》. ③물이름 루 후베이 성(湖北省) 학봉현(鶴峰縣) 서북쪽에서 발원하여 풍수(澧水)로 흘러드는 강. 지금의 구계하(九溪河). '一水'. '一, 水名, 出武陵蠻中'《集韻》.

字源 篆文 形聲. 氵(水)＋婁〔音〕. '婁루'는 끊이지 않고 연하여의 뜻. 비가 끊이지 않고 내리는 모양을 나타냄.

11 ⑭ [滺] 유 ㊥尤 夷周切 yōu

字解 흐를 유 물이 흐르는 형용. '淇水一一'《詩經》.

[滺滺 유유] 물이 흐르는 모양.

11 ⑭ [湯] 상 ㊥陽 尸羊切 shāng

字解 물흐르는모양 상 '湯, 湯湯, 水流皃, 或作一'《集韻》.

11 ⑭ [滾] 人名 곤 ㊤阮 古本切 gǔn

字解 ①흐를 곤 물이 세차게 흐르는 모양. '不盡長江——來'《杜甫》. ②끓을 곤 물이 끓음. '—, 俗謂湯沸曰—'《中華大字典》.
字源 形聲. 氵(水)+袞〔音〕
參考 滾(水部 十畫)은 同字.

[滾滾 곤곤] 물이 세차게 흐르는 모양.
[滾汨 곤골] 몹시 바쁨.
[滾沸 곤불] 물이 세차게 흘러나옴.

11 ⑭ [滿] 中人 만 ㊤旱 莫旱切 mǎn 满

筆順 氵 汇 汼 汼 渹 湍 滿 滿

字解 ①찰 만 ㉠가득 참. '充—'. '戶外之屨—矣'《莊子》. ㉡풍족함. 충분함. '—足'. '羽毛不豐—者'《戰國策》. ㉢기한이 참. '—期'. '官未嘗至秩—'《南史》. ②채울 만 전항(前項)의 타동사. '買地爲馬埒, 編錢—之'《晉書》. ③교만할 만 거만함. '驕—'. '其—之甚也'《國語》. ④땅이름 만 '—洲'의 약칭. '—漢各一人'《大淸會典》. ⑤성낼 만 懣(心部 十四畫)과 통용. '憂—不食'《漢書》. ⑥속일 만 瞞(目部 十一畫)과 통용. '—讕誣天'《漢書》. ⑦성 만 성(姓)의 하나.
字源 篆文 滿 形聲. 氵(水)+㒼〔音〕. '㒼만'은 '뻗다, 퍼지다'의 뜻. 물이 그릇에 가득하게 되어 퍼지다, 가득 차다의 뜻을 나타냄.

[滿架 만가] 시렁에 가득 참. 또, 시렁에 가득히.
[滿假 만가] 자만심(自慢心)이 많아 거만하게 굶.
[滿街 만가] 온 거리.
[滿干 만간] 밀물과 썰물. 만조(滿潮)와 간조(干潮). 간만(干滿).
[滿腔 만강] 온몸. 만신(滿身).
[滿腔子都是春意 만강자도시춘의] 온몸에 봄 날씨 같은 화기(和氣)가 가득 참. 정호(程顥)의 말.
[滿開 만개] 꽃이 활짝 핌. 만발(滿發)함.
[滿貫 만관] ㉠돈꿰미에 엽전을 가득 꿤. ㉡활시위를 잔뜩 당김.
[滿口 만구] 온 입. 입 가득히.
[滿篝 만구] 부담롱(負擔籠)에 하나 가득함.
[滿期 만기] 기한이 참. 일정한 기간이 다 됨.
[滿喫 만끽] ㉠충분히 먹음. 충분히 마심. ㉡욕망을 마음껏 충족시킴.
[滿堂 만당] 온 당(堂) 안. 온 방 안. 또, 온 방 안에 가득 참.
[滿讕 만란] 속임. 기만함.
[滿路 만로] 온 길. 길 가득히.
[滿了 만료] 다 끝남. 완료(完了).
[滿滿 만만] 가득 찬 모양.
[滿面 만면] 온 낯.
[滿面愁色 만면수색] 온 얼굴에 가득 찬 수심의 빛.
[滿面春風 만면춘풍] 온 얼굴에 가득 찬 화기(和氣).
[滿眸 만모] 만목(滿目).
[滿目 만목] ㉠눈에 가득 참. ㉡눈에 보이는 것이 모두.
[滿目荒涼 만목황량] 눈에 보이는 것이 모두 거칠고 처량함.
[滿發 만발] 만개(滿開).
[滿腹 만복] 배에 가득함. 배부름. 또, 가득 찬 배.
[滿朔 만삭] 달이 참.
[滿山 만산] ㉠온 산. 산 전체. ㉡《佛敎》온 절. 절 전체.
[滿船 만선] 배에 가득 차 있음. 또, 그 배.
[滿數 만수] 일정한 수에 참.
[滿身 만신] 온몸. 몸 전체. 전신(全身). 만강(滿腔).
[滿身是膽 만신시담] 온몸이 전부 담(膽)임. 대단히 담이 큼. 아주 대담함. 거신시담(擧身是膽).
[滿身瘡痍 만신창이] 온몸이 흠집투성이임.
[滿俺 만암] 붉은색을 띤 회색의 광택 있는 금속 원소. 망간.
[滿筵 만연] 자리가 꽉 참.
[滿悅 만열] 만족한 기쁨. 큰 기쁨. 대열(大悅).
[滿盈 만영] 가득 참. 충만함.
[滿籯 만영] 가득 찬 대바구니. 대바구니 가득.
[滿壅 만옹] 꽉 참. 꽉 막힘. 충색(充塞).
[滿員 만원] 정원(定員)에 참.
[滿月 만월] ㉠보름달. ㉡만삭(滿朔). ㉢아이를 낳은 지 만 1개월이 됨.
[滿月之相 만월지상] 《佛敎》아름다운 불상(佛相).
[滿意 만의] ㉠뜻에 참. 마음에 만족함. ㉡결심함.
[滿溢 만일] 가득 차 넘침.
[滿酌 만작] 술을 잔에 가득 따름. 또, 술이 가득 찬 잔.
[滿場 만장] 회장(會場) 또는 강당(講堂)에 가득 참. 또, 그곳에 모인 사람 전부.
[滿載 만재] ㉠하나 가득 실음. ㉡기사(記事)를 온 지면(紙面)에 실음.
[滿貯 만저] 가득 쌓아 둠.
[滿點 만점] 규정한 최고의 점수에 달함.
[滿廷 만정] 만조(滿朝).
[滿庭 만정] 뜰 전체. 온 뜰.
[滿朝 만조] 온 조정(朝廷). 조정의 벼슬아치 전부.
[滿潮 만조] 밀물. 간조(干潮)의 대(對).
[滿足 만족] ㉠족함. 충분함. ㉡소망이 충분히 채워져서 불평이 없음.
[滿坐 만좌] 만좌(滿座).
[滿座 만좌] ㉠온 좌석. 온 자리. 그 자리에 있는 사람 전부. ㉡온 좌석에 가득 참.
[滿洲 만주] 원래는 종족(種族)의 이름. 만주(滿珠)라고도 함. 후(後)에 그 종족이 사는 지방의 지명(地名)으로 쓰임. 곧, 중국 동북 지방의 대부분.
[滿珠 만주] 만주(滿洲).
[滿洲源流考 만주원류고] 청(淸)나라 건륭(乾隆) 43년에 아계(阿桂) 등이 칙명(勅命)에 의하여 찬(撰)한 만주의 강지(疆誌). 총 20권. 부족(部族)·강역(疆域)·산천(山川)·풍속(風俗)의 네 부문(部門)으로 나누어 상술(詳述)하였음.
[滿洲八旗 만주팔기] 청태조(淸太祖) 때 제정한 병제(兵制). 한 기(旗)의 군대의 수효는 7천5백 명. 여덟 기(旗)가 모두 색이 다른 기를 가졌음.
[滿則虧 만즉휴] 달이 만월(滿月)이 되면 이지러지기 시작함. 사물이 충족하면 반드시 부족해지거나 사물이 성하면 반드시 쇠해짐의 비유.
[滿地 만지] 온 지면(地面).
[滿紙 만지] 온 지면(紙面). 지면 가득.
[滿紙長書 만지장서] 사연(辭緣)이 긴 편지.
[滿秩 만질] 처음으로 벼슬아치가 된 후 만 1년간은 시보(試補)로서 근무하여 녹(祿)을 전연 타지 않는 일.

[滿斟 만짐] 만작(滿酌).
[滿天 만천] 온 하늘.
[滿天下 만천하] 온 천하. 천하 전부.
[滿招損謙受益 만초손겸수익] 교만하면 손해를 초래하고, 겸손하면 이익을 받음.
[滿遍 만편] 두루 미침.
[滿幅 만폭] 폭 전체. 넓이 전체.
[滿花 만화] 가득 핀 온갖 꽃.
◉驕滿. 矜滿. 未滿. 撲滿. 不滿. 肥滿. 三滿. 三平二滿. 盛滿. 盈滿. 圓滿. 殷滿. 引滿. 因圓果滿. 貯滿. 持滿. 脹滿. 處滿. 淸滿. 充滿. 遍滿. 飽滿. 豐滿.

11 ⑭ [漁] 中人 어 ㊥魚 語居切 yú 渔

筆順 氵 氵 氵 氵 氵 漁 漁 漁

字解 ①고기잡을 어 물고기를 잡음. '一網'. '以佃以一'《易經》. ②낚을 어 약탈함. 선악을 가리지 않고 탐내어 취함. '一奪'. '諸侯不下一色'《禮記》. ③고기잡이 어 ㉠고기를 잡는 일. '一獵'. '命漁師始一'《禮記》. ㉡어부(漁夫). '一家'. '伴樵一'《孔魚》.

字源 甲骨文 金文 篆文 形聲. 氵(水)+魚〔音〕. '魚어'는 '물고기'의 뜻. 물속에 사는 물고기를 잡다의 뜻을 나타냄. 金文에는 魚+양손으로, 물고기를 잡다의 뜻을 나타내는 것이 있음.

[漁家 어가] 고기잡이의 집.
[漁歌 어가] 고기잡이의 노래.
[漁罟 어고] 어망(漁網).
[漁具 어구] 고기잡이에 쓰는 제구(諸具).
[漁區 어구] 수산물(水產物)을 잡거나 뜯거나, 또는 가공을 위하여 정한 구역.
[漁基 어기] 어장(漁場).
[漁期 어기] 고기 잡는 시기(時期).
[漁磯 어기] 낚시터.
[漁舠 어도] 고기잡이하는 거룻배. 도(舠)는 칼 모양의 작은 배.
[漁郞 어랑] 고기잡이하는 사내. 어부(漁夫).
[漁獵 어렵] 고기잡이와 사냥.
[漁撈 어로] 수산물을 포획(捕獲)·채취하는 일.
[漁網 어망] 물고기를 잡는 그물.
[漁夫 어부] 물고기를 잡는 사람. 고기잡이. 어랑(漁郞). 어자(漁者). 어부(漁父).
[漁父 어부] 고기잡이. 어부(漁夫).
[漁父之利 어부지리] 두 사람이 싸우는 사이에 제삼자(第三者)가 이(利)를 가로채는 것을 이름. 도요새가 무명조개의 속살을 먹으려고 부리를 조가비 안에 넣는 순간, 무명조개가 껍질을 꼭 다물고 서로 싸우는 데에 어부(漁父)가 와서 손쉽게 다 잡아 갔다는 고사(故事)에서 나온 말.
[漁師 어사] ㉠물고기를 맡은 벼슬. ㉡어부(漁夫).
[漁色 어색] 여색(女色)을 탐(貪)함.
[漁船 어선] 고기잡이하는 배.
[漁叟 어수] 어옹(漁翁).
[漁食 어식] 남의 것을 빼앗아 먹음.
[漁陽鼙鼓動地來 어양비고동지래] 당(唐)나라의 안녹산(安祿山)이 어양(漁陽)에서 배반하여 쳐들어온 것을 이름. 어양(漁陽)은 허베이 성(河北省)에 있는 지명(地名), 비고(鼙鼓)는 기병(騎兵)이 말 위에서 치는 북.
[漁洋詩話 어양시화] 서명(書名). 총3권. 청(淸)나라 왕사정(王士禎)의 찬(撰). 채철(採掇)이 자못 정(精)하여 후학(後學)을 계발(啓發)하는 바가 많음. 근세(近世)의 시화(詩話) 중 가장 뛰어난 것의 하나임.
[漁業 어업] 고기잡이를 하거나 기르는 직업.
[漁翁 어옹] 고기잡이를 하는 늙은이.
[漁人 어인] 어부(漁夫).
[漁子 어자] 어부(漁夫).
[漁者 어자] 어부(漁夫).
[漁莊 어장] 고기잡이의 집.
[漁場 어장] 고기잡이를 하는 곳.
[漁莊蟹舍 어장해사] 어장(漁莊).
[漁笛 어적] 어부가 부는 피리. 어촌에서 들리는 피리 소리.
[漁畋 어전] 어렵(漁獵).
[漁筌 어전] 통발.
[漁征 어정] 수산물(水產物)에 과(課)하는 구실.
[漁艇 어정] 고기잡이하는 작은 배.
[漁釣 어조] 낚시질.
[漁舟 어주] 어선(漁船).
[漁罾 어증] 어망(漁網).
[漁唱 어창] 어가(漁歌).
[漁樵 어초] 고기 잡는 일과 나무하는 일. 또, 그 사람. 어부와 나무꾼.
[漁樵閑話 어초한화] 어부와 나무꾼이 한가로이 하는 이야기. 전(轉)하여, 명리(名利)를 떠난 이야기.
[漁村 어촌] 어부(漁夫)가 사는 촌락(村落).
[漁取 어취] 남의 것을 탈취함.
[漁奪 어탈] 백성의 재물을 빼앗음.
[漁港 어항] 고기잡이에 관한 시설(施設)이 있는 항구(港口).
[漁戶 어호] 어부(漁夫)가 사는 집. 어가(漁家).
[漁火 어화] 고기를 잡기 위하여 피우는 불.
[漁獲 어획] 수산물(水產物)을 포획·채취하는 일.
◉禁漁. 大漁. 半農半漁. 夜漁. 入漁. 畋漁. 田漁. 佃漁. 樵漁. 出漁. 侵漁. 捕漁. 豐漁. 凶漁.

11 ⑭ [漂] 高人 표 ①-⑤㊥蕭 撫招切 piāo ⑥㊤嘯 匹妙切 piǎo

筆順 氵 氵 氵 氵 氵 漂 漂 漂

字解 ①떠다닐 표 ㉠풍파에 따라 이리저리 떠다님. '一流'. '流澌浮一'《魏武帝》. ㉡정처 없이 유랑함. '一寓'. '萍一上國'《皇甫松》. ②떠다니게할 표 '流血一杵'《書經》. ③나부낄 표 飄(風部 十一畫)와 통용. '風其一女'《詩經》. ④움직일 표 위치를 변경시킴. '衆煦一山'《漢書》. ⑤능가할 표 훨씬 뛰어남. '一陵絲簧'《馬融》. ⑥바랠 표, 빨래할 표 세탁함. '一白'. '一母'. '竟一數十日'《史記》.

字源 篆文 形聲. 氵(水)+票(㶾)〔音〕. '㶾표'는 불티가 날아오르다의 뜻. 수면(水面)을 불티가 날 듯이 떠다니다의 뜻을 나타냄. 파생(派生)하여, 물속을 떠다니게 하여 '바래다'의 뜻을 나타냄.

[漂客 표객] 방랑하는 사람.
[漂纊 표광] 솜을 빨아 희게 함. 솜을 바램.

[漂女 표녀] 빨래하는 여자.
[漂落 표락] 신세가 기박(奇薄)하여 고생하게 됨. 표륜(漂淪).
[漂浪 표랑] 정처 없이 떠돌아다님. 방랑함. 유랑(流浪).
[漂鹵 표로] 싸움터에서 많은 사람을 죽여 유혈(流血)이 개펄에 흥건하여 큰 방패를 띄울 지경임. 표저(漂杵).
[漂流 표류] ㉠물에 떠서 흘러감. ㉡물 위에 둥둥 떠내려감. 정처 없이 떠돌아다님. 표랑(漂浪).
[漂淪 표륜] 영락(零落)함.
[漂母 표모] 빨래하는 노파(老婆).
[漂沒 표몰] 떴다 가라앉았다 함.
[漂泊 표박] ㉠물 위에 둥둥 떠내려감. ㉡정처 없이 떠돌아다님. 방랑함. 유랑(流浪).
[漂薄 표박] 방랑(放浪)하여 마음이 편안하지 아니함.
[漂拔 표발] 홍수·사태 등으로 수목 따위가 뿌리째 뽑혀 나감.
[漂白 표백] ㉠빨아서 희게 함. 바램. ㉡화학 약품을 써서 탈색(脫色)하여 희게 함.
[漂白粉 표백분] 표백(漂白)에 쓰는 흰 가루. 소석회(消石灰)에 염소(鹽素)를 흡수시킨 것.
[漂撇 표별] 여운(餘韻)이 높아져서 울리는 모양.
[漂霰 표산] 훨훨 날리는 싸라기눈.
[漂旋 표선] 떠서 돌아다님. 일정한 곳이 없이 떠돌아다님.
[漂船 표선] 표류(漂流)하는 배.
[漂說 표설] 뜬소문. 터무니없는 말.
[漂失 표실] 떠내려가서 잃어버림. 유실(流失).
[漂然 표연] 높이 올라가는 모양. 또, 고원(高遠)한 모양.
[漂搖 표요] 떠서 움직임. 또, 띄워 움직이게 함.
[漂寓 표우] 방랑하다가 타향에 우거(寓居)함.
[漂濡 표유] 물 위에 떠서 젖음.
[漂鳥 표조] ㉠먹을 것을 얻기 위하여 사는 곳을 옮기는 새. 꾀꼬리·딱따구리 따위. ㉡철새. 후조(候鳥). 유조(留鳥)의 대(對).
[漂着 표착] 표류(漂流)하다가 물가에 닿음.
[漂蕩 표탕] ㉠수해(水害)를 만나 재산을 떠내려 보냄. ㉡표랑(漂浪). ㉢넓디넓은 모양.
[漂萍 표평] 물 위에 둥둥 뜬 수초(水草).
[漂漂 표표] ㉠높이 나는 모양. ㉡정처 없이 떠돌아다니는 모양.
[漂風 표풍] 바람결에 떠서 흘러감.
◉浮漂. 流漂. 瀏漂. 萍漂.

11 ⑭ [漹] 언 [平]先 有乾切 yān

[字解] 물이름 언 산시 성(山西省) 중양현(中陽縣)의 경계에서 발원하여 남류(南流), 황하로 흘러드는 강. '一, 一水, 出西河中陽北沙, 南入河'《說文》.

[字源] 篆文 形聲. 氵(水)+焉〔音〕

11 ⑭ [漆] [高人] [一] 칠 [入]質 親吉切 qī
[二] 철 [入]屑 千結切 qiè

[筆順] 氵 氵 汁 汼 泈 泳 漆 漆

[字解] [一] ①옻나무 칠 옻나뭇과에 속하는 낙엽교목(落葉喬木). 진(津)은 유독(有毒)하며 칠에 씀. '椅桐梓—'《詩經》. ②옻칠 칠 옻나무의 진(津). '厥貢—絲'《書經》. ③검을 칠 흑색. '—車藩蔽'《周禮》. ④옻칠할 칠 '歲壹—之'《禮記》. ⑤강이름 칠 '—水'는 산시 성(陝西省)의 대신산(大神山)에서 발원, 웨이수이(渭水)로 들어감. '—, —水, 出右扶風杜陵岐山, 東入渭'《說文》. ⑥'七'의 갖은자. ⑦성 칠 성(姓)의 하나. [二] 전심할 철 한 가지 일에 마음을 경주(傾注)하는 모양. '濟濟——'《禮記》.

[字源] 篆文 形聲. 氵(水)+桼〔音〕. '桼칠'은 '옻칠'의 뜻. '水수'를 붙여, '강'의 이름을 나타냄. 또, 액체인 '칠'의 뜻도 나타냄.

[漆漆 철철] 한 가지 일에 오로지 마음을 기울이는 모양. 전심(專心)하는 모양.
[漆車 칠거] 칠차(漆車).
[漆工 칠공] 칠장이.
[漆器 칠기] 옻칠한 그릇.
[漆宅 칠댁] 칠택(漆宅).
[漆毒 칠독] 옻나무의 독.
[漆瞳 칠동] 검은 눈동자. 검은 눈.
[漆笠 칠립] 옻칠을 한 갓. 흑립(黑笠).
[漆色 칠색] 옻칠의 광택(光澤).
[漆書 칠서] 옻칠로 글씨를 씀. 또, 그 글씨. 옛날에는 옻칠로 대쪽에 글씨를 썼음.
[漆扇 칠선] 종이에 옻칠을 한 부채.
[漆細工 칠세공] 그릇에 옻칠을 한 여러 가지 세공(細工). 또는 그 장색(匠色).
[漆身爲厲 칠신위라] 몸에 옻칠을 하여 문둥이같이 꾸밈. 원수를 갚으려고 용모를 바꾸며, 갖은 애를 씀.
[漆室 칠실] 아주 캄캄한 방(房).
[漆室之憂 칠실지우] 신분(身分)에 지나친 근심을 이름. 옛날 노(魯)나라의 천부(賤婦)가 깜깜한 방 속에서 나랏일을 근심하였다는 고사(故事)에서 나온 말.
[漆夜 칠야] 깜깜한 밤.
[漆園吏 칠원리] 장자(莊子)를 이름. 일찍이 몽(蒙)이란 곳에서 칠원(漆園)의 벼슬아치가 되었기 때문임. 칠원은 옻나무를 심은 밭. 일설(一說)에는, 산둥 성(山東省)의 한 땅 이름이라고 함.
[漆者不畫 칠자불화] 옻칠을 하는 사람은 동시에 그림을 그리지 아니함. 한 사람이 두 가지 기예(技藝)를 배우지 않는다는 뜻.
[漆匠 칠장] 칠(漆)을 바르는 것으로 업(業)을 삼는 장색(匠色). 칠장이. 칠공(漆工).
[漆汁 칠즙] 옻나무의 진. 옻칠.
[漆車 칠차] 검게 칠한 수레.
[漆瘡 칠창] 옻이 올라 나는 급성(急性) 피부염(皮膚炎).
[漆宅 칠택] 관(棺). 관에는 옻칠을 하므로 이름.
[漆桶 칠통] 옻칠을 한 통.
[漆板 칠판] 분필(粉筆)로 글씨를 쓰는 검은 칠(漆)을 한 판자.
[漆函 칠함] 옻칠을 한 함.
[漆畫 칠화] 옻칠로 그린 그림.
[漆黑 칠흑] 옻칠과 같이 검음. 새까맘.
◉乾漆. 光漆. 膠漆. 丹漆. 墨漆. 黝堊丹漆. 泥金畫漆. 點漆. 綵漆. 髹漆. 髤漆. 黑漆.

11 ⑭ [潐] 요(고[本]) [平]蕭 堅堯切 jiāo

[字解] ①엷을 요, 엷게할 요 澆(水部 十二畫)와

同字. '—淳散朴'《莊子》. ②기름질 요 비옥함.

11 ⑭ **[漈]** 제 [去]霽 子例切 jì

[字解] ①물가 제 수애(水涯). ②바다밑이터져깊이꺼진데 제 해거(海渠). '至彭湖漸低. 近瑠求, 則謂之落—'《元史》.
[字源] 形聲. 氵(水)+祭〔音〕

11 ⑭ **[漉]** 록 [入]屋 盧谷切 lù

[字解] ①거를 록 액체를 거름. '滲—'. '—汁灑地'《戰國策》. ②칠 록 토사를 쳐내고 물을 모두 뺌. '毋—陂池'《禮記》.
[字源] [篆文] [別體] 形聲. 氵(水)+鹿〔音〕. '鹿록'은 별체(別體)인 '淥록' 자가 있는 것으로도 알 수 있듯이, '彔록'과 통하여, 물을 퍼 올리다의 뜻. 우물·못 등을 치다, 물을 다 푸다, 퍼 올린 물을 거르다의 뜻을 나타냄.

[漉酒 녹주] 술을 거름.
[漉酒巾 녹주건] 진(晉)나라의 도연명(陶淵明)이 술을 좋아하여 두건(頭巾)으로 술을 거른 고사(故事).
[漉池 녹지] 못의 물을 마르게 함.
◉淘漉. 滲漉. 流漉. 淋漉.

11 ⑭ **[漌]** [人名] 근 [上]吻 几隱切 jǐn

[筆順] 氵 汁 泄 泄 渮 漌 漌 漌

[字解] 맑을 근 맑음. '—, 淸也'《廣韻》.

11 ⑭ **[漏]** [高入] 루 [去]宥 盧候切 lòu

[筆順] 氵 氵 沪 沪 涓 漏 漏 漏

[字解] ①샐 루 ㉠물·빛·바람 등이 틈으로 흘러나오거나 비쳐 나옴. '—水'. '月光穿—'《韓愈》. ㉡비밀이 탄로 남. '—泄'. '密有殺繡之計, 計—'《魏志》. ②틈날 루 틈이 생김. 구멍이 뚫림. '千里之隄, 以螻蟻之穴—'《淮南子》. ③빠뜨릴 루 유실(遺失)함. '—落'. '採史漢所—二百餘事'《齊書》. ④구멍 루 '禹耳三—'《白虎通》. ⑤누수기 루 물시계. '—刻'. '仆表決—'《史記》. ⑥서북모퉁이 루 방(房)의 서북 모퉁이의 가장 어두운 곳. '尙不愧于屋—'《詩經》. ⑦병이름 루 '痔—'. '腦—' 따위. ⑧《佛教》번뇌 루 번뇌(煩惱)의 이칭(異稱). '惑業爲諸—之因, 生死爲諸—之果'《大藏法數》. ⑨성 루 성(姓)의 하나.
[字源] [篆文] 形聲. 氵(水)+屚〔音〕. '屚루'는 또 尸+雨의 會意 문자로, 지붕에 작은 구멍이 나서 빗물이 샘의 뜻. 뒤에, '水수'를 붙였음. 또, 전(轉)하여, '물시계'의 뜻도 나타냄.

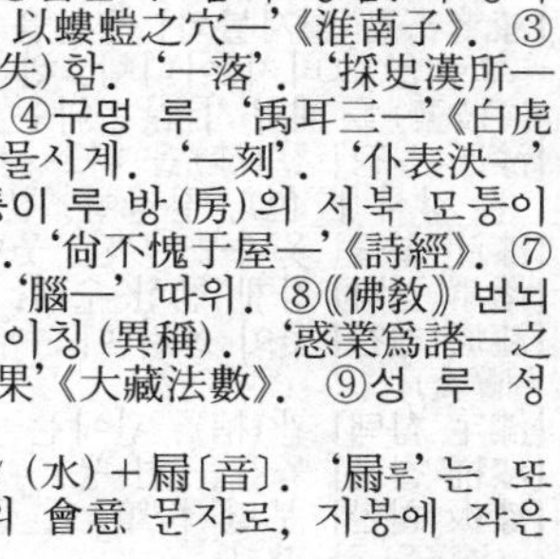
唐呂才漏刻圖

[漏刻 누각] 물시계의 하나. 가는 구멍에서 새어 떨어지는 물의 양(量)을 누호(漏壺) 속에 세운 누전(漏箭)의 눈금으로 읽어서 시각(時刻)을 알게 된 장치. 각루(刻漏).

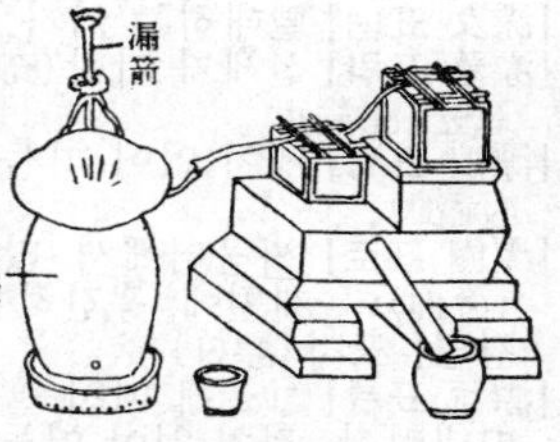

宋燕肅漏刻圖
[漏刻]

[漏決 누결] 물이 새어 둑이 무너짐.
[漏鼓 누고] 시각을 알리기 위하여 치는 북.
[漏氣 누기] 축축하게 새어 나오는 물 기운.
[漏短 누단] 물시계의 물이 적어짐.
[漏斗 누두] 깔때기.
[漏落 누락] 적바림에서 빠짐.
[漏露 누로] 비밀이 새어 알려짐.
[漏網 누망] 잡히게 된 죄인이 어느 틈에 새어 도망함.
[漏聞 누문] 어렴풋이 들음. 측문(仄聞).
[漏船 누선] 물이 새는 배.
[漏泄 누설] ㉠물이 샘. 또, 물을 새게 함. ㉡비밀(祕密)이 샘. 또, 비밀을 새게 함.
[漏洩 누설] 누설(漏泄).
[漏說 누설] 비밀을 누설(漏泄)함.
[漏聲 누성] 물시계의 물이 떨어지는 소리.
[漏水 누수] ㉠새는 물. 또, 물을 새게 함. ㉡물시계의 물.
[漏濕 누습] 습기가 스미어 나옴.
[漏失 누실] 새어 없어짐.
[漏屋 누옥] 비가 새는 집.
[漏籍 누적] 호적이나 병적(兵籍), 학적(學籍) 따위에 빠짐.
[漏電 누전] 전기 기계나 전선이 절연(絕緣)이 잘못되거나 손상(損傷)하여 전류(電流)가 새어 흐름.
[漏箭 누전] 물시계의 누호(漏壺) 안에 세운 눈을 새긴 화살. 그 눈을 보아 시간을 앎.
[漏點 누점] 물시계의 물이 똑똑 떨어짐.
[漏精 누정] 보거나 듣든지 하여 성적 충동(性的衝動)을 받거나 또는 꿈결에 모르는 사이에 정액이 새어 나옴.
[漏舟 누주] 누선(漏船).
[漏盡 누진] 물시계의 물이 다 새어 나옴. 그날이 다 감. 밤 열두 시가 됨.
[漏盡夜行 누진야행] 통행을 금지한 자정(子正) 때 길을 감. 연로하여 여명(餘命)이 얼마 남지 않았는데도 관욕(官欲)에 연연(戀戀)하여 벼슬을 내놓지 않는 비유로 쓰임.
[漏天 누천] 비가 너무 많이 옴을 이름.
[漏泉 누천] 물이 새어 나오는 샘이라는 뜻으로, 군주(君主)의 은택이 널리 미침을 이름.
[漏籤 누첨] 물시계의 시각(時刻)을 적은 대쪽.
[漏卮 누치] ㉠술이 새는 잔. 전(轉)하여, 대주호(大酒豪). ㉡이익(利益)이 밖으로 새어 나감.
[漏綻 누탄] 구멍이 뚫리고 찢어짐. 파탄(破綻)함.
[漏脫 누탈] 빠짐. 누락(漏落)함. 또, 빠뜨림.
[漏澤園 누택원] 관설(官設)의 공동묘지(共同墓地). 제사 지내는 사람이 없는 무덤.
[漏板 누판] 시간을 알리기 위하여 두드리는 판때기.
[漏戶 누호] 호적부에 빠진 집.
[漏壺 누호] 각(刻)·누(漏)의 물을 받는 그릇.

◉刻漏. 缺漏. 晷漏. 漬漏. 杜漏. 无漏. 伏漏. 不愧屋漏. 沙漏. 滲漏. 泄漏. 洩漏. 疎漏. 水漏. 夜漏. 蓮花漏. 屋漏. 玉漏. 有漏. 遺漏. 謬漏. 隱漏. 耳漏. 轉漏. 玷漏. 鐘漏. 穿漏. 脫漏. 頹漏. 透漏. 罅漏. 滑漏. 虧漏.

11 ⑭ [漑] 人名 ㊀ 개 ㊁去隊 古代切 gài ㊁ 기 ㊁去未 居家切 jì

筆順 氵 泊 泊 浥 浥 浥 淝 漑

字解 ㊀ ①물댈 개 '灌一'. '引漳水一鄴'《史記》. ②씻을 개, 닦을 개 '滌一'. '一之釜鬵'《詩經》. ㊁ 이미 기 旣(无部 七畫)와 통용. '一執中'《史記》.

字源 金文 篆文 形聲. 氵(水)+旣〔音〕. '旣기'는 그릇에 가득해져서 밖으로 넘치다의 뜻. 물이 넘치어 쏟아지다의 뜻을 나타냄.

[漑灌 개관] 물을 댐. 관개(灌漑).
[漑汲 개급] 물을 댐과 길음.
[漑糞 개분] 물을 대고 인분을 줌.
[漑田 개전] 전지에 물을 댐.
[漑浸 개침] 물을 대어 젖게 함.
◉灌漑. 澆漑. 澡漑. 鑿漑. 滌漑. 濯漑. 沆漑.

11 ⑭ [漮] 강 ㊁平陽 苦岡切 kāng

字解 ①빌 강 물이 없음. '一, 水虛也'《說文》. ②물이름 강 '一, 水名. 在伊闕'《集韻》.

字源 形聲. 氵(水)+康〔音〕

11 ⑭ [澹] 〔담·섬〕
澹(水部 十三畫〈p. 1302〉)의 俗字

11 ⑭ [漓] 리 ㊁平支 呂支切 lí

字解 ①스밀 리 배어 들어감. '風一化改'《沈約》. ②엷을 리 경박함. 醨(酉部 十一畫)와 同字. '棄一而歸厚'《司馬光》.

字源 形聲. 氵(水)+离〔音〕

◉澆漓. 淋漓.

11 ⑭ [演] 高人 연 ㊁上銑 以淺切 yǎn

筆順 氵 氵 氵 浐 浐 湇 湇 演

字解 ①흐를 연 길게 흐름. 먼 곳으로 흘러감. '東一析木'《木華》. ②윤택할 연 물이 흘러 윤택함. '夫水土一而民用也'《國語》. ③펼 연 널리 폄. '廣一'. '推一聖德'《漢書》. ④당길 연 잡아당김. '留侯一成'《班固》. ⑤부연할 연 알기 쉽게 설명함. '一義'. '能莫述一'《應劭》. ⑥헤아릴 연 추측함. '一天地之數'《易經 註》. ⑦행할 연 '一武'. '別一一法'《宋史》. ⑧무자맥질할 연 헤엄침. 물속을 잠행함. '一以潛沫'《左思》.

字源 甲骨文 篆文 形聲. 氵(水)+寅〔音〕. '寅인'은 '당기다'의 뜻. 물을 잡아 늘이다의 뜻에서, 일반적으로, 사물을 잡아 늘이는 뜻을 나타냄.

[演劇 연극] 배우(俳優)가 각본(脚本)에 의하여 여러 가지 치장을 하고 무대(舞臺) 위에서 언행을 하는 일. 또, 그 예술.
[演技 연기] 기예(技藝)를 행함. 또, 그 기예.
[演壇 연단] 연설이나 강연을 하는 사람이 서는 단.
[演武 연무] 무예(武藝)를 행함. 무예를 연습(練習)함.
[演史 연사] 역사의 사실을 상세히 진술함. 또, 그 책.
[演說 연설] ㉠도의(道義)·의의(意義)를 부연(敷衍)하여 설명함. ㉡여러 사람 앞에서 자기의 의견을 말함.
[演習 연습] ㉠배워 익힘. ㉡학문의 실제에 관하여 배워 익히는 연구. ㉢군대가 행하는 실전(實戰)의 연습(練習).
[演承 연승] 널리 받음. 오래 받음.
[演漾 연양] 물 위에 떠돎.
[演繹 연역] ㉠뜻을 캐어 부연(敷衍)하여 설명함. ㉡보편적 원리(原理)를 전제(前提)로 하여 특수적 명제(命題)를 이끌어 내는 추리(推理).
[演藝 연예] 공중(公衆) 앞에서 연극·음악·무용·만담 따위를 보임. 또, 그 재주.
[演義 연의] ㉠뜻을 부연(敷衍)하여 알기 쉽게 설명함. ㉡사실을 부연(敷衍)하여 재미있게 진술함. 또, 그런 것.
[演迤 연이] ㉠널리 행하여짐. ㉡돌아 흐름.
[演題 연제] 연설(演說)·강연(講演) 등의 제목.
[演奏 연주] 음악(音樂)을 아뢺. 주악(奏樂).
[演撰 연찬] 자세히 찬술(撰述)함.
[演唱 연창] 자세히 설명하여 창도(唱道)함.
[演出 연출] 각본(脚本)을 상연(上演)함.
[演行 연행] 연출하여 행함.
[演戲 연희] 연극(演劇).
◉講演. 開演. 競演. 公演. 共演. 光演. 廣演. 口演. 獨演. 敷演. 上演. 舒演. 宣演. 續演. 熟演. 巡演. 試演. 實演. 洈演. 助演. 主演. 初演. 推演. 出演. 通演. 布演. 披演. 休演.

11 ⑭ [漕] 人名 조 ㊁去號 在到切 cáo

字解 ①배저을 조 물 위에서 배를 가게 함. '一舟至河口'《唐書》. ②배로실어나를 조 배로 물건을 운반함. '一運'. '轉一給軍'《史記》. ③뱃길 조 배의 통행하는 수로. '欲令通一大原'《後漢書》. ④성 조 성(姓)의 하나.

字源 篆文 形聲. 氵(水)+曹(𣍘)〔音〕. '𣍘조'는 둘이 마주 보다의 뜻. 배 젓는 사람과 짐이 배의 앞과 뒤에서 균형을 잡도록 마주 대하여 곡물 등을 나르다, 배를 젓다의 뜻을 나타냄.

[漕渠 조거] 배로 화물(貨物)을 운반하기 위하여 판 수로(水路).
[漕溝 조구] 조거(漕渠).
[漕船 조선] ㉠화물을 싣고 다니는 배. 운송선(運送船). ㉡배로 운반함.
[漕運 조운] 배로 화물을 운반함.
[漕轉 조전] 배로 화물을 실어 옮김. 배로 운반함.
[漕艇 조정] 보트를 저음.
◉競漕. 運漕. 轉漕. 回漕.

11 ⑭ [漅] 소(초俗) ㊁上篠 子小切 cháo ㊁平肴 鋤交切

[字解] 호수이름 소 '一湖出黃金. (註) 在今廬州合肥縣東南'《後漢書》.

11
⑭ **[漘]** 순 [平]眞 食倫切 chún

[字解] 물가 순 위가 평평하고 아래가 깊은 수애(水涯). '在河之一'《詩經》.
[字源] 篆文 形聲. 氵(水)+脣〔音〕. '脣순'은 가장자리, 끝의 뜻.

11
⑭ **[漙]** 단 [平]寒 度官切 tuán

[字解] 이슬많을 단 이슬이 많이 내린 모양. '零露一兮'《詩經》.
[字源] 篆文 形聲. 氵(水)+專〔音〕. '專전'은 둥글게 마무리되다〔團〕의 뜻. 이슬이 많이 내리는 모양을 나타냄.

[漙漙 단단] 이슬이 많이 내린 모양.

11
⑭ **[滰]** [一] 강 ㊤養 其兩切 jiàng
[二] 경 [去]敬 渠映切

[字解] [一] 쌀말릴 강 물에 담근 쌀을 말림. '一, 浚乾漬米也'《說文》. [二] 거를 경 '一, 漉也'《廣雅》.
[字源] 篆文 形聲. 氵(水)+竟〔音〕

11
⑭ **[漒]** 강 [平]陽 渠良切 qiáng

[字解] ①물이름 강 '一, 水名, 在河南'《集韻》. ②씨족이름 강 '沙一'은 씨족(氏族)의 이름. '沙一, 洮彊之漢也. 吐谷渾復興, 沙一皆附之'《通雅》.

11
⑭ **[漚]** 구(우[本]) ①[去]有 烏候切 òu
②③[平]尤 烏侯切 ōu 沤

[字解] ①담글 구 물에 오래 담가 부드럽게 함. '東門之池, 可以一麻'《詩經》. ②거품 구 물거품. '浮一'. '如海一一發'《楞嚴經》. ③갈매기 구 鷗(鳥部 十一畫)와 통용. '海上之人, 有好一鳥者'《列子》.
[字源] 篆文 形聲. 氵(水)+區〔音〕. '區구'는 '구분하다'의 뜻. 삼〔麻〕을 장기간 물에 담가 두었다가 섬유만을 구별해서 취하는 데서, '담그다'의 뜻을 나타냄.

[漚麻 구마] 삼을 적셔서 무르게 함.
[漚鬱 구울] 향기(香氣)가 대단한 모양.
◉浮漚. 霜漚. 圓漚.

11
⑭ **[漠]** [高入] 막 [入]藥 慕各切 mò

[筆順] 氵 氵 氵 氵 氵 漠 漠 漠

[字解] ①사막 막 넓은 모래벌판. '沙一'. '北出塞一'《後漢書》. ②넓을 막 '廣一'. '溥一氾濫'《郭璞》. ③어두울 막 '一一'. '幽室之黯一'《蔡邕》. ④조용할 막 고요함. '幽一'. '眞人恬一, 獨與道息'《漢書》. ⑤쓸쓸할 막 寞(宀部 十一畫)과 同字. '元成等一然'《漢書》.
[字源] 篆文 形聲. 氵(水)+莫(莫)〔音〕. '莫막'은 '없다'의 뜻. 물이 없는 벌판, '사막'의 뜻을 나타냄.

[漠南 막남] 고비 사막 남쪽의 땅. 곧, 내몽고(內蒙古).
[漠漠 막막] ㉠아주 넓어 끝이 없는 모양. ㉡펴 늘어놓은 모양. ㉢흩어져 퍼지는 모양. ㉣소리 없는 모양. ㉤어두운 모양. 밝지 않은 모양.
[漠北 막북] 고비 사막 북쪽의 땅. 곧, 외몽고(外蒙古).
[漠然 막연] ㉠아득하여 분명(分明)하지 않은 모양. 몽롱(朦朧)하여 똑똑하지 않은 모양. ㉡쓸쓸한 모양. 적막한 모양. ㉢부주의한 모양. 관심이 없는 모양.
◉空漠. 廣漠. 落漠. 淡漠. 澹漠. 大漠. 茫漠. 冥漠. 濛漠. 杳漠. 沕漠. 溥漠. 沙漠. 砂漠. 索漠. 塞漠. 闇漠. 黯漠. 恬漠. 幽漠. 寂漠. 磧漠. 絕漠. 澄漠. 沖漠. 玄漠. 荒漠.

11
⑭ **[滵]** 밀 [入]質 美筆切 mì

[字解] 물빨리흐를 밀 '一, 水流疾皃'《集韻》.

11
⑭ **[漢]** [中人] 한 [去]翰 呼旰切 hàn 汉

[筆順] 氵 氵 汁 汁 浩 漢 漢 漢

[字解] ①물이름 한 한수 한 산시 성(陝西省) 영강현(寧羌縣)에서 발원(發源)하여, 후베이 성(湖北省)을 관류(貫流)하는 양쯔강(揚子江)의 지류. '一水'. '嶓冢導漾, 東流爲一'《書經》. 또, 이 강의 유역(流域). 산시(陝西), 후베이(湖北) 두 성(省)을 '一中'이라 하며, 약(略)하여 '一'이라고도 함. ②은하수 한 '銀一'. '天一'. '維天有一'《詩經》. ③한민족 한 중국 본토의 민족. 또, 중국 본토의 뜻으로도 쓰임. '滿一各一人'《大淸會典》. ④한나라 한 ㉠유방(劉邦)이 진(秦)나라를 멸하고 세운 나라. 서울은 장안(長安). '西一' 또는 '前一'이라 함. 15주(主) 211년 만에 왕망(王莽)에게 찬탈(簒奪)됨. (B.C. 202~A.D. 8) ㉡유수(劉秀)가 왕망(王莽)의 신(新)을 토평하고 한실(漢室)을 중흥(中興)하여 세운 나라. 서울은 뤄양(洛陽). '東一' 또는 '後一'이라 함. 12주(主) 196년 만에 위(魏)나라에게 찬탈(簒奪)됨. (25~220) ㉢삼국(三國)의 하나. 유비(劉備)가 위(魏)·오(吳)와 정립(鼎立)하여 중국 서남부에 세운 나라. 서울은 청두(成都). '蜀一'이라 함. ㉣서진(西晉) 때 오호 십육국(五胡十六國)의 하나. 흉노족(凶奴族)의 유연(劉淵)이 산시(山西)에 의거하여 세운 나라. 뒤에, 국호(國號)를 조(趙)로 고쳤으므로, 역사상(歷史上) 전조(前趙)로 일컬어짐. 6주(主) 26년 만에 석륵(石勒)에게 망하였음. (304~329) ㉤서진(西晉) 때 오호 십육국(五胡十六國)의 하나. 저족(氐族)의 이웅(李雄)이 청두(成都)에 의거하여 칭제(稱帝)하고 세운 나라. 처음에 국호를 성(成)이라 하였으나, 뒤에 한(漢)으로 고쳤음. 역사상 '成一' 또는 '後蜀'으로 일컬어짐. 6주(主) 46년 만에 동진(東晉)에 망하였음. (302~347) ㉥오대(五代) 때의 십국(十國)의 하나. 유은(劉隱)이 칭제(稱帝)하고 광둥(廣東) 및 광시(廣西) 남부 지방에 세운 나라. 처음 국호(國號)는 대월(大越). '南一'으로 일컬어짐. 5주(主) 63년 만에 송(宋)나

라에 망하였음. (909~971) ㉦오대(五代) 때의 십국(十國)의 하나. 사타부(沙陀部)의 유지원(劉知遠)이 후진(後晉)에 갈음하여 칭제(稱帝)하고 허난(河南) 지역에 세운 나라. 서울은 변(汴). 역사상 '後—'으로 일컬어짐. 2주(主) 4년 만에 후주(後周)에 망하였음. (947~950) ㉧오대(五代) 때 십국(十國)의 하나. 후한(後漢)의 은제(隱帝)가 시해(弑害)되자, 그의 숙부(叔父) 유숭(劉崇)이 자립(自立)하여 세운 나라. 역사상 '北—' 또는 '東—'으로 일컬어짐. 4주(主) 29년 만에 송(宋)나라에 망하였음. (951~979) ⑤사내 한 남자의 천칭(賤稱). '村—'. '今人謂賤丈夫爲—子'《輟耕錄》. ⑥성 한 성(姓)의 하나.

字源 篆文 形聲. 氵(水)+莫〔音〕. 강 이름을 나타냄.

[漢家 한가] 한조(漢朝)의 제실(帝室).
[漢奸 한간] 중국에서 자기 나라 사람으로서 적(敵)과 내통하는 자, 곧 매국노(賣國奴)를 이름.
[漢高祖 한고조] 한(漢)나라의 시조(始祖). 성은 유(劉), 이름은 방(邦). 초(楚)나라의 항우(項羽)를 가이샤(垓下)에서 격파하고 제위(帝位)에 올라 4백여 년의 왕조(王朝)를 창업(創業)하였음.
[漢口 한구] 후베이 성(湖北省)의 양쯔 강(揚子江)과 한수이(漢水)가 합류하는 곳에 발달한 항구(港口) 도시. 철도의 요충(要衝)이고 상업의 중심지임.
[漢紀 한기] 반고(班固)가 지은 〈한서(漢書)〉를 요령 있게 추린 편년체(編年體)의 사서(史書). 후한(後漢) 순열(荀悅)의 찬(撰). 총 30권.
[漢武故事 한무고사] 한무제(漢武帝)의 후궁(後宮)의 비사(祕事)를 적은 책. 후한(後漢)의 반고(班固)가 지었다고 하나 확실하지 아니함. 1권.
[漢武帝 한무제] 전한(前漢) 제7대의 임금. 경제(景帝)의 아들. 이름은 철(徹). 재위 54년. 대학을 일으키고 유교(儒敎)를 숭상하였으며, 외이(外夷)를 쳐서 판도(版圖)를 넓혔음.
[漢文 한문] ㉠한문제(漢文帝). ㉡한대(漢代)의 문장. ㉢《韓》 중국의 문장. 또, 한자(漢字)만으로 쓴 문장.
[漢文帝 한문제] 전한(前漢) 제5대의 임금. 고조(高祖)의 아들. 이름은 항(恆). 재위 23년. 인자공검(仁慈恭儉)하기로 이름난 영주(英主)임.
[漢文學 한문학] 《韓》 한자(漢字)·한시(漢詩)·한문(漢文) 등을 연구하는 학문. 한학(漢學).
[漢方 한방] 《韓》 중국에서 전래(傳來)한 의술(醫術).
[漢方醫 한방의] 한방(漢方)의 의원. 한의(漢醫).
[漢法不道 한법부도] 한대(漢代)의 법률에서 대역부도(大逆不道)로 인정하는 일.
[漢三傑 한삼걸] 한고조(漢高祖)를 섬긴 가장 뛰어난 공신(功臣) 세 사람. 곧, 소하(蕭何)·장량(張良)·한신(韓信).
[漢書 한서] ㉠전한(前漢) 12세(世) 240년간의 기전체(紀傳體)의 사서(史書). 후한(後漢)의 반표(班彪)가 착수하고 그의 아들 반고(班固)가 대성하였으며, 팔표(八表) 등 완결되지 못한 부분을 고(固)의 매씨(妹氏) 반소(班昭)가 보충하였음. 총 120권. 〈십이제기(十二帝紀)〉·〈팔표(八表)〉·〈십지(十志)〉·〈칠십열전(七十列傳)〉으로 구성됨. 〈사기(史記)〉·〈후한서(後漢書)〉와 아울러 삼사(三史)라 함. 주해서(註解書)로는 당(唐)나라 안사고(顏師古)의 것이 가장 정확함. 〈전한서(前漢書)〉. ㉡《韓》 한자(漢字)로 된 서적(書籍). 한문책. 또, 중국 서적. 한적(漢籍).
[漢水 한수] 자해(字解) ❶을 보라.
[漢詩 한시] ㉠한대(漢代)의 시(詩). ㉡《韓》 중국의 시. 한문으로 된 시.
[漢陽 한양] 후베이 성(湖北省)의 양쯔 강(揚子江)과 한수이(漢水)가 합류하는 곳의 남안의 도시. 우창(武昌)·한커우(漢口)를 마주 바라봄. 상업이 성하고 유명한 제철소가 있음.
[漢語 한어] 중국 본토의 언어(言語).
[漢魏六朝墓銘纂例 한위육조묘명찬례] 한위육조(漢魏六朝)의 묘명(墓銘)의 예식(例式)을 집찬(集纂)한 책. 청(淸)나라 이부원(李富源)의 찬(撰). 총 4권.
[漢魏叢書 한위총서] 한위육조(漢魏六朝)의 군서(群書)를 경(經)·사(史)·자(子)·집(集)의 사부(四部)로 분류한 것. 명(明)나라 하당(何鏜)의 찬(撰). 뒤에 청(淸)나라 왕모(王謨) 등이 보충한 것이 있음.
[漢音 한음] 《韓》 한자(漢字)의 중국 음.
[漢醫 한의] 《韓》 한방의(漢方醫).
[漢子 한자] 남자(男子)의 천칭(賤稱).
[漢字 한자] 《韓》 중국의 글자. 태고(太古)에 창힐(蒼頡)이라는 사람이 창제하였다고 하는 문자.
[漢籍 한적] ㉠한대(漢代)의 서적. ㉡《韓》 중국의 서적. 한문의 서적.
[漢節 한절] 한(漢)나라의 천자(天子)가 사신(使臣)에게 신표(信標)로 주던 부절(符節).
[漢竹 한죽] 대나무의 일종. 자죽(紫竹). 한죽(寒竹).
[漢土 한토] 중국 본토.
[漢學 한학] ㉠한대(漢代)에 행하여진 경전(經典)을 연구하는 학문. 한대의 경학(經學). ㉡《韓》 한문학(漢文學).
[漢學商兌 한학상태] 서명(書名). 청(淸)나라 방동수(方東樹)의 찬(撰). 3권. 모기령(毛奇齡)·만사동(萬斯同)·주이존(朱彝尊)·고염무(顧炎武)·전대흔(錢大昕)·송감(宋鑒)·손성연(孫星衍) 등의 고증가(考證家)가 정주(程朱)의 결점을 천착(穿鑿)하였다 하여 뽐내는 것을 개탄하여, 제가(諸家)의 원문(原文)을 적록(摘錄)하고 그 밑에 변정(辯正)을 한 것임.
◉江漢. 巨漢. 階下漢. 空頭漢. 怪漢. 羅漢. 老漢. 擔屎漢. 擔板漢. 東漢. 鈍漢. 無賴漢. 門外漢. 半漢. 碧漢. 史漢. 西漢. 星漢. 霄漢. 俗漢. 十六羅漢. 阿羅漢. 惡漢. 兩漢. 炎漢. 汭漢. 五百羅漢. 雲漢. 銀漢. 牆外漢. 田舍漢. 天漢. 淸漢. 村漢. 醉漢. 癡漢. 快漢. 暴漢. 風漢. 河漢. 韓漢. 好漢. 凶漢. 和漢.

11 ⑭ [漣] 人名 련 ㊥先 力延切 lián

字解 ①잔물결 련, 물결일 련 세파(細波). '微—'. '河水淸且—猗'《詩經》. ②눈물흐를 련 눈물이 줄줄 흐르는 모양. '—如'. '涕流—'《陸瑜》.

字源 瀾의 別體 形聲. 氵(水)+連〔音〕. '連련'은 '이어지다'의 뜻. 물의 이어짐, 잔물결의 뜻을 나타냄.

[漣落 연락] 눈물이 떨어짐. 낙루(落淚)함.
[漣漣 연련] 눈물이 줄줄 흐르는 모양.
[漣如 연여] 연련(漣漣).
[漣洳 연여] 연련(漣漣).
[漣猗 연의] 연의(漣漪).
[漣漪 연의] 잔물결. 세파(細波).
◉微漣. 細漣. 流漣. 漪漣. 淸漣.

11 ⑭ [漃] 적 ㊀錫 前歷切 jì

字解 ①물맑을 적 일설에는, 풀이 물속에서 나부끼는 모양. '一漻薵蓼, 蔓草芳苓'《枚乘》. ②고요할 적 寂(宀部 八畫)과 同字.

11 ⑭ [漩] 선 ㊥先 旬宣切 xuán

字解 소용돌이칠 선 '一澴滎瀯'《郭璞》.
字源 形聲. 氵(水)＋旋〔音〕. '旋선'은 돌다의 뜻.

[漩澴 선환] 소용돌이치는 모양.
◉回漩.

11 ⑭ [漪] 의 ㊥支 於離切 yī

字解 ①잔물결 의 세파(細波). '一漣'. '淸波一漣'《晉書》. ②물결일 의 '一, 波動貌'《詳校篇海》.
字源 形聲. 氵(水)＋猗〔音〕. '猗의'는 '다가들다'의 뜻. 기슭으로 다가오는 '물결'의 뜻을 나타냄.

[漪瀾 의란] 잔물결과 큰 물결. 물결.
[漪漣 의련] 잔물결.
◉瀾漪. 綠漪. 碧漪. 漣漪. 淪漪. 淸漪.

11 ⑭ [漗] 총 ㊥東 倉紅切 cōng

字解 물길을 총 '一, 汲也'《字彙》.

11 ⑭ [漫] 高 人 만 ㊋翰 莫半切 màn ㊥寒 謨官切

筆順 氵 氵冂 氵日 氵罒 𣶏 漫 漫 漫

字解 ①질펀할 만 땅이 넓고 평평한 모양. '夷一數百里'《唐書》. ②넓을 만 수면(水面)이 아득하게 넓은 모양. '渺一'. '柳塘春水一'《嚴維》. ③멀 만 유원(悠遠)함. '七嶺悠一'《王僧儒》. ④방종할 만 멋대로 굶. '放一'. '澶一爲樂'《莊子》. ⑤더러울 만, 더럽힐 만 '以辱行汙一我'《莊子》. ⑥흩어질 만 난잡함. '散一'. '混一'. '有蕪一之累矣'《鍾嶸》. ⑦넘칠 만 범람함. '其流波一'《唐書》. ⑧함부로 만 ㉠멋대로. '一羨而無所歸心'《漢書》. ㉡무리하게. '一勞車駕駐江干'《杜甫》. ⑨성 만 성(姓)의 하나. ⑩찰 만 가득 참. '桃李任一山'《朱熹》.
字源 形聲. 氵(水)＋曼〔音〕. '曼만'은 어디까지나 퍼지다의 뜻. 어디까지나 퍼지는 너른 물의 뜻을 나타내며, 전(轉)하여, 맺힌 데가 없다, 함부로의 뜻을 나타냄.

[漫談 만담] ㉠만어(漫語). ㉡재미있고 우습게 세상과 인정을 비평하고 풍자하는 이야기.
[漫瀾 만란] 너무 멀어 아득한 모양. 끝없이 먼 모양.
[漫浪 만랑] 일정한 직업이 없이 각처를 떠돌아다님.
[漫錄 만록] 붓이 돌아가는 대로 쓴 글. 만필(漫筆).
[漫漫 만만] ㉠한가로운 모양. 한유(閑游)하는 모양. ㉡넓어 끝이 없는 모양. ㉢밤이 긴 모양. ㉣느린 모양. ㉤길이 길어 먼 모양. ㉥구름 빛이 아름다운 모양.
[漫莽 만망] 넓고 먼 모양. 대단히 넓어 끝이 없는 모양.
[漫罵 만매] 함부로 꾸짖음. 마구 욕설함.
[漫滅 만멸] 종이가 피거나 때가 묻어서 글씨가 잘 보이지 아니함.
[漫文 만문] ㉠수필(隨筆). ㉡사물의 특징을 우습고 재미있고 경묘(輕妙)하게 쓴 글.
[漫步 만보] 한가히 거니는 걸음. 산책(散策).
[漫山 만산] 산에 가득함. 만산(滿山).
[漫羨 만선] 종잡을 수 없는 모양.
[漫語 만어] 깊이 생각하지 않고 입에서 나오는 대로 아무렇게나 지껄이는 말. 부질없는 말. 만언(漫言).
[漫言 만언] 만어(漫語).
[漫淹 만엄] 오래 물속에 잠겨 있어서 상함.
[漫衍 만연] 정처 없이 이리저리 돌아다님.
[漫然 만연] 이렇다 할 특별한 이유 없이. 막연히.
[漫遊 만유] 마음이 내키는 대로 각처를 구경하며 돌아다님.
[漫吟 만음] 일정한 글제가 없이 생각나는 대로 시를 지어 읊음.
[漫爾 만이] 멋대로 하는 모양.
[漫淺 만천] 넓고 얕음.
[漫浸 만침] 널리 적심.
[漫評 만평] 깊이 생각하지 않고 붓이 돌아가는 대로 쓰는 비평(批評).
[漫筆 만필] 붓이 돌아가는 대로 씀. 또, 그 글. 수필(隨筆).
[漫汗 만한] ㉠끝없이 넓은 모양. ㉡야무진 데가 없는 모양.
[漫糊 만호] 모호(模糊)한 모양.
[漫忽 만홀] 등한(等閑)하고 소홀함.
[漫畫 만화] ㉠붓이 돌아가는 대로 아무렇게나 그린 그림. ㉡사물의 특징을 꼬집어 단순하고 경묘하게 그림으로써 시대(時代)·인정(人情)을 풍자·비평하는 회화(繪畫)의 한 형식.
[漫漶 만환] ㉠분명치 않은 모양. ㉡종이가 피거나 때가 묻어서 글씨가 잘 보이지 않는 모양.
[漫興 만흥] 저절로 일어나는 흥치(興致).
◉瀾漫. 爛漫. 漠漫. 渺漫. 淼漫. 蕪漫. 彌漫. 靡漫. 靡漫. 放漫. 繁漫. 散漫. 盈漫. 窅漫. 冗漫. 流漫. 悠漫. 夷漫. 滋漫. 澶漫. 周漫. 天眞爛漫. 沈漫. 浸漫. 汗漫. 浩漫. 混漫. 闊漫.

11 ⑭ [漬] 人名 지 ㊋寘 疾智切 zì 渍

字解 ①담글 지 물에 담금. '浸一'. '淹一, 通俗文, 水浸曰一'《一切經音義》. ②잠길 지 물속에 담가짐. '天下沈一'《吳越春秋》. ③젖을 지 액체나 또는 습관 따위가 점차로 배어듦. '漸一於失敎'《史記》. ④물들 지, 물들일 지 염색함. '染羽淳而一之'《周禮》. ⑤앓을 지 중병을 앓음.

'一甚'《呂氏春秋》. ⑥거품 지 물의 거품. '空生大覺中如海一一'《楞嚴經》.

字源 篆文 形聲. 氵(水)+責(賫)〔音〕. '賫책'은 '積적'과 통하여, '쌓다'의 뜻. 물속에 쌓다, 담그다의 뜻을 나타냄.

[漬淖 지뇨] 물이 젖어 뱀.
[漬墨 지묵] 때가 묻어 검어짐. 더럽혀 거멓게 함.
[漬浸 지침] 물에 담금. 또, 물에 잠김.
◉淹漬. 漸漬. 霑漬. 沈漬. 浸漬. 漂漬.

11 ⑭ [漤] 람 ㊤感 盧感切 lǎn

字解 ①과실장아찌 람 소금에 절인 과실. '一, 鹽漬果'《廣韻》. ②즙(汁) 람 짜낸 즙. '一, 汁也'《集韻》. ③《現》 우릴 람 땡감을 우려 떫은 맛을 뺌.

11 ⑭ [漭] 망 ㊤養 模朗切 mǎng

字解 넓을 망 넓고 먼 모양. 평평하고 먼 모양. '一瀁'. '一一'. '過乎泱一之壄'《司馬相如》.

字源 形聲. 氵(水)+莽〔音〕. '莽망'은 풀이 무성하며 풀 밖에는 아무것도 없다는 뜻. 들판과 수면(水面)뿐 그 밖에는 아무것도 없다, 넓다의 뜻을 나타냄.

[漭漭 망망] 수면(水面)이 넓고 먼 모양.
[漭瀁 망양] 광대한 모양. 한없이 넓은 모양.
[漭沆 망항] 물이 많고 넓은 모양.
◉漫漭. 瞑漭. 渺漭. 泱漭. 瀁漭. 蕩漭.

11 ⑭ [漯] ㊀ 탑 ㊁合 他合切 tà ㊁ 루 ㊤紙 魯水切 lěi

字解 ㊀ 물이름 탑 산둥 성(山東省) 임평현(茌平縣)에서 발원(發源)하여, 동북으로 흐르는 도해하(徒骸河)의 지류(支流). 옛날에는 황하(黃河)의 지류(支流)였다가 송(宋)나라 때부터 변하였음. '一河'. '一水出東郡東武陽縣'《漢書》. ㊁ 강이름 루 '一水'. 현재의 쌍간 하(桑乾河)와 그 하류인 융딩 하(永定河). '一, 水名, 出鴈門'《集韻》.

字源 形聲. 氵(水)+累〔音〕

[漯水 탑수] 탑하(漯河).
[漯河 탑하] 자해(字解)㊀을 보라.

11 ⑭ [漰] 붕 ㊥蒸 普朋切 pēng

字解 물결치는소리 붕 물결이 서로 부딪치는 소리. '鼓㕩窟以一渤'《郭璞》.

字源 形聲. 氵(水)+崩〔音〕. '崩붕'은 물결이 맞부딪치는 소리의 의성어.

[漰渤 붕발] 물결이 서로 부딪치는 소리.
[漰湃 붕배] 붕발(漰渤).
[漰濞 붕비] 붕발(漰渤).
[漰澹 붕착] 파도가 서로 부딪치는 소리.
[漰湱 붕획] 붕발(漰渤).

11 ⑭ [漱] 人名 수 ㊦有 所祐切 蘇奏切 shù

字解 ①양치질할 수 '雞初鳴, 咸盥一'《禮記》. ②빨 수, 씻을 수 '一澣'. '冠帶垢, 和灰請一'《禮記》.

字源 篆文 形聲. 氵(水)+欶〔音〕. '欶삭·수'는 후루룩 마셔서 입에 물다의 뜻. 물을 입에 물고 양치질하는 뜻을 나타냄.

[漱口 수구] 양치질함. 입 안을 부심.
[漱流 수류] 흐르는 물에 양치질을 하거나 입을 가심.
[漱石枕流 수석침류] 흐르는 물로 양치질하고 돌을 베개로 삼는다고 하여야 할 것을, 돌로 양치질하고 흐르는 물을 베개로 삼는다고 잘못 말하고서도 억지로 옳다고 그럴듯이 꾸며 댄 고사(故事)로서, 승벽(勝癖)이 대단함을 이름.
[漱刷 수쇄] 씻어서 깨끗이 함.
[漱玉 수옥] 옥(玉)을 씻는다는 뜻으로, 폭포·샘 같은 것의 물이 튀는 형용.
[漱滌 수척] 빪. 씻음.
[漱濯 수탁] 수척(漱滌).
[漱澣 수한] 수척(漱滌).
◉盥漱. 怒漱. 溟漱. 泛漱. 噴漱. 積漱. 淨漱. 澡漱. 清漱. 暴漱. 澣漱.

11 ⑭ [漲] 人名 창 ㊦漾 知亮切 zhàng 涨

字解 ①불을 창 물이 벌창함. '一溢'. '一餘野水有殘痕'《陸游》. ②찰 창 가득 차서 넘침. '烟塵一天'《南史》.

字源 形聲. 氵(水)+張〔音〕. '張장'은 '펼치다, 뻗치다'의 뜻. 물이 부풀다, 불어서 가득 차다의 뜻을 나타냄.

[漲價 창가] 값이 오름.
[漲濤 창도] 세차게 이는 큰 파도.
[漲滿 창만] 창일(漲溢).
[漲水 창수] 물을 벌창하게 함. 또, 벌창한 물.
[漲溢 창일] 물이 불어 벌창하여 넘침.
[漲海 창해] '남해(南海)'의 별칭(別稱).
[漲痕 창흔] 물이 넘쳐흐른 자취.
◉怒漲. 溟漲. 泛漲. 積漲. 暴漲.

11 ⑭ [漳] 人名 장 ㊥陽 諸良切 zhāng

筆順 氵 汁 沪 浐 渷 渹 漳 漳

字解 물이름 장 산시 성(山西省)에서 발원(發源)하여, 허난 성(河南省)·허베이 성(河北省)을 거쳐 웨이허(衛河)로 흘러 들어가는 강. '一水'. '一河'. '冀州, 其川一'《周禮》.

字源 篆文 形聲. 氵(水)+章〔音〕

[漳水 장수] 장하(漳河).
[漳河 장하] 자해(字解)를 보라.

11 ⑭ [漵] 서 ㊤語 徐呂切 xù

字解 개 서 개펄. '舟人漁子入浦一'《杜甫》.

字源 篆文 形聲. 氵(水)+敘〔音〕. '敘서'는 이어져 있는 것의 실마리〔緒〕의 뜻.

◉沙漵. 洲漵. 浦漵.

11 [漶] 환 [去]翰 胡玩切 huàn
⑭
[字解] 흐릴 환 흐려져서 글씨 같은 것이 잘 보이지 않는 모양. '圖書已漫—'《蘇軾》.
[字源] 形聲. 氵(水)+患〔音〕

◉漠漶. 曼漶. 漫漶.

11 [漥] 〔와〕
⑭ 窪(穴部 九畫〈p. 1641〉)와 同字
[參考] 이 자는 '水+窐'로 보아 여기에 싣는 것이 옳으나, 《康熙字典》등은 모두 '窪'로 써서 '穴部'에도 중복하여 싣고 있음. 이 책에서는 속례(俗例)에 따라 穴部의 '窪'로 통합하였음.

11 [漸] [高] [人] [一] 점 [上]琰 慈染切 jiàn
⑭ [平]鹽 子廉切 jiān
[二] 참 [平]咸 鋤銜切 chán
[筆順] 氵 汇 洹 漸 漸 漸 漸 漸
[字解] [一] ①차차 점 점점. 차츰차츰. '—進'. '—入佳境'《晉書》. ②차례 점 순차. 순서. '以—盡復熙豐之法'《十八史略》. ③나아갈 점 차츰차츰 나감. '鴻—于干'《易經》. ④점괘 점 육십사괘(六十四卦)의 하나. 곧 ☶〈간하(艮下), 손상(巽上)〉. 점차로 나가는 상(象). ⑤흐를 점 흘러 들어감. '東—于海'《書經》. ⑥물들 점, 물들일 점 감화함. 또, 감화시킴. '—民以仁'《漢書》. ⑦자랄 점 보리 같은 것이 잘 자라는 모양. '麥秀——兮'《史記》. ⑧적실 점, 젖을 점 물에 적심. 또는 물에 젖음. '—車帷裳'《詩經》. [二] 험할 참 바위가 높고 험한 모양. '——之石, 維其高矣'《詩經》.
[字源] 篆文 形聲. 氵(水)+斬〔音〕. '斬참'은 '베다'의 뜻. 물의 흐름을 끊고 서서히 인도해 내다의 뜻에서, 전(轉)하여, '점차로'의 뜻을 나타냄.

[漸加 점가] 차차 증가함.
[漸減 점감] 차차 줄어듦.
[漸近 점근] 점점 가까워짐.
[漸及 점급] 차차 이름. 점점 미침.
[漸臺 점대] 한무제(漢武帝)의 대(臺)의 이름.
[漸摩 점마] 물에 담갔다가 숫돌에 간다는 뜻으로, 차차 좋은 방향으로 감화되어 감을 이름.
[漸耗 점모] 점점 줆. 차차로 소모됨.
[漸靡 점미] 점점 쏠리어 따름.
[漸民 점민] 백성을 감화시킴.
[漸不可長 점불가장] 폐단(弊端)을 커지게 해서는 안 된다는 뜻으로, 폐단이 커지기 전에 막음을 이름.
[漸洳 점여] 진수렁. 진창.
[漸熱 점열] 차차 더워짐.
[漸冉 점염] 점차로. 차츰차츰. 점점.
[漸染 점염] 점점 물듦. 점차로 감화(感化)를 받음. 또, 점차로 익숙하여짐.
[漸悟 점오] 점차로 깨달음.
[漸潤 점윤] 차차로 물에 젖음.
[漸入佳境 점입가경] 경치가 점점 좋아짐. 또는 문장이 점점 재미가 남.
[漸漸 점점·참참] ㉠차차. 차츰차츰. 점차(漸次). ㉡보리가 잘 자라는 모양. ㉢'참참(漸漸)'을 보라.
[漸漬 점지] 점점 물이 뱀. 전(轉)하여, 점점 감화됨.
[漸進 점진] 차차 나아감. 점차로 진보함.
[漸次 점차] 차차. 차츰차츰. 점점.
[漸添 점첨] 점가(漸加).
[漸層法 점층법] 수사법(修辭法)의 한 가지. 어구(語句)를 겹쳐 차차로 문장의 뜻을 깊고 세게 하는 일.
[漸退 점퇴] 차차 뒤로 물러남.
[漸漸 참참] ㉠바위가 우뚝 높이 솟아 험한 모양. ㉡눈물이 떨어지는 모양.
◉南頓北漸. 端漸. 大漸. 東漸. 萌漸. 西漸. 積漸. 沾漸. 浸漸.

11 [漻] [一] 료 [平]蕭 落蕭切 liáo
⑭ [二] 력 [入]錫 狼狄切 lì
[字解] [一] ①깊을 료 맑고 깊음. '湫—寂寞'《淮南子》. ②멀 료 높고 멂. '寂—上天知厥時'《漢書》. [二] 변할 력 변화하는 모양. '油然—然'《莊子》.
[字源] 篆文 形聲. 氵(水)+翏〔音〕

[漻然 역연] 변화하는 모양.
[漻淚 요려] 물이 빨리 흐르는 모양.
◉湫漻.

11 [漼] 최 [上]賄 七罪切 cuǐ
⑭
[字解] ①깊을 최 물이 깊음. '有—者淵'《詩經》. ②고울 최 선명함. '新臺有—'《詩經》. ③눈물흘릴 최 눈물을 줄줄 흘리는 모양. '指季豹而—焉'《陸機》. ④무너질 최 헐어지는 모양. '王綱—以陵遲'《後漢書》. ⑤꺾일 최 꺾어지는 모양. '—似摧折'《傅毅》.
[字源] 篆文 形聲. 氵(水)+崔〔音〕. '崔최'는 '두텁다'의 뜻. 두툼한 물, '깊다'의 뜻을 나타냄.

[漼溰 최의] 서리·눈 같은 것이 쌓여 흰 모양.
[漼漼 최최] 눈물을 흘리며 우는 모양.

11 [漾] [人] [名] 양 ①-③[上]養 以兩切 yàng
⑭ ④[去]漾 餘亮切 yàng
[筆順] 氵 氵 氵 氵 洋 洋 漾 漾
[字解] ①출렁거릴 양 물결이 요동함. '蕩—'. '漣漪繁波—'《謝惠連》. ②뜰 양 둥둥 뜸. 표류함. '泛—天淵池'《梁武帝》. ③길 양 물이 길게 흐름. '川旣—而濟深'《王粲》. ④물이름 양 산시성(陝西省)을 흐르는 한수이(漢水)의 상류(上流). '—水'. '嶓冢導—'《書經》.
[字源] 金文 篆文 古文 形聲. 氵(水)+羕〔音〕. '羕양'은 '揚양'과 통하여, '출렁거리다'의 뜻. 물이 요동치는 뜻을 나타냄. 古文은 形聲으로, 水+養〔音〕.

[漾碧 양벽] 푸른빛을 물 위에 뜨게 함.
[漾水 양수] ㉠출렁거리는 물. ㉡한수이(漢水)의 상류(上流).
[漾漾 양양] ㉠물 위에 둥둥 뜨는 모양. 범범(汎汎). ㉡물결이 출렁거리는 모양.
◉輕漾. 泛漾. 演漾. 搖漾. 溶漾. 蕩漾. 浩漾.

11 ⑭ [滮] 퓨 [平]尤 皮彪切 biāo

[字解] 흐를 퓨 물이 흐르는 모양. '一池北流'《詩經》.

[字源] 形聲. 氵(水)＋彪〔音〕

11 ⑭ [漨] [人名] 봉 [平]東 蒲蒙切 péng

[字解] 울적할 봉 마음이 우울함. '歊霧一浡, 雲蒸昏昧'《左思》.

[漨浡 봉발] 우울함. 울적함.
[漨滃 봉옹] 물이 모이는 모양.

11 ⑭ [滭] 필 [入]質 卑吉切 bì

[字解] 용솟음할 필 물이 세차게 솟아 나옴. '黃瑞湧出, 一渤沕潏'《揚雄》.

[字源] 形聲. 氵(水)＋畢〔音〕

[滭渤 필발] 물이 용솟음하는 모양.
[滭弗 필불] 물이 성(盛)한 모양.

11 ⑭ [潀] [一] 종 [平]東 徂聰切 cóng
[二] 송 [上]董 所蓊切 sǒng

[字解] [一] 모일 종 물이 모여드는 모양. '中一一以回復'《杜甫》. [二] 빠를 송 신속한 모양. '風一一而扶轄兮'《揚雄》.

[潀潀 송송] 빠른 모양. 신속한 모양.
[潀潀 종종] 물이 모여드는 모양.
[潀萃 종췌] 모임. 모여듦.

11 ⑭ [漖] 교 [去]效 居效切 jiào

[字解] ①물이름 교. ②땅이름 교 광둥 성(廣東省)의 지명에서 이 자가 든 경우가 많이 보임.

[字源] 形聲. 氵(水)＋教〔音〕

11 ⑭ [漺] 상 [上]養 疎兩切 shuǎng

[字解] ①맑을 상 '一, 淨也'《揚子方言》. ②찰 상 온도가 낮음. '一, 冷也'《玉篇》.

11 ⑭ [漇] 사 [上]紙 所綺切 xǐ

[字解] 흐를 사 물이 흐르는 모양. '淒淒兮一一'《楚辭》.

[漇漇 사사] 물이 흐르는 모양.

11 ⑭ [漷] 곽 [入]藥 苦郭切 kuò

[字解] 물결부딪칠 곽 파도가 서로 부딪치는 모양. '潰濩泧一'《郭璞》.

[字源] [篆文] 形聲. 氵(水)＋郭(䧘)〔音〕

◉泧漷.

11 ⑭ [澈] 〔철〕
澈(水部 十二畫〈p.1298〉)의 本字

11 ⑭ [漧] 〔건〕
乾(乙部 十畫〈p.65〉)의 古字

11 ⑭ [潊] 〔서〕
溆(水部 十一畫〈p.1289〉)와 同字

11 ⑭ [澌] 〔지〕
沶(水部 六畫〈p.1221〉)와 同字

11 ⑭ [漄] 〔애〕
涯(水部 八畫〈p.1236〉)와 同字

11 ⑭ [潅] 〔관〕
灌(水部 十八畫〈p.1317〉)의 俗字

12 ⑮ [潎] [一] 폐 [去]霽 匹蔽切 pì
[二] 별 [入]屑 芳滅切 piē

[字解] [一] 물고기오락가락할 폐 물고기가 물속에서 오락가락하며 노니는 모양. '玩游鯈之一一'《潘岳》. [二] 빨리흐를 별 '轉騰一洌'《史記》.

[字源] [篆文] 形聲. 氵(水)＋敝〔音〕. '敝폐'는 '찢어지다'의 뜻. 물이 깨져서 부서져 흐르다의 뜻을 나타냄.

[潎洌 별렬] 물이 빨리 흐르는 모양.
[潎潎 폐폐] 물고기가 물속에서 오락가락하며 노니는 모양.

12 ⑮ [潏] [一] 휼 [入]屑 古穴切 jué
[二] 술 [入]質 食聿切 shù

[字解] [一] ①샘솟을 휼 물이 솟아 나옴. '一一'. '天綱浡一'《木華》. ②물이름 휼 산시 성(陝西省) 장안현(長安縣)에서 발원(發源)하여, 서북으로 흐르다가 두 갈래로 갈라져서, 하나는 북류(北流)하여 조수(皁水)가 되어 웨이수이(渭水) 강으로 흘러 들어가고, 하나는 서남으로 흘러 호수(鎬水)와 합하여 풍수(豐水)로 들어가는 강. 관중 팔천(關中八川)의 하나임. [二] 사주(沙洲) 술 물에 밀린 모래가 쌓여 이루어진 모래톱. '水中可居者曰洲, 人所爲爲一'《爾雅》.

[字源] [篆文] 形聲. 氵(水)＋矞〔音〕. '矞율·휼'은 송곳질을 하다의 뜻. 구멍으로부터 물이 솟아 나오는 것.

[潏湟 휼황] 물결이 센 모양.
[潏潏 휼휼] 물이 솟아 나오는 모양.
◉浡潏.

12 ⑮ [潑] [人名] 발 [入]曷 普活切 pō

[筆順] 氵 氵 氵 氵 氵 氵 氵 潑

[字解] ①뿌릴 발 ㉠물·비가 날려 떨어짐. '巨浪倒一東南天'《孔武仲》. ㉡물을 끼얹음. '一寒'. '以墨一絹'《畫斷》. ②솟아날 발, 샘 발 물이 솟아 나옴. 또, 물이 샘. '亂翠曉如一'《蘇軾》. ③한바탕내릴 발 비가 한바탕 옴. '雨一番一起, 爲一一'《李翊》. ④무뢰배 발 속어(俗語)에서, 악한 무뢰배 따위를 '一皮' 또는 '撒一'이라 함.

[字源] 形聲. 氵(水)＋發〔音〕. '發발'은 '펼치다'의 뜻. 물이 넓게 펼쳐지게 뿌리다의 뜻을

나타냄.

[潑剌 발랄] 물고기가 활발하게 뛰는 모양. 전(轉)하여, 힘차게 약동(躍動)하는 모양.
[潑郞潑賴 발랑발뢰] 무뢰한(無賴漢).
[潑墨 발묵] 우경(雨景)의 산수(山水)를 그리기 위하여 먹을 뿌림. 당(唐)나라 왕흡(王洽)이 처음 시작함.
[潑潑 발발] 발랄(潑剌).
[潑散 발산] ㉠세모(歲暮)의 연회(宴會). 망년회(忘年會). ㉡뿌림.
[潑皮 발피] 무뢰한(無賴漢).
[潑寒 발한] 물을 서로 끼얹는 유희(遊戲).
◉噴潑. 澆潑. 活潑.

12 ⑮ [潿] 위 [平]微 雨非切 wéi 潿

[字解] 웅덩이 위 움푹 패어 물이 괸 곳. '—, 不流濁也'《說文》.
[字源] [篆文] 形聲. 氵(水)+圍〔音〕. '圍위'는 '에워싸다'의 뜻.

12 ⑮ [潔] [中·人] 결 [入]屑 古屑切 jié 洁 潔

[筆順] 氵 氵 氵 氵 潔 潔 潔 潔

[字解] ①깨끗할 결 ㉠더럽지 아니함. '淸—'. '桒盛不—'《孟子》. ㉡품행이 바름. 청렴함. '—白'. '卞急而好—'《左傳》. ②깨끗이할 결 스스로 몸을 닦아 결백하게 함. '修—'. '人—己以進'《論語》. ③성 결 성(姓)의 하나.
[字源] [篆文] 形聲. 氵(水)+絜〔音〕. '絜결'은 더러움을 제거하고 청결하게 하다의 뜻. 뒤에, '水수'를 붙여 '깨끗하다, 청결하다'의 뜻을 나타냄.

[潔朗 결랑] 깨끗하고 밝음. 청랑(淸朗).
[潔廉 결렴] 결백하고 청렴(淸廉)함.
[潔白 결백] ㉠깨끗하고 흼. ㉡마음이 깨끗하고 사욕(邪欲)이 없음.
[潔癖 결벽] ㉠부정한 것을 극단적으로 미워하는 성질. ㉡유달리 깨끗함을 좋아하는 성벽.
[潔病 결병] 결벽(潔癖).
[潔服 결복] 깨끗한 의복.
[潔婦 결부] 절개를 지키는 부인. 정부(貞婦).
[潔士 결사] 청렴한 선비.
[潔誠 결성] 청렴하고 성실함.
[潔素 결소] 청렴하고 소박(素朴)함.
[潔水 결수] 깨끗한 물. 맑은 물.
[潔愼 결신] 청렴하고 신중함.
[潔楹 결영] 모를 깎아 둥글게 함.
[潔齋 결재] 재계(齋戒)함.
[潔淨 결정] 깨끗함. 또, 깨끗이 함.
[潔疾 결질] 결벽(潔癖).
[潔清 결청] 깨끗함.
[潔衷 결충] 깨끗한 마음. 결백한 정신.
[潔行 결행] 결백한 행위.
[潔馨 결형] 깨끗하고 향기로움.
◉簡潔. 高潔. 公潔. 皎潔. 矯潔. 方潔. 不潔. 氷潔. 鮮潔. 修潔. 純潔. 淳潔. 雅潔. 嚴潔. 涓潔. 廉潔. 玉潔. 完潔. 禋潔. 莊潔. 齋潔. 貞潔. 精潔. 峻潔. 淸潔. 脆潔. 豐潔. 好潔. 華潔.

12 ⑮ [潘] [人名] ㊀ 번 [平]元 孚袁切 fān ㊁ 반 [平]寒 普官切 pān 潘

[筆順] 氵 氵 泙 泙 潘 潘 潘 潘

[字解] ㊀ 뜨물 번 쌀의 뜨물. '—沐'. '其閒面垢, 燂—請靧'《禮記》. ㊁ ①소용돌이 반 소용돌이치는 물. '鯢旋之—爲淵'《列子》. ②뜨물 반 ㊀과 뜻이 같음. ③성 반 성(姓)의 하나.
[字源] [篆文] 形聲. 氵(水)+番〔音〕. '番번'은 방사상(放射狀)으로 퍼지다의 뜻. 쌀을 일면 물속으로 하얗게 흐려져서 퍼져 가는 '뜨물'의 뜻을 나타냄.

[潘郞 반랑] 반악(潘岳)을 이름.
[潘郞鬢 반랑빈] 근심이 많아 일찍 센 반악(潘岳)의 머리털. 그는 서른두 살에 머리가 센 데 느낀 바 있어 추흥부(秋興賦)를 지었음.
[潘陸 반륙] 반악(潘岳)과 육기(陸機). 모두 서진(西晉)의 문학가(文學家).
[潘沐 반목] 머리 감는 뜨물.
[潘岳 반악] 진대(晉代)의 문인(文人). 자는 안인(安仁). 그래서, 반인(潘仁)이라고도 일컬어졌고, 급사황문시랑(給事黃門侍郞)을 하였기 때문에 반황문(潘黃門)이라고 하였음.
[潘楊之好 반양지호] 대대로 내려오는 두 집안의 두터운 정의. 반악(潘岳)의 집과 그의 아내 양경(楊經)의 집은 몇 대에 걸쳐 통혼(通婚)하였으므로 이름.
◉米潘.

12 ⑮ [潬] ㊀ 단(탄[本]) [上]旱 徒旱切 tān ㊁ 선 [上]銑 上演切 shàn

[字解] ㊀ 모래섬 단 물에 모래가 밀려 쌓인 섬. '—, 沙出'《爾雅》. ㊁ ①물맞부딪칠 선 '—, 涴—, 水相薄也'《集韻》. ②물이돌 선 '宛—膠盭'《司馬相如》.
[字源] 形聲. 氵(水)+單〔音〕

12 ⑮ [潗] [人名] 집 [入]緝 子入切 jí 潗

[筆順] 氵 氵 氵 潗 潗 潗 潗 潗

[字解] 샘솟는소리 집 샘이 솟는 소리. 또는 솟는 모양. '啾啾——'《柳宗元》.
[字源] 形聲. 氵(水)+集〔音〕

[潗潗 집집] 샘이 솟는 소리. 또는 솟는 모양.

12 ⑮ [潗] [人名] 潗(前條)과 同字

[筆順] 氵 氵 氵 潗 潗 潗 潗 潗

12 ⑮ [潙] ㊀ 규 [平]支 居爲切 guī ㊁ 위 [平]支 薳支切 wéi 沩 潙

[字解] ㊀ 물이름 규 산시 성(山西省) 융지 현(永濟縣)에서 발원(發源)하여 서쪽으로 흐르는 황허(黃河) 강의 지류(支流). 嬀(女部 十二畫)와 同字. ㊁ 물이름 위 후난 성(湖南省) 이양 현(益陽縣) 마두산(馬頭山)에서 발원(發源)하는 상수(湘水)의 지류.

[字源] 形聲. 氵(水)＋爲〔音〕

[潙水 규수] 자해(字解)㊀을 보라.
[潙水 위수] 자해(字解)㊁를 보라.
[潙仰宗 위앙종] 선문(禪門)의 종파(宗派)의 하나. 위산선사(潙山禪師) 영우(靈祐)와 앙산선사(仰山禪師) 혜적(慧寂)을 시조(始祖)로 함.

12 ⑮ [潛] [高人] 잠 [平]鹽 昨鹽切 qián

[筆順] 氵 汇 汼 浐 潸 潸 潛 潛

[字解] ①무자맥질할 잠 물속을 잠행함. '水—陸行'《淮南子》. ②숨을 잠 몸을 감춤. '—伏'. '陽氣—藏'《易經》. ③숨길 잠 감춤. '—師閉塗'《左傳》. ④몰래 잠 은밀히. '—入'. '銜枚—涉'《國語》. ⑤가라앉을 잠 마음이 침착함. '沈—剛克'《書經》. ⑥깊을 잠 '—雖伏矣'《詩經》. ⑦섶 잠 물고기를 모이게 하기 위하여 물속에 쌓은 섶. '—有多魚'《詩經》. ⑧물이름 잠 한수이(漢水)강의 이칭(異稱). '沱—旣道'《書經》.
[字源] 篆文 形聲. 氵(水)＋朁〔音〕. '朁잠'은 '숨다'의 뜻. 물속에 숨다, 자맥질하다의 뜻을 나타냄.

[潛却 잠각] 물러나 숨음.
[潛感 잠감] ㉠남몰래 마음을 움직임. ㉡겉에 드러나지 않게 기(氣)가 감응(感應)함.
[潛居 잠거] 숨어 삶. 은거함.
[潛拱 잠공] 마음을 가라앉히고 두 손을 마주 잡아 조용히 함.
[潛蛩 잠공] 숨어 있는 귀뚜라미.
[潛蛟 잠교] 깊이 잠겨 숨은 교룡(蛟龍).
[潛匿 잠닉] 잠복(潛伏).
[潛德 잠덕] 세상에 나타나지 아니한 덕행(德行). 또, 그 덕행을 가진 사람. 숨은 군자(君子).
[潛龍 잠룡] 잠복(潛伏)한 용이라는 뜻으로, 천자(天子)가 아직 즉위하지 아니한 때의 칭호. 또는 세상에 나타나지 아니한 대인 군자(大人君子)를 일컫는 말.
[潛鱗 잠린] 잠어(潛魚).
[潛寐 잠매] 지하에 숨어 잠. 곧, 죽음. 영면(永眠).
[潛賣 잠매] 팔지 못하게 하는 물건을 몰래 팖.
[潛沒 잠몰] 물속으로 들어감.
[潛盤 잠반] 혼자 남몰래 즐김.
[潛蟠 잠반] 숨어 서려 있음.
[潛伏 잠복] 깊이 숨음. 또, 깊이 숨김.
[潛夫論 잠부론] 서명(書名). 후한(後漢)의 왕부(王符)의 찬(撰). 10권 35편. 세상에 용납되지 않는 데 발분(發憤)하여 당시의 폐정(弊政)을 통절(痛切)히 논하였음.
[潛思 잠사] 잠심(潛心).
[潛商 잠상] 팔지 못하게 하는 물건을 몰래 파는 장수.
[潛涉 잠섭] 몰래 건넘.
[潛水 잠수] 물속에 들어감.
[潛升 잠승] 숨음과 올라감. 나타나지 않음과 나타남.
[潛身 잠신] 몸을 숨김. 은신(隱身).
[潛神 잠신] 잠심(潛心).
[潛心 잠심] 마음을 가라앉혀 깊이 생각함.
[潛深 잠심] 깊이 잠김. 깊이 숨음.
[潛壤 잠양] 숨어 나타나지 않는 토지.
[潛讓 잠양] 자기는 물러가 남에게 영예를 사양함.
[潛魚 잠어] 물속 깊이 숨은 물고기.
[潛淵 잠연] 물고기가 못 속에 숨어 나타나지 아니함.
[潛翳 잠예] 잠복(潛伏).
[潛潤 잠윤] 깊이 배어 들어감. 깊이 미침.
[潛隱 잠은] 잠복(潛伏).
[潛入 잠입] 몰래 들어옴.
[潛藏 잠장] 잠복(潛伏).
[潛在 잠재] 속에 숨어 있음.
[潛邸 잠저] 천자(天子)가 아직 즉위(即位)하지 아니한 때에 살던 저택.
[潛寂 잠적] 고요하고 적적(寂寂)함.
[潛跡 잠적] 종적을 숨김.
[潛志 잠지] 마음을 가라앉혀 깊이 연구함.
[潛竄 잠찬] 몰래 숨어 도망함.
[潛採 잠채] 몰래 들어가 채굴함.
[潛通 잠통] ㉠몰래 통함. 내통함. ㉡몰래 간통함.
[潛窆 잠폄] 남몰래 매장함.
[潛涵 잠함] ㉠가라앉음. ㉡젖음. 또, 적심.
[潛航 잠항] 물속으로 몰래 항행(航行)함.
[潛行 잠행] ㉠남몰래 다님. ㉡물 또는 땅 밑으로 다님.
[潛幸 잠행] 몰래 하는 행행(行幸).
[潛虛 잠허] 속계(俗界)를 떠나 숨어 삶. 은거함.
[潛形 잠형] 형적(形迹)을 숨김.
[潛晦 잠회] ㉠종적을 감춤. ㉡재능(才能)을 나타내지 않고 숨김.
[潛畫 잠획] 은밀히 계획함. 또, 비밀한 계획.
◉逃潛. 韜潛. 壽潛. 深潛. 淵潛. 龍潛. 幽潛. 隱潛. 陰潛. 沈潛. 退潛.

12 ⑮ [潜] [人名] 潛(前條)의 俗字

[筆順] 氵 汇 汇 沣 泆 浂 潜 潜

12 ⑮ [潝] 흡 [入]緝 許及切 xī

[字解] ①물빨리흐르는소리 흡. ②부화할 흡 부화뇌동함. '——訿訿'《詩經》.
[字源] 篆文 形聲. 氵(水)＋翕〔音〕. '翕흡'은 깃을 합함의 뜻. 물이 합류하여 빨리 흐르는 소리의 뜻을 나타냄.

[潝潝 흡흡] 부화뇌동(附和雷同)하는 모양.

12 ⑮ [潞] [人名] 로 [去]遇 洛故切 lù

[字解] ①물이름 로 산시 성(山西省)을 흐르는 탁장수(濁漳水)의 고칭(古稱). '—水'. '—川'. ②땅이름 로 춘추(春秋) 시대의 지명(地名). '齊人伐衛, 執般師以歸, 舍諸—'《左傳》.
[字源] 篆文 形聲. 氵(水)＋路〔音〕

[潞水 노수] 자해(字解)❶을 보라.
[潞川 노천] 노수(潞水).

12 ⑮ [潅] 〔관〕
灌(水部 十八畫〈p. 1317〉)의 俗字

12 ⑮ [潟] [人名] 석 [入]陌 思積切 xì

字解 개펄 석 조수가 드나들어 염분이 많이 섞인 땅. 척로(斥鹵). '一滷'. '凡糞種鹹一用貆'《周禮》.
字源 形聲. 氵(水)＋舃〔音〕. '舃석'은 '까치'의 象形. 까치가 날아오는 개펄의 뜻을 나타냄.
參考 潟(次條)은 本字.

[潟鹵 석로] 석로(潟滷).
[潟滷 석로] 바닷가의 염분이 섞인 땅.
[潟流 석류] 흘러 들어감.
◉鹹潟.

12 ⑮ [潟] 潟(前條)의 本字

12 ⑮ [潢] 人名 황 ①㊥陽 胡光切 huáng ②㊤養 戶廣切 huǎng ③㊦漾 乎曠切 huàng

字解 ①못 황 저수지(貯水池). '一汙行潦之水'《左傳》. ②깊을 황 滉(水部 十畫)과 同字. '瀰漾一漾'《司馬相如》. ③책꾸밀 황, 장황할 황 서책이나 서화첩(書畫帖)을 꾸며 만듦. 또, 종이를 염색함. '有裝一紙法'《齊民要術》.
字源 甲骨文 篆文 形聲. 氵(水)＋黃〔音〕. '黃황'은 '廣광'과 통하여, '넓다'의 뜻. 큰 물웅덩이의 뜻을 나타냄.

[潢潦 황료] 길바닥에 괸 물.
[潢潯 황심] 못가.
[潢洋 황양] 물이 깊고 넓은 모양.
[潢漾 황양] 황양(潢洋).
[潢汙 황오] 못과 웅덩이. 저수지(貯水池).
[潢池 황지] ㉠저수지(貯水池). ㉡협착한 토지의 비유.
[潢治 황치] 장황(裝潢)함.
[潢潢 황황] 용감한 모양.
◉星潢. 流潢. 銀潢. 裝潢. 絕潢. 地潢. 天潢. 陂潢.

12 ⑮ [潣] 人名 민 ㊤軫 眉隕切 mǐn

字解 물편히흐를 민 '一, 水流浼浼皃'《說文》.
字源 篆文 形聲. 氵(水)＋閔〔音〕

12 ⑮ [澗] 人名 간 ㊥刪 居閑切 ㊦諫 古晏切 jiàn

字解 산골물 간 '一聲'. '于以采蘋于一之中'《詩經》.
字源 篆文 形聲. 氵(水)＋閒〔音〕. '閒간'은 '사이'의 뜻. 산골짜기의 물, 골짜기의 뜻을 나타냄.
參考 澗(次條)은 本字.

[澗溪 간계] 산골 물. 시내.
[澗谿 간계] 간계(澗溪).
[澗谷 간곡] 산골짜기.
[澗礫 간력] 시내의 조약돌.
[澗籟 간뢰] 산골 물의 흐르는 소리.
[澗畔 간반] 시냇가.
[澗聲 간성] 간뢰(澗籟).
[澗水 간수] 산골 물. 시내.
[澗阿 간아] 시내의 굽어 들어간 곳. 시내의 굽이.
[澗霓 간예] 산골에 나타나는 무지개.
[澗隈 간외] 간아(澗阿).
[澗底 간저] 시내의 바닥.
[澗沚 간지] 간반(澗畔).
[澗泉 간천] 산골에 있는 샘.
[澗湫 간추] 산골짜기의 물이 괸 곳.
[澗壑 간학] 산골짜기. 또, 산골짜기에 흐르는 시내.
[澗響 간향] 산골 물이 흐르는 소리. 간뢰(澗籟).
[澗峽 간협] 산골짜기.
[澗戶 간호] 산골짜기에 있는 집.
◉溪澗. 枯澗. 溝澗. 冷澗. 碧澗. 山澗. 邃澗. 幽澗. 絕澗. 阻澗. 淸澗. 寒澗.

12 ⑮ [澖] 澗(前條)의 本字

12 ⑮ [潤] 高人 윤 ㊦震 如順切 rùn

筆順 氵 氵 沪 淍 淍 潤 潤 潤

字解 ①젖을 윤 물기가 있음. 습함. '一濕'. '山雲蒸而柱礎一'《淮南子》. ②윤택할 윤 번지르르함. 또, 번영함. '朝含榮一, 夕爲枯槁'《蜀志》. ③적실 윤 물에 적심. 또, 습하게 함. '雨露之所一'《孟子》. ④윤택하게할 윤 ㉠이익 또는 덕을 베풂. '功一諸侯'《漢書》. ㉡꾸밈. 수식함. '一色'. '富一屋, 德一身'《大學》. ⑤더할 윤 보탬. '樂章累朝多刪一'《宋史》. ⑥물기 윤 수분. '吹雲吐一'《曹植》. ⑦은혜 윤 은덕. '祿一已優'《北史》. ⑧이득 윤 '利一'. ⑨부드러울 윤 온화함. '每乏溫一之色'《後漢書》. ⑩윤 윤 광택. '光一'. '秀一可喜'《圖繪寶鑑》.
字源 篆文 形聲. 氵(水)＋閏〔音〕. '閏윤'은 '적시다'의 뜻. 물기를 머금어 적시다의 뜻을 나타냄.

[潤膩 윤니] 윤이 나고 매끄러움. 윤활(潤滑).
[潤朗 윤랑] 윤이 나고 명랑함.
[潤美 윤미] 윤이 나고 아름다움.
[潤顙 윤상] 넓고 윤이 나는 이마.
[潤色 윤색] 윤을 내어 꾸밈. 매만져 곱게 함. 문채(文采)를 가(加)함.
[潤濕 윤습] 젖음. 또, 적심.
[潤飾 윤식] 윤색(潤色).
[潤屋 윤옥] 집을 치장함. 전하여, 재산(財產)을 이룩함.
[潤溽 윤욕] 습하고 무더움.
[潤益 윤익] ㉠증가(增加)함. 또, 증가시킴. ㉡이익(利益). 이윤.
[潤霑 윤점] 젖음. 또, 적심. 윤습(潤濕).
[潤澤 윤택] ㉠적심. 또, 젖음. ㉡은혜를 베풂. 또, 은혜. ㉢윤이 남. 아름답고 빛이 남. 또, 윤이 나게 함. 또, 윤. 광택. ㉣이득. 이윤. ㉤많음. 풍부함.
[潤筆 윤필] 글씨를 쓰거나 그림을 그림. 또, 그 보수.
[潤下 윤하] 적시어 내려간다는 뜻으로, 물을 이름.
[潤涸 윤학] 마른 것을 적심. 가난한 사람에게 은혜를 베푼다는 뜻.
[潤滑 윤활] 윤이 나고 반질반질함. 또, 기름기가 있어 매끄러움.
[潤洽 윤흡] 두루 젖음. 전(轉)하여, 은덕이 두루

미침.
◉膏潤. 光潤. 芳潤. 旁潤. 氷清玉潤. 刪潤. 秀潤. 濕潤. 飾潤. 深潤. 榮潤. 溫潤. 濡潤. 恩潤. 利潤. 滋潤. 潛潤. 霑潤. 漸潤. 存潤. 譖潤. 蒼潤. 浸潤. 擢潤. 澤潤. 豐潤. 河潤. 瑩潤. 惠潤. 弘潤.

12 ⑮ [潷] [一] 고 [平]肴 姑勞切 gāo [二] 호 [平]豪 胡刀切 háo
[字解] [一] 늪 고 물이 크게 괴어 있는 곳. '一, 澤也'《正韻》. [二] 울 호 새가 욺. '百草奮興, 秭鳺先一'《史記》.

12 ⑮ [潦] 료 [上]晧 盧皓切 lǎo
[字解] ①큰비 료 대우(大雨). '水一盛昌'《禮記》. ②장마 료 음우(淫雨). '霖一大水'《晉書》. ③길바닥물 료 길바닥에 괸 물. '洞酌彼行一'《詩經》.
[字源] 篆文 形聲. 氵(水)+尞(尞)〔音〕. '尞료'는 날아 흩어지는 불티의 象形. 물보라 치는 빗물의 뜻을 나타냄.

[潦倒 요도] ㉠거동(擧動)이 완만한 모양. ㉡노쇠(老衰)한 모양. ㉢이재(吏才)가 없는 모양. ㉣영락(零落)한 모양.
[潦水 요수] ㉠길바닥에 괸 물. ㉡큰물. 대수(大水).
[潦草 요초] 성질이 조잡함. 소루함. 꼼꼼하지 못함.
[潦浸 요침] 큰비로 침수함.
◉塗潦. 水潦. 雨潦. 流潦. 淫潦. 泥潦. 霖潦. 積潦. 庭潦. 秋潦. 旱潦. 行潦. 洪潦. 黃潦. 潢潦. 黑潦.

12 ⑮ [潩] 기 [去]寘 其冀切 jì
[字解] 물이름 기 '一, 一水也'《說文》.
[字源] 形聲. 氵(水)+异〔音〕

12 ⑮ [潨] [一] 총 [平]東 徂紅切 zhōng [二] 종 [平]冬 藏宗切 cóng
[字解] [一] 흘러들어갈 총 작은 물이 큰 물에 합류함. '一洞'. '仰聽大壑一'《謝靈運》. 또, 그곳. '鳧鷖在一'《詩經》. [二] 흘러들어갈 종 [一]과 뜻이 같음.
[字源] 篆文 形聲. 氵(水)+衆(眾)〔音〕. '眾중'은 많은 것이 모이는 뜻. 물이 모여 큰 강으로 흘러드는 뜻을 나타냄.

[潨洞 총동] 큰 물에 흘러 들어가는 작은 여울.
[潨然 총연] 총잔(潨潺).
[潨潺 총잔] 물이 흘러 들어가는 소리.
[潨潨 총총] 총잔(潨潺).
◉驚潨. 奔潨. 飛潨.

12 ⑮ [潫] 색 [入]陌 色責切 sè
[字解] 빗방울뚝뚝떨어질 색.

12 ⑮ [潭] [人名] [一] 담 [平]覃 徒含切 tán [二] 심 [平]侵 徐心切 xún
[筆順] 氵 㳄 汀 沺 洒 潭 潭 潭
[字解] [一] ①깊을 담 '一深'. '一思渾天'《漢書》. ②소 담 물이 괸 깊은 곳. '碧潤淸一'. [二] 물가 심 수애(水涯)의 깊은 곳. '或横江一而漁'《揚雄》.
[字源] 金文 篆文 形聲. 氵(水)+覃(㫃)〔音〕. '㫃담'은 '깊다'의 뜻. 깊은 물, 소(沼)의 뜻을 나타냄.

[潭根 담근] 땅속 깊이 들어간 뿌리.
[潭潭 담담] 물이 깊은 모양.
[潭府 담부] ㉠물이 깊이 괸 곳. 소(沼). ㉡재상(宰相)이 있는 관부(官府). 또, 그가 사는 저택. 전(轉)하여, 남의 저택의 경칭(敬稱).
[潭思 담사] 깊이 생각함. 또, 깊은 생각. 심사(深思).
[潭石 담석] 소(沼) 가운데의 돌.
[潭深 담심] ㉠물이 깊음. ㉡학문(學問)이 깊음.
[潭淪 담약] 흔들리는 모양. 요동하는 모양.
[潭淵 담연] 깊은 못.
[潭奧 담오] 학문이 깊음. 심오(深奧).
[潭渦 담와] 깊은 소용돌이.
[潭湫 담추] 깊은 못.
[潭壑 담학] 깊은 구렁. 깊은 골짜기.
◉間潭. 江潭. 空潭. 屈潭. 綠潭. 碧潭. 龍潭. 幽潭. 濬潭. 池潭. 澄潭. 靑潭. 淸潭. 寒潭. 洪潭. 黑潭.

12 ⑮ [潱] [人名] 열 [入]屑 一結切 yē
[字解] 물흐르는모양 열 '洇, 水流皃. 或作一'《集韻》.

12 ⑮ [潮] [高人] 조 [平]蕭 直遙切 cháo
[筆順] 氵 氵 汁 沽 洁 淖 潮 潮
[字解] ①조수 조 ㉠밀려 들어왔다 나갔다 하는 바닷물. '一候'. '水者地之血脈, 隨氣進退, 而爲一'《論衡》. ㉡아침에 일어나는 조수. '一汐'. '隨月消長, 早曰一, 晩曰汐'《字彙》. ②밀물 조 밀려 들어오는 조수(潮水). '滄海之水入江, 謂之一'《海潮論》. ③밀물들어올 조 '海水上一'《枚乘》. ④나타날 조 빛이 나타남. 징후(徵候)가 나타남. '玉顔醉裏紅一'《蘇軾》. ⑤바닷물 조 해수(海水). '鯨疑噴海一'《蘇頲》. ⑥고을이름 조 광둥 성(廣東省)에 있는 주(州). '一封朝奏九重天, 夕貶一州路八千'《韓愈》.
[字源] 金文 篆文 形聲. 氵(水)+朝〔音〕. '朝조'는 조수가 밀려드는 아침의 뜻. '水수'를 붙여서, 특히 아침 조수의 뜻을 나타냄. 金文은 會意로, 水+卓. '卓조'는 '朝'와 통하여, '아침'의 뜻. '淖'와 '朝'는 같은 글자의 변종(變種)이었는데, '朝'가 '아침'의 뜻으로 쓰임에 따라, '조수'의 뜻으로는 '潮'가 쓰이게 됨.

[潮流 조류] ㉠조수(潮水)의 유동(流動). 바닷물의 유동. ㉡시세(時勢)의 추향(趨向).
[潮汐 조석] 아침에 밀려 들어왔다 나가는 조수와 저녁에 밀려 들어왔다 나가는 조수. 조수(潮水)와 석수(汐水). 일설(一說)에는, 밀물과 썰물.
[潮水 조수] ㉠바닷물. 해수(海水). ㉡해와 달, 특히 달의 인력(引力)에 의해서 일정한 시간을

두고 주기적으로 해면(海面)의 수준(水準)이 올라갔다 내려갔다 하는 현상을 이루는 바닷물.
[潮信 조신] ㉠조후(潮候). ㉡조수(潮水).
[潮熱 조열] 정기적으로 일어나는 신열(身熱).
[潮音 조음] ㉠조수(潮水)의 소리. 바닷물 소리. ㉡《佛教》여러 중이 경을 읽는 소리.
[潮州 조주] 광둥 성(廣東省)에 있는 지명. 당(唐)나라의 한유(韓愈)가 '諫迎佛骨表'를 올렸다가 이곳의 자사(刺史)로 좌천되었고, 후에 송(宋)나라의 소식(蘇軾)이 '潮州韓文公廟碑'를 지은 것으로 유명함.
[潮害 조해] 간석지(干潟地) 등에 조수가 들어서 입는 피해.
[潮海 조해] 염분을 함유한 바다.
[潮紅 조홍] 얼굴이 붉어짐.
[潮候 조후] 해수(海水)의 간만(干滿)의 시각.
[潮痕 조흔] 조수(潮水)가 밀려왔다 나간 흔적.
◉江潮. 弓弩射潮. 落潮. 怒潮. 旦潮. 沓潮. 晚潮. 望潮. 暮潮. 返潮. 飜潮. 奔潮. 思潮. 時代思潮. 信潮. 晨潮. 赤潮. 早潮. 進潮. 風潮. 韓海蘇潮.

12
⑮ [潐] 초 ①②㊀嚼 子肖切 jiào
③㊤篠 子小切 jiǎo

字解 ①마를 초 물이 밑바닥까지 졸아 붙음. 醮(酉部 十二畫)와 同字. '一, 盡也'《說文》. ②밝을 초 밝게 살핌. '一一, 明察之貌'《荀子 註》. ③술거를 초.
字源 篆文 形聲. 氵(水)+焦〔音〕. '焦초'는 '눋다'의 뜻. 전(轉)하여, '마르다'의 뜻. 물이 말라붙는 것.

12
⑮ [潯] 심 ㊥侵 徐林切 xún 浔

字解 ①물가 심 수애(水涯). '江一海裔'《淮南子》. '垂釣廣川一'《張正見》. ②물이름 심 광시 성(廣西省)을 흐르는 강. '一水出巨公之山'《水經注》. 또, '一陽江'은 장시 성(江西省)의 구강(九江)의 별칭(別稱)으로서, 백낙천(白樂天)이 〈비파행(琵琶行)〉을 지은 곳이므로, 구강부(九江府)를 '一'이라고도 함.
字源 篆文 形聲. 氵(水)+尋〔音〕. '尋심'은 길이의 단위. 발(양손을 편 길이. 8척)의 뜻. 발로 잴 만한 깊은 물, 곧, 소를 말함.

[潯陽 심양] 당대(唐代)의 군명(郡名) 및 현명(縣名). 애초에는 '尋陽'이었으나 당대에 '潯陽'으로 고침. 현재의 장시 성(江西省) 주장 시(九江市).
[潯陽江 심양강] 자해(字解) ❷를 보라.
◉浪潯. 碧潯. 烟潯. 清潯.

12
⑮ [潳] ㊀ 도 ㊥虞 同都切 tú
㊁ 차 ㊥麻 陟加切 zhā

字解 ㊀ 산이름 도 '一, 山名, 在南郡'《集韻》. ㊁ 붙을 차 '一溹'는 붙음 또는 젖음. '一, 一溹, 沾溼也'《集韻》.

12
⑮ [潰] 人名 궤 ㊀隊 胡對切 kuì 溃

字解 ①무너질 궤 ㉠제방 따위가 무너져 물이 쏟아져 나옴. '決一'. '大水一出'《漢書》. ㉡패전하여 진(陣)이 무너져 군사들이 도망함. '一走'. '當之者一'《荀子》. ②무너뜨릴 궤 전항(前項)의 타동사. '願爲諸君一圍'《史記》. ③문드러질 궤 부란(腐爛)함. '一爛'. '杭有賣菓者, 善藏柑, 涉寒暑不一'《劉基》. ④어지러울 궤 혼란한 모양. '一一回遹'《詩經》. ⑤이룰 궤 성취함. '是用不一于成'《詩經》. ⑥성낼 궤 화냄. '有洸有一'《詩經》.
字源 篆文 形聲. 氵(水)+貴(賫)〔音〕. '賫궤'는 '毀훼'와 통하여, '무너지다'의 뜻. 제방이 무너져서 물이 새다의 뜻에서, '무너지다'의 뜻을 나타냄.

[潰決 궤결] 둑 같은 것이 터져 무너짐. 결궤(決潰).
[潰潰 궤궤] ㉠어지러운 모양. ㉡물이 솟아나는 모양. ㉢성내는 모양. ㉣착하지 아니한 모양.
[潰亂 궤란] 전쟁에 패하여 어지러워짐.
[潰爛 궤란] 썩어 문드러짐.
[潰裂 궤렬] 궤열(潰裂).
[潰漏 궤루] 둑이 무너져 물이 새어 넘침.
[潰盟 궤맹] 맹세한 것을 지키지 않음. 맹약(盟約)을 포기함.
[潰滅 궤멸] 적(賊)을 무너뜨려 멸망시킴. 또, 적이 패하여 멸망함.
[潰冒衝突 궤모충돌] 홍수가 제방을 무너뜨리기도 하고, 역류(逆流)하여 언덕에 충돌하기도 함.
[潰奔 궤분] 궤주(潰走).
[潰崩 궤붕] 무너짐. 붕궤(崩潰).
[潰散 궤산] 전쟁에 패하여 흩어짐.
[潰水 궤수] 넘쳐흐르는 물.
[潰瘍 궤양] 헐어서 진무른 헌데.
[潰裂 궤열] 무너지고 갈라짐.
[潰溢 궤일] 둑이 무너져 물이 넘쳐 흐름.
[潰走 궤주] 패하여 흩어져 달아남.
[潰墜 궤추] 궤패(潰敗).
[潰出 궤출] 둑 같은 것이 무너져 물이 넘쳐 흐름.
[潰敗 궤패] 전쟁에 패하여 진형(陣形)이 무너짐.
[潰澒 궤홍] 수면(水面)이 넓어 끝이 없는 모양.
[潰濩 궤확] 물이 세차게 용솟음치는 모양.
◉決潰. 驚潰. 亂潰. 奔潰. 粉潰. 崩潰. 沸潰. 殲潰. 魚潰. 裂潰. 隕潰. 蟻潰. 鳥散魚潰. 破潰. 敗潰. 洪潰. 禍潰.

12
⑮ [潸] 산 ㊥刪 所姦切 shān
㊤潸 數板切

字解 ①눈물흐를 산 눈물이 줄줄 흐르는 모양. '一焉出涕'《詩經》. ②비올 산 비가 오는 모양. '疎林日暮雨一一'《貢奎》.
字源 篆文 形聲. 氵(水)+散〈省〉〔音〕. '散산'은 '散산'으로, 조각조각으로 되다의 뜻. 눈물이 흘러 떨어지다의 뜻을 나타냄.

[潸潸 산산] ㉠눈물을 흘리는 모양. ㉡비가 오는 모양.
[潸焉 산언] 눈물을 흘리는 모양.
[潸然 산연] 산언(潸焉).
[潸悵 산창] 눈물을 흘리며 한탄함.
[潸泫 산현] 산언(潸焉).

12
⑮ [潺] 人名 잔 ㊥刪 士山切 chán

字解 ①졸졸흐를 잔 물이 졸졸 흐르는 모양. 또,

그 소리. '春來幽谷水——'《蘇軾》. ②눈물흐를 잔 눈물이 줄줄 흐르는 모양. '橫流涕兮—湲'《楚辭》.
[字源] 篆文 形聲. 氵(水)＋孱〔音〕. '孱잔'은 물이 졸졸 흐르는 소리를 나타내는 의성어.

[潺流 잔류] 졸졸 흐르는 물.
[潺沄 잔운] 물이 졸졸 흐르는 모양.
[孱湲 잔원] ㉠물이 졸졸 흐르는 모양. 또, 그 소리. ㉡눈물을 줄줄 흘리는 모양.
[潺潺 잔잔] ㉠물이 졸졸 흐르는 모양. 또, 그 소리. ㉡비가 오는 모양.
[潺淙 잔종] 물이 졸졸 흐르는 모양. 또, 그 소리.
◉淙潺. 潀潺.

12 ⑮ [潼] [人名] 동 [平]東 徒紅切 tóng

[筆順] 氵 … 潼

[字解] ①물이름 동 쓰촨 성(四川省) 평무현(平武縣)에서 발원(發源)하여 동남으로 흐르는 부강(涪江)의 지류. 자동현(梓潼縣)을 흐르므로 '梓—'이라고도 함. 옛날에 치수(馳水)라 하였음. '水, 出廣漢梓—北畍'《說文》. ②관소(關所) 이름 동 '—關'은 후한(後漢) 시대에 둔 관소로, 현재의 산시 성(陝西省) 동관현(潼關縣) 동남 북부로, 황하(黃河)의 대굴곡부에 해당함. 고래로, 뤄양(洛陽)에서 장안(長安)을 통하는 용병상(用兵上)의 요지였음. ③높을 동 높은 모양. '沫——而高厲'《宋玉》.
[字源] 篆文 形聲. 氵(水)＋童〔音〕

[潼關 동관] 산시 성(陝西省)의 현(縣) 이름. 뤄양(洛陽)과 장안(長安) 사이에 있는 요해처(要害處)임.
[潼潼 동동] 높은 모양.

12 ⑮ [澁] [人名] 삽 [入]緝 色立切 sè 澀

[字解] ①껄끄러울 삽 미끄럽지 아니함. '冷—比于寒蜒'《風俗通》. ②막힐 삽 통하지 아니함. '—滯'. '以利滑喉中, 不令—噎'《禮記 疏》. ③어려울 삽 쉽지 아니함. '—體'. '艱—'. ④떫을 삽 맛이 떫음. '酸—如棠梨'《杜甫》.
[字源] 篆文 會意. 篆文은 刃＋止＋刃＋止. '止지'는 '발'의 象形. 발이 얽히는 모양에서, '지체하다'의 뜻을 나타냄. '水수'를 붙여, 물이 매끄럽게 흐르지 않다, 정체하다의 뜻을 나타냄.
[參考] 澀(水部 十二畫)은 本字.

[澁苦 삽고] 떫고 씀.
[澁吶 삽눌] 말을 떠듬거림.
[澁勒 삽륵] 대나무의 일종(一種).
[澁語 삽어] 떠듬거리는 말.
[澁噎 삽열] 막혀 목멤.
[澁滯 삽체] 일이 막혀 잘되어 나가지 아니함.
[澁體 삽체] 신기(新奇)하여 읽기 어려운 시체(時體), 또는 문체(文體).
◉艱澁. 彊澁. 蹇澁. 結澁. 梗澁. 苦澁. 謹澁. 奇澁. 難澁. 訥澁. 朴澁. 羞澁. 鏽澁. 頑澁. 粗澁. 皺澁. 險澁. 晦澁.

12 ⑮ [澂] 징 [平]蒸 直陵切 chéng

[字解] 맑을 징, 맑게할 징 澄(次條)과 同字. '千載不作, 淵原誰—'《漢書》.
[字源] 篆文 形聲. 氵(水)＋徵〈省〉〔音〕. '徵징'은 '止지'와 통하여, '멎다'의 뜻. 물이 정지(靜止)하여 맑아지다의 뜻을 나타냄.

[澂明 징명] 맑고 밝음.
[澂澈 징철] 맑고 투명함.
[澂淸 징청] 맑고 깨끗이 함. 세상의 어지러움을 다스림.

12 ⑮ [澄] [人名] 징 [平]蒸 直陵切 chéng

[筆順] 氵 … 澄

[字解] ①맑을 징 ㉠물이 맑음. '—淵'. '鑑于—水'《淮南子》. ㉡빛이 맑음. '—空'. '天淸月暉—'《曹毗》. ㉢세상이 맑음. 잘 다스려짐. '—正'. '世—道玄'《夏侯湛》. ②맑게할 징 전항(前項)의 타동사. '—淸天下'. '—之不淸'《世說》.
[字源] 形聲. 氵(水)＋登〔音〕. '登등'은 '止지'와 통하여, '멎다'의 뜻. 정지(靜止)하는 물, 맑아지다의 뜻을 나타냄. 澂(水部 十二畫)의 이체자(異體字).

[澄江 징강] 물이 맑은 강.
[澄高 징고] 높고 맑음. 또, 기품이 깨끗하고 고상함.
[澄空 징공] 맑은 하늘.
[澄潭 징담] 물이 맑은 소(沼).
[澄澹 징담] 청렴하고 담박(淡泊)함.
[澄瀾 징란] 맑은 물결. 깨끗한 파도.
[澄邈 징막] 맑고 멂.
[澄灣 징만] 물이 맑은 만(灣).
[澄明 징명] 맑고 밝음.
[澄碧 징벽] 맑고 푸름. 또, 그 빛.
[澄爽 징상] 마음이 맑고 상쾌함.
[澄鮮 징선] 맑고 고움.
[澄省 징성] 마음을 맑게 하고 반성함.
[澄水 징수] 맑은 물.
[澄心 징심] ㉠마음을 가라앉혀 맑게 함. ㉡가라앉아 맑은 마음.
[澄深 징심] ㉠물이 맑고 깊음. ㉡마음을 맑게 하고 깊이 생각함.
[澄淵 징연] ㉠물이 맑고 깊음. 징심(澄深). ㉡물이 맑은 못.
[澄漪 징의] 맑은 잔물결. 청련(淸漣).
[澄正 징정] 맑고 바름. 깨끗하고 바름.
[澄渟 징정] 맑게 괾. 맑은 물이 괴어 있음.
[澄霽 징제] 하늘이 맑게 갬. 징청(澄晴).
[澄酒 징주] 맑은술. 청주(淸酒).
[澄澄 징징] 물이 맑은 모양.
[澄泉 징천] 맑은 샘.
[澄澈 징철] 맑음.
[澄淸 징청] ㉠맑고 깨끗함. 또, 맑고 깨끗하게 함. ㉡조용히 함. 안정(安靜)하게 함.
[澄晴 징청] 하늘이 개어 맑음.
[澄汰 징태] ㉠씻어 깨끗이 함. ㉡가림. 가려냄.
[澄湖 징호] 물이 맑은 호수.
[澄輝 징휘] 맑은 빛.
◉高澄. 明澄. 肅澄. 研澄. 淵澄. 渟澄. 照澄.

淸澄. 平澄. 虛澄. 泓澄.

12 ⑮ [澈] 人名 철 ㊅屑 直列切 chè

筆順 氵 氵 氵 汁 浐 涪 淸 潵 澈

字解 맑을 철 물이 맑음. '淸—'. '昔者論道者, 或曰澄—'《關尹子》.

字源 形聲. 氵(水)+徹〈省〉〔音〕. '徹철'은 '통하다'의 뜻. 물이 투명다의 뜻을 나타냄.

參考 澈(水部 十一畫)은 本字.

◉鏡澈. 季澈. 爽澈. 澄澈. 淸澈. 瑩澈.

12 ⑮ [灍] 궐 ㊅月 去月切 jué

字解 ①물이름 궐 후베이 성(湖北省) 수현(隨縣)의 북쪽 고성산(固城山)에서 발원(發源)하여 운수(溳水)로 흘러드는 강(江). 노성하(魯城河). ②나라이름 궐 '—, 國名'《玉篇》.

12 ⑮ [澆] 요(교㊅) ㊄蕭 古堯切 jiāo 浇

字解 ①물줄 요 물을 줌. 물을 댐. 또, 물을 뿌림. '—灌'. '須洒—之'《世說》. ②엷을 요 순후하지 아니함. 경박함. '—薄'. '三季—浮, 舊章陵替'《齊書》. ③성 요 성(姓)의 하나.

字源 篆文 形聲. 氵(水)+堯〔音〕. '堯요'는 '높다'의 뜻. 높은 곳에서 물을 뿌리다, 물기가 많아지다, 담그다, 물기가 많아서 묽어지다의 뜻을 나타냄.

[澆漑 요개] 요관(澆灌).
[澆季 요계] 요세(澆世).
[澆灌 요관] 물을 댐. 물을 줌.
[澆詭 요궤] 요위(澆僞).
[澆漓 요리] 요박(澆薄).
[澆末 요말] 요세(澆世).
[澆薄 요박] 경박(輕薄)함. 인정(人情)이 박함.
[澆浮 요부] 요박(澆薄).
[澆世 요세] 인정·풍속이 경박(輕薄)해진 말세(末世). 세상이 어지러워지려고 할 때.
[澆水 요수] 물을 댐. 관개(灌漑).
[澆愁 요수] 근심을 씻는다는 뜻으로, '술을 마심'을 이름.
[澆淳 요순] 순박(淳朴)한 인정(人情)을 박정(薄情)하게 만듦.
[澆訛 요와] 요위(澆僞).
[澆僞 요위] 도덕이 퇴폐하여져서 인정이 박하여지고 거짓이 많음.
[澆弛 요이] 인정(人情)이 박해져서 풍속이 이완(弛緩)됨.
[澆淺 요천] 엷고 얕음.
[澆濯 요탁] 빪. 씻음.

◉淳澆.

12 ⑮ [潶] 흑 ㊅職 呼北切 hēi

字解 물이름 흑 '—, 水名, 出黑山西'《集韻》.

12 ⑮ [潫] 만(완㊅) ㊄刪 烏關切 wān

字解 ①물깊고넓을 만 '瀰—, 水深皃'《玉篇》. ②물삥돌아나갈 만 '泓澄瀰—'《左思》.

12 ⑮ [澇] 로 ㊄豪 魯刀切 láo ㊤晧 盧皓切 lào 涝

字解 ①큰물결 로 대파(大波). '飛—相磢'《木華》. ②물이름 로 산시 성(陝西省) 호현(鄠縣)에서 발원(發源)하여 북쪽으로 흐르는 웨이수이(渭水) 강의 지류(支流). '—水'. '—河'.

字源 篆文 形聲. 氵(水)+勞〔音〕

[澇水 노수] 자해(字解) ❷를 보라.
[澇河 노하] 노수(澇水).

12 ⑮ [澉] 감 ㊤感 古覽切 gǎn 澉

字解 ①씻을 감 세척(洗滌)함. '澹—手足'《枚乘》. ②성 감 성(姓)의 하나.

◉澹澉.

12 ⑮ [潿] 위 ㊃未 于貴切 wèi

字解 어지러울 위 '—潰淪而滀漯'《木華》.

12 ⑮ [澌] 시 ㊄支 相支切 sī

字解 다할 시 얼음이 녹아 없어짐. 또, 물건이 다하여 없어짐. '—盡灰滅'. '精神盡—'《儀禮疏》.

字源 篆文 形聲. 氵(水)+斯〔音〕

[澌盡灰滅 시진회멸] 얼음이 녹아 없어지고 불에 다 타 재가 되는 것같이 자취를 찾아볼 수 없이 멸망함.

12 ⑮ [澍] 人名 주 ㊃遇 常句切 shù

筆順 氵 氵 汁 洼 浩 涛 澍 澍

字解 ①적실 주 시우(時雨)가 와서 백곡(百穀)을 적셔 잘 자라게 함. '雨露時—'《王褒》. ②흘러들어갈 주 注(水部 五畫)와 同字. '聲磕磕而—淵'《王褒》. ③성 주 성(姓)의 하나.

字源 篆文 形聲. 氵(水)+尌〔音〕. '尌수'는 '세우다'의 뜻. 온갖 것을 생생하게 세우는 알맞은 비의 뜻을 나타냄.

[澍濡 주유] 단비가 와서 백곡이 윤택하게 된다는 뜻으로, 임금의 덕택(德澤)을 입음의 비유(譬喩).

◉嘉澍. 甘澍. 連澍. 霖澍.

12 ⑮ [澎] 人名 팽 ㊄庚 薄庚切 pēng, péng

筆順 氵 氵 汁 沽 洁 淸 澎 澎

字解 ①물부딪는소리 팽 '—湃'는 물 또는 물결이 서로 부딪치는 소리. '洶涌—湃'《司馬相如》. ②땅이름 팽 '—, 縣名, 在東海'《集韻》.

字源 形聲. 氵(水)+彭〔音〕. '彭팽'은 북소리를 나타내는 의성어. 물이 맞부딪치는 소리를

나타냄.

[澎湃 팽배] ㉠큰 물결이 맞부딪쳐 솟구치는 모양, 또는 그 소리의 형용. ㉡기세(氣勢)나 사조(思潮) 따위가 세차게 일어나는 모양.
[澎濞 팽비] 물이 왕성함. 또, 파도 소리의 형용.

12 ⑮ [潣] 一 매 ㊤蟹 莫蟹切 mì 二 멱 ㊅錫 莫狄切

字解 一 물이름 매 후난 성(湖南省) 상인 현(湘陰縣)의 북쪽의 멱수(汨水). 상수(湘水)의 지류(支流). '一, 一水, 出豫章艾縣, 西入湘'《說文》. 二 물이름 멱 '一灑'는 강(江) 이름. 굴원(屈原)이 투신(投身)한 곳. 汨(水部 四畫〈p. 1186〉)과 同字. '汨, 汨灑, 水名, 在豫章. 屈原所沈之處. 一, 涀, 並上同'《廣韻》.

字源 形聲. 氵(水)+買〔音〕

12 ⑮ [濆] 비 ㊀未 方未切 fèi

字解 ①물용솟음할 비 沸(水部 五畫)와 同字. '一, 泉涌出也'《集韻》. ②물철렁철렁할 비 물이 넘치는 모양. '一潣'. '一潣, 水溢皃'《集韻》.

12 ⑮ [濆] 〔분〕 濆(水部 十三畫〈p. 1302〉)의 俗字

12 ⑮ [㴼] 〔활〕 活(水部 六畫〈p. 1220〉)과 同字

12 ⑮ [澋] 횡 ㊤梗 胡猛切 hòng

字解 물빙돌아나갈 횡 '泂一'. '泂一水回旋皃'《集韻》.

字源 形聲. 氵(水)+景〔音〕

12 ⑮ [澐] 人名 운 ㊥文 王分切 yún

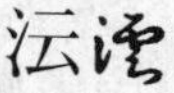

筆順 氵 氵 沄 沄 浫 澐 澐 澐

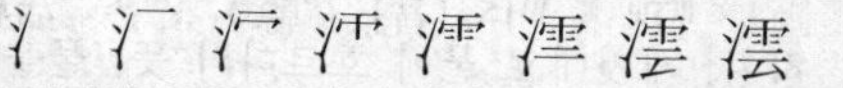

字解 큰물결일 운 강(江)에서 큰 물결이 이는 모양. '漲濤涌一'《于邵》.

字源 篆文 形聲. 氵(水)+雲〔音〕. '雲운'은 구름처럼 솟아나다의 뜻.

12 ⑮ [澒] 홍 ㊤董 胡孔切 gǒng(hǒng)

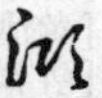

字解 ①수은 홍 汞(水部 三畫)과 同字. '凝一成白銀'《漢武內傳》. ②잇닿을 홍 연속한 모양. '運淸濁之一一兮'《賈誼》.

字源 篆文 形聲. 氵(水)+項〔音〕

[澒洞 홍동] 연속한 모양.
[澒濛 홍몽] 어두워 분명하지 아니함.
[澒溶 홍용] ㉠물이 깊고 넓은 모양. ㉡녹아 합침.
[澒澒 홍홍] 연속되어 있는 모양.
◉濛澒. 厖澒. 水澒.

12 ⑮ [澓] 복 ㊅屋 房六切 fú

字解 ①물빙돌아나갈 복 '迅一增澆'《郭璞》. ②물스며흐를 복 물이 지하로 스며 흐름. '一, 伏流也'《集韻》. ③성 복 성(姓)의 하나.

字源 形聲. 氵(水)+復〔音〕. '復복'은 '돌아오다'의 뜻. 물의 흐름이 돌아오다, 빙 돌다의 뜻을 나타냄.

12 ⑮ [潾] 人名 린 ㊀震 力刃切 lín

筆順 氵 氵 氵 氵 氵 潾 潾 潾

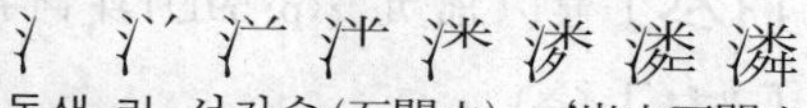

字解 돌샘 린 석간수(石間水). '出山石間水曰一'《初學記》.

字源 形聲. 氵(水)+粦〔音〕

[潾潾 인린] 파문(波紋)의 모양.

12 ⑮ [潒] 一 탕 ㊤養 徒朗切 dàng 二 상 ㊤養 徐兩切 xiàng

字解 一 편할 탕 많은 물의 아득한 모양. '彌望廣一'《張衡》. 二 세찰 상 수세(水勢)가 빠른 모양.

字源 篆文 形聲. 氵(水)+象〔音〕

12 ⑮ [潧] 一 진 ㊥眞 側詵切 zhēn 二 증 ㊥蒸 咨騰切

字解 一 물이름 진 '一, 一水, 出鄭國'《說文》. 二 물이름 증 '一, 水名'《集韻》.

字源 形聲. 氵(水)+曾〔音〕

12 ⑮ [潠] 손 ㊀願 蘇困切 sùn

字解 뿜을 손 입속에 든 액체를 토함. '含酒三一'《後漢書》.

字源 篆文 形聲. 氵(水)+巽〔音〕. '巽손'은 많은 것을 모아 갖추다의 뜻. 물을 입 안 가득히 머금고 뿜어 흩는 것.

12 ⑮ [潽] 人名 보 ㊤麌 頗五切 pǔ

字解 물이름 보 '一, 水也'《集韻》.

12 ⑮ [潸] 〔산〕 潸(水部 十二畫〈p. 1296〉)과 同字

12 ⑮ [潸] 〔산〕 潸(水部 十二畫〈p. 1296〉)과 同字

12 ⑮ [澀] 〔삽〕 澁(水部 十二畫〈p. 1297〉)의 本字

12 ⑮ [澑] 〔류〕 溜(水部 十畫〈p. 1270〉)의 本字

12 ⑮ [澫] 〔망〕 漭(水部 十一畫〈p. 1289〉)의 本字

12 ⑮ [潴] 〔저〕 瀦(水部 十六畫〈p. 1314〉)와 同字

12 ⑮ [濿] 〔유〕
濡(水部 十四畫〈p. 1307〉)와 同字

12 ⑮ [澔] 人名 〔호〕
浩(水部 七畫〈p. 1224〉)와 同字
筆順 氵 氵 泊 泎 泎 泎 澔 澔

12 ⑮ [澸] 〔한〕
寒(宀部 九畫〈p. 591〉)과 同字

[潚] 〔축〕
水部 十三畫(p. 1300)을 보라.

13 ⑰ [䨲] 탑 ⓐ合 他合切 tà

字解 ①두툼할 탑 두껍게 쌓음. '一, 積厚也'《集韻》. ②어두울 탑 현우(賢愚)를 분변(分辨)할 수가 없음. '一一, 無賢不肖之辨'《康熙字典》.

13 ⑰ [澩] 학 ⓐ覺 胡覺切 xué

字解 ①잦은샘 학 철 따라 물이 마르는 샘. '夏有水, 冬無水曰一'《爾雅》. ②물소리 학.
字源 篆文 別體 形聲. 水+學〈省〉〔音〕

13 ⑯ [潚] 축 ⓐ屋 子六切 sù

字解 ①빠를 축 속함. '迅猋一其媵我兮'《張衡》. ②성 축 성(姓)의 하나.
字源 篆文 形聲. 氵(水)+肅〔音〕

13 ⑯ [澠] ㊀ 민 ㊤軫 武盡切 miǎn ㊁ 면 ㊤銑 彌兗切 miǎn ㊂ 승 ㊥蒸 食陵切 shéng

字解 ㊀ ①고을이름 민 '一池'는 허난 성(河南省)에 있는 현(縣). 진(秦)·조(趙) 두 나라가 회맹(會盟)한 곳. ②물이름 민 허난 성 멘츠 현(澠池縣)의 서북쪽에서 발원(發源)하여, 남류(南流)하여 간수(澗水)로 흘러 들어가는 강. ㊁ 고을이름 면 ㊀과 뜻이 같음. ㊂ 물이름 승 강(江)이름. 산둥 성(山東省) 린쯔 현(臨淄縣)에서 발원(發源)하여 서북(西北)으로 흐르는 시수(時水)의 지류(支流). '一水'. '有酒如一'《左傳》. '一水, 出齊國臨淄縣, 北入時水'《左傳注》.
字源 形聲. 氵(水)+黽〔音〕

[澠池 민지] 자해(字解)㊀을 보라.
[澠水 승수] 자해(字解)㊂을 보라.

13 ⑯ [澴] 환 ㊥刪 戶關切 huán

字解 물결꿈틀거려흐를 환 물결이 소용돌이쳐 꿈틀거리며 흐르는 모양. '漩一縈瀯'《郭璞》.

13 ⑯ [澬] 자 ㊥支 卽夷切 zī

字解 ①장맛비 자 오래 비가 계속함. '一, 久雨涔一也'《說文》. ②물이름 자 후난 성(湖南省)에서 발원하여 둥팅 호(洞庭湖)로 흘러 들어가는 강.
字源 篆文 形聲. 氵(水)+資〔音〕. '資자'는 '쌓다'의 뜻.

13 ⑯ [澡] 조 ㊤晧 子皓切 zǎo

字解 ①씻을 조, 빨 조 세척(洗滌)함. '一濯'. '以水飲水一頰'《東觀漢記》. ②깨끗이할 조 결백하게 함. '一身而浴德'《禮記》.
字源 篆文 形聲. 氵(水)+喿〔音〕. '喿조'는 '操조'와 통하여, 제대로 활용하여 쓰다의 뜻. 물을 잘 다루어 쓰다, 씻다의 뜻을 나타냄.

[澡漑 조개] 조탁(澡濯).
[澡盥 조관] 양치질하고 손을 씻음.
[澡練 조련] 닦고 단련함.
[澡沐 조목] 몸을 씻고 머리를 감음.
[澡雪 조설] 씻음. 깨끗이 함.
[澡洗 조세] 씻음.
[澡洒 조세] 조세(澡洗).
[澡漱 조수] 손을 씻고 양치질함.
[澡室 조실] 목욕탕. 욕실(浴室).
[澡浴 조욕] 목욕(沐浴)함.
[澡熨 조울] ㉠빨아 다리미질함. ㉡구폐(舊弊)를 뜯어 고침. 개선(改選)함.
[澡濯 조탁] 씻음. 닦음.
◉灌澡. 沐澡. 濯澡.

13 ⑯ [澣] 人名 한 ㊤旱 胡管切 huàn(huǎn, wǎn) (환本)
筆順 氵 汀 汁 洎 淖 淖 澣 澣

字解 ①빨 한, 씻을 한 세척(洗滌)함. '一沐'. '一濯'. '薄一我衣'《詩經》. ②열흘 한 열흘간, 곧 일순(一旬). 당대(唐代)에, 관리(官吏)에게 열흘마다 휴목(休沐)을 허가한 데 연유함. '上一'. '中一'. '下一'.
字源 篆文 別體 形聲. 篆文은 氵(水)+幹(倝)〔音〕. '倝환·간'은 '活활'과 통하여, 제멋대로 물이 흐르다의 뜻. 물을 흘리어 빨다의 뜻을 나타냄. 浣(水部 七畫)은 동일어 이체자(同一語異體字).

[澣沐 한목] 머리를 감음.
[澣帛 한백] 깨끗이 빤 비단.
[澣洒 한세] 한탁(澣濯).
[澣衣 한의] 옷을 빪.
[澣滌 한척] 한탁(澣濯).
[澣濯 한탁] 씻음. 빪.
◉三澣. 上澣. 中澣. 濯澣. 下澣.

13 ⑯ [澤] 高人 ㊀ 택 ⓐ陌 場伯切 zé ㊁ 석 ⓐ陌 施隻切 shì 泽
筆順 氵 氵 沪 沪 泙 澤 澤 澤

字解 ㊀ ①윤 택 광윤(光潤). '光一'. '芳與一其雜糅兮'《楚辭》. ②윤날 택 윤이 나서 아름다움. '車甚一'《左傳》. ③윤낼 택 마찰하여 광택이 나게 함. '一劍首'《禮記》. ④못 택 얕은 소택(沼澤). '山一'. '乾一而漁'《古詩》. ⑤진펄 택 습하고 풀이 무성한 곳. '一鹵'. '大陷于沛一之

中'《公羊傳》. ⑥윤택하게할 택 ㉠비를 내려 초목 같은 것을 번드르르하게 함. '潤一萬物'《風俗通》. ㉡은덕을 베풂. '一潤生民'《書經》. ⑦우로 택 비와 이슬. '一滲漓而下降'《漢書》. ⑧은덕 택 '德一'. '施一於民'《孟子》. ⑨유풍 택 여운(餘韻). '君子之一, 五世而斬'《孟子》. ⑩기름 택 향기로운 기름. '膏一'. '好煎一'《梁簡文帝》. ⑪녹 택 녹봉. 봉급. '是干一也'《孟子》. ⑫사정 택 활을 쏘는 곳. '先習射于一'《禮記》. ⑬잠방이 택 짧은 홑바지. '與子同一'《詩經》. ⑭성 택 성(姓)의 하나. **三** 풀릴 석, 풀 석 釋(釆部 十三畫)과 同字. '水有時以一'《周禮》.

字源 篆文 形聲. 氵(水)+睪(睪)〔音〕. '睪역'은 차례로 당기어 들이다의 뜻. 물과 습기가 차례로 이어지는 못, 적시다, 윤기의 뜻을 나타냄.

[澤澤 석석] 풀리는 모양. 흩어지는 모양.
[澤國 택국] 소택(沼澤)이 많은 지역(地域).
[澤宮 택궁] 주대(周代)에 활쏘기를 연습하던 궁전.
[澤及枯骨 택급고골] 주문왕(周文王)의 은택이 죽은 사람의 뼈에까지 미친 고사(故事).
[澤梁 택량] 못에 시설한 어량(魚梁).
[澤鹵 택로] 염분(鹽分)이 있는 진펄.
[澤畔 택반] 못가.
[澤畔吟 택반음] 초(楚)나라의 굴원(屈原)이 못가에서 음영(吟詠)한 일.
[澤瀉 택사] 택사과(科)에 속하는 숙근초(宿根草). 뿌리는 약재로 씀.
[澤色 택색] 윤. 광택.
[澤雨 택우] 만물을 윤택하게 하는 비. 자우(慈雨).
[澤虞 택우] 주대(周代)에 수택(水澤)을 맡은 벼슬.
[澤濡 택유] 은택(恩澤)이 널리 미침.
[澤潤 택윤] 은덕(恩德)을 베풂.
[澤人 택인] ㉠주대(周代)에 소택(沼澤)을 맡은 벼슬. ㉡물가에 사는 사람.
[澤被蒼生 택피창생] 덕택이 만민(萬民)에게 미침.

◉嘉澤. 格澤. 膏澤. 光澤. 九澤. 口澤. 雷澤. 德澤. 娩澤. 美澤. 粉澤. 肥澤. 山澤. 色澤. 聖澤. 手澤. 藪澤. 渥澤. 麗澤. 淵澤. 靈澤. 威澤. 潤澤. 恩澤. 仁澤. 沮澤. 澍澤. 脂澤. 震澤. 沛澤. 豐澤. 涸澤. 皇澤. 厚澤.

13 ⑯ [澻] 수 ㊀寘 徐醉切 suì

字解 밭고랑 수 '一, 田閒小溝也'《集韻》.

13 ⑯ [澥] 해 ㊤蟹 胡買切 xiè

字解 바다 해 바다의 일부분의 일컬음. '一, 勃一, 海之別也'《說文》. '浮勃一'《司馬相如》.

字源 篆文 形聲. 氵(水)+解〔音〕

13 ⑯ [澧] 人名 례 ㊤薺 盧啓切 lǐ

字解 ①물이름 례 ㉠후난 성(湖南省)을 흘러 둥팅 호(洞庭湖)에 들어가는 강. 수원(水源)이 셋이 있는데, 남쪽 수원은 영순현(永順縣), 북쪽 수원은 룽산 현(龍山縣), 가운데 수원은 상식현(桑植縣)이며, 이 세 흐름이 상식현 서북에서 합침. '一水'. '東至于一'《書經》. ㉡허난 성(河南省) 퉁바이 현(桐柏縣)에서 발원하여 서북으로 흐르는 당하(唐河)의 지류(支流). ②단물나는샘 례 醴(酉部 十三畫)와 통용. '甘露降, 一泉涌'《列子》. ③성 례 성(姓)의 하나.

字源 篆文 形聲. 氵(水)+豊〔音〕

[澧澧 예례] 물소리의 형용.
[澧泉 예천] 단물이 나는 샘. 예천(醴泉).
[澧沛 예패] 비가 세차게 내리는 모양.

13 ⑯ [澬] 예 ㊀霽 餘制切 yì

字解 물놀칠 예 '溶一'는 물결이 거칠게 일어나는 모양. '洪波淫淫之溶一'《宋玉》.

13 ⑯ [澨] 서 ㊀霽 時制切 shì

字解 물가 서 수변(水邊)의 땅. '海一'. '夕濟兮西一'《楚辭》.

字源 篆文 形聲. 氵(水)+筮〔音〕

◉海澨.

13 ⑯ [澾] 〔항·강〕 港(水部 九畫〈p. 1259〉)의 本字

13 ⑯ [澪] 人名 령 ㊥青 郞丁切 líng

字解 ①물이름 령 '一. 水名'《廣韻》. ②泠(水部 五畫)의 俗字.

字源 形聲. 氵(水)+零〔音〕

13 ⑯ [澲] 예 ㊀霽 以制切 yì

字解 찐파 예 뜨거운 김을 올려 익힌 파. '一, 烝葱'《集韻》.

13 ⑯ [澮] 人名 회 (괴本) ㊀泰 古外切 kuài 浍

筆順 氵 氵 氵 氵 氵 氵 澮 澮

字解 ①봇도랑 회 전답 사이의 수로. '溝一'. '千夫有一'《周禮》. ②물이름 회 산시 성(山西省) 회산(澮山)에서 발원(發源)하여 서류(西流)하는 분하(汾河)의 지류(支流). 소수(少水)라고도 함. '一水'. '一河'. '不如新田土厚水深, 有汾一以流其惡'《左傳》.

字源 篆文 形聲. 氵(水)+會〔音〕. '會회'는 '모이다'의 뜻. 물이 모이는 도랑의 뜻을 나타냄.

[澮溝 회구] 전답(田畓) 사이의 수로(水路). 봇도랑.
[澮水 회수] 자해(字解)❷를 보라.
[澮河 회하] 회수(澮水).

◉畎澮. 溝澮. 涓澮.

13 ⑯ [澱] 人名 전 ㊀霰 堂練切 diàn 淀

[字解] ①찌끼 전, 앙금 전 침전물. '一淤'. '一謂之滓'《廣雅》. ②괼 전 흐르는 물이 정지하여 모임. '歲歲堙一'《宋史》. ③얕은물 전 淀(水部 八畫)과 同字. '諸河淺一'《宋史》.
[字源] 篆文 形聲. 氵(水)+殿〔音〕. '殿전'은 '엉덩이'의 뜻. 엉덩이처럼 무겁게 물속에 좌정하는 것. '찌끼'의 뜻을 나타냄.

[澱粉 전분] 식물(植物)의 종자·근경(根莖)·괴근(塊根) 등에 함유되어 있는 탄수화물. 무취무미(無臭無味)의 백색 분말(粉末)로서, 중요 영양소임. 녹말.
[澱淤 전어] 찌끼. 침전물.
◉沈澱.

13 ⑯ [濄] 과 [平]歌 古禾切 guō

[字解] ①물이름 과 허난 성(河南省) 카이펑 시(開封市) 서남쪽에서 발원하여 화이수이(淮水) 강으로 흘러드는 강. '一水, 受淮陽扶溝湯渠, 東入淮'《說文》. ②성 과 성(姓)의 하나.
[字源] 篆文 形聲. 氵(水)+過〔音〕

13 ⑯ [濆] 분 ①[平]文 符分切 fén ②[上]吻 父吻切 fèn ③[平]元 普魂切 pēn

[字解] ①물가 분 수변(水邊). '鋪敦淮一'《詩經》. ②솟아나올 분 샘물이 솟음. '一泉者何, 直泉也, 直泉者何, 涌泉也'《公羊傳》. ③뿜을 분 噴(口部 十二畫)과 통용. '一水'.
[字源] 篆文 形聲. 氵(水)+賁〔音〕. '賁분'은 부지런히 달리다의 뜻. 물이 솟아 부지런히 달려 흘러가다, 또 그러한 장소인 '물가'의 뜻을 나타냄.
[參考] 濆(水部 十二畫)은 俗字.

[濆淪 분륜] 물결이 맞부딪치고 소용돌이치는 모양.
[濆薄 분박] 거세게 물결침.
[濆水 분수] 물을 뿜어내는 물. 분수(噴水).
[濆涌 분용] 물이 솟아오름.
[濆泉 분천] 용솟음하는 샘. 분천(噴泉).
[濆瀑 분폭] 물결이 소용돌이치며 읾.

13 ⑯ [澳] [人名] [一] 오 [去]號 烏到切 ào [二] 욱 [入]屋 於六切 yù

[字解] [一] ①깊을 오 물이 깊음. '深潭之一溟'《何遜》. ②땅이름 오 ㉠마카오, 곧 '一門'의 약칭. ㉡오스트레일리아, 곧 '一大利亞'의 약칭. [二] 후미 욱, 굽이 욱 물이 육지로 만입한 곳. '若亂之墜於一也'《申鑒》.
[字源] 篆文 形聲. 氵(水)+奧〔音〕. '奧오'는 안쪽의 뜻. 물이 뭍의 속까지 들어간 곳, '후미'의 뜻을 나타냄.

[澳溟 오명] 물이 깊음. 또, 그곳.
◉隈澳. 港澳.

13 ⑯ [⿰氵董] 동 [上]董 覩動切 dǒng

[字解] 풍덩할 동 물체가 물에 떨어지며 나는 소리. '一, 物墮水聲'《集韻》.

13 ⑯ [澶] [一] 전 [平]先 市連切 chán [二] 단 [去]翰 徒案切 dàn

[字解] [一] 호수이름 전, 땅이름 전 '一淵'은 허베이 성(河北省) 푸양 현(濮陽縣) 서북에 있는 땅. 거란(契丹)과 송(宋)나라가 회전(會戰)한 곳임. '一淵之幸, 力沮衆議, 竟成雋功'《宋史》. [二] ①방종할 단 멋대로 구는 모양. '一漫爲樂'《莊子》. ②멀 단 먼 모양. '案衍一漫'《司馬相如》.
[字源] 篆文 形聲. 氵(水)+亶〔音〕

[澶漫 단만] ㉠방종(放縱)한 모양. ㉡완만(緩漫)하게 긴 모양.
[澶湉 단첨] 물이 고요히 흐르는 모양.
[澶淵 전연] 자해(字解) [一]을 보라.

13 ⑯ [⿰氵愁] 수 [平]尤 士尤切 chóu

[字解] ①배속의물기 수 배 속의 물이 철렁거림. '一, 腹中有水气也'《說文》. ②근심할 수 '漻然一然憂以湫'《新書》.
[字源] 篆文 形聲. 氵(水)+愁〔音〕

13 ⑯ [澹] [人名] [一] 담 [上]感 徒敢切 dàn / [去]勘 徒濫切 [二] 섬 [去]豔 時豔切 shàn

[筆順] 氵 … 澹

[字解] [一] ①싱거울 담 맛이 심심함. '一味'. ②담박할 담 욕심이 없고 마음이 깨끗함. '一如' '疎星一月'《揮塵餘話》. ③조용할 담 고요함. 무사함. '海內一然'《揚雄》. ④안존할 담 염정(恬靜)함. '一容與獻壽觴'《漢書》. ⑤움직일 담 동요함. 동요시킴. '震一心'《漢書》. ⑥성 담 '一臺'는 복성(複姓)의 하나. [二] 넉넉할 섬, 채울 섬 贍(貝部 十三畫)과 통용. '猶不足以一其欲'《漢書》.
[字源] 篆文 形聲. 氵(水)+詹〔音〕. '詹담'은 '淡담'과 통하여, '담박하다'의 뜻을 나타냄.

[澹瞰 담감] 깨끗이 빪.
[澹淡 담담] ㉠물에 떠 있는 모양. ㉡바람에 흔들리는 파문(波紋).
[澹澹 담담] ㉠산뜻한 모양. ㉡물이 약간 출렁거리는 모양. ㉢마음이 흔들리지 않는 모양.
[澹臺滅明 담대멸명] 공자(孔子)의 제자. 노(魯)나라의 무성(武城) 사람. 담대(澹臺)는 성. 멸명(滅明)은 이름. 자(字)는 자우(子羽).
[澹漠 담막] 욕심이 적고 마음이 조용함.
[澹味 담미] 산뜻한 맛. 싱거운 맛.
[澹泊 담박] 욕심이 없고 마음이 깨끗함.
[澹如 담여] 욕심이 없이 깨끗한 모양.
[澹然 담연] 조용한 모양. 무사한 모양.
[澹艶 담염] 담염(澹豔).
[澹豔 담염] 조촐하고 예쁨.
[澹容 담용] 안존한 용모.
[澹靜 담정] 평안하고 조용함.
[澹蕩 담탕] 마음 편하고 한가한 모양.
[澹乎 담호] 담연(澹然).
◉淳澹. 暗澹. 黯澹. 恬澹. 澄澹. 慘澹. 淸澹.

平澹. 閒澹.

13 ⑯ **[澼]** 벽 [入]錫 普擊切 pì

[字解] 표백할 벽 솜을 물에 빨아 표백(漂白)함. '世世以洴一絖爲業'《莊子》.

[字源] 形聲. 氵(水)+辟〔音〕.

13 ⑯ **[澺]** 예 [去]霽 研計切 yì

[字解] 송진 예 소나무에서 나는 진. '燒松枝取汁曰一'《集韻》.

13 ⑯ **[澾]** [人名] 달 [入]曷 他達切 tà

[字解] 미끄러울 달, 미끄러질 달 반드러움. '磴蘚一拳跼'《韓愈》.

13 ⑯ **[濔]** 미 ①[平]支 旻悲切 méi ②[平]微 無悲切 wēi

[字解] ①물가 미 湄(水部 九畫)과 同字. ②가랑비 미 溦(水部 十畫)와 同字. '一, 浽一, 小雨'《廣韻》.

13 ⑯ **[激]** [高人] 격 [入]錫 古歷切 jī

[筆順] 氵 氵' 氵白 氵皂 氵皃 淔 淔攵 激

[字解] ①부딪칠 격 물결이 바위 같은 데 부딪침. '驚湍一巖阿'《潘岳》. ②빠를 격 세차고 빠름. '一流'. '風力迅一'《晉書》. ③과격할 격 언론이 지나치게 곧음. '一論'. '言事者, 必多一切'《後漢書》. ④분발할 격 감분(感奮)함. '一揚'. '不困厄, 惡能一乎'《史記》. ⑤격려할 격 분기시킴. '一發'. '以一其意'《史記》. ⑥떨칠 격 발양(發揚)함. '其勢一也'《史記》. ⑦맑은소리 격 '一楚'. ⑧성 격 성(姓)의 하나.

[字源] [篆文] 形聲. 氵(水)+敫〔音〕. '敫교'는 사람의 해골을 치다의 뜻. 또, '敲고'와 통하여, 두드리다의 뜻. 물이 바위 같은 장애물에 부딪히다의 뜻.

[激減 격감] 갑자기 많이 줆. 급격한 감소.
[激感 격감] 대단히 감동함. 감격함.
[激激 격격] 기세가 맹렬한 모양.
[激勸 격권] 격려(激勵)하고 권장(勸獎)함.
[激詭 격궤] ㉠일부러 남과 다른 기이(奇異)한 논설(論說)을 내세우는 일. ㉡칭찬도 하고 헐뜯기도 함.
[激怒 격노] 몹시 노(怒)함. 대단히 성냄.
[激丹 격단] 새빨감. 새빨간 빛.
[激湍 격단] 여울.
[激盜 격도] 큰 도둑. 대도(大盜).
[激動 격동] ㉠급격(急激)하게 움직임. ㉡대단히 감동함.
[激浪 격랑] 센 물결. 거센 파도.
[激冷 격랭] 대단히 참.
[激厲 격려] ㉠격려(激勵). ㉡언동(言動)이 솔직한 것.
[激勵 격려] 마음을 북돋우어 어떤 일에 힘쓰게 함.
[激烈 격렬] 지극히 맹렬(猛烈)함.
[激論 격론] 격렬한 논쟁. 또, 격렬히 논쟁함.
[激瀨 격뢰] 격단(激湍).
[激流 격류] 대단히 세차게 흐르는 물.
[激猛 격맹] 대단히 사나움.
[激勉 격면] 격려(激勵).
[激發 격발] ㉠격동(激動)하여 일어남. 또는 그렇게 되게 함. ㉡이상한 언행을 하여 세상을 놀라게 함.
[激變 격변] 급격한 변화.
[激忿 격분] 격노(激怒).
[激憤 격분] 대단히 분개함.
[激賞 격상] 대단히 칭찬함. 격찬(激讚).
[激聲 격성] 격앙(激昂)하여 내는 소리. 격렬한 소리. 거센소리.
[激水 격수] ㉠물을 막아 수세(水勢)를 세차게 함. ㉡세차게 흐르는 물.
[激矢 격시] 세차게 나가는 화살.
[激迅 격신] 대단히 신속함. 퍽 빠름.
[激甚 격심] 과격하게 심(甚)함. 대단히 심함.
[激卬 격앙] 격앙(激昂).
[激昂 격앙] 감정이 격발(激發)하여 높아짐.
[激揚 격양] ㉠감정이 격동(激動)하여 발분(發奮)함. 또, 격동하여 발분시킴. ㉡사물(事物)이 맹렬히 일어남.
[激颺 격양] 세게 날림. 바람이 거세게 붊.
[激語 격어] 격렬한 말.
[激越 격월] 소리가 세고 높음.
[激音 격음] 거센소리.
[激奬 격장] 격려하고 권장(勸奬)함. 격권(激勸).
[激曜 격적] 음성의 가락이 격렬하고 빠름.
[激戰 격전] 격렬하게 싸움. 또, 격렬한 싸움.
[激切 격절] 언론이 과격하고 절실함.
[激情 격정] 격앙(激昂)한 감정.
[激增 격증] 급격하게 늚. 또, 급격한 증가.
[激震 격진] 격렬한 지진.
[激楚 격초] ㉠맑은 소리. ㉡가무(歌舞)의 곡명(曲名).
[激濁揚淸 격탁양청] 탁류(濁流)를 물리치고 청파(淸波)를 일게 한다는 뜻으로, '선(善)을 선양(宣揚)하고 악(惡)을 제거(除去)함'의 뜻.
[激蕩 격탕] 격렬하게 요동함.
[激痛 격통] 몹시 아픔. 또, 격렬한 통증.
[激鬪 격투] 격렬(激烈)하게 싸움. 또, 격렬한 전투.
[激波 격파] 거센 물결. 격랑(激浪).
[激化 격화] 격렬하게 됨.

◉感激. 過激. 矯激. 詭激. 急激. 湍激. 奔激. 噴激. 忿激. 憤激. 奮激. 悲激. 哀激. 電激. 切激. 峻激. 觸激. 衝激. 褊激.

13 ⑯ **[澯]** [人名] 찬 [去]翰 蒼案切 càn

[筆順] 氵 氵' 氵ト 氵歺 氵歺又 氵粲 澯 澯

[字解] ①맑을 찬 '一, 淸也'《玉篇》. ②물출렁거릴 찬 '一瀾'은 물이 출렁거리는 모양. '一瀾, 水皃'《集韻》.

[字源] 形聲. 氵(水)+粲〔音〕

13 ⑯ **[濁]** [高人] 탁 [入]覺 直角切 zhuó

[筆順] 氵 氵罒 氵罒 淢 濁 濁 濁 濁

[字解] ①흐릴 탁 ㉠물이 맑지 아니함. '一流'.

'涇以渭一'《詩經》. '在山泉水淸, 出山泉水一'《杜甫》. ㉡혼란함. '一亂'. '書策稠一'《戰國策》. ㉢곱지 아니함. 선명하지 아니함. '一澤而有光'《山海經》. ㉣더러움. '一汚'. '擧世皆一, 我獨淸'《楚辭》. ②흐리게할 탁 전항(前項)의 타동사. '汝一之'《論衡》. ③성 탁 성(姓)의 하나.
[字源] 篆文  形聲. 氵(水)+蜀〔音〕. '蜀촉'은 불쾌한 굼벵이의 뜻. 불쾌한 물의 뜻에서, 파생(派生)하여, 흐려지다의 뜻을 나타냄.

[濁涇淸渭 탁경청위] 물이 흐린 경수(涇水)와 물이 맑은 웨이수이(渭水) 강.
[濁代 탁대] 탁세(濁世).
[濁亂 탁란] 정치(政治)가 어지러움.
[濁浪 탁랑] 흐린 물결.
[濁醪 탁료] 탁주(濁酒).
[濁流 탁류] ㉠흐르는 흙탕물. ㉡불량한 무리. 결백하지 않은 사람들.
[濁富 탁부] 부정한 수단으로 얻은 부(富). 청빈(淸貧)의 대(對).
[濁聲 탁성] 맑지 않고 흐린 음성. 탁한 소리.
[濁世 탁세] ㉠풍교(風敎)가 문란(紊亂)한 세상. 어지러운 세상. 난세(亂世). ㉡《佛敎》 탁악세(濁惡世).
[濁水 탁수] 흐린 물. 혼탁한 물.
[濁惡世 탁악세] 《佛敎》 더럽고 악한 이 세상. 현세(現世).
[濁穢 탁예] 탁오(濁汚).
[濁汚 탁오] 더러움. 또, 더러운 것.
[濁音 탁음] ㉠탁성(濁聲). ㉡울림소리. 유성음(有聲音). 청음(淸音)의 대(對).
[濁操 탁조] 더러운 지조.
[濁酒 탁주] 막걸리.
[濁賢 탁현] '탁주(濁酒)'의 아칭(雅稱).
[濁溷 탁혼] 탁오(濁汚).
[濁晦 탁회] 흐려 어두움.
◉垢濁. 內淸外濁. 冒濁. 放濁. 白濁. 紛濁. 澁濁. 連濁. 穢濁. 五濁. 汚濁. 疑濁. 滓濁. 稠濁. 重濁. 淸濁. 貪濁. 渾濁. 混濁. 溷濁.

13⑯ **[澰]** 렴 ㊤琰 力冉切 liàn
[字解] 물넘칠 렴 瀲(水部 十七畫)과 同字.
[字源] 形聲. 氵(水)+僉〔音〕

13⑯ **[濂]** [人名] 렴 ㊥鹽 勒兼切 lián 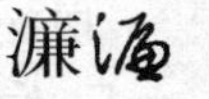
[筆順] 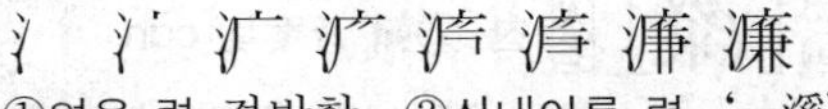
[字解] ①엷을 렴 경박함. ②시내이름 렴 '一溪'는 ㉠후난 성(湖南省) 도현(道縣)에 있는 시내로서, 소수(瀟水)로 들어감. ㉡장시 성(江西省) 루산 산(廬山)의 연화봉(蓮花峰) 기슭을 흘러 양쯔 강(揚子江)으로 들어감. 송(宋)나라 주돈이(周敦頤)가 그곳에 살며, 고향인 후난 성의 염계(濂溪)를 따서 명명(命名)함. '取營道所居一溪以名之'《宋史》. ③성 렴 성(姓)의 하나.
[字源] 濂의 別體 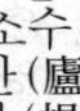 形聲. 氵(水)+廉〔音〕

[濂溪 염계] 자해(字解)❷를 보라.
[濂溪學派 염계학파] 정주학파(程朱學派).
[濂洛關閩之學 염락관민지학] 염계(濂溪)의 주돈이(周敦頤), 뤄양(洛陽)의 정호(程顥), 그 아우 정이(程頤), 관중(關中)의 장재(張載), 민중(閩中)의 주희(朱熹)가 제창한 유교(儒敎). 곧, 송학(宋學). 정주학(程朱學).
[濂洛六君子 염락육군자] 송(宋)나라 신종(神宗)·철종(哲宗) 때의 염계(濂溪)와 뤄양(洛陽)의 여섯 사람의 석유(碩儒). 곧, 주돈이(周敦頤)·소옹(邵雍)·사마광(司馬光)·정호(程顥)·정이(程頤)·장재(張載).

13⑯ **[盪]** 록 ㊇屋 盧谷切 lù
[字解] ①거를 록 여과함. 盝(皿部 八畫)과 同字. ②마를 록 '一, 涸也'《揚子方言》.

13⑯ **[濄]** 〔활·괄〕
活(水部 六畫〈p. 1220〉)과 同字

13⑯ **[濈]** 〔굴〕
淈(水部 八畫〈p. 1238〉)의 本字

13⑯ **[濊]** 〔률〕
溧(水部 十畫〈p. 1275〉)의 本字

13⑯ **[濃]** [人名] 농 ㊥冬 女容切 nóng 
[筆順] 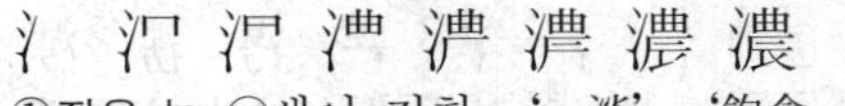
[字解] ①짙을 농 ㉠색이 진함. '一淡'. '飽食一粧倚柂樓'《白居易》. ㉡음식이 진하고 맛이 있음. '一味'. '杯香酒絶一'《庾信》. ㉢안개 같은 것이 깊음. '一霧'. '一雲垂畫堂'《梁簡文帝》. ㉣이슬이 많음. '一露'. '零露一一'《詩經》. ②두터울 농 정의가 두터움. '弘一恩降溫澤'《班固》.
[字源] 篆文 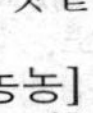 形聲. 氵(水)+農〔音〕. '農농'은 검질김이 요구되는 농경(農耕)의 뜻. '水수'를 덧붙여, 액체가 진하다의 뜻을 나타냄.

[濃濃 농농] 이슬이 많이 내린 모양.
[濃淡 농담] 진함과 묽음.
[濃黛 농대] 진하게 그린 눈썹. 박대(薄黛)의 대(對).
[濃度 농도] 용액(溶液)의 농담(濃淡).
[濃爛 농란] 무르익음. 잘 익음.
[濃藍 농람] 짙은 남색.
[濃露 농로] 많이 내린 이슬.
[濃醪 농료] 진한 탁주(濁酒).
[濃磨 농마] 먹을 진하게 갊.
[濃抹 농말] 색을 짙게 칠함. 또, 짙은 화장.
[濃霧 농무] 짙은 안개.
[濃墨 농묵] 진한 먹물.
[濃味 농미] 음식의 기름기가 많아 진한 맛.
[濃密 농밀] 진하고 빽빽함.
[濃色 농색] 짙은 빛깔.
[濃暑 농서] 대단한 더위. 혹서(酷暑).
[濃愁 농수] 깊은 수심(愁心). 큰 걱정.
[濃睡 농수] 잠을 깊이 잠. 숙수(熟睡).
[濃熟 농숙] 무르녹게 익음.
[濃液 농액] 진한 액체(液體).
[濃煙 농연] 짙은 연기. 검은 연기.
[濃艶 농염] 농염(濃豔).

[濃豔 농염] 아주 요염(妖豔)함.
[濃葉 농엽] 무성한 나뭇잎.
[濃雲 농운] 짙은 구름.
[濃恩 농은] 두터운 은혜. 후은(厚恩). 홍은(鴻恩).
[濃陰 농음] 우거진 녹음(綠陰).
[濃粧 농장] 짙은 화장.
[濃翠 농취] 짙은 녹색.
[濃濁 농탁] 진하고 걸쭉함. 농후(濃厚)하고 혼탁(混濁)함.
[濃化 농화] 짙어짐. 현저하여짐.
[濃厚 농후] ㉠짙음. ㉡진함.

13 ⑯ [漾] 연(①선本) ①平先 徐連切 xián ②去霰 延面切 yàn

字解 ①침흘릴 연 次(水部 四畫)과 同字. ②물 넘칠 연 물이 넘치는 모양. '一, 水溢皃'《集韻》.

13 ⑯ [濅] 침 去沁 子鴆切 jìn

字解 ①차츰차츰 침 浸(水部 七畫)의 本字. '一以成俗'《漢書》. ②웅덩이 침, 호수 침 물이 넓게 괸 곳. 寖(宀部 十畫)과 同字. '揚州, 川曰三江, 一曰五湖'《漢書》.

13 ⑯ [濇] 읍 入緝 尼立切 nì

字解 ①물끓는소리 읍 '湁一'. '湁一, 沸聲'《集韻》. ②물놀칠 읍 물무늬의 모양. 또는 물이 파동치는 모양. '湁一, 水文貌, 一曰, 水動貌'《字彙》.

13 ⑯ [濇] 색 入職 所力切 sè

字解 꺼칠할 색 반드럽지 않음. '濈一肌膚'《淮南子》.

字源 篆文 形聲. 氵(水)+嗇(嗇)〔音〕. '嗇색'은 원활하게 나아가지 않다의 뜻. 물이 매끄럽게 흐르지 않는 것.

13 ⑯ [濋] 초 上語 創擧切 chǔ

字解 물이름 초 제수(濟水)의 분류(分流)의 이름. '濟爲一. (注) 大水溢出, 別爲小水之名'《爾雅》.

13 ⑯ [濈] 즙 入緝 阻立切 jí

字解 ①화목할 즙 '其角一一'(뿔로 서로 받지 않는다는 뜻)《詩經》. ②빠를 즙 질속(疾速)한 모양. '一然鳧沒'《曹植》. ③여울 즙 급류(急流). '流湍投一'《張衡》.

字源 篆文 形聲. 氵(水)+戢〔音〕. '水수'는 부드럽고 약하다, '戢즙'은 '화목하다'의 뜻.

[濈然 즙연] 빠른 모양.
[濈濈 즙즙] 화목한 모양. 싸우지 않는 모양.

13 ⑯ [濊] 人名 ■ 예 去泰 烏外切 wèi ■ 활 入曷 呼括切 huò

字解 ■ ①깊을 예 물이 깊고 넓은 모양. '澤汪一輯萬國'《漢書》. ②더러울 예 穢(禾部 十三畫)와 통용. '一, 濁也'《廣雅》. '盪滌濁一'《漢書》. ■ 그물치는소리 활 물속에 그물을 던지는 소리. '施罛一一'《詩經》.

字源 篆文 形聲. 氵(水)+歲〔音〕. '歲세'는 그 글자 요소(要素)에 '戉월'을 포함하고 있어 '越월'과 통하여, 도(度)를 넘다의 뜻. 도가 넘게 물이 많다의 뜻을 나타냄.

[濊濊 활활] 그물을 치는 소리.
◉蕪濊. 汪濊. 濁濊. 汙濊.

13 ⑯ [澦] 여 去御 羊洳切 yù

字解 땅이름 여 '灩一堆'는 쓰촨 성(四川省)의 취탕샤(瞿塘峽)의 상류의 한 큰 암석이 있는 장소. 초(楚)·촉(蜀)의 문호(門戶)를 이룸.

字源 形聲. 氵(水)+預〔音〕

13 ⑯ [濂] 거 去御 其據切 jù 上語 臼許切

字解 ①말릴 거, 마를 거 '一, 乾也'《廣雅》. ②물이름 거 산시 성(陝西省)에 있는 강(江). ③쬘 거 볕에 쬠. '一, 曝也'《集韻》.

13 ⑯ [濎] ■ 갈 入曷 古達切 gé ■ 예 去霽 於例切 yì

字解 ■ 물깊고넓을 갈 '浩浩蕩蕩, 漻漻一一'《劉咸》. ■ 맑을 예 '一, 淸也'《集韻》.

[濎濎 갈갈] 물이 깊은 모양.

13 ⑯ [濈] 갈 入曷 苦曷切 kě

字解 ①더딜 갈 느림. '今忨日而一歲'《國語》. ②목마를 갈 渴(水部 九畫)과 同字.

字源 篆文 形聲. 欠+渴〔音〕. '欠흠'은 숨을 쉬고 입을 벌리다, '渴갈'은 물이 떨어지다의 뜻. 물기가 부족하여 마실 것을 찾는 일.

13 ⑯ [濎] 정 上迥 都挺切 dǐng 去徑 他定切 tìng

字解 물적을 정 물이 적은 모양. 적은 물의 모양. '梁弱水之一濙兮'《揚雄》.

[濎濙 정형] 적은 물의 모양.

13 ⑯ [濐] 굴 入月 苦骨切 kū

字解 깊을 굴 물이 깊은 모양. '溶一而泉出'《論衡》.

13 ⑯ [濚] 름 上寢 力錦切 lǐn

字解 추울 름, 서늘할 름 '一寒也'《玉篇》. '一淒淸也'《集韻》.

字源 形聲. 氵(水)+稟〔音〕. '稟름'은 몸이 죄어드는 모양을 나타내는 의태어.

13 ⑯ [澭] 옹 平冬 於容切 yōng

字解 물이름 옹 灉(水部 十八畫)과 同字. '一, 水名, 在宋. 灉, 上同'《廣韻》.

13 ⑯ [湹] 〔연〕
演(水部 十一畫〈p. 1285〉)의 本字

13 ⑯ [潍] 〔수〕
睢(目部 八畫〈p. 1544〉)와 同字

13 ⑯ [濤] 〔도〕
濤(水部 十四畫〈p. 1308〉)의 本字

13 ⑯ [漫] 〔만〕
漫(水部 十一畫〈p. 1288〉)의 俗字

14 ⑰ [瀰] [人名] [一] 니 [上]薺 乃禮切 nǐ [二] 미 [上]紙 綿婢切 mǐ 沵㳽
[字解] [一] ①치런치런할 니 瀰(水部 十七畫)와 同字. ②많을 니 중다(衆多)한 모양. '垂轡——'《詩經》. [二] 연하여평평할 미 서로 연이어 평탄한 모양. '一迤平原. (註) 一, 相連漸平之貌也'《鮑照》.
[字源] 篆文 形聲. 氵(水)＋爾〔音〕. '爾니'는 왕성한 모양.

[瀰瀰 이니] 수효가 많은 모양.
[瀰迤 이이] 평평하게 연한 모양.

14 ⑰ [濕] [高人] 습 [入]緝 失入切 shī 湿㴒
[筆順] 氵 氵 氵 氵 氵 濕 濕 濕
[字解] ①축축할 습 습기가 있음. '一潤'. '猶惡一而居下也'《孟子》. ②습기 습 물기. '一度'. '腎其畏一'《素問》.
[字源] 甲骨文 金文 濕의 篆文 溼의 篆文 會意. 甲骨文·金文은 水＋㬎. 실을 물에 담근 모양에서, '축이다'의 뜻을 나타냄. 뒤에, '土토'를 덧붙여 '溼(㴒)'이 되고, 다시 변형하여 '濕(濕)'이 됨.
[參考] 湿(水部 九畫)은 俗字.

[濕疥 습개] 옴에 급성 습진(急性濕疹)이 병발하는 피부병. 진옴.
[濕哭 습곡] 눈물을 글썽거리며 욺.
[濕氣 습기] 축축한 기운.
[濕痰 습담] 습기(濕氣)로 생기는 가래.
[濕堂 습당] 저습(低濕)한 곳에 있는 집.
[濕度 습도] 공기 중의 습기의 정도.
[濕冷 습랭] 습기(濕氣)로 인하여 허리 아래가 차지는 병.
[濕痺 습비] 습기(濕氣)로 인하여 뼈마디가 쑤시는 병.
[濕癬 습선] 대개 얼굴 같은 데에 나며, 상처를 터뜨리면 진물이 흐르는 버짐. 진버짐.
[濕泄 습설] 장마 때에 습기로 인하여 생기는 설사(泄瀉).
[濕笑 습소] 억지로 웃음.
[濕濕 습습] ㉠소의 귀가 움직이는 모양. ㉡물결이 몰렸다 흩어졌다 하는 모양.
[濕濡 습유] 습윤(濕潤).
[濕潤 습윤] ㉠축축함. 또, 축축하게 함. ㉡축축한 기운. 습기(濕氣).
[濕墊 습점] 습한 땅. 습지(濕地).
[濕腫 습종] 다리에 나는 부스럼.
[濕症 습증] 습기로 말미암아 나는 병.
[濕地 습지] 습기가 많은 땅.
[濕疹 습진] 좁쌀알만큼씩 한 수포가 수없이 빨갛게 돋아나고, 그 끝에 작은 물집이나 고름 주머니가 생겨 이를 긁으면 물이나 고름이 나와 환부가 항상 축축한 피부병.
[濕瘡 습창] 습종(濕腫).
[濕處 습처] 습(濕)한 곳에 거주함.
[濕草 습초] 습한 곳에서 나는 풀.
[濕土 습토] 습지(濕地).
[濕布 습포] 염증(炎症)에 찜질을 할 때 쓰는 헝겊.
[濕風 습풍] 습기를 띤 바람.
◉乾濕. 耐濕. 多濕. 防濕. 卑濕. 上漏下濕. 雨濕. 濡濕. 潤濕. 陰濕. 泥濕. 低濕. 除濕. 燥濕. 蒸濕. 沾濕. 平濕. 下濕. 吸濕.

14 ⑰ [濘] 녕 [去]徑 乃定切 nìng [上]迥 乃挺切 泞泞
[字解] ①진창 녕 수렁. '泥一'. '晉戎馬還一而止'《左傳》. ②질척질척할 녕 진흙이 질커덕하여 보행하기 곤란함. '蹊一走獸稀'《鮑照》.
[字源] 甲骨文 篆文 形聲. 氵(水)＋寧〔音〕. '寧녕'은 '편안함'의 뜻. 잔잔하고 작은 흐름의 뜻을 나타냄. 또, '泥니'와 통하여, '진흙'의 뜻을 나타냄.

◉淖濘. 深濘. 洿濘. 泥濘. 汀濘.

14 ⑰ [濛] 몽 [平]東 莫紅切 méng 濛
[字解] ①가랑비올 몽 가랑비가 자욱이 오는 모양. '零雨其一'《詩經》. ②흐릿할 몽 분명하지 않은 모양. '新月隔溪煙霧一'《方岳》.
[字源] 篆文 形聲. 氵(水)＋蒙〔音〕. '蒙몽'은 '덮다'의 뜻. 하늘을 덮듯이 흘러내리는 비, 가랑비, 어둡다의 뜻을 나타냄.

[濛漠 몽막] 어둑어둑한 모양. 명명(冥冥). 「양.
[濛昧 몽매] 안개 같은 것이 자욱하여 어두운 모
[濛濛 몽몽] 가랑비가 자욱이 오는 모양. 또, 어두운 모양.
[濛汜 몽사] 해가 진다는 서쪽의 곳.
[濛煙 몽연] 자욱이 낀 연기.
[濛雨 몽우] 자욱이 오는 가랑비.
[濛鴻 몽홍] 분명치 않은 모양.
◉傾濛. 空濛. 冥濛. 溟濛. 鴻濛.

14 ⑰ [濦] [人名] 은 [平]文 於斤切 yīn [上]吻 倚謹切
[字解] ①물소리 은 '汩一'은 물소리. '汩一漂疾'《司馬相如》. ②물이름 은 허난 성(河南省) 덩펑현(登封縣)의 소실산(少室山)에서 발원하여, 동으로 흘러 잉수이(潁水) 강으로 들어가는 강. '一水'. '一水, 出潁川陽城少室山, 東入潁'《說文》.
[字源] 篆文 形聲. 氵(水)＋㥯〔音〕

14 ⑰ [濞] 비 [去]寘 匹備切 pì 濞
[字解] 물소리 비 ㉠물이 흐르는 소리. '——有聲'《晉書》. ㉡물이 갑자기 들이닥치는 소리. '一焉洶洶'《左思》.

字源 篆文 形聲. 氵(水)＋鼻〔音〕

[濞濞 비비] 물이 흐르는 소리.
◉滂濞. 溢濞. 澼濞. 懿濞. 彭濞. 潝濞.

14 ⑰ [濟] 高人 제 ①-⑩㊀霽 子計切 jì ⑪⑫㊤薺 子禮切 jǐ 济

筆順 氵 汴 泞 泞 液 瀋 瀋 濟

字解 ①건널 제 물을 건넘. '一河而西'《史記》. ②나루 제 도선장(渡船場). '一有深涉'《詩經》. ③이룰 제 성취함. '一美'. '世一其美'《左傳》. ④건질 제 구제함. '一世'. '一民'. '道一天下'《易經》. ⑤이루어질 제 성취됨. '以人從欲鮮一'《左傳》. ⑥그칠 제 그만둠. '不能旋一'《詩經》. ⑦더할 제 증가함. '盍請一師于王'《左傳》. ⑧쓸 제 사용함. '杵臼之利, 萬民以一'《易經》. ⑨도울 제 원조함. '天道下一而光明'《易經》. ⑩밀칠 제 배제(排擠)함. 擠(手部 十四畫)와 통용. '二帝用師, 以相一也'《國語》. ⑪많을 제 재주 있는 사람이 많은 모양. '一一多士'. ⑫물이름 제 연수(沇水)의 하류(下流). '導沇水, 東流爲一'《書經》.

字源 篆文 形聲. 氵(水)＋齊〔音〕. '齊제'는 '갖추어지다'의 뜻. 많은 것이 갖추어지다의 뜻. 또, '齊'는 '進진'과 통하여, '나아가다'의 뜻. 강을 나아가다, 건너다의 뜻을 나타냄. 또, 파생(派生)하여, 빈곤과 장애를 건너 지나가게 하여 돕다의 뜻도 나타냄.

參考 済(水部 八畫)는 俗字.

[濟家 제가]《佛敎》임제종(臨濟宗)의 별칭(別稱).
[濟救 제구] 건짐. 구제(救濟).
[濟南 제남] 산둥 성(山東省)의 성도(省都). 황허(黃河) 강에 임한 항구로서 교통의 요지(要地)이며 공업도 융성함.
[濟度 제도] ㉠물을 건넘. 또, 물을 건네줌. ㉡《佛敎》중생(衆生)을 인도(引導)하여 생사(生死)·번뇌(煩惱)의 고해(苦海)를 건너 성불득탈(成佛得脫)의 피안(彼岸)에 이르게 함. 중생의 번뇌(煩惱)를 벗기고 고해(苦海)에서 건지어 극락세계(極樂世界)로 인도하여 줌.
[濟美 제미] 미(美)를 성취한다는 뜻으로, '조상(祖上)의 유업(遺業)을 이어 이를 성취함'의 뜻.
[濟民 제민] 어려운 백성을 구제(救濟)함.
[濟貧 제빈] 구차(苟且)한 사람을 구제(救濟)함.
[濟生 제생] 생명을 건짐.
[濟涉 제섭] 물을 건넘.
[濟世 제세] 세상(世上)을 잘 다스려 백성을 구제함.
[濟世之材 제세지재] 세상을 잘 다스려 백성을 구제할 만한 인재(人材).
[濟水 제수] 연수(沇水)의 하류(下流).
[濟勝之具 제승지구] 경치 좋은 곳, 곧 승지(勝地)를 건너다니는 도구(道具). 곧, 튼튼한 다리를 이름. 건각(健脚).
[濟時才 제시재] 혼란한 세상을 바로잡아 백성을 구제할 만한 재능.
[濟宥 제유] 구제하고 용서함.
[濟濟 제제] ㉠엄숙하고 신중한 모양. ㉡위의(威儀)가 많은 모양. ㉢많고 성(盛)한 모양. ㉣아름답고 훌륭한 모양.
[濟濟多士 제제다사] 재주 있는 여러 사람.
[濟濟蹌蹌 제제창창] 몸가짐에 위의(威儀)가 있고 정연(整然)한 모양.
[濟衆 제중] 모든 사람을 구제함.
[濟淸 제청] 채무를 모두 청산함.
[濟化 제화] 가르치고 인도하여 선(善)으로 나아가게 함.
◉康濟. 皆濟. 開濟. 決濟. 兼濟. 經濟. 共濟. 寬猛相濟. 光濟. 匡濟. 廣濟. 救濟. 給濟. 旣濟. 未濟. 博濟. 返濟. 辨濟. 輔濟. 贍濟. 成濟. 掃濟. 亮濟. 養濟. 寧濟. 完濟. 全濟. 周濟. 拯濟. 振濟. 賑濟. 闡濟. 通濟. 弘濟.

14 ⑰ [濠] 人名 호 ㊥豪 胡刀切 háo

筆順 氵 汁 泞 洁 淳 濠 濠 濠

字解 ①해자 호 성을 빙 둘러판 못. 壕(土部 十四畫)와 同字. '荒山爲城溪爲一'《陸游》. ②물이름 호 동호수(東濠水)와 서호수(西濠水) 둘이 있는데, 모두 안후이 성(安徽省) 펑양 현(鳳陽縣)에서 발원(發源)하여 북류(北流)하는 화이수이(淮水) 강의 지류(支流)임. '一水'. ③고을이름 호 주(州)의 이름. 지금의 안후이 성(安徽省) 펑양 현(鳳陽縣). 오대(五代) 때, 후주(後周)의 세종(世宗)이 남당(南唐)과 다툰 곳. ④호주 호 '一洲'는 남양(南洋)의 대륙. 곧, 오스트레일리아(Australia).

字源 形聲. 氵(水)＋豪〔音〕

[濠上樂 호상락] 장자(莊子)와 혜자(惠子)가 호(濠;川名) 가에서 고기가 즐거움을 아느냐 모르느냐 하는 것에 대하여 논의한 것.
[濠橋 호교] 해자(垓字)에 놓은 다리.
[濠梁 호량] 호수(濠水)에 건너지른 다리.
[濠濮閒想 호복한상] 속세(俗世)를 떠나서 자연을 즐기는 마음. 장자(莊子)가 호량(濠梁) 위에서 물고기가 노는 것을 보고 즐거워하고, 또 복수(濮水)에서 낚시질을 하면서 초왕(楚王)이 부르는데도 응하지 않았다는 고사(故事)에서 나온 말임.
[濠水 호수] 자해(字解)❷를 보라.
[濠隍 호황] 성지(城池). 해자(垓字).
◉空濠. 內濠. 城濠. 外濠. 塹濠.

14 ⑰ [濝] 기 ㊥支 渠之切 qí

字解 물이름 기 '沮如之山. 無草木有金玉. 一水出焉. 南流注于河'《山海經》.

14 ⑰ [濡] 人名 유 ㊥虞 人朱切 rú

筆順 氵 沪 沔 泙 涇 浑 湢 濡

字解 ①젖을 유 물이 묻음. '一潤'. '能入水不一'《列仙傳》. ②적실 유 젖게 함. '濟盈不一軌'《詩經》. ③입을 유 은덕을 입음. '一化'. '涵一天休'《元結》. ④베풀 유 은덕을 베풂. '區宇懷一'《柳宗元》. ⑤습기 유, 은택 유 '釋雨而更有所仰一'《管子》. ⑥윤 유 흡치르르한 광택. '六轡如一'《詩經》. ⑦지체할 유 머물러 더딤. '三宿

而後出晝, 是何一滯也'《孟子》. ⑧익을 유 자주 견문함. 익숙함. '目一耳染, 不學以能'《韓愈》. ⑨견딜 유 인내함. '無一忍之心'《史記》. ⑩오줌 유 소변. '病必入一胥'《史記》.

字源 篆文 形聲. 氵(水)+需〔音〕. '需수'는 '나긋나긋함, 보드라움'의 뜻. 물을 머금어 나긋나긋해지다, 반드러워지다, 젖다 등의 뜻을 나타냄.

[濡首 유수] 대취(大醉)하여 본성(本性)을 잃음.
[濡需 유수] 구차하게 눈앞의 안일(安逸)만을 취함.
[濡濕 유습] 적심. 또, 젖음.
[濡染 유염] 젖어 물듦. 전(轉)하여, 숙습(熟習)함. 익음.
[濡潤 유윤] 적심. 또, 젖음.
[濡忍 유인] 참음. 인내심.
[濡滯 유체] 머물러 지체함.
[濡化 유화] 인덕(人德)을 입어 교화됨.
◉染濡. 柔濡. 滋濡. 霑濡. 澤濡. 漂濡. 涵濡.

14 ⑰ [濥] 인 ①㊄震 羊晉切 yǐn ②㊤軫 余忍切 yǐn

字解 ①물줄기통할 인 물줄기가 지하(地下)로 흐르는 모양. '一一, 水脈行地中'《集韻》. ②물문 인, 물끌 인 수문(水門). 또, 물을 끌어들임. '一, 水門, 又引水也'《廣韻》.

字源 篆文 形聲. 氵(水)+寅〔音〕. '寅인'은 삼가고 두려워하다의 뜻. 물이 땅속을 남모르게 흐르는 것.

14 ⑰ [濴] 人名 〔영〕 瀯(水部 十七畫〈p.1315〉)과 同字

14 ⑰ [濤] 人名 도 ㊥豪 徒刀切 tāo(táo) 涛

筆順 氵 浐 浐 浐 淒 淒 濤 濤

字解 ①물결 도 큰 물결. '波一'. '乃鼓怒而作一'《郭璞》. ②물결일 도 큰 파도가 일어남. '二月已風一'《杜甫》.

字源 甲骨文 篆文 形聲. 氵(水)+壽〔音〕. '壽수'는 길게 연이어지다의 뜻. 연이어진 '물결'의 뜻을 나타냄.

參考 涛(水部 七畫)는 俗字.

[濤瀾 도란] 큰 물결. 파도.
[濤雷 도뢰] 우레와 같은 파도 소리.
[濤瀨 도뢰] 파도치는 여울.
[濤灣 도만] 파도치는 만(灣).
[濤聲 도성] 파도 소리.
[濤波 도파] 큰 물결. 파도.
◉驚濤. 狂濤. 瀾濤. 怒濤. 翻濤. 奔濤. 憤濤. 素濤. 松濤. 雲濤. 銀濤. 漲濤. 疊濤. 翠濤. 層濤. 波濤. 風濤. 玄濤. 洪濤. 環濤.

14 ⑰ [濩] 人名 ㊀ 확 ㊅藥 胡郭切 huò ㊁ 호 ㊄遇 胡誤切 hù

筆順 氵 氵 氵 氵 濩 濩 濩 濩

字解 ㊀ ① 삶을 확 물에 담가 익힘. '是刈是一'《詩經》. ②깊숙할 확 깊숙한 모양. '嫺娟蠖一之中'《揚雄》. ③성 확 성(姓)의 하나. ㊁ ①퍼질 호 널리 퍼짐. '聲教布一'《張衡》. ②은나라풍류 호 은(殷)나라의 탕왕(湯王)이 제정한 음악. '見舞韶一者'《左傳》.

字源 甲骨文 篆文 形聲. 氵(水)+蒦〔音〕

[濩落 확락] ㉠속이 빈 물건이 바람에 날려서 물건에 부딪혀 나는 소리의 형용. ㉡속이 비어 쓸모없음의 형용. 전(轉)하여, 세상에 쓰이지 않아 낙탁한 모양. 버려져 찾는 이도 없음의 형용.
[濩渭 확위] 숟한 물결 소리의 형용.
◉潰濩. 晉濩. 布濩. 渾濩. 蠖濩.

14 ⑰ [濫] 高人 ㊀ 람 ㊄勘 盧瞰切 làn ㊁ 함 ㊤豏 胡黤切 jiàn ㊄勘 胡暫切 jiàn 滥

筆順 氵 氵 氵 氵 氵 濫 濫 濫

字解 ㊀ ①넘칠 람 물이 넘침. '水逆行, 氾一於中國'《孟子》. ②뜰람, 띄울 람 물 위에 뜸. 또, 뜨게 함. '其源可以一觴'《孔子家語》. ③담글 람 물속에 담금. '一于泗淵'《國語》. ④훔칠 람 도둑질함. '君子以爲一矣'《禮記》. ⑤탐할 람 탐냄. '虞公一於寶與馬'《呂氏春秋》. ⑥외람할 람 분수에 넘치는 일을 하여 도덕이나 예의에 어그러짐. '僭一'. '不潛不一'《詩經》. ⑦함부로 람 마구. '一伐'. '一用'. '一入黨中'《後漢書》. ⑧뜬말 람 허언(虛言). '除煩以去一'《陸機》. ㊁ ①샘 함 바로 밑에서 솟는 샘. '一泉正出, 正出, 湧出也'《爾雅》. ②목욕통 함 욕기(浴器). '同一而浴'《莊子》. ③동이 함 아가리가 큰 질그릇. '鐘鼎壺一'《呂氏春秋》.

字源 篆文 形聲. 氵(水)+監〔音〕. '監감'은 물거울을 들여다보다의 뜻. 들여다보고 나서야 비로소 보이는 땅속으로부터 뿜어 나오는 샘의 뜻에서, 넘치다, 흐트러지다, 함부로 등의 뜻도 나타내기에 이름.

[濫擧 남거] 함부로 거용(擧用)함.
[濫巾 남건] 함부로 은사(隱士)를 흉내 내어 두건(頭巾)을 쓴다는 뜻으로, 은사가 아니면서 은사인 체함을 이름.
[濫讀 남독] 닥치는 대로 함부로 읽음.
[濫發 남발] 함부로 발행(發行)함.
[濫伐 남벌] 나무를 함부로 벰. 마구 벌채함.
[濫罰 남벌] 남형(濫刑).
[濫法 남법] 법(法)을 문란하게 함.
[濫捧 남봉] 정해진 수량보다 더 많이 받아들임.
[濫分 남분] 분수(分數)에 넘침.
[濫費 남비] 함부로 소비(消費)함. 낭비(浪費).
[濫殺 남살] 함부로 사람을 죽임.
[濫賞 남상] 마구 상을 줌. 또, 함부로 칭찬함.
[濫觴 남상] 사물(事物)의 처음. 시작. 기원(起源). 양쯔 강(揚子江) 같은 큰 강도 그 기원은 잔을 띄울 정도의 작은 물줄기라는 뜻.
[濫授 남수] 함부로 줌.
[濫食 남식] 가리지 않고 함부로 먹음.
[濫惡 남악] 함부로 만들어 질이 나쁨.
[濫冗 남용] 쓸데없는 것을 많이 둠.
[濫用 남용] 함부로 씀.
[濫竽 남우] 남취(濫吹).
[濫溢 남일] 예의(禮儀)가 상도(常道)에 벗어남. 예나 법에 어그러짐.
[濫作 남작] 글·시 따위를 함부로 지음.

[濫雜 남잡] 뒤섞여 질서가 없음. 문란하고 혼잡함. 난잡(亂雜).
[濫錢 남전] 질이 나쁜 돈.
[濫政 남정] 나쁜 정치. 악정(惡政).
[濫製 남제] 남조(濫造).
[濫造 남조] 마구 제조함.
[濫徵 남징] 금전이나 곡식(穀食)을 무법(無法)하게 징수(徵收)함.
[濫陟 남척] 함부로 승진시킴.
[濫吹 남취] 함부로 분다는 뜻으로, 무능(無能)한 사람이 재능이 있는 것처럼 속여 외람되이 높은 자리를 차지함을 이름. 제(齊)나라의 선왕(宣王)이 우(竽)라는 피리를 좋아하여 악인(樂人) 3백 인을 불러 이 우(竽)를 연주하게 하였는데, 남곽(南廓)이라는 처사(處士)가 원래 피리를 불지도 못하면서 그 많은 사람들 가운데 끼어서 함부로 이 피리를 불어 한때는 속여 넘겼으나 민왕(湣王) 때에 이르러 한 사람씩 불러서 불어 보게 하였기 때문에 남곽이 드디어 도망갔다는 고사(故事)에서 나온 말.
[濫刑 남형] 함부로 형벌을 가(加)함.
[濫獲 남획] 금수(禽獸)·어류(魚類)를 함부로 포획(捕獲)함.
◉苛濫. 姦濫. 乖濫. 氿濫. 詭濫. 冒濫. 放濫. 汜濫. 汎濫. 泛濫. 焰濫. 枉濫. 宂濫. 冤濫. 越濫. 謬濫. 瀏濫. 淫濫. 潛濫. 滌濫. 舛濫. 暴濫. 倖濫. 酷濫. 橫濫.

14 ⑰ [濬] [人名] 준 [去]震 私閏切 jùn

[筆順] 

[字解] ①칠 준 토사(土沙)를 쳐 내고 수저(水底)를 깊이하여 물을 잘 흐르게 함. '一川'《書經》. ②깊을 준 ㉠얕지 않음. '一池'. '仰眺層峯, 俯鏡一壑'《謝靈運》. ㉡심원함. 유심(幽深)함. '一哲惟商'《詩經》.
[字源] 篆文 別體 古文 形聲. 氵(水)+睿(叡의 古文)〔音〕. 篆文은 𣦵+谷. '𣦵알'은 '𣦼각'과 통하여, '껍데기'의 뜻. 공허한 골짜기의 뜻, 물 밑의 바닥을 쳐서 깊게 하다의 뜻을 나타냄.

[濬潭 준담] 깊은 못. 심연(深淵).
[濬繕 준선] 깊이 치고 손질함. 깊게 준설하고 수선함.
[濬源 준원] 깊은 근원.
[濬池 준지] 깊은 못. 전(轉)하여, 바다.
[濬塹 준참] 깊은 해자.
[濬哲 준철] 뛰어나게 명철함. 또, 그러한 사람. 또, 깊은 슬기.
[濬壑 준학] 깊은 골짜기. 유곡(幽谷).
◉急濬. 挑濬.

14 ⑰ [濧] 대 [去]隊 徒對切 duì

[字解] ①담글 대 담금. 적심. '一, 漬也, 濡也'《集韻》. ②움직일 대 '澹一'. '澹一, 猶澹淤也'《康熙字典》.

14 ⑰ [濮] 복 [入]屋 博木切 pú

[字解] ①물이름 복 허난 성(河南省) 봉구현(封丘縣)에서 발원(發源)하여, 허베이 성(河北省) 푸양 현(濮陽縣)과 산둥 성(山東省) 복현(濮縣)으로 흐르던 황허(黃河) 강의 지류(支流). '一水'. '一上之音'. ②성 복 성(姓)의 하나.
[字源] 篆文 形聲. 氵(水)+僕〔音〕

[濮上之音 복상지음] 음란(淫亂)한 음악(音樂). 고대에 복수(濮水) 가에서 유행(流行)했으므로 이름.
[濮水 복수] 자해(字解)❶을 보라.
[濮議 복의] 송(宋)나라 영종(英宗)이 복안의왕(濮安懿王)의 아들로서 인종(仁宗)의 뒤를 이어 즉위하자 복왕(濮王)을 숭봉(崇奉)하여 천자(天子)의 대우를 하려 하여 이 때문에 조의(朝議)가 분분(紛紛)하였던 사건.
◉百濮. 成濮.

14 ⑰ [濯] [高人] 탁 [入]覺 直角切 zhuó

[筆順] 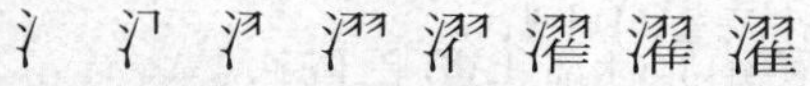

[字解] ①빨 탁, 씻을 탁 ㉠세척(洗滌)함. '洗一'. '滄浪之水淸兮, 可以一吾纓'《楚辭》. ㉡심정·언행을 결백하게 함. '洒一其心'《左傳》. ②클 탁 '王公伊一'《詩經》. ③빛날 탁 번쩍번쩍 빛나는 모양. '鉤膺一一'《詩經》. ④민둥민둥할 탁 산에 나무가 없는 모양. '是以若彼一一也'《孟子》. ⑤살질 탁 살쪄 번드르르한 모양. 일설(一說)에는, 즐거이 노는 모양. '麀鹿一一'《詩經》. ⑥성 탁 성(姓)의 하나.
[字源] 金文 篆文 形聲. 氵(水)+翟〔音〕. '翟적'은 뛰어 일어나다의 뜻. 물속에서 옷가지가 뛰어 오르도록 하여 빨다의 뜻을 나타냄.

[濯漑 탁개] 탁세(濯洗).
[濯蠲 탁견] 씻어 깨끗이 함.
[濯禊 탁계] 더러운 것을 씻어 버림.
[濯盥 탁관] 손을 씻음.
[濯錦江 탁금강] 촉(蜀)의 성도(成都)에 있는 완화계(浣花溪)라는 강의 별칭(別稱).
[濯洗 탁세] 빪. 씻음.
[濯魚雨 탁어우] 우기(雨氣)를 품은 구름.
[濯足 탁족] 발을 씻음.
[濯足萬里流 탁족만리류] 더러운 속계(俗界)를 떠나 뜻을 고상하게 가짐을 이름.
[濯枝雨 탁지우] 음력(陰曆) 6월에 오는 큰비.
[濯濯 탁탁] 자해(字解)❸❹❺를 보라.
[濯澣 탁한] 빪. 씻음.
◉盥濯. 祓濯. 洗濯. 洒濯. 漱濯. 淳濯. 沃濯. 浣濯. 湔濯. 澡濯. 執熱不濯. 滌濯. 澣濯.

14 ⑰ [濰] 유 [平]支 以追切 wéi

[字解] 물이름 유 산둥 성(山東省) 쥐셴(莒縣)에서 발원(發源)하여, 동북으로 흘러 황해(黃海)로 들어가는 강. '一水'. '一河'. '一淄其道'《書經》.
[字源] 篆文 形聲. 氵(水)+維〔音〕

[濰水 유수] 자해(字解)를 보라.

[濰河 유하] 유수(濰水).

14 ⑰ [瀊] 一 애 ㊀泰 於蓋切 ǎi
二 개 ㊀泰 丘蓋切 kài

字解 一 흐릴 애 '晻—'는 구름이 끼어 흐림. '露夜零, 晝晻—'《漢書》. 二 배모래에박힐 개 배가 사주(沙洲)에 얹힘. '—, 船著沙'《集韻》.

14 ⑰ [濱] 人名 빈 ㊉眞 必鄰切 bīn 滨 濵

筆順 氵 氵 氵 氵 氵 濱 濱 濱

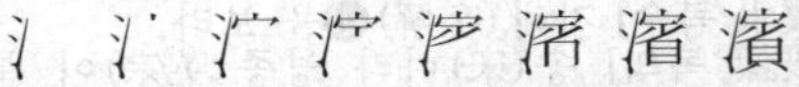

字解 ①물가 빈 수애(水涯). '海—廣斥'《書經》. ②끝 빈 맨 가 쪽 부분. '率土之—, 莫非王臣'《詩經》. ③가까울 빈 땅이 물 가까이 있음. 연(沿)함. '鄒魯—洙泗'《史記》. ④임박할 빈 절박함. '—死'. '是以—於死'《國語》. ⑤성 빈 성(姓)의 하나.

字源 形聲. 氵(水)+賓〔音〕. '賓빈'은 주름이 지다의 뜻. 물결이 주름처럼 밀려드는 '물가'의 뜻을 나타냄.

參考 浜(水部 七畫)은 俗字.

[濱死 빈사] 죽음에 임박함. 거의 죽게 됨. 빈사(瀕死).
[濱塞 빈새] 바닷가. 해변.
[濱涯 빈애] 물가. 수애(水涯).
[濱海 빈해] 바다에 연(沿)함. 또는 그곳. 연해(沿海).
◉普天之下率土之濱. 水濱. 海濱.

14 ⑰ [濵] 濱(前條)의 俗字

14 ⑰ [濙] 형 ㊤迥 烏迥切 yíng
㊉靑 玄扃切

字解 ①물적을 형 물이 적은 모양. '梁弱水之濎—兮'《揚雄》. ②돌아흐를 형 물이 회류하는 모양. '洪波左瀅—'《杜甫》.

[濙洞 형통] 흘러 통함.
◉濎濙. 瀅濙.

14 ⑰ [濜] 진 ㊤軫 慈忍切 jǐn

字解 빠를 진 수세(水勢)가 빠름. '澋減—湏'《郭璞》.

14 ⑰ [澳] 〔서〕
溆(水部 十一畫〈p. 1291〉)와 同字

14 ⑰ [濶] 人名 〔활〕
闊(門部 九畫〈p. 2443〉)의 俗字

筆順 氵 氵 氵 氵 氵 濶 濶 濶

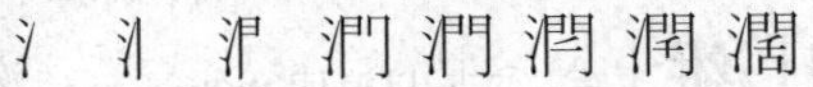

[鴻] 〔홍〕
鳥部 六畫(p. 2666)을 보라.

15 ⑱ [濺] 천 ①㊀霰 子賤切 jiàn
②㊉先 則前切 jiān 溅 濺

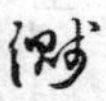

字解 ①뿌릴 천 물 같은 것을 흩음. '以頸血—大王'《史記》. ②빨리흐를 천 질류(疾流)하는 모양. '出浦水——'《沈約》.

字源 形聲. 氵(水)+賤〔音〕. '賤천'은 '얇다'의 뜻. 물이 얇은 천과 같이 되어 뿌리다의 뜻을 나타냄.

[濺沫 천말] 튀어 흩어지는 물방울.
[濺濺 천천] 물이 빨리 흐르는 모양.

15 ⑱ [瀊] 반 ㊉寒 蒲官切 pán

字解 물굽이쳐돌 반 물이 소용돌이침. '—, 洄也'《玉篇》.

15 ⑱ [濾] 人名 려 ㊀御 良據切 lǜ 滤 濾

字解 거를 려 여과(濾過)함. '羅者—水具'《白行簡 濾水羅賦 註》.

字源 形聲. 氵(水)+慮〔音〕. '慮려'는 '뺑 돌리다'의 뜻. 천 따위를 사용해 액체를 거르다의 뜻을 나타냄.

[濾過 여과] 액체 따위를 걸러서 밭아 냄.
[濾水羅 여수라] 물을 거르는 데 사용하는 헝겊.

15 ⑱ [瀁] 人名 양 ㊀漾 餘亮切 yàng
㊤養 餘兩切 yǎng 瀁

字解 ①물이름 양 漾(水部 十一畫)의 古字. '嶓冢導—'《史記》. ②넓을 양 끝없이 넓은 모양. '心——而無所終薄兮'《阮籍》.

字源 漾의 古文 瀁 形聲. 氵(水)+養〔音〕

[瀁瀁 양양] 끝없이 넓은 모양.
◉滔瀁. 瀇瀁. 沆瀁. 浩瀁. 滉瀁.

15 ⑱ [瀘] 려 ㊉魚 力居切 lú

字解 미려혈(泥瀘穴) 려 동쪽 바다 가운데 있어서 바닷물을 빨아들인다고 하는 큰 구멍. '泥瀘—, 泄海水出外者'《集韻》.

15 ⑱ [瀅] 人名 형 ㊀徑 烏定切 yìng 滢 瀅

筆順 氵 氵 氵 氵 氵 瀅 瀅 瀅

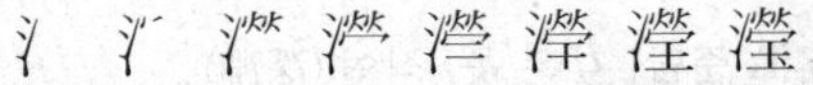

字解 ①시내 형 작은 내. '—, 小水'《廣韻》. ②맑을 형 '汀—'은 물이 맑아 깨끗한 모양. '曲江汀—水平杯'《韓愈》.

字源 形聲. 氵(水)+瑩〔音〕

[瀅濙 형형] 물이 소용돌이치는 모양.
◉汀瀅.

15 ⑱ [瀇] 획 ㊅陌 古伯切 guó 瀇

字解 물소리 획 '——'은 물이 흐르는 소리. 또, 물이 부딪치는 소리. '水——循除鳴'《韓愈》.

字源 篆文 瀇 形聲. 氵(水)+虢〔音〕. '虢괵'은 범의 발톱 자국. 발톱으로 할퀸 것처럼 물이 따로따로 흐르는 것.

[瀇瀇 획획] 자해(字解)를 보라.

15 ⑱ [瀌] 효 [上]篠 胡了切 xiào

[字解] ①물편할 효 '渺―'는 물이 멀리 퍼져 있음. '渺―, 水遠也'《集韻》. ②물깊고흴 효 '―漾'은 물이 깊고 흰 모양. '―漾, 水深白皃'《集韻》.

15 ⑱ [瀆] [人名] [一] 독 [入]屋 徒谷切 dú [二] 두 [去]宥 大透切 dòu 涜 凟

[字解] [一] ①도랑 독 전답 사이나 마을 사이를 통하는 수로(水路). '自經於溝―'《論語》. ②큰강 독 작은 내의 물을 합쳐 바다로 흐르는 강. '四―視諸侯'(사독(四瀆)은 양쯔 강(揚子江)·황허(黃河) 강·화이수이(淮水) 강·지수이(濟水) 강의 네 큰 강)《禮記》. ③더러울 독 '褻―'. '下交不―'《易經》. ④더럽힐 독 '―職'. '再三―, ―則不告'《易經》. ⑤업신여길 독 ㉠깔봄. 버릇없이 굶. '―慢'. '毋―神'《禮記》. ㉡가볍게 여겨 지키지 않음. '―齊盟'《左傳》. [二] 구멍 두 竇(穴部 十五畫)와 통용. '自墓門之―入'《左傳》.

[字源] 篆文 形聲. 氵(水)+賣[音]. '賣독'은 '蜀촉'과 통하여, '불쾌(不快)하다'의 뜻. 불쾌한 물, 도랑, 더럽히다의 뜻을 나타냄.

[瀆慢 독만] 업신여김.
[瀆汚 독오] 더러움. 또는 더럽힘.
[瀆職 독직] 직분을 더럽힘. 관공리가 직위를 남용하여 비행을 저지름.
◉灌瀆. 溝瀆. 冒瀆. 四瀆. 褻瀆. 汚瀆.

15 ⑱ [瀀] 우 [平]尤 於求切 yōu

[字解] ①넉넉할 우, 너를 우 '―, 饒也'《廣雅》. '―, 寬也'《玉篇》. ②적실 우 '―, 漬也'《廣雅》. ③흠치르르할 우 윤기가 많음. '既―既渥'《詩經》.

[字源] 篆文 形聲. 氵(水)+憂[音]

15 ⑱ [瀔] 곡 [入]屋 古祿切 gǔ

[字解] 물이름 곡 허베이 성(河北省) 섬현(陝縣)에서 발원하여 동쪽으로 흘러 뤄양 시(洛陽市)의 서쪽에서 뤄허(洛河) 강으로 흘러드는 강. 지금의 간수(澗水). '伊―絕津濟'《顏延之》.

15 ⑱ [瀉] 사 ①②[上]馬 悉姐切 ③-⑤[去]禡 司夜切 xiè 瀉

[字解] ①쏟을 사 물을 기울여 부음. '―千里'. '以澮―水'《周禮》. ②쏟아질 사 경사져서 흐름. '石磴―紅泉'《謝靈運》. ③게울 사 토함. '盡―其食'《淮南子》. ④설사할 사 묽스그레한 똥을 눔. '吐―'. '腎主―'《白虎通》. ⑤짠땅 사 염분을 함유한 땅. '地無毛, 則爲―土'《論衡》.

[字源] 形聲. 氵(水)+寫[音]. '寫사'는 '席석'과 통하여, 야짓 깔다의 뜻. 물을 온 면에 야짓 깔다, 붓다, 게우다, 설사하다의 뜻을 나타냄.

[瀉鹵 사로] 사토(瀉土).
[瀉溜 사류] 쏟아지는 낙숫물.
[瀉痢 사리] 설사(泄瀉).
[瀉出 사출] 쏟아져 나옴. 흘러나옴.
[瀉土 사토] 염분(鹽分)이 있어 식물이 자라지 않는 땅.
[瀉下 사하] 쏟아져 내려감. 흘러 내려감.
◉傾瀉. 及瀉. 泄瀉. 注瀉. 澤瀉. 吐瀉.

15 ⑱ [瀉] 瀉(前條)의 本字

15 ⑱ [瀈] 잡 [入]洽 丈甲切 zhá

[字解] 물이름 잡 저장 성(浙江省) 우싱 현(吳興縣)에 있는 강. '―水'. '―, 水名'《集韻》.

15 ⑱ [瀋] [人名] 심 [上]寑 昌枕切 shěn 沈瀋

[字解] ①즙 심 즙액(汁液). '墨―'. '煮鱖爲作―'《元結》. ②물이름 심 랴오닝 성(遼寧省) 선양 현(瀋陽縣)에서 발원(發源)하여 남으로 흐르는 훈허(渾河) 강의 지류(支流). '―水'.

[字源] 篆文 形聲. 氵(水)+審[音]. '審심'은 '探탐'과 통하여, '살피다'의 뜻. 과일 속에 들어 있는 액을 살피어 짠 즙의 뜻을 나타냄.

[瀋水 심수] 자해(字解)❷를 보라.
[瀋陽 심양] 중국(中國) 랴오닝 성(遼寧省)의 성도(省都). 상공업·교통의 중심지임. 한때는 봉천(奉天)이라 불렀음.
◉墨瀋.

15 ⑱ [濿] 려 [去]霽 力制切 lì

[字解] 징검다리건널 려, 옷걷을 려 징검다리를 딛고 건넘. 또, 물을 건널 때 옷자락을 걷음. 厲(厂部 十二畫)와 同字.

15 ⑱ [瀌] 표 [平]蕭 甫嬌切 biāo 瀌

[字解] 비눈퍼부을 표 비나 눈이 퍼붓는 모양. '雨雪――'《詩經》.

[字源] 篆文 形聲. 氵(水)+麃[音]. '麃표'는 기세가 격렬한 모양. 눈이 심하게 내리는 것.

[瀌瀌 표표] 비나 눈이 퍼붓는 모양.

15 ⑱ [澌] 사 [去]寘 斯義切 sì

[字解] ①수문(水門) 통 사, 물구멍 사 물이 빠져나가게 한 문. '―, 泄水門'《集韻》. ②방죽 사 물을 막기 위해 둑을 쌓음. '―, 障水也'《增韻》.

15 ⑱ [瀍] 전 [平]先 直連切 chán 瀍

[字解] 물이름 전 허난 성(河南省) 맹진현(孟津縣)에서 발원(發源)하여, 동으로 흐르는 뤄수이(洛水) 강의 지류(支流). '―水'. '東北會于澗―'《書經》.

[字源] 形聲. 氵(水)+廛[音]

[瀍水 전수] 자해(字解)를 보라.

15 ⑱ [瀎] [一] 말 [入]曷 莫撥切 mǒ [二] 멸 [入]屑 莫結切 miè 瀎

[字解] [一] ①닦을 말 훔쳐 깨끗이 함. 없앰. '瀞巾謂之一布'《揚子方言》. ②바를 말 도말(塗抹)함. [二] 빨리흐를 멸 질류(疾流)하는 모양. '沒滑一潏'《張衡》.
[字源] [篆文] 形聲. 氵(水)+蔑〔音〕. '蔑멸'은 없다, 보이지 않다의 뜻. 물로 닦아서 자취도 없이 하다의 뜻을 나타냄.

[瀎布 말포] 걸레.
[瀎潏 멸휼] 빨리 흐르는 모양. 물결이 세찬 모양.

15
⑱ [瀏] [人名] 류 [平]尤 力求切 liú ㊤有 力久切 浏

[字解] ①맑을 류 물이 맑고 깊은 모양. '一其清矣'《詩經》. ②빠를 류 바람이 빠른 모양. '秋風一以蕭蕭'《劉向》. ③밝을 류 청명(清明)함. 명랑함. '賦體物而一亮'《陸機》. ④선선할 류 시원함. '一風'.
[字源] [篆文] 形聲. 氵(水)+劉〔音〕. '劉류'는 '流류'와 통하여, '흐르다'의 뜻. 흐르는 물의 뜻에서, 파생(派生)하여, '맑다'의 뜻을 나타냄.

[瀏濫 유람] 물이 벌창한 모양. 창일(漲溢)한 모양.
[瀏覽 유람] 죽 읽음. 통람(通覽).
[瀏亮 유량] 맑고 밝은 모양. 청명(清明)한 모양. 명랑한 모양.
[瀏喨 유량] 유량(瀏亮).
[瀏瀏 유류] ㉠바람이 빨리 부는 모양. ㉡재빠른 모양. 민첩한 모양. ㉢청명(清明)한 모양.
[瀏莅 유리] 바람이 불어 숲의 나무들이 윙윙 소리를 내는 모양.
[瀏漂 유표] 시원한 모양. 선선한 모양.
[瀏風 유풍] 시원한 바람.

15
⑱ [潷] 필 [入]質 壁吉切 bì

[字解] 샘용솟음할 필 滭(水部 十一畫)과 同字.

15
⑱ [瀑] [人名] [一] 포 [去]號 薄報切 bào [二] 폭 [入]屋 蒲木切 pù [三] 팍 [入]覺 弼角切 bó

[字解] [一] ①소나기 포 퍼붓는 비. ②거품 포 물거품. 포말(泡沫). '掛拂一沫'《郭璞》. ③성 포 성(姓)의 하나. [二] 폭포 폭 폭포수. '飛一'. '一布飛流以界道'《孫綽》. [三] ①물결일 팍 파도가 이는 모양. '濆瀃濆一'《郭璞》. ②용솟음할 팍 물이 솟아나는 모양. 또, 그 소리. '龍池瀥一'《左思》.
[字源] [篆文] 形聲. 氵(水)+暴(㬥)〔音〕. '暴포'는 '거칠다, 빠르다'의 뜻. 거성(去聲)일 때는 '소나기'의 뜻, 입성(入聲)일 때는 '폭포'의 뜻을 나타냄.

[瀑瀑 팍팍] 물이 솟아 나오는 모양. 또, 그 소리.
[瀑沫 포말] 물거품. 포말(泡沫).
[瀑潭 폭담] 용소(龍沼). 용추(龍湫).
[瀑泉 폭천] 폭포(瀑布).
[瀑布 폭포] 높은 절벽(絕壁)에서 쏟아져 떨어지는 물.
◉落瀑. 飛瀑. 懸瀑.

15
⑱ [瀇] 왕 ㊤養 烏晃切 wǎng

[字解] 깊을 왕 물이 깊고 넓은 모양. '一洋無涯'《論衡》.
[字源] 形聲. 氵(水)+廣〔音〕

[瀇洋 왕양] 물이 깊고 넓은 모양.
[瀇瀁 왕양] 왕양(瀇洋).
[瀇滉 왕황] 왕양(瀇洋).

15
⑱ [瀈] 휘 [平]微 許歸切 huī

[字解] ①잦을 휘 물이 밑바닥까지 졸아 빠짐. '一, 竭也'《廣韻》. ②물뿌릴 휘 물을 흔들어 흩뿌림. '一, 振去水也'《集韻》.

15
⑱ [濼] [一] 록 [入]沃 盧毒切 luò [二] 락 [入]藥 盧各切 luò 泺

[字解] [一] 물이름 록 산둥 성(山東省) 리청 현(歷城縣)의 서북(西北)에서 발원(發源)하여 동류(東流)하는 소청하(小清河)의 지류(支流). '一水'. '公會齊侯于一'《春秋》. [二] 물이름 락 [一]과 뜻이 같음.
[字源] [甲骨文] [金文] [篆文] 形聲. 氵(水)+樂〔音〕. 甲骨文·金文은 '白백'이 없는 형태.

[濼水 낙수] 자해(字解)를 보라.

15
⑱ [瀃] 뢰(②루[本]) ①㊤賄 落猥切 lěi ②㊤紙 魯水切

[字解] ①물이름 뢰 '一, 水名, 在右北平'《廣韻》. ②용솟음할 뢰 '濆一'는 물이 용솟음하는 모양. '濆一濆瀑'《郭璞》.

◉濆瀃.

15
⑱ [漻] 교 [平]肴 古肴切 jiāo

[字解] 깊을 교 '一濶'은 물이 깊고 넓은 모양. '一濶浩汗'《木華》.

[漻濶 교갈] 물이 깊고 넓은 모양.

15
⑱ [瀄] 즐 [入]質 阻瑟切 jié

[字解] 흐를 즐 물이 흐르는 모양. 또, 그 소리. '一汩澎湃'《嵇康》.

[瀄汩 즐율] 물이 빨리 흐르는 모양.

15
⑱ [灌] 〔관〕 灌(水部 十八畫〈p. 1317〉)의 俗字

15
⑱ [瀰] 〔미·니〕 濔(水部 十四畫〈p. 1306〉)의 本字

15
⑱ [瀌] 〔퓨〕 滮(水部 十一畫〈p. 1291〉)와 同字

15
⑱ [灑] 〔쇄〕 灑(水部 十九畫〈p. 1318〉)의 俗字

15
⑱ [滴] 〔적〕 滴(水部 十一畫〈p. 1280〉)과 同字

15 ⑱ [濇] 〔색〕
濇(水部 十三畫〈p. 1305〉)의 本字

16 ⑲ [瀕] 人名 빈 ㊥眞 卑民切 bīn(pín)
字解 ①물가 빈 濱(水部 十四畫)과 同字. '海—廣潟'《漢書》. ②임박할 빈 땅이 강이나 바다에 연(沿)하여 있음. 또, 바싹 닥침. '—死'. '行擧—河之郡'《漢書》.
字源 金文 篆文 會意. 涉+頁. '涉섭'은 물을 건너다의 뜻. '頁혈'은 '얼굴'의 뜻. 내를 건널 때의 물결처럼 얼굴에 주름을 잡다의 뜻을 나타냄. '比비'와 통하여, 줄지어 일어나다, 자꾸만의 뜻을 나타냄. 또, '물가'의 뜻도 나타냄.

[瀕死 빈사] 거의 죽게 됨.
[瀕水 빈수] 강물에 잇닿음. 또는 그런 땅.
[瀕海 빈해] 바다에 연(沿)함. 또는 그곳. 연해(沿海).

16 ⑲ [瀙] 친 ㊧震 初覲切 qìn / ㊧震 七遴切 / ㊥眞 側詵切
字解 강이름 친 연원(淵源)은 허난 성(河南省) 비양현(泌陽縣) 북쪽 중양산(中陽山). 사허(沙河)의 정원(正源). 무수(潕水)를 합하여 사허가 됨. 남여하(南汝河)의 상원(上源). 산해경(山海經)에서는 시수(視水)라 함. '—, 字林云, 水名, 在豫州'《廣韻》.
字源 篆文 形聲. 氵(水)+親〔音〕

16 ⑲ [潘] 번 ㊥元 孚袁切 fān
字解 큰물결 번 큰 파도. '—, 說文, 大波也'《集韻》.

16 ⑲ [澗] 염 ㊥鹽 余廉切 yán
字解 더러울 염 '—, 海岱之閒, 謂相汚曰—'《說文》.
字源 篆文 形聲. 氵(水)+閻〔音〕

16 ⑲ [滕] 〔등〕
滕(水部 十畫〈p. 1268〉)의 俗字

16 ⑲ [濕] 〔습〕
濕(水部 十四畫〈p. 1306〉)의 本字

16 ⑲ [瀗] ㊀ 선 ㊧霰 須絹切 / ㊁ 쉐 ㊧霽 此芮切 shuài
字解 ㊀ ①마실 선 '—, 飮也'《說文》. ②빨 선 '—, 歃也'《說文》. ③들이마실 선 '—, 吮也'《說文》. ㊁ 마실 쉐, 빨 쉐, 들이마실 쉐 ㊀과 뜻이 같음.

16 ⑲ [瀃] 〔궤〕
潰(水部 十二畫〈p. 1296〉)의 本字

16 ⑲ [瀜] 人名 융 ㊥東 以戎切 róng
字解 깊을 융 물이 깊고 넓은 모양. '沖—沆瀁'《木華》.

16 ⑲ [瀤] 회 ㊥佳 戶乖切 huái
字解 ①물이름 회 중국 북방에 있는 강 이름. '—水'. '獄法之山, —澤之水出焉'《山海經》. ②울쑥불쑥할 회 물이 평탄하지 않은 모양. '浤淪滵—'《郭璞》.
字源 篆文 形聲. 氵(水)+褱〔音〕

16 ⑲ [瀘] 人名 로 ㊥虞 落胡切 lú
字解 물이름 로 티베트에서 발원(發源)하여, 윈난 성(雲南省) 북변(北邊)을 흘러 쓰촨 성(四川省)을 거쳐 양쯔 강(揚子江)으로 흘러드는 강. '—水'. '五月涉—, 深入不毛'《諸葛亮》.
字源 篆文 形聲. 氵(水)+盧〔音〕

[瀘水 노수] 자해(字解)를 보라.

16 ⑲ [瀚] 人名 한 ㊧翰 侯旰切 hàn
筆順 氵 氵 汁 浐 淖 涥 澣 瀚
字解 ①넓을 한 광대한 모양. '浩浩——'《淮南子》. ②사막이름 한 '—海'는 고비 사막. '翰海'라고도 씀.
字源 形聲. 氵(水)+翰〔音〕. '翰한'은 '旱한'과 통하여, '가뭄'의 뜻. 말라 있는 바다, 고비 사막의 뜻에서, '넓다'의 뜻을 나타냄.

[瀚漠 한막] 북쪽 변방(邊方)의 사막.
[瀚瀚 한한] 광대(廣大)한 모양.
[瀚海 한해] 고비 사막. 한해(翰海).
◉葱瀚. 浩瀚. 混瀚.

16 ⑲ [瀛] 人名 영 ㊥庚 以成切 yíng
字解 ①바다 영 큰 바다. '滄—'. '乃有大—海, 環其外'《史記》. ②늪 영 소택(沼澤). '倚沼畦—兮'《宋玉》. ③신선사는섬 영 '—洲'는 삼신산(三神山)의 하나. 동해(東海) 중에 있는 신선이 산다는 곳. '歷蓬—而超碧海'《拾遺記》.
字源 篆文 形聲. 氵(水)+嬴〔音〕. '嬴영'은 '차다, 남다'의 뜻. 남아 돌아갈 만한 물, '바다'의 뜻을 나타냄.

[瀛碣 영갈] 못 가운데 세운 비석.
[瀛壖 영연] 바닷가. 해안. 해변.
[瀛洲 영주] 삼신산(三神山)의 하나. 동해(東海) 중에 있는 신선(神仙)이 산다는 곳.
[瀛表 영표] 해외(海外). 외국.
[瀛海 영해] 큰 바다.
◉大瀛. 東瀛. 登瀛. 蓬瀛. 四瀛. 滄瀛. 寰瀛.

16 ⑲ [瀇] 횡 ①㊧敬 戶孟切 / ②㊥庚 戶盲切 héng
字解 ①나루 횡 작은 도선장(渡船場). '—, 小津也'《說文》. ②떼 횡, 나룻배 횡 나무를 엮어 물 위에 띄운 것. '—, 筏也'《集韻》.

字源 篆文 形聲. 氵(水)+横〔音〕. '横횡'은 '가로지르다'의 뜻. 흐름을 가로질러 건너가는 일.

16 ⑲ [瀝] 人名 력 入錫 郎擊切 lì 沥

字解 ①물방울 력 방울방울 떨어지는 물. '水一滴地'《佛國記》. ②물방울떨어질 력 '動滴一以成響'《王延壽》. ③찌끼 력 마시다 남은 액체. '空樽已絶一'《方回》. ④쏟을력 쏟아 넣음. 부음. '皆決一之'《晉書》. ⑤맑은술 력 약주. '和楚一只'《楚辭》.

字源 篆文 形聲. 氵(水)+歷〔音〕. '歷력'은 한 걸음 한 걸음 걸음을 옮기다의 뜻. 받을 것을 걸러, 한 방울씩 떨어뜨리다의 뜻.

[瀝懇 역간] 간절히 바라거나 원함.
[瀝瀝 역력] 물 또는 바람 소리의 형용.
[瀝液 역액] 물방울. 또, 졸졸 흐르는 물.
[瀝滴 역적] 물방울이 뚝뚝 떨어짐. 또, 그 물방울.
[瀝青 역청] 동식물의 기름을 건류(乾溜)한 흑색(黑色)의 유기 물질(有機物質). 방부(防腐)·방루(防漏)를 위하여 물건의 거죽이나 틈에 바름. 피치.
[瀝血 역혈] ㉠방울져서 떨어지는 피. ㉡피를 뿌림. ㉢반드시 원수를 갚겠다고 맹세하는 일. ㉣성의(誠意)의 표시.
◉淅瀝. 餘瀝. 淋瀝. 霖瀝. 殘瀝. 滴瀝. 披瀝.

16 ⑲ [瀞] 人名 정 去敬 疾正切 jìng

字解 맑을 정, 깨끗할 정 淨(水部 八畫)과 통용.

字源 金文 篆文 形聲. 氵(水)+靜〔音〕. '靜정'은 '청결함'의 뜻. 흐름이 더러움이 없이 깨끗함의 뜻을 나타냄. '淨정'은 '瀞정'의 생략체.

16 ⑲ [瀠] ❶영 上迥 烏迥切 yíng ❷형 平庚 維傾切 yíng 瀠

字解 ❶큰물 영 '一, 大水也'《玉篇》. ❷돌아흐를 형 '一洄'는 물이 회류하는 모양. 濴(水部 十四畫)과 同字. '鼓樓巖下水一洄'《朱熹》.

字源 形聲. 氵(水)+縈〔音〕. 음부인 '縈영'은 '돌다'의 뜻. 물이 돌아 흐르다의 뜻을 나타냄.

[瀠洄 형회] 자해(字解)❷를 보라.

16 ⑲ [瀡] 수 上紙 選委切 suǐ

字解 미끄러울 수 반드러움. '滫一以滑之'《禮記》.

◉滫瀡.

16 ⑲ [瀣] 人名 해 去卦 胡介切 xiè

字解 이슬기운 해 '沆一'는 이슬의 기운. 일설(一說)에는, 바다 기운. 또 일설에는, 북방(北方) 야반(夜半)의 기운. '含沆一以長生'《楚辭》.

字源 篆文 形聲. 氵(水)+䪎〔音〕. '䪎해'는 '심하다'의 뜻.

16 ⑲ [瀦] 저 平魚 陟魚切 zhū

字解 ①웅덩이 저 물이 정지하여 괸 곳. 늪. 저수지(貯水池). '以一畜水'《周禮》. ②괼 저 물이 정지하여 모임. '海流出復一'《宋史》.

字源 篆文 形聲. 氵(水)+豬〔音〕. '豬저'는 돼지〔豕〕의 털구멍 하나에 3개의 털이 난 것, 파생하여, 한 곳에 모여 저장된다는 뜻. 또, '豬'는 '躇저'와 통하여 '망설이다'의 뜻. 물이 흐르기를 머뭇거려, 모이다의 뜻을 나타냄.

[瀦水 저수] 웅덩이. 저수지(貯水池).
◉堰瀦. 汚瀦. 淸瀦.

16 ⑲ [瀧] 人名 ❶롱 平東 盧紅切 lóng ❷랑 平江 呂江切 lóng ❸상 平江 所江切 shuāng 泷

筆順 氵 氵 泸 瀧 瀧 瀧 瀧 瀧

字解 ❶비올 롱 비가 오는 모양. ❷여울 랑 급류(急流). '湍一'. ❸땅이름 상 '一岡'은 장시성(江西省) 영풍현(永豐縣) 남쪽에 있는 봉황산(鳳凰山). 송(宋)나라의 구양수(歐陽修)가 부친을 장사 지낸 곳임.

字源 篆文 形聲. 氵(水)+龍〔音〕. '龍룡'은 채워 넣다의 뜻. 비가 쏟아져 들이치다의 뜻을 나타냄.

參考 滝(水部 十畫)은 俗字.

[瀧瀧 농롱] ㉠비가 부슬부슬 오는 모양. ㉡물이 흐르는 소리.
[瀧岡 상강] 자해(字解)❸을 보라.
◉驚瀧. 急瀧. 湍瀧. 奔瀧. 涑瀧.

16 ⑲ [瀩] 대 去隊 杜潰切 duì

字解 물에모래밀릴 대 물이 모래를 띠고 이리저리 밀림. '一, 水帶沙往來貌'《正字通》.

16 ⑲ [瀨] 人名 뢰 去泰 落蓋切 lài 濑

字解 여울 뢰 사석(沙石) 위를 흐르는 얕고 빠른 물. '湍一'. '石一兮淺淺'《楚辭》.

字源 篆文 形聲. 氵(水)+賴〔音〕. '賴뢰'는 '刺자'와 통하여, 벤 자국이 나다의 뜻. 물이 부서져 흐르는 '여울'의 뜻을 나타냄.

◉溪瀨. 急瀨. 怒瀨. 湍瀨. 濤瀨. 石瀨. 迅瀨. 早瀨. 淺瀨. 淸瀨. 懸瀨.

16 ⑲ [瀬] 瀨(前條)의 略字

16 ⑲ [瀖] 곽(확本) 入藥 虛郭切 huò

字解 ①물결소리 곽 '一泋'는 많은 물결이 서로 부딪치는 소리. '一泋濩渭'《木華》. ②번쩍번쩍할 곽 '一濩'은 채색(彩色)이 번쩍번쩍하는 모양. '一濩燐亂, 煒煒煌煌'《王延壽》.

字源 形聲. 氵(水)+霍〔音〕

[瀖濩 곽확] 자해(字解)❷를 보라.

[濩渀 곽휘] 자해(字解)❶을 보라.

16 ⑲ [⿰氵選] 선 [去]霰 息絹切 xuàn
[字解] 물뿜을 선 입에 머금은 물을 뿜음. '—, 口含水噴—'《廣韻》.

16 ⑲ [瀢] [一] 유 [上]紙 愈水切 wěi
[二] 대 [上]賄 杜罪切 duì
[字解] [一] 물고기떼지어다닐 유 '—, ——, 魚行相隨'《玉篇》. [二] 모래밀릴 대 '—㳠'는 사석(沙石)이 물에 밀리는 모양. '碧沙—㳠而往來'《郭璞》.

[瀢㳠 대타] 자해(字解)[二]를 보라.

16 ⑲ [瀫] 곡 [入]屋 胡谷切 hú
[筆順] 氵 ⋯ 瀫
[字解] ①물소리 곡 '—, 水聲'《集韻》. ②물이름 곡 저장 성(浙江省)의 서경(西境)을 흐르는 강(江). 난계(蘭溪).

16 ⑲ [⿰氵學] 〔학〕
澩(水部 十三畫〈p. 1300〉)과 同字

16 ⑲ [⿰氵豫] 〔여〕
澦(水部 十三畫〈p. 1305〉)와 同字

16 ⑲ [濳] 〔잠〕
潛(水部 十二畫〈p. 1293〉)의 俗字

[瀟] 水部 十七畫(次次條)을 보라.

17 ⑳ [瀯] [人名] 영 [平]庚 維傾切 yíng
[筆順] 氵 ⋯ 瀯
[字解] 물소리 영 쉬지 않고 흐르는 물소리. 또, 물이 소용돌이치는 모양. '——之聲與耳謀'《柳宗元》.
[字源] 形聲. 氵(水)+營〔音〕
[參考] 濴(水部 十四畫)은 同字.

[瀯瀯 영영] 쉬지 않고 흐르는 물소리. 또, 물이 소용돌이치는 모양.
◉淦瀯. 澴瀯.

17 ⑳ [瀟] [人名] 소 [平]蕭 先彫切 xiāo
[字解] ①물이름 소 후난 성(湖南省) 영원현(寧遠縣)에서 발원(發源)하여, 링링 현(零陵縣)의 성(城) 밖을 흘러 상수(湘水)로 흘러가는 강. '—水'. '—湘何事等閑回'《錢起》. ②맑을 소 깊고 맑음. '—者, 水清深也'《水經注》. ③비바람칠 소 풍우가 세차게 치는 모양. '風雨——'《詩經》.
[字源] 篆文 形聲. 氵(水)+蕭〔音〕

[瀟碧 소벽] 대〔竹〕의 별칭. 대단히 푸르다는 뜻.
[瀟湘 소상] 두 강 이름. 샤오수이(瀟水) 강과 상수(湘水). 후난 성(湖南省) 둥팅 호(洞庭湖) 남쪽에 있는데, 그 부근(附近)은 경치가 좋아 팔경(八景)이 있음.
[瀟湘斑竹 소상반죽] 소상(瀟湘)에서 나는 반죽(斑竹).
[瀟湘八景 소상팔경] 샤오수이(瀟水) 강과 상수(湘水) 부근의 여덟 군데의 아름다운 경치. 곧, 평사낙안(平沙落雁)·원포귀범(遠浦歸帆)·산시청람(山市晴嵐)·강천모설(江天暮雪)·동정추월(洞庭秋月)·소상야우(瀟湘夜雨)·연사만종(煙寺晚鐘)·어촌석조(漁村夕照).
[瀟瀟 소소] 비바람이 세차게 치는 모양.
[瀟洒 소쇄] 맑고 깨끗함. 인품(人品)이 맑아 속기(俗氣)가 없음.
[瀟灑 소쇄] 소쇄(瀟洒).
[瀟水 소수] 자해(字解)❶을 보라.
[瀟寂 소적] 적적함. 고요함.

17 ⑳ [瀰] 미 ①②[上]紙 綿婢切 mí
③[平]支 武移切
[字解] ①치런치런할 미 물이 널리 가득 찬 모양. '有—濟盈'《詩經》. ②흐를 미 물이 흐르는 모양. '河水——'《詩經》. ③아득할 미 수면(水面)이 끝없이 넓어 아득한 모양. '渺—湠漫'《木華》.
[字源] 形聲. 氵(水)+彌〔音〕. '彌미'는 '가득 차다'의 뜻. 물이 넓고 깊음을 뜻함.

[瀰漫 미만] ㉠물이 가득 참. ㉡만연(蔓延)함.
[瀰茫 미망] 넓고 넓어 끝없는 모양.
[瀰瀰 미미] 물이 흐르는 모양.
[瀰迤 미이] 넓고 평탄함. 또, 끝없이 넓음.
◉漫瀰. 渺瀰.

17 ⑳ [瀱] 계 [去]霽 居例切 jì
[字解] ①우물 계 '—汋'은 물이 괴었다 말랐다 하는 우물. '井, 一有水, 一無水, 爲—汋'《爾雅》. ②샘퐁퐁솟을 계 '—, 泉出皃'《廣韻》. ③물잦을 계 '—, 竭也'《釋名》.
[字源] 篆文 形聲. 氵(水)+罽〔音〕

17 ⑳ [瀲] 렴 [上]琰 良冉切 liàn
[字解] ①뜰 렴 물 위에 뜸. '或泛—于潮波'《郭璞》. ②넘칠 렴 범람하는 모양. '力飲何妨—灩斟'《明宣宗》. ③물가 렴 수애(水涯). '青蕃蔚乎翠—'《潘岳》.
[字源] 形聲. 氵(水)+斂〔音〕. '斂렴'은 '다 모이다'의 뜻. 물결이 찰랑찰랑 모이는 곳, '물가'의 뜻을 나타냄.

[瀲瀲 염렴] 물이 넘치는 모양. 또, 잔물결이 이는 모양.
[瀲灩 염염] ㉠물이 넘치는 모양. ㉡물결이 조용히 움직이는 모양. 또, 물결이 번쩍번쩍 비치는 모양.
[瀲灩斟 염염짐] 술을 가득히 따름.
◉翠瀲.

17 ⑳ [瀵] 분 [去]問 方問切 fèn

[字解] ①샘 분 땅 밑에서 솟아 나오는 물. ②담글 분 물속에 담금. '翹莖—蘂'《郭璞》.
[字源] [篆文] 形聲. 氵(水)+糞〔音〕

17 ⑳ **[瀸]** 첨 [平]鹽 子廉切 jiān

[字解] ①건샘 첨 물이 자주 마르는 샘. ②적실 첨 물에 담가 적심. '—灕肌膚'《淮南子》. ③멸망할 첨, 멸할 첨 '齊人—于遂'《公羊傳》.
[字源] [篆文] 形聲. 氵(水)+韱〔音〕. '韱섬'은 '가느다랗다'의 뜻.

[瀸臺 첨대] 물에 잠긴 누대(樓臺).
[瀸漏 첨루] 물이 새어 흘러나옴.
[瀸積 첨적] 시체가 겹겹이 쌓여 있음.
[瀸瀸 첨첨] 물이 졸졸 흐르는 모양.

17 ⑳ **[瀓]** 등 [平]蒸 他登切 tēng

[字解] 물모여들 등 냇물이 모여서 물이 불음. '—, 小水相益'《集韻》.

17 ⑳ **[瀹]** 약 [入]藥 以灼切 yuè

[字解] ①삶을 약 물을 넣고 익힘. '有—雞子法'《齊民要術》. ②데칠 약 끓는 물에 넣어 약간 삶음. '管筲三, 其實皆—'《儀禮》. ③다스릴 약 치수(治水)함. '疏九河, —濟漯'《孟子》. ④씻을 약 세척(洗滌)함. '疏—而心'《莊子》.
[字源] [篆文] 形聲. 氵(水)+龠〔音〕. '龠약'은 '濯탁'과 통하여 '씻다'의 뜻. 또, '鬻약'과도 통하여 '데치다'의 뜻.

◉潭瀹. 疏瀹.

17 ⑳ **[瀺]** 참 ①[平]咸 鋤咸切 chán ②[上]琰 士冉切

[字解] ①물소리 참 '—灂'은 물이 떨어지는 소리. 또는 물이 흘러 내려가는 소리. '—灂霣墜'《司馬相如》. ②가라앉았다떴다할 참 '—灂'은 ㉠물고기가 출몰하는 모양. '遊鱗—灂'《潘岳》. ㉡돌이 수중(水中)에서 출몰하는 모양. '巨石溺溺之—灂兮'《宋玉》.
[字源] 形聲. 氵(水)+毚〔音〕

[瀺灂 참착] 자해(字解) ❶❷를 보라.

17 ⑳ **[瀼]** ㊀ 양 [平]陽 汝陽切 ráng ㊁ 낭 [上]養 乃朗切 nǎng

[字解] ㊀ 이슬흠치르르할 양 이슬이 많이 내린 모양. '零露——'《詩經》. ㊁ ①흐를 낭 물이 흐르는 모양. '涓流泱—'《木華》. ②수렁 낭 진흙땅. '有塡淤反—之害'《漢書》.
[字源] [篆文] 形聲. 氵(水)+襄〔音〕. '襄양'은 옷 속에 물건이 잔뜩 들어차다의 뜻. 이슬이 몹시 많이 내리는 것.

[瀼瀼 양양] 이슬이 많이 내린 모양.

17 ⑳ **[灀]** 상 [去]漾 色壯切 shuàng

[字解] 된서리때릴 상 된서리 맞아 마르게 함. '—, 殺物也'《字彙》.

17 ⑳ **[瀾]** [人名] 란 ①②[平]寒 落干切 lán ③[去]翰 郎旰切 làn

[筆順] 氵 氵 汀 泗 渭 淵 瀾 瀾 瀾

[字解] ①물결 란 ㉠큰 물결. '—波'. '觀水有術, 必觀其—'《孟子》. ㉡잔물결. '—, 漪水波也'《爾雅》. ②물결일 란 파도가 일어남. '若流波之將—'《宋玉》. ③뜨물 란 쌀뜨물. '潘—, 盞餘'《周禮 註》.
[字源] [篆文] [別體] 形聲. 氵(水)+闌〔音〕. '闌란'은 별체(別體)를 보아 알 수 있는 것처럼, '連련'과 통하여 '줄 잇다'의 뜻. 물의 이음, '큰 물결, 잔물결'의 뜻을 나타냄.

[瀾濤 난도] 난파(瀾波).
[瀾瀾 난란] 눈물이 흐르는 모양.
[瀾漫 난만] ㉠나뉘어 흩어지는 모양. ㉡물이 뚝뚝 떨어지는 모양.
[瀾文 난문] 물결의 무늬. 파문(波紋).
[瀾翻 난번] ㉠물결이 번득이는 모양. ㉡물결이 번득이듯이 기운찬 모양.
[瀾漪 난의] 잔물결.
[瀾波 난파] 큰 물결.
[瀾汗 난한] 물결이 길게 굽이치는 모양.
◉潔瀾. 驚瀾. 狂瀾. 濤瀾. 漫瀾. 微瀾. 碧瀾. 漪瀾. 澄瀾. 波瀾. 洪瀾.

17 ⑳ **[瀿]** 번 [平]元 附袁切 fán

[字解] ①넘칠 번 물이 갑자기 넘침. '樹木者灌以—水'《淮南子》. ②물결 번 '—, 波也'《玉篇》.

17 ⑳ **[瀴]** 영 [平]庚 伊盈切 yíng

[字解] 물질펀할 영 '—溟'은 수면(水面)이 대단히 넓어 먼 모양. '經途—溟'《木華》.
[字源] 形聲. 氵(水)+嬰〔音〕

[瀴溟 영명] 자해(字解)를 보라.
[瀴涬 영행] 큰물의 모양.

17 ⑳ **[瀳]** 천 [去]霰 在甸切 jiàn [平]元 租昆切

[字解] ①이를 천 물이 이름. '—, 水至也'《說文》. ②물넓을 천. ③물이름 천 '—, 水名'《廣韻》.
[字源] [篆文] 形聲. 氵(水)+薦〔音〕. '薦천'은 계속 겹쳐 나아가다의 뜻. 물이 퍼져 나가 '이르다'의 뜻을 나타냄.

17 ⑳ **[瀽]** 건 [上]銑 吉典切 jiǎn

[字解] ①물이름 건 '—, —水也'《字彙》. ②물꼬 건 논의 물을 대고 떼는 구멍. '四面俱置—穴'《農政全書》.

17 ⑳ **[瀷]** [人名] 익 [入]職 與職切 yì

[筆順] 氵 氵 泗 淵 溜 瀷 瀷 瀷

[字解] ①물이름 익 '一水'는 허난 성(河南省) 밀현(密縣)에서 발원하여 잉수이(潁水) 강으로 들어가는 강. '一, 一水, 出河南密縣, 東入潁'《說文》. ②소나기로갑자기생긴내 익 물이 모여 생긴 흐름. '一, 水潦積聚'《廣韻》.
[字源] 篆文 形聲. 氵(水)＋翼〔音〕

17 ⑳ [瀶] 〔은〕
濦(水部 十四畫〈p. 1306〉)과 同字

18 ㉑ [灂] [一] 조 [去]嘯 子肖切 jiào
[二] 착 [入]覺 士角切 zhuó

[字解] [一] 옻칠할 조 수레의 채에 옻칠을 함. '良輈環一'《周禮》. [二] 물소리 착, 가라앉았다떴다할 착 瀺(水部 十七畫)을 보라.
[字源] 篆文 形聲. 氵(水)＋爵〔音〕. 물소리를 나타냄. '爵작'은 그 의성어.

[灂灂 착착] 빗물 등이 퍼붓는 소리의 형용.

18 ㉑ [灃] 풍 [平]東 敷隆切 fēng

[字解] 물이름 풍 산시 성(陝西省) 영섬현(寧陝縣)의 진령(秦嶺)에서 발원하여, 장안(長安)을 거쳐 웨이수이(渭水) 강으로 흘러 들어가는 강. '一水'. '一水攸同'《書經》.
[字源] 形聲. 氵(水)＋豊〔音〕
[參考] 澧(水部 十三畫)은 別字.

[灃水 풍수] 자해(字解)를 보라.

18 ㉑ [瀅] [人名] 형

[字解] 뜻은 未詳.

18 ㉑ [灅] 루 [上]紙 魯水切 lěi

[字解] 물이름 루 허베이 성(河北省) 준화현(遵化縣)에서 발원(發源)하는 이하(梨河)의 지류(支流). 지금은 사허(沙河)라 함. '一水'.
[字源] 篆文 形聲. 氵(水)＋壘〔音〕

[灅水 누수] 자해(字解)를 보라.

18 ㉑ [灉] 옹 [平]冬 於容切 yōng
[去]宋 於用切

[字解] 물이름 옹 산둥 성(山東省) 조현(曹縣)에서 발원(發源)하여, 동북으로 흐르다가 저수(沮水)와 합하여 황허(黃河) 강으로 흘러 들어가는 강. '一沮會同'《書經》.
[字源] 篆文 形聲. 氵(水)＋雝〔音〕

18 ㉑ [灌] [人名] 관 [去]翰 古玩切 guàn

[筆順] 氵 氵 氵艹 氵艹 氵萨 灌 灌 灌

[字解] ①물댈 관 물을 흘러 들어가게 함. '一漑'. '決晉水以一之'《戰國策》. ②따를 관 부음. '膏油一其中'《吳志》. ③흘러들어갈 관 유입(流入)함. '百川一河'《莊子》. ④끼얹을 관 뿌림. '一頂'. ⑤씻을 관 세척함. '一澡'. '澡一十口'《南史》. ⑥마실 관 액체를 먹음. '奉觴曰賜一'《禮記》. ⑦강신제지낼 관 술을 따라서 땅에 뿌려 신(神)에게 제사 지냄. '一用鬱鬯'《禮記》. ⑧더부룩이날 관 한 뿌리에서 총생(叢生)함. '一木'. '丹桂一叢'《左思》. ⑨정성들일 관 정성을 다하는 모양. '老夫一一'《詩經》. ⑩성 관 성(姓)의 하나.
[字源] 篆文 形聲. 氵(水)＋雚〔音〕. '雚관'은 '卷권'등과 통하여, 둥글게 돌리다의 뜻. 물을 돌리듯이 끼얹다, 따라 붓다의 뜻을 나타냄.

[灌漑 관개] 논에 물을 댐.
[灌灌 관관] ㉠물이 세차게 흐르는 모양. ㉡정성을 다하는 모양. ㉢새의 이름. ㉣짐승의 이름.
[灌救 관구] ㉠불을 끔. 소화(消火)함. ㉡졸도한 사람에게 약물을 끼얹어 구조(救助)함.
[灌瀆 관독] 도랑. 작은 내. 시내.
[灌莽 관망] 잡목이 무성한 숲.
[灌木 관목] ㉠한 뿌리에서 총생(叢生)하는 나무. ㉡진달래·앵두나무 등과 같이 키가 작고 중심의 줄기가 분명하지 않은 나무.
[灌辟 관벽] 금속을 단련함.
[灌佛 관불] 《佛敎》 불상(佛像)에 향수(香水)를 뿌리는 일. 욕불(浴佛).
[灌佛會 관불회] 음력 4월 8일의 석가여래의 탄생일에 그의 불상(佛像)에 향수를 뿌리는 행사.
[灌輸 관수] 배로 화물을 운반함.
[灌植 관식] 전답에 물을 대어 곡식을 심음.
[灌域 관역] 하천의 유역(流域).
[灌沃 관옥] ㉠관개(灌漑). ㉡좋은 교훈을 머릿속에 넣음.
[灌園 관원] 밭에 물을 댐. 또, 밭에서 일을 함.
[灌腸 관장] 약(藥)을 항문(肛門)으로부터 창자 속으로 넣어 대변을 통하게 함.
[灌頂 관정] 《佛敎》 수계(受戒)하여 불문(佛門)에 들어갈 때, 향수를 정수리에 끼얹는 의식.
[灌澡 관조] 씻음.
[灌注 관주] ㉠흐름. 솟아 나옴. ㉡물을 댐. 관개(灌漑).
[灌叢 관총] 초목이 무성함.
◉漑灌. 漫灌. 沃灌. 澆灌. 浸灌.

18 ㉑ [瀾] 간 [上]潸 古限切 jiǎn

[字解] ①쌀일 간 쌀을 씻음. '一, 淅也'《說文》. ②씻을 간 '一, 洒也'《廣雅》.
[字源] 形聲. 氵(水)＋簡〔音〕

18 ㉑ [灊] [一] 심 [平]侵 徐林切 qián
[二] 첨 [平]鹽 昨鹽切 qián

[字解] [一] 물이름 심 쓰촨 성(四川省)을 흐르며, 현재의 이름은 거강(渠江). [二] 땅이름 첨 춘추시대(春秋時代)의 초(楚)나라의 지명. 지금의 안후이 성(安徽省) 곽산현(霍山縣)의 동북에 있음. '以兵圍楚之六一'《史記》.
[字源] 篆文 形聲. 氵(水)＋鬵〔音〕

18 ㉑ [灈] 구 [平]虞 其俱切 qú

[字解] 물이름 구 허난 성(河南省) 수평현(遂平

縣)의 남쪽에서 동북쪽으로 흘러 친수(瀙水), 지금의 사허(沙河)로 흘러드는 강. 석양하(石羊河). '一, 一水, 出汝南吳房, 入瀙'《說文》.
字源 形聲. 氵(水)＋瞿〔音〕

18 ㉑ [灄] 섭 ⓐ葉 書涉切 shè 滠
字解 물이름 섭 수원(水源)이 둘이 있어, 동쪽 수원은 후베이 성(湖北省) 홍안현(紅安縣), 서쪽 수원은 허난 성(河南省) 나산현(羅山縣)에서 나와 중간에서 합쳐 남류(南流)하는 강으로, 양쯔 강(揚子江)으로 들어감. '江水左爲湖口, 水通太湖, 東合一口'《水經》.
字源 形聲. 氵(水)＋聶〔音〕

18 ㉑ [灋] 〔법〕
法(水部 五畫〈p.1205〉)의 古字

18 ㉑ [瀑] 〔폭〕
瀑(水部 十五畫〈p.1312〉)의 本字

18 ㉑ [瀵] 〔분〕
瀵(水部 十七畫〈p.1315〉)의 本字

18 ㉑ [瀏] 〔류〕
溜(水部 十畫〈p.1270〉)와 同字

18 ㉑ [瀺] 〔참〕
瀺(水部 十七畫〈p.1316〉)과 同字

19 ㉒ [灑] 人名 쇄 ⓤ蟹 所蟹切 sǎ 洒 灑
字解 ①뿌릴 쇄 ㉠물이 흩어져 떨어짐. '涕淚所一'《梁書》. ㉡물을 헤뜨리어 끼얹음. '一埽庭內'《詩經》. 전(轉)하여, 청소함. '淸一舊京'《孫綽》. ②가를 쇄 나눔. '開竇一流'《張衡》. ③불 쇄 바람이 붊. '時風夕一'《陸機》. ④던질 쇄 물건을 물속에 던짐. '一鉤投網'《潘岳》. ⑤깨끗할 쇄 '神韻瀟一'《南史》.
字源 篆文 灑 會意. 氵(水)＋麗. '麗려'는 정연히 줄지어 있어 아름답다의 뜻. 물을 뿌려 곱게 하다의 뜻을 나타냄.

[灑落 쇄락] 인품(人品)이 깨끗하고 속기(俗氣)가 없는 모양.
[灑淚雨 쇄루우] 음력 7월 6일에 내리는 비. 견우(牽牛)·직녀(織女)의 두 별이 만나는 것을 방해한다는 뜻임.
[灑埽 쇄소] 쇄소(灑掃).
[灑掃 쇄소] 물을 뿌리고 먼지를 쓺.
[灑灑 쇄쇄] ㉠끊임없이 연속하는 모양. ㉡흩어지는 모양. ㉢사물(事物)에 구애(拘礙)하지 않아 시원한 모양.
[灑然 쇄연] ㉠놀라는 모양. ㉡시원한 모양.
[灑沃 쇄옥] 물을 뿌림.
[灑泣 쇄읍] 눈물을 뿌리며 욺. 눈물을 많이 흘리며 욺.
[灑塵 쇄진] 물을 뿌려 먼지를 씻어 버림.
[灑濯 쇄탁] 씻음. 세척(洗滌)함.
[灑汗 쇄한] 땀을 흘림. 또는 흐르는 땀.
◉高灑. 汎灑. 糞灑. 飛灑. 颯灑. 掃灑. 蕭灑. 淋灑. 湔灑. 霑灑. 淸灑. 脫灑. 播灑. 揮灑.

19 ㉒ [瀹] 숙 ⓐ屋 式竹切 shù
字解 ①물결 숙 '一, 波也'《集韻》. ②물살빠를 숙 일설(一說)에는, 느린 모양. '潏湟忽泱. 一潤瀾淪'《郭璞》.

19 ㉒ [灘] 人名 ㊀ 탄 ㊥寒 他干切 tān ㊁ 한 ⓤ旱 呼旱切 hàn 滩 灘
筆順 氵 泍 漌 漢 漢 灘 灘 灘
字解 ㊀ 여울 탄 물이 빨리 흐르고 돌이 많아 배가 다니기에 위험한 곳. '峻一'. '七里一在釣臺之西'《一統志》. ㊁ 젖었다마를 한 '一, 水濡而乾也'《集韻》.
字源 篆文 灘 俗體 灘 形聲. 氵(水)＋鸌〔音〕. '灘'은 그 俗體. 氵(水)＋難〔音〕. '難난·탄'은 '따스하다'의 뜻. 물에 젖은 몸이 말라 따뜻해지다의 뜻을 나타냄. 뒤에 '難'이 가는 길이 막히다의 뜻으로 쓰이게 되자, '水수'와 합하여, '여울'의 뜻이 됨.

[灘上 탄상] 여울이 흐르는 물가.
[灘聲 탄성] 탄향(灘響).
[灘響 탄향] 여울에 흐르는 물소리.
◉急灘. 惡灘. 峻灘.

19 ㉒ [灒] 찬 ㊤翰 則旰切 zàn
字解 물뿌릴 찬 더러운 물을 뿌림. '一, 汚灑也'《說文》.
字源 篆文 灒 形聲. 氵(水)＋贊〔音〕. '贊찬'은 곁에서 첨가하다의 뜻. 곁에서 물을 튀기다의 뜻을 나타냄.

19 ㉒ [灕] 리 ㊥支 呂支切 lí 灕
字解 ①스며들어갈 리 물이 땅속으로 들어감. '澤滲一而下降'《揚雄》. ②흐를 리 물이 흐르는 모양. '一乎滲灑'《揚雄》.
字源 形聲. 氵(水)＋離〔音〕

◉滲灕. 淋灕.

19 ㉒ [瀹] 약 ⓐ藥 以灼切 yào
字解 ①물결움직일 약 '一, 一曰, 水動皃'《集韻》. ②물펄펄끓을 약 물이 뜨거운 모양. '心勺一其若湯'《張衡》.

19 ㉒ [瀆] 〔독·두〕
瀆(水部 十五畫〈p.1311〉)의 本字

19 ㉒ [灧] 〔염〕
灩(水部 二十八畫〈p.1320〉)의 俗字

19 ㉒ [灑] 라 ㊥歌 魯何切 luó
字解 물이름 라 후난 성(湖南省) 샹인 현(湘陰縣)의 북쪽에서 발원(發源)하여 서류(西流)하는 상수(湘水)의 지류(支流). 멱수(汨水)와 합

쳐 '汨一水'라고 함.

19 ㉓ [灓] 란 [平]寒 落官切 luán

[字解] ①샐 란 새어 흐름. '一, 漏流也'《說文》. ②적실 란 '一, 漬也'《廣雅》.

[字源] 篆文 形聲. 水+䜌〔音〕. '䜌련·란'은 어지럽게 이어지다의 뜻. 새어서 흐르는 물의 뜻을 나타냄.

20 ㉓ [灛] 천 [上]銑 昌善切 chǎn

[字解] 물이름 천 문수(汶水)의 별류(別流). '汶爲一'《爾雅》.

20 ㉓ [濃] 〔농〕 濃(水部 十三畫〈p. 1304〉)의 本字

20 ㉓ [瀩] 여 [平]魚 以諸切 yú

[字解] 물출렁거릴 여 '一, 一曰, 水搖蕩貌'《正字通》.

[字源] 形聲. 氵(水)+旟〔音〕

20 ㉓ [灙] 당 [上]養 底郎切 dǎng

[字解] ①물이름 당 산시 성(陝西省)에 있는 강(江). '洛谷水, …其水南流, 右則一水注之'《水經注》. ②물모양 당 '漭一·一漭'은 물의 모양. '一漭瀁滉'《庾闡》.

20 ㉓ [灚] 교 [上]巧 吉巧切 jiǎo

[字解] 물젓는소리 교 물을 휘젓는 소리. '一, 攪水聲'《集韻》.

21 ㉔ [灝] [人名] 호 [上]晧 胡老切 hào 灏

[筆順] 氵 氵 氵 氵 氵 灝 灝 灝

[字解] ①콩즙 호 콩국. '一, 豆汁也'《說文》. '一, 煮豆汁'《玉篇》. ②아득할 호 '一一'는 끝없이 넓고 먼 모양. '商書一一爾'《揚子法言》.

[字源] 篆文 形聲. 氵(水)+顥〔音〕. '顥호'는 밝고 희다, 크다의 뜻.

[灝氣 호기] 천상(天上)의 맑은 기(氣).
[灝溔 호요] 물이 아주 넓게 퍼져 있는 모양.
[灝灝 호호] 자해(字解) ❷를 보라.

21 ㉔ [灡] 란 [去]翰 郎干切 lán

[字解] 뜨물 란 쌀뜨물. 瀾(水部 十七畫)과 통용. '一, 潘也'《說文》.

[字源] 篆文 形聲. 氵(水)+蘭〔音〕

21 ㉔ [灞] 파 [去]禡 必駕切 bà

[字解] 물이름 파 관중 팔천(關中八川)의 하나. 산시 성(陝西省) 남전현(藍田縣)에서 발원(發源)하여 장안(長安)의 부근을 흐르는 웨이수이(渭水) 강의 지류. 패수(霸水). '一水'. '一水出藍田縣藍田谷, 所謂多玉者也'《水經注》.

[字源] 形聲. 氵(水)+霸〔音〕

[灞橋 파교] 장안(長安) 동(東)쪽에 있는 파수(灞水)에 걸린 다리 이름. 옛날에 사람들이 이별할 때 이 다리에 이르러 버들가지를 꺾어 송별의 뜻을 표하였음.
[灞橋驢上 파교여상] 파수(灞水) 위에 걸린 다리 위를 가는 당나귀 위. 시상(詩想)을 짜기에 가장 적당한 곳.
[灞水 파수] 자해(字解)를 보라.

21 ㉔ [⿰氵曩] 낭 [上]養 乃朗切 nǎng

[字解] 물흐를 낭 물이 흐르는 모양. 瀼(水部 十七畫)과 同字.

21 ㉔ [灠] 람 ①[去]勘 盧瞰切 làn ②③[上]感 魯敢切 lǎn

[字解] ①샘용솟음할 람 '一, 湧泉也'《玉篇》. ②절인실과 람 '一, 漬果也'《集韻》. ③물들일 람 '一, 一曰, 染也'《集韻》.

21 ㉔ [灟] 촉 [入]沃 朱欲切 zhú

[字解] ①공손할 촉 '一, 博雅, 一一, 恭也'《集韻》. ②형체없을 촉 '天墜未形, 馮馮翼翼, 洞洞一一'《淮南子》.

22 ㉕ [灣] [人名] 만 [平]刪 烏關切 wān 湾

[字解] 물굽이 만 바다가 육지 속으로 굽어 들어온 곳. '海一'. '舟險萬重一'《沈佺期》.

[字源] 形聲. 氵(水)+彎〔音〕. '彎만'은 활이 휘다의 뜻. 활처럼 휘어서 바닷물이 들어오는 후미의 뜻을 나타냄.

[灣曲 만곡] 활처럼 휘어져 굽음.
[灣磯 만기] 만곡(灣曲)하여 불쑥 나온 육지.
[灣頭 만두] 만(灣)의 가.
[灣府 만부] 《韓》 의주(義州)의 별칭(別稱).
[灣商 만상] 《韓》 옛날, 평안북도 의주(義州) 사람으로 중국인과 교역하던 큰 장수.
[灣然 만연] 물이 활처럼 굽은 모양.
[灣尹 만윤] 《韓》 의주 부윤(義州府尹)의 별칭(別稱).
[灣入 만입] 바닷물이나 강물 같은 것이 활처럼 뭍으로 휘어 들어감.
◉綠灣. 濤灣. 深灣. 銀灣. 澄灣. 港灣. 海灣. 峽灣.

22 ㉕ [灢] 낭 [去]漾 乃浪切 nǎng / [上]養 乃朗切

[字解] 물흐릴 낭 '泱一, 濁也'《集韻》.

23 ㉖ [灤] 란 [平]寒 落官切 luán 滦

[字解] ①물이름 란 허베이 성(河北省) 동북부에 있는 강. 상류(上流)는 네이멍구 자치구(內蒙古自治區) 둬룬 현(多倫縣)의 북쪽을 흘러 섬전하(閃電河)가 되고, 허베이 성에 흘러 들어와 난하(灤河)가 되어, 동남쪽으로 흘러 발해

(渤海)로 들어감. '一, 水名'《廣韻》. ②샐 란 물이 새어 흐름. '一, 說文, 漏流也'《集韻》.
[字源] 形聲. 氵(水)＋欒〔音〕

23 ㉖ [⿰氵蠱] 고 ㊤蠱 果五切 gǔ
[字解] 무좀 고 수고(水⿰氵蠱)는 무좀임. '一, 水一, 蠱病'《字彙》.

23 ㉖ [灔] 〔염〕
灩(水部 二十八畫〈p. 1320〉)의 俗字

24 ㉗ [灨] [一] 감 ㊤感 古禫切 gàn [二] 공 ㊦送 古送切 
[字解] [一] 물이름 감 장시 성(江西省)에 있는 포양 호(鄱陽湖)에 흘러드는 강. 수원(水源)이 둘이 있는데, 서쪽 수원 장시 성 숭의현(崇義縣)에서 흐르는 것을 장수(章水)라 하고, 동쪽 수원 푸젠 성(福建省) 창팅 현(長汀縣)에서 흐르는 것을 공수(貢水)라 함. 이 두 물이 산시 성 감현(灨縣)에서 합쳐 감강(灨江)을 이룸. 감강(灨江). '一江'. '一, 水名. 一曰, 邑名. 在豫章'《集韻》. [二] 물이름 공 [一]과 뜻이 같음.

[灨江 감강] 자해(字解)를 보라.

24 ㉗ [⿰氵𩫏] 〔곽〕
漷(水部 十一畫〈p. 1291〉)의 本字

28 ㉛ [灩] 염 ㊦豔 以贍切 yàn ㊤琰 以冉切 
[字解] 출렁거릴 염 물결이 움직이는 모양. '野水一長塘'《韋應物》.
[字源] 形聲. 氵(水)＋豔〔音〕
[參考] 灔(水部 二十三畫)·灎(水部 十九畫)은 俗字.

[灩灩 염염] 물결이 출렁거리는 모양. 또, 물결에 달빛이 비치는 모양.
[灩澦堆 염예퇴] 쓰촨 성(四川省)의 취탕샤(瞿塘峽)의 상류의 큰 암석이 있는 곳. 초(楚)·촉(蜀)의 문호(門戶)임.
[灩海 염해] 바다처럼 물이 가득 참. 술을 잔에 넘칠 듯이 가득 따름을 이르는 말.
◉澹灩. 泛灩. 瀲灩. 淫灩.

29 ㉜ [灪] 울 ㊅物 紆物切 yù
[字解] 물벌창할 울 '一滃, 大水皃'《集韻》.

火(灬) (4획) 部

〔불화부〕

0 ④ [火] [中人] 화 ㊤哿 呼果切 huǒ
[筆順]

[字解] ①불 화 ㉠물체의 연소. '一光'. '鑽燧改一'《論語》. ㉡불의 이용. 주로, 음식의 조리. '禁一'. '有不一食者'《禮記》. ㉢등불. '若夜蛾之投一'《北史》. ㉣횃불. '乃令多擲一爲一城, 以斷其路'《南史》. ㉤화재. '陳不救一'《左傳》. ㉥빛을 발하는 것. '鬼一'. '螢一亂飛秋已近'《元稹》. ㉦작열(灼熱)한 물체. '鐵一'. ㉧아주 격렬한 것의 형용. '舌端吐一'. ㉨오행(五行)의 하나. 시기(時氣)로는 여름, 방위로는 남방, 오성(五星)으로는 형혹(熒惑), 십간(十干)으로는 병정(丙丁)에 배당함. '五行, 一曰水, 二曰一'《書經》. ㉩《佛敎》 사대(四大)의 하나. '一以燥熱爲性'《大藏法數》. ②화 화 심기(心氣)의 흥분. '欲一'. '憂喜皆心一'《白居易》. ③불날 화 탐. '成周宣榭一'《春秋》. ④불사를 화 태움. '昆蟲未蟄, 不以一田'《禮記》. ⑤화성 화 심수(心宿)에 있는 항성(恒星) 이름. '七月流一'《詩經》. ⑥편오 화 군대의 편오(編伍). 당대(唐代)의 병제(兵制)에서, 군사 10명으로 이룬 대오(對伍)의 일컬음. '府兵十人爲一, 一有長'《唐書》. 전(轉)하여, 동반자(同伴者). '一伴'. ⑦성 화 성(姓)의 하나.
[字源] 甲骨文  篆文  象形. 타오르는 불꽃의 象形으로, '불'의 뜻을 나타냄.
[參考] ①'火'를 의부(意符)로 하여, 불을 사용하는 도구(道具)나 동작, 불의 성질·작용 등에 관한 글자를 이룸. ②'火'는 각(脚) 곧, 받침이 될 때에는 흔히 '灬'(火條)의 꼴을 취함.

[火客 화객] 《佛敎》 선종(禪宗)에서 취사(炊事)를 맡은 중.
[火炬 화거] 횃불. 관솔불. 송명(松明).
[火耕 화경] 화전(火田)을 경작함.
[火鏡 화경] 햇빛에 비추어서 불을 일으키는 볼록렌즈.
[火雞 화계] ㉠남양산(南洋產)의 새의 하나. 다리가 길어 빨리 달림. 식화계(食火雞). ㉡타조(駝鳥). ㉢닭의 다리에 불을 달아 적진(敵陣)에 날려서 화재를 일으키게 하는 전법(戰法). ㉣방아쇠.
[火棍 화곤] 부지깽이.
[火攻 화공] 불을 지르며 공격함.
[火光 화광] 불빛.
[火光衝天 화광충천] 불길이 맹렬하게 일어남.
[火敎 화교] 배화교(拜火敎).
[火口 화구] ㉠불을 때는 아궁이의 아가리. ㉡화산(火山)의 불이 나오는 구멍. 분화구(噴火口).
[火具 화구] ㉠불을 켜는 제구. ㉡화공(火攻)에 쓰는 제구. ㉢불을 막는 제구. 소화기(消火器).
[火克金 화극금] 오행설(五行說)에서 화(火)는 금(金)을 이김.
[火急 화급] 썩 급(急)함. 지급(至急).
[火氣 화기] 불의 뜨거운 기운.
[火器 화기] ㉠화약을 사용하는 무기. 총(銃)·대포 같은 것. ㉡불을 담는 그릇. 화로 같은 것.
[火難 화난] 화재(火災).
[火宅 화댁] 화택(火宅).
[火德 화덕] ㉠왕이 수명(受命)의 운(運)으로 삼는 오행(五行)의 덕(德)의 하나. 주왕조(周王朝)는 화덕에 해당된다고 함. ㉡태양의 뜨거운 열.
[火刀 화도] 총(銃). 화창(火槍).
[火道 화도] 화재(火災)가 났을 때 불이 번지는 길.

[火毒 화독] 불의 독기(毒氣).
[火斗 화두] 다리미.
[火頭 화두] ㉠화부(火夫)의 우두머리. 취사장(炊事場)의 우두머리. ㉡인부(人夫)의 우두머리.
[火遁 화둔] 불을 사용하여 자기의 몸을 감추는 술법(術法).
[火力 화력] ㉠불의 힘. ㉡총포 등의 위력.
[火曆 화력] 화덕(火德)의 역운(曆運). 곧, 화덕의 왕조(王朝)의 명운(命運).
[火鈴 화령] 손에 쥐고 흔드는 종(鐘) 모양의 방울.
[火爐 화로] 불을 담아 놓는 그릇.
[火籠 화롱] 배롱(焙籠).
[火龍 화룡] 불을 등에 지고 있는 용. 여름의 뜨거운 하늘의 비유로 쓰임.
[火輪 화륜] ㉠태양(太陽)의 별칭(別稱). ㉡화륜거(火輪車)·화륜선(火輪船)의 준말.
[火輪車 화륜거] 기차(汽車).
[火輪船 화륜선] 기선(汽船).
[火脈 화맥] 지하(地下)의 열이 전(傳)하는 맥락(脈絡).
[火綿 화면] 솜화약(火藥).
[火木 화목] 땔나무.
[火門 화문] 총·대포 등의 아가리.
[火伴 화반] ㉠같은 부대(部隊)의 군사. ㉡동반자(同伴者).
[火飯 화반] 데운 주먹밥. 볶은 밥.
[火變 화변] 화재(火災).
[火兵 화병] ㉠적진(敵陣)에 몰래 가서 불을 지르는 군사. ㉡열 명을 두 줄의 대오(隊伍)로 편성한 군사. ㉢총·대포 등의 무기.
[火病 화병] 화(火)로 일어나는 병. 울화병(鬱火病).
[火夫 화부] ㉠기관(汽罐) 등에 불을 때는 이. ㉡취사(炊事)를 맡은 인부.
[火事 화사] 화재(火災).
[火山 화산] 땅속의 가스 또는 암장(岩漿)이 분출(噴出)하는 산(山).
[火傘 화산] 불의 양산(陽傘). 여름의 염천(炎天)의 비유.
[火繖 화산] 화산(火傘).
[火蔘 화삼] 장군풀.
[火鍤 화삽] 부삽.
[火傷 화상] 불에 덴 상해(傷害).
[火色 화색] ㉠불빛. ㉡얼굴에 나타나는 광채.
[火生土 화생토] 오행설(五行說)에서 화(火)가 토(土)를 생성(生成)함.
[火鼠 화서] 상상상(想像上)의 동물. 남방의 화산(火山) 속에 살며 털은 화완포(火浣布)를 만든다 함.
[火石 화석] 부싯돌.
[火星 화성] 태양계(太陽系)의 유성(遊星)의 하나. 금성(金星) 다음으로 지구에 가까우며 687일에 태양(太陽)을 한 바퀴 돎.
[火城 화성] ㉠횃불. ㉡횃불을 많이 든 행렬. ㉢적(敵)의 침입을 방어하기 위하여 줄지어 늘어세운 횃불.
[火勢 화세] 불이 타는 기세(氣勢).
[火燒眉毛 화소미모] 불이 눈썹을 태운다는 뜻으로, 대단히 절박함의 비유.
[火速 화속] 화급(火急).
[火樹 화수] ㉠불이 타는 수목. 환한 등불을 단 나무를 형용하는 말. ㉡꽃이나 열매가 빨간 나무.
[火樹銀花 화수은화] 번쩍번쩍 빛나는 불.
[火繩 화승] 총에 화약을 재고 불을 붙게 하는 데 쓰는 노끈. 화약심지.
[火柴 화시] 성냥.
[火食 화식] 불에 익힌 음식(飮食)을 먹음.
[火燼 화신] 불탄 끄트머리. 불탄 자취.
[火藥 화약] 충격(衝擊)·마찰(摩擦)·점화(點火) 등에 의하여 불이 일어나는 폭발물(爆發物). 초석(硝石)·목탄(木炭)·유황(硫黃) 등을 혼합하여 만듦.
[火魚 화어] 성댓과에 속하는 바닷물고기. 달강어(達江魚).
[火炎 화염] 화염(火焰).
[火焰 화염] 불꽃.
[火燄 화염] 화염(火焰).
[火伍 화오] 군대의 대오(隊伍). 화(火)는 열 명의 대오, 오(伍)는 다섯 명의 대오.
[火玉 화옥] 빛을 발하는 뜨거운 옥.
[火浣布 화완포] 화취(火毳).
[火旺之節 화왕지절] 오행(五行)의 화(火)가 왕성한 절기. 곧, 여름.
[火曜日 화요일] 칠요(七曜)의 하나. 일요일(日曜日) 다음다음의 날.
[火牛 화우] 화우계(火牛計).
[火牛計 화우계] 소의 꼬리에 기름칠하여 불을 붙인 갈대 다발을 매달아 적진(敵陣)으로 달리게 하는 전법(戰法). 전국 시대(戰國時代)에 제(齊)나라 장수 전단(田單)이 이 전법을 써서 연(燕)나라 군사를 격파하였음.
[火雲 화운] 여름철의 구름.
[火絨 화융] 부싯깃.
[火印 화인] 불에 달구어 찍는 쇠로 만든 도장. 낙인(烙印).
[火杖 화장] 부지깽이.
[火葬 화장] 시체(屍體)를 불살라 장사(葬事) 지냄.
[火災 화재] 불이 나는 재앙. 불로 인한 재난.
[火箸 화저] 부젓가락.
[火賊 화적] 《韓》 떼를 지어 돌아다니는 강도. 불한당. 명화적(明火賊).
[火田 화전] ㉠밭. 수전(水田)의 대(對). ㉡밭의 잡초를 불사름. ㉢들의 풀을 태우고 사냥을 함. ㉣《韓》 초목(草木)에 불을 지르고 파 일구어 농사(農事)를 짓는 일.
[火傳 화전] 불이 퍼짐. 전(轉)하여, 사물이 끊이지 않고 계속됨.
[火箭 화전] 불을 달아 쏘는 화살.
[火戰 화전] 서로 총포(銃砲)를 쏘며 싸우는 전투. 화병전(火兵戰).
[火田民 화전민] 《韓》 화전(火田)에 농사(農事)를 지어 먹고사는 백성.
[火井 화정] 연소(燃燒)하기 쉬운 가스가 나오는 우물.
[火正 화정] 불을 맡은 벼슬. 축융(祝融).
[火定 화정] 《佛教》 불도(佛道)를 닦는 사람이 열반(涅槃)에 들어가기 위하여 스스로 불 속에 몸을 던져 죽는 일.
[火帝 화제] 여름을 맡은 신(神).
[火齊 화제] ㉠화후(火候). ㉡옥(玉)돌의 한 가지.
[火棗 화조] 신선(神仙)이 사는 곳에 있다는 대추나무. 이 대추를 먹으면 수명이 천 년 는다 함.
[火罪 화죄] 화형(火刑).

[火主 화주] 불을 낸 집.
[火酒 화주] ㉠소주(燒酒). ㉡알코올. 주정(酒精).
[火中 화중] ㉠불 속. ㉡불 속에 던져 태움.
[火車 화차] ㉠화공(火攻)하는 데 쓰는 병거(兵車). ㉡《佛敎》 지옥(地獄)에서 죄인을 싣는, 불이 타고 있는 수레. ㉢기차(汽車).
[火槍 화창] 총(銃). 화총(火銃).
[火銃 화총] 총(銃).
[火毳 화취] 석면(石綿)으로 만든 불에 타지 않는 직물.
[火針 화침] 종기를 따려고 뜨겁게 달군 침(針).

[火車㉠]

[火宅 화택] ㉠화재가 난 집. 불이 타는 집. ㉡《佛敎》 번뇌가 많은 이 세상.
[火宅僧 화택승] 대처승(帶妻僧).
[火澣布 화한포] 화취(火毳).
[火憲 화헌] 방화(防火)의 규칙. 소방(消防)의 법령.
[火血刀 화혈도] 화도(火途)·혈도(血途)·도도(刀途)의 삼악도(三惡道). 지옥(地獄)·축생(畜生)·아귀(餓鬼)의 삼악도.
[火刑 화형] 불살라 죽이는 형벌.
[火化 화화] ㉠불로 음식 같은 것을 익히는 일. ㉡불에 모이는 나방. ㉢화정(火定). ㉣화장(火葬).
[火花 화화] ㉠불꽃. ㉡꽃불. 연화(煙花). ㉢나방〔蛾〕의 별칭(別稱).
[火候 화후] 불의 열도(熱度). 불의 열의 조절(調節).
[火堠 화후] 봉화대(烽火臺).
[火戲 화희] 불놀이.
◉改火. 炬火. 擧火. 劫火. 見煙知火. 膏火. 救火. 篝火. 鬼火. 近火. 禁火. 起火. 狼火. 耐火. 爐火. 大火. 導火. 屯火. 燈火. 猛火. 明火. 無炊火. 武火. 文火. 發火. 放火. 兵猶火. 兵火. 烽火. 熢火. 赴火. 焚火. 噴火. 不通水火. 飛蛾赴火. 三火. 石火. 舌端吐火. 星火. 聖火. 消火. 水火. 燧火. 宿火. 身火. 神火. 失火. 心火. 蛾赴火. 夜火. 野火. 若觀火. 漁火. 業火. 延火. 烟火. 煙火. 烈火. 炎火. 蘊火. 訛火. 燎原之火. 燎火. 慾火. 類火. 遠水不救近火. 流星火. 流火. 類火. 陰火. 人火. 引火. 燐火. 熠火. 電光石火. 戰火. 絕纓上火. 點火. 情火. 縱火. 秦火. 鎭火. 執火. 着火. 鑽火. 天火. 鐵火. 燭火. 銃火. 出火. 炭火. 湯火. 抱氷握火. 抱薪救火. 砲火. 下火. 香火. 懸火. 螢火. 號火. 花火. 活火.

0 ④ [灬] 火(前條)가 각(脚), 곧 받침이 될 때의 자체(字體). '연화(連火)'라 이름.
筆順 丶 丷 灬 灬

1 ⑤ [灭] 〔멸〕 滅(水部 十畫〈p. 1274〉)의 簡體字

2 ⑥ [灸] 〔사〕 赦(赤部 四畫〈p. 2210〉)의 古字

2 ⑥ [光] 〔광〕 光(儿部 四畫〈p. 194〉)의 本字

2 ⑥ [灯] 등 ㊥蒸 都滕切 dēng
字解 열화(烈火) 등 맹렬히 타는 불.
字源 形聲. 火+丁〔音〕
參考 속(俗)에 燈(火部 十二畫)의 略字로 씀.

2 ⑥ [灰] 人名 회 ㊥灰 呼恢切 huī
筆順 一 ナ ナ 厂 灰 灰
字解 ①재 회 타고 남은 분말. '一塵'. '飮一洗胃'《南史》. 전(轉)하여, 활기를 아주 잃은 사물의 비유. '白首自憐心未一'《陸游》. ②재로만들 회 태워 없앰. '燔康居一珍奇'《後漢書》. ③재로될 회 재가 되어 없어짐. '一滅'《謝靈運》.
字源 篆文 形聲. 火+又〔音〕. '又우'는 오른손의 象形. 손으로 집을 수 있는 식은 불, '재'의 뜻을 나타냄.
參考 灰(次條)는 俗字.

[灰褐色 회갈색] 회색을 띤 등색(橙色).
[灰劫 회겁] 겁화(劫火)의 재. 이 세상의 큰 화재의 재.
[灰管 회관] 달력. 옛날에 가부(葭莩), 곧 갈청의 재를 이십이율(二十二律)의 관(管)에 넣어 시기(時氣)의 변화를 조사하였으므로 이름.
[灰冷 회랭] 재처럼 참. 아무 욕심도 없음의 비유.
[灰滅 회멸] ㉠재가 되어 없어짐. 재가 되어 없어지듯이 멸망함. ㉡재로 만들어 없앰. 태워 없앰. ㉢타 죽음. ㉣태워 죽임.
[灰滅之咎 회멸지구] 멸족(滅族)당하는 재난. 멸문지환(滅門之患).
[灰沒 회몰] 불에 타거나 물에 빠져 죽음.
[灰沙 회사] 콘크리트. 시멘트.
[灰色 회색] 엷게 거무스름한 빛. 잿빛.
[灰身 회신] 《佛敎》 소승(小乘)의 열반(涅槃)에 들어가기 위하여 스스로 자기 몸을 태워 죽는 일. 화정(火定).
[灰燼 회신] ㉠불탄 나머지. 재. ㉡멸망하여 형체가 없어짐.
[灰心 회심] ㉠식은 재처럼 욕심 없는 평정(平靜)한 마음. 무심(無心)의 극(極)을 이름. ㉡의기가 저상한 마음. 풀이 죽은 마음.
[灰煮 회자] 잿물에 넣고 삶음.
[灰汁 회즙] ㉠재를 넣어서 우려낸 물. 잿물. ㉡초목(草木)에서 나오는 다갈색(茶褐色)의 즙(汁).
[灰塵 회진] 재와 먼지. 재와 먼지처럼 형적을 찾아볼 수 없이 멸망해 버림의 비유.
[灰土 회토] 재와 흙.
◉降灰. 劫灰. 枯木死灰. 槁木死灰. 骨灰. 冷灰. 木灰. 死灰. 色如死灰. 石灰. 蜃灰. 洋灰. 熱灰. 寒灰. 蛤灰.

2 ⑥ [灰] 灰(前條)의 俗字

3 ⑦ [灺] 사 ㊤馬 徐野切 xiè

字解 불똥 사 심지의 끝의 탄 나머지. '香—燈光奈爾何'《李商隱》.
字源 篆文 形聲. 火+也〔音〕

3 ⑦ [灶] 조 ㊄號 zào
字解 부엌 조 竈(穴部 十六畫〈p. 1645〉)의 俗字·簡體字

3 ⑦ [灼] 人名 작 ㊇藥 之若切 zhuó
筆順
字解 ①사를 작 태움. '—熱'. '—其中, 必文於外'《國語》. ②밝을 작, 빛날 작 '—然'. '我其克—知厥若'《書經》. ③더울 작 뜨거움. '何堪爵—'《常袞》. ④놀랄 작 경악함. '寔懷用悼—'《後漢書》.
字源 篆文 形聲. 火+勺〔音〕. '勺작'은 '的적'과 통하여, '밝음'의 뜻. 불이 밝게 빛남을 뜻함.

[灼見 작견] 환히 봄. 충분히 앎.
[灼骨 작골] 점(占)치기 위하여 뼈를 사름.
[灼怛 작달] 애타 마음이 괴로움.
[灼爛 작란] 타서 문드러짐.
[灼爍 작삭] ㉠환하게 빛남. ㉡번드르르한 빛깔의 형용.
[灼艾 작애] 쑥을 태움. 뜸질함.
[灼爚 작약] 환하게 빛남.
[灼然 작연] 밝은 모양. 환한 모양.
[灼熱 작열] 새빨갛게 불에 닮.
[灼爾 작이] 작연(灼然).
[灼灼 작작] ㉠꽃이 찬란(燦爛)하게 핀 모양. ㉡빛나는 모양. ㉢밝은 모양. 환한 모양.
[灼粲 작찬] 빛이 나고 아름다움.
[灼懸 작현] 하늘에 떠서 비침.
◉悼灼. 燔灼. 焚灼. 燒灼. 炎灼. 爵灼. 照灼. 鑽灼. 焦灼. 熾灼. 赫灼. 熏灼. 薰灼.

3 ⑦ [炡] 홍 ㊥東 胡公切 hōng
字解 ①횃불 홍 烘(火部 六畫)과 同字. ②불성할 홍 '—, 火盛也'《玉篇》.

3 ⑦ [灿] 〔찬〕 燦(火部 十三畫〈p. 1359〉)의 簡體字

3 ⑦ [灸] 人名 구 ㊤有 擧有切 jiǔ ㊄宥 居祐切
字解 ①뜸 구 약쑥으로 살을 떠서 병을 다스리는 일. '鍼—'. '形弊者, 不當關—鑱石, 及飮毒藥也'《史記》. ②뜸질할 구 '無病自—'. '爲—兩穴'《顏氏家訓》. ③버틸 구 넘어지지 않도록 괴어 버팀. '—諸牆'《周禮》. ④성 구 성(姓)의 하나.
字源 形聲. 火+久〔音〕. '久구'는 약쑥으로 몸의 한 점을 태워 치료나 형벌로서 사용하는 '뜸'의 뜻. 뒤에, '火화'를 붙여 그 뜻을 분명하게 했음.

[灸薑 구강] 구운 생강(生薑). 약재(藥材)로 씀.
[灸師 구사] 뜸질을 업으로 하는 사람.
[灸刺 구자] 뜸과 침.
◉無病自灸. 針灸. 鍼灸. 砭灸.

3 ⑦ [灾] 灸(前條)와 同字

3 ⑦ [災] 高人 재 ㊥灰 祖才切 zāi 灾
筆順
字解 ①화재 재 화난(火難). '御廩—'《春秋》. ②재앙 재 재난. '—禍'. '救—恤隣'《左傳》.
字源 甲骨文 篆文 別體 籀文 形聲. 篆文은 火+𢦏〔音〕. '𢦏재'는 또 戈+才〔音〕. '戈과'도 '才재'도 다 함께 재해(災害)를 막기 위한 기구의 象形. '火화'를 붙여, 화재와 같은 재난(災難)을 뜻함. 甲骨文은 火+才〔音〕, 籀文은 火+巛〔音〕. '災'는 籀文의 생략체(省略體)임.
參考 灾(次條)는 同字.

[災歉 재겸] 천재(天災)로 인한 흉년.
[災咎 재구] 재난과 허물.
[災難 재난] 천재지이(天災地異) 등으로 인하여 뜻밖에 일어난 불행한 일.
[災年 재년] ㉠천변지이(天變地異)가 심한 해. ㉡흉년(凶年).
[災戾 재려] 재이(災異).
[災厲 재려] 재이(災異).
[災民 재민] 재난을 당한 백성.
[災變 재변] 재이(災異).
[災祥 재상] 재앙과 상서(祥瑞).
[災傷 재상] 천재(天災)로 인하여 농작물(農作物)이 입는 해(害).
[災眚 재생] 재난(災難).
[災殃 재앙] 천변지이(天變地異)의 온갖 변고(變故).
[災厄 재액] 재앙과 액운(厄運).
[災阨 재액] 재액(災厄).
[災孽 재얼] 재이(災異).
[災疫 재역] 재이(災異)와 역병(疫病).
[災妖 재요] 재이(災異).
[災異 재이] 천재(天災)와 지이(地異).
[災燀 재천] 화재(火災)가 일어남.
[災害 재해] 재앙(災殃)으로 인하여 받은 해(害).
[災禍 재화] 재앙(災殃)과 화난(禍難).
◉戒勝災. 救災. 防災. 變災. 三災. 眚災. 水災. 息災. 厄災. 攘災. 罹災. 人災. 除災. 震災. 天災. 風魚之災. 風災. 旱災. 火災. 後災. 恤災.

3 ⑦ [灾] 災(前條)와 同字

3 ⑦ [炎] ㊀ 점 ㊥鹽 直廉切 chán ㊁ 담 ㊥覃 徒甘切 ㊂ 음 ㊥侵 夷針切 yín
字解 ㊀ ①구울 점 조금 구움. '—, 字林云, 小熱也'《廣韻》. ②화톳불 점 '—, 燎也'《玉篇》. ㊁ 구울 담, 화톳불 담 ㊀과 뜻이 같음. ㊂ ①구울 음 ㊀❶과 뜻이 같음. ②밝을 음 '—, 明也'《廣雅》.

字源 形聲. 火+羊〔音〕

3 ⑦ [灵] 〔령〕
靈(雨部 十六畫〈p. 2510〉)의 簡體字

3 ⑦ [灵] 〔령〕
靈(雨部 十六畫〈p. 2510〉)의 俗字

4 ⑧ [炎] 中·人 ㊀ 염 ①-③㊥鹽 于廉切 yán
④㊦豔 以贍切 yàn
㊁ 담 ㊥覃 徒甘切 tán

筆順

字解 ㊀ ①탈 염 불탐. '一上'. ②태울 염 불사름. '火一崑岡'《書經》. ③더울 염 뜨거움. '一天'. '觀一氣之相仍也'《楚辭》. ④불꽃 염 焰(火部 八畫)과 同字. '其氣一以取之'《漢書》. ㊁ 아름다울 담 아름답고 성(盛)한 모양. '大言一一'《莊子》.

字源 甲骨文 金文 篆文 會意. 火+火. 타오르는 불꽃의 뜻을 나타냄.

[炎炎 담담] 아름답고 성(盛)한 모양.
[炎官 염관] 여름을 맡은 신(神).
[炎氣 염기] 더위.
[炎德 염덕] 불의 덕. 화덕(火德).
[炎毒 염독] 대단한 더위의 괴로움.
[炎爛 염란] 환하게 빛남.
[炎涼 염량] ㉠더움과 서늘함. 기후를 이름. ㉡세력이 성(盛)함과 약(弱)함. ㉢인정(人情)이 후(厚)함과 박함.
[炎涼世態 염량세태] 권세(權勢)가 있을 때는 아첨하여 좇고, 권세가 없어지면 푸대접하는 세속(世俗)의 상태(狀態).
[炎燎 염료] 활활 타는 화톳불.
[炎魃 염발] 가뭄. 한발(旱魃). 또, 한발의 신(神).
[炎方 염방] 남쪽. 남방.
[炎沸 염비] ㉠타오름과 끓음. ㉡세차게 일어남.
[炎上 염상] ㉠불꽃을 내면서 타오름. ㉡불의 성질을 이름. 불꽃을 내며 세차게 타오름.
[炎序 염서] 여름〔夏〕의 별칭(別稱).
[炎暑 염서] 혹렬한 더위.
[炎燒 염소] ㉠탐. ㉡태움.
[炎宋 염송] 조광윤(趙匡胤)이 세운 송나라. 화덕(火德)으로 천자(天子)가 되었으므로 이름.
[炎燧 염수] 타오르는 봉화(烽火).
[炎陽 염양] ㉠여름철. 염절(炎節). 염서(炎序). ㉡여름날의 태양의 열기(熱氣)를 이름.
[炎煬 염양] 불이 세차게 타오름.
[炎煙 염연] 불꽃과 연기.
[炎熱 염열] 염서(炎暑).
[炎炎 염염·담담] ㉠대단히 더운 모양. ㉡힘차게 전진하는 모양. ㉢빛나는 모양. ㉣바람에 나부끼는 모양. ㉤'담담(炎炎)'을 보라.
[炎裔 염예] 먼 남쪽의 변경(邊境).
[炎徼 염요] 염황(炎荒).
[炎溽 염욕] 무더움.
[炎燠 염욱] 염서(炎暑).
[炎欝 염울] 염욕(炎溽).
[炎威 염위] 혹렬한 여름의 더위.
[炎煒 염위] 덥고 빛남. 대단히 더운 것을 이름.
[炎日 염일] 여름의 더운 날. 또, 그 햇볕.
[炎灼 염작] 불이 활활 탐. 대단히 두려워하여 마음이 타는 듯함의 비유.
[炎瘴 염장] ㉠더위로 인하여 일어나는 병. 더위. 서증(暑症). ㉡열병(熱病)을 일으키는 소택(沼澤)·하천(河川)의 유독한 나쁜 기(氣).
[炎節 염절] 여름〔夏〕의 별칭(別稱). 염서(炎序).
[炎精 염정] ㉠해. 태양(太陽). ㉡햇빛. ㉢화덕(火德)의 신(神). ㉣불꽃. ㉤아지랑이. 양염(陽炎).
[炎帝 염제] ㉠여름을 맡은 신(神). ㉡고대(古代)의 천자(天子) 신농씨(神農氏)의 이름.
[炎腫 염종] 염증을 일으키며 붓는 병.
[炎晝 염주] 뜨거운 낮.
[炎症 염증] 몸의 한 부분이 세균이나 독소의 작용으로 붉게 부어오르며 아픈 병.
[炎蒸 염증] 염혁(炎赫).
[炎塵 염진] ㉠불똥. ㉡더운 낮에 일어나는 먼지.
[炎天 염천] ㉠여름의 더운 하늘. ㉡남쪽 하늘.
[炎飄 염표] 여름의 더운 바람.
[炎風 염풍] 팔풍(八風)의 하나. 동북풍(東北風).
[炎夏 염하] 더운 여름. 또, 여름.
[炎旱 염한] 덥고 가물음.
[炎漢 염한] 유방(劉邦)이 세운 한조(漢朝). 한대(漢代). 화덕(火德)으로 천자(天子)가 되었으므로 이름.
[炎暵 염한] 염한(炎旱).
[炎赫 염혁] 대단히 더움. 찌는 듯이 더움.
[炎湖 염호] 동팅 호(洞庭湖)를 이름. 남방에 있는 호수라는 뜻임.
[炎荒 염황] 먼 남방의 덥고 거친 땅.
[炎黃 염황] 염제(炎帝)와 황제(黃帝).
[炎歊 염효] 염혁(炎赫).
[炎暉 염휘] 뜨거운 햇빛.
◉景炎. 光炎. 氣炎. 腦炎. 消炎. 涼炎. 陽炎. 餘炎. 胃炎. 情炎. 朱炎. 肺炎. 赫炎. 火炎.

4 ⑧ [炊] 人名 취 ㊥支 昌垂切 chuī

字解 ①불땔 취 밥을 지음. '易子而食之, 析骸而一之'《公羊傳》. 또, 밥을 짓는 일. 취사(炊事). '晨一蓐食'《漢書》. ②불 취 吹(口部 四畫)와 통용. '可一而僨也'《荀子》.

字源 篆文 形聲. 火+欠(吹)〔音〕. '吹취'는 '불다'의 뜻. 불을 불어 밥을 짓다의 뜻을 나타냄.

[炊桂 취계] 계수나무를 때어 밥을 짓는다는 뜻으로, 물가가 비싼 외국에서 괴로운 생활을 함을 이름.
[炊骨易子 취골역자] 시체의 뼈로 밥을 짓고 자기 자식을 차마 먹지 못하고 남의 자식과 바꾸어 먹음. 곧, 식량이 다 떨어진 상황을 형용한 말.
[炊臼 취구] 상처(喪妻)함을 이름.
[炊金饌玉 취금찬옥] 금(金)을 때고 옥(玉)으로 반찬을 만듦. 곧, 비용(費用)을 많이 들여 훌륭한 음식을 만듦.
[炊累 취루] 먼지 같은 것이 바람에 불려 올라감. 취루(吹累).
[炊米 취미] 쌀로 밥을 지음. 또, 밥을 짓는 쌀.
[炊飯 취반] 밥을 지음. 또, 지은 밥.
[炊婦 취부] 부엌데기. 식모(食母).
[炊婢 취비] 취부(炊婦).
[炊事 취사] 밥 짓는 일. 부엌일.

[炊沙作飯 취사작반] 모래를 때어 밥을 짓는다는 뜻으로, 헛수고를 함의 비유.
[炊煙 취연] 밥을 짓는 연기.
[炊玉焚桂 취옥분계] 옥(玉)과 계수(桂樹) 나무를 장작으로 땜. 궁사극치(窮奢極侈)한 생활을 함의 비유.
[炊人 취인] 취사(炊事)를 맡아 하는 사람. 부엌일을 하는 사람.
[炊煮 취자] 불 때어 삶음. 밥을 지음.
[炊蒸 취증] 찜. 대단히 더움을 이름.
[炊甑 취증] 밥을 찌는 시루.
[炊爨 취찬] 밥을 짓는 일.
[炊湯 취탕] 숭늉.
[炊火 취화] 밥을 짓는 불.
◉易子食析骸炊. 晨炊. 午炊. 春炊. 一炊. 自炊. 雜炊. 蒸炊. 爨炊.

4 ⑧ [炒] 人名 초 ㊤巧 初爪切 chǎo

字解 볶을 초 불에 익힘. '生稻一晨鑊'《舒頓》.
字源 形聲. 火+少〔音〕. 소란스러운 모양을 나타내는 의태어.

[炒鬧 초뇨] ㉠언쟁(言爭)함. ㉡시끄럽게 떠들어 댐.
[炒米 초미] 볶은 쌀.
◉煎炒.

4 ⑧ [炕] 항 ㊦漾 苦浪切 kàng

字解 ①마를 항 건조함. '一陽而暴虐'《漢書》. ②구울 항 불에 구움. '一火曰炙'《詩經 註》. ③자랑할 항 자만함. '驕一以導盛陽'《唐書》. ④끊을 항 단절함. '一其氣'《揚雄》. ⑤구들 항 방(房)의 구들. 온돌 장치. '土房通火爲長一'《馬祖常》.
字源 篆文 形聲. 火+亢〔音〕. '亢항'은 '높이다'의 뜻. 화력을 높여서 말리다의 뜻을 나타냄.

[炕牀 항상] 온돌(溫突).
[炕陽 항양] ㉠태양의 열이 몹시 심하여 말라 버리는 일. 은택을 아랫사람에게 베풀지 아니함의 비유. ㉡스스로 지체가 높고 큰 체함.
[炕暴 항포] 교만하고 횡포함.
[炕旱 항한] 가뭄. 한재(旱災).

4 ⑧ [炖] 돈 ㊤阮 杜本切 dùn

字解 ①붉은빛 돈 '一, 赤色也'《玉篇》. ②바람이불어불이세차지는모양 돈 '一, 風而火盛皃'《集韻》.

4 ⑧ [炘] 人名 흔 ㊥文 許斤切 xīn

筆順 丶 丷 火 火 炘 炘 炘 炘

字解 화끈거릴 흔 광선이 강렬하여 대단히 뜨거운 모양. '垂景炎之一一'《揚雄》.
字源 形聲. 火+斤〔音〕

[炘炘 흔흔] 광선(光線)이 강렬하여 대단히 뜨거운 모양.

4 ⑧ [炂] 종 ㊥冬 職容切 zhōng

字解 ①변할 종 열로 인하여 증발함. '一, 熱化也'《廣韻》. ②폭끓인국물 종 '一, 熟汁'《字彙》.

4 ⑧ [炄] 뉴 ㊤有 女九切 niǔ

字解 반마를 뉴 반만 마름. '炒一, 欲乾, 一曰, 半乾'《字彙》.

4 ⑧ [炳] 눈 ㊦願 奴困切 nèn

字解 더울 눈 더움. 열기(熱氣)가 있음. '一, 熱也'《集韻》.

4 ⑧ [炆] 人名 문 ㊥文 無分切 wén

筆順 丶 丷 火 火 炆 炆 炆 炆

字解 뭉근불 문, 따뜻할 문 '一, 熅也'《集韻》.
字源 形聲. 火+文〔音〕

4 ⑧ [炈] 역 ㊧陌 營隻切 yì

字解 질그릇가마창 역 도조창(陶竈窓). '一, 陶竈囱'《玉篇》.

4 ⑧ [炗] 〔광〕 光(儿部 四畫〈p. 194〉)의 古字

4 ⑧ [炐] 방 ㊦絳 匹降切 pàng

字解 ①불소리 방 '一, 火聲'《集韻》. ②부풀어오를 방 물건이 불을 만나 부풀어 오름. '一, 完物遇火張起也'《六書故》.

4 ⑧ [炓] 료 ㊦嘯 力弔切 liào

字解 불빛 료 불빛 모양. '一, 火光皃'《玉篇》.

4 ⑧ [炔] ■ 계 ㊦霽 古惠切 guì ■ 결 ㊧屑 古穴切 xuè

字解 ■ ①연기날 계 연기가 나는 모양. 炅(火部 四畫)와 同字. '一, 煙出皃'《玉篇》. ②성 계 성(姓)의 하나. ■ ①연기모양 결 연기의 모양. '一, 煙皃'《集韻》. ②불필 결 불이 피기 시작함.
字源 形聲. 火+夬〔音〕

4 ⑧ [炉] 〔로〕 爐(火部 十六畫〈p. 1362〉)의 俗字

4 ⑧ [炚] 人名 〔광〕 光(儿部 四畫〈p. 194〉)과 同字

4 ⑧ [炅] 人名 ■ 경 ㊤迥 古迥切 jiǒng ■ 영 ㊤梗 於警切 ■ 계 ㊦霽 古惠切 guì

筆順 丨 冂 日 日 旦 旦 炅 炅

字解 ▣ 빛날 경 耿(耳部 四畫)과 同字. '一, 光也'《集韻》. ▣ 연기날 영 연기가 나는 모양. '一, 煙出貌'《篇海》. ▣ ①연기날 계 炔(火部 四畫)와 同字. ②성 계 성(姓)의 하나.

字源 篆文 會意. 日+火. 빛이 나타나는 것, '빛나다'의 뜻.

4⑧ [炛] 人名 〔광〕
炚(火部 四畫〈p.1325〉)과 同字

4⑧ [炙] 人名 ▣ 자 ㊀禡 之夜切 zhì
▣ 적 ㊀陌 之石切 zhì

字解 ▣ ①구울 자 불 위에 놓고 구움. '燔一'. '或燔或一'《詩經》. 전(轉)하여, 태워 죽임. 소살(燒殺)함. '焚一忠良'《書經》. ②고기구이 자, 불고기 자 구운 고기. '毋嘬一'《禮記》. ③가까이할 자 친근히 함. '親一之者'《孟子》. ▣ 구울 적, 고기구이 적, 가까이할 적.

字源 篆文 籀文 會意. 夕(肉)+火. 고기를 불 위에 얹은 모양으로, '굽다'의 뜻.

[炙輠 자과] 과(輠)는 수레의 기름통. 이것을 불에 쬐면 기름이 줄줄 잘 흘러나오므로 말이 유창(流暢)함의 비유로 쓰임.
[炙背 자배] 등을 햇볕에 쬠. 기분이 좋음을 이름.
[炙手 자수] 손을 불에 쬠. 손을 쬐면 따뜻하게 되므로 세력이 왕성(旺盛)함을 이름.
[炙手可熱 자수가열] 권세가 대단함을 이름.
[炙蔵 적자] 산적(散炙).
[炙鐵 적철] 적쇠.
[炙膾 적회] 잘게 저민 고기를 구움.
◉燔炙. 魚炙. 親炙. 膾炙. 鴞炙.

4⑧ [炁] 기 ㊀未 去既切 qì

字解 기운 기 氣(气部 六畫)와 同字. '以一一生萬物'《關尹子》.

字源 形聲. 灬(火)+旡〔音〕. '旡기'는 사람이 외면하는 모양을 본뜸. 사람이 얼굴을 돌릴 정도의 열기의 뜻을 나타냄.

5⑨ [炤] 人名 ▣ 소 ㊥蕭 之遙切 zhāo
▣ 조 ㊀嘯 之少切 zhào

筆順 丶 丷 火 灯 炉 炤 炤 炤

字解 ▣ 밝을 소 昭(日部 五畫)와 同字. '是釋其一一而道其冥冥也'《淮南子》. ▣ 비출 조 照(火部 九畫)와 同字. '一一兮其用知之明也'《荀子》.

字源 形聲. 火+召〔音〕. '照조'와 통하여 '밝다, 빛나다'의 뜻을 나타냄.

[炤炤 소소] 밝은 모양. 소소(昭昭).
[炤炤 조조] 환히 비추는 모양. 조조(照照).
◉卽炤.

5⑨ [炫] 人名 현 ㊀霰 黃練切 xuàn

筆順 丶 丷 火 火 炒 炫 炫 炫

字解 ①빛날 현 광채를 발함. '一耀'. '一, 爛燿也'《說文》. ②비출 현, 빛낼 현. ③밝을 현 '一一'. '一一, 明也'《廣雅》. ④자랑할 현 '自一'. '美價初一, 微明內融'《張仲方》. ⑤눈부실 현.

字源 篆文 形聲. 火+玄〔音〕. '玄현'은 '눈부시다'의 뜻. 눈부시게 빛나는 것.

[炫怪 현괴] 기괴(奇怪)한 일을 하여 사람의 눈에 띔.
[炫目 현목] 눈을 부시게 함. 눈을 부시게 하여 잘 안 보이게 함.
[炫燿 현요] 밝게 빛남. 눈부시게 광채를 발함.
[炫炫 현현] 빛나는 모양.
[炫惑 현혹] 자랑하여 남을 현혹(眩惑)하게 함.
[炫熿 현황] 현요(炫燿).
◉自炫. 焕炫.

5⑨ [炬] 人名 거 ㊤語 其呂切 jù

字解 ①홰 거 싸리·갈대 같은 것을 묶어서 길을 밝히거나 화톳불을 놓는 물건. '一火'. ②사를 거 태움. '楚人一一, 可憐焦土'《杜牧》.

字源 形聲. 火+巨〔音〕. '巨거'는 '크다'의 뜻. 큰 불, '횃불'의 뜻을 나타냄.

[炬①]

[炬蠟 거랍] 초.
[炬眼 거안] 횃불 같은 눈이라는 뜻으로, 사물(事物)을 통찰(洞察)하는 재능(才能)을 이름.
[炬燭 거촉] 횃불. 또, 촛불.
[炬火 거화] 횃불.
◉蠟炬. 猛炬. 目光如炬. 蜜炬. 松炬. 列炬. 烈炬. 燎炬. 紙炬. 智炬. 智林法炬. 燭炬. 慧日明炬. 火炬.

5⑨ [炟] 人名 ㊀ 전

字解 《日》 ①화전 전. ②밭 전.

5⑨ [烂] 〔란〕
爛(火部 十七畫〈p.1363〉)의 簡體字

5⑨ [炼] 〔련〕
煉(火部 九畫〈p.1341〉)의 簡體字

5⑨ [炯] 人名 형 ㊤迥 古迥切 jiǒng

筆順 丶 丷 火 火 灯 炯 炯 炯

字解 밝을 형 빛남. 환함. '一眼'. '金沙發光一'《李羣玉》.

字源 篆文 形聲. 火+冋〔音〕. '冋형'은 '熒형'과 통하여, 빛나는 횃불의 뜻. '빛, 밝다'의 뜻을 나타냄.

[炯鑒 형감] 밝은 모범. 빛나는 귀감(龜鑑).
[炯介 형개] 덕(德)이 밝음. 경개(耿介).
[炯戒 형계] 밝은 경계(警戒).
[炯朗 형랑] 밝음. 명랑함.
[炯心 형심] 밝은 마음.
[炯眼 형안] 예리한 눈. 사물을 잘 보는 눈.
[炯炯 형형] ㉠빛나는 모양. ㉡밝아서 확실한 모

양. ㉢마음에 걸리는 모양. 경경(耿耿).
[炯晃 형황] 빛남.

5⑨ [炮] 포 [平]肴 薄交切 páo, bāo

[字解] ①통째로구울 포 전체를 한꺼번에 구움. 또는, 싸서 구움. '一之燔之'《詩經》. ②통째로 구운고기 포 '毛一之豚'《周禮》. ③제사 포 섶을 태워 신명에게 지내는 제사. '三日一祭'《周禮》.
[字源] [篆文] 形聲. 火+包〔音〕. '包포'는 '싸다'의 뜻. 짐승의 털에 싸인 채 굽다, 통구이의 뜻과 물건을 싸서 굽다의 뜻을 나타냄.

[炮烙 포락] ㉠통째로 구움. 또, 싸서 구움. ㉡포락지형(炮烙之刑).
[炮烙之刑 포락지형] 은(殷)나라 주왕(紂王)이 구리 기둥에 기름을 발라 숯불에 달군 후 그 위를 죄인으로 하여금 건게 한 혹형(酷刑).
[炮鳳烹龍 포봉팽룡] 구운 봉새의 고기와 삶은 용의 고기. 큰 의식(儀式) 때 차린 음식을 이름.
[炮暑 포서] 혹렬한 더위.
[炮熬 포오] 굽고 볶음. 구움과 볶음. 또, 구워 말림.
[炮煨 포외] 불에 파묻어 구움.
[炮煮 포자] 구움과 삶음.
[炮煎 포전] 굽고 볶음. 굽고 지짐. 구움과 볶음.
[炮竹 포죽] 폭죽(爆竹).
●甘炮. 毛炮. 燔炮. 焊炮. 蒸炮. 烹炮.

5⑨ [炳] [人名] 병 [上]梗 兵永切 bǐng

[筆順] 丶 丷 少 火 灯 炳 炳 炳
[字解] 빛날 병, 밝을 병 빛이 환히 나서 밝음. '一然'. '大人虎變, 其文一也'《易經》.
[字源] [篆文] 形聲. 火+丙〔音〕. '丙병'은 '퍼지다'의 뜻. 퍼지는 불, '밝다'의 뜻을 나타냄.

[炳靈 병령] ㉠밝은 신령(神靈)의 위엄(威嚴). 또, 신령의 위엄을 밝힘. ㉡병령공(炳靈公).
[炳靈公 병령공] 태산(泰山)의 신령(神靈).
[炳炳 병병] 병연(炳然).
[炳爍 병삭] 빛남.
[炳焉 병언] 병연(炳然).
[炳如日星 병여일성] 해나 별처럼 빛남.
[炳然 병연] 환한 모양. 명확한 모양.
[炳映 병영] 빛나서 환히 비침.
[炳燿 병요] 빛남.
[炳煜 병욱] 빛남.
[炳蔚 병울] 아름다운 문채(文彩).
[炳燭 병촉] 환히 비치는 촛불.
[炳彪 병표] '범〔虎〕'의 이칭(異稱).
[炳絢 병현] 밝고 문채(文彩)가 있음.
[炳乎 병호] 병연(炳然).
[炳煥 병환] 환히 빛남.
●較炳. 彪炳. 煥炳.

5⑨ [炷] [人名] 주 [去]遇 之戍切 zhù

[筆順] 丶 丷 少 火 炉 炉 炷 炷
[字解] ①심지 주 등잔의 심지. '宿民家, 鐙一盡'《唐書》. ②사를 주 불사름. '一香'. '灸燎艾一圍將二寸'《北史》.
[字源] 形聲. 火+主〔音〕. '主주'는 '炷주'의 원자(原字)로, 등불 심지의 뜻을 나타냄. '主'가 '주인'의 뜻 등을 나타내게 되므로, 구별하여 '火화'를 붙였음.

[炷香 주향] 향(香)을 피움.
●鐙炷. 光炷.

5⑨ [炨] 〔사〕
炧(火部 三畫〈p. 1322〉)와 同字

5⑨ [炸] [人名] 작 [入]陌 側駕切 zhà

[字解] ①터질 작 폭발함. 터뜨림. '一裂'. '演試一發者'《大明會典》. ②《現》화약터질 작 화약이 터짐. 또, 폭파함. ③튀길 작 기름에 튀김. 또, 그 음식. '一, 油煎食物也'《中華大字典》.
[字源] 形聲. 火+乍〔音〕

[炸裂 작렬] 폭발하여 터짐.
[炸發 작발] 폭발함.
[炸藥 작약] 포탄 속에 넣어서 발사(發射)한 뒤에 폭발하게 하는 발화약(發火藥).
[炸彈 작탄] 작약(炸藥)을 넣은 탄환.

5⑨ [烺] 압 [入]洽 轄甲切 xiá

[字解] ①불에말릴 압 '一, 火乾也'《集韻》. ②불모양 압 '一, 火皃'《廣韻》.

5⑨ [炡] [人名] 정 [平]庚 諸盈切 zhēng

[筆順] 丶 丷 少 火 灯 炉 炡 炡
[字解] 불번쩍거릴 정 '一爚'은 불이 번쩍거림. 또는, 태움.

[炡爚 정약] 태움. 빛남.

5⑨ [炵] 동 [平]冬 他冬切 tōng

[字解] ①불길 동 화염(火炎). '一, 火焱也'《玉篇》. ②불빛 동 불의 빛깔. '一, 火色'《廣韻》. ③불활활탈 동 불이 성한 모양. '一, 火盛皃'《集韻》.

5⑨ [炟] [一] 달 [入]曷 當割切 dá
[二] 달 [韓]

[字解] [一] 불일 달 불이 붙음. [二]《韓》다래 달 '一艾'는 다래나뭇과에 속하는 낙엽 활엽 만목. 또, 그 열매.
[字源] [篆文] 形聲. 火+旦〔音〕. '旦단'은 '彈탄'과 통하여, '터지다'의 뜻. 불이 터져 일어나다의 뜻을 나타냄.

5⑨ [炲] 〔태〕
炱(火部 五畫〈p. 1328〉)와 同字

5⑨ [炗] 〔점·담〕
炎(火部 三畫〈p. 1323〉)의 本字

5 ⑨ [炭] [高人] 탄 [去]翰 他旦切 tàn

[筆順] 丨 山 屵 屵 岸 岸 岸 炭

[字解] ①숯 탄 목탄. '一火'. '草木黃落, 乃伐薪爲一'《禮記》. ②숯불 탄 '自投於床, 廢於爐一'《左傳》. ③재 탄 불타고 남은 분말. '以蜃一攻之'《周禮》. ④탄소 탄, 석탄 탄 탄소 또는 석탄의 약칭. '一坑'. ⑤성 탄 성(姓)의 하나.

[字源] [篆文] 會意. 屵+火. '屵알'은 깎여 떨어져 나간 벼랑의 象形. 벼랑에서 채굴된 석탄의 뜻.

[炭坑 탄갱] 석탄을 파내는 구덩이.
[炭鑛 탄광] 석탄을 파내는 광산.
[炭山 탄산] 석탄이 나는 산.
[炭酸 탄산] 탄산가스가 물에 녹아서 되는 묽은 산.
[炭酸泉 탄산천] 탄산(炭酸)을 함유한 물이 나오는 샘 또는 온천.
[炭素 탄소] 무색무취(無色無臭)의 고체. 혹은 화합(化合)하고 혹은 유리(遊離)하여 자연계에 널리 존재함. 금강석(金剛石)은 이것의 가장 순수한 것.
[炭水化物 탄수화물] 탄소와 수소의 화합물.
[炭油 탄유] 석유(石油).
[炭田 탄전] 석탄(石炭)이 묻혀 있는 땅.
[炭質 탄질] 숯이나 석탄 따위의 품질.
[炭層 탄층] 땅속에 있는 석탄의 층.
[炭火 탄화] 숯불.
[炭化 탄화] ㉠탄소(炭素)와 화합(化合)함. ㉡탄소로 화(化)함.
[炭化水素 탄화수소] 탄소와 수소의 화합물.
◉褐炭. 骨炭. 塗炭. 煤炭. 木炭. 無煙炭. 烰炭. 麩炭. 氷炭. 石炭. 獸炭. 薪炭. 亞炭. 煉炭. 玉炭. 煨炭. 泥炭. 漆身呑炭. 呑炭. 懸炭. 活性炭. 朽炭. 黑炭.

5 ⑨ [炱] 태 [平]灰 徒哀切 tái

[字解] ①철매 태 매연(煤煙). '煤一'. '置煙一中'《南方草木狀》. ②검을 태 '其色一'《素問》.

[字源] [篆文] 形聲. 火+台〔音〕

[炱煤 태매] 철매. 매연(煤煙).
[炱朽 태후] 썩어서 가루가 됨.
◉煤炱.

5 ⑨ [炶] 〔점〕
點(黑部 五畫〈p. 2705〉)의 俗字

5 ⑨ [炏] 〔형〕熒(火部 十畫〈p. 1347〉)의 略字·簡體字

5 ⑨ [炰] 포 [平]肴 薄交切 páo

[字解] ①통째로구울 포 炮(火部 五畫)와 同字. '一鼈膾鯉'《詩經》. ②기세대단할 포 '一烋'는 자만하여 기세가 대단한 모양. '女一烋于中國'《詩經》.

[字源] 形聲. 灬(火)+包〔音〕

[炰羔 포고] 구운 새끼 양의 고기.
[炰燔 포번] ㉠통째로 굽거나 저며 구움. 또, 그 고기. ㉡찌는 더위.
[炰烋 포효] 자해(字解)❷를 보라.

5 ⑨ [為] 〔위〕
爲(爪部 八畫〈p. 1366〉)의 俗字

5 ⑨ [炪] 유 [上]有 於九切 yǒu

[字解] 마를 유 물기가 없어지기 시작함. '一, 一炪, 欲乾, 或从日'《集韻》.

5 ⑨ [点] [人名] 〔점〕
點(黑部 五畫〈p. 2705〉)의 俗字

[筆順] 丨 ⺊ ⺊ 占 占 占 点 点

6 ⑩ [烊] 양 [平]陽 與章切 yáng

[字解] ①구울 양 '一, 炙也'《玉篇》. ②녹일 양 금속을 녹임. 또, 그 금속. 煬(火部 九畫)과 同字.

[字源] 形聲. 火+羊〔音〕

6 ⑩ [焒] 적 [入]錫 他歷切 dí

[字解] 불바라볼 적 불을 바라보는 모양. '一, 望見火皃'《說文》.

[字源] 形聲. 火+㠯〔音〕

6 ⑩ [烓] [人名] 계(유[本]) [平]齊 烏攜切 wēi

[筆順] 丶 ⺌ 火 炉 炷 炷 烓 烓

[字解] 화덕 계 휴대용의 조명용(照明用) 작은 화덕. '行廚火照一'《虞淳熙》.

[字源] [篆文] 形聲. 火+圭〔音〕. '圭규'는 위가 둥글고 아래가 사각(四角)의 뜻. 들고 다닐 수 있는 앉은뱅이 화덕.

6 ⑩ [烘] [人名] 홍 ①-③[平]東 平東切 hōng ④[去]送 胡貢切

[筆順] 丶 ⺌ 火 炉 烘 烘 烘 烘

[字解] ①땔 홍 불을 땜. '樵彼桑薪, 卬一于煁'《詩經》. ②탈 홍 불탐. '山櫻火似一'《余靖》. ③밝을 홍 환함. '日暖翠始一'《楊萬里》. ④쬘 홍 불에 쬐어 말림. '熾炭以一之'《劉禹錫》.

[字源] [篆文] 形聲. 火+共〔音〕. '共공'은 '크다'의 뜻. 불을 크게 하여, 화톳불로 삼다를 뜻함.

[烘箱 홍상] 불을 넣어 물건을 말리는 상자.
[烘柹 홍시] 덜 익은 감을 그릇에 담아 볕에 쬐어 익게 한 감.
[烘霽 홍제] 햇빛이 타는 듯이 내리쬐어 빛남.

6 ⑩ [烙] [人名] 락 [入]藥 盧各切 luò, lào

[字解] ①지질 락 불로 지짐. '燒之一之'《莊子》. ②단근질할 락 몸을 지짐. '一刑'. ③화침(火

鋮) 락 달군 쇠침. '鋮—熨裏成瘢痂'《文同》.
[字源] [篆文] 形聲. 火+各〔音〕. '各각'은 앞으로 내어 밀다의 뜻. 불을 내어 밀어 몸에 단근질을 하는 뜻을 나타냄.

[烙記 낙기] 낙인(烙印)을 찍음.
[烙印 낙인] 소·말 등의 몸에 불에 달구어 찍는 쇠로 만든 도장(圖章). 화인(火印). 불도장.
◉鋮烙. 炮烙.

6 ⑩ [烜] [一] 훤 [上]阮 況晚切 xuǎn
[二] 훼 [上]紙 許委切 huǐ

[字解] [一] ①마를 훤, 말릴 훤 건조함. 건조시킴. '日以—之'《易經》. ②빛날 훤 '—赫'은 환히 빛나는 모양. 전(轉)하여, 위세(威勢)가 대단한 모양. '—赫耀旌旗'《李白》. [二] 불 훼 제사를 지내기 위해 태양에서 취하는 불. '司—氏'《周禮》.
[字源] 爟의 別體 形聲. 火+亘〔音〕. '亘환'은 '돌다'의 뜻. 불을 두르다, 말리다, 밝다의 뜻을 나타냄.

[烜赫 훤혁] 자해(字解) [一]❷를 보라.
◉赫烜.

6 ⑩ [烑] 요 [平]蕭 餘昭切 yáo

[字解] 빛날 요 빛을 발함. '挾日月而不—'《淮南子》.
[字源] 形聲. 火+兆〔音〕

6 ⑩ [烆] 행 [平]庚 戶庚切 héng

[字解] 횃불 행 거화(炬火). '—, 火炬也'《字彙》.

6 ⑩ [烔] [人名] 동 [平]東 徒紅切 tóng

[字解] ①더울 동 뜨거운 모양. '—, 熱貌'《玉篇》. ②불사를 동 불을 사름. 또는, 태움.
[字源] 形聲. 火+同〔音〕

6 ⑩ [烟] [人名] 〔연〕
煙(火部 九畫〈p.1342〉)과 同字

[筆順] 丶 丷 火 火 灯 炯 烟 烟

6 ⑩ [烛] 〔촉〕
燭(火部 十三畫〈p.1359〉)의 俗字

6 ⑩ [烄] [一] 교 [上]巧 古巧切 jiǎo
[二] 고 [去]號 古到切
[三] 요 [去]效 魚教切 yào

[字解] [一] 태울 교 나무를 쌓아 태워서 하늘을 제사 지냄. '—, 交木然之, 以燎柴天也'《玉篇》. [二] 태울 고 [一]과 뜻이 같음. [三] 볶을 요 '—, 煎也'《集韻》.
[字源] 形聲. 火+交〔音〕

6 ⑩ [烤] 고 [去]號 口到切 kǎo

[字解] 구울 고 '—, 以火炙物謂之—'《中華大字典》.

6 ⑩ [烕] [一] 혈 [入]屑 許劣切 xuè
[二] 멸 [入]屑 莫列切 miè

[字解] [一] 멸할 혈 滅(水部 十畫)과 통용. '赫赫宗周, 褒姒—之'《詩經》. [二] 꺼질 멸 불이 꺼짐. '—, 火滅也'《集韻》.
[字源] [篆文] 形聲. 火+伐〔音〕. '伐벌'은 '제거하다'의 뜻. 불이 꺼지다의 뜻을 나타냄.

6 ⑩ [烖] 〔재〕
災(火部 三畫〈p.1323〉)의 本字

6 ⑩ [烪] 〔해〕
害(宀部 七畫〈p.581〉)와 同字

6 ⑩ [烈] [中人] 렬 [入]屑 良辥切 liè

[筆順] 一 丆 歹 歹 列 列 列 烈

[字解] ①세찰 렬 화세(火勢)가 강함. 전(轉)하여, 기세가 대단함. '猛—'. '天吏逸德—于猛火'《書經》. ②사나울 렬 포악함. '皆以酷—爲聲'《史記》. ③굳셀 렬 곧고 강함. '—操'. '—士徇名'《史記》. ④불사를 렬 태움. '—山澤'《孟子》. ⑤빛날 렬 '休有—光'《詩經》. ⑥밝을 렬 '於今爲—'《孟子》. ⑦아름다울 렬 미덕(美德)이 있음. '烝衎—祖'《詩經》. ⑧사업 렬 큰 사업, 또는 공덕. '功—'. '—祖之成德'《書經》. ⑨나머지 렬 잔여. 뒤. '承厲王之—'《詩經 序》. ⑩편오 렬 다섯 명으로 이룬 군대의 대오. '五人爲—'《通典》. ⑪성 렬 성(姓)의 하나.
[字源] [篆文] 形聲. 火+列(㓻)〔音〕. '㓻렬'은 '갈라지다'의 뜻. 불길이 세차서 물건이 갈라지다의 뜻을 나타내며, 파생(派生)하여, '격렬하다'의 뜻으로 쓰임.

[烈光 열광] 빛. 환한 빛.
[烈氣 열기] 맹렬한 기(氣).
[烈女 열녀] 정조(貞操)를 굳게 지키는 여자.
[烈烈 열렬] ㉠화세(火勢)가 맹렬한 모양. ㉡용감한 모양. ㉢근심하는 모양. ㉣추위가 심한 모양. ㉤높고 큰 모양. ㉥빨리 가는 모양.
[烈名 열명] 유명한 이름. 평판이 높은 이름.
[烈武 열무] 유명한 무용(武勇). 뛰어난 무공(武功).
[烈味 열미] 강렬한 맛.
[烈帛 열백] 비단을 찢음. 높고 맑은 소리의 비유.
[烈帛聲 열백성] 비단을 찢는 듯한 높고 맑은 소리.
[烈夫 열부] 열장부(烈丈夫).
[烈婦 열부] 열녀(烈女).
[烈士 열사] 절의(節義)를 굳게 지키는 선비.
[烈暑 열서] 혹렬한 더위. 혹서(酷暑).
[烈業 열업] 뛰어난 공업(功業).
[烈日 열일] 강렬하게 내리쬐는 해.
[烈丈夫 열장부] 절의(節義)를 굳게 지키는 대장부.
[烈祖 열조] ㉠공훈이 큰 조상. ㉡미덕(美德)이 있는 조상.
[烈操 열조] 매서운 지조. 굳게 지키는 지조.
[烈風 열풍] 사나운 바람. 세차게 부는 바람.
[烈風掃枯葉 열풍소고엽] 매섭게 부는 바람이 마

른 나뭇잎을 불어 날린다는 뜻으로, 적을 힘 안 들이고 쳐부숨을 비유하는 말.
[烈寒 열한] 매서운 추위. 혹렬한 추위. 혹한(酷寒).
[烈火 열화] ㉠맹렬한 불. ㉡맹렬한 태도의 비유.
[烈輝 열휘] 눈부시게 빛남.
◉苛烈. 強烈. 激烈. 決烈. 耿光大烈. 鯁烈. 功烈. 光烈. 鬼神泣壯烈. 劇烈. 凜烈. 猛烈. 武烈. 芳烈. 芬烈. 丕烈. 霜烈. 先烈. 鮮烈. 成烈. 盛烈. 誠烈. 嚴烈. 餘烈. 熱烈. 英烈. 郁烈. 雄烈. 威烈. 偉烈. 遺烈. 慄烈. 義烈. 壯烈. 前烈. 貞烈. 峻烈. 慘烈. 淒烈. 忠烈. 熾烈. 痛烈. 風烈. 寒烈. 酷烈. 洪烈. 鴻烈. 火烈. 禍烈. 休烈.

6 ⑩ [烋] [人名] [一] 효 [平]肴 火交切 xiāo
[二] 휴 [平]尤 香幽切 xiū 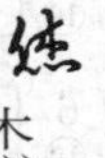

[筆順] ノ 亻 仁 什 休 休 休 烋

[字解] [一] 기세대단할 효 炰(火部 五畫)를 보라. [二] ①다행 휴 '一, 福祿也'《廣韻》. ②경사로울 휴 '一, 慶善也'《廣韻》. ③아름다울 휴 '一, 美也'《廣韻》.
[字源] 形聲. 灬(火)+休〔音〕. '休휴'는 '경사'의 뜻.

◉咆烋. 炰烋.

6 ⑩ [烏] [中·人] 오 [平]虞 哀都切 wū 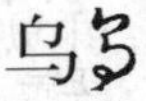

[筆順] ′ 𠂆 户 户 户 烏 烏 烏

[字解] ①까마귀 오 몸이 온통 검은 새. '一之雌雄'. '莫黑匪一'《詩經》. ②검을 오 흑색. '一髮'. '北方盡一驪馬'《史記》. ③아 오 탄식하는 소리. '一乎'. '仰天拊缶, 而呼一一'《漢書》. ④어찌 오 어찌하여. '一有此事也'《史記》. ⑤성 오 성(姓)의 하나.
[字源] 金文  篆文  古文 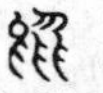 象形. '鳥조'에서 한 점을 없애어 검고 눈을 분간할 수 없는 새, '까마귀'의 뜻을 나타냄. 본래는 까마귀의 울음소리를 나타내는 의성어(擬聲語).

[烏角巾 오각건] 오모(烏帽).
[烏江 오강] ㉠안후이 성(安徽省)에 있는 강. 초(楚)나라의 항우(項羽)가 자살한 곳. ㉡'헤이룽 강(黑龍江)'의 별칭(別稱).
[烏巾 오건] 오모(烏帽).
[烏鏡 오경] 오수경(烏水鏡).
[烏鷄 오계] ㉠털이 온통 새까만 닭. ㉡오골계(烏骨鷄)의 약어(略語).
[烏骨鷄 오골계] 아시아 원산의 닭의 일종. 뼈·살·가죽이 모두 암자색(暗紫色)임.
[烏鬼 오귀] ㉠산돼지의 별칭(別稱). ㉡노자(鸕鷀)의 별칭. 가마우지.
[烏金 오금] ㉠'철(鐵)'의 별칭(別稱). ㉡적동(赤銅)의 별칭.
[烏蜑 오단] 바다 속에 들어가 어패(魚貝)·해조(海藻)를 포채(捕採)하는 사람. 보자기. 해인(海人).
[烏臺 오대] 오부(烏府).
[烏毒 오독] 오두(烏頭).
[烏銅 오동] 검은빛이 나는 적동(赤銅).
[烏頭 오두] ㉠성탄꽃과에 속하는 숙근초(宿根草). 바곳. ㉡바꽃의 뿌리. 유독하여 마취제(痲醉劑)로 씀. 부자(附子).
[烏頭白 오두백] 있을 수 없는 무리한 일. 무리한 요구(要求).
[烏驪馬 오려마] 온몸이 검은 말. 가라말.
[烏蘞苺 오렴매] 포도과에 속하는 다년생 만초(蔓草). 거지덩굴.
[烏鷺 오로] ㉠까마귀와 백로(白鷺). ㉡흑과 백. ㉢바둑의 별칭(別稱).
[烏鷺爭 오로쟁] 바둑의 대국(對局).
[烏龍茶 오룡차] 중국의 푸젠 성(福建省)과 대만(臺灣)에서 나는 차(茶)의 한 가지. 홍차(紅茶)와 비슷함.
[烏輪 오륜] 태양(太陽)의 별칭(別稱). 금오(金烏).
[烏梅 오매] 청매(靑梅)의 껍질을 벗기고 씨를 빼어 짚불 연기를 쐬어서 말린 것. 해열(解熱)·발한(發汗)·건위제(健胃劑)로 씀.
[烏帽 오모] 은사(隱士)가 쓰는 검은 두건(頭巾).
[烏文木 오문목] '흑단(黑檀)'의 별칭(別稱).
[烏髮 오발] 검은 머리. 흑발(黑髮).
[烏榜 오방] 검은 노(櫓). 전(轉)하여, 호수(湖水)에 뜬 유람선(遊覽船).
[烏府 오부] 어사대(御史臺)(법률을 맡은 관아)의 별칭(別稱). 이 관아(官衙)에 백수(柏樹)가 무성하여 까마귀가 많이 서식(棲息)하였으므로 이름.
[烏飛梨落 오비이락] '까마귀 날자 배 떨어진다.'는 말로서, 일이 공교롭게 같이 일어나 남의 의심을 받게 됨을 이르는 말.
[烏飛兎走 오비토주] 세월이 빠름을 이름. '오토(烏兎)'를 참고하라.
[烏鬢 오빈] 검은 머리. 소년(少年)을 이름.
[烏紗 오사] 검은 깁으로 만든 모자. 진(晉)나라 이후의 벼슬아치가 쓰던 것.
[烏蛇 오사] 빛이 검은 뱀. 먹구렁이.
[烏絲欄 오사란] 검은 줄을 친 괘지(罫紙). 주사란(朱絲欄)의 대(對).
[烏石 오석] 빛이 검은 파리질(玻璃質)의 암석. 흑요석(黑曜石).
[烏蟾 오섬] 해에 있다고 하는 까마귀와 달에 있다고 하는 두꺼비. 전(轉)하여, 해와 달. 일월(日月).
[烏孫 오손] 한대(漢代)에 서역(西域), 곧 이리지방(伊犁地方)에 있던 나라. 또, 그 지방의 인종(人種).
[烏水鏡 오수경] 빛이 검은 수정(水晶) 알을 박은 안경(眼鏡).
[烏水晶 오수정] 빛이 검은 수정(水晶).
[烏柹木 오시목] ㉠먹감나무. ㉡감나무의 검은 심.
[烏夜 오야] 캄캄한 밤. 암야(暗夜).
[烏夜啼 오야제] 악부(樂府)의 제목. 남조(南朝)의 송(宋)나라의 왕의경(王義慶)의 작품임.
[烏魚 오어] ㉠숭어, 곧 치(鯔)의 별칭(別稱). ㉡칠성장어, 곧 흑리어(黑鯉魚)의 별칭.
[烏焉成馬 오언성마] 자체(字體)가 비슷하기 때문에 혼동하여 잘못 씀을 이름.
[烏焉魚魯 오언어로] 오(烏)와 언(焉), 어(魚)와 노(魯)와 같이 자체가 비슷하여 서로 틀리기 쉬운 글자.
[烏烏 오오] 탄식하여 부르짖는 소리. 오오(嗚嗚).
[烏玉玦 오옥결] 먹〔墨〕의 별칭(別稱).

[烏雲 오운] ㉠검은 구름. 먹구름. ㉡검은 머리를 형용한 말.
[烏雲之陣 오운지진] 까마귀가 날아 흩어지고 구름이 모이는 듯이 이산(離散)과 변화가 무궁한 진법(陣法).
[烏有 오유] '어찌 이런 일이 있으랴.'의 뜻으로, 불에 타거나 아무것도 없이 됨을 이름.
[烏有反哺之孝 오유반포지효] 까마귀는 새끼 때 길러 준 어미 새의 은혜를 잊지 않고 어미 새가 늙은 뒤에 먹이를 갖다가 어미 새의 입에 물려주는 효성이 있음.
[烏有先生 오유선생] 세상에 실재하지 않은 가상적인 인물. 사마상여(司馬相如)의 글에 나옴.
[烏銀 오은] 숯. 목탄(木炭). 오탄(烏炭).
[烏衣 오의] 제비〔燕〕의 별칭(別稱).
[烏衣巷 오의항] 장쑤 성(江蘇省)에 있는 지명(地名). 양진 시대(兩晉時代)에 왕씨(王氏)·사씨(謝氏) 등의 귀족이 살던 곳. 오항(烏巷).
[烏鵲 오작] 까막까치.
[烏鵲橋 오작교] 칠월 칠석(七月七夕)에 견우(牽牛)와 직녀(織女)의 두 별을 서로 만나게 하기 위하여, 까막까치가 모이어 은하(銀河)에 놓는다고 하는 다리.
[烏賊 오적] 오징어.
[烏賊魚 오적어] 오징어. 오적(烏賊).
[烏鳥私情 오조사정] 어미 새가 길러 준 은혜를 갚는 까마귀의 정애(情愛). 곧, 반포(反哺)의 마음. 전(轉)하여, 자식이 어버이에게 효도를 다하고자 하는 마음.
[烏之雌雄 오지자웅] 까마귀의 암놈과 수놈은 분별하기 어려우므로, 시비(是非)·선악(善惡)을 분별하기 어려운 사물(事物)의 비유로 쓰임.
[烏集 오집] 까마귀가 모이듯이 갑자기 모임.
[烏集之交 오집지교] 거짓이 많고 신의가 없는 교제.
[烏騅馬 오추마] ㉠검은 털에 흰 털이 섞인 말. ㉡옛적에 초(楚)나라 항우(項羽)가 탔었다는 준마(駿馬).
[烏兎 오토] ㉠해와 달, 곧 일월(日月)의 별칭(別稱). 해 속에는 세 발 달린 까마귀가 살고, 달 속에는 토끼가 산다는 전설에서 나온 말. ㉡세월.
[烏哺 오포] 까마귀의 반포(反哺). 전(轉)하여, 사람의 어버이에 대한 효도.
[烏合 오합] 까마귀가 모인 것처럼 규율이 없음.
[烏合之卒 오합지졸] ㉠임시(臨時)로 모은 훈련(訓練)이 부족하고 규율(規律)이 없는 병졸(兵卒). ㉡어중이떠중이.
[烏合之衆 오합지중] 오합지졸(烏合之卒).
[烏巷 오항] 오의항(烏衣巷).
[烏香 오향] 아편(阿片)의 별칭(別稱).
[烏呼 오호] 아아. 탄식하거나 찬탄할 때 내는 소리.
[烏號 오호] 황제(黃帝)가 가졌었다는 활의 이름.
[烏滸 오호] 광시 성(廣西省)에 있던 이적(夷狄)의 이름.
[烏獲之力 오획지력] 진(秦)나라 무왕(武王)의 신하인 장사(壯士) 오획(烏獲)의 힘.
[烏喙 오훼] ㉠까마귀의 부리와 같은 입. 까마귀는 욕심이 많은 새이므로, 욕심이 많은 사람의 상(相)을 이름. ㉡오두(烏頭)의 별칭(別稱).
◉渴烏. 群烏. 金烏. 晩烏. 三足烏. 霜烏. 棲烏. 曙烏. 素烏. 馴烏. 晨烏. 雅烏. 愛及屋烏. 夜烏. 陽烏. 靈烏. 慈烏. 踆烏. 兎烏. 寒烏. 孝烏. 曉烏.

6 ⑩ [烝] 人名 증 ㊀蒸 煮仍切 zhēng

筆順 一 了 了 丞 丞 丞 丞 烝

字解 ①김오를 증 더운 김이 올라감. '陽氣俱一'《國語》. ②찔 증 ㉠더운 기운이 울결하여 흩어지지 아니함. 무더움. '煩一'. '處涼臺而有鬱一之煩'《應璩》. ㉡더운 김을 올려 익힘. '炊一'. '一之浮浮'《詩經》. ③올릴 증 물건을 바침. 진상(進上)함. '一畀祖妣'《詩經》. ④임금 증 군주. '文王一哉'《詩經》. ⑤많을 증, 뭇 증 '一庶'. '一民乃粒'《書經》. ⑥이에 증 조사(助詞)로서 쓰임. '一在桑野'《詩經》. ⑦치붙을 증 손위의 여자와 간음함. '衛宣公一于夷姜'《左傳》. ⑧겨울제사 증 겨울에 제수(祭需)를 차리고 신(神)에게 지내는 제사. '一祭歲'《書經》.

字源 甲骨文 篆文 形聲. 火+丞〔音〕. '丞승'은 양손으로 아래로부터 위로 밀어 올리다의 뜻. 열기(熱氣)가 올라서 찌다의 뜻을 나타냄. 파생하여, 윗사람에게 물건을 바치다, 겨울 제사, 왕성하고 많다의 뜻. 甲骨文은 쌀을 그릇〔豆〕에 담아 양손으로 바치고 있는 꼴.

[烝矯 증교] 굽은 나무를 불김을 쐬어 곧게 함.
[烝徒 증도] 많은 무리. 많은 도당(徒黨).
[烝冬 증동] 음력 10월의 별칭(別稱).
[烝黎 증려] 백성. 국민. 서민.
[烝民 증민] 모든 백성. 뭇 백성.
[烝畀 증비] 나아가 드림.
[烝嘗 증상] 겨울에 지내는 조상의 제사.
[烝庶 증서] 뭇 백성. 증민(烝民).
[烝濕 증습] 무덥고 습기가 있음.
[烝禋 증인] 겨울에 조상에게 제사를 지냄.
[烝烝 증증] ㉠왕성하게 일어나는 모양. ㉡차차로 나아가는 모양. ㉢수행(隨行)하는 모양. 일설(一說)에는, 두터운 모양. ㉣순수(純粹)하고 전일(專一)한 모양. ㉤불기운이 올라가는 모양. ㉥흥(興)하는 모양.
◉結烝. 敲烝. 裹烝. 爛烝. 萊烝. 煩烝.

[羔] 〔고〕
羊部 四畫(p. 1797)을 보라.

[馬] 〔마〕
部首(p. 2590)를 보라.

7 ⑪ [焭] 〔경〕
煢(火部 九畫〈p. 1341〉)과 同字

7 ⑪ [烽] 人名 봉 ㊀冬 敷容切 fēng

筆順 丶 丷 火 灬 炒 烙 烽 烽

字解 봉화 봉 병란(兵亂)을 알리는 불. '一燧'. '一擧燧燔'《史記》. 전(轉)하여, 적(敵)에 대한 경계의 비유. '邊鄙收一'《庾信》.

字源 篆文 形聲. 火+夆(逢)〔音〕. '逢봉'은 '峰봉'과 통하여, 봉우리처럼 높이 올라가는 '봉화'의 뜻을 나타냄. '烽봉'은 '㷭봉'의 생

략체(省略體).

[烽警 봉경] 봉화(烽火)로 알리는 경보(警報). 전(轉)하여, 변방(邊方)의 경비.
[烽鼓 봉고] 봉화(烽火)와 북. 모두 전쟁 때 쓰는 「것.
[烽臺 봉대] 봉화를 올리는 우뚝한 대(臺). 봉수대(烽燧臺)의 약어(略語).
[烽邏 봉라] 봉화(烽火)와 정찰(偵察).
[烽堡 봉보] 봉화를 올리는 데 쌓은 보루(堡壘).
[烽燹 봉선] 봉화(烽火).
[烽戍 봉수] 봉화를 올리는 수병(戍兵).
[烽燧 봉수] 봉화(烽火) ㉠.
[烽燧臺 봉수대] 봉대(烽臺).
[烽煙·烽烟 봉연] 봉화(烽火)의 연기.
[烽涌 봉용] 불이 타오르고, 물이 용솟음친다는 뜻으로, 덕(德)이 성(盛)함을 비유한 말.
[烽子 봉자] 봉수대(烽燧臺)를 지키는 군사. 또, 척후병(斥候兵).
[烽爝 봉작] 봉화(烽火).
[烽柝 봉탁] 봉화와 딱따기. 전(轉)하여, 변고(變故)를 경계하는 일.
[烽火 봉화] ㉠변란이 있을 때에 변경(邊境)에서부터 서울까지 경보를 알리게 만든 불. 봉수대(烽燧臺)에서 횃불을 올려 미리 정한 신호로써 알려 전해 올라감. ㉡전쟁. 병란(兵亂).
[烽堠 봉후] 봉보(烽堡).
◉滅烽. 嚴烽. 僞烽.

7 ⑪ **[焌]** [人名] [一] 준 [去]震 子俊切 jùn [二] 출 [入]質 倉律切 qū

[筆順]

[字解] [一] 구울 준 불로 태움. 또, 그 불. 점치기 위하여 귀갑을 구움. '一, 然火也'《說文》. '凡卜以明火爇燋, 遂龡其一契, 以授卜師'《周禮》. [二] 불꺼질 출 불이 꺼짐. '一, 亦火滅也'《廣韻》.

[字源] 篆文 形聲. 火+夋〔音〕. '夋준'은 가늘고 길다의 뜻. 가늘고 길게 타오르는 불로 물건을 태우는 일.

7 ⑪ **[烰]** 부 [平]尤 縛謀切 fú

[字解] ①김오를 부 김이 오르는 모양. '一一, 烝也'《爾雅》. ②부엌 부 庖(广部 五畫)와 뜻이 같음. '有侁氏女子採桑, 得嬰兒于空桑之中, 獻之其君, 其君令一人養之'《呂氏春秋》.

[字源] 篆文 形聲. 火+孚〔音〕. '孚부'는 '떠오르다'의 뜻. 불로 쪄서 기운이 들떠 오르는 모양을 나타냄.

[烰烰 부부] 기분이 몹시 들뜨는 모양.
[烰人 부인] 요리사(料理師).
[烰炭 부탄] 뜬숯.

7 ⑪ **[焍]** 제 [去]霽 大計切 dì

[字解] 거북굽는나무 제 거북점을 칠 때 귀갑(龜甲)을 굽는 데 쓰는 나무. '以梁卵一黃, 祓去玉靈之不祥'《史記》.

7 ⑪ **[烿]** 융 [平]東 余中切 róng

[字解] ①불김 융 화기(火氣). '一, 火氣'《集韻》. ②불빛붉을 융 불빛이 붉음. '一, 火色赤'《正字通》.

7 ⑪ **[焜]** 훼 [上]紙 許偉切 huǐ

[字解] ①불 훼 성한 불. '一, 烈火'《玉篇》. ②태울 훼 燬(火部 十三畫)와 同字.

[字源] 篆文 形聲. 火+尾〔音〕

7 ⑪ **[烺]** [人名] 랑 [上]養 里黨切 lǎng

[字解] ①불의모양 랑 '爣一, 火皃'《集韻》. ②빛밝을 랑 '是固不苟爲炳炳一一, 務采色夸聲音, 而以爲能也'《柳宗元》.

[字源] 形聲. 火+良〔音〕

7 ⑪ **[焀]** 혁 [入]陌 下革切 hé

[字解] 보리볶을 혁 '一, 燒麥'《廣韻》.

7 ⑪ **[烯]** [人名] 〔희〕 晞(日部 七畫〈p.989〉)와 同字

7 ⑪ **[焈]** 훌 [入]物 許勿切 xù

[字解] ①따뜻할 훌 '一, 熅也'《玉篇》. ②쬘 훌 햇볕에 쬠. '一, 曝也'《集韻》.

7 ⑪ **[烸]** [一] 애 [平]灰 烏開切 āi [二] 희 [平]支 虛其切 xī

[字解] [一] ①빛날 애 빛남. '一, 炫也'《玉篇》. ②뜨거울 애 몹시 뜨거움. '一, 熱也'《玉篇》. ③불땔 애 불을 사름. '一, 爇也'《廣雅》. [二] 불이글이글할 희 불이 성한 모양. '一, 火盛皃'《集韻》.

7 ⑪ **[烷]** 완 [平]寒 胡官切 wán

[字解] 불 완 '一, 火也'《集韻》.

7 ⑪ **[焃]** [人名] 혁 [入]陌 郝格切 hè

[字解] ①붉을 혁 불이 붉은 모양. 赫(赤部 七畫)과 同字. ②밝을 혁, 빛날 혁 밝음. 또, 빛남. '一, 明也'《集韻》.

[字源] 形聲. 火+赫〈省〉〔音〕

7 ⑪ **[焅]** [一] 곡 [入]沃 苦沃切 kù [二] 고 [去]號 口到切 kào

[字解] [一] ①가뭄기운 곡 가뭄. 또는 열기(熱氣). '一, 旱气也'《說文》. ②말릴 곡 불에 쬐어 말림. [二] 가뭄기운 고, 말릴 고 [一]과 뜻이 같음.

[字源] 篆文 形聲. 火+告〔音〕

7 ⑪ **[焆]** [一] 열 [入]屑 於列切 yè [二] 결 [入]屑 於決切 [三] 견 [平]先 古玄切 juān [四] 연 [平]先 縈玄切 yuān

[字解] [一] ①연기의모양 열 '一, 一一, 煙皃'《說文》. ②연기 열 '一, 煙氣'《廣韻》. ③타기시작할

열 '一, 火始燃也'《類篇》. ④불빛 열 '一, 火光'《廣韻》. [二] 연기의모양 결, 연기 결, 타기시작할 결, 불빛 결 [一]과 뜻이 같음. [三] 밝을 견, 비출 견 '或一曜涯鄰'《郭璞》. [四] 불의모양 연 '一, 火皃'《集韻》.
[字源] 形聲. 火+肙〔音〕

7
⑪ **[烴]** 경 [上]迥 古頂切 jǐng
[字解] ①데울 경 따뜻하게 함. '一, 溫也'《玉篇》. ②눋는모양 경 '一, 焦皃'《集韻》. ③눋는냄새 경 타는 냄새. '一, 焦臭也'《集韻》.

7
⑪ **[焞]** 발 [入]月 蒲沒切 bó
[字解] ①연기일 발 연기가 뭉게뭉게 이는 모양. '一, 煙起皃'《集韻》. ②무더울 발 찌는 듯이 무더움. '一, 烝熱也'《正韻》.

7
⑪ **[焇]** 소 [平]蕭 相邀切 xiāo
[字解] ①마를 소, 말릴 소 '一, 乾也'《玉篇》. ②녹일 소 '一, 爍也'《集韻》. ③쬘 소 '一, 曝也'《集韻》.
[字源] 形聲. 火+肖〔音〕

7
⑪ **[焊]** 한 [上]旱 呼旱切 hàn
[字解] 불에말릴 한 暵(日部 十一畫)과 同字

7
⑪ **[焵]** 〔형〕
炯(火部 五畫〈p. 1326〉)의 俗字

7
⑪ **[烜]** [一] 烜(火部 六畫〈p. 1329〉)의 本字
[二] 爟(火部 十八畫〈p. 1363〉)과 同字

7
⑪ **[炟]** 〔적〕
炟(火部 六畫〈p. 1328〉)의 訛字

7
⑪ **[焋]** 장 [去]漾 側亮切 zhuàng
[字解] ①불의모양 장 '一, 火貌'《字彙》. ②찔 장 뜨거운 김에 익힘. '一, 熏烝也'《字彙》.
[字源] 形聲. 火+壯〔音〕

7
⑪ **[羙]** 〔치〕
羮(火部 十畫〈p. 1348〉)의 俗字

7
⑪ **[焿]** [韓] 통
[字解] 《韓》 화통 통 화력으로 적을 소멸하는 무기. '火一都監, 辛禑三年, 判事崔茂宣建議置之'《高麗史 77. 百官志》.

7
⑪ **[烹]** [人名] 팽 [平]庚 披庚切 pēng 
[字解] ①삶을 팽 ㉠물속에 넣어 익힘. '一飪'. '以一魚肉'《左傳》. ㉡열탕(熱湯)에 던져 죽임. '乃就一'《國語》. ②삶아질 팽 ㉠삶기어 죽음. '狡兎死走狗一'《史記》. ㉡삶기어 익음. '方不炊而自一'《墨子》. ③요리 팽 익힌 음식. '寒庖有珍一'《蘇軾》.
[字源] 會意. 灬(火)+亨(亯). '亯팽'은 물건을 삶기 위한 질냄비의 象形. '火화'를 붙여, '삶다'의 뜻을 나타냄.

[烹犢 팽독] 삶은 송아지.
[烹卵 팽란] 삶은 달걀. 돌알.
[烹滅 팽멸] 죽여 멸함.
[烹鮮 팽선] 작은 생선을 부서지지 않게 조심하여 삶는다는 뜻으로, 나라를 다스리는 데도 너무 번거로운 법령을 쓰지 않고 될 수 있는 대로 자연에 맡기라는 말. 노자(老子)의 '治大國者若烹小鮮'에서 나온 말임.
[烹熟 팽숙] 충분히 삶음.
[烹羊 팽양] 양을 삶음. 또, 삶은 양.
[烹熬 팽오] 팽전(烹煎).
[烹飪 팽임] 음식(飮食)을 삶음. 또, 삶은 음식.
[烹宰 팽재] 음식을 요리함. 또, 그 사람. 포정(庖丁).
[烹煎 팽전] 삶음과 볶음. 삶고 볶음.
[烹調 팽조] 음식을 요리함.
[烹庖 팽포] 삶은 음식.
[烹炰 팽포] 삶음과 구움. 삶고 구움.
[烹割 팽할] 음식을 요리함.
[烹醢 팽해] ㉠삶음과 절임. 삶고 절임. ㉡사람을 참혹(慘酷)하게 죽임.
◉鬺烹. 熟烹. 餌烹. 煎烹. 蒸烹. 珍烹. 割烹. 鑊烹.

7
⑪ **[焄]** [人名] 훈 [平]文 許云切 xūn 
[筆順] ㄱ ㅋ ㅋ 尹 尹 君 君 焄
[字解] ①냄새 훈 향취(香臭)의 기운. '一蒿悽愴'《禮記》. ②김오를 훈, 김쐴 훈 熏(火部 十畫)과 同字. '以一大豪'《史記》.
[字源] 形聲. 灬(火)+君〔音〕. '君군'은 '熏훈'과 통하여, 연기를 피우다의 뜻. '火화'를 붙여, '그을리다'의 뜻을 분명하게 했음.

[焄蒿 훈호] 향기가 올라가는 모양.
[焄蒿悽愴 훈호처창] 향기가 올라가 신령(神靈)의 기(氣)가 사람을 엄습함.

7
⑪ **[焉]** [高人] 언 [平]先 於乾切 yān 有乾切 
[筆順] 一 丅 下 正 正 正 焉 焉
[字解] ①어찌 언 ㉠의문의 말. '一得諼草'《詩經》. ㉡반어(反語)의 말. '一得人人而濟之'《孟子》. ②이에 언 이리하여. '天子一始乘舟'《淮南子》. ③이 언 是(日部 五畫)와 뜻이 같음. '上有好者, 下必有甚一者矣'《孟子》. ④어조사 언 ㉠무의미의 조사. '故先王一爲之立中制節'《禮記》. ㉡지정(指定)의 뜻을 나타내는 조사(助辭). '四時行一, 百物生一'《論語》. ⑤형용어사 언 然(火部 八畫)·如(女部 三畫) 등과 같이 형용의 어사(語辭)로 쓰임. '忽一'. '勃一'. '始舍之圉圉一, 少則洋洋一'《孟子》. ⑥성 언 성(姓)의 하나.
[字源] [篆文] 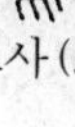 象形. 새의 형상을 본떠, 노란 새의 뜻을 나타냈는데, 假借하여 의문(疑問)의 조사(助辭), 구말(句末)의 조사로 씀.

[焉烏 언오] 자형(字形)이 비슷하여 틀리기 쉬운 글자. 오언(烏焉). 노어(魯魚).
[焉哉乎也 언재호야] 넉 자(字)가 다 문장(文章)에 쓰는 조자(助字).
◉揭焉. 狡焉. 俛焉. 勃焉. 潛焉. 終焉. 忽焉.

7 ⑪ [烽] 〔봉〕
烽(火部 七畫〈p.1331〉)과 同字

[魚] 〔어〕
部首(p.2639)를 보라.

[鳥] 〔조〕
部首(p.2658)를 보라.

8 ⑫ [焱] 염 [去]豔 以贍切 yàn
[字解] 불꽃 염, 탈 염 炎(火部 四畫)과 同字. '——炎炎, 揚光飛文天'《班固》.
[字源] [篆文] 會意. 火+火+火. '불꽃'의 뜻을 나타냄. '炎염'과 동일어 이체자(同一語異體字).

[焱焱 염염] 불꽃이 활활 올라가는 모양.
[焱橐 염탁] 풀무.

8 ⑫ [炱] 추 [上]紙 丑水切 chuǐ
[字解] 불오래갈 추 불이 오래 탐. '—, 火久也'《玉篇》.

8 ⑫ [焙] [人名] 배 [去]隊 蒲昧切 bèi
[字解] ①쬘 배 불 위에서 쬐어 말림. '火—之'《傳燈錄》. ②배롱 배 화로에 씌워 놓고 옷 같은 것을 얹어 말리는 기구. '湘筠——茶箱'《居家必用》.
[字源] 形聲. 火+咅〔音〕. '咅배'는 '붕긋해지다'의 뜻. 불기운을 쬐어 습기를 제거하고 붕긋하여지도록 하다, '불 쬐다'의 뜻을 나타냄.

[焙茶 배다] 차(茶)를 말림.
[焙籠 배롱] 화로에 씌우고 옷 같은 것을 말리는 기구.

8 ⑫ [焜] 혼 [上]阮 胡本切 kūn
[字解] 빛날 혼, 빛낼 혼 광휘를 발함. '—燿寡人之望'《左傳》.
[字源] [篆文] 形聲. 火+昆〔音〕. '昆곤'은 떼 지어 모이다의 뜻. 떼 지어 모이는 불의 뜻에서, '빛나다'의 뜻을 나타냄.

[焜燿 혼요] 빛을 발함. 빛을 냄.
[焜黃 혼황] 나뭇잎이 누렇게 됨.
[焜煌 혼황] 휘황(輝煌)함.

8 ⑫ [焞] [人名] [一] 퇴 [平]灰 通回切 tuī
[二] 돈 [平]元 徒渾切 tūn
[三] 순 [平]眞 常倫切
[筆順] 丶 火 灬 炉 焯 焞 焞 焞
[字解] [一] 성할 퇴 세력이 왕성한 모양. '嘽嘽——'《詩經》. [二] 어스름할 돈 어스레한 모양. 빛이 없는 모양. '天策——'《左傳》. [三] 밝을 순 '—, 明也'.
[字源] [篆文] 形聲. 火+享(㝵)〔音〕. '㝵돈'은 '두껍다'의 뜻. 점(占)에서, 거북 등딱지에 쐬는 빛은 어슴푸레하되 열이 높은 두꺼운 느낌의 불을 뜻함.

[焞焞 돈돈·퇴퇴] ㉠빛이 어스레한 모양. ㉡세력이 왕성한 모양.

8 ⑫ [焠] 쉬 [去]隊 七內切 cuì
[字解] ①담글 쉬 달군 칼을 물에 담가 쇠의 질을 굳게 함. 淬(水部 八畫)와 통용. '使工以藥—之'《史記》. ②태울 쉬 불에 태움. '—掌'. '有子惡臥而—掌'《荀子》.
[字源] [篆文] 形聲. 火+卒〔音〕. '卒졸'은 완전히 다하다의 뜻. 칼날을 단련하기 위해 가열했다가 물에 담글 때 일시에 불의 열이 다하는 모양에서, '담금질하다'의 뜻을 나타냄.

[焠掌 쉬장] 공자(孔子)의 문인(門人) 유약(有若)이 잠이 오는 것을 막으려고 손바닥을 지진 고사(故事). 전(轉)하여, 괴로운 것을 참아 가며 공부에 힘쓰는 일.

8 ⑫ [焫] 설 [入]屑 如劣切 ruò
[字解] 사를 설 爇(火部 十五畫)과 同字. '旣奠, 然後—蕭, 合羶薌'《禮記》.
[字源] 形聲. 火+芮〔音〕

8 ⑫ [焮] 흔 [去]問 香靳切 xìn
[字解] ①태울 흔 불사름. '行火所—'《左傳》. ②비출 흔, 빛날 흔 광휘를 발함. '光彌—洲渚'《杜甫》.
[字源] 形聲. 火+欣〔音〕

[焮腫 흔종] 흔충(焮衝).
[焮天 흔천] 하늘을 태움. 불이 활활 타오름을 이름.
[焮衝 흔충] 염증(炎症)이 생겨 아픔.

8 ⑫ [焯] 작 [入]藥 之若切 zhuó
[字解] ①밝을 작, 빛날 작. ②태울 작 灼(火部 三畫)과 同字. '—, 明也'. '——其陂'《漢書》.
[字源] [篆文] 形聲. 火+卓〔音〕. '卓탁'은 '높이 오르다'의 뜻.

[焯見 작견] 환히 봄. 작견(灼見).
[焯爍 작삭] 작작(焯焯).
[焯焯 작작] 빛나는 모양. 휘황한 모양.

8 ⑫ [焰] [人名] 염 [去]豔 以贍切 yàn
[字解] 불꽃 염 燄(火部 十二畫)·爓(火部 十六畫)과 同字. '火—'.
[字源] 形聲. 火+臽〔音〕. '臽염'은 '炎염'과 통하여, '불꽃'의 뜻.

◉光焰. 氣焰. 聲焰. 勢焰. 陽焰. 紅焰. 火焰.

8 ⑫ [⿰火奄] 압 ㊇合 遏合切 è

字解 ①불묻을 압 불을 덮어 묻음. 또는, 그 불. '一, 藏火也'《集韻》. ②불헤칠 압 묻은 불을 헤쳐 되살림. '今人謂藏火使復然曰一'《正字通》.

8 ⑫ [焝] 혼 ㊄願 呼困切 hùn

字解 ①불 혼 화기. '一, 火也'《玉篇》. ②불탈 혼 불이 타는 모양. '一, 火皃'《集韻》.

8 ⑫ [焵] 강 ㊄漾 古浪切 gàng

字解 ①날 강 칼 같은 것의 날〔刃〕. '一, 刃也'《玉篇》. ②불릴 강 쇠를 불에 넣어 날을 단련함. '一, 堅刃也'《字彙》.

8 ⑫ [焚] 人名 분 ①-③㊥文 符分切 fén ④㊄問 方問切 fèn

字解 ①탈 분 불탐. '玉石俱一'《書經》. ②태울 분, 불사를 분 '一殺'. '仲春毋一山林'《禮記》. ③불살라사냥할 분 원야(原野)·산림을 불사르고 사냥함. '一咸丘'《春秋》. ④넘어질 분, 넘어뜨릴 분 僨(人部 十二畫)과 통용. '以一其身'《左傳》.

字源 篆文 篆文  會意. 火+林. 숲을 불로 태우는 뜻을 나타냄.

[焚坑 분갱] 분서갱유(焚書坑儒).
[焚劫 분겁] 분략(焚掠).
[焚攻 분공] 불로써 들이침. 화공(火攻).
[焚棄 분기] 태워 버림.
[焚溺 분닉] 불에 탐과 물에 빠짐. 백성이 큰 고통을 당하는 비유.
[焚掠 분략] 집을 태우고 재물을 노략질함.
[焚燎 분료] 분소(焚燒).
[焚滅 분멸] 태워 없앰. 또, 타 없어짐.
[焚死 분사] 타 죽음. 소사(燒死).
[焚書坑儒 분서갱유] 진시황(秦始皇)이 학자들의 정치 비평을 금하기 위하여, 경서(經書)를 태우고 학자들을 구덩이에 생매(生埋)한 고사(故事).
[焚燒 분소] 탐. 또, 태움.
[焚修 분수] 향불을 피우고 도(道)를 닦음.
[焚燼 분신] 타고 남은 끄트머리.
[焚室 분실] 탄 집.
[焚煬 분양] 불사름. 태움.
[焚如 분여] 불살라 죽이는 형벌. 화형(火刑).
[焚杅 분우] 불을 질러 견제함.
[焚逸 분일] 불타 없어짐. 소실(燒失).
[焚炙 분자] 태워 죽임. 분살(焚殺).
[焚灼 분작] 불로 태운다는 뜻으로, 대단히 고심(苦心)함을 이름.
[焚芝 분지] 영지(靈芝)를 태움. 영지(靈芝)는 서초(瑞草)이므로 현인(賢人)에 비유하여 현인이 화(禍)를 당함을 이름.
[焚擲 분척] 분기(焚棄).
[焚草 분초] ㉠풀을 불사름. ㉡초고(草稿)를 불사름.
[焚蕩 분탕] 타 없어짐. 흔적도 없이 타 버림.
[焚斃 분폐] 분사(焚死).
[焚香 분향] 향(香)불을 피움.
[焚火 분화] 불을 사름.
[焚和 분화] 이해(利害)관계로 남과 다툼.
[焚化院 분화원] 화장(火葬)터.
[焚毁 분훼] 태워 부숨. 또, 타 부서짐.
◉煐焚. 燒焚. 玉石俱焚. 熇焚.

8 ⑫ [烄] 교 ㊤巧 吉巧切 ㊄效 居效切 jiǎo

字解 태울 교 나무를 쌓아 올려서 태움. '一, 交灼木也'《說文》.

字源 形聲. 火+教〈省〉〔音〕

8 ⑫ [焼] 〔소〕 燒(火部 十二畫〈p. 1355〉)의 略字

8 ⑫ [無] 中人 무 ㊥虞 武夫切 wú, ④mó 无

筆順 ノ 𠂉 𠂉 仁 𠃊 無 無 無 無

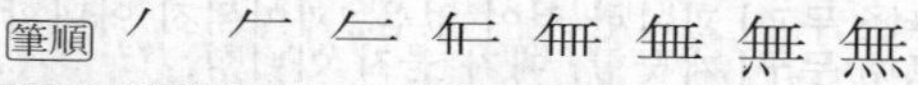

字解 ①없을 무 ㉠있지 아니함. '一一物'. '仁者一敵'《孟子》. ㉡공허함. 또, 공허. '虛一'. '有生於一'《老子》. ②아닐 무 부정하는 말. '日一易之道也'《禮記》. ③말 무 금지의 말. '一若宋人然'《孟子》. ④《佛敎》 '南一'는 범어(梵語) namas의 음역(音譯). ⑤성 무 성(姓)의 하나.

字源 甲骨文  金文 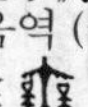 篆文  奇字 无 假借. 본래 '舞무'의 글자와 동형(同形)으로, 사람이 춤추는 모습을 형상화하여 '춤'의 뜻을 나타냈었으나, 빌려서 '없다'의 뜻으로 씀. 篆文은 '亡망'을 붙여, '없다'의 뜻을 분명히 했으며, 뒤에 '亡'을 생략하여 '無'가 되었음.

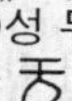

[無價 무가] ㉠값이 없음. 하찮음. ㉡값을 칠 수가 없을 만큼 귀중함.
[無可奈何 무가내하] 어찌할 수가 없이 됨.
[無可無不可 무가무불가] ㉠어떤 일에 있어서나 선입견(先入見)에 사로잡히지 않고 그때에 따라 적당한 태도를 취함. ㉡가부간(可否間)에 명확한 태도를 취하지 아니함. ㉢옳고 그름을 말할 수가 없음. ㉣옳고 그름이 없음. 좋지도 나쁘지도 않음.
[無價寶 무가보] 값을 칠 수가 없는 귀중(貴重)한 보배.
[無價値 무가치] 가치가 없음. 소용이 없음.
[無間 무간] 서로 막힘이 없이 사이가 가까움.
[無間地獄 무간지옥]《佛敎》팔대 지옥(八大地獄)의 하나. 오역죄(五逆罪)의 한 가지를 범한 자가 가는데 끊임없이 고통을 받는다 함. 아비지옥(阿鼻地獄).
[無感覺 무감각] 감각이 없음.
[無疆 무강] 무궁(無窮).
[無據 무거] 근거가 없음. 터무니없음.
[無怯 무겁] 겁이 없음.
[無經界 무경계] 시비(是非)·선악(善惡)의 구별이 없음.
[無涇渭 무경위] 옳고 그름의 구별이 없음.
[無界 무계] 끝이 없음. 무애(無涯).
[無稽 무계] 터무니없음. 무근함. '荒唐一一'.
[無告 무고] 하소연하여 원조를 바랄 데가 없음. 또, 그 사람. 곧, 환과고독(鰥寡孤獨).

[無故 무고] ㉠다른 연고(緣故)가 없음. ㉡아무 탈이 없이 평안함.
[無辜 무고] 죄가 없음. 또, 그 사람.
[無骨 무골] ㉠등골뼈가 완전하지 않은 불구자(不具者). ㉡조리(條理)가 닿지 않는 글. 지리멸렬한 문장.
[無骨蟲 무골충] ㉠뼈가 없는 벌레의 총칭. ㉡기개(氣慨)가 없는 사람을 비웃는 말.
[無功 무공] 공로(功勞)가 없음.
[無跫 무공] 발소리가 없음.
[無孔鐵鎚 무공철추] 구멍이 없는 쇠망치. 자루가 없는 망치는 손댈 데가 없으므로 언어로는 설명할 수 없는 진리(眞理)의 비유로 쓰임.
[無冠 무관] 지위가 없음.
[無關係 무관계] 관계가 없음.
[無關心 무관심] 관심이 없음. 흥미가 없음.
[無卦 무괘] 음양도(陰陽道)에서 그 사람의 생년(生年)의 간지(干支)로 5년간 불길한 일이 계속된다고 하는 운명. 유괘(有卦)의 대(對).
[無怪 무괴] 괴이한 것이 없음. 괴이쩍지 아니함.
[無垢 무구] 깨끗함. 때가 묻지 아니함.
[無垢衣 무구의] 《佛教》 '가사(袈裟)'의 이칭(異稱).
[無口匏 무구포] '입이 없는 박'이라는 뜻으로, 입을 다물고 의견(意見)을 내놓지 않는 사람을 이름.
[無窮 무궁] 시간이나 공간(空間)의 한(限)이 없음.
[無窮無盡 무궁무진] 한(限)이 없음. 끝이 없음.
[無窮花 무궁화] 《韓》 아욱과(科)에 속하는 낙엽관목(落葉灌木). 또, 그 꽃. 우리나라 국화(國花)임. 목근(木槿).
[無軌道 무궤도] ㉠궤도(軌道)가 없음. ㉡제멋대로 굶.
[無極 무극] ㉠끝이 없음. 무한(無限). ㉡천지간(天地間)에 아직 만물이 생기기 전의 시초(始初). 즉, 우주(宇宙)의 근원(根元).
[無根 무근] 근거(根據)가 없음. 터무니없음.
[無根之說 무근지설] 근거가 없는 뜬소문.
[無給 무급] 봉급(俸給)이 없음.
[無幾 무기] ㉠얼마 안 되어. ㉡모두 그러함.
[無期 무기] ㉠기한이 없음. ㉡미리 기한을 작정하지 아니함.
[無氣力 무기력] 기운이 없음.
[無記名 무기명] 성명(姓名)을 기록하지 아니함.
[無機物 무기물] 생활의 기능(機能)이 없는 물질. 곧, 물·공기·광물 등.
[無機體 무기체] 생활 기능이 없는 물체.
[無期限 무기한] 무기(無期).
[無機化學 무기화학] 탄소 화합물(炭素化合物) 이외의 모든 원소(元素) 및 화합물의 조성(組成)·성질(性質)·변화(變化) 등을 연구하는 화학.
[無奈 무나] 어찌할 도리가 없음.
[無難 무난] 《韓》 어렵지 아니함.
[無男獨女 무남독녀] 아들이 없는 사람의 외딸.
[無囊馬 무낭마] 불알을 까서 없앤 말.
[無乃 무내] 차라리. 영(寧)과 뜻이 같음. 무녕(無寧).
[無念 무념] 《佛教》 ㉠망념(忘念)이 없음. 사심(私心)이 없음. ㉡무념무상(無念無想).
[無念無想 무념무상] 《佛教》 모든 생각을 떠남. 아무 망념(妄念) 없이 자기를 잊음.
[無寧 무녕] 무내(無乃).
[無能 무능] 아무 재능(才能)이 없음.
[無能力 무능력] 일할 능력이 없음.
[無端 무단] ㉠단서(端緖)가 없음. 처음과 끝이 없음. ㉡뜻밖에. 의외로.
[無斷 무단] 결단력이 없음.
[無短長 무단장] 아무런 장점(長點)도 없음. 단(短)은 의미(意味)가 없음.
[無當卮 무당치] 밑이 없는 술잔. 아무 소용이 없는 물건의 비유.
[無德 무덕] 덕행(德行) 또는 덕기(德氣)가 없음.
[無道 무도] 인도(人道)에 어긋남. 인도에 어긋난 행위. 또, 그 사람.
[無毒 무독] 독기(毒氣)가 없음.
[無頭鬼 무두귀] 참형(斬刑)을 받은 사람의 영혼.
[無頭無尾 무두무미] 머리도 꼬리도 없음. 밑도 끝도 없음.
[無得無失 무득무실] 무해무득(無害無得).
[無等雙 무등쌍] 무쌍(無雙).
[無量 무량] 한량(限量)이 없음. 무한량(無限量).
[無量大福 무량대복] 한량(限量)이 없는 큰 복.
[無量力 무량력] 한량없는 힘.
[無量無邊 무량무변] 한없이 많고 넓음.
[無量壽 무량수] 《佛教》 아미타불(阿彌陀佛)의 무한량의 수명(壽命).
[無量壽佛 무량수불] '아미타불(阿彌陀佛)'의 이칭(異稱).
[無慮 무려] 모두. 거의. 대략(大略).
[無力 무력] 힘이 없음.
[無禮 무례] 예의(禮儀)가 없음. 예의를 모름.
[無勞而得 무로이득] 힘들이지 않고 얻음.
[無祿 무록] ㉠불행(不幸). ㉡녹(祿)이 없음. 녹봉(祿俸)이 없음.
[無論 무론] 말할 것도 없음. 물론(勿論).
[無賴 무뢰] ㉠교활하고 거짓이 많음. 또, 그 사람. ㉡믿을 수 없음. ㉢미워하여 욕하는 말. ㉣사랑하여 짐짓 욕하는 말. ㉤괴로움. 근심이 있어 마음이 편안하지 아니함. 무료(無聊).
[無聊 무료] ㉠근심이 있어 아무 즐거움이 없음. ㉡심심함. 적적함.
[無憀 무료] 마음이 의지할 데가 없어 적적함.
[無漏 무루] ㉠《佛教》 번뇌(煩惱)를 떠난 청정무구(淸淨無垢)의 경지. ㉡빠짐이 없음.
[無類 무류] ㉠비류(比類)가 없음. 견줄 만한 것이 없음. 무비(無比). ㉡유별(類別)이 없음.
[無俚 무리] 의지하여 몸 부칠 데가 없음.
[無理 무리] ㉠이치(理致)에 맞지 아니함. ㉡억지로 우겨 댐.
[無萬數 무만수] 아주 많은 수.
[無妄 무망] ㉠주역(周易)의 괘(卦)의 이름. 곧, ䷘〈진하 건상(震下乾上)〉. 자연의 천명(天命)을 따르는 상(象). ㉡허위가 없음. 사심이 없음. ㉢무망(無望).
[無望 무망] 예기(豫期)하지 아니함. 뜻하지 아니함.
[無妄之福 무망지복] 뜻밖의 복.
[無名 무명] ㉠세상에 알려지지 아니함. '――之士'. ㉡성명이나 명칭을 알 수 없음. '――氏'. ㉢정당한 이유가 없음. 명의(名義)가 없음. '――之師'. ㉣명칭(名稱)이 붙지 아니함. 이름이 없음. '――指'.
[無明 무명] 《佛教》 사견(邪見)·망집(妄執)으로 모든 법의 진리에 어두움.
[無銘 무명] 도검(刀劍) 등에 만든 사람의 이름이 새겨 있지 않음.

[無名小卒 무명소졸] 세상(世上)에 이름이 나지 아니한 사람.
[無名指 무명지] 가운뎃손가락과 새끼손가락 사이에 있는 손가락. 약손가락.
[無謀 무모] 꾀가 없음. 분별이 없음.
[無紋 무문] 무늬가 없음.
[無味 무미] ㉠맛이 없음. ㉡재미가 없음. '——乾燥'.
[無妨 무방] 《韓》 방해될 것이 없음. 지장이 없음.
[無法 무법] ㉠《佛敎》 법으로서 들 만한 것이 없음. ㉡《韓》 도리에 버스러짐.
[無法法 무법법] 《佛敎》 법으로서 지목할 만한 것이 없는 자연의 법.
[無法天地 무법천지] 《韓》 법이 없는 세상. 무질서하고 난폭한 사회.
[無邊 무변] 끝이 닿은 데가 없음. 무한(無限).
[無邊大海 무변대해] 끝이 없는 넓은 바다.
[無邊無礙 무변무애] 한이 없고 거치는 것이 없음.
[無病 무병] 병(病)이 없음.
[無病而自灸 무병이자구] 병이 없는데 공연히 뜸질한다는 뜻으로, 아무 소용없는 일을 함을 이름.
[無病長壽 무병장수] 병이 없이 오래 삶.
[無服之殤 무복지상] 복(服) 입는 사람이 없는 요사(夭死).
[無縫天衣 무봉천의] ㉠꿰맨 자리가 없는 천녀(天女)의 옷. ㉡구조(構造)가 자연스럽고도 지극히 교묘한 문장의 비유.
[無縫塔 무봉탑] 기단(基壇) 위에 원형(圓形)의 탑신(塔身)을 세운 탑. 난탑(卵塔).
[無分別 무분별] 분별이 없음.
[無不干涉 무불간섭] 무슨 일에나 간섭(干涉)함.
[無不通知 무불통지] 무슨 일이든지 다 앎.
[無比 무비] 견줄 만한 것이 없음. 둘도 없음.
[無非 무비] ㉠그렇지 않음이 없음. 모두. ㉡잘못이 없음.
[無憑可考 무빙가고] 빙거(憑據)가 되어 상고(詳考)할 만한 것이 없음.
[無私 무사] ㉠사심(私心)이 없음. 이기심(利己心)이 없음. ㉡공평함.
[無似 무사] 현인(賢人)을 닮지 아니한 못난 사람. 불초(不肖). 자기의 겸칭(謙稱).
[無事 무사] ㉠아무 일이 없음. 한가함. ㉡탈 없이 편안함. 무고(無故).
[無嗣 무사] 자손(子孫)이 없음.
[無私無偏 무사무편] 공평하여 치우치지 아니함.
[無事奔走 무사분주] 쓸데없이 바쁘게 돌아다님.
[無事日月長 무사일월장] 틈이 있는 사람은 세월을 긴 것같이 느낌.
[無產 무산] ㉠재산(財產)이 없음. ㉡직업이 없음.
[無算 무산] ㉠수효가 많아 셀 수 없음. 무수(無數). ㉡생각이 없음.
[無產階級 무산계급] 재산이 없어 노동에 의하여 겨우 살아가는 계급.
[無產者 무산자] 재산이 없는 사람. 무산 계급(無產階級)에 속한 사람.
[無上 무상] 그 위에 더할 수 없이 나음. 극상(極上). 최상(最上).
[無狀 무상] ㉠형상(形狀)이 없음. ㉡선행(善行)이 없음. ㉢공적(功績)이 없음. ㉣버릇이 없음. 무례함. ㉤그 모양을 무엇이라 형용할 수 없음. ㉥깊은 생각이 없음.
[無常 무상] ㉠인생이 덧없음. ㉡일정하지 아니함.
[無償 무상] ㉠보상(報償)이 없음. ㉡거저. 무료(無料).
[無上命令 무상명령] 절대(絕對) 무조건(無條件)인 도덕률(道德律). 정언적 명령(定言的命令).
[無常時 무상시] 일정한 때가 없음.
[無常出入 무상출입] 아무 때나 드나듦.
[無色 무색] ㉠아무 빛깔이 없음. ㉡《韓》 부끄러워 낯이 없음.
[無生物 무생물] 생활 기능이 없는 물건.
[無錫 무석] 장쑤 성(江蘇省) 쑤저우(蘇州)의 서북방에 있는 도시. 큰 운하(運河)에 임(臨)한 교통의 요지(要地)이고 쌀·고치·생사 등의 집산지(集散地)임. 혜산(惠山)·태호(太湖) 등의 명승지(名勝地)가 많음.
[無線電信 무선전신] 전선을 매지 않고 전파(電波)에 의하여 통신하는 전신(電信).
[無性 무성] ㉠《佛敎》 일체의 일은 인연에 의하여 일어나며 자성(自性)이 없음. ㉡자웅(雌雄)의 구별이 없음.
[無聲 무성] 소리가 없음. 소리가 들리지 아니함.
[無聲詩 무성시] ㉠그림의 미칭(美稱). ㉡운(韻)이 없는 시. 무운시(無韻詩).
[無誠意 무성의] 성의가 없음.
[無勢 무세] ㉠사람의 수가 적음. ㉡《韓》 세력(勢力)이 없음.
[無所忌憚 무소기탄] 아무런 꺼려야 할 것이 없음.
[無所得 무소득] 아무 얻는 바가 없음.
[無所不知 무소부지] 모르는 것이 없음.
[無所不能 무소불능] 무엇이든지 능통(能通)하지 아니한 것이 없음.
[無所不爲 무소불위] 하지 않는 것이 없음. 선악을 가리지 않고 무슨 짓이고 함.
[無所屬 무소속] 어느 단체에도 속하지 아니함.
[無所畏 무소외] 두려워하는 바가 없음. 무서운 사람이 없음.
[無所用 무소용] 쓸 데가 없음.
[無數 무수] ㉠이루 셀 수 없을 만큼 수효가 많음. 무산(無算). ㉡일정한 수가 없음.
[無羞僧 무수승] 《佛敎》 계(戒)를 지키지 못하는 타락한 중.
[無宿 무숙] ㉠일정한 숙소가 없음. 집이 없음. 또, 그 사람. ㉡호적(戶籍)이 없음. 또, 그 사람.
[無順 무순] 순서(順序)가 없음.
[無始 무시] ㉠처음이 없음. ㉡한없이 먼 옛적. 태초(太初).
[無時 무시] 일정한 때가 없음.
[無視 무시] 업신여김. 안중에 두지 아니함.
[無始無終 무시무종] 시초도 없고 끝도 없음. 항상 변하지 아니함.
[無時服 무시복] 때 없이 마음대로 약(藥)을 먹음.
[無識 무식] 학식(學識)이 없음. 식견(識見)이 없음.
[無信 무신] 믿음성이 없음. 신용(信用)이 없음.
[無神經 무신경] ㉠감각(感覺)이 둔함. ㉡염치가 없음. 뻔뻔스러움.
[無神論 무신론] 신(神)의 존재를 부정하는 학설.
[無實 무실] ㉠실질(實質)이 없음. ㉡사실(事實)이 없음. 실제로 없음.
[無心 무심] ㉠고의(故意)가 아님. 자연임. ㉡생

각이 없음. 본심(本心)이 없음. ㉢사욕(私慾)이 없는 마음.
[無心中 무심중] 아무 생각 없이.
[無雙 무쌍] 서로 견줄 만한 짝이 없음. 둘도 없음.
[無我 무아] ㉠이기심이 없음. 나라는 생각이 없음. 사욕(私慾)이 없음. ㉡자기를 잊음. ㉢《佛教》 일체(一切)의 존재는 무상(無常)하므로 자기의 존재도 없다고 부정하는 일.
[無我境 무아경] 마음이 한곳에 온통 쏠려 자기를 잊고 있는 경지(境地).
[無顔 무안] 남을 대할 면목(面目)이 없음.
[無顔色 무안색] 공포(恐怖)·경악(驚愕)·수치(羞恥) 등으로 얼굴빛이 파래짐. 실안색(失顔色).
[無涯 무애] 끝이 없음. 무한(無限).
[無碍 무애] 무애(無礙).
[無礙 무애] 막힘이 없음. 거치는 것이 없음. 자유자재(自由自在).
[無恙 무양] 무병(無病)함.
[無言 무언] 말이 없음. 말을 하지 아니함.
[無言不答 무언부답] 대답을 못할 말이 없음.
[無嚴 무엄] 삼가고 어려워하는 마음이 없음.
[無易 무역] 변하지 아니함. 또, 변경하지 아니함.
[無射 무역] 십이율(十二律)의 하나. 음력 9월에 배당(配當)함.
[無緣 무연] ㉠인연(因緣)이 없음. ㉡죽은 사람을 조상(弔喪)할 친척이 없음. ㉢《佛教》 전생에서 부처나 보살과 인연을 맺은 일이 없음.
[無煙炭 무연탄] 탄화(炭化) 작용이 잘되어 거의 악취(惡臭)와 연기를 내지 않고 타는 석탄(石炭).
[無煙火藥 무연화약] 폭발력이 세어 연기가 나지 않는 화약.
[無鹽女 무염녀] 얼굴이 못생긴 여자. 추부(醜婦). 제(齊)의 선왕(宣王)의 정실부인 종리춘(鍾離春)이 박색이고 무염읍(無鹽邑) 사람인 데서 온 말.
[無厭之慾 무염지욕] 싫증이 나지 않는 무한한 욕심.
[無藝 무예] ㉠기예(技藝)가 없음. ㉡일정하지 아니함. ㉢제한이 없음. 무한정함.
[無畏 무외] ㉠두려움이 없음. ㉡《佛教》 부처가 중생(衆生)에게 설법(說法)할 때 아무런 두려움이 없는 덕(德). 무소외(無所畏).
[無欲 무욕] 무욕(無慾).
[無慾 무욕] 욕심(慾心)이 없음.
[無用 무용] 쓸 데가 없음.
[無庸 무용] ㉠공(功)이 없음. ㉡등용하지 아니함.
[無用長物 무용장물] 쓸 데는 없고 거치적거리기만 하는 물건.
[無用之物 무용지물] 아무 데도 쓸데없는 물건.
[無用之用 무용지용] 쓸데없다고 생각하던 것이 도리어 크게 소용이 됨.
[無虞 무우] 근심이 없음.
[無憂 무우] 무우(無虞).
[無憂樹 무우수] '보리수(菩提樹)'의 별칭(別稱). 마야 부인(摩耶夫人)이 이 나무 꽃 밑에서 석가(釋迦)를 순산(順産)하였으므로 이름.
[無憂華 무우화] 무우수(無憂樹)의 꽃.
[無韻詩 무운시] 무성시(無聲詩).
[無怨無德 무원무덕] 원망을 당한 일도 없고 덕을 본 일도 없음.
[無月 무월] 달이 보이지 아니함.
[無爲 무위] ㉠아무 일도 하지 아니함. ㉡자연 그대로이며 인위(人爲)를 보탬이 없음. ㉢《佛教》 조용하고 공허(空虛)함.
[無爲而治 무위이치] 성인(聖人)의 덕은 지대(至大)하여서 아무 일도 하지 아니하여도 저절로 다스려짐.
[無音 무음] 편지를 하지 아니함. 소식을 전하지 아니함.
[無意 무의] 무심(無心).
[無義無信 무의무신] 신의(信義)가 없음.
[無依無託 무의무탁] 몸을 의탁할 데가 없음. 몹시 고독함.
[無意味 무의미] 아무 뜻이 없음.
[無意識 무의식] ㉠의식(意識)이 없음. ㉡정신을 잃음. 어떤 행동을 하고 있으면서도 아무 관념(觀念)의 활동이 없는 상태.
[無意義 무의의] 아무 의의(意義)가 없음.
[無二 무이] ㉠둘도 없음. 견줄 만한 것이 없음. 무비(無比). ㉡의심이 없음. 이심(二心)이 없음.
[無已 무이] ㉠한이 없음. 끝이 없음. ㉡게으르지 않음. ㉢부득이함.
[無異 무이] 아무 탈이 없이 편안함. 무사(無事).
[無二價 무이가] 에누리가 없음. 또, 그 값.
[無二無三 무이무삼] 《佛教》 둘도 아니고 셋도 아님. 단지 하나임.
[無二言 무이언] 두말없음. 한번 입에서 낸 말은 결코 어김이 없음. 거짓이 없음.
[無益 무익] 유익할 것이 없음.
[無翼而飛 무익이비] 날개 없이 낢. 명성(名聲)이 세상에 널리 퍼짐을 이름.
[無人色 무인색] ㉠몹시 두려워하여 얼굴빛이 보통 사람과 다름. ㉡피로(疲勞) 또는 굶주림으로 생기가 없음.
[無人絶島 무인절도] 사람이 살지 않는 외딴섬.
[無人之境 무인지경] 아무도 없는 땅. 사람이라고는 찾아볼 수 없는 지경(地境).
[無人之地 무인지지] 무인지경(無人之境).
[無日 무일] ㉠하루도 빠지는 날이 없이. 언제까지나. ㉡며칠 남지 아니함. 오래가지 아니함.
[無逸 무일] 안일(安逸)에 흐르지 아니함. 놀지 아니하고 힘씀.
[無一可取 무일가취] 취할 만한 것이 하나도 없음.
[無一物 무일물] ㉠《佛教》 본래(本來) 한 개의 물건도 집착(執着)한 것이 없음. ㉡아무것도 갖지 아니함. 아무것도 없음.
[無一毫差 무일호차] 조금도 틀림이 없음.
[無任 무임] 맡은 일이 없음.
[無賃 무임] 삯돈이 들지 아니함.
[無子 무자] 자식(子息)이 없음. 아들이 없음.
[無字碑 무자비] ㉠글자를 새기지 아니한 비. ㉡무식한 사람을 조소(嘲笑)하는 말. 뜬 소경. 몰자비(沒字碑).
[無慈悲 무자비] 자비심이 없음.
[無腸公子 무장공자] '게〔蟹〕'의 별칭(別稱).
[無將之卒 무장지졸] ㉠장수(將帥)가 없는 군사(軍士). ㉡단체에 두목(頭目)이 없는 것을 가리키는 말.
[無才 무재] 재주가 없음.
[無底囊 무저낭] 전대(纏帶).
[無抵抗 무저항] 저항이 없음. 항거하지 아니함.
[無抵抗主義 무저항주의] ㉠악(惡)에 대하여 저

항하지 아니하고 사랑의 힘으로 이를 감화시키려고 하는 주의. ㉡간디 등의 인도 국민 운동(印度國民運動)에서, 영국의 탄압에 대하여 폭력을 쓰지 않고 단식(斷食) 또는 그 밖의 무저항 수단으로 목적을 달성하려고 하는 주의.
[無敵 무적] 대적(對敵)할 사람이 없음. 겨룰 만한 적(敵)이 없음.
[無籍 무적] 국적(國籍) 또는 호적(戶籍)이 없음.
[無適無莫 무적무막] 친소 후박(親疎厚薄) 없이 평등히 봄.
[無前 무전] ㉠향하는 곳에 적(敵)이 없음. ㉡전(前)에 없음. 공전(空前).
[無錢 무전] 돈이 없음. 돈을 가지고 있지 아니함.
[無錢取食 무전취식] 돈 없이 남의 파는 음식(飮食)을 먹음.
[無節 무절] ㉠절조(節操)가 없음. ㉡분별(分別)하는 힘이 없음.
[無節操 무절조] 절조(節操)가 없음.
[無情 무정] ㉠인정(人情)이 없음. 유정(有情)의 대(對). ㉡정이 없음. 박정(薄情)함. ㉢정성이 없음. 진실하지 않음.
[無定見 무정견] 일정한 주견(主見)이 없음.
[無情歲月 무정세월] 덧없이 가는 세월(歲月).
[無定數 무정수] 일정한 수효(數爻)가 없음.
[無丁字 무정자] 정자(丁字) 하나도 모름. 눈뜬 장님. 문맹(文盲).
[無定河 무정하] 산시 성(陝西省)에서 발원(發源)하는 황하(黃河)의 지류(支流).
[無際 무제] 넓고 멀어서 끝이 없음.
[無制限 무제한] 제한(制限)이 없음.
[無條件 무조건] 아무 조건이 없음.
[無足可責 무족가책] 책망할 만한 가치가 없음.
[無罪 무죄] 죄가 없음.
[無住 무주] 주지(住持)가 없는 절.
[無證 무증] 표가 없음.
[無地 무지] 땅이 없다는 뜻으로, 물을 이름. 일설(一說)에는, 높은 곳에서 아래를 내려다볼 때 땅이 보이지 않는 것을 말한다 함.
[無知 무지] ㉠아는 것이 없음. 학문이 없음. ㉡슬기가 없음. 미련함. 무지(無智).
[無智 무지] 무지(無知).
[無知覺 무지각] 지각(知覺)이 없음.
[無知莫知 무지막지] 《韓》 무식(無識)하고 우악스러움.
[無知沒覺 무지몰각] 지각이 없음.
[無職 무직] 직업(職業)이 없음.
[無盡 무진] 다하지 아니함. 없어지지 아니함.
[無盡燈 무진등] ㉠불을 켜 기름이 줄면 자연히 기름이 딸리어 항상 기름이 없어지지 않게 만든 등. ㉡《佛教》 차차로 전하여 내려오는 법등(法燈).
[無盡藏 무진장] ㉠물건이 한없이 많이 있음. 암만 써도 없어지지 아니함. ㉡《佛教》 암만 갖다가 써도 바닥이 나지 않는 큰 덕(德).
[無朕 무짐] 조짐(兆朕)이 없음.
[無遮 무차] 《佛教》 지극히 관대하여 막히는 것이 없음.
[無差別 무차별] 차별(差別)이 없음.
[無慚 무참] 무치(無恥).
[無慙 무참] 무치(無恥).
[無責任 무책임] ㉠책임이 없음. ㉡책임 관념(觀念)이 없음.
[無出其右 무출기우] 극히 뛰어나서 따를 만한 사람이 없음.
[無臭 무취] 냄새가 없음.
[無恥 무치] 부끄러운 줄을 모름. 부끄러워하는 마음이 없음.
[無他 무타] ㉠이것밖에는 없음. 다른 일이 아님. ㉡타의(他意)가 없음. 딴마음이 없음.
[無他腸 무타장] 심장(心腸) 속에 딴 악의(惡意)가 없음. 타의(他意)가 없음.
[無頉 무탈] 《韓》 탈이 없음.
[無貪 무탐] 무욕(無慾).
[無偏無黨 무편무당] 중정 공평(中正公平)하여 치우치지 아니함. 불편부당(不偏不黨).
[無風 무풍] 바람이 불지 아니함.
[無風帶 무풍대] ㉠바람이 불지 않는 지대. ㉡적도(赤道) 부근과 회귀선(回歸線) 부근의 1년 내내 거의 바람이 없는 지대(地帶).
[無何 무하] ㉠얼마 안 되어. ㉡아무 죄도 없음.
[無何有 무하유] 아무것도 없음. 공허함.
[無何有之鄕 무하유지향] 아무것도 없는 시골이라는 뜻으로, 세상의 번거로운 일이 없는 허무자연의 낙토(樂土)를 이름.
[無學 무학] 학문이 없음. 배운 것이 없음.
[無限 무한] 한이 없음. 끝이 없음.
[無限大 무한대] 한(限)없이 큼.
[無限量 무한량] 한량(限量)이 없음.
[無限小 무한소] 한(限)없이 작음.
[無限定 무한정] 한정(限定)이 없음.
[無恒產 무항산] 일정한 재산 또는 생업(生業)이 없음.
[無恒產無恒心 무항산무항심] 일정한 재산 또는 생업(生業)이 없어 생활이 안정되지 아니하면 착한 마음도 흔들림.
[無恒心 무항심] 일정한 마음이 없음. 착한 마음이 흔들림.
[無害 무해] 해로울 것이 없음.
[無害無得 무해무득] 해로운 것도 없고 이로운 것도 없음.
[無絃琴 무현금] 줄이 없는 거문고.
[無形 무형] 형체(形體)가 없음. 또, 그러한 것.
[無形無迹 무형무적] 드러난 형적(形迹)이 없음.
[無形迹 무형적] 무형무적(無形無迹).
[無惠 무혜] 바보. 천치(天痴). '惠'는 '慧'임.
[無虎洞中狸作虎 무호동중이작호] 범 없는 골에서 너구리가 범 노릇 한다는 뜻으로, 자기보다 나은 사람이 없는 곳에서 저 혼자 잘난 체함의 비유.
[無花果 무화과] 뽕나뭇과에 속하는 낙엽 관목(落葉灌木). 과실은 먹음.
[無患 무환] ㉠근심이 없음. ㉡무환자(無患子).
[無患樹 무환수] 무환자과에 속하는 낙엽 교목. 재목은 기구의 재료로 씀.
[無患子 무환자] 무환수(無患樹).
[無效 무효] 보람이 없음. 효과(效果)가 없음.
[無後 무후] 대(代)를 이어갈 자손(子孫)이 없음.
[無欠 무흠] 흠이 없음.
◉皆無. 空無. 南無. 文無. 三無. 慮無. 有無. 有生于無. 引無. 絕無. 絕世無. 天下無. 虛無.

8 ⑫ [焦] 人名 초 ㊥蕭 卽消切 jiāo
筆順 亻 亻 亻 亻 隹 隹 焦 焦

字解 ①그슬릴 초, 그슬 초 불에 태워 검게 함. 또, 불에 타서 검게 됨. '卜戰龜—'《左傳》. ②탈 초 ㉠마음이 탐. 애탐. '誰知我心—'《阮籍》. ㉡말라 뜨거워짐. 입술 같은 것이 탐. '脣—口燥'《杜甫》. ㉢시들어 까매짐. 얼굴 같은 것이 탐. '心悲則面—'《眞誥》. ③태울 초 전항(前項)의 타동사. '勞身—思'《史記》. ④탄내날 초 불에 타는 냄새가 남. '其味苦, 其臭—'《禮記》.

字源 金文 篆文 別體 形聲. 篆文은 火+隹(雥)〔音〕. '雥초'는 수많은 작은 새의 뜻. 작은 새를 굽다의 뜻에서, '타다'의 뜻을 나타냄. '焦초'는 그 생략체(省略體)인 별체(別體)에 의한 것.

[焦渴 초갈] 목이 탐. 목이 대단히 마름.
[焦卷 초권] 말라 오그라듦.
[焦急 초급] 허둥지둥함. 마음을 졸이며 서둚.
[焦溺 초닉] 불에 타고 물에 빠짐.
[焦桐 초동] '거문고'의 이칭(異稱). '초미금(焦尾琴)'을 보라.
[焦頭爛額 초두난액] 머리를 그슬리고 이마를 데어 가며 불을 끔.
[焦頭爛額爲上客 초두난액위상객] 화재의 예방책을 강구한 사람은 상을 받지 못하고, 불난 뒤에 화재를 끈 사람은 상을 받는다는 뜻으로, 본말(本末)이 전도(顚倒)됨을 비유하는 말.
[焦爛 초란] 피부가 불에 데어 문드러짐.
[焦慮 초려] 초심(焦心).
[焦勞 초로] 애탐. 속을 태움. 노심초사(勞心焦思).
[焦螟集蚊睫 초명집문첩] 지극히 작은 벌레인 초명(焦螟)이 모기의 눈썹 위에 모여든다는 뜻으로, 사람이 아귀다툼하는 광경도 우주(宇宙)에서 바라보면 이와 같이 하찮은 일이라는 것을 비유하는 말.
[焦味 초미] 쓴맛.
[焦眉 초미] 초미지급(焦眉之急).
[焦尾琴 초미금] '거문고'의 이칭(異稱). 후한(後漢) 사람 채옹(蔡邕)이 이웃 사람이 밥을 짓느라고 때는 오동나무가 타는 소리를 듣고 좋은 나무인 줄 알아 그 타다 남은 오동나무를 얻어 거문고를 만든 고사(故事)에서 유래한 말. 초동(焦桐).
[焦眉之急 초미지급] 눈썹에 불이 붙는 것과 같이 썩 위급한 경우를 이르는 말.
[焦迫 초박] 마음을 졸이며 급히 서둚.
[焦飯 초반] 눌은밥. 탄 밥.
[焦思 초사] 초심(焦心).
[焦爍 초삭] 태워 녹임.
[焦暑 초서] 땅이 타는 듯한 더위. 혹렬한 더위. 혹서(酷暑).
[焦脣 초순] 입술을 태움. 속을 태워 입술이 탐.
[焦循 초순] 청조(淸朝)의 학자. 장쑤 성(江蘇省) 감천(甘泉) 사람. 자(字)는 이당(李堂). 〈맹자정의(孟子正義)〉·〈역통석(易通釋)〉 등의 저서가 있음. 유종원(柳宗元)을 사숙(私淑)하였음.
[焦心 초심] 마음을 졸여 태움. 애탐.
[焦熱地獄 초열지옥] 《佛敎》 팔대 지옥(八大地獄)의 여섯째. 화열(火熱)의 고통(苦痛)을 받는 곳. 지옥.
[焦熬 초오] 볶아 타게 함.
[焦僥 초요] 중국 서남 지방에 있는 난쟁이가 산다는 나라.
[焦灼 초작] ㉠태움. 탐. ㉡애태움. 애탐.
[焦燥 초조] 애를 태워서 마음을 졸임.
[焦瘁 초췌] 병으로 인하여 파리하고 해쓱함.
[焦臭 초취] 단내. 화독내.
[焦坼 초탁] 타서 갈라짐.
[焦土 초토] ㉠불에 탄 검은 흙. ㉡화재(火災)가 나서 타고 난 뒤에 남은 흙.
[焦涸 초학] 타서 마름.
◉枯焦. 鐳焦. 三焦. 憂焦.

8 ⑫ [然] 中人 연 ㊥先 如延切 rán

筆順 ノ ク タ タ一 タ犬 然 然 然

字解 ①사를 연 燃(火部 十二畫)은 俗字. '火之始—'《孟子》. ②허락할 연 마음을 허락함. '相—信以死'《史記》. ③그럴 연 ㉠그러함. '皇甫湜曰, 子與賀且得罪, 愈曰—'《韓愈》. ㉡그리하여서. '—而衆知父子之道矣'《禮記》. ④그러면 연 그렇게 하면. '—則子非食志也, 食功也'《孟子》. ⑤그렇게여길 연 그렇다고 생각함. 이치에 맞는다고 생각함. '心—元計'《後漢書》. ⑥그러나 연 그렇기는 하나. '吾嘗將百萬軍, —安知獄吏之貴乎'《史記》. ⑦형용어사 연 如(女部 三畫)·焉(火部 七畫)과 같이, 사물을 형용하는 데 붙이는 어사(語辭). '沛—'. '心欣—欲踐之'《史記》. ⑧어조사 연 焉(火部 七畫) 등과 같이, 어말(語末)에 붙이는 조사(助辭). '歲旱, 穆公召縣子而問—'《禮記》. ⑨성 연 성(姓)의 하나.

字源 金文 篆文 別體 會意. 犬+肉+火. 산 제물로서의 개의 고기를 불로 굽다의 뜻에서, 일반적으로 불로 굽다의 뜻을 나타냄. '燃연'의 原字, 뒤에 假借하여 조사(助辭)로 쓰임.

[然諾 연낙] 승낙(承諾)함.
[然否 연부] 그러함과 그렇지 아니함.
[然石 연석] 타는 돌. 곧, 석탄(石炭).
[然疑 연의] 시비(是非)를 가리기 어려운 일.
[然而 연이] 그러나.
[然頂煉臂 연정연비] 불공(佛供)을 드리는 자는 유촉(油燭)으로 이마를 지지고 팔뚝을 태움.
[然贊 연찬] 그렇다고 찬성함.
[然許 연허] 허락함.
[然後 연후] 그런 뒤.
◉間然. 欿然. 敢然. 介然. 蓋然. 慨然. 居然. 遽然. 乾坤洞然. 傑然. 闃然. 決然. 缺然. 公然. 跫然. 果然. 塊然. 魁然. 轟然. 具然. 瞿然. 戄然. 蹶然. 巋然. 嶔然. 赧然. 爛然. 朗然. 琅然. 冷然. 凜然. 斷然. 端然. 怛然. 淡然. 當然. 瞠然. 徒然. 陶然. 突然. 同然. 僮然. 漠然. 藐然. 萬象森然. 漫然. 慢然. 瞞然. 茫然. 猛然. 緬然. 穆然. 杳然. 眇然. 渺然. 蕪然. 憮然. 無間然. 默然. 未然. 靡然. 閔然. 憫然. 勃然. 浡然. 悖然. 幡然. 翻然. 法然. 炳然. 裒然. 本然. 芬然. 忿然. 紛然. 憤然. 奮然. 賁然. 不然. 茀然. 艴然. 怫然. 斐然. 死灰復然. 索然. 潸然. 酸然. 颯然. 爽然. 色然. 奭然. 釋然. 騷然. 昭然. 蕭然. 謏然. 率然. 悚然. 洒然. 灑然. 睟然. 雖然. 粹然. 倏然. 肅然. 純然. 習慣成自然. 啞然. 俄然. 愕然. 安然. 晏然. 戛然. 暗然. 闇然. 黯然. 昂然. 藹然. 靄然. 亮然. 嶷然. 嫣然. 閹然. 嚴然. 儼

然. 歷然. 易地皆然. 淵然. 燕然. 恬然. 厭然. 傲然. 娛然. 完然. 宛然. 莞然. 汪然. 巍然. 了然. 瞭然. 窈然. 遙然. 窅然. 聳然. 偶然. 優然. 顚然. 蔚然. 鬱然. 喟然. 魏然. 油然. 幽然. 柔然. 悠然. 逌然. 慄然. 听然. 隱然. 依然. 毅然. 已然. 怡然. 日月皎然. 自然. 灼然. 雜然. 寂然. 適然. 全然. 輾然. 截然. 亭然. 挺然. 整然. 卒然. 縱然. 錯然. 粲然. 燦然. 悵然. 蒼然. 凄然. 倜然. 惕然. 天然. 翠然. 悄然. 超然. 愀然. 蹙然. 蹵然. 萃然. 卓然. 脫然. 蕩然. 泰然. 侗然. 退然. 隤然. 頹然. 闟然. 皤然. 判然. 平然. 沛然. 飄然. 憪然. 撊然. 駭然. 炯然. 軒然. 泫然. 瑩然. 惠然. 浩然. 渾然. 忽然. 廓然. 確然. 赫然. 環堵蕭然. 渙然. 煥然. 驩然. 豁然. 況然. 恢然. 晝然. 欣然. 仡然. 屹然. 翕然. 歙然. 闔然.

8 ⑫ [焭] 〔경〕 焭(火部 九畫〈p. 1341〉)과 同字

8 ⑫ [熑] 〔겸〕 兼(八部 八畫〈p. 220〉)의 俗字

8 ⑫ [㶖] 〔렬〕 烈(火部 六畫〈p. 1329〉)의 本字

[舄] 〔석〕 臼部 六畫(p. 1879)을 보라.

8 ⑫ [尉] 〔위〕 尉(寸部 八畫〈p. 605〉)의 古字

[黑] 〔흑〕 部首(p. 2703)를 보라.

[爲] 〔위〕 爪部 八畫(p. 1366)을 보라.

[煦] 〔후〕 口部 九畫(p. 388)을 보라.

9 ⑬ [焭] 경 ㊤庚 渠營切 qióng

字解 ①외로울 경 형제 또는 아내가 없음. 의지할 데가 없음. 또는 그러한 사람. '哀此一獨'《孟子》. ②근심할 경 근심하는 모양. '一一余在疚'《左傳》.

字源 篆文 形聲. 卂+營〈省〉〔音〕. '卂신'은 새가 빨리 날다의 뜻. '營영'은 '縈영'과 통하여, '돌다'의 뜻. 빨리 돌다의 뜻을 나타내며, 차용(借用)하여, '외돌토리, 근심하다'의 뜻도 나타냄.

[焭焭 경경] 근심하는 모양.
[焭單 경단] 형제가 없는 사람.
[焭獨 경독] 형제 또는 아내가 없어 외로운 사람.
[焭然 경연] 사고무친(四顧無親)한 모양.

[塋] 〔영〕 土部 十畫(p. 459)을 보라.

9 ⑬ [煁] 심 ㊤侵 氏任切 shén

字解 화덕 심 음식을 끓이게 된 화로. '卬烘于一'《詩經》.

字源 篆文 形聲. 火+甚〔音〕. '甚심'은 손잡이가 달린 휴대용 조명 기구의 象形으로, '화덕'의 뜻을 나타냄. 뒤에, '火화'를 붙였음.

9 ⑬ [煆] 하 ㊦禡 呼訝切 xià

字解 ①데울 하 불을 가(加)하여 덥게 함. ②더울 하 뜨거움. ③마를 하 건조함.

字源 形聲. 火+叚〔音〕. '叚가'는 '夏하'와 통하여, 여름처럼 덥다의 뜻을 나타냄.

9 ⑬ [煇] 人名 ㊀ 휘 ㊤微 許歸切 huī ㊁ 훈 ㊤文 許云切 xūn ㊂ 운 ㊦問 王問切 yùn

筆順 丷 火 火ˊ 炉 炬 焐 煊 煇

字解 ㊀ 빛 휘, 빛날 휘 輝(車部 八畫)와 同字. '一光'. '德一動于內'《禮記》. ㊁ 지질 훈 불로 지짐. '去眼一耳'《史記》. ㊂ 해무리 운 暈(日部 九畫)과 同字. '掌十一之法'《周禮》.

字源 篆文 形聲. 火+軍〔音〕. '軍군'은 '에워싸다'의 뜻. 광원(光源)의 주위에 발하는 '휘광(輝光)'의 뜻을 나타냄.

[煇光 휘광] 광휘(光輝). 또, 광휘를 발함. 빛남.
[煇煌 휘황] 빛이 찬란한 모양.
[煇煇 휘휘] ㉠빛이 찬란한 모양. ㉡붉은빛의 모양.
◉光煇. 德煇. 十煇. 餘煇. 淸煇.

9 ⑬ [煉] 人名 련 ㊦霰 郎甸切 liàn

筆順 丷 火 火ˊ 炉 炬 炯 炳 煉

字解 달굴 련, 이길 련 鍊(金部 九畫)과 同字. '爐一白珠砂'《列仙傳》.

字源 篆文 形聲. 火+柬〔音〕. '柬련'은 '練련'과 통하여, '이기다'의 뜻. 화력(火力)으로 금속을 달구어 녹이다의 뜻.

[煉丹 연단] '연단(鍊丹)'과 같음.
[煉瓦 연와] 구운 벽돌.
[煉乳 연유] 달여서 진하게 만든 우유.
[煉炭 연탄] 석탄·코크스·목탄 등에 피치·흙 같은 것을 섞어 굳혀 만든 연료(燃料).
◉修煉.

9 ⑬ [煌] 人名 황 ㊤陽 胡光切 huáng

筆順 丷 火 火ˊ 炉 炉 焊 煌 煌

字解 빛날 황 반짝반짝 빛나는 모양. '明星一一'《詩經》.

字源 篆文 形聲. 火+皇〔音〕. '皇황'은 크게 성(盛)하다의 뜻. 세찬 불의 빛, '빛나다'의 뜻을 나타냄.

[煌星 황성] 반짝반짝 빛나는 별.
[煌熠 황습] ㉠빛남. ㉡해. 태양(太陽).
[煌耀 황요] 빛남.
[煌熒 황형] 반짝반짝 빛남.
[煌煌 황황] 반짝반짝 빛나는 모양.

◉敦煌. 炫煌. 熒煌. 焜煌. 煒煌. 輝煌.

9 ⑬ [煒] 一 위 ㊤尾 于鬼切 wěi 二 휘 ㊥微 吁韋切 huī

字解 一 ①빨갈 위 새빨갛고 빛남. '彤管有一'《詩經》. ②성할 위 성(盛)한 모양. 또, 밝은 모양. '譁一衆親盛'《張華》. 二 빛 휘, 빛날 휘 煇(火部 九畫)와 同字. '靑一登平'《漢書》.

字源 篆文 形聲. 火+韋〔音〕. '韋위'는 '偉위'와 통하여, '뛰어남'의 뜻. 대단히 밝은 상태를 나타냄.

[煒如 위여] 밝은 모양. 환한 모양.
[煒然 위연] 위위(煒煒).
[煒曄 위엽] 빛나는 모양. 성(盛)한 모양.
[煒燁 위엽] 위엽(煒曄).
[煒煒 위위] ㉠성(盛)한 모양. ㉡밝은 모양. 환한 모양.
[煒煌 휘황] 반짝반짝 빛나는 모양.
◉火煒. 譁煒.

9 ⑬ [煖] 人名 一 난 ㊤旱 乃管切 nuǎn 二 훤 ㊥元 況袁切 xuān

筆順 丷 火 火 炉 炉 炬 焊 煖

字解 一 따뜻할 난, 따뜻이할 난 暖(日部 九畫)과 同字. '七十非帛不一'《禮記》. '一之以日月'《禮記》. 二 따뜻할 훤 暄(日部 九畫)과 同字.

字源 篆文 形聲. 火+爰〔音〕. '爰원'은 '끌어당기다'의 뜻. 불을 끌어당기어 쬐다, 따뜻하게 하다의 뜻을 나타냄.

[煖閣 난각] 화로로 따뜻하게 한 누각(樓閣)의 방.
[煖坑 난갱] 온돌(溫堗).
[煖氣 난기] 따뜻한 기운.
[煖煖 난난] 따뜻한 모양.
[煖堗 난돌] 따뜻한 온돌.
[煖爐 난로] 방(房) 안에 놓고 불을 때어 방 안을 덥게 하는 기구.
[煖爐會 난로회] 음력 10월 1일에 벌이는 주연(酒宴).
[煖房 난방] '난방(暖房)'과 같음.
[煖室 난실] 따뜻한 방. 난방(暖房).
[煖熱 난열] 더위.
[煖衣 난의] 따뜻하게 입음. 또, 따뜻한 옷.
[煖香 난향] 훈훈한 향기. 따뜻하게 보이는 향기.
◉甘煖. 輕煖. 燠煖. 飽煖. 寒煖. 噓煖.

9 ⑬ [煗] 난 ㊤旱 乃管切 nuǎn

字解 따뜻할 난 煖(前條)과 同字. '海多大風, 冬一'《國語》.

字源 篆文 形聲. 火+耎〔音〕. '耎연·난'은 '부드럽다'의 뜻. 뜨겁지 않고 부드러운 불기운의 뜻에서, '따뜻하다'의 뜻을 나타냄. '暖난(日部 九畫)'은 동일어 이체자(同一語異體字).

[煗氣 난기] 따뜻함. 따스한 기후.

9 ⑬ [煚] 경 ㊤梗 俱永切 jiǒng

字解 ①불 경 '一, 火也'《廣韻》. ②햇빛 경 '一, 一曰, 日光'《集韻》. ③사람이름 경 '一, 人名. 唐書, 毋一, 開元含象亭十八學士之一'《正字通》.

9 ⑬ [煙] 中人 연 ㊥先 烏前切 yān

筆順 丷 火 火 炉 烟 烟 煙 煙

字解 ①연기 연 물건이 탈 때 일어나는 기체. '火一'. '以其一被之'《周禮》. 전(轉)하여, 먼지·구름·안개 등이 자욱이 끼어 오르는 기운. '一霧'. '塵一'. '南朝四百八十寺, 多少樓臺一雨中'《杜牧》. ②연기낄 연 연기가 낌. '寒食, 莫敢一爨'《後漢書》. ③그을음 연 유연(油煙). '煤一'. '乃丸漆一松煤'《洞天淸錄》. ④담배 연 연초. '飮酒, 喫一'《仕學大乘》. ⑤성 연 성(姓)의 하나.

字源 篆文 別體 烟 籀文 古文 形聲. 火+垔〔音〕. '垔인'의 甲骨文은 화덕 연기의 象形. '垔'은 그 자형(字形)의 변종(變種)임. '火화'를 붙여, '연기'의 뜻을 나타냄. 古文은 '㢧'으로서, 집 안의 화덕의 모양을 나타내고 있음.

參考 烟(火部 六畫)은 同字.

[煙家伙 연가화] 아편(阿片)을 피우는 기구.
[煙客 연객] 연기나 안개를 마시고 사는 사람. 곧, 신선(神仙).
[煙景 연경] 아지랑이가 낀 경치. 봄 경치.
[煙溪 연계] 안개 또는 아지랑이가 끼어 흐릿하게 보이는 시내.
[煙管 연관] 담뱃대.
[煙氣 연기] 물건이 불에 탈 때 일어나는 흐릿한 기운.

[煙管]

[煙袋 연대] 연포(煙包).
[煙毒 연독] 구리를 정련(精錬)할 때 나는 유독한 연기.
[煙突 연돌] 굴뚝.
[煙嵐 연람] ㉠연기와 남기(嵐氣). ㉡피어오르는 남기(嵐氣).
[煙浪 연랑] 연파(煙波).
[煙幕 연막] 사격의 목표가 될 물건을 가리기 위하여 발연제(發煙劑)를 발사 또는 투하하여 퍼뜨리는 농연(濃煙).
[煙煤 연매] ㉠철매. ㉡그을음.
[煙滅 연멸] 연기처럼 사라져 없어짐.
[煙霧 연무] 연기와 안개.
[煙墨 연묵] 그을음.
[煙霏 연비] ㉠연기와 아지랑이. ㉡아지랑이. ㉢연기와 같이 흩어짐.
[煙絲 연사] 썬 담배.
[煙蓑雨笠 연사우립] 자욱이 오는 이슬비 속에서 도롱이를 입고 삿갓을 쓰고 일을 함.
[煙嶼 연서] 안개나 아지랑이가 끼어 흐릿하게 보이는 작은 섬.
[煙曙 연서] 안개가 자욱이 낀 새벽.
[煙水 연수] 멀리 아지랑이 또는 안개가 끼어 부옇게 보이는 물.
[煙樹 연수] 아지랑이 또는 안개가 끼어 흐릿하게 보이는 나무.
[煙視媚行 연시미행] 눈물 어린 눈을 하고 아리땁게 걸음. 신부(新婦)가 걷는 것을 형용한 말.
[煙燼 연신] 연기와 타고 남은 찌꺼기.

[煙潯 연심] 연정(煙汀).
[煙埃 연애] 연기와 먼지.
[煙壒 연애] 연애(煙埃).
[煙靄 연애] ㉠연기와 아지랑이. ㉡아지랑이. 운기(雲氣).
[煙焰 연염] 연기와 불꽃.
[煙燄 연염] 연염(煙焰).
[煙曀 연예] 연기 또는 안개가 끼어 어두움.
[煙隖 연오] 멀리 안개 또는 아지랑이가 끼어 흐릿하게 보이는 마을.
[煙雨 연우] 이슬비.
[煙雲 연운] ㉠연기와 구름. ㉡구름처럼 뭉게뭉게 오르는 연기.
[煙雲供養 연운공양] 그림을 보거나 그려 눈을 즐겁게 하는 일.
[煙月 연월] 안개 같은 것이 끼어 흐릿하게 보이는 달.
[煙嶂 연장] 구름 같은 것이 낀 산봉우리.
[煙瘴 연장] 열대 지방의 풍토병(風土病).
[煙渚 연저] 연정(煙汀).
[煙汀 연정] 안개 같은 것이 끼어 흐릿하게 보이는 물가.
[煙塵 연진] ㉠연기와 먼지. ㉡전쟁터에서 일어나는 연기와 먼지. 전(轉)하여, 병란(兵亂). 전진(戰塵).
[煙草 연초] ㉠안개 같은 것이 끼어 흐릿하게 보이는 풀. ㉡담배.
[煙硝 연초] 화약(火藥).
[煙聚 연취] 연기가 끼듯이 모여듦.
[煙土 연토] 아편(阿片).
[煙筒 연통] ㉠굴뚝. 연돌(煙突). ㉡담뱃대. 연관(煙管).
[煙波 연파] 안개 같은 것이 끼어 부옇게 보이는 물결.
[煙波釣徒 연파조도] ㉠연파(煙波) 속에 있는 어부(漁夫). ㉡당(唐)나라 사람 장지화(張志和)의 아호(雅號).
[煙包 연포] 담배 쌈지.
[煙霞 연하] ㉠연기와 놀. ㉡산수(山水)의 경치.
[煙霞痼疾 연하고질] 산수(山水)를 대단히 사랑하는 벽(癖). 은거(隱居)하는 일.
[煙霞癖 연하벽] 연하고질(煙霞痼疾).
[煙霞療養 연하요양] 공기가 신선한 곳에서 요양함.
[煙海 연해] 안개 같은 것이 끼어 흐릿하게 보이는 바다.
[煙火 연화] ㉠밥을 짓는 연기(煙氣). ㉡봉화(烽火). ㉢불에 익힌 음식. ㉣꽃불. 화화(花火).
[煙花 연화] ㉠흐릿하게 보이는 꽃. ㉡번화(繁華). ㉢가희(歌姬). 기녀(妓女).
[煙火中人 연화중인] 화식(火食)하는 사람. 곧, 속세(俗世)의 사람.
[煙鬟 연환] ㉠아름다운 검은 머리의 형용. ㉡푸릇푸릇한 산의 형용.
◉輕煙. 空煙. 禁煙. 喫煙. 嵐煙. 狼煙. 爐煙. 綠煙. 濃煙. 凌煙. 茶煙. 斷煙. 淡煙. 晚煙. 蔓草寒煙. 煤煙. 暮煙. 蚊煙. 發煙. 碧煙. 烽煙. 浮煙. 噴煙. 鬢絲茶煙. 砂煙. 山煙. 祥煙. 盛煙. 素煙. 松煙. 水煙. 戍煙. 晨煙. 愛煙. 野煙. 餘煙. 炎煙. 涌煙. 雲煙. 油煙. 柳煙. 陰煙. 凝煙. 人煙. 紫煙. 長煙. 篆煙. 節煙. 竈煙. 廚煙. 靑煙. 春煙. 炊煙. 翠煙. 吐煙. 風煙. 寒煙. 香煙. 湖煙. 荒煙. 吃煙. 吸煙.

9 ⑬ [煙] 煙(前條)과 同字

9 ⑬ [煜] [人名] 욱 [入]屋 余六切 yù

[筆順] 丶 火 炉 炟 炟 煜 煜 煜

[字解] ①비칠 욱, 빛날 욱 광휘를 발함. '日一乎晝, 月一乎夜'《揚雄》. ②불꽃 욱 화염. '飛烽戢一'《陸雲》.

[字源] [篆文] 形聲. 火+昱〔音〕. '昱욱'은 '왕성하다'의 뜻. 불이 왕성하게 빛나다의 뜻을 나타냄.

[參考] 청(淸)나라 때, 성조(聖祖)의 휘(諱)인 현엽(玄燁)을 피하여, '燁' 대신에 '煜' 자를 썼음.

[煜爚 욱약] 욱작(煜灼).
[煜燿 욱요] 환히 비침. 광휘를 발함.
[煜煜 욱욱] 광휘를 발하는 모양. 빛나는 모양.
[煜灼 욱작] 빛남. 빛을 발함.
[煜霅 욱잡] 빛나는 모양. 광휘를 발하는 모양.
◉炳煜. 燿煜. 曄煜. 燿煜. 霅煜. 暉煜.

9 ⑬ [煠] 잡 [入]洽 士洽切 zhá

[字解] 삶을 잡 끓는 물에 넣어 익힘. '一, 湯爚也'《廣雅》.

[字源] 形聲. 火+枼〔音〕

9 ⑬ [煣] 유 [上]有 人九切 rǒu

[字解] 휠 유 불기운을 쬐어 나무를 휨. '一木爲耒'《漢書》.

[字源] [篆文] 形聲. 火+柔〔音〕. '柔유'는 '부드럽다'의 뜻. 불로 나무를 쩌서 덥히어 부드럽게 해 가지고, 굽히거나 잡아 늘이다의 뜻을 나타냄.

9 ⑬ [煤] [人名] 매 [平]灰 莫杯切 méi

[字解] ①그을음 매 유연(油煙). '一煙'. '嚮者一炱入甑中'《呂氏春秋》. ②먹 매 유연(油煙)으로 만든 먹. '蜀紙麝一沾筆興'《韓偓》. ③석탄 매 '一炭'.

[字源] 形聲. 火+某〔音〕. '某매'는 '墨灰묵회'의 음(音)이 줄어든 것인 듯하며, '검은 재, 검댕'의 뜻을 나타냄.

[煤斤 매근] 석탄(石炭).
[煤氣 매기] ㉠그을음이 섞인 연기. 매연(煤煙). ㉡석탄 가스.
[煤氣井 매기정] 유정(油井).
[煤埃 매애] 그을음과 먼지.
[煤烟 매연] 매연(煤煙).
[煤煙 매연] ㉠그을음이 섞인 연기. ㉡석탄이 타는 연기.
[煤油 매유] 석유(石油).
[煤印 매인] 그을음으로 글씨 같은 것을 씀.
[煤田 매전] 탄전(炭田).
[煤炭 매탄] 석탄(石炭).
[煤炱 매태] 그을음.
[煤舖 매포] 석탄·목탄을 파는 상점.

◉奇煤. 墨煤. 寶煤. 麝煤. 松煤. 埃煤. 竈煤. 炱煤.

9 ⑬ [煥] 人名 환 ㊀翰 火貫切 huàn 焕

筆順 丶 火 炉 炉 炳 煥 煥 煥

字解 빛날 환, 불꽃 환 광휘를 발하는 모양. 광명(光明)한 모양. '一乎其有文章'《論語》.

字源 篆文 形聲. 火+奐〔音〕. '奐환'은 변화가 풍부한 색깔 또, 크게 펼쳐지다의 뜻. 색깔의 변화가 다양한 불빛, 또, 넓게 번져 타는 불빛의 뜻을 나타냄.

[煥綺 환기] 빛나고 아름다움.
[煥爛 환란] 환함.
[煥朗 환랑] 환히 빛남.
[煥麗 환려] 빛나고 고움.
[煥發 환발] 환히 빛남. 환히 나타남.
[煥別 환별] 명백히 구별함.
[煥炳 환병] 환히 빛남.
[煥曜 환요] 빛남.
[煥蔚 환위] 광택(光澤)이 있어 번쩍번쩍함.
[煥彰 환창] 환히 나타남.
[煥乎 환호] 빛나는 모양. 환한 모양. 번쩍함.
[煥煥 환환] 번쩍번쩍 빛나는 모양.
◉明煥. 炳煥. 昭煥. 蔚煥. 輪煥. 照煥. 雕煥. 燭煥. 彪煥. 華煥. 煇煥.

9 ⑬ [煨] 외 ㊥灰 烏恢切 wēi

字解 ①묻은불 외 꺼지지 않게 재 속에 묻은 불. '犯白刃, 蹈一炭'《戰國策》. ②구울 외 재 속에 묻어 구움. '稺兒嬌女共燔一'《蘇軾》.

字源 篆文 形聲. 火+畏〔音〕. '畏외'는 '尉위'와 통하여, '덮히다'의 뜻. 재를 파고 그 속에 물건을 넣어, 속의 불로 굽다의 뜻을 나타냄.

[煨煤 외매] 그을음.
[煨燼 외신] ㉠타고 남은 재. ㉡나머지.
[煨塵 외진] 불기가 있는 재. 뜨거운 재.
[煨炭 외탄] 꺼지지 않게 재 속에 묻은 숯불.
◉煻煨. 炮煨.

9 ⑬ [煩] 高人 번 ㊥元 附袁切 fán 烦

筆順 丶 火 炉 炉 炘 煩 煩 煩

字解 ①번열증날 번 신열이 나고 가슴이 답답함. '病使人一懣'《史記》. ②번민할 번 번뇌함. '一悶'. '心一於慮, 而身親其勞'《司馬相如》. ③번거로울 번 ㉠번잡하여 까다로움. '一務'. '禮一則亂'《書經》. ㉡귀찮음. '一厭'. '簡絲數米, 一而不察'《說苑》. ④번거롭게할 번 폐를 끼침. '敢以一執事'《左傳》. ⑤바쁠 번 일이 많아 겨를이 없음. '一劇'. '簿書轉一'《舊唐書》. ⑥어지러울 번 문란함. '世濁則禮一而樂淫'《呂氏春秋》. ⑦시끄러울 번 떠들썩함. '一費'. '嘖有一言'《左傳》.

字源 篆文 會意. 頁+火. '頁혈'은 '머리'의 뜻. 열이 있어서 두통(頭痛)이 나다의 뜻에서, 파생하여, '번민하다'의 뜻을 나타냄.

[煩苛 번가] 번거로움. 까다로움.
[煩簡 번간] 번잡(煩雜)함과 간이(簡易)함.
[煩劇 번극] 바쁨.
[煩襟 번금] 번회(煩懷).
[煩急 번급] 몹시 번거롭고 엄(嚴)함.
[煩拏 번나] 번나(煩挐).
[煩挐 번나] 뒤섞임. 교차(交叉)함.
[煩惱 번뇌] 욕정(慾情) 때문에 심신(心神)이 시달림을 받아서 괴로움.
[煩惱卽菩提 번뇌즉보리]《佛教》마음이 미혹(迷惑)하면 번뇌, 번뇌를 해탈(解脫)하면 보리(菩提)이어서 번뇌와 보리의 두 가지 마음이 따로 따로 있는 것이 아님.
[煩多 번다] 번거롭게 많음.
[煩毒 번독] 번민하며 괴로워함.
[煩亂 번란] ㉠심신이 괴롭고 어지러움. ㉡번잡(煩雜).
[煩慮 번려] 번거로운 생각.
[煩禮 번례] 번거로운 예법(禮法).
[煩勞 번로] ㉠일이 번거로워서 심신이 시달림. ㉡일을 번거롭게 시켜 시달리게 함.
[煩論 번론] 번거로운 언론.
[煩累 번루] 번거로운 일. 귀찮은 일.
[煩懣 번만] ㉠신열이 나고 가슴속이 답답함. ㉡번민(煩悶).
[煩務 번무] 번거로운 사무. 어수선하고 많은 사무.
[煩文 번문] 번잡한 문장.
[煩悶 번민] 마음이 몹시 답답하여 괴로워함.
[煩密 번밀] 번세(煩細).
[煩法 번법] 번거로운 법. 까다로운 법.
[煩費 번비] 번거롭게 비용이 많이 드는 일.
[煩數 번삭] 번거롭게 잦음. 너무 잦아 귀찮음.
[煩想 번상] 번려(煩慮).
[煩細 번세] 너무 자잘하여 번거로움.
[煩訴 번소] 번거로운 소송.
[煩碎 번쇄] 번쇄(煩瑣).
[煩瑣 번쇄] 너더분하고 좀스러움.
[煩瑣哲學 번쇄철학] 유럽의 중세(中世)에 행하여진 철학. 기독교의 교회와 교의(教義)를 보호하였는데, 그 논설(論說)이 너무 번쇄(煩瑣)하였으므로 이름. 스콜라 철학.
[煩愁 번수] 마음을 괴롭게 하는 근심. 번우(煩憂).
[煩壤 번양] 쓰레기를 버리는 곳.
[煩語 번어] 번거로운 말.
[煩言 번언] ㉠시끄럽게 싸우는 말. ㉡번어(煩語).
[煩言碎辭 번언쇄사] 언사(言辭)를 번쇄(煩碎)하게 함. 또, 그 언사.
[煩撋 번연] 손으로 문지름.
[煩熱 번열] ㉠무더움. 무더위. ㉡《韓》신열이 나서 가슴속이 답답하고 괴로움.
[煩厭 번염] 귀찮고 싫음.
[煩縈 번영] 번우(煩紆).
[煩惋 번완] 번민하여 한탄함.
[煩擾 번요] 번거롭고 소란함.
[煩溽 번욕] 무더움. 무더위. 번증(煩蒸).
[煩縟 번욕] 번용(煩冗).
[煩冗 번용] 번거롭고 용장(冗長)함.
[煩紆 번우] 귀찮게 휘감김.
[煩憂 번우] ㉠마음을 괴롭게 하는 근심. ㉡괴로워하고 근심함.
[煩鬱 번울] 가슴이 답답하여 우울함.
[煩寃 번원] ㉠귀찮음. 우울함. ㉡회오리바람이 부는 모양. ㉢번민(煩悶).

[煩雜 번잡] 번거롭고 복잡함.
[煩酲 번정] 술을 먹은 뒤에 느끼는 괴로움.
[煩躁 번조] 번잡하고 소란함.
[煩蒸 번증] 무더위. 찌는 더위.
[煩治 번치] 번거로운 정치. 까다로운 정사(政事).
[煩惑 번혹] 번민하고 미혹(迷惑)함. 또, 번민과 미혹.
[煩懷 번회] 번거로운 속사(俗事) 때문에 시달리는 마음.
[煩歊 번효] 무더위. 번증(煩蒸).
[煩囂 번효] 번잡하고 시끄러움.
◉嫁煩. 劇煩. 黷煩. 累煩. 僂煩. 冥煩. 迷煩. 頻煩. 絮煩. 擾煩. 宂煩. 滋煩. 叢煩. 苛煩. 昏煩. 囂煩. 喧煩.

9 ⑬ [煬] 人名 양 ㊀漾 餘亮切 yàng

字解 ①땔 양 불을 활활 땜. '冬則—之'《莊子》. ②쬘 양 불을 쬠. '若竈則不然, 前之人—, 則後之人無從見也'《戰國策》. ③녹일 양 금속을 용해함.

字源 篆文 形聲. 火+昜〔音〕. '昜양'은 뜨거운 해가 오르다의 뜻. 화력(火力)을 올리어 굽다의 뜻을 나타냄.

[煬突 양돌] 차(茶)를 찌는 연돌(煙突).
[煬者 양자] 밥을 짓는 사람.
[煬帝 양제] 수(隋)나라 제2대의 황제. 성은 양(楊). 이름은 광(廣). 문제(文帝)의 아들. 무도(無道)하여 부친을 시해(弑害)하고 즉위함. 대운하(大運河)를 개통(開通)하고 장성(長城)을 쌓는 등의 큰 토목 공사를 일으키고 사치(奢侈)를 극(極)하였으며, 주색(酒色)에 빠졌기 때문에 중원(衆怨)이 모여 신하 우문화급(宇文化及)에게 피살당하였음.
[煬和 양화] 따뜻하고 온화함.
◉焚煬. 炎煬.

9 ⑬ [煟] 위 ㊀未 于貴切 wèi

字解 빛 위, 빛날 위 광휘. 또, 빛나 밝은 모양. '—, 火光'《廣韻》. '——, 光也'《廣雅》.

9 ⑬ [煓] 人名 단 ㊥寒 他端切 tuān

字解 ①불길성할 단 '—, 一曰, 火熾盛皃'《集韻》. ②빛날 단 '—, 赫也'《揚子方言》.

9 ⑬ [煍] 알 ㊁月 於歇切 yē

字解 더위먹을 알 '—, 中熱也'《字彙》.

9 ⑬ [煐] 人名 영 ㊥庚 於驚切 yīng

筆順 丶 火 火' 火'' 火艹 火艹 火英 煐

字解 ①빛날 영. ②사람이름 영 '—, 闕, 人名'《集韻》. '有張—'《南史》.

9 ⑬ [煝] 미 ㊀寘 明祕切 mèi

字解 ①빛날 미 '—, 焥也'《玉篇》. ②가뭄별 미 가뭄의 뜨거운 볕. '—, 焅熱'《廣韻》.

9 ⑬ [熜] 총 ㊤董 作孔切 zǒng

字解 ①삼대태울 총 삼을 벗기고 난 대를 불사름. '—, 然麻蒸也'《說文》. ②횃불 총 '—, 炬也'《集韻》.

字源 篆文 形聲. 火+怱(悤)〔音〕. '悤총'은 '총망스럽다'의 뜻.

9 ⑬ [煊] 人名 훤 ㊥元 許元切 xuān

字解 따듯할 훤 '煖, 說文, 溫也. 或作—·暄'《集韻》.

9 ⑬ [煔] 一 첨 ㊀豔 他念切 tiàn 二 점 ㊥鹽 慈鹽切 qián 三 삼 ㊥咸 歸銜切 shān

字解 一 불타오를 첨 불타오름. 또, 그 형용. '—, 火行也'《說文》. '—, 火行皃'《廣韻》. 二 데칠 점 '炙鴰烝鳧—鶉䨉只'《楚辭》. 三 나무이름 삼 杉(木部 三畫)과 同字. '—, 似松, 生江南. 可以爲船及棺材'《爾雅注》.

字源 篆文 形聲. 炎+占〔音〕. '炎염'은 불꽃, '占점'은 위로 피어올라서 움직이지 않다의 뜻.

9 ⑬ [煏] 〔픽〕
㷪(火部 十四畫〈p. 1361〉)과 同字

9 ⑬ [煴] 〔온〕
熅(火部 十畫〈p. 1348〉)의 俗字

9 ⑬ [煅] 〔단〕
鍛(金部 九畫〈p. 2405〉)의 俗字

9 ⑬ [尞] 료 ㊀嘯 力照切 liào

字解 천제(天祭)지낼 료 섶을 태워서 천제를 지냄. '—, 燔柴祭天也'《集韻》.

字源 甲骨文Ⓐ 甲骨文Ⓑ 金文 篆文 甲骨文Ⓑ는 象形. 불 위에 나무를 엮고 그 나무 둘레에 불똥이 튀는 모양을 형상화하여, 화톳불의 뜻을 나타냄. 옛날에는, 화톳불을 피우고 천제(天祭)를 지냈음. 篆文은 會意로서, 火+昚('愼'의 古文).

9 ⑬ [烕] 멸 ㊁屑 莫結切 miè

字解 불꺼물거릴 멸 불이 밝지 않음. 어두움. '—, 火不明也'《說文》.

字源 篆文 形聲. 火+苜〔音〕. '苜멸'은 똑똑히 보이지 않다의 뜻. 똑똑히 보이지 않는 불의 뜻을 나타냄.

9 ⑬ [煑] 煮(攴部 十四畫)와 同字

9 ⑬ [煎] 人名 전 ㊥先 子仙切 jiān

字解 ①달일 전, 졸일 전 끓여서 진하게 만듦. '—藥'. '性嗜茶, 始創—茶法'《全唐詩話》. ②졸일 전 애태움. '恐不任我意, 逆以—我懷'《古詩》. ③지질 전 지짐질을 함. '—油'. ④끓일 전 가열하여 끓게 함. '我有至味非—烹'《蘇軾》. ⑤

끓을 전 끓어 익음. '瀋瀋有聲如粥一'《范成大》.
字源 篆文 形聲. 灬(火)+前〔音〕. '前전'은 '刪산'과 통하여, '분리하다'의 뜻. 진국만을 빼내기 위해 잘 끓이다, 달이다의 뜻. 또, 물기를 빼다, 볶다의 뜻도 있음.

[煎憹 전뇌] 속을 몹시 태움.
[煎茶 전다] 차를 달임. 또, 그 엽차.
[煎督 전독] 몹시 재촉함.
[煎迫 전박] 절박함.
[煎藥 전약] 약을 달임. 또, 달여 먹는 약.
[煎熬 전오] 끓임과 볶음. 곧, 요리함. 음식을 만듦.
[煎油 전유] 지짐질하는 기름.
[煎調 전조] 음식을 익혀 간을 맞춤. 요리함.
[煎烹 전팽] 끓이고 삶음. 곧, 요리함. 음식(飮食)을 만듦.
[煎和 전화] 졸여 간을 맞춤.
◉甲煎. 藁火自煎. 濃煎. 焚煎. 熬煎. 黏煎. 烹煎. 炮煎. 合煎. 香煎.

9 ⑬ [煮] 人名 자(저本) ㊤語 章與切 zhǔ 煮

字解 ①끓일 자, 삶을 자, 익힐 자 가열하여 익게 함. '一沸'. '一豆持作羹'《曹植》. ②구울 자 바닷물로 제염(製鹽)함. '燕有遼東之一'《管子》. ③익을 자 익혀짐. '豆至難一'《晉書》.
字源 篆文 形聲. 灬(火)+者〔音〕. '者자'는 '煮'의 原字. '者'는 쌓아 놓은 땔나무에 밑으로부터 불을 지핀 상태를 형상화하여, '끓이다'의 뜻을 나타냄.

[煮豆燃萁 자두연기] 콩을 삶는 데 콩대를 땔감으로 쓴다는 뜻으로, 형제(兄弟)끼리 서로 다툼의 비유.
[煮沸 자비] 끓임.
[煮字 자자] 글자를 익힘. 곧, 서생(書生)이 글을 배워 생활의 밑천을 삼음의 비유.
[煮湯 자탕] 끓인 물.
◉羹煮. 官煮. 糜煮. 私煮. 雜煮. 旨煮. 炊煮. 炮煮. 亨煮. 灰煮. 熏煮.

9 ⑬ [熙] 人名 희 ㊥支 許其切 xī 熙

筆順 一 丅 丙 丙 匝 匝 配 熙

字解 ①빛날 희 광휘를 발함. '於緝一敬止'《詩經》. ②넓을 희, 넓어질 희 광대함. 또, 광대하여짐. '庶績咸一'《書經》. ③넓힐 희 홍대(弘大)하게 함. '有能奮庸一帝之載'《書經》. ④화락할 희 화목하게 즐김. '衆人一一'《老子》. ⑤일어날 희 흥기(興起)함. ⑥아아 희 탄식하는 소리. '一念我孺子'《後漢書》. ⑦복 희 禧(示部 十二畫)와 통용. '一事備成'《漢書》. ⑧기뻐할 희 嬉(女部 十二畫)와 同字. '一笑'. '出咸陽一邯鄲'《宋玉》.
字源 金文 篆文 形聲. 灬(火)+巸〔音〕. '巸이희'는 수유(授乳)를 기다리는 태아(胎兒)의 會意 문자로, '기뻐하다'의 뜻. '火화'를 붙여, 기쁨과 빛의 뜻을 나타냄.
參考 熈(火部 九畫)는 俗字.

[熙隆 희륭] 넓고 성(盛)함.
[熙笑 희소] 기뻐하여 웃음.
[熙雍 희옹] 화락(和樂)함.
[熙怡 희이] 기뻐함.
[熙載 희재] 일을 일으켜 넓힘. 제업(帝業)을 보좌(輔佐)함.
[熙朝 희조] 잘 다스려진 왕조(王朝). 성대(盛代).
[熙洽 희흡] '중희경흡(重熙景洽)'의 약어(略語). 광명(光明)과 화합(和合)을 겹친다는 뜻으로, 천자(天子)가 전후 2대(代)에 걸쳐 인덕(仁德)을 베풀어 천하가 태평함을 이름.
[熙熙 희희] ㉠화락(和樂)한 모양. ㉡넓은 모양. ㉢왕래가 잦은 모양.
[熙熙壤壤 희희양양] 여러 사람이 여기저기 번화하게 왕래하는 모양. 왕래가 잦은 모양.
◉光熙. 木熙. 輔熙. 阜熙. 恬熙. 榮熙. 雍熙. 滋熙. 重雍襲熙. 緝熙.

9 ⑬ [煦] 人名 후 ㊦遇 香句切 xù

字解 ①따뜻하게할 후 ㉠일광으로 따뜻하게 함. 또, 김을 불어 따뜻하게 함. '吹一'. '一噓'. '一嫗覆育萬物'《禮記》. ㉡찌거나 열함. '一, 烝也'《說文》. '一, 熱也'《玉篇》. ②은혜 후 은덕. '恩一'. '彼以一一爲仁'《韓愈》. ③햇빛 후 일광. ④더울 후 햇빛이 더움.
字源 篆文 形聲. 灬(火)+日+句〔音〕. '句구'는 입을 오므리어 훅 김을 부는 소리의 의성어(擬聲語). 열기(熱氣)를 불어서 데우는 뜻을 나타냄.

[煦嫗 후구] 김을 불어 따뜻하게 하고 체온(體溫)으로 따뜻하게 함. 따뜻하게 하여 기름. 양육함.
[煦伏 후부] 알을 품어 따뜻하게 함. 양육의 뜻.
[煦覆 후부] 따뜻하게 하여 덮음.
[煦育 후육] 따뜻하게 하여 기름. 양육(養育)함.
[煦噓 후허] 김을 불어 따뜻하게 함.
[煦煦 후후] 자그마한 은혜를 베푸는 모양.
◉嫗煦. 明煦. 陽煦. 溫煦. 恩煦. 照煦. 春煦. 吹煦. 含煦. 涵煦. 和煦. 暄煦.

9 ⑬ [照] 高人 조 ㊦嘯 之少切 zhào

筆順 Ⅱ 日 日ㄱ 日ㄲ 昭 昭 照 照

字解 ①비칠 조 빛남. '日月得天, 而能久一'《易經》. ②비출 조 ㉠빛을 보냄. '日月所一'《中庸》. ㉡전(轉)하여, 해의 뜻으로 쓰임. '夕一'. '晩一'. ㉢그림자를 비추어 봄. '攬鏡自一'《晉書》. ㉣맞대어 봄. '對一'. '以自鑒一'《後漢書》. ㉤비추어 인도함. 효유(曉諭)함. '一惑者'《淮南子》. ㉥환히 앎. '同明相一'《史記》. ③빛 조 광명. '鼇牖自取一'《淮南子》. ④영상 조 비치는 그림자. 또는 사진 따위. '小一'. '寫一'. '傳神寫一'《晉書》. ⑤증서 조 증권. '取索契一'《文獻通考》. ⑥거울 조 형상을 비추어 보는 물건. '賣半一'《羣談採餘》. ⑦성 조 성(姓)의 하나.
字源 篆文 形聲. 灬(火)+昭〔音〕. '昭소'는 '밝음'의 뜻. 불로 밝게 하다, '비추다'의 뜻을 나타냄.

[照鑑 조감] 조람(照覽).
[照鏡 조경] ㉠거울에 비추어 봄. ㉡잘 보이는 거울.
[照管 조관] 처리함.

[照校 조교] 대조하여 교정함.
[照膽鏡 조담경] 사람의 마음을 비추어 본다고 하는 거울.
[照度 조도] 일정한 면적이 일정한 시간에 받는 빛의 양(量). 광원(光源)의 거리의 자승(自乘)에 반비례함.
[照得 조득] 공문서(公文書)의 서두(書頭)에 쓰는 말. 조회(照會)한다는 말.
[照謄 조등] 글을 대조하면서 베낌.
[照爛 조란] 빛남. 광휘를 발함.
[照覽 조람] ㉠비추어 봄. 환히 봄. ㉡신불(神佛)이 내려다봄.
[照亮 조량] 사정(事情)을 살펴서 밝혀 앎.
[照例 조례] 전례(前例)에 비추어서 상고(詳考)함. 종전(從前)대로 함.
[照臨 조림] ㉠일월(日月)이 상천(上天)에서 비침. ㉡군왕(君王)이 통치(統治)함. ㉢귀빈(貴賓)이 방문(訪問)함. ㉣신불(神佛)이 내려다봄.
[照魔鏡 조마경] 악마의 본체를 비추어 그 진상(眞相)을 드러내는 거울.
[照明 조명] ㉠밝게 비춤. 환히 비춤. ㉡무대에 빛을 비추는일.
[照冥 조명] ㉠우란분(盂蘭盆)을 행하는 날. 곧, 칠월 보름날에 피우는 불. ㉡어두운 데를 비춤.
[照明彈 조명탄] 야간에 적정(敵情)을 알기 위하여 발사하는 강한 빛을 발하는 탄환.
[照懋 조무] 밝고 성대(盛大)함.
[照微 조미] 희미한 것을 비추어 환하게 함.
[照病鏡 조병경] 배 속의 병을 비추어 보는 거울.
[照覆 조복] 조회(照會)에 대한 답장(答狀).
[照查 조사] 대조하여 조사함.
[照射 조사] 비춤. 빛남. 광휘를 발함.
[照像 조상] 사진을 찍음. 또, 사진.
[照星 조성] 가늠쇠. 총구(銃口) 끝에 장치하여 가늠할 때 씀.
[照歲燈 조세등] 그믐날 밤의 등불.
[照映 조영] 비침.
[照曜 조요] 비침. 빛남.
[照耀 조요] 조요(照曜).
[照應 조응] 문장(文章) 등의 전후를 대조하여 균형을 잡음.
[照灼 조작] 빛남. 광휘를 발함.
[照照 조조] 환히 비추는 모양. 빛나는 모양.
[照準 조준] 겨냥을 보는 표준.
[照澄 조징] 맑게 비침.
[照察 조찰] 명찰(明察)함.
[照彰 조창] 환히 나타남. 빛나게 나타남.
[照尺 조척] 가늠자. 착탄 거리를 조준(照準)하는 데 쓰는 눈을 새긴 조각.
[照徹 조철] 두루 비춤.
[照撮 조촬] 사진을 찍음.
[照海鏡 조해경] 배에 비치한 망원경.
[照會 조회] ㉠문의(問議)함. 물어서 확인함. ㉡대조(對照)하여 생각함.
◉肝膽相照. 簡照. 契照. 觀照. 光照. 落照. 朗照. 對照. 同明相照. 晩照. 反照. 半照. 返照. 辨照. 普照. 覆照. 比照. 查照. 斜照. 寫照. 夕照. 小照. 餘照. 淵照. 燃照. 玉照. 日月無私照. 日照. 臨照. 殘照. 浚照. 察照. 參照. 燭照. 破鏡不重照. 徧照. 遍照. 瑩照. 護照.

9 ⑬ [煞] 人名 〔살〕 殺(殳部 七畫〈p. 1157〉)과 同字

9 ⑬ [煕] 〔희〕 熙(火部 九畫〈p. 1346〉)의 俗字

9 ⑬ [熏] 〔훈〕 熏(火部 十畫〈p. 1349〉)의 俗字

10 ⑭ [粦] 린 ㊀震 良刃切 lín
字解 도깨비불 린 귀화(鬼火). '戰鬪死亡之所, 有人馬血積年化爲一'《博物志》.
字源 篆文 會意. 炎+舛. '舛천'은 좌우의 발길의 象形. 좌우로 흔들리는 '도깨비불'의 뜻을 나타냄. '粦린'의 本字.

10 ⑭ [熒] 人名 형 ①-④㊥青 戶扃切 yíng ⑤㊤迥 烏迥切 yǐng 荧
筆順
字解 ①등불 형 조그마한 등불 또는 촛불. '守突奧之一燭'《漢書》. ②비칠 형, 빛날 형 '火之始一'《新論》. ③아찔할 형 현기증이 남. '而目將一之'《莊子》. ④개똥벌레 형 螢(虫部 十畫)과 통용. '逐一光行數里'《後漢書》. ⑤현혹할 형 혹란(惑亂)함. '一惑'. '是皇帝所聽一也'《莊子》.
字源 篆文 形聲. 焱+冂[音]. '冂경'은 '두르다'의 뜻. 많은 불을 두르다, 빛나다의 뜻을 나타냄.

[熒光 형광] 반딧불.
[熒燎 형료] 빛이 희미한 작은 불.
[熒侮 형모] 현혹하게 하고 모욕함.
[熒曄 형엽] 비침. 빛남.
[熒郁 형욱] 무성(茂盛)함.
[熒燭 형촉] 작은 촛불.
[熒熒 형형] ㉠조그마한 불빛이 반짝반짝하는 모양. ㉡환히 빛나는 모양. 빛나고 윤이 흐르는 모양.
[熒惑 형혹] ㉠재화(災禍)·병란(兵亂)의 조짐을 보인다는 별 이름. 화성(火星). ㉡화신(火神)의 이름. 남방(南方)에 있다 함. ㉢현혹하게 함.
[熒煌 형황] 환히 비침. 휘황(輝煌)함.
◉晶熒. 聽熒. 青熒. 煌熒.

[榮] 〔영〕 木部 十畫(p. 1097)을 보라.

[犖] 〔락〕 牛部 十畫(p. 1384)을 보라.

[滎] 〔형〕 水部 十畫(p. 1268)을 보라.

10 ⑭ [煽] 선 ㊀霰 式戰切 shàn
字解 ①일 선 불이 성(盛)하여짐. '高燗飛一于天垂'《左思》. ②붙일 선 불을 붙임. '一熛章華'《新論》. ③부채질할 선 부추김. '一動'. '羣凶挾一'《任昉》. ④성(盛)할 선 세력이 성대함. '一熾'. '豔妻一方處'《詩經》.
字源 篆文 形聲. 火+扇[音]. '扇선'은 '부채, 부채질하다'의 뜻. 불을 일으키다의 뜻을 나타냄.

[煽動 선동] 부추김.
[煽誘 선유] 부추겨 꾐.
[煽熾 선치] 세력이 성대함.
[煽熛 선표] 불똥이 튀며 불이 일.
[煽惑 선혹] 부추겨 유혹함.
◉鼓煽. 狂煽. 驅煽. 挾煽.

10 ⑭ [熄] [人名] 식 [入]職 相卽切 xī

[字解] ①꺼질 식 불이 꺼짐. '一滅'. '爝火不一'《莊子》. ②사라질 식 사라져 없어짐. '一滅'. '王者之迹一'《孟子》.
[字源] 篆文 熄 形聲. 火+息〔音〕. '息식'은 '쉬다'의 뜻. 불이 쉬다, 꺼지다의 뜻을 나타냄.

[熄滅 식멸] 꺼짐. 또, 사라져 없어짐.
[熄火山 식화산] 휴화산(休火山).
◉終熄. 殄熄.

10 ⑭ [熀] [人名] [一] 황 [上]養 吁往切 huǎng [二] 엽 [入]葉 爲輒切 yè

[筆順] 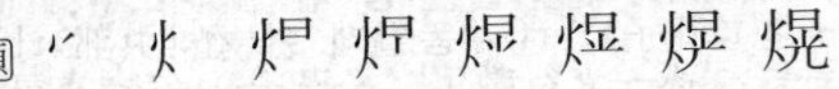
[字解] [一] 화광(火光) 이글거릴 황 '一, 煒一, 火光盛貌'《五音篇海》. [二] 환히비칠 엽 밝게 비침. '不見天光之一爛'《抱朴子》.
[字源] 形聲. 火+晃〔音〕. '晃황'은 '밝다'의 뜻.

[熀爛 엽란] 밝게 빛남.

10 ⑭ [熅] 온 [平]文 於云切 yūn

[字解] ①숯불 온 불꽃이 없는 숯불. '置一火'《漢書》. ②따뜻할 온 온난함. '地富一'《新書》. ③김오를 온 김이나 연기 같은 것이 오르는 모양. '烟烟一一'《班固》.
[字源] 篆文 熅 形聲. 火+昷〔音〕. '昷온'은 '따뜻하다'의 뜻. 묻어 둔 숯불, 연기가 나다의 뜻을 나타냄.
[參考] 煴(火部 九畫)은 俗字.

[熅熅 온온] ㉠김이나 연기가 오르는 모양. ㉡음양(陰陽)이 조화한 모양.
[熅火 온화] 불꽃이 없는 숯불.
◉富熅. 棼熅. 煙熅. 燿熅.

10 ⑭ [熇] [一] 혹 [入]沃 火酷切 hè [二] 효 [平]蕭 虛嬌切 xiāo

[字解] [一] ①뜨거울 혹 불이 뜨거움. '一暑'. ②불꽃일어날 혹 불꽃이 성하게 일어나는 모양. '多將一一'《詩經》. [二] 불길 효 熇(火部 十二畫)와 同字.
[字源] 篆文 熇 形聲. 火+高〔音〕. '高고'는 '높다'의 뜻. 높이 오르는 불, '뜨겁다'의 뜻을 나타냄.

[熇焚 혹분] 땜. 태움.
[熇暑 혹서] 더움. 뜨거움.
[熇蒸 혹증] 심한 더위.
[熇赫 혹혁] 대단한 더위.
[熇熇 혹혹] 불꽃이 성하게 일어나는 모양.
[熇歊 혹효] 화기(火氣)가 성하게 오름.

10 ⑭ [熉] [人名] 운 [平]文 于分切 yún [上]吻 羽粉切

[字解] 노랄 운 빛이 노란 모양. '照紫幄珠一黃'《漢書》.

10 ⑭ [熕] [日] 공

[字解] 《日》 대포(大砲) 공 '砲一'. '一砲'. '一炮'. '銅發一'《武備志》.
[字源] 形聲. 火+貢〔音〕. 대포의 소리를 나타냄.

10 ⑭ [熔] [人名] 〔용〕 鎔(金部 十畫〈p. 2409〉)의 俗字

[熔巖 용암] 화산(火山)에서 분출(噴出)한 바위.
[熔解 용해] 고체(固體)가 불에 녹음.

10 ⑭ [熂] 희 [去]未 許旣切 xì

[字解] ①풀베어불놓을 희 '薙艸燒之曰一'《集韻》. ②들불 희 들풀에 놓는 불. '一, 燹火'《廣韻》.

10 ⑭ [熩] [一] 혹 [入]沃 胡沃切 hú [二] 곽 [入]藥 光鑊切

[字解] [一] 구울 혹 센 불에 구움. '一, 灼也'《說文》. [二] 구울 곽 [一]과 뜻이 같음.
[字源] 形聲. 火+隺〔音〕

10 ⑭ [熰] 초 [上]巧 初爪切 chǎo

[字解] ①볶을 초 볶음. 또는 구움. 炒(火部 四畫)와 同字. '一, 熬也'《廣韻》. ②말릴 초 '一, 乾也'《廣雅》.

10 ⑭ [煻] 당 [平]陽 徒郎切 táng

[字解] 묻은불 당, 뜨거운재 당 '一, 灰火也'《六書故》.

10 ⑭ [熑] 렴 [平]鹽 勒兼切 lián

[字解] ①끊을 렴 수레바퀴의 테를 불에 구워 휘는 데 불기운을 없애고 끊음. '一, 絕也'《玉篇》. ②불꺼지지아니할 렴 '一, 火不絕也'《集韻》.
[字源] 篆文 熑 形聲. 火+兼〔音〕. '兼겸'은 '廉렴'과 통하여, '끊다'의 뜻.

10 ⑭ [煿] 박 [入]藥 伯各切 bó

[字解] 불에말릴 박 爆(火部 十五畫)과 同字.

10 ⑭ [羨] [一] 치 [平]支 叉宜切 [二] 차 [平]歌 才和切 [三] 자 [上]馬 俎下切 zhǎ [四] 지 [去]寘 疾智切

[字解] [一] ①묶은숯 치 '羨, 束炭也'《說文》. ②말릴 치 '一, 乾也'《廣雅》. ③쬘 치 햇빛에 쬠. '一, 博雅, 曝也'《集韻》. [二] 묶은숯 차, 말릴 차, 쬘 차 [一]과 뜻이 같음. [三] 묶은숯 자, 말릴 자, 쬘 자 [一]과 뜻이 같음. [四] 묶은숯 지, 말릴 지, 쬘 지 [一]과 뜻이 같음.

[字源] 形聲. 火＋𡍮(差)〈省〉〔音〕

10 ⑭ **[熁]** 협 [入]葉 迄業切 xié

[字解] ①찔 협 화기(火氣)가 오름. '一, 火氣一上'《廣韻》. ②불닥칠 협 불길이 가까이 닥침. '一, 火迫也'《集韻》.

10 ⑭ **[熝]** 구 [去]宥 古候切 gòu

[字解] 횃불 구 '一, 擧火也'《集韻》.
[字源] 形聲. 火＋冓〔音〕. '冓구'는 화톳불을 태우기 위한 바구니의 象形.

10 ⑭ **[㷐]** 섬 [去]豔 舒贍切 shǎn

[字解] ①불타오를 섬 焰(火部 九畫)과 同字. ②번쩍일 섬.
[字源] 形聲. 火＋閃〔音〕. '閃섬'은 '번쩍이다'의 뜻.

10 ⑭ **[熓]** 옹 [上]董 烏孔切 wěng

[字解] 연기의모양 옹 '一然, 煙氣'《廣韻》.

10 ⑭ **[熐]** 명 [平]青 忙經切 mì

[字解] 흉노부락이름 명 '一蠡, 匈奴聚落也'《集韻》.

10 ⑭ **[㶩]** 함 [上]感 戶感切 hàn

[字解] 델 함 불에 데어 부르틈. '一, 灼爛'《集韻》.

10 ⑭ **[熊]** [人名] 웅 [平]東 羽弓切 xióng 

[筆順] 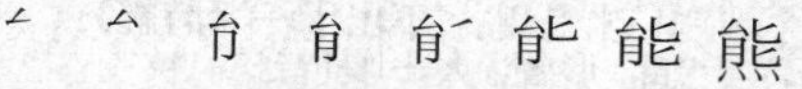

[字解] ①곰 웅 맹수(猛獸)의 하나. 쓸개는 약용으로 함. '一膽'. '維一維羆'《詩經》. ②빛날 웅 고운 빛이 나는 모양. 광택이 고운 모양. '一一赤色有光'《史記》. ③성 웅 성(姓)의 하나.
[字源] [篆文]  形聲. 能＋黑〈省〉＋肱〈省〉〔音〕. 이 자형(字形)에 대해서는 제대로 알지를 못하고 있음. '能능'은 곰의 象形. '肱굉'은 팔꿈치의 뜻. 팔꿈치를 자유로이 움직여, 나무에 올라 먹이를 따는 흑곰의 모양을 나타냄.

[熊經鳥申 웅경조신] 신선이 장생불사(長生不死)하기 위하여 몸을 단련시키는 법. 곰이 나무에 매달리듯이 하고, 새가 목을 길게 뺀 것같이 함.
[熊膽 웅담] 곰의 쓸개. 약(藥)으로 씀.
[熊蹯 웅번] 웅장(熊掌).
[熊羆入夢 웅비입몽] 남자가 날 태몽. 곰은 힘이 세고 양(陽)에 속하는 짐승이므로, 남자(男子)의 비유로 쓰임.
[熊羆之力 웅비지력] 곰 같은 힘.
[熊羆之士 웅비지사] 곰 같은 장사.
[熊軾 웅식] 한대(漢代) 삼공(三公)·열후(列侯)의 차제(車制)에서 수레 앞 가로나무에 곰을 그린 것.
[熊魚 웅어] 웅장(熊掌)과 물고기. 모두 맛이 좋음.
[熊熊 웅웅] 고운 빛이 나는 모양. 빛이 곱고 윤이 나는 모양.
[熊掌 웅장] 곰의 발바닥. 팔진미(八珍味)의 하나.
[熊虎之將 웅호지장] 곰이나 범같이 용맹한 장수.
◉夢熊. 白熊. 伏熊. 封熊. 北熊. 馮嫂當熊. 有熊. 赤熊. 蹲熊.

10 ⑭ **[熋]** [一] 내 [平]灰 囊來切 nái
[二] 웅 [平]東 胡弓切

[字解] [一] 뜨거울 내 '一, 熱也'《集韻》. [二] 熊(火部 十畫〈p.1349〉)과 同字.

10 ⑭ **[熏]** [人名] 훈 [平]文 許云切 xūn 

[筆順] 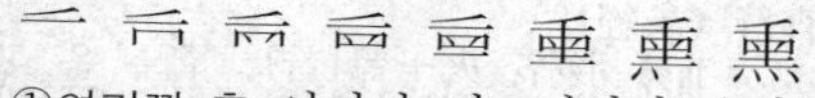

[字解] ①연기낄 훈 연기가 낌. 연기가 올라감. '惟佛像多經香煙一損本色'《畫史》. ②연기끼게할 훈 연기를 끼게 함. '穹窒一鼠'《詩經》. ③탈 훈, 태울 훈 불탐. 불태움. '憂心如一'《詩經》. ④움직일 훈 감동시킴. '衆口一天'《呂氏春秋》. ⑤취할 훈 술에 취함. 醺(酉部 十四畫)과 통용. '杯一罷醉'《宋之問》. ⑥황혼 훈 曛(日部 十四畫)과 통용. '遂與言談, 至一夕'《後漢書》.
[字源] [金文]  [篆文]  會意. 屮＋黑. '黑흑'은 물건을 자루에 넣고 밑에서 불을 때어, 까맣게 태우는 모양을 형상화한 것. '屮철'은 피어오르는 연기의 상형. '태우다'의 뜻을 나타냄.

[熏勞 훈로] 애씀. 수고함.
[熏轑 훈료] 훈작(熏灼). 요(轑)는 요(燎).
[熏腐 훈부] 남자의 생식기를 자름.
[熏腐之餘 훈부지여] 환관(宦官). 내시. 훈자(熏子).
[熏夕 훈석] 저녁. 황혼(黃昏).
[熏燒 훈소] 태움. 사름.
[熏藥 훈약] 마취제(痲醉劑).
[熏子 훈자] 궁형(宮刑)을 당하고 후궁(後宮)에 출사(出仕)하는 사람. 내시(內侍). 환관(宦官).
[熏煮 훈자] 굽고 삶음. 더위가 대단함의 비유.
[熏灼 훈작] 불에 태움. 세력(勢力)이 대단함의 비유.
[熏風 훈풍] 동남풍(東南風). 청명풍(淸明風).
[熏熏 훈훈] ㉠화락(和樂)한 모양. ㉡왕래가 잦은 모양. 사람이 많은 모양.
◉三浴三熏. 燒熏. 屋鼠不熏. 香熏.

10 ⑭ **[熈]** 〔희〕
熙(火部 九畫〈p.1346〉)의 俗字

[熒] 〔영〕
玉部 十畫(p.1435)을 보라.

11 ⑮ **[熛]** 표 [去]蕭 甫遙切 biāo

[字解] ①불똥 표 타는 물건에서 튀어 흩어지는 썩 작은 불덩이. '一至風起'《史記》. ②불똥튈 표 '炎熾一怒'《詩經 箋》. ③붉을 표 적색. '前一闕而後應門'《揚雄》.

[字源] 篆文 形聲. 火＋票(㶾)〔音〕. '㶾표'는 '熛'의 原字로서, 불똥이 튀어 오르는 모양을 나타냄.

[熛闕 표궐] 대궐의 붉은 문.
[熛起 표기] 불똥이 튀는 것처럼 빨리 일어남.
[熛怒 표노] 불똥이 튀는 모양. 불이 성한 모양.
[熛至 표지] 불똥이 튀는 것처럼 빨리 이름.
[熛風 표풍] 폭풍(暴風). 표풍(飄風).
◉煽熛.

11 ⑮ [熠] 습 [入]緝 席入切 yì

[字解] ①고울 습 선명함. '一燿其羽'《詩經》. ②빛날 습, 빛낼 습 빛을 발함. '燿一祖禰'《蔡邕》. ③빛 습 성(盛)한 빛. '欣煌一之朝顯兮'《阮籍》. ④반딧불 습 개똥벌레의 불. 형화(螢火). '一燿宵行'《詩經》.
[字源] 篆文 形聲. 火＋習〔音〕. '習습'은 '겹치다'의 뜻. 불빛이 겹치다, 빛나다, 겹쳐서 빛나는 반딧불의 뜻을 나타냄.

[熠熠 습습] 불빛이 선명한 모양.
[熠爚 습약] 빛남.
[熠燿 습요] ㉠선명(鮮明)한 모양. 고운 모양. ㉡반딧불.
[熠煜 습욱] 환히 비침. 빛남.
◉明熠. 宵熠. 耀熠. 煜熠. 煌熠.

11 ⑮ [熯] [一] 선 [上]銑 人善切 rǎn [二] 한 [去]翰 呼旰切 hàn

[字解] [一] ①사를 선 불사름. 태움. '燒焫一焚鄭地'《管子》. ②공경할 선 공경하고 삼감. '我孔一矣'《詩經》. [二] 말릴 한 건조시킴. '燥萬物者, 莫一乎火'《易經》.
[字源] 甲骨文 篆文 形聲. 火＋𦰩〔音〕. '𦰩한'은 甲骨文에서는 축문(祝文)을 받쳐 든 무녀(巫女)가 불태워지는 모양을 형상화하여, '태우다'의 뜻. 뒤에, '火화'를 붙여, '태우다'의 뜻을 분명히 했음.

[熯焚 선분] 태움. 불태워 버림.

11 ⑮ [熢] [人名] 봉 [平]東 蒲蒙切 péng

[字解] ①내자욱할 봉 '一㶿'은 연기가 자욱이 낀 모양. '一㶿, 煙鬱皃'《集韻》. ②봉화 봉 烽(火部 七畫)과 同字.
[字源] 形聲. 火＋逢〔音〕

11 ⑮ [熮] 료 [平]蕭 落蕭切 liǔ

[字解] ①불 료 불의 모양. '一, 火皃'《說文》. ②델 료 불에 데어 부르틈. '一, 燒也, 爛也'《玉篇》. ③매울 료 맹렬함. '一, 逸周書曰, 味辛而不一'《說文》.
[字源] 篆文 形聲. 火＋翏〔音〕

11 ⑮ [熰] 구(우[本]) [平]尤 烏侯切 ōu

[字解] ①통째구울 구 통째로 싸서 불에 구움. '一, 炮也'《集韻》. ②뜨거울 구 한열(旱熱)이 심함. '古之祭有時而一. (註)一, 熱甚也, 祭, 謂旱熱甚而祭'《管子》.
[字源] 形聲. 火＋區〔音〕

11 ⑮ [熞] 견 [平]先 經天切 jiān

[字解] 담금질할 견 '一, 灼鐵淬之'《集韻》.

11 ⑮ [熥] 통 [平]東 他東切 tōng

[字解] 데울 통 불에 데움. '一, 以火煖物'《集韻》.

11 ⑮ [熼] 조 [平]肴 莊交切 zhāo

[字解] 불사를 조 '一, 然也'《集韻》.

11 ⑮ [熷] 조 [平]豪 作曹切 zāo

[字解] ①태울 조 까맣게 태움. ②깨뜨릴 조 깨뜨림. 또, 태워 부서뜨림. '今俗語謂燒壞曰一. 凡物壞, 亦曰一'《說文 段注》. ③불탄끄트러기 조 불탄 나무의 끄트러기. '一, 火餘木也'《廣韻》.
[字源] 篆文 形聲. 火＋曹(𣍘)〔音〕

11 ⑮ [熤] [人名] 익 [入]陌 夷益切 yì

[字解] 사람이름 익 '一, 人名, 後魏有張一'《集韻》.

11 ⑮ [⿰火斬] 〔잠〕

熸(火部 十二畫〈p. 1353〉)의 俗字

11 ⑮ [熲] [人名] 경 [上]迥 古迥切 jiǒng

[筆順] 熲
[字解] 빛 경 불빛. '不出于一'《詩經》.
[字源] 篆文 形聲. 火＋頃〔音〕

11 ⑮ [熨] [一] 위 [去]未 於胃切 yù [二] 울 [入]物 紆物切 yùn

[字解] [一] ①다리미 위 다림질하는 제구. ②따뜻이할 위 위에서 눌러 따뜻하게 함. '更一兩脇下'《史記》. ③붙일 위 약을 붙임. '案杌毒一'《史記》. [二] 다릴 울 다리미로 다림. '一帖舊生衣'《白居易》.
[字源] 形聲. 火＋尉〔音〕. '尉위'는 '다리미'의 뜻. '尉'의 뜻이 많아지자, 구별하여 '火화'를 붙이어, 다리미, 다리미로 누르다의 뜻을 나타냄.

[熨斗 울두] 다리미.
[熨衣 울의] 옷을 다림.
[熨帖 울첩] 다리미로 포백(布帛)을 다림.
[熨貼 울첩] 울첩(熨帖).
[熨斗 위두] 다리미.
◉攻熨. 毒熨. 洗熨. 澡熨. 湯熨. 砭熨. 火熨.

11 ⑮ [熭] 위 [去]霽 于歲切 wèi

字解 말릴 위 불이나 햇볕에 쬐어 건조시킴. '日中必一'《漢書》.
字源 篆文 形聲. 火+彗〔音〕. '彗혜'는 '털다'의 뜻. 열(熱)에 쬐어서 물기를 '떨다, 말리다'의 뜻.

11 ⑮ [㸌] 서 ㊤語 署與切 shù
字解 들불 서 '一, 野火也'《玉篇》.

11 ⑮ [㷭] 〔봉〕
烽(火部 七畫〈p.1331〉)의 本字

11 ⑮ [𤏓] 〔찬〕
爨(火部 二十五畫〈p.1364〉)과 同字

11 ⑮ [勳] 人名 〔훈〕
勳(力部 十四畫〈p.284〉)의 俗字
筆順 一 𠂉 亩 重 重 動 動 勳

11 ⑮ [熟] 高人 숙 ㊅屋 殊六切 shú, shóu 
筆順 亠 古 亨 享 孰 孰 孰 熟

字解 ①익을 숙 ㉠날것이 익음. '牛一'. '宰夫胹熊蹯不一'《左傳》. ㉡곡식·과실 등이 익음. '豐一'. '歲則大一'《書經》. ㉢익숙함. '一達'. '一練'. '目一朝庭之事'《唐書》. ②익힐 숙 익게 함. '一食'. '君賜腥, 必一而薦之'《論語》. ③무를 숙 열로 물러짐. '委靡輭一'《唐書》. ④익히 숙 깊이. 곰곰이. '一考'. '願王之一慮之也'《戰國策》.
字源 形聲. 灬(火)+孰〔音〕. '孰숙'은 '잘 익히다'의 뜻. '孰'이 의문의 뜻으로 쓰이게 되자, '火화'를 붙이어 구별하였음.

[熟稼 숙가] 잘 여문 곡식.
[熟客 숙객] 숙친(熟親)한 손.
[熟縑 숙겸] 누인 합사 통견(合絲通絹).
[熟考 숙고] 곰곰 생각함. 숙려(熟慮).
[熟果 숙과] 익은 과일.
[熟厥 숙궐] 병(病)의 이름.
[熟達 숙달] 익숙하여 통달(通達)함.
[熟談 숙담] 숙의(熟議).
[熟圖 숙도] 충분히 생각하여 계획함.
[熟讀 숙독] 익숙하도록 읽음.
[熟銅 숙동] 충분히 단련한 구리.
[熟卵 숙란] 삶은 달걀.
[熟爛 숙란] ㉠과실이 무르녹게 익음. 무르익음. 난숙(爛熟). ㉡풍속 등이 대단히 문란함.
[熟覽 숙람] 자세히 봄.
[熟慮 숙려] 곰곰이 생각함.
[熟練 숙련] 익숙함.
[熟路 숙로] 눈에 익은 길. 생로(生路)의 대(對).
[熟栗 숙률] 삶은 밤.
[熟馬 숙마] 잘 길든 말.
[熟麻 숙마] 누인 삼 껍질.
[熟寐 숙매] 숙면(熟眠).
[熟面 숙면] 익숙하게 아는 사람.
[熟眠 숙면] 잠이 깊이 듦. 숙수(熟睡).
[熟背 숙배] 잘 암송(暗誦)함. 잘 욈.
[熟蕃 숙번] 좀 개화하여 왕화(王化)에 귀복(歸服)한 번족(蕃族). 생번(生蕃)의 대(對).
[熟否 숙부] ㉠익음과 익지 않음. ㉡여묾과 여물지 않음. ㉢익숙함과 익숙하지 않음.
[熟思 숙사] 숙려(熟慮).
[熟絲 숙사] 삶아 익힌 명주실.
[熟成 숙성] 충분히 이루어짐. 잘됨.
[熟省 숙성] 곰곰이 반성함.
[熟歲 숙세] 곡식이 잘 여문 해. 풍년.
[熟手 숙수] ㉠숙련(熟練)한 솜씨. 또, 그 사람. 숙련가(熟練家). ㉡《韓》 잔치 때에 음식을 만드는 것을 맡은 사람. 또는 그 일을 업(業)으로 삼는 사람.
[熟睡 숙수] 깊이 잠이 듦. 잘 잠.
[熟數 숙수] 곰곰이 헤아림.
[熟柹 숙시] 무르익은 감.
[熟視 숙시] 눈여겨 자세히 봄.
[熟食 숙식] 음식을 불에 익힘. 또, 그 음식.
[熟息 숙식] 충분히 쉼.
[熟識 숙식] 잘 앎. 숙친(熟親)함.
[熟悉 숙실] 충분히 다 앎. 숙지(熟知).
[熟暗 숙암] 숙암(熟諳).
[熟諳 숙암] 잘 암기(暗記)함.
[熟語 숙어] 둘 이상의 단어로 한 뜻을 나타내는 말.
[熟臥 숙와] 숙수(熟睡).
[熟衣 숙의] 누인 명주옷.
[熟議 숙의] 충분히 의론함. 심의(深議).
[熟人 숙인] 숙친한 사람. 자주 상종하는 사람.
[熟字 숙자] 숙어(熟語)를 구성하는 문자. 또, 사용하는 데가 일정한 문자.
[熟狀 숙장] 재상(宰相)이 사실을 진술하여 천자(天子)에게 올리는 서장(書狀).
[熟精 숙정] 자세히 앎. 숙습 정통(熟習精通)함.
[熟地 숙지] 여러 번 다녀 지리(地理)가 환한 땅.
[熟知 숙지] 잘 앎. 익숙하게 앎.
[熟察 숙찰] 익히 살펴봄. 자세히 관찰함.
[熟菜 숙채] 잘 익힌 요리.
[熟鐵 숙철] 잘 단련한 쇠. 시우쇠. 무쇠, 곧 생철(生鐵)의 대(對).
[熟醉 숙취] 술이 대단히 취함.
[熟親 숙친] 친분(親分)이 아주 가까움.
[熟烹 숙팽] 잘 삶음. 잘 익힘.
[熟皮 숙피] 무두질한 가죽.
[熟貨 숙화] 인공을 가(加)하여 된 제품(製品). 천생(天生)의 원료(原料)의 대(對).
[熟曉 숙효] 정통(精通)함.
◉爛熟. 老熟. 登熟. 晩熟. 未熟. 半生半熟. 半熟. 蓄熟. 不熟. 成熟. 收熟. 睡熟. 習熟. 練熟. 輭熟. 圓熟. 異熟. 稔熟. 飪熟. 精熟. 劑熟. 早熟. 豐熟. 亨熟. 和熟. 黃熟. 洽熟.

11 ⑮ [熬] 人名 오 ㊥豪 五勞切 áo, āo
字解 ①볶을 오 마른 것을 바싹 익힘. 익혀 수분(水分)을 없앰. '共飯米一穀'《周禮》. ②근심하는소리 오 수심에 잠긴 소리. '下至衆庶, 一一苦之'《漢書》.
字源 金文 篆文 別體 形聲. 火+敖(敫)〔音〕. '敫오'는 마음먹은 대로 가지고 놀다의 뜻. 마음대로 움직여서 불로 볶다의 뜻을 나타냄. 별체(別體)는 麥+敫〔音〕. '麥맥'은 '보리'의 뜻. '보리를 볶다'의 뜻을 나타냄.

[熬穀 오곡] 볶은 곡식.
[熬熬 오오] 수심(愁心)에 잠겨 이야기하는 모양. 또, 그 소리.
[熬煎 오전] 볶음.
[熬波 오파] 바닷물을 끓임. 곧, 소금을 구움.
[熬海鼠 오해서] 내장을 빼고 말린 해삼(海蔘).
◉煎熬. 焦熬. 烹熬. 炮熬.

11 ⑮ [熱] 中人 열 入屑 如列切 rè 热

筆順 一 土 夫 坴 埶 埶 埶 熱

字解 ①열 열 ㉠더운 감각을 일으키는 본원(本源). '地藏其—'《揚雄》. ㉡체온(體溫). '平—'. ㉢높아지는 체온. 또, 체온이 높아지는 병. '煩—'. '使人身—無色, 頭痛嘔吐'《漢書》. ②더위 열 여름철의 더운 기운. '觸冒—'《北史》. ③몸달 열 초조하여 애태움. '不得於君則—中'《孟子》. ④바쁠 열 일이 바쁜 동시에 권세가 있음. '非不愛作—官'《北齊書》. ⑤더울 열 '如水益深, 如火益—'《孟子》. ⑥태울 열 불태움. '灼—'. '天下熬然若蕉—'《淮南子》. ⑦성 열 성(姓)의 하나.

字源 篆文 形聲. 灬(火)+埶[音]. '埶예'는 '爇예'의 이체자(異體字)로, '然연'과 통하여, 불로 태우다의 뜻. '火화'를 붙이어, '뜨겁다'의 뜻을 나타냄.

[熱客 열객] ㉠더위를 무릅쓰고 내방(來訪)하는 손. ㉡권세 있는 사람을 봉영(逢迎)하는 속인(俗人)을 이름.
[熱官 열관] 일이 대단히 바쁜 동시에 세력이 있는 관직. 냉관(冷官)의 대.
[熱狂 열광] 미친 듯이 열중함. 또, 너무 좋아서 미친 듯이 날뜀.
[熱氣 열기] 뜨거운 기운.
[熱惱 열뇌] 《佛教》 비상한 번뇌(煩惱).
[熱鬧 열뇨] 여러 사람이 혼잡하여 떠들썩함. 번화하여 소란함.
[熱帶 열대] ㉠북회귀선(北回歸線)과 남회귀선과의 사이의 지대. 기온이 항상 높음. 온대(溫帶)·한대(寒帶)의 대(對). ㉡연평균 기온이 섭씨 20도 이상의 지대.
[熱帶植物 열대식물] 열대 지방(熱帶地方)에서 나는 식물(植物).
[熱量 열량] 물질의 온도를 높이는 데 소요되는 열의 양. 칼로리를 단위로 하여 잼.
[熱烈 열렬] ㉠권세가 대단함. ㉡열심의 정도가 맹렬함.
[熱淚 열루] 감격하여 흘리는 눈물.
[熱望 열망] 열심히 바람. 열렬히 바람.
[熱罵 열매] 몹시 꾸짖음.
[熱飯 열반] 바로 지은 더운 밥. 냉반(冷飯)의 대(對).
[熱辯 열변] 열렬한 변설(辯舌).
[熱變 열변] 물체가 열 때문에 변화함.
[熱病 열병] 신열(身熱)이 대단한 병.
[熱暑 열서] 여름의 더위.
[熱泄 열설] 배가 아플 때마다 설사(泄瀉)가 나고 대변의 빛이 붉은 병.
[熱性 열성] 걸핏하면 격앙(激昂)하는 성질(性質). 격(激)하기 쉬운 성질.
[熱誠 열성] 열렬한 정성.
[熱勢 열세] 권력(權力)이 있는 사람.
[熱水 열수] 뜨거운 물.
[熱熟 열숙] 충분히 익힘.
[熱心 열심] 사물(事物)에 깊이 마음을 쏟음.
[熱愛 열애] 열렬히 사랑함.
[熱焰 열염] 맹렬한 불꽃.
[熱腸 열장] 열심(熱心).
[熱情 열정] ㉠열렬(熱烈)한 애정. 두터운 은정(恩情). ㉡열중하는 마음.
[熱中 열중] ㉠초조하여 몸 닮. 또, 번민(煩悶)함. ㉡정신(精神)을 한 곳으로 집중(集中)시킴.
[熱地 열지] ㉠대단히 더운 땅. ㉡권세가 있는 지위.
[熱天 열천] 더운 날씨. 뜨거운 날.
[熱鐵 열철] 불에 달군 쇠.
[熱湯 열탕] 끓는 물.
[熱河 열하] ㉠승덕(承德)의 구칭(舊稱). ㉡전(前)에, 중국 동북부의 성(省). 한족(漢族)과 몽고족(蒙古族)이 잡거함. 산지 구릉이 많고 평야가 적음. 대륙성(大陸性) 초원성(草原性) 기후이며 우량이 적음. 목축이 성하여 양모(羊毛)는 수출의 제 1 위를 차지함. 성도(省都)는 지금의 허베이 성(河北省) 청더 시(承德市).
[熱瘧 열학] 학질의 한 가지. 더위를 먹어 신열이 몹시 나고 오한(惡寒)이 따름.
[熱鄕 열향] 기후가 더운 토지.
[熱血 열혈] ㉠뜨거운 피. ㉡열정(熱情)으로 인하여 끓는 피. 정열(情熱). 열성(熱誠).
[熱血漢 열혈한] ㉠정열적(情熱的)인 사람. 정의의 피가 끓는 사람. ㉡화를 잘 내는 사람.
[熱火 열화] 뜨거운 불.
◉加熱. 苦熱. 高熱. 過熱. 暖熱. 內熱. 耐熱. 斷熱. 瘴熱. 毒熱. 頭寒足熱. 微熱. 發熱. 煩熱. 伏熱. 沸熱. 盛熱. 燒熱. 勝熱. 身熱. 眼花耳熱. 夜熱. 餘熱. 炎熱. 午熱. 溫熱. 鬧熱. 隆熱. 耳熱. 炙手可熱. 灼熱. 殘熱. 低熱. 赤熱. 電熱. 情熱. 蒸熱. 地熱. 滄熱. 燀熱. 焦熱. 趨炎附熱. 平熱. 夏熱. 解熱. 向學熱. 火熱.

12 ⑯ [燄] 염 ①去豔 以贍切 yàn ②上琰 以冉切 yán

字解 ①불꽃 염 화염. '飛—'. '吐—生風'《班固》. ②불조금타오를 염 불이 조금 타오르는 모양. '——不滅, 若炎炎何'《孔子家語》.

字源 篆文 形聲. 炎+臽[音]. '臽함'도 '炎염'과 통하여 '불꽃'의 뜻. 합하여 '불꽃'의 뜻을 나타냄.

[燄燄 염염] ㉠불이 조금 타오르는 모양. ㉡불이 세차게 타오르는 모양. 염염(炎炎).
[燄燄不滅若炎炎何 염염불멸약염염하] 불은 타오르기 시작할 때에는 끌 수 있지만 화력이 점점 세어져서 활활 타게 되면 어찌할 도리가 없다는 뜻으로, 악(惡)은 시초에 제거하지 않으면 커져서 마침내 어찌할 도리가 없게 됨을 비유하는 말.
◉光燄. 氣燄. 濫燄. 飛燄. 腥燄. 聲燄. 烟燄. 讒燄. 虐燄. 火燄. 凶燄.

12 ⑯ [燂] ㊀담 上感 吐敢切 tǎn ㊁첨 平鹽 處占切 chān

字解 ㊀검푸른 담 '—, 靑黑繒'《玉篇》. ㊁옷

펄렁거릴 첨 '一, 衣動皃'《集韻》.

12 ⑯ [燅] 잠(섬[本]) [平]鹽 徐鹽切 qián

[字解] ①데칠 잠 고기·채소 등을 뜨거운 물에 데침. '一, 於湯中爚肉也'《說文》. ②튀할 잠 끓는 물에 담가 털을 뽑음. '以湯去毛曰一'《一切經音義》. ③데울 잠 '一, 溫也'《玉篇》.
[字源] 篆文 別體 會意. 炎+熱(㚔)〈省〉. '熱(㚔)열'은 '데우다'의 뜻. 불을 때어 물을 끓여서 고기 따위를 데치는 일. 별체(別體)도 會意. 炙+㚔〈省〉. '炙자·적'은 고기를 불에 굽다의 뜻.

12 ⑯ [燊] [一] 신 [平]眞 所臻切 shēn [二] 화 [平]麻 胡瓜切 [三] 쇄 [去]隊 所內切

[字解] [一] 성할 신 불이 성(盛)한 모양. '一, 火熾皃'《集韻》. [二] 성할 화 [一]과 뜻이 같음. [三] 성할 쇄 [一]과 뜻이 같음.
[字源] 會意. 焱+木

12 ⑯ [⿱炎共] 〔광〕 光(儿部 四畫〈p. 194〉)의 古字

12 ⑯ [熸] 잠(점[本]) [平]鹽 子廉切 jiān

[字解] ①꺼질 잠 불이 꺼짐. 또, 불이 꺼지듯 사라짐. '王夷師一'《左傳》. ②세력없어질 잠 '楚師一'《左傳》.
[字源] 形聲. 火+朁〔音〕

12 ⑯ [熾] [人名] 치 [去]寘 昌志切 chì 炽

[筆順] 丷 火 炸 炸 焙 熾 熾 熾

[字解] ①성할 치 ㉠불이 활활 탐. 불기운이 성함. '火旣一矣'《北史》. ㉡세력이 강성함. '玁狁孔一'《詩經》. ②사를 치 불을 붙여 활활 타게 함. '一炭於位'《左傳》.
[字源] 篆文 古文 古文 形聲. 火+戠〔音〕. '戠직·치'는 가로세로의 실을 어긋매끼게 짜다의 뜻. 불이 가로세로 날며 세차게 타다의 뜻을 나타냄.

[熾結 치결] 동아리와 결탁하여 세력이 셈.
[熾茂 치무] 무성함.
[熾憤 치분] 격렬한 분노.
[熾肆 치사] 세력이 강성하고 방자함.
[熾盛 치성] ㉠세력이 강대하고 왕성함. ㉡《佛敎》 불이 활활 타듯이 부처의 위광(威光)이 성대함.
[熾烈 치열] ㉠불길이 매우 세거나 햇볕이 대단히 뜨거움. ㉡세력이 강성함.
[熾熱 치열] 열이 매우 높음. 또, 혹렬한 더위.
[熾灼 치작] ㉠불이 활활 탐. ㉡세력이 강성함.
[熾昌 치창] 치열(熾烈).
◉繁熾. 煽熾. 盛熾. 殷熾. 隆熾. 昌熾. 豐熾.

12 ⑯ [熿] 황 [平]陽 胡光切 huáng

[字解] 빛날 황, 빛낼 황 '炫一'. '一炳輝煌'《司馬相如》.
[字源] 形聲. 火+黃〔音〕

[熿炳 황병] 번쩍번쩍 빛남.

12 ⑯ [燀] [一] 천 [上]銑 昌善切 chǎn [二] 단 [上]旱 黨旱切 dǎn

[字解] [一] ①불땔 천 밥을 지으려고 불을 땜. '一之以薪'《左傳》. ②빛날 천 빛을 발함. '一耀'. '威一旁達'《史記》. [二] 따뜻할 단 옷이 두꺼워 몸이 따뜻함. '衣不一熱'《呂氏春秋》.
[字源] 篆文 形聲. 火+單〔音〕. '單단'은 '彈탄'과 통하여, '튀다'의 뜻. 불이 튀다의 뜻에서, 나무를 때어 밥을 짓다의 뜻을 나타냄.

[燀熱 단열] 옷이 두꺼워 몸이 따뜻함.
[燀耀 천요] 빛남. 광휘를 발함.
◉炎燀.

12 ⑯ [燏] [人名] 율 [入]質 餘律切 yù

[字解] ①불빛 율 '一, 火光'《廣韻》. ②빛의모양 율 불빛의 모양. '一, 火光皃'《集韻》.

12 ⑯ [燂] 섬 [平]鹽 昨鹽切 qián

[字解] ①데울 섬 덥게 만듦. '五日則一湯請浴'《禮記》. ②무를 섬 너무 가열하여 무르익음. '欲孰於火而無一'《周禮》.
[字源] 篆文 形聲. 火+覃(㐬)〔音〕. '㐬담'은 널리 퍼지다의 뜻.

[燂爍 섬삭] 따스함. 뜨거움.

12 ⑯ [燗] 란 [去]翰 郎旰切 làn

[字解] 삶을 란 爛(火部 十七畫)과 同字. '一, 火孰也. …爛或从閒'《說文》.

12 ⑯ [燁] [人名] 엽 [入]葉 域輒切 yè 烨

[筆順] 火 火 炸 炸 炸 烨 燁 燁

[字解] 빛날 엽 번쩍번쩍 빛나는 모양. 曄(日部 十二畫)과 통용. '一一'. '一然玉質而金色'《劉基》.
[字源] 篆文 形聲. 火+曄(𠌶)〔音〕. '𠌶엽'은 해가 빛나다의 뜻. 불이 빛나다, 성(盛)하다의 뜻을 나타냄.

[燁然 엽연] 엽엽(燁燁).
[燁燁 엽엽] 번쩍번쩍 빛나는 모양.
◉煒燁. 焜燁.

12 ⑯ [燃] [高人] 연 [平]先 如延切 rán

[筆順] 丷 火 炒 炒 炊 炊 燃 燃

[字解] ①탈 연, 사를 연 불에 탐. 불사름. 불을 땜. 본디, 然(火部 八畫)의 俗字. '一燒'. '一料'. '然, 說文, 燒也. 俗作一'《廣韻》. ②성 연

성(姓)의 하나.
[字源] 形聲. 火+然〔音〕. '然연'은 '타다'의 뜻으로, '燃'의 原字. '然'이 '그러나' 등의 뜻을 나타내는 데 쓰이게 되자, '火화'를 붙여 구별했음.

[燃藜 연려] 한(漢)나라의 유향(劉向)이 천록각(天祿閣)에서 교서(校書)하였을 때 푸른 명아주의 지팡이를 짚은 노인이 나타난 고사(故事).
[燃料 연료] 불을 때는 재료(材料). 곧, 신탄(薪炭)·석탄·석유(石油) 따위.
[燃眉 연미] 눈썹이 탐. 타는 눈썹. 아주 절박한 경우의 비유.
[燃眉之急 연미지급] 화급(火急)한 일. 한시도 늦출 수 없는 급무(急務). 초미지급(焦眉之急).
[燃眉之厄 연미지액] 눈앞에 닥친 곤액(困厄).
[燃放 연방] 발포(發砲)함.
[燃犀 연서] 어두운 곳을 밝게 비춤. 전(轉)하여, 사물을 환히 통찰(洞察)함. 동진(東晉)의 온교(溫嶠)가 무소 뿔을 태워서 우저기(牛渚磯)라는 깊은 웅덩이 속을 비추어 보았다는 고사(故事).
[燃燒 연소] 탐. 불탐.
◉可燃. 內燃. 不燃. 再燃.

12 ⑯ [燈] [中人] 등 [平]蒸 都滕切 dēng 灯

[筆順] 丶 火 火 炋 炋 熔 熔 燈

[字解] ①등 등, 등잔 등 '一火'. '上元然一《春明退朝錄》'. ②초 등 심지를 한가운데 박은, 불을 켜는 물건. '翦一短'(초의 심지를 짧게 자름)《王君玉雜纂》. ③등불 등, 촛불 등 '一影'. ④《佛教》불법 등 불교의 도(道). 불교. '法一'. '傳一無白日'《杜甫》.
[字源] 形聲. 火+登〔音〕. '登등'은 '오르다'의 뜻. 조명(照明)한 대상물(對象物)을 똑똑하게 시계(視界) 안에 올리는 불의 뜻을 나타냄.
[參考] 속(俗)에 灯(火部 二畫)은 약자로 씀.

[燈架 등가] 등경(燈檠).
[燈檠 등경] 등잔을 얹어 놓는 기구.
[燈光 등광] 등불 빛.
[燈期 등기] 밤에 불을 켜 놓고 노는 때. 상원(上元) 따위.
[燈臺 등대] ㉠등경(燈檠). ㉡해안이나 섬에서 밤에 불을 켜 놓아 뱃길의 목표나 위험한 곳을 알리는 대(臺).
[燈籠 등롱] 대나무 또는 나무 쇠 같은 것의 살로 둥근 바구니 모양으로 만들고, 비단 또는 종이를 씌워 그 속에 등잔을 넣고 다니게 된 기구.

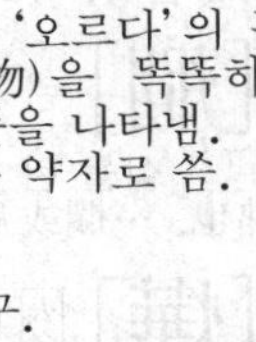
[燈籠]

[燈籠草 등롱초] 꽈리, 곧 산장(酸漿)의 별칭(別稱). 열매가 등롱 비슷함.
[燈明 등명] 불을 켬. 또, 그 불. 등불.
[燈明臺 등명대] 등대(燈臺)㉡.
[燈明船 등명선] 등선(燈船).
[燈夕 등석] 상원(上元), 곧 정월 보름날 밤. 한데에 등불을 켜 놓아 밤을 밝게 하므로 이름. 원소절(元宵節).
[燈船 등선] 항해(航海)의 목표를 알리기 위하여 불을 켜 놓는 배.
[燈銷 등소] 등불이 꺼짐.
[燈穗 등수] 등화(燈火).
[燈心 등심] 심지.
[燈心草 등심초] 골풀과(科)에 속하는 숙근초(宿根草). 옛날에 이 풀의 흰 심(心)으로 등심(燈心)을 만들었음. 골풀.
[燈蛾 등아] 불나방.
[燈影 등영] 등잔불 또는 촛불의 빛. 또, 그 그림자.
[燈油 등유] 등불을 켜는 데 쓰는 기름.
[燈盞 등잔] 기름·석유(石油)를 담아서 불을 켜는 데 쓰는 그릇.
[燈節 등절] 《佛教》음력(陰曆) 사월 초파일(四月初八日). 연등절(燃燈節).
[燈炷 등주] 심지.
[燈燭 등촉] 등화(燈火).
[燈塔 등탑] 등대(燈臺)㉡.
[燈皮 등피] 《韓》남포의 불을 밝게 하기 위하여 쓰는 유리로 만든 기구(器具).
[燈下 등하] 등잔 밑. 등불 아래.
[燈下不明 등하불명] '등잔 밑이 어둡다.'는 한국 속담. 자기에게 너무 가까운 일은 먼 데 일보다 오히려 모른다는 뜻.
[燈火 등화] 등불. 등잔불. 촛불.
[燈花 등화] 등잔불이나 촛불의 심지 끝이 타서 맺힌 불똥.
[燈火可親 등화가친] 가을밤은 서늘하여 등불 밑에서 글을 읽기 좋다는 말.
[燈火管制 등화관제] 적의 야간 공습에 대비하여 등불을 가리거나 끄게 하는 일.
[燈火慾滅增光 등화욕멸증광] 등불은 꺼지려고 하는 순간에 한층 더 강한 빛을 낸다는 뜻으로, 사물이 멸망하려고 할 때 일시 그 세력이 좋아짐을 이름.
◉街燈. 龕燈. 檠燈. 孤燈. 毬燈. 篝燈. 冷燈. 籠燈. 萬燈. 明燈. 無盡燈. 微燈. 放燈. 法燈. 寶燈. 佛燈. 貧者一燈. 槊燈. 常夜燈. 石燈. 聖燈. 消燈. 焠燈. 神燈. 暗燈. 魚燈. 瓦斯燈. 一盞燈. 殘燈. 長明燈. 電燈. 傳燈. 翦燈. 點燈. 提燈. 走馬燈. 蒼燈. 青燈. 風燈. 風前燈. 學燈. 寒燈. 行燈. 軒燈. 獻燈. 螢光燈. 弧燈. 紅燈. 華燈. 幻燈.

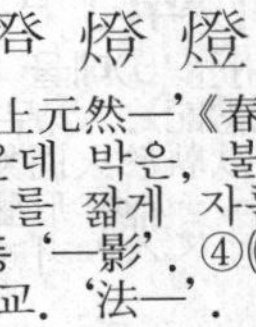

12 ⑯ [燉] [人名] 돈 [平]元 徒渾切 dùn, dūn

[筆順] 丶 火 炉 炉 焞 焞 燉 燉

[字解] ①불이글이글할 돈 불이 성(盛)한 모양. '一, 火熾'《廣韻》. ②불빛 돈 불의 색. '一, 火色'《廣韻》.
[字源] 形聲. 火+敦〔音〕

[燉煌 돈황] 간쑤 성(甘肅省) 서북에 있는 현(縣)으로서 불교가 서쪽에서 처음으로 들어온 곳. 남쪽에 고대의 불상(佛像)과 조각(彫刻)·도서(圖書)를 수장(收藏)한 천불동(千佛洞)이 있는데, 외국인이 많이 국외로 반출하였음. 돈황(敦煌).

12 ⑯ [燋] [一] 초 [平]蕭 卽消切 jiāo
[二] 착 [入]覺 側角切 zhuó

字解 ㊀ ①그슬릴 초, 그슬 초 焦(火部 八畫)와 통용. '焚地一草'《管子》. ②횃불 초 홰에 붙인 불. 거화(炬火). '以明火爇一'《周禮》. ㊁ 불안 켠초 착 아직 불을 켜 놓지 않은 초. '執燭抱一'《禮記》.

字源 篆文 形聲. 火+焦〔音〕. '焦초'는 '눋다'의 뜻. 눌리기 위한 불의 뜻으로, 사람이 손에 드는 횃불의 뜻을 나타냄.

[燋槁 초고] 볕에 타 말라 죽음.
[燋卷 초권] 가뭄으로 나뭇잎 같은 것이 시들어 마름.
[燋頭爛額 초두난액] '초두난액(焦頭爛額)'과 같음.
[燋爛 초란] 불에 데어 살이 문드러짐. 초란(焦爛).
[燋淪 초륜] 불에 타고 물에 빠짐.
[燋鑠 초삭] 태워 녹임. 또, 타 녹음.
[燋心 초심] 마음을 태움. 애탐. 초심(焦心).
[燋壤 초양] 가뭄으로 탄 토양(土壤).
[燋夭 초요] 말라 시듦. 가뭄으로 자라지 아니함.
[燋種 초종] 볕에 타 마른 초목의 씨.

12 ⑯ [燎] 人名 료 ㊄嘯 力照切 liào

字解 ①화톳불 료 한데 놓은 불. '一火'. '庭一之光'《詩經》. ②불놓을 료 불을 지름. '民所一矣'《詩經》. ③탈 료 연소함. '若火之一于原'《書經》. ④밝을 료 밝은 모양. '一朗'. '佼人一兮'《詩經》. ⑤말릴 료 불에 쬐어 말림. '對竈一衣'《後漢書》. ⑥제사이름 료 섶을 때어 하늘에 지내는 제사. '郊一之禮'《晉書》. ⑦야화(野火) 료 들에 놓은 불. '一之方揚'《詩經》.

字源 篆文 形聲. 火+尞(寮)〔音〕. '寮료'는 '燎'의 원자(原字)로, 불 위에 엮어 세운 나무와 흩어지는 불티의 象形. 화톳불, 불을 놓다의 뜻을 나타냄.

[燎炬 요거] 요화(燎火).
[燎壇 요단] 섶나무를 때며 하늘에 제사 지내는 단(壇).
[燎亂 요란] 흩어져 어지러움.
[燎朗 요랑] 밝음.
[燎獵 요렵] 산림을 불살라 사냥함.
[燎燎 요료] 빛이 밝은 모양.
[燎毛 요모] 털을 태움. 털은 잘 타므로 손쉽게 할 수 있는 일의 비유.
[燎髮 요발] 요모(燎毛).
[燎野 요야] 벌판을 불태움.
[燎原之火 요원지화] 들을 태우는 불. 기세가 맹렬하여 훨훨 타 번지므로, 번지기 쉬운 악(惡), 또는 맹렬한 기세의 비유로 쓰임.
[燎衣 요의] 옷을 불에 쬐어 말림.
[燎祭 요제] 섶나무를 때어 신에게 제사 지냄.
[燎燭 요촉] 요화(燎火).
[燎火 요화] 화톳불.
◉郊燎. 猛燎. 門燎. 燔燎. 焚燎. 守燎. 柴燎. 薪燎. 炎燎. 庭燎.

12 ⑯ [燐] 人名 린 ㊄震 良刃切 ㊥眞 力珍切 lín

字解 ①인 린 비금속(非金屬) 원소의 하나. '赤一'. '黃一'. ②도깨비불 린 인(燐)에서 나는 불. 귀화(鬼火). 粦(火部 十畫)·粦(米部 六畫)과 同字. '久血爲一'《淮南子》. ③반딧불 린 형화(螢火). '熠耀, 一也. 一, 螢火也'《詩經 傳》.

字源 形聲. 火+粦〔音〕. '粦린'은 '도깨비불'의 뜻.

[燐光 인광] ㉠황린(黃燐)을 공기 중에 방치(放置)할 때 저절로 생기는 푸른빛. ㉡금강석(金剛石)·방해석(方解石) 등에 빛을 보내었다가 그 빛을 없앤 뒤에 잠시 방출(放出)하는 빛.
[燐亂 인란] 여러 가지 빛깔에서 번쩍이는 모양.
[燐火 인화] ㉠도깨비불. 귀화(鬼火). ㉡반딧불.
◉鬼燐. 白燐. 野燐. 赤燐. 黃燐.

12 ⑯ [燒] 高人 소 ①-③㊥蕭 式招切 shāo ④⑤㊄嘯 失照切 shào

筆順 丶 火 火 炸 炸 烓 烓 燒

字解 ①불사를 소 태움. '一却'. '因一其劵'《戰國策》. ②탈 소 불탐. '一失'. '薰以香自一'《漢書》. ③익힐 소 불에 익게 함. '上自一二梨, 以賜之'《鄴侯家傳》. ④불날 소 화재가 일어남. 야화(野火)가 일어남. '齊之北澤一'《管子》. ⑤야화(野火) 소 들에서 타는 불. '夕照紅於一'《白居易》.

字源 篆文 形聲. 火+堯〔音〕. '堯요'는 '높다'의 뜻. 불을 높이 올리다, 태우다의 뜻을 나타냄.

[燒却 소각] 소기(燒棄).
[燒棄 소기] 태워 버림.
[燒溺 소닉] 불에 타고 물에 빠짐.
[燒煉 소련] 단사(丹砂)를 굽고 금을 단련하여 선약(仙藥)을 만드는 도가(道家)의 술법.
[燒亡 소망] 소실(燒失).
[燒滅 소멸] 소실(燒失).
[燒眉之急 소미지급] 썩 위급(危急)한 경우(境遇). 초미지급(焦眉之急).
[燒燔 소번] 태움. 또, 탐.
[燒餠 소병] 구운 떡.
[燒焚 소분] 태움. 또, 탐.
[燒死 소사] 불에 타서 죽음.
[燒爍 소삭] 태워 녹임.
[燒殺 소살] 불에 태워 죽임.
[燒失 소실] 불에 타서 없어짐.
[燒熱 소열] 타서 뜨거움.
[燒夷 소이] 불질러 토평(討平)함. 초이(焦夷).
[燒夷彈 소이탄] 화재가 나게 하기 위하여 발사 또는 투하하는 폭탄(爆彈).
[燒炙 소자] 불에 구움.
[燒灼 소작] 태움. 또, 탐.
[燒葬 소장] 화장(火葬)함.
[燒炙 소적] 소자(燒炙).
[燒磚窯 소전요] 기와·벽돌 등을 굽는 가마.
[燒酒 소주] 증류(蒸溜)하여 만든 무색투명한 독(毒)한 술.
[燒盡 소진] 모두 타 버림.
[燒搶 소창] 방화(放火)와 쟁탈(爭奪).
[燒春 소춘] ㉠명주(名酒)의 이름. ㉡따뜻한 봄.
[燒薙 소치] 풀을 베어 말려 태움. 그 재는 거름으로 함.
[燒香 소향] 향을 피움.
[燒火 소화] 불사름. 불에 태움.
[燒燬 소훼] 소작(燒灼).

[燒痕 소흔] 탄 자취. 탄 흔적.
◉劫燒. 屠燒. 半燒. 兵燒. 焚燒. 山燒. 素燒. 爇燒. 宿燒. 野燒. 延燒. 燃燒. 炎燒. 獵燒. 類燒. 殘燒. 雜燒. 田燒. 全燒. 縱燒. 薰以香自燒.

12 ⑯ [燔] 人名 번 ㊥元 附袁切 fán

字解 ①사를 번 불사름. '或一或炙'《詩經》. ②제육(祭肉) 번 膰(肉部 十二畫)과 통용. '一肉'. '與執一焉'《左傳》.
字源 篆文 形聲. 火+番〔音〕. '番번'은 씨를 뿌리다의 뜻. 나무 따위를 때어 불티를 하늘로 올리면서 고기를 굽다의 뜻을 나타냄.

[燔劫 번겁] 집에 불을 지르고 약탈함. 분겁(焚劫).
[燔燎 번료] 화톳불을 놓음.
[燔滅 번멸] 불살라 없앰.
[燔祀 번사] 하늘에 지내는 제사.
[燔燧 번수] 밤에 봉화(烽火)를 올림. 또, 밤에 올리는 봉화.
[燔柴 번시] 섶나무를 태우며 하늘에 제사 지냄.
[燔艾 번애] 쑥을 태움. 곧, 뜸질을 함.
[燔瘞 번예] 섶나무를 태우며 하늘에 제사 지내고, 희생(犧牲)을 묻으며 땅에 제사 지냄.
[燔玉 번옥] 인공(人工)으로 만든 옥(玉). 인조옥(人造玉).
[燔肉 번육] 제사에 쓰는 고기. 제육(祭肉).
[燔銀 번은] 품질이 낮은 은.
[燔炙 번자] 구움.
[燔灼 번작] 태움. 또, 탐.
[燔鐵 번철]《韓》지짐질하는 데 쓰는 무쇠 그릇.
[燔蕩 번탕] 타 모두 없어짐. 또, 모두 태워 버림.
◉燒燔. 炰燔.

12 ⑯ [燖] ㊀ 심 ㊥侵 徐心切 xún ㊁ 섬 ㊥鹽 徐鹽切 qián

字解 ㊀ ①삶을 심 음식을 삶음. '以炮以一'《路史》. ②데울 심 따뜻하게 함. '若可一也, 亦可寒也'《儀禮 註》. ㊁ 삶을 섬 고기를 끓는 물에 삶음. '膚豕肉也, 惟一者有膚'《儀禮 註》.
字源 形聲. 火+尋〔音〕

12 ⑯ [熷] 증 ㊥蒸 作滕切 zēng

字解 고기대속에넣어구울 증 고기나 물고기를 대통 속에 넣어서 불에 구움. '一, 蜀人取生肉於竹中炙'《廣韻》.
字源 篆文 形聲. 火+曾〔音〕. '曾증'은 바닥에 있는 구멍으로부터 기(氣)가 올라가게 하다의 뜻. 불을 때어 찌는 일.

12 ⑯ [燆] 효 ㊥蕭 牽幺切 qiāo

字解 ①불번득일 효 불이 번득거림. '一, 火行'《集韻》. ②불길 효 화염(火焰). 熇(火部 十畫)와 同字. ③뜰 효 제 몸의 훈김으로 열이 나서 썩기 시작함. '幣帛一蠹而不服矣'《戰國策》.

12 ⑯ [燍] 사 ㊥支 息移切 sī

字解 화독내날 사 '一, 火焦臭也'《集韻》.

12 ⑯ [熺] 人名 〔희〕 熹(火部 十二畫〈p.1356〉)와 同字

筆順 ⺊ 火 灶 熔 焙 熇 熺 熺

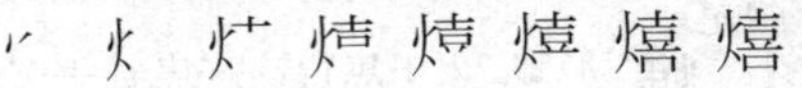

12 ⑯ [燑] 〔동〕 烔(火部 六畫〈p.1329〉)과 同字

12 ⑯ [燚] 일 ㊇質 以日切 yì

字解 불의모양 일 불타는 모양. '一, 火貌'《玉音篇海》.

12 ⑯ [燙] 탕 ㊦漾 徒浪切 tàng 烫

字解 ①씻을 탕 헹구어 씻음. '一, 滌一也'《篇海》. ②데울 탕 끓는 물에 물건을 데움. '俗謂以熱水溫物曰一. 如一酒之類'《中華大字典》. ③손쬘 탕 손을 불에 쬠. 또, 끓는 물이나 불에 뎀. '俗又謂炙手曰一. 故湯火灼肌膚, 亦曰一'《中華大字典》.
字源 形聲. 火+湯〔音〕. 더운 물이나 불로 데우다의 뜻을 나타냄.

12 ⑯ [甑] 〔증〕 熷(火部 十二畫〈p.1356〉)의 本字

12 ⑯ [熹] 人名 희 ㊥支 許其切 xī

筆順 士 吉 吉 壴 喜 喜 喜 熹

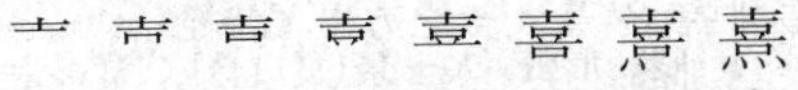

字解 ①성할 희 왕성함. 은성(殷盛)함. '改元延一'《後漢書》. ②희미할 희 햇빛이 밝지 아니함. '恨晨光之一微'《陶潛》. ③밝을 희 광명(光明)이 있음. '東暾淡未一'《楊萬里》.
字源 甲骨文 篆文 形聲. 灬(火)+喜〔音〕. '喜희'는 뿜어 나오는 수증기, 불기운의 소리를 나타내는 의성어(擬聲語). '火화'를 붙여, '굽다'의 뜻을 나타냄.
參考 熺(火部 十二畫)는 同字.

[熹微 희미] 햇빛이 흐릿함.
[熹娛 희오] 기뻐하고 즐거워함.
[熹炙 희적] 불에 구움.

12 ⑯ [燕] 高人 연 ①-③㊦霰 於甸切 yàn ④⑤㊥先 烏前切 yān

筆順 一 廾 廿 甘 苷 茈 燕 燕

字解 ①제비 연 현조(玄鳥). '一巢'. '一雀安知鴻鵠之志'《史記》. ②잔치 연, 잔치할 연 주연(酒宴). 주연을 베풂. 醼(酉部 十六畫)과 同字. '一遊'. '雖一必冠'《漢書》. ③편안할 연, 편안히 할 연 한가하여 심신이 편안함. 또, 심신을 편안하게 함. '一居'. '一息'. '以一天子'《詩經》. ④연나라 연 주(周)나라의 제후국(諸侯國)의 하나. 소공(召公) 석(奭)이 시조(始祖)이며, 전국 칠웅(戰國七雄)의 하나로서, 진(秦)나라에 멸망당하였음.(? - B.C. 222) 그 영토가 허베이성(河北省) 지방이었으므로, 전(轉)하여, 그 지방의 별칭으로 되었음. '齊人伐一, 勝之'《孟

子》. ⑤성 연 성(姓)의 하나.

字源 甲骨文 篆文 象形. 갑골문으로 잘 알 수 있다시피 제비의 상형(象形). 뒤에 변형하여 '燕'이 됨. 假借하여 '연회(宴會), 편안'의 뜻을 나타냄.

[燕居 연거] 한가(閑暇)히 있음.
[燕見 연견] 한가한 때 불러 봄.
[燕京 연경] 베이징(北京)의 별칭(別稱). 춘추 시대(春秋時代)의 연(燕)나라의 영토이었으므로 이름.
[燕窠 연과] 연소(燕巢).
[燕器 연기] 주연(酒宴)에 쓰는 그릇.
[燕丹 연단] 전국 시대(戰國時代)의 연왕(燕王) 희(喜)의 태자(太子). 형가(荊軻)를 시켜 진왕(秦王)을 척살(刺殺)하려 하다가 실패하였기 때문에, 진(秦)나라가 연(燕)나라로 쳐들어갔을 때 연왕(燕王) 희(喜)가 그를 베어 진나라에 바쳤음.
[燕臺召 연대소] 군주(君主)에게 은총(恩寵)을 받는 일. 연(燕)나라 소왕(昭王)이 대(臺)를 쌓고 어진 이를 초청(招請)한 고사(故事)에서 나온 말.
[燕樂 연락·연악] ㉠주연(酒宴)을 베풀고 즐거이 놂. ㉡'연악(燕樂)'을 보라.
[燕侶 연려] 부부(夫婦). 제비는 두 마리씩 짝 지어 살므로 이름.
[燕礫 연력] 연석(燕石).
[燕麥 연맥] 귀리.
[燕毛 연모] 연회의 좌석의 석차를 모발의 빛 곧, 연령순으로 정하는 예(禮).
[燕尾 연미] ㉠제비의 꼬리. 또, 그 모양을 한 것. ㉡가위. ㉢책갑(冊匣).
[燕尾服 연미복] 양장 남자의 보통 예복의 하나.
[燕朋 연붕] 흉허물 없는 벗.
[燕私 연사] 가족끼리 화목하게 이야기함.
[燕商 연상] 북경(北京)에 왕래하던 상인.
[燕石 연석] 연산(燕山)에서 나는 옥(玉) 비슷하면서도 옥이 아닌 돌. 송(宋)나라의 어리석은 사람이 진짜 옥으로 믿어 세상의 웃음거리가 된 고사(故事)에서, 전(轉)하여 사이비(似而非)한 것, 가치가 없는 것의 비유.
[燕巢 연소] ㉠제비의 집. 제비의 보금자리. ㉡연와(燕窩).
[燕息 연식] 편안히 쉼.
[燕室 연실] 휴식(休息)하는 방. 연거(燕居)하는 방.
[燕樂 연악] 연회 때 연주하는 음악.
[燕安 연안] 몸이 한가롭고 마음이 편안함. 편안함.
[燕語 연어] ㉠제비가 지저귀는 소리. ㉡터놓고 화목하게 이야기함.
[燕娛 연오] 한가로이 즐김.
[燕窩 연와] 바닷가의 바위 틈서리에서 사는 금사연(金絲燕)의 보금자리. 물고기와 해조(海藻)를 물어다가 침을 발라서 만든 것으로서 중국 요리의 진귀(珍貴)한 음식임.
[燕婉 연완] ㉠안존하고 얌전함. 또, 그 사람. ㉡날씬하고 예쁨.
[燕遊 연유] ㉠잔치를 베풀고 놂. ㉡한가로이 놂.
[燕飮 연음] 주연(酒宴)을 베풂. 잔치를 함.
[燕衣 연의] ㉠신하(臣下)가 입는 옷. 또, 검은 옷. ㉡평상시에 입는 옷. 통상복.
[燕翼 연익] 조상이 자손을 도와 편안하게 함. 또, 그 계책(計策).
[燕子 연자] 제비. 현조(玄鳥).
[燕子樓 연자루] ㉠당(唐)나라 사람 장건봉(張建封)이 가희(歌姬) 관혜혜(關盼盼)를 위하여 지은 장쑤 성(江蘇省) 동산현(銅山縣)의 서북에 있던 누각. ㉡첩(妾)의 집.
[燕子箋 연자전] 명(明)나라 완대성(阮大鋮)이 지은 전기 소설(傳奇小說). 당(唐)나라 때 곽도량(霍都梁)이란 사람이 표구사(裱具師)의 잘못과 제비의 매개(媒介)에 의하여 두 미인을 얻고, 또 고관이 된 것이 이야기의 줄거리임.
[燕子花 연자화] 붓꽃과에 속하는 다년초(多年草). 제비붓꽃.
[燕雀 연작] ㉠제비와 참새. ㉡작은 새. 또, 그릇이 작은 사람. 소인(小人).
[燕雀不生鳳 연작불생봉] 제비와 참새는 봉황을 낳을 수 없다는 뜻으로, 불초한 사람은 어진 아들을 낳을 수 없음을 비유하는 말.
[燕雀安知鴻鵠之志 연작안지홍곡지지] 제비와 참새 같은 작은 새는 기러기나 고니와 같은 큰 새의 뜻을 알지 못한다는 뜻으로, 소인(小人)은 영웅의 원대한 포부(抱負)를 이해하지 못함을 비유하는 말.
[燕雀處堂 연작처당] 안심하고 있어 화가 닥쳐오는 것도 모름을 이름. 제비와 참새가 사람의 집에 의지하여 집을 짓고 살면서 그 집이 불이 나서 타는 줄도 모르고 있었다는 공총자(孔叢子)에 실린 이야기에서 나온 말.
[燕朝 연조] 천자(天子)가 휴식하는 궁전. 편전(便殿).
[燕趙悲歌士 연조비가사] 연(燕)·조(趙) 두 나라에는 고래(古來)로 우국(憂國)의 슬픈 노래를 부르는 선비가 많았으므로 비분강개(悲憤慷慨)하는 우국지사(憂國志士)를 이름.
[燕支 연지] 연지(燕脂).
[燕脂 연지] 국화과에 속하는 일년초(一年草). 홍람(紅藍). 또, 이 풀을 원료로 하여 만든 홍색 안료(顔料).
[燕處 연처] 연거(燕居).
[燕出 연출] 천자(天子)의 미행(微行).
[燕寢 연침] 천자가 쉬는 궁전.
[燕惰 연타] 노는 데 팔려 일을 게을리 함.
[燕賀 연하] 제비가 사람이 집을 짓는 것을 보고 축하하여 기뻐한다는 뜻으로, 남이 집을 지은 것을 축하하는 말. 연작상하(燕雀相賀).
[燕頷虎頭 연함호두] 제비 비슷한 턱과 범 비슷한 머리. 곧, 먼 나라에서 봉후(封侯)가 되는 상(相).
[燕許大手筆 연허대수필] 대문장(大文章). 당(唐)나라의 연국공(燕國公) 소정(蘇頲)과 허국공(許國公) 장열(張說)은 모두 문장으로써 당시 유명하였음.
[燕好 연호] 친절히 대접함.
[燕誨 연회] 연거(燕居) 때의 훈회(訓誨).
[燕休 연휴] 편안히 쉼. 연식(燕息).
[燕姬 연희] 한(漢)나라 소제(昭帝)의 비(妃), 조비연(趙飛燕)을 이름. 춤을 잘 춘 것으로 유명함.
[燕喜 연희] 주연을 베풀고 기뻐함.
◉紺燕. 驚燕. 歸燕. 金絲燕. 幕上燕. 幕燕. 拂燕. 飛燕. 息燕. 安燕. 鶯燕. 往燕. 越燕. 乳燕. 飮燕. 族燕. 周燕. 春燕. 寢燕. 閒燕. 海燕.

13 ⑰ [營] [高·人] [一] 영 [平]庚 余傾切 yíng 营
[二] 형 [平]青 玄扃切 cuō

[筆順] 火 炏 炏 炏 營 營 營

[字解] [一] ①경영할 영 ㉠가업(家業)을 영위함. '不是一生拙'《杜旬鶴》. ㉡맡아 함. '執正一事'《淮南子》. ②지을 영 집 같은것을 지음. '一造'. '經之一之'《孟子》. ③꾀할 영 계획함. '一私'. '饋遺朝貴, 以一譽'《世說》. ④다스릴 영 ㉠나라를 다스림. '召伯一之'《左傳》. ㉡병을 다스림. '王顯以一療之功, 封衛南伯'《魏書》. ⑤경영 영 영위(營爲)하는 바. '無一無欲'《束皙》. ⑥진영 영 군루(軍壘). '兵一'. '馳從, 僾道歸一'《後漢書》. ⑦집 영 주택. '室一'. '冬則居一窟'《禮記》. ⑧갈 영 경작함. '菁萑是一'《楚辭》. ⑨두려워할 영 황공(惶恐)함. '屛一'. '正一'. ⑩오락가락할 영 왕래하는 모양. '一一靑蠅'《詩經》. ⑪잴 영 측량함. '一丘壟之小大·高卑·薄厚之度, 貴賤之等級'《呂氏春秋》. ⑫현혹할 영, 현혹하게할 영 혹란(惑亂)함. 또, 혹란하게 함. '一亂'. '一惑耳目'《漢書》. ⑬별이름 영 '絶漢抵一室'〈절한(絶漢)은 은하수를 건너감〉《十八史略》. ⑭고을이름 영 순(舜)임금 때의 십이주(十二州)의 하나. 지금의 산둥 성(山東省)의 북부. '齊曰一州'《爾雅》. ⑮성 영 성(姓)의 하나. [二] 변명할 형 변해함. '口將一之'《莊子》.

[字源] [篆文] 形聲. 宮+熒〈省〉[音]. '熒형·영'은 밤의 진중(陣中)에 둘리어 밝히는 화톳불의 뜻. '宮궁'은 방이 많은 가옥의 뜻. 주위에 화톳불을 둘리어 놓은 진영(陣營)의 뜻을 나타냄. 파생하여, '경영하다'의 뜻을 나타냄.

[營幹 영간] 경영 관리함.
[營建 영건] 영조(營造).
[營求 영구] 꾀하여 구함. 구하려고 힘씀.
[營救 영구] 변호하여 남을 구(救)함. 구해(救解).
[營窟 영굴] 혈거(穴居)하는 굴. 거처하는 굴.
[營給 영급] 공급(供給)하는 일.
[營妓 영기] 진영(陣營) 안에 둔 기생.
[營內 영내] 진영(陣營)의 안. 병영(兵營)의 안.
[營亂 영란] 현혹하게 하여 어지럽힘.
[營療 영료] 병을 다스림. 치료함.
[營壘 영루] 보루(堡壘).
[營利 영리] 돈벌이.
[營門 영문] ㉠병영(兵營)의 문. ㉡《韓》감영(監營)의 별칭(別稱).
[營房 영방] 방(房). 영실(營室).
[營魄 영백] 혼. 영혼(靈魂).
[營堡 영보] 보루(堡壘). 영루(營壘).
[營福 영복] 복(福)을 구(求)함.
[營奉 영봉] 봉양(奉養).
[營私 영사] 사리사욕을 꾀함. 사리사욕을 추구함.
[營舍 영사] 병영(兵營)의 건물.
[營生 영생] ㉠생계(生計). ㉡생계를 세움. 생활을 영위함.
[營繕 영선] 집을 새로 건축하거나 수리함.
[營所 영소] 진영(陣營). 병영(兵營).
[營信 영신] 미혹(迷惑)하여 믿음.
[營室 영실] ㉠방. 영방(營房). ㉡별 이름.
[營實 영실] 찔레나무의 열매. 영실(榮實).
[營養 영양] 생물이 양분(養分)을 섭취하여 생명을 유지하는 일.
[營業 영업] 생활과 영리를 위하여 사업을 함. 또, 그 사업.
[營營 영영] ㉠여기저기 왕래하는 모양. 왕래가 빈번한 모양. ㉡악착같이 이익을 추구(追求)하는 모양. 영리(營利)에 몰두(沒頭)하는 모양.
[營譽 영예] 명예를 얻으려고 꾀함. 명예를 구함.
[營爲 영위] 경영함.
[營衛 영위] ㉠진영(陣營)의 호위. ㉡주위의 수호(守護). ㉢몸을 보양(保養)하는 혈기(血氣). 영(營)은 동맥혈(動脈血), 위(衛)는 정맥혈(靜脈血). 영위(榮衛).
[營作 영작] 영조(營造).
[營田 영전] ㉠관(官)에서 집을 주고 관(官)의 전답을 경작시키는 일. 또, 그 전답. ㉡영전사(營田使). ㉢백성이 자기의 비용으로 개간한 전답.
[營田使 영전사] 당대(唐代)의 관명(官名). 유민(流民)을 모아 집을 주고 관전(官田)을 경작하게 하는 일을 맡음.
[營造 영조] 집을 짓거나 성을 쌓거나 토목 공사를 함.
[營中 영중] 진영(陣營) 안. 장군(將軍)이 있는 곳. 본영(本營).
[營陣 영진] 진영(陣營).
[營柵 영책] 영루(營壘).
[營築 영축] 영조(營造).
[營度 영탁] 경영하고 계획함.
[營慧 영혜] 명예·이익 등을 구하는 모양.
[營惑 영혹] 미혹(迷惑)함. 또, 미혹하게 함. 형혹(熒惑).
[營魂 영혼] 혼. 영혼(靈魂).
[營救 형구] 영구(營救).
◉經營. 公營. 官營. 軍營. 歸營. 禁營. 露營. 屯營. 泊營. 兵營. 屛營. 本營. 繕營. 修營. 宿營. 野營. 連營. 運營. 柳營. 斫營. 殘營. 裁營. 正營. 征營. 怔營. 造營. 中營. 眕營. 陣營. 築營. 偸營. 廢營. 行營.

[讋] 〔영〕 言部 十畫(p. 2150)을 보라.

13 ⑰ [燮] [人名] 섭 [入]葉 蘇協切 xiè

[筆順] 言 言 炏 燮 燮

[字解] ①화할 섭 조화(調和)함. '一理'. '一友柔克'《書經》. ②불에익힐 섭 속(俗)에 '불꽃섭'으로 훈(訓)함. ③성 섭 성(姓)의 하나.

[字源] [金文] [篆文] [籒文] 會意. 본래 燮으로, 又+炎+辛. '辛신'은 조리용 날붙이의 象形. 음식물에 손을 대어 가열(加熱)하는 모습에서, 잘 끓이다, 끓이어 연하게 만들다의 뜻을 나타냄. '辛'은 '言'으로 변형하여, '言언'이 되었음.

[燮理 섭리] 고르게 다스림.
[燮理陰陽 섭리음양] 천지(天地)의 도(道)를 조화(調和)함. 재상(宰相)이 천하를 통치(統治)함의 비유(比喩). 섭(燮)은 화(和), 이(理)는 치(治).
[燮伐 섭벌] 협동(協同)하여 토벌함.
[燮曜 섭요] 온화(穩和)하게 비춤.
[燮友 섭우] 화친(和親)함.
[燮和 섭화] 화(和)하게 함. 조화되게 함. 고르게 함. 음양(陰陽)의 두 기(氣)를 고르게 하는 것

은 재상(宰相)의 직(職)이므로, 전(轉)하여 재상의 임무(任務)를 이름.
◉調燮. 烹燮. 勰燮.

13 ⑰ [燠] 人名 一 욱 入屋 於六切 yù 二 오 平尤 於求切 ào 燠

字解 一 따뜻할 욱 온난함. '日寒, 日一'《書經》. 二 위로할 오 고통을 가엾이 여겨 위로함. '民人痛疾, 而或一休之'《左傳》.
字源 篆文 形聲. 火+奧[音]

[燠休 오휴] 고통을 가엾이 여겨 위로함. 위안함.
[燠館 욱관] 따뜻한 방.
[燠煖 욱난] 따뜻함.
[燠沐 욱목] 따뜻하고 윤택함.
[燠暑 욱서] 무더움. 찌는 듯이 더움. 증서(蒸暑).
[燠然 욱연] 욱욱(燠燠).
[燠燠 욱욱] 따뜻한 모양.
[燠寒 욱한] 따뜻함과 추움.
◉極燠. 炎燠. 溫燠. 鬱燠. 殘燠. 寒燠. 喧燠.

13 ⑰ [燥] 高人 조 去號 先到切 zào 上皓 蘇老切

筆順 丶 火 火ロ 火品 燥

字解 ①마를 조 건조함. '火就一'《易經》. ②말릴 조 건조시킴. '一萬物者, 莫熯乎火'《易經》.
字源 篆文 形聲. 火+喿[音]. '喿조'는 '소란스럽다'의 뜻. 소란스러운 소리를 내며 눋는 모양에서, '마르다'의 뜻을 나타냄. 파생하여, 마음이 초조하다의 뜻을 나타냄.

[燥渴 조갈] 목이 타는 듯이 마름.
[燥剛 조강] 땅바닥에 물기가 없어 보송보송함.
[燥強 조강] 조강(燥剛).
[燥勁 조경] 조강(燥剛).
[燥吻 조문] 마른 입술. 시문(詩文)의 좋은 구(句)가 떠오르지 않음을 이름. 고문(枯吻).
[燥澀 조삽] 마르고 깔깔함.
[燥濕 조습] 마름과 습함. 조강(燥強)과 누습(漏濕).
[燥熱 조열] 혹서(酷暑).
[燥葉 조엽] 마른 잎.
[燥灼 조작] 마음이 초조(焦燥)한 모양.
[燥荻 조적] 마른 갈대.
[燥涸 조학] 마름. 또, 말림.
◉乾燥. 枯燥. 高燥. 明燥. 濕燥. 卬燥. 暘燥. 炙燥. 焦燥. 風燥. 暵燥. 亢燥.

13 ⑰ [燦] 人名 찬 去翰 蒼案切 càn 灿 燦

筆順 丶 火 火ト 炒 燦

字解 빛날 찬 광휘가 번쩍이는 모양. '一爛'. '煥一'《齊東野語》.
字源 篆文 形聲. 火+粲[音]. '粲찬'은 '찧은 쌀이 깨끗하다'의 뜻. 불빛이 눈부실 만큼 깨끗하다의 뜻을 나타냄.

[燦爛 찬란] ㉠빛이 번쩍번쩍하는 모양. ㉡눈부시게 아름다운 모양. 화려하게 고운 모양.
[燦然 찬연] 번쩍 빛나는 모양.
[燦煥 찬환] 화려하게 고움.
◉光燦. 明燦. 閃燦. 煥燦.

13 ⑰ [燧] 人名 수 去寘 徐醉切 suì 燧

字解 ①부싯돌 수 불을 일으키는 돌이나 나무 또는 금속. '鑽一改火, 期可已矣'《論語》. ②봉화 수 적의 침입을 경보(警報)하는 불. '一烽'. '爲烽一大鼓'《史記》.
字源 籒文 篆文 形聲. 籒文은 𨸏+火+遂[音]. '𨸏부'는 계단의 象形으로, 신(神)이 내려오는 신성한 장소의 뜻. '遂수'는 '이룩하다'의 뜻. 신성한 장소에서 불을 만들어 내는 뜻을 나타냄. '燧'는 籒文의 생략체.

[燧改 수개] 계절에 따라 새로운 부싯돌을 쳐서 불을 일으킴.
[燧烽 수봉] 봉화(烽火).
[燧象 수상] 엉덩이에 불을 달고 적진으로 뛰어드는 코끼리.
[燧石 수석] 부싯돌.
[燧烟 수연] 수봉(燧烽).
[燧人氏 수인씨] 태고(太古)의 제왕(帝王)의 이름. 부싯돌로 불을 일으켜서 백성에게 화식(火食)하는 법을 가르쳐 주었다 함.
[燧火 수화] 부싯돌로 일으킨 불.
◉鑒燧. 乞火不若取燧. 關燧. 金燧. 木燧. 邊燧. 烽燧. 巢燧. 陽燧. 炎燧. 陰燧. 亭燧. 鑽燧.

13 ⑰ [燴] 회 huì

字解 ①쉬삶아질 회 짧은 시간 안에 삶아지는 식품(食品). '一, 俗以調和食物, 稍煮卽熟者爲一'《中華大字典》. ②범벅 회 녹말가루 따위를 섞어서 곤죽같이 삶은 요리.

13 ⑰ [燬] 훼 上紙 許委切 huǐ

字解 불 훼, 탈 훼 열화(烈火). 또, 열화에 탐. '王室如一'《詩經》.
字源 篆文 形聲. 火+毁[音]. '毁훼'는 '부수다'의 뜻. 불로 다 태워 버리다의 뜻을 나타냄.

[燬燃 훼연] 탐. 태움.
[燬潛 훼잠] 열화(烈火)에 타 재가 됨.
[燬火 훼화] 이글이글 타는 불. 열화(烈火).

13 ⑰ [燭] 高人 촉 入沃 之欲切 zhú 烛

筆順 丶 火 火口 火罒 燭

字解 ①초 촉 심지를 한가운데에 박은, 불을 켜는 물건. '一淚在地, 往往成堆'《歸田錄》. ②촛불 촉, 등불 촉 '燈一'. '秉一夜遊'《李白》. ③비칠 촉, 비출 촉 '日月所一'《漢書》. ④성 촉 성(姓)의 하나.
字源 篆文 形聲. 火+蜀[音]. '蜀촉'은 오랜 시간이 이어지다의 뜻. 오랜 시간 계속해서 타는 불, '등불'의 뜻을 나타냄.

[燭架 촉가] 촛대. 촉대(燭臺).

[燭檠 촉경] 촛대.
[燭光 촉광] ㉠촛불 빛. 등잔불의 빛. ㉡광도(光度)의 단위(單位). 고래 기름으로 만든 초가 한 시간에 8.77그램씩 탈 때의 광도. ㉢조도(照度)의 단위. 1미터 촉광은 1촉광의 빛이 1미터의 거리에 있는 물체를 비출 때의 조도임.
[燭奴 촉노] 촉경(燭檠)의 별칭(別稱). 동자(童子)가 초를 받쳐 들고 있는 형상을 새겼음. 촛대.
[燭膿 촉농]《韓》초가 탈 때 녹아서 흘러 떨어지는 물건. 촛농.
[燭臺 촉대] 촛대. 촉가(燭架).
[燭刀 촉도] 초의 심지를 자르는 칼.
[燭籠 촉롱] '등롱(燈籠)'과 같음.
[燭燎 촉료] 촛불과 화톳불.
[燭龍 촉룡] 장미산(章尾山)의 신(神)으로서, 눈을 뜨면 낮이 되고 눈을 감으면 밤이 된다는 용의 이름.

[燭奴]

[燭淚 촉루] 촛농. 촉농(燭膿).
[燭跋 촉발] 밤이 깊어 감을 이름.
[燭不見跋 촉불견발] 초가 다 타서 아직 밑동을 나타내지 않았다는 뜻으로, 밤이 아직 깊지 않음을 이름. 발(跋)은 본(本).
[燭穗 촉수] 촉화(燭火).
[燭心 촉심] 초의 심지.
[燭夜 촉야] ㉠닭〔鷄〕의 별칭(別稱). ㉡밤을 비춤.
[燭影 촉영] 촛불의 그림자.
[燭燿 촉요] 번쩍번쩍 비침.
[燭翦 촉전] 촉도(燭刀).
[燭照數計 촉조수계] 촛불로 비추어 보고 수판으로 셈. 곧, 틀림없이 명확히 앎.
[燭察 촉찰] 밝혀 샅샅이 살핌.
[燭燭 촉촉] 빛이 밝은 모양. 달빛을 이름.
[燭寸詩 촉촌시] 초가 한 치를 타는 동안에 짓게 하는 시(詩). 각촉 위시(刻燭爲詩).
[燭下 촉하] 촛불 밑.
[燭火 촉화] 촛불. 등잔불. 등화(燈火).
[燭花 촉화] 촉화(燭火).
[燭煥 촉환] 등불의 빛이 밝음.
◉刻燭. 巨燭. 炬燭. 膏燭. 光燭. 金蓮燭. 蘭燭. 南天燭. 南燭. 蠟燭. 丹燭. 洞房花燭. 燈燭. 萬燭. 明燭. 發燭. 旁燭. 秉燭. 墳燭. 宵燭. 手燭. 玉燭. 燎燭. 銀燭. 日月無私燭. 殘燭. 田燭. 電燭. 照天蠟燭. 地燭. 脂燭. 紙燭. 智燭. 洞燭. 風中燭. 風燭. 焚燭. 紅燭. 火燭. 花燭. 華燭. 輝燭.

13 ⑰ [爊] 오 ㊥豪 於刀切 āo
字解 구울 오 잿불 속에 묻어서 익힘. 爊(火部 十五畫)와 同字. '一, 埋物灰中令熟'《廣韻》.

13 ⑰ [燣] 람 ㊀感 盧感切 lán
字解 누렇게눌을 람 타서 물건이 누렇게 눌음. '一, 焦黃色'《集韻》.

13 ⑰ [燤] ■ 대 ㊃隊 他代切 tài
■ 렬 ㊀屑 力蘖切 liè
字解 ■ 연기날 대 연기가 나는 모양. '一, 一烣, 煙皃'《集韻》. ■ 불꺼질 렬 타던 불이 꺼짐. '一, 火斷也'《類篇》.

13 ⑰ [爓] 험 ㊥鹽 虛嚴切 xiān
字解 뜨거울 험 '一, 字林, 一熇, 熱也'《集韻》.

13 ⑰ [爖] 총 ㊥東 麤叢切 cōng
字解 홰 총, 횃불 총 '一, 炬也'《集韻》.

[檾] 〔경〕
木部 十四畫(p. 1119)을 보라.

14 ⑱ [燼] 人名 신 ㊃震 徐刃切 jìn 烬 𤎀
字解 ①탄나머지 신 타고 남은 것. '餘一'. '具禍以一'《詩經》. ②나머지 신 멸망하였을 때 간신히 살아남은 일족(一族), 또는 백성. 망국(亡國)의 여민(餘民). '收二國之一'《左傳》.
字源 形聲. 火+盡〔音〕. '盡진'은 '다하다'의 뜻. 다 타고 난 뒤의 불, 타다 남은 나무의 뜻을 나타냄.

[燼滅 신멸] ㉠타서 없어져 버림. ㉡멸망하여 없어짐.
[燼餘 신여] ㉠탄 나머지. ㉡유민(遺民). 잔당(殘黨).
[燼灰 신회] 타고 남은 끄트머리와 재.
◉焚燼. 餘燼. 煙燼. 煨燼. 遺燼. 火燼. 灰燼.

14 ⑱ [燿] 人名 ■ 요 ㊃嘯 弋照切 yào(yué) 𤎀
■ 삭 ㊀藥 式灼切 shuò
字解 ■ ①비칠 요, 빛날 요 '光一'. '昭一'. '光明之一也'《國語》. ②빛 요 광명. '天樞凝一'《宋書》. ■ 녹일 삭 爍(火部 十五畫)과 同字. '一金爲刃'《漢書》.
字源 篆文 𤐿 形聲. 火+翟〔音〕. '翟적·요'는 꿩의 깃이 높이 빛나다의 뜻. 불이 높이 빛나다의 뜻을 나타냄.

[燿穎 요영] 재능이 빛나고 뛰어남.
[燿燿 요요] 빛나서 반짝이는 모양.
[燿日 요일] 해에 빛남. 또, 빛나는 해.
[燿暉 요휘] 빛남.
◉光燿. 詃燿. 明燿. 炳燿. 鮮燿. 昭燿. 燿燿. 榮燿. 靈燿. 精燿. 照燿. 眩燿. 衒燿. 華燿. 晃燿.

14 ⑱ [爁] 람 ㊃勘 盧瞰切 làn 𤎀
字解 불번질 람 불이 연소하는 모양. '火一焱而不滅'《淮南子》.

14 ⑱ [燺] 고 ㊤晧 苦浩切 kǎo
字解 마를 고, 말릴 고 '一燥也'《集韻》.

14 ⑱ [爀] 人名 혁 ㊀陌 呼格切 hè 𤎀
筆順 丶 火 炏 炦 焃 焃 爀 爀
字解 불빛 혁 불빛. 또는 불이 붉은 모양. '一,

火色也'《玉篇》.
[字源] 形聲. 火＋赫〔音〕. '赫혁'은 '붉다'의 뜻.

14 ⑱ [燻] [人名] 훈 [平]文 許云切 xūn
[筆順] 丷 火 火 炉 炉 熩 燻 燻
[字解] ①불길치밀 훈 불이 성(盛)한 모양. 熏(火部 十畫)과 同字. '一灼'. ②연기낄 훈, 연기끼게할 훈 '一製'. ③숨막힐 훈 질식함.
[字源] 形聲. 火＋熏〔音〕. '熏훈'은 연기가 끼게 하다의 뜻.

[燻灼 훈작] 불이 이글이글 탐. 또, 위력(威力)이 성(盛)함.
[燻製 훈제] 소금에 절인 어육이나 수육(獸肉)을 연기에 쐬어 말림. 또, 그 식품.

14 ⑱ [燹] 선 [上]銑 蘇典切 xiǎn
[字解] ①들불 선 야화(野火). ②병화 선 난리 때문에 일어나는 불. '兵一'. '鬼章兵一'《宋史》. ③봉화 선 봉수(烽燧). '煙火高低變烽一'《高啓》.
[字源] [金文] [篆文] 形聲. 火＋豩〔音〕

◉兵燹. 烽燹.

14 ⑱ [熇] 픽(벽[俗]) [入]職 符逼切 bì
[字解] 불에고기말릴 픽 煏(火部 九畫)과 同字. '一, 以火乾肉也'《說文》.
[字源] [篆文] [籒文] 形聲. 火＋稫〔音〕. 주문(籒文)은 火＋䊧〔音〕. '稫·䊧벽'은 곡물의 시든 아래쪽 잎. 그것을 태워 고기를 말리다의 뜻.

14 ⑱ [爂] 표 [平]蕭 卑遙切 biāo
[字解] 가볍고연할 표 '輕一用犬'《周禮》.

14 ⑱ [爂] 표 [平]蕭 撫招切 [去]嘯 匹妙切 biāo
[字解] ①불똥 표, 불똥튈 표 熛(火部 十一畫〈p. 1349〉)와 同字. '一, 火飛也'《說文》. ②가벼울 표 가볍고 날카로움. '引申爲凡輕銳之偁'《說文段注》.
[字源] 會意. 火＋㷋

14 ⑱ [燾] [人名] 도 [去]號 徒到切 dào
[筆順] 土 圭 壴 壴 壴 壽 壽 燾
[字解] ①덮을 도 幬(巾部 十四畫)와 同字. '伊我皇之仁德兮, 配一育於二儀'《傅咸》. ②비출 도 온통 덮어 비춤. '周公盛, 魯公一'《公羊傳》.
[字源] [篆文] 形聲. 灬(火)＋壽〔音〕. '壽수'는 길게 줄짓다의 뜻. 줄지은 불, 두루 비추다의 뜻을 나타냄.

[燾奡 도오] 험준(險峻)하고 깊숙함.
[燾育 도육] 덮어 잘 보호하여 기름.
[燾載 도재] 천지(天地).

14 ⑱ [燽] [人名] 주 [平]尤 直由切 chóu
[字解] 나타날 주 두드러지다. '一, 著也'《廣韻》.

15 ⑲ [爆] [高人] [一] 폭(포 [去]效 北教切 bào [二] 박 [本]) [入]覺 北角切 bó
[筆順] 丷 火 炉 焊 焊 爆 爆 爆
[字解] [一] 터질 폭 화력으로 갈라짐. 또는 폭발함. '一裂'. '一見兆'《白虎通》. '一, 火裂'《廣韻》. [二] 지질 박 불로 지짐. '靈虵以神見一'《新論》.
[字源] [篆文] 形聲. 火＋暴〔音〕. '暴포'는 '거칠어지다'의 뜻. '불이 터지다'의 뜻을 나타냄.

[爆擊 폭격] 비행기에서 폭탄을 떨어뜨려 적의 진지 또는 중요 시설을 파괴하거나 태워 버림.
[爆擊機 폭격기] 폭탄(爆彈)을 싣고 가서 적진(敵陣)을 폭격하는 비행기.
[爆裂 폭렬] 폭발(爆發) ㉠.
[爆裂彈 폭렬탄] 폭탄(爆彈).
[爆發 폭발] ㉠화력(火力)으로 인하여 갑자기 터짐. ㉡사물(事物)이 갑자기 일어남.
[爆死 폭사] 폭발물의 폭발로 인하여 죽음.
[爆聲 폭성] 폭발하는 소리.
[爆藥 폭약] 화학적(化學的) 변화로 인하여 별안간 높은 온도의 가스를 내며 폭발(爆發)하는 물질.
[爆音 폭음] ㉠폭발(爆發)하는 소리. ㉡휘발유가 발동기 안에서 기화(氣化)하는 소리.
[爆竹 폭죽] 가는 대통에 불을 지르거나 화약을 재어 터뜨려서 소리가 나게 하는 일종의 딱총. 설날 또는 명절에 사용함.
[爆沈 폭침] 폭발(爆發)시키어 가라앉힘. 또, 폭발하여 가라앉음.
[爆彈 폭탄] 폭약(爆藥)을 장치한 탄환.
[爆破 폭파] 폭발(爆發)시키어 부숨.
◉空爆. 起爆. 盲爆. 猛爆. 水爆. 原爆. 自爆. 被爆.

15 ⑲ [爊] 오 [平]豪 於刀切 āo
[字解] 구울 오 ㉠싸서 구움. ㉡고기를 털이 붙은 채로 구움. '爊, 毛炙肉也. 卽今所謂一也'《漢書注》.

15 ⑲ [爍] 삭 [入]藥 書藥切 shuò 烁
[字解] ①빛날 삭 빛을 발함. '一爚'. '雲濛濛兮電儵一'《王逸》. ②태울 삭 연소시킴. '金火相一, 水火相煎'《晉書》. ③녹일 삭 鑠(金部 十五畫)과 통용. '一金以爲刃'《周禮》.
[字源] [篆文] 形聲. 火＋樂〔音〕. '樂악'은 '曜요' 따위와 통하여, '희고 밝음'의 뜻. 불이 희게 빛나는 것.

[爍迦羅眼 삭가라안] 범어(梵語)의 음역(音譯)으로, 조조무애(照照無礙)하여 득실을 변별하는 활동의 뜻.

[爍金 삭금] ㉠쇠를 녹임. ㉡여러 사람의 입이 쇠를 녹인다는 뜻으로, 남의 말이 무서움의 비유.
[爍爍 삭삭] 번쩍번쩍 빛나는 모양.
[爍爚 삭약] 번쩍번쩍 빛남.
◉灼爍.

15 ⑲ [爈] 려 ㊥魚 力居切 lǜ

字解 ①태울 려 '一, 燒也'《玉篇》. ②산불 려 산이 불탐. 또, 그 불. '山火曰一'《集韻》.
字源 形聲. 火＋慮〔音〕

15 ⑲ [爑] 절 ㊀屑 子結切 jié

字解 촛불똥 절 촛불이 타다 남은 꼬투리. '一, 灺也'《廣雅》.

15 ⑲ [爄] ㊀ 례 ㊄霽 力制切 lì ㊁ 렬 ㊀屑 力蘖切 liè

字解 ㊀ 불끌 례 '一, 止火'《集韻》. ㊁ 불꺼질 렬 불이 꺼짐. '一, 火斷也'《集韻》.

15 ⑲ [爌] 황 ①㊄漾 苦謗切 kuàng ②㊤養 丘晃切 kuǎng

字解 ①밝을 황 曠(日部 十五畫)과 同字. '一, 光明'《玉篇》. ②넓고밝을 황 '一, 寬明皃'《集韻》.
字源 形聲. 火＋廣〔音〕. 불빛이 넓고 밝은 뜻을 나타냄.

[爌熀 황황] 넓고 밝음.

15 ⑲ [爕] 〔섭〕 爕(火部 十三畫〈p. 1358〉)의 訛字

15 ⑲ [爇] 설 ㊀屑 如劣切 ruò 焫

字解 사를 설 불사름. '入火不一'《史記》.
字源 篆文 形聲. 火＋蓺〔音〕

◉焚爇.

15 ⑲ [爜] 〔휘·운〕 煇(火部 九畫〈p. 1341〉)와 同字

16 ⑳ [爞] 〔돈·퇴〕 焞(火部 八畫〈p. 1334〉)의 本字

16 ⑳ [爟] 〔섬〕 燂(火部 十二畫〈p. 1353〉)과 同字

16 ⑳ [爋] 훈 ㊄問 吁運切 xūn

字解 불에말릴 훈 불로 물건을 말림. 熏(火部 十畫)의 俗字. '一, 火乾物也'《字彙》.

16 ⑳ [爐] 高人 로 ㊥虞 落胡切 lú 炉

筆順 火 炉 炉 爐 爐 爐 爐 爐

字解 화로 로 불을 사르거나 또는 담아 놓는 그릇. '香一'. '一邊'. '以鴻毛燎于一炭之上'《史記》.
字源 形聲. 火＋盧〔音〕. '盧로'는 '빙 둘러싸다'의 뜻. 화력(火力)이 달아나지 않도록 둘레를 에워싼 설비, '화로'의 뜻을 나타냄.
參考 炉(火部 四畫)는 俗字.

[爐甘石 노감석] 동광(銅鑛)·황화아연광(黃化亞鉛鑛) 속에서 나는 흰빛의 장방형(長方形) 또는 육면체(六面體)를 이룬 광석(鑛石). 한방(漢方)에서 안약(眼藥)에 씀. 노선생(爐先生).
[爐頭 노두] 화롯가. 노변(爐邊).
[爐邊 노변] 화롯가.
[爐冶 노야] 쇠를 녹이는 가마.
[爐煙 노연] 향로(香爐)의 연기.
[爐肉 노육] 구운 돼지고기.
[爐炭 노탄] 화로의 숯불.
[爐香 노향] 향로(香爐)에 피운 향.
[爐火 노화] ㉠화롯불. ㉡장생불사(長生不死)의 선약(仙藥)을 곰.
[爐灰 노회] 화로의 재.
◉高爐. 暖爐. 煖爐. 茶爐. 冬扇夏爐. 焙爐. 手爐. 藥爐. 鎔鑛爐. 提爐. 地爐. 平爐. 風爐. 寒爐. 香爐. 紅爐. 火爐. 懷爐. 薰爐.

16 ⑳ [爓] ㊀ 염 ㊄豔 以贍切 yàn ㊁ 섬 ㊥鹽 徐鹽切 qián

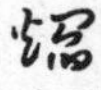

字解 ㊀ 불꽃 염 炎(火部 四畫)·燄(火部 十二畫)과 同字. '吐一生風'《班固》. ㊁ 삶을 섬 끓는 물에 넣어 익힘. '三獻一'《禮記》.
字源 篆文 形聲. 火＋閻〔音〕. '閻염'은 '炎염'과 통하여, '불꽃'의 뜻.

◉三獻爓. 吐爓.

16 ⑳ [爗] 엽 ㊀葉 筠輒切 yè

字解 빛날 엽 燁(火部 十二畫)과 同字. '華一一'《漢書》.
字源 形聲. 火＋曄〔音〕

[爗爗 엽엽] 빛이 성(盛)함. 번갯불의 모양.
[爗煜 엽욱] 소리가 요란한 모양.

16 ⑳ [爏] 력 ㊀錫 狼狄切 lì

字解 불모양 력 불의 모양.

16 ⑳ [爖] 업 ㊀葉 乙業切 yé

字解 어두울 업 '一, 火不明'《集韻》.

16 ⑳ [爔] 人名 희 ㊥支 虛宜切 xī

筆順 火 炉 烊 烊 烊 爔 爔 爔

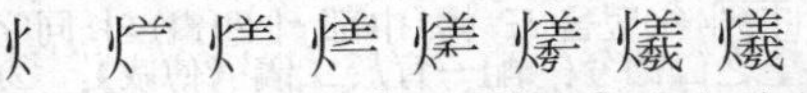

字解 ①불 희 '一, 火也'《玉篇》. ②햇빛 희 曦(日部 十六畫)와 同字. '赫一'.

16 ⑳ [燔] 번 ㊥元 符袁切 fán

字解 제육 번 삶은 제육(祭肉). 膰(肉部 十二

畫)과 同字. '一, 宗廟火熟肉'《說文》.
[字源] [篆文] 形聲. 炙+番〔音〕

16 ⑳ [爒] 료 [上]篠 盧鳥切, 力小切 liǎo
[字解] 구울 료 불에 쬐어 구움. '一, 炙也'《說文》.
[字源] [篆文] 形聲. 炙+尞(寮)〔音〕. '炙자'는 고기를 굽다의 뜻. '寮료'는 땔나무의 뜻.

16 ⑳ [㸁] 〔업〕
業(木部 九畫〈p. 1090〉)의 古字

17 ㉑ [爚] [一] 약 [入]藥 以灼切 yuè
[二] 삭 [入]藥 書藥切 shuò
[字解] [一] ①빛 약 광휘. '彌融一以隱處'《史記》. ②빛날 약 광휘를 발함. '功牌銀爍一'《楊愼》. [二] 빛 삭, 빛날 삭 [一]과 뜻이 같음.
[字源] [篆文] 形聲. 火+龠〔音〕. '龠약'은 '曜요' 등과 통하여, '빛나다'의 뜻.
◉爍爚. 煜爚. 融爚. 灼爚.

17 ㉑ [爛] [人名] 란 [去]翰 郞旰切 làn 烂
[筆順] 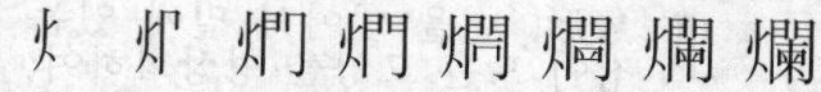
[字解] ①문드러질 란 ㉠화상(火傷)을 입어 살결이 문드러짐. '一死'. '邾子自投于牀, 廢于鑪炭一'《左傳》. ㉡썩어 문드러짐. '腐一'. '魚一而亡'《公羊傳》. ㉢너무 익어 문드러짐. 무르녹음. '熟而不一'《呂氏春秋》. ㉣부서짐. 궤파(潰破)함. '肌膚刻一'《蜀志》. ㉤고민하고 애통함. '心一形燋'《齊書》. ②문드러지게할 란 전항(前項)의 타동사. '糜一'. '煎沙一石'《說苑》. ③고울 란 선명한 모양. '錦衾一兮'《詩經》. ④빛날 란 빛이 번쩍번쩍하는 모양. '明星有一'《詩經》.
[字源] [篆文] [別體] 形聲. 篆文은 火+蘭〔音〕. '蘭란'은 오랜 시간 담가 두다의 뜻. 불 속에 오랜 시간 두다의 뜻에서, 문드러지다, 매우 끓이다, 빛나다의 뜻을 나타냄. '爛'은 篆文의 생략체(省略體).

[爛柯 난가] 도끼 자루가 썩는다는 뜻으로, 바둑 두는 재미 또는 시간 가는 줄도 모르고 바둑에 열중함을 이름. 진(晉)나라의 왕질(王質)이라는 초부(樵夫)가 신안(信安)의 석실산(石室山)에서 두 동자(童子)가 바둑 두는 것을 만나 이것을 보고 있는 동안에 도끼 자루가 썩어 버리고, 마을에 돌아가 보니 아는 사람은 다 죽었더라는 〈술이기(述異記)〉에 나오는 고사(故事)에 유래하는 말.
[爛旰 난간] 고움. 선명함.
[爛開 난개] 꽃이 한창 만발함. 난발(爛發).
[爛壞 난괴] 썩어 문드러짐.
[爛爛 난란] 번쩍번쩍 빛나는 모양.
[爛漫 난만] ㉠물건이 충만하여 넘치는 모양. ㉡광채(光彩)가 발산하는 모양. ㉢흩어져 사라지는 모양. ㉣밝게 나타나 보이는 모양. ㉤잘 자는 모양. ㉥꽃이 만발한 모양.
[爛木頭 난목두] 썩은 나무.
[爛發 난발] 꽃이 한창 만발함.
[爛腐 난부] 썩어 문드러짐. 부란(腐爛).
[爛死 난사] 화상을 입어 죽음.
[爛商 난상] 잘 의논(議論)함.
[爛熟 난숙] ㉠무르녹게 잘 익음. 무르익음. ㉡잘 통달(通達)함.
[爛眼 난안] 짓무른 눈. 또는 충혈된 눈.
[爛若披錦 난약피금] 문장(文章) 전체가 아름답고 화사(華奢)함을 비유하여 이르는 말.
[爛焉 난언] 난연(爛然).
[爛然 난연] ㉠밝은 모양. ㉡빛나는 모양. ㉢고운 모양. 찬란한 모양.
[爛遊 난유] 한가로이 이곳저곳으로 돌아다니며 놂.
[爛飮 난음] 술을 함부로 많이 마심.
[爛議 난의] 난상(爛商).
[爛嚼 난작] 음식(飮食)을 잘 씹음.
[爛腸 난장] 술을 너무 많이 마셔 창자가 헐어 문드러짐.
[爛粲 난찬] 찬란(燦爛)한 모양.
[爛醉 난취] 술이 몹시 취함.
[爛敗 난패] 난부(爛腐).
[爛布 난포] 누더기.
[爛兮 난혜] 고운 모양. 찬란한 모양.
◉刻爛. 糜爛. 光爛. 壞爛. 潰爛. 煥爛. 糜爛. 腐爛. 昭爛. 消爛. 熟爛. 魚爛. 炎爛. 艷爛. 煜爛. 委爛. 灼爛. 照爛. 粲爛. 燦爛. 焦爛. 燋爛. 敗爛. 絢爛. 朽爛. 毁爛.

18 ㉒ [爝] [一] 작 [入]藥 卽略切 jué
[二] 조 [去]嘯 子肖切 jiào
[字解] [一] ①횃불 작 홰에 붙인 불. '日月出矣, 而一火不息'《莊子》. ②비칠 작 광휘를 발함. '一以爟火'《呂氏春秋》. [二] 횃불 조, 비칠 조 [一]과 뜻이 같음.
[字源] [篆文] 形聲. 火+爵〔音〕

[爝火 작화] 횃불. 거화(炬火).
◉烽爝. 螢爝.

18 ㉒ [爟] 관 [去]翰 古玩切 guàn
[字解] ①봉화 관 봉수(烽燧). '一火通於灞上'《庾信》. ②화톳불 관 요화(燎火). '田燭置, 一火通'《顏延之》.
[字源] [篆文] [別體] 形聲. 火+雚〔音〕. '雚관'은 '援원'과 통하여, '끌어당기다'의 뜻. 태양으로부터 불을 끌어서 취하다의 뜻을 나타냄.

[爟火 관화] ㉠봉화(烽火). ㉡화톳불. ㉢타는 불.

18 ㉒ [爞] 충 [平]東 直弓切 chóng
[字解] ①그슬릴 충 불에 그슬림. '一, 熏也'《玉篇》. ②가뭄더위 충 가뭄의 더위. '自冬及春暮, 不雨旱一一'《白居易》.
[字源] [篆文] 形聲. 火+蟲〔音〕. '蟲충'은 불을 태워 그슬리다, 냄새를 피우다의 뜻. 또 '蟲蟲충충'은 무더운 모양. 한열(旱熱)이 심하다의 뜻을 나타냄.

[爞爞 충충] 타듯이 더움.

18 [爆] 〔폭〕
㉒ 爆(火部 十五畫〈p.1361〉)의 本字

18 [爄] 섭(녑[本]) [入]葉 尼輒切 niè
㉒
[字解] 따뜻할 섭 '一, 煗也'《玉篇》.

19 [爢] 미 [平]支 忙皮切 mí
㉓
[字解] ①문드러질 미 '一, 爛也'《說文》. ②익을 미 '一, 熟也'《廣雅》.
[字源] 篆文 形聲. 火+靡[音]. '麻마'는 '삼'의 뜻. '非비'는 '분리시키다'의 뜻. 벤 삼대를 물에 담가 겉껍질을 썩게 하여서 섬유만을 빼내는 모양에서, 너덜너덜 뭉그러지다·문드러지다의 뜻을 나타냄.

[爢滅 미멸] 으깨지고 문드러져 없어짐.
[爢散 미산] 부서져 흩어짐.

19 [爟] 〔연〕
㉓ 然(火部 八畫〈p.1340〉)의 古字

19 [爥] 〔연〕
㉓ 然(火部 八畫〈p.1340〉)의 古字

20 [爣] 당 [上]養 他郎切 tǎng
㉔
[字解] 불빛밝을 당 '一朗'은 불빛이 넓고 밝은 모양. '一, 一朗, 火光寬明'《廣韻》.

21 [爥] 〔촉〕
㉕ 燭(火部 十三畫〈p.1359〉)과 同字

21 [爛] 〔란〕
㉕ 爛(火部 十七畫〈p.1363〉)의 本字

25 [爨] 찬 [去]翰 七亂切 cuàn
㉙
[字解] ①부뚜막 찬 아궁이 위의 솥을 걸게 된 데. '執一踖踖'《詩經》. ②불땔 찬, 밥지을 찬 불을 때어 밥을 지음. '一炊'. '以釜甑一'《孟子》.
[字源] 篆文 籀文 會意. 𦥑+冖+林+廾+火. '𦥑'는 시루 같은 것으로 끓이고 밥을 짓고 하기 위한 기구를 두 손으로 들어 올리는 모양을 본뜸. '冖멱'은 그 부뚜막의 구멍을 형상화했음. 이 글자 전체는 양손으로 아궁이에 나무를 때고 있는 모양을 형상화하여, 음식을 짓는 뜻을 나타냄. 음형상(音形上)으로는 '穿천'과 통하여, 구멍이 난 부뚜막에서 밥을 짓는 뜻을 나타내는 것으로 여겨짐.

[爨國 찬국] 송대(宋代)에 윈난 성(雲南省)에 있던 만국(蠻國)의 이름.
[爨琴 찬금] 거문고를 땜. '가난하여 땔감이 없으니 거문고나 땔까' 한다는 말. 매우 생활이 곤궁함의 비유.
[爨婦 찬부] 밥 짓는 여자.
[爨婢 찬비] 밥을 짓는 여자 하인. 부엌데기. 식모.
[爨室 찬실] 부엌.
[爨煙 찬연] 밥을 짓는 연기.
[爨炊 찬취] 밥을 지음. 불을 땜.
◉同爨. 薪爨. 煙爨. 異爨. 炊爨.

29 [爩] 울 [入]物 紆物切 yù
㉝
[字解] ①연기낼 울 연기가 나거나 끼는 모양. '一, 煙出也'《玉篇》. ②연기 울 '一, 煙氣'《廣韻》.

爪(爫) (4획) 部

〔손톱조부〕

0 [爪] [人名] 조 [上]巧 側絞切 zhǎo, zhuǎ
④
[筆順] 一 厂 爪 爪
[字解] ①손톱 조 손가락 끝의 각질부(角質部). '一牙'. '虎無所措其一'《老子》. 또, 기구(器具)의 끝에 달려 물건을 걸거나 긁는 소용을 하는 것. '葩一文畫'《吳志》. ②깍지 조 손가락에 끼는 물건. '彈箏者以鹿角爲一, 彈之'《樂錄》. ③긁을 조, 할퀼 조 손톱으로 긁거나 할큄. '一其膚, 以驗其生枯'《柳宗元》.
[字源] 篆文 爪 象形. 손을 엎어서 밑에 있는 물건을 집어 드는 모양을 형상화하여, '손톱'의 뜻을 나타냄.
[參考] '爪'를 의부(意符)로 하여, 손으로 잡다의 뜻을 포함하는 문자를 이룸.

[爪角 조각] 손톱과 뿔. 전(轉)하여, 자신을 지키고 남을 막는 물건.
[爪距 조거] 손톱과 며느리발톱.
[爪士 조사] 자기에게 도움이 되는 선비. 국가를 다스리는 데 도움이 되는 신하. 조아지사(爪牙之士).
[爪牙 조아] ㉠손톱과 엄니. ㉡자기를 수호하고 보좌하는 사람. ㉢자기의 당여(黨與).
[爪印 조인] 손톱이나 발톱 자국. 조흔(爪痕).
[爪槌 조퇴] 못뽑이.
[爪痕 조흔] 손톱이나 짐승의 발톱으로 할퀸 흔적. 조인(爪印).
◉繫爪. 骨爪. 猛爪. 雪泥鴻爪. 牙爪. 鷹爪. 利爪. 匿爪. 指爪. 虎牙鷹爪. 鴻爪.

0 [爫] '爪'가 글자 머리로 올 때의 자체(字體)
④
[筆順] 一 ⺁ 𠂉 爫

0 [爪] 장 [上]養 諸兩切 zhǎng
④
[字解] ①가질 장 손바닥을 위로 향하게 하여 물건을 잡음. '一, 亦丮也'《說文》. ②손바닥 장 掌(手部 八畫)과 同字.
[字源] 指事. '爪조'를 반대로 써서 손을 위로 향하게 하여, 위에 있는 물건을 집다의 뜻을 나타냄.

1 [爬] 〔규〕
⑤ 糺(糸部 一畫〈p.1709〉)와 同字

4 ⑧ [爭] 中·人 쟁 ㊥庚 側莖切 zhēng

筆順

字解 ①다툴 쟁 ㉠우열·승패를 겨룸. '競一'·'一霸'. '莫與汝一能'《書經》. ㉡앞을 다툼. '一窺'. '士一趨燕'《十八史略》. ㉢옳고 그름을 말하여 싸움. 말다툼함. '一議'. '滕侯薛侯來朝一長'《左傳》. ㉣서로 빼앗음. '姦邪比周, 欺上蔽主, 以一爵祿'《說苑》. ㉤하소연함. 소송함. '守約而一'《漢書》. ②간할 쟁 諍(言部 八畫)과 同字. '一臣'. '父有一子, 則身不陷於不義'《孝經》. ③다투게할 쟁 '一民施奪'《大學》. ④다툼 쟁 '分一辨訟'《禮記》. ⑤어찌 쟁 어찌하여. 반어(反語)로서 속어(俗語)이며, 당시(唐詩)에 많이 쓰임. '一如'·'一若'으로 연용(連用)하기도 함. 怎(心部 五畫)과 뜻이 같음. '徘徊一忍忙歸去'《呂濱老》.

字源 甲骨文 甲骨文 篆文 會意. 爫+厂. '爫표'는 위 아래로부터 손으로 마주 당기는 뜻. '厂'은 '力력'자의 변형. 힘을 들여 서로 당기다, 다투다의 뜻을 나타냄. 甲骨文에는 '用(자루가 있는 종(鐘)의 象形)'을 위아래의 손으로 서로 뺏는 모양의 것이 있음.

[爭功 쟁공] 공(功)을 서로 다툼.
[爭魁 쟁괴] 두목(頭目)이 되려고 다툼.
[爭權 쟁권] 권리(權利)를 다툼.
[爭窺 쟁규] 서로 앞을 다투어 엿봄.
[爭隙 쟁극] 서로 다투어 불화(不和)한 일.
[爭端 쟁단] 다툼의 단서. 싸움의 실마리.
[爭亂 쟁란] 서로 다투어 어지러움.
[爭論 쟁론] 서로 말로 다툼. 말다툼함.
[爭罵 쟁매] 말다툼하며 욕질함.
[爭辯 쟁변] 말다툼함. 논쟁(論爭)함.
[爭鋒 쟁봉] 적(敵)과 창검(槍劍)을 가지고 다툼. 교전(交戰)함.
[爭先 쟁선] 앞을 다툼.
[爭訟 쟁송] 서로 송사(訟事)를 하여 다툼. 또, 송사. 다툼.
[爭臣 쟁신] 임금의 잘못에 대하여 바른말로 꿋꿋하게 간(諫)하는 신하.
[爭語 쟁어] 쟁론(爭論).
[爭友 쟁우] 친구의 잘못을 충고하는 벗.
[爭議 쟁의] 서로 다른 의견(意見)을 주장(主張)하며 다툼.
[爭子 쟁자] 부모의 잘못을 간(諫)하는 아들.
[爭長 쟁장] ㉠장유(長幼)의 순서를 다툼. ㉡장점과 단점을 비교하여 다툼.
[爭戰 쟁전] 싸움. 전쟁을 함.
[爭進 쟁진] 다투어 나아감.
[爭奪 쟁탈] 다투어 빼앗음. 서로 빼앗으려고 다툼.
[爭鬪 쟁투] 완력(腕力)으로 서로 다툼. 싸움.
[爭霸 쟁패] 패자(霸者)가 되려고 다툼. 패권을 잡으려고 다툼.
[爭衡 쟁형] 우열(優劣)·경중(輕重)을 다툼.
[爭詰 쟁힐] 서로 다투며 힐난함.
◉犬兔之爭. 競爭. 係爭. 交爭. 權爭. 難以口舌爭. 內爭. 論爭. 黨爭. 蠻觸之爭. 面爭. 兵爭. 忿爭. 紛爭. 軋爭. 兩虎之爭. 力爭. 蝸角之爭. 龍戰虎爭. 雄爭. 李牛爭. 戰爭. 廷爭. 政爭. 挺爭. 鬪爭. 派爭. 抗爭. 喧爭. 鷸蚌之爭.

4 ⑧ [爭] 一 음 ㊥侵 餘針切 yín
二 임 ㊥侵 如林切

字解 一 ①다가가바랄 음 요행을 바람. '一, 近求也'《說文》. ②탐할 음 '一, 貪也'《廣韻》. 二 다가가바랄 임, 탐할 임 一과 뜻이 같음.

字源 會意. 爪+壬

[受] 〔수〕 又部 六畫(p. 332)을 보라.

[采] 〔채〕 釆部 一畫(p. 2365)을 보라.

4 ⑧ [爬] 人名 파 ㊥麻 蒲巴切 pà

字解 ①긁을 파 ㉠손톱으로 긁음. '一羅剔抉'《韓愈》. ㉡가려운 데를 긁음. '一背向陽眠'《白居易》. ②잡을 파 把(手部 四畫)와 통용. ③길 파 기어감. '今謂手行曰一'《新方言》. ④성 파 성(姓)의 하나.

字源 形聲. 爪+巴〔音〕. '巴파'는 손을 땅바닥에 찰싹 붙이다의 뜻. '爪조'는 손톱·손의 象形. 손톱으로 긁다, 손으로 기다의 뜻을 나타냄.

[爬疥 파개] 옴을 긁음. 가려운 데를 긁음.
[爬羅剔抉 파라척결] ㉠숨은 인재(人材)를 널리 찾아 등용함. ㉡남의 비밀이나 결점을 샅샅이 들추어냄.
[爬沙 파사] 게가 기어가는 모양.
[爬梳 파소] 긁고 빗질함. 전(轉)하여, 정리(整理)함.
[爬搔 파소] 긁음.
[爬癢 파양] 가려운 데를 긁음.
[爬櫛 파즐] 파소(爬梳).
[爬蟲 파충] 파충류(爬蟲類)에 속하는 동물.
[爬蟲類 파충류] 척추동물(脊椎動物)의 한 유(類). 냉혈(冷血)이고 피부에 각질(角質)의 비늘이 있으며 대개 난생(卵生)함. 뱀·도마뱀·악어 등이 이에 속함.
[爬行 파행] 벌레·짐승 등이 땅에 몸을 대고 기어 다님.
◉搔爬. 搜爬. 聚爬.

5 ⑨ [爱] 도 ㊤號 都導切 dào

字解 성 도 성(姓)의 하나. '一, 姓也, 出河內'《廣韻》.

5 ⑨ [爰] 人名 원 ㊥元 雨元切 yuán

字解 ①이에 원 이리하여. '一居一處'《詩經》. ②성낼 원 화냄. '一, 恚也, 楚曰一'《揚子方言》. ③바꿀 원 교환함. '一書'. '晉於是乎作一田'《左傳》. ④느즈러질 원 서완(徐緩)한 모양. '有兔一一'《詩經》. ⑤성 원 성(姓)의 하나.

字源 甲骨文 金文 篆文 象形. 甲骨文은 어떤 물건을 위아래로부터 손을 뻗어서 끌어당기는 모양을 형상화하여, '당기다'의 뜻으로 씀. '援원'의 原字. 假借하여, '이에, 아아'의 뜻으로 사용함.

[爰居 원거] ㉠해조(海鳥)의 이름. 크기가 말만 하

고 봉(鳳)새 비슷하다 함. ㉡이사(移徙)함.
[爰書 원서] 죄인의 범죄 사실을 조사한 서류. 원(爰)은 바꾼다는 뜻. 옛날에 재판관의 편파(偏頗)를 막기 위하여 서로 옥서(獄書)를 교환하여 심리(審理)하게 한 데서 나온 말임.
[爰爰 원원] 느즈러진 모양. 서완(徐緩)한 모양.
[爰田 원전] 고대의 세법(稅法). 지금까지 정부의 수입(收入)으로 하던 공전(公田)의 세(稅)를 다시 고쳐서 유공(有功)한 백성의 것으로 하는 일. 「름.
[爰池國 원지국] 마한(馬韓)에 속했던 옛 나라 이

[奚] 〔해〕 大部 七畫(p. 508)을 보라.

[覓] 〔멱〕 見部 四畫(p. 2088)을 보라.

8 ⑫ [爲] 中人 위 ①-⑨⑭㊥支 薳支切 wéi ⑩-⑬㊦寘 于僞切 wèi 为

筆順

字解 ①할 위 ㉠행함. '一政'. '一之難'《論語》. ㉡…라 이름. '一一乾豆, 二一賓客'《穀梁傳》. '曾是以一孝乎'《論語》. ②만들 위, 지을 위 ㉠제작함. '以一樂器'《周禮》. ㉡시문(詩文)을 지음. '王使屈原一之'《史記》. ③다스릴 위 ㉠백성·나라를 다스림. '何以一民'《左傳》. ㉡병을 다스림. '疾不可一也'《國語》. ④배울 위 학습함. '女一周南召南矣乎'《論語》. ⑤생각할 위 …라고 생각함. '百姓皆以王一愛也'《孟子》. ⑥삼을 위 간주(看做)함. '乾一馬'《易經》. ⑦체할 위 가장함. '佯一不知永巷, 而入其中'《史記》. ⑧행위 위 동작. '羞前之一'《韓愈》. ⑨될 위 ㉠일정한 형태가 이루어짐. '一人敏給'《史記》. '重一輕根, 靜一躁君'《老子》. ㉡당함. '皆一殺戮'《史記》. ⑩위할 위 …을 위하여. '一國'. '一人謀而不忠乎'《論語》. ⑪위하여할 위 위하여 꾀함. 위하여 행함. '求忠而自一'《史記》. ⑫도울 위 보좌함. '夫子一衛君乎'《論語》. ⑬더불어 위 …와 더불어. '寡人獨一仲父言'《韓詩外傳》. ⑭성 위 성(姓)의 하나.

字源 甲骨文 金文 篆文 古文 甲骨文은 會意로서, 爪+象. '爪조'는 '손'의 뜻. '象상'은 코끼리의 象形. 코끼리를 길들이는 모습에서, 인위적으로 만들다의 뜻을 나타냄. 篆文은 그것이 변형된 것.

參考 為(火部 五畫)는 俗字.

[爲間 위간] 잠시 후에. 이윽고.
[爲雞口無爲牛後 위계구무위우후] 작은 닭의 입이 될지언정 큰 소의 꼬리는 되지 말라. 작더라도 사람 위에 설 것이며, 크더라도 사람의 뒤에는 붙지 말라는 뜻.
[爲國 위국] 나라를 위함.
[爲輪爲彈 위륜위탄] 수레바퀴가 되기도 하고 탄알이 되기도 한다는 뜻으로, 오직 하늘에 맡김을 이름.
[爲富不仁 위부불인] 치부(致富)하려면 자연히 어질지 못한 일을 하게 됨. 부(富)와 인(仁)은 양립하기 어려움.
[爲先 위선] 조상(祖上)을 위함.
[爲始 위시] 시작(始作)함. 비롯함.
[爲甚麼 위심마] 무엇을 위하여. 무엇 때문에.
[爲我 위아] 자기의 이익만을 꾀하는 일. 전국 시대(戰國時代)의 양주(楊朱)의 학설.
[爲業 위업] 생업으로 삼음.
[爲淵敺魚 위연구어] 수달이 고기를 몰아 못 속으로 들어가게 한다는 뜻으로, 폭군(暴君) 밑에 있는 백성이 도망하여 어진 임금에게 붙음을 비유한 말.
[爲爾 위이] 이와 같음.
[爲人 위인] 사람된 품.
[爲人謀而不忠乎 위인모이불충호] 남을 위해 일을 꾀하는 데 진심을 다하여 하지 않은 일은 없었던가를 스스로 반성함.
[爲一世冠 위일세관] 일세(一世)에 관절(冠絕)함. 당대(當代)의 제일인자가 됨. 관세(冠世).
[爲政 위정] 정치(政治)를 행함.
[爲政者 위정자] 정치를 행하는 사람.
[爲主 위주] 주장(主張)을 삼음.
[爲妻子 위처자] 처자(妻子)를 위함.
[爲楚非爲趙 위초비위조] 겉으로는 위하는 체하면서 실상(實狀)은 딴것을 위함을 이름.
[爲親 위친] 부모(父母)를 위함.
[爲表裏 위표리] 서로 표리(表裏)가 됨. 곧, 내외(內外)가 상응(相應)하여 서로 도움. 공모(共謀).
[爲限 위한] 기한이나 한도로 삼음.
[爲虎傅翼 위호부익] 범을 위하여 날개를 붙인다는 뜻으로, 위세(威勢) 있는 악인(惡人)에게 가세(加勢)하여 더욱 맹위(猛威)를 떨치게 함을 이름.
◉曷爲. 敢爲. 改爲. 規爲. 當爲. 無能爲. 無爲. 無爲爲. 不作爲. 所爲. 施爲. 營爲. 云爲. 有爲. 以爲. 人爲. 作爲. 至爲. 天爲. 何爲. 奚爲. 行爲. 胡爲. 興爲.

[愛] 〔애〕 心部 九畫(p. 794)을 보라.

13 ⑰ [爵] 爵(次條)의 簡體字

14 ⑱ [爵] 高人 작 ㊀藥 卽略切 jué

筆順

字解 ①참새 작 雀(隹部 三畫)과 통용(通用). '爲叢毆一者鸇也'《孟子》. ②잔 작 참새 부리 모양을 한 술잔. '乃羞無算一'《儀禮》. 전(轉)하여, 술잔의 범칭(泛稱). '王予之一'《左傳》. ③벼슬 작 신분(身分)의 계급. '公一'. '一位'. '序一, 所以辨貴賤'《中庸》. ④벼슬줄 작 위계(位階)를 수여함. '一之大夫'《史記》.

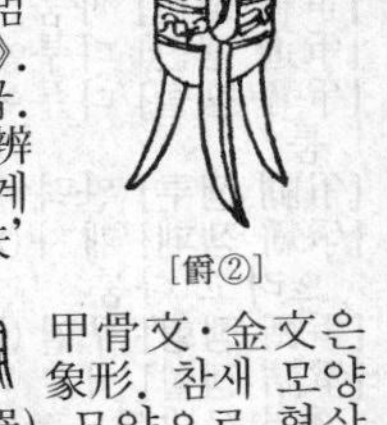
[爵②]

字源 甲骨文 金文 篆文 古文 甲骨文·金文은 象形. 참새 모양의 의식용(儀式用) 주기(酒器) 모양으로 형상화하여, '술잔'의 뜻을 나타냄. 篆文은 윗부분이 참새의 象形, '鬯창'은 그 안에 담는 '술'의 뜻, '寸촌'은 '손'의 뜻으로, 술을 넣은 참새 모양의 술잔을 손에 든 모양의 會意 글자.

[爵羅 작라] 새를 잡는 그물. 작라(雀羅).
[爵祿 작록] 작위(爵位)와 봉록(俸祿).
[爵里刺 작리자] 관작(官爵)·주소·성명을 기입한 명함(名銜).
[爵弁 작변] 관(冠)의 한 가지. 면류관(冕旒冠) 비슷하되 유(旒)가 없음. 가관(加冠)의 예(禮)에서 피변(皮弁) 다음에 씀. '삼가(三加)' 참조.

〔爵弁〕

[爵服 작복] 작위(爵位)와 그것에 상당하는 복장.
[爵封 작봉] 작위(爵位)와 영지(領地). 작읍(爵邑).
[爵賞 작상] 서작(敍爵)과 상사(賞賜).
[爵位 작위] ㉠벼슬과 지위(地位). 관작(官爵)과 위계(位階). ㉡작(爵)의 계급.
[爵邑 작읍] 작봉(爵封).
[爵坫 작점] 잔을 엎어 놓는 잔대.
[爵秩 작질] 작록(爵祿).
[爵土 작토] 작위(爵位)와 영지(領地). 작봉(爵封).
[爵號 작호] 작위(爵位)의 칭호. 곧, 공(公)·후(侯)·백(伯)·자(子)·남(男).
◉高爵. 公爵. 官爵. 金爵. 男爵. 祿爵. 賣爵. 名爵. 美爵. 伯爵. 罰爵. 封爵. 士爵. 敍爵. 世爵. 襲爵. 榮爵. 五等爵. 五爵. 玉爵. 人爵. 子爵. 尊爵. 贈爵. 至貴不待爵. 天爵. 豐爵. 顯爵. 好爵. 侯爵.

父 (4획) 部
〔아비부부〕

0 ④ [父] 中人 ㊀ 부 ㊤麌 扶雨切 fù ㊁ 보 ㊤麌 方矩切 fǔ

筆順 ノ ハ ク 父

字解 ㊀ 아비 부 아버지. '嚴—'. '—之讎'《禮記》. 전(轉)하여, 남성인 연장자의 일컬음. '—老'. '漁—'. '與禍之—晲之'《左傳》. ㊁ 자(字) 보 남자(男子)에 대한 미칭(美稱). 甫(用部 二畫)와 통용. '尼—'. '尙—'. '壬—'. '昔者, 齊公得管仲, 時以爲仲—'《戰國策》.

字源 甲骨文 金文 篆文 象形. 甲骨文으로 알 수 있듯이, 손에 채찍을 든 모양으로 형상화하여, 일족(一族)의 통솔자, 아버지의 뜻을 나타냄.

參考 '父'를 의부(意符)로 하여, '부친, 노인'에 관한 문자를 이룸.

[父系 부계] 아버지의 계통(系統).
[父敎 부교] ㉠아버지의 교훈(敎訓). ㉡아버지의 명령(命令).
[父君 부군] 자기 부친의 경칭(敬稱).
[父女 부녀] 아버지와 딸.
[父黨 부당] 아버지의 친구.
[父道 부도] ㉠아버지가 행한 도(道). ㉡아버지로서 지킬 도리. 아버지의 길.
[父禮 부례] 아버지를 섬기는 예.
[父老 부로] ㉠노인. ㉡한 마을에서 한 중심인물이 되는 노인.
[父名 부명] 아버지의 이름.
[父命 부명] 아버지의 명령(命令).
[父母 부모] ㉠아버지와 어머니. 전(轉)하여, 부모 같은 사람. 존경하고 친애하는 웃어른. ㉡근본(根本).
[父母官 부모관] 지방관(地方官).
[父母國 부모국] 고국(故國). 조국(祖國).
[父母喪 부모상] 어버이의 상사(喪事).
[父母令名 부모영명] 부모의 좋은 명예(名譽).
[父母唯其疾之憂 부모유기질지우] 부모는 자식이 병이 날까 하여 주야로 그것만 근심함. 어버이의 자식에 대한 사랑이 깊음을 이름.
[父母之邦 부모지방] 고국(故國). 부모국(父母國).
[父母之遺體 부모지유체] 부모가 남긴 몸. 곧, 아들의 몸.
[父母妻子 부모처자] 부모(父母)와 처자(妻子).
[父父子子 부부자자] 아버지는 아버지 노릇 하고 아들은 아들 노릇 함. 아버지는 아버지의 본분을 지키고, 아들은 아들의 본분을 지킴.
[父師 부사] ㉠태자(太子)의 선생. ㉡벼슬을 그만둔 대부(大夫). ㉢아버지와 스승. 자기가 가르침을 받는 사람을 이름.
[父事之 부사지] 아버지와 같이 섬김. 어버이처럼 대접(待接)함.
[父喪 부상] 아버지의 상사(喪事).
[父先亡 부선망] 아버지가 어머니보다 먼저 세상(世上)을 떠남.
[父雖不父子不可以不子 부수불부자불가이부자] 아버지가 비록 부도(父道)를 행하지 않는다 하더라도 아들은 아들의 도리를 행하여야 함.
[父爺 부야] 아버지. 부친(父親).
[父爲子隱 부위자은] 아버지는 아들의 죄악(罪惡)을 숨기는 것이 인정상 당연함.
[父蔭 부음] 부임(父任).
[父任 부임] 아버지의 덕으로 벼슬하는 일. 부음(父蔭).
[父子 부자] 아버지와 아들.
[父子有親 부자유친] 오륜(五倫)의 하나. 부자(父子)의 도(道)는 친밀(親密)에 있음.
[父子聚麀 부자취우] 짐승은 예의를 모르기 때문에 아비와 새끼가 같은 암컷과 관계함.
[父傳子承 부전자승] 부전자전(父傳子傳).
[父傳子傳 부전자전] 대대(代代)로 아버지가 아들에게 전(傳)함.
[父祖 부조] ㉠아버지와 할아버지. ㉡조상. 선조(先祖).
[父族 부족] 부계(父系)의 친족.
[父之讎弗與共戴天 부지수불여공대천] 아들 된 사람은 반드시 어버이의 원수를 갚아야지 원수와 함께 살 수는 없음.
[父執 부집] 아버지의 벗. 집(執)은 아버지와 같은 뜻을 가진 사람이라는 뜻.
[父親 부친] 아버지.
[父兄 부형] 아버지와 형(兄).
◉家父. 假父. 禍父. 季父. 繼父. 高祖父. 宏父. 敎父. 舅父. 國父. 君父. 乃父. 老父. 弩父. 大父. 亡父. 伯父. 保父. 婦父. 師父. 尙父. 世父. 叔父. 神父. 亞父. 阿父. 嶽父. 養父. 漁父. 嚴父. 王父. 外父. 義父. 尼父. 慈父. 田父. 折父. 亭父. 諸父. 祖父. 族父. 尊父. 從父. 從祖父. 從祖祖父. 主父. 仲父. 曾祖父. 知子莫如父. 傖父. 樵父. 親父. 太父. 擇子莫如父.

4
⑧ [爸] 파 [去]禡 必駕切 bà

[字解] 아비 파 아버지의 속어(俗語). '夷語稱老者爲八八, 或巴巴. 後人因加父作一字'《正字通》.
[字源] 形聲. 父+巴〔音〕

[爸爸 파파] 아버지〔父〕의 호칭(呼稱).

[斧] 〔부〕 斤部 四畫(p.952)을 보라.

6
⑩ [爹] [人名] 다 [上]哿 徒可切 diē

[字解] 아비 다 아버지. 또, 웃어른의 호칭(呼稱). '始興王, 人之一, 赴人急如水火'《南史》.
[字源] 形聲. 父+多〔音〕

[爹爹 다다] ㉠아버지〔父〕의 호칭(呼稱). ㉡젊은 남자를 친근하게 부르는 말. 아저씨.
◉阿爹.

[釜] 〔부〕 金部 二畫(p.2377)을 보라.

9
⑬ [爺] [人名] 야 [平]麻 以遮切 yé

[字解] 아비 야 아버지의 속어(俗語). 또, 웃어른. '阿一'. '一一'. '軍書十二卷, 卷卷有一名'《木蘭辭》.
[字源] 形聲. 父+耶〔音〕

[爺爺 야야] ㉠아버지〔父〕의 속어(俗語). ㉡대인(大人)의 뜻의 존칭.
[爺孃 야양] 아버지와 어머니. 부모(父母)의 속칭.
◉老爺. 阿爺. 太爺. 好好爺.

9
⑬ [爹] 자 [平]麻 正奢切 zhē

[字解] ①아비 자 '一, 父稱'《玉篇》. ②할미의지아비 자 노파(老婆)의 남편. '阿一'. '世謂媼壻爲阿一'《唐書》.
[字源] 形聲. 父+者〔音〕

爻(㸚) (4획) 部

〔점괘효부〕

0
④ [爻] [人名] 효 [平]肴 胡茅切 yáo
[去]效 後敎切 xiào

[筆順] ノ メ グ 爻

[字解] ①사귈 효 교착(交錯)함. ②육효 효 역(易)의 괘(卦)를 이룬 여섯 개의 가로 그은 획. '一'는 양(陽)이고, '--'는 음(陰)임. '六一之動, 三極之道也'《易經》. ③성 효 성(姓)의 하나.
[字源] 甲骨文 金文 篆文 象形. 팔랑개비처럼 물건을 엮어 맞춘 모양을 형상화하여, '엇갈리다, 만나다'의 뜻을 나타냄.
[參考] 주로, 문자 정리상 부수(部首)로 세워짐.

[爻辭 효사] 〈역경(易經)〉의 각 괘(卦)를 구성하는 각각의 효(爻)에 대해 설명한 말.
◉卦爻. 上爻. 六爻. 二爻. 初爻. 下爻.

4
⑧ [爾] [一] 리 [上]紙 力紙切 lǐ
[二] 이 [上]紙 演爾切
[三] 려 [去]霽 郎計切 lì

[字解] [一] ①사귈 리 교유(交遊)가 넓음. '一, 二爻也. (段注) 二一者, 交之廣也'《說文》. ②밝을 리 창살을 통한 밝음이 선명한 모양. '一, 一尒, 明白'《廣韻》. [二] 사귈 이, 밝을 이 [一]과 뜻이 같음. [三] ①머무를 려 '一, 止也'《廣韻》. ②맬 려 '一, 系也'《廣韻》. ③사귈 려, 밝을 려 [一]과 뜻이 같음.
[字源] 會意. 爻+爻. '爻효'는 '사귀다'의 뜻. 사귐이 넓다의 뜻을 나타냄.

5
⑨ [爼] 〔조〕 俎(人部 七畫〈p.134〉)의 訛字

7
⑪ [爽] [人名] 상 [上]養 疎兩切 shuǎng
[平]陽 師莊切

[筆順] 一 ア メ ズ 爻爻 爻爻 爽 爽

[字解] ①시원할 상 기분이 시원함. '一快'. '飮之神氣淸一'《杜陽雜篇》. ②밝을 상 ㉠밤이 새어 밝음. '時甲子昧一'《書經》. ㉡높고 밝음. '請更諸一塏者'《左傳》. ㉢빛나서 밝음. '故有一德'《書經》. ㉣정신이 맑음. '精一'. '茲心不一'《左傳》. ③굳셀 상 장건(壯健)함. '英一'. '豪一'. ④어그러질 상 사리에 어그러짐. '一德'. '其德不一'《詩經》. ⑤상할 상 썩음. '露雞臛蠵厲而不一些'《宋玉》. ⑥성 상 성(姓)의 하나.
[字源] 金文 篆文 篆文 形聲. 金文은 日+喪〈省〉〔音〕. '喪상'은 '잃다'의 뜻. 해는 아직 뜨지 않았으나 밝아 오기 시작한 새벽의 뜻을 나타냄. 篆文의 '爽'은 이 金文이 변형된 것일 것임. 또, '喪'과 통하여, '잃다'의 뜻도 나타냄.
[參考] 爽(次條)은 同字.

[爽塏 상개] 앞이 탁 티어 밝은 땅.
[爽氣 상기] 상쾌한 기분.
[爽旦 상단] 시원한 아침. 아침.
[爽達 상달] 기상(氣象)이 시원하고 사리(事理)에 밝음.
[爽德 상덕] ㉠밝은 덕. 명덕(明德). ㉡나쁜 덕. 실덕(失德).
[爽朗 상랑] 상쾌하고 명랑함.
[爽涼 상량] 기후가 선선하여 시원함.
[爽昧 상매] 새벽.
[爽邁 상매] 기상(氣象)이 시원하고 고매(高邁)함.
[爽明 상명] 시원하고 밝음.
[爽爽 상상] 밝은 모양. 시원한 모양.
[爽傷 상상] 손상(損傷)함.
[爽失 상실] 사실(事實)과 틀림. 약속을 어김.
[爽然 상연] ㉠시원한 모양. ㉡실의(失意)하여 멍한 모양.

[爽節 상절] 시원한 계절. 곧, 가을.
[爽快 상쾌] 기분이 시원하고 유쾌함.
[爽慧 상혜] 정신이 밝고 슬기가 있음.
[爽惑 상혹] 갈팡거림. 당혹(當惑)함.
◉健爽. 高爽. 昧爽. 颯爽. 秀爽. 英爽. 英姿颯爽. 精爽. 俊爽. 澄爽. 差爽. 凄爽. 清爽. 昒爽. 豪爽.

8 ⑫ [爽] 爽(前條)과 同字

8 ⑫ [𡖉] 〔귀〕 龜(部首〈p. 2732〉)의 古字

10 ⑭ [爾] 人名 이 ㊤紙 兒氏切 ěr

筆順 一 丆 丙 丙 丙 丙 爾 爾

字解 ①너 이 이인칭 대명사. '一汝'. '宜一室家'《詩經》. ②같이 이 이와 같이. '天之降才一殊'《孟子》. ③그러할 이 然(火部 八畫)과 뜻이 같음. '一則'. '不一'. '同是被逼迫, 君一妾亦然'《古詩》. ④그 이 其(八部 六畫)와 뜻이 같음. '一時'. ⑤이 이 此(止部 二畫)와 뜻이 같음. '公與爲一奈何, 公與議一也'《公羊傳》. ⑥가까울 이 邇(辵部 十四畫)와 통용. '道在一'《孟子》. ⑦뿐 이 단지 이에 그친다는 뜻. 耳(部首)와 뜻이 같음. '鬱陶思君一'《孟子》. ⑧어조사 이 然(火部 八畫)·如(女部 三畫) 등과 같이 형용의 조자(助字)로 쓰임. '徒一'. '蹴一'. '爾毋從從一, 爾毋扈扈一'《禮記》. ⑨성 이 성(姓)의 하나.
字源 金文 篆文 象形. 아름답게 빛나는 꽃의 象形으로, 아름답고 성(盛)한 꽃의 뜻을 나타냄. 假借하여, 이인칭(二人稱)으로 씀.

[爾今 이금] 지금부터. 자금(自今). 금후(今後). 이후.
[爾來 이래] ㉠그 후. 그때부터 지금까지. ㉡요사이. 근래(近來).
[爾夕 이석] 오늘 저녁. 오늘 밤.
[爾時 이시] 그때. 그 당시.
[爾雅 이아] ㉠십삼경(十三經)의 하나로서 가장 오래된 자서(字書). 19권. 천문(天文)·지리(地理)·음악(音樂)·기재(器財)·초목(草木)·조수(鳥獸) 등에 관한 고금의 문자를 설명하였음. 저자는 미상(未詳)이나, 내용으로 보아서 송(宋)나라의 학자(學者)들이 집록(集錄)한 것으로 생각됨. ㉡문장·언어가 바르고 우아(優雅)함.
[爾汝 이여] ㉠남을 천하게 여겨 부르는 말. 너. ㉡남을 천하게 부르는 말. 자네.
[爾餘 이여] 그 밖. 기타(其他). 자여(自餘).
[爾汝交 이여교] 서로 자네라고 부를 수 있을 만한 정도의 극히 친한 사이.
[爾爲 이위] 이와 같음.
[爾爲爾我爲我 이위이아위아] 너는 너의 할 바를 하라. 나는 나의 할 바를 한다라는 뜻. 서로 상관하지 않음.
[爾爾 이이] ㉠그렇다고 동의하는 말. ㉡이와 같음.
[爾祖 이조] 너의 조상. 내조(乃祖).
[爾曹 이조] 너희들. 여조(汝曹).
[爾馨 이형] 이와 같음. 여사(如斯). 영형(寧馨).
[爾後 이후] 그 후. 이후(以後).

◉鏗爾. 當爾. 徒爾. 蔑爾. 法爾. 不爾. 颯爾. 霅爾. 率爾. 莞爾. 聊爾. 云爾. 逌爾. 灼爾. 寂爾. 卒爾. 蠢爾. 嗟爾. 蕞爾. 蹴爾. 出乎爾者反乎爾. 卓爾. 嘷爾. 確爾.

11 ⑮ [𤕪] 爾(前條)의 本字

11 ⑮ [𤕫] 𤕬(次條)의 籀文

12 ⑯ [𤕬] 녕 ㊥庚 乃庚切 níng

字解 ①다스릴 녕, 다스려질 녕 '一, 亂也'《說文》. ②막을 녕 채워 막음. '一, 一曰, 窒一'《說文》.
字源 會意. 金文은 衣〈省〉+土+攴. 篆文은 金文의 변형(變形)으로, 爻+工+吅+己.

爿 (4획) 部
〔장수장변부〕

0 ④ [爿] 장 ㊥陽 疾羊切 qiáng, pán

筆順 丨 ㅓ ㅕ 爿

字解 ①조각 장 나무를 두 조각으로 나눈 왼쪽 조각. 片의 대(對). 자형(字形)은 '木'의 전자(篆字) '朩'을 양분한 왼쪽임. ②평상 장 牀(爿部 四畫)과 뜻이 같음. '臣鍇曰, 一則牀'《說文》.
字源 甲骨文 篆文 象形. '牀상'의 原字. 침상(寢牀)을 세워 옆에서 본 모양을 형상화하여, '침상'의 뜻을 나타냄. 《說文》에서는 '木목' 자를 세로 짜갠 왼쪽 절반에 의해, 나뭇조각의 뜻을 가리키는 指事 문자로 풀이함.
參考 항상 문자의 왼쪽 변(邊)의 위치에 오므로 부수(部首)로 세워짐.

1 ⑤ [𤕰] 〔녁〕 疒(部首〈p. 1478〉)의 本字

[壯] 〔장〕 士部 四畫(p. 473)을 보라.

[妝] 〔장〕 女部 四畫(p. 520)을 보라.

[狀] 〔장〕 弋部 四畫(p. 717)을 보라.

4 ⑧ [牀] 人名 상 ㊥陽 士莊切 chuáng

筆順 丨 ㅓ ㅕ 爿 爿 牀 牀 牀

字解 ①평상 상 나무로 만든 걸상을 겸한 침상(寢牀). '一几'. '剝一以足'《易經》. ②마루 상 집의 널조각으로 바닥을 깔아 놓은 데. '一上安一'. '破一弊席'《北史》. ③우물난간 상 정간(井幹). '後園鑿井, 銀作一'《古樂府》.

字源 篆文 牀 形聲. 木+爿〔音〕. '爿장'은 긴 침대의 象形으로, '牀'의 原字. 뒤에 '木목'을 붙였음.
參考 床(广部 四畫)은 俗字.

[牀几 상궤] ㉠침상(寢牀)과 안석(案席). ㉡접을 수 있는 일종의 걸상.
[牀頭 상두] 마루 가. 침대 근처.
[牀上施牀 상상시상] '상상 안상(牀上安牀)'과 같음.
[牀上安牀 상상안상] 마루 위에 또 마루를 놓는다는 뜻으로, 필요 없는 일을 거듭함의 비유. '옥하가옥(屋下架屋)'과 같은 뜻.
[牀蝨 상슬] 빈대.
[牀蓐 상욕] 상욕(牀褥).
[牀褥 상욕] 평상(平牀)과 이부자리.
[牀子 상자] 걸상. 의자.
[牀笫 상자] ㉠평상(平牀)과 평상 위에 까는 대자리. ㉡상자(牀笫)는 규방(閨房) 안에 있으므로, 전(轉)하여 부녀(婦女)의 뜻으로 쓰임.
[牀前 상전] 평상(平牀)의 앞.
[牀榻 상탑] 깔고 앉거나 눕거나 하는 제구. 평상(平牀)과 와탑(臥榻).
[牀下 상하] 마루 밑.
◉空牀. 匡牀. 交牀. 起牀. 敧牀. 東牀. 眠牀. 茅居蒿牀. 方牀. 病牀. 蛇牀. 牀上施牀. 牀下安牀. 石牀. 禪牀. 宵牀. 繩牀. 御牀. 遨牀. 臥牀. 縟牀. 銀牀. 倚書牀. 簟牀. 糟牀. 銃牀. 廁牀. 榻牀. 弊牀. 筆牀. 胡牀. 廻牀.

[戕] 〔장〕
戈部 四畫(p. 833)을 보라.

[狀] 〔상〕
犬部 四畫(p. 1388)을 보라.

5 ⑨ [牁] 가 ㊥歌 古俄切 kē

字解 배말뚝 가 배를 매 놓는 말뚝. '斫材牂—'《世說》.
字源 形聲. 爿+可〔音〕

◉牂牁.

5 ⑨ [牊] 소 ㊥蕭 市昭切 sháo

字解 목욕상 소 목욕판. '—, 浴牀也'《廣雅》.

6 ⑩ [牂] 장 ㊥陽 則郞切 zāng

字解 ①암양 장 양의 암컷. '—羊墳首'《詩經》. ②성할 장 무성한 모양. '其葉——'《詩經》. ③배말뚝 장 배를 매는 말뚝. '斫材—牁'《世說》.
字源 篆文 牂 形聲. 羊+爿〔音〕. '爿장'은 크고 성(盛)하다〔壯〕의 뜻. 크고 아름다운 암양.

[牂牁 장가] ㉠서강(西江)의 상류(上流). ㉡배를 매는 말뚝.
[牂羊 장양] 암양. 양의 암컷.
[牂雲 장운] 이상한 구름. 개 모양의 구름.
[牂牂 장장] 지엽(枝葉)이 무성한 모양.
◉敦牂.

7 ⑪ [牃] 구 ㊥尤 渠尤切 qiú

字解 그릇발 구 그릇을 받치는 발. '—, 廣雅, 牘—, 柎也'《集韻》.

[將] 〔장〕
寸部 八畫(p. 605)을 보라.

[臧] 〔장〕
臣部 八畫(p. 1871)을 보라.

13 ⑰ [牆] 人名 장 ㊥陽 在良切 qiáng 墻

筆順 丨 爿 爿一 爿十 爿丰 爿𠂇 牆 牆

字解 ①담 장 집을 흙이나 돌 같은 것으로 둘러막은 것. '—垣'. '峻宇彫—'《書經》. ②경계 장 계한(界限). '目短曹劉—'《杜甫》. ③관(棺) 옆널 장 관(棺)의 방판(傍板). '飾棺—, 置翣'《禮記》.
字源 篆文 牆 籀文 牆 籀文 牆 形聲. 嗇+爿〔音〕. '嗇장'은 보리 같은 곡물을 간수하는 곳간의 象形. '爿장'은 '倉창'과 통하여, '간수하다'의 뜻. 물건을 덮어 숨기고 간수하기 위한 '토담'의 뜻.

[牆角 장각] 담 모퉁이.
[牆內 장내] 담 안.
[牆頭 장두] 장각(牆角).
[牆籬 장리] 울. 울타리.
[牆面 장면] 담을 대하고 있으면 아무것도 보이지 않음. 무식한 자의 비유.
[牆藩 장번] 장리(牆籬).
[牆壁 장벽] 담. 토담.
[牆外 장외] 담 바깥.
[牆外漢 장외한] 문외한(門外漢).
[牆宇 장우] ㉠담과 집. ㉡도량(度量). 기우(器宇).
[牆垣 장원] 담.
[牆有耳 장유이] 담에도 귀가 있다는 뜻으로, 비밀이 누설(漏泄)되기 쉬움을 이름.
[牆衣 장의] 담 위에 난 푸른 이끼.
[牆下 장하] 담. 또, 담 밑. 담 아래.
◉宮牆. 禁牆. 丹牆. 短牆. 堵牆. 面牆. 門牆. 藩牆. 粉牆. 卑牆. 薜牆. 城牆. 蕭牆. 巖牆. 女牆. 垣牆. 踰牆. 茨牆. 庭牆. 土牆. 鬩牆. 夾牆. 圜牆.

15 ⑲ [牏] 牆(前條)의 本字

片 (4획) 部

〔조각편부〕

0 ④ [片] 中人 편 ㊀霰 普麵切 piàn, piān

筆順 丿 丿 片 片

字解 ①조각 편 나무를 두 조각으로 나눈 오른쪽 조각. 자형(字形)은 '木'의 전자(篆字) '𣎳'을 양분한 오른쪽임. 전(轉)하여, 널리 사물(事物)의 반쪽이나 떼어 낸 일부분을 이름. '一言'. '斷一'. '乃破荻爲一'《南史》. ②꽃잎 편 화판(花瓣). '紅萼萬一從風吹'《韓愈》. ③성 편 성(姓)의 하나.

字源 甲骨文 篆文 指事. '木목' 자(字)를 세로 짜갠 오른쪽 절반으로, 나뭇조각의 뜻과 납작하고 얇은 물체의 뜻을 나타냄.

參考 '片'을 의부(意符)로 하여, 널빤지로 만들어진 것, 패(牌), 조각 따위에 관한 글자를 이룸.

[片刻 편각] 짧은 시간. 편시(片時). 촌시(寸時).
[片簡 편간] 한 조각의 글. 단간(斷簡).
[片薑 편강] 《韓》 생강(生薑)을 얇게 저며 설탕물에 끓여서 말린 것.
[片鱗 편린] ㉠한 조각의 비늘. ㉡극히 작은 부분.
[片思 편사] 짝사랑.
[片辭 편사] 편언(片言).
[片詞隻句 편사척구] 편언척자(片言隻字).
[片晌 편상] 잠시(暫時). 편시(片時).
[片書 편서] 편간(片簡).
[片善 편선] 조그마한 착한 일. 소선(小善).
[片時 편시] 잠시(暫時).
[片語 편어] 편언(片言).
[片言 편언] 한 마디의 말. 짤막한 말.
[片言折獄 편언절옥] 한 마디의 말로 송사(訟事)를 결정함. 간단한 말로 소송의 판단을 내림.
[片言隻字 편언척자] 한 마디의 말과 한 글자. 짤막한 말과 글자.
[片影 편영] 조그마한 그림자.
[片雨 편우] 한 지방에만 내리는 비.
[片雲 편운] 한 조각의 구름.
[片月 편월] 조각달.
[片肉 편육] 얇게 저민 고기.
[片栗 편율] 백합과(百合科)의 다년초(多年草). 까치무릇. 산자고(山慈姑).
[片翼 편익] 한쪽의 날개.
[片楮 편저] 편지(片紙).
[片竹 편죽] 댓조각.
[片紙 편지] ㉠한 조각의 종이. ㉡《韓》 소식을 전하기 위하여 보내는 글. 편지. 서간. 서한. 척독(尺牘).
[片鐵 편철] 쇳조각.
[片土 편토] 작은 토지(土地).
[片片 편편] ㉠가볍게 나는 모양. ㉡여러 조각이 된 모양.
[片函 편함] 짧은 편지. 촌간(寸簡).

◉骨片. 斷片. 木片. 斑片. 飛片. 碎片. 阿片. 鴉片. 玉片. 雨絲風片. 肉片. 鱗片. 一片. 殘片. 楮片. 切片. 紙片. 打成一片. 破片. 片片. 花片.

4
⑧ [版] 高人 판 ㊤潸 布綰切 bǎn

筆順 丿 丿 丬 片 片 版 版 版

字解 ①널 판 널빤지. 板(木部 四畫)과 同字. '縮一以載'《詩經》. ②담틀 판 성(城)·담 같은 것을 쌓을 때 흙을 양쪽에서 끼는 널. '一鍤'. '身負一築, 以爲士卒先'《漢書》. ③여덟자 판 8척(尺)의 길이. 일설(一說)에는, 1장(丈)의 길이. '城不浸者三一'《史記》. ④호적(戶籍) 판 '一圖'. '式負一者'《論語》. ⑤책 판 서적. '修業不息一'《管子》. ⑥판목 판 도서의 인쇄판(印刷板). '一本'. ⑦홀(笏) 판 벼슬아치가 손에 쥐는 물건. '手一'. '投一棄官而去'《後漢書》.

字源 篆文 形聲. 片+反〔音〕. '片편'은 평평한 판때기의 뜻. '反반'은 '도로 밀치다'의 뜻. 흙담을 칠 때, 양편으로부터 서로 반대 방향으로 힘을 작용시켜, 그 속의 흙을 끼고서 박아 굳히기 위한 담틀의 뜻을 나타내며, 전(轉)하여, '판목(版木)'의 뜻도 나타냄.

[版權 판권] 저작물을 인쇄·발행하는 권리.
[版圖 판도] 어느 한 국가의 통치하에 있는 영토.
[版牘 판독] 글씨를 쓰는 나뭇조각. 서찰(書札).
[版木 판목] 인쇄하기 위하여 글자나 그림을 새긴 나무. 판목(板木).
[版壁 판벽] 널판장.
[版本 판본] 판목에 새겨 인쇄한 책. 판본(板本).
[版鍤 판삽] 판(版)은 흙을 양쪽에서 끼고 쌓는 데 쓰는 판때기. 삽(鍤)은 흙을 파는 데 쓰는 가래 따위. 모두 담·성 같은 것을 쌓는 데 쓰는 도구.
[版稅 판세] 저자(著者)의 인세(印稅).
[版位 판위] 신의 자리. 신위(神位).
[版尹 판윤] 호적(戶籍)을 맡은 벼슬.
[版籍 판적] ㉠토지 및 백성에 관한 것을 기록한 장부. 호적. 호구책(戶口冊). ㉡토지와 백성. 영토(領土). ㉢서적(書籍).
[版築 판축] ㉠판(版)은 흙을 양쪽에서 끼고 쌓는 판때기. 축(築)은 흙을 다지는 방망이. 모두 담이나 벽을 쌓는 데 쓰는 도구. ㉡판때기와 판때기 사이에 흙을 넣어서 단단하게 쌓음. 곧, 성·담 같은 것을 쌓는 공사를 함.
[版版 판판] 배반하는 모양. 판판(板板).
[版行 판행] 판목에 새겨 발행함.

◉刻版. 改版. 孔版. 官版. 金版. 銅版. 謄寫版. 木版. 負版. 碑版. 寫眞版. 三色版. 石版. 宋版. 神版. 鉛版. 瓦版. 凹版. 雲版. 元版. 原版. 位版. 印版. 藏版. 再版. 絶版. 整版. 製版. 重版. 凸版. 初版. 出版. 勅版. 戶版. 活版.

5
⑨ [牉] 반 ㊀翰 普半切 pàn

字解 ①나눌 반, 나누어질 반 절반함. '一, 分也'《玉篇》. '背膺一以交痛兮'《楚辭》. ②반 반 반쪽. '夫婦一合也'《儀禮》.

字源 形聲. 片+半〔音〕. '片편'은 둘로 짜갠 나뭇조각. '半반'은 절반의 뜻.

[牉合 반합] 반쪽과 반쪽이 합쳐 일체(一體)가 됨. 곧, 남녀가 결혼함.

5
⑨ [牊] 화 ㊥歌 戶戈切 hé

字解 널머리 화 관(棺)의 머리 쪽. '一, 棺頭'《廣韻》.

6
⑩ [牔] 백 ㊦陌 普伯切 pò

字解 쪼갤 백 물건을 쪼개어 나눔. '一, 破物也'《集韻》.

7 ⑪ [牘] 〔독〕 牘(片部 十五畫〈p. 1373〉)의 略字

8 ⑫ [牋] 전 ㊥先 則前切 jiān

字解 ①종이 전 글씨를 쓰는 종이. '出小碧一'《侯鯖錄》. ②편지 전 서신. '撰立一草'《吳志》. ③상소 전 군주에게 올리는 문서. 후세에는, 천자에게는 '表'라 하고 황후·태자 등에게는 '一'이라 하였음. '一奏'. '所著賦·一·奏·書, 凡五篇'《後漢書》.

字源 形聲. 片+戔〔音〕. '片편'은 '나뭇조각'의 뜻. '戔전'은 '얇다'의 뜻. 문서를 쓰기 위한 얇은 나뭇조각, 문서, 편지의 뜻을 나타냄.

[牋簡 전간] 종이와 대나무의 패. 전(轉)하여, 문서.
[牋檄 전격] 격문(檄文).
[牋啓 전계] 편지. 서간.
[牋疏 전소] 상소(上疏).
[牋奏 전주] 천자에게 올리는 상소(上疏). 상주(上奏)·상표(上表) 따위.
[牋翰 전한] ㉠종이와 붓. ㉡편지.
◉上牋. 花牋.

8 ⑫ [牌] 人名 패 ㊥佳 薄佳切 pái

筆順 丿 片 片 片' 片' 牌 牌 牌

字解 ①패 패 ㉠글자를 써서 게시하는 나뭇조각. '門一'. ㉡죽은 사람의 직함·법명(法名) 등을 적은 나뭇조각. '位一'. ㉢노름에 쓰는 나뭇조각. '骨一'. ②간판 패 광고판. '招一'. ③방패 패 화살을 막는 물건. '蠻一木刀'《夢華錄》.

字源 形聲. 片+卑〔音〕. '卑비'는 '낮다'의 뜻. 간단한 팻말의 뜻을 나타냄.

[牌③]

[牌甲 패갑] 징발(徵發)될 군사를 장부에 기재하는 일. 또, 그 군사.
[牌刀 패도] 방패와 칼.
[牌樓 패루] 현판(懸板)을 걸어 놓은 누각(樓閣)의 문. 누문(樓門).
[牌牓 패방] 간판(看板). 패표(牌標).
[牌標 패표] 패방(牌牓).
◉骨牌. 金牌. 禁牌. 對牌. 銅牌. 木牌. 門牌. 旁牌. 犯由牌. 象牌. 賞牌. 時牌. 十家牌. 十字街頭掛牌. 牙牌. 位牌. 銀牌. 竹牌. 招牌. 標牌.

8 ⑫ [牕] 엄 ㊤琰 衣儉切 yǎn

字解 평고대 엄 처마 끝에 가로놓은 오리목. '一, 屋檐耑版也'《集韻》.

8 ⑫ [牎] 〔창〕 牎(片部 十一畫〈p. 1373〉)의 俗字

9 ⑬ [牒] 人名 첩 ㊀葉 徒協切 dié

字解 ①서찰 첩 글씨를 쓴 나뭇조각. '簡一'. '受一而退'《左傳》. ②계보 첩 계통의 표기. '取之譜一'《史記》. ③조회 첩 관문서의 한 가지. '通一'. '移一'. '卽日以報一到'《唐書》. ④사령 첩 임명장. '受一之明日'《韓愈》. ⑤송사(訟辭) 첩 소장(訴狀). '一狀'. '寧容都無訊一'《齊書》. ⑥증서 첩 증신(證信). '受一貸罪'《唐書》. ⑦장부(帳簿) 첩 '視簿一'《唐書》. ⑧명부(名簿) 첩 '隨一展轉'《晉書》. ⑨문서(文書) 첩 '皆顯史一'《晉書》. ⑩널 첩 널빤지. '積一旋石'《淮南子》. ⑪성 첩 성(姓)의 하나.

字源 篆文 形聲. 片+枼〔音〕. '枼엽'은 '나뭇잎'의 뜻. 나뭇잎과 같이 얇은 패, 문서의 뜻을 나타냄.

[牒報 첩보] 조선 때, 상부에 서면으로 보고하던 일. 또는 그 보고.
[牒訴 첩소] 소송의 문서. 소장(訴狀).
[牒案 첩안] 관아(官衙)의 공문서.
[牒狀 첩장] ㉠여러 사람이 차례로 돌려 보도록 쓴 글. 회장(回章). ㉡문서(文書). ㉢소송(訴訟)에 관한 서류. 소장(訴狀).
[牒籍 첩적] 책. 전적(典籍).
[牒紙 첩지] 대한 제국(大韓帝國) 판임관(判任官)의 임명서(任命書).
◉簡牒. 戒牒. 公牒. 官牒. 錄牒. 度牒. 名牒. 報牒. 譜牒. 符牒. 簿牒. 史牒. 書牒. 誓牒. 訟牒. 案牒. 玉牒. 移牒. 陳牒. 綵牒. 請牒. 通牒.

9 ⑬ [牏] 투 ㊀遇 持遇切 zhù
㊥尤 度侯切 tóu

字解 ①담틀 투 담을 쌓는 데 쓰이는 널빤지. ②변기 투 대소변을 받아 내는 그릇. '取親中裙廁一身自浣滌'《史記》.

字源 篆文 形聲. 片+兪〔音〕. '兪유'는 속을 비우고 판자를 마주 늘어세우다의 뜻. 울타리를 만드는 데 쓰이는 짧은 판자.

9 ⑬ [牑] 一 변 ㊥先 布玄切 biān
二 편 ㊤銑 婢典切
三 면 ㊀霰 眠見切 miàn

字解 一 청널 변 마룻바닥에 까는 널. '一, 牀版也'《說文》. 二 살평상 편 '一, 牀簀'《集韻》. 三 지붕덮은대삿자리 면 '木緜, 屋簀. 或作一'《集韻》.

字源 形聲. 片+扁〔音〕

9 ⑬ [牐] 삽 ㊀洽 士洽切 zhà

字解 빗장 삽 성문(城門)이나 수문(水門)을 위에서 잠그는 빗장. '置木一一, 以限水勢'《宋史》.

字源 形聲. 片+臿〔音〕

9 ⑬ [牕] 〔창〕 牎(片部 十一畫〈p. 1373〉)과 同字

10 ⑭ [牓] 방 ㊤養 北朗切 bǎng

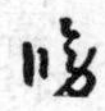

字解 패 방, 방목 방 榜(木部 十畫)과 同字. '牌一'. '天門日射黃金一'《杜甫》.
字源 形聲. 片+旁〔音〕. '旁방'은 좌우로 퍼지다의 뜻. 남들에게 알리기 위한 문구(文句)를 쓴 좌우로 퍼진 나무패의 뜻을 나타냄.

[牓子 방자] ㉠명함(名銜). ㉡천자에게 알현(謁見)할 때 올리는 패(牌).
[牓札 방찰] 간판(看板).
◉門牓. 放牓. 牌牓.

10 ⑭ [牔] 박 ㊀藥 伯各切 bó
字解 박공 박 '一, 屋耑板'《集韻》.

11 ⑮ [牖] 유 ㊤有 與久切 yǒu
字解 ①들창 유 벽을 뚫어 낸 격자창(格子窓). '戶一'. '自一執其手'《論語》. ②깨우칠 유 誘(言部 七畫)와 통용. '天之一民'《詩經》. ③성 유 성(姓)의 하나.
字源 篆文 會意. 片+戶+甬의 변형(變形). '甬용'은 '通통'과 통하여, 구멍을 뚫어 빠져 지나가다의 뜻. 나뭇조각으로 테를 두른 벽에 나 있는 들창의 뜻을 나타냄. '甬'은 뒤에 변형되어 '甫보'가 되었음.

[牖間 유간] 들창의 사이. 들창.
[牖迷 유미] 어리석은 사람을 가르쳐 일깨워 줌.
[牖下 유하] 들창 밑. 전(轉)하여, 방 안. 집 안.
[牖戶 유호] 들창과 문. 창문과 입구(入口).
◉街牖. 閨牖. 茅牖. 房牖. 星牖. 甕牖. 窗牖. 扁牖. 穴牖. 戶牖.

11 ⑮ [牕] 〔창〕
窗(穴部 七畫〈p. 1639〉)과 同字

12 ⑯ [牗] 린 ㊁震 良愼切 lìn
字解 모질 린 모진 데. 모서리. '一, 觚一'《字彙》.

13 ⑰ [牒] 업 ㊀葉 魚怯切 yè
字解 ①담틀 업 담을 치는 판자. '一, 築牆版'《字彙》. ②쇠북위가로댄널 업 종·북 등을 거는 가로 나무를 씌우는 큰 장식 널. '筍虡上橫版, 鋸齒刻之, 指其縣鐘鼓者則名簨, 指其橫版之飾則名一'《字彙》.

13 ⑰ [牆] 첨 ㊁豔 昌豔切 chàn
字解 평고대 첨 처마 끝에 가로놓은 오리목. '一, 屋檐耑版也'《集韻》.

15 ⑲ [牘] 人名 독 ㊀屋 徒谷切 dú
字解 서찰 독 글자를 쓰는 나뭇조각. '持一趨謁'《漢書》. 전(轉)하여, 편지 또는 기타 모든 문서. '書一'. '案一'. '尺一'. '所見篇一, 一覽多能誦記'《後漢書》.
字源 篆文 形聲. 片+賣〔音〕. '片편'은 '판자'의 뜻. '賣독'은 '屬속'과 통하여, '늘어놓다'의 뜻. 글자를 적는 판자를 이어 놓은 나무패, 목간(木簡)의 뜻을 나타냄.

[牘背 독배] 문서의 이면(裏面). 서배(書背).
[牘書 독서] 문서. 서찰. 편지.
[牘箋 독전] 시문(詩文)을 쓰는 종이. 또, 편지지.
◉簡牘. 觚牘. 文牘. 書牘. 案牘. 連篇累牘. 章牘. 奏牘. 札牘. 尺牘. 版牘. 篇牘. 筆牘. 憲牘.

牙 (4획) 部

〔어금니아부〕

0 ④ [牙] 高人 아 ㊥麻 五加切 yá
筆順 一 二 于 牙
字解 ①어금니 아 '一齒'. '豶豕之一'《易經》. 전(轉)하여, 어금니같이 생긴 물건. '崇一樹羽'《詩經》. 또, 자기 몸을 수호하는 것. '予王之爪一'《詩經》. ②깨물 아 어금니로 깨묾. '輕起相一'《戰國策》. ③대장기 아 대장이 세우는 기(旗). 깃대 위에 상아(象牙)로 장식하였으므로 이름. '大一'. '一旗'. 전(轉)하여, 본영(本營). '徙一于磧口'《舊唐書》. ④중매쟁이 아 '一儈'. '中山詩話云, 古稱駔儈, 今謂一, 非也'《唐韻正》. ⑤싹 아, 싹틀 아 芽(艸部 四畫)와 통용. '萠一'. ⑥성 아 성(姓)의 하나.
字源 篆文 古文 象形. 엄니의 위아래가 맞물리는 모양을 본떠, '엄니'의 뜻을 나타냄.
參考 '牙'를 의부(意符)로 하여, '이, 치아(齒牙)'에 관한 문자를 이룸.

[牙角 아각] 군중(軍中)에서 부는 피리의 한 가지.
[牙疳瘡 아감창] 신감(腎疳)에 걸려 어린애들의 잇몸이나 입술이 헐어서 썩는 병.
[牙距 아거] 어금니와 며느리발톱. 전(轉)하여, 수호하는 것. 방어하는 것.
[牙綮 아계] 잇몸. 치경(齒莖).
[牙科 아과] 치과(齒科).
[牙關 아관] 입속 양쪽 구석의 윗잇몸과 아랫잇몸이 맞닿는 부분.
[牙儈 아괴] 아쾌(牙儈).
[牙口瘡 아구창] 아감창(牙疳瘡).
[牙旗 아기] 대장군(大將軍)의 기. 또, 천자(天子)의 기. 상아(象牙)로 장식하므로 이름.
[牙器 아기] 상아로 만든 그릇.
[牙騎 아기] 대장군(大將軍) 밑에 있는 기병.
[牙幢 아당] 아기(牙旗).
[牙纛 아도·아독] 아기(牙旗).
[牙郞 아랑] 아쾌(牙儈).
[牙輪 아륜] 《韓》 톱니바퀴.
[牙門 아문] 아기(牙旗)를 세운 문. 대장(大將)의 군문(軍門).
[牙兵 아병] 대장군(大將軍)의 밑에 있는 군사.
[牙保 아보] 아쾌(牙儈).
[牙保罪 아보죄] 부정품인 줄 알면서 흥정을 붙여

구전(口錢)을 받은 죄.
[牙粉 아분] 치분(齒粉).
[牙商 아상] 아쾌(牙儈).
[牙船 아선] 대장군(大將軍)이 탄 배.
[牙城 아성] 아기(牙旗)를 세운 성. 성(城)의 내곽(內廓). 대장(大將)이 거처하는 성.
[牙稅 아세] 아쾌(牙儈)에게 과하는 구실.
[牙刷 아쇄] 이쑤시개.
[牙牙 아아] 어린아이가 말하는 귀여운 소리의 형용.
[牙欬 아애] 이를 갈며 분해함. 절치(切齒).
[牙營 아영] 아기(牙旗)를 세운 대장군(大將軍)의 본영(本營).
[牙音 아음] 어금닛소리.
[牙人 아인] 아쾌(牙儈).
[牙子 아자] 아쾌(牙儈).
[牙帳 아장] 본영(本營)에 친 장막. 아성(牙城)에 친 장막.
[牙璋 아장] 발병부(發兵符). 병부.
[牙檣錦纜 아장금람] 상아로 만든 돛대와 비단으로 만든 닻줄. 화려한 배의 형용.
[牙箏 아쟁] 현악기의 하나. 대쟁(大箏)과 비슷하나 그보다 작은 칠현(七絃) 악기.
[牙錢 아전] 구문(口文). 구전(口錢).
[牙爪 아조] 어금니와 손톱. 전(轉)하여, 자기를 수호하거나 보좌하는 사람. 조아(爪牙).
[牙籌 아주] 상아(象牙)로 만든 수판. 전(轉)하여, 주판(珠板).
[牙籤 아첨] 상아(象牙)로 만든 첨대.
[牙帖 아첩] 아쾌(牙儈)의 면허장.
[牙齒 아치] 어금니와 이.
[牙儈 아쾌] 흥정꾼. 장주릅. 아보(牙保). 아인(牙人). 아행(牙行).
[牙塔 아탑] 상아(象牙)로 세공한 탑.
[牙婆 아파] ㉠남의 일을 돌보아 주고 구전(口錢)을 받는 여자. ㉡《韓》 방물장수.
[牙牌 아패] ㉠상아(象牙)로 만든 패(牌). ㉡골패(骨牌).
[牙行 아행] 아쾌(牙儈).
◉倨牙. 鋸牙. 犬牙. 高牙. 奇牙. 佶屈聱牙. 弩牙. 大牙. 挑牙. 毒牙. 磨牙. 萌牙. 磐牙. 輔牙. 查牙. 槎牙. 象牙. 崇牙. 聱牙. 雀角鼠牙. 爪牙. 叉牙. 簷牙. 衙牙. 齒牙. 置齒牙. 澤吻磨牙. 虎牙.

[邪] 〔사〕
邑部 四畫(p. 2330)을 보라.

8 ⑫ [犄] 기 ㊥支 去奇切 qī
字解 ①송곳니 기 '一, 虎牙也'《說文》. ②요사할 기 요사(妖邪)함. '一, 邪也'《字彙》.
字源 篆文 形聲. 牙+奇〔音〕. '奇기'는 굴곡(屈曲)하여 보통이 아니다의 뜻. 앞니와 어금니 사이에서 나온 '송곳니'의 뜻을 나타냄.

[雅] 〔아〕
隹部 四畫(p. 2481)을 보라.

8 ⑫ [掌] 탱 ㊋敬 他孟切 chèng
字解 버틸 탱, 버팀목 탱 樘(木部 十二畫)과 同字.
字源 形聲. 牙+尙〔音〕
[掌拒 탱거] 버팀. 저항함.
[掌距 탱거] 버팀목. 지주(支柱).

9 ⑬ [𤘍] 〔우〕
齵(齒部 九畫〈p. 2726〉)와 同字
字源 篆文 別體 形聲. 牙+禹〔音〕. '禹우'는 네 발 달린 뱀 모양의 벌레의 뜻. '충치(蟲齒)'의 뜻. 別體도 形聲으로, 齒+禹〔音〕.

牛(牜) (4획) 部
〔소우부〕

0 ④ [牛] 中人 우 ㊥尤 語求切 niú
筆順 丿 𠂉 𠂤 牛
字解 ①소 우 농경(農耕)에 사용하는 가축. '一馬'. '一曰一元大武'《禮記》. ②별이름 우 이십팔수(二十八宿)의 하나. 견우성(牽牛星). '徘徊於斗一之間'《蘇軾》. ③성 우 성(姓)의 하나.
字源 甲骨文 金文 篆文 象形. 뿔이 있는 소의 象形으로 '소'를 뜻함.
參考 '牛'를 의부(意符)로 하여, 여러 종류의 소나, 소를 키우는 일, 부리는 일 등에 관한 문자를 이룸.

[牛角 우각] ㉠쇠뿔. ㉡소의 양쪽 뿔의 길이가 똑같은 것처럼, 역량(力量)이나 기량(伎倆)의 우열(優劣)이 없는 일. 호각(互角).
[牛角歌 우각가] 춘추 전국 시대(春秋戰國時代)에 제(齊)나라의 환공(桓公)을 섬겨 재상이 된 영척(甯戚)이 아직 등용되기 전에 환공에게 인정을 받기 위하여 환공이 외출할 때 소의 뿔을 두드리며 불렀다는 노래. 반우가(飯牛歌).
[牛角掛書 우각괘서] 소를 타고 책을 읽는 일.
[牛耕 우경] 소를 부려 밭을 갊.
[牛骨 우골] 소의 뼈.
[牛鬼 우귀] ㉠소의 모양을 한 괴물. ㉡바르지 아니한 신령(神靈).
[牛驥同皁 우기동조] ㉠느린 소와 천리마가 한 마구간에 매어 있음. 곧, 불초(不肖)한 사람과 준재(俊才)를 같이 취급함을 이름. ㉡소나 말과 같이 취급되어 대단히 냉대를 받음을 이름.
[牛囊 우낭] 소의 불알. 쇠불알.
[牛膽 우담] 소의 쓸개.
[牛桃 우도] 앵두의 별칭(別稱).
[牛刀割雞 우도할계] 쇠고기를 써는 큰 칼로 작은 닭을 요리함. 큰 재능이 작은 일에 쓰임의 비유. 또, 작은 일에 큰 것을 사용함의 비유.
[牛童 우동] 소를 기르는 목동(牧童).
[牛痘 우두] 천연두(天然痘)의 전염을 예방하기 위하여 놓는 접종(接種) 약.
[牛頭馬頭 우두마두] 《佛教》 소와 말 같은 머리를 한 지옥의 옥졸(獄卒).
[牛頭馬面 우두마면] 《佛教》 우두마두(牛頭馬頭).
[牛頭阿旁 우두아방] 《佛教》 소의 머리와 사람의 얼굴을 한 지옥의 귀졸(鬼卒). 음험(陰險)한 사람을 이름.

[牛頭天王 우두천왕]《佛敎》기원정사(祇園精舍)의 수호신(守護神).
[牛臀 우둔] 소의 볼기살. 우둔살.
[牛酪 우락] 우유(牛乳)의 지방질을 응고(凝固)시켜 만든 식료품. 버터.
[牛郞 우랑] ㉠우동(牛童). ㉡견우성(牽牛星).
[牛李 우리] ㉠당(唐)나라의 우승유(牛僧孺)와 이종민(李宗閔)의 두 사람. 또, 이 두 사람은 뜻이 맞아 붕당(朋黨)을 이루어 공동 보조(共同步調)를 취했다. '우리지당(牛李之黨)'을 참고할 것. ㉡우승유와 이길보(李吉甫)·이덕유(李德裕) 부자(父子)를 이름. '우리지당(牛李之黨)'을 참고할 것.
[牛李之黨 우리지당] 당(唐)나라의 목종(穆宗)·경종(敬宗)·문종(文宗)·무종(武宗) 시절에, 조신(朝臣) 우승유(牛僧孺)·이종민(李宗閔)의 한 파(派)와 이길보(李吉甫)·이덕유(李德裕) 부자(父子)의 한 무리. 이 두 당(黨)의 알력(軋轢)은 무려 40년에 이르렀다고 함.
[牛馬 우마] 소와 말.
[牛馬走 우마주] 소나 말과 같이 달리는 종이라는 뜻으로, 자기(自己)의 겸칭(謙稱).
[牛馬之域 우마지역] 소나 말이 있는 곳. 전(轉)하여, 비천(卑賤)한 처지.
[牛蔓 우만] 다년생 만초(蔓草)의 하나. 꼭두서니.
[牛眠地 우면지] 썩 좋은 묏자리를 이름. 진(晉)나라의 도간(陶侃)이 언덕 위의 소가 자는 곳에 집안의 뫼를 쓰고 후에 크게 입신출세한 고사(故事)에 의함.
[牛毛 우모] 쇠털. 많은 수의 비유.
[牛毛麟角 우모인각] 배우는 사람은 쇠털같이 많으나 성공하는 사람은 기린의 뿔같이 아주 드묾.
[牛目 우목] 소의 눈.
[牛尾魚 우미어] 바닷물고기의 하나. 양태.
[牛蒡 우방] 우엉.
[牛背 우배] 소의 등.
[牛步 우보] 소걸음. 느린 걸음.
[牛腹 우복] 배가 불룩함. 또, 그 배.
[牛星 우성] 이십팔수(二十八宿)의 하나. 견우성(牽牛星).
[牛酥 우수] 우유(牛乳)로 만든 죽 같은 식료. 타락죽.
[牛豎 우수] 소를 기르는 목동(牧童). 우동(牛童).
[牛溲馬勃 우수마발] 소의 오줌과 말똥. 가치 없는 약품의 원료를 이름.
[牛膝 우슬] 비름과에 속하는 다년초(多年草). 뿌리는 이뇨제(利尿劑)로 쓰임. 마디의 모양이 소의 무릎과 비슷함. 쇠무릎지기.
[牛蠅 우승] 쇠파리.
[牛僧孺 우승유] 당(唐)나라의 정치가. 자(字)는 사암(思黯). 문종(文宗) 때 이종민(李宗閔)과 더불어 붕당을 만들어 이길보(李吉甫) 일파와 다투다가 무종(武宗) 때, 순주장사(循州長史)에 좌천되었음. 선종(宣宗) 때, 태자소사(太子少師)가 되었음. 저술에 〈유괴록(幽怪錄)〉이 있음.(779~847)
[牛腎 우신] 소의 자지.
[牛心 우심] 소의 심장. 소의 염통.
[牛羊 우양] 소와 양.
[牛疫 우역] 소의 돌림병.
[牛王 우왕] 소의 귀신.
[牛乳 우유] 암소에서 짜낸 젖. 쇠젖.
[牛肉 우육] 쇠고기.
[牛飮 우음] 소가 물을 마시듯이 술을 많이 마심. 대음(大飮).
[牛飮馬食 우음마식] 소같이 많이 마시고 말같이 많이 먹음. 폭음 폭식(暴飮暴食). 통음 대식(痛飮大食).
[牛衣 우의] ㉠추울 때 소의 등에 씌우는 거적. 덕석. ㉡난마(亂麻)를 떠서 만든 옷. 남루한 옷.

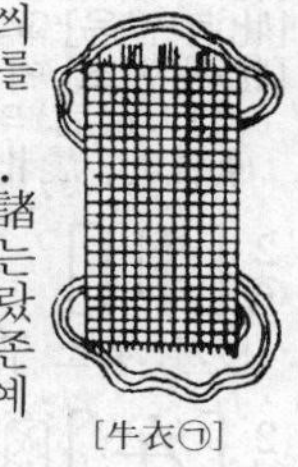
[牛衣㉠]

[牛醫 우의] 소의 병을 고치는 의사.
[牛耳 우이] ㉠쇠귀. ㉡옛날, 제후(諸侯)가 동맹(同盟)을 맺을 때에는 소의 귀를 잘라 그 피를 입에 발랐는데, 비천한 자가 쇠귀를 잡고 존귀한 이는 이를 감시하는 것이 예의였음. 전(轉)하여, 우두머리·맹주(盟主)의 뜻으로 쓰임.
[牛耳誦經 우이송경] 쇠귀에 경(經) 읽기.
[牛蹄魚 우제어] 소의 발굽 자국에 괸 물에서 노는 물고기라는 뜻으로, 죽음이 임박한 것의 비유로 쓰임.
[牛蹄之涔無尺之鯉 우제지잠무척지리] 소의 발굽 자국에 괸 물에는 한 자 되는 큰 잉어는 없다는 뜻으로, 협소한 곳에는 대인물(大人物)이 머무르지 않음을 비유하는 말.
[牛藻 우조] 가랫과에 속하는 다년생 수초(水草). 말.
[牛酒 우주] 쇠고기와 술.
[牛疾 우질] 우역(牛疫).
[牛車 우차] 소가 끄는 수레.
[牛皮 우피] 쇠가죽.
[牛漢 우한] 은하(銀河).
[牛吼 우후] 소가 우는 소리.
[牛後 우후] 소의 궁둥이. 세력이 큰 자의 부하의 비유.
◉角牛. 見角知牛. 牽牛. 耕牛. 歸馬放牛. 大牛. 童牛. 斗牛. 馬牛. 賣劍買牛. 牧牛. 駁牛. 肥牛. 犀牛. 小牛. 水牛. 野牛. 犂牛. 役牛. 蝸牛. 乳牛. 以羊易牛. 犛牛. 黧牛. 田單火牛. 種牛. 菜牛. 天牛. 鐵牛. 穉牛. 土牛. 鬪牛. 庖丁解牛. 汗牛. 韓牛. 蹊田奪牛. 火牛. 犧牛.

2 ⑥ [牝] 人名 빈 ㊤軫 毗忍切 pìn

字解 ①암컷 빈 동물의 여성. '—牡'. '—雞無晨'《書經》. ②자물쇠 빈 여닫는 물건을 잠그는 쇠. 또, 자물쇠의 열쇠가 들어가는 구멍. '鍵牡, 閉—也'《禮記 註》. ③골짜기 빈 계곡. '谿谷爲—'《大戴禮》.
字源 甲骨文 篆文 形聲. 牜(牛)+匕〔音〕. '匕비'는 '여성(女性)'의 뜻. 소의 암컷의 뜻을 나타냄.

[牝鷄 빈계] 암탉.
[牝鷄司晨 빈계사신] 암탉이 운다는 뜻으로, 후비(后妃)가 국정(國政)을 마음대로 하거나 처첩(妻妾)이 가정(家政)을 마음대로 함의 비유.
[牝鷄之晨 빈계지신] 빈계사신(牝鷄司晨).
[牝馬 빈마] 암말.
[牝馬之貞 빈마지정] 암말과 같이 유순한 덕(德)이 있고, 또 인내심이 강하여 일에 성공함을 이름.

[牝牡 빈모] ㉠암컷과 수컷. 암수. ㉡음양(陰陽). ㉢금성(金星)이 남쪽에 있고, 목성(木星)이 북쪽에 있는 경우의 위치를 이름.
[牝服 빈복] 수레의 사람이 타거나 짐을 두는 곳.
[牝瓦 빈와] 암키와.
[牝牛 빈우] 암소.
[牝遊 빈유] 교미기(交尾期)에 들어가는 일.
[牝朝 빈조] 여자로서 황제(皇帝)가 된 측천무후(則天武后)의 조정(朝廷)을 이름.
◉牡牝. 晨牝. 游牝. 雌牝. 虛牝. 玄牝.

2 ⑥ [牞] 구 ㊊尤 居尤切 jiū

字解 황소 구 큰 황소. '大牡謂之一'《集韻》.

2 ⑥ [牟] 人名 ㊀ 모(무㊍) ㊊尤 莫浮切 móu
㊁ 무 ㊌有 莫候切 mào

筆順

字解 ㊀ ①소우는소리 모 '一然而鳴'《柳宗元》. ②탐할 모 탐냄. '一利'. '一食之民'《韓非子》. ③늘 모 배가(倍加)함. '成梟而一'《楚辭》. ④클 모 거대함. '一而難知'《呂氏春秋》. ⑤보리 모 대맥. 麰(麥部 六畫)와 통용. '貽我來一'《詩經》. ⑥눈동자 모 眸(目部 六畫)와 통용. '堯舜參一子'《荀子》. ⑦제기 모 서직(黍稷)을 담는 제기(祭器). '敦一巵匜'《禮記》. ⑧질냄비 모 토부(土釜). ⑨성 모 성(姓)의 하나. ㊁ ①투구 무 鍪(金部 九畫)와 통용. '著岑一單紋之服'《後漢書》. ②어두울 무 '擧一光'《荀子》.

[牟⑧]

字源 篆文 會意. 牛+厶. '厶모'는 소의 울음소리의 象形이라고도 하고, 소의 코뚜레의 象形이라고도 함. 소의 울음소리를 나타내는 의성어(擬聲語).

[牟尼 모니]《佛敎》범어(梵語) muni의 음역(音譯). 조용히 명상(瞑想)에 잠겨 침묵을 지키는 일. 적묵(寂默).
[牟利 모리] 이익을 탐냄.
[牟牟 모모] 나아가는 모양.
[牟槊 모삭] 창. 모삭(矛槊).
[牟首 모수] 지붕이 있는 각도(閣道).
[牟食 모식] 탐식(貪食)함.
[牟然 모연] 소가 우는 소리.
[牟子 모자] 눈동자. 모자(眸子).
◉蓋牟. 盧牟. 敦牟. 兜牟. 彌牟. 憐牟. 鐵牟. 侵牟.

3 ⑦ [牡] 人名 모(무㊍) ㊤有 莫厚切 mǔ

字解 ①수컷 모 동물의 남성. '牝一'. '雉鳴求其一'《詩經》. ②열쇠 모 여닫는 물건 중의 여는 쇠. '門一自亡'《漢書》.

字源 甲骨文 金文 篆文 會意. 牜(牛)+土. '牛우'는 '소'의 뜻. '土토'는 수컷의 성기(性器)의 象形. 수소의 뜻에서 일반적으로 '수컷'의 뜻을 나타냄.

[牡桂 모계] '육계(肉桂)'와 같음.
[牡丹 모란] 미나리아재빗과에 속하는 낙엽 관목(落葉灌木). 백색·자색·홍색 등의 크고 아름다운 꽃이 핌. 근피(根皮)는 두통·건위(健胃)·지혈(止血) 등의 약재로 씀. 목단(牧丹).
[牡丹亭還魂記 모란정환혼기] 명(明)나라 탕임천(湯臨川)이 지은 전기 소설(傳奇小說). 〈비파기(琵琶記)〉와 같이 유명함. 〈환혼기(還魂記)〉.
[牡蠣 모려] 굴조개.
[牡牝 모빈] 수컷과 암컷. 빈모(牝牡).
[牡鑰 모약] 열쇠. 또, 열쇠와 자물쇠.
[牡瓦 모와] 수키와.
[牡牛 모우] 수소. 황소.
[牡痔 모치] 수치질.
[牡蛤 모합] 모려(牡蠣)의 별칭(別稱).
[牡荊 모형] 마편초과에 속하는 낙엽 관목. 담자색의 꽃이 핌. 줄기와 잎은 이뇨(利尿)·통경(通經)의 약재로 쓰임. 인삼목(人蔘木).
[牡蒿 모호] 국화과에 속하는 다년초(多年草). 제비쑥.
◉關牡. 廣牡. 門牡. 肥牡. 牝牡. 四牡. 籥牡.

3 ⑦ [牣] 人名 인 ㊌震 而振切 rèn

字解 ①찰 인 가득함. '充一'. '於一魚躍'《詩經》. ②질길 인 韌(韋部 三畫)과 同字. '黃所以爲一也'《呂氏春秋》.

字源 篆文 形聲. 牜(牛)+刃〔音〕. 날붙이로 요리하는 소가 통통하게 살이 찐 데서, '가득 차다'의 뜻으로 썼던 모양임.

◉堅牣. 盈牣. 儲牣. 充牣.

3 ⑦ [牨] 순 ㊌問 食倫切 chún

字解 ①소걸음뜰 순 소의 걸음이 느린 모양. '一, 牛行遲'《玉篇》. ②길들 순 馴(馬部 三畫)과 同字.

3 ⑦ [牢] 人名 뢰(로㊍) ㊊豪 魯刀切 láo

字解 ①우리 뢰 짐승을 가두어 기르는 곳. '牲一'. '執豕于一'《詩經》. ②옥 뢰 감옥. '一獄'. '刻地爲一, 議不入'《史記》. ③희생 뢰 소·양·돼지의 세 희생. '太一'. '小一'. '環山於有一'《國語》. ④곳간 뢰 미곡 창고. ⑤에울 뢰 사방을 에워쌈. '皐一天下'《荀子》. ⑥값 뢰 가치. '多其一賞'《漢書》. ⑦굳을 뢰 견고함. '一不可破'. '欲連固根本一甚'《史記》. ⑧녹 뢰 녹미(祿米). '一稟'. '官與一盆'《史記》. ⑨쓸쓸할 뢰 적적함. '一愁'. ⑩안온할 뢰 조용하고 편안함. '將一太過耳'《晉書》. ⑪성 뢰 성(姓)의 하나.

字源 甲骨文 金文 篆文 象形. 우리에 들어간 소를 형상화(形象化)한 것. 甲骨文·金文에는 양(羊)을 형상화한 것도 있음. 음(音)은 '留류'와 통하여, '잡아 두다'의 뜻. 우리에서 기르며 잡아 둔 산 제물의 뜻. 또 우리. 파생(派生)하여, '감옥'의 뜻도 나타냄. 篆文은 會意로서 牛+冬〈省〉. '冬동'은 우리의 象形의 변형(變形).

[牢却 뇌각] 굳이 물리침.
[牢拒 뇌거] 굳이 거절함.
[牢堅 뇌견] 뇌고(牢固).
[牢固 뇌고] 굳음.
[牢記 뇌기] 똑똑하게 기억함.

[牢落 뇌락] ㉠마음이 넓고 비범(非凡)함. ㉡적적함. 심심함. ㉢불행함. 불우함. 영락(零落)함. ㉣드문드문함. 희소(稀小)함.
[牢剌 뇌랄] 어그러짐.
[牢良 뇌량] 견고하고 좋음. 또, 그것.
[牢鍊 뇌련] 옥중에서 고생하여 심신이 단련됨.
[牢禮 뇌례] 희생(犧牲)을 잡아 빈객(賓客)을 향응하는 예(禮).
[牢籠 뇌롱] ㉠한데 넣음. 통합함. ㉡농락(籠絡)함.
[牢廩 뇌름] 녹미(祿米).
[牢盆 뇌분] 늠식(廩食)을 찌거나 소금을 굽는 그릇. 일설(一說)에는, '牢'는 가치(價値)이고, 분명(盆名)이라고도 함.
[牢不可破 뇌불가파] 견고하여 깨뜨릴 수 없음.
[牢死 뇌사] 옥중에서 죽음. 옥사(獄死).
[牢舍 뇌사] 뇌옥(牢獄).
[牢賞 뇌상] 상으로 관(官)에서 주는 쌀.
[牢牲 뇌생] 희생(犧牲).
[牢騷 뇌소] 뇌수(牢愁).
[牢愁 뇌수] 적적하고 우울함. 마음이 쓸쓸함.
[牢犴 뇌안] 뇌옥(牢獄).
[牢約 뇌약] 굳은 언약(言約).
[牢獄 뇌옥] 감옥(監獄).
[牢肉 뇌육] 삼생(三牲), 곧 소·양·돼지의 세 가지 고기.
[牢棧 뇌잔] 가축을 기르는 울.
[牢俎 뇌조] 대뢰(大牢)를 올려놓는 적대(炙臺).
[牢晴 뇌청] 아주 맑은 날씨.
[牢包 뇌포] 꼭 쌈. 단단히 포장함.
[牢檻 뇌함] 뇌옥(牢獄).
[牢乎 뇌호] 굳은 모양. 단단한 모양.
◉堅牢. 皐牢. 圈牢. 大牢. 亡羊補牢. 牲牢. 小牢. 沙牢. 搜牢. 獄牢. 完牢. 將牢. 中牢. 太牢. 土牢. 狴牢. 好物不堅牢. 籩牢.

4 ⑧ **[牦]** 모 ㊥豪 謨袍切 máo

字解 소 모 소[牛]의 일종. 물소 비슷하며, 꼬리가 긺. '一, 牛名. 今所謂犏牛者'《集韻》.

4 ⑧ **[牧]** 高人 목 ㊀屋 莫卜切 mù

筆順 丿 𠂉 𠂇 牛 𠂇 牜 牧 牧

字解 ①목장 목 짐승을 방사(放飼)하는 곳. '孟春焚一'《周禮》. ②마소치는사람 목 목축(牧畜)하는 사람. '任一以畜事'《周禮》. ③기를 목, 칠 목 짐승을 방사함. '一畜'. '一六牲而阜蕃其物'《周禮》. 전(轉)하여, 널리 양육·수양하는 뜻으로 쓰임. '卑以自一'《易經》. ④성밖 목 교외(郊外). '王朝至商郊一野'《書經》. ⑤다스릴 목 '一民'. '請一基'《荀子》. ⑥벼슬이름 목 ㉠지방의 장관. '州一'. '覲四岳羣一'《書經》. ㉡전답의 관리. '自一歸荑'《詩經》. ㉢배를 맡은 관리. '命舟一覆舟'《禮記》. ⑦성 목 성(姓)의 하나.

字源 甲骨文 金文 篆文 會意. 牜(牛)+攵(攴). '攴복'은 채찍으로 치다의 뜻. 소를 기르는 사람의 뜻. 전(轉)하여, 백성을 기르는 장관(長官)의 뜻.

[牧歌 목가] 목축(牧畜)하는 사람이 부르는 노래.
[牧區 목구] 목장(牧場).
[牧童 목동] 마소를 치는 아이.
[牧馬 목마] 말을 기름. 또, 그 말.
[牧民 목민] 백성(百姓)을 다스림.
[牧民官 목민관] 지방의 백성을 다스리는 벼슬. 지방의 장관.
[牧伯 목백] 제후(諸侯) 또는 지방 장관(地方長官).
[牧夫 목부] ㉠목인(牧人). ㉡옛날의 목민관(牧民官).
[牧司 목사] 지방의 장관. 목민관(牧民官).
[牧使 목사] 《韓》 주자(州字)가 든 고을, 예컨대 공주(公州)·광주(廣州) 등을 맡아 다스리던 정삼품(正三品)의 수령(守令).
[牧師 목사] ㉠목장(牧場)을 맡은 벼슬아치. ㉡기독교의 교회(敎會)의 교직(敎職)의 하나. 예배를 인도하고 전도(傳道) 등의 교역(敎役)을 맡음.
[牧守 목수] 주군(州郡)의 장관(長官). 주(州)에서는 목(牧), 군(郡)에서는 수(守)라 함.
[牧豎 목수] 목동(牧童).
[牧兒 목아] 목동(牧童).
[牧野 목야] 주(周)나라 무왕(武王)이 은(殷)나라 주왕(紂王)을 토멸(討滅)한 땅. 지금의 허난성(河南省) 치 현(淇縣)의 남방.
[牧羊 목양] 양(羊)을 침.
[牧養 목양] ㉠기름. 먹여 살림. ㉡목축(牧畜).
[牧圉 목어] ㉠우마(牛馬)의 목장(牧場). 소를 기르는 것을 목(牧)이라 하고, 말을 기르는 것을 어(圉)라고 함. ㉡소나 말을 기르는 사람.
[牧牛 목우] 소를 먹여 기름.
[牧人 목인] 목축하는 사람.
[牧者 목자] ㉠목축(牧畜)을 업(業)으로 삼는 사람. ㉡기독(基督)의 별칭(別稱). 신도(信徒)를 양(羊)에 비유(譬喩)하여 이르는 말. ㉢기독교의 목사(牧師)의 별칭.
[牧場 목장] 말·소·양 등을 놓아기르는 곳.
[牧豬奴戲 목저노희] 돼지나 소를 먹이는 자가 하는 열등한 유희. 전(轉)하여, 도박(賭博).
[牧笛 목적] 목동(牧童)이 부는 피리. 또, 그 소리.
[牧田 목전] 말·소·양·닭·개·돼지의 육축(六畜)을 기르는 곳.
[牧正 목정] 금수(禽獸)를 사육하는 것을 맡은 벼슬의 장관(長官).
[牧草 목초] 소·말·양 따위가 먹는 풀.
[牧畜 목축] 소·양·말 등을 목장 또는 들에 놓아 먹여 기름.
◉耕牧. 經牧. 九牧. 群牧. 農牧. 民牧. 放牧. 司牧. 十二牧. 岳牧. 養牧. 遊(游)牧. 人牧. 州牧. 樵牧. 芻牧. 畜牧. 侯牧.

4 ⑧ **[物]** 中人 물 ㊀物 文弗切 wù

筆順 丿 𠂉 𠂇 牛 牜 牞 物 物

字解 ①만물 물, 물건 물 천지 사이에 존재하는 온갖 물건. '品一'. '萬一'. '天地與其所產焉一也'《公孫龍子》. ②일 물 사실. 사물. 사항(事項). '格一致知'. '以鄕三一教萬民'《周禮》. ③무리 물 종류. '與吾同一'《左傳》. ④재물 물 재화. '辨三酒之一'《周禮》. ⑤상볼 물 인상(人相)·지세를 살펴보아 판단함. '一其地'《周禮》. ⑥견줄 물 비교함. '一馬而頒之'《周禮》.

字源 甲骨文 篆文 形聲. 牛(牛)+勿〔音〕. '勿물'은 나쁜 물건을 불제(祓除)하여 부정(不淨)을 씻다의 뜻. 부정이 씻긴 산 제물인 소의 뜻에서, '물건'의 뜻을 나타냄.

[物價 물가] 물건의 값.
[物各有主 물각유주] 물건에는 각각 임자가 있음.
[物愷 물개] 모든 것이 안정(安定)되어 즐거운 일. '愷'는 즐거움을 뜻함.
[物件 물건] ㉠물품(物品). ㉡법률에서 권리의 목적물(目的物).
[物界 물계] 형이하(形而下)의 세계(世界). 물질의 세계. 현상(現象)의 세계.
[物故 물고] 죽음.
[物苦不知足 물고부지족] 욕망이 한이 없어 항상 채우지 못하고 괴로워함.
[物怪 물괴] 괴이한 물건. 요괴(妖怪).
[物權 물권] 재산권(財產權)의 하나. 점유권(占有權)·소유권(所有權) 등을 이름.
[物極則反 물극즉반] 사물이 궁극에 다다르면 도로 그전 상태로 돌아오는 법임.
[物力 물력] ㉠물건을 생산하는 힘. 생산력. ㉡재력(財力). ㉢조세(租稅) 이외에 백성의 전답·가옥·거마(車馬)·저축의 다과(多寡)에 의하여 금전을 거두는 일.
[物論 물론] 여러 사람의 의론(議論). 세상의 평판. 세론(世論).
[物累 물루] 몸을 얽매는 세상(世上)의 괴로운 일. 속루(俗累).
[物理 물리] ㉠만물(萬物)의 이치(理致). ㉡물리학(物理學).
[物理療法 물리요법] 내복약을 쓰지 않고 온도·전기·광선 등의 물리적 작용을 이용하여 외부로부터 행하는 치료법.
[物理學 물리학] 자연 과학의 한 부문. 자연 현상의 보편적(普遍的) 법칙을 구하며 그 수리적(數理的) 관계를 밝히는 학문.
[物望 물망] 여러 사람이 우러러보는 명망(名望).
[物魅 물매] 물괴(物怪).
[物名 물명] 물건의 이름. 사물(事物)의 명칭.
[物目 물목] 물건의 목록.
[物務 물무] 사무(事務).
[物物 물물] 각각의 사물(事物).
[物物交換 물물교환] 물건과 물건을 화폐의 매개를 통하지 않고 직접 교환하는 일.
[物微志信 물미지신] 미물(微物)에도 신의(信義)가 있음.
[物薄而情厚 물박이정후] 사람과 사귀는 데 좋은 선물을 보내지 못하고, 풍성하게 대접은 못하나 정은 두터움.
[物事 물사] ㉠사물(事物). ㉡먹을 것. 식물(食物).
[物產 물산] 그 땅에서 나는 물품. 방물(方物).
[物象 물상] ㉠유형물(有形物)의 형상. 물형(物形). ㉡자연의 풍경. ㉢물리학(物理學)·화학(化學)의 총칭.
[物常聚於所好 물상취어소호] 사람이 어떤 물건을 좋아하면 그 물건은 항상 그 사람에게로 모여듦.
[物色 물색] ㉠물건의 빛. ㉡인상(人相)에 의하여 그 사람을 찾음. ㉢어떤 일에 쓸 만한 사람이나 물건을 듣보아 고름.
[物性 물성] 물건의 성질.
[物盛則衰 물성즉쇠] 세상의 모든 사물은 한 번 흥성하면 또 반드시 쇠하여지는 법임.
[物少意多 물소의다] 물건은 적지만 그 속에 내포된 뜻은 많음.
[物數 물수] 만물의 이치. 물리(物理).
[物心 물심] 물질과 정신.
[物我 물아] ㉠남과 나. ㉡물건과 나. 물질계와 정신계. 객관과 주관.
[物役 물역] 외물(外物)에 사역(使役)당함.
[物外 물외] 세상 밖. 세상일에 관계하지 않는 일.
[物外僧 물외승] 세속(世俗)에 관계하지 않는 중.
[物慾 물욕] 물건을 탐내는 마음. 물질에 대한 욕망(欲望).
[物有必至事有固然 물유필지사유고연] 사물(事物)에는 반드시 필연(必然)의 도리(道理)가 있음.
[物議 물의] 여러 사람의 평판(評判). 세상 사람의 비난.
[物資 물자] 여러 가지의 물건을 만드는 바탕. 재료(材料).
[物財 물재] 물건과 돈.
[物的證據 물적증거] 형체가 있는 물건으로 드러난 증거.
[物情 물정] ㉠사물(事物)의 본질(本質). 사물의 상태. ㉡세상 형편. 세상의 정세. 세인(世人)의 심정(心情).
[物主 물주] 물건의 소유주.
[物質 물질] 약간의 공간(空間)을 점유(占有)하고 감관(感官)에 의하여 인식(認識)되는 것.
[物質界 물질계] 물계(物界).
[物體 물체] ㉠물건의 형체(形體). ㉡감각(感覺)·정신이 없는 유형물.
[物則 물칙] 사물(事物)의 법칙.
[物表 물표] 물외(物外).
[物品 물품] 쓰일 가치가 있는 물건.
[物形 물형] 물건의 형상.
[物化 물화] ㉠사물(事物)의 변화. ㉡사람의 죽음. 물고(物故).
[物貨 물화] 물품과 재화(財貨).
[物華 물화] ㉠물건의 빛. 보물 등의 정채(精彩). ㉡경치(景致).
[物貨相通 물화상통] 물화(物貨)를 서로 통함.
[物換星移 물환성이] 세상의 변천.
[物候 물후] 철·기후에 따라 변화하는 만물(萬物)의 상태. 후조(候鳥)가 철을 따라 오고 가는 것 따위.
◉奸物. 傑物. 格物. 景物. 古物. 故物. 供物. 貢物. 官物. 鑛物. 怪物. 舊物. 群物. 鬼物. 禁物. 奇物. 棄物. 器物. 難物. 老物. 大物. 代物. 對物. 貸物. 動物. 鈍物. 魔物. 萬物. 名物. 毛物. 無用長物. 無一物. 文物. 美物. 博物. 方物. 變物. 寶物. 本來無一物. 不物. 事物. 死物. 事事物物. 產物. 上物. 生物. 庶物. 瑞物. 聖人不凝滯物. 俗物. 食物. 植物. 信物. 阿堵物. 惡物. 贋物. 藥籠中物. 藥物. 御物. 如探囊中物. 英物. 詠物. 靈物. 禮物. 汚物. 瓿物. 外物. 尤物. 雲物. 遠物. 遺留物. 唯物. 遺物. 遺失物. 陰柔害物. 異物. 以色待物. 以身役物. 人物. 鱗物. 一物. 逸物. 作物. 長物. 贓物. 才物. 財物. 典物. 靜物. 造物. 終非池中物. 鑄物. 即物. 珍物. 進物. 什物. 天物. 天下無棄物. 抄物. 贅物. 致知格物. 幣物. 廢物. 品物. 風物. 下物. 荷物. 海物. 好物. 化物. 貨物. 活物. 凶物. 胸中無宿物.

4
⑧ **[牥]** 방 ㊥陽 府良切 fāng

字解 탁타(橐駝)소 방 모양이 낙타 같다는 소의 이름. '一, 良牛名, 日行二百里, 又云駝駝'《玉篇》.

4
⑧ **[牨]** 침 ㊥侵 直深切 chén

字解 물소 침 '一, 水牛'《玉篇》.

4
⑧ **[犻]** 패 ㊦泰 博蓋切 bèi

字解 이듬송아지 패 두 살 먹은 소.

字源 篆文 形聲. 篆文은 牜(牛)＋宋〔音〕. 두 살 된 소를 이름.

4
⑧ **[犯]** 파 ㊥麻 邦加切 bā

字解 천지각(天地角)이 파 뿔이 하나는 위로, 하나는 아래로 번은 소. '牛角相背, 謂之一'《集韻》.

4
⑧ **[犴]** 개 ㊦卦 居拜切 jiè

字解 나릅소 개 네 살 된 소. '一, 牛四歲也'《玉篇》.

4
⑧ **[犳]** 금 ㊦沁 巨禁切 jìn

字解 소〔牛〕의 혀에난병 금 舲(舌部 四畫〈p. 1884〉)·齡(齒部 四畫〈p. 2723〉)과 同字. '舲, 牛舌之病也, 从牛今聲'《說文》. '一, 或从舌, 从齒'《集韻》.

字源 形聲. 牜(牛)＋今〔音〕

4
⑧ **[牪]** 언 ㊦霰 牛眷切 yàn

字解 소의짝 언 소 두 마리가 동반됨을 나타냄. '一, 牛伴也'《字彙》.

5
⑨ **[牯]** 고 ㊥虞 公戶切 gǔ

字解 수소 고 소의 수컷. 또, 거세(去勢)한 소. '一, 牡牛'《字彙》. '一, 俗謂牡牛之去勢者曰一牛'《中華大字典》.

字源 形聲. 牜(牛)＋古〔音〕

5
⑨ **[牲]** 人名 생 ㊥庚 所庚切 shēng

字解 희생 생 제사에 쓰이는 짐승. '一牢'. '用大一吉'《易經》.

字源 金文 篆文 形聲. 牜(牛)＋生〔音〕. '生생'은 '살아 있다'의 뜻. 산 채로 신에게 바치는 물건, 곧 산 제물의 뜻을 나타냄.

[牲犢 생독] 희생(犧牲)으로 쓰이는 송아지.
[牲醴 생례] 희생(犧牲)과 예주(醴酒). 생주(牲酒).
[牲牢 생뢰] 희생(犧牲).
[牲殺 생살] 희생(犧牲). 희생은 특별히 죽여서 쓰기 때문에 이렇게 이름.
[牲牷 생전] 털빛이 순색(純色)인 완전한 몸의 희생.
[牲酒 생주] 희생과 술.
[牲殽 생효] 뼈를 바른 고기와 뼈를 바르지 아니한 고기.
◉絜牲. 牢牲. 麵牲. 肥牲. 三牲. 野物不爲犧牲. 野牲. 五牲. 玉牲. 六牲. 特牲. 犧牲.

5
⑨ **[牴]** 저 ㊤薺 都禮切 dǐ

字解 ①부딪힐 저 抵(手部 五畫)와 통용. '一觸'. '甚多疏略, 或有一牾'《漢書》. ②수양 저 羝(羊部 五畫)와 통용.

字源 篆文 形聲. 牜(牛)＋氐〔音〕. '氐저'는 '이르다'의 뜻. 쇠뿔이 부딪히다의 뜻을 나타냄.

[牴牾 저오] 서로 어긋남.
[牴觸 저촉] ㉠서로 부딪힘. ㉡지장(支障).
◉角牴. 大牴. 相牴. 犧牴.

5
⑨ **[牱]** 가 ㊥歌 古俄切 gē

字解 ①배말뚝 가 배를 매는 말뚝. ②고을이름 가 '一, 郡名'《篇海》.

字源 形聲. 牜(牛)＋可〔音〕

5
⑨ **[牠]** 타 ㊥歌 徒和切 tuó

字解 뿔없는소 타 '一, 牛之無角者'《集韻》.

5
⑨ **[牭]** 사 ㊦寘 息利切 sì

字解 나릅소 사 네 살 된 소. '一, 四歲牛'《說文》.

字源 篆文 形聲. 牜(牛)＋四〔音〕. '四사'는 네 살의 뜻.

5
⑨ **[牫]** 도 ㊥豪 土刀切 tāo

字解 느릴 도 소가 천천히 걸음. '一, 牛徐行也'《說文》.

字源 形聲. 牜(牛)＋叏〔音〕

5
⑨ **[牨]** 작 ㊇藥 在各切 zuó

字解 메소 작 긴 털이 많아 정모(旌旄)를 만드는 데 적합함. 이우(犛牛). '一, 山牛'《集韻》.

5
⑨ **[牭]** 후 ㊤有 呼后切 hǒu

字解 ①소울 후 소가 욺. '一, 牛鳴'《玉篇》. ②송아지 후 '今青州呼犢爲一'《爾雅 註》.

5
⑨ **[抨]** 평 ㊥庚 普耕切 pēng

字解 얼룩소 평 별과 같은 얼룩이 있는 소. '𤘽, 牛駁如星. 从牛平聲'《說文》.

字源 篆文 形聲. 牜(牛)＋平〔音〕

5
⑨ **[犒]** 㹀(前條)의 本字

5
⑨ **[牮]** 천 [去]霰 作甸切 jiàn

[字解] ①버팀목 천 기운 집을 버티는 나무. '一,屋斜特用一'《字彙》. ②보(洑)막을 천 '一, 又以土石遮水, 亦曰一'《字彙》.
[字源] 形聲. 弋+件〔音〕. '弋익'은 '말뚝'의 뜻. '件건'은 '楗건'과 통하여, 제방의 터진 곳을 막는 데 쓰는 자재(資材)의 뜻. '버팀목, 보(洑)'의 뜻을 나타냄.

6
⑩ **[牷]** 전 [平]先 疾緣切 quán

[字解] 희생 전 털이 순색(純色)인 희생. '凡時祀之牲, 必用一物'《周禮》.
[字源] 篆文 牷 形聲. 牜(牛)+全〔音〕. '全전'은 순수(純粹)하고 빠진 데가 없다의 뜻. 그 털이 순수하고 한 색깔인 완전한 소, '희생'의 뜻을 나타냄.

[牷物 전물] 빛이 순색(純色)이고 몸이 완전한 희생(犧牲).
[牷犧 전희] 희생(犧牲).
◉肥牷. 牲牷. 犧牷.

6
⑩ **[牸]** 자 [去]寘 疾置切 zì

[字解] ①암소 자 소의 암컷. '乳一'. '當畜五一'《孔叢子》. ②암컷 자 짐승의 암컷의 총칭. '一馬'는 말의 암컷. '一, 雌也'《廣雅》. '有畜一馬'《史記》.
[字源] 形聲. 牜(牛)+字〔音〕

[牸馬 자마] 암말.
[牸牝 자빈] 암말. 빈마(牝馬).
[牸牛 자우] 암소.
◉良牸. 五牸. 乳牸. 羸牸. 黃牸.

6
⑩ **[特]** [中人] 특 [入]職 徒得切 tè

[筆順] ノ 𠂉 牛 牜 牪 特 特 特

[字解] ①수소 특 소의 수컷. '用一'《書經》. ②수컷 특 동물의 남성. '頒馬攻一'《周禮》. ③한사람 특, 하나 특 단독. '一行'. '一舟'. '我一以三國城從之'《戰國策》. ④짝 특 배필. '求爾新一'《詩經》. ⑤유다를 특 특별함. '獨一'. '一立獨行, 有如此者'《禮記》. 또, 유다른 사람. 특별히 뛰어난 사람. '百夫之一'《詩經》. ⑥일일이 특 하나씩. 모조리. '孤卿一揖大夫'《周禮》. ⑦특히 특 특별히. '一其小小者耳'《史記》. ⑧다만 특 단지. '一備員弗用'《史記》. ⑨성 특 성(姓)의 하나.
[字源] 篆文 特 形聲. 牜(牛)+寺〔音〕. '寺시·특'은 '直직'과 통하여, '똑바르다'의 뜻. 똑바로 서는 수소의 뜻을 나타내며, '獨독'과 통하여 '홀로'의 뜻을 나타냄.

[特價 특가] 특별히 싸게 매긴 값.
[特減 특감] 특별히 감(減)함.
[特磬 특경] 경(磬)쇠의 한 가지. 편경(編磬)보다 크며, 경쇠 하나만 틀에 매달고 치는 악기(樂器). 특종(特鐘)과는 반대로 제악(祭樂)을 그칠 때에 침. 특현(特縣).
[特權 특권] 어떠한 사람에게 한하여 특별히 주어지는 우월한 지위나 권리.
[特勤 특근] 근무(勤務) 시간 밖에 더하는 근무.
[特給 특급] 특별히 줌.
[特技 특기] 남보다 뛰어난 특별한 기술.
[特起 특기] 많은 사람 위에 섬.
[特達 특달] 특수(特秀).
[特待 특대] 특별한 대우(待遇).
[特等 특등] 특별한 등급(等級).

[特磬]

[特例 특례] 특별한 예(例).
[特立 특립] 특별히 우뚝 섬.
[特立獨行 특립독행] 남에 의지하지 아니하고 자기 소신(所信)대로 나아감.
[特賣 특매] 특별히 싸게 팖.
[特免 특면] 특사(特赦).
[特命 특명] 특별한 명령(命令). 또는 특별한 임명(任命).
[特廟 특묘] 본 사당(祠堂) 외에 따로 독립한 사당. 첩(妾)은 남편과 합사(合祀)할 수 없으므로 따로 첩을 위하여 이를 설치함.
[特務 특무] 특별한 임무(任務).
[特聞 특문] 특별히 들림.
[特發 특발] ㉠특별히 냄. ㉡특파(特派). ㉢환자 자신이 원인이 되어 병이 발생함. 전염(傳染)의 대(對).
[特放 특방] 유달리 방종(放縱)함.
[特別 특별] 보통보다 훨씬 뛰어나게 다름.
[特報 특보] 특별히 알림.
[特使 특사] 특별히 보내는 사신(使臣).
[特赦 특사] 죄인을 특별히 놓아줌.
[特賜 특사] 임금이 신하(臣下)에게 특별히 줌.
[特產 특산] 그 땅의 특별한 산물(產物). 또는 산출(產出).
[特色 특색] 보통 것보다 다른 점(點).
[特牲 특생] ㉠소 한 마리. ㉡돼지 한 마리.
[特書 특서] 특별히 씀.
[特選 특선] 특별히 골라 뽑음.
[特設 특설] 특별히 설치(設置)함.
[特性 특성] 그것에만 있는 특이(特異)한 성질(性質).
[特秀 특수] 특별히 뛰어남.
[特殊 특수] 특별히 다름. 보통과 다름.
[特勝 특승] 특별히 나음.
[特愛 특애] 특별히 사랑함.
[特約 특약] 특별한 약속(約束).
[特羊 특양] 한 마리의 희생(犧牲)의 양.
[特用 특용] 특별한 사용.
[特牛 특우] 한 마리의 희생(犧牲)의 소.
[特有 특유] 그것만이 특별히 가지고 있음.
[特宥 특유] 특사(特赦).
[特恩 특은] 특별한 은혜(恩惠).
[特揖 특읍] 한 사람도 빼놓지 않고 일일이 읍(揖)함.
[特異 특이] 특별히 다름.

[特長 특장] 특별히 뛰어난 장처(長處).
[特典 특전] 특별한 은전(恩典).
[特電 특전] 신문사의 독특한 전보 통신. 외지(外地) 또는 외국 특파원이 보도함.
[特絕 특절] 특별히 뛰어남.
[特點 특점] 보통 것과 특별히 다른 점.
[特定 특정] 특별한 지정(指定).
[特製 특제] 특별한 제조(製造). 또, 그 제품(製品).
[特操 특조] 굳게 지키어 변하지 않는 절개.
[特種 특종] 특별한 종류(種類).
[特鐘 특종] 풍류를 시작할 때 치는 종. 한 틀에 이 종 하나만 달며, 황종률(黃鍾律)로 음악을 시작할 때에 쳐서 신호함.

[特鐘]

[特舟 특주] 하나의 배. 배 한 척.
[特支 특지] 특별 상여(賞與).
[特地 특지] 특별히. 일부러. 지(地)는 조사(助辭).
[特旨 특지] 특별한 왕명(王命).
[特志 특지] 특별한 뜻.
[特進 특진] ㉠한대(漢代)에 공덕(功德)이 많은 제후(諸侯)에게 내린 명예의 칭호. ㉡일정한 진급 기간 안에 특별한 공로로써 되는 진급.
[特質 특질] 특성(特性).
[特徵 특징] 특별히 눈에 뜨이는 표적(表迹).
[特創 특창] 독력(獨力)의 창시(創始). 자기의 창의(創意).
[特請 특청] 특별히 청(請)함.
[特出 특출] 특별히 뛰어남.
[特峙 특치] 딴 것보다 뛰어나게 우뚝 솟음.
[特稱 특칭] 특별한 칭호(稱號).
[特特 특특] 말발굽 소리.
[特派 특파] 특별한 파견.
[特筆 특필] 두드러진 일을 특별히 적음. 또, 그 글.
[特行 특행] 혼자 감.
[特許 특허] ㉠특별히 허가(許可)함. ㉡행정 처분(行政處分)에 의하여 사권(私權)을 설정함. 또는 특허권을 부여함.
[特許權 특허권] 공업상(工業上)의 발명품 또는 그 방법의 발명자에게 일정 기간 동안 그 제작 판매의 전유(專有)를 허가하는 권리.
[特惠 특혜] 특별히 베푸는 은혜.
[特效 특효] 특별한 효험(效驗).
◉介特. 傑特. 孤特. 怪特. 奇特. 獨特. 秀特. 殊特. 新特. 英特. 絕特. 挺特. 峻特. 懸特.

6 ⑩ [㸿] 가 [去]禡 居迓切 jià

[字解] ①소멍에맬 가 '一, 六書統, 牛在軛也'《正字通》. ②말멍에맬 가 駕(馬部 五畫〈p. 2597〉)의 籒文. '駕, 馬在軛中也. …一, 籒文駕'《說文》.

[牂] 〔장〕
羊部 四畫(p. 1797)을 보라.

6 ⑩ [桊] 권 [去]願 區願切 quàn

[字解] 쇠코뚜레끈 권 쇠코에 꿴 새끼. '牛繩鼻, 謂之一'《集韻》.

7 ⑪ [牻] 방 [平]江 莫江切 máng

[字解] 얼룩소 방 흰 털과 검은 털이 섞인 소.
[字源] [篆文] 形聲. 牜(牛)+尨〔音〕. '尨방'은 복슬강아지의 象形. 복슬강아지 같은 털이 난 소, '얼룩소'의 뜻을 나타냄.

[牻牛 방우] 얼룩소.
[牻牛兒 방우아] 쥐손이풀과에 속하는 다년초. 줄기와 잎은 설사·이질 등의 약으로 씀. 이질풀.

7 ⑪ [牼] 경 [平]庚 戶耕切 kēng
[去]徑 古定切

[字解] 정강이뼈 경 소의 경골(脛骨). '一, 牛厀下骨也'《說文》.
[字源] [金文] [篆文] 形聲. 牜(牛)+巠〔音〕. '巠경'은 '脛경'과 통하여, '정강이'의 뜻.

7 ⑪ [牿] 곡 [入]沃 古沃切 gù

[字解] ①외양간 곡, 마구간 곡 마소의 우리. '一牢'. '舍一牛馬'《書經》. ②우리에마소칠 곡 마소를 우리에서 기름. '一, 閑牧牛馬也'《字彙》.
[字源] [篆文] 形聲. 牜(牛)+告〔音〕. '告곡'은 붙잡은 소를 바치고 신에게 고하는 뜻. 신이나 조상 신령에게 기고(祈告)할 때에 산 제물로 쓸 우마(牛馬)를 넣어 두는 우리의 뜻을 나타냄.

[牿牢 곡뢰] 우마(牛馬)를 가두어 두는 곳. 외양간. 마구간.

7 ⑪ [㸺] 〔오〕 忤(心部 四畫〈p. 762〉)·捂(手部 七畫〈p. 872〉)와 同字

[觕] 〔추〕
角部 四畫(p. 2096)을 보라.

7 ⑪ [騂] 성 [平]庚 息營切 xīng

[字解] 붉은희생 성 털빛이 붉은 희생(犧牲). 騂(馬部 七畫)과 同字. '騂, 馬赤色也. 一, 上同'《廣韻》.

7 ⑪ [㻌] 도 [平]虞 同都切 tú

[字解] 칡소 도 누런빛에 범의 무늬가 있는 소. '一, 黃牛虎文'《說文》.
[字源] [篆文] 形聲. 牜(牛)+余〔音〕. '余여·도'는 '涂도'와 음이 같고, '菟도'와 음이 통하여, '於菟오도'는 초어(楚語)로 호랑이를 이름. 누른 호랑이 무늬의 뜻은 이로써 나타낸 듯함.

7 ⑪ [㸽] [一] 렬 [入]屑 力輟切 liè
[二] 랄 [入]曷 郎括切 luō

[字解] [一] 등흰소 렬 등의 털빛이 하얀 소. '一, 牛白脊也'《說文》. [二] 얼룩소 랄 '一, 駁也'《集韻》.
[字源] [篆文] 形聲. 牜(牛)+寽〔音〕. '寽랄'은 중간의 것을 위아래에서 서로 당기다의 뜻에서, 중앙에서 한 줄을 긋다의 뜻을 나타냄.

등이 흰 소를 이름.

7 ⑪ [⿰牛矣] 사 [上]紙 牀史切 sì

[字解] ①하릅송아지 사 한 살 된 송아지. '一, 牛一歲謂之一'《集韻》. ②소 사 '一, 牛也'《玉篇》.

7 ⑪ [⿰牛羊] 장 [平]陽 則郎切 zāng

[字解] 암양 장 양의 암컷.

7 ⑪ [⿰牛孚] 부 [平]虞 芳無切 fū

[字解] 입술검은소 부 '牛玄脣, 謂之一'《集韻》.

7 ⑪ [牽] [高·人] 견 [平]先 苦堅切 qiān / [去]霰 苦甸切

[筆順] 丶 亠 玄 ... 牽

[字解] ①끌 견 ㉠끌어당김. '一引'. '兒女一衣啼'《古詩》. ㉡끌고 감. '有一牛而過堂下者'《孟子》. ㉢강제함. 강제로 시킴. '道而弗一'《禮記》. ②이끌 견 거느림. '一帥老夫, 以至於此'《左傳》. ③거리낄 견 구애함. '學者一於所聞'《史記》. ④줄 견 물건을 매어 끌어당기는 밧줄·노끈 따위. '施一其外'《獨斷》. ⑤끌려가는동물 견 소·말·양·돼지 등. 또 희생(犧牲). '是脯資餼一竭矣'《左傳》. ⑥별이름 견 '一牛'.

[字源] 篆文 形聲. 牛+冖+玄〔音〕. '冖멱'은 밧줄을 본뜬 것. '玄현'은 '弦현'과 통하여, 팽팽하게 켕긴 밧줄의 뜻. 소를 끄는 밧줄, 끌다의 뜻을 나타냄.

[牽強 견강] 억지로 끌어당긴다는 뜻으로, 이치에 맞지 않는 것을 그럴듯하게 꾸며 댐.
[牽強附會 견강부회] 견강(牽強).
[牽斷 견단] 끌어당겨 끊음.
[牽纜 견람] 닻줄을 끌어당김.
[牽連 견련] 서로 켕기어 관련(關連)됨.
[牽聯 견련] 잇대어 계속함.
[牽攣 견련] 끎. 끌어당김.
[牽連之親 견련지친] 먼 친족.
[牽夫 견부] 말구종(驅從).
[牽絲 견사] ㉠처음으로 벼슬함. ㉡결혼(結婚)을 이름. 곽원진(郭元振)이란 사람이 자기가 끌어당긴 실을 쥐고 있는 여자를 아내로 삼은 고사(故事)에 의함.
[牽帥 견수] 거느림.
[牽曳 견예] 끎. 끌어당김.
[牽牛 견우] 은하수 동쪽 가의 취좌(鷲座)에 있는 별 이름. 견우성(牽牛星).
[牽牛花 견우화] 나팔꽃.
[牽引 견인] 끎. 서로 끌어당기어 켕김.
[牽制 견제] 견인(牽引)하여 자유행동(自由行動)을 제지함.
[牽掣 견철] ㉠견예(牽曳). ㉡견제(牽制).
◉拘牽. 羈牽. 挽牽. 連牽. 留牽. 引牽. 餼牽.

7 ⑪ [犁] 〔려〕
犂(牛部 八畫〈p. 1383〉)와 同字

7 ⑪ [犀] 〔서〕
犀(牛部 八畫〈p. 1383〉)의 俗字

7 ⑪ [犀] 〔서〕
犀(牛部 八畫〈p. 1383〉)와 同字

8 ⑫ [犇] 분 [平]元 博昆切 bēn

[字解] ①소놀랄 분 '一, 牛驚'《廣韻》. ②달아날 분 奔(大部 五畫)의 古字. '抱其器而一散'《漢書》.

[字源] 會意. '牛우' 셋으로, 소가 놀라다의 뜻을 나타냄.

[犇散 분산] 달아나 흩어짐.

8 ⑫ [犆] [一] 특 [入]職 敵德切 tè / [二] 직 [入]職 除力切 zhí

[字解] [一] ①수소 특 特(牛部 六畫)과 同字. ②한사람 특, 하나 특 特(牛部 六畫)과 同字. '不一弔'《禮記》. [二] 가선 직 가장자리의 선 두른 데. '君羔幦虎一'《禮記》.

[字源] 形聲. 牜(牛)+直〔音〕. '獨독'과 통하여, '혼자'의 뜻을 나타냄.

8 ⑫ [犋] 구 jù

[字解] 쟁기·써레를끄는우마(牛馬)의축력단위(畜力單位) 구 쟁기·써레를 한 번 견인하는 축력(畜力)을 1구(犋)라 함. '假如一一牛, 總營得小畝三頃(據齊地, 大畝一頃三十五畝). 每年一易, 必須頻種'《農政全書》.

8 ⑫ [犉] 순 [平]眞 如匀切 chún

[字解] 누르고입술검은소 순 털이 누르고 입술이 검은 소. 일설(一說)에는, 신장이 7척(尺) 되는 큰 소. '九十其一'《詩經》. '一有二義. 黑脣者爲一, 七尺者亦爲一'《爾雅 疏》.

[字源] 篆文 形聲. 篆文은 牜(牛)+享(𦎫)〔音〕. '𦎫순'은 듬직하게 무겁고 두껍다의 뜻.

[犉牡 순모] 털이 누르고 입술이 검은 황소.

8 ⑫ [犅] 강 [平]陽 古郎切 gāng

[字解] 붉은수소 강 털이 붉은 수소. '魯公用騂一'《左傳》.

[字源] 甲骨文 金文 篆文 形聲. 牜(牛)+岡〔音〕. '岡강'은 '딱딱하다, 굳어지다'의 뜻. '수소'의 뜻을 나타냄.

8 ⑫ [⿰牛卓] 뇨 [平]肴 丑交切 chāo

[字解] 뿔로받을 뇨 뿔로 받음. '一, 角挑也'《集韻》.

8 ⑫ [⿰牛京] 량 [平]陽 呂張切 liáng / [去]漾 力讓切

[字解] 얼룩소 량 '一, 牻牛駁色'《廣韻》.

[字源] 形聲. 牜(牛)+京〔音〕

8 ⑫ [犄] 의 [平]支 於離切 yī

字解 ①불깐소 의 거세(去勢)한 소. '一, 犗也'《廣韻》. ②길 의 길이가 긺. '一, 長也'《廣韻》. ③기댈 의 '一, 倚也'《廣韻》. ④베풀 의 '一, 施也'《廣韻》.

字源 形聲. 牜(牛)+奇〔音〕

8 ⑫ [犈] 권 ㊉先 巨員切 quán

字解 ①다리검은소 권 '牛之黑脚者名一'《爾雅疏》. ②귀검은소 권 '一, 牛黑耳'《廣韻》.

8 ⑫ [掔] 견 ㊋霰 輕甸切 qiǎn

字解 코셀 견 소가 끌어당겨도 따르지 않음. '一, 牛很不從牽也'《說文》.

字源 篆文 形聲. 牛+臤〔音〕. '臤견'은 굳고 억세다〔堅〕의 뜻.

8 ⑫ [犋] 비 ㊋未 方味切 fèi

字解 ①밭갈 비 두 마리의 소가 동서 양쪽에서 밭을 갊. '一, 兩壁耕也'《說文》. ②씨덮을 비 뿌린 씨를 흙으로 덮음. '一, 一曰覆耕種也'《說文》.

字源 篆文 形聲. 牛+非〔音〕. '非비'는 좌우로 나뉘다의 뜻. 두 마리의 소가 동서로 갈라져 양측(兩側)으로부터 밭을 가는 일.

8 ⑫ [犁] 一 려 ㊉齊 郞奚切 lí 二 리 ㊉支 力脂切 lí 三 류 ㊉尤 力求切 liú

字解 一 ①쟁기 려 전답을 가는 농구. 소가 끎. '童五尺一一'《管子》. ②쟁기질할 려 쟁기로 논밭을 갊. '一其庭'《漢書》. ③검을 려 색이 검음. 黎(黍部 三畫)와 통용. '一旦, 城中皆降伏波'《史記》. 二 ①얼룩소 리 털이 얼룩얼룩한 소. '一牛之子'《論語》. ②검버섯 리 노인의 피부에 생기는 거무스름한 점. '播棄一老'《書經》. 三 떨 류 전율(戰慄)하는 모양. '一然有當於人之心'《莊子》.

[犁一①]

字源 篆文 形聲. 牛+㓗(黎)〔音〕. '黎려'는 '쟁기'의 뜻. 소에게 쟁기를 끌게 하여 경작하다의 뜻을 나타냄.

參考 犂(牛部 七畫)는 同字.

[犁旦 여단] 여명(犁明).
[犁明 여명] 밝을 녘. 여명(黎明).
[犁黑 여흑] 검음.
[犁然 유연] 전율(戰慄)하는 모양.
[犁老 이로] 검버섯이 난 노인(老人).
[犁牛 이우] 얼룩소.
◉耕犁. 輓犁. 鋤犁. 牛犁. 耦犁. 車犁.

8 ⑫ [犀] 人名 서 ㊉支 先稽切 xī

字解 ①무소 서 물소와 비슷한 맹수. 코뿔소. '黃支國獻一牛'《漢書》. ②무소뿔 서 서각(犀角). '人以爲明珠文一'《後漢書》. ③굳을 서 무기(武器) 등이 견고함. '器不一利'《漢書》. ④박씨 서 박 속의 씨. '齒如瓠一'《詩經》.

字源 金文 篆文 會意. 牛+尾

[犀角 서각] ㉠무소의 뿔. ㉡이마가 융기(隆起)한 귀상(貴相).
[犀甲 서갑] 무소의 가죽으로 만든 튼튼한 갑옷.
[犀鎧 서개] 서갑(犀甲).
[犀利 서리] 무기(武器)가 견고하고 예리함. 또, 문세(文勢)의 강렬(強烈)함에도 이름.
[犀兵 서병] 단단하고 예리(銳利)한 무기(武器).
[犀舟 서주] 튼튼한 배. 견고한 배.
[犀函 서함] 서갑(犀甲).
◉角犀. 木犀. 文犀. 野犀. 燃犀. 龍犀. 齒如瓠犀. 瓠犀.

8 ⑫ [犀] 犀(前條)의 本字

8 ⑫ [觢] 〔체〕 觢(角部 六畫〈p. 2099〉)와 同字

9 ⑬ [犍] 건 ㊉元 居言切 jiān

字解 ①불깐소 건 거세(去勢)한 소. ②불깔 건 거세(去勢)함. '一, 以刀去勢也'《正字通》. ③짐승이름 건 표범 비슷하고 꼬리가 길며 사람의 목에 외눈과 쇠귀를 가진 짐승의 이름. '一獸. 似豹, 人首一目'《玉篇》.

字源 篆文 形聲. 牜(牛)+建〔音〕. '建건'은 '劇건'과 통하여, '거세하다'의 뜻.

[犍陀羅 건다라] 옛날 인도 북서부에 있던 나라. 곧 간다라.

9 ⑬ [犏] 유 ㊉虞 容朱切 yú

字解 검은소 유 '一, 黑牛'《集韻》.

9 ⑬ [犝] 중 ㊋送 直衆切 zhòng

字解 소새끼밸 중 새끼 밴 소. '一, 牛有孕'《篇海》.

9 ⑬ [犑] 격 ㊇錫 古闃切 jú

字解 소의이름 격 '一, 牛屬'《集韻》.

9 ⑬ [犙] 수 ㊉尤 疎鳩切 shōu

字解 사릅송아지 수 세 살 된 소. '一, 牛三歲也'《集韻》.

9 ⑬ [犐] 과 ㊉歌 苦禾切 kē

字解 ①소 과, 뿔없는소 과 '郭一'는 소의 일종. 또, 뿔이 없는 소. '一, 博雅, 郭一, 牛屬, 一曰, 牛無角也'《集韻》. ②추한소 과 '一犙'는 추한 소의 모양. '一犙, 醜牛狀'《正字通》.

9 ⑬ [犌] 가 ㊉麻 古牙切 jiā

字解 힘센소 가 '欣―'는 힘이 센 소. '絕有力, 欣―'《爾雅》.

9 ⑬ [㹅] 〔총〕
揔(手部 十一畫〈p.903〉)의 俗字

9 ⑬ [犎] 봉 ㊥冬 府容切 fēng
字解 들소이름 봉 등 위의 살이 융기(隆起)하여 낙타의 육봉(肉峯) 모양을 한 들소. '犦牛, 卽―牛'《爾雅 注》.
字源 形聲. 牛+封〔音〕

[犎牛 봉우] 자해(字解)를 보라.

10 ⑭ [犒] 호 ㊤號 苦到切 kào
字解 호궤할 호 군사에게 음식을 주어 위로함. '―軍'. '使展喜―師'《左傳》. 또, 호궤(犒饋)하는 음식. '不如一簞―'《韓愈》.
字源 形聲. 牜(牛)+高〔音〕

[犒軍 호군] 호궤(犒饋).
[犒饋 호궤] 군사(軍士)에게 음식을 주어 위로(慰勞)함.
[犒勞 호로] 먹을 것을 주어 수고를 위로(慰勞)함.
[犒賚 호뢰] 위로하여 물건을 줌.
[犒師 호사] 호궤(犒饋).
[犒賜 호사] 군사를 위로하여 상(賞)을 줌. 또는 그 상.
[犒賞 호상] 위로하고 칭찬함.
[犒錫 호석] 호뢰(犒賚).
◉給犒. 頒犒. 宴犒. 飮犒. 支犒. 豐犒.

10 ⑭ [犗] 개 ㊤卦 古拜切 jiè
字解 불깐소 개 거세한 소. '五十―以爲餌'《莊子》.
字源 篆文 形聲. 牜(牛)+害〔音〕. '害해'는 '자르다'의 뜻. 동물의 생식 세포(生殖細胞)를 만들어 내는 기관(器官)을 자르다, 거세하다의 뜻을 나타냄.

10 ⑭ [犕] 악 ㊁覺 五角切 yuè
字解 흰소 악 '―, 白牛也'《說文》.
字源 篆文 形聲. 牜(牛)+隺〔音〕

10 ⑭ [犓] 추 ㊥虞 測隅切 chú
字解 소꼴먹일 추 꼴을 먹여 소를 기름. '天子必且―豢其牛羊犬彘'《墨子》.
字源 篆文 形聲. 牜(牛)+芻〔音〕. '芻추'는 '꼴'의 뜻. 꼴로 소를 기르다의 뜻을 나타냄.

[犓牛 추우] 꼴을 먹여 기른 소.
[犓腴 추유] 쇠고기의 포(脯).

10 ⑭ [犔] 희 ㊤未 許旣切 xì
字解 ①소굶을 희 소가 주림. '―, 集韻, 牛饉謂之―'《康熙字典》. ②소병들 희 '―, 牛病'《玉篇》. ③소먹이 희 소의 먹이. '―, 一曰, 牛餉'《集韻》.

10 ⑭ [犒] 〔도·대·구〕
𤛓(牛部 十四畫〈p.1385〉)의 本字

10 ⑭ [犕] 비 ㊤寘 平祕切 bèi
字解 ①소이갖출 비 이를 갖춘 소. '―, 牛具齒'《廣韻》. ②여듭소 비 여덟 살 된 소. '牛八歲謂之―'《集韻》. ③수레지울 비 마소에 수레 안장을 지움. '―, 服也, 以案革裝馬也'《玉篇》.
字源 金文 篆文 形聲. 牜(牛)+𤰈〔音〕. '𤰈비'는 '갖추다'의 뜻. 소에게 수레를 메우다의 뜻.

10 ⑭ [犙] 수 ㊥尤 心秋切 xiū
字解 ①꼬리없는소 수 '―, 牛無尾也'《字彙補》. ②추한소 수 추한 소의 모양. '犙―, 醜牛狀'《正字通》.

10 ⑭ [犚] 〔건〕
犍(牛部 九畫〈p.1383〉)과 同字

10 ⑭ [㺃] 구 ㊤有 古候切 gòu
字解 소양젖짤 구 소나 양의 젖을 짬. '―, 取牛羊乳'《廣韻》.

10 ⑭ [犖] 락 ㊁覺 呂角切 luò
字解 ①얼룩얼룩할 락 얼룩소 락 털이 얼룩얼룩함. 또, 그 소. '赤瑕駁―'《司馬相如》. ②뛰어날 락 탁월함. '卓―乎方州'《班固》. ③환할 락 분명한 모양. '此其――大者, 若至委曲小變不可勝道'《史記》.
字源 篆文 形聲. 牛+勞〈省〉〔音〕

[犖确 낙각] 산에 큰 돌이 많은 모양.
[犖犖 낙락] ㉠분명(分明)한 모양. ㉡뛰어난 모양. 탁월한 모양.
[犖乎 낙호] 뛰어남. 탁월함.
◉駁犖. 卓犖.

11 ⑮ [犝] 용 ㊥冬 餘封切 yōng
字解 들소 용 목에 융육(隆肉)이 있는 들소. '―, 牛名, 領有隆肉'《集韻》.
字源 形聲. 牜(牛)+庸〔音〕. '庸용'은 무거운 물건을 들어 올리다의 뜻. 목에 융기(隆起)된 살덩어리가 있는 들소의 뜻을 나타냄.

11 ⑮ [犍] ㊀ 산 ㊦潸 所簡切 chǎn ㊁ 성 ㊤敬 所慶切 shèng
字解 ㊀ 기르는희생 산 먹여 기르고 있는 희생(犧牲). '畜―, 畜牲也'《說文》. ㊁ 암소 성 소의 암컷. '―, 牸牛'《集韻》.
字源 篆文 形聲. 牜(牛)+產〔音〕. '產산'은 길러서 키우다의 뜻. 사육(飼育)하고 있

는 희생용의 소.

11 ⑮ [⿰牛習] 랍 [入]合 盧合切 lā

[字解] 소가받을 랍 소가 뿔로 받음. '一, 牛牴也'《玉篇》.

11 ⑮ [犙] 삼 [平]覃 蘇含切 sān

[字解] ①사릅송아지 삼 세 살 된 소. '一, 三歲牛'《說文》. ②곁소 삼 우차(牛車)를 끄는 곁소. '一, 或曰, 當是牛車之副'《正字通》.

[字源] 篆文 形聲. 牜(牛)＋參〔音〕. '參삼'은 '세 살'의 뜻.

11 ⑮ [⿰牛累] 루 [平]支 力追切 léi

[字解] ①암내내는소 루 '一, 求子牛'《玉篇》. ②수소 루 황소. '乃合一牛騰馬'《淮南子》.

11 ⑮ [⿰牛堇] 근 [上]吻 居隱切 jǐn

[字解] ①소길들 근 소가 길들여져 순함. '一, 博雅, 柔也, 謂牛柔馴'《集韻》. ②착할 근 '一, 善也'《玉篇》.

11 ⑮ [⿰牛崔] 최 [平]灰 昨回切 cuī

[字解] 흰소 최 일설(一說)에는 ⿰牛雈(牛部 十畫)의 訛字라고도 함. '一, 牛白色也'《集韻》.

11 ⑮ [⿰牛悤] 〔종〕 總(糸部 十一畫〈p. 1767〉)의 俗字

11 ⑮ [⿰牛𤰇] 〔비〕 犕(牛部 十畫〈p. 1384〉)의 本字

11 ⑮ [犚] 위 [去]未 於胃切 wèi

[字解] 귀검은소 위 귀가 검은 소. '黑耳, 一'《爾雅》.

11 ⑮ [⿱敏牛] 민 [上]軫 美隕切 mǐn

[字解] 메소 민 소를 닮은 검푸른 짐승. '黃山, 有獸焉, 其狀如牛, 而蒼黑大目, 其名曰一'《山海經》.

11 ⑮ [犛] [一] 리 [平]支 里之切 lí
[二] 모 [平]肴 莫交切 máo

[字解] [一] 검정소 리 털이 아주 검고 꼬리가 긴 소. '犀·一·兕·象'《國語》. [二] 검정소 모 [一]과 뜻이 같음.

[字源] 篆文 形聲. 牛＋𠩺〔音〕

11 ⑮ [犘] 마 [平]麻 莫霞切 má

[字解] 검정소 마 이우(犛牛). 중국 서북부 지방에서 산출되는 소로, 큰 꼬리를 가졌으며 무게가 천 근이라 함. '一, 犛牛別名'《正字通》.

12 ⑯ [犝] 동 [平]東 徒紅切 tóng

[字解] 뿔없는소 동 '一, 無角牛也'《說文》.

[字源] 篆文 形聲. 牜(牛)＋童〔音〕. '童동'은 어린애. 아직 어리고 몸이 정돈되지 않다의 뜻.

13 ⑰ [⿰牛畺] 강 [平]陽 居良切 jiāng

[字解] ①허리긴소 강 '一, 牛長脊'《說文》. ②등흰소 강 등의 털이 흰 소. '一, 一曰, 白脊牛'《廣韻》. ③흰소 강 '一, 白牛也'《玉篇》.

[字源] 篆文 形聲. 牜(牛)＋畺〔音〕. '畺강'은 (등줄기가) 길고 뚜렷이 갈라져 있다의 뜻.

13 ⑰ [⿰牛豢] 〔환〕 豢(豕部 六畫〈p. 2175〉)과 同字

14 ⑱ [⿰牛壽]
[一] 도 [平]豪 土刀切 tāo
[二] 대 [平]灰 當來切
[三] 소 [平]蕭 蚩招切
[四] 구 [上]有 去久切
[五] 채 [平]灰 昌來切
[六] 수 [平]尤 蚩周切

[字解] [一] 둘치 도 새끼가 없는 소나 양(羊). [二] 둘치 대 [一]과 뜻이 같음. [三] 둘치 소 [一]과 뜻이 같음. [四] 둘치 구 [一]과 뜻이 같음. [五] 둘치 채 [一]과 뜻이 같음. [六] 둘치 수 [一]과 뜻이 같음.

[字源] 形聲. 牜(牛)＋𠷎〔音〕

15 ⑲ [犢] [人名] 독 [入]屋 徒谷切 dú 犊

[字解] ①송아지 독 소의 새끼. '舐一'. '天子適諸侯, 諸侯膳以一'《禮記》. ②성 독 성(姓)의 하나.

[字源] 篆文 形聲. 牜(牛)＋賣〔音〕

[犢角 독각] 송아지의 뿔. 또 송아지 뿔 형상.
[犢車 독거] 송아지가 끄는 수레.
[犢鼻褌 독비곤] 쇠코잠방이.
[犢車 독차] 송아지가 끄는 수레.

◉耕犢. 孤犢. 羔犢. 牲犢. 乳犢. 舐犢. 佩犢. 黑牛生白犢.

15 ⑲ [犦] 박 [入]覺 蒲角切 bó

[字解] 들소이름 박 등 위의 살이 융기(隆起)하여 낙타의 육봉(肉峯) 모양을 한 들소. 봉우(犎牛). '一牲雞卜羞我觴'《蘇軾》.

[字源] 形聲. 牜(牛)＋暴〔音〕

15 ⑲ [犤] [一] 피 [平]支 符羈切 pái
[二] 패 [上]蟹 部買切 pái

[字解] [一] 키작은소 피 광둥 성(廣東省)에서 나는 키가 작은 소. [二] 다리짧은소 패 '一, 牛短足'《集韻》.

16 ⑳ [犧] [人名] [一] 희 [平]支 許羈切 xī
[二] 사 [平]歌 桑何切 suō 牺

[字解] [一] ①희생 희 종묘(宗廟) 등의 제사에 쓰는 짐승. '一牷'. '以我齊明, 與我一羊'《詩經》.

②술그릇 희 소의 형상으로 만들거나 옆면에 소 그림을 새긴 제사 때 쓰는 술 그릇. '一尊疏布'《禮記》. 二 술그릇 사 '一尊'은 비취(翡翠)의 깃으로 장식한 술 그릇. '一尊將將'《詩經》.

字源 篆文 形聲. 牜(牛)+羲〔音〕. '羲희'는 다시 義+丂로 분석됨. '義의'는 양(羊)을 톱 모양의 날붙이로 산 제물로 삼는 모양, '丂고'도 날붙이의 象形. 산 제물인 소를 뜻함.

[犧尊 사준] 비취(翡翠)의 깃을 새긴 술 그릇. 사(犧)는 사(娑)와 통하고, 사(娑)는 새 깃의 파사(婆娑).
[犧豭 희가] 희생의 수퇘지.
[犧象 희상] 희준(犧尊)과 상준(象尊). 모두 주대(周代)에 쓰던 준(罇).
[犧牲 희생] ㉠천지(天地)·종묘(宗廟)에 제물(祭物)로 쓰는 짐승, 곧 산양(山羊)이나 소 혹은 돼지. ㉡남을 위하여 목숨이나 재물 혹은 권리 등을 버리거나 빼앗기는 일.
[犧羊 희양] 희생으로 쓰는 양.
[犧牛 희우] 희생으로 쓰는 소.
[犧牷 희전] 희생(犧牲) ㉠.
[犧尊 희준] 소의 형상으로 만들거나 소 형상에 두세 개의 술 그릇을 장치하거나 또는 옆면에 소 그림을 새긴 제사 때 쓰는 술 그릇.

[犧尊]

[犧樽 희준] 희준(犧尊).
[犧罇 희준] 희준(犧尊).
◉郊犧. 廟犧. 騂犧. 純犧. 醇犧. 牷犧.

16 ⑳ [犪] 회 ㊥佳 戶乖切 huái

字解 네뿔짐승 회 몸은 소를 닮고 사람의 눈과 네 개의 뿔을 가진 짐승. '一, 獸似牛, 四角人目'《玉篇》.

16 ⑳ [犩] 一 위 ㊤霽 于歲切 wèi
二 궤 ㊤隊 渠穢切 guì

字解 一 ①쇠굽 위 소의 발굽. '一, 牛蹄'《廣韻》. ②소땅밟을 위 소가 땅을 밟음. '踶一, 猶踐蹋也'《說文 段注》. 二 뜸베질할 궤 소가 뿔로 사람을 받음. '牛觸謂之一'《集韻》.

字源 篆文 形聲. 牛+衛〔音〕.

16 ⑳ [犨] 주 ㊥尤 赤周切 chōu

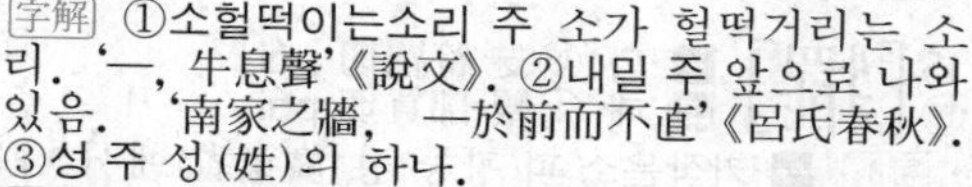

字解 ①소헐떡이는소리 주 소가 헐떡거리는 소리. '一, 牛息聲'《說文》. ②내밀 주 앞으로 나와 있음. '南家之牆, 一於前而不直'《呂氏春秋》. ③성 주 성(姓)의 하나.

字源 篆文 篆文 形聲. 牛+雔(또는 讎)〔音〕. 소가 헐떡이는 소리. '雔수·讎수'는 그 의성어(擬聲語).

17 ㉑ [犪] 영 ㊤梗 烏猛切 wěng

字解 ①송아지 영 '一, 又犢也'《篇海》. ②소울 영 소가 욺. 또, 그 소리. '一, 一曰, 牛鳴'《篇海》.

18 ㉒ [犦] 〔박〕
犦(牛部 十五畫〈p. 1385〉)의 本字

18 ㉒ [犩] 위 ㊥微 語韋切 wéi
㊤未 魚貴切

字解 소이름 위 소의 일종. 몸이 크며 무게가 천 근(斤)임. '一牛. (注) 如牛而大, 肉數千斤. 出蜀中'《爾雅 注》.

18 ㉒ [犪] 요 ㊤篠 爾紹切 ráo

字解 ①길들 요 소가 길들어서 순함. '一, 牛柔謹也'《說文》. ②쉬울 요 편안함. '一, 安也'《玉篇》.

字源 篆文 形聲. 牜(牛)+夒〔音〕.

23 ㉗ [犫] 〔주〕
犨(牛部 十六畫〈p. 1386〉)와 同字

犬(犭) (4획) 部
〔개견부〕

0 ④ [犬] 中人 견 ㊤銑 苦泫切 quǎn

筆順 一ナ大犬

字解 개 견 가축의 하나. '一馬'. '效一者左牽之'《禮記》.

字源 甲骨文 金文 篆文 象形. 귀를 세운 개의 象形으로, '개'의 뜻을 나타냄.

參考 ①'犬'을 의부(意符)로 하여, 여러 가지 종류의 개나, 개와 비슷한 동물, 그 밖에 개의 상태나 야수적(野獸的)인 성질·행위, 사냥에 관한 문자 등을 이룸. 또, 예전에는 이민족을 경멸했으므로, 그 명칭에 관한 문자도 있음. ②변(邊)이 될 때에는 '犭(犬傍)'의 꼴을 취함.

[犬馬 견마] ㉠개와 말. 전(轉)하여, 짐승. ㉡자기(自己)의 겸칭(謙稱).
[犬馬難鬼魅易 견마난귀매이] 그림을 그리는 데 개나 말과 같이 늘 보는 것은 그리기 어렵고, 도깨비와 같이 사람이 본 일이 없는 것은 그리기 쉬움.
[犬馬之勞 견마지로] 군주(君主) 또는 타인을 위하여 애쓰는 자기의 노력의 겸칭(謙稱).
[犬馬之心 견마지심] 신하가 군주에게 충성을 다하고자 하는 마음.
[犬馬之養 견마지양] 단지 어버이를 부양할 뿐이며 공경하는 마음이 없음을 이름.
[犬馬之齒 견마지치] 자기 나이의 겸칭(謙稱). 치(齒)는 나이[齡].
[犬猫 견묘] 개와 고양이.
[犬書 견서] 편지. 진(晉)나라 사람 육기(陸機)가 서울에 머물러 있을 때, 황이(黃耳)라는 개에

게 대통에 넣은 편지를 물려 시골집에 소식을 전하였다는 고사(故事)에서 나온 말.
[犬牙 견아] 개의 어금니.
[犬牙相制 견아상제] 땅의 경계가 개의 어금니와 같이 들쭉날쭉하여 서로 제어(制御)함.
[犬羊 견양] ㉠개와 양. ㉡천(賤)한 사람. 또는 악한 사람의 비유.
[犬戎 견융] 옛날에 산시 성(陝西省) 봉상현(鳳翔縣) 지방에 있었던 오랑캐.
[犬彘 견체] ㉠개와 돼지. ㉡의리(義理)를 모르는 개돼지만도 못한 사람.
[犬兔之爭 견토지쟁] 쌍방이 싸우는 사이에 다른 사람에게 이익을 빼앗김을 이름. 한로(韓盧)라는 개가 동곽준(東廓㕙)이라는 토끼를 잡으려고 산을 오르내리다가 모두 지쳐 죽자 나무꾼에게 잡혀갔다는 고사(故事)에서 나온 말.
[犬吠 견폐] 개가 짖음.
◉鷄犬. 狂犬. 軍犬. 群犬. 豚犬. 猛犬. 名犬. 牧羊犬. 番犬. 食犬. 狎犬. 愛犬. 野犬. 洋犬. 養犬. 獵犬. 鷹犬. 田犬. 猘犬. 駿犬. 蜀犬. 忠犬. 鬪犬. 吠犬. 黃犬.

0 ③ [犭] 犬(前條)이 변(邊)으로 될 때의 자체(字體)
[筆順] ノ 犭 犭

1 ⑤ [犮] 발 ㊅曷 蒲撥切 bá
[字解] ①달릴 발 개가 달리는 모양. '一, 犬走皃'《說文》. ②덜 발 제거함. 拔(手部 五畫)과 통용. '赤一, 猶言捇拔也'《周禮 注》.
[字源] 篆文 象形. 개를 책형(磔刑)한 모양을 형상화하여, 재해(災害)를 없애다의 뜻을 나타냄. '祓불'의 원자(原字).

2 ⑤ [犯] [高人] 범 ㊤豏 防鋄切 fàn
[筆順] ノ 犭 犭 犭 犯
[字解] ①범할 범 ㉠죄를 저지름. '一罪' '爲一二名律乎'《韓愈》. ㉡저촉함. '衆怒難一'《左傳》. ㉢거스름. 거역함. '事親有隱, 而無一'《禮記》. ㉣무시함. 짓밟음. '凌一'. '孝弟而好一上者鮮矣'《論語》. ②침범할 범 ㉠침노함. '一齊師'《左傳》. ㉡해침. '水火之所一'《國語》. ③범죄 범 죄를 범하는 일. 범한 죄. '私鬻茶三一'《唐書》. ④범인 범 죄수. '與衆一隔別嚴審'《仕學大乘》.
[字源] 篆文 形聲. 犭(犬)+㔾〔音〕. '㔾범'은 '氾범'과 통하여, 널리 퍼지다의 뜻. 개가 마구 퍼지다, 범하다의 뜻을 나타냄.

[犯戒 범계] 계율을 범(犯)함.
[犯界 범계] 남의 경계(境界)를 범함.
[犯科 범과] 범법(犯法).
[犯過 범과] 허물을 범(犯)함.
[犯闕 범궐] 대궐(大闕)을 침범함.
[犯禁 범금] 금제(禁制)를 범함. 또는 그 사람.
[犯令 범령] 법령(法令)을 범(犯)함.
[犯路 범로] 금한 길을 들어가 범함.
[犯法 범법] 법을 범함. 법에 어그러지는 짓을 함.
[犯分 범분] 신분에 어긋나는 짓을 함.
[犯上 범상] 신하가 임금을 범함.
[犯顏 범안] 임금이 싫어하는 안색을 하는데도 불구하고 간(諫)함. 임금의 뜻을 거슬러 가며 직간(直諫)함.
[犯顏色 범안색] 범안(犯顏).
[犯忤 범오] 범하여 거스름.
[犯用 범용] 남의 부탁(付託)을 받은 물건, 또는 보관(保管)하여야 할 물건을 써 버림.
[犯意 범의] 범죄(犯罪)의 의사(意思).
[犯人 범인] 죄(罪)를 범(犯)한 사람.
[犯入 범입] 금(禁)하는 곳에 범(犯)하여 들어감.
[犯跡 범적] 죄를 범한 자취. 죄적(罪跡).
[犯罪 범죄] 죄(罪)를 저질러서 범(犯)함. 또, 그 죄.
[犯罪學 범죄학] 범죄(犯罪)가 일어나는 동기(動機)·원인(原因) 등을 연구하는 학문.
[犯則 범칙] 법칙 또는 규칙을 어김.
[犯逋 범포] 국고(國庫)에 바칠 전곡(錢穀)을 써 버림.
[犯蹕 범필] 천자(天子)가 거둥하는 길을 범함.
[犯行 범행] 범죄의 행위.
[犯諱 범휘] 웃어른의 이름을 함부로 부름.
◉干犯. 輕犯. 警犯. 競合犯. 共同正犯. 共犯. 窮犯. 累犯. 陵犯. 單獨犯. 未遂犯. 防犯. 不犯. 憑犯. 女犯. 虞犯. 違犯. 再犯. 抵犯. 戰犯. 正犯. 從犯. 主犯. 重犯. 初犯. 觸犯. 侵犯. 破廉恥犯. 現行犯.

2 ⑤ [犰] 구 ㊥尤 渠尤切 qiú
[字解] 천산갑 구 '一狳'는 천산갑(穿山甲)의 일종. '一, 一狳, 獸名. 鳥喙鴟目蛇尾'《集韻》.

3 ⑥ [犴] 안 ①㊥寒 何干切 hān ②㊦翰 五旰切 àn
[字解] ①오랑캐땅의들개 안 야견(野犬). 豻(豸部 三畫)과 同字. '青一白虎'《淮南子》. ②옥 안 향정(鄉亭)에 있는 감옥. '獄一塡滿'《後漢書》. ③성 안 성(姓)의 하나.
[字源] 豻의 別體 形聲. 犭(犬)+干〔音〕
◉牢犴. 圄犴. 獄犴.

3 ⑥ [犵] 힐 ㊅質 去逸切 gē
[字解] 오랑캐이름 힐 '一狫'는 옛날에 광시(廣西)·후난(湖南)·구이저우(貴州)에 있던 만인(蠻人)의 일종. '一狫, 一曰一獠, 種有五, 蓬頭赤脚, 輕命死黨, 以布一幅, 橫圍腰閒, 旁無襞績, 謂之桶裙'《田汝成》.

[犵狫 힐로] 자해(字解)를 보라.
[犵獠 힐로] 힐로(犵狫).

3 ⑥ [犳] 시 ㊤紙 承紙切 shì
[字解] 이리 시 이리〔狼〕의 일종. 일설(一說)에는, 여우〔狐〕의 일종이라 함. '虵山, 有獸焉. 其狀如狐, 而白尾長耳, 名一狼'《山海經》.

3 ⑦ [状] 狀(次次條)의 俗字

4 ⑧ [㹜] 은 ㊥文 語斤切 yín

字解 ①개서로물 은 개가 서로 묾. '一, 兩犬相齧也'《說文》. ②개서로짖을 은 '一, 犬相吠也'《廣韻》.

字源 甲骨文 篆文 會意. '犬견'을 두 자 나란히 놓고, 개가 서로 물다의 뜻을 나타냄.

4 ⑧ [狀] 高·人 ㊀ 상 ㊦漾 鋤亮切 zhuàng (장㊟) ㊁ 장 ㊦漾 助亮切 zhuàng

筆順 丨 丩 丬 爿 爿一 爿ナ 狀 狀

字解 ㊀ ①모양 상 ㉠꼴. '形一'. '孔子一類陽虎'《史記》. ㉡정형. '一況'. '知鬼神之情一'《易經》. ②형용할 상 형상·정상을 형용함. '難一'. '自一其過'《莊子》. ㊁ ①문서 장 '訴一'. '直詣閤門進一'《宋史》. ②편지 장 서간. '書一'. '五曰一, 一者, 陳也'《文體明辨》.

字源 篆文 形聲. 犬+爿〔音〕. '爿장'은 '像상'과 통하여, '모습'의 뜻. 개의 여러 가지 모양의 뜻에서, 일반적으로 '모양'의 뜻을 나타냄.

參考 㸿(前前條)은 俗字.

[狀貌 상모] 얼굴의 생김새.
[狀態 상태] 모양. 형편.
[狀況 상황] 일이 되어 가는 형편이나 모양.
[狀啓 장계] 《韓》 감사(監司) 또는 왕명(王命)을 받고 지방에 파견된 관원(官員)이 서면(書面)으로 임금에게 보고하는 계본(啓本).
[狀頭 장두] 장원(狀元).
[狀聞 장문] 장계(狀啓)를 올리어 주달(奏達)함.
[狀民 장민] 소장(訴狀)을 제출한 백성.
[狀詞 장사] 소장(訴狀).
[狀元 장원] 과거(科擧)에 수석(首席)으로 급제함. 또, 그 사람.
[狀元三場喫着不盡 장원삼장끽착부진] 향시(鄕試)·성시(省試)·정시(廷試)의 세 시험에 모두 장원을 한 사람은 일생 동안 의식(衣食)에 걱정이 없음.
[狀紙 장지] 소송장(訴訟狀). 소송장 용지. 일정한 양식에 의해 인쇄한 용지.

◉告發狀. 告訴狀. 公開狀. 公狀. 具狀. 球狀. 國狀. 窮狀. 詭狀. 近狀. 奇狀. 難狀. 亡狀. 免狀. 名狀. 貌狀. 無狀. 白狀. 別狀. 訃告狀. 事狀. 赦狀. 上狀. 常狀. 賞狀. 書狀. 訴狀. 召喚狀. 勝狀. 信用狀. 信任狀. 實狀. 液狀. 連名狀. 連狀. 連判狀. 年賀狀. 令狀. 禮狀. 容狀. 寃狀. 委任狀. 儀狀. 異狀. 逸狀. 粒狀. 姿狀. 情狀. 呈狀. 罪狀. 症狀. 陳狀. 慘狀. 千態萬狀. 牒狀. 請牒狀. 招待狀. 招請狀. 推薦狀. 治狀. 褒狀. 賀狀. 劾狀. 行狀. 現狀. 形狀. 環狀. 回狀. 廻狀. 凶狀.

4 ⑧ [㹻] 패 ㊦泰 博蓋切 bèi

字解 개이빨드러낼 패 개가 이빨을 드러내고 으르렁거림. '一, 犬張齗皃'《集韻》.

4 ⑧ [哭] 〔곡〕 哭(口部 七畫〈p. 374〉)의 俗字

[戾] 〔려〕 戶部 四畫(p. 839)을 보라.

4 ⑦ [犿] ㊀ 환 ㊥寒 呼官切 huān ㊁ 변 ㊥元 方煩切 fān

字解 ㊀ 이리 환, 오소리 환 貛(豸部 十八畫)과 同字. ㊁ 빙빙돌 변 '連一'은 빙빙 도는 모양. 원전(圓轉)하는 모양. '其書雖瓌瑋, 而連一無傷也'《莊子》.

◉連犿.

4 ⑦ [犺] 강 ㊦漾 苦浪切 kàng

字解 ①고슴도치 강 '一, 猬也'《玉篇》. ②개 강 건장한 개. '一, 健犬也'《說文》.

字源 篆文 形聲. 犭(犬)+亢〔音〕. '亢항'은 목을 꼿꼿이 들다의 뜻. 기운찬 개의 일컬음.

4 ⑦ [犽] 아 ㊦禡 吾駕切 yà

字解 ①짐승이름 아 '一, 獸名. 似貛長尾'《集韻》. ②오랑캐이름 아 만족(蠻族)의 하나. '一, 蠻也'《中華大字典》.

4 ⑦ [犹] 유 ㊦宥 尤救切 yóu

字解 ①짐승이름 유 '一, 禽獸名'《集韻》. ②개짖는소리 유 '一, 犬吠聲'《龍龕手鑑》. ③猶(犬部 九畫)의 簡體字.

4 ⑦ [狁] 윤 ㊤軫 余準切 yǔn

字解 오랑캐이름 윤 '獫一'은 주(周)나라 때, 북방의 만족(蠻族). 한(漢)나라 시대 이후 흉노(匈奴)라 이름.

字源 形聲. 犭(犬)+允〔音〕

◉獫狁. 玁狁.

4 ⑦ [狂] 高·人 광 ㊥陽 巨王切 kuáng

字解 ①미칠 광 ㉠정신 이상이 됨. '一生'. '箕子被髮, 佯一而爲奴'《史記》. ㉡마음이 미혹(迷惑)하여 도리·시비를 분간 못함. '以是一而不信'《莊子》. ㉢뜻이 커서 상규(常規)를 벗어난 일을 함. '一狷'. '一者進取'《論語》. ②경망할 광 경솔하고 조급함. '踈一'. '衆穉且一'《詩經》. ③사나울 광 기세가 맹렬함. '一風'. '廻一瀾於既倒'《韓愈》. ④광병 광 미친 병. '發一'. '我其發出一'《書經》. ⑤광인 광 미친 사람. '不見子都, 乃見一且'《詩經》. ⑥성 광 성(姓)의 하나.

字源 甲骨文 篆文 古文 形聲. 篆文은 犭(犬)+㞷〔音〕. '㞷왕'은 '王왕'으로 생략해서 쓰임. '枉왕'과 통하여, '굽다'의 뜻. 짐승처럼 정신이 구부러지다, 미치다의 뜻을 나타냄.

[狂歌 광가] 가락에 맞지 않는 소리로 미친 듯이 부르는 노래. 또는 그렇게 부름.

[狂簡 광간] 뜻이 커서 좋으나 실행이 미치지 못하여 소홀하고 거칢.
[狂客 광객] 언행(言行)이 미친 사람같이 상리(常理)에 벗어난 사람.
[狂犬 광견] 미친개. 미친 듯이 사납게 날뛰는 개.
[狂狷 광견] 뜻이 너무 커서 상규(常規)에 벗어남과, 고집이 너무 세어 용납성이 없고 지조가 굳음. 모두 중용에 벗어난 행위.
[狂犬病 광견병] 미친개에게 물려 발생하는 병. 공수병(恐水病).
[狂氣 광기] ㉠미친 증세(症勢). ㉡미친 듯한 기미.
[狂女 광녀] 미친 여자.
[狂奴 광노] 미친 사람.
[狂談 광담] ㉠상리(常理)에 벗어난 호언장담. 미친 소리. ㉡사람을 놀라게 하는 말.
[狂濤 광도] 사나운 물결.
[狂亂 광란] 미친 듯이 날뜀.
[狂瀾 광란] 대단히 세찬 물결. 사나운 물결.
[狂妄 광망] 미쳐 도리에 어그러짐.
[狂勃 광발] 미쳐서 도리를 어김.
[狂夫 광부] ㉠미친 사람. ㉡시비를 분간 못하는 사람. 미친 짓을 하는 사람.
[狂奔 광분] ㉠미쳐 달림. ㉡대단히 분주하게 돌아다님.
[狂死 광사] 미쳐 죽음.
[狂生 광생] 미친 사람. 또는, 허랑방탕한 사람.
[狂藥 광약] '술〔酒〕'의 별칭(別稱).
[狂言 광언] 도(道)에 벗어난 말. 미친 사람의 말. 광담(狂談).
[狂言綺語 광언기어] 사람의 흥미를 끌기 위하여 교묘하게 수식한 말. 소설(小說) 따위.
[狂言妄說 광언망설] 이치에 어긋난 허망한 말.
[狂易 광역] 미쳐서 마음이 변함.
[狂炎 광염] 맹렬히 타오르는 불꽃, 또는 정열(情熱).
[狂愚 광우] 사리에 어두워 의혹함.
[狂飮 광음] 술을 미친 듯이 많이 마심.
[狂人 광인] 미친 사람. 정신(精神)에 이상(異常)이 생긴 사람.
[狂逸 광일] ㉠미친 듯이 달림. ㉡난폭(亂暴)하고 방자함.
[狂恣 광자] 몹시 방자함.
[狂顚 광전] 미침.
[狂佻 광조] 미친 사람 같고 경박함.
[狂躁 광조] 미쳐서 날뜀.
[狂症 광증] 정신(精神) 이상(異常)이 생기는 병(病)의 증세. 미친 병(病)의 증세.
[狂直 광직] 경우를 따짐이 없이 고지식함.
[狂疾 광질] 미친 병.
[狂醉 광취] 취하여 몹시 주정함.
[狂癡 광치] ㉠정신 이상이 되어 어리석음. ㉡미친 사람과 천치.
[狂態 광태] 미친 듯한 태도.
[狂悖 광패] 하는 짓이 인륜에 어긋나고 난폭(亂暴)함.
[狂暴 광포] 미친 듯이 행동이 난폭함.
[狂風 광풍] 맹렬하게 부는 바람.
[狂虐 광학] 미친 듯이 난폭하게 남을 학대함.
[狂漢 광한] 미친놈.
[狂惑 광혹] 미쳐서 혹함.
[狂花 광화] 제철이 아닌 때 피는 꽃.
[狂華 광화] 광화(狂花).
[狂喜 광희] 미친 듯이 기뻐함.
◉頓狂. 發狂. 詐狂. 疎狂. 詩狂. 佯狂. 陽狂. 熱狂. 愚狂. 癲狂. 躁狂. 酒狂. 倡狂. 淸狂. 楚狂. 醉狂. 風狂.

4 ⑦ [狃] 뉴 [上]有 女久切 niǔ [去]宥 女救切

[字解] ①익을 뉴 익숙해져서 아무렇지도 않게 여김. '一恩'. '一于姦宄'《書經》. ②익힐 뉴 익숙하게 함. '一之以慶賞'《荀子》. ③탐할 뉴 탐냄. '不足一也'《國語》. ④바로잡을 뉴 '一中軍之司馬'《國語》.
[字源] 篆文 形聲. 犭(犬)+丑〔音〕. '丑추'는 '비틀다'의 뜻. 개가 몸을 비비 틀면서 사람에게 친하게 굴다의 뜻을 나타냄.

[狃習 유습] 익숙함.
[狃恩 유은] 자주 은혜를 입은 것이 습성이 되어서 은혜를 은혜로 여기지 아니함.

4 ⑦ [狄] [人名] 적 [入]錫 徒歷切 dí

[字解] ①오랑캐 적 북방의 만족. '北一'. '北方曰一'《禮記》. 전(轉)하여, 널리 미개 야만 민족의 뜻으로 쓰임. '夷一'. '群一斯柔'《蔡邕》. ②악공 적 지위가 낮은 영인(伶人). '一者樂吏之賤者也'《禮記》. ③아전 적 하급 관리. '一設黼扆綴衣'《書經》. ④꿩털 적 翟(羽部 八畫)과 통용. '干戚旄一'《禮記》. ⑤멀 적 逖(辵部 七畫)과 통용. '舍爾介一'《詩經》. ⑥빠를 적 왕래가 빠른 모양. '一成滌濫之音作'《禮記》. ⑦깎을 적 깎아 냄. '一彼東南'《詩經》. ⑧성 적 성(姓)의 하나.
[字源] 金文 篆文 形聲. 犭(犬)+亦〈省〉〔音〕. '亦역·적'은 사람의 겨드랑이의 뜻. 옛날에, 한민족(漢民族)의 곁에서 사는 이민족(異民族)을 멸시하여, '犬견' 자를 붙여서, '오랑캐'의 뜻을 나타냄.

[狄成 적성] 소리가 빠른 모양.
[狄牙 적아] '역아(易牙)'의 별칭(別稱). 춘추 시대(春秋時代)에 제환공(齊桓公)을 섬긴 유명한 요리인(料理人)임.
[狄狄然 적적연] ㉠놀라는 모양. ㉡뛰는 모양. 도약(跳躍)하는 모양.
[狄鞮 적제] 서방(西方) 야만국(野蠻國)의 통변인(通辯人).
[狄卒 적졸] 적인(狄人)의 병졸(兵卒).
◉闕狄. 白狄. 北狄. 楡狄. 戎狄. 夷狄. 赤狄. 胡狄.

4 ⑦ [狆] 충 zhòng

[字解] 오랑캐이름 충 구이저우(貴州)·윈난(雲南) 지방에 살던 만족(蠻族). '一家凡三種'《苗族記》.
[字源] 形聲. 犭(犬)+中〔音〕

4 ⑦ [狎] 날 [入]黠 女滑切 nà

[字解] 짐승이름 날 앞발이 없는 짐승의 일종. '跳鋒壯驚一'《韓愈》.

4 ⑦ [狆] 돈 ㊤元 徒渾切 tún

字解 돼지새끼 돈 豚(豕部 四畫)과 同字. '豚, 豕子. 一, 上同'《廣韻》.

4 ⑦ [豜] 연 ㊦霰 吾甸切 yàn

字解 ①사나운개 연 사람을 먹는 개. 일설에는, 범을 쫓는 개. '一, 獟犬也, 一曰, 逐虎犬也'《說文》. ②호박개 연 뼈대가 굵고 털이 북슬북슬하게 난 개. 오랑캐 땅에서 많이 남.

字源 篆文 形聲. 犭(犬)+开〔音〕

4 ⑦ [犷] 은 ①㊤眞 語巾切 yín ②㊤軫 擬引切 yǐn

字解 ①개짖을 은 개 짖는 소리. 狺(犬部 七畫)과 同字. '一, 犬吠聲'《說文》. ②개싸울 은 개가 싸움. 齗(齒部 四畫)과 同字.

字源 篆文 形聲. 犭(犬)+斤〔音〕

4 ⑦ [犻] 목 mù

字解 이민족이름 목 '一狫'는 이민족(異民族)의 이름.

4 ⑦ [犿] 패 ㊦隊 蒲昧切 pèi

字解 ①개성낼 패 '一, 一曰, 犬怒皃'《集韻》. ②개짖을 패.

字源 形聲. 篆文은 犭(犬)+宋〔音〕

4 ⑦ [犹] 犻(前前條)의 本字

5 ⑨ [狊] 격 ㊇錫 古闃切 jú

字解 ①날개펼 격 새가 두 날개를 편 모양. '鳥之張兩翅, 一一然搖動者名一'《爾雅 疏》. ②노려볼 격 개가 노려보는 모양. '一, 犬視皃'《說文》.

字源 篆文 會意. 犬+目. 마주 노려보는 개의 모양을 나타냄.

5 ⑧ [狉] 비 ㊤支 攀悲切 pī

字解 ①새끼너구리 비 豾(豸部 五畫)와 同字. ②떼지어달릴 비 짐승이 떼를 지어 달리는 모양. '草木榛榛, 鹿豕一一'《柳宗元》.

字源 形聲. 犭(犬)+丕〔音〕

[狉狉 비비] 짐승이 떼를 지어 달리는 모양.

5 ⑧ [狋] 의 ㊤支 牛肌切 yí

字解 으르렁거릴 의 개가 으르렁대며 서로 싸우는 모양. 또, 개가 성낸 모양. '一吽牙者, 兩犬爭也'《漢書》.

字源 篆文 形聲. 犭(犬)+示〔音〕

5 ⑧ [狌] 성 ①㊤庚 所庚切 xīng ②㊦敬 息正切 shēng

字解 ①성성이 성 猩(犬部 九畫)과 同字. '一一知往'《論衡》. ②족제비 성 鼪(鼠部 五畫)과 뜻이 같음. '一, 鼠屬'《集韻》. '捕鼠不如狸一'《莊子》.

字源 形聲. 犭(犬)+生〔音〕

◉狎狌. 貍狌.

5 ⑧ [狂] ㊀ 주 ㊦遇 之戍切 zhù ㊁ 투 ㊤有 他口切

字解 ㊀ 머리검은누런개 주 '一, 黃犬黑頭'《說文》. ㊁ 머리검은누런개 투 ㊀과 뜻이 같음.

字源 形聲. 犭(犬)+主〔音〕

5 ⑧ [狎] 人名 압 ㊇洽 胡甲切 xiá

字解 ①익을 압 익숙함. '未一君政'《國語》. ②친압할 압 허물없이 가까이함. '雖一必變'《論語》. ③업신여길 압 경시함. 경멸함. '一敵'. '民一而玩之'《左傳》. ④희롱할 압 실없는 일을 하며 놂. '今俳優侏儒一徒, 詈侮而不鬪者'《荀子》. ⑤편안할 압 '民一其野'《左傳》. ⑥번갈아 압 교대하여. '晉楚一主天下之盟'《左傳》.

字源 篆文 形聲. 犭(犬)+甲〔音〕. '甲갑'은 '壓압' 따위와 통하여, 눌러 으깨다의 뜻. 개 따위를 자기 마음대로 누르다, 먹여 길들이다의 뜻을 나타냄.

[狎客 압객] ㉠무람없이 구는 사람. ㉡남의 놀림감이 되는 사람. ㉢대대로 친교(親交)가 있는 집안.

[狎近 압근] 허물없이 가까이함. 또, 가까이하여 귀여워함.

[狎昵 압닐] 압근(狎近).

[狎暱 압닐] 압근(狎近).

[狎徒 압도] 압객(狎客)㉠.

[狎獵 압렵] 꽃이나 잎이 겹치는 모양.

[狎弄 압롱] 익숙하여져서 희롱함.

[狎侮 압모] 업신여김.

[狎邪 압사] ㉠마음이 간사하여 은혜를 모름. 또는, 남에게 친압하며 염치없이 구는 사람. ㉡유녀(遊女).

[狎褻 압설] 외설(猥褻)함.

[狎愛 압애] 가까이하여 사랑함. 또, 그 사람.

[狎翫 압완] 무람없이 친숙해짐.

[狎而敬之 압이경지] 아주 친근한 사이일지라도 공경하는 마음을 잃지 않음.

[狎敵 압적] 적을 경시함.

[狎逼 압핍] 어른에게 삼가는 마음이 없이 버릇없게 굶. 무람없음.

◉串狎. 款狎. 慣狎. 近狎. 慢狎. 褻狎. 馴狎. 愛狎. 擾狎. 游狎. 恩狎. 昵狎. 親狎. 好狎. 歡狎. 戲狎.

5 ⑧ [狚] 겁 ㊇葉 去劫切 qiè

字解 겁낼 겁 怯(心部 五畫〈p. 772〉)과 同字. '一, 多畏也'《說文》.

字源 形聲. 犭(犬)+去〔音〕

5
⑧ **[狜]** 고 kǔ

字解 종족이름 고 서장(西藏)의 종족 이름.

5
⑧ **[狔]** 니 ㊥支 乃倚切 nǐ

字解 ①나부낄 니 나부낌. '一, 猗一, 從風皃'《廣韻》. ②나긋나긋할 니 나긋하고 숙부드러운 모양.

5
⑧ **[狐]** 人名 호 ㊥虞 戶吳切 hú

字解 ①여우 호 갯과(科)에 속하는 개 비슷한 짐승. 산야에 혈거하며, 성질이 교활하여 옛날부터 사람을 호린다는 전설이 있음. '一狸'. '田獲三一'《易經》. ②여우털옷 호 '輕一稱美'《梁昭明太子》. ③성 호 성(姓)의 하나.

字源 金文 篆文 形聲. 犭(犬)+瓜〔音〕. '瓜과'는 '호리병박'의 뜻. 머리 부분이 작고 뒤 꼬리가 커다랗게 부푼 호리병 모양을 한 짐승, '여우'의 뜻을 나타냄.

[狐假虎威 호가호위] 여우가 범의 위력(威力)을 빌려 다른 짐승을 위협한다는 뜻으로, 남의 권세(權勢)를 빌려 위세(威勢)를 부림을 이름.
[狐裘 호구] 여우 가죽으로 만든 옷.
[狐裘而羔袖 호구이고수] 여우 갖옷은 아름다우나 양 새끼의 가죽으로 소매를 달면 보기 흉하다는 뜻으로, 대체로 좋으나 나쁜 곳이 조금 있음의 비유로 쓰임.
[狐狼 호랑] ㉠여우와 이리. ㉡남을 해치는 자의 비유.

[狐裘]

[狐狸 호리] 호리(狐貍).
[狐貍 호리] ㉠여우와 너구리. ㉡소인(小人). 좀도둑.
[狐埋之而狐搰之 호매지이호골지] 여우는 의심이 많아서 일단 땅에 묻은 것을 또 파 본다는 뜻으로, 너무 의심이 많으면 성공을 못 함의 비유로 쓰임.
[狐媚 호미] 아양을 부려 호림.
[狐白 호백] 호백구(狐白裘).
[狐白裘 호백구] 여우의 겨드랑이에 있는 흰 털의 가죽으로 만든 썩 좋은 갖옷.
[狐死首丘 호사수구] 여우는 죽을 때에도 제가 살던 언덕으로 머리를 돌린다는 뜻으로, 근본을 잊지 않음을 비유하여 이르는 말.
[狐鼠 호서] 여우와 쥐. 전(轉)하여, 소인. 좀도둑.
[狐濡尾 호유미] 여우가 물을 잘 뛰어 건넜으나 꼬리를 적셨다는 뜻으로, 사물은 끝마무리를 잘하기가 어렵다는 비유로 쓰임.
[狐疑 호의] 의심(疑心)하여 결정(決定)하지 못함. 또, 그 사람.
[狐臭 호취] 겨드랑이에서 나는 악취(惡臭). 암내. 액취(腋臭).
[狐貉 호학] ㉠여우와 담비. ㉡여우와 담비 가죽으로 만든 훌륭한 옷.
[狐惑 호혹] ㉠의심하여 어찌할 줄 모름. ㉡속여 미혹(迷惑)하게 함.
◉九尾狐. 短狐. 魅狐. 木野狐. 白狐. 封狐. 城狐. 野狐. 妖狐. 雄狐. 疑狐. 稷狐. 貂狐. 貉狐.

5
⑧ **[狚]** 모 ㊦有 莫厚切 mǔ

字解 짐승이름 모 짐승 이름. '一, 狐一, 獸名'《集韻》.

5
⑧ **[狑]** 령 ㊥青 郎丁切 líng

字解 ①좋은개 령 양견(良犬). '一, 良犬也'《集韻》. ②오랑캐이름 령 중국 서남의 산계(山溪)에 살던 만족(蠻族).

5
⑧ **[狒]** 비 ㊦未 扶沸切 fèi

字解 비비 비 '一一'는 원숭잇과에 속하는 짐승. 아프리카·아라비아의 깊은 숲 속에서 살며, 성질이 아주 흉포함. '一一怪獸'《郭璞》.

字源 形聲. 犭(犬)+弗〔音〕.

[狒狒 비비] 자해(字解)를 보라.

5
⑧ **[狍]** 포 ㊥肴 蒲交切 páo

字解 짐승이름 포 '一鴞'는 짐승의 이름. 양(羊)의 몸에 사람의 낯을 하고, 겨드랑이 밑에 눈이 있다고 함.

5
⑧ **[狓]** 피 ㊥支 敷羈切 pī

字解 방자할 피 멋대로 굶. '一猖'.

[狓猖 피창] ㉠멋대로 굶. ㉡뛰는 모양. 도약(跳躍)하는 모양.

5
⑧ **[狖]** 유 ㊦宥 余救切 yòu

字解 검은원숭이 유 원숭이의 일종으로, 털이 검음. 흑원(黑猿). 일설(一說)에는, 긴꼬리원숭이. '猿一'. '猨啾啾兮一夜鳴'《楚辭》.

字源 會意. 犭(犬)+穴

◉猱狖. 騰狖. 山狖. 猩狖. 巖狖. 林狖. 啼狖.

5
⑧ **[狗]** 高人 구 ㊤有 古厚切 gǒu

筆順 ノ 犭 犭 犭 狗 狗 狗 狗

字解 ①개 구 가축의 하나. 일설(一說)에, '犬'은 큰 개, '一'는 작은 개라 함. '喪家之一'. '尊客之前, 不叱一'《禮記》. ②성 구 성(姓)의 하나.

字源 篆文 形聲. 犭(犬)+句〔音〕. '句구'는 '휙 구부러지다'의 뜻. 빙글빙글 뛰어 돌아다니는 '강아지'의 뜻을 나타냄.

[狗犬 구견] 개.
[狗膏 구고] 보약(補藥)으로 먹는, 개를 진하게 삶은 국물.
[狗苟 구구] 개가 먹을 것을 찾아 헤매듯이 이익을 좇아 조금도 부끄럼을 모르고 하는 짓.
[狗膽 구담] 개의 쓸개. 악창(惡瘡)·안력 부족(眼力不足) 등의 약재로 씀.
[狗屠 구도] 개를 잡음. 또, 그 사람. 개백장.

[狗盜 구도] '개도둑'이란 뜻으로, 곧 좀도둑.
[狗竇 구두] ㉠개구멍. ㉡앞니가 없음을 이름.
[狗馬 구마] ㉠개와 말. 전(轉)하여, 가축. ㉡신하의 임금에 대한 겸칭(謙稱).
[狗尾續貂 구미속초] '초부족구미속(貂不足狗尾續)'과 같음.
[狗尾草 구미초] 강아지풀. 볏과에 속하는 일년생 풀.
[狗寶 구보] 구황(狗黃).
[狗不夜吠民不見吏 구불야폐민불견리] 가급인족(家給人足)하여 도둑이 다니지 아니하므로 개가 밤에 짖지 아니하고, 구실을 잘 내어 체납하는 자가 없으므로 관리도 재촉하러 오지 아니함.
[狗砂 구사] 구황(狗黃).
[狗鼠 구서] ㉠개와 쥐. ㉡소인(小人). 좀도둑.
[狗肉 구육] 개고기.
[狗豬不食餘 구저불식여] 개나 돼지도 의롭지 못한 사람이 먹다 남은 찌끼는 먹지 않는다는 뜻으로, 남을 얕보아 심히 천하게 이르는 말.
[狗竊 구절] 구도(狗盜).
[狗彘 구체] ㉠개와 돼지. ㉡품성이 열등한 사람. 개돼지 같은 사람. 욕하는 말.
[狗偸 구투] 구도(狗盜).
[狗吠 구폐] ㉠개가 짖음. 또, 그 소리. ㉡밤에 수상한 사람이 다님.
[狗皮 구피] 개가죽.
[狗黃 구황] 병(病)든 개의 쓸개 속에 든 우황(牛黃) 같은 것. 옹저(癰疽)·악창(惡瘡) 등의 약재(藥材)로 씀.
◉鷄狗. 功狗. 老狗. 盧狗. 屠狗. 尨狗. 喪家之狗. 喪狗. 牲狗. 良狗. 獵狗. 庸狗. 赤狗. 走狗. 跖狗. 天狗. 芻狗. 韓狗. 海狗. 好狗. 畫虎類狗.

5 ⑧ [狘] 월 (入)月 許月切 xuè

字解 놀라달아날 월 짐승이 놀라서 달아남. '麟以爲畜. 故獸不—'《禮記》.

字源 篆文 形聲. 犭(犬)+戉〔音〕. '戉월'은 '越월'과 통하여, 넘어서 달리다의 뜻.

5 ⑧ [狙] 人名 저 (去)御 七預切 / (平)魚 七余切 jū

字解 ①긴팔원숭이 저 원숭이의 일종. '猿—'. '衆—皆怒'《莊子》. ②엿볼 저 틈을 엿봄. 기회를 노림. '—伺'. '其—害陰毒'《唐書》. ③노릴 저 겨눔. '—擊秦皇帝'《史記》. ④찾을 저 웃어른을 찾아 안부를 물음. 사후(伺候)함. '從—而好小察'《管子》. ⑤교활할 저 간사한 꾀가 많음. 간교함. '兵固天下之—喜也'《戰國策》.

字源 篆文 形聲. 犭(犬)+且〔音〕. '且저'는 '相상'과 통하여, '보다'의 뜻. 사람의 빈틈을 엿보는 동물, '원숭이'의 뜻과 '겨누다'의 뜻을 나타냄.

[狙擊 저격] 노려 침.
[狙公 저공] 원숭이를 부리는 사람.
[狙縛 저박] 기회를 타서 포박(捕縛)함.
[狙伺 저사] 기회를 엿봄.
[狙詐 저사] 기회를 타서 속임. 일설(一說)에는, 원숭이처럼 속임.
[狙害 저해] 기회를 노려 사람을 해(害)함.
[狙猴 저후] '원숭이'의 별칭. 원후(猿猴).
[狙喜 저희] 교활(狡猾)함.
◉猿狙.

5 ⑧ [狚] ㊀ 단 (去)翰 得按切 dàn / ㊁ 달 (入)曷 當割切 dá

字解 ㊀ 짐승이름 단 늑대 비슷한 짐승. '—, 獦—, 獸名. 似狼而赤. 出山海經'《廣韻》. ㊁ 오랑캐이름 달 '—, 蠻也. 廣西懷遠有—蠻, 性愚弱'《中華大字典》.

字源 形聲. 犭(犬)+旦〔音〕

◉猵狚.

5 ⑧ [狛] 박 (入)藥 匹各切 bó

字解 짐승이름 박 이리 비슷한 짐승. '—, 如狼, 善驅羊'《說文》.

字源 篆文 形聲. 犭(犬)+白〔音〕

5 ⑧ [⿰犭巨] 거 (上)語 臼許切 jù

字解 말 거 '—驉'는 말의 일종. '駏, 駏驉, 獸名. 或作—'《集韻》.

5 ⑧ [⿰犭弁] 변 (去)霰 皮變切 fán

字解 개싸움할 변 개가 싸우는 모양. '—, 犬爭皃'《玉篇》.

5 ⑧ [⿰犭召] 초 (平)蕭 丁聊切 diāo

字解 동경이 초 꼬리가 짧은 개. '—, 犬之短尾者'《集韻》.

5 ⑧ [⿰犭申] 신 (平)眞 癡隣切 chēn

字解 미칠 신 '—, 狂也'《集韻》.

5 ⑧ [⿰犭术] 출 (入)質 丑律切 chù

字解 두머리짐승 출 '—踢'은 좌우 두 개의 머리를 가진 전설상(傳說上)의 짐승.

5 ⑧ [⿰犭加] 〔가〕 ⿰犭哥(犬部 十畫〈p.1402〉)와 同字

6 ⑨ [狟] 훤 (平)元 許元切 huán

字解 오소리 훤 족제빗과에 속하는 들짐승. 모양이 너구리와 비슷함. 貆(豸部 六畫)과 同字. '—狢得埵防, 弗去而緣'《淮南子》.

字源 篆文 形聲. 犭(犬)+亘〔音〕. '亘환'은 '⿺走亘원'과 통하며 '엄숙하다'의 뜻. 야수와 같이 사납다의 뜻을 나타냄.

[狟狢 훤학] 오소리.
[狟狟 훤훤] 용맹스러움. 사나움.

6 ⑨ [狠] ㊀ 한 (平)刪 牛閑切 yán / ㊁ 흔 (上)阮 胡墾切 hěn

字解 ㊀ 개싸우는소리 한. ㊁ 어길 흔, 패려궂을 흔 강퍅함. 很(彳部 六畫)과 통용(通用). '—愎'. '好勇鬪—'《孟子》.

[字源] 篆文 形聲. 犭(犬)+艮〔音〕. '艮간'은 '패려하다'의 뜻. 동물적이고 마음이 비뚤어져 있다의 뜻을 나타냄. 또 의성어(擬聲語)로 개가 싸우는 소리를 나타냄.

[狠毒 흔독] 아주 잔인함.
[狠戾 흔려] 흔퍅(狠愎).
[狠心 흔심] 잔인한 마음.
[狠恣 흔자] 패려궂고 제멋대로 굶. 강퍅하고 방자「함.
[狠愎 흔퍅] 패려궂음. 강퍅(剛愎)함.

6 ⑨ [狡] [人名] 교 [上]巧 古巧切 jiǎo

[字解] ①간교할 교 교활함. '—黠'. '—兎有三窟, 僅得免其死耳'《戰國策》. 얼굴은 예쁘나 마음은 비뚤어짐. '乃見—童'《詩經》. ②미칠 교 광란(狂亂)함. '亂氣—憤'《左傳》. ③재빠를 교 민첩함. '—兎死, 走狗烹'《史記》. ④해칠 교 해(害)함. '無—民之辭'《大戴禮》.
[字源] 篆文 形聲. 犭(犬)+交〔音〕. '交교'는 '뒤섞임'의 뜻. 개 같은 사람의 뜻에서, 전(轉)하여, '교활하다'의 뜻을 나타냄.

[狡犬 교견] 흉노(匈奴)가 기르는, 입이 크고 털빛이 검은 개.
[狡童 교동] ㉠얼굴은 예쁘나 마음이 비뚤어진 아이. ㉡교활한 아이.
[狡蠹 교두] 교활하여 남을 해침.
[狡弄 교롱] 나쁘게 취급함.
[狡吏 교리] 교활한 관리.
[狡憤 교분] 미친 듯이 화를 냄.
[狡詐 교사] 교활하여 남을 잘 속임.
[狡惡 교악] 교활하고 간악함. 또, 그 사람.
[狡焉 교언] 교활한 모양.
[狡智 교지] 교활한 지혜(智慧).
[狡捷 교첩] 교활하고 민첩함.
[狡蟲 교충] ㉠해를 끼치는 무서운 벌레. ㉡무서운 맹수(猛獸).
[狡獪 교쾌] ㉠놀면서 장난침. ㉡교활(狡猾).
[狡兎死走狗烹 교토사주구팽] 민첩한 토끼가 죽으면 사냥하던 개는 쓸모없게 되어 삶아 죽인다는 뜻으로, 적국(敵國)이 망하면 전쟁에 공을 세운 대장(大將)도 죽인다는 비유. 한신(韓信)이 탄식한 말.
[狡兎三窟 교토삼굴] 교활한 토끼는 굴 셋을 파놓는다는 뜻으로, 사람이 교묘하게 재난을 피함을 이름.
[狡黠 교할] 교활(狡猾).
[狡猾 교활] 간사한 꾀가 많음.
[狡獝 교휼] 교사(狡詐).
[狡譎 교휼] 교사(狡詐).
◉姦狡. 彊狡. 輕狡. 老狡. 童狡. 肆狡. 雄狡. 壯狡. 慓狡. 剽狡. 凶狡.

6 ⑨ [狤] [一] 시 [上]紙 甚尒切 shì
[二] 탑 [入]合 吐盍切 tà

[字解] [一] 핥을 시 혓바닥으로 쓸어 들이어 먹음. '—糠及米'《漢書》. [二] 탐낼 탑 탐(貪)함. '㷀狩——'《太玄經》.
[字源] 篆文 會意. 犭(犬)+舌. '舌설'은 '혀'. 개가 혀를 내고 물건을 먹는 일.

[狤狤 탑탑] 탐(貪)내는 모양. 탐욕이 많은 모양.

6 ⑨ [狨] 융 [平]東 如融切 róng

[字解] ①원숭이이름 융 원숭이의 일종으로, 털이 부드럽고 깊. ②융 융 絨(糸部 六畫)과 통용. ③성 융 성(姓)의 하나.
[字源] 形聲. 犭(犬)+戎〔音〕. '戎융'은 '柔유'와 통하여, '부드럽다'의 뜻. 털이 부드럽다, 융털 원숭이를 뜻함.

6 ⑨ [狩] [人名] 수 [去]宥 舒救切 shòu

[字解] ①사냥 수 겨울에 몰이를 하여 하는 사냥. '春蒐, 夏苗, 秋獮冬—'《左傳》. 전(轉)하여, 불을 놓고 포위하여 잡는 사냥. '田—畢弋'《國語》. 또, 널리 조수(鳥獸)를 포획하는 뜻으로 쓰임. '—獵'. ②사냥할 수 '不—不獵'《詩經》. ③임소 수 임지(任地). '巡—'. '行—記政事'《史記》. ④순행 수 천자(天子)의 순찰(巡察). '五—期恒岱'《韓愈》.
[字源] 甲骨文 篆文 形聲. 犭(犬)+守〔音〕. 甲骨文은 '獸수'와 동일자(同一字). 본래의 음부(音符)인 '嘼휴'가 구개음화(口蓋音化)하여 '수'로 변하자, 음부(音符)로서 '守수'가 쓰이게 되었음. '守'는 테두리 안에 에워싸서 달아나지 못하게 하다의 뜻. 테두리 안에 동물을 몰아서 잡는 '사냥'의 뜻을 나타냄.

[狩獵 수렵] 사냥.
[狩人 수인] 사냥꾼.
[狩田 수전] 사냥. 또, 겨울의 사냥.
◉南狩. 蒐狩. 巡狩. 岳狩. 田狩. 巨狩.

6 ⑨ [狢] 학 [入]藥 下各切 hé

[字解] 오소리 학 貉(豸部 六畫)과 同字. '狟—得埵防, 弗去而緣'《淮南子》.
[字源] 形聲. 犭(犬)+各〔音〕

6 ⑨ [狪] 동 [平]東 徒東切 tóng

[字解] ①오랑캐이름 동 광시(廣西)·구이저우(貴州) 지방에 살던 만족(蠻族). 峒(山部 六畫)과 同字. ②짐승이름 동 '——'은 돼지 비슷하며, 체내(體內)에 주옥(珠玉)이 있다는 짐승. '——如豚, 被褐懷禍'《郭璞》.
[字源] 形聲. 犭(犬)+同〔音〕

[狪狪 동동] 자해(字解)❶을 보라.

6 ⑨ [狣] [一] 조 [上]篠 治小切 zhào
[平]蕭 馳遙切
[二] 도 [上]晧 杜晧切

[字解] [一] 힘센개 조 '絶有力, —'《爾雅》. [二] 힘센개 도 [一]과 뜻이 같음.

6 ⑨ [狫] 로 [上]晧 魯考切 lǎo

[字解] 오랑캐이름 로 獠(犬部 十二畫)와 同字.

6 ⑨ [狭] 양 yáng

[字解] 오랑캐이름 양 광시(廣西)·구이저우(貴州) 지방에 살던 만족(蠻族).

6 ⑨ [狦] 산 [平]刪 所姦切 shān

[字解] 모질고센개 산 '一, 惡健犬也'《說文》.
[字源] 篆文 形聲. 犭(犬)+冊〔音〕

6 ⑨ [狤] 길 [入]質 居質切 jí

[字解] 미칠 길 '一, 狂也'《廣韻》.

6 ⑨ [狛] 맥 [入]陌 莫白切 mò

[字解] 맹수 맥 곰 비슷하며 검은 얼룩무늬가 있음. 貊(豸部 六畫)과 同字. '山有九折坂, 出一, 一, 似熊而黑白駁'《山海經》.

6 ⑨ [狭] 〔협〕
狹(犬部 七畫〈p.1394〉)의 俗字

6 ⑨ [狲] 〔휴〕
貅(豸部 六畫〈p.2181〉)와 同字

6 ⑨ [狥] 〔순〕
徇(彳部 六畫〈p.739〉)의 俗字

6 ⑨ [独] 〔독〕
獨(犬部 十三畫〈p.1405〉)의 俗字

7 ⑩ [狴] 폐 [平]齊 邊兮切 bì

[字解] ①들개 폐 야견(野犬). '狂吠一犴'《柳宗元》. ②옥 폐 감옥. '如幽一牢'《易林》.
[字源] 形聲. 犭(犬)+坒〔音〕

[狴牢 폐뢰] 옥. 감옥.
[狴犴 폐안] ㉠들개. ㉡감옥(監獄).
[狴獄 폐옥] 뇌옥(牢獄). 감옥.

7 ⑩ [狶] [一] 희 [平]微 香依切 xī
[二] 시 [上]紙 賞是切 shǐ

[字解] [一] 멧돼지 희, 돼지 희 '食一如食人'《列子》. [二] 황제이름 시 '一韋氏'는 태고의 제왕(帝王)의 이름.
[字源] 形聲. 犭(犬)+希〔音〕

[狶韋氏 시위씨] 태고(太古)의 제왕(帝王)의 이름.

7 ⑩ [狷] 견 [上]銑 古泫切 juàn

[字解] ①성급할 견 성미가 좁고 급함. '不罪狂一之言'《漢書》. ②견개할 견 고집이 세어 용납성이 없고 지조가 굳음. '一介'. '一者有所不爲也'《論語》.
[字源] 篆文 形聲. 犭(犬)+肙〔音〕. '肙연·견'은 장구벌레의 象形으로, 가늘고 작으며, 비틀어져 있다의 뜻. '犬견'은 사람답지 않다의 뜻. 소심하다, 조급하다, 고집스럽다의 뜻을 나타냄.

[狷介 견개] 고집이 세고 절개가 굳어 굴종(屈從)하지 아니함.
[狷潔 견결] 의(義)에 강하고 결백함.
[狷狂 견광] 성질(性質)이 편협(偏狹)하여 상규(常規)를 벗어남.
[狷急 견급] 성급(性急)함.
[狷戾 견려] 성질이 편협하여 남과 화합하지 못함.
[狷忿 견분] 성질이 편협하여 성을 잘 냄.
[狷憤 견분] 견분(狷忿).
[狷隘 견애] 견협(狷狹).
[狷狹 견협] 성급하고 편협함.
◉介狷. 高狷. 狂狷.

7 ⑩ [狸] [人名] 리 [平]支 里之切 lí

[字解] 너구리 리 ㉠갯과에 속하는 들짐승. 여우보다 살지고 작음. 동부 아시아에 분포함. 산달(山獺). ㉡살쾡이.
[字源] 形聲. 犭(犬)+里〔音〕
[參考] 貍(豸部 七畫)와 同字.

[狸奴 이노] ㉠'고양이〔貓〕'의 별칭(別稱). ㉡'수달〔獺〕'의 별칭(別稱).
◉海狸. 狐狗狸. 狐狸.

7 ⑩ [狹] [人名] 협 [入]洽 侯夾切 xiá 狭

[字解] ①좁을 협 ㉠넓지 아니함. '廣一'. '地一人寡'《史記》. ㉡많지 아니함. '其所持者一, 而所欲者奢'《史記》. ②좁아질 협, 좁힐 협 좁게 됨. 좁게 함. '無自廣而一人'《書經》.
[字源] 形聲. 犭(犬)+夾〔音〕
[參考] 狭(犬部 六畫)은 俗字.

[狹徑 협경] 협로(狹路).
[狹軌 협궤] 궤간(軌間)이 1.435m 이하의 궤도(軌道).
[狹量 협량] 도량(度量)이 좁음.
[狹路 협로] 좁은 길.
[狹薄 협박] 토지가 좁고 메마름.
[狹斜 협사] 장안(長安)의 유곽(遊廓)의 이름. 전(轉)하여, 유곽.
[狹小 협소] 좁고 작음.
[狹阸 협애] 협애(狹隘).
[狹隘 협애] ㉠지대(地帶)가 좁고 험(險)함. ㉡마음이 좁고 작음.
[狹義 협의] 범위를 좁게 한정해서 본 의의(意義).
[狹窄 협착] 좁음.
[狹巷 협항] 좁은 골목.
◉狷狹. 廣狹. 迫狹. 阸狹. 阨狹. 隘狹. 窄狹. 淺狹. 偏狹. 褊狹. 偪狹. 險狹. 闊狹.

7 ⑩ [狺] 은 [平]文 語斤切 yín

[字解] 으르렁거릴 은 개가 서로 으르렁거리며 물어뜯는 소리. 또 개 짖는 소리. '猛犬一一'《楚辭》.
[字源] 形聲. 犭(犬)+言〔音〕

[狺狺 은은] 개가 서로 으르렁거리며 물어뜯는 소리.

7 ⑩ [狻] 산 ㊥寒 素官切 suān

字解 사자 산 맹수의 하나. '一猊野馬'《穆天子傳》.

字源 篆文 形聲. 犭(犬)+夋〔音〕. '夋준'은 '뛰어나다, 크다'의 뜻. '사자(獅子)'의 뜻으로 쓰임.

[狻猊 산예] 사자(獅子)의 일종.
[狻下 산하]《佛敎》고승(高僧)을 부르는 경칭.

7 ⑩ [狼] 人名 랑 ㊥陽 魯當切 láng

字解 ①이리 랑 갯과에 속하는 산짐승. 늑대보다 크고 귀가 쫑긋하며 꼬리를 늘어뜨림. 성질이 사나워 인축(人畜)을 해침. '虎一'. '並驅從兩一兮'《詩經》. 전(轉)하여, 이리와 같이 욕심이 많거나 잔인무도한 사람의 비유로 쓰임. '一心'. '嫂溺不援, 是豺一也'《孟子》. ②어지러울 랑 산란함. '一藉'. '爲一疾人也'《孟子》. ③별이름 랑 '東有大星曰一'《史記》. ④성 랑 성(姓)의 하나.

字源 甲骨文 篆文 形聲. 犭(犬)+良〔音〕. '良랑'은 '浪랑'과 통하여, '물결'의 뜻. 밀려오는 파도처럼 떼를 지어 덮쳐 오는 '이리'의 뜻을 나타냄.

[狼顧 낭고] ㉠이리같이 뒤를 돌아다보며 두려워함. ㉡사람의 상(相)의 이름. 이리와 같이 뒤를 돌아다볼 수 있는 머리.
[狼戾 낭려] ㉠이리같이 마음이 비뚤어짐. ㉡낭자(狼藉).
[狼猛 낭맹] 이리와 같이 사나움.
[狼跋其胡載疐其尾 낭발기호재치기미] 늙은 이리는 앞으로 갈 때에는 턱 밑에 늘어져 있는 살을 밟아 자빠지고, 뒤로 물러날 때에는 꼬리를 밟아 넘어진다는 뜻으로, 진퇴양난(進退兩難)을 이름.
[狼噬 낭서] 이리같이 잔인하여 남을 상해(傷害)하거나 공벌(攻伐)함.
[狼筅 낭선] 창(槍) 비슷한 무기(武器)의 한 가지. 길이 1장(丈) 5~6척(尺) 가량임.
[狼心 낭심] 이리 같은 탐욕스러운 마음.
[狼牙拍 낭아박] 성(城)을 지킬 때 쓰는 무기(武器). 장방형(長方形)이고 쇠못을 많이 장치하였으며, 끈으로 매어 놓았다가 적(敵)이 성벽을 기어오를 때 떨어뜨려서 성을 방어함.

[狼筅]

[狼牙拍]

[狼牙棒 낭아봉] 못을 많이 장치한 창(槍) 비슷한 무기(武器). 길이 4~5척(尺) 가량임.
[狼煙 낭연] 봉화(烽火). 이리의 똥을 장작에 섞어 태우면 연기가 곧게 올라간다 함.
[狼藉 낭자] 여기저기 흩어져 어지러움.
[狼子野心 낭자야심] 이리 새끼는 아무리 길들여 기르려 하여도 야수(野獸)의 성질을 벗어나지 못한다는 뜻으로, 본래 성질이 비뚤어진 사람은 아무리 은혜를 베풀어도 종당 배반한다는 비유.
[狼疾 낭질] 마음이 어지러워 사리를 분별할 줄 모르는 병.
[狼呑 낭탄] 이리와 같이 삼킨다는 뜻으로, 작은 것을 버리고 큰 것을 취함을 이름.
[狼貪 낭탐] 이리와 같이 탐욕이 많음.
[狼態猘心 낭태제심] 이리의 형태와 미친개의 마음. 곧, 탐욕스럽고 흉포(兇暴)함의 비유.
[狼狽 낭패] ㉠허겁지겁하여 어찌할 줄 모름. ㉡넘어짐. 거꾸러짐. ㉢실패함.
[狼抗 낭항] 이리와 같이 사나워 남에게 반항함.
[狼虎 낭호] ㉠이리와 범. ㉡무도(無道)하고 욕심이 많아 남을 해치는 자의 비유.
[狼毫 낭호] 이리의 털로 만든 붓.
[狼火 낭화] 낭연(狼煙).
◉驅群羊向虎狼. 白狼. 豺狼. 餓狼. 前門拒虎後門進狼. 前虎後狼. 貪狼. 虎狼. 狐狼.

7 ⑩ [狽] 人名 패 ㊦泰 博蓋切 bèi 狈

字解 ①이리 패 이리〔狼〕의 일종. '一, 獸名. 狼屬也. 生子, 或缺一足二足者, 相附而行, 離則顚'《集韻》. ②허겁지겁할 패 '狼一'는 허둥지둥하여 어찌할 줄 모르는 모양.

字源 形聲. 犭(犬)+貝〔音〕

◉狼狽. 顚狽.

7 ⑩ [狲] 사 shā

字解 종족이름 사 광시 성(廣西省) 지방의 한 종족(種族). '一, 蠻也. 廣西有之'《中華大字典》.

7 ⑩ [狳] 구 qiú

字解 오랑캐이름 구 윈난 성(雲南省) 서변(西邊)의 만족(蠻族).

7 ⑩ [猘] 제 ㊦霽 征例切 zhì

字解 미친개 제 광견(狂犬). '宋國人逐一犬'《漢書》.

字源 篆文 篆文 形聲. 犭(犬)+折(㪿)〔音〕

[猘犬 제견] 미친개. 광견(狂犬).

7 ⑩ [狵] 방 ㊥江 莫江切 máng

字解 삽살개 방 털이 많은 개. 尨(尢部 三畫)과 同字. '一, 犬多毛'《廣韻》.

7 ⑩ [狿] 연 ㊥先 以然切 yán

字解 만연짐승 연 너구리와 비슷함. '㺇一, 獸名似貍而長'《集韻》.

7 ⑩ [狴] 〔광〕
狂(犬部 四畫〈p. 1388〉)의 本字

7 ⑩ **[猑]** 정 [平]青 特丁切 tíng

[字解] 원숭이 정 '一猱, 猨屬'《集韻》.

7 ⑩ **[猎]** 작 [入]藥 七雀切 què

[字解] 개 작 송(宋)나라 양견(良犬)의 이름. '一, 宋良犬名'《集韻》.

7 ⑩ **[狳]** 호 [平]虞 形圖切 hú

[字解] 작은개 호 '一狢, 小犬'《篇海》.

7 ⑩ **[猏]** 소 [平]蕭 相邀切 xiāo

[字解] 미치광이 소 '一, 狂病'《玉篇》.

7 ⑩ **[猃]** 욕 [入]沃 余蜀切 yù

[字解] 독욕(獨猃)짐승 욕 몸은 호랑이 같고, 개 머리에 말 꼬리를 가진 상상상(想像上)의 짐승. '獨一, 獸也'《說文》.

[字源] 篆文 形聲. 犭(犬)＋谷〔音〕

7 ⑩ **[涇]** 경 [上]梗 五郢切 yǐng

[字解] 사냥할 경 사냥함. 사냥질. '一, 狩也'《篇海》.

7 ⑩ **[徉]** 양 [平]陽 移長切 yáng

[字解] 개 양 '一猶'은 개의 이름.

[猫] 〔노〕
山部 七畫(p. 641)을 보라.

7 ⑩ **[猂]** 〔한〕
悍(心部 七畫〈p. 782〉)의 俗字

8 ⑫ **[猋]** 표 [平]蕭 甫遙切 biāo

[字解] ①개떼달릴 표 '一, 群犬走皃'《廣韻》. ②달릴 표 빨리 달리는 형용. '一, 犬走皃'《說文》. ③회오리바람 표 飆(風部 十二畫)와 통용. '一風暴雨總至'《禮記》.

[字源] 金文 篆文 會意. 犬＋犬＋犬. 개가 무리를 지어 달리는 모양을 나타내며, 파생(派生)하여, 빨리 달림을 뜻함.

[猋迅 표신] 바람과 같이 빠름.
[猋勇 표용] 회오리바람처럼 씩씩하고 성(盛)함.
[猋風 표풍] 회오리바람.
[猋忽 표홀] 대단히 빨리 부는 바람. 질풍(疾風).

8 ⑫ **[猒]** [一] 염 [平]鹽 一鹽切 yàn
[二] 엽 [入]葉 益涉切 yā

[字解] [一] ①물릴 염 ㉠싫어짐. '一, 飽也. 足也'《說文》. ㉡만족함. 넉넉함. '豈敢一縱其耳目心腹, 以亂百度'《國語》. ②편안할 염 안정됨. 懕(心部 十四畫)과 통함. '一, 安也'《揚子方言》.
[二] ①막을 엽 '於是東游以一當之'《漢書》. ②다그칠 엽 엎음. 합함. 厭(厂部 十二畫)과 同字. '厭, 笮也. 一曰, 伏也. 合也. 或作一'《集韻》.

[字源] 金文 篆文 別體 會意. 金文은 口＋月(肉)＋犬. 개 따위의 희생의 고기를 입에 넣고 만족해하는 뜻을 나타냄. 음형상(音形上)으로는 '奄엄'과 통하여, 욕망을 다 덮어 버리는 뜻에서, '물리다'의 뜻을 나타냄. 篆文은 '口구'가 '曰왈'로 변형된 것.

8 ⑫ **[猴]** 〔장〕
獎(大部 十一畫〈p. 510〉)과 同字

8 ⑪ **[猇]** 효 [平]肴 許交切 xiāo

[字解] ①범의소리 효 범이 사람을 물려고 으르렁대는 소리. '一, 虎聲'《廣韻》. ②개짖는소리 효 '一, 一曰犬聲'《集韻》. ③옛고을이름 효 현명(縣名). 지금의 산둥 성(山東省) 장구현(章丘縣) 북쪽에 있음. '濟南郡一'《漢書》.

[字源] 會意. 犭(犬)＋虎

8 ⑪ **[猊]** [人名] 예 [平]齊 五稽切 ní

[字解] 사자 예 고양잇과(科)에 속하는 맹수의 하나. '狻一野馬走五百里'《穆天子傳》.

[字源] 形聲. 犭(犬)＋兒〔音〕

[猊座 예좌] 《佛教》 불좌(佛座). 전(轉)하여, 고승(高僧)의 좌석(座席). 또는 설법(說法)하는 장소(場所).
[猊下 예하] 고승(高僧)의 경칭(敬稱).
◉狻猊.

8 ⑪ **[猍]** 래 [平]灰 落哀切 lái

[字解] ①너구리 래 '貍, 貍也. 一, 上同'《廣韻》. ②오랑캐이름 래 광시(廣西) 지방의 만족(蠻族). '一, 蠻族'《中華大字典》.

[字源] 形聲. 犭(犬)＋來〔音〕

8 ⑪ **[猓]** 과 [上]哿 古火切 guǒ

[字解] ①긴꼬리원숭이 과 원숭이의 일종. 꼬리가 몹시 긺. '一然'. ②오랑캐이름 과 '一玀'는 중국 서남방에 살던 만족(蠻族)으로, 묘족(苗族)의 일종.

[字源] 形聲. 犭(犬)＋果〔音〕

[猓玀 과라] 자해(字解)❷를 보라.
[猓然 과연] 긴꼬리원숭이.

8 ⑪ **[猖]** [人名] 창 [平]陽 尺良切 chāng

[字解] 미칠 창 미쳐 날뜀. '一蹶'. '一狂妄行, 乃蹈乎大方'《莊子》.

[字源] 形聲. 犭(犬)＋昌〔音〕. '昌창'은 '왕성하다'의 뜻. 기세가 세찬 개, 미쳐 날뛰다의 뜻을 나타냄.

[猖狂 창광] 미쳐 날뜀.

[猖獗 창궐] ㉠함부로 날뜀. 좋지 못한 세력(勢力)이 성(盛)하게 퍼져서 제어(制御)하기 어려움. ㉡걸려 넘어짐.
[猖蹶 창궐] 창궐(猖獗).
[猖蹷 창궐] 창궐(猖獗).
[猖厲 창려] 인정(人情)이 없고 엄(嚴)함.
[猖悖 창패] 미쳐서 도리에 어그러짐.
[猖披 창피] ㉠옷을 입고 띠는 띠지 않음. ㉡《韓》체면이나 마음에 대한 부끄러움.
◉姦猖. 披猖.

8 ⑪ [猤] ㊀ 와 ㊥歌 烏和切 wō
㊁ 위 ㊥支 邕危切 wēi

字解 ㊀ 발바리 와 발바리. 猧(犬部 九畫)와 同字. ㊁ 개 위 개의 한 가지. '一猗'.

8 ⑪ [猗] ㊀ 의 ①-④㊥支 於離切 yī
⑤-⑦㊤紙 於綺切 yǐ
㊁ 아 ㊤哿 倚可切 ē

字解 ㊀ ①불깐개 의 거세한 개. ②아 의 탄미(歎美)하는 소리. '一嗟'. '一與漆沮'《詩經》. ③길 의 짧지 아니함. '有實其一'《詩經》. ④어조사 의 어귀의 끝에 쓰는 조자(助字). 兮(八部 二畫)와 동의(同意). '斷斷一無他技'《書經》. ⑤의지할 의 倚(人部 八畫)와 통용. '一重較兮'《詩經》. ⑥보탤 의 가(加)함. '一于畝丘'《詩經》. ⑦잔물결 의 漪(水部 十一畫)와 통용. '河水清且漣一'《詩經》. ㊁ 부드러울 아 야들야들한 모양. 유연(柔輭)한 모양. 또, 유순한 모양. '一儺其枝'《詩經》.

字源 篆文 形聲. 犭(犬)＋奇〔音〕. '奇기'는 간추려지지 않다의 뜻. 거세(去勢)된 개의 뜻을 나타냄. 또 탄미(嘆美)하는 말 '아'의 의성어(擬聲語)로서 쓰임.

[猗儺 아나] 부드러운 모양. 또, 유순한 모양.
[猗頓之富 의돈지부] 의돈은 춘추 시대(春秋時代) 노국(魯國)의 대부호이므로 거만(巨萬)의 부(富)를 이름.
[猗蘭 의란] 한무제(漢武帝)의 궁전(宮殿)의 이름.
[猗與 의여] 감탄하는 소리.
[猗蔚 의울] 초목이 무성한 모양.
[猗萎 의위] 바람에 흔들리는 모양.
[猗違 의위] 확실히 결정하지 아니하는 모양. 의위(依違).
[猗猗 의의] ㉠아름답고 무성한 모양. ㉡긴 모양.
[猗嗟 의차] 의여(猗與).
◉陶猗. 邈猗. 連猗. 漣猗. 鬱猗.

8 ⑪ [猘] 제 ㊦霽 征例切 zhì

字解 미친개 제 광견. 狾(犬部 七畫)와 同字. '一狗之驚'《淮南子》.

字源 形聲. 犭(犬)＋制〔音〕. '制제'는 손으로 끌어 잡아서 자유롭게 해 주지 않다의 뜻. 자유롭게 풀어놓아서는 안 되는 개, 흉포한 개의 뜻을 나타냄.

[猘犬 제견] 미친개. 광견(狂犬).
[猘狗 제구] 제견(猘犬).
[猘兒 제아] 몹쓸 소년.

8 ⑪ [猙] 쟁 ㊥庚 側莖切 zhēng

字解 ①짐승이름 쟁 표범 비슷하며, 뿔 하나 꼬리 다섯이 있다는 상상상(想像上)의 짐승. 일설(一說)에는, 여우 비슷하며 날개가 있다 함. '章莪之山, 有獸焉. 其狀如赤豹, 五尾一角, 其音如擊石. 其名曰一. (註)一曰, 似狐有翼'《山海經》. ②사나울 쟁 포악함. '容貌一獰'《廣異記》.

字源 形聲. 犭(犬)＋爭〔音〕

[猙獰 쟁녕] 사나움. 포악함.

8 ⑪ [猄] 경 ㊥庚 古卿切 jīng

字解 ①짐승이름 경 '一, 獸名'《字彙》. ②《現》사슴 경 '黃一'은 사슴의 일종.

8 ⑪ [猛] 高·人 맹 ㊤梗 莫杏切 měng

筆順 丿 犭 犭 犭 犭 犭 猛 猛

字解 ①날랠 맹 용감함. '一將'. '虎豹之皮, 示服一也'《禮記》. ②엄할 맹 너그럽지 아니함. '寬一相濟'. '寬以濟一'《左傳》. ③사나울 맹 ㉠흉포함. '一惡'. '苛政一于虎'《禮記》. ㉡맹렬함. '一雨'. '烈于一火'《書經》. ④성 맹 성(姓)의 하나.

字源 篆文 形聲. 犭(犬)＋孟〔音〕. '孟맹'은 '罵매'와 통하여, '욕하다'의 뜻. 욕하는 개의 뜻에서, 사나운 개의 뜻을 나타냄.

[猛炬 맹거] ㉠맹렬히 타는 횃불. ㉡화톳불.
[猛犬 맹견] 사나운 개.
[猛決 맹결] 사납고 결단성이 있음.
[猛勁 맹경] 사납고 셈.
[猛禽 맹금] 사나운 새.
[猛禽類 맹금류] 몸이 강대(強大)하고 날개가 크고 부리·발톱이 날카로우며 성질(性質)이 흉악(凶惡)하여 다른 새를 잡아먹는 조류(鳥類). 매·수리 등.
[猛急 맹급] 사납고 급함.
[猛氣 맹기] 사나운 기세.
[猛浪 맹랑] 거센 물결. 노도(怒濤).
[猛戾 맹려] 사나워 도리에 어그러짐.
[猛烈 맹렬] 기세가 사납고 세참.
[猛士 맹사] 용사(勇士).
[猛性 맹성] 사나운 성질.
[猛省 맹성] 매우 깊이 반성(反省)함.
[猛勢 맹세] 맹렬(猛烈)한 세력(勢力).
[猛水 맹수] 세차게 흐르는 물. 격류(激流).
[猛獸 맹수] 사나운 육식류(肉食類)의 짐승.
[猛獸將擊必弭毛帖伏 맹수장격필미모첩복] 맹수가 짐승을 쳐 잡으려고 할 때에는 귀를 내려뜨리고 잠복한다는 뜻으로, 적을 치려고 할 때에는 비밀리에 계획을 추진하여야 한다는 비유.
[猛襲 맹습] 맹렬한 습격(襲擊).
[猛惡 맹악] 사납고 악함.
[猛然 맹연] 기세가 맹렬한 모양.
[猛銳 맹예] 굳세고 예민함.
[猛勇 맹용] 용맹함.
[猛雨 맹우] 세차게 급히 오는 비.
[猛威 맹위] 맹렬한 위세(威勢).
[猛毅 맹의] 의지가 강하여 불의(不義)에 굽히지

아니함.
[猛壯 맹장] ㉠엄(嚴)하고 강함. ㉡세참. 거셈.
[猛將 맹장] 용감한 장수(將帥).
[猛敵 맹적] 강적(強敵).
[猛政 맹정] 가혹한 정치.
[猛鳥 맹조] 사나운 새. 수리·매·올빼미 따위.
[猛卒 맹졸] 용감한 군사.
[猛志 맹지] 굳센 의지.
[猛進 맹진] 세차게 나아감.
[猛捷 맹첩] 용감하고 민첩함.
[猛打 맹타] 몹시 때림.
[猛鬪 맹투] 맹렬(猛烈)히 싸움.
[猛暴 맹폭] 사나움.
[猛爆 맹폭] 맹렬(猛烈)한 폭격(爆擊).
[猛風 맹풍] 맹렬(猛烈)히 부는 바람.
[猛虎伏草 맹호복초] 맹호가 풀 속에 엎드려 있음. 영웅은 숨어 있어도 반드시 나타나게 됨을 비유하는 말.
[猛虎一聲山月高 맹호일성산월고] 사나운 범이 고요한 밤중에 주위의 정적(靜寂)을 깨뜨리고 한 번 울었는데 때마침 산 위에는 달이 높이 떠 있다는 당(唐)나라 사람의 시구(詩句)로서, 밤중의 깊은 산중의 처절(凄絕)한 광경을 단적(端的)으로 표현한 것임.
[猛虎在深山 맹호재심산] 사나운 범이 깊은 산중에 있다는 뜻으로, 호걸(豪傑)이 자기의 뜻을 펼 만한 적소(適所)를 얻은 것을 비유하는 말.
[猛火 맹화] 기세가 맹렬한 불.
[猛訓練 맹훈련] 맹렬히 하는 훈련.
◉剛猛. 激猛. 勁猛. 寬濟猛. 武猛. 嚴猛. 獰猛. 勇猛. 雄猛. 威猛. 威而不猛. 壯猛. 粗猛. 鷙猛. 梟猛.

8 ⑪ [㹱] 경 ㊤庚 居行切 gēng
字解 개이름 경 개 이름. '狻—'.

8 ⑪ [猜] 人名 시 ㊤灰 倉才切 cāi
字解 ①시새울 시 투기함. '—忌'. '耦俱無—'《左傳》. ②의심할 시 의구함. '—阻'. '雖吾子亦有—焉'《左傳》. ③시기 시, 의심 시 이상(以上)의 명사. '愚者抱—'《梁書》.
字源 篆文 會意. 犭(犬)+青. 검푸른 개의 뜻에서, 의심쩍게 시새우다의 뜻을 나타냄.

[猜警 시경] 의심하여 경계함.
[猜隙 시극] 서로 시기하여 사이가 좋지 못함.
[猜忌 시기] 샘하여 미워함. 샘.
[猜謗 시방] 시기하여 비방함.
[猜忤 시오] 시기하여 거역함.
[猜畏 시외] 시기하고 두려워함.
[猜怨 시원] 시기하고 원망함.
[猜意 시의] 시새우는 마음.
[猜疑 시의] 시기하고 의심함.
[猜貳 시이] 시의(猜疑).
[猜忍 시인] 시기심이 많고 잔인함.
[猜阻 시조] 의심하여 막음.
[猜察 시찰] 의심하여 살핌.
[猜讒 시참] 시방(猜謗).
[猜憚 시탄] 시기하고 꺼림.
[猜妬 시투] 시기하고 질투함.
[猜恨 시한] 시기하여 원한을 품음.
[猜害 시해] 시기하여 해침.
[猜險 시험] 시기(猜忌)하는 마음이 많고 음험(陰險)함.
[猜嫌 시혐] 시기하여 싫어함.
[猜毁 시훼] 시기하여 헐담함.
◉雄猜. 怨猜. 疑猜. 妬猜. 嫌猜.

8 ⑪ [猝] 人名 졸 ㊥月 倉沒切 cù
字解 갑작스러울 졸 생각할 사이 없이 급함. '—然'. '倉—'. '項王意烏—嗟'《漢書》.
字源 篆文 形聲. 犭(犬)+卒〔音〕. '卒졸'은 '突돌'과 통하여, '갑작스러움'의 뜻. 개가 갑작스레 뛰어나가는 뜻에서, '갑작스럽게'의 뜻을 나타냄.

[猝富 졸부] 별안간 된 부자(富者).
[猝死 졸사] 별안간 죽음.
[猝然 졸연] 갑자기. 별안간. 창졸간.
[猝嗟 졸차] 갑자기 발하는 탄성(歎聲).
[猝寒 졸한] 별안간 닥쳐오는 추위.
[猝曉 졸효] 갑자기 깨달음.
◉雜猝. 倉猝.

8 ⑪ [猎] ㊀ 작 ㊥藥 七約切 què ㊁ 석 ㊥陌 秦昔切 xī
字解 ㊀ 개 작 송(宋)나라 양견(良犬)의 이름. 猉(犬部 七畫)과 同字. ㊁ 짐승이름 석 곰 비슷한 짐승의 이름. '—, 黑獸, 似熊'《集韻》.

8 ⑪ [猈] 패 ㊤蟹 薄蟹切 bài
字解 ①발바리 패 정강이가 짧은 개. '—, 短脛犬'《說文》. ②목짧은개 패 '—, 犬短頸'《廣韻》.
字源 篆文 形聲. 犭(犬)+卑〔音〕

8 ⑪ [猉] 기 ㊤支 渠之切 qí
字解 강아지 기 '汝南謂犬子爲—'《廣韻》.

8 ⑪ [猑] 곤 ㊤元 古渾切 kūn
字解 ①큰개 곤 '—, 大犬也'《集韻》. ②들말 곤 '—𧿒'은 야생의 말. '罽—𧿒. (注) —𧿒, 野馬也'《後漢書》.

8 ⑪ [猔] 종 ㊦宋 子宋切 zòng
字解 외둥이강아지 종.

8 ⑪ [猋] 탁 ㊥覺 直角切 zhuó
字解 ①사나운개 탁 맹견. 또, 개가 사나워서 들이덤벼 묾. '—, 猛犬'《玉篇》. ②사냥할 탁 사냥. 사냥함. '—, 狩也'《玉篇》.

8 ⑪ [猒] 견 ㊤先 古賢切 jiān
字解 큰돼지 견, 사릅돼지 견 세 살 된 돼지. '懼虎而刺—. (注) 獸三歲曰—也'《呂氏春秋》.

8 ⑪ [猖] 굴 ㊥物 九勿切 jué

字解 짐승이름 굴 서역(西域)에 산다는 짐승 이름. '猧一'.

8 ⑪ [猕] 〔미〕
獼(犬部 十七畫〈p.1409〉)의 俗字

8 ⑪ [猟] 〔렵〕
獵(犬部 十五畫〈p.1408〉)의 俗字

8 ⑪ [狕] 〔교〕
狡(犬部 六畫〈p.1393〉)의 俗字

8 ⑪ [猪] 〔저〕
豬(犬部 九畫〈p.1400〉)의 俗字

8 ⑪ [猖] 〔창〕
悵(心部 八畫〈p.789〉)의 俗字

8 ⑪ [猫] 〔묘〕
貓(犬部 九畫〈p.1401〉)의 俗字

9 ⑬ [猷] 人名 유 ㊥尤 以周切 yóu

筆順 ノ ハ 亼 亼 台 酋 酋 猷 猷

字解 ①꾀 유 모계(謀計). '謀一'. '爾有嘉謀嘉一'《書經》. ②꾀할 유 '一念'. '汝, 一黜乃心'《書經》. ③그릴 유 그림을 그림. '以一鬼神祇'《爾雅 注》. ④길 유 도(道). 도리. '若昔之大一'《書經》. ⑤같을 유 猶(犬部 九畫)와 통용. ⑥아 유 탄식하여 내는 소리. '一大誥爾多邦'《書經》. ⑦성 유 성(姓)의 하나.

字源 形聲. 犬+酋〔音〕

[猷念 유념] 곰곰이 생각함.

◉嘉猷. 光猷. 宏猷. 機猷. 大猷. 謀猷. 聖猷. 令猷. 英猷. 王猷. 遠猷. 才猷. 帝猷. 顯猷. 鴻猷. 皇猷.

9 ⑬ [献] 〔헌〕
獻(犬部 十六畫〈p.1408〉)의 俗字

9 ⑫ [猢] 호 ㊥虞 戶吳切 hú

字解 원숭이 호 속어(俗語)로 원숭이를 '一猻'이라 함.

字源 形聲. 犭(犬)+胡〔音〕

[猢猻 호손] 자해(字解)를 보라.

[猢猻君子 호손군자] 고지식한 원숭이를 이르는 말.

[猢猻入布袋 호손입포대] 원숭이가 큰 자루 속에 들어갔다는 뜻으로, 야성적(野性的)인 사람이 속박을 받음의 비유.

9 ⑫ [猥] 人名 외 ㊤賄 烏賄切 wěi

字解 ①뒤섞일 외 난잡함. 혼잡함. '一雜'. '取此雜一之物'《左傳 註》. ②더러울 외 ㉠아비함. 상스러움. '卑一不獲處人間'《洞冥記》. ㉡추잡함. '一褻'. ③성(盛)할 외 왕성함. '無不一大'《漢書》. ④많을 외 '水一盛則放溢'《漢書》. ⑤쌓을 외 축적함. '勿一勿并'《漢書》. ⑥함부로 외 아무 생각 없이 마구. '何故一自發舒'《漢書》. ⑦외람될 외 외람되이. 분수에 넘치게. 스스로 겸손하는 말. '一託賓客之上'《後漢書》.

字源 篆文 形聲. 犭(犬)+畏〔音〕. '畏외'는 개가 우는 소리의 의성어(擬聲語). 개 짖는 소리의 뜻을 나타내며, 전(轉)하여, '더럽다, 함부로'의 뜻도 나타냄.

[猥計 외계] 모두를 계량(計量)함.

[猥多 외다] 대단히 많음.

[猥大 외대] 왕성(旺盛).

[猥濫 외람] 하는 짓이 분수에 넘침.

[猥褻 외설] 남녀 간의 색정에 관하여 언어 행동이 난잡함. 언어 행동이 사회의 풍속을 해칠 정도로 추잡함.

[猥盛 외성] 많고 성(盛)함.

[猥俗 외속] 상스러운 풍속.

[猥人 외인] 천(賤)한 사람. 상사람.

[猥雜 외잡] 난잡(亂雜)함. 혼잡함.

◉卑猥. 鄙猥. 冗猥. 淫猥. 雜猥. 積猥. 貪猥.

9 ⑫ [猧] 와 ㊥歌 烏禾切 wō

字解 발바리 와 동양 특산의 작은 개. '嬌一睡猶怒'《元稹》.

字源 形聲. 犭(犬)+咼〔音〕. '咼과'는 '矮왜'와 통하여, '키가 작다'의 뜻. 작은 개의 일종.

◉嬌猧.

9 ⑫ [猨] 원 ㊥元 雨元切 yuán

字解 원숭이 원 猿(犬部 十畫)과 同字. '一臂'.

字源 形聲. 犭(犬)+爰〔音〕. '爰원'은 '당기다'의 뜻. 긴 손으로 물건을 끌어당겨서 집는 동물, '원숭이'의 뜻을 나타냄.

[猨臂 원비] 원숭이와 같은 긴 팔.

[猨臂之勢 원비지세] 형세가 좋을 때에는 진출하고 불리할 때에는 퇴각하여 군대의 진퇴(進退)를 자유로이 한다는 뜻.

[猨狖 원유] 팔이 긴 원숭이와 꼬리가 긴 원숭이.

[猨狖顚蹶失木枝 원유전궐실목지] 원숭이도 나무에서 떨어진다는 뜻으로, 지모(智謀)가 있는 자도 때로는 실패함을 이름.

9 ⑫ [猩] 人名 성 ㊥庚 所庚切 xīng

字解 성성이 성 '一一'은 ㉠유인원과(類人猿科)에 속하는 짐승. 모양이 사람과 가장 닮았으며, 힘이 세어 악어와 큰 뱀을 잡아먹음. ㉡상상(想像)의 동물(動物). 머리털이 길고 술을 좋아하며 춤을 잘 춤. '一一能言, 不離禽獸'《禮記》.

字源 篆文 形聲. 犭(犬)+星〔音〕

[猩猩 성성] 자해(字解)를 보라.

[猩猩能言不離禽獸 성성능언불리금수] 성성이는 사람같이 말하지마는 금수를 벗어나지 못함. 사람에게 예의가 없으면 금수와 다름이 없다는 비유.

[猩猩緋 성성비] 선명(鮮明)한 심홍색(深紅色).
[猩猩血 성성혈] 빨간 피.
[猩狖 성유] 원숭이.
[猩紅 성홍] 성성(猩猩)이의 피같이 선명(鮮明)한 붉은빛.
[猩紅熱 성홍열] 몹시 발열(發熱)하여 전신이 발갛게 되는 전염병.

9 ⑫ [猱] 노 [平]豪 奴刀切 náo

[字解] 원숭이 노 긴팔원숭이. '毋教—升木'《詩經》.
[字源] 形聲. 犭(犬)+柔〔音〕

[猱狖 노유] 원숭이.
[猱玃 노확] 큰 원숭이.

9 ⑫ [猥] 시 [上]紙 胥里切 xǐ

[字解] 두려워할 시 불안(不安)함. 마음이 진정(鎭靜)되지 않음. '—, 不安也'《集韻》. '心——而發悸'《王延壽》.

[猥猥 시시] 두려워하는 모양.

9 ⑫ [猲] 갈 [入]曷 許葛切 xiē

[字解] ①개 갈 주둥이가 짧은 개. '載獫—獢'《詩經》. ②으를 갈 喝(口部 九畫)과 통용. '各爲權勢, 恐—良民'《漢書》. ③큰이리 갈 '—狚'은 큰 이리. 또, 이리 비슷하고 목이 붉으며 쥐 눈을 가진 동물의 이름. '—狚, 巨狼'《集韻》.
[字源] 篆文 形聲. 犭(犬)+曷〔音〕

◉恐猲.

9 ⑫ [猴] 후 [平]尤 戶鉤切 hóu

[字解] 원숭이 후 원숭잇과에 속하는 짐승. 모양이 사람과 비슷함. '楚人沐—而冠耳'《史記》.
[字源] 甲骨文 篆文 形聲. 犭(犬)+侯〔音〕. '侯후'는 '候후'와 통하여, 살피다, 눈치를 보고 떠들어 대다의 뜻. 甲骨文은 원숭이의 象形.

[猴猿 후원] 원숭이.
◉沐猴. 獼猴. 猨猴. 猿猴. 狙猴. 情猴. 玃猴.

9 ⑫ [猴] 猴(前條)의 本字

9 ⑫ [猵] 편 [平]先 布玄切 biān

[字解] 수달 편 거대(巨大)한 수달(水獺). '畜池魚者, 必去—獺'《淮南子》.
[字源] 篆文 別體 形聲. 犭(犬)+扁〔音〕. '扁편'은 '넓적하다'의 뜻. 개와 비슷한 편평한 수달. 별체(別體)는 犬+賓〔音〕.

[猵獺 편달] 수달(水獺).

9 ⑫ [猶] [中·人] ㊀ 유 [平]尤 以周切 yóu ㊁ 요 [平]蕭 餘招切 yáo 犹

[筆順] 丿 犭 犭 犭' 犷 猶 猶 猶

[字解] ㊀ ①원숭이 유 원숭이의 일종. 의심이 많으며 나무를 잘 탐. ②망설일 유 주저함. 의심하여 결단을 못 내림. '—豫'. '—兮如畏四隣'《老子》. ③같을 유 ㉠유사함. '性—杞柳也'《孟子》. ㉡똑같음. '淑人君子, 其德不—'《詩經》. ④가히 유 조동사의 '可'와 뜻이 같음. '—來無止'《詩經》. ⑤오히려 유 ㉠도리어 좀. 더욱더. '我—尸之'《莊子》. ㉡아직도 좀. 그래도 좀. '管仲晏子—不足爲與'《孟子》. ㉢여전히. 계속하여. '然—不止'《史記》. ⑥꾀 유, 꾀할 유 猷(犬部 九畫)와 同字. '克壯其—'《詩經》. '允—翕河'《詩經》. ⑦말미암을 유 由(田部 一畫)와 同字. '文王—方百里起'《孟子》. ⑧성 유 성(姓)의 하나. ㊁ 움직일 요 搖(手部 十畫)와 통용. '咏斯—, —斯舞'《禮記》.
[字源] 甲骨文 金文 篆文 形聲. 犭(犬)+酋〔音〕. '酋유'는 '묵은 술'의 뜻. 산 제물인 개와 술을 신에게 차려 놓고, 신전(神前)에서 계획을 꾸미는 뜻을 나타냄. '猷유'는 동일어(同一語)의 다른 체. 또, '逌유'와 통하여, 누긋이 있다의 뜻도 나타내며, 假借하여, '오히려·더구나'의 뜻으로도 씀.

[猶女 유녀] 조카딸.
[猶父 유부] 삼촌(三寸).
[猶與 유여] 유예(猶豫).
[猶然 유연] 웃는 모양.
[猶豫 유예] 의심하여 결정하지 않는 모양. 할까 말까 망설이는 모양.
[猶豫未決 유예미결] 망설여 결정짓지 못함.
[猶爲不足 유위부족] 오히려 모자람.
[猶猶 유유] ㉠유예미결(猶豫未決)하는 모양. ㉡빠르지도 않고 느리지도 않아 중용(中庸)을 얻은 모양.
[猶子 유자] 형제의 아들. 조카.
[猶太教 유태교] 유태인(猶太人)이 믿는 일신교(一神教). 모세의 율법(律法)을 교지(教旨)로 함.
◉仇猶. 相猶. 五猶. 夷猶.

9 ⑫ [猪] [人名] 저 [平]魚 陟魚切 zhū 猪

[字解] ①돼지 저 豬(豕部 九畫)의 俗字. ②웅덩이 저, 괼 저 瀦(水部 十六畫)와 同字. '—水'. '大野既—'《書經》.
[字源] 形聲. 犭(犬)+者〔音〕

[猪肝 저간] 돼지의 간(肝).
[猪膽 저담] 돼지의 쓸개.
[猪突 저돌] 산돼지처럼 앞뒤 생각 없이 앞으로만 돌진함.
[猪突豨勇 저돌희용] ㉠돼지와 같이 앞으로만 돌진하는 용맹. ㉡한(漢)나라 때 수도(囚徒)·가노(家奴)로써 모집한 군대를 이름.
[猪毛 저모] 돼지의 털.
[猪水 저수] 괸 물.
[猪勇 저용] 앞뒤 생각 없이 함부로 날뛰는 용기.
[猪肉 저육] 돼지고기. 제육.

◉鸑猪. 墨猪. 山猪. 野猪. 偃猪. 一龍一猪. 箭猪. 蒿猪. 豪猪.

9 ⑫ [猫] [人名] 묘 [平]蕭 武交切 māo 

[字解] ①고양이 묘 貓(豸部 九畫)의 俗字. '養一以捕鼠'《蘇軾》. ②닻 묘 錨(金部 九畫)와 통용. '船上鐵一'《俗書刊誤》.
[字源] 形聲. 犭(犬)+苗〔音〕. '苗묘'는 고양이의 울음소리를 나타내는 의성어. '고양이'의 뜻을 나타냄.

[猫兒 묘아] 고양이 새끼.
[猫柔 묘유] 고양이같이 겉으로는 유순하나 속은 음험함.

9 ⑫ [猤] 계 [去]寘 其季切 jì

[字解] 날랠 계 용장(勇壯)한 모양. '狂趡獷一'《左思》.
[字源] 形聲. 犭(犬)+癸〔音〕

◉獷猤.

9 ⑫ [猳] 가 [平]麻 古牙切 jiā

[字解] 수퇘지 가 豭(豕部 九畫)와 同字. '旦暮欲齧我一'《管子》.
[字源] 形聲. 犭(犬)+叚〔音〕

9 ⑫ [猣] 종 [平]東 子紅切 zōng

[字解] 솔발이 종 한배에서 난 세 마리의 강아지. '犬生三, 一'《爾雅》.

9 ⑫ [猰] [一] 알 [入]黠 烏黠切 yà
[二] 갈 [入]黠 古鎋切 jiá

[字解] [一] 알유(猰貐)짐승 알 짐승의 이름. '一貐, 獸名'《說文新附》. [二] ①얼룩개 갈 털이 얼룩얼룩한 개. '一, 雜犬'《玉篇》. ②개 갈 '一, 犬也'《集韻》.
[字源] [篆文] 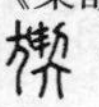 形聲. 犭(犬)+契〔音〕

9 ⑫ [㺄] 〔유〕
貐(豸部 九畫〈p. 2182〉)의 俗字

9 ⑫ [猑] 휘 [平]微 許歸切 huī

[字解] 짐승이름 휘 '獄法之山, 有獸焉. 其狀如犬而人面, 善投. 見人則笑. 其名山一. 其行如風. 見則天下大風'《山海經》.
[字源] [篆文]  形聲. 犭(犬)+軍〔音〕

9 ⑫ [猯] 단 [平]寒 他端切 tuān

[字解] 멧돼지 단 貒(豕部 九畫)과 同字. '一, 野猪'《玉篇》.
[字源] 形聲. 犭(犬)+耑〔音〕

9 ⑫ [猭] [一] 전 ①②[平]先 余專切 chuàn
③[去]霰 寵戀切
[二] 연 [平]先 丑緣切
[三] 선 [平]先 尸連切 shān

[字解] [一] ①달릴 전 '獑一·一獑'은 토끼 따위가 달리는 모양. ②짐승이름 전 [三]과 뜻이 같음. ③달릴 전 짐승이 풀 사이를 달림. '獸不得一'《馬融》. [二] 달릴 연, 짐승이름 연 [一]❶❷와 뜻이 같음. [三] 짐승이름 선 토끼와 비슷한 짐승. '一, 獸名. 似兔'《集韻》.

9 ⑫ [犭叜] 〔수〕
獀(犬部 十畫〈p. 1402〉)의 本字

9 ⑫ [猬] 〔위〕
蝟(虫部 九畫〈p. 2021〉)와 同字

10 ⑭ [獄] [高人] 옥 [入]沃 魚欲切 yù 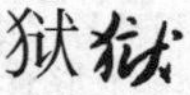

[筆順] 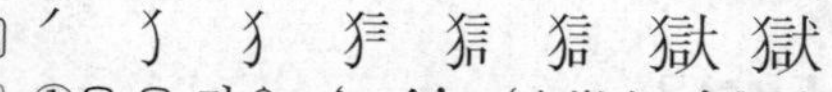

[字解] ①옥 옥 감옥. '一舍'. '宜岸宜一'《詩經》. ②송사 옥 소송. '訟一'. '折一'. '何以速我一'《詩經》. ③판결 옥 재판. '使者覆一'《漢書》. ④법 옥 율령(律令). '遂使書一'《漢書》. ⑤죄 옥 죄악. 죄상. '褒人褒姁有一'《國語》.
[字源] [金文] 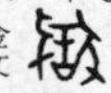 [篆文]  會意. 㹜+言. '㹜은'은 두 마리의 개가 지키고 망을 보다의 뜻이라고도 하고, 두 마리 개가 다투다의 뜻이라고도 하며, 희생으로 바치는 개의 뜻이라고도 함. '言언'은 '맹세'의 뜻 또는 호소하여 다투다의 뜻이라고 함. 사람으로 하여금 위압감을 느끼게 하는 장소의 뜻에서, '감옥, 송사, 재판' 등의 뜻을 나타냄.

[獄牢 옥뢰] 옥사(獄舍).
[獄吏 옥리] 옥(獄)에 갇힌 죄수(罪囚)를 맡은 벼슬아치.
[獄門 옥문] 옥(獄)의 드나드는 문(門).
[獄法 옥법] 옥칙(獄則).
[獄死 옥사] 죄인(罪人)이 옥(獄)에서 죽음.
[獄舍 옥사] 감옥. 옥.
[獄事 옥사] 반역(叛逆)·살인(殺人) 등 중대(重大)한 범죄(犯罪)를 다스리는 일.
[獄胥 옥서] 옥리(獄吏).
[獄訟 옥송] 송사(訟事).
[獄囚 옥수] 옥(獄)에 갇힌 죄수(罪囚).
[獄犴 옥안] 옥. 감옥.
[獄案 옥안] 형사 재판의 조서(調書).
[獄圄 옥어] 옥사(獄舍).
[獄掾 옥연] 옥리(獄吏).
[獄丁 옥정] 옥졸(獄卒).
[獄卒 옥졸] ㉠옥에 갇힌 죄수를 맡아 지키는 하례(下隷). 옥사쟁이. 간수(看守). ㉡《佛敎》 지옥에서 망자(亡者)를 괴롭히는 악귀(惡鬼).
[獄中 옥중] 옥(獄) 속.
[獄窓 옥창] ㉠옥사(獄舍)의 창(窓). ㉡옥중(獄中).
[獄則 옥칙] 옥(獄)의 규칙.
[獄刑 옥형] 재판(裁判).
◉監獄. 決獄. 繫獄. 鞫獄. 牢獄. 斷獄. 讞獄. 大獄. 無間地獄. 訟獄. 囚獄. 煉獄. 冤獄. 疑獄. 入獄. 典獄. 制獄. 詔獄. 地獄. 聽獄. 出獄. 治獄. 脫獄. 投獄. 破獄. 片言折獄. 下獄. 刑獄.

10
⑭ [獃] 애 [平]灰 五來切 dāi, ái

[字解] 어리석을 애 우둔함. 시비·선악을 분별 못 함. '一癡'.
[字源] 形聲. 犬+豈〔音〕

[獃癡 애치] 어리석음. 시비·선악을 분별 못 함.
◉擡獃. 阿獃.

10
⑭ [㺇] [一] 혹 [入]屋 呼木切 hù
[二] 구 [去]有 居候切
[三] 학 [入]覺 黑角切

[字解] [一] 짐승이름 혹 ㉠개의 일종. '一, 似犬惡也. 上黃不黑'《玉篇》. ㉡암양(羊) 비슷한 짐승. ㉢원숭이의 일종. '一, 爲猨屬'《正字通》. [二] 짐승이름 구 [一]과 뜻이 같음. [三] 짐승이름 학 '一, 獸名'《集韻》.
[字源] 形聲. 犭(犬)+㱿〔音〕

10
⑬ [猺] 요 [平]蕭 餘昭切 yáo

[字解] 오랑캐이름 요 중국 서남 지방의 만족(蠻族). '山一穴居野處'《溪蠻叢談》.
[字源] 形聲. 犭(犬)+䍃〔音〕

◉峒猺. 蠻猺. 猅猺.

10
⑬ [猻] 손 [平]元 思渾切 sūn

[字解] 원숭이 손 속어(俗語)로 원숭이를 '猢一'이라 함.
[字源] 形聲. 犭(犬)+孫〔音〕

◉猢猻. 猴猻.

10
⑬ [猾] [人名] 활 [入]黠 戶八切 huá

[字解] ①교활할 활 간교(奸巧)함. '一吏'. '一民佐吏爲治'《史記》. ②어지러울 활, 어지럽힐 활 '蠻夷一夏'《書經》.
[字源] 形聲. 犭(犬)+骨〔音〕. '骨골'은 '滑활'과 통하여, '매끄럽다'의 뜻. 잔꾀가 매끄럽게 작용하다, 사람답지 않은 사람의 뜻에서, '교활하다, 어지럽히다'의 뜻을 나타냄.

[猾吏 활리] 교활한 관리.
[猾民 활민] 교활한 백성.
[猾胥 활서] 활리(猾吏).
[猾惡 활악] 교활함. 간악함. 또, 그 사람.
[猾賊 활적] 교활하여 남을 해침. 또, 그 사람.
[猾智 활지] 교활한 지혜.
[猾獪 활회] 활악(猾惡).
◉奸猾. 姦猾. 輕猾. 巧猾. 狡猾. 老猾. 邪猾. 佞猾. 貪猾. 險猾. 獪猾.

10
⑬ [猿] [人名] 원 [平]元 雨元切 yuán

[字解] 원숭이 원 긴팔원숭이. 전(轉)하여, 널리 원숭이의 뜻. '一猴'. '堂庭之山, 多白一'《山海經》.
[字源] 形聲. 犭(犬)+袁〔音〕. '袁원'은 '爰원'과 통하여, '끌다'의 뜻. 긴 손으로 물건을 잡아당겨 뺏는 짐승, '원숭이'의 뜻을 나타냄.

[猿劇 원극] 원숭이를 부려 하는 연극.
[猿猱 원노] 원숭이. 긴팔원숭이.
[猿臂 원비] '원비(猨臂)'와 같음.
[猿臂之勢 원비지세] '원비지세(猨臂之勢)'와 같음.
[猿愁 원수] 원숭이가 구슬프게 우는 소리.
[猿狙 원저] 원숭이.
[猿啼 원제] 원숭이의 우는 소리.
[猿猴 원후] 원숭이.
[猿猴取月 원후취월] 원숭이가 물에 비친 달을 잡으려고 하다가 빠져 죽는 것과 같이, 사람도 제 분수에 넘치는 일을 하려 하다가는 도리어 화(禍)를 얻는다는 비유.
◉犬猿. 窮猿. 猵猿. 飛猿. 愁猿. 心猿. 哀猿. 夜猿. 嶺猿. 類人猿. 意馬心猿. 蒼猿. 巴猿. 猴猿.

10
⑬ [獀] 수 [平]尤 所鳩切 sōu

[字解] ①가을사냥 수 가을에 하는 수렵. '放乎一狩'《禮記》. ②봄사냥 수 봄에 하는 사냥. ③사냥할 수 '一于農隙'《國語》.
[字源] [篆文] 形聲. 犭(犬)+叟(叜)〔音〕

◉獿獀.

10
⑬ [獅] [人名] 사 [平]支 疏夷切 shī

[字解] 사자 사 고양잇과에 속하는 맹수. '一子'.
[字源] 形聲. 犭(犬)+師〔音〕

[獅子 사자] 고양잇과에 속하는 사나운 짐승. 머리는 크고 둥글며 꼬리는 길고 털은 황갈색임.
[獅子舞 사자무] 사자같이 가장(假裝)하여 추는 춤.
[獅子奮迅 사자분신] 사자가 날쌔게 분기(奮起)하는 것같이, 사람의 행동이 신속하고 용감함을 이름.
[獅子身中蟲 사자신중충] 사자의 몸에 기생하여 그 몸을 해치는 벌레라는 뜻. 곧, 불제자(佛弟子)로서 불법을 해침을 이르며, 전(轉)하여 자기편 사람으로서 자기편을 해치는 자를 이름.
[獅子座 사자좌] 예좌(猊座). 불좌(佛座).
[獅子吼 사자후] ㉠사자가 한 번 소리를 지르면 짐승이 다 습복(慴伏)함과 같이, 부처님이 설법하면 악마가 모두 항복함의 비유. ㉡질투(嫉妬)하는 아내가 그 남편에게 발악(發惡)하는 소리의 비유. ㉢웅변을 토하는 연설.
◉金獅. 伏獅.

10
⑬ [猳] 가 [平]麻 古牙切 jiā

[字解] 원숭이 가 犭加(犬部 五畫〈p. 1392〉)와 同字.

10
⑬ [㺜] 반 [平]寒 蒲官切 pán

[字解] 동경이 반 꼬리가 짧은 개. '一狐, 犬短尾'《集韻》.

10 ⑬ **[獆]** 〔호〕
獋(犬部 十二畫〈p.1405〉)의 本字

10 ⑬ **[犭兼]** [一] 혐 ㊤琰 胡忝切 xiàn
[二] 함 ㊤豏 下斬切 xiàn
[字解] [一] ①개짖을 혐 개가 그치지 않고 짖음. '一, 犬吠不止也'《說文》. ②개싸울 혐 두 개가 서로 싸움. '一, 一曰, 兩犬爭也'《說文》. [二] 개짖을 함, 개싸울 함 [一]과 뜻이 같음.
[字源] 篆文 形聲. 犭(犬)+兼〔音〕

10 ⑬ **[犭畟]** 즉 [入]職 子力切 jí
[字解] 솥발이 즉 한배에서 난 세 마리의 강아지. '一, 犬生三子曰一'《集韻》.

10 ⑬ **[犭留]** 류 [平]尤 力求切 liú
[字解] 사냥개 류 '執一'는 사냥을 잘하는 개 이름. '執一, 狗名, 言善執留禽獸'《集韻》.

10 ⑬ **[犭荒]** 황 [平]陽 呼光切 huāng
[字解] 이리 황 이리의 일종. '一, 狼屬'《集韻》.

10 ⑬ **[犭蚩]** 치 [平]支 充之切 chī
[字解] ①사냥할 치 '一, 狩也'《玉篇》. ②삽살개 치 '獶一'. '獶一, 犬也'《集韻》.

10 ⑬ **[獂]** [人名] 원 [平]元 愚袁切 huán, yuán
[字解] 원(獂)짐승 원 소를 닮은 세 발 가진 짐승. '乾山, 有獸焉. 其狀如牛而三足, 其名曰一'《山海經》.
[字源] 形聲. 犭(犬)+原〔音〕

10 ⑬ **[犭翁]** 옹 [平]東 烏公切 wēng
[字解] 돼지 옹 '一, 豬也'《集韻》.

10 ⑬ **[猼]** 박 [入]藥 補各切 bó
[字解] 짐승이름 박 사람처럼 생기고 날개가 있는 짐승. '一, 獸名. 似人有翼'《集韻》.

[猼訑 박이] 짐승 이름. 양(羊)과 비슷한데, 9개의 꼬리와 4개의 귀가 있으며, 눈이 등에 있다 함.

10 ⑬ **[犭員]** 〔원〕
猿(犬部 十畫〈p.1402〉)의 俗字

10 ⑬ **[犭高]** 〔료〕
犭翏(犬部 十一畫〈p.1403〉)와 同字

11 ⑮ **[獒]** [人名] 오 [平]豪 五勞切 áo
[字解] 개 오 맹견(猛犬). '公嗾夫一焉'《左傳》.
[字源] 篆文 形聲. 犭(犬)+敖〔音〕. '敖오'는 '길고 크다'의 뜻. 크고 억센 개의 뜻을 나타냄.

11 ⑮ **[獎]** 〔장〕
奬(大部 十一畫〈p.510〉)의 本字

11 ⑭ **[獍]** 경 [去]敬 居慶切 jìng
[字解] ①짐승이름 경 범 비슷한 짐승으로서, 어미를 잡아먹는다 함. 전(轉)하여, 불효(不孝)의 뜻으로 쓰임. '梟一'. '一之爲獸, 狀如虎豹而小'《述異記》. ②거울 경 鏡(金部 十一畫)과 통용.
[字源] 形聲. 犭(犬)+竟〔音〕

11 ⑭ **[犭翏]** [一] 료 [平]肴 力交切 liáo
[二] 교 [平]肴 丘交切 qiāo
[字解] [一] 교활할 료 간교(奸巧)함. '一, 獪也'《集韻》. [二] 교활할 교 [一]과 뜻이 같음. '一, 獪也. 沅湘之間, 或謂之一'《揚子方言》.
[字源] 篆文 形聲. 犭(犬)+翏〔音〕

[犭翏獶 요노] 개가 놀라서 어지러이 짖음.

11 ⑭ **[獐]** [人名] 장 [平]陽 諸良切 zhāng
[字解] 노루 장 麞(鹿部 十一畫)과 同字.
[字源] 形聲. 犭(犬)+章〔音〕

11 ⑭ **[獌]** 만 [去]願 無販切 màn
[字解] ①이리 만 이리의 일종. '一, 狼屬'《說文》. ②추만짐승 만 '貙一'은 너구리의 일종. '貙一似狸'《爾雅》.
[字源] 篆文 形聲. 犭(犬)+曼〔音〕

11 ⑭ **[獑]** 참 [平]咸 擬咸切 chán
[字解] 원숭이 참 '一猢'는 원숭이의 일종. 허리 위는 검고, 허리둘레에 흰 털이 있으며, 앞다리에 긴 흰 털이 있음. '一, 一猢, 似猿而白'《廣韻》. '杪木末, 獲一猢'《張衡》.

11 ⑭ **[犭參]** [一] 삼 ㊤豏 所斬切 shān
[二] 소 [平]豪 蘇遭切 sāo
[字解] [一] ①개머리구멍에내밀 삼 개가 좁은 구멍에 머리를 내밀고 빠져나가는 모양. '一, 犬容頭進也'《說文》. ②손상할 삼 해침. '一, 一曰, 賊疾也'《說文》. ③개물 삼 개가 무는 모양. '一, 犬齧皃'《集韻》. [二] 산사람 소 깊은 산에 산다는 짐승 같은 산인(山人). '山一'. '西方深山有人, 長尺餘, 袒身捕蝦蟇食, 名曰山一'《神異經》.
[字源] 篆文 形聲. 犭(犬)+參〔音〕. '參삼'은 '뒤섞이다'의 뜻. 또, '해치다'의 뜻.

11 ⑭ **[犭帶]** 체 [去]霽 尺制切 zhì

[字解] 미친개 체 광견(狂犬).

11 ⑭ [褸] 루 [平]虞 龍珠切 lóu

[字解] 돼지암내낼 루 '豕求子, 謂之—'《集韻》.

11 ⑭ [獏] [一] 모 [平]虞 蒙晡切 mú 
[二] 맥 [入]陌 莫白切 mò

[字解] [一] 짐승이름 모 개의 일종. '—, 獸名'《集韻》. [二] 맹수이름 맥 貘(豸部 十一畫)과 同字.
[字源] 形聲. 犭(犬)+莫〔音〕

11 ⑭ [獆] 호 [平]豪 呼刀切 hāo

[字解] 오소리 호 몸은 희고 꼬리가 작으며 개와 비슷한 오소리의 일종. '—, 貉類, 色白尾小如狗, 北人謂之皮狐子, 亦曰—子'《正字通》.

11 ⑭ [獔] [一] 조 [上]巧 側絞切 sāo
[二] 로 [上]晧 魯晧切 lǎo

[字解] [一] 서남오랑캐 조 '—, 西南夷種'《集韻》. [二] 서남오랑캐 로 [一]과 뜻이 같음.

11 ⑭ [獙] 〔함〕
獭(犬部 十二畫〈p. 1404〉)의 本字

11 ⑮ [獣] 〔수〕
獸(犬部 十五畫〈p. 1407〉)의 略字

[獄] 〔옥〕
犬部 十畫(p. 1401)을 보라.

12 ⑯ [獘] 폐 [去]霽 毗祭切 bì 

[字解] 넘어질 폐, 죽을 폐 斃(攴部 十四畫)와 同字. '木自—柛'《爾雅》.
[字源] 形聲. 犬+敝〔音〕

◉窮獘. 奇獘. 蠹獘. 阨獘. 往獘. 粗獘.

12 ⑯ [獣] 〔수〕
獸(犬部 十五畫〈p. 1407〉)의 略字

[默] 〔묵〕
黑部 四畫(p. 2704)을 보라.

12 ⑮ [獗] [人名] 궐 [入]月 居月切 jué 

[字解] 날뛸 궐 발호(跋扈)함. '猖—'.
[字源] 形聲. 犭(犬)+厥〔音〕

◉猖獗.

12 ⑮ [獝] 휼 [入]質 況必切 xù 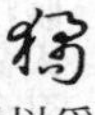

[字解] 놀랄 휼 깜짝 놀라 허둥지둥함. '鳳以爲畜. 故鳥不—'《禮記》.
[字源] 形聲. 犭(犬)+矞〔音〕

[獝狂 휼광] 악귀(惡鬼)의 이름.
◉狂獝. 狡獝.

12 ⑮ [獖] [一] 번 [平]元 附袁切 fán
[二] 변 [去]霰 皮變切

[字解] [一] 개싸울 번 개가 싸움. 또 그 소리. '—, 犬鬥聲'《說文》. [二] 개싸울 변 [一]과 뜻이 같음.
[字源] 形聲. 犭(犬)+番〔音〕

12 ⑮ [獟] 교 ①[去]嘯 火弔切 xiāo 
(②요[本]) ②[去]嘯 五弔切 yào

[字解] ①날랠 교 용맹스러움. '誅—驛'《史記》. ②미친개 교 광견(狂犬).
[字源] 篆文  形聲. 犭(犬)+堯〔音〕. '堯요'는 고개를 높이 들다의 뜻.

[獟悍 교한] 교한(獟驛).
[獟驛 교한] 날래고 사나움. 또, 그 사람.

12 ⑮ [獞] 동 [平]東 徒東切 tóng, zhuàng 

[字解] ①개이름 동 '—, 犬名'《集韻》. ②오랑캐이름 동 중국 서남 지방의 만족(蠻族). 장족(壯族)의 구칭(舊稱).
[字源] 形聲. 犭(犬)+童〔音〕

[獞錦 동금] 광시 성(廣西省) 경원(慶遠) 부근에서 동인(獞人)들이 짠 비단.

12 ⑮ [獭] [一] 함 [上]豏 荒檻切 hǎn
[上]感 虎覽切
(감[俗]) [去]勘 下瞰切
[去]陷 許鑒切
[二] 암 [上]豏 乙減切
[三] 참 [去]陷 楚鑒切

[字解] [一] ①개짖을 함, 개짖는소리 함 '—, 犬吠聲'《廣韻》. ②땅이름 함 '—鄕'은 허난 성(河南省) 난양 현(南陽縣)의 땅 이름. [二] 개짖을 암, 개짖는소리 암, 땅이름 암 [一]과 뜻이 같음. [三] 개짖을 참, 개짖는소리 참, 땅이름 참 [一]과 뜻이 같음.
[字源] 形聲. 犭(犬)+設(敢)〔音〕

12 ⑮ [獠] [一] 료 [去]嘯 力照切 liáo 
[二] 로 [上]晧 盧晧切 lǎo

[字解] [一] 밤사냥 료 밤에 하는 사냥. '宵田爲—'《爾雅》. [二] 오랑캐이름 로 중국 서남 지방 벽지의 계곡(溪谷)에 사는 만족(蠻族). '何不撲殺此—'《唐書》.
[字源] 篆文  形聲. 犭(犬)+尞(寮)〔音〕. '寮료'는 들에 불을 지르다의 뜻. 들에 불을 지르고 개를 풀어서 짐승을 몰아내어 하는 사냥의 뜻을 나타냄.

12 ⑮ [獢] 효 [平]蕭 許嬌切 xiāo 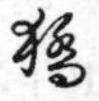

[字解] 개 효 주둥이가 짧은 개. '爲人兇悍—勇'《新五代史》.
[字源] 篆文 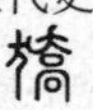 形聲. 犭(犬)+喬〔音〕. '喬교'는 위로 높게 구부러지다의 뜻. 짧은 주둥이가 위를 향하고 있는 '개'의 뜻을 나타냄.

[獢勇 효용] 민첩하고 용감함.

12 ⑮ [獔] 호 ㊥豪 乎刀切 háo

字解 개짖을 호 개가 짖음. 숇. 또, 으르렁거림. '一, 犬呼也. 鳴也. 咆也'《玉篇》.

12 ⑮ [獜] 린 ①㊥眞 力珍切 lín ②㊤震 良刃切 lìn

字解 ①건장할 린 개가 굳셈. '一, 健也'《說文》. ②인(獜)짐승 린 괴수(怪獸)의 이름. '依軲之山, 有獸焉. 其狀如犬, 虎爪有甲. 其名曰一'《山海經》.

字源 篆文 形聲. 犭(犬)+粦(粦)〔音〕

12 ⑮ [獚] 황 ㊥陽 胡光切 huáng

字解 개 황 '一, 犬也'《玉篇》.

12 ⑮ [獜] 연 ㊥先 如延切 rán

字解 긴팔원숭이 연 '猓一'은 긴팔원숭이. '猓一, 猨屬. 色靑赤有文'《集韻》.

字源 形聲. 犭(犬)+然〔音〕

12 ⑮ [獇] 팽 ㊥庚 晡橫切 bēng

字解 개 팽 '一, 犬也'《集韻》.

12 ⑮ [獩] 계 ㊤霽 古惠切 guì

字解 몽계(獴獩)짐승 계 원숭이 비슷한데 작고 쥐를 잘 잡음. '獴一, 雌之小者. 紫黑色, 能捕鼠'《正字通》.

12 ⑮ [獤] 韓 돈

字解 《韓》돈피 돈 '一皮'는 담비의 모피(毛皮). 잘. 초피(貂皮).

[獤蔘契 돈삼계] 조선조 때, 공물(貢物)로 돈피와 산삼을 바치기 위하여 조직된 계.

12 ⑮ [獦] 〔희〕 豷(豕部 十二畫〈p. 2179〉)의 俗字

13 ⑰ [獨] 獨(次次條)과 同字

13 ⑰ [獸] 〔수〕 獸(犬部 十五畫〈p. 1407〉)의 俗字

13 ⑯ [獨] 中人 독 ㊇屋 徒谷切 dú 独

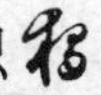

筆順 犭 犭 犭罒 犭罒 猸 猸 獨 獨

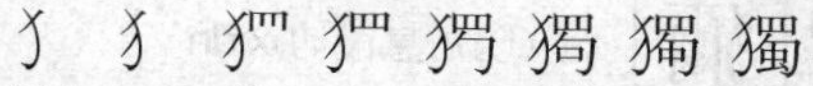

字解 ①홀로 독 ㉠독신으로 의지할 곳 없는 사람. '鰥寡孤一'. '老而無子曰一'《孟子》. ㉡자기 혼자임. '單一'. ㉢남의 힘을 빌리지 아니하고 혼자서. '特立一行'《禮記》. ㉣여럿 가운데 홀로. '唯一'. '於今可見古人爲學次第者, 一賴此篇之存'《大學章句》. ②성 독 성(姓)의 하나.

字源 篆文 形聲. 犭(犬)+蜀〔音〕. '蜀촉'은 징그러운 나비·나방의 애벌레의 뜻. 투쟁적이고 사람에게 불쾌감을 주는 개의 뜻에서, 파생하여, '홀로'의 뜻을 나타냄.

參考 獨(前前條)은 同字.

[獨居 독거] ㉠혼자 삶. ㉡과부(寡婦)로 삶.
[獨斷 독단] ㉠남과 의론(議論)하지 않고 자기(自己) 혼자의 의견(意見)대로 결단(決斷)함. ㉡주관적 편견(偏見)으로 판단함.
[獨斷論 독단론] 주관적 편견(偏見)으로 된 이론.
[獨擔 독담] 자기(自己) 혼자서 담당(擔當)함.
[獨當 독당] 독담(獨擔).
[獨得 독득] 자기 혼자 터득(攄得)함.
[獨樂 독락] 혼자서 즐김.
[獨梁 독량] 외나무다리. 독목교(獨木橋).
[獨力 독력] 혼자의 힘. 자력(自力).
[獨立 독립] ㉠혼자 섬. ㉡자기 일을 자기 마음대로 처리함. ㉢남의 원조 없이 해 나감. ㉣개인이 한 집안을 가지고 완전히 사권(私權)을 행사함. ㉤나라가 완전히 주권(主權)을 행사함.
[獨立國 독립국] 다른 나라의 간섭을 받지 아니하고 자주적(自主的)으로 완전히 통치권을 행사하는 나라.
[獨立不慚于影 독립불참우영] 품행이 방정하여 내심(內心)에 조금도 부끄러울 것이 없음.
[獨木橋 독목교] 외나무다리.
[獨木舟 독목주] 통나무를 파서 만든 작은 배. 마상이.
[獨舞臺 독무대] 독장치는 판.
[獨房 독방] 혼자 있는 방(房).
[獨白 독백] 연극에서 혼자 하는 말.
[獨步 독보] ㉠혼자 걸어감. ㉡독장(獨場)침. 남이 따를 수 없이 뛰어남.
[獨峯駝 독봉타] 육봉(肉峯)이 하나 있는 낙타. 단봉(單峯)낙타.
[獨夫 독부] ㉠악정(惡政)을 행하여 전 국민에게 배반당한 군주(君主). ㉡독신 남자. 원조(援助)를 받을 곳이 없게 된 사람.
[獨床 독상] 외상(床).
[獨善 독선] 자기 혼자만 착한 일을 함.
[獨善其身 독선기신] 독선(獨善).
[獨修 독수] 독습(獨習).
[獨宿空房 독숙공방] 부부(夫婦)가 한곳에 거처(居處)하지 못하고 혼자 잠. 흔히 여자가 남편 없이 혼자 지냄을 이름.
[獨習 독습] 스승이 없이 혼자서 익힘.
[獨食 독식] 이익을 혼자 차지함.
[獨身 독신] ㉠형제(兄弟)·자매(姊妹)가 없는 사람. ㉡배우자(配偶者)가 없는 사람. ㉢단신(單身).
[獨眼龍 독안룡] ㉠애꾸눈의 영웅. ㉡《佛敎》애꾸눈의 고덕(高德).
[獨鞍駝 독안타] 독봉타(獨峯駝).
[獨夜 독야] 혼자 자는 밤.
[獨語 독어] ㉠혼잣말. ㉡독일어(獨逸語).
[獨侑 독유] 독작(獨酌).
[獨吟 독음] 시가(詩歌)를 혼자 읊조림.
[獨子 독자] 외아들.
[獨自性 독자성] 자기의 독특한 성질.
[獨酌 독작] 혼자 술을 마심.
[獨掌難鳴 독장난명] 외손뼉만으로는 소리가 나지 아니한다는 뜻으로, 혼자 힘으로는 일을 하기 어렵다는 것.
[獨裁 독재] 주권자(主權者)가 자기 마음대로 정

무(政務)를 처단(處斷)함. 독단으로 재결(裁決)함.
[獨占 독점] 혼자 차지함.
[獨坐 독좌] 혼자 앉아 있음.
[獨坐滿一榻 독좌만일탑] 혼자 앉아서 자리를 채운다는 뜻으로, 위풍(威風)이 늠름하여 만좌(滿座)를 제압함을 이름.
[獨奏 독주] 기악(器樂)을 혼자 연주(演奏)함.
[獨知之契 독지지계] 상대방의 합의 없는 약속. 곧 자기 혼자만이 인정하는 약속(約束).
[獨唱 독창] 혼자서 노래를 부름.
[獨創 독창] 자기의 독력(獨力)으로 한 창조 또는 창안(創案).
[獨處 독처] 혼자 거처(居處)함.
[獨擅 독천] 혼자 제 마음대로 함.
[獨寢 독침] 혼자서 잠을 잠.
[獨特 독특] 특별(特別)히 다름.
[獨學 독학] 스승이 없이 자기(自己) 혼자 배움.
[獨學孤陋 독학고루] 독학하였기 때문에 견문이 고루함.
[獨行 독행] ㉠동행(同行)이 없이 혼자 길을 감. ㉡고상한 지조를 가지고 염량세태(炎涼世態)를 따르지 아니하고 독자적으로 나감.
[獨活 독활] 멧두릅. 그 뿌리는 약으로 씀.
◉介獨. 惸獨. 煢獨. 孤獨. 寡獨. 單獨. 愼獨. 幽獨. 唯獨. 惟獨. 專獨.

13 ⑯ [獶] [一] 노 [平]豪 奴刀切 nóng [二] 농 [平]冬 奴冬切 nóng
[字解] [一] ①삽살개 노 털이 북슬북슬하게 많은 개. ②오랑캐이름 노 광시(廣西) 지방에 살던 만족(蠻族). [二] 삽살개 농, 오랑캐이름 농 [一]과 뜻이 같음.
[字源] 篆文 形聲. 犭(犬)+農〔音〕.

13 ⑯ [獧] 견 [平]先 古縣切 juàn
[字解] 성급할 견, 견개(狷介)할 견 狷(犬部 七畫)과 同字. '必也狂一乎'《孟子》.
[字源] 篆文 形聲. 犭(犬)+瞏〔音〕. '瞏선·경'은 '돌다'의 뜻. 개가 뛰어 돌아다니다의 뜻을 나타냄.

[獧者 견자] 절개가 굳어 남에게 굽히지 아니하는 사람.

13 ⑯ [獪] [人名] [一] 회 [去]泰 古外切 kuài [二] 쾌 [去]卦 古邁切 kuài 狯
[字解] [一] 교활할 회 간교(奸巧)함. '狡一'. '性敏一'《唐書》. [二] 교활할 쾌 [一]과 뜻이 같음.
[字源] 篆文 形聲. 犭(犬)+會〔音〕. '會회'는 '活활'과 통하여, 생기가 넘치다의 뜻. 야수적인 마음이 생동하다, 교활하다의 뜻을 나타냄.

[獪猾 회활] 교활함. 간교(奸巧)함.
◉姦獪. 狡獪. 老獪. 詐獪. 黠獪. 猾獪. 譎獪.

13 ⑯ [獫] 소 [平]蕭 先雕切 sāo
[字解] 도깨비 소 도깨비. 魈(鬼部 七畫〈p.2637〉)와 同字.

13 ⑯ [獫] [一] 렴 [去]豔 力驗切 liǎn [二] 험 [上]琰 虛檢切 xiǎn 猃
[字解] [一] 개 렴 주둥이가 긴 개. '載一歇驕'《詩經》. [二] 오랑캐이름 험 '一狁'은 중국 북방의 만족(蠻族). 험윤(玁狁)이라고도 쓰며, 하(夏)나라 때는 훈육(獯鬻), 한(漢)나라 때에는 흉노(匈奴)라 했음.
[字源] 篆文 形聲. 犭(犬)+僉〔音〕. '僉첨'은 끝이 날카롭고 뾰족하다의 뜻.

[獫狁 험윤] 주(周)나라 때의 북방의 만족(蠻族). 자해(字解)[二]를 보라.

13 ⑯ [獬] 해 [上]蟹 胡買切 xiè
[字解] 해태 해 부정한 사람을 보면 뿔로 받는다는 신수(神獸). '一豸'. '好服一冠'《淮南子》.
[字源] 形聲. 犭(犬)+解〔音〕

[獬冠 해관] 해치(獬豸)의 가죽으로 만든 관.
[獬豸 해치] 부정한 사람을 보면 뿔로 받는다는 신수(神獸). 해태.

13 ⑯ [獩] 예 [去]隊 於廢切 huì
[字解] 민족이름 예 '一貊'은 고대(古代)에 남만주(南滿洲) 및 한반도(韓半島) 북부에 살던 민족.
[字源] 形聲. 犭(犬)+歲〔音〕

[獩貊 예맥] 자해(字解)를 보라.

13 ⑯ [獥] [一] 격 [入]錫 古歷切 jiào [二] 교 [平]蕭 堅堯切 jiào
[字解] [一] 이리새끼 격 '一, 狼子'《集韻》. [二] 이리새끼 교 [一]과 뜻이 같음.

13 ⑯ [獮] 대 [上]蟹 都買切 zhǎi
[字解] 억셀 대 호강(豪強)한 모양. '一, 豪強皃, 後魏時語, 莫一獬'《集韻》.
[字源] 形聲. 犭(犬)+廌〔音〕. '廌치·태'는 고대에 재판할 때 썼던 외뿔의 신수(神獸)의 뜻.

13 ⑯ [獺] 〔달〕 獺(犬部 十六畫〈p.1409〉)과 同字

13 ⑯ [獦] 〔갈〕 猲(犬部 九畫〈p.1400〉)과 同字
[字源] 形聲. 犭(犬)+葛〔音〕

14 ⑰ [獮] 선 [上]銑 息淺切 xiǎn
[字解] 가을사냥 선 가을에 하는 사냥. '遂以一田'《周禮》. '秋獵爲一'《爾雅》.
[字源] 篆文 篆文 形聲. 篆文은 犭(犬)+璽〔音〕
[參考] ①獼(犬部 十七畫)는 別字. ②𤢺(犬部 十八畫)은 本字.

[獮田 선전] 가을 사냥. 전(田)은 전(畋).

14 ⑰ [獯] 훈 [平]文 許云切 xūn

[字解] 오랑캐이름 훈 '一鬻'은 하(夏)나라 때의 중국 북방의 만족(蠻族)으로서, 한(漢)나라 때에는 흉노(匈奴)라고 하였음. '大王事一鬻'《孟子》.

[字源] 形聲. 犭(犬)+熏〔音〕

[獯鬻 훈육] 자해(字解)를 보라.

14 ⑰ [獰] [人名] 녕 [平]庚 乃庚切 níng 狞

[字解] 모질 녕 맹악(猛惡)함. 흉악함. '一惡'. '容貌猙一'《廣異記》.

[字源] 形聲. 犭(犬)+寧〔音〕. '寧녕'은 '佞녕'과 통하여, 말을 잘하다의 뜻. 입살스럽고 사나운 개의 뜻을 나타냄.

[獰毒 영독] 모질고 사나움.
[獰猛 영맹] 영악(獰惡).
[獰惡 영악] 모질고 사나움.
[獰慝 영특] 영악스럽고 간특(姦慝)함.
[獰飆 영표] 거센 바람.
◉姦獰. 嬌獰. 猙獰. 噪獰.

14 ⑰ [獱] 빈 [平]眞 符眞切 biān

[字解] 수달 빈 족제빗과에 속하는 물가에 사는 짐승. 일설(一說)에는, 작은 수달. '蹈一獺'《揚雄》.

[字源] 獱의 別體 形聲. 犭(犬)+賓〔音〕

[獱獺 빈달] 수달.

14 ⑰ [獲] [高·人] [一] 획 [入]陌 胡麥切 huò [二] 확 [入]藥 黃郭切 huò 获

[筆順] 犭 犭' 犭'' 犭艹 獲 獲 獲 獲

[字解] [一] ①얻을 획 ㉠사냥 또는 전쟁을 하여 얻음. '捕一'. '西狩一麟'《春秋》. 또, 그 물건. '田獵之一, 常過人矣'《呂氏春秋》. ㉡손에 넣음. '一得'. '耕者之所一'《孟子》. ㉢신용을 얻음. 인정을 받음. '不一乎上'《中庸》. ㉣죄를 얻음. 죄를 짐. '恐一罪焉'《史記》. ㉤마땅함을 얻음. 적의함. '其政不一'《詩經》. ㉥성취함. 결과를 얻음. '攻城野戰, 一功歸報'《史記》. ②맞힐 획 쏘아 맞힘. '以旌一'《儀禮》. ③종 획 계집종. '臧一'. '罵婢曰一'《揚子方言》. ④성 획 성(姓)의 하나. [二] 실심할 확 낙심함. 낙담함. '不隕一於貧賤'《禮記》.

[字源] 甲骨文 金文 篆文 形聲. 犭(犬)+蒦〔音〕. 甲骨文은 會意로 隹+又. 새를 손으로 붙잡다의 뜻. 뒤에, '隹추'가 '萑'로 변형하고, '犬견'을 더하여, 개를 써서 새와 짐승을 잡다의 뜻을 나타냄.

[獲穀 획곡] 뻐꾸기.
[獲得 획득] ㉠손에 넣음. 얻어서 가짐. ㉡잡음. 포착(捕捉)함.
[獲利 획리] 이익을 얻음. 득리(得利).
[獲麟 획린] 기린(麒麟)을 얻었다는 뜻. 공자(孔子)가 지은 〈춘추(春秋)〉에 '哀公十四年春, 西狩一一'의 구(句)에서 각필(擱筆)하였으므로, 절필(絕筆)의 뜻으로도 쓰임.
[獲我心 획아심] 자기의 생각하는 바와 잘 맞음. 남이 한 일이 자기 생각과 일치함.
[獲育之儔 획육지주] 오획(烏獲)과 하육(夏育)과 같은 용사(勇士)의 무리.
[獲旌 획정] 화살이 과녁에 맞은 것을 알리는 기(旗).
[獲罪 획죄] 죄를 짐.
◉購獲. 禽獲. 拿獲. 濫獲. 搏獲. 俘獲. 殺獲. 生獲. 漁獲. 弋獲. 臧獲. 田獲. 採獲. 探獲. 捕獲.

14 ⑰ [獳] 누 [去]宥 乃豆切 nòu

[字解] 으르렁거릴 누 개가 성냄. '叫猱之一'《范槲》.

[字源] 篆文 形聲. 犭(犬)+需〔音〕

◉朱獳.

14 ⑰ [⿰犭監] 함 [上]豏 胡黤切 hàn

[字解] ①범짖을 함 범이 짖는 소리. '一, 虎聲'《玉篇》. ②사나운개짖을 함 사나운 개가 짖어 대는 소리. '一, 惡犬吠不止也'《廣韻》.

14 ⑰ [獴] 몽 [平]東 謨蓬切 méng

[字解] 몽계짐승 몽 원숭이의 일종. '一猚, 蜼之小者. 紫黑色, 能捕鼠'《正字通》.

14 ⑰ [⿰犭翟] 탁 [入]覺 直角切 zhuó

[字解] 짐승이름 탁 ㉠원숭이 비슷하고 털이 누런 짐승. ㉡사슴 비슷하고 꼬리가 흰 짐승.

14 ⑰ [獵] 獵(犬犬條)의 俗字

15 ⑲ [獸] [高·人] 수 [去]宥 舒救切 shòu 兽

[筆順] 口 吅 吅 嘼 嘼 嘼 獸 獸

[字解] ①짐승 수 네 발이 달리고 전신에 털이 있는 동물. '禽一'. ②포 수 말린 고기. '實一于其上'《儀禮》.

[字源] 甲骨文 金文 篆文 會意. 甲骨文·金文은 單+犬. '單단'은 짐승 잡는 활의 象形. '犬견'은 개의 象形. 개와 활을 써서 사냥을 하다, 사냥해서 잡은 새나 짐승, '짐승'의 뜻을 나타냄. '獸수'는 그 변형.

[參考] 獸(犬部 十二畫)는 略字.

[獸窮則齧 수궁즉설] 짐승은 궁지에 몰리면 문다는 뜻으로, 사람은 궁하면 거짓말을 한다는 비유.
[獸圈 수권] 짐승을 넣어 두는 울.
[獸待 수대] 짐승과 같이 대우함. 짐승같이 취급(取扱)함.
[獸性 수성] ㉠짐승의 성질. ㉡인류(人類)가 다른

동물(動物)과 공통한 육체상(肉體上)의 정욕(情慾). ㉢야만(野蠻)의 성질. 곧, 잔인(殘忍)한 성질.
[獸心 수심] 짐승과 같은 마음.
[獸疫 수역] 짐승의 돌림병(病).
[獸慾 수욕] 짐승과 같은 음란(淫亂)한 욕심(慾心).
[獸肉 수육] 짐승의 고기.
[獸醫 수의] 가축(家畜)의 병(病)을 고치는 의사(醫師).
[獸蹄鳥跡 수제조적] 짐승의 굽과 새의 발자취. 곧, 천하가 혼란하여 금수가 횡행함을 이름.
[獸脂 수지] 짐승의 몸에서 빼낸 기름. 식용 또는 공업 원료로 씀.
[獸畜 수축] ㉠짐승으로서 기름. ㉡야수(野獸)와 가축(家畜).
[獸聚而鳥散 수취이조산] 짐승처럼 모이고 새처럼 헤어짐. 무시로 이합취산(離合聚散)함을 이름.
[獸炭 수탄] 짐승의 뼈를 태운 숯. 골탄(骨炭).
[獸行 수행] 짐승과 같은 행실(行實). 수욕(獸慾)을 채우려고 하는 행위.
◉巨獸. 怪獸. 禽獸. 奇獸. 猛獸. 百獸. 聖獸. 瑞獸. 猩猩能言不離禽獸. 馴獸. 狎獸. 野獸. 靈獸. 六獸. 仁獸. 鳥獸. 走獸. 珍獸. 畜獸. 海獸.

15 ⑱ [獵] [高人] 렵 [入]葉 良涉切 liè 猎

[筆順] 丿 犭 犭巛 犭巛 犭巛 獵 獵 獵

[字解] ①사냥 렵 수렵. '一犬'. '春一爲蒐, 夏一爲苗, 秋一爲獮, 冬一爲狩'《爾雅》. ②사냥할 렵 '不狩不一'《詩經》. ③찾을 렵 찾아 구함. '涉一'. '爲一魚師'《大藏一覽》. ④쥘 렵 손으로 잡음. '一纓正襟危坐'《史記》. ⑤지날 렵 통과함. '一蕙草'《宋玉》. ⑥넘을 렵 躐(足部 十五畫)과 통용. '不一禾稼'《荀子》. ⑦불 렵 바람이 부는 모양. 또, 그 소리. '一一晩風遒'《鮑照》. ⑧휘날릴 렵 바람에 휘날리는 모양. '雲旗一一過潯陽'《李白》.
[字源] [篆文] 形聲. 犭(犬)+巤〔音〕. '巤렵'은 긴 갈기의 象形. 개를 써서 긴 갈기가 있는 짐승을 사냥하다의 뜻을 나타냄.
[參考] 猟(犬部 八畫)은 略字.

[獵車 엽거] 사냥에 쓰는 수레.
[獵犬 엽견] 사냥개.
[獵官 엽관] 관직을 얻으려고 서로 다툼.
[獵較 엽교] 다투어 사냥질하여 그 다과(多寡)를 견줌.
[獵狗 엽구] 엽견(獵犬).
[獵奇 엽기] 기이한 사물을 즐겨서 쫓아다님.
[獵期 엽기] ㉠사냥에 좋은 시기. ㉡사냥을 허가한 시기.
[獵獵 엽렵] ㉠바람이 부는 모양. 또, 그 소리. ㉡바람에 휘날리는 모양.
[獵夫 엽부] 사냥꾼.
[獵師 엽사] 사냥꾼.
[獵色 엽색] 여색(女色)을 탐함. 어색(漁色).
[獵船 엽선] 해수(海獸)를 사냥하는 배.
[獵友 엽우] 사냥 동무.
[獵人 엽인] 사냥꾼.
[獵場 엽장] 수렵하는 장소.
[獵捷 엽첩] 상접(相接)한 모양.
[獵銃 엽총] 사냥하는 데 쓰는 총(銃).
[獵戶 엽호] ㉠사냥꾼. ㉡사냥꾼의 집.
[獵虎 엽호] 해달(海獺).
[獵獲 엽획] 사냥하여 짐승을 잡음.
◉禁獵. 密獵. 射獵. 涉獵. 狩獵. 蒐獵. 漁獵. 羽獵. 游獵. 戎獵. 弋獵. 田獵. 畋獵. 出獵. 捕獵.

15 ⑱ [獿] 노 ①②[平]豪 奴刀切 náo ③[上]巧 奴巧切 nǎo

[字解] ①원숭이 노 猱(犬部 九畫)와 同字. '一, 獼猴也'《禮記 註》. ②희롱할 노 장난을 함. '一雜子女'《禮記》. ③놀랄 노 개가 놀라는 모양.
[字源] 形聲. 犭(犬)+夒〔音〕

[獿雜 노잡] 원숭이가 서로 뒤섞여 희롱하듯이, 남녀가 분별없이 희롱함.

15 ⑱ [獷] 광 [上]養 居往切 guǎng 犷

[字解] ①모질 광, 사나울 광 맹악함. 포악함. '一悍'. '政移一俗'《後漢書》. ②《韓》 족제비 광 서랑(鼠狼).
[字源] [篆文] 形聲. 犭(犬)+廣〔音〕. '廣광'은 '荒황'과 통하여, '거칠어지다'의 뜻. 개가 사납고 길들지 않다의 뜻을 나타냄.

[獷猤 광계] 사납고 씩씩함.
[獷獷 광광] 포악(暴惡)한 모양.
[獷戾 광려] 흉포(凶暴)하여 인도(人道)에 어그러짐.
[獷俗 광속] 난폭(亂暴)한 풍습.
[獷獸 광수] 사나운 짐승. 흉악한 짐승.
[獷惡 광악] 간악(姦惡)함.
[獷敵 광적] 흉포(凶暴)한 강적(強敵).
[獷悍 광한] 포악(暴惡)하고 한독(悍毒)함.
◉強獷. 頑獷. 殘獷. 麤獷. 荒獷. 凶獷.

15 ⑱ [犭畾] 루(뢰[俗]) [上]紙 魯水切 lěi

[字解] 날다람쥐 루 鼺(鼠部 十五畫)의 俗字.

16 ⑳ [獻] [高人] [一] 헌 [去]願 許建切 xiàn [二] 사 [平]歌 素何切 suō 献

[筆順] ⺊ 广 虍 虍 鬳 鬳 獻 獻

[字解] [一] ①드릴 헌 ㉠금품을 바침. 또, 그 금품. '一金'. '奠一'《儀禮》. ㉡아뢰어 드림. '一策'. '大夫種乃一謀'《國語》. ②권할 헌 술을 권하여 잔을 줌. '一酬'. '或一或酢'《詩經》. ③어진이 헌 성현. '文一'. '萬邦黎一'《書經》. ④성 헌 성(姓)의 하나. [二] 술통 사 술동이.
[字源] [甲骨文] [金文] [篆文] 形聲. 篆文은 鬳+犬〔音〕. '鬳권'은 머리 부분이 호랑이 모양을 한 시루를 본뜬 것. '犬견'은 그 그릇에 피를 바르기 위한 희생의 개의 뜻. 신성화된 시루의 모양에서, 신에게 물건을 바치다의 뜻을 나타냄.
[參考] 献(犬部 九畫)은 俗字.

[獻可 헌가] 임금에게 착한 말을 하여 과실을 바

로잡도록 함. 천가(薦可).
[獻功 헌공] 이루어진 것을 올림.
[獻餽 헌궤] 선물. 예물(禮物).
[獻芹 헌근] 보잘것없는 미나리를 바침. 곧, 물건이나 의견(意見)을 적어 윗사람에게 바칠 때의 겸칭(謙稱).
[獻金 헌금] 돈을 바침. 또, 그 돈.
[獻納 헌납] ㉠충성된 말을 아룀. ㉡물건(物件)을 바침.
[獻民 헌민] 어진 백성. 현민(賢民).
[獻俘 헌부] 포로(捕虜)를 바치고 승전(勝戰)을 묘사(廟社)에 보고함.
[獻上 헌상] 바침. 드림.
[獻誠 헌성] 정성(精誠)을 바침.
[獻歲 헌세] 정월 초하루. 세수(歲首).
[獻笑 헌소] ㉠광대. 배우(俳優). ㉡웃음거리가 될 말을 여쭙는다는 뜻으로, 자기의 의견 등을 말할 때의 겸칭(謙稱).
[獻酬 헌수] 술잔을 주고받고 함.
[獻壽 헌수] 환갑잔치 같은 때 장수하기를 비는 뜻으로, 잔에 술을 부어서 드림. 바치어 장수(長壽)를 축하함.
[獻臣 헌신] 어진 신하. 현신(賢臣).
[獻身 헌신] ㉠신명을 아끼지 않고 전력을 다함. ㉡자기 자신이 스스로 나감.
[獻議 헌의] 의견(意見)을 드림.
[獻呈 헌정] 헌상(獻上).
[獻尊 헌준] 희준(犧尊).
[獻策 헌책] 계책(計策)을 올림.
[獻捷 헌첩] 승전(勝戰)하여 포로를 바침.
[獻替 헌체] 임금을 보좌하여 선(善)을 권하고 악(惡)을 못 하게 함.
[獻體 헌체] 몸을 발가벗어 보임. 자기의 몸을 바친다는 뜻.
[獻春 헌춘] 첫봄. 초춘(初春). 맹춘(孟春).
◉嘉獻. 貢獻. 芹獻. 納獻. 文獻. 奉獻. 禮獻. 靖獻. 進獻.

16 ⑲ [獺] [人名] 달 [入]曷 他達切 tǎ 獺

[字解] 수달 달 족제빗과에 속하는 짐승. 모양이 족제비 비슷하며, 발가락 사이에 물갈퀴가 있어 교묘하게 헤엄쳐 물고기를 잡아먹음. '猵一'. '一祭魚'《禮記》.
[字源] 篆文 形聲. 犭(犬)+賴〔音〕. '賴뢰'는 '瀨뢰'와 통하여, '여울'의 뜻. 강의 여울에 사는 '수달'의 뜻을 나타냄.

[獺祭 달제] 수달이 포획한 고기를 먹으려 할 때에 먼저 좌우에 늘어놓고 제사 지낸다는 말. 전(轉)하여, 시문(詩文)을 지을 때에 참고서를 좌우에 많이 펴 놓음을 이름.
◉白獺. 猵獺. 山獺. 水獺. 豺獺. 猵獺. 海獺.

16 ⑲ [獹] 로 [平]虞 落胡切 lú

[字解] 개 로 전국 시대(戰國時代) 한(韓)나라의 날랜 개. '韓一, 天下駿犬'《玉篇》.
[字源] 形聲. 犭(犬)+盧〔音〕

17 ⑳ [獼] 미 [平]支 武移切 mí 猕

[字解] 원숭이 미 모후(母猴). '一猴'.
[字源] 形聲. 犭(犬)+彌〔音〕

[獼猿 미원] 원숭이.
[獼猴 미후] 미원(獼猿).
[獼猴桃 미후도] 다래나뭇과에 속하는 낙엽 만목(落葉蔓木). 열매는 먹음.

17 ⑳ [𤢽] 영 [平]庚 伊卿切 yīng

[字解] 영여짐승 영 사슴 비슷한데 꼬리가 희고, 말 발에 사람 손을 하였으며, 네 개의 뿔이 있음. '皐塗之山, 有獸焉, 其狀如鹿而白尾, 馬足人手而四角, 名曰一如'《山海經》.

18 ㉑ [獿] 노 ①[平]豪 奴刀切 náo ②[平]灰 奴回切

[字解] ①원숭이 노 猱(犬部 九畫)와 同字. ②미장이 노 벽을 바르는 사람. '一人亡, 則匠石輟斤'《漢書》.
[字源] 篆文 形聲. 犭(犬)+夒〔音〕

[獿人 노인] 미장이.

18 ㉑ [𤣃] 〔선〕 獮(犬部 十四畫〈p. 1406〉)의 本字

18 ㉑ [獾] 〔환〕 貛(豸部 十八畫〈p. 2183〉)과 同字
[字源] 形聲. 犭(犬)+雚〔音〕

19 ㉒ [玀] 라 [平]歌 良何切 luó 猡

[字解] 오랑캐이름 라 '猓一'는 중국 묘족(苗族)의 일종.
[字源] 形聲. 犭(犬)+羅〔音〕

[玀玀 나라] '과라(猓玀)'와 같음.

20 ㉓ [玁] 험 [上]琰 虛檢切 xiǎn 猃

[字解] 오랑캐이름 험 獫(犬部 十三畫)과 同字. '一狁之故'《詩經》.
[字源] 形聲. 犭(犬)+嚴〔音〕

[玁狁 험윤] '험윤(獫狁)'과 같음.

20 ㉓ [𤣆] 〔노·농〕 獶(犬部 十三畫〈p. 1406〉)의 本字

20 ㉓ [玃] [一] 확 [入]藥 居縛切 jué [二] 격 [入]陌 俱碧切

[字解] [一] 원숭이 확 모후(母猴). '一似狙'《新論》. [二] 칠 격 때림. '一笞潰失'《韓詩外傳》.
[字源] 篆文 形聲. 犭(犬)+矍〔音〕. '矍확'은 두리번두리번 주위를 돌아보다의 뜻. 두리번거리는 큰 원숭이의 뜻을 나타냄. 또, 사람을 손으로 붙잡다의 뜻도 있음.

[玃猱 확노] 원숭이.
[玃猿 확원] 원숭이.
[玃鳥 확조·격조] 사나운 새. 매·수리 등.
[玃猴 확후] 원숭이.
◉猱玃. 大玃. 犺玃.

20 ㉓ [獼] 기 ㊥微 渠希切 qí

字解 개새끼한마리낳을 기 '犬生三獼. 二師, 一—'《爾雅》.

24 ㉗ [玂] 령 ㊥青 郞丁切 líng

字解 좋은개 령 狑(犬部 五畫)과 同字.

玄 (5획) 部

〔검을현부〕

0 ⑤ [玄] 高人 현 ㊥先 胡涓切 xuán

筆順 ' 亠 亠 玄 玄

字解 ①검을 현 붉은빛을 띤 검은빛. 하늘의 빛. 북방의 빛. '天一而地黃'《易經》. ②하늘 현 상천(上天). '上—'. '縣火延起兮—顏烝'《楚辭》. ③오묘할 현 미묘유심(微妙幽深)함. '—之又—'《老子》. 전(轉)하여, 노장(老莊)의 도덕. '三—'. '妙於談—'《世說》. ④깊을 현 유심(幽深)함. 으늑함. '處於—宮'《漢書》. ⑤고요할 현 청정(淸淨)함. '以—默爲神'《漢書》. ⑥현손 현 증손의 아들. '豈百世之曾—'《韋誕》. ⑦빛날 현 炫(火部 五畫)과 同字. '采色—耀'《司馬相如》. ⑧성 현 성(姓)의 하나.

字源 金文 篆文 古文 象形. 검은 실을 묶은 모양을 본떠, '검은 실'의 뜻을 나타냄. 파생하여, '깊다'의 뜻으로도 쓰임. 篆文은 亠+幺의 會意. '亠두'는 '덮다'의 뜻. 작은 미세한 실을 덮어 가려, 깊숙하고 멀다의 뜻을 나타냄.

參考 '玄현'을 의부(意符)·음부(音符)로 하며, '검다'의 뜻을 나타내는 문자를 이룸.

[玄間 현간] 하늘. 공중(空中).
[玄鑑 현감] 현묘(玄妙)한 거울. 전(轉)하여, 사람의 마음의 뜻으로 쓰임.
[玄甲 현갑] 검은빛의 갑옷.
[玄袞 현곤] 천자(天子)가 입는 검은빛의 곤룡포(袞龍袍).
[玄功 현공] 고대(高大)한 공(功). 천자(天子)의 공적(功績).
[玄冠 현관] 천자(天子)가 쓰는 흑색에 붉은빛을 띤 관.

紘
武
緌
纓
[玄冠]

[玄關 현관] ㉠《佛敎》현묘(玄妙)한 도(道)에 들어가는 입구(入口). 불문(佛門)에 귀의(歸依)하는 입구. ㉡집의 문.
[玄曠 현광] 심오(深奧)하고 공허함.
[玄敎 현교] 현묘(玄妙)한 가르침. 노자(老子)의 교. 도교(道敎).
[玄駒 현구] ㉠작은 말. 망아지. ㉡개미〔蟻〕의 별칭(別稱). ㉢검은 잉어〔鯉〕의 별칭.
[玄穹 현궁] 하늘. 대공(大空). 현천(玄天).
[玄宮 현궁] 임금이 정사(政事)에 관하여 조용히 생각하는, 으늑한 곳에 있는 궁전(宮殿).
[玄圭 현규] 검은빛의 옥으로 된 홀(笏).
[玄根 현근] 도가(道家)에서 말하는 도(道)의 근본(根本).
[玄琴 현금] 거문고.
[玄機 현기] 현묘(玄妙)한 기틀.
[玄端 현단] 제후(諸侯)가 입는 검은빛의 예복.
[玄談 현담] 심오(深奧)한 노장(老莊)의 도(道)에 관한 이야기.
[玄德 현덕] ㉠숨어 나타나지 않는 덕행(德行). ㉡현묘(玄妙)한 도리(道理).
[玄菟 현도] 한사군(漢四郡)의 하나. 지금의 함경도(咸鏡道)와 만주(滿洲)의 지린 성(吉林省)에 걸쳐 있었음.
[玄冬 현동] 겨울. 동기(冬期).
[玄同 현동] 피아(彼我)의 차별이 없이 한데 어울리는 일.
[玄覽 현람] 사물의 진상(眞相)을 통견(洞見)함.
[玄了 현료] 환히 깨달아 앎.
[玄理 현리] ㉠현묘(玄妙)한 이치(理致). 심오(深奧)한 학설. ㉡노장(老莊)의 도(道).
[玄漠 현막] 현적(玄寂).
[玄冕 현면] 천자(天子)가 쓰는 검은빛의 면류관(冕旒冠).
[玄冥 현명] ㉠물의 신(神). 하백(河伯). 또, 비의 신. ㉡형무(刑務)를 맡은 신. 태음신(太陰神). ㉢겨울에 만물이 간힘. 동장(冬藏). ㉣어둠. 암흑(暗黑). 또, 그곳.
[玄謀 현모] 현모(玄謨).
[玄謨 현모] 심오(深奧)한 계책(計策).
[玄妙 현묘] 심오(深奧)한 작용, 또는 이치(理致).
[玄武 현무] ㉠북방칠수(北方七宿), 곧 두(斗)·우(牛)·여(女)·허(虛)·위(危)·실(室)·벽(壁)의 총칭(總稱). ㉡북방(北方)의 신(神). 사신(四神)의 하나. 거북과 뱀의 모양을 함. ㉢북방. 북쪽. ㉣검은 관(冠)의 모양.

[玄武㉡]

[玄武門 현무문] 현무(玄武)에 해당하는 문. 당(唐)나라의 대명궁(大明宮)의 북쪽의 문. 자신전(紫宸殿)의 후면에 위치하며, 그 안에 현무관(玄武觀)이 있음.
[玄默 현묵] 조용히 침묵(沈默)을 지킴.
[玄默之化 현묵지화] 무언(無言)의 감화(感化).
[玄門 현문] 현묘(玄妙)한 법문(法門)이라는 뜻으로, 노자(老子)의 학문 또는 도교(道敎)를 이름.
[玄文幽處 현문유처] 흑색의 아름다운 무늬가 있는 것이 어두컴컴한 곳에 있음.
[玄米 현미] 껍질만 벗기고 쓿지 아니한 쌀.
[玄微 현미] 심오(深奧)하고 미묘(微妙)함.
[玄祕塔碑 현비탑비] 당(唐)나라 회창 원년(會昌元年)에 대달 법사(大達法師)가 세운 비. 비문

(碑文)은 배휴(裵休)가 짓고 유공권(柳公權)이 썼음. 산시 성(陝西省) 장안현(長安縣)에 현존(現存)함.
[玄牝 현빈] 노자(老子)의 도(道)의 오묘(奧妙)한 곳.
[玄尙白 현상백] 아직 다 검어지지 아니하였다는 뜻으로, 아직 심오(深奧)한 지경에 도달하지 못한 것을 비유하여 이르는 말.
[玄裳縞衣 현상호의] 검은 치마에 흰 저고리라는 뜻으로, 학(鶴)의 모양을 이름.
[玄塞 현새] 북쪽에 있는 요새(要塞)라는 뜻으로, 만리장성(萬里長城)의 별칭(別稱).
[玄石 현석] 자석(磁石).
[玄聖 현성] ㉠가장 뛰어난 성인(聖人). ㉡공자(孔子)의 존칭(尊稱).
[玄孫 현손] 증손(曾孫)의 아들. 손자의 손자.
[玄術 현술] 심오(深奧)한 도(道). 불교의 이치.
[玄識 현식] 심오(深奧)한 지식(知識).
[玄室 현실] ㉠무덤. 묘(墓). ㉡캄캄한 방(房).
[玄嶽 현악] '항산(恆山)'의 별칭(別稱).
[玄魚 현어] 올챙이.
[玄英 현영] ㉠'겨울〔冬〕'의 별칭(別稱). ㉡새카맘. 순흑(純黑).
[玄悟 현오] 깊이 깨달음. 심오(深悟).
[玄奧 현오] 현묘(玄妙)하고 심오(深奧)함.
[玄玉 현옥] 검은 옥(玉).
[玄耀 현요] 찬란하게 빛남.
[玄元 현원] 근원. 원시(元始). 본질.
[玄遠 현원] 현묘(玄妙)하고 심원(深遠)함.
[玄元皇帝 현원황제] 당대(唐代)의 노자(老子)의 존호(尊號).
[玄月 현월] 음력(陰曆) 9월의 별칭(別稱).
[玄衣 현의] 붉은빛을 띤 검은 옷.
[玄義 현의] 심오(深奧)한 뜻.
[玄黓 현익] 고갑자(古甲子)에서 십간(十干) 중의 임(壬)의 일컬음.
[玄仗 현장] 도(道). 도리(道理).
[玄奘 현장] 당(唐)나라의 고승(高僧). 정관 원년(貞觀元年)에 서역(西域)을 경유하여 인도(印度)에 들어가 불교를 연구하고 정관 18년에 귀국하여 장안(長安)에서 경론(經論) 75부 1,330권을 번역하여 삼장(三藏)의 존호(尊號)를 받았음. 저서에 〈대당서역기(大唐西域記)〉 12권이 있음.
[玄著 현저] 언론(言論)의 묘(妙)함을 이름.
[玄寂 현적] 그윽하고 조용함. 지극히 조용함.
[玄靜 현정] 지극히 조용함.
[玄鳥 현조] 제비〔燕〕의 별칭(別稱).
[玄宗 현종] '당현종(唐玄宗)'을 보라.
[玄酒 현주] 물〔水〕의 별칭(別稱).
[玄旨 현지] ㉠심오(深奧)한 뜻. ㉡노장(老莊)의 학설의 뜻.
[玄之又玄 현지우현] 현묘(玄妙)한 위에 또 현묘함. 도(道)가 유원(幽遠)하여 헤아려 알 수 없음을 이르는 말.
[玄津 현진] 현묘(玄妙)한 나루라는 뜻으로, 불교를 이름.
[玄氅 현창] 검은 털옷.
[玄策 현책] 심오(深奧)한 계책(計策).
[玄天 현천] ㉠구천(九天)의 하나로서 북방(北方)의 하늘을 이름. ㉡널리 하늘을 이름.
[玄針 현침] 올챙이, 곧 과두(蝌蚪)의 별칭(別稱).
[玄通 현통] 현묘(玄妙)한 이치에 통달(通達)함.
[玄圃 현포] 곤륜산(崑崙山)에 있다는 신선(神仙)이 사는 곳.
[玄圃積玉 현포적옥] 현포(玄圃)에 쌓인 옥(玉)이라는 뜻으로, 화려한 시문(詩文)을 비유하여 이르는 말.
[玄風 현풍] ㉠노장(老莊)의 사상. ㉡청담(淸談)의 풍기(風氣).
[玄學 현학] 노장(老莊)의 학문.
[玄海 현해] 북쪽의 바다. 북해(北海).
[玄虛 현허] ㉠현묘(玄妙)하고 허무함. ㉡하늘. 허공(虛空).
[玄玄 현현] 지극히 심원(深遠)한 모양.
[玄胡索 현호색] 양귀비과에 속하는 다년초. 4월에 엷은 홍자색의 꽃이 핌. 괴경(塊莖)은 약재(藥材)로 씀.
[玄黃 현황] ㉠하늘빛과 땅빛. ㉡하늘과 땅. 천지(天地). ㉢검은빛에 누른빛이 섞임. ㉣검은 또는 누른 폐백(幣帛). ㉤말이 병들어 피로함. ㉥병. 질병(疾病). ㉦중앙의 상제(上帝).
[玄訓 현훈] 심오(深奧)한 교훈(敎訓).
◉九玄. 鉤玄. 穹玄. 妙玄. 素玄. 深玄. 淵玄. 幽玄. 蒼玄. 淸玄. 太玄.

4 ⑨ [玅] 〔묘〕
妙(女部 四畫〈p. 519〉)와 同字
[字源] 會意. 玄+少

5 ⑩ [玆] [高·人] 【一】 자 ㊥支 津之切 zī
【二】 현 ㊥先 胡涓切 xuán
[筆順]
[字解] 【一】 ①검을 자, 흐릴 자 빛이 검고 흐림. '使吾水—'《左傳》. ②이 자 가까운 사물을 가리키는 관형사. '受—介福'《易經》. ③이곳 자 여기. '爰宅于—'《書經》. ④이때 자 지금. '歷載臻—'《漢書》. ⑤이에 자 발어사(發語辭). '—之永歎'《詩經》. ⑥해 자 일 년(一年). '今—'. '何能待來—'《古詩》. 【二】 검을 현 [一]❶과 뜻이 같음.
[字源] 金文 篆文 會意. '玄현'을 둘 합쳐서, '검다'의 뜻을 나타냄.
◉今玆. 來玆. 念玆在玆. 徂玆.

[畜] 〔축〕
田部 五畫(p. 1466)을 보라.

6 ⑪ [率] [高·人] 【一】 솔 ㊤質 所律切 shuài
【二】 률 ㊤質 劣戌切 lù
【三】 수 ㊦寘 所類切 shuài
[筆順]
[字解] 【一】 ①거느릴 솔 인솔함. '統—'. '昭公—師擊平子'《史記》. ②좇을 솔 ㉠준봉(遵奉)함. '—循'. '—由舊章'《詩經》. ㉡따름. 의거함. '—性之謂道'《中庸》. ㉢복종함. '—服'. '惟時有苗不—'《書經》. ㉣행함. 실행함. '—義之謂勇'《左傳》. ③대강 솔 대략. '大—'. '其—用此'《禮記》. ④소탈할 솔 예법 등에 구애하지 아니함. '坦—'. ⑤꾸밈없을 솔 솔직함. '眞—'. ⑥가벼울 솔 경망함. '輕—'. '子路—爾而對'《論語》. ⑦거칠 솔 조잡함. '粗—'. '豬性卑而—'《埤雅》. ⑧성 솔 성(姓)의 하나. 【二】 ①율 률 수

(數) 등의 비례. '比—'. '以周— 乘之'《晉書》. ②제한 률 한도. '變其彀—'《孟子》. 目 ①우두머리 수, 장수 수 帥(巾部 六畫)와 同字. '渠—'. '方伯連—'《詩經》. ②새그물 수 조망(鳥網).

字源 甲骨文 金文 篆文 象形. 씻은 실의 물을 짜는 모양을 본떠, 한군데로 죄어치다, 정리해서 거느리다의 뜻을 나타냄. 파생하여, 수(數) 따위를 정리하다, 대략의 뜻을 나타냄. 《說文》에서는 篆文을 새 잡는 그물의 象形으로 봄.

[率家 솔가] 《韓》 객지(客地)에 살면서 온 집안 식구를 데려가 삶.
[率去 솔거] 거느리고 감.
[率更 솔경] 한(漢)나라의 벼슬 이름. 누각(漏刻)을 맡음.
[率更體 솔경체] 서체(書體)의 하나. 구양순(歐陽詢)이 솔경령(率更令)이 된 일이 있으므로 그의 서체를 이름.
[率口而發 솔구이발] 앞뒤를 가리지 않고 되는대로 지껄임.
[率眷 솔권] 가족(家族)을 거느림.
[率堵波 솔도파] 《佛敎》 솔도파(窣堵波).
[率來 솔래] 거느리고 옴.
[率伴 솔반] 인솔하여 함께 감.
[率兵 솔병] 병정(兵丁)을 거느림.
[率普 솔보] '솔토지빈보천지하(率土之濱普天之下)'의 준말로서, 온 천하(天下)의 뜻.
[率服 솔복] 복종함.
[率溥 솔부] 솔보(率普).
[率濱 솔빈] 솔토지빈(率土之濱).
[率先 솔선] 남보다 앞서 함. 앞장을 섬.
[率性 솔성] 천성(天性)을 좇아 그대로 행함.
[率素 솔소] 솔직하고 진실함. 진솔(眞率).
[率循 솔순] 솔유(率由).
[率然 솔연] ㉠갑작스러운 모양. ㉡상산(常山)에 산다는 뱀[蛇]의 이름.
[率由 솔유] 좇음. 따름.
[率易 솔이] 소탈함. 솔직하고 까다롭지 아니함.
[率爾 솔이] ㉠경솔(輕率)한 모양. ㉡갑작스러운 모양.
[率從 솔종] 솔복(率服).
[率直 솔직] 꾸밈없고 정직함.
[率塔婆 솔탑파] 《佛敎》 솔도파(率堵波).
[率土之民 솔토지민] 온 천하의 백성.
[率土之濱 솔토지빈] 온 천하. 온 세계.
[率下 솔하] 거느리고 있는 부하.
[率身 율신] 자기(自己)가 자신(自身)을 잘 단속(團束)함. 율기(律己).
◉簡率. 渠率. 輕率. 高率. 彀率. 糾率. 能率. 大率. 督率. 方伯連率. 倍率. 百分率. 比率. 稅率. 疎率. 連率. 圓周率. 利率. 因果率. 引率. 將率. 奬率. 低率. 粗率. 遵率. 直率. 眞率. 草率. 總率. 縮小率. 坦率. 統率. 確率. 效率.

[牽] 〔견〕 牛部 七畫(p. 1382)을 보라.

6 ⑪ [玈] 로 ㊥虞 落胡切 lú

字解 검을 로 빛이 검음. '王賜晉侯—弓矢千'《左傳》.

字源 篆文 形聲. 玄+旅〈省〉〔音〕. '玄현'은 '검다'의 뜻.

[玈弓 노궁] 검은빛의 활.

玉(王) (5획) 部

〔구슬옥부〕

0 ⑤ [玉] 中 人 옥 ㊅沃 魚欲切 yù

筆順 一 二 干 王 玉

字解 ①옥 옥 아름다운 돌. '寶—'. '珠—'. 전(轉)하여, 사물의 미칭(美稱). '—顔'. '—樓'. '其人如—'《詩經》. ②사랑할 옥 옥같이 소중히 여김. 애지중지함. '王欲—女'《詩經》. ③이룰 옥 옥같이 아름다운 물건이 되게 함. '庸—女于成也'《張載》.

字源 甲骨文 金文 篆文 古文 象形. 세 개의 옥(玉), 많은 보석을 세로의 끈으로 꿴 모양을 본떠, '옥'의 뜻을 나타냄.

參考 '玉'을 의부(意符)로 하여, 여러 종류의 옥이나 옥으로 만든 것, 옥의 상태, 옥을 세공하는 일 등에 관한 문자를 이름. 변이 될 때에는 자형이 '王'이 됨. 속칭 '구슬옥'.

[玉匣 옥갑] 옥으로 만든 갑(匣). 옥으로 장식한 갑.
[玉玦 옥결] 허리에 차는 옥으로 만든 고리.
[玉京 옥경] 옥황상제(玉皇上帝)가 산다고 하는 서울.
[玉鏡 옥경] ㉠옥으로 만든 거울. ㉡달[月]의 이칭(異稱).
[玉階 옥계] 대궐(大闕) 안의 섬돌.
[玉鷄 옥계] 흰 닭.
[玉稿 옥고] 남의 원고(原稿)의 경칭(敬稱).
[玉昆金友 옥곤금우] 옥(玉) 같은 형(兄)과 금 같은 아우라는 뜻으로, 남의 형제를 칭찬하는 말.
[玉骨 옥골] ㉠미인의 골격(骨格). ㉡매화(梅花)의 별칭(別稱).
[玉工 옥공] 옥장이. 옥장(玉匠).
[玉冠 옥관] 옥으로 장식한 관.
[玉關 옥관] 옥문관(玉門關).
[玉關情 옥관정] 흉노(匈奴) 지방으로 원정(遠征)가 있는 남편을 그리워하는 아내의 정사(情思). 옥관(玉關)은 한(漢)나라와 흉노와의 국경에 있는 관문(關門)의 이름.
[玉轎 옥교] 임금이 타는 교자.
[玉鉤 옥구] ㉠옥으로 만든 갈고리. ㉡초승달.
[玉几 옥궤] 옥으로 장식한 안석(案席). 훌륭한 안석.
[玉肌 옥기] 옥과 같이 고운 살결.
[玉器 옥기] 옥으로 만든 그릇.
[玉女 옥녀] ㉠미녀(美女). ㉡남의 딸의 경칭(敬稱). ㉢선녀(仙女).
[玉奴 옥노] 계집. 여자.
[玉堂 옥당] ㉠화려한 전당(殿堂). ㉡여관(女官)이 사는 방. ㉢한대(漢代)에 문사(文士)가 출

사(出仕)하던 곳. 전(轉)하여, 송대(宋代)부터 한림원(翰林院)의 별칭. ㉣《韓》 홍문관(弘文館)의 별칭(別稱). ㉤《韓》 홍문관(弘文館)의 부제학(副提學) 이하(以下) 실무에 당하는 관원(官員)의 총칭(總稱).

[玉帶 옥대] 옥으로 장식한 띠.

[玉臺 옥대] 옥으로 만든 집. 천제(天帝)가 있는 곳.

[玉臺新詠 옥대신영] 진(陳)나라의 서릉(徐陵)이 한(漢)나라부터 양(梁)나라에 이르기까지의 시(詩)를 가려 뽑아 엮은 시집(詩集). 규정(閨情)을 읊은 것이 많음. 10권.

[玉臺體 옥대체] 진(陳)나라의 서릉(徐陵)이 편찬한 옥대신영(玉臺新詠)에서 시작된 일종의 시체(詩體).

[玉童 옥동] 옥경(玉京)에 있다는 깨끗한 모양을 한 동자(童子).

[玉斗 옥두] 옥으로 만든 술을 뜨는 구기.

[玉燈 옥등] 옥으로 만든 등잔.

[玉蘭 옥란] 백목련(白木蓮).

[玉輦 옥련] 임금이 타는 연.

[玉路 옥로] 제왕(帝王)이 타는 수레. 천자(天子)의 수레. 노(路)는 노(輅).

[玉露 옥로] 맑고 깨끗하게 방울진 이슬.

[玉漏 옥루] 옥으로 장식한 물시계. 궁중(宮中)의 물시계.

[玉樓 옥루] ㉠지극히 화려한 누각(樓閣). ㉡신선(神仙)이 사는 집. ㉢도가(道家)의 말로서 좌우(左右)의 어깨.

[玉樓銀海 옥루은해] 어깨와 눈. 도가(道家)에서 양쪽 어깨를 옥루, 양쪽 눈을 은해라 함.

[玉輪 옥륜] 달〔月〕의 별칭(別稱). 월륜(月輪).

[玉面 옥면] ㉠옥과 같이 아름다운 낯. ㉡남의 낯의 미칭(美稱).

[玉貌 옥모] ㉠옥(玉)과 같은 예쁜 용모. ㉡남의 용모의 미칭(美稱).

[玉門 옥문] ㉠대궐. 궁궐(宮闕). ㉡음문(陰門).

[玉門關 옥문관] 간쑤 성(甘肅省) 돈황(燉煌) 부근에 있던 서역(西域)에 통하는 관문(關門).

[玉盤 옥반] ㉠옥으로 장식한 쟁반. ㉡달〔月〕의 별칭.

[玉房 옥방] ㉠옥으로 장식한 방. ㉡아름다운 꽃송이. ㉢옥을 가공(加工)하거나 파는 가게.

[玉杯 옥배] 옥으로 만든 술잔.

[玉帛 옥백] 옥과 비단. 교분이 두터운 것을 표시하는 예물(禮物).

[玉魄 옥백] 달〔月〕의 별칭.

[玉步 옥보] 부인(婦人) 또는 귀인(貴人)의 걸음.

[玉寶 옥보] 임금의 존호(尊號)를 새긴 도장(圖章).

[玉不磨不光 옥불마불광] 학문을 닦지 않으면 지능을 계발(啓發)하지 못함을 이름.

[玉不琢不成器 옥불탁불성기] 옥의 바탕이 본시 아름답지만 다듬지 아니하면 쓰지 못한다는 뜻으로, 천성이 뛰어나도 학문을 닦지 아니하면 뛰어난 인물이 되지 못함을 이름.

[玉山 옥산] ㉠풍채가 수려(秀麗)한 사람. ㉡신선(神仙)이 사는 곳.

[玉山崩 옥산붕] 용모가 수려한 사람이 몹시 술에 취하여 몸을 가누지 못함을 이름.

[玉璽 옥새] 임금의 도장(圖章).

[玉色 옥색] 약간 파르스름한 빛깔.

[玉書 옥서] ㉠신선이 전한 책. ㉡남의 편지의 경칭(敬稱).

[玉石 옥석] ㉠옥(玉)과 돌. ㉡옥(玉)돌.

[玉石俱焚 옥석구분] 옥(玉)과 돌이 함께 탄다는 뜻으로, 곧 나쁜 사람이나 좋은 사람이나 같이 재액(災厄)을 당(當)함을 이름.

[玉石俱碎 옥석구쇄] 선악의 차별 없이 일거(一擧)에 타격을 가함을 이름.

[玉石同匱 옥석동궤] 옥과 돌을 같은 궤에 넣어 둔다는 뜻으로, 어진 사람과 어리석은 사람이 뒤섞여 현우(賢愚)를 분간할 수 없음을 이름.

[玉石混淆 옥석혼효] 옥과 돌이 뒤섞여 있다는 뜻으로, 선악이 뒤섞여 구별할 수 없음을 이름.

[玉屑 옥설] ㉠옥(玉) 가루. 약재(藥材)로 씀. ㉡썩 잘 지은 글귀. 미사여구(美辭麗句). ㉢눈〔雪〕의 미칭(美稱).

[玉雪 옥설] ㉠눈〔雪〕의 미칭(美稱). ㉡사물의 깨끗함을 이름.

[玉蟾 옥섬] 달〔月〕의 별칭(別稱).

[玉成 옥성] 덕(德)이 있는 사람이 됨. 또, 덕이 있는 사람으로 만듦.

[玉聲 옥성] 남의 말에 대한 경어(敬語).

[玉碎 옥쇄] 부서져 옥(玉)이 된다는 뜻으로, 공(功)을 세우고 죽거나 충성을 다하고 깨끗이 죽음을 이름. 와전(瓦全)의 대(對).

[玉水 옥수] 맑은 샘물.

[玉手 옥수] ㉠옥과 같이 아름다운 손. ㉡미인(美人)의 손.

[玉樹 옥수] ㉠재주가 뛰어난 사람의 비유. ㉡홰나무〔槐〕의 별칭(別稱).

[玉髓 옥수] 석영(石英)의 일종. 결정(結晶)이 미소(微小)하고 치밀함.

[玉豉 옥시] 장미과에 속하는 숙근초(宿根草). 뿌리를 지유(地楡)라 하여 약재(藥材)로 씀. 오이풀.

[玉食 옥식] 맛있는 음식(飮食). 흰 쌀밥.

[玉心 옥심] 옥과 같이 깨끗한 마음.

[玉案 옥안] 옥으로 장식한 책상.

[玉顔 옥안] ㉠옥과 같이 아름다운 얼굴. ㉡남의 얼굴의 경칭(敬稱).

[玉葉 옥엽] ㉠옥같이 아름다운 잎. ㉡천자(天子)의 일족(一族).

[玉詠 옥영] 남이 지은 시가(詩歌)의 경칭(敬稱).

[玉瞖 옥예] 각막(角膜)이 쑥 나오고 거죽은 옥색, 속은 청홍색으로 변하는 눈병의 한 가지.

[玉椀 옥완] 옥으로 만든 주발.

[玉腕 옥완] 옥과 같이 아름다운 팔. 미인(美人)의 팔.

[玉宇 옥우] ㉠옥으로 장식한 집. 호화로운 집. ㉡천제(天帝)가 있는 곳.

[玉韻 옥운] ㉠썩 잘 지은 시(詩)의 미칭(美稱). ㉡남의 시의 경칭(敬稱).

[玉潤 옥윤] 사위〔壻〕의 미칭(美稱).

[玉音 옥음] ㉠임금의 음성. 임금의 말. ㉡훌륭한 말. ㉢거문고 등의 맑은 소리. ㉣남의 음신(音信)의 미칭.

[玉珥 옥이] ㉠옥으로 만든 귀고리. ㉡옥으로 만든 날밑.

[玉而冠 옥이관] 풍채가 고상하고 아름다움을 이름.

[玉人 옥인] ㉠옥으로 만든 인형. ㉡옥과 같은 미인(美人). ㉢부인(夫人)의 미칭(美稱). 또, 사모하는 사람. ㉣옥장이. 옥장(玉匠).

[玉印 옥인] 옥으로 만든 인장(印章).

[玉子 옥자] ㉠옥(玉). ㉡신선(神仙)의 이름.

[玉姿 옥자] 옥과 같이 아름다운 모습.
[玉爵 옥작] 옥으로 만든 술잔. 옥배(玉杯).
[玉簪 옥잠] 옥(玉)으로 만든 비녀. 옥비녀.
[玉簪花 옥잠화] 백합과에 속하는 화초(花草). 잎은 크고 종선(縱線)이 많으며, 꽃이 줄기 위에 백색(白色)으로 피기 전(前)은 옥(玉)비녀와 비슷함.
[玉章 옥장] ㉠옥과 같이 아름다운 글. ㉡남의 글의 경칭(敬稱).
[玉帳 옥장] ㉠장수(將帥)가 거처하는 장막. ㉡구슬로 장식한 휘장. 아름다운 휘장.
[玉笛 옥적] 옥(玉)으로 만든 저. 또, 아름다운 저.
[玉折 옥절] ㉠훌륭한 죽음. ㉡군자·재자·가인(佳人) 등의 죽음.
[玉折蘭摧 옥절란최] '옥절(玉折)'과 같음.
[玉帝 옥제] 옥황(玉皇).
[玉題 옥제] ㉠처마 끝의 옥(玉)의 장식. ㉡아름다운 글자로 쓴 책의 표제(表題).
[玉座 옥좌] 임금이 앉는 자리. 보좌(寶座).
[玉麈 옥주] 옥(玉)의 불자(拂子).
[玉支 옥지] 철쭉의 별칭(別稱).
[玉池 옥지] ㉠아름다운 못. ㉡도가(道家)에서, 입〔口〕을 이름.
[玉指 옥지] 옥과 같이 아름다운 손가락. 미인의 손가락.
[玉趾 옥지] 옥의 발. 남의 발의 존칭(尊稱).
[玉指環 옥지환] 옥(玉)으로 만든 가락지. 옥(玉)가락지.
[玉塵 옥진] 아름다운 먼지라는 뜻으로, 눈〔雪〕의 별칭(別稱).
[玉瑱 옥진] 옥으로 된 귀막이.
[玉質 옥질] 옥과 같이 아름다운 성질.
[玉饌 옥찬] 훌륭한 음식.
[玉瓚 옥찬] 창주(鬯酒)를 담는 구기 비슷한 제기(祭器). 규찬(圭瓚).
[玉札 옥찰] ㉠남의 편지의 경칭(敬稱). ㉡한약재(漢藥材)인 '지유(地楡)'의 딴 이름.
[玉尖 옥첨] 아름다운 손가락.
[玉牒 옥첩] 왕실(王室)의 계보(系譜).
[玉體 옥체] ㉠임금 또는 귀인(貴人)의 몸의 존칭(尊稱). ㉡남의 몸의 존칭(尊稱).
[玉燭 옥촉] 사철의 기후가 고르고 날씨가 화창하여 일월(日月)이 환히 비치는 일.
[玉蜀黍 옥촉서] 옥수수.
[玉葱 옥총] 양파.
[玉摧 옥최] 옥절(玉折).
[玉巵 옥치] 옥배(玉杯).
[玉齒 옥치] 옥과 같이 아름다운 이.
[玉巵無當 옥치무당] 귀중한 옥 술잔이라도 밑이 없다면 쓸 데가 없음. 當은 底임.
[玉枕關 옥침관] 뒤통수.
[玉兔 옥토] ㉠달 속에 있다는 토끼. ㉡달〔月〕의 별칭(別稱).
[玉板 옥판] ㉠판자 모양으로 만든 옥. ㉡종이의 일종.
[玉佩 옥패] 옥으로 만든 패물. 패옥(佩玉).
[玉篇 옥편] ㉠양(梁)나라 고야왕(顧野王)이 엮은 30권으로 된 한자 자전(字典). 수록 자수(字數) 16,917. 후에 당(唐)나라의 손강(孫強)이 증보하고, 송(宋)나라 때 진팽년(陳彭年) 등이 중수(重修)한 이래 세상에 널리 퍼짐. ㉡《韓》 한자 자전(字典)의 범칭(凡稱).
[玉函 옥함] 옥(玉)으로 만든 함(函). 옥으로 장식한 함.
[玉檻 옥함] 옥(玉)으로 만든 난간(欄干).
[玉函山房輯逸書 옥함산방집일서] 책 이름. 청(淸)나라의 마국한(馬國翰)이 당(唐)나라 이전의 산일(散佚)된 고서(古書)의 글을 681종(種)의 경적(經籍)에서 수집(蒐集)하여 수록한 것임.
[玉盒 옥합] 옥(玉)으로 만든 뚜껑이 있는 작은 그릇.
[玉海 옥해] ㉠옥을 품은 바다. 곧, 고상한 인품의 비유. ㉡유서(類書). 송(宋)나라 왕응린(王應麟)의 찬(撰). 200권. 천문(天文)·율력(律曆)·지리(地理) 등 21문에 분류하여 널리 경사자집(經史子集)에서 초록(抄錄)하였으며, 고증(考證)에 뛰어남.
[玉海金山 옥해금산] 옥(玉)을 품은 바다와 금이 나는 산이라는 뜻으로, 고상한 인품(人品)의 비유.
[玉香 옥향] 옥(玉)을 새겨 만들고 그 속에 사향(麝香)을 넣는 부녀(婦女)의 패물(佩物).
[玉衡 옥형] ㉠북두칠성(北斗七星) 중의 다섯째 별. ㉡북두칠성의 다섯째 별부터 일곱째 별의 세 별의 통칭. '선기(璇璣)' 참조.
[玉毫 옥호] 《佛敎》 부처의 양미간에 있는 흰 털.
[玉壺 옥호] ㉠옥으로 만든 병. ㉡술〔酒〕의 이칭(異稱). ㉢옥으로 장식한 물시계. 궁중(宮中)의 물시계. 옥루(玉漏).
[玉笏 옥홀] 옥으로 만든 홀(笏).
[玉虹 옥홍] ㉠아름다운 무지개. ㉡다리〔橋〕의 미칭(美稱).
[玉皇 옥황] 도가(道家)에서 하느님을 일컫는 말.
[玉皇上帝 옥황상제] 옥황(玉皇).
◉嘉玉. 瓊玉. 曲玉. 崑山片玉. 崑玉. 攻玉. 龜玉. 金玉. 藍玉. 藍田生玉. 埋玉. 美玉. 璞玉. 白玉. 碧玉. 璧玉. 寶玉. 漱鳴玉. 水玉. 愛玉. 如冠玉. 如玉. 軟玉. 瘞玉. 五玉. 溫如玉. 瑤玉. 積玉. 切玉. 精金美玉. 精金良玉. 種玉. 珠玉. 尺玉. 靑玉. 炊金饌玉. 翠玉. 他山石可以攻玉. 佩玉. 抱玉. 抛磚引玉. 被褐懷玉. 含玉. 玄圃積玉. 紅玉. 火玉.

0 ④ [王] 中人 왕 ①-③(平)陽 雨方切 wáng
④-⑥(去)漾 于放切 wàng
⑦(上)養 羽枉切 wǎng

筆順 一 二 干 王

字解 ①임금 왕 ㉠군주. 천자(天子). '帝一'. '天子作民父母, 以爲天下一'《書經》. ㉡큰 제후(諸侯)의 칭호. '大丈夫定諸侯, 卽爲眞一耳'《史記》. ②왕 왕 ㉠같은 종류 중에서의 우두머리. '一蜂'. '人謂牡丹花一'《洛陽牡丹記》. ㉡황족 남자의 칭호. '江都一緖霍一, 元軌之子, 太宗皇帝猶子也'《名畫記》. ㉢혈통상(血統上) 윗대(代)의 일컬음. '父之考爲一父'《爾雅》. ㉣형체가 특히 거대한 것. '春獻一鮪'《周禮》. ③성 왕 성(姓)의 하나. ④왕노릇할 왕 임금 노릇을 함. '一此大邦'《詩經》. ⑤왕으로삼을 왕 '一君王於南鄭'《漢書》. ⑥왕성할 왕 旺(日部 四畫)과 통용. '神雖一不善也'《莊子》. ⑦갈 왕 往(彳部 五畫)과 통용. '昊天曰明, 及爾出一'《詩經》.

字源 甲骨文 金文 篆文 象形. 고대 중국에서 지배권(支配權)의 상징으

로 쓰인 큰 도끼의 象形으로, '임금'의 뜻을 나타냄.

[王家 왕가] ㉠제왕(帝王). ㉡제왕의 집안. 왕실(王室).
[王駕 왕가] 임금이 타는 수레.
[王綱 왕강] 제왕(帝王)이 나라를 다스리는 강기(綱紀).
[王闓運 왕개운] 청(淸)나라 말기(末期)의 학자. 후난 성(湖南省) 상탄(湘潭) 사람. 자(字)는 임보(壬父). 서실(書室)을 상기루(湘綺樓)라 이름 지었음. 선통제(宣統帝) 때 한림원 검토(翰林院檢討), 민국(民國) 때 국사관 관장(國史館館長)을 지냈음. 공양학자(公羊學者)로서 〈춘추공양전전(春秋公羊傳箋)〉의 저서가 있고, 시문(詩文)에도 뛰어나 문집에 〈상기루전집(湘綺樓全集)〉이 있음.
[王車 왕거] 제왕(帝王)이 타는 수레.
[王建 왕건] 당(唐)나라의 시인(詩人). 자(字)는 중초(仲初). 대력 연간(大曆年間)에 급제하여 위남위(渭南尉)·섬주사마(陝州司馬) 등을 역임하였음. 악부(樂府)를 잘 지어 그의 궁사(宮詞) 100수(首)는 세상에 널리 알려져 있음. 문집에 〈왕사마집(王司馬集)〉이 있음.
[王考 왕고] ㉠돌아간 할아버지. ㉡돌아간 아버지.
[王考丈 왕고장] 죽은 남의 할아버지의 존칭.
[王公 왕공] 왕(王)과 공(公). 신분이 고귀한 사람.
[王公大人 왕공대인] 신분이 고귀한 사람.
[王瓜 왕과] 쥐참외.
[王冠 왕관] 임금이 쓰는 관.
[王喬 왕교] 한(漢)나라 때의 신선(神仙)의 이름.
[王柩 왕구] 왕의 관(棺).
[王國 왕국] ㉠제왕(帝王)이 다스리는 나라. ㉡군주(君主)를 왕(王)이라고 일컫는 나라.
[王國維 왕국유] 민국(民國)의 학자. 저장 성(浙江省) 해령(海寧) 사람. 자(字)는 정안(靜安). 호는 관당(觀堂). 〈송원희곡사(宋元戲曲史)〉·〈인간사화(人間詞話)〉·〈관당집림(觀堂集林)〉 등의 저서가 있음.
[王宮 왕궁] ㉠임금의 궁전(宮殿). ㉡해를 제사 지내는 단(壇).
[王權 왕권] 제왕이 지닌 권력.
[王氣 왕기] 제왕(帝王)의 덕(德)을 갖춘 사람이 나오는 땅에 나타난다고 하는 특수한 운기(雲氣).
[王畿 왕기] 왕도(王都)의 근방(近方). 중국의 이수(里數)로 왕성(王城)의 사방 천 리 이내의 땅. '오복(五服)' 참조.
[王女 왕녀] 제왕(帝王)의 딸.
[王黨 왕당] 제왕(帝王)을 위하여 충성을 다하는 파(派)의 사람들.
[王臺 왕대] 왕봉(王蜂)이 될 알을 받아 기르는 벌집.
[王度 왕도] 제왕(帝王)의 풍도(風度). 왕자(王者)의 덕기(德器).
[王都왕도] 제왕(帝王)이 있는 서울. 왕성(王城).
[王道 왕도] ㉠제왕(帝王)이 마땅히 행하여야 할 길. ㉡왕자(王子)가 어진 덕(德)으로 백성을 다스리는 공평무사(公平無私)한 정치(政治). 패도(霸道)의 대(對).
[王略 왕략] 제왕(帝王)의 계략(計略).
[王旅 왕려] 제왕의 군사. 왕사(王師).
[王領 왕령] 제왕의 영토(領土).
[王陵 왕릉] 왕의 능.
[王莽 왕망] 한(漢)나라의 효원 황후(孝元皇后)의 조카. 자(字)는 거군(巨君). 책모(策謀)로써 평제(平帝)를 죽이고 한조(漢朝)를 빼앗아 즉위하여 신(新)나라를 세웠으나, 내치 외교에 실패하여 재위 15년 만에 광무제(光武帝)에게 망하였음.
[王面錢 왕면전] 옛날 안식국(安息國)에서 쓰던 통화(通貨)의 이름.
[王命 왕명] 제왕(帝王)의 명령(命令).
[王鳴盛 왕명성] 청(淸)나라의 학자. 장쑤 성(江蘇省) 가정(嘉定) 사람. 자(字)는 서장(西莊). 〈상서후안(尙書後案)〉·〈아술편(蛾術編)〉 등의 저서가 있음.
[王母 왕모] ㉠할머니. ㉡제왕(帝王)의 어머니. ㉢서왕모(西王母)의 약칭(略稱). ㉣다리가 파랗고, 부리가 적황(赤黃)색이며 날개는 희고 뺨이 빨간 새. ㉤《韓》정재(呈才) 헌선도(獻仙桃) 춤에 선도반(仙桃盤)을 드리는 여기(女妓). 선모(仙母).
[王母珠 왕모주] 가짓과(科)에 속하는 다년초(多年草). 뿌리는 약용. 꽈리.
[王門伶人 왕문영인] 왕가(王家)에 딸린 악공(樂工).
[王勃 왕발] 당대(唐代)의 시인(詩人). 사조(詞藻)가 기려(奇麗)하여 초당 사걸(初唐四傑)의 한 사람으로 꼽힘. 교지(交趾)로 가는 도중 남창(南昌)에서 도독(都督) 염백서(閻伯嶼)를 위하여 쓴 〈등왕각서(滕王閣序)〉는 특히 유명함. 29살에 바다를 건너다가 익사(溺死)하였음.
[王法 왕법] 제왕(帝王)의 법. 나라의 법률.
[王蜂 왕봉] 여왕벌. 장수벌.
[王父 왕부] 할아버지. 조부(祖父).
[王妃 왕비] 왕(王)의 아내.
[王事 왕사] 제왕(帝王)에 관한 일. 왕실(王室)에 관한 일.
[王社 왕사] 천자(天子)가 세운 지신(地神)의 사당(祠堂).
[王師 왕사] ㉠제왕(帝王)의 군사. ㉡제왕의 스승.
[王蛇 왕사] 큰 뱀. 왕뱀. 대사(大蛇).
[王舍城 왕사성]《佛敎》불타 시대(佛陀時代)의 강국인 마갈타국(摩揭陀國)의 서울. 불타 교화(佛陀敎化)의 중심지로 지금의 파트나(Patna) 시 남방 비하르(Bihar) 지방의 라자그리하(Rajagriha)가 그 옛터임. 불교에 관한 유적이 많음.
[王士禎 왕사정] 청(淸)나라의 시인. 호(號)는 완정(阮亭)·어양산인(漁洋山人). 서실(書室)을 대경당(帶經堂)이라 이름 지었음. 벼슬이 형부상서(刑部尙書)에 이르렀고, 신운(神韻)의 시로써 일대의 정종(正宗)이 되었으며 주이준(朱彝尊)과 병칭(竝稱)하여 주왕(朱王)이라 함. 〈대경당시화(帶經堂詩話)〉·〈지북우담(池北偶談)〉 등의 저서가 있음.
[王祥得鯉 왕상득리] 서진(西晉) 시대에 태보(太保)를 지낸 왕상(王祥)이 어려서부터 효성이 지극하여 그의 계모가 생선을 먹고 싶어하였을 때 얼음 위에 누워 얼음이 녹는 것을 기다려 얼음을 깨고 잉어 두 마리를 얻은 고사(故事).
[王先謙 왕선겸] 청(淸)나라 말기의 학자. 장사(長沙) 사람. 자(字)는 익오(益吾). 〈속황청경해(續皇淸經解)〉·〈십일조동화록(十一朝東華錄)〉을 찬(撰)하였으며, 〈순자(荀子)〉·〈후한

서(後漢書)〉 등의 집해(集解)의 저자로서 유명함.

[王城 왕성] ㉠제왕(帝王)이 있는 서울. ㉡《佛教》 불타(佛陀)가 있는 곳.

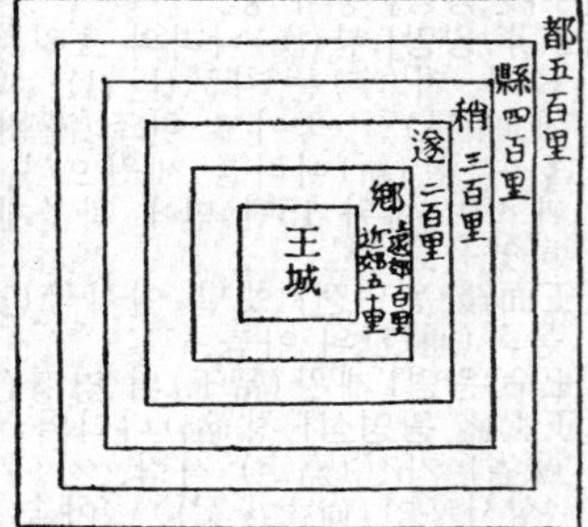

〔王城㉠〕

[王世孫 왕세손] 왕세자(王世子)의 맏아들.

[王世子 왕세자] 왕위(王位)를 이을 왕자(王子).

[王世貞 왕세정] 명(明)나라의 문인. 자(字)는 원미(元美). 호는 봉주(鳳洲)·엄주산인(弇州山人). 벼슬이 형부상서(刑部尙書)에 이르렀음. 시문(詩文)에 뛰어나 이반룡(李攀龍)과 이름을 가지런히 하였으므로 세상에서 이왕(李王)이라 아울러 일컬음. 저서에 〈엄주산인사부고(弇州山人四部稿)〉가 있음.

[王昭君 왕소군] 전한(前漢) 효원제(孝元帝)의 궁녀(宮女)로 이름은 장(嬙). 칙명(勅命)으로 흉노(匈奴)의 호한사선우(呼韓邪單于)에게 시집갔음. 명비(明妃)라고도 함.

[王孫 왕손] ㉠제왕(帝王)의 자손. ㉡귀인(貴人)의 자제. 귀공자(貴公子). ㉢귀뚜라미. 곧 실솔(蟋蟀)의 별칭. ㉣원숭이〔猴〕의 별칭.

[王守仁 왕수인] 명(明)나라의 유학자(儒學者)·정치가(政治家). 저장(浙江) 사람. 호(號)는 양명(陽明). 지행합일론(知行合一論)과 치양지설(致良知說)을 주장하여 주자학파(朱子學派)와 다투었음. 세상에서 그의 학파를 요강학파(姚江學派)라 함. 광시(廣西)의 적을 토벌하고 돌아오다 안남(安南)에서 죽었음. 저서에는 〈왕문성전서(王文成全書)〉 등이 있음.

[王臣 왕신] 제왕의 신하.

[王臣蹇蹇匪躬之故 왕신건건비궁지고] 신하는 일신(一身)의 이해(利害)를 돌보지 아니하고 임금을 위하여 충성을 다함.

[王室 왕실] ㉠제왕(帝王)의 집안. ㉡국가(國家).

[王氏五侯 왕씨오후] 왕씨(王氏)의 다섯 사람의 제후(諸侯). 한(漢)나라 성제(成帝) 때 외척(外戚)이 권력을 장악하여 왕봉(王鳳)의 아우인 담(譚)·상(尙)·입(立)·근(根)·봉(逢)의 다섯 사람이 하루아침에 모두 제후가 되었음.

[王安石 왕안석] 송(宋)나라의 정치가·학자. 자(字)는 개보(介甫). 호(號)는 반산(半山). 장시성(江西省) 린촨(臨川) 사람. 신종(神宗) 때 정승(政丞)이 되어 신법(新法)을 행하고 부국강병(富國強兵)의 정책을 썼음. 시문(詩文)에도 능하여 당송 팔대가(唐宋八大家)의 한 사람으로 꼽힘. 저서에 〈주관신의(周官新議)〉·〈임천집(臨川集)〉·〈당백가시선(唐百家詩選)〉 등이 있음.

[王楊盧駱 왕양노락] 왕발(王勃)·양형(楊炯)·노조린(盧照鄰)·낙빈왕(駱賓王)의 네 사람. 시(詩)에 뛰어나 초당(初唐)의 사걸(四傑)이라 일컬음.

[王陽明 왕양명] 왕수인(王守仁).

[王良造父 왕양조보] 왕양(王良)과 조보(造父). 모두 춘추 시대(春秋時代)의 말을 잘 부리던 사람임.

[王言 왕언] 제왕(帝王)의 말.

[王言如絲其出如綸 왕언여사기출여륜] 왕의 말은 실처럼 가늘어도 한번 입 밖에 나오면 밧줄같이 굵다는 뜻으로, 제왕의 사소한 말도 신민(臣民)에게 전(傳)하여지면 그 영향이 크므로 제왕은 말을 삼가야 한다는 뜻.

[王彦章 왕언장] 오대(五代) 후량(後梁)의 용장(勇將). 항상 철창(鐵槍)을 가지고 분전(奮戰)하였으므로 왕철창(王鐵槍)이라고도 함. 말제(末帝) 때 초토사(招討使)가 되어 적을 격파하여 군위(軍威)를 떨쳤으나 후에 연주(兗州)에서 사로잡혀 적에게 굽히지 않고 피살당하였음.

[王業 왕업] 제왕이 나라를 다스리는 대업(大業).

[王餘魚 왕여어] 고기의 이름. 가자미 또는 넙치 따위의 고기.

[王念孫 왕염손] 청(淸)나라의 학자. 고우(高郵) 사람. 성음훈고(聲音訓詁)의 학(學)에 가장 조예(造詣)가 깊어 〈광아소증(廣雅疏證)〉·〈독서잡지(讀書雜志)〉 등의 저서가 있음.

[王月 왕월] 음력 정월의 별칭(別稱).

[王位 왕위] 제왕(帝王)의 자리.

[王威 왕위] 제왕의 위엄.

[王乳 왕유] 왕봉(王蜂)이 될 새끼를 기르기 위하여 꿀벌이 분비(分泌)한 흰 액체.

[王猷 왕유] 제왕(帝王)이 행하여야 할 길.

[王維 왕유] ㉠왕강(王綱). ㉡성당(盛唐) 시대의 시인(詩人)·화가(畫家). 자(字)는 마힐(摩詰). 만년(晩年)의 관명(官名)을 따라 왕우승(王右丞)이라고도 부름. 벼슬이 상서우승(尙書右丞)에 이르렀기 때문임. 시(詩)뿐 아니라, 음악(音樂)의 명수(名手)이기도 하고 남화(南畫)의 비조(鼻祖)로 일컬어질 정도로 산수화(山水畫)에도 능했음. 〈왕우승집(王右丞集)〉 6권이 남아 있음.

[王引之 왕인지] 청(淸)나라의 학자. 자(字)는 백신(伯申). 염손(念孫)의 아들. 가경(嘉慶) 4년에 진사(進士)에 급제, 공부상서(工部尙書)에 이르렀음. 〈경전석사(經傳釋詞)〉·〈경의술문(經義述聞)〉 등의 저서가 있음.

[王子 왕자] 제왕(帝王)의 아들.

[王者 왕자] ㉠임금. 제왕(帝王). ㉡왕도(王道)로 천하(天下)를 다스리는 임금. 패자(霸者)의 대(對).

[王者師 왕자사] 왕자(王者)의 스승. 제왕(帝王)의 선생.

[王者以四海爲家 왕자이사해위가] 제왕(帝王)은 천하를 한집안같이 여김.

[王子學 왕자학] 왕양명(王陽明)이 주창한 학설. 양명학(陽明學). 왕학(王學).

[王丈 왕장] 남의 할아버지의 존칭(尊稱).

[王迹 왕적] 왕업(王業)의 공적(功績). 제왕의 대업(大業).

[王政 왕정] 왕자(王者)의 정치. 왕도(王道).

[王庭 왕정] 흉노(匈奴)의 선우(單于)가 있는 곳.

[王廷 왕정] 조정(朝廷).

[王制 왕제] 왕자(王者)의 제도(制度).

[王朝 왕조] ㉠제왕(帝王)의 조정(朝廷). ㉡왕자(王者)의 조정.

[王族 왕족] 제왕(帝王)의 일가.

[王宗 왕종] 왕족(王族) 또는 황족(皇族).

[王座 왕좌] 임금이 앉는 자리. 용상(龍床)이 있는

자리.
[王佐之材 왕좌지재] 제왕을 도울 만한 재목. 재상(宰相)이 될 만한 인물.
[王昌齡 왕창령] 당대(唐代)의 시인(詩人). 자는 소백(少伯). 시(詩)에 뛰어나 개원(開元)과 천보(天寶) 연간에 명성을 떨쳤음. 일찍이 용표위(龍標尉)를 지냈으므로 세상에서 왕용표(王龍標)라 일컬었음. 시문집 5권이 있음.
[王澤 왕택] 제왕(帝王)의 은택(恩澤).
[王土 왕토] 임금의 영토(領土).
[王統 왕통] 제왕(帝王)의 혈통.
[王八 왕팔] 사람을 욕하는 말. 후레아들. 망팔(忘八).
[王霸 왕패] 왕도(王道)와 패도(霸道). 또, 왕자(王子)와 패자(霸者).
[王學 왕학] 왕양명(王陽明)이 주창(主唱)한 학설(學說). 왕자학(王子學). 양명학(陽明學).
[王獻之 왕헌지] 동진(東晉)의 서예가(書藝家). 왕희지(王羲之)의 아들. 자(字)는 자경(子敬). 예서(隷書)와 초서(草書)에 능하여 부친과 합하여 이왕(二王)이라 일컬음. 오흥 태수(五興太守)·중서령(中書令) 등을 지냈음.
[王化 왕화] 제왕(帝王)의 덕화(德化).
[王后 왕후] ㉠제왕(帝王)의 아내. ㉡천자(天子)의 아내. 황후(皇后). ㉢왕(王)의 아내. 왕비(王妃).
[王侯 왕후] 제왕(帝王)과 제후(諸侯).
[王侯將相 왕후장상] 제왕(帝王)·제후(諸侯)·장수(將帥)·재상(宰相)의 총칭.
[王侯將相寧有種乎 왕후장상영유종호] 왕후와 장상에 어찌 혈통이 있겠느냐라는 뜻으로, 발분(發憤)하면 누구나 왕후장상이 될 수 있다는 말.
[王虺 왕훼] 왕사(王蛇).
[王姬 왕희] ㉠왕후(王后). ㉡왕녀(王女).
[王羲之 왕희지] 동진(東晉)의 서예가(書藝家). 자(字)는 일소(逸少). 벼슬이 우군장군(右軍將軍)에 이르렀으므로, 세상에서 왕우군(王右軍)이라 일컬음. 해서(楷書)·행서(行書)·초서(草書)의 삼체를 전아(典雅)하고 웅경(雄勁)하게 귀족적인 서체로 완성하여 고금(古今)에 관절(冠絕)함. 행서(行書)의 난정집서(蘭亭集序)·해서(楷書)의 악의론(樂毅論) 등은 가장 유명함.
◉覺王. 谷王. 國王. 君王. 郡王. 勤王. 來王. 大王. 魔王. 名王. 明王. 木王. 百谷王. 百花王. 梵王. 梵天王. 法王. 辟王. 蜂王. 不動明王. 裨王. 四天王. 三冠王. 三王. 象王. 先王. 盛王. 聖王. 素王. 厲憐王. 女王. 寧王. 龍王. 六王. 輪王. 仁王. 前王. 帝王. 僭王. 天王. 哲王. 親王. 霸王. 賢王. 花王. 皇王. 后王.

0 ⑤ [玊] [一] 숙 [入]屋 息逐切 sù
[二] 속 [入]沃 相玉切
[三] 후 [去]宥 香救切
[字解] [一] ①옥세공인 숙 '一, 又琢玉工'《廣韻》. ②티있는옥 숙 '一, 朽玉也'《說文》. ③오랑캐나라이름 숙 서쪽 오랑캐의 나라 이름. '一, 西戎國名'《集韻》. ④성 숙 성(姓)의 하나. [二] 옥세공인 속, 티있는옥 속 [一]❶❷와 뜻이 같음. [三] 옥세공인 후, 티있는옥 후, 오랑캐나라이름 후 [一]과 뜻이 같음.
[字源] 指事. 篆文이 '王'으로 된 것은, 잘못해서 '丶'이 빠진 것으로 여겨짐. '王옥'에 '丶주' 점(點)을 찍어서, 티가 있는 옥(玉)의 뜻을 나타냄.

0 ④ [⺩] 玉(部首〈p. 1412〉)이 글자의 변으로 올 때의 자체(字體).
[參考] 임금과는 관계가 없지만, 부수(部首)의 이름으로 속칭 '임금왕변'이라 이름.

1 ⑥ [丟] 〔옥〕
玉(部首〈p. 1412〉)의 古字

2 ⑥ [玎] [人名] [一] 정 [平]青 當經切 dīng
[二] 쟁 [平]庚 中莖切 dīng
[筆順] 一 二 干 王 王 玎
[字解] [一] 옥소리 정 옥이 부딪쳐 울리는 소리. '石根寒溜玉一玲'《元好問》. [二] 옥소리 쟁 [一]과 뜻이 같음.
[字源] 篆文 玎 形聲. ⺩(玉)+丁〔音〕. '丁정'은 옥이 서로 부딪치는 소리를 나타내는 의성어적인 음부(音符)임.

[玎璫 정당] 정령(玎玲).
[玎玲 정령] 옥(玉) 소리. 옥이 부딪쳐 울리는 소리.

2 ⑥ [玏] 륵 [入]職 盧則切 lè
[字解] 옥돌 륵 옥 비슷한 돌. '瑊一'은 옥 비슷한 아름다운 돌.
◉瑊玏.

2 ⑥ [玔] 〔박〕
璞(玉部 十二畫〈p. 1439〉)과 同字

[匡] 〔광〕
匚部 四畫(p. 292)을 보라.

[全] 〔전〕
入部 四畫(p. 203)을 보라.

[宝] 〔보〕
宀部 五畫(p. 577)을 보라.

[弄] 〔롱〕
廾部 四畫(p. 714)을 보라.

3 ⑦ [玕] [人名] 간 [平]寒 古寒切 gān
[筆順] 一 二 干 王 玎 玕 玕
[字解] 옥돌 간 '琅一'은 벽옥(碧玉) 비슷한 아름다운 돌. '球琳琅一'《書經》.
[字源] 篆文 玕 古文 𤤺 形聲. ⺩(玉)+干〔音〕. 古文은 玉+旱〔音〕.
◉琅玕.

3 ⑦ [玖] [人名] 구 [上]有 擧有切 jiǔ
[筆順] 一 二 干 王 玌 玖 玖
[字解] ①옥돌 구 옥 비슷한 검은 빛깔의 아름다

운 돌. '報之以瓊—'《詩經》. ②아홉 구 九(乙部 一畫) 대신으로 쓰임. '出—若和合者'《唐律》. ③성 구 성(姓)의 하나.
字源 形聲. 王(玉)+久〔音〕

[玖璇 구선] 옥의 이름.
◉瓊玖.

3 ⑦ [玓] 적 ㊀錫 都歷切 dì
字解 빛날 적 '—瓅'은 명주(明珠)가 광채를 발하는 모양. '—瓅江靡'《史記》.
字源 篆文 形聲. 王(玉)+勺〔音〕. '勺작'은 밝게 빛나다의 뜻.

[玓瓅 적력] 자해(字解)를 보라.

3 ⑦ [玗] 人名 우 ㊥虞 羽俱切 yú
筆順 一 二 千 王 玗 玗 玗
字解 옥돌 우 옥 비슷한 아름다운 돌. '東方之美者, 有醫無閭之珣—琪焉'《爾雅》.
字源 金文 篆文 形聲. 王(玉)+于(亏)〔音〕

[玗琪 우기] 적옥(赤玉).
[玗甸 우전] 지명(地名). 쓰촨 성(四川省)에 있음.

3 ⑦ [玙] 玗(前條)의 本字

3 ⑦ [玔] 人名 천 ㊦霰 樞絹切 chuàn
字解 옥가락지 천 '—, 玉環'《集韻》.

3 ⑦ [玒] ■ 공 ㊥東 古紅切 hóng
■ 강 ㊥江 古雙切 hóng
字解 ■ 공옥 공 옥석 이름. '—, 玉也'《說文》.
■ 공옥 강 ■과 뜻이 같음.
字源 篆文 形聲. 王(玉)+工〔音〕

3 ⑦ [玘] 人名 기 ㊤紙 墟里切 qǐ
筆順 一 二 千 王 玘 玘 玘
字解 ①차는옥 기 패옥(佩玉). ②옥 기 옥. '—, 玉也'《說文新附》.
字源 篆文 形聲. 王(玉)+己〔音〕

4 ⑧ [玨] 각 ㊀覺 古岳切 jué
字解 쌍옥 각 한 쌍의 옥. 珏(玉部 五畫)의 本字. '二玉相合爲一珏'《說文》.
字源 珏(玉部 五畫)의 字源을 보라.

4 ⑧ [玟] 人名 민 ㊥眞 眉貧切 mín
筆順 一 二 千 王 王' 玟 玟 玟
字解 옥돌 민 珉(玉部 五畫)과 同字. '士佩瓀—'《禮記》.
字源 金文 篆文 形聲. 王(玉)+文〔音〕. '文문'은 문채(文彩)가 아름답다의 뜻.
參考 玫(玉部 四畫)는 別字.

[玟瑰 민괴] 남방(南方)에서 나는 붉은빛의 구슬.
◉瓀玟.

4 ⑧ [玞] 부 ㊥虞 甫無切 fū
字解 옥돌 부 砆(石部 四畫)와 同字. '會稽之山下, 多—石'《山海經》.
字源 形聲. 王(玉)+夫〔音〕

◉碔玞.

4 ⑧ [玠] 人名 개 ㊦卦 古拜切 jiè
字解 홀 개 제후(諸侯)를 봉(封)할 때 신표(信標)로 쓰던 한 자 두 치의 큰 홀(笏). '珪, 大尺二寸, 謂之—'《爾雅》.
字源 篆文 形聲. 王(玉)+介〔音〕. '介개'는 '크다'의 뜻.

4 ⑧ [玦] 결 ㊀屑 古穴切 jué

[玦①]
字解 ①패옥 결 고리 모양인데 한쪽이 트인, 허리에 차는 옥(玉). '玉—'. '范增數目項王, 擧所佩玉—, 以示者三'《史記》. ②깍지 결 활 쏠 때 엄지손가락에 끼는 기구. 決(水部 四畫) 참조. '右佩—'《禮記》.
字源 篆文 形聲. 王(玉)+夬(叏)〔音〕. '叏결'은 귀가 떨어지다의 뜻. 한 부분을 일부러 터서 만든 패옥(佩玉)의 뜻으로 쓰이며, 또 결단(決斷)의 뜻을 상징하는 데 쓰임.

[玦環 결환] 반원형(半圓形)의 패옥(佩玉).
◉鳥玉玦. 玉玦. 紫玉玦.

4 ⑧ [玢] 빈 ㊥眞 府巾切 bīn
字解 옥무늬 빈 '—豳'은 옥(玉)에 무늬가 있는 모양. '—豳文磷'《漢書》.
字源 形聲. 王(玉)+分〔音〕

[玢璘 빈린] 무늬가 있어 환한 모양.
[玢豳 빈빈] 옥(玉)에 무늬가 있는 모양.

4 ⑧ [玭] 人名 빈 ㊥眞 符眞切 pín
字解 옥 빈 회수(淮水)에서 난다는 일종의 옥(玉). '垂環—之琳琅'《何晏》.
字源 篆文 形聲. 王(玉)+比〔音〕. '比비'는 구슬의 소리를 나타내는 의성어적 음부(音符).

4 ⑧ **[玩]** [人名] 완 [去]翰 五換切 wán

[筆順] 一 二 千 王 王 王 玗 玩

[字解] ①장난할 완 심심풀이를 함. '一弄'. '一物喪志'《書經》. ②익힐 완 익숙해짐. '所樂而一者, 爻之辭也'《易經》. ③사랑할 완 '一爾清藻'《潘尼》. ④장난감 완 애완(愛玩)하는 물건. 노리개. '珍一'. '奇一 應響而赴'《陸機》.

[字源] [篆文] [別體] 形聲. 𤣩(玉)＋元〔音〕. '元원'은 '돌다'의 뜻. 한 옥을 둘러싸고 마음을 빼겨, 손안에서 돌리며 가지고 놀다의 뜻을 나타냄.

[玩具 완구] 장난감.
[玩讀 완독] 글뜻을 깊이 생각하며 읽음. 완미(玩味)하며 읽음.
[玩弄 완롱] ㉠장난감으로 하여 만지작거림. ㉡놀림감으로 삼음. 우롱(愚弄).
[玩弄物 완롱물] ㉠장난감. ㉡놀림감.
[玩物喪志 완물상지] 쓸데없는 물건을 가지고 노는 데 정신이 팔려 소중한 자기의 본심(本心)을 잃음.
[玩味 완미] ㉠음식을 잘 씹어서 맛봄. ㉡시문(詩文) 등의 의미를 잘 음미(吟味)함.
[玩賞 완상] 취미로 구경함.
[玩索 완색] 글의 깊은 뜻을 곰곰이 생각하여 찾음.
[玩世 완세] 모든 세상사(世上事)를 경시(輕視)함.
[玩愛 완애] 완상(玩賞)하며 사랑함.
[玩繹 완역] 완색(玩索).
[玩詠 완영] 음미(吟味)하며 읊음.
[玩月 완월] 달을 구경하며 즐김.
[玩月砂 완월사] 토끼의 똥. 눈병·폐로(肺癆) 등의 약으로 씀.
[玩人喪德 완인상덕] 남을 희롱하면 자기 덕(德)을 잃게 됨.
[玩耽 완탐] 취미를 붙이다가 탐닉함.
[玩諷 완풍] 완영(玩詠).
[玩好 완호] 진기한 노리개.
◉嘉玩. 垢玩. 奇玩. 嗜玩. 器玩. 樂玩. 弄玩. 祕玩. 賞玩. 聲玩. 世玩. 飾玩. 狎玩. 愛玩. 悅玩. 妖玩. 游玩. 展玩. 傳玩. 精玩. 雕玩. 持玩. 珍玩. 執玩. 瞻玩. 耽玩. 把玩. 華玩. 攜玩. 戲玩.

4 ⑧ **[玐]** 〔뉴〕
鈕(金部 四畫〈p. 2380〉)의 古字

4 ⑧ **[玤]** 방 [上]講 步項切 bàng

[字解] 옥돌 방 옥에 다음가는 미석(美石).

[字源] [篆文] 形聲. 𤣩(玉)＋丰〔音〕. '丰봉'은 풍성하게 아름답다의 뜻.

4 ⑧ **[玣]** 변 [去]霰 皮變切 biàn

[字解] 구슬로꾸민고깔 변 구슬로 장식한 고깔.

4 ⑧ **[玧]** [人名] [一] 윤 [上]軫 余準切 yǔn [二] 문 [平]元 謨奔切 mén

[筆順] 一 二 千 王 王' 王允 玧 玧

[字解] [一] 귀막이옥 윤 귀를 막는 옥. '一, 瑱也'《集韻》. [二] 붉은옥 문 璊(玉部 十一畫)과 同字.

4 ⑧ **[玫]** 몰 [入]月 莫勃切 mò

[字解] 옥 몰 일종의 옥(玉). '采石之山有一瑤'《穆天子傳》.

[字源] [篆文] 形聲. 𤣩(玉)＋夊(叟)〔音〕

[玫瑤 몰요] 일종(一種)의 옥.

4 ⑧ **[玫]** 매 [平]灰 謨杯切 méi

[字解] 매괴 매 '一瑰'는 ㉠붉은빛의 옥. ㉡장미과에 속하는 낙엽 관목(落葉灌木). 해당화(海棠花). '石則赤玉, 一瑰琳瑉'《司馬相如》.

[字源] 形聲. 𤣩(玉)＋枚〈省〉〔音〕

[參考] 玟(玉部 四畫)은 別字.

[玫瑰 매괴] 자해(字解)를 보라.

4 ⑧ **[玪]** [一] 감 [平]咸 古咸切 jiān [二] 겸 [平]鹽 其淹切 qián [三] 음 [平]侵 魚音切 yín [四] 림 [平]侵 犂針切 lín

[字解] [一] 옥돌 감 옥(玉)에 버금가는 아름다운 돌의 한 가지. '一, 一塾, 石之次玉者'《說文》. [二] 옥 겸 '一, 玉名'《集韻》. [三] 옥 음 '一, 玉名'《集韻》. [四] 옥 림 아름다운 옥의 한 가지. '琳, 說文, 美玉也. 古作一'《集韻》.

[字源] 形聲. 𤣩(玉)＋今〔音〕

5 ⑩ **[玺]** 〔새〕
璽(玉部 十四畫〈p. 1442〉)의 俗字

5 ⑨ **[玲]** [人名] 령 [平]青 郎丁切 líng

[筆順] 一 二 千 王 玪 玲 玲 玲

[字解] ①금옥소리 령 금옥(金玉) 또는 옥이 울리는 소리. '一瓏'. '一一如振玉'《文心雕龍》. ②고울 령, 투명할 령 곱고 투명한 모양. '一一'. '一瓏望秋月'《李白》.

[字源] [篆文] 形聲. 𤣩(玉)＋令〔音〕. '令령'은 금이나 옥이 서로 부딪치는 소리의 의성어적 음부(音符).

[玲琅 영랑] 옥이나 쇠붙이가 쟁그렁쟁그렁 울리는 소리.
[玲玲 영령] ㉠옥이 울리는 소리. ㉡곱고 투명한 모양.
[玲瓏 영롱] ㉠금옥(金玉)이 울리는 소리. ㉡곱고 투명한 모양.
[玲玎 영정] 옥석(玉石)이 울리는 소리.
◉瓏玲. 玉玲. 玎玲.

5 ⑨ **[玷]** 점 [去]豔 都念切 diàn [上]琰 多忝切

[字解] ①이지러질 점 옥에 한쪽이 떨어져 흠이 남. '白圭之一, 尙可磨也'《詩經》. ②잘못할 점

과실을 저지름. '斯言之一, 不可爲也'《詩經》. ③옥티 점 옥의 이지러진 곳. '懷璧者, 恥慢藏而成一'《張仲素》. ④잘못 점 과실. '小一亦將不免于罪'《金史》.
字源 形聲. 王(玉)+占〔音〕. '占점'은 점을 찍다의 뜻. 옥에 점이 찍히다, 이지러지다의 뜻을 나타냄.

[玷缺 점결] ㉠옥의 흠. 옥티. ㉡결점(缺點). 과실(過失). 실패.
[玷漏 점루] 점결(玷缺).
[玷汚 점오] 흠이 생기고 더러워짐.
[玷辱 점욕] 면목을 손상시켜 욕보임.
[玷捶 점타] 손으로 헤아림.
◉微玷. 瑕玷. 毁玷.

5 ⑨ [玻] 파 ㊥歌 滂禾切 bō

字解 유리 파 단단하고 깨지기 쉬운 투명한 물건. '一璃'.
字源 形聲. 王(玉)+皮〔音〕. '玻璃파리'는 범어(梵語)의 음역(音譯). 옛적에는, 유리도 옥으로 간주되어, '玉옥'을 덧붙였음.

[玻瓈 파려] 파리(玻璃).
[玻璃 파리] ㉠유리(琉璃)❶. ㉡《佛敎》칠보(七寶)의 하나. 수정(水晶) 따위.

5 ⑨ [玼] ❶ 체 ㊤薺 千禮切 cǐ ❷ 자 ㊤紙 雌氏切 cǐ

字解 ❶고울 체 빛이 고운 모양. '急雪白一一'《陳孚》. ❷ 흉 자 疵(疒部 五畫)와 통용. '去一吝'《後漢書》.
字源 篆文 形聲. 王(玉)+此〔音〕. '此차'는 '差차'와 음이 통하여, 엇갈려서 반짝반짝하다의 뜻.

[玼玼 체체] 빛이 고운 모양.

5 ⑨ [珅] 신 ㊥眞 升人切 shēn

字解 옥 신 옥석 이름. '一, 玉名'《集韻》.

5 ⑨ [珀] 人名 박 ㊇陌 普伯切 pò

筆順 一 二 干 王 王′ 玓 珀 珀

字解 호박 박 琥(玉部 八畫)를 보라. '琥一'.
字源 形聲. 王(玉)+白〔音〕

◉金珀. 蠟珀. 明珀. 石珀. 水珀. 琥珀. 花珀.

5 ⑨ [珂] 人名 가 ㊥歌 苦何切 kē

字解 ①백마노 가 빛이 흰 마노(瑪瑙). '敲懸一兮珊珊'《劉蛻》. ②굴레 가 흰 마노로 장식한 말의 굴레. '連一往淇上'《梁簡文帝》.
字源 篆文 形聲. 王(玉)+可〔音〕

[珂里 가리] 남의 향리(鄕里)의 경칭(敬稱). 당(唐)나라 때 장가정(張嘉貞)이 재상(宰相)이 되고 그의 아우 가호(嘉祜)가 금오장군(金吾將軍)이 되어 매일 아침에 훌륭한 거마(車馬)와 많은 추종(騶從)들이 거리에 가득 찼으므로 그 마을을 명가리(鳴珂里)라 부른 고사(故事)에서 나온 말.
[珂鄕 가향] 가리(珂里).
◉玉珂. 珮珂.

5 ⑨ [玦] 〔결〕 玦(玉部 四畫〈p.1418〉)의 本字

5 ⑨ [珈] 가 ㊥麻 古牙切 jiā

字解 머리꾸미개 가 부인의 머리에 꽂는 주옥(珠玉)의 장식. '副笄六一'《詩經》.
字源 篆文 形聲. 王(玉)+加〔音〕. '加가'는 위에 더하다의 뜻. 머리 위에 덧붙인 장식 옥의 뜻을 나타냄.

5 ⑨ [珉] 人名 민 ㊥眞 武巾切 mín

筆順 一 二 干 王 王⁼ 玗 珉 珉

字解 옥돌 민 옥 비슷한 일종의 아름다운 돌. '貞一'. '君子貴玉而賤一'《禮記》.
字源 篆文 形聲. 王(玉)+民〔音〕

[珉砌 민체] 아름다운 돌로 쌓은 섬돌.
◉刻珉. 堅珉. 貞珉.

5 ⑨ [珊] 人名 산 ㊥寒 蘇干切 shān

筆順 一 二 干 王 玎 珂 珊 珊

字解 ①산호 산 '一瑚'는 산호충(珊瑚蟲)의 골격이 모여 나뭇가지 모양을 이룬 것. '一瑚叢生'《漢書》. ②패옥소리 산 허리에 찬 옥이 울리는 소리. '時聞雜佩聲一一'《杜甫》.
字源 篆文 形聲. 王(玉)+刪〈省〉〔音〕. '刪산'은 바다에서 산호(珊瑚)를 깎아 채취하다의 뜻.

[珊珊 산산] ㉠허리에 찬 옥이 울리는 소리. ㉡낚싯대 같은 것이 수없이 늘어선 모양. ㉢비가 대단히 많이 오는 모양.
[珊瑚 산호] 산호충(珊瑚蟲)의 골격이 모여 나뭇가지 모양을 이룬 것. 장식용으로 쓰임.
[珊瑚島 산호도] 산호(珊瑚)가 바다 위로 드러난 섬.
[珊瑚樹 산호수] 나뭇가지 모양으로 생긴 산호.
[珊瑚珠 산호주] 산호(珊瑚)로 만든 구슬.
[珊瑚礁 산호초] 산호충(珊瑚蟲)으로 이루어진 암초(岩礁).
[珊瑚蟲 산호충] 해중(海中)에 생장(生長)하는 강장동물(腔腸動物)의 일종. 열대(熱帶)에 많이 떼 지어 있어 수지상(樹枝狀) 또는 괴상(塊狀)의 공동 골격(共同骨骼)을 이룸.
◉闌珊. 嫩珊. 蹩珊.

5 ⑨ [珌] 人名 필 ㊇質 卑吉切 bì

筆順 一 二 干 王 王` 玐 珌 珌

字解 칼집장식 필 칼집 아랫부분에 하는 장식. 칼집 윗부분의 장식은 '琫'이라고 함. '鞞琫有一'《詩經》.
字源 篆文 古文 形聲. 𤣩(玉)＋必〔音〕. 古文도 玉＋畢〔音〕의 形聲.

●璆珌. 琲珌.

5 ⑨ [珍] 高人 진 ㊥眞 陟隣切 zhēn

筆順 一 二 干 王 𤣩 玠 珍 珍

字解 ①보배 진 귀중한 재화. '儒有席上之一以待聘'《禮記》. ②맛있는음식 진 '五味八一'. '八十常一以待聘'《禮記》. ③희귀할 진 드물어 귀중함. '一貴'. '一禽奇獸'《書經》. ④진귀히여길 진 '一之也'《左傳》. ⑤성 진 성(姓)의 하나.
字源 篆文 形聲. 𤣩(玉)＋㐱〔音〕. '㐱진'은 '塡전'과 통하여, 밀도 높게 충실하다의 뜻. 귀중한 옥(玉)의 뜻을 나타내며, 파생하여 '진귀하다'의 뜻을 나타냄.

[珍嘉 진가] 희귀하고 아름다움.
[珍甘 진감] 희귀한 맛이 있는 음식.
[珍感 진감] 진기하게 여겨 감사함.
[珍客 진객] 여간하여 찾아올 수 없는 귀한 손님.
[珍供 진공] 진기한 공물(供物).
[珍果 진과] 희귀한 과실.
[珍菓 진과] 진기한 과자.
[珍怪 진괴] 희귀하고 괴이함. 또, 그 사물.
[珍巧 진교] 진기하고 교묘함.
[珍具 진구] 진기(珍器).
[珍貴 진귀] 보배롭고 귀중(貴重)함.
[珍圭 진규] 왕(王)의 사신(使臣)이 가지고 다니는 부절(符節).
[珍禽 진금] 희귀한 새.
[珍奇 진기] 희귀하고 기이(奇異)함.
[珍器 진기] 진귀한 그릇.
[珍納 진납] 진중(珍重) ㉢.
[珍談 진담] 진기(珍奇)한 이야기.
[珍麗 진려] 진귀하고 화려함.
[珍木 진목] 희귀한 나무.
[珍妙 진묘] 진귀하고 절묘(絕妙)함.
[珍物 진물] 희귀한 물건. 보물(寶物).
[珍味 진미] 음식의 썩 좋은 맛. 또, 그런 음식.
[珍寶 진보] 진귀한 보물.
[珍本 진본] 진서(珍書).
[珍事 진사] 이상한 일. 보기 드문 일. 전(轉)하여, 뜻밖의 일.
[珍祥 진상] 보기 드문 상서(祥瑞).
[珍賞 진상] 진귀하게 여겨 찬상(讚賞)함.
[珍書 진서] 진귀한 책. 보배로운 책.
[珍瑞 진서] 진상(珍祥).
[珍惜 진석] 진귀하게 여겨 아낌.
[珍錫 진석] 진귀한 하사물(下賜物).
[珍善 진선] 세상에 드물게 사이가 좋음.
[珍膳 진선] 진수(珍羞).
[珍鮮 진선] 희귀하고 고움. 희귀하고 새로움.
[珍說 진설] 진기한 이야기.
[珍秀 진수] 희귀하고 뛰어남.
[珍羞 진수] 진귀한 음식. 좋은 음식.
[珍獸 진수] 희귀한 짐승.
[珍羞盛饌 진수성찬] 맛이 좋고 많이 차린 음식.
[珍襲 진습] 진장(珍藏).
[珍愛 진애] 진귀하게 여겨 애지중지함.
[珍御 진어] 천자(天子)가 쓰는 진귀한 물품.
[珍彦 진언] 뛰어난 선비.
[珍玩 진완] 진귀한 완구(玩具).
[珍瑋 진위] 희귀함.
[珍異 진이] 희귀(稀貴)함.
[珍藏 진장] 진귀하게 여겨 소중히 간직함. 또, 그 물건. 진습(珍襲).
[珍籍 진적] 진서(珍書).
[珍珠 진주] 진귀한 구슬.
[珍酒 진주] 희귀한 술.
[珍重 진중] ㉠진귀하게 여겨 소중히 함. ㉡존중하여 찬미함. ㉢서간문(書簡文)의 용어(用語)로 자중 자애(自重自愛)하라는 말. 보중(保重).
[珍饌 진찬] 진수(珍羞).
[珍草 진초] 희귀한 풀.
[珍投 진투] 진기(珍奇)한 선물.
[珍烹 진팽] 희귀한 요리.
[珍幣 진폐] 진귀한 보배.
[珍庖 진포] 진팽(珍烹).
[珍品 진품] 진귀한 물품.
[珍禾 진화] 이상한 벼.
[珍貨 진화] 진귀한 재화(財貨).
[珍華 진화] 진귀하고 화려함.
[珍肴 진효] 진귀한 주효(酒肴).
[珍卉 진훼] 희귀한 풀.

●嘉珍. 坤珍. 妙珍. 別珍. 寶珍. 席上珍. 殊珍. 袖珍. 繻珍. 時珍. 自珍. 饌珍. 天下珍. 七珍. 土珍. 八珍.

5 ⑨ [珇] 조 ㊤麌 則古切 zǔ

字解 ①옥홀장식 조 옥홀에 부조(浮彫)한 장식. '一, 琮玉之瑑'《說文》. ②아름다울 조, 좋을 조 '一, 好也, 美也'《揚子方言》.
字源 篆文 形聲. 𤣩(玉)＋且〔音〕. '且차'는 금이 겹치다의 뜻.

5 ⑨ [玹] 人名 현 ㊥先 胡涓切 xuán

筆順 一 二 干 王 玗 玹 玹 玹

字解 ①현옥(玹玉) 현 옥의 다음가는 돌. '一, 石次玉'《集韻》. ②옥빛 현 옥의 빛깔. '一, 玉色'《玉篇》.
字源 形聲. 𤣩(玉)＋玄〔音〕

5 ⑨ [玴] 人名 예 ㊦霽 以制切 yú

字解 옥돌 예 옥 비슷한 돌.

5 ⑨ [玵] 감 ㊥覃 五甘切 án

字解 아름다운옥 감 '一, 美玉也'《玉篇》.
字源 形聲. 𤣩(玉)＋甘〔音〕

5 ⑨ [玶] 평 ㊥庚 蒲兵切 píng

字解 평옥(玶玉) 평 옥의 이름. '一, 玉名'《玉篇》.

5 ⑨ [玽] [人名] 구 [上]有 古厚切 gǒu

[字解] 옥돌 구 옥 비슷한 돌의 이름. '一, 石之次玉者'《說文》.

[字源] [篆文] 形聲. 王(玉)+句〔音〕

5 ⑨ [玿] [人名] 소 [平]蕭 市昭切 sháo

[筆順] 一 二 干 王 玎 玑 玿 玿

[字解] 아름다운옥 소 '一, 美玉'《集韻》.

[字源] 形聲. 王(玉)+召〔音〕

5 ⑨ [珏] [人名] 각 [入]覺 古岳切 jué

[筆順] 一 二 干 王 王 玨 玨 珏

[字解] 쌍옥 각 한 쌍의 옥.

[字源] [甲骨文] [篆文] [別體] 會意. '玉옥'을 둘 합쳐서 한 쌍의 옥의 뜻을 나타냄. 別體는 王(玉)+殼〔音〕의 形聲.

[參考] 玨(玉部 四畫)은 本字.

5 ⑨ [玳] [人名] 대 [去]隊 待戴切 dài

[筆順] 一 二 干 王 玌 玳 玳 玳

[字解] 대모 대 '一瑁'는 열대 지방의 바다거북. 등딱지는 장식용품의 재료로 씀. 瑇(玉部 九畫)의 俗字. 일설(一說)에는, 同字.

[字源] 形聲. 王(玉)+代〔音〕

[玳瑁 대모] 대모(瑇瑁).

[玳筵銀燭 대연은촉] 대모로 꾸민 자리와 은촛대. 밤의 화려한 연회를 이르는 말.

5 ⑨ [珊] 〔산〕珊(玉部 五畫〈p. 1420〉)의 俗字·簡體字

5 ⑨ [珎] 〔진〕 珍(玉部 五畫〈p. 1421〉)의 俗字

5 ⑨ [珐] 〔법〕 琺(玉部 八畫〈p. 1432〉)의 俗字

6 ⑩ [珓] 교 [去]效 古孝切 jiào

[字解] 옥산통 교 '杯一'는 길흉을 점치는 옥으로 된 그릇.

[字源] 形聲. 王(玉)+交〔音〕

◉杯珓.

6 ⑩ [珙] [人名] 공 [上]腫 居悚切 gǒng [平]冬 九容切

[筆順] 一 二 干 王 王 玔 玔 珙

[字解] 옥 공 팔로 껴안을 만큼 큰 도리옥. '竊其一璧'《左傳》.

[字源] [篆文] 形聲. 王(玉)+共〔音〕. '共공'은 양손으로 받들어 들다의 뜻.

[珙璧 공벽] 도리옥. 환옥(環玉).

6 ⑩ [珞] [人名] 락 [入]藥 盧各切 luò

[筆順] 一 二 干 王 玓 玖 珞 珞

[字解] 구슬목걸이 락 瓔(玉部 十七畫)을 보라. '瓔一'.

[字源] 形聲. 王(玉)+各〔音〕

[珞珞 낙락] 물건이 많은 모양.

[珞琭 낙록] 운명(運命)을 점치는 일. 또, 그 사람.

◉瓔珞.

6 ⑩ [珕] 려 [去]霽 郎計切 lì

[字解] 자개로칼장식할 려 '士一琫而一珌'《詩經》.

[字源] [篆文] 形聲. 王(玉)+劦〔音〕

[珕珌 여필] 칼집 아래의 자개 장식.

6 ⑩ [珠] [高·人] 주 [平]虞 章俱切 zhū

[筆順] 一 二 干 王 玎 珄 珠 珠

[字解] 구슬 주 바다에서 산출되는 진주(眞珠). 또는 원형의 옥(玉). '經寸之一'《史記》. 전(轉)하여, 원형(圓形)으로 된 구슬 같은 물건. '淚一'. '白露垂一滴秋月'《李白》. 또 전(轉)하여, 사물의 미칭(美稱). '一米'. '詩成一玉在揮毫'《杜甫》.

[字源] [篆文] 形聲. 王(玉)+朱〔音〕. '朱주'는 나무의 단면의 고운 붉은빛의 뜻. 고운 옥, '진주'의 뜻을 나타냄.

[珠閣 주각] 구슬과 같이 화려한 누각(樓閣).

[珠璣 주기] 구슬.

[珠丹 주단] 진주빛으로 번쩍이는 연지.

[珠璫 주당] ㉠구슬의 귀고리. ㉡갓을 장식하는 구슬.

[珠聯璧合 주련벽합] 구슬이나 도리옥이 많이 연하여 있는 것처럼 아름다운 것이 많이 모임을 이름.

[珠簾 주렴] 구슬을 꿰어 만든 발.

[珠露 주로] 구슬 같은 이슬.

[珠履 주리] 구슬로 장식한 신.

[珠母 주모] 진주조갯과에 속하는 바닷조개. 패각(貝殼)의 내면에 아름다운 진주가 있어 양식(養殖)함.

[珠米 주미] 구슬같이 좋은 쌀. 쌀.

[珠箔 주박] 주렴(珠簾).

[珠槃玉敦 주반옥대] 주옥으로 장식한 쟁반. 옛날에 제후(諸侯)가 회맹(會盟)할 때 소의 귀를 갈라 그 피를 입으로 빨았는데, 소의 귀는 주반(珠槃)에 담고 피는 옥대(玉敦)에 받았음.

[珠算 주산] 수판으로 하는 셈.

[珠數 주수] 《佛敎》 수주(數珠).

[珠瓔 주영] 구슬로 만든 목걸이.

[珠纓 주영] 구슬로 장식한 갓끈.
[珠玉 주옥] ㉠구슬과 옥(玉). ㉡아름다운 용자(容姿)의 비유. ㉢귀중한 사물의 비유.
[珠珥 주이] 구슬로 만든 귀고리.
[珠子 주자] 구슬.
[珠簪 주잠] 구슬로 장식한 비녀.
[珠殿 주전] 구슬로 장식한 궁전.
[珠庭 주정] ㉠복(福)스러운 이마. ㉡도가(道家)에서 궁전(宮殿)을 이름.
[珠唾 주타] 명언(名言)·가구(佳句) 등을 형용하는 말.
[珠貝 주패] 진주.
[珠汗 주한] 구슬 같은 땀. 구슬땀.
◉紺珠. 江珠. 貴珠. 記事珠. 老蚌出珠. 露珠. 淚珠. 買櫝還珠. 明月珠. 明珠. 美珠. 蚌珠. 胚珠. 寶珠. 剖腹藏珠. 蠙珠. 細珠. 隋珠. 數珠. 眼珠. 驪珠. 連珠. 聯珠. 念珠. 瓔珠. 吾家明珠. 烏珠. 蛙珠. 瑤珠. 遺珠. 耳珠. 掌中珠. 眞珠. 滄海遺珠. 靑珠. 玄珠. 懸珠.

6 ⑩ [珣] 人名 순 ㊥眞 相倫切 xún

筆順 一 二 干 王 玎 玓 珣 珣

字解 옥이름 순 옥의 한 가지. '東方之美者, 有醫無閭之—玗琪焉'《爾雅》.

字源 篆文 形聲. 王(玉)+旬〔音〕.

6 ⑩ [珥] 人名 이 ㊤寘 仍吏切 ěr

筆順 一 二 干 王 玎 玎 珥 珥

字解 ①귀고리 이 귀를 장식하는 주옥. '夫人脫簪—叩頭'《史記》. ②햇무리 이 해의 주위의 둥그렇게 보이는 고리 모양의 테두리. ③날밑 이 칼자루와 칼날 사이에 끼우는 테. '撫長劍兮玉—'《楚辭》. ④귀벨 이 새의 왼쪽 귀를 자름. '致禽而—焉'《周禮》. ⑤끼울 이 삽입함. '—筆'. '七葉—漢貂'《左思》.

字源 篆文 形聲. 王(玉)+耳〔音〕. '耳이'는 '귀'의 뜻. 귀고리의 뜻을 나타냄.

[珥笄 이계] 귀고리와 비녀.
[珥璫 이당] 귀고리.
[珥蜺 이예] 무지개.
[珥筆 이필] 붓을 관측(冠側)이나 귓바퀴 사이에 끼워 필기 준비를 함. 일설(一說)에는, 이(珥)는 이(晒)로, 붓끝을 입으로 빪.
◉冠珥. 玉珥. 簪珥. 珠珥.

6 ⑩ [珧] 요 ㊥蕭 餘昭切 yáo

字解 ①대합 요 패각(貝殼)은 적갈색임. 장식용·바둑돌 등으로 쓰임. 일설(一說)에는, 국자가리비. '蜃小者, —'《爾雅》. 또, 이 조가비로 만든, 칼의 장식. '—琿'. ②옥 요 옥의 한 가지.

字源 篆文 形聲. 王(玉)+兆〔音〕. '兆조'는 둘로 나뉘다의 뜻. 대합의 조가비의 뜻을 나타내며, 장식에 쓰임.

[珧琿 요필] 대합으로 만든 칼집의 아랫부분의 장식. 요필(珧珌).

6 ⑩ [珩] 人名 형 ㊥庚 戶庚切 héng

筆順 一 二 干 王 玐 玐 珩 珩

字解 ①패옥 형 패옥(佩玉)의 상부(上部)에 있는 옥. '雜佩—璜琚瑀衝牙之類'《詩經 傳》. ②갓끈 형 갓에 달린 끈. '—紞紘綖'《張衡》.

字源 篆文 形聲. 王(玉)+行〔音〕. '行행'은 '衡형'과 통하여, '가로'의 뜻. 다른 옥을 걸 수 있도록 가로 건너질러진 패옥(佩玉) 위쪽의 옥의 뜻을 나타냄.

[珩紞 형담] 갓끈.

6 ⑩ [珪] 人名 규 ㊥齊 古攜切 guī

筆順 一 二 干 王 玗 玤 珪 珪

字解 ①홀 규 圭(土部 三畫)의 古字. '—贊'《庾信》. ②규소 규 비금속 원소(非金屬元素)의 하나. 실리콘.

字源 圭의 古字 形聲. 王(玉)+圭〔音〕. '圭규'는 홀(笏)의 象形. '珪규'는 '圭'의 古字.

[珪璽 규새] 옥에 새긴 인장(印章).
[珪石 규석] 석영(石英)의 별칭(別稱).
[珪璋 규장] ㉠예식(禮式) 때, 장식(裝飾)에 쓰이는 옥(玉). ㉡고결한 인품(人品)의 비유.
[珪幣 규폐] 옥과 비단의 폐물(幣物). 큰 제사에 쓰임. 옥백(玉帛).

6 ⑩ [琉] 人名 충 ㊥東 昌嵩切 chōng

筆順 一 二 干 王 玗 玹 琉 琉

字解 귀고리옥 충 '—, —耳, 玉名'《廣韻》.

6 ⑩ [班] 高人 반 ㊥刪 布還切 bān

筆順 一 二 干 王 玐 玞 班 班

字解 ①나눌 반 분배함. '—瑞於羣后'《書經》. ②이별할 반 별리(別離)함. '有—馬之聲'《左傳》. ③돌아갈 반, 돌아올 반 귀환함. '—師振旅'《書經》. ④차례 반 차서. '—次'. '使魯爲其—'《左傳》. ⑤자리 반 지위. 위계. '—資'. '—在九人'《左傳》. ⑥줄 반 행렬. '—列'. '分行侍立於丹墀之下, 謂之蛾眉—'《玉海》. ⑦아롱질 반 斑(文部 八畫)과 통용. '—白者不提挈'《禮記》. ⑧같을 반 한가지임. '若是—乎'《孟子》. ⑨서성거릴 반 般(舟部 四畫)과 통용. '乘馬—如'《易經》. ⑩성 반 성(姓)의 하나.

字源 金文 篆文 會意. 珏+刀. '珏각'은 둘로 나눈 옥의 뜻. 칼로 쪼개어 천자가 제후(諸侯)에게 증표의 옥을 나누어 주다의 뜻에서, 일반적으로 '나누다'의 뜻을 나타냄.

[班家 반가] 《韓》 양반의 집안.
[班固 반고] 후한(後漢) 초기의 역사가·학자. 산시성(陝西省) 셴양(咸陽) 사람. 자(字)는 맹견(孟堅), 아버지 표(彪)의 유지를 받들어 20년 걸려

한서(漢書)를 완성하고 뒤이어 백호통의(白虎通義)를 찬집(撰集)하였음. 두헌(竇憲)이 흉노(匈奴)를 칠 때 중호군(中護軍)으로서 출전(出戰)하였다가 패전(敗戰)하여 그 죄로 옥사(獄死)하였음.

[班馬 반마] ㉠대열(隊列)에서 떨어진 말. ㉡〈한서(漢書)〉의 저자(著者) 반고(班固)와 〈사기(史記)〉의 저자 사마천(司馬遷).

[班脈 반맥]《韓》양반(兩班)의 계통(系統).

[班名 반명]《韓》양반(兩班)이라고 일컫는 명색(名色).

[班蝥 반모] 반묘(班猫).

[班猫 반묘] '반묘(斑猫)'와 같음.

[班紋 반문] 얼룩진 무늬. 아롱진 무늬.

[班門弄斧 반문농부] 노(魯)나라의 명공(名工) 반수(斑輸)의 문전(門前)에서 도끼를 함부로 휘두른다는 뜻으로, 자기의 분수를 모름을 나무라는 말.

[班班 반반] ㉠수레가 굴러 가는 소리. ㉡명백한 모양.

[班白 반백] 머리털의 흑백(黑白)이 서로 반씩 섞임. 또, 그 노인(老人).

[班閥 반벌]《韓》양반의 문벌(門閥).

[班范 반범] 〈한서(漢書)〉의 저자인 반고(班固)와 〈후한서(後漢書)〉의 저자인 범엽(范曄)의 병칭(竝稱). 전(轉)하여, 〈한서(漢書)〉와 〈후한서(後漢書)〉.

[班祔 반부] 자식이 없는 사람의 신주(神主)를 조상의 사당에 함께 모시는 일.

[班史 반사] 반고(班固)가 지은 〈한서(漢書)〉의 별칭(別稱).

[班師 반사] 군대(軍隊)를 철수(撤收)함.

[班常 반상]《韓》양반과 상(常)사람.

[班序 반서] 반차(班次).

[班瑞 반서] 제후(諸侯)가 천자(天子)에게 조현(朝見)하였을 때 서옥(瑞玉)을 천자에게 바치고 후에 이것을 제후에게 나누어 돌려줌.

[班昭 반소] 후한(後漢) 초기의 여류 문학가. 자(字)는 혜희(惠姬). 반표(班彪)의 딸. 조세숙(曹世叔)에게 시집갔다가 일찍 과부가 되었음. 재주가 뛰어나고 박학(博學)하여 화제(和帝)의 초청을 받아 황후(皇后)·귀인(貴人)의 스승이 되어 조대고(曹大姑) 또는 조대가(曹大家)라 불렸음. 〈여계칠장(女誡七章)〉을 지었으며, 오라비 반고(班固)가 끝내지 못한 〈한서(漢書)〉의 팔표(八表)와 〈천문지(天文志)〉를 완성(完成)하였음. 문집에 〈조대가집(曹大家集)〉 3권이 있음.

[班輸之雲梯 반수지운제] 노(魯)나라 명공(名工) 반수(班輸)가 만든 아주 높은 사닥다리.

[班示 반시] 나누어 보임.

[班如 반여] 말〔馬〕이 서성거리며 전진(前進)하지 아니하는 모양.

[班列 반열] ㉠신분(身分)·계급(階級)의 차례. ㉡줄.

[班位 반위] ㉠지위(地位). ㉡같은 지위에 있음.

[班資 반자] 지위와 봉록(俸祿).

[班爵 반작] 반차(班次).

[班田 반전] 나라에서 백성에게 나누어 주는 밭.

[班制 반제] 존비(尊卑)의 차례.

[班族 반족]《韓》양반의 겨레.

[班種 반종]《韓》양반의 씨.

[班次 반차] 지위·계급 등의 차례.

[班倢伃 반첩여] 한대(漢代)의 여류 시인(女流詩人). 성제(成帝) 때의 궁녀(宮女)로 임금의 총애를 받아 첩여(倢伃)가 되었다가 후에 조비연(趙飛燕)이 총애를 받게 되자 참소당하여 장신궁(長信宮)으로 물러가 태후(太后)를 모시게 되었음. 장신궁에 있는 동안 시부(詩賦)를 지어 애절(哀切)한 심사를 풀었는데, 그중 〈원가행(怨歌行)〉은 가장 유명함.

[班超 반초] 후한(後漢)의 명장(名將). 자(字)는 중승(仲升). 반고(班固)의 아우. 명제(明帝) 때 서역(西域) 제국이 후한(後漢)을 배반하였을 때 출정하여 서역 50여 국을 평정하고 그 공으로 서역 도호(西域都護)가 되고 정원후(定遠侯)로 봉후(封侯)되었음.

[班彪 반표] 후한(後漢) 때의 사람. 자(字)는 숙피(叔皮). 한서(漢書)를 편찬하다가 완성하지 못하고 죽으매 아들 반고(班固)가 이를 계승하여 완성하였음.

[班鄕 반향]《韓》양반이 많이 사는 시골.

[班戶 반호]《韓》양반의 집.

◉官班. 同班. 末班. 武班. 文班. 微班. 常班. 首班. 崇班. 押班. 兩班. 榮班. 雄班. 輪班. 朝班. 淸班. 下班.

6 ⑩ [珮] 패 [去]隊 蒲昧切 pèi 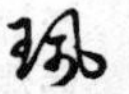

[字解] 패물 패 佩(人部 六畫)와 同字. '爲一玉'《中論》.

[字源] 會意. 王(玉)+凡+巾. '凡범'은 바람을 안은 천의 뜻. '巾건'도 헝겊 조각의 象形. 허리에 천처럼 둘러 띠는 옥의 뜻을 나타냄.

[珮珂 패가] 차고 있는 옥.

[珮環 패환] 패옥(佩玉)의 고리.

6 ⑩ [珝] [人名] 후 [上]麌 況羽切 xǔ

[字解] 후옥(珝玉) 후 옥의 이름. '一, 玉也'《說文新附》.

[字源] 篆文 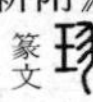 形聲. 王(玉)+羽〔音〕

6 ⑩ [珦] [人名] 향 [去]漾 許亮切 xiàng

[筆順] 一 二 干 王 王' 玓 珦 珦

[字解] 향옥(珦玉) 향 옥의 이름. '一, 玉也'《說文》.

[字源] 篆文 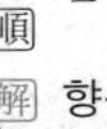 形聲. 王(玉)+向〔音〕

6 ⑩ [珬] 술 [入]質 辛聿切 xù

[字解] 옥 술 백마노(白瑪瑙)의 종류. '一, 珂屬'《廣韻》. '致遠流離與珂一'《左思》.

6 ⑩ [珆] 이 [平]支 與之切 yí

[字解] ①옥돌 이 옥 비슷한 돌. '一, 石之似玉者'《說文》. ②오색돌 이 '一, 一曰, 五色之石也'《玉篇》.

[字源] 篆文  形聲. 王(玉)+匜〔音〕

6 ⑩ [琄] 후 ㊤宥 許救切 xiù

字解 티박힌옥 후 썩어서 부서지기 쉬운 옥. '一, 朽玉也'《說文》.
字源 篆文 形聲. 王(玉)+有〔音〕

6 ⑩ [珖] 人名 광 ㊥陽 姑黃切 guāng

筆順 一 二 千 王 玌 玝 玝 珖

字解 ①옥피리 광 옥으로 만든 피리. '一, 一琯也'《玉篇》. ②광옥(珖玉) 광 옥의 이름. '一, 玉名'《集韻》.
字源 形聲. 王(玉)+光〔音〕

6 ⑩ [珗] 人名 선 ㊥先 蘇前切 xiān

筆順 一 二 千 王 玌 玝 玝 珗

字解 옥돌 선 옥으로 된 돌. '一, 石次玉也'《集韻》.

6 ⑩ [珢] 人名 은 ㊥眞 語巾切 yín

字解 옥돌 은 옥 같은 아름다운 돌. '一, 石之似玉者'《說文》.
字源 篆文 形聲. 王(玉)+艮〔音〕

6 ⑩ [琉] 〔류〕
琉(玉部 七畫〈p. 1426〉)와 同字

6 ⑩ [珡] 〔금〕
琴(玉部 八畫〈p. 1428〉)의 本字

6 ⑩ [珤] 〔보〕
寶(宀部 十七畫〈p. 601〉)의 古字

7 ⑪ [珽] 人名 정 ㊤迥 他鼎切 tǐng

筆順 一 二 千 王 王ニ 玒 珽 珽

字解 ①옥이름 정 옥의 한 가지. ②옥홀 정 주척(周尺)으로 석 자가량 되는 옥으로 만든 홀(笏). '天子搢一'《禮記》.
字源 篆文 形聲. 王(玉)+廷〔音〕. '廷정'은 막대 모양으로 곧게 뻗다의 뜻.

7 ⑪ [現] 中人 현 ㊤霰 胡甸切 xiàn 现

筆順 一 二 千 王 玑 玥 珼 現

字解 ①나타날 현 출현함. '一象'. '或形一往來'《抱朴子》. ②나타낼 현 나타나게 함. '能一色像'《大藏法數》. ③실재 현 실제의 존재. '生乎一境'《梁武帝》. ④지금 현 현재. '一世'. '雖不一作'《大藏法數》.
字源 形聲. 王(玉)+見〔音〕. '見현'은 '보이다'의 뜻. '見'과 구별하기 위하여, '玉옥'을 더하여, 옥의 빛이 나타나다, 일반적(一般的)으로, '나타나다'의 뜻을 나타냄.

[現價 현가] 현재의 가격.
[現居 현거] 현재 거주(居住)함. 또, 그곳.
[現今 현금] 지금. 이제.
[現金 현금] ㉠현재 가지고 있는 돈. ㉡맞돈. 현찰(現札). ㉢통용(通用)하는 화폐(貨幣).
[現當 현당] 지금(只今). 목하(目下).
[現代 현대] 지금의 이 시대. 현세대. 현금(現今).
[現代思想 현대사상] 유행(流行)하는 현재의 풍조(風潮)를 좌우하는 인생관(人生觀) 또는 사회관(社會觀)·국가관·예술관 등 전체적인 사상.
[現露 현로] 비밀이 드러남. 탄로(綻露).
[現夢 현몽] 죽은 사람이나 또는 신령(神靈)이 꿈에 나타남.
[現物 현물] ㉠현재 있는 물건. ㉡금전(金錢)에 대(對)하여 물자(物資)를 일컬음.
[現報 현보]《佛敎》현세(現世)의 업인(業因)에 의하여 현세에 나타나는 과보(果報).
[現狀 현상] 현재(現在)의 상태(狀態).
[現象 현상] ㉠보이는 사물(事物)의 형상(形狀)이 나타남. 형상. ㉡형상을 나타냄. ㉢상태(狀態). ㉣사람의 감각으로 지각(知覺)되는 사물.
[現想 현상] 보는 데 관련(關聯)하여 일어나는 생각.
[現像 현상] 형상(形象)을 나타냄. 또, 그 형상(形象). 사진술(寫眞術)에서 촬영(撮影)한 잠상(潛像)을 나타나게 하는 일.
[現生 현생]《佛敎》이 세상의 생애(生涯).
[現世 현세] ㉠지금 세상(世上). 현재(現在)의 세상(世上). 현대(現代). ㉡《佛敎》삼세(三世)의 하나. 이승. 금생(今生).
[現示 현시] 신의(神意)를 사람에게 나타내 보임.
[現時 현시] 지금 이때.
[現時代 현시대] 지금 이 시대(時代). 이 세상(世上).
[現身 현신]《佛敎》㉠현세(現世)의 몸. 살아 있는 이 몸. ㉡응신(應身). 부처의 삼신(三身)의 하나.
[現身佛 현신불]《佛敎》중생을 제도하기 위하여 육신(肉身)을 이 세상에 나타낸 부처. 곧, 석가(釋迦) 등.
[現身說法 현신설법] 광대(廣大)한 부처의 힘으로 여러 가지 몸으로 나타나 여러 사람에게 하는 설법(說法).
[現實 현실] ㉠지금 존재함. 현재 사실로서 나타나 있음. ㉡실제의 사실 또는 상태. 이상(理想)의 대(對).
[現役 현역] 현재 군무(軍務)에 종사하고 있는 병역(兵役).
[現任 현임] 현재 그 직위에 있음. 또, 그 사람.
[現場 현장] ㉠사물(事物)이 현존(現存)한 곳. ㉡사건(事件)이 발생한 곳.
[現在 현재] ㉠지금 거기 있음. ㉡눈앞에. 목하(目下). ㉢현시(現時). ㉣《佛敎》현세(現世) ㉡.
[現錢 현전] 현금(現金).
[現存 현존] 지금 있음. 현재 존재함.
[現住 현주] ㉠지금 머물러 삶. ㉡지금의 주소. 현주소(現住所).
[現地 현지] 어떤 일이 발생한 바로 그곳.
[現職 현직] 현재(現在)의 직업(職業), 또는 관직.
[現出 현출] 나타남. 또, 나타냄.
[現稱 현칭] 지금 일컫는 이름.
[現態 현태] 현재의 상태.
[現品 현품] 현재 있는 물품(物品).

[現下 현하] 지금 이때.
[現行 현행] 현재(現在)에 행(行)함. 또는 행하고 있음.
[現行犯 현행범] 범행하는 현장에서 발각된 범죄. 또는 그 사람.
[現形 현형] ㉠형상을 나타냄. ㉡현재의 형상.
[現貨 현화] 현품(現品).
[現況 현황] 현재(現在)의 정황(情況). 지금 상황(狀況).
[現效 현효] 효험이 나타남.
◉過現. 具現. 權現. 夢現. 發現. 普現. 示現. 實現. 應現. 再現. 體現. 出現. 表現. 顯現. 化現.

7 ⑪ [琁] 人名 선 ㊥先 似宣切 xuán

筆順 一 二 千 王 玗 玙 琁 琁

字解 옥 선 璇(玉部 十一畫)·璿(玉部 十四畫)과 同字. '一玉瑤珠'《荀子》.

字源 璿의 別體 琁 形聲. 王(玉)+旋〈省〉〔音〕. '璿선'의 別體字.

[琁玉 선옥] 아름다운 옥. 미옥(美玉).
[琁題 선제] 서까래 끝의 옥(玉)으로 한 장식.

7 ⑪ [球] 高人 구 ㊥尤 巨鳩切 qiú

筆順 一 二 千 王 玎 玎 球 球

字解 ①옥 구 아름다운 옥. '受小一大一'《詩經》. ②《現》둥근물체 구 원형의 물체. 공 따위. '一根'. '地一'. ③옥경쇠 구 옥으로 만든 경쇠. '戛擊鳴一'《書經》.

字源 篆文 球 別體 璆 形聲. 王(玉)+求〔音〕. '求구'는 한 점을 중심으로 하여 모이다의 뜻. 한 점을 중심으로 하여 둥글게 된 미옥(美玉)의 뜻을 나타냄.

[球竿 구간] 체조에 쓰는 기구로서 양쪽 끝이 공 모양으로 된 가는 막대기.
[球莖 구경] 구형(球形)을 이룬 지하경(地下莖). 토란 따위.
[球棍 구곤] 야구 방망이. 배트.
[球根 구근] 공과 같이 둥글게 살진 뿌리. 감자 따위.
[球技 구기] ㉠당구(撞球). 구희(球戲). ㉡공을 사용하는 운동 경기. ㉢공을 다루는 기술.
[球燈 구등] 모양이 둥글게 생긴 등잔.
[球琳 구림] ㉠아름다운 옥(玉). ㉡뛰어난 재능을 가진 사람의 비유.
[球狀 구상] 공과 같이 둥근 형상.
[球芽 구아] 백합과(百合科) 식물(植物)의 엽액(葉腋)에 생기는 자흑색(紫黑色)의 둥근 눈. 땅에 떨어지면 싹이 남.
[球形 구형] 구상(球狀).
[球戲 구희] 구기(球技).
◉硬球. 氣球. 籠球. 撞球. 排球. 選球. 送球. 水球. 眼球. 野球. 軟球. 琉球. 電球. 庭球. 制球. 地球. 直球. 蹴球. 打球. 卓球. 投球. 捕球. 血球.

7 ⑪ [琅] 人名 랑 ㊥陽 魯當切 láng

筆順 一 二 千 王 玥 琅 琅 琅

字解 ①옥돌 랑 '一玕'은 옥 비슷한 일종의 아름다운 돌. '厥貢, 惟球琳一玕'《書經》. ②금옥소리 랑 쇠와 옥이 서로 부딪쳐 나는 소리. '礧石相擊, 一一礚礚'《司馬相如》. ③성 랑 성(姓)의 하나.

字源 篆文 琅 形聲. 王(玉)+良〔音〕. '良량'은 깨끗하게 맑다의 뜻.

[琅玕 낭간] ㉠옥 비슷한 아름다운 돌. ㉡대나무의 이칭(異稱). ㉢아름다운 문장. 가문(佳文).
[琅當 낭당] 낭당(琅璫)❶.
[琅璫 낭당] ㉠죄인을 묶는 쇠사슬. 또, 그 쇠사슬로 죄인을 묶음. ㉡방울. 영탁(鈴鐸). ㉢패옥(佩玉)의 소리.
[琅琅 낭랑] ㉠금속(金屬)이나 옥이 부딪쳐 나는 소리. ㉡새가 지저귀는 소리. ㉢아름다운 소리의 형용.
[琅湯 낭탕] 자만(自慢)하며 착실(着實)하지 못함.
[琅函 낭함] ㉠문서함(文書函). ㉡남의 편지의 경칭(敬稱).
◉瑲琅. 玹琅. 玲琅. 琳琅. 倉琅. 靑琅.

7 ⑪ [琉] 人名 류 ㊥尤 力求切 liú

筆順 一 二 千 王 玗 珐 琉 琉

字解 ①유리 류 瑠(玉部 十畫)와 同字. '移我一璃榻, 出置前牕下'《古詩》. ②나라이름 류 '一球'는 옛 나라 이름. 지금의 류큐 열도(琉球列島)에 있던 나라로, 현재는 일본의 오키나와 현(沖繩縣).

字源 形聲. 王(玉)+流〈省〉〔音〕

[琉璃 유리] ㉠유리(瑠璃). ㉡단단하나 깨어지기 쉬운 투명(透明)한 물질(物質). 석영(石英)·탄산나트륨·석회암을 원료로 만듦. 초자(硝子).
[琉璃燈 유리등] 유리를 둘러 낀 등.
[琉璃甁 유리병] 유리로 만든 병(甁).
[琉璃窓 유리창] 유리를 끼워 만든 창.

7 ⑪ [理] 中人 리 ㊤紙 良士切 lǐ

筆順 一 二 千 王 玾 玾 理 理

字解 ①다스릴 리 ㉠옥을 다스림. 옥을 갊. '玉未一者璞'《戰國策》. ㉡일을 다스림. '整一'. '處一'. '幹一家事'《南史》. ㉢재판을 함. '峻文決一'《史記》. ㉣기움. 수선함. '修一'. '法斁而不知一'《劉基》. ㉤장식함. 꾸밈. '夸容乃一'《傳毅》. ②다스려질 리 잘 다스려짐. '政平訟一'《漢書》. ③도리 리 사람이 지켜야 할 길. '天一'. '倫一'. '易簡而天下之一得矣'《易經》. ④이치 리 사리. '條一'. '一論'. '井井兮其有一也'《荀子》. ⑤결 리 나무·살 등의 잔금. '木一'. '君疾在腠一'《史記》. ⑥재판관 리 송사를 맡은 벼슬아치. '大一'. '命一瞻傷'《禮記》. ⑦매개 리 중개(仲介). '吾令蹇脩以爲一'《楚辭》. ⑧사자 리 사명을 전하는 사람. '行一'('行李'로도 씀). ⑨거동 리 용지(容止). '一發諸外'

《禮記》. ⑩의리할 리 '大不一於口'《孟子》. ⑪성리 성(姓)의 하나.

[字源] 篆文 理 形聲. 王(玉)+里〔音〕. '里리'는 '줄·금'의 뜻. 옥의 줄·금, 옥의 줄무늬가 아름답게 보이도록 갈다, 다스리다의 뜻을 나타냄.

[理曲 이곡] 이치에 어긋나 이론이 바르지 못함.
[理科 이과] 자연 과학(自然科學)에 속하는 학과. 물리학(物理學)·화학(化學)·동식물학 따위.
[理官 이관] 재판관(裁判官).
[理國 이국] 나라를 다스림. 치국(治國).
[理窟 이굴] 도리(道理). 조리(條理). 굴(窟)은 도리(道理)가 많이 감추어져 있는 곳이란 뜻.
[理窮 이궁] 사리(事理)에 막힘.
[理氣 이기] ㉠호흡을 조절함. ㉡음양가(陰陽家)에서 방위와 성상(星象) 등을 보고 길흉(吉凶)을 정하는 일. ㉢이(理)와 기(氣). 본체계(本體界)와 현상계(現象界).
[理念 이념] 이성(理性)에 의하여 얻은 최고의 개념으로, 온 경험을 통제하는 주체(主體).
[理亂 이란] ㉠다스려짐과 어지러움. ㉡어지러운 것을 다스림.
[理論 이론] 실험에 의하지 아니하고 추리(推理)에 의하여 세운 논의(論議). 실험(實驗)의 대(對).
[理髮 이발] 머리를 빗어 가지런히 함. 머리털을 깎음.
[理法 이법] 사물(事物)의 이치(理致)와 법칙.
[理非 이비] 옳은 일과 그른 일. 시비.
[理事 이사] ㉠사물(事物)을 처리(處理)함. 또, 그 사람. ㉡사단(社團)·재단(財團)의 법인(法人)을 대표(代表)하여 그 사무(事務)를 집행(執行)하는 기관. 또, 그 사람. ㉢《佛敎》 평등계(平等界)와 차별계(差別界).
[理想 이상] 이성(理性)에 의하여 생각할 수 있는 최선(最善)의 상태. 향상 도달을 바라는 종국(終局)의 목표.
[理想鄕 이상향] 실제(實際)로 이 세상(世上)에는 존재(存在)하지 아니하는 이상적(理想的) 국토(國土). 유토피아.
[理想化 이상화] ㉠자기의 이상(理想)대로 됨. ㉡불완전한 현실계를 변경하여 완전한 이상적 상태로 화하게 함. ㉢예술 창작에 있어 작자의 이상에 따라 재료를 취사선택 구성함.
[理色 이색] 도리(道理)와 안색(顏色).
[理性 이성] ㉠본성(本性)을 다스림. ㉡사람이 본디 타고난 지능(智能). ㉢본능·충동·감각적 욕구에 대한 합리적 사유 능력(思惟能力). ㉣《佛敎》 만유(萬有)의 본성(本性).
[理勢 이세] 자연의 형세. 자연의 이치.
[理外 이외] 이치(理致) 밖. 도리(道理) 밖.
[理由 이유] 까닭. 사유(事由).
[理義 이의] 도리(道理). 도리와 정의(正義).
[理障 이장] 《佛敎》 사람의 올바른 지혜를 어둡게 하여 우주의 진리(眞理)를 거스름.
[理財 이재] 재화를 유리하게 운용(運用)함.
[理智 이지] ㉠사물(事物)을 분변(分辨)하고 이해(理解)하는 슬기. ㉡이성(理性)과 지혜(智慧).
[理債 이채] 빚 준 돈을 다 거두어들임.
[理治 이치] 다스림. 또, 다스려짐.
[理致 이치] 사물의 정당한 조리(條理).
[理學 이학] ㉠성리학(性理學)의 약칭(略稱). ㉡물리학(物理學)의 약칭. ㉢물리·화학·천문학 등 일반의 자연 과학. ㉣철학(哲學)의 별칭(別稱).
[理解 이해] 사리를 분별하여 앎. 「학.
[理化 이화] ㉠정치와 교화(敎化). ㉡물리학과 화
[理化學 이화학] 물리학(物理學)과 화학(化學).
[理會 이회] 깨달아 앎. 이해(理解).
◉監理. 疆理. 決理. 經理. 公理. 空理. 管理. 校理. 具理. 究理. 窮理. 肌理. 亂理. 論理. 達理. 大理. 代理. 道理. 脈理. 木理. 妙理. 無理. 文理. 物理. 背理. 法理. 辨理. 補理. 輔理. 膚理. 分理. 非理. 事理. 生理. 鋤理. 燮理. 攝理. 性理. 疏理. 手理. 受理. 修理. 純理. 心理. 審理. 藥理. 連理. 料理. 運理. 原理. 有理. 倫理. 義理. 膩理. 人理. 一理. 章理. 節理. 定理. 政理. 情理. 整理. 提理. 助理. 條理. 調理. 綜理. 佐理. 腠理. 地理. 眞理. 處理. 天理. 哲理. 總理. 推理. 治理. 統理. 通理. 平理. 學理. 合理. 行理. 玄理. 化理. 和理.

7 ⑪ **[琇]** [人名] 수 [去]宥 息救切 xiù

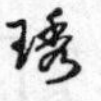

[筆順] 一 二 干 王 王 琇 琇 琇

[字解] ①옥돌 수 옥 비슷한 아름다운 돌의 한 가지. '一, 石之似玉者'《說文》. ②빛날 수 광채를 발함. '有匪君子, 充耳一瑩'《詩經》. ③성 수 성(姓)의 하나.
[字源] 形聲. 王(玉)+秀〔音〕

[琇實 수실] 미옥(美玉)으로 만든 귀고리.
[琇瑩 수영] 광채가 나는 일종의 옥돌.

7 ⑪ **[琊]** 야 [平]麻 余遮切 yá

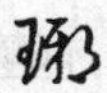

[字解] 땅이름 야 琊(玉部 九畫)와 同字. '琅一'는 산둥 성(山東省)에 있는 지명(地名). '琅一在勃海間'《山海經》.
[字源] 形聲. 王(玉)+邪〔音〕

◉琅琊.

7 ⑪ **[珸]** [人名] 오 [平]虞 五乎切 wú

[筆順] 一 二 干 王 王 珸 珸 珸

[字解] 옥돌 오 '琨一'는 옥 비슷한 일종의 아름다운 돌. '琳瑉琨一'《史記》.
[字源] 形聲. 王(玉)+吾〔音〕

◉琨珸.

7 ⑪ **[琓]** [人名] [韓] 완

[筆順] 一 二 干 王 王 琓 琓 琓

[字解] 《韓》 나라이름 완 동해(東海) 가운데 있었다고 하는 나라.

[琓夏國 완하국] 신라 탈해왕(脫解王)이 태어났

다고 하는 나라.

7 ⑪ [珷] 人名 무 ㊤麌 文甫切 wǔ

筆順 一 二 千 王 王 珷 珷 珷

字解 옥돌 무 '一玞'는 옥 비슷한 돌. '一玞亂玉, 魚月閒珠'《司馬光》.

字源 形聲. 𤣩(玉)+武〔音〕

[珷玞 무부] 옥과 비슷한 돌.

7 ⑪ [琄] 현 ㊤銑 胡畎切 xuàn

字解 ①옥모양 현 옥의 모양. '一, 玉皃'《廣韻》. ②패옥 현 몸에 찬 옥의 모양. '一, 佩玉皃'《集韻》.

字源 形聲. 𤣩(玉)+肙〔音〕

7 ⑪ [珋] 류 ㊥尤 力求切 liú ㊤有 力久切

字解 빛나는돌 류 유리(琉璃)·금강석 따위의 빛이 나는 돌. '石之有光者, 璧一也'《說文》.

字源 篆文 形聲. 𤣩(玉)+丣〔音〕

7 ⑪ [琈] 보 ㊦遇 薄故切 bù

字解 아름다운옥 보 '一瑤, 美玉'《字彙》.

7 ⑪ [珵] 人名 정 ㊥庚 直貞切 chéng

筆順 一 二 千 王 王 珵 珵 珵

字解 ①패옥 정 패옥(佩玉)의 상부(上部)에 있는 옥. 형(珩)의 일컬음. '一, 佩玉也, 珩謂之一'《集韻》. ②아름다운옥 정 스스로 빛을 내는 아름다운 옥. '覽察草木, 其猶未得分兮, 豈一美之能當'《楚辭》.

字源 形聲. 𤣩(玉)+呈〔音〕

7 ⑪ [珹] 人名 성 ㊥庚 是征切 chéng

筆順 一 二 千 王 王 玎 珹 珹

字解 ①성옥(珹玉) 성 옥의 이름. '一, 玉名'《玉篇》. ②아름다운구슬 성 '一, 美珠也'《集韻》.

字源 形聲. 𤣩(玉)+成〔音〕

7 ⑪ [琈] 부 ㊥尤 房尤切 fú

字解 ①옥문채 부 옥의 채색(彩色). '一筍, 玉采色'《玉篇》. ②부옥(琈玉) 부 아름다운 옥의 일종. '一, 美玉名'《集韻》.

7 ⑪ [珺] 군 ㊦問 居運切 jùn

字解 아름다운옥 군 '一, 美玉也'《字彙》.

字源 形聲. 𤣩(玉)+君〔音〕

7 ⑪ [琲] 패 ㊦泰 博蓋切 bèi

字解 자개장식 패 자개로 만든 장식. '一, 貝飾'《集韻》.

7 ⑪ [琀] 함 ㊦勘 胡紺切 hàn

字解 빈함옥(殯含玉) 함 염할 때 시체의 입에 물리는 옥. '一, 送死口中玉也'《說文》.

字源 篆文 形聲. 𤣩(玉)+含〔音〕. '含함'은 '머금다'의 뜻. 죽은 사람의 입 안에 머금게 하는 옥의 뜻을 나타냄.

7 ⑪ [琁] 〔간〕 玕(玉部 三畫〈p. 1417〉)의 古字

7 ⑪ [琂] 〔오〕 珸(玉部 七畫〈p. 1427〉)와 同字

7 ⑪ [琋] 〔제〕 瑅(玉部 九畫〈p. 1435〉)와 同字

8 ⑫ [琴] 高人 금 ㊥侵 巨金切 qín

筆順 一 二 千 王 玨 玨 琴 琴

字解 ①거문고 금 현악기의 한 가지. 옛날에는 오현(五絃)이었으나, 후에 칠현(七絃)으로 되었음. '一書'. '彈一復長嘯'《王維》. ②성 금 성(姓)의 하나.

[琴]

字源 篆文 古文 象形. 기러기발이 있는 거문고의 단면을 본떠, '거문고'의 뜻을 나타냄. 뒤에, '吟음'과 통하는 '今금'을 덧붙여, 玨+今〔音〕의 '琴금'이라는 形聲 글자가 됨.

[琴歌 금가] ㉠거문고에 맞추어 부르는 노래. ㉡한(漢)나라의 사마상여(司馬相如)가 거문고를 타며 탁문군(卓文君)에게 연애를 건 노래.
[琴高 금고] ㉠잉어를 타고 승천(昇天)하였다는 신선 이름. ㉡잉어〔鯉〕의 별칭.
[琴曲 금곡] 거문고의 곡(曲).
[琴棋 금기] 거문고와 바둑.
[琴斷朱絃 금단주현] 거문고의 붉은 줄을 끊는다는 뜻으로, 남편의 죽음을 이르는 말.
[琴堂 금당] 현(縣)의 장관(長官)이 집무하는 마을. 공자(孔子)의 제자 복자천(宓子賤)이 현재(縣宰)가 되었을 때 거문고를 타고 몸은 당(堂) 아래에 내려가지 않고서도 현(縣)이 잘 다스려졌다는 고사(故事)에서 나온 말.
[琴譜 금보] 거문고의 곡조(曲調)를 적은 책(冊).
[琴牀 금상] 거문고를 받치는 도구(道具).
[琴笙 금생] 거문고와 생황(笙簧).
[琴書 금서] 거문고와 책.
[琴線 금선] ㉠거문고 줄. ㉡감동하기 쉬운 마음. 깊게 감동하여 공명(共鳴)하는 마음.
[琴聲 금성] 거문고 소리.

[琴瑟 금슬] 거문고와 큰 거문고.
[琴瑟不調 금슬부조] 부부간에 서로 화합하지 못함.
[琴瑟相和 금슬상화] ㉠거문고와 큰 거문고 소리가 잘 조화됨. ㉡부부간(夫婦間)에 화합함. ㉢형제간에 우애가 있음. ㉣붕우간에 사이가 좋음.
[琴詩酒伴皆抛我 금시주반개포아] 거문고를 뜯고, 시를 짓고 술을 마시며 놀던 벗은 모두 나를 버리고 이 세상을 떠나 버렸음.
[琴瑟 금실] 부부(夫婦). 부부의 사이.
[琴瑟之樂 금실지락] 부부간(夫婦間)에 화합(和合)함.
[琴心 금심] 마음을 거문고 소리에 부침. 전(轉)하여, 여자의 마음을 움직이게 하려는 거문고 타는 이의 마음.
[琴羽 금우] 금가(琴歌) ㉠. 우(羽)는 오음(五音)의 우성(羽聲).
[琴韻 금운] 금음(琴音).
[琴音 금음] 거문고 소리.
[琴操 금조] 금가(琴歌) ㉠.
[琴酒 금주] 거문고와 술.
[琴筑 금축] 거문고와 축(筑). 축은 쟁(箏) 비슷한 악기.
◉鼓琴. 大琴. 對牛彈琴. 鳴琴. 木琴. 無絃琴. 寶琴. 素琴. 瑟琴. 洋琴. 如鼓瑟琴. 瑤琴. 月琴. 幽琴. 二絃琴. 一絃琴. 提琴. 調琴. 雕琴. 鐵琴. 清琴. 七絃琴. 彈琴. 風琴. 絃琴. 胡琴. 和琴.

8 ⑫ [琹] 琴(前條)의 俗字

8 ⑫ [琼] 〔경〕 瓊(玉部 十五畫〈p. 1443〉)의 簡體字

8 ⑫ [琵] [人名] 비 [平]支 房脂切 pí

[筆順] 一 二 千 王 玨 珏 琵 琵 琵

[字解] ①탈 비 현악기의 줄을 위에서부터 차례로 탐. '推手爲一却手琶'《歐陽修》. ②비파 비 '一琶'는 현악기의 한 가지.

[字源] 篆文 形聲. 珡〈省〉+比〔音〕. '珡금'은 '琴금'의 本字. '比비'는 '批비'와 통하여, 손으로 치다의 뜻.

[琵琶 비파] 현악기(絃樂器)의 한 가지. 몸은 둥글고 긴 타원형이며 자루는 곧고 4현(絃) 4주(柱)로 되었음.

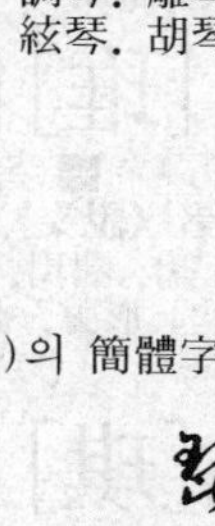
[琵琶]

[琵琶記 비파기] 원(元)나라의 남곡(南曲)의 각본(脚本). 고칙성(高則誠)의 작(作). 42착(齣)으로 된 장편(長篇)으로서 변화 곡절이 많아 〈서상기(西廂記)〉와 함께 중국 희곡의 쌍벽(雙璧)이라 함.
[琵琶別抱 비파별포] 여자가 재가(再嫁)함을 이름.
[琵琶亭 비파정] 장시 성(江西省) 주장 현(九江縣)의 양쯔 강(揚子江) 가에 있는 정자(亭子). 백낙천(白樂天)의 유적(遺蹟).
[琵琶行 비파행] 당(唐)나라의 백낙천(白樂天)이 지은 칠언(七言) 88구(句) 612자(字)로 이루어진 악부체(樂府體)의 장시(長詩). 백낙천이 좌천(左遷)되고서 지었음. 인생의 영고성쇠(榮枯盛衰)가 무상함을 읊은 노래로서 장한가(長恨歌)와 병칭(竝稱)됨.

8 ⑫ [琶] [人名] 파 [平]麻 蒲巴切 pá

[筆順] 一 二 千 王 玨 珏 琶 琶

[字解] ①탈 파 현악기의 줄을 아래서부터 거꾸로 탐. '推手爲琵却手一'《歐陽修》. ②비파 파 琵(前條)를 보라. '琵一'.

[字源] 篆文 形聲. 珡〈省〉+巴〔音〕. '珡금'은 '琴금'의 本字. '巴파'는 현악기를 타다의 뜻.

◉琵琶. 箏琶.

[斑] 〔반〕 文部 八畫(p. 947)을 보라.

8 ⑫ [琖] 잔 [上]潸 阻限切 zhǎn

[字解] 옥잔 잔 하(夏)나라 때의 옥으로 만든 작은 술잔. '爵用玉一仍彫'《禮記》.

[字源] 篆文 形聲. 王(玉)+戔〔音〕. '戔전'은 얕고 작다의 뜻.

8 ⑫ [琚] 거 [平]魚 九魚切 jū

[字解] 패옥 거 패옥(佩玉)의 형(珩)과 황(璜)의 중간에 있는 옥. 모양은 규(圭)와 같음. '우(瑀)' 참조. '報之以瓊一'《詩經》.

[字源] 篆文 形聲. 王(玉)+居〔音〕. '居거'는 진득하게 있다의 뜻. 패옥(佩玉)의 위쪽의 형(珩)과 아래쪽의 황(璜)의 중간에 있는 묵직하고 큰 옥의 뜻을 나타냄.

[琚瑀 거우] 패옥(佩玉)의 한 가지. 거(琚)와 우(瑀).
◉雙琚. 瑛琚. 珮琚.

8 ⑫ [琛] [人名] 침 [平]侵 丑林切 chēn

[筆順] 一 二 千 王 玎 珊 琛 琛

[字解] 보배 침 자연에서 산출되는 아름다운 보물. '來獻其一'《詩經》.

[字源] 篆文 形聲. 王(玉)+深(㴱)〈省〉〔音〕. '㴱심'은 '깊숙하다'의 뜻. 깊숙한 곳에서 찾아낸 보옥(寶玉)의 뜻을 나타냄.

[琛縭 침리] 옥(玉)으로 장식한 띠.
[琛賮 침신] 공물(貢物)로 바치는 보물.
◉國琛.

8 ⑫ [琢] [人名] 탁 [入]覺 竹角切 zhuó

[筆順] 一 二 千 王 琢 琢 琢 琢

[字解] ①쫄 탁 옥을 쪼아 모양을 냄. '彫一'. '如一如磨'《詩經》. ②닦을 탁 학문 같은 것을 닦음.

'一磨'. '不在鐫一語言'《宣和畫譜》. ③가릴 탁 선택함. '敦一其旅'《詩經》.
[字源] [篆文] 形聲. 王(玉)+豖〔音〕. '豖탁'은 옥을 새길 때의 소리를 나타내는 의성어적 음부(音符). 옥을 새기다·닦다의 뜻을 나타냄.

[琢句 탁구] 자구(字句)를 조탁(彫琢)함. 자구를 퇴고(推敲)함.
[琢磨 탁마] ㉠옥석(玉石)을 쪼고 갊. ㉡학문(學問)과 도덕(道德)을 닦음.
[琢玉 탁옥] 옥을 쪼아 모양을 냄.
[琢切 탁절] 탁마(琢磨).
◉磨琢. 刓琢. 鐫琢. 彫琢. 雕琢. 採琢. 追琢.

8 ⑫ **[琤]** 쟁 [平]庚 楚耕切 chēng

[字解] ①옥소리 쟁 옥이 서로 부딪는 소리. 또는 물건이 서로 부딪는 소리. '一一碧澗流'《韓琦》. ②거문고소리 쟁 거문고를 타는 소리. '前溪忽調琴, 隔林寒一一'《孟郊》.
[字源] 形聲. 王(玉)+爭〔音〕. '爭쟁'은 옥이 서로 부딪치는 소리를 나타내는 의성어적 음부(音符).

[琤琤 쟁쟁] ㉠옥 같은 것이 서로 부딪는 소리. ㉡물이 흐르는 소리. ㉢거문고를 타는 소리.
[琤瑽 쟁종] 패옥(佩玉)의 소리.
◉玉琤. 淙琤. 琮琤. 瑽琤.

8 ⑫ **[琥]** [人名] 호 ㊤麌 呼古切 hǔ

[筆順] 一 二 千 王 王 王 琥 琥

[字解] ①호박 호 '一珀'. '松柏脂入地千年, 化爲茯苓, 茯苓化爲一珀'《博物志》. ②옥그릇 호 범의 모양을 한, 옥으로 만든 그릇. '以白一禮西方'《周禮》. ③성 호 성(姓)의 하나.

[琥②]

[字源] [篆文] 形聲. 王(玉)+虎〔音〕. '虎호'는 '호랑이'의 뜻. 호랑이의 모양을 한 옥그릇의 뜻을 나타냄.

[琥珀 호박] 지질 시대(地質時代)에 수지(樹脂)가 땅속에 파묻혀서 수소·산소·탄소 등과 화합하여 돌처럼 굳어진 광물. 빛은 대개 누렇고 광택이 있으며, 여러 가지 장식품으로 쓰임.
[琥珀不取腐芥 호박불취부개] 호박은 썩은 먼지를 흡취(吸取)하지 아니함. 청렴한 선비는 부정(不正)한 물건을 받지 않음의 비유.
[琥珀酒 호박주] 술의 한 가지. 빛이 호박과 비슷함.

8 ⑫ **[琦]** [人名] 기 [平]支 渠羈切 qí

[筆順] 一 二 千 王 王 玗 琦 琦

[字解] ①옥 기 아름다운 옥의 한 가지. '一賂寶貨'《後漢書》. ②기이할 기 ㉠예사 사람과 다름. '夫聖人瑰意一行'《宋玉》. ㉡보통 있는 사물과 다름. '玩一辭'《荀子》.
[字源] 形聲. 王(玉)+奇〔音〕. '奇기'는 보통과 다르다의 뜻.

[琦賂寶貨 기뢰보화] 기이한 미옥(美玉)의 선물.
[琦辭 기사] 기이한 말.
[琦瑋 기위] 기이함. 진기함.
[琦珍 기진] 진귀한, 또는 진귀한 것.
[琦行 기행] 기이한 행위. 기행(奇行).
◉瓌琦.

8 ⑫ **[琨]** [人名] 곤 [平]元 古渾切 kūn

[筆順] 一 二 千 王 王 玬 琨 琨 琨

[字解] 옥돌 곤 옥 비슷한 아름다운 돌의 한 가지. '一珸'. '瑤一美玉'《書經》.
[字源] [篆文] [別體] 形聲. 王(玉)+昆〔音〕. '昆곤'은 둥글다의 뜻. 別體도 王(玉)+貫〔音〕. '貫관'은 화폐로서의 둥근 조개를 꿰다의 뜻.

[琨珸 곤오] ㉠옥 비슷한 아름다운 돌의 한 가지. ㉡칼의 이름. 곤오도(昆吾刀).
[琨玉秋霜 곤옥추상] 아름다운 옥과 가을의 서리. 고상한 인품(人品)의 비유.
[琨瑜 곤유] 아름다운 옥.
◉瑤琨.

8 ⑫ **[琟]** [人名] [一] 유 [平]支 夷隹切 wéi [二] 옥 [入]沃 虞欲切 yù

[字解] [一] 옥돌 유 옥 비슷한 돌. '一, 石之似玉者'《說文》. [二] 새이름 옥 '鸐一'은 새 이름. '瑦, 鸐瑦, 鳥名. 或从隹'《集韻》.
[字源] 形聲. 王(玉)+隹〔音〕

8 ⑫ **[琪]** [人名] 기 [平]支 渠之切 qí

[筆順] 一 二 千 王 玎 玔 琪 琪

[字解] 옥 기 옥의 한 가지. '東方之美者, 有醫無閭之珣玗一焉'《爾雅》.
[字源] 形聲. 王(玉)+其〔音〕

[琪樹 기수] 옥(玉)과 같이 아름다운 나무.
[琪花瑤草 기화요초] 선경(仙境)에 있다고 하는 아름다운 꽃과 풀.

8 ⑫ **[琫]** [人名] 봉 ㊤董 邊孔切 běng

[筆順] 一 二 千 王 玨 玣 琫 琫

[字解] 칼집장식 봉 칼집 윗부분에 하는 장식. 칼집 아랫부분의 장식은 '珌'이라고 함. 다음 표는 벼슬에 따른 구분임. '鞞一有珌'《詩經》.
[字源] [篆文] 形聲. 王(玉)+奉〔音〕

天子	鞞	玉	琫	珧	珌
諸侯	鞞	璗	琫	璆	珌
大夫	鞞	璙	琫	鏐	珌
士	鞞	珕	琫	珕	珌

◉瑒琫. 玉琫. 璙琫. 鋈琫.

8 ⑫ [琬] [人名] 완 ㊤阮 於阮切 wǎn

[筆順] 一 二 千 王 王' 玝 玧 琬

[字解] ①홀 완 '一圭'는 옥으로 만든 끝이 뾰족하지 아니한 홀(笏). '一圭以治德, 以結好'《周禮》. ②옥 완 '一琰'은 아름다운 옥의 한 가지. '弘璧一琰, 在西序'《書經》.

[字源] [篆文] 形聲. 王(玉)+宛〔音〕. '宛완'은 모가 없고 둥글다, 부드럽게 굽다의 뜻. 위가 뾰족하지 않은 규(圭)의 뜻을 나타냄.

[琬圭 완규] 옥으로 만든 길이 9촌(寸)의 끝이 뾰족하지 아니한 홀(笏). 왕(王)의 사자(使者)가 부절(符節)로서 가짐.
[琬象 완상] 아름다운 옥과 상아(象牙).
[琬琰 완염] 일종의 미옥(美玉).

8 ⑫ [琭] 록 ㊇屋 盧谷切 lù

[字解] 옥 록 옥의 한 가지. '天人一夜剪瑛一'《劉乂》.

[字源] 形聲. 王(玉)+彔〔音〕

[琭琭 녹록] 옥의 모양. 또, 옥과 같이 작고 진귀한 모양.
◉瑛琭.

8 ⑫ [琮] [人名] 종 ㊥冬 藏宗切 cóng

[筆順] 一 二 千 王 王' 玝 琮 琮

[字解] ①옥홀 종 옛날에, 천자 또는 제후(諸侯)가 선사하는 예물(禮物)로 쓰던 모가 있는 옥으로 만든 홀. 여덟 모 진 것을 '琭一'이라 하는데, 이것은 천자가 갖는 것이고, 이 외 '大一'·'駔一' 등이 있음. '員曰璧, 方曰一'《周禮 註》. ②성 종 성(姓)의 하나.

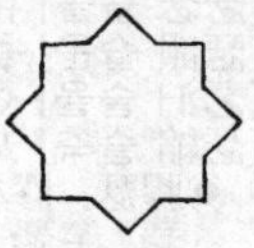

[琮]

[字源] [篆文] 形聲. 王(玉)+宗〔音〕

[琮琤 종쟁] ㉠옥이나 돌이 서로 부딪는 소리. ㉡맑은 샘물이 흐르는 소리.
[琮花 종화] 아름다운 꽃.
◉大琮. 駔琮. 琭琮. 黃琮.

8 ⑫ [琸] [人名] 탁 ㊇覺 竹角切 zhuó

[筆順] 一 二 千 王 王' 珀 琸 琸

[字解] 사람이름 탁 '有都統劉一'《宋史》.

8 ⑫ [琯] [人名] 관 ㊤旱 古滿切 guǎn

[筆順] 一 二 千 王 王' 玧 珀 琯

[字解] 피리 관 옥으로 만든 악기. 구멍이 여섯 개 있음. '西王母來獻其白一'《玉篇》.

[字源] [篆文] 形聲. 王(玉)+官〔音〕. '官관'은 '管관'과 통하여, 둥근 대롱의 뜻. 옥으로 만든 피리의 뜻을 나타냄.

◉璚琯. 玉琯.

8 ⑫ [琰] [人名] 염 ㊤琰 以冉切 yǎn

[筆順] 一 二 千 王 王' 玖 琰 琰

[字解] ①옥 염 아름다운 옥의 한 가지. ②홀 염 위가 뾰족한 홀. '一圭以易行以除慝'《周禮》. ③깎을 염 홀〔圭〕의 상부를 깎음. '凡圭一上寸半'《周禮 註》.

[字源] [篆文] 形聲. 王(玉)+炎〔音〕. '炎염'은 광염(光炎)의 뜻. 규벽(圭璧)을 갈아서 빛나게 하다의 뜻을 나타냄.

[琰圭 염규] 홀〔圭〕의 한 가지. 길이 9촌(寸)으로, 위쪽이 뾰족함. 제후(諸侯)가 불의(不義)한 짓을 하여 천자(天子)가 칠 때 사신(使臣)이 부절(符節)로서 지니는 것.
[琰琰 염염] 광택이 있는 모양.
◉琬琰. 貞琰. 彫琰.

[琰圭]

8 ⑫ [琱] 조 ㊥蕭 都聊切 diāo

[字解] ①아로새길 조 彫(彡部 八畫)·雕(隹部 八畫)와 통용. '一麗'. '黼黻一戈'《漢書》. ②그릴 조 그림을 그림. '牆塗而不一'《漢書》.

[字源] [金文] [篆文] 形聲. 王(玉)+周〔音〕. '周주'는 '彫조'와 통하여, '새기다'의 뜻. 옥을 아로새기다의 뜻을 나타냄.

[琱戈 조과] 아로새긴 창.
[琱麗 조려] 조각(彫刻)의 아름다움.
[琱鞍 조안] 옥(玉)으로 장식한 안장.
[琱瑑 조전] 무늬를 새김.

8 ⑫ [琲] 배 ㊦隊 蒲昧切 bèi / ㊤賄 蒲罪切

[字解] ①꿸 배 구멍으로 꿤. '一落如珠'《張維》. ②구슬꿰미 배 한 줄에 꿴 여러 구슬. '珠一'.

[字源] [篆文] 形聲. 王(玉)+非〔音〕. '非비'는 '排배'와 통하여, '벌여 놓다'의 뜻. 옥을 벌여서 한 줄에 꿴 장식의 뜻을 나타냄.

[琲落 배락] 꿴 많은 돌.
◉珠琲.

8 ⑫ [琳] [人名] 림 ㊥侵 力尋切 lín

[筆順] 一 二 千 王 玎 玏 琳 琳

[字解] 옥 림 아름다운 옥의 한 가지. '厥貢, 惟球一琅玕'《書經》.

[字源] 形聲. 王(玉)+林〔音〕. '林림'은 옥이 부딪는 소리를 나타내는 의성어적 음부(音符).

[琳瓊 임경] 임구(琳球).
[琳球 임구] 아름다운 옥.
[琳璆 임구] 옥이 울리는 소리. 또, 맑은 물이 흐

르는 소리.
[琳宮 임궁] 절. 사찰(寺刹).
[琳闕 임궐] 아름다운 옥으로 장식한 대궐의 문.
[琳琅 임랑] ㉠아름다운 옥의 한 가지. ㉡옥이 서로 부딪쳐 울리는 소리. ㉢사물(事物)의 미칭(美稱). ㉣수려(秀麗)한 사구(辭句)·시문(詩文)의 비유. ㉤시문을 잘 짓는 사람.
[琳瑯 임랑] ㉠아름다운 옥의 한 가지. ㉡천계(天界)의 도읍. 하늘에 있다는 서울.
[琳宇 임우] ㉠아름다운 옥으로 장식한 집. ㉡절. 사찰(寺刹).
[琳札 임찰] 옥으로 만든 함(函). 옥으로 장식한 함(函). 옥함(玉函).
◉璆琳. 球琳. 紫琳. 華琳.

8 ⑫ [琗] [人名] 채 [去]隊 取內切 cuì

[字解] 빛날 채 주옥(珠玉)이 광채(光彩)를 발함. '瑤珠怪石, 一其表'《郭璞》.

8 ⑫ [琺] [人名] 법 讀若法 fà

[字解] 법랑 법 '一瑯'은 광물을 원료로 하여 만든 유약(釉藥). 사기그릇의 겉에 발라 윤기를 나게 함. 에나멜.
[字源] 形聲. 王(玉)+法〔音〕
[參考] 珐(玉部 五畫)은 俗字.

[琺瑯 법랑] 자해(字解)를 보라.
[琺瑯質 법랑질] 고등 동물(高等動物)의 치아(齒牙)의 겉을 구성한 물질. 에나멜질. 사기질(沙器質).

8 ⑫ [琙] 역 [入]職 雨逼切 yù

[字解] 사람이름 역 '一, 闕, 人名, 漢有公孫一'《集韻》.

8 ⑫ [琩] 창 [平]陽 尺良切 chāng

[字解] 귀막이옥 창 만인(蠻人)들의 귀의 옥 장식. '一玩, 蠻夷充耳'《集韻》.
[字源] 形聲. 王(玉)+昌〔音〕

8 ⑫ [琠] [人名] 전 ①[上]銑 他殄切 tiǎn ②[去]霰 他甸切 tiàn

[筆順] 一 二 千 王 王 玎 玎 珊 珊 琠

[字解] ①전옥 전 구슬 이름. '一, 玉也'《說文》. ②귀막이옥 전 瑱(玉部 十畫)과 同字.
[字源] 篆文 形聲. 王(玉)+典〔音〕. '典전'은 '塡전'과 통하여, '막다'의 뜻. 귀를 막는 옥의 뜻을 나타냄.

8 ⑫ [琕] [一] 병 [上]迥 補頂切 bǐng [二] 빈 [平]先 蒲眠切 pín

[字解] [一] 칼집 병 鞞(革部 八畫)과 同字. [二] 구슬이름 빈 玭(玉部 四畫)과 同字.

8 ⑫ [琡] [人名] 숙 [入]屋 之六切 chù

[筆順] 一 二 千 王 王 玗 珐 琡

[字解] ①숙옥(琡玉) 숙 옥의 이름. '一, 玉也'《說文新附》. ②홀 숙 크기 8촌(寸)의 홀〔璋〕. '璋大八寸, 謂之一'《爾雅》.
[字源] 篆文 形聲. 王(玉)+叔〔音〕

9 ⑭ [瑬] 〔류〕 瑬(玉部 十畫〈p. 1435〉)와 同字

9 ⑬ [瑟] [人名] 슬 [入]質 所櫛切 sè

[筆順] 一 二 王 玨 玨 琴 瑟 瑟

[字解] ①큰거문고 슬 현악기의 하나. 모양은 거문고 같으나 크며 줄이 열다섯·열아홉·스물다섯·스물일곱 줄로 된 것 등의 여러 종류가 있음. '搏拊琴一'《書經》. ②많을 슬 물건이 많은 모양. '一彼柞棫'《詩經》. ③엄숙할 슬 장엄하고 정숙한 모양. '一兮僩兮'《詩經》. ④고울 슬 깨끗하고 선명한 모양. 또, 치밀한 모양. '一彼玉瓚'《詩經》. ⑤쓸쓸할 슬 적막한 모양. '一居'. '蕭一兮'《宋玉》.

〔瑟①〕

[字源] 篆文 古文 形聲. 玨〈省〉+必〔音〕. '玨금'은 '琴금'의 本字. '必필'은 빈틈없이 붙다, 줄이 양쪽으로부터 빽빽이 벌여 있다의 뜻. 줄의 수효가 많은 '거문고'의 뜻을 나타냄. 古文의 '爽슬'은 象形字.

[瑟居 슬거] 쓸쓸한 살림.
[瑟琴 슬금] 큰 거문고와 거문고. 전(轉)하여, 부부(夫婦). 부부 사이. 금슬(琴瑟).
[瑟瑟 슬슬] 바람이 쓸쓸하게 부는 소리.
[瑟韻 슬운] 큰 거문고의 소리.
[瑟汩 슬율] ㉠물이 흐르는 모양. ㉡바람이 부는 소리.
[瑟縮 슬축] 오므라들어 펴지지 아니함.
◉膠瑟. 膠柱鼓瑟. 琴瑟. 鳴瑟. 寶瑟. 蕭瑟. 戛瑟. 竽瑟. 倚瑟. 靜瑟. 淸瑟. 好竽鼓瑟.

9 ⑬ [瑁] [人名] [一] 모 [去]號 莫報切 mào [二] 매 [去]隊 莫佩切 mèi

[字解] [一] ①옥홀 모 제후(諸侯)가 조회(朝會)할 때 천자(天子)가 지니던 사방 네 치의 옥으로 만든 홀. 그 하부(下部)를 제후가 가진 홀〔圭〕 위에 끼우면 마치 부절(符節)을 합친 것 같은 모양이 되어, 이로써 서신(瑞信)으로 삼음. '執一朝群后'《沈約》. ②대모 모 '瑇一'는 바다거북의 일종. [二] 대모 매 [一]❷와 뜻이 같음.
[字源] 金文 篆文 古文 形聲. 王(玉)+冒〔音〕. '冒모'는 덮어씌우다의 뜻. 古文은 '瑁모'의 생략체. 천자가 제후(諸侯)를 봉(封)할 때, 제후에게 내리는 규(圭)에 꼭 맞도록 만들어져, 천자 곁에 두어두는 옥의 뜻. 규(圭)에 씌우는 모자와 같은 옥의 뜻을 나타냄.

◉玳瑁. 瑇瑁.

9 ⑬ [瑀] [人名] 우 [上]麌 王矩切 yǔ

[筆順] 一 二 干 王 … 瑀

[字解] 패옥 우 패옥(佩玉)의 중간에 있는 옥. '乃爲大佩, 衝牙雙一璜, 皆以白玉'《後漢書》.

[字源] 篆文 形聲. 王(玉)+禹[音]

9 ⑬ [瑄] [人名] 선 [平]先 須緣切 xuān

[筆順] 一 二 干 王 … 瑄

[字解] 도리옥 선 크기가 여섯 치 되는 도리옥. '有司奉一玉'《漢書》.

[字源] 篆文 形聲. 王(玉)+宣[音]. '宣선'은 뻗어 퍼지다의 뜻.

9 ⑬ [瑋] [人名] 위 [上]尾 于鬼切 wěi 玮

[筆順] 一 二 干 王 … 瑋

[字解] ①옥 위 옥의 한 가지. ②진기할 위 진귀함. '一寶'. '奇妙瑰一'《何承天》.

[字源] 形聲. 王(玉)+韋[音]

[瑋寶 위보] 희귀한 보물.
[瑋質 위질] 유달리 뛰어난 천질(天質).
◉瑰瑋. 奇瑋. 琦瑋. 珍瑋.

9 ⑬ [瑌] [人名] 연 [平]先 而緣切 ruǎn

[筆順] 一 二 王 … 瑌

[字解] 옥돌 연 옥 비슷한 아름다운 돌의 한 가지. '一石武夫'《史記》.

9 ⑬ [瑖] 단 [去]翰 都玩切 duàn

[字解] 옥돌 단 옥 비슷한 아름다운 돌의 한 가지.

9 ⑬ [瑑] 전 [去]霰 杜戀切 zhuàn

[字解] ①새길 전 옥을 새겨 모양을 냄. '良玉不一'《漢書》. ②돋을새김 전 규벽(圭璧)의 주변(周邊)의 부조(浮彫). '一圭璋璧琮'《周禮》.

[字源] 篆文 形聲. 王(玉)+彖[音]. '彖연'은 변두리의 경계의 뜻. 규벽(圭璧)의 가에 새긴 조각의 뜻을 나타냄.

[瑑刻 전각] 무늬를 아로새김.

9 ⑬ [瑒] [一] 탕 [上]養 待朗切 dàng [二] 창 [去]漾 丑亮切 chàng

[字解] [一] 옥 탕 옥의 한 가지. 璗(玉部 十二畫)과 통용. '一琫一珌'《漢書》. [二] ①옥찬(玉瓚) 창 종묘(宗廟)의 제사에서, 울창주(鬱鬯酒)를 담는 술 그릇. 길이가 한 자 두 치의 옥의 자루가 달렸음. 규찬(圭瓚). '一, 圭, 尺二寸, 有瓚, 以祀宗廟者也'《說文》. ②창주 창 鬯(部首)과 통용.

[字源] 篆文 形聲. 王(玉)+昜[音]. '昜양'은 길게 뻗다의 뜻.

9 ⑬ [瑕] [人名] 하 [平]麻 胡加切 xiá

[字解] ①티 하 옥의 흠. '一瑜'. '瑾瑜匿一'《左傳》. ②흠 하 결점. 과실. '一尤'. '烈假不一'《詩經》. ③허물 하 죄과. '不女疵一也'《左傳》. ④틈 하 틈새. '乘一則神'《管子》. ⑤멀 하 遐(辵部 九畫)와 통용. '不一有害'《詩經》. ⑥어찌 하 어찌하여서. '一不謂矣'《禮記》. ⑦성 하 성(姓)의 하나.

[字源] 篆文 形聲. 王(玉)+叚[音]. '叚하'는 암석에서 막 캐낸 옥의 뜻. 흠이 있는 옥의 뜻으로, '瑕하'의 原字였으나, 뒤에 '玉옥'을 더하여, '티, 흠'의 뜻을 나타냄.

[瑕纇 하뢰] 하자(瑕疵).
[瑕累 하루] 흠. 결점(缺點).
[瑕穢 하예] 흠과 더러움. 폐해(弊害).
[瑕尤 하우] 잘못. 과실(過失).
[瑕瑜 하유] 옥의 티와 옥의 빛. 전(轉)하여, 결점(缺點)과 미점(美點).
[瑕疵 하자] ㉠옥의 티. ㉡결점. 잘못.
[瑕瓋 하적] 흠. 잘못. 과실. 하적(瑕讁).
[瑕讁 하적] 흠. 하적(瑕瓋).
[瑕玷 하점] 흠. 결점.
[瑕痕 하흔] 흠의 자취.
[瑕釁 하흔] ㉠흠. 잘못. 과실. ㉡틈. 원극(怨隙).
◉瑾瑜匿瑕. 微瑕. 白玉微瑕. 白瑕. 纖瑕. 細瑕. 瑜瑕. 疵瑕. 點瑕. 披毛求瑕. 含垢匿瑕. 毀瑕.

9 ⑬ [瑗] [人名] 원 [去]霰 王眷切 yuàn

[筆順] 一 二 干 王 … 瑗

[字解] 옥 원 고리 모양의 옥[璧]. 중앙의 구멍의 내경(內徑)이 고리의 곱이 되는 옥. '벽(璧)' 참조. '好倍肉, 謂之一'《爾雅》.

[字源] 篆文 形聲. 王(玉)+爰[音]. '爰원'은 '끌다'의 뜻. 옛날에, 임금이 사람을 초청하여 부르는 데 쓴 옥의 뜻을 나타냄.

[瑗瑤 원요] 싸라기눈.

9 ⑬ [瑙] [人名] 노 [上]晧 乃老切 nǎo

[字解] 마노 노 瑪(玉部 十畫)를 보라. '瑪一'.

[字源] 形聲. 王(玉)+𡿺[音]

◉瑪瑙.

9 ⑬ [瑚] [人名] 호 [平]虞 戶吳切 hú

[筆順] 一 二 干 王 玗 玷 瑚 瑚

[字解] ①산호 호 珊(玉部 五畫)을 보라. '珊一'. ②호련 호 은(殷)나라 때의 종묘(宗廟)에서, 서직(黍稷)을 담던 제기(祭器). '一璉'. '夏后氏之四璉, 殷之六一'《禮記》.

[字源] 篆文 形聲. 王(玉)+胡[音]

[瑚璉 호련] 은대(殷代)에 종묘(宗廟)에서 서직

(黍稷)을 담던 제기(祭器)로 주대(周代)의 보궤(簠簋)와 같은 것. 공자(孔子)가 자공(子貢)의 인물됨을 평하여 '——'이라고 한 데서, 우수한 인물(人物)의 비유로 쓰임.
◉珊瑚. 鐵網珊瑚.

9 ⑬ [瑛] 人名 영 ㊥庚 於驚切 yīng

筆順

字解 ①옥빛 영 옥의 광채. ②수정 영 투명한 석영(石英). '玉—'. ③패옥 영 '—琚'는 몸에 차는 옥. '織女奉—琚'《古豔歌》.

字源 篆文 形聲. 王(玉)+英〔音〕. '英영'은 '景경·영'과 통하여, '빛'의 뜻. 옥(玉)의 빛의 뜻을 나타냄.

[瑛琚 영거] 수정(水晶)으로 만든 몸에 차는 옥. 패옥(佩玉).
[瑛瑤 영요] 아름다운 옥. 옥처럼 아름다운 덕(德)을 갖춘 사람을 비유하여 이르는 말.

9 ⑬ [瑜] 人名 유 ㊥虞 羊朱切 yú

筆順

字解 ①옥 유 광채가 있는 아름다운 옥의 한 가지. '瑾—匿瑕'《左傳》. ②옥빛 유 옥의 광채. '瑕不揜—'《禮記》.

字源 篆文 形聲. 王(玉)+兪〔音〕

[瑜伽 유가]《佛敎》범어(梵語) yoga의 음역(音譯). 상응(相應)이라고 의역(意譯)함. 주관과 객관이 일체의 사물과 상응(相應)·융합(融合)하는 일.
[瑜伽三密 유가삼밀]《佛敎》인도(印度)의 유가종(瑜伽宗)에서 주관(主觀)·객관(客觀)의 합일 불이(合一不二)를 실행하기 위하여 신(身)·어(語)·의(意)의 세 가지에 관하여 닦는 비밀의 법을 이름.
[瑜伽宗 유가종]《佛敎》㉠밀교(密敎)의 총칭(總稱). 또, 특히 밀교 중의 대일종(大日宗)을 이르기도 함. ㉡법상종(法相宗)의 별칭.
[瑜珥 유이] 일종의 옥(玉).
[瑜瑕 유하] 아름다움과 흠. 미점(美點)과 결점(缺點).
◉瑾瑜. 瑕不揜瑜. 瑕瑜. 懷瑾握瑜.

9 ⑬ [瑞] 人名 서 ㊦寘 是僞切 ruì

筆順

字解 ①상서 서 길조(吉兆). '太平—'. '麟鳳五靈, 王者之嘉—也'《杜預》. ②홀 서 천자(天子)가 제후를 봉할 때, 신표(信標)로서 주는 옥으로 만든 홀〔圭〕. '오서(五瑞)' 참조. '圭—'. '以玉作六—, 以等邦國'《周禮》. ③부절 서 부신(符信). '符—'. '司馬請—焉'《左傳》. ④경사스러울 서 '—兆'. '—應辨至'《史記》. ⑤성 서 성(姓)의 하나.

字源 篆文 形聲. 王(玉)+耑〔音〕. '耑단'은 무엇이 갓 태어남의 뜻. 사물의 발생에 앞서 신의 뜻을 알아보기 위한 그릇의 뜻에서, 상서로운 표의 뜻을 나타냄.

[瑞感 서감] 상서로운 감응(感應).
[瑞禽 서금] 상서로운 새. 서조(瑞鳥).
[瑞氣 서기] 상서로운 기운.
[瑞年 서년] 상서로운 해.
[瑞露 서로] 상서로운 이슬.
[瑞夢 서몽] 길몽(吉夢). 꿈.
[瑞白 서백] 눈〔雪〕의 별칭. '서설(瑞雪)' 참조.
[瑞福 서복] 상서로운 행복.
[瑞相 서상] ㉠상서로운 상(相). 복상(福相). ㉡상서로운 조짐. 길조(吉兆).
[瑞祥 서상] 상서로운 조짐.
[瑞雪 서설] 상서로운 눈. 눈은 풍년이 들 조짐이라 하므로 이름.
[瑞世 서세] 상서로운 세상(世上).
[瑞獸 서수] 상서로운 짐승.
[瑞玉 서옥] 상서로운 옥으로 만든 홀〔圭〕. 곧, 오서(五瑞). 자해(字解)❷를 보라.
[瑞雨 서우] 상서로운 비.
[瑞雲 서운] 상서로운 구름.
[瑞運 서운] 상서로운 운수(運數).
[瑞應 서응] 임금의 어진 정치가 하늘에 감응되어 나타나는 길한 조짐.
[瑞日 서일] 상서로운 날. 경사스러운 날.
[瑞節 서절] 옥(玉)으로 만든 부절(符節). 천자(天子)가 제후(諸侯)를 봉(封)할 때 신표로 주는 부절.
[瑞兆 서조] 상서로운 조짐.
[瑞鳥 서조] 상서로운 새.
[瑞芝 서지] 상서로운 영지(靈芝).
[瑞徵 서징] 서조(瑞兆).
[瑞草 서초] 상서로운 풀. 명협(蓂莢) 따위.
[瑞香 서향] 팥꽃나뭇과(科)의 상록 관목(常綠灌木). 백색의 향기 있는 꽃이 피며, 보통 열매를 맺지 않음.
[瑞驗 서험] 상서로운 조짐.
[瑞禾 서화] 상서로운 벼. 종자는 다르고 이삭을 같이 하는 벼. 가화(嘉禾).
◉嘉瑞. 降瑞. 慶瑞. 圭瑞. 極瑞. 奇瑞. 吉瑞. 符瑞. 祕瑞. 祥瑞. 聖瑞. 靈瑞. 五瑞. 六瑞. 應瑞. 異瑞. 仁瑞. 典瑞. 絕瑞. 禎瑞. 珍瑞. 徵瑞. 天瑞. 鴻瑞.

9 ⑬ [琿] 人名 혼 ㊥元 戶昆切 hún 珲

字解 옥 혼 아름다운 옥의 한 가지.

字源 形聲. 王(玉)+軍〔音〕

9 ⑬ [瑇] 대 ㊦隊 徒耐切 dài

字解 대모 대 '—瑁'는 거북과(科)에 속하는 열대 지방의 바다거북. 등딱지는 누른 바탕에 검은 점이 있는데, 별갑대(鼈甲瑇)라 하여 각종 장식용품의 재료로 씀. '—瑁鼊鼂'《史記》.

字源 形聲. 王(玉)+毒〔音〕

參考 玳(玉部 五畫)는 同字.

[瑇瑁 대모] 자해(字解)를 보라.
[瑇筵銀燭 대연은촉] 대모로 장식(裝飾)한 자리와 은과 같이 밝은 촛불. 곧, 화려한 밤의 연회

(宴會)의 뜻.

9 ⑬ [瑉] 민 ㊥眞 眉貧切 mín

字解 옥돌 민 珉(玉部 五畫)과 同字. '琳—琨珸'《史記》.

字源 形聲. 王(玉)+昬〔音〕

◉琳瑉.

9 ⑬ [瑊] 감 ㊥咸 古咸切 jiān

字解 옥돌 감 옥 비슷한 아름다운 돌의 한 가지. '—功玄厲'《史記》.

[瑊功 감륵] 옥 비슷한 아름다운 돌.

9 ⑬ [瑌] 빈 ㊥眞 卜巾切 bīn

字解 문채날 빈 '璘—'은 옥의 문채가 어른어른하는 모양. 또, 무늬가 있는 모양. '璧馬犀之璘—'《漢書》.

◉璘瑌.

9 ⑬ [瑆] 人名 성 ㊥青 桑經切 xīng

筆順 一 二 王 玎 玥 琨 瑆 瑆

字解 옥빛 성 '—, 玉光'《集韻》.

字源 形聲. 王(玉)+星〔音〕

9 ⑬ [瑎] 계 ㊦卦 古拜切 jiè

字解 큰홀 계 玠(玉部 四畫)와 뜻이 같음.

9 ⑬ [瑂] 미 ㊥支 武悲切 méi

字解 옥돌 미 옥과 비슷한 돌.

字源 篆文 形聲. 王(玉)+眉〔音〕

9 ⑬ [瑃] 人名 춘 ㊥眞 敕倫切 chūn

筆順 一 二 千 王 王 玗 珔 瑃

字解 춘옥(瑃玉) 춘 옥의 이름.

字源 形聲. 王(玉)+春〔音〕

9 ⑬ [瑅] 人名 제 ㊥齊 田黎切 tí

筆順 一 二 千 王 玾 琨 瑅 瑅

字解 제당옥(瑅塘玉) 제 옥의 이름. 珶(玉部 七畫)와 同字. '—塘, 玉名'《集韻》.

9 ⑬ [瑍] 환 ㊦翰 呼玩切 huàn

字解 환옥 환 아름다운 무늬가 든 옥의 이름. '—, 玉有文采'《字彙》.

字源 形聲. 王(玉)+奐〔音〕

9 ⑬ [瑎] 해 ㊥佳 戶皆切 xié

字解 검은옥돌 해 옥 비슷한 검은 돌. '—, 黑石似玉者'《說文》.

字源 篆文 形聲. 王(玉)+皆〔音〕

9 ⑬ [瑝] 황 ㊥陽 胡光切 huáng

字解 ①옥소리 황 옥이 부딪쳐 나는 큰 소리. '—, 玉聲也. (段注) 謂玉之大聲也'《說文》. ②종소리 황 鍠(金部 九畫)과 통용.

字源 篆文 形聲. 王(玉)+皇〔音〕. '皇황'은 옥이 서로 부딪쳐 나는 소리를 나타내는 의성어적 음부(音符).

9 ⑬ [瑘] 〔야〕 琊(玉部 七畫〈p. 1427〉)와 同字

9 ⑬ [瑤] 〔요〕 瑤(玉部 十畫〈p. 1436〉)의 略字

[瑱] 〔욱〕 頁部 四畫(p. 2541)을 보라.

10 ⑮ [瑩] 人名 ㊀영 ㊥庚 永兵切 yíng ㊁형 ㊤迥 烏迥切 yǐng ㊦徑 烏定切 莹

筆順 丷 火 炏 炏 炏 熒 塋 瑩

字解 ㊀ ①옥돌 영 옥 비슷한 아름다운 옥돌의 한 가지. '充耳琇—'《詩經》. ②빛 영 광채. '不能掩其—'《韓詩外傳》. ③맑을 영 아름답고 투명함. '—鏡'. ④밝을 영 ㉠선명(鮮明)함. '—生一死, 性命—矣'《太玄經》. ㉡명료함. '語意未—'《朱熹》. ⑤빛날 영 광채를 발함. '見之—然'《晉書》. ㊁ ①의혹할 형 熒(火部 十畫)과 통용. '黃帝之所聽—'《莊子》. ②옥빛조촐할 형 '如玉之—'《揚子法言》. ③맑을 형 '此人之水鏡, 見之—然'《晉書》.

字源 篆文 形聲. 王+熒〈省〉〔音〕. '熒형·영'은 '빛나다'의 뜻. 빛나는 보석의 뜻을 나타냄.

[瑩角 영각] 옥처럼 아름다운 윤이 나는 소의 뿔. 또는 그런 뿔을 가진 소.
[瑩潔 영결] 윤이 나고 깨끗함.
[瑩鏡 영경] 맑은 거울.
[瑩然 영연] ㉠광채를 발하는 모양. 빛나는 모양. ㉡맑은 모양.
[瑩淨 영정] 밝고 깨끗함.
[瑩徹 영철] 투명(透明)함.
[瑩澤 영택] 밝고 광택이 있음.
◉瓊瑩. 磨瑩. 琇瑩. 照瑩. 澄瑩. 聽瑩. 平瑩. 紅瑩.

10 ⑮ [瑬] 류 ㊥尤 力求切 liú

字解 ①면류관드림 류 면류관의 앞뒤에 드리운 구슬 장식. 旒(方部 九畫)와 통용. '—, 垂玉

也, 冕飾'《說文》. ②깃발 류 기각(旗脚). '鸞輅青羽蓋, 駕四馬, 旒九一'《宋書》.

字源 篆文 形聲. 玉+流〔音〕. '流류'는 흘러서 드리워지다의 뜻.

10 ⑮ [瑴] 〔각〕 瑴(玉部 十畫〈p. 1437〉)과 同字

10 ⑭ [瑠] 人名 류 ㊥尤 力求切 liú

筆順 一 二 王 玎 玑 珋 瑠 瑠

字解 유리 류 '一璃'는 황금색의 작은 점이 있고 야청빛이 나는 광물. '移我一璃榻'《古詩》.

字源 形聲. 王(玉)+留〔音〕

參考 ①璢(玉部 十二畫)는 本字. ②琉(玉部 七畫)와 同字.

[瑠璃 유리] 자해(字解)를 보라.

10 ⑭ [瑥] 人名 은

字解 옥 은.

10 ⑭ [瑣] 쇄 ㊤哿 蘇果切 suǒ 琐

字解 ①잘 쇄 세소(細小)함. '一細'. '一兮尾兮, 流離之子'《詩經》. ②천할 쇄 비천(卑賤)함. '名地卑一'《南史》. ③가루 쇄 옥의 가루. 전(轉)하여, 널리 가루. 분말. '委曲如一'《仲長統》. ④쇠사슬 쇄 鎖(金部 十畫)와 통용. '畢罕一結'《左思》. 전(轉)하여, 쇠사슬의 모양을 새긴 대궐 문의 뜻으로 쓰임. '青一'. '欲少留此靈一兮'《楚辭》. ⑤성 쇄 성(姓)의 하나.

字源 篆文 形聲. 王(玉)+貨〔音〕. '貨쇄'는 '작다'의 뜻. 옥의 가루, 부스러기의 뜻. 또, 의성어로서 옥이 울리는 소리도 나타냄.

參考 瑣(次條)는 俗字.

[瑣近 쇄근] 잗달고 가까움.
[瑣闥 쇄달] 쇄위(瑣闈).
[瑣談 쇄담] 잗단 이야기. 자질구레한 이야기.
[瑣末 쇄말] 쇄세(瑣細).
[瑣尾 쇄미] 작고 기운이 없음. 영락(零落)함. 쇠약함.
[瑣事 쇄사] 잗단 일. 자질구레한 일.
[瑣屑 쇄설] 자질구레함. 잚.
[瑣細 쇄세] 약간. 조금. 잚. 작음. 사소(些少).
[瑣小 쇄소] 쇄세(瑣細).
[瑣碎 쇄쇄] ㉠잗닮. 자질구레함. ㉡분규(紛糾).
[瑣瑣 쇄쇄] ㉠피로한 모양. ㉡세소(細小)한 모양. ㉢옥(玉)이 울리는 소리.
[瑣劣 쇄열] 자질구레하여 딴것만 못함.
[瑣闈 쇄위] ㉠쇠사슬의 모양을 아로새긴 대궐 문. ㉡널리 대궐의 문의 뜻으로 쓰임.
◉微瑣. 煩瑣. 小瑣. 連瑣. 嵬瑣. 猥瑣. 委瑣. 青瑣.

10 ⑭ [瑣] 瑣(前條)의 俗字

10 ⑭ [瑤] 人名 요 ㊥蕭 餘招切 yáo 瑶

筆順 一 二 王 玎 珍 瑶 瑤 瑤

字解 ①옥돌 요 옥 비슷한 아름다운 돌의 한 가지. '一琨'《書經》. 전(轉)하여, 사물의 미칭(美稱). '一札'. '眺一堂'《漢書》. ②《現》 민족 이름 요 중국 소수 민족의 하나. 주로, 광시좡족 자치구(廣西壯族自治區)에 살며, 후난(湖南)·윈난(雲南)·구이저우(貴州)의 각 성(省)에도 분포함. 예전에는 요(猺)로 불렸음.

字源 篆文 形聲. 王(玉)+䍃〔音〕. '䍃요'는 빛이 일렁거리다의 뜻.

[瑤瓊 요경] 아름다운 옥. 경요(瓊瑤).
[瑤光 요광] 북두칠성(北斗七星)의 일곱째 별.
[瑤琴 요금] 옥으로 장식한 거문고.
[瑤壇 요단] 신선(神仙)이 사는 곳.
[瑤堂 요당] 옥(玉)의 집. 훌륭한 궁전(宮殿).
[瑤臺 요대] ㉠옥의 집. 훌륭한 궁전. ㉡신선이 사는 곳.
[瑤輦 요련] 옥(玉)으로 장식한 연(輦).
[瑤林瓊樹 요림경수] 옥(玉)의 숲과 옥의 나무. 고상한 인품(人品)의 비유.
[瑤榭 요사] 옥으로 만든 정자(亭子). 훌륭한 궁전(宮殿).
[瑤觴 요상] 옥(玉)으로 만든 잔. 옥배(玉杯).
[瑤席 요석] 아름다운 자리. 화려한 좌석.
[瑤樹 요수] 옥(玉)과 같이 아름다운 나무.
[瑤顏 요안] 옥(玉)과 같은 얼굴. 아름다운 얼굴.
[瑤英 요영] 산시 성(陝西省) 남전현(藍田縣)의 남전산(藍田山)에서 나는 대단히 아름다운 옥.
[瑤玉 요옥] 아름다운 옥. 또, 옥.
[瑤簟 요점] 옥(玉)과 같이 아름다운 대자리. 화려한 좌석. 요석(瑤席).
[瑤鍾 요종] 요상(瑤觴).
[瑤珠 요주] 아름다운 구슬.
[瑤池 요지] 주(周)나라 목왕(穆王)이 서왕모(西王母)와 만났다는 선경(仙境). 곤륜산(崑崙山)에 있음.
[瑤質 요질] 옥과 같이 아름다운 성질 또는 모습.
[瑤札 요찰] 아름다운 편지. 남의 편지의 경칭(敬稱).
[瑤草 요초] 아름다운 풀.
[瑤卮 요치] 요상(瑤觴).
[瑤函 요함] 요찰(瑤札).
[瑤緘 요함] 요찰(瑤札).

10 ⑭ [瑪] 人名 마 ㊤馬 母下切 mǎ 玛

筆順 一 二 王 玎 玔 珥 瑪 瑪

字解 마노 마 '一瑙'는 석영(石英)의 일종.

字源 形聲. 王(玉)+馬〔音〕

[瑪瑙 마노] 석영(石英)의 일종. 색이 고와 장식품으로 쓰임.

10 ⑭ [瑯] 人名 랑 ㊥陽 魯當切 láng

筆順 一 二 王 玙 珢 琅 瑯 瑯

字解 ①땅이름 랑 '一琊'는 군명(郡名). 琅(玉部 七畫)의 俗字. '一, 琅邪, 郡名. 俗作一琊'《廣韻》. ②《現》 법랑 랑 '琺一'은 에나멜.

[字源] 形聲. 王(玉)+郞〔音〕

◉琺瑯. 琳瑯.

10 ⑭ [瑰] 괴 [平]灰 公回切 guī

[字解] ①구슬 괴 원형의 미주(美珠). '或與己瓊一食之'《左傳》. ②진기할 괴 '奇一'. '因一材而究奇'《後漢書》. ③클 괴 위대함. '一意琦行'《宋玉》.
[字源] [篆文] 形聲. 王(玉)+鬼〔音〕. '鬼귀'는 '유다르다'의 뜻. 진귀한 옥의 뜻을 나타냄.

[瑰瓊 괴경] 뛰어나게 아름다운 옥(玉). 전(轉)하여, 뛰어나게 잘 지은 시구(詩句) 등의 비유.
[瑰怪 괴괴] 희귀하고 뛰어남.
[瑰詭 괴궤] 이상함. 기괴(奇怪).
[瑰奇 괴기] 괴기(瑰琦).
[瑰琦 괴기] 뛰어나고 기이함.
[瑰器 괴기] 뛰어난 기국(器局).
[瑰麗 괴려] 뛰어나게 아름다움.
[瑰辭 괴사] 진기한 말. 뛰어난 말.
[瑰岸 괴안] 체격이 웅장하고 기운이 셈. 괴안(魁岸).
[瑰偉 괴위] 뛰어나고 큼. 비상히 큼.
[瑰瑋 괴위] 뛰어나고 기이함.
[瑰儒 괴유] 큰 선비. 대유(大儒).
[瑰意 괴의] 위대한 뜻.
[瑰異 괴이] 이상(異常)함.
[瑰姿 괴자] 뛰어난 용모. 뛰어난 풍채.
[瑰壯 괴장] 뛰어나게 훌륭함.
[瑰才 괴재] 뛰어난 재주. 또, 그 사람. 기재(奇才).
◉瓊瑰. 玫瑰. 奇瑰. 璿瑰.

10 ⑭ [瑳] [人名] 차 [上]哿 千可切 / [平]歌 七何切 cuō

[筆順] 一 二 王 … 瑳 瑳

[字解] ①고울 차 ㉠옥 같은 것의 빛이 고운 모양. '一兮一兮, 其之展也'《詩經》. ㉡이 같은 것이 곱고 흰 모양. '女齒笑一一'《梅堯臣》. ②웃을 차 흰 이를 잠시 드러내 보이며 상긋 웃는 모양. '巧笑之一'《詩經》. ③갈 차 磋(石部 十畫)와 통용.
[字源] [篆文] 形聲. 王(玉)+差(𢀩)〔音〕. '𢀩차'는 울퉁불퉁한 물건으로 문지르다의 뜻. 옥을 갈다, 또, 갈아서 빛깔이 곱다의 뜻을 나타냄.

[瑳瑳 차차] ㉠옥 같은 것의 빛이 고운 모양. ㉡이가 곱고 흰 모양.

10 ⑭ [瑱] [人名] ㊀ 진 [去]震 陟刃切 zhèn / ㊁ 전 [去]霰 他甸切 tiàn

[筆順] 一 二 王 … 瑱 瑱

[字解] ㊀ ①귀막이옥 진 귀를 막는 옥. 후세에는, 면류관(冕旒冠) 같은 데에 장식으로 달았음. '玉之一也'《詩經》. ②옥 진 일종의 미옥(美玉)의 이름. '王用一圭'《周禮》. ㊁ 귀막이옥 전, 옥 전 ㊀과 뜻이 같음.

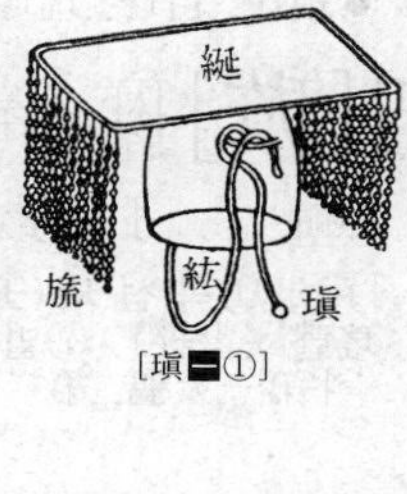

[瑱㊀①]

[字源] [篆文] 形聲. 王(玉)+眞〔音〕. '眞진'은 밀어넣다의 뜻. 귀에 넣어 막는 귀막이옥의 뜻을 나타냄.

[瑱圭 진규] 육서(六瑞)의 하나. 제왕(帝王)이 가짐.
[瑱紞 진담] 귀막이옥을 단 끈.
◉玉瑱. 華瑱. 環瑱.

10 ⑭ [瑲] 창 [平]陽 七羊切 qiāng

[字解] 옥소리 창, 풍류소리 창 옥이 울리는 소리. 또는 악기의 소리. '八鸞一一'《詩經》.
[字源] [篆文] 形聲. 王(玉)+倉〔音〕. '倉창'은 옥이 서로 부딪쳐 나는 소리를 나타내는 의성어적 음부(音符).

[瑲瑲 창창] 옥이 울리는 소리. 악기의 울리는 소리.

10 ⑭ [瑴] 각 [入]覺 古岳切 jué

[字解] 쌍옥 각 玨(玉部 四畫)과 同字. '公爲之請納玉於王與晉侯, 皆十一'《左傳》.
[字源] [珏의 別體] 形聲. 王(玉)+㱿〔音〕

10 ⑭ [瑢] [人名] 용 [平]冬 餘封切 róng

[筆順] 一 二 王 … 瑢 瑢

[字解] 패옥소리 용 '瑽一'은 패옥(佩玉)의 소리. '瑽一, 佩玉行貌'《玉篇》.
[字源] 形聲. 王(玉)+容〔音〕

10 ⑭ [瑨] [人名] 진 [去]震 卽刃切 jìn

[筆順] 二 王 … 瑨 瑨

[字解] 아름다운돌 진 璡(玉部 十二畫)과 同字.
[字源] 形聲. 王(玉)+晉〔音〕

10 ⑭ [瑠] [人名] 瑠(前條)의 俗字

[筆順] 一 二 王 … 瑠 瑠

10 ⑭ [瑥] [人名] 온 [平]元 烏昆切 wēn

[筆順] 二 王 … 瑥 瑥

[字解] 사람이름 온 '一, 闕, 人名, 晉有翟一'《集韻》.

10 ⑭ [瑵] 조 [上]巧 側絞切 zhǎo

[字解] 수레덮개장식 조 수레 덮개의 살 꼭지에 베푼 발톱 모양의 구슬 장식. '金一羽葆'《漢書》.
[字源] [篆文] 形聲. 王(玉)+蚤〔音〕

10 ⑭ [瑰] 퇴 [平]灰 都回切 duī

[字解] 옥광채낼 퇴 옥을 광채 나게 다듬고 닦음. '―工'.

10 ⑭ [瑫] 도 [平]豪 土刀切 tāo

[字解] ①아름다운옥 도 아름다운 옥의 이름. '―, 美玉'《集韻》. ②옥으로꾸민칼 도 '―, 一曰, 玉飾劍'《集韻》.
[字源] 形聲. 王(玉)+舀〔音〕

10 ⑭ [瑭] 당 [平]陽 徒郎切 táng

[字解] 당무옥 당 '―璑'는 옥의 하나.
[字源] 形聲. 王(玉)+唐〔音〕

10 ⑭ [瑮] 률 [入]質 力質切 lì

[字解] 옥아름다울 률 나열된 옥이 아름다운 모양.
[字源] 篆文 形聲. 王(玉)+栗(㮚)〔音〕. '㮚률'은 연이어 있어 (눈을) 찌르는 듯한 모양을 나타냄.

10 ⑭ [瑽] 〔침〕
琛(玉部 八畫〈p. 1429〉)의 本字

11 ⑯ [瑿] 예 [平]齊 煙奚切 yī

[字解] ①검은옥 예 흑색의 아름다운 돌. 瑿(石部 十一畫)와 同字. ②흑호박(黑琥珀) 예 천 년 묵은 호박. '―, 黑玉, 本草, 琥珀千年者爲―, 狀似玄玉, 黑如純漆, 大如車輪. 永昌有黑玉鏡, 卽―也'《正字通》.

11 ⑮ [瑾] [人名] 근 [上]吻 几隱切 jǐn

[筆順] 一 王 王 王 王 琪 瑾 瑾

[字解] 옥 근 미옥(美玉)의 한 가지. '懷―握瑜'《楚辭》.
[字源] 金文 篆文 形聲. 王(玉)+堇〔音〕. '堇근'은 굳게 죄어지다의 뜻.

[瑾瑜 근유] 아름다운 옥.
[瑾瑜匿瑕 근유익하] 아름다운 옥(玉)에도 티가 있음. 어질고 덕이 있는 사람이라도 과실이 없는 법은 없으므로 그 과실을 허용한다는 뜻.
◉細瑾. 瑕瑾. 懷瑾.

11 ⑮ [璀] 최 [上]賄 七罪切 cuǐ

[字解] 빛날 최 옥의 빛이 찬란한 모양. '琪樹―璨而垂珠'《孫綽》.
[字源] 篆文 形聲. 王(玉)+崔〔音〕. '崔최'는 작은 알갱이가 반짝반짝 빛나다의 뜻.

[璀錯 최착] 많고 성(盛)한 모양.
[璀璨 최찬] 옥이 빛나는 모양.
[璀彩 최채] 고운 채색(彩色).
[璀璀 최최] 옥과 같이 선명(鮮明)하게 비치는 모양.

11 ⑮ [璂] [人名] 기 [平]支 渠之切 qí

[筆順] 一 王 王 玗 琪 琪 璂 璂

[字解] 피변옥 기 피변(皮弁)의 솔기를 장식하는 옥. '王之皮弁, 會五采玉―'《周禮》.

11 ⑮ [璃] [人名] 리 [平]支 呂支切 lí

[筆順] 一 王 王 玗 玹 琍 璃 璃

[字解] 유리 리 '琉―'는 황금색 점(點)이 있고 야청빛이 나는 광물(鑛物). 유리(瑠璃). '移我琉―榻'《古詩》. '賣碧玻―鏡'《梁四公記》.
[字源] 形聲. 王(玉)+离〔音〕

◉碧瑠璃. 琉璃. 瑠璃. 玻璃.

11 ⑮ [璈] [一] 서 [平]魚 商居切 shū
[二] 도 [平]虞 通都切 tū

[字解] [一] ①홀(笏) 서 '―, 笏也'《廣雅》. ②아름다운옥 서 '―, 美玉'《集韻》. [二] 홀 도, 아름다운 옥 도 [一]과 뜻이 같음.

11 ⑮ [璅] [一] 소 [上]晧 子晧切 zǎo
[二] 쇄 [上]哿 損果切 suǒ

[字解] [一] 옥돌 소 옥 비슷한 아름다운 돌. [二] 쇠사슬 쇄, 잘 쇄 瑣(玉部 十畫)와 同字. '欲少留此靈―'《楚辭》. '――常流'《晉書》.
[字源] 篆文 形聲. 王(玉)+巢(巢)〔音〕

[璅璅 쇄쇄] 잔 모양. 세소(細小)한 모양. 자질구레한 모양. 쇄쇄(瑣瑣).
[璅語 쇄어] 쓸데없는 말. 자질구레한 말.

11 ⑮ [璆] 구 [平]尤 巨鳩切 qiú

[字解] ①옥 구, 옥경쇠 구 球(玉部 七畫)와 同字. '―磬金鼓'《漢書》. ②옥소리 구 옥이 울리는 소리. '環珮玉聲―然'《史記》.
[字源] 球의 別體 形聲. 王(玉)+翏〔音〕

[璆琳 구림] 아름다운 옥. 구림(球琳).
[璆然 구연] 옥이 부딪쳐 울리는 소리.
[璆鏘 구장] 옥이 부딪쳐서 울리는 아름다운 소리.
[璆珌 구필] 옥으로 한 칼집 아랫부분의 장식. 제후(諸侯)의 칼집에 장식함.
◉琅璆. 白璆. 瑤璆. 琳璆.

11 ⑮ [璇] [人名] 선 [平]先 似宣切 xuán

[筆順] 一 王 王 玗 玢 玢 琁 璇

[字解] ①옥 선 璿(玉部 十四畫)과 同字. '有―璣瑤璫'《書經》. ②별이름 선 북두칠성의 둘째 별. '斗第一天樞, 第二―'《史記 註》.

字源 形聲. 王(玉)＋旋〔音〕

[璇蓋 선개] 옥으로 장식한 일산(日傘).
[璇宮 선궁] 옥으로 장식한 아름다운 궁전.
[璇閨 선규] 선실(璇室).
[璇璣 선기] ㉠혼천의(渾天儀). 선기(璿璣). ㉡천체(天體)의 회전. ㉢북두칠성의 둘째 별과 셋째 별. ㉣북두칠성(北斗七星)의 첫째 별에서 넷째 별까지의 네 별. 괴성(魁星).
[璇璣圖 선기도] 전진(前秦) 사람 두도(竇滔)의 처 소씨(蘇氏)가 비단에 짜 넣어 남편에게 보낸 회문시(廻文詩).
[璇璣玉衡 선기옥형] 선기옥형(璿璣玉衡).
[璇碧 선벽] 옥(玉)의 일종.
[璇室 선실] 옥으로 장식한 방(房). 선규(璇閨).
[璇題 선제] 옥(玉)으로 서까래의 끝 단면(斷面)을 장식하는 일.
[璇珠 선주] 아름다운 옥.
◉玖璇. 白璇. 仙璇. 玉璇. 瑤璇.

11 ⑮ [瑽] 人名 종 ㊥冬 七恭切 cōng (종本) 瑽 瑽

筆順 ⼆ 王 王' 王ㄔ 王ㄔ从 王ㄔ从 王ㄔ从 瑽

字解 패옥소리 종 '一瑢'은 패옥(佩玉)을 몸에 차고 걸어갈 때 나는 소리. '獻酬鳴一瑢'《陳師道》.

[瑽瑢 종용] 자해(字解)를 보라.
◉琤瑽.

11 ⑮ [璈] 오 ㊥豪 牛刀切 áo 璈

字解 악기이름 오 악기(樂器)의 한 가지. '彈八琅之一'《漢武帝內傳》.

11 ⑮ [璉] 人名 련 ㊤銑 力展切 liǎn 琏 璉

筆順 ⼆ 王 王一 王亘 王亘 王車 王車 璉

字解 호련(瑚璉) 련 서직(黍稷)을 담는 제기(祭器). '夏后氏之四一'《禮記》.
字源 形聲. 王(玉)＋連〔音〕

11 ⑮ [璊] 문 ㊥元 莫奔切 mén 璊

字解 붉은옥 문 붉은빛의 옥. 또, 붉은 옥의 빛. '毳衣如一'《詩經》.
字源 篆文 璊 形聲. 王(玉)＋㒼〔音〕. '㒼만'은 붉은 빛의 뜻.

11 ⑮ [璋] 人名 장 ㊥陽 諸良切 zhāng 璋

筆順 ⼆ 王 王亠 王立 王音 璋 璋 璋

字解 홀 장 끝의 반을 깎아 뾰족하게 한 홀〔圭〕. 반규(半圭). '載弄之一'《詩經》.
字源 金文 章 篆文 璋 形聲. 王(玉)＋章〔音〕. '章장'은 문채(文彩)가 산뜻하다의 뜻. 문채가 있는 옥의 뜻을 나타냄.

◉圭璋. 弄璋. 牙璋. 赤璋.

11 ⑮ [璄] 경 ㊤梗 俱永切 jǐng

字解 옥광채 경 璟(玉部 十二畫)과 同字. '一, 玉光彩'《玉篇》.

11 ⑮ [璸] 반 ㊥刪 布還切 bān

字解 어룽질 반 어룽진 반문. 斑(文部 八畫)과 同字.

11 ⑮ [璍] 〔필〕
珌(玉部 五畫〈p. 1420〉)의 古字

11 ⑮ [璭] 〔곤〕
琨(玉部 八畫〈p. 1430〉)과 同字

[璭] 〔복〕
車部 八畫(p. 2271)을 보라.

12 ⑯ [璐] 로 ㊦遇 洛故切 lù 璐

字解 옥 로 아름다운 옥의 한 가지. '被明月兮珮寶一'《楚辭》.
字源 篆文 璐 形聲. 王(玉)＋路〔音〕

◉寶璐.

12 ⑯ [璜] 人名 황 ㊥陽 胡光切 huáng 璜

筆順 ⼆ 王 王艹 王卄 王昔 王苎 王苗 璜

字解 패옥 황 반원형(半圓形)의 패옥(佩玉). '一珩'. '衡牙雙璜一皆以白玉'《後漢書》.
字源 金文 璜 篆文 璜 形聲. 王(玉)＋黃〔音〕. '黃황'은 노란 패옥(佩玉)의 뜻. 뒤에, '玉옥'을 더하여 뜻을 분명히 함.

[璜]

[璜珩 황형] 패옥(佩玉)의 황(璜)과 형(珩). '형(珩)' 참조.
[璜璜 황황] 빛나는 모양. 반짝이는 모양. 황황(煌煌).

12 ⑯ [璞] 人名 박 ㊇覺 匹角切 pú 璞

筆順 ⼆ 王 王'' 王业 王丵 王丵 璞 璞

字解 ①옥덩이 박 아직 탁마(琢磨)하지 아니한 옥 덩어리. '一玉渾金'. '一散則爲器'《老子》. ②성 박 성(姓)의 하나.
字源 形聲. 王(玉)＋菐〔音〕. '菐복'은 파 깨기만 하고 아직 가공하지 않다의 뜻.

[璞玉 박옥] 채취한 그대로의 가공하지 않은 옥.
[璞玉渾金 박옥혼금] 아직 조탁(彫琢)하지 않은 옥과 아직 정련하지 않은 금(金)이란 뜻으로, 바탕이 좋아 겉을 꾸미지 아니함의 비유.
◉奇璞. 卞璞. 寶璞. 鼠璞. 良璞. 玉璞. 抱璞. 荊璞. 和璞.

12 ⑯ [璟] 人名 경 ㊤梗 俱永切 jǐng

筆順 二 王 玎 珵 珵 璟 璟 璟

字解 옥빛 경 옥의 광채.
字源 形聲. 𤣩(玉)+景〔音〕

12 ⑯ [璠] 번 ㊥元 附袁切 fán

字解 옥 번 '璵—'은 노(魯)나라에서 산출(産出)하는 아름다운 옥. '陽虎將以璵—斂'《左傳》.
字源 篆文 形聲. 𤣩(玉)+番〔音〕

◉璵璠.

12 ⑯ [璣] 人名 기 ㊥微 居依切 jī 玑

筆順 二 王 王幺 王丝 璣 璣 璣 璣

字解 ①구슬 기 둥글지 않은 구슬. 일설(一說)에는, 물속에서 나는 작은 구슬. '珠—'. '厥篚玄纁—組'《書經》. ②선기 기 고대에 천문(天文)을 관측하는 혼천의(渾天儀)의 원형(圓形)으로 되어 회전하는 부분. '璿—'. ③별이름 기 북두칠성(北斗七星)의 셋째 별.
字源 篆文 形聲. 𤣩(玉)+幾〔音〕. '幾기'는 '斤근'과 통하여, 잘게 하다의 뜻. '잔옥'의 뜻을 나타냄.

[璣衡 기형] 천문(天文)을 관측(觀測)하는 기계. 혼천의(渾天儀). 선기옥형(璿璣玉衡).
◉瓊璣. 明璣. 璇璣. 瑤璣. 珠璣.

12 ⑯ [璚] 경 ㊥庚 渠營切 qióng

字解 옥 경 瓊(玉部 十五畫)과 同字. '俯漱神泉, 仰嚥—枝'《嵇喜》.
字源 形聲. 𤣩(玉)+矛+冏〔音〕. '瓊경'의 別體.

12 ⑯ [璘] 人名 린 ㊥眞 力珍切 lín

字解 옥빛 린 옥의 광채. '璘珉—彬'《張衡》.
字源 形聲. 𤣩(玉)+粦〔音〕

[璘彬 인빈] 옥빛이 교차(交叉)하는 모양.
◉班璘. 玢璘.

12 ⑯ [璡] 人名 진 ㊥眞 將鄰切 jīn 琎

筆順 二 王 玎 玤 玤 璡 璡 璡

字解 옥돌 진 옥 비슷한 아름다운 돌. 瑨(玉部 十畫)과 同字.
字源 篆文 形聲. 𤣩(玉)+進〔音〕

12 ⑯ [璙] 료 ㊥蕭 落蕭切 liáo

字解 옥 료 미옥(美玉)의 한 가지.
字源 篆文 形聲. 𤣩(玉)+尞(寮)〔音〕. '寮료'는 똑똑하고 분명하다의 뜻.

12 ⑯ [璏] 체 ㊦霽 直例切 zhì

字解 칼코등이옥으로꾸밀 체 칼코등이에 꾸민 옥의 장식. '碎玉劍—'《漢書》.
字源 篆文 形聲. 𤣩(玉)+彘〔音〕. '彘체'는 멧돼지. 멧돼지 무늬를 새긴 옥 장식의 뜻을 나타냄. 칼자루의 장식으로 쓰임.

12 ⑯ [璑] 무 ㊥虞 武夫切 wú

字解 세빛깔옥 무 세 빛깔 나는 옥돌. '—, 三采玉也'《說文》.
字源 篆文 形聲. 𤣩(玉)+無〔音〕. '無무'는 '잡색(雜色)'의 뜻.

12 ⑯ [璒] 등 ㊥蒸 都滕切 dēng

字解 옥돌 등 옥 비슷한 돌. '—, 石之似玉者'《說文》.
字源 篆文 形聲. 𤣩(玉)+登〔音〕

12 ⑯ [璢] 〔류〕
瑠(玉部 十畫〈p. 1436〉)의 本字

12 ⑯ [[illegible]] 〔수·도〕
璹(玉部 十四畫〈p. 1443〉)의 古字

12 ⑯ [[illegible]] 〔선〕
璿(玉部 十四畫〈p. 1442〉)의 古字

12 ⑰ [璗] 탕 ㊤養 徒朗切 dàng

字解 금 탕 황금. '黃金謂之—'《爾雅》.
字源 篆文 形聲. 玉+湯〔音〕

[璗琫 탕봉] 아름다운 금빛의 칼집 장식. 제후(諸侯)의 칼집의 윗부분에 장식함. '봉(琫)' 참조.

13 ⑱ [璧] 人名 벽 ㊀陌 必益切 bì

筆順 尸 启 启 启 辟 壁 璧 璧

字解 옥 벽 환상(環狀)의 옥. 그 구멍을 호(好), 고리를 육(肉)이라 함. '肉倍好, 謂之—'《爾雅》. 후세에, 널리 옥(玉)의 통칭(通稱)으로 쓰이며, 전(轉)하여, 아름다운 사물(事物)의 비유로 쓰임. '—月'. '—人'.
字源 金文 篆文 形聲. 玉+辟〔音〕. '辟'은 '임금'의 뜻. 임금이 가지는 옥의 뜻을 나타냄.
參考 壁(土部 十三畫)은 別字.

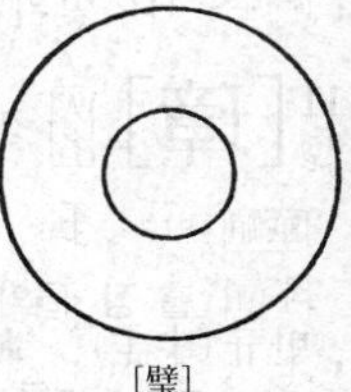
〔璧〕

[璧璫 벽당] 서까래 끝의 옥의 장식.
[璧聯 벽련] 옥으로 꾸민 주련(柱聯).
[璧門 벽문] 옥으로 장식한 문.

[璧帛 벽백] 옥과 비단.
[璧笥 벽사] 옥으로 만든 상자.
[璧沼 벽소] 벽옹(辟雍)〈주대(周代)의 대학〉을 빙 두른 못. 벽수(璧水). 벽지(璧池).
[璧水 벽수] 벽소(璧沼).
[璧玉 벽옥] 옥. 평면(平面)인 것을 벽(璧), 둥근 것을 옥(玉)이라 함.
[璧月 벽월] 옥과 같이 아름다운 둥근 달.
[璧侑 벽유] 옥으로 만든 잔. 옥배(玉杯).
[璧人 벽인] 옥과 같이 아름다운 사람.
[璧田 벽전] 진귀(珍貴)한 밭.
[璧趙 벽조] 물건을 돌려보냄. 인상여(藺相如)가 옥을 가지고 진(秦)나라로 갔다가 무사히 조(趙)나라로 도로 가지고 온 고사(故事)에서 나온 말. '완벽(完璧)·조벽(趙璧)' 참조.
[璧池 벽지] 벽소(璧沼).
◉穀璧. 拱璧. 圭璧. 藍璧. 白璧. 寶璧. 符璧. 雙璧. 夜光璧. 御璧. 連璧. 連城璧. 玉璧. 完璧. 印璧. 趙璧. 楚璧. 蒲璧. 合璧. 和璧. 和氏之璧.

13 ⑱ [壂] 전 [去]霰 堂練切 tiàn

[字解] ①귀막이옥 전 귀막이 구슬. 瑱(玉部 十畫)과 同字. ②옥빛깔 전.

13 ⑰ [瑟] [人名] 슬 [入]質 所櫛切 sè

[筆順] 二 王 玨 瑟

[字解] ①아름다운옥 슬 옥의 빛깔이 아름답고 선명한 모양. '一, 玉鮮潔皃'《廣韻》. ②푸른구슬 슬 '一一, 碧珠也'《字彙》.
[字源] [篆文] 形聲. 王(玉)+瑟(琹)〔音〕. '琹슬'은 광택이 긴장되고 산뜻함의 뜻.

13 ⑰ [璨] [人名] 찬 [去]翰 蒼案切 càn

[筆順] 二 王 璨

[字解] ①옥 찬 옥의 한 가지. ②빛날 찬 옥빛이 찬란한 모양. '煌煌青琳宮, 一一列玉華'《吳筠》. ③성 찬 성(姓)의 하나.
[字源] [篆文] 形聲. 王(玉)+粲〔音〕. '粲찬'은 정백한 쌀이 희고 산뜻하다의 뜻.

[璨瑳 찬차] 곱고 흰 모양.
[璨璨 찬찬] 옥빛이 찬란한 모양.

13 ⑰ [璪] [人名] 조 [上]晧 子晧切 zǎo

[字解] 면류관드림옥 조 옥을 색실에 꿴 면류관의 장식. '載冕一十有二旒'《禮記》.
[字源] [篆文] 形聲. 王(玉)+喿〔音〕. '喿조'는 수초, 말의 뜻을 나타낸다고 함.

13 ⑰ [璫] 당 [平]陽 都郎切 dāng 珰

[字解] ①귀고리옥 당 귀고리에 달린 구슬. 이주(耳珠). '耳一'. '耳著明月一'《古詩》. 후에, 환관(宦官)의 장식품이 되었으므로 환관을 '一'이라 일컬음. ②서까래장식 당 서까래 끝의 장식. '華榱璧一'《漢書》. ③관장식 당 관액(冠額)의 장식. '銀一左貂'《後漢書 註》. ④방울 당 흔들면 소리가 나게 된 물건. '琅一'. ⑤옥소리 당 옥이 부딪쳐 울리는 소리. '丁一'.
[字源] [篆文] 王(玉)+當〔音〕

◉金璫. 琅璫. 碧璫. 璧璫. 寶璫. 耳璫. 珥璫. 丁璫. 珠璫. 榱璫. 佩璫.

13 ⑰ [環] [高人] 환 [平]刪 戶關切 huán 环

[筆順] 二 王 環

[字解] ①옥 환 고리 모양의 옥. '佩一'. '一佩之聲'《禮記》. ②고리 환 기름한 물건을 휘어서 맞붙여 만든 물건. '耳一'. '遊一脅驅'《詩經》. ③두를 환 위요함. '一坐'. '三里之城, 七里之郭, 一而攻之'《孟子》. ④돌 환 ㉠선회함. '一旋'. '一拜以鐘鼓爲節'《周禮》. ㉡순찰함. '一四方之故'《周禮》. ⑤성 환 성(姓)의 하나.
[字源] [金文] [篆文] 形聲. 王(玉)+睘〔音〕. '睘환'은 '돌다'의 뜻. 고리 모양의 옥의 뜻을 나타냄.

[環結 환결] 주위를 둘러쌈.
[環境 환경] ㉠빙 둘러싼 구역. ㉡사람의 주위의 사물(事物). 사위(四圍)의 사정.
[環琨 환곤] 옥(玉).
[環攻 환공] 사방을 포위(包圍)하고 침. 포위 공격함.
[環拱 환공] 천자(天子)의 궁궐(宮闕)을 지키는 일. 또, 그 병사(兵士).
[環球 환구] 지구(地球). 세계(世界).
[環龜 환귀] 사면(四面)에 진(陣)을 침.
[環刀 환도] 《韓》옛 군복(軍服)에 갖추어 차던 군도(軍刀).
[環堵 환도] ㉠사방이 각각 길이가 1도(堵)인 담. 사방 1장(丈)을 판(版)이라 하고 5판(版)을 도(堵)라 함. ㉡사방의 길이가 모두 1도(堵)인 방(房). 곧, 협소한 방.
[環濤 환도] 소용돌이치는 큰 파도.
[環堵蕭然 환도소연] 협소한 집안이 쓸쓸함.
[環堵之室 환도지실] 환도(環堵)㉡.
[環列 환렬] 환열(環列).
[環繚 환료] 빙 둘러쌈.
[環埋 환매] 환상(環狀)으로 파묻힘.
[環拜 환배] 선회(旋回)하며 절함.
[環狀 환상] 고리처럼 둥글게 생긴 형상(形狀).
[環象 환상] 유기체(有機體)의 밖에 있어 유기체에 영향을 미치는 모든 사정·상태 등.
[環旋 환선] 선회(旋回)함.
[環視 환시] 여러 사람이 빙 둘러싸고 봄. 많은 사람이 주목하고 있음.
[環眼 환안] 고리눈.
[環列 환열] 줄지어 빙 둘러쌈.
[環瀛 환영] 환해(環海).
[環繞 환요] 주위(周圍)를 둘러쌈. 빙 둘러쌈.
[環紆 환우] 빙 둘러 얽힘.
[環圍 환위] 환요(環繞).
[環翊 환익] 사방을 둘러싸고 도움.
[環節動物 환절동물] 몸이 길고 원통상(圓筒狀)이며 많은 환상(環狀)의 마디를 이룬 무척추동물(無脊椎動物). 거머리·지렁이 같은 것. 환

형동물(環形動物).
[環坐 환좌] 여러 사람이 원형(圓形)을 지어 앉음. 빙 둘러앉음.
[環周 환주] ㉠빙 둘러쌈. ㉡빙빙 돎.
[環中 환중] 공허하여 융통 자재(融通自在)함을 이름.
[環瑱 환진] 고리 모양의 귀막이. 고리 모양의 귀고리.
[環絰 환질] 성복(成服) 때 상제가 사각건(四角巾)에 덧씌워 쓰는 삼으로 꼰 테두리.
[環矚 환촉] 환시(環視).
[環蟲 환충] 노래기.
[環翠 환취] 주위(周圍)에 푸른 나무나 대나무가 둘러 있는 일.
[環佩 환패] 고리 모양의 패옥(佩玉).
[環珮 환패] 환패(環佩).
[環抱 환포] 둘러앉음. 사면으로 둘러쌈.
[環幅 환폭] 가로와 세로, 또는 길이와 넓이가 같음.
[環合 환합] 빙 두름. 둘러쌈.
[環海 환해] ㉠나라의 사방을 둘러싼 바다. ㉡사해(四海). 해내(海內).
[環形 환형] 고리같이 둥근 형상.
[環形動物 환형동물] 환절동물(環節動物).
[環暈 환훈] 빙 둘러싼 햇무리.
◉九連環. 金環. 刀環. 半環. 旋環. 循環. 連環. 縈環. 玉環. 瑤環. 耳環. 一環. 琳環. 周環. 指環. 佩環. 珮環. 花環.

13 ⑰ [璲] 수 [去]寘 徐醉切 suì

[字解] 패옥 수 허리띠에 차는 옥. '鞙鞙佩—'《詩經》.
[字源] 形聲. 王(玉)+遂〔音〕

13 ⑰ [璯] 회 [去]泰 黃外切 huì

[字解] ①관혼솔꾸미개 회 관(冠)의 솔기에 꾸며단 구슬 장식(裝飾). '—, 玉飾冠縫'《集韻》. ②성 회 성(姓)의 하나.
[字源] 形聲. 王(玉)+會〔音〕

13 ⑰ [璬] 교 [上]篠 古了切 jiǎo

[字解] ①패옥 교 옥을 몸에 참. '—, 玉佩'《說文》. ②흰옥 교 '—之言, 皦也. 玉石之白曰—'《說文 段注》.
[字源] 篆文 形聲. 王(玉)+敫〔音〕. '敫교'는 '皦교'와 통하여, '희다'의 뜻.

13 ⑰ [璹] 촉 [入]沃 市玉切 shǔ

[字解] 촉옥(璹玉) 촉 옥의 이름. '—, 玉也'《玉篇》.

13 ⑰ [璥] [人名] 경 [上]梗 居影切 jǐng

[字解] 경옥(璥玉) 경 옥의 이름. '—, 玉名'《玉篇》.
[字源] 篆文 形聲. 王(玉)+敬〔音〕

13 ⑰ [璩] 거 [平]魚 強魚切 qú

[字解] 옥고리 거 '—, 環屬'《說文新附》.
[字源] 篆文 形聲. 王(玉)+豦〔音〕

13 ⑰ [璭] 곤 [去]願 古困切 gùn

[字解] 금옥마광낼 곤 금옥을 닦아서 광을 냄.

14 ⑲ [璽] [人名] 새(사[本]) [上]紙 斯氏切 xǐ

[字解] ①인장 새 도장. '—書'. '凡通貨賄, 以—節出入之'《周禮》. ②옥새 새 진한(秦漢) 이전에는 널리 도장의 뜻으로 쓰이다가 진한(秦漢) 이후에는 천자(天子)의 도장의 특칭(特稱)으로 되었음. '御—'. '傳國—'. '—皆玉璃虎紐'《後漢書》. ③성 새 성(姓)의 하나.
[字源] 篆文 籀文 形聲. 玉+爾〔音〕. '爾이'는 아름답고 성하다의 뜻. 왕토를 지배하는 자의 빛나는 도장의 뜻을 나타냄.

[璽符 새부] 천자(天子)의 도장. 옥새. 어보(御寶).
[璽書 새서] ㉠천자의 도장을 찍은 문서. ㉡제후(諸侯)·대부(大夫)의 도장을 찍은 문서.
[璽綬 새수] 옥새(玉璽)와 그 인끈.
[璽節 새절] 인장(印章).
◉劍璽. 國璽. 寶璽. 符璽. 信璽. 神璽. 御璽. 玉璽. 印璽. 紫璽. 傳國璽. 佩璽.

14 ⑲ [璺] 문 [去]問 亡運切 wèn

[字解] 티갈 문, 금갈 문 가늘게 터져서 금이 감. 옥의 티. '—, 玉破'《集韻》.
[字源] 形聲. 玉+釁〈省〉〔音〕. '釁문'은 마주 대해 있는 물가의 양쪽 언덕의 뜻. 옥에 생긴 금의 뜻을 나타냄.

14 ⑱ [璵] [人名] 여 [平]魚 以諸切 yú

[字解] 옥 여 '—璠'은 옥의 일종으로, 춘추 시대(春秋時代)에 노(魯)나라가 소유한 보옥(寶玉) 이름. '陽虎將以—璠斂'《左傳》.
[字源] 篆文 形聲. 王(玉)+與〔音〕

[璵璠 여번] 자해(字解)를 보라.

14 ⑱ [璶] [人名] 신 [去]震 徐刃切 jìn

[字解] 옥돌 신 옥 비슷한 돌. '—, 石之似玉者'《說文》.
[字源] 形聲. 王(玉)+盡〔音〕

14 ⑱ [璿] [人名] 선 [平]先 似宣切 xuán

[筆順] 一 王 玗 玣 琁 琁 璿 璿

[字解] ①옥 선 옥의 한 가지. '天子之寶—珠'《穆天子傳》. ②선기 선 '—璣'는 고대에 천문을 관측하는 데 쓰는 기계. 혼천의(渾天儀). '—璣玉

衡'. 璇(玉部 十一畫)과 同字.
[字源] 篆文 璿 別體 琁 籒文 叡 形聲. 王(玉)+睿〔音〕. '睿예'는 '뛰어나다'의 뜻. 아름다운 옥의 뜻으로 쓰임.
[參考] 琁(玉部 七畫)·璇(玉部 十一畫)과 同字.

[璿宮 선궁] 옥으로 장식한 궁전.
[璿璣 선기] 선기옥형(璿璣玉衡).
[璿璣玉衡 선기옥형] 혼천의(渾天儀).

14 ⑱ [瓀] [人名] 연 ㊥先 而宣切 ruǎn
[字解] 옥돌 연 옥 비슷한 아름다운 돌. '士佩—玟, 而緼組綬'《禮記》.
[字源] 形聲. 王(玉)+需〔音〕
[參考] 瑌(玉部 九畫)과 同字.

14 ⑱ [璸] [人名] 빈 ㊥眞 悲巾切 bīn
[字解] 옥무늬어룽어룽할 빈 옥에 무늬가 있는 모양. '—斒文鱗'《史記》.

14 ⑱ [璂] 기 ㊥支 渠之切 qí
[字解] 고깔꾸미개옥 기 고깔의 혼솔에 오색의 옥을 달아 장식으로 한 것. '—, 弁飾也'《說文》.
[字源] 篆文 璂 別體 琪 形聲. 王(玉)+綦〔音〕

14 ⑱ [璹] [人名] 一 수 ㊤有 殖酉切 shú 二 도 ㊦號 大到切 dào 三 숙 ㊇屋 殊六切 shú
[筆順] 一 王 玤 玤 瑇 瑇 璹 璹
[字解] 一 옥이름 수 옥의 이름. '—, 玉名'《集韻》. 二 옥이름 도. 三 옥그릇 숙 옥으로 만든 그릇.
[字源] 篆文 璹 形聲. 王(玉)+壽(𠷎)〔音〕

14 ⑱ [瑾] 〔근〕
瑾(玉部 十一畫〈p.1438〉)의 本字

14 ⑱ [璘] 〔린〕
璘(玉部 十二畫〈p.1440〉)의 本字

15 ⑲ [瓈] 려 ㊥齊 郞奚切 lí
[字解] 유리 려 玻(玉部 五畫)를 보라. '玻—'.
[字源] 形聲. 王(玉)+黎〔音〕

◉玻瓈.

15 ⑲ [瓊] 瓊(次條)과 同字

15 ⑲ [瓊] [人名] 경 ㊥庚 渠營切 qióng 琼
[筆順] 一 王 玓 琦 琦 瑣 瓊 瓊
[字解] 옥 경 아름다운 붉은 옥의 한 가지. '—杯'. '報之以—琚'《詩經》. 전(轉)하여, 사물의 미칭(美稱). '—姿'. '開—筵坐花'《李白》.
[字源] 篆文 瓊 別體 璚 別體 瓗 形聲. 王(玉)+夐〔音〕. 別體도 모두 形聲이며, '矞경'·'巂경'은 '夐경'과 음이 통함.
[參考] 璚(玉部 十二畫)·瓊(前條)과 同字.

[瓊琚 경거] ㉠아름다운 옥. 전(轉)하여, 훌륭한 선물(膳物). ㉡존귀하고 아름다움.
[瓊館 경관] 주옥(珠玉)으로 장식된 아름다운 집.
[瓊玖 경구] 아름다운 옥. 전(轉)하여, 훌륭한 선물(膳物).
[瓊宮瑤臺 경궁요대] 옥으로 장식한 아름다운 궁전. 화려한 궁전.
[瓊璣 경기] 옥(玉).
[瓊臺 경대] 옥으로 장식한 궁전. 화려한 궁전. 요대(瑤臺).
[瓊樓玉宇 경루옥우] 옥으로 장식한 화려한 궁전. 달 속에 있다는 궁전의 형용(形容).
[瓊林宴 경림연] 송대(宋代)에 진사(進士)에 급제한 사람에게 위에서 베푼 잔치. 경림(瓊林)은 지금의 허난 성(河南省) 카이펑 현(開封縣)의 성(城)의 서문(西門) 밖의 땅.
[瓊茅 경모] 점(占)치는 데 쓰는 영초(靈草)의 이름.
[瓊盤 경반] 옥으로 만든 쟁반. 옥반(玉盤).
[瓊杯 경배] 옥으로 만든 술잔.
[瓊弁 경변] 옥으로 장식한 관(冠).
[瓊樹 경수] 옥과 같이 아름다운 나무. 고상하고 결백한 인품(人品)을 비유하는 말.
[瓊室 경실] 옥으로 장식한 아름다운 방, 또는 집. 화려한 방, 또는 집.
[瓊筵 경연] 옥과 같이 아름다운 자리. 곧, 화려한 연회(宴會)의 자리.
[瓊英 경영] ㉠옥 비슷한 아름다운 돌. 옥돌. ㉡매화(梅花)의 별칭.
[瓊瑩 경영] 옥 비슷한 아름다운 돌.
[瓊玉 경옥] 아름다운 옥. 미옥(美玉).
[瓊瑤 경요] ㉠아름다운 옥. 미옥(美玉). 전(轉)하여, 훌륭한 선물. ㉡남이 지어 보낸 시문(詩文)의 미칭(美稱).
[瓊瑀 경우] 패옥(珮玉).
[瓊音 경음] 옥(玉)이 울리는 소리. 맑고 뛰어난 소리. 옥음(玉音).
[瓊姿 경자] 옥과 같이 아름다운 모습.
[瓊簪 경잠] 옥비녀. 요잠(瑤簪).
[瓊章 경장] 옥같이 아름다운 문장(文章). 남의 글의 미칭(美稱).
[瓊田 경전] 곡식이 잘 여무는 밭. 옥전(玉田).
[瓊殿 경전] 경궁요대(瓊宮瑤臺).
[瓊座 경좌] 화려한 자리.
[瓊枝玉葉 경지옥엽] 옥과 같이 아름다운 가지와 잎이라는 뜻으로, 황족(皇族)의 비유로 쓰임. 금지옥엽(金枝玉葉).
[瓊枝栴檀 경지전단] 옥과 같이 아름다운 가지와 좋은 향내가 나는 단향목(檀香木)이라는 뜻으로, 재덕(才德)을 겸비(兼備)한 사람, 또는 교묘한 시문(詩文)의 비유로 쓰임.
[瓊彩 경채] 옥의 광채(光彩).
[瓊葩 경파] 옥과 같이 아름다운 꽃.
[瓊戶 경호] 옥으로 장식한 문. 전(轉)하여, 화려한 주택(住宅).
[瓊懷 경회] 옥과 같이 아름다운 마음.
[瓊輝 경휘] 옥이 번쩍번쩍하는 빛.

◉曲瓊. 瑰瓊. 金瓊. 瑤瓊. 琳瓊. 佩瓊. 紅瓊.

15 ⑲ [璓] 적 [入]錫 他歷切 tì

[字解] 티 적 옥의 티. 옥의 흠. '寸之玉必有瑕—'《呂氏春秋》.

◉瑕璓.

15 ⑲ [瓅] 력 [入]錫 郞擊切 lì

[字解] 옥빛 력 옥이 번쩍번쩍하는 빛. 또, 번쩍번쩍 빛남. '玓—江靡'《史記》.

[字源] [篆文] 形聲. 王(玉)+樂〔音〕. '樂락'은 희게 비춰 빛나다의 뜻.

◉玓瓅.

15 ⑲ [瓃] 뢰 [平]灰 魯回切 léi

[字解] ①칼자루끝옥장식 뢰. ②옥이름 뢰 '—, 一曰, 玉名'《集韻》.

[字源] [篆文] 形聲. 王(玉)+畾〔音〕

15 ⑲ [瓄] 독 [入]屋 徒谷切 dú

[字解] ①옥그릇 독 옥으로 만든 그릇. '—, 玉器'《集韻》. ②독홀(瓄笏) 독 홀의 이름. '—, 一曰, 圭名'《集韻》. ③옥이름 독 '佩采—玉'《晉書》.

15 ⑲ [瓆] [人名] 질 [入]質 職日切 zhì

[筆順] 二 王 王 王 王 王 瓆 瓆

[字解] 사람이름 질 '—, 闕, 人名, 後漢有劉—'《集韻》.

15 ⑲ [瓈] 〔차〕
瑳(玉部 十畫〈p. 1437〉)의 本字

15 ⑲ [瓉] 〔찬〕
瓚(玉部 十九畫〈p. 1445〉)의 俗字

16 ⑳ [瓏] [人名] 롱 [平]東 盧紅切 lóng 珑

[筆順] 二 王 王 王 瑇 瑇 瓏 瓏

[字解] ①옥소리 롱 옥이 서로 부딪쳐 울리는 소리. '擊玉碎—玲'《陽載》. ②환할 롱 환히 보이는 모양. '朱草蒙—, 白玉嵯峨'《抱朴子》.

[字源] [篆文] 形聲. 王(玉)+龍〔音〕. '龍롱'은 '용'의 뜻. 용무늬가 있는 옥의 뜻.

[瓏玲 농령] ㉠금옥(金玉)이 부딪치는 소리. ㉡밝은 모양.
[瓏瓏 농롱] ㉠옥(玉) 같은 것이 서로 부딪는 소리. ㉡광채(光彩)가 찬란한 모양. 영롱(玲瓏).
◉玲瓏. 瓦瓏. 八面玲瓏. 鴻瓏.

16 ⑳ [瓍] 수 [平]支 旬爲切 suí

[字解] 구슬 수 구슬 이름. '—, 珠也, 蛇銜之以報隨侯, 楚辭因从玉'《集韻》.

16 ⑳ [瓐] 로 [平]虞 龍都切 lú

[字解] 푸른옥 로 '—, 碧玉也'《韻會》.

[字源] 形聲. 王(玉)+盧〔音〕

16 ⑳ [瓌] 〔괴〕
瑰(玉部 十畫〈p. 1437〉)와 同字

16 ⑳ [瓖] 〔괴〕
傀(人部 十畫〈p. 164〉)와 同字

17 ㉑ [靈] 령 [平]青 郞丁切 líng

[字解] 무당 령 '—, 巫也, 以玉事神'《說文》.

17 ㉑ [瓔] [人名] 영 [平]庚 於盈切 yīng 瓔

[筆順] 二 王 珇 珼 瓔 瓔 瓔 瓔

[字解] ①옥돌 영 옥 비슷한 아름다운 돌의 한 가지. '—琅'. ②구슬목걸이 영 구슬을 연결하여 만든 목걸이. '金星墮連—'《韓愈》.

[字源] 形聲. 王(玉)+嬰〔音〕. '嬰영'은 여자의 목걸이의 뜻.

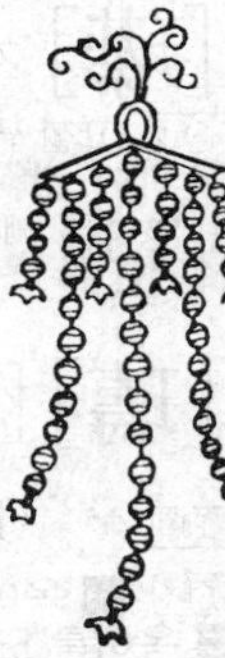
[瓔珞]

[瓔珞 영락] 구슬의 목걸이. 구슬을 꿰어 만든 목걸이. 뒤에 불상(佛像)의 신변에 드리워진 주옥(珠玉)의 장식을 이르게 되었음.
[瓔琅 영랑] 옥 비슷한 아름다운 돌의 한 가지.
[瓔珠 영주] 구슬.
◉寶瓔. 連瓔. 鈿瓔. 珠瓔.

17 ㉑ [瓖] 양 [平]陽 息良切 xiāng

[字解] 뱃대끈장식 양 말의 뱃대끈의 장식. '鉤膺玉—'《班固》.

◉玉瓖.

17 ㉑ [瓓] [人名] 란 [去]翰 郞旰切 làn 瓓

[筆順] 二 王 玔 琩 琩 瓓 瓓 瓓

[字解] 옥무늬 란 옥(玉)의 광채(光彩). 옥의 무늬. '—, 玉采'《集韻》.

[字源] 形聲. 王(玉)+闌〔音〕

17 ㉑ [瓕] 섭 [入]葉 蘇協切 xiè

[字解] 옥돌 섭 옥과 비슷한 아름다운 돌. '—, 石之玉'《說文》.

[字源] [篆文] 形聲. 王(玉)+燮〔音〕

18 ㉒ [瓔] 一 유 ㊥尤 而由切 / 二 노 ㊥豪 奴刀切 náo / 三 요 ㊥蕭 如招切

字解 一 옥 유 '一, 玉也'《說文》. 二 옥 노 一과 뜻이 같음. 三 옥 요 一과 뜻이 같음.

字源 形聲. 王(玉)+夒〔音〕

18 ㉒ [瓘] 人名 관 ㊤翰 古玩切 guàn

筆順 二 王 王艹 王卝 王卝 瓘 瓘 瓘

字解 옥 관 옥의 한 가지. '用一斝玉瓚'《左傳》.

字源 篆文 瓘 形聲. 王(玉)+雚〔音〕

[瓘靖二妙 관정이묘] 몽구(蒙求)의 표제. 진(晉)의 위관(衛瓘)과 삭정(索靖)은 상서랑(尙書郞)으로 초서(草書)에 능했으므로, 그때 사람들이 상서대(尙書臺)의 이묘(二妙)라고 일컬은 고사에서 온 말.

18 ㉒ [瓗] 一 경 ㊥庚 葵營切 qióng / 二 휴 ㊥齊 玄圭切 / 三 위 ㊤寘 以睡切 / 四 계 ㊤霽 睽桂切 / 五 수 ㊥支 津垂切

字解 一 ①옥 경 瓊(玉部 十五畫)과 同字. '瓊, 亦玉也. …一, 瓊或从巂'《說文》. ②옥이름 경 '一, 玉名'《廣韻》. 二 옥 휴, 옥이름 휴 一과 뜻이 같음. 三 옥 위, 옥이름 위 一과 뜻이 같음. 四 옥 계, 옥이름 계 一과 뜻이 같음. 五 옥 수, 옥이름 수 一과 뜻이 같음.

19 ㉓ [瓚] 人名 찬 ㊤翰 才贊切 zàn / ㊤旱 藏旱切

筆順 二 王 王 王 王 王 瓚 瓚

字解 술그릇 찬 자루를 옥으로 만든, 창주(鬯酒)를 담는 구기 모양의 술 그릇. 종묘(宗廟)의 제사에 씀. '瑟彼玉一'《詩經》. '祼圭有一'《周禮》. '一者勺也, 大五升, 口徑八寸, 下有龍, 口徑一尺, 黃金勺靑金外, 朱中, 以圭爲柄, 曰圭一, 以璋爲柄, 曰璋一'《辭海》.

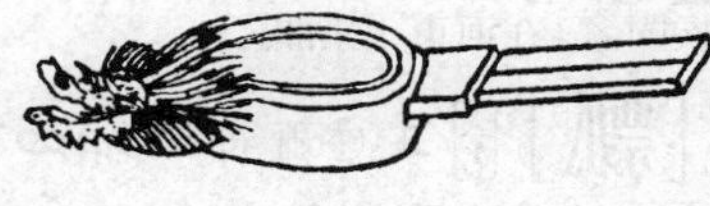

[瓚]

字源 篆文 瓚 形聲. 王(玉)+贊〔音〕

參考 瓚(玉部 十五畫)은 俗字.

◉瑰瓚. 圭瓚. 玉瓚. 璋瓚. 玄瓚.

20 ㉔ [瓛] 환 ㊥寒 胡官切 huán

字解 옥홀 환 주(周)나라 때, 공작(公爵)이 천자(天子)를 뵐 때 손에 갖던 홀. 환규(桓圭). '一, 桓圭, 公所執'《說文》.

字源 篆文 瓛 形聲. 王(玉)+獻〔音〕

瓜 (5획) 部

〔오이과부〕

0 ⑤ [瓜] 人名 과 ㊥麻 古華切 guā

筆順 一 厂 瓜 瓜 瓜

字解 오이 과 박과(科)에 속하는 한해살이 만초(蔓草)로서 열매를 식용으로 하는 것의 총칭(總稱). 곧, 오이·참외·호박·수박 따위. '一葛'. '七月食一'《詩經》.

字源 金文 篆文 象形. 덩굴에 열린 오이의 象形. '八'는 오이의 덩굴, '厶'는 오이 열매를 본뜸. '오이'의 뜻을 나타냄.

參考 ①부수(部首)로서, '瓜과'를 의부(意符)로 하여, 여러 가지 종류의 오이를 나타내는 문자를 이룸. ②'瓜'의 획수는 《康熙字典》에서 '厶' 부분을 '厶'처럼 연속해서 헤아리므로 5획이 됨.

[瓜葛 과갈] 오이와 칡. 그 덩굴은 서로 엉클어져 벋으므로, 전(轉)하여 인척(姻戚) 관계를 이름.

[瓜葛之誼 과갈지의] 인척(姻戚)의 정의(情誼).

[瓜葛之親 과갈지친] 인척(姻戚).

[瓜果 과과] 오이와 과일.

[瓜期 과기] ㉠벼슬의 임기(任期)가 찬 때. 오이가 익을 무렵에 부임(赴任)했다가 이듬해 오이가 익을 때 교대한다는 뜻에서 나온 말. ㉡여자의 15~16세 때. '瓜'자를 파자(破字)하면 두 개의 '八'자가 되므로 이름. 파과(破瓜).

[瓜年 과년] ㉠벼슬의 임기가 다한 해. ㉡여자의 15~16세 된 나이. '과기(瓜期)' 참조.

[瓜代 과대] 벼슬의 임기가 차서 신관(新官)과 교대함. '과기(瓜期)' 참조.

[瓜李之嫌 과리지혐] 남에게 자청(自請)하여 사는 혐의(嫌疑). 부주의로 인해 받는 혐의. '과전불납리(瓜田不納履)·이하부정관(履下不整冠)' 참조.

[瓜滿 과만] ㉠벼슬의 임기(任期)가 참. ㉡여자의 혼인할 나이가 다 참.

[瓜蔓抄 과만초] 오이 덩굴을 거두어 낸다는 뜻으로, 명(明)나라의 영락(永樂) 때에, 혜제(惠帝)의 신하인 경청(景淸)이 성조(成祖)를 칼로 찔러 혜제의 원수를 갚으려다가 도리어 잡혀서 주살(誅殺)된 후, 그의 고향의 친척이나 문생(門生)들이 차례로 연루되어 주살된 일. '抄'는 약취(略取)한다는 뜻.

[瓜剖 과부] 과분(瓜分).

[瓜分 과분] 오이를 나누는 것처럼 토지를 신하(臣下)에게 나누어 줌.

[瓜犀 과서] 과판(瓜瓣).

[瓜時 과시] 벼슬의 임기(任期)가 찬 때. 과기(瓜期).

[瓜月 과월] 음력 7월의 이칭(異稱).

[瓜字初分 과자초분] 여자의 15~16세.

[瓜菹 과저] 오이지.

[瓜田不納履 과전불납리] 오이 밭에서는 신이 벗

어져도 엎드려 신을 다시 신지 아니함. 곧, 몸을 굽히면 오이를 따는 혐의를 받으므로, 혐의 받을 일은 애초부터 하지 않음을 이름.
[瓜田李下 과전이하] 남에게 혐의를 받기 쉬운 장소, 또는 경우. '과전불납리(瓜田不納履)·이하부정관(李下不整冠)' 참조.
[瓜祭 과제] 첫물의 오이를 따서 조상에게 지내는 제사.
[瓜瓞 과질] 오이와 북치. 전(轉)하여, 종손(宗孫)과 지손(支孫).
[瓜瓞緜緜 과질면면] 자손이 번성함.
[瓜蔕 과체] 참외의 꼭지.
[瓜遞 과체] 임기(任期)가 차서 벼슬이 갈림.
[瓜瓣 과판] 오이씨.
[瓜限 과한] 벼슬의 임기(任期)가 찬 때. 과기(瓜期).
[瓜瓠 과호] 오이와 표주박.
◉甘瓜. 昆侖瓜. 及瓜. 南瓜. 東陵瓜. 木瓜. 美瓜. 貧士市瓜. 絲瓜. 西瓜. 召平瓜. 守瓜. 王瓜. 越瓜. 以杞包瓜. 天瓜. 甜瓜. 破瓜. 匏瓜. 寒瓜. 瓠瓜. 胡瓜. 葫瓜.

3 ⑧ [瓝] 박 ㊀覺 蒲角切 bó
字解 오이 박 작은 오이. '瓞—, 其紹瓞'《爾雅》.

4 ⑨ [瓪] 봉 ㊤董 補孔切 běng
字解 오이주렁주렁맺힐 봉 '—, 瓜多實皃'《集韻》.

5 ⑩ [瓞] 질(절本) ㊀屑 徒結切 dié
字解 북치 질 뿌리에 가까운 덩굴에 열린 작은 오이. '緜緜瓜—'《詩經》.
字源 篆文 別體 形聲. 瓜+失〔音〕. '失실'은 됨됨이가 시원찮다의 뜻. 別體는 瓜+弗의 會意.

◉瓜瓞.

5 ⑩ [瓟] ㊀ 박 ㊀覺 蒲角切 bó ㊁ 포 ㊥肴 薄交切 páo
字解 ㊀ 오이 박 瓝(瓜部 三畫)과 同字. '援—瓜兮接糧'《楚辭》. ㊁ 박 포 박과(科)에 속하는 만초(蔓草).
字源 形聲. 瓜+包〔音〕

[瓟瓠 포호] 박. 열매는 바가지를 만듦.

5 ⑩ [瓡] ㊀ 고 ㊥虞 古胡切 gū ㊁ 여 ㊤語 人渚切 rǔ
字解 ㊀ 쥐참외 고 '—, 王瓜也. 或作菇'《集韻》. ㊁ 말린나물 여 '—, 乾菜'《廣韻》.

5 ⑩ [瓜瓜] 유 ㊤麌 以主切 yǔ
字解 ①밑동약할 유 오이가 주렁주렁 맺히고 덩굴이 약함. '—, 本不勝末, 微弱也'《說文》. ②지쳐앓을 유 '—, 勞病也'《玉篇》. ③오이주렁주렁맺힐 유 '—, 瓜實繁也'《六書故》.
字源 會意. 瓜+瓜

6 ⑪ [瓠] 人名 호 ㊥虞 戶吳切 hù ㊦遇 胡誤切
字解 ①박 호 박과(科)에 속하는 만초(蔓草). 열매는 바가지를 만듦. '—瓜'. '幡幡—葉'《詩經》. ②병 호 질로 만든 병. 질병. '寶康—'《漢書》. ③성 호 성(姓)의 하나.
字源 篆文 形聲. 瓜+夸〔音〕. '夸과·구'는 활 모양으로 휘다의 뜻. 활꼴의 곡선을 한 박의 뜻을 나타냄.

[瓠瓜 호과] 박. 열매는 바가지를 만듦.
[瓠果 호과] 박과에 속하는 식물의 열매. 수박·참외·오이 등.
[瓠落 호락] 납작하여 얕음. 일설(一說)에는, 너무 큼. 또, 일설에는 영락(零落)함.
[瓠蘆 호로] 호리병박. 호로(葫蘆).
[瓠瓤 호로] 호로(瓠蘆).
[瓠肥 호비] 박처럼 살짐.
[瓠犀 호서] 박 씨. 전(轉)하여, 미인(美人)의 고르고 흰 이〔齒〕의 비유.
[瓠子歌 호자가] 한무제(漢武帝)가 지은 노래 이름.
[瓠尊 호준] 박으로 만든 술 그릇.
[瓠巴 호파] 상고(上古)의 초(楚)나라 사람. 거문고의 명수(名手)였음.
[瓠脯 호포] 바가지에 담은 물과 말린 고기. 전(轉)하여, 거친 음식. 찬 없는 음식.
[瓠壺 호호] ㉠바가지. ㉡호준(瓠尊).
◉康瓠. 巨瓠. 圓瓠. 懸瓠.

8 ⑬ [顆] 과 ㊤哿 胡果切 huǒ
字解 ①오이 과 제사나 빈객(賓客) 접대용으로 쓰이는 오이. '—, 瓜也'《字彙》. ②칠 과 敤(支部 八畫)와 통용.

8 ⑬ [瓡] ㊀ 집 ㊀緝 之入切 zhí ㊁ 호 ㊥虞 攻乎切 hú
字解 ㊀ 땅이름 집 '—, 縣名, 在北海'《廣韻》. ㊁ 땅이름 호 '—讘'은 땅 이름. '—, —讘, 漢侯國名. 在河東'《集韻》.

11 ⑯ [瓢] 人名 표 ㊥蕭 符霄切 piáo
字解 바가지 표 박으로 만든 그릇. '一簞食, 一—飮'《論語》.

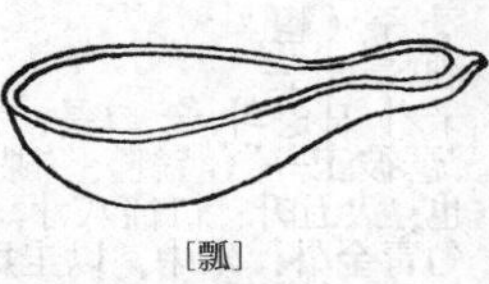
[瓢]

字源 篆文 形聲. 瓜+票(㶾)〔音〕. '㶾표'는 불똥이 날아오르다의 뜻. 오이 가운데에서도 가벼워서 날아오를 것 같은 박의 뜻을 나타냄.

[瓢囊 표낭] '瓢'는 마실 것을, '囊'은 먹을 것을 각각 넣는 그릇.
[瓢簞 표단] 바가지와 대오리로 만든 밥그릇.
[瓢飮 표음] 바가지에 담은 음료.
[瓢子 표자] 표주박.
[瓢勺 표작] 바가지로 만든 구기.
[瓢齋 표재] 예기(禮器) 이름. 호리병박으로 만든 술을 담는 그릇.
[瓢酒 표주] 표단(瓢簞)에 든 술.
[瓢樽 표준] 박으로 만든 술 그릇. 호준(瓠尊).
[瓢蟲 표충] 무당벌렛과(科)에 속하는 갑충(甲蟲)

의 일종. 몸은 둥근 바가지를 엎어 놓은 것과 비슷함. 무당벌레.
[瓢香 표향] 바가지의 향기.
[瓢壺 표호] ㉠바가지. ㉡표준(瓢樽).
◉空瓢. 簞瓢. 詩瓢. 顏瓢. 飮瓢. 一瓢. 酒瓢. 瓠瓢.

11 ⑯ [瓡] 루 ㊥尤 郞侯切 lóu
字解 쥐참외 루.

14 ⑲ [瓣] 人名 판 ㊦諫 蒲莧切 bàn
字解 ①오이씨 판 오이의 씨. ②꽃잎 판 화판. '花—'. '須臾蹋破蓮花—'《楊維楨》. ③《韓》 날름쇠 판 ㉠기체나 액체의 출입 조절을 하는 기구·장치의 총칭. ㉡심장 내벽(內壁)이나 혈관 안에서 피의 역류를 막는 막(膜). '僧帽—'.
字源 篆文 會意. 瓜+辡. '辡변'은 '나누다'의 뜻. 오이 속에 있어서 과육으로부터 분리되기 쉬운 씨가 있는 부분. 오이씨의 뜻을 나타냄. 파생하여, 같은 성질이나 상태를 갖는 꽃잎의 뜻도 나타냄.

[瓣香 판향] ㉠모양이 오이씨 같은 향(香). 원래 선승(禪僧)이 사람을 축복(祝福)할 때에 피우는 것. ㉡사람을 존경(尊敬)하여 사숙(私淑)하는 뜻으로 쓰임.
◉瓜瓣. 安全瓣. 蓮瓣. 花瓣.

16 ㉑ [瓐] 로 ㊥虞 龍都切 lú
字解 호로박 로 '瓠—, 瓠而圜者'《集韻》.

17 ㉒ [瓤] 양 ㊥陽 汝陽切 ráng
字解 박속 양 박의 씨가 박혀 있는 부분. '靑皮黑—'《拾遺記》.
字源 形聲. 瓜+襄〔音〕

瓦 (5획) 部
〔기와와부〕

0 ⑤ [瓦] 中人 와 ㊤馬 五寡切 wǎ
筆順 一 丆 瓦 瓦 瓦
字解 ①기와 와 흙 같은 것으로 구워 지붕을 이는 물건. '—屋'. '武安屋—盡震'《史記》. ②질그릇 와 진흙만으로 구워 만든 그릇. '—釜'. '君尊—甒'《禮記》. ③실패 와 실을 감는 물건. '載弄之—'《詩經》. ④방패등 와 방패의 등의 부분. 순척(楯脊). '射之中楯—'《左傳》. ⑤성 와 성(姓)의 하나. ⑥《韓》 미터법의 무게의 단위 그램의 음역 '瓦蘭姆'의 약기(略記). 克(儿部五畫)과 同字.
字源 篆文 象形. 진흙을 구부려서 구운 질그릇의 象形으로, '질그릇'의 뜻을 나타냄.

參考 '瓦와'를 의부(意符)로 하여, '질그릇·오지그릇'에 관한 문자를 이룸.

[瓦家 와가] 기와집.
[瓦鷄 와계] 기와로 만든 닭. 외형(外形)만을 갖추었을 뿐이고 실제로는 쓸데없는 물건의 비유.
[瓦工 와공] 와사(瓦師).
[瓦棺 와관] 토제(土製)의 관(棺).
[瓦溝 와구] 낙숫물을 받는 홈통.
[瓦甌 와구] 단지. 항아리.
[瓦器 와기] 질그릇.
[瓦當 와당] 기와의 마구리.
[瓦豆 와두] 토제(土製)의 굽이 달린 제기(祭器). '두(豆)' 참조.
[瓦鬲 와력] 토제(土製)의 솥. 질솥.
[瓦礫 와력] 기와와 조약돌. 전(轉)하여, 쓸모없는 물건.
[瓦罍 와뢰] 토제(土製)의 술 그릇. 제사 때 씀.
[瓦礫 와륵] 와력(瓦礫).
[瓦甓 와벽] 기와.
[瓦卜 와복] 기와를 던져 그 깨진 금에 의하여 길흉화복을 점치는 일.
[瓦縫 와봉] 기와와 기와가 서로 잇닿은 데.
[瓦缶 와부] 토제(土製)의 장군. 술·물 같은 것을 담음. 오지장군. 토부(土缶).
[瓦釜雷鳴 와부뇌명] 질솥이 우레처럼 울린다는 뜻으로, 참언(讒言) 또는 사설(邪說)이 성행(盛行)하거나 어리석은 사람이 고위 고관에 오름의 비유로 쓰임.
[瓦師 와사] 기와를 만드는 사람.
[瓦石 와석] ㉠기와와 돌. ㉡가치가 없는 것의 비유.
[瓦硯 와연] 토제(土製)의 연적.
[瓦裂 와열] 기와가 깨지듯이 산산조각이 남.
[瓦影龜魚 와영귀어] 거북이나 물고기가 기와의 그림자 밑으로 숨는다는 뜻으로, 남의 도움을 구함을 이름.
[瓦屋 와옥] ㉠기와집. ㉡주대(周代)의 지명(地名). 허난 성(河南省) 유천현(洧川縣) 와옥리(瓦屋里).
[瓦甕 와옹] 항아리.
[瓦盞 와잔] 토제(土製)의 잔(盞). 사기잔.
[瓦匠 와장] 기와를 이는 것을 업으로 삼는 사람. 기와장이.
[瓦全 와전] 아무 하는 것 없이 겨우 신명(身命)만 보전함. 옥쇄(玉碎)의 대(對).
[瓦甎 와전] 기와.
[瓦樽 와준] 토제(土製)의 술 그릇.
[瓦巵 와치] 토제(土製)의 술잔. 사기잔.
[瓦合 와합] ㉠깨진 기와가 모이듯이 잘 정제되지 아니함. 무질서하게 모임. 오합(烏合). ㉡처세하는 데 규각(圭角)을 나타내지 아니함. 원만하게 교제함.
[瓦解 와해] 기와가 산산조각이 나듯이, 사물(事物)이 깨어져 흩어짐.
◉古瓦. 弄瓦. 陶瓦. 銅瓦. 碧瓦. 飛瓦. 屋瓦. 簷瓦. 漆瓦.

3 ⑧ [瓨] 강 ㊥江 胡江切 xiáng
字解 항아리 강 목이 긴 질그릇. 열 되를 담음. '醯醬千—'《漢書》.
字源 篆文 形聲. 瓦+工〔音〕. '工공'은 '건너지르다'의 뜻. 목이 긴 질그릇.

3⑧ **[瓨]** [一] 두 [上]麌 徒古切 dù
[二] 감 [平]覃 口含切 kān
[三] 도 [去]遇 徒故切
[四] 항 [平]江 胡江切

[字解] [一] 큰독 두 '一, 甖也'《廣雅》. [二] 질그릇 감 '一, 瓦器'《廣韻》. [三] 질독 도 '一, 土瓶'《集韻》. [四] 항아리 항 瓨(瓦部 三畫)의 訛字. '醯醬千一'《史記》.

3⑧ **[瓩]** [現] 킬로그램

[字解] 《現》 미터법의 무게의 단위 킬로그램의 약기(略記). 兛(儿部 八畫)과 同字.
[字源] 會意. 瓦+千. '瓦와'는 그램의 음역(音譯). '千천'은 그램의 천 배인 킬로그램을 나타냄.
[參考] 중국에서는 qiān wǎ로 읽어, 킬로와트의 뜻으로 쓰임.

4⑨ **[瓰]** [一] 함 [平]覃 胡南切 hán
[二] 검 [去]豔 丘醃切 qiàn

[字解] [一] ①풀무손잡이 함 옛날에는 기와로 만들었음. '一, 冶槖榦也'《說文》. ②귀달린질그릇 함 병(瓶) 비슷하고 귀가 달린 질그릇. '一, 似瓶有耳'《廣韻》. [二] 귀달린작은병 검 '一, 陶器. 小瓶有耳者'《集韻》.
[字源] 形聲. 瓦+今〔音〕

4⑨ **[瓬]** 강 [平]陽 居郞切 gāng

[字解] 큰독 강 '大瓮爲一'《集韻》.

4⑨ **[瓪]** 방 [上]養 分兩切 fǎng

[字解] ①옹기장이 방 주대(周代)에, 질그릇을 만드는 장색(匠色). '一, 周家搏埴之工也'《說文》. ②독 방 '一, 瓶也'《廣雅》.
[字源] 篆文 形聲. 瓦+方〔音〕. '方방'은 '재주·기술'의 뜻. '옹기장이'의 뜻을 나타냄.

4⑨ **[瓯]** 〔구〕
甌(瓦部 十一畫〈p. 1450〉)의 俗字

4⑨ **[瓮]** [人名] 옹 [去]送 烏貢切 wèng

[字解] 항아리 옹 甕(瓦部 十三畫)과 同字. '四瀆之濁, 不方一水之清'《抱朴子》.
[字源] 篆文 形聲. 瓦+公〔音〕. '瓦와'는 '질그릇'의 뜻. '公공'은 '광장(廣場)'의 뜻. 아가리가 넓게 된 항아리의 뜻을 나타냄.

4⑨ **[瓫]** 분 [平]元 步奔切 pén

[字解] ①넘칠 분 湓(水部 九畫)과 통용. '水潦一溢'《晉書》. ②동이 분 盆(皿部 四畫)과 同字.
[字源] 形聲. 瓦+分〔音〕

5⑩ **[瓴]** 령 [平]青 郎丁切 líng

[字解] ①동이 령 양옆에 귀가 달린 그릇. '或以甕一'《淮南子》. ②암키와 령 지붕의 고랑이 되게 놓는 기와. '致錯石之一甓兮'《司馬相如》.
[字源] 篆文 形聲. 瓦+令〔音〕

[瓴甓 영벽] 벽돌.
[瓴水 영수] 동이의 물. 일설(一說)에는, 지붕의 기와를 흘러내리는 빗물이라는 뜻으로, 막지 못하는 형세를 비유하는 말이라 함.
[瓴甋 영적] 기와. 벽돌.
◉建瓴. 碧瓴. 甕瓴. 瓦瓴.

5⑩ **[瓵]** 이 [平]支 與之切 yí

[字解] 단지 이 작은 항아리. '甌瓵謂之一'《說文》.
[字源] 篆文 形聲. 瓦+台〔音〕

5⑩ **[瓸]** 백 [入]陌 薄陌切 bó

[字解] ①우물벽돌 백 우물에 까는 바닥 벽돌. '一 井甃'《正字通》. ②기와집아귀토아니물릴 백 '一, 瓦屋不泥也'《集韻》.
[字源] 形聲. 瓦+白〔音〕

5⑩ **[瓷]** 앙 [去]漾 於浪切 àng

[字解] 장군 앙 盎(皿部 五畫)과 同字.
[字源] 形聲. 瓦+央〔音〕

6⑪ **[瓶]** 〔병〕
甁(瓦部 八畫〈p. 1449〉)의 俗字

6⑪ **[瓷]** [人名] 자 [平]支 疾資切 cí

[筆順] 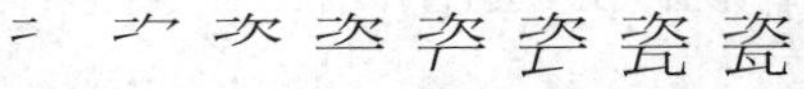

[字解] 오지그릇 자 결이 곱고 견고한 오지그릇.
[字源] 篆文 形聲. 瓦+次〔音〕
[參考] 磁(石部 九畫)는 俗字.

[瓷器 자기] 오지그릇. 도기(陶器).
◉綠瓷. 素瓷. 紫瓷. 縹瓷. 花瓷.

7⑫ **[瓹]** 함 [平]覃 胡男切 hán

[字解] 귀달린단지 함 귀 달린 작은 단지. '一, 似瓶有耳'《字彙》.

7⑫ **[瓻]** 치 [平]支 丑飢切 chī

[字解] 술단지 치 술을 담는 단지.
[字源] 篆文 形聲. 瓦+稀〈省〉〔音〕

7⑫ **[甋]** 동 [平]東 徒紅切 tóng

[字解] 수키와 동 '一, 牡瓦也'《玉篇》.

8 ⑬ [瓿] 부 ㊤有 蒲口切 bù
㊥虞 防無切

[字解] 단지 부 작은 항아리. '吾恐後人用覆醬一也'《漢書》.

[字源] 篆文 形聲. 瓦+音〔音〕. '音부'는 篆文에서는 '否부'를 포함하는 꼴임. '否부'는 붕긋하게 크다의 뜻. 붕긋한 단지의 뜻을 나타냄.

◉傾瓿. 甌瓿. 覆瓿. 覆醬瓿.

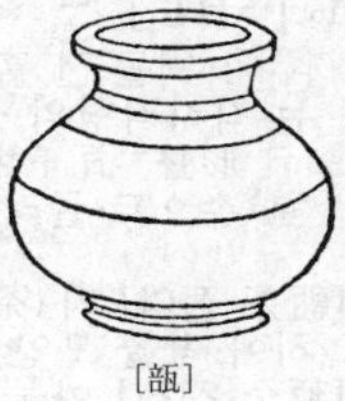
[瓿]

8 ⑬ [甀] 추 ㊦寘 馳僞切 zhuì

[字解] 항아리 추 아가리가 작은 항아리. '抱一而汲'《淮南子》.

8 ⑬ [⿰岡瓦] 〔강〕
瓨(瓦部 四畫〈p. 1448〉)과 同字

8 ⑬ [瓶] [人名] 병 ㊥青 薄經切 píng

[筆順] 瓶

[字解] ①병 병, 단지 병 술·물 같은 것을 담는 그릇. '酒一'. '毁其一'《左傳》. ②두레박 병 물 긷는 그릇. '羸其一'《易經》. ③시루 병 떡 같은 것을 찌는 그릇. '尊於一'《禮記》. ④성 병 성(姓)의 하나.

[字源] 缾의 別體 形聲. 瓦+并(幷)〔音〕

[瓶裏 병리] 화병(花瓶) 안.
[瓶盆 병분] 병과 동이.
[瓶錫 병석] 물항아리와 석장(錫杖). 병(瓶)은 중이 손을 씻기 위하여 물을 담아 두는 항아리.
[瓶洗 병세] 꽃꽂이. 생화(生花).
[瓶筲 병소] 병과 대로 만든 그릇. 용량이 적으므로 좁은 도량(度量)의 비유로 쓰임.
[瓶盎 병앙] 단지. 항아리.
[瓶子 병자] ㉠술 단지. 술 항아리. ㉡술을 따르는 병. 자(子)는 조자(助字).
[瓶沈簪折 병침잠절] 부부(夫婦)가 이별함을 이름.
◉空瓶. 金瓶. 罍瓶. 銅瓶. 溲瓶. 銀瓶. 酒瓶. 鐵瓶. 土瓶. 花瓶.

8 ⑬ [瓽] 당 ㊦漾 丁浪切 dàng

[字解] ①큰독 당 '一, 大盆也'《說文》. ②바닥벽돌 당 땅바닥에 까는 벽돌. '爲一所輻'《漢書》. ③성 당 성(姓)의 하나.

[字源] 篆文 形聲. 瓦+尙〔音〕. '尙상'은 '높다'의 뜻. 높고 큰 독의 뜻을 나타냄.

8 ⑬ [⿱坫瓦] 점 ㊦豔 徒念切 diàn

[字解] ①굄벽돌 점 지주(支柱). '一, 橧也'《集韻》. ②괼 점 버팀. '一, 支也'《廣韻》.

9 ⑭ [甄] [人名] [一] 견 ㊥先 居延切 zhēn
[二] 진 ㊥眞 職隣切 zhēn

[字解] [一] ①질그릇구울 견 질그릇을 굽는 일. 또, 그 사람. '一陶'. '一工'. '唯一者之所爲'《漢書》. ②교화할 견 가르쳐 감화시킴. '玄化所一'《左思》. ③살필 견 주의하여 알아봄. '一無名之士於草萊'《抱朴子》. ④나타낼 견 표명함. '一大義以明責'《潘岳》. ⑤밝힐 견 명확히 구별함. '一別'. '靈貺自一'《後漢書》. ⑥양익 견 군대의 좌우익. '張兩一'《左傳》. '令李桓督左一'《晉書》. ⑦날 견 새가 나는 모양. '鶉鴿兮一一'《楚辭》.
[二] ①질그릇구울 진. ②교화할 진. ③살필 진. ④나타낼 진. ⑤밝힐 진. ⑥양익 진. ⑦날 진 [一]과 뜻이 같음.

[字源] 篆文 形聲. 瓦+垔(垔)〔音〕. '垔인'은 '굴뚝'의 뜻. 굴뚝이 있는 가마에서 높은 온도로 굽는 '질그릇'의 뜻을 나타냄.

[甄甄 견견] 새가 나는 모양.
[甄工 견공] 옹기장이. 도공(陶工).
[甄陶 견도] ㉠질그릇을 만듦. ㉡만들어 이룸. ㉢사람을 교도(敎導)함.
[甄明 견명] 명확히 분별(分別)함.
[甄拔 견발] 인재를 견별(甄別)하여 발탁(拔擢)함.
[甄別 견별] 명확히 나눔. 명확히 구별함.
[甄序 견서] 순서를 명확히 함. 차례를 밝힘.
[甄敍 견서] 견서(甄序).
[甄收 견수] 조사하여 수용(收用)함.
[甄識 견식] 판별함. 식별함.
[甄異 견이] 분명히 헤아려 그 다름을 앎.
[甄者 견자] 질그릇을 만드는 사람. 견공(甄工).
[甄獎 견장] 조사하여 장려함.
[甄綜 견종] 시비(是非)·우열(優劣)을 명백히 하여 통어함.
[甄差 견차] 늙어 벼슬을 내놓은 사람을 다시 불러 벼슬을 시킴.
[甄擢 견탁] 견발(甄拔).
[甄表 견표] 명확히 나누어 나타냄.
[甄品 견품] 우열(優劣)의 판정(判定). 등급을 매기는 일.
◉陶甄. 雙甄. 精甄.

9 ⑭ [甂] 변 ㊥先 布玄切 piān

[字解] 자배기 변, 단지 변 아가리가 쩍 벌어진 질그릇. 또, 작은 항아리. '自關而西, 盆盎小者曰一'《揚子方言》.

[字源] 篆文 形聲. 瓦+扁〔音〕. '扁편'은 '납작하다'의 뜻.

9 ⑭ [⿱夾瓦] 렵 ㊇葉 盧協切 liè

[字解] ①기와밟는소리 렵 '一, 蹈瓦聲'《廣韻》. ②기와깨지는소리 렵. ③깨지는소리 렵 '一, 凡損破聲, 通謂之歷一'《正字通》. ④얇은기와 렵 '一, 一曰, 瓦薄也'《集韻》.

[字源] 形聲. 瓦+夾〔音〕

9 ⑭ [⿰兪瓦] 유 ㊥虞 羊朱切 yú

[字解] 단지 유 목이 긴 단지. '罃, 陳魏宋楚之閒曰一'《揚子方言》.

9 ⑭ [甃] 추 ㊤宥 側救切 zhòu

[字解] ①벽돌 추 흙으로 구워 만든 정사각형 또는 직사각형의 돌. 지면(地面)에 까는 데 씀. '缺—之崖'《莊子》. ②꾸밀 추 장식함. '腰龜徒—銀'《李賀》.
[字源] [篆文] 形聲. 瓦+秋〔音〕. '秋추'는 '修수'와 통하여, 더러움을 없애고 꾸미다의 뜻. 우물물을 깨끗하게 보전하기 위하여, 내벽(內壁)이나 주위에 까는 '벽돌'의 뜻을 나타냄.

◉缺甃. 碧甃. 壁甃. 石甃. 磚甃. 苔甃.

10 ⑮ [⿰唐瓦] 당 [平]陽 徒郎切 táng

[字解] ①자기(磁器) 당 '—, 瓷也'《玉篇》. ②귀달린작은항아리 당 '—, 小缾有耳者曰瓴—'《集韻》.

10 ⑮ [甈] 계 [去]霽 去例切 qì

[字解] ①항아리 계 토기(土器). '康瓠謂之—'《爾雅》. ②마를 계 '—, 燥也'《揚子法言》. ③깨질 계 금이 감. '—, 裂也'《廣雅》. ④깨진항아리 계 금이 간 항아리.
[字源] [篆文] 形聲. 瓦+臬〔音〕. '臬얼·예'는 '臲얼'과 통하여 '위태롭다'의 뜻.

10 ⑮ [甇] 앵 [平]庚 烏莖切 yīng

[字解] 목긴항아리 앵 목이 긴 항아리. '—, 長頸瓶也'《玉篇》.

11 ⑯ [甋] 적 [入]錫 都歷切 dì

[字解] 벽돌 적 흙으로 구워 만든 정사각형 또는 직사각형의 벽돌. '瓴—夸璵璠, 魚目笑明月'《張協》.

11 ⑯ [甌] 구 [平]尤 烏侯切 ōu 瓯

[字解] ①단지 구 '—瓿謂之瓵'《爾雅》. ②사발 구 작은 사발. 또는, 깊숙한 사발. 또는, 찻종. '—, 小盆也'《說文》. '今俗謂盌深者爲—'《字彙》. '遺之餅一—'《南史》. ③성 구 성(姓)의 하나.
[字源] [篆文] 形聲. 瓦+區〔音〕. '區구'는 '작다'의 뜻. 음식을 조금씩 나누기 위한 작은 사발의 뜻을 나타냄.

[甌窶滿篝 구루만구] 협소한 고지(高地)에서 나는 쌀이 농(籠)에 가득 찬다는 뜻으로, 대풍(大豐)을 이름.
[甌越 구월] 지명(地名). 지금의 광둥 성(廣東省) 충산 현(瓊山縣) 안에 있었음.
[甌臾 구유] 토기(土器). 와기(瓦器).
[甌脫 구탈] 변경(邊境)에 설치한 척후병(斥候兵)이 쓰는 방.
[甌穴 구혈] 급히 흐르는 물결 때문에 하천의 바닥에 움푹 팬 곳.
◉擊甌. 金甌. 東甌. 白甌. 西甌. 素甌. 升甌. 盎甌.

11 ⑯ [⿰鹿瓦] 록 [入]屋 盧谷切 lù

[字解] 벽돌 록 '—甎'은 바닥에 까는 벽돌.

11 ⑯ [甎] 전 [平]先 職緣切 zhuān

[字解] 벽돌 전 흙 같은 것으로 구운 정사각형 또는 직사각형의 돌. '層—起塔'《唐書》.
[字源] 形聲. 瓦+專〔音〕. '專전'은 '굴리다'의 뜻. 손으로 굴려 굳힌 '벽돌'의 뜻을 나타냄.

[甎茶 전다] 차(茶)의 한 가지. 차의 가루를 압착하여 벽돌 모양으로 한 것.
[甎全 전전] 아무 하는 일 없이 오직 신명(身命)만 보전함.
◉⿰鹿瓦甎. 甃甎. 花甎.

11 ⑯ [⿰康瓦] 강 [平]陽 苦岡切 kāng

[字解] ①항아리 강 '—瓠, 陶器'《集韻》. ②깨진독 강.

11 ⑯ [⿰爽瓦] 창 [上]養 初兩切 chuǎng

[字解] ①기왓장가루 창 병 안의 때를 닦는 기와가루. '以碎瓦石—去瓶內垢'《說文繫傳》. ②와륵(瓦礫) 창 깨진 기와 조각. '—, 半瓦也'《玉篇》.
[字源] [篆文] 形聲. 瓦+爽〔音〕. '爽상'은 '분명히 하다'의 뜻.

11 ⑯ [甍] 맹 [平]庚 莫耕切 méng

[字解] ①수키와 맹 대마루에 얹는 수키와. '—桷椽楹不斲'《六韜》. ②대마루 맹 용마루. '鎭其—矣. (注) —, 棟也'《國語》.
[字源] [篆文] 形聲. 瓦+夢〈省〉〔音〕. '夢몽'은 어둡다, 위에서 덮다의 뜻. 대마루를 덮는 기와의 뜻을 나타냄.

[甍棟 맹동] 용마루에 얹은 수키와와 마룻대.
[甍宇 맹우] 기와집.
◉棟甍. 飛甍. 連甍. 雲甍. 彫甍.

12 ⑰ [甐] 린 [去]震 良刃切 lìn
[平]眞 離珍切

[字解] 움직일 린 요동함. '輪雖敝, 不—於鑿'《周禮》.

12 ⑰ [甑] [人名] 증 [去]徑 子孕切 zèng

[筆順] 丷 台 尙 尙 曾 曾丆 甑 甑

[字解] 시루 증 술밥 또는 떡을 찌는 그릇. '破釜—, 燒廬舍'《史記》.
[字源] [篆文] 形聲. 瓦+曾〔音〕. '瓦와'는 '질그릇'의 뜻. '曾증'은 '시루'의 뜻. '曾'이 부사(副詞)로 전용(轉用)되자, '甑증'이 쓰이게 됨.

[甑中生塵釜中生魚 증중생진부중생어] 시루에 먼지가 쌓이고 가마솥 물에 고기가 생긴다는 뜻으로, 적빈(赤貧)하여 밥을 못 끓임의 비유.
[甑塵釜魚 증진부어] '전조(前條)'와 같음.

[甔布 증포] 시루에 김을 올릴 때 시루 밑에 까는 헝겊.
◉補甑. 釜甑. 石甑. 坐甑. 炊甑.

12 ⑰ [甄] 〔견〕 甄(瓦部 九畫〈p. 1449〉)의 本字

12 ⑰ [甒] 무 [上]麌 文甫切 wǔ
[字解] 술단지 무 술을 붓는 조그마한 그릇. '君尊瓦—'《禮記》.
[字源] 形聲. 瓦+無〔音〕

12 ⑰ [甏] 팽 [去]敬 蒲孟切 bèng
[字解] 오지그릇 팽 도기(陶器).

12 ⑰ [㽁] 〔력·격〕 鬲(部首〈p. 2632〉)과 同字

13 ⑱ [甔] 담 [平]覃 都甘切 dàn
[字解] 항아리 담 큰 항아리. '一甔'. '醬千—'《史記》.
[字源] 形聲. 瓦+詹〔音〕

[甔甀 담추] 큰 항아리와 아귀 좁은 항아리.

13 ⑱ [㽅] 등 [平]蒸 都滕切 dēng
[字解] 제기(祭器)접시 등 음식을 괴는 구워 만든 예기(禮器). '盛以—'《唐書》.
[字源] 形聲. 瓦+登〔音〕

13 ⑱ [甓] 벽 [入]錫 扶歷切 pì
[字解] ①벽돌 벽 흙 같은 것을 구워 만든 직사각형 또는 정사각형의 돌. '瓦—'. '中唐有—'《詩經》. ②기와 벽 '朝運百—于齋外'《晉書》.
[字源] 篆文 形聲. 瓦+辟〔音〕. '辟벽'은 '평평하다'의 뜻. 평평하게 깐 벽돌의 뜻을 나타냄.

◉古甓. 陶侃運甓. 瓴甓. 瓦甓. 塼甓.

13 ⑱ [甕] [人名] 옹 [去]送 烏貢切 wèng
[字解] ①항아리 옹 도자기의 한 가지. 술이나 물을 담는 질그릇. '擊—扣缻'《李斯》. ②성 옹 성(姓)의 하나.
[字源] 形聲. 瓦+雍〔音〕. '雍옹'은 품에 안다의 뜻. 안을 정도로 큰 항아리의 뜻을 나타냄.
[參考] 瓮(瓦部 四畫)은 同字.

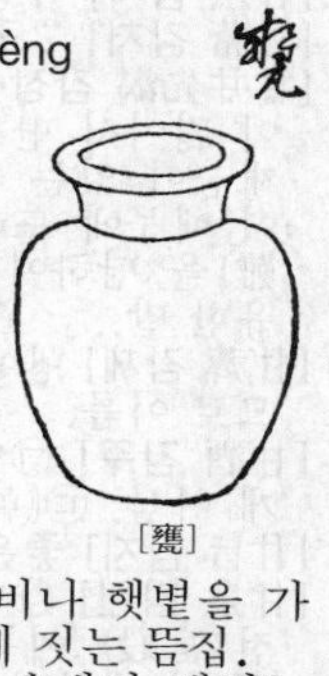
[甕]

[甕家 옹가]《韓》장사(葬事) 때 비나 햇볕을 가리기 위하여 임시로 뫼의 구 위에 짓는 뜸집.
[甕雞 옹계] 물항아리나 술 단지 속에서 생기는 작은 우충(羽蟲). 옹리혜계(甕裡醯雞).
[甕器 옹기]《韓》질그릇.
[甕頭 옹두] 옹두춘(甕頭春).
[甕頭春 옹두춘] 처음 익은 술.
[甕裡醯雞 옹리혜계] 물 항아리나 술 단지 속에 있는 작은 우충(羽蟲)이라는 뜻으로, 세상일을 모르는 소인(小人)의 비유로 쓰임.
[甕算 옹산]《韓》옛날에 옹기장수가 길에서 독을 쓰고 잠자는 중에 큰 부자가 되는 꿈을 꾸어, 너무 좋아서 벌떡 일어나는 바람에 독이 깨졌다는 이야기에서, 쓸데없이 치는 셈, 또는 헛수고로 애만 씀을 비유하여 이르는 말. 독장수셈.
[甕算畫餠 옹산화병]《韓》독장수의 셈과 그림의 떡이란 뜻으로, 실속이 없음을 비유하여 이르는 말.
[甕盎 옹앙] 큰 혹의 형용(形容).
[甕牖繩樞 옹유승추] 깨진 항아리의 입을 창(窓)으로 하고 새끼를 지도리에 맨다는 뜻으로, 빈한한 집의 형용(形容). 봉호옹유(蓬戶甕牖).
[甕中捉鼈 옹중착별] 자라를 잡아 항아리 안에 넣어 둠. 탈주(脫走)할 수 없음의 비유.
[甕天 옹천] 항아리의 안을 천지(天地)로 안다는 뜻으로, 견문(見聞)이 좁음의 비유. 정중와(井中蛙).
[甕醯 옹혜] 옹리혜계(甕裡醯雞).
◉金甕. 漏甕. 釀甕. 瓦甕.

14 ⑲ [甖] 앵 [平]庚 烏莖切 yīng / [去]敬 於正切
[字解] 술단지 앵 술을 담는 단지. '捧—承槽'《劉伶》.
[字源] 形聲. 瓦+賏〔音〕

[甖筏 앵벌] 단지를 뗏목같이 엮어 늘어놓고 물을 건너는 것.

14 ⑲ [㽉] 함 [去]陷 胡懺切 xiàn
[字解] ①큰독 함 '—, 大甕'《集韻》. ②큰동이 함 큰 바리때. '—, 大瓮似盆'《廣韻》.

16 ㉑ [甗] 언 [上]銑 魚蹇切 yǎn / [平]元 語軒切
[字解] 시루솥 언 위는 시루를 이루고 아래는 솥을 이루어, 시루와 솥으로 겸용하는 그릇. '陶人爲—, 實二鬴. 厚半寸, 脣寸'《周禮》. 또, 이 시루 솥과 같은 형상의 산. '重—隒'《爾雅》.
[字源] 甲骨文 金文 篆文 甲骨文은 양쪽에 귀가 달린 시루의 象形. 金文부터 '甗언'이 되는데, '鬳권'은 역시, 윗부분이 호랑이와 같고 양쪽에 귀가 달린 시루의 象形. 질그릇임을 나타내는 '瓦와'가 덧붙음. 《說文》에서는 瓦+鬳〔音〕의 形聲.

[甗錡 언기] 모양이 시루 또는 가마솥 같음.
◉方甗. 甑甗.

17 ㉒ [㽏] 참 [去]陷 叉鑑切 chàn
[字解] 두멍 참 큰 동이. '—, 甖也'《集韻》.

甘 (5획) 部

〔달감부〕

0
⑤ [甘] 中·人 감 ㊥覃 古三切 gān

筆順 一 十 廾 廿 甘

字解 ①달 감 감미가 있음. '一旨'. '其一如薺'《詩經》. ②맛날 감 맛이 좋음. '一肴'. '一易牙之和'《淮南子》. ③달콤할 감 들어서 기분이 좋음. '一言'. '幣重而言一'《左傳》. ④달게여길 감 ㉠맛있게 먹거나 마심. '一酒嗜音'《書經》. ㉡만족함. '一心首疾'《詩經》. ⑤단것 감 단 음식 또는 맛있는 음식. '絕一分少'《司馬遷》. ⑥느슨할 감 늘어짐. '一而不固'《淮南子》. ⑦성 감 성(姓)의 하나.

字源 甲骨文 篆文 指事. '口구' 안에 선을 하나 그어서, 음식을 입에 물어 끼운 모양을 나타내어, 혀에 얹어서 단맛을 맛보다의 뜻을 나타냄.

參考 '甘감'을 의부(意符)로 하여, '달다, 맛있다'의 뜻을 포함하는 문자를 이룸.

[甘甘 감감] 즐거워하는 모양.
[甘苦 감고] ㉠단맛과 쓴맛. ㉡즐거움과 괴로움. 고락(苦樂).
[甘瓜 감과] 참외.
[甘果 감과] 맛이 단 과일.
[甘堝 감과] 도가니.
[甘藿 감곽] 미역.
[甘菊 감국] 국화(菊花)의 일종. 꽃이 한 가지에 많이 핌.
[甘橘 감귤] 밀감(蜜柑).
[甘諾 감낙] 쾌히 승낙함.
[甘煖 감난] 맛있는 음식(飮食)과 따뜻한 의복(衣服).
[甘暖 감난] 감난(甘煖).
[甘棠 감당] 팥배나무.
[甘棠之愛 감당지애] 백성이 시정자(施政者)의 덕(德)을 앙모(仰慕)하는 일. 주(周)나라의 소공(召公)의 선정(善政)에 감격하여 백성들이 그가 일찍이 쉬었던 팥배나무를 소중히 여겼다는 〈시경(詩經)〉의 시에서 나온 말.
[甘羅 감라] 전국 시대(戰國時代)의 진(秦)나라의 책사(策士). 감무(甘茂)의 아들. 승상(丞相) 여불위(呂不韋)를 섬겼으며, 조왕(趙王)을 설득(說得)하여 성(城) 다섯을 진(秦)나라에 바치고 섬기도록 하였음.
[甘酪 감락] 단젖. 당락(糖酪).
[甘藍 감람] 양배추.
[甘冽 감렬] 달고 참.
[甘醴 감례] 단술. 감주(甘酒).
[甘露 감로] ㉠단 이슬. 천하태평의 조짐(兆朕)으로서 하늘에서 내린다 함. 신장(神漿). ㉡좋은 이슬. 맛이 있는 이슬. ㉢《佛敎》 불사(不死) 또는 천주(天酒)라고도 하며 한번 맛보면 불로장생(不老長生)한다는 이슬.
[甘露之變 감로지변] 당(唐)나라 문종(文宗) 때 재상(宰相) 이훈(李訓) 등이 환관(宦官)을 죽이려고 감로(甘露)가 내렸다고 속여 그들을 꾀어내려 하다가 목적을 달성하지 못하고 도리어 피살당한 사건.
[甘榴 감류] 맛이 달고 덜 신 석류(石榴).
[甘霖 감림] 오랜 가뭄 뒤에 내리는 장마.
[甘眠 감면] 달게 잠. 잠을 잘 잠.
[甘味 감미] ㉠단맛. 좋은 맛. 또, 달게 먹음. 맛있게 먹음. ㉡단 음식. 단것.
[甘美 감미] 달고 맛이 있음. 맛이 좋음.
[甘盤 감반] 은(殷)나라의 현신(賢臣). 무정(武丁)은 본시 그에게 학문을 배웠는데 즉위(卽位) 후에 그를 재상으로 삼았음.
[甘分 감분] 자기 분수를 달갑게 여김. 자기 천분(天分)에 만족함. 안분(安分).
[甘肥 감비] 살지고 맛이 있는 고기.
[甘辭 감사] 감언(甘言).
[甘酸 감산] ㉠달고 심. 단맛과 신맛. ㉡즐거움과 괴로움. 고락(苦樂). 감고(甘苦).
[甘薯 감서] 고구마. 감저(甘藷).
[甘松香 감송향] 구이저우(貴州)·쓰촨(四川) 등지에서 나는 향초(香草). 뿌리는 약재로 씀.
[甘受 감수] 달게 받음. 쾌히 받음.
[甘遂 감수] 대극과(大戟科)에 속하는 다년초(多年草). 뿌리는 유독(有毒)하며 약재로 씀. 개감수.
[甘肅 감숙] 중국 서북부에 위치한 성(省)의 이름. 동쪽은 산시 성(陝西省), 서쪽은 신장 성(新疆省)에 접함. 땅은 높고, 기후(氣候)는 대륙적으로 한서(寒暑)의 차(差)가 심함. 러시아와의 교통상 중요한 곳임.
[甘食 감식] ㉠맛있는 음식. 미식(美食). ㉡맛있게 먹음.
[甘心 감심] ㉠마음에 만족함. 달갑게 여김. ㉡자기 마음대로 함.
[甘心如薺 감심여제] 마음이 가라앉고 편안하여 고통을 느끼지 않음을 이름. 제(薺)는 냉이. 맛이 달콤함.
[甘言 감언] 달콤한 말. 남의 비위를 맞추어 듣기 좋게 하는 말.
[甘言利說 감언이설] 남의 비위를 맞추는 달콤한 말과 이로운 조건을 내세워 꾀는 말.
[甘輭 감연] 맛이 좋고 연함.
[甘悅 감열] 만족하여 기뻐함.
[甘雨 감우] 때에 알맞게 내리는 비. 시우(時雨). 자우(慈雨).
[甘忍 감인] 달게 받아 참음.
[甘蔗 감자] 사탕수수.
[甘藷 감저] 고구마. 감서(甘薯).
[甘井先渴 감정선갈] 물이 좋은 우물은 긷는 사람이 많아서 딴 우물보다 먼저 마른다는 뜻으로, 재능이 있는 사람은 세상에 잘 쓰이기는 하나 이 때문에 도리어 종종의 뜻하지 않은 재난(災難)을 당하여 빨리 쇠폐(衰廢)하여 버림을 비유한 말.
[甘薺 감제] 냉이〔薺〕의 별칭(別稱). 맛이 달콤하므로 이름.
[甘酒 감주] ㉠맛있는 술. 좋은 술. ㉡술을 맛있게 마심. ㉢《韓》 단술. 감례(甘醴).
[甘旨 감지] 좋은 맛. 또, 맛있는 음식.
[甘泉 감천] ㉠맛이 좋은 샘. ㉡한대(漢代)의 궁전(宮殿) 이름. 산시 성(陝西省) 순화현(淳化縣)의 서북에 있었음. ㉢수대(隋代)의 궁전 이

름. 산시 성 악현(鄂縣)의 서남에 있었음.
[甘泉學派 감천학파] 명(明)나라 잠약수(湛若水)의 학파. 천리(天理)를 체인(體認)하는 것을 종지(宗旨)로 삼음.
[甘草 감초] 콩과에 속하는 다년초(多年草). 잎은 우상 복엽(羽狀複葉)이며 뿌리는 노랗고 맛이 달콤함. 약재(藥材)로 널리 씀.
[甘蕉 감초] 파초(芭蕉)의 별칭(別稱).
[甘脆 감취] 감취(甘毳).
[甘毳 감취] 맛이 있고 연한 음식.
[甘寢 감침] 감면(甘眠).
[甘湯 감탕] ㉠《韓》엿을 고아 낸 솥을 가신 단물. ㉡메주를 쑤어 낸 솥에 남은 진한 물.
[甘澤 감택] 자애(慈愛). 깊은 은택.
[甘汞 감홍] 경분(輕粉). 염화제일수은(鹽化第一水銀).
[甘肴 감효] 맛이 좋은 안주.
◉肥甘. 酸甘. 食甘. 旨甘. 珍甘. 甜甘. 寢甘. 豐甘.

0 ⑤ [甘] 甘(前條)의 本字

[邯] 〔한〕 邑部 五畫(p. 2331)을 보라.

4 ⑨ [甚] [中·人] 심 [去]沁 時鴆切 shèn / [上]寢 常枕切 shén

[筆順] 一 十 廾 廾 甘 甘 甚 甚

[字解] ①심할 심 정도에 지남. '藉—'. '—矣吾衰也'《論語》. ②심히 심 대단히 심하게. '—深'. '其道—大'《易經》. ③무엇 심 속어(俗語)에서, 何(人部 五畫)와 같은 뜻. '—麼事'(무슨 일).

[字源] 金文 篆文 古文 象形. 부뚜막 위에 물 담은 그릇을 놓고, 밑에서 불을 때는 모양을 본떠, '화덕'의 뜻을 나타냄. '煁심'의 原字. 假借하여, '耽탐'과 통하여, 도를 지나치다, 심히의 뜻을 나타냄.《說文》에서는, 甘+匹의 會意로 보는데, '甘감'은 음식이 맛있다의 뜻. '匹필'은 남녀의 즐거움의 뜻으로, 식생활과 성생활이 대단히 즐겁다의 뜻을 나타낸다고 설명함.

[甚口 심구] ㉠큰 입. ㉡달변(達辯).
[甚急 심급] 썩 급(急)함. 매우 급함.
[甚難 심난] 심히 어려움.
[甚大 심대] 몹시 큼. 대단히 큼.
[甚麼 심마] ㉠무엇. ㉡어느. 어떤.
[甚深 심심] 대단히 깊음.
[甚惡 심악] 성정(性情)이나 하는 짓이 몹시 악함.
[甚雨 심우] 억수같이 퍼붓는 비. 호우(豪雨).
◉激甚. 劇甚. 說甚. 深甚. 愈甚. 已甚. 藉甚. 太甚. 幸甚.

4 ⑨ [昏] 〔괄〕 昏(口部 四畫〈p. 357〉)의 古字

[某] 〔모〕 木部 五畫(p. 1055)을 보라.

6 ⑪ [甛] 甜(次條)과 同字

6 ⑪ [甜] 첨 [平]鹽 徒兼切 tián

[字解] ①달 첨, 맛날 첨 감미가 있음. 맛이 좋음. '酸—滋味'《張衡》. ②낮잠 첨 주침(晝寢). '黑—'.

[字源] 篆文 會意. 舌+甘. '舌설'은 입에서 내민 혀의 뜻. '甘감'은 '달다'의 뜻. 혀에 달다의 뜻을 나타냄.

[參考] 甛(前條)은 同字.

[甜甘 첨감] 달고 맛이 있음. 지감(旨甘).
[甜瓜 첨과] 참외.
[甜言蜜語 첨언밀어] 달콤한 말.
[甜酒 첨주] 달콤한 술.
[甜菜 첨채] 사탕무.
◉甘甜. 苦甜. 蜜甜. 肥甜. 黑甜.

8 ⑬ [甔] 염 [上]琰 以冉切 yǎn

[字解] 달 염 맛이 닮. '—, 味甘也'《集韻》.

8 ⑬ [甚] [一] 담 [平]覃 徒含切 tán / [上]感 徒感切 / [二] 흠 [平]侵 計金切 xīn

[字解] [一] ①깊숙할 담 '——'은 집이 깊숙한 모양. '—, ——, 室深皃'《廣韻》. ②성할 담 '——'은 성(盛)한 모양. '——, 盛也'《廣雅》. [二] 불성할 흠 '——, 火盛皃'《廣韻》.

8 ⑬ [嘗] 〔상〕 嘗(口部 十一畫〈p. 400〉)과 同字

11 ⑯ [曆] [一] 함 [平]覃 胡甘切 / [二] 감 [平]覃 口含切 gān / [三] 담 [平]覃 徒南切 / [四] 갑 [入]合 葛合切

[字解] [一] 조미(調味)할 함. [二] 조미할 감 [一]과 뜻이 같음. [三] 조미할 담 [一]과 뜻이 같음. [四] 조미할 갑 [一]과 뜻이 같음.

[字源] 形聲. 厤+甘〔音〕

12 ⑰ [曆] 曆(前條)의 本字

生 (5획) 部
〔날생부〕

0 ⑤ [生] [中·人] 생 [平]庚 所庚切 shēng

[筆順] ノ 𠂉 𠂉 牛 生

[字解] ①날 생 출생함. '—日'. '—乎今之世'《中庸》. ②낳을 생 분만함. '—子'. ③살 생 생존함. '—佛'. '狄人歸其元, 面如—'《左傳》. ④살릴 생 죽이지 아니함. '—殺'. ⑤산채로 생 죽이지 아니하고. '—擒'. '有能—得者'《史記》. ⑥저절로 생 나면서부터. 선천적으로. '—而知之'《中庸》. ⑦산것 생 생물. '群—'. '君賜—, 必畜

之'《論語》. ⑧산이 생 산 사람. '衆一'. '事死如事一'《中庸》. ⑨목숨 생 생명. '舍一而取義'《孟子》. ⑩생계 생 활계(活計). 생업(生業). 또, 산업. '民一'. '以織薄曲爲一'《漢書》. ⑪생길 생 일어남. '吾時月不見黃淑度, 則鄙吝之心已復一矣'《世說》. ⑫만들 생 조작(造作)함. '遂者何, 一事也'《公羊傳》. ⑬나올 생 솟아 나옴. '黿鼉蛟龍魚鼈一焉'《中庸》. ⑭자랄 생 생장함. '師之所處, 荊棘一焉'《老子》. ⑮불 생, 불릴 생 증식(增殖)함. '一財有大道'《大學》. ⑯설 생 익숙하지 아니함. '一硬'. '不可容一人入內'《致富奇書》. ⑰날 생 익지 아니함. '一肉'. '與一彘肩'《史記》. ⑱백성 생 인민. '蒼一'. ⑲서생 생 독서인. '儒一'. '魯有兩一, 不肯行'《史記》. ⑳나 생 자기의 겸칭. '一揣我何念'《史記》. ㉑선생 생 남의 존칭. '脫以此一有伯夷之廉'《漢書》. ㉒어조사 생 접두(接頭) 또는 접미(接尾)의 조자(助字). '何似一'. '借問別來太瘦一'《李白》. ㉓성 생 성(姓)의 하나.

字源 金文 [glyph] 篆文 [glyph] 象形. 초목이 땅 위에 생겨난 모양을 본떠, '생겨나다, 살다' 등의 뜻을 나타냄.

參考 '生생'을 의부(意符)로 하여, '출산·생명' 등에 관한 문자를 이룸. '날생부'로 이름.

[生家 생가] 자기가 출생한 집.
[生角 생각]《韓》㉠빠지기 전에 잘라 낸 사슴의 뿔. ㉡삼지 아니한 짐승의 뿔.
[生肝 생간] 익히지 않은 날간.
[生薑 생강] 새앙.
[生客 생객] 처음 만난 손님. 초대면(初對面)의 손. 숙객(熟客)의 대(對).
[生乾地黃 생건지황] 지황을 날로 말린 것. 보혈(補血)·지혈(止血)의 약으로 씀. 건지황(乾地黃).
[生絹 생견] 생사(生絲)로 짠 깁.
[生訣 생결] 생별(生別).
[生縑 생겸] 생견(生絹).
[生梗 생경] 생경(生硬).
[生硬 생경] ㉠언행(言行)이 거칢. 예의범절이 없음. 조야(粗野). ㉡시문(詩文) 같은 것이 세련되지 아니함.
[生計 생계] 생활을 유지(維持)하는 방법. 살아갈 꾀.
[生計無策 생계무책] 살아갈 도리가 없음.
[生枯起朽 생고기후] 죽어 가는 자를 살림을 이름. 기사회생(起死回生).
[生穀 생곡] ㉠익히지 않은 곡식. ㉡곡식이 남.
[生果 생과] 익지 않은 과실(果實).
[生寡婦 생과부]《韓》남편이 살아 있으면서도 멀리 떨어져 있거나 소박을 맞은 여자(女子).
[生光 생광] 빛이 남. 전(轉)하여, 영광스러움.
[生壙 생광] 생존 중에 미리 만들어 놓은 분묘. 생분(生墳). 수장(壽藏).
[生口 생구] ㉠산 채로 잡은 사람. 포로(捕虜). ㉡소나 말 따위. 가축(家畜).
[生具 생구] 나면서부터 갖추어 있음. 선천적으로 구비함.
[生國 생국] 출생한 본국(本國). 고국(故國).
[生剋 생극] 오행(五行)의 상생상극(相生相剋).
[生金 생금] 정련(精鍊)하지 아니한 황금(黃金).
[生禽 생금] 생금(生擒).
[生擒 생금] 산 채로 잡음. 사로잡음. 생포(生捕).
[生氣 생기] ㉠싱싱하고 활발한 기운. ㉡만물을 발육 생장케 하는 힘.
[生器 생기] 사람이 출생하였을 때 쓰는 그릇.
[生寄死歸 생기사귀] 인간이 이 세상에 사는 것은 잠시 기우(寄寓)하고 있는 것이고, 죽음은 그 본집으로 돌아가는 것임.
[生喫 생끽] 날로 먹음.
[生男 생남] 아들을 낳음.
[生男如狼猶恐其尫 생남여랑유공기왕] 사내를 낳아 이리처럼 굳세어도 혹시 나약(懦弱)하지나 않을까 걱정함.
[生男惡生女好 생남오생녀호] 남자를 낳으면 병역(兵役)에 복무하다가 전사하므로 싫고, 딸을 낳으면 가까운 곳에 출가시키므로 좋음. 당(唐)나라 때에 병란(兵亂)이 많았으므로 이른 말.
[生女 생녀] 딸을 낳음.
[生年 생년] ㉠출생한 해. 난 해. ㉡살아 있는 동안. 일생(一生).
[生徒 생도] 학교에서 공부하는 학도(學徒).
[生道 생도] 사람의 생존을 온전하게 하는 도(道). 사람을 살리는 길.
[生銅 생동] 불리지 아니한 구리.
[生得 생득] ㉠산 채로 잡음. 생포(生捕). ㉡타고난 성질. 천성(天性).
[生來 생래] ㉠출생한 이후. 나면서부터. ㉡타고난 성질. 천성(天性).
[生冷 생랭] 음식의 날것과 찬 것.
[生涼 생량] 가을이 되어 서늘한 기운이 생김.
[生黎 생려] 백성. 생민(生民). 여민(黎民).
[生靈 생령] ㉠생민(生民). 생물의 영장(靈長)이라는 뜻임. ㉡생명(生命).
[生路 생로] ㉠살 길. 달아날 길. 활로(活路). ㉡선 길. 처음 가는 길. 숙로(熟路)의 대(對).
[生老病死 생노병사]《佛敎》인생(人生)의 면할 수 없는 사대 고통(四大苦痛). 곧, 나고, 늙고, 병들고, 죽고 하는 일. 사고(四苦).
[生賴 생뢰] 의지하여 삶. 생명을 이어 감.
[生類 생류] 동식물(動植物)의 총칭(總稱).
[生栗 생률] 날밤.
[生利 생리] 이익을 냄.
[生理 생리] ㉠생활하는 도리(道理). ㉡직업. 영업. 상업. ㉢생물(生物)의 생활하는 원리(原理). ㉣생리학(生理學)의 약칭(略稱).
[生理學 생리학] 생물의 생활 원리(原理)를 연구하는 학문. 곧, 생물의 생활 기능과 생활 현상을 조사 연구하는 학문.
[生馬 생마] 길이 들지 아니한 말.
[生麻 생마] 삶지 아니한 삼.
[生埋 생매] 생물(生物)을 산 채로 묻음.
[生面 생면] ㉠새로운 방면. 새로운 연구. 새로운 고안(考案). 신기축(新機軸). ㉡처음으로 하는 면회. 초대면(初對面).
[生滅 생멸]《佛敎》모든 물체의 생김과 없어짐.
[生滅滅已 생멸멸이]《佛敎》생(生)과 멸(滅)이 모두 없어짐. 곧, 생멸의 모든 현상을 초월하여야 비로소 불과(佛果)를 얻을 수 있다는 말.
[生命 생명] ㉠목숨. 수명(壽命). ㉡살아가는 원동력(原動力). ㉢사물(事物)의 유지(維持)하는 기한(期限). ㉣어떤 사물의 요소(要所). 사물의 중요한 부분.
[生命素 생명소] 생명을 유지하는 데 필요한 요소.
[生命樹 생명수] 기독교에서 선악과(善惡果)가 달렸다고 하는 나무.

[生母 생모] 자기를 낳은 어머니. 친(親)어머니.
[生木 생목] 생나무.
[生茂 생무] 생장하여 무성함.
[生物 생물] ㉠산 것. ㉡생활을 하고 있는 물건. 곧, 동물·식물 등의 총칭.
[生物學 생물학] 생물의 구조(構造)·기능(機能)·발달(發達)·분포(分布) 등을 연구하는 학문(學問).
[生民 생민] 백성. 창생(蒼生). 인민(人民).
[生剝 생박] 산 채로 껍질을 벗김.
[生縛 생박] 사로잡아 결박함.
[生魄 생백] 음력 16일. 백(魄)은 달의 윤곽(輪廓)의 빛이 없는 부분.
[生蕃 생번] 왕화(王化)에 복종하지 않는 야만인. 숙번(熟蕃)의 대(對).
[生別 생별] 생이별(生離別). 사별(死別)의 대(對).
[生別離 생별리] 생별(生別).
[生兵 생병] ㉠새로 출전(出戰)한 군사. ㉡미숙한 군사. 훈련을 쌓지 아니한 군사. 신병(新兵).
[生菩薩 생보살] ㉠미인(美人). ㉡생불(生佛).
[生父 생부] 자기를 낳은 아버지. 친(親)아버지.
[生俘 생부] 포로(捕虜). 부로(俘虜).
[生分 생분] 생이별(生離別).
[生壙 생분] 생광(生壙).
[生佛 생불] 《佛教》 덕행이 썩 높은 중. 선지식(善知識)의 고승(高僧).
[生不如死 생불여사] 살아 있으나 죽은 이만 같지 못하다는 뜻으로, 극도로 곤란을 당하고 있음을 이름.
[生死 생사] ㉠삶과 죽음. ㉡《佛教》 모든 생물이 과거의 업(業)의 결과로 개체(個體)를 이루었다가 다시 해체(解體)되는 일.
[生祠 생사] 공덕(功德)이 있는 사람을 앙모(仰慕)하여 그를 생전부터 봉사(奉祀)하는 사당(祠堂).
[生師 생사] 생도와 교사.
[生絲 생사] 삶지 않은 명주실.
[生祠堂 생사당] 《韓》 감사(監司)·수령(守令)의 선정(善政)을 앙모(仰慕)하여 백성이 그를 생전부터 봉사(奉祀)하는 사당(祠堂).
[生死肉骨 생사육골] 죽은 사람을 살려 뼈에 살을 붙인다는 뜻으로, 큰 은혜를 입음을 이름.
[生死而肉骨 생사이육골] 생사육골(生死肉骨).
[生産 생산] ㉠생업(生業). ㉡자연에 인공을 가하여 재화(財貨)를 만들어 내는 일. ㉢《韓》 아이를 낳음.
[生殺 생살] 살리는 일과 죽이는 일. 살리고 죽임. 활살(活殺).
[生殺之權 생살지권] 마음대로 살리고 죽이고 할 수 있는 권력.
[生蔘 생삼] 땅에서 캐내어 아직 말리지 아니한 인삼(人蔘). 수삼(水蔘).
[生色 생색] ㉠활기(活氣)가 있는 안색. ㉡얼굴에 나타남. 안색에 나타남. ㉢《韓》 낯이 남. 체면이 섬.
[生生 생생] ㉠물건이 끊임없이 생기는 모양. 생물이 발육하여 자꾸 변화하는 모양. ㉡생생세세(生生世世).
[生生世世 생생세세] 《佛教》 현세나 미래나. 어느 세상이고. 미래 영겁(未來永劫).
[生生之理 생생지리] 만물이 생겨 퍼져 나가는 자연(自然)의 이치(理致).
[生書 생서] 아직 읽지 않은 책.
[生鮮 생선] 《韓》 말리거나 절이지 아니한 잡은 그대로의 물고기.
[生成 생성] 생겨남. 또, 생겨나게 함.
[生性 생성] 타고난 성질. 천성(天性).
[生小 생소] 어릴 때. 소시(少時).
[生疎 생소] ㉠친하지 아니함. ㉡익숙하지 못함. 서투름.
[生水 생수] 샘에서 나오는 물. 샘물.
[生手 생수] 생무지. 미숙(未熟).
[生受 생수] 감당할 수 없는 줄 알면서도 부득이 인수(引受)함.
[生遂 생수] 자람. 생장함.
[生熟 생숙] ㉠생소(生疎)한 것과 익숙한 것. ㉡날것과 익은 것.
[生時 생시] ㉠난 때. ㉡살아 있을 때. ㉢깨어 있을 때.
[生食 생식] 날것으로 먹음.
[生息 생식] ㉠삶. 생활함. ㉡번식(繁殖)함. ㉢대금(貸金)하여 이자를 받음.
[生殖 생식] 낳아 번식함. 곧, 동식물이 수정(受精)·수분(受粉) 또는 분열(分裂) 등의 작용에 의하여 새로운 개체(個體)를 생산함.
[生殖器 생식기] 동식물의 생식을 맡은 기관(器官).
[生辰 생신] 생일(生日).
[生身 생신] 산 몸.
[生心 생심] 하려는 마음을 냄. 마음먹음.
[生涯 생애] 살아 있는 동안. 일생 동안. 일평생. 종생(終生).
[生養 생양] 낳아 기름.
[生業 생업] 생활을 위하여 하는 직업(職業).
[生員 생원] ㉠과거(科擧)를 보는 학생. 청조(淸朝)에서는 이를 늠생(廩生)·증생(增生)·부생(附生)·사생(社生)·청생(靑生)의 다섯 급(級)으로 나누었음. 또, 수재(秀才)라고도 함. ㉡《韓》 소과(小科)의 경의(經義) 시험에 합격한 사람.
[生肉 생육] 날고기. 숙육(熟肉)의 대(對).
[生育 생육] 생장(生長).
[生意 생의] ㉠활발한 마음. 싱싱한 마음. ㉡더 살고자 하는 마음. 또, 살고 있다는 기분. ㉢살림. 생계. ㉣장사. 상업. 영업. ㉤《韓》 하려고 하는 마음을 냄. 마음먹음. 생심(生心).
[生離別 생이별] 산 채로 멀리 이별함. 생별(生別).
[生而知之 생이지지] 나면서부터 앎. 배우지 않고 앎.
[生人 생인] ㉠백성. 인민. 창생(蒼生). 당태종(唐太宗)의 휘(諱)를 피하여 생민(生民)을 고친 말임. ㉡산 사람. 사인(死人)의 대(對). ㉢생객(生客).
[生日 생일] 출생한 날.
[生子 생자] 생남(生男).
[生者必滅 생자필멸] 《佛教》 생명이 있는 것은 반드시 죽음.
[生長 생장] 나서 자람.
[生財 생재] 재물을 늘림.
[生苧 생저] 생모시.
[生前 생전] 죽기 전. 살아 있는 동안.
[生存 생존] 살아 있음.
[生存競爭 생존경쟁] 생물이 그 생존을 유지하기 위하여 서로 경쟁하는 일. 그 결과로 적자(適者)는 잔존(殘存)하고 부적자는 도태(淘汰)당함.

[生憎 생증] 뜻밖에. 의외로. 공교롭게도.
[生知 생지] 나면서부터 앎. 배우지 않고 앎. 또, 그 사람. 곧, 성인(聖人). 생이지지(生而知之).
[生紙 생지] 뜬 채로의 종이. 당대(唐代)에 상사(喪事) 때 썼음. 숙지(熟紙)의 대(對).
[生知安行 생지안행] 나면서부터 도(道)를 알고 편안한 마음으로 이를 실행함. 성인(聖人)의 경우를 이름.
[生地黃 생지황] 지황 뿌리의 날것.
[生鐵 생철] 아직 정련(精鍊)하지 아니한 쇠. 무쇠.
[生草 생초] 산 풀.
[生綃 생초] 그림을 그리는 얇은 생견(生絹).
[生芻 생추] 벤 지 얼마 안 되어 아직 마르지 아니한 꼴.
[生蟲 생충] 생류(生類).
[生聚 생취] 백성을 기르고 재물을 모음. 국력(國力)을 양성함.
[生致 생치] 사로잡아 데리고 옴.
[生雉 생치] 익히지 아니한 꿩.
[生齒 생치] ㉠이가 남. ㉡금년에 난 아이. 당세(當歲).
[生呑活剝 생탄활박] 산 것을 통째로 삼키고 또 산 채로 가죽을 벗긴다는 뜻으로, 남이 지은 시문(詩文)을 소화하지 않고 그대로 훔쳐 씀을 이름.
[生態 생태] 생물의 생활 형태.
[生平 생평] 평상시(平常時). 평생(平生).
[生布 생포] 생베.
[生捕 생포] 산 채로 잡음.
[生品 생품] 생류(生類).
[生孩 생해] 갓난아이. 영아(嬰兒).
[生血 생혈] 생생한 피.
[生還 생환] 살아 돌아옴.
[生活 생활] ㉠살아서 활동함. 삶. ㉡살림. 생계(生計). ㉢살림. 목숨을 건져 줌.
[生獲 생획] 생포(生捕).
[生後 생후] 난 후. 출생 후.
◉可憐生. 嘉生. 更生. 輕生. 孤生. 狂生. 敎生. 九死一生. 麴生. 羣生. 今生. 起死回生. 寄生. 樂極哀生. 樂生. 卵生. 老生. 怒生. 對生. 倒生. 同年生. 同生. 萬死一生. 晩生. 蔓生. 末生. 忙生. 門生. 物生. 物先腐後蟲生. 民生. 密生. 半死半生. 半生. 發生. 放生. 白面書生. 本立道生. 蓬生. 浮生. 復生. 分煙析生. 不聊生. 死生. 師生. 寫生. 死中求生. 殺生. 書生. 先生. 攝生. 小生. 所生. 素生. 蘇生. 俗生. 瘦生. 濕生. 視死如生. 新生. 十死一生. 雙生. 阿字本不生. 野生. 養生. 兩虎共鬪不俱生. 旅生. 餘生. 永生. 寤生. 往生. 友生. 迂生. 愚生. 鬱生. 衛生. 儒生. 輪生. 恩甚怨生. 利用厚生. 一蓮托生. 人生. 一生. 一切衆生. 自力更生. 資生. 滋生. 作麼生. 殘生. 長生. 再生. 楮生. 全生. 前生. 轉生. 濟生. 諸生. 族生. 簇生. 尊生. 終生. 蠢生. 衆生卽得往生. 怎生. 憎生. 蒼生. 天生. 叢生. 畜生. 出萬死遇一生. 出生. 治生. 七生. 誕生. 貪生. 胎生. 偸生. 派生. 平生. 閉戶先生. 筆生. 畢生. 學生. 寒生. 幸生. 鄕先生. 互生. 惑恐死反忘生. 化生. 禍從口生. 後生. 厚生.

0 ⑤ [𤯓] 生(前條)의 本字

5 ⑩ [甡] 신 ㊥眞 所臻切 shēn

字解 우물우물할 신 많이 모여든 모양. '瞻彼中林, ——其鹿'《詩經》.
字源 篆文 會意. '生생'을 둘 합쳐서, 생물이 나란히 태어나다의 뜻을 나타냄.

[甡甡 신신] 많은 모양. 우물우물한 모양.

[眚] 〔생〕 目部 五畫(p. 1538)을 보라.

6 ⑪ [產] 中人 산 ㊤潸 所簡切 chǎn 产

筆順 ' 亠 亣 立 产 彦 産 產

字解 ①낳을 산, 낼 산 해산함. 또, 생산함. '一婦'. '剖脅而一高蜜'《吳越春秋》. '一萬物者聖也'《禮記》. ②자랄 산, 날 산 생산함. 또, 발생함. '一地'. '珍怪之所化一'《郭璞》. '百姦衆辟, 從是一矣'《呂氏春秋》. ③출생 산 그 토지의 출신. '陳良楚一也'《孟子》. ④산물 산 산출하는 물자. '以天一作陰德'《周禮》. ⑤업 산 생업(生業). '有恆一者'《孟子》. ⑥자산 산 재산. 자재(資財). '家一'. '中民十家之一'《史記》. ⑦성 산 성(姓)의 하나.
字源 篆文 會意. 生+彥〈省〉. '彥언'은 안료(顔料)의 뜻. 갓 태어난 아기에게 안료를 바르는 습관이 있었던 듯, '낳다'의 뜻을 나타냄.
參考 産(次條)은 同字.

[產故 산고]《韓》아기를 낳는 일.
[產穀 산곡] 곡식을 생산함. 또는 그 곡식.
[產科 산과] 부인(婦人)의 출산(出產)에 관한 것을 전문으로 하는 의술.
[產藿 산곽]《韓》산모(產母)가 먹는 미역. 해산(解產)미역.
[產金 산금] 금을 생산함.
[產期 산기] 밴 아이를 낳을 시기.
[產卵 산란] 알을 낳음.
[產勞 산로] 해산(解產)하는 괴로움.
[產母 산모] 아기를 낳은 어머니. 해산(解散)어미.
[產門 산문] 산모의 음부(陰部).
[產物 산물] 그 지방에서 생산되는 물건.
[產婦 산부] ㉠임월(臨月)의 부인. ㉡해산한 아이 어머니.
[產朔 산삭] 해산할 달. 당삭(當朔). 산월(產月).
[產室 산실] 해산하는 방(房).
[產兒 산아] 낳은 아이. 또, 아이를 낳음.
[產兒制限 산아제한] 인위적(人爲的) 수단에 의하여 산아(產兒)의 수를 조절(調節)하는 일.
[產額 산액] 생산되는 양.
[產業 산업] ㉠살아가기 위하여 하는 일. 생업(生業). ㉡생산의 사업(事業). 농업·공업·어업 등.
[產蓐 산욕] 산욕(產褥).
[產褥 산욕] 해산할 때에 산모가 까는 요.
[產月 산월] 산삭(產朔).
[產前 산전] 해산하기 전. 아이를 낳기 전.
[產地 산지] ㉠사람이 출생한 곳. 출생지. 생지(生地). ㉡산물이 나온 곳.
[產出 산출] ㉠산물이 나옴. ㉡생산하여 냄.

[產婆 산파] 해산할 때에 아이를 받고 산모를 구호(救護)하는 것을 업으로 삼는 여자. 조산원(助產員).
[產後 산후] 아이를 낳은 뒤. 해산한 뒤.
◉家產. 甲產. 蹇產. 經產. 共產. 鑛產. 國產. 禁治產. 難產. 農產. 倒產. 同產. 動產. 末產. 名產. 無產. 物產. 半產. 不動產. 死產. 私產. 生產. 小產. 所產. 水產. 授產. 殖產. 安產. 量產. 有產. 流產. 遺產. 陸產. 理產. 異產. 貲產. 資產. 財產. 定產. 助產. 中產. 增產. 天產. 畜產. 出產. 治產. 土產. 破產. 恒產. 海產.

6 ⑪ [産] 產(前條)과 同字

7 ⑫ [甥] 人名 생 ㊥庚 所庚切 shēng

字解 ①생질 생 자매의 아들. '汾王之―'《詩經》. ②사위 생 딸의 남편. '―館'. '帝館―于貳室'《孟子》. ③성 생 성(姓)의 하나.
字源 篆文 形聲. 男+生〔音〕. '生생'은 '태어나다'의 뜻. 자매(姉妹)가 낳은 아들의 뜻을 나타냄.

[甥館 생관] 사위가 거처하는 방.
◉舅甥. 國甥. 彌甥. 壻甥. 外甥. 姪甥.

7 ⑫ [甠] 甥(前條)과 同字

7 ⑫ [甤] 유 ㊥支 儒隹切 ruí

字解 ①열매맺힐 유 '――'는 초목의 열매가 다닥다닥 맺히는 모양. ②새끼많이낳을 유 돼지 새끼가 많이 태어남. ③꽃술 유.
字源 篆文 形聲. 生+豕〔音〕. '豕시'는 '돼지'. 돼지 새끼를 많이 낳다의 뜻을 나타냄. 파생하여, 초목의 열매가 주렁주렁 매달린 모양을 나타냄.

7 ⑫ [甦] 人名 소 ㊥虞 孫租切 sū

字解 소생할 소 蘇(艸部 十六畫)와 同字. '蒼生―息'《梁文帝》.
字源 會意. 生+更. '更경'은 '고치다, 바뀌다'의 뜻. 다시 살아나다의 뜻을 나타냄.

9 ⑭ [甦] 甦(前條)의 本字

用 (5획) 部
〔쓸용부〕

0 ⑤ [用] 中人 용 ㊤宋 余頌切 yòng

筆順 丿 冂 月 月 用

字解 ①쓸 용 ㉠부림. '使―'. '晉實―之'《左傳》. ㉡인물을 끌어 씀. '登―'. '任―'. '試―之'《漢書》. ㉢남의 말을 들어 줌. '―言'. '何鄕者慕―之誠, 後相背之盭也'《漢書》. ㉣행함. '―刑'. '焉―稼'《論語》. ㉤행동함. '愚而好自―'《中庸》. ②쓰일 용 전항의 피동사. '孔子始―於魯, 云云, ―三年, 男子行乎塗右, 女子行乎塗左'《呂氏春秋》. ③씀씀이 용 경비. '費―'. '節―而愛人'《論語》. ④쓸데 용 용도. '有財此有―'《大學》. ⑤작용 용, 효용 용 영향을 미치는 힘. 공능(功能). '運―'. '禮之―, 和爲貴'《論語》. ⑥재물 용 재화. 자력(資力). '財―'. '吾―多'《戰國策》. ⑦그릇 용 도구. '器―'. ⑧써 용 以(人部 三畫)와 같은 뜻. '是―'은 '是以'와 뜻이 같음. '居門下者, 皆―爲恥'《史記》. ⑨성 용 성(姓)의 하나.
字源 甲骨文 金文 篆文 古文 象形. 용종(甬鐘)이라는 종의 象形. '鏞용'의 原字. 이 종의 꼭지를 잡고 들어 올리다의 뜻에서, 파생하여 끌어 쓰다, 쓰다의 뜻을 나타냄.
參考 주로 자형(字形) 분류상 부수(部首)로 설정됨. 부수 이름은 '쓸용'.

[用奸 용간] 간사한 꾀로 남을 속임.
[用間 용간] 반간(反間)을 보냄. 간첩을 씀.
[用功 용공] 공부함.
[用管闚天 용관규천] 대롱 구멍으로 하늘을 본다는 뜻으로, 식견이 좁음의 비유. 관중규표(管中窺豹).
[用具 용구] 쓰는 기구(器具). 용기(用器).
[用權 용권] 권세를 마음대로 부림.
[用器 용기] 기구(器具)를 사용함. 사용하는 그릇. 소용되는 기구.
[用度 용도] 드는 비용(費用). 씀씀이.
[用途 용도] 쓰이는 길. 쓰이는 곳.
[用力 용력] 힘을 씀.
[用例 용례] ㉠쓴 전례(前例). ㉡쓰는 사례(事例). 쓰이는 본보기. 보기.
[用命 용명] 윗사람의 명령을 받듦.
[用務 용무] 볼일.
[用武之地 용무지지] 전쟁을 하기에 적당한 곳. 요해처(要害處).
[用法 용법] 쓰는 법.
[用兵 용병] 무기(武器)를 사용함. 전쟁을 함. 또, 군사(軍士)를 부림. 군대를 조종(操縱)함.
[用不盡 용부진] 이루 다 쓸 수 없음. 무한(無限)함.
[用不用 용불용] 필요함과 필요하지 않음.
[用費 용비] 쓰는 비용(費用).
[用私 용사] 사정(私情)을 둠.
[用舍 용사] 용사(用捨).
[用事 용사] ㉠하여야 할 일. 필요한 사항. 용건(用件). ㉡요로(要路)에 있어 정권(政權)을 좌지우지(左之右之)함. 권세를 마음대로 부림.
[用捨 용사] 씀과 버림. 또, 채용당함과 채용되지 않음.
[用舍行藏 용사행장] 세상에 쓰일 때는 자기의 도(道)를 행하고 버림받을 때는 물러가 숨음. 진퇴 출처(進退出處)를 적절하게 함.
[用色 용색] 색(色)을 씀. 남녀가 서로 교접(交接)함.
[用水 용수] 물을 사용함.
[用心 용심] 마음을 씀.

[用語 용어] 사용하는 언어. 쓰는 말.
[用言 용언] ㉠남의 말을 들음. 남의 의견을 채택함. ㉡어미(語尾)가 변화하는 말. 곧, 동사·형용사 같은 것.
[用意 용의] 마음을 씀. 정신을 차림.
[用人 용인] 사람을 씀.
[用才 용재] 재능이 있는 사람을 씀.
[用材 용재] ㉠사용하는 재목. ㉡사용하는 재료.
[用錢 용전] ㉠돈을 씀. ㉡수수료(手數料).
[用錢如水 용전여수] 돈을 물같이 흔하게 씀.
[用紙 용지] 어떤 일에 쓰는 종이.
[用之不渴 용지불갈] 암만 써도 없어지지 아니함.
[用之則爲虎不用則爲鼠 용지즉위호불용즉위서] 사람을 중요한 지위에 임용(任用)하면 범 같은 위세(威勢)가 있으나, 쓰지 않으면 쥐처럼 숨게 됨의 비유.
[用處 용처] 쓸 곳. 쓰이는 방면.
[用錐指地 용추지지] 조그마한 식견(識見)으로 큰 이치(理致)를 살핌. 식견(識見)이 좁아 관찰(觀察)의 범위가 일부분에 지나지 않음을 이름.
[用筆 용필] ㉠붓을 쓰는 방법. 운필(運筆). ㉡붓을 씀. ㉢쓰는 붓.
[用賢 용현] 어진 이를 등용함.
[用嫌 용혐] 남에게 혐원(嫌怨)을 품음.
[用刑 용형] 형벌을 행함.
◉剛戾自用. 擧用. 兼用. 經用. 雇用. 公用. 共用. 供用. 功用. 慣用. 國用. 軍用. 急用. 器用. 起用. 濫用. 耐用. 內用. 路用. 當用. 大器小用. 大用. 代用. 德用. 盜用. 棟梁用. 登用. 妙用. 無用. 無用之用. 柄用. 實用. 服用. 復用. 賦用. 不用. 費用. 聘用. 私用. 使用. 算用. 商用. 善用. 選用. 歲用. 小用. 所用. 俗用. 收用. 施用. 試用. 食用. 信用. 實用. 惡用. 愛用. 藥用. 兩用. 逆用. 誤用. 外用. 要用. 運用. 援用. 有用. 流用. 飮用. 應用. 利用. 引用. 日用. 任用. 自用. 資用. 作用. 雜用. 財用. 適用. 轉用. 節用. 尊用. 遵用. 重用. 徵用. 借用. 着用. 采用. 採用. 聽用. 體用. 楚材晉用. 寵用. 充用. 致用. 擢用. 通用. 佩用. 嚮用. 混用. 活用. 效用. 動用.

1
⑥ [甪] 록 [入]屋 盧谷切 lù

[字解] 사람이름 록 '一里先生'은 한(漢)나라 상산(商山)의 사호(四皓)의 한 사람. 일설(一說)에는, 角(部首)의 訛字라 함.

2
⑦ [甫] [人名] 보 ㊤麌 方矩切 fǔ

[筆順] 一 丅 冂 冃 冃 甫 甫

[字解] ①겨우 보 근근이. '神宗崩太子卽位, 一十歲'《十八史略》. ②비로소 보 처음으로. '一從博士爲刺史'《漢書》. ③씨 보 남자의 미칭(美稱). 공자(孔子)를 '尼一'라 하는 따위. '有天王某一'《禮記》. ④자 보 남의 자(字)를 물을 때 '台一'라 함. ⑤클 보 '倬彼一田'《詩經》. ⑥많을 보 많은 모양. 또, 큰 모양. '魴鱮一一'《詩經》. ⑦성 보 성(姓)의 하나.

[字源] 甲骨文 金文 篆文 會意. 屮+田. '屮철'은 풀의 싹의 뜻. '田전'은 경작지의 뜻. 논밭에 모를 널리 심다의 뜻, 넓고 크다의 뜻을 나타냄. 金文부터 用+父〔音〕의 形聲 문자로 변화하여, 오늘날의 '甫보'의 자형이 됨. '父부·보'는 손에 회초리를 든 사람, '아버지'의 뜻. '用용'은 들어 올리다의 뜻. 남자가 사회의 일원으로서 쓰이어서, 아버지의 자격을 얻는다는 뜻에서, '남자'의 미칭으로 쓰임.

[甫甫 보보] 큰 모양. 또, 많은 모양.
◉年甫. 尼甫. 章甫. 衆甫. 台甫.

2
⑦ [甬] [人名] 용 ㊤腫 余隴切 yǒng

[字解] ①길 용 양측(兩側)에 담을 쌓은 길. '築一道'《史記》. ②섬 용, 휘 용 용량의 단위. 열 말들이. 지금의 곡(斛)에 해당함. '角斗一'《禮記》. ③쇠북꼭지 용 종의 손잡이. '舞上謂之一, 一上謂之衡'《周禮》. ④땅이름 용 '一東'은 지금의 저장 성(浙江省) 닝보 부(寧波府). ⑤성 용 성(姓)의 하나.

[字源] 金文 篆文 象形. 용종(甬鐘)이라는 대롱 모양의 꼭지가 달린 종의 모양을 본떠, 그 대롱 모양의 꼭지의 뜻을 나타냄.

[甬道 용도] 양쪽에 담을 쌓은 길.
[甬路 용로] 중앙의 통로가 높고 양쪽이 낮은 '凸' 자 모양으로 된 길.
◉斗甬. 楚甬.

6
⑪ [葡] 비 [去]寘 平祕切 bèi

[字解] 갖출 비, 갖추어질 비 備(人部 十畫)의 古字.

[字源] 甲骨文 金文 篆文 甲骨文은 전동의 象形으로, 화살을 넣어 등에 지는 도구의 뜻에서, 일반적으로 '갖추다'의 뜻을 나타냄. 오늘날의 '備비'의 옛 자형임. 《說文》에서는 用+苟〈省〉의 會意.

7
⑫ [甯] 녕 [去]徑 乃定切 nìng / [平]青 囊丁切 níng

[字解] ①소원 녕 '一, 所欲也'《玉篇》. ②차라리 녕 寧(宀部 十一畫)과 同字. ③성 녕 성(姓)의 하나.

[字源] 篆文 形聲. 用+寧〈省〉〔音〕

[舖] 〔포〕
舌部 九畫(p. 1885)을 보라.

田 (5획) 部
〔밭전부〕

0
⑤ [田] [中人] 전 [平]先 徒年切 tián

[筆順] 丨 冂 日 田 田

[字解] ①밭 전, 논 전 ㉠농작물을 심는 전지. '桑一'. '見龍在一'《易經》. ㉡밭의 모양을 한 것. '鹽一'. 또, 전(轉)하여, 생업(生業)을 영위하

는 사물에도 이름. '硯—'. '紙—'. ②밭갈 전 전지를 경작함. '無—甫田'《詩經》. ③사냥할 전 수렵을 함. 畋(田部 四畫)과 同字. '—獵'. '叔于—'《詩經》. ④성 전 성(姓)의 하나.

字源 甲骨文 田 金文 田 篆文 田 象形. 구획된 사냥터, 경작지의 象形으로, '사냥, 논밭'의 뜻을 나타냄.

參考 '田전'을 의부(意符)로 하여, 논밭, 경작에 관한 문자를 이룸. 부수 이름은 '밭전'.

[田家 전가] 시골의 집. 농가(農家).
[田間 전간] ㉠밭과 밭 사이. ㉡시골. 촌.
[田客 전객] 소작인(小作人). 전객(佃客).
[田車 전거] 사냥에 쓰이는 수레.
[田犬 전견] 사냥개.
[田鷄 전계] 참개구리.
[田功 전공] 백성을 잘 다스린 공. 일설(一說)에는, 농정(農政).
[田券 전권] 전지(田地)의 매도 증서. 또, 관부(官府)에 교부(交付)하는 토지 소유의 문서. 지권(地券).
[田器 전기] 농구(農具).
[田單 전단] 전국 시대(戰國時代)의 제(齊)나라의 장수. 화우(火牛)의 계교를 써서 연군(燕軍)을 격파(擊破)하여 빼앗겼던 70여 성(城)을 수복(收復)하였음.
[田螺 전라] 우렁이.
[田廬 전려] 전가(田家).
[田獵 전렵] 사냥. 수렵(狩獵). 또, 사냥을 함.
[田里 전리] 마을. 촌락(村落).
[田畝 전묘] ㉠논밭. 전지. 전답(田畓). ㉡밭이랑.
[田民 전민] 농민(農民).
[田夫 전부] ㉠농부(農夫). ㉡시골 사람. 야인(野人).
[田父 전부] 농부(農夫). 전부(田夫).
[田賦 전부] 전조(田租).
[田舍 전사] ㉠시골집. 농가(農家). ㉡시골. 촌. ㉢전지(田地)와 집.
[田舍翁 전사옹] 시골 늙은이. 촌 노인. 전수(田叟).
[田舍漢 전사한] 촌사람. 시골뜨기.
[田桑 전상] 전지의 경작과 누에치기. 농경과 양잠. 농상(農桑).
[田鼠 전서] 두더지.
[田墅 전서] 시골집. 전가(田家).
[田稅 전세] 논밭의 구실. 전조(田租).
[田收 전수] 농작물의 수확(收穫).
[田狩 전수] 사냥. 전렵(田獵).
[田叟 전수] 시골 늙은이. 촌 노인.
[田時 전시] 농사철. 농시(農時).
[田野 전야] ㉠논밭. 전답(田畓). 들. ㉡시골. 촌.
[田漁 전어] 사냥과 고기잡이. 어렵(漁獵). 전어(佃漁).
[田業 전업] ㉠농업(農業). ㉡논밭. 전답. 전지(田地).
[田役 전역] 수렵(狩獵)을 시키는 부역(賦役).
[田五加木 전오가목] 야생의 풀의 한 가지. 습지에서 나며 빨간 꽃이 핌.
[田園 전원] ㉠논밭. 전지. 전야(田野). ㉡시골. 교외(郊外).
[田字面 전자면] 네모진 얼굴.
[田子方 전자방] 전국 시대(戰國時代)의 사람. 위(魏)나라 문후(文侯)의 스승.
[田庄 전장] 소유하는 논밭.
[田莊 전장] 전장(田庄).
[田田 전전] ㉠북 치는 소리. 또, 가슴을 두드리는 소리. 전(轉)하여, 울음소리의 형용. ㉡연잎이 여러 개 수면(水面)에 떠 있는 모양. ㉢많은 전지(田地)가 죽 연하여 있는 모양. 전(轉)하여, 물건이 죽 연하여 있는 모양.
[田齊 전제] 전씨(田氏)의 제(齊)나라. 전국 시대(戰國時代)에 여상(呂尙)이 창립(創立)한 제나라를 전씨가 병탄(倂呑)한 것의 일컬음.
[田租 전조] 논밭의 구실. 전답의 조세(租稅).
[田祖 전조] 처음으로 농업을 시작한 사람. 곧, 신농씨(神農氏)를 이름.
[田主 전주] ㉠전지(田地)의 신(神). 전신(田神). ㉡전지 임자. 전답 소유자.
[田疇 전주] ㉠곡식을 심는 논밭과 삼을 심는 밭. ㉡전답. 전지(田地). 또, 논두렁이나 밭두둑.
[田畯 전준] 주대(周代)에 농업을 장려하는 일을 맡은 벼슬아치.
[田塍 전증] 밭두둑.
[田地 전지] ㉠경작하는 땅. 논밭. ㉡장소. 지점(地點).
[田車 전차] 전거(田車).
[田宅 전택] 전답과 주택.
[田圃 전포] 논밭. 전답(田畓).
[田鶴 전학] 학(鶴)의 별칭(別稱). 논에 많이 있으므로 이름.
[田洫 전혁] 전답 사이의 도랑.
[田橫 전횡] 제왕(齊王) 전영(田榮)의 아우. 후에 자립(自立)하여 제왕(齊王)이 되었다가 한고조(漢高祖)가 천하를 통일한 후에 그의 도당 500여 명을 거느리고 섬으로 도망하여 마침내 자살하였음.
[田橫島 전횡도] 전횡(田橫)이 한고조(漢高祖)를 피하여 달아난 섬. 산둥 성(山東省)에 있음.

◉墾田. 耕田. 頃田. 膏田. 公田. 公廨田. 瓜田. 區田. 歸田. 圭田. 均田. 藍田. 鹵田. 弄田. 丹田. 代田. 屯田. 縵田. 名田. 墓田. 美田. 薄田. 班田. 方田. 騈田. 甫田. 服田. 福田. 葑田. 悲田. 私田. 賜田. 山田. 桑田. 生田. 石田. 獮田. 小田. 水田. 守田. 狩田. 搜田. 蒐田. 熟田. 乘田. 食田. 新田. 秧田. 良田. 樣田. 穰田. 力田. 硯田. 鹽田. 鹽田. 永業田. 塋田. 營田. 沃田. 原田. 爰田. 園田. 轅田. 油田. 游田. 猶獲石田. 陸田. 隱田. 義田. 藉田. 莊田. 井田. 臍下丹田. 種玉藍田. 職分田. 職田. 滄海桑田. 采田. 靑田. 寸田. 治國若鎒田. 治田. 炭田. 阪田. 票田. 閒田.

0
⑤ [甲] 中人 갑 入洽 古狎切 jiǎ

筆順 丨 冂 日 日 甲

字解 ①첫째천간 갑 십간(十干)의 제일 위(第一位). '—子'. '太歲在—曰閼逢, 月在—曰畢'《爾雅》. ②첫째 갑 ㉠제일 위. 또, 최상(最上). '—富'. '北闕—第'《張衡》. ㉡둘 이상 있는 중에서 처음 것을 나타내는 대명사. 곧, 순번의 첫째. '兄弟二人, —某乙某' ③첫째갈 갑 제일 위임. 또, 최상이 됨. '臣萬乘之魏, 而—秦楚'《戰國策》. ④시작할 갑 '—于內亂'《書經》. ⑤껍질 갑 초목·과실 등의 싹을 싸고 있는 얇은 껍질. '孚—'. '雷雨作, 而百果草木, 皆—坼'《易

經》. ⑥껍데기 갑 거북·게 따위의 등에 있는 단단한 껍질. '一殼'. '龜一'. '虎爪而有一'《山海經》. ⑦갑옷 갑 전쟁 때 화살 등을 막기 위하여 입는 옷. '一胄'. 또, 갑옷을 입은 군사. '伏一'. '秦下一攻趙'《戰國策》. ⑧손톱 갑 '爪一'. '陰生金與一'《管子》. ⑨등 갑 배면(背面). '手一'. ⑩친압할 갑 狎(犬部 五畫)과 통용. '能不我一'《詩經》. ⑪반 갑 송대(宋代)에, 십 호(十戶)를 한 조(組)로 한 자치 단체. '保一'. '紹興三十一年, 詔淮漢間, 取主戶之雙丁十戶爲一, 五一爲團'《正字通》. ⑫아무 갑 이름의 대용으로 쓰는 말. '奮長子建, 次子一, 次子乙'《史記》. ⑬성 갑 성(姓)의 하나.

字源 甲骨文 甲骨文 金文 金文 篆文 篆文 古文 象形. 거북의 등딱지의 象形. '등딱지, 껍데기'의 뜻을 나타냄. 假借하여, 천간의 첫째로 쓰임.

[甲殼 갑각] 게·새우 등의 피부가 석회질(石灰質)로 말미암아 단단하게 된 등딱지.
[甲干 갑간] 갑옷을 입고 방패를 가진 병사.
[甲鎧 갑개] 갑옷.
[甲科 갑과] 과거(科擧)의 최고의 과목. 또, 이 과거에 첫째로 급제하는 일. 장원(壯元).
[甲館 갑관] 도서관(圖書館).
[甲觀 갑관] ㉠일류의 저택. 훌륭한 저택. ㉡성내(城內)에 지은 저택.
[甲年 갑년] 《韓》 예순한 살 되는 해. 환갑(還甲)의 해.
[甲喇 갑라] 청(淸)나라의 제도(制度)로, 팔기병(八旗兵)의 하나. 1,500명으로 조직되었음.
[甲令 갑령] 법령의 제1조, 또는 제1편. 영갑(令甲).
[甲門 갑문] 갑족(甲族).
[甲班 갑반] 《韓》 갑족(甲族).
[甲榜 갑방] 진사(進士)에 급제하는 일. 진사는 중국에서는 대과(大科)임. 을방(乙榜)의 대(對).
[甲兵 갑병] ㉠갑사(甲士). ㉡갑옷과 무기. ㉢전쟁(戰爭).
[甲部 갑부] '경부(經部)'와 같음. '사고(四庫)'를 보라.
[甲富 갑부] 첫째가는 부자. 일류의 부호.
[甲士 갑사] 갑옷을 입은 군사. 무장(武裝)한 군사. 군사는 대개 갑옷을 입으므로, 전(轉)하여 일반적으로 군사를 이름.
[甲舍 갑사] 갑관(甲觀).
[甲首 갑수] ㉠갑옷을 입은 포로(捕虜)를 세는 말. ㉡갑옷을 입은 군사의 머리.
[甲夜 갑야] 초저녁. 지금의 오후 여덟 시경. 초경(初更).
[甲魚 갑어] 자라.
[甲宴 갑연] 《韓》 환갑잔치. 회갑연(回甲宴).
[甲乙 갑을] ㉠십간(十干) 중의 갑(甲)과 을(乙). ㉡낫고 못함. 우열(優劣). ㉢아무개와 아무개. 아무아무. 모모(某某).
[甲子 갑자] ㉠십간(十干)과 십이지(十二支). 간지(干支). ㉡육십갑자(六十甲子)의 첫째. ㉢연월(年月). 나이. 연령(年齡).
[甲第 갑제] ㉠갑관(甲觀). ㉡갑과(甲科).
[甲族 갑족] 지체가 썩 높은 집안. 세가(世家).
[甲卒 갑졸] ㉠갑사(甲士). ㉡정예(精銳)한 군사. 정병(精兵).
[甲胄 갑주] 갑옷과 투구. 갑옷은 화살이나 창검(槍劍)을 막기 위하여 가죽이나 쇳조각의 미늘을 붙여 만들고 투구는 가죽 또는 쇠로 만들어 여러 가지 무늬를 새김.

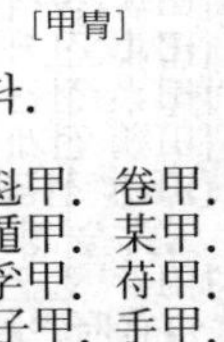
[甲胄]

[甲胄生蟣蝨 갑주생기슬] 전쟁이 오래 계속되어 갑옷과 투구에 이가 끓음.
[甲刹 갑찰] 제일가는 큰 절.
[甲鐵艦 갑철함] 철판(鐵板)을 두른 군함.
[甲坼 갑탁] 싹이 틈.
[甲板 갑판] 배 위의 나무판자 또는 철판(鐵板)을 깐 넓고 평평한 바닥.
[甲革 갑혁] 가죽으로 만든 갑옷.
◉介甲. 鎧甲. 堅甲. 戈甲. 裹甲. 魁甲. 卷甲. 龜甲. 金甲. 鏤甲. 帶甲. 同甲. 遁甲. 某甲. 文甲. 鼈甲. 兵甲. 保甲. 伏甲. 孚甲. 苻甲. 莩甲. 上甲. 犀甲. 素甲. 鎖甲. 鎖子甲. 手甲. 戍甲. 首甲. 兕甲. 芽甲. 顔甲. 偃甲. 令甲. 戎甲. 義甲. 鱗甲. 裝甲. 赤甲. 田甲. 鼎甲. 精甲. 周甲. 蜩甲. 穿甲. 綴甲. 鐵甲. 村甲. 衷甲. 貝甲. 敝甲. 合甲. 蟹甲. 玄甲. 華甲. 擐甲. 回甲. 胸中鱗甲.

0
⑤ [申] 中人 신 ㊥眞 失人切 shēn

筆順 丨 ㄇ 日 申

字解 ①아홉째지지 신 십이지(十二支)의 제구위. 시각으로는 오후 세 시부터 다섯 시까지. 방위로는 서남서(西南西). 띠로는 원숭이. '太歲在一, 曰涒灘'《爾雅》. ②거듭할 신 되풀이함. '一諭'. '以一命'《易經》. ③이야기할 신 말함. 진술함. '一令'. '命閣尹, 一宮令'《呂氏春秋》. ④아뢸 신 사룀. '一奏'. '官府吏文一請于上者, 曰一曰覆'《正字通》. ⑤펼 신 伸(人部 五畫)과 同字. '行止屈一, 與時息兮'《班彪》. ⑥기지개켤 신 伸(人部 五畫)과 同字. '熊經鳥一'《莊子》. ⑦보낼 신 문서를 보냄. 송치(送致)함. '所以一信'《禮記》. ⑧환할 신 명확함. '罪無一證'《後漢書》. ⑨성 신 성(姓)의 하나.

字源 甲骨文 金文 篆文 古文 古文 籒文 象形. 번개가 치는 모양을 본떠, '펴지다, 뻗다'의 뜻, 하늘의 신(神)의 뜻을 나타냄.
參考 성(姓)으로서는, 속(俗)에 '납신'이라 훈(訓)함.

[申儆 신경] 신칙(申飭).
[申戒 신계] 되풀이하여 훈계함.
[申告 신고] 관청에 보고함.
[申誥 신고] 훈계를 함.
[申救 신구] 해명(解明)하여 구원함.
[申旦 신단] 밤부터 그 이튿날 아침까지.
[申達 신달] 통지함.
[申呂 신려] 신후(申侯)와 여후(呂侯). 주(周)나라 선왕(宣王) 때의 중흥(中興)의 명신(名臣).
[申令 신령] 명령을 말함. 또, 그 명령.
[申理 신리] 억울한 사람을 위하여 변명함. 해명하여 줌.
[申末 신말] 신시의 마지막 시각(時刻). 곧, 오후

다섯시 조금 전.
[申盟 신맹] 거듭 맹세함. 되풀이하여 맹세함.
[申明 신명] 되풀이하여 설명함.
[申聞鼓 신문고] 《韓》 백성(百姓)이 원통(冤痛)한 일을 호소(呼訴)할 때에 치던 북. 대궐(大闕) 문루(門樓)에 달아 두었음.
[申白 신백] 사실을 자세히 사뢲.
[申報 신보] 알림. 또, 통지.
[申商 신상] 전국 시대(戰國時代)의 형명가(刑名家). 신불해(申不害)와 상앙(商鞅). 또, 그 형명 법술(刑名法術)의 학문.
[申時 신시] ㉠12시의 아홉째 시. 곧, 오후 3시부터 다섯 시까지. ㉡24시의 열일곱째 시. 곧, 오후 3시 반부터 4시 반까지.
[申申 신신] ㉠되풀이하는 모양. 반복하는 모양. ㉡삼가는 모양.
[申申付託 신신부탁] 몇 번이고 연거푸 간절히 하는 부탁.
[申申如 신신여] 언행(言行)이 조용한 모양. 한가로운 모양.
[申嚴 신엄] 되풀이하여 엄중히 단속함.
[申冤 신원] 원죄(冤罪)를 해명함.
[申諭 신유] 되풀이하여 타이름.
[申前 신전] 신시(申時) 전(前). 곧, 오후 3시 전.
[申正 신정] 신시의 한가운데. 곧, 오후 4시.
[申奏 신주] 아룀. 또, 그 서면(書面).
[申證 신증] 명확한 증거.
[申請 신청] 신고하여 청구함.
[申初 신초] 신시(申時)의 첫 시각(時刻). 곧, 오후 3시.
[申勅 신칙] 신칙(申飭).
[申飭 신칙] 알아듣도록 거듭 타이름. 되풀이하여 훈계함.
[申託 신탁] 신신부탁(申申付託).
[申韓 신한] 전국 시대(戰國時代)의 신불해(申不害)와 한비자(韓非子). 모두 형명가(刑名家)임.
[申解 신해] 설명함.
◉具申. 屈申. 內申. 答申. 伏申. 三令五申. 上申. 燕申. 熊經鳥申. 追申.

0
⑤ [由] [中人] 유 ㊥尤 以周切 yóu

[筆順] 丨 冂 曰 由 由

[字解] ①말미암을 유 ㉠겪어 지나옴. 경력함. '觀其所―'《論語》. ㉡인연을 얻음. '願見無―達'《儀禮》. ㉢말미암아. 인하여. '―是觀之'《孟子》. ②좇을 유 따름. 본받음. '率―' '可使―之'《論語》. ③부터 유 기점(起點)을 나타내는 말. 自(部首)·從(彳部 八畫)과 뜻이 같음. '―湯至於武丁'《孟子》. ④쓸 유 ㉠사용함. '君子不―也'《荀子》. ㉡등용함. '不能―吾子'《左傳》. ⑤행할 유 실행함. '率―典常'《書經》. ⑥자득할 유 스스로 흡족하게 여기는 모양. '――焉與之偕'《孟子》. ⑦까닭 유 이유. '―來'. '原―'. '易初本―'《史記》. ⑧오히려 유 猶(犬部 九畫)와 同字. '王―足用爲善'《孟子》. ⑨움 유 초목의 싹. '若顚木之有―蘖'《書經》. ⑩성 유 성(姓)의 하나.
[字源] 甲骨文 篆文 象形. 바닥이 깊은 술 단지의 象形. 假借하여, '말미암다'의 뜻을 나타냄. 《說文》에서는 '繇유'의 別體로서 수록하고 있음.

[由來 유래] ㉠사물(事物)의 내력(來歷). ㉡본디. 전부터. 원래(元來).
[由緖 유서] 내력(來歷). 유래(由來).
[由旬 유순] 《佛敎》 유순나(由旬那)의 약칭(略稱).
[由旬那 유순나] 《佛敎》 범어(梵語) yojana의 음역(音譯). 길의 거리(距離). 곧, 노정(路程)의 단위. 30리·40리·60리의 제설(諸說)이 있음. 이(里)는 360보(步). 유순(由旬).
[由是觀之 유시관지] 이 일로 미루어 생각하면. 위를 받아 아래를 꺼내는 말.
[由蘖 유얼] 움. 또 곁가지.
[由衍 유연] 서완(舒緩)한 모양.
[由緣 유연] ㉠내력(來歷). 유래(由來). ㉡인연(因緣).
[由由 유유] ㉠스스로 만족하는 모양. ㉡기뻐하는 모양. 즐거워하는 모양. ㉢주저하는 모양. 망설이는 모양.
◉經由. 來由. 斷由. 事由. 所由. 緣由. 原由. 遠由. 夷由. 理由. 因由. 自由. 準由. 遵由. 職由. 解由.

1
⑥ [甶] [一] 불 ㊅物 分勿切 fú
[二] 비 ㊄未 方未切

[字解] [一] 귀신머리 불 '―, 鬼頭也'《說文》. [二] 귀신머리 비 [一]과 뜻이 같음.
[字源] 象形. 귀신의 머리의 모양을 본뜸.

2
⑦ [男] [中人] 남 ㊥覃 那含切 nán

[筆順] 丨 冂 日 田 田 男 男

[字解] ①사내 남 ㉠남자. '―女'. '乾道成―, 坤道成女'《易經》. ㉡정부(情夫). '此女欲奔―之辭'《詩經箋》. ②젊은이 남 장정. '丁―'. '民有二―以上'《史記》. ③아들 남 자식. '買有五―'《史記》. ④남작 남 오등작(五等爵)의 최하급. '公侯伯子―'. ⑤성 남 성(姓)의 하나.
[字源] 甲骨文 金文 篆文 會意. 田+力. '田전'은 논밭의 象形. '力력'은 힘센 팔의 象形. 논밭에서 일하는 일꾼, '사나이'의 뜻을 나타냄.

[男系 남계] 남자 쪽의 혈통.
[男工 남공] 남자(男子) 직공(職工).
[男根 남근] 자지, 곧 음경(陰莖)의 별칭(別稱).
[男女 남녀] 남자(男子)와 여자(女子).
[男女老少 남녀노소] 남자와 여자와 늙은이와 젊은이. 모든 사람.
[男女同權 남녀동권] 남자(男子)와 여자(女子)가 그 사회상의 권리(權利)에 있어서 동등(同等)하여 차별(差別)이 없음.
[男女貿功 남녀무공] 남녀가 각각 다른 일을 하여 서로 도움.
[男女有別 남녀유별] 남녀(男女) 사이에는 분별(分別)이 있음.
[男妹 남매] 오라비와 누이. 또, 오라비와 누이의 관계. 오누이.
[男負女戴 남부여대] 짐을 남자(男子)는 등에 지고 여자(女子)는 머리에 이고 감.
[男相 남상] 남자의 얼굴처럼 생긴 여자의 얼굴 모양.

[男色 남색] 사내들끼리 행하는 간음(姦淫). 비역. 계간(鷄姦).
[男性 남성] ㉠사내. 남자(男子). ㉡남자(男子)의 성질(性質) 및 체질(體質).
[男聲 남성] 남자(男子)의 음성.
[男僧 남승] 남자 중.
[男兒 남아] ㉠사내아이. ㉡사내.
[男子 남자] ㉠사내아이. ㉡사내. ㉢대장부(大丈夫).
[男子居外女子居內 남자거외여자거내] 남자(男子)는 밖에 있고 여자(女子)는 안에 있다는 뜻으로, 그 구별이 명확하다는 말.
[男子不死於婦人之手 남자불사어부인지수] 남자는 부인의 손에 안겨 죽지 아니함. 남녀가 유별(有別)함을 이름.
[男爵 남작] 오등작(五等爵)의 맨 끝 작위.
[男裝 남장] 여자(女子)가 남복(男服)을 입고 남자 모양으로 꾸밈.
[男丁 남정] 15세 이상의 사내.
[男尊女卑 남존여비] 사회상의 권리(權利)·지위(地位)에 있어서 남자(男子)는 높고 여자는 낮음.
[男左女右 남좌여우] 음양설(陰陽說)에서 왼쪽은 양(陽)이고 오른쪽은 음(陰)이므로, 남자(男子)는 왼쪽을 숭상하고 여자(女子)는 오른쪽을 숭상한다는 말.
[男唱 남창] 여자가 남자의 목소리로 부르는 노래.
[男娼 남창] 남색(男色)을 파는 사람.
[男欣女悅 남흔여열] 부부가 화락(和樂)함.
◉公侯伯子男. 奇男. 童男. 美男. 庶男. 善男. 聖男. 息男. 長男. 嫡男. 丁男. 次男. 快男.

2 ⑦ [町] 人名 정 ㊥青 他丁切 tǐng / ㊤迥 他鼎切

筆順 丨 冂 冃 田 田 田一 町

字解 ①밭두둑 정 밭의 둔덕. '一畦'. '一原防'《左傳》. ②경계 정 구역. '彼且爲無一畦'《莊子》. ③《韓》 정 정 지적(地積)의 단위. 3천 평(坪). 약 9,930제곱미터.

字源 篆文 形聲. 田+丁〔音〕. '丁정'은 못을 때려 박다의 뜻. 논밭의 경계에 못처럼 박힌 두둑길, '경계'의 뜻을 나타냄.

[町畽 정탄] 마당. 일설(一說)에는, 사슴의 발자취.
[町畦 정휴] ㉠밭두둑. ㉡경계. 구역.
◉鉤町. 接町. 畦町.

2 ⑦ [甽] 〔견〕 畎(田部 四畫〈p. 1464〉)의 古字

2 ⑦ [甸] 人名 전 ①-⑦㊀霰 堂練切 diàn / ⑧㊥先 亭年切 tián

筆順 ノ 勹 勹 句 句 甸 甸

字解 ①경기 전 상고(上古) 때의 왕도(王都) 주위 500리 이내의 지역. 천자가 직할(直轄)하는 땅임. '畿一'. '五百里, 一服'《書經》. ②육십사정 전 주대(周代)의 세법(稅法)에서, 64정(井)의 지적(地積). 병거(兵車) 일승(一乘)·병사 75인을 내는 토지. '十六井爲丘, 四丘六十四井曰一'《禮記 註》. ③성밖 전 교외. '郊一'. '郭外曰郊, 郊外曰一'《左傳 註》. ④경계 전 구역. '區一分其內外'《南史》. ⑤벼슬이름 전 교야(郊野)를 맡은 벼슬. '磬于一人'《禮記》. ⑥다스릴 전 백성을 다스림. '俊民一四方'《書經》. ⑦농산물 전 전답의 산물. '納一於有司'《禮記》. ⑧사냥할 전 田(部首)과 同字. '大一'《周禮》.

字源 金文 篆文 形聲. 勹+田〔音〕. '田전'은 사냥·논밭의 象形. '勹포'는 '둘러싸다'의 뜻. 왕성을 둘러싼 주위 5백 리 이내의 땅의 뜻을 나타냄.

[甸服 전복] 주대(周代) 오복(五服)의 하나. 왕기(王畿) 주위(周圍)로부터 5백 리 이내의 일컬음. '오복(五服)' 참조.
[甸役 전역] 사냥. 수렵(狩獵).
[甸人 전인] 공전(公田)을 맡은 벼슬이름.
[甸甸 전전] 수레의 소리가 요란한 모양.
[甸地 전지] 교외(郊外)의 땅을 이름.
[甸侯 전후] 전복(甸服)의 땅에 있는 제후(諸侯).
◉郊甸. 區甸. 畿甸. 大甸. 緬甸. 畝甸. 邦甸. 師甸. 千甸. 衷甸. 寰甸. 侯甸.

2 ⑦ [甹] 병 ㊥青 普丁切 pīng

字解 ①끌 병 꾐. 악(惡)으로 끌어 넣음. ②말 빠를 병 성급하게 말함.

字源 金文 篆文 會意. 由+丂. '由유'는 주둥이가 작은 술 단지의 象形. '丂고'는 기(氣)가 펴이지 않고 막히는 모양. 막혀 있던 기가 한꺼번에 입으로 나옴, 말씨가 빠르다의 뜻을 나타냄.

2 ⑦ [甼] 유 ㊥尤 夷周切 yóu

字解 ①순 유 넘어진 나무의 그루터기에서 나는 순. '若顚木之有一枿'《古商書》. ②산굴 유 岫(山部 五畫)와 통용.

字源 篆文 形聲. 丂+由〔音〕

3 ⑧ [畂] 一 류 ㊀有 力救切 liù / 二 구 ㊀有 居又切 jiù

字解 一 밭백묘(百畝) 류 '一, 百畮也'《字彙》. 二 밭갈 구 논밭을 갊. 㽗(土部 七畫)와 同字. '㽗, 耕隴中, 或作一'《集韻》.

3 ⑧ [畀] 비 ㊀寘 必至切 bì

字解 줄 비 남에게 넘김. '不一洪範九疇'《書經》.

字源 篆文 會意. 田+丌. '由비·불'은 시루 안에 까는 시룻밑의 象形. 시룻밑을 대(臺) 위에 놓는 모양으로, '箅폐'의 原字. 假借하여, 나누어서 주다의 뜻으로 쓰임. 《說文》에서는, 丌+由〔音〕의 形聲.

3 ⑧ [甿] 맹 ㊥庚 莫耕切 méng

字解 백성 맹 ㉠농민. 氓(氏部 四畫)과 同字. '以田里安一'《周禮》. ㉡무식한 백성. '北郭者, 盡屨縷之一也'《管子》.

字源 篆文 形聲. 田+亡〔音〕. '亡망'은 '어둡다, 무식하다'의 뜻. 경작에 종사하는 무

식한 백성의 뜻을 나타냄.

◉安甿.

3 ⑧ [甾] 치 ㊥支 莊持切 zī

字解 ①꿩 치 '翟類有六曰翬曰搖曰壽曰一曰希曰蹲'《周禮 註》. ②장군 치 '一, 說文, 東楚名缶曰一'《集韻》.

字源 篆文 象形. 본래의 자형은 '甶'이며, 거기에 '巛천'이 더해진 '甾'가 옳지만, '甾'로 잘못 쓰이고, 다시 '甾치'와 혼동되어 쓰이게 됨. '甶'는 장군의 象形이며, '巛'은 수증기의 象形임.

參考 甾(田部 四畫)는 別字.

3 ⑧ [畖] 〔견〕 甽(田部 四畫〈p.1464〉)의 古字

3 ⑧ [甽] 〔견〕 甽(田部 四畫〈p.1464〉)의 古字

字源 甽의 籒文 形聲. 田+川〔音〕

3 ⑧ [画] 〔화〕 畫(田部 七畫〈p.1470〉)와 同字

3 ⑧ [画] 〔화〕 畫(田部 七畫〈p.1470〉)와 同字

3 ⑧ [畄] 〔류〕 留(田部 五畫〈p.1465〉)의 俗字

3 ⑧ [备] 〔비〕 備(人部 十畫〈p.167〉)의 簡體字

4 ⑨ [界] 中人 계 ㊤卦 古拜切 jiè

筆順 丨 冂 冃 田 田 毘 界 界 界

字解 ①지경 계 토지의 경계. '疆一'. '域民不以封疆之一'《孟子》. ②한계 계 한정. '一限'. '以禮爲一'《後漢書》. 전(轉)하여, 장소. 범위. '學一'. '社交一'. '欲一之仙都'《陶弘景》. ③경계삼을 계 경계를 삼음. 또, 경계를 접함. '與秦壤一'《戰國策》. ④이간할 계 사이를 떼어 놓음. '范睢一涇陽'《揚雄》.

字源 篆文 形聲. 田+介〔音〕. '介개'는 '갑옷'의 뜻. 다른 것과 구분 짓기 위한 논밭의 경계의 뜻을 나타냄.

參考 ①畍(田部 四畫)는 同字. ②堺(土部 九畫)는 俗字.

[界說 계설] 정의(定義).
[界約 계약] 국경(國境)을 정하여 이를 준수(遵守)하는 조약.
[界域 계역] 경계(境界).
[界隈 계외] 근처.
[界紙 계지] 인찰지(印札紙). 괘지(罫紙).
[界標 계표] 경계를 나타낸 표지.
[界限 계한] ㉠구획(區劃). 한계(限界). ㉡경계(境界).

◉各界. 疆界. 結界. 經界. 境界. 苦界. 空界. 國界. 內界. 隴界. 魔界. 冥界. 迷界. 畔界. 蕃界. 法界. 邊界. 福界. 封界. 部界. 分界. 佛界. 斯界. 三界. 三千世界. 上界. 色界. 生物界. 仙界. 世界. 俗界. 視界. 十界. 眼界. 壤界. 靈界. 業界. 欲界. 外界. 幽界. 六千世界. 銀世界. 夷界. 人界. 隣界. 磁界. 財界. 政界. 淨界. 租界. 塵界. 天界. 泉界. 天上界. 出版界. 他界. 下界. 學界. 限界. 香界. 花界.

4 ⑨ [畍] 界(前條)와 同字

4 ⑨ [畏] 高人 외 ㊤未 於胃切 wèi

筆順 丨 冂 冃 田 田 甼 畏 畏 畏

字解 ①두려워할 외 ㉠경외(敬畏)함. '一服'. '一敬'. '一天命'《論語》. ㉡무서워함. '一懼'. '一縮'. '是一三軍者也'《孟子》. ㉢삼가고 조심함. '一愼'. '子一於匡'《論語》. ㉣꺼려 함. '一忌'. '魚不一網'《莊子》. ②두려움 외 전항(前項)의 명사. '君子有三一'《論語》. ③성 외 성(姓)의 하나.

字源 甲骨文 金文 篆文 古文 會意. 甲骨文·金文은 鬼+卜. '鬼귀'는 보통과 다른 것의 象形. '卜복'은 채찍의 象形. 요상한 것이 채찍을 들고 있는 모양에서, '두려워하다'의 뜻을 나타냄.《說文》에서는, 田+虎〈省〉의 會意. '田불·비'는 귀신의 머리의 象形. '虎호'는 '호랑이'의 뜻. '두렵다'의 뜻을 나타냄.

[畏怯 외겁] 두려워하여 겁냄.
[畏敬 외경] 어려워하고 공경함.
[畏恐 외공] 외포(畏怖).
[畏懼 외구] 두려워함.
[畏忌 외기] 두려워하고 꺼림.
[畏愞 외나] 두려워서 풀이 죽음. '愞'는 겁낸다는 뜻.
[畏途 외도] 험준(險峻)하여 몹시 위태로운 길.
[畏斂 외렴] 두려워하여 날뛰지 못함.
[畏薄 외박] 두려워하여 멀리함.
[畏服 외복] 두려워하여 복종함.
[畏附 외부] 외복(畏服).
[畏事 외사] 존경하여 섬김.
[畏懾 외섭] 두려워함.
[畏首畏尾 외수외미] 머리도 두려워하고 꼬리도 두려워함. 두려워하지 않는 데가 없음. 매우 두려워함을 이름.
[畏愼 외신] 삼가고 조심함.
[畏愛 외애] 존경하며 친애(親愛)함.
[畏惡 외오] 두려워하고 미워함.
[畏友 외우] 존경하는 벗.
[畏慄 외율] 두려워하여 떪. 두려워함.
[畏日 외일] 여름의 해. 여름의 이글거리는 태양은 두려워할 만하다는 뜻.
[畏日拘忌 외일구기] 그날의 길흉(吉凶)에 신경(神經)을 씀.
[畏惕 외척] 두려워함.
[畏蜀如虎 외촉여호] 위(魏)나라의 사마의(司馬懿)가 촉한(蜀漢)의 제갈공명(諸葛孔明)을 두려워한 고사(故事).
[畏縮 외축] 두려워하여 몸을 움츠림.

[畏憚 외탄] 두려워하고 꺼림.
[畏怖 외포] 두려워함.
[畏避 외피] 두려워하여 피함.
[畏害 외해] 두려워하고 싫어함.
[畏犧辭聘 외희사빙] 나라를 위하여 목숨 버리기를 두려워하여 임금의 부름을 사퇴함. 장자(莊子)가 일평생 안락하게 지내기 위하여 임금이 벼슬을 시키려고 부른 것을 사퇴한 일을 이름.
◉兼畏. 敬畏. 顧畏. 恭畏. 君子有三畏. 勞畏. 屛畏. 三畏. 慴畏. 疏畏. 羞畏. 愁畏. 猜畏. 抑畏. 嚴畏. 憂畏. 寅畏. 尊畏. 震畏. 天所畏. 天畏. 淸畏. 惴畏. 憚畏. 怖畏. 嫌畏. 後生可畏.

[毘] 〔비〕 比部 五畫(p. 1164)을 보라.

[胃] 〔위〕 肉部 五畫(p. 1843)을 보라.

[思] 〔사〕 心部 五畫(p. 765)을 보라.

4 ⑨ [畇] 人名 ㊀ 윤 ㊥眞 羊倫切 yún ㊁ 균 ㊥眞 規倫切 yún

筆順 冂 日 田 田 田' 町 畇 畇

字解 ㊀ 따비이를 윤 개간하여 경지를 만듦. 또 경지(耕地)가 넓은 모양. '一, 墾田也'《集韻》. '一一原隰'《詩經》. ㊁ 따비이를 균 ㊀과 같음.

字源 形聲. 田+匀〔音〕

[畇畇 윤윤] 경지(耕地)가 넓은 모양.

4 ⑨ [畊] 경 ㊥庚 古莖切 gēng

字解 갈 경 耕(耒部 四畫)의 古字.

[畊根車 경근차] 천자(天子)가 친(親)히 밭을 갈 때 타던 수레.

4 ⑨ [畋] 전 ㊥先 徒年切 tián ㊧霰 堂練切

字解 ①밭갈 전 전답을 경작함. '一爾田'《書經》. ②사냥할 전 수렵을 함. '一于有洛之表'《書經》.

字源 甲骨文 篆文 形聲. 攴+田〔音〕. '田전'은 사냥·논밭의 象形. '攴복'은 동작을 하다의 뜻. '사냥하다, 경작하다'의 뜻을 나타냄.

[畋食 전식] 농사를 지어 생활함.
◉翔畋. 蒐畋. 漁畋. 游畋. 中畋. 出畋.

4 ⑨ [畎] 견 ㊤銑 姑泫切 quǎn

字解 ①밭도랑 견 밭 사이의 수로(水路). '濬一澮, 距川'《書經》. 전(轉)하여 전답. 시골. '一畝'. ②산골짜기 견 물 흐르는 산골짝. '羽一夏翟'《書經》.

字源 古文 籀文 篆文 形聲. 田+犬〔音〕. '犬견'은 '涓연·견'과 통하여, 물이 졸졸졸 흐르다의 뜻. 논밭 사이의 수로의 뜻을 나타냄.

[畎疆 견강] 밭두둑.
[畎畝 견묘] ㉠밭고랑과 밭이랑. 전(轉)하여, 전답. 시골. 민간(民間). ㉡농경(農耕).
[畎夷 견이] 오랑캐의 이름. 견융(犬戎).
[畎澮 견회] 밭고랑.
◉疆畎. 溝畎. 淸畎. 畦畎.

4 ⑨ [畈] 판(반㊗) ㊧願 方願切 fàn

字解 밭 판 '一, 田也'《集韻》.

字源 形聲. 田+反〔音〕

4 ⑨ [畍] 강 ㊤養 擧朗切 gǎng

字解 ①지경 강 경계. '一, 竟也'《說文》. ②못 강 '一, 池也'《廣雅》. ③길 강 밭 사이의 길. '一, 道也'《廣雅》.

字源 篆文 形聲. 田+亢〔音〕. '亢항'은 '말뚝'의 뜻. 말뚝을 세운 논밭의 경계의 뜻을 나타냄.

4 ⑨ [畹] 〔윤〕 允(儿部 二畫〈p. 189〉)의 古字

[毗] 〔비〕 比部 五畫(p. 1164)을 보라.

4 ⑨ [画] 〔화〕 画(田部 三畫〈p. 1463〉)의 本字

4 ⑨ [畫] 〔화〕 画(田部 三畫〈p. 1463〉)의 本字

4 ⑨ [畆] 〔묘〕 畝(田部 五畫〈p. 1465〉)의 俗字

4 ⑨ [畒] 〔묘〕 晦(田部 七畫〈p. 1470〉)와 同字

4 ⑨ [畐] 복 ㊇屋 房六切 fú

字解 ①찰 복 가득 참. 두터움. ②나비 복 피륙의 폭.

字源 甲骨文 金文 篆文 象形. 金文은 붕긋한 술통, 항아리를 본뜬 것. 술을 신에게 바쳐서 술통처럼 붕긋하게 찬 생활을 기원한다는 자형(字形)에서, '차다'의 뜻을 나타냄.

參考 富(田部 五畫)은 本字.

4 ⑨ [畓] 高人 韓 답

筆順 丿 刀 水 水 沓 沓 畓 畓

字解 《韓》논 답 수전(水田). '田一'.

字源 會意. 水+田

[畓結 답결] 논의 결복(結卜).

[畓券 답권] 논문서.
◉奉畓. 水畓. 玉畓. 田畓. 天水畓.

4 ⑨ [畄] 〔치〕
菑(艸部 九畫〈p.1949〉)와 同字
字源 菑의 別體 形聲. 田+巛〔音〕. '巛재'는 강의 범람에 의한 재앙의 뜻. 묵정밭, 재앙의 뜻을 나타냄.

5 ⑩ [畟] 측 入職 初力切 cè
字解 보습날카로울 측 보습이 예리한 모양. '——良耜'《詩經》.
字源 篆文 會意. 田+儿(人)+夊. '田전'은 '농토'의 뜻. 일설에, 귀신의 탈의 象形. '夊치'는 사람이 발로 밟는 것을 본뜬 것. 사람이 논밭을 갈면서 나아가다의 뜻을 나타냄.

[畟畟 측측] 보습의 날이 날카로운 모양.

5 ⑩ [畕] 강 平陽 jiāng
字解 이웃하는두밭 강 '—, 比田也'《說文》.
字源 會意. 田+田

5 ⑩ [畔] 人名 반 去翰 薄半切 pàn
筆順 丨 冂 日 田 田 田丶 田亠 畔
字解 ①두둑 반 밭의 지경을 이룬 두둑. '畦—'. '耕者皆讓—'《史記》. ②지경 반 경계. '脩其疆—'《國語》. ③물가 반 수애(水涯). '澤—' '江河之—'《劉向》. 전(轉)하여, 모든 물건의 가. ④떨어질 반 분리(分離)함. '—官離次'《書經》. ⑤배반할 반 叛(又部 七畫)과 同字. '—逆'. '齊梁—之'《漢書》.
字源 篆文 形聲. 田+半〔音〕. '半반'은 '나누다'의 뜻. 논밭을 구분하는 '두둑'의 뜻을 나타냄.

[畔界 반계] ㉠밭두둑. ㉡경계.
[畔散 반산] 이산(離散)하게 함.
[畔岸 반안] ㉠논두렁과 강 언덕. ㉡가. 끝. 변두리. ㉢격리(隔離)함. 또, 사람을 가까이하지 않음. ㉣제멋대로 함.
[畔喭 반언] 예의범절이 없는 모양. 추솔(麤率)한 모양.
[畔逆 반역] 모반(謀叛)함. 반역(叛逆).
[畔援 반원] 도리(道理)에 벗어난 행동을 제멋대로 함.
[畔疇 반주] ㉠밭두둑. ㉡경계(境界).
[畔換 반환] 강포(強暴)하고 방자한 모양.
◉江畔. 疆畔. 橋畔. 壟畔. 道畔. 倍畔. 鬢畔. 水畔. 岸畔. 崖畔. 額畔. 離畔. 隣畔. 渚畔. 際畔. 池畔. 天畔. 千反萬畔. 枕畔. 澤畔. 河畔. 海畔. 湖畔. 畦畔.

5 ⑩ [畛] 진 上軫 章忍切 zhěn 平眞 職隣切
字解 ①두둑 진 밭의 경계를 이룬 두둑. '—域'. '徂隰徂—'《詩經》. ②지경 진 경계. '—畦'. '爲是而有—也'《莊子》. ③본바탕 진 사물의 근본. '不見其—'《太玄經》. ④아뢸 진 고(告)함. '—于鬼神'《禮記》.
字源 篆文 形聲. 田+㐱〔音〕. '㐱진'은 밀도가 높다의 뜻. 논밭의 경계를 누비듯 많이 낸 길의 뜻을 나타냄.

[畛崖 진애] 끝. 경계(境界). 한(限).
[畛域 진역] ㉠밭두둑. ㉡경계(境界). 한(限).
[畛畷 진철] 밭두둑 길.
[畛畦 진휴] 경계(境界).
◉徑畛. 郊畛. 封畛. 連畛. 畦畛.

5 ⑩ [畝] 人名 묘 (무本) 上有 莫厚切 mǔ
筆順 亠 亠 亠 亩 亩 亩 畝 畝
字解 ①이랑 묘 지적(地積)의 단위. 육 척 사방(六尺四方)을 일 보(一步)라 하고, 백 보를 '一—'라 함. '五—之宅, 樹之以桑'《孟子》. 진(秦)나라 이후에는, 240보임. '秦田二百四十步爲—'《說文》. ②두둑 묘 밭의 두둑. 전(轉)하여, 전답. '田—'. '畎—'. '舜發於畎—之中'《孟子》.
字源 金文 篆文 別體 形聲. 篆文은 田+每〔音〕. 別體는 그 변형(變形). '每매'는 젖통이 있는 여성의 象形. 논밭 안의 젖통과 같이 볼록한 '이랑'의 뜻을 나타냄.
參考 ①畞(次條)는 古字. ②畆(田部 四畫)는 俗字.

◉畎畝. 南畝. 農畝. 隴畝. 茶薺不同畝. 田畝.

5 ⑩ [畞] 畝(前條)의 古字

5 ⑩ [留] 中人 류 平尤 刀求切 liú
筆順 𠂆 𠂈 𠂈丁 𠂈刀 𠂈刀 留 留 留
字解 ①머무를 류 정지함. 체류함. '逗—'. '可急去矣, 愼勿—'《史記》. ②뒤질 류 늦음. 지체함. '遲—'. '—不欲—'《呂氏春秋》. ③오랠 류 '悉數之, 乃—'《禮記》. ④엿볼 류 기회를 엿봄. '執彈而—之'《莊子》. ⑤성 류 성(姓)의 하나.
字源 金文 篆文 形聲. 田+丣〔音〕. '丣유'는 '流류'와 통하여, '흐르다'의 뜻. 논밭 사이의 물의 흐름이 '정지되다, 머무르다'의 뜻을 나타냄.

[留客 유객] 손님을 머무르게 함.
[留京 유경] 시골 사람이 서울에서 머무름.
[留繫 유계] 붙잡아 매어 놓음. 계류(繫留).「首」.
[留官 유관] 《韓》원의 일을 대리로 보던 좌수(座
[留臺 유대] 송(宋)나라 때의 벼슬 이름. 서남북(西南北)의 삼경(三京)에 두어, 이를 다스리게 한 지방 장관.
[留落 유락] 전투(戰鬪)에 민첩하지 못하거나, 사고(事故)로 인하여 공(功)을 세우지 못한 일. 일설(一說)에는 때를 만나지 못함을 이름.
[留連 유련] 놀기에 팔려 객지에서 오래 머무름.
[留別 유별] 길을 떠나는 사람이 머물러 있는 사람에게 작별 인사를 함. 송별(送別)의 대(對).

[留保 유보] 멈추어 두고 보존함. 보류(保留).
[留聲機 유성기] 축음기(蓄音機).
[留守 유수] ㉠집을 지킴. ㉡천자(天子)가 출정(出征) 또는 행행(行幸) 중에 대신하여 경사(京師)를 지키는 벼슬. ㉢조선(朝鮮) 때 개성(開城)·강화(江華)·광주(廣州)·수원(水原)·춘천(春川) 등 요긴한 곳을 맡아 다스리던 정종 이품(正從二品)의 경관직.
[留宿 유숙] 남의 집에 머물러 묵음.
[留神 유신] 유의(留意).
[留心 유심] 유의(留意).
[留寓 유우] 타향에서 우거(寓居)함.
[留意 유의] 마음에 둠.
[留任 유임] 임기(任期)가 찬 후에도 갈리지 않고 그냥 그 자리에 머물러 있음. 연임(連任)함.
[留杖 유장] 머무름. 묵음. 체재함. 두류(逗留).
[留藏 유장] 남겨 두어 저축함.
[留田 유전] '둔전(屯田)'과 같음.
[留題 유제] 고적(古蹟)이나 명승지 등을 유람하며 읊어 남긴 시(詩)나 노래.
[留鳥 유조] 한곳에 오래 머물러 사는 새. 후조(候鳥)의 대(對).
[留陣 유진] 한곳에 머물러 진(陣)을 침.
[留滯 유체] 머물러 쌓임.
[留蹛 유체] 유체(留滯).
[留取 유취] 머무르게 함. 붙들어 둠.
[留置 유치] ㉠맡아 둠. 보관하여 둠. ㉡《韓》 일정한 곳에 잡아 가둠.
[留學 유학] 외국(外國)에 머물러 공부(工夫)함.
[留後 유후] 절도사(節度使)가 임지(任地)를 떠났을 때 그 대리를 보는 벼슬.
◉苛留. 去留. 居留. 稽留. 繫留. 久留. 句留. 拘留. 舊留. 寄留. 羈留. 同好相留. 逗留. 彌留. 保留. 扶留. 浮留. 費留. 須留. 息留. 押留. 抑留. 淹留. 延留. 緩留. 邀留. 遺留. 慰留. 栗留. 凝留. 殘留. 在留. 裁留. 停留. 存留. 駐留. 蒸留. 止留. 遲留. 陳留. 遮留. 滯留. 行留.

5 ⑩ [畇] 구 ①[平]尤 居侯切 gōu ②[平]虞 權俱切

[字解] ①이랑 구 '—, 畦也'《玉篇》. ②오랑캐 구 한(漢)나라 때, 서남쪽의 오랑캐 이름. '—, —町王, 西戎君長號'《集韻》.

5 ⑩ [畘] 남 [平]覃 那含切 nán

[字解] ①열묘(畝) 남 열 이랑의 밭. '—, 田十畝曰—'《字彙》. ②밭많을 남 밭이 많음. '—, 田多也'《字彙》.

5 ⑩ [畚] 분 [上]阮 布村切 běn

[字解] 둥구미 분, 삼태기 분 곡식·채소·흙 같은 것을 담아 나르는 그릇. 짚 같은 것으로 엮어 만듦. '挈—以令糧'《周禮》.

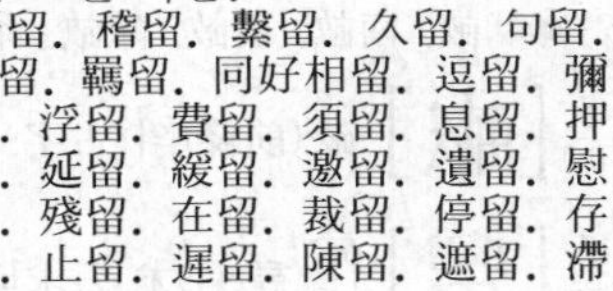
[畚]

[字源] 篆文 形聲. 田(甾)+弁〔音〕. '甾치'는 장군, 광주리의 象形. '弁변'은 두 손으로 들어 올리다의 뜻. 곡식이나 야채 등을 담아서 나르는 소쿠리의 뜻을 나타냄.

[畚挶 분국] 삼태기.
[畚葦 분국] 삼태기.
[畚插 분삽] 삼태기와 삽.
[畚鍤 분삽] 분삽(畚插).

5 ⑩ [畜] [高·人] 축(④-⑧휵[本]) [入]屋 丑六切 chù 許竹切 xù

[筆順] 亠 亠 玄 玄 斉 斉 畜 畜

[字解] ①쌓을 축 저축함. '貯—'. '—積'. '趣民收斂, 務—菜'《禮記》. ②저축 축 축적(畜積). '餘—'. '無私貨, 無私—'《禮記》. ③붙들 축 가지 못하게 만류함. '—君何尤'《孟子》. ④기를 축 ㉠옆에 놓고 먹여 살림. '—妾'. '不—聚斂之臣'《大學》. ㉡짐승을 사육함. '—牛'. '君賜生, 必—之'《論語》. 또, 그 짐승. '家—'. '六—'. ⑤일어날 축 흥기(興起)함. '諫者得進, 忠信乃—'《說苑》. ⑥따를 축 순종함. '孝者, —也'《禮記》. ⑦받아들일 축 용납함. '天下誰—之'《左傳》. ⑧성 축 성(姓)의 하나.

[字源] 金文 篆文 象形. 짐승의 머리에 끈을 달아 짐승을 기르다의 뜻을 나타냄. 일설에 田+玆〈省〉의 會意. '玆자'는 '붇다'의 뜻. 농사일을 부지런히 하여 저축을 불리다의 뜻을 나타냄.

[畜類 축류] ㉠집에서 기르는 짐승. 가축(家畜). ㉡짐승.
[畜牧 축목] 목축(牧畜).
[畜舍 축사] 가축을 기르는 건물.
[畜產 축산] ㉠집에서 기르는 짐승. 가축(家畜). ㉡축생(畜生)㉡. ㉢가축을 산출(產出)함. 또 그 산업(產業).
[畜生 축생] ㉠짐승. 금수(禽獸). ㉡사람을 꾸짖어 욕하는 말. 짐승 같은 놈. 개돼지만도 못한 놈.
[畜生道 축생도]《佛教》 육도(六道)의 하나. 생전의 악업(惡業)에 의하여 죽은 후 지옥에 떨어져서 축생(畜生)이 되어 고통을 받는 곳.
[畜獸 축수] 집에서 기르는 짐승. 가축(家畜). 축산(畜產).
[畜養 축양] 가축을 기름.
[畜藏 축장] 모아서 간직하여 둠.
[畜積 축적] 저축함. 또, 저축.
[畜止 축지] 머무름.
[畜妾 축첩] 첩을 둠.
[畜畜然 축축연] 인(仁)을 행하는 모양. 또는 힘써 일하는 모양.
[畜聚 축취] 저축하여 모음.
[畜幸 축행] 첩(妾)을 귀애함.
◉家畜. 耕畜. 鬼畜. 奇畜. 羈畜. 奴畜. 大畜. 蠻畜. 牧畜. 小畜. 獸畜. 豕交獸畜. 養畜. 五畜. 擾畜. 有畜. 六畜. 人畜. 仁畜. 雜畜. 貯畜. 止畜. 聚畜. 詡畜.

5 ⑩ [畗] [一] 畐(田部 四畫〈p. 1464〉)의 本字 [二] 福(示部 九畫〈p. 1601〉)의 古字

6 ⑪ [畢] [高·人] 필 [入]質 卑吉切 bì

[筆順] 冂 冃 田 田 畀 畢 畢 畢

字解 ①그물 필. 그물질할 필 새 또는 토끼를 사냥할 때 쓰는 긴 자루가 달린 작은 그물. '荷垂天之一'《揚雄》. 또, 이 그물로 덮어 잡음. '一之羅之'《詩經》. ②마칠 필 끝남. 끝냄. '一生'. '獻酬之禮一'《禮記》. ③다 필 모두. '同軌一至'《左傳》. ④다할 필 남기지 아니함. '一力'. ⑤별 이름 필 이십팔수(二十八宿)의 하나. 서방(西方)에 있음. '趙地昴一之分野'《漢書》. ⑥간찰 필 글씨를 쓰는 댓조각. '呻其佔一'《禮記》. ⑦성 필 성(姓)의 하나.

字源 甲骨文 金文 篆文 形聲. 田+華〔音〕. '華필'은 '畢필'의 原字로, 오리 사냥에 쓰이는 자루 달린 그물의 象形으로, '그물'의 뜻을 나타냄. 뒤에, 사냥의 뜻의 '田전'을 덧붙임. '閉폐'와 통하여, '마치다'의 뜻도 나타냄.

[畢擧 필거] 모두 들어서 말함. 또는 씀.
[畢竟 필경] 마침내. 결국. 구경(究竟).
[畢記 필기] 모두 적음. 모두 기록함.
[畢納 필납] 전부(全部) 바침.
[畢同 필동] 모두 같음.
[畢覽 필람] 끝까지 봄.
[畢力 필력] 힘을 다함.
[畢門 필문] 왕성(王城)의 문 중 가장 바깥쪽의 문.
[畢方 필방] 화재(火災)를 맡았다는 괴상한 새.
[畢杯 필배] 술자리에서의 마지막 잔.
[畢生 필생] 일평생(一平生).
[畢業 필업] 업(業)을 마침. 학업을 마침. 졸업(卒業).
[畢役 필역] 역사(役事)를 마침.
[畢沅 필원] 청(淸)나라의 학자. 자(字)는 추범(秋帆). 건륭(乾隆)의 진사(進士). 경사(經史)·소학(小學)·금석(金石)·지리(地理) 등의 학문에 통달(通達)하였음.
[畢原 필원] 옛날의 지명(地名). 지금의 산시 성(陝西省)에 있었음.
◉簡畢. 呻佔畢. 了畢. 佔畢. 終畢.

6 ⑪ [異] 中人 이 ㊀寘 羊吏切 yì 异

筆順 ⼞ 日 田 甲 𤰔 畀 異

字解 ①다를 이 ㉠같지 아니함. '一同'. '一乎三子者之撰'《論語》. ㉡한 사물이 아님. '一日'. '事爲一別'《禮記》. ㉢남달리 뛰어남. 걸출함. '一等'. '皆一能之士也'《史記》. ②괴이할 이 괴상함. '奇一'. '市之貨賄人民牛馬兵器珍一'《周禮》. ③달리할 이 ㉠다르게 함. '耳目殊司, 工藝一等'《何承天》. ㉡따로따로 떨어짐. '手足一處'《史記》. ④이상히여길 이 ㉠기이하게 여김. '人皆謂長人而一之'《史記》. ㉡의심함. '王無一於百姓之以王爲愛也'《孟子》. ⑤재앙 이 요재(妖災). 괴변. '乖氣致一'《漢書》. ⑥성 이 성(姓)의 하나.

字源 甲骨文 金文 篆文 象形. 사람이 악귀(惡鬼) 쫓을 때 쓰는 탈을 쓰고, 두 손을 들고 있는 모양을 본뜸. 그 탈을 쓰면 무시무시한 딴사람이 되므로, '다르다'의 뜻을 나타냄. 《說文》에서는 廾+畀의 會意로 설명함.

參考 異(田部 七畫)는 本字.

[異客 이객] ㉠타향(他鄕) 또는 타국에서 온 손. ㉡타향 또는 타국에 있는 사람. 유자(游子). ㉢보통 손과는 다른 손. 곧, 도둑.
[異見 이견] 딴 사람과 다른 견해.
[異境 이경] ㉠다른 나라. 타국. 외국. ㉡다른 토지. 타향(他鄕).
[異曲 이곡] '이곡동공(異曲同工)'을 보라.
[異曲同工 이곡동공] 연주(演奏)하는 곡은 다르나 그 교묘함은 거의 같다는 뜻으로, 방법은 다르나 결과는 같음. 동공이곡(同工異曲).
[異觀 이관] 색다른 경치. 썩 좋은 경치.
[異敎 이교] 자기가 신봉(信奉)하는 교(敎)와 다른 교.
[異口同聲 이구동성] 이구동음(異口同音).
[異口同音 이구동음] ㉠여러 사람이 다 같은 소리를 함. ㉡여러 사람의 설(說)이 일치함.
[異國 이국] 다른 나라. 타국. 외국.
[異國情調 이국정조] 자기 나라와 다른 풍경(風景)이나 정취(情趣).
[異技 이기] 뛰어난 기술.
[異能 이능] 뛰어난 재능. 이재(異才).
[異端 이단] ㉠성인(聖人)의 도(道)가 아닌 도. 사악(邪惡)한 도. ㉡자기가 신봉(信奉)하는 이외의 도.
[異圖 이도] 이심(異心).
[異同 이동] ㉠다름. 같지 아니함. 동(同)은 무의미의 조자(助字). ㉡《韓》다름과 같음.
[異等 이등] 범인(凡人)과 달라 유달리 뛰어남.
[異慮 이려] 보통과는 다른 생각. 색다른 생각.
[異例 이례] ㉠전례(前例)에 없는 특별한 일. ㉡병(病).
[異路同歸 이로동귀] 가는 길은 같지 아니하나 귀착(歸着)하는 곳은 같음. 방법은 다르나 그 결과(結果)는 같음.
[異論 이론] 남과 다른 이론.
[異類 이류] ㉠종족(種族)이나 정교(政敎)가 다른 사람들. ㉡인류(人類)와 다른 것. 조수(鳥獸)·요괴(妖怪) 따위.
[異倫 이륜] 뛰어남. 또, 그 사람.
[異名 이명] 본명(本名) 이외의 이름. 별명(別名). 별칭(別稱).
[異母 이모] 아버지는 같고 어머니는 다름. 배가 다름.
[異母兄 이모형] 배가 다른 형. 이복형(異腹兄).
[異木 이목] 이상한 나무. 진기한 나무.
[異夢 이몽] 이상한 꿈.
[異聞 이문] ㉠이상한 이야기. ㉡딴 사람과 달리 들은 일. 별다른 소문.
[異物 이물] ㉠괴이한 물건. 또, 진기한 물건. ㉡죽은 사람. 사자(死者).
[異味 이미] 진기한 맛. 보통과 다른 썩 좋은 맛. 또, 그 음식. 미미(美味).
[異邦 이방] 외국. 이국(異國).
[異變 이변] 괴이한 변고(變故). 보통과는 다른 일.
[異服 이복] 이상한 옷. 또, 이상한 옷차림.
[異腹 이복] 아버지는 같은데 어머니가 다름. 배가 다름.
[異本 이본] ㉠세상의 보통 책과는 다른 진귀한 책. 진본(珍本). ㉡동종(同種)의 책으로서 내용이 다소 다른 것. 일본(一本). 타본(他本).
[異父 이부] 어머니는 같은데 아버지가 다름.
[異士 이사] 출중한 선비. 비범(非凡)한 사람.
[異事 이사] 색다른 일. 또는 이상한 일. 비상사

(非常事).
[異相 이상] ㉠보통 사람과 다른 인상(人相). 기이한 상(相). ㉡서로 형상을 달리함. 또, 서로 다른 형상.
[異常 이상] 보통과 다름. 비상(非常).
[異色 이색] ㉠다른 빛. ㉡다른 태(態).
[異書 이서] 이본(異本).
[異瑞 이서] 기이(奇異)한 상서(祥瑞). 길조(吉兆).
[異善 이선] 특이(特異)한 착한 일.
[異說 이설] ㉠남과 다른 설(說). 보통과 다른 설. ㉡진기(珍奇)한 설. 진설(珍說). ㉢각양각색(各樣各色)의 의견.
[異姓 이성] 다른 성. 타성(他姓). 동성(同姓)의 대(對).
[異性 이성] ㉠성질이 다름. 또, 다른 성질. ㉡남녀. 또는 자웅(雌雄). 다른 성(性). ㉢도깨비.
[異世同調 이세동조] 시세(時世)는 다르나 취의(趣意)는 같음.
[異俗 이속] ㉠풍속을 달리함. 다른 풍속. ㉡나쁜 풍속.
[異數 이수] ㉠등급(等級)을 달리함. ㉡보통과 다름. 특별한 대우(待遇).
[異術 이술] ㉠이상한 술법(術法). 요술(妖術)·환술(幻術) 따위. ㉡방법을 달리함. 또, 다른 방법.
[異時 이시] 다른 때. 타일(他日).
[異心 이심] 딴마음. 모반(謀叛)하고자 하는 마음. 이심(貳心). 이도(貳圖).
[異安心 이안심] 《佛敎》 조사(祖師)의 정전(正傳)에 위배(違背)하는 안심(安心).
[異樣 이양] 이상(異狀).
[異壤 이양] 이경(異境).
[異言 이언] 색다른 말. 보통과 다른 말씨.
[異域 이역] 외국. 이국(異國).
[異域之鬼 이역지귀] 외국에서 죽은 사람의 귀신.
[異藝 이예] 기이한 기예(技藝).
[異意 이의] ㉠서로 뜻이 다름. ㉡이심(異心).
[異義 이의] 다른 뜻. 다른 의미(意味).
[異議 이의] ㉠보통과 다른 의론(議論). ㉡남과 다른 의견. 이론(異論).
[異人 이인] ㉠특이한 사람. 뛰어난 사람. 비범한 사람. ㉡이상한 사람. 신인(神人)·신선(神仙) 따위. ㉢딴 사람. 별인(別人).
[異日 이일] 딴 날. 후일(後日). 타일(他日).
[異才 이재] 남다른 재능. 또, 그 재능을 가진 사람. 이능(異能).
[異迹 이적] ㉠뛰어난 성과(成果). ㉡이심(異心)을 품은 형적(形迹).
[異蹟 이적] 사람의 힘으로는 할 수 없는 불가사의한 일. 기적(奇蹟).
[異族 이족] ㉠다른 종족(種族). 외국의 국민. ㉡다른 혈족(血族). 딴 겨레.
[異種 이종] 다른 종류.
[異儔 이주] 다른 종류. 기이한 종류.
[異株花 이주화] 웅화(雄花)와 자화(雌花)가 나무를 달리하여 피는 꽃. 은행나무·삼의 꽃 따위.
[異中有同 이중유동] 다른 중에도 같은 데가 있음.
[異志 이지] ㉠이심(異心). ㉡비범한 뜻. 훌륭한 생각.
[異質 이질] ㉠성질이 다름. 또, 그 성질. ㉡뛰어난 인물. 비범한 사람.
[異饌 이찬] 진기한 음식. 진미(珍味).
[異采 이채] ㉠다른 무늬. ㉡특별한 광채. 눈부신 광채. 이채(異彩).
[異彩 이채] ㉠다른 빛깔. ㉡특별한 광채. 눈부신 광채.
[異體 이체] ㉠형체를 달리함. 형상이 다름. ㉡다른 몸. 딴 신체. ㉢이풍(異風).
[異體同心 이체동심] 몸은 다르나 마음은 같다는 뜻으로, '부부(夫婦)나 친구들의 마음이 일치(一致)함'을 이르는 말.
[異趣 이취] ㉠정취(情趣)가 다름. 또, 다른 정취. ㉡취미가 다름. 또, 다른 취미.
[異稱 이칭] 보통과 다르게 부르는 칭호. 별칭(別稱).
[異態 이태] 이상(異狀).
[異土 이토] 딴 토지. 딴 나라. 외국. 이국(異國).
[異葩 이파] 진기한 꽃. 기파(奇葩).
[異評 이평] 색다른 비평(批評). 특이한 비평.
[異品 이품] 진기한 품물(品物). 기이한 물건. 이물(異物).
[異稟 이품] 비범(非凡)한 천품(天稟).
[異風 이풍] 보통과 다른 풍속. 또, 다른 모습.
[異學 이학] ㉠종래의 주의·학설과 다른 학문. ㉡이단(異端)의 학문. 정도(正道)가 아닌 학문.
[異香 이향] 특이한 좋은 향기.
[異鄕 이향] 낯선 딴 고장. 타향(他鄕).
[異形 이형] 보통과 다른 형상.
[異卉 이훼] 이상한 풀.
◉隔異. 堅白同異. 敬異. 驚異. 考異. 怪異. 乖異. 詭異. 瓌異. 貴異. 奇異. 器異. 黨同伐異. 大同小異. 同異. 無名異. 茂異. 無異. 變異. 別異. 分異. 佛異. 祥異. 瑞異. 世殊事異. 秀異. 殊異. 神異. 崖異. 穎異. 靈異. 妖異. 尤異. 優異. 雄異. 謬異. 疑異. 逸異. 災異. 絕異. 尊異. 俊異. 雋異. 儁異. 珍異. 差異. 天變地異. 寵異. 他異. 卓異. 歎異. 特異. 判異. 褒異. 表異. 駭異. 衒異. 顯異. 好異.

6
⑪ **[畧]** 〔략〕
略(田部 六畫〈p. 1468〉)과 同字

[畧] 〔루〕
糸部 五畫(p. 1729)을 보라.

6
⑪ **[畊]** 공 [平]冬 居容切 gōng
[字解] 부추밭 공 '一畹'은 부추를 심은 밭. '一, 埤蒼, 一畹, 韭畦也'《集韻》.

6
⑪ **[畤]** 치 [上]紙 直里切 zhì 畤
[字解] 제터 치 천지(天地)의 신명(神明) 또는 오제(五帝)〈동·서·남·북·중앙의 신〉를 제사 지내는 곳. '祠上帝西一'《史記》.
[字源] 篆文  形聲. 田+寺[音]. '田전'은 구획된 땅의 뜻. '寺시'는 '止지'와 통하여, '머무르다'의 뜻. 천지의 신들이 그곳을 근거지로 하여 머무르는 곳, 성지(聖地)의 뜻을 나타냄.

◉郊畤. 密畤. 靈畤. 雍畤.

6
⑪ **[略]** [高人] 략 [入]藥 離灼切 lüè
[筆順] 冂 日 田 田 田ノ 田夕 田夂 略

字解 ①다스릴 략 방침을 세워 다스림. 경영(經營)함. '天子經―'《左傳》. ②돌 략 순행(巡行)함. '吾將―地焉'《左傳》. ③간략할 략 자세하지 아니함. '―字'. '傳者久則論―'《荀子》. ④간략히할 략 약(略)함. '省―'. '傳者得―而聞之'《禮記》. ⑤덜 략 뺌. 감소시킴. '喪數―也'《公羊傳》. ⑥노략질할 략 약탈함. 掠(手部 八畫)과 同字. '―奪'. '攻城―地'《淮南子》. ⑦범할 략 침범함. '―則行志'《國語》. ⑧날카로울 략 예리함. '有―其耜'《詩經》. ⑨꾀 략 모계(謀計). '計―'. '方―'. '果能授孫吳之―耶'《劉基》. ⑩길 략 ㉠도(道). '欲復文武之―'《左傳》. ㉡경로(經路). '以遏亂―'《書經》. ⑪지경 략 경계. '東盡虢―'《左傳》. ⑫대강 략 ㉠대략(大略). '崖―'. '嘗聞其―也'《孟子》. ㉡대충대충 추리어. '―述'. '―陳固陋'《司馬遷》. ⑬거의 략 얼추. '與昭帝―同年'《漢書》. ⑭성 략 성(姓)의 하나.

字源 篆文 形聲. 田+各〔音〕. '田전'은 농업 따위의 생산지의 뜻. '各각'은 '이르다'의 뜻. 자신의 생산지(生產地)에 이르러 다스리다의 뜻이나, 남의 생산지에 들어가 침범하다의 뜻을 나타냄. 또 파생하여, 대충대충 대강만 빼앗다의 뜻에서, '생략하다'의 뜻을 나타냄.

參考 畧(田部 六畫)은 同字.

[略擧 약거] 대략을 들어 보임.
[略記 약기] 간략하게 적음. 또는 그 기록.
[略歷 약력] 간단하게 적은 이력(履歷).
[略論 약론] 대강 논(論)함. 또, 그 문서. 개요(概要)를 논술한 문서.
[略賣 약매] 부녀자나 아이를 약취(略取)하여 팔아넘김.
[略文 약문] 약필(略筆).
[略省 약생] 줄여 간단하게 함. 생략(省略).
[略設 약설] 간략하게 베풂.
[略說 약설] 약해(略解).
[略述 약술] 대강 진술함. 약진(略陳).
[略言 약언] 대강 말함.
[略字 약자] 획수(畫數)를 줄여 간단하게 쓴 글자.
[略彴 약작] 외나무다리. 독목교(獨木橋).
[略傳 약전] 간략하게 적은 전기.
[略陳 약진] 대강 진술함.
[略取 약취] 약탈하여 가짐.
[略稱 약칭] 생략하여 일컬음. 또, 그 명칭.
[略奪 약탈] 폭력을 써서 빼앗음. 약탈(掠奪).
[略筆 약필] 생략하여 씀. 대충 씀.
[略解 약해] 대강의 뜻을 해설(解說)함. 간략하게 풀이함. 또, 그 문서.

◉簡略. 概略. 渠略. 劫略. 經略. 輕略. 計略. 功略. 攻略. 軍略. 權略. 規略. 奇略. 器略. 機略. 亂略. 膽略. 黨略. 大略. 韜略. 謀略. 妙略. 廟略. 武略. 方略. 兵略. 封略. 殺略. 三略. 商略. 省略. 疎略. 疏略. 率略. 神略. 心略. 闕略. 崖略. 掠略. 英略. 領略. 叡略. 要略. 勇略. 雄略. 遠略. 六韜三略. 殘略. 將略. 才略. 前略. 戰略. 節略. 政略. 粗略. 籌略. 中略. 知略. 智略. 策略. 淺略. 鈔略. 纛略. 七略. 侵略. 脫略. 奪略. 霸略. 暴略. 剽略. 脅略. 忽略. 蠖略. 後略. 譎略.

6 ⑪ [畦] 人名 휴 ㊥齊 戶圭切 qí(xí)

字解 ①두둑 휴 밭의 경계(境界)를 이룬 두둑. '―町'. '茱茹有―'《漢書》. ②밭 휴 전답. '荒―'. ③지경 휴 경계. '―畛'. '爲無町―'《莊子》. ④쉰이랑 휴 전답의 50묘(畝). '千―薑韭'《史記》.

字源 篆文 形聲. 田+圭〔音〕. '圭규'는 '型형'과 통하여, '틀'의 뜻. 농토의 구획, '두둑'의 뜻을 나타냄.

[畦畎 휴견] 전답 사이의 수로(水路).
[畦徑 휴경] 일정한 법식(法式). 휴진(畦畛).
[畦道 휴도] 밭두둑 길. 밭 사이의 길.
[畦蔬 휴소] 밭에 심은 소채.
[畦堰 휴언] 논에 댈 물을 막아 두는 곳. 방죽.
[畦丁 휴정] 젊은 농부(農夫).
[畦町 휴정] ㉠밭두둑. ㉡경계. 한(限). ㉢법칙(法則).
[畦畛 휴진] ㉠밭두둑. ㉡경계. ㉢일정한 법식(法式). 또는 범위.

◉綠畦. 稻畦. 無町畦. 桑畦. 野畦. 町畦. 圃畦. 夏畦. 荒畦.

6 ⑪ [畡] 〔해〕 垓(土部 六畫〈p. 443〉)와 同字

字源 形聲. 田+亥〔音〕

6 ⑪ [畓] ㊀ 례 ㊤霽 力制切 lì ㊁ 렬 ㊥韓

字解 ㊀ 빠질 례 빠지다. 빠져 들다. '―, 陷也'《字彙》. ㊁《韓》논배미 렬 논과 논과의 구획(區劃).

字源 形聲. 田+列〔音〕

6 ⑪ [畣] 〔답〕 答(竹部 六畫〈p. 1664〉)의 古字

6 ⑪ [畫] 〔화〕 畫(田部 七畫〈p. 1470〉)의 古字

6 ⑪ [畱] 〔류〕 留(田部 五畫〈p. 1465〉)의 俗字

7 ⑫ [異] 〔이〕 異(田部 六畫〈p. 1467〉)의 本字

7 ⑫ [畯] 人名 준 ㊤震 子峻切 jùn

筆順 ㄇ 日 田 田 田⺊ 田⺊ 畯 畯

字解 ①농부 준 농사짓는 사람. ②권농관 준 밭을 순시하며 농사를 권하는 벼슬아치. '田―至喜'《詩經》. ③준걸 준 俊(人部 七畫)과 同字. '登崇―良'《韓愈》.

字源 甲骨文 金文 篆文 形聲. 田+夋〔音〕. '夋준'은 '뛰어나다'의 뜻. 농사지식에 뛰어난 사람, 농정(農政)의 벼슬아치의 뜻을 나타냄. 甲骨文은 머리가 크고, 지식이 풍부한 사람의 象形에 '田전'이 덧붙여진 글자꼴임.

◉農畯. 田畯. 寒畯.

7 ⑫ [畮] 〔묘〕 畝(田部 五畫〈p. 1465〉)의 本字

7 ⑫ [畫] 中入 一 화 去卦 胡卦切 huà 二 획 入陌 胡麥切 huà 画 𤲿

筆順 ㇕ ⺕ 聿 聿 書 書 畫 畫 畫

字解 一 ①그림 화 '圖一'. '名一'. '妙一通靈'《晉書》. ②그릴 화 그림을 그림. '一蛇添足'. '一以虎豹'《儀禮》. ③성 화 성(姓)의 하나. 二 ①가를 획 ㉠나눔. 구분함. '一爲九州'《左傳》. ㉡한계를 지음. '區一'. '一宮而受弔焉'《禮記》. ②꾀할 획 계책을 세움. '一策'. ③꾀 획 계책. '計一'. '故願大王審一而已'《鄒陽》. ④획 획 자획(字畫). '點一'.

字源 甲骨文 金文 篆文 古文 古文 甲骨文·金文은 象形. 붓을 손에 들고 교차하는 선의 도형을 그리는 모양을 본뜨며, 한계를 짓다, 그리다의 뜻을 나타냄. 篆文은 會意로 聿+田+口. '聿율'은 붓을 본뜬 것. '口위'는 '테두리, 구획'의 뜻. 농경지의 구획을 도형 위에 그리다의 뜻을 나타냄.

參考 画(田部 三畫)·画(田部 三畫)는 同字.

[畫架 화가] 그림을 그릴 때 화포(畫布)를 받치는 삼각(三脚)의 틀.
[畫家 화가] 그림을 그리는 것을 전문으로 하는 사람. 화인(畫人).
[畫舸 화가] 화방(畫舫).
[畫角 화각] 뿔로 만든 아름다운 피리.
[畫閣 화각] 단청을 한 누각.
[畫格 화격] 그림의 격식(格式). 그림의 품격.
[畫稿 화고] 초벌 그림.
[畫工 화공] 그림을 그리는 것을 업(業)으로 삼는 사람. 화사(畫師).
[畫戟 화극] 아름답게 색칠한 창(槍). 문을 지킬 때 가짐.
[畫壇 화단] ㉠그림의 진열장(陳列場). ㉡화가의 사회.
[畫堂 화당] ㉠그림을 새겨 장식한 방. ㉡방(房). ㉢그림을 그리는 방. 화실(畫室).
[畫圖 화도] ㉠그림. 회화(繪畫). ㉡그림을 그림.
[畫棟 화동] 아름답게 색칠한 마룻대.
[畫諾 화락] 문서 계약(文書契約)에 있어, 승낙(承諾)의 뜻을 표시할 때 써 넣는 문자(文字). 일설(一說)에는, 관공서의 공문서(公文書)라 함.
[畫廊 화랑] ㉠회화(繪畫)를 진열(陳列)하여 놓는 곳. ㉡그림을 그려 아름답게 꾸민 낭하(廊下).
[畫龍點睛 화룡점정] 장승요(張僧繇)라는 명화가(名畫家)가 용을 그린 뒤에 마지막으로 눈동자를 그려 넣었더니, 그 용이 홀연(忽然)히 구름을 타고 하늘로 올라갔다는 수형기(水衡記)에 실린 고사(故事)에서 나온 말로, 사물의 안목(眼目)이 되는 곳, 또는 약간의 어구(語句)나 사물(事物)을 첨가하여 전체가 활기(活氣)를 띠는 일, 또는 일을 완전히 성취(成就)함을 이름.
[畫樓 화루] ㉠화려하게 채색한 누각(樓閣). ㉡그림을 진열한 누각.
[畫眉 화미] ㉠눈썹먹으로 눈썹을 그림. 전(轉)하여, 미인을 이름. ㉡한(漢)나라 장창(張敞)의 고사(故事)에서 남편이 아내를 위하여 그 화장(化粧)에까지 마음을 써서 환심을 사는 일. ㉢두루미목(目)에 속하는 새. 중국 원산으로 우는 소리가 고움. 눈 가장자리에 눈썹 같은 흰 무늬가 있으므로 이름. 화미조(畫眉鳥).
[畫舫 화방] 색칠하여 화려하게 꾸민 유람선(遊覽船).
[畫法 화법] 그림을 그리는 법.
[畫癖 화벽] 그림을 좋아하는 버릇.
[畫屛 화병] 그림을 그린 병풍.
[畫餠 화병] 그림의 떡. 그림에 그린 떡은 먹을 수 없으므로 아무 소용이 없는 것의 비유로 쓰임. 화중지병(畫中之餠).
[畫報 화보] 세상에 일어난 일을 그림이나 사진으로 보도하는 인쇄물. 또, 주로 그림·사진을 모아 엮은 책자.
[畫譜 화보] ㉠화조(花鳥)·산수(山水) 등의 그림을 유별(類別)하여 모은 화첩(畫帖). ㉡화법(畫法)을 논한 책. 또는, 그림본.
[畫服 화복] 요순 시대(堯舜時代)에 죄를 범(犯)한 자를 체형(體刑)을 과하지 아니하고 오직 그가 입은 옷에 특별한 색을 칠하여 죄인(罪人)임을 일견(一見)하여 알 수 있게 한 일.
[畫師 화사] 화가(畫家).
[畫蛇添足 화사첨족] '사족(蛇足)'과 같음.
[畫像 화상] 초상화(肖像畫).
[畫仙 화선] 화성(畫聖).
[畫宣紙 화선지] 글씨를 쓰거나 그림을 그리는 데 쓰는 종이의 이름. 백지(白紙)보다 두껍고 큼.
[畫省 화성] '상서성(尙書省)'의 별칭(別稱). 호분(胡粉)으로 벽에 고현(古賢)·열사(烈士)의 초상(肖像)을 그렸으므로 이름.
[畫聖 화성] 그림의 성인(聖人). 극히 뛰어난 화가를 이름.
[畫手 화수] 그림의 명수(名手). 화가(畫家).
[畫室 화실·획실] ㉠그림을 새겨 장식한 방. 화당(畫堂). ㉡그림을 그리는 방. 또, 그림을 진열(陳列)한 방. ㉢'획실(畫室)'을 보라.
[畫苑 화원] 화가의 사회. 화단(畫壇).
[畫有六法 화유육법] 그림을 그리는 데 여섯 가지 법식(法式)이 있음. 남제(南齊)의 사혁(謝赫)의 설(說)임. 그 여섯 가지는 기운 생동(氣韻生動)·골법 용필(骨法用筆)·응물 상형(應物象形)·수류 부채(隨類傅彩)·경영 위치(經營位置)·전모이사(傳模移寫).
[畫意 화의] 그림 속에 나타난 정취(情趣).
[畫人 화인] 화가(畫家).
[畫匠 화장] 화가(畫家).
[畫粧 화장] 눈썹을 그리고 단장을 함.
[畫題 화제] ㉠그림의 제목(題目). 그림의 이름. ㉡그림 위에 쓰는 시문(詩文).
[畫中有詩 화중유시] 그림에 시적(詩的) 취미가 있음.
[畫中之餠 화중지병] 화병(畫餠).
[畫脂鏤氷 화지누빙] 기름에 그림을 그리고 얼음에 조각을 함. 헛수고를 하거나, 외관(外觀)만 있고 실질(實質)이 없음의 비유.
[畫叉 화차] 족자(簇子) 같은 것을 거는 데 쓰는, 끝에 갈고리가 달린 막대.
[畫讚 화찬] 그림 위에 쓰는 찬사(讚詞).
[畫彩 화채] 그림의 채색. 그림의 빛깔.
[畫帖 화첩] ㉠그림을 모아 엮은 책. ㉡그림을 그리기 위하여 화선지(畫仙紙) 같은 것의 여러 장을 한데 모아 만든 책. ㉢그림본.
[畫燭 화촉] 채색한 양초. 물들인 양초.

[畫趣 화취] 그림 같은 정취(情趣). 화제(畫題)가 될 만한 좋은 경치.
[畫致 화치] 화취(畫趣).
[畫布 화포] 유화(油畫)를 그리는 데 쓰는 베. 캔버스.
[畫幅 화폭] 그림을 그린 족자(簇子).
[畫筆 화필] 그림을 그릴 때 쓰는 붓.
[畫學 화학] 그림을 그리는 데 관한 학문. 또, 그림을 그리는 기술.
[畫虎不成反類狗 화호불성반류구] 화호유구(畫虎類狗).
[畫虎類狗 화호유구] 호걸(豪傑)을 본받다가 도리어 경박(輕薄)에 떨어짐의 비유(譬喩). 마원(馬援)이 형(兄)의 아들을 훈계(訓戒)한 말.
[畫計 획계] 계획(計劃).
[畫力 획력] 글씨나 그림의 획에 나타난 힘.
[畫數 획수] 자획(字畫)의 수.
[畫順 획순] 자획(字畫)의 순서.
[畫室 획실] 시신(侍臣)이 계획을 세우는 방.
[畫引 획인] 획수에 따라 찾는 한자(漢字)의 색인.
[畫一 획일] '획일(劃一)'과 같음.
[畫策 획책] 계획. 또, 계획을 세움. 책략을 꾸밈.
◉缺畫. 計畫. 界畫. 古畫. 口講指畫. 口畫. 區畫. 規畫. 劇畫. 琴棋書畫. 奇畫. 企畫. 綺畫. 機畫. 烙畫. 南宗畫. 南畫. 錄畫. 圖畫. 讀畫. 東洋畫. 漫畫. 名畫. 毛筆畫. 謀畫. 妙畫. 墨畫. 文畫. 眉目如畫. 邦畫. 壁畫. 擘畫. 北畫. 佛畫. 祕畫. 裨畫. 插畫. 省畫. 西洋畫. 書畫. 石畫. 聲畫. 俗畫. 水彩畫. 勝畫. 詩中有畫. 心畫. 案畫. 洋畫. 如畫. 鉛筆畫. 列畫. 染畫. 映畫. 外畫. 原畫. 油畫. 陰畫. 異畫. 印畫. 字畫. 潛畫. 裁畫. 點畫. 靜物畫. 題畫. 助畫. 條畫. 措畫. 主畫. 指畫. 錯畫. 贊畫. 參畫. 采畫. 肖像畫. 總畫. 春畫. 版畫. 筆畫. 韓國畫. 繢畫. 繪畫. 戲畫.

7 ⑫ [番] [中人] [一] 번 [平]元 孚袁切 fān [二] 반 [平]寒 普官切 pān [三] 파 [平]歌 博禾切 bō 

[筆順] 一 丷 平 乎 釆 番 番 番

[字解] [一] ①번 번 ㉠순서. 순번. '頭—'. '一百五日寒食雨, 二十四—花信風'《徐俯》. ㉡횟수. '往復數—'《南史》. ㉢차례로 임무를 맡는 일. '交—'. '賢良直宿更—'《漢書》. ②장 번 매수(枚數). '紙萬—'《天中記》. ③짝 번 대우(對偶). [二] ①땅이름 반 '—禺'는 광둥 성 광주부(廣州府)에 있는 지명. ②성 반 성(姓)의 하나. [三] ①날랠 파 '——'는 용맹한 모양. '——良士'《書經》. ②땅이름 파 '—吾'는 옛날의 조(趙)나라의 지명(地名). 지금의 허베이 성(河北省) 평산현(平山縣)에 있었음. ③성 파 성(姓)의 하나.

[字源] 金文 篆文 形聲. 田+釆〔音〕. '釆변'은 짐승의 발톱의 象形으로, 방사상(放射狀)으로 퍼지다의 뜻. 논밭에 씨를 뿌리다의 뜻을 나타내며, '播파'의 原字. 假借하여, 번갈아 일을 맡다의 뜻을 나타냄.

[番禺 반우] 자해(字解)[二]를 보라.
[番茄 번가] ㉠가지〔茄子〕의 일종. 색깔은 희고 모양은 납작함. ㉡일년감. 토마토.
[番假 번가] 번차례로 쉼.
[番款 번관] 죄인이 자백한 것을 번복하여 부인함. 번(番)은 번(飜).
[番代 번대] 번갊. 교대함.
[番頭 번두] 당대(唐代)에 번상(番上)한 자의 두목.
[番番 번번·파파] ㉠여러 번 다. 번번이. ㉡'파파(番番)'를 보라.
[番兵 번병] 번졸(番卒).
[番上 번상] 당번(當番)이 되어 출사(出仕) 또는 상경(上京)함.
[番戍 번수] 당번이 되어, 교대(交代)하여 수비(戍備)에 나섬.
[番語 번어] 외국어(外國語). 번어(蕃語).
[番賊 번적] 야만인의 적군(賊軍). 외국에서 쳐들어온 적군(賊軍).
[番卒 번졸] 번 들어 순찰하는 병졸.
[番地 번지] ㉠외국. 이역(異域). 번지(蕃地). ㉡《韓》번호(番號)를 매겨서 나눈 땅. 또, 그 번호.
[番次 번차] 번 드는 차례.
[番菜 번채] 양식(洋食). 서양 요리.
[番號 번호] 차례(次例)를 나타내는 호수(號數).
[番吾 파오] 자해(字解)[三]❷를 보라.
[番番 파파] 자해(字解)[三]❶을 보라.
◉更番. 交番. 局番. 當番. 不寢番. 非番. 上番. 順番. 輪番. 週番. 地番. 遞番. 吐番.

7 ⑫ [畬] [一] 여 [平]魚 以諸切 yú [二] 사 [平]麻 式車切 shē 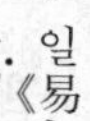

[字解] [一] 새밭 여 새로 개간한 지 이태 된 밭. 일설(一說)에는, 3년 된 밭. '不耕穫, 不菑—'《易經》. [二] ①따비밭 사 잡초를 불살라 일군 밭. '燒—度地偏'《杜甫》. ②성 사 성(姓)의 하나.

[字源] 篆文 形聲. 田+余〔音〕

[畬田 사전·여전] 새로 개간한 논밭. 또는 개간함. 잡초를 불사르고 전답을 일굼.
◉燒畬. 菑畬.

7 ⑫ [畲] 畬(前條)와 同字

7 ⑫ [畱] 〔류〕 留(田部 五畫〈p. 1465〉)의 本字

7 ⑫ [畧] 렬 [入]屑 龍輟切 liè

[字解] 밭갈 렬 밭을 갈아 흙을 일으킴. '—, 耕田起土也'《集韻》.

8 ⑬ [畺] [人名] 〔강〕 疆(田部 十四畫〈p. 1474〉)의 同字

[字源] 甲骨文 金文 篆文 別體 指事. '田전'과 '田' 사이에 구획을 나타내는 '三'을 그려서, '경계'의 뜻을 나타냄.

8 ⑬ [畭] 국 [入]屋 居六切 jú

[字解] 부추밭 국 '—, 韭畦'《集韻》.

8 ⑬ [畷] 철 [入]屑 陟劣切 zhuì 

字解 두둑길 철 밭 사이의 두둑으로 된 길. '饗農及郵表一禽獸'《禮記》.
字源 篆文 形聲. 田+叕〔音〕. '叕철'은 잇대어 꿰매다의 뜻. 잇대어 꿰맨 것 같은 논밭 사이의 '두둑길'의 뜻을 나타냄.

◉農畷. 連畷. 畛畷. 表畷.

8 ⑬ [畸] 人名 기 ㊥支 居宜切 jī

字解 ①뙈기밭 기 정전(井田)을 만들고 남은 귀퉁이 밭. '零田不可井者爲一'《正字通》. ②나머지 기 잔여(殘餘). '一人者, 一於人而侔於天'《莊子》. ③기이할 기 奇(大部 五畫)와 同字. '一人'. ④병신 기 불구(不具). '一形'.
字源 篆文 形聲. 田+奇〔音〕. '奇기'는 '구부러져 있다'의 뜻. 정전법(井田法)에 의해서 정리되고 남은 경지(耕地), 정리되지 않아 별난 모양을 한 경지의 뜻을 나타냄.

[畸人 기인] ㉠기이한 사람. 성질·언행이 보통 사람과 다른 사람. 기인(奇人). ㉡병신. 불구자(不具者).
[畸形 기형] 병신. 불구(不具).

8 ⑬ [畹] 원 ㊤阮 於阮切 wǎn

字解 ①스무이랑 원 밭 20묘(畝). 일설(一說)에는 30묘. 또 일설에는 12묘. '滋蘭之九一'《楚辭》. ②밭 원 전답. '下一高堂'《左思》. ③종실 원 황제의 일족. '戚一'.
字源 篆文 形聲. 田+宛〔音〕

◉戚畹.

8 ⑬ [畤] 〔치〕
庤(广部 六畫〈p. 696〉)의 俗字

8 ⑬ [畵] 人名 〔화〕
畫(田部 七畫〈p. 1470〉)의 俗字

8 ⑬ [當] 中·人 당 ㊥陽 都郎切 dāng ㊦漾 丁浪切 dàng 当

筆順 丨 丬 ⺌ 尚 尚 尚 尚 當

字解 ①당할 당 ㉠당해 냄. 감당함. '非福非德不一'《國語》. ㉡맞섬. 대적함. '天下莫能一'《史記》. ㉢일을 만남. '一事'. '一食不歎'《禮記》. ㉣숙직함. '妾御莫敢一夕'《禮記》. ㉤지킴. 방어함. '一夫一關萬夫莫開'《李白》. ②당하게할 당 전항(前項)의 타동사. '以一儀而一漢中地'《史記》. ③대할 당 마주 대함. '一公而進'《左傳》. ④마땅할 당 적당함. 상당함. '其位一'《易經》. ⑤맡을 당 주관함. '一國'. '夫子一路於齊'《孟子》. ⑥맞을 당 ㉠어떠한 일에 바로 맞음. '該一'. ㉡어떠한 죄가 법률의 어느 조문에 해당함. '一死'. '一斬'《史記》. '犯蹕一罰'《十八史略》. ⑦덮을 당 위를 덮어 가림. '一門'《左傳》. ⑧마땅히 당 의당 …하여야 함. '宜一'. '一殺之'《史記》. ⑨이 당, 그 당 이것·저것·지금 등을 나타냄. '一時'. '一人'. '喪一家之寶'《北史》. ⑩밑 당 물건의 밑바탕. '千金之玉巵, 通而無一'《韓非子》. ⑪저당 당 담보. '一店'. '典一胡夷'《後漢書》. ⑫성 당 성(姓)의 하나.
字源 篆文 形聲. 田+尙〔音〕. '尙상'은 '바라다'의 뜻. 결실 맺기를 바라고 논밭에서 일을 맡아 하는 모양에서, '당하다'의 뜻을 나타냄.

[當家 당가] ㉠이 집. 그 집. ㉡자기의 가업(家業)을 맡아 함. ㉢집안일을 하는 하인(下人). ㉣아내가 남에 대하여 자기 남편을 이름.
[當刻 당각] 바로 그 시각(時刻). 즉각(卽刻).
[當故 당고]《韓》부모(父母)의 상사(喪事)를 당함. 조간(遭艱).
[當關 당관] ㉠한대(漢代)에 새벽을 알리는 일을 맡은 벼슬. ㉡관(關)을 지킴.
[當局 당국] ㉠바둑을 둠. 대국(對局). ㉡어떤 지위에 있어 어떤 일을 담당함. 또, 그곳.
[當國 당국] ㉠나라의 일을 맡아봄. ㉡이 나라.
[當局者 당국자] ㉠바둑을 두는 사람. 대국자(對局者). ㉡어떤 지위에 있어 어떤 일을 맡은 사람.
[當權 당권] 권력을 잡음. 또, 그 사람.
[當歸 당귀] 승검초. 또, 그 뿌리. 뿌리는 보혈약에 씀.
[當今 당금] 지금. 이때. 현금(現今).
[當己 당기] 자기에게 적당함. 또, 그런 것.
[當年 당년] ㉠그해. 그때. ㉡올. 금년(今年).
[當年草 당년초] 해마다 새싹이 나는 풀. 일년초(一年草).
[當代 당대] ㉠그 시대. ㉡그 대(代).
[當到 당도] 어떤 곳이나 일에 닿아서 이름.
[當途 당도] ㉠당로(當路)❶. ㉡때를 만남. 출세(出世)함.
[當道 당도] ㉠이 도(道). 자기가 배우는 도. ㉡한방의학(漢方醫學)에서 내과(內科)를 이름.
[當塗 당도] 당도(當途).
[當頭 당두]《佛敎》절의 큰방에 청산(靑山)·백운(白雲) 같은 것을 써 붙인 것.
[當來 당래]《佛敎》다음에 올 세상. 내세(來世).
[當來導師 당래도사]《佛敎》㉠내세(來世)에 출현하는 도사(導師). 곧, 미륵보살(彌勒菩薩). ㉡내세를 구제하는 도사. 곧, 관세음보살(觀世音菩薩).
[當路 당로] ㉠도로(道路) 중의 요지(要地)에 있음. ㉡중요한 지위에 있음. 요로(要路)에 있음.
[當壚 당로] 술을 팖. 사마상여(司馬相如)가 자기 아내 탁문군(卓文君)을 노변(邊), 곧 술독을 둔 곳에 앉혀 술을 팔게 한 고사(故事)에서 나온 말.
[當面 당면] ㉠얼굴을 마주 대(對)함. 대면(對面). ㉡일이 바로 눈앞에 닥침.
[當方 당방] 그 방면.
[當百錢 당백전] 엽전(葉錢) 한 푼이 백 푼을 당(當)하는 돈. 조선(朝鮮) 고종(高宗) 3년에 경복궁(景福宮)을 지을 때 주조(鑄造)하였음.
[當番 당번] 번(番) 드는 차례에 당함. 또, 그 사람.
[當璧 당벽] 초(楚)나라 공왕(恭王)이 총애하는 아들 오 형제 중에서 한 사람을 후사(後嗣)로 삼으려고 하여 미리 구슬을 태실(太室)의 뜰에 묻어 놓고 그들을 들어오게 하여 구슬을 파묻은 곳에 절을 한 사람을 후사로 택(擇)한 고사(故事).

[當否 당부] 마땅함과 마땅하지 아니함. 정당함과 부정당함. 시비(是非).
[當事 당사] 일에 당함.
[當朔 당삭]《韓》㉠그달. ㉡잉태(孕胎)한 부녀가 해산(解產)할 달을 당함. 또, 그달.
[當夕 당석] 자기 차례가 돌아온 날 밤에 잠자리에 모심.
[當席 당석] 그 자리. 그 석상(席上).
[當選 당선] 선거(選擧)에 뽑힘. 또, 선(選)에 듦. 입선(入選).
[當世 당세] ㉠이 세상. 금세(今世). ㉡그 시대(時代)의 세상(世上). ㉢위(位)에 올라 국왕(國王)이 됨.
[當所 당소] 이곳. 그곳. 당지(當地).
[當時 당시] ㉠이때. 지금. ㉡그때.
[當心 당심] 주의함. 유의함.
[當夜 당야] 그날 밤.
[當陽 당양] ㉠환함. 분명함. ㉡양지바름. ㉢천자(天子)가 남면(南面)하여 천하를 다스림. ㉣후베이 성(湖北省)의 한 현(縣).
[當陽之地 당양지지] 햇빛이 잘 드는 땅. 양지바른 땅.
[當然 당연] 이치에 당함. 마땅히 그러함.
[當午 당오] 오정. 정오(正午).
[當月 당월] 이달. 금월(今月).
[當人 당인] 그 사람. 본인(本人).
[當仁不讓於師 당인불양어사] 인(仁)을 행할 때는 비록 스승이라 할지라도 양보할 필요가 없음.
[當日 당일] ㉠일이 생긴 바로 그날. ㉡이날. 금일(今日).
[當場 당장] 바로 그 자리. 즉석(卽席). 당하(當下).
[當節 당절] 지금. 당시(當時).
[當店 당점] 당포(當鋪).
[當朝 당조] 당대(當代)의 조정(朝廷).
[當座 당좌] 당석(當席).
[當卽 당즉] 바로. 즉각(卽刻).
[當地 당지] 그곳. 이곳.
[當直 당직] 근무하는 곳에서 일직(日直)·숙직(宿直) 따위의 차례가 됨.
[當差 당차] ㉠차역(差役)에 당함. 또는 차역으로 부림. ㉡조선 시대의 형벌의 하나. 신분(身分)에 따라 노역(勞役)에 종사하였음.
[當讖 당참] 예언(豫言)이 들어맞음.
[當處 당처] 이곳.
[當籤 당첨] 제비뽑기에 뽑힘.
[當初 당초] 그 맨 처음.
[當軸 당축] 당국(當局) ❶.
[當兔 당토] 굴대의 중앙에 있어서 차체(車體) 곧 차상(車箱)과 굴대를 연결하는 물건. 좌우에 있는 것은 복토(伏兔)라고 함.

[當兔]

[當鋪 당포] 전당포(典當鋪).
[當票 당표] 전당표(典當票).
[當下 당하] 어떤 일을 만난 그 자리에서. 바로. 당장(當場).
[當下事 당하사] 당면(當面)의 일. 바로 할 일.
[當該 당해] ㉠그 계(係). 그 담당(擔當). ㉡그것. 그 사항.
[當刑 당형] 이미 제정(制定)한 법.
[當惑 당혹] 생각이 막혀서 어찌할 바를 모름.
[當婚 당혼] 혼인할 나이가 됨.

◉家當. 勘當. 堪當. 過當. 官當. 句當. 均當. 郎當. 琅當. 擔當. 名實無當. 沒雕當. 伴當. 配當. 別當. 倂當. 屛當. 不當. 不敢當. 相當. 石敢當. 手當. 順當. 承當. 失當. 厭當. 玉卮無當. 穩當. 瓦當. 允當. 隱當. 應當. 一了百當. 抵當. 適當. 典當. 丁當. 正當. 至當. 充當. 妥當. 平當. 仵當. 該當.

9 ⑭ [畻] 승 ㊥蒸 神陵切 chéng

字解 두둑 승 밭 사이의 두둑. 塍(土部 九畫)·塍(土部 十畫)과 同字.

9 ⑭ [畽] 탄 ㊤旱 吐緩切 tuǎn

字解 마당 탄 '町—'은 집의 앞이나 뒤의 공지(空地). 일설(一說)에는, 사슴의 발자국. '町—鹿場'《詩經》.

字源 會意. 田+重

◉町畽.

9 ⑭ [㽥] 유 ㊥尤 耳由切 róu

字解 걸찬밭 유 좋은 밭. '—, 良田'《廣韻》.

字源 篆文 形聲. 田+柔〔音〕

9 ⑭ [畹] 연 ㊥先 而緣切 ruán ㊦霰 人絹切

字解 ①빈땅 연 공터. '—, 郤也. 隙地也'《韻會》. ②성밑밭 연 성 아래 밭. '—, 城下田也'《說文》. ③강변 연 강가. '—, 一曰, 江滸'《集韻》.

字源 篆文 形聲. 田+耎〔音〕. '耎연'은 수염이 부드럽다의 뜻. 수염이 입 둘레에 나듯이, 성곽 밖에 있는 논밭.

10 ⑮ [畾] 뢰 ㊥灰 魯回切 léi

字解 밭사이땅 뢰 밭과 밭 사이의 땅. '田間地, 謂之—'《集韻》.

字源 會意. '田전'을 셋 포개어 보루, 논밭 사이의 땅의 뜻을 나타냄.

10 ⑮ [畻] 차 ㊥歌 昨何切 cuó

字解 ①거친밭 차 구획을 짓다가 남은 거친 밭. ②앓을 차 병듦. 瘥(疒部 十畫)와 통용. '天方薦—'《詩經》.

字源 篆文 形聲. 田+差(𢀩)〔音〕. '𢀩차'는 삔 나머지의 뜻. 분배한 뒤에 남은 거친 자투리 땅의 뜻을 나타냄.

10 ⑮ [畻] 〔혜〕 蹊(足部 十畫〈p. 2242〉)와 同字

10 ⑮ [畿] 高人 기 ㊥微 渠希切 jī

筆順 幺 幺幺 幺幺 㡭 畿 畿 畿 畿

字解 ①경기 기 왕도(王都) 주위의 5백 리 이내

의 땅. '一內'. '京一'. '天子千里地, 以遠近言之, 則言一'《說文》. ②지경 기 경계. '制一封國'《周禮》. ③서울 기 국도(國都). '俘我洛一'《顏延之》. ④뜰 기 문 안의 마당. '薄送我一'《詩經》. ⑤문지방 기 문한(門限). '白石爲門一'《韓愈》. ⑥성 기 성(姓)의 하나.

字源 篆文 形聲. 田+幾〈省〉〔音〕. '幾기'는 '近근'과 통하여, '가깝다'의 뜻. 천자에 가까운 곳, '도성(都城)'의 뜻을 나타냄.

[畿疆 기강] 경계. 강계(疆界).
[畿內 기내] 서울을 중심(中心)으로 하여 사방(四方) 5백 리(里) 이내(以內)의 땅. 천자(天子) 직할(直轄)의 지역임.
[畿輦 기련] 서울. 경사(京師).
[畿輔 기보] ㉠서울. 경사(京師). ㉡지금의 허베이성(河北省)의 일컬음.
[畿服 기복] 기내(畿內).
[畿封 기봉] 서울을 중심으로 한 천자(天子) 직할(直轄)의 지역. 또, 그 경계(境界).
[畿營 기영] 경기도 감영(監營).
[畿外 기외] 도성을 중심으로 한 5백 리 바깥의 땅.
[畿甸 기전] 기내(畿內).
[畿湖 기호] 《韓》 우리나라 서쪽 중앙부를 차지하고 있는 경기도·황해도 남부·충청남도 북부를 포함한 지역의 총칭.
◉京畿. 九畿. 國畿. 近畿. 邦畿. 四畿. 王畿. 帝畿.

10 ⑮ [畵] 〔화〕
畫(田部 七畫〈p. 1470〉)의 本字

10 ⑮ [畯] 一 순 ㊥眞 松倫切 xún
二 균 ㊥眞 規倫切 jūn
字解 一 ①고를 순 '一, 均也'《廣韻》. ②밭편편할 순 밭의 땅이 고름. 二 따비이룰 균 개간하는 모양. 畇(田部 四畫)과 同字. '一, 墾田皃'《集韻》.

11 ⑯ [暵] 한 ㊤翰 呼旰切 hàn
字解 보리밭 한 '一, 耕麥地'《玉篇》.

11 ⑯ [畛] 참 ㊤勘 七紺切 càn
字解 밭두렁서로연할 참 '一, 田隴相聯也'《集韻》.

11 ⑯ [暘] 〔장〕
場(土部 十一畫〈p. 461〉)과 同字

12 ⑰ [疄] 린 ①㊤震 良刃切 lìn
②㊥眞 力珍切 lín
字解 ①밭에수레몰 린 밭으로 수레를 몲. 밭을 짓밟음. ②남새밭 린 채전(菜田). 疄(土部 十七畫)과 同字.
字源 篆文 形聲. 田+粦(粦)〔音〕. '粦린'은 '轔린'과 통하여, 수레가 밟고 지나가다의 뜻.

12 ⑰ [畨] 반 ㊥寒 逋潘切 bān
字解 무리 반 패. '一, 輩也'《集韻》.

12 ⑰ [疃] 탄 ㊤旱 吐緩切 tuǎn
字解 자귀 탄 짐승이 디딘 발자국. '一, 禽獸所踐處也'《說文》.

[壘] 〔루〕
土部 十五畫(p. 470)을 보라.

[櫐] 〔루〕
木部 十五畫(p. 1121)을 보라.

14 ⑲ [疆] 人名 강 ㊥陽 居良切 jiāng
字解 ①지경 강 경계. '一界'. '古者諸侯出, 必具官以從'《史記》. ②끝 강 제한(際限). '萬壽無一'《詩經》. ③두둑 강 전답의 경계를 이룬 둔덕. '兆民勸於一埸'《張衡》. ④나라 강 국토. '闢土開一'《晉書》. ⑤경계삼을 강 경계를 설정함. '迺一迺理'《詩經》.
字源 金文 畺의 別體 形聲. 土+畺〔音〕. 본래 '畺강'의 別體. '경계'의 뜻을 나타냄.

[疆界 강계] 경계(境界). 국경(國境).
[疆內 강내] 나라의 경계의 안.
[疆吏 강리] 국경을 지키는 벼슬아치.
[疆理 강리] 국경을 정하고 나라를 다스림.
[疆上 강상] 국경 가. 국경 근처.
[疆塞 강새] 강역(疆域).
[疆域 강역] 강토(疆土)의 구역. 국경(國境).
[疆埸 강역] ㉠전지(田地)의 경계. 밭두둑. 논두렁. ㉡강역(疆域).
[疆外 강외] 교외(郊外). 경외(境外).
[疆徼 강요] 변방(邊方). 변경(邊境).
[疆宇 강우] 강토(疆土).
[疆土 강토] ㉠경계. 국경(國境). ㉡국토(國土). 영토(領土).
◉畎疆. 无疆. 無疆. 邊疆. 封疆. 分疆. 出疆. 侵疆. 土疆.

14 ⑲ [疇] 人名 주 ㊤尤 直由切 chóu 畴
筆順
字解 ①두둑 주 밭의 경계. '取我田一而伍之'《左傳》. ②삼밭 주 삼을 심는 밭. '季夏之月, 可以糞田一'《禮記》. ③밭 주 경작하는 전지. '男樂其一'《史記》. ④누구 주 어느 사람. 誰(言部 八畫)와 뜻이 같음. '帝曰, 一咨若時, 登庸'《書經》. ⑤접때 주 이전. '予一昔之夜'《禮記》. ⑥세습 주 가업(家業)을 세습(世襲)하는 일. 지금은 오로지 천문학자에게 쓰임. '一人'《史記》. ⑦무리 주 ㉠부류(部類). 분류된 항목. '洪範九一'《書經》. ㉡제배(儕輩). '賢者之一也'《戰國策》. ⑧짝 주 배필. '顧一弄音'《嵇康》. ⑨같을 주 동등함. '一其爵邑'《漢書》. ⑩북돋울 주 배토(培土)함. '今夫樹木者, 灌以繁水, 一以肥壤'《淮南子》. ⑪성 주 성(姓)의 하나.
字源 甲骨文 篆文 別體 象形. 原字는 甲骨文이나 別體처럼, 농경지 안의 수로(水路) 또는 두둑이 이어진 모양을 본떠, '두

둑'의 뜻을 나타냄. 뒤에, 논밭에 관계되므로 '田전'을 덧붙임. 이어지다의 뜻에서, '무리, 짝'의 뜻도 나타내게 됨. 지금의 자형은 田+壽〔音〕의 形聲으로, '壽수'는 '이어지다'의 뜻이며, 이어진 농토, 이어진 농토의 두둑의 뜻을 나타냄. '儔주'와 통하여, '무리, 짝'의 뜻도 나타냄.

[疇官 주관] ㉠가업(家業)을 대대로 물려받는 일. ㉡천문학자(天文學者). 수학자(數學者). 주(疇)는 주(籌). 산주(算籌)를 가지고 관측(觀測)하므로 이름. 주인(疇人).
[疇曩 주낭] 접때. 지난번. 이전(以前).
[疇壟 주롱] 밭두둑.
[疇類 주류] 주배(疇輩).
[疇輩 주배] 동무. 동배(同輩). 제배(儕輩).
[疇生 주생] 같은 종류의 식물이 한데 모여 남.
[疇昔 주석] ㉠전날. 전일(前日). ㉡어젯밤. 작야(昨夜). 석(昔)은 석(夕).
[疇昔之夜 주석지야] 어젯밤. 작야(昨夜).
[疇庸 주용] 공적에 보답(報答)함. 주(疇)는 수(酬). 용(庸)은 공(功).
[疇人 주인] 가업(家業)을 대대로 전하는 사람. 일설(一說)에는, 동류(同類)의 사람.
[疇日 주일] 접때. 지난번.
◉範疇. 先疇. 新疇. 良疇. 沃疇. 園疇. 田疇. 翠疇. 平疇. 匹疇. 洪範九疇. 荒疇. 畫疇.

14 [𤳳] 〔연〕
⑲ 𤱿(田部 九畫〈p. 1473〉)과 同字

15 [疈] 벽 ㉧職 芳逼切 pì
⑳

字解 ①가를 벽 희생(犧牲)을 가름. '以一辜祭四方百物'《周禮》. ②쪼갤 벽 갈라 나눔. '一瓜抓棗'《王維》.

[疈瓜 벽과] 참외를 쪼갬.

15 [𤴐] ㊀ 뢰 ㉬灰 盧回切 léi
⑳ ㊁ 훼 ㉬紙 詡鬼切 huǐ

字解 ㊀ 우레 뢰 우레. 雷(雨部 五畫)와 뜻이 같음. ㊁ 사람이름 훼 사람 이름.

[纍] 〔루〕
糸部 十五畫(p. 1780)을 보라.

[罍] 〔뢰〕
缶部 十五畫(p. 1785)을 보라.

17 [疊] 人名 첩 ㉧葉 徒協切 dié 叠
㉒

字解 ①겹쳐질 첩, 포개질 첩 여러 겹이 됨. '重一'. '雖累葉百一, 而富強相繼'《左思》. ②겹칠 첩, 포갤 첩 겹쳐 놓음. '吐其舌, 三一之'《宋史》. ③두려워할 첩 공구함. '莫不震一'《詩經》. ④무명 첩 면포. '白一'《後漢書》.
字源 篆文 會意. 畾+宜. '畾뢰'는 본디 '晶정'으로, 같은 모양의 것을 포개다의 뜻. '宜의'는 도마 위에 맛있는 음식의 뜻. 맛있는 것을 겹쳐 포개는 모양에서, '포개다, 겹치다'의 뜻을 나타냄.
參考 疉(次條)은 本字.

[疊鼓 첩고] 《韓》 입직(入直)하는 군사(軍士)를 모으기 위하여 대궐(大闕) 안에서 북을 치는 일.
[疊觀 첩관] 높은 망루(望樓).
[疊起 첩기] 겹쳐 일어섬.
[疊濤 첩도] 겹쳐 일어나는 파도. 층도(層濤).
[疊浪 첩랑] 첩도(疊濤).
[疊嶺 첩령] 첩봉(疊峯).
[疊峯 첩봉] 중첩(重疊)한 산봉우리.
[疊書 첩서] 같은 글귀나 글자를 거듭 씀.
[疊設 첩설] 겹쳐 베풂.
[疊役 첩역] 부역(賦役)을 거듭 부담함.
[疊穎 첩영] 서로 겹친 벼이삭.
[疊用 첩용] 같은 어구(語句)를 겹쳐 씀.
[疊雲 첩운] 중첩(重疊)한 구름. 층운(層雲).
[疊韻 첩운] ㉠같은 운(韻)을 써서 시를 지음. 화운(和韻). ㉡두 자로 된 숙어(熟語)에서 두 자가 모두 같은 운(韻)인 것. 요조(窈窕)·우유(優游) 따위.
[疊字 첩자] 겹친 글자. 망망(茫茫)·첩첩(疊疊) 따위.
[疊嶂 첩장] 첩봉(疊峯).
[疊載 첩재] 거듭 기재함. 중복하여 실음.
[疊重 첩중] 겹쳐짐. 또, 겹침. 중첩(重疊).
[疊徵 첩징] 거듭 징수함.
[疊次 첩차] 자주. 누차(屢次).
[疊疊 첩첩] 겹친 모양. 중첩(重疊)한 모양.
[疊疊山中 첩첩산중] 중첩(重疊)한 산속.
[疊疊愁心 첩첩수심] 중첩(重疊)한 근심.
[疊出 첩출] 같은 사물(事物)이 거듭 나옴.
[疊巇 첩희] 첩봉(疊峯).
◉白疊. 陽關三疊. 積疊. 摺疊. 稠疊. 重疊. 震疊. 層疊.

17 [疉] 疊(前條)의 本字
㉒

疋 (5획) 部
〔필필부, 짝필부〕

0 [疋] 人名 ㊀ 소 ㉬魚 所葅切 shū
⑤ ㊁ 필 ㉧質 譬吉切 pǐ

筆順 ㇇ 丅 下 疋 疋

字解 ㊀ 발 소 다리 끝의 발. '問一何止'《說文》. ㊁ ①필 필 匹(匸部 二畫)과 同字. '馬一'. ②끗 필 옷감의 길이의 단위. 필. '五尺謂之墨, 倍墨謂之丈, 倍丈謂之端, 倍端謂之兩, 倍兩謂之一'《小爾雅》.
字源 篆文 象形. 본디 '足족'과 같은 꼴로, 발의 모양을 본떠, '발'의 뜻을 나타냄.
參考 자형 분류상 부수(部首)로 설정됨. 예로부터 '匹필'의 俗字로서 '疋'이 쓰여 왔으므로, '짝필'로 이름. 변으로 쓰일 때에는 자형이 '𤴔'이 됨.

[疋緞 필단] 필로 된 비단.
[疋練 필련] ㉠한 필의 마전한 비단. ㉡무지개 같은 것이 길게 뻗친 모양. 또, 흰말이 연달아 가는 모양.

[疋馬 필마] 한 필의 말.
[疋帛 필백] 비단. 명주.
◉馬疋.

0 ⑤ [疋] ㊀ 正(止部 一畫〈p.1137〉)의 古字 ㊁ 雅(隹部 四畫〈p.2481〉)와 同字

3 ⑧ [疌] ㊀ 섭 ㊀入葉 尼輒切 jié ㊁ 치 ㊁去寘 陟利切

字解 ㊀ ①베틀디딜판 섭 베틀 아래의 발로 밟는 데. '一, 機下足所履者'《說文》. ②빠를 섭 '一, 說文, 疾也'《廣韻》. ㊁ 거리낄 치 '疐, 說文, 礙不行也. 亦作一'《集韻》.

4 ⑨ [㱔] 疌(前條)의 本字

[胥] 〔서〕 肉部 五畫(p.1844)을 보라.

6 ⑪ [疏] 疏(次次條)의 本字

7 ⑫ [疎] 高人 疏(次條)의 俗字. 단, '疏'의 ①⑭⑮⑯⑰은 관습상 이 자를 쓰지 아니함.

筆順 ㇖ 了 孑 疋 疋 疋̄ 踈 疎

字源 形聲. 束+疋〔音〕. '疏소'와 동일어 이체자(同一語異體字)임.

[疎隔 소격] ㉠탐탁하게 여기지 않아 멀리함. ㉡정분(情分)이 성기어 멂.
[疎略 소략] 소홀하고 간략함. 꼼꼼하지 못하고 거칢. 정밀(精密)하지 아니함.
[疎鹵 소로] 거칠고 윤택(潤澤)이 없음.
[疎籬 소리] 성긴 울타리.
[疎密 소밀] 성김과 고움. 엉성함과 촘촘함.
[疎朴 소박] 거칠고 질박(質朴)함.
[疎薄 소박] 탐탁하게 여기지 아니하여 박대함.
[疎放 소방] 소홀하고 방자함. 데면데면하고 제멋대로 굶.
[疎少 소소] 성기고 적음.
[疎野 소야] 성품이 거칠고 예의범절을 모름.
[疎影 소영] 드문드문 비치는 그림자.
[疎外 소외] 물리쳐 멀리함.
[疎慵 소용] 데면데면하고 게으름.
[疎愚 소우] 데면데면하고 어리석음.
[疎脫 소탈] 데면데면하여 빠뜨림.
[疎蕩 소탕] 성기고 거칢.
[疎懈 소해] 데면데면하고 게으름.
[疎忽 소홀] ㉠데면데면하여 찬찬하지 않음. ㉡《韓》대수롭지 않고 예사임.
◉去者日疎. 空疎. 扶疎. 比疎. 蕭疎. 情疎. 麤疎. 親疎.

7 ⑫ [疏] 高人 소 ①-⑮⑱㊥平魚 所葅切 shū ⑯⑰㊦去御 所去切

筆順 ㇖ 了 孑 疋 疋̄ 䟽 疏 疏

字解 ①트일 소, 틀 소 막힌 것이 통함. 또, 막힌 것을 치워 통하게 함. '一通'. '禹一九河'《孟子》. ②나누일 소, 나눌 소 갈라짐. 가름. '一隊而擊之'《淮南子》. ③멀 소 ㉠가깝지 않음. '遐方一俗'《漢書》. ㉡친하지 않음. '親一'. '公族一遠者'《史記》. ④멀리할 소 가까이하지 아니함. '一外'. '一太子'《呂氏春秋》. ⑤멀어질 소 소원하여짐. '以此益一'《史記》. ⑥드물 소 성김. '一密'. '祭不欲一'《禮記》. ⑦거칠 소 정하지 아니함. '一惡'. '飯一食'《論語》. ⑧길 소 장대(長大)함. '體大者節一'《淮南子》. ⑨새길 소 조각함. '一屛, 天子之廟飾'《禮記》. ⑩그릴 소 그림을 그림. '大夫一器'《管子》. ⑪치울 소 철거시킴. '一軍而去之'《國語》. ⑫깔 소 밑에 깖. '一石蘭兮爲芳'《楚辭》. ⑬맨발 소 도선(徒跣). 벗은 발. '子佩一揖'《淮南子》. ⑭채소 소 蔬(艸部 十一畫)와 통용. '聚斂一材'《周禮》. ⑮빗질 소 梳(木部 六畫)와 통용. ⑯주 소 주석. '註一'. '一解'. '鼠銜孝經一, 置榻前'《長編》. ⑰상소할 소, 상소 소 조목별(條目別)로 써서 군주에게 아룀. 또, 그 글. '獨可抗一時道是非'《揚雄》. ⑱성 소 성(姓)의 하나.

字源 篆文 形聲. 㐬+疋〔音〕. '㐬류'는 '흐르다'의 뜻. '疋소'는 '발'의 뜻. 발처럼 두 갈래로 갈려서 흐름이 통하다의 뜻에서, '통하다'의 뜻을 나타냄. 파생하여, 공간이 트여서 거리가 멀어지다의 뜻을 나타냄.

參考 疎(前條)는 俗字.

[疏擧 소거] 조목조목 들어 써 올림.
[疏隔 소격] ㉠탐탁하게 여기지 않아 멀리함. ㉡정분(情分)이 성기어 멂. 소원(疏遠).
[疏決 소결] ㉠막힌 것을 터놓음. ㉡죄수를 너그럽게 처결함.
[疏狂 소광] 언행이 너무 거칠어 상규(常規)에 벗어남.
[疏廣 소광] 한(漢)나라 난릉(蘭陵) 사람. 자(字)는 중옹(仲翁). 〈춘추(春秋)〉에 통효(通曉)하여 선제(宣帝) 때 태자태부(太子太傅)가 되었는데, 위인이 청렴하고 영만(盈滿)을 경계하여 태자태부가 된 지 5년 만에 사임하였고, 치산(治產)을 하지 않았음.
[疏達 소달] 소탈(疏脫)하고 활달(豁達)함.
[疏待 소대] 소홀(疏忽)히 대접함.
[疏導 소도] 물을 소통하게 하여 끎. 막힌 물을 터서 끎.
[疏懶 소라] 일에 등한하고 게으름.
[疏朗 소랑] 맑고 시원함.
[疏略 소략] 소홀하고 간략함. 꼼꼼하지 못하고 거칢. 정밀(精密)하지 아니함.
[疏糲 소려] ㉠소사(疏食). ㉡하는 짓이 데면데면하고 거침.
[疏簾 소렴] 성긴 발.
[疏漏 소루] 차근차근하지 못함.
[疏勒 소륵] 한대(漢代)에 신장 성(新疆省)에 있던 나라 이름.
[疏理 소리] ㉠살결이 곱지 아니함. 살결이 거칢. ㉡막힘이 없도록 다스림.
[疏籬 소리] 성긴 울타리.
[疏慢 소만] 소라(疏懶).
[疏末 소말] 관계가 멂. 소원(疏遠)함.
[疏網 소망] 성긴 그물. 전(轉)하여, 관대한 법률의 비유.
[疏密 소밀] 성김과 고움. 엉성함과 촘촘함.
[疏薄 소박] 탐탁하게 여기지 아니하여 박대함.
[疏放 소방] 소홀하고 방자함. 데면데면하고 제멋

대로 굶.
[疏卞 소변] 데면데면하고 조급(躁急)함.
[疏屛 소병] 조각하여 장식한 병풍.
[疏食 소사] ㉠채식(菜食)과 곡식(穀食). ㉡변변치 못한 음식. 육미(肉味)붙이가 없는 조반(粗飯). 추반(麤飯).
「密」.
[疏數 소삭] ㉠소원(疏遠)함과 친근함. ㉡소밀(疏
[疏散 소산] 서로 사이가 소원하여져서 헤어짐.
[疏疏 소소] ㉠성장(盛裝)한 모양. 옷을 화려하게 차린 모양. ㉡성긴 모양. 드문드문 흩어져 떨어지는 모양.
[疏俗 소속] 먼 외국의 풍속.
[疏屬 소속] 먼 촌의 일가. 소족(疏族).
[疏率 소솔] 성품이 소탈하여 잔달지 아니함. 도량이 커서 잔일에 구애하지 아니함.
[疏水 소수] 땅을 파거나 뚫어서 물을 통하게 함. 또, 그 수로(水路).
[疏食 소식·소사] ㉠채소와 곡식을 먹음. ㉡'소사(疏食)'를 보라.
[疏惡 소악] 거칠고 나쁨.
[疏野 소야] 예의범절을 모름. 조야(粗野).
[疏瀹 소약] 씻음. 깨끗이 함.
[疏髥 소염] 드문드문 난 수염.
[疏影 소영] 드문드문 비치는 그림자.
[疏迂 소오] 소홀하고 오활(迂闊)함. 소활(疏闊).
[疏傲 소오] 데면데면하고 오만함.
[疏頑 소완] 소우(疏愚).
[疏緩 소완] 세상일에 소홀하고 느림.
[疏外 소외] 배척하여 멀리함.
[疏畏 소외] 꺼리어 멀리함.
[疏慵 소용] 소라(疏懶).
[疏迂 소우] 소오(疏迂).
[疏雨 소우] 성기게 오는 비.
[疏虞 소우] 소홀(疏忽).
[疏愚 소우] 데면데면하고 어리석음.
[疏鬱 소울] 울적한 마음을 풀어 헤침.
[疏遠 소원] ㉠탐탁히 여기지 아니하여 멀리함. 소격(疏隔). ㉡정분(情分)이 성기어 멂. ㉢오래 만나지 아니함. 소활(疏闊).
[疏狀 소장] 상소하는 글.
[疏材 소재] ㉠먹을 수 있는 초목(草木)의 열매. ㉡쓸모없는 재목.
[疏逖 소적] 소원(疏遠)❶.
「수.
[疏奠 소전] 채소의 제수(祭需). 변변하지 못한 제
[疏節 소절] 대단치 않은 작은 절조(節操).
[疏族 소족] 촌수(寸數)가 먼 일가.
[疏宗 소종] 촌수(寸數)가 먼 종족(宗族).
[疏注 소주] 상세한 주석(注釋). 주소(注疏).
[疏奏 소주] 조목별로 써서 상주(上奏)함.
[疏儁 소준] 도량이 크고 재주가 뛰어남.
[疏憎 소증] 소외(疏外)하고 증오함. 미워하여 배척함.
[疏枝 소지] 성긴 가지.
[疏陳 소진] 조리 정연하게 사룀. 조목조목 따져 진술함.
[疏鑿 소착] 땅을 뚫어 막힌 물을 통하게 함.
[疏斥 소척] 소외(疏外).
[疏徹 소철] 투명(透明)함.
[疏遞 소체] 상소(上疏)하여 사직함.
[疏麤 소추] 거칢.
[疏惰 소타] 데면데면하고 게으름.
[疏誕 소탄] 세상일에 오활(迂闊)하고 방자(放恣)함.
[疏宕 소탕] 소탈하고 호탕(豪宕)함. 도량(度量)이 커서 작은 일에 구애하지 아니함.
[疏蕩 소탕] 성기고 거칢.
[疏通 소통] ㉠막힘 없이 통함. ㉡조리가 정연(整然)함. ㉢해설(解說)하여 밝힘.
[疏捕 소포] 수색하여 체포함. 소(疏)는 추적(追跡)한다는 뜻.
[疏罅 소하] 틈. 틈새.
[疏嫌 소혐] 싫어하여 멀리함.
[疏豪 소호] 소오(疏傲).
[疏忽 소홀] 데면데면함. 찬찬하지 아니함.
[疏畫 소화] 거칠게 그린 그림. 밀화(密畫)의 대(對).
[疏闊 소활] ㉠짜이지 못하고 어설픔. 정밀(精密)하지 아니함. ㉡우원(迂遠)함. ㉢오래 만나지 아니함. 소원(疏遠). ㉣간략(簡略)함.
[疏豁 소활] 앞이 탁 트이어 넓음.
[疏懷 소회] 세사(世事)에 등한(等閒)한 마음.
◉諫疏. 簡疏. 渠疏. 寬疏. 綺疏. 道場疏. 募緣疏. 密疏. 辯疏. 封疏. 扶疏. 浮疏. 分疏. 上疏. 手疏. 蕭疏. 暗疏. 流疏. 義疏. 齊疏. 牋疏. 注疏. 奏疏. 註疏. 麤疏. 親疏. 闊疏. 稀疏.

9 ⑭ [疑] 高·人 ㊀ 의 ㊥支 語其切 yí ㊁ 응 ㊥蒸 疑陵切 níng

筆順 疑

字解 ㊀ ①의심할 의 ㉠알지 못하여 의혹함. '一問'. '三人一之'《戰國策》. ㉡이상하게 여김. 혐의를 둠. '一其隣之子'《列字》. ②의심스러울 의 확실하지 아니함. '一獄'. '罪一惟輕'《書經》. ③의심컨대 의 의심하노니. '一是銀河落九天'《李白》. ④의심 의 이상(以上)의 명사. '宿一'. '蓄一敗謀'《書經》. ⑤두려워할 의 공구함. '皆爲一死'《禮記》. ⑥싫어할 의 미워함. '嫌一'. '何嫌何一'《後漢書》. ⑦헤아릴 의 촌탁함. '正方不一君'《儀禮》. ⑧비길 의 擬(手部 十四畫)와 통용. '陰一于陽'《易經》. ㊁ 안정할 응 한 장소에 안정함. '靡所止一'《詩經》.

字源 甲骨文Ⓐ 甲骨文Ⓑ 金文 篆文 象形. 甲骨文 Ⓐ는 사람이 고개를 쳐들고 생각하며 서 있는 모양. 甲骨文 Ⓑ는 사람이 갈림길을 만나 지팡이를 세워 놓고 생각을 굴리면서 서 있는 모양. 金文은 이 甲骨文 '矣'에 彳+止+牛와 같이 '牛우'가 덧붙어 음(音)을 나타냄. 굼뜬 소처럼 결단을 내리지 못하고 의심하고 망설이다의 뜻을 나타냄. 뒤에《說文》에서는 子+止+匕+矢〔音〕의 形聲으로 보는데, 앞에 든 '牛'를 '子자'로 잘못 본 것임.

[疑懼 의구] 의심을 품고 두려워함.
[疑忌 의기] 의심하여 꺼림.
[疑念 의념] 의심(疑心).
[疑端 의단] 의심의 단서.
[疑團 의단] 속에 늘 엉키어 풀리지 않는 의심.
[疑慮 의려] 의심하여 근심함.
[疑立 의립] 정색(正色)을 하고 멈추어 섬.
[疑問 의문] ㉠의심하여 물음. ㉡의심스러운 일.
[疑謗 의방] 의심하여 비방(誹謗)함.
[疑兵 의병] 적(敵)을 현혹(眩惑)시키기 위하여 군사(軍士)가 있는 것처럼 보이게 하는 것. 적의 눈을 속이는 가짜 병정.

[疑死 의사] 죽음을 두려워함.
[疑似 의사] 비슷하여 분간하기 어려움. 분간할 수 없을 정도로 비슷함.
[疑事無功 의사무공] 의심하며 일을 하면 되는 일이 없음.
[疑城 의성] 적을 현혹(眩惑)시키기 위하여 성이 있는 것처럼 가장하는 것. 적의 눈을 속이는 가짜 성.
[疑心 의심] 미심쩍게 여기는 마음. 믿지 못하여 이상하게 여기는 마음.
[疑心生暗鬼 의심생암귀] 마음에 의심하는 바가 있으면 종종(種種)의 무서운 망상(妄想)이 생김.
[疑案 의안] 진상(眞相)이 확실하지 아니한 재판 사건. 의옥(疑獄).
[疑獄 의옥] 사건이 복잡하여 진상(眞相)이 확실하지 아니한 옥사(獄事). 범죄 사실이 의심스러운 옥사.
[疑雲 의운] 의심(疑心).
[疑義 의의] 의심이 나는 뜻. 미심(未審)한 뜻.
[疑異 의이] 의심하여 괴이하게 여김. 이상하게 여김.
[疑貳 의이] ㉠의심함. ㉡의심하여 배반함.
[疑沮 의저] 의심하여 기가 꺾임.
[疑戰 의전] 적을 속여 유도(誘導)하여 침. 또, 그 싸움.
[疑點 의점] 의심이 나는 곳.
[疑阻 의조] 의심하여 멀리함.
[疑志 의지] 의심(疑心).
[疑塚 의총] 남이 파낼 염려가 있는 무덤을 보호하기 위하여 남의 눈을 가리고자 그와 똑같이 만들어 놓은 여러 개의 무덤.
[疑幟 의치] 적(敵)을 현혹시키기 위한 기치(旗幟).
[疑憚 의탄] 의심하여 꺼려함.
[疑怖 의포] 의심하여 두려워함.
[疑嫌 의혐] 의심스러움.
[疑狐 의호] 의심이 많은 여우.
[疑惑 의혹] 의심하여 미혹(迷惑)함.
[疑懷 의회] 의심(疑心).
◉稽疑. 群疑. 闕疑. 難疑. 半信半疑. 繁疑. 涉疑. 宿疑. 猜疑. 容疑. 危疑. 竊鈇疑. 遲疑. 質疑. 蓄疑. 沈疑. 恫疑. 奚疑. 獻疑. 嫌疑. 狐疑. 懷疑.

9 ⑭ [疐] 疐(次條)의 俗字

11 ⑯ [疐] [一] 치 [去]寘 陟利切 zhì
[二] 체 [去]霽 都計切 dì

[字解] [一] 엎드러질 치 넘어짐. '狼跋其胡, 載—其尾'《詩經》. [二] 꼭지 체 蔕(艸部 十一畫)와 同字. '棗李曰—之'《爾雅》.
[字源] [甲骨文] [金文] [篆文] 會意. 金文은 辛+止+苗의 변형(變形). '辛신'은 바늘의 象形. '苗묘'의 변형은 모의 위쪽의 성장이 저지된 모양을 본뜸. 모에 그 성장을 막는 바늘이 가해지는 모양에서, 엎드러지다의 뜻을 나타냄. 篆文은 叀+止+冖의 會意로, 걸음을 막다의 뜻을 나타냄.
[參考] 疐(前條)는 俗字.

◉前跋後疐.

疒 (5획) 部
〔병질엄부〕

0 ⑤ [疒] 녁 [入]陌 尼戹切 nè
[筆順] ' 亠 广 疒 疒
[字解] 병들어누울 녁 병으로 자리에 누움.
[字源] [篆文] 會意. 人+爿. '爿장'은 '牀상'으로 침대를 본뜬 것. 사람이 병이 들어 침대에 기대는 모양에서, '의지하다, 질병'의 뜻으로 쓰임.
[參考] '疒녁'을 의부(意符)로 하여, 병이나 상해, 그에 수반하는 감각 등에 관한 문자를 이룸. 이름은 '병질(病疾)안'.

2 ⑦ [疔] 정 [平]青 當經切 dīng
[字解] 정 정 '—瘡'은 대개 면부(面部)에 생기며 동통(疼痛)이 심하고 위험한 부스럼임. '—形有十三種'《方書》.
[字源] 形聲. 疒(疒)+丁〔音〕. '丁정'은 못의 象形. 얼굴에 못을 박은 것처럼 생기는 부스럼의 뜻을 나타냄.

[疔瘡 정창] 자해(字解)를 보라.
◉面疔.

2 ⑦ [疕] 비 [上]紙 卑婢切 bǐ
[字解] 두창 비 머리의 종기. '—瘍者造焉'《周禮》.
[字源] [篆文] 形聲. 疒(疒)+匕〔音〕

2 ⑦ [疝] 교 [上]巧 古巧切 jiǎo
[字解] 배갑자기아플 교 배가 갑자기 몹시 아픔. '—, 腹中急痛也'《說文》.
[字源] [篆文] 形聲. 疒(疒)+丩〔音〕. '丩규·교'는 '얽히다'의 뜻. 창자가 엉킨 것 같은 급격한 복통의 뜻을 나타냄.

2 ⑦ [疗] 〔료〕
療(疒部 十二畫〈p.1494〉)의 簡體字

3 ⑧ [疘] 공 [平]東 古紅切 gāng
[字解] 탈항증 공 미주알이 빠지는 병. 탈장(脫腸). '脫—, 下病'《集韻》.

3 ⑧ [疛] 주 [上]有 陟柳切 zhǒu
[字解] ①배앓이 주 아랫배가 아픈 병. '—, 說文曰, 小腹痛'《集韻》. ②가슴앓이 주 '—, 一曰, 心腹疾也'《集韻》.
[字源] [篆文] 形聲. 疒(疒)+肘〈省〉〔音〕

3
⑧ [疕] 투 [去]遇 都故切 dù

[字解] 젖멍울 투 유종(乳腫). '一, 乳癰也'《玉篇》.

3
⑧ [疜] 하 [去]禡 亥駕切 xià

[字解] 이질 하 설사. '一, 痢疾'《集韻》.
[字源] 形聲. 疒(𤕫)+下〔音〕

3
⑧ [疙] 흘 [入]物 魚迄切 gē

[字解] 쥐부스럼 흘 머리 위에 톡톡 불거지는 부스럼. '親母爲其子, 治一禿'《淮南子》.
[字源] 形聲. 疒(𤕫)+乞〔音〕

3
⑧ [疚] 구 [去]有 居祐切 jiù

[字解] ①오래앓을 구 병으로 오래 고생함. ②꺼림할 구 양심에 가책을 느낌. '內省不一'《論語》. ③상 구 거상(居喪)을 '在一'라 함. '嬛嬛在一'《詩經》.
[字源] 形聲. 疒(𤕫)+久〔音〕. '久구'는 '오래다'의 뜻. 긴병의 뜻을 나타냄.

◉窮疚. 勞疚. 不疚. 衰疚. 怨疚. 利疚. 疾疚. 慙疚.

3
⑧ [疝] [人名] 산 [去]諫 所晏切 shàn

[字解] 산증 산 허리 또는 아랫배가 아픈 병. 장신경통. '一氣'. '男子有七一'《方書》.
[字源] 形聲. 疒(𤕫)+山〔音〕

[疝氣 산기] 산증(疝症).
[疝症 산증] 허리 또는 아랫배가 붓고 아픈 병. 장신경통(腸神經痛).

3
⑧ [疰] 〔장〕
莊(艸部 七畫〈p. 1924〉)의 俗字

3
⑧ [疟] 〔학〕
瘧(疒部 九畫〈p. 1490〉)의 簡體字

4
⑨ [疢] 진 [去]震 丑刃切 chèn

[字解] ①열병 진 신열이 대단한 병. '疾一不作'《禮記》. 또, 열병에 걸림. '一如疾首'《詩經》. ②미식 진 맛있는 음식. '美一不如惡石'《左傳》.
[字源] [篆文] 會意. 疒(𤕫)+火. 불처럼 뜨거운 열이 나는 '열병'의 뜻을 나타냄.

[疢毒 진독] 병(病)에서 생기는 해독.
[疢疾 진질] ㉠열병(熱病). ㉡재난(災難). 재환(災患).
◉美疢. 疾疢.

4
⑨ [疣] 우 [平]尤 羽求切 yóu

[字解] 혹 우 내민 군더더기의 살덩이. '贅一'. '附贅縣一'《莊子》.
[字源] [篆文] 形聲. 疒(𤕫)+尤〔音〕. '尤우'는 '나무라다'의 뜻. 피부에 생기는 이물(異物)인 '혹'의 뜻을 나타냄.

[疣贅 우췌] 혹. 전(轉)하여, 쓸데없는 물건.
◉附疣. 贅疣. 懸疣.

4
⑨ [𤵸] 수 [去]寘 式類切 shuì

[字解] 습종 수 종기. '風一膚脹'《黃帝靈樞經》.

4
⑨ [㾄] 반 ①[去]願 孚萬切 fàn
②[上]阮 芳反切 fǎn

[字解] ①헛구역할 반 구역질이 자꾸 나는 증세. '一, 心惡吐疾也'《字彙》. ②나쁠 반 사람을 미워하고 욕하는 말. '一, 惡也, 南楚凡人殘罵謂之鉗, 又謂之一'《揚子方言》.

4
⑨ [疳] 첨 [平]鹽 處占切 chǎn

[字解] 피풍 첨 허물이 벗는 병. 무좀 같은 병. '一, 皮膚多蚌如風疾. 故日皮剝病'《正字通》.
[字源] [篆文] [籀文] [籀文] 形聲. 疒(𤕫)+冄〔音〕. '冄염'은 '冉염'과 마찬가지여서, 침범하여 나아가다의 뜻. 籀文은 𤕫+㕧(또는 㕧)〔音〕. '㕧연'은 가죽을 무두질하다의 뜻. 피부를 침범하여 벗어지게 하는 병의 뜻을 나타냄.

4
⑨ [疤] 파 [平]麻 邦加切 bā

[字解] 흉 파 헌데의 아문 자국.
[字源] 形聲. 疒(𤕫)+巴〔音〕

4
⑨ [疦] ㊀혈 [入]屑 呼決切 xuè
㊁결 [入]屑 古穴切 jué

[字解] ㊀ ①창(瘡)구멍 혈 '一, 瘡裏空也'《廣韻》. ②큰종기 혈 큰 부스럼. '一, 瘡大者一'《集韻》. ㊁ 입비뚤 결 '一, 瘺也'《說文》.
[字源] 形聲. 疒(𤕫)+夬〔音〕

4
⑨ [疲] ㊀합 ①-③[入]洽 呼合切 hē
④[入]合 呼盍切
㊁급 [入]緝 居立切 jí

[字解] ㊀ ①병들어지칠 합 또, 그 모양. '一, 病劣皃'《廣韻》. ②병들어위태로울 합 '一, 病劣也. (段注) 劣, 猶危也'《說文》. ③병들려할 합 '一, 或日, 病且至也'《正字通》. ④걸 합 '一, 肥一'《廣韻》. ㊁ 병들어지칠 급, 병들어위태로울 급, 병들려할 급 ㊀❶-❸과 뜻이 같음.
[字源] 形聲. 疒(𤕫)+及〔音〕

4
⑨ [𤵽] 심 [去]沁 七鴆切 qìn

[字解] 아플 심 몸이 아픔. '一, 痛也'《集韻》.

4
⑨ [疥] [人名] ㊀개 [去]卦 古拜切 jiè
㊁해(개[本]) [去]卦 古拜切 jiè

[字解] ㊀ 옴 개 전염성 피부병의 한 가지. '一

癬'. '有疥一疾'《周禮》. [二] 학질 해 痎(疒部 六畫)와 同字. '齊侯一'《左傳》.
[字源] 篆文 形聲. 疒(𤕫)+介〔音〕. '介개'는 나누어 구분 짓다의 뜻. 그 부분이 분명하게 구분 지어져서 보이는 피부병의 뜻을 나타냄.

[疥癘 개려] 가려운 피부병.
[疥瘙 개선] 개선(疥癬).
[疥癬 개선] ㉠옴. ㉡작은 외환(外患).
[疥瘡 개창] 개선(疥癬).
◉痒疥. 風疥.

4 ⑨ [疷] [一] 기 [平]支 巨支切 qí [二] 저 [上]薺 丁禮切 dǐ
[字解] [一] 앓을 기 병을 앓음. '俾我一兮'《詩經》. [二] 앓을 저 [一]과 뜻이 같음.
[字源] 篆文 形聲. 疒(𤕫)+氐〔音〕. '氐씨'는 '啻시'와 통하여, 다만 그것뿐 아니라 달리 많다의 뜻. 병이 많다의 뜻을 나타냄.

4 ⑨ [疪] 비 [去]寘 必至切 bì
[字解] ①각기 비 다리가 붓는 병의 한 가지. '一, 脚冷濕病'《字彙》. ②두둔할 비 비호(庇護)함. 庇(广部 四畫)와 同字. '魂靈有所依一'《後漢書》.

4 ⑨ [疫] [高人] 역 [入]陌 營隻切 yì
[筆順] 丶 亠 广 疒 疒 疒 疒 疫
[字解] ①돌림병 역 전염병. '癘一'. '民殃於一'《禮記》. ②역귀 역 돌림병을 퍼뜨리는 귀신. '遂令始難毆一'《周禮》.
[字源] 篆文 形聲. 疒(𤕫)+役〈省〉〔音〕. '役역'은 사람을 괴롭히는 엄한 임무의 뜻. 사람을 괴롭히는 유행병의 뜻을 나타냄.

[疫鬼 역귀] 전염병을 퍼뜨린다는 귀신.
[疫癘 역려] 역병(疫病).
[疫痢 역리] 악성(惡性)이고 급성인 적리(赤痢). 주로 소아(小兒)가 걸림.
[疫病 역병] 전염성의 열병.
[疫疾 역질] 천연두(天然痘).
◉檢疫. 救疫. 毆疫. 大疫. 免疫. 防疫. 送疫. 惡疫. 癘疫. 瘟疫. 夭疫. 鬻棺者欲歲疫. 瘴疫. 災疫. 逐疫.

4 ⑨ [疨] [一] 하 [平]麻 許加切 xiā [二] 아 [平]麻 午加切 [上]馬 語下切 yá
[字解] [一] 목병 하 인후병(咽喉病). '瘕, 喉病. 或从牙'《集韻》. [二] 병심할 아 '痄一'는 병이 더함. '一, 痄一, 病甚'《集韻》.

5 ⑩ [疱] [人名] 포 [去]效 披教切 pào
[字解] 마마 포 천연두. '一瘡'.
[字源] 形聲. 疒(𤕫)+包〔音〕. '包포'는 '싸다'의 뜻. 물을 싼 것같이 되는 피부병의 일종, '수포(水疱)'의 뜻을 나타냄.

[疱瘡 포창] 천연두(天然痘).
◉水疱.

5 ⑩ [疲] [高人] 피 [平]支 符羈切 pí
[筆順] 丶 亠 广 疒 疒 疒 疒 疲
[字解] ①고달플 피 ㉠신체가 피로함. '一倦'. '我自樂此, 不爲一也'《後漢書》. ㉡시량(柴糧) 등이 떨어져 고생함. '今賊適一於西'《諸葛亮》. ②고달프게할 피 전항(前項)의 타동사. '一民以逞'《左傳》. ③고달픔 피 '民一'. '士忘一'《張衡》. ④느른할 피 기력이 쇠함. '一癃'. '心形俱一'《列子》. ⑤야윌 피 수척함. '諸侯以一馬犬羊爲幣'《管子》.
[字源] 篆文 形聲. 疒(𤕫)+皮〔音〕. '皮피'는 '跛피'와 통하여, '절룩거리다'의 뜻. 지쳐서 절룩거리다의 뜻에서, '피로하다'의 뜻을 나타냄.

[疲竭 피갈] 피로하여 기력이 다 빠짐.
[疲困 피곤] 몹시 지쳐서 곤(困)함.
[疲寡 피과] 피로한 적은 인원.
[疲倦 피권] 피로하여 싫증이 남.
[疲饉 피근] 피로하고 굶주림.
[疲苶 피날] 피로하여 나른함.
[疲鈍 피둔] 피곤(疲困).
[疲勞 피로] 지쳐서 몸이 나른함.
[疲癃 피륭] 노쇠(老衰)하여 느른한 병. 또, 그 사람.
[疲羸 피리] 피로하고 쇠약함.
[疲馬不畏鞭箠 피마불외편추] 피로한 말은 채찍질을 두려워하지 아니함. 곧, 피로한 말은 아무리 채찍질하여도 달리지 아니한다는 뜻으로, 피폐한 백성은 형벌을 두려워하지 않고 죄악을 범하게 된다는 비유.
[疲暮 피모] 늙어 몸이 쇠약함.
[疲民 피민] ㉠피폐(疲弊)한 백성. ㉡백성을 피폐하게 함.
[疲兵 피병] 피로한 군사.
[疲病 피병] 피로하여 앓음.
[疲憊 피비] 피로(疲勞).
[疲軟 피연] 기운이 없고 느른함.
[疲厭 피염] 피권(疲倦).
[疲勩 피이] 피곤(疲困).
[疲悴 피췌] 피폐(疲弊).
[疲怠 피태] 피로하여 나태함.
[疲殆 피태] 피태(疲怠).
[疲弊 피폐] 피로하여 쇠약해짐.
[疲斃 피폐] 기운이 지치어 죽음.
[疲乏 피핍] 피로함. 쇠약함.
◉勞疲. 民疲. 力疲. 昏疲.

5 ⑩ [疺] 올 [入]月 五忽切 wù
[筆順] 亠 广 疒 疒 疒 疒 疒 疺
[字解] ①병들 올, 병 올 '一, 病也'《說文》. ②냉올 대하증(帶下症). '一, 一說, 婦人帶下有出病'《正字通》. ③끊을 올 '一, 又斷也'《玉篇》.
[字源] 形聲. 疒(𤕫)+出〔音〕

5 ⑩ [疳] [人名] 감 [平]覃 沽三切 gān
[字解] ①감질 감 어린아이가 위장이 나빠져서 몸

이 야위고 배가 불러지는 병. '小兒食甘物, 多生一病'《正字通》. ②감창 감 남녀의 음부에 나는 창병.
字源 形聲. 疒(⺁)+甘〔音〕

[疳氣 감기] 감병(疳病).
[疳病 감병] 《韓》 어린아이의 병의 한 가지. 흔히 젖이나 음식 조절을 잘못하여 체하여 생기는 병.
◉脾疳. 牙疳. 五疳. 下疳.

5 ⑩ [疛] ㊀ 보 ㊤麌 扶雨切 fù ㊁ 부 ㊥虞 馮無切
字解 ㊀ ①구루병(佝僂病) 보 등뼈가 만곡되는 병. '一, 俛病也'《說文》. ②키작을 보 또, 그 사람. '一, 短也'《廣雅》. ③부을 보 '一, 病腫也'《廣韻》. ④앓을 보 '一, 病也'《廣雅》. ㊁ 구루병 부, 키작을 부, 부을 부, 앓을 부 ㊀과 뜻이 같음.
字源 形聲. 疒(⺁)+付〔音〕

5 ⑩ [疴] 아 ㊥歌 烏何切 kē
字解 병 아 痾(疒部 八畫)와 同字. '時即有口一'《漢書》.
字源 篆文 形聲. 疒(⺁)+可〔音〕. '可가'는 '阿아'의 생략체.

[疴恙 아양] 병.
◉舊疴. 微疴. 百疴. 宿疴. 養疴. 妖疴. 沈疴.

5 ⑩ [疵] 人名 자 ㊥支 疾移切 cī
字解 ①흉 자 ㉠흉터. '吹毛覓一'. '不吹毛而求小一'《韓非子》. ㉡흠. 결점. '一瑕'. '詩書春秋無一'《韓愈》. ②흉볼 자 헐뜯음. '正義直指擧人之過, 非毁一也'《荀子》.
字源 篆文 形聲. 疒(⺁)+此〔音〕. '此차'는 조금 열다의 뜻. 희미하게 열린 상처의 뜻을 나타냄.

[疵國 자국] 정사(政事)가 어지럽고 풍기가 문란한 나라.
[疵厲 자려] 재앙. 탈.
[疵病 자병] 흠. 결점.
[疵瑕 자하] 허물. 과실. 흉. 흠.
[疵釁 자흔] 허물. 죄.
◉詘疵. 大醇小疵. 無疵. 卑疵. 纖疵. 細疵. 小疵. 隱疵. 箴疵. 吹毛求疵. 八疵. 瑕疵. 毁疵.

5 ⑩ [痁] 고 ㊦遇 古暮切 gù
字解 ①고질 고 오래 낫지 않는 병. '一, 久病也'《說文》. ②어린아이의입병 고 어린아이의 입의 부스럼. '一, 小兒口瘡'《廣韻》.
字源 形聲. 疒(⺁)+古〔音〕

5 ⑩ [痈] 〔옹〕 癰(疒部 十八畫〈p. 1497〉)의 簡體字

5 ⑩ [疸] 달(단㊍) ㊦翰 得按切 dǎn
字解 달병 달 간장(肝臟)이 허약하여 일어나는 병. '黃一'. '一有五種'《方書》.
字源 篆文 形聲. 疒(⺁)+旦〔音〕. '旦단'은 '膽담'과 통하여, '쓸개즙'의 뜻. 쓸개즙의 색소의 피부 등으로의 이행(移行)에 의해서 일어나는 병, 황달의 뜻을 나타냄.

◉穀疸. 女勞疸. 酒疸. 黃疸. 黃汗疸. 黑疸.

5 ⑩ [疹] 진 ㊤軫 章忍切 zhěn
字解 ①홍역 진 전염병의 한 가지. '痲一'. 전(轉)하여, 널리 좁쌀 같은 부스럼이 많이 돋는 병의 일컬음. '濕一'. '水泡一'. ②앓을 진 병을 앓음. '思百憂以自一'《張衡》.
字源 胗의 籒文 形聲. 疒(⺁)+㐱〔音〕. '㐱진'은 '疹진'의 原字. 사람의 겨드랑이 밑에 생기는 두드러기 등의 피부병의 뜻을 나타냄.

[疹恙 진양] 홍역(紅疫).
◉痲疹. 發疹. 小泡疹. 濕疹. 蕁痲疹. 疾疹. 汗疹.

5 ⑩ [疼] 人名 동 ㊥冬 徒冬切 téng
字解 아플 동 몸이 쑤시고 아픔. '一痛'.
字源 形聲. 疒(⺁)+冬〔音〕. '冬동'은 '鼕동'과 통하여, 북을 둥둥 치다의 뜻. 동안을 두고 아프다, 쑤시다의 뜻을 나타냄.

[疼腫 동종] 붓고 아픔.
[疼痛 동통] 신경(神經)의 자극(刺戟)으로 쑤시고 아픈 느낌.

5 ⑩ [疽] 저 ㊥魚 七余切 jū
字解 악창 저 악성(惡性)의 종기. '一腫'. '有病一者'《史記》.
字源 篆文 形聲. 疒(⺁)+且〔音〕. '且저'는 포개어 쌓다의 뜻. '부스럼, 종기'의 뜻을 나타냄.

[疽食 저식] 악성(惡性)의 종기가 살을 침식(侵蝕)함.
[疽腫 저종] 악성(惡性)의 종기.
◉結疽. 癉疽. 吳起吮疽. 癰疽. 指疽. 脫疽. 漂疽. 瘭疽.

5 ⑩ [疾] 高人 질 ㊇質 秦悉切 jí
筆順 丶 亠 广 疒 疒 疒 疾 疾
字解 ①병 질 ㉠질병. '一患'. '父母唯其一之憂'《論語》. ㉡불구(不具). '老者一者'《周禮》. ㉢버릇. 성벽. '有笑一'《晉書》. ㉣결점. 흠. '中諸侯之一'《史記》. ㉤해독을 끼치는 것. '山藪藏一'《左傳》. ②괴로움 질 고통. '一苦'. '牧民必知其一'《管子》. ③앓을 질 병을 앓음. '昔者一, 今日愈'《孟子》. ④괴로워할 질 고통을 느낌. 고생함. '使民一歟'《荀子》. ⑤근심할 질 걱정함. '君子一沒世而名不稱焉'《論語》. ⑥미워할 질 싫어함. '一視'. '人而不仁, 一之已甚亂也'《論語》. ⑦빠를 질 ㉠급속함. '一風'. '爲之者一, 用之者舒'《大學》. ㉡민첩함. '捷一'. '鬪甚一'

《史記》. ⑧빨리 질 신속히. 바로. '若一入趙壁'《史記》. ⑨힘쓸 질 힘써 함. '一風誦'《呂氏春秋》. ⑩투기할 질 시기함. 嫉(女部 十畫)과 同字. '冒一而惡之'《大學》. ⑪성 질 성(姓)의 하나.

字源 甲骨文 金文 篆文 形聲. 甲骨文은 大+矢〔音〕. '大대'는 사람의 象形. '矢시'는 화살을 본뜬 것. 사람이 화살을 맞아 다치다의 뜻에서, 일반적으로 '병'의 뜻을 나타냄. 篆文은 疒(𤕫)+矢〔音〕.

[疾徑 질경] 지름길.
[疾苦 질고] ㉠병고(病苦). ㉡괴로워함.
[疾疚 질구] 병. 질병.
[疾驅 질구] 빨리 달림.
[疾忌 질기] 샘하고 미워함.
[疾厲 질려] 질려(疾癘).
[疾癘 질려] 병. 질병(疾病).
[疾雷不及掩耳 질뢰불급엄이] 요란한 천둥소리가 갑자기 나서 미처 귀를 가리지 못한다는 뜻으로, 일이 너무 급해 이에 대비할 겨를이 없음의 비유.
[疾瘼 질막] 병. 질병(疾病).
[疾味 질미] 맛이 좋으나 먹으면 몸에 해로운 음식. 전(轉)하여 마음에 맞으나 해로운 것.
[疾病 질병] ㉠병. ㉡병이 위중함.
[疾步 질보] 빨리 걸음. 빠른 걸음.
[疾憊 질비] 병을 앓아 몸이 고달픔.
[疾狀 질상] 병의 상태. 병상(病狀).
[疾徐 질서] 빠름과 느림. 지속(遲速).
[疾速 질속] 빠름. 신속(迅速).
[疾首 질수] 머리가 아픔. 전(轉)하여, 근심함.
[疾首蹙頞 질수축알] 두통(頭痛)이 나서 콧날에 주름살이 잡힘. 걱정하는 모양.
[疾視 질시] 흘겨봄.
[疾恙 질양] 병. 질병(疾病).
[疾癢 질양] 앓음과 가려움.
[疾言 질언] 빨리 말을 함.
[疾言遽色 질언거색] 빨리 말을 하고 당황하여 안색이 변함. 곧, 침착하지 못한 모양을 이름.
[疾疫 질역] 유행병.
[疾惡 질오] 미워함.
[疾雨 질우] 소나기. 세찬 비.
[疾怨 질원] 미워하고 원망함.
[疾日 질일] 불길(不吉)하여 꺼리는 날. 보통 은(殷)나라 주왕(紂王)은 갑자(甲子)의 날에, 하(夏)나라 걸왕(桀王)은 을묘(乙卯)의 날에 죽었다고 하여 자(子)와 묘(卯)의 양일(兩日)을 가리켜 이름.
[疾戰 질전] 빨리 싸움.
[疾霆 질정] 요란한 뇌성(雷聲).
[疾足 질족] 질보(疾步).
[疾足者先得 질족자선득] 재빠른 자가 먼저 얻음.
[疾走 질주] 빨리 달림.
[疾置 질치] 빠른 역말. 치(置)는 역참(驛站)의 말.
[疾痛 질통] 병으로 말미암아 아픔.
[疾風 질풍] 센 바람.
[疾風迅雷 질풍신뢰] 폭풍(暴風)과 요란한 천둥.
[疾風甚雨 질풍심우] 폭풍우.
[疾風知勁草 질풍지경초] 바람이 세게 불어야 강한 풀을 알듯이, 위급하거나 곤란한 경우를 당해야 의지와 지조가 굳은 사람을 알 수 있음.
[疾行 질행] ㉠빨리 감. ㉡빨리 함.
[疾行無善迹 질행무선적] 빨리 서둘러 해서 잘되는 일이 없음.
[疾呼 질호] ㉠빠른 음조(音調). ㉡소리소리 지름.
[疾患 질환] 질병(疾病).

◉苛疾. 脚疾. 遽疾. 潔疾. 勁疾. 輕疾. 固疾. 痼疾. 錮疾. 蠱疾. 寬疾. 狂疾. 久疾. 劇疾. 急疾. 奇疾. 狼疾. 內疾. 多疾. 跳疾. 篤疾. 末疾. 冒疾. 敏疾. 腹心之疾. 腹疾. 扶疾. 忿疾. 斯人而有斯疾. 詐疾. 山藪藏疾. 三疾. 舒疾. 笑疾. 衰疾. 首疾. 愁疾. 宿疾. 時疾. 迅疾. 心疾. 惡疾. 眼疾. 厲疾. 癘疾. 力疾. 煙霞痼疾. 熱疾. 憂鬱生疾. 怨疾. 六疾. 癃疾. 義疾. 罹疾. 淋疾. 躁疾. 罪疾. 重疾. 憎疾. 遲疾. 疢疾. 天疾. 蹙疾. 捷疾. 稱疾. 託疾. 吐疾. 痛疾. 暴疾. 剽疾. 飄疾. 風霜之疾. 風疾. 瘧疾. 寒疾. 眩疾. 惑疾.

5
⑩ [痱] 비 ㊀未 方味切 fèi

字解 땀띠 비 여름철에 생기는 발진(發疹). '汗出見濕, 乃生痤一'《素問》.

字源 形聲. 疒(𤕫)+弗〔音〕

◉痤痱.

5
⑩ [痀] 구 ㊀虞 擧朱切 jū

字解 곱사등이 구 꼽추. '見一僂者'《列子》.

字源 篆文 形聲. 疒(𤕫)+句〔音〕. '句구'는 구부러지다의 뜻. 등뼈가 굽는 병의 뜻을 나타냄.

[痀僂 구루] 곱사등이.

5
⑩ [痁] 점 ㊀鹽 失廉切 shān ㊀豔 都念切 diàn

字解 학질 점 열이 매일 나는 학질. 또, 이 학질을 앓음. '齊侯疥, 遂一'《左傳》.

字源 篆文 形聲. 疒(𤕫)+占〔音〕. '占점'은 자리를 차지하여 움직이지 않다의 뜻. 오래 지속되는 '학질'의 뜻을 나타냄.

5
⑩ [痂] 人名 가 ㊀麻 古牙切 jiā

字解 딱지 가 헌데가 아물었을 때 생기는 껍질. '子邕爲太守, 嗜創一'《南史》.

字源 篆文 形聲. 疒(𤕫)+加〔音〕. '加가'는 '더하다'의 뜻. 상처가 나음에 따라 피부에 더해지는 '딱지'의 뜻을 나타냄.

◉創痂. 瘡痂.

5
⑩ [痃] 현 ㊀先 胡田切 xuán

字解 ①현벽 현 '一癖'은 근육이 땅기는 병. '昔有患一癖者'《本草》. ②가래톳 현 '橫一'은 살의 임파선이 붓는 성병의 하나.

字源 形聲. 疒(𤕫)+玄〔音〕

[痃癖 현벽] 근육이 땅기는 병.
◉橫痃.

5 ⑩ [病] 中·人 병 ㊎敬 皮命切 bìng

筆順 ˊ 亠 广 广 疒 疒 疔 病 病

字解 ①병 병 ㉠질환. '疾―'. '猶七年之―求三年之艾也'《孟子》. ㉡성벽. 나쁜 버릇. '―癖'. '好辭工書, 皆癖―也'《柳宗元》. ㉢흠. 병통. '誠中弘之―'《史記》. ②근심 병 걱정. 또 고통. '是楚―也'《戰國策》. ③앓을 병 병을 앓음. '母―'《後漢書》. ④더칠 병 병이 중해짐. '子疾―'《論語》. ⑤근심할 병 걱정함. '―不得其衆'《禮記》. ⑥괴로워할 병 고통을 느낌. '鄭人―之'《左傳》. ⑦원망할 병 원한을 품음. '與刖其父而弗能―者何如'《左傳》. ⑧피로할 병 피곤해짐. '今日―矣'《孟子》. ⑨헐뜯을 병 비방함. '舅所―也'《國語》. ⑩욕보일 병 부끄러움을 당하게 함. '相詬―'《禮記》. ⑪괴롭힐 병 고통을 줌. '君子不以其所能―人'《禮記》.

字源 篆文 形聲. 疒(𤕫)+丙〔音〕. '丙병'은 '퍼지다, 넓어지다'의 뜻. 병이 무거워지다의 뜻을 나타냄.

[病家 병가] 환자가 있는 집.

[病假 병가] 병이 나서 휴가를 얻음. 가(假)는 가(暇).

[病加於少愈 병가어소유] ㉠병이 좀 나았다고 부주의하면 더치는 법임. 유(愈)는 유(癒). ㉡'화란(禍亂)은 방심(放心)에서 옴'의 비유.

[病間 병간] ㉠병이 약간 차도가 있는 동안. ㉡병중(病中).

[病客 병객] 병자(病者).

[病告 병고] 병가(病假).

[病苦 병고] 병(病)의 괴로움.

[病骨 병골] 병구(病軀).

[病軀 병구] 병든 몸.

[病菌 병균] 병을 퍼뜨리는 미균(微菌).

[病革 병극] 병이 위독하여짐.

[病根 병근] ㉠병의 근원. 병의 뿌리. ㉡폐해의 근원. ㉢마음에 밴 나쁜 버릇. 고치기 어려운 악습(惡習).

[病氣 병기] 병색(病色).

[病毒 병독] 병의 근원이 되는 독기.

[病理 병리] 병의 원인 및 상태의 원리.

[病羸 병리] 병들어 파리함.

[病魔 병마] 병을 일으키는 마귀.

[病免 병면] 병으로 벼슬을 그만둠.

[病名 병명] 병의 이름.

[病沒 병몰] 병몰(病歿).

[病歿 병몰] 병사(病死).

[病癖 병벽] 나쁜 버릇.

[病夫 병부] ㉠병이 든 남편. ㉡병이 든 사람.

[病死 병사] 병으로 죽음.

[病床 병상] 병자(病者)의 침상(寢床). 환자가 누워 있는 자리.

[病牀 병상] 병상(病床).

[病狀 병상] 병의 상태. 병의 증세.

[病色 병색] 병든 사람 같은 얼굴빛.

[病席 병석] 환자가 누워 있는 자리.

[病勢 병세] 병의 형세.

[病衰 병쇠] 병약(病弱).

[病身 병신] 늘 앓아서 성하지 못한 몸. 병든 몸. 병구(病軀).

[病室 병실] 환자가 있는 방(房).

[病痾 병아] 오래 앓는 병. 숙환(宿患).

[病弱 병약] 병에 시달려 몸이 약함.

[病葉 병엽] 병든 잎. 벌레 같은 것이 갉아 먹어 상한 잎.

[病臥 병와] 병으로 누워 있음.

[病蓐 병욕] 병상(病床).

[病褥 병욕] 병상(病床).

[病原 병원] 병원(病源).

[病院 병원] 환자를 진찰하며 치료하는 곳.

[病源 병원] 병의 근원(根源).

[病人 병인] 환자(患者).

[病因 병인] 병의 원인(原因).

[病入膏肓 병입고황] 병이 중태(重態)에 빠져 치료할 가망이 없음.

[病者 병자] 병이 든 사람.

[病孱 병잔] 병약(病弱).

[病的 병적] 사물(事物)이 불건전하여 상태(常態)를 벗어난 것.

[病從口入禍從口出 병종구입화종구출] 병은 음식을 조심하지 않는 데서 오며, 화란(禍亂)은 말을 조심하지 아니하는 데서 나옴.

[病中 병중] 병으로 앓는 동안.

[病症 병증] 병증(病證).

[病證 병증] 병의 증세.

[病體 병체] 병든 몸. 병구(病軀).

[病態 병태] 병상(病狀).

[病廢 병폐] 병으로 인하여 병신(病身)이 됨.

[病斃 병폐] 병사(病死).

[病害 병해] 농작물 따위가 병으로 말미암아 입는 해독(害毒).

[病患 병환] ㉠병. 질병(疾病). ㉡《韓》웃어른의 병의 존칭.

[病懷 병회] 병중의 생각.

[病後 병후] 병을 앓고 난 뒤.

◉看病. 癎病. 悸病. 繼病. 困病. 急病. 奇病. 難病. 難治病. 內病. 老病. 多病. 大病. 篤病. 萬病. 民病. 發病. 癖病. 負薪之病. 痺病. 四百四病. 邪病. 詐病. 謝病. 傷病. 俗病. 瘦病. 時病. 佯病. 養病. 語病. 業病. 餘病. 聾病. 疫病. 熱病. 熱射病. 臥病. 尪病. 療病. 憂病. 流行病. 癰病. 利病. 罹病. 羸病. 日射病. 疵病. 殘病. 積病. 傳染病. 酒病. 重病. 持病. 疾病. 癡病. 寢病. 稱病. 通病. 鬪病. 罷病. 八病. 風土病. 詬病. 毁病.

5 ⑩ [症] 高·人 증 ㊎徑 諸應切 zhèng

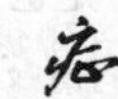

筆順 ˊ 亠 广 广 疒 疔 疔 症 症

字解 증세 증 병의 성질. 證(言部 十二畫)의 俗字. '―狀'. '泄瀉爲注下之―'《揚子方言》.

字源 形聲. 疒(𤕫)+正〔音〕. 본래 '證(証)증'의 俗字였는데, 의부(意符)인 '言언'을 '疒녁'으로 바꾸어, 병(病)의 표시의 뜻을 나타냄.

[症狀 증상] 증세(症勢).

[症勢 증세] 병으로 앓는 여러 가지의 모양.

[症候 증후] 증세(症勢).

◉渴急症. 渴症. 健忘症. 輕症. 過敏症. 旣往症. 勞症. 病症. 不眠症. 不姙症. 神經症. 炎症. 重症. 痛症. 虛症.

5 ⑩ [疻] 지 ㊤紙 掌氏切 zhǐ

[字解] 멍 지 타박상(打撲傷). 맞은 자국이 벌겋게 부풀어 오른 것. '一痏'. '遇人不以義, 而見一者, 與痏人之罪均'《漢書》.
[字源] 篆文 形聲. 疒(疒)+只〔音〕. '只지'는 '咫지'와 통하여, 여덟 치, 곧 길다의 뜻.

[疻痏 지유] 타박상. 멍.

5 ⑩ [痄] 차 [上]馬 側下切 zhà
[字解] 아물지않는부스럼 차 딱지가 앉지 않는 종기. '宋仁宗患一腮'《朱氏集驗方》.
[字源] 形聲. 疒(疒)+乍〔音〕

5 ⑩ [疺] 핍 [入]治 扶法切 fá
[字解] 파리할 핍, 고달플 핍 '人皆一矣'《北征錄》.
[字源] 形聲. 疒(疒)+乏〔音〕

5 ⑩ [痃] [一] 겁 [入]葉 乞業切 qiè
[二] 거 [上]語 口擧切 qŭ
[字解] [一] ①앓아약해질 겁 앓아 약해짐. ②파리할 겁 파리함. ③겁낼 겁. [二] 앓을 거 병을 앓음.

5 ⑩ [痻] [一] 지 [平]支 張尼切 zhī
[二] 기 [平]支 翹移切
[字解] [一] 못박힐 지 못이 박힘. [二] 앓을 기 앓음.

5 ⑩ [疰] 주 [去]遇 之戍切 zhù
[字解] 병 주 돌림병. 유행병. '一, 病也'《廣雅》.

5 ⑩ [疬] 과 [平]歌 古禾切 guō
[字解] ①헌데 과 피부병. '一, 瘡也'《玉篇》. ②백선(白癬) 과 머리가 빠지는 피부병. '一, 禿也, 春發爲燕一, 秋發爲鴈一'《集韻》.

5 ⑩ [疶] 술 [入]質 食律切 shù
[字解] 미쳐달아날 술 미쳐서 뛰는 모양. '一, 狂走也'《說文》.
[字源] 篆文 形聲. 疒(疒)+朮〔音〕

5 ⑩ [痆] 배 [平]灰 補回切 bēi
[字解] 배결릴 배 배 속에 뭉치가 생겨 아픔. '一, 癥結痛'《玉篇》.

5 ⑩ [痆] [一] 날 [入]黠 女黠切 niè
[二] 닐 [入]質 尼質切 nì
[字解] [一] 헌데쑤실 날 상처가 아픔. 또, 상처. '視傷悼瘢一'《韓愈》. [二] 가려울 닐 '一, 痒也'《集韻》.
[字源] 形聲. 疒(疒)+尼〔音〕

5 ⑩ [疶] 설 [入]屑 私列切 xuē
[字解] 이질 설 설사. '一, 痢病'《集韻》.

6 ⑪ [痊] 전 [平]先 此緣切 quán
[字解] ①나을 전 병이 나음. '比獲微一'《陳書》. ②고칠 전 병을 낫게 함. '以一病也'《抱朴子》.
[字源] 形聲. 疒(疒)+全〔音〕. '全전'은 '온전하다'의 뜻. 병이 나아 온전한 몸이 되다의 뜻을 나타냄.

[痊病 전병] 병을 고침.
[痊愈 전유] 병이 나음. 건강이 완전히 회복됨.
[痊瘥 전채] 병이 나음.

6 ⑪ [痍] [人名] 이 [平]支 以脂切 yí
[字解] ①상처 이 다친 데. '瘡一'. ②다칠 이 부상함. '傷一'. '一傷者未瘳'《史記》.
[字源] 篆文 形聲. 疒(疒)+夷〔音〕. '夷이'는 '다치다'의 뜻. 뒤에 '疒녁'을 더함.

[痍傷 이상] 상처. 상처 남.
◉金痍. 瘢痍. 傷痍. 創痍. 瘡痍.

6 ⑪ [痎] 해(개[平]) [平]佳 古諧切 jiē
[字解] 학질 해 하루거리. '一, 二日一發瘧也'《說文》.
[字源] 篆文 形聲. 疒(疒)+亥〔音〕. '亥해'는 속에 가두어 막히다의 뜻.

◉痨痎.

6 ⑪ [痠] 〔수〕
瘦(疒部 十畫〈p.1492〉)와 同字

6 ⑪ [痏] 유 [上]紙 榮美切 wěi
[字解] 멍 유 타박상. '疻一'. '生瘡一於玉肌'《抱朴子》.
[字源] 篆文 形聲. 疒(疒)+有〔音〕

◉疻痏. 瘡痏.

6 ⑪ [痒] [人名] 양 ①-③[平]陽 余章切 yáng
④[上]養 餘兩切 yǎng
[字解] ①병 양 질병. ②앓을 양 병을 앓음. '癙憂以一'《詩經》. ③종기 양 瘍(疒部 九畫)과 同字. '夏時有一疥疾'《周禮》. ④가려울 양 癢(疒部 十五畫)과 同字. '老少痛一'《抱朴子》.
[字源] 篆文 形聲. 疒(疒)+羊(芈)〔音〕. '芈양'은 '瘍양'과 통하여, '붓다'의 뜻.

◉隔靴搔痒. 麻姑爬痒. 心痒. 痛痒.

6 ⑪ [痂] 여 ①[平]魚 人余切 rú
②[去]御 如倨切 rù
[字解] ①앓을 여 앓음. ②어리석을 여 어리석음. '一, 一瘵, 不達也'《集韻》.

6 ⑪ [痢] 례 [去]霽 力制切 lì
[字解] 염병 례 돌림병. 전염병. '大瘠者何, 一也'《公羊傳》.

6 ⑪ [痔] 人名 치 ㊤紙 直里切 zhì

字解 치질 치 항문(肛門)에 나는 병. '一瘻'. '舐一者得車五乘'《莊子》.

字源 篆文 形聲. 疒(疒)+寺〔音〕. '寺시'는 '머무르다'의 뜻. 항문 부근의 피가 막혀서 일어나는 병의 뜻을 나타냄.

[痔漏 치루] 치루(痔瘻).
[痔瘻 치루] 항문 근처에 구멍이 생기고 고름이 나는 치질.
[痔疾 치질] 항문의 안팎에 나는 병(病)의 총칭(總稱).
[痔核 치핵] 직장의 정맥이 이완(弛緩)하여 항문 둘레에 혹처럼 된 종기의 한 가지.
◉瘴痔. 血痔.

6 ⑪ [痕] 人名 흔 ㊥元 戶恩切 hén

字解 ①흉 흔 상처의 자국. '洗垢求其瘢一'《後漢書》. ②자취 흔 남은 형적. '一迹'. '刻其水一'《魏志》.

字源 篆文 形聲. 疒(疒)+艮(㫐)〔音〕. '㫐흔'은 '머무르다'의 뜻. 상처가 나아, 그 표를 남긴 부분, '자국'의 뜻을 나타냄.

[痕垢 흔구] 때.
[痕迹 흔적] 남은 형적(形迹). 뒤에 남은 자국. 자취.
[痕蹟 흔적] 흔적(痕迹).
◉舊痕. 屐痕. 淚痕. 黛痕. 刀痕. 凍痕. 痘痕. 無斧鑿痕. 墨痕. 瘢痕. 傷痕. 癬痕. 沁痕. 殘痕. 粧痕. 潮痕. 漲痕. 苔痕. 瑕痕. 血痕.

6 ⑪ [痌] 통 ㊥東 他紅切 tōng

字解 ①헌데터질 통 '一, 創潰也'《集韻》. ②아파할 통 恫(心部 六畫)과 同字. '天子一傷'《韓愈》. ③끙끙앓을 통 恫(心部 六畫)과 同字.

字源 形聲. 疒(疒)+同〔音〕

[痌傷 통상] 마음 아파함.

6 ⑪ [㾃] 방 ㊥江 匹江切 pāng

字解 헌데 방 부스럼이 나서 부음. 胮(肉部 六畫)과 同字.

6 ⑪ [㾄]
㊀ 다 ㊤哿 丁可切
㊁ 탄 ㊥寒 他干切 tān / ㊦翰 他案切
㊂ 타 ㊥歌 託何切
㊃ 시 ㊤紙 賞是切 shǐ

字解 ㊀ ①말지칠 다 '一, 馬病也'《說文》. ②고달플 다 '一一, 疲也'《廣雅》. ㊁ 말지칠 탄, 고달플 탄 ㊀과 뜻이 같음. ㊂ 말지칠 타, 고달플 타 ㊀과 뜻이 같음. ㊃ ①많을 시 많은 모양. '一, 衆皃'《廣韻》. ②방종(放縱)할 시 '一, 一曰, 自放縱'《集韻》.

字源 形聲. 疒(疒)+多〔音〕

6 ⑪ [痐] 회 ㊥灰 胡限切 huí

字解 ①거위 회 회충(蛔蟲). 蛕(虫部 六畫)와 同字. ②거위배 회 회충으로 인한 병. '一, 腹蟲聚而成疾也'《正字通》.

6 ⑪ [痋]
㊀ 동 ㊥冬 徒冬切 téng
㊁ 충 ㊥東 持中切 chóng

字解 ㊀ 아플 동 아파서 떨림. '一, 動病也'《說文》. ㊁ 앓을 충 병. '一, 病也'《集韻》.

字源 篆文 形聲. 疒(疒)+蟲〈省〉〔音〕

6 ⑪ [㾅] 〔선〕

癬(疒部 十七畫〈p. 1497〉)과 同字

7 ⑫ [痗] 매 ㊦隊 莫佩切 mèi

字解 ①병 매 질병. ②앓을 매 병을 앓음. 또, 마음이 괴로움. '使我心一'《詩經》.

字源 形聲. 疒(疒)+每〔音〕

◉疚痗. 疾痗. 沈痗.

7 ⑫ [痘] 人名 두 ㊦宥 大透切 dòu

字解 마마 두 천연두. '一瘡'. '凡一汁納鼻, 呼吸卽出'《方書》.

字源 形聲. 疒(疒)+豆〔音〕. '豆두'는 '콩'의 뜻. 마맛자국이 콩알과 비슷한 데서, '천연두'의 뜻을 나타냄.

[痘面 두면] 얽은 얼굴.
[痘苗 두묘] 종두(種痘)의 원료가 되는 두창(痘瘡)의 농액(濃液).
[痘疫 두역] 두창(痘瘡).
[痘漿 두장] ㉠두창(痘瘡)의 고름. ㉡두묘(痘苗).
[痘瘡 두창] 손님. 천연두(天然痘).
[痘痕 두흔] 마맛자국. 곧, 얽은 자국.
◉水痘. 神痘. 牛痘. 種痘. 天然痘.

7 ⑫ [痙] 人名 경 ㊤梗 巨郢切 jìng

字解 심줄땅길 경 경련을 일으킴. 또, 그 병. '一攣'. '諸一項強'《內經》.

字源 篆文 形聲. 疒(疒)+巠〔音〕. '巠경'은 힘이 더해져서 곧다의 뜻. 갑자기 근육이 경직되다, 경련의 뜻을 나타냄.

[痙攣 경련] 근육이 발작적, 또는 율동적으로 수축되는 현상. 신경성 질환이 있을 때에 흔히 나타남.

7 ⑫ [痛] 高人 통 ㊦送 他貢切 tòng

筆順 丶 亠 广 广 疒 疒 疗 痏 痛

字解 ①아파할 통 ㉠몸에 괴로움을 느낌. '非不一'《後漢書》. ㉡마음 아파함. '常一於心'《史記》. ②아플 통 전항(前項)의 형용사. '悲莫一於傷心'《李陵》. ③아프게할 통 이상(以上)의 타동사. '一心疾首'《左傳》. ④슬퍼할 통 비탄함. '可甚悼一'《漢書》. ⑤원망할 통 원한을 품음. '使神無有怨一於楚國'《國語》. ⑥몹시 통 대단

히. '一惜'. '市物一騰躍'《漢書》. ⑦힘껏 통 힘이 자라는 대로. '一言人情以驚主'《管子》. ⑧성 통 성(姓)의 하나.

字源 篆文 形聲. 疒(𤕫)+甬〔音〕. '甬통'은 꿰뚫고 나가다의 뜻. 몸을 꿰뚫고 나가는 듯한 아픔의 뜻을 나타냄.

[痛感 통감] 몹시 느낌. 마음에 사무치게 느낌.
[痛擊 통격] 몹시 나무람. 통렬히 공격함.
[痛苦 통고] 아파하고 괴로워함. 고통(苦痛).
[痛哭 통곡] 소리를 내어 슬피 욺.
[痛哭流涕長太息 통곡유체장태식] 우국충정(憂國衷情) 때문에 목 놓아 울고 눈물을 흘리며 큰 한숨을 토함. 세상 돌아가는 것이 글렀음을 개탄한 가의(賈誼)의 말.
[痛愧 통괴] 대단히 부끄러워함.
[痛悼 통도] 대단히 슬퍼함. 몹시 애처롭게 여김. 통석(痛惜).
[痛論 통론] 통절(痛切)히 논(論)함.
[痛罵 통매] 통렬(痛烈)히 꾸짖음.
[痛棒 통봉] ㉠좌선(坐禪)할 때 마음이 안정되지 않은 사람을 징계(懲戒)하는 막대기. ㉡매섭게 때리는 몽둥이. ㉢통렬한 질책(叱責).
[痛忿 통분] 대단히 분노함.
[痛憤 통분] 몹시 분개함.
[痛惜 통석] 대단히 애처롭게 여김.
[痛聲 통성] 병으로 앓는 소리.
[痛心 통심] 대단히 상심(傷心)함.
[痛痒 통양] 아픔과 가려움. 전(轉)하여, 자기에게 직접 관계되는 이해의 비유.
[痛癢 통양] 통양(痛痒).
[痛隱 통은] 몹시 측은하게 여김.
[痛飮 통음] 술을 대단히 많이 마심.
[痛詆 통저] 통렬히 비난함.
[痛切 통절] ㉠매우 간절함. ㉡비통(悲痛)함이 절실(切實)함.
[痛疾 통질] 아파서 앓음.
[痛責 통책] 준절(峻切)히 꾸짖음.
[痛處 통처] 병으로 아픈 곳.
[痛楚 통초] 아프고 괴로움. 몹시 고생(苦生)함.
[痛快 통쾌] 마음이 썩 상쾌(爽快)함. 대단히 기분이 좋음.
[痛歎 통탄] 대단히 탄식(歎息)함.
[痛砭 통폄] 대단히 아프게 돌침을 놓음. 전(轉)하여, 준절히 훈계함.
[痛風 통풍] 풍병(風病).
[痛恨 통한] 몹시 한탄(恨歎)함.
[痛毁極詆 통훼극저] 몹시 비방하고 꾸짖어 욕보임.

◉激痛. 苦痛. 劇痛. 悼痛. 疼痛. 頭痛. 鈍痛. 病痛. 腹痛. 悲痛. 酸痛. 傷痛. 愁痛. 心痛. 哀痛. 一病兩痛. 切痛. 陣痛. 鎭痛. 疾痛. 慚痛. 憯痛. 楚痛. 惻痛. 沈痛. 酷痛.

7 ⑫ [⿸疒呂] 려 ㊤語 兩擧切 lǚ

字解 ①종기 려 종기. 부스럼. ②오래앓을 려 고질병.

7 ⑫ [痞] 비 ㊤紙 符鄙切 pǐ

字解 배속결릴 비 배 속이 마치는 것같이 아픔. '腹有一塊'《靈樞經》.

字源 篆文 形聲. 疒(𤕫)+否〔音〕. '否부·비'는 '막히다'의 뜻.

7 ⑫ [痟] 소 ㊥蕭 相邀切 xiāo

字解 ①두통 소 머리가 아픈 병. '春時有一首疾'《周禮》. ②소갈증 소 목이 마르고 소변이 나오지 않는 병. 당뇨병. '中乾欲病一'《李商隱》.

字源 篆文 形聲. 疒(𤕫)+肖〔音〕. '肖초'는 '梢초'와 통하여 '끝', 또 '머리'의 뜻.

[痟痒 소양] 아픔과 가려움. 통양(痛癢).

7 ⑫ [痡] 부(포㊍) ㊥虞 普胡切 pū

字解 앓을 부, 고달플 부 병을 앓음. 또, 피로함. '我僕一矣'《詩經》.

字源 篆文 形聲. 疒(𤕫)+甫〔音〕

◉瘏痡. 毒痡. 少痡. 淪痡.

7 ⑫ [痢] 人名 리 ㊦寘 力至切 lì

字解 설사 리 묽은 똥을 누는 배탈. '下一'. '食之已一'《酉陽雜俎》. 또, 설사한 오물(汚物). '嘗一以求'《元史》.

字源 形聲. 疒(𤕫)+利〔音〕

◉渴痢. 瀉痢. 泄痢. 疫痢. 赤痢. 下痢.

7 ⑫ [⿸疒車] 차 ㊦禡 充夜切 chè

字解 설사병 차 설사병.

7 ⑫ [⿸疒酉] 유 ㊥尤 夷周切 yóu ㊦宥 余救切

字解 ①앓을 유 병을 앓음. ②썩은나무냄새 유 고옥(古屋)에서 나는 후목(朽木)의 냄새. '牛夜鳴則一'《周禮》.

7 ⑫ [痣] 지 ㊦寘 職吏切 zhì

字解 ①사마귀 지 흑자(黑子). '彈丸黑一之地'《通鑑》. ②점 지 색소가 침착하여 피부에 생긴 반점.

字源 形聲. 疒(𤕫)+志〔音〕. '志지'는 '誌지'와 통하여, '표'의 뜻.

◉赤痣. 黑痣.

7 ⑫ [痤] 좌 ㊥歌 昨禾切 cuó

字解 부스럼 좌 종기. '彈一者痛, 飮藥者苦'《韓非子》.

字源 篆文 形聲. 疒(𤕫)+坐〔音〕. '坐좌'는 그 자리에 머물러서 뿌리를 내리다의 뜻.

◉彈痤.

7 ⑫ [痧] 사 ㊥麻 所加切 shā

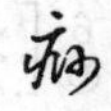

字解 ①콜레라 사 전염병의 하나. ②《現》 마진사 '一子'는 홍역(紅疫). 마진(痲疹)의 속칭.
字源 形聲. 疒(疒)+沙〔音〕

[痧子 사자] 자해(字解) ❷를 보라.

7 ⑫ [痝] 방(망本) ㊥江 莫江切 máng

字解 ①괴로워할 방 병이 들어 괴로워함. '一, 病困'《廣韻》. ②숙취 방 '一, 一曰, 病酒'《集韻》. ③부어오를 방 '一然'은 부어오르는 모양. '多汗惡風, 面一然浮腫'《素問》.

7 ⑫ [痟] 연 ㊥先 烏玄切 yuān

字解 ①뼈쑤실 연 골절이 쑤심. '一, 骨節疼也'《廣韻》. ②피로할 연 지침. '一, 疲也'《說文》. ③답답할 연 '心一體煩'《列子》.
字源 篆文 形聲. 疒(疒)+肙〔音〕. '肙연'은 '削연'과 통하여, '쑤시다'의 뜻.

7 ⑫ [㾙] ㊀ 흔 ㊤問 香靳切 xìn ㊁ 희 ㊤未 許既切 xì

字解 ㊀ ①멍울설 흔 멍울이 섬. '一, 腫起'《玉篇》. ②궂은살나올 흔 상처에서 궂은살이 빠져나옴. '脪, 創肉反出也, 或作一'《集韻》. ③신열날 흔 몸에 열이 생김. '脪, 熱氣著膚也, 今或作一'《集韻》. ㊁ 아플 희 '一, 痛也'《集韻》.

7 ⑫ [㾓] 〔흔〕
痕(疒部 六畫〈p.1485〉)의 本字

7 ⑫ [㾔] 〔각〕
瘸(疒部 九畫〈p.1490〉)과 同字

7 ⑫ [㾖] 리 ㊤紙 良士切 ㊥支 兩耳切 lí

字解 우울증(憂鬱症) 리 '一, 憂病'《字彙》.

7 ⑫ [㾚] 효 ㊥肴 虛交切 xiāo

字解 인후증 효 인후의 병. 천식. '一瘶, 喉病'《集韻》.

[㾚瘶 효수] 목병. 천식(喘息).

7 ⑫ [㾛] 침 ㊤寢 七稔切 qǐn

字解 ①추할 침 더러움. 용모가 추함. '一, 又皃醜也'《廣韻》. ②아플 침 아픔. '一, 一痛'《廣韻》.

7 ⑫ [㾕] 심 ㊤寢 疎錦切 shěn

字解 오한증 심 추워서 몸이 떨림. '一, 寒病也'《說文》.
字源 篆文 形聲. 疒(疒)+辛〔音〕. '辛신'은 심하게 따끔거리고 얼얼하다의 뜻.

8 ⑬ [痯] 관 ㊤旱 古滿切 guǎn

字解 앓을 관, 고달플 관 병들어 지친 모양. '四牡一一'《詩經》.
字源 形聲. 疒(疒)+官〔音〕

[痯痯 관관] 병들어 지친 모양.

8 ⑬ [痰] 人名 담 ㊥覃 徒甘切 tán

字解 가래 담 담. '喀一'. '甘遂葶歷之逐一癖'《抱朴子》.
字源 形聲. 疒(疒)+炎〔音〕

[痰涎 담연] 가래와 침. 담.
◉喀痰. 檢痰. 血痰.

8 ⑬ [痱] 비 ㊥微 符非切 féi

字解 ①뾰루지 비 조그만 종기. '一, 一曰小腫'《集韻》. ②풍병 비 중풍. '一, 風病也'《說文》.
字源 篆文 形聲. 疒(疒)+非〔音〕. '非비'는 균형을 잃어 서로 등지다의 뜻.

8 ⑬ [痲] 人名 마 ㊥麻 莫霞切 má

字解 ①저릴 마, 마비될 마 신체의 감각 작용을 잃음. 또, 그 현상. '一痺'. ②홍역 마 소아 전염병의 한 가지. '一疹'.
字源 形聲. 疒(疒)+麻〈省〉〔音〕
參考 痳(次條)은 別字.

[痲痺 마비] 신경이나 심줄이 그 기능이 정지되거나 소멸되어서 나타나는 병. 근육이 형태적 변화 없이 그 기능을 잃는 현상.
[痲藥 마약] 마취약(痲醉藥).
[痲疹 마진] 홍역(紅疫).
[痲醉 마취] 동물에게 약 등을 써서 일시적으로 그 기능을 빼앗았다가 뒤에 다시 이전 기능으로 회복시키는 변화.

8 ⑬ [痳] 림 ㊥侵 力尋切 lìn

字解 임질 림 요도(尿道)의 점막에 염증이 생기어 오줌이 잘 나오지 않는 화류병. '一疾'.
字源 篆文 形聲. 疒(疒)+林〔音〕
參考 痲(前條)는 別字.

[痳疾 임질] 임독균(痳毒菌)에 의하여 일어나는 요도(尿道) 점막의 염증. 임질(淋疾).

8 ⑬ [痹] 人名 비 ㊥支 府移切 pí

字解 ①암메추리 비 '鳥名. 鵪鶉之雌者'《字彙》. ②저릴 비, 마비될 비 신체의 감각 작용을 잃음. 또, 그 현상. '痲一'.
字源 形聲. 疒(疒)+卑〔音〕
參考 속(俗)에 잘못 痺(次條)와 통용함. '痲痺'의 뜻으로 '痺'를 쓰는 것은 본래 오용(誤用)이지만, 지금은 일반적으로 씀.

◉冷痹. 痲痹. 頑痹. 痿痹. 坐痹. 風痹.

8 ⑬ [痹] 비 [去]寘 必至切 bì

[字解] ①저릴 비, 마비될 비 '—, 手足不仁也'《一切經音義》. '臂已—而猶攘'《歐陽修》. ②류머티스 비 몸이 저려 감각을 잃는 신경계의 병. '—, 溼病也'《說文》. '—, 脚冷濕病'《廣韻》.
[字源] [篆文] 形聲. 疒(疒)+畀〔音〕
[參考] 痺(前條)의 〈참고〉를 보라.

◉痲痹.

8 ⑬ [痻] 민 [平]眞 彌隣切 mín

[字解] 병 민, 앓을 민 질병. 또, 병듦. '多我覯—'《詩經》.

◉覯痻.

8 ⑬ [痼] [人名] 고 [去]遇 古暮切 gù

[字解] 고질 고 오래 낫지 않는 병. '飮之者—疾皆愈'《後漢書》.
[字源] [篆文] 形聲. 疒(疒)+固〔音〕. '固고'는 '굳다'의 뜻. 좀처럼 낫지 않는 병의 뜻을 나타냄.

[痼癖 고벽] 고치기 어려운 버릇.
[痼疾 고질] 고치기 어려운 병. 숙질(宿疾).
[痼弊 고폐] 오래되어 바로잡기 어려운 폐단.
◉根痼. 癖痼. 沈痼. 癈痼.

8 ⑬ [痾] 아 [平]歌 烏何切 kē

[字解] 숙병 아 병세가 중해져서 좀처럼 고치기 어려운 병. 숙아(宿痾). '舊—有痊'《潘岳》.
[字源] 形聲. 疒(疒)+阿〔音〕

◉舊痾. 篤痾. 微痾. 百痾. 病痾. 宿痾. 養痾. 妖痾. 積痾. 沈痾.

8 ⑬ [痬] [一] 역 [入]陌 羊益切 yì
[二] 석 [入]陌 施隻切

[字解] [一] ①심계항진증(心悸亢進症) 역 '—, 脈—也. (段注) 善驚之病也'《說文》. ②어리석을 역 치매증(痴呆症). '—, 癡也'《廣雅》. ③전염할 역 병이 전염(傳染)함. '—, 病相染也'《廣韻》. [二] 심계항진증 석, 어리석을 석, 전염할 석 [一]과 뜻이 같음.
[字源] 形聲. 疒(疒)+易〔音〕

8 ⑬ [痿] 위 [平]支 於爲切 wěi

[字解] 바람맞을 위 몸이 마비되어 동작이 자유롭지 못함. 중풍에 걸림. '—痺'. '如—人不忘起'《史記》.
[字源] [篆文] 形聲. 疒(疒)+委〔音〕. '委위'는 '萎위'와 통하여, 시들다, 감각이 마비되다의 뜻. 쇠약해지다, 저리다의 뜻을 나타냄.

[痿痺 위비] 중풍(中風).
[痿質 위질] 중풍(中風).
◉蹶痿. 委痿. 陰痿. 躄痿.

8 ⑬ [瘀] [人名] 어 [去]御 依倨切 yū

[字解] ①병 어 질병. '八爲疾—'《太玄經》. ②어혈 어 한 곳에 뭉친 악혈(惡血). '—血'.
[字源] [篆文] 形聲. 疒(疒)+於〔音〕. '於어'는 '歐오'와 통하여, 구역질이 나다의 뜻. 피가 탁해져 막혀서 일어나는 병의 뜻을 나타냄.

[瘀血 어혈] 피가 순하게 돌지 못하고 한 곳에 뭉쳐 생기는 병. 흔히 타박상에 의하여 생김.

8 ⑬ [痵] 계 [去]寘 其季切 jì

[字解] 두근거릴 계 가슴이 두근거림. 또, 그 병. '—, 心動也'《玉篇》.
[字源] 形聲. 疒(疒)+季〔音〕

8 ⑬ [𤸎] [一] 의 [平]支 於宜切 yī
[上]紙 去倚切
[二] 기 [上]紙 隱綺切 qǐ
[三] 애 [上]蟹 倚蟹切 ǎi

[字解] [一] ①쥐날 의 경련이 읾. ②약할 의 약함. ③부스럼 의 종기. ④숨길 의 숨겨서 간직함. [二] ①잃을 기 잃음. ②종기 기 부스럼. ③부스럼날 기 부스럼이 남. [三] 키작을 애 키가 작은 모양.

8 ⑬ [瘁] 췌(취[本]) [去]寘 秦醉切 cuì

[字解] ①병들 췌 앓음. '唯躬是—'《詩經》. ②고달플 췌, 야윌 췌 피로함. 또 수척함. '僕夫況—'《詩經》. ③무너질 췌 파손됨. '悼堂構之隤—'《陸機》.
[字源] 形聲. 疒(疒)+卒〔音〕. '卒졸'은 '다하다'의 뜻. 체력이 다하여 병이 들다, 피로하다의 뜻을 나타냄.

[瘁瘁 췌췌] 오래 앓는 모양.
◉鞠躬盡瘁. 勞瘁. 呰食體瘁. 殄瘁. 盡瘁. 憔瘁. 隤瘁.

8 ⑬ [瘂] 아 [上]馬 烏下切 yǎ 瘂

[字解] 벙어리 아 啞(口部 八畫)와 同字.
[字源] 形聲. 疒(疒)+亞〔音〕

[瘂瘖 아음] 벙어리. 아자(啞子).
◉瘖瘂.

8 ⑬ [瘃] 촉 [入]沃 陟玉切 zhú

[字解] 얼음박일 촉 동상(凍傷). '手足皸—'《漢書》.
[字源] [篆文] 形聲. 疒(疒)+豖〔音〕. '豖촉'은 발이 묶여 발을 질질 끌며 걷는 돼지의 象形. 발뒤꿈치의 동상의 뜻을 나타냄.

[瘃墮 촉타] 동상으로 손가락 같은 것이 떨어짐.
◉皸瘃. 竈瘃.

8 ⑬ [瘀] [一] 뢰 [去]隊 洛代切 lài
[二] 래 [平]灰 郎才切 lài

[字解] [一] ①나병 뢰 문둥병. '一, 癘也'《廣雅》. ②염병 뢰 오래도록 낫지 않는 악질(惡疾). '一, 久疾也'《集韻》. [二] 나병 래, 염병 래 [一]과 뜻이 같음.

8 ⑬ [瘋] [一] 붕 [平]蒸 悲朋切 bēng
[二] 팽 [平]庚 蒲萌切 péng

[字解] [一] 대하증 붕 부인병의 하나. '一, 婦人癥血不止也'《玉篇》. [二] 단복고창(單腹鼓脹) 팽 배가 몹시 붓는 병. '一, 腹滿'《集韻》.

8 ⑬ [瘏] 권 [平]先 巨員切 quán

[字解] ①손굽을 권 손이 굽는 병. '一, 手屈病'《集韻》. ②진력날 권 싫증이 남. 倦(人部 八畫)과 통용. '疲一向之久'《程曉》.

8 ⑬ [瘐] 천 [上]銑 在演切 jiàn

[字解] 근지러울 천 '一, 小痒也'《玉篇》.

8 ⑬ [瘑] [一] 암 [平]覃 烏含切 ān
[二] 업 [入]葉 又業切 yè
[三] 압 ①[入]洽 乙洽切 è
②[入]合 遏合切

[字解] [一] 넓을 암 '一婪'은 넓음. '一婪者以博約爲通濟'《王沈》. [二] ①몸져누웠다일어났다하는병 업 심하지는 않고 시름시름 앓는 병. '一, 一殜, 半臥半起病也. 亦作殗'《玉篇》. ②야위는병 업 '一, 痩病'《集韻》. [三] ①몸져누웠다일어났다하는병 압, 야위는병 압 [二]와 뜻이 같음. ②절름발이 압 '踠, 跛疾. 或作一'《集韻》.

8 ⑬ [瘒] 장 [去]漾 知亮切 zhàng

[字解] 복창증(腹脹症) 장 배가 더부룩해지는 병. 脹(肉部 八畫)과 同字. '一, 脹滿'《廣韻》.
[字源] 形聲. 疒(疒)+長〔音〕

8 ⑬ [瘓] [人名] 〔치〕
癡(疒部 十四畫〈p.1496〉)의 俗字
[字源] 形聲. 疒(疒)+知〔音〕

9 ⑭ [瘇] 종 [上]腫 豎勇切 zhǒng

[字解] 수중다리 종 퉁퉁하게 부은 다리. 또, 다리가 부음. '天下之勢, 方病大一'《漢書》.
[字源] 形聲. 疒(疒)+重〔音〕. '重종'은 부어서 무겁다의 뜻.

◉大瘇.

9 ⑭ [瘈] 계 [去]霽 吉詣切 zhì

[字解] 미칠 계 광란(狂亂)함. '國人逐一狗'《左傳》.
[字源] 形聲. 疒(疒)+契〔音〕

[瘈狗 계구] 미친개. 광견(狂犬).

[瘈瘲 계종] 경기(驚氣). 경풍(驚風).

9 ⑭ [瘉] 유 ①②[上]麌 以主切 yù
③[去]遇 兪戍切

[字解] ①나을 유 병이 나음. 癒(疒部 十三畫)와 同字. '漢王疾一'《漢書》. ②앓을 유 병듦. '胡俾我一'《詩經》. ③나을 유 남보다 나음. 愈(心部 九畫)와 통용. '不猶一於野乎'《漢書》.
[字源] 篆文 形聲. 疒(疒)+兪〔音〕. '兪유'는 끌어내다, 빼내다의 뜻. 병을 끌어내다의 뜻에서 병을 낫게 하다의 뜻을 나타내며, 또, 병을 뽑아내어 병을 낫게 하다의 뜻을 나타냄.
[參考] 癒(疒部 十三畫)는 俗字.

◉全瘉. 治瘉. 快瘉. 平瘉.

9 ⑭ [瘊] 후 [平]尤 戶鉤切 hóu

[字解] 무사마귀 후 밥알만큼 크게 내민 군더더기 살덩이. '地膚子白礬各等分, 煎湯洗數次, 一子盡消'《方書》.
[字源] 形聲. 疒(疒)+侯〔音〕

[瘊子 후자] 사마귀. 무사마귀.

9 ⑭ [瘗] 〔압·갑·개〕
瘞(疒部 十畫〈p.1491〉)의 本字

9 ⑭ [瘋] 풍 [平]東 方馮切 fēng 疯

[字解] ①두통 풍 머리가 아픈 병. ②광증 풍 미친 병. 정신병. '一癲'.
[字源] 形聲. 疒(疒)+風〔音〕

[瘋癲 풍전] 미치는 병. 광증(狂症).

9 ⑭ [瘍] [人名] 양 [平]陽 與章切 yáng 疡

[字解] ①두창 양 머리의 부스럼. '生一於頭'《左傳》. ②부스럼 양 종기. '潰一'. '身有一則浴'《禮記》. ③상처 양 다친 데. '金一析一'《周禮》.
[字源] 篆文 形聲. 疒(疒)+昜〔音〕. '昜양'은 위로 나타나다, 오르다의 뜻. 피부가 부어 오르는 병, '부스럼'의 뜻을 나타냄.

[瘍醫 양의] 주대(周代)의 지금의 외과의(外科醫)에 해당하는 일을 맡은 벼슬.
◉乾瘍. 潰瘍. 金瘍. 死瘍. 析瘍. 腫瘍. 瘡瘍.

9 ⑭ [瘌] [一] 랄 [入]曷 盧達切 là
[二] 뢰 [去]泰 落蓋切

[字解] [一] ①약독 랄 약(藥)의 부작용으로 아픔. 노랄(癆瘌). '一, 楚人謂藥毒曰痛一'《說文》. ②따끔따끔할 랄 독충에 쐬었을 때의 살갗의 아픔. '癆·一, 皆辛螫也'《揚子方言》. ③상처 랄 '一, 傷也'《廣雅》. ④옴 랄 피부병의 하나. '一, 疥也'《集韻》. ⑤(現) 상처자국 랄 '疤一'은 상처 자국. [二] 약독 뢰, 따끔따끔할 뢰, 상처 뢰, 옴 뢰, 상처자국 뢰 [一]과 뜻이 같음.
[字源] 形聲. 疒(疒)+剌〔音〕

9 ⑭ [瘏] 도 [平]虞 同都切 tú

[字解] 앓을 도 병듦. '我馬一矣'《詩經》.
[字源] 篆文 形聲. 疒(疒)+者〔音〕

[瘏痡 도부] 도췌(瘏悴).
[瘏悴 도췌] 병이 들어 초췌(憔悴)함.

9 ⑭ [瘝] 관 [平]刪 姑頑切 guān

[字解] ①병들 관, 병들게할 관 '恫一乃身'《書經》. ②빌 관, 비울 관 공허함. 공허하게 함. 또, 소홀히 함. 게을리 함. 曠(日部 十五畫)과 뜻이 같음. '若時一厥官'《書經》.

◉恫瘝.

9 ⑭ [瘎] [一] 심 [平]侵 時任切 chén
[二] 잠 [上]豏 丈減切

[字解] [一] 배속병 심 오래도록 낫지 아니하는 뱃병. [二] 배속병 잠 [一]과 뜻이 같음.

9 ⑭ [瘐] 유 [上]麌 勇主切 yǔ

[字解] 병들 유 죄인이 옥중에서 기한(飢寒) 또는 고민으로 말미암아 병듦. '一死獄中'《漢書》.
[字源] 形聲. 疒(疒)+臾〔音〕

[瘐死 유사] 옥중에서 기한(飢寒) 또는 고민으로 말미암아 병사(病死)함.

9 ⑭ [瘕] 하 [平]麻 何加切 jiǎ

[字解] ①기생충병 하 배 속에 있는 일종의 작은 기생충으로 인하여 생기는 병. '一病'. ②부녀병 하 임신한 것 같은 증상을 나타내는 여자의 병. ③티 하 瑕(玉部 九畫)와 통용. ④성 하 성(姓)의 하나.
[字源] 篆文 形聲. 疒(疒)+叚〔音〕

[瘕病 하병] 날고기를 먹어 생기는 기생충병.

9 ⑭ [瘖] 음 [平]侵 於金切 yīn

[字解] 벙어리 음 말을 못 하는 병. '一瘂'. '飮一藥'《史記》.
[字源] 篆文 形聲. 疒(疒)+音〔音〕. '音음'은 소리, 말이 되기 전의 목소리의 뜻. 소리를 알지 못하고 말을 못 하는 병, '벙어리'의 뜻을 나타냄.

[瘖聾 음롱] 벙어리와 귀머거리. 농아(聾啞).
[瘖默 음묵] 벙어리처럼 말을 하지 아니함. 함묵(緘默).
[瘖啞 음아] 벙어리. 아자(啞者).
[瘖瘂 음아] 벙어리. 아자(啞者).
[瘖藥 음약] 벙어리가 되는 약.
◉僞瘖. 噫瘖.

9 ⑭ [瘧] 학 [入]藥 魚約切 nüè

[字解] 학질 학 말라리아. '一癘'. '民多一疾'《禮記》.
[字源] 篆文 形聲. 疒(疒)+虐〔音〕. '虐학'은 '비참하다'의 뜻. 비참한 병의 뜻에서, '학질, 말라리아'의 뜻을 나타냄.

[瘧氣 학기] 학질의 기미.
[瘧癘 학려] 학질(瘧疾).
[瘧瘴 학장] 학질의 원인이 되는 산천(山川)의 사기(邪氣).
[瘧疾 학질] 말라리아 원충(原蟲)의 혈구내(血球內) 기생으로 인하여 격일 또는 매일 일정한 시간에 오한이 나고 열이 심한 병. 말라리아.
◉溫瘧. 痎瘧.

9 ⑭ [瘔] 고 [去]遇 苦故切 kù

[字解] ①괴로워할 고 괴로워함. ②멀미할 고 배·차 따위를 타서 멀미를 함.

9 ⑭ [瘦] 수 [去]有 所祐切 shòu

[字解] 야윌 수 파리함. 瘦(疒部 十畫)와 同字. '是妾愁成一, 非君愛細腰'《范雲》.
[字源] 篆文 形聲. 疒(疒)+叜〔音〕. '叜수'는 '縮축'과 통하여, '줄어들다'의 뜻. 병으로 여위다의 뜻을 나타냄.

9 ⑭ [瘖] 해 [平]佳 古諧切 jiē

[字解] 학질 해 하루거리. 痎(疒部 六畫)와 同字. '老瘧發作無時, 名一瘧, 俗呼妖瘧'《本草》.

[瘖瘧 해학] 학질.

9 ⑭ [瘺] 편 [平]先 芳連切 piān

[字解] 편고증(偏枯症) 편 반신불수의 병. '一, 半枯也'《說文》.
[字源] 篆文 形聲. 疒(疒)+扁〔音〕. '扁편'은 '치우치다'의 뜻. 반신불수의 병의 뜻을 나타냄.

[瘺枯 편고] 중풍. 반신불수가 되는 병.

9 ⑭ [瘊] 호 [平]虞 洪孤切 hú

[字解] 목에걸릴 호 음식이 목에 걸려 넘어가지 않는 병. '一癭, 物在喉中'《集韻》.

9 ⑭ [瘄] 생 [上]梗 所景切 shěng

[字解] 파리할 생 여윔. '瘦謂之一'《集韻》.

9 ⑭ [瘍] [一] 갈 [入]曷 苦葛切 kě
[二] 알 [入]月 於歇切 kě

[字解] [一] ①더위먹을 갈 더위를 먹음. '一, 內熱病'《集韻》. ②앓을 갈 병으로 앓음. '一, 病也'《廣雅》. [二] 더위먹을 알, 앓을 알 [一]과 뜻이 같음.

9 ⑭ [瘑] 각 [入]藥 乞約切 què

[字解] 부스럼 각 종기.

9 ⑭ [瘑] 과 ㊥歌 古禾切 guō

字解 헌데 과 부스럼. 疝(疒部 五畫)와 同字. '一, 瘡也'《廣韻》.

9 ⑭ [瘓] 탄 ㊤旱 吐緩切 huàn

字解 ①전신불수 탄 중풍. '癱一, 四體癱瘓不仁也'《正字通》. ②앓을 탄 병으로 앓는 모양.

字源 形聲. 疒(疒)+奐〔音〕

9 ⑭ [瘔] 〔민〕
痻(疒部 八畫〈p. 1488〉)과 同字

9 ⑭ [瘩] 〔륭〕
癃(疒部 十二畫〈p. 1494〉)과 同字

10 ⑮ [瘚] 궐 ㊀月 居月切 jué

字解 상기 궐 피가 머리로 모이는 병. '一不作'《韓詩外傳》.

字源 金文 篆文 別體 形聲. 疒(疒)+欮〔音〕. 본래는 金文·別體처럼 '欮궐'뿐이었음. '屰역'은 사람을 거꾸로 한 모양. '欠흠'은 사람이 크게 입을 벌린 꼴로, 호흡이 잘 안되어 콜록거리다의 뜻을 나타냄.

10 ⑮ [瘛] 계 ㊦霽 胡計切 chì

字解 경풍 계 어린아이의 병의 하나. 경기. 경풍. '一瘲'. '筋脈相引而急病, 名曰一'《素問》.

字源 篆文 形聲. 疒(疒)+恝〔音〕. '恝계'는 마음에 새기다의 뜻에서, 맺히어 긴장되다의 뜻. 발작성의 경련의 뜻을 나타냄. 일설에는, 疒(疒)+心+契〈省〉〔音〕의 形聲이라고도 함.

[瘛瘲 계종] 경기(驚氣). 경풍(驚風).

10 ⑮ [瘜] 식 ㊀職 相卽切 xī

字解 궂은살 식 군살. 췌육(贅肉). '咽生一肉'《聖濟總錄》.

字源 篆文 形聲. 疒(疒)+息〔音〕

[瘜肉 식육] 궂은살. 군살. 췌육(贅肉).

10 ⑮ [瘞] 예 ㊦霽 於罽切 yì

字解 ①묻을 예 매장함. '埋一'. '收一'. ②무덤 예 묘(墓). '發一出尸'《晉書》.

字源 篆文 形聲. 土+㾜〔音〕. '㾜협'은 병으로 숨이 끊어진 자의 뜻. 그 시신을 땅에 묻다의 뜻을 나타냄.

[瘞骨不埋名 예골불매명] 죽어서 뼈는 땅에 묻히어도 명성(名聲)은 후세(後世)에 길이 전함.
[瘞埋 예매] ㉠예매(瘞薶). ㉡묻음. 장사 지냄.
[瘞薶 예매] 지신(地神)을 제사 지낸 제물(祭物)을 땅에 묻는 의식(儀式).
◉假瘞. 古瘞. 埋瘞. 收瘞.

10 ⑮ [瘟] 人名 온 ㊥元 烏昆切 wēn

字解 전염병 온 돌림병. 급성 전염병. '經一疫則不畏'《抱朴子》.

字源 形聲. 疒(疒)+昷〔音〕. '昷온'은 내부가 뜨거운 병의 뜻.

[瘟疫 온역] 돌림병. 전염병.

10 ⑮ [瘠] 人名 척 ㊀陌 秦昔切 yí

字解 ①파리할 척 마름. 야윔. '瘦一'. '乾爲一馬'《易經》. ②파리하게할 척 전항(前項)의 타동사. '一魯而肥杞'《左傳》. ③메마를 척 땅이 척박함. '一薄'. '擇一土而處之'《國語》. ④궁핍할 척 물건이 모자람. '國亡捐一者'《漢書》. ⑤송장 척 주로 옥사(獄死)하거나 아사(餓死)한 시체. '分爲溝中一'《文天祥》. ⑥성 척 성(姓)의 하나.

字源 形聲. 疒(疒)+脊〔音〕. '脊척'은 '등뼈'의 뜻. 병으로 등뼈만 남다, 마르다의 뜻을 나타냄.

[瘠馬 척마] 수척한 말.
[瘠墨 척묵] 몸이 야위고 거무데데함.
[瘠薄 척박] 땅이 메마름. 또, 그 땅. 척토(瘠土). 척양(瘠壤).
[瘠瘦 척수] 야윔. 파리함. 수척(瘦瘠).
[瘠壤 척양] 척토(瘠土).
[瘠土 척토] 척박(瘠薄)한 땅. 옥토(沃土)의 대(對).
◉磽瘠. 癯瘠. 黴瘠. 肥瘠. 消瘠. 損瘠. 瘦瘠. 若越人視秦人肥瘠. 捐瘠. 沃瘠. 墝瘠. 疲瘠. 荒瘠. 毁瘠.

10 ⑮ [瘟] ㊀ 압 ㊀合 烏盍切 è ㊀洽 乙洽切 yà ㊁ 갑 ㊀合 克盍切 kè ㊂ 개 ㊦泰 丘蓋切 kài

字解 ㊀ ①절름발이 압. ②숨가쁘게쉴 압 병이 들어 숨을 가쁘게 쉼. '一, 短氣也'《廣韻》. ③앓을 압 '痷, 病也. 或从盍'《集韻》. ㊁ 몸살앓을 갑 '一, 疲病也'《集韻》. ㊂ 목병 개 '一, 喉病'《集韻》.

字源 形聲. 疒(疒)+盇(盍)〔音〕

10 ⑮ [瘡] 人名 창 ㊥陽 初良切 chuāng

字解 ①부스럼 창 종기. '凍一'. '石患面一'《晉書》. ②상처 창 다친 데. '金一'. '一痍'. '虎魄療金一'《南史》.

字源 形聲. 疒(疒)+倉〔音〕. '倉창'은 '創창'과 통하여, '상처'의 뜻. '疒(疒)녁'을 더하여, 상처 자국의 뜻을 나타냄.

[瘡口 창구] 부스럼이 터진 구멍.
[瘡毒 창독] 매독. 창병(瘡病).
[瘡癘 창려] 부스럼. 종기.
[瘡瘢 창반] 부스럼 자국. 흉.
[瘡病 창병] 화류병(花柳病)의 일종. 매독.
[瘡藥 창약] 부스럼에 쓰는 약(藥).
[瘡瘍 창양] 창종(瘡腫).
[瘡疣 창우] 부스럼과 혹.

[瘡痏 창유] 창이(瘡痍).
[瘡痍 창이] ㉠상처. 전(轉)하여, 백성의 질고(疾苦). ㉡전쟁·반란 등에서 입은 손해.
[瘡腫 창종] 부스럼. 종기.
[瘡疾 창질] 창병(瘡病).
◉故瘡. 金瘡. 凍瘡. 痘瘡. 面瘡. 百孔千瘡. 惡瘡. 豌豆瘡. 蓐瘡. 皰瘡.

10 ⑮ [痡] 一 부 ㊀遇 薄故切 bù
二 보(포㊍) ㊀遇 蒲故切
字解 一 결릴 부 결림. 二 가슴답답할 보 가슴이 답답한 증세.

10 ⑮ [瘢] 人名 반 ㊥寒 薄官切 bān
字解 ①흉 반 헌데나 다친 데의 아문 자국. '一痕'. '吳王好劍客, 百姓多瘡一'《後漢書》. ②자국 반 사물의 흔적. '洗垢索一'. '新一踣蕾漲'《范成大》.
字源 篆文 形聲. 疒(疒)+般〔音〕. '般반'은 큰 배의 뜻. 배처럼 팬 큰 흉터의 뜻을 나타냄.

[瘢疣 반우] 흉과 혹.
[瘢痍 반이] 반흔(瘢痕).
[瘢創 반창] 반흔(瘢痕).
[瘢瘡 반창] 반흔(瘢痕).
[瘢痕 반흔] 상처 자국.
◉刀瘢. 傷瘢. 鮮瘢. 洗垢索瘢. 新瘢. 瘡瘢.

10 ⑮ [瘣] 외 ㊤賄 胡罪切 huì
字解 ①앓을 외, 병들 외 일설(一說)에는, 부스럼이 곁에서 남. '一, 病也, 一曰腫旁出'《說文》. '譬彼一木'《詩經》. ②혹 외 나무의 혹. '一木, 苻婁'《爾雅》. ③높을 외 嵬(山部 十畫)와 통용.
字源 篆文 形聲. 疒(疒)+鬼〔音〕. '鬼귀'는 '塊괴'와 통하여, 둥근 덩이의 뜻.

10 ⑮ [瘝] 〔관〕
瘝(疒部 九畫〈p. 1490〉)의 本字

10 ⑮ [瘤] 人名 류 ㊥尤 力求切 liú
㊀宥 力救切
字解 혹 류 ㉠병적으로 내민 군살. 췌육(贅肉). '一贅'. '時景王新割目一, 創甚'《漢晉春秋》. ㉡물건의 표면에 생기는 돌기(突起). '杯杓盡杉一'《皮日休》.
字源 篆文 形聲. 疒(疒)+留〔音〕. '留류'는 흐름이 막히다의 뜻. 피의 흐름이 막혀서 부어오른 것, '혹'의 뜻을 나타냄.

[瘤腫 유종] 유췌(瘤贅).
[瘤贅 유췌] 혹.
◉宿瘤. 腫瘤. 贅瘤.

10 ⑮ [瘥] 一 채 ㊀卦 楚懈切 chài
二 차 ㊥歌 昨何切 cuó
字解 一 나을 채 병이 나음. '竟至痊一'《開元遺事》. 二 병 차 질병. 또, 전염병. '一善禳衆一'《葉適》.
字源 篆文 形聲. 疒(疒)+差(𢀩)〔音〕. '𢀩차'는 이제까지와는 다르다, 줄다의 뜻.
◉痊瘥. 札瘥.

10 ⑮ [瘦] 人名 수 ㊀宥 所祐切 shòu
字解 파리할 수 몸이 야윔. 마름. '一瘠'. '久餓羸一'《漢書》.
字源 篆文 形聲. 疒(疒)+叟(㕈)〔音〕. 瘐(疒部 九畫)의 〈자원〉을 보라.
參考 瘐(疒部 九畫)는 同字.

[瘦硬 수경] 글씨가 잘고 야무짐.
[瘦軀 수구] 수척한 몸.
[瘦拳 수권] 파리한 주먹.
[瘦羸 수리] 몸이 야위고 고달픔.
[瘦面 수면] 수척한 얼굴.
[瘦病 수병] 파리해지고 병듦.
[瘦削 수삭] 수척(瘦脊).
[瘦生 수생] 수척함. 생(生)은 조자(助字).
[瘦身 수신] 수구(瘦軀).
[瘦涓 수연] 졸졸 흐르는 물. 조금 흐르는 물.
[瘦容 수용] 수척(瘦脊)한 얼굴.
[瘦人 수인] 여윈 사람. 수척한 사람.
[瘦長 수장] 몸이 마르고 신장은 김.
[瘦脊 수척] 몸이 파리함.
[瘦鶴 수학] ㉠여윈 학. ㉡사람의 여윈 모양의 형용.
[瘦篁 수황] 길고 가느다란 대나무.
◉枯瘦. 郊寒島瘦. 老瘦. 疎瘦. 羸瘦. 瘠瘦. 淸瘦. 疲瘦. 鶴瘦.

10 ⑮ [瘨] 전 ㊥先 都年切 diān
字解 ①앓을 전, 앓게할 전 병듦. 병들게 함. ②애탈 전, 애태울 전 속을 태움. 애타게 함. '胡寧一我以旱'《詩經》. ③미칠 전 광란(狂亂)함. '一而殫悶'《戰國策》. ④부을 전 배가 부음. ⑤쓰러질 전 넘어짐.
字源 篆文 形聲. 疒(疒)+眞〔音〕. '眞진'은 '顚전'과 통하여, 갑자기 쓰러지다의 뜻. 졸도하여 손발을 버르적거리는 병의 뜻을 나타냄.

10 ⑮ [瘬] 쇠 ㊥支 所追切 shuāi
字解 ①덜릴 쇠 병세가 덜림. '一, 減也. (段注) 減, 亦謂病減於常也'《說文》. ②이울 쇠 차차로 감소해짐. '一, 一日, 耗也'《說文》. ③병들 쇠 '一, 病也'《廣韻》.
字源 篆文 形聲. 疒(疒)+衰〔音〕. '衰쇠'는 '쇠하다'의 뜻.

10 ⑮ [瘙] 人名 소 ㊀號 蘇到切 sào
字解 살갗병 소 피부병(皮膚病). '一, 創也'《廣雅》.
字源 形聲. 疒(疒)+蚤〔音〕. '蚤조'는 '搔소'와 통하여, 긁다, '긁어 뜯다'의 뜻.

10 ⑮ [瘮] 상 ㊤養 寫朗切 sǎng
字解 말병 상 말의 병. '一, 馬病'《集韻》.

10 ⑮ [瘍] 마 ㊀禡 莫駕切 mà
字解 ①눈병 마 '一, 目病'《說文》. ②비루먹을

마 마소의 병. '一, 畜病'《集韻》.
[字源] 篆文 形聲. 疒(疒)+馬〔音〕

10 ⑮ 〔𤸷〕 혐 [平]鹽 馨兼切 xiān

[字解] 목에걸릴 혐 음식이 목에 걸려 넘어가지 않음. '瘌一, 喉阻病也'《正字通》.

10 ⑮ 〔瘬〕 증 [上]迥 zhěng

[字解] 신열나는병 증 폐병 환자가 저녁때 신열이 나는 것과 같은 증세. '一, 骨一病也'《集韻》.

10 ⑮ 〔瘶〕 〔해〕
欬(欠部 六畫〈p.1128〉)의 俗字

11 ⑯ 〔瘭〕 표 [平]蕭 甫遙切 biāo

[字解] 생인손 표 '一疽'는 손가락 끝이 곪아 붓는 병. '一疽也, 七日死'《巢氏病源》.
[字源] 形聲. 疒(疒)+票〔音〕

[瘭疽 표저] 자해(字解)를 보라.

11 ⑯ 〔瘯〕 족 [入]屋 千木切 cù

[字解] 옴 족 '一蠡'는 옴 및 옴 비슷한 피부병. '謂其不疾一蠡也'《左傳》.
[字源] 形聲. 疒(疒)+族〔音〕

[瘯蠡 족라] 자해(字解)를 보라.

11 ⑯ 〔𤺋〕 대 [去]泰 當蓋切 dài

[字解] 대하증 대 부인(婦人)의 자궁병. '赤一'. '白一'.
[字源] 形聲. 疒(疒)+帶〔音〕

◉白𤺋. 赤𤺋.

11 ⑯ 〔瘱〕 [一] 애 [去]卦 烏懈切 ài
[二] 의 [平]支 於其切 ài

[字解] [一] ①앓는소리 애 신음하는 소리. '一, 劇聲也'《說文》. ②파리할 애 '一, 一曰羸也'《集韻》. [二] 앓는소리 의, 파리할 의 [一]과 뜻이 같음.
[字源] 篆文 形聲. 疒(疒)+殹〔音〕. '殹예'는 앓는 소리를 나타내는 의성어적 음부(音符).

11 ⑯ 〔瘰〕 라 [上]哿 郎果切 luǒ
[平]歌 盧戈切

[字解] 연주창 라 '一癧'은 목둘레에 잇달아 나는 단단한 멍울. '一癧或在耳後頤項缺盆'《揚子方言》.
[字源] 形聲. 疒(疒)+累〔音〕. '累루'는 '겹치다'의 뜻.

[瘰癧 나력] 자해(字解)를 보라.

11 ⑯ 〔瘳〕 추 [平]尤 丑鳩切 chōu

[字解] ①나을 추 병이 나음. '王翼日乃一'《書經》. ②나을 추 남보다 나음. '其何一於晉'《左傳》. ③줄 추 감소함. '君不度而賀大國之襲. 於己何一'《國語》.
[字源] 篆文 形聲. 疒(疒)+翏〔音〕

◉弗瘳. 藥弗瞑眩厥疾弗瘳. 夷瘳. 創痍未瘳.

11 ⑯ 〔瘴〕 장 [去]漾 之亮切 zhàng

[字解] 장기 장 산천(山川)의 악기(惡氣). 여기(厲氣). '山多氛一'《唐書》. 또, 그 기운 때문에 걸리는 일종의 열병. 풍토병(風土病). 말라리아 같은 것을 이른 것임. '然多一疫'《晉書》.
[字源] 形聲. 疒(疒)+章〔音〕. '章장'은 지장이 있다의 뜻. 건강에 지장이 되는 병의 뜻을 나타냄.

[瘴氣 장기] 열병의 원인이 되는 산천(山川)에서 생기는 나쁜 기운.
[瘴毒 장독] 장기(瘴氣).
[瘴癘 장려] 장기(瘴氣)로 인하여 걸리는 병.
[瘴霧 장무] 장기(瘴氣)를 품은 안개.
[瘴疫 장역] 장려(瘴癘).
[瘴煙 장연] 장기(瘴氣)를 품은 연기. 독연(毒煙).
[瘴雨蠻烟 장우만연] 장기(瘴氣)의 기를 품은 중국 남방 만지(蠻地)의 비와 연기.
[瘴地 장지] 장기(瘴氣)가 있는 땅. 「疾).
[瘴瘧 장학] 장기(瘴氣)로 인하여 걸리는 학질(瘧
[瘴歊 장효] 장기(瘴氣)가 떠오르는 모양.
◉嵐瘴. 毒瘴. 霧瘴. 氛瘴. 煙瘴. 災瘴. 瘧瘴.

11 ⑯ 〔瘵〕 채 [去]卦 側界切 zhài

[字解] 앓을 채 지치어 앓음. 또, 그 병. '無自一焉'《詩經》.
[字源] 篆文 形聲. 疒(疒)+祭〔音〕

◉衰瘵. 尪瘵. 凋瘵. 沈瘵.

11 ⑯ 〔瘻〕 [人名] 루 ①[去]宥 盧候切 lòu
②[平]虞 力朱切 lǚ

[字解] ①부스럼 루 목에 나는 부스럼. 연주. '一癘'. '可以已一'《山海經》. ②곱사등이 루 僂(人部 十一畫)와 同字. '痀一'.
[字源] 篆文 形聲. 疒(疒)+婁〔音〕. '婁루'는 '塿루'와 통하여, 작은 덩어리의 뜻.

[瘻癘 누라] 목에 나는 부스럼과 문둥병.
◉痔瘻.

11 ⑯ 〔瘼〕 막 [入]藥 慕各切 mò

[字解] ①병 막 질병. 또, 폐해. 고통. '疾一'. '民一'. ②병들 막 앓음. 또, 괴로워함. 고생함. '亂離一矣'《詩經》. ③병들게할 막 전항(前項)의 타동사. '一此下民'《詩經》.
[字源] 篆文 形聲. 疒(疒)+莫〔音〕

◉民瘼. 深瘼. 疹瘼. 疾瘼.

11 ⑯ [瘽] 근 [平]文 巨斤切 qín

[字解] ①앓을 근 병듦. ②고달프게할 근 피로하게 함. '一身從事'《漢書》.

[字源] 篆文 形聲. 疒(𤕫)+堇[音]. '堇근'은 '勤근'과 통하여, '피로하다'의 뜻.

11 ⑯ [瘱] 예 [去]霽 壹計切 yì

[字解] ①조용할 예 정숙(靜肅)함. '婉一有節操'《漢書》. ②그윽할 예 심수(深邃)함. '其妙聲則淸靜厭一'《王褒》.

[字源] 篆文 形聲. 心+瘗[音]

◉婉瘱.

11 ⑯ [瘲] 종 [去]宋 子用切 zòng

[字解] 경풍 종 '瘛一'은 어린아이의 뇌막염(腦膜炎). 경풍(驚風). 경기. '金創一瘛方, 三十卷'《漢書》.

[字源] 篆文 形聲. 疒(𤕫)+從[音]. '從종'은 '縱종'과 통하여, 세로로 수축하다의 뜻. 근육이 경련하는 병의 뜻을 나타냄.

◉瘛瘲.

11 ⑯ [㾮] 피 [去]寘 毗至切 bì

[字解] ①다리에쥐날 피 장딴지의 근육의 경련(痙攣). '一, 足氣不至, 轉筋也'《玉篇》. ②다리냉병 피 다리에 일어나는 냉증(冷症). '一, 俗謂脚冷濕病'《正字通》.

[字源] 篆文 形聲. 疒(𤕫)+畢[音]

11 ⑯ [瘡] 사 [平]麻 莊加切 zhā

[字解] 헌데딱지 사 부스럼 딱지. '一, 瘡痂甲也'《字彙》.

11 ⑯ [瘶] 수 [去]宥 蘇奏切 sòu

[字解] 기침 수 한기로 인하여 기침이 나는 병. 嗽(口部 十一畫)와 통용. '一, 寒病'《集韻》.

[參考] 瘷(次條)은 別字.

11 ⑯ [瘷] 색 [入]陌 色責切 sè

[字解] 오한증 색.

[參考] 瘶(前條)는 別字.

11 ⑯ [瘸] 가 [平]歌 巨靴切 qué

[字解] 손발병 가 '一, 手足病'《集韻》.

11 ⑯ [瘾] 음 [去]沁 於禁切 yìn

[字解] 심질 음 심병(心病). '一, 字林, 心病'《集韻》.

[字源] 形聲. 疒(𤕫)+陰[音]

11 ⑯ [癣] 선 [上]銑 息淺切 xuǎn

[字解] 옴 선 피부병의 한 가지. 癬(疒部 十七畫)과 同字. '齊與吳疥一也'《史記》.

12 ⑰ [療] [人名] 료 [去]嘯 力照切 liáo

[字解] ①고칠 료 병을 고침. '凡一瘍, 以五毒攻之'《周禮》. ②면할 료 고통을 면함. '一饑'.

[字源] 瘵의 別體 形聲. 疒(𤕫)+尞(尞)[音]. '尞료'는 '了료'·'料료'와 통하여, '끝나다, 다스리다'의 뜻. 병을 다스려 고치다의 뜻을 나타냄.

[療救 요구] 병을 고쳐 살림.
[療飢 요기] 음식을 먹어 시장기를 면함.
[療方 요방] 요법(療法).
[療法 요법] 병을 치료하는 방법.
[療病 요병] 병을 치료함.
[療養 요양] 병(病)을 조섭(調攝)함.
[療治 요치] 병을 고침. 요병(療病). 치료(治療).
[療護 요호] 간호함. 간병(看病)함.

◉加療. 功療. 救療. 物療. 施療. 醫療. 診療. 治療.

12 ⑰ [癄] 참 [上]感 七感切 cǎn

[字解] 아플 참 고통을 느낌. '榜箠一於炮烙'《漢書》.

12 ⑰ [癄] 초 [去]嘯 子肖切 qiáo / [去]效 側教切

[字解] 야윌 초 憔(心部 十二畫)와 同字. '一瘁'.

[字源] 形聲. 疒(𤕫)+焦[音]

[癄瘁 초췌] 고생이나 병 등으로 몹시 피로하여 파리함. 초췌(憔悴).

12 ⑰ [瘇] [一] 종 [上]腫 時穴切 zhǒng / [二] 동 [平]東 徒東切 tóng

[字解] [一] 수중다리 종 발이 붓는 병. '一, 脛气足腫'《說文》. [二] 종기터질 동 '痌, 創潰也. 或从童'《集韻》.

[字源] 形聲. 疒(𤕫)+童[音]

12 ⑰ [癃] 륭 [平]東 力中切 lóng

[字解] ①느른할 륭 연로(年老)하여 몸이 느른함. '年老一病勿遣'《漢書》. ②곱사등이 륭 꼽추. '民雖老羸一疾, 扶杖而往聽之'《漢書》.

[字源] 篆文 形聲. 疒(𤕫)+隆[音]. '隆륭'은 높게 봉긋 오르다의 뜻. 피로하여 근육이 응어리 지다의 뜻을 나타냄.

[癃疾 융질] 곱사등이. 꼽추.

◉老癃. 篤癃. 衰癃. 罷癃. 疲癃.

12 ⑰ [癆] 로 ①[平]豪 郞刀切 láo / ②[去]號 郞到切 lào

[字解] ①노점 로 폐결핵. '肺一'. '今俗以積勞疫削爲一病'《正字通》. ②중독 로 약물에 중독(中

毒)됨. '凡飮藥傅藥而毒, 北燕朝鮮之間, 謂之一'《揚子方言》.
字源 篆文 形聲. 疒(疒)+勞〔音〕. '勞로'는 체력이 소모되어 피로하다의 뜻.

[癆病 노병] 노증(癆症).
[癆漸 노점] 폐결핵. 노증(癆症).
[癆症 노증] 폐결핵(肺結核).
[癆瘵 노해] 노증(癆症).
◉肺癆.

12 ⑰ [癇] 人名 간 (한本) ㊥刪 戶閒切 xián 痫

字解 경풍 간 소아병의 하나. 경련을 일으키며 감정이 격(激)하는 병. '一病'. '哺乳多, 則生一病'《後漢書》.
字源 篆文 形聲. 疒(疒)+閒〔音〕. '閒간·한'은 사이의 뜻. 동안을 두고 일어나는 발작, 경련의 뜻을 나타냄.
參考 癎(次條)의 略字.

[癇病 간병] 소아병의 하나. 경기(驚氣). 경풍(驚風).
[癇疾 간질] 《韓》 지랄병. 전간(癲癇).
◉癲癇.

12 ⑰ [癎] 癇(前條)의 本字

12 ⑰ [瀾] 癇(前前條)과 同字

12 ⑰ [癈] 폐 ㊤隊 方肺切 fèi 废

字解 폐질 폐 고칠 수 없어 몸의 일부가 병신이 되는 병. 또, 그 사람. '一人'.
字源 篆文 形聲. 疒(疒)+發〔音〕. '發발'은 '敝폐'·'廢폐'와 통하여, '부서지다, 째지다'의 뜻. 불치의 병의 뜻을 나타냄.

[癈錮 폐고] 벼슬아치가 될 자격을 박탈하는 일. 폐고(廢錮).
[癈兵 폐병] 부상하여 불구자(不具者)가 된 군인(軍人). 상이군인.
[癈人 폐인] 병으로 몸을 버린 사람. 병신. 불구자.
[癈疾 폐질] 고칠 수 없어 폐인(癈人)이 되는 병.

12 ⑰ [癉] 一 단 ①-③㊤翰 得案切 dàn ④㊤旱 黨旱切 dǎn 二 다 ㊤哿 丁可切 dān 瘅

字解 一 ①병들 단 앓음. '下民卒一'《詩經》. ②괴롭힐 단 고통을 줌. '彰善一惡'《書經》. ③황달 단 달병(疸病). '南方暑濕, 近夏一熱'《漢書》. ④굳셀 단 제어하기 어려움. '剛一必斃'《張衡》. 二 고달플 다 피로함. '商民久勞一'《王禹偁》.
字源 篆文 形聲. 疒(疒)+單〔音〕. '單단'은 '殫탄'과 통하여, '다하다'의 뜻. 힘이 다하여 피로하다의 뜻을 나타냄.

[癉暑 단서] 단열(癉熱).
[癉熱 단열] 황달(黃疸). 달병(疸病).
[癉疽 단저] 악성(惡性)의 부스럼.
[癉痔 단치] 치질(痔疾).

12 ⑰ [瘈] 계 ㊤霽 去例切 qì, ③jì

字解 ①머리헌데 계 머리에 난 부스럼. ②살갗에상처낼 계 살갗에 상처를 냄. ③대머리 계 대머리.

12 ⑰ [癌] 人名 암 ái

字解 암 암 악성 종양(腫瘍)의 한 가지. '一, 臟腑所生毒瘤也'《中華大字典》.
字源 形聲. 疒(疒)+嵒〔音〕. '嵒암'은 '嚴엄'과 통하여, '엄하다'의 뜻. 엄한 악성의 병인 암의 뜻을 나타냄.

[癌腫 암종] 암(癌).
◉肝癌. 舌癌. 胃癌. 乳癌. 子宮癌. 肺癌. 喉頭癌.

12 ⑰ [癀] 一 퇴 ㊥灰 杜回切 tuí 二 대 ㊤隊 徒對切 tuí

字解 一 소문병 퇴 여자의 음부에 생기는 병. '一, 倉頡篇, 陰病'《集韻》. 二 소문병 대 一과 뜻이 같음.

12 ⑰ [癟] 별 ㊂屑 必列切 bié

字解 곪아터질 별 종기가 곪아서 터짐. '一, 腫滿悶而皮裂'《字彙》.

12 ⑰ [癅] 〔류〕 瘤(疒部 十畫〈p. 1492〉)의 本字

13 ⑱ [癖] 〔개·해〕 疥(疒部 四畫〈p. 1479〉)의 俗字

13 ⑱ [癒] 人名 유 ㊤麌 以主切 yù

字解 나을 유 병이 나음. '瘉(疒部 九畫)의 俗字. '平一'.
字源 瘉(疒部 九畫)의 〈자원〉을 보라.

◉全癒. 治癒. 快癒. 平癒.

13 ⑱ [癰] 옹 ㊥冬 於容切 yōng

字解 악창 옹 등창·발찌 같은 악성의 종기. '一腫'. '多病一疽脛腫'《後漢書》.
字源 癰(疒部 十八畫)의 〈자원〉을 보라.

[癰疽 옹저] 위험한 종기. 또, 그 종기를 고치는 의원(醫員).
[癰腫 옹종] 등창·발찌 같은 악성의 종기.
◉以千鈞弩潰癰.

13 ⑱ [癖] 人名 벽 ㊂陌 芳辟切 ㊂錫 普擊切 pǐ

字解 ①적취 벽 구체(久滯)의 한 가지. 적병(積病). '一痼'. '飮過則成痰一'《抱朴子》. ②버릇 벽 성벽. '惡一'. '臣有左傳一'《晉書》.
字源 形聲. 疒(疒)+辟〔音〕. '辟벽'은 옆으로 비키다의 뜻. 몸의 균형이 깨져서 생기는 병의

뜻으로, 배앓이 등의 병의 뜻을 나타내었으나, 파생하여, '버릇'의 뜻도 나타냄.

[癖痼 벽고] 적병(積病). 적취(積聚). 일설(一說)에는, 고질(痼疾).
[癖病 벽병] 나쁜 버릇. 병통.
[癖性 벽성] 편벽된 성질. 버릇.
◉癎癖. 疳癖. 潔癖. 痼癖. 舊癖. 奇癖. 嗜癖. 嬾癖. 盜癖. 病癖. 書癖. 性癖. 睡癖. 習癖. 詩癖. 惡癖. 煙霞痼癖. 頑癖. 一癖. 腸癖. 錢癖. 酒癖.

13 ⑱ [癘] 一 라 ㊀泰 落蓋切 lì 二 려 ㊀霽 力制切 lì

字解 一 문둥병 라 癩(疒部 十六畫)와 同字. '一病'. '時病一歸國'《史記》. 二 염병 려 유행병. '一疫'. '一疾不降'《左傳》.
字源 篆文 篆文 形聲. 疒(疒)+厲〈省〉〔音〕. '厲려'는 '엄하다'의 뜻. 또, '厲'의 아래 부위의 '萬만'은 전갈의 象形. 전갈과 같은 강한 자극의 고통이 있는 병, '문둥병'의 뜻을 나타냄.

[癘病 나병] 문둥병. 나병(癩病).
[癘病 여병] 유행병.
[癘疫 여역] 전염병.
[癘疾 여질] ㉠여병(癘病). ㉡병을 일으키는 나쁜 기운. 역기(疫氣).
◉疥癘. 饑癘. 瘻癘. 疫癘. 疵癘. 瘴癘. 疾癘. 瘠癘.

13 ⑱ [癙] 서 ㊤語 舒呂切 shǔ

字解 ①병들 서 너무 근심한 나머지 속이 타서 앓음. '一憂以痒'《詩經》. ②부스럼 서 구멍이 생기는 종기. '貍頭療一'《淮南子》.
字源 形聲. 疒(疒)+鼠〔音〕

[癙憂 서우] 근심과 걱정으로 우울함.
◉療癙.

13 ⑱ [癜] 전 ㊀霰 都見切 diàn

字解 어루러기 전 피부병의 한 가지. '一風'. '治一用茄蔕蘸硫黃'《本草綱目》.
字源 形聲. 疒(疒)+殿〔音〕

[癜風 전풍] 피부병의 하나. 어루러기.

13 ⑱ [癑] 농 ①②㊤腫 乃湩切 nòng ③㊥冬 奴冬切 nóng

字解 ①아플 농 몸이 아픔. ②곪아터질 농 헌데가 곪아서 터짐. '一, 一日, 瘡潰'《集韻》. ③고름 농 종기의 고름.
字源 篆文 形聲. 疒(疒)+農(農)〔音〕. '農농'은 진하고 끈끈하다의 뜻. 상처가 곪아 아프다의 뜻을 나타냄.

13 ⑱ [癉] 단 ㊤旱 多旱切 dǎn

字解 ①병들 단 '一, 病'《集韻》. ②중풍(中風) 단. '一, 風病'《集韻》.

13 ⑱ [癐] 一 괴 ㊀泰 古外切 guì 二 위 ㊥支 影規切 wēi

字解 一 병더칠 괴 병세가 심함. 위독함. '一, 病甚'《字彙》. 二 고함지를 위 함성을 지르는 소리. '淮人寇江南日, 於臨陣之際, 齊聲大喊阿一一'《輟耕錄》.

13 ⑱ [癛] 름 ㊤寢 力錦切 lǐn

字解 소름끼칠 름 추워서 몸에 소름이 돋음. '一, 粟體'《廣韻》.

13 ⑱ [癓] 미 ㊥微 無非切 wéi

字解 발종기 미 무좀 따위 발의 종기. '一, 足蒼也. 通作微'《集韻》.

13 ⑱ [癏] 〔관〕 瘝(疒部 九畫〈p.1490〉)과 同字

14 ⑲ [癠] 제 ㊀霽 在詣切 jì

字解 ①앓을 제 병듦. '親一色容不盛, 此孝子之疏節也'《禮記》. ②작을 제 '江湘之會, 凡物生而不長大, 曰一'《揚子方言》.
字源 形聲. 疒(疒)+齊〔音〕

14 ⑲ [癡] 人名 치 ㊥支 丑之切 chī

字解 ①어리석을 치 미련함. '白一'. '一謂眞實'《金光明經》. ②미칠 치 어떤 일에 열중하게 됨. '書一'.
字源 篆文 形聲. 疒(疒)+疑〔音〕. '疑의'는 가만히 멈춰 서서 망설이다의 뜻. 사물에 잘 적응할 수 없는 병, '어리석다'의 뜻을 나타냄.
參考 痴(疒部 八畫)는 俗字.

[癡骨 치골] 어리석은 사람. 미련한 사람.
[癡鈍 치둔] 어리석고 둔함.
[癡呆 치매] 멍청이. 바보.
[癡騃 치애] 치매(癡呆).
[癡頑 치완] 어리석고 완고함.
[癡愚 치우] 치매(癡呆).
[癡人 치인] 어리석은 사람. 못난 사람.
[癡人面前說夢 치인면전설몽] 바보에게 꿈의 이야기를 함. 곧, 하는 말도 황당하거니와 듣는 사람도 알아듣지 못함을 이름.
[癡人說夢 치인설몽] 이야기가 조리가 닿지 아니함을 이름.
[癡者 치자] 치인(癡人).
[癡情 치정] 남녀간의 사랑에서 생기는 지각 없는 「정(情).
[癡漢 치한] ㉠어리석은 놈. 못난 놈. ㉡부녀자(婦女子)에게 장난을 걸고 희롱하는 사내.
[癡行 치행] 어리석은 행동. 못난 짓.
◉狂癡. 嬌癡. 驕癡. 白癡. 書癡. 頑癡. 愚癡. 音癡. 情癡. 天癡. 虎癡.

14 ⑲ [癮] 은 ㊤吻 倚謹切 yǐn

字解 두드러기 은 피부병의 한 가지. 피부가 우툴두툴 붓고 가려움. '一疹, 皮小起皃'《集韻》.
字源 形聲. 疒(疒)＋㥯〔音〕
參考 癮(疒部 十七畫)과 同字.

14 ⑲ [癯] 확 入藥 胡郭切 huó

字解 목에걸릴 확 음식이 목에 걸림. '㾍一'. '㾍一, 物在喉'《集韻》.

15 ⑳ [癤] 人名 절 入屑 子結切 jiē

字解 부스럼 절 옹(癰)보다는 작은 부스럼.
字源 形聲. 疒(疒)＋節〔音〕

[癤瘍 절양] 악성 종기의 일종.

15 ⑳ [癢] 양 上養 餘兩切 yǎng 痒

字解 가려울 양 痒(疒部 六畫)과 同字. '無痟一'《列子》.
字源 形聲. 疒(疒)＋養〔音〕. '養양'은 '痒양'과 통하여, '가렵다'의 뜻.

[癢痛 양통] 가렵고 아픔.
◉隔靴搔癢. 技癢. 搔癢. 痛癢.

15 ⑳ [癥] 징 平蒸 陟陵切 zhēng

字解 적취 징 구체(久滯)의 한 가지. 적병(積病). '盡見五藏一結'《史記》.
字源 形聲. 疒(疒)＋徵〔音〕

[癥結 징결] 적병(積病). 또, 적병의 원인이 되는 응어리. 곧, 적(積).

15 ⑳ [𤻲] 료 去嘯 力照切 liáo

字解 병고칠 료 療(疒部 十二畫)와 同字. '一, 治也'《說文》.
字源 篆文 別體 形聲. 疒(疒)＋樂〔音〕

15 ⑳ [𤺥] 〔동〕
疼(疒部 五畫〈p.1481〉)의 俗字

16 ㉑ [癧] 력 入錫 郎擊切 lì 疬

字解 연주창 력 瘰(疒部 十一畫)를 보라.
字源 形聲. 疒(疒)＋歷〔音〕

16 ㉑ [癃] 롱 去宋 良用切 lòng, lóng

字解 ①아플 롱, 병들 롱 '一, 瘰一, 病也'《集韻》. ②귀머거리 롱 聾(耳部 十六畫〈p.1831〉)과 同字.

16 ㉑ [癨] 곽 入藥 虛郭切 huò

字解 곽란 곽 '一亂'은 음식이 체하여 토사가 나는 급성 위장병의 하나. '一, 一亂, 吐病'《正字通》.
字源 形聲. 疒(疒)＋霍〔音〕

[癨亂 곽란] 급성 위장병. 토사를 함.

16 ㉑ [癩] 人名 라 去泰 落蓋切 lài 癞

字解 문둥병 라 나병. 천형병. '一子'. '伯牛有疾. (註)先儒以爲一也'《論語》.
字源 形聲. 疒(疒)＋賴〔音〕

[癩子 나자] 문둥이.

17 ㉒ [癬] 人名 선 上銑 息淺切 xuǎn 癣

字解 옴 선 피부병의 한 가지. '譬諸疾, 疥一也'《國語》.
字源 篆文 形聲. 疒(疒)＋鮮〔音〕. '鮮선'은 '遷천'과 통하여, '전염하다'의 뜻. 천천히 전염해 가다, '옴'의 뜻을 나타냄.

[癬疥 선개] 옴.
[癬瘡 선창] 버짐.
◉疥癬.

17 ㉒ [癭] 영 上梗 於郢切 yǐng 瘿

字解 혹 영 목에 나는 혹. '一腫'. '頸處險而一'《嵇康》. 전(轉)하여, 나무의 옹두리. '柳一'.
字源 篆文 形聲. 疒(疒)＋嬰〔音〕. '嬰영'은 여자의 목의 장식물의 뜻. 목에 생기는 '혹'의 뜻을 나타냄.

[癭腫 영종] 혹.
◉柳癭.

17 ㉒ [癮] 〔은〕
瘾(疒部 十四畫〈p.1496〉)과 同字
字源 形聲. 疒(疒)＋隱(音)

18 ㉓ [癯] 구 平虞 其俱切 qú

字解 야윌 구 파리함. '一瘠'. '形容甚一'《漢書》.
字源 形聲. 疒(疒)＋瞿〔音〕. '瞿구'는 눈을 크게 뜨고 흠칫흠칫하는 모양의 뜻. '疒녁'을 더하여, 눈이 움푹 꺼지고 야위어 쇠약해지다의 뜻을 나타냄.

[癯瘦 구수] 야윔. 파리함. 수척함.
[癯劣 구열] 야위고 쇠약함.
[癯瘠 구척] 파리함.
[癯瘁 구췌] 수척하고 초췌함.
[癯弊 구폐] 여위고 쇠약함.
[癯毀 구훼] 구폐(癯弊).

18 ㉓ [癰] 人名 〔옹〕癕(疒部 十三畫〈p.1495〉)의 本字

[字源] 篆文 形聲. 疒(𤕫)+雝〔音〕. '雝옹'은 '壅옹'·'雍옹'과 통하여, '막히다'의 뜻. 또, 안아 들이다의 뜻. 세균을 안아 들여 염증을 일으킨 악성 종기의 뜻을 나타냄.

[癰腫 옹종] ㉠등창·발찌 같은 악성 종양(惡性腫瘍). ㉡옹이가 많은 쓸모없는 나무란 뜻으로, 크기만 하고 쓸모없는 것의 비유.

19 ㉔ [癵] [一] 란 [平]寒 盧丸切 luán
[二] 련 [平]先 閭員切

[字解] [一] ①앓을 란, 병(病) 란 '一, 病也'《廣韻》. ②야윌 란 '一一'은 야위는 모양. '一, 瘦也'《廣韻》. [二] ①앓을 련, 병 련 [一]❶과 뜻이 같음. ②병들어몸이오그라질 련 '一, 病體拘曲也'《集韻》.

19 ㉔ [癱] 탄 [平]寒 他丹切 tān

[字解] 중풍 탄 신체의 전체 또는 일부가 마비되는 병.
[字源] 形聲. 疒(𤕫)+難〔音〕

◉風癱.

19 ㉔ [癲] [人名] 전 [平]先 都年切 diān 癲

[字解] 미칠 전, 광증 전 瘨(疒部 十畫)과 同字. '瘋一'.
[字源] 形聲. 疒(𤕫)+顚〔音〕. '顚전'은 거꾸로 되다의 뜻. 정신이 비정상이 되다, '미치다'의 뜻을 나타냄.

[癲狗 전구] 미친개.
◉酒癲.

20 ㉕ [癑] 〔농〕 癑(疒部 十三畫〈p.1496〉)의 本字

21 ㉖ [癳] 〔라〕 瘰(疒部 十一畫〈p.1493〉)와 同字

23 ㉘ [癴] 〔란·련〕 癵(疒部 十九畫〈p.1498〉)과 同字

25 ㉚ [⿸疒臠] 〔란〕 癵(疒部 十九畫〈p.1498〉)과 同字

癶 (5획) 部
〔필발머리부〕

0 ⑤ [癶] 발 [入]曷 北末切 bō

[筆順] フ ヌ ヌ' ヌ'' (ヌ' 癶) 癶

[字解] ①걸을 발 두 발을 벌리고 가는 것을 상형(象形)한 문자. ②등질 발 사이가 틀어짐. '昆北一一, 傳曰, 兩人相背也'《元包經》.

[字源] 篆文 象形. 두 발을 벌린 모양을 본뜨며, '등지다'의 뜻을 나타냄.
[參考] '癶발'을 의부(意符)로 하여, 발의 동작에 관한 문자를 이룸. 자수는 적음. 부수로서의 이름은 이 부수의 대표적인 글자 '發발'의 훈과 음을 따서, '필발(發)머리'라 이름.

[癶癶 발발] 사이가 틀어진 모양.

0 ④ [⿰又又] 癶(前條)과 同字

[筆順] フ ヌ ヌ' ヌヌ

4 ⑨ [癸] [中人] 계(규[本]) [上]紙 居誄切 guǐ

[筆順] フ ヌ ヌ' ヌ'' 癶 癶 癸 癸

[字解] ①열째천간 계 십간(十干)의 끝. 철로는 겨울, 방위로는 북(北), 오행(五行)으로는 물에 배당(配當)함. '陳揆于一'《漢書》. ②경도 계 월경. '天一'. '一水'. ③성 계 성(姓)의 하나.
[字源] 甲骨文 金文 篆文 籒文 象形. 두 개의 나무를 열십자로 맞춰서, 해돋이와 일몰을 관측하여, 동서남북의 방위를 아는 기구의 象形으로, 헤아리다의 뜻을 나타냄. 假借하여, 천간의 열째로 씀은, 이날에 앞으로 올 열흘 동안의 길흉을 점쳐 헤아린 중국 고대의 습관에서 연유함.

[癸水 계수] 월경(月經).
[癸辛雜識 계신잡지] 쇄사 잡언(瑣事雜言)을 수록한 책. 송(宋)나라 주밀(周密)의 찬(撰)으로, 고증상(考證上) 참고 자료가 많음. 전집(前集) 1권. 후집(後集) 1권. 속집(續集) 2권. 별집(別集) 2권.
◉庚癸. 天癸.

4 ⑨ [癹] 발 [入]曷 蒲撥切 bá

[字解] 짓밟을 발, 벨 발 발로 풀을 짓밟음. 일설(一說)에는, 풀을 깎음. 제초(除草)함. '一夷蘊崇之'《左傳》.
[字源] 甲骨文 篆文 會意. 癶+殳. '癶발'은 두 발을 본뜬 것. '殳수'는 몽둥이 든 손의 象形. 풀을 발로 헤치고 제거하다의 뜻을 나타냄.

4 ⑨ [発] 〔발〕 發(癶部 七畫〈p.1500〉)의 俗字

5 ⑩ [⿱癶天] 〔계〕 癸(癶部 四畫〈p.1498〉)의 本字

5 ⑩ [⿱癶廾] 登(次條)의 古字

7 ⑫ [登] [中人] [一] 등 [平]蒸 都滕切 dēng
[二] 득 [入]職 東職切 dé

[筆順] フ ヌ ヌ' 癶 癶 咨 咨 登

[字解] [一] ①오를 등 ㉠높은 데 오름. '一山'. '一高必自卑'《中庸》. ㉡물건 위에 오름. '一壇'.

'一城不指'《禮記》. ㉢지위에 오름. '一極'. '帝竟一大位'《晉書》. ㉣수레 같은 것을 탐. '一輦'. '出門一車去'《古詩》. ②올릴 등 ㉠위로 올림. ㉡물건을 드림. 바침. '農乃一麥'《禮記》. ㉢장부에 실림. '一錄'. '一記'. ㉣사람을 끌어 올려 씀. '舜一用, 攝行天子之政'《史記》. ㉤보탬. '皆一一焉'《左傳》. ③높일 등 존숭함. '一龜'《禮記》. ④높을 등 '不哀年之不一'《國語》. ⑤이룰 등 성취함. '以一乃辟'《書經》. ⑥정할 등 일정하게 함. '各一其鄕之衆寡六畜車輦'《周禮》. ⑦익을 등 성숙(成熟)함. 여묾. '五穀不一'《孟子》. ⑧바로 등 즉시. '一加罪戮'《晉書》. ⑨성 등 성(姓)의 하나. [二] 얻을 득 得(彳部 八畫)과 同字. '一來之也'《公羊傳》.

[字源] 甲骨文 金文 金文 篆文 籒文 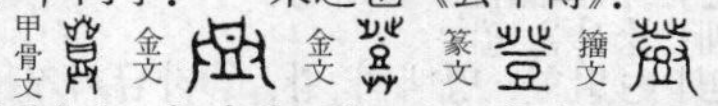 形聲. 癶+豆〔音〕. 《說文》은 수레에 타는 모양의 象形이라 보는데, 甲骨文, 金文은 예기(禮器)를 받들고 있는 모양 위에 두 발이 얹혀져 있어, 象形으로 보기에는 부자연스러움. '癶발'은 두 발의 象形. '豆두'는 甲骨文에서는 위로 올린 양손의 象形으로 '들다'의 뜻. 발을 들다, 오르다의 뜻을 나타냄. 假借하여 제기(祭器)의 뜻을 나타냄.

[登來 득래] 구하여 얻음.
[登降 등강] 오름과 내려옴. 또, 올림과 내림.
[登高 등고] ㉠높은 곳에 올라감. ㉡음력 9월 9일에 빨간 주머니에 수유(茱萸)를 넣고 고산(高山)에 올라가 액(厄)을 떠는 일.
[登高能賦 등고능부] 등고 필부(登高必賦).
[登高而招 등고이초] 높은 곳에 올라가 사람을 부름. 가장 편리(便利)한 곳을 이용(利用)함의 비유.
[登高自卑 등고자비] ㉠높은 곳에 오르려면 낮은 곳에서부터 오른다는 뜻으로, 일을 함에는 반드시 순서를 밟아야 한다는 말. ㉡지위(地位)가 높아질수록 스스로를 낮춤.
[登高必賦 등고필부] 군자(君子)는 높은 산에 오르면 저절로 시정(詩情)이 발동하여 반드시 한 수(首) 시가(詩歌)를 지어 읊조리게 됨.
[登科 등과] 과거에 급제함.
[登槐贊元 등괴찬원] 재상의 지위에 올라 천자를 보필함. 원(元)은 원화(元化), 곧 천지의 화육(化育).
[登閎 등굉] 고원(高遠)함.
[登校 등교] 학교에 출석함.
[登極 등극] 천자의 지위에 오름. 극(極)은 북극(北極)으로, 뭇별이 향하는 곳. 즉위(卽位).
[登記 등기] ㉠기록에 올림. ㉡권리·신분(身分)에 관한 사항을 등기부에 올려 권리 관계와 그 밖의 사실을 안전 또는 명확하게 하는 수속.
[登年 등년] ㉠풍년(豐年). ㉡여러 해를 경과함.
[登稔 등념] 곡식이 잘 여묾.
[登壇 등단] ㉠장상(將相)을 임명하는 단(壇)에 올라감. 전(轉)하여, 장상이 됨. ㉡연단(演壇)에 올라감.
[登途 등도] 등정(登程).
[登徒子 등도자] 색골(色骨). 호색군. 송옥(宋玉)이 지은 등도자호색부(登徒子好色賦)에서 나온 말.
[登頓 등돈] 높은 곳에 올라가 잠시 쉼.
[登登 등등] 힘을 쓸 때 내는 소리. 이영차.
[登覽 등람] 올라가 봄.
[登錄 등록] 대장(臺帳)에 올림.
[登龍 등룡] 영달(榮達)함을 이름.
[登樓 등루] ㉠누각에 올라감. ㉡창루(娼樓)에 놀러 감.
[登樓淸嘯 등루청소] 누각(樓閣)에 올라가 맑은 소리로 시가(詩歌)를 읊음.
[登臨 등림] ㉠높은 곳에 올라가 아래를 내려다 봄. ㉡제왕의 지위에 올라 나라를 다스림.
[登望 등망] 올라가 바라봄.
[登聞鼓 등문고] 대궐의 문루(門樓)에 달아 놓고 백성이 간하거나 소원(訴寃)하고자 할 때 치게 하는 북. 신문고(申聞鼓).
[登攀 등반] 높은 곳에 기어올라 감.
[登拔 등발] 인재(人才)를 발탁함.
[登簿 등부] 장부에 올림.
[登仕 등사] 벼슬에 오름.
[登山 등산] 산(山)에 오름.
[登敍 등서] 등용(登用).
[登仙 등선] ㉠신선(神仙)이 되어 하늘로 올라감. ㉡귀인(貴人)의 죽음의 경칭(敬稱).
[登船 등선] 배에 오름. 배를 탐.
[登禪 등선] 선양(禪讓)을 받아 즉위(卽位)함.
[登涉 등섭] 산에 오르고 물을 건넘.
[登城 등성] 성 위에 오름.
[登歲 등세] 곡식이 잘 여묾. 또, 그해. 풍년(豐年).
[登熟 등숙] 등임(登稔).
[登崇 등숭] 올려 존숭(尊崇)함. 끌어올려 씀.
[登時 등시] 바로 그때. 즉시(卽時).
[登御 등어] ㉠군주(君主)가 여자를 가까이함. ㉡수레를 타고 말을 부림. ㉢등용(登用)됨.
[登衍 등연] 오곡이 잘 여물어 풍성함. 풍년이 듦.
[登瀛 등영] 등영주(登瀛州).
[登瀛州 등영주] 영주(瀛州)는 신선(神仙)이 사는 해중(海中) 삼신산(三神山)의 하나로, 여기 오르면 영광(榮光)스럽다 하여 영예(榮譽)스러운 지위에 오름의 비유로 씀.
[登用 등용] 인재(人才)를 끌어올려 씀.
[登庸 등용] ㉠등용(登用). ㉡후세(後世)에는, 재상(宰相)이 됨을 이름.
[登龍門 등용문] 용문(龍門)은 황하(黃河) 상류의 물결이 센 곳으로 잉어가 거기에 올라가면 용이 된다 이르므로 입신출세(立身出世)하는 곳으로 비유함.
[登位 등위] 군주(君主)의 자리에 오름.
[登場 등장] ㉠무슨 사건(事件)에 어떠한 인물(人物)이 나타남. ㉡무대(舞臺)에 배우(俳優)가 나옴.
[登載 등재] 실림. 기재(記載)함.
[登丁 등정] 나무를 베는 소리.
[登程 등정] 길을 떠남.
[登第 등제] 등과(登科).
[登躋 등제] 오름. 올라감.
[登祚 등조] 등극(登極).
[登眺 등조] 높은 곳에 올라가 조망(眺望)함.
[登朝 등조] ㉠조정(朝廷)에 출사(出仕)함. ㉡벼슬함. 사환(仕宦)함.
[登眞 등진] 등선(登仙).
[登進 등진] 끌어올림.
[登陟 등척] 높은 데 오름.
[登天 등천] ㉠하늘로 올라감. 승천(昇天). ㉡귀인(貴人)의 사망의 경칭(敬稱).
[登踐 등천] 올라가 밟음.
[登薦 등천] 제수(祭需)를 차려 흠향(歆饗)하게 함.

[登廳 등청] 관청에 출근함.
[登擢 등탁] 등발(登拔).
[登假 등하] 등하(登遐).
[登遐 등하] 제왕(帝王)의 붕어(崩御). 하(遐)는 원(遠)으로, 먼 하늘에 오르심의 뜻. 승하(升遐).
◉窮登. 攀登. 白登. 步登. 不登. 先登. 歲登. 仰登. 延登. 躐登. 前登. 薦登. 超登. 趨登. 擢登. 榻登. 飄登. 豐登. 遐登.

7 ⑫ [發] 中·人 발 ㊀月 方伐切 fa 发 𤼲

筆順 フ ヌ 癶 ... 發

字解 ①쏠 발 활 따위를 쏨. '百一百中'. '壹一五豝'《詩經》. ②떠날 발 출발함. '先一'. '早一白帝城'《李白》. ③보낼 발 떠나 보냄. 또, 파견함. '王何不一將而擊之'《戰國策》. ④일어날 발 ㉠생김. '一生'. '喜怒哀樂之未一, 謂之中'《中庸》. ㉡입신(立身)함. '舜一於畎畝之中'《孟子》. ⑤일으킬 발 ㉠입신(立身)시킴. '一身'. ㉡일을 벌임. '無一大事'《呂氏春秋》. ⑥필 발 꽃이 핌. '滿一'. '花一風雨多'《于武陵》. ⑦헤질 발 흩어짐. '惡氣不一'《素問》. ⑧비로소 발 시작함. '開春一歲'《楚辭》. ⑨열 발 닫힌 것을 엶. '一倉廩賜貧窮'《禮記》. ⑩밝힐 발 분명히 함. '啓一'. '亦足以一'《論語》. ⑪행할 발 실행함. '旣楚一其賞'《荀子》. ⑫나타날 발, 드러날 발 노현(露顯)함. '一現'. '一覺'. '君子樂其一'《禮記》. ⑬드러낼 발 ㉠공표함. '一表'. '祕之不一喪'《史記》. ㉡파냄. '一掘'. '近寺僧一古殿基'《蘇軾》. ⑭들출 발 폭로함. '摘一'. '一人之惡也'《史記》. ⑮성 발 성(姓)의 하나.

字源 篆文 形聲. 弓+癹〔音〕. '發발'은 좌우의 발과 손으로 풀을 헤치고 밟는 모양을 본뜸. 활을 당겨 쏘다의 뜻을 나타냄.
參考 発(癶部 四畫)은 俗字.

[發駕 발가] 귀인(貴人)의 행차. 귀인의 출발.
[發覺 발각] 비행(非行)·비밀(祕密) 같은 것이 드러남.
[發刊 발간] 인쇄(印刷)하여 세상에 내놓음.
[發姦擿伏 발간적복] 간특(姦慝)한 일이나 비밀한 일을 들추어냄.
[發見 발견·발현] ㉠남이 미처 보지 못한 것을 먼저 찾아냄. ㉡'발현(發現)'을 보라.
[發遣 발견] 파견(派遣)함.
[發光 발광] 빛을 냄.
[發狂 발광] 미침.
[發句 발구] ㉠율시(律詩)의 제1·제2의 구(句). 기련(起聯)이라고도 함. ㉡시의 첫머리의 구. 기구(起句).
[發掘 발굴] 땅속에 묻힌 물건을 파냄.
[發券 발권] 은행권(銀行券)·채권(債券)·승차권 따위를 발행함.
[發給 발급] 발행하여 줌.
[發起 발기] ㉠무슨 일을 하는 데 먼저 안을 냄. ㉡생각해 냄. ㉢《佛敎》 발심(發心) ❶.
[發念 발념] 무슨 일을 하겠다는 마음을 냄.
[發怒 발노] 성을 냄.
[發端 발단] 일의 첫머리가 시작됨. 또, 일의 첫머리를 시작함. 전(轉)하여, 시초(始初).
[發達 발달] ㉠자람. 생장함. ㉡진보함.
[發棠 발당] 당읍(棠邑)의 창고를 열어 빈궁한 사람에게 곡식을 나누어 줌. 당(棠)은 제(齊)나라의 고을.
[發途 발도] 발족(發足).
[發動 발동] ㉠일이 일어나 움직임. ㉡활동(活動)을 개시함. ㉢동력(動力)을 일으킴.
[發動機 발동기] 기계를 돌려 원동력(原動力)을 일으키는 기계. 원동기(原動機).
[發頭人 발두인] 주모자. 장본인(張本人).
[發輦 발련] 천자(天子)의 거둥. 천자의 출발.
[發令 발령] ㉠명령(命令)을 냄. ㉡법령이나 사령(辭令)을 발포(發布)함.
[發露 발로] 발각(發覺).
[發論 발론] 의론(議論)을 꺼냄.
[發賣 발매] 물건을 팖.
[發明 발명] ㉠밝힘. 명백히 함. ㉡지금까지 쓰지 않던 새로운 물건 또는 방법을 만들거나 고안(考案)하여 냄.
[發蒙 발몽] ㉠무식한 것을 깨우쳐 줌. 계몽(啓蒙). ㉡덮개를 벗긴다는 뜻으로, 매우 쉬움을 이르는 말.
[發矇 발몽] 발몽(發蒙).
[發蒙振落 발몽진락] 물건 위의 덮개를 열고, 나무를 흔들어 잎을 떪. 대단히 용이함을 비유한 말.
[發墨 발묵] 벼루에 먹이 진하게 잘 갈림.
[發發 발발] ㉠빠른 모양. ㉡뛰는 모양. 전(轉)하여, 힘찬 모양. 활발한 모양. 발랄(潑剌).
[發配 발배] 귀양 가는 사람이 배소(配所)를 향하여 출발함. 도배(到配)의 대(對).
[發凡 발범] 책의 대의(大意) 또는 요령(要領).
[發兵 발병] 군대를 파견함.
[發病 발병] 병(病)이 남.
[發菩提心 발보리심]《佛敎》 자비심을 일으킴.
[發福 발복] 운(運)이 트이어 복이 닥침.
[發憤 발분] ㉠분개(憤慨)함. ㉡분발(奮發)함.
[發奮 발분] 발분(發憤) ❷.
[發憤忘食 발분망식] 분발하여 먹는 것까지 잊음.
[發憤興起 발분흥기] 분발하여 일어남. 분발하여 힘씀.
[發射 발사] 총이나 활을 쏨.
[發散 발산] 나와 퍼져 흩어짐. 밖으로 나와 헤짐. 또, 밖으로 내어 흩음.
[發祥 발상] ㉠천명(天命)을 받아 천자가 될 길조(吉兆)가 나타남. ㉡나라를 세울 임금이 출생(出生)함. ㉢큰 사업이 처음 일어남.
[發喪 발상] 초상(初喪)난 것을 곡(哭)을 하여 알림.
[發生 발생] ㉠생겨남. 태어남. ㉡처음 일어남. ㉢봄[春].
[發舒 발서] 벌어져 퍼짐.
[發夕 발석] 저녁에 떠나 밤새도록 감. 일설(一說)에는, 저녁에 묵고 이튿날 아침 일찍 떠남.
[發船 발선] 배를 띄워서 감.
[發泄 발설] 새어 나옴. 나와 퍼져 흩어짐. 발산(發散).
[發說 발설] 말을 내어 남이 알게 함.
[發聲 발성] 소리를 냄. 또, 그 소리.
[發歲 발세] 세초(歲初).
[發送 발송] ㉠물건을 보냄. ㉡사신(使臣)을 내어 전송(餞送)함.
[發售 발수] 물건을 팖. 발매(發賣).
[發穗 발수] 이삭이 나옴.

[發身 발신] 몸을 일으킴. 출세(出世)함. 출신(出身).
[發信 발신] 편지 또는 전보를 보냄.
[發心 발심] ㉠무슨 일을 하겠다는 마음을 먹음. ㉡《佛敎》 보리심(菩提心)을 일으키어 불법에 귀의(歸依)함.
[發芽 발아] 싹이 나옴.
[發惡 발악] 《韓》 시비(是非)·곡직(曲直)을 가리지 않고 언짢은 짓이나 소리를 함부로 함.
[發案 발안] ㉠고안(考案)을 생각하여 냄. ㉡의안(議案)을 내어 발론(發論)함.
[發揚 발양] ㉠세차게 일어남. 또, 세차게 일으킴. ㉡등용(登用)함. ㉢빛나게 함. 발휘(發揮)하여 보급시킴.
[發語 발어] ㉠발언(發言). ㉡글귀의 앞에 놓는 말. '抑'·'凡' 등.
[發言 발언] 말을 꺼냄. 또, 그 말.
[發熱 발열] ㉠물체가 열을 냄. ㉡체온(體溫)이 높아짐.
[發寤 발오] 슬기가 열려 깨달음.
[發耀 발요] 빛을 나타냄. 빛남.
[發運使 발운사] 송대(宋代)에 미곡(米穀)을 강회 지방(江淮地方)에서 경사(京師)로 운반하는 일을 맡은 벼슬.
[發源 발원] ㉠물이 처음 흐름. 또, 그곳. 수원(水源). ㉡사물의 근원.
[發願 발원] 《佛敎》 부처에게 소원이 성취(成就)되기를 빎.
[發越 발월] ㉠빠른 모양. ㉡소리 같은 것이 높이 올라감. ㉢향기 같은 것이 발산함. ㉣하문발(賀文發)과 고월(顧越). 모두 진(陳)의 문학자(文學者)임.
[發育 발육] ㉠키움. 성장하게 함. ㉡자람. 성장(成長)함.
[發音 발음] ㉠소리를 냄. ㉡언어의 음향. 또, 그 소리를 내는 방법.
[發意 발의] ㉠의견을 꺼냄. ㉡무슨 일을 생각해 냄.
[發議 발의] ㉠의견 또는 이의(異議)를 냄. ㉡의안(議案)을 제출함.
[發引 발인] 발인(發靷).
[發紖 발인] 발인(發靷).
[發軔 발인] ㉠발차(發車)함. 수레를 내어 감. ㉡여행길을 떠남. ㉢일을 시작함. ㉣처음으로 벼슬함.
[發靷 발인] 장사(葬事) 때에 상여(喪輿)가 집에서 떠남.
[發作 발작] ㉠일어남. ㉡병이나 증세가 때때로 갑자기 일어남.
[發財 발재] 돈을 많이 벎. 부자가 됨.
[發迹 발적] 입신출세(立身出世)함.
[發跡 발적] 발적(發迹).
[發擿 발적] ㉠악행·비밀 등을 들추어냄. 발간적복(發姦擿伏)의 준말. ㉡의의(疑義)·난문(難問)을 해설함.
[發展 발전] ㉠퍼짐. 널리 뻗음. ㉡번영하여 감.
[發電 발전] ㉠전기(電氣)를 일으킴. ㉡전보(電報)를 침.
[發情 발정] ㉠생각을 일으킴. ㉡춘정(春情)이 일어남. 정욕을 일으킴.
[發程 발정] 길을 떠남.
[發條 발조] 용수철.
[發足 발족] ㉠첫발을 내어 디딤. 출발함. ㉡어떤 조직(組織)이 이루어져 그 활동을 시작하는 일.
[發縱指示 발종지시] 사냥개를 풀어 짐승을 잡도록 지시함. 전(轉)하여, 지휘하여 일을 시킴.
[發蹤指示 발종지시] 발종지시(發縱指示).
[發疹 발진] 열병(熱病)으로 좁쌀 같은 작은 종기가 내돋음. 또, 그런 것.
[發軫 발진] 발인(發軔) ❶❷.
[發車 발차] 기차·전차 등이 떠남.
[發着 발착] 출발(出發)과 도착(到着).
[發策 발책] 문제를 내어 고시(考試)를 보임. 책(策)은 고시 문제.
[發燭 발촉] 불쏘시개.
[發塚 발총] 남의 무덤을 파냄. 굴총(掘塚).
[發坼 발탁] 엶. 벌림. 또, 열림. 벌어짐. 개탁(開坼).
[發兌 발태] 책 같은 것을 인쇄하여 발매(發賣)함.
[發布 발포] 세상(世上)에 널리 폄.
[發砲 발포] 포탄(砲彈)을 내쏨.
[發表 발표] 어떤 사실이나 생각, 일의 결과 따위를 세상에 드러내어 널리 알림.
[發汗 발한] 땀이 남. 또, 땀을 냄.
[發航 발항] 발선(發船).
[發解 발해] 주현(州縣)의 고시(考試)에 급제한 학생을 그 지방 관청에서 중앙 정부에 공진(貢進)하는 일. 공문서를 중앙 정부에 발송(發送)하여 거인(擧人)을 경사(京師)에서 과거에 응시(應試)하게 하는 일. 해(解)는 공문서(公文書).
[發行 발행] ㉠발정(發程). ㉡세상에 널리 내놓음. ㉢서적 등을 출판함.
[發向 발향] 향하여 떠남. 출발함.
[發見 발현] '발현(發現)'과 같음.
[發現 발현] ㉠나타남. 출현(出現). ㉡나타냄. 드러냄.
[發硎 발형] 칼을 새로 갈아 잘 듦을 이름. 형(硎)은 숫돌.
[發洪 발홍] 홍수가 갑자기 남.
[發火 발화] 불이 일어남. 또, 불을 냄. 불이 일어나게 함.
[發會 발회] 새로 조직(組織)된 회(會)의 첫 회합(會合).
[發酵 발효] 박테리아와 같은 미생물 또는 효소(酵素)와 같은 무생물에 의하여 화합물이 분해되는 작용. 술이 괴는 것 따위. 발효(醱酵).
[發揮 발휘] 떨치어 나타냄. 실력 따위를 외부에 드러냄.
◉懇發. 開發. 激發. 啓發. 告發. 空發. 圈發. 亂發. 挑發. 突發. 明發. 未發. 反發. 勃發. 併發. 憤發. 奮發. 不發. 散發. 爽發. 先發. 召發. 續發. 秀發. 始發. 雙發. 連發. 英發. 映發. 耀發. 偶發. 誘發. 引而不發. 自發. 再發. 摘發. 謫發. 傳發. 點發. 即發. 蒸發. 徵發. 初發. 觸發. 出發. 踔厲風發. 吐發. 暴發. 爆發. 表發. 風發. 解發. 虛發. 渙發. 煥發. 揮發. 興發.

8 ⑬ [癸] 發(前條)의 俗字

10 ⑮ [𤼷] 〔득·등〕 登(癶部 七畫〈p. 1498〉)의 古字

11 ⑯ [𤼻] 〔득·등〕 登(癶部 七畫〈p. 1498〉)의 籒文

白 (5획) 部

〔흰백부〕

0 ⑤ [白] 中·人 백 ㉧陌 傍陌切 bái(bó)

筆順 ′ 丨′ 白 白 白

字解 ①흰빛 백 백색. 오색(五色)의 하나. 서방(西方)의 빛. 가을의 빛. '黑—'. '殷人上—'《禮記》. ②흴 백 ㉠색이 흼. '—衣'. '—髮三千丈'《李白》. ㉡채색하지 아니함. 장식이 없음. '—賁无咎'《易經》. ㉢무구(無垢)함. 더럽히지 아니함. 공명정대함. '安能以皓皓之, —而蒙世俗之塵埃乎'《楚辭》. ㉣없는 것을 뜻함. '—徒'는 갑옷을 입지 아니한 군사 또는 군사(軍事)의 소양이 없는, 곧 훈련을 받지 아니한 군사. '繫毆衆—徒'《管子》. '—民'은 관작이 없는, 곧 벼슬하지 아니한 백성. '—民輸五百石, 聽依第出身'《魏書》. '—癡'는 판단의 능력이 아주 없는 천치. '蓋世所謂—癡'《左傳 註》. ③희어질 백, 희게할 백 백색이 됨. 또, 백색이 되게 함. '頭髮爲—'《後漢書》. '—而書曰'《十八史略》. ④밝을 백 ㉠환함. '明—'. ㉡날이 밝음. '不知東方之旣—'《蘇軾》. ⑤밝게할 백 명백하게 함. '說不行則—道'《荀子》. ⑥깨끗할 백 청백함. '潔—'. ⑦맑은술 백 청주. '酒淸—'《禮記》. ⑧잔 백 술잔. '太—'. '引滿擧—'《漢書》. ⑨은 백 광물의 하나. '隋末行五銖—錢'《唐書》. ⑩흘겨볼 백 흰자위를 나타내어 노려봄. '途窮反遭俗眼—'《杜甫》. ⑪사뢸 백 상진(上陳)함. '告—'. '以李膺言—皓'《後漢書》. 또, 결백함을 증명함. '今晏子見疑, 吾將以身死—之'《說苑》. ⑫해 백 불교에서 1년간을 이름. '已經九—'《傳燈錄》. ⑬성 백 성(姓)의 하나.

字源 甲骨文 金文 篆文 篆文 象形. 머리가 흰 뼈의 象形이라고도 하고, 햇빛의 象形이라고도 하고, 도토리 열매의 象形이라고도 하며, '희다'의 뜻을 나타냄.

參考 '白백'을 의부(意符)로 하여, '희다, 밝다' 등의 뜻을 나타내는 문자를 이룸.

[白間 백간] 빛이 들어가는 곳. 창(窓)을 이름.
[白蕖 백거] 흰 연꽃. 백련(白蓮).
[白居易 백거이] 당(唐)나라의 시인. 태원(太原) 사람. 자(字)는 낙천(樂天). 호(號)는 향산거사(香山居士). 벼슬은 형부상서(刑部尙書)에 이름. 문장은 정절(精切)하고 시는 평이하여 원진(元稹)과 이름을 가지런히 하였으므로 세상에서 원백(元白)이라 일컬음. 그의 대표적 작품 '장한가(長恨歌)'·'비파행(琵琶行)' 등은 문사(文士)로부터 서민에 이르기까지 널리 애송(愛誦)되었음. 시문집으로 〈백씨장경집(白氏長慶集)〉이 있음.
[白系 백계] 소비에트 정부의 정책에 반대하여 고국을 버리고 외국으로 망명한 러시아 사람의 계통.
[白鵠 백곡] 백조(白鳥).
[白骨 백골] 살이 다 썩어 희어진 뼈.
[白骨難忘 백골난망] 죽어 백골이 되어도 깊은 은덕은 잊을 수 없음.
[白孔六帖 백공육첩] 당(唐)나라 백거이(白居易)와 송(宋)나라 공전(孔傳)이 찬(撰)한 것을 합친 유서(類書). 총 100권. 650 부문에 분류하여 〈경사자집(經史子集)〉 기타 각 방면의 책에서 널리 전거(典據)를 찾아 수록하였음.
[白果 백과] 은행(銀杏).
[白過 백과] 명백히 나타난 과실.
[白光 백광] 개기 일식(皆旣日蝕) 때 태양 주위에서 발하는 은백(銀白)의 광휘. 광관(光冠). 코로나.
[白廣席 백광석] 넓고 큰 흰 돗자리.
[白膠木 백교목] 옻나뭇과에 속하는 낙엽 소교목(落葉小喬木). 잎에 벌레가 기생하여 생긴 혹같이 돋은 것을 오배자(五倍子)라 하여 약재(藥材)·물감으로 씀. 붉나무. 염부목(鹽膚木).
[白駒 백구] ㉠빛이 흰 말. 흰 망아지. ㉡햇빛. 광음(光陰). 세월.
[白鷗 백구] ㉠깃이 흰 갈매기. ㉡《韓》 갈매기.
[白駒過隙 백구과극] 세월이 대단히 빠름의 비유.
[白宮 백궁] 미국 워싱턴에 있는 미국 대통령의 관저(官邸). 백악관(白堊館). 화이트 하우스.
[白圭 백규] ㉠희고 맑은 옥(玉). ㉡말을 삼가야 함의 비유.
[白圭壑鄰 백규학린] 백규(白圭)라는 사람이 자기 나라에 둑을 쌓아서 수해를 면하게 하고 이 물을 이웃 나라에 흐르게 하여 수해를 입게 한 불인(不仁)한 행위를 이름.
[白金 백금] ㉠은(銀). ㉡은백색(銀白色)의 귀금속(貴金屬). 플래티나.
[白及 백급] 난초과에 속하는 다년초(多年草). 뿌리는 약재(藥材)로 쓰며, 또 전분(澱粉)을 만들기도 함. 대왐풀. 백급(白芨).
[白芨 백급] 백급(白及).
[白起 백기] 전국 시대(戰國時代)의 진(秦)나라의 명장(名將). 산시 성(陝西省) 미현(郿縣) 사람. 소양왕(昭襄王) 때 무안군(武安君)에 봉군(封君)됨. 용병(用兵)을 잘하여 적국의 70여 성(城)을 빼앗았고 기원전 260년에는 장평(長平)에서 조(趙)나라의 대군을 격파하여 40만의 항졸(降卒)을 생매(生埋)하였음. 후에 응후(應侯) 범저(范雎)와 사이가 틀려 파면당하였다가 다시 사사(賜死)되었음.
[白氣 백기] 흰 기(氣). 흰 기체.
[白旗 백기] ㉠흰 기. ㉡항복의 표시로 쓰는 흰 기.
[白樂天 백낙천] 백거이(白居易).
[白檀 백단] 단향과(檀香科)에 속하는 반기생(半寄生)의 상록 교목(常綠喬木). 나무의 겉은 백색이나 심재(心材)는 담황색이고 향기가 강하게 남. 껍질은 향료(香料) 및 약품으로 쓰이며 재목은 기구를 만듦. 말레이·인도·호주(濠洲) 등에서 남. 백단향(白檀香).
[白檀油 백단유] 백단향(白檀香)의 나뭇조각을 물과 함께 증류(蒸溜)하여 얻은 황색의 끈끈하고 진한 기름. 향료(香料) 및 임질(痳疾) 등의 약으로 쓰임.
[白痰 백담] 묽고 흰 가래.
[白糖 백당] 흰 빛깔의 설탕.
[白帶魚 백대어] 대만(臺灣)에서의 갈치의 일컬음.
[白徒 백도] ㉠훈련을 받지 아니한 군사. ㉡갑옷을 입지 아니한 사람. ㉢일에 미숙한 사람.

[白道 백도] ㉠흰 꽃이 떨어져 하얗게 된 길. ㉡천구상(天球上)에 있어서의 달의 궤도(軌道). 황도(黃道)와 약 오도팔분여(五度八分餘)의 각(角)을 이룸. ㉢《佛教》 깨끗한 도로라는 뜻으로, 정토(淨土)로 통하는 길.

[白讀 백독] 글을 새겨 읽지 않고 음독(音讀)하는 일.

[白銅 백동] 구리·아연(亞鉛)·니켈의 합금(合金). 백통.

[白頭 백두] ㉠허옇게 센 머리. ㉡《韓》 무위 무관(無位無官)의 양반. 민머리.

[白頭山 백두산] 함경북도·함경남도와 만주의 국경 사이에 있는 한국에서 제일 높은 산. 중국에서는 장백산(長白山)이라 함. 2,744m

[白頭如新 백두여신] 머리가 셀 때까지 오랫동안 사귀어도 서로 상대방의 재능을 이해하지 못하면 새로 사귄 벗과 조금도 다름이 없음.

[白頭翁 백두옹] ㉠머리가 센 노인. ㉡할미샛과에 속하는 새. 백할미새. 백두조(白頭鳥). ㉢미나리아재빗과에 속하는 다년초(多年草). 초춘(初春)에 꽃이 핌. 일본할미꽃. 가는할미꽃.

[白頭吟 백두음] 악부(樂府)의 곡명(曲名). 한(漢)나라 탁문군(卓文君)의 작.

[白頭鳥 백두조] 할미샛과에 속하는 새. 백할미새. 백두옹(白頭翁).

[白鑞 백랍] 납과 주석과의 합금(合金). 땜납. 납.

[白浪 백랑] 희게 이는 물결. 백파(白波).

[白礫 백력] 흰 조약돌.

[白練 백련] 마전한 흰 명주.

[白蓮 백련] ㉠흰 연꽃. ㉡백목련(白木蓮).

[白蓮教 백련교] 남송(南宋)의 초엽(初葉)에 자조자원(慈照子元)이 제창한 종교적 비밀 결사로서 미륵(彌勒)을 신앙하고 주로 천태종(天台宗)의 교의(教義)를 따서 보(普)·각(覺)·묘(妙)·도(道)의 네 강령을 세워 염불(念佛)·참회(懺悔)를 하여 금욕주의를 받드는 교. 원(元)나라 때에는 한산동(韓山童)이, 명(明)나라 때에는 왕삼(王森)이 이 교를 전포(傳布)하다가 피살되었고, 청대(淸代)에 이르러서는 이 교도(教徒)들이 수차 봉기(蜂起)하여 반란을 일으켰다가 진압당하였음.

[白蓮社 백련사] 동진(東晉)의 혜원 법사(慧遠法師)가 여산(廬山)의 호계(虎溪) 동림사(東林寺)에 있을 때 중 혜영(慧永)·혜지(慧持)·도생(道生) 및 명유(名儒) 유유민(劉遺民)·종병(宗炳)·뇌차종(雷次宗)·주속지(周續之) 등 123인과 미륵불상(彌勒佛像) 앞에서 맹세(盟誓)하고 같이 서방정업(西方淨業)을 닦기 위하여 맺은 결사(結社). 이 결사로 말미암아 정토종(淨土宗)이 융성하게 되었음. 절에 백련이 많았기 때문에 백련사라 이름 지은 것이며, 단지 연사(蓮社)라고도 일컬음.

[白蘞 백렴] 포도과에 속하는 낙엽 만목(落葉蔓木). 뿌리는 약재로 씀. 곤륜(崑崙).

[白露 백로] ㉠흰 이슬. 이슬. ㉡이십사절기(二十四節氣)의 하나. 처서(處暑)와 추분(秋分)의 사이로, 양력 9월 8일경.

[白鷺 백로] 물새의 하나. 해오라기.

[白鹿洞 백록동] 당(唐)나라 사람 이발(李渤)·이섭(李涉) 형제가 은거한 동네. 그들이 흰 사슴을 길렀으므로 이름 지은 것임. 장시 성(江西省) 여산(廬山)의 오로봉(五老峰) 밑에 있음. 남당(南唐) 때 이곳에 학관(學館)을 지었고 송(宋)나라 때 주희(朱熹)가 여기에서 강학(講學)한 일이 있으며, 명(明)·청(淸) 때에도 또한 서원(書院)을 세웠는데, 이것이 유명한 백록서원(白鹿書院)임.

[白鹿書院 백록서원] '백록동(白鹿洞)'을 보라.

[白論 백론] 공론(空論).

[白龍魚服 백룡어복] 신령스러운 흰 용이 물고기로 변하였다가 예저(豫且)라는 어부(漁夫)에게 잡힌 일. 전(轉)하여, 귀인(貴人)의 미행(微行)의 비유로 쓰임.

[白笠 백립] 《韓》 흰 베로 만든 갓. 국상(國喪) 때의 국민이나 대상(大祥) 뒤의 상제(喪制)가 씀.

[白馬 백마] 흰말.

[白麻 백마] ㉠흰 삼베. 빛이 흰 마포(麻布). ㉡당대(唐代)에 한림(翰林)이 천자(天子)의 내칙(內勅)을 적을 때 쓰던 삼으로 만든 흰 종이. 전(轉)하여, 조서(詔書).

[白馬非馬 백마비마] 전국 시대(戰國時代) 말기의 사상가 공손룡(公孫龍)이 주장한 논리(論理)의 하나. 흰말은 말이 아니라는 궤변(詭辯).

[白馬寺 백마사] 후한(後漢)의 명제(明帝) 영평(永平) 10년에 섭마등(攝摩騰)·축법란(竺法蘭)의 두 중이 대월지국(大月氏國)에서 불상(佛像)과 불경을 흰말에 싣고 내조(來朝)하여 이듬해에 낙양(洛陽) 교외에 세운 중국 최초의 절.

[白沫 백말] 흰 거품.

[白梅 백매] 흰 매화나무.

[白面 백면] 연소하여 빛이 흰 얼굴. 전(轉)하여, 연소하여 경험이 없음을 이름.

[白麪 백면] 메밀가루. 메밀국수.

[白面郞 백면랑] 얼굴이 흰 젊은이. 전(轉)하여, 경험이 적은 젊은이. 풋내기. 백면서생(白面書生).

[白面書生 백면서생] 얼굴이 흰 서생. 전(轉)하여, 나이가 젊고 경험이 적은 서생. 풋내기.

[白茅 백모] 볏과에 속하는 다년초(多年草). 띠.

[白旄 백모] 얼룩소의 일종인 소의 꼬리를 깃대에 단 기. '모(旄)' 참조.

[白描 백묘] 농담(濃淡)이 없이 선(線)만을 먹으로 진하게 그리는 일. 동양화 기법(技法)의 하나임.

[白墨 백묵] 분필(粉筆). 백악(白堊).

[白文 백문] ㉠인장(印章)에 음각(陰刻)한 흰 글자. ㉡본문(本文)만 있고 주석(註釋)이 없는 한문(漢文).

[白門 백문] ㉠서남방의 끝에 있다고 하는 산. ㉡남조(南朝)의 송대(宋代)에 궁문(宮門) 밖에 있던 문. 전(轉)하여, 금릉(金陵), 곧 지금의 난징(南京)을 이름.

[白眉 백미] 여럿 가운데 가장 뛰어난 것을 이름. 촉한(蜀漢) 사람 마량(馬良)의 오형제가 모두 재명(才名)이 있었으되 그중에도 마량이 가장 뛰어났는데, 그의 눈썹에 흰 털이 섞여 있어서 동네 사람이 이르기를 '馬氏五常, ——最良(마량 오형제의 자(字)에 모두 상자(常字)가 들어 있었음)'이라 한 고사(故事)에서 나온 말.

[白薇 백미] 박주가릿과에 속하는 다년초(多年草). 뿌리는 풍증(風症)·학질(瘧疾) 등의 약으로 쓰임. 백미꽃.

[白民 백민] ㉠무위 무관(無位無官)의 사람. 평민(平民). ㉡태고(太古)의 전설(傳說)에 나타나는 남만(南蠻)의 나라.

[白飯 백반] 흰밥. 쌀밥.

[白礬 백반] 명반(明礬)을 구워서 만든 덩이. 매염료(媒染料)로 쓰이며 이것을 빻은 가루는 한방(漢方)에서 지혈 수렴약(止血收斂藥)으로 쓰임.
[白髮 백발] 하얗게 센 머리털.
[白髮還黑 백발환흑] 허옇게 센 머리에 검은 머리털이 다시 남.
[白放 백방] 《韓》 무죄로 판명되어 놓아줌.
[白白 백백] ㉠명백한 모양. ㉡대단히 흰 모양. ㉢백백지(白白地).
[白白地 백백지] 헛되이. 공연히.
[白壁 백벽] 흰 바람벽.
[白璧 백벽] 흰 환상(環狀)의 옥(玉). 전(轉)하여, 귀중한 물건의 비유.
[白璧微瑕 백벽미하] 흰 환상(環狀)의 옥에 있는 조그마한 흠. 거의 완전하나 약간의 결점이 있는 것의 비유.
[白兵 백병] 칼집에서 뺀 칼. 시퍼런 칼. 백인(白刃).
[白兵戰 백병전] 시퍼런 칼을 휘두르며 하는 접전(接戰). 보병의 돌격·기병의 습격 따위.
[白腹魚 백복어] 대만(臺灣)에서의 고등어의 일컬음.
[白傅 백부] 백낙천(白樂天)의 일컬음. 그가 태자소부(太子少傅)를 지냈으므로 이름.
[白粉 백분] ㉠흰 가루. ㉡화장하는 데 쓰이는 흰 가루. 분. 연화(鉛華).
[白賁 백비] 채색을 하지 않은, 흰빛으로 꾸민 장식.
[白鬢 백빈] 흰 귀밑털.
[白蘋紅蓼 백빈홍료] 흰 꽃이 피는 마름과 붉은 꽃이 피는 여뀌.
[白沙 백사] ㉠흰 모래. ㉡명(明)나라 진헌장(陳獻章)이 살던 지명(地名). 광둥 성 내(廣東省內).
[白砂 백사] 백사(白沙) ❶.
[白絲 백사] ㉠흰 실. ㉡생사(生絲).
[白砂青松 백사청송] 흰 모래와 푸른 소나무가 있는 해안의 아름다운 경치.
[白山黑水 백산흑수] 장백산(長白山), 곧 백두산(白頭山)과 흑룡강(黑龍江).
[白蔘 백삼] 수삼(水蔘)의 잔뿌리를 따고 껍질을 벗기어 볕에 말린 인삼. 홍삼(紅蔘)의 대(對).
[白狀 백상] ㉠자기의 죄상(罪狀)을 자백함. 또, 그 기록. ㉡비밀로 하던 사실을 터놓고 이야기함.
[白象 백상] 빛이 흰 코끼리.
[白書 백서] ㉠빛이 흰 데 쓴 글자. ㉡흰 글자. 백색의 문자. ㉢정부가 발표하는 공식적인 실정(實情) 보고서.
[白石 백석] 흰 돌.
[白晳 백석] 살빛이 흼.
[白選 백선] 은(銀)과 주석으로 만든 한(漢)나라 무제(武帝) 때의 화폐(貨幣).
[白鱓 백선] 뱀장어.
[白雪 백설] ㉠흰 눈. ㉡상고(上古)의 가곡(歌曲)의 이름. 가락이 높음.
[白蘇 백소] 백낙천(白樂天)과 소동파(蘇東坡).
[白松 백송] 소나무의 한 가지. 껍질이 흼.
[白水 백수] 흰 물. 맑은 물.
[白首 백수] 흰머리. 허옇게 센 머리. 호수(皓首). 백두(白頭).
[白叟 백수] 노인(老人).
[白鬚 백수] 허옇게 센 아랫수염. 흰 수염.
[白水郎 백수랑] 바닷물 속에 들어가서 조개·미역 같은 해물을 채취하는 사람. 보자기. 해인(海人). 해녀.
[白首文 백수문] 후량(後梁)의 주흥사(周興嗣)가 지은 천자문(天字文)의 별칭(別稱). 그가 이 글을 짓느라고 고심참담한 나머지 머리가 하룻밤 사이에 허옇게 세었다는 고사(故事)에서 나온 말.
[白水眞人 백수진인] 돈〔錢〕의 별칭(別稱). 왕망(王莽) 때 돈을 화천(貨泉)이라고 하였는데, 천(泉)을 파자(破子)하면 백수(白水)가 되고 화(貨)를 파자하면 진인(眞人) 비슷하게 되므로 이름.
[白身 백신] ㉠흰옷을 입은 사람. 무위 무관(無位無官)의 사람. 평민(平民). 백정(白丁). ㉡독신자(獨身者).
[白氏文集 백씨문집] 백씨장경집(白氏長慶集).
[白氏長慶集 백씨장경집] 당(唐)나라 백거이(白居易)의 시문집. 71권.
[白蛾 백아] 흰불나방.
[白鵝 백아] 《韓》 거위.
[白堊 백악] ㉠하얀 흙. 백토(白土). ㉡석회(石灰)로 칠한 흰 벽. ㉢백묵(白墨).
[白堊館 백악관] 백궁(白宮).
[白眼 백안] ㉠눈알의 흰자위. ㉡흘기는 눈. 노려보는 눈.
[白雁 백안] 빛이 흰 기러기.
[白皚皚 백애애] 눈이나 서리가 하얗게 내린 모양.
[白夜 백야] ㉠달이 밝은 밤. ㉡고위도(高緯度) 지방에서 일몰(日沒)과 일출(日出) 사이에 반영(反映)하는 태양 광선 때문에 희미하게 밝은 현상. 북러시아 지방 같은 데서 여름에는 밤이 지극히 짧아 하지(夏至) 무렵에 이 현상이 나타남.
[白楊 백양] 버드나뭇과에 속하는 낙엽 교목(落葉喬木). 옛날에 무덤가에 이 나무를 많이 심었음. 황철나무.
[白羊宮 백양궁] 십이궁(十二宮)의 하나.
[白魚 백어] ㉠반대좀〔蠹〕의 별칭(別稱). ㉡빛이 흰 물고기. ㉢길이가 서너너덧 치 되며 빛이 백색 투명한 근해어(近海魚). 뱅어.
[白魚入舟 백어입주] 주(周)나라 무왕(武王)이 은(殷)나라 주왕(紂王)을 치려고 하였을 때 빛이 흰 물고기가 그가 탄 배에 뛰어들어와 은(殷)나라가 항복하리라는 조짐(兆朕)을 보였다는 고사(故事). 은나라의 빛은 희기 때문에 이렇게 풀이한 것임. 전(轉)하여, 적(敵)이 귀순(歸順)하는 뜻으로 쓰임.
[白業 백업] 《佛教》 선업(善業)의 일컬음. 악업(惡業)을 흑업(黑業)이라 함의 대(對).
[白烟 백연] 흰 연기.
[白鉛 백연] 아연(亞鉛)의 속칭(俗稱).
[白熱 백열] ㉠물체가 백색광(白色光)에 가까운 빛을 발할 정도로 아주 높은 온도에서 가열(加熱)되는 일. ㉡최고조(最高潮)에 달한 정열(情熱) 또는 극도의 열중의 비유.
[白髥 백염] 허옇게 센 구레나룻.
[白蜺 백예] 모양이 용 비슷한 흰 구름.
[白玉 백옥] 희고 깨끗한 옥.
[白屋 백옥] ㉠초가(草家). 가난한 집. ㉡상사람. 서민(庶民).
[白玉樓 백옥루] 문사(文士)가 죽어서 올라간다고 하는 천상(天上)의 고루(高樓). 당(唐)나라

시인(詩人) 이하(李賀)가 죽으려 할 때 천제(天帝)로부터 천상 세계(天上世界)에 있는 백옥루(白玉樓)의 기(記)를 지으라는 명령을 받았다는 고사(故事)에서 나온 말.
[白玉樓中之人 백옥루중지인] 죽은 문사(文士).
[白玉無瑕 백옥무하] 조금도 흠이 없는 것의 비유.
[白玉盤 백옥반] '달〔月〕'의 별칭(別稱).
[白玉之微瑕 백옥지미하] 백벽미하(白璧微瑕).
[白羽 백우] 흰 새의 깃. 흰 깃. 박(雹).
[白雨 백우] ㉠소나기. 취우(驟雨). ㉡우박(雨雹).
[白羽扇 백우선] 흰 새의 깃으로 만든 부채.
[白雲 백운] 흰 구름.
[白雲觀 백운관] 북경(北京) 교외(郊外)에 있는 도교(道敎)의 본산(本山).
[白雲之馭 백운지어] 제왕(帝王)의 붕어(崩御).
[白雲鄕 백운향] ㉠천제(天帝)의 거소(居所). ㉡흰 구름이 뜨는 산간(山間)의 마을.
[白月 백월] ㉠밝은 달. 명월(明月). ㉡인도(印度)에서 1개월의 전반(前半), 곧 음력으로 초하루부터 보름까지 뜨는 달을 이름. 흑월(黑月)의 대(對).
[白楡 백유] ㉠느릅나무. ㉡별 이름.
[白銀 백은] 은(銀).
[白銀盤裡一靑螺 백은반리일청라] 은쟁반 같은 호수(湖水) 가운데 있는 푸른 섬의 형용.
[白衣 백의] ㉠흰옷. 소의(素衣). ㉡무위 무관(無位無官)의 사람. 민머리. 백두(白頭). 포의(布衣). ㉢관아(官衙)의 사환(使喚). ㉣속인(俗人)이 입은 옷. 전(轉)하여, 속인.
[白衣冠 백의관] 흰 의관(衣冠)을 차리고 조의(弔意)를 표시함.
[白衣觀音 백의관음] 《佛敎》 삼십삼관음(三十三觀音) 중의 하나. 흰옷을 입고 흰 연꽃 위에 앉은 관음.
[白衣使者 백의사자] 백의 송주(白衣送酒).
[白衣送酒 백의송주] 도연명(陶淵明)이 중양절(重陽節)인 음력 9월 9일에 술이 떨어져 술 생각이 간절하였는데, 마침 그때 강주(江州)의 자사(刺史) 왕홍(王弘)이 흰옷을 입은 사자(使者)를 시켜 술을 보낸 고사(故事).
[白衣宰相 백의재상] 관위(官位)가 없으면서 국정(國政)에 참여하여 재상의 대우를 받는 사람.
[白人 백인] ㉠백색 인종(白色人種). 백인종. ㉡평민(平民).
[白刃 백인] 칼집에서 뺀 칼. 시퍼런 칼.
[白刃可蹈 백인가도] 시퍼런 칼날을 밟고 갈 만큼 용기가 있음을 이름.
[白仁甫 백인보] 원대(元代)의 희곡 작가(戱曲作家). 진정(眞定) 사람. 이름은 박(朴), 호(號)는 난곡(蘭曲). 원곡 육대가(元曲六大家)의 한 사람.
[白日 백일] ㉠쨍쨍 비치는 해. ㉡대낮. 백주(白晝). ㉢구름이 안 낀 날. 혐의(嫌疑)가 풀림의 비유.
[白日夢 백일몽] 엉뚱한 공상(空想).
[白日場 백일장] 《韓》 유생(儒生)의 학업(學業)을 장려하기 위하여 각 지방에서 베풀던 시문(詩文)을 짓는 시험.
[白髭 백자] 허옇게 센 윗수염.
[白藏 백장] ㉠'가을〔秋〕'의 별칭(別稱). 기(氣)가 희고 수장(收藏)한다는 뜻. ㉡사장(死藏)함.
[白苧 백저] 흰 모시.
[白著 백저·백착] ㉠환히 나타남. ㉡'백착(白着)'을 보라.
[白田 백전] 밭.
[白牋 백전] 백(白)은 군주(君主)에게 사뢴다는 뜻. 사표(辭表).
[白戰 백전] ㉠무기를 갖지 않고 맨손으로 싸우는 일. ㉡백병전(白兵戰). ㉢시인(詩人)이 시재(詩才)를 겨루기 위하여 시를 짓는데 그 시제(詩題)에 밀접한 관계가 있는 글자를 쓰지 않는 일. 예컨대, 눈〔雪〕의 시에서는 옥(玉)·은(銀)·여(麗)·서(絮)·노(鷺)·학(鶴) 같은 글자를 쓰지 않음. 구양수(歐陽修)·소식(蘇軾) 등이 즐겨 이 수법을 썼음. 금체시(禁體詩).
[白錢 백전] 백통돈. 강희(康熙) 이후 가경(嘉慶) 무렵까지 주조한 동화(銅貨)를 이름.
[白顚 백전] ㉠이마에 흰 점이 박힌 말. 별박이. 대성마(戴星馬). ㉡허옇게 센 머리. 백두(白頭).
[白拈賊 백점적] 대낮의 강도(強盜).
[白丁 백정] ㉠무위 무관(無位無官)의 평민. 백민(白民). ㉡백도(白徒). ㉢《韓》 소·돼지 같은 것을 잡거나 고리를 결는 일을 업으로 삼는 사람. 백장.
[白梃 백정] 막대기.
[白帝 백제] 오제(五帝)의 하나. 가을을 맡은 서쪽의 신(神).
[白帝城 백제성] 성(城)의 이름. 지금의 쓰촨 성(四川省) 봉절현(奉節縣) 동쪽 백제산(白帝山)에 있음. 한말(漢末)에 공손술(公孫述)이 이곳에 웅거(雄據)하여 백제(白帝)라 자칭(自稱)하였음.
[白鳥 백조] ㉠흰 새. ㉡오릿과에 속하는 물새. 온몸이 희고 목이 길. 고니. 천아(天鵝). 황곡(黃鵠). ㉢모기〔蚊〕의 별칭(別稱).
[白罪 백죄] 명백한 죄.
[白洲 백주] 흰 모래로 된 사주(沙洲).
[白奏 백주] 군주(君主)에게 아뢺.
[白酒 백주] 막걸리. 탁주(濁酒).
[白晝 백주] 대낮. 백일(白日).
[白地 백지] ㉠흰 바탕. 백질(白質). ㉡아무 까닭 없이. 어쩐지. ㉢명백함.
[白芷 백지] 미나릿과에 속하는 월년초(越年草). 뿌리는 약재로 쓰고 어린잎은 식용으로 함. 구릿대.
[白紙 백지] ㉠흰 종이. 흰 빛깔의 종이. ㉡아무것도 쓰거나 그리지 않은 종이. ㉢질(質)이 얇고 흰 당지(唐紙). ㉣주의나 주장 같은 것이 전연 없음.
[白質 백질] ㉠흰 바탕. 백지(白地). ㉡흰 과녁. 흰 표적(標的).
[白醝 백차] 백주(白酒).
[白着 백착] ㉠일정한 조세(租稅) 이상으로 더 징수하여 횡령함. ㉡잔치의 한창때.
[白粲 백찬] ㉠한(漢)나라의 형벌의 하나. 죄인에게 절구질시켜 쌀을 희게 쓿게 하는 고역(苦役). ㉡희게 쓿은 쌀. 백미(白米).
[白氅 백창] 흰 우의(羽衣). 옛날에 위사(衛士)가 입던 것.
[白菜 백채] ㉠숭채(菘菜). 곧, '숭(菘)'의 별칭(別稱). ㉡《韓》 배추.
[白處觀音 백처관음] 《佛敎》 백의관음(白衣觀音).
[白天 백천] 대낮. 백주(白晝).
[白鐵 백철] ㉠날 있는 연장. 칼·낫 따위. ㉡양

은·니켈 등의 빛이 흰 쇠붙이.

[白帖 백첩] 백공 육첩(白孔六帖)의 약칭(略稱).

[白朮 백출] 국화과에 속하는 다년초(多年草). 뿌리는 이뇨(利尿)·건위제(健胃劑)로 씀. 삽주.

[白痴 백치] 백치(白癡).

[白幟 백치] 백기(白旗).

[白癡 백치] 바보. 천치(天癡).

[白濁 백탁] 허옇게 흐림. 뿌염.

[白湯 백탕] 아무것도 타지 않고 끓인 물. 뜨거운 맹물.

[白苔 백태] 혓바닥에 끼는 황백색의 물질. 몸의 열·영양 부족, 또는 위장병으로 인하여 생김.

[白波 백파] ㉠희게 이는 물결. 백랑(白浪). ㉡도적(盜賊)의 별칭(別稱). 후한(後漢)의 영제(靈帝) 때 황건적(黃巾賊) 장각(張角)이 서하(西河)의 백파곡(白波谷)에 자리 잡고 약탈을 자행한 고사(故事)에서 나온 말.

[白旆 백패] 흰 천으로 만든 기.

[白布 백포] 흰 포목.

[白票 백표] 흰빛의 투표지(投票紙). 무기명 투표(無記名投票) 때 쓰며 대개는 찬성의 뜻을 표시함.

[白汗 백한] 구슬 같은 흰 땀.

[白鷴 백한] 꿩과에 속하는 새. 애완용으로 기름.

[白蛤 백합] 참조갯과에 속하는 조개. 마당조개.

[白鴿 백합] 흰 집비둘기.

[白血球 백혈구] 무색의 혈구(血球). 유핵(有核)의 단일 세포로서 적혈구보다는 조금 크나 수는 훨씬 적음. 아메바 모양의 운동을 하며 신체 안에 침입하는 세균을 죽이는 작용을 함.

[白狐 백호] 늙어서 털이 희어진 여우.

[白虎 백호] ㉠털이 흰 범. ㉡서방 칠수(西方七宿). 곧, 규(奎)·누(婁)·위(胃)·묘(昴)·필(畢)·취(觜)·삼(參)의 총칭(總稱). ㉢서방(西方)의 신(神). 범 모양을 함. ㉣서방(西方). 서쪽. ㉤음양오행설(陰陽五行說)에서 이르는 육신(六神)의 하나. 피〔血〕의 신(神)으로서 부인(婦人)의 해산(解産)을 맡음. ㉥두부(豆腐)의 이칭(異稱).

[白毫 백호] ㉠흰 털. ㉡《佛敎》 부처의 미간(眉間)에 있어 빛을 발하여 무량(無量)의 국토를 비춘다는 털.

[白虎通 백호통] 백호통의(白虎通義)의 약칭(略稱).

[白虎通義 백호통의] 책 이름. 4권. 후한(後漢)의 장제(章帝)가 여러 학자를 백호관(白虎觀)에 모아 놓고 오경(五經)의 동이(同異)를 변정(辨正)·토론(討論)케 한 내용을 반고(班固)가 찬집(撰集)한 것. 생략하여 백호통(白虎通)이라 함.

[白虹貫日 백홍관일] 흰 무지개가 해를 꿰뚫음. 병란(兵亂)이 일어날 조짐이라 함. 또, 지성(至誠)이 감천(感天)하여 나타나는 조짐이라 함.

[白話 백화] 중국에서 일상생활에 쓰는 말. 구어(口語). 속어(俗語).

[白話文學 백화문학] 중국에서 현재의 속어로 쓰는 문학. 민국(民國) 6년경에 채원배(蔡元培)·진독수(陳獨秀)·호적(胡適) 등에 의하여 제창되었음.

[白話體 백화체] 중국어의 구어체(口語體). 언문일치체(言文一致體).

[白黃麻 백황마] 조서(詔書)를 이름. 당대(唐代)에 중서성(中書省) 관계의 조서는 황지(黃紙)를, 한림원(翰林院) 관계의 조서는 백지(白紙)를 각기 썼던 일에서 유래함.

[白暈 백훈] 흰 무리. 훈(暈)은 해나 달의 주위에 때때로 보이는 백색의 둥근 테. 곧, 무리.

[白黑 백흑] ㉠백색과 흑색. 흰 것과 검은 것. ㉡선악(善惡)·사정(邪正)의 비유. 흑백(黑白). ㉢흰쌀과 검은 기장.

◉建白. 堅白. 潔白. 敬白. 啓白. 告白. 孤白. 空白. 關白. 謹白. 蛋白. 淡白. 大白. 戴白. 桃紅李白. 獨白. 頭白. 明白. 半白. 斑白. 頒白. 粉白. 肥白. 飛白. 三白. 鮮白. 雪白. 衰白. 素白. 粹白. 純白. 淳白. 醇白. 深白. 餘白. 鉛白. 廉白. 縈青白. 曳白. 五白. 繚白. 六十日白. 引滿擧白. 自白. 貞白. 精白. 條白. 讚白. 蒼白. 淺白. 徹白. 靑白. 淸白. 靑蠅染白. 蔥白. 抽黃對白. 太白. 表白. 漂白. 虛白. 虛室生白. 皓白. 紅白. 黃白. 黑白.

1 ⑥ [百] 中·人 ■一 백 ㊀陌 博陌切 bǎi, bó
■二 맥 ㊀陌 莫白切 mò

筆順 一 丆 丆 百 百 百

字解 ■一 ①일백 백 ㉠열의 열 배. '一年'. '協于十長于一'《漢書》. ㉡모든 또는 다수의 뜻으로 쓰임. '一姓'. '一官以治'《易經》. ㉢확실함의 뜻으로 쓰임. '一不知也'(절대로 모름). ②백번 백 백 회. 여러 번. 또, 백 번함. '己一之'《中庸》. ③성 백 성(姓)의 하나. ■二 힘쓸 맥 힘써 함. '距躍三一'《左傳》.

字源 甲骨文 金文 篆文 古文 形聲. 一+白〔音〕. '白백'은 '博박'과 통하여, '넓다'의 뜻. '넓다'의 뜻에서, 큰 수로서의 '일백'의 뜻도 나타냄.

參考 금전의 기재(記載) 등에서, 고쳐 쓰지 못하게 陌(阜部 六畫)을 빌려 씀.

[百家 백가] ㉠많은 학자(學者). ㉡유가(儒家)의 정계(正系) 이외에 일가(一家)의 설(說)을 세운 많은 사람들.

[百家姓 백가성] 송(宋)나라 때 민간에서 지은 시골 글방의 동몽(童蒙)의 교과서. 제가(諸家)의 성을 모은 것.

[百各司 백각사] 서울 안의 모든 관아(官衙).

[百姦 백간] 갖은 간악한 일.

[百感 백감] 여러 감상(感想). 많은 느낌.

[百箇日 백개일] 《佛敎》 사람이 죽은 지 백 일째 되는 날. 이날에 불사(佛事)를 닦음.

[百結衣 백결의] 여러 군데를 기운 옷. 남루(襤褸)한 옷.

[百景 백경] ㉠많은 경치. 여러 경치. ㉡여러 모양으로 변하는 경치. 때에 따라 변화가 잦은 경치.

[百計 백계] 갖은 계략. 온갖 꾀.

[百計無策 백계무책] 있는 꾀를 다 써 보아도 아무 소용없음.

[百古不磨 백고불마] 몇백 년이 지나도 마멸(磨滅)하지 않고 남음. 천고불마(千古不磨).

[百苦千難 백고천난] 갖은 고난(苦難).

[百穀 백곡] 온갖 곡식. 여러 가지 많은 곡식.

[百谷王 백곡왕] 모든 골짜기에서 흐르는 물을 받아들이는 곳. 곧, 바다.

[百工 백공] ㉠백관(百官). ㉡온갖 장인(匠人).

[百工五種 백공오종] 온갖 장인(匠人)과 오곡(五

穀)의 종자.
[百孔千瘡 백공천창] 구멍투성이와 상처투성이. 전(轉)하여, 아주 많은 결점 또는 과오. 결점투성이. 과오투성이.
[百科 백과] 각종의 학과.
[百科全書 백과전서] 각종 각과(各種各科)의 지식을 일정한 체계를 세워 부문별로 해설한 총서(叢書).
[百官 백관] 모든 벼슬아치. 백규(百揆).
[百官有司 백관유사] 모든 벼슬아치. 조정의 많은 벼슬아치. 지위가 높은 벼슬아치를 백관(百官), 낮은 벼슬아치를 유사(有司)라 함.
[百口 백구] 백 식구의 뜻. 많은 가족을 이름.
[百鬼夜行 백귀야행] 온갖 잡귀(雜鬼)가 밤에 다닌다는 뜻으로, 괴상한 자나 간악한 자들이 때를 만나 활개를 치고 다님을 이름.
[百揆 백규] ㉠정사(政事)를 총찰(總察)하는 벼슬아치. 지금의 국무총리(國務總理) 같은 것. ㉡백관(百官).
[百鈞 백균] 3천 근(斤). 대단히 무거운 것을 이름.
[百金之士 백금지사] 무공(武功)을 세워 백금(百金)의 상을 받은 무사(武士).
[百技 백기] 온갖 기예.
[百難 백난] 온갖 고난(苦難).
[百衲衣 백납의] 중이 입는 옷. 승의(僧衣).
[百年 백년] ㉠한 해의 백 배. ㉡한평생. ㉢오랜 세월.
[百年偕老 백년해로] 의좋은 부부가 함께 늙음.
[百端 백단] ㉠많은 단서. 온갖 단서. ㉡온갖 방법. 백방(百方).
[百代 백대] 백의 세대(世代). 전(轉)하여, 영구. 영원.
[百代城 백대성] 백 대(代)를 지나도 무너지지 않는 견고한 성.
[百代之過客 백대지과객] 영구히 쉬지 않고 길을 가는 나그네. 광음(光陰)·세월(歲月)을 이름.
[百度 백도] ㉠온갖 법도(法度). 온갖 법률·제도. ㉡백 번. 백 회(回). ㉢백의 눈금.
[百兩 백량] 수레 백 대. 양(兩)은 양(輛).
[百沴 백려] 온갖 요기(妖氣). 병(病)을 일으키는 여러 가지 악기(惡氣).
[百黎 백려] 많은 백성. 서민(庶民).
[百慮 백려] 많은 생각. 갖가지 사상.
[百鍊 백련] ㉠백 번 단련함. 자주 단련함. ㉡옛날의 명검(名劍)의 이름.
[百鍊剛 백련강] 백 번을 단련하여 이룬 견고(堅固)함. 전(轉)하여, '의지(意志)의 굳셈'의 비유.
[百靈 백령] ㉠백려(百黎). ㉡모든 신령(神靈).
[百禮之會非酒不行 백례지회비주불행] 온갖 예의의 모임은 술이 없으면 잘 행해지지 아니함.
[百祿 백록] 많은 복록(福祿). 온갖 복.
[百雷 백뢰] 많은 뇌성(雷聲). 요란한 소리의 형용.
[百僚 백료] 백관(百官).
[百寮 백료] 백료(百僚).
[百利 백리] 여러 가지 이익(利益). 많은 이익. 큰 이익.
[百里 백리] 사방 백 리의 땅. 한대(漢代)의 현(縣)을 이름.
[百罹 백리] 백우(百憂).
[百里負米 백리부미] 백 리나 떨어진 먼 곳으로 쌀을 나른다는 뜻. 빈한하면서도 효성이 지극하여 갖은 고생을 다하여 부모의 봉양을 잘함을 이름.
[百里才 백리재] 한 현(縣)을 다스릴 만한 재능. 수완·기국(器局)이 큼의 비유.
[百里之命 백리지명] 방백리(方百里)의 나라의 정령(政令). 백리(百里)는 공후(公侯)의 나라.
[百里奚 백리해] 춘추 시대(春秋時代)의 우(虞)나라 사람. 자(字)는 정백(井伯). 우공(虞公)을 섬겨 대부(大夫)가 되었음. 우나라가 진(晉)나라에게 망하였을 때 포로가 되었다가 초(楚)나라로 달아나 그 나라 사람에게 잡혔는데, 진(秦)나라의 목공(穆公)이 그가 어질다는 소문을 듣고 암양 다섯 마리의 가죽, 곧 오고양피(五羖羊皮)를 몸값으로 주고 신하를 삼아 국정(國政)을 맡겼으므로, 오고 대부(五羖大夫)라 일컬음. 목공(穆公)이 오패(五霸)의 한 사람이 된 것은 그의 공에 힘입은 바가 큼.
[百蠻 백만] 남방 만족(南方蠻族)을 두루 일컫는 말.
[百面相 백면상] 얼굴의 모양·표정이 여러 가지로 변하는 일. 또, 그 얼굴.
[百畝之田 백묘지전] 옛날 정전(井田)의 제도에서, 한 정(井)을 구백 묘(畝)로 하고 이를 백 묘(畝)씩 구 등분 한 전지. 중앙의 한 구(區)는 공전(公田)으로 하고, 주위의 팔백 묘(畝)는 여덟 집에서 나누어 사전(私田)으로 하여 경작하였음.
[百無所成 백무소성] 일이 하나도 성취되는 것이 없음.
[百無一失 백무일실] 백 중에 하나도 틀린 것이 없음. 조금도 실수가 없음.
[百無一取 백무일취] 많은 언행(言行) 중에 하나도 취할 만한 것이 없음.
[百聞不如一見 백문불여일견] 백 번 듣는 것이 한 번 보는 것만 같지 못함. 곧, 무슨 일이든 자기가 실지로 보는 것이 더 확실함.
[百物 백물] 갖가지 물건. 온갖 물건.
[百味 백미] 온갖 음식.
[百般 백반] 갖가지. 각종(各種). 반(般)은 종류(種類).
[百發百中 백발백중] ㉠백 번 쏘아 백 번 맞힘. 쏘는 족족 다 맞힘. ㉡계획 같은 것이 모두 들어맞음.
[百方 백방] ㉠갖은 방법. 온갖 방책. ㉡사방의 모든 나라.
[百芳 백방] 향기가 좋은 많은 꽃. 군방(群芳).
[百拜 백배] 여러 번 절함. 무수히 절함.
[百凡 백범] ㉠갖가지. 여러 가지. ㉡일반 백성.
[百辟 백벽] 제후(諸侯). 모든 제후. 벽(辟)은 군(君).
[百變 백변] 갖가지로 변함. 수없이 변함.
[百福莊嚴 백복장엄] 《佛敎》 삼십이상(三十二相)을 갖춘 상(相). 곧, 부처가 백 가지 복(福)의 업인(業因)에 의하여 감득(感得)하였다고 하는 장엄(莊嚴)한 상(相).
[百分比 백분비] 백분율(百分率).
[百分算 백분산] '보합산(步合算)'과 같음.
[百分率 백분율] 전체의 백분의 일을 단위(單位)로 하여 나타내는 비율. 퍼센트.
[百不失一 백불실일] 백에 하나도 틀리지 아니함. 결코 실수하지 아니함.
[百朋 백붕] 조개 두 개를 붕(朋)이라 함. 옛날에

조개는 돈으로 썼으므로 많은 돈 또는 재화(財貨)를 이름.
[百司 백사] 백관(百官).
[百事 백사] 모든 일. 만사(萬事).
[百死一生 백사일생] '구사일생(九死一生)'과 같음.
[百舍重繭 백사중견] 삼천리(三千里)를 급행하느라고 발이 부르터서 누에고치 모양으로 된다는 뜻으로, 만난(萬難)을 참고 견디며 먼 길을 가는 형용. 견(繭)은 일설(一說)에는, 발에 못이 박히는 뜻이라 함. 사(舍)는 30리, 이(里)는 360보(步).
[百祥 백상] 많은 상서(祥瑞).
[百舌 백설] 때까치. 개고마리. 백로(伯勞).
[百舌之聲 백설지성] 때까치가 지저귀는 소리.
[百姓 백성] ㉠옛날에는 벼슬을 하는 귀족 계급만이 성을 가졌으므로 이름. 백관(百官). ㉡많은 일반 국민. 백성.
[百世 백세] 백 세대(世代). 많은 세대. 전(轉)하여, 영구(永久). 영원. 백대(百代). 만세(萬世).
[百世之利 백세지리] 영원한 이익.
[百世之師 백세지사] 백대(百代) 후까지도 사람의 사표(師表)로서 존앙(尊仰)받을 사람.
[百歲之後 백세지후] ㉠백 년 후. 사람의 사후(死後)를 이름. ㉡백 세는 여간하여 살 수 없는 나이이므로 사람의 죽음을 휘(諱)하여 이름.
[百宋一廛 백송일전] 청(淸)나라 사람 황비열(黃丕烈)의 서재(書齋) 이름. 그는 송각본(宋刻本)의 장서(藏書) 백여 권을 간행(刊行)하였으므로 서재의 이름을 이렇게 지었음.
[百愁 백수] 많은 근심. 온갖 우수(憂愁).
[百需 백수] 많은 수요(需要).
[百獸 백수] 갖가지 짐승. 온갖 짐승.
[百獸率舞 백수솔무] 미묘(微妙)한 음곡(音曲)에 감동(感動)하여 갖가지 짐승들까지 춤을 춤.
[百乘之家 백승지가] 주대(周代)의 제도(制度)에서 전시(戰時)에 수레 백 대를 내놓는 집. 곧, 천승(千乘)의 나라의 대부(大夫). 경대부(卿大夫).
[百神 백신] 많은 신(神).
[百氏 백씨] 많은 학자. 제자백가(諸子百家).
[百藥 백약] 많은 약. 갖가지 약. 모든 약.
[百藥無效 백약무효] 병이 중하여 갖가지 약을 다 써도 효험이 없음.
[百藥之長 백약지장] 모든 약 중에서 제일가는 것이라는 뜻으로, 술〔酒〕의 별칭(別稱).
[百億 백억] 억의 백 배. 지극히 많은 수량을 이름.
[百緣 백연] 갖가지 인연(因緣).
[百葉 백엽] ㉠백세(百世). ㉡꽃잎이 여러 겹으로 겹친 꽃. 중판(重瓣)의 꽃. ㉢소·양 등 반추류(反芻類)에 속하는 짐승의 위(胃). 처녑. 천엽(千葉).
[百葉箱 백엽상] 기온·습도 등을 측정하기 위하여 만들어진 상자.
[百王 백왕] ㉠많은 왕(王). ㉡백대(百代)의 왕. 대대의 여러 왕.
[百憂 백우] 갖가지 근심. 많은 우수(憂愁). 백수(百愁).
[百源學派 백원학파] 북송(北宋)의 소옹(邵雍)의 학파.
[百越 백월] 옛날의 강절 민월(江浙閩粤)의 지방. 곧, 지금의 저장(浙江)·푸젠(福建)·장시(江西)·광둥(廣東)의 여러 성(省)에서 안남 지방(安南地方)까지에 이르는 지역.
[百粵 백월] 백월(百越).
[百爲 백위] 갖가지 수단. 온갖 방법. 백방(百方).
[百六會 백육회] 재액(災厄)을 당할 운수. 액운(厄運).
[百二 백이] 지세(地勢)가 험준(險峻)하여 타국보다 백 배의 힘이 있음. 이(二)는 배(倍).
[百爾君子 백이군자] 벼슬자리에 있는 모든 사람. 이(爾)는 조사(助辭).
[百忍 백인] 참기 어려운 일을 모두 꾹 참는 일. 당(唐)나라 사람 장공예(張公藝)의 집안이 9대(代)가 한집에서 동거(同居)하였는데, 고종(高宗)이 친히 그 비결(祕訣)을 물으니 공예가 참을인 자 백 자를 썼다고 하는 고사(故事)에서 유래함.
[百一 백일] ㉠백 하나. ㉡백분지 일. ㉢거짓말쟁이. 백 말 중에서 오직 한 말만이 참말이라는 뜻.
[百一物 백일물] 《佛敎》 여러 가지 집기(什器) 중, 비구(比丘)가 그 하나만 가져야 할 물건.
[百日紅 백일홍] ㉠부처꽃과에 속하는 낙엽 교목(落葉喬木). 여름에 자홍색(紫紅色)의 작은 꽃이 핌. 관상용으로 심음. 배롱나무. 자미(紫薇). 천일홍(千日紅). ㉡《韓》 국화과에 속하는 일년초. 7월부터 10월까지 빨강, 노랑, 자주, 담황색, 백색 등의 두상화(頭狀花)가 핌. 관상용으로 심음. 백일초(百日草).
[百子 백자] 도가(道家)·묵가(墨家)·법가(法家)·병가(兵家) 등의 제자백가(諸子百家). 또, 그들의 많은 저서.
[百子全書 백자전서] 청(淸)나라 광서 원년(光緖元年)에 후베이(湖北)의 숭문서국(崇文書局)에서 간행한 총서(叢書). 일명(一名), 자서백가(子書百家). 유가(儒家) 22종·병가(兵家) 10종·법가(法家) 6종·농가(農家) 1종·술수(術數) 2종·잡가(雜家) 28종·소설가(小說家) 16종·도가(道家) 15종을 수록하였음.
[百丈 백장] ㉠천 자〔尺〕의 길이. ㉡배〔船〕를 끄는 동아줄.
[百囀 백전] 요란하게 지저귐.
[百全計 백전계] 지극히 안전한 계책. 만전계(萬全計).
[百戰老卒 백전노졸] 세상의 온갖 풍파를 겪은 사람. 경난꾼.
[百戰百勝 백전백승] 백 번 싸워 백 번 이김. 싸워진 일이 없음.
[百折不屈 백절불굴] 백절불요(百折不撓).
[百折不撓 백절불요] 백 번 꺾여도 굽히지 아니함. 만난(萬難)을 극복(克服)함.
[百濟 백제] 우리나라 삼국 시대(三國時代)에 한반도의 서남에 위치하여 고구려(高句麗)·신라(新羅)와 정립(鼎立)한 나라. 고구려의 왕족(王族) 온조(溫祚)가 건국하고 의자왕(義慈王) 21년에 망하였음. 도읍은 한산(漢山)〈지금의 광주(廣州)〉에서 웅진(熊津)〈지금의 공주(公州)〉으로, 다시 사비(泗沘)〈지금의 부여(扶餘)〉로 옮겼음. (B.C. 18~A.D. 660)
[百足 백족] 지네. 백족충(百足蟲).
[百足之蟲至死不僵 백족지충지사불강] 발이 많이 있는 벌레는 죽어도 넘어지지 않는다는 뜻으로, 도움을 많이 받는 자는 용이하게 멸망하지 않음을 비유하는 말.

[百拙 백졸] 무슨 일이고 서투름.
[百種 백종] ㉠백 가지. 여러 가지. 온갖 종류. ㉡《佛敎》백중(百中).
[百中 백중] ㉠쏘면 꼭 맞힘. ㉡《佛敎》음력 7월 보름날. 허물을 대중(大衆) 앞에 들어 말하여 참회(懺悔)를 구(求)하고 절에서 재(齋)를 올림.
[百衆 백중] 백중(百中).
[百昌 백창] 많은 생물(生物). 백물(百物).
[百尺竿頭進一步 백척간두진일보] 백 척이나 되는 긴 장대 위에 있어서 다시 한 걸음 더 나간다는 뜻으로, 이미 충분히 향상(向上)하였는데 다시 더욱 분발하여 향상하거나, 충분히 설명하였는데 다시 정채(精彩) 있는 말을 추가함을 이름.
[百尺樓 백척루] 높은 전당(殿堂).
[百千 백천] 수가 백 또는 천이 됨. 전(轉)하여, 수효가 대단히 많음.
[百千萬劫 백천만겁] 무한한 햇수. 영원한 세월.
[百川學海 백천학해] ㉠모든 냇물은 다 바다를 배우며 흘러흘러 바다로 들어간다는 뜻으로, '도(道)를 계속 배우면 드디어 도를 깨우치게 됨'의 비유. ㉡송(宋)나라 좌규(左圭)가 편찬한 총서(叢書). 총 10집 100종. 후에 명(明)나라의 오영(吳永)이 이를 계속하여 30집을 편찬하였고, 풍가빈(馮可賓)이 또다시 10집을 증보(增補)하였음.
[百川學海而至于海 백천학해이지우해] 천하의 모든 냇물이 바다를 배워서 밤낮으로 쉬지 않고 흘러 마침내 바다에 이름과 같이 사람도 부지런히 배워 쉬지 않으면 끝내는 성인군자(聖人君子)의 지위에까지도 도달할 수 있다는 말.
[百草 백초] 갖가지 풀. 온갖 풀.
[百出 백출] 여러 가지로 나옴. 여러 가지로 나타남.
[百雉 백치] 성(城)의 담의 주위가 3백 장(丈)이고 높이가 1장(丈)이 됨을 이름. 한 치(雉)는 길이가 3장(丈), 높이가 1장(丈)이 되는 성의 담.
[百態 백태] 여러 상태(狀態).
[百八煩惱 백팔번뇌]《佛敎》인간의 과거·현재·미래의 삼세(三世)에 걸쳐 있다는 108가지 번뇌.
[百八念珠 백팔염주]《佛敎》작은 구슬 108개를 꿰어 그 끝을 맞맺은 염주. 이것을 알알이 만지면서 돌리며 염불을 하면 백팔 번뇌(百八煩惱)를 물리치는 경지에 이른다 함.
[百八鐘 백팔종]《佛敎》절에서 아침저녁으로 종을 백여덟 번 치는 일. 후세에는 선달 그믐날 밤 열두 시에 치는 것을 이르는데, 이는 백팔번뇌(百八煩惱)를 각성(覺醒)시키기 위한 것이라 함.
[百敗 백패] 번번이 짐. 자꾸 실패함.
[百弊 백폐] 많은 폐단. 온갖 폐해(弊害).
[百廢俱興 백폐구흥] 쇠폐(衰廢)한 것이 모두 다시 흥(興)함.
[百合 백합] 다년생(多年生) 풀의 하나. 큰 아름다운 꽃이 피며 지하(地下)에 있는 인경(鱗莖)은 먹음. 나리.
[百骸 백해] 몸에 있는 모든 뼈.
[百害無益 백해무익] 해롭기만 하고 조금도 이로운 것이 없음.
[百行 백행] 온갖 행위.
[百刑 백형] 온갖 형벌.
[百花 백화] 갖가지 꽃. 모든 꽃.
[百貨 백화] 온갖 상품.
[百花魁 백화괴] 매화(梅花)의 별칭(別稱).
[百花爛漫 백화난만] 백화요란(百花燎亂).
[百花生日 백화생일] 음력 2월 12일의 일컬음.
[百花王 백화왕] 모란(牡丹)의 별칭.
[百花燎亂 백화요란] 온갖 꽃이 한꺼번에 만발하여 아름답게 흐드러짐.
[百花酒 백화주] 온갖 꽃으로 빚은 술.
[百悔 백회] 매번 후회함. 여러 번 후회함. 또, 그 후회.
[百會 백회] ㉠숫구멍 자리. 쥐독. ㉡어떤 일이라도 다 할 수 있음.
[百卉 백훼] ㉠온갖 풀. 또, 온갖 초목. ㉡온갖 꽃. 백화(百花).
[百戲 백희] 갖가지 유희.
◉去一利百. 擧一廢百. 敎一識百. 當百. 罰一勸百. 凡百. 勝一服百. 旅百. 一當百. 存什一于千百. 千百. 刑一正百.

1 ⑥ [皀] 가 ㊥麻 具遮切 qié

字解 ①땅이름 가 '築十一城, 及開一, 名平戎道'《宋史》. ②성 가 성(姓)의 하나.

2 ⑦ [皁] 조 ㊤皓 昨早切 zào

字解 ①하인 조 심부름꾼. 또, 천한 일을 하는 사람. 종. '一隸'. '士臣一, 一臣輿, 輿臣隸'《左傳》. ②검정 조, 검을 조 흑색. 흑색임. '一巾'. '中山一白太多'《北史》. ③검은비단 조 흑색의 견직물. '身衣一綈'《漢書 註》. ④쭉정이 조 잘 여물지 않은 벼나 보리의 열매. '旣方旣一'《詩經》. ⑤상수리 조, 도토리 조 '宜一物'《周禮》. ⑥외양간 조, 마구간 조 '編之以一棧'《莊子》. ⑦구유 조, 마판 조 마소의 먹이를 담는 그릇. 또, 마구간에 깐 널빤지. '一櫪'. '與牛驥同一'《史記》. ⑧말열두필 조 말의 삼승(三乘). 곧, 열두 마리의 일컬음. '三乘爲一'《周禮》.

字源 形聲. ノ+早〔音〕. 'ノ별'은 도토리를 본뜬 것. '早조'는 도토리의 소리를 나타냄. '도토리'의 뜻을 나타내며, 도토리가 검은빛의 물감이 되기도 했으므로, '검다'의 뜻도 나타냄. 또 상수리나무·밤나무 따위의 목재는 잘 썩지 않아 마구간 등의 건축 재료로 쓰이었으므로, '마구간'의 뜻도 나타냄.

參考 皂(次條)는 俗字.

[皁角 조각] 조협(皁莢).
[皁蓋 조개] 검은 명주 일산(日傘).
[皁巾 조건] 검은 두건(頭巾).
[皁君 조군] 황새.
[皁櫪 조력] ㉠마구간. ㉡구유. 또, 구유와 마판.
[皁隸 조례] 하인. 종.
[皁李 조리] 갈매나무.
[皁物 조물] 상수리. 도토리.
[皁白 조백] 흑색과 백색. 검은 것과 흰 것. 전(轉)하여, 옳고 그른 것. 선악(善惡). 정사(正邪). 흑백(黑白).
[皁色 조색] 검은빛.
[皁衣 조의] 한대(漢代)의 벼슬아치의 조복(朝服)이던 검은 옷.
[皁棧 조잔] 마판.

[皁綈 조제] 검은 비단.
[皁莢 조협] 콩과에 속하는 낙엽 교목(落葉喬木). 쥐엄나무.
◉門皁. 臣皁. 輿皁. 櫪皁. 牛驥同皁.

2 ⑦ [皂] 皁(前條)의 俗字

2 ⑦ [皀] ㊀ 핍 ㊅緝 彼及切 bī
㊁ 급 ㊅緝 居立切 jí
㊂ 벽 ㊅職 彼側切
㊃ 향 ㊄陽 許良切

字解 ㊀ ①향기로울 핍 곡물(穀物)의 좋은 향기. '一, 穀之馨香也'《說文》. ②낟알 핍 곡식의 한 알. '一, 一粒'《廣韻》. ㊁ 향기로울 급, 낟알 급 ㊀과 뜻이 같음. ㊂ 향기로울 벽, 낟알 벽 ㊀과 뜻이 같음. ㊃ 향기로울 향, 낟알 향 ㊀과 뜻이 같음.
字源 會意. 白+匕

2 ⑦ [皃] 〔모〕 貌(豸部 七畫〈p. 2181〉)와 同字

[帛] 〔백〕 巾部 五畫(p. 671)을 보라.

3 ⑧ [的] 中人 적 ㊅錫 都歷切 dì, de

筆順 ′ 亻 白 白 白 的 的 的

字解 ①과녁 적 활을 쏘는 목표. '射一'. '矢道同一'《漢書》. ②목표 적 표준. '目一'. '天下以爲準一'《後漢書》. ③참 적 진실. '林恐或非眞一'《魏志》. ④밝을 적 환히 나타나는 모양. '小人之道, 一然而日亡'《中庸》. ⑤고울 적 선명한 모양. '一歷'. '宜笑一皪'《司馬相如》. ⑥적실할 적 꼭 그러함. 확실함. '一確'. ⑦꼭 적 틀림없이. 확실히. '一無官職趁人來'《白居易》. ⑧의 적 속어(俗語)에서, 형용 조사(助辭)로 쓰임. '好一'. '美一'. '知是行一主意, 行是知一功夫'《傳習錄》. ⑨《韓》 주로 한어(漢語) 밑에 받치어, '…와 같은', '…성(性)의', '…에 관한', '…상(上)'의 등의 뜻의 관형어를 만듦. '美一'. '科學一'.
字源 篆文 形聲. 篆文은 日+勺〔音〕. '勺작'은 국자의 象形. '日일'은 밝은 해의 象形. 많은 것 중에서 하나만을 떠올려서 두드러지게 하다의 뜻에서, '밝다'의 뜻을 나타냄. 또, 이마가 흰 말의 뜻을 나타내며, 파생(派生)하여, '과녁'의 뜻도 나타냄. '的적'은 '旳적'의 俗字. '的적'은 '的'의 俗字.

[的見 적견] 적확(的確)히 봄.
[的款 적관] 확실한 금액. 확실한 경비(經費).
[的當 적당] ㉠틀림없이 꼭 맞음. ㉡확실함.
[的歷 적력] 고운 모양. 선명한 모양.
[的皪 적력] 희고 고운 모양. 선명한 모양.
[的例 적례] 꼭 들어맞는 선례(先例).
[的否 적부] 들어맞음과 들어맞지 않음.
[的顙 적상] 별박이. 대성마(戴星馬).
[的實 적실] 틀림이 없음. 꼭 그러함.
[的然 적연] 명확한 모양.
[的的 적적] ㉠밝은 모양. 고운 모양. ㉡확실한 모양.
[的中 적중] ㉠과녁에 들어맞음. 명중(命中). ㉡꼭 들어맞음. 잘 들어맞음. 적중(適中).
[的證 적증] 확실한 증거.
[的知 적지] 확실히 앎.
[的確 적확] 확실(確實)함.
◉格的. 鵠的. 公的. 科學的. 具體的. 劇的. 金的. 內的. 端的. 動的. 目的. 物的. 病的. 堋的. 私的. 射的. 審的. 量的. 儀的. 靜的. 準的. 知的. 眞的. 質的. 抽象的. 表的. 標的. 玄的. 橫的.

3 ⑧ [皏] 한 ㊤旱 下罕切 hàn
㊦翰 侯旰切

字解 흴 한 흰 모양. '璀璨皓一, 華瑠四乘'《張協》.
參考 皡(白部 七畫)과 同字.
◉皓皏.

4 ⑨ [皇] 中人 황 ㊄陽 胡光切 huáng

筆順 ′ 亻 白 白 白 自 皁 皇

字解 ①임금 황 황제. '三一五帝'. '一王維辟'《詩經》. ②클 황 굉장히 큼. '一天'. '惟一上帝'《書經》. ③훌륭할 황 썩 아름다움. '思一多士'《詩經》. ④바를 황, 바로잡을 황 '四國是一'《詩經》. ⑤엄숙할 황 장엄함. '賓入門一'《儀禮》. ⑥관 황 상부(上部)에 깃의 장식이 있는 관(冠). '有虞氏一而祭'《禮記》. ⑦벽없는방 황 '列坐堂一上'《漢書》. ⑧춤 황 오색(五色)의 깃을 가지고 추는 춤. '敎一舞'《周禮》. ⑨겨를 황 遑(辵部 九畫)과 同字. '不一啓處'《左傳》. ⑩봉황 황 凰(几部 九畫)과 同字. '鳳一來儀'《書經》. ⑪성 황 성(姓)의 하나.
字源 金文 篆文 篆文 形聲. 白+王〔音〕. '白백'은 金文에서는 빛을 내쏘는 해를 본뜬 것. '王왕'은 큰 도끼의 象形. 햇빛에 빛나는 큰 도끼의 모양에서, '빛나다'의 뜻을 나타내고, '임금'의 뜻도 나타냄.

[皇家 황가] 황실(皇室).
[皇侃 황간] 남북조 시대(南北朝時代)의 유학자. 논어(論語)·효경(孝經)·삼례(三禮)에 통효(通曉)하였으며, 저서에 〈예기강소(禮記講疏)〉 50권이 있음.
[皇綱 황강] 천자(天子)가 천하(天下)를 다스리는 대본(大本). 치세(治世)의 법칙.
[皇居 황거] 천자의 거소(居所). 대궐. 궁성(宮城).
[皇京 황경] 서울. 도성(都城).
[皇繼 황계] 황저(皇儲).
[皇考 황고] ㉠돌아간 아버지의 경칭(敬稱). 제사 때 씀. ㉡증조(曾祖).
[皇姑 황고] ㉠조부의 자매. 대고모(大姑母). ㉡선고(先姑)의 경칭(敬稱). 돌아간 시어머니.
[皇恐 황공] 몹시 두려워함. 황공(惶恐).
[皇恐灘 황공탄] 여울의 이름. 대팔탄(大八灘)의 하나.
[皇衢 황구] 사통팔달(四通八達)하는 큰길. 큰 거리. 한길.

[皇穹 황궁] 큰 하늘. 대단히 광막(廣漠)한 하늘. 황(皇)은 대(大).
[皇極 황극] ㉠한쪽에 치우치지 않은 중정(中正)의 도(道). 제왕이 국가를 다스리는 대중지정(大中至正)의 도(道). 또, 사방의 만민(萬民)의 범칙(範則)으로 하기 위하여 제왕이 정한 대도(大道). 극(極)은 지극(至極). ㉡하늘. 상천(上天). ㉢황위(皇位).
[皇極經世書 황극경세서] 책 이름. 송유(宋儒) 소옹(邵雍)의 저(著). 총 12권. 주역(周易)에 의거하여 그의 철학설(哲學說)을 기술하였음.
[皇基 황기] 천자(天子)가 천하(天下)를 다스리는 사업(事業). 국가의 기(基).
[皇器 황기] 제왕의 자리. 천위(天位).
[皇女 황녀] 천자(天子)의 딸.
[皇闥 황달] 황위(皇闈).
[皇都 황도] 천자의 도읍(都邑). 서울. 경사(京師).
[皇圖 황도] ㉠천자(天子)의 판도(版圖). ㉡황유(皇猷).
[皇靈 황령] 대대의 천자(天子)의 신령(神靈).
[皇路 황로] 큰 도(道). 대도(大道). 일설(一說)에는, 천자(天子)의 도(道). 군도(君道).
[皇陵 황릉] 천자(天子)의 능(陵).
[皇明 황명] 천자(天子)의 총명(聰明).
[皇謨 황모] 황유(皇猷).
[皇舞 황무] 오채(五采)의 깃을 가지고 추는 춤.
[皇辟 황벽] ㉠아내가 죽은 남편 제사 지낼 때의 경칭(敬稱). ㉡천자(天子).
[皇甫謐 황보밀] 진(晉)나라의 학자. 조가(朝歌) 사람. 자(字)는 사안(士安). 호(號)는 현안 선생(玄晏先生). 몸소 농사를 지으며 학문에 힘써 전적(典籍)에 박통(博通)하고 백가(百家)에도 조예가 깊었음. 무제(武帝)가 여러 번 벼슬을 시키려고 불렀으나 끝내 나가지 않고 은거하여 일생을 마쳤음. 저서에 〈고사전(高士傳)〉·〈일사전(逸士傳)〉·〈열녀전(烈女傳)〉·〈현안춘추(玄晏春秋)〉·〈갑을경(甲乙經)〉 등이 있음.
[皇甫嵩 황보숭] 후한(後漢) 조나(朝那) 사람. 자(字)는 의진(義眞). 영제(靈帝) 때 황건적(黃巾賊)을 격파한 공으로 괴리후(槐里侯)에 봉후(封侯)되었음.
[皇甫湜 황보식] 당(唐)나라 신안(新安) 사람. 자(字)는 지정(持正). 시문(詩文)을 잘 지어 이고(李翺)·장적(張籍)과 이름을 가지런히 하였고 벼슬이 공부낭중(工部郎中)에 이르렀음. 저서(著書)에 〈황보지정집(皇甫持正集)〉이 있음.
[皇墳 황분] 고서(古書)의 이름. 삼황(三皇)의 삼분서(三墳書)를 이름.
[皇妃 황비] 황후(皇后)❷.
[皇妣 황비] 돌아간 어머니의 경칭(敬稱). 제사 때 씀.
[皇嗣 황사] 황저(皇儲).
[皇史宬 황사성] 명(明)나라 황실(皇室)의 장서실(藏書室)의 이름.
[皇上 황상] 지금의 천자(天子). 당대의 천자. 성상(聖上).
[皇城 황성] ㉠천자(天子)가 있는 궁성(宮城). 대궐(大闕). ㉡제국(帝國)의 도성(都城). 서울. 경사(京師).
[皇孫 황손] 천자(天子)의 손자. 또, 천자의 자손.
[皇壽 황수] 천자(天子)의 수명.
[皇叔 황숙] 천자(天子)의 숙부.
[皇室 황실] 황제(皇帝)의 집안. 제실(帝室).
[皇業 황업] 천자(天子)가 천하(天下)를 다스리는 사업(事業).
[皇英 황영] 아황(娥皇)과 여영(女英). 모두 요(堯)임금의 딸로서 순(舜)임금의 비(妃)임. 영황(英皇).
[皇裔 황예] 천자(天子)의 후예(後裔).
[皇王 황왕] 천자(天子). 군왕(君王).
[皇運 황운] 천자(天子)의 운수. 천자로서 국토·백성을 다스리는 운.
[皇威 황위] 천자(天子)의 위광(威光). 제위(帝威). 능위(稜威).
[皇闈 황위] ㉠대궐의 문. ㉡대궐의 안.
[皇猷 황유] 천자(天子)가 천하를 다스리기 위하여 세우는 계책(計策).
[皇維 황유] 황강(皇綱).
[皇胤 황윤] 천자(天子)의 자손.
[皇恩 황은] 천자(天子)의 은덕. 황제의 은택.
[皇彝 황이] 천자(天子)의 법(法).
[皇子 황자] 천자(天子)의 아들.
[皇邸 황저] 천자(天子)의 좌석의 뒤에 세우는 병풍(屛風).
[皇儲 황저] 천자(天子)의 후사(後嗣).
[皇帝 황제] ㉠천자(天子). 제국(帝國)의 군주. 덕(德)과 공(功)이 삼황(三皇)과 오제(五帝)를 겸하였다는 뜻으로서, 진(秦)나라 시황제(始皇帝)가 처음으로 제정(制定)하였음. ㉡삼황오제(三皇五帝)의 약칭(略稱).
[皇祚 황조] 천자(天子)의 자리. 제위(帝位).
[皇祖 황조] 천자(天子)의 선조(先祖).
[皇朝 황조] 당대(唐代)의 천자(天子)의 조정(朝廷). 본조(本朝).
[皇祖考 황조고] 돌아간 조부(祖父)의 경칭(敬稱). 제사 때 씀.
[皇祖妣 황조비] 돌아간 조모(祖母)의 경칭(敬稱). 제사 때 씀.
[皇族 황족] 황제의 친족(親族).
[皇宗 황종] 천자(天子)의 대대의 선조(先祖). 역대(歷代)의 천자.
[皇州 황주] 천자(天子)가 있는 서울. 제도(帝都).
[皇胄 황주] 천자의 자손. 황윤(皇胤).
[皇天 황천] ㉠하늘[天]의 경칭(敬稱). ㉡하늘의 신(神). 하느님. 상제(上帝).
[皇天無親惟德是輔 황천무친유덕시보] 하느님은 절대로 친소(親疏)가 없고 오직 덕이 있는 사람만을 도움. 천도 무친(天道無親).
[皇天后土 황천후토] 하늘의 신(神)과 땅의 신. 천신(天神)과 지기(地祇). 천지(天地)의 제신(諸神).
[皇淸經解 황청경해] 청(淸)나라의 완원(阮元)이 문인(門人) 엄걸(嚴杰)에게 명(命)하여, 고염무(顧炎武)·염약거(閻若璩)·호위(胡渭)·모기령(毛奇齡) 등 청대(淸代)의 여러 학자의 경해(經解)·유서(儒書) 등을 편집시켜 도광(道光) 9년에 완성한 총서(叢書). 180여 종, 1,400권. 광서 연간(光緖年間)에 왕선겸(王先謙)이 뒤를 이어 그 후의 학자의 저서를 모아 〈속황청경해(續皇淸經解)〉 1,430권을 편찬하였음.
[皇太孫 황태손] 제위(帝位)를 계승하게 된 황손(皇孫).
[皇太子 황태자] 제위(帝位)를 계승하게 된 황자(皇子).

[皇太后 황태후] 천자(天子)의 적모(嫡母).
[皇澤 황택] 황은(皇恩).
[皇統 황통] 천자(天子)의 혈통.
[皇風 황풍] 천자(天子)의 덕(德).
[皇憲 황헌] 천자(天子)가 정한 법(法). 황극(皇極).
[皇祜 황호] 큰 복. 대복(大福). 황(皇)은 대(大), 호(祜)는 복(福).
[皇化 황화] 천자(天子)의 덕화(德化). 황제의 어진 덕의 감화.
[皇華 황화] 시경(詩經), 소아(小雅)의 황황자화(皇皇者華)의 준말. 전(轉)하여, 천자(天子)의 사신. 칙사(勅使).
[皇皇 황황] ㉠사방으로 탁 트인 모양. 통달(通達)한 모양. ㉡아름다운 모양. ㉢큰 모양. ㉣마음이 안정되지 아니한 모양. ㉤마음이 몹시 급하여 허둥지둥하는 모양. 황황(遑遑).
[皇后 황후] ㉠천자(天子). 황제. ㉡진한(秦漢) 이후에는 천자의 정실(正室).
◉覺皇. 敎皇. 堂皇. 大皇. 東皇. 方皇. 法皇. 鳳皇. 三皇. 上皇. 聖皇. 於皇. 女皇. 玉皇. 聿皇. 張皇. 窒皇. 経皇. 倉皇. 天皇. 太上皇. 太皇. 軒皇. 遹皇.

4 ⑨ [皈] 〔귀〕
歸(止部 十四畫〈p. 1145〉)의 俗字

4 ⑨ [皍] 〔기〕
氣(气部 六畫〈p. 1172〉)의 古字

4 ⑨ [皆] 中人 개 ㊥佳 古諧切 jiē

筆順 一 ト ヒ⁻ 比 比 毕 皆 皆

字解 ①다 개 모두. '悉一'. '人一謂, 卿但知經術, 不曉時務'《宋史》. ②두루미칠 개 골고루 미침. '降福孔一'《詩經》. ③성 개 성(姓)의 하나.

字源 金文 篆文 會意. 比+白. '比비'는 사람이 늘어서다의 뜻. '白백'은 '말하다'의 뜻. 사람이 목소리를 맞추어 말하다의 뜻에서, '모두, 다, 함께'의 뜻을 나타냄.

[皆骨山 개골산] 금강산(金剛山)의 겨울 이름.
[皆勤 개근] 일정한 기한(期限) 동안 하루도 빠지지 않고 출근함.
[皆旣蝕 개기식] 일식(日蝕) 또는 월식(月蝕)에서 해 또는 달이 전부 가려져서 암흑(暗黑)이 되는 현상(現象).
[皆都 개도] 모두. 죄다.
[皆動 개동] 모두 움직임. 모두 동요함.
[皆是 개시] 모두. 죄다.
◉擧皆. 悉皆.

5 ⑩ [皁] 〔신〕
申(田部 0畫〈p. 1460〉)의 古字

5 ⑩ [皕] 〔백〕
白(部首〈p. 1502〉)과 同字

5 ⑩ [臯] 皋(次次條)와 同字

5 ⑩ [皖] 〔곡〕
斛(斗部 七畫〈p. 949〉)의 訛字

6 ⑪ [皋] 人名 고 ㊥豪 古勞切 gāo

筆順 ′ ⺊ 白 白 皁 皐 皐 皋

字解 ①부르는소리 고 느리고 길게 빼어 부르는 소리. '升屋而號, 告曰, 一某復'(지붕 위에 올라가, 죽은 사람의 영혼을 부르는 소리)《禮記》. ②느릴 고 완만함. '魯人之一'《左傳》. ③명할 고 시킴. '詔來瞽, 一舞'《周禮》. ④늪 고 소택(沼澤). '鶴鳴于九一'《詩經》. ⑤물가 고 수애(水涯). '牧隰一'《左傳》. ⑥높을 고 '天子一門'《禮記》. ⑦오월 고 5월의 이칭(異稱). '五月爲一'《爾雅》. ⑧성 고 성(姓)의 하나.

字源 篆文 象形. 흰 머리뼈와 네발짐승의 주검의 象形. 희게 빛나다의 뜻을 나타냄. 파생하여, 수면이 희게 빛나는 늪의 뜻을 나타냄.

參考 臯(前前條)는 同字.

[皋皋 고고] 완고하고 무식한 모양.
[皋鼓 고고] 큰북.
[皋夔稷契 고기직설] 순(舜)임금을 섬긴 고요(皐陶)와 기(夔)와 후직(後稷)과 설(契)의 네 명신(名臣).
[皋門 고문] 궁성(宮城)의 제일 바깥에 있는 높은 문.
[皋比 고비] ㉠범의 가죽. 호피(虎皮). ㉡장군(將軍)·학자 등의 좌석. 호피를 깔았으므로 이름.

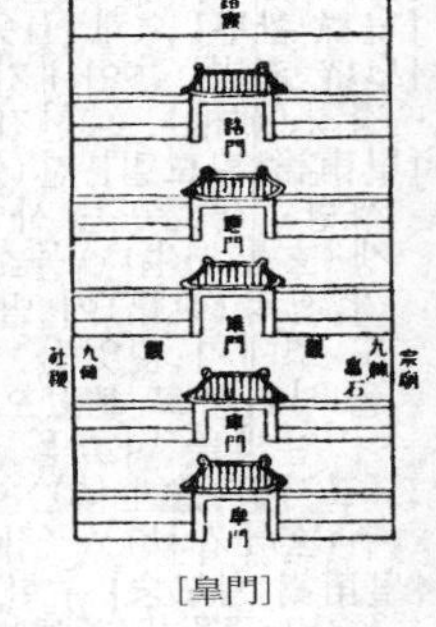

[皐門]

[皋陶 고요] 순(舜)임금의 신하. 자(字)는 정견(庭堅). 사구(司寇), 즉 옥관(獄官)의 장(長)을 지냈음. 고요(咎繇)라고도 씀.
[皋虞 고우] 고요(皐陶)와 우순(虞舜).
[皋月 고월] 5월의 별칭(別稱).
◉乾皋. 九皋. 隰皋. 澤皋. 寒皋.

6 ⑪ [皎] 人名 교 ㊤篠 古了切 jiǎo

字解 ①흴 교, 깨끗할 교 흼. 또 깨끗함. '一潔'. '一一白駒'《詩經》. ②밝을 교 달빛 같은 것이 희게 빛나 밝음. '一月'. '月出一兮'《詩經》. ③성 교 성(姓)의 하나.

字源 篆文 形聲. 白+交〔音〕. '交교'는 '姣교'와 통하여, '아름답다'의 뜻. 희고 곱다, 맑다, 밝다의 뜻을 나타냄.

[皎潔 교결] 희고 깨끗함. 밝고 맑음.
[皎鏡 교경] 밝은 거울. 달〔月〕의 비유로 쓰임. 명경(明鏡).
[皎皎 교교] ㉠희고 깨끗한 모양. ㉡달이 밝은 모양.
[皎朗 교랑] 밝음. 환함. 명료함.
[皎厲 교려] 자만함. 뽐냄.
[皎麗 교려] 깨끗하고 고움.
[皎如 교여] 밝은 모양.
[皎然 교연] ㉠달빛이 희고 밝은 모양. ㉡당(唐)나라의 중. 시인(詩人). 성은 사씨(謝氏). 장성(長城) 사람. 〈저산집(杼山集)〉 10권이 있음.
[皎月 교월] 교교(皎皎)히 비치는 밝은 달.

6 ⑪ **[皃]** 〔두〕
兜(儿部 九畫〈p. 198〉)와 同字

6 ⑪ **[略]** 〔력〕
皪(白部 十五畫〈p. 1514〉)과 同字

7 ⑫ **[皕]** [一] 벽 [入]職 彼側切 bì
[二] 비 [去]寘 兵媚切 bì
[字解] [一] 이백 벽 백(百)의 두 배. [二] 이백 비 [一]과 뜻이 같음.
[字源] 篆文 皕 會意. 百+百

7 ⑫ **[皓]** [人名] 호 [上]晧 下老切 hào
[筆順] 丨 亻 白 白' 白⁻ 白⁺ 白牛 皓
[字解] ①흴 호, 깨끗할 호 희고 깨끗함. '一齒'. '鬚眉一白'《史記》. ②밝을 호 달빛 같은 것이 희게 빛나 밝음. '一月'. '月出一兮'《詩經》. ③하늘 호 昊(日部 四畫)와 통용(通用). '一天不復'《荀子》. ④성 호 성(姓)의 하나.
[字源] 形聲. 白+告〔音〕. '告고'는 '好호'와 통하여, '좋다'의 뜻. 보기 좋게 빛나는 '흰빛'의 뜻, '빛나다'의 뜻을 나타냄. '晧호'와 동일어(同一語) 이체자(異體字).

[皓旰 호간] 빛이 환한 모양. 환히 비치는 모양.
[皓髮 호발] 하얗게 센 머리. 백발(白髮).
[皓白 호백] 아주 흼.
[皓魄 호백] 달.
[皓雪 호설] 흰 눈. 백설(白雪).
[皓首 호수] 흰머리. 노인(老人)이란 뜻. 백수(白首).
[皓然 호연] 흰 모양. 밝은 모양.
[皓曜 호요] 희게 빛남. 또 흰빛.
[皓月 호월] 밝은 달. 명월(明月). 교월(皎月).
[皓天 호천] 하늘. 호천(昊天).
[皓齒 호치] 희고 깨끗한 이. 미인(美人)의 이.
[皓皓 호호] ㉠환히 비추는 모양. 밝은 모양. ㉡희고 깨끗한 모양. ㉢공허(空虛)하고 넓은 모양.
[皓皓白髮 호호백발] 온통 하얗게 센 머리.
◉綺皓. 商山四皓. 商皓. 夷皓. 照皓. 太皓. 縞皓.

7 ⑫ **[皖]** 환 ①②[上]潸 戶板切 wǎn
③[平]寒 胡官切 wǎn
[字解] ①밝은별 환 '一, 明星'《廣韻》. ②밝은모양 환 '一明皃'《集韻》. ③땅이름 환 춘추 시대(春秋時代)의 지명. 현재의 안후이 성(安徽省) 여주부(廬州府)에 있으므로, 안후이 성을 '一省'이라고도 함.
[字源] 形聲. 白+完〔音〕
[參考] 晥(日部 七畫)과 同字.

7 ⑫ **[皞]** 한 [上]旱 下罕切 hàn
[去]翰 侯旰切
[字解] 흴 한 흰 모양. 皔(白部 三畫)과 同字. '一, 白也'《廣韻》.

[皞皛 한효] 결백하고 밝음.

8 ⑬ **[晳]** 석 [入]錫 先擊切 xī
[字解] ①흴 석 사람의 피부가 흼. '白一'. '其民一而瘠'《周禮》. ②대추나무 석 대추나무의 일종. '一, 無實棗'《爾雅》.
[字源] 篆文 晳 形聲. 白+析〔音〕. '析석'은 뚜렷하게 나누다의 뜻. 두드러지게 희다의 뜻을 나타냄.

[晳幘 석책] 이가 희고 고름.
◉潔晳. 肌晳. 白晳.

8 ⑬ **[皗]** [人名] 주 [平]尤 直流切 chóu
[字解] ①밝을 주 '一, 明也'《玉篇》. ②비단이흴 주 '一, 繪白'《篇海類編》.

10 ⑮ **[皛]** [人名] 효 [上]篠 胡了切 xiǎo
[字解] ①나타날 효 환히 드러남. '虛一滴德'《潘岳》. ②흴 효 하얌. '沆瀁一渀'《郭璞》.
[字源] 篆文 皛 會意. '白백'을 셋 합쳐서 온통 희다, 밝다의 뜻을 나타냄.

[皛淼 효묘] 공활(空闊)함.
[皛渀 효요] 아주 흰 모양. 일설(一說)에는, 깊고 넓은 모양.
[皛皛 효효] 흰 모양. 고운 모양.
◉皎皛. 精皛. 輝皛.

10 ⑮ **[皚]** 애 [平]灰 五來切 ái
[字解] 흴 애 서리나 눈이 흰 모양. '漂積雪之一一兮'《劉歆》.
[字源] 篆文 皚 形聲. 白+豈〔音〕. '豈개·기'는 '開개'와 통하여, 넓어져 가다의 뜻. 온통 퍼져 가는 흰 빛깔의 뜻을 나타냄.

[皚皚 애애] 서리나 눈이 흰 모양.

10 ⑮ **[皙]** 〔체〕
替(日部 八畫〈p. 1010〉)와 同字

10 ⑮ **[皜]** [一] 고 [上]晧 古老切 hào
[二] 호 [上]晧 下老切 hào
[字解] [一] 흴 고 빛이 하얌. '一身朱足'《隋書》. [二] 흴 호 [一]과 뜻이 같음.
[字源] 形聲. 白+高〔音〕. '高고'는 '確확' 등과 통하여, '확실하다'의 뜻. 확실하고 희다의 뜻을 나타냄.

[皜皜 고고·호호] 흰 모양.
[皜身 고신] 흰 몸.

10 ⑮ **[皠]** 학 [入]覺 胡覺切 hé
[字解] 흴 학 새의 털이 하얀 모양. '一一白鳥'《何晏》.
[字源] 篆文 皠 形聲. 白+隺〔音〕. '隺학'은 '새'의 뜻. 새의 흰빛, 또 '희다'의 뜻을 나타냄.

[皠皠 학학] 새의 털이 흰 모양.

10 ⑮ [皝] 황 [上]養 胡廣切 huàng

[字解] ①엄숙할 황 기운의 모양. '一, 氣容貌'《康熙字典》. ②사람이름 황 '一, 闕, 人名'《集韻》.
[字源] 形聲. 皇+光〔音〕

10 ⑮ [皞] [人名] 호 [上]晧 下老切 hào

[字解] ①흴 호 하얌. ②밝을 호 환함. ③자적할 호 편안하여 만족한 모양. '王者之民, 一一如也'《孟子》. ④성 호 성(姓)의 하나.
[字源] 形聲. 白+皋〔音〕. '皋고'는 희게 빛나다의 뜻. '白백'을 더하여, '밝다, 희다'의 뜻을 나타냄.
[參考] 皡(次次條)·皥(白部 十二畫)와 同字.

[皞天 호천] 하늘. 호천(昊天).
[皞皞 호호] 침착한 모양. 진득한 모양.

[魄] 〔백〕 鬼部 五畫(p. 2636)을 보라.

11 ⑯ [皡] 皞(前前條)와 同字

11 ⑯ [皠] 최 [上]賄 七罪切 cuì

[字解] 흴 최 눈이나 서리의 빛이 하얌. '一霜'. '繽翻落羽一'《韓愈》.
[字源] 形聲. 白+崔〔音〕

[皠霜 최상] 흰 서리.

11 ⑯ [皟] 책 [入]陌 側革切 zé

[字解] ①맑을 책 깨끗함. '一, 淨也'《集韻》. ②흴 책 새하얀 빛. 몹시 흼. '一, 深白也'《字彙》. ③파리할 책 여윔. '一, 瘠也'《字彙》.
[字源] 形聲. 白+責〔音〕

12 ⑰ [皤] 파 [平]歌 薄波切 pó

[字解] ①흴 파 빛이 하얌. '賁如一如'《易經》. ②불룩할 파 배가 큰 모양. '一其腹'《左傳》.
[字源] [篆文] 形聲. 白+番〔音〕. '番번·파'는 '퍼지다'의 뜻. 퍼져서 덮인 노인의 흰머리의 뜻을 나타냄.

[皤腹 파복] ㉠배가 가득함. ㉡배가 큰 모양.
[皤叟 파수] 머리가 허옇게 센 노인. 파파노인(皤皤老人).
[皤如 파여] 파연(皤然).
[皤然 파연] 흰 모양.
[皤翁 파옹] 백발노인.
[皤皤 파파] ㉠귀밑머리가 허옇게 센 모양. ㉡풍성한 모양. 많은 모양.
[皤皤國老 파파국로] 머리털이 하얗게 센 국가(國家)의 중신(重臣).
[皤皤老人 파파노인] 머리가 허옇게 센 늙은이. 파수(皤叟).
◉髮皤. 石皤. 鬢皤. 蒼皤.

12 ⑰ [皢] 효 [上]篠 馨皛切 xiǎo

[字解] ①해의흰빛 효 '一, 日之白也'《說文》. ②흴 효 '一, 白也'《廣雅》. ③밝을 효 '一, 明也'《玉篇》.
[字源] 形聲. 白+堯〔音〕

12 ⑰ [皣] 엽 [入]葉 筠輒切 yè

[字解] ①흰꽃 엽 초목(草木)에 꽃이 희게 피는 모양. ②밝을 엽 환함. '一, 明也'《字彙》. ③화려할 엽 빛깔이 아름다움. '一, 光華盛也'《同文舉要》.
[字源] 會意. 白+華(蕚). 흰 꽃의 뜻을 나타냄.

12 ⑰ [皥] 〔호〕 皞(白部 十畫〈p. 1514〉)와 同字

13 ⑱ [皦] 교 [上]篠 古了切 jiǎo

[字解] ①흴 교 하얗게 빛나 밝음. '有如一日'《詩經》. ②밝을 교 명백함. '一如也'《論語》.
[字源] [篆文] 形聲. 白+敫〔音〕. '敫교'는 햇빛이 흐르다의 뜻. 희고 윤나는 보석(寶石)의 뜻을 나타냄.

[皦皦 교교] 흰 모양. 밝은 모양.
[皦如 교여] 음곡(音曲)의 소리가 명백한 모양. 노랫가락이 깨끗한 모양.
[皦日 교일] 밝은 햇빛.

14 ⑲ [皧] 몽 [平]東 謨蓬切 měng [上]董 莫孔切

[字解] 흰곰팡이 몽 물건 위에 골마지같이 앉는 흰 곰팡이. '一, 物上白醭'《集韻》.

14 ⑲ [皨] [一] 주 [平]尤 陳留切 chóu [二] 수 [平]尤 時流切

[字解] [一] 누구 주 어느 사람. 疇(田部 十四畫)와 同字. [二] 누구 수 [一]과 뜻이 같음.
[字源] 形聲. 篆文은 白+𠷎〔音〕

15 ⑳ [皪] 력 [入]錫 郎擊切 lì

[字解] 고울 력 '的一'은 희고 고운 모양. '丹藕凌波而的一'《左思》.
[字源] 形聲. 白+樂〔音〕

◉的皪.

15 ⑳ [皫] 표 [上]篠 敷沼切 piǎo

[字解] ①흴 표 하얌. ②까칠할 표 퇴색하여 윤기(潤氣)가 없음. '鳥一色而沙鳴貍'《周禮》.

[皫色 표색] 바랜 빛깔.

16 ㉑ [皬] 위 [上]紙 爲委切 wěi

[字解] 꽃 위 초목의 꽃. '王服烏羅冠, 飾以金―'《唐書》.

◉金皬.

16 ㉑ [皠] 학 [入]藥 曷各切 hé

[字解] 흴 학 빛이 하얀 모양. '―然白首'《史記》.

[字源] 形聲. 白+隺〔音〕

[皠然 학연] 빛이 흰 모양.
[皠皠 학학] 흰 모양.

16 ㉑ [皪] 〔력〕
皪(白部 十五畫〈p. 1514〉)과 同字

18 ㉓ [皭] 작 [入]藥 在爵切 jiào

[字解] ①흴 작 하얌. ②깨끗할 작 결백한 모양. '―然泥而不滓者也'《史記》.

[字源] 形聲. 白+爵〔音〕

[皭然 작연] ㉠흰 모양. ㉡깨끗한 모양. 결백(潔白)한 모양.
[皭皭 작작] 작연(皭然).

20 ㉕ [皫] 당 [上]養 坦朗切 tǎng

[字解] ①밝을 당 밝음. ②흰빛 당 흰빛.

皮 (5획) 部
〔가죽피부〕

0 ⑤ [皮] [中人] 피 [平]支 符羈切 pí

[筆順] 丿 厂 广 皮 皮

[字解] ①가죽 피 동물의 표피. 또, 털이 붙어 있는 동물의 가죽. '―膚'. '―革'. '秋斂―'《周禮》. ②껍질 피 식물의 표피. '果―'. '木―三寸, 氷厚六尺'《龜錯》. ③겉 피 거죽. '地―'. 전(轉)하여, 얇은 것의 형용. '銅―'. '以目―相, 恐失天下之能士'《史記》. ④과녁 피 거죽을 가죽으로 싼 과녁. '射不主―'《論語》. ⑤껍질벗길 피 껍질을 벗겨 냄. '―面抉眼'《戰國策》. ⑥성 피 성(姓)의 하나.

[字源] 金文 篆文 古文 籀文 象形. 짐승 가죽을 벗겨 내는 모양을 본떠, '가죽'의 뜻을 나타냄.

[參考] '皮피'를 의부(意符)로 하여, 피부에 관한 문자를 이룸.

[皮角 피각] ㉠짐승의 가죽과 뿔. ㉡안면(顔面)·두부(頭部) 등의 피부에서 나오는 쇠뿔과 같은 돌기(突起).
[皮褐 피갈] 피구(皮裘).
[皮甲 피갑] 돼지의 가죽으로 만든 갑옷.
[皮穀 피곡] 겉껍질을 벗기지 않은 곡식.
[皮冠 피관] 사슴의 가죽으로 만든 갓. 사냥할 때 씀.
[皮裘 피구] 가죽으로 만든 옷. 갖옷.
[皮裏陽秋 피리양추] 입 밖에 내지 않고 마음속으로만 포폄(襃貶)하는 일. 피리(皮裏)는 피부의 안, 곧 심중(心中)이고 양추(陽秋)는 춘추(春秋). 진(晉)나라 간문후(簡文后)의 휘(諱), 춘(春)을 피하여 양(陽)으로 한 것임.
[皮膜 피막] 피부와 점막(粘膜).
[皮面 피면] 낯가죽을 벗김.
[皮毛 피모] 털이 붙은 가죽.
[皮弁 피변] 사슴 가죽으로 만든 갓. 조정(朝廷)에 출사(出仕)할 때 쓰며, 또 관례(冠禮) 때 먼저 치포관(緇布冠)을 쓰고 다음에 이것을 씀.

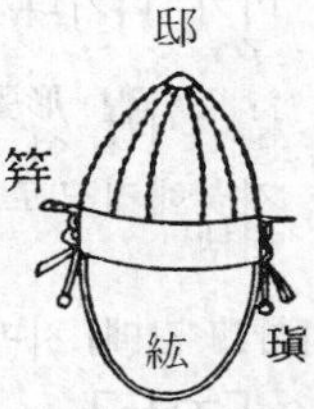

〔皮弁〕

[皮傅 피부] 이 핑계 저 핑계로 억지를 씀. 견강부회(牽強附會)함.
[皮膚 피부] 살갗.
[皮相 피상] ㉠겉. 표면. ㉡겉만 보고 바로 판단을 내려 내정(內情)은 잘 알지 못하는 일. 수박 겉핥기로 아는 일. 지식·관찰·판단 등이 천박한 일.
[皮相之士 피상지사] 겉만 보고 내정(內情)은 잘 알지 못하는 사람.
[皮錫瑞 피석서] 청조(淸朝) 말기의 학자. 후베이성(湖北省) 선화(善化) 사람. 호는 녹문(鹿門). 학자들이 사복 선생(師伏先生)이라 일컬음. 금문학자(今文學者)로서 〈경학통론(經學通論)〉·〈상서대전소증(尙書大傳疏證)〉·〈금문상서고증(今文尙書考證)〉·〈춘추강의(春秋講義)〉 등이 있음. 광서(光緖) 34년에 몰(歿)함.
[皮癬 피선] 옴. 개선(疥癬).
[皮肉 피육] ㉠가죽과 살. ㉡겉. 표면.
[皮肉之見 피육지견] 깨달은 바가 천박(淺薄)함을 이름.
[皮栗 피율] 껍질을 벗기지 않은 밤.
[皮衣 피의] ㉠모피(毛皮)로 만든 옷. 갖옷. ㉡승려(僧侶)의 별칭(別稱). 실다태자(悉多太子), 곧 석가(釋迦)가 입산(入山)할 때 사슴의 가죽으로 만든 옷을 입은 고사(故事)에서 나온 말.
[皮日休 피일휴] 만당(晚唐)의 시인(詩人). 양양(襄陽) 사람. 자(字)는 습미(襲美). 벼슬은 태상박사(太常博士)에 이름. 맹호연(孟浩然)과 녹문산(鹿門山)에서 은거하여 호를 취사(醉士) 또는 주민(酒民)이라 하였고 육구몽(陸龜蒙)과 친교(親交)가 두터웠음. 저술에 〈피자문수(皮子文藪)〉·〈송릉창화시집(松陵唱和詩集)〉이 있음.
[皮匠 피장] 갖바치.
[皮幣 피폐] ㉠가죽과 비단. 전(轉)하여, 재물(財物)·폐백(幣帛). ㉡백록(白鹿)의 가죽으로 만든 화폐(貨幣). 한무제(漢武帝) 때 썼음.
[皮革 피혁] 털이 붙은 가죽과 털을 뽑고 가공(加工)한 가죽.
◉鷄皮. 皐皮. 果皮. 麻皮. 面皮. 毛皮. 木皮. 文皮. 麋蒙虎皮. 剝面皮. 薄面皮. 封皮. 樹皮. 獸皮. 笋皮. 羊質虎皮. 羊皮. 儷皮. 姸皮. 外皮. 牛皮. 靿皮. 種皮. 主皮. 竹皮. 陳皮.

千金裘非一狐皮. 鐵面皮. 草根木皮. 脫皮. 表皮. 虎皮.

2 ⑦ [皯] 쟁 [上]梗 張梗切 zhěng

[字解] 살가죽땅길 쟁 피부가 땅기는 모양. '一, 皮膚急皃'《集韻》.

3 ⑧ [皯] 간 [上]旱 古旱切 gǎn

[字解] 기미낄 간 병 또는 괴로움으로 얼굴에 기미가 나거나 거무데데함. '燋然肌色一黣'《列子》.

[字源] 篆文 形聲. 皮+干〔音〕. '干간'은 침범하여 다치게 하다의 뜻. 피부를 다치면 거뭇해지므로, 살갗이 거무데데하다의 뜻을 나타냄.

[皯黣 간매] 기미가 끼고 거무데데함.

3 ⑧ [皮+干] 皯(前條)과 同字

3 ⑧ [皮+丸] 환 [平]寒 胡官切 huán

[字解] ①피부병 환 '一, 皮病'《廣韻》. ②전동 환 '皷一'은 화살을 넣는 통.

3 ⑧ [皮+勺] 박 [入]覺 弼角切 báo

[字解] ①살부풀 박 살가죽이 부어오름. ②살가죽터질 박 살가죽이 찢어짐.

4 ⑨ [皮+皮] 피 [上]紙 疋卑切 pī

[字解] ①벌릴 피 개장(開張)함. '一, 開張也'《字彙》. ②입벌릴 피 입을 딱 벌리는 모양.

4 ⑨ [坡] 피 [平]支 攀縻切 pī / [上]紙 符鄙切

[字解] 금 피 그릇에 금이 간 것. '器破而未離, 南楚之閒謂之一'《揚子方言》.

4 ⑨ [皮+比] 비 [去]寘 兵媚切 bì

[字解] ①삼모시겁질벗길 비 '一, 劈麻苧一頭也'《字彙》. ②주름펴지지않을 비 주름이 펴지지 않음. 쪼그라짐. '一, 皺不伸也'《字彙》.

5 ⑩ [皰] 포 [去]效 匹皃切 pào

[字解] 여드름 포 주로 청년 남녀의 얼굴에 나는 수포(水疱) 모양의 작은 부스럼. 면창(面瘡). '潰小一而發痤疽'《淮南子》.

[字源] 篆文 形聲. 皮+包〔音〕. '包포'는 '泡포'와 통하여, 피부에 거품처럼 생긴 '여드름'의 뜻을 나타냄.

◉面皰.

5 ⑩ [皮+民] 민 [上]軫 弭盡切 mǐn

[字解] 살결고울 민 살결이 고움. '皮理細, 一一'《玉篇》. '一, 細理也'《集韻》.

5 ⑩ [皮+此] 자 [去]寘 爭義切 zhì

[字解] 가죽오그라질 자 가죽이 펴지지 않음. '一, 皮不展也'《集韻》.

6 ⑪ [皮+旬] 순 [平]眞 須倫切 xún

[字解] 틀 순 손발의 살이 추위에 튼 것. '足圻曰一'《集韻》.

6 ⑪ [皮+危] 귀 [去]寘 九僞切 guì

[字解] 느른할 귀 피곤함. 劶(力部 四畫〈p. 274〉)와 同字.

6 ⑪ [皮+吉] 길 [入]質 居質切 jí

[字解] 가죽검을 길 가죽이 검음. 또, 검은 가죽. '一, 皮黑也'《類篇》.

7 ⑫ [皴] 준 [平]眞 七倫切 cūn

[字解] ①틀 준 피부가 얼어 터짐. '執筆觸寒, 手爲一裂'《梁書》. ②주름 준 피부 같은 것의 잔줄이 진 금. '一皺' '皮一皷以龍驚'《鄒浩》. ③주름잡힐 준 주름이 짐. '髮白更面一'《歐陽修》. ④준법 준 화법(畫法)의 하나. 산악·암석 등의 굴곡·중첩(重疊) 및 의복의 주름 등을 그리는 법. '一法董源麻皮一, 范寬雨點一'《妮古錄》.

[字源] 篆文 形聲. 皮+夋〔音〕. '夋준'은 '줄이다'의 뜻. 가죽이 '줄어들다'의 뜻을 나타냄.

[皴法 준법] 자해(字解)❹를 보라.
[皴裂 준열] 피부가 얼어 터짐.
[皴皺 준추] 피부의 주름.
◉凍皴. 面皴. 胡皴.

7 ⑫ [皵] 각 [入]覺 克角切 què

[字解] 가죽마를 각 가죽이 마름.

7 ⑫ [皮+旱] 한 [去]翰 侯旰切 hàn

[字解] 팔찌 한 활 쏠 때 소매를 걷어 싸매는 가죽 제구. 捍(手部 七畫)과 同字. '射韝, 謂之一'《集韻》.

7 ⑫ [皮+查] 차 [入]洽 側洽切 zhǎ

[字解] 쭈글쭈글할 차 '皺一'은 노인의 살갗이 주름이 잡혀 쭈글쭈글한 모양. '皺一, 老人皮膚皃'《集韻》.

7 ⑫ [皮+兌] 탈 [入]曷 徒括切 chuò

[字解] ①가죽벗어질 탈 '一, 皮剝也'《集韻》. ②가죽터질 탈 '一, 皮壞也'《集韻》.

7 ⑫ [皮+求] 〔구〕 毬(毛部 七畫〈p. 1166〉)와 同字

7 ⑫ [皶] 설 ㊀屑 似絕切 xué

字解 ①마를 설 말라 시듦. '―, 枯也'《廣韻》. ②잡아뜯을 설 가죽을 잡아 뜯음. '―, 撮取皮也'《集韻》.

8 ⑬ [皵] 작 ㊀藥 七雀切 què

字解 주름 작 피부의 잔줄이 진 금.

8 ⑬ [皶] 전 ㊤銑 他典切 diǎn

字解 부르틀 전 가죽이 부풀어 오름. '―, 皮起也'《篇海》.

8 ⑬ [皸] 흠 ㊤寢 弃忍切 qǐn

字解 가죽두툼할 흠 가죽이 두꺼운 모양. '―, 皮厚皃'《廣韻》.

[頗] 〔파〕 頁部 五畫(p.2544)을 보라.

9 ⑭ [皸] 군 ㊥文 擧云切 jūn

字解 틀 군 피부가 얼어 터짐. '―裂'. '將軍士寒, 手足―瘃'《漢書》.

字源 篆文 形聲. 皮+軍〔音〕. '軍군'은 둥글게 둘러싸다의 뜻. 추위 때문에 피부가 둥글게 터지다의 뜻을 나타냄.

[皸裂 군열] 피부가 얼어 터짐. 틈.
[皸瘃 군촉] 손이 트고 발에 얼음이 박힘. 또, 군열(皸裂)과 동상(凍傷).

9 ⑭ [皶] 답 ㊀合 德盍切 dā

字解 ①살갗느슨할 답 여위어 살갗이 느슨함. ②비린내날 답 비린내. 누린내가 남.

9 ⑭ [皶] 두 ㊤麌 徒古切 dù

字解 흰뽕나무껍질 두 뽕나무의 흰 껍질. 杜(木部 三畫)와 통용. '―, 桑白皮, 今作杜'《玉篇》.

9 ⑭ [皷] 〔고〕 鼓(部首〈p.2714〉)의 俗字

9 ⑭ [皶] 봉 ㊤董 補孔切 běng

字解 꺽두기 봉 어린아이의 가죽신. 또, 모시로 삼은 미투리. 綳(糸部 九畫)과 同字.

10 ⑮ [皺] 人名 추 ㊦宥 側救切 zhòu ㊥尤 菑尤切 zhōu

字解 ①주름 추 피부 같은 데 잔줄이 진 금. '爛漫堆衆―'《韓愈》. ②주름잡힐 추 주름이 짐. '面―髮欲疎'《黃庭堅》. ③밤송이 추 밤알의 겉껍데기. '新蟬避栗―'《貫休》.

字源 形聲. 皮+芻〔音〕. '芻추'는 풀을 손으로 움켜쥐고 베다의 뜻. 움켜쥔 풀처럼 생기는 '주름'의 뜻을 나타냄.

[皺面 추면] ㉠주름살이 잡힌 얼굴. ㉡국화과에 속하는 다년초(多年草). 여우오줌풀. 천만청(天蔓菁).
[皺紋 추문] 주름살 같은 무늬.
[皺眉 추미] 눈썹을 찌푸림. 괴로워하거나 근심하는 모양.
[皺月 추월] 주름진 달이란 뜻으로, 물결에 비친 달을 이르는 말.
◉眉皺. 小皺. 皴皺. 紅皺.

10 ⑮ [皶] 마 ㊥麻 蜜沙切 má

字解 입다물 마 입을 다무는 모양.

10 ⑮ [皶] ㊀ 추 ㊦寘 楚類切 cuó ㊁ 차 ㊥歌 才何切 cuó ㊂ 조 ㊦號 七到切 cāo

字解 ㊀소름끼칠 추 몸에 좁쌀 같은 것이 생겨 꺼끌꺼끌한 피부. '―, 膚如粟'《集韻》. ㊁소름끼칠 차 ㊀과 뜻이 같음. ㊂매조미쌀 조 아직 곱게 찧지 않아 뉘가 섞인 쌀. 糙(米部 十一畫)와 통용. '―, 米穀雜'《廣韻》.

10 ⑮ [皶] 방 ㊥陽 逋旁切 bāng

字解 신돌이할 방 신의 가장자리를 꾸밈.

10 ⑮ [皶] 확 ㊀覺 克角切 què

字解 ①알깰 확 알이 부화(孵化)함. '―, 卵孚也'《集韻》. ②껍데기 확 물건의 껍질. '―, 一曰, 物之孚甲'《集韻》.

11 ⑯ [皶] 추 ㊦宥 側救切 zhòu

字解 가죽오그라들 추 가죽이 줄어듦. '―, 皮縮'《字彙補》.

11 ⑯ [皶] 만 ㊤阮 武遠切 wǎn

字解 가죽벗어질 만 겉가죽이 벗어짐. '皶(次條)'과 同字. '―, 博雅, 離也, 謂皮脫離'《集韻》.

11 ⑯ [皶] 만 ㊥寒 謨官切 wǎn

字解 ①가죽 만 '―, 皮也'《集韻》. ②가죽벗어질 만 '皶(前條)'과 同字.

11 ⑯ [皻] 사 ㊥麻 側加切 zhā

字解 ①여드름 사 주로 청년 남녀의 얼굴에 나는 수포상(水疱狀)의 작은 부스럼. 면창(面瘡). '勞汗當風, 寒薄爲―'《素問》. ②비사증 사 얼굴 특히 코에 붉은 점이 생기는 병증. '酒―鼻'.

字源 形聲. 皮+虘〔音〕

◉酒皻.

13 ⑱ [皽] 전 ㊤銑 知演切 zhǎn

字解 박막 전 피부의 얇은 꺼풀. '濯手以摩之,

去其一'《禮記》.
[字源] 形聲. 皮+亶〔音〕

14 ⑲ [⿱厭皮] 염 ㊤琰 於琰切 yǎn

[字解] 딱지 염 상처에 앉은 딱지. '一, 瘍痂也'《集韻》.

15 ⑳ [皾] 독 ㊇屋 徒谷切 dú

[字解] ①반드러울 독 미끄러움. '一, 滑也'《廣韻》. ②활집 독 활을 넣어 두는 자루. 궁대(弓袋). '一, 貯弓器'《玉篇》. ③전동 독 활의 살을 넣는 통. 韇(革部 十五畫)과 同字.

15 ⑳ [⿰皮賣] 皾(前條)과 同字

19 ㉔ [⿰鹻皮] 견 ㊤銑 古典切 jiǎn

[字解] ①부을 견 부음. ②굳은살 견 굳은살. ③상처날 견 발가락 마디에 상처가 남.

皿 (5획) 部
〔그릇명부〕

0 ⑤ [皿] [人名] 명 ㊤梗 武永切 mǐn(mǐng)

[筆順] 丨 冂 冂 罒 皿

[字解] 그릇 명 기명(器皿). '於文一蟲爲蠱'《左傳》.

[字源] 甲骨文 金文 篆文 象形. 음식을 담는 접시를 본떠, 접시의 뜻을 나타냄.

[參考] '皿명'을 의부(意符)로 하여, 여러 가지 종류의 접시나 접시에 담는 일에 관한 문자를 이룸. 부수 이름은 '그릇명밑'.

◉金皿. 器皿. 大皿. 小皿.

2 ⑦ [盀] 기 ㊤紙 孔几切 qǐ

[字解] ①그릇 기 그릇. ②사람이름 기 사람 이름. '崇一'《宋史》.

3 ⑧ [盂] [人名] 우 ㊥虞 羽俱切 yú

[字解] ①사발 우 음식을 담는 그릇. '酒一一'《史記》. ②진이름 우 사냥할 때의 진형(陣形)의 이름. '宋公爲右一, 鄭伯爲左一'《左傳》. ③성 우 성(姓)의 하나.

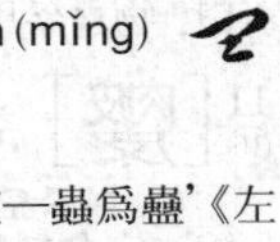

[盂①]

[字源] 甲骨文 金文 篆文 形聲. 皿+于(亏)〔音〕. '亏우'는 활 모양으로 휘다의 뜻. 마시는 데 쓰는, 활꼴의 곡선이 있는 '그릇'의 뜻을 나타냄.

[參考] ⿱干皿(皿部 三畫)은 別字.

[盂蘭盆 우란분] 《佛敎》 음력 칠월 보름날에 선조(先祖) 및 현세(現世)의 부모의 고생을 구제하기 위하여 여러 가지 음식을 그릇에 담아 시방(十方)의 불승(佛僧)에게 베푸는 불사(佛事).
[盂蘭會 우란회] 우란분(盂蘭盆).
[盂鉢 우발] 밥그릇.
◉戧盂. 飯盂. 盤盂. 盞盂. 杯盂. 盃盂. 腎盂. 玉盂. 瓦盂.

3 ⑧ [⿱亏皿] 盂(前條)의 本字

3 ⑧ [⿱亐皿] 盂(前前條)와 同字

3 ⑧ [⿱干皿] 간 ㊥寒 古寒切 gān

[字解] ①접시 간, 쟁반 간 음식을 담는 납작한 그릇. '一, 博雅, 謂之盤'《集韻》. ②큰바리 간 큰 밥그릇. '一, 又大盌名'《廣韻》.
[參考] 盂(皿部 三畫)는 別字.

[孟] 〔맹〕
子部 五畫(p. 559)을 보라.

4 ⑨ [盃] [人名] 배 ㊥灰 晡枚切 bēi

[筆順] 一 ア 不 不 不 否 盃 盃

[字解] 잔 배 杯(木部 四畫)의 俗字. '貯一盂一筒'《唐書》.

[盃盤 배반] 술잔과 쟁반.
[盃盂 배우] 술잔.
[盃盞 배잔] 술잔.

4 ⑨ [盆] [人名] 분 ㊥元 蒲奔切 pén

[筆順] ノ 八 分 分 分 盆 盆 盆

[字解] ①동이 분 물·술 같은 것을 담는 질그릇. '傾一'. '戴一'. '陶人爲一'《周禮》. ②성 분 성(姓)의 하나.

[字源] 金文 篆文 形聲. 皿+分〔音〕. '分분'은 '墳분'과 통하여, 흙이 뿜어 나온 모양의 무덤의 뜻. 엎어 놓은 꼴이 무덤과 같은 접시의 뜻에서, '동이'의 뜻을 나타냄.

[盆景 분경] 관상(觀賞)하기 위하여 화초나 나무를 분(盆)에 심은 것.
[盆缻 분부] 술동이. 또는 장독.
[盆山 분산] 분(盆)에 조약돌로 산의 모양을 만든 것.
[盆盎 분앙] 동이.
[盆雨 분우] 폭우(暴雨).
[盆種 분종] 화초를 분에 심음. 또, 그 화초.
[盆地 분지] 산(山)이나 높은 지형(地形)으로 둘러싸인 평지(平地).
[盆池 분지] 작은 못.
[盆下 분하] 분의 밑, 전(轉)하여 실의(失意)의 경우(境遇) 등을 이름.
◉缺盆. 傾盆. 鼓盆. 盥盆. 金盆. 牢盆. 陶者用缺盆. 盟盆. 瓶盆. 覆水不歸盆. 沙盆. 盎盆. 偃盆. 瓦盆. 浴盆. 盂蘭盆. 雨翻盆. 栽盆. 載

盆. 彫盆. 酒盆. 火盆. 花盆. 類盆.

4 ⑨ [盈] [人名] 영 ㊥庚 以成切 yíng

[筆順] 丿 乃 乃 夃 夃 夃 盈 盈

[字解] ①찰 영 충만함. '一虛'. '有酒一樽'《陶潛》. ②남을 영 한도 밖에 더 있음. '進退一縮'《史記》. ③성 영 성(姓)의 하나.

[字源] 篆文 會意. 皿+乃+又. '乃내'는 펴진 활의 象形. '又우'는 손을 본뜬 것. 덜 펴진 활을 손으로 잔뜩 당기듯이, 접시에 음식을 담아 올리다의 뜻을 나타냄.

[盈缺 영결] 영휴(盈虧).
[盈貫 영관] ㉠활을 힘껏 당김. ㉡죄악이 아주 많음. 관영(貫盈).
[盈祿 영록] 충분한 녹. 과분(過分)한 녹봉(祿俸).
[盈滿 영만] ㉠가득 참. ㉡부귀 권세(富貴權勢) 등이 극성(極盛)함.
[盈滿咎 영만구] 부귀 권세(富貴權勢) 등이 극성(極盛)함으로 말미암아 생기는 재앙(災殃).
[盈耗 영모] 충만함과 소모함. 참과 줆.
[盈肥 영비] 포동포동 살찜.
[盈塞 영색] 가득 차서 막힘. 가득 참.
[盈羨 영선] 가득 차고도 남음.
[盈盛 영성] 가득하게 참.
[盈餘 영여] 가득 차고 남음. 또, 나머지.
[盈衍 영연] 가득하여 남음.
[盈厭 영염] 충족(充足)함. 만족함.
[盈盈 영영] ㉠넘쳐흐르는 모양. ㉡예쁘게 단장한 모양.
[盈月 영월] 둥근 달. 만월(滿月).
[盈溢 영일] 가득 차 넘침.
[盈積 영적] 가득 차 쌓임.
[盈尺 영척] ㉠한 자 남짓. ㉡한 자 미만의 넓이. 협소함을 이름.
[盈縮 영축] 남음과 줆.
[盈沖 영충] 참과 빔. 영허(盈虛).
[盈把 영파] 손에 가득.
[盈把之木 영파지목] 손아귀 안에 드는 작은 나무.
[盈虛 영허] 충만함과 공허함.
[盈虧 영휴] 가득 참과 이지러짐.
◉貫盈. 驕盈. 滿盈. 憤盈. 衍盈. 充盈. 豐盈. 虧盈.

4 ⑨ [盻] 혜 ㊥齊 胡雞切 xī

[字解] 방구리 혜 작은 동이. '一, 小盆也'《五音集韻》.

4 ⑨ [盅] 충 ㊥東 敕中切 chōng

[字解] 빈그릇 충 그릇 속에 아무것도 없음. '道一而用之, 又不滿'《老子》.

[字源] 篆文 形聲. 皿+中〔音〕. '中중'은 '속'의 뜻. 접시 속은 비어 있으므로, '비다'의 뜻을 나타냄.

4 ⑨ [盥] 〔관〕
盥(皿部 十一畫〈p. 1525〉)과 同字

4 ⑨ [盇] 〔합〕
盍(皿部 五畫〈p. 1519〉)의 本字

5 ⑩ [益] [中·人] 익 ㊅陌 伊昔切 yì

[筆順] 丿 八 䒑 六 六 谷 谷 益 益

[字解] ①더할 익 보탬. '增一'. '一之以三怨'《國語》. ②더해질 익 많아짐. '其家必日一'《呂氏春秋》. ③이로울 익 도움이 됨. 유익함. '無一' '一友'. ④많을 익 넉넉함. '饒一'. ⑤이 익 이득. '損一'. '利一'. ⑥더욱 익 더욱더. '愈一'. '因其已知之理, 而一窮'《大學章句》. ⑦익괘 익 육십사괘(六十四卦)의 하나. 곧, ䷩〈진하(震下), 손상(巽上)〉. 위를 덜고 아래를 보태는 상(象). ⑧성 익 성(姓)의 하나.

[字源] 甲骨文 金文 篆文 象形. 접시에 음식을 수북이 담은 모양을 본뜨며, '더해지다, 많다'의 뜻을 나타냄.

[參考] 益(皿部 五畫)은 略字.

[益加 익가] 증가(增加)함.
[益母 익모] 꿀풀과에 속하는 월년초(越年草). 잎과 줄기는 통경(通經)·수렴제(收斂劑)로 쓰임. 암눈비앗. 익모초.
[益母草 익모초] 익모(益母).
[益壽 익수] 장수(長壽)함. 또, 장수.
[益友 익우] 사귀어 유익(有益)한 벗.
[益者三樂 익자삼요] 사람이 좋아하여 유익한 것 세 가지. 곧, 예악(禮樂)을 적당히 좋아하는 것과 사람의 착함을 좋아하는 것과 착한 벗이 많음을 좋아하는 것. 손자삼요(損者三樂)의 대(對).
[益者三友 익자삼우] 사귀어 자기에게 유익한 세 벗. 곧, 정직(正直)한 사람, 신의(信義)가 있는 사람, 지식(知識)이 있는 사람.
[益鳥 익조] 사람에게 유익한 조류(鳥類).
[益州 익주] 지금의 쓰촨 성(四川省)의 땅. 당(唐)나라 이후에는 성도부(成都府)라 개칭하였음.
[益智 익지] ㉠지혜를 늘임. ㉡용안육(龍眼肉)의 별칭(別稱).
[益蟲 익충] 사람에게 유익한 곤충. 누에·꿀벌 등.
◉開卷有益. 公益. 匡益. 廣益. 權益. 規益. 多言何益. 滿招損謙受益. 無益. 補益. 附益. 富益. 俾益. 埤益. 裨益. 損益. 收益. 受益. 純益. 實益. 饒益. 有益. 誘益. 潤益. 利益. 增益. 差益. 忠益. 便益. 弘益. 鴻益.

5 ⑩ [盌] 완 ㊤旱 烏管切 wǎn

[字解] 주발 완 椀(木部 八畫)과 同字. '以銀一酌酒'《吳志》.

[字源] 金文 篆文 形聲. 皿+夗〔音〕. '夗완'은 '丸환'과 통하여, 둥글다, 부드럽게 구부러지다의 뜻. 부드러운 곡선을 지닌 둥근 접시, 사발의 뜻을 나타냄.

◉銀盌.

5 ⑩ [盍] [一] 합 ㊅合 胡臘切 hé
[二] 갈 ㊅曷 丘葛切 kě

[字解] [一] ①모일 합 합함. '朋一簪'《易經》. ②어찌아니할 합 어찌 …하지 않느냐는 뜻. '何'와 '不'의 절음(切音)으로, 의문의 반어(反語)임. '一各言爾志'《論語》. ③성 합 성(姓)의 하나. [二] 할단새 갈 鶡(鳥部 九畫)과 뜻이 같음. '一旦'.

[字源] 金文 篆文 象形. 물건을 담은 접시에 뚜껑을 덮은 모양을 본떠, '덮다'의 뜻을 나타냄. 음(音)을 假借하여, '하불(何不)'의 뜻으로 쓰임.
[參考] 盇(皿部 四畫)은 本字.

[盍旦 갈단] 밤에 울며 새벽을 기다린다고 하는 새. 할단(鶡旦).
[盍各 합각] 이것저것이 같음.
[盍已乎 합이호] 어찌 그만두지 아니하는가. 마땅히 그만두어야 한다의 뜻.
[盍簪 합잠] 벗이 함께 모임.

5 ⑩ [盎] 앙 [去]漾 烏浪切 àng [上]養 烏朗切
[字解] ①동이 앙 술 또는 물을 담는 그릇. '首戴瓦—'《後漢書》. ②넘칠 앙 넘쳐흐름. 뚜렷이 나타남. '睟然見於面, —於背'《孟子》. ③성 앙 성(姓)의 하나.
[字源] 篆文 別體 形聲. 皿+央〔音〕. '央앙'은 오목하다, 옴폭 패다의 뜻. 아가리가 작고 배가 부른 '동이'의 뜻을 나타냄.

[盎①]

[盎盎 앙앙] ㉠화락(和樂)한 모양. ㉡자꾸 넘치는 모양.
[盎然 앙연] 자꾸 넘치는 모양.
◉瓶盎. 盆盎. 瓦盎. 油盎. 銀盎.

5 ⑩ [盋] 발 [入]曷 北末切 bō
[字解] 사발 발 식기(食器). '盂食器, 如—而大'《程大昌》.
[字源] 篆文 形聲. 皿+犮〔音〕. '犮발'은 입구를 열다의 뜻. 아가리가 열려 있는 '사발'의 뜻을 나타냄.
[參考] 鉢(金部 五畫)과 同字.

[盋盂 발우] 사발.

5 ⑩ [盉] 화 ①[去]箇 胡卧切 ②[平]歌 戶戈切 hé
[字解] ①조미할 화 음식의 맛을 고르게 맞춤. '調聲曰龢, 調味曰—'《說文 段註》. ②양념그릇 화 양념을 담는 그릇.
[字源] 金文 篆文 形聲. 皿+禾〔音〕. '禾화'는 곡물의 뜻. 그릇에 요리한 곡식을 담다의 뜻에서, '조미하다'의 뜻을 나타냄. 일설에 '禾'는 '和화'의 생략체라고도 함.

5 ⑩ [盕] 범 [平]鹽 蒲瞻切 [去]陷 孚梵切 fàn
[字解] 잔 범 술잔. '—, 桮也, 自關而東, 趙魏之間, 或曰—'《揚子方言》.

5 ⑩ [监] 〔감〕 監(皿部 九畫〈p. 1523〉)의 俗字·簡體字

5 ⑩ [盐] 〔염〕 鹽(鹵部 十三畫〈p. 2688〉)의 簡體字

5 ⑩ [益] 〔익〕 益(皿部 五畫〈p. 1519〉)의 略字

6 ⑪ [盒] [人名] 합 [入]合 侯閤切 hé
[字解] 합 합 뚜껑이 있는 둥글넓적한 작은 그릇. '香—'.
[字源] 形聲. 皿+合〔音〕. '合합'은 '작은 상자'의 뜻. '合'이 '맞다'의 뜻으로 쓰이게 되매, '皿명'을 덧붙여 구별함.
◉香盒. 攜盒.

6 ⑪ [盔] 회 [平]灰 苦回切 kuī
[字解] ①바리 회 음식을 담는 그릇. ②투구 회 군사가 전시에 쓰는 쇠로 만든 모자.
[字源] 形聲. 皿+灰〔音〕

6 ⑪ [盓] 우 [平]虞 憂俱切 yū
[字解] 돌아흐를 우 '盤—'는 물이 돌아 흐르는 모양. '盤—激而成窟'《木華》.

6 ⑪ [𥂁] 권 [去]願 俱願切 juàn [去]霰 古倦切
[字解] 나무바리 권 나무로 만든 밥그릇. '盂, 海岱東齊北燕之間, 或謂之—'《揚子方言》.

6 ⑪ [盗] 〔도〕 盜(皿部 七畫〈p. 1521〉)의 俗字

6 ⑪ [盖] [人名] 〔개〕 蓋(艸部 十畫〈p. 1955〉)의 俗字
[筆順] 丶 丷 䒑 兰 兰 羊 羊 盖

6 ⑪ [𥁞] 〔진〕 盡(皿部 九畫〈p. 1523〉)의 俗字

6 ⑪ [盏] 〔잔〕 盞(皿部 八畫〈p. 1522〉)의 俗字

6 ⑪ [盘] 〔반〕 盤(皿部 十畫〈p. 1524〉)의 簡體字

7 ⑫ [盛] [中·人] 성 ①②[平]庚 是征切 chéng ③-⑦[去]敬 承正切 shèng
[筆順] 丿 厂 厂 成 成 成 盛 盛
[字解] ①그릇 성 물건을 담는 그릇. '食粥於—'《禮記》. ②담을 성 물건을 그릇에 담음. '于以—之, 維筐及筥'《詩經》. 또, 그릇에 담아 제사 지내는 서직(黍稷) 따위. '犧牲粢—'《書經》. ③성할 성 ㉠문화가 한창 발달하고 세상이 잘 다스려진 모양. '—世'. '堯舜之—, 尙書載之'《史記》. ㉡광대(廣大)한 모양. '—德'. '鬼神之爲德, 其—矣乎'《中庸》. ㉢한창인 모양. 강장(強壯)한 모양. '鼎—'. '—年'. '氣力方—'. ㉣번영하는 모양. '繁—'. '隆—'. '宗族富—'《晉書》. ㉤많은 모양. '衆—'. '學者滋—, 弟子萬數'《後漢書》. ㉥초목이 우거진 모양. '茂

一'. '是月也, 樹木方一'《禮記》. ④성하게할 성 전항(前項)의 타동사. '太后一氣而胥之入'《史記》. ⑤성하여질 성 성하게 됨. 번성하여짐. '平者水停之一也'《莊子》. ⑥장하게여길 성 탄미함. '一夏后之致美'《張衡》. '於斯爲一'《論語》. ⑦성 성성(姓)의 하나.

字源 金文 [金文] 篆文 [篆文] 形聲. 皿+成〔音〕. '成성'은 '盈영'과 통하여, '차게 하다'의 뜻. 접시에 농산물을 채워서 신에게 바치다의 뜻에서, '담다'의 뜻을 나타냄. 파생하여, '성하다'의 뜻을 나타냄.

[盛強 성강] 성(盛)하고 강함. 세력이 강대함. 강성(強盛).
[盛彊 성강] 성강(盛強).
[盛擧 성거] 성대한 거사(擧事). 훌륭한 사업. 장거(壯擧).
[盛京 성경] '심양(瀋陽)'의 구칭(舊稱).
[盛觀 성관] 굉장하고 볼만한 경관(景觀). 장관(壯觀).
[盛氣 성기] ㉠대단한 기세. ㉡노하여 기색(氣色)이 대단히 변함.
[盛年 성년] 청춘(靑春) 시절. 한창때.
[盛年不重來 성년부중래] 청춘(靑春)의 시절(時節)은 두 번 다시 오지 아니함.
[盛怒 성노] 격노(激怒)함.
[盛唐 성당] 시학상(詩學上) 현종(玄宗)의 개원연간(開元年間)부터 대종(代宗)의 대력(大曆) 무렵까지의 사이. 당대(唐代)를 넷으로 구분한 것의 둘째 시기. 곧, 이백(李白)·두보(杜甫) 등 유명한 시인(詩人)을 배출(輩出)하여 시풍(詩風)이 가장 성하던 때임.
[盛大 성대] 성(盛)하고 큼. 대단히 성함.
[盛德 성덕] ㉠성대한 덕. ㉡천지(天地)의 왕성한 원기.
[盛德遺範 성덕유범] 선인(先人)의 성대한 덕과 끼친 의범(儀範).
[盛德之士亂世所疏 성덕지사난세소소] 덕이 높은 선비는 난세에는 소원(疏遠)당함.
[盛冬 성동] 한겨울. 융동(隆冬).
[盛麗 성려] 성장(盛裝)하여 화려함.
[盛禮 성례] 성대한 전례(典禮).
[盛流 성류] 상류(上流)의 신분(身分).
[盛滿 성만] ㉠가득하게 참. ㉡부귀·권세 등이 극성(極盛)함. ㉢집안이 번영(繁榮)함.
[盛名 성명] 큰 명성. 굉장한 명예.
[盛名下其實難副 성명하기실난부] 명성은 대개 실제보다는 지나쳐서 비방(誹謗)을 초래하기 쉬움.
[盛美 성미] 훌륭하고 아름다움.
[盛服 성복] 성장(盛裝)한 의복. 엄숙하게 차린 의복.
[盛服先生 성복선생] 유학자(儒學者)를 이름.
[盛事 성사] 성대한 사업. 훌륭한 일.
[盛色 성색] 아름다운 안색. 미인(美人)의 용모.
[盛暑 성서] 한더위. 혹서(酷暑).
[盛設 성설] 잔치를 성대하게 차림. 또, 그 잔치. 성연(盛宴).
[盛世 성세] 국운(國運)이 융성한 세상. 나라가 잘 다스려지고 문화가 발달한 세상.
[盛勢 성세] 강성한 세력.
[盛衰 성쇠] 성(盛)함과 쇠(衰)함. 융체(隆替).
[盛時 성시] ㉠나라가 융성한 때. ㉡나이가 젊은 때. 한창때.
[盛式 성식] 성대한 의식(儀式). 성전(盛典).
[盛飾 성식] 성장(盛裝).
[盛顔 성안] 원기가 넘쳐흐르는 안색.
[盛業 성업] 성대한 사업.
[盛宴 성연] 성연(盛筵).
[盛筵 성연] 성대(盛大)한 잔치.
[盛熱 성열] 성서(盛暑).
[盛炎 성염] 성서(盛暑).
[盛榮 성영] 번영(繁榮)함.
[盛銳 성예] 강성하고 날쌤.
[盛譽 성예] 성명(盛名).
[盛王 성왕] 덕이 높은 제왕.
[盛運 성운] ㉠세상이 창성할 기운(氣運). ㉡행운(幸運).
[盛位 성위] 고귀(高貴)한 지위.
[盛意 성의] 성지(盛旨).
[盛儀 성의] 성대한 의식(儀式).
[盛者必衰 성자필쇠] 왕성하면 반드시 쇠함.
[盛作 성작] 훌륭한 시문(詩文). 뛰어난 문필(文筆). 대작(大作).
[盛壯 성장] 혈기(血氣)가 왕성함.
[盛粧 성장] 화려한 단장(丹粧).
[盛裝 성장] 훌륭하게 옷을 차림. 또, 화려한 옷차림.
[盛典 성전] 성대한 식전(式典). 성식(盛式).
[盛族 성족] 세력(勢力)이 있는 겨레. 호족(豪族).
[盛坐 성좌] 성대한 모임의 좌석.
[盛旨 성지] 고마운 뜻. 감복(感服)할 뜻. '남의 뜻'의 경칭(敬稱).
[盛指 성지] 성지(盛旨).
[盛饌 성찬] 풍성하게 차린 음식.
[盛昌 성창] 왕성함.
[盛寵 성총] 비상한 은총(恩寵). 두터운 총애.
[盛秋 성추] 한가을. 중추(仲秋).
[盛熾 성치] 왕성함. 성대함.
[盛夏 성하] 한여름.
[盛寒 성한] 한추위. 극한(極寒).
[盛行 성행] 많이 유행(流行)함. 대단히 유행함.
[盛況 성황] 성대한 상황.
[盛貺 성황] 훌륭한 선사. 썩 좋은 선물.
[盛會 성회] 성대(盛大)한 모임.
[盛勳 성훈] 훌륭한 공훈. 큰 공훈.
◉嘉盛. 強盛. 彊盛. 貴盛. 大盛. 明盛. 茂盛. 美盛. 彌盛. 繁盛. 阜盛. 富盛. 鮮盛. 受盛. 崇盛. 榮盛. 旺盛. 猥盛. 容盛. 隆盛. 殷盛. 柔盛. 全盛. 齊盛. 尊盛. 衆盛. 昌盛. 春秋鼎盛. 熾盛. 豐盛. 豪盛. 犧盛.

7 ⑫ [盜] 高人 도 ㊅號 徒到切 dào 

筆順 氵 氵 氵 汐 次 次 盗 盜

字解 ①훔칠 도 ㉠도둑질함. '一用'. '一器爲姦'《左傳》. ㉡부당한 수단을 써서 분수에 넘치는 것을 탐내어 얻음. '一名'. '一名字者, 不可勝數'《後漢書》. ②도둑질 도 훔치는 일. '十歲便能爲一'《南史》. ③도둑 도 물건을 훔치는 사람. '強一'. '刑一于市'《周禮》. ④도적 도 ㉠비적(匪賊). ㉡사리를 꾀하는 간악한 자. '備他一之出入與非常也'《史記》. '君子信一, 亂是用暴'《詩經》.

[字源] 篆文  會意. '次+皿. '次연' 은 부러운 듯이 침을 흘리다의 뜻. '皿명' 은 '접시'의 뜻. 접시 속의 음식을 보고 가지고 싶어하다의 뜻에서, '훔치다' 의 뜻을 나타냄. 또, '逃도' 와 통하여, 사회에 등진 사람의 뜻으로 해석하는 설도 있음. 또 '到도' 와 통하여, 다른 나라에서 도래(到來)한 자의 뜻으로도 풀이됨.
[參考] 盗(皿部 六畫)는 俗字.

[盜夸 도과] 훔쳐 자랑함.
[盜槨 도곽] 남의 무덤을 몰래 파냄.
[盜魁 도괴] 도둑의 괴수.
[盜難 도난] 《韓》 도둑을 맞는 재난(災難).
[盜掠 도략] 약탈(掠奪)함.
[盜驪 도리·도려] ㉠준마(駿馬)의 이름. 주목왕(周穆王)의 팔준(八駿)의 하나. ㉡빛이 검은 말. 가라말.
[盜名 도명] 부당한 수단을 써서 자기 분수에 넘치는 명성·명예를 얻음.
[盜沒 도몰] 훔침. 도둑질함.
[盜伐 도벌] 남의 산의 나무를 몰래 벰.
[盜犯 도범] 절도 또는 강도의 범죄.
[盜癖 도벽] 걸핏하면 남의 물건을 훔치려 드는 버릇.
[盜不過五女之門 도불과오녀지문] 여자를 시집보내는 데는 비용이 많이 들어 살림이 가난하여지므로 도둑도 딸을 다섯 둔 집에는 훔치러 들어가지 아니함.
[盜殺 도살] 몰래 죽임. 암살(暗殺).
[盜視 도시] 몰래 봄.
[盜臣 도신] 도둑질하는 신하.
[盜心 도심] 도둑질하려는 나쁜 마음.
[盜亦有道 도역유도] 도둑들도 그들 사이에 또한 도덕(道德)이 있음.
[盜用 도용] 훔쳐서 씀.
[盜竽 도우] 도괴(盜魁).
[盜儒 도유] 언행이 일치하지 않는 유학자.
[盜斫 도작] 도벌(盜伐).
[盜賊 도적] 남의 물건을 훔치는 사람. 도둑.
[盜電 도전] 부정한 방법으로 요금을 지불하지 않고 전류(電流)를 훔쳐 쓰는 일.
[盜竊 도절] 도둑질함. 또, 도둑질.
[盜鑄 도주] 관(官)의 허가 없이 몰래 돈을 주조(鑄造)함.
[盜憎主人 도증주인] 도둑은 주인을 미워함.
[盜搶 도창] 도략(盜掠).
[盜跖 도척] 고대(古代)의 큰 도적(盜賊)의 이름. 현인(賢人) 유하혜(柳下惠)의 아우.
[盜蹠 도척] 도척(盜跖).
[盜泉 도천] ㉠산동 성(山東省) 사수현(泗水縣)에 있었던 샘. ㉡이름이 나쁘므로 불의(不義)의 뜻으로 쓰임.
[盜聽 도청] 몰래 엿들음. 엿듣는 장치를 하여 남의 비밀을 캠.
[盜鈔 도초] 도략(盜掠).
[盜取 도취] 훔쳐 가짐.
[盜汗 도한] 신체가 쇠약하여 잘 때에 저절로 나는 땀.
◉姦盜. 強盜. 開門揖盜. 巨盜. 劫盜. 激盜. 雞鳴狗盜. 怪盜. 求盜. 狗盜. 寇盜. 群盜. 劇盜. 大盜. 慢藏誨盜. 耗盜. 邦盜. 鼠盜. 宿盜. 夜盜. 掠盜. 淫盜. 義盜. 殘盜. 賊盜. 竊盜. 穿盜. 鈔盜. 侵盜. 偸盜. 剽盜. 行盜. 險盜.

7 ⑫ [盄] 조 [去]嘯 徒弔切 diào
[字解] 김매는제구 조 莜(艸部 七畫)와 同字.

7 ⑫ [盙] 〔보〕
簠(竹部 十二畫〈p. 1686〉)의 本字

7 ⑫ [盚] 구 [平]尤 渠尤切 qiú
[字解] ①뚜껑있는그릇 구 뚜껑이 있는 그릇. '―, 俗以―爲盒名' 《正字通》. ②성 구 성(姓)의 하나.

7 ⑫ [盝] 〔궤〕
簋(竹部 十一畫〈p. 1683〉)의 本字

7 ⑫ [盜] 盜(次條)과 同字

8 ⑬ [盬] 〔담〕
醓(酉部 九畫〈p. 2359〉)과 同字

8 ⑬ [盝] 록 [入]屋 盧谷切 lù 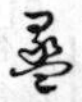
[字解] ①거를 록 여과함. '淸其灰而―之' 《周禮》. ②궤 록 작은 궤. '納於小―' 《宋史》.
[字源] 形聲. 皿+彔〔音〕. '彔록' 은 두레우물의 고패 어름에 물이 넘쳐 떨어지는 모양을 본뜸.
◉寶盝. 小盝. 奩盝. 漆盝.

8 ⑬ [盞] [人名] 잔 [上]潸 阻限切 zhǎn 
[字解] 잔 잔 작은 술잔. '酒―'. '盃―'. '洗―酌鵝黃' 《蘇軾》.
[字源] 形聲. 皿+戔〔音〕. '戔잔' 은 '잘고 얇다' 의 뜻. 작고 얇은 술잔의 뜻을 나타냄.

[盞臺 잔대] 《韓》 술잔 받침.
◉建盞. 金盞. 滿盞. 盃盞. 玉盞. 瓦盞. 酒盞.

8 ⑬ [盟] [高·人] 맹 (명[本]) [平]庚 武兵切 méng / [上]梗 武永切 / [去]敬 莫更切 mèng 
[筆順] 丨 冂 日 明 明 明 盟 盟 盟
[字解] ①맹세 맹 옛날에, 희생(犧牲)으로 바친 피를 마시며 신명(神明)에게 장래에 위약을 하지 않겠다고 고하던 일. 후세에는, 널리 양자간에 약정하는 일로 쓰임. '―約'. '―可負耶' 《左傳》. ②맹세할 맹 전항(前項)의 동사. '―于蔑' 《左傳》. ③땅이름 맹 孟(子部 五畫)과 통용. '武王東觀兵, 至于―津' 《史記》.
[字源] 甲骨文 金文 篆文 籒文 籒文 古文 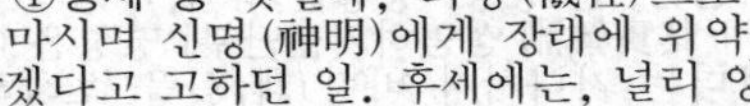 形聲. 甲骨文·金文·籒文·古文에서 볼 수 있듯이, 본디, 囧+皿〔音〕. 또, 血+朙〔音〕, 血+明〔音〕으로도 볼 수 있음. 제후(諸侯)들이 서로의 의심점을 밝혀 희생의 피를 마시며 맹세하다의 뜻을 나타냄.

[盟契 맹계] 맹세. 맹약(盟約).
[盟鷗 맹구] 세상(世上) 밖에 초연한 풍류(風流)의 사귐. 또, 벼슬을 그만두고 은거하는 일. 구

맹(鷗盟).
[盟壇 맹단] 맹약(盟約)을 맺는 장소.
[盟邦 맹방] 동맹(同盟)을 맺은 나라. 동맹국(同盟國).
[盟府 맹부] 맹세한 문서를 두는 곳.
[盟書 맹서] 맹약(盟約)을 한 서면.
[盟誓 맹서] 맹세(盟誓).
[盟誓 맹세] 굳은 약속. 또, 그 약속을 함.
[盟首 맹수] 맹주(盟主).
[盟約 맹약] 맹세(盟誓).
[盟言 맹언] 맹세하는 말.
[盟友 맹우] 친교(親交)를 맺은 벗.
[盟載 맹재] 맹약(盟約)의 글. 재(載)는 문사(文辭).
[盟主 맹주] 맹약(盟約)을 맺은 자의 우두머리. 서약서의 첫 번에 서명(署名)하며 위약자에게 제재를 가함.
[盟津 맹진] 지금의 허난 성(河南省) 맹현(孟縣)에 있던 나루 이름. 맹진(孟津).
[盟寒沙鳥 맹한사조] 물새와 사귀어 세외(世外)에 초연(超然)하던 일을 그만둔다는 뜻으로, 벼슬살이를 하느라고 오랫동안 고향으로 돌아가지 않음을 비유한 말.
[盟兄 맹형] '친우(親友)'의 경칭(敬稱).
[盟好 맹호] 동맹(同盟). 맹약(盟約).
◉加盟. 改盟. 結盟. 攻守同盟. 交盟. 舊盟. 鷗盟. 大盟. 同盟. 誓盟. 詩盟. 尋盟. 約盟. 聯盟. 要盟. 詛盟. 宗盟. 主盟. 酒盟. 渝盟. 會盟.

8 ⑬ [盝] 몽 ㊥東 謨蓬切 méng

字解 그릇에가득찰 몽 '饛, 說文, 盛器滿皃, 或作ㅡ'《集韻》.

8 ⑬ [葢] 〔개〕 蓋(艸部 十畫〈p. 1955〉)의 本字

8 ⑬ [㿽] 〔권〕 棬(木部 八畫〈p. 1077〉)과 同字

9 ⑭ [盡] 中人 진 ㊤軫 慈忍切 jìn, ③jǐn 尽

筆順

字解 ①다할 진 ㉠죄다 없어짐. '勢窮力ㅡ'. '兵少食ㅡ'《史記》. ㉡끝남. '言ㅡ涙下'. '可以近ㅡ'《荀子》. ㉢극진(極盡)함. '心力備ㅡ'《隋書》. ㉣다 써 없앰. '竭ㅡ'. '終身用之, 有不能ㅡ者'《中庸章句》. ㉤힘을 다 들임. 'ㅡ力'. 'ㅡ忠報國'《宋史》. ㉥남김없이 말함. 자세히 함. '書不ㅡ言, 言不ㅡ意'《易經》. ㉦유루(遺漏)가 없게 함. 충분하게 함. '未有若是之明且ㅡ者也'《中庸章句》. ㉧다 없애 버림. '去疾莫如ㅡ'《左傳》. ②다 진 모두. '周禮ㅡ在魯矣'《左傳》. ③가령 진 'ㅡ道'는 '儘道'와 같으며, '縱令'의 속어(俗語)임. '相逢ㅡ道休管去'《謝靈運》. ④성 진 성(姓)의 하나.

字源 甲骨文 篆文 甲骨文은 會意로 聿+皿. '聿율'은 솔을 손에 든 모양. '皿명'은 '그릇'의 뜻. 그릇 속을 솔로 털어서 비우는 모양에서, '다하다'의 뜻을 나타냄. 篆文은 皿+㶳〔音〕.

參考 尽(尸部 三畫)은 俗字.

[盡皆 진개] 다. 모두.
[盡年 진년] 천수(天壽)를 다함.
[盡頭 진두] 끝나는 데. 끝.
[盡力 진력] 있는 힘을 다함.
[盡命 진명] 목숨을 다함. 목숨을 바침.
[盡善盡美 진선진미] 더할 나위 없이 좋고 아름다움.
[盡誠 진성] 정성(精誠)을 다함.
[盡信書則不如無書 진신서즉불여무서] 서경(書經) 중에도 틀린 곳이 있으니, 다 믿어서는 안 됨. 지금은 서(書)를 '서적'의 뜻으로 씀.
[盡心 진심] 마음을 다함. 성의(誠意)를 다함.
[盡心竭力 진심갈력] 마음과 힘을 다함.
[盡言 진언] ㉠꺼리지 않고 할 말을 다함. ㉡자세히 빠지 않고 다 말함.
[盡人事而待天命 진인사이대천명] 인력(人力)으로서 미칠 때까지 다하고 나서 결과는 운명에 맡김. 수인사대천명(修人事待天命).
[盡日 진일] ㉠종일. 진종일(盡終日). ㉡그믐날. ㉢섣달 그믐날.
[盡節 진절] 충절(忠節)을 다함.
[盡終日 진종일]《韓》온종일. 하루 종일.
[盡盡 진진] 자세히 보는 모양. 소상(昭詳)하게 하는 모양.
[盡忠報國 진충보국] 충성(忠誠)을 다하여 국은(國恩)에 보답함.
[盡瘁 진췌] 몸이 파리하도록 마음과 힘을 다함.
[盡醉 진취] 아주 취함.
◉竭盡. 傾盡. 罄盡. 弓折矢盡. 窮盡. 歸盡. 漏盡. 大盡. 刀折矢盡. 耗盡. 無盡. 靡盡. 兵少食盡. 不盡. 散盡. 勢窮力盡. 小盡. 消盡. 澌盡. 心力備盡. 燒盡. 堙盡. 一網打盡. 自盡. 彫盡. 鐘鳴漏盡. 縱橫無盡. 周盡. 處盡. 勦盡. 燭盡. 彈盡. 蕩盡. 盪盡. 敝盡.

9 ⑭ [監] 高人 감 ①-⑤㊥咸 古銜切 jiān ⑥-⑨㊀陷 格懺切 jiàn 监

筆順

字解 ①볼 감 위에서 내려다봄. '天ㅡ在下'《詩經》. ②살필 감 살펴봄. 독찰함. 'ㅡ督'. '周公使管叔ㅡ殷'《孟子》. ③옥 감 감옥. 'ㅡ房'. '雖與收ㅡ有異'《未信編》. ④비추어볼 감 거울에 비춰 봄. '人無於水ㅡ'《書經》. ⑤거울삼을 감 ㉠남의 잘못을 보고 경계로 삼음. '宜ㅡ于殷'《詩經》. ㉡본보기로 삼음. '周ㅡ於二代'《論語》. ⑥거울 감 경계. 본보기. '殷ㅡ不遠'《漢書》. ⑦감찰 감 독찰하는 사람. '守尉ㅡ'. '天子使其大夫爲三ㅡ'《禮記》. ⑧마을 감 관청의 이름. '國子ㅡ'. '少府ㅡ'. ⑨성 감 성(姓)의 하나.

字源 金文 篆文 古文 會意. 金文은 臣+人+皿. '臣신'은 눈을 본뜬 것. 사람이 물이 들어 있는 동이를 들여다보는 모양에서, 거울에 비추어 보다의 뜻을 나타냄. 《說文》에서는 臥+衉〈省〉〔音〕의 形聲으로 봄.

[監觀 감관] 자세히 관찰함. 조사하여 봄.
[監國 감국] ㉠국사(國事)를 감독함. 태자(太子)의 소임임. ㉡태자(太子)의 뜻으로 쓰임.
[監軍 감군] 군대를 감독하는 벼슬. 군감(軍監).
[監禁 감금] 자유(自由)를 구속(拘束)하여 일정한 장소에 가둠.
[監奴 감노] 가노(家奴)의 우두머리.

[監農 감농] 농사(農事)짓는 일을 보살핌.
[監督 감독] 보살펴 단속함. 또, 그 사람.
[監吏 감리] 감시(監視)하는 벼슬아치.
[監理 감리] 감독하고 관리(管理)함.
[監理教 감리교] 기독교(基督教) 신교(新教)의 일파(一派).
[監臨 감림] 감독에 임함.
[監寐 감매] ㉠잠자려 하여도 잠이 오지 아니함. ㉡자나 깨나. 오매(寤寐).
[監撫 감무] '감국무군(監國撫軍)'의 준말로서 태자(太子)의 지위를 이름.
[監門 감문] 문지기.
[監房 감방] 교도소에서 죄수(罪囚)를 가두어 두는 방(房).
[監犯 감범] 죄수(罪囚).
[監本 감본] 국자감(國子監)에서 간행(刊行)한 책. 전(轉)하여, 널리 관판(官版)의 책을 이름. 국자감은 한(漢)나라의 태학(太學).
[監司 감사] ㉠주(州), 또는 군(郡)을 감찰하는 벼슬. ㉡《韓》관찰사(觀察使).
[監史 감사] 천자(天子)의 주연(酒宴)을 감독하는 벼슬.
[監事 감사] 법인(法人)의 재산·업무를 감사(監査)·보고하는 사람.
[監査 감사] 감독하고 검사함.
[監生 감생] 국자감(國子監)의 학생. 태학생(太學生).
[監守 감수] ㉠감독(監督)하고 수호(守護)함. ㉡선종(禪宗)에서 절의 사무를 총찰(總察)하는 사람.
[監修 감수] 서적을 편찬(編纂)하는 일을 감독(監督)함.
[監視 감시] 주의하여 살펴봄. 주의하여 지킴.
[監押 감압] 감금(監禁).
[監獄 감옥] 죄수(罪囚)나 형사(刑事) 피고인(被告人)을 구금(拘禁)하여 두는 집. 지금의 교도소(矯導所).
[監者 감자] 문지기. 수위(守衛).
[監製 감제] 감독하여 제조함.
[監察 감찰] 감시(監視)하여 살핌. 또, 그 사람.
[監察御史 감찰어사] 지방(地方)의 규찰관(糾察官).
[監倉 감창] ㉠창고지기. ㉡감옥(監獄).
[監河侯 감하후] 위(魏)나라의 문후(文侯)를 이름. 장자(莊子)가 양식이 떨어져 그에게서 양식을 꾸었다 함.
[監護 감호] 감독하고 보호함.
[監候 감후] 사형 언도를 받은 자로서 추기(秋期)의 재심(再審)까지 형 집행이 연기된 자. 참감후(斬監候)·교감후(絞監候)의 두 가지가 있음.
◉看監. 國子監. 軍監. 宮監. 技監. 副監. 祕書監. 四監. 舍監. 少府監. 收監. 阿監. 殿監. 藏監. 將作監. 天監. 總監. 統監. 學監. 欽天監.

9
⑭ [盠] ㊀ 려 ㊤齊 郎奚切 lí
㊁ 리 ㊤紙 良以切 lǐ

字解 ㊀ ①표주박 려 조롱박 따위로 만든 바가지. '一, 以瓢爲飮器也'《廣韻》. ②도시락 려 밥을 담아 꾸려 가지고 다니는 그릇. '一, 簞也'《廣韻》. ㊁ 표주박 리, 도시락 리 ㊀과 뜻이 같음.
字源 會意. 皿＋彖

[蓋] 〔개〕
艸部 十畫(p. 1955)을 보라.

10
⑮ [盤] 高人 반 ㊥寒 薄官切 pán 盘

筆順 ⺆ 月 舟 舟 舡 般 般 盤 盤

字解 ①소반 반, 쟁반 반 음식을 올려놓는 제구. '杯一'. '饋一飧寘璧'《左傳》. ②대야 반 세수 같은 것을 하는 그릇. '湯之一銘'《大學》. ③대 반 물건을 받치거나 올려놓는 제구. '見好燭一'《宋書》. ④칼코등이 반 칼자루에 감은 쇠테. '刃下數寸施鐵一'《經國雄略》. ⑤즐길 반 般(殳部 六畫)과 통용. '一樂'. '一遊無度'《書經》. ⑥돌 반, 돌릴 반 선회함. '一渦'. '一馬彎弓故不發'《韓愈》. ⑦서릴 반 蟠(虫部 十二畫)과 통용. '一紆岪鬱'《司馬相如》. ⑧큰돌 반 磐(石部 十畫)과 통용. '一石之宗'《漢書》. ⑨성 반 성(姓)의 하나.

[盤②]

字源 槃의 籒文 形聲. 皿＋般〔音〕. '般반'은 '큰 배'의 뜻. 큰 배 모양의 '대야'의 뜻을 나타냄.

[盤脚 반각] 속어(俗語)로서 인부의 품삯.
[盤踞 반거] ㉠굳게 뿌리가 박혀 서림. ㉡넓은 땅을 차지하고 터전을 굳게 잡음.
[盤據 반거] 근거(根據)를 굳게 잡음.
[盤結 반결] 서리서리 얽힘.
[盤庚 반경] 은(殷)나라의 제17대의 왕. 은조(殷朝) 중흥(中興)의 명군(名君). 도읍을 은(殷)으로 옮기고 백성을 잘 다스려 국운을 부흥시켰음. 재위(在位) 28년.
[盤溪曲徑 반계곡경] 정도(正道)를 밟지 않고 그른 방법(方法)으로 일을 함을 이름.
[盤古 반고] ㉠중국 태고(太古)의 전설상의 천자(天子). ㉡태고(太古).
[盤曲 반곡] 꼬불꼬불함.
[盤谷 반곡] 지명(地名). 허난 성(河南省) 제원현(濟源縣)의 북쪽에 있음.
[盤屈 반굴] 반곡(盤曲).
[盤菌 반균] 꼬불꼬불한 모양.
[盤根 반근] ㉠서리서리 얽힌 뿌리. ㉡처리(處理)하기 어려운 일.
[盤根錯節 반근착절] 서린 뿌리와 얼크러진 마디라는 뜻으로, 복잡하여 처리하기 곤란한 일의 비유.
[盤嶔 반금] 산이 울퉁불퉁 솟은 모양.
[盤拏 반나] 서리어 끌어당김.
[盤樂 반락] 놀며 즐김.
[盤舞 반무] 빙 돌며 춤을 춤.
[盤礴 반박] ㉠책상다리를 하고 앉음. 반슬(盤膝). ㉡넓은 모양.
[盤盤 반반] 빙 도는 모양.
[盤辟 반벽] 빙 돎. 반선(盤旋).
[盤費 반비] 길 갈 때에 쓰는 돈. 여행(旅行)의 비용. 노자(路資).
[盤散 반산] 절름절름 걷는 모양.
[盤石 반석] 넓고 편편한 큰 돌. 전(轉)하여, 아주 견고(堅固)함의 비유. 반석지안(盤石之安).
[盤石之安 반석지안] 지극히 견고함의 비유.

[盤旋 반선] ㉠빙 돎. ㉡이리저리 거닐며 왔다 갔다 함.
[盤涉 반섭] 아악(雅樂) 십이율(十二律)의 하나. 십이율(十二律)의 남려(南呂)에 해당함.
[盤涉調 반섭조] 아악(雅樂)의 여섯 가락의 하나. 반섭(盤涉)을 주조음(主調音)으로 한 선조(旋調). 율조(律調)에 속하며 추풍악(秋風樂)·청해파(靑海波) 등의 곡(曲)은 이것임.
[盤飧 반손] 그릇에 담은 음식.
[盤松 반송] 키는 작으나 가지가 옆으로 퍼진 소나무. 또는 분(盆)에 심어 인공으로 가꾼 소나무.
[盤膝 반슬] 책상다리를 하고 앉음.
[盤牙 반아] 서로 연결함. 결탁함.
[盤縈 반영] 빙 돎.
[盤臥 반와] 다리를 꼬고 누움.
[盤渦 반와] 소용돌이치며 흐름. 또, 소용돌이.
[盤繞 반요] 돌려 감음.
[盤盂 반우] ㉠소반과 사발. ㉡황제(黃帝)의 사관(史官)인 공갑(孔甲)이 지었다고 하는 명(銘). 26편을 그릇에 써서 경계로 삼은 것.
[盤紆 반우] 반곡(盤曲).
[盤遊 반유] 즐겁게 놂. 각처를 돌아다니며 놂.
[盤佚 반일] 편안히 즐김.
[盤纏 반전] ㉠노자(路資). 반비(盤費). ㉡비용. 용돈. 또, 비용으로 씀. 용돈으로 씀.
[盤折 반절] 반곡(盤曲).
[盤坐 반좌] 책상다리를 하고 편히 앉음.
[盤錯 반착] ㉠뒤섞임. 혼잡함. ㉡반근착절(盤根錯節).
[盤陀 반타] ㉠안장(鞍裝). ㉡돌이 편편하지 아니한 모양.
[盤坂 반판] 꼬불꼬불한 고개.
[盤阪 반판] 반판(盤坂).
[盤覈 반핵] 자세히 캐어 물음.
[盤互 반호] 반아(盤牙).
[盤弧 반호] 고신씨(高辛氏)의 개의 이름.
[盤瓠 반호] 남만(南蠻)의 시조(始祖).
[盤桓 반환] ㉠머뭇거려 멀리 떠나지 아니하는 모양. ㉡뜻을 결정하지 못하고 머뭇거리는 모양. ㉢광대(廣大)한 모양.
[盤回 반회] 빙 돎.
[盤詰 반힐] 반핵(盤覈).
◉鍵盤. 骨盤. 屈盤. 基盤. 碁盤. 羅針盤. 落盤. 路盤. 露盤. 銅盤. 磨盤. 算盤. 石盤. 旋盤. 星盤. 素盤. 水盤. 承露盤. 麗盤. 縈盤. 五辛盤. 玉盤. 渦盤. 紆盤. 鬱盤. 圓盤. 遊盤. 銀盤. 音盤. 潛盤. 篆盤. 折盤. 終盤. 彫盤. 澡盤. 周誥殷盤. 地盤. 燭盤. 春盤. 層盤. 鍼盤. 擢盤. 胎盤. 香盤. 吸盤.

10 ⑮ [盙] 〔포〕 餔(食部 七畫〈p. 2576〉)의 籒文

11 ⑯ [盬] 고 ㊥虞 果五切 gǔ

字解 그릇 고 '一, 器也'《說文》.
字源 形聲. 缶+皿+古〔音〕

11 ⑯ [盬] 기 ㊦未 其旣切 ㊦寘 去吏切 jì

字解 ①그릇이름 기 그릇 이름. '一, 器名'《集韻》. ②짐승이름 기 짐승 이름. '一, 居一, 獸名, 似蝟而赤尾'《廣韻》.

11 ⑯ [盥] 관 ㊦翰 古玩切 guàn ㊤旱 古滿切

字解 ①대야 관 세숫대야. '爰潔其一'《金史》. ②씻을 관 손 따위를 씻음. '一櫛'. '雞初鳴, 咸一漱'《禮記》.
字源 甲骨文 金文 篆文 會意. 臼+水+皿. '臼구'는 양손을 본뜬 것. '皿명'은 접시의 象形. 양손에 물을 받아 씻다, '대야'의 뜻을 나타냄.

[盥洗 관세] 손과 발을 씻음.
[盥漱 관수] 낯을 씻고 양치질함.
[盥浴 관욕] 손을 씻고 목욕을 함.
[盥櫛 관즐] 낯을 씻고 머리를 빗음.
[盥濯 관탁] 물을 뿌려 닦음.
◉梳盥. 沃盥. 櫛盥. 滌盥. 淸盥. 濯盥.

11 ⑯ [盦] 암 ㊥覃 烏含切 ān

字解 뚜껑 암 그릇의 뚜껑. 복개(覆蓋). '周有交虯一'《博古圖》.
字源 甲骨文 篆文 形聲. 皿+酉+今〔音〕. '今금'은 '函함'과 통하여, '포함하다'의 뜻. 음식물을 담아 두는 뚜껑 있는 그릇의 뜻을 나타냄.

11 ⑯ [盧] 人名 로 ㊥虞 落胡切 lú

筆順

字解 ①밥그릇 로 반기(飯器). ②화로 로 爐(火部 十六畫)와 통용. '形如鍛一'《漢書 註》. ③목로 로 술동이를 놓고 술을 파는 곳. 壚(土部 十六畫)와 통용. '令文君當一'《漢書》. ④검을 로 흑색. '一弓一矢'. '一弓一, 一矢百'《書經》. ⑤눈동자 로 矑(目部 十六畫)와 통용. '玉女無所眺其淸一兮'《漢書》. ⑥개이름 로 색이 검은 전국 시대(戰國時代) 한(韓)나라의 명견(名犬). '韓一'. ⑦창자루 로 창(槍)의 자루. '侏儒扶一'《國語》. ⑧갈대 로 蘆(艸部 十六畫)와 통용. '夫政也者蒲一也'《中庸》. ⑨성 로 성(姓)의 하나.
字源 甲骨文 金文 篆文 籒文 形聲. 皿+盧(盧)〔音〕. '盧로'는 아가리가 작은 항아리의 뜻. 물레를 돌려 만든 '밥통'의 뜻을 나타냄.

[盧弓盧矢 노궁노시] 검은 활과 검은 화살.
[盧橘 노귤] ㉠여름밀감의 일종. ㉡'비파(枇杷)'의 별칭(別稱). ㉢'금귤(金橘)·금감(金柑)'의 별칭.
[盧杞 노기] 당(唐)나라 활주(滑州) 사람. 자(字)는 자량(子良). 덕종(德宗) 때 정승으로서 전횡(專橫)하여 정사(政事)가 대단히 문란하였음.
[盧牟 노모] 둘러쌈. 또, 그 안. 범위(範圍).
[盧文弨 노문초] 청대(淸代)의 경학자(經學者). 자(字)는 소궁(召弓). 저장 성(浙江省) 여요(餘姚) 사람. 건륭(乾隆) 때의 진사(進士)로서 벼슬이 시독학사(侍讀學士)에 이름. 경의(經義)에 통하여 교서(校書)를 잘하였음. 저서에

〈군서습보(羣書拾補)〉·〈의례주소상교(儀禮注疏詳校)〉·〈종산찰기(鐘山札記)〉·〈포경당문집(抱經堂文集)〉 등이 있음.
[盧跗 노부] 노(盧)의 사람인 편작(扁鵲)과 유부(兪跗). 모두 옛날의 명의(名醫)임.
[盧生 노생] ㉠옛날의 신선(神仙)의 이름. ㉡〈침중기(枕中記)〉에 나오는 빈서생(貧書生)의 이름.
[盧生之夢 노생지몽] '한단몽(邯鄲夢)'과 같음.
[盧植 노식] 동한(東漢) 탁(涿) 사람. 자(字)는 자간(子幹). 마융(馬融)의 제자. 영제(靈帝) 때 박사(博士)가 된 후 누천(累遷)하여 벼슬이 상서(尙書)에 이름. 동탁(董卓)이 폐립(廢立)을 하였을 때 아무도 감히 말을 못하였으나, 그만이 홀로 감연(敢然)히 항의(抗議)하다가 파면당하여 은거하였음.
[盧照隣 노조린] 당대(唐代)의 문학자. 자(字)는 승지(昇之). 문장에 능하여 왕발(王勃)·양형(楊炯)·낙빈왕(駱賓王)과 함께 초당(初唐)의 사걸(四傑)이라 일컬음. 풍병(風病)을 오래 앓고 비관한 나머지 영수(潁水)에 투신자살하였음.
「(音譯).
[盧布 노포] 러시아의 화폐 루블(rouble)의 음역
[盧胡 노호] 웃는 소리가 목구멍 사이에 있다는 뜻으로, 입을 벌리고 껄껄 웃음을 이름.
◉鹿盧. 當盧. 都盧. 勃盧. 的盧. 蒲盧. 呼盧. 胡盧.

11 ⑯ [盦] 〔담〕
醓(酉部 九畫〈p.2359〉)과 同字

11 ⑯ [盝] 〔록〕
盝(皿部 八畫〈p.1522〉)과 同字

12 ⑰ [盫] 교 [平]蕭 巨嬌切 qiáo
[字解] ①바리 교 '一, 盂也'《廣韻》. ②밥그릇 교 '椀謂之一'《揚子方言》.

12 ⑰ [盩] 주 ①②[平]尤 張流切 zhōu
③[平]尤 陳留切 chóu
[字解] ①칠 주 끌어당겨 피가 나올 때까지 침. '一, 引擊也'《說文》. ②산굽이 주 산의 굽은 곳. ③뺄 주 抽(手部 五畫)와 뜻이 같음. '涉血一肝'《呂氏春秋》.
[字源] 金文 篆文 會意. 幸(㚔)+攵(攴)+皿(血). '㚔녑'은 수갑의 象形. '攴복'은 '치다'의 뜻. 수갑을 채우고 피가 날 때까지 치다의 뜻을 나타냄.

12 ⑰ [盨] [一] 돈 [平]元 都昆切 dūn
[二] 퇴 [平]灰 都回切
[字解] [一] 바리 돈 바리. '一, 盂也'《廣雅》. [二] 피를마시는데쓰는그릇 퇴 피를 마시는 데 쓰는 그릇. '一, 歃血器'《集韻》.

12 ⑰ [盪] 탕 ①②[上]養 徒朗切 dàng
③④[去]漾 他浪切
蕩
[字解] ①움직일 탕 동요함. 동요시킴. '一舟'. '震一播越'《左傳》. ②씻을 탕 蕩(艸部 十二畫)과 同字. ㉠마음을 깨끗이 함. '一意平心'《漢書》. ㉡물건을 깨끗이 함. '一滌'. ③방종할 탕 방탕함. '放一'. ④성 탕 성(姓)의 하나.
[字源] 篆文 形聲. 皿+湯〔音〕. '湯탕'은 출렁출렁 움직이다의 뜻. 그릇에 물이나 돌을 넣고, 흔들어 움직여서 깨끗이 씻다의 뜻, '움직이다'의 뜻을 나타냄.

[盪擊 탕격] 물이 세차게 부딪침.
[盪口 탕구] 양치질함.
[盪滅 탕멸] 씻어 없앰. 전(轉)하여, 쳐 없앰.
[盪夷 탕이] 토평(討平)함. 토벌하여 평정함.
[盪舟 탕주] ㉠손으로 배를 움직임. ㉡배를 저음.
[盪盪 탕탕] ㉠광대한 모양. ㉡방종한 모양. ㉢법도(法度)가 문란한 모양.
◉跳盪. 騰盪. 滌盪. 洗盪. 敖盪. 融盪. 震盪. 推盪.

12 ⑰ [盨] [一] 수 [上]麌 爽主切 xǔ
[二] 소 [上]語 疎擧切
[字解] [一] 머리에이는그릇 수 물건을 담아 머리에 이어 나르는 그릇. '一, 槓一, 負戴器也'《說文》. [二] 머리에이는그릇 소 [一]과 뜻이 같음.
[字源] 形聲. 皿+須〔音〕

13 ⑱ [盬] 고 [上]麌 公戶切 gǔ
[字解] ①짠못 고 염지(鹽池). '沃饒而近一'《左傳》. ②호렴 고 정제하지 않은 소금. '一鹽'. '鬻一以待戒令'《周禮》. ③무를 고 단단하지 아니함. '器用一惡'《漢書》. ④소홀할 고 경홀(輕忽)함. '王事靡一'《詩經》. ⑤마실 고 들이마심. '一其腦'《左傳》.
[字源] 篆文 形聲. 鹽〈省〉+古〔音〕. '鹽염'은 '소금'의 뜻. '古고'는 '苦고'와 통하여, '쓰다'의 뜻. 간수가 들어 있는 소금의 뜻을 나타냄.

[盬惡 고악] 기명(器皿)이 단단하지 아니함.
[盬鹽 고염] 소금. 식염(食鹽).
◉近盬. 鹽盬. 王事靡盬.

13 ⑱ [盫] 〔해〕
醢(酉部 十畫〈p.2360〉)와 同字

14 ⑲ [盪] [一] 교 [上]巧 古巧切 jiǎo
[二] 륙 [入]屋 力竹切
[字解] [一] ①그릇 교 기구(器具). '一, 器也'《說文》. ②데우는그릇 교 따뜻하게 데우는 그릇. '一, 溫器'《字彙》. ③옹달솥 교 작은 솥. ④휘정거릴 교 저어서 흐리게 함. '一, 一曰, 撓使濁'《集韻》. [二] ①그릇 륙. ②데우는그릇 륙. ③옹달솥 륙. ④휘정거릴 륙.
[字源] 篆文 形聲. 皿+漻〔音〕

15 ⑳ [盭] 려 [去]霽 郎計切 lì
[字解] ①어그러질 려 戾(戶部 四畫)와 同字. '爲人賊一'《漢書》. ②못 려 피부의 딴딴하게 된 곳. '長肘而一'《呂氏春秋》. ③초록색 려 綟(糸部 八畫)와 同字. '諸侯王, 金璽一綬'《漢書》.
[字源] 篆文 會意. 弦〈省〉+盩. '盩주'는 죄인을 때려누이다의 뜻. 벌 받을 짓을 하다, 어그러지다의 뜻을 나타냄.

◉蹊盩.

[蠱] 〔고〕
虫部 十七畫(p. 2038)을 보라.

[鹽] 〔염〕
鹵部 十三畫(p. 2688)을 보라.

24 ㉙ [⿱贛皿] 감 [去]勘 空紺切 kàn

[字解] ①상자 감 상자의 일종. '一, 箱類'《韻會》. ②그릇덮개 감 뚜껑. '一, 器蓋'《增韻》. ③그릇 감 기구(器具). '一, 器也'《玉篇》. ④술잔 감 작은 술잔. '一, 小杯也'《正字通》.

目 (5획) 部
〔눈목부〕

0 ⑤ [目] [中][人] 목 [入]屋 莫六切 mù 

[筆順] 丨 冂 冃 月 目

[字解] ①눈 목 ㉠동물의 시관(視官). '耳一'. ㉡그물 따위의 구멍. '籠一'. '疏一之籠'《急就篇》. ②눈동자 목 안정(眼睛). '懸吾一于東門'《國語》. ③눈짓 목 뜻을 나타내는 눈의 움직임. '國人莫敢言, 道路以一'《國語》. ④눈짓할 목 '范增數一羽擊沛公'《漢書》. ⑤눈여겨볼 목 주시(注視)함. '船人疑其有金一之'《史記》. ⑥일컬을 목 칭(稱)함. '一以豪傑'. '以其一君, 知其爲弟'《穀梁傳》. ⑦조목 목, 세목 목 조건. 세별(細別). '科一'. '請問其一'《論語》. ⑧요목 목 요점(要點). '眼一'. '悉府史之任掌要一而已'《北史》. ⑨이름 목 명칭. '題一'. '名一'. '執四部書一曰, 君讀此畢可言優仕矣'《南史》. ⑩우두머리 목 남을 거느린 사람. '頭一'. ⑪품평 목 우열(優劣)의 평(評). '曹操微時, 常求劭爲己一'《後漢書》. ⑫성 목 성(姓)의 하나.

[字源] 甲骨文  金文  篆文  古文  象形. 사람의 눈의 모양을 본떠, '눈'의 뜻을 나타냄. 눈꺼풀이 덮이어 보호되고 있는 눈의 뜻.

[參考] '目목'을 의부(意符)로 하여, 눈의 움직임이나 상태, 보는 일 등에 관한 문자를 이룸. 부수 이름은 '눈목변'.

[目擊 목격] 눈으로 직접 봄.
[目見 목견] 목격(目擊).
[目見毫末不見其睫 목견호말불견기첩] 자기 눈으로 터럭 끝은 볼 수 있으나, 자기 눈썹은 볼 수 없음. 남의 결점은 잘 볼 수 있으나, 자기 결점은 알지 못함의 비유.
[目耕 목경] 독서(讀書)를 밭갈이에 비유하여 일컫는 말.
[目光 목광] 눈의 광채. 안광(眼光).
[目巧 목교] 목의(目意).
[目今 목금] 현재. 현금(現今).
[目禁 목금] 눈짓하여 못하게 함.
[目機銖鐗 목기수량] 눈대중으로 아주 근소한 무게의 차이를 알아낸다는 뜻으로, 지극히 영리(怜悧)함을 이름.
[目斷 목단] 안력(眼力)이 미치지 아니함. 눈에 보이지 아니함.
[目途 목도] 목표. 목적. 의도(意圖).
[目睹 목도] 목격(目擊).
[目挑心招 목도심초] 목조 심초(目挑心招).
[目覽 목람] 눈으로 봄. 봄. 목시(目視).
[目力 목력] 안력. 시력.
[目禮 목례] 눈짓으로 인사함. 눈을 움직여 경의를 표함.
[目錄 목록] ㉠물건의 이름을 열기(列記)한 것. ㉡책 첫머리에 그 책 중의 제목(題目)을 죽 적어 놓은 것. 목차(目次).
[目論 목론] 겉만 알고 내부를 모르는 천박한 의론. 자기는 모르고 남을 논하는 천박한 의론. 눈은 딴 물건을 보나 자기 눈썹을 보지 못하므로 이름.
[目盲 목맹] 소경.
[目使 목사] 눈짓만으로 사람을 부림. 사람을 천대(賤待)하며 부림.
[目算 목산] ㉠눈대중. 목의(目意). ㉡의도(意圖).
[目攝 목섭] 화를 내어 눈을 부릅뜨고 주의하여 봄.
[目成 목성] 눈짓하여 의사를 통함.
[目笑 목소] 서로 눈짓하며 비웃음.
[目送 목송] 작별한 사람이 멀리 갈 때까지 바라보며 보냄.
[目數 목수] 의도(意圖).
[目視 목시] 눈으로 봄. 봄.
[目食耳視 목식이시] 눈으로 먹고 귀로 보게 함. 단지 의식(衣食)의 외관(外觀)을 꾸며 사치에 흐르는 것을 한탄한 말.
[目語 목어] 눈짓하여 의사를 통함. 안어(眼語).
[目逆而送之 목역이송지] 오는 사람을 바라보고, 또 그가 가는 데도 바라봄.
[目營心匠 목영심장] 눈으로 보아 생각하고 마음속으로 꾸며 봄. 곧, 자기 혼자의 연구.
[目容 목용] 눈매.
[目濡耳染 목유이염] 항상 눈으로 보고 귀로 들어서 그 감화를 받음.
[目意 목의] 눈대중. 목산(目算).
[目眥 목자] 눈초리.
[目眦 목자] 목자(目眥).
[目眦盡裂 목자진열] 눈초리가 모두 째졌다는 뜻으로, 몹시 성내어 눈을 부릅뜬 형용.
[目的 목적] 일을 이루려 하는 목표. 도달하려고 하는 표적(標的).
[目賊 목적] 대만(臺灣)에서의 오적(烏賊), 곧 '오징어'의 일컬음.
[目的論 목적론] ㉠우주의 만유(萬有)는 모두 일정한 목적을 가졌다는 학설. ㉡인생의 최고 목적에 도달하는 경향의 유무에 의하여 선악의 판단을 하는 학설.
[目的意識 목적의식] 자기 행위의 목적에 관한 뚜렷한 자각(自覺).
[目前 목전] 눈앞. 당장.
[目睛 목정] 눈동자. 안정(眼睛).
[目挑心招 목조심초] ㉠눈짓하며 아양을 떨어 남의 마음을 호림. ㉡눈짓으로 지시하고 기세(氣勢)를 부림. 위세(威勢)로써 남을 부림.
[目汁 목즙] 눈물.
[目指 목지] 눈짓하여 지휘함.

[目次 목차] 책 내용 중의 제목(題目)의 차례.
[目睫 목첩] 눈과 속눈썹. 전(轉)하여, 아주 가까운 것의 비유.
[目測 목측] 눈대중으로 거리 같은 것을 잼.
[目標 목표] 눈으로 목적(目的) 삼은 곳을 정한 표(標).
[目下 목하] ㉠눈앞. 목전(目前). ㉡현재. 현금(現今). 목금(目今).
◉綱目. 開目. 曲目. 孔目. 科目. 過目. 課目. 刮目. 巧目. 窮目. 貴耳賤目. 極目. 亂目. 瞠目. 德目. 道路以目. 頭目. 滿目. 盲目. 面目. 名目. 瞑目. 眇目. 美目. 眉目. 反目. 本來面目. 比目. 費目. 飛耳長目. 四目. 肆目. 三綱領七條目. 書目. 細目. 手臂扞頭目. 拭目. 深目. 眼目. 魚目. 演目. 悅目. 要目. 寓目. 隅目. 遊目. 耳目. 人天眼目. 一目. 張目. 絕目. 節目. 除目. 題目. 鳥過目. 眺目. 條目. 拙目. 注目. 衆目. 重足仄目. 指目. 眞面目. 瞋目. 着目. 屬目. 觸目. 囑目. 矚目. 屬耳目. 總目. 聰耳明目. 聚目. 側目. 奪目. 篇目. 閉目. 品目. 睥目. 項目. 炫目. 蒿目. 虎吻鴟目. 黃目. 橫目.

0 ⑤ [罒] 目(前條)이 한 글자의 위에 있을 때의 자체(字體).
筆順 丨 冂 罒 罒

1 ⑥ [肌] 교 ㊤篠 居小切 jiǎo
字解 쌍꺼풀 교 쌍꺼풀 눈. '一, 目重皮'《字彙》.

[見] 〔견〕 部首(p. 2086)를 보라.

2 ⑦ [盯] 정 ㊥庚 直庚切 dīng
字解 똑바로볼 정 직시(直視)함. '眼瞟強一矚'《孟郊》.

[盯聹 정녕] 눈을 크게 뜨고 자세히 봄.

2 ⑦ [𥃦] ━ 간 ㊥元 古恨切 gèn
〓 요 ㊥蕭 於堯切
☰ 안 ㊤潸 語限切 yǎn
字解 ━ 어그러질 간 艮(部首〈p. 1893〉)의 本字. 〓 멀리볼 요 먼 데를 봄. '一, 望遠也'《廣韻》. ☰ 눈 안 眼(目部 六畫〈p. 1539〉)의 古字. '眼, 說文, 目也. 古作一'《集韻》.

2 ⑦ [䀠] ━ 주 ㊥尤 丑鳩切 chōu
〓 교 ㊤篠 居夭切 jiǎo
☰ 요 ㊤巧 於絞切 yǎo
字解 ━ 사팔뜨기 주 '眢, 眣也. …一, 眢或从ㄐ'《說文》. 〓 쌍꺼풀 교 '一, 目重瞼也'《廣韻》. ☰ 움펑눈 요 '窅, 深目也. 或作一'《集韻》.

2 ⑦ [旬] ━ 현 ㊦霰 橫絢切 xuàn
〓 순 ㊥眞 須倫切 xún
字解 ━ 눈짓할 현 눈을 굴려 의사(意思)를 알림. 눈알을 움직여 옆눈질함. 眴(目部 六畫)과 同字. '一, 目搖也'《說文》. 〓 눈아찔할 순 눈이 핑 돌아 어지러움.
字源 金文 篆文 別體 形聲. 目+旬〈省〉[音]. '旬순'은 '돌다'의 뜻. 눈을 돌려 눈짓하다, 눈이 돌아 어지럽다의 뜻을 나타냄.

[具] 〔구〕 八部 六畫(p. 219)을 보라.

3 ⑧ [盱] 우 ㊥虞 況于切 xū
字解 ①쳐다볼 우 치떠봄. '一豫悔'《易經》. ②부릅뜰 우 눈을 크게 뜸. '一衡厲色'《漢書》. ③근심할 우 걱정함. '云何其一'《詩經》. ④성 우 성(姓)의 하나.
字源 金文 篆文 形聲. 目+于(亐)[音]. '亐우'는 '華화'와 통하여, '화려하다'의 뜻. 화려해서 눈을 크게 뜨다의 뜻을 나타냄.

[盱盱 우우] ㉠당황하여 보는 모양. ㉡눈을 부릅뜨는 모양.
[盱衡 우형] 눈을 부릅뜨고 눈썹을 치켜 올림. 성내어 눈을 부릅뜨고 봄.

3 ⑧ [盵] 盱(前條)의 本字

3 ⑧ [盵] 盱(前前條)와 同字

3 ⑧ [盰] 간 ㊤旱 古旱切 gàn
㊦翰 古案切
字解 부릅뜰 간 눈을 크게 뜸. '一目陳兵'《白虎通》.
字源 篆文 形聲. 目+干[音]. '干간'은 '침범하다'의 뜻. 침범하듯이 눈을 크게 뜨다의 뜻을 나타내며, 또 그때의 흰자위의 모양을 나타냄.

◉洵盰. 睢盰.

3 ⑧ [盱] 천 ㊥先 倉先切 qiān
字解 멀리볼 천 보아도 거리가 멀어서 분명치 않은 모양. '靑冥一瞑'《張衡》.

3 ⑧ [䀏] 삼 ㊥咸 所咸切 shān
㊦陷 所鑑切
字解 ①치어다볼 삼 주시(注視)함. '一, 瞻見'《廣韻》. ②잠깐볼 삼 잠시 봄.

3 ⑧ [眆] 환 ㊦翰 胡玩切 huàn
字解 ①눈동자굴릴 환 눈알을 굴림. '睕一, 轉目'《集韻》. ②눈클 환 큰 눈의 모양. '一, 一曰, 大目皃'《集韻》.

3 ⑧ [直] 中人 ━ 직 ㊇職 除力切 zhí
〓 치 ㊦寘 直吏切 zhì
筆順 一 十 𠂇 冇 有 育 直 直
字解 ━ ①곧을 직 ㉠굽지 아니함. '一線'. '蓬生麻中, 不扶自一'《史記》. ㉡바름. '正一'. '一哉史魚'《論語》. ②바로잡을 직 ㉠잘못된 것을

바르게 함. '枉己者, 未有能一人者也'《孟子》. ㉡원죄(冤罪)를 바르게 다스림. '公獨爲—其冤'《韓愈》. ③곧게할 직 굽은 것을 폄. '枉尺而—尋'《孟子》. ④대할 직 마주 대함. '主人立于阼階下, —東序西面'《儀禮》. ⑤맞을 직 상당함. '馬各—其算'《禮記》. ⑥번들 직 입직(入直)함. '入—殿中'《晉書》. ⑦번 직 당직. 숙직. '宿—'. '候其上—'《晉書》. ⑧겨우 직 근근이. '—不百步耳'《孟子》. ⑨바로 직 ㉠곧. '—使送之'《戰國策》. ㉡중간에 매개를 두지 않고. '—接'. ⑩일부러 직 고의로. '—墜其履圯下'《史記》. ⑪성 직 성(姓)의 하나. 二 ①값 치 가격. '—錢'. '食雞羹, 何不還他價—也'《北史》. ②삯 치 임금. 품삯. '受若一, 怠若事'《柳宗元》. ③세 치 임대료. '應與雇舍—'《法苑珠林》. ④당할 치 닥쳐오는 때나 일에 직면함. '—夜潰圍'《史記》.

字源 篆文 直 古文 㮨 象形. 위에 주술(呪術)의 표 '十십'을 한 눈. 《說文》에서는 十+目+乚의 會意로 보고, 열 사람의 눈이 보니 피할 수가 없다의 뜻이라 설명함. 똑바로 쳐다보다의 뜻을 나타내며, 일반적으로 '곧다'의 뜻을 나타냄. 또, 똑바로 쳐다본다는 데서, 정면으로 맞서다의 뜻도 있음.

參考 直(次條)은 俗字.

[直角 직각] 서로 수직(垂直)인 두 직선이 이룬 각(角). 90도의 각.
[直覺 직각] 추리(推理) 또는 경험에 의하지 않고 직접(直接) 앎.
[直諫 직간] 곧은 말로 기탄없이 간(諫)함.
[直感 직감] 설명이나 사색을 기다리지 않고 사물의 진상(眞相)을 곧 마음으로 느껴서 앎.
[直講 직강] ㉠당대(唐代)와 송초(宋初)에 국자감(國子監)에 속한 벼슬. 경서(經書)를 강수(講授)하는 일을 맡았음. ㉡조선조(朝鮮朝) 때 성균관(成均館)의 정오품(正五品) 벼슬.
[直徑 직경] 원(圓)이나 구(球)에서 그 중심을 통하여 겉까지 건너지른 직선(直線). 지름.
[直系 직계] 곧게 이어 내려간 혈통(血統), 또는 계통(系統). 방계(傍系)의 대(對).
[直告 직고] 바른대로 고하여 바침.
[直觀 직관] ㉠직각(直覺). ㉡감관(感官)에 의하여 직접 외물(外物)의 지식을 얻음.
[直躬證父 직궁증부] 궁(躬)이란 사람이 너무 정직하여 양을 훔친 아버지를 관가(官家)에 일러바쳤다는 고사(故事)에서 나온 말로, 너무 정도에 지나치게 정직함은 도리어 정도(正道)에 어긋남을 이름.
[直答 직답] ㉠직접으로 바르게 하는 대답. ㉡바로 대답함. 즉답(卽答).
[直道 직도] ㉠곧게 통하는 도로. 곧은길. 직로(直路). ㉡바른길. 올바른 도리. 정도(正道).
[直讀 직독] 원문(原文)대로 읽음.
[直突 직돌] 곧은 굴뚝.
[直諒 직량] 정직하고 성실함.
[直隸 직례] 조정(朝廷) 또는 정부에 직접 예속(隸屬)됨.
[直路 직로] 곧은길.
[直流 직류] ㉠곧게 흐르는 물줄기. ㉡항상 일정한 방향으로 흐르는 전류.
[直立 직립] ㉠꼿꼿이 섬. ㉡우뚝 솟음. 또, 그 높이.
[直方大 직방대] 정직(正直)·방정(方正)·거대(巨大)의 세 가지로서 지도(地道)의 순덕(純德). 전(轉)하여, 군자(君子)의 유순(柔順)의 덕(德).
[直北 직북] 똑바른 북쪽. 정북(正北).
[直不疑 직불의] 한(漢)나라 남양(南陽) 사람. 문제(文帝) 때 낭(郞)이 된 후 누천(累遷)하여 경제(景帝) 때 벼슬이 어사대부(御史大夫)에 이르고 새후(塞侯)에 봉후(封侯)되었음. 성품이 관후(寬厚)하여 장자(長者)라 일컬었음.
[直射 직사] ㉠광선(光線)이 정면(正面)으로 비침. ㉡활·총(銃) 등을 바로 대고 쏨.
[直上 직상] ㉠바로 그 위. ㉡곧게 올라감. 쏜살같이 올라감.
[直敍 직서] 직접적으로 서술(敍述)함.
[直線 직선] ㉠곧은 줄. ㉡두 점(點) 사이의 가장 짧은 선(線).
[直說 직설] 바른대로 말함. 사실(事實)대로 말함.
[直屬 직속] 직접 예속됨.
[直孫 직손] 직계(直系)의 자손.
[直率 직솔] 솔직함.
[直視 직시] 똑바로 봄.
[直臣 직신] 강직(剛直)한 신하.
[直心 직심] 정직한 마음. 곧은 마음.
[直言 직언] 기탄(忌憚)없이 사실대로 바로 말함. 또, 바른말. 곧은 말.
[直言骨鯁 직언골경] 바른말을 기탄없이 하는 일.
[直如絃死道邊 직여현사도변] 곧은 사람은 세상에 용납되지 않음을 이름.
[直譯 직역] 외국 글을 그 원문(原文)의 문구(文句)대로 번역함. 의역(意譯)의 대(對).
[直營 직영] 직접 경영(經營)함.
[直往 직왕] ㉠서슴지 않고 곧장 감. ㉡똑바로 감. 직진(直進).
[直柔 직유] 정직하고 유순함.
[直議 직의] 직언(直言).
[直人 직인] 옳지 못한 사람을 바르게 함.
[直日 직일] 당직(當直) 날. 번 드는 날.
[直入 직입] 곧장 들어감.
[直壯曲老 직장곡로] 사리(事理)가 바르면 사기(士氣)가 떨치고, 사리가 바르지 않으면 사기가 죽음.
[直腸漢 직장한] 곧은 사람. 직정경행(直情徑行)하는 사람.
[直裁 직재] ㉠바로 결재함. ㉡친히 결재함.
[直前 직전] ㉠주저하지 아니하고 바로 앞으로 나감. ㉡똑바로 나감. ㉢바로 앞. 목전(目前).
[直錢 직전] 맞돈. 현금.
[直截 직절] 머뭇거리지 아니하고 바로 재결(裁決)함.
[直節虛心 직절허심] 곧은 마디와 빈 속. 대〔竹〕의 형용.
[直接 직접] 중간에 매개(媒介)를 통하지 아니하고 바로 연락되는 관계. 간접(間接)의 대(對).
[直接稅 직접세] 부담자에게서 직접 받아들이는 세금. 재산세(財産稅)·지세(地稅) 따위. 간접세(間接稅)의 대(對).
[直情 직정] 곧은 성정(性情).
[直情徑行 직정경행] 자기가 생각하는 바를 바로 행하여 예법(禮法)을 돌보지 아니함.
[直走 직주] 곧장 달림.
[直指 직지] ㉠곧음. 바름. ㉡바른 마음씨. ㉢곧 감. ㉣바로 향(向)함. ㉤곧 가리킴. ㉥도둑을 체포하는 벼슬.
[直指使者 직지사자] 직지(直指) ㉥.
[直進 직진] 직전(直前) ㉠㉡.

[直裰 직철] 수를 놓지 아니한 옷.
[直出 직출] 곧 나감.
[直致 직치] 꾸미지 아니한 것의 정취(情趣).
[直通 직통] 두 지점 사이에 지장이나 중계 없이 바로 통함.
[直筆 직필] ㉠사실대로 기록하는 일. ㉡붓을 꼿꼿이 잡고 글씨를 쓰는 필법(筆法).
[直下 직하] ㉠바로 그 아래. ㉡곧게 내려감. ㉢바로. 곧장.
[直學士 직학사] 송대(宋代)의 벼슬 이름. 한림원(翰林院)의 학사(學士)로서 아직 열력(閱歷)이 얕은 사람.
[直轄 직할] 직접 관할(管轄)함. 직접 지배함.
[直航 직항] 《韓》 배가 중간(中間)에 있는 항구(港口)에 들르지 않고 바로 목적지(目的地)로 감.
[直行 직행] ㉠자기 생각대로 행함. 직정경행(直情徑行). ㉡곧은 행위. 바른 행동. ㉢《韓》 중도에서 쉬지 않고 곧장 감.
[直後 직후] 무슨 일이 있은 곧 그 뒤.
[直錢 치전] 값.
◉價直. 簡直. 敢直. 剛直. 強直. 彊直. 堅直. 勁直. 硬直. 鯁直. 曲直. 狂直. 謹直. 器直. 訥直. 端直. 當直. 戇直. 動靜虛直. 蕎直. 朴直. 樸直. 半直. 方直. 司直. 誠直. 疏直. 率直. 垂直. 宿直. 純直. 繩直. 時直. 實直. 安直. 訐直. 亮直. 廉直. 愚直. 遺直. 日直. 切直. 正直. 貞直. 朝直. 準直. 中直. 質直. 賤直. 淸直. 峭直. 忠直. 平直. 伉直. 抗直. 香煙直.

3⑧ [直] 直(前條)의 俗字

3⑧ [盲] [高人] 맹 [平]庚 武庚切 máng 

[筆順] 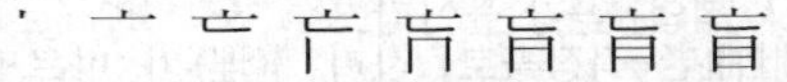

[字解] ①먼눈 맹, 장님 맹 눈이 멂. 소경. '—瞽'. '—者, 目形存而無能見也'《淮南子》. ②어두울 맹 밝지 아니함. '—忘'. '天大風晦—'《呂氏春秋》. ③빠를 맹 바람이 빠름. '—風'. '仲秋之月, —風至'《禮記》.
[字源] 篆文 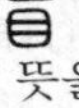 形聲. 目+亡(亾)〔音〕. '亾망'은 '없어지다'의 뜻. 눈동자가 없어지다, '장님'의 뜻을 나타냄.

[盲瞽 맹고] 소경. 맹인(盲人).
[盲管 맹관] 한쪽이 막혀 있는 관.
[盲貫銃創 맹관총창] 박힌 탄알이 그냥 들어 있는 채 아문 상처.
[盲龜浮木 맹귀부목] 눈이 먼 거북이 우연히 물에 뜬 나무를 잡는다는 뜻으로, 뜻밖의 행운이 돌아옴의 비유.
[盲聾 맹롱] 소경과 귀머거리.
[盲忘 맹망] 마음이 흐려 잘 잊음. 혼망(昏忘).
[盲目 맹목] 맹인(盲人).
[盲啞 맹아] 장님과 벙어리.
[盲瘖 맹음] 맹아(盲啞).
[盲人 맹인] 소경. 장님. 판수.
[盲人騎瞎馬夜半臨深池 맹인기할마야반임심지] 소경이 외눈박이 말을 타고 캄캄한 밤에 깊은 못가에 간다는 뜻으로, 대단히 위험함의 비유.
[盲者 맹자] 맹인(盲人).
[盲者丹靑 맹자단청] 《韓》 '소경 단청(丹靑) 구경'과 같은 뜻으로, 보아 알지도 못하는 것을 아는 체함을 이름.
[盲者失杖 맹자실장] 의지가지가 없게 됨의 비유.
[盲者正門 맹자정문] 우매(愚昧)한 사람이 우연히 이치(理致)에 맞는 일을 함을 이름.
[盲腸 맹장] 대장(大腸)의 일부분으로 소장(小腸)이 이어진 곳에 작게 내민 부분. 그 위치는 우편 하복부(下腹部).
[盲腸炎 맹장염] 맹장(盲腸)에 염증(炎症)이 생기어 오른쪽 아랫배가 몹시 아픈 병.
[盲從 맹종] 덮어놓고 남이 시키는 대로 따라감.
[盲風 맹풍] 가을에 몹시 부는 바람. 전(轉)하여, 거센 바람. 질풍(疾風).
◉鷄盲. 群盲. 聾盲. 問道於盲. 文盲. 色盲. 闇盲. 夜盲. 佯盲. 一盲引衆盲. 衆盲. 靑盲. 偏盲. 昏盲. 晦盲.

3⑧ [导] 〔애〕 㝵(寸部 五畫〈p. 603〉)의 譌字

4⑨ [県] 〔현〕 縣(糸部 十畫〈p. 1763〉)의 略字

4⑨ [𥄉] 교 [平]蕭 古堯切 jiāo
[字解] 목베어달 교 목을 베어 거꾸로 닮. '—, 到首也'《說文》.
[字源] 指事. '首수'를 거꾸로 하여, 목을 베어 거꾸로 달다의 뜻을 나타냄.

4⑨ [眄] 전 [平]先 亭年切 tián 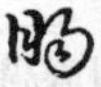
[字解] 눈알굴릴 전 눈동자를 돌리며 봄. '人產三月而徹—, 然後能有見'《大戴禮》.

4⑨ [盻] 혜 [去]霽 胡計切 xì 
[字解] ①흘길 혜 노려봄. '使民——然'《孟子》. ②돌아볼 혜 뒤돌아봄. '芥千金而不—'《孔稚圭》.
[字源] 篆文 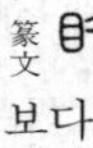 形聲. 目+兮〔音〕. '兮혜'는 '鬩혁'과 통하여, 원망하여 다투다의 뜻. 원망하여 보다의 뜻을 나타냄.

[盻盻 혜혜] 눈을 흘기는 모양. 일설(一說)에는, 근고(勤苦)하는 모양. 너무 일하여 가쁜 모양.

4⑨ [苜] [一] 말 [入]曷 莫撥切 mò [二] 절 [入]屑 徒結切 [三] 멸 [入]屑 莫結切
[字解] [一] 사팔뜨기 말 눈의 모양이 바르지 않음. '—, 目不正也'《說文》. [二] 사팔뜨기 절 [一]과 뜻이 같음. [三] 사팔뜨기 멸 [一]과 뜻이 같음.
[字源] 象形. 눈썹을 괴이(怪異)하게 표현한 눈의 상형.

4⑨ [盼] [人名] 반 [去]諫 匹莧切 pàn 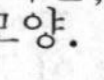
[字解] ①예쁠 반 눈의 검은자위와 흰자위가 분명(分明)하며 예쁜 모양. '美目—兮'《詩經》. ②눈반 시관(視官). '轉—白雨如傾盆'《李白》. ③결눈질할 반 눈알을 돌려 봄. '語卿且莫—'《古詩》.

④성 반 성(姓)의 하나.
[字源] 篆文 形聲. 目+分〔音〕. '分분'은 '나누어지다'의 뜻. 눈의 흰자위와 검은자위가 분명하게 나뉘어 있어 예쁘다의 뜻을 나타냄.

◉顧盼. 美盼. 流盼. 恩盼. 睇盼. 淸盼. 齒盼.

4 ⑨ [眂] 시 [上]紙 常利切 shì

[字解] 볼 시, 보일 시 視(見部 五畫)와 同字. '王一治朝, 則贊聽政'《周禮》.
[字源] 金文 篆文 形聲. 目+氏〔音〕. '氏씨'는 눈이 멀게 하다의 뜻. 눈이 멀 정도로 눈을 쓰다, 주의하여 보다의 뜻을 나타냄.

4 ⑨ [眄] [人名] 면 [去]霰 莫甸切 miàn [上]銑 彌殄切 miǎn

[字解] ①곁눈질할 면 곁눈으로 봄. '一視'. '一庭柯以怡顏'《陶潛》. ②돌아볼 면 돌봄. '慈一如子'《晉書》. ③흘길 면 눈동자를 옆으로 굴려 노려봄. '按劍相一'《史記》.
[字源] 篆文 形聲. 目+丏〔音〕. '丏면'은 '덮다, 가리다'의 뜻. 눈이 가려져서 보이지 않다, 탈을 쓴 채 곁눈질하여 보다의 뜻을 나타냄.

[眄睞 면래] ㉠눈동자를 굴리는 모양. 뒤돌아보는 모양. ㉡은우(恩遇). 은고(恩顧).
[眄眄 면면] ㉠곁눈질하는 모양. ㉡슬기가 없는 모양.
[眄視 면시] 곁눈질함.
[眄睨 면예] 면시(眄視).
◉顧眄. 渥眄. 仰眄. 要眄. 右顧左眄. 流眄. 遊眄. 恩眄. 長眄. 佇眄. 睇眄. 幻眄.

4 ⑨ [⿱目廾] 〔구〕 具(八部 六畫〈p. 218〉)의 本字

4 ⑨ [眘] 〔멱〕 覓(見部 四畫〈p. 2088〉)의 訛字

4 ⑨ [⿰目卆] 〔수〕 睟(目部 八畫〈p. 1543〉)의 俗字

4 ⑨ [眅] 판 [上]潸 普板切 pān

[字解] 흰자위많을 판 눈에 흰자위가 많은 모양.
[字源] 篆文 形聲. 目+反〔音〕. '反반'은 '돌아가다'의 뜻. 눈을 굴려 노려보다, 또, 그때의 흰자위의 모양을 나타냄.

4 ⑨ [眇] 묘 [上]篠 亡沼切 miǎo

[字解] ①애꾸눈 묘 한쪽 눈이 멀거나 작은 눈. 척안(隻眼). '一目'. '一能視, 跛能履'《易經》. ②외눈질할 묘 한쪽 눈을 지그시 하고 봄. 외눈으로 봄. '離婁一目於毫分'《漢書》. ③작을 묘 크지 아니함. '朕以一身護保宗廟'《漢書》. ④멀 묘 요원함. '藏其身也, 不厭深一而已矣'《莊子》. ⑤다할 묘 빠짐없이 미침. '仁一天下'《荀子》.
[字源] 篆文 會意. 目+少. '少소'는 '작다'의 뜻. 한 눈이 작아 보이지 않다, '애꾸눈'의 뜻을 나타냄. 파생하여, '작다'의 뜻을 나타냄.

[眇軀 묘구] 묘신(眇身).
[眇漠 묘막] 멀고 아득한 모양.
[眇末 묘말] 묘신(眇身).
[眇目 묘목] 애꾸눈.
[眇眇 묘묘] ㉠미소(微小)한 모양. 대단히 작은 모양. ㉡눈이 흐린 모양. ㉢먼 모양.
[眇眇忽忽 묘묘홀홀] 흐려서 분별하기 어려운 모양.
[眇小 묘소] 키가 작음. 단소(短小).
[眇視跛履 묘시파리] 애꾸눈이 잘 보려 하고 절름발이가 먼 데를 가려고 한다는 뜻으로, 역량과 덕이 부족한 사람이 자기 분수에 넘치는 큰일을 하려다가 도리어 화를 당함의 비유로 쓰임.
[眇身 묘신] 작은 몸. 자기의 겸칭(謙稱).
[眇然 묘연] ㉠작은 모양. 잔 모양. ㉡먼 모양.
[眇跛 묘파] 애꾸눈과 절름발이.
[眇風 묘풍] 쇠퇴(衰頹)한 풍속.
[眇忽 묘홀] ㉠극히 적은 수. ㉡묘묘홀홀(眇眇忽忽).
◉杳眇. 微眇. 要眇. 窅眇. 腰眇. 幼眇. 幽眇. 至眇. 沖眇. 瞟眇. 縹眇. 飄眇. 玄眇. 鴻眇. 幻眇.

4 ⑨ [眈] [人名] 탐 [平]覃 丁含切 dān

[字解] ①노려볼 탐 범이 노려보는 모양. '虎視一一'(耽耽은 잘못임)《易經》. ②으늑할 탐 심수(深邃)한 모양. '一一帝宇'《左思》.
[字源] 篆文 形聲. 目+冘〔音〕. '冘침'은 '가라앉다, 열중하다'의 뜻. 열중하여 보다의 뜻을 나타냄.

[眈眈 탐탐] ㉠노려보는 모양. ㉡으늑한 모양. 심수(深邃)한 모양.

4 ⑨ [眊] 모 [去]號 莫報切 mào

[字解] ①흐릴 모 ㉠눈이 밝지 아니함. 눈에 정기가 없음. '眸子一焉'《孟子》. ㉡시력이 어두움. '年耆目一'《漢書》. ㉢정신이 흐림. '憒一不知所爲'《漢書》. ②늙은이 모 耄(老部 四畫)와 同字. '哀夫老一'《漢書》.
[字源] 篆文 形聲. 目+毛〔音〕. '毛모'는 '근소하다'의 뜻. 눈이 흐려 어둡다의 뜻을 나타냄.

[眊悼 모도] 노인과 어린아이.
[眊眊 모모] 어두운 모양.
[眊悖 모패] 도리(道理)에 어두워 어지러움.
[眊眩 모현] 눈이 어두워짐.
◉憒眊. 老眊. 聾眊. 眸眊. 昏眊. 惽眊.

4 ⑨ [眛] [一] 매 [去]隊 莫佩切 mèi [二] 물 [入]物 文拂切 wù

[字解] [一] 새벽 매 '一昕'은 새벽. 날이 밝을 녘. '一昕寤而仰思'《班固》. [二] 어두울 물 밝지 아니함. '飄寂寥以荒一'《劉歆》.
[字源] 篆文 形聲. 目+勿〔音〕

[眛昕 매흔] 새벽. 날이 밝을 녘.

◉荒眊.

4 ⑨ [旺] [一] 왈 [入]曷 鳥括切 wò
[二] 완 [上]旱 鄔管切
[三] 내 [去]卦 女夬切 nài

[字解] [一] 눈도려낼 왈 '一, 搯目也'《說文》. [二] 눈도려낼 완 [一]과 뜻이 같음. [三] 눈나쁠 내 '睚一'는 눈이 좋지 않음. '一, 睚一, 目惡'《集韻》.
[字源] 會意. 目+叉

4 ⑨ [眃] 운 [平]文 王分切 yún

[字解] 눈어두울 운 '眩一'는 시력이 밝지 않은 모양.
[字源] 形聲. 目+云〔音〕. '云운'은 '구름'의 뜻. 눈에 구름이 낀 것처럼 분명하지 않은 모양.

4 ⑨ [眏] [一] 결 [入]屑 古穴切 jué
[二] 혈 [入]屑 呼決切 xuè

[字解] [一] ①안질 결 눈병으로 눈물을 흘림. '一, 目患'《廣韻》. ②눈매고울 결 눈이 아름다움. ③움펑눈 결 쑥 들어간 눈. [二] ①눈휘둥그레볼 혈 놀란 눈으로 봄. 瞲(目部 十二畫)과 同字. ②흘깃흘깃볼 혈.
[字源] 篆文 形聲. 目+夬〔音〕. '夬결'은 이지러지다, 움푹 들어가다의 뜻. 움푹 들어간 눈의 뜻을 나타냄.

4 ⑨ [明] 〔명〕
明(日部 四畫〈p. 974〉)과 同字
[字源] 形聲. 目+明〈省〉〔音〕. 눈으로 분명하게 보다의 뜻을 나타냄.

4 ⑨ [相] [中人] 상 ①②[平]陽 息良切 xiāng
③-⑮[去]漾 息亮切 xiàng

[筆順] 一 十 才 木 相 相 相 相

[字解] ①서로 상 같이. '一當'. '一互'. '二氣感應以一與'《易經》. ②바탕 상 질(質). '金玉其一'《詩經》. ③볼 상 ㉠관찰함. 시찰함. '一鼠有體'《禮記》. ㉡점(占)·상(相) 같은 것을 봄. '觀一'. '能一人'《左傳》. ④도울 상 보좌함. '輔一'. '一定公'《朱熹》. ⑤다스릴 상 통치함. '楚所一'《左傳》. ⑥가릴 상 선택함. '上春一筮'《周禮》. ⑦용모 상 사람의 상모·골격. 전(轉)하여, 널리 사물의 상태·형세. '人一'. '家一'. '地一'. '眞一'. '無如季一'《史記》. ⑧접대원 상 손님을 접대하는 사람. '朝覲會同, 則爲上一'《周禮》. ⑨인도자 상 안내자. '猶瞽之無一與'《禮記》. '焉用彼一矣'《論語》. ⑩가신 상 주인을 도와 가사(家事)를 맡아보는 가신(家臣). 우리나라의 청지기 같은 것. '士不名家一長妾'《禮記》. ⑪정승 상 승상. '宰一'. '一國'. '命一布德和令'《禮記》. ⑫정승될 상 재상이 됨. '一齊'. '惡日生而一齊'《宋書》. ⑬방아타령 상 절구질할 때 공이의 소리에 맞추어 부르는 노래. '舂者不一杵'《史記》. ⑭악기이름 상 음악의 가락을 맞추는 악기. '治亂以一'《禮記》. ⑮성 상 성(姓)의 하나.
[字源] 甲骨文 金文 篆文 會意. 目+木. 나무의 모습을 보다의 뜻에서, 일반적으로, 사물의 모습을 보다의 뜻을 나타냄.

[相家 상가] 상문(相門).
[相距 상거] 서로 떨어져 있는 사이. 두 곳의 거리(距離).
[相格 상격] 사람의 얼굴 생김새.
[相隔 상격] 서로 떨어져 있음.
[相激 상격] 서로 부딪침.
[相見 상견] 서로 봄. 만남.
[相考 상고] 서로 견주어 고찰함.
[相工 상공] 상인(相人).
[相公 상공] ㉠재상(宰相)의 경칭(敬稱). ㉡나이가 젊고 신분(身分)이 있는 사람의 경칭.
[相關 상관] ㉠서로 관계(關係)가 있음. ㉡《韓》 서로 관계함. ㉢《韓》 남녀(男女)가 교합(交合)함.
[相國 상국] 백관(百官)의 장(長). 진시황(秦始皇)이 여불위(呂不韋)를 임용한 데서 시작됨. 처음에는 승상(丞相)보다 높았으나 후세에는 승상도 상국이라 일컬어 마침내 재상(宰相)의 통칭이 됨.
[相君 상군] 재상(宰相)의 경칭(敬稱). 상공(相公).
[相剋 상극] ㉠오행설(五行說)에서 목(木)은 토(土)를, 토(土)는 수(水)를, 수(水)는 화(火)를, 화(火)는 금(金)을, 금(金)은 목(木)을 이김을 이름. 상생(相生)의 대(對). ㉡《韓》 서로 화합하지 못하여 늘 충돌함.
[相器 상기] 재상(宰相)의 그릇. 재상이 될 국량(局量).
[相談 상담] 서로 의론함.
[相當 상당] ㉠알맞음. 어울림. ㉡힘이 서로 같음. ㉢꼭 맞음. 적당함.
[相待 상대] ㉠서로 접대함. ㉡자타(自他)가 의지하여 존립(存立)함.
[相對 상대] ㉠서로 대함. 마주 대함. 짝을 이룸. ㉡서로 관계를 가짐. 서로 관계를 가지고 있어서 한쪽만으로는 존재하지 못함. 절대(絕對)의 대(對).
[相對者 상대자] 이 사람에게 대(對)하는 저 사람. 맞은편. 저쪽.
[相得 상득] 서로 마음이 맞음.
[相等 상등] 서로 비슷함.
[相輪 상륜] 《佛敎》 불탑(佛塔) 꼭대기의 수연(水煙) 바로 밑에 있는 청동으로 만든 아홉 층의 원륜(圓輪). 구륜(九輪).
[相輪塔 상륜탑] 상륜(相輪)을 올린 탑. 그 속에 경권(經卷)을 넣어 둠.
[相馬失之瘦 상마실지수] 말의 양부(良否)를 분간(分揀)하는 데 왕왕(往往) 살이 빠진 것을 탓하여 감별(鑑別)을 그르침.
[相望 상망] 재상(宰相)이 될 만한 명망(名望).
[相望之地 상망지지] 거리(距離)가 가까운 땅.

[相輪塔]

[相貌 상모] 용모(容貌).
[相門 상문] 재상(宰相)이 되는 가문. 상가(相家).
[相撲 상박] ㉠서로 침. ㉡씨름.
[相反 상반] 서로 반대(反對)가 됨.
[相半 상반] 서로 반(半)씩 됨.
[相伴 상반] ㉠서로 짝함. ㉡주빈(主賓)의 상대가 되어 같이 대접을 받는 일. 또, 그 사람. 배식

(陪食). 반식(伴食).
[相法 상법] 관상(觀相)하는 법.
[相逢 상봉] 서로 만남.
[相府 상부] 재상(宰相)의 관사(官舍).
[相似 상사] 서로 비슷함.
[相思 상사] 서로 사모함. 서로 그리워함.
[相思馬 상사마] 발정(發情)을 하여 성질(性質)이 사나워진 수말.
[相思樹 상사수] 콩과에 속하는 상록 교목(常綠喬木). 노란 꽃이 핌.
[相思字 상사자] 서로 사모하는 정을 적어 보내는 「글.
[相生 상생] 오행설(五行說)에 목(木)에서 화(火)가, 화(火)에서 토(土)가, 토(土)에서 금(金)이, 금(金)에서 수(水)가, 수(水)에서 목(木)이 생(生)함을 이름. 상극(相剋)의 대(對).
[相生之理 상생지리] 상생(相生)의 이치(理致).
[相鼠 상서] 쥐를 봄을 빙자(憑藉)하여 사람의 무례(無禮)를 나무란 시경(詩經)에 실린 시.
[相鼠有皮 상서유피] 예절(禮節)을 모르는 사람을 비난(非難)하는 말.
[相續 상속] ㉠이어받음. ㉡법정(法定)의 원인에 따른 전인(前人)의 권리 의무의 계승. 호주 상속과 재산 상속의 두 가지가 있음. ㉢《佛教》현상(現象)은 유전(流轉)하나 실상(實相)은 그대로 이어 내려가는 일.
[相殺 상쇄] 셈을 서로 비김.
[相術 상술] 관상(觀相)하는 술법.
[相勝相負 상승상부] 승부의 수가 서로 같음.
[相識 상식] 서로 아는 사이. 아는 사람. 상지(常知).
[相室 상실] 재상(宰相) 또는 권신(權臣)의 집.
[相愛 상애] 서로 사랑함.
[相約 상약] 서로 약속(約束)함.
[相羊 상양] 이리저리 오르락내리락하며 거닒. 배회(徘徊). 상양(徜徉).
[相徉 상양] 상양(相羊).
[相讓 상양] 서로 사양함.
[相於 상어] 서로 친함.
[相沿 상연] 오랫동안 행(行)함.
[相月 상월] 음력 7월의 별칭(別稱).
[相位 상위] 재상(宰相)의 지위.
[相違 상위] 서로 어긋남. 서로 틀림.
[相應 상응] ㉠서로 균형이 잡힘. 서로 어울림. ㉡꼭 맞음. 적합함. 상당(相當).
[相議 상의] 서로 의논(議論)함.
[相異 상이] 서로 다름.
[相人 상인] 상(相)을 보는 사람. 관상쟁이.
[相印 상인] 재상(宰相)의 인장.
[相刺 상자] 서로 찌름.
[相者 상자] ㉠회동(會同) 같은 것의 예식(禮式)을 행할 때 주인을 돕는 사람. ㉡관상(觀相)쟁이. 상인(相人).
[相斫書 상작서] ㉠전쟁하는 방술(方術)을 적은 책. 병서(兵書). ㉡전쟁의 기록. 전기(戰記). 또, 좌전(左傳)의 별칭(別稱).
[相才 상재] 재상(宰相)이 될 만한 재질(才質). 재상 재목.
[相爭 상쟁] 서로 다툼.
[相傳 상전] 서로 전함. 대대로 이어 전함.
[相接 상접] 서로 한데 닿음.
[相從 상종] 서로 친(親)하게 지냄.
[相坐之法 상좌지법] 연좌(連坐)하는 법률. 한 사람이 죄가 있으면 그 가족 또는 그 일족(一族)을 처벌하는 법. 연좌법(連坐法).
[相知 상지] 상식(相識).
[相持 상지] 서로 버팀.
[相値 상치] 《韓》두 가지 일이 공교롭게 마주침.
[相通 상통] 서로 통(通)함.
[相學 상학] 인상(人相)을 연구하는 학문.
[相合 상합] 서로 맞음. 서로 부합(符合)함.
[相形 상형] 상모(相貌).
[相互 상호] ㉠피차가 서로. ㉡번갈아.
[相好 상호] ㉠《佛教》용모. 인상(人相). ㉡《佛教》정의(情誼). 친분. ㉢서로 친함.
[相換 상환] 서로 바꿈.
◉家相. 卿相. 計相. 骨相. 公相. 觀相. 交相. 國亂思良相. 國相. 貴相. 金骨相. 奇相. 吉相. 內相. 面相. 名相. 妙相. 反相. 伴食宰相. 白衣宰相. 法相. 輔相. 福相. 傅相. 佛相. 貧相. 擯相. 死相. 山中宰相. 相門有相. 色相. 瑞相. 世相. 手相. 守相. 首相. 丞相. 實相. 亞相. 惡相. 樣相. 愚相. 異相. 人相. 印相. 眥相. 將相. 宰相. 諸相. 眞相. 出將入相. 台相. 皮相. 險相. 賢相. 血相. 形相. 好相. 勳相.

4 ⑨ [盾] 人名 ■ 순 ㊤軫 倉尹切 shǔn / ■ 돈 ㊤阮 徒損切 dùn

筆順 一 厂 厂 户 斤 盾 盾 盾

字解 ■ 방패 순 시석(矢石)을 막는 무기. '甲—'. '矛—'. '龍—之合'《詩經》. ■ 사람이름 돈 '趙—'은 전국 시대(戰國時代)의 진(晉)나라 고관(高官). '趙—弑其君'《左傳》.

字源 篆文 象形. 몸을 지키고 눈을 가리는 방패를 본떠, '방패'의 뜻을 나타냄.

[盾戈 순과] 방패와 쌍날 창.
◉甲盾. 贙盾. 矛盾. 擁盾. 龍盾. 圓盾. 中盾. 鐵盾. 脅盾.

4 ⑨ [省] 中·人 ■ 성 ㊤梗 息井切 xǐng / ■ 생 ㊤梗 所景切 shěng

筆順 丨 小 少 少 省 省 省 省

字解 ■ ①살필 성 ㉠살펴봄. 주의하여 알아봄. '—察'. '—方觀民'《易經》. ㉡안부(安否)를 물어 알아봄. '歸—'. '昏定而晨—'《禮記》. ㉢위문(慰問)함. '—其疾痛'《尹文子》. ㉣자기 몸을 돌보아 살핌. '反—'. '吾日三—吾身'《論語》. ②깨달을 성 회오(會悟)함. '忽大—日'《宋史》. ③명심(明審)할 성 분명하고 자세함. '實僞之辨, 如此其—也'《列子》. ④마을 성 관아의 이름. '中書—'. '官司之別, 曰—, 曰臺'《唐書》. ⑤대궐 성 궁전. '帝姊長公主, 共養—中'《漢書》. ⑥성 성 중국의 지방 행정상의 구획. 원대(元代)에 천하(天下)를 열로 구획하여 행성(行省)을 둔 데서 비롯함. 청대(淸代)에는 본토(本土)에 십팔성(十八省), 그 밖에 사성(四省)을 두었음. '山西—'. '直—設總督'《大淸會典》. ■ ①덜 생 감함. 또는 간략히 함. '—減'. '—略'. '貶食—用'《左傳》. ②허물 생, 재앙 생 眚(目部 五畫)과 통용. '肆大—'《公羊傳》.

字源 甲骨文 金文 篆文 古文 形聲. 目＋生〔音〕. '生생'은 '淸청'과 통하여, '맑다'의 뜻. 자세히 보다, 시찰하는 관

청의 뜻을 나타냄. '덜다'의 뜻은 目+少와 같은 문자가 따로 있었음에도 불구하고, 본래, '眚'으로 써야 할 자형을 古文처럼 '𥄉'으로 쓰고, 다시 '省'이라 잘못 쓴 데서 생긴 혼란에 말미암은 것임.

[省減 생감] 덞. 감함.
[省略 생략] ㉠덞. 줄임. ㉡허투루 말함.
[省文 생문] ㉠약자(略字). ㉡생략한 문장. 약문.
[省事 생사] 일을 손쉽게 해치움.
[省約 생약] 줄임. 간략히 함.
[省易 생이] 생략하여 간편하게 함.
[省畫 생획] 글자의 획을 생략함.
[省覺 성각] 반성하여 깨달음.
[省鑒 성감] 곰곰이 반성함.
[省改 성개] 반성하여 잘못을 고침.
[省墓 성묘] 조상의 산소에 참배함.
[省問 성문] 찾아가 안부를 물음. 방문(訪問)함.
[省分 성분] 속어(俗語)로서 지방(地方)을 이름.
[省寺 성사] 마을. 관아(官衙).
[省城 성성] 성정부(省政府)의 소재지.
[省寺 성시] 성사(省寺).
[省視 성시] 살펴봄. 자세히 조사함.
[省試 성시] 당대(唐代)에 지방(地方)에서 행한 인재(人材) 등용 시험.
[省審 성심] 자세히 조사함.
[省悟 성오] 반성하여 자기의 잘못을 깨달음.
[省垣 성원] ㉠성시(省寺). ㉡성성(省城).
[省闈 성위] 대궐 안. 성중(省中).
[省中 성중] ㉠대궐 안. 궁중(宮中). 금중(禁中). ㉡마을. 관아(官衙).
[省察 성찰] ㉠살펴봄. ㉡자기의 언행을 반성하여 「봄.
[省楸 성추] 성묘(省墓).
[省親 성친] 귀성(歸省)함.
[省會 성회] 성성(省城).
◉簡省. 減省. 儉省. 蠲省. 顧省. 官省. 宮省. 歸省. 禁省. 內省. 猛省. 默省. 反省. 刪省. 三省. 損省. 修省. 巡省. 術省. 飾省. 晨省. 深省. 掖省. 略省. 人事不省. 自省. 展省. 節省. 定省. 停省. 存省. 澄省. 飭省. 學省.

4 ⑨ [眉] 高·人 미 ㉾支 武悲切 méi

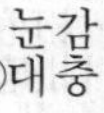

筆順 ㇕ 𠃌 𠃍 尸 尸 屑 眉 眉

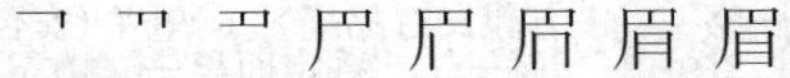

字解 ①눈썹 미 눈두덩 위의 털. '一目'. ②가미 가장자리. '居井之一'《漢書》. ③성 미 성(姓)의 하나.

字源 甲骨文 金文 篆文 象形. 눈 위에 있는 털을 본떠, '눈썹'의 뜻을 나타냄.

[眉間 미간] 눈썹과 눈썹의 사이. 양미간(兩眉間).
[眉急 미급] 위험이 절박함을 이름. 초미지급(焦眉之急).
[眉黛 미대] 눈썹을 그리는 먹.
[眉來眼去 미래안거] 미목 전정(眉目傳情).
[眉目 미목] ㉠눈썹과 눈. ㉡얼굴. 용모. ㉢아주 가까움. ㉣체재(體裁).
[眉目秀麗 미목수려] 얼굴이 뛰어나게 아름다움.
[眉目如畫 미목여화] 미목이 수려함. 용모가 아름다움.
[眉目傳情 미목전정] 말로 하기 거북할 때 눈썹과 눈을 움직여 의사를 전함. 눈짓하여 알림.
[眉斧 미부] 미인의 눈썹. 미인을 보면 색이 움직이며 여색은 사람의 생명을 빼앗으므로 도끼에 비유한 것임.
[眉山 미산] 쓰촨 성(四川省)에 있는 현(縣).
[眉雪 미설] 흰 눈썹. 백미(白眉).
[眉壽 미수] 눈썹이 세고 길어지도록 오래 사는 일. 장수(長壽).
[眉語 미어] 눈썹을 움직여 의사를 전달함.
[眉宇 미우] ㉠눈썹 언저리. ㉡용모. 미목(眉目).
[眉月 미월] 초승달.
[眉尖 미첨] 눈썹 끝.
[眉睫 미첩] ㉠눈썹과 속눈썹. ㉡지극히 가까운 거리. 또, 아주 가까운 곳. ㉢상(相)을 보는 데 아주 중요한 곳.
◉開眉. 擧案齊眉. 曲眉. 廣眉. 黛眉. 彎眉. 俛眉. 墨眉. 龐眉. 白眉. 顰眉. 霜眉. 舒眉. 雪眉. 纖眉. 細眉. 秀眉. 修眉. 愁眉. 鬚眉. 伸眉. 新月眉. 雙眉. 蛾眉. 兩眉. 揚眉. 連眉. 列眉. 斂眉. 遠山眉. 爲婦畫眉. 柳眉. 長眉. 低眉. 赤眉. 展眉. 井眉. 芝眉. 直眉. 啼眉. 蹙眉. 翠眉. 豪眉. 畫眉.

4 ⑨ [看] 中·人 간 ㉾寒 苦寒切 kān ㊀翰 苦旰切 kàn

筆順 一 二 三 手 矛 看 看 看

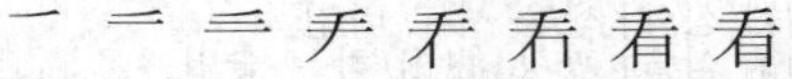

字解 ①볼 간 ㉠바라봄. '一伺空隙'《吳志》. ㉡자세히 봄. '眼一人盡醉'《王維》. ②뵐 간 귀성(歸省)함. '一父母'. '火急歸家一父'《搜神記》. ③지킬 간 감시함. '一守'. '每處一監四名'《典故紀聞》. ④대접 간 대우. '猶作布衣一'《高適》.

字源 篆文 會意. 手+目. 손을 이마에 대어, 햇빛을 가리고 보다의 뜻을 나타냄.

[看看 간간] ㉠주의하여 보는 모양. ㉡어느덧.
[看監 간감] 감옥(監獄)을 지키는 사람.
[看客 간객] ㉠관람자. 구경꾼. ㉡독자(讀者).
[看檢 간검] 보살피어 검사(檢查)함.
[看經 간경] 《佛教》 경문(經文)을 봄. 경을 읽음. 독경(讀經).
[看過 간과] ㉠그냥 보기만 하고 내버려 둠. 눈감아 줌. ㉡보는 중에 빠뜨리고 넘어감. ㉢대충 봄. 죽 읽음.
[看官 간관] 간객(看客).
[看劇 간극] 연극을 구경함.
[看樓打樓 간루타루] 적(敵)이 망루(望樓)를 지으면 이편에서도 망루를 짓는다는 뜻으로, 남을 모방(模倣)함을 이름.
[看病 간병] 환자를 간호함.
[看山 간산] ㉠묏자리를 잡으려고 산(山)을 봄. ㉡성묘(省墓).
[看殺 간살] ㉠봄. 살(殺)은 조자(助字). ㉡뭇사람의 시선의 초점이 되어 그 때문에 신경이 피로하여 병을 얻어 죽음.
[看書 간서] 책을 봄.
[看守 간수] ㉠번(番)을 듦. 또, 번(番). ㉡보살피고 지킴.
[看役 간역] 역사(役事)를 보살핌.
[看月會 간월회] 추석(秋夕)날 밤에 달을 구경하는 모임.
[看做 간주] 그렇다고 여김.
[看朱成碧 간주성벽] 심란하여 현기증(眩氣症)이

나서 오색(五色)을 분별하지 못함.
[看重 간중] 중시(重視)함. 존경함.
[看疾 간질] 간병(看病).
[看破 간파] 속내를 환하게 알아냄.
[看板 간판] 《韓》 상호(商號) 또는 직업 등을 써서 내거는 표지(標識).
[看護 간호] 병상자(病傷者)를 살피어 돌봄.
[看花 간화] 꽃을 완상(玩賞)함.
◉慣看. 登看. 細看. 愁看. 熟看. 愛看. 臥看. 傳看. 坐看. 參看. 探看. 貪看. 好看. 回看.

4 ⑨ [曶] ㊀ 홀 ㉧月 呼骨切 ㊁ 매 ㉥隊 莫佩切 mèi

字解 ㊀ 급히볼 홀 급히 보는 모양. '一, 急視貌'《篇海》. ㊁ 볼 매 봄.

[冒] 〔모〕 冂部 七畫(p.223)을 보라.

5 ⑩ [眎] 시 ㉥寘 常利切 shì

字解 볼 시, 보일 시 視(見部 五畫)의 古字. '一于冥冥, 聽于無聲'《文子》. '以一羌虜'《漢書》.
字源 形聲. 目+示〔音〕

5 ⑩ [眕] 진 ㉤軫 章忍切 zhěn

字解 진중할 진 참고 견디어 겉에 드러내지 않는 모양. '憾而能一者鮮矣'《左傳》.
字源 篆文 形聲. 目+㐱〔音〕. '㐱진'은 '집중하다'의 뜻. 한 점을 뚫어지게 본 채, 원한을 감추고 있는 눈길의 뜻에서, '참다, 견디다'의 뜻을 나타냄.

5 ⑩ [眓] 혈 ㉧屑 呼決切 xuè

字解 놀라볼 혈 깜짝 놀라며 봄. 눈을 휘둥그렇게 하고 봄. '仡欺猥以鵰一'《王延壽》.

◉鵰眓.

5 ⑩ [眙] ㊀ 치 ㉥寘 丑吏切 chì ㊁ 이 ㉦支 與之切 yí

字解 ㊀ ①눈여겨볼 치 응시(凝視)함. '目一不禁'《史記》. ②부릅떠볼 치 깜짝 놀라 눈을 휘둥그렇게 하고 봄. '猶愕一而不能階'《班固》. ㊁ 땅이름 이 '盱一'는 장쑤 성(江蘇省)에 있는 지명(地名).
字源 篆文 形聲. 目+台〔音〕. '台이·태'는 '止지'와 통하여, 머무르게 하다의 뜻. 시선을 한 점에 멈추고 보다, 직시(直視)하다의 뜻을 나타냄.

[眙駭 치해] 깜짝 놀라 눈을 휘둥그렇게 하고 봄.
◉瞠眙. 目眙. 竦眙. 愕眙. 盱眙. 瞪眙.

5 ⑩ [眛] 매 ㉥隊 莫佩切 mèi

字解 흐릴 매 눈이 잘 보이지 아니함. '目不別五色之章爲一'《左傳》.
字源 篆文 形聲. 目+未〔音〕. '未미'는 '昧매'와 통하여, '어둡다'의 뜻. 눈이 어둡다의 뜻을 나타냄.

◉愚眛.

5 ⑩ [眜] 말 ㉧曷 莫撥切 mò

字解 흐릴 말 눈이 잘 보이지 아니함.
字源 篆文 形聲. 目+末〔音〕. '末말'은 '끝'의 뜻. 물건의 보이지 않는 맨 끝 부분의 뜻에서, '어둡다'의 뜻을 나타냄.

5 ⑩ [眠] 中·人 면 ㉦先 莫賢切 mián

筆順 丨 ∏ 目 目ᄀ 目ᄀ 眂 眠 眠

字解 ①잘 면 수면을 취함. '一食'. '竟夕不一'《後漢書》. ②쉴 면 누워 쉼. '一羊臥鹿'《宋史》. ③시들 면 초목이 시들어 처짐. '漢苑有柳, 如人形, 一日三一三起'《三輔故事》. ④잠 면 수면(睡眠). '江楓漁火對愁一'《張繼》. ⑤성 면 성(姓)의 하나.
字源 形聲. 目+民〔音〕. '瞑명'의 俗字. '瞑'의 끝음이 변화함에 따라, 음부(音符)가 '民민'으로 바뀜.

[眠牀 면상] 침대(寢臺). 와상(臥牀).
[眠睡 면수] 잠. 수면(睡眠).
[眠食 면식] ㉠잠자는 일과 먹는 일. 수면과 식사. 침식(寢食). ㉡사람의 일상(日常)의 기거(起居).
◉假眠. 甘眠. 酣眠. 高眠. 露眠. 冬眠. 不眠. 睡眠. 愁眠. 熟眠. 失眠. 安眠. 永眠. 午眠. 長眠. 長夜眠. 阡眠. 芊眠. 催眠. 春眠. 醉眠. 快眠. 惰眠. 偸眠. 眩眠. 休眠.

5 ⑩ [眣] 순 ㉥震 舒閏切 shùn

字解 눈짓할 순 눈을 움직여 의사를 전달함. '一晉大夫'《公羊傳》.

5 ⑩ [眩] 人名 ㊀ 현 ㉥霰 黃絢切 xuàn ㊁ 환 ㉥諫 胡辦切 huàn

筆順 丨 ∏ 目 目' 目亠 眩 眩 眩

字解 ㊀ ①아찔할 현 현기증이 남. '瞑一'. '目一則溺死'《博物志》. ②현혹할 현 미혹(迷惑)함. '一于名實'《漢書》. ③현혹하게할 현 전항(前項)의 타동사. '慾一之也'《新論》. ④어두울 현 환하지 않음. '照物而不一'《淮南子》. ⑤돌 현 선회함. '旋一滑汨'《柳宗元》. ㊁ 요술 환 幻(幺部 一畫)과 同字. '善一人'《史記》.
字源 篆文 形聲. 目+玄〔音〕. '玄현'은 '어둡다, 희미하다'의 뜻. 아찔하다, 시력이 희미하다, 현혹하게 하다의 뜻을 나타냄.

[眩氣 현기] 눈이 아찔아찔하고 머리가 어지러운 기운.
[眩瞑 현명] 현기증(眩氣症). 명현(瞑眩).
[眩目 현목] 눈이 아찔아찔함. 또, 눈이 아찔아찔하게 함.
[眩瞀 현무] 현기증이 남.
[眩泯 현민] 현기증이 남.
[眩燿 현요] 눈이 부시도록 빛남.

[眩疾 현질] 현기가 나는 병. 어질병.
[眩惑 현혹] 공연히 욕심이 나서 눈이 어두움. 홀림에 빠져 미혹(迷惑)함.
[眩晃 현황] 눈부시도록 환히 비침.
[眩暈 현훈] 현기(眩氣).
[眩人 환인] 마술사(魔術師).
◉驚眩. 苦眩. 瞑眩. 眊眩. 旋眩. 耀眩. 銀河眩. 震眩. 吐眩. 汗眩. 譁眩.

5 ⑩ [眐] 정 [平]庚 諸盈切 zhēng 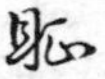

[字解] 홀로볼 정 '――'은 혼자 보는 모양. 쓸쓸한 모양.

[眐眐 정정] 자해(字解)를 보라.

5 ⑩ [眑] [一] 요 [上]巧 於絞切 ǎo
[二] 유 [上]有 於糾切 yǎo

[字解] [一] 움펑눈 요 깊숙이 들어간 눈. [二] 깊을 유 심원(深遠)한 모양. '淸思――'《漢書》.

[眑眑 유유] 깊은 모양. 심원(深遠)한 모양.

5 ⑩ [眦] 〔제·자〉
眥(目部 五畫〈p. 1538〉)와 同字

5 ⑩ [眡] [一] 저 [平]齊 都奚切 shì
[二] 시 [上]紙 承矢切 shì

[字解] [一] 볼 저 보는 모양. '―, 視也'《廣韻》. [二] ①견줄 시 비교함. '食齊―春時'《周禮》. ②볼 시 視(見部 五畫)의 古字. '―優聽苦, 澄心循物'《陸機》.

[字源] 視의 古文  形聲. 目+氏〔音〕

5 ⑩ [眇] 묘 [上]巧 莫飽切 mǎo

[字解] 흘겨볼 묘 '睒―'는 눈을 흘겨봄. '睒―, 邪視'《集韻》.

5 ⑩ [眝] 저 [上]語 直呂切 zhù

[字解] ①부릅뜰 저 눈을 크게 뜸. '―美目其何望'《陸機》. ②눈여겨볼 저 오래 응시(凝視)함. '―, 長眙也'《說文》.

[字源] 篆文  形聲. 目+宁〔音〕. '宁저'는 가만히 머무르게 하다의 뜻. 응시하다의 뜻을 나타냄.

5 ⑩ [眗] 구 [去]遇 九遇切 jù
[平]虞 擧朱切

[字解] 좌우로볼 구 놀라서 보는 모양. '―, 左右視也'《廣韻》.

[字源] 會意. 目+目

5 ⑩ [眗] 구 [上]麌 果羽切 jǔ

[字解] 볼 구 봄. 눈이 휘둥그레져서 봄. '―, 視也'《玉篇》. '瞿, 驚視兒, 或作―'《集韻》.

5 ⑩ [眡] 점 [去]豔 丑豔切 chàn
[平]鹽 丁兼切 diān

[字解] ①엿볼 점 남몰래 봄. 覘(見部 五畫)과 同字. ②내립뜬눈 점 내립떠보는 눈. 내립떠봄. '―, 一曰, 目垂也'《集韻》.

5 ⑩ [眗] [一] 구 [平]虞 擧朱切 jū
[二] 후 [平]尤 墟侯切 kōu

[字解] [一] 휘휘둘러볼 구 놀라서 휘둘러보는 모양. [二] 움펑눈 후 깊은 눈. '―, 埤蒼, 目深兒'《集韻》.

[字源] 形聲. 目+句〔音〕

5 ⑩ [眒] 신 [去]震 試刃切 shēn
[平]眞 失人切

[字解] ①부릅뜰 신 눈을 크게 뜸. '―, 張目也'《集韻》. ②빠를 신 신속함. '鷹犬倏―'《左思》. ③놀랄 신 새나 짐승이 놀라는 모양. '―, 鳥獸驚兒'《廣韻》.

[字源] 形聲. 目+申〔音〕

5 ⑩ [眣] 질 [入]質 丑栗切 dié

[字解] ①사팔뜨기 질 눈동자가 비뚤어진 눈. 또, 그 사람. 사시(斜視). '―, 目不從正也'《說文》. ②퉁방울눈 질 눈이 불거진 모양. '―, 目出兒'《集韻》.

[字源] 甲骨文  篆文  形聲. 目+失〔音〕. '失실'은 잃다, 그르치다의 뜻. 눈이 바로 볼 수 없다, '사팔뜨기'의 뜻을 나타냄.

5 ⑩ [昭] 초 [上]篠 齒紹切 chǎo

[字解] 눈으로희롱할 초 눈짓으로 남을 희롱함. '―, 以目玩人, 謂之―'《集韻》.

5 ⑩ [眑] [一] 말 [入]黠 莫八切 mà
[二] 비 [去]寘 兵媚切 bì

[字解] [一] 노려볼 말 밉게 봄. '獷眼困逾―'《孟郊》. [二] ①쏘아볼 비 직시(直視)함. '―, 直視也'《說文》. ②부끄러워할 비 '山之東西自愧曰恧, 趙魏之閒謂之―'《揚子方言》.

[字源] 篆文  形聲. 目+必〔音〕. '必필'은 '조용하다'의 뜻. '쏘아보다'의 뜻을 나타냄.

5 ⑩ [眨] 잡 [入]洽 側洽切 zhǎ

[字解] 눈깜작일 잡 눈을 깜박임. '字苑云, ―, 目數開閉也'《一切經音義》.

5 ⑩ [眔] 답 [入]合 達合切 dà

[字解] 눈으로뒤쫓을 답 '―, 目相及也'《說文》. '按, 以目尾其後'《說文通訓定聲》.

5 ⑩ [眏] [一] 앙 [平]陽 於郞切 yāng
[二] 영 [去]敬 於慶切 yìng

[字解] [一] 어두울 앙 눈이 잘 보이지 않음. '―, 目不明'《集韻》. [二] 볼 영 보다. '暎, 視也, 或从央'《集韻》.

5 ⑩ [眿] 〔맥〕
眽(目部 六畫〈p. 1540〉)과 同字

5 ⑩ [眞] 中人 진 ㊥眞 側隣切 zhēn 真

筆順

字解 ①참 진 ㉠거짓이 아닌 것. 진짜. '一實'. '帝王自有一也'《後漢書》. ㉡옳은 일. '使一僞毋相亂'《漢書》. ㉢순수. '一者, 精誠之至也'《莊子》. ㉣도교(道敎)의 오묘한 이치. 또, 이 이치를 구명한 사람. '有一人而後一知'《莊子》. ②참으로 진 진실로. '嗚呼一其無馬乎'('一誠'도 같은 뜻)《韓愈》. '一誠知人矣'《韓愈》. ③화상 진 초상(肖像). '必逢佳士亦寫一'《杜甫》. ④해서 진 서체(書體)의 한 가지. '一書'. '筆長不過六寸, 一一, 行二, 草三'《法書攷》. ⑤성 진 성(姓)의 하나.

字源 金文 篆文 古文 會意. 金文에서는 匕+鼎. '匕비'는 수저를 본뜬 것. '鼎정'은 세발솥의 象形. 솥에 숟갈로 물건을 채워 담는 모양에서, 채우다의 뜻을 나타냄. '信신'과 통하여, 속이 꽉 차 있는 진짜, 진실의 뜻을 나타냄. 篆文에서는 匕+目+乚+八의 會意로 변형됨.

參考 真(次條)은 俗字.

[眞假 진가] 진짜와 가짜.
[眞價 진가] 참된 가치.
[眞慤 진각] 성실. 진실(眞實).
[眞箇 진개] 참으로. 정말로.
[眞劍 진검] 진짜 칼. 목검(木劍)·죽도(竹刀)의 대(對).
[眞訣 진결] 참된 도리를 깊이 연구함. 또, 그 일.
[眞景 진경] 실제(實際)의 경치.
[眞境 진경] 신선(神仙) 등이 사는 아주 깨끗한 땅.
[眞空 진공] ㉠《佛敎》 일체의 실상(實相)은 공허(空虛)함. ㉡《佛敎》 사념(邪念)이 전연 없음. ㉢공허한 공간. 공기(空氣)를 없애 버린 공간.
[眞瓜 진과] 참외.
[眞果 진과]《佛敎》 불도(佛道) 수업(修業)의 결과라는 뜻으로, 불도의 진실(眞實)을 깨닫는 일.
[眞君 진군] 진재(眞宰).
[眞金不鍍 진금부도] 순금은 도금(鍍金)할 필요가 없는 것과 마찬가지로, 재주가 비상한 사람은 겉치레를 할 필요가 없음.
[眞德秀 진덕수] 송(宋)나라 사람. 자(字)는 경원(景元). 경원(慶元) 때의 진사(進士)로서 벼슬이 참지정사(參知政事)에 이르렀으며 강직하기로 유명하였음. 주자학파(朱子學派)의 학자로서 학자들이 서산 선생(西山先生)이라 일컬으며, 저서에 〈대학연의(大學衍義)〉·〈독서기(讀書記)〉·〈문장정종(文章正宗)〉·〈서산갑을고(西山甲乙稿)〉·〈서산문집(西山文集)〉 등이 있음.
[眞臘 진랍] 옛날에 지금의 캄보디아에 있었던 나라.
[眞理 진리] ㉠참된 이치. 참된 법칙. ㉡누구에게나 타당하다고 인정되는 지식.
[眞面目 진면목] 참된 면목(面目). 진상(眞相). 실상(實相).
[眞物 진물] 진짜 물건.
[眞味 진미] ㉠참된 맛. ㉡진정(眞正)한 취미.
[眞美善 진미선] 인식상(認識上)의 진(眞)과 심미상(審美上)의 미(美)와 윤리상(倫理上)의 선(善). 이 세 가지를 실현하는 것이 인생의 최고 목적임. 진선미(眞善美).
[眞犯 진범] 어떠한 죄를 저지른 바로 그 사람. 진범인(眞犯人).
[眞本 진본] 진짜 책. 또, 진짜 필적.
[眞否 진부] 참됨과 그렇지 못함.
[眞相 진상] ㉠사물의 참모습. ㉡참된 재상(宰相). 명실(名實)을 갖춘 재상.
[眞想 진상] 참된 마음. 참된 생각.
[眞書 진서] ㉠해서(楷書). 정서(正書). ㉡《韓》 '한문(漢文)'의 구칭(舊稱).
[眞仙 진선] 진인(眞人).
[眞善美 진선미] 진미선(眞美善).
[眞成 진성] 참으로. 진실로.
[眞性 진성] ㉠참된 근본 성품. 천부적(天賦的)인 성질. 천성(天性). ㉡순수한 성질. ㉢《佛敎》 진여(眞如).
[眞誠 진성] ㉠참된 정성(精誠). ㉡참으로.
[眞俗 진속] ㉠승려(僧侶)와 속인(俗人). ㉡진제(眞諦)와 속제(俗諦).
[眞率 진솔] 진실하고 솔직함.
[眞率會 진솔회] 귀천(貴賤)을 묻지 않고 온 순서에 의하여 착석하여 친목을 도모하는 연회.
[眞髓 진수] 사물의 중심 부분에서도 가장 종요로운 부분. 정수(精髓).
[眞是 진시] 진실로. 참으로.
[眞實 진실] ㉠성정(性情)이 바르고 참됨. ㉡거짓이 아님. 참됨.
[眞實無妄 진실무망] 참되고 거짓이 없음.
[眞心 진심] 참된 마음. 성심.
[眞贋 진안] 진짜와 가짜.
[眞言 진언]《佛敎》 불타의 말. 법신(法身)의 말. 밀언(密言). 밀어(密語).
[眞言宗 진언종] 불교 종파(宗派)의 하나. 밀교(密敎)라고도 함. 교조(敎祖)는 대일여래(大日如來).
[眞如 진여]《佛敎》 불법(佛法)의 본체(本體). 불변(不變)·불역(不易)·평등(平等)·절대(絕對)의 진리. 진실하고 변하지 아니하는 절대적인 만유(萬有)의 본성(本性).
[眞茹 진여] 장쑤 성(江蘇省) 상해(上海) 교외(郊外)의 무전 전신대(無電電信臺)가 있는 곳.
[眞如立 진여립] 해서(楷書)는 사람이 선 것처럼 써야 한다는 뜻.
[眞如月 진여월] 진여(眞如)의 이치가 중생(衆生)의 미몽(迷夢)을 깨뜨리는 것이 마치 달이 어두운 곳을 비추는 것과 같다 하여, 진여를 달에 비유하여 이른 말.
[眞影 진영] ㉠참된 모습. ㉡화상(畫像).
[眞吾 진오] 참된 자기. 자기의 진상(眞相). 거짓도 없고 꾸밈도 없는 천연 자연(天然自然)의 본체(本體).
[眞玉 진옥] 진짜의 옥(玉).
[眞源 진원] 허난 성(河南省)에 있는 현(縣). 노자(老子)가 이곳에서 출생하였다 함.
[眞僞 진위] 진실과 허위. 참과 거짓.
[眞儒 진유] 참된 유학자. 학문도 깊고 시세(時勢)도 잘 아는 학자. 군자유(君子儒). 속유(俗儒)·부유(腐儒)의 대(對).
[眞意 진의] 참된 의미(意味).
[眞義 진의] 거짓이 없는 마음. 참뜻.
[眞人 진인] 도교(道敎)의 깊은 진리(眞理)를 깨달은 사람. 전(轉)하여, 도사(道士)의 최고급의 칭호.
[眞字 진자] 점획(點畫)이 바른 글자. 해서(楷書)

로 쓴 글자.
[眞宰 진재] 도교(道教)에서 말하는 우주의 주재자(主宰者). 조물주. 진군(眞君).
[眞迹 진적] 진필(眞筆).
[眞蹟 진적] 진필(眞筆).
[眞詮 진전] 참된 깨달음.
[眞正 진정] 참되고 바름. 거짓이 없음.
[眞情 진정] ㉠거짓이 없는 마음. 성심(誠心). ㉡참된 사정. 실정.
[眞諦 진제] 《佛教》 진실한 이치. 참된 법칙. 출세간(出世間)의 법(法). 속제(俗諦)와 합하여 진속 이제(眞俗二諦)라 함.
[眞宗 진종] 교(教)의 참뜻. 「주.
[眞主 진주] 참으로 군주(君主)의 자격이 있는 군
[眞珠 진주] 패류(貝類)의 체내(體內)에 형성되는 구슬 모양의 분비물의 덩이.
[眞知 진지] ㉠참된 지식. ㉡진인(眞人)의 지식.
[眞智 진지] 《佛教》 진리를 깨달은 지혜. 근본지(根本智).
[眞摯 진지] 아주 진실함.
[眞踐 진천] 실지로 행함. 실천(實踐).
[眞諦 진체] 《佛教》 진제(眞諦).
[眞趣 진취] 참된 멋.
[眞宅 진택] 태허(太虛)의 경역(境域).
[眞品 진품] 위조(僞造)하지 아니한 물품. 진짜.
[眞筆 진필] 손수 쓴 필적(筆蹟). 진적(眞蹟).
[眞海豚 진해돈] 돌고래.
[眞紅 진홍] 새빨간 빛.
[眞況 진황] 실제의 상황.
◉高眞. 九眞. 歸眞. 陶眞. 童眞. 明眞. 迫眞. 保眞. 葆眞. 本眞. 寫眞. 聖眞. 率眞. 淑眞. 純眞. 養眞. 女眞. 玉眞. 應眞. 一眞. 任眞. 全眞. 正眞. 貞眞. 精眞. 質眞. 天眞. 淸眞. 沖眞. 太眞. 逼眞.

5 ⑩ [真] 眞(前條)의 俗字

5 ⑩ [眞] 眞(前前條)의 略字

5 ⑩ [眚] 생 ㊤梗 所景切 shěng

[字解] ①흐릴 생 노쇠하거나 안질 때문에 눈이 흐림. '目一昏花燭穗垂'《范成大》. ②잘못 생 과오. '不以一一掩大德'《左傳》. ③재앙 생 재화. '无一'《易經》. ④덜 생 省(目部 四畫)과 통용. '一禮'《周禮》.
[字源] 篆文 形聲. 目+生〔音〕. '星성'과 통하여 '별'의 뜻. 안구(眼球)에 별이 생기는 병의 뜻을 나타냄. '자세히 보다'의 뜻의 '省성'도 본래는 '眚생'이라 썼으나, '省'이라는 글자가 쓰이게 됨에 따라, '眚'은 '눈병·재난'의 뜻으로 쓰이게 됨.

[眚病 생병] 괴질(怪疾).
[眚災 생재] 과실 또는 재난(災難)에 의하여 범한 죄. 일설(一說)에는, 재앙. 재화. 재생(災眚).
◉无眚. 妖眚. 災眚. 除眚. 天眚.

5 ⑩ [督] 노 [平]虞 農魯切 nǔ

[字解] 눈부릅뜰 노 눈을 부릅뜸. '一, 一目也'《字彙補》.

5 ⑩ [眢] 원 [平]元 於袁切 yuān

[字解] ①먼눈 원, 눈멀 원 맹목(盲目). 또, 소경이 됨. '觀書眼未一'《朱无》. ②우물마를 원 우물이 말라 물이 없음. '目於一井, 而拯之'《左傳》.
[字源] 篆文 形聲. 目+夗〔音〕. '夗원'은 '盌완'과 통하여, 사발처럼 옴폭 패다의 뜻. 눈알이 뽑히어 우묵한 눈, '장님'의 뜻을 나타냄.

[眢井 원정] 물이 마른 우물.

5 ⑩ [眥] [一] 제 [去]霽 在詣切 zì
[二] 자 [平]佳 鉏佳切

[字解] [一] 눈초리 제 눈의 귀 쪽으로 째진 구석. '決一'. '裂一'. '拭一揚眉'《列子》. [二] 흘길 자 노려봄. '睚一之怨必報'《史記》.
[字源] 篆文 形聲. 目+此〔音〕. '此차'는 조금 열리다의 뜻. 눈이 조금 열리기 시작한 부분, '눈초리'의 뜻을 나타냄.
[參考] 眦(目部 五畫)와 同字.

◉決眥. 內眥. 目眥. 拭眥. 雙眥. 匡眥. 睚眥. 裂眥. 銳眥.

5 ⑩ [眘] 〔신〕 愼(心部 十畫〈p. 805〉)의 古字

5 ⑩ [看] 〔간〕 看(目部 四畫〈p. 1534〉)의 俗字

6 ⑪ [眭] [一] 휴 [平]支 許維切 huī
[二] 혜 [去]霽 涓惠切 huī

[字解] [一] 움펑눈 휴 쑥 들어간 눈. [二] ①볼 혜 잘 보는 모양. '一然能視'《淮南子》. ②성 혜 성(姓)의 하나.
[字源] 篆文 形聲. 目+圭〔音〕. '圭규'는 '모가 나다'의 뜻. 또, '窪와'와 통하여, '움푹하다'의 뜻. 모가 난 눈, 움푹 들어간 눈의 뜻을 나타냄.

[眭然 혜연] 잘 보는 모양.

6 ⑪ [眯] 미 ①②㊤薺 莫禮切 mǐ
③[去]寘 蜜二切 mì

[字解] ①눈잘못뜰 미 눈에 티가 들어가서 눈을 잘 못 뜸. '蒙塵而欲無一'《文子》. ②눈잘못뜨게할 미 전항(前項)의 타동사. '播糠一目'《莊子》. ③가위눌릴 미 무서운 꿈에 괴롭힘을 당함. '彼不得夢, 必且數一焉'《莊子》.
[字源] 篆文 形聲. 目+米〔音〕. '米미'는 '迷미'와 통하여, '갈팡거리다'의 뜻. 눈에 티가 들어가 시력이 어지러워지다의 뜻을 나타냄.

6 ⑪ [眲] [一] 액 [入]陌 尼戹切 nè
[二] 이 [去]寘 仍吏切 nè

[字解] [一] 업신여길 액 낮잡아 봄. 얕봄. 경시(輕視)함. '莫不一之'《列子》. [二] 업신여길 이 [一]과 뜻이 같음.

6 ⑪ [眴] [一] 현 [去]霰 許縣切 xuàn
[二] 순 [去]震 舒閏切 shùn

字解 ㊀ ①눈짓할 현 눈을 움직여 의사를 전달함. '項梁—籍'《史記》. ②아찔할 현, 어두울 현 眩(目部 五畫)과 同字. '—兮杳杳'《楚辭》. '—兮窈窕'《史記》. ㊁ 눈깜작할 순 瞬(目部 十二畫)과 同字. '吳人呼瞬目爲—目'《何承天》.
字源 篆文 形聲. 目+旬〔音〕. '旬순'은 '돌다'의 뜻. 눈을 돌려 눈짓하다, 아찔하다의 뜻을 나타냄.

[眴轉 현전] 확실히 보이지 않음.
[眴眴 현현] ㉠유순(柔順)한 모양. ㉡눈이 움직여 잘 보이지 않는 모양.
◉瞑眴. 鱗眴. 顚眴.

6 ⑪ [䀹] ㊀ 협 ㉧洽 古洽切 jiá
㊁ 돈 ㉤阮 丁本切 tǔn
字解 ㊀ ①눈흐릴 협 잘 보이지 아니하는 눈. '—, 眼細暗也'《集韻》. ②애꾸눈 협 '—, 眇也'《集韻》. ③눈깜작일 협 '—, 一曰, 睫動也'《集韻》. ㊁ 눈몽롱할 돈 눈이 개개풀려 졸린 모양. '—, 朦朧欲睡貌'《字彙》.

6 ⑪ [眵] 치 ㉦支 章移切 chī
字解 눈곱 치 눈곱. '兩目—昏頭雪白'《韓愈》.
字源 篆文 形聲. 目+多〔音〕. '多다'는 '많다'의 뜻. 눈에서 많이 나오는 것. '눈곱'의 뜻을 나타냄.

[眵昏 치혼] 눈곱이 끼어 눈이 흐림.

6 ⑪ [眶] 광 ㉦陽 去王切 kuàng
字解 눈자위 광 눈알의 언저리. '眼—'. '—不睫'《列子》.
字源 形聲. 目+匡〔音〕. '匡광'은 '상자'의 뜻. 눈이 박힌 틀, 상자, 곧 '눈자위'의 뜻을 나타냄.

◉高眶. 目眶. 眼眶.

6 ⑪ [䀹] 도 ㉦豪 他刀切 tāo
字解 눈흰자위많을 도 눈에 흰자위가 많음. 또는 눈이 밝지 아니함. '—, 目不明曰—, 一曰, 目通白'《集韻》.

6 ⑪ [眸] 人名 모(무本) ㉦尤 莫浮切 móu
字解 눈동자 모 안정(眼睛). '明—'. '胸中正則—子瞭焉'《孟子》.
字源 篆文 形聲. 目+牟〔音〕. '牟모'는 침범하다, 밀어내다의 뜻. 무엇을 밀쳐 내듯이 하고 보다의 뜻으로, 뜨고 있는 눈알, '눈동자'의 뜻을 나타냄. 일설에는, '牟'가 '目목'과 통하여, '눈'의 뜻을 나타내며, '目목'을 덧붙여, '눈'의 뜻을 분명히 나타낸다고도 함.

[眸子 모자] 눈동자.
[眸前 모전] 눈앞. 목전(目前).
◉明眸. 放眸. 雙眸. 靈眸. 凝眸. 瞋眸. 瞪眸. 淸眸. 秋眸. 昏眸. 橫眸. 黑眸.

6 ⑪ [略] ㊀ 락 ㉧藥 歷各切 luò
㊁ 략 ㉧藥 力灼切
字解 ㊀ ①볼 락 '睩·—, 視也. 東齊曰睩, 吳揚曰—'《揚子方言》. ②곁눈질 락 '—, 眄也'《說文》. ③큰눈 락 '—, 大目'《廣韻》. ㊁ 볼 략, 곁눈질 략, 큰눈 략 ㊀과 뜻이 같음.
字源 形聲. 目+各〔音〕

6 ⑪ [眹] 진 ㉤軫 直引切 zhèn
字解 ①눈동자 진 안정(眼睛). '無目—'《周禮註》. ②조짐 진 빌미. 전조. '吉凶形兆, 謂之兆—'《佩觿集》.
字源 篆文 形聲. 目+关(灷)〔音〕

◉目眹. 兆眹.

6 ⑪ [眱] ㊀ 이 ㉦支 以脂切 yí
㊁ 제 ㉦齊 田黎切 dì
㉥霽 大計切
字解 ㊀ ①흘끔볼 이 훔쳐봄. '—, 小視也'《集韻》. ②곁눈질할 이 '—, 南楚謂眄曰—'《集韻》. ③눈여겨볼 이 말없이 물끄러미 봄. '—, 熟視不言'《廣韻》. ㊁ 흘끔볼 제, 곁눈질할 제, 눈여겨볼 제 ㊀과 뜻이 같음.

6 ⑪ [眺] 人名 조 ㉥嘯 他弔切 tiào
字解 바라볼 조 먼 데를 봄. '—覽'. '可以遠—望'《禮記》. 또, 먼 데를 바라보는 일. 조망, 또는 그 경치. '山河宜晩—'《岑參》.
字源 篆文 形聲. 目+兆〔音〕. '兆조'는 좌우로 나누다의 뜻. 시선을 좌우로 돌려서 먼 데를 보다의 뜻을 나타냄.

[眺覽 조람] 조촉(眺矚).
[眺臨 조림] 내려다봄.
[眺望 조망] 멀리 바라봄. 또, 그 경치.
[眺聽 조청] 보면서 들음. 또, 보는 일과 듣는 일.
[眺矚 조촉] 멀리 바라봄.
◉顧眺. 羈眺. 登眺. 晩眺. 伏眺. 視眺. 野眺. 延眺. 遙眺. 遠眺. 凝眺. 臨眺. 瞻眺. 遐眺. 閑眺. 迥眺.

6 ⑪ [眼] 中·人 안 ㉤潸 五限切 yǎn
筆順 丨 ㄇ 目 目ㄱ 目ㅋ 眼 眼 眼
字解 ①눈 안 ㉠눈알. '—球'. '抉吾—, 縣吳東門之上'《史記》. ㉡눈매. 눈맵시. '—如望羊'《史記》. ㉢눈의 구멍. '纖毫入—'《司馬子》. ㉣바늘 따위의 구멍. '針—'. '砲—'. ㉤보는 일. '彫繢滿—'《南史》. ②볼 안 눈으로 봄. '偸—艶陽天'《杜甫》. ③고동 안 요점(要點). '主—'. '日句法, 日字—'《滄浪詩話》. ④성 안 성(姓)의 하나.
字源 篆文 形聲. 目+艮(皀)〔音〕. '皀흔·안'은 사람의 눈을 강조한 모양을 본떠, '눈'의 뜻. 뒤에, 그 뜻을 분명히 하려고 다시 '目목'을 덧붙임.

[眼角 안각] 눈언저리.

[眼開 안개] ㉠눈이 뜨임. ㉡욕심이 남.
[眼瞼 안검] 눈꺼풀.
[眼境 안경] 안계(眼界).
[眼鏡 안경] 유리 또는 돌알을 박아 눈 위에 쓰는 제구.
[眼界 안계] 눈으로 바라볼 수 있는 범위.
[眼孔 안공] 눈구멍. 전(轉)하여, 식견(識見).
[眼孔大 안공대] 식견이 넓음.
[眼孔小 안공소] 식견이 좁음.
[眼科 안과] 눈병을 고치는 의술.
[眼光 안광] ㉠눈의 빛. 눈의 정기(精氣). 눈망울의 광채(光彩). ㉡안식(眼識).
[眼眶 안광] 눈자위.
[眼光徹紙背 안광철지배] 눈빛이 종이 뒷면까지 비친다는 뜻으로, 독서의 이해력이 예민한 형용.
[眼球 안구] 눈망울.
[眼同 안동] 입회(立會)함. 또, 입회인.
[眼力 안력] ㉠시력(視力). ㉡안식(眼識).
[眼目 안목] ㉠눈. 또, 눈매. ㉡주안(主眼). 요점(要點). ㉢《韓》 사물을 보아서 분별하는 견식(見識).
[眼目所視 안목소시] 남이 보고 있는 터.
[眼病 안병] 안질(眼疾).
[眼鼻莫開 안비막개] 《韓》 일이 썩 바빠서 눈코 뜰 사이가 없음.
[眼生 안생] 눈에 섦. 생소함. 안숙(眼熟)의 대(對).
[眼熟 안숙] 눈에 익음. 안생(眼生)의 대(對).
[眼識 안식] 좋고 나쁜 것을 분별하는 식견. 감정(鑑定)하는 견식.
[眼藥 안약] 눈병을 고치는 약제(藥劑). 안질약(眼疾藥).
[眼語 안어] 말 대신 눈짓을 하여 의사를 통함.
[眼窩 안와] 안구(眼球)가 들어 있는 구멍.
[眼前 안전] 눈앞. 눈으로 보고 있는 현장(現場).
[眼睛 안정] ㉠눈동자. ㉡안구(眼球).
[眼睛上 안정상] 안전(眼前).
[眼珠 안주] 눈망울. 안구(眼球).
[眼中無人 안중무인] 안하무인(眼下無人).
[眼中人 안중인] 서로 아는 사람.
[眼中丁 안중정] 안중정(眼中釘).
[眼中釘 안중정] 눈 안의 못. 눈에 못이 들어가면 대단히 아프므로 해를 끼치는 간악한 사람의 비유로 쓰임.
[眼疾 안질] 눈을 앓는 병. 눈병.
[眼采 안채] 안광(眼光).
[眼聰 안총] 안력(眼力).
[眼波 안파] ㉠여자가 아양 떠는 추파(秋波). ㉡눈매. 눈맵시.
[眼下 안하] ㉠눈의 아래. 눈 밑. ㉡눈앞. 안전(眼前).
[眼下無人 안하무인] 교만하여 남을 멸시(蔑視)하는 일. 곧, 자기 이외에는 사람이 없는 것처럼 구는 일. 방약무인(傍若無人).
[眼花 안화] 눈앞에 불똥 같은 것이 어른어른하는 것.
[眼花耳熱 안화이열] 술에 취하여 눈앞에 불똥 같은 것이 어른어른하고 귀가 훗훗함을 이름.
◉開眼. 客眼. 炬眼. 檢眼. 具眼. 具一隻眼. 近視眼. 近眼. 裸眼. 冷眼. 老眼. 露眼. 綠眼. 淚眼. 單眼. 獨眼. 磨眼. 媚眼. 反眼. 半眼. 榜眼. 白眼. 凡眼. 法眼. 碧眼. 複眼. 佛眼. 象眼. 書眼. 洗眼. 俗眼. 衰眼. 詩眼. 心眼. 雙眼. 鵞眼. 兩眼. 魚眼. 五眼. 龍眼. 雲烟過眼. 遠視眼. 柳眼. 肉眼. 義眼. 一隻眼. 字眼. 慈眼. 點眼. 正眼. 主眼. 只缺點眼. 遮眼. 著眼. 隻眼. 千里眼. 天眼. 天有眼. 青眼. 銃眼. 醉眼. 湯眼. 偸眼. 砲眼. 炯眼. 慧眼. 患眼. 活眼.

6 ⑪ [眽] [一] 맥 [入]陌 莫獲切 mò
[二] 멱 [入]錫 莫狄切 mì 
[字解] [一] ①흘끗볼 맥 몰래 봄. ②물끄러미볼 맥 서로 말없이 보는 모양. '——不得語'《古詩》. [二] 볼 멱 '—隆周之太寧'《漢書》.
[字源] 篆文  形聲. 目+𠂢〔音〕. '𠂢파'는 가늘고 길게 이어지다. 또, 물이 갈라져 흐르다의 뜻. 눈을 가늘게 뜨고 훔쳐보다의 뜻을 나타냄.
[參考] 脉(目部 五畫)은 同字.

[眽眽 맥맥] 서로 물끄러미 보는 모양.

6 ⑪ [眴] 〔견〕 睊(目部 七畫〈p. 1541〉)의 俗字

6 ⑪ [眳] 명 [平]庚 彌幷切 míng
[上]梗 亡井切
[字解] 눈두덩 명 눈썹과 속눈썹 사이. 미첩간(眉睫間). '—藐流眄'《張衡》.
[字源] 形聲. 目+名〔音〕

6 ⑪ [睆] [一] 황 [平]陽 呼光切 huāng
[二] 망 [平]陽 謨郎切
[字解] [一] 눈희미할 황 눈이 밝지 못함. 눈이 어두움. '目——如無所見'《靈樞經》. [二] 눈희미할 망 [一]과 뜻이 같음.

6 ⑪ [眲] 홍 [上]董 虎孔切 hǒng
[字解] 눈희미할 홍 '矇—'은 눈이 잘 보이지 않음.

6 ⑪ [𥆧] [一] 계 [平]齊 牽奚切 jī
[去]霽 詰計切
[二] 휴 [平]齊 戶圭切 xié
[字解] [一] ①엿볼 계, 뚫어지게볼 계 사람을 가리고 엿봄. 또, 주시(注視)함. '—, 蔽人視也. 一曰, 直視也'《說文》. ②성급하게볼 계 '—, 躁視也'《集韻》. ③잘볼 계 '—, 能視也'《廣韻》. [二] ①잘볼 휴 [一]❸과 뜻이 같음. ②뚫어지게볼 휴 '—, 直視也'《集韻》.
[字源] 形聲. 目+幵〔音〕

6 ⑪ [䀏] 𥆧(前條)와 同字

6 ⑪ [眰] 질 ①[入]屑 徒結切 diè
②[入]質 職日切 zhì
[字解] ①눈불거질 질 눈이 쑥 나옴. 또는 눈의 모양이 바르지 못함. '眣, 目出皃, 一曰, 目不正, 一曰, 以目使人也, 或从至'《集韻》. ②볼 질 무엇을 봄. '覫, 視也, 或从目'《集韻》.

6 ⑪ [䀠] 활 ①②[入]黠 荒刮切 huà
③[入]曷 古活切 guā
[字解] ①볼 활 눈으로 봄. '—, 視也'《玉篇》. ②

부릅떠볼 활 성난 눈으로 보는 모양. '一, 埤倉, 一, 怒視皃'《集韻》. ③눈어두울 활 눈이 밝지 않음. '一, 目暗'《集韻》.

6 ⑪ [眮] 동 [平]東 徒紅切 tóng

[字解] ①눈자위 동 눈의 언저리. '一, 目眶'《廣韻》. ②눈알굴릴 동 눈을 이리저리 돌려 봄. '一, 轉目也'《揚子方言》. ③노려볼 동 노려보며 둘러봄. '吳楚謂瞋目顧視曰一'《說文》.

[字源] 篆文 形聲. 目+同〔音〕

6 ⑪ [眗] 교 [上]巧 吉巧切 jiǎo

[字解] 흘겨볼 교 '聊一'는 곁눈질하여 봄. '聊一, 邪視'《集韻》.

6 ⑪ [眩] 해 [平]灰 柯開切 gāi

[字解] ①눈클 해 눈이 큰 모양. '一, 目大皃'《集韻》. ②여럿이볼 해 '一矚, 衆相視貌'《字彙》.

[眩矚 해촉] 여럿이 서로 봄.

6 ⑪ [眷] [人名] 권 [去]霰 居倦切 juàn

[筆順] 丿 八 亼 兰 失 关 关 眷 眷

[字解] ①돌아볼 권 ㉠뒤를 돌아다봄. '一顧'. '乃一西顧'《詩經》. ㉡돌봄. 애호함. '一愛'. '皇天一命'《書經》. ②은혜 권 은고(恩顧). '蒙一累世'《晉書》. ③겨레붙이 권 친족. '一屬'. '裴氏自晉魏以來, 世爲名族, 居燕者, 號東一'《五代史》. ④성 권 성(姓)의 하나.

[字源] 篆文 形聲. 篆文은 目+𢍏〔音〕. '𢍏권'은 '말다'의 뜻. 시선을 도로 말다의 뜻에서, '돌아보다'의 뜻을 나타냄.

[眷嘉 권가] 사랑함. 총애(寵愛)함. 총가(寵嘉).
[眷顧 권고] ㉠뒤돌아봄. ㉡돌보아 줌.
[眷口 권구] 한집안의 식구. 가족.
[眷眷 권권] 못 잊어 뒤돌아보는 모양. 따르는 모양. 사모하는 모양.
[眷寄 권기] 권임(眷任).
[眷戀 권련] 따름. 사모함.
[眷命 권명] 사랑함. 애호함.
[眷庇 권비] 돌보아 보호함.
[眷屬 권속] 겨레붙이. 친족(親族).
[眷率 권솔] 자기에게 딸린 집안 식구.
[眷愛 권애] 돌보아서 사랑함.
[眷焉 권언] 뒤돌아보는 모양.
[眷然 권연] 못 잊어 뒤돌아보는 모양.
[眷佑 권우] 사랑하여 돌보아 줌. 애호하여 도와줌.
[眷遇 권우] 후대(厚待)함.
[眷倚 권의] 사랑하여 의지함.
[眷任 권임] 총애하여 일을 맡김.
[眷注 권주] 은총(恩寵)을 베풂.
[眷矚 권촉] 은혜를 베풂.
◉過眷. 舊眷. 篤眷. 門眷. 殊眷. 宿眷. 宸眷. 深眷. 哀眷. 延眷. 睿眷. 禮眷. 優眷. 隆眷. 恩眷. 昵眷. 佇眷. 朝眷. 天眷. 親眷. 荷眷. 歡眷. 迴眷. 厚眷.

6 ⑪ [眾] 〔중〕 衆(血部 六畫〈p. 2043〉)의 本字

7 ⑫ [睅] 한 [上]潸 戶板切 hàn / [上]旱 下罕切

[字解] 눈불거질 한 눈이 쑥 나와 큰 모양. '一其目'《左傳》.

[字源] 篆文 形聲. 目+旱〔音〕. '旱한'은 '丸환'과 통하여, '둥글다'의 뜻. 크고 둥그렇게 튀어나온 눈의 뜻을 나타냄.

7 ⑫ [睆] 환 [上]潸 戶板切 huǎn

[字解] ①익을 환 열매가 익는 모양. '有一其實'《詩經》. ②밝을 환 별이 밝은 모양. '一彼牽牛'《詩經》. ③고울 환 ㉠아름다운 모양. '華而一, 大夫之簀與'《禮記》. ㉡소리가 맑고 아름다운 모양. '睍一黃鳥'《詩經》. ④바라볼 환 멀리 바라보는 모양. '一一然在纆繳之中'《莊子》.

[字源] 睅의 別體 形聲. 目+完〔音〕

[睆睆 환환] ㉠멀리 바라보는 모양. ㉡아름다운 모양.
◉睍睆. 華睆.

7 ⑫ [睇] 제 [去]霽 特計切 dì

[字解] 흘끗볼 제 곁눈질함. 몰래 봄. '一眄'. '在父母舅姑之所, 不敢一視'《禮記》.

[字源] 篆文 形聲. 目+弟〔音〕. '弟제'는 낮게 드리워지다의 뜻. '곁눈질'의 뜻을 나타냄.

[睇眄 제면] 곁눈질함.
[睇目 제목] 멀리 바라봄.
[睇盼 제반] 눈을 움직임.
[睇視 제시] 제면(睇眄).
[睇睨 제예] 흘겨봄.
◉微睇. 邪睇. 仰睇. 遙睇. 流睇. 含睇.

7 ⑫ [睏] [現] 곤 kùn

[字解] 《現》졸릴 곤, 잠잘 곤, 졸 곤 '當家吃粮呼呼一'《中國歌謠資料》.

7 ⑫ [睘] [一] 훤 [上]阮 火遠切 / [二] 권 [平]先 巨員切 quán / [三] 관 [去]翰 古玩切

[字解] [一] ①크게볼 훤 '一, 大視也'《說文》. ②크게보는모양 훤 '一, 大視皃'《廣韻》. [二] 크게볼 권, 크게보는모양 권 [一]과 뜻이 같음. [三] 큰눈 관 '一, 大目'《集韻》.

[字源] 會意. 大+𥄎

7 ⑫ [睊] 견 [平]先 古玄切 juàn

[字解] 곁눈질할 견 곁눈으로 보는 모양. 흘끗 보는 모양. '一一胥讒'《孟子》.

[字源] 篆文 形聲. 目+肙〔音〕. '肙연'은 가늘게 구불거리게 하다의 뜻. 눈을 옆으로 돌리고 보다의 뜻을 나타냄.

[睊睊 견견] 곁눈질하는 모양. 흘겨보는 모양.

7
⑫ [睋] 아 [平]歌 五何切 é

[字解] 바라볼 아 멀리 봄. '一北阜'《班固》.

7
⑫ [睒] 섬 [上]琰 失冉切 shǎn

[字解] 언뜻볼 섬 睒(目部 八畫)과 통용.
[參考] 睒(次次條)은 別字.

7
⑫ [睃] [一] 준 [去]震 祖峻切 suō(jùn)
[二] 전 [平]先 遵全切 juān

[字解] [一] ①볼 준 '一, 視也'《玉篇》. ②《現》 곁눈질할 준. [二] 사람이름 전 '一, 人名. 漢有魯文王一'《集韻》.

7
⑫ [睫] [一] 첩 [入]葉 卽葉切 jié
[二] 겹 [入]治 訖洽切 jiá

[字解] [一] 속눈썹 첩 눈언저리에 난 털. '忽忽承一'《史記》. [二] 애꾸눈 겹 한쪽이 먼 눈. 또, 한쪽 눈이 멂. '一其一目'《韓非子》. '瞽兩目一'《韓非子》.
[字源] 篆文 形聲. 目+夾〔音〕. '夾협'은 '끼다'의 뜻. 눈을 아래위에서 '끼듯' 하는 '속눈썹'의 뜻을 나타냄.
[參考] 睞(前前條)은 別字.

7
⑫ [睍] [人名] 현 [上]銑 胡典切 xiàn

[字解] ①불거진눈 현 쑥 나온 눈. ②흘끗볼 현 몰래 보는 모양. '低首下心, 伈伈一一'《唐書》. ③고울 현 소리가 맑고 아름다운 모양. '一睆黃鳥'《詩經》.
[字源] 篆文 形聲. 目+見〔音〕. '見견·현'은 드러나 보이다의 뜻. 눈이 쑥 나와 있는 모양을 나타냄.

[睍睍 현현] 흘금흘금 보는 모양. 몰래 보는 모양.
[睍睆 현환] 소리가 맑고 고운 모양.

7
⑫ [睎] 희 [平]微 香衣切 xī

[字解] ①바라볼 희 멀리 봄. '一秦嶺'《班固》. ②사모할 희 존경하여 따름. '一顔之人, 亦顔之徒也'《揚子法言》.
[字源] 篆文 形聲. 目+希〔音〕. '希희'는 '살짝'의 뜻. 살짝 멀리 바라보다의 뜻을 나타냄.

[睎驥之馬 희기지마] 천리마(千里馬)가 되기를 바라는 말.
◉仰睎. 瞻睎. 遐睎.

7
⑫ [脰] 두 [平]尤 當侯切 dōu

[字解] 눈곱 두 눈곱. '一眵, 目汁凝'《玉篇》.

7
⑫ [睄] 효 [平]看 虛交切 xiāo

[字解] 소경 효 장님. 목맹(目盲). '一, 眀瞎也'《字彙》.

7
⑫ [眼] [一] 량 [去]漾 力讓切 liàng
[二] 랑 [上]養 里黨切 lǎng

[字解] [一] ①눈병날 량 안질을 앓음. 또, 눈병. '一, 目病也'《說文》. ②눈비뚤 량 눈이 바르지 않음. '一, 目視不正也'《說文 段注》. [二] 눈밝을 랑 눈이 밝음.
[字源] 篆文 形聲. 目+良〔音〕

7
⑫ [睊] 괵 [入]陌 郭擭切 guó

[字解] 눈감을 괵 눈을 감는 모양. '一, 閉目皃'《集韻》.

7
⑫ [睚] 왕 [平]陽 烏光切 wāng

[字解] 눈물글썽글썽할 왕 '一一'은 울려고 하는 모양. '一一, 目欲泣皃'《集韻》.

7
⑫ [睝] [一] 추 [平]尤 丑鳩切 chōu
[二] 초 [平]看 丑交切
[三] 도 [平]豪 土刀切 tāo

[字解] [一] 사팔뜨기 추 '一, 眣也'《說文》. [二] 사팔뜨기 초 [一]과 뜻이 같음. [三] ①눈어두울 도 '一, 目不明曰一'《集韻》. ②흰자위많을 도 '一, 目通白也'《廣韻》. ③쌍꺼풀 도 '一, 目重瞼也'《字彙補》.
[字源] 形聲. 目+攸〔音〕

7
⑫ [睂] 〔미〕
眉(目部 四畫〈p. 1534〉)의 本字

[着] 〔착〕
羊部 六畫(p. 1798)을 보라.

8
⑬ [睒] 섬 [上]琰 失冉切 shǎn

[字解] ①언뜻볼 섬 별견(瞥見)함. 잠시 봄. '獱獺一睗乎廠空'《郭璞》. ②엿볼 섬 규시(窺視)함. '瞢復一天, 不覿其軫'《太玄經》. ③번갯불 섬 전광(電光). '一睗'. '電炟炟其光一也'《元包經》.
[字源] 篆文 形聲. 目+炎〔音〕. '炎염·담'은 '淡담'과 통하여, '엷다'의 뜻. 잠깐 보다, 엿보다의 뜻을 나타냄.

[睒睗 섬석] ㉠번갯불. ㉡빨리 봄.
[睒睒 섬섬] 번쩍번쩍 빛나는 모양.

8
⑬ [睔] 곤 [上]阮 胡本切 gùn

[字解] 큰눈 곤 커다란 눈. 거안(巨眼). 또, 눈을 부릅뜸.
[字源] 篆文 形聲. 目+侖〔音〕

8
⑬ [睕] 睔(前條)과 同字

8
⑬ [睕] 완 [平]寒 烏丸切 wān

[字解] 눈우묵할 완 눈이 움푹 들어간 모양. '卿目一一, 正耐溺中'《晉書》.

[睕睕 완완] 눈이 움푹 들어간 모양.

8
⑬ [睗] 석 [入]陌 施隻切 shì

[字解] ①번갯불 석 전광(電光). '雷電生睒—'《韓愈》. ②빨리볼 석 급히 봄.

[字源] 金文 篆文 形聲. 目+易〔音〕

◉睒睗.

8
⑬ [睚] 애 [去]卦 五懈切 yá, yái

[字解] ①눈초리 애 눈의 귀 쪽으로 째진 구석. ②흘길 애 흘겨봄. '—眦之怨'. '報—眦怨'《漢書》.

[字源] 篆文 會意. 目+厓. '厓애'는 '물가, 가'의 뜻. '눈초리'의 뜻을 나타내며 파생하여, '흘기다'의 뜻을 나타냄.

[睚眦 애자] ㉠흘겨봄. 전(轉)하여, 썩 작은 원망. ㉡약간의 원한이 있는 사람.
[睚眦之怨 애자지원] 썩 작은 원망.

8
⑬ [睛] [人名] 정 [平]庚 子盈切 jīng

[字解] 눈알 정 안구(眼球). '白—'. '黑—'. '畫龍點—'. '橫—逆視'《吳志》.

[字源] 形聲. 目+青〔音〕. '青청'은 파랗게 맑다의 뜻. 맑은 눈동자의 뜻을 나타냄.

[參考] 睜(次條)과 同字.

◉瞳睛. 方睛. 白睛. 眼睛. 點睛. 畫龍點睛. 橫睛. 黑睛.

8
⑬ [睜] 睛(前條)과 同字

[字源] 形聲. 目+爭〔音〕. '爭쟁'은 아래위에서 서로 당기다의 뜻. 눈을 부릅뜨다의 뜻을 나타냄.

[睜睜 정정] 눈을 부릅뜨고 보는 모양.

8
⑬ [䁈] [一] 계 [去]霽 苦計切 qì
[二] 기 [上]紙 區里切
[三] 도 [上]麌 當古切

[字解] [一] ①돌아볼 계, 볼 계 '—, 省視也'《說文》. '—, 視也'《廣雅》. ②엿볼 계 '—, 窺也'《廣雅》. [二] 돌아볼 기, 볼 기, 엿볼 기 [一]과 뜻이 같음. [三] 사람이름 도 '—, 梁公子名, 仉—'《廣韻》.

[字源] 形聲. 目+启〈省〉〔音〕

8
⑬ [⿱⿰户戈目] 䁈(前條)와 同字

8
⑬ [䵪] [一] 준 [平]眞 章倫切 zhūn
[二] 돈 [平]元 他昆切
[三] 곽 [入]藥 光鑊切 guō

[字解] [一] 둔한눈 준 잘 보이지 않는 눈. '—, 鈍目也'《廣韻》. [二] 어두울 돈 잘 보이지 않음. '—, 視不明'《集韻》. [三] 눈크게뜰 곽 '矌, 目張皃 或作—'《集韻》.

[字源] 形聲. 篆文은 目+臺〔音〕

8
⑬ [睬] [人名] 채 [上]賄 此宰切 cǎi

[字解] 돌이켜볼 채 상대함. '—, 俫—, 俗言也. 詞家多用此字'《字彙補》.

8
⑬ [睞] 래 [去]隊 洛代切 lài

[字解] 곁눈질할 래 곁눈으로 봄. '眄—'. '明眸善—'《曹植》.

[字源] 篆文 形聲. 目+來〔音〕

◉眄睞. 旁睞.

8
⑬ [睟] 수 [去]寘 雖遂切 suì

[字解] ①함치르르할 수 윤이 나는 모양. '—然見於面'《孟子》. ②맑을 수 눈이 청명한 모양. '臨朝凝—'《沈約》. ③순수할 수 조금도 잡것이 섞이지 않음. '—君道也'《太玄經》.

[字源] 形聲. 目+卒〔音〕

[睟然 수연] 함치르르한 모양. 윤이 나는 모양.
[睟容 수용] 온윤(溫潤)한 용모.
[睟表 수표] 수용(睟容).
◉炳睟. 凝睟.

8
⑬ [睡] [高人] 수 [去]寘 是僞切 shuì

[筆順] 目 盯 盰 盽 睅 睉 睡 睡

[字解] ①졸 수 앉거나 서서 잠. '—魔'. '時時—弗聽'《史記》. ②잘 수 취침함. '—臥'. '共君今夜不須—'《賈島》. ③잠 수 전항(前項)의 명사. '破—見茶功'《白居易》.

[字源] 篆文 形聲. 目+垂(𡍮)〔音〕. '𡍮수'는 드리워지다의 뜻. 눈꺼풀이 내려와서 자다의 뜻을 나타냄.

[睡覺 수각] ㉠잠이 깸. ㉡잠. 또는 잠을 잠.
[睡蓮 수련] 수련과에 속하는 다년생 수초(水草). 관상용으로 심음.
[睡魔 수마] 졸음이 오게 하는 마귀(魔鬼). 전(轉)하여, 졸음.
[睡媒 수매] 졸음이 오게 하는 것.
[睡眠 수면] 잠. 또, 잠을 잠.
[睡味 수미] 졸음.
[睡癖 수벽] 잠 잘 자는 버릇.
[睡相 수상] 잠만 잘 자고 정사(政事)를 돌보지 않는 재상(宰相).
[睡熟 수숙] 잠을 잘 잠. 깊이 잠듦. 숙면(熟眠). 숙수(熟睡).
[睡語 수어] 잠꼬대.
[睡餘 수여] 잠이 깬 뒤.
[睡臥 수와] 누워 잠. 면와(眠臥).
[睡車 수차] 침대차(寢臺車).
[睡鄕 수향] 잠잘 때 마음이 가 있는 곳. 꿈나라.
◉假睡. 甘睡. 酣睡. 瞌睡. 美睡. 熟睡. 佯睡. 陽睡. 午睡. 坐睡. 寢睡. 破睡. 疲睡. 鼾睡.

昏睡.

8 ⑬ [睢] ㊀ 수 ㊥支 息遺切 suī ㊁ 휴 ㊥支 許維切 huī

字解 ㊀ ①물이름 수 쓰수이(泗水)로 흘러 들어가는 허난 성(河南省)에 있던 강. 지금은 하도(河道)가 변하여 자취도 없음. '一水'. '出舍于一上'《左傳》. ②성 수 성(姓)의 하나. ㊁ 부릅떠볼 휴 ㉠깜짝 놀라 눈을 휘둥그렇게 하고 봄. '萬衆一一'《漢書》. ㉡성을 내어 사납게 눈을 크게 뜸. '暴戾恣一'《史記》.

字源 篆文 形聲. 目+隹〔音〕

參考 雎(隹部 五畫)는 別字.

[睢水 수수] 자해(字解)㊀을 보라.
[睢陽 수양] 지명(地名). 지금의 허난 성(河南省) 상추 현(商邱縣) 남쪽에 있음. 장순(張巡)이 안녹산(安祿山)의 반군(叛軍)을 막다가 전사한 곳임.
[睢河 수하] 수수(睢水).
[睢剌 휴랄] 어지러운 모양.
[睢盱 휴우] ㉠눈을 부릅뜨고 봄. ㉡소인(小人)이 기뻐하는 모양. ㉢질박(質朴)한 모양. ㉣불분명한 모양.
[睢睢 휴휴] 깜짝 놀라 눈을 휘둥그렇게 하고 봄. 눈을 부릅뜨고 봄.
◉睽睢. 遊睢. 恣睢.

8 ⑬ [睥] 비 ㊦霽 匹詣切 pì

字解 ①흘겨볼 비 ㉠곁눈질함. '一睨天地之閒'《後漢書》. ㉡위세를 부리며 노려봄. '一睨兩宮之閒'《後漢書》. ②엿볼 비 구멍 같은 것을 통하여 들여다봄. '於其孔中一睨非常也'《釋名》. ③성가퀴 비 성 위에 쌓은 낮은 담. '城上垣曰一睨'《釋名》.

字源 形聲. 目+卑〔音〕. '卑비'는 '낮다'의 뜻. 몸을 낮게 하여 흘겨보다의 뜻을 나타냄.

參考 睤(次條)와 同字.

[睥睨 비예] 자해(字解)❶❷❸을 보라.

8 ⑬ [睤] 睥(前條)와 同字

8 ⑬ [睦] 高人 목 ㊅屋 莫卜切 mù

筆順 目 目一 目十 目土 目坴 目坴 睦 睦

字解 ①화목할 목 친목함. 화목하게 지냄. '一族'. '九族旣一'《書經》. ②화목 목 '講信修一'《禮記》. ③성 목 성(姓)의 하나.

字源 篆文 古文 形聲. 目+坴〔音〕. '坴륙·목'은 '穆목'과 통하여, '온화하다'의 뜻. 눈이 온화하다의 뜻에서, 파생하여, '화목하다'의 뜻을 나타냄.

[睦崇 목숭] 화목하게 모임. 숭(崇)은 취(聚).
[睦友 목우] 형제가 화목함.
[睦族 목족] 동족(同族)끼리 화목하게 지냄. 또, 화목한 친족.
[睦親 목친] 화목하고 친근함. 또, 근친(近親).
◉恭睦. 敦睦. 修睦. 肅睦. 雍睦. 友睦. 慈睦. 輯睦. 親睦. 協睦. 和睦.

8 ⑬ [睩] 록 ㊅屋 盧谷切 lù

字解 볼 록 삼가 보는 모양. '哀世兮一一'《王逸》.

字源 篆文 形聲. 目+彔〔音〕

[睩睩 녹록] 삼가 보는 모양.
◉曼睩.

8 ⑬ [睨] 예 ㊦霽 五計切 nì

字解 ①곁눈질할 예 곁눈으로 봄. '魚瞰雞一'《王褒》. ②노려볼 예 쏘아봄. '持璧一柱'《史記》. ③엿볼 예 구멍 같은 것을 통하여 봄. '眇一'. '睥一'. ④기울 예 해가 서쪽으로 기욺. '日方中方一'《莊子》.

字源 篆文 形聲. 目+兒〔音〕. '兒아'는 '아이'의 뜻. 아이 크기 정도로 몸을 낮추어서 엿보다, 또, 아이와 같은 눈으로 노려보다의 뜻을 나타냄.

◉眄睨. 眇睨. 辟睨. 睥睨. 睥睨. 傲睨. 瞋睨. 睇睨.

8 ⑬ [睫] 人名 첩 ㊅葉 卽葉切 jié

字解 ①속눈썹 첩 눈언저리의 털. '目一'. '陛下不交一解衣'《漢書》. ②감을 첩 눈을 감음. 또, 눈을 깜짝거림. '眶不一'《列子》.

字源 形聲. 目+疌〔音〕. '睞첩'과 통하여, 속눈썹, 깜박거리다의 뜻으로 쓰임.

[睫毛 첩모] 속눈썹.
◉交睫. 目見毫末不見其睫. 目睫. 蚊睫.

8 ⑬ [睧] 혼 ㊥元 呼昆切 hūn

字解 어두울 혼 눈이 어두움. '漠一於勢利'《淮南子》.

字源 形聲. 目+昏〔音〕. '昏혼'은 '어둡다'의 뜻.

[鼎] 部首(p.2713)를 보라.

8 ⑬ [睠] 권 ㊦霰 居倦切 juàn

字解 돌아볼 권 眷(目部 六畫)과 同字. '一一懷顧'《詩經》.

字源 形聲. 目+卷〔音〕. '卷권'은 '말다'의 뜻. 시선을 되말다, 돌아보다의 뜻을 나타냄.

[睠顧 권고] '권고(眷顧)'와 같음.

8 ⑬ [睯] ㊀ 함 ㊦勘 胡紺切 hàn ㊁ 흡 ㊅洽 乞洽切 qià

字解 ㊀ 눈움푹할 함 눈이 쑥 들어가 우묵한 모양. '一, 目深皃'《集韻》. ㊁ 눈움푹할 흡.

8
⑬ **[睖]** 릉 [平]蒸 閭承切 lèng

[字解] 노려볼 릉 '一瞪'은 노려보는 모양. '一瞪, 直視皃'《集韻》.

[字源] 形聲. 目+夌〔音〕

8
⑬ **[䁅]** 맹 ①-③[上]梗 母梗切 měng
④[去]敬 莫敬切 mèng

[字解] ①볼 맹 눈으로 보는 모양. ②성낼 맹 성낸 모양. '一, 一曰, 恚皃'《集韻》. ③기뻐할 맹 좋아함. '一, 集韻, 喜也'《康熙字典》. ④눈부라릴 맹 성낸 눈을 한 모양. '一盯, 目怒皃'《集韻》.

8
⑬ **[䁆]** [一] 읍 [入]葉 於業切 yè
[二] 암 [上]感 烏感切 ǎn

[字解] [一] ①눈감을 읍 눈을 감음. '一, 閉目'《集韻》. ②눈 읍 '一, 目也'《玉篇》. [二] ①눈감을 암. ②눈 암.

8
⑬ **[䁇]** [一] 밀 [入]質 密逼切 mì
[二] 묵 [入]職 密北切 mò

[字解] [一] ①잠깐볼 밀 잠시 봄. '一, 暫視也'《集韻》. ②자세히볼 밀 '一瞭目以霧披'《吳萊》. [二] ①잠깐볼 묵. ②자세히볼 묵.

8
⑬ **[𥄎]** [一] 구 [平]虞 擧朱切 jū
[去]遇 俱遇切
[二] 혁 [入]職 許極切 xì

[字解] [一] ①곁눈 구 '一, 目衺也'《說文》. ②화살 이름 구 손가락 여섯 개의 길이의 화살. '一, 一曰, 矢長六指'《集韻》. ③좌우로볼 구 두리번거림. '䀠, 說文, 左右視也. 或从大'《集韻》. [二] 곁눈질할 혁 곁눈질로 보는 모양. '一, 邪視皃'《集韻》.

[字源] 會意. 䀠+大

8
⑬ **[督]** [中人] 독 [入]沃 冬毒切 dū

[筆順] 卜 上 丰 卡 叔 叔 督 督

[字解] ①살필 독 세밀히 봄. '使離婁一繩'《漢書》. ②거느릴 독 통솔함. '一軍'. '弘專一江漢'《晉書》. ③감독할 독 독려함. '一戰'. '嘗爲丞一事'《漢書》. ④꾸짖을 독 책망함. '有意一過之'《史記》. ⑤재촉할 독 빨리 하도록 죄어침. '一促'. '趣一倚辦'《唐書》. ⑥권할 독 권장함. '宜有以敎一'《漢書》. ⑦가운데 독 중앙. '緣一以爲經'《莊子》. ⑧우두머리 독 통솔하는 사람. '總一'. '擧寵而爲一'〈총(寵)은 인명(人名)〉《諸葛亮》. ⑨성 독 성(姓)의 하나.

[字源] [篆文] 形聲. 目+叔〔音〕. '叔숙'은 '아프다'의 뜻. 눈이 아프다의 뜻을 나타냄. 또, '叔'은 '中중'과 통하여, 중정(中正)한 눈으로 단속하다의 뜻을 나타냄. 또, 감독하는 우두머리, 맏아들의 뜻도 나타냄.

[督檢 독검] 독려하고 검찰함.
[督過 독과] 과실을 책망(責望)함.
[督課 독과] 할당한 일을 감독함.
[督軍 독군] ㉠군대를 통솔함. ㉡신해혁명(辛亥革命) 후에 종래의 총독(總督)·순무(巡撫) 대신에 성장(省長)과 함께 각 성(省)에 둔 지방관. 원래는 군사 장관(軍事長官)이었으나, 대개 성장을 겸하여 문무의 권한을 장악하고 거의 독립의 군벌(軍閥)을 형성하였음. 후에 폐지되었으나, 실지로는 군사 장관 또는 성정부(省政府)의 주석(主席)으로서 국민당 정부가 대만으로 쫓겨갈 때까지 잔존(殘存)하였음.
[督勸 독권] 독려하고 권면함.
[督納 독납] 납세(納稅)를 독촉함.
[督盜 독도] 도적을 경계하는 관리.
[督勵 독려] 감독하고 장려(奬勵)함.
[督撫 독무] 총독(總督)과 순무(巡撫). 모두 청대(淸代)의 지방관임.
[督迫 독박] 독촉(督促).
[督攝 독섭] 동독(董督)하여 다스림. 동섭(董攝).
[督率 독솔] 감독하고 인솔(引率)함.
[督視 독시] 감시.
[督御 독어] 바로잡아 다스림.
[督郵 독우] 남북조(南北朝) 시대의 지방 감찰관. 우(郵)는 우(尤)의 차자(借字).
[督戰 독전] 싸움을 독려(督勵)함.
[督察 독찰] 감찰(監察)함.
[督參 독참] 살펴 조사함.
[督責 독책] ㉠몹시 독촉함. ㉡몹시 책망함.
[督促 독촉] 재촉함.
[督趨 독촉] 독촉(督促). 촉(趨)은 촉(促).
[督辦 독판] 청조(淸朝) 말기에 행정(行政)·군사(軍事)를 감독한 벼슬.
[督學 독학] 학사(學事)의 감독.
[督亢 독항] 전국 시대(戰國時代)에 허베이 성(河北省)에 있던 지명(地名). 연(燕)나라의 형가(荊軻)가 진왕(秦王)에게 이곳의 지도를 바쳤음.
[督現 독현] 빨리 출두(出頭)하여 현신(現身)하기를 독촉(督促)함.
[督厚 독후] 성실함. 독후(篤厚).
[督訓 독훈] 감독하며 가르침.
◉家督. 監督. 檢督. 敎督. 基督. 都督. 董督. 搜督. 繩督. 程督. 提督. 天督. 總督. 催督. 統督. 鞭督.

8
⑬ **[睪]** [一] 역 [入]陌 夷益切 yì
[二] 택 [入]陌 直格切 zé

[字解] [一] ①엿볼 역 몰래 봄. ②즐길 역 즐거워하는 모양. '一一'. ③성 역 성(姓)의 하나. [二] 늪 택 澤(水部 十三畫)과 통용. '側載一芷以養鼻'《荀子》.

[字源] [篆文] [篆文] 會意. 目+幸(㚔). '㚔행'은 쇠고랑의 象形으로 '죄인'의 뜻. 용의자를 차례로 엿보아 죄인을 가려내다의 뜻을 나타냄.

[參考] 睾(目部 九畫)는 別字.

[睪睪 역역] 즐거워하는 모양.

8
⑬ **[睘]** 〔경〕
瞏(目部 十畫〈p.1549〉)의 俗字

9
⑭ **[睮]** 유 [平]虞 容朱切 yú

[字解] 아첨할 유 아첨하는 눈매의 모양. '一一諂夫'《韋孟》.

[睮睮 유유] 아첨하는 눈매의 모양.

9
⑭ [瞍] 수 ㊤有 蘇后切 sǒu

[字解] 소경 수 장님. 瞍(目部 十畫)의 本字. '一賦矇誦'《國語》.
[字源] 篆文 形聲. 目+叜〔音〕. '叜수'는 '더듬다'의 뜻. 더듬어야 하는 '장님'의 뜻을 나타냄.

9
⑭ [睹] [人名] 도 ㊤麌 當古切 dǔ

[字解] 볼 도 覩(見部 九畫)와 同字. '目一'. '以陰陽爲端. 故情可一也'《禮記》.
[字源] 篆文 形聲. 目+者〔音〕. '者자'는 '모으다'의 뜻. 시선을 한 점에 모아 보다의 뜻을 나타냄.

[睹聞 도문] 보고 듣는 일. 견문(見聞).
◉目睹. 逆睹.

9
⑭ [睺] 후 [平]尤 戶鉤切 hóu
[去]宥 胡遘切

[字解] 애꾸눈 후 편맹(偏盲). '半盲爲一'《揚子方言》.
[字源] 形聲. 目+侯〔音〕

9
⑭ [睯] [一] 알 [入]曷 烏括切 wò
[二] 놜 [入]黠 女刮切
[三] 니 [去]寘 女利切

[字解] [一] ①눈초리짧게째지고오목한눈 알 '一, 短窔目皃也. (說文 段注) 目匡短, 而目深窐圓, 一然如掐目也'《說文》. ②눈깊고검을 알 '一, 目深黑皃'《廣韻》. ③막을 알 '一, 塞也'《廣雅》. [二] 눈초리짧게째지고오목한눈 놜, 눈깊고검을 놜, 막을 놜 [一]과 뜻이 같음. [三] 눈초리짧게째지고오목한눈 니, 눈깊고검을 니, 막을 니 [一]과 뜻이 같음.
[字源] 形聲. 目+叞〔音〕

9
⑭ [睼] 제 [去]霽 他計切 tiàn
[平]齊 杜奚切

[字解] 볼 제 맞이하여 봄. '親所一而弗識兮'《張衡》.
[字源] 篆文 形聲. 目+是〔音〕

9
⑭ [睽] 규 [平]齊 苦圭切 kuí

[字解] ①외면할 규 서로 마주 보지 아니하고 얼굴을 돌림. '一, 外也'《易經》. ②등질 규 서로 배반함. 반목(反目)함. 사이가 나쁨. '一焉而鬭'《柳宗元》. ③부릅뜰 규 눈을 크게 뜨는 모양. '萬目一一'《韓愈》. ④규괘 규 육십사괘(六十四卦)의 하나. 곧, ☲〈태하(兌下), 이상(離上)〉. 작은 일에 유리(有利)한 상(象). '一, 小事吉'《易經》.
[字源] 金文 篆文 形聲. 目+癸〔音〕. '癸규'는 '등지다'의 뜻. 좌우의 눈이 서로 등져 시점(視點)이 일치하지 않아서, 같은 것을 볼 수 없다의 뜻을 나타냄.

[睽孤 규고] 남이 배반하여 고립함.
[睽乖 규괴] 서로 반목(反目)함. 서로 등짐.
[睽睽 규규] 눈을 부릅뜨는 모양.
[睽離 규리] 서로 등져 떨어짐.
[睽焉 규언] 반목(反目)함. 사이가 나빠짐.
[睽違 규위] 서로 떨어짐. 격리(隔離)됨.
[睽疑 규의] 서로 사이가 틀려 의심함.
[睽合 규합] 헤어짐과 모임.
[睽睢 규휴] 규규(睽睽).
[睽攜 규휴] 규리(睽離).
◉孤睽. 乖睽. 久睽. 阻睽.

9
⑭ [瞁] 혁 [入]陌 許役切 xù

[字解] 볼 혁 놀라서 눈을 휘둥그렇게 하여 보는 모양. '心駭神悸, 一瞲而不敢進'《周邦彥》.

9
⑭ [瞜] 요 ㊤篠 伊鳥切 yǎo

[字解] 멀리뵐 요 '一眇'는 멀리 희미하게 보이는 모양. '朱爀綠烟, 一眇蟬蜎'《木華》.

[瞜眇 요묘] 멀리 희미하게 보이는 모양.

9
⑭ [瞸] 접 [入]葉 呼牒切 xiè

[字解] ①한눈감을 접 한쪽 눈을 감음. '一, 閉一目也'《玉篇》. ②외눈으로볼 접 한쪽 눈으로 봄. ③사팔뜨기 접 '一, 視不正皃'《集韻》.

9
⑭ [瞡] 감 [去]陷 口陷切 qià

[字解] ①눈움푹할 감 '一, 目陷也'《說文》. ②빠질 감 움푹 들어감.
[字源] 篆文 形聲. 目+咸〔音〕. '咸함'은 '닫치다'의 뜻. 눈이 움푹 꺼지다, '소경'의 뜻을 나타냄.

9
⑭ [瞀] [一] 모 [去]號 莫報切 mào
[二] 무 [去]宥 莫候切 mào

[字解] [一] 눈내려깔고볼 모 시선(視線)을 아래로 내려뜨리고 자세히 봄. '俯目細視, 謂之一'《集韻》. [二] 눈내려깔고볼 무, 잘보이지않을 무.
[字源] 篆文 形聲. 目+冒〔音〕. '冒모'는 '덮어 감추다'의 뜻. 눈을 감추듯이, 고개를 숙이고 보다의 뜻을 나타냄.

9
⑭ [睷] 건 [平]元 居言切 jiān

[字解] 헤아릴 건 눈으로 셈. '一異景於穹坳'《王守仁》.

9
⑭ [睲] 성 ①㊤梗 息井切 xǐng
②[平]庚 桑經切 xīng

[字解] ①볼 성 눈으로 봄. '一, 視也'《玉篇》. ②눈에영채날 성 눈동자가 반짝임. '一, 目睛照也'《集韻》.
[字源] 形聲. 目+星〔音〕

9
⑭ [暖] [一] 훤 [平]元 況袁切 xuān
[二] 환 ㊤旱 胡管切 hàn

[字解] [一] 왕눈 훤 큰 눈. '一, 大目也'《說文》. [二] 큰눈초리 환 눈의 귀 쪽 언저리. '一, 大目眥也'《集韻》.

字源 篆文 形聲. 目+爰〔音〕. '爰원'은 당겨서 늘이다의 뜻. '큰 눈'의 뜻을 나타냄.

9
⑭ [瞂] 발 ㉧黠 房滑切 fá

字解 방패 발 적(敵)의 시석(矢石) 같은 것을 막는 무기. '植鍛懸一, 用戒不虞'《張衡》.

字源 篆文 形聲. 盾+犮〔音〕. '犮발'은 '털다'의 뜻. 물건을 털어 물리치는 방패의 뜻을 나타냄.

9
⑭ [睃] ㊀ 종 ㉤東 祖叢切 zōng / ㉦董 作孔切 zǒng ㊁ 계 ㉥卦 古拜切 jiè

字解 ㊀ ①볼 종 무엇을 봄. '一, 視也'《廣雅》. ②훔쳐볼 종 '伺視也, 凡相竊視, 南楚或謂之一'《方言》. ㊁ 성낼 계 '一, 怒也'《廣韻》.

9
⑭ [睴] ㊀ 곤 ㉥願 古困切 gùn ㊁ 온 ㉥願 吾困切 ㊂ 혼 ㉦阮 胡本切

字解 ㊀ ①툭불거진눈 곤 '一, 大目出也'《說文》. ②눈갑자기불거질 곤 '一, 目急出也'《六書故》. ③볼 곤 보는 모양. '一, 視皃'《廣韻》. ㊁ 툭불거진눈 온, 눈갑자기불거질 온, 볼 온 ㊀과 뜻이 같음. ㊂ 툭불거진눈 혼, 눈갑자기불거질 혼, 볼 혼 ㊀과 뜻이 같음.

字源 形聲. 目+軍〔音〕

9
⑭ [煦] 후 ㉤虞 況于切 xū

字解 웃는모양 후 '一, 一瞜, 笑皃'《廣韻》.

9
⑭ [睿] 人名 예 ㉥霽 以芮切 ruì

筆順 ⺊ 虍 卢 卢 叡 睿 睿 睿

字解 밝을 예, 슬기로울 예 사리에 통하여 깊고 밝음. '一智'. '思曰一, 一作聖'《書經》. 전(轉)하여, 천자(天子)에 관한 사물(事物)의 관칭(冠稱)으로 쓰임. '一覽'. '紛綸一緒'《齊書》.

字源 叡의 古文 會意. 目+㕡〈省〉. '㕡순'은 골짜기를 깊게 훑어 쳐서 통하게 하다의 뜻. 사물에 깊고 밝게 통하는 눈, '슬기롭다'의 뜻을 나타냄. 《說文》은 𣦼+目+谷〈省〉.

[睿感 예감] 임금의 느낌.
[睿鑒 예감] 임금의 밝은 감식(鑒識).
[睿曲 예곡] 임금의 덕화(德化)가 미치는 벽지(僻地).
[睿斷 예단] 임금의 결단.
[睿達 예달] 사리(事理)에 깊이 통달함.
[睿圖 예도] ㉠예모(睿謨). ㉡성인(聖人)을 그린 그림.
[睿覽 예람] 임금의 관람 또는 열람.
[睿慮 예려] 임금의 진념(軫念).
[睿明 예명] 예지(睿智).
[睿謀 예모] 예모(睿謨).
[睿謨 예모] 임금의 계책(計策).
[睿聞 예문] 임금의 들음.
[睿緒 예서] 임금의 통치(統治)의 서업(緖業).
[睿聖 예성] 임금의 성덕(盛德).
[睿聖文武 예성문무] 지덕(知德)을 겸비(兼備)하고 문무(文武)를 겸전(兼全)함. 곧, 임금의 재덕(才德)의 찬칭(讚稱).
[睿聖文武皇帝 예성문무황제] 당(唐)나라 헌종(憲宗)의 존호(尊號).
[睿渥 예악] 임금의 두터운 은택(恩澤).
[睿慈 예자] 임금의 자애(慈愛).
[睿藻 예조] 임금이 지은 시문(詩文).
[睿旨 예지] 임금의 뜻.
[睿知 예지] 예지(睿智).
[睿智 예지] 사리(事理)에 통하여 깊고 밝은 슬기. 뛰어난 슬기.
[睿哲 예철] 재주와 슬기가 뛰어남. 또, 그 사람.

9
⑭ [瞀] ㊀ 무 ㉥宥 莫候切 mào ㊁ 목 ㉧屋 莫卜切

字解 ㊀ ①흐릴 무 ㉠눈이 어두움. '眼一精絕'《晉書》. ㉡정신이 흐림. '愚陋溝一'《荀子》. ②어지러울 무 사물이 혼란함. '是非一亂'《北史》. ③성 무 성(姓)의 하나. ㊁ 야맹 목 밤눈이 어두움. '人有至夕昏不見物者, 謂之雀一'《埤雅》.

字源 篆文 形聲. 目+敄〔音〕. '敄무'는 '冃모'와 통하여, '덮이다'의 뜻. 눈이 가려져 있어서, 잘 보이지 않다, 제대로 보이지 않다의 뜻을 나타냄.

[瞀亂 무란] 어지러움.
[瞀瞀 무무] ㉠감히 바로 보지 못하는 모양. 일설(一說)에는, 잘 보이지 않는 모양. ㉡마음이 어지럽고 몸이 괴로운 모양.
◉狂瞀. 昧瞀. 矇瞀. 悶瞀. 眼瞀. 雀瞀. 眩瞀. 昏瞀.

9
⑭ [睪] 고 ㉤豪 古勞切 gāo

字解 ①늪 고 皐(白部 六畫)와 同字. '望其壙一如也'《列子》. ②죄다 고 빠짐없이. '一牢天下而制之'《荀子》. ③불알 고 음낭 속의 알. '一丸'. '腰脊控一而痛'《靈樞經》. ④넓을 고 광대한 모양. 또, 높은 모양. '一一廣廣, 孰知其德'《荀子》.

字源 會意. 丿+目+幸. '皋고'의 이체자(異體字). '高고'와 통하여, 높은 모양을 나타냄. '睪역'에 '丿별'을 더하여, 남자 신체의 늪에 상당하는 부분에 있는 돌기, '불알'의 뜻도 나타냄.

參考 睪(目部 八畫)은 別字.

[睪睪 고고] 광대(廣大)한 모양.
[睪牢 고뢰] 죄다 휩쌈.
[睪如 고여] 늪과 같이 질펀한 모양.
[睪丸 고환] 불알.

10
⑮ [瞋] 人名 진 ㉤眞 昌眞切 chēn 瞋

字解 ①부릅뜰 진 성내어 눈을 크게 뜸. '一目而叱之'《史記》. ②성낼 진 화를 냄. '一怒無度'《魏略》.

字源 篆文 形聲. 目+眞〔音〕. '眞진'은 '쑤셔 넣다'의 뜻. 화가 가득 찼을 때의 눈, 성이 나서 눈을 부릅뜨다의 뜻을 나타냄.

[瞋怒 진노] 성냄.
[瞋眸 진모] 눈을 부릅뜸. 또, 성난 눈.

[瞋目張膽 진목장담] 용기를 냄.
[瞋色 진색] 성낸 안색.
[瞋恚 진에]《佛教》성냄.

10 ⑮ [瞌] 갑 ㊅合 克盍切 kē

字解 졸 갑 앉아서 졺. 좌수(坐睡)함. '一睡山童欲成夢'《貫休》.
字源 形聲. 目+盍〔音〕

10 ⑮ [瞢] ㊀ 형 ㊥青 戶扃切 yíng
㊁ 영 ㊥庚 余傾切
㊂ 앵 ㊥庚 於莖切 yǐng
㊤梗 烏猛切

字解 ㊀ 의혹할 형 '一, 一惑也'《說文》. ㊁ 의혹할 영 ㊀과 뜻이 같음. ㊂ ①눈맑을 앵 '一, 目淨皃'《集韻》. ②의혹할 앵 ㊀과 뜻이 같음. ③맑을 앵 '一, 淸潔'《廣韻》.
字源 形聲. 目+熒〈省〉〔音〕

10 ⑮ [瞍] 수 ㊤有 蘇后切 sǒu

字解 소경 수 눈동자가 없는 장님. 瞍(目部 九畫)와 同字. '瞽一'. '矇一奏公'《詩經》.
字源 形聲. 目+叟〔音〕

[瞍矇 수몽] 눈동자가 없는 소경과 눈동자가 있는 소경.
◉瞽瞍. 矇瞍.

10 ⑮ [瞎] 할 ㊅黠 許鎋切 xiā

字解 ①애꾸눈 할 척안(隻眼). '吾聞一兒一淚, 信乎'《十六國春秋》. ②먼눈 할, 눈멀 할 맹목(盲目). '盲人騎一馬'《新語》.
字源 形聲. 目+害〔音〕. '害해·할'은 '재앙'의 뜻. 눈의 재앙, 눈에 장애가 있다의 뜻을 나타냄.

[瞎馬 할마] 애꾸눈의 말.
[瞎兒 할아] 애꾸눈이. 애꾸.
[瞎虎 할호] ㉠애꾸눈의 범. ㉡애꾸눈이고 성질이 잔인한 사람을 욕하는 말.

10 ⑮ [瞿] ㊀ 구 ㊦遇 九遇切 jù
㊁ 경 ㊤迥 古迥切
㊂ 광 ㊤梗 苦礦切

字解 ㊀ ①눈을들어놀라서볼 구 '一, 擧目驚一然也'《說文》. ②눈크게뜨고볼 구 '一, 放目視也'《六書統》. ㊁ 눈을들어놀라서볼 경, 눈크게뜨고볼 경 ㊀과 뜻이 같음. ㊂ ①두려워할 광 '一, 恐也'《玉篇》. ②놀라서눈들 광 '一, 一然擧目也'《廣韻》. ③아름다운모양 광 '一, 一日, 好皃'《集韻》.
字源 形聲. 夰+䀠〔音〕

10 ⑮ [瞖] 계 ㊥齊 牽奚切 qī

字解 눈깜작일 계 '一, 目動'《廣韻》.

10 ⑮ [瞑] 人名 ㊀ 명 ㊥青 莫經切 míng
㊁ 면 ①㊥先 莫賢切 mián
②㊦霰 莫甸切 mián

字解 ㊀ ①눈감을 명 '一想'. '甘心一目'《後漢書》. ②어두울 명 눈이 흐려 잘 보이지 않는 모양. '聾一'. '其視一一'《淮南子》. ③먼눈 명, 눈멀 명 맹목(盲目). '一者目無由接也'《呂氏春秋》. ㊁ ①잘 면 眠(目部 五畫)과 同字. '據高梧而一'《莊子》. ②아찔할 면 현기증이 남. '若藥不一眩'《書經》.
字源 篆文 形聲. 目+冥〔音〕. '冥명'은 '덮다'의 뜻. 눈을 감다의 뜻을 나타냄.

[瞑眩 면현] 현기증이 남.
[瞑瞑 명명] 똑똑히 보이지 않는 모양. 흐릿한 모양.
[瞑目 명목] 눈을 감음. 전(轉)하여, 편안히 죽음. 안심하고 죽음.
[瞑目調息 명목조식] 눈을 감고 숨을 조절함.
[瞑想 명상] 눈을 감고 깊이 생각함.
[瞑坐 명좌] 눈을 감고 조용히 앉음.
◉聾瞑.

10 ⑮ [瞲] ㊀ 열 ㊅屑 一決切 juè
㊁ 결 ㊅屑 古穴切

字解 ㊀ 눈옴폭할 열 '一, 目深皃'《說文》. ㊁ 눈옴폭할 결 ㊀과 뜻이 같음.
字源 會意. 目+窅

10 ⑮ [瞪] 경 ㊤梗 古幸切 gěng

字解 보는모양 경 '一, 一䁝, 視皃'《廣韻》.

10 ⑮ [瞇] 미 ①㊤紙 母婢切 mī
②㊦霽 彌計切 mì

字解 ①애꾸눈 미 한쪽 눈이 먼 눈. '一, 眇目也'《集韻》. ②흘겨볼 미 곁눈질하여 봄. '一, 睥也'《集韻》.

10 ⑮ [瞭] 요 ㊥蕭 餘招切
㊤篠 以沼切 yǎo

字解 ①고운눈 요 아름다운 눈. '一, 美目也'《集韻》. ②볼 요 눈으로 보는 모양. '眇一冶夷'《木華》. ③멀리볼 요 멀리 바라봄.

10 ⑮ [瞰] ㊀ 언 ㊤銑 於殄切 yǎn
㊁ 안 ㊦諫 烏澗切 yǎn

字解 ㊀ ①눈으로희롱할 언 '一, 目相戲也'《說文》. ②볼 언 눈으로 봄. ③우러러볼 언 '一, 一日, 仰視'《集韻》. ㊁ 눈으로희롱할 안 ㊀❶과 뜻이 같음.
字源 篆文 形聲. 目+晏〔音〕. '晏안'은 '편안하다'의 뜻. 눈으로 희롱하다의 뜻을 나타냄.

10 ⑮ [瞵] ㊀ 육 ㊅屋 余六切 yù
㊁ 학 ㊅藥 曷各切 huò
㊂ 각 ㊅覺 訖岳切 hè

字解 ㊀ ①바라볼 육 '一, 望也'《廣雅》. ②눈밝을 육 '一, 目明'《玉篇》. ㊁ 눈멀 학 실명(失明)함. 矐(目部 十六畫)과 同字. ㊂ 눈뺄 각 눈알을 뺌. '一, 去目睛也'《集韻》.

10 ⑮ [瞉] 一 구 (去)有 苦候切 kòu 二 계 (去)霽 古例切 jì

字解 一 어리석을 구 아둔함. '—霿, 鄙吝, 心不明也'《集韻》. 二 물끄러미볼 계 오래도록 봄. '—, 久視'《玉篇》.

[瞉霿 구몽] 도리를 깨닫지 못함.
[瞉瞀 구무] 어리석은 모양.

10 ⑮ [睔] 〔간〕 看(目部 四畫〈p. 1534〉)과 同字

10 ⑮ [瞏] 경 (平)庚 葵營切 qióng

字解 ①볼 경 놀라 눈을 휘둥그렇게 하고 봄. '目—絕系'《素問》. ②외로울 경 '——'은 의지할 곳이 없어 고독한 모양. '獨行——'《詩經》. ③근심할 경 '——'은 걱정하는 모양. '——在疚'《詩經》.

字源 篆文 形聲. 目+袁〔音〕. '袁원'은 '멀다'의 뜻. 먼 데를 여행하는 사람은, 사물에 쉽게 마음이 움직여서, 놀라 보다의 뜻을 나타냄.

參考 睘(目部 八畫)은 俗字.

[瞏瞏 경경] 자해 (字解) ❷❸을 보라.

10 ⑮ [瞯] 간 (去)諫 古晏切 jiān

字解 볼 간 무엇을 봄. '—, 視也'《字彙補》.

[縣] 〔현〕 糸部 十畫(p. 1763)을 보라.

11 ⑯ [瞚] 순 (去)震 舒閏切 shùn

字解 눈깜짝거릴 순 瞬(目部 十二畫)과 同字. '目眩然而不—'《史記》.

字源 篆文 形聲. 目+寅(寅)〔音〕

11 ⑯ [瞝] 리(치(本)) (平)支 抽知切 chī

字解 볼 리 죽 봄. 다니며 봄. '—九州'《賈誼》.

11 ⑯ [瞞] 人名 一 만 (平)寒 母官切 mán 二 문 (平)元 謨奔切 mén

字解 一 ①흐릴 만 눈이 잘 보이지 않는 모양. '酒食聲色之中, 則——然'《荀子》. ②속일 만 기만함. '—著'. '淺薄閒—, 其謀乃獲'《汲冢周書》. ③성 만 성(姓)의 하나. 二 부끄러워할 문 부끄러워하는 모양. '子貢—然慙'《莊子》.

字源 篆文 形聲. 目+㒼〔音〕. '㒼만'은 '丏면'과 통하여, '가리다'의 뜻. 눈을 감는 모양의 뜻으로 쓰임. 또, '謾만'과 통하여 쓰이는 수가 많음.

[瞞瞞 만만] 눈이 잘 보이지 않는 모양.
[瞞然 만연] 눈이 잘 보이지 않는 모양. 또, 눈을 감는 모양.
[瞞著 만착] 속임. 착(著)은 조사(助詞).
[瞞然 문연] 부끄러워하는 모양.
◉欺瞞. 阿瞞.

11 ⑯ [瞟] 표 (上)篠 敷沼切 piǎo

字解 흐릴 표 눈이 잘 보이지 않는 모양. '忽—眇以響像, 若鬼神之髣髴'《王延壽》.

字源 篆文 形聲. 目+票(㶾)〔音〕

[瞟眇 표묘] 눈이 잘 보이지 않는 모양.

11 ⑯ [瞠] 당(쟁(本)) (平)庚 丑庚切 chēng (上)梗 丈梗切 zhèng

字解 똑바로볼 당 놀라서 눈을 휘둥그렇게 하고 똑바로 봄. '夫子奔逸絕塵, 而回—若乎後矣'《莊子》.

字源 形聲. 目+堂〔音〕. '堂당'은 넓고 으리으리하다의 뜻. 눈을 한껏 뜨고 보다의 뜻을 나타냄.

[瞠瞠 당당] 눈을 휘둥그렇게 뜨고 똑바로 보는 모양.
[瞠眄 당면] 눈을 휘둥그렇게 뜨고 똑바로 봄.
[瞠目 당목] 놀라서 눈을 휘둥그렇게 뜸.
[瞠若 당약] 놀라서 눈을 휘둥그렇게 뜨고 똑바로 보는 모양.
[瞠然 당연] 당약(瞠若).
[瞠眙 당치] 놀라 눈을 휘둥그렇게 뜨고 똑바로 봄.

11 ⑯ [瞪] 갱 (平)庚 丘耕切 kēng

字解 흐릴 갱 잘 보이지 않는 모양. '—, —矇, 視不明'《集韻》.

[瞪矇 갱맹] 흐려 잘 보이지 않는 모양.

11 ⑯ [瞟] 강 (平)陽 丘岡切 kāng

字解 눈의모양 강 '—, 眣—, 目皃'《廣韻》.

11 ⑯ [瞡] 규 (平)支 居悸切 guī

字解 한눈지그시감고볼 규 '——'는 한 눈을 지그시 감고 보는 모양. 일설(一說)에는, 조금 보는 모양. 또, 일설에는, 자득(自得)한 모양. '學者之嵬, ——然'《荀子》.

[瞡瞡 규규] 자해 (字解)를 보라.

11 ⑯ [瞧] 체 (去)霽 丑例切 qì

字解 ①살펴볼 체 자세히 봄. 시찰(視察)함. '有—呂梁'《左思》. ②곁눈으로볼 체 흘겨봄. '—, 一曰, 邪視'《集韻》.

字源 篆文 形聲. 目+祭〔音〕. '祭제'는 '察찰'의 뜻으로, 자세히 보다의 뜻. 분명하게 보다의 뜻을 나타냄.

11 ⑯ [瞗] 一 조 (平)蕭 都聊切 diāo 二 두 (平)尤 當侯切 dōu

字解 一 익히볼 조 숙시(熟視)함. '—, 目熟視也'《說文》. 二 새이름 두 '——'는 새의 이름. '—, ——, 鳥名. 人面鳥喙, 有翼不能飛'《集韻》.

字源 形聲. 目+鳥〔音〕

11 ⑯ [𥈼] 선 ㊥先 似宣切 xuán

字解 ①아리따울 선 아름다움. ②눈매고울 선 눈맵시가 예쁜 모양. '陰陽和平之人, 其狀——然. (註) 目好貌'《靈樞經》.

11 ⑯ [瞙] 막 ㊀藥 末各切 mò

字解 ①눈어두울 막 눈이 흐리어 잘 보이지 않음. '—, 目不明'《集韻》. ②눈백태 막 눈에 백태(白苔) 같은 것이 낀 것. '俗謂目瞖曰—'《字統》.

11 ⑯ [瞛] 종 ㊥冬 七恭切 cōng

字解 눈빛날 종 눈에 광채가 남. '怒目電—'《張協》.

11 ⑯ [䁝] 어 ㊥魚 牛居切 yú

字解 고리눈말 어 양쪽 눈이 흰 말.

11 ⑯ [𥉻] 척 ㊀錫 他歷切 tì

字解 우두커니볼 척 실망하여 멀거니 봄. '—, 失意視也'《說文》.

字源 篆文 篆文 形聲. 目+脩(또는 倏)〔音〕

11 ⑯ [瞜] 루 ㊥尤 落侯切 lōu 瞜

字解 ①볼 루 눈으로 보는 모양. ②자세히볼 루 '—, 一曰, 細視也'《集韻》.

11 ⑯ [瞯] 관 ㊤諫 古患切 guàn

字解 노려볼 관 똑바로 보는 모양. '—, 直視皃'《字彙》.

11 ⑯ [䀐] 삼 ㊥咸 師咸切 shān

字解 언뜻볼 삼 잠깐 봄. '—, 暫見也'《集韻》.

11 ⑯ [瞖] 예 ㊤霽 於計切 yì

字解 흐릴 예 눈에 백태(白苔) 같은 것이 끼어 잘 보이지 않음. '后生而黧黑, ——目'《宋史》.

字源 形聲. 目+殹〔音〕

11 ⑯ [瞘] ㊀ 우 ㊥尤 烏侯切 ㊁ 후 ㊥尤 墟侯切 kōu ㊂ 거 ㊦語 丘擧切 眍

字解 ㊀ 눈우묵해질 우 '—, 目深也'《集韻》. ㊁ 눈우묵해질 후 ㊀과 뜻이 같음. ㊂ 눈움직일 거 '—, 目往也'《字彙》.

11 ⑯ [瞢] ㊀ 몽 ㊥東 莫中切 méng ㊁ 맹 ㊥庚 眉庚切 máng

字解 ㊀ ①어두울 몽 ㉠눈이 흐림. '齊文宣—'《文中子》. ㉡캄캄함. '莫不——'《太玄經》. ②부끄러워할 몽 '有靦—容'《左思》. ③번민할 몽 마음이 답답하여 괴로워함. '亦無—焉'《左傳》. ㊁ 먼눈 맹, 장님 맹 盲(目部 三畫)과 통용.

字源 篆文 會意. 苜+旬. '苜말'은 눈이 바르지 않다의 뜻. '旬현'은 '깜박이다'의 뜻으로, 눈이 흐려서 밝지 않다의 뜻. 일설에는, '苜'이 甲骨文에서 '眉미'와 같은 자형인 데서, 몽마(夢魔)를 이루는 정령(精靈)을 부리는 미녀(媚女)가 사람을 현혹시켜서 정신을 어지럽히다, 밝지 못하게 하다의 뜻으로 풀이함. 파생하여, 마음이 개운치 못한 상태, 곧 부끄러워하다의 뜻을 나타냄.

[瞢騰 몽등] 흐리멍텅한 모양. 몽롱(朦朧)한 모양.
[瞢昧 몽매] 어둠. 캄캄함.
[瞢瞢 몽몽] 어두운 모양. 어두워 잘 보이지 않는 모양.
[瞢闇 몽암] 어둠.
[瞢容 몽용] 부끄러워하는 얼굴.
◉闇瞢. 愚瞢. 雲瞢. 靦瞢. 瞪瞢. 昏瞢.

12 ⑰ [瞤] 순 ㊤震 輪閏切 shùn 瞤

字解 눈깜짝거릴 순 瞬(目部 十二畫)과 同字. '目—得酒食'《西京雜記》.

字源 篆文 形聲. 目+閏〔音〕

12 ⑰ [瞧] 초 ㊥蕭 慈消切 qiáo

字解 볼 초 몰래 봄. '覩文籍則目—'《嵇康》.

字源 形聲. 目+焦〔音〕

◉目瞧.

12 ⑰ [瞪] 징 ㊤徑 丈證切 dèng

字解 눈똑바로뜨고볼 징 '—眸不轉'《晉書》.

字源 形聲. 目+登〔音〕. '登등'은 '澂징'과 통하여, '맑다'의 뜻. 맑은 눈으로 똑바로 보다의 뜻을 나타냄.

[瞪眄 징면] 곁눈질함. 스쳐 봄.
[瞪眸 징모] 눈을 깜짝도 하지 아니하고 똑바로 봄.
[瞪瞢 징몽] 눈이 흐림.
[瞪視 징시] 징모(瞪眸).
[瞪眙 징치] 눈을 휘둥그렇게 뜨고 봄. 놀란 눈으로 봄.

12 ⑰ [瞫] 심 ㊦寢 式荏切 shěn

字解 ①볼 심 몰래 봄. 또, 아래를 내려다봄. ②성 심 성(姓)의 하나.

字源 篆文 形聲. 目+覃(㫺)〔音〕. '㫺담·심'은 깊다의 뜻. 깊게 내려다보다의 뜻을 나타냄.

12 ⑰ [瞬] 高人 순 ㊤震 舒閏切 shùn

筆順 目 ⺊ 盱 盱 瞬 瞬 瞬 瞬

字解 눈깜짝거릴 순 눈을 연달아 자꾸 감았다 떴다 함. 전(轉)하여, 단시간을 이름. 순간. '—

一'. '一時'. '先學不一, 而後可言射矣'《列子》.
[字源] 形聲. 目＋舜〔音〕. '舜순'은 재빠른 제자리 걸음의 뜻. 눈을 깜짝거리다의 뜻을 나타냄.

[瞬刻 순각] 순시(瞬時).
[瞬間 순간] 순시(瞬時).
[瞬時 순시] 눈 깜짝할 사이와 같이 극히 짧은 동안. 잠깐.
[瞬視 순시] 눈을 깜짝거리며 봄.
[瞬息 순식] 눈 깜짝하거나 숨 한 번 쉴 사이와 같이, 극히 짧은 동안.
[瞬息間 순식간] 순식(瞬息).
◉倏瞬. 一瞬. 轉瞬. 淸瞬.

12 ⑰ [瞭] [人名] 료 [上]篠 盧鳥切 liǎo, liào
[字解] ①밝을 료 눈동자가 맑음. '胸中正, 則眸子一焉'《孟子》. ②밝을 료 명료함. '一然'. ③아득할 료 깊고 넓음. '冥冥而薄天'《楚辭》.
[字源] 形聲. 目＋尞〔音〕. '尞료'는 횃불이 밝다의 뜻. 눈이 맑다, 밝다의 뜻을 나타냄.

[瞭瞭 요료] 요연(瞭然).
[瞭望臺 요망대] 망루(望樓).
[瞭眊 요모] 환함과 어두움.
[瞭然 요연] 환한 모양.
◉明瞭. 照瞭.

12 ⑰ [曉] [一] 우 [平]尤 墟侯切
[二] 요 [上]巧 於絞切
[三] 교 [去]效 恪侯切 kōu
[字解] [一] 눈움푹할 우 눈이 쑥 들어간 모양. '膒, 目深也, 或作一'《集韻》. [二] 눈움푹할 요 [一]과 뜻이 같음. [三] 눈움푹할 교 [一]과 뜻이 같음.

12 ⑰ [瞶] [一] 귀 [去]未 居胃切 guì
[二] 유 [去]寘 以醉切 wèi
[字解] [一] ①시력(視力)을다하여볼 귀 '一, 極視'《廣韻》. ②맹인(盲人) 귀 장님. '一, 一曰, 目無精也'《集韻》. '一, 瞎子'《漢語大字典》. [二] 눈병 유 '一, 目疾'《正字通》.

12 ⑰ [瞯] [一] 간 [去]諫 居莧切 jiàn
[二] 한 [平]刪 戶閒切 xián
[字解] [一] 엿볼 간 覵(見部 十二畫)과 同字. '王使人一夫子'《孟子》. [二] ①곁눈질할 한 곁눈으로 봄. '一, 眄也, 吳揚江淮之間, 或曰一'《揚子方言》. ②흰자위 한 눈의 흰 부분. '眸一黑照'《張協》. ③성 한 성(姓)의 하나.
[字源] 篆文 瞯 形聲. 目＋閒〔音〕. '閒한·간'은 '틈'의 뜻. '엿보다'의 뜻을 나타냄.
◉眸瞯. 臯瞯.

12 ⑰ [瞯] 瞯(前條)과 同字

12 ⑰ [瞯] 瞯(前條)의 俗字

12 ⑰ [瞰] [人名] 감 [去]勘 苦濫切 kàn
[筆順] 目 目 目 目 目 瞰 瞰 瞰

[字解] 볼 감 ㉠내려다봄. '下一'. '雲車十餘丈, 一臨城中'《後漢書》. ㉡멀리 바라봄. 조망(眺望)함. '東一目盡'《揚雄》.
[字源] 形聲. 目＋敢〔音〕. '敢감'은 '監감'과 통하여, 위에서 엿보다의 뜻. '目목'을 붙여, '내려다보다'의 뜻을 나타냄.

[瞰臨 감림] 내려다봄.
[瞰射 감사] 높은 곳에서 내려다보고 쏨.
[瞰視 감시] 내려다봄.
[瞰下 감하] 내려다봄.
◉窺瞰. 俯瞰. 延瞰. 臨瞰. 鳥瞰. 下瞰. 遐瞰.

12 ⑰ [瞪] 층 [平]蒸 徂稜切 céng
[字解] ①눈가늘게뜨고태낼 층 '一, 目小作態, 瞢一也'《廣韻》. ②눈흐릴 층 '瞢一'은 눈이 잘 보이지 않음.

12 ⑰ [瞦] 희 [平]支 許其切 xī
[字解] 눈동자의신 희, 눈동자 희 시신경(視神經). '一, 目童子精一也'《說文》.
[字源] 篆文 瞦 形聲. 目＋喜〔音〕

12 ⑰ [瞸] 〔당〕
瞠(目部 十一畫〈p. 1549〉)과 同字

12 ⑰ [瞲] 혈 [入]屑 呼決切 xuè
[字解] 볼 혈 깜짝 놀라며 보는 모양. '一然視之'《荀子》.

[瞲然 혈연] 깜짝 놀라며 보는 모양.

12 ⑰ [瞴] [一] 무 [平]尤 迷浮切 móu
[平]虞 武夫切 wǔ
[二] 모 [上]麌 文甫切
[三] 미 [平]支 忙皮切 mí
[字解] [一] 조금볼 무 '一瞜·一婁'는 잠깐 봄. '一, 一婁, 微視也'《說文》. [二] ①아름다울 모 膴(肉部 十二畫〈p. 1864〉)와 통용. '一, 好也'《廣雅》. ②조금볼 모 잠깐 보는 모양. '一, 微視之皃'《廣韻》. [三] 고운눈 미 아름다운 눈의 모양. '一, 美目皃'《集韻》.
[字源] 形聲. 目＋無〔音〕

12 ⑰ [瞳] [人名] 동 [平]東 徒紅切 tóng
[筆順] 目 目 目 目 瞳 瞳 瞳 瞳
[字解] ①눈동자 동 안정(眼睛). '一孔'. '舜目蓋重一子, 項羽亦重一子'《史記》. ②볼 동 무심히 보는 모양. '汝一焉如新生之犢'《莊子》.
[字源] 形聲. 目＋童〔音〕. '童동'은 '어린이'의 뜻. 눈 속의 어린이, '눈동자'의 뜻을 나타냄.

[瞳孔 동공] 동자(瞳子).
[瞳焉 동언] 무심히 보는 모양.
[瞳人 동인] 눈동자. 남의 눈을 보면 그 눈동자 속에 자기 그림자가 비치므로 이름.

[瞳子 동자] 눈알의 홍채(虹彩)의 한가운데에 있어서 빛이 들어가는 문이 되는 동그란 부분. 눈동자.
[瞳睛 동정] 동자(瞳子).
◉紺瞳. 綠瞳. 明瞳. 方瞳. 雙瞳. 龍瞳. 月頰星瞳. 重瞳. 靑瞳. 漆瞳. 昏瞳.

12 ⑰ [瞵] 린 [平]眞 力珍切 lín [去]震 良刃切 lìn

[字解] ①눈동자 린 안정(眼睛). 동공(瞳孔). ②볼 린 바라봄. '一悍目以旁睞'《潘岳》. ③아름다울 린 아름다운 모양. '一瑞'.

[字源] 篆文 形聲. 目+粦(粦)〔音〕. '粦린'은 '도깨비불'의 뜻. 눈동자의 빛의 뜻을 나타냄.

[瞵盼 인반] 새벽.
[瞵瑞 인빈] 아름다운 모양.

12 ⑰ [瞩] 〔촉〕 矚(目部 二十一畫〈p. 1555〉)의 俗字

12 ⑰ [⿰目逮] 〔태〕 曃(日部 十二畫〈p. 1001〉)의 訛字

12 ⑰ [⿰目掌] 〔당〕 瞠(目部 十一畫〈p. 1549〉)과 同字

12 ⑰ [瞥] [人名] 별 [入]屑 普蔑切 piē

[字解] 언뜻볼 별 잠깐 봄. '一見'.

[字源] 篆文 形聲. 目+敝〔音〕. '敝폐'는 '찢어지다'의 뜻. 좌우의 시선이 집중되지 않아, 균형이 깨진 상태에서, 언뜻 보다의 뜻을 나타냄.

[瞥見 별견] 언뜻 봄. 잠깐 봄.
[瞥觀 별관] 별견(瞥見).
[瞥瞥 별별] 언뜻언뜻 보이는 모양.
[瞥眼間 별안간] 《韓》 언뜻 보는 사이.
[瞥然 별연] 언뜻 보는 모양.
◉斜瞥. 一瞥. 電瞥.

13 ⑱ [⿰目敫] [一] 격 [入]錫 吉歷切 jī [二] 교 [上]篠 吉了切 jiǎo

[字解] [一] 눈깜빡이지않을 격 '一, 目不瞬'《集韻》. [二] ①밝을 교 '一, 明也'《字彙》. ②분명하게나뉘는모양 교 '一, 一曰, 淸別貌'《字彙》.

13 ⑱ [瞿] [人名] 구 ①-③[去]遇 九遇切 jù ④⑤[平]虞 其俱切 qú

[字解] ①놀랄 구 놀라서 눈을 휘둥그렇게 하고 보는 모양. '雀以猜一視'《禽經》. ②가슴두근거릴 구 깜짝 놀라서 가슴이 뛰는 모양. '曾子聞之, 一然'《禮記》. ③두려워할 구 懼(心部 十八畫)와 통용. '一然失席'《禮記》. ④창 구 戵(戈部 十八畫)와 통용. '一人冕, 執一'《書經》. ⑤성 구 성(姓)의 하나.

[字源] 篆文 會意. 䀠+隹. '䀠구'는 두 눈을 본뜬 것. '隹추'는 '매'의 뜻. 매가 망을 보다의 뜻에서, 놀라서 두려워하는 눈으로 보다의 뜻을 나타냄.

[瞿瞿 구구] ㉠지조(志操)가 없는 모양. ㉡놀라서 허둥지둥하여 잘 보지 못하는 모양. ㉢바삐 둘레둘레 보는 모양. ㉣눈을 동그랗게 뜨고 똑바로 보는 모양. ㉤예절을 잘 지키는 모양.
[瞿曇 구담] 범어(梵語) gāutama의 음역(音譯). 석가여래(釋迦如來)가 속세(俗世)에 있을 때의 성(姓). 전(轉)하여, 석가여래 또는 부처를 이름.
[瞿曇學 구담학] 불가(佛家)의 학문.
[瞿唐峽 구당협] 삼협(三峽)의 하나. 쓰촨 성(四川省)의 양쯔 강(揚子江)의 상류에 있는 험준한 협곡(峽谷).
[瞿麥 구맥] 너도개미자릿과(科)에 속하는 다년초(多年草). 꽃은 출혈(出血)·통경(通經) 등의 약재로 씀. 패랭이꽃.
[瞿視 구시] 놀라며 봄.
[瞿然 구연] ㉠놀라며 보는 모양. 또, 놀라 가슴이 두근거리는 모양. ㉡두려워하는 모양. 구연(懼然).
[瞿鴻禨 구홍기] 청말(淸末)의 명신(名臣). 후난성(湖南省) 선화현(善化縣) 사람. 군기 대신(軍機大臣)·외무부상서(外務部尙書) 등을 역임하였음.
◉強瞿. 句瞿. 戣瞿. 駿瞿.

13 ⑱ [瞾] 〔조〕 照(火部 九畫〈p. 1346〉)와 同字

[參考] 당(唐)나라 측천무후(則天武后)가 새로 만든 열아홉 자(字)의 하나로서, 그의 이름임.

13 ⑱ [瞻] [人名] 첨 [平]鹽 職廉切 zhān

[筆順] 瞻

[字解] ①볼 첨 ㉠우러러봄. 쳐다봄. '一仰'. '一彼日月'《詩經》. ㉡임(臨)하여 봄. '視一無回'《禮記》. ㉢바라봄. 망견(望見)함. '乃一衡宇, 載欣載奔'《陶潛》. ②성 첨 성(姓)의 하나.

[字源] 篆文 形聲. 目+詹〔音〕. '詹첨'은 '厃첨'과 통하여, '차양'의 뜻. 차양처럼 손을 눈 위에 대고 보다의 뜻을 나타냄.

[瞻敬 첨경] 우러러봄. 존경함.
[瞻顧 첨고] 뒤를 돌아다봄.
[瞻戴 첨대] 우러러 임. 공경하여 떠받듦.
[瞻望 첨망] 우러러봄.
[瞻奉 첨봉] 우러러 받듦. 존경하여 섬김.
[瞻仰 첨앙] ㉠우러러봄. 앙시(仰視)함. ㉡숭앙(崇仰)함. 존숭함.
[瞻言百里 첨언백리] 백 리의 먼 데까지 살펴보고 말한다는 뜻.
[瞻烏 첨오] 난세(亂世)를 당하여 의지할 곳이 없음을 이름. 시경(詩經)의 '爰一一止于誰之屋'에서 나온 말.
[瞻依 첨의] 앙모하여 의지함.
[瞻眺 첨조] 쳐다봄.
[瞻矚 첨촉] 봄. 바라봄.
◉顧瞻. 觀瞻. 翹瞻. 具瞻. 視瞻. 仰瞻. 眺瞻.

13 ⑱ [⿱𦥯目] [一] 각 [入]覺 訖岳切 jué [二] 옥 [入]沃 烏酷切 wù

[字解] [一] ①눈밝을 각 '一, 目明也'《集韻》. ②밝을 각 '一, 明也'《廣韻》. ③覺(見部 十三畫〈p. 2093〉)의 古字. '一, 古文覺'《正字通》. [二] 눈부릅뜰 옥 '一, 瞋目'《集韻》.

13 ⑱ **[瞼]** [人名] 검 ㊤琰 居奄切 jiǎn 睑

[字解] ①눈꺼풀 검 눈을 감을 때 덮는 살갗. 안검(眼瞼). '—垂覆目不得視'《北史》. ②고을 검 주(州)를 이름. '南蠻有十—'《唐書》.
[字源] 篆文 形聲. 目＋僉〔音〕. '僉첨'은 많은 사람이 입을 맞추어 앞뒤가 맞게 하다의 뜻. 아래위의 눈꺼풀이 딱 맞는 데서, '눈꺼풀'의 뜻을 나타냄.

◉眼瞼.

13 ⑱ **[瞷]** 맹 ㊤梗 莫幸切 měng / [平]庚 眉耕切 / [去]敬 莫更切

[字解] ①볼 맹 눈으로 봄. '—, 集韻, 視也'《康熙字典》. ②똑바로볼 맹 '—盯, 直視'《集韻》. ③눈부라릴 맹 瞌(目部 八畫)과 同字.

13 ⑱ **[瞹]** 애 [去]泰 於蓋切 ài

[字解] ①가릴 애 어둡게 가림. '—, —隱'《廣韻》. ②희미할 애 曖(日部 十三畫)의 訛字.

13 ⑱ **[瞽]** 고 ㊤麌 公戶切 gǔ

[字解] ①먼눈 고, 소경 고 맹목(盲目). 눈을 감은 장님. '—矇'. '—者無以與乎文章之觀'《莊子》. 전(轉)하여, 도리(道理)를 모르는 일. 또, 그 사람. '—說'. '—子'. '舜父有目, 不能分別善惡. 故時人謂之—'《書經 傳》. ②악사 고 음악을 연주하는 벼슬. 또, 그 벼슬아치. '—奏鼓'《書經》. ③학교이름 고 '—宗'은 은대(殷代)의 학교.
[字源] 篆文 形聲. 目＋鼓〔音〕. '鼓고'는 '북'의 뜻. 고대에, 음악을 연주하는 악공(樂工)은 장님이 맡았던 데서 파생하여, '장님'의 뜻을 나타냄.

[瞽矇 고몽] 소경.
[瞽史 고사] 주대(周代)의 두 벼슬 이름. 고(瞽)는 태사(太師)로서 임금을 곁에서 모시고 송시(誦詩)와 풍간(諷諫)하는 일을 맡았으며, 사(史)는 태사(太史)로서 천문(天文)을 맡았음.
[瞽師 고사] 소경의 악사(樂師).
[瞽辭 고사] 고설(瞽說).
[瞽說 고설] 도리(道理)에 어두운 설(說). 우론(愚論). 우설(愚說).
[瞽瞍 고수] 순(舜)임금의 아버지의 이름.
[瞽言 고언] 고설(瞽說).
[瞽議 고의] 고설(瞽說).
[瞽者 고자] 소경.
[瞽宗 고종] ㉠은대(殷代)의 학교. ㉡주대(周代)의 우학(右學).
◉狂瞽. 盲瞽. 矇瞽. 頑瞽. 愚瞽.

14 ⑲ **[矇]** 몽 [平]東 莫紅切 méng

[字解] 먼눈 몽, 소경 몽 눈동자가 있으나 보이지 아니함. 또, 그 사람. 뜬소경. '瞽—'. '昭然若發—矣'《禮記》. 전(轉)하여, 사물을 분별할 능력이 없음. 또, 그 사람. '愚—'. '人未學問曰—'《論衡》.
[字源] 篆文 形聲. 目＋蒙〔音〕. '蒙몽'은 '덮다'의 뜻. 눈이 덮여 있는 '소경'의 뜻을 나타냄.

[矇瞽 몽고] 장님. 소경.
[矇騰 몽등] 잠이 깨지 않음. 정신이 멍함.
[矇昧 몽매] ㉠소경. ㉡어리석음.
[矇矇 몽몽] 밝지 않은 모양.
[矇瞀 몽무] 눈이 어두움.
[矇瞍 몽수] 소경. 눈동자가 있는 소경을 몽(矇), 눈동자가 없는 소경을 수(瞍)라 함.
[矇瞍 몽수] 몽수(矇瞍).
[矇然 몽연] 밝지 않은 모양.
◉瞽矇. 發矇. 瞍矇. 心矇. 愚矇.

14 ⑲ **[矉]** 빈 [平]眞 必隣切 pín

[字解] 찌푸릴 빈 顰(頁部 十五畫)과 同字. '西施病心, 而—其里'《莊子》.
[字源] 篆文 形聲. 目＋賓〔音〕. '賓빈'은 '頻빈'과 통하여, 얼굴을 찡그리다의 뜻. 얼굴을 찡그리고 원망하여 보다의 뜻을 나타냄.

14 ⑲ **[瞸]** 급(읍[俗]) [入]緝 乞及切 qì

[字解] 알제길 급 눈동자에 흰 점이 생김. 눈망울이 흐릿함. '—, 目睛中枯也'《集韻》.

14 ⑲ **[矃]** 녕 ㊤迥 乃頂切 nǐng

[字解] 볼 녕 '盯—'은 잘 봄. '盯—, 視也'《字彙》.
[字源] 形聲. 目＋寧〔音〕

14 ⑲ **[矙]** 감 [平]咸 古銜切 jiān / [去]陷 格懺切

[字解] 볼 감 ㉠잘 봄. '—, 視也'《說文》. ㉡쳐다봄. '—, 瞻也'《廣韻》. ㉢내려다봄. 굽어봄. '—, 亦當爲臨視也'《說文 段注》.
[字源] 篆文 形聲. 目＋監〔音〕. '監감'은 '비추어 보다'의 뜻. '目목'을 덧붙여, 그 뜻을 분명히 함.

14 ⑲ **[矆]** 확 [入]藥 許縛切 huò

[字解] ①볼 확 눈으로 봄. '—, 視也'《廣雅》. ②부릅떠볼 확 눈을 크게 뜨고 보는 모양. '—睒無度'《本草》.
[字源] 篆文 形聲. 目＋蒦〔音〕. '蒦확'은 '붙잡다'의 뜻. 물건을 붙잡듯이 눈을 부릅뜨고 보다의 뜻을 나타냄.

15 ⑳ **[矍]** 확(곽[本]) [入]藥 居縛切 jué

[字解] ①두리번거릴 확 깜짝 놀라 눈을 휘둥그렇게 하고 허둥지둥 이쪽저쪽을 보는 모양. '—然失容'《後漢書》. ②씩씩할 확 '—鑠'은 노인이 원기가 왕성하고 몸이 잰 모양. '—鑠哉是翁也'《後漢書》. ③성 확 성(姓)의 하나.
[字源] 篆文 形聲. 又＋瞿〔音〕. '瞿구·극'은 놀라 두려워서 보다의 뜻. 또는 새를 손에 가지다의 뜻. 손에 든 새가 놀라서 두려운 듯이 두리번거리다의 뜻을 나타냄.

[矍鑠 확삭] 노인이 원기가 왕성하고 몸이 잰 모양.
[矍相 확상] 지명(地名). 지금의 산둥 성(山東省) 취푸 현(曲阜縣)의 성내(城內) 궐리(闕里)의 서쪽에 있었음. 공자(孔子)가 이곳에서 활쏘기를 배웠고, 청대(淸代)에는 현학(縣學)이 있었음.
[矍視 확시] 놀라 허둥지둥 봄. 황급히 봄.
[矍然 확연] 확확(矍矍) ㉠.
[矍踢 확척] 놀라 허둥지둥하는 모양.
[矍矍 확확] ㉠놀라 어쩔 줄 모르며 눈을 휘둥그렇게 하고 두리번거리는 모양. ㉡부지런히 힘쓰는 모양.
◉驚矍.

15 ⑳ [矎] 현 [平]先 火玄切 xuān

[字解] ①볼 현 눈으로 봄. '一, 視也'《廣雅》. ②노려볼 현 똑바로 봄. '一, 直視也'《玉篇》.

15 ⑳ [曠] 광 [去]漾 苦謗切 kuàng

[字解] ①청맹과니 광 눈동자가 없어 눈이 멂. '一, 目無眹'《玉篇》. ②눈에영채없을 광 눈에 빛이 없음. '一, 目無色'《集韻》. ③볼 광 '一目盡都甸'《江淹》.

15 ⑳ [瞶] [一] 매 [去]卦 莫懈切 mài
[二] 애 [去]卦 牛懈切 yá

[字解] [一] 곁눈질할 매 흘겨서 봄. '一, 邪視'《集韻》. [二] 눈초리 애, 흘길 애 睚(目部 八畫)와 同字.

15 ⑳ [瞡] 멸 [入]屑 莫結切 miè

[字解] ①눈초리짓무를 멸 눈 가장자리가 벌겋게 짓무름. '目眥傷赤曰一'《釋名》. ②눈곱 멸 눈곱자기. ③눈흐릴 멸 눈이 밝지 않음. '目不明曰一'《正字通》.
[字源] 形聲. 目+蔑〔音〕

16 ㉑ [矐] [一] 확 [入]藥 虛郭切 huò
[二] 학 [入]藥 呵各切 huò

[字解] [一] 눈뺄 확 눈을 빼냄. '惜高漸離善擊筑, 重赦之, 乃一其目'《史記》. [二] 눈뺄 학 [一]과 뜻이 같음.
[字源] 形聲. 目+霍〔音〕

16 ㉑ [矑] 력 [入]錫 郎擊切 lì

[字解] 눈밝을 력 시력이 좋아서 잘 보이는 모양. '一, 一一, 視明皃'《廣韻》. '一, 一一, 目明'《集韻》.

16 ㉑ [矑] 로 [平]虞 落胡切 lú

[字解] 눈동자 로 안정(眼睛). 동공(瞳孔). '玉女亡所眺其淸一'《揚雄》.
[字源] 形聲. 目+盧〔音〕

◉交矑. 明矑. 淸矑.

16 ㉑ [矇] 맹 [平]庚 謨耕切 méng

[字解] 눈희미할 맹 분명히 보이지 않는 모양. '矃一, 視不明皃'《集韻》.

16 ㉑ [矔] 〔간〕
艱(艮部 十一畫〈p. 1894〉)의 本字

16 ㉑ [矕] 〔준〕
瞕(目部 八畫〈p. 1543〉)의 本字

17 ㉒ [矕] [人名] 응 [平]蒸 於陵切 yīng

[字解] 꼼짝않고볼 응 '一, 定視'《集韻》.

18 ㉓ [矔] 관 [去]翰 古玩切 guàn

[字解] ①부릅뜰 관 성내어 눈을 크게 뜸. '梁益之閒, 瞋目曰一'《揚子方言》. ②돌아볼 관 뒤돌아봄. '空下峕而一世兮'《劉歆》. ③성 관 성(姓)의 하나.
[字源] [篆文] 形聲. 目+雚〔音〕. '雚관'은 '둘러보다'의 뜻. 눈을 부릅뜨고 둘러보다의 뜻을 나타냄.

19 ㉔ [矗] [人名] 촉 [入]屋 丑六切 chù

[字解] ①우거질 촉 초목이 무성함. '橚一森芊'《左思》. ②같을 촉 꼭 같은 모양. '一似長雲'《鮑照》. ③곧을 촉 '一然而不誣'《元包經》. ④우뚝솟을 촉 높이 솟은 모양. '崇山一一'《司馬相如》.
[字源] 形聲. 直+直+直〔音〕. '直직'은 '곧다'의 뜻.

[矗立 촉립] 우뚝 솟음.
[矗然 촉연] 곧은 모양.
[矗矗 촉촉] 우뚝 솟은 모양.
[矗出 촉출] 우뚝 솟아 나옴.

19 ㉔ [矖] 리 [平]支 呂支切 lí

[字解] 둘러볼 리 찾느라고 둘러보는 모양. '一目八荒'《魏書》.
[字源] 形聲. 目+麗〔音〕

[矖目 이목] 찾느라고 둘러봄.

19 ㉔ [矕] 만 [上]潸 武板切 mǎn

[字解] ①볼 만 바라봄. '右一三塗'《後漢書》. ②입을 만 옷 같은 것을 걸침. '一龍虎之文舊矣'《班固》.
[字源] [篆文] 形聲. 目+䜌〔音〕. '䜌련'은 길게 이어져서 끊어지지 않다의 뜻. 넋을 잃고 언제까지나 바라보다의 뜻을 나타냄.

◉覘矕.

20 ㉕ [矘] 당 [上]養 他朗切 tǎng

[字解] ①똑바로볼 당 직시(直視)함. '鳶肩豺目, 洞精一眄'《後漢書》. ②멍하니볼 당 '一, 目無精

直視也'《說文》. ③어두울 당 눈이 밝지 아니함.
[字源] [篆文] 形聲. 目＋黨〔音〕. '黨당'은 가로막혀서 분명치 않다의 뜻. 차단되어 똑똑히 보이지 않다, 멍하니 바라보다, 눈이 밝지 않다의 뜻을 나타냄.

[矘眄 당면] 똑바로 봄.

20 ㉕ [矙] 감 [去]勘 苦濫切 kàn

[字解] 엿볼 감 틈을 엿봄. '陽貨一孔子之亡也, 而饋孔子蒸豚'《孟子》.
[字源] 形聲. 目＋闞〔音〕. '闞감'은 문에 기대어 엿보다의 뜻.

20 ㉕ [矙] [一] 감 [去]勘 苦濫切 kàn
[二] 엄 [上]琰 五犯切 yǎn

[字解] [一] 볼 감 瞰(目部 十二畫〈p. 1551〉)과 同字. '瞰, 視也, 或从嚴'《集韻》. [二] 엄숙할 엄 儼(人部 二十畫〈p. 188〉)과 통용. '一, 說文, 昂頭, 一曰, 好皃, 一曰, 恭也, 或作一'《集韻》.

21 ㉖ [矚] 촉 [入]沃 之欲切 zhǔ

[字解] 볼 촉 주시(注視)함. '一目'. '凝神遠一'《魏書》.
[字源] 形聲. 目＋屬〔音〕. '屬속·촉'은 '이어지다'의 뜻. 보는 것에 시선을 잇대어 가다, 눈을 떼지 않고 계속 보다의 뜻을 나타냄.
[參考] 瞩(目部 十二畫)은 俗字.

[矚目 촉목] 주시(注視)함.
◉驚矚. 眷矚. 覽矚. 旁矚. 騁矚. 麗矚. 遠矚. 遊矚. 凝矚. 停矚. 眺矚. 瞻矚. 聽矚. 下矚. 軒矚. 欣矚.

矛 (5획) 部
〔창모부〕

0 ⑤ [矛] [人名] 모(무本) [平]尤 莫浮切 máo

[筆順] ㇇ ㇇ 乛 予 矛

[字解] 창 모 병기(兵器)의 한 가지. 뾰족한 쇠를 긴 나무 자루에 박아, 적을 찔러 죽이는 데 씀. 끝이 두 가닥으로 된 것은 '戈'라고 함. '一戟'. '立爾一'《書經》.
[字源] [篆文] [古文] 象形. 긴 자루의 머리 부분에 날카로운 날을 단 무기, 창을 본뜬 것. 옛날에, 병거(兵車)에 세웠음.
[參考] '矛모'를 의부(意符)로 하여, 창에 관한 문자를 이룸. 부수 이름은 '창모변'.

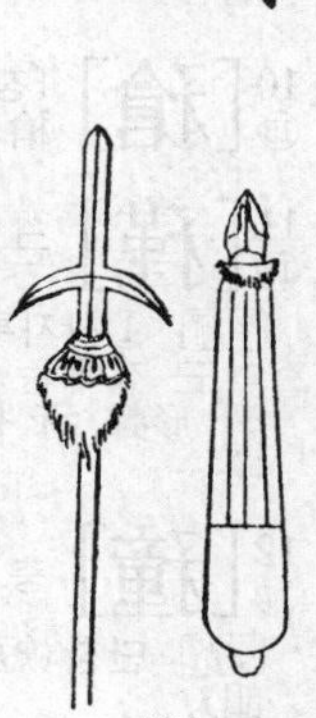
[矛]

[矛戈 모과] 창. 전(轉)하여, 병기(兵器).
[矛戟 모극] ㉠창. ㉡병기(兵器).
[矛櫓 모로] 창과 방패. 노(櫓)는 큰 방패.
[矛槊 모삭] 창(槍).
[矛盾 모순] ㉠창과 방패. ㉡앞뒤가 서로 어긋나 맞지 않음. 한비자(韓非子) 잡편(雜篇)에 실린 고사(故事). 옛날에 초(楚)나라 사람이 창과 방패를 파는데, 자기의 창은 어떠한 방패라도 막지 못하고, 자기의 방패는 어떠한 창으로도 뚫지 못한다고 자랑하므로, 어떤 사람이 듣고서, 당신의 창으로 당신의 방패를 찌르면 어떻게 되겠느냐고 물으니, 그 사람이 대답을 못하더라는 이야기에서 나옴.
[矛楯 모순] 모순(矛盾).
[矛盾律 모순율] 논리학상(論理學上)의 사고 법칙(思考法則)의 하나. 사물(事物)을 긍정(肯定) 또는 부정(否定)하면서 동시에 이를 부정 또는 긍정할 수 없다고 하는 원리.
[矛叉 모차] 끝이 두 가닥으로 된 창.
◉戈矛. 亡戟得矛. 蛇矛. 霜矛. 楯矛. 衞矛. 夷矛. 利矛. 杖矛. 持矛. 酋矛.

3 ⑧ [矠] 뉵 [入]屋 女六切 nǜ

[字解] 날카로울 뉵 '一, 利也'《字彙補》.

[柔] 〔유〕
木部 五畫(p. 1055)을 보라.

4 ⑨ [矜] [人名] [一] 근 [平]眞 渠巾切 qín
[二] 긍 [平]蒸 居陵切 jīn
[三] 관 [平]刪 姑頑切 guān

[筆順] ㇇ ㇇ 乛 予 矛 矛 矜 矜 矜

[字解] [一] 창자루 근 창의 자루. '起窮巷, 奮棘一'《史記》. [二] ①불쌍히여길 긍 가엾이 여김. '一憐'. '天一于民'《書經》. ②괴로워할 긍 고생함. '爰及一人'《詩經》. ③아낄 긍 함부로 하지 아니함. '不一細行, 終累大德'《書經》. ④엄숙할 긍 장엄함. '一而不爭'《論語》. ⑤공경할 긍, 삼갈 긍 경신(敬愼)함. '一厲'. '皆有所一式'《孟子》. ⑥숭상할 긍 존숭함. '故人一節行'《賈誼》. ⑦자랑할 긍 자만함. '一大'. '汝惟不一'《書經》. ⑧위태할 긍 위험스러움. '居以凶一'《詩經》. [三] ①앓을 관 병듦. '痌瘝恫一'《漢書》. ②홀아비 관 鰥(魚部 十畫)과 통용. '不侮一寡'《詩經》.
[字源] [篆文] 形聲. 矛＋今〔音〕. '矛모'는 '창'의 뜻. '今금'은 '덮다'의 뜻. 손으로 덮어 쥐는 창의 부분, 곧 자루의 뜻을 나타냄. '兢긍'·'謹근'과 통하여, '삼가다'의 뜻을 나타냄. 또, '慬근'과 통하여, 불쌍히 여기다의 뜻을 나타냄.

[矜寡 관과] 홀아비와 과부.
[矜羯羅童子 긍갈라동자] 《佛教》 부동명왕(不動明王)의 왼쪽에 있는 시자(侍者). 오른쪽의 시자는 제타가동자(制吒迦童子)라 함.
[矜競 긍경] 재능(才能)을 자랑하며 남과 우열(優劣)을 경쟁함.
[矜侉 긍과] 긍과(矜誇).
[矜誇 긍과] 자랑함.
[矜驕 긍교] 자만심이 많아 교만함.
[矜救 긍구] 불쌍히 여겨 구제함.
[矜貴 긍귀] ㉠자랑함. 뽐냄. ㉡자기가 존귀하다

는 긍지(矜持)를 가짐.
[矜矜 긍긍] ㉠단단하고 강한 모양. ㉡경계하고 자중(自重)하는 모양.
[矜大 긍대] 뽐냄. 거만함.
[矜厲 긍려] 신중하고 근엄(謹嚴)함.
[矜憐 긍련] 가엾이 여김. 불쌍하게 여김.
[矜邁 긍매] 자랑하고 뽐냄.
[矜勉 긍면] 삼가고 힘씀.
[矜愍 긍민] 긍민(矜憫).
[矜憫 긍민] 가엾이 여김. 불쌍히 여김.
[矜伐 긍벌] 긍대(矜大).
[矜負 긍부] 재능을 자랑하고 믿음.
[矜奮 긍분] 삼가고 분발함.
[矜肆 긍사] 교만하고 방자함.
[矜恕 긍서] 가엾이 여겨 용서함.
[矜恃 긍시] 자기 행동이 떳떳하다고 자부(自負)함.
[矜式 긍식] 삼가 본보기로 삼음.
[矜飾 긍식] 자랑하고 꾸밈.
[矜哀 긍애] 가엾게 여김. 불쌍하게 여김.
[矜嚴 긍엄] 근엄(謹嚴)함.
[矜勇 긍용] 스스로 용감함을 자랑함.
[矜育 긍육] 가엾이 여겨 기름.
[矜人 긍인] 빈한하여 가엾은 사람.
[矜莊 긍장] 근엄하고 장중(莊重)함.
[矜躁 긍조] 교만하고 조급함.
[矜持 긍지] ㉠믿는 바가 있어서 스스로 자랑함. ㉡스스로 억제하며 삼감.
[矜惻 긍측] 가엾게 생각함. 측은히 여김.
[矜惰 긍타] 교만하고 게으름.
[矜誕 긍탄] 긍사(矜肆).
[矜泰 긍태] 거만함. 거드럭거림.
[矜愎 긍퍅] 거만하고 괴팍함.
[矜恤 긍휼] 가엾이 여겨 구휼(救恤)함.
◉可矜. 去矜. 夸矜. 驕矜. 伐矜. 哀矜. 仁矜. 自矜.

4 ⑨ [矵] ㊀ 뉴 ㊤有 女九切 niǔ ㊁ 뉵 ㊅屋 女六切

字解 ㊀ 슴베 뉴 창날의 창자루 속에 들어가 있는 부분. '一, 刺也'《說文》. ㊁ 슴베 뉵 ㊀과 뜻이 같음.
字源 形聲. 矛+丑〔音〕

4 ⑨ [矜] 혁 ㊅錫 詰歷切 xù

字解 ①긴창이름 혁 기다란 창(槍)의 이름. '一, 長矛名'《玉篇》. ②창 혁 창(槍)의 하나.

[務] 〔무〕 力部 九畫(p. 280)을 보라.

7 ⑫ [矞] ㊀ 율 ㊅質 餘律切 yù ㊁ 휼(결㊍) ㊅屑 古穴切 jué

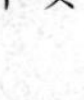

字解 ㊀ ①송곳질할 율, 뚫을 율 송곳으로 구멍을 뚫음. ②구름빛 율 상서로운 구름의 빛. '三色成一'《漢書》. ③자랄 율 초목 같은 것이 봄바람에 성장하는 모양. '物登明堂, 一一皇皇'《太玄經》. ④놀랄 율 놀라 허겁지겁하는 모양. 또, 놀라 나는 모양. '鳳以爲畜, 故鳥不一'《禮記》. ㊁ 속일 휼 譎(言部 十二畫)과 同字. '一宇嵬瑣'《荀子》.

字源 篆文 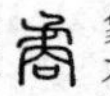 象形. 대좌(臺座)에 세운 창을 본뜬 것으로, '찌르다, 뚫다'의 뜻을 나타냄. 《說文》에서는 矛+冏의 會意.

[矞雲 율운] 상서로운 구름. 삼색(三色) 또는 이색(二色)의 구름.
[矞矞 율율] 초목 같은 것이 봄바람에 성장하는 모양.
[矞皇 율황] ㉠아름다운 모양. 일설(一說)에는, 밝고 성(盛)한 모양. ㉡귀신 이름. 〈사기(史記)〉에는 율황(潏湟)으로 나왔음.

7 ⑫ [矟] 삭 ㊅覺 所角切 shuò

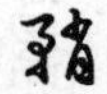

字解 창 삭 槊(木部 十畫)과 同字. '以一擬殷仲堪'《晉書》.
字源 形聲. 矛+肖〔音〕
◉大矟. 刀矟. 叢矟.

8 ⑬ [矠] 색 ㊅陌 士革切 zé

字解 ①작살 색 물고기 같은 것을 찔러 잡는 기구. ②작살질할 색, 찌를 색 작살로 찌름. '一魚鼈'《國語》.
字源 篆文  形聲. 矛+昔(㫺)〔音〕

9 ⑭ [矤] 영 ㊥庚 於莖切 yīng

字解 깃으로꾸민창 영 새의 깃으로 장식한 창(槍). '一, 以鳥羽飾矛'《正字通》.

9 ⑭ [知] 언 ㊤阮 隱幰切 yǎn

字解 삼인창(三刃槍) 언 날이 셋 있는 창. '戟三刃者謂之一'《集韻》.

10 ⑮ [矦] ㊀ 개 ㊮泰 苦蓋切 kài ㊁ 갑 ㊅合 渴合切

字解 ㊀ 창 개, 긴창 개 '一, 鈹也'《廣雅》. ㊁ 창 갑, 긴창 갑 ㊀과 뜻이 같음.
字源 形聲. 矛+害〔音〕

10 ⑮ [矨] 〔창〕 槍(木部 十畫〈p. 1095〉)과 同字

11 ⑯ [矝] 근 ㊥眞 巨巾切 qín ㊥文 巨斤切 qín

字解 ①창자루 근 矜(矛部 四畫)과 同字. ②호미 근 김매는 농구. '一, 鉏耰也'《玉篇》.
字源 形聲. 矛+堇〔音〕

12 ⑰ [矞] 충 ㊥冬 尺容切 chōng

字解 단창(短槍) 충 짧은 창. '一, 短矛也'《廣韻》.

19 ㉔ [矡] 찬 ㊤旱 作管切 zuǎn

字解 ①창 찬 작은 창. '一制如戟, 鋒兩旁微起, 下有鐏銳'《元史》. ②창고달 찬 창의 물미. '其一用鐵'《釋氏要覽》.

[穳刃 찬인] 창과 칼날.

20 ㉕ [矡] 확(곽本) 入藥 厥縛切 jué

字解 ①창 확 창의 일종(一種). '一, 矛屬'《集韻》. ②송곳 확 '一, 錐也'《字彙補》.

矢 (5획) 部
〔화살시부〕

0 ⑤ [矢] 高人 시 上紙 式視切 shǐ

筆順 ノ 𠂉 𠂉 𠂉 矢

字解 ①살 시 ㉠무기의 하나. 화살. '弓一'. '其直如一'《墨子》. ㉡투호(投壺)에 쓰는 살. '主人奉一'《禮記》. ②벌일 시 벌여 놓음. 진열함. '公一魚于棠'《左傳》. ③맹세할 시 서약함. '一言'. '永一勿諼'《詩經》. ④베풀 시 널리 폄. '一其文德'《詩經》. ⑤바를 시, 곧을 시 '得黃一貞吉'《易經》. ⑥똥 시 屎(尸部 六畫)와 통용. '埋之馬一之中'《左傳》. ⑦성 시 성(姓)의 하나.

字源 甲骨文 金文 篆文 象形. 화살을 본떠, '화살'의 뜻을 나타냄.

參考 '矢시'를 의부(意符)로 하여, 화살에 관한 문자를 이룸. 부수 이름은 '살시변'.

[矢笴 시가] 살대. 화살대.
[矢口 시구] 입을 바르게 함.
[矢房 시방] 화살을 넣는 통. 전동. 시복(矢箙).
[矢服 시복] 시복(矢箙).
[矢箙 시복] 화살을 넣는 통. 전동. 가죽이나 대나무 따위로 만들고 뚜껑이 있음. 시복(矢服).
[矢石 시석] ㉠화살과 쇠뇌로 발사하는 돌. ㉡전쟁(戰爭).
[矢石之間 시석지간] 전쟁터를 이름.
[矢詩 시시] 시(詩)를 읊음. 시(矢)는 진(陳).
[矢言 시언] 맹세의 말.
[矢人 시인] 화살을 만드는 장인(匠人).
[矢刃 시인] 화살과 칼날. 전(轉)하여, 무기.
[矢鏃 시촉] 화살촉. 살촉.

[矢箙]

◉激矢. 勁矢. 光陰如矢. 弓矢. 棘矢. 毒矢. 馬矢. 蓬矢. 桑弧蓬矢. 鼠矢. 乘矢. 枉矢. 雨矢. 流矢. 遺矢. 一矢. 竹矢. 戢干戈櫜弓矢. 砥矢. 直如矢. 攢矢. 鏃矢. 弧矢. 蒿矢. 火矢. 嚆矢.

2 ⑦ [矣] 中人 의 上紙 于紀切 yǐ

筆順 𠂉 厶 厶 厶 厶 矣 矣

字解 어조사 의 ㉠구(句)의 끝에 쓰이는 과거를 나타내는 조사(助辭). '今乘輿已駕一'《孟子》. ㉡구(句)의 끝에 쓰이는 미래를 나타내는 조사. '苟志於仁一, 無惡也'《論語》. ㉢구(句)의 끝에 쓰이는 단정을 나타내는 조사. '王道備一'《禮記》. ㉣구(句)의 중간에 써서, 어세(語勢)를 강조하는 조사. '習一而不察焉'《孟子》. ㉤도구법(倒句法)에 쓰이는 조사. '巧言令色鮮一仁'《論語》. ㉥딴 조사의 위에 쓰이는 조사. '仁一乎'《論語》.

字源 篆文 象形. 사람이 입을 벌리고 있는 모양을 본떠, 문말(文末)의 어세(語勢)를 나타내는 의성어(擬聲語). 《說文》에서는 矢+㠯〔音〕의 形聲.

[矣乎 의호] 영탄의 조사.

3 ⑧ [知] 中人 지 ①-⑪平支 陟離切 zhī ⑫⑬去寘 知義切 zhì

筆順 ノ 𠂉 𠂉 𠂉 矢 矢 知 知

字解 ①알 지 ㉠깨달음. 감각함. '學而一之'《中庸》. '百姓日用而不一'《易經》. ㉡변별함. '思事親, 不可以不一人'《中庸》. ㉢기억함. '父母之年, 不可不一也'《論語》. ㉣서로 앎. 사귐. 친함. '一得'. '一叔孫于齊'《左傳》. ②알릴 지 알게 함. '曾不報我一'《韓愈》. ③앎 지 ㉠아는 일. 지식. '一行'. '其多一歟'《揚子法言》. ㉡아는 작용. '一覺'. '有生而無一'《荀子》. ㉢아는 작용이 뛰어난 일. '擇不處仁, 焉得一'《論語》. ㉣사람끼리 서로 아는 일. 교우(交友). '新相一'. '遂如故一'《左傳》. ④알림 지 알게 하는 일. '昨夜新秋一葉一'《戴復古》. ⑤사귐 지 교유(交遊). '絶賓客之一'《司馬遷》. ⑥대접 지 대우. '一遇'. '忽受國士一'《岑參》. ⑦맡을 지 주재(主宰)함. '一事'. '子產其將一政矣'《左傳》. ⑧지사 지 지사(知事)의 약칭(略稱). 주현(州縣)의 장관(長官). '一博州'《宋史》. ⑨짝 지 배우자. '樂子之無一'《詩經》. ⑩능히 지 能(肉部 六畫)과 뜻이 같음. '愈於進士, 粗爲一讀經書者'《韓愈》. ⑪나을 지 병이 나음. '二刺則一'《素問》. ⑫슬기 지 智(日部 八畫)와 同字. '一能'. '是是非非謂之一'《荀子》. ⑬성 지 성(姓)의 하나.

字源 篆文 會意. 口+矢. '口구'는 기도하는 말의 뜻. '矢시'는 '화살'의 뜻. 화살을 곁들여 기도하여, 신의 뜻을 아는 모양에서, '알다'의 뜻을 나타냄.

[知覺 지각] ㉠알아 깨달음. ㉡감각 기관(感覺器官)에 의하여 외계(外界)의 사물(事物)의 성질·형태·관계 등을 의식하는 작용 및 그 작용에 의하여 얻어지는 표상(表象).
[知鑑 지감] 지인지감(知人之鑑).
[知客 지객] 《佛敎》 절에서 왕래하는 손님을 인도하는 일. 또, 그 일을 맡은 사람. 전빈(典賓). 지빈(知賓).
[知見 지견] ㉠앎과 봄. ㉡생각. 의견(意見). ㉢사리(事理)를 깨달아 아는 능력. 식견(識見).
[知舊 지구] 오랜 친구. 고구(故舊).
[知己 지기] 자기의 진심(眞心)과 정서를 잘 알아

주는 사람. 자기를 제대로 대우(待遇)해 주는 사람.
[知幾其神乎 지기기신호] 사물(事物)의 기미(幾微)를 알아차리는 자는 사람이 아니고 신(神)이라 할 것임.
[知其雄守其雌 지기웅수기자] 사내다운 강건(剛健)함을 잘 알지만, 여자의 유약(柔弱)의 도(道)를 지켜 이기기를 구하지 않는다는 뜻. 웅(雄)은 강(剛), 자(雌)는 유(柔). 지웅수자(知雄守雌).
[知己之友 지기지우] 자기를 잘 알아주는 친구.
[知難行易 지난행이] 도리(道理)를 알기는 어렵지만, 알고 나면 행하기는 쉽다는 뜻으로, 쑨원(孫文)이 그가 지은 〈건국방략(建國方略)〉에서 주창(主唱)한 말.
[知能 지능] 슬기와 능력. 지능(智能).
[知德合一 지덕합일] 지식과 실행은 일치하여야 한다고 하는 소크라테스의 학설.
[知道 지도] ㉠도(道)를 환히 깨달아 앎. ㉡앎. ㉢승낙(承諾)함.
[知得 지득] 서로 앎.
[知慮 지려] 생각. 걱정.
[知了 지료] 다 앎. 충분히 앎.
[知面 지면] 《韓》 만나 본 일이 있어 서로 얼굴을 앎.
[知名 지명] ㉠이름을 앎. ㉡이름이 널리 세상에 알려짐. 또, 그 사람.
[知命 지명] ㉠천명(天命)을 앎. 하늘이 준 자기의 분수에 만족함. ㉡나이 50세의 일컬음.
[知命者不立乎巖牆之下 지명자불립호암장지하] 천명(天命)을 아는 자는 무너질 위험성이 있는 담장 밑에 서지 않음. 천명을 아는 자는 도(道)를 다하고 죽음. 즉, 헛된 죽음을 맞지 않음.
[知命之年 지명지년] 50세를 이름. 공자(孔子)가 50세에 천명(天命)을 알았다고 말한 데서 나온 말.
[知母 지모] 백합과에 속하는 다년초(多年草). 근경(根莖)은 해열제로 씀. 관상용으로도 심음.
[知府 지부] 부(府)의 장관(長官).
[知不足齋 지부족재] 청(淸)나라 사람, 포정박(鮑廷博)의 서재(書齋) 이름.
[知不足齋叢書 지부족재총서] 포정박(鮑廷博)과 그의 아들 사공(士恭)의 장서(藏書) 중에서 가장 정확하고 진귀한 것을 가려 간행한 책. 모두 30집(輯).
[知分 지분] 자기 분수를 앎.
[知賓 지빈] 《佛敎》 지객(知客).
[知事 지사] ㉠일을 앎. 일을 알아 분간함. ㉡주(州) 또는 현(縣)의 장관. ㉢《韓》 도(道)의 장관.
[知死期 지사기] 음양도(陰陽道)에서 사람의 생년월일시에 의하여 그의 사기(死期)를 미리 아는 일.
[知生之樂未知生之苦 지생지락미지생지고] 사람은 삶에 낙(樂)이 있음은 알아도 삶의 괴로움이 있음을 알지 못하고 있음.
[知識 지식] ㉠앎. ㉡알고 있는 내용. 알고 있는 사물(事物). ㉢아는 사람. 지인(知人). ㉣《佛敎》 지혜와 식견(識見)을 갖춘 중. ㉤《佛敎》 오의(五意)의 하나. 진(眞)을 알고 망(妄)을 알고 번뇌(煩惱)를 알고 정법(正法)을 아는 일. 지식(智識).
[知識階級 지식계급] 비교적 높은 지식을 가지고 지적 노동에 종사하는 사회층. 인텔리겐치아.
[知新 지신] 새로운 이치를 깨달음.
[知悉 지실] 다 앎. 자세히 앎.
[知言 지언] ㉠이치가 닿는 말. 도리(道理)에 밝은 말. ㉡남의 의론(議論)을 분석하여 그 시비(是非)·정사(正邪)를 이해함.
[知淵中之魚者不祥 지연중지어자불상] 깊은 못 속의 물고기를 들여다보고 몇 마리 있는 것을 환히 아는 것은 좋지 않음. 잔단 일을 세세히 알고자 하는 것은 좋지 않음을 이름.
[知友 지우] 벗. 친구.
[知遇 지우] 인격·학문·재능 등을 인정받아 후대(厚待)를 받는 일.
[知雄守雌 지웅수자] 지기웅수기자(知其雄守其雌).
[知遠而不知近 지원이부지근] 남의 일은 잘 알면서도 제 일은 알지 못함.
[知恩 지은] ㉠은혜를 앎. ㉡《佛敎》 불(佛)·법(法)·승(僧)의 삼보(三寶)의 은덕을 앎.
[知音 지음] ㉠음(音)을 앎. ㉡거문고 소리를 앎. 전(轉)하여, 자기의 마음을 알아주는 친한 벗. 〈열자(列子)〉에 나오는 '백아(伯牙)가 거문고를 잘 타고 그의 벗 종자기(鍾子期)는 그 타는 소리를 듣고 백아의 심중(心中)을 잘 알았는데, 종자기가 죽자 백아는 자기가 타는 거문고 소리를 이해하는 사람이 없으니 거문고를 타 무슨 소용이 있으랴 하여 거문고의 줄을 끊고 다시는 손을 대지 않았다.'고 하는 고사(故事)에서 유래함.
[知人 지인] ㉠지혜가 있는 사람. ㉡사람을 앎. 인물의 현우(賢愚)를 식별(識別)함.
[知印 지인] 자기의 직임(職任)에 관계되는 문서에 책임의 소재(所在)를 밝히기 위하여 인장을 찍는 일.
[知仁勇 지인용] 도(道)를 앎과 도를 체득(體得)함과 도를 용감히 행하는 일.
[知人之鑑 지인지감] 사람을 잘 알아보는 감식안(鑑識眼).
[知一而不知二 지일이부지이] 어떤 한 가지 일은 알되 여타(餘他)의 일은 모름. 식견(識見)이 좁음을 이름.
[知者 지자] 슬기가 있는 사람. 식견(識見)이 있는 사람. 사리(事理)를 잘 분간할 줄 아는 사람. 지자(智者).
[知子莫若父 지자막약부] 자식의 사람됨을 아버지보다 더 잘 아는 사람은 없음.
[知者不博 지자불박] 이치를 깊이 아는 사람은 자기 전문을 깊이 파느라고 딴 잡다(雜多)한 일에는 통하지 아니함.
[知者不言 지자불언] 지식이 있는 사람은 깊이 재능을 감추고 함부로 말을 하지 아니함.
[知者不惑 지자불혹] 사리를 잘 분간하는 사람은 사물(事物)에 미혹(迷惑)하지 아니함.
[知者樂水 지자요수] 사리를 잘 분간하는 사람은 막히는 데가 없으므로 막힘없이 흐르는 물을 좋아함.
[知照 지조] 통지함. 조회(照會)함.
[知足 지족] 족한 줄을 앎.
[知足不辱 지족불욕] 분수(分數)를 지키는 사람은 욕(辱)을 먹지 않음.
[知足安分 지족안분] 족한 줄을 알아 자기의 분수에 만족함.
[知足者富 지족자부] 자기 분수(分數)에 만족하여 허욕(虛欲)을 내지 않는 사람은 마음에 여

유가 있음.
[知進而不知退 지진이부지퇴] 앞으로 나아갈 줄만 알고 뒤로 물러설 줄은 모름. 무턱대고 나아감.
[知彼知己 지피지기] 적(敵)의 형편도 알고 자기네 형편도 앎.
[知彼知己百戰不殆 지피지기백전불태] 피아간(彼我間)의 실정(實情)을 잘 알면 백 번 싸워도 위태(危殆)롭지 않음.
[知行 지행] 앎과 행함. 지식과 행위.
[知行合一 지행합일] 앎과 행함은 본래 같은 것으로서 알고서도 행하지 아니함은 모르는 것과 같다는 윤리설(倫理說). 명(明)나라 왕양명(王陽明)의 학설.
[知縣 지현] 현(縣)의 장관(長官).
[知慧 지혜] 슬기.
[知會 지회] 지조(知照).
[知曉 지효] 알아 깨달음. 환히 앎.
◉覺知. 奸知. 姦知. 格物致知. 見知. 告知. 故知. 困知. 闕知. 狡知. 久知. 舊知. 權知. 機知. 冷暖自知. 路人所知. 獨知. 明知. 無知. 聞知. 未知. 訪知. 辨知. 報知. 不知. 不知不識. 朋知. 四知. 上知. 相知. 生知. 先知. 聖知. 熟知. 習知. 承知. 神知. 心知. 諳知. 良知. 諒知. 量知. 與知. 英知. 領知. 靈知. 豫知. 叡知. 了知. 辱知. 以辯飾知. 理知. 迪知. 認知. 才知. 全知. 前知. 精知. 蚤知. 周知. 知者不言言者不知. 至知. 眞知. 徵知. 察知. 淺知. 諜知. 揣知. 致良知. 致知. 探知. 通知. 學知. 賢知. 慧知. 後知.

3 ⑧ [矤] 矧(次條)과 同字

4 ⑨ [矧] 신 ㊤軫 式忍切 shěn

字解 ①하물며 신 황차(況次). '至誠感神, 一玆有苗'《書經》. ②이촉 신 치근(齒根). '笑不至一'(입을 벌려 이촉을 나타내도록 껄껄 웃지 아니함)《禮記》.
字源 篆文 形聲. 矢+引〔音〕. '引인'은 화살을 당기다의 뜻. 차례로 화살을 당기듯이, 다그치다의 뜻을 나타냄.

4 ⑨ [矦] 〔후〕 侯(人部 七畫〈p. 135〉)의 本字

5 ⑩ [矩] 人名 구 ㊤麌 俱雨切 jǔ

筆順 ノ ㇒ ㇐ 矢 矢 矢 知 矩 矩

字解 ①곱자 구 방형(方形)을 그리는 데 쓰는 자. 곡척(曲尺). '一繩'. '規一準繩'《孟子》. ②네모 구, 모서리 구 사각(四角). 또, 모서리. '一方器械'《漢書》. ③법 구 법칙. 법도(法度). 상법(常法). '不踰一'《論語》. ④대지 구 땅. 옛날에, 땅은 사각형으로 되었다고 생각하였으므로 이름. '一地'. '一靜安物'《太玄經》. ⑤새길 구 조각함. '必一其陰陽'《周禮》.
字源 形聲. 矢+巨〔音〕. '巨거'는 손잡이가 있는 자의 뜻. '矢시'는 곧고 바르다의 뜻. 각도나 길이를 재는 정확한 자의 뜻을 나타냄.

[矩度 구도] ㉠법. 법칙(法則). ㉡기거동작(起居動作)의 규율(規律).
[矩墨 구묵] 곡척(曲尺)과 먹줄. 전(轉)하여, 법. 법칙. 규율(規律). 구승(矩繩).
[矩步 구보] 바른 걸음걸이.
[矩繩 구승] 곡척(曲尺)과 먹줄. 전(轉)하여, 법. 법칙. 규칙.
[矩坐 구좌] 방형(方形)으로 앉음.
[矩地 구지] 대지(大地).
[矩尺 구척] 곱자. 곡척(曲尺).
[矩則 구칙] 법도(法度). 법칙. 구도(矩度).
[矩形 구형] ㉠네모. 사각(四角). ㉡네 각이 모두 직각을 이룬 사각형.
[矩矱 구확] 법. 모범. 본보기.
◉高矩. 鉤矩. 規矩. 度矩. 模矩. 茂矩. 方矩. 師矩. 成矩. 聖矩. 繩矩. 尋矩. 靈矩. 遺矩. 儀矩. 前矩. 風矩. 下矩. 憲矩. 絜矩. 後矩.

7 ⑫ [矬] 좌 ㊥歌 昨禾切 cuó

字解 난쟁이 좌 키가 작음. '形貌一陋'《北史》.
字源 形聲. 矢+坐〔音〕

[矬陋 좌루] 키가 작고 얼굴이 못생김.

7 ⑫ [短] 中人 단 ㊤旱 都管切 duǎn

筆順 ノ ㇒ ㇐ 矢 矢 知 短 短

字解 ①짧을 단 ㉠키가 작음. '一小'. '帝堯長, 帝舜一'《荀子》. ㉡길지 아니함. '一劍'. '彼其髮一'《左傳》. ㉢시간이 길지 아니함. '一期'. '報劉之日一也'《李密》. ㉣모자람. 또, 천박함. '一見'. '志大才一'. '尺有所一, 寸有所長'《楚辭》. ②짧음 단 전항(前項)의 명사. '長一'. '僬僥氏三尺, 一之至也'《史記》. ③짧게할 단 '一右袂'《論語》. ④흉볼 단 결점을 지적함. 헐어 말함. '上官大夫, 一屈原於頃襄王'《史記》. ⑤흉 단, 허물 단 결점. 과실. '一所'. '疵一'. '愼勿談人之一'《朱熹家訓》. ⑥요사 단 일찍 죽는 일. 요절(夭折). '凶一折'《書經》. ⑦성 단 성(姓)의 하나.
字源 篆文 會意. 矢+豆. '矢시'는 金文에서는 '大대'로 사람의 象形. '豆두'는 기장이 짧고 상대적으로 머리 부분이 큰 굽 달린 그릇의 象形으로, '짧다'의 뜻. 도목수 밑에서 일하는 키 작은 연소자(年少者)의 모양에서, '짧다'의 뜻을 나타냄.

[短歌 단가] ㉠짧은 노래. ㉡《韓》 시조(時調)를 노래로 부를 때의 일컬음.
[短歌行 단가행] 악부(樂府)의 이름. 위 무제(魏武帝)의 작(作).
[短褐 단갈] 거친 무명으로 짠 짧은 옷. 천(賤)한 사람이 입는 옷.
[短劍 단검] ㉠단도(短刀). ㉡단침(短針).
[短見 단견] 천박한 소견. 천견(淺見).
[短檠 단경] 짧은 등잔걸이. 장경(長檠)의 대(對).

[短檠]

[短綆 단경] 짧은 두레박줄.
[短計 단계] 얕은 계책. 졸렬한 꾀.
[短古 단고] 구수(句數)가 적은 고시(古詩). 장고

(長古)의 대(對).
[短袴 단고] 짧은 바지.
[短句 단구] 짧은 구. 사륙문(四六文). 장편시(長篇詩) 등의 자수가 적은 구.
[短晷 단구] 짧은 해. 해가 짧은 날. 단일(短日).
[短軀 단구] 키가 작은 몸. 작은 몸집.
[短規 단규] 단계(短計).
[短氣 단기] ㉠낙담(落膽)함. 실망함. ㉡촉박한 호흡. 거친 호흡. ㉢조급함.
[短期 단기] 짧은 기한.
[短短 단단] 짧은 모양.
[短刀 단도] 짧은 칼. 비수(匕首). 단검(短劍).
[短慮 단려] 천박한 소견. 천려(淺慮).
[短禮 단례] 예절에 어긋남. 실례함.
[短李 단리] 당(唐)나라 시인 이신(李紳)의 별명(別名). 위인이 단소 정한(短小精悍)하였으므로 이름. 이덕유(李德裕)·원진(元稹)과 동시대의 사람으로서 이들을 삼준(三俊)이라 일컬음.
[短籬 단리] 낮은 울타리.
[短命 단명] 명이 짧음. 일찍 죽음. 요사(夭死). 단수(短壽).
[短袂 단메] 짧은 소매. 또, 소매를 짧게 함.
[短文 단문] ㉠짧은 글. 간단한 문장. 장문(長文)의 대(對). ㉡《韓》 글이 짧음. 학식이 넉넉지 못함.
[短髮 단발] 짧은 머리털. 장발(長髮)의 대(對).
[短兵 단병] 길이가 짧은 무기. 도검(刀劍) 따위.
[短兵接戰 단병접전] 서로 칼을 가지고 맞붙어 싸움.
[短蓑 단사] 짧은 도롱이.
[短書 단서] ㉠소설이나 잡기(雜記)의 책. ㉡서찰(書札).
[短世 단세] 단명(短命).
[短小 단소] ㉠짧고 작음. ㉡키가 작고 몸이 작음.
[短所 단소] 부족한 점. 결점. 단처(短處). 장소(長所)의 대(對).
[短簫 단소] 관악기(管樂器)의 한 가지. 퉁소보다 좀 짧고 구멍이 앞에 다섯, 뒤에 하나 있음.
[短小精悍 단소정한] 몸은 작으나 기개(氣槪)는 씩씩함.
[短壽 단수] 단명(短命).
[短楯 단순] 짧은 방패.
[短視 단시] ㉠근시(近視). ㉡좁은 소견(所見). 단견(短見).
[短時日 단시일] 짧은 시일.
[短惡 단악·단오] ㉠부족한 데. 흠. 결점. ㉡'단오(短惡)'를 보라.
[短夜 단야] 짧은 밤.
[短詠 단영] 짧은 노래.
[短惡 단오] 흉보며 미워함.
[短羽 단우] 작은 새. 소조(小鳥).
[短音 단음] 짧은 음. 장음(長音)의 대(對).
[短衣 단의] 짧은 옷.
[短人 단인] 키가 작은 사람. 난쟁이.
[短日 단일] ㉠짧은 날. 겨울의 해가 짧은 날. ㉡단시일(短時日).
[短杖 단장] 짧은 지팡이.
[短長 단장] ㉠짧음과 긺. ㉡수명이 짧음과 긺. 단명(短命)과 장수(長壽). ㉢못함과 나음. 단점과 장점. 우열(優劣). ㉣전국 시대(戰國時代)의 합종연횡(合縱連衡)의 설(說).
[短牆 단장] 낮은 담. 왜장(矮牆). 비장(卑牆).
[短長書 단장서] '전국책(戰國策)'의 별칭(別稱).
[短才 단재] 짧은 재주. 부족한 재능. 둔재(鈍才).
[短笛 단적] 짧은 피리.
[短箋 단전] 짧은 편지. 간단한 서찰.
[短折 단절] 요절(夭折). 요사(夭死). 단명(短命).
[短程 단정] 짧은 노정(路程). 근거리의 길.
[短艇 단정] ㉠작은 배. 거룻배. ㉡보트. 단정(端艇).
[短亭長亭 단정장정] 작은 숙사(宿舍)와 큰 숙사. 옛날에 오 리(五里)마다 단정을, 십 리마다 장정을 두었음.
[短窄 단착] 짧고 좁음.
[短札 단찰] 짧은 서찰이라는 뜻으로, 자기의 편지의 일컬음. 촌저(寸楮).
[短槍 단창] 짧은 창.
[短處 단처] 모자라는 데. 결점. 단소(短所).
[短淺 단천] 얕음. 천박함. 천단(淺短).
[短促 단촉] 촉박(促迫)함.
[短銃 단총] 권총(拳銃). 피스톨.
[短醜 단추] 키가 작고 얼굴이 못생김. 단루(短陋).
[短縮 단축] 짧게 줄어짐. 또, 짧게 줄임.
[短針 단침] 시계의 시간을 가리키는 짧은 바늘. 장침(長針)의 대(對).
[短篇 단편] ㉠짧은 시문(詩文). ㉡'단편 소설(短篇小說)'의 약칭(略稱).
[短評 단평] 짤막한 비평.
[短筆 단필] 서투른 글씨. 졸필(拙筆).
[短弧 단호] 날도랫과에 속하는 곤충의 유충. 물여우. '短狐'는 잘못.
[短後 단후] 일하기 편하게 뒤를 짧게 하여 만든 옷.
◉屈短. 窮短. 陋短. 凡短. 非短. 細短. 損短. 修短. 闊短. 庸短. 愚短. 疵短. 訾短. 長短. 爭長競短. 截長補短. 志大才短. 譖短. 讒短. 淺短. 醜短. 取長舍短. 偏短. 毁短.

7 ⑫ [矪] 〔규〕 規(見部 四畫〈p.2087〉)의 本字

7 ⑫ [躲] 〔사〕 射(寸部 七畫〈p.604〉)의 本字

8 ⑬ [矮] 人名 왜 ㊤蟹 烏蟹切 ǎi

字解 ①작을 왜, 짧을 왜 단소(短小)함. '一小'. '足一不便'《易林》. ②짧게할 왜 줄임. '不一手足'《易林》.

字源 篆文 形聲. 矢+委〔音〕. '委위'는 낮게 드리워져 구부러지다의 뜻. 짧은 화살의 뜻에서, 짧다, 키가 작은 사람의 뜻을 나타냄. 또, '委'는 '萎위'와 통하여, '시들다'의 뜻. 시들어 쇠한 사람의 뜻에서, '키가 작다'의 뜻을 나타낸다고도 함.

[矮鷄 왜계] 애완용(愛玩用)으로 기르는 조그마한 닭. 당닭.
[矮軀 왜구] 짧은 체구. 키가 작은 몸.
[矮陋 왜루] ㉠몸이 작고 얼굴이 못생김. 단루(短陋). ㉡집 같은 것이 낮고 누추함.
[矮林 왜림] 작은 나무의 숲.
[矮小 왜소] 몸집이 작음. 단소(短小).
[矮樹 왜수] 키가 작은 수목.
[矮屋 왜옥] 낮은 집. 납작한 집.
[矮人 왜인] 키가 작은 사람. 난쟁이. 따라지.

[矮人看場 왜인간장] 왜인관장(矮人觀場).
[矮人觀場 왜인관장] 난쟁이가 여러 사람 틈에 끼여서 연극(演劇)을 구경한다는 뜻으로, 직접 보지도 못하고 대중으로 사물(事物)을 판단함의 비유로 쓰임.
[矮子看戲 왜자간희] 왜인관장(矮人觀場).
[矮牆 왜장] 낮은 담.
[矮檐 왜첨] 짧고 낮은 처마.
[矮草 왜초] 작은 잡초(雜草).
◉松形矮. 足矮. 矲矮.

[雉] 〔치〕
隹部 五畫(p. 2484)을 보라.

12 ⑰ [矯] [高人] 교 [上]篠 居夭切 jiǎo 矫

[筆順] 𠂉 矢 矢 矢 矫 矫 矯 矯

[字解] ①바로잡을 교 ㉠굽은 것을 바로잡음. '一矢累弦'《史記》. ㉡사곡(邪曲)을 바로잡음. '一俗'. '民彌惰怠. 將何以一之'《漢書》. ②속일 교 기만함. '一奪'. '外示長者, 內懷一詐'《魏書》. ③칭탁할 교 군명(君命)이라고 사칭함. '一詔'. '一命'. '羽一殺卿子冠軍'《漢書》. ④굳셀 교 강함. '強哉一'《中庸》. ⑤들 교 높이 들어 올림. '時一首而遐觀'《陶潛》. ⑥날 교 공중을 달림. '整輕翮而思一'《孫綽》. ⑦성 교 성(姓)의 하나.
[字源] 篆文 形聲. 矢+喬〔音〕. '喬교'는 '높다'의 뜻. 굽은 화살을 곧게 펴서, 그 길이를 높게 하다, 바로잡다의 뜻을 나타냄.

[矯蹻 교각] 뛰어오름.
[矯角殺牛 교각살우] 뿔을 바로잡으려다가 소를 죽인다는 뜻으로, 지엽적(枝葉的)인 일을 고치려다가 큰 손해를 봄의 비유.
[矯擧 교거] 거짓으로 공덕(功德)을 칭송함.
[矯虔 교건] 거짓으로 상명(上命)이라 하여 남의 것을 가로챔.
[矯健 교건] 용감하고 강건함.
[矯激 교격] 일부러 상도(常道)를 벗어난 행동을 함.
[矯矯 교교] ㉠센 모양. 날랜 모양. ㉡높이 올라가는 모양. 뜻이 초연(超然)한 모양.
[矯勵 교려] 나쁜 점을 고치고 부지런히 힘씀.
[矯命 교명] 명령이 아닌 것을 명령이라고 거짓말함. 군명(君命)이라고 사칭(詐稱)함.
[矯誣 교무] 속임.
[矯復 교복] 고쳐 회복함.
[矯服 교복] 거짓으로 복종함.
[矯詐 교사] 속임. 또, 기만. 허위.
[矯殺 교살] 군명(君命)이라고 속이고 죽임. 임금의 명령이라고 속이고 사람을 죽임.
[矯俗 교속] 교풍(矯風).
[矯首 교수] 머리를 쳐듦.
[矯飾 교식] ㉠겉을 거짓으로 꾸밈. ㉡바로잡고 잘 꾸밈.
[矯抑 교억] 바로잡아 억제함.
[矯枉 교왕] 굽은 것을 바로잡음.
[矯僞 교위] 속여 꾸밈.
[矯揉 교유] 바로잡음.
[矯輮 교유] 교유(矯揉).
[矯正 교정] 바로잡음.
[矯情 교정] 마음속에 있는 감정을 억누르고 딴청을 부리는 일.
[矯制 교제] 조명(朝命)이라고 거짓으로 꾸며 댐.
[矯託 교탁] 거짓으로 핑계를 댐.
[矯奪 교탈] 속여 빼앗음.
[矯弊 교폐] 폐해를 바로잡음.
[矯風 교풍] 좋지 못한 풍속(風俗)·습관(習慣)을 개량(改良)함.
[矯革 교혁] 고침. 개혁함.
◉輕矯. 匡矯. 詭矯. 奇矯. 騰矯. 誣矯. 夭矯. 烝矯.

12 ⑰ [矰] 증 [平]蒸 作滕切 zēng

[字解] 주살 증 활의 오늬에 줄을 매어 쏘는 화살. '一弋'. '飛者可以爲一'《史記》.
[字源] 篆文 形聲. 矢+曾〔音〕. '曾증'은 '겹치다, 더하다'의 뜻. 줄을 달아서 거듭거듭 늘어나듯이 나는 화살, '주살'의 뜻을 나타냄.

[矰矢 증시] 주살.
[矰弋 증익] 주살.
[矰繳 증작] 주살.
[矰繳之說 증작지설] 주살로 나는 새를 쏘듯이, 맞으면 기리(奇利)를 얻지만 반드시 맞는다고는 볼 수 없는 그러한 무책임한 의론. 투기적(投機的)인 언론.
◉飛矰. 弋矰. 繳矰.

14 ⑲ [矱] 확 [入]藥 欝縛切 yuē

[字解] ①자 확 척도(尺度). '協準一之貞度'《後漢書》. ②법도 확 법칙. '求榘一之所同'《楚辭》.
[字源] 形聲. 矢+蒦〔音〕

◉榘矱.

15 ⑳ [矲] 패 [上]蟹 薄蟹切 bà

[字解] 짧을 패 길지 않음. '一, 短也. 桂林之中, 謂短一'《揚子方言》.

[矲矮 패왜] 짧은 모양. 키가 작은 모양.

石 (5획) 部
〔돌석부〕

0 ⑤ [石] [中人] 석 [入]陌 常隻切 shí

[筆順] 一 丆 丆 石 石

[字解] ①돌 석 암석. '玉一'. '鉛松怪一'《書經》. ②돌악기 석 돌을 재료로 하여 만든 악기. 곧, 팔음(八音)의 하나로, 경쇠 따위. '擊一拊一'《書經》. ③굳을 석 견고함. '一交'. '一畫之臣'《漢書》. 또, 견고한 것을 형용하는 말. '心如鐵一'. ④돌바늘 석 돌로 만든 바늘. '孟孫之惡我, 藥一也'《左傳》. ⑤돌비석 석 석비(石碑). '刻于金一'《史記》. ⑥섬 석 용량의 단위로, 열 말.

'歲收, 晦一一半'《漢書》. 또, 중량의 단위로, 120근. '關一和鈞'《書經》. ⑦저울 석 큰 저울. '鈞衡一'《禮記》. ⑧성 석 성(姓)의 하나.

字源 甲骨文 金文 篆文 象形. 언덕을 본뜬 '厂한' 밑에 뒹굴고 있는 작은 돌덩이를 본뜸.

參考 '石석'을 의부(意符)로 하여, 여러 가지 종류의 돌이나 광물, 돌로 만들어진 것, 돌의 상태 등에 관한 문자를 이룸. 부수 이름은 '돌석변'.

[石角 석각] 돌의 뾰족 나온 모서리.
[石刻 석각] 돌에 새김. 또, 그 새긴 글이나 그림.
[石澗 석간] 돌이 많은 골짜기를 흐르는 시내.
[石碣 석갈] 석비(石碑).
[石龕 석감] 석조(石造)의 오륜탑(五輪塔). 龕은 塔.
[石敢當 석감당] 오대(五代)의 진(晉)나라 때의 역사(力士). 후세에 이 이름을 돌에 새겨 문이나 길가에 세워 수호신(守護神)으로 삼았음. 감당(敢當)은 향하는 곳에 대항하는 적(敵)이 없다는 뜻.
[石矼 석강] 돌다리. 석교(石橋). 또, 징검다리.
[石介 석개] 송(宋)나라 사람. 자(字)는 수도(守道). 국자감 직강(國子監直講)으로 있을 때 경력 성덕시(慶曆聖德詩)를 지어 물의(物議)를 일으켰음.
[石蓋 석개] 석제(石製)의 뚜껑.
[石坑 석갱] 돌에 판 구멍.
[石車 석거] 돌을 쏘는 포차(砲車).
[石距 석거] ㉠돌로 둘러쌓은 담. ㉡낙지의 일종(一種).
[石渠 석거] ㉠돌로 둑을 쌓은 수로(水路). ㉡석거각(石渠閣).
[石渠閣 석거각] 한대(漢代)의 황실(皇室)의 도서각(圖書閣)의 이름.
[石決明 석결명] 전복〔鰒〕의 껍질을 한약재(漢藥材)로 이르는 말.
[石徑 석경] 돌이 많은 좁은 길.
[石逕 석경] 석경(石徑).
[石經 석경] 돌에 새긴 경서(經書). 후한(後漢) 영제(靈帝) 때 채옹(蔡邕)이 조명(朝命)을 받들어 오경(五經)을 돌에 새겨 대학(大學) 문밖에 세운 것.
[石磬 석경] 돌로 만든 경쇠.

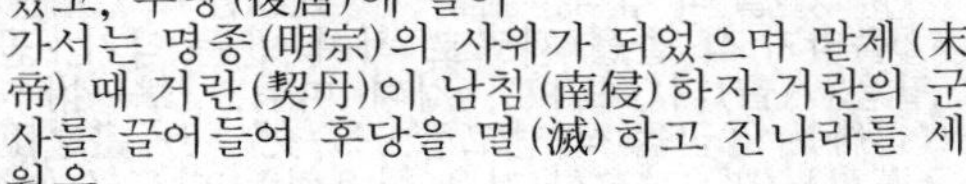
[石磬]

[石鏡 석경] 유리로 만든 거울. 동경(銅鏡)의 대(對).
[石敬瑭 석경당] 오대(五代)의 진(晉)을 창건(創建)한 임금. 조상은 서이(西夷) 사람. 당말(唐末)에 진왕(晉王) 이극용(李克用)의 부하로서 전공(戰功)을 세워 하동절도사(河東節度使)로 발탁되었고, 후당(後唐)에 들어가서는 명종(明宗)의 사위가 되었으며 말제(末帝) 때 거란(契丹)이 남침(南侵)하자 거란의 군사를 끌어들여 후당을 멸(滅)하고 진나라를 세웠음.
[石階 석계] 돌층계. 섬돌.
[石雞 석계] ㉠닭의 일종. 밀물이 들 때 운다고 함. ㉡개구리의 일종. 산골짜기의 내에서 살며 소리가 고움.
[石鼓 석고] 주(周)나라가 선왕(宣王)의 업적을 칭송하여 돌에 새긴 것. 중국의 각석(刻石) 중에서 가장 오랜 것으로서 모양이 북 비슷하므로 이름. 북경(北京)의 구국자감(舊國子監)의 대성문(大成門) 좌우(左右)에 있음. '석고문'을 참조할 것.
[石膏 석고] 단사계(單斜系)에 속하는 광석(鑛石)의 하나. 보통 흰빛의 섬유상(纖維狀)·박편상(薄片狀) 또는 결정상(結晶狀)의 덩이를 이룸. 백색의 안료(顔料)·조각 재료(彫刻材料) 등으로 쓰임.
[石鼓文 석고문] 주(周)나라 선왕(宣王)이 치양(岐陽)으로 사냥하러 갔을 때, 그의 업적을 석고(石鼓)에 새긴 글자. 자체(字體)는 주문(籒文)과 소전(小篆)의 중간임. '석고'를 참조할 것.
[石斛 석곡] 난초과에 속하는 상록 다년초(常綠多年草). 관상용으로 심음. 석골풀.
[石骨 석골] 돌의 내부.
[石工 석공] 석수(石手).
[石椁 석곽] 돌로 만든 곽(椁).
[石槨 석곽] 석곽(石椁).
[石棺 석관] 돌로 만든 관(棺).
[石塊 석괴] 돌덩이.
[石交 석교] 돌같이 변하지 않는 굳은 사귐.
[石橋 석교] 돌다리. 석강(石矼).
[石臼 석구] 돌절구.
[石窟 석굴] 바위에 뚫린 굴. 암굴(巖窟).
[石根 석근] 돌의 아랫동아리.
[石金 석금] 돌에 박혀 있는 금.
[石級 석급] 석계(石階).
[石器 석기] 돌로 만든 기구(器具).
[石磯 석기] 돌이 있는 물가.
[石麒麟 석기린] 어린이가 대단히 총명한 것을 기리어 이르는 말.
[石器時代 석기시대] 태고(太古)에 인지(人智)가 아주 미개(未開)하여 금속을 사용하는 방법을 알지 못하고 돌로 칼·도끼 같은 기구를 만들어 쓰던 시대. 구(舊)석기 시대와 신(新)석기 시대로 나뉨.
[石南 석남] 석남화(石南花).
[石南花 석남화] 석남과(石南科)에 속하는 상록관목(常綠灌木). 백색 또는 담홍색의 꽃이 핌. 석남(石南). 석남화(石楠花).
[石女 석녀] 아이를 낳지 못하는 여자. 돌계집.
[石腦油 석뇌유] '석유(石油)'의 옛말.
[石段 석단] 석계(石階).
[石壇 석단] 돌로 만든 단(壇).
[石黛 석대] 석묵(石墨)의 일종. 눈썹을 그리는 안료(顔料)로 쓰임.
[石洞 석동] 돌에 뚫린 동굴. 석혈(石穴).
[石頭記 석두기] 청대(淸代)의 소설 〈홍루몽(紅樓夢)〉의 별칭(別稱).
[石頭城 석두성] 장쑤 성(江蘇省)에 있는 성(城). 오(吳)나라의 손권(孫權)이 처음 쌓았음.
[石磴 석등] ㉠돌이 많은 비탈길. ㉡석계(石階).
[石欄 석란] 돌로 만든 난간.
[石廊 석랑] 석조(石造)의 낭하(廊下).
[石蜋 석랑] '당랑(螗螂)'의 별칭(別稱).
[石梁 석량] 돌다리. 석교(石橋).
[石礫 석력] 작은 돌. 조약돌. 가치 없는 것의 비유.
[石龍 석룡] ㉠돌로 만든 용의 형상. ㉡도마뱀,

곧 '석척(蜥蜴)'의 별칭.
[石龍芮 석룡예] 개구리자리. 미나리아제빗과에 속하는 월년초(越年草). 논에서 나는 잡초임.
[石樓 석루] 석조(石造)의 누각(樓閣).
[石壘 석루] 돌로 쌓은 보루(堡壘).
[石榴 석류] 석류나뭇과에 속하는 낙엽 교목(落葉喬木). 단약(丹若).
[石勒 석륵] 후조(後趙)를 창립(創立)한 임금으로 갈인(羯人). 자(字)는 세룡(世龍). 일찍이 장사도 하고 도둑질도 하다가 유연(劉淵)의 부하가 되어 많은 전공(戰功)을 세웠으며, 진(晉)나라 태흥 연간(太興年間)에 이르러 양국(襄國) 산둥 성 내에 웅거(雄據)하여 전조(前趙)를 배반하고 자립(自立)하여 왕이라 일컫다가 다시 유요(劉曜)를 죽이고 대신하여 제(帝)라 참칭(僭稱)하였음. 오호 십육국(五胡十六國) 중에서 후조를 가장 강성하다고 일컬음.
[石淋 석림] 임질(淋疾)의 한 가지. 신장(腎臟)이나 방광(膀胱) 속에 돌 같은 것이 생기는 병.
[石馬 석마] 귀인(貴人)의 능묘(陵墓) 앞에 세우는 돌로 만든 말.
[石磨 석마] 맷돌.
[石芒 석망] 석각(石角).
[石綿 석면] 사문석(蛇紋石) 또는 각섬석(角閃石)이 섬유질로 변한 광물. 광택이 있고 부드러우며 내화성(耐火性)이 강하여 방열(防熱)·방화용(防火用)으로 쓰임. 돌솜.
[石墨 석묵] 탄소(炭素)로 된 검고 불투명한 광물. 흑연(黑鉛).
[石門 석문] ㉠석조(石造)의 문. ㉡노(魯)나라의 성문(城門) 이름. ㉢산둥 성(山東省)에 있는 산 이름. 이백(李白)과 두보(杜甫)가 이별한 곳.
[石物 석물] 《韓》 무덤 앞에 만들어 놓은 석인(石人)·석수(石獸)·석주(石柱)·석등(石燈)·상석(床石) 같은 것. 석의(石儀).
[石民 석민] 국가의 주춧돌이 되는 백성. 사(士)·농(農)·공(工)·상(商)의 사민(四民)을 이름.
[石蜜 석밀] ㉠지금의 빙사탕(氷砂糖) 같은 것. ㉡꿀벌이 돌 사이에 모아 둔 꿀. 석청(石淸). 애밀(崖蜜).
[石盤 석반] 돌을 얇게 깎아 그 위에 석필(石筆)로 글씨를 쓰게 된 도구. 석판(石板).
[石斑魚 석반어] 잉엇과에 속하는 물고기. 황어(黃魚).
[石髮 석발] '수태(水苔)'의 별칭(別稱).
[石牓 석방] 돌로 만든 패(牌).
[石榜 석방] 석방(石牓).
[石壁 석벽] ㉠돌로 쌓은 담, 또는 벽. ㉡돌의 절벽(絕壁).
[石本 석본] 탁본(拓本).
[石斧 석부] 태고(太古)의 석기 시대(石器時代)에 쓰이던 돌도끼.
[石趺 석부] 돌로 만든 물건을 올려놓는 받침. 부좌(趺坐)·비(碑)받침 같은 것.
[石婦 석부] ㉠석녀(石女). ㉡망부석(望夫石).
[石佛 석불] 돌로 만든 불상. 돌부처.
[石碑 석비] 돌로 만든 비. 돌비.
[石師 석사] 훌륭한 스승. 석사(碩師).
[石山 석산] 돌로 이루어진 산. 돌산.
[石蒜 석산] 수선과(水仙科)에 속하는 다년초(多年草). 지하(地下)에 있는 인경(鱗莖)은 수선(水仙)의 인경과 같으며 알칼로이드의 독성(毒性)이 있어서 토제(吐劑)·치창약(治瘡藥)으로 쓰임. 만주사화(曼珠沙華). 피안화(彼岸花).
[石牀 석상] ㉠돌로 만든 침상(寢床). ㉡돌로 만든 마루. ㉢종유석(鍾乳石). 유상(乳牀).
[石像 석상] 돌로 조각하여 만든 사람이나 동물의 형상.
[石璽 석새] 돌에 새긴 옥새(玉璽), 또는 도장.
[石鼠 석서] '땅강아지'의 별칭(別稱). 누고(螻蛄). 석서(碩鼠).
[石蘚 석선] 돌에 난 이끼. 석태(石苔).
[石手 석수] 《韓》 돌을 다루어 물건을 만드는 사람. 석공(石工).
[石獸 석수] 무덤 앞에 세우는 돌로 만든 짐승의 형상.
[石首魚 석수어] 조기.
[石筍 석순] ㉠끝이 뾰족하여 죽순(竹筍)과 같은 모양을 한 돌. ㉡석회동(石灰洞) 안의 상벽(上壁)에서 떨어진 탄산석회(炭酸石灰)의 용액(溶液)이 굳어 죽순 모양으로 된 석회암.
[石蓴 석순] 해초(海草)의 하나. 파래.
[石崇 석숭] 진(晉)나라 남피(南皮) 사람. 자(字)는 계륜(季倫). 형주자사(荊州刺史)를 거쳐 위위(衛尉)로 있을 때 남을 시켜 해상(海上) 무역을 하여 거부(巨富)가 되어 왕개(王愷)·양수(羊琇) 등과 서로 호사를 다투었는데, 그 호화로움이 비길 데 없었음. 가밀(賈謐)에게 아첨하여 섬기다가 가밀이 복주(伏誅)되자 그의 당여(黨與)로 몰려 파면당하였음. 집에 미희(美姬) 녹주(綠珠)가 있었는데, 손수(孫秀)가 그 여자를 탐내어 석숭에게 달라고 하니 녹주가 분을 참지 못하여 누각(樓閣)에서 떨어져 자살하므로 손수가 대로(大怒)하고 참소하여 석숭 및 그 가족을 몰살(沒殺)하였음.
[石室 석실] ㉠석조(石造)의 방. 돌방. 견고(堅固)함의 비유. ㉡제실(帝室)의 도서실(圖書室). ㉢석조(石造)의 무덤.
[石室金匱之書 석실금궤지서] 돌로 만든 방과 쇠로 만든 궤에 수장(收藏)한 서적. 극히 소중한 비서(祕書)를 이름.
[石巖 석암] 바위. 암석(巖石).
[石崖 석애] 암석의 낭떠러지. 돌의 절벽. 석벽(石壁).
[石堰 석언] 돌로 쌓은 방죽의 둑.
[石鹽 석염] ㉠돌같이 굳은 천연산(天然產)의 소금. 암염(巖鹽). ㉡비소(砒素)를 함유(含有)한 일종의 독석(毒石)인 '여석(礜石)'의 별칭(別稱).
[石英 석영] ㉠추상(錐狀) 또는 주상(柱狀)의 결정(結晶)을 이룬 유리와 같은 광택을 가진 광물. 순수한 것은 무색투명하며 수정(水晶)이라고 함. ㉡'수정(水晶)'의 별칭(別稱).
[石屋 석옥] 석조(石造)의 가옥. 돌집.
[石韞玉而山暉 석온옥이산휘] 돌이 옥을 감추고 있으면 산이 빛남. 학덕(學德)을 갖춘 사람은 저절로 밖으로 드러나 문장(文章)을 이룸을 비유한 말.
[石翁仲 석옹중] 석인(石人) ❶.
[石友 석우] ㉠금석(金石)과 같이 우정이 변하지 않는 벗. ㉡벼루[硯]의 별칭(別稱).
[石尤風 석우풍] 거세게 부는 앞바람. 맹렬한 역풍(逆風). 옛날에 석씨(石氏)의 딸이 우랑(尤郞)에게 시집가서 의좋게 살던 중 어느 날 남편이 장사하기 위하여 먼 곳으로 배를 타고 가려고 하는 것을 아내가 한사코 말렸으나 그는 듣

지 않고 배를 타고 가다가 폭풍을 만나 죽었다. 아내가 너무 애통(哀痛)해하다가 병을 얻어 죽게 되었는데, 임종 때 하는 말이 '내가 죽은 뒤 멀리 항해(航海)를 하는 사람이 있으면 나는 큰 앞바람을 일으켜 배를 떠나지 못하게 해서 천하(天下)의 부인(婦人)을 위하여 이러한 화(禍)를 당하지 않게 하겠다.'고 하였다. 그 후로는 배가 떠나려고 할 때 거센 앞바람이 불면 이를 '석우풍'이라고 하여 출범(出帆)하지 않았다고 하는 〈강호기문(江湖紀聞)〉이란 책에 실린 이야기에서 나온 말.

[石垣 석원] 돌담.

[石葦 석위] 고란초과에 속하는 상록 양치식물(常綠羊齒植物). 잎과 줄기는 이뇨약(利尿藥)으로 쓰임.

[石油 석유] 천연(天然)으로 지하에서 산출되는 각종의 탄화수소(炭化水素)의 혼합물. 천연 그대로의 것을 원유(原油)라 하고, 이것을 증류(蒸溜)하여 휘발유·등유(燈油)·경유(輕油)·중유(重油)·석유·피치 등을 얻음.

[石絨 석융] 석면(石綿).

[石音 석음] 경쇠의 소리.

[石耳 석이] 버섯의 하나. 맛과 향기가 좋음. 석이버섯.

[石栮 석이] 석이(石耳).

[石人 석인] ㉠무덤 앞에 세우는 돌로 만든 사람의 형상. 석옹중(石翁仲). ㉡형체만 사람일 뿐이지, 실상은 어리석고 완고하여 시비·선악을 분별하지 못함의 비유.

[石人㉠]

[石印 석인] ㉠돌에 새긴 인장(印章). ㉡석판 인쇄(石版印刷).

[石棧 석잔] 돌로 가설(架設)한 잔교(棧橋).

[石匠 석장] 석수(石手). 석공(石工).

[石腸 석장] 돌과 같이 굳은 창자라는 뜻으로, 비상히 굳은 의지(意志)를 이름. 철석간장. 철석심. 철장(鐵腸).

[石長生 석장생] 수룡골과(水龍骨科)에 속하는 상록 다년초(多年草). 잎은 은행나무 잎 비슷하나 좀 작음.

[石材 석재] 토목·건축 및 기타의 석기 제작의 재료로 쓰이는 돌.

[石田 석전] 돌이 많은 척박한 전지. 전(轉)하여, 무용지물의 비유.

[石戰 석전] 돌팔매질을 하여 승부를 다투는 편싸움.

[石井 석정] 벽을 돌로 쌓아올린 우물. 돌우물.

[石鼎 석정] 돌로 만든 솥.

[石堤 석제] 돌로 쌓은 둑.

[石趙 석조] 오호 십육국(五胡十六國)의 하나인 후조(後趙)의 별칭(別稱). 석늑(石勒)이 전조(前趙)를 멸하고 세운 나라이므로 이름.

[石鐘山 석종산] 장시 성(江西省)에 있는 산. 소식(蘇軾)의 〈석종산기(石鐘山記)〉가 있음.

[石鍾乳 석종유] 석회(石灰)로 된 동굴(洞窟)에서 탄산석회(炭酸石灰)의 용액(溶液)이 떨어지다가 굳어 상벽(上壁)에 고드름같이 달려 있는 석회암(石灰岩). 돌고드름. 종유석(鍾乳石).

[石柱 석주] 돌기둥.

[石竹 석죽] 너도개미자릿과에 속하는 다년초(多年草). 패랭이꽃.

[石皴 석준] 돌의 굴곡(屈曲) 및 중첩(重疊). 또, 이것을 그리는 화법(畫法).

[石地 석지] 석전(石田).

[石芝 석지] ㉠돌 위에 나는 영지(靈芝). 만년용(萬年茸). ㉡산호충(珊瑚蟲)의 한 가지. 버섯속산호.

[石晉 석진] 오대(五代) 때의 후진(後晉)의 별칭(別稱). 석경당(石敬塘)이 후당(後唐)을 멸하고 세운 나라이므로 이름.

[石車 석차] 돌의 포차(砲車)로서 돌을 발사하여 적(敵)을 치는 것.

[石菖 석창] 천남성과에 속하는 상록 다년초(常綠多年草). 물가 또는 수석(水石) 위에 총생(叢生)하며 근경(根莖)은 약으로 씀. 관상용으로 심음. 석창포(石菖蒲).

[石菖蒲 석창포] 석창(石菖).

[石泉 석천] 바위틈에서 나오는 샘. 석간수(石間水).

[石淸 석청] 《韓》 석밀(石蜜).

[石礎 석초] 주춧돌. 초석(礎石).

[石鏃 석촉] 석제(石製)의 화살촉. 태고의 석기시대(石器時代)에 쓰던 것.

[石甃 석추] 땅에 까는 판판한 돌.

[石炭 석탄] 태고 시대에 식물류(植物類)가 땅속에 매몰 퇴적(堆積)되어 점차로 분해되어 생긴 함탄소 물질(含炭素物質)의 화석(化石). 연료 및 화학 공업용 원료로 쓰임. 이탄(泥炭)·갈탄(褐炭)·무연탄(無煙炭)·유연탄 등으로 분류됨.

[石炭酸 석탄산] 무색(無色)의 침상 결정(針狀結晶) 또는 백색 결정성(白色結晶性)의 덩어리. 특별한 냄새가 있고 살균력(殺菌力)이 강하여 방부제(防腐劑) 또는 소독약(消毒藥)으로 쓰임.

[石塔 석탑] 돌로 쌓은 탑. 돌탑.

[石榻 석탑] 돌로 만든 평상(平床).

[石苔 석태] ㉠석선(石蘚). ㉡《韓》 바닷물 속의 돌에 뿌리를 박고 자란 김. 돌김.

[石破天驚 석파천경] 아주 의표(意表)를 찔러 무엇이라 형용할 수 없다는 뜻으로, '착상(着想)이 기발(奇拔)함'을 이름.

[石版 석판] 석재(石材)의 겉면에 글씨 또는 그림을 그린 인쇄판(印刷版).

[石片 석편] 돌조각.

[石砭 석폄] 석제(石製)의 침(鍼).

[石筆 석필] 납석(蠟石) 같은 것을 붓 모양으로 만들어 석판(石板)에 글씨·그림을 그리는 데 쓰는 문방구.

[石罅 석하] 돌 틈. 돌의 갈라진 데.

[石函 석함] 돌로 만든 함.

[石蟹 석해] 가재.

[石亨 석형] 명(明)나라 웨이난(渭南) 사람. 기사(騎射)를 잘하고 용병(用兵)에 능하여 벼슬이 진삭대장군(鎭朔大將軍)에 이르렀음. 경제(景帝)의 병이 위중하자 조길상(曹吉祥)과 같이 영종(英宗)을 맞이하여 복벽(復辟)하게 한 공으로 충국공(忠國公)으로 봉군(封君)된 후로는 권세가 대단하여 장수(將帥)의 반은 그의 문하(門下)에서 나왔음. 후에 종자(從子) 표(彪)를 요직(要職)에 앉히려고 하여 내외(內外)로 책응(策應)하다가 일이 누설되어 하옥(下獄)되어 죽었음.

[石虎 석호] ㉠후조(後趙)의 제1대의 임금 석늑(石勒)의 조카. 자(字)는 계룡(季龍). 석늑의 아들 홍(弘)을 죽이고 자립(自立)하여 후조의 제3대 임금이 되었음. 효용(驍勇)이 절륜(絕倫)하고 성품이 잔인하여 폭정(暴政)을 베풀었음. ㉡왕릉(王陵) 등에 돌로 만들어 세운, 범의 형상.
[石壕吏 석호리] 가렴주구(苛斂誅求)하는 벼슬아치. 또, 인정미가 없는 벼슬아치.
[石泓 석홍] 돌의 우묵 들어가 물이 괸 데.
[石火 석화] 돌을 쳐서 나는 불. 몹시 빠른 것의 비유.
[石花 석화] ㉠굴조개. ㉡식물(植物)의 한 가지. 지의(地衣).
[石貨 석화] 돌로 만든 돈.
[石火光中 석화광중] 지극히 짧은 시간(時間)을 이름.
[石花菜 석화채] 홍조류(紅藻類)의 하나. 우뭇가사리.
[石灰 석회] 백색의 산화(酸化)칼슘의 가루.
[石畫 석획] 견고(堅固)한 계획. 일설(一說)에는, 석(石)은 석(碩)으로서 큰 계획(計畫).
◉嘉石. 刻石. 介石. 巨石. 結石. 鑛石. 卷石. 鈞石. 金剛石. 金石. 碁石. 蠟石. 礧石. 儋石. 膽石. 大磐石. 大石. 望夫石. 眠雲跂石. 木石. 墓石. 文石. 美疢不如惡石. 密石. 磐石. 盤石. 拜奇石. 寶石. 浮石. 盆石. 飛沙走石. 砂石. 小石. 水石. 壽石. 燧石. 試金石. 矢石. 十日一水五日一石. 安于磐石. 巖石. 藥石. 礫石. 然石. 燕石. 涅石. 玉石. 溫石. 瓦石. 隕石. 殞石. 危石. 流金礫石. 李廣射石. 以卵投石. 以升量石. 二千石. 人非木石. 一卷石. 磁石. 紫石. 柱石. 砥石. 采石. 採石. 泉石. 鐵石. 礎石. 側石. 齒石. 枕流漱石. 鍼石. 他山之石. 泰山之霤穿石. 苔石. 投石. 肺石. 布石. 舖石. 響石. 衡石. 化石. 黑曜石.

1 ⑥ [石] 石(前條)과 同字

1 ⑥ [乭] [人名] [韓] 돌
[筆順] 一 ア 不 石 石 乭
[字解] 《韓》돌 돌 암석(巖石). 흔히 아이나 종 이름으로 많이 쓰임. '一釗'.
[字源] '돌'의 훈(訓)을 가지는 '石석'에 '을'의 음을 가지는 '乙'을 붙여서, '돌'의 음(音)을 나타내게 만든 글자.

2 ⑦ [矴] 정 [去]徑 丁定切 dìng
[字解] 닻 정 배를 머물게 하는 제구. 碇(石部 八畫)과 同字. '作一石'《唐書》.
[字源] 形聲. 石+丁〔音〕. '丁정'은 못을 본뜬 것. 물속에 박는 '닻'의 뜻을 나타냄.

2 ⑦ [砚] 〔폄〕
砭(石部 五畫〈p. 1568〉)과 同字

3 ⑧ [矺] 책 [入]陌 陟格切 zhé
[字解] 찢을 책 磔(石部 十畫)과 同字. '十公主一死於杜'《史記》.
[字源] 形聲. 石+乇〔音〕

3 ⑧ [矻] 굴(골[本]) [入]月 苦骨切 kū
[字解] 힘써일할 굴 부지런히 일하는 모양. 또, 고달픈 모양. '勞筋苦骨, 終日一一'《漢書》.
[字源] 形聲. 石+乞〔音〕

[矻矻 굴굴] 부지런히 일하는 모양. 또, 고달픈 모양.

3 ⑧ [矽] 석 [入]陌 祥易切 xī
[字解] 규소 석 비금속 원소(非金屬元素)의 하나. 갈색(褐色)의 분상(粉狀), 또는 침상(針狀)·판상(板狀)의 결정(結晶)을 이루어, 널리 땅속에 함유됨. 실리콘(silicon)의 역어(譯語).

3 ⑧ [矼] [一] 강 [平]江 古雙切 gāng
[二] 공 [去]送 苦貢切 kòng
[字解] [一] 징검다리 강 돌덩이를 여러 개 놓아, 그것을 디디고 건너게 된 다리. '石一飛梁'《左思》. [二] 성실할 공 견실함. '德厚信一'《莊子》.
[字源] 形聲. 石+工〔音〕

◉石矼. 蘚矼.

3 ⑧ [矸] 안 [去]翰 侯旰切 gàn
[字解] ①주사 안 단사(丹砂). '加之以丹一'《荀子》. ②깨끗할 안 돌이 깨끗한 모양. '南山一, 白石爛'《漢書 注》.
[字源] 形聲. 石+干〔音〕

3 ⑧ [矵] 적 [入]錫 都歷切 dí
[字解] 돌무더기 적 돌덩이가 쌓여 있는 무더기.

3 ⑧ [硭] 망 [平]陽 謨郎切 máng
[字解] 산돌 망 산에 있는 돌의 모양. '一, 山石皃'《集韻》.

3 ⑧ [矹] 올 [入]月 五忽切 wù
[字解] ①위태로울 올 '硉一'은 위험한 모양. '硉一, 不穩皃'《廣韻》. ②산낭떠러지 올 '硉一'은 산의 벼랑. '硉一, 山崖'《集韻》. ③돌우뚝솟을 올 돌이 뾰족하게 솟은 모양. 兀(儿部 一畫)과 통용. '一, 石竦立貌'《正字通》.

3 ⑧ [矾] 〔반〕
礬(石部 十五畫〈p. 1588〉)의 簡體字

[岩] 〔암〕
山部 五畫(p. 635)을 보라.

4 ⑨ [砂] [人名] 사 [平]麻 所加切 shā

筆順 一 丆 不 石 石 石丨 砂 砂

字解 ①모래 사 沙(水部 四畫)의 俗字. '一金'. ②주사(朱砂) 사 '丹一可化爲黃金'《史記》.

字源 會意. 石+少. 작게 부서진 돌의 알, '모래'의 뜻을 나타냄.

[砂鑛 사광] 사금(砂金)·사석(砂錫) 등이 침적(沈積)되어 있는 광상(鑛床).
[砂金 사금] 강이나 바다에 침적되어 모래 속에 섞인 금.
[砂泥 사니] 모래와 진흙.
[砂礫 사력] 작은 돌. 조약돌.
[砂錫 사석] 모래알 같은 주석.
[砂糖 사탕] 사탕수수나 사탕무를 원료로 하여 만든 맛이 단 유기 화합물(有機化合物). 정제(精製)의 정도에 따라 검은 사탕, 싸라기 사탕, 흰 사탕, 빙(氷)사탕 등이 있음. 사탕(沙糖).
◉金剛砂. 丹砂. 白砂. 錬砂. 硃砂. 辰砂. 土砂.

4
⑨ [砆] 부 ㊥虞 芳無切 fū

字解 옥돌 부 옥 비슷한 아름다운 돌의 한 가지. 玞(玉部 四畫)와 同字. '碔一'. '會稽之山, 其下多一石'《山海經》.

字源 形聲. 石+夫〔音〕

◉碔砆.

4
⑨ [砊] ㊀ 항 ㊤漾 苦浪切 kàng
㊁ 강 ㊥陽 丘岡切 kāng

字解 ㊀ 돌떨어지는소리 항 '一硠'은 돌이 떨어지는 소리. ㊁ 우렛소리 강 '一磕'는 뇌성. '淩驚雷之一磕兮'《張衡》.

[砊磕 강개] 우렛소리. 뇌성. 천둥소리.
[砊硠 항랑] 돌 떨어지는 소리.

4
⑨ [砑] 아 ㊤禡 吾駕切 yà

字解 갈 아 돌을 갈아 광채가 나게 함.

字源 形聲. 石+牙〔音〕

[砑綾 아릉] 번쩍번쩍하는 비단.

4
⑨ [砌] 체 ㊤霽 七計切 qì

字解 섬돌 체 석계(石階). '苔一'. '玄墀釦一, 玉階彤庭'《班固》.

字源 篆文 形聲. 石+切〔音〕. '切절·체'는 가지런히 자르다의 뜻. 돌이나 기와를 가지런히 잘라서 포갠 '계단'의 뜻을 나타냄.

◉綺砌. 鳴砌. 文砌. 碧砌. 玉砌. 瑤砌. 幽砌. 陰砌. 鱗砌. 雕砌. 甃砌. 苔砌.

4
⑨ [砍] 감 ㊤感 苦感切 kǎn

字解 쪼갤 감 가름.

字源 形聲. 石+欠〔音〕

4
⑨ [砒] 人名 비 ㊥齊 篇迷切 pī

字解 비소 비 원소의 하나. 또, 이것을 함유한 회백색(灰白色)의 금속광택(金屬光澤)이 나는 유독(有毒)한 광물. '一石'. '一霜'.

字源 形聲. 石+比〔音〕

[砒酸 비산] 무수아비산(無水亞砒酸)을 질산(窒酸) 또는 왕수(王水)로 산화시켜 만든 무색(無色)의 결정체. 물감으로 쓰임.
[砒霜 비상] 비석(砒石)을 불에 태워서 승화(昇華)시킨 백색 분말 결정체(結晶體)의 독약(毒藥). 신석(信石).
[砒石 비석] '무수아비산(無水亞砒酸)'의 별칭(別稱). 극독(劇毒)이 있는 백색의 분말(粉末). 쥐약·방부제(防腐劑) 등으로 쓰임.
[砒素 비소] 비금속 원소(非金屬元素)의 하나. 회백색(灰白色)의 금속성 광택이 있는 무른 결정성(結晶性)의 고체인데, 염을 가(加)하면 특유(特有)한 냄새를 내며 기화(氣化)함. 매우 유독(有毒)함.

4
⑨ [研] 〔연〕
研(石部 六畫〈p. 1571〉)의 俗字

4
⑨ [砐] 업 ㊧合 五合切 è

字解 높을 업 '一硪'는 산이 높은 모양. 일설(一說)에는, 요동(搖動)하는 모양. '陽侯一硪以岸起'《郭璞》.

字源 形聲. 石+及〔音〕

[砐硪 업아] 자해(字解)를 보라.

4
⑨ [砏] 분 ㊥眞 普巾切 pīn

字解 우렛소리 분 '一磤'은 뇌성. 또, 돌이 구르는 소리. '鉅寶遷兮一磤'《楚辭》.

[砏磤 분은] 우렛소리. 뇌성(雷聲). 또, 돌이 구르는 소리.
[砏汃 분팔] 거세게 물결치는 소리.

4
⑨ [砗] 방(봉㊀) ㊤講 部項切 bàng

字解 ①돌 방 돌의 모양. '一, 石皃'《集韻》. ②옥돌 방 옥(玉) 다음가는 돌. 玤(玉部 四畫)과 同字. '一, 同玤, 石次玉'《正字通》.

4
⑨ [砋] 지 ㊤紙 渚市切 zhǐ

字解 ①다듬잇돌 지 다듬이질하는 데 쓰이는 돌. '一, 擣繒石'《集韻》. ②숫돌 지 칼날을 가는 돌. '一, 一曰, 礪石'《集韻》.

4
⑨ [砎] ㊀ 개 ㊤卦 古拜切 jiè
㊁ 갈(길㊀) ㊧黠 古黠切 jiè

字解 ㊀ 단단할 개 굳음. '一如石焉'《晉書》. ㊁ 조약돌 갈 '一礣'은 잔돌. '一礣, 小石'《集韻》.

字源 形聲. 石+介〔音〕

[砎如 개여] 돌의 단단한 모양.

4 ⑨ [砅] 례 [去]霽 力制切 lì

[字解] ①징검다리건널 례 징검다리를 밟고 물을 건넘. '一, 履石渡水也'《說文》. ②옷걷고물건널 례 '深則一'《詩經》.
[字源] 甲骨文 篆文 會意. 水+石. 물속의 돌의 뜻으로, 그 돌을 밟고 물을 건너다의 뜻을 나타냄.
[參考] 砅(石部 五畫)은 別字.

4 ⑨ [砇] [人名] 민 [平]文 眉貧切 mín

[字解] 옥돌 민 옥(玉) 다음가는 아름다운 돌. 珉(玉部 五畫)과 同字. '珉, 說文, 石之美者, 或作一'《集韻》.

4 ⑨ [砕] 〔쇄〕 碎(石部 八畫〈p.1575〉)의 略字

[斫] 〔작〕 斤部 五畫(p.952)을 보라.

4 ⑨ [砉] 획 [入]陌 虎伯切 huā

[字解] 뼈바르는소리 획 칼로 뼈를 바르는데 가죽이 뼈에서 떨어져 나갈 때 나는 소리. '一然嚮然, 奏刀騞然'《莊子》.
[字源] 形聲. 石+丯〔音〕. '丯개'는 칼집을 내다의 뜻.

◉礫砉. 騞砉.

5 ⑩ [砳] 력 [入]陌 力摘切 lè

[字解] ①돌소리 력 '一, 石聲'《集韻》. ②돌부딪는소리 력 두 개의 돌이 부딪쳐 소리를 냄. '一, 二石相擊成聲也'《六書略》.

5 ⑩ [砝] 겁 [入]葉 居怯切 jié

[字解] 단단할 겁 견고함.
[字源] 形聲. 石+去〔音〕

[砝碼 겁마] 천칭(天秤)의 추(錘).

5 ⑩ [砠] 저 [平]魚 七余切 jū

[字解] 돌산 저 위에 돌이 깔린 토산(土山). '陟彼一矣'《詩經》.
[字源] 形聲. 石+且〔音〕. '且차·저'는 포개어 쌓이다의 뜻. 돌이 겹쳐 쌓여 있는 산의 뜻을 나타냄.

5 ⑩ [砛] 진 [上]軫 之忍切 zhěn

[字解] 돌빽빽이쌓을 진 '磐石振崖. (注) 孟康曰, 振, 一致也'《漢書》.

5 ⑩ [砢] 가(라本) [上]哿 來可切 luǒ

[字解] ①돌쌓일 가 '磊一'는 돌이 무더기로 쌓여 있는 모양. '水玉磊一'《司馬相如》. 또, 사람의 성품이 뛰어난 모양. '其人磊一而英多'《世說》. ②돌구르는소리 가 돌 같은 것이 요란하게 구르는 소리. 또는, 우렛소리. '轟轟一一雷車轉'《顧雲》.
[字源] 篆文 形聲. 石+可〔音〕. 돌이 대굴대굴 구르다의 뜻. '可가'는 그 소리를 나타내는 의성어적 음부(音符).

[砢砢 가가] 자해(字解)❷를 보라.
◉閜砢. 磊砢.

5 ⑩ [砥] 지 [上]紙 諸氏切 dǐ

[字解] ①숫돌 지 칼 같은 것을 가는 돌. '崦嵫之山, 其中多一礪'《山海經》. ②갈 지 숫돌에 갊. 전(轉)하여, 연마(硏磨)함. '一磨'. '一礪節操'《禮記》. ③평평할 지 숫돌과 같이 평탄함. '一平'. '東則一原遠濕'《鮑照》. ④평정할 지 토평(討平)함. '日月所照, 莫不一屬'《史記》.
[字源] 厎의 別體 形聲. 石+氐〔音〕. '氐저'는 '숫돌'의 뜻. 뒤에, '石석'을 덧붙임.

[砥厲 지려] 지려(砥礪).
[砥礪 지려] ㉠숫돌. ㉡숫돌에 갊. 전(轉)하여, 힘씀. 힘써 닦음.
[砥鍊 지련] 연장을 갈고 달굼. 연마(硏磨)하고 단련함.
[砥磨 지마] 숫돌에 갊.
[砥尙 지상] 행실을 닦고 마음을 고상히 가짐.
[砥石 지석] 숫돌. 또, 옥 같은 것을 가는 돌.
[砥屬 지속] 평정(平定)되어 복종함.
[砥矢 지시] 숫돌과 화살. 평평하고 곧은 것의 비유.
[砥砨 지액] 보석(寶石)의 이름.
[砥原 지원] 숫돌과 같이 평탄한 들. 평원(平原).
[砥墆 지절] 쌓여 막힘. 유통(流通)하지 아니함.
[砥柱 지주] '중류지주(中流砥柱)'를 보라.
[砥平 지평] 숫돌과 같이 평평함.
◉如砥. 礪砥. 柔砥. 平砥. 滑砥.

5 ⑩ [砧] [人名] 침 [平]侵 知林切 zhēn

[字解] ①다듬잇돌 침 다듬이질하는 돌. '一杵'. '秋一調急節'《庾信》. 또, 짚 같은 것을 올려놓고 두드리는 돌. '藁一今何在'《古樂府》. ②모탕 침 椹(木部 九畫)과 同字. '一斧'. '宜先伏於一鑕'《歐陽修》.
[字源] 篆文 形聲. 石+占〔音〕. '占점'은 일정한 장소에 고정되다의 뜻. 천이나 옷의 윤기(潤氣)를 내기 위하여, 일정한 장소에 놓아두는 돌의 뜻을 나타냄.

[砧斧 침부] 목을 자르는 데 쓰는 모탕과 도끼.
[砧石 침석] 다듬잇돌.
[砧聲 침성] 다듬이질하는 소리.
[砧杵 침저] 다듬잇방망이.
[砧鑕 침질] 침부(砧斧).
◉藁砧. 刀砧. 暮砧. 霜砧. 秋砧. 寒砧.

5 ⑩ [砨] 액 [入]陌 乙革切 è

[字解] 옥(玉) 액 옥(玉)의 한 가지. '周有砥一'

《史記》.

◉砥砨.

5 ⑩ [砨] 碇(前條)과 同字

5 ⑩ [砭] 폄 ㊥鹽 府廉切 biān

字解 ①돌침 폄 돌로 만든 침(鍼). '一劑'. ②침놓을 폄 돌침으로 찔러 병을 치료함. '法不當一灸'《史記》.

字源 篆文 形聲. 石+乏〔音〕. '乏핍'은 누르다, 찔러 넣다의 뜻. 돌침으로 환부를 찔러서 치료하다의 뜻을 나타냄.

[砭灸 폄구] 돌침과 뜸. 또, 병을 고치기 위하여 돌침을 놓고 뜸질을 함.
[砭愚 폄우] 어리석은 사람에게 침을 놓음. 어리석은 자를 경계한다는 뜻.
[砭劑 폄제] 돌침과 약(藥). 전(轉)하여, 병의 치료.
◉箴砭. 針砭. 鍼砭.

5 ⑩ [砱] 령 ㊥青 郎丁切 líng

字解 ①돌 령 '一, 石也'《集韻》. ②돌에구멍이 뚜렷이날 령 '一, 石孔開明也'《正字通》. ③돌의 소리 령 '一, 一曰, 石聲'《正字通》.

5 ⑩ [砰] 팽 ㊥庚 普耕切 pēng

字解 ①돌구르는소리 팽 돌이 굴러 떨어지는 요란한 소리. '一磅訇礚'《司馬相如》. 전(轉)하여, 소란한 음향의 뜻으로 쓰임. '一然聞之, 如雷霆之聲'《列子》. ②물결치는소리 팽 '一湃動篖瓦'《胡天游》. ③성할 팽 왕성한 모양. '休嘉一隱'《漢書》.

字源 形聲. 石+平〔音〕. '平평'은 큰 소리를 나타내는 의성어.

[砰磕 팽개] 돌이 서로 부딪치는 소리. 전(轉)하여, 우레와 같은 요란한 소리.
[砰訇 팽굉] 물결이 요란하게 치는 소리. 또, 큰 소리.
[砰磅 팽방] 돌이 굴러 떨어지는 소리.
[砰湃 팽배] ㉠물결치는 소리. ㉡물이 세차게 흐르는 모양.
[砰然 팽연] 돌이 굴러 떨어지는 소리.
[砰隱 팽은] 왕성(旺盛)한 모양. 큰 소리.
[砰砰 팽팽] 북 치는 소리.
◉雷砰. 硼砰.

5 ⑩ [砲] 人名 포 ㊤效 披教切 pào

筆順 一 丆 石 石' 矽 矽 矽 砲

字解 ①돌쇠뇌 포 돌을 퉁기어 날려서 적을 쏘는 무기. 礮(石部 十六畫)와 同字. '遠一勿虛發'《劉克莊》. ②대포 포 폭탄을 내쏘는 큰 화기. '銃一'.

字源 形聲. 石+包〔音〕. '礮포'의 이체자(異體字).

[砲架 포가] 포신(砲身)을 얹는 받침. 포구(砲口)를 목표로 돌리는 지점(支點)이 됨.
[砲擊 포격] 대포(大砲)로 사격(射擊)함.
[砲工 포공] 포장(砲匠).
[砲口 포구] 포문(砲門).
[砲臺 포대] 적(敵)의 내습(來襲)을 막고 화포(火砲) 및 병원(兵員)을 엄호(掩護)하며 사격을 편리하게 하기 위하여 요소(要所)에 설비한 견고한 축조물(築造物).
[砲墩 포돈] 포대(砲臺).
[砲銅 포동] 주석과 구리의 합금(合金)으로서 포신(砲身)을 주조하는 데 쓰이는 것.
[砲壘 포루] 포대(砲臺).
[砲門 포문] 화포(火砲)의 탄환이 나가는 구멍.
[砲兵 포병] 육군의 병종(兵種)의 하나. 화포(火砲)를 취급하는 군사.
[砲射 포사] 화포(火砲)를 쏨.
[砲船 포선] 대포를 실은 배.
[砲聲 포성] ㉠돌 쇠뇌를 쏠 때 나는 소리. ㉡대포를 쏠 때 나는 소리.
[砲手 포수] ㉠돌 쇠뇌를 쏘는 것을 맡은 군사. ㉡대포를 쏘는 포병(砲兵). ㉢《韓》 총으로 짐승을 잡는 사냥꾼.
[砲術 포술] 대포를 발사하는 방법.
[砲身 포신] 화포의 몸통.
[砲眼 포안] 성벽이나 군함, 또는 보루(堡壘) 같은 것에 총을 쏘기 위하여 낸 구멍.
[砲煙 포연] 발포(發砲)할 때 나는 연기. 대포의 연기.
[砲煙彈雨 포연탄우] 대포의 연기(煙氣)와 비 오듯 하는 탄환(彈丸)이라는 뜻으로, 격렬한 전쟁을 형용하는 말.
[砲音 포음] 포성(砲聲). 「工).
[砲匠 포장] 총포(銃砲)를 만드는 사람. 포공(砲
[砲座 포좌] 대포를 고정시켜 놓는 대(臺).
[砲車 포차] ㉠돌 쇠뇌를 싣는 수레. ㉡대포를 운반하는 수레. 곧, 포가(砲架)에 바퀴를 단 것.
[砲彈 포탄] 대포(大砲)의 탄알.
[砲艦 포함] 영해(領海)에서 본토(本土)의 경비를 맡아보는 경쾌하고 작은 군함.
[砲響 포향] 포성(砲聲).
[砲火 포화] 대포를 쏠 때에 일어나는 불.
[砲丸 포환] 포탄(砲彈). 대포의 탄알을 이르는 말.
◉加農砲. 巨砲. 攻城砲. 空砲. 臼砲. 大砲. 發砲. 小砲. 禮砲. 弔砲. 重砲. 鐵砲. 銃砲. 祝砲. 號砲. 火砲.

5 ⑩ [破] 中人 파 ㊤箇 普過切 pò

筆順 一 丆 石 石 矿 矿 破 破

字解 ①깨질 파 ㉠물건이 깨짐. 부서짐. 파괴됨. 또, 해어짐. '一船'. '一袴'. '一屋數間而已矣'《韓愈》. '甑已一矣'《後漢書》. ㉡일이 깨짐. 일이 틀어짐. '一綻'. ㉢짐. 패배함. '敵國一, 謀臣亡'《史記》. ②깨뜨릴 파 ㉠부숨. 파괴함. '旣一我斧, 又缺我斨'《詩經》. ㉡일이 틀어지게 함. '一約'. ㉢쳐부숨. 이김. 승리함. '魏有一韓之志'《戰國策》. ㉣다함. 완료함. 끝까지 해냄. '踏一'. '讀一'. '看一'. ③깨진데 파 파손된 데. 해진 데. '兒寒敎補一'《黃庭堅》. ④가를 파 ㉠쪼갬. '一竹之勢'. '今兵威已振, 譬如

一竹'《晉書》. ㉡나눔. 분석함. '一題'. '分一'. '天下莫能一焉'《中庸》. ⑤흩뜨릴 파 재물을 써 없앰. '一財'. '一產不爲家'《李白》. ⑥악곡이름 파 무악(舞樂)의 곡조의 하나. '入一'. '序一急'.

字源 篆文 形聲. 石+皮〔音〕. '皮피'는 '波파'와 통하여, '파도'의 뜻. 부서지는 물결처럼 돌이 깨지다, 파괴되다의 뜻을 나타냄.

[破却 파각] 깨뜨림. 부숨. 각(却)은 조사(助辭).
[破格 파격] 격식을 깨뜨림. 상례(常例)에 어긋남.
[破鏡 파경] ㉠부부(夫婦)의 이별을 이름. ㉡이지러진 달. 둥글지 않은 달.
[破戒 파계]《佛敎》계율(戒律)을 지키지 아니함.
[破戒無慙 파계무참]《佛敎》계율(戒律)을 어기고도 부끄러워하지 아니함.
[破袴 파고] 해진 바지. 폐고(弊袴).
[破故紙 파고지] 콩과(科)에 속하는 일년초. 씨는 요통(腰痛)·슬통(膝痛) 등의 한약재로 쓰임. 보골지(補骨脂).
[破觚斲雕 파고착조] 모를 없애고 섬세하게 조각한 것을 깎아 냄. 곧, 혹형(酷刑)을 없애고 엄밀(嚴密)한 조문(條文)을 삭제한다는 뜻으로, 복잡(複雜)한 법률(法律)을 간략(簡略)하게 줄임을 이름. 고(觚)는 모〔方形〕, 조(雕)는 조각(彫刻).
[破瓜 파과] ㉠여자의 나이 열여섯 살의 일컬음. 외과자를 파자(破字)하면 두 여덟 팔자가 되므로 이름. ㉡남자의 나이 예순네 살의 일컬음. 팔팔은 육십사가 되므로 이름.
[破瓜期 파과기] 여자가 경도(經度)를 처음 시작하는 십오륙 세경을 이름.
[破塊 파괴] 흙덩이를 깨뜨림. 폭우(暴雨)가 농작물을 해침을 이름.
[破壞 파괴] 깨뜨림. 부숨. 헐어 버림.
[破局 파국] 판국(版局)이 결딴남. 또, 그 판국(版局).
[破軍星 파군성] 북두칠성(北斗七星)의 일곱째 별. 곧, 자루의 맨 끝에 있는 별로서 칼〔劍〕을 상징(象徵)함. 이 자루의 방향을 향하여 일을 하는 자는 반드시 실패한다 함. 요광(搖光).
[破几 파궤] 부서진 책상.
[破潰 파궤] ㉠둑 같은 것이 갈라져 무너짐. ㉡패배하여 흩어짐. 또 쳐부수어 흩뜨림.
[破鬼膽 파귀담] 귀신(鬼神)을 혼담(魂膽)이 서늘하도록 놀라게 함.
[破衾 파금] 해진 이불.
[破棄 파기] 깨뜨려 버림.
[破器 파기] 깨진 그릇.
[破膽 파담] 크게 놀람. 대단히 놀라 무서워함. 담한(膽寒).
[破落戶 파락호] 쇠락(衰落)한 집안. 전(轉)하여, 행세하는 집안의 무뢰(無賴)한 자제(子弟). 또, 일정한 직업이 없는 무뢰한(無賴漢). 난봉꾼.
[破浪 파랑] 물결 속을 헤치고 전진함.
[破裂 파렬] 파열(破裂).
[破廉恥 파렴치] ㉠염치를 모름. 부끄러운 줄을 모름. 뻔뻔스러움. ㉡부정 불법(不正不法)의 행위.
[破牢 파뢰] 파옥(破獄).
[破倫 파륜] 인륜(人倫)을 어김. 사람으로서 하지 못할 짓을 함.
[破笠 파립] 해진 갓. 폐립(弊笠).
[破滅 파멸] 깨어져 없어짐. 또, 깨뜨려 없어짐.
[破卯 파묘] 날 샐녘. 새벽. 묘(卯)는 지금의 오전 다섯 시부터 일곱 시까지. 파효(破曉).
[破門 파문] 신도(信徒)의 자격을 박탈하여 종문(宗門)에서 제명(除名)함.
[破壁 파벽] 무너진 벽.
[破釜沈船 파부침선] 출진(出陣)에 앞서, 병사에게 밥 지어 주는 솥을 파손하고, 돌아갈 병선(兵船)을 침몰시킨다는 뜻으로, 결사적(決死的)으로 싸우겠다는 다짐을 이르는 말.
[破費 파비] 금전을 소비함.
[破屣 파사] 해진 신. 버려 아깝지 않은 것의 비유.
[破邪顯正 파사현정]《佛敎》사도(邪道)를 쳐부수고 정법(正法)을 나타내어 널리 폄.
[破產 파산] 가산(家產)을 탕진함. 재산을 다 써 없앰.
[破散 파산] 깨뜨려 흩뜨림.
[破山中賊易, 破心中賊難 파산중적이, 파심중적난] 산속에 있는 도적은 무찌르기가 쉬워도 자기의 나쁜 마음은 다스리기가 어렵다는 뜻. 곧, 정신수양(精神修養)의 어려움을 이름.
[破傷風 파상풍] 상처에 파상풍균(菌)이 침입하여 나는 악성(惡性)의 병.
[破船 파선] ㉠배가 풍파(風波) 같은 것으로 인하여 해상에서 파괴됨. ㉡부서진 배.
[破損 파손] 깨어져 못 쓰게 됨. 또, 깨어 못 쓰게 만듦.
[破碎 파쇄] 깨어져서 부스러짐. 또, 깨뜨리어 부스러뜨림.
[破顏 파안] 얼굴빛을 부드럽게 하여 웃음.
[破約 파약] 약속을 깨뜨림. 약속을 이행하지 아니함. 위약(違約).
[破裂 파열] ㉠깨어져서 갈라짐. ㉡맹렬히 터져 튐.
[破屋 파옥] 허물어진 집.
[破獄 파옥] 죄수가 옥을 부수고 달아남.
[破音 파음] 어떤 한자(漢字)가 가진 본래의 음 외에 그 글자와의 뜻이 전용(轉用)될 때 함께 변하는 다른 음.
[破字 파자] 한자(漢字)의 자획(字畫)을 분합(分合)하여 맞추는 수수께끼.
[破寂 파적]《韓》심심풀이를 함.
[破錢 파전] 속어(俗語)로서 산재(散財)한다는 뜻.
[破題 파제] 제(題)의 요지(要旨)를 남김없이 분석(分析)하여 설명하였다는 뜻으로, 시부(詩賦)의 기수(起首)를 이름.
[破腫 파종] 종기를 침 같은 것으로 땀.
[破竹勢 파죽세] 대를 칼로 순식간에 딱 하고 가르듯이 맹렬하여 아무도 멈출 수 없는 기세를 이름.
[破竹之勢 파죽지세] 파죽세(破竹勢).
[破陣 파진] 적진(敵陣)을 쳐부숨.
[破陣樂 파진악] 당태종(唐太宗)이 진왕(秦王) 때에 유무주(劉武周)를 정벌(征伐)할 때 군중(軍中)에서 지은 음악 이름. 즉위(卽位) 후 연회 때 반드시 이 음악을 연주하였음. 칠덕무(七德舞).
[破窓 파창] 부서진 창(窓). 또, 종이가 찢어진 창.
[破天荒 파천황] 천황(天荒)은 천지(天地)가 아직 열리지 아니한 혼돈한 상태로서 이것을 깨

뜨려 연다는 뜻으로, 인재(人材)가 나지 아니한 땅에 처음으로 인재가 나거나, 아무도 한 일이 없는 큰일을 제일 먼저 함을 이름.
[破涕 파체] 울음을 그침.
[破摧 파최] 파쇄(破碎).
[破墜 파추] 깨져 떨어짐. 또, 깨뜨려 떨어뜨림.
[破綻 파탄] 찢어지고 터짐. 전(轉)하여, 사업에 큰 지장이 생겨 실패로 돌아감.
[破片 파편] 깨어진 조각.
[破敝 파폐] 깨짐. 해짐. 또, 깨뜨림. 해뜨림.
[破婚 파혼] 약혼을 파함.
[破曉 파효] 파묘(破卯).
[破毁 파훼] 허물어짐. 부서짐. 또, 헒. 부숨.
[破興 파흥] 흥(興)이 깨어짐. 또, 흥을 깨뜨림.
◉看破. 喝破. 擊破. 驚破. 壞破. 窮破. 難破. 論破. 牢不可破. 膽破. 踏破. 撞破. 大破. 道破. 讀破. 突破. 撲破. 燔破. 剖破. 腐破. 奔破. 傷破. 說破. 齧破. 笑破. 碎破. 掩破. 連破. 裂破. 入破. 殘破. 裁破. 抵破. 翦破. 截破. 照破. 走破. 殄破. 鑿破. 摧破. 椎破. 脆破. 打破. 綻破. 爆破.

5 ⑩ [砯] 빙 (平)蒸 披冰切 pīng

[字解] 물소리 빙 물이 산암(山巖)에 부딪쳐 나는 소리. '—巖鼓作'《郭璞》.
[字源] 形聲. 石+氷〔音〕.

[參考] 砅(石部 四畫)는 別字.

[砯砰 빙팽] 수레의 소리.

5 ⑩ [硁] 괴 (去)卦 古壞切 guài

[字解] 옥돌 괴 옥(玉) 비슷한 돌. '—, 石次玉'《玉篇》.

5 ⑩ [砞] 말 (入)曷 莫葛切 mò

[字解] 부순돌 말 잘게 깨뜨린 돌. '—, 碎石'《玉篇》.

5 ⑩ [砟] ㊀ 사 (去)禡 助駕切 zhà
㊁ 작 (入)藥 在各切 zuò

[字解] ㊀ 비석 사 글을 새겨 세운 비석. '—, 碑石也'《集韻》. ㊁ ①돌 작 '礭硊—硌, 爾自爲神'《魏武帝》. ②돌위 작 '—, 石上'《廣韻》.

[砟硌 작락] 돌이 쌓인 모양.

5 ⑩ [砣] 타 (平)歌 徒禾切 tuó

[字解] ①돌 타 '—, 石也'《玉篇》. ②팔매질 타 벽돌〔塼〕을 던지는 유희(遊戲). 堶(土部 九畫)와 同字. ③맷돌 타.
[字源] 形聲. 石+它〔音〕.

5 ⑩ [砪] 모(무(本)) (上)有 莫後切 mǔ

[字解] 운모(雲母) 모 '雲—'는 옴이나 독창(毒瘡)을 다스리는 약명(藥名). '—, 雲母, 藥名'《玉篇》.

5 ⑩ [砬] [人名] 립 (入)緝 力入切 lì

[字解] 돌무너지는소리 립.

5 ⑩ [砫] 주 (上)麌 腫庾切 zhǔ

[字解] 신주독 주 돌로 만든 신주독. 또, 돌로 만든 신주.

5 ⑩ [砛] 진 ①(上)軫 止忍切 zhěn
②③(平)眞 之人切 zhēn

[字解] ①돌쌓을 진 내의 내민 부분의 둑을 돌로 쌓음. '—, 以石致川之廉也'《集韻》. ②돌울쑥불쑥할 진 돌의 요철(凹凸)이 있는 모양. '—, 石不平皃'《集韻》. ③숫돌 진 거친 숫돌. '—, 礪也'《集韻》.

5 ⑩ [砇] 〔민〕
碈(石部 九畫〈p. 1577〉)과 同字

5 ⑩ [砦] [人名] 채 (去)卦 犲夬切 zhài

[字解] 진터 채 적을 막기 위하여 쌓은 작은 성. 보루(堡壘). '劉亮營—'《宋書》.
[字源] 形聲. 石+此〔音〕. '此차'는 '柴시'와 통하여, '섶'의 뜻. 돌이나 섶으로 쌓은 '보루'의 뜻을 나타냄.

◉壘砦. 堡砦. 山砦. 城砦. 營砦. 要砦.

5 ⑩ [砮] 노 (上)麌 奴古切 nǔ
(平)虞 乃都切 nú

[字解] 돌살촉 노 돌로 만든 살촉. '石—其長尺有咫'《國語》.
[字源] 篆文 形聲. 石+奴〔音〕. '奴노'는 힘을 들여 끈질기다의 뜻. 또, '奴'는 '弩노'와 통하여, '쇠뇌'의 뜻. 쇠뇌에 쓰는 '돌촉'의 뜻을 나타냄.

5 ⑩ [砮] 砮(前條)와 同字

5 ⑩ [础] 〔초〕
礎(石部 十三畫〈p. 1586〉)의 簡體字

6 ⑪ [硃] 주 (平)虞 章俱切 zhū

[字解] 주사 주 적색(赤色)의 안료(顏料)와 주묵(朱墨)의 원료로 쓰이는 광물(鑛物). 단사(丹砂). '丹砂卽今— 砂也'《康熙字典》.
[字源] 形聲. 石+朱〔音〕. '朱주'는 '붉다'의 뜻. 붉은 돌, '주사'의 뜻을 나타냄.

[硃批 주비] 청조(淸朝)의 제도(制度)에서 내외(內外)의 주장(奏章)을 황제가 친히 주묵(朱墨)으로 고치고 비답(批答)하는 일.
[硃砂 주사] 자해(字解)를 보라.
[硃諭 주유] 주비(硃批).
[硃筆 주필] 주비(硃批).
[硃汞 주홍] 수은(水銀)의 원료가 되는 광석.

6 ⑪ [硅] [人名] (現) 규 (平)齊 虎伯切 guī

字解 《現》 규소 규 '—素'는 비금속 원소(非金屬元素)의 하나. 천연적으로는 유리 상태(遊離狀態)로 존재하지 아니하고, 산화물(酸化物)·규산염(硅酸鹽)과 같은 화합물이 되어 지각(地殼)에 다량으로 존재함. 실리콘.
字源 形聲. 石+圭〔音〕

[硅素 규소] 자해(字解)를 보라.

6 ⑪ [硇] 現 뇨 平肴 尼交切 náo

字解 《現》 요사 뇨 '—砂'는 염화(鹽化)암모늄의 속칭(俗稱). 암모니아와 염화수소(鹽化水素)를 혼합한 백색의 고체(固體)임.
字源 形聲. 石+囟〔音〕

[硇砂 요사] 자해(字解)를 보라.

6 ⑪ [硋] 애 去隊 五溉切 ài

字解 거리낄 애 礙(石部 十四畫)와 同字. '雲霧不—其視'《列子》.

6 ⑪ [硎] 형 平青 戶經切 xíng

字解 숫돌 형 여석(礪石). '刀刃若新發於—'《莊子》.
字源 形聲. 石+刑(刑)〔音〕
參考 硎(石部 八畫)은 本字.

6 ⑪ [硫] 〔류〕 硫(石部 七畫〈p. 1573〉)의 本字

6 ⑪ [硌] 락 入藥 盧各切 luò

字解 ①바위 락 산 위의 큰 바위. '上申之山, 上無草木而多— 石'《山海經》. ②장대할 락 '磥—'은 장대(壯大)한 모양. '䟶踔磥—, 美聲將興'《嵇康》.
字源 形聲. 石+各〔音〕

6 ⑪ [硔] 홍 平東 戶公切 hóng

字解 ①돌떨어지는소리 홍 '—, —磅, 石隕聲'《集韻》. ②《現》 건축(建築)할 때 땅을 다지는 공구(工具). 또, 그 공구를 써서 땅을 찧어 다짐.

6 ⑪ [硉] 률 入月 勒沒切 lù

字解 떨어뜨릴 률 돌을 굴려 내림. '上擊下—'《枚乘》.
字源 形聲. 石+律〈省〉〔音〕

6 ⑪ [硊] 위 上紙 五委切 wěi

字解 ①돌 위 '硊—'는 돌의 모양. '硊—, 石貌'《集韻》. ②다리굽을 위 '硊—, 足曲也'《玉篇》.

6 ⑪ [硓] 과 平麻 枯瓜切 kuā

字解 큰바위 과 넓고 편편한 바위. '—, 磐石'《集韻》.

6 ⑪ [硐] 동 平東 徒經切 tóng / 上董 徒揔切 dòng

字解 ①갈 동 '—, 磨也'《廣雅》. ②대마디뚫을 동 '鏓—'은 칼로 대마디를 뚫음. '鏓—隤墜'《馬融》. ③《現》 굴 동 동굴. 광갱(鑛坑).

6 ⑪ [硗] ㊀ 교 上篠 苦皎切 qiǎo / ㊁ 조 上篠 徒了切 diào

字解 ㊀ 거친밭 교 황폐하여 메마른 밭. 磽(石部 十二畫)와 同字. '—, 山田也'《集韻》. ㊁ 돌이름 조 석명(石名).

6 ⑪ [硄] 광 平陽 枯光切 kuāng

字解 ①돌소리 광 돌의 소리. '—, 石聲'《集韻》. ②윤택한돌 광 윤이 나는 돌. '—, 石色之光澤者'《正字通》.
字源 形聲. 石+光〔音〕

6 ⑪ [硌] 략 入藥 離灼切 lüè

字解 ①날세울 략 날붙이를 갊. '—, 磨刃'《集韻》. ②잘들 략 칼이 잘 듦. '—, 爾雅云, 利也'《廣韻》.

6 ⑪ [硍] ㊀ 한 上濟 胡簡切 xiàn / ㊁ 간 去願 苦恨切 kèn / 平刪 居閑切 / ㊂ 경 平庚 丘耕切 kēng

字解 ㊀ 돌소리 한 '—, 石聲'《廣韻》. ㊁ ①흠있는돌 간 '—, 吳俗謂石有痕曰—'《集韻》. ②종소리흐려똑똑하지않을 간 ㉠위쪽이 큰 종의 소리. '—, 鐘高聲'《集韻》. ㉡깨진 종의 소리. '硍, 鐘病聲. 或作—'《集韻》. ㊂ 종소리흐려똑똑하지않을 경 ㊁ ❷와 뜻이 같음.
字源 形聲. 石+皀(艮)〔音〕

6 ⑪ [硏] ㊀ 연 去霰 倪甸切 yàn / ㊁ 경 去敬 綺競切 qìng

字解 ㊀ 벼루 연 硯(石部 七畫)과 同字. '硯, 說文, 石滑也. 或作—'《集韻》. ㊁ 광 경 돌의 윤기. '怪石臨淵, ——自顚'《元結》.

6 ⑪ [研] 中人 연 平先 五堅切 yán / 去霰 五甸切 yàn

筆順 一 ア 石 石 石 研 研 研

字解 ①갈 연 연마함. '—刀'. '—磨墨'《梁武帝》. ②궁구할 연 연구함. '—鑽'. '能—諸侯之慮'《易經》. ③벼루 연 硯(石部 七畫)과 同字. '—蓋'. '綠苔鬖髿乎—上'《郭璞》. ④성 연 성(姓)의 하나.
字源 篆文 形聲. 石+幵〔音〕. '幵견·연'은 깎아서 갈다의 뜻. '石석'을 덧붙여, '연마하

다'의 뜻을 나타냄.
參考 硏(石部 四畫)은 俗字.

[硏蓋 연개] 벼루의 뚜껑. 연개(硯蓋).
[硏考 연고] 상고하고 생각함. 고구(考究).
[硏攻 연공] 연구(硏究).
[硏校 연교] 상고하고 비교함. 교(校)는 교(較).
[硏究 연구] 상고하고 궁구(窮究)함.
[硏求 연구] 이치를 깊이 캠. 연심(硏尋).
[硏窮 연궁] 연구(硏究).
[硏覽 연람] 상고하여 봄.
[硏練 연련] 갈고 단련함. 전(轉)하여, 힘써 닦음.
[硏摩 연마] 갈고 닦음. 전(轉)하여, 힘써 닦음. 깊이 연구(硏究)함.
[硏磨 연마] ㉠연장 같은 것을 갊. ㉡먹을 갊. ㉢힘써 닦음. 깊이 궁구함.
[硏味 연미] 상고하고 음미(吟味)함.
[硏癖 연벽] 벼루를 몹시 좋아하는 버릇.
[硏屛 연병] 연병(硯屛).
[硏北 연북] 편지를 부칠 때 수신인(受信人)의 이름 밑에 쓰는 말. 책상을 남향(南向)하여 놓을 때 사람은 벼루의 북쪽에 앉으므로 이름. 연북(硯北). 오우(梧右). 오전(梧前).
[硏桑 연상] 계연(計硏)과 상홍양(桑弘羊). 두 사람이 모두 치산(治產)에 능하였음.
[硏席 연석] 연구하는 좌석. 공부하는 곳. 연석(硯席).
[硏修 연수] 궁구(窮究)하여 닦음.
[硏室 연실] 벼룻집. 연갑(硯匣).
[硏尋 연심] 연구(硏求).
[硏審 연심] 연정(硏精).
[硏精 연정] 정밀(精密)히 상고하고 궁구함. 연심(硏審).
[硏澄 연징] 갈아 맑게 함. 충분히 갊.
[硏讚 연찬] 연찬(硏鑽).
[硏鑽 연찬] 깊이 연구(硏究)함.
[硏學 연학] 학문을 연구(硏究)함.
[硏覈 연핵] 깊이 궁구(窮究)하여 밝힘.
[硏詰 연힐] 끝까지 힐문(詰問)함.
◉攻硏. 窮硏. 摩硏. 藥硏. 圓硏. 潛硏. 精硏. 竹硏. 鑽硏.

6 ⑪ [硆] 공 ㊤腫 居悚切 gǒng

字解 ①물가돌 공 수변(水邊)의 돌. '一, 水邊石也'《說文》. ②물찬섬돌 공 물에 잠긴 섬의 돌.
字源 篆文 形聲. 石+巩(巩)〔音〕. '巩공'은 '싸안다'의 뜻. 물에 싸여 있는 물가의 돌의 뜻을 나타냄.

7 ⑫ [硜] 갱 ㊥庚 口莖切 kēng 砼

字解 ①돌소리 갱 돌이 서로 부딪는 소리. '石聲——以立別'《史記》. ②주변없을 갱 주변 없는 소인(小人)의 모양. '——然小人哉'《論語》.
字源 磬의古文 形聲. 石+巠〔音〕

[硜硜 갱갱] ㉠돌 소리. 돌이 서로 부딪는 소리. ㉡주변 없는 소인(小人)의 모양.

7 ⑫ [硝] 人名 초(소㉧) ㊥蕭 相邀切 xiāo

字解 초석 초 무색(無色)의 결정체(結晶體)를 이룬 폭발성이 있는 광물. 화약 및 유리의 원료임. 전(轉)하여, 화약. '一石'. '一子'. '一烟'.
字源 形聲. 石+肖〔音〕

[硝酸 초산] 무기산(無機酸)의 하나. 초석(硝石)에 황산(黃酸)을 섞어 열을 더하여 만든 무색(無色)의 액체. 부식성(腐蝕性)이 있어 금속의 부각(腐刻)·야금(冶金) 등에 쓰임. 질산(窒酸).
[硝酸銀 초산은] 은(銀)을 초산(硝酸)에 녹여 얻는 무색(無色)·판상(板狀)의 결정물(結晶物). 사진술(寫眞術)·의료(醫療) 등에 쓰임. 질산은(窒酸銀).
[硝石 초석] 무색(無色) 또는 백색의 광택이 있는 결정체(結晶體)를 이룬 광물(鑛物). 폭발성(爆發性)이 있어 화약의 원료로 쓰임.
[硝藥 초약] 화약(火藥).
[硝煙 초연] 화약(火藥)의 폭발에 의하여 생기는 연기.
[硝子 초자] 단단하나 깨지기 쉽고 투명(透明)한 물질(物質). 유리(琉璃).

7 ⑫ [硧] 용 ㊤腫 尹竦切 yǒng

字解 ①마석(磨石) 용 물건을 반드럽게 가는 데 쓰는 돌. '一, 磨石'《集韻》. ②갈 용 '一, 磨也'《集韻》.

7 ⑫ [硠] 랑 ㊥陽 魯當切 láng

字解 돌부딪치는소리 랑 '礧石相擊, ——磕磕'《司馬相如》.
字源 篆文 形聲. 石+良〔音〕. 돌 소리의 의성어.

[硠磕 낭개] 돌이 부딪치는 소리. 또, 우렛소리.
[硠硠 낭랑] 돌이 서로 부딪쳐 나는 소리.
◉雷硠. 磅硠.

7 ⑫ [硡] 굉 ㊥庚 乎萌切 hōng

字解 돌굴러떨어지는소리 굉 '鼓鞞一隱以砰磕'《潘岳》.
字源 形聲. 石+宏〔音〕

[硡隱 굉은] 북소리.

7 ⑫ [硱] ㊀곤 ㊤阮 苦本切 kǔn ㊁긍 ㊥蒸 綺兢切

字解 ㊀ ①돌떨어질 곤 '一碖'은 돌이 떨어지는 모양. '一, 一碖, 石落皃'《廣韻》. ②돌 곤 '一磳'은 돌의 모양. '一, 一磳, 石皃'《廣韻》. ㊁ 돌떨어질 긍, 돌 긍 ㊀과 뜻이 같음.

7 ⑫ [硨] ㊀차 ㊥麻 尺遮切 chē ㊁거 ㊥魚 斤於切 jū 砗

字解 ㊀ ①옥돌 차 '一磲'는 옥 비슷한 아름다운 돌. 인도에서 남. '一磲出天竺國'《玄中記》. ②조개이름 차 '一磲'는 인도에서 나는 조개로, 껍질은 백색의 광택이 나서, 갈아 장식용으로 씀. 칠보(七寶)의 하나. ㊁ 옥돌 거, 조개이름 거

[一]과 뜻이 같음.
[字源] 形聲. 石+車〔音〕

[硨磲 차거·거거] 자해(字解)를 보라.

7 ⑫ [硫] [人名] 류 [平]尤 力求切 liú

[字解] 유황 류 화산 지방(火山地方)에서 나는 황록색의 광물. 불에 잘 타는데, 불꽃은 파랗고 극취(劇臭)가 남. 약품과 공업용의 원료로 쓰임. 석유황(石硫黃).
[字源] 形聲. 石+㐬〔音〕. '㐬류'는 '흐르다'의 뜻. 돌 사이에서 흘러나오는 '유황'의 뜻을 나타냄.

[硫酸 유산] 무기산(無機酸)의 하나. 무색·유상(油狀) 액체. 산성(酸性)이 강하여 금·백금 이외의 금속은 거의 용해됨. 흡습성(吸濕性)이 강하므로 건조제(乾燥劑)로 쓰이며 기타 의료(醫療)·공업용으로 널리 쓰임. 황산(黃酸).
[硫酸銅 유산동] 동(銅)을 유산(硫酸)에 녹여 얻는 선청색(鮮靑色)의 결정물(結晶物). 동광(銅鑛)에서는 천연적으로 담반(膽礬)으로 산출됨. 매염제(媒染劑)·도동액(鍍銅液) 등으로 쓰임. 황산동(黃酸銅).
[硫黃 유황] 화산 지방(火山地方)에서 나는 황록색의 광물. 불에 잘 타는데 불꽃은 파랗고 극취(劇臭)가 남. 약품과 공업용의 원료로 쓰임. 석유황(石硫黃).

7 ⑫ [硬] [高人] 경 [去]敬 五諍切 yìng

[筆順] 一 丆 石 石一 石𠔿 硒 硬 硬

[字解] ①단단할 경, 강할 경 '堅—'. '強—'. '書貴瘦—方通神'《杜甫》. ②익숙지않을 경 세련되지 않음. '生—'.
[字源] 形聲. 石+更〔音〕. '更갱·경'은 단단하고 강하다의 뜻. '更'이 고치다의 뜻으로 쓰이게 되매, '石석'을 덧붙여, 구별하여 뜻을 분명히 함.

[硬堅 경견] 단단함. 굳음.
[硬結 경결] 단단하게 굳음. 또는 굳힘.
[硬骨 경골] ㉠단단한 뼈. 연골(軟骨)의 대(對). ㉡강직(剛直)하여 남에게 굴(屈)하지 아니함.
[硬口蓋 경구개] 입천장 앞부분의 단단한 곳.
[硬度 경도] ㉠물체의 단단함과 무른 정도. ㉡광물(鑛物)의 단단한 정도. 곧, 어떠한 광물에 흠집을 내고자 할 때에 그 광물이 저항(抵抗)하는 정도(程度).
[硬煤 경매] 무연탄(無煙炭).
[硬澁 경삽] 문장 같은 것이 딱딱하고 난삽(難澁)함.
[硬性 경성] 단단한 성질.
[硬水 경수] 석회(石灰), 기타 광물(鑛物)의 유기물(有機物)을 많이 포함(包含)한 물. 센물. 연수(軟水)의 대(對).
[硬音 경음] 된소리.
[硬化 경화] ㉠물건이 단단하여짐. ㉡의견·태도 등이 강경(強硬)하여짐.
[硬貨 경화] 금속으로 만든 화폐.
[硬黃 경황] 당지(唐紙)의 이름.

◉強硬. 堅硬. 生硬. 瘦硬.

7 ⑫ [确] 각 [入]覺 胡覺切 què

[字解] ①자갈땅 각 돌이 많은 땅. '磽—'. '山石犖—行徑微'《韓愈》. ②정확할 각 바르고 확실함. 確(石部 十畫)과 뜻이 같음. '指切時要, 言辯而—'《後漢書》. ③다툴 각 승부를 겨룸. 角(部首)과 통용. '數與虜—'《漢書》.
[字源] [篆文] 形聲. 石+角〔音〕. '角각'은 딱딱한 뿔의 뜻. 단단한 돌의 뜻을 나타냄. 파생하여, '확실하다'의 뜻을 나타냄.

◉磽确. 犖确. 質确.

7 ⑫ [硯] [人名] 연 [去]霰 吾甸切 yàn 砚

[筆順] 一 丆 石 石冂 石㒼 硯 硯 硯

[字解] ①벼루 연 먹을 가는 그릇. '—滴'. '—, 研也, 研墨使和濡也'《釋名》. ②성 연 성(姓)의 하나.
[字源] [篆文] 形聲. 石+見〔音〕. '見견'은 '研연'과 통하여, '갈다'의 뜻. 먹을 가는 도구, '벼루'의 뜻을 나타냄.

[硯蓋 연개] 벼루의 뚜껑.
[硯臺 연대] 벼루.
[硯屛 연병] 먼지와 먹이 튀는 것을 막기 위하여 벼루 머리에 놓는 작은 병풍같이 생긴 것.

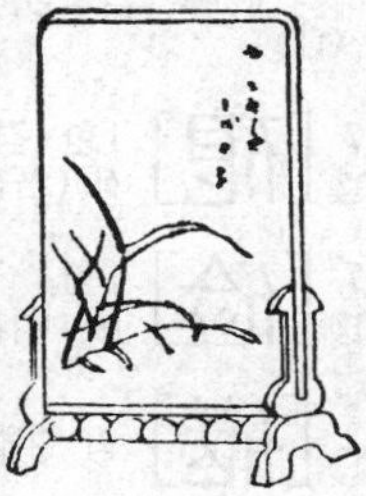
[硯屛]

[硯北 연북] 편지의 수신인(受信人)의 이름 밑에 경의(敬意)를 표하기 위하여 쓰는 말. 책상을 남쪽으로 향하여 놓을 때 사람은 벼루 북쪽에 있기 때문임. 오전(梧前). 호피하(虎皮下). 연북(硏北).
[硯石 연석] 벼룻돌.
[硯席 연석] 공부하는 자리. 배우는 곳.
[硯水 연수] ㉠벼룻물. ㉡연적(硯滴).
[硯滴 연적] ㉠벼룻물을 넣어 두는 그릇. 수주(水注). ㉡벼루에서 떨어지는 물방울.
[硯田 연전] 벼루. 시인(詩人)·문인(文人)이 쓰는 벼루를 농부(農夫)의 밭에 비유하여 말함.
[硯池 연지] 벼루에 먹물이 담기는 오목한 곳. 묵지(墨池).
[硯海 연해] 연지(硯池).
◉枯硯. 冷硯. 陶硯. 蚌硯. 石硯. 洗硯. 欲燒筆硯. 洮硯. 朱硯. 鐵硯. 筆硯. 寒硯.

7 ⑫ [硥] [一] 망 [上]講 母項切 máng
[二] 방 [上]講 部項切 bàng

[字解] [一] 돌모양 망 '—, 石皃'《集韻》. [二] 씹조개 방 '蚌, 說文, 蜃屬, 或作—'《集韻》.

7 ⑫ [硟] 천 [去]霰 昌戰切 chàn

[字解] ①재양치는돌 천 명주·모시 따위를 쳐서 펴는 돌. '—, 以石衦繒也'《說文》. ②다듬잇돌 천 '—, 擣繒石'《集韻》.

字源 篆文 篆文 形聲. 石+延〔音〕. '延연'은 두드려서 늘이다의 뜻. 돌로 천을 두드리다, '다듬잇돌'의 뜻을 나타냄.

7 ⑫ [硪] 아 ①②㊥歌 五何切 é ③㊤哿 五可切 é

字解 ①바위 아 큰 돌. '一, 石巖也'《說文》. ②돌로흙다질 아 '層層夯一. (註) 以木杵築地曰夯, 以石碌壓地曰一'《六部成語》. ③산우뚝할 아 '破一'는 산이 높은 모양. 峨(山部 七畫)와 同字.

字源 篆文 形聲. 石+我〔音〕. '我아'는 모가 나 있다의 뜻. 모난 돌, 큰 바위의 뜻을 나타냄.

7 ⑫ [硓] 로 ㊥豪 郞刀切 láo

字解 돌그릇 로 돌로 만든 기구. 석기(石器).

7 ⑫ [硞] ㊀ 각 ㊇覺 苦角切 què ㊁ 극 ㊇陌 克革切 kè ㊂ 곡 ㊇沃 苦沃切 kù

字解 ㊀ ①돌소리 각 '一, 石聲'《說文》. ②굳을 각 '一, 固也'《廣韻》. ㊁ 물돌에부딪쳐고르지않을 극 '砦一'은 물이 돌에 부딪쳐 평(平)치 않은 모양. '一, 砦一, 水激石不平皃'《集韻》. ㊂ 돌모양 곡 '碌一'은 돌의 모양. '一, 碌一, 石狀'《廣韻》.

字源 形聲. 石+告〔音〕

7 ⑫ [硍] 〔한·경〕 碨(石部 六畫〈p. 1571〉)의 本字

7 ⑫ [硷] 〔험〕 鹼(鹵部 十三畫〈p. 2688〉)의 簡體字

7 ⑫ [硭] 망 ㊥陽 武方切 máng

字解 ①망초(芒硝) 망 '一硝'는 변비(便祕)·적취(積聚) 등에 쓰는 약. 초석(硝石). 芒(艸部 三畫)과 통용. ②산이름 망 '一碭'은 산명(山名).

7 ⑫ [硤] 협 ㊇洽 侯夾切 xiá 硤

字解 고을이름 협 '一石'은 당(唐)나라 때의 현(縣) 이름. 허난 성 섬현(河南省陝縣)의 동남쪽. 지금 이름은 협석진(硤石鎭).

字源 形聲. 石+夾〔音〕

7 ⑫ [硩] ㊀ 철 ㊇屑 丑列切 chè ㊁ 척 ㊇錫 他歷切 chè

字解 ㊀ ①던질 철 멀리 내던짐. '一陊山谷'《左思》. ②불 철 돌 속의 불. '一, 石中火'《玉篇》. ㊁ 던질 척, 불 척 ㊀과 뜻이 같음.

字源 篆文 篆文 形聲. 石+折〔音〕

7 ⑫ [硰] 사 ㊥麻 所加切 shā

字解 땅이름 사 '一石'은 지명(地名). '從擊韓信破於一石'《史記》.

[硰石 사석] 지명(地名).

7 ⑫ [碧] 〔공〕 砻(石部 六畫〈p. 1572〉)의 本字

8 ⑬ [硼] 人名 ㊀ 평 ㊥庚 披耕切 pēng ㊁ 붕 現 ㊥蒸 蒲恒切 péng

字解 ㊀ 돌소리 평 돌이 서로 부딪쳐 나는 소리. '八音一磕奏'《張華》. ㊁《現》①붕사 붕 '一砂'. ②붕산 붕 '一酸'.

字源 形聲. 石+朋〔音〕

[硼砂 붕사] 빛이 희고 단단한 결정(結晶). 물에는 녹고 주정(酒精)에는 녹지 아니함. 천연으로는 고체로 생산되며, 인공적으로는 붕산(硼酸)에 탄산소다를 가하여 중화(中和)시켜 만듦. 금속의 접합(接合), 방부(防腐)·이뇨(利尿)·수렴약(收斂藥)으로 씀.
[硼酸 붕산] 광택(光澤)이 있는 백색(白色)의 인편상(鱗片狀)의 결정(結晶). 무취 무미(無臭無味)하고 방부성(防腐性)이 있으며 세탁·소독·방부제 등으로 쓰임.
[硼磕 평개] 돌이 서로 부딪쳐 나는 소리.
[硼隱 평은] 북소리.

8 ⑬ [硾] 추 ㊦寘 馳僞切 zhuì

字解 ①누를 추 돌 같은 것으로 누름. '一之以石'《呂氏春秋》. ②저울추 추 錘(金部 八畫)와 同字.

字源 篆文 形聲. 石+垂〔音〕. '垂수'는 '드리워지다'의 뜻. 저울에 늘어져 있는 '추'의 뜻을 나타냄.

8 ⑬ [硿] 공 ㊥東 苦紅切 kōng

字解 돌굴러떨어지는소리 공 '擇其一二, 扣之一一然'《蘇軾》.

[硿硿然 공공연] 돌이 굴러 떨어지는 소리.

8 ⑬ [碈] 〔민〕 碣(石部 九畫〈p. 1577〉)과 同字

8 ⑬ [碇] 人名 정 ㊦徑 丁定切 dìng

字解 ①닻 정 배를 멈추게 하는 제구. 矴(石部 二畫)과 同字. '蕃舶泊步有下一稅'《唐書》. ②닻내릴 정 닻을 내려 배를 멈추어 서게 함. '一泊'.

字源 形聲. 石+定〔音〕. 배를 정위치에 머물러 두는 돌, '닻'의 뜻을 나타냄.

[碇泊 정박] 배가 닻을 내리고 머무름.
[碇宿 정숙] 배가 닻을 내리고 머무름.

8 ⑬ [碌] 人名 록 ㊇沃 力玉切 liù

字解 ①푸른빛 록 돌의 청색(青色). '銀一貲布'《唐書》. ②녹 록 구리에 스는 푸른 녹. '一青'. ③용렬할 록 무능한 모양. '餘子一一, 不

足數也'《後漢書》.
[字源] 篆文 形聲. 石+彔〔音〕

[碌碌 녹록] ㉠남에게 붙좇는 모양. 남을 따르는 모양. ㉡평범한 모양. 용렬한 모양. ㉢돌이 작은 모양. 또, 작은 모양. ㉣수레의 소리. 녹록(轆轆).
[碌礁 녹족] ㉠자갈땅이 고르지 아니한 모양. ㉡사석(沙石)이 많음.
[碌青 녹청] ㉠구리에 스는 푸른 녹. ㉡녹색의 채료(彩料).
◉耄碌.

8 ⑬ [碍] 애 [去]隊 五漑切 ài

[字解] 거리낄 애 礙(石部 十四畫)의 俗字. '自在無—'《大般若經》.

[碍子 애자] 전기(電氣)의 절연체(絶緣體)로 쓰는 사기 통. 뚱딴지.
◉拘碍. 無碍. 妨碍. 障碍.

8 ⑬ [碎] [人名] 쇄 [去]隊 蘇內切 suì

[字解] ①부술 쇄 ㉠잘게 여러 조각으로 깨뜨림. '粉—'. '—氷'. '爲其—之之怒也'《列子》. ㉡적을 여지없이 꺾음. '擊—'. '—敵'. ②부서질 쇄 전항(前項)의 타동사. '臣頭, 今與璧俱—於柱矣'《史記》. ③잘 쇄 잔닮. '瑣—'. '煩—'. '其文—'《文中子》.
[字源] 篆文 形聲. 石+卒〔音〕. '卒졸'은 완전히 끝나 버리다의 뜻. 돌의 돌다운 모양이 끝나 버리다의 뜻에서, '부수다'의 뜻을 나타냄.

[碎肝膽 쇄간담] 몹시 고심(苦心)함. 고심참담(苦心慘憺)함.
[碎骨粉身 쇄골분신] 몸이 부서지고 뼈가 가루가 되도록 비상히 노력함. 분골쇄신(粉骨碎身).
[碎鑛 쇄광] 광석을 부숨. 또는 그 광석.
[碎劇 쇄극] 번거롭고 바쁨.
[碎金 쇄금] 잘게 부서진 금. 부스러진 금. 전(轉)하여, 시문(詩文)의 미려(美麗)한 자구(字句). 후세(後世)에는 명필(名筆)의 글씨에도 이름.
[碎務 쇄무] 잔일. 번잡한 사무.
[碎辭 쇄사] 잔단 말. 쇄언(瑣言).
[碎石 쇄석] 부스러진 돌.
[碎碎 쇄쇄] 잔 모양. 잔단 모양.
[碎瑣 쇄쇄] ㉠부스러져서 잚. ㉡번거롭고 잔닮.
[碎身 쇄신] 몸이 가루가 될 정도로 비상히 노력함. 분골(粉骨).
[碎身粉骨 쇄신분골] 쇄골분신(碎骨粉身).
[碎銀 쇄은] ㉠잘게 부서진 은. 부스러진 은. ㉡작은 은전(銀錢).
[碎破 쇄파] 부스러짐. 또, 부숨.
[碎片 쇄편] 잔 조각. 파편(破片).
[碎貨 쇄화] 잡화(雜貨).
◉苛碎. 擊碎. 踏碎. 虀碎. 糜碎. 煩碎. 繁碎. 劈碎. 粉碎. 鄙碎. 細碎. 小碎. 瑣碎. 零零碎碎. 零碎. 玉石俱碎. 玉碎. 搖碎. 殞碎. 雜碎. 鐵山碎. 摧碎. 槌碎. 蹴碎. 破碎. 敗碎. 毀碎.

8 ⑬ [硱] [一] 균 [平]眞 區倫切 jūn
[二] 긍 [平]蒸 欺矜切

[字解] [一] 돌위태로울 균 '—磳'은 돌이 위태로운 모양. '—磳磈硊'《楚辭》. [二] 돌위태로울 긍 [一]과 뜻이 같음.

8 ⑬ [碏] 작 [入]藥 七雀切 què

[字解] 사람이름 작 '石—'은 춘추 시대(春秋時代)의 위(衞)나라의 대부(大夫).
[字源] 篆文 形聲. 石+昔〔音〕. '昔석'은 겹치어 섞이다의 뜻. 여러 가지 빛깔이 섞여 있는 돌의 뜻을 나타냄.

8 ⑬ [碑] [高人] 비 [平]支 彼爲切 bēi

[筆順] 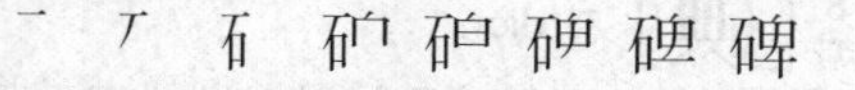

[字解] ①비 비 후세에 전하고자 하는 일을 새겨 세우는 돌. 비석. 주로, 모양이 네모진 것을 이름. 둥근 것은 갈(碣)이라 함. '—文'. '—, 以悲往事也, 今宮室廟屋墓隧之碣, 鐫文於石, 皆曰—'《初學記》. ②석주(石柱) 비 옛날, 종묘(宗廟)의 문 안에 세워 희생(犧牲)을 매달던 주상(柱狀)의 돌. '君牽牲, 旣入廟門, 麗于—'《禮記》. 또, 옛날 귀인(貴人)의 관(棺)을 무덤에 묻을 때, 관을 얽어맨 새끼 끝에 매달던 돌. '公室視豐—'《禮記》. ③비문 비 한문의 한 체(體). 비에 새기기 위하여 짓는 문장으로서, 서(序)와 명(銘)이 있는 것을 정체(正體)로 함. '其序則傳, 其文則銘, 此—之體也'《文體明辯》.
[字源] 篆文 形聲. 石+卑〔音〕. '卑비'는 '낮다'의 뜻. 낮게 세워 놓은 돌의 뜻을 나타냄. 본디, 해시계나 희생을 매어 두는 데 썼으나, 뒤에 글자를 새겨 놓는 비석의 뜻으로 쓰임.

[碑閣 비각] 안에 비(碑)를 세워 놓은 집.
[碑碣 비갈] 비(碑)와 갈(碣). 비(碑)는 사각(四角), 갈(碣)은 원형(圓形).
[碑面 비면] 비석의 글을 새긴 앞면.
[碑銘 비명] 비석에 새기는 명(銘).
[碑文 비문] 비석에 새기는 글. 또, 그 문체. 자해(字解)❸을 보라.
[碑石 비석] 비(碑).
[碑陰 비음] ㉠비석의 뒤쪽 면. ㉡비석의 뒤에 쓴 글. 또, 그 문체(文體).
[碑傳集 비전집] 청초(淸初)부터 도광 연간(道光年間)에 이르기까지의 현관(顯官)·명인(名人)의 사적(事蹟)을 수록(收錄)한 책. 청(淸)나라 전의고(錢儀古)의 찬(撰). 총 160권.
[碑誌 비지] 비문(碑文).
[碑帖 비첩] 비문(碑文)의 탑본(搨本).
[碑版 비판] 비문(碑文)의 유(類).
[碑表 비표] 비석의 앞면. 비면(碑面). 비음(碑陰)의 대(對).
◉建碑. 古碑. 校碑. 口碑. 舊碑. 斷碑. 黨籍碑. 沒字碑. 墓碑. 無字碑. 石碑. 詩碑. 神道碑. 頑碑. 殘碑. 墮淚碑. 打碑. 苔碑.

8 ⑬ [碑] 碑(前條)의 俗字

8 ⑬ [碓] 대 [去]隊 都隊切 duì 

[字解] 방아 대 디딜방아 또는 물방아. '春一'. '水一'. '村舍無人有一聲'《陸游》.

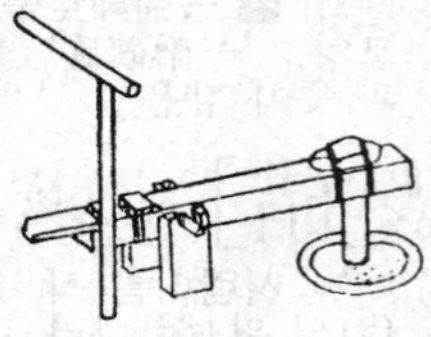

[碓]

[字源] 篆文 形聲. 石+隹〔音〕. '隹추·최'는 '敦퇴·대'와 통하여, '두툼하다'의 뜻. 두툼한 돌, '방아'의 뜻을 나타냄.

[碓聲 대성] 방아 찧는 소리.
[碓舂 대용] 방아를 찧음. 또는 절구.
◉山碓. 水碓. 舂碓. 雲碓.

8 ⑬ [碘] 전 diǎn

[字解] 요오드 전 비금속 원소(非金屬元素)의 하나. '讀若典'《中華大字典》.

8 ⑬ [碔] 무 [上]麌 文甫切 wǔ

[字解] 옥돌 무 '一砆'는 옥 비슷한 아름다운 돌의 한 가지. 무부(武夫). '碝石一砆'《司馬相如》.

[字源] 形聲. 石+武〔音〕

[碔砆 무부] 자해(字解)를 보라.

8 ⑬ [碙] 강 gāng

[字解] 섬이름 강 '一洲'는 섬 이름. 지금의 요주도(碙洲島). 광둥 성(廣東省)의 뇌주만구(雷州灣口)에 있어, 송(宋)나라 경염 연간(景炎年間)에 단종(端宗)이 세상을 뜬 곳.

8 ⑬ [碕] 기 ①[平]支 渠羈切 qí ②[上]紙 墟彼切 qǐ 

[字解] ①물가 기 굽은 수애(水涯). 곡안(曲岸). '探巖排一'《漢書》. ②솟을 기 돌이 높이 솟은 모양. '嶔崟一礒'《楚辭》.

[字源] 形聲. 石+奇〔音〕. '奇기'는 '굽다'의 뜻. 굽은 벼랑의 뜻을 나타냄.

[碕礒 기의] 돌이 높이 솟은 모양.

8 ⑬ [碊] [一] 전 [平]先 將先切 jiān [二] 잔 [上]潸 仕限切 zhàn

[字解] [一] ①놓을 전, 얹을 전 '一, 跂也'《廣雅》. ②물뿌릴 전 '一, 同濺'《字彙》. ③옮길 전 '一, 移也'《玉篇》. [二] ①잔도(棧道) 잔 잔교(棧橋). 棧(木部 八畫〈p. 1076〉)과 통용. '一, 與木部棧通'《正字通》. ②놓을 잔, 얹을 잔 [一]❶과 뜻이 같음.

8 ⑬ [䃈] 태(대[本]) [去]隊 待戴切 dài

[字解] 물막을 태, 둑 태 埭(土部 八畫)와 同字.

8 ⑬ [𥕞] 학 [入]藥 逆約切 nüè

[字解] ①맷돌 학 곡물을 가는 기구. '一, 一曰, 磑也'《集韻》. ②큰입술 학.

8 ⑬ [碖] [一] 론 [上]阮 魯本切 lǔn [去]願 盧困切 lùn [二] 륜 [平]眞 龍春切 lún

[字解] [一] ①돌떨어지는모양 론 '一, 一硱, 石落皃'《集韻》. ②돌모양 론 '一, 石皃'《集韻》. [二] 돌 륜 '一, 石也'《集韻》.

8 ⑬ [𥓓] 괴 [平]佳 公懷切 guāi

[字解] ①돌 괴 돌의 모양. '一, 石貌'《篇海》. ②부술 괴 잘게 부숨. '一, 碎也'《集韻》.

8 ⑬ [𥔟] 답 [入]合 徒合切 tà

[字解] 방아찧을 답 ㉠쉬었다가 다시 방아를 찧음. 거듭 방아를 찧음. '舂已復擣之曰一'《說文》. ㉡디딜방아로 쌀을 찧음. '今俗設臼, 以脚踏碓舂米曰一'《正字通》.

[字源] 篆文 形聲. 石+沓〔音〕. '沓답'은 '겹치다'의 뜻. 방아를 계속 찧다의 뜻을 나타냄.

8 ⑬ [𥓵] 도 [上]篠 徒了切 diào

[字解] 돌이름 도 '磽一'는 돌의 이름. '一, 磽一, 石名, 或从兆'《集韻》.

8 ⑬ [碉] 조 [平]蕭 都聊切 diāo

[字解] 돌집 조 석실(石室). '一, 石室也'《篇海》.

[碉房 조방] 돌집.
[碉堡 조보] 보루(堡壘)에 대용하는 돌집.

8 ⑬ [𥓐] 곤 [上]阮 古本切 gǔn

[字解] ①종소리 곤 ㉠금이 간 종의 소리. '一, 鐘病聲'《集韻》. ㉡큰 종의 소리. 쟁쟁하지 못한 소리. '高聲一'《周禮》. ②돌구를 곤 돌이 구름. '一, 石从上輥下也'《六書故》.

8 ⑬ [碒] 음 [平]侵 魚音切 yín

[字解] 산험하게연할 음 '礙一'은 산이 험준하고 연이어 있는 모양. '礙一乎數州之間'《左思》.

8 ⑬ [𥓲] 강 [上]養 丘仰切 qiǎng

[字解] 돌이름 강 '一, 石名也'《集韻》.

8 ⑬ [𥕀] [一] 삭 [入]陌 山戟切 suǒ [二] 기 [上]紙 居履切

[字解] [一] 깨진돌떨어지는소리 삭 '一, 碎石磒聲'《說文》. [二] 돌떨어지는소리 기 '石墮聲也'《廣韻》.

[字源] 形聲. 石+炙〔音〕

8 ⑬ [𥓹] 아 [平]麻 於加切 yā

[字解] ①돌이름 아 '一, 一曰, 石名'《集韻》. ②

고르지않을 아 지면(地面)이나 물건의 면이 편평하지 않은 모양. '玄蠣磈碟而碨—'《郭璞》.

8 ⑬ [硎] 〔형〕
硎(石部 六畫〈p. 1571〉)의 本字

8 ⑬ [碗] 人名 〔완〕
盌(皿部 五畫〈p. 1519〉)의 俗字

8 ⑬ [碁] 人名 기 ㊥支 渠之切 qí
字解 바둑 기 棊(木部 八畫)와 同字. '圍—擊劍'《揚子法言》.
字源 形聲. 石+其〔音〕. '棊기'와 동일어 이체자(同一語異體字).

◉圍碁.

8 ⑬ [硻] 갱 ㊥庚 丘耕切 kēng
字解 ①굳을 갱 굳은 돌의 소리. '—, 餘堅也'《說文》. ②굳셀 갱 '—, 剛也'《集韻》.
字源 形聲. 石+堅〈省〉〔音〕

8 ⑬ [碆] 파 ㊥歌 薄波切 bō
字解 돌살촉 파 주살에 쓰는 돌로 만든 살촉. '—新繳'《史記》.
字源 形聲. 石+波〔音〕

[碆盧 파로] 돌로 만든 살촉과 검게 칠한 활.

9 ⑭ [碝] 연 ㊤銑 而兗切 ruǎn
字解 옥돌 연 瑌(玉部 九畫)과 同字. '—石碱砆'《司馬相如》.
字源 篆文 形聲. 石+耎〔音〕. '耎연'은 '연하다'의 뜻. 연한 느낌의 고운 돌의 뜻을 나타냄.

[碝石 연석] 옥돌.
[碝碱 연척] 옥 비슷한 아름다운 돌의 한 가지.

9 ⑭ [碟] 접 ㊇葉 迪協切 dié
字解 접시 접 음식을 담는 조그만 그릇. '再佐小—供飮'《生日令約》.
字源 形聲. 石+葉〔音〕

[碟子 접자] 접시.

9 ⑭ [碶] 〔개〕
砎(石部 四畫〈p.1566〉)의 俗字

9 ⑭ [碡] 독 ㊇屋 徒谷切 dú
字解 고무래 독 '磟—'은 밭의 흙을 고르는 농구. '移繫門西磟—邊'《范成大》.
字源 形聲. 石+毒〔音〕

◉磟碡.

9 ⑭ [碈] 人名 민 ㊥眞 眉貧切 mín
字解 옥돌 민 옥 비슷한 아름다운 돌의 한 가지. 珉(玉部 五畫)과 同字. '君子貴玉而賤—'《禮記》.

9 ⑭ [碮] 제 ㊥齊 田黎切 tí
字解 ①다듬잇돌 제 '—, 砧也'《集韻》. ②방죽 제 물을 막기 위한 둑. '—, 同隄'《正字通》.

9 ⑭ [碣] 人名 갈 ①-③㊇月 其謁切 (④걸㊍) ④㊇屑 渠列切 jié
字解 ①비 갈 비석. 네모진 것을 '碑'라 하고, 둥근 것을 '—'이라 함. '崆峒山中有堯碑禹—'《述異記》. ②문체이름 갈 비문(碑文)의 한 체(體). '潘尼作潘黃門—'《文體明辯》. ③우뚝솟을 갈 산이 우뚝 솟은 모양. '—以崇山'《漢書》. ④우뚝솟은돌 갈 특립(特立)한 돌. '若雙—之相望'《張衡》.
字源 篆文 形聲. 石+曷〔音〕. '曷갈'은 높이 걸다의 뜻. 두드러지게 높은 돌의 뜻을 나타냄.

◉墓碣. 勃碣. 碑碣. 臥碣. 刓碣. 苔碣.

9 ⑭ [碩] 人名 석 ㊇陌 常隻切 shuò 硕
筆順 一 ア 石 石 碩 碩 碩 碩
字解 클 석 작지 아니함. '大'와 뜻이 같음. '—大'. '—學'. '莫知其苗之—'《大學》.
字源 金文 篆文 形聲. 頁+石〔音〕. '頁혈'은 '머리'의 뜻. 머리가 돌처럼 꽉 차 있다의 뜻을 나타냄.

[碩果 석과] 큰 과일.
[碩果不食 석과불식] 큰 과실은 다 먹지 않고 남긴다는 뜻으로, 자기의 욕심을 억제하고 자손에게 복을 끼쳐 줌을 이름.
[碩大 석대] 큰 모양. 또, 크고 훌륭한 모양.
[碩德 석덕] 높은 덕. 또, 덕이 높은 사람.
[碩量 석량] 큰 도량(度量).
[碩老 석로] 덕이 높은 노인.
[碩望 석망] 큰 명망(名望).
[碩謀 석모] 석획(碩畫).
[碩茂 석무] ㉠대단히 무성함. 전(轉)하여, 자손이 번성(繁盛)함. ㉡재덕(才德)이 뛰어난 사람.
[碩輔 석보] 보좌하는 현량(賢良)한 신하.
[碩士 석사] ㉠덕이 높은 선비. 지조가 높고 학문이 연박(淵博)한 선비. ㉡대학원 과정을 마치고 논문이 통과된 이에게 수여되는 학위. ㉢《韓》관직(官職)이 없는 사람의 존칭.
[碩師 석사] 뛰어난 스승. 큰 학자. 대학자. 석학(碩學).
[碩鼠 석서] ㉠큰 쥐. ㉡땅강아지, 곧 누고(螻蛄)의 별칭(別稱).
[碩言 석언] 훌륭한 말.
[碩儒 석유] 큰 유학자. 거유(巨儒).
[碩人 석인] ㉠덕이 높은 사람. 대인(大人). 군자(君子). ㉡은사(隱士). ㉢미인(美人).

[碩學 석학] 큰 학자. 대학자.
[碩畫 석획] 큰 계획. 큰 모책(謀策). 석모(碩謀).
◉孔碩. 瓌碩. 耆碩. 博碩. 肥碩. 材碩. 豐碩.

9 ⑭ [碬] 人名 하 ㊥麻 胡加切 xiá
字解 숫돌 하 여석(礪石). '如以一投卵'《孫子》.
字源 篆文 形聲. 石+叚〔音〕
參考 碫(石部 九畫)은 別字.

9 ⑭ [碪] ㊀ 침 ㊥侵 知林切 zhēn ㊁ 암 ㊤感 五感切 ǎn
字解 ㊀ 다듬잇돌 침 砧(石部 五畫)과 同字. '南城罷擣一'《李賀》. ㊁ 우뚝솟을 암 '一碍'은 산이 우뚝 솟은 모양. '恆碣一碍於青霄'《左思》.
字源 形聲. 石+甚〔音〕

[碪碍 암악] 자해(字解)㊁를 보라.

9 ⑭ [碍] 악 ㊇藥 逆各切 è
字解 우뚝솟을 악 碪(前條)㊁를 보라.

9 ⑭ [碮] 〔거〕
磲(石部 十二畫〈p. 1584〉)와 同字

9 ⑭ [碭] 탕 ㊍漾 徒浪切 dàng ㊥陽 徒郎切
字解 ①옥돌 탕 옥 비슷한 문채(文采) 있는 아름다운 돌. '墉垣一基'《何晏》. ②뛸 탕 도약함. '呑舟之魚, 一而失水'《莊子》. ③클 탕 '玄玄至一而運照'《淮南子》.
字源 篆文 形聲. 石+昜〔音〕. '昜양'은 높이 오르다의 뜻. 물이 넘치다의 뜻을 나타냄.

[碭基 탕기] 무늬 있는 돌로 만든 담.
◉芒碭. 沆碭.

9 ⑭ [碫] 단 ㊍翰 丁貫切 duàn
字解 ①단단한돌 단 굳은 돌. '一, 堅石可以爲椎段之椹質者'《說文通訓定聲》. ②숫돌 단 갈 가는 돌. '一, 礪也'《廣雅》.
字源 篆文 形聲. 石+段〔音〕. '段단'은 물건을 때리는 돌망치의 뜻. 단단한 돌, 숫돌의 뜻을 나타냄.
參考 碬(石部 九畫)는 別字.

9 ⑭ [碤] 영 ㊥庚 於驚切 yīng
字解 ①물속돌 영 수중(水中)의 돌. '一, 水中石'《集韻》. ②화반석 영 무늬가 있는 돌. '一, 石有文采者'《正字通》.
字源 形聲. 石+英〔音〕

9 ⑭ [碥] 변 ㊤銑 方典切 biǎn
字解 ①디딤돌 변 수레에 탈 때의 디딤돌. '一, 將登車履石也'《玉篇》. ②낭떠러지 변 물살이 세어 허물어져 기운 언덕. '水疾厓傾曰一'《正字通》.

9 ⑭ [碻] 대 ㊍隊 徒對切 zhuì
字解 떨어질 대, 떨어뜨릴 대 '星一至地, 則石也'《漢書》.
字源 篆文 形聲. 石+㒸〔音〕. '㒸수'는 '떨어지다'의 뜻. 돌이 떨어지다의 뜻을 나타냄.

9 ⑭ [碠] 정 ㊍徑 丁定切 dìng
字解 ①돌정자 정 돌로 지은 정자. '一, 石亭也'《字彙》. ②닻 정 矴(石部 二畫)의 俗字.

9 ⑭ [碮] 녈 ㊇屑 奴結切 niè
字解 명반 녈 '羽一'은 명반(明礬). '羽一, 礬石也'《集韻》.

9 ⑭ [碨] ㊀ 외 ㊥佳 乙乖切 wěi ㊁ 위 ㊍尾 羽鬼切 wèi
字解 ㊀ 돌우툴두툴할 외 '一磊'는 돌의 판판하지 않은 모양. '一磊相附積'《劉子翬》. ㊁ 돌우툴두툴할 위 ㊀과 뜻이 같음.
字源 形聲. 石+畏〔音〕

9 ⑭ [磕] 〔개·갑〕
磕(石部 十畫〈p. 1581〉)의 本字

9 ⑭ [碯] 〔노〕
瑙(玉部 九畫〈p. 1433〉)와 同字

9 ⑭ [磁] 人名 〔자〕
磁(石部 十畫〈p. 1580〉)의 略字

9 ⑭ [碵] 〔타〕
砣(石部 五畫〈p. 1570〉)와 同字

9 ⑭ [碱] 〔험〕
鹼(鹵部 十三畫〈p. 2688〉)의 俗字

9 ⑭ [碧] 高人 벽 ㊇陌 彼役切 bì
筆順 一 三 千 王 珀 珀 珀 珀 碧
字解 ①옥돌 벽 색이 푸른 옥 비슷한 아름다운 돌. '高山, 其下多青一'《山海經》. ②푸를 벽 짙은 푸른빛. '一海'. '問余何意栖一山'《李白》. ③성 벽 성(姓)의 하나.
字源 篆文 形聲. 王(玉)+石+白〔音〕. '白백'은 '빛나다'의 뜻. 광택이 있는 옥과 같은 돌, '벽옥'의 뜻을 나타냄.

[碧澗 벽간] 벽계(碧溪).
[碧溪 벽계] 물이 푸른 시내.
[碧雞漫志 벽계만지] 곡조(曲調)의 원류(源流)를 상세히 기술한 책. 송(宋)나라 왕작(王灼)의 찬(撰). 1권. 태고(太古)로부터 당송(唐宋)에 이르기까지의 성가(聲歌)의 변천과 송사(宋詞)의 연혁(沿革) 등을 설명하였음. 벽계(碧雞)는 저자가 이 책을 완성하였을 때 살던 곳의 방(坊)의 이름임.

[碧膏 벽고] 못 같은 데 깊게 괸 푸릇푸릇한 물이 기름처럼 보이는 것을 형용한 말.
[碧空 벽공] 푸른 하늘. 청천(靑天). 벽천(碧天).
[碧潭 벽담] 물이 깊어 푸릇푸릇한 소(沼).
[碧桃 벽도] 복숭아나무의 일종. 천엽(千葉)의 희고 아름다운 꽃이 피며 열매는 매우 작고 먹지는 못함. 관상용으로 심음. 벽도나무.
[碧蘿附于靑松 벽라부우청송] 푸른 담쟁이덩굴이 소나무에 얽혀 기어 올라간다는 뜻으로, 고귀(高貴)한 사람의 연줄로 입신출세함을 이름.
[碧落 벽락] ㉠푸른 하늘. 벽공(碧空). ㉡동쪽 하늘.
[碧瀾 벽란] 푸른 물결. 벽파(碧波).
[碧浪 벽랑] 푸른 물결. 벽파(碧波).
[碧蘆 벽로] 푸른 갈대.
[碧鱸 벽로] 바닷물고기의 하나. 농어.
[碧綠 벽록] 짙은 녹색.
[碧樓 벽루] 푸른빛의 누각(樓閣).
[碧流 벽류] 푸른 물의 흐름. 푸른 물줄기.
[碧琳侯 벽림후] '거울'을 이름.
[碧蔓 벽만] 푸른 만초(蔓草).
[碧旻 벽민] 푸른 하늘. 벽공(碧空).
[碧山 벽산] 푸른 산. 청산(靑山).
[碧鮮 벽선] 대〔竹〕를 이름.
[碧蘚 벽선] 푸른 이끼. 벽태(碧苔).
[碧霄 벽소] 푸른 하늘. 벽공(碧空).
[碧篠 벽소] 빛이 푸릇푸릇한 조릿대.
[碧水 벽수] 빛이 푸른 물. 푸른빛이 나는 깊은 물.
[碧樹 벽수] 푸른 수목(樹木).
[碧鏽 벽수] 쇠붙이가 산화(酸化)한 푸른 녹(綠).
[碧潯 벽심] ㉠물이 깊어 시퍼런 물가. ㉡벽담(碧潭).
[碧眼 벽안] ㉠눈의 검은자위가 퍼런 눈. ㉡서양 사람의 눈.
[碧眼胡僧 벽안호승] '달마(達摩)'를 이름.
[碧巖 벽암] 푸른 이끼가 낀 바위.
[碧巖錄 벽암록] 송(宋)나라의 환오(圜悟)가 설두(雪竇)라는 선사(禪師)가 지은 〈송고집(頌古集)〉을 강설(講說)한 불서(佛書). 10권.
[碧葉 벽엽] 푸른 잎. 녹엽(綠葉).
[碧梧 벽오] 벽오동과(碧梧桐科)에 속하는 낙엽 교목(落葉喬木). 벽오동. 청동(靑桐).
[碧玉 벽옥] ㉠빛이 푸른 옥. ㉡석영(石英)의 한 변종(變種)으로서 청색·홍색 또는 황록색 등의 아름다운 옥(玉). 인재(印材) 또는 장식품으로 쓰임. ㉢푸른 하늘, 또는 물의 형용. ㉣진대(晉代)의 명기(名妓) 이름. 왕희지(王羲之)의 정인벽옥가(情人碧玉歌)가 있음.
[碧翁翁 벽옹옹] 푸른 하늘을 이름.
[碧瓦 벽와] 빛이 푸른 기와.
[碧宇 벽우] 푸른 하늘. 벽공(碧空).
[碧雲 벽운] 빛이 푸른 구름. 또, 푸른 하늘. 벽공(碧空).
[碧圓 벽원] 푸르고 둥긂.
[碧陰 벽음] 푸른 잎이 우거진 나무의 그늘. 녹음(綠陰).
[碧漪 벽의] 빛이 푸른 잔물결.
[碧淀 벽전] 물이 깊이 괴어 푸른 곳.
[碧殿 벽전] 푸른 칠을 한 궁전.
[碧潮 벽조] 빛이 푸른 조수(潮水).
[碧藻 벽조] 빛이 푸른 조류(藻類).
[碧疇 벽주] 작물이 무성하여 푸른 밭.
[碧沚 벽지] 빛이 푸른 물가.
[碧天 벽천] 푸른 하늘. 청천(靑天). 벽공(碧空).
[碧靑 벽청] 구리에 슨 녹(綠)을 원료로 하여 만든 채료(彩料). 녹청(綠靑).
[碧草 벽초] 푸른 풀. 녹초(綠草).
[碧苔 벽태] 푸른 이끼.
[碧波 벽파] 푸른 물결. 창파(蒼波).
[碧荷 벽하] 푸른 연(蓮)잎. 녹하(綠荷).
[碧漢 벽한] 푸른 하늘. 벽공(碧空).
[碧海 벽해] 푸른 바다. 창해(蒼海).
[碧香 벽향] 술의 이름의 하나.
[碧虛 벽허] 푸른 하늘. 벽공(碧空).
[碧虛郞 벽허랑] 대〔竹〕의 별칭(別稱).
[碧血 벽혈] 푸른 기운을 띤 진한 피.
[碧環 벽환] 빛이 푸른 도리옥. 푸른 환옥(環玉).
◉紺碧. 空碧. 曠碧. 穹碧. 藍碧. 老碧. 嫩碧. 丹碧. 斷碧. 微碧. 瀟碧. 深碧. 漾碧. 遙碧. 遠碧. 一碧. 淨碧. 澄碧. 寸碧. 葱碧. 翠碧. 涵碧. 虛碧. 渾碧.

9
⑭ [碞] 암 ㊥咸 五咸切 yán

字解 ①바위 암 巖(山部 二十畫)과 同字. ②험할 암 험준함. '用顧畏于民—'《書經》.
字源 篆文  會意. 石+品. '品품'은 울퉁불퉁하게 쌓인 바위를 본뜬 것.

10
⑮ [磊] 人名 뢰 ㊤賄 落猥切 lěi

字解 ①돌쌓일 뢰 돌이 많이 쌓인 모양. '石——兮葛蔓蔓'《楚辭》. ②뜻클 뢰 뜻이 커서 소소한 일에 구애되지 않는 모양. '—落奇偉之人'《韓愈》.
字源 篆文 會意. '石석'을 셋 포개어, 많은 돌이 쌓이다의 뜻을 나타냄.

[磊砢 뇌가] ㉠돌이 쌓인 모양. ㉡가지런하지 않은 모양. ㉢성정(性情)이 비범(非凡)한 모양.
[磊塊 뇌괴] ㉠돌덩이. ㉡불평(不平)의 덩어리. 가슴에 쌓인 불평.
[磊落 뇌락] ㉠뜻이 커서 작은 일에 구애하지 않는 모양. ㉡과실이 주렁주렁 많이 열린 모양.
[磊磊 뇌뢰] ㉠돌이 많이 쌓인 모양. ㉡뜻이 커서 작은 일에 구애하지 않는 모양. 뇌락(磊落).
[磊磊落落 뇌뢰낙락] 뇌락(磊落)㉠.
[磊嵬 뇌외] 높고 훌륭한 모양. 높고 큰 모양. 또, 험준한 모양.
[磊魄 뇌외] ㉠돌이 많이 쌓인 모양. ㉡가슴속에 불평이 쌓인 모양.
◉磈磊.

10
⑮ [確] 高·人 확 ㊇覺 苦角切 què 确

筆順 一 ㄱ 石 石' 矿 碓 確 確

字解 ①단단할 확 견고함. '堅—'. '—乎其不可拔'《易經》. ②확실할 확 틀림없음. '正—'. '的—'.
字源 形聲. 石+隺〔音〕. '隺학'은 '硬경'·'磽교'와 통하여, '단단하다'의 뜻. 단단한 돌의 뜻에서, '견고하다, 확실하다'의 뜻을 나타냄.

[確據 확거] 확실한 증거.
[確見 확견] 똑똑한 의견(意見).
[確固 확고] 확실하고 견고함.
[確斷 확단] 확실하게 결단함.

[確答 확답] 확실한 대답(對答). 「論).
[確論 확론] 명확(明確)하고 틀림없는 의론(議
[確率 확률] 어떤 사상(事象)이 일어날 확실성의 정도를 나타내는 수치(數値). 「니함.
[確立 확립] 굳게 섬. 꽉 정해져 있어 움직이지 아
[確聞 확문] 확실히 들음. 틀림없이 들음.
[確保 확보] ㉠확실히 보증함. ㉡확실하게 지님. 확실히 보전함.
[確報 확보] 확실한 통지(通知). 확실한 보도.
[確說 확설] 명확하고 틀림없는 설.
[確守 확수] 단단히 지킴. 굳게 지킴. 고수(固守).
[確信 확신] 굳게 믿음. 또, 굳은 신념(信念).
[確實 확실] 틀림이 없음. 분명함.
[確約 확약] 확실히 작정한 언약.
[確言 확언] 정확(正確)히 말함. 확실히 말함. 또,
[確然 확연] 확호(確乎). ⌊그 말.
[確爾 확이] 확호(確乎).
[確因 확인] 확실한 원인.
[確認 확인] 확실히 인정(認定)함.
[確的 확적] 확실하여 틀림이 없음.
[確定 확정] 확실히 정함. 또, 확실히 정하여짐.
[確證 확증] 확실한 증거(證據).
[確志 확지] 굳은 의지. 단단하여 변하지 않는 의
[確知 확지] 확실히 앎. ⌊지.
[確執 확집] ㉠자기의 의견을 굳게 주장하여 양보하지 아니함. ㉡사이가 서로 탐탁하지 못함. 불화함.
[確乎 확호] ㉠단단한 모양. ㉡확실한 모양.
[確乎不拔 확호불발] 튼튼하여 흔들리지 아니함. 단단하여 꿈쩍도 하지 아니함.
◉堅確. 端確. 當確. 明確. 商確. 詳確. 的確. 正確. 貞確. 挺確. 精確.

10 ⑮ [碻] 人名 確(前條)과 同字

字源 形聲. 石+高〔音〕

10 ⑮ [碼] 人名 마 ㊤馬 莫下切 mǎ 码

字解 ①마노 마 瑪(玉部 十畫)와 同字. '一磁石次玉'《博雅》. ②《現》 나루터 마 도선장. '一頭'. ③《現》 야드 마 야드·파운드법의 길이의 단위. 한 마(碼)는 91.44 cm임.

字源 形聲. 石+馬〔音〕

[碼磁 마노] 아름다운 석영(石英)의 한 가지. 빗·인재(印材) 등에 쓰임.
[碼頭 마두] 나루터.

10 ⑮ [碾] 년 ㊦霰 女箭切 niǎn

字解 매 년 곡식 같은 것을 가는 제구. '石一'. '茶一'. '一石一'《五雜組》.

字源 形聲. 石+展〔音〕. '展전'은 '늘이다'의 뜻. 곡물 등을 잡아 늘여 갈아 으깨다, '매'의 뜻을 나타냄.

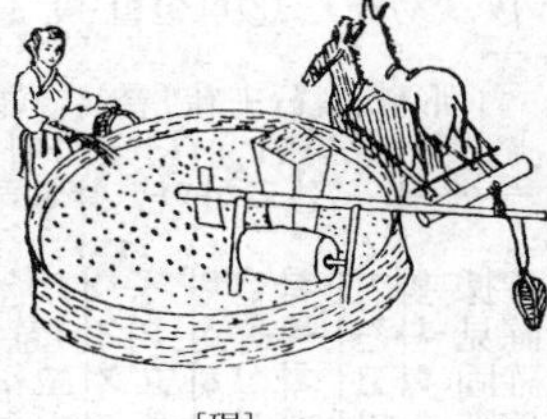
〔碾〕

[碾車 연거] 씨아.
[碾磑 연애] 맷돌.
◉茶碾. 石碾. 藥碾.

10 ⑮ [磁] 人名 자 ㊥支 牆之切 cí 磁

筆順 一 丆 石 矿 石艹 砬 磁 磁

字解 ①지남석 자 자철(磁鐵). '一石引鐵'《曹植》. ②사기그릇 자 瓷(瓦部 六畫)의 俗字. '陶一器'. '舊一可愛, 人悉知之'《閒情偶奇》.

字源 形聲. 石+玆〔音〕. '玆자'는 물건이 이어져서 늘다의 뜻. 금속(金屬)을 끌어당겨 잇는 광물의 뜻을 나타냄.

[磁極 자극] 자석의 음양(陰陽)의 두 극(極).
[磁氣 자기] 자성(磁性)을 일으키는 원인이 되는 것. 쇠를 흡인(吸引)하는 현상.
[磁器 자기] 사기그릇.
[磁力 자력] 자기(磁氣)의 서로 끌고 떼치는 힘.
[磁石 자석] 쇠를 흡인(吸引)하는 성질이 있는 광물(鑛物). 지남석(指南石).
[磁性 자성] 쇠를 흡인(吸引)하는 성질. 자석(磁石)의 성질.
[磁場 자장] 자기(磁氣)의 작용이 미치는 범위.
[磁針 자침] 나침반(羅針盤)의 바늘.
◉陶磁. 白磁. 電磁. 青磁.

10 ⑮ [磅] 人名 방 ㊥陽 普郎切 páng

字解 ①돌떨어지는소리 방 '砰一訇磕'《司馬相如》. ②야드·파운드법의 무게의 단위. 파운드의 약기(略記). 한 파운드는 453그램.

字源 形聲. 石+旁〔音〕

[磅礚 방개] 천둥소리의 형용.
[磅硠 방랑] 큰 소리의 형용.
[磅礴 방박] ㉠섞어 하나로 만듦. 혼합함. ㉡충만함. 가득 참.
◉砰磅.

10 ⑮ [磺] 공 ㊥東 古紅切 gōng

字解 ①치는소리 공 돌을 두드리는 소리. '一, 擊聲'《廣韻》. ②성 공 성(姓)의 하나.

10 ⑮ [磈] 외 ①㊤賄 口猥切 kuǐ ②㊤尾 於鬼切 wěi

字解 ①돌 외 많은 돌. 또, 돌이 많이 쌓인 모양. '縱橫詩筆見高情, 何物能澆一磊乎'《元好問》. ②험할 외 험준한 모양. '崴一嵬瘣'《司馬相如》.

字源 形聲. 石+鬼〔音〕. '鬼귀'는 '이상하다'의 뜻. 돌이 위태위태하고 험하다의 뜻을 나타냄.

[磈磊 외뢰] 돌이 많이 쌓인 모양.
[磈硊 외위] 돌의 모양. 또, 위태로운 모양.
◉磊磈. 崴磈.

10 ⑮ [磿] 〔력〕 磿(石部 十六畫〈p. 1588〉)과 同字

10 ⑮ [磉] 상 [上]養 蘇朗切 sǎng

[字解] 주춧돌 상 초석(礎石).

[字源] 形聲. 石+桑〔音〕

10 ⑮ [磋] [人名] 차 [平]歌 七何切 cuō / [去]箇 七過切

[字解] 갈 차 연마(硏磨)함. 상아(象牙) 같은 것을 갊. '如切如—'《詩經》. 전(轉)하여, 학문이나 덕행을 닦음. '切—琢磨'.

[字源] 形聲. 石+差〔音〕. '差차'는 '들쭉날쭉하다'의 뜻. 꺼끌꺼끌한 숫돌로 갈다의 뜻을 나타냄.

◉相磋. 切磋.

10 ⑮ [磌] 전 [平]先 徒年切 tián

[字解] ①돌떨어지는소리 전 '賈石記聞. 聞其—然'《公羊傳》. ②주춧돌 전 초석(礎石). '雕玉—以居楹'《班固》.

[字源] 形聲. 石+眞〔音〕

10 ⑮ [磌] 磌(前條)의 俗字

10 ⑮ [磪] [一] 박 [入]覺 北角切 bō / [二] 착 [入]覺 測角切 zhuó

[字解] [一] ①돌 박 '—, 石也'《集韻》. ②언덕 박 '—, 石—, 岸也'《篇海》. [二] 바위 착 반석(磐石). '—, 一礫, 磐石'《集韻》.

10 ⑮ [磏] 렴 [平]鹽 離鹽切 lián

[字解] ①숫돌 렴 거친 숫돌. 여석(礪石). ②애쓸 렴 고심하여 구함. '仁道有四, 一爲下. 仁—則其德不厚'《韓詩外傳》.

[字源] [篆文] 形聲. 石+兼〔音〕. '兼겸'은 '廉렴'의 이체자(異體字)로, 모가 나다의 뜻. 모가 나 있는 돌, 거친 숫돌의 뜻을 나타냄.

[磏勇 염용] 애써 용기(勇氣)를 떨침.

10 ⑮ [磑] 애 ①[去]隊 五對切 wèi / ②③[平]灰 魚開切 wèi / ④[平]灰 五灰切 ái, wéi 硙

[字解] ①맷돌 애 곡식을 가는 제구. '碾—'. '茶—'. '小—落雪花'《陸游》. ②단단할 애 견고한 모양. '行積冰之——兮'《張衡》. ③날카로울 애 예리한 모양. '白刃——'《枚乘》. ④쌓을 애 높이 쌓음. '——卽卽'《漢書》.

[字源] [篆文] 形聲. 石+豈〔音〕. '豈개'는 군악(軍樂)의 소리의 뜻. 돌과 돌을 비벼서 물건을 부수는 기구, '맷돌'의 뜻으로 쓰임.

[磑磑 애애] 자해(字解) ❷❸❹를 보라.
◉茶磑. 石磑. 碾磑.

10 ⑮ [磔] 책 [入]陌 陟格切 zhé

[字解] ①찢을 책 사람의 지체(肢體) 또는 희생(犧牲)을 찢음. '命國難九門, 一攘以畢春氣'《禮記》. 또, 지체를 찢는 형벌. 곧, 차열(車裂) 따위. '斬·斷·枯·—'《荀子》. 또, 시체를 저자에 버려 뭇사람에게 보이는 형벌. 곧, 기시(棄市) 따위. '諸死刑, 皆—於市'《漢書》. ②빳빳할 책 꼿꼿함. '鬚作蝟毛—'《晉書》. ③필법의하나 책 오른쪽으로 삐치는 필법. '—憶昔以遲移'《崔瑗》. ④물건소리 책 '爆竹鳴——'《蘇轍》.

[字源] [篆文] 形聲. 桀+石〔音〕. '石석'은 '拓척'과 통하여, '째다'의 뜻. '桀걸'은 죄인을 기둥에 묶어 찔러 죽이는 형벌, 책형의 象形. 기둥에 묶어 놓고 창 따위로 찌르다, 시체를 기둥에 묶어 놓고 뭇사람에게 보이는 형벌의 뜻을 나타냄.

[磔格 책격] 대〔竹〕의 소리.
[磔磔 책책] ㉠물건의 소리. ㉡새소리. ㉢새가 날개를 치는 소리.
[磔刑 책형] 시체를 저자에서 찢어 죽이는 형벌.
◉僵磔. 刳磔. 分磔. 離磔. 車磔. 轘磔.

10 ⑮ [磐] 반 [平]刪 逋還切 bān

[字解] ①돌무늬 반 '—, 石文'《集韻》. ②돌을깐모양 반 돌을 바닥에 죽 깐 모양. '—, 石鋪貌'《字彙》.

10 ⑮ [磕] [一] 개 [去]泰 苦蓋切 kē / [二] 갑 [入]合 苦盍切 kē

[字解] [一] 돌부딪치는소리 개 돌이 서로 부딪쳐 나는 소리. '砰—'. '硠—'. '八音硼—奏'《張華》. [二] 돌소리 갑.

[字源] [篆文] 形聲. 石+盍(盇)〔音〕. '盇합'은 그릇의 뚜껑을 서로 부딪치다의 뜻. 두 돌이 서로 부딪쳐 나는 소리를 나타내는 의성어.

[磕磕 개개] 돌이 서로 부딪쳐 나는 소리.
[磕睡 개수] 졺. 좌수(坐睡).
◉訇磕. 硠磕. 砰磕. 硼磕. 硫磕.

10 ⑮ [磤] 은 [上]吻 於斤切 yīn

[字解] 소리 은 우레같이 요란히 울리는 소리의 형용. '聲訇—其若震'《何晏》.

[字源] 形聲. 石+殷〔音〕

10 ⑮ [磒] 운 [上]軫 于敏切 yǔn

[字解] 떨어질 운 隕(阜部 十畫)과 同字. '若—虛'《列子》.

[字源] [篆文] 形聲. 石+員〔音〕. '員원'은 '毁훼'와 통하여, '무너지다'의 뜻. 돌이 무너져 떨어지다의 뜻을 나타냄.

10 ⑮ [磓] [一] 퇴 [平]灰 都回切 duī / [二] 추 [去]寘 直類切 zhuì

[字解] [一] ①돌무덤 퇴 많이 모여 있는 돌. '—, 聚石也'《字彙》. ②떨어뜨릴 퇴 돌을 던져 떨어뜨림. '—, 落也'《集韻》. '—, 以石投下也'《正字通》. [二] 칠 추 매림. '五岳鼓舞而相—'《木華》.

[字源] 形聲. 石+追〔音〕

10 ⑮ [磌] 쇄(솨[本]) [上]哿 損果切 suǒ

[字解] 조약돌 쇄 작은 돌. '一, 小石'《集韻》.

10 ⑮ [礍] 핵 [入]陌 下革切 hé

[字解] 자갈땅 핵 돌이 섞여 있는 나쁜 토지. '地貴土厚. 故以石一爲惡'《說文長箋》.

[字源] [篆文]  形聲. 石＋鬲〔音〕. '鬲격'은 떨어져 있다의 뜻. 돌로 막혀 있는 땅, 돌이 많은 땅의 뜻을 나타냄.

10 ⑮ [㱿] 〔각〕 确(石部 七畫〈p. 1573〉)과 同字

10 ⑮ [磗] 구 ①-③[去]宥 居候切 gòu ④[平]尤 居侯切 gōu

[字解] ①벽돌우물 구 우물의 가장자리를 벽돌로 둘러쌓은 벽. '一, 甃井也'《廣韻》. ②디딤돌 구 '一, 碥也'《玉篇》. ③돌떨어뜨릴 구 돌을 던져 떨어뜨림. '一, 碻也'《集韻》. ④굳을 구 견고(堅固)함. '一碻, 堅也'《集韻》.

10 ⑮ [䃔] [一] 홍 [平]冬 戶冬切 hóng [二] 궁 [平]東 丘弓切 qiōng

[字解] [一] 돌떨어지는소리 홍 '一隆'은 돌이 떨어지는 소리. '投奔鬧一隆'《韓愈》. [二] 돌떨어지는소리 궁 [一]과 뜻이 같음.

10 ⑮ [磄] 당 [平]陽 徒郞切 táng

[字解] ①돌이름 당 '一㢝, 石也'《廣韻》. ②괴석(怪石)이름 당.

10 ⑮ [䃖] 오 [上]麌 於五切 wù

[字解] ①차면담 오, 작은둑 오 가리기 위하여 쌓은 담이나 둑. 隖(阜部 十畫)와 同字. ②낮은성 오 높지 않은 성(城). '一, 一曰, 庳城也'《康熙字典》. ③산굽이 오 산이 굽어 들어간 부분. '一, 山阿也'《洪武正韻》.

10 ⑮ [磍] [一] 할 [入]黠 枯鎋切 qià [二] 알 [入]黠 乙轄切 yà

[字解] [一] ①혀빼물 할 '碣一'은 눈을 움직이면서 혀를 내빼 묾. '碣一, 搖目吐舌也'《玉篇》. ②성낼 할 '碣一'은 크게 노(怒)함. '建碣一之虡'《漢書》. ③벗길 할 껍질을 벗김. '一, 剝也'《廣韻》. [二] 땅울퉁불퉁할 알 자갈땅이므로 고르지 않음.

10 ⑮ [磆] 활 [入]黠 戶八切 huá

[字解] 활석 활 '一石'은 임질·외과(外科) 등에 쓰는 약 이름. 滑(水部 十畫)과 통용. '一石, 藥名'《集韻》.

[字源] 形聲. 石＋骨〔音〕

10 ⑮ [䃙] 〔비〕 砒(石部 四畫〈p. 1566〉)와 同字

[字源] 形聲. 石＋毘〔音〕

10 ⑮ [磎] 〔계〕 谿(谷部 十畫〈p. 2169〉)와 同字

[字源] 形聲. 石＋奚〔音〕

10 ⑮ [礐] 락 [入]覺 呂角切 luò

[字解] 돌서로부딪치는소리 락 흐르는 물살에 돌들이 서로 부딪치는 소리. '礐硞一確'《郭璞》.

[礐確 낙각] 흐르는 물살에 돌들이 소리 내어 세차게 부딪치는 모양.

10 ⑮ [磐] [人名] 반 [平]寒 薄官切 pán 

[筆順] ′ 丿 ⺆ 舟 舟 舟几 般 般 磐

[字解] ①너럭바위 반 크고 편평한 바위. '一石'. '鴻漸于一'《易經》. ②넓을 반 광대한 모양. '荊門闕竦而一礴'《郭璞》.

[字源] 形聲. 石＋般〔音〕. '般반'은 '크다'의 뜻. '큰 바위'의 뜻을 나타냄.

[磐礴 반박] ㉠넓고 큰 모양. 광대(廣大)한 모양. ㉡두 다리를 쭉 뻗고 앉음. 기좌(箕坐).
[磐石 반석] ㉠넓고 평평한 큰 돌. ㉡썩 견고(堅固)한 것의 비유.
[磐牙 반아] 서로 굳게 맺어 한통이 됨. 결탁함.
[磐峙 반치] 우뚝 솟음.
[磐桓 반환] ㉠앞으로 나아가지 아니하는 모양. ㉡머뭇거리고 결단하지 아니하는 모양.
◉落磐.

11 ⑯ [磚] 전 [平]先 朱緣切 zhuān 砖 

[字解] 벽돌 전 甎(瓦部 十一畫)은 俗字. '古者生女三日臥之牀下, 弄之瓦一而齋告焉'《後漢書》.

[字源] 形聲. 石＋專〔音〕. '專전'은 '굴리다'의 뜻. 손으로 굴려서 굳힌 벽돌의 뜻을 나타냄.

[磚房 전방] 《現》 벽돌집.
[磚壁 전벽] 벽돌로 쌓은 벽.
[磚茶 전차] 중국에서 나는 차의 한 가지. 고형(固形)으로 되어서 깎아서 끓여 마심.
◉瓦磚.

11 ⑯ [磝] 오 [平]肴 五交切 áo 

[字解] 돌많을 오 산에 돌이 많은 모양. 또, 산이 높은 모양. 嶅(山部 十一畫)와 同字. '山一一而相軋'《韓愈》.

[磝磝 오오] 산에 돌이 많은 모양. 또, 산이 높은 모양.

11 ⑯ [磖] 랍 [入]合 落合切 lā

[字解] 물건깨어지는소리 랍 또는, 물건을 깨뜨리는 소리. '一, 一礏, 破物聲'《集韻》.

11 ⑯ [磟] 륙 [入]屋 力竹切 liù 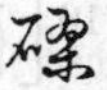

[字解] 고무래 륙 '一碡'은 흙을 고르는 농구. 고

무래. '移繫門西一碃邊'《范成大》.
[字源] 形聲. 石+翏〔音〕

[磟碡 육독] 고무래.

11 ⑯ [磧] 적 [入]陌 七迹切 qì

[字解] ①자갈밭 적 물가의 자갈이 많이 있는 곳. '石一'. '下一歷之坻'《史記》. ②모래벌판 적 사막. '今君渡沙一'《杜甫》.
[字源] [篆文] 形聲. 石+責〔音〕. '責책'은 '積적'과 통하여, '쌓이다'의 뜻. 돌이 쌓이는 곳, 물가의 뜻을 나타냄.

◉枯磧. 空磧. 廣磧. 錦磧. 大磧. 白磧. 沙磧. 石磧. 細磧. 幽磧. 淺磧. 灘磧.

11 ⑯ [硛] [一] 척 [入]錫 倉歷切 qì
[二] 축 [入]屋 側六切 zhú

[字解] [一] 옥돌 척 옥 비슷한 아름다운 돌의 한 가지. '碝一綵緻'《班固》. [二] 주춧돌 축 초석(礎石).

◉碝硛.

11 ⑯ [磏] 강 [平]陽 丘岡切 kāng

[字解] 돌소리 강 '一, 石聲'《集韻》.

11 ⑯ [磞] 팽 [平]庚 披庚切 pēng

[字解] 돌부딪는소리 팽 돌이 서로 부딪쳐 요란하게 나는 소리. 전(轉)하여, 큰 소리. '一硠震隱'《成公綏》.
[字源] 形聲. 石+崩〔音〕

11 ⑯ [磢] 창 [上]養 初兩切 chuǎng

[字解] 닦을 창 기와나 돌로 물건을 닦음. '奔流之所一錯'《郭璞》.

11 ⑯ [磪] 최 [平]灰 昨回切 cuī

[字解] 높을 최 '一嵬'는 산이 높은 모양. 또, 산이 험준한 모양. '一嵬岑嵓'《嵇康》.
[字源] 形聲. 石+崔〔音〕. '崔최'는 산이 높고 큰 모양의 뜻.

[磪嵬 최외] 산이 험준한 모양. 산이 높은 모양.

11 ⑯ [磢] 족 [入]屋 千木切 cù

[字解] ①돌 족 '一, 一曰, 石也'《集韻》. ②땅울퉁불퉁할 족 자갈땅이므로 편평하지 않은 모양. '硲一, 石地不平皃'《集韻》. ③모래자갈많을 족 모래나 돌이 많음. '硲一, 多沙石'《正字通》. ④화살촉 족 鏃(金部 十一畫)과 통용.

11 ⑯ [磣] [一] 침(삼[俗]) [上]寑 初朕切 chěn
[二] 참 [入]合 錯合切

[字解] [一] ①모래섞일 침 음식에 모래가 섞임. '一, 食有沙'《玉篇》. ②모래 침 '一, 砂也'《集韻》. ③《現》보기흉할 침 보기 싫음. [二] 모래섞일 참, 모래 참, 보기흉할 참 [一]과 뜻이 같음.

11 ⑯ [磦] 표 [平]蕭 卑遙切 biāo

[字解] 산봉우리우뚝할 표 산봉우리의 솟아 있는 모양. '一, 山峯出皃'《集韻》.
[字源] 形聲. 石+票〔音〕

11 ⑯ [磡] 감 [去]勘 苦紺切 kàn

[字解] ①벼랑밑 감 '一, 嚴崖之下'《廣韻》. ②산바위 감 산의 바위. '一, 山岩'《字彙》.

11 ⑯ [磟] 곽 [入]藥 光鑊切 guǒ

[字解] 겉널 곽 옛날에는 돌을 썼음.

11 ⑯ [磸] 〔막〕
漠(水部 十一畫〈p. 1286〉)과 通字

11 ⑯ [磥] 〔뢰〕
磊(石部 十畫〈p. 1579〉)와 同字
[字源] 形聲. 石+累〔音〕. '累루'는 '겹쳐지다'의 뜻.

11 ⑯ [硜] 〔갱〕
硜(石部 七畫〈p. 1572〉)과 同字

11 ⑯ [磺] 〔적〕
矺(石部 三畫〈p. 1565〉)과 同字

11 ⑯ [磨] [高人] 마 ①-③[平]歌 莫婆切 mó
④[去]箇 摸臥切 mò

[筆順] 亠 广 庁 庐 麻 麻 麻 磨

[字解] ①갈 마 옥·돌 같은 것을 갈아 윤을 냄. '如琢如一'《詩經》. 전(轉)하여, 학문·덕행 등을 닦음. '練一'. '琢一'. '朋友以一之'《揚子法言》. ②닳을 마 갈거나 마찰하여 작아지거나 없어짐. '一滅'. '百世不一矣'《後漢書》. ③고생할 마 곤란을 받음. 속어(俗語)임. '少裏兼遭病折一'《白居易》. ④맷돌 마 '聲如轉一'《唐書》.
[字源] [篆文] 形聲. 石+麻(靡)〔音〕. '靡미·마'는 '부수다'의 뜻. 갈아서 으깨어 부수다, 맷돌의 뜻을 나타냄.

[磨勘 마감] 송대(宋代)에 관리(官吏)의 성적을 조사하던 일. 후세에는 일정한 재직 연한(在職年限)에 의하여 진급시키던 일.
[磨鏡 마경] 쇠붙이로 만든 거울을 갊.
[磨刮 마괄] 갈고 긁음.
[磨光 마광] 갈아 윤을 냄.
[磨究 마구] 연구(硏究)함.
[磨礪 마려] 갊. 여(礪)는 숫돌에 갊.
[磨鑢 마려] 갈고 깎음. 여(鑢)는 줄로 깎음.
[磨礱 마롱] 갊. 연마(硏磨)함.
[磨滅 마멸] 닳아 없어짐.
[磨坊 마방] 제분소(製粉所).
[磨石 마석] 맷돌. 석구(石臼). 석애(石磑).
[磨洗 마세] 갈고 씻음.
[磨碎 마쇄] 갈아 부숨. 또, 갈려 부서짐.

[磨淬 마쉬] 칼을 갈기도 하고 불려 물에 담그기도 함.
[磨崖碑 마애비] 당(唐)나라의 원결(元結)이 지은 대당중흥송(大唐中興頌)을 안진경(顔眞卿)이 써서 오계(浯溪)의 애석(崖石)을 갈아 그 돌에 새긴 것.
[磨硏 마연] 갊. 연마(硏磨)함.
[磨剡 마염] 갈아 날카롭게 함.
[磨揉遷革 마유천혁] 연마(硏磨)시키고 선도(善導)하여 훌륭한 인물을 만듦.
[磨蟻 마의] 개미가 맷돌을 도는 것 같음.
[磨而不磷涅而不緇 마이불린열이불치] 지극히 단단한 것은 갈아도 닳지 않고 아주 흰 것은 물들여도 거메지지 아니한다는 뜻으로, 군자의 덕은 지극히 견고하고 결백하여 결코 외물(外物)의 영향을 받아 변하지 않는다는 말.
[磨折 마절] 닳아 꺾임. 전(轉)하여, 운이 나쁨. 불운함.
[磨擦 마찰] 서로 닿아서 비빔.
[磨鐵杵 마철저] 쇠 절굿공이를 숫돌에 갈아서 바늘을 만듦. 일심(一心)으로 학업(學業)에만 전력(專力)함의 비유.
[磨琢 마탁] 갊. 연마(硏磨)함.
◉羯磨. 揩磨. 鏡新磨. 空磨. 刮磨. 臼磨. 礱磨. 茶磨. 馬磨. 百世不磨. 消磨. 水磨. 硏磨. 鍊磨. 紫磨. 切磨. 切磋琢磨. 砥磨. 琢磨. 擺磨. 瑩磨.

11 ⑯ [磬] 경 [去]徑 苦定切 qìng
[字解] ①경쇠 경 옥이나 돌로 만든 악기의 한 가지. 팔음(八音)의 하나. 특경(特磬)·석경(石磬) 참조. '玉―'. '淸―'. '子擊―於衛'《論語》. ②달릴 경 말을 달림. '抑―控忌'《詩經》. ③목맬 경 목을 매어 죽임. '―于甸人'《禮記》. ④굽을 경, 굽힐 경 경쇠 모양으로 굽거나 굽힘. '倨句―折'《周禮》. ⑤다할 경 罄(缶部 十一畫)과 통용. '室如縣―'《國語》.
[字源] [甲骨文] [篆文] [籒文] [古文] 形聲. 石+殸〔音〕. 甲骨文은 象形으로, 매단 돌을 끝이 큰 몽둥이로 치는 모양을 본뜸. 경쇠를 본뜬 '声경'과 치다의 뜻인 '殳수'로 이루어진 '殸경'이 原字였으나, 뒤에, 篆文에서는 뜻을 분명히 하기 위해, 다시 '石석'을 덧붙여 石+殸의 形聲이 됨. 돌 악기, '경쇠'의 뜻을 나타냄.

[磬折 경절] 경쇠 모양으로 몸을 굽혀 인사를 함.
◉擊磬. 掉磬. 飯磬. 梵磬. 浮磬. 石磬. 玉磬. 遠磬. 離磬. 鐘磬. 淸磬. 特磬. 編磬.

11 ⑯ [䃜] 예 [平]齊 烏奚切 yī
[字解] 검은돌 예 흑색의 아름다운 돌. 瑿(玉部 十一畫)와 同字. '―, 美石黑色'《廣韻》.

11 ⑯ [䃔] 굉 [平]庚 呼宏切 hōng
[字解] 돌떨어지는소리 굉 '―, 石落聲, 或从宏'《集韻》.

11 ⑯ [磛] 참 ①[平]咸 鋤銜切 chán ②[上]豏 士減切
[字解] ①산험할 참 산이 험(險)한 모양. '熊羆匍匐岳山―巖'《淮南子》. ②높고험할 참 嶃(山部 十一畫)과 同字.
[字源] [篆文] 形聲. 石+斬〔音〕. '斬참'은 '베다'의 뜻. 칼로 벤 것같이 험한 산의 바위의 모양을 나타냄. '嶃참'과 통하여, 높고 험하다의 뜻을 나타냄.

11 ⑯ [䃪] 磛(前條)과 同字

12 ⑰ [磯] [人名] 기 [平]微 居依切 jī
[筆順] 一 厂 石 … 磯 磯
[字解] ①물가 기 바다 또는 호수 등의 물이 물가의 돌에 부딪치는 곳. 또, 그 부근. '石―'. '釣―'. ②부딪칠 기 물이 돌에 부딪쳐 물결이 세어짐. '親之過小而怨, 是不可―也'《孟子》.
[字源] [篆文] 形聲. 石+幾〔音〕. '幾기'는 '베틀'의 뜻. 베틀 소리와 같은 파도 소리가 나는 '물가'의 뜻을 나타냄.
◉灣磯. 石磯. 漁磯. 釣磯. 苔磯. 荒磯.

12 ⑰ [磲] 거 [平]魚 強魚切 qú
[字解] 옥돌 거, 조개 거 硨(石部 七畫)를 보라.
[字源] 形聲. 石+渠〔音〕

12 ⑰ [䃣] 훼 [上]紙 虎委切 huǐ
[字解] 헐 훼 毁(殳部 九畫)와 同字. '事有破―, 而後有舞仁義者'《列子》.

[䃣齒 훼치] 어린애가 배냇니를 갊.
◉破䃣.

12 ⑰ [磴] 등 [去]徑 都鄧切 dèng
[字解] ①섬돌 등 돌층계. 석계(石階). '冰雪滑―棧'《韓愈》. ②비탈길 등 돌이 많은 비탈길. '―道'. '石―縈委, 若羊腸焉'《水經注》. ③돌다리 등 석교(石橋). '跨穹隆之懸―'《孫綽》.
[字源] 形聲. 石+登〔音〕. '登등'은 '오르다'의 뜻. 돌이 많은 '비탈길'의 뜻을 나타냄.

[磴道 등도] 돌이 많은 비탈길.
[磴棧 등잔] 돌다리. 돌의 잔교(棧橋).
◉蘿磴. 複磴. 石磴. 蘚磴. 巖磴. 苔磴. 滑磴.

12 ⑰ [磱] 〔락〕
礐(石部 十畫〈p. 1582〉)과 同字

12 ⑰ [磶] 석 [入]陌 思積切 xì
[字解] 주춧돌 석 초석(礎石). '雕楹玉―'《張衡》.
[字源] 形聲. 石+舄〔音〕. '舄석'은 기둥 밑에 깐 '받침돌'의 뜻.

◉玉磶.

12 ⑰ [磶] 磶(前條)의 本字

12 ⑰ [磷] 린 ①②㊀震 良刃切 lìn ③㊥眞 力珍切 lín

字解 ①닳을 린 돌이 마손(磨損)됨. '磨而不—'《論語》. ②번쩍번쩍할 린 옥석(玉石)이 광택이 나는 모양. '——爛爛'《司馬相如》. ③흐를 린 맑은 물이 돌 사이를 흐르는 모양. '碎石水——'《宋之問》.

字源 形聲. 石+粦〔音〕

[磷磷 인린] 자해(字解) ❷❸을 보라.

◉磨不磷. 隱磷. 緇磷. 砰磷.

12 ⑰ [磻] 人名 ㊀ 반 ㊥寒 薄官切 pán ㊁ 파 ㊥歌 逋禾切 bō

字解 ㊀ 물이름 반 '—溪'는 웨이수이(渭水)로 흘러 들어가는 산시 성(陝西省)에 있는 강으로서, 강태공(姜太公)이 낚시질하던 곳. ㊁ 돌살촉 파 碆(石部 八畫)와 통용. '—不特絓'《張衡》.

字源 篆文 形聲. 石+番〔音〕. '番번'은 화살을 시위에 메기다의 뜻. 주살에 다는 돌의 뜻을 나타냄.

[磻溪 반계] 자해(字解)㊀을 보라.

12 ⑰ [磼] 잡 ㊁合 徂合切 zá

字解 높을 잡 '—磼'은 산이 높은 모양. '嵯峨—磼'《史記》.

字源 形聲. 石+集〔音〕

[磼磼 잡급] 산이 높은 모양.

12 ⑰ [磽] 교 ㊥肴 口交切 qiāo

字解 메마를 교 돌이 많고 토질이 단단하여 메마름. 또, 그 땅. '—确'. '地有肥—'《孟子》.

字源 篆文 形聲. 石+堯〔音〕. '堯요'는 '確확'과 통하여, '단단하다'의 뜻. 단단한 돌의 뜻을 나타냄. 파생하여, 돌이 많은 메마른 땅의 뜻을 나타냄.

[磽确 교각] ㉠돌이 많은 메마른 땅. 척박한 땅. ㉡돌이 많은 모양.

[磽薄 교박] 돌이 많은 메마른 땅. 교각(磽确).

[磽瘠 교척] 돌이 많은 메마른 땅. 교각(磽确).

12 ⑰ [磾] 제 ㊥齊 都奚切 dī

字解 ①비단에검은물들이는돌 제 '染繒黑石. 出琅琊山'《說文》. ②사람이름 제 '金日—'는 한(漢)나라 무제(武帝) 때 사람.

12 ⑰ [礁] 人名 초 ㊥蕭 讀若焦 jiāo

字解 숨은바윗돌 초 물속에 있는 암석. '暗—'. '危—'. '賊船撞—湓沒'《海防纂要》.

字源 形聲. 石+焦〔音〕

[礁石 초석] 물속에 있어서 표면에 나타나지 아니하는 돌.

◉亂礁. 撞礁. 浮礁. 巖礁. 暗礁. 危礁.

12 ⑰ [磹] ㊀ 점 ㊀豔 徒念切 diàn ㊁ 담 ㊀勘 徒紺切

字解 ㊀ ①돌쐐기 점 '—, 石楔也'《六書故》. ②번개 점 전광(電光). ㊁ 돌쐐기 담, 번개 담 ㊀과 뜻이 같음.

12 ⑰ [礄] 궐 ㊁月 居月切 jué

字解 돌파낼 궐 '—, 發石也, 或書作礂'《集韻》.

12 ⑰ [礂] 礄(前條)과 同字

12 ⑰ [磺] ㊀ 광 ㊤梗 古猛切 kuàng ㊁ 황 ㊥陽 胡光切 huáng

字解 ㊀ 조광(粗鑛) 광 캐어 낸 채 금속을 분리하지 않은 광석(鑛石). '—, 銅鐵樸石也'《說文》. ㊁ ①돌이름 황 '—, 石名'《集韻》. ②유황 황 '硫—'은 약석(藥石)의 이름.

字源 篆文 形聲. 石+黃〔音〕. '黃황'은 '노랗다'의 뜻. 누런 돌의 뜻에서, 구리, 쇠 따위의 원석(原石)의 뜻을 나타냄.

參考 鑛(金部 十五畫)·礦(石部 十五畫)과 同字.

12 ⑰ [磿] 〔금〕 嶔(山部 十二畫〈p. 650〉)과 同字

12 ⑰ [礀] 〔간〕 澗(水部 十二畫〈p. 1294〉)과 同字

字源 形聲. 石+間〔音〕. '間간'은 '사이'의 뜻. 산간의 골짜기의 뜻을 나타냄.

12 ⑰ [磵] 〔간〕 澗(水部 十二畫〈p. 1294〉)과 通字

12 ⑰ [礲] 룽 ㊥東 良中切 lóng

字解 돌떨어지는소리 룽 '硿—, 石落聲'《集韻》.

12 ⑰ [礰] 력 ㊁錫 郎擊切 lì

字解 관줄잡는사람 력 장사 때 관(棺)의 줄을 잡는 사람. 또, 그 인명을 적는 장부. '遂師及窆抱—'《周禮》.

字源 篆文 形聲. 石+厤〔音〕. '厤력'은 차례로 늘어서다의 뜻. 널려 있는 잔돌이 부딪치는 소리를 나타내는 의성어.

[礰室 역실] 전국 시대(戰國時代)의 연(燕)나라 궁전(宮殿)의 이름.

◉抱礰.

13 ⑱ [礉] 핵 ㊁陌 下革切 hé

字解 각박할 핵 覈(襾部 十三畫)과 同字. '其極慘—少恩'《史記》.

字源 形聲. 石+敫〔音〕

◉慘礉.

13 ⑱ [礎] 高人 초 ㊤語 創擧切 chǔ ㊤襄 創祖切

筆順 一 丆 石 矿 砵 礎 礎 礎

字解 주춧돌 초 기둥 밑에 괴는 돌. '一石'. '水精爲柱一'《晉書》. 전(轉)하여, 사물의 기본. '基一'.

字源 篆文 形聲. 石+楚〔音〕. '楚초'는 나무 밑의 발의 모양. 기둥 밑의 발이 되는 돌, '주춧돌'의 뜻을 나타냄.

[礎石 초석] 주춧돌.
[礎舃 초석] 주춧돌. 초석(礎石).
[礎碣 초석] 초석(礎舃).
[礎業 초업] 근본이 되는 사업.
[礎潤而雨 초윤이우] 주춧돌이 젖으면 이우고 비가 옴. 무슨 일이든지 일어나는 데는 반드시 원인이 있고, 또 조짐(兆朕)이 미리 나타난다는 말.
[礎材 초재] 주추에 쓰이는 목재나 석재(石材).
◉階礎. 基礎. 斷礎. 方礎. 石礎. 殘礎. 柱礎.

13 ⑱ [碟] 급 ㊇緝 逆及切 yè

字解 높을 급 '碟一'은 산이 높은 모양.

◉碟碟.

13 ⑱ [礑] 당 ㊍漾 丁浪切 dàng

字解 밑 당 밑바다.

字源 形聲. 石+當〔音〕

13 ⑱ [磹] 단 ㊏寒 唐干切 tán

字解 제사를지내는석단(石壇) 단 壇(土部 十三畫)과 통용. '一, 石壇也'《集韻》.

13 ⑱ [礒] 의 ㊤紙 魚倚切 yǐ

字解 바위 의 암석.

字源 形聲. 石+義〔音〕

13 ⑱ [礵] 숙 ㊇屋 息逐切 sù

字解 검은숫돌 숙 '一, 黑砥石也'《集韻》.

13 ⑱ [磈] ㊀ 괴 ㊤賄 苦猥切 kuǐ ㊁ 외 ㊤賄 五罪切 wěi ㊂ 뢰 ㊤賄 魯猥切 lěi

字解 ㊀ 높고험할 괴 '礧一'는 산이 높고 험한 모양. 磈(石部 十畫)와 同字. ㊁ 돌많을 외 '一, 衆石皃'《廣韻》. ㊂ 돌쌓일 뢰 '一一'는 산의 돌이 모여 쌓인 모양.

13 ⑱ [礓] 강 ㊏陽 居良切 jiāng

字解 자갈 강 잔돌. '一, 礫也'《集韻》.

13 ⑱ [礋] 담 ㊤感 覩敢切 dǎn

字解 석담 담 '石一'은 약석(藥石)의 이름. 약제(藥製)로 쓰는 황산동(黃酸銅). 담반(膽礬). '石一, 藥石'《集韻》.

13 ⑱ [礙] 감 ㊤感 古禫切 gǎn

字解 ①돌함 감 돌로 만든 함(函). '一, 一曰, 石篋'《集韻》. ②돌로덮을 감 '一, 以石蓋也'《集韻》.

13 ⑱ [礔] 벽 ㊇錫 匹歷切 pī

字解 벽력 벽 霹(雨部 十三畫)과 同字. '一礰激而增響'《張衡》.

字源 形聲. 石+辟〔音〕

13 ⑱ [礛] 〔렴〕
磏(石部 十畫〈p. 1581〉)과 同字

13 ⑱ [礌] 〔뢰〕
磊(石部 十畫〈p. 1579〉)와 同字

字源 形聲. 石+雷〔音〕

13 ⑱ [礐] ㊀ 각 ㊇覺 苦角切 què ㊁ 력 ㊇陌 力摘切 lè

字解 ㊀ ①돌많을 각 산에 큰 돌이 많음. ②돌소리 각 嶨(山部 十三畫)과 통용. ㊁ 수석소리 력 흐르는 물이 돌에 부딪치는 소리. '幽澗積岨, 一硞礐確'《郭璞》.

字源 篆文 形聲. 石+學〈省〉〔音〕

[礐硞 역격] 흐르는 물이 돌에 부딪치는 소리. 수석(水石) 소리.

13 ⑱ [礆] 〔험〕
險(阜部 十三畫〈p. 2476〉)과 同字

13 ⑱ [礊] 격 ㊇陌 苦格切 kè

字解 ①굳을 격 '一, 堅也'《廣韻》. ②채찍소리 격 '一, 鞭聲'《廣韻》.

字源 篆文 形聲. 篆文은 石+殸〔音〕

14 ⑲ [礙] 애 ㊍隊 五溉切 ài 碍

字解 막을 애, 거리낄 애 방해함. 가림. 또, 방해가 됨. '一眼'. '一竄'. '一諸治禮樂'《揚子法言》. 또, 막거나 가리는 사물(事物). '障一'. '水避一則通于海'《揚子法言》.

字源 篆文 形聲. 石+疑〔音〕. '疑의'는 사람이 고개를 들고 망설이는 모양. 돌 앞에 사람이 내내 서 있는 모양에서, '방해하다, 가로막다'를 뜻함.

參考 碍(石部 八畫)는 俗字.

[礙眼 애안] 눈에 거리낌. 눈을 가림. 또, 그 물건.
[礙竄 애찬] 막아 들어오지 못하게 함.
[礙滯 애체] 막혀 쌓임.
◉關礙. 拘礙. 累礙. 無礙. 妨礙. 留礙. 融通無礙. 障礙. 阻礙. 窒礙. 滯礙. 限礙.

14 ⑲ [礚] 개 [去]泰 丘蓋切 kē

[字解] 돌부딪치는소리 개 磕(石部 十畫)와 同字. '礧石相擊, 硠硠──'《司馬相如》.

[字源] 形聲. 石＋蓋〔音〕

[礚礚 개개] 돌이 서로 부딪쳐 나는 소리. 개개(磕磕).

14 ⑲ [礛] 감 [平]咸 古銜切 jiān

[字解] 숫돌 감 '─礑'는 옥(玉)을 가는 숫돌.

[礛礑 감제] 옥(玉)을 가는 숫돌.

14 ⑲ [礗] 빈 [平]眞 紕民切 pīn

[字解] 돌부수는소리 빈 돌을 깨뜨리는 소리. '─, 碎石聲'《集韻》.

14 ⑲ [礖] [人名] 여 [去]御

[字解] 여돌 여 비소(砒素)를 함유한 광물. '人食─石而死'《淮南子, 說林》.

14 ⑲ [礜] 여 [去]御 羊洳切 yù

[字解] 비상석인돌 여 비소(砒素)를 함유(含有)한 유독한 광물. '皐塗之山, 有白石焉. 其名曰─. 可以毒鼠'《山海經》.

[字源] 篆文 形聲. 石＋與〔音〕

15 ⑳ [礦] 광 [上]梗 古猛切 kuàng 矿

[字解] 쇠돌 광 鑛(金部 十五畫)과 同字. '其下則金─丹礫'《郭璞》.

[字源] 形聲. 石＋廣〔音〕

◉炭礦.

15 ⑳ [礲] [一] 랍 [入]合 力盍切 là [二] 렵 [入]葉 力涉切 liè

[字解] [一] 돌떨어지는모양 랍 '─, 石墮皃'《集韻》. [二] 산이연달아계속된모양 렵 '─, ─硤, 山連屬皃'《集韻》.

15 ⑳ [礧] 뢰 ①[上]賄 落猥切 lěi ②[平]灰 盧回切 léi ③[去]隊 盧對切 lèi

[字解] ①바위 뢰 큰 돌. '─夫擧─'《後漢書》. ②칠 뢰 서로 부딪침. '駭崩浪而相─'《郭璞》. ③돌내리굴릴 뢰 돌을 높은 데서 굴려 떨어뜨림. '─石相擊'《司馬相如》.

[字源] 形聲. 石＋畾〔音〕

[礧礧 뇌뢰] 돌이 많은 모양. 돌이 쌓인 모양.
[礧石 뇌석] 굴러 떨어지는 돌.
◉擧礧. 魁礧. 礌礧. 磈礧. 硊礧.

15 ⑳ [礩] 질 ①[入]質 之日切 zhì ②[入]質 得悉切

[字解] ①주춧돌 질 초석(礎石). '以鍊銅爲柱─'《戰國策》. ②막힐 질, 막을 질 窒(穴部 六畫)과 同字. '宿疑─滯'《周書》.

[字源] 篆文 形聲. 石＋質〔音〕. '質질'은 '꽉 차다'의 뜻. 기둥 밑에 꽉 채워 박는 돌의 뜻을 나타냄.

◉柱礩.

15 ⑳ [礪] [人名] 려 [去]霽 力制切 lì 砺

[字解] ①숫돌 려 칼 같은 것을 가는, 결이 거친 돌. '曰陰山. 多─石. 文石'《山海經》. ②갈 려 숫돌에 갊. 연마(硏磨)함. '─乃鋒刃'《書經》. 전(轉)하여, 힘씀. '─行'. '砥─'.

[字源] 篆文 形聲. 石＋厲〔音〕. '厲려'는 심하게 문지르다, '숫돌'의 뜻. '石석'을 더하여, 뜻을 분명히 함.

[礪戈秣馬 여과말마] 창 같은 무기를 숫돌에 갈고 군마(軍馬)에 꼴을 먹임. 곧, 출전(出戰)할 준비를 함.
[礪石 여석] 숫돌.
[礪淬 여쉬] 칼을 갈기도 하고 불에 달구어 물에 담금.
[礪砥 여지] 숫돌.
[礪行 여행] 행실을 닦음.
◉磨礪. 磨礪. 勉礪. 淬礪. 砥礪. 黃河如帶泰山如礪.

15 ⑳ [礫] [人名] 력 [入]錫 郎擊切 lì 砾

[字解] ①자갈 력 잔돌. '沙─'. '爛若磧─'《張衡》. ②모래 력 돌 부스러기. '其下則金礦丹─'《郭璞》.

[字源] 篆文 形聲. 石＋樂〔音〕. '樂락'은 도토리를 본뜬 것. '잔돌, 자갈'의 뜻을 나타냄.

[礫石 역석] 조약돌. 자갈.
◉澗礫. 錦礫. 丹礫. 沙礫. 石礫. 燕礫. 瓦礫. 磧礫. 積礫. 卓礫. 黃礫.

15 ⑳ [礥] 현 [平]先 胡田切 xián

[字解] 딱딱할 현 단단함. '陽氣微動而──, 物生之難也'《太玄經》.

[字源] 形聲. 石＋賢〔音〕

[礥礥 현현] 딱딱한 모양. 단단한 모양.

15 ⑳ [礤] 찰 [入]曷 七曷切 cǎ

[字解] ①비빌 찰, 문지를 찰 擦(手部 十四畫)과 同字. ②거친돌 찰 다듬지 않은 돌. '─, 麤石'《集韻》.

15 ⑳ [礣] [一] 말 [入]黠 莫八切 mà [二] 멸 [入]屑 莫結切 mié

[字解] [一] 조약돌 말 '─砎'는 잔돌. '─砎, 小石'《集韻》. [二] 단단한돌 멸 '─砎'는 굳은 돌. '─砎, 堅石'《集韻》.

15 ⑳ [礨] 뢰 ㊤賄 魯猥切 lěi

[字解] 구멍 뢰 '一空'은 작은 구멍. '一空之在大澤'《莊子》.

[礨空 뇌공] 작은 구멍.

15 ⑳ [𥗊] 〔두〕 蠹(虫部 十六畫〈p. 2038〉)와 同字

15 ⑳ [礧] 〔뢰〕 磊(石部 十畫〈p. 1579〉)와 同字

15 ⑳ [礬] [人名] 반 ㊥元 附袁切 fán

[字解] 광물이름 반 황산(黃酸)을 함유(含有)한 광물. 명반(明礬)·녹반(綠礬)·백반(白礬) 등.
[字源] 形聲. 石+樊〔音〕

[礬石 반석] 명반(明礬).
◉綠礬. 膽礬. 明礬. 白礬. 山礬. 石礬.

16 ㉑ [𥗬] 제 ㊥魚 章魚切 zhū

[字解] 숫돌 제 '礛一'는 옥을 가는 숫돌.

16 ㉑ [礭] 각 ㊇覺 苦角反 què

[字解] ①회초리 각 '一, 鞭也'《字彙》. ②수석부딪뜨릴 각 흐르는 물살에 돌들이 세차게 부딪치는 모양. '一, 皆水激石嶮峻不平貌'《康熙字典》. '幽澗積岨, 礐硞礐一'《郭璞》.
[字源] 形聲. 石+霍〔音〕

◉礐礭.

16 ㉑ [𥗼] ㊀ 회 ㊥佳 乎乖切 huái ㊁ 괴 ㊥灰 姑回切 guī ㊦卦 古壞切

[字解] ㊀ 돌울툭불툭할 회 碨(石部 九畫)와 同字. '碨, 碨硂, 石不平皃, 或作一'《集韻》. ㊁ ①자갈 괴 작은 돌. '一, 小石'《集韻》. ②옥돌 괴 옥 버금가는 돌. '硂, 石似玉, 古作一'《集韻》.

16 ㉑ [礰] 력 ㊇錫 狼狄切 lì

[字解] ①돌소리 력 돌이 부딪쳐 나는 소리. ②벼락 력, 천둥 력 靂(雨部 十六畫)과 同字. '礔一激而增響'《張衡》.
[字源] 形聲. 石+歷〔音〕

◉的礰.

16 ㉑ [礮] 〔포〕 砲(石部 五畫〈p. 1568〉)와 同字
[字源] 形聲. 石+駮〔音〕. '駮박'은 '暴폭·포'와 통하여, 튕기다의 뜻. 돌을 튀겨 내는 '돌 쇠뇌'의 뜻을 나타냄.

16 ㉑ [礐] 〔각〕 礐(石部 十三畫〈p. 1586〉)과 同字

16 ㉑ [礱] 롱 ㊥東 盧紅切 lóng ㊦送 盧貢切

[字解] ①맷돌 롱 곡식을 가는 제구. '長腰粇米出新一'《陸游》. ②갈 롱 연마(研磨)함. '一磨'. '斲其椽而一之'《國語》.
[字源] 篆文 形聲. 石+龍〔音〕. '龍룡'은 '용'의 뜻. 용틀임 모양으로, 벼가 맷돌에 들어가서 갈아지는 꼴에서, '맷돌, 갈다'의 뜻을 나타냄.

[礱厲 농려] 갊. 연마(研磨)함.
[礱磨 농마] 갊. 연마(研磨)함.
[礱斲 농착] 갈고 깎음.
◉磨礱. 新礱. 磋礱. 斲礱.

16 ㉑ [礲] 礱(前條)과 同字

17 ㉒ [礴] 박 ㊇藥 傍各切 bó

[字解] ①섞을 박 '磅一'은 섞어 하나로 만듦. 혼합함. '將旁一萬物以爲一'《莊子》. ②찰 박 '磅一'은 가득 참. 충만함. '磅一而鬱積'《韓愈》.
[字源] 形聲. 石+薄〔音〕

◉般礴. 旁礴. 磅礴.

17 ㉒ [𥗢] 섬 ㊦豔 先念切 xiàn

[字解] 번갯불 섬 '一磹'은 번갯불.

18 ㉓ [礶] 〔관〕 罐(缶部 十八畫〈p. 1786〉)과 同字

18 ㉓ [𥘅] 구 ㊥虞 權俱切 qú

[字解] 숫돌 구 거친 숫돌. 청회색의 고운 숫돌. '一, 磫一, 靑礪'《廣韻》.

19 ㉔ [礳] 〔마〕 磨(石部 十一畫〈p. 1583〉)의 本字

示(礻) (5획) 部

〔보일시부〕

0 ⑤ [示] [中][人] ㊀ 시 ㊦寘 神至切 shì ㊁ 기 ㊥支 巨支切 qí

[筆順] 一 二 亍 亓 示

[字解] ㊀ ①보일 시 ㉠보게 함. 나타냄. '一威'. '一天下弗服'《書經》. ㉡알림. '指一'. '敎告一'. '武王一之病'《戰國策》. ②볼 시 視(見部 五畫)와 통용. '其如一諸斯乎'《論語》. ㊁ 땅귀신 기 祇(示部 四畫)와 同字. '太宗伯掌天神人鬼地一之禮'《周禮》.

字源 甲骨文 丅 篆文 示 象形. 신에게 희생을 바치는 대(臺)의 象形으로, 조상신의 뜻을 나타냄. 또 '指지'와 통하여, '보이다'의 뜻도 나타냄.

參考 '示시'를 의부(意符)로 하여, 신, 제사, 신이 내리는 화복 등에 관한 문자를 이룸. 부수 이름은 '보일시변'.

[示教 시교] 보이어 가르침.
[示達 시달] 상부(上部)에서 명령·통지 따위를 하부(下部)에 내려 보냄.
[示滅 시멸] 시적(示寂).
[示範 시범] 모범을 보임.
[示言 시언] 명령의 말.
[示威 시위] 위력이나 기세를 드러내어 보임.
[示威運動 시위운동] 위력이나 기세를 드러내어 보이기 위하여 행하는 행렬 또는 집합 등의 대중적 행동. 데모.
[示寂 시적] 《佛教》 보살(菩薩)이나 높은 중의 죽음. 「일.
[示現 시현] 신불(神佛)의 영험(靈驗)을 나타내는
[示現塔 시현탑] 《佛教》 금강산의 수미탑(須彌塔) 따위와 같이 자연적으로 된 탑.
◉肝肺相示. 開示. 揭示. 戒示. 啓示. 告示. 公示. 誇示. 觀示. 光示. 教示. 覽示. 內示. 來示. 明示. 默示. 班示. 發縱指示. 宣示. 昭示. 垂示. 帥示. 申示. 暗示. 例示. 耀示. 諭示. 張示. 展示. 點示. 呈示. 提示. 指示. 彰示. 表示. 標示. 風示. 懸示. 顯示. 誨示. 曉示. 訓示.

0 ④ [礻] 示(前條)가 글자의 변으로 올 때에 약(略)하여 쓰는 자체(字體).

筆順 ' ラ 才 礻

1 ⑤ [礼] 〔례〕 禮(示部 十三畫〈p. 1604〉)의 略字

1 ⑥ [礼] 〔례〕 禮(示部 十三畫〈p. 1604〉)의 古字

1 ⑥ [祀] 〔례〕 禮(示部 十三畫〈p. 1604〉)의 古字

2 ⑦ [礽] 잉 ㊥蒸 如乘切 réng

字解 ①복 잉 행복. '一, 福也'《廣韻》. ②나아갈 잉 '一, 就也'《玉篇》.

字源 形聲. 示+乃〔音〕

3 ⑦ [社] 社(次條)와 同字

3 ⑧ [社] 高人 사 ㊤馬 常者切 shè 社 社

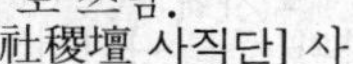

筆順 一 二 亍 亓 示 示 社 社

字解 ①땅귀신 사 토지의 주신(主神). '建國之神位, 右一稷, 而左宗廟'《禮記》. 또, 그 제사. '公如齊觀一'《春秋》. 또, 그를 모신 사당. '王爲群姓立一'《禮記》. ②제사지낼 사 ㉠풍년 들기를 빌어 토지의 주신(主神)에게 제사 지냄. '擇元日, 命民一'《禮記》. ㉡하지(夏至)에 토지의 주신(主神)을 제사 지냄. '郊一之禮'《中庸》. ③단체 사 ㉠옛날에, 법으로 정한 이십오 호(二十五戶)의 자치 단체. '請致千一'《左傳》. ㉡자유의사로 설립한 민가(民家)의 단체. '禁民私所自立一'《漢書》. ㉢동지의 결합 등 여러 가지 단체. '詩一'. '會一'. '遠公結白蓮一, 以書招淵明'《事文類聚》. ④사일 사 입춘 및 입추 후의 제오(第五)의 무일(戊日). 또, 그날 지내는 제사. '春一'. '秋一'. '隣里聞之, 爲之罷一'《顏氏家訓》.

字源 篆文 社 古文 社 會意. 示+土. '土토'는 농경 집단이 공동으로 제사 지내는 농토의 신의 뜻. 뒤에, '土'가 땅의 뜻으로 쓰임에 따라, '示시'를 더하여 구별함. 파생하여, 집단체도 '社사'라 이르게 됨.

[社家 사가] 여러 호(戶)가 모인 가옥.
[社交 사교] 사회생활(社會生活)에 있어서의 사귐.
[社交性 사교성] ㉠사회를 이루려는 사람이 타고난 특성. ㉡남과 잘 사귀는 성질.
[社團 사단] 이 인(二人) 이상이 모여 같은 목적으로 설립(設立)한 단체(團體). 재단(財團)의 대(對).
[社壇 사단] 토지의 신(神)을 제사 지내는 단(壇).
[社廟 사묘] 사당(祠堂). 「당(祠堂).
[社祠 사사] 토지의 주신(主神). 또, 그를 모신 사
[社鼠 사서] ㉠사람이 함부로 손댈 수 없는 사당(祠堂)에 사는 쥐. ㉡임금 옆에서 알랑거리는 간신.
[社說 사설] 신문(新聞)·잡지(雜誌) 등에 그 사(社)의 주장(主張)으로 게재(揭載)하는 논설(論說).
[社燕 사연] 제비의 아칭(雅稱). 춘사(春社)의 무렵에 오고 추사(秋社)의 무렵에 가므로 이름.
[社友 사우] ㉠한 회사 또는 한 결사 단체(結社團體)에서 함께 일하는 동료. ㉡사외(社外) 사람으로서 사원(社員) 대우를 받는 사람.
[社員 사원] ㉠회사(會社)에 근무(勤務)하는 사람. ㉡사단(社團)을 조직하는 사람.
[社日 사일] 입춘(立春)과 입추(立秋) 후 다섯 번째의 무일(戊日). 춘사(春社)와 추사(秋社).
[社長 사장] ㉠한 마을의 우두머리. 이장(里長). ㉡회사(會社)의 대표자(代表者). 사(社)의 우두머리.
[社中 사중] ㉠사당(祠堂) 안. ㉡결사 단체(結社團體)의 안.
[社稷 사직] 토지의 주신(主神)과 오곡(五穀)의 신(神). 옛날에 천자(天子)와 제후(諸侯)는 반드시 사직단(社稷壇)을 세우고 제사(祭祀)를 지내어 국가(國家)와 존망(存亡)을 같이하였으므로, 전(轉)하여 국가(國家)라는 뜻으로도 쓰임.

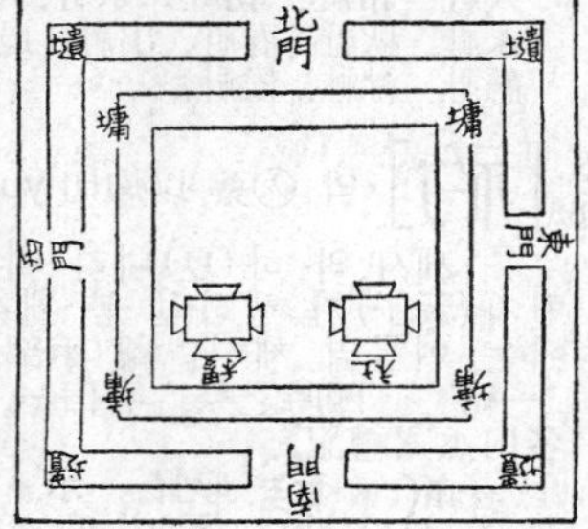

〔社稷壇〕

[社稷壇 사직단] 사

직(社稷)을 제사 지내는 단(壇). 왕궁(王宮)의 오른편에 세우고 종묘(宗廟)는 왼편에 세움.
[社稷爲墟 사직위허] 나라가 망(亡)함을 이름.
[社稷主 사직주] 사직을 계승하는 주인. 곧, 천자(天子) 또는 제후(諸侯).
[社稷之器 사직지기] 국가의 그릇. 곧, 국정(國政)의 중임(重任)을 맡길 만한 인재(人材).
[社稷之臣 사직지신] 나라의 안위(安危)를 맡길 만한 중신(重臣).
[社倉 사창] 기근(飢饉) 때 빈민을 구제하기 위하여 조합(組合)에서 설치하는, 곡식을 쌓아 두는 곳집.
[社宅 사택] 회사(會社)에서 사원을 위하여 마련「한 주택.
[社會 사회] ㉠한 사(社)의 스물다섯 집이 이룬 단체. 또, 그 사에 소속된 사람의 모임. ㉡서로 협력하여 공동생활(共同生活)을 하는 조직의 단체(團體). ㉢동지(同志) 또는 동류(同類)의 집단(集團).
[社會教育 사회교육] ㉠사회(社會)의 일반 인민에게 베푸는 교육(教育). ㉡사회주의(社會主義)에 의하여 행하는 교육(教育).
[社會黨 사회당] 사회주의를 주장(主張)하는 당파(黨派).
[社會問題 사회문제] 사회 제도의 모순이나 결함에서 생기는 여러 가지 문제. 노동 문제·주택 문제·실업 문제 따위.
[社會民主主義 사회민주주의] 폭력 혁명을 피하고 의회 투쟁을 통하여 정권의 획득을 꾀하는 사회주의의 한 분파.
[社會運動 사회운동] 사회 제도의 결함을 제거 또는 개혁할 목적으로 하는 조직적 활동. 노동조합 운동·농민 조합 운동·사회 혁명 운동 등.
[社會葬 사회장] 사회(社會)에 공로가 대단히 큰 사람이 죽었을 때 그 사회(社會)의 모든 단체가 연합하여 지내는 장례(葬禮).
[社會主義 사회주의] 사회상(社會上)으로는 평등주의(平等主義)를 취하고 산업상(產業上)으로는 생산 기관(生產機關)을 사회(社會)가 공유(共有)하고 분배(分配)를 평등(平等)하게 하여 빈부(貧富)의 현격(懸隔)을 없애고자 하는 주의(主義).
[社會學 사회학] 사회(社會)의 성립(成立)·발달(發達)·변천(變遷)·연혁(沿革) 등을 대상으로 하여 연구하는 학문.
[社訓 사훈] 사원(社員)이 지켜야 할 회사(會社)의 방침(方針).
◉結社. 公社. 官社. 郊社. 國社. 大社. 馬社. 末社. 廟社. 方社. 白蓮社. 蕃社. 保社. 復社. 商社. 書社. 僧社. 神社. 王社. 吟社. 里社. 入社. 帝社. 朝社. 宗社. 酒社. 支社. 村社. 冢社. 秋社. 春社. 出社. 退社. 鄕社. 香火社. 懸社. 會社. 侯社.

3
⑧ [礿] 약 ㉧藥 以灼切 yuè

字解 제사 약 하(夏)나라 때와 은(殷)나라 때 천자(天子)가 행하던 봄 제사. 주(周)나라 때에는 여름의 제사. 禴(示部 十七畫)과 同字. '一禘'. '四時之祭, 春曰一, 夏曰禘, 秋曰嘗, 冬曰烝'《禮記》.
字源 金文 篆文 形聲. 示+勺〔音〕. '勺작'은 '국자'의 뜻. 국자에 술을 떠서 제단에 바치어 제사 지내다의 뜻을 나타냄.

[礿禘 약체] 천자(天子)가 행하던 봄 제사와 여름 제사.

3
⑧ [祀] 高人 사 ㉤紙 詳里切 sì

筆順

字解 ①제사지낼 사 신령에게 제사를 지냄. '以死勤事, 則一之'《禮記》. ②제사 사 제전(祭典). '一典'. ③해 사 은(殷)나라 때의 연기(年紀)의 칭호. '夏曰歲, 商曰一, 周曰年'《書經 註》. ④성 사 성(姓)의 하나.
字源 甲骨文 金文 篆文 形聲. 示+巳〔音〕. '巳사'는 신으로서의 뱀을 본뜬 것. 신을 제사 지내다의 뜻을 나타냄.

[祀事 사사] 제사에 관한 사항.
[祀典 사전] 제사의 의식(儀式). 제전(祭典).
◉郊祀. 群祀. 貴祀. 大祀. 禱祀. 望祀. 明祀. 燔祀. 報祀. 封祀. 賓祀. 社祀. 祠祀. 常祀. 先祀. 世祀. 修祀. 順祀. 崇祀. 時祀. 逆祀. 雩祀. 元祀. 陰祀. 淫祀. 禋祀. 典祀. 制祀. 祭祀. 宗祀. 從祀. 淸祀. 冢祀. 特祀. 閒祀. 合祀. 享祀. 饗祀. 孝祀.

3
⑧ [祁] 人名 기 ㉥支 渠脂切 qí

字解 ①성할 기 성대(盛大)함. 또, 심함. '冬一寒'《書經》. ②클 기 '其一孔有'《詩經》. ③조용할 기 고요한 모양. '興雨一一'《詩經》. ④많을 기 사물이 많은 모양. '采蘩一一'《詩經》. ⑤성 기 성(姓)의 하나.
字源 篆文 形聲. 阝(邑)+示〔音〕

[祁祁 기기] ㉠고요한 모양. ㉡사물(事物)이 많은 모양. ㉢왕래하는 모양.
[祁山 기산] 간쑤 성(甘肅省) 서화현(西和縣)의 동북(東北)에 있는 산. 제갈량(諸葛亮)이 위(魏)나라를 칠 때 여섯 번 이 산에 갔음.
[祁寒 기한] 대단히 추움. 또, 지독한 추위.
[祁奚薦讎 기해천수] 춘추 시대(春秋時代)에 진(晉)나라의 도공(悼公)의 신하 기해(祁奚)가 자기의 후임자로 그의 원수인 해호(解狐)를 천거(薦擧)하였는데, 해호가 취임(就任)하기 전에 죽으매 자기의 아들 오(午)를 천거한 고사(故事)로서, 공평무사(公平無私)한 마음씨를 이름.
◉黎祁.

4
⑨ [祅] 요 ㉥蕭 於喬切 yāo

字解 재앙 요 천지(天地)가 보이는 흉변(凶變). '一孼'. '迅雷風一'《漢書》.
字源 篆文 形聲. 篆文은 示+芺〔音〕. '芺요'는 머리를 풀어 헤친 무당의 象形. '示시'는 신에 관한 일을 나타냄. 무당을 통해서 계시되는 신의 의사의 뜻에서, 특히 신이 내리는 '재앙'의 뜻을 나타냄. '祅요'는 생략체임.
參考 祅(夭條)은 別字.

[祅變 요변] 요얼(祅孼).
[祅孼 요얼] 재앙. 흉변(凶變).

◉迅雷風祆.

4 ⑨ [祆] 현 [平]先 呼煙切 xiān 祆

[字解] ①하늘 현 ㉠상천(上天). 태허(太虛). '關中謂天爲一'《說文》. ㉡하느님. 천신(天神). '一本蕃俗所事天神, 後人因加示旁'《錢大昕》. ②귀신이름 현 배화교(拜火敎)의 신(神). '火一'. '一敎'. '吳承伯挾一道, 聚衆攻宣城'《梁書》.

[字源] 篆文 形聲. 示+天〔音〕.

[參考] 祅(前條)는 別字.

[祆敎 현교] 배화교(拜火敎).
[祆道 현도] 현교(祆敎).

4 ⑨ [祇] [人名] [一] 기 [平]支 巨支切 qí [二] 지 [平]支 章移切 zhī 祇

[字解] [一] ①땅귀신 기 국토의 신. 후토(后土). '以祭地一'《周禮》. ②편안할 기 안심함. '俾我一也'《詩經》. ③클 기 '无一悔'《易經》. [二] 마침 지, 다만 지 '亦一以異'《論語》. '一攪我心'《詩經》.

[字源] 篆文 形聲. 示+氏〔音〕. '氏씨'는 한 계통을 표시하는 칭호인 씨족의 뜻. 씨족의 신의 뜻을 나타냄.

[參考] 祗(示部 五畫)는 別字.

[祇林 기림] ㉠기원정사(祇園精舍)의 숲. ㉡절. 사찰(寺刹).
[祇園 기원] ㉠인도(印度) 마갈타국(摩竭陀國)의 기타 태자(祇陀太子)가 소유한 동산. 수달장자(須達長者)가 이 동산을 사서 이곳에 기원정사(祇園精舍)를 세웠음. ㉡절. 사찰(寺刹).
[祇園精舍 기원정사] ㉠옛날에 인도(印度) 마갈타국(摩竭陀國)의 수달장자(須達長者)가 석가(釋迦)를 위하여 세운 절. ㉡절. 사찰(寺刹).
[祇悔 기회] 대단히 후회함.
[祇應 지응] 단지. 마땅히.
◉明祇. 方祇. 百祇. 山祇. 水祇. 僧祇. 神祇. 阿僧祇. 靈祇. 雨祇. 人祇. 地祇. 皇祇. 后祇.

4 ⑨ [祈] [高人] 기 [平]微 渠希切 qí 祈

[筆順] 一 二 亍 亓 示 礻 祈 祈

[字解] ①빌 기 복을 빎. 기도함. '一願'. '一天永命'《書經》. ②기도 기 복을 비는 일. '大祝掌六一'《周禮》. ③고할 기 알림. '以一黃耇'《詩經》. ④구할 기 희구(希求)함. '仙道可一'《晉書》.

[字源] 甲骨文 金文 篆文 形聲. 甲骨文·金文은 㫃+單+斤〔音〕. '㫃언'은 기드림의 깃발의 象形. '單단'은 방울을 본뜬 것. '斤근'은 '近근'과 통하여, 가까이 가다의 뜻. 방울 장식을 단 기를 들면서 행복에 다가가는 것을 바라는 모양에서, '기도하다'의 뜻을 나타냄. 篆文은 示+斤〔音〕.

[祈穀 기곡] 풍년이 되기를 빎.
[祈求 기구] 빌어 구함. 간절히 바람.
[祈祈 기기] 비가 조용히 오는 모양.
[祈年 기년] 풍년이 되기를 빎.
[祈念 기념] 열심히 빎.
[祈禱 기도] 신불(神佛)에게 복리(福利)를 빎. 또, 그 의식(儀式).
[祈父 기부] 벼슬 이름. 봉강(封疆)의 일을 맡음. 기(祈)는 기(圻), 방기(邦畿)를 이름.
[祈雨 기우] 날이 가물 때에 비가 오기를 빎.
[祈雨祭 기우제] 하지(夏至)가 지나도록 비가 안 올 때 비 오기를 비는 제사(祭祀).
[祈願 기원] 신불(神佛)에게 빎.
[祈請 기청] 기원(祈願).
[祈祝 기축] 기도하고 축원함.
◉懇祈. 禱祈. 齋祈. 春祈.

4 ⑨ [祉] [人名] 지 [上]紙 敕里切 zhǐ 祉

[筆順] 一 二 亍 亓 礻 礼 祉 祉

[字解] 복 지 행복. '一福'. '旣受多一'《詩經》.

[字源] 篆文 形聲. 示+止〔音〕. '示시'는 '신'의 뜻. '止지'는 '머무르다'의 뜻. 신이 머무르는 곳, '행복'의 뜻을 나타냄.

[祉祿 지록] 지복(祉福).
[祉福 지복] 복. 복지(福祉).
◉嘉祉. 介祉. 祿祉. 發祉. 繁祉. 福祉. 丕祉. 祥祉. 壽祉. 餘祉. 元祉. 帝祉. 衆祉. 遐祉. 休祉.

4 ⑨ [祊] 팽 [平]庚 甫盲切 bēng 祊

[字解] 제사 팽 ㉠조상을 사당(祠堂)에서 제사 지내는 일. 제사. '祝祭于一'《詩經》. ㉡사당 안에서 제사 지낸 다음날에, 그 제물(祭物)을 사당 밖에 진설(陳設)하고 제사 지내는 일. '爲一乎外'《禮記》.

[字源] 篆文 別體 形聲. 示+方〔音〕. '方방'은 좌우로 늘어놓다의 뜻. 문 안에다 제물을 좌우로 늘어놓고 올리는 조상의 제사의 뜻을 나타냄. 자형은 別體에 의함. 篆文은 示+彭〔音〕.

4 ⑨ [𥘸] 〔두〕 頭(頁部 七畫〈p. 2546〉)의 古字

4 ⑨ [祋] 대 [去]泰 丁外切 duì 祋

[字解] ①몽치 대 무기(武器)의 하나. 모양이 창과 같음. '何戈與一'《詩經》. ②성 대 성(姓)의 하나.

[字源] 篆文 形聲. 殳+示〔音〕

4 ⑨ [神] 충 [平]東 川中切 chōng

[字解] 빌 충, 비울 충 沖(水部 四畫)과 同字. '一禪其辭'《荀子》.

5 ⑩ [祏] 석 [入]陌 常隻切 shí 祏

[字解] ①돌감실 석 돌로 만든 신주를 모시어 두는 장(櫝). '命我先人, 典守宗一'《左傳》. ②신주 석 '一, 宗廟主也'《說文》.

[字源] 甲骨文 篆文 形聲. 示+石〔音〕. 돌을 신주로 모시다의 뜻으로, 일반적으로 신주의 뜻을 나타냄.

◉宗祏.

5 ⑩ [祐] [人名] 우 [去]有 于救切 yòu

[筆順] 一 二 亍 示 礻 礻 祐 祐

[字解] ①도울 우 신(神)이 도와줌. '自天一之'《易經》. ②도움 우 신조(神助). '天一'. '不蒙一'《漢書》.

[字源] 甲骨文 篆文 形聲. 示+右〔音〕. '右우'는 '돕다'의 뜻. '示시'를 더하여, 신의 도움의 뜻을 나타냄.

[祐助 우조] 신조(神助).

◉嘉祐. 降祐. 冥祐. 薄祐. 保祐. 福祐. 祥祐. 神祐. 靈祐. 帝祐. 天祐. 享祐. 皇祐. 休祐.

5 ⑩ [祓] 불 [入]物 敷勿切 fú

[字解] 떨 불 ㉠신(神)에게 빌어 재액을 제거함. '一禊'. '祝一社'《左傳》. 또, 그 행사. '秋一濯流, 春禊一浮醴'《謝朓》. ㉡폐해(弊害)를 제거하고 오예(汚穢)를 떨어 버림. '一飾厥文'《漢書》.

[字源] 篆文 形聲. 示+犮〔音〕. '犮발'은 재앙을 제거하기 위해 개를 희생으로 죽이는 모양을 본뜸. '示시'를 더하여, 재앙이나 부정을 떨다, '제거하다'의 뜻을 나타냄.

[祓禊 불계] 신(神)에게 빌어 재액(災厄)을 떨어 버림. 또, 그 제사.

[祓除 불제] 재액(災厄)을 떨어 버림.

◉修祓. 齋祓. 湔祓. 澡祓. 清祓.

5 ⑩ [祔] 부 [去]遇 符遇切 fù

[字解] ①합사할 부 삼년상(三年喪)이 끝난 뒤에 그 신주(神主)를 사당에 모셔 한곳에서 제사 지냄. '明日一於祖父'《禮記》. ②합장할 부 한곳에 함께 묻음. '一窆雙魂, 淑聲無窮'《權德輿》.

[字源] 篆文 形聲. 示+付〔音〕. '付부'는 모아 합치다의 뜻. 자손의 영위(靈位)를 조상의 무덤에 합쳐 모시다의 뜻을 나타냄.

[祔窆 부폄] 한 무덤 안에 같이 장사 지냄. 합장(合葬).

5 ⑩ [祕] [高·人] 비 [去]寘 兵媚切 mì

[筆順] 一 二 示 示 礻 祕 祕 祕

[字解] ①숨길 비 비밀히 함. '一不發喪'《十八史略》. '無一爾音'《陸雲》. ②신비할 비 심오하여 알 수 없음. '深一'. '其計一, 世莫得聞'《史記》. ③오의 비 알기 어려운 매우 깊은 뜻. '眞是千古聖傳之一'《傳習錄》. ④성 비 성(姓)의 하나.

[字源] 篆文 形聲. 示+必〔音〕. '必필'은 '閉폐'와 통하여, '닫다'의 뜻. 닫혀진 신의 세계의 모양에서, 심오하여 알 수 없다, '숨기다'의 뜻을 나타냄.

[參考] 秘(禾部 五畫)는 俗字.

[祕閣 비각] 비서(祕書)를 보관하는 곳.
[祕訣 비결] 감추어 두고 남에게 알리지 아니하는 비밀(祕密)한 방법(方法).
[祕結 비결] 변비증(便祕症).
[祕境 비경] ㉠신비스러운 경지. ㉡남이 모르는 장소.
[祕計 비계] 비밀(祕密)한 꾀.
[祕庫 비고] 비부(祕府).
[祕曲 비곡] 비밀히 전수(傳授)하여 오는 음곡.
[祕館 비관] 비각(祕閣).
[祕記 비기] 길흉화복을 예언한 기록.
[祕錄 비록] 비밀한 기록.
[祕謀 비모] 비계(祕計).
[祕文 비문] ㉠비밀의 글. ㉡세상에 나타나지 아니한 희귀한 서적. ㉢비밀한 주문(呪文).
[祕密 비밀] ㉠남에게 알리지 않고 몰래 하는 일. ㉡심오(深奧)하여 잘 알기 어려운 법문(法文).
[祕密結社 비밀결사] 정부(政府)에 대하여 그 존재(存在)·목적(目的)·규정(規定) 등을 숨기는 결사(結社).
[祕方 비방] 비밀(祕密)한 방법(方法). 비밀로 전수(傳受)하는 약방문.
[祕法 비법] 비밀(祕密)한 법(法).
[祕寶 비보] 비장(祕藏)하여 두는 보배.
[祕封 비봉] 남에게 알리지 아니하려고 엄중히 봉함.
[祕府 비부] 소중한 물품 특히 비서(祕書)를 보관하는 곳집.
[祕事 비사] 비밀한 일.
[祕色 비색] 푸른빛. 청자기(靑磁器)의 빛.
[祕書 비서] ㉠천자(天子)의 장서(藏書). ㉡비밀의 문서. 비장(祕藏)한 서적. ㉢기밀한 문서 및 그 사무를 맡아보는 직무.
[祕書監 비서감] 궁중(宮中)의 비밀의 기록(記錄)을 관장(管掌)하는 벼슬.
[祕術 비술] 비밀(祕密)히 전하여 온 술법(術法).
[祕藥 비약] 비방(祕方)으로 만든 신비(神祕)하고 신효(神效)한 약(藥).
[祕鑰 비약] 비밀한 열쇠.
[祕奧 비오] 비밀(祕密)하고 심오(深奧)함.
[祕蘊 비온] 비결(祕訣).
[祕玩 비완] 비장(祕藏)하여 애완(愛玩)하는 물건.
[祕要 비요] ㉠비밀히 하여 두는 요지(要旨). ㉡비밀하고 중요함.
[祕隱 비은] 숨어 알려지지 아니함.
[祕藏 비장] 비밀(祕密)히 잘 간직함. 또, 그 물건.
[祕籍 비적] 용이하게 입수(入手)할 수 없는 책. 진본(珍本).
[祕傳 비전] 비밀(祕密)히 전하여 내려옴. 또, 그 술법.
[祕劑 비제] 비약(祕藥).
[祕策 비책] 비계(祕計).
[祕學 비학] 신비(神祕)한 학문(學問). 곧, 천문(天文)·산수(算數)·역(曆)·음양(陰陽)·점후(占候) 등의 학문.
[祕畫 비화·비획] ㉠비장(祕藏)한 그림. ㉡비계(祕計).
[祕戲 비희] 비밀히 하는 장난. 특히 남녀간의 음

란한 짓.
[祕戲圖 비희도] 남녀의 음란한 짓을 그린 그림. 춘책(春冊). 춘화도(春畫圖).
◉極祕. 奇祕. 機祕. 默祕. 便祕. 守祕. 神祕. 深祕. 嚴祕. 靈祕. 奧祕. 幽祕. 隱祕. 尊祕. 珍祕. 樞祕. 沖祕. 緘祕.

5 ⑩ [祖] 中人 조 ㊤麌 則古切 zǔ 祖 祖

筆順 一 二 亍 示 礻 礼 祁 祖

字解 ①할아비 조, 할아버지 조 부친의 부친. '一考'. '惟乃一乃父'《書經》. ②선조 조 조상. '始一'. '不敢遺其一'《禮記》. ③시조 조 개조(開祖). '元一'. '鼻一'. '晉以顧長康張僧繇陸微, 爲畫家三一'《因話錄》. 또, 사물에도 이름. '離騷爲詞賦之一'《楚辭》. ④사당 조 조상의 신주를 모신 곳. '左一右社'《周禮》. ⑤본받을 조 본뜸. 모방함. '一述'. '一張儀之故智'《史記》. ⑥행로신 조 도중(道中)의 안녕(安寧)을 지키는 신(神). '公將往, 夢襄公一'《左傳》. ⑦길제사지낼 조 먼 길을 떠날 때 행로신(行路神)에게 제사 지내는 일. 또, 그때 송별연을 베푸는 일. '一道'. '一宴'. '一於江陵北門'《漢書》. ⑧성조 성(姓)의 하나.

字源 甲骨文 金文 篆文 形聲. 示+且〔音〕. '且조'는 고기를 얹어 놓은 제기를 본뜬 것. 제물을 바쳐 제사 지내는 조상의 뜻을 나타냄.

[祖考 조고] 돌아간 할아버지.
[祖故智 조고지] 옛날의 계략(計略)을 본뜸.
[祖國 조국] ㉠자기(自己)의 조상(祖上) 때부터 사는 나라. ㉡민족의 일부 또는 국토의 일부가 떨어져서 딴 나라에 합쳤을 적에 그 본디의 나라.
[祖道 조도] 여행할 때에 조신(祖神)을 제사 지내는 일. 옛적에 황제(黃帝)의 아들 누조(纍祖), 일설(一說)에는 공공씨(共工氏)의 아들 수(脩)가 여행하기를 좋아하여 행로(行路)에서 죽었으므로, 후인(後人)이 행로신(行路神)으로 모셨음.
[祖靈 조령] 조상의 신령.
[祖龍 조룡] 진시황(秦始皇)의 이칭(異稱).
[祖母 조모] 할머니.
[祖廟 조묘] 조상의 신주(神主)를 모신 사당(祠堂).
[祖武 조무] 조상이 남긴 공적(功績).
[祖父 조부] ㉠할아버지. ㉡할아버지와 아버지.
[祖妣 조비] 돌아간 할머니.
[祖祠 조사] 조묘(祖廟).
[祖師 조사] ㉠한 학파(學派)를 창시(創始)한 사람. ㉡《佛敎》 한 교파(敎派)를 개창(開創)한 사람. 선종(禪宗)의 달마 대사(達磨大師) 같은 이.
[祖上 조상] 대대(代代)의 어른.
[祖生鞭 조생편] 남보다 먼저 착수함.
[祖先 조선] 조상(祖上).
[祖先敎 조선교] 조상의 신령을 숭배하고 제사하는 종교.
[祖孫 조손] 할아버지와 손자.
[祖送 조송] 전송(餞送)함.
[祖述 조술] 스승의 도(道)를 본받아서 서술하여 밝힘.
[祖神 조신] 도로(道路)의 신(神). 공공씨(共工氏)의 아들 수(脩), 일설(一說)에는 황제(黃帝)의 아들 누조(纍祖)가 멀리 놀러 다니기를 좋아하다가 길에서 죽었고, 후에 조신(祖神)이라 하여 받들고, 도로(道路)의 복(福)을 빌었음.
[祖業 조업] 조상(祖上) 때부터 전하여 오는 가업(家業).
[祖宴 조연] 전송(餞送)하는 잔치.
[祖筵 조연] 조연(祖宴). 또, 그 자리.
[祖帳 조장] 전송(餞送)하는 데 친 장막.
[祖餞 조전] 전송(餞送)함.
[祖宗 조종] ㉠임금의 시조(始祖)와 중흥(中興)의 조(祖). ㉡대대의 임금.
[祖統 조통] 조상의 유업(遺業).
[祖行 조항] 할아버지와 같은 항렬.
[祖訓 조훈] 조상(祖上)의 훈계(訓戒).
◉開祖. 高祖. 敎祖. 乃祖. 累祖. 無形者物之大祖. 文祖. 父祖. 佛祖. 鼻祖. 師祖. 蛇祖. 先祖. 禪祖. 始祖. 烈祖. 藝祖. 外祖. 元祖. 遠祖. 田祖. 傳祖. 宗祖. 曾祖. 初祖. 太祖. 彭祖. 皇祖.

5 ⑩ [祗] 人名 지 ㊥支 旨夷切 zhī 祗 祗

筆順 一 二 亍 示 礻 祇 祗 祗

字解 공경할 지 경의를 표함. '一承于帝'《書經》.

字源 金文 篆文 形聲. 示+氐〔音〕. '氐저'는 '愼신'과 통하여, '삼가다'의 뜻. '示시'를 더하여, 그 뜻을 분명히 함.

參考 祇(示部 四畫)는 別字.

[祗敬 지경] 공경함.
[祗服 지복] 공경하며 복종함.
[祗奉 지봉] 공경하여 받듦. 공경하여 섬김.
[祗送 지송] 백관(百官)이 임금의 거가(車駕)를 공경하여 보냄.
[祗受 지수] 임금의 하사(下賜)를 공경하여 받음.
[祗肅 지숙] 공경하고 삼감.
[祗順 지순] 삼가 복종함. 공경하여 따름.
[祗仰 지앙] 삼가 우러름.
[祗若 지약] 지복(祗服).
[祗役 지역] 삼가 군명(君命)을 받들고 멀리 감.
[祗慄 지율] 공경하고 두려워함.
[祗莊 지장] 공경하고 엄숙함.
[祗候 지후] 공경하여 문후(問候)함.
◉虔祗. 肅祗.

5 ⑩ [祚] 人名 조 ㊤遇 昨誤切 zuò 祚 祚

筆順 一 二 亍 示 礻 祚 祚 祚

字解 ①복 조 복록. 행복. '福一'. '休一'. ②복내릴 조 복을 내려 줌. '天一明德'《左傳》. ③자리 조 천자(天子)의 지위. '踐一'. '卒踐帝一'《史記》. ④해 조 일 년. '初歲元一'《曹植》.

字源 篆文 形聲. 示+乍〔音〕. '乍자'는 '胙조'와 통하여, '보답하다, 복'의 뜻. 신이 보답으로서 내려 주는 '행복'의 뜻을 나타냄.

[祚慶 조경] 행복. 경사(慶事).
[祚命 조명] 하늘이 복을 내려 도움.

[祚胤 조윤] 자손(子孫).
◉嘉祚. 景祚. 慶祚. 光祚. 吉祚. 德祚. 登祚. 門祚. 寶祚. 福祚. 丕祚. 錫祚. 攝祚. 聖祚. 受祚. 餘祚. 年祚. 延祚. 永祚. 榮祚. 靈祚. 運祚. 傳祚. 鼎祚. 帝祚. 重祚. 天祚. 踐祚. 遐祚. 顯祚. 皇祚. 休祚.

5 ⑩ [祛] 人名 거 ㊥魚 丘於切 gū

字解 ①떨 거 떨어 깨끗이 함. '合—於天地神祇'《漢書》. ②셀 거 강한 모양. '以車——'《詩經》.
字源 形聲. 示+去〔音〕. '去거'는 '제거하다'의 뜻. 신에 빌어서 재앙을 제거하다의 뜻을 나타냄.

[祛祛 거거] 센 모양. 강한 모양.

5 ⑩ [祒] 一 초 ㊥蕭 田聊切 tiáo 二 소 ㊤篠 市沼切

字解 一 사람이름 초. 二 사람이름 소.

5 ⑩ [祜] 人名 호 ㊤麌 侯古切 hù

筆順 一 二 亍 亓 示 示一 示十 祜
字解 복 호 행복. 복록. '受天之—'《詩經》.
字源 金文 篆文 形聲. 示+古〔音〕. '古고'는 '固고'와 통하여, '굳다'의 뜻. 신에게서 내려진 확고한 것, '행복'의 뜻을 나타냄.

◉多祜. 薄祜. 福祜. 神祜. 天祜. 皇祜. 休祜.

5 ⑩ [祝] 中人 축 ㊇屋 之六切 zhù

筆順 一 二 亍 亓 示 示口 示口 祝
字解 ①빌 축 신에게 기원함. '—福'. ②하례할 축 축하함. '慶—'. '—宴'. '請—聖人'《莊子》. 또, 하례. 경하. '犀首跪行, 爲儀千秋之—'《戰國策》. ③짤 축 직물을 짬. '素絲—之'《詩經》. ④축읽을 축 축문을 읽어 신에게 고함. '侯作侯—'《詩經》. ⑤끊을 축 절단함. '—髮文身'《穀梁傳》. ⑥축문 축 신(神)에게 고하는 말. '使東方朔枚皐作禖—'《漢書》. 또, 축문을 읽는 사람. '工—致告'《詩經》. ⑦성 축 성(姓)의 하나.
字源 甲骨文 金文 篆文 會意. 示+儿+口. '儿인'은 사람이 무릎을 꿇은 모양을 본뜸. '口구'는 기도하는 말의 뜻. 행복을 구하여 '빌다, 축하하다'의 뜻을 나타냄.

[祝慶 축경] 축하(祝賀).
[祝規 축규] ㉠축하함과 훈계함. ㉡축하하는 동시에 훈계(訓戒)함.
[祝禱 축도] ㉠신명(神明)에 고하여 빎. ㉡기독교(基督教)에서 목사(牧師)가 하느님께 축복(祝福)을 비는 의식(儀式).
[祝文 축문] 제사(祭祀) 때 신명(神明)에게 고(告)하는 글.
[祝髮 축발] 머리를 깎음.
[祝杯 축배] 축하(祝賀)하는 술잔.
[祝福 축복] 앞길의 행복(幸福)을 빎.
[祝史 축사] 신명(神明)에 고하는 일을 맡은 벼슬아치.
[祝辭 축사] 축하(祝賀)하는 말.
[祝手 축수] 두 손바닥을 마주 대고 빎.
[祝壽 축수] 오래 살기를 빎.
[祝勝 축승] 전승(戰勝)의 축하.
[祝藥 축약] 약을 바름. 또는 바르는 약.
[祝言 축언] 축하의 말.
[祝延 축연] 장수(長壽)를 축하함.
[祝宴 축연] 축하(祝賀)하는 잔치.
[祝筵 축연] 축연(祝宴). 또, 그 자리.
[祝願 축원] 잘되기를 빎.
[祝融 축융] ㉠불을 맡은 신(神). 전(轉)하여, 화재(火災). ㉡여름을 맡은 신(神).
[祝融峰 축융봉] 후난 성(湖南省)에 있는 형산 산(衡山)의 최고봉(最高峰). 봉우리 위에 축융(祝融)의 묘(墓)가 있음.
[祝意 축의] 축하(祝賀)의 뜻을 표하는 의사(意思).
[祝儀 축의] 축전(祝典).
[祝日 축일] 경사를 축하하는 날.
[祝典 축전] 축하하는 의식(儀式)이나 식전(式典).
[祝電 축전] 축하하는 전보(電報).
[祝酒 축주] 축하하는 술.
[祝捷 축첩] 축승(祝勝).
[祝砲 축포] 축하(祝賀)하는 뜻을 표(表)하기 위하여 쏘는 공포(空砲).
[祝賀 축하] 경사를 치하(致賀)함.
◉慶祝. 工祝. 巫祝. 奉祝. 祕祝. 尸祝. 心祝. 野祝.

5 ⑩ [神] 中人 신 ㊥眞 食隣切 shén

筆順 一 二 亍 亓 示 示㇆ 示日 神
字解 ①귀신 신 ㉠하늘의 신(神). 하느님. 상제(上帝). '攘竊—祇之犧牷牲用'《書經》. ㉡신령. '水—'. '雲陽有涇路—'《漢書》. ②신선 신 선인(仙人). '方士求—者'《史記》. ③혼 신 영혼. 마음. '精—'. '—飛魄散'. '費—傷魂'《呂氏春秋》. ④정기 신 정수(精粹)한 기운. '天之—棲乎日, 人之—棲乎目'《皇極經世》. ⑤영묘할 신 신비(神祕)스러움. 또, 변화무쌍함. '—妙'. '聖而不可知之, 之謂—'《孟子》. ⑥성 신 성(姓)의 하나.
字源 金文 金文 篆文 形聲. 示+申〔音〕. 金文에서는 '申신'과 같은 자로, 번갯불을 본뜬 것이 있음. 번갯불의 象形에서, 하늘의 신의 뜻을 나타내고, 일반적으로 '신'의 뜻을 나타냄.

[神降 신강] 신이 천상(天上)에서 내려옴.
[神劍 신검] ㉠신명(神明)이 내린 칼. 또는 신명에게 바친 칼. ㉡신령(神靈)한 칼.
[神譴 신견] 신벌(神罰).
[神經 신경] 동물의 체내(體內)에 분포(分布)하여 감각·지각(知覺)·운동을 전달하는 기관(器官).
[神境 신경] 선경(仙境).
[神經家 신경가] 신경질적인 사람.
[神經質 신경질] ㉠신경(神經)이 너무 예민(銳敏)한 성질(性質). ㉡사물(事物)에 감동(感動)하기 쉽고 성질(性質)이 급하나 우유부단한 기질(氣質).

[神工 신공] ㉠신(神)의 제작물. ㉡영묘(靈妙)한 제작. 또, 그 물건.
[神功 신공] 신(神)의 공덕(功德). 또, 신(神)과 같은 영묘(靈妙)한 공훈.
[神怪 신괴] 괴이함. 또, 그러한 물건.
[神交 신교] ㉠정신상 교제(精神上交際). 마음이 서로 맞아 사귀는 일. ㉡영묘(靈妙)한 사귐.
[神君 신군] ㉠도가(道家)의 신(神). ㉡'신처럼 공덕이 높은 사람'의 뜻으로, 현명한 지방 장관을 일컫는 말.
[神宮 신궁] 신(神)을 모신 사당.
[神權說 신권설] 제왕(帝王)의 통치권은 신이 직접 준 것이라는 학설.
[神龜 신귀] 신령한 거북.
[神技 신기] 신묘(神妙)한 기술(技術).
[神奇 신기] 신묘(神妙)하고 기이함.
[神祇 신기] 하늘의 신령(神靈)과 땅의 신령. 천신지기(天神地祇). 신명(神明).
[神氣 신기] ㉠만물 생성(生成)의 원기(元氣). ㉡이상한 운기(雲氣). ㉢정신과 기력(氣力). ㉣절묘(絶妙)한 풍취(風趣).
[神器 신기] ㉠제위(帝位) 승통(承統)의 표시로 하는 기물(器物). 옥새(玉璽) 같은 것. ㉡제위(帝位). ㉢신령(神靈)한 기물. ㉣사람의 기량(器量).
[神機 신기] ㉠영묘(靈妙)한 작용(作用). ㉡신묘한 계략(計略).
[神女 신녀] 여성(女性)의 신(神). 천녀(天女).
[神怒 신노] 신명(神明)의 진노(震怒).
[神農 신농] ㉠중국 고전설(古傳說) 중의 제왕(帝王). 성(姓)은 강(姜)임. 백성에게 농경(農耕)을 가르쳤으며, 시장(市場)을 개설하여 교역(交易)의 길을 열었다고 함. 농업의 신, 의약(醫藥)의 신, 역(易)의 신, 불의 신으로 숭앙됨. 염제(炎帝). 신농씨(神農氏). ㉡토신(土神)의 별칭(別稱).
[神農氏 신농씨] 신농(神農) ❶.
[神農虞夏 신농우하] 염제 신농씨(炎帝神農氏)와 제순 유우씨(帝舜有虞氏)와 하(夏)나라의 우왕(禹王). 모두 태고(太古)의 성왕(聖王)임.
[神堂 신당] 신령을 모신 집.
[神刀 신도] 신기하게 잘 드는 칼.
[神道 신도] ㉠신묘(神妙)한 도(道). ㉡이상한 재주. ㉢산소(山所)에 가는 도로(道路).
[神道碑 신도비] 신도(神道)에 세운 비(碑). 또, 그 비문. 우리나라에서는 종이품(從二品) 이상의 고관의 무덤에 한하여 세울 수 있었음.

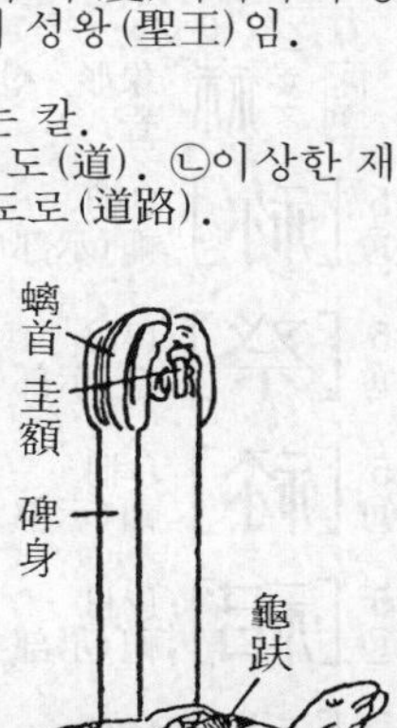

螭首
圭額
碑身
龜趺

[神道碑]

[神荼鬱壘 신도울루] 문을 맡아 악귀(惡鬼)를 쫓는 귀신의 이름.
[神童 신동] 재주와 지혜가 특별히 뛰어난 아이.
[神燈 신등] ㉠이상한 등불. ㉡신명(神明) 앞에 켜는 등불.
[神來 신래] 신(神)이 옴. 또, 신에게서 나옴.
[神略 신략] 뛰어난 계략.
[神慮 신려] ㉠신명(神明)의 마음. ㉡임금의 마음. ㉢마음.
[神力 신력] ㉠신(神)의 힘. ㉡신통(神通)한 힘. 영묘한 작용.
[神靈 신령] ㉠신명(神明). ㉡신기하고 영묘함. ㉢영혼(靈魂). ㉣사람의 영혼(靈魂).
[神路 신로] 사당(祠堂)으로 가는 길.
[神籟 신뢰] 영묘한 자연의 소리. 전(轉)하여, 절묘한 음악이나 시문.
[神馬 신마] 비상한 준마(駿馬).
[神媒 신매] 혼인(婚姻)을 맡은 신(神).
[神明 신명] ㉠하늘의 신령(神靈)과 땅의 신령. 신기(神祇). ㉡사람의 마음. 정신(精神).
[神謀 신모] 신략(神略).
[神木 신목] 진기(珍奇)한 나무.
[神妙 신묘] 신기하고 영묘(靈妙)함.
[神廟 신묘] 조상의 신주를 모신 사당.
[神武 신무] 뛰어난 무용(武勇).
[神物 신물] ㉠영묘(靈妙)한 물건. ㉡신선(神仙).
[神方 신방] 신기한 효험이 있는 약방문(藥方文).
[神罰 신벌] 신명(神明)이 내리는 벌.
[神變 신변] 인지(人智)로 알 수 없는 무궁무진한 변화.
[神兵 신병] ㉠신이 보낸 군사. ㉡신기한 군사. 귀신과 같은 상승(常勝)의 군사.
[神寶 신보] 신(神)처럼 소중히 여기는 보배.
[神父 신부] 천주교(天主敎) 교직(敎職)의 하나. 그 전도구(傳道區)를 관할(管轄)함.
[神符 신부] 영묘한 부적.
[神佛 신불] 신령(神靈)과 부처.
[神不享非禮 신불향비례] 신명(神明)은 제사 지낼 자격이 없는 사람의 제사는 흠향(歆享)하지 아니함.
[神不歆非類 신불흠비류] 신령(神靈)은 그 족속(族屬)이 아닌 사람의 제사는 받지 아니함.
[神祕 신비] ㉠비밀에 부쳐 남에게 알리지 않음. ㉡이론(理論)이나 인식(認識)을 초월(超越)한 일.
[神祕主義 신비주의] 직관(直觀)에 의하여 현실을 초월하여 진리에 도달하려는 주의.
[神事 신사] ㉠신(神)을 제사 지내는 일. ㉡신선(神仙)에 관한 일.
[神祠 신사] 신(神)을 제사 지내는 사당.
[神算 신산] 신기로운 꾀.
[神璽 신새] 천자(天子)의 국새(國璽).
[神色 신색] 정신과 안색.
[神書 신서] 신(神)이 지은 책.
[神仙 신선] 선도(仙道)를 닦아서 도통(道通)하여 장생불사(長生不死)하는 사람.
[神僊 신선] 신선(神仙).
[神仙家 신선가] 신선의 도를 닦는 학파.
[神仙中人 신선중인] 인품이 썩 고상한 사람.
[神性 신성] ㉠마음. ㉡신의 성질. 또는 신과 같은 성질.
[神聖 신성] 거룩함. 영묘(靈妙)하고 존엄(尊嚴)함.
[神速 신속] 신기할 만큼 빠름.
[神授 신수] 하늘이 줌. 신명(神明)이 줌. 천수(天授).
[神術 신술] 신기(神奇)한 술법(術法). 불가사의(不可思議)한 재주.
[神識 신식] 정신과 견식(見識).
[神樂 신악] 영묘(靈妙)한 음악.
[神藥 신약] 신효(神效)가 있는 약.
[神輿 신여] 신령이 타는 수레.
[神剜鬼刻 신완귀각] 귀신이 조각한 것처럼 산수(山水)와 암석의 모양이 기발(奇拔)함을 이름.

[神勇 신용] 사람으로서는 상상 못할 용기.
[神佑 신우] 신의 도움.
[神韻 신운] ㉠고상한 풍도(風度). ㉡신비하고 고상한 운치(韻致).
[神意 신의] 신의 마음.
[神醫 신의] 귀신(鬼神)같이 병(病)을 잘 고치는 「의사.
[神異 신이] 아주 이상함.
[神人 신인] ㉠신과 사람. ㉡신령한 사람.
[神姿 신자] ㉠거룩한 모습. ㉡신색(神色).
[神將 신장] ㉠신병(神兵)을 거느리는 장수. ㉡신과 같은 장수. ㉢장수격을 가진 귀신.
[神漿 신장] 감로(甘露).
[神哉 신재] 신묘(神妙)하구나 하고 감탄하는 말.
[神典 신전] 신의 사적(事跡)을 적은 책.
[神前 신전] 신(神)의 앞.
[神殿 신전] 신령(神靈)을 모신 전각.
[神情 신정] 심정(心情). 마음.
[神助 신조] 신우(神佑).
[神造 신조] ㉠신(神)이 만든 물건. ㉡신묘(神妙)한 조작(造作). 또, 신묘하게 만들어진 물건.
[神主 신주] ㉠하늘을 대신하여 백성을 다스리는 사람. ㉡산천초목 등의 신령. ㉢죽은 사람의 위패(位牌).
[神州 신주] ㉠중국 사람이 자기 나라를 일컫는 말. ㉡신선이 있는 곳. ㉢경기(京畿).
[神呪 신주] 주문(呪文).
[神智 신지] ㉠슬기. 지혜. ㉡신기(神奇)한 지혜.
[神職 신직] 신관(神官).
[神饌 신찬] 신의 제사에 올리는 주식(酒食).
[神采 신채] 신색(神色).
[神彩 신채] 신색(神色).
[神策 신책] ㉠신략(神略). ㉡점치는 데 쓰는 시초(蓍草).
[神出鬼沒 신출귀몰] 마음대로 출몰(出沒)하여 변화가 무궁무진함.
[神敕 신칙] 신탁(神託).
[神託 신탁] 신의 명령, 분부, 또는 대답.
[神通 신통] 모든 것을 신기롭게 통달하는 일.
[神通力 신통력] 모든 것을 마음대로 할 수 있는 신기한 힘.
[神通之力 신통지력] 신통력(神通力).
[神品 신품] 가장 훌륭한 물품.
[神風 신풍] 신(神)의 위력(威力)으로 부는 바람.
[神學 신학] 종교(宗敎)의 사실 및 원리에 관한 조직적 연구를 하는 학문.
[神魂 신혼] 영혼.
[神化 신화] ㉠신기한 변화. ㉡정신 교통(交通)의 변화. ㉢신의 조화. ㉣신으로 화함.
[神話 신화] 신(神)을 중심(中心)으로 한, 역사(歷史)가 있기 이전(以前)의 전설(傳說).
[神效 신효] 신기한 효험(效驗).
◉敬神. 谷神. 過化存神. 怪力亂神. 軍神. 群神. 鬼神. 貴神. 金剛神. 亂神. 雷神. 大神. 道祖神. 魔神. 明神. 牧神. 武神. 放神. 百神. 蕃神. 騁神. 山神. 傷神. 喪神. 庶神. 城隍神. 水神. 識神. 失神. 心神. 嶽神. 女神. 如神. 媼神. 龍神. 威神. 凝神. 怡神. 一神. 入神. 潛神. 傳神. 錢神. 精神. 祖神. 存神. 主神. 至誠感神. 至誠如神. 至神. 稷神. 天神. 土神. 風神. 海神. 花神.

5 ⑨ [神] 神(前條)과 同字

5 ⑩ [祠] 사 ㊤支 似茲切 cí

字解 ①제사지낼 사 신(神)에게 제사를 지냄. '各自奉—'《漢書》. 또, 소원이 성취된 보답으로 제사를 지냄. '—賽'. '上行幸河東, —后土'《漢武帝》. ②제사 사 봄의 제사. '禴—烝嘗'《詩經》. ③신 사 제사 지내는 신(神). '諸神—皆聚'《史記》. ④사당 사 ㉠가묘(家廟). '先—'. ㉡신(神)을 제사 지내는 곳. '忠烈—'.

字源 甲骨文 金文 篆文 形聲. 示+司〔音〕. '示시'는 신에 관한 일을 나타냄. '司사'는 신의 뜻을 말로써 헤아려 알다의 뜻. 봄 제사의 뜻을 나타냄. 봄에는 목축에 지장을 초래하지 않도록 희생을 쓰지 않고, 축문을 주로 했기 때문이라고 함.

[祠官 사관] 신관(神官).
[祠器 사기] 제기(祭器).
[祠壇 사단] 제단(祭壇).
[祠堂 사당] 신주(神主)를 모시는 집.
[祠禱 사도] 제사를 지내며 복을 빎.
[祠廟 사묘] 사당(祠堂).
[祠兵 사병] 출진(出陣)하여 근교(近郊)에 진을 쳤을 때 제육(祭肉)을 군사에게 호궤(犒饋)하는 일.
[祠祀 사사] 제사 지냄.
[祠屋 사옥] 사당(祠堂).
[祠宇 사우] 사당(祠堂).
[祠院 사원] 사당(祠堂)과 서원(書院).
[祠祭 사제] 제사(祭祀).
◉監祠. 潔祠. 古祠. 舊祠. 祺祠. 禱祠. 望祠. 報祠. 葆祠. 奉祠. 佛祠. 社祠. 生祠. 先祠. 小祠. 崇祠. 禴祠. 靈祠. 遙祠. 類祠. 淫祠. 仁祠. 禋祠. 湛祠. 齋祠. 祖祠. 種祠. 重祠. 稷祠. 叢祠. 解祠. 行祠. 昏祠. 荒祠.

5 ⑩ [祘] 산 ㊡翰 蘇貫切 suàn

字解 헤아릴 산 잘 살펴보고 셈함. '—, 明視以算之'《說文》.

字源 篆文 象形. 산가지를 늘어놓은 모양을 본뜸.

5 ⑩ [祢] 〔녜〕
禰(示部 十四畫〈p. 1606〉)와 同字

5 ⑩ [祭] 〔제〕
祭(示部 六畫〈p. 1598〉)의 俗字

5 ⑩ [祢] 〔녜〕
禰(示部 十四畫〈p. 1606〉)와 同字

5 ⑩ [祖] 〔사〕
祀(示部 三畫〈p. 1590〉)와 同字

5 ⑩ [祑] 〔앙〕
殃(歹部 五畫〈p. 1148〉)의 古字

5 ⑩ [祟] 수 ㊡寘 雖遂切 suì

字解 ①빌미 수 귀신(鬼神)이 내리는 재앙. '災—'. '神—'. '實沈臺駘爲—'《左傳》. ②빌미내릴 수 귀신이 재앙을 내림. '其鬼不—'《莊子》.

[字源] 篆文 祟 形聲. 示+出〔音〕. '出출'은 '쫓아내다'의 뜻. 신에게 쫓겨나다, 귀신이 내리는 재앙, '빌미'의 뜻을 나타냄.

◉怪祟. 神祟. 災祟. 除祟. 禍祟.

5 ⑩ [祑] 질 [入]質 直質切 zhì

[字解] 제사차례 질 제사의 순서.

5 ⑩ [祡] 시 [平]佳 士佳切 chái

[字解] 시제사 시 섶을 때어 하늘에 지내는 제사. 또, 그 제사를 지냄. 柴(木部 五畫)와 同字. '欽—宗祈'《揚雄》.

[字源] 篆文 祡 形聲. 示+此〔音〕. '此차'는 '柴시'와 통하여, '섶'의 뜻. 섶을 때어 하늘에 지내는 '제사'의 뜻을 나타냄.

6 ⑪ [祥] [高人] 상 [平]陽 似羊切 xiáng 祥

[筆順] 二 亍 亓 示 礻 祥 祥 祥

[字解] ①복 상 행복. 복록. '襲于休—'《書經》. ②재앙 상 재화(災禍). '妖孼自外來, 謂之—'《漢書》. ③조짐 상 길흉의 전조. '—瑞'. '吉—'. '兇—'. '國家將興, 必有禎—'《中庸》. ④제사 상 상중(喪中)의 제사. '小—'은 기년제(期年祭), '大—'은 삼년상. '期而小—'《禮記》. ⑤자세할 상 詳(言部 六畫)과 통용. '陰陽之術, 大—'《史記》. ⑥성 상 성(姓)의 하나.

[字源] 篆文 祥 形聲. 示+羊〔音〕. '羊양'은 '巨거'와 통하여, '크다'의 뜻. 신에 관한 큰 일의 뜻에서, '행복'의 뜻을 나타냄.

[祥慶 상경] 경사(慶事).
[祥光 상광] 상서로운 빛.
[祥靈 상령] 상서로운 신령.
[祥夢 상몽] 좋을 조짐이 있을 꿈. 길몽(吉夢).
[祥鳳 상봉] 길조(吉兆)로 나타나는 봉새.
[祥符 상부] 상서(祥瑞).
[祥氛 상분] 상서로운 기운.
[祥瑞 상서] 길(吉)한 조짐. 길조(吉兆).
[祥祐 상우] 하늘의 도움. 신의 도움. 복(福).
[祥雲 상운] 상서로운 구름.
[祥運 상운] 상서로운 운수.
[祥肉 상육] 대상(大祥)에 쓰는 고기.
[祥應 상응] 상서(祥瑞).
[祥異 상이] 상서와 재변.
[祥兆 상조] 상서로운 조짐. 길조(吉兆). 상서(祥瑞).
[祥風 상풍] 상서로운 바람.
[祥刑 상형] 형벌을 선용(善用)하는 방법.

◉嘉祥. 祺祥. 禨祥. 吉祥. 大祥. 美祥. 發祥. 百祥. 福祥. 符祥. 氛祥. 不祥. 三不祥. 瑞祥. 善祥. 小祥. 殊祥. 淑祥. 異祥. 慈祥. 災祥. 禎祥. 兆祥. 珍祥. 徵祥. 天祥. 休祥.

6 ⑩ [祥] 祥(前條)과 同字

6 ⑪ [祣] 려 [上]語 力擧切 lǚ

[字解] 여제사 려 산천(山川)에 지내는 제사. 또, 그 제사를 지냄. '國有大故, 則—上帝及四望'《周禮》.

6 ⑪ [祧] 조 [平]蕭 吐彫切 tiāo 祧

[字解] 천묘(遷廟) 조 원조(遠祖)를 합사(合祀)하는 사당. '以先君之—處之'《左傳》.

[字源] 篆文 祧 形聲. 示+兆〔音〕. '兆조'는 '헤어지다, 떨어지다'의 뜻. 이제까지 자리 잡고 있던 묘(廟)에서 떠난 천주(遷主)를 합사(合祀)하는 사당의 뜻을 나타냄.

[祧廟 조묘] 원조(遠祖)를 합사(合祀)하는 사당. 천묘(遷廟).

◉廟祧. 宗祧. 合祧.

6 ⑪ [祫] 협 [入]洽 侯夾切 xiá 祫

[字解] 합사 협 조상의 신주를 천묘(遷廟)에 함께 모서 제사 지내는 일. '禘—'. '大事者何, 大—也'《公羊傳》.

[字源] 篆文 祫 形聲. 示+合〔音〕. '合합'은 '합치다'의 뜻. 조상의 모든 신주를 함께 합쳐 제사 지내다의 뜻을 나타냄.

◉禘祫.

6 ⑪ [祮] [一] 활 [入]曷 戶括切 huó
[二] 괄 [入]黠 古頒切
[三] 환 [去]翰 胡玩切 huàn

[字解] [一] 제사지낼 활 '—, 祠也'《廣韻》. [二] ①본받을 괄 따름. '—, 廣雅, 法也'《集韻》. ②제사이름 괄 재앙을 물리치는 제사의 이름. '—, 禳祠名'《廣韻》. [三] 신(神)에보답하는제사 환 '—, 報神祭也'《集韻》.

[字源] 形聲. 篆文은 示+昏〔音〕.

6 ⑪ [祪] 궤 [上]紙 過委切 guǐ
[去]未 歸謂切

[字解] 선조 궤 사당(祠堂)에 함께 모시고 제사 지내는 먼 선조(先祖). '—, 祔—祖也. (段注) 祔, 謂新廟, —, 謂毀廟. 皆祖也'《說文》.

[字源] 篆文 祪 形聲. 示+危〔音〕. '危위'는 '무너지다'의 뜻. 사당이 무너져 없어진 '선조'의 뜻을 나타냄.

6 ⑪ [祩] 주 [平]虞 鍾輸切 zhù

[字解] 방자할 주 남이 못되기를 귀신에게 빎. '—, 博雅, 詛也'《集韻》.

[字源] 形聲. 示+朱〔音〕. '朱주'는 '呪주'와 통하여, '저주하다'의 뜻.

6 ⑪ [祬] 〔지〕
祗(示部 五畫〈p. 1593〉)의 古字

6 ⑪ [票] [高人] 표 ①[平]蕭 卑遙切 piāo
②③[去]嘯 毗召切 piào

[筆順] 一 冂 襾 覀 西 覀 票 票

[字解] ①불똥 표, 불똥튈 표 熛(火部 十一畫)와

同字. '見一如累明'《太玄經》. ②훌쩍날릴 표 가볍게 날리는 모양. '一然逝旗逶蛇'《漢書》. ③쪽지 표 어음·수표 따위. '傳一'. '投一'. '今人以官牌曰一, 約券亦曰一'《品字箋》.
[字源] 篆文 會意. 篆文은 火+䙴. '䙴'는 사람의 시체의 머리 부분을 양손으로 들어 올리는 모양으로, 높이 들다의 뜻. '䙴'의 밑부분의 '一'은 '廾공'의 생략체로, '양손'의 뜻. 불이 높이 날다의 뜻을 나타냄. '熛표'의 原字. 파생하여 날아오르는 종이쪽지, 쪽지의 뜻을 나타냄. '票표'는 '㶾'의 변형임.

[票決 표결] 투표로써 결정함.
[票禽 표금] 빨리 나는 새. 「양.
[票然 표연] 훌쩍 날리는 모양. 가볍게 날리는 모
[票姚 표요] ㉠굳세고 빠른 모양. ㉡한(漢)나라의 무관(武官)의 이름.
[票子 표자] ㉠지폐(紙幣). ㉡어음. 수표. 자(子)는 조자(助字).
[票牌 표패] 표자(票子).
◉開票. 軍票. 得票. 散票. 傳票. 證票. 彩票. 投票.

6 ⑪ [⿱龹示] 권 [去]霰 居倦切 juàn
[字解] 제사(祭祀) 권 餋(食部 六畫)과 同字. '餋, 常山謂祭爲餋, 或从示'《集韻》.

6 ⑪ [祭] [中人] 제 [去]霽 子例切 jì
[筆順] 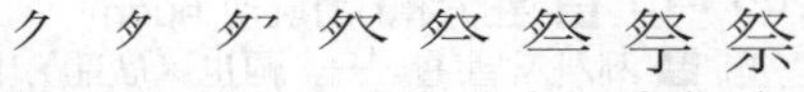
[字解] ①제사지낼 제 신에게 제사를 지냄. '一百神'《禮記》. ②제사 제 제전. '一禮'. '一器不踰竟'《禮記》. ③성 제 성(姓)의 하나.
[字源] 甲骨文 金文 篆文 甲骨文은 피가 뚝뚝 떨어지는 희생의 고기를 손으로 바치는 象形. 金文은 '示시'를 덧붙여 會意로서, 신을 제사 지내다의 뜻을 나타냄. 篆文은 示+又+夕(肉)의 會意.

[祭告 제고] 임금이 국가 또는 제왕가의 대사(大事)를 신명(神明)에 고하고 제사 지내는 일.
[祭官 제관] ㉠제사(祭祀)를 맡은 관원(官員). ㉡제사(祭祀)에 참여(參與)하는 사람.
[祭具 제구] 제사에 쓰는 기구(器具).
[祭器 제기] 제사(祭祀)에 쓰는 기명(器皿).
[祭壇 제단] 제사(祭祀)를 지내는 단(壇).
[祭禮 제례] 제전(祭典).
[祭文 제문] 죽은 이를 조상하는 글. 제물을 올리고 축문처럼 읽음.
[祭門 제문] 사당(祠堂)의 문.
[祭物 제물] 제사(祭祀)에 쓰는 음식물.
[祭服 제복] 제사(祭祀) 때 입는 예복(禮服).
[祭司 제사] 기독교의 성직(聖職)의 이름.
[祭祀 제사] 조상이나 신령에게 음식을 올리고 정성을 표하는 예절.
[祭詩 제시] 자기가 지은 시를 제사(祭祀) 지냄. 작시(作詩)의 고심(苦心)을 위로하기 위함임.
[祭日 제일] 제사(祭祀) 지내는 날.
[祭粢 제자] 제사에 쓰는 서직(黍稷). 전(轉)하여, 제물(祭物).
[祭資 제자] 제사 비용.
[祭典 제전] 제사(祭祀)의 의식(儀式). 제례(祭禮).
[祭奠 제전] ㉠제물(祭物). 제수(祭需). ㉡제사(祭祀).
[祭政 제정] 제사의 일과 정치의 일.
[祭主 제주] 제사를 주관하는 사람.
[祭酒 제주·좨주] ㉠제사에 쓰는 술. ㉡좨주(祭酒)를 보라.
[祭天 제천] 천자가 하느님께 제사를 지내는 일.
[祭饗 제향] 제사(祭祀)의 향연(饗宴).
[祭酒 좨주] ㉠옛날에 회동 향연(會同饗醼)에 존장자(尊長者)가 먼저 술로 땅에 제사 지내던 일. ㉡학정(學政)의 장관의 일컬음.
◉告祭. 冠婚喪祭. 郊祭. 國祭. 獺祭. 大祭. 黷祭. 禡祭. 望祭. 配祭. 氾祭. 兵祭. 報祭. 賻祭. 師祭. 蜡祭. 常祭. 商祭. 喪祭. 小祭. 豺祭. 時祭. 繹祭. 練祭. 例祭. 靈祭. 遙祭. 燎祭. 雩祭. 類祭. 尹祭. 日祭. 葬祭. 脡祭. 弔祭. 主祭. 禘祭. 醮祭. 祝祭. 徧祭. 炮祭. 旱祭. 合祭. 享祭. 血祭. 祫祭.

6 ⑪ [⿰礻⿷匚巳] 〔도〕 禱(示部 十四畫〈p. 1606〉)와 同字

7 ⑪ [祷] 〔도〕 禱(示部 十四畫〈p. 1606〉)의 俗字·簡體字

7 ⑫ [裋] 두 [去]宥 大透切 dòu
[字解] 제사복 두 제사에 바친 음식.
[參考] 裋(衣部 七畫)는 別字.

7 ⑫ [祲] 침 [平]侵 子心切 jìn / [去]沁 子鴆切
[字解] ①햇무리 침 해 주위의 테 모양의 빛. ②요기(妖氣) 침 재앙을 초래하는 요사스러운 기운. '一沴'. '吾見赤黑之一'《左傳》. ③성하게할 침 성대히 함. '天官景從, 一威盛容'《班固》.
[字源] 篆文 形聲. 示+侵〈省〉[音]. '侵침'은 '범하다, 침해하다'의 뜻. 사람의 생활을 침해하여 해치는 기운의 뜻을 나타냄. '示시'는 그것이 신의 뜻에 의한 것으로 여겨졌으므로 덧붙여짐.

[祲沴 침려] 요기(妖氣).
[祲息 침식] 재앙(災殃)이 그침.
◉氣祲. 祥祲. 妖祲.

7 ⑫ [祱] [一] 서 [去]寘 式瑞切 shuì / [二] 세 [去]霽 輸芮切 / [三] 뢰 [去]泰 魯外切 lèi
[字解] [一] 소제 서 소제(小祭). [二] 제사 세 제사. [三] 문제 뢰 문제(門祭).

7 ⑫ [祴] 개 ①[平]灰 古哀切 gāi ②[平]佳 居膎切
[字解] ①풍류이름 개 '一夏'는 고대(古代)의 악장(樂章)의 이름. '陔夏'라고도 함. '以鐘鼓奏九夏. 有一夏'《周禮》. ②벽돌길 개 벽돌을 깐 길.
[字源] 篆文 形聲. 示+戒[音]

[祴夏 개하] 자해(字解)❶을 보라.

7 ⑫ [禂] 〔도〕
禱(示部 十四畫〈p. 1606〉)와 同字

7 ⑫ [祰] 고 [上]晧 苦浩切 gào

[字解] ①고제(告祭)지낼 고 선조에게 고(告)하여 제사 지냄. 고유제(告由祭). ②빌 고 기도함. '一, 禱也'《玉篇》.

[字源] 篆文 形聲. 示+告〔音〕. '告고'는 희생의 소를 바치어 조상의 신주에게 빌고 고하다의 뜻. '示시'를 더하여, 그 제사를 뜻함.

7 ⑫ [祳] 〔신〕
脤(肉部 七畫〈p. 1849〉)과 同字

[字源] 篆文 形聲. 示+辰〔音〕. '辰진·신'은 조개의 象形. 대합조개의 조가비에 담은, 제사에 바치는 날고기의 뜻을 나타냄.

7 ⑫ [禉] 〔유〕
槱(木部 十一畫〈p. 1099〉)와 同字

7 ⑫ [祮] 〔활〕
括(示部 六畫〈p. 1597〉)의 本字

7 ⑫ [禍] 〔화〕
禍(示部 九畫〈p. 1601〉)의 古字

[視] 〔시〕
見部 五畫(p. 2088)을 보라.

8 ⑬ [祺] [人名] 기 [平]支 渠之切 qí 祺

[筆順] 二 亍 示 示 示 祺 祺 祺 祺

[字解] ①복 기 행복. 상서(祥瑞). '壽考維一'《詩經》. ②편안할 기 마음이 편안한 모양. 또, 태연한 모양. '莊然, 一然'《荀子》.

[字源] 篆文 籀文 形聲. 示+其〔音〕.

[祺祥 기상] 행복. 상서(祥瑞).
[祺然 기연] 마음이 편안한 모양. 또, 태연(泰然)한 모양.
◉受祺. 禎祺. 春祺.

8 ⑬ [祼] 관 [去]翰 古玩切 guàn 祼

[字解] 강신제지낼 관 신령의 강림(降臨)을 바라 검은 기장으로 만든 울창(鬱鬯)이라는 술을 땅에 뿌리는 일. '殷士膚敏, 一將于京'《詩經》.

[字源] 篆文 形聲. 示+果〔音〕. '果과'는 '浣완'과 통하여, 물을 흘려 씻다의 뜻. 땅에 술을 부어 신이 내리기를 바라는 제사의 뜻을 나타냄.

[祼將 관장] 울창주를 땅에 뿌려 제사를 지냄.

8 ⑬ [祿] [高人] 록 [入]屋 盧谷切 lù 禄

[筆順] 二 示 礻 祀 祀 祀 祿 祿

[字解] ①복 록 행복. '福一'. '百一是何'《詩經》. ②녹 록 관리의 봉급. '俸一'. '子張學干一'《論語》. 또, '不一'·'無一'은 녹을 다 타먹지 못하고 죽는다는 뜻으로, 죽음을 이름. ③녹줄 록 봉급을 줌. '位定然後一之'《禮記》. ④성 록 성(姓)의 하나.

[字源] 甲骨文 金文 篆文 金文은 象形으로, 우물의 도르래 언저리에 물이 넘쳐 흐르면서 물이 길어 올려지는 모양을 본뜸. 길어 올려지는 물에서, '행복'의 뜻을 나타냄. 파생하여, 벼슬아치의 봉급의 뜻으로도 쓰임. 篆文서부터 '示시'를 덧붙임. 篆文은 示+彔(音)의 形聲임.

[祿命 녹명] 팔자. 운.
[祿米 녹미] 녹(祿)으로 주는 쌀.
[祿俸 녹봉] 관원(官員)의 봉급(俸給).
[祿仕 녹사] 녹(祿)을 타기 위하여 벼슬을 함.
[祿賜 녹사] 녹(祿)과 하사물(下賜物).
[祿位 녹위] 녹(祿)과 지위.
[祿爵 녹작] 녹위(祿位).
[祿秩 녹질] 녹봉(祿俸).
◉家祿. 干祿. 高祿. 官祿. 貫祿. 光祿. 吉祿. 納祿. 儋石之祿. 大祿. 斗祿. 萬鍾祿. 無祿. 美祿. 微祿. 薄祿. 百祿. 福祿. 奉祿. 封祿. 俸祿. 不祿. 茀祿. 世祿. 小祿. 尸祿. 食祿. 失祿. 餘祿. 佞祿. 榮祿. 五斗祿. 利祿. 爵祿. 竊祿. 重祿. 祉祿. 秩祿. 天祿. 天之美祿. 寸祿. 寵祿. 豊祿. 倖祿. 胡祿. 回祿. 後祿. 厚祿.

8 ⑫ [禄]
祿(前條)과 同字

8 ⑫ [禅] 〔선〕 禪(示部 十二畫〈p. 1604〉)의 俗字·簡體字

8 ⑬ [裯] 도 [上]晧 都晧切 dǎo

[字解] 빌 도 禱(示部 十四畫)와 同字. '一牲一馬, 皆掌其祝號'《周禮》.

[字源] 篆文 形聲. 示+周〔音〕

8 ⑬ [祽] 쵀 [去]隊 子對切 zuì

[字解] 삭제(朔祭) 쵀 매월(每月) 지내는 제사(祭祀).

8 ⑬ [禮] 사(자[本]) [去]禡 鋤駕切 zhà

[字解] 납제(臘祭) 사 선달의 납일(臘日)에 백신(百神)에게 지내는 제사. 蜡(虫部 八畫)와 통용. '一, 報祭也, 古之臘曰一'《玉篇》.

[字源] 形聲. 示+昔〔音〕

8 ⑬ [裪] 도 [平]豪 徒刀切 táo

[字解] ①복 도 행복(幸福). '一, 福也'《玉篇》. ②신(神) 도 '一, 神也'《集韻》.

[字源] 形聲. 示+匋〔音〕

8 ⑬ [䄍] 권 [去]願 區願切 quàn

[字解] ①제사지낼 권 제사 지냄. '一, 祠也'《集韻》. ②복 권 행복. '一, 福也'《集韻》.

8 ⑬ [裿] 기 ㊤紙 乞喜切 qǐ

[字解] 좋을 기 좋은 모양. '一, 好皃'《玉篇》.

8 ⑬ [裰] [一] 철 [入]屑 株劣切 chuò
[二] 체 [去]霽 株衛切 zhuì

[字解] [一] 제사이름 철 제신(諸神)의 제좌(祭座)를 병설(併設)하고 술을 땅에 부어 지내는 제사. 醊(酉部 八畫)과 同字. [二] 제사이름 체 종묘(宗廟)의 제(祭)를 지낸 다음날 지내는 제사. 역제(繹祭). '繹祭, 謂之一'《集韻》.

8 ⑬ [禁] [中·人] 금 ①-⑫[去]沁 居蔭切 jìn
⑬[平]侵 居吟切 jīn

[筆順] 十 木 村 林 埜 梺 禁 禁

[字解] ①금할 금 하지 못하게 함. 제지함. '一止'. '一制'. '一民夜作, 以防火災'《後漢書》. ②금령 금 금지하는 법령. '國一'. '法一'. '問國之大一'《孟子》. ③대궐 금 궁전. '宮一'. '一中'. '述職內一'《宋書》. ④옥 금 감옥. '收一'. '監一'. ⑤울 금 우리. '囿游之獸一'《周禮》. ⑥비밀 금 알리지 아니함. '我有一方'《史記》. ⑦금기 금 기(忌)함. 꺼리어 피하는 일. '食一'. '日一'. '牽于一忌, 泥于小數'《漢書》. ⑧삼갈 금 조신함. '君子道人以言, 而一人以行'《禮記》. ⑨모을 금 모아 둠. 저축함. '散一財'《張衡》. ⑩주술 금 병을 고치기 위한 굿 따위. '呪一'. '一厭'. '賊中有善一者'《三國志》. ⑪감옥 금 '開械脫於重一之中'《晉書》. ⑫견딜 금 견디어 냄. 참음. '猶弗能一'《漢書》. ⑬성 금 성(姓)의 하나.

[字源] [篆文] 禁 形聲. 示+林〔音〕. '示시'는 '신(神)'의 뜻. '林림'은 '수풀'의 뜻. 수풀에 덮인 성역(聖域)의 뜻을 보임. 음형상(音形上)으로는 '禽금' 따위와 통하여 덮어 가두다의 뜻을 나타내고 있음. '금기(禁忌)'의 뜻도 포함한 소이(所以)임.

[禁榷 금각] 백성이 매매하는 것을 금지하고 관부(官府)에서 전매함.
[禁戒 금계] 금지하고 경계함.
[禁界 금계] 금제(禁制)하는 경계(境界).
[禁錮 금고] ㉠벼슬길을 막음. 사환(仕宦)을 못하게 함. ㉡가두어 둠. ㉢감옥 안에 가두어 두고 일을 시키지 아니하는 자유형.
[禁閫 금곤] 금중(禁中).
[禁溝 금구] 대궐의 도랑.
[禁軍 금군] 대궐을 경호(警護)하는 군사.
[禁闕 금궐] 궁궐(宮闕). 또, 그 문. 금문(禁門).
[禁近 금근] 문학으로 시종(侍從)하는 신하(臣下).
[禁忌 금기] 길흉(吉凶)에 관한 미신으로 꺼리는 일. 어떠한 사물이나 방향 등이 흉하다고 꺼리어 싫어하는 일.
[禁內 금내] 금중(禁中).
[禁斷 금단] 금하여 못하게 함.
[禁闥 금달] 대궐의 문. 또, 대궐 안.
[禁旅 금려] 금군(禁軍).
[禁令 금령] 금(禁)하는 법령.
[禁裡 금리] 금중(禁中).
[禁裏 금리] 금중(禁中).
[禁林 금림] ㉠금원(禁苑)의 임목(林木). ㉡한림원(翰林院)의 별칭(別稱).
[禁網 금망] 법망(法網).
[禁門 금문] 대궐의 문.
[禁物 금물] 매매하거나 쓰기를 금지한 물건. 금제품(禁制品).
[禁方 금방] 비전(祕傳)의 약방문.
[禁法 금법] 금(禁)하는 법령.
[禁兵 금병] 금군(禁軍).
[禁書 금서] 법률로 발행·열람·소지(所持) 등을 금한 책.
[禁署 금서] 대궐 안에 있는 관아(官衙).
[禁省 금성] ㉠대궐. ㉡금중에 있는 관아(官衙).
[禁城 금성] 궁성(宮城). 대궐
[禁遏 금알] 금지(禁止).
[禁壓 금압] 억눌러서 못하게 함.
[禁掖 금액] 금중(禁中).
[禁鑰 금약] 대궐 문을 여는 열쇠.
[禁嚴 금엄] 금중(禁中).
[禁煙 금연] ㉠한식(寒食)의 별칭. ㉡불을 때지 못하게 함. ㉢대궐 안에서 나는 연기. ㉣《韓》담배를 피우지 못하게 함.
[禁厭 금염] 금주(禁呪).
[禁營 금영] 금군(禁軍)의 군영.
[禁奧 금오] 궁중(宮中)의 내전(內殿).
[禁慾 금욕] 육체상(肉體上)의 욕망(慾望)을 금(禁)함.
[禁垣 금원] 대궐의 담.
[禁苑 금원] 대궐(大闕) 안에 있는 동산.
[禁衛 금위] 금군(禁軍).
[禁闈 금위] 금중(禁中).
[禁葬 금장] 매장(埋葬)을 금(禁)함.
[禁殿 금전] 궁전(宮殿).
[禁絶 금절] 금단(禁斷).
[禁廷 금정] 조정(朝庭). 궁정(宮庭).
[禁庭 금정] 금정(禁廷).
[禁制 금제] ㉠금령(禁令). ㉡금지(禁止).
[禁足 금족] 외출(外出)을 금(禁)함.
[禁卒 금졸] 옥(獄)을 지키는 사람. 간수(看守).
[禁坐 금좌] 천자(天子)가 앉는 자리.
[禁呪 금주] 주술(呪術).
[禁酒 금주] ㉠술을 먹지 못하게 함. ㉡자기(自己)가 술을 끊음.
[禁中 금중] 대궐(大闕). 대궐 안. 궁중(宮中).
[禁止 금지] 못하게 함.
[禁地 금지] 출입을 금하는 땅.
[禁體詩 금체시] 영물(詠物)의 한시(漢詩)에서 그 시제(詩題)에 흔히 쓰이는 자(字)의 사용을 금(禁)하는 시. 백전(白戰) 참조.
[禁治產 금치산] 전광(癲狂)·백치(白痴) 등 심신(心神) 상실자(喪失者)로서 자기의 재산(財產)을 처분(處分)·관리(管理)할 능력(能力)이 없는 사람에 대하여 법원(法院)에서 그 재산(財產)을 처분(處分)하지 못하게 하는 제도(制度).
[禁圃 금포] 대궐 안에 있는 채전(菜田).
[禁火 금화] 불을 때지 못하게 함.

◉苛禁. 監禁. 戒禁. 錮禁. 科禁. 國禁. 宮禁. 糾禁. 丹禁. 大禁. 目禁. 門禁. 發禁. 防禁. 邦禁. 犯禁. 法禁. 常禁. 收禁. 時禁. 食禁. 牙禁. 夜禁. 嚴禁. 禮禁. 威禁. 僞學之禁. 幽禁. 日禁. 紫禁. 齋禁. 酒禁. 重禁. 通禁. 鶴禁. 解禁. 憲禁. 挾書之禁. 形格勢禁. 刑禁.

8 ⑬ [禀] 〔름〕
稟(禾部 八畫〈p. 1622〉)의 俗字

9
⑭ **[禊]** 계 [去]霽 胡計切 xì 禊

[字解] 계제사 계 물가에서 행하는 요사(妖邪)를 떨어 버리기 위한 제사. 음력 3월 상사(上巳)에 행하는 것을 '春一', 7월 14일에 행하는 것을 '秋一'라 함.

[字源] 形聲. 示+契〔音〕. '契계'는 죄·부정을 깨끗이 하기 위하여 사람의 피부에 표를 새기다의 뜻. '示시'를 붙여 부정을 떨어 버리는 의식의 뜻을 나타냄.

[禊事 계사] 계제사를 지내는 일.
[禊宴 계연] 계제사 때에 하는 잔치.
[禊帖 계첩] 난정첩(蘭亭帖)의 이명(異名).
◉灌禊. 洛禊. 祓禊. 祧禊. 秋禊. 春禊. 解禊.

9
⑭ **[禋]** [一] 인 [平]眞 於眞切 yīn / [二] 연 [平]先 因蓮切 yān 禋

[字解] [一] ①제사지낼 인 정결히 하고 제사를 지냄. 정성을 들여 제사를 지냄. '一于六宗'《書經》. ②공경할 인 '一, 敬也'《廣韻》. ③성 인 성(姓)의 하나. [二] 천제(天帝)제사할 연 옥황상제(玉皇上帝)를 제사 지냄.

[字源] [甲骨文] [金文] [篆文] [籒文] 形聲. 示+垔〔音〕. '垔인'은 연기의 象形. 불을 피워 연기를 올리며 지내는 '제사'의 뜻을 나타냄.

[禋潔 인결] 단정하고 정결(淨潔)함.
[禋祀 인사] 몸을 정결(精潔)히 하고 제사(祭祀)를 지냄.
[禋祠 인사] 인사(禋祀).
◉郊禋. 烝禋.

9
⑭ **[禍]** [高人] 화 [上]哿 胡果切 huò 祸

[筆順] 二 亍 亓 祀 祀 禍 禍 禍

[字解] ①재앙 화 재화. 재난. '一福'. '君子愼以避一'《禮記》. ②재화내릴 화 재앙을 내림. '天道福善一淫'《書經》. ③죄 화 허물. '罪一有律'《荀子》.

[字源] [篆文] 形聲. 示+咼〔音〕. '咼와'는 '깎다, 없애다'의 뜻. 깎여 없어진 행복, '재앙'의 뜻을 나타냄.

[禍家餘生 화가여생] 죄화(罪禍)를 입은 집의 자손(子孫).
[禍階 화계] 재앙의 계제(階梯).
[禍咎 화구] 재앙.
[禍根 화근] 재앙의 근원.
[禍機 화기] 재앙이 일어나는 기틀.
[禍難 화난] 재난(災難).
[禍亂 화란] 재앙과 난리.
[禍累 화루] 재앙.
[禍變 화변] 재앙.
[禍福 화복] 재앙과 복록(福祿).
[禍福無門 화복무문] 재앙이나 복은 모두 사람이 자초(自招)하는 것임.
[禍福如糾纆 화복여규묵] 화복은 꼰 노와 같이 서로 얽혀서 재앙이 있으면 복이 있고, 복이 있으면 재앙이 있는 법임.
[禍福由己 화복유기] 화복은 자기가 자초(自招)하는 것임.
[禍不單行 화불단행] 재앙은 연거푸 오는 것임.
[禍色 화색] 재앙이 일어나는 빌미.
[禍生于懈惰 화생우해타] 화(禍)는 태만하고 삼가지 않는 데서 생김.
[禍心 화심] 남을 해치려고 하는 마음. 모반(謀叛)하려고 하는 마음.
[禍殃 화앙] 재앙(災殃).
[禍源 화원] 화근(禍根).
[禍災 화재] 재앙. 재화(災禍).
[禍梯 화제] 화계(禍階).
[禍從口生 화종구생] 재앙은 입을 잘못 놀리는 데서 생김.
[禍泉 화천] 술의 이칭(異稱).
[禍胎 화태] 재앙이 일어날 근본이 되는 빌미.
[禍敗 화패] 재앙으로 인한 실패.
[禍害 화해] 재앙. 재난.
[禍兮福之所倚 화혜복지소의] 화복은 서로 순환(循環)하여 번갈아 옴.
[禍酷 화혹] 화해(禍害).
[禍患 화환] 화난(禍難).
◉嫁禍. 艱禍. 階之爲禍. 謹勝禍. 奇禍. 毋望之禍. 白禍. 召禍. 速禍. 宿禍. 殃禍. 養禍. 女禍. 陰禍. 人禍. 患禍. 黃禍. 橫禍.

9
⑭ **[禎]** [人名] 정 [平]庚 陟盈切 zhēn 祯

[筆順] 二 亍 亓 礻 祯 禎 禎 禎

[字解] ①상서로운조짐 정 길조(吉兆). '國家將興, 必有一祥'《中庸》. ②복 정 행복. '一, 福也'《藝文類聚》. ③바를 정 곧음. '咸有一祥'《漢書》. ④성 정 성(姓)의 하나.

[字源] [篆文] 形聲. 示+貞〔音〕. '貞정'은 점을 쳐서 신(神)의 선의(善意)를 묻다의 뜻. '상서로운 조짐'의 뜻을 나타냄.

[禎祺 정기] 상서(祥瑞). 길조(吉兆).
[禎祥 정상] 상서. 길조.
[禎瑞 정서] 상서. 길조.
◉嘉禎. 祥禎. 休禎.

9
⑭ **[福]** [中人] 복 [入]屋 方六切 fú 福

[筆順] 二 亍 亓 祀 禞 福 福 福

[字解] ①복 복 행복. 복조(福祚). '禍一'. '嚮用五一'《書經》. ②복내릴 복 복을 내려 줌. '鬼神害盈而一謙'《易經》. ③제육 복 제사에 쓰는 고기. '祭祀之致一者, 受而膳之'《周禮》. ④덕(德)복 '一, 德也'《廣韻》. ⑤찰 복 가득 참. '一, 盈也'《廣雅》. ⑥갖춰질 복 뜻대로 됨. '順其類者, 謂之一'《荀子》. ⑦성 복 성(姓)의 하나.

[字源] [甲骨文] [金文] [篆文] 形聲. 示+畐〔音〕. '畐복'은 金文·甲骨文 모두 신(神)에게 바치는 술통의 뜻. 신(神)에게 술을 바쳐 술통처럼 풍족하게 그득 차서 행복해지기를 빌다의 뜻에서, '복(福)'의 뜻을 나타냄.

[福建 복건] 중국 본토의 동남부에 위치하여 대만해협(臺灣海峽)에 면한 성(省)의 이름. 기후는 아열대성(亞熱帶性)이며 소금의 산지로 유명함.
[福慶 복경] 행복과 경사(慶事).

[福輕乎羽 복경호우] 복(福)은 새의 날개보다 가벼움. 복은 자력(自力)으로 구하기 쉽다는 말.
[福過災生 복과재생] 복(福)이 지나치면 도리어 재앙이 생김.
[福堂 복당] 복이 있는 집. 전(轉)하여, 감옥의 이칭(異稱).
[福德 복덕] ㉠복력(福力)이 많고 덕기(德氣)가 두터움. ㉡《佛敎》 선행(善行)에 의하여 얻는 복리(福利).
[福德房 복덕방] 《韓》 부동산(不動産)의 매매를 중개하는 곳.
[福力 복력] 복을 누리는 힘.
[福祿 복록] ㉠복(福)과 녹(祿). ㉡행복(幸福).
[福利 복리] 행복과 이익.
[福履 복리] 복록(福祿). 행복.
[福無雙至 복무쌍지] 복(福)은 한꺼번에 둘씩 오는 것은 아님.
[福報 복보] 복의 보응(報應). 행복.
[福相 복상] 복스러운 상(相).
[福祥 복상] 복(福). 행복.
[福水 복수] 술의 이칭(異稱).
[福壽 복수] 행복과 장수(長壽). 복이 많고 장수(長壽)함.
[福祐 복우] 복(福). 행복.
[福音 복음] ㉠기쁜 소식. ㉡축복을 받을 수 있다는 예수의 가르침을 이름.
[福人 복인] 복(福)이 있는 사람.
[福田 복전] 《佛敎》 부처를 공양(供養)하여 얻는 복. 부처를 섬기면 복덕이 생기는 것이 밭에서 곡식이 나는 것과 같다는 뜻.
[福祚 복조] 복(福). 행복.
[福地 복지] ㉠신선이 사는 땅. ㉡복을 누릴 만한 땅. 길지(吉地).
[福祉 복지] 복조(福祚).
[福至心靈 복지심령] 행복이 올 때에는 정신도 영명(靈明)함. 운이 좋을 때는 정신도 맑음.
[福聚海无量 복취해무량] 《佛敎》 복덕이 모여드는 것이 바닷물과 같이 한이 없음.
[福禍 복화] 복과 화. 화복(禍福).
◉家福. 嘉福. 介福. 景福. 奇福. 祺福. 吉福. 多福. 萬福. 冥福. 毋望之福. 薄福. 祥福. 瑞福. 盛福. 速福. 壽福. 餘福. 五福. 威福. 利福. 長福. 轉禍爲福. 淨福. 祉福. 禔福. 天福. 追福. 祝福. 豐福. 遐福. 幸福. 享福. 胡福. 禍福. 厚福.

9 ⑬ [福] 福(前條)과 同字

9 ⑭ [禓] 상 [平]陽 式羊切 shāng
[字解] 추나(追儺) 상 역귀(疫鬼)를 쫓는 일. '鄕人一'《禮記》.
[字源] 篆文 形聲. 示+昜〔音〕

9 ⑭ [禑] 구 [上]麌 果羽切 jǔ
[字解] 성 구 성(姓)의 하나.

9 ⑭ [禔] 지 [平]支 章移切 zhī, ②zhǐ
[字解] ①복 지 행복. 복록. '遐邇一體, 中外一福'《漢書》. ②다만 지 祗(示部 四畫)와 同字. '一取辱耳'《史記》.
[字源] 篆文 形聲. 示+是〔音〕

[禔福 지복] 복. 행복.

9 ⑭ [禑] [人名] [一] 우 [平]虞 元俱切 wú [二] 오 [平]虞 五乎切 wú
[字解] [一] 복 우 '一, 福也'《集韻》. [二] 복 오 [一]과 뜻이 같음.

9 ⑭ [禕] 의 [平]支 於離切 yī
[字解] ①아름다울 의 '漢帝之德, 侯其一而'《張衡》. ②진귀할 의 '一, 珍也'《廣韻》.
[字源] 形聲. 示+韋〔音〕

9 ⑭ [禩] 〔권〕 禩(示部 八畫〈p.1599〉)과 同字

9 ⑬ [禅] 〔선〕 禪(示部 十二畫〈p.1604〉)의 略字

9 ⑭ [禖] 매 [平]灰 莫杯切 méi
[字解] ①귀신이름 매 천자(天子)가 아들을 낳기 위하여 제사 지내는 귀신. '以太牢祠于高一'《禮記》. ②매제사 매 천자가 아들을 낳기 위하여 지내는 제사. '一祭'. '使東方朔枚皋作一祝'《漢書》.
[字源] 篆文 形聲. 示+某〔音〕. 일설(一說)에, '某매'는 신목(神木)에 빌다, 꾀하다의 뜻. 천자(天子)가 아들을 얻기 위해 제사하는 신(神). 또, 그 제사를 뜻함.
◉高禖. 郊禖. 祈禖.

9 ⑭ [禗] 사 [平]支 息茲切 sī [上]紙 想里切
[字解] 귀신불안할 사 귀신이 불안하여 가려고 하는 모양. '靈一一, 象輿轙'《漢書》.

[禗禗 사사] 귀신이 불안하여 가려고 하는 모양.

9 ⑭ [禘] 체 [去]霽 特計切 dì
[字解] 큰제사 체 제왕(帝王)이 시조(始祖)를 하늘에 배향(配享)하는 대제(大祭). 또, 그 제사를 지냄. '禮, 不王不一'《禮記》.
[字源] 甲骨文 金文 篆文 形聲. 示+帝〔音〕. '帝제'는 '신(神)'의 뜻. 자연신(自然神)·조상에게 드리는 제사의 뜻.

[禘嘗 체상] 임금이 종묘(宗廟)에 신곡(新穀)을 올리는 제사.
[禘約 체약] 봄 제사와 여름 제사.
[禘祫 체협] 원조(遠祖)를 함께 지내는 제사.
◉吉禘. 大禘. 春禘. 饗禘.

10 ⑮ [禠] 사 [平]支 息支切 sī

字解 복 사 행복. '祈一禳災'《張衡》.
字源 篆文 形聲. 示+虒〔音〕

10 ⑮ [禡] 마 去禡 莫駕切 mà 祃 禡

字解 마제 마 전시(戰時)에 군대가 머무른 곳에서, 군법(軍法)을 처음으로 제정한 사람에게 지내는 제사. 또, 그 제사를 지냄. '一於所征之地'《禮記》.
字源 篆文 形聲. 示+馬〔音〕. 군마(軍馬)를 쓰는 전쟁의 승리를 기원하여 마조(馬祖)에게 올리는 제사의 뜻을 나타냄.

[禡祭 마제] 전쟁(戰爭) 때 진(陣) 치는 곳에서 지내는 제사(祭祀).

10 ⑮ [禢] 〔고〕
祰(示部 七畫〈p. 1599〉)와 同字

10 ⑮ [福] 〔복〕
福(示部 九畫〈p. 1601〉)의 俗字

10 ⑮ [禥] 명 平青 忙經切 míng

字解 복 명 행복(幸福). '一, 福也'《集韻》.

10 ⑮ [禚] 작 入藥 之若切 zhuó 禚

字解 ①땅이름 작 춘추(春秋) 시대 제(齊)나라의 읍명(邑名). '會齊侯于一'《春秋》. ②성 작 성(姓)의 하나.

10 ⑮ [禛] 人名 진 平眞 職隣切 zhēn 禛

筆順 ⼆ 亍 礻 礻 祀 禃 禛 禛

字解 복받을 진 정성을 다하여 복록을 받음. '一, 以眞受福也'《說文》.
字源 篆文 形聲. 示+眞〔音〕. '眞진'은 '진실·정성'의 뜻. 정성을 다하여 신(神)으로부터 복을 받다의 뜻을 나타냄.

10 ⑮ [禝] 직 入職 子力切 jì

字解 사람이름 직 고대(古代) 요제(堯帝)의 신하. 오곡(五穀)의 씨앗을 뿌려 잘 자라게 했음.
字源 金文 形聲. 示+畟〔音〕. '畟측'은 '경작하다'의 뜻. 오곡(五穀)의 신(神)의 뜻을 나타냄.

10 ⑮ [禜] 영 去敬 爲命切 yǒng / 平庚 永兵切

字解 영제사 영 산천(山川)의 신(神)에게 빌어 수재·한재·여역(癘疫)을 떨어 물리치는 제사. 또, 그 제사를 지냄. '於是乎一之'《左傳》.
字源 篆文 形聲. 示+營〈省〉〔音〕. '營영'은 '야영(野營)'의 뜻. 화톳불을 사르며, 자연신(自然神)께 드리는 제사의 뜻.

11 ⑯ [禯] 봉 平冬 符容切 féng

字解 산신(山神) 봉 산신의 이름. '一, 大黃負山神, 能動天地氣, 昔孔甲會遇之'《廣韻》.

11 ⑯ [禆] 필 入質 卑吉切 bì

字解 조왕제(竈王祭) 필 부엌신(神)에게 지내는 제사. 조제(竈祭). '一, 竈上祭'《集韻》.

11 ⑯ [禤] 〔저〕
詛(言部 五畫〈p. 2116〉)와 同字

11 ⑯ [禩] 〔사〕
祀(示部 三畫〈p. 1590〉)와 同字

11 ⑯ [禛] 〔신〕
神(示部 五畫〈p. 1594〉)의 古字

11 ⑯ [禥] 〔기〕
祺(示部 八畫〈p. 1599〉)의 籀文

11 ⑯ [穎] 〔영〕
穎(禾部 十一畫〈p. 1629〉)의 俗字

[隷] 〔례〕
隶部 八畫(p. 2479)을 보라.

11 ⑯ [禦] 人名 어 去御 牛據切 yù / 上語 魚巨切

字解 ①막을 어 ㉠방어함. '守一'. '不足以一敵'《尉繚子》. ㉡정지시킴. 통과시키지 않음. '今有一人於國門之外者'《孟子》. ㉢방해함. '莫之一而不仁, 是不智也'《孟子》. ㉣못하게 함. 금함. '兄弟鬩于牆, 外一其務'《詩經》. ㉤피함. '一寒'. '可以一火'《山海經》. ㉥방비함. '所以一災也'《國語》. ㉦맞섬. 대항함. '一人以口給'《論語》. ②방어 어, 방해 어, 방비 어 전항의 명사. '少置乇一'《獨孤及》. ③굳셀 어 '曾是彊一'《詩經》.
字源 金文 篆文 形聲. 示+御〔音〕. '御어'는 신(神)을 맞이하다의 뜻. 앙얼(殃孼)을 막기 위해 신(神)을 맞이함의 뜻에서, '막다, 방어하다'의 뜻을 나타냄.

[禦寇 어구] 적(敵)을 막음.
[禦侮 어모] ㉠외모(外侮)를 막음. 적의 내습을 격퇴함. ㉡적습(敵襲)을 막는 사람. 무신(武臣).
[禦戰 어전] 적을 방어하여 싸움.
[禦扞 어한] 막음. 방어함.
[禦寒 어한] 추위를 막음.
◉彊禦. 控禦. 救禦. 屯禦. 防禦. 弁禦. 備禦. 率禦. 守禦. 戍禦. 綏禦. 外禦. 制禦. 鎭禦. 懲禦. 扞禦. 抗禦.

12 ⑰ [禧] 人名 희 平支 許其切 xǐ 禧

筆順 ⼆ 亍 礻 祐 禧 禧 禧 禧

字解 ①복 희 행복. '新一'. '同心仰福一'《范鎭》. ②길할 희 '一, 吉也'《廣韻》. ③고할 희 알림. '一, 告神致福也'《說文義證》.
字源 篆文 形聲. 示+喜〔音〕. '喜희'는 '기쁨'의 뜻. 신(神)에게 빌어서 얻은 기쁨·행복의 뜻을 나타냄.

◉福禧. 新禧.

12 ⑰ **[禨]** 기 ①②[平]微 居依切 jī ③[去]未 居豙切 jì 机

[字解] ①상서 기 길조(吉兆). 행복. '楚人鬼而越人—'《列子》. ②빌미 기 신(神)이 내리는 재앙. 앙얼. '—祥'. '—, 祟也'《正字通》. ③술 기 목욕한 뒤에 술을 마심. 또, 그 술. '進—進羞'《禮記》.

[字源] 形聲. 示＋幾〔音〕. '幾기'는 '희미하다'의 뜻. 길흉이 일어난 희미한 징조, 조짐의 뜻을 나타냄.

[禨祥 기상] 빌미와 상서. 신이 내리는 화복(禍福).

◉進禨.

12 ⑰ **[禪]** [高人] 선 ①-③[去]霰 時戰切 shàn ④[平]先 市連切 chán 禅

[筆順] 二 亍 示 示ᄆ 示ᄆᄆ 禪 禪 禪

[字解] ①봉선(封禪) 선 땅을 판판하게 닦고 깨끗이 하여 산천의 신(神)에게 지내는 제사. 墠(土部 十二畫)과 同字. '言封—事'《漢書》. ②물려줄 선 ㉠천자의 지위를 남에게 물려줌. '—讓'. '唐虞—'《孟子》. ㉡전(傳)함. 줌. '—五世'《史記》. ③바뀔 선 대신함. '—, 代也'《正字通》. ④선 선 불교에서 마음을 조용히 하여 진리를 직관(直觀)하는 일. 범어(梵語) dhyāna의 음역(音譯). '—有深淺階級'《傳燈錄》. 또, 이 종파. '—宗'. '—僧出郭迎'《白居易》. 또, '坐—'의 준말. '睡穩如—息息勻'《蘇軾》.

[字源] [篆文] 形聲. 示＋單〔音〕. '單단'은 '壇단'과 통하여, 평탄한 대지(臺地)의 뜻. 단(壇)을 설치하여 하늘을 제사하다의 뜻을 나타냄.

[禪家 선가] ㉠참선(參禪)하는 중. ㉡참선하는 집.
[禪閣 선각] ㉠선원(禪院). ㉡선당(禪堂).
[禪客 선객] 참선하는 사람.
[禪那 선나] 《佛敎》 마음을 조용히 가라앉히고 진리를 직관하는 일.
[禪尼 선니] 불문(佛門)에 들어온 여자.
[禪堂 선당] 좌선하는 절.
[禪代 선대] 시대(時代)가 바뀜.
[禪道 선도] 참선(參禪)하는 도.
[禪林 선림] 선종(禪宗)의 여러 사원.
[禪門 선문] 《佛敎》 ㉠불문(佛門)에 들어온 남자. 선니(禪尼)의 대(對). ㉡선가(禪家)의 종문(宗門).
[禪門五宗 선문오종] 임제종(臨濟宗)·위앙종(潙仰宗)·운문종(雲門宗)·법안종(法眼宗)·조동종(曹洞宗).
[禪味 선미] 좌선의 취미.
[禪房 선방] ㉠사원. ㉡좌선하는 방.
[禪師 선사] ㉠중. 승려. ㉡선종(禪宗)의 고승에게 조정에서 내리는 칭호.
[禪僧 선승] 선종의 중.
[禪室 선실] 좌선하는 방.
[禪庵 선암] 좌선하는 암자. 선승(禪僧)이 사는 암자.
[禪讓 선양] 제왕이 제왕의 자리를 어진 사람에게 넘겨주는 일. 방벌(放伐)의 대(對).
[禪宴 선연] 좌선(座禪)함.
[禪悅 선열] 선가(禪家)의 기쁨.
[禪院 선원] 절. 사원.
[禪位 선위] 임금이 자리를 남에게 물려줌. 양위(讓位).
[禪杖 선장] ㉠좌선할 때 조는 사람을 때리는 회초리. ㉡선승이 짚는 지팡이.
[禪定 선정] 선나(禪那).
[禪宗 선종] 불교의 한 종파(宗派).
[禪坐 선좌] 참선(參禪)하여 앉음. 좌선(坐禪)함.
[禪榻 선탑] 좌선하는 데 쓰는 걸상.
[禪學 선학] 선종(禪宗)의 학문.
[禪和子 선화자] 선승(禪僧).

◉內禪. 逃禪. 登禪. 封禪. 受禪. 野禪. 立禪. 坐禪. 參禪. 解脫禪.

12 ⑰ **[禫]** 담 [上]感 徒感切 dàn 禫

[字解] 담제 담 대상(大祥)을 지낸 그 다음 달에 지내는 탈상(脫喪)의 제사. 담사(禫祀). '又期而大祥, 中月而—'《禮記》.

[字源] [篆文] 形聲. 示＋覃〔音〕. '澹담'과 같은 뜻으로, '편안함'의 뜻. 3년 25개월의 상(喪)이 끝난 다음다음 달에 지내는 제사로, 탈상(脫喪)하여 마음이 편안해지다의 뜻으로 생각됨.

[禫祀 담사] 담제(禫祭).
[禫祭 담제] 자해(字解)를 보라.

12 ⑰ **[禬]** 결 [入]屑 古穴切 jué

[字解] 재앙 결 재화(災禍). 상서롭지 않은 일. '—, 不祥也'《玉篇》.

12 ⑰ **[禩]** 료 [去]嘯 力照切 liào

[字解] 시제(柴祭)지낼 료 '禩—'는 섶을 태워 하늘에 제사 지냄. '禩—, 燔柴祭天也'《正韻》.

12 ⑰ **[䄻]** 〔초〕 醮(酉部 十二畫〈p. 2362〉)의 本字

12 ⑰ **[禩]** 〔사〕 禩(示部 十一畫〈p. 1603〉)의 本字

13 ⑱ **[禬]** 회 [去]泰 黃外切 huì

[字解] ①푸닥거리 회 ㉠여역(癘疫)과 재앙을 피하는 굿. '女祝掌以時招梗—禳之事'《周禮》. ㉡복을 비는 굿. '—, 會福祭也'《說文》. ②재화모을 회 제후(諸侯)가 재화(財貨)를 모아, 재난에 처한 자를 구휼하는 모임. '以—禮, 哀圍敗'《周禮》.

[字源] [篆文] 形聲. 示＋會〔音〕. '會회'는 '만나다'의 뜻. 행복을 만나고자 하는 제사의 뜻을 나타냄.

◉禳禬. 祝禬.

13 ⑱ **[禮]** [中人] 례 [上]薺 盧啓切 lǐ 礼

[筆順] 二 亍 示 示ᄆ 禮 禮 禮 禮

[字解] ①예 례 ㉠오상(五常)의 하나. 예도. 예절.

'一儀'. '仁義一智信, 五常之道'《漢書》. ㉡예식. 의식. '婚一'. '吉一'. '一煩則亂'《書經》. ㉢절·인사 등 모든 경의를 표하는 일. '敬一'. '一砲'. ②예우할 례 예로써 대우함. '一賢士'. '吾之一賢, 有何不可'《世說》. ③예물 례 경의를 표하기 위하여 하는 선사. '無一不相見也'《禮記》. ④책이름 례 경서(經書)의 이름. '周一'·'儀一'·'一記'를 '三一'라 함. ⑤성 례 성(姓)의 하나.

字源 甲骨文 篆文 禮 古文 形聲. 示+豊(豊)〔音〕. '豊례'는 감주(甘酒)의 뜻. 감주를 신(神)에게 바쳐 행복의 도래(到來)를 비는 의식(儀式)의 뜻을 나타냄.

[禮家 예가] 예법(禮法)에 정통(精通)한 사람.
[禮經 예경] ㉠예의 상도(常道). ㉡성인(聖人)이 정한 예의를 기록한 책. 예기(禮記)·의례(儀禮) 등의 책.
[禮敎 예교] 예의에 관한 가르침.
[禮禁未然 예금미연] 예(禮)는 나쁜 일을 하지 못하도록 미연(未然)에 금함.
[禮記 예기] 오경(五經)의 하나. 진한 시대(秦漢時代)의 고례(古禮)에 관한 설(說)을 수록한 책. 한무제(漢武帝) 때에 하간(河間)의 헌왕(獻王)이 고서(古書) 131편(篇)을 편술한 뒤에 214편(篇)으로 된 대대례(大戴禮)와, 대덕(戴德)이 그것을 85편(篇)으로 줄이고 선제(宣帝) 때에 그의 조카 대성(戴聖)이 다시 49편(篇)으로 줄인 소대례(小戴禮)가 있음. 지금의 예기는 '소대례(小戴禮)'를 이름. 주례(周禮)·의례(儀禮)와 함께 삼례(三禮)라 함.
[禮器 예기] 제사 또는 손을 접대하는 데 쓰는 기명(器皿).
[禮多人不怪 예다인불괴] 예의는 지나치게 정중히 갖출지라도 그 예의를 받는 사람의 기분을 상하지 않음.
[禮答 예답] 답례(答禮).
[禮待 예대] 예우(禮遇).
[禮度 예도] 예의(禮儀).
[禮命 예명] 초빙(招聘)하여 관직(官職)을 명(命)함.
[禮帽 예모] 예식(禮式)에 쓰는 모자.
[禮貌 예모] ㉠예절(禮節)에 맞는 태도(態度). ㉡예절에 맞는 태도를 하고 사람을 공경함.
[禮文 예문] ㉠한 나라의 제도 문물(文物). ㉡예법의 명문(明文).
[禮物 예물] ㉠예식에 쓰는 물품. ㉡경의를 표하기 위한 선물. ㉢전례(典禮)와 문물. ㉣결혼식에서 신랑 신부가 서로 주고받는 물건. ㉤결혼 때 시부모가 신부에게 주는 물건.
[禮拜 예배] 신불(神佛)에게 절함.
[禮拜堂 예배당] 기독교에서 예배(禮拜)의 의식(儀式)을 행하고 또 전도(傳道)하는 집.
[禮法 예법] 예의를 차리는 법. 행위의 전칙(典則), 법칙으로 정한 예.
[禮辟 예벽] 예를 갖춰 초빙(招聘)함.
[禮服 예복] 예식(禮式) 때에 입는 옷.
[禮部 예부] 육부(六部)의 하나. 예의·제사 등의 일을 맡은 관아.
[禮部試 예부시] 예부(禮部)에서 행하는 시험(試驗).
[禮賓院 예빈원] 외국인(外國人)을 접대하기 위하여 설치한 관아(官衙).
[禮聘 예빙] ㉠예를 갖추어 초빙(招聘)함. ㉡예를 갖추어 장가를 듦.
[禮尙往來 예상왕래] 예는 서로 방문하여 왕래하는 것을 존숭(尊崇)함.
[禮書 예서] ㉠예의에 관하여 쓴 책. ㉡사기(史記)의 팔서(八書)중의 하나. ㉢송(宋)나라 진상도(陳祥道)가 지은 책 이름. 150권. 왕안석(王安石)의 신경의(新經義)에 의거하여 정현(鄭玄)의 설(說)을 공격했음.
[禮數 예수] 신분에 의하여 각각 다른 예의 대우.
[禮勝則離 예승즉리] 예(禮)도 정도를 지나치면 인심(人心)이 소통(疏通)하지 아니함.
[禮式 예식] 예의의 법식(法式).
[禮樂 예악] 예절과 음악. 행동을 신중히 하게 하는 예의와 마음을 온화하게 하는 음악.
[禮樂之邦 예악지방] 예악이 잘 행하여지는 나라. 한족(韓族)이 자기 나라를 자랑하는 말.
[禮讓 예양] 예를 두터이하여 사양함.
[禮容 예용] 예의에 맞는 거동.
[禮遇 예우] 예를 갖추어 대우함.
[禮園 예원] 예유(禮囿).
[禮闈 예위] 한(漢)나라 때 상서성(尙書省)의 이칭(異稱). 금위(禁闈)에 가까운 건례문(建禮門) 안에 있었으므로 이름.
[禮囿 예유] 예의(禮儀)를 닦는 장소. 예원(禮園).
[禮律 예율] 예법(禮法)과 형률(刑律).
[禮意 예의] ㉠존경하는 의사. ㉡예의 정신. 예문의 의미.
[禮義 예의] ㉠예절과 의리. ㉡사람이 행하여야 할 도덕.
[禮誼 예의] 사람이 행하여야 할 도덕. 예의(禮儀)❶.
[禮儀 예의] 예절과 의용(儀容).
[禮者所以救淫 예자소이구음] 남의 음일(淫佚)을 구(救)하여 그 폐해를 없애 주는 것이 예(禮)라는 뜻.
[禮狀 예장] ㉠혼서(婚書). ㉡사례(謝禮)의 편지.
[禮裝 예장] 예복(禮服)을 입고 위의(威儀)를 갖춤.
[禮葬 예장] 국장(國葬).
[禮典 예전] 한 나라의 예절을 규정한 제도.
[禮節 예절] 예의(禮儀)의 절차(節次).
[禮接 예접] 예우(禮遇).
[禮曹 예조] 우리나라 육조(六曹)의 하나. 중국의 예부(禮部)에 해당함.
[禮秩 예질] 대우(待遇)와 녹질(祿秩).
[禮讚 예찬] ㉠《佛敎》 불덕(佛德)을 칭송하여 부르는 제문(祭文). ㉡고마워하여 칭송함. 존경(尊敬)하고 찬탄(讚歎)함.
[禮帖 예첩] 예물(禮物)을 기록한 목록(目錄). 예단(禮單).
[禮幣 예폐] 고마운 뜻을 표(表)하기 위하여 보내는 예물(禮物).
[禮砲 예포] 군대(軍隊)에서 경의(敬意)를 표하기 위하여 놓는 공포(空砲).
[禮學 예학] 예법(禮法)에 관(關)한 학문(學問).
[禮饗 예향] 예를 갖추어 빈객(賓客)을 대접함.
[禮刑 예형] 예의와 형벌.
[禮化 예화] 예의와 교화(敎化).
[禮訓 예훈] 예(禮)에 관한 교훈.
◉嘉禮. 敬禮. 古禮. 冠禮. 軍禮. 吉禮. 答禮. 目禮. 無禮. 返禮. 拜禮. 繁禮. 繁文縟禮. 報禮. 復禮. 非禮. 卑禮. 賓禮. 三禮. 三枝之禮.

尙禮. 崇禮. 神不享非禮. 失禮. 約禮. 陽禮. 五禮. 六禮. 隆禮. 陰禮. 儀禮. 典禮. 祭禮. 周禮. 僭禮. 慝禮. 悖禮. 苛禮. 亢禮. 昏禮. 婚禮. 凶禮.

13 ⑱ [⿰礻亶] 선 [去]霰 時戰切 shàn

[字解] 천제(天祭) 지낼 선 禪(示部 十二畫)과 통용.

13 ⑱ [⿰礻睪] 역 [入]陌 羊益切 yì

[字解] 역제(⿰礻睪祭) 역 본제(本祭)를 지낸 다음날에 올리는 제사. '一, 祭之明日, 又祭名'《集韻》.

13 ⑱ [禭] 수 [去]寘 詞類切 suì

[字解] ①제사이름 수 '一, 祭名'《玉篇》. ②신(神)이름 수 고구려(高句麗)에서 모신 신의 이름. '高句驪, 在遼東之東千里, 云云, 國東有大穴, 號一神, 亦以十月迎而祭之'《後漢書》.

14 ⑲ [禰] 녜 [上]薺 奴禮切 nǐ 祢

[字解] ①아버지사당 녜 아버지를 모신 사당. '受諸一廟'《儀禮》. 또, 사당에 모신 아버지. '昭祖揚一'《晉書》. ②신주 녜 먼 곳으로 갈 때 가지고 가는 신주(神主). '其在軍, 則守於公一'《禮記》. ③성 녜 성(姓)의 하나.

[字源] 篆文 形聲. 示+爾〔音〕. '爾이'는 가까운 관계에 있음의 뜻. 자신과 관계가 가까운 아버지를 모신 사당의 뜻을 나타냄.

[禰宮 예궁] 아버지를 모신 사당.
[禰廟 예묘] 아버지를 모신 사당.
[禰祖 예조] 아버지와 조상을 모신 사당.
◉公禰. 祈禰. 宿禰. 祖禰.

14 ⑲ [禱] [人名] 도 [上]晧 都皓切 dǎo / [去]號 都導切 祷

[筆順] 禱

[字解] 빌 도 신불에 기도함. '一祀'. '一爾于上下神祇'《論語》.

[字源] 篆文 別體 籒文 形聲. 示+壽〔音〕. '壽수'는 수명이 길기를 빎의 뜻. '示시'를 덧붙여, '빌다'의 뜻을 나타냄.

[禱祈 도기] 기도(祈禱).
[禱福 도복] 신불(神佛)에게 복이 내리기를 빎.
[禱祀 도사] 신불에 기도하여 제사 지냄.
[禱祠 도사] 도사(禱祀).
[禱雨 도우] 비가 오기를 빎. 기우(祈雨).
[禱請 도청] 신불(神佛)에게 소원이 성취되기를 빎.
◉祈禱. 默禱. 拜禱. 祠禱. 素禱. 禳禱. 禜禱. 齋禱. 請禱. 祝禱.

14 ⑲ [⿰礻厭] 염 [上]琰 於琰切 yǎn / [去]豔 於豔切

[字解] 물리칠 염 신(神)을 제사 지내어 재액(災厄)을 물리침. 불제(祓除)함. '皇帝親征, 牝牡麃各一, 爲一祭'《遼史》.

15 ⑳ [禲] 려 [去]霽 力制切 lì

[字解] 뜬것 려 못된 귀신. 여귀(厲鬼). 악귀(惡鬼). '一, 無後鬼也, 鬼有所歸及, 不爲一'《玉篇》.

16 ㉑ [⿰礻賴] [一] 뢰 [去]泰 落蓋切 lài / [二] 란 [上]旱 魯旱切 lǎn

[字解] [一] ①방자할 뢰 '祩一'는 남이 못되기를 빎. '祩一, 祩詛'《集韻》. ②부술 뢰 파괴함. '一, 隳壞也'《玉篇》. [二] 게으를 란 제사에 태만함. '一, 惰於祭也'《集韻》.

17 ㉒ [⿰礻豐] 〔례〕 禮(示部 十三畫〈p.1604〉)의 本字

17 ㉒ [禳] [人名] 양 [平]陽 汝陽切 ráng 禳

[字解] 물리칠 양 신(神)에게 제사 지내어 재앙과 여역(癘疫)을 물리침. '却變異曰一'《周禮 注》.

[字源] 篆文 形聲. 示+襄〔音〕. '襄양'은 사기(邪氣)를 물리침의 뜻. 특히, 신사(神事)에 관한 것임을 나타내는 '示시'를 덧붙여, 신(神)을 제사하여 사기(邪氣)를 물리치다의 뜻을 나타냄.

[禳禬 양회] 재앙을 물리치는 굿. 푸닥거리.
◉祓禳. 侯禳.

17 ㉒ [禴] 약 [入]藥 以灼切 yuè

[字解] 봄제사(祭祀) 약 礿(示部 三畫)과 同字. '利用一'《易經》.

[字源] 形聲. 示+龠〔音〕

19 ㉔ [禷] 류 [去]寘 力遂切 lèi

[字解] 천제(天祭) 지낼 류 군대가 싸우러 나갈 일이 생겼을 때에, 하늘에 고(告)하고 제사 지냄. '一, 師祭'《爾雅》.

[字源] 篆文 形聲. 示+類〔音〕. '類류'는 전쟁에 출진(出陣)할 때 지내는 제사의 뜻. 출진시(出陣時), 교제(郊祭)의 예(禮)에 의해서 천신(天神)에게 고(告)하는 제사의 뜻을 나타냄.

19 ㉔ [禶] 찬 ①[去]翰 則旰切 / ②[上]旱 藏旱切 zàn

[字解] ①칭송할 찬 신(神)의 공덕(功德)을 기림. '一, 祝神也'《集韻》. ②제사이름 찬 '一, 祭名'《廣韻》.

19 ㉔ [⿰礻繭] 견 [上]銑 古典切 jiǎn

[字解] 공경할 견 공경함. '一, 祇也'《玉篇》.

21 ㉖ [⿰礻⿱鹵旱] 〔담〕 禫(示部 十二畫〈p.1604〉)의 本字

22 ㉗ [⿰⿱畐示⿱眞又] 〔도〕 禱(示部 十四畫〈p.1606〉)의 籒文

禸 (5획) 部

〔짐승발자국유부〕

0 ⑤ [禸] 유 ㊤有 女久切 róu / ㊤有 人九切

[筆順] 丨 冂 内 内 禸

[字解] 자귀 유 짐승의 발자국. '其足蹯, 其跡—'《爾雅》.

[字源] [古文] [篆文] 象形. 짐승의 뒷발이 땅을 밟고 있는 모양을 본떠, '발자국'의 뜻을 나타냄. 좌우로 벌리고 있는 것이 뒷발, '厶사'는 꼬리의 象形. 篆文의 '蹂유'는 足+柔〔音〕. '밟다'의 뜻.

[參考] 이 부수(部首)에 속하는 문자의 대부분은 동물에 관한 象形 문자로, '禸유'는 그 뒷발과 꼬리를 나타내고 있음.

4 ⑨ [禹] [人名] 우 ㊤麌 王矩切 yǔ

[筆順] 一 ㇒ 戶 ... 禹 禹

[字解] ①하우씨 우, 우(禹)임금 우 하(夏)나라를 창업(創業)한 성왕(聖王). 왕이 되기 전에 요(堯)·순(舜) 두 임금을 섬겨 홍수(洪水)를 다스리는 데 큰 공을 세웠다 함. ②벌레 우 '—, 蟲也'《說文》. ③도울 우 '一者, 輔也'《風俗通》. ④성 우 성(姓)의 하나.

[字源] [金文] [篆文] [古文] 象形. 파충류(爬蟲類)의 일종의 모양을 본뜬 것으로, 음형상(音形上)으로는 '雨우'와 통하여, 우수(雨水)의 신(神)의 뜻을 나타내며, 성왕(聖王)의 뜻에 쓰임.

[禹貢 우공] 서경(書經)의 편명(篇名).
[禹門 우문] 용문(龍門)의 이칭(異稱). 우(禹)임금이 이곳을 뚫었다 함.
[禹步 우보] 우보(牛步). 황소걸음.
[禹域 우역] 중국 본토의 이칭(異稱).
[禹跡 우적] 우역(禹域).
[禹甸 우전] 우역(禹域).
[禹行舜趨 우행순추] 하(夏)나라의 우왕(禹王)과 같이 걷고 순(舜)임금과 같이 추창(趨蹌)한다는 뜻으로, 성인(聖人)의 외모만 따르고 실질(實質)이 없음을 이름.

4 ⑨ [禺] 우 ①㊀遇 牛具切 yù / ②-④㊥虞 偶俱切 yú

[字解] ①긴꼬리원숭이 우 원숭이의 일종. '—, 似獼猴而大, 赤目長尾, 山中多有之'《正字通》. ②가름 우 구별. '是爲十—'《管子》. ③처음 우 사단(事端)이 처음으로 나타나는 일. '將合可以—'《管子》. ④허수아비 우 偶(人部 九畫)와 同字. '木—龍欒車一駟'《史記》. ⑤성 우 성(姓)의 하나.

[字源] [金文] [篆文] 象形. 큰 머리와 꼬리를 가진 원숭이의 일종. 긴꼬리원숭이 또는 나무늘보류(類)의 모양을 본뜸.

[禺彊 우강] 신(神)의 이름.
[禺淵 우연] 해 지는 곳.
[禺中 우중] 사시(巳時). 곧, 오전(午前) 아홉 시부터 열한 시까지의 사이. ◉本禺.

6 ⑪ [离] [人名] 리 ㊥支 呂支切 lí

[筆順] 亠 亠 文 㐫 㐫 声 离 离 离

[字解] ①도깨비 리 魑(鬼部 十一畫)와 同字. ②떠날 리 離(隹部 十一畫)와 同字. '形神已—'《晉書》.

[字源] [篆文] 會意. 篆文은 山+凶+内(厹). '凶흉'은 머리의 象形. '厹구'는 발을 벌리고 꼬리를 늘어뜨리고 있는 모양을 본뜸. 일설에는, 머리에 장식을 단 짐승의 모양을 본뜬 象形 문자라고도 함. 산속에 사는 머리 큰 짐승이 발을 벌리고 꼬리를 늘어뜨리고 있음의 뜻으로, 산신(山神)의 뜻을 나타냄.

7 ⑫ [禼] [人名] 설 ㊇屑 私列切 xiè

[字解] ①은나라조상이름 설 은(殷)나라 탕왕(湯王)의 조상 이름. 契(大部 六畫)과 同字. '—作司徒'《漢書》. ②벌레 설 '—, 蟲也'《說文》.

[字源] [篆文] [古文] 象形. 어떤 짐승의 모양.

7 ⑫ [𥝋] 비 ㊀未 扶沸切 fèi

[字解] 비비 비 狒(犬部 五畫)와 통용. '猩猩啼而就擒, ——笑而被格'《左思》.

[字源] [篆文] 象形. 篆文은 '𥝋', 비비(狒狒)의 모양을 본뜸. '囟신'은 그 머리, '𦥑'는 손으로 사람을 붙잡는 모습, 厹(内)는 그 자귀를 본뜸.

8 ⑬ [禽] [高人] 금 ㊥侵 巨金切 qín

[筆順] 𠆢 亼 今 侌 禽 禽 禽 禽 禽

[字解] ①짐승 금 조수(鳥獸)의 총칭. '吾有一術, 名五—之戲, 一曰虎, 二曰鹿, 三曰熊, 四曰猿, 五曰鳥'《魏志》. ②날짐승 금 새. '—獸'. '珍—奇獸'《書經》. ③사로잡을 금 擒(手部 十三畫)과 同字. '生—'. '—魏將芒卯'《史記》. ④사로잡힐 금 생포당함. '身—于趙'《鹽鐵論》. ⑤포로 금 부로(俘虜). '收—挾囚'《左傳》. ⑥성 금 성(姓)의 하나.

[字源] [金文] [金文] [篆文] 形聲. 金文은 畢+今〔音〕. '畢필'은 긴손이 달린 그물의 象形. '今금'은 '含함'과 통하여, '삼키다'의 뜻. 새를 그물로 잡다의 뜻을 나타냄. 뒤에, 이 뜻에 끌려서 '畢'의 부분이 짐승 꼬리같이 변형(變形)되어 현재의 '禽'의 자체(字體)로 되었음. 《說文》은 厹+凶+今〔音〕의 形聲으로서, '厹구'는 발을 본뜬 모양, '凶흉'은 머리의 象形. 뛰어다니는 짐승의 뜻을 나타냄.

[禽困覆車 금곤복거] 새나 짐승도 곤경(困境)에 빠지면 수레를 전복(顚覆)시킨다는 뜻으로, 약자(弱者)도 사경(死境)에 이르면 큰 힘을 낸다

는 비유. 궁서 설묘(窮鼠嚙猫).
[禽俘 금부] 포로(捕虜).
[禽獮 금선] 금전(禽翦).
[禽囚 금수] 금부(禽俘).
[禽獸 금수] 날짐승과 길짐승. 조류(鳥類)와 수류(獸類).
[禽獸行 금수행] 금수와 같은 음탕한 행실.
[禽語 금어] 새의 우는 소리.
[禽將 금장] 포로가 된 대장.
[禽翦 금전] 잡아 죽임.
[禽鳥 금조] 날짐승. 새.
[禽殄 금진] 잡아 모조리 죽임.
[禽荒 금황] 수렵(狩獵)에 탐닉(耽溺)함. 딴 일은 젖혀 놓고 사냥만 하러 다님.
[禽獲 금획] 생포(生捕)함.
◉家禽. 嘉禽. 輕禽. 驚禽. 瑰禽. 歸禽. 金禽. 籠禽. 鳴禽. 暮禽. 文禽. 攀禽. 蜚禽. 朔禽. 祥禽. 翔禽. 生禽. 棲禽. 瑞禽. 仙禽. 膳禽. 涉禽. 水禽. 乘禽. 時禽. 神禽. 晨禽. 野禽. 五禽. 勇禽. 幽禽. 游禽. 六禽. 逸禽. 精衛禽. 鷙禽. 珍禽. 彩禽. 雛禽. 兌禽. 胎禽. 閒禽. 桓山禽. 喧禽.

9 ⑭ [[illegible]] 禼(前前條)와 同字

13 ⑱ [[illegible]] 〔비〕 禼(内部 七畫〈p. 1607〉)와 同字

20 ㉕ [[illegible]] 〔비〕 禼(内部 七畫〈p. 1607〉)와 同字
[參考] 禼의 字源을 보라.

禾 (5획) 部
〔벼화부〕

0 ⑤ [禾] [高·人] [一] 화 [平]歌 戶戈切 hé [二] 수 [韓]

[筆順] 一 二 千 禾 禾

[字解] [一] ①벼 화 화본과(禾本科)에 딸린 일년초. 또, 그 열매. '一黍'. '大無麥一'《春秋》. ②곡식 화 곡물의 총칭. '一穀'. '一稼不熟'《禮記》. ③모 화, 줄기 화 곡류의 모. 또, 그 줄기. '一則盡起'《書經》. ④이삭팬벼 화 '粢黍稻, 其采謂之一'《廣雅》. ⑤성 화 성(姓)의 하나. [二] 《韓》 말이수효 수 말의 이〔齒〕의 수를 세는 말.
[字源] 甲骨文 金文 篆文 象形. 이삭 끝이 줄기 끝에 늘어진 모양을 본떠, '벼'의 뜻을 나타냄.
[參考] '禾화'를 의부(意符)로 하여, 벼·곡물, 그 수확(收穫)이나 조세(租稅) 등에 관한 문자를 이룸.

[禾稼 화가] 곡식. 곡류.
[禾稈 화간] 짚.
[禾絹 화견] 천자(天子)를 일컫는 은어(隱語).
[禾藁 화고] 짚.
[禾穀 화곡] ㉠벼. ㉡곡류.
[禾苗 화묘] 벼의 모.
[禾本科 화본과] 식물 분류상의 한 과(科). 벼·보리·옥수수·대나무 등이 이에 속함.
[禾黍 화서] ㉠벼와 기장. ㉡곡류.
[禾黍油油 화서유유] 벼나 기장이 번드르르하게 잘 자라는 모양.
[禾穗 화수] 벼이삭.
[禾菽 화숙] 벼와 콩.
[禾穎 화영] 화수(禾穗).
[禾卉 화훼] 곡초(穀草).
◉嘉禾. 秔禾. 稜禾. 登禾. 晩禾. 麥禾. 祥禾. 嘗禾. 黍禾. 瑞禾. 萎禾. 珍禾. 芻禾. 稗禾.

0 ⑤ [禾] [一] 계 [平]齊 堅奚切 jī [二] 애 [去]隊 五漑切
[字解] [一] 멈출 계 나무 끝이 고부라져 자라기를 멈춤. '一, 木之曲頭, 止不能上也'《說文》. [二] 멈출 애 [一]과 뜻이 같음.
[字源] 象形. 나무의 끝이 부러져 굽어서 자라지 않는 모양을 본뜸.
[參考] 禾(前條)는 別字.

2 ⑦ [秃] [人名] 독 [入]屋 他谷切 tū
[字解] ①대머리 독 민머리. '一頭'. '使一者御一者'《穀梁傳》. 또, 대머리지는 일. 대머리지는 병. '病一折臂'《五代史》. ②대머리질 독 독두가 됨. '王莽頭一'《北史》. ③민둥민둥할 독 산에 나무가 없음. '一山'. 또, 잎이 모두 떨어진 나무를 '一樹'라 함. ④모지라질 독 끝이 닳아서 없어짐. '一筆'. '筆一千枚'《東坡志林》. ⑤성 독 성(姓)의 하나.
[字源] 篆文 會意. 禾+儿. '禾화'는 곡식의 둥근 알. '儿인'은 '사람'의 뜻. 두발(頭髮)이 없어져 대머리가 됨의 뜻.

[秃巾 독건] 두건(頭巾)을 쓰지 아니함.
[秃頭 독두] 대머리.
[秃山 독산] 민둥산.
[秃樹 독수] 낙엽 진 나무.
[秃翁 독옹] 대머리 진 늙은이.
[秃友 독우] 붓. 뭉뚝한 붓을 이름.
[秃者 독자] 대머리 진 사람.
[秃丁 독정] 중을 욕하는 말.
[秃筆 독필] ㉠몽당붓. ㉡자작(自作)의 시문의 겸칭.
[秃毫 독호] 몽당붓.
◉老秃. 斑秃. 酒秃. 疙秃.

2 ⑦ [秀] [中·人] 수 [去]宥 息救切 xiù

[筆順] 一 二 千 禾 乔 秀

[字解] ①팰 수 벼 따위의 이삭이 나와 꽃이 핌. '實發實一'《詩經》. 또, 꽃이 피어 번성함. '蘭有一兮菊有芳'《漢武帝》. ②빼어날 수 뛰어남. '一才'. '冬嶺一孤松'《顧愷之》. 또, 뛰어난 것. 정수(精粹). '惟人也, 得其一而最靈'《周敦頤》. 또, 뛰어난 사람. 걸사(傑士). '皆南土之一'《晉書》. ③이삭 수 벼 따위의 이삭. '二苗同一一'《韓詩外傳》. ④꽃필 수 '苗而不一者有矣夫'《論語》. ⑤여물 수 꽃이 피지 않고 열매를 맺음. '不榮而實者, 謂之一'《爾雅》. ⑥꽃 수 '方疏含

一'《張協》. ⑦아름다울 수 '一, 美也'《華嚴經音義》. ⑧우거질 수 무성함. '一, 茂也'《廣雅》. ⑨성 수 성(姓)의 하나.

字源 篆文 會意. 禾+乃. '禾화'는 불거져 나온 벼이삭의 象形. '乃내'는 펴져 뻗은 활의 모양을 본뜸. 길게 뻗다, 빼어나다의 뜻을 나타냄.

[秀傑 수걸] 재주가 뛰어나고 기상이 걸출함. 또, 그 사람. 보다 뛰어난 것. 또, 그 사람.
[秀句 수구] 뛰어난 구. 썩 잘 지은 글귀.
[秀氣 수기] ㉠정순(精純)하고 빼어난 기운. ㉡산천의 수려한 경치.
[秀朗 수랑] 뛰어나고 밝음.
[秀麗 수려] 경치가 뛰어나게 아름다움.
[秀望 수망] 뛰어난 인망.
[秀眉 수미] 뛰어난 눈썹. 썩 잘생긴 눈썹.
[秀拔 수발] 남보다 뛰어남.
[秀峯 수봉] ㉠썩 아름다운 산봉우리. ㉡썩 높은 산봉우리.
[秀士 수사] 준수(俊秀)한 선비. 재덕이 뛰어난 선비.
[秀實 수실] 잘 자라서 결실이 좋음.
[秀雅 수아] 빼어나게 우아함.
[秀穎 수영] ㉠높이 뻗은 벼 따위 곡식의 이삭. ㉡재능이 남보다 썩 뛰어남. 또, 그 사람.
[秀外而惠中 수외이혜중] 풍채(風采)가 뛰어나고 마음이 혜민(慧敏)함. 혜(惠)는 혜(慧).
[秀遠 수원] 유달리 빼어남.
[秀偉 수위] ㉠뛰어나게 잘남. ㉡뛰어나고 큼.
[秀潤 수윤] 그림이 잘 그려져서 생동(生動)함.
[秀逸 수일] ㉠재덕이 탁월함. ㉡용모가 준수함.
[秀才 수재] ㉠재주가 뛰어난 남자(男子). ㉡선거(選擧)의 한 과목의 이름. 주군(州郡)에서 재학(才學)이 있는 사람을 선거하여 임용함. 또, 그 과목으로 선발된 사람. ㉢과거의 고시에 응모할 자격이 있는 인사. 청조(淸朝)에서 이들을 생원(生員)이라고도 함.
[秀絶 수절] 월등하게 뛰어남.
[秀挺 수정] 수발(秀拔).
[秀出 수출] 수발(秀拔).
[秀特 수특] 몹시 특출함.
[秀慧 수혜] 뛰어나게 총명함.
[秀華 수화] 뛰어나게 아름다움.
◉刻露淸秀. 孤秀. 高秀. 魁秀. 翹秀. 趫秀. 閨秀. 奇秀. 端秀. 邁秀. 麥秀. 明秀. 茂秀. 芳秀. 三秀. 爽秀. 竦秀. 崇秀. 神秀. 深秀. 雅秀. 彦秀. 娟秀. 英秀. 穎秀. 靈秀. 聳秀. 優秀. 鬱秀. 偉秀. 逸秀. 才秀. 前秀. 貞秀. 挺秀. 整秀. 蚤秀. 俊秀. 珍秀. 蒼秀. 淸秀. 擢秀. 通秀. 特秀. 標秀. 軒秀.

2 ⑦ [私] 中人 사 ㊥支 息夷切 sī

筆順 一 二 千 禾 禾 私 私

字解 ①사 사 ㉠사사로움. 자기에게 관계됨. '公一'. '君子不以一害公'《韓詩外傳》. ㉡불공평함. '公平無一'. '以公滅一'《書經》. ㉢간사함. '知其不爲一'《呂氏春秋》. ㉣사욕. '少一寡欲'《老子》. ㉤자기. '身者非其一有也'《呂氏春秋》. ②사사 사 ㉠자기의 사물. '遂及我一'《詩經》. ㉡개인의 사사로운 비밀. '探人之一'《禮記》. ③가족 사 집안 식구. '請以其一屬'《左傳》. ④사사로이할 사 ㉠불공평하게 함. 사곡(邪曲)된 일을 함. '賞不一親近'《戰國策》. ㉡자기 소유로 함. '八家皆一百畝'《孟子》. ㉢자기 마음대로 함. '王雖有萬金不得一也'《戰國策》. ⑤편애할 사 특히 치우치게 사랑함. '好貨財一妻子'《孟子》. 또, 그 사랑을 받는 사람. '君多一'《國語》. ⑥간통할 사 사통함. '與人妻一'. ⑦오줌눌 사 소변을 봄. '將一焉'《左傳》. ⑧평복 사 평상시 입는 옷. '薄汙我一'《詩經》. ⑨은혜 사 은휼(恩恤). '有何殊功, 合降隆一'《李嶠》. ⑩가신 사 배신(陪臣). '夫子之賤一'《儀禮》. ⑪자매의 남편 사 자매(姊妹)가 서로 그 남편을 일컫는 말. '碩人維一'《詩經》. ⑫음부 사 남녀의 성기. '早有一病, 不近婦人'《飛燕外傳》. ⑬사사로이 사 ㉠자기 혼자 마음속으로. '一淑'. ㉡비밀히. 가만히. 몰래. '一語之'. '太后時時竊一通呂不韋'《史記》. ⑭성 사 성(姓)의 하나.

字源 篆文 形聲. 禾+厶〔音〕. '厶사'는 사사로이 하다, 제 것으로 삼다의 뜻. 사유(私有)의 벼의 뜻에서, 제 것으로 하다의 뜻을 나타냄.

[私家 사가] 사삿집. 개인(個人)의 집. 조정(朝廷)에 대하여 신하(臣下)의 집을 이름. 사문(私門).
[私假 사가] 자기 마음대로 물건을 빌려 줌. 또, 몰래 물건을 빌림.
[私憾 사감] 사원(私怨).
[私客 사객] 자기 집에서 의식을 제공하는 문객.
[私見 사견] 자기(自己) 혼자의 의견.
[私曲 사곡] 바르지 못함. 사곡(邪曲). 사회(私回).
[私穀 사곡] 사유(私有)의 곡식.
[私窠子 사과자] 사창(私娼).
[私交 사교] ㉠개인으로서의 교제. ㉡권리 있는 신하 또는 외국 등과 결탁하여 사리를 도모하는 일.
[私權 사권] 개인의 법률상의 권리.
[私黨 사당] 사사를 위하여 맺은 도당. 공당(公黨)의 대(對).
[私德 사덕] 절약·근면과 같은 자기 일신에 대한 덕.
[私徒 사도] 사종(私從).
[私力 사력] ㉠자기 혼자의 힘. ㉡부정한 힘.
[私論 사론] 세상에 널리 통하지 못하는 논설. 공론(公論)의 대(對).
[私利 사리] 한 개인(個人)의 이익(利益).
[私立 사립] ㉠자기 마음대로 정(定)함. ㉡공익사업의 기관을 사사 힘으로 설립함. 공립(公立)의 대(對).
[私門 사문] 사가(私家).
[私罰 사벌] 사정(私情)에 의하여 남을 벌줌.
[私法 사법] 사삿사람 상호간의 권리와 의무의 관계를 규정한 법률.
[私辨 사변] 자비(自費)를 씀.
[私兵 사병] 사사로이 길러 두는 군사. 자기의 권력을 펴기 위하여 기르는 군사.
[私報 사보] ㉠사사로 알림. ㉡국보나 관보 밖의 사사 전보.
[私服 사복] 관리(官吏)의 평복(平服).
[私腹 사복] 사욕을 가진 뱃속.
[私夫 사부] 간부(姦夫).

[私府 사부] 개인의 재화(財貨)를 간직하여 두는 곳집.
[私憤 사분] 자기 일신상에 관한 사삿일의 분. 공분(公憤)의 대(對).
[私費 사비] 사사로이 들이는 비용(費用). 개인(個人)의 비용(費用).
[私史 사사] 사인(私人)이 저술한 역사. 야사(野史). 정사(正史)의 대(對).
[私事 사사] ㉠개인의 일. 사삿일. 공사(公事)의 대(對). ㉡비밀한 일.
[私賞 사상] 사사로운 정에 끌려 남을 상 줌. 자기 마음대로 상 줌.
[私生 사생] 법적(法的)으로 부부(夫婦)가 아닌 남녀간(男女間)에 아이를 낳음.
[私生子 사생자] 법적(法的)으로 부부(夫婦)가 아닌 남녀간(男女間)에 난 자식.
[私書 사서] ㉠개인의 편지 또는 서류. ㉡비밀 편지.
[私席 사석] 사사로이 만난 자리. 공석(公席)의 대(對).
[私設 사설] 사삿사람의 설치.
[私屬 사속] 자기가 부리는 하인.
[私讎 사수] 개인(個人)의 원수(怨讎).
[私淑 사숙] 경모(敬慕)하는 사람에게 직접 배우지 못하고 단지 그 사람을 본받아서 도(道)나 학문을 닦음.
[私塾 사숙] 글방. 서당(書堂).
[私習 사습] 혼자 자습함.
[私食 사식] 감옥(監獄)·경찰서(警察署) 등에 갇힌 사람에게 사비(私費)로 들여 주는 음식(飮食).
[私信 사신] 사사(私事)로 하는 편지(便紙).
[私室 사실] 자기가 쓰는 방.
[私心 사심] ㉠자기 혼자의 생각. ㉡제 욕심을 채우려는 마음.
[私謁 사알] 비밀의 면회.
[私愛 사애] 불공평한 사랑. 치우친 사랑.
[私語 사어] 비밀 이야기.
[私言 사언] 세상에 널리 통하지 않는 일개인의 말.
[私宴 사연] 개인의 연회.
[私營 사영] 사사로이 하는 경영(經營).
[私欲 사욕] 자기 일신(自己一身)의 이익(利益)만 탐(貪)하는 욕심. 사심(私心)에서 일어나는 욕망.
[私用 사용] ㉠자기의 일, 또는 용도(用途). 공용(公用)의 대(對). ㉡관공서 또는 공공의 물품을 사사로이 씀.
[私怨 사원] 사사의 원한. 자기 개인의 이해관계로 일어난 원한.
[私願 사원] 일신상의 소원.
[私有 사유] 개인의 소유. 관유(官有)·공유(公有)의 대(對).
[私恩 사은] 사사의 은혜. 사삿사람으로서 베푸는 은혜.
[私意 사의] ㉠자기 욕심을 채우려는 마음. ㉡개인의 뜻.
[私誼 사의] 개인(個人)의 사사의 정의(情誼).
[私議 사의] ㉠비밀히 의논함. ㉡자기 개인의 의견. ㉢자기의 의견을 진술한 의론체(議論體)의 글.
[私益 사익] 사사의 이익. 공익(公益)의 대(對).
[私人 사인] ㉠자기가 부리는 하인. ㉡사삿사람. 개인.
[私印 사인] 개인(個人)의 도장(圖章).
[私財 사재] 사유의 재산. 자기 재산.
[私邸 사저] 사제(私第).
[私積 사적] 사축(私蓄).
[私覿 사적] 관리가 개인의 자격으로 면회하는 일.
[私田 사전] ㉠사유의 전지. ㉡정전법(井田法)에서 구등분(九等分)한 것 중 공전(公田)이 아닌 팔구(八區)의 일컬음.
[私錢 사전] 위조(僞造)한 돈.
[私情 사정] ㉠사사의 정(情). ㉡사심(私心).
[私第 사제] 자기의 집. 사삿사람의 집. 사택(私宅).
[私製 사제] 사삿사람이 만듦.
[私從 사종] 자기 집에서 부리는 하인. 종. 사도(私徒).
[私座 사좌] 공좌(公座)가 아닌 사사로운 자리. 사석(私席).
[私智 사지] 자기 혼자의 슬기. 그릇 판단한 슬기.
[私札 사찰] 사인(私人) 사이의 편지(便紙). 사사로 하는 편지(便紙).
[私娼 사창] 밀매음하는 창녀.
[私債 사채] 사삿사람 사이의 빚.
[私賤 사천] 개인(個人)이 부리는 종. 사가(私家)의 노비(奴婢).
[私蓄 사축] 자기 개인의 축적.
[私親 사친] ㉠자기 집안사람. ㉡친분(親分)이 두터운 사람.
[私帑 사탕] 천자(天子)의 사유 재산(私有財產).
[私宅 사택] 자기의 집. 사삿사람의 집. 사제(私第). 관택(官宅)의 대(對).
[私通 사통] 정당(正當)한 혼례(婚禮)를 행(行)하지 않고 남녀(男女)가 몰래 정(情)을 통(通)함.
[私鬪 사투] 개인 싸움.
[私販 사판] 금제(禁制)를 범하고 물건을 몰래 팖. 밀매(密賣)함.
[私學 사학] ㉠사립학교. ㉡세상에 널리 통하지 않는 자기가 좋아하는 학문(學問).
[私行 사행] ㉠사용(私用)으로 감. ㉡개인 행위. ㉢비밀 행위.
[私嫌 사혐] 사사(私事)의 혐의(嫌疑).
[私刑 사형] 사삿사람의 단체에서 가하는 제재. 법률에 의하지 아니하고 군중의 의사로 처벌하는 일.
[私惠 사혜] ㉠사사로운 은혜. ㉡바르지 아니한 은혜. 신하가 군명(君命)에 의하지 않고 자기 마음대로 백성에게 혜택을 베풀거나 법을 굽혀 죄인을 용서하는 따위.
[私和 사화] ㉠송사(訟事)를 화해(和解)함. ㉡원한(怨恨)을 풀고 사이좋게 지냄.
[私回 사회] 사곡(私曲).
◉家私. 曲私. 公私. 公平無私. 眷私. 燕私. 榮私. 營私. 外私. 陰私. 姻私. 便私.

2 ⑦ [秅] 〔비〕
秕(禾部 四畫〈p. 1613〉)와 同字

[利] 〔리〕
刀部 五畫(p. 250)을 보라.

3 ⑧ [季] 人名 년 ㊥先 奴顚切 nián
筆順 一 二 千 禾 禾 秂 秊 季

[字解] 해 년 年(干部 三畫)의 本字. '大有一'《春秋》.

[季] 〔계〕
子部 五畫(p. 562)을 보라.

[委] 〔위〕
女部 五畫(p. 525)을 보라.

3 ⑧ [秅] 타 [平]麻 宅加切 chá

[字解] 벼사백뭇 타 벼 400뭇, 6,400석(石)의 용량. '禾三十車, 車三一'《周禮》.

[字源] 篆文 形聲. 禾+乇〔音〕. '볏단'의 뜻.

3 ⑧ [秆] 간 [上]旱 古旱切 gǎn

[字解] 볏짚 간 稈(禾部 七畫)과 同字. '或取一秉一'《左傳》.

[字源] 稈의 別體 形聲. 禾+干〔音〕

3 ⑧ [秈] 선 [平]先 相然切 xiān

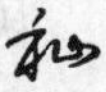

[字解] 메벼 선 메진 벼. '江南呼粳爲一'《揚子方言》.

[字源] 形聲. 禾+山〔音〕

3 ⑧ [秄] [人名] 자 [上]紙 卽里切 zǐ

[字解] 북돋울 자 벼의 뿌리를 북줌. 耔(耒部 三畫)와 同字.

[字源] 篆文 形聲. 禾+子〔音〕. '子자'는 '불어나다, 늘다'의 뜻. 벼 따위가 불어나게 하다, '북돋우다'의 뜻을 나타냄.

3 ⑧ [杞] 기 [上]紙 口已切 qǐ

[字解] 차조 기 차진 조. 芑(艸部 三畫)와 同字.

3 ⑧ [秄] 우 [平]虞 雲俱切 yú

[字解] 벼이삭패지아니할 우 벼의 이삭이 나오지 않음. '一, 禾不秀'《集韻》.

3 ⑧ [杓] 초 [上]篠 都了切 diǎo

[字解] ①이삭고개숙일 초 여물어 이삭이 굽은 모양. '一, 禾危采也'《說文》. '一, 禾穗垂皃'《廣韻》. ②걸 초 물건을 걸침. '一, 亦懸物'《玉篇》.

[字源] 篆文 形聲. 禾+勺〔音〕. '勺작'은 '숟갈'의 뜻. 벼이삭이 숟갈 모양으로 구부러져 늘어져서 곧 떨어질 것 같은 모양을 이름.

[和] 〔화〕
口部 五畫(p. 365)을 보라.

3 ⑧ [秉] [人名] 병 ①-③[上]梗 兵永切 bǐng
④⑤[去]敬 陂病切

[筆順] 一 二 亖 亖 亖 秉 秉 秉

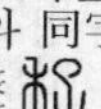

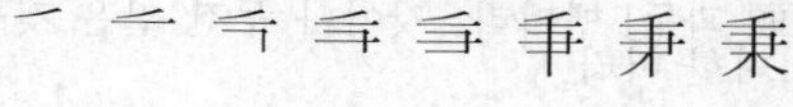

[字解] ①벼뭇 병 한 움큼의 볏단. '彼有遺一'《詩經》. ②열엿섬 병 용량(容量)의 단위로, 16곡(斛). '與之粟五一'《論語》. ③잡을 병 ㉠손에 쥠. '一國權'. '古人一燭夜遊'《李白》. ㉡마음에 잡아 지킴. '民之一彝, 好是懿德'《詩經》. ④자루 병 柄(木部 五畫)과 통용. '國子實執齊一'《左傳》. ⑤성 병 성(姓)의 하나.

[字源] 甲骨文 金文 篆文 會意. 又+禾. 벼를 손으로 잡는 모양에서, '잡다'의 뜻을 나타냄.

[秉公 병공] 공평(公平)함을 지킴.
[秉公持平 병공지평] 공평히 처리함.
[秉權 병권] 정권의 고동을 잡음.
[秉鈞 병균] 정권(政權)을 잡음.
[秉鉞 병월] 장수가 병권(兵權)을 잡음.
[秉夷 병이] 병이(秉彝).
[秉彝 병이] 상도(常道)를 굳게 지킴.
[秉政 병정] 정권을 잡음. 병균(秉鈞).
[秉燭 병촉] 촛불을 밝힘.
[秉軸 병축] 정권을 잡음.
◉素秉. 遺秉. 總秉.

3 ⑧ [秇] [一] 흘 [入]月 下扢切 hé
[二] 혈 [入]屑 奚結切 xié

[字解] [一] 보리싸라기 흘 보리 싸라기. [二] 싸라기 혈 싸라기.

4 ⑨ [秋] [中人] 추 [平]尤 七由切 qiū

[筆順] 一 二 千 禾 禾 秒 秋 秋

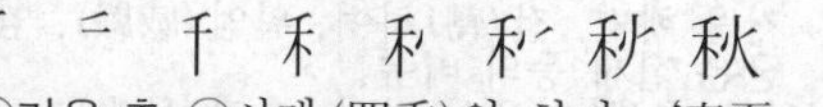

[字解] ①가을 추 ㉠사계(四季)의 하나. '春夏一冬'. 또, 곡식이 잘됨을 '有一'라 함. ㉡오행(五行)에서는 금(金). '金爲一'《春秋繁露》. ㉢오방(五方)에서는 서(西). '屯神虎於一方'《張衡》. ㉣오음(五音)에서는 상(商). '聽朔管之一引'《謝莊》. ②때 추 ㉠세월. '千一'. ㉡중요한 때. 또, 시기(時機). '危急存亡之一'《諸葛亮》. ③여물 추 오곡(五穀)이 여묾. 결실(結實)함. 또, 그때. '一爲收成'《爾雅》. ④근심할 추 '一之爲言, 愁也'《白虎通》.

[字源] 篆文 籒文 會意. 籒文에서 볼 수 있듯이, 본디는 禾+火+龜. 뒤에, '龜귀'를 생략하여 '秋'가 됨. '龜'는 '거북'의 뜻. 고대(古代)에는 거북의 등딱지에 불을 갖다 댐으로써 점(占)을 쳤음. 그 거북은 가을철에 잡히기 때문에, '가을'의 뜻을 나타냄. 또, 이 절기에는 곡식의 수확도 있고 해서, 아울러 '禾'를 덧붙여, '가을'의 뜻을 나타냄.

[秋耕 추경] 가을갈이.
[秋景 추경] 가을의 경치.
[秋季 추계] ㉠가을의 계절. ㉡추초(秋杪).
[秋高馬肥 추고마비] 가을 하늘은 맑아서 높으며 말은 살쪄서 기운이 좋다는 뜻. 흉노(匈奴)는 말이 살찌는 가을 무렵에 자주 남하하여 변경을 침노하였으므로, 전(轉)하여 전쟁의 준비는 다 되고 사기는 떨치어 전쟁의 호기(好期)가 도래하였음을 이름.
[秋空 추공] 가을 하늘.
[秋瓜 추과] 가을에 익는 외.
[秋官 추관] 육관(六官)의 하나. 형벌을 맡음.

[秋光 추광] 가을 경치.
[秋郊 추교] 추야(秋野).
[秋宮 추궁] 황후(皇后)의 궁전. 전(轉)하여, 황후의 별칭(別稱).
[秋閨 추규] 가을의 쓸쓸한 침방(寢房).
[秋氣 추기] 가을의 기운.
[秋期 추기] 가을의 시기(時期).
[秋刀魚 추도어] 바닷물고기의 하나. 꽁치. 공미리. 침어(針魚).
[秋涼 추량] ㉠가을의 쓸쓸한 기운 또는 바람. ㉡음력 8월의 아칭(雅稱).
[秋麥 추맥] 가을보리.
[秋眸 추모] 맑은 눈동자.
[秋旻 추민] 가을 하늘.
[秋芳 추방] 가을에 피는 꽃.
[秋分 추분] 이십사절기(二十四節期)의 열여섯째. 음력 8월 중, 양력 9월 20일 전후에 듦. 태양이 추분점에 이르러 주야(晝夜)의 길이가 평균이 됨.
[秋士 추사] 불우(不遇)하여 벼슬을 하지 못하는 선비.
[秋社 추사] 가을의 사일(社日).
[秋思 추사] 가을철에 느끼는 쓸쓸한 생각.
[秋三朔 추삼삭] 음력(陰曆) 7월·8월·9월의 석 달.
[秋嘗 추상] 가을에 신곡(新穀)을 신명에 제사 지냄. 신상(新嘗).
[秋霜 추상] 가을의 찬 서리. 전(轉)하여, 위엄(威嚴), 엄한 형벌, 굳은 절개 등의 비유.
[秋霜烈日 추상열일] 가을의 찬 서리와 여름의 뜨거운 햇볕. 전(轉)하여, 위엄(威嚴), 엄한 형벌, 굳은 절개 등의 비유.
[秋色 추색] 가을의 경치. 추광(秋光).
[秋夕 추석] 《韓》 한가위. 음력(陰曆) 8월 보름날.
[秋扇 추선] 가을철의 소용없는 부채. 전(轉)하여, 버림을 받은 여자의 비유. 반첩여(班婕妤)의 원가행(怨歌行)에서 나온 말.
[秋獮 추선] 가을 사냥.
[秋成 추성] 가을 곡식의 결실.
[秋聲 추성] 가을철의 쓸쓸한 바람 소리.
[秋宵 추소] 추야(秋夜).
[秋水 추수] ㉠가을 무렵의 큰 물. ㉡가을의 맑은 물. ㉢맑은 눈매의 비유. 추모(秋眸). ㉣번쩍번쩍하는 시퍼런 칼의 비유. ㉤신색(神色)이 맑고 깨끗함의 비유.
[秋收 추수] 가을에 곡식을 거둬들임.
[秋信 추신] 가을이 온 소식.
[秋夜 추야] 가을밤.
[秋野 추야] 가을의 들.
[秋夜如歲 추야여세] 가을밤은 길다는 말.
[秋陽 추양] 가을의 햇볕.
[秋雨 추우] 가을비.
[秋雲 추운] 가을 하늘의 구름.
[秋月 추월] 가을밤의 달.
[秋月寒江 추월한강] 유덕(有德)한 사람의 맑은 마음의 비유.
[秋意 추의] 가을의 정취(情趣).
[秋蠶 추잠] 가을에 치는 누에.
[秋節 추절] 가을 절기(節期).
[秋情 추정] 추사(秋思).
[秋千 추천] 그네. 추천(鞦韆).
[秋晴 추청] 가을의 맑은 하늘.
[秋請 추청] 가을에 제후(諸侯)가 조현(朝見)함.
[秋杪 추초] 가을의 끝. 늦은 가을. 만추(晚秋).
[秋秋 추추] ㉠춤추는 모양. ㉡뛰어오르는 모양.
[秋波 추파] ㉠가을철의 잔잔하고 맑은 물결. ㉡은근한 정을 나타내는 여자의 고운 눈매.
[秋風 추풍] 가을바람.
[秋風過耳 추풍과이] 아무 관심을 두지 않음을 이름.
[秋風落葉 추풍낙엽] ㉠가을바람에 떨어지는 나무의 잎. ㉡세력(勢力)이 기우는 것을 가을의 낙엽에 비유하여 이르는 말.
[秋海棠 추해당] 추해당과에 속한 풀. 잎은 심장형이고 담홍색의 꽃이 핌.
[秋胡 추호] 옛날 정녀(貞女)의 이름.
[秋毫 추호] ㉠가을철에 가늘어진 짐승의 털. ㉡썩 세미(細微)함의 비유.
[秋花 추화] 가을철에 피는 꽃.
[秋華 추화] 추방(秋芳).
[秋穫 추확] 추수(秋收).
[秋懷 추회] 가을철에 느끼어 일어나는 갖가지 생각.
[秋興 추흥] 가을의 감흥.
◉開秋. 勁秋. 季秋. 高秋. 九秋. 窮秋. 凜秋. 登秋. 晚秋. 末秋. 麥秋. 孟秋. 暮秋. 防秋. 悲秋. 四秋. 霜氣橫秋. 上秋. 盛秋. 小秋. 素秋. 首秋. 始秋. 涼秋. 陽秋. 危急存亡之秋. 一年虛渡秋. 一葉落天下知秋. 立秋. 早秋. 肇秋. 中秋. 仲秋. 千秋. 淸秋. 初秋. 杪秋. 春秋. 皮裏陽秋. 蟪蛄不知春秋.

4
⑨ [科] [中·人] 과 [平]歌 苦禾切 kē 

[筆順] 一 二 千 禾 禾 禾 科 科

[字解] ①품등 과 사물의 품위·등급. '爲力不同—'《論語》. ②조목 과 사물의 분류한 명목. '一目'. '文—'. '理—'. ③법 과 법률. 법령. '金—玉條'. '一條旣備'《戰國策》. ④과거 과 관리의 등용 시험. '登—'. '以此—第郞從官'《漢書》. ⑤죄 과 죄책. '罪—'. '作奸犯—'《諸葛亮》. ⑥구멍 과, 웅덩이 과 움푹 들어간 곳. '盈—而後進'《孟子》. ⑦할당할 과 세(稅)나 벌 따위를 정하여 과(課)함. '疑獄當奏而不奏者, —罪'《宋史》. ⑧모일 과 '—, 藂也'《廣雅》. ⑨동작 과 배우가 연극에서 하는 동작. '—白'. '—諢之妙'《閒情偶寄》. ⑩성 과 성(姓)의 하나.

[字源] [篆文] 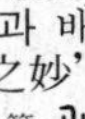 形聲. 斗+禾[音]. '斗두'는 되·말의 象形. '禾화'는 '곡물(穀物)'의 뜻. 곡물을 되다의 뜻에서, 구분하다, 품등(品等), 등급의 뜻을 나타냄.

[科坎 과감] 구멍.
[科介 과개] 배우가 무대에서 하는 거동.
[科客 과객] 과거(科擧)를 보러 가는 선비.
[科擧 과거] 옛날에 문무관(文武官)을 등용(登用)하던 시험(試驗).
[科格 과격] 정해진 규격(規格).
[科禁 과금] 금령(禁令). 법률.
[科期 과기] 과거를 보이는 시기.
[科道 과도] 이(吏)·호(戶)·예(禮)·병(兵)·형(刑)·공(工) 육과(六科)의 급사중(給事中) 및 각도(各道)의 감찰어사(監察御史)의 총칭.
[科斗 과두] 올챙이. 과두(蝌蚪).
[科頭 과두] 맨머리. 갓이나 두건 같은 것을 쓰지 아니한 머리.

[科斗文字 과두문자] 전문(篆文) 이전에 사용된 최고(最古)의 글자. 글자의 획이 올챙이 모양 같으므로 이름. 과두 문자(蝌蚪文字).
[科斗書 과두서] 과두 문자(科斗文字).
[科料 과료] 경미(輕微)한 죄에 과하는 재산형(財産刑).

[科斗文字]

[科目 과목] ㉠관리의 등용 시험. 과거(科擧). ㉡학문의 구분. ㉢종류의 구분.
[科榜 과방] 과거(科擧)에 급제(及第)한 사람의 성명(姓名)을 발표하는 방목(榜目).
[科白 과백] 연극에서 하는 배우의 거동과 대사(臺辭).
[科試 과시] 과거(科擧).
[科諢 과원] 익살. 골계(滑稽).
[科日 과일] 과거(科擧) 보는 날.
[科場 과장] 과거(科擧)를 보는 장소.
[科第 과제] 과거에서 성적을 매겨 등수를 정함.
[科條 과조] ㉠법령. ㉡조목별로 된 법률·법령·규칙. ㉢법령·규칙 등을 조목별로 씀.
[科罪 과죄] 죄(罪)를 과함.
[科學 과학] 어떤 가정(假定)을 설정하고 특수한 현상의 법칙·원리를 연구하는 학문.
[科行 과행] 과거(科擧)를 보러 가는 일.
◉價科. 甲科. 輕科. 高科. 工科. 舊科. 農科. 登科. 末科. 明科. 文科. 法科. 丙科. 分科. 上科. 常科. 首科. 嚴科. 律科. 乙科. 醫科. 理科. 制科. 罪科. 峻科. 僞科. 重科. 催科. 學科. 恆科. 刑科.

4 ⑨ [秒] 高入 ㊀ 묘 ㊤篠 亡沼切 miǎo ㊁ 초 ㊤篠 弭沼切

字解 ㊀ ①까끄라기 묘 화망(禾芒). '禾有—, 秋分而—定'《說文》. ②세미할 묘 사물이 극히 작음. 아주 미소(微小)함. '—忽'. '十忽爲—, 十—爲毫'《漢書》. ㊁ 초 초 시간 또는 각도(角度)의 단위. 1분의 60분의 일.
字源 篆文 形聲. 禾+少〔音〕. '禾화'는 곡물의 이삭 끝이 수그러진 모양을 본뜨며, 식물(植物)의 뜻을 나타냄. '少소'는 미세(微細)하고 작음의 뜻. 벼이삭의 끝, '까끄라기'의 뜻을 나타내며, 전(轉)하여, '미세(微細)함'의 뜻을 나타냄.

[秒忽 묘홀] 극히 미소(微少)함.
[秒速 초속] 1초 동안의 속도.
[秒針 초침] 시계의 초(秒)를 가리키는 바늘.
◉分秒. 衰秒.

4 ⑨ [杭] 갱 ㊥庚 古行切 jīng

字解 메벼 갱 메진 벼. '—稌'. '禾稼稻—'《漢書》.
字源 篆文 俗體 形聲. 禾+亢〔音〕. '亢항'은 '뻣뻣하다'의 뜻. 끈기가 없이 메진 쌀의 뜻을 나타냄.
參考 粳(禾部 七畫)은 俗字.

[杭稌 갱도] 메벼와 찰벼.

4 ⑨ [秖] 지 ㊥支 章移切 zhī

字解 ①마침 지, 다만 지 祇(示部 四畫)와 同字. '—怨結而不見德'《漢書》. ②여물기시작할 지 곡식이 익기 시작함. '—, 禾始熟也'《正字通》.
字源 形聲. 禾+氏〔音〕

4 ⑨ [秕] 人名 비 ㊤紙 卑履切 bǐ ㊥支 頻脂切

字解 ①쭉정이 비 결실이 안 된 벼나 보리 따위. '—糠'. '若粟之有—'《書經》. 전하여, 나쁘거나 유명무실한 사물의 형용으로 쓰임. '軍無—政'《國語》. ②더럽힐 비 손상시킴. '—, 穢也'《字彙》. '—我王度'《後漢書》.
字源 篆文 形聲. 禾+比〔音〕. '比비'는 '늘어서다'의 뜻. 껍질과 껍질이 들러붙은 '쭉정이'의 뜻을 나타냄.

[秕糠 비강] 쭉정이와 겨. 전(轉)하여, 찌꺼기. 찌끼.
[秕政 비정] 악(惡)한 정치(政治).
◉糠秕. 垢秕. 揚秕.

4 ⑨ [种] 충 ㊥東 直弓切 chóng

字解 ①어릴 충 沖(水部 四畫)과 同字. ②성 충 성(姓)의 하나.

4 ⑨ [秏] 모 ①-③㊥豪 謨袍切 mào ④㊦號 莫報切

字解 ①벼 모 수도(水稻)의 일종. '伊尹曰, 飯之美者, 南海之—'《說文》. ②덜 모 耗(耒部 四畫)는 俗字. '—矣哀哉'《漢書》. ③성 모 성(姓)의 하나. ④어두울 모 '—亂, 不明'《集韻》.
字源 篆文 形聲. 禾+毛〔音〕. '禾화'는 '벼'의 뜻. '毛모'는 털, 털처럼 잘다의 뜻. 열매가 잔 벼의 뜻. 파생(派生)하여, '작아지다, 줄다, 덜다'의 뜻을 나타냄.

◉減秏. 蠹秏. 登秏. 費秏. 貧秏. 傷秏. 鮮秏. 殲秏. 消秏. 損秏. 衰秏. 息秏. 殘秏. 彫秏. 豐秏. 疲秏. 虛秏. 荒秏. 虧秏.

4 ⑨ [秎] 분 ㊥文 符分切 fèn ㊤吻 父吻切

字解 ①베어거둘 분 베어서 거두어들임. '—, 穧也, 關中語'《集韻》. '有所—穫.(註)—, 亦穫也'《管子》. ②볏단 분 벼의 묶음. '—, 穧禾束也'《正字通》.

4 ⑨ [杻] 뉴 ㊤有 女九切 niǔ

字解 모 뉴 여린 벼. '—, 禾耎弱者'《集韻》.

4 ⑨ [秔] ㊀ 기 ㊦未 居氣切 hé ㊁ 흘 ㉧月 胡骨切

字解 ㊀ 대껴지지않을 기 '—, 稻也'《說文》. ㊁ 보리싸라기 흘 麧(麥部 四畫)과 뜻이 같음. '—, 麤屑也'《集韻》.
字源 形聲. 禾+气〔音〕

4 ⑨ [秝] 견 ㊤銑 吉典切 jiǎn

字解 ①작은단 견. ②열단 견 열 단.

4 ⑨ [秖] 〔기〕 穊(禾部 十一畫〈p.1627〉)와 同字

4 ⑨ [秠] 〔비〕 秠(禾部 五畫〈p.1614〉)와 同字

4 ⑨ [秎] 아 ㊥麻 牛加切 yá

字解 ①볏단 아 벼 마흔 뭇의 묶음. '一, 稷也'《集韻》. ②기장 아 메기장. '一, 稷也'《字彙》. ③싹 아 초목(草木)의 어린싹. '一, 與芽·牙通, 苗初茁也'《正字通》.

4 ⑨ [秐] 〔운〕 耘(耒部 四畫〈p.1819〉)과 同字

4 ⑨ [秛] 〔파〕 穲(禾部 十五畫〈p.1631〉)와 同字

4 ⑨ [秌] 〔추〕 秋(禾部 四畫〈p.1611〉)의 本字

5 ⑩ [秞] 人名 유 ㊥尤 以周切 yóu

筆順 一 二 千 禾 禾 和 和 秞 秞

字解 벼와기장무성할 유 '一, 禾黍盛也'《玉篇》.

5 ⑩ [租] 高人 ㊀ 조 ㊥虞 則吾切 zū ㊁ 저 ㊥魚 子余切 jū

筆順 一 二 千 禾 禾 利 和 和 租 租

字解 ㊀ ①구실 조 조세. '地一'. '軍市之一'《史記》. ②쌓을 조 저축함. '予所蓄一'《詩經》. ③빌릴 조, 세들 조 차용함. '每年該一房錢若干'《玉堂雜字》. ④세 조 차용한 요금. '俱有一房一地'《明疏鈔》. ⑤시작할 조 '一, 訓始也'《詩經疏》. ㊁ 쌀 저 포장함. '一, 包裹也'《集韻》.

字源 篆文 形聲. 禾+且〔音〕. '且조'는 제물(祭物)의 象形. 벼의 제물, '구실'의 뜻을 나타냄.

[租界 조계] 조차지(租借地)의 구역.
[租賦 조부] 조세(租稅).
[租稅 조세] 세금. 구실.
[租徭 조요] 조세와 요역(徭役). 세금과 부역.
[租庸調 조용조] 당(唐)나라의 세 가지 징세법. 토지에 부과하는 조(租)와, 백성에게 부역을 시키는 용(庸)과, 가업(家業)에 부과하는 조(調)임.
[租賃 조임] 땅을 빌려 쓰고 내는 값. 차지료(借地料).
[租錢 조전] 임대료(賃貸料).
[租借 조차] 한 나라가 다른 나라 땅의 일부분을 세로 얻어 일정한 기한 동안 사용권과 통치권을 행하는 일.
[租借地 조차지] 외국에서 조차(租借)한 땅.
◉官租. 房租. 本租. 負租. 賦租. 稅租. 市租. 殘租. 田租. 折租. 地租. 逋租. 欠租.

5 ⑩ [秠] ㊀ 비 ㊥支 敷悲切 pī ㊁ 부 ㊤有 芳婦切

字解 ㊀ 검은기장 비 껍질 하나 안에 알이 둘 들어 있는 검은 기장. '維秬維一'《詩經》. ㊁ 검은기장 부 ㊀과 뜻이 같음.

字源 篆文 形聲. 禾+丕〔音〕. '丕비'는 '크다'의 뜻. 겉기장 한 알 속에 낟알 두 개가 든, 알이 굵은 검은 기장의 뜻.

5 ⑩ [秪] 지 ㊥支 丁尼切 zhī

字解 ①여물기시작할 지 곡식이 익기 시작함. '一, 穀始熟也'《廣韻》. ②거듭심을 지 '一, 一日, 再種'《集韻》. ③秖(禾部 四畫〈p.1613〉)의 俗字.

5 ⑩ [秣] 말 ㊂曷 莫撥切 mò

字解 ①말먹이 말 말을 먹이는 곡식. '芻一'. ②먹일 말 말먹이를 말에게 먹임. '一馬食士'《國語》. ③성 말 성(姓)의 하나.

字源 形聲. 禾+末〔音〕

[秣穀 말곡] 말의 사료. 또, 마소에 곡류를 먹임.
[秣馬利兵 말마이병] 말에 꼴을 주고 도검(刀劍)을 갊. 출병(出兵)의 준비를 함.
[秣飼 말사] 여물을 먹여 마소를 기름.
[秣粟 말속] ㉠말에게 먹이는 곡식과 벼. ㉡벼를 말먹이로 줌.
◉糧秣. 料秣. 芻秣.

5 ⑩ [秢] 령 ㊥青 郎丁切 líng

字解 ①벼처음익을 령 '一, 禾始熟曰一'《集韻》. ②나이 령 '一, 年也. 與齡同'《玉篇》.

5 ⑩ [秤] 人名 칭 ㊦徑 昌孕切 chèng

筆順 一 二 千 禾 禾 秆 秆 秤

字解 저울 칭 무게를 다는 기계(器械). '天一'. '如一之平'《古之奇》. 전(轉)하여, 공평의 뜻으로 쓰임. '一心'. '諸葛亮曰, 我心如一'《太平御覽》.

[秤竿 칭간] 저울대.
[秤水 칭수] ㉠물고기가 수면에서 펄쩍 뛰어오름. ㉡정월 초하루에서 12일경까지의 동안, 병에 물을 퍼 담아 그 경중(輕重)을 달아서 그 해의 홍수와 가뭄을 점치는 일.
[秤薪而爨 칭신이찬] 땔나무를 저울로 달아 땐다는 뜻으로, 소소한 일에 너무 잔소리가 심함을 이름.
[秤心 칭심] 공평한 마음.
[秤衡 칭형] 저울대.
◉我心如秤. 兩天秤. 天秤.

5 ⑩ [秝] 력 ㊂錫 郎擊切 lì

字解 ①알맞게늘어설 력 벼를 심은 간격(間隔)이 알맞고 균일함. '一, 稀疏適一也'《說文》. ②성길 력 '一, 疏也'《廣雅》.

字源 會意. 禾+禾

5 ⑩ [秳] 人名 석 ㉧陌 常隻切 shí

筆順 ㇐ 二 千 禾 禾 秆 秳 秳

字解 ①섬 석 열 말. '稻一一, 爲粟二十斗'《說文》. ②돌 석 石(部首)과 통용.

字源 篆文 形聲. 禾+石〔音〕. 곡물(穀物)의 무게의 뜻으로, 널리 무게의 단위로 쓰임.

5 ⑩ [秧] 人名 앙 ①②㉧陽 於良切 yāng ③㊤養 於兩切

字解 ①모 앙 벼의 모. '移一'. '新禾未抽一'《歐陽修》. ②심을 앙 재배함. '一, 蒔一'《廣韻》. '一, 栽也'《集韻》. ③무성할 앙 벼가 우거짐. '一穰, 禾稠也'《廣韻》.

字源 篆文 形聲. 禾+央〔音〕. '央앙'은 목에 형구(刑具)인 칼을 쓴 사람을 본뜬 모양. 질 따위로 묶은 '볏모'의 뜻.

[秧稻 앙도] 볏모.
[秧苗 앙묘] 볏모.
[秧插 앙삽] 모심기.
[秧田 앙전] 못자리 논.
[秧針 앙침] 볏모.
◉插秧. 桑秧. 松秧.

5 ⑩ [秩] 高·人 질 ㉧質 直一切 zhì

筆順 ㇐ 二 千 禾 禾 秈 秩 秩

字解 ①차례 질 순서. '一序'. '提衡爭一'《管子》. ②녹 질 녹봉. '一祿'. '收膳夫之一'《左傳》. ③벼슬 질 관직. '委之常一'《左傳》. ④항상 질 평상(平常). '不知其一'《詩經》. ⑤매길 질 차례·등급 등을 정함. '平一東作'《書經》. '一, 謂制其差等'《書經 疏》. ⑥정돈할 질 '一, 整也'《正字通》. ⑦십년 질 10년간의 일컬음. '七一'은 예순한 살부터 일흔 살까지. '九十有一'《禮記》.

字源 篆文 形聲. 禾+失〔音〕. '失실'은 '塡전'과 통하여, 채워 넣다의 뜻. 곡물(穀物)을 창고에 채우다의 뜻이나, 직무(職務)에 상당하는 곡물을 그 사람의 창고에 채워 넣다의 뜻에서, 쌓다, 차례, 녹미(祿米)의 뜻 따위를 나타냄.

[秩高 질고] 관직·녹봉이 높음.
[秩祿 질록] 녹봉(祿俸).
[秩滿 질만] 관직(官職)의 임기(任期)가 만료(滿了)됨. 봉만(俸滿).
[秩米 질미] 녹봉으로 주는 쌀. 녹미(祿米).
[秩俸 질봉] 위로부터 받는 급료(給料).
[秩卑 질비] 관직·녹봉이 낮음.
[秩序 질서] 차례. 순서.
[秩敍 질서] 관위(官位)의 순서.
[秩然 질연] 질서가 정연한 모양.
[秩宗 질종] ㉠신(神)의 존비(尊卑)의 등급을 매기며 또 제사를 지내는 일을 맡은 벼슬. 종백(宗伯). ㉡후세(後世)에는 예부(禮部)의 별칭(別稱).
[秩秩 질질] ㉠생각이 깊은 모양. ㉡청명한 모양. 맑은 모양. ㉢흘러가는 모양. ㉣정숙(靜肅)하고 근신하는 모양. ㉤질서가 정연한 모양.
◉官秩. 祿秩. 望秩. 美秩. 辯秩. 俸秩. 卑秩. 常秩. 榮秩. 優秩. 位秩. 爵秩. 祭秩. 宗秩. 竣秩. 職秩. 寵秩. 平秩. 品秩. 顯秩. 厚秩.

5 ⑩ [秭] 一 필 ㉧質 薄密切 bì 二 불 ㉧月 薄沒切 bó

字解 一 움벼 필 '一, 一穊, 禾重生'《廣韻》. 二 벼여물지아니할 불.

5 ⑩ [秫] 출 ㉧質 食聿切 shú, ④shù

字解 ①차조 출 차진 조. '朱湛丹一'《禮記》. ②찰벼 출 '稻之黏者爲一'《太平御覽》. ③찰수수 출 '謂高粱之粘者, 爲一一'《通訓》. ④바늘 출 긴 바늘. '鯷冠一縫, 大吳之國也'《戰國策》.

字源 篆文 別體 形聲. 禾+朮〔音〕. '朮출'은 찰수수의 이삭의 象形으로, '찰수수'의 뜻을 나타냄. 뒤에 '禾화'를 덧붙이게 되었음.

[秫穀 출곡] 찹쌀.
[秫稻 출도] 차조와 벼.
◉蜀秫.

5 ⑩ [秬] 거 ㊤語 其呂切 jù ㉧魚 求於切

字解 검은기장 거 알이 검은 기장. '黑一'. '維一維秠'《詩經》.

字源 篆文 形聲. 禾+巨〔音〕

[秬酒 거주] 검은 기장으로 빚은 술.
[秬鬯 거창] 울창주(鬱鬯酒).
◉黑秬.

5 ⑩ [秙] 고 ㊀遇 苦故切 kù

字解 벼여물지아니할 고 벼가 여물지 아니함. '一, 一穮, 禾不實'《玉篇》.

5 ⑩ [秭] 자 ㊤紙 將几切 zǐ

字解 ①용량단위 자 벼 2백 뭇의 일컬음. 1병(秉)은 16곡(斛). 1자(秭)는 3천2백 곡(斛). ②만억 자 억의 만 배. '萬億及一'《詩經》.

字源 金文 篆文 形聲. 禾+𠂔〔音〕. '𠂔자'는 차곡차곡 쌓다, 많은 볏단의 뜻으로, 옛날에 벼의 용량(容量)을 되는 데 쓰이고, 또 수(數)의 단위에도 사용되었음.

5 ⑩ [秨] 一 작 ㉧藥 疾各切 zuó 二 조 ㊀遇 存故切

字解 一 ①벼흔들릴 작 벼가 흔들리는 모양. '一, 禾搖皃'《說文》. ②벼심기 작 '一, 禾稼也'《集韻》. 二 벼흔들릴 조, 벼심기 조 一과 뜻이 같음.

字源 形聲. 禾+乍〔音〕

5 ⑩ [秜] 一 니 ㉧支 女夷切 ní 二 리 ㉧支 力脂切 lí 三 닐 ㉧質 尼質切 nì

[字解] [一] ①돌벼 니 자생(自生)의 벼. '稻今年落, 來年自生, 謂之一.'(段注) 謂不種而自生者也'《說文》. ②밀 니 소맥(小麥). '小麥謂之一'《玉篇》. [二] ①돌벼 리. ②밀 리. [三] 올벼 닐 조생종(早生種)의 벼. '一, 稻先熟者'《集韻》.
[字源] 篆文 形聲. 禾+尼〔音〕

5 [秥] 점 [平]鹽 尼占切 nián
⑩

[字解] 벼 점, 찰벼 점 메벼. 또는 차진 벼. '一, 禾也'《玉篇》. '一, 糯禾'《字彙》.
[字源] 形聲. 禾+占〔音〕

5 [秘] [人名] 〔비〕
⑩ 祕(示部 五畫〈p. 1592〉)의 俗字

[筆順] 二 千 禾 禾 秒 秘 秘 秘

5 [称] 〔칭〕
⑩ 稱(禾部 九畫〈p. 1623〉)의 俗字

5 [秦] [人名] 진 [平]眞 匠隣切 qín
⑩

[筆順] 一 三 丰 夫 夫 奏 奉 秦 秦

[字解] ①진나라 진 ㉠주대(周代)의 제후의 나라로, 셴양(咸陽)에 도읍하고 간쑤 성(甘肅省)·산시 성(陝西省) 등을 영유하였으며, 시황(始皇) 때에 이르러 천하를 통일하였다가 3세(世) 15년 만에 한(漢)나라에 멸망당하였음.(B.C. 221~B.C. 207) ㉡동진 시대(東晉時代)에 부견(苻健)이 세운 왕조(王朝)를 '前一'(351~394)이라 하고, 후에 요장(姚萇)이 이 왕조를 멸하고 세운 왕조를 '後一'(384~417)이라 함. ㉢동진 시대에 걸복건귀(乞伏乾歸)가 '一王'이라 자칭하였는데, 이를 '西一'(385~431)이라 함. ②벼이름 진 벼의 이름. '一, 禾名'《說文》. ③성 진 성(姓)의 하나.
[字源] 甲骨文 金文 篆文 籀文 會意. 禾+舂〈省〉. '舂용'은 절구 위로 양손으로 치켜드는 절굿공이의 象形. '禾화'는 甲骨文·金文에서는 양화(兩禾)의 형태로, 벼가 위로 뻗어 우거지다의 뜻을 나타냄. '蓁진'·'榛진'의 原字로, 뒤에 나라 이름으로 쓰임.

[秦鏡 진경] 진시황(秦始皇)의 궁중에 있던 거울. 사람의 뱃속을 비추었다 함.
[秦觀 진관] 송(宋)나라의 문인(文人). 자(字)는 소유(少游). 호(號)는 태허(太虛). 시문(詩文)에 뛰어나 소식(蘇軾)의 천거로 태상박사(太常博士)·국자 편수(國子編修)를 지냈음. 저서에 〈회해집(淮海集)〉이 있음.
[秦嶺 진령] 산시 성(陝西省) 남쪽에 있는 산. 진령산맥(秦嶺山脈)의 일부를 형성함.
[秦穆公 진목공] 춘추 오패(春秋五覇)의 하나. 백리해(百里奚)·건숙(蹇叔) 등을 등용해서 선정(善政)을 베풀어 마침내 서방 제후(諸侯)의 장(長)이 되었음.
[秦聲 진성] 진(秦)나라의 음악.
[秦始皇 진시황] 진(秦)나라의 황제(皇帝). 육국(六國)을 멸(滅)하여 천하(天下)를 통일(統一)하고, 봉건제(封建制)를 고쳐서 천하(天下)를 군현(郡縣)으로 나누었으며, 흉노(匈奴) 및 남월(南越)을 쳐서 강토(疆土)를 확장(擴張)한 후 만리장성(萬里長城)을 쌓았음.
[秦牙 진아] 옛날에, 말의 감정(鑑定)을 잘한 사람.
[秦越 진월] 춘추 시대(春秋時代)의 두 나라 이름. 진(秦)나라는 서북, 월(越)나라는 동남에 있어 거리가 극히 멀므로, 소원(疏遠)한 것의 비유로 쓰임.
[秦越肥瘠 진월비척] 진나라 사람과 월나라 사람이 혹은 살지고 혹은 강파르다는 뜻. 곧, 서로 하등의 교섭 관계가 없는 사물을 이름.
[秦律 진율] 진(秦)나라의 법률. 전(轉)하여, 가혹한 법령(法令)을 이름.
[秦篆 진전] 진(秦)나라 때 이사(李斯)가 주문(籀文)을 생략하여 간편하게 한 전자(篆字). 소전(小篆).
[秦庭哭 진정곡] 춘추(春秋) 시대에 오(吳)나라의 군사가 초(楚)나라 서울 영(郢)에 침입하여 들어가자 초나라의 신포서(申包胥)가 진(秦)나라에 가서 궁정(宮庭)에서 이레 동안 줄곧 통곡하며 구원병을 청한 고사(故事).
[秦學 진학] 상앙(商鞅)·이사(李斯)의 형명학(刑名學)을 이름.
[秦蕙田 진혜전] 청(清)나라의 학자. 벼슬은 형부상서(刑部尙書)에 이르렀음. 저서에 〈오례통고(五禮通考)〉가 있음.
[秦火 진화] 진시황(秦始皇)이 천하의 전적(典籍)을 불사른 일.
[秦皇 진황] 진시황(秦始皇).
[秦皇島 진황도] 허베이 성(河北省) 북부, 산하이관(山海關) 남쪽의 부동항(不凍港). 1901년에 개항하였으며, 톈진(天津)의 보조항(補助港)임.
[秦檜 진회] 남송(南宋) 고종(高宗) 때의 재상(宰相). 자(字)는 회지(會之). 악비(岳飛)를 무고(誣告)하여 죽이고 주전파(主戰派)를 탄압하여 금(金)나라와 굴욕적인 화약(和約)을 체결하였으므로, 후세에 대표적인 간신(姦臣)으로 꼽힘.
[秦孝公 진효공] 진(秦)나라의 임금. 상앙(商鞅)을 등용(登用)하여 부국 강병책(富國強兵策)을 써서 즉위한 지 10년 만에 국세(國勢)가 크게 떨쳤음.
◉三秦. 西秦. 先秦. 又生一秦. 儀秦. 前秦. 後秦.

6 [秸] [一] 갈 [入]黠 訖黠切 jiē
⑪ [二] 길 [入]質 激質切 jí

[字解] [一] ①짚 갈 껍질을 벗겨 추려 낸 짚. '三百里納一服'《書經》. ②벗길 갈 껍질을 벗김. '半稾去皮曰一'《書經》. [二] 뻐꾸기 길 鴶(鳥部 六畫〈p. 2668〉)과 同字. '一, 一鞠, 鳴鳩也, 或作鴶'《集韻》.
[字源] 形聲. 禾+吉〔音〕

◉麥秸. 剝秸.

6 [移] [中人] 이 [平]支 弋支切 yí
⑪

[筆順] 一 二 千 禾 秒 秒 移 移

[字解] ①옮길 이 ㉠장소를 옮김. 위치를 바꿈.

'一住'. '貧賤不能一'《孟子》. ㉡사물을 변경시킴. '一風易俗'《孝經》. ㉢옮겨 심음. 이식함. '初一一寸根'《蘇軾》. ㉣날을 끎. 세월을 보냄. '一日'. '一時'. ㉤문서 같은 것을 보냄. 돌림. 알림. '一書'. '一文'. '弘乃一病免歸'《漢書》. ②옮을 이 전항의 자동사. '世變風一'《書經》. '守節情不一'《古詩》. ③보낼 이 베풂. 줌. '一, 遺也'《廣雅》. '如有一德於我'《史記》. ④전할 이 넘겨줌. 물려줌. '以田相一, 終死不敢復爭'《漢書》. ⑤쓸 이 '一名與計偕上'《後漢書》. ⑥문서의하나 이 고대의 공문서(公文書)의 한 가지. 회람용의 글. '公一'. '勒一山庭'《孔稚圭》. ⑦성 이 성(姓)의 하나.

[字源] 篆文  形聲. 禾+多〔音〕. '多다'는 '蛇사'와 통하여, '나긋나긋하다'의 뜻. 벼가 자라서 나부껴 흔들리는 뜻에서, '옮다'의 뜻을 나타냄. '迻이'는 동일어(同一語) 이체자(異體字).

[移去 이거] 옮기어 가 삶.
[移居 이거] 주거(住居)를 옮기어 가서 삶.
[移貫 이관] 이적(移籍).
[移管 이관] 관할(管轄)을 변경함. 또 관할이 바뀜.
[移記 이기] 옮겨 기록함.
[移動 이동] ㉠사물의 위치를 바꿈. ㉡옮기어 다님.
[移木之信 이목지신] 사목지신(徙木之信).
[移文 이문] 여러 사람이 돌려 보도록 쓴 글. 회람용의 글. 회장(回章).
[移民 이민] 땅이 넓고 사람이 적은 곳으로 백성을 옮기어 살게 함.
[移變 이변] 변천함. 또, 변천시킴.
[移病 이병] 병이라 핑계하고 사직(辭職)함.
[移封 이봉] 제후를 딴 곳으로 봉함. 제후의 영토를 바꾸어 옮김.
[移徙 이사] 집을 옮김.
[移書 이서] ㉠편지를 보냄. ㉡이문(移文).
[移時 이시] 잠시. 잠깐.
[移植 이식] 이종(移種).
[移安 이안] 신주(神主)를 다른 곳에 옮김.
[移秧 이앙] 모내기.
[移御 이어] 임금이 거처(居處)하는 곳을 옮김.
[移易 이역] 바꿈. 변함. 또, 바뀜. 변하여짐.
[移寓 이우] 딴 곳으로 옮기어 가서 우거(寓居)함.
[移作 이작] 논밭의 작인(作人)을 갊.
[移葬 이장] 무덤을 옮김. 개장(改葬).
[移籍 이적] 호적을 옮김. 전적(轉籍).
[移轉 이전] ㉠이사(移徙). ㉡옮기어 바꿈. ㉢사물의 소재를 옮김.
[移種 이종] 옮기어 심음.
[移住 이주] 딴 곳으로 옮기어 가서 삶.
[移天易日 이천역일] 정권(政權)을 빼앗아 농간(弄奸)질함을 이름.
[移牒 이첩] 문서를 딴 관아(官衙)로 돌림. 또, 그 문서.
[移春檻 이춘함] 아름다운 꽃과 나무를 상자에 심고, 그 밑에 바퀴를 달아 이리저리 옮겨 놓을 수 있게 만든 것. 관상용(觀賞用)으로 편리함.
[移風易俗 이풍역속] 나쁜 풍속(風俗)을 좋은 방향으로 개선(改善)함.
◉家移. 公移. 歸移. 對移. 文移. 物換星移. 飛移. 貧移. 貧賤不能移. 上知與下愚不移. 量移. 與世推移. 委移. 流移. 倚移. 猗移. 除移. 支移. 推移. 奪移. 渝移. 割移. 回移.

6 ⑪ [桐] 동 [平]東 徒東切 tóng

[字解] ①벼무성할 동 벼가 무성한 모양. '一, 禾盛皃'《集韻》. ②볏짚마디사이 동 볏짚의 마디와 마디와의 사이. '一, 禾槀節閒, 猶竹之筒, 得時則長'《正字通》.

[字源] 形聲. 禾+同〔音〕

6 ⑪ [祧] [一] 도 ①[平]肴 直交切 cháo
②③[平]豪 他刀切 táo
[二] 조 [平]蕭 他彫切 tiāo

[字解] [一] ①돌벼 도 '一, 禾穭生'《廣韻》. ②벼 도 '一, 稻也'. ③《現》고량 도 섬북(陝北) 방언으로, 고량(高粱). [二] 벼 조, 고량 조 [一]❷❸과 뜻이 같음.

6 ⑪ [秳] 활 [入]曷 戶括切 huó
[入]黠 乎刮切

[字解] ①조대껴지지않을 활 조가 잘 찧어지지 않음. ②벼날 활 볏모가 남. '一, 一曰生也, 謂禾生'《集韻》.

[字源] 篆文 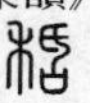 形聲. 篆文은 禾+舌〔音〕

6 ⑪ [稅] 황 [平]陽 呼光切 huāng

[字解] ①흉년 황 흉작(凶作)의 해. '一, 凶年也, 今作荒'《玉篇》. ②실과익지않을 황 과실이 익지 않음.

6 ⑪ [秵] [一] 렬 [入]屑 良辥切 liè
[二] 례 [去]霽 力制切

[字解] [一] ①새꽤기 렬 '黍穰, 謂之一'《廣雅》. ②벼가지런히늘어설 렬 '一, 一說, 禾行列齊也'《正字通》. [二] 새꽤기 례, 벼가지런히늘어설 례 [一]과 뜻이 같음.

[字源] 形聲. 禾+㓞(列)〔音〕

6 ⑪ [案] 안 [去]翰 烏旰切 àn

[字解] ①벼에흙덮을 안 '一, 轢禾也'《說文》. ②벼갈 안 벼를 갈아 겁질을 제거함. '一, 說文, 轢禾也. 今農家取穀法'《正字通》.

[字源] 形聲. 禾+安〔音〕

6 ⑪ [秵] 인 [平]眞 伊眞切 yīn

[字解] 벼꽃 인 벼의 꽃. '一, 禾華也'《集韻》.

6 ⑪ [秷] 질 [入]質 陟栗切 zhì

[字解] 벼베는소리 질 挃(手部 六畫)과 同字.

6 ⑪ [秲] 〔치〕
稺(禾部 十畫〈p.1625〉)와 同字

7 ⑫ [稀] [高人] 희 [平]微 香衣切 xī 

[筆順] 一 二 千 禾 禾 秄 秄 稀 稀

[字解] ①드물 희 希(巾部 四畫)와 同字. '人生七十古來一'《杜甫》. ②묽을 희 진하지 않음. '一薄'. '羨殺田家豆粥一'《陳思濟》. ③성 희 성(姓)의 하나.
[字源] [篆文] 形聲. 禾+希〔音〕. '希희'는 '드묾'의 뜻. 드문드문 성기게 심은 볏모의 모양에서, '드물다'의 뜻을 나타냄.

[稀曠 희광] 적어서 빈 것 같음.
[稀覯 희구] 드물게 보임. 어쩌다가 보임.
[稀年 희년] 70세.
[稀代 희대] 희세(稀世).
[稀微 희미] 똑똑하지 못함. 어렴풋함. 아리송함.
[稀薄 희박] ㉠성김. 조밀(稠密)하지 아니함. ㉡기체(氣體) 또는 액체(液體)가 진하지 아니함.
[稀星 희성] 어쩌다가 보이는 별.
[稀世 희세] 세상(世上)에 드묾.
[稀少 희소] 드묾. 적음.
[稀疏 희소] 사이가 성김.
[稀有 희유] 드물게 있음.
[稀稠 희조] 성김과 총총함. 소밀(疏密).
◉古稀. 依稀. 行人稀.

7 ⑫ [稂] 랑 [平]陽 魯當切 láng
[字解] 가라지 랑 논밭에 난 강아지풀. '一莠'. '不一不莠'《詩經》.
[稂莠 낭유] ㉠논에 자생(自生)하여 벼에 해가 되는 잡초. 가라지. 전(轉)하여, 성현이나 양민을 해치는 자. ㉡천한 놈. 보기 싫은 놈.

7 ⑫ [稃] 부 [平]虞 芳無切 fū
[字解] 겉껍질 부 벼의 겉껍질. 겉겨. '二粒同一'《楊濤》.
[字源] [篆文] [別體] 形聲. 禾+孚〔音〕. '孚부'는 덮어 싸다의 뜻. 볍씨를 덮어 싸고 있는 '겉껍질'의 뜻을 나타냄.

7 ⑫ [稅] [中人]
[一] 세 [去]霽 舒芮切 shuì
[二] 태 [去]泰 吐外切 tuì
[三] 탈 [入]曷 他括切 tuō
[四] 열 [入]屑 弋雪切 yuè
[五] 수 [去]寘 徐醉切 suì

[筆順] 一 千 禾 禾 秒 秒 稅 稅

[字解] [一] ①구실 세 세납. '賦一'. '納其貢一'《孟子》. ②거둘 세 조세를 거둠. 징세함. '初一畝'《穀梁傳》. ③놓을 세 일정한 자리에 둠. '我未知所一駕也'《史記》. ④보낼 세 물건을 보냄. '不敢一人'《禮記》. ⑤성 세 성(姓)의 하나. [二] 추복(追服)입을 태 시일이 경과한 뒤에 죽은 것을 알고 복을 입음. '少功不一'《禮記》. [三] 풀 탈 脫(肉部 七畫)과 통용. '使一之'《左傳》. [四] 기뻐할 열, 기쁨 열 悅(心部 七畫)과 통용. '終乎一'《史記》. [五] 수의 수, 수의입힐 수 襚(衣部 十三畫)와 통용. '一衣'. '奉百金往一'《史記》.
[字源] [篆文] 形聲. 禾+兌〔音〕. '兌태'는 '빠지다'의 뜻. 자기의 한 해 수확 중에서 빠져 나가는 곡류(穀類)의 뜻에서, '조세(租稅)'의 뜻을 나타냄.

[稅榷 세각] 백성의 매매에 간섭하여 세금을 받아서 이익을 독점하는 일.
[稅契 세계] 토지·가옥 등의 저당·매매의 증서에 관의 증인을 신청하거나, 또 그 증권의 하부(下附)를 신청하는 수수료.
[稅穀 세곡] 조세로 바치는 곡식.
[稅關 세관] 개항장(開港場)에서 수출입세(輸出入稅)의 징수(徵收)에 관한 사무를 맡아보는 마을.
[稅金 세금] 조세(租稅)로 바치는 돈. 구실 돈.
[稅納 세납] 세금을 바치는일.
[稅吏 세리] 조세의 사무를 취급하는 관리.
[稅目 세목] 조세의 종목.
[稅務 세무] 조세(租稅)의 부과(賦課)·징수(徵收)에 관한 사무(事務).
[稅賦 세부] 조세. 구실.
[稅額 세액] 조세(租稅)의 액수(額數).
[稅率 세율] 과세의 율.
[稅制 세제] 조세(租稅)의 부과(賦課)·징수(徵收)의 제도(制度).
[稅調 세조] 구실. 조(調)는 가업(家業)에 과(課)하는 구실로서 포백(布帛) 따위.
[稅衣 수의] '수의(襚衣)'와 같음.
[稅駕 탈가] 수레를 끌던 말을 수레에서 풂. 전(轉)하여, 쉼. 휴식(休息)함. 탈(稅)은 탈(脫). 해가(解駕).
[稅喪 태상] 시일이 경과한 뒤에 죽은 것을 알고 추복(追服)을 입음.
◉估稅. 課稅. 關稅. 國稅. 均稅. 納稅. 登錄稅. 免稅. 附加稅. 賦稅. 常稅. 所得稅. 收稅. 輸稅. 兩稅. 營業稅. 徭稅. 郵稅. 源泉課稅. 釐稅. 人頭稅. 印稅. 雜稅. 財產稅. 田稅. 征稅. 租稅. 重稅. 地方稅. 直接稅. 徵稅. 僦稅. 脫稅. 通行稅. 逋稅. 血稅. 戶別稅.

7 ⑫ [稈] [人名] 간 [上]旱 古旱切 gǎn
[字解] 짚 간 벼·보리 따위의 곡초(穀草)의 줄기. 秆(禾部 三畫)과 同字. '麥一'. '禾一'.
[字源] [篆文] [別體] 形聲. 禾+旱〔音〕. '旱한'은 '幹간'과 통하여 '줄기'의 뜻. '짚'의 뜻을 나타냄.
◉稭稈. 萁稈. 稻稈. 麥稈. 禾稈.

7 ⑫ [稊] 제 [平]齊 杜奚切 tí
[字解] ①돌피 제 피의 일종. 蕛(艸部 十二畫)와 同字. '一米之在太倉'《莊子》. 전(轉)하여, 나쁜 사물의 비유. '一秕'. ②싹 제, 움 제 荑(艸部 六畫)와 통용. '枯楊生一'《易經》.
[字源] 形聲. 禾+弟〔音〕

[稊米 제미] 돌피.
[稊秕 제비] 돌피와 쭉정이. 아주 소용없는 것의 비유.
◉枯楊生稊.

7 ⑫ [程] [高·人] 정 [平]庚 直貞切 chéng
[筆順] 二 千 禾 秄 秄 程 程 程

字解 ①한도 정 일정한 분량 또는 표준. 정도. '課―'. '―度'. '按度―'《禮記》. ②법 정 법칙. 규정. 표준. 본보기. '章―'. '規―'. '後世以爲法―'《呂氏春秋》. ③본받을 정 기준으로 삼고 따름. '匪先民是―'《詩經》. ④계량기 정 저울·되 따위. '―者物之準也'《荀子》. ⑤길 정 ㉠길의 거리. 노정. '道―'. '猶是孤帆一日―'《盧綸》. ㉡다니는 길. 경로(徑路). '發―'. '浦―通曲嶼'《李紳》. ⑥헤아릴 정 상량(商量)함. '引重鼎, 不―其力'《禮記》. ⑦할당할 정 과(課)함. '―角觝之妙戲'《張衡》. ⑧할당정 '不中―輒掠'《漢書》. ⑨보일 정 呈(口部 四畫)과 同字. '致飾―蠱'《張衡》. ⑩표범 정 표(豹)의 이칭(異稱). '青寧生―'《列子》. ⑪성 정 성(姓)의 하나.
字源 篆文 形聲. 禾+呈〔音〕. '呈정'은 '발돋움하다'의 뜻. 벼의 성장 상태의 뜻에서, '정도'의 뜻을 나타냄.

[程度 정도] 얼마의 분량. 또는 어떠한 한도.
[程文 정문] 과거의 고시장(考試場)에서 일정한 법식(法式)이 있는 글.
[程門四先生 정문사선생] 송(宋)나라 정이(程頤)의 문인(門人)인 여대림(呂大臨)·사양좌(謝良佐)·유조(游酢)·양시(楊時)의 네 사람을 이름.
[程門立雪 정문입설] 정이(程頤)의 제자 유조(游酢)·양시(楊時) 두 사람이 눈 오는 밤에 정이의 곁에 시립(侍立)했던 고사(故事).
[程本 정본] 춘추(春秋) 시대, 진(晉)나라 사람. 스스로 정자(程子)라 일컬었음. 박학다식하기로 이름이 났고, 제(齊)나라로 가서 안씨(晏氏)의 집에 기숙하며, 호를 자화자(子華子)로 고쳤음. 저서에 〈자화자(子華子)〉가 있음.
[程式 정식] 일정(一定)한 법식.
[程頤 정이] 북송(北宋)의 학자. 뤄양(洛陽) 사람. 자(字)는 정숙(正叔). 호(號)는 이천(伊川). 정호(程顥)의 아우. 이천백(伊川伯)을 봉한 까닭에 이천 선생(伊川先生)이라 부름. 형(兄), 정호(程顥)와 더불어 주돈이(周敦頤)의 문인(門人). 처음으로 이기(理氣)의 철학을 제창하여 유교 도덕에 철학적 기초를 부여하였음. 저서에 〈역전(易傳)〉·〈춘추전(春秋傳)〉·〈어록(語錄)〉 등이 있음.
[程子 정자] ㉠춘추 시대(春秋時代) 진(晉)나라 사람, 정본(程本)의 호(號). ㉡송(宋)나라의 정호(程顥)·정이(程頤) 형제의 존칭(尊稱).
[程朱學 정주학] 송(宋)나라의 정호(程顥)·정이(程頤) 형제와 주희(朱熹)의 성리학(性理學).
[程品 정품] 법. 규정.
[程限 정한] 일정한 한도.
[程顥 정호] 북송(北宋)의 대유(大儒). 자(字)는 백순(伯淳), 호는 명도(明道). 아우 정이(程頤)와 같이 주돈이(周敦頤)의 문인(門人). 이들 형제를 이정(二程)이라고도 부름. 우주(宇宙)의 본성과 사람의 성(性)이 본래 동일한 것이라고 주장하였으며, 역(易)에 조예(造詣)가 깊었음. 저서에 〈식인편(識仁篇)〉·〈정성서(定性書)〉 등이 있음.
◉客程. 兼程. 工程. 過程. 課程. 敎程. 規程. 揆程. 期程. 路程. 短程. 道程. 發程. 方程. 法程. 鵬程. 射程. 商程. 常程. 水程. 修程. 夜程. 嚴程. 旅程. 驛程. 歷程. 音程. 里程. 日程. 殘程. 章程. 典程. 前程. 準程. 便程. 標程. 品程. 航程. 行程. 險程. 訓程.

7 ⑫ [稌] 도 ㊥虞 他胡切 tú ㊤麌 他魯切

字解 ①벼 도 '牛宜―'《周禮》. ②찰벼 도 차진 벼. '豐年多黍多―'《詩經》.
字源 篆文 形聲. 禾+余〔音〕. '余여'는 '펴다, 뻗다'의 뜻. 찰기가 있는 '벼, 찰벼'의 뜻을 나타냄.

7 ⑫ [稍] 人名 ㊀초 ㊔效 所敎切 shāo (소本) ㊤巧 山巧切 ㊁소 ㊥肴 師交切

字解 ㊀ ①점점 초 차츰차츰. '――'로 연용(連用)하기도 함. '――蠶食之'《戰國策》. ②녹 초 봉록. '廩―'. '―食'. '唯―受之'《儀禮》. ③작을 초 세소(細小)함. 또, 적음. '凡王之―事'《周禮》. ④지역이름 초 주대(周代)에 왕성(王城)과 거리가 3백 리 되는 땅. '距王城三百里曰―'《周禮》. ⑤끝 초 말단. 벼 줄기의 끝 부분. '―, 按, 此字當訓禾末'《通訓》. ⑥같을 초 '―, 均也'《廣韻》. ⑦성 초 성(姓)의 하나. ㊁ 다할 소 消(水部 七畫)와 통용. '―, 盡也'《廣雅》.
字源 篆文 形聲. 禾+肖〔音〕. '禾화'는 '벼'의 뜻. '肖초'는 '작다'의 뜻. 이제 막 싹이 나온 작은 벼의 뜻에서, 부사(副詞)의 점점의 뜻으로 쓰임.

[稍事 초사] 작은 일.
[稍食 초식] 녹미(祿米).
[稍遠 초원] 조금 멂.
[稍人 초인] 주관(周官) 이름. 토지(土地)·인사(人事)에 관한 정령(政令)을 맡아보았음.
[稍蠶食之 초잠식지] 조금씩 조금씩 먹어 들어감.
[稍稍 초초] 점점. 차차로.
[稍侵 초침] 병(病) 따위가 차츰 무거워짐.
[稍解 초해] 겨우 앎.
◉家稍. 廩稍.

7 ⑫ [稉] 갱 ㊥庚 古行切 jīng

字解 메벼 갱 메진 벼. 秔(禾部 四畫)의 俗字. '馳騁―稻之地'《漢書》.
字源 秔의 俗體 形聲. 禾+更〔音〕

◉稻稉.

7 ⑫ [稫] 부 ①㊤麌 奉甫切 fù ②③㊥虞 芳無切

字解 ①쌓을 부 벼를 모아 쌓음. 볏가리를 쌓음. '―, 禾穳積也'《廣雅》. ②벼벨 부 벼를 벰. '―, 刈禾'《集韻》. ③콩 부 오곡(五穀)의 하나. 대두(大豆).

7 ⑫ [稇] 견 ㊤銑 吉典切 jiǎn

字解 작은단 견 조그마하게 묶은 단.

7 ⑫ [稛] 곤 ㊤阮 苦本切 kǔn

字解 ①익을 곤 곡식이 성숙함. 여묾. '―成熟'《字彙》. ②묶을 곤 다발을 지음. '―, ―束'《字彙》.

[字源] 形聲. 禾+困〔音〕

7
⑫ [稍] 견 [平]先 古玄切 juān

[字解] ①보릿짚 견 보리 이삭을 떤 줄기. '一, 麥莖也'《說文》. ②볏짚 견 벼의 줄기. '禾稻之莖, 皆曰一'《正字通》.

[字源] 篆文 形聲. 禾+肙〔音〕. '肙연'은 '둥글다'의 뜻. 둥그스름한 볏짚이나 보릿짚의 뜻을 나타냄.

7
⑫ [稨] 구 ①[上]麌 果羽切 jǔ ②[去]遇 俱遇切

[字解] ①뻗지않을 구 굽음. '一, 積一也'《說文》. ②나무이름 구 '一, 一曰, 木名'《說文》.

[字源] 形聲. 禾+又+句〔音〕

7
⑫ [稊] 정 [上]迥 待鼎切 tǐng

[字解] 이삭빼어날 정 벼·보리가 우뚝 솟은 모양. '一, 稻麥傑立貌'《正字通》.

7
⑫ [稓] 곡 [入]沃 苦沃切 kù

[字解] 벼익을 곡 벼가 여묾. '一, 禾熟'《廣韻》.

7
⑫ [稄] 측 [入]職 札色切 zè

[字解] 벼밸 측 벼가 촘촘한 모양. '稫一, 禾密皃'《集韻》.

7
⑫ [稆] 〔려〕 穭(禾部 十五畫〈p. 1632〉)와 同字

7
⑫ [稖] 〔활〕 秳(禾部 六畫〈p. 1617〉)의 本字

8
⑬ [稑] 륙 [入]屋 力竹切 lù

[字解] 올벼 륙 가장 빨리 익는 벼. '生穜一之種'《周禮》.

[字源] 篆文 別體 形聲. 禾+坴〔音〕

◉穜稑.

8
⑬ [稔] [人名] 임(념[俗]) [上]寑 如甚切 rěn

[筆順] 二 千 禾 禾ᐟ 秂 秂 稔 稔

[字解] ①여물 임 곡식이 잘 익음. '蠻田大一'《宋書》. ②쌓일 임 오래 또는 많이 쌓임. 또, 쌓음. '一惡'. '惡積釁一'《任昉》. ③해 임 곡식이 한 번 익는 기간. 곧, 1년간. '不及五一'《左傳》.

[字源] 篆文 會意. 禾+念. '念념'은 오랜 시간 후에 어떤 무게의 것을 갖게 되다의 뜻. 곡식이 익다의 뜻을 나타냄.

[稔年 임년] 풍년(豐年).
[稔聞 임문] 익히 들음.
[稔歲 임세] 풍년(豐年).
[稔熟 임숙] ㉠곡식이 잘 여묾. ㉡기회·계획 따위가 무르익음.
[稔惡 임악] 나쁜 일을 쌓음. 또, 쌓인 나쁜 일.
[稔知 임지] 소상히 앎. 숙지(熟知)함.
[稔泰 임태] 오곡이 잘 여물어 풍년이 듦.
◉累稔. 登稔. 積稔. 豐稔.

8
⑬ [稗] [人名] 패 [去]卦 傍卦切 bài

[字解] ①피 패 화본과(禾本科)에 속하는 일년초. 또, 그 열매. '苟爲不熟, 不如荑一'《孟子》. ②잘 패 세소(細小)함. 작음. '算一販之緡'《唐書》. ③기다릴 패 竡(立部 八畫)와 통용. '一, 待也'《廣雅》.

[字源] 篆文 形聲. 禾+卑〔音〕. '卑비'는 '천하다'의 뜻. 벼보다 작고 가치가 낮은 '피'의 뜻. 전(轉)하여, '작다'의 뜻으로도 쓰임.

[稗官 패관] 항간에 떠도는 이야기를 적는 벼슬. 전(轉)하여, 항담(巷談)·민간의 전설 등을 적어 모은 책.
[稗官小說 패관소설] 민간의 전설·항담(巷談) 등을 주제로 한 소설.
[稗校 패교] 하급 장교.
[稗史 패사] 연의체(演義體) 또는 전기체(傳奇體)의 역사. 소설같이 쓴 역사.
[稗沙門 패사문] 파계(破戒)한 중.
[稗說 패설] ㉠민간의 항담(巷談)·기담(奇談)·이문(異聞) 등의 설화. ㉡패관 소설(稗官小說).
[稗販 패판] 구멍가게를 차린 장사. 또, 장수.
◉荑稗.

8
⑬ [稙] [人名] 직 [入]職 竹力切 zhī

[筆順] 二 千 禾 禾一 秓 稙 稙 稙

[字解] ①올벼 직 일찍 심어 빨리 익는 벼. '一穉菽麥'《詩經》. ②이를 직 '一, 早也'《廣雅》.

[字源] 篆文 形聲. 禾+直〔音〕

[稙穉 직치] 먼저 심은 곡식을 직(稙), 나중에 심은 것을 치(穉)라고 함.
[稙禾 직화] 일찍 심은 벼.

8
⑬ [稘] [人名] 기 [平]支 居之切 jī

[字解] ①돌 기 일주년. '不逮再一'《唐書》. ②볏짚 기 벼의 줄기. '一, 稈也'《玉篇》. ③콩줄기 기 萁(艸部 八畫)와 同字. '一, 豆莖也'《集韻》.

[字源] 篆文 形聲. 禾+其〔音〕

◉再稘.

8
⑬ [稚] [人名] 치 [去]寘 直利切 zhì

[筆順] 二 千 禾 利 秎 秨 稚 稚

[字解] ①어릴 치 나이가 어림. '一兒'. '一子候門'《陶潛》. ②어린애 치 어린이. '一老'. '養一惟愛'《蔡邕》. ③늦될 치 곡식이 늦됨. 늦게 익음. '五穀一熟'《尙書緯考靈曜》. ④성 치 성(姓)

의 하나.

[字源] 會意. 禾+隹. '隹추'는 '작은 새'의 뜻. 작은 벼의 뜻에서, '어리다'의 뜻을 나타냄. '稺'는 '稚'의 古字.

[稚氣 치기] 어린애 같은 기분.
[稚年 치년] 어린아이.
[稚老 치로] 어린애와 노인.
[稚筍 치순] 어린 죽순(竹筍).
[稚心 치심] 어릴 적의 마음. 어린애 같은 마음.
[稚兒 치아] 치자(稚子).
[稚弱 치약] 체질이 약한 어린애.
[稚魚 치어] 새끼 고기. 어린 고기.
[稚幼 치유] 어림. 또 어린아이.
[稚子 치자] ㉠어린아이. ㉡죽순(竹筍)의 이명(異名).
◉孤稚. 嬌稚. 驕稚. 孥稚. 撫稚. 孫稚. 嬰稚. 幼稚.

8 ⑬ [稇] [一] 곤 ㊤阮 苦本切 kǔn [二] 균 ㊤軫 苦隕切

[字解] [一] ①묶을 곤 단으로 묶음. '萬物被束—'《黃庭堅》. ②익을 곤 성숙(成熟)함. '—, 成熟'《廣韻》. [二] 찰 균 가득함. 충만함. '—載而歸'《國語》.

[字源] 篆文 形聲. 禾+困〔音〕. '困균'은 '둥글게 둘러싸다'의 뜻. '묶다'의 뜻을 나타냄.

[稇載 균재] 가득 실음.

8 ⑬ [稜] [人名] 릉 [平]蒸 魯登切 léng

[字解] ①서슬 릉 존엄한 위세. 위광(威光). '—威'. '威—憺乎隣國'《漢書》. ②모 릉 모서리. 棱(木部 八畫)과 同字. '觚—'. '上觚—而棲金爵'《班固》.

[字源] 形聲. 禾+夌〔音〕. '夌릉'은 '언덕'의 뜻. '禾화'는 본디 '木목'이라 썼음. 언덕처럼 두 면(面)이 만나서 생기는 선, 모서리의 뜻을 나타냄.

[稜角 능각] 뾰족한 모. 규각(圭角).
[稜稜 능릉] ㉠대단히 추운 모양. ㉡성품이 모가 지고 바른 모양.
[稜威 능위] 위광(威光).
[稜疊 능첩] 낭떠러지 같은 것이 뾰족뾰족 나오고 겹친 모양.
◉三稜. 巖稜. 威稜. 旱稜.

8 ⑬ [稞] 과 [平]歌 苦禾切 kē

[字解] 쌀보리 과 나맥(裸麥). '青州謂麥曰—'《集韻》.

[字源] 篆文 形聲. 禾+果〔音〕. '果과'는 '둥글다'의 뜻. 곡물(穀物)의 알이 둥글고 굵은 것의 뜻을 나타냄.

8 ⑬ [稠] [人名] 조 (①-③ 주[本]) ①-③[平]尤 直由切 chóu ④[去]嘯 徒弔切 diào ⑤[平]蕭 田聊切 tiáo

[字解] ①빽빽할 조 빽빽하게 모여 많음. '—密'. '書策—濁'《戰國策》. ②진할 조 농후함. '火冷餳稀杏粥—'《蘇軾》. ③성 조 성(姓)의 하나. ④움직일 조 동요하는 모양. '天地—嶅'《揚雄》. ⑤고를 조 조화(調和)함. '可謂—適而上遂矣'《莊子》.

[字源] 篆文 形聲. 禾+周〔音〕. '周주'는 널리 미치다, 퍼지다의 뜻. 벼가 무성하다의 뜻을 나타냄.

[稠密 조밀] 빽빽하게 모여 많음.
[稠嶅 조오] 동요하는 모양.
[稠人廣衆 조인광중] 빽빽하게 모인 많은 사람.
[稠適 조적] 조화(調和)되고 통달(通達)함.
[稠濁 조탁] 빽빽하게 섞임.
◉繁稠. 粘稠.

8 ⑬ [稏] 아 [去]禡 衣駕切 yà

[字解] 벼이름 아 䆉(禾部 十五畫)를 보라. '䆉—'.

◉䆉稏.

8 ⑬ [稌] [一] 래 [平]灰 落哀切 lái [二] 리 [平]支 陵之切

[字解] [一] 보리 래, 밀 래 대맥. 또, 소맥. [二] 보리 리, 밀 리 [一]과 뜻이 같음.

[字源] 篆文 形聲. 禾+來〔音〕

8 ⑬ [稓] 관 ㊤旱 苦緩切 kuǎn

[字解] 벼병들 관 '—, 禾病'《集韻》.

8 ⑬ [稑] [一] [韓] 수 [二] [韓] 숙

[字解] 《韓》 [一] 창고 수 '倉庫稑—'《晝永編》. [二] 궁(宮)소임 숙 '—宮'은 각 궁(宮)의 사무(事務)를 맡은 사람.

[稑倉 수창] 관아의 곡식을 쌓아 두는 창고.
[稑宮 숙궁] 자해(字解)[二]를 보라.

8 ⑬ [稡] [一] 최 [去]泰 祖外切 zuì [二] 졸 [入]月 臧沒切 zú

[字解] [一] ①모일 최, 모을 최 '會—舊說. (疏)—, 聚也'《爾雅 序》. ②벼익지않을 최 벼이삭이 성숙하지 않음. '—, 禾秀不實也'《集韻》. [二] 벼이삭곧을 졸 벼이삭이 익지 않아 빳빳하여 위를 향하고 있는 모양.

8 ⑬ [稢] 욱 [入]屋 乙六切 yù

[字解] 서직(黍稷)무성할 욱 기장이 무성하게 자란 모양.

8 ⑬ [稦] 치 [平]支 莊持切 zī

[字解] ①갈 치 논밭을 갊. 경작(耕作)함. ②벼죽을 치 벼가 말라 죽음. '—, 禾死也'《玉篇》.

8 ⑬ [稨] 거 [平]魚 斤於切 jū

[字解] 기장 거 찰기장. '蜀人謂黍曰穂—'《集韻》.

8 ⑬ [稚] ㊀엄 ㊤琰 衣檢切 yǎn ㊁암 ㊤感 鄔咸切 ǎn ㊂업 ㊅葉 又業切 yè

字解 ㊀ 쭉정이 엄 여물지 않은 벼. '一, 禾不實'《集韻》. ㊁ 심을 암 논밭에 씨를 뿌림. 파종함. '一, 種田也'《康熙字典》. ㊂ 주접들 업 벼가 잘 자라지 못함. '一, 禾敗不生'《集韻》.

8 ⑬ [稒] 고 ㊄遇 古慕切 gù

字解 고을이름 고 '一陽'은 현(縣)의 이름. 한(漢)나라 때에 둠. 전국(戰國) 시대의 고양읍(固陽邑). 치소(治所)는 지금의 네이멍구(內蒙古) 자치구 바오터우 시(包頭市)의 동쪽. '五原郡, 縣十六, 一陽'《漢書》.

8 ⑬ [稇] 혼 ㊤阮 戶袞切 hùn

字解 풀묶을 혼, 풀다발 혼 풀을 다발 지게 묶음. '一, 束艸也'《集韻》.

8 ⑬ [稴] 권 ㊄霰 苦倦切 quǎn

字解 벼밸 권 벼가 배게 났음. '一, 禾相迫也'《集韻》.

8 ⑬ [稕] 준 ㊄震 之閏切 zhùn

字解 짚묶을 준, 짚단 준 짚을 묶음. 또, 그 짚단. '一, 束稈也'《康熙字典》.

字源 篆文 形聲. 篆文은 禾+辜〔音〕. '辜순'은 묵직한 모양. 실하게 묶은 '짚단'의 뜻을 나타냄.

8 ⑬ [稐] 륜 ㊤阮 魯本切 lǔn

字解 볏단 륜 '一, 禾束曰一'《集韻》.

8 ⑬ [稑] ㊀타 ㊤哿 杜果切 duò ㊁수 ㊥支 是爲切 chuí

字解 ㊀ 볏가리 타 벼를 작게 쌓은 것. '一, 禾積也'《集韻》. '一, 小積也'《集韻》. ㊁ 벼숙일 수 벼가 늘어진 모양. '一, 禾垂皃'《集韻》.

8 ⑬ [稔] 공 ㊥東 苦紅切 kōng

字解 볏짚 공 벼의 짚. '一, 稻稈'《廣韻》.

8 ⑬ [稟] 人名 ㊀름 ㊤寢 力錦切 lǐn ㊁품 ㊤寢 筆錦切 bǐng

筆順 亠 亠 亯 亯 亶 亶 稟 稟

字解 ㊀ ①녹미 름 녹봉으로 주는 쌀. '既一稱事'《中庸》. ②곳집 름 廩(广部 十三畫)과 통용. ㊁ ①받을 품 상관의 명령을 받음. '臣下罔攸一令'《書經》. ②사뢸 품 여쭘. 아룀. '一告'. '大事則一奏'《宋史》. ③바탕 품 천부(天賦)의 성질. '天一'. '一性'. '氣質之一'《朱熹》.

字源 金文 金文 篆文 會意. 㐭+禾. 金文의 일부에 米+㐭. '㐭름'은 쌀 창고의 象形. 미창(米倉) 속의 곡물의 모양에서, 벼슬아치가 받는 녹미(祿米)의 뜻을 나타냄. 음형상(音形上)으로는 '品품'과 통하여, 하늘로부터 받은 여러 가지 개성(個性)의 뜻을 나타냄.

[稟假 품가] 관청으로부터 녹미(祿米)를 대여(貸與)하는 일. 급대(給貸).
[稟告 품고] 웃어른 또는 상사(上司)에게 아룀.
[稟給 품급] 급료(給料). 수당(手當).
[稟達 품달] 품고(稟告).
[稟命 품명] 상관의 명령을 받음.
[稟賦 품부] ㉠품성(稟性). ㉡타고난 체질.
[稟性 품성] 천품(天稟)의 성질(性質). 타고난 성질.
[稟受 품수] 품성(稟性).
[稟承 품승] 상관의 지휘를 받음.
[稟申 품신] 상관(上官)에게 사룀.
[稟議 품의] 웃어른 또는 상사(上司)에게 여쭈어 의논(議論)함.
[稟奏 품주] 천자(天子)의 물음에 대답하여 아룀.
[稟質 품질] 품성(稟性).
[稟處 품처] 품의(稟議)하여 처리함.
[稟形 품형] 타고난 체질(體質).
◉氣稟. 賦稟. 夙稟. 承稟. 英稟. 異稟. 資稟. 諸稟. 奏稟. 天稟. 特稟.

9 ⑭ [稭] ㊀갈 ㊅黠 古黠切 jiē ㊁개 ㊥佳 古諧切 jiē

字解 ㊀ 짚 갈 秸(禾部 六畫)과 同字. '席用苴一'《史記》. ㊁ 짚 개 ㊀과 뜻이 같음.

字源 篆文 形聲. 禾+皆〔音〕. '皆개'는 가지런히 모으다의 뜻. 곡물 줄기의 껍질을 벗긴 것을 가지런히 모아 엮어 짠 자리·멍석의 뜻. 또, 그 껍질을 벗긴 '새끼'의 뜻을 나타냄.

◉菹稭.

9 ⑭ [種] 中人 종 ㊤腫 之隴切 zhǒng ㊄宋 之用切 zhòng 种

筆順 二 千 禾 秆 稍 稍 種 種

字解 ①씨 종 ㉠식물의 씨. '一子'. '誕降嘉一'《詩經》. ㉡동물의 씨. '蠶一'. '入蠶于蠶室奉一浴于川'《禮記》. ㉢혈통. '賤一'. '女不必貴一, 要之貞好'《史記》. ㉣부족(部族). '鮮卑異一'《後漢書》. ㉤근원. 소인(素因). '一切智一'《法苑珠林》. ②종류 종 품목. '品一'. '七事八一'《國語》. ③작물 종, 식물 종 '其穀宜五一'《周禮》. ④부어오를 종, 종기 종 腫(肉部 九畫)과 통용. '實一實褎'《詩經》. ⑤성 종 성(姓)의 하나. ⑥심을 종 식물을 심음. '一樹'. '一瓜得瓜, 一李得李'《涅槃經》. ⑦뿌릴 종 씨를 뿌림. '蒔一溉灌'《唐書》. ⑧펼 종 널리 폄. '邁一德'《書經》.

字源 篆文 形聲. 禾+重〔音〕. '禾화'는 '벼'의 뜻. '重중'은 '무겁다'의 뜻. 벼이삭의 무거운 부분, '씨'의 뜻을 나타냄.

[種鷄 종계] 씨닭.
[種瓜 종과] 외를 심음.
[種瓜得瓜 종과득과] 외를 심어 외를 딴다는 뜻으로, 사물(事物)에 그 인(因)이 있으면 그 과(果)가 반드시 있음을 이름.
[種德 종덕] 덕(德)을 널리 폄.

[種豚 종돈] 씨받이 돼지.
[種痘 종두] 우두(牛痘).
[種豆得豆 종두득두] 콩 심은 데 콩이 남. 곧, 원인(原因)에 따라 결과(結果)가 나온다는 말.
[種落 종락] 같은 종족들이 모여 사는 곳. 부락(部落).
[種類 종류] 물건의 같은 것과 다른 것을 각각 부문을 따라서 나눌 수가 있는 갈래.
[種馬 종마] 씨 받는 말.
[種目 종목] 종류(種類)의 명목(名目).
[種苗 종묘] ㉠식물(植物)의 모를 심어서 기름. ㉡묘목이 될 씨를 뿌림.
[種別 종별] 종류에 의한 구별.
[種相 종상] 갖가지 상(相).
[種樹 종수] ㉠나무를 심음. ㉡농업(農業). 또는 원예(園藝).
[種藝 종예] 초목(草木)이나 곡식을 심어 가꿈.
[種玉 종옥] ㉠옥(玉)을 심음. 한(漢)의 양공(羊公)이 극진한 효성으로 옥을 기르고, 좋은 아내도 얻었다는 고사(故事)에서 유래(由來)함. ㉡신선(神仙)의 농사.
[種牛 종우] 씨받이 소.
[種子 종자] 씨. 씨앗.
[種作 종작] 씨를 뿌리고 곡식을 지음. 경작(耕作).
[種族 종족] ㉠사람의 종류. 인류(人類). ㉡동종(同種)의 것. 같은 부류(部類). ㉢일족(一族)이 멸살당하는 일. 족멸(族滅).
[種種 종종] ㉠가지가지. 여러 가지. ㉡근신(謹愼)하는 모양. ㉢머리카락이 짧고 쇠잔한 모양.
[種齒 종치] 의치(義齒).
[種播 종파] 파종(播種)함.
[種皮 종피] 종자의 껍질.
[種核 종핵] 씨. 씨앗.
◉嘉種. 健種. 耕種. 貴種. 根種. 驥種. 隴種. 芒種. 滅種. 名種. 文種. 變種. 糞種. 上種. 書種. 善種. 疏種. 首種. 蒔種. 糧種. 五種. 王侯將相寧有種. 龍種. 優良種. 移種. 人種. 雜種. 將種. 尊種. 播種. 品種. 下種. 好種.

9 [稰] 서 ①②㊥魚 相居切 xū
⑭ ③㊤語 私呂切 xǔ

字解 ①거둘 서 익은 곡식을 거두어들임. 또, 그 곡식. '—穛'《禮記》. ②떨어질 서 곡식의 알이 떨어지는 모양. '—, 禾子落皃'《集韻》. ③고사쌀 서 고사 지낼 때 올리는 쌀. '費椒—以要神兮'《漢書》.
字源 形聲. 禾+胥〔音〕

[稰穛 서착] 익은 곡식을 거두어들임.

9 [稱] 高人 칭 ㊥蒸 處陵切 chēng
⑭ ㊧徑 昌孕切 chèng, chèn

筆順 ˊ 禾 禾' 禾ᐟ 稍 稍 稱 稱

字解 ①일컬을 칭 ㉠부름. '王—左畸'《國語》. ㉡말함. '—制'. '—疾'. ②이름 칭 ㉠명칭. '敬—'. '子者男子之通—也'《趙岐》. ㉡명성. '少有英—'《後漢書》. ③칭찬할 칭 잘한다고 추어줌. '—譽'. '君子—人之善'《禮記》. ④쓸 칭 등용함. '禹—善人'《左傳》. ⑤일으킬 칭 일을 일으킴. '—兵以害我'《左傳》. ⑥들 칭 ㉠물건을 들어 올림. '—爾戈'《書經》. ㉡위를 향함. '賓—面'《儀禮》. ⑦드러낼 칭 나타냄. '—丕顯之德'《書經》. ⑧저울질할 칭 무게를 닮. '—絲'《禮記》. ⑨저울 칭 秤(禾部 五畫)과 同字. '—錘'. '角斗—'《淮南子》. ⑩헤아릴 칭 사료함. '—物平施'《易經》. ⑪취리할 칭 이자를 받음. '—貸而益之'《孟子》. ⑫성 칭 성(姓)의 하나. ⑬맞을 칭 ㉠적합함. 상당함. '—職'. '旣稟—事'《中庸》. ㉡일치함. '—旨'. '物—人意, 亦爲好'《爾雅 註》.
字源 篆文 形聲. 禾+爯〔音〕. '禾화'는 '곡물'의 뜻. '爯'은 천칭(天秤)으로 물건을 달아 올리다의 뜻. 곡물(穀物)을 저울로 들어 올리는 데서 달다, 저울질하다, 저울, 올리다의 뜻을 나타냄.

[稱歌 칭가] 칭찬하여 노래함. 기리며 노래함.
[稱擧 칭거] 등용함.
[稱貸 칭대] 이자를 받고 대금(貸金)함.
[稱道 칭도] 칭찬하여 말함. '道'는 '言'.
[稱量 칭량] ㉠저울로 닮. ㉡헤아림.
[稱慕 칭모] 칭송하며 사모함.
[稱美 칭미] 칭찬(稱讚).
[稱兵 칭병] 군사를 일으킴.
[稱病 칭병] 병(病)을 핑계함.
[稱辭 칭사] 칭찬(稱讚)하는 말.
[稱賞 칭상] 칭송함. 기림. 칭찬함.
[稱說 칭설] 칭도(稱道).
[稱頌 칭송] 공덕(功德)을 일컬어 기림.
[稱首 칭수] 제일인자(第一人者)로 일컫는 사람.
[稱述 칭술] ㉠의견을 진술함. ㉡칭찬하여 말함.
[稱身 칭신] 몸에 맞음.
[稱揚 칭양] 찬양(讚揚)함.
[稱譽 칭예] 칭찬(稱讚).
[稱冤 칭원] 원한(冤恨)을 말함. 원굴(冤屈)을 하소연함.
[稱位 칭위] 지위에 알맞음. 또, 그 자리에 알맞은 인물.
[稱謂 칭위] ㉠명칭(名稱). ㉡칭술(稱述).
[稱意 칭의] 자기의 뜻에 맞음.
[稱引 칭인] 증거를 끌어댐. 인증(引證).
[稱制 칭제] 천자(天子)를 대신하여 정사(政事)를 행함.
[稱旨 칭지] 임금의 뜻에 맞음.
[稱職 칭직] 그 직위에 적합함.
[稱疾 칭질] 병이 들었다고 내세워 말함.
[稱讚 칭찬] 좋은 점을 일컬음. 잘한다고 기림.
[稱薦 칭천] 칭찬하여 천거함.
[稱託 칭탁] 핑계함.
[稱歎 칭탄] 감탄하며 칭찬함.
[稱頉 칭탈] 사고가 있다고 핑계함.
[稱衡 칭형] 저울.
[稱呼 칭호] 부르는 이름.
[稱號 칭호] ㉠일컫는 이름. ㉡명호(名號)를 부름.
◉佳稱. 假稱. 嘉稱. 過稱. 矯稱. 權稱. 內稱. 德稱. 斗稱. 面稱. 名稱. 美稱. 倍稱. 私稱. 聲稱. 殊稱. 時稱. 良稱. 廉稱. 令稱. 英稱. 宜稱. 自稱. 著稱. 傳稱. 賤稱. 追稱. 醜稱. 通稱. 褒稱. 號稱. 孝稱.

9 [稯] 一 종 ㊥東 子紅切 zōng
⑭ 二 총 ㊤董 祖動切 zǒng

字解 一 ①볏단 종 벼 마흔 뭇을 묶은 것. '四秉曰筥, 十筥曰—'《儀禮》. ②새 종 베 여든 올. 緵

(糸部 九畫)과 뜻이 같음. ▣ ①모일 총 '——'은 모이는 모양. 穗(禾部 十一畫)과 同字. '成玄英曰, ——, 衆聚也'《莊子 疏》. ②벼다발 총 볏단. '穗, 禾聚束也, 或作—'《集韻》.
字源 篆文 籀文 形聲. 禾+㚇〔音〕. '禾화'는, '벼'의 뜻. '㚇종'은 '모으다'의 뜻. '벼 다발'의 뜻으로, 벼 마흔 뭇의 일컬음.

9 ⑭ [稨] 변 ㊥先 卑眠切 biǎn
字解 강낭콩 변 콩과에 속하는 일년생 만초(蔓草). 종자는 먹음.

9 ⑭ [稧] ▣ 계 ㊀霽 胡計切 xì ▣ 혈 ㊁屑 詰結切 qiè
字解 ▣ ①벼 계 벤 벼. ②계제사 계 禊(示部 九畫)와 통용. '修—事也'《王羲之》. ▣ 볏짚 혈 벼의 줄기.
字源 形聲. 禾+契〔音〕

9 ⑭ [稬] 나 ㊀箇 乃臥切 nuò
字解 찰벼 나 차진 벼. '誰勸耕黃—'《蘇軾》.
字源 篆文 形聲. 禾+耎〔音〕. '耎연'은 수염의 象形으로, '부드럽다'의 뜻. 부드럽고 찰기가 많은 '찹쌀'의 뜻을 나타냄.

9 ⑭ [稪] 옥 ㊁屋 烏谷切 wū
字解 벼까라기 옥 벼의 까끄라기. 벼의 수염. '—, 禾芒'《集韻》.

9 ⑭ [稭] ▣ 지 ①-④㊤紙 諸氏切 zhǐ ⑤㊥支 章移切 ▣ 기 ㊤紙 頸介切 ①-④㊀寘 居企切 ⑤㊥支 翹移切
字解 ▣ ①벋지않을 지 굽음. '—, —㮩, 多小意而止也'《說文》. ②나뭇가지굽을 지 '—, 一日, 木枝曲'《集韻》. ③탱자나무 지 '—, 一日, 木也'《說文》. ④구부러진가지의과일 지 '—, 曲枝果也'《廣韻》. ⑤머리둘있는뱀 지 '—首蛇'는 머리 둘 있는 뱀. '枳, 枳首, 蛇名. 蛇有兩首者. 或作—'《集韻》. ▣ 벋지않을 기, 나뭇가지굽을 기, 구부러진가지의과일 기, 머리둘있는뱀 기 ▣과 뜻이 같음.
字源 形聲. 禾+支+只〔音〕

9 ⑭ [稰] 기 ①㊀寘 几利切 jì ②㊀未 居氣切
字解 ①긴벼이삭 기 벼의 긴 이삭. '—, 禾長穗'《集韻》. ②벼길 기 벼가 자라서 긺. '—, 禾長'《集韻》.

9 ⑭ [稵] ▣ 타 ㊤哿 丁果切 ▣ 단 ㊥寒 多官切 duān
字解 ▣ 벼고개숙일 타 벼가 익어 늘어진 모양. '—, 禾垂皃'《說文》. ▣ 벼고개숙일 단 ▣과 뜻이 같음.
字源 篆文 形聲. 禾+耑〔音〕. '耑단'은 '垂수'와 통하여, '늘어짐'의 뜻. 곡식의 이삭이 고개를 숙여 늘어짐의 뜻을 나타냄.

9 ⑭ [稸] 추 ㊀宥 即就切 jiù ㊀宥 直祐切
字解 ①벼여물 추 벼가 익음. '—, 稻稔實'《廣韻》. ②구실 추 세금(稅金). '—, 稅也'《集韻》.

9 ⑭ [稫] ▣ 알(갈㊍) ㊁月 居謁切 jié ▣ 갈 ㊁曷 苦曷切 gé ▣ 걸 ㊁屑 居列切 jié
字解 ▣ 벼싹날 알 벼의 싹이 돋아남. '—, 禾舉出苗也'《說文》. ▣ ①긴벼이삭 갈 벼의 긴 이삭. '—, 禾長穗'《集韻》. ②겨 갈 벼 알에서 벗겨 낸 것. '穅, 謂之—'《廣雅》. ▣ 긴벼 걸, 벼팰 걸 '—, 長禾'《廣韻》. '—, 禾秀也'《集韻》.
字源 篆文 形聲. 禾+曷〔音〕

9 ⑭ [稶] 묘 ㊥肴 謨交切 máo ㊀效 眉教切
筆順 禾 秆 秆 秆 秆 稍 稶 稶
字解 쭉정이 묘 '—, —穮, 禾不實'《集韻》.

9 ⑭ [稲] 벽 ㊁職 拍逼切 pì
字解 ①벼밸 벽 '—稄'은 벼가 밀생(密生)하여 있는 모양. '—稄, 禾密皃'《集韻》. ②벼잎칠 벽 벼이삭을 발로 밟아 잎을 훑어 냄. '—, 蹂禾下葉'《集韻》.
字源 形聲. 禾+畐〔音〕

[稲仄 벽측] 벼가 무성한 모양.

9 ⑭ [穀] 〔곡〕 穀(禾部 十畫〈p. 1626〉)의 俗字

9 ⑭ [稻] 〔도〕 稻(禾部 十畫〈p. 1625〉)의 俗字

9 ⑭ [稳] 〔온〕 穩(禾部 十四畫〈p. 1631〉)의 俗字·簡體字

9 ⑭ [穆] 〔목〕 穆(禾部 十一畫〈p. 1627〉)의 俗字

10 ⑮ [稷] 人名 ▣ 직 ㊁職 子力切 jì ▣ 측 ㊁職 扎色切 zè
筆順 一 禾 秄 秄 稒 稷 稷 稷
字解 ▣ ①기장 직 메기장. 오곡(五穀)의 하나. '黍—'. '彼—之苗'《詩經》. ②오곡 직 오곡(五穀)의 총칭. '—, 五穀之摠名'《廣韻》. ③곡신 직 오곡을 맡은 신(神). 또, 그 신을 모신 사우(社宇). '右社—而左宗廟'《禮記》. ④농관 직 농사를 맡은 벼슬. '汝后—, 播時百穀'《書經》. ⑤빠를 직 신속함. '旣齊旣—'《詩經》. ⑥성 직 성(姓)의 하나. ▣ 기울 측 昃(日部 四畫)과 통용. '日下—乃克葬'《穀梁傳》.
字源 篆文 古文 形聲. 禾+畟〔音〕. '畟측'은 '경작하다'의 뜻. '禾화'를 덧붙여, 농업에서의 주요한 곡식, '기장'의 뜻을 나

타냄.

[稷蜂 직봉] 곡신(穀神)을 제사 지내는 사우(社宇)에 있는 벌. 임금 곁에 있는 간신(姦臣)에 비유함.
[稷嗣 직사] 한(漢)나라 때에 예(禮)를 제정(制定)한 숙손통(叔孫通)을 이름.
[稷雪 직설] 싸라기눈〔霰〕의 이명(異名). 입설(粒雪).
[稷正 직정] 곡신(穀神).
[稷下 직하] 제(齊)나라의 성하(城下). 지금의 산둥 성(山東省) 린쯔 현(臨淄縣)의 북쪽. 제(齊)나라 선왕(宣王)이 학자를 잘 대우하였으므로 한때 많은 학자가 이곳에 모였었음.
[稷狐 직호] 곡신(穀神)을 제사 지내는 사우(社宇)에 사는 여우. 임금 옆에 있는 간신(姦臣)에 비유함.
◉社稷. 后稷.

10 ⑮ [稸] 축 ㊀屋 丑六切 xù

字解 쌓을 축 축적함. 蓄(艸部 十畫)과 同字. '一士馬, 以討不庭'《後漢書》.
字源 形聲. 禾+畜〔音〕. '畜축'은 '여축하다'의 뜻.

[稸積 축적] 축적(蓄積).

10 ⑮ [稴] ㊀ 렴 ㊥鹽 勒兼切 / ㊤琰 力忝切 liàn / ㊦豔 力店切
㊁ 혐 ㊥鹽 戶兼切 xián
㊂ 함 ㊥咸 胡讒切

字解 ㊀ ①메벼 렴 '一, 稻不黏者'《說文》. ②푸른벼의흰쌀 렴 '一, 一曰, 靑稻白米'《集韻》. ③벼여물지않을 렴 '一穇·一穖'은 벼가 여물지 않은 모양. '一, 一穖, 禾不實皃'《集韻》. ㊁ 메벼 혐, 푸른벼의흰쌀 혐, 벼여물지않을 혐 ㊀과 뜻이 같음. ㊂ 메벼 함, 푸른벼의흰쌀 함, 벼여물지않을 함 ㊀과 뜻이 같음.
字源 形聲. 禾+兼〔音〕.

10 ⑮ [稹] 진 ㊤軫 章忍切 zhěn / ㊥眞 職隣切

字解 ①고울 진 치밀함. 縝(糸部 十畫)과 통용. '一理而堅'《周禮》. ②모일 진 밀집함. '橉杞一薄'《郭璞》.
字源 篆文 形聲. 禾+眞〔音〕. '眞진'은 '가득 쑤셔 넣다'의 뜻. 벼가 빽빽이 서 있음의 뜻에서, '무성하다'의 뜻을 나타냄.

10 ⑮ [稺] 치 ㊥支 直離切 / ㊦寘 直利切 zhì

字解 ①어릴 치 稚(禾部 八畫)의 古字. '衆一且狂'《詩經》. ②늦벼 치 늦게 익는 벼. '稙一菽麥'《詩經》.
字源 篆文 形聲. 禾+遲〈省〉〔音〕. '遲지'는 '늦다'의 뜻. 늦벼의 뜻에서 '어리다'의 뜻을 나타냄.

[稺稼 치가] 늦벼.
[稺子 치자] 어린아이.
[稺齒 치치] 나이가 어림. 연소함.
◉老稺. 童稺. 苗稺. 微稺. 秧稺. 嬰稺. 幼稺. 柔稺. 遺稺. 二稺. 田稺.

10 ⑮ [稻] 高人 도 ㊤晧 徒晧切 dào

筆順 ⺀ 禾 禾' 稻 稻 稻 稻 稻

字解 ①벼 도 볏과에 속하는 일년초. 오곡(五穀)의 하나. '早一'. '晩一'. '凡祭宗廟之禮, 一曰嘉蔬'《禮記》. 또, 까끄라기가 있는 곡식의 총칭. '一者有芒之穀總名也'《急就篇》. ②성 도 성(姓)의 하나.
字源 金文 篆文 形聲. 禾+舀〔音〕. '舀요'는 절구에서 꺼내다의 뜻. 절구에서 꺼내는 곡물, '벼'의 뜻을 나타냄.

[稻粱 도량] ㉠벼와 메조. ㉡생계(生計).
[稻粱謀 도량모] 호구지책(糊口之策). 생계(生計).
[稻芒 도망] 벼 까끄라기.
[稻穟 도수] 벼이삭.
[稻熱病 도열병] 벼가 잘 자란 뒤에 잎과 줄기에 박테리아가 생겨 점차 시들어 결실(結實)을 맺지 못하는 병.
[稻雲 도운] 넓은 논에 심은 벼를 구름에 비유한 말.
[稻場 도장] 벼를 타작하는 마당.
[稻稷 도직] 벼와 메기장.
◉嘉稻. 粳稻. 稾稻. 穀稻. 晩稻. 飯稻. 秧稻. 野稻. 熬稻. 陸稻. 早稻. 靑稻. 秫稻.

10 ⑮ [稼] 人名 가 ㊦禡 古訝切 jià

筆順 ⺀ 禾 禾' 稼 稼 稼 稼 稼

字解 ①심을 가 곡류를 심음. '一穡'. '不一不穡'《詩經》. ②농사 가 농작. '請學一'《論語》. ③곡식 가 화곡. '禾一'. '殖我一'《列子》.
字源 篆文 形聲. 禾+家〔音〕. '家가'는 '嫁가'와 통하여, 옮겨 심다의 뜻. 벼를 옮겨 심다, 농사의 뜻을 나타냄. 또, 그렇게 해서 여문 벼이삭의 뜻도 나타냄.

[稼器 가기] 농구(農具).
[稼同 가동] 거두어들인 농작물이 쌓여 있음.
[稼事 가사] 농경(農耕)의 일.
[稼穡 가색] 곡식을 심고 거두는 일. 전(轉)하여, 농사(農事).
[稼瑞 가서] 잘 여문 상서로운 벼이삭을 이름.
[稼政 가정] 논에 물을 대는 도랑 등에 지내는 제사.
◉耕稼. 共稼. 躬稼. 農稼. 稻稼. 晩稼. 苗稼. 百稼. 桑稼. 首稼. 熟稼. 五稼. 秋稼. 稺稼.

10 ⑮ [稽] 人名 계 ①-⑧㊥齊 古奚切 jī / ⑨㊤薺 康禮切 qǐ

字解 ①상고할 계 사물을 고찰함. '無一'. '曰若一古帝堯'《書經》. ②헤아릴 계 상량(商量)함. '一其功事'《周禮》. ③머무를 계 한곳에 지체함. '一留'. 또, 머무르게 함. '何足久一天下士'《後漢書》. ④이를 계 다다름. '大浸一天'《莊子》. ⑤두드릴 계 '一其門'《太玄經》. ⑥견줄 계

비교함. '反脣而相—'《漢書》. ⑦맞을 계 일치함. '古人與—'《禮記》. ⑧조아릴 계 돈수(頓首)함. '—顙'. '禹拜—首'《書經》. ⑨성 계 성(姓)의 하나.

[字源] [篆文] 形聲. 禾+尤+旨〔音〕. '旨지'는 '다다르다'의 뜻. '尤우'는 손의 한 끝을 누른 모양을 본떠, '나무라다'의 뜻. 곡물(穀物)의 성장이 갈 때까지 가서 멈추는 데서, '머무르다'의 뜻을 나타냄. 또, 사고(思考)를 끝간 데까지 돌려 굴리다, 생각하다의 뜻도 나타냄.

[稽古 계고] ㉠옛일을 상고(詳考)함. ㉡학문·학습.
[稽固 계고] 체류(滯留)시켜 방해(妨害)함.
[稽覽 계람] 생각하여 봄.
[稽論 계론] 생각하여 논함.
[稽留 계류] 머물러 있음. 체류(滯留)함. 또, 오래 머무르게 함.
[稽顙 계상] 이마를 땅에 대어 절을 함. 계수(稽首).
[稽首 계수] 머리가 땅에 닿도록 공손히 절을 함.
[稽式 계식] 둘도 없는 법식(法式).
[稽失 계실] 일이 잘 안되어 밀려서 실패함.
[稽緩 계완] 늦어짐. 지체(遲滯)함.
[稽疑 계의] 의심이 나는 것을 점쳐서 생각함.
[稽程 계정] ㉠헤아림. 상량(商量)함. ㉡길이 막혀서 머무르게 됨.
[稽遲 계지] 계체(稽滯).
[稽滯 계체] 일이 밀리어 늦어짐.
[稽度 계탁] 헤아림. 탁(度)은 계산(計算).
[稽核 계핵] 조사함.
◉簡稽. 滑稽. 無稽. 會稽.

10 ⑮ [䅵] [一] 작 ㊀藥 之若切 zhuó
[二] 곡 ㊀沃 古沃切
[三] 녹 ㊀沃 奴沃切

[字解] [一] ①곡식껍질 작 '—, 五穀皮'《廣韻》. ②땅이름 작 '—, 齊地名'《玉篇》. [二] 곡식껍질 곡, 땅이름 곡 [一]과 뜻이 같음. [三] 곡식껍질 녹, 땅이름 녹 [一]과 뜻이 같음.

[字源] 形聲. 禾+羔〔音〕

10 ⑮ [稿] [高·人] 〔고〕 稾(禾部 十畫〈p.1627〉)와 同字

[筆順] 二 千 禾 秆 秸 稿 稿 稿

[參考] 주로 초고(草稿)의 뜻인 경우에 이 자를 씀.

◉舊稿. 起稿. 寄稿. 玉稿. 原稿. 草稿. 脫稿. 投稿.

10 ⑮ [䅬] [人名] 온 ㊁文 於云切 yūn

[字解] ①향기 온 '—, 蒀—, 香也'《集韻》. ②성한모양 온 蒀(艸部 十畫)과 同字.

10 ⑮ [𥢶] 률 ㊀質 力質切 lì

[字解] 볏가리 률 '——'은 볏단을 쌓은 모양. '——, 積禾皃'《集韻》.

10 ⑮ [䅭] 방 ㊁陽 步光切 páng
㊁庚 蒲庚切

[字解] 기장 방 '—稈'은 기장의 일종. '—, —稈, 穄名'《廣韻》.

[字源] 形聲. 禾+旁〔音〕

10 ⑮ [䅥] 걸 ㊀屑 巨列切 jié

[字解] 벼팰 걸 벼이삭이 나오는 모양. '—, 禾出皃'《集韻》.

10 ⑮ [䅯] 당 ㊁陽 徒郎切 táng

[字解] ①기장 당 '蜀人謂黍曰—稞'《集韻》. ②《韓》 옥수수 당 곡식의 일종.

10 ⑮ [𥢧] 〔부〕
䄮(禾部 七畫〈p.1619〉)와 同字

10 ⑮ [稶] 〔욱〕
稢(禾部 八畫〈p.1621〉)의 本字

10 ⑮ [𥣬] 〔목〕
穆(禾部 十一畫〈p.1627〉)의 俗字

10 ⑮ [穂] 〔수〕
穗(禾部 十二畫〈p.1629〉)의 略字

10 ⑮ [穀] [中·人] 곡 ㊀屋 古祿切 gǔ 谷

[筆順] 一 十 士 声 壳 壳 𣪊 穀

[字解] ①곡식 곡 곡류. '五—'. '農乃登—'《禮記》. ②좋을 곡 '—日'. '旣富方—'《書經》. ③복 곡 복록. '俾爾戩—'《詩經》. ④녹 곡 녹미(祿米). '邦有道—'《論語》. ⑤기를 곡 곡식을 주어 기름. '求百姓之饑寒者, 收—之'《戰國策》. ⑥살 곡 생존함. '—則異室, 死則同穴'《詩經》. ⑦종 곡 계집종. '臧—猶且羞之'《荀子》. ⑧골 곡 谷(部首)과 同字. '—風迅疾'《漢書》. ⑨고할 곡 告(口部 四畫)과 同字. '齊—王姬之喪'《禮記》. ⑩젖 곡 '楚人謂乳曰—'《釋文》. ⑪젖먹이 곡 어린아이. '—, 乳也. 謂, 哺乳小兒也'《荀子注》. ⑫성 곡 성(姓)의 하나.

[字源] [篆文] 形聲. 禾+殸〔音〕. '殸각'은 속이 빈 껍데기의 뜻. 껍질에 싸인 벼의 뜻. 일반적으로, '곡물'의 뜻을 나타냄.

[穀價 곡가] 곡식의 값.
[穀穀 곡곡] 새가 우는 소리의 형용.
[穀氣 곡기] 오곡(五穀)의 인체(人體)에 영양이 되는 성분.
[穀旦 곡단] 곡일(穀日).
[穀道 곡도] 대장(大腸)과 항문(肛門).
[穀糧 곡량] 양곡(糧穀).
[穀梁傳 곡량전] 〈춘추곡량전(春秋穀梁傳)〉의 약칭(略稱). 주(周)나라의 곡량적(穀梁赤)의 찬(撰). 모두 20권. 〈좌씨전(左氏傳)〉·〈공양전(公羊傳)〉과 합하여 '춘추삼전(春秋三傳)'이라 함.
[穀類 곡류] ㉠곡식. ㉡곡식의 종류(種類).
[穀稟 곡름] 곡창(穀倉) ❶.
[穀物 곡물] 곡식.

[穀璧 곡벽] 오서(五瑞)의 하나. 곡식 알 무늬를 넣은 둥근 옥(玉)으로서, 자작(子爵)이 가짐.

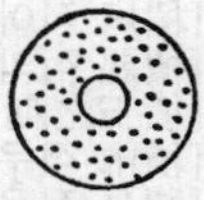

[穀璧]

[穀商 곡상] 곡식을 매매하는 장수.
[穀城 곡성] 산둥 성(山東省) 동아현(東阿縣)에 있는 산 이름. 한고조(漢高祖)가 항우(項羽)를 이 산에 장사 지냈음.
[穀雨 곡우] 이십사절기(二十四節期)의 여섯째. 백곡(百穀)을 잘 자라게 하는 비라는 뜻임. 양력으로 4월 20일이나 21일이 됨.
[穀人 곡인] 농부(農夫).
[穀日 곡일] 좋은 날. 길(吉)한 날. 경사스러운 날.
[穀精 곡정] 곡식의 자양분(滋養分).
[穀倉 곡창] ㉠곡식을 쌓아 두는 곳집. ㉡곡식이 많이 나는 지방(地方)을 가리키는 말. 곡향(穀鄕).
[穀出 곡출] 곡식의 소출(所出).
[穀風 곡풍] 곡식을 자라게 하는 봄바람. 곡풍(谷風).
[穀鄕 곡향] 곡식이 많이 나는 고장.
◉嘉穀. 九穀. 舊穀. 祈穀. 斷穀. 稻穀. 米穀. 百穀. 辟穀. 不穀. 新穀. 糧穀. 年穀. 五穀. 熬穀. 六穀. 臧穀. 貯穀. 儲穀. 戩穀. 錢穀. 絶穀. 陳穀. 倉穀. 打草穀. 布穀. 禾穀.

10 ⑮ [槷] 穀(前條)과 同字

10 ⑮ [稾] 고 ㊤晧 古老切 gǎo

字解 ①짚 고 볏짚. '一人'. '又出一稅'《漢書》. ②초 고 초안. '屬草一'《史記》. '頗好屬文, 成輒棄一'《北史》. ③화살대 고 '箭幹謂之一'《周禮》. ④위로할 고 '一人'《周禮》.
字源 篆文 形聲. 禾+高〔音〕. '高고'는 '槁고'와 통하여, 말라 죽어 뻣뻣함의 뜻. 말라서 뻣뻣한 벼, '볏짚'의 뜻. 또, 짚의 정리되지 않은 모양에서, 전(轉)하여, 시문(詩文)의 초고(草稿)의 뜻을 나타냄.
參考 稿(禾部 十畫)는 同字.

[稾街 고가] 한(漢)나라 때의 서울 장안(長安)에 있던 만이(蠻夷)의 거류지.
[稾本 고본] 초고(草稿).
[稾人 고인] 짚으로 만든 인형.
[稾葬 고장] 예의를 갖추지 아니한 간략한 장사(葬事).
[稾砧 고침] 고침(稾椹).
[稾椹 고침] 남편(男便)의 은어(隱語).
◉空稾. 默稾. 腹稾. 原稾. 遺稾. 奏稾. 草稾. 芻稾.

10 ⑮ [秦] 〔진〕 秦(禾部 五畫〈p. 1616〉)의 籒文

11 ⑯ [穄] 제 ㊍霽 子例切 jì

字解 검은기장 제 빛이 검은 메기장. '其土地宜一'《後漢書》.
字源 篆文 形聲. 禾+祭〔音〕

11 ⑯ [糠] 강 ㊥陽 苦岡切 kāng

字解 ①겨 강 糠(米部 十一畫)과 同字. '一秕相半'《後漢書》. ②빌 강 속이 빔. '一之言, 空也. 空其中以含米也'《說文 段注》.
字源 篆文 別體 形聲. 禾+康〔音〕. '康강'은 '매조미'의 뜻. 매조미에 의해서 제거되는 '겨'의 뜻을 나타냄.

[糠秕 강비] ㉠겨와 쭉정이. ㉡쓸모없는 것을 비유하여 이르는 말.
◉粃糠.

11 ⑯ [穆] 人名 목 ㊇屋 莫六切 mù

筆順 禾 秒 稈 稈 穆 穆 穆 穆

字解 ①온화할 목 화평함. '雍一'. '一淸'. '一如淸風'《詩經》. ②아름다울 목 '一, 美也'《廣韻》. ③공경할 목 '我其爲王一'《書經》. ④화목할 목 睦(目部 八畫)과 同字. '敦一'. '君臣集一'《孟子注疏》. ⑤기쁘게할 목, 기뻐할 목 '一君之色'《管子》. ⑥도타울 목 '一, 厚也'《廣韻》. ⑦편안할 목 '一, 靖也'《正字通》. ⑧맑을 목 '蔚淸一之風'《晉書》. ⑨조용히생각할 목 정사(靜思)하는 모양. '有所一然深思'《史記》. ⑩사당차례 목 사당의 차례로, 제일대의 '昭'에 대하여, 제이대의 사당. '序昭一'《中庸》. ⑪성 목 성(姓)의 하나.
字源 金文 篆文 象形. 곡식의 알이 풍요롭고도 아름답게 여물어, 바야흐로 흩어져 떨어지려는 모양을 본뜸. 아름답고 평화로운 모습을 나타냄.

[穆考 목고] 훌륭한 부조(父祖). 주(周)나라 문왕(文王)의 성덕(盛德)을 형용해서 이름.
[穆穆 목목] ㉠언어 용모가 아름답고 성(盛)한 모양. ㉡위의(威儀)가 성(盛)한 모양. ㉢삼가고 공경하는 모양. ㉣화창(和暢)한 모양. ㉤조용한 모양.
[穆少 목소] 유화(柔和)하고 젊음.
[穆如淸風 목여청풍] 심사와 언행이 온화(溫和)한 모양.
[穆然 목연] ㉠조용히 생각하는 모양. ㉡삼가고 공경하는 모양.
[穆天子傳 목천자전] 책 이름. 모두 6권. 저자 불상(著者不詳). 주(周)나라 목왕(穆王)이 서유(西遊)한 것을 적은 책.
[穆淸 목청] ㉠세상이 잘 다스려져 화평함. ㉡청렴(淸廉)하고 온건(穩健)함.
◉敦穆. 昭穆. 粹穆. 肅穆. 安穆. 悅穆. 雍穆. 婉穆. 友穆. 郁穆. 怡穆. 緝穆. 淸穆. 和穆.

11 ⑯ [穇] 삼 ㊥咸 所銜切 cǎn, ②shān

字解 ①피 삼 '一子'는 볏과(科)에 속하는 일년초. 씨는 작고 검으며 가축의 사료로 쓰임. ②쭉정이이삭 삼 '穇一, 穗不實'《廣韻》.
字源 形聲. 禾+參〔音〕

11 ⑯ [穊] 기 ㊍寘 几利切 jì
㊍未 居氣切

字解 밸 기 촘촘함. '深耕一種, 立苗欲疏'《史記》.

字源 篆文 形聲. 禾+既〔音〕. '既기'는 그득 차서 넘쳐 나옴의 뜻. 씨를 많이 뿌리다, 수량(數量)이 많다의 뜻을 나타냄.

11 ⑯ [積] 高人 ■ 적 ㊀陌 資昔切 jī ㊀錫 則歷切 ■ 자 ㊁寘 子智切 jī 积 積

筆順 禾 秆 秆 秸 積 積 積 積

字解 ■ ①쌓을 적 포개 놓음. '一載'. '一小以高大'《易經》. ②쌓일 적 '一雪'. '善不一不足以成名'《易經》. ③정체할 적 막힘. '天道運而無所一'《莊子》. ④많을 적 '夫縣法以誘民, 使入陷阱, 孰一於此'《漢書》. ⑤주름 적 옷의 주름. '襞一'. '皮弁服素一'《儀禮》. ■ ①저축할 자 비축함. '乃一乃倉'《詩經》. ②저축 자 비축한 것. '無私一'《左傳》. ③죽을 자 주검을 잇대어 죽음. '瀸者何. 瀸, 一也'《公羊傳》.

字源 篆文 形聲. 禾+責〔音〕. '責책'은 재화(財貨)를 힘으로 구함의 뜻. 농작물을 구해 모으다, '축적하다, 쌓다'의 뜻을 나타냄.

[積居 적거] 저축(貯蓄)하여 둠.
[積慶 적경] 거듭 생기는 경사(慶事).
[積穀 적곡] 곡식을 쌓아 둠.
[積久 적구] 오래 걸림.
[積極 적극] 진보·활동·개혁·영속·긍정·현실 등을 나타내는 말. 소극(消極)의 대(對).
[積金 적금] ㉠돈을 모아 둠. ㉡일정한 기간마다 일정한 금액을 적립하는 저금.
[積氣 적기] 쌓인 기운. 전(轉)하여, 하늘.
[積年 적년] 여러 해.
[積德 적덕] 덕을 많이 쌓음. 덕을 남에게 많이 베풂. 또, 쌓인 덕.
[積量 적량] 배·수레 따위에 실을 수 있는 화물(貨物)의 총량(總量).
[積潦 적료] 장마가 져서 난 홍수.
[積累 적루] 쌓고 또 쌓음. 또는 쌓이고 또 쌓임.
[積累下報 적루하보] 적하(積下).
[積分 적분] 함수(函數)를 구(求)하는 산법(算法).
[積忿 적분] 쌓이고 쌓인 분노.
[積憤 적분] 쌓이고 쌓인 분개.
[積不善之家必有餘殃 적불선지가필유여앙] 적악(積惡)을 하면 앙화가 자손에게까지 미침.
[積善 적선] 착한 일을 많이 함.
[積善之家必有餘慶 적선지가필유여경] 적선을 하면 그 응보로 경사가 자손에게까지 미침.
[積雪 적설] 쌓인 눈.
[積小成大 적소성대] 작은 것도 쌓고 또 쌓으면 크게 이루어짐. 적은 것도 쌓이고 쌓이면 많아짐.
[積衰積弱 적쇠적약] 차츰차츰 쇠약해짐.
[積水 적수] 모여 괴고 괸 물. 전(轉)하여, 바다.
[積愁 적수] 적우(積憂).
[積水空明 적수공명] 넓고 깊은 물에 달빛이 환하게 비침.
[積習 적습] 오래된 습관.
[積襲 적습] 적루(積累).
[積屍 적시] 쌓인 시체. 많은 시체.
[積薪之嘆 적신지탄] 장작을 쌓을 때 나중에 쌓는 것을 위에 올려놓듯이, 나중에 벼슬한 자가 전임자보다 중용되어 전임자는 항상 미관말직에 있어 등용되지 않음을 한탄하는 일.
[積失人心 적실인심] 인심을 많이 잃음.
[積痾 적아] 숙환(宿患). 숙아(宿痾).
[積惡 적악] 악한 일을 많이 함.
[積玉之圃 적옥지포] 명문(名文)이 많음의 비유.
[積雨 적우] 장마.
[積憂 적우] 오래 쌓인 근심. 쌓이고 쌓인 우수(憂愁).
[積羽沈舟 적우침주] 새털 같은 가벼운 물건도 많이 쌓이면 배를 침몰시킴. 곧, 여럿이 합친 힘이 놀랍게 큼의 비유.
[積雲 적운] ㉠쌓인 구름. 층운(層雲). ㉡뭉게구름.
[積鬱 적울] ㉠쌓이고 쌓인 울적한 마음. ㉡오래 쌓인 불평.
[積怨 적원] 쌓이고 쌓인 원한.
[積怨深怒 적원심노] 원한이 쌓이어 노여움이 깊음.
[積陰 적음] ㉠쌓인 음기(陰氣). 겨울을 이름. ㉡여러 날 계속하여 흐린 날씨.
[積日 적일] 여러 날.
[積財 적재] 재산을 쌓음.
[積載 적재] 물건을 쌓아서 실음.
[積貯 적저] 저축함.
[積重 적중] 쌓임.
[積憎 적증] 쌓이고 쌓인 증오.
[積着 적착] 적저(積貯).
[積疊 적첩] 적루(積累).
[積滯 적체] 쌓이어 통(通)하지 못함.
[積蓄 적축] 저축함. 또, 그 물건.
[積翠 적취] ㉠겹친 푸른빛. 청산(靑山) 등의 형용. ㉡당대(唐代)의 못〔池〕 이름.
[積聚 적취] ㉠쌓아 모음. 또, 쌓여 모임. ㉡쌓아 둔 물건. 병량(兵糧) 따위.
[積置 적치] 쌓아서 둠.
[積土成山 적토성산] 작은 물건(物件)도 많이 모이면 상상도 못할 만큼 커진다는 말.
[積敝 적폐] 오랫동안 쌓인 폐단.
[積弊 적폐] 적폐(積敝).
[積下 적하] 많은 죄인을 일괄 심리하여 하급 관리에게 알림. 적루 하보(積累下報).
[積血 적혈] 살 속에 맺힌 피 뭉치. 어혈(瘀血).
[積毁銷骨 적훼소골] 참언(讒言)을 자꾸 하면 뼈도 녹아 없어짐. 곧, 남들의 헐뜯는 말의 무서움의 비유.
[積懷 적회] 오랫동안 만나지 못하여 보고 싶은 회포(懷抱).
[積欠 적흠] 쌓이고 쌓인 미납의 조세.
◉疳積. 露積. 累積. 多積. 面積. 襞積. 阜積. 私積. 山積. 秀積. 野積. 餘積. 盈積. 壅積. 猥積. 容積. 鬱積. 委積. 庾積. 凝積. 載積. 貯積. 儲積. 重積. 珍積. 滯積. 體積. 叢積. 蓄積. 充積. 沖積. 堆積. 豐積. 厚積. 興積.

11 ⑯ [穧] 적 ㊀錫 他歷切 tì

字解 모종낼 적 모종을 띄엄띄엄 심음. '離而種之曰一'《集韻》.

11 ⑯ [䅪] 사 ㊉麻 側加切 zhā

字解 붉은벼 사 붉은빛의 벼. '一, 紅稻也'《集韻》.

11 ⑯ [秝] ■ 兼(八部 八畫〈p. 220〉)의 古字
■ 謙(言部 十畫〈p. 2147〉)의 古字

11 ⑯ **[穲]** 라 ㊥歌 盧戈切 luó

字解 노적(露積) 라 곡식을 쌓음. 또, 쌓은 것.

11 ⑯ **[穛]** 초 ㊦嘯 子肖切 jiào

字解 오그라들 초 줄어져 작음. '物縮而小, 謂之一'《集韻》.

11 ⑯ **[穋]** 一 륙 ㊇屋 力竹切 lù
二 구 ①㊥尤 居尤切 jiū
②㊥尤 渠幽切

字解 一 올벼 륙 늦게 심어서 일찍 거두는 벼. 稑(禾部 八畫)과 同字. 二 ①약초(藥草) 이름 구. ②벼이름 구 벼의 일종. '一, 禾類, 管子, 其種一秬'《集韻》.

11 ⑯ **[穮]** 一 표 ㊥蕭 卑遙切 biāo
二 묘 ㊤篠 弭沼切 miǎo

字解 一 긴볏모 표 길게 자란 장한 벼의 모. '一, 稻苗秀出者'《集韻》. 二 까라기 묘 벼의 수염. 화망(禾芒). 秒(禾部 四畫)와 同字. '秋分而禾一定, 一定而禾熟. (註) 一, 禾穗芒也'《宋書》.

字源 形聲. 禾＋票〔音〕

11 ⑯ **[穯]** 一 도 ㊥虞 同都切 tú
二 서 ㊦御 時預切 chú

字解 一 벼이삭 도 '一, 禾穗'《集韻》. 二 ①풀이름 서 '一, 草名'《玉篇》. ②마서 마. 참마.

11 ⑯ **[穱]** 리 ㊥支 鄰知切 lí

字解 ①두다발의벼 리 '一, 長沙人謂禾二把爲一'《集韻》. ②이삭늘어질 리 기장 열매가 늘어짐. 離(隹部 十一畫〈p. 2490〉)와 통용. '一, 與離通, 一一, 黍實垂貌'《正字通》.

11 ⑯ **[穌]** 人名 소 ㊤麌 素姑切 sū 稣

字解 ①소생할 소 피어남. 蘇(艸部 十六畫)와 同字. ②깰 소 눈을 뜸. 잠에서 깸. '一, 寤也'《廣雅》. ③찰 소 '一, 滿也'《廣雅》.

字源 金文 篆文 形聲. 禾＋魚〔音〕. '蘇소'와 통하여 '소생하다'의 뜻.

11 ⑯ **[穗]** 〔종〕
稯(禾部 九畫〈p. 1623〉)과 同字

11 ⑯ **[穐]** 〔추〕
龝(禾部 十六畫〈p. 1632〉)의 俗字

11 ⑯ **[穏]** 〔온〕
穩(禾部 十四畫〈p. 1631〉)의 俗字

11 ⑯ **[穎]** 人名 영 ㊤梗 餘頃切 yǐng 颖

筆順 ㇀ ⺊ ⺊ 乑 乑 䅌 穎 穎

字解 ①이삭 영 벼의 이삭. '實一實栗'《詩經》. ②끝 영 ㉠벼이삭의 끝. '禾一穟穟'《詩經》. ㉡뾰족한 물건의 끝. 첨단. '蚤得處囊中, 乃一脫而出'《史記》. ㉢붓끝. '一, 筆頸也'《韻會》. ③빼어날 영 재주가 뛰어남. 또, 그 사람. '一哲'. '當世秀一'《吳志》. ④고리 영 쇠로 만든 고리. '卻刃授一'《禮記》. ⑤경침(警枕) 영 잠을 자면 넘어져서 깨도록 만든 둥근 나무토막의 베개. '一杖琴瑟'《禮記》. ⑥성 영 성(姓)의 하나.

字源 篆文 形聲. 禾＋頃〔音〕. '頃경'은 '기울다'의 뜻. 벼의 이삭 끝의 기욺, 여무는 부분의 뜻.

參考 頴(頁部 七畫)은 俗字.

[穎果 영과] 볏과(科)에 속하는 식물의 열매의 총칭. 벼·보리 따위.
[穎敏 영민] 예민(銳敏)함.
[穎悟 영오] 뛰어나게 총명함.
[穎才 영재] 뛰어난 재주. 또, 그 사람. 수재(秀才).
[穎哲 영철] 뛰어나게 총명함. 또, 그 사람.
[穎脫 영탈] 주머니 안의 송곳 끝이 비어져 나오는 것처럼, 재능이 남보다 뛰어나게 나타남.

◉嘉穎. 剛穎. 警穎. 管城穎. 奇穎. 明穎. 毛穎. 鋒穎. 秀穎. 英穎. 才穎. 俊穎. 重穎. 聰穎. 禾穎.

11 ⑯ **[穈]** 一 문 ㊥元 謨奔切 mén
二 미 ㊥支 忙皮切 mí

字解 一 붉은기장 문 '維一維芑'《詩經》. 二 검은기장 미 糜(麻部 十二畫)와 同字. '一, 說文, 穄也'《集韻》.

字源 形聲. 禾＋麻〔音〕

12 ⑰ **[稺]** 人名 치 ㊦寘 直利切 zhì

字解 어릴 치 稚(禾部 八畫)·稚(禾部 十畫)와 同字. '子奇一齒'《後漢書》.

[稺稼 치가] 늦게 심은 벼.
[稺弱 치약] 유약(幼弱)함.
[稺子 치자] 어린아이.
[稺齒 치치] 연소(年少)함.

12 ⑰ **[穂]** 人名 수 ㊦寘 徐醉切 suì

筆順 禾 禾 和 和 种 穂 穂 穂

字解 이삭 수 벼·보리 등의 이삭. '禾一'. '麥一'. '彼稷之一'《詩經》. 전(轉)하여, 모양이 이삭 같은 것. '一一寒燈'(등불의 모양을 이름). '金芝吐一'《王勣》.

字源 采의 俗體 形聲. 禾＋惠〔音〕. '惠혜'는 '은혜'의 뜻. 곡식의 은혜로운 곳인 '이삭'의 뜻을 나타냄. '采수'의 俗體.

◉稻穂. 燈穂. 麥穂. 實穂. 一穂. 滯穂. 好穂. 禾穂.

12 ⑰ **[穜]** 동 ㊥東 徒紅切 tóng

字解 늦벼 동 늦게 되는 벼. '一稑之種'《周禮》.

字源 篆文 形聲. 禾＋童〔音〕. '童동'은 '찌르다'의 뜻. 곡물의 모종을 심다의 뜻을 나타냄.

[穜稑 동륙] 늦벼와 올벼.

12 ⑰ [穖] 기 ①[上]尾 擧豈切 jǐ ②[去]寘 几利切 jì

[字解] ①벼꽃술 기 벼의 꽃술. '得時之禾, 疏一而穗大'《呂氏春秋》. ②무성할 기 벼 따위가 배게 나서 무성함. 穊(禾部 十一畫)와 同字.

[字源] 篆文 形聲. 禾+幾〔音〕

12 ⑰ [穇] [一] 잠 [平]侵 鋤簪切 cén [二] 겸 [平]鹽 其淹切 qián

[字解] [一] 모패려할 잠 '一, 禾苗將秀曰一'《集韻》. [二] 벼이름 겸 '一, 禾名'《集韻》.

12 ⑰ [穚] 교 [平]蕭 居妖切 jiāo

[字解] ①벼팰 교 벼이삭이 나옴. '一, 禾秀也'《集韻》. ②가라지우거질 교 강아지풀이 길게 자라 무성한 모양. '一, 莠艸長茂皃'《集韻》.

12 ⑰ [穛] 착 [入]覺 側角切 zhuō

[字解] 풋바심할 착 채 다 익기 전에 곡식을 거두는 일. '孰穫曰稰, 生穫曰一'《禮記 註》.

12 ⑰ [穤] 매 [上]賄 母亥切 měi [去]隊 莫佩切

[字解] ①검을 매 흑색임. '一, 一曰, 黑也'《集韻》. ②벼상할 매 비를 맞아 벼가 상함. '一, 一曰, 禾傷雨'《集韻》.

13 ⑱ [穟] 수 [去]寘 徐醉切 suì

[字解] ①이삭 수 화곡(禾穀)의 이삭. '嘉一'. '稻一'. '丹鳥啣一'《庾信》. ②야드르르할 수 벼의 모가 잘 자라서 야드르르한 모양. 일설(一說)에는, 벼의 이삭이 패어 꽃이 피는 모양. '禾役一一'《詩經》.

[字源] 篆文 別體 形聲. 禾+遂〔音〕. '遂수'는 '맨 끝'의 뜻. 벼의 이삭의 뜻을 나타냄.

[穟穟 수수] 볏모의 야드르르하게 아름다운 모양.
◉嘉穟. 稻穟. 挺穟.

13 ⑱ [穠] 농 [平]冬 女容切 nóng [平]冬 而容切

[字解] 많을 농, 무성할 농 초목·꽃나무가 번성하여 많은 모양. '繁一'. '何彼一矣'《詩經》.

[字源] 形聲. 禾+農〔音〕. '農농'은 '짙다'의 뜻. 꽃나무가 무성하다의 뜻을 나타냄.

[穠桃 농도] 꽃이 많이 핀 복숭아나무.
[穠綠 농록] 짙은 푸른빛.
[穠李 농리] 꽃이 많이 핀 자두나무.
[穠纖 농섬] 번거롭게 많음과 섬세하고 적음.
[穠艶 농염] 꽃이 한창 어우러져 피어서 아름다움.
[穠華 농화] 한창 핀 꽃. 활짝 핀 꽃.
◉繁穠. 丰穠. 鮮穠. 妖穠.

13 ⑱ [穤] 고 [平]豪 古勞切 gāo

[字解] 엿 고 엿. '一, 今之餹餅曰一'《廣韻》.

13 ⑱ [穡] [人名] 색 [入]職 所力切 sè

[筆順] 禾 𥝌 秝 秝 稀 稀 穡 穡

[字解] ①거둘 색 수확을 함. '稼一而食'《顏氏家訓》. ②추수 색 화곡(禾穀)의 수확. '服田力一'《書經》. ③곡식 색 화곡. '參參其一'《束晳》. ④농사 색 경작. '力于農一'《左傳》. ⑤알뜰할 색 검약(儉約)함. '務一勸分'《左傳》. ⑥아낄 색 嗇(口部 十畫)과 同字. '大國省一而用之'《左傳》.

[字源] 金文 篆文 形聲. 禾+嗇〔音〕. '嗇색'은 '수확'의 뜻으로, '穡색'의 原字. 뒷날에, '禾화'를 덧붙이게 됨.

[穡夫 색부] 농부.
[穡事 색사] 농사.
[穡人 색인] 색부(穡夫).
◉稼穡. 耕穡. 農穡. 省穡. 蠶穡.

13 ⑱ [穢] [人名] 예 [去]隊 於廢切 huì

[字解] ①거칠 예 황무(荒蕪)함. '荒一'. '蕪一不治'《漢書》. 또, 그 땅. 황무지. '並蹈潛一'《後漢書》. ②잡초 예 잡풀. '艸一旣除'《詩經 箋》. ③더럽힐 예 더럽게 함. '汙一朝廷'《後漢書》. ④더러워질 예 더럽게 됨. '材朽行一'《漢書》. ⑤더러울 예 '一行'. 또, 더러운 일. 더러운 것. '無起一以自臭'《書經》. ⑥악할 예 또, 악한 사람. '一, 惡也'《廣韻》.

[字源] 形聲. 禾+歲〔音〕. '歲세'는 '越월'과 통하여, 도(度)를 넘치다의 뜻. 잡초가 도를 넘치게 많다, '황폐하다'의 뜻을 나타냄.

[穢氣 예기] 더러운 냄새.
[穢德 예덕] 악덕(惡德).
[穢物 예물] 더러운 물건(物件).
[穢史 예사] 더러운 역사. 사실을 왜곡하여 쓴 사서(史書).
[穢聲 예성] 추문(醜聞).
[穢心 예심] 더러운 마음.
[穢語 예어] 음란하고 야비한 말. 욕지거리.
[穢惡 예오] 더럽힘.
[穢慾 예욕] 더러운 욕심(慾心).
[穢疾 예질] 더러운 질병.
[穢草 예초] 잡초(雜草).
[穢濁 예탁] 더럽고 흐림.
[穢土 예토] ㉠《佛教》 더러운 이 세상. 곧, 사바(娑婆). 속세(俗世). 정토(淨土)의 대(對). ㉡똥〔糞〕의 딴 이름.
[穢慝 예특] 더러운 것.
[穢行 예행] 더러운 행실. 추행(醜行).
[穢溷 예혼] ㉠예탁(穢濁). ㉡뒷간. ㉢돼지우리.
◉苛穢. 奸穢. 垢穢. 蕪穢. 煩穢. 邪穢. 芟穢. 鄙穢. 腥穢. 汚穢. 惡穢. 滓穢. 榛穢. 塵穢. 草穢. 觸穢. 叢穢. 醜穢. 臭穢. 濁穢. 貪穢. 汗穢. 溷穢. 荒穢. 朽穢. 凶穢.

13 ⑱ [穦] 자 [平]支 疾資切 zī [去]寘 子智切

[字解] 쌓을 자 볏가리를 쌓음. 積(禾部 十一畫)

과 同字. '一, 積禾也'《說文》.
[字源] 篆文 形聲. 禾+資〔音〕. '積적'과 동일어(同一語) 이체자(異體字)로, '쌓다'의 뜻.

13 ⑱ [𥢶] 괴 [去]泰 苦會切 kuài
[字解] 겨 괴 벼의 왕겨. '一, 穅也'《說文》.
[字源] 篆文 形聲. 禾+會〔音〕

13 ⑱ [䆃] 도 [上]晧 徒晧切 / [去]號 徒到切 dào
[字解] ①가릴 도 쌀을 가려 추려 냄. '一一莖六穗於庖'《史記》. ②상서로운벼 도 한 줄기에 여러 개의 이삭이 달린 상서(祥瑞)로운 벼의 이름. '一, 嘉禾. 一莖六穗'《廣韻》.
[字源] 篆文 形聲. 禾+道〔音〕

13 ⑱ [䆄] 선 [上]銑 旨善切 zhǎn
[字解] 볏단 선 벼를 다발로 묶은 것. '一, 禾束也'《字彙》.

14 ⑲ [穨] 퇴 [平]灰 杜回切 tuí
[字解] ①쇠할 퇴 頹(頁部 七畫)와 同字. '至於戰國, 漸至一陵'《後漢書》. ②벗어질 퇴 머리가 벗어짐. '一, 秃皃'《說文》.
[字源] 篆文 形聲. 秃+貴(貴)〔音〕. '秃독'은 털이 빠지다, '貴귀'는 '찌부러지다'의 뜻. 벗어져 없어지다, '쇠퇴하다'의 뜻을 나타냄.

[穨陵 퇴릉] 쇠퇴(衰頹)함. 퇴폐함.

14 ⑲ [穧] [一] 제 [去]霽 在詣切 jì / [二] 자 [去]寘 子智切 zì
[字解] [一] ①볏단 제 베어 묶은 벼의 단. '有不斂一'《詩經》. ②벼벨 제 벼를 벰. '穫禾爲一'《爾雅 注》. [二] 포개쌓을 자 벤 벼를 겹쳐 쌓음. '一, 積禾也'《集韻》.
[字源] 篆文 形聲. 禾+齊(齊)〔音〕. '齊제'는 한데 가지런히 하다의 뜻. 베어 넘겨 한데 가지런히 모은 벼의 뜻을 나타냄.

14 ⑲ [穩] [人名] 온 [上]阮 烏本切 wěn 稳
[筆順] 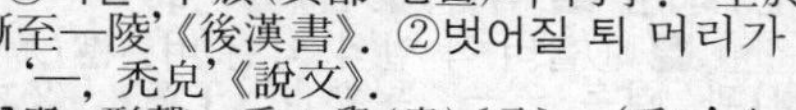
[字解] ①안온할 온 평온함. 편안함. '平一'. '客枕終難一'《朱熹》. ②걷어모을 온 곡식을 밟아 모음. '一, 蹂穀聚也'《說文新附》.
[字源] 篆文 會意. 禾+㥯. '㥯은'은 휘감기게 하다의 뜻. '禾화'는, '곡식'의 뜻. 수족이 곡식에 파묻히다시피 하여 비비면서 모으다의 뜻을 나타냄. 음형상(音形上) '溫온'과 통하여, '평온함'의 뜻을 나타냄.

[穩健 온건] ㉠온당하고 건실함. ㉡순하고 힘이 셈.
[穩當 온당] ㉠안온함. ㉡사리(事理)에 어그러지지 않고 알맞음.
[穩善 온선] 순함. 온순함.
[穩宿 온숙] 편안(便安)하게 함.
[穩穩 온온] 평온한 모양. 편안한 모양.
[穩全 온전] 결점이 없이 완전함.
[穩坐 온좌] 편히 앉음.
[穩住 온주] 조용하고 편안한 주거(住居). 또, 평온하게 삶.
[穩妥 온타] 온당(穩當).
[穩婆 온파] 산파(産婆).
[穩便 온편] ㉠온화함. 원만함. ㉡편리함.
◉深穩. 安穩. 圓穩. 平穩.

14 ⑲ [穫] [高入] [一] 확 [入]藥 胡郭切 huò / [二] 호 [去]遇 胡故切 hù
[筆順] 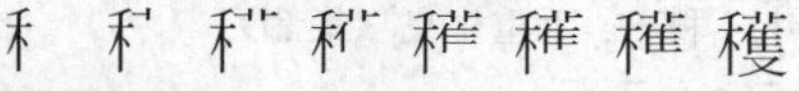
[字解] [一] ①벨 확 화곡을 벰. '八月其一'《詩經》. ②거둘 확 곡식을 거두어들임. '收一'. '稼就而不一'《呂氏春秋》. [二] 땅이름 호 '焦一'는 주(周)나라에 있던 지명. '整居焦一'《詩經》.
[字源] 篆文 形聲. 禾+蒦〔音〕. '蒦확'은 새를 손으로 잡다의 뜻. 벼를 거두어들이다의 뜻을 나타냄.

[穫稻 확도] 벼를 베어 거두어들임. 예도(刈稻).
[穫刈 확예] 곡식을 베어 거둠.
◉耕穫. 不耕而穫. 收穫. 刈穫. 芸穫. 隕穫. 一樹百穫. 朝種暮穫. 秋穫.

14 ⑲ [穯] 녕 [平]庚 乃庚切 níng
[字解] ①벼까라기 녕 벼의 까끄라기. '禾芒曰一'《集韻》. ②까끄라기길 녕 벼·보리·밀 따위의 수염이 긺. '一, 穀芒長也'《康熙字典》.

14 ⑲ [𥣫] [一] 추 [上]有 士九切 zhòu / [二] 총 [去]送 粗送切 còng
[字解] [一] 모일 추, 모을 추 '一, 聚也'《集韻》. [二] ①삼단 총 삼의 묶은 다발. '一, 麻束'《集韻》. ②벼쌓을 총 볏단을 쌓음. 볏가리를 쌓음. '一, 一曰, 積禾'《集韻》.

14 ⑲ [穦] [人名] 빈 [平]眞 紕民切 pīn
[字解] 향기 빈 '一, 香氣也'《字彙》.

14 ⑲ [穤] 〔나〕 稬(禾部 九畫〈p. 1624〉)의 俗字

14 ⑲ [穪] 〔칭〕 稱(禾部 九畫〈p. 1623〉)의 俗字

15 ⑳ [穲] 파 [去]禡 步化切 bà
[字解] 벼이름 파 '一稏'는 벼의 한 가지. 또, 벼가 흔들리는 모양. '轉頭一稏秋風黃'《方岳》.

[穲稏 파아] 자해(字解)를 보라.

15 ⑳ [穮] 표 [平]蕭 悲嬌切 biāo

字解 김맬 표 제초를 함. '譬如農夫, 是一是蓘'《左傳》.

字源 篆文 形聲. 禾＋麃〔音〕. '麃표'는 사슴이 경쾌하게 뛰는 모양. 사슴이 뛰어다니며 곡식을 쓰러뜨려 망치듯이, 풀을 베어 넘김의 뜻을 나타냄.

15 ⑳ [穥] 우 ㊤尤 於求切 yōu

字解 볏다발 우 벼 마흔 모숨. '把, 謂之秉, 秉四曰筥, 筥十曰一'《小爾雅》.

15 ⑳ [穯] 즐 ㊀質 側瑟切 zhì

字解 움벼 즐 '秲一'은 베어 낸 데서 움터 나온 벼. '秲一, 禾重生皃'《集韻》.

15 ⑳ [穬] 광 ㊤梗 古猛切 kuàng

字解 ①까라기조 광 까끄라기가 있는 조〔粟〕. '一, 芒粟也'《說文》. ②벼 광 ㉠아직 찧지 않은 벼. '一, 一曰, 稻未舂'《集韻》. ㉡아직 익지 않은 벼. '一, 又曰, 稻不熟'《廣韻》.

字源 篆文 形聲. 禾＋廣〔音〕. '廣광'은 '크다'의 뜻. '까라기 조'의 뜻을 나타냄.

[穬麥 광맥] 귀리.

15 ⑳ [穆] 변 ㊤先 卑眠切 biǎn ㊤銑 補典切

字解 강낭콩 변 稨(禾部 九畫〈p. 1624〉)과 同字. '一, 籬上豆, 亦作稨'《集韻》.

15 ⑳ [穭] 려 ㊤語 力擧切 lǚ 穭

字解 돌벼 려 자생(自生)한 벼. '毀臺生一穀'《劉禹錫》.

字源 形聲. 禾＋魯〔音〕

15 ⑳ [穡] 〔색〕 穡(禾部 十三畫〈p. 1630〉)의 本字

16 ㉑ [穱] 롱 ㊤東 盧紅切 lóng

字解 ①벤벼 롱 '一, 穧也'《廣雅》. ②벼의병 롱 벼의 병(病). '一, 一曰, 禾病'《集韻》.

16 ㉑ [穐] 〔추〕 秋(禾部 四畫〈p. 1611〉)의 古字

17 ㉒ [穰] 人名 양 ㊤陽 汝陽切 ráng ㊤養 如兩切 rǎng 穰

字解 ①짚 양 벼·보리·밀·기장 따위의 짚. '一, 禾莖也'《廣韻》. ②풍년 양 실념(實稔)이 잘됨. '豐一'. '六歲一, 六歲旱'《史記》. ③빌 양 풍년이 들기를 기도함. '道傍有一田者'《史記》. ④넉넉할 양 풍요(豐饒)한 모양. '降福一一'《張衡》. ⑤쑥 양 또, 쑥으로 만든 옷. '衣一而提贄'《孔子家語》. ⑥성(盛)할 양 왕성함. '長安中浩一'《漢書》. ⑦성 양 성(姓)의 하나.

字源 篆文 形聲. 禾＋襄〔音〕. '襄양'은 속에 많이 처넣다의 뜻. 벼의 알이 다닥다닥 많이 달림의 뜻을 나타냄.

[穰歲 양세] 실념(實稔)이 잘된 해. 풍년(豐年).

[穰穰 양양] ㉠실념(實稔)이 잘된 모양. 수확이 많은 모양. ㉡많은 모양. 넉넉한 모양.

[穰衣 양의] 쑥으로 만든 의복. 미천(微賤)한 자가 입는 옷. 「를 빎.

[穰田 양전] 곡식이 잘 자라 실념(實稔)이 잘되기

◉飢穰. 饑穰. 紛穰. 豐穰. 浩穰.

17 ㉒ [穳] 〔천〕 薦(艸部 十三畫〈p. 1975〉)과 同字

[龢] 〔화〕 龠部 五畫(p. 2734)을 보라.

18 ㉓ [穳] ㊀ 비 ㊤未 扶沸切 fèi ㊤尾 浮鬼切 ㊁ 분 ㊤問 方問切 fèn ㊂ 취 ㊤寘 秦醉切

字解 ㊀ 메벼 비 줄기가 자색인 메벼. '一, 稻紫莖不黏者也'. ㊁ 메벼 분 ㊀과 뜻이 같음. ㊂ 벼 차질 취 '一, 稻禾黏也'《廣韻》.

字源 形聲. 禾＋糞〔音〕

18 ㉓ [穱] ㊀ 착 ㊀覺 側角切 zhuō ㊁ 작 ㊀藥 卽約切 jué

字解 ㊀ ①올벼 착 일찍 익는 벼. 穛(禾部 十二畫)과 同字. '一, 早熟也'《玉篇》. ②그루보리 착 벼를 베어 내고 심는 보리. '一, 稻下種麥'《集韻》. ③가릴 착 먼저 익은 보리를 가려냄. '稻粢一麥. (註) 一, 擇也, 擇麥中先熟者也'《楚辭》. ㊁ 기장 작 밭곡식의 하나. '一, 穄也'《集韻》.

19 ㉔ [穳] 찬 ㊤旱 徂管切 cuán

字解 볏가리쌓을 찬 볏단을 모아 쌓음. '一, 禾積也'《集韻》.

19 ㉔ [穲] 리 ㊤支 呂支切 lí

字解 ①볏모 리 벼의 묘(苗). '一, 禾苗也'《康熙字典》. ②줄지어설 리 '一一'는 기장이 나란히 나 있는 모양. '一一, 黍稷行列'《廣韻》.

20 ㉕ [穳] 당 ㊤養 底朗切 dǎng

字解 누른곡식 당 누른 곡식의 이름. '一, 䆃一, 黃穀名'《集韻》.

20 ㉕ [穫] 곽 ㊀藥 厥縛切 jué

字解 물감식물 곽 물감 식물. 염료(染料)로 쓰이는 풀 이름. '一, 艸名, 可染皁'《集韻》.

21 ㉖ [穮] 〔추〕 秋(禾部 四畫〈p. 1611〉)의 古字

25 ㉚ [𥣰] 〔국〕 國(囗部 八畫〈p. 425〉)의 古字

穴 (5획) 部

〔구멍혈부〕

0
⑤ [穴] [高人] [一] 혈 [入]屑 胡決切 xué
[二] 휼 [入]質 戶橘切

[筆順] ' 宀 穴

[字解] [一] ①움 혈 토실(土室). '一居而野處'《易經》. ②구덩이 혈 무덤의 굴. 묘혈(墓穴). '死則同一'《詩經》. ③굴 혈 ㉠동굴. '出自一'《易經》. ㉡짐승이 숨어 있는 구멍. '蟻一'. '狡兔失一'《魏書》. ④구멍 혈 뚫어지거나 파낸 자리. '鑽一隙'《孟子》. ⑤곁 혈 옆. '氿泉一出'《爾雅》. ⑥성 혈 성(姓)의 하나. [二] 구멍 휼, 굴 휼 '河潰蟻孔端, 山壞由猿一'《孔融》.

[字源] [篆文] 象形. 혈거 생활(穴居生活)의 주거(住居)를 본뜬 모양으로, '구멍·굴'의 뜻을 나타냄.

[參考] '穴혈'을 의부(意符)로 하여, 구멍이나 구멍 모양의 기물(器物), 구멍의 상태, 또 구멍을 뚫는 일 등에 관한 문자를 이룸.

[穴居 혈거] 굴속에서 삶.
[穴居野處 혈거야처] 상고(上古) 시대의 주민(住民)들이 거실(居室)이 없이 굴이나 들에서 생활하던 일.
[穴見 혈견] 구멍으로 들여다봄. 좁은 식견의 비유. 관견(管見).
[穴竅 혈규] 구멍.
[穴隙 혈극] 구멍. 구멍이 난 틈.
[穴室 혈실] ㉠굴속에 만든 방. ㉡거실(居室)에 구멍을 냄.
[穴臥 혈와] 굴속에서 잠.
[穴牖 혈유] 구멍을 뚫은 채로 된 창. 초라한 집을 이름.
[穴穽 혈정] 함정(陷穽).
[穴處 혈처] ㉠혈거(穴居). ㉡식견(識見)이 좁음의 비유.
[穴託 혈탁] 굴에 몸을 의탁함. 혈거(穴居).
◉曲穴. 孔穴. 空穴. 管穴. 舊穴. 窟穴. 竅穴. 郄穴. 隙穴. 金穴. 丹穴. 陶穴. 洞穴. 複穴. 封穴. 巢穴. 巖穴. 幽穴. 潛穴. 點穴. 側穴. 層穴. 探禹穴. 探虎穴. 偸穴. 偕老同穴. 虎穴. 廻穴.

1
⑥ [穵] 알 [入]黠 烏八切 wā
[入]黠 烏黠切 yà

[字解] ①더듬을 알 구멍 속을 손으로 더듬어 찾음. 挖(手部 六畫)과 同字. ②빌 알 텅 빔. 공허함. '一, 空也'《說文》. ③큰구멍 알 '一, 空大也'《說文》. ④깊을 알 '一, 深也'《廣雅》. ⑤구멍뚫을 알 구멍을 냄.

[字源] [篆文] 形聲. 穴+乙〔音〕. '乙을'은 섬기어 머물다의 뜻. 안쪽에서 섬기어 머물고 있는 굴의 뜻을 나타냄.

2
⑦ [究] [中人] 구 [去]宥 居祐切 jiū(jiù)

[筆順] ' 宀 穴 究

[字解] ①궁구할 구 연구함. '一明'. '以一王詶'《詩經》. ②헤아릴 구 상량(商量)함. '爰一爰度'《詩經》. ③다할 구 사물이 끝남. 없어짐. '害氣將一矣'《漢書》. ④궁극 구 극(極). 끝. '一極'. '其一爲健'《易經》. ⑤미워할 구 서로 미워하는 모양. '自我人一一'《詩經》.

[字源] [篆文] 形聲. 穴+九〔音〕. '九구'는 굴곡(屈曲)하여 끝나는 형상을 본떠, '다하다, 끝나다'의 뜻. 구멍에 처넣어지다, 끝나다, 궁구되다의 뜻을 나타냄.

[究竟 구경] ㉠극진(極盡)함. ㉡끝남. ㉢끝. 궁극(窮極). ㉣마침내. 필경. ㉤《佛敎》 이법(理法)의 지극(至極).
[究究 구구] ㉠서로 미워하는 모양. ㉡그치지 않는 모양.
[究極 구극] ㉠궁구(窮究)함. 또, 극진(極盡)함. ㉡끝. 궁극(窮極).
[究覽 구람] 궁구하여 봄.
[究理 구리] 사물(事物)의 이치(理致)를 궁구(窮究)함.
[究理學 구리학] 물리학(物理學)의 구칭(舊稱).
[究明 구명] 궁구(窮究)하여 밝힘.
[究問 구문] ㉠충분히 알 때까지 캐어물어 봄. ㉡충분히 조사함. 「(熟考).
[究思 구사] 곰곰 생각함. 충분히 생각함. 숙고
[究索 구색] 궁구하여 찾음. 깊이 사색함.
[究宣 구선] 궁구하여 밝힘. 구명(究明).
[究悉 구실] 빠짐없이 궁구(窮究)함.
[究審 구심] 구찰(究察).
[究察 구찰] 충분히 살펴서 분명히 함.
[究通 구통] 궁함과 통함. 궁달(窮達).
[究覈 구핵] 깊이 조사함. 샅샅이 캠.
[究詰 구힐] ㉠추궁하여 힐문함. ㉡구핵(究覈).
◉講究. 檢究. 考究. 窮究. 覽究. 論究. 磨究. 博究. 辨究. 詳究. 宣究. 諳究. 研究. 練究. 精究. 質究. 察究. 闡究. 村學究. 推究. 測究. 探究. 討究. 通究. 評究. 畢究. 該究. 詰究.

2
⑦ [穷] 〔궁〕
窮(穴部 十畫〈p. 1641〉)의 俗字

2
⑦ [穷] 〔궁〕
窮(穴部 十畫〈p. 1641〉)의 簡體字

3
⑧ [穸] 석 [入]陌 祥易切 xī

[字解] ①광중 석 무덤의 구덩이. 묘혈(墓穴). '窀一'. '秒秋卽一'《顏延年》. ②밤 석 긴 밤. 야간. '唯是春秋窀一之事'《左傳》.

[字源] [篆文] 形聲. 穴+夕〔音〕. '夕석'은 '저녁때'의 뜻. 어두운 무덤의 구덩이, 또, '밤'의 뜻을 나타냄.

◉窀穸. 殯穸. 幽穸. 泉穸.

3
⑧ [究] 〔구〕
究(穴部 二畫〈p. 1633〉)의 俗字

3
⑧ [突] 〔돌〕
突(穴部 四畫〈p. 1635〉)과 同字

3 ⑧ [穹] 人名 궁 ㊥東 去宮切 qióng (qiōng)

字解 ①하늘 궁 천공(天空). '天一'. '以念一蒼'《詩經》. ②클 궁 '一, 大也'《爾雅》. ③높을 궁 '鬱竝起而一崇'《司馬相如》. ④깊을 궁 '幽林一谷'《班固》. ⑤활꼴 궁 궁형(弓形). '一窿'. '一者三之一'《周禮》. ⑥막을 궁 틈을 막음. '一窒熏鼠'《詩經》.

字源 篆文 形聲. 穴+弓〔音〕. 활 모양, 아치형을 한 구멍의 뜻. 파생(派生)하여, 장구의 몸통 따위의 뜻을 나타냄.

[穹嵌 궁감] 험준(險峻)한 곳.
[穹蓋 궁개] 궁창(穹蒼).
[穹居 궁거] 천막의 밑에서 삶.
[穹谷 궁곡] ㉠깊은 골짜기. ㉡큰 골짜기. 공곡(空谷).
[穹廬 궁려] 흉노(匈奴)가 치고 사는 장막(帳幕). 천막(天幕).
[穹靈 궁령] 하늘에 있는 영(靈). 천상의 영(靈).
[穹窿 궁륭] ㉠활 모양으로 되어 가운데가 높음. ㉡하늘.
[穹冥 궁명] 하늘.
[穹壤 궁양] 하늘과 땅. 천지(天地).
[穹窒 궁질] ㉠틈을 틀어막음. ㉡쥐구멍.
[穹質 궁질] 고상한 성질.
[穹蒼 궁창] 높고 푸른 하늘.
[穹天 궁천] 궁창(穹蒼).
[穹玄 궁현] 궁창(穹蒼).
[穹昊 궁호] 하늘. 궁륭(穹窿).
◉高穹. 上穹. 隆穹. 紫穹. 蒼穹. 青穹. 淸穹. 秋穹. 遐穹. 玄穹. 昊穹. 顥穹. 皇穹.

3 ⑧ [空] 中人 공 ①-⑧㊥東 苦紅切 kōng ⑨⑩㊤董 苦動切 kǒng ⑪⑫㊦送 苦貢切 kòng

筆順 ' 丷 宀 穴 穴 空 空 空

字解 ①하늘 공 대공(大空). '天一'. '終日書一'《世說》. ②빌 공 ㉠아무것도 없음. '一虛'. '杼柚其一'《詩經》. ㉡속에 든 것이 없음. '一砲'. '倉廩實而囹圄一'《管子》. ㉢사실이 아님. '皆一語無事實'《史記》. ㉣실질이 없음. 유명무실함. '有一名無實'《尉繚子》. ③비울 공 속을 비게 함. '必一壁逐我'《十八史略》. ④쓸쓸할 공 적적함. 고요함. '蕭條徐泗一'《李白》. ⑤헛 공 쓸데없음. 보람 없음. '一費'. '一言無施, 雖切何益'《韓愈》. ⑥헛되이 공 보람 없이. 쓸데없이. '引軍一還'《漢書》. ⑦미련할 공 어리석은 모양. '一一如也'《論語》. ⑧공간 공 철학에서 시간의 대(對). 무한의 연장. ⑨구멍 공 뚫어진 자리. '鑿一'《史記》. ⑩통하게할 공 개통(開通)함. '張騫鑿一'《史記》. ⑪없을 공 가난함. '回也其庶乎, 屢一'《論語》. ⑫뚫을 공 '衣又穿一'《後漢書》.

字源 金文 篆文 形聲. 穴+工〔音〕. '工공'은 끌 따위의 공구(工具)로 꿰뚫다의 뜻. 꿰뚫은 구멍의 뜻에서, 비다, 공허하다, 헛되다의 뜻을 나타내며, 뒤에 파생(派生)하여, '하늘'의 뜻도 나타냄. 또, '工공'은 '넓다'의 뜻으로, 넓은 구멍, 하늘의 뜻으로도 생각됨.

[空柯 공가] ㉠날을 붙이지 않은 도끼 자루. ㉡잎이 없는 가지.
[空家 공가] 빈집.
[空殼 공각] 속이 빈 껍질.
[空覺 공각] ㉠《佛教》 일체는 공(空)이라는 자각(自覺). ㉡분명치 않은 기억.
[空間 공간] ㉠빈자리. 빈틈. ㉡천지(天地)의 사이. ㉢사방·상하·장단·원근 등이 생기는 근본 개념. 시간의 대.
[空居 공거] ㉠헛되이 지냄. 하는 일 없이 지냄. ㉡빈집. ㉢《佛教》 절을 이름.
[空界 공계] 하늘.
[空谷足音 공곡족음] 쓸쓸한 골짜기에서 사람을 만난 기쁨. 전(轉)하여, 자기와 같은 의견이나 학설을 들었을 때의 기쁨의 비유.
[空空 공공] ㉠어리석은 모양. 무식한 모양. ㉡사의(私意)가 없는 모양.
[空過 공과] 헛되이 보냄.
[空館 공관] 인기척이 없는 집. 사람이 없는 쓸쓸한 집.
[空軍 공군] 항공기(航空機)를 사용(使用)하여 공중에서 전투 또는 습격에 종사하는 군대.
[空弮 공권] 다 쏘고 더 쏠 화살이 없는 쇠뇌.
[空拳 공권] 맨주먹.
[空閨 공규] 지아비가 없이 아내가 혼자 자는 방.
[空竅 공규] 틈. 구멍. 전(轉)하여, 이목구비.
[空隙 공극] 틈. 구멍.
[空器 공기] 빈 그릇.
[空氣 공기] 지구(地球)를 둘러싸고 있는 무색(無色)·무미(無味)·무취(無臭)의 기체(氣體). 대기(大氣).
[空談 공담] 쓸데없는 이야기.
[空洞 공동] 텅 빈 구렁.
[空頭漢 공두한] 어리석은 자.
[空得 공득] 힘을 들이지 않고 얻음.
[空欄 공란] 글자 없이 비워 둔 난.
[空路 공로] 항공로(航空路)의 약어(略語).
[空論 공론] 쓸데없는 언론. 근거가 없는 의론.
[空理 공리] 근거가 없는 이론.
[空名 공명] ㉠빈 이름. 허명(虛名). ㉡허위 사실을 기록함.
[空明 공명] 고요한 물에 비치는 명월(明月)의 경치.
[空耗 공모] 결핍(缺乏)함.
[空目 공목] 식자(植字)할 때에 활자(活字) 사이에 끼우는 나무나 납 조각. '공목(空木)'이라고도 함.
[空濛 공몽] 이슬비가 보얗게 내리거나 안개가 자욱하게 끼어서 어둠침침한 모양.
[空文 공문] ㉠실익(實益)이 없는 글. ㉡실행하지 아니하는 법률, 또는 규칙.
[空門 공문] 불문(佛門)을 이름.
[空房 공방] ㉠빈방(房). ㉡공규(空閨).
[空白 공백] 종이에 글씨나 그림이 없는 빈자리. 여백(餘白).
[空甁 공병] 빈 병(甁).
[空腹 공복] 빈속. 배가 고픔.
[空費 공비] 쓸데없는 비용(費用).
[空山 공산] 사람이 없는 산(山)속.
[空想 공상] ㉠현실(現實)을 떠난 빈 사상(思想). ㉡실행(實行)할 수 없는 헛된 생각.
[空手 공수] 맨손.
[空手來空手去 공수래공수거] 빈손으로 왔다가 빈손으로 간다는 말.

[空襲 공습] 항공기(航空機)로 습격(襲擊)함.
[空食 공식] 힘을 들이지 않고 돈을 얻거나 음식을 먹음.
[空也派 공야파] 천태종(天台宗)의 한 파. 공야산인(空也山人)이 창시한 교.
[空言 공언] ㉠빈말. 거짓말. 허언(虛言). ㉡쓸데없는 말.
[空屋 공옥] 빈집.
[空王 공왕] 석가여래(釋迦如來)의 존칭.
[空位 공위] ㉠실권(實權)이 없는 지위(地位). ㉡비어 있는 지위(地位). ㉢공석(空席).
[空日 공일] 일요일(日曜日).
[空寂 공적] ㉠쓸쓸함. 적막함. ㉡《佛教》 우주의 만물이 그 실체(實體)가 모두 공허함.
[空前絶後 공전절후] 비교할 만한 것이 이전에도 없고 이후에도 없음. 투철하게 뛰어나서 비교할 만한 것이 없음.
[空中 공중] 하늘과 땅 사이의 빈 곳.
[空中樓閣 공중누각] ㉠공중에 떠 있는 누각. 신기루(蜃氣樓). ㉡공상(空想)의 의론, 또는 문장.
[空中戰 공중전] 비행기(飛行機)를 타고 공중(空中)에서 하는 싸움.
[空卽是色 공즉시색] 공(空)은 곧 사물(事物)의 본질(本質)임. 모든 사물이 다 공허(空虛)하다는 뜻.
[空地 공지] 빈 땅.
[空紙 공지] 글씨를 쓰지 아니한 종이. 백지(白紙).
[空車 공차] 빈 수레. 빈 차.
[空冊 공책] 글씨를 쓰지 아니한 책.
[空處 공처] 빈 곳.
[空靑 공청] 하늘. 청공(靑空).
[空翠 공취] 수목이 울창한 산중의 기운.
[空砲 공포] 실탄(實彈)을 재지 아니한 발포(發砲).
[空礮 공포] 공포(空砲).
[空乏 공핍] 결핍(缺乏)함.
[空函 공함] 빈 문서 상자.
[空港 공항] 항공기의 떠나고 내리는 곳.
[空行 공행] 헛걸음.
[空虛 공허] ㉠속이 텅 빔. ㉡방비(防備)가 없음. ㉢하늘. 허공.
[空濠 공호] 물이 마른 해자(垓字).
[空華 공화] 《佛教》 헛된 생각. 공상(空想).
[空還 공환] 목적(目的)을 이루지 못하고 헛걸음으로 돌아옴.
[空豁 공활] 매우 넓음.
◉架空. 嵌空. 高空. 寬空. 謹空. 壘空. 大司空. 望空. 碧空. 司空. 色卽是空. 樹空. 靈空. 頑空. 雲空. 遠空. 危空. 匿空. 眞空. 澄空. 鑿空. 天空. 靑空. 晴空. 翠空. 太空. 土空. 寒空. 虛空. 懸空. 迥空.

4 ⑨ [穽] [人名] 정 [去]敬 疾政切 / [上]梗 疾郢切 jǐng
[字解] 함정 정 허방다리. '一陷'. '坑一'. '杜乃擭斂乃一'《書經》.
[字源] 阱의 別體 形聲. 穴+井〔音〕. '井정'은 '우물'의 뜻. 우물처럼 움푹 팬 '함정'의 뜻을 나타냄.

[穽陷 정함] 함정에 빠뜨림. 또, 함정.
◉坎穽. 阬穽. 陷穽. 檻穽.

4 ⑨ [穿] [人名] 천 ①-④[平]先 昌緣切 chuān / ⑤[去]霰 尺絹切 chuàn
[字解] ①뚫을 천 구멍을 뚫음. '一鑿'. ②뚫릴 천 구멍이 남. '衣履一決'《後漢書》. ③개통할 천 산을 깎거나 도랑을 파서 통하게 함. '一渠溉田'《漢書》. ④구멍 천 뚫린 자리. '不能運方一'《史記》. ⑤꿰뚫을 천 관통함. '貫一經傳'《漢書》.
[字源] 篆文 會意. 牙+穴. '牙아'는 '엄니'의 뜻. '穴혈'은 '구멍'의 뜻. 엄니로 구멍을 파다, 뚫다의 뜻을 나타냄.

[穿決 천결] 구멍이 뚫어짐.
[穿結 천결] 해어진 옷을 꿰맴.
[穿山甲 천산갑] 열대 지방에서 나는 비늘이 덮인 짐승. 혈거(穴居)하며 개미를 잡아먹음.
[穿窬 천유] 벽을 뚫거나 울을 넘어 들어가서 훔치는 좀도둑.
[穿踰 천유] 물건을 훔치려고 구멍을 뚫거나 담을 넘어 몰래 들어감.
[穿耳 천이] 귀걸이 같은 것을 달기 위하여 귀를 뚫음.
[穿鑿 천착] ㉠구멍을 뚫음. ㉡견강부회(牽強附會)함. ㉢샅샅이 조사함.
[穿築 천축] 구멍을 뚫고 흙을 쌓음.
[穿敝 천폐] 구멍이 뚫어지고 해어짐.
◉貫穿. 排穿. 纖穿. 水滴石穿. 節穿. 鐵硯未穿.

4 ⑨ [穾] [一] 열 [入]屑 於決切 yuè / [二] 결 [入]屑 古穴切
[字解] [一] ①뚫을 열 '一, 穿也'《說文》. ②구멍 열. [二] 뚫을 결, 구멍 결 [一]과 뜻이 같음.

4 ⑨ [𥥛] 〔담〕
突(穴部 五畫〈p.1637〉)과 同字

4 ⑨ [窀] 둔 ①②[平]眞 陟綸切 zhūn / ③[平]元 徒渾切 tún
[字解] ①광중 둔 무덤의 구덩이. 또, 광중에 관을 내려 묻는 일. '一穸之事'《左傳》. ②후히장사지낼 둔 '說文, 一, 葬之厚也'《正字通》. ③묻을 둔 '一, 瘞也'《集韻》.
[字源] 篆文 形聲. 穴+屯〔音〕. '屯둔'은 많이 모이다, 모으다의 뜻. 후하게 장사 지냄의 뜻을 나타냄.

[窀穸 둔석] 광중에 관을 내림. 매장(埋葬)함. 또, 묘혈. 광중.

4 ⑨ [突] [高人] 돌 [入]月 陀骨切 tū(tú)
[筆順] 丶 丶 宀 穴 空 空 突 突
[字解] ①부딪칠 돌 다닥침. '衝一'. '胸一銛鋒'《張衡》. ②내밀 돌 쑥 나옴. '因震一出'《唐書》. ③뚫을 돌 구멍을 파서 뚫음. '宵一陳城'《左傳》. ④대머리 돌 민머리. '一禿長左'《荀子》. ⑤갑작스러울 돌 '唐一'. '一然'. '一如其來如'《易經》. ⑥속일 돌 기만함. 譎(言部 十二畫)과 통용. '一, 欺也'《廣雅》. ⑦굴뚝 돌 '煙一'. '曲一'. '墨一不得黔'《韓愈》. ⑧사나운말 돌 한마(悍馬). '御駻一'《漢書》.

[字源] 甲骨文 篆文 會意. 穴+犬. 구멍에서 개가 갑자기 뛰어나오는 모양에서, 쑥 내밀다, 돌출하다의 뜻을 나타냄.

[突擊 돌격] 돌진(突進)하여 공격(攻擊)함.
[突過 돌과] 돌진하여 지나감.
[突貫 돌관] ㉠꿰뚫음. ㉡단숨에 뚫고 나아감. ㉢적진(敵陣)으로 돌격하여 나아감.
[突厥 돌궐] 흉노(匈奴)의 별종(別種). 지금의 터키족(族).
[突隙 돌극] 굴뚝의 갈라진 틈.
[突起 돌기] 우뚝 솟음. 또, 그 물건.
[突騎 돌기] 적중(敵中)에 돌입하는 정예 기병(精銳騎兵).
[突怒 돌노] 갑자기 성을 냄.
[突禿 돌독] 대머리짐.
[突墨 돌묵] 굴뚝에 낀 그을음.
[突發 돌발] 일이 별안간 일어남.
[突變 돌변] 갑자기 변(變)함.
[突飛 돌비] 펄쩍 뛰어 낢.
[突如 돌여] 돌연(突然).
[突然 돌연] 갑작스럽게. 뜻밖에.
[突兀 돌올] 높이 솟은 모양.
[突入 돌입] 갑자기 뛰어 들어감.
[突將 돌장] 돌진하는 용감한 장수.
[突前 돌전] 앞으로 돌진함.
[突戰 돌전] 돌진(突進)하여 싸움.
[突梯 돌제] 거역하지 않고 순종하는 모양. 규각(圭角)이 없는 모양. 원만한 모양.
[突隄 돌제] 바다로 쑥 나온 제방.
[突進 돌진] 갑자기 내뛰. 거침없이 나아감.
[突出 돌출] ㉠갑자기 쑥 나옴. ㉡쑥 내밀어 있음.
[突破 돌파] 뚫고 나아감.
[突風 돌풍] 갑자기 일어나는 바람.
[突忽 돌홀] 갑자기. 돌연(突然).
◉干突. 激突. 黔突. 曲突. 鶻突. 欺突. 魯扈抵突. 陵突. 唐突. 撞突. 墨突. 排突. 奔突. 煙突. 抵突. 豬突. 前突. 地突. 直突. 髑突. 沖突. 衝突. 馳突. 碭突. 盪突. 撐突. 寒突. 騂突.

4 ⑨ [窔] 요 ①-④[去]嘯 一叫切 yào ⑤[上]篠 伊鳥切 yǎo

[字解] ①침침할 요 어둠침침함. 또, 그곳. '巖—洞房'《司馬相如》. ②깊을 요 '—, 深也'《正字通》. ③동남우(東南隅) 요 방의 동남쪽 구석. '冬有—廈'《楚辭》. ④아름다울 요 잘생김. '—, 好也'《廣雅》. ⑤문동개소리 요 '—, 戶樞聲也'《集韻》.
[字源] 形聲. 穴+夭〔音〕. '夭요'는 불가사의한 무당의 象形. '穴혈'은 '구멍'의 뜻. 바닥을 알 수 없는 깊은 구멍의 뜻을 나타냄.

4 ⑨ [宖] 굉 [平]庚 胡泓切 hóng

[字解] ①큰집 굉 규모가 큰 집. 대가(大家). ②집울릴 굉 집의 깊숙한 안쪽에서부터 울려 나오는 소리. '—, 屋深響也'《玉篇》.

4 ⑨ [窂] 〔뢰〕
牢(牛部 三畫〈p.1376〉)와 同字
[字源] 會意. 穴+牛. 소를 키우는 구멍의 뜻에서, '우리'의 뜻을 나타내고, 다시 파생하여, '견고하다'의 뜻을 나타냄.

4 ⑨ [𥥉] 〔규〕
竅(穴部 十三畫〈p.1644〉)와 同字

4 ⑨ [窃] 〔절〕
竊(穴部 十七畫〈p.1645〉)의 俗字
[字源] 形聲. 穴+切〔音〕

4 ⑨ [罙] 삼 [平]侵 所今切 shēn

[字解] ①굴뚝 삼 연돌. ②깊을 삼 깊음. 그윽함. '—, 幽深也'《正字通》.

5 ⑩ [窅] [一] 교 [去]嘯 吉弔切 yǎo [二] 요 [上]篠 伊鳥切 yǎo

[字解] [一] 깊을 교, 멀 교, 으늑할 교 깊고 멂. 일설(一說)에는, 조용함. '望—篠以徑廷'《張衡》. [二] 그윽할 요, 얌전할 요, 어두울 요 窈(穴部 五畫)와 同字.
[字源] 形聲. 穴+叫〔音〕

[窅篠 교조] 으늑한 모양. 깊고 먼 모양. 일설(一說)에는, 조용한 모양.

5 ⑩ [窄] [人名] 착 (책[本]) [入]陌 側伯切 zhǎi

[字解] ①좁을 착 협착함. '—狹'. '地—天水寬'《蘇軾》. ②닥칠 착 임박함. '命—途殫'《張說》.
[字源] 形聲. 穴+乍〔音〕. '乍작'은 '만들다'의 뜻. 구멍을 내다, '좁다'의 뜻을 나타냄.

[窄衫 착삼] 착수(窄袖).
[窄小 착소] 협소함.
[窄袖 착수] 좁은 소매.
[窄韻 착운] 글자가 적은 운. 험운(險韻). 관운(寬韻)의 대(對).
[窄狹 착협] 협착함.
[窄蹊 착혜] 좁은 길.
◉傾窄. 局窄. 緊窄. 短窄. 險窄.

5 ⑩ [窅] [一] 요 [上]篠 鳥皎切 yǎo [上]巧 於絞切 [二] 면 [平]先 莫賢切 mián

[字解] [一] ①움펑눈 요 깊이 들어간 눈. ②으슥할 요 깊숙하고 먼 모양. '幽—'. '安排—而無悶'《晉書》. ③멀리바라볼 요 '緣源殊未極, 歸徑—如迷'《謝朓》. [二] 어리둥절할 면 정신이 멍한 모양. 일설(一說)에는, 한탄하고 원망하는 모양. '—然喪其天下焉'《莊子》.
[字源] 篆文 會意. 穴+目. 눈알이 보이지 않을 정도로 우묵한 눈의 뜻. 전(轉)하여, '깊다'의 뜻을 나타냄.

[窅然 면연] 정신이 멍한 모양.
[窅眇 요묘] 깊고 먼 모양. 으슥한 모양.
[窅想 요상] 고원(高遠)한 생각.
[窅窊 요와] ㉠울퉁불퉁한 모양. ㉡꼬불꼬불한 모양. ㉢불만이 있는 모양.
[窅窅 요요] ㉠깊숙하고 먼 모양. 으슥한 모양. ㉡깊은 모양.

[窅窕 요조] 으슥한 모양.
◉杳窅. 幽窅. 陰窅.

5 ⑩ **[窆]** 폄 (去)豔 方驗切 (上)琰 悲檢切 biǎn

字解 ①하관할 폄 관을 광중(壙中)에 내려 묻음. '埋―'. '改―'. '及―, 執斧以涖匠師'《周禮》. ②구덩이 폄 묘의 구덩이. 묘혈(墓穴). 광(壙). '作穿―宅兆'《說苑》.
字源 篆文 形聲. 穴+乏〔音〕. '乏핍'은 '끼워 넣다, 버리다'의 뜻. 관(棺)을 묘혈(墓穴)에 버리다, 묻다의 뜻을 나타냄.

◉改窆. 客窆. 孤窆. 故窆. 歸窆. 機窆. 窀窆. 埋窆. 祔窆. 野窆. 旅窆. 遷窆.

5 ⑩ **[窈]** 人名 요 (上)篠 烏皎切 yǎo

字解 ①그윽할 요 깊고 고요함. 심원함. '―藹瀟湘空'《江淹》. '至道之精, ――冥冥'《莊子》. ②얌전할 요 정숙함. '―窕'. '美心爲―'《揚雄》. ③어두울 요 희미함. 컴컴함. '可以明, 可以―'《淮南子》.
字源 篆文 形聲. 穴+幼〔音〕. '幼유'는 '幽유'와 통하여, 빛이 희미하다의 뜻. '穴혈'은 '구멍·굴'의 뜻. 구멍이 어둡고 깊다의 뜻을 나타냄.

[窈糾 요규] 여자의 모습이 말쑥하고 아리따운 모양.
[窈冥 요명] ㉠어스레한 모양. ㉡이치가 심원(深遠)한 모양.
[窈渺 요묘] 그윽한 모양. 또, 광활한 모양.
[窈藹 요애] 그윽한 모양. 까마득한 모양. 멀고 캄캄한 모양.
[窈然 요연] 멀고 먼 모양.
[窈窈 요요] 깊고 조용한 모양. 심원(深遠)한 모양.
[窈窕 요조] ㉠얌전한 모양. 정숙한 모양. ㉡예쁜 모양. 아름다운 모양. ㉢골짜기가 깊은 모양. ㉣궁궐이 그윽한 모양.
[窈篠 요조] 깊고 먼 모양.
[窈窕淑女 요조숙녀] 얌전한 여자.
[窈窕章 요조장] 시경(詩經)의 진풍(陳風) 월출편(月出篇)의 제1장. 곧, '月出皎兮佼人僚兮, 舒窈糾兮, 勞心悄兮'를 이름.

5 ⑩ **[罙]** ㊀ 담 (上)感 徒感切 ㊁ 음 (平)侵 夷針切 ㊂ 삼 (平)侵 疏簪切 shēn ④(去)沁 所禁切 shèn

字解 ㊀ ①깊을 담 '―, 深也'《說文》. ②굴뚝 담 '―, 一曰, 竈突'《說文》. ㊁ 깊을 음, 굴뚝 음 ㊀과 뜻이 같음. ㊂ ①깊을 삼, 굴뚝 삼 ㊀과 뜻이 같음. ②깊은모양 삼 '―, 深皃'《集韻》. ③검을 삼 먹빛. '―, 俗謂深黑爲窨―'《集韻》. ④묻을 삼 관(棺)을 묻음. '―, 瘞也. 關中謂瘞柩爲―'《集韻》.
字源 會意. 穴+火+求〈省〉

5 ⑩ **[窊]** 와 (平)麻 烏瓜切 wā

字解 우묵할 와 우묵 들어감. '波瀾鱗淪, ―隆詭戾'《馬融》.
字源 篆文 形聲. 穴+瓜〔音〕. '瓜과'는 오이와 같은 곡선(曲線)의 뜻. 우묵 들어감의 뜻을 나타냄.

[窊隆 와륭] 높낮이가 있는 모양. 혹은 움푹 들어가고 혹은 융기(隆起)한 모양.
◉深窊. 苑窊. 坳窊. 隆窊. 杓窊.

5 ⑩ **[窋]** 줄 (入)質 竹律切 zhú, ②kū

字解 ①뾰족이내민 줄 구멍에서 나오려는 모양. ②굴 줄 窟(穴部 八畫)과 통용. '伏甲士于―室中'《吳越春秋》.
字源 篆文 形聲. 穴+出〔音〕. 굴에서 나오려고 하다의 뜻을 나타냄.

5 ⑩ **[竑]** 굉 ①②(平)庚 干萌切 hóng ③(去)敬 烏橫切 wòng

字解 ①아득할 굉 아득한 모양. '―, 幽深貌'《類篇》. ②집울림 굉 집이 울리는 소리. '―, 屋聲'《玉篇》. ③작은물 굉 작은 물의 모양. '―, 小水皃'《廣韻》.

5 ⑩ **[窌]** 교 (去)效 居效切 jiào

字解 움 교 窖(穴部 七畫)와 同字. '囷―倉城'《周禮》.
字源 篆文 形聲. 穴+(卯)丣〔音〕. '丣묘'는 억지로 들어가다의 뜻. 간신히 들어갈 수 있는 '움'의 뜻을 나타냄.

◉囷窌.

5 ⑩ **[窉]** 병 (上)梗 兵永切 bǐng

字解 ①삼월 병 3월의 일컬음. '―, 爾雅, 三月爲―'《集韻》. ②구멍 병 '―, 一曰, 穴也'《集韻》. ③놀랄 병 놀라 마음이 전도됨. '―, 驚病也'《篇海》.
字源 形聲. 穴+丙〔音〕

5 ⑩ **[窇]** 박 (入)蒲 弼角切 báo

字解 움 박 땅에 판 굴. 토실(土室). '―, 窟也'《廣雅》. '―, 土室'《玉篇》.

5 ⑩ **[窭]** 〔열〕 突(穴部 四畫〈p.1635〉)의 本字

5 ⑩ **[窍]** 〔규〕 竅(穴部 十三畫〈p.1644〉)의 簡體字

6 ⑪ **[窒]** 人名 ㊀ 질 (入)質 陟栗切 zhì ㊁ 절 (入)屑 丁結切 dié

字解 ㊀ ①막을 질, 막힐 질 틀어막음. 통하지 아니함. '―塞'. '―息'. '勝私―慾'《呂大臨》. ②머물 질, 멈출 질 '有孚―'《易經》. ③질소 질 원소의 한 가지. '―素'. ㊁ 종묘문 절 '―皇'은 종묘 앞에 있는 문. '屨及於―皇'《左傳》.
字源 篆文 形聲. 穴+至〔音〕. '至지'는 '塡전'과 통하여, 잔뜩 처넣다의 뜻. 구멍 속

에 무엇이 처넣어지다, '막히다'의 뜻을 나타냄.

[窒皇 질황] 종묘의 앞에 있는 문.
[窒隙蹈瑕 질극도하] 상대방의 틈을 타서 자기의 결점(缺點)을 가려 감춤. 교묘(巧妙)한 의론(議論)을 이름.
[窒氣 질기] 숨이 통하지 못하여 기운이 막힘.
[窒相 질상] 음력 7월의 딴 이름.
[窒塞 질색] ㉠막음. 막힘. ㉡질기(窒氣).
[窒素 질소] 무색(無色)·무미(無味)·무취(無臭)의 기체(氣體)의 원소. 딴 원소와 화합하여 동식물체 및 초석·질산 등을 조성함.
[窒息 질식] 숨이 막힘.
[窒礙 질애] 막혀 방해가 됨.
◉骫窒. 穹窒. 屯窒. 堙窒. 惷窒. 懲窒.

6 ⑪ [窓] 中人 창 ㊥江 楚江切 chuāng

筆順 ' 宀 宀 宀 空 空 窓 窓

字解 창 창 창문. '一牖'. '四旁兩夾一'《周禮》.
字源 篆文 囱의 別體 形聲. 穴+悤〔音〕. '悤총'은 '囱창'과 통하여, 지붕에 낸 '창'의 뜻. 篆文에서는 '穴혈'을 덧붙여, 뜻을 분명히 했음. 原字는 '囱'. '窓창'은 '窻창'의 생략체.
參考 窗(穴部 七畫)은 本字.

[窓頭 창두] 창 옆. 창가.
[窓眼 창안] 창살.
[窓月 창월] 창문을 통해 들어오는 달 그림자.
[窓牖 창유] 창.
[窓前 창전] 창 앞.
[窓前草不除 창전초부제] 자연에 맡겨 손을 대지 아니함을 이름.
[窓罅 창하] 창틈.
[窓螢 창형] 눈(雪)의 빛이나 반딧불로 독서(讀書)함. 형설(螢雪)의 공(功). 전(轉)하여, 학업(學業).
[窓戶 창호] 창.
◉隔窓. 鷄窓. 交窓. 綺窓. 綠窓. 同窓. 梅窓. 明窓. 碧窓. 蓬窓. 北窓. 紗窓. 繡窓. 深窓. 涼窓. 獄窓. 吟窓. 車窓. 天窓. 鐵窓. 風窓. 學窓. 寒窓.

6 ⑪ [窔] 요 ㊤嘯 烏叫切 yào ㊤篠 伊鳥切

字解 ①으늑할 요 유수(幽邃)함. 또, 그곳. '玄一'. '雷鬱律于巖一'《揚雄》. ②구석 요 방의 동남(東南) 구석. '奧一之間, 簟席之上'《荀子》.
字源 篆文 形聲. 穴+交〔音〕. '交교'는 비좁아 답답하다의 뜻. 굴속처럼 좁아 답답한 곳의 뜻으로, '으늑하다'의 뜻을 나타냄.

[窔奧 요오] 방구석 동남쪽과 서남쪽. 어둡고 으늑한 곳.
◉堂窔. 巖窔. 奧窔. 玄窔.

6 ⑪ [窕] 人名 조 ①-④㊤篠 徒了切 tiǎo ⑤⑥㊥蕭 他彫切 tiāo

筆順 宀 宀 穴 穵 穵 穼 窕 窕

字解 ①으늑할 조 깊고 먼 모양. 심원(深遠)한 모양. '充盈大宇而不一'《荀子》. ②조용할 조 정숙(靜淑)함. '窈一淑女'《詩經》. ③가늘 조 굵지 아니함. '小者不一'《左傳》. ④아리따울 조 예쁨. 姚(女部 六畫)와 同字. '不至於一治'《荀子》. ⑤가벼울 조 경솔함. 佻(人部 六畫)와 同字. '楚師輕一'《左傳》. ⑥도전할 조 '目一心與'《枚乘》.
字源 篆文 形聲. 穴+兆〔音〕. '兆조'는 둘로 갈라지다의 뜻. 갈라진 틈이 깊은 구멍의 뜻을 나타냄.

[窕冶 조야] 요염하게 예쁨.
[窕言 조언] 경박한 말.
[窕窕 조조] 심원(深遠)한 모양.
◉輕窕. 杳窕. 霄窕. 窈窕.

6 ⑪ [窅] 요 ㊤篠 伊鳥切 yǎo ㊤嘯 一叫切

字解 ①어두울 요 '一, 冥也'《說文》. ②멀 요 '一, 遠也'《廣韻》. ③숨을 요 '一, 隱也'《廣韻》. ④흐릴 요 희미함. '一, 遠望合也'《玉篇》. ⑤깊을 요 그윽한 모양. '一, 一窱, 幽深皃'《廣韻》.
字源 形聲. 穴+目〔音〕

6 ⑪ [窐] ㊀ 규 ㊥齊 古攜切 guī ㊁ 와 ㊥麻 烏瓜切 wā

字解 ㊀ 구멍 규 시루의 구멍. '璋珪雜于甑一'《楚辭》. ㊁ 구멍 와 ㊀과 뜻이 같음.
字源 篆文 形聲. 穴+圭〔音〕. '圭규'는 우묵하게 들어가다의 뜻. 우묵한 '구멍'의 뜻을 나타냄.

◉甑窐.

6 ⑪ [窐] 궤 ㊤紙 古委切 guǐ

字解 구멍 궤 구멍. '一, 穴也'《玉篇》.

6 ⑪ [窊] 타 ㊤禡 陟嫁切 zhà

字解 굴속에있을 타 '窋一'는 물건이 구멍 속에 들어 있는 모양. '綠房紫菂, 窋一垂珠'《王延壽》.

6 ⑪ [窔] ㊀ 갑 ㊅合 口答切 kè ㊁ 읍 ㊅洽 烏洽切 āo

字解 ㊀ 합당할 갑 맞음. '一, 合也'《集韻》. ㊁ 땅낮을 읍 토지가 낮음. '一, 土墊也'《類篇》.

6 ⑪ [窙] 동 ㊥東 徒東切 tóng ㊤董 杜孔切 dòng

字解 ①동굴 동 '一, 通一'《玉篇》. ②통할 동 '一, 通也'《集韻》. ③구멍통하게할 동.
參考 洞(水部 六畫〈p.1216〉)과 통용.

6 ⑪ [窏] 오 ㊥虞 汪胡切 wū

字解 '一洿'은 낮음. 또, 촉촉이 젖는 모양. 질퍽질퍽한 모양. '一洿, 濕潤也'《集韻》. '一洿, 卑下也'《集韻》.
字源 形聲. 穴+汙〔音〕

6 ⑪ [窑] 〔요〕
窯(穴部 十畫〈p. 1642〉)의 俗字

6 ⑪ [窟] 〔환〕
宦(宀部 六畫〈p. 579〉)의 俗字

7 ⑫ [窌] 류 ㊀宥 力救切 liù

字解 ①움 류 물건을 저장하는 굴. '一, 窖也'《說文》. ②땅이름 류 '石一'는 제(齊)의 지명(地名). '石一, 邑名, 濟北盧縣東有地, 名石一'《左傳註》.

字源 篆文 形聲. 穴+丣〔音〕.

參考 窌(穴部 五畫)는 別字.

7 ⑫ [窜] 〔찬〕
竄(穴部 十三畫〈p.1644〉)의 簡體字

7 ⑫ [寇] 구 ㊀宥 苦侯切 kòu

字解 ①도적 구 도적. ②거칠 구 거칢. 난폭함. '一, 暴也'《篇海》.

7 ⑫ [窭] 구 ㊥宥 苦侯切 kòu

字解 ①빼앗을 구 빼앗음. '一, 鈔也'《篇海》. ②거칠 구 거칢. 난폭함. '一, 暴也'《篇海》.

7 ⑫ [窓] 〔구〕
究(穴部 二畫〈p.1633〉)와 同字

7 ⑫ [覓] 〔멱〕
覓(見部 四畫〈p.2088〉)과 同字

7 ⑫ [寉] 랑 ㊤養 盧當切 láng

字解 ①굴 랑 파낸 곳. '一, 穴也'《玉篇》. ②집 휑뎅그렁할 랑 집이 텅 비고 조용함.

7 ⑫ [窖] ㊀ 교 ㊀效 古孝切 jiào
㊁ 조 ㊀號 則到切 zào

字解 ㊀ ①움 교 땅을 파서 만든 광. '置大一中'《漢書》. ②깊은마음 교 속이 깊은 마음. '縵者一者密者'《莊子》. ㊁ 부엌 조 竈(穴部 十六畫)와 同字. '一, 說文, 炊竈也'《集韻》.

字源 篆文 形聲. 穴+告〔音〕. '告고'는 '牿곡'과 통하여, 마소를 가두는 '우리'의 뜻. 곡류(穀類)를 밀폐하여 저장하는 '땅광'의 뜻을 나타냄.

[窖藏 교장] 움에 저장함.
◉竈窖. 土窖.

7 ⑫ [窘] 人名 군 ㊤軫 渠殞切 jiǒng
㊀問 具運切

字解 ①군색할 군 곤궁함. '困一織屨'《莊子》. ②괴로울 군, 괴롭힐 군 고생함. 고생하게 함. '一迫'. '見一'《史記》. ③어수선할 군 총망함. 급함. '一, 急也'《廣雅》. ④좁아질 군 '一, 急迫也'《廣雅》. '大道夷且長, 一路狹且促'《後漢書》. ⑤저릴 군 '一, 痺也'《廣雅》.

字源 篆文 形聲. 穴+君〔音〕. '君군'은 '困곤'과 통하여, '괴로워하다'의 뜻. 궁지에 몰려 괴로워함의 뜻을 나타냄.

[窘境 군경] 몹시 살기가 어려운 지경.
[窘罄 군경] 군핍(窘乏).
[窘困 군곤] 군색하여 고생함.
[窘急 군급] 대단히 고생함.
[窘迫 군박] 적의 공격이 심하여 고생함.
[窘步 군보] ㉠빨리 걸음. ㉡보행이 곤란함.
[窘塞 군색] 살기가 어려움.
[窘束 군속] 마음대로 되지 아니함.
[窘厄 군액] 고생과 재액.
[窘然 군연] 괴로워하는 모양.
[窘辱 군욕] 곤욕(困辱).
[窘蹙 군축] 고생하여 쭈그러듦.
[窘乏 군핍] 몹시 군색함.
◉艱窘. 困窘. 窮窘. 饑窘. 危窘. 逐窘.

7 ⑫ [窣] 人名 다 ㊥麻 直加切 chá

字解 깊을 다 깊은 모양. '窊一'.

7 ⑫ [窦] 두 ㊀宥 大透切 dòu

字解 함정 두 '一, 陷一也'《玉篇》.

參考 竇(穴部 十五畫〈p.1645〉)의 俗字.

7 ⑫ [窙] 人名 효 ㊥肴 許交切 xiāo

字解 ①넓을 효 광활함. '幽谷豁以一寥'《潘岳》. ②높은기운 효 '一, 高氣'《廣韻》.

7 ⑫ [窒] 경 ㊀徑 苦定切 qìng
㊤迥 棄挺切

字解 빌 경 속이 빔. '一, 空也'《說文》.

字源 篆文 形聲. 穴+巠〔音〕. '巠경'은 똑바로 뻗다의 뜻. 곧장 계속된 굴의 뜻으로, 일반적으로, 속이 비다, 공허하다의 뜻을 나타냄.

7 ⑫ [窥] 〔규·교〕
竅(穴部 十三畫〈p. 1644〉)와 同字

7 ⑫ [窗] 〔창〕
窓(穴部 六畫〈p. 1638〉)의 本字

8 ⑬ [窞] 담 ㊤感 徒感切 dàn

字解 구덩이 담 구덩이의 깊숙한 데. '入于坎一'《易經》.

字源 篆文 形聲. 穴+臽〔音〕. '臽함'은 '구덩이'의 뜻. 구덩이 속의 구덩이의 뜻을 나타냄.

8 ⑬ [窟] 人名 굴 ㊇月 苦骨切 kū

筆順

字解 ①움 굴 움집. '冬則居營一'《禮記》. ②굴 굴 ㉠땅이나 바위가 가로 깊숙이 팬 곳. '石一'. '一穴'. '血滿長城之一'《李華》. ㉡짐승이 사는 구멍. '狡兔有三一'《戰國策》. 전(轉)하여, 사

람이 많이 모이는 곳. '巢—'. '冠冕之—'《杜甫》. '洛陽古稱豪傑—'《趙汸》.
字源 形聲. 穴+屈〔音〕. '屈굴'은 몸을 굽히다의 뜻. 몸을 굽히고 들어가는 구멍, '굴'의 뜻을 나타냄.

[窟居 굴거] 굴에 삶.
[窟窖 굴교] 굴(窟). 지하실(地下室).
[窟室 굴실] 토굴이나 석굴에 들인 방.
[窟穴 굴혈] ㉠굴. ㉡도둑·악인(惡人) 등의 근거지(根據地). 소굴(巢窟).
◉狡兎三窟. 洞窟. 寶窟. 石窟. 巢窟. 深窟. 巖窟. 營窟. 幽窟. 理窟. 土窟.

8 ⑬ [窠] 과 ㊥歌 苦禾切 kē
字解 ①구멍 과 뚫어진 자리. '作—穿坎'《論衡》. ②보금자리 과 ㉠새의 둥우리. '—臼'. '鵲構—'《酉陽雜俎》. ㉡짐승이 사는 구멍·굴. '馬牛雖異域, 雞犬竟同—'《周昂》. ㉢벌레의 집. '蜂房有四件. 一名革蜂—'《本草》. ③집 과 방. 암자. '—, 庵也'《廣雅》.
字源 篆文 形聲. 穴+果〔音〕. '果과'는 '盌완'과 통하여 공기처럼 오목하다의 뜻. 우묵한 구멍의 모양에서, 조수(鳥獸)의 보금자리의 뜻을 나타냄.

[窠臼 과구] ㉠구멍. ㉡보금자리. 전(轉)하여, 일정한 형식. 상투(常套).
◉臼窠. 舊窠. 燕窠. 擘窠. 蜂窠.

8 ⑬ [窢] 획 ㉧陌 忽麥切 xū / ㉧職 忽域切
字解 ①역풍불 획 역풍(逆風)이 부는 모양. '其風—然'《莊子》. ②빠를 획 '—然'은 빠른 모양. '—然, 迅速貌也'《莊子 疏》.
字源 形聲. 穴+或〔音〕

[窢然 획연] 역풍(逆風)이 부는 모양.

8 ⑬ [窣] 솔 ㉧月 蘇骨切 sū
字解 ①느릿느릿걸을 솔 '勃—'은 느릿느릿 걷는 모양. 일설(一說)에는, 기어가는 모양. '婆珊勃—上金堤'《司馬相如》. ②갑작스러울 솔 '灞岸垂楊—地新'《唐玄宗》.
字源 篆文 形聲. 穴+卒〔音〕. '卒졸'은 '갑자기'의 뜻. 굴에서 갑자기 나오다의 뜻을 나타냄.

[窣堵波 솔도파]《佛敎》범어(梵語) stūpa의 음역(音譯). 불사리(佛舍利)를 안치하는, 목석(木石) 등으로 만든 오층의 탑. 탑파(塔婆). 솔도파(率堵波).
[窣窣 솔솔] 불안(不安)한 소리, 또는 모양.
[窣地 솔지] 졸지(猝地)에. 갑작스레. 지(地)는 조자(助字).
◉勃窣. 屑窣. 窸窣.

8 ⑬ [竵] 괘 ㊤蟹 古買切 guǎi
字解 바둑판눈 괘 바둑판에 그어진 가로·세로의 눈금. '—, 博局方目也'《集韻》.

8 ⑬ [窤] 관 ㊥寒 古寬切 guān
字解 땅이름 관 땅 이름.

8 ⑬ [寗] 녕 ㊥青 奴丁切 níng
字解 ①클 녕 큼. '—, 大也'《玉篇》. ②밝을 녕 밝음. '—, 明也'《玉篇》. ③하늘 녕 하늘. '—, 天也'《廣韻》.

8 ⑬ [窞] 담 ㊤感 徒感切 dàn
字解 ①깊을 담 '—, 深也'《字彙》. ②굴뚝 담 연통. '—, 竈突也'《字彙》.

8 ⑬ [窡] 촬 ㉧黠 丁滑切 zhuó
字解 ①구멍으로보일 촬 '—, 穴中見也'《說文》. ②구멍에서나올 촬 '—, 穴中出皃'《集韻》.
字源 篆文 形聲. 穴+叕〔音〕

8 ⑬ [窬] 〔유·두〕
窬(穴部 九畫〈p. 1641〉)와 同字

8 ⑬ [窮] 〔붕〕
堋(土部 八畫〈p. 450〉)과 同字

9 ⑭ [窨] 음 ①②㊦沁 於禁切 yìn / ③㊥侵 於金切 yīn
字解 ①움 음 땅을 파서 만든 광, 또는 집. '室—'. '蠶室—室'《後漢書》. ②저장할 음 술·기름 따위를 땅속에 묻어 둠. '以酒水等埋藏地下, 曰—'《說文》. ③검을 음 '—窔'은 검음. 새까맘. '—窔, 黑也'《集韻》.
字源 篆文 形聲. 穴+音〔音〕. '音음'은 '어둡다'의 뜻. 컴컴한 구덩이의 뜻을 나타냄.

◉室窨.

9 ⑭ [窩] 人名 와 ㊥歌 烏禾切 wō 窝
字解 ①굴 와 굴혈(窟穴). ②움 와 움집. 벌집처럼 보이는, 사람이 사는 움집을 '蜂—'라 함. '蜂—聯聯'《楊敬之》. ③집 와 ㉠별장 등의 아호(雅號)로 쓰임. 소강절(邵康節)의 '安樂—' 따위. '名其居曰安樂—'《宋史》. ㉡물품 혹은 도둑을 숨겨 두는 집. '—家'.
字源 形聲. 穴+咼〔音〕. '咼과'는 '도려내다'의 뜻. 도려내어진 구멍의 뜻을 나타냄.

[窩家 와가] 도둑들의 소굴. 와주(窩主).
[窩頓 와돈] 여인숙의 주인 등이 무뢰 도배(無賴徒輩)로부터, 실정(實情)을 알면서 부정품(不正品)을 맡아 두는 일.
[窩藏 와장] 도둑을 숨겨 주거나, 그 장물을 숨겨 주거나 함.
[窩停主人 와정주인] 와주(窩主).
[窩主 와주] 도둑들의 소굴. 또는 그 소굴의 주인. 또, 도둑들이 훔친 물건을 감추어 두는 곳. 와가(窩家).

◉舊窩. 蜂窩. 眼窩. 燕窩. 彈窩.

9 ⑭ [窪] 人名 와 ㊥麻 烏瓜切 wā

字解 ①구덩이 와 땅이 움푹 팬 곳. '蹄一之內, 不生蛟龍'《新論》. ②우묵할 와 우묵하게 들어감. '一則盈'《老子》. ③맑은물 와 '一, 淸水也'《說文》. ④깊을 와 '一, 深也'《廣韻》. ⑤괸물 와 소의 발자국에 괸 물. '一, 牛蹄跡水也'《玉篇》.

字源 篆文 形聲. 水+窐〔音〕. '窐규'는 '빔·구멍'의 뜻. 우묵함, 또 우묵한 곳에서 샘솟는 맑은 물의 뜻에도 쓰임. 일설(一說)에는, 穴+洼〔音〕.

◉卑窪. 坳窪. 低窪. 蹄窪.

9 ⑭ [窬] ㊀ 유 ㊥虞 羊朱切 yú ㊁ 두 ㊥尤 度侯切 dōu

字解 ㊀ ①협문 유 정문 옆의 몸을 굽히고 들어가게 된 작은 문. '篳門圭一'《禮記》. ②뚫을 유 담에 구멍을 냄. '穿一之盜'《論語》. ㊁ 협문 두, 뚫을 두 ㊀과 뜻이 같음.

字源 篆文 形聲. 穴+兪〔音〕. '兪유'는 빠져나옴, 잡아 뽑음의 뜻. 문 옆에 벽을 뚫어 만든 '쪽문'의 뜻.

◉圭窬. 窺窬. 穿窬.

9 ⑭ [窫] ㊀ 부 ㊤有 扶富切 fù ㊁ 복 ㊦屋 房六切 fú

字解 ㊀ 새알안을 부 어미 새가 알을 깨려고 품음. 伏(人部 四畫)와 同字. '伏, 抱卵也, 或作一'《集韻》. ㊁ 움 복 지하실. 寝(穴部 十二畫)과 同字.

9 ⑭ [窫] 알 ㊦黠 烏黠切 yà

字解 ①큰구멍 알 空(穴部 一畫)과 同字. '空, 說文, 空大也. 或从契'《集韻》. ②조용할 알 '一, 靜也'《類篇》.

字源 形聲. 穴+契〔音〕

9 ⑭ [窟] 〔굴〕 窟(穴部 八畫〈p. 1639〉)과 同字

9 ⑭ [窗] 〔창〕 窗(穴部 七畫〈p. 1639〉)의 俗字

10 ⑮ [窮] 高人 궁 ㊥東 渠弓切 qióng

筆順

字解 ①궁구할 궁 깊이 연구함. '一理'. '卽物而一其理'《大學章句》. ②다할 궁 ㉠있는 힘을 다 들임. '一日之力'《孟子》. ㉡다 없어짐. 또는, 끝남. '永世無一'《書經》. ③궁하게할 궁 괴롭힘. 난처하게 함. '白起者且復將戰, 勝必一公'《戰國策》. ④궁할 궁 ㉠막힘. 처리할 도리가 없음. '遁辭知其所一'《孟子》. ㉡가난함. '一乏'. '一不失義'《孟子》. ㉢곤란함. 궁지에 빠짐. '一寇'. '獸一則齧'《韓詩外傳》. ㉣출세하지 못함. '一達'. ⑤궁한이 궁 어려운 사람. '分貧振一'《左傳》.

字源 篆文 形聲. 篆文은 穴+躳〔音〕. '躳궁'은 身+呂. '身신'은 임신으로 배가 부른 象形, '呂려'는 등뼈의 象形으로, '몸'의 뜻. 사람의 몸이 구멍에 처박음을 당하다, 궁지에 빠지다의 뜻. '窮궁'은 '弓궁'의 음이 변화하여 '궁'과 동음(同音)이 된 뒤에 쓰이게 되었음.

[窮竟 궁경] 끝까지 다함.
[窮境 궁경] 궁지(窮地).
[窮計 궁계] 궁여지책(窮餘之策).
[窮苦 궁고] 곤궁하여 고생함.
[窮谷 궁곡] 깊은 산골.
[窮困 궁곤] 궁고(窮苦).
[窮究 궁구] 깊이 연구(硏究)함.
[窮寇 궁구] 궁지에 빠진 구적(寇敵).
[窮寇勿迫 궁구물박] 궁지에 빠진 구적(寇敵)을 급히 쫓으면, 결사적으로 반격하여 도리어 패하는 일이 있음.
[窮屈 궁굴] 궁하여 막힘.
[窮鬼 궁귀] 궁박(窮迫)하게 된 귀신.
[窮極 궁극] ㉠끝. 극한(極限). ㉡끝까지 이름. ㉢할 대로 다함. 한껏 함.
[窮奇 궁기] ㉠요(堯)나라 때 사흉(四凶)의 한 사람인 공공(共公)을 이름. ㉡천신(天神)의 이름. ㉢서북 땅에 있는 괴수(怪獸). 날개가 있어 잘 날며, 착한 이를 해치고 나쁜 사람을 좋아한다 함.
[窮氣 궁기] 궁상이 낀 꼴.
[窮年累世 궁년누세] 본인의 일생과 자손의 대대.
[窮達 궁달] 빈궁(貧窮)과 영달(榮達). 또, 출세하지 못함과 현달함.
[窮當益堅 궁당익견] 남자란 곤궁하여도 모름지기 지조를 굳게 지켜야 함.
[窮途 궁도] ㉠곤궁하게 된 경우나 처지. ㉡가기 힘든 길.
[窮到骨 궁도골] 극히 곤궁함.
[窮到之哭 궁도지곡] ㉠진(晉)나라의 완적(阮籍)이 놀러 나갔다가 수레가 통과하지 못하는 곳에 이르러 통곡하고 돌아온 고사(故事). ㉡빈곤(貧困)한 슬픔을 이름.
[窮理 궁리] 물리 또는 사리를 깊이 연구함.
[窮理盡性 궁리진성] 천지(天地)·자연(自然)의 이치와 사람의 본성을 모두 궁구(窮究)함.
[窮民 궁민] 곤궁(困窮)한 백성.
[窮迫 궁박] 몹시 곤궁(困窮)함.
[窮髮 궁발] 초목이 나지 않는 북극 지방.
[窮僻 궁벽] 아주 외따롭고 으슥함.
[窮兵黷武 궁병독무] 공훈(功勳)을 탐내어 병력(兵力)을 남용(濫用)하여 무(武)를 더럽힘.
[窮北 궁북] 북쪽 끝.
[窮狀 궁상] 궁한 상태.
[窮相 궁상] 곤궁(困窮)하게 생긴 얼굴.
[窮鼠囓貓 궁서설묘] 사지(死地)에 몰린 쥐는 죽기로 한하고 고양이를 깨묾. 곧, 궁지에 몰린 약자가 강적에게 필사적으로 반항함의 비유.
[窮愁 궁수] 곤궁하여 수심에 잠김.
[窮厄 궁액] 고생함.
[窮約 궁약] 궁고(窮苦).
[窮餘之策 궁여지책] 몹시 궁(窮)한 끝에 나온 계책.
[窮硏 궁연] 궁구(窮究).
[窮裔 궁예] 궁벽한 땅.

[窮奧 궁오] 깊숙하고 으슥한 곳.
[窮猿奔林豈暇擇木 궁원분림기가택목] 쫓기는 원숭이는 타고 올라갈 나무를 가릴 겨를이 없다는 뜻으로, 사람이 궁(窮)하면 벼슬을 하는 데 그 귀천(貴賤)을 가릴 처지가 못됨의 비유.
[窮陰 궁음] 음기(陰氣)가 성(盛)한 엄동(嚴冬). 겨울의 막바지를 이름.
[窮而後工 궁이후공] 시인(詩人)이 궁하면 궁할수록 시를 잘 지음.
[窮人 궁인] 궁한 사람. 가난한 사람.
[窮人謀事 궁인모사] 운수가 궁한 사람이 꾸미는 일은 실패한다는 뜻으로, 일이 뜻대로 되지 아니함을 이르는 말.
[窮日 궁일] ㉠하루를 다 들임. ㉡계해(癸亥)의 날.
[窮日之力 궁일지력] 아침부터 저녁까지 조금도 쉬지 않고 힘씀.
[窮措大 궁조대] 가난한 서생.
[窮鳥入懷 궁조입회] 새매에게 쫓겨 몹시 급한 새가 사람의 품 안으로 들어옴. 곧, 몸을 의탁할 곳이 없어서 자기를 바라고 찾아온 사람은 불쌍히 여겨서 잘 돌보아 주어야 한다는 비유.
[窮地 궁지] 매우 어려운 지경.
[窮盡 궁진] 마지막으로 다하여 없어짐.
[窮策 궁책] 궁여지책(窮餘之策).
[窮泉 궁천] 샘 밑. 샘의 아래.
[窮喘 궁천] 죽을 때의 숨. 앞날이 얼마 안 남은 생명. 여천(餘喘).
[窮村 궁촌] 가난한 촌락.
[窮追 궁추] ㉠끝까지 쫓음. ㉡끝까지 구명함.
[窮春 궁춘] 묵은 곡식은 다 떨어지고, 보리가 나기 전의 곤궁(困窮)하게 지내는 봄.
[窮通 궁통] 궁달(窮達).
[窮通各有命 궁통각유명] 곤궁과 영달이 다 그 사람의 미리 정해진 운명임. 빈천과 부귀가 다 팔자소관임.
[窮弊 궁폐] 고생하고 피로함. 괴롭고 고달픔.
[窮乏 궁핍] 빈궁함. 가난함. 또, 그 사람.
[窮巷 궁항] 가난한 사람이 사는 좁은 뒷골목.
[窮覈 궁핵] 원인(原因)을 캐어 찾음.
[窮鄕 궁향] 궁벽(窮僻)한 시골.
[窮峽 궁협] 깊고 험악(險惡)한 산골.
[窮荒 궁황] ㉠식량 부족으로 고생함. 기근(飢饉)으로 굶주림. ㉡나라의 끝. 이적(夷狄)의 땅.
[窮涸 궁후] 고기가 물을 떠나 괴로워함.
◉困窮. 饑窮. 無窮. 貧窮. 善處窮. 送窮. 阨窮. 研窮. 幽窮. 推窮. 詰窮.

10 ⑮ [窯] 人名 요 ㊥蕭 餘昭切 yáo ㊦嘯 弋笑切 yào
字解 ①가마 요 기와·그릇을 굽는 가마. '一業'. '廝烟起蒸一'《吳澄》. ②오지그릇 요 도기(陶器). '吉州一'《格古要論》.
字源 篆文 形聲. 穴+羔〔音〕. '羔고'는 양을 굽다의 뜻. 오지그릇을 굽는 구멍, '가마'의 뜻을 나타냄.
參考 ①窰(次條)는 同字. ②窑(穴部 六畫)는 俗字.

[窯陶 요도] 도기(陶器)를 구움.
[窯業 요업] 질그릇·사기·벽돌 등을 만드는 직업.
[窯竈 요조] 기왓가마.
[窯戶 요호] 요업(窯業)에 종사하는 사람. 또, 그 집.
◉陶窯. 瓦窯. 蒸窯. 青窯.

10 ⑮ [窰] 窯(前條)와 同字

10 ⑮ [篠] 조 ㊤篠 土了切 tiǎo ㊦嘯 徒弔切
字解 깊을 조, 멀 조, 으늑할 조 깊고 먼 모양. 심원(深遠)한 모양. '泓泓淵淵——窈窈深也'《廣雅》.
字源 篆文 形聲. 穴+條〔音〕

[篠篠 조조] 깊고 먼 모양. 심원(深遠)한 모양.
◉窅篠. 杳篠. 窅篠. 窈篠.

10 ⑮ [篝] 구 ㊦宥 居候切 gòu
字解 구멍 구 구멍. '一, 穴也'《集韻》.

10 ⑮ [窳] ㊀ 유 ㊤麌 以主切 yǔ ㊁ 와 ㊥麻 烏瓜切 yǔ
字解 ㊀ ①이지러질 유 그릇의 한쪽이 떨어짐. 또, 흠이 있음. 또, 모양이 비뚤어짐. 또, 조제남조(粗製濫造)임. '一楛'. '器皆不苦一'《史記》. ②약해질 유 '手足惰一'《枚乘》. ③게으를 유 나태함. '一民'. '以故呰一'《史記》. ㊁ 우묵할 와 窪(穴部 九畫)와 同字. '平一坎而樹之'《蔡襄》.
字源 篆文 形聲. 穴+瓜瓜〔音〕. '瓜과'는 활같이 굽은 곡선(曲線)의 뜻. 우묵한 구멍의 뜻에서, 움푹 들어가다, 일그러지다의 뜻을 나타냄.

[窳坎 와감] 움푹 들어간 땅. 평탄하지 아니한 땅.
[窳楛 유고] 흠이 있고 조악(粗惡)한 기물(器物).
[窳民 유민] 게으른 백성.
[窳惰 유타] 나태함. 게으름.
◉苦窳. 病窳. 隆窳. 呰窳. 惰窳. 汙窳.

10 ⑮ [窴] ㊀ 전 ㊥先 徒年切 tián ㊁ 안 ㊤潸 膺眼切 yǎn
字解 ㊀ 멜 전, 메일 전 막음. 막힘. 塡(土部 十畫)의 古字. '一滅'. '負薪一決河'《漢書》. ㊁ 비좁을 안 '一䫲'은 비좁아 답답함. '一䫲, 迫窄也'《集韻》.
字源 篆文 形聲. 穴+眞〔音〕

[窴滅 전멸] 모두 파묻힘. 아주 매몰(埋沒)됨.

10 ⑮ [竇] 비 ㊦寘 匹寐切 pì
字解 방귀 비 屁(尸部 四畫)와 同字.

11 ⑯ [窵] 조 ㊦嘯 多嘯切 diào ㊤篠 丁了切
字解 으늑할 조 '一窅'는 매우 깊숙하고 고요한 모양. '影動一窕沖融間'《杜甫》.
字源 金文 篆文 形聲. 穴+鳥〔音〕

[窵窕 조조] 깊숙하고 고요한 모양. 으늑한 모양.

11⑯ 【窡】 촬 [入]黷 丁滑切 zhuó

[字解] 미어지게먹을 촬 입 안 가득히 음식을 넣음. '一, 口滿食'《說文》.

11⑯ 【𥨸】 [一] 촬 [入]黠 張滑切 zhuó
[二] 활 [入]黠 乎刮切
[三] 줄 [入]質 張刮切

[字解] [一] ①짧은얼굴 촬 '一, 短面也'《說文》. ②고운자태 촬 아리따운 모습. '一, 嬌姿也'《篇海》. [二] 짧은얼굴 활, 고운자태 활 [一]과 뜻이 같음. [三] 짧은얼굴 줄, 고운자태 줄 [一]과 뜻이 같음.

[字源] 形聲. 女+窡〔音〕

11⑯ 【窶】 [一] 구 [上]麌 其矩切 jù
[二] 루 [平]尤 郎侯切 lóu 寠

[字解] [一] 가난할 구 가난하여 예의를 갖추지 못함. 寠(宀部 十一畫)와 同字. '終一且貧'《詩經》. [二] 좁은땅 루 '甌一'는 협소하고 경사가 심한 땅. '甌一滿篝'《十八史略》.

[字源] 形聲. 穴+婁〔音〕. '婁루·구'는 '부자유하다'의 뜻을 나타내는 의태어(擬態語). 구멍 속에 든 것같이 답답하고 가난하다, 괴로워하다의 뜻을 나타냄.

[窶困 구곤] 가난하여 어려움을 겪음.
[窶國 구국] 가난한 나라. 빈국(貧國).
[窶人 구인] 가난하고 신분이 미천한 자. 궁인(窮人).
◉孤窶. 困窶. 甌窶. 羈窶. 貧窶. 辭窶. 凋窶. 寒窶.

11⑯ 【窸】 실 [入]質 息七切 xī

[字解] ①불안할 실 ㉠'一窣'은 불안한 소리의 형용. '枝撐聲一窣'《杜甫》. ㉡'一窣'은 불안한 모양. '黑雲夜一窣'《張希復》. ②구멍에서나올 실 '一, 從穴出也'《廣韻》.

[窸窣 실솔] ㉠불안한 소리의 형용. ㉡불안한 모양.

11⑯ 【窺】 [人名] 규 ①②[平]支 去隨切 kuī
③[上]紙 犬蘂切 kuǐ 窥

[筆順] 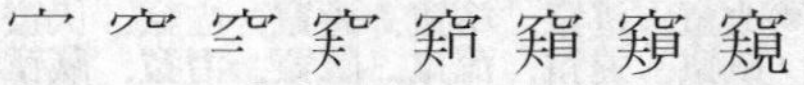

[字解] ①엿볼 규 남이 모르게 가만히 봄. '伺一'. '一見室家之好'《論語》. ②볼 규 '一, 視也'《廣雅》. '莫得一乎'《呂氏春秋》. ③반걸음 규 반보(半步). 또, 한쪽 발을 내디딤. 跬(足部 六畫)와 통용. '能一左足'《漢書》.

[字源] 篆文 形聲. 穴+規〔音〕. '規규'는 '재다'의 뜻. 구멍 속을 들여다보다의 뜻으로, '엿보다'의 뜻을 나타냄.

[窺間 규간] 틈을 엿봄.
[窺見 규견] 엿봄.
[窺鏡 규경] 거울을 들여다봄.
[窺覬 규기] 규유(窺窬).
[窺伺 규사] 엿봄. 눈치를 봄.
[窺視 규시] 엿봄.
[窺窬 규유] 틈을 엿봄. 분수에 넘치는 일을 바라고 기회를 노림.
[窺知 규지] 엿보아 앎.
[窺測 규측] 엿보아 헤아림. 추측함.
[窺閒 규한] 틈을 엿봄. 기회를 노림.
◉管窺. 俯窺. 伺窺. 詳窺. 闇窺. 離窺. 潛窺. 坐窺. 踐窺. 遍窺. 遐窺.

11⑯ 【𥨪】 용(송[本]) [平]冬 常容切 yōng

[字解] 일그러질 용 그릇 같은 것이 뒤둥그러짐. '窳一, 器病也'《集韻》.

11⑯ 【㝩】 강 [平]陽 丘岡切 kāng

[字解] ①휑뎅그렁할 강 집이 텅 빔. ②공허할 강.

11⑯ 【𥨐】 [一] 료 [平]肴 力交切 liáo
[二] 력 [入]錫 狼狄切 lì

[字解] [一] ①고요할 료 텅 비어 쓸쓸함. '一, 空也, 寂也'《正字通》. ②아득할 료 '窐一'는 심원(深遠)한 모양. '窐一, 深遠貌'《類篇》. [二] 감출 력 잘 둠. '一, 博雅, 藏也'《集韻》.

11⑯ 【𥨍】 우 [平]虞 邕俱切 yū

[字解] ①동굴 우 산의 동굴(洞窟). '一, 山穴也'《玉篇》. ②산이름 우 '一, 山名'《集韻》.

11⑯ 【𥨔】 담 ①②[平]覃 徒甘切 tān
③[去]勘 吐濫切

[字解] ①얇고클 담 '䆲一'은 얇고 큼. '䆲一, 薄而大也'《集韻》. ②납작하고얇을 담 '䆲一'은 납작하고 얇음. '䆲一, 匾薄也'《集韻》. ③깊은굴 담 '䆲一, 深穴'《集韻》.

11⑯ 【𥩖】 침 ①[上]寑 子朕切 jǐn
②-④[去]沁 子鴆切 jìn

[字解] ①고을이름 침 현명(縣名). 허난 성(河南省) 침구현(沈邱縣)의 남동(南東). 춘추(春秋)시대 초(楚)나라 침구(𥩖丘)의 땅. ②담글 침 물에 잠금. '一, 漬也'《廣韻》. ③못 침 늪. 호소(湖沼). '一曰五湖'《漢書》. ④점차 침 점점. 浸(水部 七畫)과 同字. '其後一盛'《漢書》.

[字源] 形聲. 穴+濅〔音〕

11⑯ 【窻】 〔창〕
窗(穴部 七畫〈p. 1639〉)의 俗字

12⑰ 【𥨊】 〔규〕
竅(穴部 十三畫〈p. 1644〉)와 同字

12⑰ 【𥨫】 〔규〕
窺(穴部 十一畫〈p. 1643〉)와 同字

12⑰ 【窾】 [一] 관 [上]旱 苦管切 kuǎn
[二] 과 [平]歌 苦禾切

[字解] [一] ①빌 관 공허함. '一言'. '實不中其聲者, 謂之一'《史記》. ②마를 관 말라 죽음. 고사(枯死)함. '一枯木, 丁衡, 振其枝'《太玄經》. ③법 관 법률. '襲九一'《淮南子》. [二] 빌 과 속이 빔. 구멍이 뚫림. '見一木浮'《淮南子》.

字源 形聲. 穴+款〔音〕. '款관'은 '공허하다'의 뜻. 구멍이 비어 공허하다의 뜻을 나타냄.

[窾坎 관감] 속이 빈 악기. 종·북 따위.
[窾坎鏜鞳 관감당탑] 종소리의 형용(形容).
[窾木 관목] 속이 빈 나무.
[窾言 관언] 빈말. 허언(虛言).
◉空窾. 大窾. 小窾. 崖窾.

12 ⑰ [竀] 정 ㊥庚 丑貞切 chēng ㊄徑 丑庚切 chēng

字解 ①붉을 정 赬(赤部 九畫)과 同字. '魚—尾'《左傳》. ②볼 정 똑바로 봄. '—, 正視也'《說文》.
字源 篆文 形聲. 穴+見+正〔音〕. 굴속에서 바로 보다의 뜻을 나타냄.

12 ⑰ [竁] ■ 취 ㊄霽 楚稅切 cuì ■ 천 ㊄霰 尺絹切 cuì

字解 ■ 팔 취 땅을 팜. '卜葬兆甫—'《周禮》. ■ ①광 천 무덤의 구덩이. '及—'《周禮》. '掌喪祭奠—之俎實'《周禮》. ②굴 천 동굴(洞窟). 굴혈(窟穴). '月—來賓'《顏延之》.
字源 篆文 形聲. 穴+毳〔音〕. '毳취'는 '穿천'과 통하여, '파다, 뚫다'의 뜻. '穴혈'을 덧붙여, '파다'의 뜻을 나타냄.

◉冢竁.

12 ⑰ [窿] 륭 ㊥東 力中切 lóng

字解 활꼴 륭 궁형(弓形). 하늘이 둥글게 휘어진 모양. 隆(阜部 九畫)의 俗字. '閣道穹—'《張衡》.
字源 形聲. 穴+隆〔音〕. '隆륭'은 높게 솟아오르다의 뜻. 높이 솟아올라 있는 '하늘'의 뜻을 나타냄.

◉穹窿.

12 ⑰ [竳] 정 ㊥庚 中莖切 zhēng

字解 ①화포(畫布) 정 그림을 그리는 데 쓰는 생견(生絹). '東海氣如圓—'《晉書》. ②휑뎅그렁할 정 '—宖'은 넓고 큰 모양. '—, 闊大皃'《玉篇》.

12 ⑰ [竂] 료 ㊥蕭 落蕭切 liáo

字解 ①뚫을 료 구멍을 뚫음. '—, 穿也'《說文》. ②빌 료 속이 텅 빔. '—, 空也'《廣雅》. ③창(窓) 료 작은 창. '交綺豁以疏—'《張衡》. ④같은벼슬 료 동관(同官). 僚(人部 十二畫)와 통용. '同官爲—'《六書正譌》.
字源 甲骨文 金文 篆文 形聲. 穴+尞〔音〕. 《說文》은 '穴'에 따라 창(窓)의 뜻으로 보지만, 金文은 궁중(宮中)에 마련된 화톳불의 자형(字形)으로, 이른 새벽 참조자(參朝者)를 위해 피우는 화톳불이 있는 관청의 뜻을 나타냄.

12 ⑰ [寝] 복 ㊇屋 房六切 fù ㊇屋 芳福切

字解 움 복 지하실(地下室). 땅광. '—, 地室也. 詩曰, 陶—陶穴'《說文》.
字源 篆文 形聲. 穴+復〔音〕

13 ⑱ [竵] 과 ㊥歌 苦禾切 kē

字解 ①동굴 과 동굴. 석굴. '—, 窟也'《篇海》. ②새보금자리 과 새의 보금자리. '—, 巢也'《篇海》.

13 ⑱ [竄] 人名 찬 ㊄翰 七亂切 cuàn ㊥寒 七丸切 cuān

字解 ①숨을 찬 몸을 감춤. '隱—'. '自—于戎翟之閒'《國語》. ②달아날 찬 도망함. '—匿'. '百家無所—'《荀子》. ③내칠 찬 방축(放逐)함. 귀양 보냄. '—黜'. '—三苗于三危'《書經》. ④숨길 찬 감춤. '可以—惡'《國語》. ⑤훈할 찬 스며들게 함. 약 같은 것으로 뜸. '卽—以藥'《史記》. ⑥들여놓을 찬 용납함. '無所—其姦矣'《呂氏春秋》. ⑦죽일 찬 '—, 誅也'《廣韻》. ⑧고칠 찬 시문 등을 고침. '改—'. '漬墨—舊史'《韓愈》. ⑨들어갈 찬 구멍으로 들어감. '—, 入穴也'《集韻》. ⑩부추길 찬 나쁜 짓을 하도록 꼬드김. '誘人爲惡曰—'《韻會小補》.
字源 篆文 會意. 鼠+穴. 쥐가 구멍 속에 숨는 모양에서, '숨다'의 뜻을 나타냄. 음형상(音形上)으로는 '穿천'과 통하여, 구멍을 파서 숨다의 뜻일 것으로 추측됨.

[竄改 찬개] 문자(文字)를 고침. 개찬(改竄).
[竄匿 찬닉] 도망해 숨음.
[竄逃 찬도] 도망함.
[竄流 찬류] 귀양 보냄.
[竄配 찬배] 배소(配所)를 정(定)하여 귀양 보냄.
[竄伏 찬복] 찬닉(竄匿).
[竄奔 찬분] 달아남. 도망함.
[竄入 찬입] 도망쳐 들어감.
[竄謫 찬적] 파면하고 귀양 보냄.
[竄竊 찬절] 표절(剽竊).
[竄定 찬정] 문자(文字)를 고침. 시문(詩文) 등을 고침.
[竄斥 찬척] 내쫓음. 물리침.
[竄逐 찬축] 먼 곳으로 귀양 보냄.
[竄黜 찬출] 찬적(竄謫).
[竄貶 찬폄] 좌천(左遷)시켜 먼 곳으로 보냄.
◉改竄. 逃竄. 塗竄. 遯竄. 亡竄. 伏竄. 奔竄. 鼠竄. 遠竄. 流竄. 隱竄. 潛竄. 藏竄. 點竄. 鳥竄. 走竄. 斥竄. 縮竄. 投竄. 逋竄. 閒竄.

13 ⑱ [竅] 규(교本) ㊄嘯 苦弔切 qiào

字解 ①구멍 규 ㉠뚫린 자리. '孔—'. '—于山川'《禮記》. ㉡몸에 있는 구멍. 곧, 이목구비(耳目口鼻) 따위. '聖人之心有七—'《史記》. ②구멍뚫을 규 '所以—窕穿鑿百事之壅遏'《淮南子》. ③통할 규 '—領天地'《淮南子》.
字源 篆文 形聲. 穴+敫〔音〕

[竅隙 규극] 구멍. 틈새.
[竅領 규령] 널리 다스림. 통치함.
[竅如七星 규여칠성] 집이 헐어 군데군데 구멍이

뚫려서 빛이 그곳으로부터 들어오는 모양을 이름.

[竅窕 규조] 구멍을 파서 깊게 함.
[竅穴 규혈] 구멍. 굴. 공규(孔竅).
◉孔竅. 空竅. 九竅. 竹竅. 七竅. 瑕竅. 穴竅.

14 ⑲ [竂] 예 [去]霽 魚祭切 yì

[字解] 잠꼬대 예 자면서 중얼거리는 헛소리. '一, 睡語'《廣韻》.

14 ⑲ [竆] 궁 [平]東 渠弓切 qióng

[字解] 나라이름 궁 고대(古代) 하(夏)의 제후(諸侯)인, 예(羿)의 봉국(封國). 유궁(有竆). 지금의 산둥 성(山東省) 주시현(州市縣)의 북쪽. '一, 夏后時諸侯夷羿國也'《說文》.

[字源] 篆文  形聲. 邑+竆〈省〉〔音〕. '窮궁'과 통함.

14 ⑲ [竉] 람 ①②[平]覃 盧甘切 lán ③[去]勘 盧瞰切 làn

[字解] ①얇고클 람 '一𥨍'은 얇고 큼. '一𥨍, 薄而大'《玉篇》. ②납작하고얇을 람 '一𥨍, 匾薄也'《集韻》. ③깊은굴 람 '一𥨍, 深穴'《集韻》.

14 ⑲ [竆] 〔궁〕
窮(穴部 十畫〈p.1641〉)의 本字

15 ⑳ [竇] [一] 두 [去]有 徒候切 dòu [二] 독 [入]屋 徒谷切 dú 窦 

[字解] [一] ①움 두 땅을 파서 만든 광이나 집. '穿一窖'《禮記》. ②구멍 두 공혈(孔穴). 입구. '所以達天道, 順人情之大一也'《禮記》. ③규문(圭門) 두 담이나 벽을 뚫어 만든 출입구. '華門閨一'《左傳》. ④무너뜨릴 두 물이 둑 따위를 결궤시킴. '不一澤'《國語》. ⑤성 두 성(姓)의 하나. [二] 도랑 독 瀆(水部 十五畫)과 통용. '有大雨, 自其一入'《左傳》.

[字源] 篆文  形聲. 穴+賣(賣)〔音〕. '賣육'은 내고 들임의 뜻. 무엇을 출납하는 구멍의 뜻을 나타냄.

[竇窖 두교] 굴.
◉嵌竇. 狗竇. 圭竇. 石竇. 水竇. 巖竇. 雲竇. 幽竇. 華門圭竇.

15 ⑳ [竊] 〔절〕
竊(穴部 十七畫〈p.1645〉)의 俗字

15 ⑳ [竅] 〔구〕
究(穴部 二畫〈p.1633〉)와 同字

16 ㉑ [竈] 조 [去]號 則到切 zào 灶 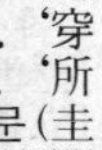

[字解] ①부엌 조 취사(炊事)하는 곳. '一, 炊一也'《說文》. ②부엌귀신 조 부엌을 맡은 귀신. 조왕(竈王). '孟夏之月, …其祀一'《禮記》.

[字源] 金文  篆文  別體 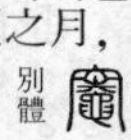 會意. 金文은 '宀' 또는 穴+黽. '黽맹'은 개구리의 象形. 네발에 힘을 주어 버텨 선 개구리 모양의 부뚜막의 뜻을 나타냄. 음형상(音形上)으로는 '皁조'와 통하여, 검은 부뚜막·아궁이의 뜻을 나타냄.

[竈君 조군] 조신(竈神).
[竈突 조돌] 굴뚝.
[竈馬 조마] 조신(竈神)의 상(像)을 판각(板刻)하여 인쇄한 종이. 부엌 위에 바름.
[竈稅 조세] 제염업(製鹽業)에 과하는 세금.
[竈神 조신] 오사(五祀)의 하나. 부엌을 맡은 귀신.
[竈王 조왕] 조신(竈神).
[竈丁 조정] 소금을 굽는 사람.
[竈祭 조제] 음력(陰曆) 12월 23일에 조신(竈神)에게 지내는 제사.
[竈地 조지] 조정(竈丁)이 있는 땅.
[竈妾 조첩] 취사부(炊事婦).
[竈陘 조형] 부뚜막. 또는, 부엌의 나뭇간. 「람.
[竈戶 조호] 소금을 파는 집. 또, 소금을 굽는 사
◉跨竈. 塳竈. 媚竈. 背竈. 塞井夷竈. 石竈. 蜃竈. 野竈. 土竈.

16 ㉑ [竉] 롱 [上]董 力董切 lǒng

[字解] 구멍 롱 '孔一'은 구멍. '孔一, 穴也'《集韻》.

17 ㉒ [竊] [高人] 절 [入]屑 千結切 qiè 

[字解] ①훔칠 절 ㉠절취함. '一盜'. '一寶玉大弓'《春秋》. ㉡외람되이 …을 함. 헛되이 녹위(祿位)를 받음. '臧文仲, 其一位者與'《論語》. ㉢범함. '一仁人之號'《史記》. ②도둑질 절, 도둑 절 절도. 절취 행위. '草一'. '鼠一狗盜'《史記》. ③몰래 절 ㉠남몰래. '一負而逃'《孟子》. ㉡공공연히 표시하지 않는다는 뜻으로, 겸손함의 뜻을 나타냄. '一比於我老彭'《論語》. ㉢마음속으로. '熹自蚤歲卽嘗受讀, 而一疑之'《朱熹》. ④명백할 절, 명백히할 절 '一一然知之'《莊子》. ⑤붙일 절 '一, 著也'《廣雅》.

[字源] 篆文  會意. 穴+米+廿+禼. 이 자형(字形)은 분명치 않으나, 일설(一說)에, 바구미류(類)로서, 부지불식간(不知不識間)에 곡식을 축내는 벌레의 모양에서, 몰래 훔치다의 뜻을 나타낸다고 함.

[參考] 窃(穴部 四畫)은 俗字.

[竊據 절거] 땅을 훔쳐 그곳을 근거(根據)로 함. 반역하여 땅을 점거(占據)함.
[竊鉤者誅 절구자주] 대구(帶鉤)를 훔치는 자는 사형(死刑)을 당함. 좀도둑이 도리어 엄벌(嚴罰)을 받는다는 말. 대구(帶鉤)는 허리띠의 고리.
[竊念 절념] 저 혼자 가만히 생각함.
[竊盜 절도] 남의 물건(物件)을 몰래 훔치는 일. 또, 그 사람. 도둑질. 도둑.
[竊罵 절매] 몰래 욕함. 뒤에서 욕함.
[竊鈇疑 절부의] 아무 근거도 없이 이웃 사람의 아들이 도끼를 훔쳐 갔으리라고 의심한 고사(故事). 전(轉)하여, 의심이 많으면 무슨 일이고 의심스럽게 보인다는 말. 또, 억울한 혐의(嫌疑)에도 이름.
[竊比 절비] 가만히 비교함.
[竊思 절사] 절념(竊念).
[竊笑 절소] 혼자 가만히 웃음.

[竊視 절시] 몰래 봄. 엿봄.
[竊攘 절양] 훔침.
[竊位 절위] 지위를 훔침. 그 덕이 없으면서 외람되이 지위에 있음. 또, 직책(職責)을 다하지 않음.
[竊位素餐 절위소찬] 재덕(才德)도 없으면서 헛되이 그 자리에 있어 직책(職責)을 완수치 못하고 그저 봉급만 축냄.
[竊賊 절적] 도둑. 절도(竊盜).
[竊竊 절절] ㉠아는 체하는 모양. 소재(小才)를 자랑하는 모양. ㉡가만히 속살거리는 모양. 몰래 이야기하는 모양.
[竊取 절취] 몰래 훔쳐 가짐.
◉據竊. 叩竊. 狗竊. 寇竊. 濫竊. 盜竊. 鼠竊. 攘竊. 隱竊. 竄竊. 僭竊. 草竊. 剿竊. 侵竊. 貪竊. 剽竊.

19 ㉔ [[illegible]] 동 ㊥東 大紅切 tóng
字解 바람소리 동 바람 소리. '一, 風聲也'《篇海》.

立 (5획) 部
〔설립부〕

0 ⑤ [立] 中·人 一 립 ㉤緝 力入切 lì 二 위 ㊦寘 喩累切 wèi
筆順 ' 亠 亣 立 立
字解 一 ①설 립 ㉠정지함. 행(行)의 대. '佇一'. '一必正方'《禮記》. ㉡꿋꿋이 섬. 또, 일어남. 기립함. '直一'. '豕人一而啼'《左傳》. ㉢확고히 섬. 굳게 지켜 움직이지 않음. '三十而一'《論語》. ㉣이루어짐. '成一'. '而後禮儀一'《禮記》. ㉤생존함. 존재함. '存一'. '燕·秦不兩一'《戰國策》. ㉥즉위(卽位)함. '桓公一, 乃老'《左傳》. ㉦전(傳)해짐. 스러지지 않음. '旣沒其言一'《左傳》. ㉧나타남. 드러남. '德無所一'《淮南子》. ㉨임(臨)함. '明主一政'《史記》. ②세울 립 ㉠전항의 타동사. '一人之道, 曰, 仁與義'《易經》. '懦夫有一志'《孟子》. ㉡설치함. '設一'. '一其監'《周禮》. ㉢설정함. '重一賞格'《南史》. ㉣건축함. '建一'. '一商飆館於孫陵岡'《南史》. ㉤나타냄. 밝힘. '大上有一德'《左傳》. ㉥지위에 앉힘. '國人一之曰一, 他國一之曰納'《公羊傳注》. ③곧 립 즉시로. '其末一見'《史記》. ④미터법에서 양(量)을 나타내는 단위. 리터의 약기(略記). ⑤성 립 성(姓)의 하나. 二 자리 위 자리. 位(人部 五畫)와 통용.
字源 甲骨文 金文 篆文 象形. 일선상(一線上)에 사람이 선 모양을 나타내어, '서다'의 뜻을 나타냄.
參考 '立립'을 의부(意符)로 하여, 서는 동작에 관한 문자를 이룸. '竟경'·'章장'은 본래는 '音음'의 부수(部首)에 속하는 글자이지만, 습관상 '立'부에 포함시키고 있음.

[立脚地 입각지] 처지(處地). 입장(立場).
[立國 입국] ㉠나라를 세움. ㉡상대로서 대립(對立)하는 나라.
[立極垂統 입극수통] 대중지정(大中至正)의 도(道)를 세움.
[立慬 입근] 용기를 냄.
[立談 입담] ㉠서서 이야기함. 또, 그 이야기. ㉡주장(主張)을 세움. 논(論)함.
[立冬 입동] 이십사절기(二十四節氣)의 열아홉째. 양력 11월 7일이나 8일이 됨. 겨울이 시작된다는 뜻.
[立禮 입례] ㉠예법을 제정함. ㉡서서하는 경례.
[立論 입론] 의론의 체계를 세움. 또, 그 의론.
[立馬吳山第一峯 입마오산제일봉] 금(金)나라 폐제(廢帝) 양(亮)이 송(宋)나라의 도읍 임안(臨安)의 지도(地圖)에 제사(題詞)로 쓴 시(詩)의 한 구(句).
[立名 입명] 입신양명(立身揚名).
[立命 입명] 하늘이 자기에게 부여한 본성(本性)을 보전하여 해치지 아니함.
[立方 입방] ㉠방법을 세움. 또, 지위를 차지함. ㉡같은 수를 세 번 곱하기. 또, 각 면이 정방형인 평행 육면체.
[立方體 입방체] 입체(立體).
[立法 입법] 법률(法律) 또는 법규(法規)를 제정(制定)함.
[立法機關 입법기관] 국가의 법률을 제정하기 위하여 설치한 기관. 곧, 국회(國會).
[立部 입부] 서서 음악을 연주함.
[立不失容 입불실용] 의용(儀容)을 갖추어 자세를 변하지 아니하고 서 있음.
[立嗣 입사] 사자(嗣子)를 세움.
[立像 입상] 만들어 놓은, 서 있는 사람의 형상. 좌상(坐像)의 대(對).
[立雪 입설] 눈이 내리는 데 서 있음.
[立食 입식] 서서 먹음.
[立身 입신] ㉠세상(世上)에 나아가 출세(出世)함. ㉡사회 속에서 제구실을 할 수 있게 되는 일.
[立身揚名 입신양명] 출세(出世)하여 이름을 세상(世上)에 들날림.
[立身出世 입신출세] 출세하여 세상에 이름을 들날림. 훌륭한 사람이 되어 영달(榮達)함.
[立身行道 입신행도] 입신출세(立身出世)하여 바른 도(道)를 행함.
[立案 입안] ㉠안을 세움. ㉡문장의 초를 잡음.
[立愛惟親 입애유친] 사랑하는 도(道)는 친근한 이에서부터 시작하여 소원(疏遠)한 이에게 미침.
[立語 입어] 서서 이야기함. 서서 하는 이야기.
[立言 입언] 후세(後世)에 전할 만한 말을 남김. 전(轉)하여, 이론을 세워 이야기함.
[立願 입원] 신불(神佛)에게 기원함.
[立意 입의] 마음을 결(決)함. 결심(決心).
[立場 입장] 입각지(立脚地).
[立仗之馬 입장지마] 의장(儀仗) 안에 서 있는 말.
[立儲 입저] 입태자(立太子).
[立節 입절] 한평생 절개(節槪)를 고치지 아니함.
[立朝 입조] 벼슬을 함.
[立操 입조] 한평생 지조를 변하지 아니함.
[立證 입증] 증거를 세움.
[立地 입지] ㉠곧. 즉시. 당장. ㉡땅 위에 섬. ㉢영토(領土)를 새로 얻음.
[立志 입지] 뜻을 세움.
[立地書廚 입지서주] 학문이 섬부(贍富)하고 문

재(文才)가 있어 붓을 쥐면 그 자리에서 명문을 이루는 문장가의 일컬음.
[立體 입체] 길이·넓이·두께가 있는 물체. 입방체(立方體).
[立體美 입체미] 조각·건축의 미.
[立體映畫 입체영화] 입체적인 인상(印象)을 주는 영화. 많은 렌즈를 사용하여 촬영함.
[立秋 입추] 이십사절기(二十四節氣)의 열셋째. 양력 8월 7일이나 8일이 됨. 가을이 시작된다는 뜻.
[立錐之地 입추지지] 송곳 하나 세울 만한 매우 좁은 땅.
[立春 입춘] 이십사절기(二十四節氣)의 첫째. 양력 2월 4일경이 됨. 봄이 시작된다는 뜻.
[立太子 입태자] 태자를 정하여 세움.
[立夏 입하] 이십사절기(二十四節氣)의 일곱째. 양력 5월 5-6일경이 됨. 여름이 시작된다는 뜻.
[立憲 입헌] 헌법을 제정하여 정치를 행함.
[立憲政體 입헌정체] 헌법을 제정하여 국민의 참정권을 인정하고 입법·행정·사법을 구별하여 각기 독립 기관을 세운 정체.
[立會 입회] 현장에 임검(臨檢)함.
[立后 입후] 황후의 책립(冊立).
[立後 입후] 입사(立嗣).
[立勳 입훈] 공을 세움.
◉郤立. 介立. 建立. 傑立. 兼立. 孤立. 鵠立. 骨立. 公立. 共立. 官立. 國立. 羣立. 起立. 羅立. 端立. 對立. 獨立. 壁立. 竝立. 扶立. 私立. 削立. 山立. 設立. 成立. 竦立. 豎立. 樹立. 侍立. 兩立. 聯立. 擁立. 凝立. 而立. 人立. 林立. 自立. 雀立. 佇立. 正立. 挺立. 鼎立. 制立. 造立. 存立. 中立. 直立. 攢立. 創立. 冊立. 隻立. 峙立. 卓立. 特立. 廢立. 鶴立. 懸立. 子立. 會立. 屹立.

1 ⑥ [辛] 건 ㊥先 去乾切 qiān
字解 죄 건 허물. '一, 辠也'《說文》.
字源 會意. 篆文은 干+二

[辛] 〔신〕
部首(p. 2281)를 보라.

3 ⑧ [竝] 〔사〕
竢(立部 七畫〈p. 1649〉)와 同字

[妾] 〔첩〕
女部 五畫(p. 525)을 보라.

4 ⑨ [竒] 〔기〕
奇(大部 五畫〈p. 502〉)의 俗字

[彥] 〔언〕
彡部 六畫(p. 733)을 보라.

[音] 〔음〕
部首(p. 2536)를 보라.

4 ⑨ [竑] 횡 ㊥庚 戶萌切 hóng / ㊥蒸 古弘切
字解 ①잴 횡 자로 잼. '一其幅廣'《周禮》. ②넓을 횡 광대함. '一, 廣也'《玉篇》. ③강할 횡 강장(強壯)함. '一, 非量度之義. 蓋强壯之謂'《正字通》.
字源 形聲. 立+厷〔音〕

4 ⑨ [竗] 人名 〔묘〕
妙(女部 四畫〈p. 519〉)와 同字

5 ⑩ [竜] 人名 〔용〕
龍(部首〈p. 2728〉)의 古字
筆順 亠 立 产 产 音 音 音 竜

5 ⑩ [竛] 령 ㊥青 郎丁切 líng
字解 갈 령 가는 모양. 비틀거리며 걸어가는 모양. '一竮, 行皃'《集韻》. '一竮, 行不正'《玉篇》.
字源 形聲. 立+令〔音〕

5 ⑩ [站] 人名 참 ㊤陷 陟陷切 zhàn / ㊥咸 知咸切 zhān
字解 ①우두커니설 참 오래 서 있음. '一立'. ②역마을 참 역말을 갈아타는 곳. '驛一'. '元制, 一赤者, 驛傳之譯名也'《元史》.
字源 形聲. 立+占〔音〕. '占점'은 특정의 점(點)을 차지하다의 뜻. 서다의 뜻을 나타냄.

[站隊 참대] 서 있는 부대(部隊).
[站立 참립] 우두커니 섬. 오래 서 있음.
[站夫 참부] '역부(驛夫)'와 같음.
◉兵站. 驛站.

5 ⑩ [竚] 저 ㊤語 直呂切 zhù
字解 우두커니설 저 오래 서 있음. 佇(人部 五畫)와 同字. '一立'. '結桂枝兮延一'《楚辭》.
字源 篆文 形聲. 立+宁〔音〕. '宁저'는 '정착(定着)하다, 멈춰 서다'의 뜻. 사람이 어떤 곳에 멈춰 서다의 뜻을 나타냄.

[竚立 저립] 우두커니 섬. 오래 서 있음. 저립(佇立).
◉延竚.

5 ⑩ [竞] 〔경〕
競(立部 十五畫〈p. 1652〉)의 簡體字

5 ⑩ [竝] 高人 ■ 병 ㊤迥 蒲迥切 bìng / ■ 방 ㊦漾 蒲浪切 bàng
筆順 ' 亠 亣 立 立 立 竝 竝
字解 ■ ①나란히설 병, 나란히할 병 가지런히 섬. 가지런히 함. '一列'. '一肩'. '道一行而不相悖'《中庸》. ②나란할 병 가지런함. 같음. '一乎堯舜'《荀子》. ③나란히 병 가지런히. 모두. 함께. '一育'. '一驅'. '一受罰'《易經》. ④아우를 병 병합함. '一呑八荒'《史記》. ⑤성 병 성(姓)의 하나. ■ 연할 방 연접(連接)함. '北一渤海'《漢書》.
字源 甲骨文 金文 篆文 會意. 立+立. '立립'은 선 사람을 본뜬 모양. 나란히 늘어서다의 뜻을 나타냄.

參考 並(一部 七畫)은 同字.

[竝肩 병견] 어깨를 나란히 함. 서로 비슷함. 서로 낫고 못한 것이 없음. 비견(比肩).
[竝驅 병구] ㉠나란히 달림. 함께 달림. ㉡서로 경쟁함.
[竝起 병기] 함께 일어남. 일제히 일어섬.
[竝力 병력] 힘을 한데 아우름. 힘을 합침. 협력함.
[竝列 병렬] 나란히 늘어섬. 또, 나란히 늘어서게 함.
[竝立 병립] ㉠나란히 섬. ㉡함께 성취(成就)함.
[竝發 병발] 한꺼번에 일어남. 동시에 발생함.
[竝用 병용] 아울러 씀. 같이 씀.
[竝育 병육] 가지런히 자람. 모두 같이 자람.
[竝作 병작] 같이 일어남. 일제히 일어섬.
[竝進 병진] 함께 나란히 나아감.
[竝唱 병창] 함께 부름. 같이 부름. 합창(合唱)함.
[竝置 병치] 나란히 놓음.
[竝稱 병칭] 한데 아울러서 일컬음. 모두가 칭찬함.
[竝呑 병탄] 함께 삼킴. 남의 나라를 병합(倂合)하여 자국(自國)의 영토로 삼음. 병탄(倂呑).
[竝合 병합] 아우름. 합침. 병합(倂合).
[竝行 병행] ㉠나란히 감. ㉡둘이 다 같이 행하여 짐.
[竝興 병흥] 같이 일어남. 일시에 일어남.
◉比竝. 相竝.

5 ⑩ [竘] 一 구 ㊤麌 驅雨切 qǔ / ㊤有 苦后切 / 二 우 ㊤麌 委羽切

字解 一 ①건장할 구 '一, 健也'《說文》. ②다듬을 구, 꾸밀 구 '一, 貌治也. 吳越飾貌曰一, 或謂之巧'《揚子方言》. ③높고장(壯)할 구 '其始成, 一然善也'《淮南子》. 二 건장할 우, 다듬을 우, 꾸밀 우, 높고장할 우 一과 뜻이 같음.

字源 形聲. 立+句〔音〕

6 ⑪ [竟] 高人 경 ①-⑥⑧㊂敬 居慶切 jìng / ⑦㊤梗 擧影切

筆順 亠 立 产 产 咅 音 竟 竟

字解 ①끝날 경, 마칠 경 '語未一'. '小人爲德, 不一'《漢書》. ②끝 경 종말. '畢一'. '歲一, 此兩家常折券棄責'《史記》. ③다할 경 궁진(窮盡)함. '故不一'《漢書》. ④널리 경, 널리미칠 경 '恩施下一同學'《漢書》. ⑤마침내 경 결국에 가서. '一廢申公'《史記》. ⑥도리어 경 그러나. '盜跖…橫行天下. 一以壽終'《史記》. ⑦지경 경 경계(境界). 境(土部 十一畫)과 同字. '一內'. '國中至邊一'《詩經》. ⑧성 경 성(姓)의 하나.

字源 篆文 會意. 音+儿. 사람이 음악(音樂)의 연주(演奏)를 끝내다의 뜻에서, '끝나다'의 뜻을 나타냄. 음형상(音形上)으로는 '競경·疆강'과 통하여, 사물(事物)의 단락(段落)의 뜻에서, '끝'의 뜻을 나타냄.

[竟內 경내] 지경 안. 경내(境內).
[竟夕 경석] 철야하여. 밤새도록.
[竟夜 경야] 밤새도록. 하룻밤 내내.
[竟埸 경역] 경계(境界).
[竟外 경외] 지경(地境)의 밖. 구역(區域) 밖.
[竟日 경일] 하루를 끝냄. 하루 중. 종일.
◉究竟. 窮竟. 越竟. 終竟. 至竟. 畢竟.

6 ⑪ [章] 中人 장 ㊥陽 諸良切 zhāng

筆順 亠 立 产 产 咅 音 音 章

字解 ①문채 장 ㉠문채(文彩). 문리(文理). '維其有一矣'《詩經》. ㉡색채. '目不別五色之一, 爲昧'《左傳》. ㉢아름다운 무늬. '斐然成一'《論語》. ②법 장 규칙. 법률. '一程'. '約法三一'《十八史略》. ③글 장 ㉠'文一'. '斷一取義'《孝經傳》. ㉡신하가 천자(天子)에게 올리는 서류. '一奏'. '凡羣臣書通於天子者四, 曰一, 曰奏, 曰表, 曰駁議'《獨斷》. ④장 장 문장·시가의 한 단락(段落). '一句'. ⑤도장 장 인. '印一'. '刻曰某官之一'《漢官儀》. ⑥그루 장 큰 재목이 될 나무를 세는 수사(數詞). '山居千一之材'《史記》. ⑦열아홉해 장 옛날 역법(曆法)에서 19년을 이름. '積一成部'《左傳 疏》. ⑧갓 장 은(殷)나라 때의 갓의 한 가지. '一甫之冠'《禮記》. ⑨밝을 장, 밝힐 장 명백함. 명백히 함. '品物咸一'《易經》. '平一百姓'《書經》. ⑩나타날 장 현저함. '不見而一'《中庸》. ⑪나타낼 장 명백하게 함. '表一'. '一后皇之爲貴'《張衡》. ⑫모양 장 형상. 형태. '合而成一'《呂氏春秋》. ⑬당황할 장, 두려워할 장 '周一, 怔營貌. 又懼貌'《六書音義》. ⑭악곡(樂曲)의절(節) 장 악곡의 단락. '一, 樂竟爲一一'《說文》. ⑮성 장 성(姓)의 하나.

字源 金文 篆文 象形. 金文은 먹물 샘이 있는 큰 문신용(文身用) 바늘을 본뜬 모양으로, '무늬·표지'의 뜻을 나타냄. 《說文》에서는 音+十의 會意로, 음악의 한 단락이라 설명함.

[章擧 장거] 낙지. 장어(章魚).
[章決句斷 장결구단] 문장의 장(章)과 구(句)를 가르는 일.
[章句 장구] ㉠글의 장(章)과 구(句). ㉡장(章)을 나누고 구(句)를 가르는 일. ㉢문장(文章)의 구(句).
[章句小儒 장구소유] 장구의 뜻에만 몰두하고 문장의 대의(大意)에는 통하지 못한 학자. 장구수(章句囚).
[章句囚 장구수] 장구소유(章句小儒).
[章句之學 장구지학] 장구에만 구애하여 대의(大意)에 통하지 아니하는 학문.
[章臺 장대] 전국 시대(戰國時代)에 진(秦)나라 함양(咸陽)에 세운 궁전(宮殿) 이름. 전(轉)하여, 궁전. 유곽(遊廓).
[章臺柳 장대류] 장대에 심은 버들. 전(轉)하여, 창녀(娼女).
[章牘 장독] 서한. 편지.
[章惇 장돈] 송(宋)나라 철종(哲宗) 때의 사람. 자(字)는 자후(子厚). 왕안석(王安石)의 당(黨)으로서 고태후(高太后)가 붕어(崩御)하자 상서복야겸 문하시랑(尙書僕射兼門下侍郞)으로 기용(起用)되어 신법(新法)을 복구하고 원우(元祐)의 당인(黨人)들을 배척(排斥)하였음.
[章理 장리] 명백한 이치.
[章明 장명] 명백함.

[章甫冠 장보관] 은(殷)나라 때의 관(冠)의 이름. 공자(孔子)가 이 관을 썼으므로 유학자(儒學者)의 관의 뜻으로 씀.
[章甫薦履 장보천리] 장보의 관(冠)이 도리어 신발 밑에 있다는 뜻으로, 상하(上下)가 전도(顚倒)함을 이름.

[章甫冠]

[章服 장복] 딴 옷과 구별하기 쉽게 하기 위하여 기호나 무늬를 놓은 옷.
[章魚 장어] 낙지.
[章章 장장] ㉠밝은 모양. ㉡의거할 곳을 잃은 모양.
[章著 장저] 명백히 나타냄.
[章程 장정] 법. 규칙.
[章左 장좌] 상서(上書) 등의 지면(紙面)의 왼쪽 여백(餘白).
[章奏 장주] 천자에게 올리는 상서(上書).
[章徹 장철] 명성을 얻는 일.
[章草 장초] 행서(行書)와 초서(草書)의 중간이 되는 서체(書體).
[章邯 장한] 진(秦)나라의 명장(名將). 초(楚)나라의 항우(項羽)에게 항복하여 옹왕(雍王)으로 봉함을 받았다가 후에 한(漢)나라의 장군 한신(韓信)에게 패하여 자살하였음.
◉肩章. 舊章. 記章. 旗章. 圖章. 明章. 文章. 紋章. 返章. 飯章. 拜章. 法三章. 報章. 服章. 斐然成章. 詞章. 辭章. 賞罰無章. 喪章. 序章. 宣章. 首章. 身章. 宸章. 雅章. 樂章. 豫章. 玉章. 腕章. 龍章. 銀章. 印章. 典章. 朝章. 雕章. 周章. 奏章. 采章. 天章. 總章. 寵章. 誕章. 篇章. 平章. 褒章. 表章. 下筆成章. 抗章. 憲章. 顯章. 回章. 勳章. 徽章.

[翊] 〔익〕 羽部 五畫(p. 1806)을 보라.

7 ⑫ [童] 中人 ㊀ 동 ㊥東 徒紅切 tóng ㊁ 종 ㊥冬 諸容切 zhōng

筆順 亠 立 产 音 音 音 童 童

字解 ㊀ ①아이 동 십오 세 전후의 남녀. '兒—'. '匪我求—蒙'《易經》. ②종 동 노복(奴僕). 僮(人部 十二畫)과 통용. '得—僕貞'《易經》. ③어리석을 동 어두움. '近頑—窮固'《國語》. ④뿔없는소 동 뿔이 없는 소, 또는 양. '—羖'. '—牛之牿'《易經》. ⑤민둥민둥할 동 산에 나무가 없음. '山不—'《荀子》. ⑥대머리질 동 머리털이 없음. '頭—齒豁'《韓愈》. ⑦눈동자 동 瞳(目部 十二畫)과 同字. '舜蓋重—子'《漢書》. ⑧같을 동 同(口部 三畫)과 통용. '狀不必—而智—'《列子》. ⑨성 동 성(姓)의 하나. ㊁ 땅이름 종 '夫—'은 지명(地名). 鐘(金部 十二畫)과 통용. '夫—, 郟地'《集韻》.

字源 金文 篆文 籀文 形聲. 金文은, 辛+目+重〔音〕. '辛신'은 문신(文身)하는 바늘의 象形. '重중'은 무거운 부대를 본뜬 모양. 눈 위에 문신(文身)을 당하고 무거운 부대를 짊어지워진 종의 뜻을 나타내며, 전(轉)하여, 아이의 뜻도 나타냄. 篆文은, 辛+重〈省〉〔音〕.

[童羖 동고] 뿔 없는 양.
[童丱 동관] 어린아이. 아이.
[童觀 동관] 어린아이의 소견(所見). 얕은 견식(見識)을 이름.
[童妓 동기] 아이 기생.
[童男 동남] 사내아이.
[童女 동녀] 여자 아이.
[童童 동동] ㉠지엽(枝葉)이 무성한 모양. ㉡지엽이 없는 모양.
[童昧 동매] 동혼(童昏).
[童蒙 동몽] 아이.
[童髮 동발] 늘어뜨린 아이의 머리. 또는, 그 아이.
[童僕 동복] 사내아이 종.
[童孫 동손] 어린 손자.
[童心 동심] 아이의 마음. 어린 마음.
[童牙 동아] 어린아이. 또는, 어림.
[童顔 동안] ㉠어린애 같은 얼굴. 사심이 없는 얼굴. ㉡늙은이의 젊어 뵈는 얼굴.
[童騃 동애] 아직 어려 어리석음.
[童然 동연] ㉠머리가 벗어진 모양. 대머리 진 모양. ㉡산에 나무가 없는 모양. 민둥민둥한 모양.
[童謠 동요] ㉠아이들 사이에 자연히 생겨 유행하는 노래. ㉡동심(童心)에 맞는 말로 표현한 노래.
[童牛 동우] 송아지.
[童幼 동유] 어린아이. 아이.
[童孺 동유] 동자(童子) ㉠.
[童子 동자] ㉠아이. ㉡심부름하는 아이.
[童貞 동정] 이성과 한 번도 성교가 없이 지키고 있는 순결. 지금은 흔히 남자에 씀.
[童貞說 동정설] 성모(聖母) 마리아가 처녀로 성령(聖靈)의 감응(感應)에 의하여 그리스도를 낳았다고 하는 설(說).
[童眞 동진] 더럽히지 않은 자연 그대로의 순진.
[童稚 동치] 동유(童幼).
[童穉 동치] 동유(童幼).
[童濯 동탁] ㉠산에 초목(草木)이 아주 없음. ㉡씻은 것같이 깨끗함.
[童土 동토] 초목이 나지 않는 땅. 불모(不毛)의 땅.
[童孩 동해] 동유(童幼).
[童昏 동혼] 아직 어려 사리(事理)를 분간 못함.
[童話 동화] 어린이를 상대로 하는, 재미가 있으며 동시에 교훈이 될 만한 이야기. 짧은 이야기.
◉結童. 狂童. 狡童. 嬌童. 奇童. 奴童. 蠻童. 牧童. 凡童. 成童. 聖童. 小童. 神童. 兒童. 野童. 宛童. 頑童. 蕘童. 幼童. 孺童. 津童. 青童. 樵童. 學童. 巷童. 奚童. 海童.

7 ⑫ [竫] ㊀ 정 ㊤敬 從性切 jìng ㊁ 친(츤㊍) ㊤吻 仄謹切

筆順 亠 立 立' 竝 竫 竫 竫 竫

字解 ㊀ 사람이름 정 사람 이름. ㊁ 단정할 친 단정함. 몸가짐이 바름. '—, 身端也'《字彙補》.

7 ⑫ [竢] 사 ㊤紙 牀史切 sì

字解 기다릴 사 俟(人部 七畫)의 古字. '—罪長沙'《漢書》.

字源 篆文 別體 形聲. 立+矣〔音〕. '矣의'는 '멈추다'의 뜻. 멈춰 서서 기다리

다의 뜻을 나타냄.

7 ⑫ [竣] [人名] [一] 준 [平]眞 七倫切 jùn [二] 전 [平]先 逡緣切 quān 

[筆順] 立 竣 竣 竣 竣 竣 竣 竣

[字解] [一] ①끝날 준, 마칠 준 일이 끝남. 일을 끝마침. '一工'. '一功'. '一, 事畢也'《正字通》. ②멈출 준 '一, 止也'《廣雅》. ③고칠 준 悛(心部 七畫)과 통용. '一, 一曰改也'《廣韻》. ④웅크릴 준 쭈그림. '一, 居也. (段注)居, 蹲也'《說文》. ⑤물러갈 준 일이 끝난 뒤에 물러감. '有司已於事而一'《國語》. [二] 끝날 전, 마칠 전, 멈출 전, 고칠 전, 웅크릴 전, 물러갈 전 [一]과 뜻이 같음.

[字源] 篆文 形聲. 立+夋〔音〕. '夋'은 '蹲준'과 통하여, '웅크리다, 멈춰 서다'의 뜻을 나타냄.

[竣工 준공] 공사(工事)가 끝남. 공사의 완성. 낙성(落成).
[竣功 준공] 준공(竣工).
[竣成 준성] 준공(竣工).
[竣役 준역] 준공(竣工).

7 ⑫ [竦] 송 [上]腫 息拱切 sǒng 

[字解] ①공경할 송 경의를 표함. '一慕'. '一意而覽焉'《漢書》. ②두려워할 송 공구함. '一懼'. '不戁不一'《詩經》. ③놀랄 송 '故怒形則千里一'《漢書》. ④올릴 송 높여 올림. '一善抑惡'《國語》. ⑤움츠릴 송 외축(畏縮)함. '一余身而順止兮'《張衡》. ⑥발돋움할 송 발끝을 디디고 섬. '一企'. '一而望歸'《漢書》. ⑦설 송 꼿꼿이 섬. '使人毛髮一立'《宣和畫譜》. ⑧우뚝솟을 송 聳(耳部 十一畫)과 통용. '一然'. '整輿一成'《揚雄》. '通天訬以一峙'《張衡》.

[字源] 篆文 形聲. 立+束〔音〕. '束속'은 '다잡다'의 뜻. 마음을 다잡아 일어서다의 뜻에서, '공경하다'의 뜻을 나타냄.

[竦敬 송경] 삼가고 존경함.
[竦懼 송구] 두려워서 곱송그림.
[竦企 송기] 발돋움하여 기다림.
[竦動 송동] ㉠흔듦. 움직임. ㉡황송하여 감동함.
[竦慕 송모] 공경하고 사모함. 앙모함.
[竦壁 송벽] 험한 절벽(絕壁).
[竦斯 송사] 상상상(想像上)의 새의 이름.
[竦竦 송송] 우뚝 솟은 모양.
[竦秀 송수] 송치(竦峙).
[竦然 송연] 무서워서 몸을 소스라뜨리는 모양.
[竦耳 송이] 귀를 쫑긋거림. 귀를 기울임.
[竦震 송진] 무서워하여 떪.
[竦聽 송청] 송구해하며 들음.
[竦峭 송초] 우뚝 솟아 가파름.
[竦峙 송치] 우뚝 솟음.
◉傾竦. 驚竦. 孤竦. 高竦. 恐竦. 喬竦. 翹竦. 奮竦. 森竦. 戰竦. 峻竦. 祇竦. 直竦. 攢竦. 聳竦.

7 ⑫ [竐] 〔망〕 望(月部 七畫〈p. 1018〉)과 同字

8 ⑬ [竫] 정 [上]梗 疾郢切 jìng 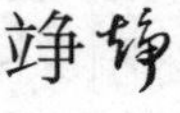

[字解] ①가릴 정 선택함. '善一言'《公羊傳》. ②조용할 정 정숙(靜肅)함. '一潛思于至賾兮'《後漢書》. ③편안할 정 '一, 亭安也'《說文》. ④바를 정 '一立安坐而至者'《呂氏春秋》. ⑤작을 정 키가 작음. '一人長九寸'《列子》.

[字源] 篆文 形聲. 立+爭〔音〕. '靜정'과 동일어(同一語) 이체자(異體字)로, '조용함, 편안함'의 뜻을 나타냄.

[竫言 정언] 근거 없는 말을 만듦.

8 ⑬ [竴] 대 [上]賄 覩猥切 duì

[字解] ①포개져모일 대. ②나무열매늘어질 대 '一, 木實垂皃'《廣韻》.

[字源] 形聲. 篆文은 立+辜〔音〕

8 ⑬ [竰] [一] 작 [入]藥 七約切 què [二] 책 [入]陌 七蹟切

[字解] [一] ①놀랄 작 '一, 驚也'《廣韻》. ②움츠릴 작 '一, 竦也'《集韻》. ③공경할 작 '一, 敬也'《集韻》. [二] 놀랄 책, 움츠릴 책, 공경할 책 [一]과 뜻이 같음.

[字源] 形聲. 立+昔(昔)〔音〕

8 ⑬ [竮] [一] 비 [平]支 普支切 pī [二] 파 [上]馬 傍下切 bà

[字解] [一] 비틀거릴 비 똑바로 가지 못함. '一, 行不正也'《玉篇》. [二] 키작을 파 키가 작은 모양. 또, 키 작은 사람이 서 있는 모양. '一, 短人立一一皃. (段注)一一, 短皃'《說文》.

[字源] 篆文 形聲. 立+卑〔音〕. '卑비'는 키 따위가 작다, 낮다의 뜻. 키 작은 사람이 서 있다의 뜻으로, 작다, 짧다의 뜻을 나타냄.

[竫] 〔정〕 青部 五畫(p. 2514)을 보라.

8 ⑬ [竱] [一] 복 [入]屋 房六切 fú [二] 록 [入]屋 盧谷切 [三] 밀 [入]質 莫筆切

[字解] [一] 귀신보고움츠릴 복 '一, 見鬼皃'《廣韻》. [二] 귀신보고움츠릴 록 [一]과 뜻이 같음. [三] 귀신보고움츠릴 밀 [一]과 뜻이 같음.

[字源] 會意. 篆文은 立+彔

8 ⑬ [竪] 〔수〕 豎(豆部 八畫〈p. 2171〉)의 俗字

[意] 〔의〕 心部 九畫(p. 798)을 보라.

9 ⑭ [竭] [人名] 갈 [入]月 渠列切 jié 

[字解] ①다할 갈 ㉠다 없어짐. '一盡'. '矢一兮弦絕'《李華》. ㉡다 없앰. '不一人之忠'《禮記》. ㉢있는 힘을 다함. '一忠'. '敢昧死一卷卷'《漢書》. ②질 갈 패전함. '一鼓作氣, 再而衰, 三而一'《左傳》. ③올릴 갈 ㉠들어 올림. '五行之動, 迭相一也'《禮記》. ㉡등에 져 올림. '一, 負

擧也'《說文》. ④엉길 갈 응결함. '重濁者一難'《書紀》. ⑤망할 갈 '脣一而齒寒'《呂氏春秋》. ⑥마를 갈 물이 말라붙음. 渴(水部 九畫)과 통용. '伊洛一而夏亡'《國語》. ⑦성 갈 성(姓)의 하나.

字源 篆文 形聲. 立+曷〔音〕. '曷갈'은 높이 올리다의 뜻. '立립'을 덧붙여, 특히 손으로는 들어 올릴 수가 없어서 등에 짊어져 올리다의 뜻을 나타냄. 또, '渴갈'과 통하여 '다하다'의 뜻도 나타냄.

[竭蹶 갈궐] 먼 길을 가다가 지쳐서 쓰러짐.
[竭力 갈력] 힘을 다함. 진력(盡力).
[竭論 갈론] 마음속에 생각하는 바를 거리낌 없이 다 논함.
[竭誠 갈성] 정성을 다함.
[竭轉官資 갈전관자] 누진(累進)시켜 최고의 관계(官階)에까지 올라가게 함.
[竭盡 갈진] 다함. 충성을 다함.
[竭忠 갈충] 충성을 다함.
[竭涸 갈학] 말라붙음. 다함. 또, 마르게 함.
◉甘泉必竭. 乾竭. 傾竭. 罄竭. 枯竭. 困竭. 空竭. 屈竭. 窮竭. 匱竭. 極竭. 耗竭. 貧竭. 衰竭. 源乾流竭. 殫竭. 疲竭. 虛竭.

9 ⑭ [端] 中人 단 ㊥寒 多官切 duān

筆順 立 竝 竮 竮 竮 竮 端 端

字解 ①바를 단 ㉠비뚤어지거나 굽지 아니함. 곧음. '目容一'《禮記》. ㉡품행이 바름. '一正'. '一士'. '選天下之一人'《漢書》. ㉢옳음. '決訟獄, 必一平'《禮記》. ②바로잡을 단 바르게 함. '一書于君前'《禮記》. ③실마리 단 일의 첫머리. '一緖'. '吏道雜而多一'《漢書》. ④첫 단 시초. '五行之一'《禮記》. '惻隱之心, 仁之一也'《孟子》. ⑤끝 단 ㉠물건의 끝. '末一'. '叩其兩一'《論語》. ㉡종말. '運轉而無一'《淮南子》. ㉢가. 가장자리. '歸於無一'《後漢書》. ㉣포백(布帛)의 길이의 단위. 18척 또는 20척. '有練數千一'《晉書》. ⑥근본 단 본원(本源). '居天下之大一'《禮記》. ⑦등급 단 등차(等差). ⑧상세할 단 자세함. '一, 增韻, 審也'《康熙字典》. ⑨찰찰할 단 명찰하는 모양. '視疵一'(疵는 인명(人名))《戰國策》. ⑩성 단 성(姓)의 하나.

字源 篆文 形聲. 立+耑〔音〕. '立립'은 '곧추서다'의 뜻. '耑단'은 그 무엇에도 더럽혀지지 않은 처음의 뜻. '똑바로, 바르다'의 뜻을 나타냄.

[端慤 단각] 단성(端誠).
[端槩 단개] 바른 절개.
[端居 단거] 평소. 평상시.
[端溪 단계] 광둥 성(廣東省) 자오칭(肇慶)에 있는 벼루의 명산지.
[端拱 단공] 손을 단정히 꽂고 있음. 임금 또는 재상(宰相)이 무위(無爲)로 천하(天下)를 다스리는 뜻으로 쓰임.
[端揆 단규] 재상(宰相).
[端良 단량] 단정하고 선량함.
[端麗 단려] 품행(品行)이 단정하고 용모가 화려함.
[端末 단말] 끝. 말단(末端).
[端門 단문] ㉠대궐의 정문(正門). ㉡노(魯)나라의 성문(城門)의 이름.
[端敏 단민] 단아하고 민첩함.
[端方 단방] 단정(端正).
[端士 단사] 품행이 단정한 선비.
[端緖 단서] 실마리.
[端誠 단성] 마음이 바르고 성실함.
[端雅 단아] 단정하고 온아(溫雅)함.
[端崖·端涯 단애] 끝. 한계(限界).
[端陽 단양] 단오(端午).
[端言 단언] 바른말. 또, 바른말을 함.
[端嚴 단엄] ㉠바르고 엄격함. ㉡단정하고 엄숙함.
[端然 단연] 범절이 단정한 모양.
[端倪 단예] ㉠일의 시작과 끝. ㉡본말(本末)·시종(始終)을 미루어 앎.
[端五 단오] 단오(端午).
[端午 단오] ㉠그달의 초닷샛날의 범칭(汎稱). ㉡명일(名日)의 하나. 곧, 음력 5월 5일.
[端月 단월] 정월(正月)의 별칭(別稱).
[端衣 단의] 바른 예복(禮服).
[端人 단인] 품행이 단정한 사람. 마음이 바른 사람.
[端莊 단장] 단정하고 엄숙함.
[端的 단적] ㉠바름. 참됨. ㉡명백함. ㉢과연(果然).
[端漸 단점] 단서(端緖).
[端正 단정] 단아(端雅)하고 정대(正大)함.
[端貞 단정] 마음이 바르고 지조가 굳음.
[端靜 단정] 마음이 바르고 성품이 조용함.
[端整 단정] 단아하고 말쑥함.
[端坐 단좌] 단정히 앉음. 정좌(正坐)함.
[端重 단중] 단정하고 무게가 있음.
[端志 단지] 바른 뜻.
[端直 단직] 정직함.
[端平 단평] 바르고 공평함.
[端行 단행] ㉠바른 행위. ㉡바르게 걸음.
[端華 단화] 단정하고 아리따움.
[端厚 단후] 단정하고 온후함.
◉開端. 叩兩端. 君子避三端. 極端. 起端. 多端. 大端. 萬端. 末端. 無端. 發端. 百端. 鋒端. 四端. 事端. 上端. 序端. 先端. 舌端. 首鼠兩端. 審端. 兩端. 憂端. 委端. 異端. 履端. 一端. 爭端. 戰端. 持兩端. 尖端. 侈端. 他端. 平端. 筆端. 下端. 玄端. 毫端. 釁端.

9 ⑭ [竮] 〔병〕
竮(立部 十一畫〈p. 1651〉)의 俗字

[颯] 〔삽〕
風部 五畫(p. 2562)을 보라.

11 ⑯ [竸] 〔경〕
競(立部 十五畫〈p. 1652〉)과 同字

11 ⑯ [竱] ㊀ 전 ㊤銑 旨兗切 zhuǎn
㊁ 단 ㊦翰 都玩切 duàn

字解 ㊀ 가지런히할 전 여러 끝이 한 줄로 고르게 되게 함. '一本肇末'《國語》. ㊁ 가지런히할 단 ㊀과 뜻이 같음.

字源 篆文 形聲. 立+專〔音〕

11 ⑯ [竮] 병 ㊥青 普丁切 pīng

[字解] 비틀거릴 병 똑바로 가지 못함. '竮—, 行不正也'《集韻》.

12 ⑰ [𥪯] 〔작·책〕
竩(立部 八畫〈p. 1650〉)의 本字

12 ⑰ [竴] [人名] 준 [平]眞 七倫切 cūn

[字解] 기뻐하는모양 준 '—, 喜貌'《集韻》.

12 ⑰ [𥪰] [一] 요 [去]嘯 倪弔切 yào
[二] 교 [平]蕭 祁姚切 qiáo

[字解] [一] 높고험할 요 높고 험함. '竨—'. '—, 竨—, 高危也'《集韻》. [二] ①발돋움할 교 발돋움함. '—, 企也'《正字通》. ②기다릴 교 기다림. '—, 俟也'《正字通》.

12 ⑰ [翌] 수 [平]虞 相俞切 xū

[字解] 기다릴 수 서서 기다림. '—, 立而待也'《說文》.

[字源] 篆文 形聲. 立+須〔音〕. '須수'는 '기다리다'의 뜻. 서서 기다리다의 뜻을 나타냄.

13 ⑱ [羸] 라 [去]箇 魯過切 luò

[字解] ①시들 라 '—, 痿也'《說文》. ②약하게설 라 '竫—'는 약하게 서는 모양. '—, 竫—, 弱立皃'《類篇》.

[字源] 形聲. 立+羸〔音〕

14 ⑲ [竃] 〔동〕
童(立部 七畫〈p. 1649〉)의 籒文

15 ⑳ [竷] 감 ①[去]勘 苦濫切 kàn
②-⑥[上]感 苦感切 kǎn

[字解] ①북칠 감 '—, 擊鼓也'《集韻》. ②노래하며춤출 감 '—, 繇也. 舞也'《說文》. ③무곡(舞曲)이름 감 '—, 舞曲名'《廣韻》. ④화락(和樂)하고기뻐하는소리 감 '—, 和悅之響也'《玉篇》. ⑤북소리 감 '—, 鼓聲'《正字通》. ⑥악기(樂器)이름 감 '—, 樂器名. 漢武帝滅南粵, 祠太一后土, 令樂人侯暉, 依琴造—'《字彙補》.

[字源] 形聲. 夊+章+夅〔音〕

15 ⑳ [競] [中·人] 경 [去]敬 渠敬切 jìng 竞

[筆順] 立 音 产 竞 竞 竞 竞 競

[字解] ①다툴 경 경쟁함. 겨룸. '—馬'. '師—已甚'《左傳》. ②굳셀 경 강함. '心則不—'《左傳》. '秉心無—'《詩經》. ③쫓을 경 뒤쫓음. '不—不絿'《詩經》. ④나아갈 경 앞을 다투어 나아감. '天下皆—'《呂氏春秋》. ⑤높을 경 亢(亠部 二畫)과 통용. '—, 高也'《廣雅》. ⑥나란할 경 '衆皆—進以貪婪兮'《楚辭》. ⑦갑작스러울 경 급거(急遽)함. '使肥與有職—焉'《左傳》. ⑧성할 경 왕성함. '二惠—爽'《左傳》.

[字源] 甲骨文 金文 篆文 會意. 兩言+兩人. 두 사람이 마주 향해 빌다의 뜻에서 전(轉)하여, '경쟁하다, 겨루다'의 뜻을 나타냄.

[競驅 경구] 앞을 다투어 말을 몲.
[競技 경기] ㉠기술이 낫고 못함을 다툼. ㉡운동경기(運動競技).
[競渡 경도] 배를 저어 빨리 건너는 내기. 지금의 경조(競漕) 같은 것.
[競馬 경마] 말을 달리면서 빠르고 느린 것을 서로 다툼. 말을 달리는 내기.
[競賣 경매] ㉠한 물건을 여러 사람이 사게 될 때, 그중에서 값을 제일 높게 부른 사람에게 팖. ㉡압류한 물건을 입찰(入札)에 의해 공매(公賣)함.
[競病 경병] 양(梁)나라 경제(景帝)가 이 두 자의 운(韻)으로 시를 지은 고사에서 나온 말로, 어려운 운(韻)을 달아 시를 짓는 데 쓰는 말.
[競奔 경분] 남에게 뒤지지 않으려고 서로 앞을 다투어 달림.
[競爽 경상] 세력이 성하여 두각을 나타냄.
[競訟 경송] 앞을 다투어 소송함.
[競爭 경쟁] 서로 겨루어 다툼.
[競走 경주] 달음질로 승부(勝負)를 겨룸.
[競注 경주] 앞을 다투어 흘러 들어감.
[競津 경진] 경분(競奔)하는 길.
[競進 경진] 서로 다투어 앞으로 나아감.
[競逐 경축] 겨룸. 서로 다툼.
[競合 경합] 단일한 사실(事實)·요건(要件)에 대하여 평가 또는 평가의 효력이 중복(重複)되는 일. 특히, 형법에서 동일 행위가 몇 개의 죄명(罪名)에 해당하는 일.
[競合犯 경합범] 판결이 확정(確定)되지 않은 몇 개의 죄(罪) 또는 판결이 확정된 죄와 그 판결 확정 전에 범한 죄.
●誇競. 校競. 矜競. 南風不競. 無競. 浮競. 奔競. 紛競. 誼競. 爭競. 躁競. 進競. 趨競. 馳競.

16 ㉑ [𥫃] [一] 〔대〕竴(立部 八畫〈p. 1650〉)의 本字
[二] 〔돈〕惇(心部 八畫〈p. 791〉)의 古字

17 ㉒ [競] 競(前前條)의 俗字

竹 (6획) 部
〔대죽부〕

0 ⑥ [竹] [中·人] 죽 [入]屋 張六切 zhú

[筆順] ノ ㇐ 个 ⺮ 竹 竹

[字解] ①대 죽 벼과(科)에 속하는 상록 목본(常綠木本). 대나무. '松—'. '渭川千畝—'《史記》. ②피리 죽 대로 만든 관악기. 팔음(八音)의 하나. '絲—'. '播之以八音, 金·石·土·革·絲·木·匏·—'《周禮》. ③대쪽 죽 옛날에 종이가 없었을 때 글씨를 쓰던 대의 조각. 전(轉)하여, 책. 간책(簡策). '—簡'. '垂功名于—帛耳'《後漢書》. ④성 죽 성(姓)의 하나.

字源 篆文 象形. 대나무의 象形으로, '대'의 뜻을 나타냄.

參考 '竹죽'을 의부(意符)로 하여, 여러 가지 종류의 대나무나 죽제(竹製)의 용구(用具)에 관한 문자를 이룸. '符부' '箋전' '籍적' '簿부' 등 문서(文書)에 관계되는 글자에 대죽 머리가 붙는 것은, 옛날에 글자를 쓰는 데 대쪽, 곧 죽간(竹簡)을 썼던 데 연유함.

[竹竿 죽간] 대나무 장대.
[竹間 죽간] 대나무 사이.
[竹幹 죽간] 대로 만든 화살.
[竹簡 죽간] 옛날에 종이가 없었을 때 글씨를 쓰던 댓조각.

[竹簡]

[竹筧 죽견] 대로 만든 홈통.
[竹徑 죽경] 대숲 속의 오솔길.
[竹經松緯 죽경송위] 대나무와 소나무가 가로와 세로로 섞이어 남.
[竹笄 죽계] 대나무로 만든 비녀.
[竹溪六逸 죽계육일] 죽계(竹溪)의 주당(酒黨) 여섯 사람. 곧, 이백(李白)·공소보(孔巢父)·한준(韓準)·배정(裴政)·장숙명(張叔明)·도면(陶沔). 죽계는 후베이 성(湖北省) 죽계현(竹溪縣)에 있는 명승지(名勝地). 일(逸)은 은일(隱逸)의 뜻.
[竹箍 죽고] 대테.
[竹篙 죽고] 대 상앗대.
[竹工 죽공] 대나무 세공(細工). 또, 대나무 세공을 업으로 하는 사람.
[竹管 죽관] 붓대. 필축(筆軸).
[竹几 죽궤] 죽부인(竹夫人).
[竹菌 죽균] 죽아(竹牙).
[竹根 죽근] 대의 뿌리.
[竹器 죽기] 대로 만든 그릇.
[竹騎 죽기] 죽마(竹馬).
[竹奴 죽노] 죽부인(竹夫人).
[竹刀 죽도] 대로 만든 칼. 대갈.
[竹豆 죽두] 대로 엮어 만든 제기(祭器).
[竹頭木屑 죽두목설] 댓조각과 대팻밥. 쓸데없는 물건의 비유. 진(晉)나라의 도간(陶侃)이 이것을 버리지 아니하고 나중에 잘 이용한 고사(故事)가 있음.
[竹籃 죽람] 대바구니.
[竹瀝 죽력] 푸른 대쪽을 불에 구워서 받은 진액. 열담(熱痰)·번갈(煩渴) 등의 약재(藥材)로 쓰임.
[竹聯 죽련] 대로 만든 주련(柱聯).
[竹簾 죽렴] 대로 엮은 발. 대발.
[竹籠 죽롱] 대로 결어 만든 농(籠).
[竹籟 죽뢰] 대나무가 바람에 불려 울리는 소리. 전(轉)하여, 피리.
[竹龍 죽룡] 대를 엮은 뗏목.
[竹樓 죽루] 대로 지붕을 인 누각.
[竹裏 죽리] 대나무 숲 속.
[竹籬 죽리] 대 울타리.
[竹林 죽림] 대숲.
[竹林七賢 죽림칠현] 진(晉)나라 초기에 노장 허무(老莊虛無)의 학문을 숭상한 완적(阮籍)·혜강(嵇康)·산도(山濤)·향수(向秀)·유령(劉伶)·왕융(王戎)·완함(阮咸) 등 일곱 사람. 늘 죽림(竹林)에서 놀았으므로 이름.
[竹馬 죽마] 아이들이 장난할 때 두 다리로 걸터 타고 다니는 대막대기. 대말.
[竹馬舊友 죽마구우] 어릴 때부터 같이 놀던 친한 벗.
[竹馬之友 죽마지우] 죽마구우(竹馬舊友).
[竹萌 죽맹] 죽아(竹牙).
[竹篾 죽멸] 대나무 껍질. 죽피(竹皮).
[竹木 죽목] 대나무와 나무.
[竹米 죽미] 죽실(竹實).
[竹帛 죽백] 책. 옛적에 글씨를 대쪽이나 헝겊에 썼으므로 이름.
[竹柏 죽백] 송백과(松柏科)에 속하는 나무. 줄기가 대와 비슷한 상록 교목(常綠喬木).
[竹帛之功 죽백지공] 책에 기록하여 후세에 전할 만한 공.
[竹簠 죽보] 대나무로 만든 서직(黍稷)을 담는 제기(祭器).
[竹夫人 죽부인] 여름밤에 끼고 자면서 서늘한 기운을 취하는 데 쓰는 대오리로 만든 제구. 죽노(竹奴).
[竹扉 죽비] 대나무 사립짝.
[竹篦 죽비] ㉠《佛教》 불가(佛家)에서 사람을 때리는 데 쓰는 대나무 가지 비슷이 생긴 회초리. ㉡궁중(宮中)의 벌(罰).
[竹寺 죽사] 죽림(竹林) 속의 절.
[竹使符 죽사부] 대나무로 만든 부절(符節). 한대(漢代)에 군수(郡守)에게 수여하였음.
[竹書 죽서] 댓조각에 쓴 글.
[竹書紀年 죽서기년] 책 이름. 진(晉)나라 태강(太康) 2년에 급군(汲郡) 사람이 위(魏)나라 양왕(襄王)의 무덤을 도굴(盜掘)하여 고서(古書) 75편을 얻었는데, 그중에 이 책 13편이 있었다고 함. 지금 전하는 것은 2권으로서 심약(沈約)이 주(註)를 달았음. 수서(隋書)의 경적지(經籍志)에도 실려 있으나 송(宋)나라 이후 사람이 가탁(假託)한 위서(僞書)라고 함. 내용은 하(夏)나라로부터 위(魏)나라의 안리왕(安釐王) 20년에 이르기까지의 일을 기재하였음.
[竹席 죽석] 대를 결어 만든 자리.
[竹素 죽소] 죽백(竹帛). 소(素)는 견(絹).
[竹梳 죽소] 대빗.
[竹蕭 죽소] 대나무와 맑은대쑥.
[竹小春 죽소춘] 음력(陰曆) 8월의 별칭(別稱).
[竹樹 죽수] 대나무와 나무. 죽목(竹木).
[竹筍 죽순] 대의 어리고 연한 싹. 식용함. 순(筍). 죽아(竹牙). 죽태(竹胎).
[竹實 죽실] 대나무 열매의 씨. 강장제(強壯劑)로 씀.
[竹牙 죽아] '죽순(竹筍)'의 별칭(別稱).
[竹輿 죽여] 대로 만든 가마.
[竹葉 죽엽] ㉠댓잎. ㉡술의 이칭(異稱). ㉢관(冠) 이름.
[竹屋 죽옥] 대로 인 지붕.
[竹外一枝 죽외일지] 대나무 숲 밖에 나와 있는 매화나무의 한 가지.
[竹院 죽원] 주위에 대나무를 심은 집, 또는 서원(書院).
[竹園 죽원] ㉠대나무를 심은 동산. 대숲. ㉡한(漢)나라의 효문제(孝文帝)의 아들 양(梁)의 효왕(孝王)이 동산에 대를 많이 심은 고사(故事)에서 전(轉)하여, 황족(皇族)의 일컬음.
[竹陰 죽음] 대나무의 그늘.
[竹杖 죽장] 대지팡이.

[竹杖芒鞋 죽장망혜] 대지팡이와 짚신.
[竹齋 죽재] 죽림(竹林) 안의 서재.
[竹筯 죽저] 대젓가락.
[竹田 죽전] ㉠대나무 밭. ㉡대나무 숲. 죽림(竹林).
[竹節 죽절] 대나무의 마디.
[竹釘 죽정] 대못.
[竹蟶 죽정] 죽합(竹蛤).
[竹枝 죽지] 가사(歌詞)의 한 체(體). 남녀의 정사(情事), 또는 지방의 풍속을 읊은 노래. 당(唐)나라의 유몽득(劉夢得)이 창작함.
[竹枝詞 죽지사] 죽지(竹枝).
[竹窓 죽창] 창살을 대로 만든 창.
[竹槍 죽창] 대나무로 만든 창(槍).
[竹冊 죽책] ㉠댓조각에 적은 글. 글을 쓴 댓조각. ㉡《韓》 조선(朝鮮) 때 세자비(世子妃)의 책봉문(冊封文)을 새긴 간책(簡冊). 댓조각 여러 개를 한데 꿰매었음.
[竹柵 죽책] 대나무 말뚝을 박은 울타리.
[竹牒 죽첩] 대에 적은 글.
[竹抄 죽초] 대나무의 끝.
[竹叢 죽총] 대나무 숲. 죽림(竹林).
[竹秋 죽추] 음력 3월의 별칭(別稱).
[竹醉日 죽취일] ㉠대를 심으면 잘 번식한다고 이르는 음력 5월 13일을 이름. ㉡대를 심으면 잘 산다는 음력 8월 8일을 이름.
[竹籜 죽탁] 대나무 껍질. 죽피(竹皮).
[竹胎 죽태] '죽순(竹筍)'의 별칭.
[竹筒 죽통] 대나무로 만든 통(筒).
[竹牌 죽패] 화살을 막기 위하여 대나무를 여러 개 묶어 만든 방패.
[竹布 죽포] 아마(亞麻)의 섬유로 짠 얇은 직물. 리넨.
[竹苞松茂 죽포송무] 신축(新築)한 가옥의 토대의 견고하기가 총생(叢生)한 대나무 같고 상부의 치밀한 것이 무성한 소나무 같다는 뜻으로, 낙성식(落成式)의 송사(頌詞)로 쓰임.
[竹皮 죽피] 대나무 껍질.
[竹檻 죽함] 대난간. 죽란(竹欄).
[竹蛤 죽합] 죽합과(科)에 속하는 조개. 껍데기가 대쪽 같고 거죽은 황청색, 속은 담황색임. 연해(沿海)에서 남. 긴맛. 마도패(馬刀貝).
[竹筴魚 죽협어] 바닷물고기의 하나. 전갱이.
[竹刑 죽형] 형벌에 관한 책. 형서(刑書). 정(鄭)나라의 등석(鄧析)이 군명(君命)을 받지 않고 사사로이 형법을 만들어 죽간(竹簡)에 적어 둔 일에서 나온 말.
◉江南竹. 巨竹. 孤竹. 苦竹. 淇園千畝竹. 羅宇竹. 南山竹. 綠竹. 嫩竹. 淡竹. 孟宗竹. 綿竹. 茂竹. 墨竹. 斑竹. 比竹. 絲竹. 湘竹. 石竹. 成竹. 洗竹. 孫竹. 修竹. 新竹. 椽竹. 王竹. 雄竹. 銀竹. 子母竹. 慈竹. 箭竹. 櫻竹. 眞竹. 青竹. 叢竹. 翠竹. 破竹. 匏竹. 爆竹. 風竹. 篁竹. 胸中有成竹.

2 ⑧ [竺] [人名] [一] 축 [入]屋 張六切 zhú [二] 독 [入]沃 冬毒切 dǔ

[字解] [一] ①대나무 축 '一, 竹也'《廣雅》. ②나라 이름 축 '天一'은 지금의 인도. '天一國一名身毒國'《後漢書》. ③성 축 성(姓)의 하나. [二] 두터울 독 篤(竹部 十畫)과 同字. '帝何一之'《楚辭》.
[字源] 篆文 形聲. 二+竹〔音〕. '二이'는 겹쳐져 두터워지다의 뜻. '竹죽'은 '篤독'과 통하여, '두텁다'의 뜻을 나타냄. '篤'의 原字. 假借하여, '천축(天竺)'의 뜻으로 씀.

[竺乾 축건] 천축(天竺)의 별칭(別稱). 인도(印度).
[竺乾公 축건공] 부처, 곧 불(佛)의 별칭(別稱).
[竺經 축경] 불경(佛經)의 별칭.
[竺國 축국] 인도(印度)의 별칭.
[竺學 축학] 불교(佛敎)의 학문(學問).
◉天竺.

2 ⑧ [竻] [一] 륵 [入]職 盧則切 lè [二] 근 [平]文 擧欣切 jīn

[字解] [一] 대뿌리 륵 대의 뿌리. [二] 힘줄 근 筋(竹部 六畫)의 古字. '筋, 說文, 肉之力也. 古作一'《集韻》.

3 ⑨ [竽] 우 [平]虞 羽俱切 yú

[字解] ①피리 우 생황(笙簧) 비슷한 관악기. 옛날에는 서른여섯의 가는 대나무 관(管)으로 되었었으나, 후세에는 열아홉 개로 되었음. '掌敎歈一笙'《周禮》. ②두목 우 도적의 우두머리. '盜一'.
[字源] 篆文 形聲. 竹+于(亏)〔音〕. '亏우'는 날숨의 완만하게 구부러지는 모양을 본뜸. 피리의 일종을 나타냄.

[竽①]

[竽籟 우뢰] 피리.
[竽笙 우생] 피리.
[竽瑟 우슬] 피리와 거문고.
[竽籥 우약] 피리.
◉濫竽. 盜竽.

3 ⑨ [竾] 지 [平]支 陳知切 chí

[字解] 저 지 篪(竹部 十畫)와 同字. '仲夏之月, 調竽笙一簧'《禮記》.
[字源] 形聲. 竹+也〔音〕

3 ⑨ [笀] 망 [平]陽 謨郎切 máng

[字解] 까끄라기 망 벼·보리 따위의 겉껍질에 붙은 까끄라기.

3 ⑨ [竿] 〔축·독〕
竺(竹部 二畫〈p. 1654〉)의 俗字

3 ⑨ [笸] 기 [上]紙 口己切 qǐ

[字解] 대자리 기 얇게 쪼갠 대를 결어 만든 자리. '一, 簟也'《集韻》.

3 ⑨ [竿] [人名] 간 ①[平]寒 古寒切 gān ②[去]翰 居案切 gàn ③[上]旱 古旱切 gǎn

[筆順] ノ ⺈ ⺮ 竹 竹 竺 竺 竿

[字解] ①장대 간 대나무의 장대. 죽정(竹梃). '釣一'. '籊籊竹一'《詩經》. ②횃대 간 옷걸이.

'衣―'. '―, 衣架'《集韻》. ③화살대 간 '嚴秋筋―勁'《鮑照》.
[字源] 篆文 形聲. 竹+干〔音〕. '干간'은 '靬간'과 통하여, '깃대'의 뜻. '대 장대'의 뜻을 나타냄.

[竿牘 간독] 편지. 서한(書翰).
[竿頭 간두] 장대 끝. 간초(竿杪).
[竿摩車 간마차] 꾸밈새가 천자(天子)의 수레와 비슷한 수레.
[竿尺 간척] 토지의 측량에 쓰는 장대.
[竿杪 간초] 장대 끝.
●旗竿. 度竿. 帆竿. 相風竿. 修竿. 緣竿. 日上三竿. 檣竿. 鮎魚上竿. 旌竿. 釣竿. 竹竿. 叉竿. 麾竿.

3 ⑨ [笂] 봉 [平]東 蒲蒙切 péng
[字解] 뜸 봉 대오리를 엮어 선박(船舶)을 덮는 데 쓰이는 거적.

3 ⑨ [䇓] 자 [上]紙 祖似切 zǐ
[字解] ①피리 자 피리. '―, 笙也'《篇海》. ②竽(竹部 三畫)의 訛字.

4 ⑩ [笆] 파 ①[上]馬 傍下切 bā ②[平]麻 伯加切
[字解] ①가시대 파 가시가 있는 대나무. '―竹筍味, 落人鬚髮'《竹譜》. ②대바자 파 가시 대로 엮은 바자. '溪中士女出―籬'《劉禹錫》.
[字源] 形聲. 竹+巴〔音〕

[笆籬 파리] 대 바자. 대나무 산울타리.

4 ⑩ [笇] 산 [去]翰 蘇貫切 suàn
[字解] ①셀 산 算(竹部 八畫)과 同字. '上方與鼂錯, 調兵―軍食'《史記》. ②대기구 산 죽제(竹製)의 기구(器具). '―, 竹器'《集韻》. ③성 산 성(姓)의 하나.
[字源] 會意. 竹+卞

4 ⑩ [笈] 급 [入]緝 其立切 jí
[字解] ①책상자 급 짊어지고 다니는 책 상자. '負―從師'《史記》. ②길마 급 짐을 싣기 위해 당나귀 등에 얹는 것. '―, 云云. 驢上負也'《正字通》.
[字源] 形聲. 竹+及〔音〕. '及급'은 사람의 등에 손을 댄 모양을 본뜸. 사람의 등에 손을 얹은 것처럼 짊어지는 '책 상자'의 뜻을 나타냄.

[笈①]

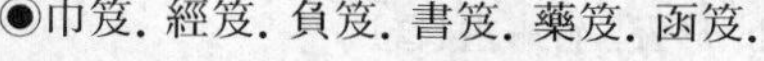

●巾笈. 經笈. 負笈. 書笈. 藥笈. 函笈.

4 ⑩ [笊] 조 [去]效 側敎切 zhào [上]巧 側絞切
[字解] ①조리 조 쌀 같은 것을 이는 데 쓰는 제구. 대오리로 결어서 만들었음. '金銀爲箩筐―籬'《唐書》. ②둥지 조 새가 깃들이는 구멍. '鳥居穴曰―'《集韻》.
[字源] 形聲. 竹+爪〔音〕. '爪조'는 아래를 향한 손의 象形. 손을 엎어 놓은 것처럼 두는 소쿠리의 뜻을 나타냄.

[笊籬 조리] 쌀 같은 것을 이는 데 쓰는 제구. 대오리를 결어서 만들었음.

4 ⑩ [笋] 순 [上]軫 思尹切 sǔn
[字解] 대순 순 筍(竹部 六畫)과 同字. 죽아(竹牙). '竹――錢幾莖'《朝野僉載》.

[笋籜 순탁] 죽순 껍질.
[笋皮 순피] 순탁(笋籜).
●竹笋. 地笋.

4 ⑩ [笏] [人名] [一] 홀 [入]月 呼骨切 hù [二] 문 [上]吻 武粉切 wěn
[字解] [一] 홀 홀 천자(天子) 이하 공경 사대부(公卿士大夫)가 조복(朝服)을 입었을 때 띠에 끼고 다니는 것. 군명(君命)을 받았을 때는 이것에 기록해 둠. 옥(玉)·상아(象牙)·대나무 등으로 만들었음. '簪―'. '受命于君前, 則書于―'《禮記》. [二] 피리가락맞출 문 피리 구멍에 손가락을 대었다 뗐다 하여 가락을 맞춤. '箟―'은 피리 구멍을 손가락으로 막았다 떼었다 하는 모양. '箟―, 手循笛皃'《集韻》.

[笏一]

[字源] 篆文 形聲. 竹+勿〔音〕. '勿물'은 '忽홀'과 통하여, '깜박 잊다'의 뜻. 군명(君命)을 잊지 않도록 적어 두는 대쪽의 뜻을 나타냄.

[笏擊 홀격] 홀(笏)로 때림. 당(唐)나라의 단수실(段秀實)이 홀로 적신(賊臣) 주자(朱泚)의 면상을 친 일.
●擊賊笏. 帶笏. 紳笏. 簪笏. 投笏.

4 ⑩ [笑] [中人] 소 [去]嘯 私妙切 xiào
[筆順] ⺈ ⺮ 竹 竹 竺 竿 笑
[字解] ①웃을 소 ㉠기뻐서 웃음. 기뻐함. '含―'. '樂然後―'《論語》. ㉡비웃음. '以五十步―百步'《孟子》. '顧我則―'《詩經》. ㉢미소 지음. '夫子莞爾而―'《論語》. ㉣꽃이 핌. '花―鳥歌'. '夭桃惟是―'《李商隱》. ②웃음 소 전항(前項)의 명사. '爲猨獺之―'《韓愈》.
[字源] 篆文 篆文 象形. 머리가 긴 젊은 무당의 象形으로, '웃다'의 뜻을 나타냄. '竹죽'의 부분은 긴 머리털의 象形이 점차 변형(變形)한 것임.

[笑歌 소가] 웃으며 노래함.
[笑噱 소갹] 껄껄 웃음.
[笑納 소납] 《韓》 보잘것없는 물건이니 웃으며 받아 달라는 말. 편지에 씀. 소류(笑留).

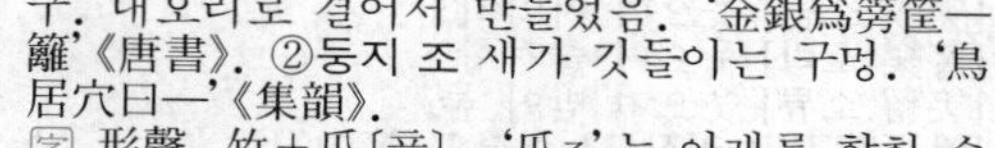

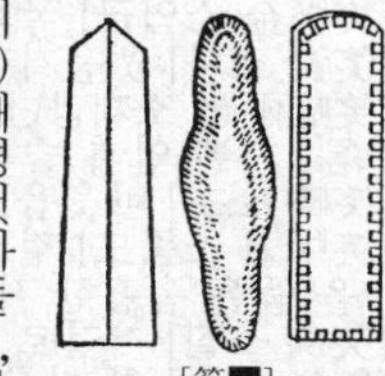

[笑談 소담] 웃으며 이야기함.
[笑樂 소락] 웃으며 즐겨함.
[笑留 소류] 웃으며 받아 둠.
[笑裏藏刀 소리장도] 소중도(笑中刀).
[笑林 소림] 웃음거리를 모은 책.
[笑罵 소매] 비웃으며 꾸짖음.
[笑面虎 소면호] 겉으로는 웃는 낯으로 대하여 상냥한 것 같으나 마음은 엉큼한 사람.
[笑侮 소모] 웃으며 깔봄.
[笑貌 소모] 웃는 모습. 웃는 낯.
[笑抃 소변] 기뻐서 웃으며 손뼉을 침.
[笑柄 소병] 웃음거리.
[笑殺 소살] 대단히 웃음. 살(殺)은 조자(助字).
[笑聲 소성] 웃음소리.
[笑哂 소신] 웃음.
[笑啞 소아] 웃는 소리.
[笑顏 소안] 웃는 얼굴. 웃는 낯.
[笑頷 소암] 웃으며 끄덕임.
[笑語 소어] 소담(笑談).
[笑言 소언] 소담(笑談).
[笑靨 소엽] 보조개.
[笑靨金 소엽금] 국화, 곧 국(菊)의 별칭(別稱).
[笑資 소자] 웃음거리. 소병(笑柄).
[笑啼兩難 소제양난] 웃어야 할지 울어야 할지 모름. 기쁜 일과 슬픈 일이 함께 닥치는 일.
[笑嘲 소조] 비웃음.
[笑中刀 소중도] 겉으로는 웃지만, 마음속에는 칼을 품은 음흉한 사람을 이름.
[笑疾 소질] 저절로 웃음이 나오는 병.
[笑粲 소찬] 흰 이를 드러내고 웃음.
[笑嗤 소치] 소조(笑嘲).
[笑脫頤 소탈이] 턱이 빠지도록 대소(大笑)함.
[笑呀 소하] 입을 벌리고 웃음.
[笑謔 소학] 웃으며 농지거리함.
[笑閧 소홍] '와' 하고 웃음.
[笑花 소화] 활짝 핀 꽃.
[笑話 소화] 우스운 이야기. 웃음거리.
◉呵呵大笑. 可笑. 開口笑. 乾笑. 輕笑. 苦笑. 愧笑. 轟笑. 巧笑. 嬌笑. 冷笑. 談笑. 大笑. 帶笑. 妄笑. 明主愛一嚬一笑. 侮笑. 目笑. 微笑. 俳笑. 非笑. 鄙笑. 誹笑. 姍笑. 世笑. 哂笑. 矧笑. 失笑. 言笑. 燕笑. 拈笑. 靨笑. 優笑. 齲笑. 爲鬼所笑. 戮笑. 匿笑. 一笑. 竊笑. 調笑. 嘲笑. 天笑. 嗤笑. 褒姒一笑. 含笑. 咍笑. 孩笑. 海笑. 解笑. 脅肩諂笑. 虎溪三笑. 哄笑. 譁笑. 歡笑. 詼笑. 嬉笑. 嘻笑.

4 ⑩ [笐] ㊀ 강 (平)陽 古郎切 gáng
㊁ 항 (去)絳 胡降切 hàng

[字解] ㊀ ①대늘어설 강 대나무가 줄지어 늘어섬. '一, 竹列也'《說文》. ②줄걸 강 현(絃)을 겲. '一, 一曰, 絃加竹, 謂之一'《集韻》. ③대나무 강 '一, 一曰竹名'《集韻》. ㊁ 횃대 항 옷 거는 나무. '一, 挂衣架也'《集韻》.
[字源] [篆文] 形聲. 竹+亢〔音〕. '亢항'은 똑바로 서다의 뜻. 대나무가 똑바로 나란히 서 있다의 뜻을 나타냄.

4 ⑩ [笶] 검 ①(上)琰 丘檢切 qiǎn
②(去)豔 去劍切 qiàn

[字解] ①조릿대 검 조릿대. 작은 대나무. '一, 小竹'《集韻》. ②대이름 검 대 이름. '一, 竹名'《集韻》.

4 ⑩ [笓] ㊀ 비 ①(平)齊 部迷切 pí
②(去)寘 毗至切 bì
㊁ 필 (入)質 簿必切

[字解] ㊀ ①통발 비 죽제(竹製)의 새우잡이 기구. '篳筌謂之一'《廣雅》. ②참빗 비 枇(木部 四畫)와 同字. '一, 櫛屬'《廣雅》. ㊁ 버금 필 '一, 次也'《集韻》.
[字源] 形聲. 竹+比〔音〕. '比비'는 '늘어서다'의 뜻. 대나무를 늘어세운 어구(漁具)의 뜻을 나타냄.

4 ⑩ [笆] 둔 (上)阮 徒損切 dùn

[字解] ①멱둥구미 둔 곡식을 담는 대그릇. '一, 謂之篅'《廣雅》. ②저 둔 가로 부는 피리의 일종. '一, 一曰, 篪也'《廣韻》.
[字源] [篆文] 形聲. 竹+屯〔音〕. '屯둔'은 '모이다'의 뜻. 무엇을 모아 담는 대그릇의 뜻을 나타냄.

4 ⑩ [笌] 아 (平)麻 牛加切 yá

[字解] 대순 아 죽순(竹筍). '一, 筍也'《集韻》.

4 ⑩ [笒] ㊀ 금 (去)沁 巨禁切 jìn
㊁ 함 (平)覃 胡南切 hán
㊂ 잠 (平)侵 鋤簪切 cén

[字解] ㊀ 점대 금 점을 치는 데 쓰이는 대오리. '一, 竹籤也'《集韻》. ㊁ 속찬대 함 속이 비어 있지 않은 대나무의 일종. ㊂ 대이름 잠 대나무의 일종. '一, 竹名'《集韻》.

4 ⑩ [笍] ㊀ 체 (去)霽 陟衛切 zhuì
㊁ 녈 (入)屑 女劣切
㊂ 예 (去)霽 而銳切 ruì

[字解] ㊀ ①채찍 체 끝에 침(鍼)이 있어, 양차(羊車)를 끄는 송아지의 궁둥이를 찔러 달리게 하는 것. '一, 羊車騶箠也'《說文》. ②작은수레에쓰는기구 체 '一, 小車具也'《廣韻》. ㊁ 채찍 녈, 작은수레에쓰는기구 녈 ㊀과 뜻이 같음. ㊂ 대나무이름 예 '一, 竹名'《廣韻》.
[字源] 形聲. 竹+內〔音〕

4 ⑩ [笔] 〔필〕筆(竹部 六畫〈p. 1660〉)과 同字·簡體字

4 ⑩ [笄] 〔계〕 筓(竹部 六畫〈p. 1664〉)의 俗字

4 ⑩ [笅] 〔교〕 筊(竹部 六畫〈p. 1662〉)와 同字

5 ⑪ [笘] 점 (平)鹽 詩廉切 shān

[字解] ①나뭇조각 점 중국 영천(潁川) 지방에서 어린애가 글씨를 배울 때 쓰던 대나무 조각. '小兒所書寫爲一'《說文》. ②회초리 점 대를 꺾어 만든 매. '一, 折竹箠'《說文》.
[字源] [篆文] 形聲. 竹+占〔音〕

5 ⑪ [笙] [人名] 생 (平)庚 所庚切 shēng

[字解] ①생황(笙簧) 생 관악기(管樂器)의 한 가지. 열아홉 개 또는 열세 개의 가는 대나무 관(管)으로 만듦. '一簧'. '一磬同音'《詩經》. ②대자리 생 대오리로 엮어 만든 자리. '桃一象簟'《左思》.

[笙①]

[字源] [篆文] 形聲. 竹+生〔音〕. '生생'은 '나다'의 뜻. 죽관(竹管)이 가지런히 나 있는 모양으로 열세 개의 관(管)이 있는 피리의 뜻.

[笙歌 생가] 생황(笙簧)과 노래.
[笙磬同音 생경동음] 여러 악기의 소리가 잘 어울린다는 뜻으로, 서로 협조함의 비유.
[笙鼓 생고] 생황과 북.
[笙管 생관] 생황.
[笙簫 생소] 생황과 퉁소.
[笙籥 생약] 생황과 피리.
[笙鏞 생용] 생황과 큰 종.
[笙簧 생황] 아악에 쓰는 관악기의 하나.

5 ⑪ [笏] 건 ①[去]願 渠建切 jiàn ②[平]元 居言切

[字解] ①힘줄뿌리 건 '一, 筋之本也'《說文》. ②힘줄끝살 건, 큰힘줄 건 '腱, 博雅, 膂. 腱肉也. 一曰, 筋之大者. 或作一'《集韻》.
[字源] 形聲. 筋〈省〉+夗〈省〉〔音〕

5 ⑪ [笛] [人名] 적 [入]錫 徒歷切 dí

[筆順] ⺈ ⺮ 竹 竹 笜 笛 笛 笛

[字解] 피리 적 구멍이 일곱 있고 길이가 한 자 네 치 되는 관악기. '玉一'. '蘄州一竹天下知'《韓愈》. 전(轉)하여, 널리 부는 기구의 일컬음. '汽一'.
[字源] [篆文] 形聲. 竹+由〔音〕. '由유'는 속이 깊은 구멍의 뜻. 깊은 구멍에서 소리가 나는 죽제(竹製)의 피리의 뜻을 나타냄.

[笛工 적공] 피리 만드는 장인(匠人). 또, 피리를 잘 부는 사람.
[笛伶 적령] 피리를 부는 악인(樂人).
[笛聲 적성] 피리를 부는 소리.
[笛吹 적취] 피리를 붊.
◉笳笛. 警笛. 鼓笛. 汽笛. 朗笛. 蘆笛. 短笛. 魔笛. 晩笛. 鳴笛. 牧笛. 山陽聞笛. 塞笛. 簫笛. 十字街頭吹笛. 雅笛. 哀笛. 夜笛. 漁笛. 玉笛. 腰笛. 怨笛. 隣笛. 長笛. 鐵笛. 淸笛. 樵笛. 村笛. 寒笛. 胡笛. 橫笛.

5 ⑪ [笞] [人名] 태 [平]支 丑之切 chī

[字解] ①매질할 태, 볼기칠 태 '一撻'. '一擊問之'《史記》. ②태형 태 죽편(竹鞭)으로 죄인의 볼기를 치는 형벌. 오형(五刑)의 하나. '一者所以敎之也'《漢書》.
[字源] [篆文] 形聲. 竹+台〔音〕

[笞擊 태격] 매질함.
[笞靳 태근] 태욕(笞辱). 근(靳)은 욕(辱).
[笞撻 태달] 태격(笞擊).
[笞掠 태략] 매질하여 심문함.
[笞罵 태매] 매질하여 꾸짖음.
[笞搒 태방] 매질함.
[笞罰 태벌] 태형(笞刑).
[笞服 태복] 매질하여 복죄(服罪)케 함.
[笞殺 태살] 매질하여 죽임.
[笞辱 태욕] 매질하여 욕보임.
[笞杖 태장] ㉠매. ㉡태죄(笞罪)와 장죄(杖罪).
[笞罪 태죄] 태형(笞刑)에 해당하는 죄.
[笞責 태책] 매질하여 책망함.
[笞棰 태추] ㉠매질함. ㉡징벌(懲罰)함.
[笞刑 태형] 오형(五刑)의 하나. 회초리로 볼기를 치는 형벌.
[笞詬 태후] 태욕(笞辱).
◉撻笞. 搒笞. 掠笞. 棰笞. 鞭笞.

5 ⑪ [笟] 고 [平]虞 攻乎切 gū

[字解] 테 고 그릇이 어그러지지 못하게 둘러 메우는 줄.
[字源] 形聲. 竹+瓜〔音〕

5 ⑪ [笠] [人名] 립 [入]緝 力入切 lì

[筆順] ⺈ ⺮ 竹 竹 竺 竺 笠 笠

[字解] 삿갓 립 비나 볕을 가리기 위하여 쓰는 대오리 따위로 만든 갓. '一子'. '何蓑何一'《詩經》.
[字源] [篆文] 形聲. 竹+立〔音〕. '立립'은 '서다'의 뜻. 안정(安定)되어 있어, 놓으면 그대로 서는 '삿갓'의 뜻을 나타냄.

[笠帽 입모] 《韓》 갓 위에 덮어쓰는 우구(雨具). 갈모.
[笠房 입방] 갓방.
[笠上頂笠 입상정립] 삿갓 위에 삿갓을 씀. 소용없는 사물의 비유.
[笠纓 입영] 갓끈.
[笠子 입자] 삿갓. 자(子)는 조자(助字).
[笠簷 입첨] 갓양태.
[笠澤 입택] 장쑤 성(江蘇省)에 있는 호수(湖水).
[笠標 입표] 옛날에, 전장(戰場)에서 적(敵)과의 구별을 위해 투구 따위에 붙인 표지(標識).
◉蓋笠. 臺笠. 蓬笠. 蓑笠. 篛笠. 耘笠. 圓笠. 氈笠. 釣笠. 行笠.

5 ⑪ [笢] 민 [上]軫 武盡切 mǐn [平]眞 武巾切

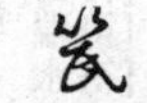

[字解] ①대껍질 민 대의 푸른 껍질. '一, 竹膚也'《說文》. ②솔 민 말의 갈기를 윤나게 하는 솔. '今之澤髮騣刷曰一'《正字通》. ③가락맞출 민 '一笏'은 손가락으로 피리의 구멍을 눌러 가락을 맞추는 모양. '一笏抑隱'《馬融》.
[字源] [篆文] 形聲. 竹+民〔音〕

5 ⑪ [笤] 소 [平]蕭 田聊切 tiáo

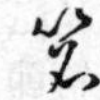

[字解] 비 소 쓰레기를 쓸어 내는, 대로 만든 제구. '一, 一箒'《篇海》.

5 ⑪ [笥] 사 [去]寘 相吏切 sì
[平]支 新兹切

[字解] 상자 사 옷·책·밥 같은 것을 담는 네모진 상자. '衣一'. '五經一'. '衣裳在一'《書經》.

[笥]

[字源] 篆文 形聲. 竹+司[音]. 의식(衣食)을 넣어 두는 네모진 그릇의 뜻. '司사'는 질서(秩序)를 잡다의 뜻이 있어, 의류(衣類)를 정리해 두기 위한 죽제(竹製)의 상자의 뜻으로도 생각됨.

[笥金 사금] 상자에 넣은 금(金).
◉經笥. 經史笥. 簞笥. 壁笥. 腹笥. 藥笥. 五經笥. 衣笥. 竹笥. 革笥. 篋笥.

5 ⑪ [符] [高入] 부 [平]虞 防無切 fú

[筆順] ⺊ ⺮ 竹 竹 符 符 符 符

[字解] ①부신 부 부절(符節). '割一'. '銅虎一'. '剖一錫壤而光祖考'《王褒》. ②증거 부 징험. '一驗'. '懸琴於城門, 以爲寡人一'《說苑》. ③도장 부 인장. '奉其一璽'《史記》. ④상서 부 상서로운 조짐. 길조. '祥一'. '天一'. '萬物之一長'《禮記 註》. ⑤부적 부 신불(神佛)이 가호(加護)한다는 호부(護符). '神一'. '護一'. '西王母以一授之'《帝王世紀》. ⑥미래기(未來記) 부 예언서. '一讖'. '自關中奉赤伏一'《後漢書》. ⑦맞을 부 부신(符信)의 조각을 서로 맞춘 것처럼 꼭 들어맞음. '一合'. '豈非道之所一, 而自然之驗耶'《史記》. ⑧본보기 부 예(例). '天一同也'《呂氏春秋》. ⑨성 부 성(姓)의 하나.

[字源] 篆文 形聲. 竹+付[音]. '付부'는 한데 모으다의 뜻. 양쪽 조각을 맞춤으로써 증거로 삼는 죽제(竹製)의 부절(符節)의 뜻.

[符甲 부갑] 씨를 싼 겉껍질.
[符契 부계] 부신(符信).
[符同 부동] 부합(符合).
[符籙 부록] 미래기(未來記).
[符命 부명] ㉠하늘이 제왕이 될 사람에게 주는 표. ㉡천자가 제후를 봉할 때 주는 규옥(圭玉). ㉢천자의 칙명(勅命). ㉣미래기(未來記)의 예언. ㉤기도(祈禱)하는 데 쓰는 부적(符籍).
[符祥 부상] 상서로운 징조. 상서(祥瑞).
[符璽 부새] ㉠천자의 도장. ㉡널리 도장의 뜻으로 씀.
[符書 부서] 부록(符籙).
[符瑞 부서] 부상(符祥).
[符水 부수] 부적(符籍)과 정화수(井華水).
[符信 부신] 목편(木片) 또는 죽편(竹片)에 글을 쓰고 증인(證印)을 찍은 후에 두 쪽으로 쪼개어, 한 조각은 상대자에게 주고 다른 한 조각은 자기가 보관하였다가 후일(後日)에 서로 맞추어 증거(證據)로 삼는 것.

[符信]

[符應 부응] 하늘에서 부명(符命)이 내린 데 대한 반응(反應).
[符節 부절] 부신(符信).
[符徵 부징] 부험(符驗).
[符讖 부참] 부록(符籙).
[符牒 부첩] 증거가 되는 서류.
[符合 부합] 부신(符信)이 서로 꼭 들어맞는 것같이 조금도 틀림없이 꼭 들어맞음.
[符驗 부험] 징험(徵驗).
[符號 부호] ㉠부첩(符牒). ㉡기호(記號).
[符效 부효] 부험(符驗).
◉乾符. 蠲符. 道德符. 桃符. 同符. 門符. 辟邪符. 辟火符. 寶符. 祥符. 璽符. 神符. 愼是護身符. 握符. 諦癡符. 伍符. 元符. 陰符. 將符. 地符. 鎭宅符. 天符. 虎符. 護符.

5 ⑪ [笨] 분 [上]阮 蒲本切 bèn

[字解] ①거칠 분 조잡함. '粗一'. '一車'. '豫章太守史疇, 以人肥大, 時人目爲一伯'《晉書》. ②대속껍질 분 댓속의 박피(薄皮). '一, 竹裏也'《說文》.

[字源] 篆文 形聲. 竹+本[音]. '本본'은 '菲비'와 통하여, '얇다'의 뜻. 댓줄기 속의 희고 얇은 껍질의 뜻을 나타냄. 파생(派生)하여, '貧빈'과 통하여, 가난하다, 조잡하다, 변변치 않다의 뜻도 나타냄.

[笨伯 분백] 키가 크고 비대한 사람.
[笨俗 분속] 거칠고 속기(俗氣)가 있음.
[笨拙 분졸] 거칠고 서투름.
[笨車 분차] 거칠게 만든 수레.
◉粗笨.

5 ⑪ [笫] [一] 자 [上]紙 阻史切 zǐ
[二] 진 [上]軫 阻引切 zhěn

[字解] [一] ①평상 자 '牀, 陳楚之間, 謂之一'《揚子方言》. ②대자리 자 대를 엮어 만든 자리 또는 마루. '簀謂之一'《爾雅》. [二] 대자리 진 [一]❷와 뜻이 같음.

[字源] 篆文 形聲. 竹+𠂔[音]. '𠂔자'는 위에 깔다의 뜻. 대를 마루처럼 깐 대자리의 뜻을 나타냄.

◉牀笫.

5 ⑪ [第] [中人] 제 [去]霽 特計切 dì

[筆順] ⺊ ⺮ 竹 竺 笃 笃 第 第

[字解] ①집 제 주택. 저택. '一宅'. '一舍'. '爲列侯食邑者, 賜大一室'《漢書》. ②차례 제 순서. 또, 순서·등급을 표시하는 말. '次一' '治平爲天下一一'《漢書》. ③순서정할 제 등차(等差)를 매김. '品而一之'《晉書》. ④과거 제 관리의 등용 시험. '科一'. '登一'. '祗考及一科目人'《舊唐書》. 전(轉)하여, 널리 모든 시험에 쓰임. '及一'. '落一'. ⑤급제할 제 시험에 합격함. '屢擧不一'《羅隱》. ⑥다만 제 단지. '陛下一出僞游雲夢'《史記》. ⑦성 제 성(姓)의 하나.

[字源] 篆文 形聲. 竹+弟〈省〉[音]. '弟제'는 순서(順序)의 뜻. 차례로 연결한 죽간(竹簡)의 뜻에서, 일반적으로 '순서'의 뜻을 나타냄.

[第館 제관] 저택(邸宅).
[第觀 제관] 저택과 누각(樓閣).
[第內 제내] 저택 안.

[第門 제문] 저택의 문. 저문(邸門).
[第舍 제사] 저택. 제택(第宅).
[第四階級 제사계급] 무산 계급(無產階級). 노동계급. 프롤레타리아.
[第三階級 제삼계급] 자본가 계급.
[第三國 제삼국] 당사국(當事國) 이외의 나라.
[第三人稱 제삼인칭] 대화자(對話者) 이외의 사람의 이름을 대신하여 쓰는 대명사(代名詞).
[第三者 제삼자] 당사자(當事者) 이외의 사람.
[第三帝國 제삼제국] 영(靈)과 육(肉)이 일치하여 이상(理想)과 현실(現實)이 일체(一體)가 되는 세계(世界). 영(靈)의 세계를 제일 제국(第一帝國), 육(肉)의 세계를 제이 제국이라 함의 대(對).
[第六感 제육감] 사람이 가진 바 오감(五感) 이외에 무엇을 직각(直覺)하는 한 신비한 심리 작용. 직관(直觀).
[第二義 제이의] 제일의(第一義)가 아닌 그리 중요하지 아니한 뜻.
[第二人稱 제이인칭] 자기(自己)와 대화(對話)하는 사람의 대명사(代名詞). 대칭 대명사(對稱代名詞).
[第二天 제이천] 다음 날. 익일(翌日).
[第一 제일] 첫째. 으뜸.
[第一江山 제일강산] 경치가 썩 좋은 산수(山水).
[第一流 제일류] 첫째가 될 만한 등급(等級).
[第一義 제일의] ㉠근본(根本)되는 뜻. 가장 중요한 뜻. ㉡《佛敎》 가장 심오(深奧)한 묘리. ㉢최상의 방법.
[第一人者 제일인자] 어느 방면에 있어서 그와 견줄 이가 없을 만큼 뛰어나서 첫손 꼽히는 사람.
[第一人稱 제일인칭] 말하는 사람의 자칭(自稱). 자칭 대명사(自稱代名詞).
[第一香 제일향] ㉠난초, 곧 난(蘭)의 별칭(別稱). ㉡모란(牡丹)의 별칭.
[第七天國 제칠천국] 위안(慰安)의 이상향(理想鄕).
[第宅 제택] 저택(邸宅).
◉家第. 簡第. 甲第. 居第. 高第. 科第. 官第. 館第. 及第. 落第. 登第. 門第. 別第. 譜第. 不第. 私第. 賜第. 乙第. 邸第. 次第. 擢第. 品第. 下第.

5 ⑪ [笭] 人名 령 ㉤青 郞丁切 líng / ㉯迥 力鼎切

字解 ①종다래끼 령 작은 대바구니. '—箵'. ②대자리 령 배 바닥에 까는 대의 자리 또는 마루. '舟中牀以薦物者曰—. 言但有簀加—牀也'《釋名》.

字源 金文 篆文 形聲. 竹+令〔音〕

[笭箵 영성] ㉠작은 바구니. 종다래끼. ㉡고기를 잡아넣는 종다래끼.

5 ⑪ [筃] ㊀ 염 ㉯琰 而琰切 rǎn / ㊁ 념 ㉯琰 乃玷切

字解 ㊀ 대하느작거릴 염 대나무가 하느작거리는 모양. '—, 竹弱皃'《集韻》. ㊁ 대하느작거릴 념 ㊀과 뜻이 같음.

5 ⑪ [筰] ㊀ 착 ㉧陌 側伯切 zé / ㊁ 자 ㉰禡 側駕切 zhà / ㊂ 작 ㉧藥 在各切 zuó

字解 ㊀ ①좁을 착 窄(穴部 五畫)과 同字. '狹—'. ②전동 착 대로 만든 화살을 넣는 통. '甲冑干—'《儀禮》. ③누를 착 措(手部 八畫)와 통용. ④빠를 착 '—, 疾也'《篇海》. ㊁ 짤 자 눌러 짬. '—馬糞汁而飮之'《後漢書》. ㊂ ①자자(刺字) 작 입묵(入墨)하는 형벌. 오형(五刑)의 하나. '其次用鑽—'《國語》. ②바 작 대오리로 꼰, 배를 끄는 동아줄. '錦—繫鳧舸'《劉遵》.

字源 篆文 形聲. 竹+乍〔音〕. '乍자·작'은 '좁다'의 뜻. 대로 엮어 짠 지붕 밑의 좁은 곳, 더그매의 뜻을 나타내며, 전(轉)하여 '좁다'의 뜻으로도 쓰임.

◉干筰. 錦筰. 鑽筰. 狹筰.

5 ⑪ [笯] 노 ㉤虞 乃都切 nú / ㉰遇 乃故切

字解 새장 노 새를 넣는 장. '鳳凰在—兮, 雞鶩翔舞'《史記》.

字源 篆文 形聲. 竹+奴〔音〕. '奴노'는 잡다〔拏〕의 뜻. 새를 잡아 두는 '새장'의 뜻을 나타냄.

5 ⑪ [笱] 구 ㉯有 古厚切 gǒu

字解 통발 구 대로 만든 물고기를 잡는 제구. '—, 曲竹, 捕魚—也'《說文》. '毋發我—'《詩經》.

字源 篆文 形聲. 竹+句〔音〕. '句구'는 '구부리다'의 뜻. 대를 구부려 만든 어구(漁具), '통발'의 뜻.

5 ⑪ [笲] 번 ㉤元 附袁切 fán / ㉰霰 皮變切

字解 폐백상자 번 대추·밤 따위의 폐백을 넣는 상자. '婦於舅姑, 執—棗栗段脩以見'《禮記》.

字源 形聲. 竹+弁〔音〕

5 ⑪ [笳] 가 ㉤麻 古牙切 jiā

字解 ①호드기 가 갈댓잎을 말아 만든 호드기. 갈대 피리. '胡—似觱栗而無孔'《史記》. ②비녀가 '—, 篸也'《廣雅》.

字源 形聲. 竹+加〔音〕

[笳鼓 가고] 호인(胡人)이 부는 피리와 북.
[笳管 가관] 호인(胡人)이 부는 피리. 호가(胡笳). 가적(笳笛).
[笳簫 가소] 가관(笳管).
[笳笛 가적] 가관(笳管).
[笳吹 가취] 갈댓잎을 말아 만든 호드기. 옛날에 군중(軍中)에서 썼음.
◉蘆笳. 悲笳. 吹笳. 胡笳.

5 ⑪ [笹] 人名 ㊐ 세

字解 조릿대 세 작은 대나무 종류.

5 ⑪ [笴] 가 ㉯哿 古我切 gǎn

字解 ①화살대 가 화살의 몸이 되는 대. 시간

(矢幹). '矢—'. '凡相—欲生而搏同'《周禮》. ②줄기 가 간경(幹莖). '敗蔕薦霜—'《歐陽修》.
字源 形聲. 竹+可[音]

◉筎笴. 矢笴. 羽笴.

5 ⑪ [笴] 감 ①㊥覃 沽三切 gān ②㊤感 古覽切 gǎn
字解 ①대이름 감 '—, 竹名'《集韻》. ②속찬대 감 속이 찬 큰 대나무. '—, 大竹'《集韻》.

5 ⑪ [笝] 一 납 ㊀合 奴盍切 nà 二 닙 ㊀洽 昵洽切
字解 一 배매는밧줄 납 배를 매는 대로 꼰 밧줄. '—, 維舟竹索也'《集韻》. 二 ①배매는밧줄 닙 一과 뜻이 같음. ②울타리엮어맬 닙 '—, 一曰, 補籬也'《集韻》.

5 ⑪ [笚] 一 압 ㊀洽 轄甲切 xiá 二 답 ㊀合 德盍切 dā 三 납 ㊀合 諾盍切 nà
字解 一 대이름 압 대 이름. 二 대서로부딪칠 답 대가 서로 부딪침. '—, 竹相擊'《集韻》. 三 배매는대밧줄 납 배를 붙들어 매는 대로 꼰 밧줄. '笝, 維舟竹索也. 或从甲'《集韻》.

5 ⑪ [笒] 녑 ㊀葉 乃叶切 niè
字解 ①대이름 녑 '—篁'은 대나무의 일종. '其竹則鍾龍—篁'《揚雄》. ②작은상자 녑 '竹—'은 작은 상자. '—, 竹—, 小箱也'《篇海》.

5 ⑪ [笵] 범 ㊤豏 防鋄切 fàn
字解 법 범, 골 범 範(竹部 九畫)과 同字. '以土曰型, 以金曰鎔, 以竹曰—'《通俗文》.
字源 篆文 形聲. 竹+氾[音]. '氾범'은 '法법'과 통하여, '법'의 뜻. 죽제(竹製)의 거푸집의 뜻이나, '본보기'의 뜻을 나타냄.

5 ⑪ [笘] 고 ㊤麌 孔五切 kǔ
字解 ①참대 고 대나무의 일종. 고죽(苦竹). 죽순(竹筍)은 먹음. ②고기잡는제구 고 고기잡는 데 쓰이는 기구. ③급할 고 몹시 급함. '—, 急也'《廣雅》.

5 ⑪ [笪] 一 단 ①②㊤旱 多翰切 dá ③㊦翰 得按切 dá 二 달 ㊀曷 當割切 dá
字解 一 ①칠 단 두드림. 매질함. '—, 博雅, 擊也'《集韻》. '—, 笞也'《廣韻》. ②성 단 성(姓)의 하나. ③대둥구미 단 대나무로 결어 만든 둥근 상자. '—, 筥也'《集韻》. 二 ①매 달 회초리. '有過愼莫—笞'《古樂府》. ②뜸 달 배를 덮는 대나무 거적. '—, 一曰, 覆舟簟也'《集韻》. ③성 달 성(姓)의 하나.
字源 篆文 形聲. 竹+旦[音]. '旦단'은 '撻달'과 통하여, 회초리로 때리다, 매질하다의 뜻. 대로 만든 회초리의 뜻.

[笪日 단일] 일식(日蝕)으로 낮이 어두움.

[笪笞 단태] 회초리로 때림. 매질함.

5 ⑪ [笛] 一 줄 ㊀質 竹律切 zhú 二 돌 ㊀月 當沒切 duò
字解 一 댓순나올 줄 죽순(竹筍)이 나오는 모양. '—, 竹筍生皃'《集韻》. 二 댓순나올 돌 一과 뜻이 같음.

5 ⑪ [笩] 패 ㊦泰 蒲蓋切 pèi
字解 날아오를 패 키질하여 잡물을 날려 보냄. '——, 飛揚也'《字彙》.

5 ⑪ [笞] 거 ㊤語 臼許切 jù
字解 횃불 거 苣(艸部 五畫)와 同字.

5 ⑪ [笧] 〔책〕 冊(冂部 三畫〈p.221〉)·策(竹部 六畫〈p.1664〉)과 同字
字源 形聲. 竹+冊[音]

5 ⑪ [筑] 〔축〕 筑(竹部 六畫〈p.1663〉)의 訛字

5 ⑪ [笶] 〔시〕 矢(部首〈p.1557〉)와 同字

5 ⑪ [笸] 차 ㊦禡 七夜切 qiè
字解 ①거스를 차 거스름. 거역함. '—, 斜逆也'《廣韻》. ②버팀목 차 버팀목.

5 ⑪ [笻] 〔공〕 筇(竹部 六畫〈p.1661〉)의 俗字

6 ⑫ [筅] 선 ㊤銑 蘇典切 xiǎn
字解 솔 선 대를 잘게 쪼개어 묶은 솔. 밥그릇 같은 것을 긁어 닦는 솔. '—帚'. '以松爲—得之天'《麻九疇》.

[筅帚 선추] 자해(字解)를 보라.
◉狼筅. 茶筅.

6 ⑫ [筆] 中人 필 ㊀質 鄙密切 bǐ
筆順 ⺮ 𥫗 竺 竿 笁 笞 筀 筆
字解 ①붓 필 ㉠모필. '—法'. '不律謂之—'《爾雅》. ㉡필적(筆跡). '眞—'. '粗有才—'《南史》. ②쓸 필 붓으로 글씨를 씀. '—削'. '一則—, 削則削'《史記》. ③성 필 성(姓)의 하나.
字源 篆文 會意. 竹+聿. '聿율'은 붓을 쥔 손의 모양을 본뜸. '竹죽'을 덧붙여, 죽제(竹製)의 '붓'의 뜻을 나타냄.
參考 笔(竹部 四畫)은 同字·簡體字.

[筆架 필가] 붓을 걸어 놓는 기구.
[筆諫 필간] 글로 써서 간함.
[筆格 필격] 필가(筆架).
[筆耕 필경] 글씨를 쓰는 일을 직업으로 삼음. 농

부가 밭을 가는 것을 업으로 삼는 데 비유한 말.
[筆耕硯田 필경연전] 문필(文筆)로 생활을 함.
[筆工 필공] 붓을 만드는 장색(匠色).
[筆管 필관] 붓대.
[筆記 필기] ㉠글씨를 씀. 말을 받아씀. 필사(筆寫). ㉡글씨를 쓰는 일을 맡은 사람. 서기(書記).
[筆端 필단] ㉠붓끝. ㉡운필(運筆). 행문(行文).
[筆談 필담] 글로 써서 서로 의사를 통함.
[筆答 필답] 글로 써서 대답함.
[筆櫝 필독] 붓을 넣는 기구. 필통(筆筒).
[筆頭 필두] ㉠붓의 끝. 붓의 털. ㉡붓같이 뾰족한 머리.
[筆頭生花 필두생화] 문필(文筆)의 재주가 있음을 이름.
[筆頭菜 필두채] 속샛과에 속하는 다년생 풀. 쇠뜨기. 토필(土筆).
[筆力 필력] ㉠글씨의 획에 드러난 힘. 필세(筆勢). ㉡문장의 힘.
[筆力扛鼎 필력강정] 문장의 힘참이 마치 무거운 솥을 들어 올릴 만함.
[筆力縱橫 필력종횡] 시문을 자유자재로 지음을 이름.
[筆路 필로] ㉠붓의 놀림새. 운필(運筆). ㉡문장의 맥락. 문맥(文脈).
[筆名 필명] ㉠글씨를 잘 써서 떨치는 명예. ㉡글을 발표할 때 쓰는 본명(本名) 아닌 이름. 아호(雅號).
[筆帽 필모] 붓뚜껑.
[筆墨 필묵] ㉠붓과 먹. ㉡문장(文章). ㉢필적(筆蹟).
[筆房 필방] 붓을 만들어 파는 가게.
[筆法 필법] 글씨를 쓰거나 시문을 짓는 법칙.
[筆鋒 필봉] ㉠붓끝. ㉡붓의 놀림새. 전(轉)하여, 문장에 드러난 힘.
[筆不停毫 필부정호] 쉬지 않고 계속하여 죽 씀.
[筆史 필사] 쓰는 사람. 기록하는 사람.
[筆師 필사] 필공(筆工).
[筆寫 필사] 베껴 씀.
[筆削 필삭] 쓸 만한 것은 쓰고 삭제하여야 할 것은 삭제함.
[筆算 필산] ㉠씀과 셈. 습자(習字)와 산술. ㉡숫자(數字)를 써서 운산(運算)함. 또, 그 산술. 주산(珠算) 또는 암산(暗算)의 대(對).
[筆牀 필상] 필가(筆架).
[筆生 필생] 글씨를 베껴 쓰는 일을 업(業)으로 하는 사람. 사자생(寫字生).
[筆舌 필설] 붓과 혀. 곧, 문장과 언론.
[筆洗 필세] 붓을 씻는 제구.
[筆勢 필세] 글씨의 획에 드러난 힘. 필력(筆力).
[筆述 필술] 문서로 진술함. 기술(記述).
[筆研 필연] 필연(筆硯). 연(研)은 연(硯).
[筆硯 필연] ㉠붓과 벼루. ㉡문필(文筆)에 종사하는 일.
[筆有神 필유신] 시문이나 필적이 절묘해서 입신(入神)의 경지에 이름.
[筆意 필의] ㉠붓의 놀림새. 운필(運筆)의 취의(趣意). ㉡글의 취지(趣旨).
[筆者 필자] ㉠글씨를 쓴 사람. ㉡글을 지은 사람.
[筆匠 필장] 필공(筆工).
[筆才 필재] 글씨나 문장의 재능.
[筆迹 필적] 필적(筆蹟).
[筆跡 필적] 필적(筆蹟).
[筆蹟 필적] ㉠쓴 글씨의 형적(形迹). 쓰여진 글씨. ㉡글씨의 솜씨. 글씨를 쓴 놀림새.
[筆戰 필전] ㉠글을 써서 다툼. 논전(論戰). ㉡필력(筆力)을 떨침.
[筆精 필정] 붓을 놀리는 것이 정묘(精妙)함.
[筆蹤 필종] 필적(筆蹟).
[筆誅 필주] 죄악을 글로 써서 공격함.
[筆紙 필지] 붓과 종이. 전(轉)하여, 문장으로 표현하는 일.
[筆陣 필진] ㉠필전(筆戰)에 대응할 포진(布陣). 문장의 웅건(雄健)함을 행진(行陣)에 비유한 말. ㉡필자(筆者)의 진용(陣容).
[筆札 필찰] 붓과 종이. 필지(筆紙). 전(轉)하여, 기록 또는 서한.
[筆尖 필첨] 붓의 첨단. 붓끝.
[筆帖 필첩] ㉠사실을 간단히 적어서 몸에 지니는 책. 수첩. ㉡옛사람의 필적(筆蹟)을 모은 서첩(書帖).
[筆帖式 필첩식] 청조(淸朝)의 관아에서 봉직(奉職)하던 필생·서기.
[筆冢 필총] 붓을 묻은 곳. 필총(筆塚).
[筆趣 필취] 붓의 놀림새. 글씨의 솜씨. 필의(筆意).
[筆致 필치] 글씨나 글의 솜씨. 글이나 글씨의 됨됨이.
[筆筒 필통] ㉠붓을 꽂아 두는 통. ㉡《韓》 연필이나 붓 같은 것을 넣어 가지고 다니는 기구.
[筆翰 필한] ㉠붓. ㉡서한. 편지. 필찰(筆札).
[筆翰如流 필한여류] 문장을 거침없이 계속하여 죽 내리씀.
[筆毫 필호] 붓털.
[筆華 필화] 시문(詩文)의 광채.
[筆禍 필화] 붓끝을 잘못 놀리어 받는 재앙(災殃). 지은 시문(詩文)이 말썽이 되어 화를 당하는 일.
[筆畫 필획] 글자의 획. 자획(字畫).
◉加筆. 呵筆. 渴筆. 健筆. 落筆. 亂筆. 能書不擇筆. 短筆. 大手筆. 刀筆. 韜筆. 禿筆. 董狐之筆. 妙筆. 氷筆. 史筆. 沙筆. 肆筆. 善書不擇紙筆. 旋風筆. 宸筆. 良筆. 椽大之筆. 鉛筆. 五色筆. 運筆. 雄筆. 潤筆. 一筆. 自筆. 簪筆. 才筆. 載筆. 絶筆. 精筆. 拙筆. 直筆. 眞筆. 醉筆. 退筆. 敗筆. 鴻筆. 畫筆. 揮筆.

6 ⑫ [筇] 공 ㊥冬 渠容切 qióng

字解 ①대이름 공 대나무의 일종. 속이 차고 마디가 높아 지팡이를 만드는 데 쓰임. 쓰촨 성(四川省)에서 남. '竹之堪杖, 莫尙於─'《竹譜》. ②지팡이 공 대지팡이. '杖─'. '拖─入林下'《范成大》.
字源 形聲. 竹＋邛〔音〕

6 ⑫ [筈] 괄 ㊀曷 古活切 kuò

字解 오늬 괄 화살의 시위에 끼게 되어 있는 부분. '離合非有常, 譬彼弦與─'《陸機》.
字源 形聲. 竹＋舌〔音〕. '舌괄'은 '會회'와 통하여, '만나다'의 뜻. 활의 시위와 화살이 만나는 부분, '오늬'의 뜻을 나타냄.

6 ⑫ [等] 中人 등 ㊤迥 多肯切 děng

筆順 𠂉 𥫗 笁 笁 笁 笁 等 等

字解 ①등급 등 구별한 등수. '差一'. '高一'. '親親之殺, 尊賢之一'《中庸》. ②무리 등 같은 또래. '吾一'. '一輩'. '耳目殊司, 工藝異一'《何承天》. ③같을 등 똑같음. 균일함. '一埒'. '春秋分而晝夜一'《左傳 疏》. ④가지런히할 등 같게 함. '一, 齊簡也'《說文》. ⑤나눌 등, 구분 등 '差一'. '以一其功'《禮記》. ⑥기다릴 등 오는 것을 바람. '一候'. '父老年年一駕廻'《范成大》. ⑦층계 등 계단. '出降一一'《論語》. ⑧견줄 등 비교함. '一量'. '一百世之王'《孟子》. ⑨무엇 등 '何'의 속어(俗語). '用一稱才學, 往往見歎譽'《應璩》. '處家何一最樂'(한(漢)나라 이후로는 '何'와 연용(連用)하여 많이 쓰임)《後漢書》. ⑩따위 등 들. 다수 또는 나머지를 통틀어 포함하는 말. '公一錄錄'《史記》.

字源 篆文 形聲. 竹+寺〔音〕. '竹죽'은 '죽간(竹簡)'의 뜻. '寺시'는 '관청'의 뜻. 관리(官吏)가 서적(書籍)을 정리하다의 뜻에서 파생(派生)하여, '같다, 단계(段階)' 따위의 뜻이나 '待대'와 통하여, '기다리다'의 뜻을 나타냄.

[等價 등가] 같은 값. 동가(同價).
[等角 등각] 서로 같은 각.
[等覺 등각] 《佛敎》 ㉠평등 일여(平等一如)함을 깨닫는 일. ㉡부처, 곧 불(佛)의 이칭(異稱). ㉢수행(修行)이 꽉 차서 지혜와 공덕(功德)이 바야흐로 불타(佛陀)의 묘각(妙覺)과 같아지려고 하는 지위. 곧, 보살(菩薩)의 가장 높은 지위. 등정각(等正覺).
[等級 등급] 고하(高下)·우열(優劣) 등의 차례.
[等待 등대] 미리 기다리고 있음.
[等對 등대] 서로 같은 자격으로 마주 대함.
[等頭 등두] 같음. 동등(同等).
[等等 등등] ㉠《現》 기다림. ㉡여럿을 죽 들어 말할 때, 그 끝에 붙여서 '…들'의 뜻을 나타내는 말.
[等埒 등랄] 같음. 동등(同等).
[等量 등량] ㉠견주어 헤아림. ㉡같은 분량.
[等列 등렬] ㉠같은 지위. 또 같은 지위에 있음. ㉡등위(等位).
[等倫 등륜] 동배(同輩).
[等輩 등배] 동배(同輩).
[等邊 등변] 길이가 같은 변.
[等分 등분] 똑같이 나눔. 또, 그 분량.
[等比 등비] ㉠모두. 다 같이. ㉡두 개의 비(比)가 서로 똑같게 된 비.
[等數 등수] ㉠등급(等級). ㉡《韓》 등급을 매긴 수.
[等身 등신] 신장과 같은 길이.
[等身佛 등신불] 사람의 키와 같은 불상(佛像).
[等身書 등신서] 신장만큼 높이 쌓은 책.
[等深線 등심선] 해저(海底)의 심도(深度)가 같은 점(點)을 이어 놓은 선(線).
[等外 등외] 등급(等級)의 밖.
[等位 등위] 지위. 귀천(貴賤)·상하의 구별.
[等威 등위] ㉠등차(等差). ㉡신분·관위(官位) 상당의 위의(威儀).
[等夷 등이] 동배(同輩). 제배(儕輩). 이(夷)는 제(儕).
[等異 등이] 차별을 지음.
[等人 등인] 같은 동아리의 사람. 동배(同輩).
[等一 등일] 피차 서로 같음.
[等子 등자] 저울. 천칭(天秤).
[等正覺 등정각] 등각(等覺).
[等儕 등제] 동배(同輩).
[等怎 등즘] 어찌.
[等差 등차] 등급의 차별. 차등(差等).
[等閑 등한] 마음에 두지 아니함. 대수롭게 여기지 아니함.
[等閒 등한] ㉠등한(等閑). ㉡서로 사이가 멀어짐.
[等活地獄 등활지옥] 《佛敎》 팔열 지옥(八熱地獄)의 하나. 살생계(殺生戒)를 범(犯)한 자가 떨어지는 곳. 세계의 아래 일천 유순(一千由旬)의 곳에 있음.
[等候 등후] 기다림.
◉高等. 均等. 幾等. 對等. 同等. 凡等. 上等. 殊等. 躐等. 吾等. 異等. 一等. 絶等. 齊等. 儕等. 差等. 親等. 平等. 彼等. 下等. 何等. 學等. 勳等.

6 ⑫ [筊] 교 ㊥看 胡茅切 jiǎo ㊤巧 古巧切

字解 ①노 교 대오리로 꼰 노. '搴長一兮, 沈美玉'《史記》. ②단소(短簫) 교 악기의 한 가지. 작은 퉁소. '大簫謂之言, 小者謂之一'《爾雅》.

字源 篆文 形聲. 竹+交〔音〕. '交교'는 '꼬다'의 뜻. 대를 꼬아서 만든 노끈의 뜻을 나타냄.

6 ⑫ [筋] 人名 근 ㊥文 擧欣切 jīn

筆順 𠂉 𠂉 𠂉 𥫗 笳 筋 筋 筋

字解 ①힘줄 근 살 속에 있는 섬유. '一肉'. '以辛養一'《周禮》. ②힘 근 체력. '一力'. '一, 力也. 肉中之力, 氣之元也'《說文》. ③성 근 성(姓)의 하나.

字源 篆文 會意. 月(肉)+力+竹. 살 속의 힘줄, 특히 대나무 따위에서 볼 수 있는 섬유 줄기의 뜻에서, 일반적으로, 줄기의 뜻을 나타냄.

參考 笏(竹部 二畫)은 古字.

[筋骼 근격] 힘줄과 뼈대. 근육(筋肉)과 골격(骨格).
[筋骨 근골] ㉠힘줄과 뼈. ㉡몸. 체격. 또, 힘. 체력. ㉢필법(筆法)을 이름.
[筋斗 근두] 곤두박질. 또, 곤두박질을 함.
[筋膂 근려] 힘줄과 등뼈. 전(轉)하여, 힘. 체력.
[筋力 근력] 근육의 힘. 체력.
[筋脈 근맥] 힘줄과 혈맥.
[筋肉 근육] 힘줄과 살. 전(轉)하여, 신체(身體)를 이름.
[筋骸 근해] 힘줄과 뼈.
◉膠筋. 細筋. 轉筋. 地筋. 鐵筋. 豐筋. 骸筋.

6 ⑫ [筣] 一 례 ㊦霽 力制切 lì 二 렬 liè

字解 一 섬대 례 산가지. '一, 籌也'《集韻》. 二 섬대 렬 一과 뜻이 같음.

6 ⑫ [筌] 人名 전 ㊥先 此緣切 quán

字解 ①통발 전 물고기를 잡는, 대오리로 만든 제구. '得魚而忘—'《莊子》. ②섶 전 섶나무 따위를 물속에 넣어 물고기를 꾀어 들여 잡는 기구. '—, 或云, 積柴水中, 使魚依而食'《韻會》.
字源 形聲. 竹+全〔音〕

[筌蹄 전제] ㉠고기를 잡는 통발과 토끼를 잡는 올가미. 전(轉)하여, 목적을 달성하기 위한 방편. ㉡남조(南朝)의 사대부(士大夫)가 설법(說法)을 할 때 손에 쥐던 불자(拂子) 같은 것.
◉篝筌. 得魚忘筌. 漁筌. 意筌. 蹄筌.

6 ⑫ [⿱竹江] 강 (平)江 古雙切 jiāng
字解 ①뗏목 강 뗏목. ②대이름 강 대 이름.

6 ⑫ [筍] 人名 [一] 순 ①-③(上)軫 思尹切 sǔn ④(去)震 須閏切 xùn [二] 윤 (平)眞 于倫切 yún
筆順
字解 [一] ①대순 순 죽순(竹筍). '其蔌維何, 維—及蒲'《詩經》. ②장부 순 접합하는 재목의 끝에 만든 뾰족한 돌기. '湊合處, 必有牝牡—穴'《詢芻錄》. ③악기다는틀 순 簨(竹部 十二畫)과 同字. ④가마 순 대나무로 엮어 만든 가마. '—輿'. '—將而來也'《公羊傳》. [二] 어린대 윤 '敷重—座'《書經》.
字源 金文 篆文 形聲. 竹+旬〔音〕. '旬순'은 '均균'과 통하여, '같다'의 뜻. 기하학적(幾何學的)인 다듬어진 형태를 갖는 '죽순(竹筍)'의 뜻을 나타냄.
參考 笋(竹部 四畫)은 同字.

[筍蕨 순궐] 죽순과 고사리.
[筍席 순석] 죽순 껍질로 만든 자리.
[筍芽 순아] 죽순(竹筍).
[筍輿 순여] 대나무를 엮어 만든 가마.
[筍籜 순탁] 죽순의 껍질.
[筍皮 순피] 죽순의 껍질. 순탁(筍籜).
[筍鞵 순혜] 대 껍질로 만든 신.
◉嫩筍. 萌筍. 迸筍. 石筍. 蔬筍. 新筍. 牙筍. 野筍. 春筍. 稚筍.

6 ⑫ [筨] [一] 공 (去)送 古送切 gòng [二] 항 (平)江 胡江切 xiáng
字解 [一] ①대그릇 공, 저통 공 '—, 桮笿也. 或曰, 盛箸籠'《說文》. ②돛 공 '—籰'은 대로 엮은 돛. '—籰, 謂之笲'《廣雅》. [二] 용수 항 '—籰'은 술 거르는 용수. '—, —籰, 酒篘也'《集韻》.
字源 形聲. 竹+夅〔音〕

6 ⑫ [筏] 人名 벌 (入)月 房越切 fá
字解 ①떼 벌 물 위에 띄워서 타고 다니는 긴 나무토막이나 대 토막을 엮은 것. '舟—'. '縛—以濟'《南史》. ②큰배 벌 바다의 큰 배. 橃(木部 十二畫)과 同字. '—, 大曰—, 小曰桴'《廣韻》.
字源 形聲. 竹+伐〔音〕

[筏舫 벌방] 떼.
[筏夫 벌부] 뗏목을 타고 가는 사공.
◉巨筏. 迷津寶筏. 船筏. 舟筏. 津筏.

6 ⑫ [筐] 人名 광 (平)陽 去王切 kuāng

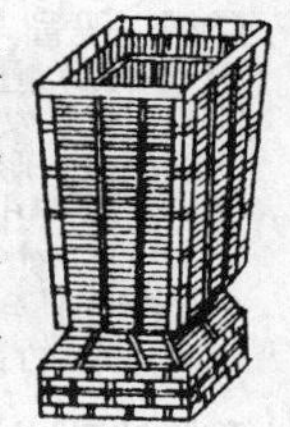
[筐①]

字解 ①광주리 광 대나무로 엮어 만든 네모진 그릇. '—筥'. '不盈傾—'《詩經》. ②평상 광 네모진 침상(寢牀). '與王同—牀, 食芻豢'《莊子》.
字源 匡의 別體 筐 形聲. 竹+匡〔音〕. '匡광'은 '구부리다'의 뜻. 대 따위를 구부려서 만든 '광주리'의 뜻을 나타냄.

[筐筥 광거] 네모진 광주리와 둥근 둥구미. 모두 물건을 담는 대나무 그릇임.
[筐擧 광거] 소견이 좁음의 비유.
[筐籃 광람] 농(籠).
[筐籠 광롱] 농(籠).
[筐篚 광비] 광주리.
[筐笥 광사] 대오리로 결어 만든 바구니.
[筐牀 광상] 네모진 평상.
[筐底 광저] 광주리 밑. 광주리 안.
[筐榼 광합] 도시락과 술동이.
[筐篋 광협] 대로 만든, 좁고 긴 네모진 상자. 서적(書籍)·옷·귀중품 따위를 넣는 데 쓰임.
◉茶筐. 粉筐. 篚筐. 瑤筐. 績筐. 敝筐.

6 ⑫ [筑] 人名 축 (入)屋 張六切 zhú

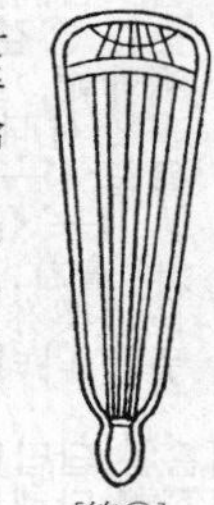
[筑①]

字解 ①악기이름 축 거문고 비슷한 현악기. '高漸離擊—'《史記》. ②주울 축 叔(又部 六畫)과 통용. '—, 拾也'《爾雅》.
字源 篆文 形聲. 巩(玐)+竹〔音〕. '玐공'은 양손으로 안다, 끼다의 뜻. 양손으로 부둥켜안고 대로 쳐서 소리를 내는 악기(樂器)의 뜻을 나타냄.

◉擊筑. 飛筑.

6 ⑫ [筒] 人名 통 ①(平)東 徒紅切 tǒng, tóng ②(去)送 徒弄切 dòng
字解 ①대통 통, 통 통 쪼개지 아니한 대나무의 토막. 또, 대통같이 둥글고 길며 속이 빈 물건. '水—'. '煙—'. '黃帝令伶倫作爲律, 次制十二—, 以別十二律'《呂氏春秋》. ②퉁소 통 '—, 通簫也'《說文》.
字源 篆文 形聲. 竹+同〔音〕. '同동'은 '通통'과 통하여, '내뚫리다'의 뜻. '대의 통'의 뜻.

[筒糉 통종] 주악. 찹쌀가루를 반죽하여 송편처럼 만들어 기름에 지진 떡. 각서(角黍).
[筒車 통차] 물레방아. 수차(水車).

[筒車]

◉封筒. 生龜脫筒. 水筒. 連筒. 煙筒. 銀筒. 釣筒. 吹筒. 號筒. 吸筒.

6 ⑫ [笄] 계 ㉮齊 古奚切 jī

字解 ①비녀 계 ㉠여자의 머리에 꽂는 제구. '其姊泣而呼天, 摩一而自殺'《史記》. ㉡남자의 관(冠)이 벗어지지 않도록 꽂는 것. '皮弁一, 爵弁一'《儀禮》. ②비녀꽂을 계 '旣一而孕'《國語》. ③성인례(成人禮) 계 여자의 성인 의례(儀禮). '一, 女十有五而一'《廣韻》.

字源 篆文 形聲. 竹+幵〔音〕. '幵견'은 머리에 꽂는 비녀의 象形. 대로 만든 것임을 보이는 '竹죽'을 덧붙여, '비녀'의 뜻을 나타냄.

參考 笄(竹部 四畫)는 俗字.

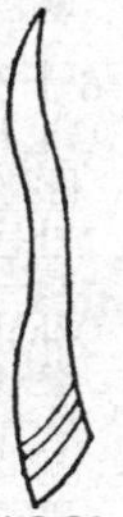

[笄①㉡]

[笄丱 계관] 성년(成年)이 갓 된 나이.
[笄冠 계관] 비녀를 꽂고 갓을 씀. 남녀의 성년(成年).
[笄年 계년] 처음으로 비녀를 꽂는 나이. 여자의 15세.
[笄珥 계이] 비녀와 귀고리.
[笄字 계자] 비녀를 꽂고 자(字)를 지음. 여자의 혼기(婚期)에 달한 예(禮).
[笄總 계총] 쪽을 찌고 비녀를 꽂음.

6 ⑫ [答] 中人 답 ㉾合 都合切 dá, dā

筆順 ノ ㅗ ㅅ 𥫗 竺 笒 答 答

字解 ①대답할 답 물음에 대하여 자기의 의사를 말함. '回一'. '應一'. '蘭芝仰頭一, 理實如兄言'《古詩》. ②대답 답 '批一'. '時以爲名一'《南史》. ③갚을 답 보답함. '一禮'. '一拜'. '昏棄厥肆祀, 弗一'《書經》. '適不一, 玆謂不次'《漢書》. ④대(對)할 답 '一陽之義也'《禮記》. ⑤맞을 답 '一, 合也'《篇海》. ⑥막을 답 방해함. '聽言則一'《詩經》.

字源 會意. 竹+合. '合합'은 '맞다'의 뜻. 대쪽〔契劵〕이 꼭 맞는 모양에서, '대답하다'의 뜻을 나타냄.

[答答 답답] 대〔竹〕의 소리.
[答禮 답례] 남에게 받은 예를 갚는 예.
[答問 답문] 물음에 대답함. 또, 그 문서.
[答拜 답배] 남에게 절을 받을 때 그 갚음으로 하는 절.
[答辯 답변] 물음에 대답하여 하는 변명.
[答報 답보] 회답하는 기별(奇別).
[答謝 답사] 답례(答禮)의 말을 함.
[答辭 답사] ㉠회답하는 말. ㉡식장(式場)에서 식사(式辭)·축사에 대하여 대답하는 말.
[答颯 답삽] 부진(不振)한 모양. 떨치지 않는 모양.
[答賽 답새] 신불(神佛)에 은혜를 갚기 위한 제사. 또, 그때 내놓는 새전(賽錢).
[答書 답서] 답장(答狀).
[答酬 답수] 남의 물음에 대한 대답. 수답(酬答).
[答信 답신] 답장(答狀).
[答案 답안] ㉠문제의 해답. ㉡대답한 안건.
[答揚 답양] 군명(君命)을 받들어 그 뜻을 천하(天下)에 폄.
[答言 답언] 대답하는 말.
[答揖 답읍] 답배(答拜).
[答應 답응] ㉠응답(應答)함. ㉡신불(神佛)의 감응(感應)한 표적.
[答狀 답장] 회답하는 편지.
[答電 답전] 회답하는 전보(電報). 회전(回電).
[答札 답찰] 답장(答狀).
[答抗 답항] 서로 겨룸. 맞섬.
◉口答. 饋答. 名答. 問答. 拜答. 報答. 奉答. 批答. 選答. 手答. 詶答. 酬答. 往答. 優答. 慰答. 謬答. 應答. 裁答. 條答. 卽答. 寵答. 敕答. 表答. 筆答. 亢答. 效答.

6 ⑫ [策] 高人 책 ㉾陌 楚革切 cè

筆順 ノ ㅗ ㅅ 𥫗 竺 笞 笧 策

字解 ①대쪽 책 종이가 없던 옛날에 글씨를 쓰던 댓조각. '簡一'. '百名以上書於一'《儀禮》. ②책 책, 문서 책 문자를 기록한 것. '先生書一琴瑟在前'《禮記》. ③직첩 책 사령서. 또, 사령서를 줌. '一書'. '一命晉侯, 爲侯伯'《左傳》. ④꾀 책 계략. '計一'. '上一'. '以順王與儀之一'《戰國策》. ⑤과제 책 과거(科擧)의 문제. '對一'. '一問'. 또, 그 답안 및 문체(文體). '一奏, 擢爲第一'《十八史略》. ⑥점대 책 점을 치는 데 쓰는 대오리. '神一'. '龜一'. '迎日推一'《史記》. ⑦제비 책 심지. '戱抽拂一'《柳宗元》. ⑧채찍 책 말채찍. '以其一指之'《史記》. ⑨채찍질할 책 채찍으로 말을 때림. '將入門一其馬'《論語》. ⑩지팡이 책 보행할 때 짚는 막대기. '杖一'. '夸父弃其一'《淮南子》. ⑪짚을 책 지팡이를 짚음. '倒杖而一'《韓非子》. ⑫가시 책 풀가시. 朿(艸部 六畫)과 뜻이 같음. '凡草木之刺人, 北燕·朝鮮之閒, 謂之一'《揚子方言》. ⑬잔가지 책 나무의 작고 가는 가지. '木細枝謂之杪, 燕之北鄙, 朝鮮洌水之閒, 謂之一'《揚子方言》. ⑭성 책 성(姓)의 하나.

[策⑥]

字源 篆文 形聲. 竹+朿〔音〕. '朿자'는 가시를 본뜬 모양으로, '責책'과 통하여 '책(責)하다'의 뜻. 말을 책하는 대, 채찍의 뜻. 또 '冊책'과 통하여, 문자를 적는 '대쪽'의 뜻을 나타냄.

[策括 책괄] 과거(科擧)를 보기 위하여 미리 경사(經史)를 찬류(纂類)하고 시무(時務)를 철집(綴輯)하여 요령 있게 엮은 것.
[策略 책략] 꾀. 계략. 책모(策謀).
[策慮 책려] 계책(計策). 또, 계책을 생각함.
[策勵 책려] 말에 채찍질하듯 독려함. 또, 자기 자신이 마음을 다잡아 힘써 함.
[策免 책면] 임금의 사령에 의하여 파면(罷免)됨.
[策勉 책면] 책려(策勵).
[策名 책명] 이름을 신적(臣籍)에 올림. 즉, 신하(臣下)가 됨.
[策命 책명] 천자(天子)가 수여하는 사령장. 또, 그 사령장을 수여함.
[策謀 책모] 책략(策略).
[策問 책문] 과거(科擧)에 시무(時務)의 문제를 내어 고시함. 또, 그 문체(文體).
[策府 책부] 천자(天子)의 책을 수장(收藏)한 곳. 당(唐)나라 때에는 비서성(祕書省)을 이름. 책부(冊府).
[策轡 책비] 채찍과 고삐.
[策士 책사] 모사(謀士).

[策駟馬 책사마] 높은 벼슬에 올라서 위풍(威風) 당당(堂堂)히 사두마차(四頭馬車)를 타고 다님.
[策書 책서] 책명(策命).
[策線 책선] 군대에서 작전(作戰) 목표에 통하는 선로(線路).
[策應 책응] 책략(策略)을 통지하여 서로 응함.
[策策 책책] ㉠낙엽이 지는 소리. ㉡눈 오는 소리. ㉢바람이 부는 소리.
[策勳 책훈] 공훈을 책에 기록함.
◉奸策. 姦策. 建策. 決策. 警策. 計策. 高策. 龜策. 國策. 詭策. 揆策. 奇策. 對策. 得策. 謀策. 妙策. 無策. 方策. 祕策. 辔策. 射策. 上策. 散策. 首策. 書策. 術策. 試策. 失策. 玉策. 畏策. 遺策. 一策. 著策. 定策. 政策. 停策. 制策. 拙策. 籌策. 箠策. 鞭策. 下策. 獻策. 畫策.

6 ⑫ [笛] 곡 [入]沃 區玉切 qū
[字解] 잠박(蠶箔) 곡 누에를 기르는 제구. 잠부(蠶簿).
[字源] 形聲. 竹+曲〔音〕

6 ⑫ [筎] 천 [上]銑 尺兗切 chuǎn
[字解] 대꼬챙이 천 '一, 竹以貫物'《集韻》.

6 ⑫ [筬] 기 [平]支 居之切 jī
[字解] 참빗 기, 서캐훑이 기 이·서캐를 훑어 내는 데 쓰는 빗살이 촘촘한 빗. '一, 取蟣比也'《說文》.
[字源] 篆文 形聲. 竹+匠〔音〕

6 ⑫ [筶] 고 [上]晧 苦晧切 kǎo
[字解] 대그릇 고 대오리를 휘어 결어서 만든 그릇. 栲(木部 六畫)와 통용. '一筌, 屈竹木爲器'《集韻》.

6 ⑫ [筄] 요 [去]嘯 弋照切 yào [平]蕭 餘招切
[字解] 산자발 요 지붕의 기와 밑에 까는 대발. '屋上薄, 謂之一'《爾雅》.

6 ⑫ [筓] 〔병〕 笄(竹部 八畫〈p.1667〉)의 俗字

6 ⑫ [筞] 〔책〕 柵(木部 五畫〈p.1053〉)·冊(冂部 三畫〈p.221〉)과 同字

6 ⑫ [筟] 〔로〕 栳(木部 六畫〈p.1059〉)와 同字

6 ⑫ [筡] 락 [入]藥 歷各切 luò
[字解] ①대그릇 락 술잔을 담거나, 향(香)을 피우는 데 쓰는 대바구니. '一, 桮一也'《說文》. ②묶을 락 '一, 束也'《廣雅》. ③구슬릴 락 구워삶음.
[字源] 形聲. 竹+各〔音〕

7 ⑬ [筠] [人名] 균 [平]眞 爲贇切 yún
[字解] ①대 균 대나무의 일종. '翠一'. '柴門空閉鎖松一'《杜甫》. ②껍질 균 대나무의 푸른 껍질. '如竹箭之有一'《禮記》. ③윤기 균 윤기 있는 모양. '一, 亦潤色在外者'《禮記 疏》.
[字源] 篆文 形聲. 竹+均〔音〕. '均균'은 '같다'의 뜻. 대의 둘레를 온통 둘러싸고 있는 대 껍질의 뜻을 나타냄.

[筠籃 균람] 균롱(筠籠).
[筠籠 균롱] 대로 결어 만든 농(籠). 죽롱(竹籠).
[筠席 균석] 대오리를 엮어 만든 자리.
[筠籜 균탁] 대나무 껍질.
[筠筒 균통] 굴원(屈原)이 멱라수(汨羅水)에 빠져 죽은 5월 5일에 초(楚)나라 사람들이 그의 죽음을 슬퍼하여 쌀을 그 속에 넣고 물에 던져 제사 지내던 대통.
[筠篁 균황] 대나무.
◉雪筠. 疎筠. 松筠. 修筠. 野筠. 貞筠. 翠筠.

7 ⑬ [筤] 랑 [平]陽 魯當切 láng [上]養 里黨切
[字解] ①어린대 랑 '蒼一'은 난 지 얼마 안 되는 작은 대나무. '震, 爲蒼一竹'《易經》. ②바구니 랑 바구니. 또, 수레를 덮는 대. '一, 籃也'《說文》. '一, 車籃'《廣韻》.
[字源] 篆文 形聲. 竹+良〔音〕. '良량'은 '깨끗하다, 아름답다'의 뜻. 아름다운 '어린 대'의 뜻을 나타냄.

◉蒼筤.

7 ⑬ [筥] [一] 거 [上]語 居許切 jǔ [二] 려 [上]語 兩擧切 lǚ
[字解] [一] ①둥구미 거 대나무로 엮어 만든 둥근 그릇. '維筐及一'《詩經》. ②볏단 거 벤 벼의 네 묶음. '四秉曰一'《儀禮》. ③성 거 성(姓)의 하나. [二] 밥통 려 '一, 飯器'《集韻》.
[字源] 金文 篆文 形聲. 竹+呂〔音〕. '呂려'는 줄지어 잇다의 뜻. 포개어 쌓아 놓을 수 있는, 쌀 따위를 담는 '대 둥구미'의 뜻을 나타냄.

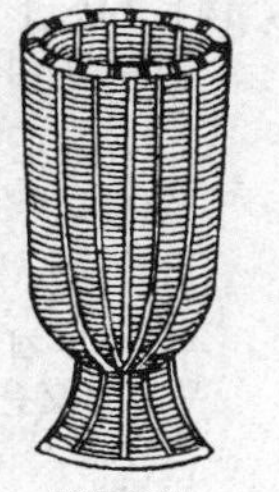
[筥[一]①]

◉飯筥. 箱筥. 圓筥. 敝筥.

7 ⑬ [筦] 관 [上]旱 古滿切 guǎn
[字解] ①관 관, 피리 관 管(竹部 八畫)과 同字. '以一窺天'《漢書》. '磬一將將'《詩經》. ②관장할 관 管(竹部 八畫)과 同字. '周大夫尹氏, 一朝事'《漢書》.
[字源] 篆文 形聲. 竹+完〔音〕. '完완'은 빙 둘러싸다의 뜻. 베틀의 씨실을 둘러싼 '북통'의 뜻을 나타냄.

[筦榷 관각] 정부가 물품을 전매(專賣)하여 이익

을 독점하는 일.
[筦鍵 관건] 열쇠.
[筦籥 관약] ㉠피리. ㉡열쇠.
[筦絃 관현] 관악기(管樂器)와 현악기(絃樂器).
◉磬筦.

7 ⑬ [筧] 견 [上]銑 古典切 jiǎn 笕

[字解] 대홈통 견 대나무로 만든 홈통. '竹—'. '南有—, 放水溉田'《白居易》.
[字源] 形聲. 竹+見〔音〕. '見견'은 '繭'과 통하여, 누에가 실을 토해 내서 만드는 고치의 뜻. 물을 차례로 토해 내는 대통, '홈통'의 뜻을 나타냄.

[筧水 견수] 대 홈통의 물.
◉曲筧. 山筧. 接筧. 竹筧. 翠筧.

7 ⑬ [筩] [一] 통 [平]東 徒紅切 tǒng
[二] 용 [上]腫 尹竦切 yǒng

[字解] [一] 대통 통 죽통(竹筒). '缿—'. '制十二—'《漢書》. [二] 전동 용 화살을 넣는 통. '箭—蓋'《左傳 註》.
[字源] [篆文] 形聲. 竹+甬〔音〕. '甬용'은 '筒통'과 통하여, 속이 빔의 뜻. 기둥꼴의 화장품을 넣는 작은 상자, '대통'의 뜻.

◉碧筩. 詒筩. 缿筩. 缿項筩.

7 ⑬ [筬] [人名] 성 [平]庚 是征切 chéng

[字解] ①바디 성 베틀에 딸린 날을 고르는 제구. '—筐, 織具'《廣韻》. ②대이름 성 '—, 竹名'《康熙字典》.
[字源] 形聲. 竹+成〔音〕

7 ⑬ [筮] [人名] 서 [去]霽 時制切 shì

[字解] ①점 서 점대로 치는 점. '卜—'. ②점칠 서 점대로 점을 침. '—于廟門'《儀禮》. ③점대 서 점치는 데 쓰는 오십 개의 가는 대. '—竹'. '執櫝以擊—'《儀禮》.
[字源] [金文] [篆文] 會意. 竹+𢀖. '𢀖무'는 '巫무'의 古字. '巫'는 '무당'의 뜻. 무당이 점을 치는 데 쓰는, 대로 만든 점대의 뜻. 金文은 그것을 두 손에 들고 있는 모양으로 추측됨.

[筮龜 서귀] ㉠서복(筮卜). ㉡점치는 데 쓰는 거북.
[筮短龜長 서단귀장] 점대로 치는 점보다 거북으로 치는 점이 낫다는 말.
[筮卜 서복] 점대로 치는 점과 귀갑(龜甲)을 불에 그슬리어 그 튼 금을 보아서 치는 점.
[筮仕 서사] 처음 사환(仕宦)할 적에 길흉을 점쳐 태도를 결정하는 일. 전(轉)하여, 초사(初仕).
[筮人 서인] 점치는 사람.
[筮占 서점] 점을 침.
[筮竹 서죽] 점치는 데 쓰는 대쪽. 점대.
[筮驗 서험] 점의 징험(徵驗).
◉卦筮. 龜筮. 枚筮. 白雉筮. 卜筮. 蓍筮. 易筮. 預筮. 占筮. 泰筮.

7 ⑬ [筯] 저 [去]御 遲倨切 zhù

[字解] ①젓가락 저 箸(竹部 九畫)와 同字. '失匕—'《十八史略》. ②조개이름 저 대합류(大蛤類)의 조개.
[字源] 形聲. 竹+助〔音〕

◉氷筯. 象筯. 竹筯. 鐵筯.

7 ⑬ [筡] [一] 도 [平]虞 同都切 tú
[二] 저 [平]魚 抽居切 chú
[三] 서 [平]魚 商居切 shū
[四] 제 [去]霽 丑戾切

[字解] [一] ①꺾을 도, 가를 도 '—, 折也'《廣雅》. '—, 分也'《廣雅》. ②대쪽 도 푸른 대 껍질만을 쪼갠 것. '—, 析竹筤也'《說文》. ③댓속빌 도 '簢, —中'《爾雅》. [二] ①대쪽 저, 댓속빌 저 [一]❷❸과 뜻이 같음. ②풀이름 저 '—, 草名. 簢—, 中空'《集韻》. ③대껍질이름 저 '—, 竹篾名也'《廣韻》. [三] 대껍질 서 '⿱⺮般—'는 대 껍질. '—, ⿱⺮般—, 竹筤也'《集韻》. [四] ①대이름 제 '—, 竹名'《集韻》. ②대껍질속 제 '今江東呼篾竹裏, 爲—'《揚子方言》.
[字源] 形聲. 竹+余〔音〕

7 ⑬ [筰] 작 [入]藥 在各切 zuó

[字解] ①노 작 대오리로 꼰 노. ②오랑캐 작 한대(漢代)의 서남 만족(蠻族)의 하나. '—都最大'《史記》.
[字源] [篆文] 形聲. 竹+作〔音〕. '作작'은 '죄다'의 뜻. 대오리를 죄어서 만든 '노끈'의 뜻을 나타냄.

7 ⑬ [筲] [一] 소 [平]肴 所交切 shāo
[二] 삭 [入]覺 色角切

[字解] [一] 대그릇 소 ㉠대나무로 엮어 만든 한 말 두 되들이 그릇. '—三, 黍·稷·麥'《儀禮》. ㉡작은 분량. 또, 좁은 소견. 그릇이 작은 인물. '斗—之人'《論語》. [二] 대그릇 삭 [一]과 뜻이 같음.

[筲[一]㉠]

[字源] 形聲. 竹+肖〔音〕

[筲斗 소두] 약간의 분량. 전(轉)하여, 국량(局量)이 좁음을 이름.
◉斗筲. 瓶筲. 竹筲. 苞筲.

7 ⑬ [筳] 정 ①[平]青 特丁切 tíng
②[上]迥 徒鼎切

[字解] ①가는대 정 작은 죽간(竹竿). '以蠡測海, 以—撞鐘'《漢書》. ②들보 정 '—, 屋梁也'《集韻》.
[字源] [篆文] 形聲. 竹+廷〔音〕. '廷정'은 쪽 곧다의 뜻. 베틀의 실을 감는 대롱의 뜻을 나타냄.

7 ⑬ [⿱⺮求] 구 [平]尤 渠尤切 qiú

[字解] 종다래끼 구 작은 대바구니. '—, 小籠'

《集韻》.

7 ⑬ [簽] 〔첨〕簽(竹部 十三畫〈p.1689〉)·籤(竹部 十七畫〈p.1693〉)의 簡體字

7 ⑬ [筢] 파 ㉲麻 白巴切 pá

筆順

字解 갈퀴 파 발이 다섯 있는 갈퀴. 흙을 고르고 풀을 뽑는 데 씀. '一, 五齒一. 用以取草也'《字彙》.

7 ⑬ [筴] ㊀ 책 ㊁陌 楚革切 cè
㊁ 협 ㊁葉 古協切 jiā

字解 ㊀ ①점대 책 점을 치는 데 쓰이는 신 개의 가는 대. '龜爲卜, 一爲筮'《禮記》. ②대쪽 책 죽간(竹簡). '挾一讀書'《莊子》. ③꾀 책 策(竹部 六畫)과 同字. '不用其一'《史記》. ㊁ ①길 협 夾(大部 四畫)과 同字. '一漢陽'《韓愈》. ② 저 협 젓가락. '一, 箸也'《廣韻》.
字源 形聲. 竹+夾〔音〕

7 ⑬ [筵] 人名 연 ㉲先 以然切 yán

筆順

字解 자리 연 대로 엮은 자리. 전(轉)하여, 널리 자리. '暑月排一久坐'《李義山雜纂》. 전(轉)하여, 좌석. '講一'. '賓之初一'《詩經》. 또, 전(轉)하여, 주연(酒宴). 연회. '五里一換馬, 十里一開一'《李商隱》.
字源 篆文 形聲. 竹+延〔音〕. '延연'은 '펴다, 늘이다'의 뜻. 죽제(竹製)의 펴서 까는 자리의 뜻.

[筵上 연상] 주연(酒宴)의 석상(席上).
[筵席 연석] 자리. 연(筵)은 밑에 까는 것. 석(席)은 그 위에 까는 것. 전(轉)하여, 연회(宴會)의 자리.
[筵飭 연칙] 연석(筵席)에서 임금이 훈계함.
◉講筵. 開筵. 經筵. 瓊筵. 綺筵. 談筵. 玳筵. 綿筵. 舞筵. 密筵. 法筵. 別筵. 賓筵. 壽筵. 詩筵. 御筵. 宴筵. 莞筵. 恩筵. 長筵. 蒲筵.

7 ⑬ [筷] 쾌 kuài

字解 젓가락 쾌 '一子'는 속어(俗語)로서, 젓가락. '一, 箸也'《陸容》.
字源 形聲. 竹+快〔音〕

[筷子 쾌자] 자해(字解)를 보라.

7 ⑬ [箣] 리 ㉲支 里之切 lí

字解 ①대울타리 리 '筄一'는 대로 엮은 울타리. '筄一, 織竹爲障也'《集韻》. ②통발 리 가시나무를 엮어 만든 통발. 어량(魚梁). '箨處著一筄'《皮日休》.

[箣筄 이비] 대로 만든 바구니.

7 ⑬ [箅] 人名 韓 오

字解 《韓》①버들고리 오 '一筥'는 고리버들로 만든, 옷 넣는 고리. ②조 오 '一粟'은 조의 일종.

[箅筥 오로]《韓》버들고리.
[箅粟 오속]《韓》조〔粟〕의 일종.

7 ⑬ [筲] 두 ㊀宥 大透切 dòu

字解 제기(祭器)이름 두 고대의 제사 때 고기를 담는 그릇. 豆(部首)와 同字.

7 ⑬ [箉] 부 ㉲虞 芳無切 fū

字解 ①대청 부 대나무의 얇은 속껍질. '一, 竹中衣'《正字通》. ②북통 부 길쌈할 때 씨실을 감는 통. '一, 織緯者'《正字通》.
字源 篆文 形聲. 竹+孚〔音〕

7 ⑬ [箇] 각 ㊁覺 ①訖岳切 jué
㊁覺 ②乙角切 wò

字解 ①대서까래 각 대나무의 서까래. '一, 竹榱也'《集韻》. ②대이름 각 대나무의 일종. '一, 竹名'《集韻》.

7 ⑬ [箻] 봉 ㉲東 蒲紅切 péng

字解 뜸 봉 대나무 같은 것으로 엮어 선거(船車)를 덮는 것. 篷(竹部 十一畫)과 同字. '一, 船連張也'《玉篇》.

7 ⑬ [筬] 미 ㊤尾 武斐切 wěi

字解 ①비 미 쓰레기 같은 것을 쓰는 비. '一, 帚也'《字彙》. ②대이름 미 대나무의 일종. '一, 竹名'《集韻》.

7 ⑬ [箖] 〔책〕策(竹部 六畫〈p.1664〉)과 同字

7 ⑬ [箈] 〔산〕算(竹部 八畫〈p.1670〉)과 同字
字源 篆文 會意. 竹+弄. '弄롱'은 손으로 가지고 놀다의 뜻. 이것저것 만지작거려서 수를 헤아리는 대나무 막대의 뜻을 나타냄.

7 ⑬ [箄] 〔소〕篠(竹部 十一畫〈p.1681〉)와 同字
字源 篆文 形聲. 竹+攸〔音〕

7 ⑬ [箋] 〔절〕節(竹部 九畫〈p.1674〉)의 俗字

8 ⑭ [箊] 병 ㉲青 旁經切 píng

字解 ①대사립문 병 대나무를 엮어 만든 문. '一, 一曰一夆, 戶扇'《集韻》. ②대이름 병 대나무의 일종. '一, 竹名'《集韻》.
參考 箊(竹部 六畫)은 俗字.

8 ⑭ [箄] ㊀ 비 ①㊥齊 邊兮切 bēi ②㊤紙 幷弭切 bǐ ㊁ 패 ㊥佳 蒲街切 pái

字解 ㊀ ①종다래끼 비 작은 대바구니. '一, 簍也. … 秦晉之閒, 謂之一'《揚子方言》. ②쳇불 비 쳇바퀴를 메우는 그물. '一, 簁一也'《說文》. ㊁ 떼 패 대로 엮은 큰 떼. '乘枋一下江關'《後漢書》.

字源 篆文 形聲. 竹+卑〔音〕. '卑비'는 '낮다, 작다'의 뜻. 작은 대바구니의 뜻을 나타냄.

[箄籃 비람] 물고기를 잡는 대그릇의 한 가지.
[箄船 패선] 뗏목.
◉枋箄.

8 ⑭ [箅] 폐 ㊦霽 博計切 bì

字解 ①시루밑 폐 음식을 찔 때 시루의 밑에 까는 제구. '一, 甑一也'《廣韻》. ②가릴 폐 덮어 가림. '輪一則車行不掉'《周禮》.

字源 篆文 形聲. 竹+畀〔音〕. '畀비'는 시루 밑에 까는 발의 뜻. 그것이 대로 만든 것이므로 '竹죽'을 덧붙였음.

8 ⑭ [箇] 人名 개 ㊦箇 古賀切 gè 个 箇

筆順 ノ ⺈ ⺮ 笁 竹 笴 筃 箇

字解 ①낱 개 낱으로 된 물건을 셀 때에 쓰는 말. '負矢五十一'《荀子》. ②이 개 속어(俗語)로, 此(止部 二畫)와 뜻이 같음. '一小兒瞻視異常'《唐書》. 또, 속어(俗語)로, 딴 자와 연용(連用)하여 '이'·'저' 등의 뜻의 지시 대명사로 쓰임. '那一'는 '저'. '這一'·'此一'는 '이'. '古人此一學, 是終身事'《近思錄》. ③어조사 개 속용(俗用)의 조자(助字). '好一'. '眞一'. ④성 개 성(姓)의 하나.

字源 篆文 別體 个 形聲. 竹+固〔音〕. '固고'는 '굳다, 단단하다'의 뜻. '竹죽'은 '대'의 뜻. 하나의 독립성이 굳은 대쪽의 뜻에서, 물건을 셀 때의 조사(助辭)로 쓰임.

[箇箇 개개] 낱낱. 각각.
[箇儂 개농] 나. 자칭(自稱)의 말.
[箇般 개반] 이와 같은. 이같이.
[箇數 개수] 물건의 수효.
[箇人 개인] 한 사람. 일개인. 단체(團體)의 대(對).
[箇條 개조] 들어서 말할 하나하나의 조목(條目). 낱낱의 조목.
[箇中 개중] 여럿이 있는 그 가운데.
[箇中人 개중인] 이 가운데의 사람.
◉幾箇. 若箇. 這箇. 眞箇. 此箇. 好箇.

8 ⑭ [箈] 지 ㊥支 澄之切 chí

字解 ①대순 지 조릿대의 죽순. '加豆之實, 一菹·雁醢·筍菹·魚醢'《周禮》. ②말풀 지 箎(竹部 九畫)와 同字.

8 ⑭ [箋] 人名 전 ㊥先 則前切 jiān 笺

字解 ①찌지 전, 부전 전 글의 뜻을 해명하거나 자기의 의견 등을 적어서 그 책에 붙이는 작은 종이쪽지. 전(轉)하여, 주석. 주소(註疏). '毛詩鄭一'. '鄭玄作毛詩一'《後漢書》. ②전지 전 글 또는 편지를 쓰는 작은 종이. '用一'. '謝安就乞一紙'《語林》. ③문서 전 서류. '投一與河伯'《異苑》. ④편지 전 '豈期厚眷, 特枉長一'《曾鞏》. ⑤명함 전 명자(名刺). '姻友投一互拜'《熙朝樂事》. ⑥상표(上表) 전 상소하는 글. '百官進一'《元史》. ⑦말할 전 '一, 云也'《廣雅》.

字源 篆文 形聲. 竹+戔〔音〕. '戔전'은 얇고 납작하다의 뜻. 얇고 납작한 대, 대쪽의 뜻을 나타냄.

[箋釋 전석] 본문(本文)의 주석(注釋). 전주(箋注).
[箋注 전주] 본문(本文)의 해석(解釋). 전석(箋釋).
[箋註 전주] 전주(箋注).
[箋紙 전지] 글씨를 쓰는 종이. 서한 용지(書翰用紙). 전지(牋紙).
[箋惠 전혜] 남이 보낸 서한(書翰)의 경칭(敬稱). 혜서(惠書).
◉短箋. 御箋. 矮箋. 用箋. 吟箋. 紅箋. 花箋.

8 ⑭ [箍] 고 ㊥虞 古胡切 gū

字解 ①테 고 그릇의 조각이 어그러지지 못하게 둘러 메우는 줄. 또, 테를 둘러 메움. '宋大慈寺一桶者精易'《二程語錄》. ②둘레 고 '大村曰大一圍, 小村曰小一圍'《廣東新語》.

字源 會意. 竹+才(手)+匝(帀). '帀잡'은 '두르다'의 뜻. 통에 두르는 대나무 테의 뜻을 나타냄.

[箍桶 고통] 통에 테를 메움.

8 ⑭ [箑] ㊀ 삽 ㊇洽 山洽切 shà ㊁ 첩 ㊇葉 山輒切 jié

字解 ㊀ 부채 삽 선자(扇子). '屛輕一釋纖絺'《潘岳》. ㊁ 포 첩 얇게 저민 건육(乾肉). '帝堯時, 廚中自生肉, 其薄如一'《宋書》.

字源 篆文 別體 形聲. 竹+疌〔音〕. '疌'은 '接접'과 통하여, '잇다'의 뜻. 대를 이어서 만든 부채의 뜻을 나타냄.

參考 箓(次條)은 同字.

[箑典 삽전]《現》부채를 만드는 사람.
◉巾箑. 寶箑. 翣箑. 扇箑. 畫箑.

8 ⑭ [箓] 箑(前條)과 同字

8 ⑭ [箎] ㊀ 비 ㊥微 符非切 féi ㊁ 파 ㊥麻 邦加切 bā

字解 ㊀ ①대이름 비 '一, 竹名'《集韻》. ②대나무성할 비 '一, 竹盛貌'《正字通》. ㊁ 대산자(檝子) 파 '一, 笮也, 通作笆'《集韻》.

8 ⑭ [箓] 〔록〕 簏(竹部 十一畫〈p. 1683〉)과 同字

8 ⑭ [箏] 人名 쟁 ㊥庚 側莖切 zhēng 筝

字解 ①쟁 쟁 대쟁(大箏)과 비슷한 열 세 줄(고대에는 5현, 진(秦) 나라 때에는 열두 줄)로 된 현악기. '叩缶彈—'《史記》. ②풍경 쟁 '風—'은 처마 끝에 다는 풍경(風磬). '簷下鐵馬曰風—'《正字通》.

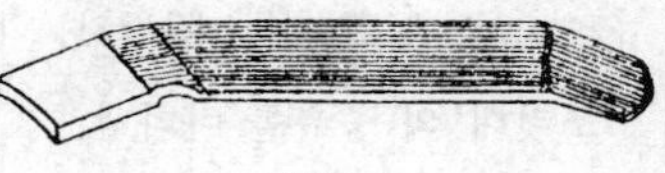
[箏①]

字源 篆文 形聲. 竹+爭〔音〕. '爭쟁'은 양손으로 서로 잡아당기다의 뜻. 죽제(竹製)의 몸통에 오현(五絃)을 양 끝에 바짝 켕긴 악기(樂器)의 뜻.

[箏曲 쟁곡] 거문고의 가락. 금곡(琴曲).
[箏雁 쟁안] 기러기발.
[箏箏然 쟁쟁연] 쟁(箏)의 소리의 형용.
◉鼓箏. 琴箏. 撫箏. 素箏. 哀箏. 奏箏. 彈箏. 風箏.

8 ⑭ [箛] 굴 ㉧物 九勿切 gǔ

字解 솔 굴 대를 잘게 쪼개어 만든, 부엌에서 쓰는 솔. '—, 謂之刷'《廣雅》.

8 ⑭ [箒] 추 ㉤有 之九切 zhǒu

字解 ①비 추 쓰레기를 쓰는 제구. 帚(巾部 五畫)의 俗字. '母取箕—立而誶語'《賈誼》. ②쓸 추 비로 쓺.

字源 甲骨文 金文 篆文 甲骨文은 세워 놓은 비의 象形으로, 비의 뜻을 나타냄. 나중에, 又+冂+巾의 會意로서, 손으로 어떤 경계내(境界內)를 헝겊으로 치우다의 뜻에서, 비의 뜻을 나타내게 되었음.

[箒掃 추소] 비로 쓺.
[箒刷 추쇄] 더러운 것을 쓸어 버림.
[箒痕 추흔] 비로 쓴 자국.
◉箕箒. 拂雲箒. 竹箒.

8 ⑭ [箊] 어 ㉠魚 衣虛切 yū

字解 대이름 어 '箖—'는 잎이 얇고 넓은 대의 일종. '—, 竹名. 葉薄而廣'《集韻》.

8 ⑭ [箕] 人名 기 ㉠支 居之切 jī

筆順 丿 ㅏ ㅆ 竹 竹 笞 笪 箕

字解 ①키 기, 삼태기 기 곡식을 까부는 제구. 또는 쓰레기를 담아 버리는 농구. '良弓之子, 必學爲—'《禮記》. ②쓰레받기 기 쓰레기를 받아 내는 기구. '—帚'. '必加箒於—上'《禮記》. ③별이름 기 이십팔수(二十八宿)의 하나. 청룡칠수(青龍七宿)의 맨 끝 성수(星宿)로서, 별 넷으로 구성되었음. '—宿星'. '維南有—'《詩經》. ④바람귀신 기 풍백(風伯). '—伯'. ⑤다리뻗고앉을 기 두 다리를 쭉 뻗고 앉음. 퍼더버림. '—坐'. '—踞'. '坐毋—'《禮記》. ⑥뿌리 기 만물의 근본. '—者, 言萬物根棋'《史記》. ⑦성 기 성(姓)의 하나.

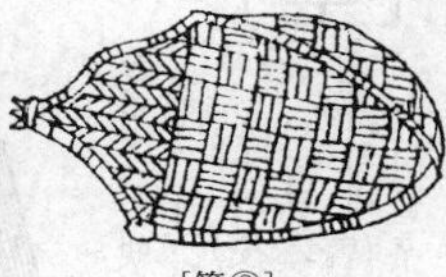
[箕②]

字源 篆文 形聲. 竹+其〔音〕. '其기'는 '箕기'의 原字로, '키'의 뜻.

[箕踞 기거] 두 다리를 뻗고 앉음.
[箕裘 기구] 부조(父祖)의 가업(家業)을 계승함.
[箕裘業 기구업] 부조(父祖)의 전래(傳來)의 가업(家業).
[箕斗 기두] ㉠기수(箕宿)와 두수(斗宿)의 두 별. ㉡사람의 지문(指紋)이 나선형으로 된 것을 두(斗)라 하고 그렇게 되지 않은 것을 기(箕)라 함.
[箕斂 기렴] 조세(租稅)를 가혹하게 받아들임.
[箕嶺 기령] 기산(箕山)㉤.
[箕伯 기백] ㉠바람의 신(神). 풍백(風伯). ㉡기자(箕子).
[箕服 기복] 대로 만든 전동. 복(服)은 복(箙).
[箕山 기산] ㉠지금의 산둥 성(山東省) 복현(濮縣) 동쪽에 있는 산. 후한(後漢)의 오한(吳漢)이 오지(五枝)를 격파한 곳. ㉡지금의 산둥 성(山東省) 이두 현(益都縣)의 동쪽에 있는 산. 기산(䫏山) 또는 향산(香山)이라고도 함. ㉢지금의 산둥 성 이수이 현(沂水縣)의 동북에 있는 산. 기산(沂山)의 지맥(支脈). ㉣지금의 산둥 성 비현(費縣)의 동남에 있는 산. 기산(旗山)이라고도 함. ㉤지금의 허난 성(河南省) 덩펑 현(登封縣)의 동남에 있는 산. 요(堯)임금 때 소보(巢父)와 허유(許由)가 이 산에서 은거(隱居)하였고, 또 후에 백익(伯益)이 우(禹)임금의 선양(禪讓)을 피하여 이 산으로 들어갔다 함. 악령(嶭嶺)이라고도 함.
[箕山之志 기산지지] 허유(許由)·소보(巢父)가 명리(名利)를 피하여 기산에 숨은 고사(故事)에서, 은퇴하여 절개를 지키고자 하는 뜻을 이름.
[箕星 기성] 기수(箕宿).
[箕宿 기수] 이십팔수(二十八宿)의 하나. 동북방에 있으며 바람을 좋아한다고 함. 자해(字解) ❸을 보라.
[箕潁 기영] 요(堯)임금 때 허유(許由)가 기산(箕山)에 숨어 영수(潁水)에 귀를 씻은 고사(故事). 전(轉)하여, 절개를 지켜 은둔함을 이름.
[箕子 기자] 은(殷)나라의 태사(太師). 주왕(紂王)의 숙부로서 주왕을 자주 간하다가 잡혀 종이 됨. 은나라가 망한 후 조선에 도망하여 기자조선을 창업(創業)하였다 함.
[箕張 기장] 키처럼 끝이 퍼짐.
[箕坐 기좌] 기거(箕踞).
[箕疇 기주] 기자(箕子)가 지었다는 상서(尙書)의 홍범구주(洪範九疇)를 이름.
[箕察 기찰] 평안도 관찰사를 일컫던 말.
[箕帚 기추] ㉠쓰레받기와 비. ㉡처첩(妻妾)이 되어 남편(男便)을 섬김. ㉢소제(掃除).
[箕帚妾 기추첩] 쓰레받기와 비를 가지고 소제를 하는 시비(侍婢). 전(轉)하여, 남의 아내가 됨의 겸칭(謙稱).
[箕風 기풍] '바람〔風〕'의 별칭(別稱). 기(箕)는 기수(箕宿)로서 바람을 맡았으므로 이름.
[箕會 기회] 기렴(箕斂).

8 ⑭ [箔] 人名 박 ㉧藥 傍各切 bó

字解 ①발 박 대오리나 갈대 같은 것으로 엮어 만든 물건. '簾—'. '門不施—'《唐書》. ②금종

이 박 금속을 두드려서 얇은 종이같이 만든 조각. '銀—', '以金—飾佛像'《宋史》. ③잠박 박 잠상(蠶牀). '蠶—'. '春蠶看滿—'《韓愈》.
字源 形聲. 竹+泊〔音〕. '泊박'은 '薄박'과 통하여, 얇다의 뜻. 얇고 납작한 대나무 발, 얇은 금은(金銀) 종이의 뜻을 나타냄.

◉金箔. 滿箔. 縫箔. 魚箔. 簾箔. 葦箔. 銀箔. 珠箔. 翠箔.

8 ⑭ [算] 中·人 산 ①-③㊤旱 蘇管切 suàn ④-⑨㊍翰 蘇貫切

筆順 ⺮ 𥫗 竹 笡 筸 筸 算 算

字解 ①수 산 수효. '無—爵, 無—樂'《儀禮》. ②셀 산 수를 셈. '計—'. '噫,斗筲之人, 何足—也'《論語》. ③바구니 산, 대그릇 산 '其餽遺人, 不過—器食'《史記》. ④산가지 산 수효를 세는 제구. '運—轉歷'《史記》. ⑤셈 산 산술. '—數'. '善爲—'《漢書》. ⑥꾀 산 모계(謀計). 또, 꾀함. '成—'. '—無遺策'《晉書》. ⑦슬기 산 지혜. '—之所亡若何'《列子》. ⑧명수(命數) 산 나이. '齒—延長, 聲價隆振'《顔延之》. ⑨성 산 성(姓)의 하나.

[算④]

字源 篆文 會意. 竹+具. '具구'는 '갖추다'의 뜻. 수(數)를 세는 대의 산가지를 추리다, 세다의 뜻을 나타냄.

[算計 산계] 세어 헤아림.
[算曆 산력] 산법(算法)과 역상(曆象).
[算無遺策 산무유책] 책략(策略)에 빈틈이 없음.
[算博士 산박사] ㉠산술(算術)의 박사. ㉡시구(詩句)에 숫자(數字)를 많이 쓰는 시인을 조롱하는 말.
[算盤 산반] 주판(籌板). 수판.
[算法 산법] 계산의 방법.
[算賦 산부] 한대(漢代)에 성년자(成年者)에 과(課)하던 조세(租稅) 이름.
[算上 산상] 계산에 넣음. 계산함.
[算數 산수] ㉠수학(數學). ㉡《韓》 보통 교육에서 가르치는 초등 수학. 산법(算法).
[算術 산술] ㉠계산의 방법. ㉡보통 교육에서 가르치는 초등 수학.
[算入 산입] 수에 넣음. 세어 넣음.
[算子 산자] 산반(算盤).
[算出 산출] 세어 냄. 셈.
[算錙銖 산치수] 조그마한 이익(利益)을 일일이 따짐.
[算學 산학] 계산에 관한 학문.
◉加算. 概算. 檢算. 決算. 計算. 公算. 口算. 起算. 多算. 妙算. 廟算. 無算. 寶算. 負算. 成算. 星算. 細算. 勝算. 神算. 心算. 握算. 暗算. 良算. 曆算. 英算. 靈算. 豫算. 叡算. 誤算. 運算. 雄算. 遠算. 遺算. 謬算. 意算. 長算. 珠算. 籌算. 智算. 採算. 淸算. 推算. 打算. 通算. 筆算. 合算. 驗算. 弘算. 換算.

8 ⑭ [箘] 균 ㊤軫 渠殞切 jùn ㊥眞 去倫切

字解 ①조릿대 균 대나무의 한 가지로 가늘고 작으며 화살대를 만들기에 적합함. ②대순 균 죽순. '越駱之—'《呂氏春秋》.
字源 篆文 形聲. 竹+囷〔音〕. '囷균'은 '둥글다'의 뜻. 줄기가 둥근 대나무의 뜻으로, '조릿대'의 종류를 나타냄.

[箘簬 균로] 벼과(科)의 다년초. 화살을 만드는 데 사용함. 조릿대.
◉竹箘.

8 ⑭ [箟] 箘(前條)의 古字

8 ⑭ [箙] 복 ㊀屋 房六切 fú

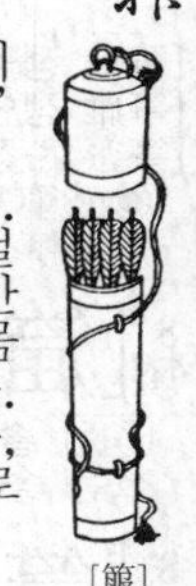
[箙]

字解 전동 복 화살을 넣는 통. 가죽이나 대나무 따위로 만듦. '中秋獻矢—'《周禮》.
字源 甲骨文 金文 篆文 形聲. 竹+服〔音〕. '服복'은 몸에 걸치다, 지니다의 뜻. '竹죽'은 대로 만든 것임을 나타냄. 화살을 등에 져 몸에 지니는 제구, 곧 전동(箭筒)의 뜻. 본래 '備비'와 동일한 象形字이었으나, '備'가 다른 뜻을 더하게 되자, 따로 '箙' 자(字)가 만들어졌음.

◉矢箙. 魚箙.

8 ⑭ [箚] 人名 차(잡㊍) ㊀洽 竹洽切 zhá

字解 ①찌를 차 바늘로 찌름. '—者刺也'《文體明辨》. ②이를 차 옴. '三樹稚桑春未—'《杜牧》. ③닿을 차 도착함. '—野營'《武備要略》. ④적을 차 기록함. '抄—家業'《書敍指南》. ⑤차자(箚子) 차 신하가 임금에게 올리는 문서의 한 체(體). 또, 상관이 하관에게 보내는 공문서. '至於疏·對·啓·狀—子者, 又皆以奏字冠之'《文體明辨》.
字源 形聲. 刂(刀)+答〔音〕

[箚記 차기] 책을 읽어 얻은 것을 수시(隨時)로 적어 모은 것. 수록(隨錄).
[箚子 차자] 신하가 임금에게 아뢰는 문서의 한 체(體). 또는 상관(上官)이 하관에게 보내는 공문서(公文書).
[箚刺 차자] 입묵(入墨).
◉駐箚. 抄箚.

8 ⑭ [箜] 공 ㊥東 苦紅切 kōng

字解 공후 공 '—篌'는 현악기의 하나. 스물세 줄의 수공후(竪箜篌), 넷 내지 여섯 줄의 와공후(臥箜篌), 십여 줄의 봉수공후(鳳首箜篌)의 세 가지가 있음. '作二十五絃及一篌'《史記》.

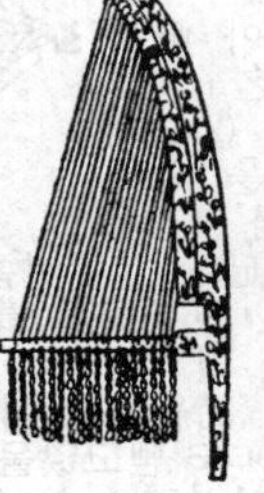
[竪箜篌]

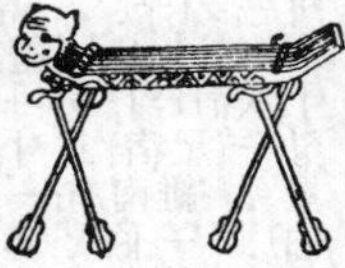
[鳳首箜篌]

[字源] 形聲. 竹+空〔音〕

[箜篌引 공후인] 고조선(古朝鮮) 때 곽리자고(霍里子高)의 처 여옥(麗玉)이 지은 노래. 중국 진(晉)나라 사람 최표(崔豹)의 〈고금주(古今註)〉에 다음과 같이 한역(漢譯)되어 전함. 곧, '공무도하(公無渡河), 공경도하(公竟渡河), 타하이사(墮河而死), 장내공하(將奈公何)'.

8 ⑭ [箾] [一] 산 [平]寒 蘇干切
[平]刪 師姦切
[去]翰 蘇旰切 sān
[上]潸 所簡切
[上]旱 損管切
[二] 선 [上]銑 蘇典切

[字解] [一] 대상자 산 '一, 竹器也'《說文》. [二] 대상자 선 [一]과 뜻이 같음.
[字源] 形聲. 竹+刪〔音〕

8 ⑭ [箝] [人名] 겸 [平]鹽 巨淹切 qián

[字解] ①끼울 겸 좁은 사이에 빠지지 않게 넣음. 鉗(金部 五畫)과 同字. '蚌合而一其喙'《戰國策》. ②항쇄(項鎖) 겸 쇠사슬로 목을 맴. 또, 그 쇠사슬. ③재갈먹일 겸 재갈을 물려 말을 못 하게 함. 전(轉)하여, 자유를 속박함. '一口'. '一語燒書'《漢書》.
[字源] 篆文 形聲. 竹+拑〔音〕. '拑겸'은 '끼우다'의 뜻. 입에 대쪽을 물려 목소리를 내지 못하게 하다의 뜻을 나타냄.

[箝口 겸구] ㉠입을 다묾. 함구(緘口). ㉡입에 재갈을 먹임. 입을 다물게 함. 언론(言論)의 자유를 속박함. 겸구(鉗口).
[箝默 겸묵] 겸구(箝口) ㉡.
[箝語 겸어] 겸구(箝口).
[箝制 겸제] 자유를 구속함.
◉口箝. 塞箝. 閉箝.

8 ⑭ [箈] 箝(前條)과 同字

8 ⑭ [箹] [一] 확 [入]藥 王縛切 yuè
[二] 역 [入]職 越逼切

[字解] [一] 자새 확 자새는 실 감는 기구. '一, 收絲具也'《類篇》. [二] 대떨기로날 역 '一, 竹叢生'《集韻》.

8 ⑭ [箯] 념 [去]豔 奴店切 niàn

[字解] 바 념 배를 끄는 데 쓰는 대오리로 엮은 밧줄. '苒弱竹篾一'《白居易》.

8 ⑭ [箠] 추 [上]紙 之累切 chuí

[字解] ①채찍 추 대로 만든 채찍. '鞭一'. '杖馬一, 下趙數十城'《史記》. ②채찍질할 추 채찍으로 침. '榜一瘖於炮烙'《漢書》. 또, 그 형벌. '定一令'《漢書》.
[字源] 篆文 形聲. 竹+(垂)埀〔音〕. '埀수'는 '때리다'의 뜻. 대로 만든 채찍. 또, 그것으로 채찍질하다의 뜻을 나타냄.

[箠決 추결] 채찍질하여 상해(傷害)를 입힘.
[箠令 추령] 볼기 치는 형벌을 규정한 영(令).
[箠罵 추매] 볼기 치고 꾸짖음.
[箠扑 추복] ㉠볼기채와 종아리채. ㉡볼기나 종아리를 침.
[箠轡 추비] 채찍과 고삐.
[箠殺 추살] 채찍질하여 죽임.
[箠杖 추장] 채찍과 곤장. 또는 매질함.
[箠梃 추정] 채찍과 몽둥이.
[箠策 추책] 채찍.
[箠楚 추초] 볼기를 침. 또, 그 형벌.
◉榜箠. 杖箠. 尺箠. 鞭箠. 疲馬不畏鞭箠.

8 ⑭ [管] [高人] 관 ①-⑧⑩[上]旱 古滿切 guǎn
⑨[平]寒 古丸切

[筆順] ノ 𠂉 𠂉 ⺮ ⺮ 笇 管 管

[字解] ①관 관 쪼개지 아니한 가늘고 긴 대의 도막. 전(轉)하여, 널리 둥글고 길며 속이 빈 물건. '鐵一'. '用一窺天'《莊子》. ②붓대 관 붓자루. '彤一'. '天子筆一, 以錯寶爲跗'《西京雜記》. ③피리 관 관악기. '簫一'. '鐘石一絃'《唐書》. ④열쇠 관 자물쇠를 여는 대. '一鑰'. '授一鍵'《周禮》. ⑤맡을 관 주관함. '一轄'. '總一'. '一事二十餘年'《史記》. ⑥고동 관 추요(樞要). '聖人也者, 道之一也'《荀子》. ⑦불 관 취주(吹奏)함. '乃一新宮三終'《儀禮》. ⑧단속할 관 구속함. '一, 拘束也'《中華大字典》. ⑨집 관 저택. 숙사. 館(食部 八畫)과 뜻이 통용. '一人布幕于寢門外'《儀禮》. ⑩성 관 성(姓)의 하나.
[字源] 篆文 形聲. 竹+官〔音〕. '官관'은 '貫관'과 통하여, '꿰뚫다'의 뜻. 대의 관(管), 대롱, 피리의 뜻을 나타냄.

[管家 관가] 한 집안을 관리하는 사람. 가령(家令).
[管葛 관갈] 관중(管仲)과 제갈량(諸葛亮). 다 명상(名相)임.
[管鍵 관건] 열쇠.
[管見 관견] 대통 구멍으로 내다봄. 또, 그 보는 바. 전(轉)하여, 넓지 못한 견문(見聞). 좁은 소견. 관혈(管穴). 관중규표(管中窺豹).
[管庫 관고] 창고지기.
[管管 관관] ㉠목욕(沐浴)함. ㉡의거할 만한 기준이 없이 제멋대로 구는 모양.
[管區 관구] 관할(管轄)하는 구역(區域).
[管窺 관규] 관중규표(管中窺豹).
[管內 관내] 맡아서 다스리는 구역(區域) 안. 관할 안.
[管輅 관노] 삼국(三國)의 위(魏)나라 평원(平原) 사람. 자(字)는 공명(公明). 주역(周易)과 풍각점상(風角占相)의 도(道)에 밝고 복서(卜筮)를 잘하여 기험(奇驗)이 많았음.
[管蠡 관라] ㉠대통과 소라. ㉡대통 구멍을 통하여 하늘을 보고 소라 껍데기로 바닷물의 다과(多寡)를 재듯이, 식견(識見)이 지극히 좁음을 이름. 관규(管窺). 관견(管見).
[管領 관령] 맡아 다스림.
[管理 관리] ㉠사무를 관할(管轄) 처리함. ㉡물건을 보관함. ㉢사람을 지휘 감독함.

[管商 관상] 관중(管仲)과 상앙(商鞅). 모두 춘추 전국 시대(春秋戰國時代)의 부국강병(富國強兵)을 주장(主張)한 법가(法家).
[管說 관설] 식견이 좁은 언설(言說).
[管攝 관섭] 맡음. 지배함.
[管城子 관성자] 붓〔筆〕의 이칭(異稱).
[管簫 관소] 피리.
[管守 관수] 맡아 지킴. 또, 그 사람.
[管樂 관악] 관중(管仲)과 악의(樂毅). 모두 춘추 전국 시대(春秋戰國時代)의 명신(名臣).
[管樂器 관악기] 관내(管內)의 공기를 진동시켜 소리를 내는 악기. 피리·퉁소·나팔 등.
[管晏 관안] 관중(管仲)과 안영(晏嬰). 모두 제(齊)나라의 명상(名相).
[管押 관압] 관리함. 감독함.
[管籥 관약] ㉠피리. ㉡열쇠. 관건(管鍵).
[管鑰 관약] 열쇠. 관건(管鍵).
[管寧 관영] 삼국(三國)의 위(魏)나라 주허(朱虛) 사람. 자(字)는 유안(幼安). 한말(漢末)의 황건적(黃巾賊)의 난(亂) 때 요동(遼東)으로 피난하여 시서(詩書)를 강의하고 예양(禮讓)을 밝혀 요동 사람들이 그의 덕에 크게 감화되었음. 난리가 평정된 뒤 귀향하였는데 조정에서 누차 태중대부(太中大夫) 등의 벼슬을 주려 하였으나 끝내 응하지 않았음.
[管外 관외] 맡아 다스리는 구역 밖. 관할 밖.
[管音 관음] 피리 소리.
[管夷吾 관이오] 관중(管仲)의 이름.
[管子 관자] ㉠관중(管仲)의 경칭(敬稱). ㉡책 이름. 24권. 관중(管仲)이 찬(撰)하였다고 하나 책 중에 관중이 죽은 이후의 일이 많이 실려 있는 것으로 보아 후세 사람이 많이 증보(增補)한 것이 틀림없음. 법치주의(法治主義)·경제 정책(經濟政策)을 서술하고 기타 철학·윤리에까지도 언급하였음. 원본(原本)은 86편이었으나 후에 10편은 산일(散佚)되었음.
[管掌 관장] 맡아 장악(掌握)함. 주관(主管)함.
[管奏 관주] 관악기(管樂器)를 불어 음악을 연주함.
[管仲 관중] 춘추 시대(春秋時代)의 제(齊)나라의 현상(賢相). 이름은 이오(夷吾). 자(字)는 중(仲). 환공(桓公)을 섬겨 정승이 되어 부국강병(富國強兵)에 힘쓰고 제후(諸侯)를 규합(糾合)하여 환공으로 하여금 천하(天下)를 광정(匡正)하여 오패(五覇)의 으뜸이 되게 하였음.
[管中窺豹 관중규표] 대통 구멍으로 표범을 보면 표범의 털의 무늬 전체를 보지 못하고 겨우 그 일부분의 무늬밖에 보지 못하므로, 식견(識見)의 좁음의 비유로 쓰임. 관견(管見). 관규(管窺).
[管蔡 관채] 관숙(管叔)과 채숙(蔡叔). 모두 주공(周公) 단(旦)의 형제로서 난리를 일으켰다가 피살당하였음.
[管統 관통] 맡아 통솔함.
[管鮑交 관포교] 관포지교(管鮑之交).
[管鮑之交 관포지교] 관중(管仲)과 포숙(鮑叔)의 극친했던 고사(故事). 전(轉)하여, 극친한 교분(交分)을 이름.
[管下 관하] 관할(管轄)하는 구역 안. 지배하는 안.
[管翰 관한] 붓. 필한(筆翰).
[管轄 관할] ㉠문을 여는 열쇠와 수레의 굴대를 빠지지 않게 꽂는 빗장. ㉡맡아 다스림. 지배함. 관리(管理)함.
[管響 관향] 피리 소리. 관음(管音).
[管絃 관현] 관악기와 현악기.
[管絃樂 관현악] 관악기(管樂器)·현악기(絃樂器)·타악기(打樂器) 등의 여러 악기로 합주하는 음악. 오케스트라.
[管穴 관혈] 관견(管見).
◉笳管. 椎管. 拘管. 窺管. 金管. 急管. 氣管. 機管. 彤管. 保管. 司管. 絲管. 笙管. 細管. 所管. 素管. 簫管. 收管. 煙管. 玉管. 鐃管. 伊管. 移管. 掌管. 詮管. 照管. 綜管. 主管. 竹管. 只管. 職管. 參管. 彩管. 擅管. 淸管. 總管. 樞管. 濁管. 土管. 筆管. 下管. 弦管. 血管.

8 ⑭ [箎] [一] 호 ㊤麌 火五切 hǔ [二] 지 [平]支 陳時切 chí
[字解] [一] 긴대 호 '一, 竹名. 高百丈'《集韻》. [二] 저이름 지 篪(竹部 十畫〈p.1680〉)의 俗字.

8 ⑭ [箛] 고 [平]虞 古胡切 gū
[字解] ①대이름 고 대나무의 일종. '篠簳一箠'《張衡》. ②피리 고 본디, 채찍에 구멍을 뚫어 말 위에서 부는 것. 또, 갈댓잎 따위를 말아서 만들며, 후세(後世)에는 동관(銅管)을 사용함. 호가(胡笳).
[字源] 篆文  形聲. 竹+孤〔音〕

8 ⑭ [箣] 국 [入]屋 居六切 jú
[字解] 대뿌리 국 대나무의 뿌리. '一, 竹根'《字彙》.

8 ⑭ [箝] [一] 전 [平]先 昨先切 qián [二] 점 [平]鹽 昨鹽切 qián
[字解] [一] 발 전 솜을 바랠 때 깔고 솜을 너는 대나무 발. '一, 潎絮簀也'《說文》. [二] 발 점 [一]과 뜻이 같음.
[字源] 篆文  形聲. 竹+沾〔音〕. '沾첨'은 '적시다'의 뜻. 솜을 바랠 때 밑에 까는 발의 뜻을 나타냄.

8 ⑭ [箐] [一] 정 [平]庚 子盈切 jīng [二] 천 [去]霰 倉甸切 qìng
[字解] [一] 바구니 정 작은 대바구니. '笭一, 小籠也'《集韻》. [二] 대활 천 대나무로 만든 활. '張竹弓弩曰一'《集韻》.
[字源] 形聲. 竹+靑〔音〕

8 ⑭ [箉] 대 ㊤蟹 從盖切 dài
[字解] 대바구니 대 '一, 亦作簤, 亦竹器'《篇海》.

8 ⑭ [箁] [一] 부 ①㊤有 薄口切 bù ②[平]尤 薄侯切 póu [二] 포 [平]虞 蓬逋切 pú
[字解] [一] ①댓잎 부 대나무의 잎사귀. '一, 竹葉也'《集韻》. ②죽순껍질 부 대순의 껍질. '一, 竹箬也'《說文》. [二] 그물 포 '一篪'는 대나무로 만든 작은 그물. 蒲(艸部 十畫)와 同字. '蒲, 蒲

箷, 小竹網. 或作一'《集韻》.
字源 篆文 形聲. 竹+音〔音〕

8 ⑭ [箣] 〔책〕
策(竹部 六畫〈p. 1664〉)과 同字

8 ⑭ [箆] 〔비〕
篦(竹部 十畫〈p. 1679〉)의 俗字

8 ⑭ [箌] 〔조〕
罩(网部 八畫〈p. 1788〉)와 同字

9 ⑮ [箬] 약 入藥 而灼切 ruò

字解 ①대껍질 약 대나무의 껍질. '楚謂竹皮曰一'《說文》. ②대이름 약 대나무의 일종. 얼룩 조릿대. 잎으로 삿갓 같은 것을 만듦. '一竹'. '青一笠綠蓑衣'《張志和》.
字源 篆文 形聲. 竹+若〔音〕. '若약'은 '젊다, 부드럽다'의 뜻. 싱싱한 대나무의 껍질의 뜻을 나타냄. 또, 잎이 싱싱한 빛깔을 하고 있다, 얼룩 조릿대의 뜻을 나타냄.

[箬笠 약립] 대나무의 껍질로 결어 만든 삿갓. 대삿갓.

9 ⑮ [箵] ■ 궤 去隊 古對切 guì ■ 괴 平灰 枯回切 guī ■ 괵 入陌 古獲切 guì

字解 ■ 뜸 궤 뜸은 배나 수레의 덮개. '一, 博雅, 傘也'《集韻》. ■ 뜸 괴 ㊀과 뜻이 같음. ■ 포장살 괵 수레의 포장을 버티는 살. '車枸簍, 宋魏陳楚之間, 謂之一'《方言》.

9 ⑮ [箭] 人名 전 去霰 子賤切 jiàn

筆順 ノ ㅅ 竹 竹 竺 笁 笧 箭

字解 ①살 전 화살. '弓一'. '角齒羽一幹'《禮記》. ②이대 전 대나무의 일종. 화살대를 만들기에 적합함. '竹一旣布'《史記》. ③살대 전 화살대. '一, 字林, 一笴也'《通訓》. ④나아갈 전 '一, 進也'《釋名》.
字源 篆文 形聲. 竹+(前)歬〔音〕. '歬전'은 '나아가다'의 뜻. 공중을 날아가는 대, '화살'의 뜻을 나타냄.

[箭幹 전간] 살대.
[箭榦 전간] 살대. 전간(箭幹).
[箭瘢 전반] 화살에 맞은 흉터.
[箭書 전서] 화살에 매달아 쏘아 전하는 글.
[箭篠 전소] 화살을 만드는 가는 대. 이대. 전죽(箭竹).
[箭眼 전안] 활을 쏘거나 밖을 바라보기 위하여 성벽 같은 데 뚫은 구멍.
[箭筩 전용] 화살을 담는 통. 전동.
[箭羽 전우] 화살에 꽂은 깃. 살깃.
[箭籌 전주] 산가지.
[箭竹 전죽] 전소(箭篠).
[箭鏃 전촉] 화살촉.
[箭馳 전치] 쏜살같이 달림.
[箭脫弦 전탈현] 화살이 시위를 떠났다는 뜻. 사물이 매우 빠름의 비유.
[箭風 전풍] 모진 바람. 악풍(惡風).
◉激箭. 更箭. 勁箭. 弓箭. 篘箭. 急箭. 漏箭. 斷箭. 毒箭. 猛箭. 鳴箭. 木箭. 飛箭. 篠箭. 緩箭. 流箭. 叢箭. 快箭. 火箭. 曉箭.

9 ⑮ [箸] 도 去遇 徒故切 dù

字解 비녀 도 비녀 또는 동곳. '一, 謂之簪'《廣雅》.

9 ⑮ [箯] 편 平先 房連切 biān 平先 卑連切

字解 가마 편 대로 엮어 만든 가마. '一籃'. '持節問之. 一輿前'《史記》.
字源 篆文 形聲. 竹+便〔音〕. '便편'은 '손쉬움·간편함'의 뜻. 대로 만든 간편한 '가마'의 뜻을 나타냄.

[箯籃 편람] 편여(箯輿).
[箯輿 편여] 대로 엮어 만든 가마.
◉竹箯.

9 ⑮ [箱] 人名 상 平陽 息良切 xiāng

筆順 ノ ㅅ 竹 竺 笁 笞 箱 箱

字解 ①상자 상 ㉠물건을 넣는 그릇. '一筥'. '盛之潔一'《雲笈七籤》. ㉡수레 위의 상자 모양으로 된, 사람이 타거나 짐을 싣는 곳. 차상(車箱). '不以服一'《詩經》. ②곳집 상 쌀을 두는 곳간. '求萬斯一'《詩經》. ③곁채 상 廂(广部 九畫)과 통용. '退于一'《儀禮》.
字源 篆文 形聲. 竹+相〔音〕. '相상'은 '倉창'과 통하여, '넣어 두다'의 뜻. 죽제(竹製)의 수레에 얹는 짐 싣는 '상자'의 뜻을 나타냄.

[箱筥 상거] 상자.
[箱籠 상롱] 상자. 또는 바구니.
[箱子 상자] 나무·대·종이 등으로 만든 뚜껑이 있는 그릇.
[箱篋 상협] 상자.
◉巾箱. 瓊箱. 高箱. 筐箱. 木箱. 封箱. 書箱. 瑤箱. 車箱. 倉箱. 風箱. 合箱. 行箱.

9 ⑮ [箴] 人名 잠 平侵 職深切 zhēn

筆順 ノ ㅅ 竹 竺 笁 笁 箴 箴

字解 ①바늘 잠 바느질하는 바늘. '紉一請補綴'《禮記》. ②침 잠 살을 찔러 병을 고치는 바늘. '一砭'. '一石湯火所施'《漢書》. ③경계 잠 훈계. '一誡'. '規一'. '猶胥顧于一言'《書經》. ④경계할 잠 '一之曰'《左傳》. ⑤끼울 잠 끼워 넣음. 꽂아 넣음. '一, 插也'《廣雅》. ⑥잠 잠 한문의 한 체(體). 경계하는 뜻을 서술한 글로서, 대개는 운문(韻文)임. '大寶一'. '有夏商二一'《文體明辨》. ⑦성 잠 성(姓)의 하나.
字源 篆文 形聲. 竹+咸〔音〕. '咸함'은 한데 꿰매다의 뜻. 옷을 꿰매어 합치다, '대바늘'의 뜻을 나타냄.

[箴諫 잠간] 경계(警戒)하고 간(諫)함.

[箴儆 잠경] 잠계(箴誡).
[箴誡 잠계] 경계. 또, 경계함.
[箴規 잠규] ㉠경계(警戒). ㉡경계하여 바로잡음.
[箴銘 잠명] 잠(箴)과 명(銘).
[箴石 잠석] 돌침.
[箴言 잠언] 경계하는 말.
[箴砭 잠폄] 의료(醫療)에 쓰는 침. 전(轉)하여, 반성시키는 훈계(訓戒).
[箴諷 잠풍] 넌지시 경계(警戒)함.
[箴訓 잠훈] 훈계(訓戒).
◉官箴. 規箴. 大寶箴. 明箴. 文箴. 世箴. 良箴. 酒箴. 皇極箴.

9 ⑮ [落] 락 [入]藥 歷各切 luò

[字解] ①울타리 락 '格, 籬格也, 或作一'《集韻》. ②큰광주리 락 '栝一, 陳楚宋衞之間, 謂之栝一. (注)盛栝器籠也'《方言》.

9 ⑮ [箶] 호 [平]虞 戶吳切 hú

[字解] 전동 호 화살을 넣어 등에 지는 통. '一簏'. '饗士論功懸箭一'《吳萊》.
[字源] 形聲. 竹+胡〔音〕

[箶簏 호록] 전통(箭筒). 전동. 호록(胡簏).
◉箭箶.

9 ⑮ [箸] [人名] [一] 저 ①[去]御 遲倨切 zhù ②[去]御 陟慮切 [二] 착 [入]藥 陟略切 zhuó

[字解] [一] ①젓가락 저 음식을 집는 제구. '匕一'. '象一'. '飯黍毋以一'《禮記》. ②나타날 저, 두드러질 저 또, 위의 타동사. 著(艸部 九畫)와 同字. '形物其一'《列子》. '致忠信, 一仁義, 足以竭人矣'《荀子》. ※'저' 음은 인명자로 쓰임. [二] 붙을 착 著(艸部 九畫)과 同字. '兵一晉陽三年矣'《戰國策》.
[字源] 篆文 形聲. 竹+者〔音〕. '者자'는 '모으다'의 뜻. 음식을 모아서 집는 대 젓가락의 뜻. 또, '署서'와 통하여, 써 두다의 뜻을 나타내는데, 현재는 '著저'로 나타내어 구별하고 있음.

◉匕箸. 象箸. 玉箸. 衞生箸. 竹箸. 火箸.

9 ⑮ [箾] [一] 소 [平]蕭 蘇彫切 xiāo [二] 삭 [入]覺 所角切 shuò

[字解] [一] 퉁소 소 簫(竹部 十三畫)과 同字. '舞韶一者'《左傳》. [二] ①칠 삭 장대로 때림. '飛罤潚一'《張衡》. ②무곡이름 삭 '桓一'은 무곡(舞曲)의 이름. '武汋桓一簡象'《荀子》.
[字源] 篆文 形聲. 竹+削〔音〕. '削삭'은 가늘게 깎다의 뜻. 무인(舞人)이 손에 쥐는 가는 대의 뜻으로, 또, 그것을 가지고 추는 무악(舞樂)의 뜻을 나타냄.

[箾參 삭삼] 높고 긴 모양. 삭삼(箾摻).
◉象箾. 韶箾. 潚箾. 桓箾.

9 ⑮ [節] [中人] 절 [入]屑 子結切 jié 节

[筆順] 丿 𠂉 竹 笴 笴 笴 節 節

[字解] ①마디 절 ㉠대 또는 초목의 마디. 또, 그 모양을 한 것. '旄丘之葛兮, 何誕之一兮'《詩經》. ㉡뼈의 마디. '關一'. ㉢말이나 노래 곡조의 마디. '音一'. '曲一'. '撫掌擊一'《晉書》. ㉣사물의 한 단락(段落). '一一見, 則百一可知也'《說苑》. ②절개 절 굳은 지조. '一婦'. '一操'. '守一情不移'《古詩》. ③부신 절, 병부 절 사신(使臣) 또는 대장이 가진 신표(信標). '符一'. '一鉞'. '上使泄公持一問之'《漢書》. ④때 절 시기. '時一'. '季一'. '晩一色衰愛弛'《史記》. ⑤두공(斗栱) 절 기둥 위에 댄 사각형 또는 직사각형의 나무. '山一藻梲'《禮記》. ⑥경절 절 임금의 생신을 비롯한 국경일. '千秋一'. '天寶七年, 改爲天長一'《明皇實錄》. ⑦괘이름 절 육십사괘(六十四卦)의 하나. 곧, ䷻〈태하(兌下), 감상(坎上)〉. 한계가 있어서 정지하는 상(象). ⑧운명 절 운. '是一然也'《荀子》. ⑨알맞을 절, 알맞게할 절 '風雨一, 寒暑時'《禮記》. ⑩알맞은정도 절 적당한 때. 알맞음. '發而皆中一, 謂之和'《中庸》. ⑪관습 절 관례. 규칙. '夫祀國之大一也'《國語》. ⑫존절할 절 알맞게 조절함. '一制'. '一約'. '其唯仁且一與'《呂氏春秋》. '愼言語一飮食'《易經》. ⑬높을 절 산이 높은 모양. '一彼南山'《詩經》. ⑭성 절 성(姓)의 하나.
[字源] 金文 篆文 形聲. 竹+卽〔音〕. '卽즉'은 무릎 관절의 象形을 포함함. '마디'의 뜻을 나타냄.

[節減 절감] 절약(節約)하여 줄임.
[節概 절개] 지조(志操).
[節槪 절개] 절개(節概).
[節儉 절검] 절약하여 검소(儉素)한 생활을 함.
[節季 절계] 시절(時節)·계절의 끝. 전(轉)하여, 시절. 계절(季節).
[節句 절구] 인일(人日)〈1월 7일〉·상사(上巳)〈3월 3일〉·단오(端午)〈5월 5일〉·칠석(七夕)〈7월 7일〉·중양(重陽)〈9월 9일〉을 이름.
[節級 절급] ㉠차례. 순서. ㉡관물(官物)을 전수(典守)하는 얕은 벼슬.
[節氣 절기] ㉠한 해를 스물넷으로 나눈 하나. ㉡이십사절기(二十四節氣) 가운데 양력(陽曆) 매월 상순(上旬)에 드는 절기의 특칭(特稱). 곧, 입춘·경칩·청명 등.
[節斷 절단] 마디마디 끊음.
[節度 절도] ㉠법도(法度). ㉡지휘(指揮). ㉢마디. 가락. ㉣'절도사(節度使)'의 약칭(略稱).
[節度使 절도사] 당송(唐宋) 시대에 한 지방의 군정(軍政) 및 행정 사무를 총할(總轄)하던 관직.
[節度判官 절도판관] 절도사(節度使)의 속관(屬官)으로서 정원(定員)은 두 사람임.
[節略 절략] 절감(節減).
[節錄 절록] 적당히 생략(省略)하여 기록함. 또, 그 기록. 초록(抄錄).
[節理 절리] ㉠조리(條理). ㉡나무의 결.
[節旄 절모] 천자(天子)가 칙사(勅使)에게 부신(符信)으로 주는 깃대. 모(旄)는 깃대 머리에 다는 쇠꼬리 털. 또, 그 기(旗).
[節目 절목] ㉠마디와 마디의 가운데의 구멍. ㉡세목(細目). 조목(條目).
[節文 절문] 적절히 꾸며 훌륭하게 함. 또, 사리

(事理)에 따라 정한 조리(條理).
[節物 절물] 계절에 따라 나오는 산물(産物). 계절물(季節物).
[節夫 절부] 지조(志操)가 있는 남자.
[節婦 절부] 절개가 굳은 부인(婦人).
[節分 절분] ㉠입춘(立春)·입하(立夏)·입추(立秋)·입동(立冬)의 기후의 변천하는 때. ㉡입춘. 또는 그 전날.
[節士 절사] 절개가 있는 선비. 지조가 굳은 선비.
[節死 절사] 절개(節槪)를 지키어 죽음.
[節尙 절상] 높은 절개(節槪).
[節上生枝 절상생지] 가지에 또 가지가 난다는 뜻. 너무 지엽(枝葉)에 치우쳐 근본(根本)을 잃음을 비유한 말.
[節嗇 절색] 검소하고 인색(吝嗇)함.
[節省 절생] 적당히 생략함.
[節序 절서] 절기(節氣)의 차례.
[節帥 절수] ㉠절도사(節度使)의 별칭(別稱). ㉡명청 시대(明淸時代)의 독무(督撫)의 별칭(別稱).
[節食 절식] 음식을 적게 먹음.
[節約 절약] 객쩍은 비용(費用)을 내지 않고 쓸 데에만 씀. 아끼어 씀. 또, 검소(儉素)함. 검약(儉約).
[節欲 절욕] 사욕(私欲)을 억제함. 제욕(制欲).
[節用 절용] 비용을 절약함.
[節鉞 절월] 천자가 적을 치러 가는 장군에게 주는 부절(符節)과 도끼.
[節義 절의] 절개와 의리(義理).
[節日 절일] ㉠절구(節句). ㉡천자의 생일(生日).
[節傳 절전] 관문(關門)을 나갈 때 보이는 부신(符信).
[節節 절절] 봉황이 우는 소리.
[節制 절제] ㉠알맞게 함. 정도를 넘치지 아니함. ㉡통어(統御)함. 통솔함. ㉢규율이 있음. 규칙이 잘 행하여짐. ㉣정절(旌節)과 제조(制詔). ㉤절한(節限).
[節操 절조] 절개와 지조(志操).
[節足動物 절족동물] 몸은 속에 뼈가 없이 여러 개의 환절(環節)로 되고 마디가 있는 발이 달린 동물. 갑각류(甲殼類)·곤충류(昆蟲類)·다족류(多足類)·지주류(蜘蛛類) 등.
[節奏 절주] 음악 또는 소리의 곡절(曲折)과 변화. 리듬.
[節酒 절주] 술을 알맞게 줄여 마심. 술을 적당히 마심.
[節族 절주] 절주(節奏). 주(族)는 주(奏).
[節撙 절준] 준절(撙節)함.
[節止 절지] 적절한 데에서 그침. 절제(節制).
[節鎭 절진] ㉠절도사(節度使). 또는 절도사의 관아(官衙)를 이름. ㉡명(明)나라 때에 순무총독(巡撫總督)의 이칭(異稱).
[節次 절차] 일의 순서(順序).
[節取 절취] ㉠악(惡)을 버리고 선(善)을 취함. ㉡문장(文章)의 한 구절(句節)을 땀.
[節下 절하] 장수(長壽)에 대한 경칭(敬稱). 휘하(麾下).
[節限 절한] 적당한 한도.
[節解 절해] 신체의 골절(骨折)을 끊어 흩뜨림.
[節行 절행] 절개(節槪)를 지키는 행위(行爲).
[節俠 절협] 의협(義俠).
[節會 절회] 조정에서 절일(節日)에 베푸는 연회(宴會).
[節孝 절효] 절개가 있고 효심(孝心)이 있음.
[節孝祠 절효사] 절효의 여자를 제사 지내는 사당.
[節侯 절후] 부절(符節)을 가진 제후(諸侯).
[節候 절후] 절기(節氣) ❶.
[節麾 절휘] 대장군(大將軍)의 기(旗).
◉佳節. 嘉節. 慶節. 季節. 苦節. 高節. 曲節. 骨節. 關節. 奇節. 氣節. 大節. 萬壽節. 晩節. 末節. 名節. 邦節. 芳節. 變節. 符節. 不以盛衰改節. 匪躬之節. 士節. 死節. 使節. 徙節. 刪節. 三百六十骨節. 璽節. 瑞節. 盛節. 聖節. 蘇武節. 小節. 疏節. 殉節. 時節. 臣節. 若合符節. 逆節. 令節. 禮節. 玉節. 雄節. 音節. 雌節. 伏節. 旌節. 撙節. 錯節. 倉廩實知禮節. 千秋節. 忠節. 八節. 品節. 抗節.

9 ⑮ [篁] 人名 황 ㊥陽 胡光切 huáng

字解 ①대이름 황 대나무의 한 가지. '初—苞綠擇'《謝靈運》. ②대숲 황 대나무의 숲. '—竹'. '余處幽—兮, 終不見天'《楚辭》. ③피리 황 악기의 한 가지. '新音巧調—'《歐陽修》.

字源 篆文 形聲. 竹+皇〔音〕. '皇황'은 '넓고 크다'의 뜻. 넓고도 큰 대숲의 뜻을 나타냄.

[篁竹 황죽] 대숲. 숲을 이룬 대.
◉篔篁. 綠篁. 嫩篁. 篬篁. 碧篁. 絲篁. 疎篁. 修篁. 瘦篁. 野篁. 幽篁. 叢篁. 翠篁.

9 ⑮ [範] 高人 범 ㊤豏 防鍰切 fàn 范

筆順 ⺈ ⺮ 笁 笛 笪 筸 範 範

字解 ①법 범 법식. 본보기. '—式'. '模—'. '表—模於多士'《葉采》. ②한계 범 일정한 구획(區劃). '—圍'. ③거푸집 범 주형(鑄型). 틀. 골. 笵(竹部 五畫)과 통용. ④만날 범 逢(辵部 七畫)과 뜻이 같음. '—人之形而猶喜'《淮南子》. ⑤도조신제(道祖神祭) 범 길 떠날 때 도조신(道祖神)에게 고(告)하여 제사함. '—軷, 祖道之祭也'《通訓》. ⑥나아갈 범 '—, 前也'《廣雅》. ⑦성 범 성(姓)의 하나.

字源 篆文 形聲. 車+笵〈省〉〔音〕. '笵범'은 '본보기'의 뜻. 수레〔車〕를 만들기 위한 모형(模型)의 뜻에서, '본보기'의 뜻을 나타냄. 또, '笵범'은 '犯범'과 통하여, '범(犯)하다'의 뜻. 길을 떠남에 있어 개를 수레에 깔아 죽여 그 피를 바르는 액땜의 뜻도 나타냄.

[範軌 범궤] 법식(法式). 규칙.
[範例 범례] 본보기.
[範式 범식] 법식(法式). 본보기.
[範圓 범원] 범위(範圍).
[範圍 범위] ㉠일정한 한계 안에 넣음. ㉡한계를 그음. 일정한 형식에 넣어 에워쌈. 일정한 한계 안. 버렁.
[範疇 범주] ㉠분류(分類). ㉡외계(外界)의 사물을 인식하여 개념(槪念)을 파악할 때 반드시 가져야 할 사유(思惟)의 근본적 형식.
[範則 범칙] 법. 규칙. 규범(規範).
◉家範. 懿範. 格範. 廣範. 敎範. 軌範. 規範.

閨範. 模範. 師範. 聖範. 秀範. 垂範. 淑範. 勝範. 英範. 雄範. 圓範. 柔範. 儀範. 貽範. 典範. 體範. 憲範. 洪範. 鴻範. 訓範. 休範.

9 ⑮ **[篆]** 人名 전 ㊤銑 持兗切 zhuàn

字解 ①전자 전 고대 한자(漢字)의 한 체(體). 대전(大篆)과 소전(小篆)의 두 가지가 있는데, 대전은 주(周)나라의 태사주(太史籒)의 창작이므로 주문(籒文)이라고도 하며, 소전은 진(秦)나라 이사(李斯)의 창작임. '秦書有八體, 一日大一, 二日小一'《說文敍》. ②성 전 성(姓)의 하나.

字源 篆文 形聲. 竹+彖〔音〕. '彖단'은 '轉전'과 통하여, '돌리다'의 뜻. 붓을 돌리듯 움직여 쓰는 서체(書體)의 뜻을 나타냄.

[篆刻 전각] ㉠전자(篆字)를 새김. 또, 그 새긴 것. ㉡어구(語句)의 치레에만 힘쓰고 실질이 없는 문장을 이름.
[篆款 전관] 금석(金石)에 새긴 전자(篆字).
[篆隷 전례] 전서(篆書)와 예서(隷書).
[篆輅 전로] 황후(皇后)가 타는 수레의 이름.
[篆銘 전명] 전자(篆字)로 새긴 명(銘).
[篆文 전문] 전자(篆字).
[篆書 전서] 전자(篆字).
[篆額 전액] 비석의 상부에 쓴 전자(篆字)의 제자(題字).
[篆烟 전연] 전자(篆字) 모양으로 꼬불꼬불 올라가는 향로(香爐)의 연기.
[篆字 전자] 전체(篆體)로 쓴 글자.
◉大篆. 繆篆. 小篆. 鳥篆. 籒篆. 秦篆. 草篆.

[篆額]

9 ⑮ **[篇]** 中·人 편 ㊥先 芳連切 piān

筆順 ノ ㅅ 竺 笁 竿 笸 篇 篇 篇

字解 ①책 편 완결한 서책. '一, 謂書於簡冊可編者也'《通訓》. '著之於一'《漢書》. ②편 편 ㉠서책의 부류(部類). '前一'. '作孟子七一'《史記》. ㉡완결한 사장(詞章). '一什'. '雖有短一, 亦思之速也'《文心雕龍》. ㉢시문(詩文)을 세는 단위. '詩三百一, 大氐賢聖發憤之所爲作也'《漢書》. ③널리 편, 두루미칠 편 '一者, 徧也'《詩經疏》. ④나부낄 편 휘날림. 翩(羽部 九畫)과 통용. '一一不富'《易經》. ⑤성 편 성(姓)의 하나.

字源 篆文 形聲. 竹+扁〔音〕. '扁편'은 문호(門戶)에 써 붙인 대쪽의 뜻. 문자(文字)를 써 두는 대쪽의 뜻에서, '서책(書冊)'의 뜻을 나타냄.

[篇簡 편간] 문서(文書). 서책(書冊). 또, 문장. 시문(詩文).
[篇卷 편권] 서책. 서적.
[篇技 편기] 문학(文學)의 재주.
[篇牘 편독] 서책. 서적. 편적(篇籍).
[篇目 편목] 책의 편(編)과 그 명칭.
[篇法 편법] 시문을 짓는 방법.
[篇辭 편사] 문장(文章).
[篇首 편수] 시·문장 또는 책의 첫머리.
[篇章 편장] ㉠시문의 편과 장. ㉡문장. 또, 서적.
[篇籍 편적] 서책. 서적.
[篇題 편제] 시(詩)나 문장의 제(題).
[篇帙 편질] 책보. 전(轉)하여, 책.
[篇什 편집] 시가(詩歌). 또, 시가의 편장(篇章).
[篇次 편차] 책의 부류(部類)의 차례.
[篇軸 편축] 서책(書冊). 서권(書卷).
[篇篇 편편] 가볍게 날리는 모양. 편(篇)은 편(翩).
[篇翰 편한] 서적. 서책. 시문(詩文).
◉佳篇. 歌篇. 古篇. 群篇. 奇篇. 短篇. 斷篇. 名篇. 祕篇. 詩篇. 連篇. 靈篇. 雄篇. 長篇. 全篇. 陳篇. 初篇. 咳唾成篇. 豪篇. 華篇.

9 ⑮ **[箈]** 각 ㊀藥 克各切 kè

字解 ①광주리 각 '一, 籠也'《集韻》. ②술잔 각 '一, 桮也'《正字通》.

9 ⑮ **[篊]** 홍 ㊥東 胡公切 hóng

字解 ①통발 홍 대오리로 엮어 만든 고기를 잡는 제구. '到頭江畔尋漁事, 織竹中流萬尺一'《陸龜蒙》. ②홈통 홍 '一, 引水也'《廣韻》.

字源 形聲. 竹+洪〔音〕

9 ⑮ **[篋]** 협 ㊀葉 苦協切 qiè 篋

字解 상자 협 대오리로 결어 만든 직사각형의 상자. '一笥'. '綾絹錢布, 匱一充積'(匱는 櫃)《魏書》.

[篋]

字源 篆文 別體 形聲. 竹+匧〔音〕. 篆文의 '匧협'은 '匚+夾〔音〕. '夾협'은 끼우다의 뜻. '匧' 서책(書冊) 따위를 끼워 넣는 상자의 뜻. '篋협'은 '匧'의 別體. '匧'에 '竹죽'을 덧붙여, 대로 만든 상자의 뜻을 나타냄.

[篋匱 협궤] 상자. 궤짝.
[篋簏 협록] 상자.
[篋笥 협사] 상자.
[篋扇 협선] 상자 속에 넣은 채 쓰이지 않게 된 부채. 전(轉)하여, 사랑을 잃은 여성의 비유.
[篋詩 협시] 대상자에 챙겨 넣은 시편(詩篇).
[篋衍 협연] 대상자.
[篋篋 협협] 좁고 긴 모양.
◉胠篋. 巾篋. 鼓篋. 筐篋. 囊篋. 籠篋. 牢篋. 倒篋. 寶篋. 箱篋. 書篋. 石篋. 深篋. 韋篋. 塵篋. 敝篋.

9 ⑮ **[篌]** 후 ㊥尤 戶鉤切 hóu

字解 공후 후 악기의 한 가지. 箜(竹部 八畫)을 보라.

字源 形聲. 竹+侯〔音〕

◉箜篌.

9 [𥱢] 갈 ①入曷 居曷切 gé
⑮ ②入黠 五瞎切 qià

字解 ①대이름 갈 '一, 竹名'《廣雅》. ②악기이름 갈 籺(竹部 十三畫〈p.1689〉)과 同字. '籺, 敔也, 以止樂, 或省'《集韻》.

9 [𥲅] 〔고〕
⑮ 笘(竹部 五畫〈p.1660〉)와 同字

9 [箽] 동 上董 覩動切 dǒng
⑮

字解 ①대이름 동, 대그릇 동 '一, 竹器, 一曰, 竹名'《廣韻》. ②성 동 성(姓)의 하나. '一, 亦姓'《廣韻》.

9 [䈎] 一 엽 入葉 弋涉切 yè
⑮ 二 첩 入葉 敕涉切

字解 一 대쪽 엽 글씨를 쓰는 종이. 또, 종이를 세는 데 쓰는 말. '一, 篇簿書一'《廣韻》. 二 대쪽 첩 一과 뜻이 같음.

字源 形聲. 竹+葉〔音〕

9 [箵] 성 平青 先青切 xīng
⑮ 上梗 所景切 xǐng

字解 종다래끼 성 笭(竹部 五畫)을 보라.

字源 形聲. 竹+省〔音〕

9 [箷] 一 이 平支 弋支切 yí
⑮ 二 시 平支 商支切 shī

字解 一 횃대 이 옷걸이. 의가(衣架). '凡以竿爲衣架者, 名曰一'《爾雅 疏》. 二 횃대 시 一과 뜻이 같음.

9 [䈚] 一 태 平灰 徒哀切 tái
⑮ 二 지 平支 澄之切 chī

字解 一 죽순 태 대나무의 연한 싹. '一, 竹萌也'《說文》. 二 말풀 지 수초(水草). 마름. 箈(竹部 八畫)와 同字.

字源 篆文 形聲. 竹+怠〔音〕

9 [篅] 천 平先 重圓切 chuán
⑮

字解 ①곳집 천 대오리를 엮어 두른 쌀 더미. '一, 以判竹, 圜以盛穀者'《說文》. ②대그릇 천 대오리를 결어 만든 그릇. '一, 一曰, 竹器'《集韻》.

字源 篆文 形聲. 竹+耑〔音〕

9 [篍] 一 추 平尤 七由切 qiū
⑮ 二 초 平蕭 七遙切 qiū

字解 一 퉁소 추 관악기(管樂器)의 하나. 퉁소. '簫管, 一名一'《集韻》. 二 퉁소 초 一과 뜻이 같음.

字源 篆文 形聲. 篆文은 竹+烁〔音〕

9 [箮] 훤 平元 許元切 xuān
⑮

字解 대꽃 훤 대나무의 꽃. '一, 竹花也'《集韻》.

9 [篂] 성 平青 桑經切 xīng
⑮

字解 수레덮개 성 '箳一'은 수레를 덮는 데 쓰이는 대로 엮은 발. '箳一, 蔽篕也'《廣雅》.

字源 形聲. 竹+星〔音〕

9 [𥳁] 침 去沁 七鴆切 qìn
⑮

字解 ①먹자 침 목수들이 먹물을 찍어 표시할 때 쓰는 대쪽. '一墨, 工人具'《廣韻》. ②붓에먹찍을 침 먹물을 붓에 찍어 묻힘. '一, 墨漬筆也'《集韻》.

9 [箹] 一 요 去效 於敎切 yào
⑮ 二 약 入覺 於角切 yuē

字解 一 ①피리 요 작은 피리. '管小者, 謂之一'《集韻》. ②대마디 요 대나무의 마디. '一, 一曰, 竹節'《集韻》. 二 작은피리 약 '大籥謂之產, 其中謂之仲, 小者謂之一'《爾雅》.

字源 篆文 形聲. 竹+約〔音〕. '約약'은 '죄다, 조르다'의 뜻. 목소리를 조르다, 작은 피리의 뜻을 나타냄.

9 [𥱼] 一 시 平支 常支切 shí
⑮ 二 이 平支 余支切 yí
三 제 平齊 田黎切 tí
四 계 平齊 堅奚切 jī

字解 一 피리혀 시 '一, 簧屬'《說文》. 二 걸상앞의책상 이, 횃대 이 '榹, 方言, 榻前几, 趙魏之間, 謂之榹. 一曰, 衣架. 或作一'《集韻》. 三 대이름 제, 대그릇 제 '篪, 竹名. 一曰, 竹器. 或省'《集韻》. 四 비녀 계 '笄, 說文, 簪也. 或作一'《集韻》.

字源 形聲. 竹+是〔音〕

9 [𥰭] 과 上馬 古瓦切 guǎ
⑮

字解 자새 과 자새는 실을 감는 기구. '一, 籰一, 收絲具'《集韻》.

9 [𥱋] 과 平歌 苦禾切 kē
⑮

字解 대이름 과 '一, 竹名'《廣韻》.

9 [𥲈] 근 上軫 居忍切 jǐn
⑮

字解 꺼풀흰대 근 겉이 흰 대의 이름. '一, 竹名'《字彙》. '一, 皮白如霜, 大者宜爲篙'《古文苑》.

9 [𥳘] 자 平支 牆之切 cí
⑮

字解 대이름 자 대나무의 일종. '一, 竹名'《集韻》.

9 [箳] 〔병〕
⑮ 簈(竹部 十一畫〈p.1683〉)의 俗字

9 [箰] 〔순〕
⑮ 筍(竹部 六畫〈p.1663〉)과 同字

9 ⑮ [簨] 〔순〕
簨(竹部 十二畫〈p. 1686〉)과 同字

9 ⑮ [篤] 독 [入]沃 都毒切 dǔ
[字解] 두터울 독 篤(竹部 十畫〈p. 1679〉)과 同字. '一, 厚也'《說文》.
[字源] 形聲. 富+竹〔音〕

9 ⑮ [箲] 〔선〕
筅(竹部 六畫〈p. 1660〉)과 同字
[字源] 形聲. 竹+洗〔音〕. '洗선'은 '씻다'의 뜻. 밥통 등을 씻는 '대솔'의 뜻을 나타냄.

9 ⑮ [篃] [一] 미 [平]支 旻悲切 mèi
[二] 매 [去]隊 莫佩切
[字解] [一] 대이름 미 '一, 竹名. 江漢之閒謂之箭竿. 一尺數節, 葉大如扇, 可以衣蓬'《集韻》. [二] 대이름 매 [一]과 뜻이 같음.

9 ⑮ [築] 築(次條)의 訛字

10 ⑯ [築] [高人] 축 [入]屋 張六切 zhù 筑

[筆順]

[字解] ①달구 축 땅을 단단히 다지는 데 쓰이는 연장. '一者, 一土之杵'《左傳 疏》. ②공이 축 절굿공이·방앗공이 같은 것. '擧一三下'《漢書》. ③다질 축 땅을 쳐서 단단하게 함. 달구질함. '九月一場圃'《詩經》. ④쌓을 축 성 같은 것을 쌓음. '一城'. '齊人將一薛'《孟子》. ⑤지을 축 집을 지음. '建一'. '改一宮, 而師事之'《史記》. ⑥건축물 축 쌓거나 지은 성벽·가옥 따위. '畏人爲小一'《杜甫》. ⑦날개칠 축 새가 날개를 침. '逗翳翅相一'《韓愈》. ⑧찌를 축 '一, 刺也'《廣雅》. ⑨주울 축 '凡大木所偃, 盡起而一之.(疏) 一, 拾也'《書經》. ⑩동서 축 형제의 아내끼리 서로 상대를 부르는 말. '一娌, 匹也'《揚子方言》. ⑪성 축 성(姓)의 하나.
[字源] [金文] [篆文] [古文] 形聲. 木+筑〔音〕. '筑축'은 또 工+丮+竹〔音〕. '竹축'은 '篤독'과 통하여, '두껍다'의 뜻. 공이 따위의 연장을 손에 잡고 돋운 흙을 두껍게 다져 단단히 하다, 쌓다, 짓다의 뜻을 나타냄. 古文은 土+篙〔音〕. '篙독'은 '두껍다'의 뜻. 흙을 두껍게 하다의 뜻을 나타냄.

[築堅 축견] 견고히 쌓음.
[築構 축구] 쌓고 얽음.
[築臺 축대] 높이 쌓은 대(臺).
[築山 축산] 뜰에 흙을 쌓아 만든 작은 산.
[築城 축성] 성(城)을 쌓음.
[築作 축작] 축조(築造).
[築牆 축장] 담을 쌓음.
[築堤 축제] 둑을 쌓음.
[築造 축조] 쌓아 만듦.
[築港 축항] 항만(港灣)의 자연을 이용하여 선박의 정박(碇泊)에 필요한 공사를 베풂. 항구(港口)를 만듦.
◉架築. 改築. 建築. 功築. 構築. 畚築. 修築. 新築. 列築. 營築. 傭築. 增築. 創築. 穿築. 推築. 版築.

10 ⑯ [篔] [人名] 운 [平]文 王分切 yún
[字解] 왕대 운 '一簹'은 대나무의 일종으로, 물가에서 나는데 키가 수십 자, 주위가 한 자 대여섯 치 되는 대나무 중에서 가장 큰 것임. '一簹湘湖閒皆有之'《柳宗元》.
[字源] 形聲. 竹+員〔音〕

[篔簹 운당] 왕대. 자해(字解)를 보라.

10 ⑯ [籆] 확 [入]藥 王縛切 yuè
[字解] 얼레 확 실을 감는 제구. 籰(竹部 十四畫)·籰(竹部 二十畫)과 同字. '一, 榬也, 兗豫河濟之閒, 謂之榬'《揚子方言》.

10 ⑯ [篘] 추 [平]尤 楚鳩切 chōu
[字解] 용수 추, 술 추 술을 거르는 데 쓰는, 대로 결어 만든 그릇. 전(轉)하여, 술. '公餘試新一'《蘇軾》.
[字源] 形聲. 竹+芻〔音〕

◉新篘.

10 ⑯ [篙] 고 [平]豪 古勞切 gāo
[去]號 居號切
[字解] 상앗대 고 배질하는 데 쓰는 장대. 舟(部首) 참조. '一工'. '插一葦渚繫漁艇'《庚寅》.
[字源] [篆文] 形聲. 竹+高〔音〕. '高고'는 '길다'의 뜻. 긴 장대의 뜻을 나타냄.

[篙工 고공] 뱃사공.
[篙艫 고로] 상앗대와 노(櫓).
[篙師 고사] 뱃사공.
[篙梢 고소] 배를 부리는 데 익숙한 사람.
[篙手 고수] 뱃사공.
[篙人 고인] 뱃사공.
◉輕篙. 老篙. 撐篙.

10 ⑯ [篚] 비 [上]尾 府尾切 fěi
[字解] ①광주리 비 대로 결어 만든 둥근 그릇. '厥一織文'《書經》. ②먼지막이 비 수레의 먼지를 막는 가리개. '一, 車笭也'《說文》.
[字源] [篆文] 形聲. 竹+匪〔音〕. '匪비'는 뚜껑이 있는 죽제(竹製)의 상자의 뜻으로, '篚'의 原字. '匪'가 부정사(否定詞) 따위에 쓰이게 되어, '竹축'을 덧붙이게 되었음.

◉筐篚. 瑤篚.

10 ⑯ [篋] 극 [入]陌 奇逆切 jī
[字解] 대신 극 대로 만든 신. '一, 竹屐也'《篇海》.

10 ⑯ [篛] 약 [入]藥 日灼切 ruò

[字解] ①대이름 약 箬(竹部 九畫)과 同字. '摘—于谷'《謝靈運》. ②대순 약 죽순(竹筍).

[篛笠 약립] 대로 결어 만든 삿갓.

10 ⑯ [篝] 구 [平]尤 古侯切 gōu

[字解] ①배롱 구 화로에 씌워 놓고 그 위에 젖은 옷 같은 것을 얹어 말리는 제구. '衣—'. '秦—齊縷'《楚辭》. ②부담롱 구 물건을 넣어 지고 다니는 농. '甌窶滿—'《史記》. ③쇠농 구 모닥불을 담는 쇠붙이로 만든 농. '漁—'. '—火餱粮'《歐陽修》.
[字源] 篆文 形聲. 竹+(冓)冓〔音〕. '冓구'는 모닥불을 피우기 위한 농의 象形. 뒤에, '竹죽'을 덧붙였음.

[篝燈 구등] 등불을 배롱(焙籠)으로 덮음.
[篝卒 구졸] 모닥불을 지키는 군사.
[篝火 구화] 모닥불.
◉衣篝. 寒篝. 香篝.

10 ⑯ [篝] 篝(前條)의 本字

10 ⑯ [篡] 찬 [去]諫 初患切 cuàn

[字解] 빼앗을 찬 강탈함. 또, 가져서는 안 될 것을 가짐. '—奪'. '是—也, 非天與也'《孟子》.
[字源] 篆文 形聲. '厶+算〔音〕. '算산'은 '계산하다'의 뜻. '厶사'는 농구(農具)인 '가래'의 뜻. 계획적으로 흙을 떠서 일구다의 뜻에서, 못된 일을 꾸며 빼앗다의 뜻을 나타냄.

[篡立 찬립] 신하가 임금의 자리를 빼앗아 그 자리에 섬.
[篡弑 찬시] 임금을 죽이고 그 자리를 빼앗음.
[篡惡 찬악] 임금의 자리를 빼앗는 대악(大惡).
[篡逆 찬역] 임금의 자리를 빼앗으려고 하는 반역(反逆).
[篡位 찬위] 임금의 자리를 빼앗음.
[篡奪 찬탈] 임금의 자리를 빼앗음.
[篡虐 찬학] 찬역(篡逆).

10 ⑯ [篤] [高人] 독 [入]沃 冬毒切 dǔ 笃

[筆順] 篤

[字解] ①도타울 독 ㉠인정이 많음. '敦—'. '—厚'. '君子—恭'《中庸》. ㉡전일함. 열심임. '—學'. '志不—則不能力行'《論語集註》. ㉢견실함. '劼·鞏·堅·—·掔·虔·膠, 固也'《爾雅》. ㉣성의가 있음. 성실함. '君子—於親, 則民興於仁'《論語》. ②도타이할 독 '天之生物, 必因其材而—焉'《中庸》. ③중할 독 병이 위중함. '危—'. '遂稱病—'《史記》. ④천천히걸을 독 말이 느릿느릿 걸음. '—, 馬行頓遲也'《說文》. ⑤성 독 성(姓)의 하나.
[字源] 篆文 形聲. 馬+竹〔音〕. '竹죽'은 '毒독'과 통하여, '해치다, 손상하다'의 뜻. 말이 나아가지 못하다의 뜻에서, 정돈 상태에 이르다, 막다르다의 뜻을 나타냄. 그러나 이러한 용례는 극히 드물며, '竺독'과 통하여, '두텁다'의 뜻을 나타냄이 일반적임.

[篤降 독강] 돈후(敦厚)한 성질을 타고남. 천성(天性)이 돈독함.
[篤敬 독경] 독실하고 신중함.
[篤固 독고] 뜻이 독실하고 굳음.
[篤恭 독공] 인정이 많고 공손함.
[篤眷 독권] 두터운 권애(眷愛). 두터운 은총(恩寵).
[篤劇 독극] 독질(篤疾).
[篤謹 독근] 대단히 근엄(謹嚴)함.
[篤亮 독량] 성실하고 정직함.
[篤老 독로] 퍽 연로(年老)함. 또, 그 사람.
[篤論 독론] 물샐틈없는 치밀한 의론.
[篤癃 독륭] 독질(篤疾).
[篤密 독밀] 성실하고 치밀함.
[篤恕 독서] 친절하고 남의 사정을 잘 봐줌.
[篤性 독성] 인정이 많은 성질.
[篤誠 독성] 독실하고 성의가 있음.
[篤信 독신] 깊이 믿음. 굳게 믿음.
[篤愼 독신] 대단히 신중함.
[篤實 독실] 성실(誠實)함.
[篤痾 독아] 무거운 병. 중병(重病).
[篤愛 독애] 두터운 애정.
[篤藝 독예] 예도(藝道)에 전심(專心)함.
[篤友 독우] 형제간에 우애가 지극함.
[篤志 독지] 독실하고 친절한 뜻이나 마음.
[篤摯 독지] 친절하고 진지(眞摯)함.
[篤疾 독질] 위독한 병. 중병(重病).
[篤弼 독필] 정성을 다하여 보필(輔弼)함.
[篤學 독학] 독실하게 공부함.
[篤行 독행] ㉠독실한 행위(行爲). ㉡성실히 이행함.
[篤誨 독회] 성의를 다한 가르침.
[篤孝 독효] 효심(孝心)이 두터움.
[篤厚 독후] 독실하고 인정이 많음.
◉謹篤. 敦篤. 純篤. 醇篤. 危篤. 仁篤. 慈篤.

10 ⑯ [篥] 률 [入]質 力質切 lì

[字解] 악기이름 률 篳(竹部 十一畫)을 보라.
[字源] 形聲. 竹+栗〔音〕

◉篳篥.

10 ⑯ [篦] 비 ①-④[平]齊 邊迷切 pí ⑤[去]寘 毗意切 bì

[字解] ①대칼 비 대로 만든 작은 칼로, 연한 물건을 베거나 풀 같은 것을 으깨는 데 씀. '病膜似將寶—刮'《蘇舜欽》. ②빗치개 비 가르마를 타는 제구. '—, 眉—'《廣韻》. ③통발 비 대로 만든 고기잡이 제구. '笓, 博雅, 篝筌謂之—. 或作—'《集韻》. ④테 비 통의 둘레에 둘러 끼우는 물건. '笓, 一日, 可以約物. 或作—'《集韻》. ⑤참빗 비 '鈿頭銀—擊節碎'《白居易》.
[字源] 篆文 形聲. 竹+毘〔音〕. '毘비'는 가득히 줄지어 늘어서다의 뜻. 촘촘한 빗살이 줄지어 있는 '대빗'의 뜻을 나타냄.
[參考] 箆(竹部 八畫)는 俗字.

[篦代 비대] 살촉이 살대에 끼이는 부분.
[篦子 비자] 참빗.

◉象篪. 細篪. 銀篪. 竹篪.

10 ⑯ [箌] 도 ㊥豪 他刀切 tāo

字解 소구유 도 소의 구유. '一, 牛篸'《廣韻》. '一, 飮牛器'《集韻》.

10 ⑯ [篨] 저 ㊥魚 直魚切 chú

字解 ①대자리 저 죽석(竹席). '一, 籧一也'《說文》. ②새가슴 저 籧(竹部 十七畫)를 보라.

字源 篆文 形聲. 竹+除〔音〕

10 ⑯ [篩] 人名 사 ㊥支 所街切 shāi

字解 ①체 사 가루를 치는 제구. '一, 竹器. 有孔以下物, 去粗取細'《正字通》. ②체질할 사 체로 침. '一土築阿房之宮. (註) 一, 以竹篵爲之'《漢書》.

字源 形聲. 竹+師〔音〕. '師사'는 '釃시'와 통하여, '거르다'의 뜻. 잔 것과 굵은 것을 걸러 나누기 위한 대나무 '체'의 뜻을 나타냄.

[篩管 사관] 식물체(植物體)에서 양분의 통로가 되는 가는 구멍이 많은 관(管). 체관(體管).
[篩子 사자] 어레미. 대오리나 갈대로 엮어 만든 구멍이 큰 체.
[篩土 사토] 흙을 체로 쳐서 굵고 가는 것을 가려 냄.

10 ⑯ [篖] 당 ㊥陽 徒郎切 tāng

字解 대자리 당 대오리로 결어 만든 자리. '一, 筕一, 竹席, 直文而粗者'《集韻》.

10 ⑯ [篣] 방 ①②㊥陽 步光切 páng ③④㊥庚 薄庚切 péng

字解 ①대이름 방 대의 한 가지. '百葉參差, 生自南垂. 傷人則死, 醫莫能治. 亦曰一竹'《竹譜》. ②키 방 곡식을 까부르는 제구. '一, 竹箕'《廣韻》. ③바구니 방 '籠, 南楚江沔之閒, 謂之一'《揚子方言》. ④매 방, 매질할 방 搒(手部 十畫)·榜(木部 十畫)과 同字. '加一二百'《後漢書》.

字源 形聲. 竹+旁〔音〕

10 ⑯ [篧] ㊀ 착 ㊇覺 士角切 zhuó ㊁ 호 ㊅遇 胡故切 ㊂ 확 ㊇藥 闊鑊切 huò

字解 ㊀ 가리 착 물고기를 잡는 바구니 비슷한 기구. '一, 謂之罩'《爾雅》. ㊁ 가리 호 ㊀과 뜻이 같음. ㊂ 가리 확 ㊀과 뜻이 같음.

10 ⑯ [篪] 지 ㊥支 直離切 chí

字解 저이름 지 가로 부는 관악기의 한 가지. 구멍이 여덟 있는데, 그중 하나는 위에 있어서 이 구멍으로 불게 되었음. 길이 한 자 네 치. '伯氏吹壎, 仲氏吹一'《詩經》.

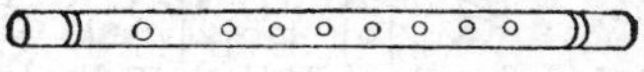

〔篪〕

字源 形聲. 竹+虒〔音〕

◉吹篪. 壎篪.

10 ⑯ [篪] 려 ㊤語 力擧切 lǚ

字解 밥소쿠리 려 밥을 담는 대그릇. 筥(竹部 七畫)와 同字. '一, 飯器'《集韻》.

10 ⑯ [簬] 락 ㊇藥 歷各切 luò

字解 울타리 락 '格, 籬格也, 或作一'《集韻》.

10 ⑯ [篵] 반 ㊥寒 薄官切 bān

字解 ①통발 반 물고기를 가두어 잡는 제구. '一, 一曰捕魚笱, 入而不可出'《集韻》. ②대껍질 반 대나무의 외피(外皮). '一, 篾也'《廣韻》.

[篵籛 반전] 대나무의 이름.

10 ⑯ [篸] ㊀ 차 ㊥歌 昨何切 cuō ㊁ 자 ㊤馬 側下切 zhǎ

字解 ㊀ 바구니 차 대를 결어 만든 그릇. '一, 筥屬'《集韻》. ㊁ 숯둥구미 자 숯을 담는 대그릇. '一, 炭籠, 長沙語'《集韻》.

字源 形聲. 竹+差〔音〕

10 ⑯ [篢] ㊀ 공 ㊥東 沽紅切 gōng ㊁ 감 ㊤感 古禫切 gǎn

字解 ㊀ 삿갓 공 대삿갓의 이름. '一, 笠名'《集韻》. ㊁ ①상자 감 匶(匚部 二十四畫〈p. 294〉)과 同字. '匶, 箱類, 或作一'《集韻》. ②대이름 감 '籲, 竹名, 亦作一'《廣韻》.

10 ⑯ [篛] 납 ㊇合 諾荅切 nà

字解 대밧줄 납 대오리로 꼬아 만든 동아줄. '一, 竹索'《集韻》.

10 ⑯ [篏] 겸 ㊅豔 詰念切 qiàn

字解 대그릇 겸 대로 결어 만든 그릇. '一, 籠也'《集韻》.

10 ⑯ [篞] 녈 ㊇屑 奴結切 niè

字解 피리 녈 중(中)피리. 중간 크기의 피리. '大管謂之簥, 其中謂之一'《爾雅》.

10 ⑯ [篛] 답 ㊇合 徒盍切 tà

字解 ①창 답 창문. '一, 窓也'《正字通》. ②바깥문 답 손님이 드나드는 문. '客扉謂之一'《集韻》. ③창밝을 답 창문이 밝음. '一, 窻明也'《康熙字典》.

10 ⑯ [篟] 부 ㊥尤 房尤切 fú

字解 아롱대 부 얼룩덜룩한 무늬가 있는 대나무. '一, 竹有文者'《集韻》.

10 ⑯ [篊] 홍 [去]送 呼貢切 hòng
[字解] 배롱(焙籠) 홍 숯불이나 화로 위에 씌워 놓고 옷을 말리는 제구. '一, 竹器, 所以熯物者'《集韻》.

10 ⑯ [⿱竹扇] 선 [去]霰 式戰切 shàn
[字解] ①부채 선 扇(戶部 六畫)과 同字. ②대나무 선 '一, 竹也'《廣韻》.

10 ⑯ [⿱竹哿] 가 [上]哿 賈我切 gě
[字解] 죽순절임 가 죽순을 소금에 절인 반찬. '一, 筍菹, 或作笴'《集韻》.

10 ⑯ [篕] [一] 합 [入]合 轄臘切 hé
[二] 개 [去]泰 居太切
[字解] [一] 대자리 합 대로 만든 자리. '一, 一⿱竹梭, 籧篨也'《集韻》. [二] 대자리 개 [一]과 뜻이 같음.

10 ⑯ [⿱竹鉤] 구 [去]遇 俱遇切 jù
[字解] ①바디 구 바디는 베 짜는 기구. '一, 織具'《集韻》. ②대이름 구 '一, 一曰, 竹名'《集韻》.

10 ⑯ [⿱竹匊] 〔국〕
⿱竹鞠(竹部 十七畫〈p. 1694〉)과 同字

10 ⑯ [⿱竹剡] [一] 잠 [平]覃 從甘切
[二] 담 [平]覃 徂含切 tán
[三] 점 [平]鹽 癡廉切
[字解] [一] 말긁는빗 잠 '一, 所㠯搔馬也'《說文》. [二] 말긁는빗 담 [一]과 뜻이 같음. [三] 말긁는빗 점 [一]과 뜻이 같음.
[字源] 形聲. 竹+剡〔音〕

10 ⑯ [⿱竹袁] 〔원〕
榬(木部 十畫〈p. 1092〉)과 同字

10 ⑯ [篹] 〔산·찬〕
簒(竹部 十一畫〈p. 1682〉)과 同字

10 ⑯ [篭] 〔롱〕
籠(竹部 十六畫〈p. 1692〉)과 同字

10 ⑯ [篠] [人名] 〔소〕 篠(竹部 十一畫〈p. 1681〉)의 俗字

10 ⑯ [簑] 〔사〕
蓑(艸部 十畫〈p. 1956〉)의 俗字

11 ⑰ [篲] [一] 수 [去]寘 徐醉切 suì
[二] 세 [去]霽 祥歲切 huì(suì)
[字解] [一] 비 수 대나무로 만든 비. '太公擁一'《史記》. [二] ①비 세 [一]과 뜻이 같음. ②살별 세 혜성(彗星).
[字源] 彗의 別體 彗 形聲. 竹+彗〔音〕. '彗혜'는 '비'의 뜻. 대나무 비의 뜻을 나타냄.

[篲氾畫塗 수범획도] 비로 땅을 쓸어 깨끗이 하고 대지(大地)에 선을 그음. 일이 쉬움의 비유.
◉擁篲.

11 ⑰ [⿱竹途] [一] 도 [平]虞 同都切 tú
[二] 저 [去]霽 丑戾切 chì
[字解] [一] 대껍질 도 대의 푸른 껍질만 벗겨 낸 것. '筡, 說文, 析竹筤也. 或作一'《集韻》. [二] ①지팡이 저 '一, 杖也'《廣韻》. ②호죽(胡竹)이름 저 '一, 胡竹名也'《廣韻》.

11 ⑰ [篠] 소 [上]篠 先鳥切 xiǎo
[字解] ①조릿대 소 대나무의 일종. 줄기가 가늘어 화살대를 만들기에 적합함. '翠一'. '一簜既敷'《書經》. ②삼태기 소 대로 만든 흙 나르는 기구(器具). '遇丈人以杖荷一'《論語》.
[字源] 形聲. 竹+條〔音〕

[篠原 소원] 조릿대가 많이 난 들.
[篠驂 소참] 죽마(竹馬)의 이칭(異稱).
◉徑篠. 嫩篠. 茂篠. 密篠. 雪篠. 細篠. 岸篠. 箭篠. 淸篠. 叢篠. 翠篠. 風篠.

11 ⑰ [篱] 리 [平]支 鄰知切 lí
[字解] ①조리 리 '笊一'는 조리. '一, 笊一, 竹器'《集韻》. ②籬(竹部 十九畫)의 簡體字.

11 ⑰ [篳] 필 [入]質 卑吉切 bì
[字解] ①사립짝 필 잡목의 가지 같은 것으로 엮어 만든 문짝. '一門'. '寂寥舊一'《南史》. ②울타리 필 바자울. 대나무 가지로 엉성하게 얽어 만든 울타리. '一, 藩落也(段注) 藩落, 猶俗云籬落也'《說文》. ③악기이름 필 '一篥'은 구멍이 아홉 있는 관악기.
[字源] 篆文 篳 形聲. 竹+畢〔音〕. '畢필'은 꽉 짜여서 빈 틈새가 없음의 뜻. 틈새 없이 촘촘히 엮은 대울타리의 뜻을 나타냄.

[篳路藍縷 필로남루] 대로 거칠게 만든 수레와 누더기 옷. 가난한 사람의 차림, 또는 사람이 근검(勤儉)함을 이름. 전(轉)하여, 만난(萬難)을 무릅쓰고 새로운 사업을 일으킴을 이름. 로(路)는 로(輅).
[篳篥 필률] 구멍이 아홉 있는 취주 악기.
[篳門 필문] 대로 엮은 사립문. 가난한 집의 문.

11 ⑰ [篷] 봉 [平]東 薄紅切 péng
[字解] ①뜸 봉 대오리·띠·부들 같은 것을 엮어 배·수레 등을 덮는, 거적 비슷한 물건. '熟醉臥一窓'《陸游》. ②거룻배 봉 작은 배. '釣一'. '一一衝雪返華陽'《皮日休》.
[字源] 形聲. 竹+逢〔音〕. '逢봉'은 '만나다'의 뜻. 대를 엮어 만든 뜸의 뜻을 나타냄.

[篷船 봉선] 뜸을 엎어 덮은 배.
[篷底 봉저] 배 안. 또, 배 밑.
[篷舟 봉주] 봉선(篷船).
[篷窓 봉창] 뜸을 걸어 놓은 배의 창.
◉船篷. 細篷. 疎篷. 雨篷. 一篷. 釣篷. 靑篷.

風篷.

11 ⑰ [篕] 구 [平]尤 烏侯切 ōu

[字解] 잠박 구 잠박은 누에를 치는 데 사용하는 발. '—, 吳人謂育蠶竹器曰—'《集韻》.

11 ⑰ [篕] 구 [去]宥 苦候切 kòu

[字解] 바디 구 베틀에 딸린 기구. '—, 織具'《集韻》.

11 ⑰ [篢] 권 [上]阮 窘遠切 juàn

[字解] ①소쿠리 권 '—, 囤屬'《正字通》. ②대이름 권 '—, 竹名'《集韻》.

11 ⑰ [箽] 근 [平]文 擧欣切 / [上]吻 几隱切 jīn

[字解] 껍질흰대 근 '—竹, 堅而促節, 體圓質勁, 皮白如霜'《本草》.

11 ⑰ [簒] [一] 산 [上]旱 蘇管切 suǎn, zuǎn / [二] 찬 [上]濟 雛綰切 zhuàn

[字解] [一] ①변 산 변(籩)의 한 가지로, 제사에 쓰는 그릇. '玉豆雕—'《禮記》. ②죽기 산, 목기 산 대 또는 나무로 만든 장식이 없는 그릇. '食於—者盥'《禮記》. [二] ①지을 찬 찬술(撰述)함. '書之所起遠矣, 至孔子—焉'《漢書》. ②찬 찬 반찬. 饌(食部 十二畫)과 同字.

[字源] 形聲. 巳+算〔音〕

11 ⑰ [篸] [一] 잠 ①②[平]覃 作含切 zān / ③[去]勘 作紺切 zān / [二] 참 [平]侵 疏簪切 cēn

[字解] [一] ①비녀 잠 簪(竹部 十二畫)과 同字. '江作青羅帶, 山如碧玉—'《韓愈》. ②바늘 잠 '—, 所以綴衣'《廣韻》. ③꿰맬 잠 攢(手部 十二畫)과 同字. '—, 以針—物'《廣韻》. [二] 퉁소 참 '吹—差兮誰思'《楚辭》.

[字源] 篆文 形聲. 竹+參〔音〕. '參참'은 길고 짧은 것이 뒤섞임의 뜻. 장단(長短)이 뒤섞여 고르지 않은 대의 뜻에서, 길고 짧음이 가지런하지 않다의 뜻을 나타냄.

[篸差 참치] 장단(長短)이 고르지 못한 모양.
◉碧玉篸.

11 ⑰ [簰] 패 [平]佳 薄佳切 pái

[字解] 큰떼 패 큰 뗏목을 엮어 물에 띄운 것. '—謂之筏'《揚子方言》.

◉蘆簰. 枋簰. 竹簰.

11 ⑰ [篻] 표 [上]篠 敷沼切 piǎo / [去]嘯 匹妙切

[字解] 대이름 표 '—篣'는 대나무의 일종. 속이 비지 않고 가늘며, 키가 대여섯 치 되는 것은 쇠뇌의 화살을 만듦. '—篣有叢'《左思》.

[字源] 形聲. 竹+票〔音〕

[篻篣 표로] 자해(字解)를 보라.

11 ⑰ [篼] 두 [平]尤 當侯切 dōu

[字解] ①가마 두 대로 엮은 타는 가마. 죽여(竹輿). ②구유 두 ㉠말에 사료(飼料)를 주는 그릇. '—, 食馬器也'《說文》. ㉡말에 물을 먹이는 대로 만든 통. '—, 按, 盛水飮馬之竹器'《通訓》.

[字源] 篆文 形聲. 竹+兜〔音〕. '兜도'는 무엇을 담는 바구니·광주리·그릇의 뜻. 말의 사료(飼料)를 넣은 대로 만든 바구니의 뜻을 나타냄.

11 ⑰ [篾] 멸 [入]屑 莫結切 miè

[字解] ①대껍질 멸 대나무의 껍질. '敷重—席'《書經》. ②등 멸 등(籐)의 일종. 도지죽(桃枝竹). '鐘籠篾—'《張衡》.

[字源] 形聲. 竹+蔑〈省〉〔音〕

[篾篷 멸념] 배를 끄는 밧줄.
[篾輿 멸여] 대를 엮어 만든 가마.
[篾片 멸편] 남의 비위를 맞추어 그 덕분으로 살아가는 사람.
◉剖篾. 細篾. 竹篾. 青篾. 翠篾.

11 ⑰ [簀] [一] 책 [入]陌 側革切 zé / [二] 채 [去]卦 側賣切 zhài

[字解] [一] ①마루 책 댓조각으로 바닥을 깐 마루. '竹之—'《禮記》. ②대자리 책 침대 위에 까는 대오리로 엮은 자리. '易—'. '卽卷以—置廁中'《史記》. ③쌓을 책, 모을 책 쌓아 모음. '綠竹如—'《詩經》. [二] 술주자 채 醡(酉部 十畫)과 同字. '—, 壓酒具'《集韻》.

[字源] 篆文 形聲. 竹+責〔音〕. '責책'은 '冊책'과 통하여, 끈으로 엮다의 뜻. 대오리를 엮어 만든 자리의 뜻.

◉家簀. 易簀. 玉簀. 招簀.

11 ⑰ [簎] [一] 초 [平]肴 師交切 shāo / [二] 삭 [入]覺 色角切 shuò

[字解] [一] ①키 초 배의 키. '—, 船舵尾'《篇海》. ②움직일 초 동요함. '其應淸風也, 纖末奮—'《馬融》. [二] 부엌솔 삭 밥그릇·솥 같은 것을 긁어 닦는 대오리로 만든 솔. '—, 飯帚'《集韻》.

[字源] 形聲. 竹+梢〔音〕

11 ⑰ [簂] [一] 궤 [去]隊 古對切 guì / [二] 괵 [入]陌 古獲切 guó

[字解] [一] ①머리꾸미개 궤 부녀자의 수식(首飾). 幗(巾部 十一畫)과 뜻이 같음. '猶中國有—步搖'《後漢書》. ②대바구니 궤 대상자. 대광주리. '—, 筐也'《廣韻》. [二] 머리꾸미개 괵, 대바구니 괵 [一]과 뜻이 같음.

[字源] 形聲. 竹+國〔音〕

11 ⑰ [簃] [一] 이 [平]支 弋支切 yí / [二] 지 [平]支 直離切 yí

字解 ■ ①누각곁채 이 누각(樓閣) 옆에 있는 곁채. ②연각(連閣) 이 이어진 궁실(宮室). '連謂之—'《爾雅》. ■ 누각곁채 지, 연각 지 ■과 뜻이 같음.
字源 篆文 形聲. 竹+移〔音〕

11 ⑰ [簇] 人名 ■ 족 ㊀屋 千木切 cù ■ 주 ㊄宥 千候切 còu ■ 착 ㊀覺 測角切 chuò

字解 ■ ①조릿대 족 작은 대. '—, 小竹'《廣韻》. ②모일 족 떼 지어 한 군데에 모임. '—出'. ③떼 족 무리. '桃花一—開無主'《杜甫》. ■ 모일 주 떼 지어 한 군데에 모임. '泰—者, 言萬物—生也'《史記》. '蜂—野花'《韋莊》. ■ 살촉 착 鏃(金部 十一畫)과 뜻이 같음.
字源 形聲. 竹+族〔音〕. '族족'은 '모이다'의 뜻. 대나무가 한 군데 모여 나다의 뜻에서, '모이다'의 뜻을 나타냄.

[簇生 족생] 더부룩하게 남.
[簇葉 족엽] 떼 지어 난 잎.
[簇擁 족옹] 떼 지어 옹위(擁衛)함. 많은 사람이 지킴.
[簇簇 족족] 많이 모인 모양.
[簇酒 족주] 여러 집에서 모아 놓은 술.
[簇出 족출] 떼 지어 나옴.

11 ⑰ [篍] 년 ㊤銑 乃典切 niǎn

字解 낚싯바늘 년 '—, 魏人呼釣曰恭—弓'《字彙補》.

11 ⑰ [篺] 병 ㊥庚 府盈切 píng ㊥青 旁經切

字解 수레덮개 병 수레에 먼지를 막기 위하여 가리는 것. '車上竹席障塵者, 前曰藩, 後曰—'《篇海》. '—篁, 車蔽篰'《集韻》.

11 ⑰ [簉] 추 ㊄宥 初救切 zào, chòu

字解 ①버금자리 추 차석(次席). 부이(副貳). '僖子使助薳氏之—'《左傳》. ②부거(副車) 추 예비로 따르는 수레. '屬車之—, 載獫猲獢'《張衡》. ③가지런할 추 '—, 齊飛順疾也'《字彙》. ④섞을 추 '步櫚—瓊弁'《江淹》. ⑤첩 추 소실. '—室'.
字源 形聲. 竹+造〔音〕

[簉室 추실] 소실(小室). 첩.

11 ⑰ [簋] 궤 ㊤紙 居洧切 guǐ

字解 궤 궤 서직(黍稷)을 담는 제기(祭器). 바깥쪽은 둥글고, 안쪽은 네모짐. '旅人爲—'《周禮》.
字源 金文 篆文 會意. 金文은 皀+殳. '皀己'은 그릇에 담은 음식을 본뜬 모양. '殳수'는 담는 기구(器具)를 손에 든 모양을 본뜸. 음식을 담는 둥근 제기(祭器)의 뜻을 나타냄. 나중에 竹+皀+皿의 '簋궤'로 됨.

〔簋〕

[簋簠 궤보] ㉠서직(黍稷)을 담는 제기(祭器). ㉡예의(禮儀). 예법(禮法).
◉簠簋. 樽簋. 土簋. 胡簋.

11 ⑰ [簌] 속 ㊀屋 蘇谷切 sù

字解 ①체 속 가루를 치는 제구. '—, 篩也'《集韻》. ②무성할 속 우거져 빽빽한 모양. '風動落花紅——'《元稹》. ③소리 속 '山邊竹籐裏, ——地響'《水滸傳》.
字源 形聲. 竹+軟〔音〕

[簌簌 속속] ㉠무성하여 빽빽한 모양. ㉡떨어지는 모양. ㉢바스락거리는 소리.

11 ⑰ [簍] 루 ㊥尤 落侯切 lǒu ㊤有 郎斗切

字解 농 루 거칠게 결은 죽롱(竹籠).
字源 篆文 形聲. 竹+婁〔音〕. '婁루'는 줄줄이 이어지다의 뜻. 대를 엮어 이은 '대바구니'의 뜻을 나타냄.

11 ⑰ [籢] 렴 ㊥鹽 力鹽切 lián

字解 북 렴 '—, 鼓也'《字彙補》.

11 ⑰ [簎] 착 ㊀覺 士角切 cè

字解 ①작살 착 물고기를 찔러 잡는 물건. ②찌를 착 작살로 물고기를 찔러 잡음. '以時—魚鼈龜蜃凡貍物'《周禮》. ③우리 착 희생으로 쓰일 가축을 기르는 우리. '藉, 本作—, 謂牲牢也'《列子 注》.
字源 篆文 形聲. 手+籍〈省〉〔音〕

11 ⑰ [簏] 록 ㊀屋 盧谷切 lù

字解 상자 록 키가 높은 대나무로 결어 만든 상자. '篋—'. '凝塵滿書—'《范成大》.
字源 篆文 別體 形聲. 竹+鹿〔音〕. '鹿록'은 가느다랗게 이어지다의 뜻. 대오리를 가느다랗게 결어 만든 키 큰 상자의 뜻을 나타냄.

◉書簏. 篋簏.

11 ⑰ [簝] 료 ㊥蕭 落簫切 liáo

字解 대이름 료 대나무의 일종. 마디 사이가 짧고 삼과 같이 부드러워 물건을 묶을 수 있다 함. '—篿二族亦甚相似把髮苦竹'《竹譜》.

11 ⑰ [篴] ■ 적 ㊀錫 徒歷切 dí ■ 축 ㊀屋 眞六切 zhú

字解 ■ 피리 적 일곱 구멍이 있는 피리. 笛(竹部 五畫)과 同字. '籥·簫·篪·—·管'《周禮》. ■ 대이름 축 '—, 竹名'《廣韻》.
字源 形聲. 竹+逐〔音〕

11 ⑰ [䉂] 루 [上]紙 魯水切 lěi
[字解] ①법 루 법률(法律). '一, 法也, 一曰, 法可以一网人也'《集韻》. ②삼태기 루 흙을 담아 내는 그릇. '一, 盛土籠'《字彙》.

11 ⑰ [簅] 산 [上]潸 所簡切 chǎn
[字解] 큰피리 산 대형(大形)의 피리. '一, 大籥'《集韻》.

11 ⑰ [篿] [一] 전 [平]先 職緣切 zhuān
[二] 단 [平]寒 度官切 tuán
[字解] [一] 대점대로점칠 전 대오리 점대로 점을 침. '索藑茅以筳一. (註) 楚人名結草折竹以卜曰一'《楚辭》. [二] 대그릇 단 둥근 대바구니. '一, 圜竹器也'《說文》.
[字源] 篆文 形聲. 竹+專〔音〕. '專전'은 '둥글다'의 뜻. 둥근 대그릇의 뜻을 나타냄.

11 ⑰ [𥴦] 조 [平]肴 莊交切 cháo
[字解] 큰생황 조 대형(大形)의 생황(笙簧). '一, 大笙, 十九簧'《篇海》.

11 ⑰ [𥳈] 담 [上]感 杜覽切 dàn
[去]勘 徒濫切
[字解] 대이름 담 대나무의 일종. '一, 竹名'《集韻》.

11 ⑰ [𥳝] 곡 [入]屋 胡谷切 hú
[字解] ①큰상자 곡 대형(大形)의 상자. '一, 大箱也'《集韻》. ②쌀그릇 곡 '箱一'은 쌀을 담는 그릇. '箱一, 盛米器'《篇海》.

11 ⑰ [𥳔] 조 [去]嘯 丁叫切 diào
[字解] 대 조 대나무. '一, 竹也'《字彙補》.

11 ⑰ [簒] [人名] 〔찬〕 簒(竹部 十畫〈p. 1679〉)의 俗字

11 ⑰ [𥳑] 〔독·대〕
毒(毋部 四畫〈p. 1162〉)의 古字

11 ⑰ [𥳇] 〔축〕
築(竹部 十畫〈p. 1678〉)의 本字

11 ⑰ [𥳘] 〔편〕
篇(竹部 九畫〈p. 1673〉)의 本字

11 ⑰ [篽] 〔어〕
籞(竹部 十六畫〈p. 1692〉)와 同字
[字源] 篆文 形聲. 竹+御〔音〕. '御어'는 '길들이다'의 뜻. 대울타리로 둘러싸고, 조수(鳥獸)나 물고기를 기르는 곳의 뜻을 나타냄.

11 ⑰ [簁] 〔사〕
籭(竹部 十九畫〈p. 1694〉)와 同字
[字源] 篆文 形聲. 竹+徙〔音〕. '徙사'는 '옮기다'의 뜻. 곡물(穀物)을 쳐서 움직이는 대나무 체의 뜻을 나타냄.

11 ⑰ [簘] 〔소〕
簫(竹部 十三畫〈p. 1687〉)의 俗字

12 ⑱ [簙] 박 [入]藥 補各切 bó
[字解] 쌍륙 박 博(十部 十畫)과 통용. '箟蔽象棊, 有六一些'《楚辭》.
[字源] 篆文 形聲. 竹+博〔音〕. '博박'은 도박을 하다의 뜻. 대쪽을 사용하는 '노름·쌍륙'의 뜻을 나타냄.

12 ⑱ [簚] 멱 [入]錫 莫狄切 mì
[字解] 수레덮개 멱 수레 위를 덮어 가리는 물건. '鞮屨素一'《禮記》.

12 ⑱ [簤] 대 [上]蟹 徒駭切 dài
[字解] 대그릇 대 대로 만든 그릇·도구. '簑, 竹器, 或从買'《集韻》.

12 ⑱ [簜] 탕 ①②[上]養 徒朗切 dàng
③[平]陽 吐郎切 tāng
[字解] ①왕대 탕 거대한 대나무. '篠一既敷'《書經》. ②피리 탕 '一在建鼓之間'《儀禮》. ③물이름 탕 지금의 허난 성(河南省) 탕음현(簜陰縣)에 있는 강(江).
[字源] 篆文 形聲. 竹+湯〔音〕. '湯탕'은 '크다'의 뜻. 큰 대, 곧 '왕대'의 뜻을 나타냄.

12 ⑱ [𥴊] 미 [去]寘 明祕切 mèi
[字解] 죽순 미 겨울에 나는 죽순의 이름. '英山, 多箭一'《山海經》.

12 ⑱ [𥴻] 취 [去]霽 子芮切 zuì
[字解] 실패 취 실을 감는 제구.

12 ⑱ [簞] [人名] 단 [平]寒 都寒切 dān 簞
[字解] ①밥그릇 단 밥을 담는, 대로 결어 만든 둥근 그릇. '一一食, 一瓢飮'《論語》. ②상자 단 물건을 넣는 작은 상자. '實于一'《儀禮》. ③호리병박 단 호로(葫蘆). '甘此瓢一'《曹植》.
[字源] 篆文 形聲. 竹+單〔音〕. '單단'은 '坦탄'과 통하여, '납작하다'의 뜻. 납작한 죽제(竹製)의 작은 상자의 뜻.

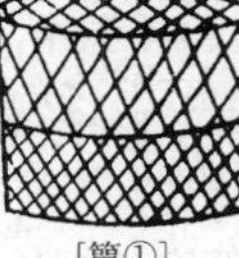

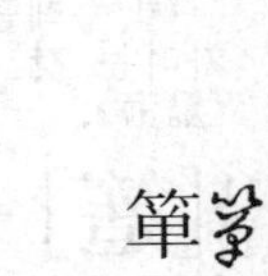
[簞①]

[簞醪投河 단료투하] 막걸리를 선사받은 대장이 혼자 먹기가 안 되어서 강에 풀어 군사와 같이 마셨다는 이야기에서, 장수가 군사와 고락을 같이함을 이름.
[簞笥 단사] ㉠밥을 담는 대그릇. 둥근 것이 단(簞), 네모진 것이 사(笥). ㉡물건을 담는 대소(大小)의 그릇.
[簞食豆羹 단사두갱] 대그릇에 담은 밥과 제기(祭器)에 담은 국이란 뜻으로, 소량의 음식물(飮食物). '일단사일두갱(一簞食一豆羹)'을 보라.
[簞食瓢飮 단사표음] 대그릇에 담은 밥과 표주박에 담은 음료라는 뜻으로, 가난한 사람이 먹는

보잘것없는 음식. '일단사일표음(一簞食一瓢飮), 단표(簞瓢)'를 보라.

[簞食壺漿 단사호장] 대그릇에 담은 밥과 병에 넣은 장. 전(轉)하여, 백성이 군사를 환영하여 호궤(犒饋)함을 이름.

[簞瓢 단표] 밥을 담는 대그릇과 국을 담는 표주박. 전(轉)하여, 가난한 사람이 먹는 보잘것없는 음식.

◉空簞. 一簞. 瓢簞.

12 ⑱ [簟] 점 ㊤琰 徒玷切 diàn (去)豔 徒念切

字解 ①대자리 점 대오리로 엮어 만든 자리. '竹―'. '涼―'. '見其坐六尺―'《世說》. ②삿자리 점 갈대를 엮어 만든 돗자리. '―, 細葦席也'《禮記注》.

字源 金文 篆文 形聲. 竹+覃[音]. '覃담'은 길게 뻗다의 뜻. 대를 엮어 길게 한, '자리'의 뜻을 나타냄.

[簟①]

[簟文 점문] 돗자리의 무늬.
[簟牀 점상] 대로 엮은 살평상.
[簟席 점석] 삿자리.
[簟褥 점욕] 대자리.

◉衾簟. 象簟. 暑簟. 涼簟. 莞簟. 瑤簟. 珍簟. 青簟. 清簟. 秋簟. 翠簟. 枕簟. 夏簟. 華簟. 滑簟.

12 ⑱ [簠] 보 ㊤麌 方矩切 fǔ (平)虞 甫無切

字解 보 보 서직(黍稷)을 담는, 대로 만든 제기(祭器). 안이 둥글고 바깥이 네모짐. '兩―繼之'《儀禮》.

字源 甲骨文 金文 篆文 形聲. 竹+皿+甫[音]. '甫보'는 '엷다, 얕다'의 뜻. 기장을 담아 신(神)에게 바치는, 속이 얕은 대그릇의 뜻을 나타냄.

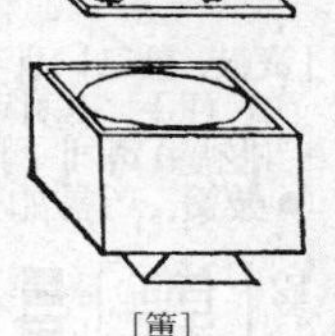

[簠]

[簠簋 보궤] 서직(黍稷)을 담는 제기(祭器)인 보(簠)와 궤(簋).

◉簋簠. 竹簠.

12 ⑱ [簡] 高人 간 ㊤潸 古限切 jiǎn 简

筆順 𠂉 𠂉𠂉 竺 竿 笥 筲 簡 簡

字解 ①대쪽 간 대나무의 조각. 종이가 없던 옛날에 글을 적는 데 썼음. '竹―'. '―札'. '―謂之畢'《爾雅》. ②편지 간 서신. '書―'. '手―'. '有―有狀'《文體明辨》. ③문서 간 서류. '―策'. ④가릴 간 선발함. '―擇'. '―拔'. '―不肖以絀惡'《禮記》. 전(轉)하여, 군주의 특명으로 임관되는 것을 '特―', 또는 '―授'라 함. ⑤검열할 간 조사하기 위하여 죽 살펴봄. '―閱'. '―稽鄉民'《周禮》. ⑥단출할 간 간단함. '―略'. '―要'. ⑦대범할 간 까다롭지 아니함. 잘게 굴지 아니함. '―率'. '臨下以―'《書經》. ⑧소홀히할 간 대수롭지 않게 여김. '是―驩也'《孟子》. ⑨덜 간 적게 함. '―稅防災'《後漢書》. ⑩검소할 간 알뜰함. '儉―'. '謙愿儉―, 事多循仍'《唐書》. ⑪간할 간 간언(諫言)을 올림. '是用大―'《左傳》. ⑫감출 간 '坤以―能'《易經》. ⑬교만할 간 오만함. '―傲'. '自驕則―士'《呂氏春秋》. ⑭게을리할 간 나태함. '長不―慢矣'《呂氏春秋》. ⑮일 간 쌀을 읾. ⑯정성 간 성의. '有旨無―不聽'《禮記》. ⑰성 간 성(姓)의 하나.

字源 篆文 形聲. 竹+閒[音]. '閒간'은 '틈새'의 뜻. 대오리를 엮어 문자(文字)를 쓰는 대쪽의 뜻. 엮으면 틈이 생기므로, '閒'을 쓰게 됨. '揀간'과 통하여, '가리다'의 뜻으로도 쓰임.

[簡簡 간간] ㉠큰 모양. ㉡북 같은 것의 소리가 부드럽고 큰 모양.
[簡倨 간거] 간오(簡傲).
[簡儉 간검] 까다롭지 않고 검소함.
[簡潔 간결] ㉠간단하고 요령이 있음. ㉡대범(大泛)하고 결백함.
[簡稽 간계] ㉠병장기(兵仗器)를 조사하고 사졸(士卒)을 셈. ㉡조사하기 위하여 살펴봄.
[簡古 간고] 시문(詩文) 같은 것이 간결(簡潔)하고 고아(古雅)함.
[簡寡 간과] 간편하고 과소(寡少)함.
[簡求 간구] 구(求)하여 가림.
[簡記 간기] 지령서. 명령서. 책서(策書).
[簡短 간단] 간단(簡單).
[簡單 간단] 간략하고 단출함.
[簡牘 간독] ㉠글씨를 쓰는 대쪽과 나뭇조각. ㉡편지. ㉢문서. 서적.
[簡略 간략] ㉠복잡하지 아니함. 까다롭지 아니함. ㉡간단히 함. ㉢성질이 잔달지 아니함. 대범(大泛)함.
[簡練 간련] ㉠선발하여 단련시킴. ㉡선택하여 연습함.
[簡馬 간마] 군마(軍馬)를 검열(檢閱)함.
[簡碼 간마] 생략하는 부호. 약부(略符). 전보(電報) 같은 데 쓰이는 것.
[簡慢 간만] 데면데면하고 게으름. 태만(怠慢)함.
[簡明 간명] 간단하고 명료함.
[簡默 간묵] 말이 적음. 과묵(寡默).
[簡朴 간박] 대범(大泛)하고 소박함.
[簡樸 간박] 간박(簡朴).
[簡拔 간발] 가려냄. 선발함.
[簡拔而櫛 간발이즐] 머리카락을 낱낱이 골라 가며 빗질함. 쓸데없는 곳에 정력(精力)을 낭비(浪費)함의 비유.
[簡法 간법] 간편한 방법.
[簡卜 간복] 가려 생각함. 생각하여 정함.
[簡孚 간부] 말이 없고 정성스러움.
[簡師 간사] 선발한 군대.
[簡散 간산] 방자(放恣)함.
[簡省 간생] 줄임. 간약(簡約)함.
[簡書 간서] ㉠병사(兵事)의 명령서. ㉡편지. 서간.
[簡選 간선] 가림. 고름. 선발함.
[簡素 간소] ㉠대범(大泛)하고 검소함. ㉡글씨를 쓰는 대쪽과 흰 명주. 옛날에 종이 대신으로 썼음.
[簡疎 간소] 대범(大泛)하고 소탈(疎脫)함.
[簡率 간솔] 성질이 대범(大泛)하고 솔직함.
[簡授 간수] 특별히 좋은 벼슬을 가려서 줌.
[簡習 간습] 익힘. 연습함.

[簡約 간약] 복잡하지 아니함. 까다롭지 아니함. 간략(簡略).
[簡閱 간열] 가림. 살펴봄. 조사함.
[簡傲 간오] 찬찬하지 않으며 오만함.
[簡要 간요] 간략하고 요령이 있음. 간결(簡潔).
[簡易 간이] ㉠간단하고 쉬움. ㉡성품이 까다롭지 아니함.
[簡章 간장] 요약(要約)한 규칙. 약칙(略則).
[簡齋集 간재집] 송(宋)나라 진여의(陳與義)의 시문집(詩文集). 16권.
[簡切 간절] 문장이 간단하고 절실함.
[簡定 간정] 가려 정함.
[簡紙 간지] 두껍고 품질(品質)이 좋은, 편지에 쓰는 종이.
[簡直 간직] 간략하고 바름.
[簡札 간찰] 간독(簡牘).
[簡槧 간참] 간판(簡版).
[簡冊 간책] 책. 서적.
[簡策 간책] 간책(簡冊).
[簡斥 간척] 좋은 것을 고르고 나쁜 것을 물리침.
[簡天儀 간천의] 천문(天文)을 관측하는 기계(器械). 혼천의(渾天儀).
[簡捷 간첩] 간략하고 빠름.
[簡牒 간첩] 글씨를 쓰는 나뭇조각. 간찰(簡札).
[簡撮 간촬] 가려 가짐. 가려냄.
[簡出 간출] ㉠가려냄. ㉡때를 가려 나옴. 때를 보고 나옴.
[簡黜 간출] 업신여겨 물리침.
[簡充 간충] 선발하여 충당(充當)함.
[簡取 간취] 가려 취함. 가려 가짐.
[簡惰 간타] 소홀(疏忽)히 함. 게을리 함.
[簡擢 간탁] 간발(簡拔).
[簡汰 간태] 선발하고 도태(淘汰)함.
[簡擇 간택] 간선(簡選).
[簡通 간통] 사헌부(司憲府)의 관원이 자기의 의사를 글로 써서 서로 통하던 일.
[簡派 간파] 간선(簡選)하여 파견함.
[簡版 간판] 글씨를 쓰는 나뭇조각.
[簡便 간편] 간단하고 편리함.
[簡編 간편] 책. 서적. 간책(簡冊).
[簡畢 간필] 글씨를 쓰는 대쪽. 죽간(竹簡).
[簡核 간핵] 간략하고 확실함.
[簡驗 간험] 간편하고 효험이 있음.
[簡兮 간혜] 큰 모양. 간간(簡簡). 혜(兮)는 조자(助字).
[簡忽 간홀] 대수롭지 않게 여겨 소홀히 함.
◉高簡. 寬簡. 狂簡. 苟簡. 來簡. 斷簡. 斷篇殘簡. 大簡. 騰簡. 木簡. 妙簡. 返簡. 芳簡. 白簡. 煩簡. 書簡. 手簡. 恬簡. 料簡. 夷簡. 易簡. 了簡. 仁簡. 自繁入簡. 殘簡. 銓簡. 折簡. 精簡. 竹簡. 錯簡. 尺簡. 賤簡. 淸簡. 脫簡. 編簡. 平簡. 筆簡. 汗簡. 虛簡. 和簡.

12 ⑱ [簡] 簡(前條)의 本字

12 ⑱ [簣] 궤 ㊀簣 求位切 kuì ㊀卦 苦怪切

字解 죽롱 궤 흙을 나르는 죽롱(竹籠). 지금의 삼태기 같은것. '爲山九仞, 功虧一―'《書經》.
字源 形聲. 竹+貴〔音〕. '貴귀'는 양손으로 물건을 보내는 모양을 본뜸. 대로 엮은 '죽롱(竹籠)'의 뜻을 나타냄.

12 ⑱ [籜] ㊀ 타 ㊤架 徒果切 ㊀箇 徒臥切 duò ㊁ 대 ㊤賄 杜罪切

筆順

字解 ㊀ 대이름 타 '篸―'는 잎에 무늬가 있는 대나무의 이름. '―, 篸―, 竹名'《集韻》. ㊁ 대 이름 대 ㊀과 뜻이 같음.

12 ⑱ [簦] 〔동〕 簦(竹部 九畫〈p. 1677〉)과 同字

12 ⑱ [籏] 人名 〔운〕 篔(竹部 十畫〈p. 1678〉)과 同字

12 ⑱ [簦] 등 ㊥蒸 都滕切 dēng

字解 우산 등 자루가 긴 큰 삿갓 비슷한 우산. '躡蹻擔―'《史記》.
字源 篆文 形聲. 竹+登〔音〕. '登등'은 위로 들어 올리다의 뜻. 자루가 있는 '지우산'의 뜻을 나타냄.

[簦笠 등립] 우산. 자루가 달린 우산.
◉臺簦.

12 ⑱ [簧] 人名 황 ㊥陽 胡光切 huáng

字解 ①혀 황 피리 따위의 혀. 불면 진동하여 소리를 냄. '銀―'. '女媧之笙―'《禮記》. ②피리 황 관악기의 한 가지. '左執―'《詩經》.
字源 篆文 形聲. 竹+黃〔音〕. '黃황'은 '橫횡'과 통하여, '가로·옆'의 뜻. 생황(笙簧)의 관(管)의 취주구(吹奏口)에 가로 대어 진동시키는 '혀'의 뜻을 나타냄.

[簧鼓 황고] 생황(笙簧)을 고동(鼓動)하여 소리를 내는 것처럼 공교한 말로 세상 사람을 현혹(眩惑)하게 함.
◉鼓簧. 巧言如簧. 鳴簧. 笙簧. 鶯簧. 幽簧.

12 ⑱ [簨] ㊀ 순 ㊤軫 思尹切 sǔn ㊁ 찬 ㊤潸 雛綰切 zhuàn

字解 ㊀ 악기다는틀 순 '―簴'는 종 또는 경쇠 등의 악기를 거는 틀. '―'은 그 틀 중의 횡목(橫木), '簴'는 그 두 기둥임. '栒簴'·'筍簴'·'箕簴'로도 씀. '夏后氏之龍―簴'《禮記》. ㊁ 대그릇 찬 죽제(竹製)의 기구(器具). 篹(竹部 十一畫)과 同字. '食于―'《禮記》.
字源 形聲. 竹+巽〔音〕

[簨㊀]

[簨簴 순거] 자해(字解)를 보라.

12 ⑱ [簪] 人名 잠 ①②㊥覃 作含切 zān ③㊤感 子感切 zǎn

字解 ①비녀 잠 ㉠관(冠)이 벗어지지 않도록 관의 끈을 꿰어 머리에 꽂는 물건. 笄(竹部 四畫) 참조. '金―'. '爲瑇瑁―'《史記》. ㉡부인(婦人)

의 머리에 꽂는 물건. '一珥'. '斜一映秋水'《沈約》. ②꽂을 잠 머리에 꽂음. '一筆'. '竝一花'《宋史》. ③빠를 잠 급속함. 일설(一說)에는, 모인다는 뜻이라 함. '勿疑朋盍一'《易經》.

字源 篆文 先 篆文 先 俗體 簮 篆文은 象形. 사람이 뒤쪽을 향하여 입을 벌린 모양을 본떠, 숨어서 말하다의 뜻을 나타냈으나, 假借하여 머리에 깊이 꽂아서 끝이 숨어 버리는 '비녀'의 뜻으로 쓰임. 현재의 자형(字型)인 '簪'은 形聲字로 竹+朁〔音〕.

[簪裾 잠거] 의관(衣冠).
[簪圭 잠규] 관원이 쓰는 관(冠)에 꽂는 비녀와 홀. 전(轉)하여, 관위(官位). 벼슬.
[簪帶 잠대] 관(冠)에 꽂는 비녀와 띠란 뜻으로, 벼슬아치를 이름.
[簪紱 잠불] 관(冠)에 꽂는 비녀와 인끈. 전(轉)하여, 관위(官位). 벼슬.
[簪纓 잠영] 관원(官員)이 쓰는 관(冠)에 꽂는 비녀와 갓끈. 전(轉)하여, 고관(高官).
[簪纓世族 잠영세족] 대대로 높은 벼슬을 하는 집안.
[簪珥 잠이] 비녀와 귀고리.
[簪筆 잠필] ㉠필요할 때 바로 쓰려고 붓을 머리에 꽂음. ㉡소리(小吏)가 됨. 얕은 벼슬아치가 됨.
[簪笏 잠홀] 관에 꽂는 비녀와 홀. 전(轉)하여, 예복(禮服). 또, 예복을 입은 관리.
◉瓊簪. 金簪. 斜簪. 玉簪. 遺簪. 珠簪. 投簪. 盍簪.

12 ⑱ [簮] 簪(前條)의 俗字

12 ⑱ [簭] 서 ㊀霽 時制切 shì

字解 ①점 서, 점대 서 筮(竹部 七畫)와 同字. '一人中士二人'《周禮》. ②깨물 서 噬(口部 十三畫)와 同字. '凡擭䍌援一之類'《周禮》.

12 ⑱ [簡] 견 ㊥先 輕烟切 ㊤銑 去演切 qiǎn

字解 명부(名簿) 견 호적부(戶籍簿). '一, 一鮮, 籍也'《集韻》.

12 ⑱ [簥] 교 ㊤巧 吉巧切 jiǎo

字解 죽순 교 '一, 筍也'《集韻》.

12 ⑱ [簥] 교 ㊥蕭 渠嬌切 jiāo

字解 ①큰저 교 '大管謂之一'《爾雅》. ②농구(農具) 교 전기(田器). '一, 一曰, 田器'《集韻》.

12 ⑱ [簩] 로 ㊥豪 魯刀切 láo ㊀號 郎到切

字解 대이름 로 대나무의 일종. 독이 있어, 초목을 찌르면 고사(枯死)한다 함. '一竹有毒, 夷人以爲觚刺獸'《異物志》.

12 ⑱ [簝] ㊀ 로 ㊥蕭 落蕭切 liáo ㊁ 로 ㊥豪 魯刀切 ㊤晧 魯晧切 lǎo

字解 ㊀ 제기이름 료 제육(祭肉)을 담는, 대로 만든 그릇. '凡祭祀, 共其牛牲之互與其盆一, 以待事'《周禮》. ㊁ 제기이름 로 ㊀과 뜻이 같음.

字源 篆文 簝 形聲. 竹+尞〔音〕

12 ⑱ [簡] 간 ㊤潸 賈限切 jiǎn

字解 있을 간 존재(存在)함. '一, 一一, 在也'《說文》.

字源 形聲. 心+簡〈省〉〔音〕

12 ⑱ [簢] 제 ㊀霽 大計切 dì

字解 악기이름 제 '一鐘'은 악기(樂器)의 이름. '伯牙操一鐘'《王褒》.

12 ⑱ [簬] 로 ㊀遇 洛故切 lù

字解 대이름 로 화살을 만드는 대나무의 일종. 껍질은 약간 검은빛을 띰. '惟箘一枯'《書經》.

字源 篆文 簬 古文 𥳑 形聲. 竹+路〔音〕

參考 簵(竹部 十三畫)는 古字.

12 ⑱ [簸] 복 ㊂屋 方六切 fù

字解 대열매 복 죽실(竹實). '竹生花實, 其年便枯死, 一, 竹實也'《竹譜》.

12 ⑱ [簢] 민 ㊤軫 美殞切 mǐn

字解 대이름 민 대나무의 일종. '一筍, 嫩而節耎薄'《筍譜》.

12 ⑱ [簼] 공 ㊥冬 丘恭切 qióng

字解 수레덮개살 공 수레 덮개의 살. '車枸簍, 宋魏陳楚之閒, 云云, 或謂之一籠'《揚子方言》.

12 ⑱ [簷] 고 ㊥虞 古孤切 gū

字解 ①대쪽 고 죽간(竹簡). '一, 一曰, 竹簡, 小兒所書'《集韻》. ②모서리 고 모. '一, 稜也'《集韻》. ③널조각 고 판자. '一, 一曰, 方也'《集韻》.

13 ⑲ [簫] 人名 소 ㊥蕭 蘇彫切 xiāo 箫 𥳑

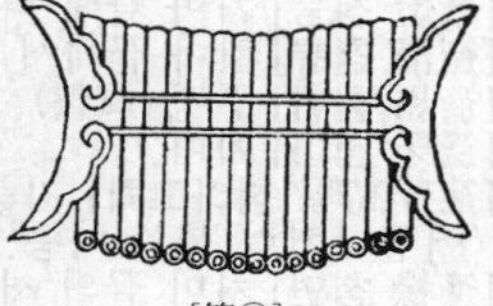

[簫①]

字解 ①퉁소 소 죽관(竹管)을 나란히 묶어 만든, 취주 악기의 한 가지. 큰 것은 스물세 관(管), 작은 것은 열여섯 관으로 됨. '玉一'. '一管備擧'《詩經》. ②조릿대 소 대나무의 일종. 篠(竹部 十一畫)와 통용. '林一蔓荊'《馬融》. ③활고자 소 시위를 메는 활의 두 끝. 弰(弓部 七畫)와 통용. '右手執一, 左手承弣'《禮記》.

字源 篆文 簫 形聲. 竹+肅〔音〕. '肅숙'은 입을 오므리다의 뜻. 입을 오므리고 부는 관

악기(管樂器)의 뜻을 나타냄.

[簫笳 소가] 악기(樂器)의 이름. 소(簫)와 가(笳). 가(笳)는 갈대피리.
[簫鼓 소고] 퉁소와 북.
[簫管 소관] ㉠소(簫)와 관(管). 옛날의 관악기(管樂器)의 총칭. ㉡퉁소.
[簫郎 소랑] 남편.
[簫籟 소뢰] 퉁소.
[簫韶 소소] 순(舜)임금의 음악(音樂) 이름.
[簫笛 소적] 퉁소.
◉笳簫. 管簫. 籟簫. 樓簫. 邊簫. 雅簫. 餘簫. 玉簫. 吹簫. 洞簫. 風簫.

13 ⑲ [簳] 간 ①②㊤旱 古旱切 gǎn ③[去]翰 居案切 gàn

[字解] ①조릿대 간 대나무의 일종. 가늘고 작음. '其竹則篠—箛箠'《張衡》. ②화살대 간 전죽(箭竹). '箭—'. '朔蓬之—'《列子》. ③살깃 간 화살깃. '—, 箭羽'《集韻》.
[字源] 形聲. 竹+幹〔音〕. '幹간'은 '줄기'의 뜻. '竹죽'과 합하여, 대나무의 줄기의 뜻을 나타냄.

◉箭簳.

13 ⑲ [簵] 로 [去]遇 洛故切 lù

[字解] 대이름 로 簬(竹部 十二畫)의 古字.

13 ⑲ [簶] 록 [入]屋 盧谷切 lù

[字解] 전동 록 '胡—'은 화살을 넣는 통. '箶—'. '胡—橫刀'《唐書》.

13 ⑲ [簷] 첨 [平]鹽 余廉切 yán

[字解] ①처마 첨 檐(木部 十三畫)과 同字. '—椽'. '作深—, 以障風雨'《閒情寓寄》. ②드림 첨 차양처럼 무엇이 덮여 사방으로 늘어진 것. '舊主江邊側帽—'《李商隱》.
[字源] 形聲. 竹+詹〔音〕. '詹첨'은 '처마'의 뜻의 '广첨'을 포함하여, 대로 만든 '처마'의 뜻을 나타냄.

[簷間 첨간] 처마 근처.
[簷堦 첨계] 댓돌.
[簷端 첨단] 처마 끝.
[簷頭 첨두] 첨단(簷端).
[簷燈 첨등] 처마 끝에 다는 등.
[簷溜 첨류] 처마 끝에서 떨어지는 빗방울. 낙숫물.
[簷馬 첨마] 풍경(風磬).
[簷牙 첨아] 처마.
[簷牙高啄 첨아고탁] 지붕의 네 모서리의 처마가 어금니처럼 불쑥 나옴.
[簷椽 첨연] 처마 끝의 서까래.
[簷瓦 첨와] 처마를 인 기와.
[簷雨 첨우] 처마 근처에 뿌리는 비.
[簷日 첨일] 처마에 비치는 해.
[簷際 첨제] 첨단(簷端).
[簷板 첨판] 처마에 깔린 판자.
[簷下 첨하] 처마 밑.
[簷響 첨향] 처마 끝에서 떨어지는 빗방울 소리. 낙숫물의 소리.
◉活簷.

13 ⑲ [簸] 파 ㊤哿 布火切 bǒ [去]箇 補過切 bò

[字解] ①까부를 파 키로 곡식 같은 것을 까부름. '—颺'. '或—或蹂'《詩經》. ②까불 파 몹시 아래위로 흔듦. '—揚'. '浪—船應坼'《杜甫》. ③일 파 물을 부어 흔들어서 가려냄. '沙灘淨如—'《梅堯臣》.
[字源] 篆文 形聲. 箕+皮〔音〕. '箕기'는 '키'의 뜻. '皮피'는 '波파'와 통하여, 물결치게 하다의 뜻. 물결이 치듯 키를 까불러서, 쌀의 뉘 따위를 없애다의 뜻.

[簸却 파각] 키로 까불러 겨 또는 티를 날려 버리듯이 나쁜 부분을 내버림.
[簸頓 파돈] 파롱(簸弄).
[簸弄 파롱] 손에 가지고 까불며 놂.
[簸揚 파양] ㉠키로 까부름. ㉡배가 물결에 까불림.
[簸颺 파양] 파양(簸揚).
[簸蕩 파탕] 키로 까불듯이 흔들리는 일.
◉翻簸. 揚簸. 吹簸. 飄簸.

13 ⑲ [簾] [一]둔 [平]元 徒渾切 tún [二]전 [去]霰 丁練切 diàn

[字解] [一] 도지개 둔 트집 간 활을 바로잡는 틀. '—, 榜也. (段注) 木部曰, 榜所以輔弓弩也'《說文》. [二] 칠 전 '—, 擊也'《廣雅》.
[字源] 形聲. 竹+殿〔音〕

13 ⑲ [簹] 당 ①[平]陽 都郎切 dāng ②[去]漾 他浪切

[字解] ①왕대 당 簹(竹部 十畫)을 보라. ②수레 먼지받이 당 '—, 車—'《集韻》.
[字源] 形聲. 竹+當〔音〕

13 ⑲ [簺] 새 [去]隊 先代切 sài

[字解] ①주사위 새 쌍륙(雙六)에서, 던져서 승부를 다투는 물건. '塞'로도 씀. '博—'. '始作—者, 其明哲乎'《邊韶》. ②통발 새 대오리로 결은 물고기를 잡는 제구. '以—捕魚'《隋書》.
[字源] 篆文 形聲. 竹+塞〔音〕. '塞새'는 '막다, 메우다'의 뜻. 바둑판을 메워 나가다, 바둑을 두다의 뜻을 나타냄.

◉博簺.

13 ⑲ [簞] 단(담[俗])[平]寒 同丹切 tán

[字解] ①배끄는줄 단 '—, 䋎索'《字彙補》. ②배고칠 단 '—羨'은 배의 수리비(修理費)의 남은 돈. '修船曰—, 餘剩曰羨'《六部成語 注解》.

13 ⑲ [簻] 과 ①[平]麻 陟瓜切 zhuā ②[平]歌 苦禾切 kē

[字解] ①채찍 과, 채찍질할 과 말을 채찍질하는 채. 또, 채찍질함. '裁以當—便易持'《馬融》. ②풀이름 과, 너그러울 과 '—, 說文, 草也. 又寬大皃'《集韻》.

字源 形聲. 竹+過〔音〕. 또는 竹+檛〈省〉〔音〕

13
⑲ [簽] 人名 첨 ㊥鹽 千廉切 qiān 签

字解 ①농 첨 죽롱(竹籠). '一, 贏籠也'《博雅》. ②찌 첨, 쪽지 첨 글씨를 써서 붙이는 종이쪽지. '附一'. '必加一貼'《詩藪》. ③표제 첨 책의 표제(表題). '題一'. '書袠之一曰檢'《康熙字典》. ④이름둘 첨 기명함. 서명함. '一名'. '一押'.
字源 形聲. 竹+僉〔音〕

[簽揭 첨게] 찌를 붙임.
[簽記 첨기] 기록함.
[簽名 첨명] 서명(署名)함.
[簽書 첨서] 송(宋)나라 때의 추밀원(樞密院)의 속관(屬官).
[簽押 첨압] 문서에 서명을 하거나 사인을 함.
[簽字 첨자] 첨명(簽名).
[簽廳 첨청] 문서를 맡은 마을.
◉附簽. 浮簽. 題簽. 袠簽.

13
⑲ [簡] 견 ㊤銑 去演切 qiǎn

字解 호적 견 '一, 一籍, 戶籍也'《篇海》.

13
⑲ [籧] 구 ㊦遇 其句切 jù

字解 대그릇 구 '一, 竹器'《玉篇》.

13
⑲ [簾] 人名 렴 ㊥鹽 力鹽切 lián 帘

筆順 ⺈ ⺮ 竺 笸 篖 簾 簾 簾

字解 발 렴 대오리·갈대 같은 것으로 엮은, 햇빛 등을 가리는 물건. '一帷'. '垂一'. '下一而授老子'《漢書》.
字源 篆文 形聲. 竹+廉〔音〕. '廉렴'은 방의 구석의 뜻. 방의 구석에 드리우는 '발'을 뜻함.

[簾鉤 염구] 발을 거는 갈고리.
[簾櫳 염롱] 발을 친 살창.
[簾幕 염막] 발과 막(幕).
[簾箔 염박] 발. 박(箔)도 발의 뜻.
[簾肆 염사] 발을 드리운 가게. '肆'는 가게. 전(轉)하여, 시내(市內) 한복판을 이름.
[簾押 염압] 발이 바람에 날리지 못하도록 누르는 물건.
[簾影 염영] 발의 그림자.
[簾外 염외] ㉠발을 친 밖. ㉡과거 볼 때 직접 시험에 관계하지 않는 감시관(監視官) 등을 이름.
[簾幃 염위] 염유(簾帷).
[簾帷 염유] ㉠발과 휘장. ㉡발로 된 휘장.
[簾政 염정] 천자(天子)가 어릴 때 황태후(皇太后)가 천자를 대신하여 정사(政事)를 보는 일. 수렴청정(垂簾聽政).
[簾中 염중] 발을 친 안.
[簾波 염파] 발이 흔들려서 그림자가 물결처럼 움직이는 일.
[簾幌 염황] 발과 휘장. 염유(簾帷).
◉舊簾. 篩簾. 撒簾. 湘簾. 細簾. 疎簾. 水簾. 垂簾. 御簾. 玉簾. 葦簾. 帷簾. 荻簾. 珠簾. 竹簾. 毳簾. 翠簾. 下簾. 畫棟朱簾.

13
⑲ [簿] 高人 ㊀ 부 ㊤麌 裴古切 bù ㊁ 박 ㊇覺 弼角切 bó

筆順 ⺈ ⺮ 竺 笁 箔 箔 簿 簿

字解 ㊀ ①장부 부 치부책. '名一'. '一冊'. '一最詳緻'《唐書》. ②홀(笏) 부 조복(朝服)을 입은 벼슬아치가 손에 쥐는 물건. '以一擊頰'《蜀志》. ③맡을 부, 다스릴 부 관리함. '五官一之而不知'《荀子》. ④조사할 부 '然已命一錄其家'《唐書》. ⑤경력 부 이력. '官一皆在方進之右'《漢書》. ⑥행렬 부 천자(天子)의 행렬(行列). '鹵一'. ㊁ ①잠박 박 누에를 치는 데 쓰는 채반. ②발 박 箔(竹部 八畫)과 同字. '以織一曲爲生'《史記》.
字源 形聲. 竹+溥〔音〕. '溥부'는 크게 넓어짐의 뜻. 대를 얇고도 넓게 깎은 장부의 뜻을 보임. 入聲일 때는, 잠구(蠶具)로서의 발의 뜻을 나타냄.

[簿曲 박곡] 발.
[簿記 부기] ㉠장부에 써 넣음. ㉡회계 장부의 기재 방법.
[簿記學 부기학] 부기를 연구하는 학문(學問).
[簿歷 부력] ㉠날마다 기입(記入)하는 문서(文書). ㉡이력(履歷).
[簿領 부령] 이력(履歷). 부력(簿歷).
[簿錄 부록] 문서에 기록함.
[簿閥 부벌] 부서(簿書)에 적힌 공로. 선대(先代)의 관적(官籍).
[簿書 부서] ㉠관부(官府)의 전곡(錢穀)의 출납을 기입하는 장부. ㉡널리 관문서(官文書)를 이름.
[簿書期會 부서기회] 장부를 제출하는 일정한 기한. 전(轉)하여, 관청의 자질구레한 사무.
[簿帳 부장] 치부책. 장부(帳簿).
[簿正 부정] 장부에 적힌 대로 제기(祭器)를 갖춤.
[簿冊 부책] 장부(帳簿).
[簿責 부책] 문서에 기재한 것을 보이며 문책함.
[簿牒 부첩] 부장(簿帳).
◉計簿. 空簿. 軍簿. 金蘭簿. 鹵簿. 名簿. 文簿. 班簿. 白簿. 手簿. 貲簿. 長鬚主簿. 點鬼簿. 主簿.

13
⑲ [籅] 욱 ㊇屋 於六切 yù

字解 조리 욱 대오리를 결어 만든 쌀을 이는 그릇. '炊一謂之縮, 或謂之�'《揚子方言》.
字源 篆文 形聲. 竹+奧〔音〕

13
⑲ [籉] 갈 ㊇黠 枯鎋切 qià

字解 어(敔) 갈 복호(伏虎) 형상의 나무 악기(樂器). 풍류를 그칠 때 침. '一, 敔也, 以止樂'《集韻》.

13
⑲ [簙] 박 ㊇藥 補各切 bó

字解 ①쌍륙 박, 노름 박 博(十部 十畫)과 同字. '一奕, 局戲也. 謂行棊也'《玉篇》. ②섶 박 누에가 올라가 고치를 짓도록 마련한 짚이나 잎나

무. '一, 蠶具名'《廣韻》.
字源 形聲. 竹+博〔音〕

13 ⑲ [簻] 격 入陌 各核切 gé
字解 대장지 격 대쪽을 대어 만든 장지문. '一, 竹障'《集韻》.

13 ⑲ [籌] 〔구〕
篝(竹部 十畫〈p. 1679〉)와 同字

13 ⑲ [籀] 〔주〕
籒(竹部 十五畫〈p. 1691〉)의 俗字

14 ⑳ [簴] 거 上語 臼許切 jù
字解 악기다는틀 거 簾(竹部 十二畫〈p. 1686〉)을 보라. '設筍一陳庸器'《周禮》.
字源 形聲. 竹+虡〔音〕

14 ⑳ [籌] 人名 一 주 平尤 直由切 chóu 二 도 平豪 徒刀切 táo 筹
字解 一 ①살 주 투호(投壺)에 쓰는 살. '一室中五扶'《禮記》. ②산가지 주 산대. '牙一'. '箭一八十'《儀禮》. ③꾀 주 계책. '運一'. '運一策帷帳之中'《史記》. ④꾀할 주 계책을 세움. '豫一其事'《後漢書》. '爲大王一之'《史記》. ⑤징발할 주 인원을 징용하거나 물품을 공출시킴. '一兵禦賊'《史記》. ⑥제비 주 대오리로 만든 심지. '令探一取之'《北史》. ⑦셀 주, 셈할 주 계산함. '又謂計算爲一度'《說文 段注》. 二 받을 도 '一, 方言, 戴也'《集韻》.
字源 篆文 形聲. 竹+壽(𠷎)〔音〕. '𠷎수·주'는 '연잇다'의 뜻. 연이은 대나무, 수(數)를 세는 대막대기, 산가지 한 벌의 뜻을 나타냄. 또 파생(派生)되어, 꾀하는 일의 뜻도 나타냄.

[籌決 주결] 선악을 헤아리어 결정함.
[籌款 주관] 부담할 금액(金額).
[籌堂 주당] 조선 때 비변사(備邊司)의 통정대부(通政大夫) 이상의 관원을 일컫던 말.
[籌度 주도·주탁] ㉠주책(籌策). ㉡'주탁(籌度)'을 보라.
[籌略 주략] 주책(籌策).
[籌馬 주마] 산가지로 쓰이는 말.
[籌辨 주변] 금전의 출납을 따지어 일을 처리함.
[籌邊 주변] 변방(邊方)의 군비(軍備)의 계획을 짬.
[籌備 주비] 계획하여 준비함.
[籌司 주사] 비변사(備邊司)의 별칭.
[籌算 주산] ㉠주판(籌板). ㉡주판으로 셈을 함. ㉢주책(籌策).
[籌商 주상] 주의(籌議).
[籌議 주의] 상의(相議)함. 물어봄.
[籌措 주조] 계획과 처리.
[籌策 주책] 계책(計策). 책략(策略).
[籌度 주탁] 꾀함. 계책을 세움.
[籌板 주판] 셈을 놓는 데 쓰는 기구. 수판.
[籌學 주학] 산학(算學)의 별칭.
[籌畫 주획] 주책(籌策).
◉更籌. 觥籌. 軍籌. 邊籌. 象籌. 深籌. 牙籌. 良籌. 運籌. 遠籌. 箭籌. 酒籌.

14 ⑳ [籌] 籌(前條)의 本字

14 ⑳ [籃] 人名 람 平覃 魯甘切 lán 篮
字解 ①바구니 람 물건을 담아 가지고 다니는, 대로 결은 큰 바구니. '魚一'. '挈一桑葉間'《徐照》. ②배롱 람 불 위에 씌워 놓고 옷을 걸어서 말리는 기구. '一, 大篝也'《說文》.
字源 篆文 形聲. 竹+監〔音〕. '監감'은 '덮다'의 뜻. 무엇을 덮어씌우는 '대바구니'의 뜻을 나타냄.

[籃球 남구] 농구(籠球).
[籃輿 남여] 대를 엮어 만든 가마.
◉傾籃. 筐籃. 筠籃. 藥籃. 魚籃. 搖籃. 竹籃. 綵籃. 箯籃.

[籃輿]

14 ⑳ [籈] 一 진 平眞 職隣切 zhēn 二 견 平先 居延切 jiān 汨
字解 一 채 진 어(敔)라는 악기(樂器)를 두드리는 채. '所以鼓敔, 謂之一'《爾雅》. 二 대기구 견 죽제(竹製)의 기구(器具). '一, 竹器'《廣韻》.

[籈一]

14 ⑳ [簹] 대 平灰 徒哀切 tái
字解 삿갓 대 비를 가리기 위하여 쓰는 갓. '一笠緇撮'《詩經》.
字源 形聲. 竹+臺〔音〕

14 ⑳ [簣] 궤 去寘 求位切 kuì
字解 삼태기 궤 簣(竹部 十二畫)와 同字. '一, 土籠也, 或省'《集韻》.

14 ⑳ [籈] 령 上迥 朗鼎切 lǐng
字解 광주리 령 '一, 箵一, 籯也, 通作笭'《集韻》.

14 ⑳ [籊] 적 入錫 他歷切 tì
字解 가늘고길 적 '一一'은 대나무의 가지가 없이 가늘고 길며 끝이 뾰족한 모양. '一一竹竿, 以釣于淇'《詩經》.
字源 形聲. 竹+翟〔音〕

[籊籊 적적] 자해(字解)를 보라.

14 ⑳ [籋] 一 섭 入葉 奴協切 niè 二 미 平支 民卑切 mí

字解 ❶ 밟을 섭 躡(足部 十八畫)과 통용. '一浮雲, 晻上馳'《漢書》. ❷ 대껍질 미 '一, 說文, 篾也. 篾, 竹筬也'《集韻》.
字源 篆文 形聲. 竹＋爾〔音〕

14 ⑳ [籍] 高入 ❶ 적 ⓐ陌 秦昔切 jí ❷ 자 ⓒ禡 詞夜切 jiè

筆順 ⺈ ⺮ 笁 笁 笨 籍 籍 籍

字解 ❶ ①문서 적 ㉠서류 또는 책. '書一'. '典一'. '尺一伍符'《漢書》. ㉡장부·명부 등. '明習天下圖書計一'《史記》. '除其宦一'《史記》. ㉢관청의 호구·지적 등을 적은 장부. '戶一'. '地一'. '諸侯惡其害己也, 而皆去其一'《孟子》. ②대쪽 적 글씨를 쓴 대의 조각. '爲父母兄弟通一'《漢書》. ③적을 적 씀. '非禮也, 勿一'《左傳》. ④올릴 적 호적에 등록함. '一吏民, 封府庫'《十八史略》. ⑤밟을 적 발로 밟음. '一田' '不修一於千畝'《史記》. ⑥빌릴 적 藉(艸部 十四畫)과 뜻이 같음. '一者, 借也. 猶人相借力助之也'《孟子 注》. ⑦거둘 적 부과하여 징수함. '實畝實一'《詩經》. ⑧성 적 성(姓)의 하나. ❷ 온화할 자 藉(艸部 十四畫)와 통용. '治敢往少溫一'《漢書》.
字源 篆文 形聲. 竹＋耤〔音〕. '耤적·자'는 '藉적·자'와 통하여, 풀을 엮은 깔개의 뜻. 대를 깔개처럼 엮어 짠 대쪽, '문서'의 뜻을 나타냄.

[籍貫 적관] 대대로 거주한 땅. 관향(貫鄕).
[籍記 적기] 문서에 적음. 또, 그 문서.
[籍沒 적몰] 죄인(罪人)의 재산을 관(官)에서 몰수함.
[籍甚 적심] 명성(名聲)이 세상에 널리 퍼짐. 책「책(嘖嘖).
[籍帳 적장] 호구(戶口)를 기입한 대장. 호적부.
[籍在 적재] 안심하고 의뢰함.
[籍籍 적적] ㉠원근(遠近)이 서로 말을 전하느라고 왁자지껄한 모양. ㉡흩어진 모양. ㉢어지러운 모양. 분분(紛紛).
[籍田 적전] 임금이 친히 밟고 가는 전지라는 뜻으로, 임금의 친경전(親耕田).
[籍重 적중] 의뢰함. 의지함.
◉經籍. 計籍. 貫籍. 國籍. 軍籍. 群籍. 鬼籍. 禁籍. 記籍. 黨籍. 落籍. 圖籍. 名籍. 文籍. 門籍. 法籍. 兵籍. 譜籍. 本籍. 封籍. 附籍. 簿籍. 墳籍. 史籍. 削籍. 書籍. 仙籍. 船籍. 聖籍. 屬籍. 僧籍. 臣籍. 禮籍. 伍籍. 原籍. 遺籍. 六籍. 移籍. 人籍. 入籍. 在籍. 載籍. 典籍. 轉籍. 除籍. 租籍. 策籍. 通籍. 版籍. 篇籍. 學籍. 漢籍. 戶籍. 宦籍. 黃籍.

14 ⑳ [籖] 진 ⓑ軫 此忍切 qǐn
字解 조릿대 진 '一, 小竹'《玉篇》.

14 ⑳ [篵] 총 ㊥東 徂紅切 cóng
字解 고기잡는대그릇 총 '籠一'은 고기 잡는 데 쓰이는 도구. '籠一, 取魚器'《集韻》.

14 ⑳ [籌] 〔구〕
篝(竹部 十畫〈p. 1679〉)와 同字

14 ⑳ [籆] 〔확〕 籰(竹部 二十畫〈p. 1695〉)과 同字
字源 篆文 形聲. 竹＋蒦〔音〕. '蒦확'은 '잡다'의 뜻. 실을 감는 실패의 뜻을 나타냄.

[簒] 〔찬〕
糸部 十四畫(p. 1778)을 보라.

15 ㉑ [籐] 등 ㊥蒸 徒登切 téng
字解 ①등 등 종려과(棕櫚科)에 속하는 덩굴 식물(植物). ②대그릇 등.
字源 形聲. 竹＋滕〔音〕

15 ㉑ [簒] 찬 ⓑ潸 除戀切 zhuàn
字解 ①찬 찬 饌(食部 十二畫)과 同字. '陳平共一飯之一, 而將相加驢'《漢書》. ②지을 찬 撰(手部 十二畫)과 통용. '太史公仍父子相繼一其職'《漢書》.
◉一飯之簒.

15 ㉑ [籀] 주 ⓒ宥 直祐切 zhòu
字解 ①주문 주 한자(漢字)의 옛 자체(字體)의 하나. 주(周)나라 선왕(宣王) 때의 태사(太史) 주(籀)가 창작한 것. 소전(小篆)의 전신(前身)으로서, 보통 대전(大篆)이라고 함. '一文'. '一書'. '一文史籀所作也'《法書攷》. ②읽을 주 '一, 讀書也'《說文》.
字源 篆文 形聲. 竹＋擂〔音〕. '擂주'는 '뽑다'의 뜻. 죽간(竹簡)을 뽑아서 인류(人類)의 문화유산(文化遺産)을 뽑아내다, 읽다의 뜻을 나타냄.
參考 籒(竹部 十三畫)는 俗字.

[籀文 주문] 자해(字解)❶을 보라.
[籀書 주서] 주문(籀文).
◉古籀. 篆籀.

15 ㉑ [籔] 수 ①ⓑ有 蘇后切 sǒu ②ⓑ麌 所矩切 shù
字解 ①조리 수 쌀을 이는 데 쓰는 제구. '一, 炊萸也'《說文》. ②열엿말 수 용량(容量)의 단위(單位)로서, 16두(斗)의 일컬음. '車秉有五一'《儀禮》.
字源 篆文 形聲. 竹＋數〔音〕

[籔箕 수기] 조리. 쌀을 이는 데 쓰는 기구.
◉簍籔.

15 ㉑ [籓] 번 ㊥元 甫煩切 fān
字解 ①큰키 번 곡식을 까부르는 큰 키. '一, 大箕也'《說文》. ②덮을 번, 덮개 번 '一, 一曰, 蔽也'《說文》.
字源 篆文 形聲. 竹＋潘〔音〕. '潘번·반'은 방사상(放射狀)으로 퍼지다의 뜻. 곡식을 까불러서 잡물(雜物)을 가려내는 농구(農具), '키'의 뜻을 나타냄.

15 ㉑ [籭] 구 ㊥尤 烏侯切 ōu

字解 구자 구 아이를 앉히는 대둥우리. '一, 竹器, 以息小兒'《字彙》.

15 ㉑ [籖] 〔첨〕 籤(竹部 十七畫〈p. 1693〉)의 俗字

16 ㉒ [籙] 록 ㊀沃 力玉切 lù 箓

字解 ①비기(祕記) 록 미래기(未來記). 예언서(豫言書). '圖一'. '高祖膺一受圖'《張衡》. ②책궤 록 책을 넣는 상자. '一, 篋也'《集韻》.
字源 形聲. 竹+錄〔音〕

[籙圖 녹도] 사적(史籍)을 이름.
◉圖籙. 攝籙.

16 ㉒ [籛] 전 ㊥先 則前切 jiān 钱

字解 ①성 전 성(姓)의 하나. '彭祖姓一名鏗'《神仙傳》. ②안장밑 전 말안장 밑에 까는 것. '一, 楚人革馬鞨鞍韉'《廣韻》.

16 ㉒ [籜] 탁 ㊀藥 他各切 tuò 箨

字解 대껍질 탁 대나무의 껍질. '新一'. '一粉'. '新篁半解一'《元稹》.
字源 形聲. 竹+擇〔音〕

[籜粉 탁분] 죽순(竹筍) 껍질에 생기는 흰 가루.
◉枯籜. 筠籜. 嫩籜. 笋籜. 筍籜. 新籜. 餘籜.

16 ㉒ [籝] 영 ㊥庚 以成切 yíng

字解 ①광주리 영 죽롱(竹籠). '一, 說文, 笭也'《廣韻》. ②젓가락통 영 '箸筩謂之一'《字彙》.
字源 形聲. 竹+贏〔音〕

16 ㉒ [籞] 어 ㊤語 魚巨切 yù

字解 ①금지구역 어 대울을 쳐 놓고 어렵(漁獵) 또는 왕래를 금하는 임야(林野). 금원(禁苑). '集林一而相鳴'《梁元帝》. ②가두리 어 못 가운데에 대울을 쳐 놓고 고기를 기르는 곳. '池一'. '鴻池清一, 淥水澹澹'《張衡》. ③우리 어 대울을 쳐 놓고 새를 기르는 곳. '籠一'. ④가리개 어 볕을 가리는 것. '一, 翳也'《廣雅》.
字源 形聲. 竹+禦〔音〕. '禦어'는 '막다'의 뜻. 어렵(漁獵)이나 벌채(伐採)를 막기 위하여 산, 들, 강에 대나무 따위로 둘러친 금지 구역의 뜻을 나타냄.

◉宮籞. 禁籞. 籠籞. 苑籞. 池籞. 波籞.

16 ㉒ [𥶻] 곡 ㊀屋 胡谷切 hú

字解 얼레 곡 자새. '一, 吳俗謂籆爲一'《集韻》.

16 ㉒ [籟] 국 ㊀屋 丘六切 qū

字解 ①누룩 국 '一, 酒母也'《說文》. ②궁구할 국 밝힘. '五經所詁, 不合爾雅者, 詁一爲病'《劉歆》.
字源 形聲. 米+籟〈省〉〔音〕

16 ㉒ [籋] 니 ㊤紙 尼理切 nǐ

字解 상자 니 '一, 箱也'《字彙補》.

16 ㉒ [籟] 뢰 ㊦泰 落蓋切 lài 籁

字解 ①퉁소 뢰 구멍이 셋 있는, 퉁소 비슷한 악기. 일설(一說)에는, 퉁소라 함. '吹鳴一'《史記》. ②소리 뢰 바람으로 인하여 구멍을 통하여 나오는 모든 음향. 울림. '天一'. '松一'. '地一則衆竅是已. 人一則比竹是已. 敢問天一'《莊子》.
字源 篆文 形聲. 竹+賴〔音〕. '賴뢰'는 '刺척'과 통하여, 진집을 내다의 뜻. 대의 세 개의 진집·구멍을 내어 만든 '피리, 퉁소'의 뜻.

[籟籥 뇌약] 생황(笙簧).
◉澗籟. 萬籟. 爽籟. 簫籟. 松籟. 竽籟. 人籟. 竹籟. 地籟. 天籟. 淸籟. 風籟.

16 ㉒ [籠] 人名 롱 ㊥東 盧紅切 lóng ㊤董 力董切 lǒng 笼

筆順 ⺮ 笁 筜 筸 箭 箭 籠 籠

字解 ①대그릇 롱, 농 롱 죽기(竹器)의 총칭. '藥一'. '香一'. '匿於茶一中'《五代史》. ②새장 롱 대로 만든 새를 가두어 기르는 장. '一中鳥'. '以天下爲之一'《莊子》. ③탈것 롱 대로 만든 가마 같은 탈것. '一輿'. ④전동 롱 대로 만든 화살을 넣는 통. '充一箙矢'《周禮》. ⑤쌀 롱 속에 넣어 쌈. '一貨物'《漢書》. ⑥싸일 롱 속에 싸임. '山頭水色薄一煙'《徐凝》. ⑦적실 롱 촉촉이 축임. 瀧(水部 十六畫)과 同字. '東一而退耳'《荀子》.
字源 篆文 形聲. 竹+龍〔音〕. '龍롱'은 처넣다, 잔뜩 담다의 뜻. 흙을 잔뜩 넣는 '대바구니, 삼태기'의 뜻.

[籠括 농괄] 포괄(包括)함.
[籠球 농구] 바스켓 볼. 남구(籃球).
[籠禽 농금] 농조(籠鳥).
[籠東 농동] 참패(慘敗)함.
[籠頭 농두] 굴레.
[籠燈 농등] 등롱(燈籠).
[籠羅 농라] 새장과 그물. 전(轉)하여, 남을 자기 수중(手中)에 넣고 마음대로 조종하는 일. 농락(籠絡).
[籠絡 농락] ㉠포괄(包括)함. 농괄(籠括). ㉡남을 자기 수중(手中)에 넣고 마음대로 조종함.
[籠籠 농롱] 숨는 모양.
[籠牢 농뢰] ㉠농락(籠絡). ㉡농조(籠罩).
[籠利 농리] 이익을 독점함.
[籠蒙 농몽] 눈을 가느다랗게 뜨고 보는 모양.
[籠絆 농반] 속박하여 자유를 구속함.
[籠樊 농번] 새장. 전(轉)하여, 속박(束縛)의 뜻.
[籠餠 농병] 만두(饅頭).
[籠城 농성] ㉠성문을 굳게 닫고 성을 지킴. ㉡어

떠한 목적을 위하여 둘러싸고 그 자리를 떠나지 않고 있음.
[籠鶯 농앵] 새장 안의 꾀꼬리. 예전의 자유의 몸을 그리워함의 비유.
[籠輿 농여] 대로 만든 탈것과 가마.
[籠鳥 농조] 새장에 갇힌 새.
[籠罩 농조] ㉠물고기를 잡는 대로 만든 제구. 가리. ㉡포괄(包括).
[籠鳥戀雲 농조연운] 새장 속의 새가 구름을 그리워한다는 뜻으로, 속박(束縛)을 받은 몸이 자유를 얻으려고 하는 마음의 비유.
[籠縶 농칩] 새장 안에 매어 둠.
[籠鶴 농학] 새장 안의 학(鶴).
[籠檻 농함] 대로 만든 우리.
[籠柙 농합] 새장과 우리.
[籠篋 농협] 농과 상자.
◉筠籠. 牢籠. 東籠. 兜籠. 燈籠. 尾籠. 樊籠. 紗籠. 石籠. 藥籠. 竽籠. 雕籠. 珠籠. 綵籠. 香籠. 火籠. 熏籠.

16 ㉒ [籚] 로 [平]虞 落胡切 lú

[字解] ①창자루 로 극병(戟柄). 櫨(木部 十六畫)와 통용. '秦無一'《周禮》. ②광주리 로 큰 광주리. '一, 筐也'《廣雅》. ③대이름 로 '一西竹. 出會稽'《廣韻》. ④두공(枓拱) 로 櫨(木部 十六畫)와 통용.

16 ㉒ [籗] [一] 착 [入]覺 竹角切 zhuó [二] 곽 [入]藥 闊鑊切

[字解] [一] 가리 착 통발 비슷하게 대로 만든 고기 잡는 기구. 罩(网部 八畫)과 뜻이 같음. [二] 가리 곽 [一]과 뜻이 같음.
[字源] 籱의 別體 形聲. 竹+霍〔音〕

16 ㉒ [籐] 〔등〕
籐(竹部 十五畫〈p. 1691〉)과 同字

17 ㉓ [籅] 여 [平]魚 翼諸切 yú

[字解] ①대그릇 여 죽기(竹器). ②가마 여 輿(車部 十畫)의 俗字.

17 ㉓ [籢] 렴 [平]鹽 力鹽切 lián

[字解] ①경대 렴, 거울상자 렴 匳(匚部 十三畫)과 同字. '置鏡一中'《列女傳》. ②향합(香盒) 렴 향(香)을 담는 그릇. 匳(匚部 十三畫)과 同字. '一, 盛香器也'《廣韻》.
[字源] 篆文 形聲. 竹+斂〔音〕. '斂렴'은 '거두다, 챙겨 넣다'의 뜻. 거울이나 화장품을 넣어 두는 '죽갑(竹匣)'의 뜻을 나타냄.

17 ㉓ [籣] 란 [平]寒 落干切 lán

[字解] 전동 란 쇠뇌의 화살을 넣어 등에 지는 제구. '抱弩負一'《漢書》.
[字源] 篆文 形聲. 竹+闌〔音〕. '闌란'은 '가로막다, 누르다'의 뜻. 화살을 넣어 떨어지지 않도록 눌러 두는 '전동'의 뜻을 나타냄.

◉負籣.

17 ㉓ [籤] [人名] 첨 [平]鹽 七廉切 qiān 签 䇳

[字解] ①제비 첨 대오리 따위로 만든, 길흉을 점치거나 또는 당첨을 결정하는 심지. '抽一'. ②시험할 첨 그런지 아닌지를 점침. '一, 驗也'. ③예언기(豫言記) 첨 예언의 기록. '今俗謂神示占驗之文曰一'《通訓》. ④산가지 첨 '必投一於階石之上, 令鎗然有聲'《陳書》. ⑤꼬챙이 첨 댓조각 같은 것으로 만든 가늘고 끝이 뾰족한 물건. '每盾削竹一十六, 穿于革'《宋史》. ⑥찌첨 簽(竹部 十三畫)과 同字.
[字源] 篆文 形聲. 竹+韱〔音〕. '韱섬'은 '가냘프다'의 뜻. 가는 대로 신의(神意)를 묻다, '점대·제비'의 뜻을 나타냄.
[參考] 籖(竹部 十五畫)은 俗字.

[籤子 첨자] ㉠점대. ㉡장도(粧刀)가 칼집에서 제대로 빠지지 못하게 하는 장식물.
[籤題 첨제] 책의 표제(表題).
[籤爪 첨조] 대꼬챙이로 손톱과 발톱 사이를 찌르는 형벌(刑罰).
◉漏籤. 書籤. 牙籤. 韻籤. 典籤. 抽籤.

17 ㉓ [籥] 약 [入]藥 以灼切 yuè

[字解] ①피리 약 구멍이 셋 또는 여섯 내지 일곱 있는 피리. '管一', '竽一'. '左手執一'《詩經》.

[籥①]

②열쇠 약 鑰(金部 十七畫)과 同字. '啓一見書'《書經》. ③쇠채울 약 잠금. 닫음. '忠臣一口, 不得一言'《越絕書》. ④뛸 약 뛰어오름. '一, 躍也. 氣躍出也'《釋名》. ⑤성 약 성(姓)의 하나.
[字源] 篆文 形聲. 竹+龠〔音〕. '龠약'은 '피리'의 뜻. 대로 만든 피리의 뜻을 나타냄.

◉管籥. 籟籥. 舞籥. 哀籥. 竽籥. 葦籥. 清籥. 橐籥.

17 ㉓ [籭] 계 [去]霽 居例切 jì

[字解] ①대열매 계 '一, 一篗, 竹實'《集韻》. ②대이름 계 바닷가에 나는 대. '一, 竹, 生海邊'《字彙》.

17 ㉓ [籫] 〔둔〕
篼(竹部 十三畫〈p. 1688〉)과 同字

17 ㉓ [籧] 거 [平]魚 強魚切 qú

[字解] ①대자리 거 '一篨'는 거친 대자리. ②새가슴 거 '一篨'는 흉골(胸骨)이 불거져 새의 가슴처럼 생긴 가슴. '一篨不鮮'《詩經》.
[字源] 篆文 形聲. 竹+遽〔音〕. '遽거'는 '갑자기'의 뜻. 급히 만든 '대자리'의 뜻을 나타냄.

[籧筐 거광] 뽕잎을 넣어 두는 원형의 그릇.
[籧篨 거저] ㉠거친 대자리. ㉡새가슴. 또, 새가슴의 사람. 전(轉)하여, 아첨 잘하는 사람의 비유.

17 ㉓ [籟] 국 ㊅屋 居六切 jú

字解 신문할 국 鞫(革部 九畫)과 同字. '皆歸躬一, 而無害厥躬'《楚辭》.

字源 篆文 別體 會意. 牵+人+言+竹. '牵녑'은 수갑의 象形. 사람에게 수갑을 채워 놓고 대의 매로 치고, 말로 신문하여 죄(罪)를 캐내어 처리함의 뜻을 나타냄. 음형상(音形上)으로는, '窮궁'과 통하여, '추궁하다'의 뜻.

17 ㉓ [籦] 종 ㊉冬 職容切 zhōng

字解 대이름 종 '一籠'은 대나무의 일종. 피리를 만드는 데 씀. '惟一籠之奇生兮, 于終南之陰崖'《馬融》.

17 ㉓ [籼] 선 ㊤銑 息淺切 xiǎn

字解 ①대이름 선 대나무의 일종. '一, 一曰, 竹名'《集韻》. ②호적 선 한 가정에 속하는 사람들을 실은 문서. 호판(戶版).

17 ㉓ [籯] 접 ㊅葉 徒協切 dié

字解 까부를 접 키로 곡식을 까부르는 일. '一, 簸也'《集韻》.

18 ㉔ [籬] 개 ㊉佳 居諧切 jiē

字解 검은대 개 '一, 黑竹'《集韻》.

18 ㉔ [籭] 관 ㊉寒 古丸切 guān

字解 북 관 베를 짜는 데 쓰는 기구의 하나. '一, 竹杼'《集韻》.

18 ㉔ [籪] 단 ㊄翰 都玩切 duàn

字解 대어살 단 물속에 대발을 쳐서 물고기를 잡는 기구. '吳人今謂之一'《陸龜蒙, 漁具詩, 滬, 注》.

18 ㉔ [籰] 쌍 ㊉江 所江切 shuāng

字解 ①돛 쌍 배의 돛. 펴지 않은 돛. '南海有盧頭木, 葉如甘蔗, 織以爲帆, 名曰一'《南越志》. ②용수 쌍 술을 거르는 제구. '一, 一曰 酒篘'《集韻》. ③배 쌍 선박(船舶). '細雨滯吳一'《王世貞》.

19 ㉕ [籩] 변 ㊉先 布玄切 biān 笾

字解 변 변 대오리를 결어서 만든, 과실을 담는 제기(祭器). '一豆'. '竹豆謂之一. (註)一, 禮器'《爾雅》.

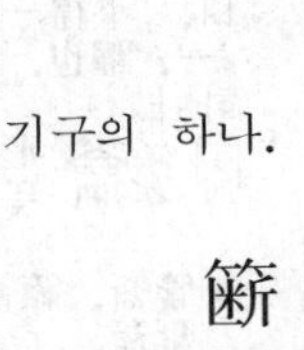

字源 篆文 籀文 形聲. 竹+(邊)邉〔音〕. '邉변'은 '가장자리'의 뜻. 그 가장자리 부분을 잘 꾸며서 만든 제기(祭器), 곧 '변'의 뜻을 나타냄.

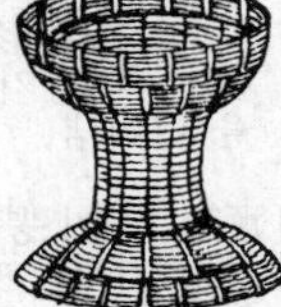
[籩]

[籩簋 변궤] 변(籩)과 궤(簋). 모두 제기(祭器)의 이름.
[籩豆 변두] 제기(祭器). 변(籩)은 과일이나 포를 담는, 대를 결어 만든 제기이고, 두(豆)는 식혜·김치 등을 담는, 나무로 만든 제기.
◉豆籩. 百籩. 肆籩. 羞籩. 薦籩.

19 ㉕ [籬] 人名 리 ㊉支 呂支切 lí 篱

字解 울타리 리 대나무나 섶을 엮어서 친 울타리. '垣一'. '與弟子樹一'《晉書》.

字源 形聲. 竹+離〔音〕

[籬菊 이국] 울 밑에 피는 국화.
[籬窺 이규] 울타리 사이로 엿봄.
[籬根 이근] 울타리 밑. 이하(籬下).
[籬荳 이두] 울타리에 올린 강낭콩. 울콩.
[籬落 이락] 울. 울타리.
[籬門 이문] 울타리의 문.
[籬畔 이반] 울타리 곁. 이변(籬邊).
[籬藩 이번] 울타리.
[籬壁間物 이벽간물] 울타리와 벽 사이에 있는 물건이란 뜻으로, 신변(身邊) 가까이에 있는 물건을 비유하여 이르는 말.
[籬邊 이변] 울타리 곁.
[籬鷃 이안] ㉠울타리 사이로만 나도는 세가락메추라기. ㉡식견(識見)이 좁은 사람의 비유.
[籬垣 이원] 울타리.
[籬牆 이장] 울타리.
[籬柵 이책] 울타리와 목책(木柵). 또, 울타리.
[籬笆 이파] 울타리. '笆'는 가시대의 생울타리.
[籬楓 이풍] 울타리 옆에 있는 단풍나무.
[籬下 이하] 울타리 밑. 울 밑.
◉缺籬. 枯籬. 棘籬. 槿籬. 短籬. 東籬. 蕃籬. 疎籬. 垣籬. 肉籬. 牆籬. 笊籬. 竹籬. 笆籬. 荒籬.

19 ㉕ [籮] 라 ㊉歌 魯何切 luó 箩

字解 ①키 라 까부른 쌀을 되에 옮기는 데 쓰이는 키. '一, 箕也'《廣雅》. ②소쿠리 라 밑이 네모지고 위가 둥근 대그릇. 쌀을 담아 드는 데 쓰임. '一, 匾竹爲之, 上圓下方, 挈米穀器'《農政全書》.

◉淘籮.

19 ㉕ [籭] 사 ㊉支 所宜切 shī ㊤紙 所綺切 shāi

字解 체 사 가루 따위를 치는 제구. 篩(竹部 十畫)·簁(竹部 十一畫)와 同字. '一, 竹器也, 可以取麤去細'《說文》.

字源 篆文 會意. 竹+麗. '麗려'는 정연하게 늘어서다의 뜻. 곡식 따위를 추리기 위한 대로 만든 '체'의 뜻.

20 ㉖ [籯] 영 ㊉庚 餘輕切 yíng

字解 ①바구니 영 서너너덧 되들이의 죽기(竹器). '遺子黃金滿一, 不如一經'《漢書》. ②주머니 영 돈을 넣는 주머니. '一金所過'《左思》.

[字源] 篆文 形聲. 竹＋羸〔音〕

◉黃金滿籯.

20 [籰] [一] 확 [入]藥 王縛切 yuè
㉖ [二] 역 [入]職 越逼切 yù

[字解] [一] 얼레 확 실을 감는 제구. '絲一絡絲具'《三才圖會》. [二] 무리져날 역 대가 총생(叢生)함. '一, 竹叢生'《類篇》.

20 [籢] 엄 [平]鹽 語輸切 yán
㉖

[字解] ①푸집개 엄 병장기(兵仗器)를 은폐하기 위한 덮개. '一, 㕓射所蔽者也'《說文》. ②막을 엄 방어함. '一, 禦也'《篇海》.
[字源] 篆文 形聲. 竹＋嚴〔音〕

21 [籱] 〔관〕
㉗ 觀(見部 十八畫〈p. 2094〉)의 古字

24 [籲] [一] 감 [上]感 古禫切 gǎn
㉚ [二] 담 [上]感 都感切

[字解] [一] ①대이름 감 '一, 竹名, 亦作篢'《廣韻》. ②상자 감 '一, 箱屬'《篇海》. [二] ①대이름 담 [一]❶과 뜻이 같음. ②상자 담 [一]❷와 뜻이 같음.

24 [籱] 〔착〕
㉚ 篧(竹部 十六畫〈p. 1693〉)과 同字

[字源] 形聲. 竹＋靃〔音〕

26 [籲] [一] 유 [去]遇 羊戍切 yù
㉜ [二] 약 [入]藥 以灼切 yuè

[字解] [一] 부를 유 신(神)을 불러 기원(祈願)하거나 호소함. 전(轉)하여, 구(求)함. 龥(龠部 九畫)와 同字. '一天'. '一俊尊上帝'《書經》. [二] 부를 약 [一]과 뜻이 같음.
[字源] 篆文 形聲. 頁＋籥〔音〕. '頁혈'은 '머리', '籥약'은 '피리'의 뜻. 피리를 불어 부르다의 뜻을 나타냄.

[籲俊 유준] 어진 사람을 구함.
[籲天 유천] 하늘에 무죄를 호소함.
[籲號 유호] 부르짖음.

米(6획)部
〔쌀미부〕

0 [米] [中人] 미 [上]薺 莫禮切 mǐ
⑥

[筆順] 丶 丷 䒑 半 米 米

[字解] ①쌀 미 ㉠벼의 열매의 껍질을 벗긴 알맹이. '一穀'. '陶侃空爭一船'《庾信》. 또, 고대(古代)에는 서(黍)·직(稷)·도(稻)·양(粱)·고(苽)·대두(大豆)를 '六一'라 하였음. '九穀六一'《周禮》. ㉡쌀의 모양을 한 것. '野客病時分竹一'《皮日休》. ②미터 미 미터법의 길이의 단위. 킬로미터〔粁〕의 천분의 일. ③성 미 성(姓)의 하나.
[字源] 甲骨文 篆文 象形. 甲骨文은 가로획과 여섯 개의 점(點)으로 이루어졌는데, 가로획은 곡식 이삭의 가지 부분, 여섯 점이 그 열매의 부분을 보이는 象形字로서, '쌀'의 뜻을 나타냄.
[參考] '米'를 의부(意符)로 하여, 여러 가지 종류의 쌀·곡물의 열매를 나타냄. 또, 그것을 가공한 식품 등에 관한 문자를 이룸.

[米價 미가] 쌀값.
[米泔 미감] 쌀뜨물.
[米糠 미강] 쌀겨.
[米穀 미곡] ㉠쌀. ㉡쌀과 잡곡.
[米課 미과] 쌀로 바치는 구실. 쌀의 현물세(現物稅).
[米櫃 미궤] 쌀뒤주.
[米禁 미금] 쌀을 타성(他省)으로 반출하거나 외국으로 수출하는 것을 금하는 일.
[米納 미납] 미과(米課).
[米囊花 미낭화] 양귀비. 곧, 앵속(罌粟)의 이칭(異稱).
[米年 미년] 여든여덟 살. 88세. '米' 자의 파자(破字)에서 나온 말. 미수(米壽).
[米突 미돌] 미터(meter)의 음역(音譯).
[米瀾 미란] 쌀뜨물. 미감(米泔).
[米糧 미량] 쌀 양식.
[米廩 미름] ㉠미곡 창고. 미창(米倉). ㉡학교(學校).
[米粒 미립] 낟알. 쌀.
[米麥 미맥] 쌀과 보리. 전(轉)하여, 곡식.
[米麪 미면] 쌀가루.
[米飯 미반] 쌀밥.
[米潘 미번] 쌀뜨물. 미감(米泔).
[米粉 미분] 쌀가루.
[米芾 미불] 송(宋)나라 양양(襄陽) 사람. 자(字)는 원장(元章). 호(號)는 해악외사(海嶽外史), 또는 녹문거사(鹿門居士). 세상에서 미양양(米襄陽)이라 일컬으며, 성품이 척당불기(倜儻不羈)하여 또 미전(米顚)이라고도 일컬음. 금석(金石)·고기(古器)를 애완(愛玩)하고, 특히 기석(奇石)을 좋아하였으므로 '원장이 돌에 절하였다〔元章拜石〕'는 말까지 있음. 문장(文章)이 기험(奇險)하고 서화에 능하였는데, 글씨는 입신(入神) 지경에 이르렀다 하며, 그림은 남화(南畫)로서 산수(山水)·인물(人物)을 잘 그려 후세(後世)에 남화가(南畫家)의 종(宗)이라 불리어짐. 저서에 〈보진영광집(寶晉英光集)〉·〈서사(書史)〉·〈화사(畫史)〉·〈연사(硯史)〉 등이 있음.
[米糒 미비] 말린 밥.
[米商 미상] 쌀장사. 쌀장수. 미곡상.
[米船 미선] 쌀을 실은 배.
[米粟 미속] 쌀과 벼. 속(粟)은 벼.
[米壽 미수] 미년(米年).
[米食 미식] 쌀밥을 먹음. 쌀밥을 상식(常食)함.
[米鹽 미염] 쌀과 소금. 전(轉)하여, 잔달고 번거로움.
[米鹽博辯 미염박변] 잔달고 번거로운 변론(辯論).

[米運 미운] 쌀의 수송.
[米肉 미육] 쌀과 고기.
[米田 미전] 논.
[米廛 미전] 싸전.
[米顚 미전] 송(宋)나라의 화가(畫家) 미불(米芾)의 별명(別名).
[米點 미점] 남화(南畫)에서 목석(木石)·산곡(山谷) 등을 쌀알 같은 점을 점점이 찍어서 나타내는 화법. 또, 그 점. 송대(宋代)의 화가 미불(米芾)이 시작하였다 함.
[米珠薪桂 미주신계] 미곡과 땔나무가 대단히 비쌈의 비유.
[米汁 미즙] 쌀뜨물. 미감(米泔).
[米車 미차] 쌀을 운반하는 수레.
[米包 미포] 쌀부대. 쌀가마니.
[米苞 미포] 미포(米包).
[米蝦 미하] 아주 작은 새우.
◉古米. 菰米. 老米. 祿米. 菱米. 百里負米. 白米. 腐米. 粉米. 稅米. 粟米. 新米. 粱米. 御米. 糲米. 五斗米. 六米. 義米. 薏米. 粒米. 子路負米. 貯米. 赤米. 精米. 粗米. 珠米. 竹米. 舐糠及米. 陳米. 秩米. 芻米. 太倉稊米. 鰕米. 玄米. 禾米.

2 ⑧ [籴] [一] 적 [入]錫 亭歷切 dí [二] 잡 [入]合 昨合切 zá

[字解] [一] 사들인쌀 적 사들여 쌓아 두는 쌀. 糴(米部 十六畫)과 同字. [二] 섞을 잡, 섞일 잡 雜(隹部 十畫)과 통용. '一, 不一也'《集韻》.

3 ⑨ [类] 〔류〕 類(頁部 十畫〈p. 2554〉)와 同字·簡體字

3 ⑨ [籹] 여 ㊤語 忍與切 ㊤語 尼呂切 nǚ

[字解] 중배끼 여 '粔一'는 유밀과(油蜜菓)의 한 가지. '粔一作人情'《杜甫》.
[字源] [篆文] 形聲. 米+女〔音〕

◉粔籹.

3 ⑨ [粈] 신 [平]眞 所臻切 shēn

[字解] ①가루찌꺼기 신 '一, 粉滓也'《類篇》. ②범벅 신 죽의 엉긴 것. '一, 粥凝也'《集韻》.

3 ⑨ [籽] 자 zǐ

[字解] 씨 자 식물(植物)의 종자(種子). '一, 植物之種子也'《辭海》.

3 ⑨ [籺] [一] 혈 [入]屑 胡結切 hé [二] 흘 [入]月 恨竭切 hé

[字解] [一] 싸라기 혈 부스러기 쌀. '屑米細者曰一'《集韻》. [二] ①쌀가루 흘 빻은 쌀의 가루. '一, 米粉'《集韻》. ②딱딱한보리 흘, 보리싸라기 흘 麧(麥部 三畫)·覈(襾部 十三畫)과 同字. '麧, 堅麥也. 一曰, 俗謂麤屑爲麧. 或从米'《集韻》.

3 ⑨ [粠] 홍 [平]東 戶公切 hóng

[字解] ①묵은쌀 홍 묵어 냄새가 나는 쌀. '一, 陳臭米'《說文》. ②뜬쌀 홍 떠서 붉게 변한 쌀. '一, 一曰, 赤米'《集韻》.
[字源] [篆文] 形聲. 米+工〔音〕

3 ⑨ [粁] 킬로미터

[字解] 미터법의 길이를 나타내는 단위. 킬로미터의 약기(略記). 미터의 천 배.
[字源] 形聲. 千+米〔音〕. '米미'가 meter의 음역(音譯)을 나타내고, '千천'이 천 배의 뜻을 나타냄.

4 ⑩ [类] 〔류〕 類(頁部 十畫〈p. 2554〉)의 俗字

4 ⑩ [粃] [人名] 비 ㊤紙 補履切 bǐ

[字解] ①쭉정이 비 秕(禾部 四畫)와 同字. '一糠'. '粟之有一'《書經》. ②모를 비, 아닐 비 부정(否定)의 말. '一, 不知也'《揚子方言》. '一, 不也'《廣雅》.
[字源] 形聲. 米+比〔音〕. '比비'는 '늘어서다'의 뜻. 껍질과 껍질이 달라붙어 있는 '쭉정이'의 뜻을 나타냄.

[粃糠 비강] 쭉정이와 겨. 전(轉)하여, 부서진 가루 또는 쓸모없는 지스러기.
[粃謬 비류] 오류(誤謬).
[粃粺 비비] 쭉정이와 잡초(雜草). 전(轉)하여, 쓸모없는 것의 비유. 비비(秕粺).
[粃滓 비재] 쭉정이와 찌끼. 어리석어 쓸모없는 사람의 비유.
[粃政 비정] 악정(惡政). 비정(秕政).

4 ⑩ [粀] 기 [平]支 翹移切 qí

[字解] 앵미 기 악미(惡米). 불그스름한 나쁜 쌀.

4 ⑩ [粄] 粀(前條)와 同字

4 ⑩ [粌] 둔 [平]元 徒渾切 tún

[字解] ①떡 둔 '肫, 䐁肫, 餌也, 或从米'《集韻》. ②만두 둔 경단, 단자 등. '一, 同飩'《正字通》.

4 ⑩ [粉] [高人] 분 ㊤吻 方吻切 fěn

[筆順] 丶 丷 丷 半 米 米 粉 粉

[字解] ①가루 분 곡식의 분말. '糗·餌·一·餈'《周禮》. 전(轉)하여, 널리 분말. '細一'. '石一'. ②빻 분 가루로 만듦. 잘게 부숨. '一骨碎身'. '一稻米黍米'《周禮 註》. ③분 분 단장하는 흰 가루. '白一'. '一黛'. '傅脂一'《史記》. '燒鉛爲胡一'《博物志》. ④빻아질 분 잘게 부서짐. '應聲一潰'《馬融》. ⑤분바를 분 백분을 바름. '輕粧薄一'《梁簡文帝》. ⑥꾸밀 분 '一其題'《太玄經》. ⑦회 분 벽에 바르는 흰 가루. 석회. '一壁'. ⑧색칠 분 채색(彩色). '一繪'. '禮樂治之一澤'《六韜》.

字源 篆文 粉 形聲. 米+分〔音〕. '分분'은 '가르다'의 뜻. 쌀을 빻아 가른 것, '가루'의 뜻을 나타냄.

[粉匣 분갑] 분을 넣어 두는 갑. 화장품 상자.
[粉骨碎身 분골쇄신] 뼈를 가루가 되게 하고 몸을 바스러뜨린다는 뜻으로, 있는 힘을 다하여 일함. 쇄골분신(碎骨粉身).
[粉筐 분광] 분렴(粉匲).
[粉潰 분궤] 잘게 부서져서 흩어짐.
[粉團 분단] 경단(瓊團).
[粉黛 분대] ㉠얼굴에 바르는 분과 눈썹을 그리는 먹. ㉡화장. ㉢곱게 화장한 미인.
[粉堵 분도] 분장(粉牆).
[粉匲 분렴] 분을 담는 갑(匣). 분갑(粉匣). 분광(粉筐).
[粉綠 분록] 분대(粉黛)㉠.
[粉末 분말] 가루.
[粉面 분면] 분을 바른 얼굴.
[粉墨 분묵] ㉠얼굴에 바르는 분과 눈썹을 그리는 먹. 또 분과 눈썹을 먹으로 화장한 미인. ㉡분과 먹. 서로 아주 틀린 사물(事物)의 비유. 흑백(黑白). ㉢채료(彩料). ㉣문장을 수식(修飾)함.
[粉米 분미] 백미(白米).
[粉白 분백] ㉠분으로 화장함. ㉡분.
[粉白黛綠 분백대록] 흰 분을 바르고 푸른 먹을 눈썹에 칠함. 전(轉)하여, 부인의 고운 화장.
[粉白不去手 분백불거수] 늘 화장을 함. 몸치장에 늘 마음을 씀을 이름.
[粉壁 분벽] 흰 벽.
[粉壁紗窓 분벽사창] 흰 벽과 깁으로 바른 창. 전(轉)하여, 미인(美人)이 거처하는 곳.
[粉本 분본] ㉠초벌 그림. 소묘(素描). 데생. ㉡그림본. ㉢본보기가 될 만한 시문(詩文).
[粉沸 분불] 혼란하고 시끄러움.
[粉署 분서] 백색으로 칠한 관아(官衙).
[粉省 분성] 과거에 급제한 사람의 이름을 상서성(尙書省)의 벽에 써 붙이는 일.
[粉碎 분쇄] 가루가 되도록 부스러뜨림. 또, 부스러져 가루가 됨.
[粉水 분수] 백분(白粉)을 갠 물. 분물.
[粉愁香怨 분수향원] 미인이 수심에 잠겨 원망함을 이름.
[粉豉 분시] 빻아서 가루로 만든 메주.
[粉食 분식] ㉠가루 모양의 식료(食料). ㉡국수·빵과 같이 주로 밀가루의 재료로 만든 음식. 또, 그것을 먹음.
[粉飾 분식] ㉠분을 발라 화장함. ㉡외관을 꾸밈. ㉢사람을 추어줌. 칭찬하여 줌.
[粉顏 분안] 분을 발라 화장한 얼굴. 아름답게 화장한 얼굴.
[粉藥 분약] 가루약.
[粉乳 분유] 가루우유.
[粉牆 분장] 하얀 담.
[粉蝶 분접] 흰 나비. 아름다운 나비.
[粉韲 분제] 분쇄(粉碎).
[粉脂 분지] 분과 연지.
[粉塵 분진] 티끌. 전(轉)하여, 아주 작은 것.
[粉堞 분첩] 하얀 성가퀴.
[粉澤 분택] 치장하여 윤을 냄.
[粉板 분판] 분을 기름에 개어 바른 나무판. 글씨를 연습하는 데 씀.
[粉筆 분필] ㉠분호(粉毫). ㉡칠판(漆板)에 글씨를 쓰는 물건. 백묵(白墨).
[粉盒 분합] 분을 담는 그릇.
[粉毫 분호] 화필(畫筆).
[粉紅 분홍] ㉠분과 연지. ㉡화장. ㉢엷고 고운 붉은빛. 연분홍.
[粉華 분화] 화장.
[粉繢 분회] 색칠함. 또는 채색화(彩色畫).
[粉繪 분회] 분회(粉繢).
◉白粉. 石粉. 施粉. 鉛粉. 艷粉. 膩粉. 澱粉. 精粉. 齏粉. 脂粉. 蛤粉. 香粉. 胡粉. 紅粉. 花粉.

4 ⑩ [粈] 一 유 ㊤有 忍九切 róu
二 뉴 ㊦宥 女救切

字解 一 ①비빔밥 유 '一, 糅飯也'《說文》. ②섞을 유, 섞일 유 '一, 厠也'《廣雅》. 二 비빔밥 뉴, 섞을 뉴, 섞일 뉴 一과 뜻이 같음.
字源 形聲. 米+丑〔音〕

4 ⑩ [粍] 멸 ㊇屑 miè

字解 싸라기 멸 '一, 糏也'《集韻》.

4 ⑩ [粆] 一 사 ㊥麻 師加切 shā
二 초 讀如炒 chǎo

字解 一 사탕 사 沙(水部 四畫)와 통용. '一, 蔗飴'《集韻》. 二 건량(乾糧) 자루 초 '一袋'는 건량(乾糧)을 저장하는 자루. '團練使以上, 旗鼓·槍劍·棍棓·一袋, … 各一'《宋史》.
字源 形聲. 米+少〔音〕

4 ⑩ [粁] 〔료〕
料(斗部 六畫〈p. 949〉)의 俗字

[料] 〔료〕
斗部 六畫(p. 949)을 보라.

[敉] 〔미〕
攴部 六畫(p. 929)을 보라.

4 ⑩ [粇] 〔강〕
穅(禾部 十一畫〈p. 1627〉)과 同字

4 ⑩ [粋] 〔수·쇄〕
粹(米部 八畫〈p. 1701〉)와 同字

4 ⑩ [粊] 비 ㊦寘 兵媚切 bì

字解 ①궂은쌀 비 나쁜 쌀. ②쓸 비 費(貝部 五畫)와 통용. 서경(書經)에 있는 '費誓'를 '一誓'로도 씀.
字源 篆文 粊 形聲. 米+比〔音〕

[氣] 〔기〕
气部 六畫(p. 1172)을 보라.

5 ⑪ [粒] 人名 립 ㊇緝 力入切 lì 粒

筆順 丷 丷 半 米 米' 米' 粒 粒

字解 ①쌀알 립 낟알. 쌀의 낱알. '米一'. ②낟알 립 쌀알같이 된 물건. '砂一'. '一子'. '靈丹一一, 點鐵爲金'《聞見後錄》. ③쌀밥먹을 립 '一食'. '烝民乃一'《書經》.
字源 篆文 粒 古文 𥺶 形聲. 米+立〔音〕. '立립'은 '서다'의 뜻. '粉분'과는 달리, 하나하나가 독립된 꼴을 가진 '낟알'의 뜻을 나타냄.

[粒粒皆辛苦 입립개신고] 낟알이 모두 농부의 땀의 결정임. 곡식의 소중함을 이른 말. 또, 고심하여 일의 성취에 노력함을 이름.
[粒米 입미] 낟알. 쌀.
[粒雪 입설] 싸락눈.
[粒食 입식] 쌀밥을 먹음.
[粒子 입자] 낟알.
◉米粒. 飯粒. 粟粒. 遺粒. 絶粒. 種粒. 慘粒.

5 ⑪ [粔] 거 ㊤語 其呂切 jù

字解 중배끼 거 '一敉'는 유밀과(油蜜菓)의 한 가지. '一敉作人情'《杜甫》.
字源 篆文 粔 形聲. 米+巨〔音〕

[粔敉 거여] 중배끼.

5 ⑪ [粋] ㊀ 사 ㊥麻 莊加切 zhā ㊁ 작 ㊈藥 即各切 zuò

字解 ㊀ 찌꺼기 사 남은 찌끼. '一, 滓也, 通作渣'《集韻》. ㊁ 쓿은쌀 작 정미(精米). '一, 同糳'《篇海》.

5 ⑪ [粕] 人名 박 ㊈藥 匹各切 pò

字解 지게미 박 술을 짜낸 찌꺼기. '酒一'. '名位爲糟一'《晉書》.
字源 篆文 粕 形聲. 米+白〔音〕. '白백'은 하얀 지게미의 뜻. 빚은 술을 짜낸 뒤에 남는 백색의 '재강'의 뜻을 나타냄.

◉古人糟粕. 甕粕. 糟粕. 酒粕. 沈粕.

5 ⑪ [粗] 人名 조(추本) ㊥虞 千胡切 cū ㊤麌 徂古切

字解 ①거칠 조 정(精)하지 아니함. 조잡함. '一略'. '一製濫造'. '其聲一以厲'《禮記》. ②클 조 작지 아니함. '一功'. '其器高以一'《禮記》. ③대강 조 대략. '請爲大夫一陳其略'《史記》. ④암자 조, 초막 조 '一, 庵也'《廣雅》.
字源 篆文 粗 形聲. 米+且〔音〕. '且차·조'는 '疏소'와 통하여, '떨어지다'의 뜻. 차진 기운이 없는 쌀의 뜻에서, '거칠다'의 뜻을 나타냄.

[粗功 조공] 큰 공. 대공(大功).
[粗淡 조담] 거칠고 맛이 없음. 또, 그 음식.
[粗澹 조담] 조담(粗淡).
[粗略 조략] 거칢. 정성을 들이지 아니함.
[粗厲 조려] 거칠고 사나움.
[粗糲 조려] 궂은쌀. 앵미. 전(轉)하여, 악식(惡食).
[粗鹵 조로] 거칢. 조망(粗莽).
[粗漏 조루] 소루(疏漏)함.
[粗漫 조만] 거칠고 산만(散漫)함.
[粗莽 조망] 거칢.
[粗猛 조맹] 성품이 거칠고 사나움.
[粗米 조미] 잘 닦이지 않은 거친 쌀. 정미(精米)의 대(對).
[粗密 조밀] 성김과 촘촘함. 소밀(疎密).
[粗樸 조박] 거칠고 소박(素朴)함.
[粗飯 조반] 거친 밥. 또, 남에게 권하는 밥을 겸손하여 이르는 말.
[粗服 조복] 조의(粗衣).
[粗笨 조분] 거칠고 게저분함.
[粗率 조솔] 거칠고 경솔함. 정세(精細)하지 아니함.
[粗惡 조악] 거칠고 나쁨.
[粗安 조안] 큰 탈이 없이 잘 있음.
[粗野 조야] 거칠고 천함. 거칠고 촌스러움.
[粗言 조언] 거친 말. 난폭한 말.
[粗衣 조의] 거친 옷. 변변치 않은 너절한 옷.
[粗衣粗食 조의조식] 거친 옷과 변변치 못한 음식. 악의악식(惡衣惡食).
[粗雜 조잡] 거칢.
[粗製 조제] 물건을 거칠게 만듦.
[粗製濫造 조제남조] 조제품(粗製品)을 무턱대고 많이 만듦.
[粗糙 조조] 결이 곱지 아니함.
[粗茶淡飯 조차담반] 질이 좋지 않은 차와 거친 밥. 전(轉)하여, 가난함의 비유.
[粗醜 조추] 용모가 추함. 못생김.
[粗通 조통] 대충 통함.
[粗弊 조폐] 너절하고 해짐.
[粗暴 조포] 거칠고 사나움.
[粗悍 조한] 거칠고 사나움. 난폭함.
[粗豪 조호] 성질이 거칠고 힘이 셈.
[粗忽 조홀] ㉠무엇을 행함에 있어 정성을 들이지 않음. 경솔함. 경홀(輕忽). ㉡성격이 덜렁덜렁함. 차분하지가 않음.

5 ⑪ [粘] 人名 점 ㊥鹽 女廉切 nián, ②zhān (niān)

字解 ①끈끈할 점, 차질 점 黏(黍部 五畫)과 同字. '一土'. '一之屋壁'《貞觀政要》. ②붙일 점 들러붙게 함. ③성 점 성(姓)의 하나.
字源 形聲. 米+占〔音〕. '占점'은 '拈점'과 통하여, 손가락으로 집다의 뜻. 가루를 손가락으로 집어서 느끼는 차진 기운의 뜻을 나타냄.

[粘塊 점괴] 끈적끈적함. 끈끈하게 엉김.
[粘膜 점막] 생물체 내의 소화관·비뇨 생식도(泌尿生殖道)의 내면을 덮은 끈끈하고 부드러운 막(膜).
[粘續頭尾 점속두미] 한시(漢詩)의 앞 구(句)의 끝 글자를 다음 구의 첫머리로 하여 서로 연한 것.
[粘液 점액] 끈끈한 액체(液體).
[粘着 점착] 들러붙음. 착 달라붙음.
[粘綴 점철] 풀칠하여 맴.
[粘土 점토] ㉠끈끈한 흙. 찰흙. ㉡석영(石英)·장석(長石) 등이 풍화하여 된 흙. 그릇·벽돌 등을 만듦.

5 ⑪ [架] 가 ㊥麻 居牙切 jiā

字解 쌀 가 '一, 米也'《集韻》.

5 ⑪ [粓] 감 ㊥覃 沽三切 gān

字解 쌀뜨물 감 泔(水部 五畫)과 同字.

5 ⑪ [粎] 멸 ㊀屑 莫結切 zhōu

字解 ①죽 멸 '鬻, 說文, 涼州謂鬻爲—, 亦作—'《集韻》. ②가루 멸 곡물의 분말. '—, 同穖'《正字通》.

5 ⑪ [粖] 말 ㊀曷 莫撥切 mò

字解 미음 말, 죽 말 푹 끓인 죽. '—, 饘也'《廣雅》.

字源 鬻의 別體 粖 形聲. 米+末〔音〕

5 ⑪ [粣] 〔색·살〕 粣(米部 六畫〈p. 1699〉)과 同字

5 ⑪ [粝] 〔려〕 糲(米部 十五畫〈p. 1708〉)의 俗字

5 ⑪ [粜] 〔조〕 糶(米部 十九畫〈p. 1709〉)와 同字

[粛] 〔숙〕 聿部 五畫(p. 1832)을 보라.

6 ⑫ [粞] 서 ㊥齊 先稽切 xī

字解 싸라기 서 부스러진 쌀알. '米碎曰—'《集韻》.

字源 形聲. 米+西〔音〕

6 ⑫ [粡] 동 ㊥東 徒東切 tóng

字解 ①각서(角黍) 동 찹쌀가루를 식물의 잎에 싸서 찐 떡. 주악. '—, 粽也'《集韻》. ②조미(粗米) 동 반쯤 찧은 쌀. '—, 粗米'《篇海》.

6 ⑫ [粣] ▣ 색 ㊀陌 測革切 cè ▣ 살 ㊀曷 桑葛切 sè

字解 ▣ 주악 색 떡의 한 종류. 각서(角黍). '—, 粽也, 南齊虞悰作扁米—'《集韻》. ▣ 쌀갈아국에풀 살 '—, 糝也, 齊民要術, 時時—之'《集韻》.

6 ⑫ [粧] 高人 장 ㊥陽 側羊切 zhuāng

筆順 丷 䒑 半 米 粁 粁 粧 粧

字解 ①단장 장 화장. '淡—'. '濃—'. '必爲半面—以俟'《南史》. ②단장할 장 치장을 함. '新婦起嚴—'《古詩》. ③妝(女部 四畫)의 俗字.

字源 形聲. 本字는 米+壯〔音〕. '米미'는 분(粉)의 뜻. '壯장'은 '裝장'과 통하여, '치장하다'의 뜻. 분가루로 꾸미다의 뜻을 나타냄.

[粧鏡 장경] 화장용 거울.
[粧具 장구] 화장 도구.
[粧刀 장도] 《韓》 장식으로 옷고름에 차고 다니는 작은 칼. 장도칼.
[粧匳 장렴] 화장품 상자. 또, 혼수(婚需).
[粧面 장면] 단장한 얼굴.
[粧飾 장식] 멋을 부림. 예쁘게 화장을 하여 꾸밈.
[粧鉛 장연] 분을 발라 단장함.
[粧娃 장와] 화장한 미녀(美女).
[粧點 장점] 단장함.
[粧痕 장흔] 화장한 흔적. 단장한 자국.
◉假粧. 故粧. 濃粧. 淡粧. 盛粧. 新粧. 姸粧. 啼粧. 紅粧. 華粧.

6 ⑫ [粩] 담 ㊥覃 徒藍切 tán

字解 차질 담 찹쌀 등이 차짐. '—, 黏也'《字彙補》.

6 ⑫ [粱] 〔량〕 粱(米部 七畫〈p. 1701〉)의 略字

6 ⑫ [粬] 색 ㊀陌 色責切 sè

字解 ①싸라기 색 찧어 부수어진 쌀. ②떡차질 색 떡이 차져서 덩이짐. '—, 餠相黏也'《類篇》.

6 ⑫ [粯] 환 ㊥寒 呼官切 huān

字解 흰쌀 환 흰빛의 쌀. '—, 白米也'《玉篇》.

6 ⑫ [粱] 공 ㊥冬 渠容切 qióng

字解 흰쌀 공 깨끗하게 쓿은 흰쌀. '—, 精米也'《集韻》.

6 ⑫ [粲] ▣ 구 ㊤有 巨九切 jiù ▣ 우 ㊤有 於九切 qiǔ

字解 ▣ ①미숫가루 구 쌀을 볶아 찧은 가루. '—, 舂糗也'《說文》. ②건량부스러기 구 말린 밥의 부스러기. '—, 乾飯屑也'《篇海》. ③볶은 쌀 구 糗(米部 十畫)와 同字. '—, 糗米'《廣韻》. ▣ 미숫가루 우, 건량부스러기 우, 볶은쌀 우 ▣과 뜻이 같음.

字源 形聲. 米+臼〔音〕

6 ⑫ [粤] 월 ㊀月 王伐切 yuè

字解 ①어조사 월 발어사(發語辭). 越(走部 五畫)과 同字. '—詹雒伊, 毋遠天室'《史記》. ②나라이름 월 越(走部 五畫)과 同字. '請纓繫南—'《魏徵》. ③땅이름 월 지명(地名). 광둥(廣東)·광시(廣西)를 '兩—'이라 함. ④두터울 월 후함. '天爲—宛'《管子》. ⑤성 월 성(姓)의 하나.

字源 甲骨文 金文 篆文 會意. 金文에서는 雨+于. 뜻과 자형(字形)과의 관련은 분명치 않음. 다만, 음형(音形)은 '于우'에 가깝고 일찍이 金文 시대로부터 개사(介詞)·발어사(發語辭)로 사용됨. 음형(音形)이 '越월·遠원'과 통하여, 멀리 있는 땅, 광둥 성(廣東省)·광시 성(廣西省)의 뜻도 나타냄. 《說文》에서는 宷+亏의 會意. '宷심'은 '자세하다'의 뜻으로, 상세히 하려고 발(發)하는 말로 봄.

[粤東 월동] '광둥 성(廣東省)'의 별칭.

[粵西 월서] '광시 성(廣西省)'의 별칭.
[粵省 월성] '광둥 성(廣東省)'의 별칭.
[粵雅堂叢書 월아당총서] 청(淸)나라의 오숭요(伍崇曜)가 구장(舊藏) 및 전차(轉借)한 서적을 편집하여 간행한 총서. 총 30집(集).
[粵宛 월완] 후(厚)하고 순(順)함. 완(宛)은 순(順).
[粵漢鐵路 월한철로] 광둥(廣東)과 한구(漢口) 사이의 철도. 중국 남부와 중부를 연결하는 간선으로서, 정치·경제·군사상 대단히 중요함.
◉南粵. 兩粵.

6 ⑫ [粥] [人名] [一] 죽 [入]屋 之六切 zhōu(zhù) [二] 육 [入]屋 余六切 yù

[字解] [一] ①죽 죽 미음. 또, 묽은 죽을 '一', 된 죽을 '饘'이라 함. '饘一'. '厚曰饘, 稀曰一'《禮記 疏》. ②죽먹을 죽 '饘於是, 一於是'《史記》. ③성 죽 성(姓)의 하나. [二] ①팔 육 鬻(鬲部 十二畫)과 同字. '田里不一'《禮記》. ②성 육 성(姓)의 하나.

[字源] 會意. 弜+米. '弜강'은 수증기·김의 象形. 물을 많이 붓고 솥뚜껑을 연 채 쑤는 '죽'의 뜻을 나타냄. '鬻죽·육'의 생략체. 또, '賣매'와 통하여, '팔다'의 뜻도 나타냄.

[粥飯僧 죽반승] 죽을 먹고 지내는 중. 전(轉)하여, 무능한 사람을 조소하는 말.
[粥藥 죽약] 죽과 약.
[粥粥 죽죽] ㉠연약한 모양. ㉡삼가고 두려워하는 모양.
◉臘粥. 蔞蔞亭豆粥. 淡粥. 豆粥. 茗粥. 糜粥. 薄粥. 沸粥. 御粥. 爲姉煮粥. 饘粥. 寒粥. 香粥. 葷粥.

6 ⑫ [粟] [高·人] 속 [入]沃 相玉切 sù

[筆順] 一 粟

[字解] ①조 속 포아풀과(科)에 속하는 재배 식물. 또, 그 열매. 오곡(五穀)의 하나임. '一豆'. '今日多種一而少種粱'《韻會小補》. 전(轉)하여, 좁쌀같이 대단히 작은 물건의 일컬음. '英水多丹一'《山海經》. ②벼 속 껍질을 벗기지 아니한 쌀. '一米'. '四百里一'《書經》. ③곡식 속 곡류. '許子必種一而後食乎'《孟子》. ④녹미 속 녹봉(祿俸)으로 주는 쌀. '義不食周一'《史記》.

[字源] 甲骨文 篆文 籒文 會意. 篆文은 米+卤. '卤유'는 초목(草木)의 열매의 늘어져 있는 모양. 늘어져 있는 곡식의 열매의 뜻을 나타냄.

[粟奴 속노] 조의 깜부기.
[粟豆 속두] 조와 콩.
[粟粒 속립] 좁쌀의 낟알. 또, 곡식의 낟알.
[粟麥 속맥] 조와 보리.
[粟米 속미] 벼. 또, 군량(軍糧).
[粟米之征 속미지정] 조세(租稅)로서 벼를 징수하는 일.
[粟帛 속백] 벼와 명주. 의식(儀式)에 필요한 물품.
[粟膚 속부] 놀라거나 추워서 좁쌀 모양으로 돋아나 도톨도톨해진 살결. 소름이 끼친 살결.
[粟散國 속산국] 좁쌀을 흩뜨린 것같이 여기저기 산재(散在)한 작은 나라. 여러 작은 나라.
[粟芋 속우] 조와 토란.
◉嘉粟. 間粟. 官粟. 稟粟. 丹粟. 稻粟. 米粟. 腐粟. 耡粟. 稅粟. 輸粟. 菽粟. 罌粟. 餘粟. 屋粟. 黏粟. 陳粟. 倉粟. 滄海一粟. 脫粟.

6 ⑫ [粢] [一] 자 [平]支 卽夷切 zī [二] 제 [去]霽 才詣切 jì

[字解] [一] ①기장 자 메기장. 또, 제사에 쓰는 서직(黍稷). '一盛'. '稷穄一, 皆一物, 語音之輕重耳'《爾雅翼》. ②곡식 자 곡류(穀類)의 총칭. '辨六一之名物'《周禮》. ③떡 자 쌀떡. '食則一糲'《列子》. [二] 술 제 취하는 음료. '一醍在堂'《禮記》.

[字源] 餈의 別體 形聲. 米+次〔音〕

[粢糲 자려] 현미(玄米)로 찐 떡.
[粢盛 자성] 제사에 쓰는 서직(黍稷). 전하여, 제수(祭需).
[粢醍 제제] 술. 기장으로 빚은 술.
◉潔粢. 稻粢. 明粢. 糲粢.

7 ⑬ [粇] 〔강〕 糠(米部 十一畫〈p.1707〉)의 古字

7 ⑬ [粮] [人名] 량 [平]陽 呂張切 liáng

[字解] 양식 량 糧(米部 十二畫)과 同字. '屑瑤蕤以爲一'《張衡》.

[字源] 形聲. 米+良〔音〕. '良량'은 깨끗하게 잘 대낀 곡물의 뜻.

7 ⑬ [粻] 미 [去]未 無沸切 wèi [去]寘 明祕切

[字解] 죽 미 '一, 或作糜·餵, 亦書作粱'《集韻》.

7 ⑬ [粰] 부 ①-③[平]尤 縛謀切 fú ④[平]虞 芳無切 fū

[字解] ①산자 부 과자의 한 가지. '士卒唯給一糇'《晉書》. ②죽 부 된 죽. '一, 饘也'《廣雅》. ③겨 부 곡식의 껍질. ④찌끼 부 '時俸盡, 食醬一'《北堂書鈔》.

[字源] 形聲. 米+孚〔音〕. '孚부'는 '부풀다'의 뜻. 쌀알이 부푼 '죽·산자'의 뜻을 나타냄.

[粰鬻 부죽] 묽은 죽.
◉醬粰.

7 ⑬ [粳] [人名] 갱 [平]庚 古行切 jīng(gēng)

[字解] 메벼 갱 稉(禾部 七畫)과 同字. '一稻'. '謝賚一米'《庾肩吾》.

[粳稻 갱도] 메벼.
[粳粱 갱량] 갱미(粳米).
[粳糧 갱량] 멥쌀 양식(糧食).
[粳米 갱미] 멥쌀.

7 ⑬ [粯] 간 [去]諫 侯襉切 xiàn

[字解] 가루 간 쌀가루. 쌀의 부스러기. '一, 米

屑'《集韻》.

7 ⑬ [粠] 一 권 ㊤阮 苦遠切 quǎn 二 환 ㊥寒 胡官切 huán

字解 一 가루 권 '棬, 說文, 粉也, 亦作一'《集韻》. 二 경단 환 '一, 粉餌'《集韻》.

7 ⑬ [粡] 포 ㊦遇 蒲故切 bù

字解 떡 포 餔(食部 七畫)와 同字.

7 ⑬ [粖] 매 ㊥灰 莫杯切 méi

字解 술밑 매 누룩을 섞어 버무린 지에밥. 주모(酒母). 酶(酉部 七畫)와 同字. '一麴, 酒母也'《玉篇》.

7 ⑬ [粱] 人名 량 ㊥陽 呂張切 liáng

字解 조 량 조[粟]의 일종. 알이 굵고 까끄라기가 억세며 향기가 남. 황량(黃粱)·백량(白粱)·청량(靑粱)으로 분류함. '尤宜一'《周禮》. 중국에서 조를 귀히 여겼으므로, 전(轉)하여, 좋은 곡식 또는 좋은 쌀의 뜻으로도 쓰임. '一肉'. '膏一'.

字源 金文 篆文 形聲. 米+梁〈省〉〔音〕. '梁량'은 '良량'과 통하여, 양질(良質)의 미곡류(米穀類)의 뜻을 나타냄.

參考 梁(木部 七畫)은 別字.

[粱米 양미] ㉠조. 자해(字解)를 보라. ㉡상등미(上等米).
[粱飯 양반] 쌀밥.
[粱肉 양육] 쌀밥과 고기반찬. 전(轉)하여, 좋은 음식.
[粱饘 양전] 된 쌀죽. 된 죽. 범벅.
◉高粱. 膏粱. 稻粱. 童粱. 白粱. 靑粱. 黃粱.

7 ⑬ [粲] 人名 찬 ㊦翰 蒼案切 càn

筆順 ⺊ 歺 歺 歺又 𣦼 𣦼 粲 粲

字解 ①정미 찬 곱게 찧은 쌀. '爲米六斗大半斗曰一'《說文》. ②쌀찧기 찬 쌀을 곱게 찧는 고역(苦役). '猶當降等薪一'《梁書》. ③밥 찬 찬식(餐食). '還予授子之一兮'《詩經》. ④고울 찬 선명함. '一然成章'《世說》. ⑤밝을 찬, 환할 찬 명백함. '骨肉之親, 一而不殊'《漢書》. ⑥세미인 찬 세 사람의 미녀. '見此一者'《詩經》. ⑦웃을 찬 흰 이를 드러내 놓고 웃는 모양. '軍人一然皆笑'《穀梁傳》. 또, 자작의 시문(詩文)을 남에게 보이는 것을 '博一'이라 함은 웃음거리밖에 안 되는 것을 보인다는 겸사말임. ⑧깨끗할 찬 청결함. 정결함. '俄而一然有秉芻豢稻粱而至者'《荀子》. ⑨아름다울 찬 '灼灼懷春一'《陸雲》. ⑩많을 찬 '羣·衆·一, 皆多之名'《正字通》. ⑪성 찬 성(姓)의 하나.

字源 篆文 形聲. 米+𣦼〔音〕. '𣦼잔'은 뼈를 추리는 모양. 잡물을 제거한 쌀, 흰쌀의 뜻을 나타냄.

[粲爛 찬란] ㉠화려한 모양. 아름다운 모양. 고운 모양. ㉡빛이 번쩍이는 모양.
[粲麗 찬려] 화려(華麗)함.
[粲如 찬여] ㉠선명한 모양. 환한 모양. 빛나는 모양. ㉡흰 이가 드러나게 웃는 모양. ㉢깨끗한 모양.
[粲者 찬자] ㉠대부(大夫)의 일처 이첩(一妻二妾)을 이르는 말. 여자 세 사람. ㉡미인(美人)의 별칭.
[粲粲 찬찬] ㉠문채가 많은 모양. 선명한 모양. ㉡고운 모양. 아름다운 모양.
[粲彰 찬창] 환히 드러남. 환하게 나타남.
◉白粲. 星粲. 笑粲. 薪粲. 灼粲. 華粲.

8 ⑭ [粼] 린 ①②㊥眞 力珍切 lín ③④㊤軫 里忍切 lǐn

字解 ①물부딪칠 린 돌 사이를 흐르는 맑은 물이 돌에 부딪치는 모양. '白石一一'《詩經》. ②대이름 린 속이 옹골지고 단단한 대나무의 일종. '一, 堅中. (注) 竹類也. 其中實'《爾雅》. ③물모양 린 '隱一'은 강(江)의 모양. '隱一, 川形'《集韻》. ④돈점박이 린 회색 바탕에 돈 무늬가 있는 말. '靑驪一, 驒'《爾雅》.

字源 篆文 形聲. 巛+粦〔音〕. '巛괴'는 물의 흐름, '粦린'은 서로 줄지어 있다의 뜻. 물이 맑고 돌이 줄이어 보이는 모양을 나타냄.

[粼粼 인린] 물이 돌에 부딪치는 모양.

8 ⑭ [粹] 人名 一 수 ㊦寘 雖遂切 cuì 二 쇄 ㊦隊 蘇對切 suì

筆順 丷 半 米 米' 米ᅔ 粹 粹 粹

字解 一 ①순수할 수 조금도 다른 것이 섞이지 아니함. '一白之裘'. '一而能容雜'《荀子》. ②같을 수 제일(齊一)함. '昔三后之純一兮'《楚辭》. ③정밀할 수 상세함. '理一而辭駁'《文心雕龍》. ④정수 수 순정(純正)한 부분. '始知其道之一'《十八史略》. ⑤완전할 수 부족함이 없음. '一而王'《荀子》. ⑥변치않을 수 불변함. '純一精也'《易經》. ⑦영기 수 신령(神靈)한 기(氣). '天精天一, 萬物作類'《揚子法言》. 二 ①부서질 쇄, 빻을 쇄 碎(石部 八畫)와 同字. '力少而任重也, 舍一折無適也'《荀子》. ②싸라기 쇄 부서진 쌀. '一, 碎米'《集韻》.

字源 篆文 形聲. 米+卒〔音〕. '卒졸'은 '완전함'의 뜻. 완전히 정미(精米)한 쌀의 뜻에서, '순수하다'의 뜻을 나타냄.

[粹折 쇄절] 부수고 꺾음. 또, 부서지고 꺾임.
[粹器 수기] 훌륭한 사람. 우수(優秀)한 인물.
[粹靈 수령] 청수(淸秀)하고 신령함.
[粹穆 수목] 순수하고 온화함.
[粹美 수미] 청수하고 아름다움.
[粹白 수백] 순백색(純白色).
[粹白之裘 수백지구] 순백(純白)의 호백구(狐白裘).
[粹想 수상] 정성스럽고 잡념이 없는 깨끗한 생각. 뛰어난 생각.
[粹液 수액] 아무것도 섞이지 아니한 깨끗한 액체.
[粹然 수연] 순수한 모양.
[粹學 수학] 순수한 학문.
◉寬粹. 國粹. 端粹. 明粹. 拔粹. 不粹. 秀粹. 純粹. 淳粹. 醇粹. 神粹. 雅粹. 溫粹. 夷粹. 自豪蕩入純粹. 貞粹. 精粹. 眞粹. 天粹. 淸

粹. 沈粹. 平粹. 和粹.

8 ⑭ [粺] 패 ㊤卦 傍卦切 bài

字解 ①정미 패 곱게 대낀 쌀. 현미 한 말을 대껴 아홉 되로 한 정백미(精白米). '彼疏斯—'《詩經》. ②돌피 패 볏과의 벼 비슷한 풀. 稗(禾部 八畫)와 통용. '是用粃—'《孔子家語》.

字源 篆文 形聲. 米+卑〔音〕. '卑비'는 납작하고 얇다의 뜻. 현미(玄米)를 대낀 것, 정미의 뜻을 나타냄. 또, '稗패'와 통하여 '피'의 뜻도 나타냄.

◉精粺.

8 ⑭ [粻] 창 ㊥陽 陟良切 zhāng ㊤漾 知亮切

字解 ①양식 창 식량. '以峙其—'《詩經》. ②엿창 단 음식의 하나. 餦(食部 八畫)과 통용. '餦, 餦餭, 餳也. 通作—'《集韻》.

字源 篆文 形聲. 米+長〔音〕

8 ⑭ [精] 中 人 정 ①-㉔㊥庚 子盈切 jīng ㉕㊤敬 子姓切 jìng

筆順 丷 乄 米 米 粁 精 精 精

字解 ①찧을 정, 대낄 정 쌀을 곱게 쓿음. '—米'. '食不厭—'《論語》. ②대낀쌀 정 쓿은 쌀. 정미(精米). '鼓筴播—'《莊子》. ③자세할 정 세밀함. '—密'. '用志如此其—也'《呂氏春秋》. ④묘할 정 오묘(奧妙)함. 미묘함. '—義入神'《易經》. '其知彌—'《呂氏春秋》. ⑤아름다울 정 수미(粹美)함. '朋—粹而爲徒'《後漢書》. ⑥순일할 정 순수함. 섞인 것이 없음. '惟—惟一'《書經》. '—金良玉'《名臣言行錄》. '純粹—也'《易經》. ⑦밝을 정 ㉠청명(淸明)함. '—光'. '陰霧不—'《漢書》. ㉡정통(精通)함. 훤함. '無以害其天, 則知—'《呂氏春秋》. ⑧깨끗할 정 결백함. '—潔'. '其心—'《國語》. ⑨갤 정 하늘이 갬. '天—而見景星'《史記》. ⑩정성스러울 정 성의가 있음. '—意'. '中不—者必不治'《管子》. ⑪전일할 정 한 가지 일에만 오로지 함. '心竟不—'《淮南子》. ⑫익숙할 정 숙련(熟練)함. '—熟'. '—知略而行之'《禮記》. ⑬날랠 정, 날카로울 정 예리함. '—兵'. '—刀'. '欲其—也'《呂氏春秋》. ⑭심할 정 우심(尤甚)함. '自蔽之—者也'《呂氏春秋》. ⑮빛 정 광휘. '—彩'. '—行四時'《呂氏春秋》. ⑯일월성 정 해와 달과 별. '五—帥而來摧'《張衡》. ⑰정기(精氣) 정, 정액 정 생식(生殖)의 원기(元氣)·원질(元質). '—蟲'. '男女構—, 萬物化生'《易經》. ⑱혼 정 영혼. '—氣'. '—魂'. '—騖八極'《陸機》. ⑲마음 정 정신. 심신(心神). '各厲志竭—'《漢書》. ⑳신령 정 신(神). '雲霧晦冥方降—'《杜甫》. ㉑도깨비 정 요괴(妖怪). '妖—'. ㉒정화(精華) 정 정수(精粹)한 것. '酒—'. '炭—'. ㉓옥 정 보석(寶石). '—純二—'《國語》. ㉔눈알 정 睛(目部 八畫)과 통용. '用—惑也'《荀子》. ㉕강할 정 힘셈. '—, 強也'《廣韻》.

字源 篆文 形聲. 米+靑〔音〕. '靑청'은 '맑다'의 뜻. 깨끗하게 대낀 쌀의 뜻이나, 맑은 마음의 뜻을 나타냄.

[精幹 정간] 사무에 정통(精通)하여 책임을 감내(堪耐)함.
[精懇 정간] 정성스럽고 간절(懇切)함.
[精簡 정간] 정선(精選).
[精鑑 정감] 세밀히 감별(鑑別)함.
[精甲 정갑] 정성을 들여 잘 만든 훌륭한 갑옷.
[精強 정강] 날래고 힘이 셈.
[精潔 정결] 깨끗하고 조촐함.
[精勁 정경] ㉠날래고 힘이 셈. ㉡필세(筆勢)가 날카로움.
[精光 정광] ㉠밝은 빛. 환한 빛. ㉡뛰어난 명예.
[精巧 정교] 정밀(精密)하고 교묘함. 정묘(精妙).
[精究 정구] 정연(精硏).
[精窮 정궁] 면밀히 궁구(窮究)함.
[精根 정근] 정력(精力)과 근기(根氣).
[精勤 정근] ㉠정성스럽고 근실(勤實)함. ㉡부지런히 힘씀. 쉬지 않고 근무함.
[精金良玉 정금양옥] 순금(純金)과 좋은 옥(玉). 인품(人品)이 순량(純良)하고 온화(溫和)함의 비유.
[精記 정기] 자세히 기록함.
[精氣 정기] ㉠음양 정령(陰陽精靈)의 기(氣). 영혼. ㉡천지 만물(天地萬物)의 생성(生成)의 근원. 원기(元氣). ㉢정신과 기력(氣力).
[精器 정기] 예리(銳利)한 무기.
[精騎 정기] 정예(精銳)한 기병(騎兵). 날랜 기병.
[精緊 정긴] 정묘하고 긴요함.
[精斷 정단] 면밀(綿密)히 판단함.
[精刀 정도] 잘 드는 칼. 예리한 칼.
[精到 정도] 아주 정밀함. 아주 치밀함.
[精禱 정도] 정성을 들여 기도함.
[精讀 정독] 자세히 읽음.
[精良 정량] 정묘(精妙)하여 훌륭함. 뛰어나게 좋음. 정호(精好).
[精慮 정려] 곰곰이 생각함. 숙려(熟慮)함.
[精勵 정려] 심력(心力)을 다하여 함. 부지런히 힘씀.
[精廬 정려] 학문을 닦거나 책을 읽는 곳. 곧, 학교. 학사(學舍). 또는 서재(書齋). 정사(精舍).
[精力 정력] 사물(事物)에 감내(堪耐)하는 심신(心身)의 힘. 일을 해내는 힘. 에너지.
[精練 정련] ㉠옷감을 완전히 표백함. ㉡잘 연습함.
[精鍊 정련] ㉠광석에서 함유된 금속을 뽑아서 정제(精製)함. ㉡잘 단련(鍛鍊)함.
[精靈 정령] ㉠천지간(天地間)의 만물(萬物)을 생성(生成)하는 근원. 정기(精氣). ㉡혼. 영혼. 정신(精神). ㉢신(神). 신명(神明). ㉣영묘(靈妙)함. ㉤《佛敎》 죽은 사람의 혼백(魂魄).
[精靈會 정령회] 《佛敎》 음력 7월 보름날에, 죽은 이의 혼백에게 제사 지내는 불사(佛事). 우란분회(盂蘭盆會).
[精利 정리] 정예(精銳).
[精芒 정망] 날카로운 빛.
[精魅 정매] 도깨비.
[精妙 정묘] 정교(精巧).
[精米 정미] 곱게 대낀 쌀. 깨끗하게 쓿은 쌀. 정백미(精白米).
[精美 정미] ㉠정치(精緻)하고 아름다움. ㉡순수하고 아름다움.
[精微 정미] 정밀(精密).
[精敏 정민] 사리(事理)에 정통하고 재지(才智)가 예민함. 학식이 많고 재주가 있음.

[精密 정밀] 정세(精細)하고 치밀함. 자세하여 빈틈이 없음.
[精密科學 정밀과학] 수학 및 수학의 원리(原理)에 의하여 조직된 과학(예컨대, 물리학 따위)의 총칭(總稱).
[精博 정박] 정밀(精密)하고 넓음. 지식이 깊고 넓음.
[精方 정방] 정밀(精密)한 방법. 세밀한 술법(術法).
[精白 정백] 아주 흼.
[精魄 정백] 영혼. 혼백. 정혼(精魂).
[精辯 정변] 자세하고 명확한 변론. 명변(明辯).
[精兵 정병] 정예(精銳)한 병졸. 날랜 군사.
[精分 정분] ㉠일을 감내(堪耐)하는 심신(心身)의 힘이 되는 근원. 또, 신체의 자양(滋養)이 되는 성분(成分). ㉡잡것이 섞인 것이 없는 성분.
[精舍 정사] ㉠정신이 머물러 있는 곳. 곧, 몸. 신체. ㉡학문을 닦거나 독서를 하는 곳. 곧, 학교. 학사(學舍). 서원(書院). 또는 서재(書齋). ㉢《佛敎》절. 사찰(寺刹).
[精查 정사] 자세히 조사함.
[精思 정사] 곰곰이 생각함. 깊이 생각함.
[精算 정산] 정밀히 계산함. 또, 정밀한 계산.
[精爽 정상] 영혼. 정령(精靈). 상(爽)은 명(明).
[精詳 정상] 정밀(精密)하고 상세함. 아주 세밀함.
[精書 정서] 정신을 들여 정하게 씀.
[精選 정선] 극상(極上)의 것을 가림. 또, 그것.
[精鮮 정선] 대단히 고움.
[精誠 정성] 순수한 마음. 거짓이 없는 참된 마음.
[精細 정세] 아주 자세함. 아주 세밀함.
[精誦 정송] 정독(精讀).
[精手 정수] 정병(精兵).
[精水 정수] 정한 물. 깨끗한 물.
[精修 정수] 정밀(精密)하게 학문을 닦음.
[精粹 정수] ㉠조금도 잡것이 섞이지 아니함. 순수함. ㉡맑은 공기.
[精髓 정수] ㉠뼈 속에 있는 골. ㉡사물(事物)의 핵심(核心). 고갱이.
[精熟 정숙] 정통하고 능숙함. 또, 아주 자세함. 아주 익숙함.
[精純 정순] 조금도 잡것이 섞이지 아니함. 순수함. 정수(精粹).
[精神 정신] ㉠사상이나 감정 등을 지배하는 마음의 능력. 영혼. 마음. ㉡물질적인 것을 초월한 실재(實在). ㉢의의(意義). 이념(理念). ㉣생기(生氣)가 넘쳐흐르는 일.
[精神科學 정신과학] 정신의 작용 및 정신의 작용에 의하여 일어나는 현상(現象)을 연구하는 학문. 곧, 심리학·철학·사학·정치학·경제학·법률학·종교학 등의 총칭. 자연 과학(自然科學)의 대(對).
[精神滿腹 정신만복] 정신이 배에 가득 참. 정신이 남보다 월등히 뛰어남을 이름.
[精神病 정신병] 정신에 이상(異常)이 생기는 병. 뇌병(腦病) 같은 것.
[精神生活 정신생활] ㉠정신상의 일에 중점을 두는 생활. ㉡사상·감정 등 정신의 방면에 있어서의 활동 상태.
[精神一到何事不成 정신일도하사불성] 마음만 기울여 열중(熱中)하면 안 되는 일이 없음.
[精深 정심] 정밀하고 심오함. 자세하고 깊음.
[精尋 정심] 정토(精討).
[精液 정액] ㉠웅성(雄性) 생식기에서 분비(分泌)하는 액체. 무수한 정충(精蟲)이 들어 있는 정수(精水). ㉡잡것이 섞이지 아니한 액체. 순수한 액체.
[精陽 정양] 음력 6월의 별칭(別稱).
[精姸 정연] 정묘(精妙)하고 아름다움. 정미(精美).
[精硏 정연] 정밀히 연구함. 깊이 연구함.
[精詣 정예] 정도(精到)한 학술(學術)의 조예(造詣).
[精銳 정예] 썩 날램. 뛰어나게 날램. 또, 그 군사.
[精奧 정오] 우수하고 심오(深奧)함. 뛰어나고 깊음.
[精耀 정요] 선명하게 빛남.
[精衛 정위] 상상(想像)의 새. 원금(冤禽). '정위전해(精衛塡海)'를 참고할 것.
[精衛塡海 정위전해] 염제(炎帝)의 딸이 동해에 빠져 화(化)한 전설상(傳說上)의 새로 늘 서산(西山)의 목석(木石)을 물어다가 동해를 메우려 했으나 이루지 못하였다 함. 불가능한 일을 하려고 헛수고를 함의 비유.
[精意 정의] 정성(精誠).
[精義 정의] ㉠오묘(奧妙)한 이치. ㉡정밀(精密)한 뜻.
[精義入神 정의입신] 오묘한 이치를 깨달아 입신(入神) 지경에 이름.
[精益求精 정익구정] 뛰어난데도 더욱 뛰어나려고 애씀. 더욱 선미(善美)를 구함.
[精一 정일] ㉠마음이 세밀(細密)하고 전일(專一)함. ㉡조금도 잡것이 섞이지 아니함. 순수함.
[精子 정자] 정충(精蟲).
[精腆 정전] 자세하고 후(厚)함.
[精切 정절] 자세하고 적절(適切)함.
[精整 정정] 잘 정돈됨.
[精製 정제] 정성을 들여 잘 만듦.
[精粗 정조] 정밀함과 거칢. 상세함과 소략(疏略)함. 정추(精麤).
[精眞 정진] 아주 진실함.
[精進 정진] ㉠사물(事物)에 정통하고 직무에 힘씀. ㉡정력을 다하여 부지런히 힘씀. ㉢《佛敎》일심(一心)으로 불도(佛道)를 닦음. ㉣《佛敎》육식을 하지 않고 채식(菜食)만을 함.
[精察 정찰] 자세히 살핌. 세밀히 조사함.
[精采 정채] 정채(精彩).
[精彩 정채] ㉠광휘. 빛. 윤. ㉡발랄한 기상(氣象).
[精鐵 정철] 정련(精鍊)한 쇠. 숙철(熟鐵).
[精麁 정추] 정추(精麤).
[精麤 정추] 정조(精粗).
[精忠 정충] 사심(私心)이 없는 순수한 충성.
[精蟲 정충] 정액(精液) 중에 들어 있는 생식 세포(生殖細胞). 난자(卵子)와 합하여 개체(個體)를 생성(生成)함.
[精測 정측] 정밀(精密)히 헤아림.
[精致 정치] 정교(精巧)한 운치(韻致).
[精緻 정치] 정세(精細)하고 치밀함. 주도면밀(周到綿密)함.
[精祲 정침] ㉠정기(精氣). ㉡음양(陰陽)의 기(氣). 또는, 음양의 기가 서로 침범(侵犯)하는 일.
[精汰 정태] 엄밀(嚴密)히 도태(陶汰)함.
[精擇 정택] 정선(精選).
[精討 정토] 세밀히 찾음. 정밀히 토구(討究)함. 정심(精尋).
[精通 정통] 아주 통달(通達)함. 자세히 앎. 통효

(通曉). 정효(精曉).
[精品 정품] 정선(精選)한 물품.
[精學 정학] 자세히 배움. 또, 오로지 학문에 힘씀.
[精悍 정한] 날래고 사나움. 날래고 굳셈.
[精解 정해] ㉠자세히 해득(解得)함. 환히 깨달음. ㉡자세히 해명(解明)함. 자세히 설명함.
[精核 정핵] 자세히 조사함.
[精覈 정핵] 정핵(精核).
[精好 정호] ㉠정교(精巧)하고 좋음. 뛰어나게 좋음. ㉡견직물(絹織物)의 한 가지.
[精魂 정혼] 영혼. 혼백(魂魄).
[精華 정화] ㉠빛. 광채. ㉡사물(事物) 중의 가장 뛰어나고 화미(華美)한 부분. 정화(菁華).
[精華錄 정화록] 청(淸)나라의 왕어양(王漁洋)이 지은 시집(詩集). 모두 10권.
[精確 정확] 정밀(精密)하고 확실함.
[精曉 정효] 정통(精通).
[精洽 정흡] 빠짐없이 정밀(精密)함.
◉竭精. 交精. 三精. 水精. 厲精. 姸精. 悅精. 妖精. 雲精. 元精. 日精. 專精. 至精. 地精. 黃精.

8 ⑭ [棃] 리 ㊤支 良脂切 lí

字解 죽 리 쌀죽. '棃, 一饘也, 或从米'《集韻》.

8 ⑭ [粶] 록 ㊇屋 盧谷切 lù

字解 볶은쌀 록 튀긴 쌀. '火爆米曰一'《集韻》.
字源 形聲. 米+彔〔音〕

8 ⑭ [粽] 〔종〕 糉(米部 九畫〈p. 1705〉)의 俗字

字源 形聲. 米+宗〔音〕

8 ⑭ [粿] 과 ㊤哿 古火切 guǒ / ㊤馬 戶瓦切 huà

筆順 米 粈 粈 粈 粿 粿 粿 粿

字解 ①정한쌀 과 곱게 쓿은 쌀. '一, 淨米'《廣韻》. ②밥 과 쌀밥. '一, 米食'《正字通》. ③쌀가루 과 '一, 糒也'《廣雅》. ④알곡식 과 '粿, 說文, 穀之善者, 一曰, 無皮穀, 或从米'《集韻》.

8 ⑭ [粷] 국 ㊇屋 居六切 jú

字解 가루 국 분말(粉末). '一, 粉也'《玉篇》.

8 ⑭ [糂] ㊀ 권 ㊤阮 苦遠切 quǎn / ㊁ 군 ㊤吻 丘粉切 qún

字解 ㊀ ①가루 권 '一, 粉也'《廣韻》. ②뭉칠 권 둥글게 뭉침. '一, 搏也'《廣雅》. ㊁ 죽되직할 군 '一, 粥稠皃'《集韻》.
字源 形聲. 米+卷〔音〕

8 ⑭ [糄] 〔비〕 糒(米部 十畫〈p. 1705〉)와 同字

9 ⑮ [糂] 삼 ㊤感 桑感切 sǎn

字解 ①된국 삼 국물에 쌀가루를 섞어 걸쭉하게 끓인 국. 또, 그런 국을 끓임. 糝(米部 十一畫)은 古文. '藜羹不一'《荀子》. ②섞을 삼 '一, 雜也'《篇海》.
字源 篆文 籒文 古文 形聲. 米+甚〔音〕. '甚심'은 '섞다'의 뜻. 국에 쌀가루를 풀어 끓인 것의 뜻을 나타냄.

9 ⑮ [糅] 유 ㊕有 女救切 / ①-③㊤有 忍九切 róu(rǒu) / ④㊥尤 而由切

字解 ①섞을 유, 섞일 유 혼합함. '雜一'. '混一'. '同一玉石兮, 一槩而相量'《史記》. ②무침 유 여러 가지를 섞어 무친 부식. '看雜曰一'《一切經音義》. ③잡곡밥 유 '一, 雜飯也'《集韻》. ④먹을 유 '一, 食也'《集韻》.
字源 形聲. 米+柔〔音〕. '柔유'는 '揉유'와 통하여, '주무르다'의 뜻. 여러 가지 곡물의 가루를 주물러 섞다의 뜻을 나타냄.

◉駮糅. 紛糅. 雜糅. 叢糅. 混糅.

9 ⑮ [糆] 란 ㊤旱 魯旱切 làn / ㊕翰 郎旰切

字解 차질 란 밥이 차짐. '糷, 飯相箸也, 或从柬'《集韻》.

9 ⑮ [糇] 후 ㊥尤 戶鉤切 hóu

字解 건량 후 말린 밥. 또, 양식. '一, 說文, 乾食也'《集韻》. '迺裹一糧'《詩經》. '屑瑤蘂以爲一兮'《後漢書》.
字源 形聲. 米+侯〔音〕

[糇糧 후량] 말린 양식(糧食). 또, 양식.

9 ⑮ [糃] 당 ㊥陽 徒郎切 táng

字解 정미(精米) 당 쓿은 쌀. '一, 精米'《集韻》.

9 ⑮ [糈] 서 ㊥魚 新於切 / ㊤語 私呂切 xǔ

字解 ①젯메쌀 서 제사에 쓰는 정한 쌀. 제반미(祭飯米). '一用稌米'《山海經》. ②양식 서 식량. '爲重一也'《史記》. ③낟알 서 쌀알. '一, 粒也'《莊子》. ④산자 서 '一, 饊也'《廣雅》.
字源 篆文 形聲. 米+胥〔音〕. '胥서'는 '疏소'와 통하여, '가르다'의 뜻. 좋은 것만을 가려 낸 쌀, 곧 정미(精米)의 뜻을 나타냄.

[糈稌 서도] 신에게 바치는 쌀과 벼. '糈'는 신에게 바치는 쌀. '稌'는 찰벼.
◉椒糈.

9 ⑮ [糉] 견 ㊤阮 去阮切 quǎn

字解 가루 견 '一, 粉也'《字彙補》.

9 ⑮ [糏] 남 ㊤感 乃感切 nǎn

字解 나물죽 남 된장과 나물을 넣어 쑨 죽. '一, 糝茹也'《集韻》.

9 ⑮ [糉] 종 [去]送 作弄切 zòng(zhòng)

[字解] 각서(角黍) 종 찹쌀가루를 식물의 잎에 싸서 찐 떡. 주악. '食—'《荊楚歲時記》.

[字源] [篆文] 形聲. 米+㚇〔音〕. '㚇종'은 '모으다'의 뜻. 찹쌀을 갈대 따위의 잎에 싸서 찐 음식의 뜻을 나타냄.

[參考] 粽(米部 八畫)은 俗字.

◉綠糉. 蜜糉. 筒糉.

9 ⑮ [糊] [人名] 호 [平]虞 戶吳切 hú, hū, hù

[字解] ①풀 호 끈끈하여 발라 붙이는 물질. ②바를 호 ㉠풀을 칠함. '開窓不—紙'《白居易》. ㉡도말(塗抹)함. '雪—危棧蹇驢行'《李洞》. ③끈끈할 호 끈적임. '—, 黏也'《廣韻》. ④흐릴 호 똑똑하지 아니함. 애매함. '模—'. '小事—塗, 大事不—塗'《宋史》. ⑤죽 호 餬(食部 九畫)와 同字. ⑥죽먹을 호 죽을 먹음. 전(轉)하여, 입에 풀칠을 함. 생계를 이어 감. 餬(食部 九畫)와 同字. '—口'. '饘于是, 粥于是, 以—余口'《宋正考父 鼎銘》.

[字源] 形聲. 米+胡〔音〕. '胡호'는 똑똑하지 않고 흐린 모양을 나타내는 의태어(擬態語). 쌀알이 똑똑히 보이지 않는 '풀·죽'의 뜻을 나타냄.

[糊口 호구] 입에 풀칠을 함. 생계를 이어 감.
[糊塗 호도] ㉠명확히 결말을 내지 아니함. 우물쭈물하여 버림. ㉡모호함. 애매함.
[糊名 호명] 시험의 답안지에 종이 따위를 붙여 이름을 가림.
◉漫糊. 模糊. 饘糊. 含糊.

9 ⑮ [糍] 단 [平]寒 徒官切 tuán

[字解] 경단(瓊團) 단 떡의 일종(一種). '糰, 粉餌, 或从耑'《集韻》.

9 ⑮ [糎] 센티미터

[字解] 미터법의 길이의 단위. 센티미터의 약기(略記). 1미터의 백분의 1.

9 ⑮ [糆] 〔면〕
麪(麥部 四畫〈p. 2694〉)과 同字

9 ⑮ [糑] 갈 [入]曷 何葛切 hé

[字解] 흰쌀 갈 '—, 白米'《集韻》.

9 ⑮ [糔] 건 [平]元 居言切 zhān

[字解] 죽 건 '—, 亦作饘'《玉篇》.

9 ⑮ [糗] 〔갱〕
粳(米部 七畫〈p. 1700〉)의 本字

10 ⑯ [糒] 비 [去]寘 平祕切 bèi

[字解] 건량 비 말린 밥. 보통, 행군(行軍)할 때 휴대하였음. '乾—'. '載—給貳師'《史記》.

[字源] [篆文] 形聲. 篆文은 米+葡〔音〕. '葡비'는 '備비'와 같은 뜻으로, 준비해 두다의 뜻. 밥을 말려서 보존해 두다, 말린 밥의 뜻을 나타냄.

[糒醪 비료] 말린 밥과 막걸리. 양식과 술.
[糒脯 비포] 말린 밥과 포(脯).
◉乾糒. 糗糒. 米糒. 糧糒. 持糒. 脯糒.

10 ⑯ [糗] [一] 면 [去]霰 莫甸切 miàn
[二] 명 [去]徑 莫定切

[字解] [一] 싸라기 면 부스러진 쌀알. '—, 屑米'《廣韻》. [二] 싸라기 명 [一]과 뜻이 같음.

10 ⑯ [糏] [一] 설 [入]屑 先結切 xiè
[二] 솔 [入]月 蘇骨切 sù

[字解] [一] 싸라기 설 부스러진 쌀알. 또, 부스러진 보리알. '糜, —也'《廣雅》. '—, 米麥破也'《廣韻》. [二] 쌀가루 솔 '—, 米粉'《集韻》.

[字源] 形聲. 米+屑〔音〕. '屑설'은 '부스러기'의 뜻. '싸라기'의 뜻을 나타냄.

◉糜糏.

10 ⑯ [糔] 수 [上]有 息有切 xiǔ
[平]尤 思留切 xiū

[字解] ①반죽할 수 가루에 물을 쳐서 이김. '爲稻粉—溲之以爲酏'《禮記》. ②쌀뜨물 수 묵은 쌀의 뜨물. '—, 說文, 久泔也'《集韻》.

[字源] 形聲. 米+蚤〔音〕

10 ⑯ [糖] [高人] 당 [平]陽 徒郎切 táng

[筆順] 丷 半 米 粆 粇 粐 糖 糖

[字解] ①엿 당 맛이 썩 단 음식의 한 가지. '—, 飴也'《廣韻》. '餳謂之—'《揚子方言》. ②사탕 당 사탕수수 따위에서 짜낸 당분. '白—'. '製—'. '和以—酪'《摭言》.

[字源] [篆文] 形聲. 米+唐〔音〕

[糖尿病 당뇨병] 오줌 속에 많은 포도당(葡萄糖)이 섞여 나오는 병(病). 췌장·뇌하수체·부신(副腎) 등의 내분비선 장애로 일어남.
[糖酪 당락] 단젖.
[糖分 당분] 설탕(雪糖)의 성분.
[糖霜 당상] 백설탕.
[糖乳 당유] 연유(煉乳).
[糖漿 당장] 백설탕을 증류수에 섞어 만든 음료(飮料). 단사리별(單舍利別).
[糖精 당정] ㉠얼음사탕. ㉡사카린.
◉乾糖. 果糖. 麥芽糖. 沙糖. 乳糖. 蔗糖. 製糖. 葡萄糖.

10 ⑯ [糐] [一] 닉 [入]陌 昵格切 nuò
[二] 녁 [入]錫 乃歷切

[字解] [一] 경단 닉 '—, 粉餌'《集韻》. [二] 경단을 익힌것 녁 '—, 粉餌熟曰—'《集韻》.

10 ⑯ [糗] 구 [上]有 去久切 qiǔ

[字解] ①건량 구 볶은 쌀. 또는 말린 밥. '一糧'. '羞籩之實, 一·餌·粉·餈'《周禮》. ②죽 구 말린 밥에 물을 넣고 끓인 죽. '玄謂, 涼, 今寒粥. 若一飯雜水也'《周禮 注》. ③성 구 성(姓)의 하나.

[字源] 篆文 形聲. 米+臭〔音〕. '臭취'는 '냄새'의 뜻. 구수한 볶은 쌀의 뜻을 나타냄.

[糗糧 구량] 건량(乾糧). 양식.
[糗糒 구비] 구량(糗糧).
[糗脩 구수] 건량과 포(脯).
◉羹藜含糗.

10⑯ **[糠]** [一] 함 [平]咸 胡讒切 xián [二] 겸 [平]鹽 堅兼切 jiān

[字解] [一] ①붉은기장 함 기장의 일종. 이삭이 붉고 알은 누름. 단서(丹黍). ②메벼 함 차지지 않은 벼. [二] 붉은기장 겸, 메벼 겸 [一]과 뜻이 같음.

10⑯ **[糕]** 〔고〕 餻(食部 十畫〈p. 2581〉)와 同字

[字源] 形聲. 米+羔〔音〕

10⑯ **[穀]** 〔곡〕 穀(禾部 十畫〈p. 1626〉)과 同字

11⑰ **[糞]** [人名] 분 [去]問 方問切 fèn

[字解] ①똥 분 대변. '一尿'. '夫斫剉養馬, 妻給水除一'《吳越春秋》. ②거름줄 분 '可以一田疇'《禮記》. ③더러울 분 '一壤'. '是一土也'《左傳》. ④쓸 분 청소함. '一洒'. '堂上不一'《荀子》. ⑤칠 분 제거(除去)함. '一除天下山川'《韓愈》.

[字源] 甲骨文 篆文 會意. 釆+華+廾. '釆변'은 쓰레기의 象形의 변형(變形)된 것. '華필'은 자루가 달린 쓰레받기를 본뜬 모양. '廾공'은 두 손을 본뜬 것. 두 손으로 쓰레받기를 잡고 쓰레기를 치우는 모양에서, '청소하다, 똥'의 뜻을 나타냄. 나중에 '釆'이 '米미'로 변형되었음.

[糞尿 분뇨] 똥과 오줌.
[糞門 분문] 똥구멍. 항문(肛門).
[糞洒 분쇄] 소제함.
[糞壤 분양] 더러운 땅. 썩은 흙.
[糞除 분제] 침. 제거함.
[糞汁 분즙] 똥물.
[糞土 분토] 더러운 흙. 썩은 흙.
[糞土言 분토언] 더러운 말. 가치 없는 말.
[糞土之牆 분토지장] 썩은 흙으로 쌓아서 다시 고쳐 바를 수 없는 담. 게을러서 가르쳐도 소용없는 사람의 비유.
[糞溷 분혼] 뒷간.
◉漑糞. 擔糞. 馬糞. 佛頭放糞. 佛頭著糞. 掃糞. 蠅糞. 尿糞. 遺糞. 除糞.

11⑰ **[糙]** 조 [去]號 七到切 cāo

[字解] ①매조미쌀 조 현미(玄米). '一, 米未舂'《集韻》. ②거칠 조 살결이 곱지 않음. '粗一'. '玉體渾身一漆'《長生殿》.

[字源] 形聲. 米+造〔音〕. '造조'는 '皂조'와 통하여 '검다'의 뜻. 검은 쌀, '현미'의 뜻을 나타냄.

[糙米 조미] 매조미쌀. 현미(玄米).

11⑰ **[糒]** [一] 만 [平]寒 模元切 mén [二] 문 [平]元 謨奔切

[字解] [一] ①된죽 만 엉긴 죽. '一, 粥凝'《集韻》. ②무거리 만 가루를 쳐낸 찌꺼기. '一, 一塗, 粉滓也'《玉篇》. [二] 된죽 문, 무거리 문 [一]과 뜻이 같음.

11⑰ **[糒]** 〔비〕 糒(米部 十畫〈p. 1705〉)의 本字

11⑰ **[糲]** 적 [入]陌 陟革切 chè, zhé

[字解] ①뭉칠 적 둥글게 뭉침. '一, 摶也'《廣雅》. ②차질 적 곡식이 메지지 않고 차짐. '黐, 博雅, 黏也, 或从米'《集韻》.

11⑰ **[糧]** 적 [入]陌 士革切 zé

[字解] 흰쌀 적 '一, 白米也'《集韻》.

11⑰ **[糝]** 삼 ①-④[上]感 桑感切 sǎn ⑤[平]覃 蘇含切 sān

[字解] ①국 삼 쌀가루를 섞어 끓인 국. '羞豆之實, 酏食一食'《周禮》. ②쌀알 삼 낟알. 쌀의 낟알. '窮乏一粒不繼者'《晉書》. ③차질 삼, 끈끈할 삼 점착성이 있음. '藜羹不一'《莊子》. ④섞을 삼, 섞일 삼 혼합함. 혼합됨. '一, 雜也. 雜者, 豹鵠而糜飾'《周禮 注》. ⑤나물죽 삼 '一糧, 糜和也'《集韻》.

[字源] 糂의 古文 形聲. 米+參〔音〕

[參考] 糂(米部 九畫)의 古文.

[糝粒 삼립] 쌀알. 낟알.
[糝粉 삼분] 멥쌀가루.
[糝糝 삼삼] 가루처럼 흩어지는 모양. 분분(粉粉).
[糝食 삼식] 쌀가루를 섞어 끓인 국.

11⑰ **[糟]** [人名] 조 [平]豪 作曹切 zāo [去]號 祖到切

[字解] ①지게미 조 술을 거른 찌끼. 재강. '一粕'. '何不餔其一, 而歠其釃'《楚辭》. ②찌끼 조 찌꺼기. '古人之一魄'《莊子》. ③막걸리 조 탁주. '酏一'《周禮》.

[字源] 篆文 籒文 形聲. 米+曹(曹)〔音〕. '曹조'는 둘이 서로 마주 대하다의 뜻. 양조(釀造)하여 알짜 성분과 찌끼가 혼재(混在)되어 있는 '막걸리'의 뜻을 나타냄. 또, 알짜에 대한 '찌꺼기'의 뜻도 나타냄.

[糟糠 조강] 술지게미와 겨. 전(轉)하여, 거친 식사 또는 가난한 살림.
[糟糠不厭 조강불염] 술지게미나 겨도 충분히 먹지 못함. 몹시 가난함의 형용.
[糟糠不飽 조강불포] 조강불염(糟糠不厭).
[糟糠之妻 조강지처] 가난할 때 고생을 같이하던 아내.

[糟糠之妻不下堂 조강지처불하당] 조강지처는 전일에 고생하던 일을 생각하여 뒷날에 부귀(富貴)하게 된 후에도 버려서는 안 된다는 말.
[糟丘 조구] 술지게미를 산처럼 쌓은 더미. 주야를 가리지 않고 술에 탐닉(耽溺)함을 형용한 말.
[糟麴 조국] 술지게미와 누룩.
[糟粕 조박] ㉠재강. 지게미. ㉡찌끼.
[糟魄 조박] 조박(糟粕).
[糟甕 조옹] 술지게미를 넣은 독.
[糟隄 조제] 술지게미를 둑처럼 쌓은 더미. '조구(糟丘)'를 보라.
◉肥糟. 醽糟. 酒糟.

11 ⑰ [糠] [人名] 강 ㊥陽 苦岡切 kāng

[字解] 겨 강 미곡의 껍질. '糟―'. '貧者食―'《漢書》. 전(轉)하여, 잘게 부서진 것. 또, 극히 작은 것의 비유. '塵垢粃―'《莊子》.
[字源] 形聲. 米+康〔音〕. '康강'은 매갈이의 象形. 매갈이 때 나오는 '겨'의 뜻을 나타냄.

[糠糜 강미] 겨로 쑨 죽. 겨죽.
[糠秕 강비] 겨와 쭉정이. 가치 없는 사물(事物)의 비유.
[糠粞 강서] 겨와 싸라기(碎米). 조악(粗惡)한 음식.
[糠蝦 강하] 곤쟁이. 젓을 담가 먹음.
[糠籺 강흘] 몹시 조악(粗惡)한 음식.
◉饑者甘糟糠. 粃糠. 粒糠. 糟糠.

11 ⑰ [橿] 강 ㊦漾 其亮切 jiàng

[字解] 미음 강 '―, 漿―也'《碎金》.

11 ⑰ [糨] 橿(前條)과 同字

11 ⑰ [糰] 단 ㊥寒 徒官切 tuán

[字解] 경단 단 '―, 粉餌'《集韻》.

11 ⑰ [糢] 〔막〕
模(木部 十一畫〈p. 1103〉)의 俗字

11 ⑰ [糚] 〔장〕 粧(米部 六畫〈p. 1699〉)과 同字

[字源] 形聲. 米+莊〔音〕. '米미'는 얼굴에 바르는 분의 뜻. '莊장'은 '裝장'과 통하여, '치장하다'의 뜻.

11 ⑰ [糜] 미 ㊥支 靡爲切 mí

[字解] ①죽 미 된 죽. '―沸'. '行―粥飯食'《禮記》. ②싸라기 미 부서진 쌀알. '―, 糈也'《廣雅》. ③문드러질 미 썩어 문드러짐. 또, 썩어 문드러지게 함. '―爛其民'《孟子》. ④소비할 미 써서 없앰. '―財'. '坐―廩粟, 而不知恥'《劉基》. 靡(非部 十一畫)와 통용. ⑤멸할 미 '―, 滅也'《正字通》. ⑥부서질 미, 부술 미 '―散而不可止些'《楚辭》.
[字源] [篆文] 形聲. 米+麻〔音〕. '米미'는 '쌀'의 뜻. '麻마'는 '찌부러지다'의 뜻. 찌부러진 쌀알, '죽'의 뜻. 또, 찌부러져 문드러지다의 뜻.

[糜軀 미구] 분골쇄신(粉骨碎身)함.
[糜爛 미란] ㉠썩어 문드러짐. ㉡피폐(疲弊)함. 또, 피폐하게 함.
[糜滅 미멸] 멸망함. 또, 멸망시킴.
[糜沸 미비] 죽이 끓는 것처럼 소란함. 정비(鼎沸).
[糜散 미산] 사라져 없어짐.
[糜財 미재] 재산을 써 없앰.
[糜粥 미죽] 된 죽과 묽은 죽. 죽.
◉糠糜. 豆糜. 茗糜. 薄糜. 淖糜. 肉糜. 殘糜.

11 ⑰ [䊛] 살 ㊇曷 桑割切 sà

[字解] ①흩어버릴 살 쫓아냄. 내침. '糕―, 散之也'《說文》. ②벼낟알 살 이삭에서 떨어낸 벼. '是―, 本謂散米'《說文 段注》.

[麋] 〔미〕
鹿部 六畫(p. 2690)을 보라.

12 ⑱ [糮] 담 ㊥覃 徒藍切 tán

[字解] 차질 담 곡식이 메지지 않고 차짐. '―, 黏也'《字彙》.

12 ⑱ [糦] [一] 치 ㊦寘 昌志切 chì
[二] 희 ㊥支 虛其切

[字解] [一] ①주식(酒食) 치 술과 밥. '吉蠲爲―'《詩經》. ②기장 치 서직(黍稷). '大―是承'《詩經》. [二] 주식 희, 기장 희 [一]과 뜻이 같음.
[字源] [饎의 別體] 䊀 形聲. 米+喜〔音〕.

12 ⑱ [糧] [高人] 량 ㊥陽 呂張切 liáng 粮

[筆順] 米 米口 米日 米旦 米昌 糧 糧 糧

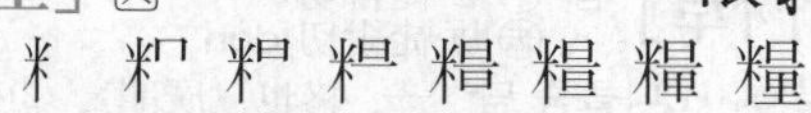

[字解] ①양식 량 ㉠식물(食物)의 재료. 주로 곡식. '食―'. '士民倦―食'《呂氏春秋》. ㉡여행이나 행군할 때 휴대하는 식료. 주로, 건량(乾糧). '行道曰―, 謂糒也'《周禮 註》. ㉢심신(心身)에 유익한 자료(資料). '博聞爲―'《文心雕龍》. ②구실 량 조세. '逋―'. '輸―以助'《唐書》. ③급여(給與) 량 '戶部支口―銀'《大明會典》.
[字源] [篆文] 形聲. 米+量〔音〕. '量량'은 '헤아리다, 되다, 재다'의 뜻. 저울에 달거나 되로 되어서 수납(收納)해 두는 쌀, 식량의 뜻.
[參考] 粮(米部 七畫)은 同字.

[糧穀 양곡] 양식으로 쓰는 곡식.
[糧廥 양괴] 양름(糧廩).
[糧道 양도] 군량(軍糧)을 수송하는 길.
[糧稻 양도] 곡식. 곡물.
[糧廩 양름] 군량 창고.
[糧秣 양말] 군량과 말먹이.
[糧米 양미] ㉠군량미(軍糧米). ㉡《韓》 양식으로 쓰는 쌀.
[糧粟 양속] 군량(軍糧)의 미곡(米穀). 양미(糧米).
[糧食 양식] ㉠식량(食糧). ㉡군량(軍糧).
[糧資 양자] 군량과 군자금(軍資金).
[糧仗 양장] 군량과 무기.
[糧貯 양저] 식량의 저축.
[糧種 양종] 양식(糧食).

[糧重 양중] ㉠군량과 치중(輜重). ㉡식량의 수송(輸送).
[糧車 양차] 군량을 운반하는 수레.
[糧穡 양축] 식량의 비축. 양저(糧貯).
[糧草 양초] 양말(糧秣).
[糧餉 양향] 군대의 양식(糧食). 군량(軍糧).
[糧饟 양향] 양식(糧食).
◉粳糧. 見糧. 穀糧. 口糧. 糗糧. 軍糧. 斗糧. 兵糧. 書糧. 食糧. 年糧. 禹餘糧. 衣糧. 資糧. 齎糧. 租糧. 秋糧. 打衣糧. 夏稅糧. 學糧. 後糧. 糇糧. 餱糧.

12 ⑱ [糟] 비 [去]寘 匹寐切 pì
[字解] 방귀 비, 방귀뀔 비 '食之不—'《山海經》.

12 ⑱ [糬] 〔권〕
粻(米部 八畫〈p. 1704〉)의 本字

12 ⑱ [糕] 착 [入]覺 側角切 zhuō
[字解] ①풋바심 착 곡물(穀物)을 일찍 벰. '—, 早取穀也'《說文》. ②작을 착 작은 곡식. '—, 一曰小, 謂穀之小者也'《說文 段注》.
[字源] [篆文] 穛 形聲. 米+焦〔音〕

12 ⑱ [糨] 추 [平]虞 倉胡切 cū
[字解] 궂은쌀 추 대강 찧고 쓿지 않은 쌀. 현미(玄米). 궂은쌀. 麤(鹿部 二十二畫)와 同字. '—, 米不精'《字彙》.

12 ⑱ [糪] 담 [上]感 徒感切 tán / [平]覃 徒含切 / [去]勘 徒紺切 dàn
[字解] ①나물죽 담 '—, 糝也'《廣韻》. ②찌끼 담 '糝—'·'—糂'은 찌끼. '—, 糝—, 滓也'《廣韻》. ③죽 담 묽은 죽. '—, 一曰, 淖糜'《集韻》.
[字源] 形聲. 米+覃〔音〕

13 ⑲ [糫] [一] 석 [入]陌 施隻切 shì / [二] 역 [入]陌 夷益切 yì
[字解] [一] 일 석 쌀 따위를 물에 읾. '—, 漬米也'《說文》. [二] 일 역 [一]과 뜻이 같음.
[字源] [篆文] 釋 形聲. 米+睪(睪)〔音〕. '睪택·역'은 죄인(罪人)을 대질(對質)시켜 가려내다의 뜻. 쌀을 일어서 가려내다의 뜻을 나타냄.

13 ⑲ [糪] [一] 벽 [入]陌 博厄切 bò / [二] 팔 [入]黠 普八切
[字解] [一] ①밥 벽, 죽 벽 '炊米者謂之—'《說文》. ②선밥 벽 반숙(半熟)한 밥. '米飯半腥半熟名—'《爾雅 疏》. [二] 선떡 팔 덜 익은 떡. '—, 餠半熟也'《集韻》.
[字源] [篆文] 糪 形聲. 米+辟〔音〕

13 ⑲ [糲] 〔려〕
糲(米部 十五畫〈p. 1708〉)와 同字
[字源] 形聲. 米+萬〔音〕

14 ⑳ [糯] [一] 나 [去]箇 奴臥切 nuò / [二] 난 [去]翰 奴亂切

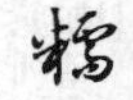

[字解] [一] 찰벼 나, 찹쌀 나 차진 쌀이 나는 벼. 또, 그 쌀. '—米'. '五穀皆有之, 粱最大無秫—, 以粳米爲酒'《雞林類事》. [二] 찰벼 난, 찹쌀 난 [一]과 뜻이 같음.
[字源] 會意. 米+需. '需수'는 '부드럽다, 연하다'의 뜻. 차지고 연한 '찹쌀'의 뜻을 나타냄.

[糯米 나미] 찹쌀.
[糯粟 나속] 차조.
◉新糯. 香糯.

14 ⑳ [糰] 단 [平]寒 徒官切 tuán

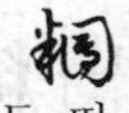

[字解] 경단 단, 단자 단 동글동글하게 만든 떡. '—子'.

[糰子 단자] 경단(瓊團).

14 ⑳ [糳] [一] 도 [去]號 徒到切 dào / [二] 주 [平]尤 陳留切 chóu
[字解] [一] ①덮을 도 위를 덮음. '—, —覆也'《玉篇》. ②차질 도 끈기가 있어 잘 붙음. '—, 黏也'《集韻》. [二] 범벅 주 된 죽. '—, 厚鬻'《玉篇》.

14 ⑳ [糴] [一] 조 [去]嘯 他弔切 dí / [二] 적 [入]錫 徒歷切
[字解] [一] 쌀 조, 곡식 조 '—, 穀也'《說文》. [二] 쌀 적, 곡식 적 [一]과 뜻이 같음.
[字源] 形聲. 米+翟〔音〕

15 ㉑ [糵] 력 [入]錫 狼狄切 lì
[字解] 나물밥 력 나물과 쌀을 섞어서 지은 밥. '—, 雜拌糅食也'《玉篇》.

15 ㉑ [糲] 려 [去]霽 力制切 lì

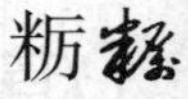

[字解] 매조미쌀 려 현미. '—飯'. '用爲夫人麤—之費'《史記》.
[字源] 形聲. 米+厲〔音〕

[糲藿 여곽] 거친 밥과 콩잎. 변변치 못한 음식.
[糲米 여미] 현미(玄米).
[糲飯 여반] 현미밥. 조반(粗飯)의 뜻.
[糲粢 여자] 현미와 기장. 조반(粗飯)의 뜻.
◉飯糲. 疏糲. 粢糲. 粗糲. 麤糲.

15 ㉑ [糷] [一] 말 [入]曷 莫撥切 mò / [二] 멸 [入]屑 莫結切 miè
[字解] [一] ①가루 말 곡식의 분말. '—, 末也'《說文》. ②가루섞일 말 쌀에 가루가 섞임. '—, 米和細屑'《廣韻》. [二] 죽 멸.
[字源] [篆文] 糷 形聲. 米+蔑〔音〕. '蔑멸'은 눈에 보이지 않다의 뜻. '쌀가루'의 뜻을 나타냄.

15 ㉑ [糷] 광 [上]梗 古猛切 kuàng

字解 까끄라기 광 곡식의 까끄라기〔芒〕. '一, 正作穬, 穀芒'《篇海》.

16 ㉒ [糴] 적 ㊀錫 徒歷切 dí

字解 ①쌀살 적 쌀 또는 곡식을 사들임. '糶'의 대(對). '一米'. '細民一於官舍'《元史》. ②산쌀 적 사들인 미곡. 또, 미곡을 사들이는 일. '市一'. '告一于齊'《左傳》. ③성 적 성(姓)의 하나.

字源 篆文 形聲. 入+糶〔音〕. '糶조'는 곡식·쌀. 쌀을 사들이다의 뜻을 나타냄. 일설(一說)에는, 入+米+翟〔音〕.

[糴價 적가] 사들이는 곡식 값. 곡가(穀價).
[糴糧 적량] 양식을 사들임.
[糴買 적매] 곡식을 사들임.
[糴米 적미] 쌀을 사들임.
◉糶糴. 貴糴. 貸糴. 收糴. 市糴. 抑糴. 增糴. 販糴.

16 ㉒ [糳] 착 ㊀藥 則落切 zuò

字解 희게쓿은쌀 착 희게 대낀 쌀. 정미(精米).

16 ㉒ [糵] 얼 ㊀屑 魚列切 niè

字解 ①누룩 얼 국자(麴子). '麴一'. '禮之于人, 猶酒之有一也'《禮記》. ②싹틔운곡식 얼 콩나물·엿기름 따위. ③싹틀 얼 '一, 缺也. 漬麥覆之, 使生芽開缺也'《釋名》. ④빚을 얼 일을 만들어 냄. 양성(釀成)함. '媒一其短'《漢書》.

字源 篆文 形聲. 米+辥〔音〕. '辥설'은 '蘖얼'과 통하여, 벼·보리의 줄기에서 가지의 싹이 갈라짐의 뜻. 엿기름·콩나물 따위의 싹 틔운 곡식의 뜻을 나타냄.

◉麴糵. 媒糵. 秫糵.

16 ㉒ [糬] 곽 ㊀藥 黑各切 huò

字解 볶은기장 곽 '一, 黍糗'《集韻》.

17 ㉓ [蘖] 糵(前前條)과 同字

19 ㉕ [糜] ㊀ 미 ㊥支 靡爲切 mí ㊁ 마 ㊥歌 眉波切 mó

字解 ㊀ ①부술 미 잘게 깨뜨림. '一, 碎也'《說文》. ②등겨 미 곡물을 쓿어서 껍데기가 가루가 된 것. '碎糠曰一'《集韻》. ③지스러기 미 찌꺼기. '一, 屑也'《玉篇》. ④쓿을 미 곱게 대낌. '一, 精也'《集韻》. ㊁ 부술 마, 등겨 마, 지스러기 마, 쓿을 마 ㊀과 뜻이 같음.

字源 篆文 形聲. 米+靡〔音〕. '靡미'는 '찌부러지다'의 뜻. 잘게 부서지다의 뜻을 나타냄.

19 ㉕ [糠] 겸 ㊤豏 丘殮切 qiàn

字解 가루 겸 분말(粉末). '一, 粉一也'《字彙補》.

19 ㉕ [糶] 조 ㊤嘯 他弔切 tiào

字解 ①쌀팔 조 쌀 또는 곡식을 판매함. '糴'의 대(對). '私一'. '一二十病農, 九十病末'《史記》. ②팔쌀 조 파는 미곡. 또, 미곡을 파는 일. '一糴'. '穀一在市'《論衡》. ③성 조 성(姓)의 하나.

字源 篆文 形聲. 出+糶〔音〕. '糶조'는 '쌀'의 뜻. 타국(他國)에 내다 파는 쌀의 뜻을 나타냄.

[糶貸 조대] 외상으로 내는 쌀.
[糶糧 조량] 곡식을 팖.
[糶米 조미] 쌀을 냄.
[糶糴 조적] 곡식을 팔고 사는 일.
◉儉糶. 貴糶. 盜糶. 私糶. 販糶. 平糶.

21 ㉗ [糷] 란 ㊤翰 郎旰切 làn ㊤旱 魯旱切

字解 밥끈적거릴 란 밥이 쉬어서 끈적끈적함. '摶者謂之一'《爾雅》.

21 ㉗ [糳] ㊀ 착 ㊀藥 則落切 zuò ㊁ 족 ㊀屋 租毒切

字解 ㊀ 쓿을 착, 쓿은쌀 착 쌀을 대낌. 또, 대낀 쌀. 정미(精米). '一, 精細米也'《廣韻》. '糲米一斛, 舂爲八斗曰一'《說文》. ㊁ 쓿을 족, 쓿은쌀 족 ㊀과 뜻이 같음.

字源 篆文 形聲. 米+糳〔音〕. '糳'은 나무를 깎아 구멍을 뚫는 '끌'의 뜻. 벼 껍질을 벗겨 정백(精白)하다의 뜻을 나타냄.

糸 (6획) 部
〔실사부〕

0 ⑥ [糸] 人名 ㊀ 멱 ㊀錫 莫狄切 mì ㊁ 사 ㊥支 新茲切 sī

筆順

字解 ㊀ ①실 멱 가는 실. 세사(細絲). ②다섯 홀 멱 극소한 분량의 일컬음. 누에가 토하는 실 한 가닥을 '忽', 다섯 홀을 '一'이라 함. ㊁ 실 사 絲(糸部 六畫)의 俗字.

字源 金文 篆文 古文 象形. 꼰 실의 象形으로, '실'의 뜻.

參考 '糸사'를 의부(意符)로 하여, 여러 가지 종류의 실이나 끈의 종류, 그 성질·상태, 그것을 사용하는 동작, 또 실을 짜는 일, 직물(織物), 그 문양(紋樣) 등에 관한 문자를 이룸. 부수(部首)의 이름으로는 '실사변'으로 이름.

1 ⑦ [糺] 〔규〕 糾(糸部 二畫〈p. 1710〉)와 同字

1 ⑦ [系] 高·人 계 ㊤霽 胡計切 xì

筆順

字解 ①실 계 가는 실. 세사(細絲). '不斷若一'

《唐書》. ②끈 계 줄. '素絲爲籠一'《古詩》. ③핏줄 계 혈통. '世一'. '自姬發一'《王僧孺》. ④실마리 계 단서(端緖). '繼天而作一'《班固》. ⑤맬 계 잡아맴. '一高項之玄胄兮'《漢書》. ⑥계보 계 '一, 譜一'《正字通》. '失其先一'《唐書》. ⑦성 계 성(姓)의 하나.

字源 甲骨文 金文 篆文 象形. 甲骨文은 이어져 있는 실을 손으로 거는 모양을 본뜸. '걸다, 잇다, 매다'의 뜻을 나타냄.

[系念 계념] 마음에 둠. 괘념(掛念).
[系圖 계도] 대대의 계통을 줄을 그어 차례를 보인 그림.
[系譜 계보] ㉠조상(祖上) 때부터 내려오는 혈통(血統)과 내력(來歷)을 적은 책. ㉡계통의 순서와 내용을 적은 책.
[系孫 계손] 먼 자손. 원손(遠孫). 혈손(血孫).
[系列 계열] 계통의 서열(序列).
[系族 계족] 혈족(血族).
[系統 계통] ㉠혈통(血統). ㉡사물의 순서를 따라 연락된 길.
◉家系. 結襪系. 根系. 大系. 母系. 傍系. 譜系. 父系. 不斷如系. 山系. 先系. 姓系. 世系. 水系. 女系. 銀河系. 帝系. 直系. 體系. 太陽系.

2 ⑧ [糾] 高人 ㊀규 ㊤有 居黝切 jiū(jiǔ) ㊁교 ㊤篠 擧夭切 jiǎo

字解 ㊀ ①꼴 규 노 같은 것을 꼼. '一纆'. '何異一纆'《史記》. ②규명할 규 죄과를 살펴 사실을 밝힘. '一察'. '一正'. '一之以政'《左傳》. ③모을 규 한데 모음. '一合'. '一人完聚'《後漢書》. ④얽힐 규, 감길 규 '一結'. '鄰囷繚一'《王褒》. ⑤들추어낼 규 파헤침. 적발(摘發)함. '一彈'. '繩愆一繆'《書經》. ⑥으를 규 위협함. '慢則一之以猛'《左傳》. ⑦공손할 규 '一虔天刑'《國語》. ⑧알릴 규 고(告)함. '一, 告也'《玉篇》. ⑨성 규 성(姓)의 하나. ㊁ ①찬찬할 교 '舒窈一兮'《詩經》. ②삿갓가뜬할 교 '其笠伊一'《詩經》.

字源 篆文 形聲. 糸+丩[音]. '丩규'는 '얽히다, 감기다'의 뜻. 실을 꼬아 합치다의 뜻.

[糾結 규결] 서로 얽힘.
[糾戒 규계] 잘못을 조사하여 경계함.
[糾糾 규규] 서로 엉킨 모양. 일설(一說)에는, 성긴 모양.
[糾禁 규금] 단속. 취체(取締).
[糾勵 규려] 나쁜 일을 조사하여 바로잡고, 좋은 일을 칭찬하여 장려함.
[糾繆 규류] 잘못을 조사하여 바로잡음.
[糾戮 규륙] 죄를 조사하여 죽임.
[糾明 규명] 죄과를 조사하여 사실을 밝힘.
[糾纆 규묵] 세겹노. 삼합승(三合繩).
[糾問 규문] 죄를 조사하여 물음. 신문(訊問)함.
[糾紛 규분] 어지럽게 얽힘.
[糾攝 규섭] 죄과를 조사하여 바로잡음.
[糾率 규솔] 규합하여 인솔함.
[糾繩 규승] ㉠노를 꼼. ㉡법으로써 죄를 밝혀 바로잡음.
[糾按 규안] 죄과를 조사함.
[糾繞 규요] 감김. 얽힘.
[糾雜 규잡] 어지럽게 얽힘.
[糾逖 규적] 규출(糾黜).
[糾纏 규전] 서로 얽힘.
[糾正 규정] 나쁜 짓을 밝혀 바로잡음.
[糾罪 규죄] 죄상(罪狀)을 조사함.
[糾奏 규주] 벼슬아치 등의 죄상(罪狀)을 조사하여 상주(上奏)함.
[糾錯 규착] 서로 얽힘.
[糾察 규찰] 규명(糾明).
[糾黜 규출] 죄과를 규명하여 물리침.
[糾飭 규칙] 따지고 살펴 조사함.
[糾彈 규탄] 죄상을 조사하여 탄핵함.
[糾合 규합] 흩어진 사람들을 한데 모음.
[糾劾 규핵] 규탄(糾彈).
◉結糾. 蟠糾. 紛糾. 纆糾. 窈糾. 蓼糾. 繚糾. 黝糾. 裁糾. 彈糾.

2 ⑧ [糺] 糾(前條)와 同字

2 ⑧ [糽] 정 ①㊤梗 張梗切 zhěng ②㊥庚 陟庚切 zhēng

字解 ①팽팽할 정 노끈 따위가 팽팽하여 곧은 모양. '一, 絲繩緊直皃'《集韻》. ②당길 정 잡아당김. '一, 引也'《玉篇》.

2 ⑧ [紈] 〔구〕 綵(糸部 七畫〈p. 1740〉)와 同字

3 ⑨ [紀] 高人 기 ㊤紙 居理切 jì, ⑪jǐ

字解 ①실마리 기 단서. '大曰綱, 小曰一'《禮記註》. ②법 기 법도. 도덕. 규율. '一綱'. '三綱六一'. '四時以爲一'《國語》. ③적을 기 계통을 세워 적음. '一事者, 必提其要'《韓愈》. 전(轉)하여, 그러한 기록. '一年'. 특히, 역사상에 있어서 천자(天子)의 사적(事跡)을 적은 부분을 '本一'라 함. '作五帝本一'《史記》. ④해 기 세월. 연대. '一元'. '以爲年一'《晉書》. 또, 열두 해를 '一一'라 함. '旣歷三一'《書經》. ⑤터 기 밑바탕. 특히, 집 등의 토대. '有一有堂'《詩經》. ⑥다스릴 기 '綱一四方'《詩經》. ⑦지켜야 할길 기 사람의 길. 인륜(人倫). '無亂人之一'《呂氏春秋》. ⑧요긴한곳 기 가장 중요한 데. '中和之一'《禮記》. ⑨바뀔 기 개역(改易)함. '國不過十年, 數之一也'《國語》. ⑩통할 기 '經一山川'《淮南子》. ⑪성 기 성(姓)의 하나.

字源 金文 篆文 形聲. 糸+己[音]. '己기'는 실패를 본뜬 모양. 실마리를 찾아 가르다의 뜻을 나타냄. 파생(派生)하여, '다스리다, 법도, 규칙'의 뜻을 나타냄.

[紀綱 기강] ㉠국가의 법. 전장(典章)과 법도(法度). ㉡다스림.
[紀綱之僕 기강지복] 국가를 잘 다스릴 만한 신하.
[紀功碑 기공비] 공훈을 적은 비석.
[紀極 기극] 끝. 종극(終極).
[紀年 기년] ㉠세기(世紀)와 연월(年月). ㉡역사(歷史). ㉢기원(紀元)에서부터 셈한 햇수.
[紀念 기념] 오래도록 전하여 잊지 아니함. 기념(記念).
[紀事 기사] 사실을 기록함. 또, 사실의 기록. 견문의 기록. 또, 그 문체.
[紀事本末體 기사본말체] 연대(年代)의 순서에 의하지 아니하고, 사건마다 그 본말(本末)을 종

합하여 적는 역사의 한 체(體).
[紀序 기서] 자연 또는 인사(人事)의 법칙.
[紀信 기신] 한(漢)나라의 장군(將軍). 항우(項羽)가 한고조(漢高祖)를 형양(滎陽)에서 포위하여 사세가 위급하였을 때 한고조를 가장하고 항복하여 항우를 속였다가 피살당하였고, 한고조는 그 때문에 간신히 탈출하였음.
[紀元 기원] ㉠건국(建國)의 첫 해. ㉡연수(年數)를 기산(起算)하는 첫 해.
[紀遊 기유] 기행(紀行).
[紀律 기율] 일정(一定)한 질서. 규율(規律).
[紀載 기재] 문서에 적어 실음. 기재(記載).
[紀績 기적] 공적(功績)을 적음.
[紀傳 기전] 인물의 전기(傳記)를 중심으로 기록한 역사.
[紀傳體 기전체] 본기(本紀)·열전(列傳)·각종 제도(制度)의 연혁(沿革)을 중심으로 하여 적은 역사(歷史)의 한 체(體).
[紀識 기지] 기록함.
[紀統 기통] 법. 법칙. 규칙.
[紀行 기행] 여행(旅行) 중에 보고 듣고 느낀 것을 적은 수필체의 글.
[紀號 기호] ㉠명칭(名稱). 표제(表題). ㉡연호(年號). ㉢부호(符號).
◉綱紀. 經紀. 官紀. 國紀. 軍紀. 來紀. 大紀. 民紀. 邦紀. 芳紀. 譜紀. 本紀. 西紀. 世紀. 女紀. 年紀. 五紀. 遙紀. 遠紀. 六紀. 倫紀. 律紀. 人紀. 前紀. 帝紀. 天紀. 風紀.

3 ⑨ [紂] [人名] 주 [上]有 除柳切 zhòu 纣
[字解] ①껑거리끈 주 마소의 꼬리 밑에 걸어 안장이나 길마에 매는 끈. 밀치끈. '緻車—, 自關而西謂之—'《揚子方言》. ②주임금 주 잔인 포악하여 천하를 잃은 은왕조(殷王朝) 최후의 천자. 주왕(紂王). '是爲帝辛. 天下謂之—'《史記》.
[字源] 篆文 形聲. 糸+肘〈省〉〔音〕

3 ⑨ [紇] 결 [入]屑 吉列切 jié 纥
[字解] 실다발 결 실 묶음. '—, 絲束'《集韻》.

3 ⑨ [紃] [一] 순 [平]眞 食倫切 xún [二] 천 [平]先 昌緣切 chuān 𬘓
[字解] [一] ①끈 순 신에 선 두르는 둥근 끈. '織紝組—'《禮記》. ②법 순 법칙. '以道爲—'《淮南子》. ③좇을 순 循(彳部 九畫)과 통용. '反—察之'《荀子》. [二] 끈 천, 법 천, 좇을 천 [一]과 뜻이 같음.
[字源] 篆文 形聲. 糸+川〔音〕. 강물이 흐르듯이 둥글게 꼰 '끈'의 뜻을 나타냄.

◉組紃. 驪紃.

3 ⑨ [約] [中人] 약 [入]藥 於略切 yuē, yāo 约
[筆順] ㄑ 幺 幺 糹 糸 糽 約 約
[字解] ①묶을 약 ㉠동임. '—之閣閣'《詩經》. ㉡결합함. 합침. '今君—天下之兵'《戰國策》. ㉢단속함. '—禮'. '—之以禮'《論語》. ②맺을 약 언약함. '—定'. '吾與諸君—'《十八史略》. ③고생할 약, 고생 약 빈곤으로 시달림. 빈궁. '小人貧斯—'《禮記》. '不仁者不可以久處—'《論語》. ④검소할 약, 검소 약 검박하고 질소함. '節—'. '儉—'. '以—失之者, 鮮矣'《論語》. ⑤간략할 약 간요(簡要)함. '所守甚—'《淮南子》. ⑥간략히할 약 간단하게 함. 생략함. '—文'. '君子—言'《禮記》. ⑦적을 약 '故操彌—, 而事彌大'《荀子》. ⑧만류할 약 가는 것을 말림. '燕王欲往, 蘇代—燕王曰, 楚得枳而國亡'《戰國策》. ⑨천할 약 또, 천하게 함. '—辭行成'《國語》. ⑩인색할 약 헤프지 않음. '一者有筐篋之藏'《荀子》. ⑪굽힐 약 '土伯九—'《楚辭》. ⑫얌전할 약 정숙함. '淖—微達似察'《荀子》. ⑬약속 약 서약. 맹약. '密—'. '已而倍—'《史記》. ⑭부절 약 부신(符信). '旄象之—'《呂氏春秋》. ⑮노 약 새끼. '人尋—, 吳髮短'《左傳》. ⑯대략 약 대강. '大—'. '—千里'. '家道—易'《抱朴子》. ⑰성 약 성(姓)의 하나.
[字源] 甲骨文 篆文 形聲. 糸+勺〔音〕. '勺작'은 '要요'와 통하여, '꽉 죄다'의 뜻. 실로 단단히 죄어 간단히 하다의 뜻을 나타냄. 파생(派生)하여, 비용을 줄이다의 뜻을 나타냄.

[約儉 약검] 검약(儉約)함.
[約結 약결] 서로 결탁하기를 약속함.
[約計 약계] 대체의 계산. 개산(概算).
[約款 약관] 조약에 정한 관항(款項).
[約諾 약낙] 승낙함.
[約單 약단] 약정서(約定書).
[約略 약략] ㉠줄임. 생략함. ㉡개략. 얼추.
[約禮 약례] 예법(禮法)으로 몸을 단속함. 몸가짐을 예법에 맞도록 함.
[約論 약론] 간략하게 논함. 또, 그 언론(言論).
[約盟 약맹] 맹약(盟約)을 맺음. 또, 맹약.
[約文 약문] 간단하게 줄인 글.
[約法 약법] ㉠약속한 법. 약장(約章). ㉡중화민국의 잠정(暫定) 헌법.
[約法三章 약법삼장] 한(漢)나라의 고조(高祖)가 진(秦)나라의 가혹한 법(法)을 폐지하고, 이를 세 조목으로 줄인 고사(故事).
[約分 약분] 분수의 분모와 분자를 공약수(公約數)로 제하는 일. 맞줄임.
[約省 약생] 간략히 함. 생략함.
[約說 약설] 약언(約言).
[約素 약소] 검약하고 질소(質素)함.
[約束 약속] ㉠묶음. ㉡상대자와 서로 언약하여 정함. 또, 그 언약. ㉢법령(法令)으로 단속함. 또, 단속하는 법령.
[約數 약수] 갑(甲)의 수를 을(乙)의 수로 제(除)하여 떨어질 때에 을의 수의 갑에 대한 이름.
[約言 약언] 간략하게 말함. 또, 그 말.
[約音 약음] 연접(連接)하는 두 음이 한 음으로 되는 일. 또, 그 음. '소리개'가 '솔개'로 되는 따위.
[約而達 약이달] 말이 간략하고 뜻이 명확히 통함.
[約章 약장] 조약(條約).
[約定 약정] 남과 일을 약속하여 작정(作定)함. 또, 그 작정.
[約指 약지] 반지.
[約撰 약찬] 대요(大要)를 찬술(撰述)함.
[約飭 약칙] 검소하고 신칙(申飭)함.
[約筆 약필] 글을 줄여 간략하게 씀.

[約婚 약혼] 혼인(婚姻)을 약속함.
◉儉約. 經約. 困約. 公約. 金石盟約. 期約. 納約. 大約. 密約. 要約. 委約. 隱約. 陰約. 綽約.

3 ⑨ [紅] 中人 ㊀홍 ㊥東 戶公切 hóng ㊁공 ㊥東 沽紅切 gōng 红

筆順 ㄥ 幺 幺 糸 糸 糹 紅 紅

字解 ㊀ ①붉을 홍, 붉은빛 홍 선명한 적색. '眞一'. '深一'. '一樓富家女'《白居易》. ②털여뀌 홍 여뀟과에 속하는 일년초. 葒(艸部 九畫)과 同字. '一草'. 일설(一說)에는, 개여뀌. '一, 蘢古'《爾雅》. ③연지 홍 붉은 물감의 한 가지. '高樓一粉'《徐陵》. '娥娥一粉粧'《古詩》. ④붉은꽃 홍 '千紫萬一'. '墮一殘蕚暗參差'《李賀》. ⑤성 홍 성(姓)의 하나. ㊁ ①상복이름 공 功(力部 三畫)과 통용. '服大一十五日'《漢書》. ②일 공 주로 여자의 베 짜는 일. 工(部首)과 통용. '一女下機'《漢書》.

字源 篆文 紅 形聲. 糸+工〔音〕. '工공'은 '烘홍'과 통하여, 붉은 화톳불의 뜻. 붉은 실의 뜻에서, 일반적으로, '붉다'의 뜻을 나타냄.

[紅女 공녀] 베를 짜는 여자. 길쌈을 하는 여자. 또, 일하는 여자. 여공(女工). 공(紅)은 공(工). 공녀(工女).
[紅酣 홍감] 새빨감.
[紅裾 홍거] 홍군(紅裙).
[紅巾賊 홍건적] 원(元)나라 말엽(末葉)에 강회지방(江淮地方)에서 일어난 비적(匪賊). 머리에 붉은 수건을 썼으므로 이름.
[紅臉 홍검] 붉고 아름다운 얼굴. 臉은 눈 밑, 뺨 위의 부위(部位)임.
[紅絹 홍견] 붉은 명주.
[紅鏡 홍경] 붉은 거울. 아침에 뜨는 해를 이름. 홍일(紅日).
[紅敎 홍교] 티베트·몽골의 라마교(敎)의 구파(舊派).
[紅裙 홍군] ㉠붉은 치마. ㉡기생(妓生)의 일컬음. ㉢미인(美人)의 일컬음.
[紅閨 홍규] 붉게 칠하여 꾸민 방. 미인의 침방.
[紅錦 홍금] 붉은 비단.
[紅旗 홍기] 붉은 기.
[紅男綠女 홍남녹녀] 옷을 멋지게 차린 남녀. 젊은 남녀.
[紅黛 홍대] 연지와 눈썹을 그리는 먹.
[紅桃 홍도] ㉠붉은 복숭아꽃. ㉡복숭아나무의 한 가지. 홍도나무. 또, 홍도나무의 꽃. 홍도화(紅桃花).
[紅暾 홍돈] 홍일(紅日).
[紅銅 홍동] 적동광(赤銅鑛)에서 나는 구리. 적동(赤銅).
[紅豆 홍두] ㉠팥. ㉡《韓》붉은팥.
[紅杜鵑 홍두견] 붉은 철쭉꽃.
[紅燈 홍등] 붉은 등불.
[紅燈街 홍등가] 유곽(遊廓), 또는 화류계(花柳界)의 거리.
[紅燈綠酒 홍등녹주] 붉은 등불과 푸른 술. 화류계(花柳界)를 이름.
[紅羅 홍라] 붉은 깁.
[紅蘿蔔 홍라복] 당근.
[紅藍 홍람] 꼭두서니, 곧 '천초(茜草)'의 별칭.
[紅蠟 홍랍] 붉은 촛불.
[紅蓮 홍련] ㉠붉은 연꽃. ㉡《佛教》홍련지옥(紅蓮地獄).
[紅蓮地獄 홍련지옥]《佛教》팔한 지옥(八寒地獄)의 하나. 몹시 찬 바람에 피부가 터져 붉은 연꽃과 같이 된다고 하는 지옥. 발특마(鉢特摩).
[紅爐上一點雪 홍로상일점설] 빨갛게 타는 화로 위에 한 점의 눈을 놓으면 대번에 녹는다는 뜻으로, ㉠'도(道)를 깨달아 마음속이 후련함'의 비유. ㉡'큰 사업에 작은 힘이 아무 보람이 되지 못함'의 비유.
[紅淚 홍루] ㉠피눈물. 혈루(血淚). ㉡미인의 눈물.
[紅樓 홍루] ㉠붉게 칠한 누각(樓閣). ㉡부잣집 여자 또는 미인(美人)이 거처하는 집.
[紅樓夢 홍루몽] 청(淸)나라 건륭(乾隆) 때의 명작 소설. 모두 120회(回)로 되어 있는데, 전(前) 80회는 조설근(曹雪芹)의 작, 후 40회는 고악(高鶚)의 속작(續作)이라 함. 영국부(榮國府)의 공자(公子) 가보옥(賈寶玉)과 임대옥(林黛玉)·설보차(雪寶釵) 등 십이미인(十二美人)과의 정사(情事) 및 영국(榮國)·영국(寧國) 두 부(府)의 성쇠(盛衰)를 그렸음. '석두기(石頭記)'·'금옥연(金玉緣)'·'금릉십이차(金陵十二釵)'라고도 함.
[紅榴 홍류] 붉은 석류(石榴)꽃.
[紅鱗 홍린] 붉은 비늘. 곧, 붉은 물고기.
[紅沫 홍말] 붉은 거품.
[紅靺鞨 홍말갈] 보석(寶石)의 한 가지.
[紅梅 홍매] 붉은 꽃이 피는 매화나무.
[紅毛國 홍모국] 홀란드. 화란(和蘭).
[紅毛番 홍모번] 화란(和蘭) 사람. 번(番)은 번(蕃).
[紅毛人 홍모인] 서양 사람.
[紅珀 홍박] 붉은 빛깔의 호박(琥珀).
[紅寶石 홍보석] 빛이 붉은 강옥석(鋼玉石). 루비. 홍옥(紅玉).
[紅腐 홍부] 쌀 같은 것이 변질(變質)하여 붉게 됨.
[紅粉 홍분] 연지와 분. 전(轉)하여, 부녀자. 부인(婦人).
[紅粉靑蛾 홍분청아] 연지와 분을 바르고 먹으로 눈썹을 그림. 또, 그 미인(美人). 청아(靑蛾)는 미인의 눈썹.
[紅拂 홍불] ㉠붉은 불자(拂子). ㉡수(隋)나라 때의 명기(名妓). 이정(李靖)에게 반하여 일생을 의탁하였음.
[紅事 홍사] 경사(慶事).
[紅絲 홍사] 붉은 실.
[紅蔘 홍삼] 수삼(水蔘)을 쪄서 말린 붉은빛이 나는 인삼.
[紅裳 홍상] 붉은 치마.
[紅色 홍색] 붉은빛.
[紅綬 홍수] 붉은 끈. 빨간 관인(官印)의 끈.
[紅樹 홍수] ㉠가을에 단풍 지는 나무. ㉡봄에 붉은 꽃이 피는 나무. ㉢홍수과에 속하는 상록 관목(常綠灌木). 열대(熱帶) 및 아열대에서 남. 수피(樹皮)에서 홍색 염료(染料)를 채취함.
[紅脣 홍순] ㉠붉은 입술. 연지를 바른 입술. 전(轉)하여, 미인(美人)의 입술. ㉡반쯤 핀 꽃잎의 형용.
[紅濕 홍습] 비에 촉촉이 젖은 붉은 꽃.
[紅柹 홍시] 흠뻑 익어 붉고 말랑말랑한 감. 연시.
[紅十字會 홍십자회] 중국에서의 적십자사(赤十

字社).
[紅顔 홍안] ㉠붉고 윤이 나는 아름다운 얼굴. 소년의 탐스러운 얼굴. ㉡미인(美人)의 얼굴.
[紅顔美少年 홍안미소년] 예쁘장하게 생긴 소년.
[紅藥 홍약] '작약(芍藥)'의 별칭(別稱).
[紅於 홍어] '단풍(丹楓)'의 별칭(別稱). 두목(杜牧)의 산행시(山行詩)의 '霜葉紅於二月花'에서 나온 말.
[紅魚 홍어] 도미, 곧 극렵어(棘鬣魚)의 별칭(別稱).
[紅疫 홍역] 전염병의 한 가지. 마진(痲疹). 홍진「(紅疹).
[紅鉛 홍연] ㉠연지분. ㉡여자가 맨 처음 한 월경(月經).
[紅焰 홍염] 붉은 불꽃.
[紅艶 홍염] 빛깔이 붉고 탐스러움.
[紅葉 홍엽] ㉠붉은 잎. 단풍 진 잎. ㉡단풍잎. 단풍.
[紅葉良媒 홍엽양매] 당(唐)나라 희종(禧宗) 때 우우(于祐)가 어구(御溝) 밑에서 '慇懃謝紅葉, 好去到人間'이라고 쓴 한 홍엽(紅葉)을 줍고, 그도 또한 홍엽에 '曾聞葉上題紅怨, 葉上題詩寄阿誰'라고 써서 그 어구의 상류로 띄워 보낸 것이 인연이 되어 그의 아내 한씨(韓氏)와 결혼하게 된 고사(故事).
[紅葉題詩 홍엽제시] 홍엽양매(紅葉良媒).
[紅英 홍영] 붉은 꽃잎. 봄의 꽃. 홍화(紅花).
[紅霓 홍예] 붉은 무지개.
[紅蘂 홍예] 붉은 꽃술.
[紅玉 홍옥] ㉠붉은 빛깔의 옥(玉). 전(轉)하여, 미인의 예쁜 얼굴. 또는 고운 살결. ㉡홍보석(紅寶石).
[紅友 홍우] 소동파(蘇東坡)가 황토촌(黃土村)이라는 마을의 지주(地主)에게서 선사 받은 술. 전(轉)하여, '술〔酒〕'의 별칭(別稱).
[紅雨 홍우] ㉠빛이 붉은 비. 전(轉)하여, 꽃에 뿌리는 비. ㉡지는 붉은 꽃잎의 비유.
[紅藕 홍우] 홍련(紅蓮).
[紅旭 홍욱] 홍일(紅日).
[紅雲 홍운] ㉠붉은 구름. ㉡꽃이 어우러져 피어 있는 모양.
[紅運 홍운] 행운(幸運).
[紅雲宴 홍운연] 꽃이 어우러져 핀 속에서 벌이는 술잔치.
[紅怨 홍원] 소원대로 되지 않는 가슴 답답한 연정(戀情).
[紅夷 홍이] 네덜란드. 또, 네덜란드 사람.
[紅日 홍일] 아침에 뜨는 붉은 해. 홍욱(紅旭).
[紅一點 홍일점] ㉠많은 푸른 잎 가운데 피어 있는 한 송이의 붉은 꽃. ㉡여러 남자 사이에 끼여 이채(異彩)를 띠는 오직 한 사람의 여자. ㉢여러 졸렬한 것 중에서 오직 하나의 뛰어난 것의 형용.
[紅紫 홍자] 붉은빛과 보랏빛. 빛깔이 아름다운 것의 비유.
[紅棧 홍잔] 붉게 칠한 잔교(棧橋). 주잔(朱棧).
[紅妝 홍장] 연지를 찍은 화장. 여자 또는 미인(美人)의 화장을 이름.
[紅粧 홍장] 홍장(紅妝).
[紅牆 홍장] 성가퀴. 여장(女牆).
[紅箋 홍전] 시(詩) 같은 것을 쓰는, 빛깔이 붉은 종이.
[紅潮 홍조] ㉠아침 해가 비쳐 붉게 보이는 해면(海面)의 경치. ㉡취하거나 부끄러워하여 붉어진 얼굴빛. ㉢몸. 경도. 월경.
[紅珠 홍주] 붉은 구슬. 빨간 과실(果實)의 형용.
[紅脂 홍지] 연지(臙脂). 전(轉)하여, 화장(化粧). 또, 미인. 기녀(妓女).
[紅疹 홍진] 홍역(紅疫).
[紅塵 홍진] ㉠공중에 떠올라 햇빛이 비쳐 벌겋게 보이는 티끌. ㉡시끄럽고 번화한 속세(俗世).
[紅草 홍초] ㉠털여뀌. 홍초(葒草). ㉡엉거싯과에 속하는 일년초(一年草). 홍색 물감을 채취함. 잇꽃.
[紅綃 홍초] ㉠붉은 깁. ㉡기녀(妓女)의 이름.
[紅燭 홍촉] 홍등(紅燈).
[紅葩 홍파] 홍화(紅花).
[紅霞 홍하] 붉은 저녁놀.
[紅汗 홍한] 미인(美人)이 흘리는 땀.
[紅蛤 홍합] 홍합과(科)에 속하는 바닷조개. 동해부인(東海夫人).
[紅海 홍해] 아프리카 북동부(北東部)와 아라비아 사이의 내해(內海). 아시아와 유럽 사이의 항로(航路)로서 중요함.
[紅頰 홍협] 붉은 뺨.
[紅花 홍화] ㉠붉은 꽃. ㉡홍초(紅草). 잇꽃.
[紅會 홍회] '홍십자회(紅十字會)'의 약칭(略稱).
◉老紅. 丹紅. 百日紅. 鮮紅. 閃紅. 猩紅. 小桃紅. 羞紅. 深紅. 鴈來紅. 殷紅. 女紅. 映紅. 雄紅. 柳綠花紅. 一點紅. 刺紅. 殘紅. 絕紅. 彫紅. 眞紅. 陳紅. 千日紅. 千紫萬紅. 淺紅. 堆紅.

3
⑨ **[紆]** 人名 우 ㊥虞 憶俱切 yū　纡 纡

字解 ①굽을 우, 굽힐 우 '一曲'. '中弱則一'《周禮》. ②얽힐 우 감김. '縈一'. '一青拖紫'《晉書》. ③돌 우 빙 돎. '水澹澹而盤一兮'《宋玉》. ④울적할 우 우울함. '煩一'. '心鬱結而一軫'《楚辭》. ⑤성 우 성(姓)의 하나.

字源 篆文 紆 形聲. 糸+于(亐)〔音〕. '亐우'는 활처럼 구부러지다의 뜻. '糸멱'을 덧붙여, '굽다'의 뜻을 나타냄.

[紆結 우결] 마음이 맺혀 울적함.
[紆曲 우곡] 꼬불꼬불함. 우절(紆折).
[紆帶 우대] 성벽 따위를 띠처럼 빙 두름. 또, 견고함.
[紆盤 우반] 꼬불꼬불 돎.
[紆徐 우서] ㉠천천히 가는 모양. 걸음이 느린 모양. ㉡축 늘어진 모양.
[紆餘 우여] ㉠물이 꼬불꼬불 흐르는 모양. ㉡꼬부라져 길게 계속한 모양. ㉢재주가 뛰어나 여유작작한 모양. ㉣문장이 활달한 모양.
[紆餘曲折 우여곡절] ㉠꾸불꾸불함. 우곡(紆曲). ㉡복잡한 사정. 복잡한 경과(經過).
[紆縈 우영] 얽힘.
[紆繞 우요] 얽힘.
[紆鬱 우울] 울적(鬱寂)함.
[紆繘 우율] 우곡(紆曲).
[紆纏 우전] 감김.
[紆折 우절] 우곡(紆曲).
[紆軫 우진] ㉠마음이 맺혀 슬픔. 진(軫)은 비(悲). ㉡차(車)를 돌려 내방(來訪)함. ㉢우반(紆盤).
[紆靑拖紫 우청타자] 인끈〔印綬〕을 차고 고관(高官)의 지위(地位)에 오르는 일.

[紆行 우행] 꼬불꼬불 감.
[紆回 우회] 멀리 돌아서 감. 우회(迂回).
◉盤紆. 煩紆. 縈紆. 鬱紆. 長紆. 摧紆. 環紆. 回紆.

3 ⑨ [紇] [人名] 흘 [入]月 下沒切 hé, gē 纥

[字解] ①묶을 흘 동임. '一, 束也'《集韻》. ②생사(生絲) 흘 질 낮은 명주실. '一, 絲下也'《說文》. ③인종이름 흘 '回一'은 중국의 서북방에 있었던, 터키계(系)의 종족(種族) 이름. ④성 흘 성(姓)의 하나.
[字源] 篆文 形聲. 糸+乞〔音〕. '乞걸'은 '乙을'과 통하여, 매끄럽지 않다의 뜻. 매끈하지 않은 저질(低質)의 생사(生絲)의 뜻을 나타냄.

◉回紇.

3 ⑨ [紈] [人名] 환 [平]寒 胡官切 wán 纨

[字解] ①흰깁 환 고운 명주. '一絝子弟'. '織作冰一綺繡純麗之物'《漢書》. ②맺을 환 '一, 結也'《玉篇》. ③겹칠 환 포개어짐. '一, 累也'《玉篇》.
[字源] 篆文 形聲. 糸+丸〔音〕. '丸환'은, '둥글다'의 뜻. 둥글고 매끄러운 흰 비단의 뜻을 나타냄.

[紈縑 환겸] 흰 깁과 합사 통견(合絲通絹).
[紈絝 환고] 흰 깁의 바지. 한대(漢代)에 귀족(貴族)의 자제(子弟)만이 입던 옷이므로, 전(轉)하여 귀족의 자제.
[紈絝子弟 환고자제] 귀족의 자제.
[紈綺 환기] 흰 깁과 무늬가 있는 비단. 화려한 의복을 이름.
[紈扇 환선] 얇은 깁으로 만든 부채.
[紈素 환소] 흰 깁.
[紈繡 환수] 흰 깁과 수놓은 비단. 화려한 의복을 이름.
[紈絺 환치] 흰 깁과 고운 갈포(葛布).
◉輕紈. 薄紈. 氷紈. 素紈.

3 ⑨ [紉] 닌 [平]眞 女鄰切 rèn 纫

[字解] ①실 닌 바느질하는 실. ②실꿸 닌 바늘에 실을 뀀. '衣裳綻裂, 一箴請補綴'《禮記》. ③노 닌 노끈. 또, 홑겹으로 꼰 새끼. '一, 單繩也'《說文》. ④꼴 닌 실을 꼬아 합침. 새끼를 꼼. '一, 合縷也'《集韻》. ⑤쪼갤 닌 '擘, 楚謂之一'《方言》. ⑥맬 닌 노로 물건을 묶음. '一秋蘭以爲佩'《楚辭》.
[字源] 篆文 形聲. 糸+刃〔音〕. '刃인'은 탄력이 있고 질기다의 뜻. 부드럽고도 질긴 '새끼'의 뜻을 나타냄.

◉補紉. 縫紉.

3 ⑨ [紂] 〔치〕
緇(糸部 八畫〈p. 1752〉)와 同字

4 ⑩ [紋] [人名] 문 [平]文 無分切 wén 纹

[筆順] ㄥ 幺 幺 糸 糸 紌 紋 紋
[字解] ①무늬 문 직물의 문채(文彩). '花一'. '波一'. '俯看秋水一'《蘇軾》. ②주름 문 줄. '波一'. '疊風一兮連復連, 折回流兮曲復曲'《唐太宗》.
[字源] 形聲. 糸+文〔音〕. '文문'은 '문채(文彩)'의 뜻. '文'에 많은 뜻이 파생(派生)하여, 구별을 위해 '糸멱'을 덧붙여, '문채'의 뜻을 나타냄.

[紋縠 문곡] 무늬가 있는 고운 비단.
[紋銀 문은] 말굽은. 마제은(馬蹄銀).
◉家紋. 縠紋. 賕紋. 錦紋. 綺紋. 羅紋. 斑紋. 細紋. 水紋. 手紋. 魚紋. 衣紋. 縱紋. 指紋. 綃紋. 皺紋. 波紋. 纈紋.

4 ⑩ [納] [高人] 납 [入]合 奴荅切 nà 纳

[筆順] ㄥ 幺 幺 糸 糸 紅 納 納
[字解] ①들일 납 ㉠안에 들어오게 함. '閉門不一'《後漢書》. ㉡거두어들임. 수확함. '十月一禾稼'《詩經》. ㉢받아들임. 청에 응함. '嘉一'. '一其自託'《世說》. ㉣물건을 받아들임. '郭文擧云云, 顧颺贈以韋袴褶一具, 文擧不一'《世說》. ㉤끌어들임. 이끎. '小臣一卿大夫'《儀禮》. ②바칠 납 조정·관청 등에 바침. '一稅'. '一女於天子'《禮記》. ③수장할 납 거두어들여 간직함. '一冊於金縢之匱中'《書經》. ④되돌릴 납 돌려줌. '請一祿與車服'《國語》. ⑤옷기울 납 옷 터진 데를 꿰매어 기움. '一, 衣敝補紩也'《正字通》. ⑥눅눅할 납 실이 축축이 젖은 모양. '絲溼一一也'《說文》. ⑦성 납 성(姓)의 하나.
[字源] 金文 篆文 形聲. 糸+內〔音〕. '內내'는 '들이다'의 뜻. 물에 넣은 실의 뜻을 나타냈으나, 흔히 '들이다'의 뜻으로 쓰임.

[納貢 납공] 공물(貢物)을 바침.
[納款 납관] ㉠귀순(歸順)하여 성의껏 섬김. ㉡적과 내통(內通)함. 통관(通款).
[納棺 납관] 시체를 관에 넣음.
[納金 납금] 금전을 상납함. 또, 그 금전.
[納期 납기] 조세(租稅)를 바치는 기한(期限).
[納吉 납길] ㉠주대(周代) 혼례의 육례(六禮)의 하나. 신붓(新婦)감의 양부(良否)를 점쳐 상상길(上上吉)의 판단이 나오면 하인을 보내어 여자의 집에 통고하는 일. ㉡우리나라에서는 신랑(新郞) 쪽에서 혼인날을 받아 신부 집에 보내는 일.
[納納 납납] ㉠젖은 모양. 축축한 모양. ㉡휩싸들이는 모양. 포용하는 모양.
[納頭 납두] 남에게 머리 숙여 복종함.
[納得 납득] 이해함. 일의 내용을 잘 알아차림.
[納涼 납량] 더울 때에 바람 같은 것을 쐬어 서늘함을 맛봄.
[納拜 납배] 절하고 뵘.
[納本 납본] 《韓》 발행한 출판물의 견본을 관계 관청에 바침.
[納附 납부] 납입(納入).
[納稅 납세] 세금을 바침.
[納受 납수] 받아들임. 수납(受納).

[納約 납약] 약속을 맺음.
[納約自牖 납약자유] 상대방(相對方)이 알기 쉬운 것부터 설명하여 깨닫도록 인도함.
[納言 납언] 순(舜)임금 때에 임금의 말을 백성에게 전하고, 백성의 말을 임금에게 아뢰어 상하의 정을 소통시키던 벼슬.
[納完 납완] 모두 바침. 완납(完納).
[納牖 납유] 납약자유(納約自牖).
[納日 납일] 지는 해. 석일(夕日).
[納入 납입] 세금·회비 등을 바침.
[納節 납절] 정절(旌節)을 조정(朝廷)에 도로 바친다는 뜻으로, 관직(官職)을 사임하는 일.
[納徵 납징] ㉠주대(周代) 혼례의 육례(六禮)의 하나. 납길(納吉)한 후 정혼(定婚)한 표적으로 신랑 집에서 신부 집에 보내는 예물. 납폐(納幣). ㉡거두어들임.
[納讒 납참] 참소(讒訴)를 믿어 받아들임.
[納采 납채] 주대(周代) 혼례의 육례(六禮)의 하나. 혼인을 청하는 일. 또, 그때 여자의 집에 보내는 예물. 채(采)는 채택(采擇)하는 뜻. 지금 우리나라에서는 납폐(納幣)의 ㉡의 뜻으로 통용(通用)함.
[納陛 납폐] 비가 맞지 않게 한 섬돌.
[納幣 납폐] ㉠납징(納徵). ㉡《韓》혼인 때 신랑(新郞) 집에서 신부(新婦) 집에 보내는 청단(靑緞)·홍단(紅緞).
[納獻 납헌] 금품을 바침. 헌납(獻納).
[納隍 납황] 남을 도랑 또는 해자(垓字) 같은 데 빠뜨린다는 뜻으로, '남을 괴롭힘'을 이르는 말.
◉嘉納. 開納. 格納. 結納. 歸納. 代納. 撫納. 返納. 拜納. 普納. 補納. 奉納. 聘納. 上納. 賞納. 選納. 笑納. 受納. 收納. 詢納. 信納. 延納. 誘納. 允納. 引納. 接納. 徵納. 察納. 採納. 聽納. 滯納. 出納. 吐納. 褒納. 獻納.

4 ⑩ [紐] 人名 뉴 ㊤有 女久切 niǔ 纽

筆順 ㇛ 幺 幺 糸 糸 紉 紐 紐

字解 ①끈 뉴 물건을 매거나 묶거나 하는 노나 줄. '朱裏延—'《周禮》. '龜—之璽'《淮南子》. ②맬 뉴, 묶을 뉴 결속함. '情素結于—帛'《楚辭》. ③매듭 뉴 묶어 맺은 부분. '解—'. '幷—約用組'《禮記》. ④근거할 뉴 의거(依據)함. '禹舜之所—也'《莊子》. ⑤주름 뉴 '廣雅釋言, —, 擘也'《通訓》. ⑥맥(脈) 뉴 맥박. '下有破陰之—'《史記》. ⑦성 뉴 성(姓)의 하나.

字源 篆文 形聲. 糸+丑〔音〕. '丑추'는 '비틀다'의 뜻. 비틀어서 단단히 매는 '끈'의 뜻을 나타냄.

[紐星 유성] 북극성좌(北極星座)의 주된 별.
[紐折 유절] 제(除)함. 나눔.
[紐情 유정] 정(情)에 끌리는 마음. 애착심.
◉綱紐. 結紐. 龜紐. 屈紐. 根紐. 解紐.

4 ⑩ [紒] 계 ①-③㊀霽 吉詣切 jì ④㊀卦 居拜切 jiè

字解 ①상투를 계 결발(結髮)함. '將冠者采衣—'《儀禮》. ②상투 계 髻(髟部 六畫)와 同字. ③명민하지못할 계 총명하지 않음. '—, 心不了也'《玉篇》. ④인끈 계 '—, 緺也'《集韻》.

字源 形聲. 糸+介〔音〕.

4 ⑩ [紃] ■ 괴 ㊀卦 古邁切 guài ■ 결 ㊀屑 古穴切 jué

字解 ■ 실 괴 가는 실. '—, 細絲'《玉篇》. ■ 실날 결 실오리. 絨(糸部 五畫)과 통용. '絨, 縷也, 或从夬'《集韻》.

4 ⑩ [紌] 구 ㊥尤 渠周切 qiú

字解 비단이름 구 촉(蜀)에서 나는 비단의 이름. '—䌖𦁚𦃏'《揚雄》.

4 ⑩ [紓] 서 ㊥魚 傷魚切 shū ㊤語 神與切 纾

字解 ①느슨할 서, 느슨하게할 서 느즈러짐. 느즈러지게 함. 舒(舌部 六畫)와 통용. '彼交匪—'《詩經》. ②풀 서 ㉠늦춤. '—禍也'《左傳》. ㉡화해함. '難必—'《左傳》.

字源 篆文 形聲. 糸+予〔音〕. '予여'는 '느슨하다, 느즈러지다'의 뜻. 끈을 느슨하게 하다의 뜻을 나타냄.

4 ⑩ [純] 中人 ■ 순 ㊥眞 常倫切 chún ■ 준 ㊤軫 之尹切 zhǔn ■ 돈 ㊥元 徒渾切 tún 四 치 ㊥支 莊持切 zī 纯

筆順 ㇛ 幺 幺 糸 糸 紅 紅 純

字解 ■ ①실 순 누이지 아니한 명주실. '—, 絲也'《廣雅》. '今也—, 儉'《論語》. ②순수할 순 잡것이 섞이지 아니함. '精—'. '—金'. '能帥舊德, 而守終—固'《國語》. ③천진할 순 조금도 가식이 없음. '—眞'. '不剖割—樸'《淮南子》. ④클 순 '—嘏爾常矣'《詩經》. ⑤좋을 순 아름다움. 정호(精好)함. '織作氷紈其繡—麗之物'《漢書》. ⑥착할 순 선량함. '貴—之道也'《禮記》. ⑦도타울 순 돈독(敦篤)함. '穎考叔—孝也'《左傳》. ⑧온화할 순 온순하고 인자함. '從之—如也'《論語》. ⑨밝을 순, 밝힐 순 환함. 환하게 함. '光—天地'《漢書》. ⑩열다섯자 순 일 장 오 척(一丈五尺)의 길이. '里間九—'《淮南子》. ⑪모두 순 다. '諸侯—九, 大夫—五'《周禮》. ⑫오로지 순 순전히. '奈何—任德教'《十八史略》. ⑬온전할 순 '—也者, 謂其不虧其神也'《莊子》. ■ ①가장자리 준 '—, 緣也'《廣雅》. '設莞筵紛—'《周禮》. ②선두를 준 가선으로 가장자리를 꾸밈. '不—素'《禮記》. ③나비 준 피륙의 폭. 淳(水部 八畫)과 통용. '淳, 布帛幅廣也. 通作—'《集韻》. ■ ①묶을 돈, 묶음 돈 동임. 또, 그것. '錦繡千—'《戰國策》. ②쌀 돈 보자기 같은 것에 넣어 둘러 맒. '白茅—束'《詩經》. 四 검을 치 緇(糸部 八畫)와 同字. '—衣'《史記》.

字源 金文 篆文 形聲. 糸+屯〔音〕. 金文에서는 '屯'뿐임. '屯둔'은 묶은 머리로 꾸민 어린아이의 象形으로, 순수한 아름다움의 뜻을 나타냄. 순수한 실의 뜻에서, 일반적으로, 순수하고 천진하다의 뜻을 나타냄.

[純束 돈속] 동임. 단으로 묶음.
[純愨 순각] 순성(純誠).
[純潔 순결] ㉠아주 깨끗함. ㉡사욕(私慾)·사념

(邪念)이 없이 마음이 지극히 깨끗함. ㉢더럽힘이 없이 깨끗함.
[純潔無垢 순결무구] 아주 깨끗하여 조금도 티가 없음.
[純固 순고] 순수하고 견고함.
[純鉤 순구] 칼〔劍〕이름.
[純金 순금] 다른 물질이 섞이지 아니한 황금(黃金).
[純氣 순기] 잡것이 없는 순수한 기(氣).
[純篤 순독] 순진하고 인정이 많음. 성의가 있고 친절함.
[純良 순량] 순진하고 선량함.
[純麗 순려] 정(精)하고 고움.
[純吏 순리] 순량(純良)한 벼슬아치. 일에 전심(專心)하는 충실한 관리.
[純利 순리] 순익(純益).
[純理 순리] ㉠순수(純粹)한 학리(學理). 순수한 이론. ㉡전연 선천적(先天的)인 이성. 순수 이성(純粹理性).
[純林 순림] 잡목(雜木)이 섞이지 아니한 삼림(森林).
[純緜 순면] 명주실.
[純明 순명] 순진하고 현명함.
[純毛 순모] ㉠딴 색의 털이 섞이지 아니한 털. 한 빛깔의 털. 또, 그 털빛. ㉡순전한 털.
[純茂 순무] ㉠한결같이 아름다움. ㉡바야흐로 무성(茂盛)함.
[純文學 순문학] 미적 정조(美的情操)의 사상을 표현한 문학.
[純味 순미] 다른 맛이 섞이지 아니한 순수한 맛.
[純美 순미] ㉠순수하고 아름다움. ㉡미적 정조(美的情操)만을 일으키는 미(美).
[純樸 순박] ㉠순진하고 소박함. ㉡깎아 다듬지 아니한 나무.
[純白 순백] 순수(純粹)한 흰빛.
[純誠 순성] 순수한 정성. 지극한 정성.
[純粹 순수] ㉠아주 정(精)하여 조금도 다른 것이 섞이지 아니함. ㉡사념(邪念)이나 사욕이 없음. ㉢완전하여 조금도 흠이 없음. ㉣제일(齊一)하여 한쪽에 치우치지 아니함.
[純粹思惟 순수사유] 경험에 지배당하지 않는 선천적(先天的) 사유.
[純粹理性 순수이성] 감각(感覺)을 포함하지 아니한 선천적(先天的)인 고급의 인식 능력(認識能力).
[純淑 순숙] 순수하고 좋음. 썩 좋음.
[純熟 순숙] 아주 익음.
[純純 순순] ㉠순수한 모양. 자연 그대로의 모양. 정성이 있는 모양. 전일(專一)한 모양. ㉡인후(仁厚)한 모양.
[純臣 순신] 사심(私心)이 없는 충신.
[純實 순실] 순직(純直)하고 진실함.
[純愛 순애] 순수한 사랑.
[純陽 순양] ㉠순전한 양기(陽氣). 강건(剛健)하여 계속 활동하는 기. ㉡불〔火〕.
[純如 순여] 화합(和合)하는 모양.
[純然 순연] 조금도 섞인 것이 없는 모양. 순수한 모양.
[純儒 순유] 순수한 유학자. 진짜 학자.
[純殷 순은] 한가운데. 중앙(中央).
[純銀 순은] 다른 물질이 섞이지 아니한 은(銀).
[純陰 순음] ㉠순전한 음기(陰氣). ㉡남자와 한 번도 성적 관계가 없는 여자의 음기.
[純益 순익] 총이익에서 들인 비용을 뺀 이익. 실제의 이익.
[純一 순일] ㉠순수하고 전일(專一)함. ㉡있는 그대로로서 꾸밈이나 거짓이 없음.
[純紫 순자] 순수한 자줏빛.
[純全 순전] 아무것도 섞이지 아니하고 완전함.
[純正 순정] ㉠순수하고 바름. ㉡이론을 주로 하고 응용에 미치지 아니함.
[純直 순직] 순진하고 정직함.
[純眞 순진] ㉠마음이 순박(淳朴)하고 진실(眞實)함. ㉡조금도 잡것이 섞이지 아니함. 순수(純粹).
[純忠 순충] 조금도 사욕이 없는 충성. 진심으로 섬기는 충성.
[純嘏 순하] 큰 복. 대복(大福). 경복(景福).
[純血 순혈] ㉠순수한 혈통. 동종(同種)의 동물의 암수에서 태어난 것. ㉡순수한 혈액.
[純乎 순호] 순연(純然).
[純紅 순홍] 순수(純粹)한 다홍색.
[純化 순화] ㉠섞인 것이 없게 함. 불순한 것을 없앰. 순화(醇化). ㉡복잡한 것을 단순하게 함. 단순화(單純化).
[純和 순화] 거침없이 풀림. 누그러짐. 크게 조화(調和)를 이룸.
[純黃 순황] 순수(純粹)한 황색.
[純孝 순효] 지성을 다하여 섬기는 효성. 더할 나위 없는 효성.
[純厚 순후] 순박하고 인정이 후함.
[純黑 순흑] 순수(純粹)한 흑색.
[純犧 순희] 순모(純毛)의 희생. 한 빛깔의 털의 희생.
[純帛 치백] 검은 비단.
[純衣 치의] 검은 옷.
◉績純. 單純. 不純. 溫純. 一純. 全純. 貞純. 精純. 至純. 眞純. 淸純. 忠純. 緇純. 下純. 晝純.

4 ⑩ [紕] 비 ①-⑤㊥支 符支切 pí 匹夷切 pī ⑥㊦寘 毘至切 bì 纰

字解 ①합사(合絲) 드릴 비 '一, 所以織組也'《詩經 傳》. ②잘못 비, 잘못할 비 과오. 과오를 저지름. '一越'. '五者一物一繆'《禮記》. ③선두를 비 흰 실로 기(旗) 또는 관(冠)에 가선을 두름. '素絲一之'《詩經》. ④가선 비 의복의 가장자리를 딴 헝겊으로 가늘게 싸서 돌린 선. '縞冠素一'《禮記》. ⑤다스릴 비 '一, 理也'《揚子方言》. ⑥꾸밀 비 장식함. '一, 爾雅, 飾也'《集韻》.
字源 篆文 形聲. 糸+比〔音〕. '比비'는 '늘어놓다'의 뜻. 실을 늘어놓아 끈을 꼬다의 뜻을 나타냄.

[紕漏 비루] 틀리고 빠짐.
[紕繆 비류] 과실. 과오. 오류(誤謬).
[紕飾 비식] 장식. 특히 관(冠)의 장식.
[紕越 비월] 잘못. 실수. 착오(錯誤).
◉縫紕. 玉紕.

4 ⑩ [紖] ㊀ 진 ㊤軫 直引切 zhèn ㊁ 인 ㊤軫 以忍切 yǐn 纼

字解 ㊀ 고삐 진 소의 코에 매어 끄는 줄. '牛則執一'《禮記》. ㊁ 고삐 인 ㊀과 뜻이 같음.
字源 篆文 形聲. 糸+引〔音〕. '引인'은 '끌다'의 뜻. 무엇을 끄는 끈, 바의 뜻을 나타냄.

◉牛則執紖.

4
⑩ [紗] 人名 ㊀ 사 ㊥麻 所加切 shā ㊁ 묘 ㊤篠 弭沼切 miǎo 纱

筆順 ㄑ 乡 乡 糸 糸 糹 紗 紗

字解 ㊀ ①깁 사 지극히 얇고 고와 가벼운 견직물. '一窓'. '衣一縠禪衣'《漢書》. ②무명실 사 솜을 자아서 뽑은 합사(合絲)하지 않은 외올실. '一, 一日, 紡纑也'《廣韻》. ㊁ 미미할 묘 조금. 緲(糸部 九畫)·眇(目部 四畫)와 통용. '一, 微也'《韻會》.

字源 會意. 糸＋少

[紗巾 사건] 깁으로 만든 두건(頭巾).
[紗袴 사고] 깁으로 만든 바지.
[紗縠 사곡] 깁과 주름진 비단.
[紗燈籠 사등롱] 깁으로 바른 등롱.
[紗羅 사라] 깁.
[紗籠 사롱] 깁을 바른 농.
[紗籠中人 사롱중인] 재상이 될 팔자를 타고난 사람.
[紗帽 사모] 깁으로 만든 모자. 옛날에 군주(君主) 또는 귀현(貴顯)한 이가 썼음.
[紗帷 사유] 깁의 휘장.
[紗障 사장] 깁을 바른 장지.
[紗幬 사주] 깁의 모기장.
[紗窓 사창] 깁을 바른 창.
◉更紗. 輕紗. 羅紗. 袱紗. 素紗. 窓紗.

4
⑩ [紘] 人名 굉 ㊥庚 戶萌切 hóng 纮

字解 ①끈 굉 ㉠관(冠)의 끈. 갓끈. '朱一'. '網一'. '緇組一'《儀禮》. ㉡경쇠를 매다는 끈. '倚于頌磬西一'《儀禮》. ②바 굉 굵은 밧줄. 강유(綱維). '帝一'. '地一'. '八殯之外, 而有八一'《淮南子》. ③클 굉, 넓을 굉 宏(宀部 四畫)과 통용. '一覆'. '天地之道, 至一以大'《淮南子》. ④매달 굉 바로 매어 떨어지지 않게 함. '一宇宙而彰三光'《淮南子》.

字源 篆文 別體 形聲. 糸＋厷〔音〕. '厷굉'은 팔꿈치 모양의 곡선(曲線)의 뜻. '糸사'는 '끈'의 뜻. 관〔冕〕을 쓸 때, 턱 밑을 받쳐 좌우 비녀의 양 끝을 매어서, 그 나머지 가닥을 드림 장식으로 하는 끈목의 뜻.

◉網紘. 帝紘. 朱紘. 至紘. 地紘. 八紘.

4
⑩ [紙] 中人 지 ㊤紙 諸氏切 zhǐ 纸

筆順 ㄑ 乡 乡 糸 糸 紅 紅 紙

字解 ①종이 지 닥나무·뽕나무 껍질 등 식물성 섬유로 만든 물건. 글씨를 쓰거나 그림을 그리는 데 씀. '一筆'. '至後漢蔡倫, 剉故布擣抄作一'《初學記》. ②종이장수 지 종이의 매수(枚數). '雖摹千萬一, 皆不差'《元史》. ③성 지 성(姓)의 하나.

字源 篆文 形聲. 糸＋氏〔音〕. '氏지'는 눈이 찌부러져 눈꺼풀이 납작하게 붙어 버리다의 뜻. 섬유의 돌기를 짓눌러 반반하고도 매끄럽게 한 종이의 뜻을 나타냄.

[紙價 지가] 종이 값.
[紙價高 지가고] 저작(著作)이 널리 세상에 행하여짐으로써 종이 값이 등귀(騰貴)함을 이름.
[紙匣 지갑] ㉠종이로 만든 갑(匣). ㉡가죽·헝겊 등으로 만든 돈을 넣는 물건.
[紙格 지격] 장지. 지장(紙障).
[紙貴 지귀] 종이 값이 오름. 진(晉)나라의 좌사(左思)가 삼도부(三都賦)를 지었을 때, 세인(世人)이 서로 베껴 가지려고 하여 뤄양(洛陽)의 지가(紙價)가 등귀(騰貴)하였다고 함.
[紙縷 지루] 지승(紙繩).
[紙面 지면] ㉠종이의 거죽. 지상(紙上). ㉡종이에 쓴 글의 위.
[紙墨 지묵] 종이와 먹.
[紙物 지물] 온갖 종이붙이.
[紙背 지배] 종이의 뒷면. 전(轉)하여, 문장의 이면에 포함된 깊은 의의(意義). 적혀 있는 문자 이상의 뜻.
[紙本 지본] 종이에 쓴 서화(書畫). 견본(絹本)의 대(對).
[紙上 지상] 지면(紙面) ㉠.
[紙上談兵 지상담병] 실제에 부합되지 않는 공론(空論)을 이야기함을 이름.
[紙繩 지승] 종이로 꼰 노. 지노.
[紙鴉 지아] 지연(紙鳶).
[紙魚 지어] 반대좀. 좀. 두어(蠹魚).
[紙鳶 지연] 종이로 만든 연(鳶). 지치(紙鴟).

[紙鳶]

[紙匠 지장] 종이를 만드는 사람. 지공(紙工).
[紙帳 지장] 종이로 만든 장막.
[紙障 지장] 장지.
[紙田 지전] 문사(文士)가 종이에 글을 써서 그 보수로 생활하는 것을, 농부가 밭을 가는 데 비유한 말.
[紙錢 지전] ㉠관(棺) 속에 넣는 돈 모양의 종이. ㉡지폐(紙幣).
[紙廛 지전] 종이를 파는 가게. 지물포.
[紙質 지질] 종이의 품질. 종이의 바탕.
[紙札 지찰] 지편(紙片).
[紙燭 지촉] 부의(賻儀)로 보내는 종이와 초.
[紙鴟 지치] 지연(紙鳶).
[紙版 지판] 지형(紙型).
[紙牌 지패] 종이로 만든 노름에 쓰는 물건. 길이가 약 세 치, 넓이는 약 반 치. 여러 종류가 있음.
[紙片 지편] 종잇조각. 한 장의 종이.
[紙幣 지폐] ㉠종이돈. ㉡신전(神前)에 바치는 폐백.
[紙布 지포] 종이를 넣어 짠 직물. 종이는 씨, 날은 대개 견사(絹絲)를 씀.
[紙砲 지포] 딱총.
[紙幅 지폭] 종이의 폭.
[紙筆 지필] 종이와 붓.
[紙函 지함] 종이를 접어서 만든 상자.
[紙型 지형] 활판 인쇄(活版印刷)에 쓰이는, 식자조판(植字組版)에 대고 눌러 요판형(凹版型)을 떠서 빳빳하게 건조시킨 합지(合紙).
[紙花 지화] 종이로 만든 꽃. 종이꽃.
◉嘉紙. 諫紙. 簡紙. 蠲紙. 缺紙. 界紙. 故紙. 空紙. 官紙. 罫紙. 檀紙. 斷紙. 唐紙. 麻紙.

滿紙. 蠻紙. 薄紙. 半紙. 白紙. 鳳紙. 生紙. 閃刀紙. 熟紙. 試紙. 洋紙. 羊皮紙. 御紙. 矮紙. 用紙. 倚馬七紙. 印紙. 字紙. 製紙. 鎭紙. 窓紙. 蔡侯紙. 尺紙. 抄紙. 敗紙. 片紙. 便紙. 廢紙. 表紙. 筆紙. 韓紙.

4 ⑩ [級] 高人 급 ㉄緝 居立切 jí 级

筆順 ⼃ ⺓ 幺 糸 糸 糸 紉 級

字解 ①등급 급 위차(位次). 품등. '官一'. '貴賤之等一'《禮記》. ②층계 급 계단. '階一'. '陛一'. '拾一聚足'《禮記》. ③모가지 급 전쟁 때 벤 적(敵)의 목. 진(秦)나라 때 적의 목을 벤 수에 의하여 공훈이 올라갔기 때문에 나온 말. '首一'. '俘一'. '斬首十五一'《史記》.

字源 篆文 形聲. 糸+及〔音〕. '及급'은 '따라붙다'의 뜻. 앞의 실에 이어서 다음의 실이 따라붙듯이 순서가 있음의 뜻을 나타냄.

[級數 급수] 일정한 법칙에 의하여 증감(增減)하는 수를 차례로 배열한 수.
[級差 급차] 등급(等級).
◉階級. 高級. 功級. 官級. 同級. 動級. 等級. 末級. 俘級. 石級. 首級. 昇級. 榮級. 一官半級. 低級. 進級. 斬級. 超弩級. 陞級. 下級. 學級. 限級. 顯級. 勳級.

4 ⑩ [紛] 高人 분 ㊥文 撫文切 fēn 纷

筆順 ⼃ ⺓ 幺 糸 糸 紒 紛 紛

字解 ①어지러울 분 ㉠흩어져 어지러움. 산란함. '落花一一'. '雪落一一那忍觸'《蘇軾》. ㉡소란함. '一亂'. '一擾'. '獄之放一'《左傳》. ②엉킬 분, 한맺힐 분 얽혀서 덩이가 됨. 또, 그것. '解一'. '挫其銳, 解其一'《老子》. ③번잡할 분 번거롭고 혼잡함. '一劇'. '何爲一一然, 與百工交易'《孟子》. ④많을 분 많은 모양. 또, 성(盛)한 모양. '威武一紜'《史記》. '用史巫一若'《易經》. '一吾旣有此內美兮'《楚辭》. ⑤어두울 분 惛(心部 八畫)과 뜻이 같음. '靑雲爲一'《漢書》. ⑥섞을 분, 섞일 분 '一瑰麗以奢靡'《張衡》. ⑦느즈러질 분 '一, 緩也'《玉篇》. ⑧행주 분 그릇을 닦아 훔치는 물건. '左佩一帨'《禮記》. ⑨깃발 분 기류(旗旒). '靑雲爲一'《揚雄》. ⑩기뻐할 분 '一, 喜也'《廣雅》. ⑪성 분 성(姓)의 하나.

字源 篆文 形聲. 糸+分〔音〕. '分분'은 '갈라지다'의 뜻. 실이 갈라져서 바로잡을 수 없다, 어지럽다의 뜻을 나타냄.

[紛結 분결] 마음이 산란하고 울적함.
[紛更 분경] 어수선하게 하여 뒤바꿈.
[紛梗 분경] 소란하고 막힘.
[紛競 분경] 분쟁(紛爭).
[紛汨 분골] 어지러움.
[紛垢 분구] 속세(俗世)의 번잡한 일. 분진(紛塵).
[紛糾 분규] ㉠어지러움. 난잡함. ㉡말썽. 갈등(葛藤). 분란(紛亂).
[紛劇 분극] 번거롭고 바쁨.
[紛起 분기] 분잡하게 일어남.
[紛拏 분나] 서로 엉클어져 때리고 침.
[紛呶 분노] 분훤(紛喧).
[紛鬧 분뇨] 번화하고 시끄러움. 사람이 복작복작하여 시끄러움.
[紛沓 분답] 분잡(紛雜).
[紛亂 분란] ㉠분잡(紛雜)하고 소요(騷擾)스러움. ㉡말썽. 갈등(葛藤).
[紛謬 분류] 어지럽히고 그르침.
[紛劘 분마] 뒤섞여 서로 스침.
[紛末 분말] 가루. 분말(粉末).
[紛紛 분분] ㉠어지러운 모양. 뒤섞인 모양. ㉡번잡(煩雜)한 모양. ㉢많고 성(盛)한 모양.
[紛紛擾擾 분분요요] 분란(紛亂)한 모양.
[紛飛 분비] 혼란하게 뒤섞여 낢.
[紛霏 분비] 꽃이나 잎이 어지럽게 많이 떨어지는 모양.
[紛奢 분사] 화려한 사치(奢侈). 화사(華奢).
[紛帨 분세] 물건을 닦는 헝겊. '紛'은 그릇을 닦는 행주. '帨'는 손을 닦는 수건.
[紛騷 분소] 분요(紛擾).
[紛愁香怨 분수향원] 여자가 공규(空閨)를 지키며 수심에 잠겨 원망함.
[紛失 분실] 분잡 통에 잃어버림.
[紛壒 분애] 분진(紛塵).
[紛若 분약] 대단히 많은 모양.
[紛如 분여] 어지러운 모양.
[紛衍 분연] 어지럽게 초목이 무성함.
[紛然 분연] 어지러운 모양. 뒤섞인 모양.
[紛縕 분온] ㉠성(盛)한 모양. ㉡어지러운 모양.
[紛擾 분요] 분란(紛亂).
[紛繞 분요] 서로 어지럽게 얽힘.
[紛縟 분욕] 뒤섞여 번거로움.
[紛云 분운] 왕성하게 흥하는 모양. 분운(紛紜)㉡.
[紛紜 분운] ㉠어지러운 모양. ㉡분운(紛云). ㉢많은 모양.
[紛員 분원] 많은 모양.
[紛糅 분유] 혼잡하게 뒤섞임.
[紛雜 분잡] 북적거리어 어수선함. 잡답(雜沓).
[紛爭 분쟁] 말썽을 일으켜 시끄럽게 다툼.
[紛諍 분쟁] 분쟁(紛爭).
[紛塵 분진] 몹시 이는 먼지. 전(轉)하여, 시정(市井)의 번잡한 속사(俗事).
[紛錯 분착] 뒤섞여 어지러움. 뒤섞임.
[紛舛 분천] 어지럽고 어그러짐.
[紛濁 분탁] 어지럽고 흐림.
[紛蕩 분탕] 어지럽게 움직임.
[紛葩 분파] ㉠매우 많은 모양. ㉡시끌시끌한 소리.
[紛披 분피] ㉠꽃이 많이 핀 모양. ㉡어지럽게 흩어지는 모양. 산란(散亂)한 모양. ㉢온화한 모양.
[紛惑 분혹] 혼란하여 미혹(迷惑)함.
[紛訌 분홍] 내홍(內訌).
[紛紅駭綠 분홍해록] '紅'은 꽃의 색을 뜻하고, '綠'은 초목의 잎을 이름. 꽃과 잎이 흐드러지게 핀 모양. 또는, 바람이 세게 불어 꽃과 잎이 대단히 흔들리는 모양.
[紛華 분화] ㉠번화(繁華)함. ㉡대단히 화려함.
[紛譁 분화] 분훤(紛喧).
[紛淆 분효] 뒤섞임.
[紛囂 분효] 혼란하고 시끄러움.
[紛喧 분훤] 매우 시끄러움. 또, 소란하게 떠듦.
◉交紛. 糺紛. 糾紛. 放紛. 繽紛. 絮紛. 世紛. 楯紛. 時紛. 離紛. 挫銳解紛. 縝紛. 姤紛. 玄

紛. 囂紛. 喧紛.

4 ⑩ [紜] 운 ㊥文 王分切 yún 纭 𦈺

字解 ①어지러울 운 많아서 어지러운 모양. '萬騎紛—'《班固》. ②성할 운 물건이 어지러울 정도로 많고 성(盛)한 모양. '牛驢走——'《白居易》.

字源 形聲. 糸+云〔音〕. '云운'은 구름의 象形. 구름처럼 어지럽게 엉기다의 뜻을 나타냄.

[紜紜 운운] ㉠많아서 어지러운 모양. ㉡왕래가 많고 성(盛)한 모양.
◉紛紜.

4 ⑩ [紝] 임 ㊥侵 如林切 (rén) ㊦沁 如鴆切 rèn 纴

字解 ①짤 임 베를 짬. '組—縫製'《柳宗元》. ②명주 임, 비단 임 견직물. '織—組紃'《禮記》. ③실 임 베 짜는 실.

字源 篆文 紝 別體 𢇍 形聲. 糸+壬〔音〕. '壬임'은 베 짜는 실을 본뜸. '糸사'를 덧붙여, 베 짜는 실의 뜻을 나타냄. 베틀에 정성스레 감겨져 있고, 또한 지속적(持續的)으로 직물(織物)에 재료를 공급하는 것으로서의 베 짜는 실의 뜻임.

4 ⑩ [料] 두 ㊤有 他口切 tǒu

字解 ①고할 두 '—, 告也'《康熙字典》. ②노랑 실 두 '—, 絲黃色'《集韻》.

參考 糾(糸部 二畫〈p.1710〉)는 別字.

4 ⑩ [紞] 담 ㊤感 都敢切 dǎn 𦈇

字解 ①끈 담 관(冠)의 귀막이 옥(玉)을 매다는 끈. '衡—紘綖'《左傳》. ②가선 담 이불의 가선. '紟五幅無—'《禮記》. ③북소리 담 북을 치는 소리. '武昌城頭鼓——'《謝翶》.

字源 篆文 紞 形聲. 糸+冘〔音〕. '冘음'은 '가라앉다'의 뜻. 관(冠)에서 귀의 언저리까지 늘어진 끈의 뜻을 나타냄.

[紞紞 담담] 북을 치는 소리.

4 ⑩ [紟] 금 ㊥侵 居吟切 jīn ㊦沁 巨禁切 jìn

字解 ①옷고름 금 옷깃을 여미어 매는 끈. '佩—'. ②홑이불 금 한 겹으로 된 이불. '布—二衾'《禮記》.

字源 篆文 紟 籒文 𦃇 形聲. 糸+今〔音〕. '今금'은 덮어 가리다의 뜻. 옷의 앞을 여미어, 몸을 가리는 물건(옷고름)의 뜻을 나타냄.

4 ⑩ [紡] 人名 방 ㊤養 妃兩切 fǎng, ③bǎng 纺

字解 ①자을 방 섬유로 실을 만듦. '—車'. '—績'. '託于紀鄣, —焉'《左傳》. ②실 방 자은 실. '賄用束—'《儀禮》. ③걸 방 달아맴. '—于庭之槐'《國語》.

字源 篆文 紡 形聲. 糸+方〔音〕. '方방'은 '늘어놓다'의 뜻. 실을 늘어놓다, 잣다의 뜻을 나타냄.

[紡纑 방로] ㉠실을 잣고 삼을 찜. ㉡자은 삼실.
[紡毛 방모] 자은 털실.
[紡文績學 방문적학] 문장(文章)을 짓고 학문(學問)을 닦는 것을 길쌈을 하는 데 비유한 말.
[紡績 방적] 길쌈.
[紡甎 방전] 실패.
[紡織 방직] 실을 잣고 날아서 피륙을 짬.
[紡織娘 방직랑] ㉠여칫과에 속하는 곤충. 베짱이. ㉡괄괄아(聒聒兒).
[紡車 방차] 솜이나 털 같은 섬유를 자아 실을 뽑아내는 제구. 물레.
[紡錘 방추] ㉠물레의 가락. 실톳을 올리는 것. ㉡북.
[紡花 방화] 면화(綿花)를 자음. 또는, 그 실.
◉束紡. 績紡. 執紡.

〔紡車〕

4 ⑩ [紑] 부 ㊥尤 匹尤切 fóu ㊤有 芳否切

字解 희고고울 부 옷이 희고 고운 모양. 산뜻한 모양. '絲衣其—'《詩經》.

字源 篆文 紑 形聲. 糸+不〔音〕. '不부'는 봉긋이 부푼 꽃송이가 늘어져 있는 모양으로, 소담하고 아름다운 모양. 아름다운 의복의 뜻을 나타냄.

4 ⑩ [紘] 〔경〕 絅(糸部 七畫〈p.1740〉)과 同字

4 ⑩ [緊] 〔긴〕 緊(糸部 八畫〈p.1753〉)의 俗字·簡體字

4 ⑩ [絲] 〔사〕 絲(糸部 六畫〈p.1730〉)와 同字

4 ⑩ [紊] 人名 문 ㊦問 亡運切 wěn(wèn) ㊥文 無分切

字解 어지러울 문, 어지럽힐 문 '—亂'. '若網在綱, 有條而不—'《書經》.

字源 篆文 紊 形聲. 糸+文〔音〕. '文문'은 '무늬'의 뜻. 어지러이 뒤섞인 무늬의 모양에서, '어지러워지다'의 뜻을 나타냄.

[紊棄 문기] 어지러워져 쇠퇴함.
[紊亂 문란] 어지러움. 또, 어지럽힘.
[紊緖 문서] 어지러운 실마리. 난리의 시초.
[紊碎 문쇄] 낡아 부서짐.
[紊擾 문요] 어지러워 시끄러움.
[紊墜 문추] 문란하고 퇴폐(頹廢)함.
◉妨紊. 繁紊. 散紊. 枉紊. 弛紊. 堙紊. 彫紊. 侵紊. 滑紊. 虧紊. 隳紊.

4 ⑩ [素] 中 人 소 ㊦遇 桑故切 sù

筆順 一 二 十 圭 圭 孛 孛 素

字解 ①흴 소, 흰빛 소 백색. '—衣'. '—絲五紽'《詩經》. ②생명주 소 생사로 짠 흰 명주. '尺—'. '純以—'《禮記》. ③무지 소, 무문 소 무늬

가 없음. '一也者, 五色之質也'《管子》. 전(轉)하여, 질박한 뜻으로 쓰임. '質一'. '樸一'. ④바탕 소 본바탕. '一質'. '一養'. '平易者道之一'《淮南子》. ⑤정성 소 심중에서 우러나오는 성의. 진정. '披心腹見情一'《鄒陽》. ⑥평상 소 평상시. 평소. '平一'. '斯賢達之一交'《劉峻》. ⑦본디 소 원래. '陳嬰者一信謹'《史記》. '皆非其一所能也'《素問》. ⑧한갓 소 헛되이. '不一餐兮'《詩經》. ⑨채식 소 육식의 대(對). 疏(疋部 七畫)와 통용. '一食'. '食一'. ⑩미리할 소 미리 계획함. '夫謀必一, 見成事焉'《國語》. ⑪향할 소 傃(人部 十畫)와 통용. '一隱行怪'《中庸》. ⑫넓을 소 '一, 廣也'《方言》. '一, 博也'《廣雅》. ⑬분수에따를 소 현재 지위에 응함. '君子一其位而行'《禮記》. ⑭성 소 성(姓)의 하나.

字源 篆文 形聲. 糸+𠦑(昔)〔音〕. '𠦑석'은 '初초'와 통하여, '처음'의 뜻. 누에고치에서 갓 자아낸 원래의 하얀 실이란 뜻에서, 본디, 본바탕, 희다의 뜻을 나타냄. '𠦑'의 자형(字形) 윗부분이 '𠂹'에서 다시 '主'로 모양이 바뀌어, '素'로 되었음.

[素簡 소간] 간소(簡素).
[素憾 소감] 전부터 품고 있는 원한.
[素蓋 소개] 흰 생명주의 일산(日傘).
[素儉 소검] 질소(質素)하고 검약(儉約)한 일. 소검(素檢).
[素檢 소검] 소검(素儉).
[素絹 소견] 흰 생명주.
[素縑 소겸] 흰 고운 명주.
[素故 소고] 오랜 교우(交友). 구교(舊交). 소교(素交).
[素窠 소과] 하얀 꽃잎.
[素官 소관] 낮은 관직(官職). 또는, 청빈한 벼슬아치.
[素光 소광] 흰빛. 달빛을 이름.
[素交 소교] 오랜 교우(交友). 구교(舊交).
[素轎 소교] 《韓》 상제가 타는 희게 꾸민 가마.
[素琴 소금] ㉠장식이 없는 질박(質朴)한 거문고. ㉡줄이 없는 거문고.
[素襟 소금] ㉠흰 옷깃. ㉡본심(本心).
[素肌 소기] 흰 살갗. ㉠화장하지 않은 맨살. ㉡옷을 걸치지 않은 드러낸 맨살.
[素氣 소기] 가을의 기(氣). 상기(商氣).
[素旗 소기] 흰 기. 백기(白旗).
[素羈 소기] 흰 고삐.
[素念 소념] 소지(素志).
[素湍淥潭 소단녹담] 흰 물결이 일어나는 여울과 물이 맑은 소(沼).
[素來 소래] 평소(平素). 본래(本來).
[素厲 소려] 능력이 없이 헛되이 애씀.
[素練 소련] 흰 누인 명주.
[素履 소리] 소행(素行).
[素望 소망] 평소에 품고 있는 소망(所望). 평소에 늘 바라던 일. 소지(素志).
[素面 소면] ㉠흰 얼굴. 소안(素顔). ㉡화장하지 아니한 얼굴.
[素麪 소면] 고기를 넣지 아니한 국수.
[素木 소목] 깎기만 하고 칠을 하지 아니한 목재.
[素描 소묘] 흑색으로 묘사(描寫)만 하고 색칠을 하지 아니한 그림. 묵필화(墨筆畫)·연필화(鉛筆畫)·강필화(鋼筆畫)·목탄화(木炭畫) 따위.
[素撫 소무] 평소부터 애무(愛撫)함.
[素門 소문] 빈천(貧賤)한 가문(家門). 상사람의 집안.
[素朴 소박] 질소하고 순박(淳朴)함.
[素樸 소박] 소박(素朴).
[素飯 소반] 고기반찬이 없는 밥. 소밥. 소금엣밥.
[素髮 소발] 흰머리. 백발(白髮).
[素白 소백] 아주 흼.
[素魄 소백] '달〔月〕'의 별칭(別稱).
[素幡 소번] 흰 기(旗). 백기(白旗). 소기(素旗).
[素服 소복] ㉠흰옷. 백의(白衣). 또, 흰 상복(喪服). ㉡흰옷을 입음. 흰 상복을 입음.
[素封 소봉] 큰 부자. 백만장자. 제후(諸侯)와 같이 봉토(封土)는 없으나, 재산이 봉토를 가진 제후만 못지않은 사람이라는 뜻.
[素分 소분] 본디부터 정하여 있는 분수(分數).
[素貧 소빈] 본디부터 빈한함.
[素士 소사] 벼슬이 없는 선비.
[素沙 소사] 흰 모래.
[素食 소사] 평소 먹는 밥.
[素絲 소사] 흰 실. 전(轉)하여, 어떤 색으로도 물들 수 있는 밑바탕. 선악(善惡) 어느 쪽으로도 될 수 있는 소질.
[素辭 소사] 꾸밈없는 말. 솔직한 말.
[素絲良馬 소사양마] 정기(旌旗)에 단 소사(素絲)의 장식과 대부(大夫)가 타는 양마(良馬). 현인(賢人)을 예우(禮遇)하여 쓰는 말.
[素尙 소상] ㉠청소(淸素)하고 고상함. ㉡평소부터 숭상하는 바. 평소에 늘 바라던 일. 소망(素望).
[素商 소상] 가을〔秋〕의 별칭(別稱). 소추(素秋).
[素常 소상] 평소(平素).
[素像 소상] 채색(彩色)을 하지 아니한 상(像).
[素書 소서] 책 이름. 1권. 황석공(黃石公)의 찬(撰)이라 함. 송(宋)나라 사람 장상영(張商英)이 주(註)를 냈는데, 대지(大旨)는 도(道)·덕(德)·인(仁)·의(義)·예(禮)의 오자(五者)를 일체(一體)로 삼았음.
[素膳 소선] 변변치 못한 음식.
[素雪 소설] 흰 눈. 백설(白雪).
[素蟾 소섬] '달〔月〕'의 별칭(別稱).
[素性 소성] 타고난 성질. 천성(天性).
[素飧 소손] 소찬(素餐).
[素手 소수] 희고 아름다운 손. 미인의 손.
[素數 소수] 그 수 자신과 1 이외의 수로는 똑 떨어지게 나누어지지 않는 정수(整數). '5·7·11' 같은 수.
[素習 소습] 평소에 늘 익힘. 곧, 학습함. 또는, 평소의 습관.
[素食 소식·소사] ㉠소찬(素餐). ㉡고기나 생선 같은 반찬이 없는 음식. 또, 그 음식을 먹음. 소식(疏食). 소식(蔬食). ㉢'소사(素食)'를 보라.
[素室 소실] ㉠상사람의 집. 평민의 집. ㉡벽을 희게 바른 집.
[素心 소심] ㉠결백한 마음. ㉡본디부터 품고 있는 생각. 본심(本心).
[素娥 소아] ㉠백의(白衣)의 항아(嫦娥). 달 속에 있다는 흰옷을 입은 선녀(仙女). ㉡달〔月〕의 별칭(別稱).
[素堊 소악] 흰 흙. 또, 흰 벽. 백악(白堊).
[素顔 소안] ㉠흰 얼굴. 또, 화장하지 않은 맨얼굴. ㉡수염 없는 얼굴.
[素謁 소알] 무위 무관(無位無官)의 사람의 신고

(申告).
[素液 소액] 흰 액체. 백액(白液).
[素養 소양] 평소에 닦은 학문과 덕행(德行). 본디부터 가진 교양(敎養).
[素鳶 소연] 흰 연.
[素髥 소염] 흰 구레나룻. 설염(雪髥). 상염(霜髥). 백염(白髥).
[素影 소영] 흰빛. ㉠흰 달 그림자. 밝은 달빛. ㉡눈의 흼.
[素霓 소예] 흰 무지개. 백홍(白虹).
[素烏 소오] 흰 까마귀.
[素玉 소옥] 흰 옥. 백옥(白玉).
[素英 소영] 흰 꽃.
[素王 소왕] ㉠검소(儉素)하였던 상고(上古)의 왕. ㉡제왕(帝王)은 아니나 제왕의 덕(德)을 갖춘 사람. 전(轉)하여, 공자(孔子)나 노자(老子)를 이름.
[素羽 소우] 빛이 흰 깃. 백우(白羽).
[素願 소원] 본래의 소원(所願). 평소에 늘 품어 오던 소원. 숙원(宿願).
[素月 소월] 흰 달. 밝은 달. 명월(明月). 호월(皓月).
[素衣 소의] 흰옷. 백의(白衣).
[素意 소의] 소지(素志).
[素因 소인] 원인(原因). 또, 요소(要素).
[素一 소일] 순박(純朴)함. 순일(純一)함.
[素稔 소임] 평소부터 익히 알고 있음.
[素掌 소장] 흰 손바닥. 흰 손.
[素材 소재] ㉠기본이 되는 재료. 원료. ㉡소질. 본래 지니고 있는 성질. ㉢예술 작품(藝術作品)의 기초가 되는 재료.
[素節 소절] ㉠가을의 계절. 가을철. 추절(秋節). ㉡깨끗한 절개.
[素情 소정] 본디부터 품은 생각. 숙정(宿情).
[素爪 소조] 흰 손톱.
[素組 소조] 흰 끈.
[素足 소족] 흰 발.
[素族 소족] 상사람. 상민(常民). 서민(庶民).
[素繒 소증] 소겸(素縑).
[素地 소지] 밑바탕. 또, 토대. 기초.
[素志 소지] 본디의 뜻. 평소부터 품은 뜻. 소념(素念). 숙지(宿志).
[素質 소질] ㉠흰 바탕. ㉡타고난 성질. 본바탕. ㉢장래 발전할 기인(基因)이 되는 성질.
[素車 소차] 백목(白木)의 수레. 흰 수레.
[素車白馬 소차백마] 장사 때나 항복할 때 쓰는 흰 수레와 흰 말.
[素餐 소찬] 공로 또는 재능이 없이 높은 지위에 앉아 그저 녹만 타 먹음.
[素饌 소찬] 고기나 생선이 없는 반찬.
[素秋 소추] 가을〔秋〕의 딴 이름. 오행설(五行說)에서 흰빛을 가을에 배당하므로 이름.
[素齒 소치] 흰 이. 호치(皓齒).
[素湯 소탕] 《韓》 고기를 넣지 않고 끓인 국.
[素波 소파] 흰 물결. 흰 파도.
[素波銀濤 소파은도] 소파(素波).
[素袍 소포] 흰 도포(道袍).
[素風 소풍] ㉠결백하고 검소한 기풍(氣風). ㉡가을바람.
[素行 소행] ㉠현재의 경우에 알맞은 바른 행위. 자기의 본분을 지키는 바른 행위. ㉡평소의 조행(操行).
[素寒貧 소한빈] 가난하여 아무것도 없음. 무일푼. 찰가난. 또, 그 사람.
[素玄 소현] 백색과 흑색.
[素馨 소형] 물푸레나뭇과에 속하는 상록 관목(常綠灌木). 인도 원산. 꽃은 향기가 강하여 관상용으로 심으며 향유(香油)의 원료로 쓰임. 말리(茉莉).
[素花 소화] 소화(素華).
[素華 소화] ㉠흰 꽃. 백화(白花). ㉡흰머리. 백발(白髮).
[素紈 소환] 흰 깁. 환소(紈素).
[素懷 소회] 평소에 품은 생각.
[素侯 소후] 소봉(素封).
[素輝 소휘] 백색의 광휘. 흰빛.
◉愨素. 簡素. 儉素. 潔素. 縑素. 謙素. 道素. 朴素. 色素. 誠素. 束素. 純素. 尸素. 心素. 雅素. 約素. 要素. 元素. 鯉素. 積素. 情素. 竹素. 質素. 尺素. 天素. 淸素. 靑蠅點素. 忠素. 緇素. 太素. 平素. 弊素. 布素. 寒素. 閑素. 楷素. 毫素. 縞素. 紈素. 繪事後素. 繪素. 後素.

4 ⑩ [索] 高·人 ■一 삭 ㉧藥 蘇各切 suǒ
■二 색 ㉧陌 山責切 suǒ

筆順 一 十 广 卉 去 壶 幸 索

字解 ■一 ①노 삭 바·노끈·새끼 따위. 주로 굵은 것을 이름. '大一'. '朽一'. '大者謂之一, 小者謂之繩'《小爾雅》. ②꼴 삭 노·새끼 등을 꼼. '宵爾一綯'《詩經》. ③헤어질 삭 흩어짐. '吾離羣而一居'《禮記》. ④다할 삭 ㉠다 없어짐. 다됨. '力一'. ㉡힘이 다하여 멸망함. '惟家之一'《書經》. ⑤고를 삭 가려 선택함. '以一牛馬'《左傳》. ⑥셀 삭 수효를 셈. '一一而得男'《易經》. ⑦빌 삭 공허함. '一, 空也'《小爾雅》. ⑧홀로 삭 혼자임. '一, 獨也'《廣雅》. ⑨법 삭 법제(法制). ⑩두려워할 삭 '一一, 懼貌'《集韻》. ■二 ①찾을 색 ㉠뒤지어 살핌. 구(求)함. '一求'. '大夫以一牛'《禮記》. '吹毛一疵'《漢書》. ㉡남의 수중에 있는 것을 돌려 옴. '訟老君一傭錢'《列仙傳》. ②바랄 색 원함. '我一折一枝斷腸柳, 餞一杯送別酒'《元曲》.

字源 金文 篆文 會意. 金文은 宀+糸+廾. '宀면'은 '집'의 뜻. '糸사'는 '실'의 뜻. '廾공'은 두 손을 본뜬 모양. 집 안에서 풀의 잎이나 줄기를 재료로 새끼를 꼬다, 새끼의 뜻을 나타냄. 또, 새끼를 끌어당기듯 하여, '구하다, 찾다'의 뜻을 나타냄. 《說文》에서는 宋+糸의 會意.

[索居 삭거] 헤어져 삶. 쓸쓸히 삶.
[索綯 삭도] 새끼를 꼼.
[索頭 삭두] 삭로(索虜).
[索頭虜 삭두로] 삭로(索虜).
[索虜 삭로] 변발(辮髮)한 사람을 욕하는 말. 변발을 한 오랑캐. 남북조 시대(南北朝時代)에 남조 사람이 북조의 위(魏)나라 사람을 가리켜 이른 말. 삭두로(索頭虜).
[索莫 삭막] ㉠쓸쓸한 모양. 적막한 모양. ㉡실망한 모양. 실의(失意)한 모양.
[索漠 삭막] 삭막(索莫).
[索寞 삭막] 삭막(索莫).
[索辮 삭변] 변발(辮髮).
[索索 삭삭] ㉠안심이 되지 않는 모양. 불안한 모

양. ㉡두려워하는 모양. ㉢얽힌 모양. ㉣헤어지는 모양. 흩어져 없어지는 모양. ㉤소리의 형용.
[索性 삭성] 속어(俗語)로서 '차라리'의 뜻.
[索然 삭연] ㉠눈물을 흘리는 모양. ㉡헤어지는 모양. 흩어져 없어지는 모양. ㉢쓸쓸한 모양.
[索求 색구] 찾아 구함.
[索婦 색부] 며느리를 얻음. 자부를 봄.
[索隱 색은] ㉠숨은 사리(事理)를 찾음. ㉡당(唐)나라의 사마정(司馬貞)이 사기(史記)를 주석(註釋)한 책.
[索引 색인] ㉠찾아냄. ㉡자전·사전 기타 서적에 있는 글자나 단어 등을 빨리 찾아보도록 만든 목록.
◉郭索. 露索. 踏索. 大索. 覓索. 摸索. 部索. 消索. 蕭索. 繩索. 暗中摸索. 沮索. 紙索. 千搜萬索. 探索. 討索. 八索. 布索.

4
⑩ [紮] 〔찰〕
紮(糸部 五畫〈p. 1730〉)의 俗字

5
⑪ [紩] 질 ㊇質 直一切 zhì

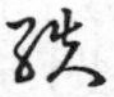

字解 ①꿰맬 질 옷을 꿰맴. 기움. '布褐而一之, 謂之藍縷'《孔叢子》. ②들일 질 넣음. '一, 納也'《廣雅》. ③바 질 밧줄. '一, 索也'《廣雅》.
字源 篆文 形聲. 糸＋失〔音〕

◉縫紩.

5
⑪ [紬] 人名 주 ㊥尤 直由切 chōu, chóu
㊦宥 直祐切 zhòu

字解 ①명주 주 지스러기 고치나 풀솜에서 뽑은 실로 짠 굵은 명주. '遺送白一'《北齊書》. ②자을 주 섬유에서 실을 뽑아냄. 抽(手部 五畫)와 통용. '一績日分'《史記》. ③모을 주, 철할 주 모아 철(綴)함. '一史記石室金匱之書'《史記》. ④켤 주 악기(樂器)의 현(弦)을 켜 연주함. '一大絃而雅聲流'《宋玉》. ⑤실마리 주 '一, 緖也'《集韻》.
字源 篆文 形聲. 糸＋由〔音〕

[紬緞 주단] 거친 명주와 바탕이 곱고 광택이 있는 두꺼운 비단. 명주와 비단.
[紬繹 주역] 실마리를 뽑아내어 찾음. 뽑아냄.
[紬績 주적] 실을 자음.
[紬次 주차] 뽑아내어 순서를 매김.
◉絹紬. 繭紬. 絓紬.

5
⑪ [絊] 최 zuì

字解 선명할 최, 깨끗할 최 '一, 鮮潔也'《篇韻》.

5
⑪ [𥿂] 원 ㊤阮 委遠切 wǎn
㊥元 於袁切 yuān

字解 ①갓끈 원, 붉은옷 원, 그물 원 綩(糸部 八畫)과 同字 '綩, 冠纂也, 一曰, 纁色衣, 一曰, 罔也, 或省'《集韻》. ②어지러울 원 '一, 繙一, 亂也'《集韻》.

5
⑪ [絽] 〔기〕
紀(糸部 三畫〈p. 1710〉)와 同字

5
⑪ [絈] 〔맥〕
帞(巾部 六畫〈p. 671〉)과 同字

5
⑪ [紙] 저 ㊥齊 都黎切 dī

字解 실찌끼 저 '一, 絲滓也'《說文》.
字源 形聲. 糸＋氐〔音〕

5
⑪ [細] 中人 세 ㊦霽 蘇計切 xì 细

筆順 ㄑ 幺 幺 糸 糿 紃 細 細

字解 ①가늘 세 넓이가 좁음. '一小'. '一長'. '坐視帶長, 轉看腰一'《梁元帝》. ②작을 세 조그마함. '一鱗'. '不矜一行'《書經》. ③적을 세 근소함. 조금임. 또, 드묾. '些一'. '鏡之明己也功一'《呂氏春秋》. '歸來踏人影, 雲一月娟娟'《蘇軾》. ④자세할 세 세밀함. '詳一'. '自麤入一'《北史》. 또, 자세히. '一見'. '一査'. '一觀化遠也'《呂氏春秋》. ⑤잗달 세 너무 잘아 번거로움. '一苛'. '煩一'. '大行不顧一謹'《史記》. ⑥천할 세 비천함. 또, 그러한 사람. '一人'. '奸一'. '怨由一'《國語》. '一人之愛人也以姑息'《禮記》.
字源 篆文 形聲. 篆文은 糸＋囟〔音〕. '囟신'은 어린애 정수리의 숫구멍의 뜻. 미약한 실, 가늘다의 뜻을 나타냄.

[細苛 세가] 잗달고 번거로움.
[細奸 세간] 도량이 좁고 성질이 간악한 사람.
[細姦 세간] 세간(細奸).
[細間 세간] 세작(細作).
[細看 세간] 자세히 봄. 세시(細視).
[細介 세개] 잘고 작음. 자잘함.
[細鉅 세거] 작음과 큼. 작은 것과 큰 것. 거세(巨細). 세대(細大).
[細檢 세검] ㉠잔단 행위. ㉡세사(細査).
[細見 세견] 자세히 봄.
[細徑 세경] 좁은 길. 세로(細路).
[細莖 세경] 가는 줄기.
[細計 세계] ㉠세밀히 헤아림. ㉡세밀히 계산함. 또, 세밀한 계산.
[細故 세고] 작은 일. 소사(小事).
[細過 세과] 작은 과실. 소과(小過).
[細管 세관] ㉠가는 피리. ㉡작은 관(管).
[細君 세군] ㉠제후(諸侯)의 부인(夫人)의 일컬음. 소군(小君). ㉡자기 아내의 일컬음. ㉢남의 아내의 일컬음.
[細窮民 세궁민] 매우 가난한 사람. 가난뱅이.
[細菌 세균] 생물 중에서 가장 작아 육안으로는 볼 수 없는 미균(微菌). 박테리아.
[細瑾 세근] 작은 흠. 작은 과실.
[細謹 세근] ㉠잔일에 주의함. 조그마한 일에 정신을 씀. ㉡잔단 조심. 쓸데없는 예의.
[細大 세대] 작음과 큼. 작은 것과 큰 것. 작은 일과 큰일.
[細德 세덕] 작은 국량. 소인의 행위. 부덕(不德).
[細讀 세독] 세밀히 읽음. 자세히 읽음. 정독(精讀).
[細覽 세람] 자세히 봄.
[細漣 세련] 잔물결. 세파(細波).
[細路 세로] 좁은 길. 소로(小路).

[細論 세론] 세밀히 논함. 상세히 논함. 상론(詳論).
[細縷 세루] 가는 실.
[細柳 세류] ㉠가지가 실같이 가는 버들. 세버들. ㉡한(漢)나라의 주아부(周亞夫)가 장군(將軍)이 되어 둔영(屯營)을 둔 곳. 지금의 산시 성(陝西省) 셴양 현(咸陽縣)의 서남에 있음. 이 고사(故事)에 의하여 막부(幕府)를 유영(柳營)이라고도 함.
[細流 세류] 가늘게 흐르는 물. 시내.
[細鱗 세린] ㉠잔 비늘. ㉡잔 물고기.
[細馬 세마] 좋은 말. 양마(良馬).
[細末 세말] 고운 가루. 분말(粉末).
[細目 세목] 잘게 나눈 절목(節目).
[細務 세무] 잔단 사무.
[細紋 세문] 잔 무늬. 또, 잔 파문(波紋).
[細問 세문] 자세히 물음.
[細眉 세미] 가는 눈썹. 섬미(纖眉).
[細微 세미] ㉠썩 가늘고 작음. 미세(微細). ㉡신분이 천(賤)함. 미천(微賤).
[細民 세민] 빈천한 백성. 빈민(貧民). 천민(賤民).
[細密 세밀] 정세(精細)하고 치밀(緻密)함.
[細斑 세반] 작은 반점(斑點).
[細報 세보] 자세한 보고. 상보(詳報).
[細沙 세사] 잔모래. 고운 모래. 모새.
[細事 세사] 잔단 일.
[細思 세사] 곰곰 생각함.
[細査 세사] 자세히 조사함.
[細書 세서] 잘게 씀. 또, 잔글씨.
[細說 세설] ㉠소인의 말. 세인(細人)의 말. ㉡자세히 설명함.
[細細 세세] ㉠작은 모양. ㉡가는 모양.
[細小 세소] 가늘고 작음. 사소(些小). 미소(微小).
[細篠 세소] 가는 조릿대.
[細碎 세쇄] ㉠잘게 부숨. ㉡잔달고 번거로움. 번쇄(煩碎).
[細瑣 세쇄] 잘고 작음.
[細詢 세순] 자세히 물음.
[細術 세술] ㉠잔 술책(術策). 하찮은 방책. ㉡하찮은 기술. 말기(末技).
[細颸 세시] 솔솔 부는 바람. 미풍(微風).
[細心 세심] ㉠자세히 주의하는 마음. 조심. ㉡작은 국량.
[細弱 세약] ㉠가늘고 약함. 약함. ㉡처자(妻子)를 이름.
[細語 세어] 속삭임. 또, 자잘한 이야기.
[細孽 세얼] 몰래 못된 짓을 하는 자(者).
[細軟 세연] 가늘고 연함.
[細葉 세엽] 작은 잎.
[細纓 세영] 고래의 수염으로 만든 가는 갓끈. 육품(六品) 이하의 무관(武官)이 씀.
[細娛 세오] 잔단 오락. 하찮은 오락.
[細腰 세요] 가는허리. 미인의 허리.
[細腰蜂 세요봉] 나나니벌.
[細雨 세우] 가랑비. 이슬비.
[細月 세월] 가느다란 달. 초승달.
[細人 세인] ㉠도량이 좁은 사람. 천한 사람. 쓸모없는 사람. 소인(小人). ㉡벼슬이 낮은 사람.
[細字 세자] 잔글씨.
[細疵 세자] 세하(細瑕).
[細作 세작] 간첩(間諜).
[細棧 세잔] 좁은 잔교(棧橋).
[細仗 세장] 천자(天子)·태자(太子)의 행렬에 쓰이는 의장(儀仗)의 하나.
[細長 세장] 가늘고 긺.
[細苧 세저] 세모시.
[細註 세주] 자세히 설명한 주해(註解). 잔주. 또, 잔글씨로 써 넣은 주.
[細毳 세취] 짐승의 솜털.
[細緻 세치] 가늘고 고움.
[細則 세칙] 자세한 규칙.
[細波 세파] 잔물결.
[細片 세편] 잔 조각.
[細評 세평] 세밀히 비평함. 또, 그 비평.
[細萍 세평] 작은 부평초(浮萍草). 조그마한 개구리밥.
[細布 세포] 가늘고 곱게 짠 베.
[細胞 세포] ㉠생물체를 조성하는 기본적 단위로서 원형질(原形質)로 된 극히 작은 생활체. ㉡단체(團體)를 조직하는 하부 단위.
[細風 세풍] 솔솔 부는 바람. 미풍(微風).
[細筆 세필] ㉠잘게 씀. 잔글씨를 씀. ㉡가는 붓.
[細瑕 세하] 작은 흠. 조그마한 결점. 미하(微瑕).
[細港 세항] 좁은 뱃길.
[細覈 세핵] 자세히 조사함.
[細行 세행] 조그마한 행위. 잔단 예절(禮節). 소절(小節).
[細花 세화] 작은 꽃. 소화(小花).
[細話 세화] 자세히 이야기함. 또, 그 이야기.
[細滑 세활] ㉠여자의 살결 같은 것이 곱고 매끄러움. ㉡《佛教》 색욕(色欲)을 이름.
◉苛細. 奸細. 巨細. 黔細. 輕細. 謹細. 縷細. 短細. 大事心作細. 明細. 微細. 薄細. 煩細. 繁細. 卑細. 些細. 三細. 詳細. 纖細. 瑣細. 嚴細. 零細. 五細. 猥細. 委細. 柔細. 仔細. 精細. 洪細.

5 ⑪ [紶] [一] 거 [上]語 口擧切 qǔ [平]魚 去魚切 qū
[二] 겁

[字解] [一] ①실마리 거 '一, 緖也'《集韻》. ②이을 거 '一, 繼也'《玉篇》. ③묶을 거 다발로 묶음. '一, 束也'《玉篇》. [二] 거북다리 겁 蜐(虫部 七畫)과 통용. '東海則有紫一魚鹽焉'《荀子》.

5 ⑪ [紱] 불 [入]物 分勿切 fú 绂

[字解] ①인끈 불 인수(印綬). '授單于印一'《漢書》. ②입을 불 몸에 걸침. '足以纓一其心矣'《莊子 註》. ③제복(祭服) 불 '朱一方來'《易經》.
[字源] 形聲. 糸+犮〔音〕. '犮발'은 '韍불'과 통하여, '앞치마'의 뜻. 인장(印章)에 다는 '인끈'의 뜻을 나타냄.

[紱冕 불면] 인수(印綬)와 관(冠). 또, 인끈을 띠고 관을 씀. 전(轉)하여, 고관(高官).
◉釋紱. 繡紱. 纓紱. 紆紱. 組紱. 佩紱. 解紱. 華紱.

5 ⑪ [紲] [一] 설 [入]屑 私列切 xiè 绁
[二] 예 [去]霽 餘制切 yì

[字解] [一] ①고삐 설 마소를 매는 줄. '臣負羈一'《左傳》. ②줄 설 짐승을 매는 줄. '突入斷兩一'《吳志》. ③맬 설 짐승 같은 것을 맴. '係一'.

'一子嬰於軹塗'《張衡》. ④도지개 설 트집 난 활을 바로잡는 틀. 궁경(弓檠). '譬如終一'《周禮》. [二] 뛰어넘을 예 跇(足部 五畫)와 同字. '亶觀夫栗禽之一踰, 犀兕之抵觸'《揚雄》.
[字源] 篆文 別體 形聲. 糸+世〔音〕. '世세'는 '끌(어당기)다'의 뜻. 끌어서 매는 밧줄의 뜻을 나타냄.

[紲絆 설반] 꼭꼭 묶음.
◉係紲. 羈紲. 兩紲. 縲紲.

5 ⑪ [紳] [人名] 신 [平]眞 失人切 shēn 绅
[筆順] 纟 幺 糸 糸 糹 紀 紳 紳
[字解] ①큰띠 신 허리에 매고 남은 부분을 늘어뜨려 장식으로 하는 고귀한 사람의 의관용(衣冠用)의 큰 띠. '搢一'. '垂一正笏'《歐陽修》. ②벼슬아치 신 고귀한 사람. 지위가 있는 사람. '公議協朝一'《趙抃》. ③묶을 신 다발 지음. '一, 束也'《廣雅》.
[字源] 篆文 形聲. 糸+申〔音〕. '申신'은 '뻗다'의 뜻. 맨 끝을 길게 늘인 큰 띠의 뜻을 나타냄.

[紳衿 신금] 벼슬아치와 선비. 관리와 사자(士子). 신(紳)은 진신(搢紳), 금(衿)은 청금(靑衿).
[紳帶 신대] 큰 띠. 문관이 띰.
[紳冕 신면] 큰 띠와 관(冠). 전(轉)하여, 사대부(士大夫)를 이름.
[紳士 신사] ㉠벼슬아치. 또, 벼슬에서 물러난 사람. ㉡교양(教養)이 있고 예의(禮儀)가 바른 사람. 점잖은 사람.
[紳士協定 신사협정] 비공식의 국제 협정. 군자협정(君子協定).
[紳笏 신홀] 큰 띠와 홀. 고관(高官)의 복식(服飾).
◉高紳. 貴紳. 纓紳. 縉紳. 薦紳. 解紳. 鄕紳. 華紳.

5 ⑪ [紴] [一] 피 [去]寘 平義切 bì / [上]紙 補靡切 bì [二] 파 [平]歌 逋禾切 bō
[字解] [一] ①실띠 피 실로 짠 끈. '一, 絛屬'《說文》. ②꾸릴 피 몸을 꾸리어 차린 모양. '一, 裝束皃'《集韻》. ③비단무늬 피 '水一'는 비단의 무늬. '一, 水一, 錦文'《廣韻》. ④비단 피 '一, 錦屬'《集韻》. [二] ①실띠 파 [一]❶과 뜻이 같음. ②비단 파 [一]❹와 뜻이 같음.
[字源] 形聲. 糸+皮〔音〕

5 ⑪ [絑] 말 [入]月 勿發切 wà / [入]曷 莫葛切 mò
[字解] ①버선 말 족의(足衣). '絳袴一'《後漢書》. ②띠 말 허리띠. 袜(衣部 五畫)과 同字. '一, 所以束衣也'《集韻》.

5 ⑪ [紵] [人名] 저 [上]語 直呂切 zhù
[字解] ①모시풀 저 쐐기풀과(科)에 속하는 다년초. 줄기 껍질의 섬유(纖維)로 모시·어망·밧줄을 만듦. '可以漚一'《詩經》. ②모시 저 모시풀의 섬유로 짠 피륙. '一布'. '獻一衣'《左傳》.
[字源] 篆文 別體 形聲. 糸+宁〔音〕

[紵麻 저마] 모시.
[紵絮 저서] 솜.
[紵衣 저의] 모시옷.
[紵絺 저치] 모시와 고운 칡베. 저포와 세갈포.
[紵布 저포] 모시.
[紵縞 저호] 모시와 흰 깁.

5 ⑪ [紸] 주 [去]遇 之樹切 zhù
[字解] 댈 주 '一纊'은 임종 때 솜을 입에 대어 아직 숨을 쉬고 있는지의 여부를 알아보는 일. '一纊聽息之時'《荀子》.

[紸纊 주광] 자해(字解)를 보라.

5 ⑪ [紹] [人名] [一] 소 [上]篠 市沼切 shào [二] 초 [平]蕭 蚩招切 chāo 绍
[筆順] 纟 幺 糸 糸 糹 紹 紹 紹
[字解] [一] ①이을 소 이어받음. 계승함. '繼一'. '一復先王之大業'《書經》. ②도울 소 회견(會見)할 때 빈주(賓主)의 사이에 있어서 의식(儀式)을 보좌함. '請爲一介'《史記》. ③소개할 소 중간에 들어 주선함. '介一'. 인접(引接)함. '士爲一擯'《禮記》. [二] 느슨할 초 느즈러짐. '匪一匪遊'《詩經》.
[字源] 金文 篆文 古文 形聲. 糸+召〔音〕. '召소'는 '부르다, 불러오다'의 뜻. 조령(祖靈)을 불러들여, 그 뜻을 이어받다의 뜻을 나타냄.

[紹介 소개] ㉠주선함. 중개함. 또, 그 사람. ㉡모르는 사이를 서로 알게 함. 또, 그 사람.
[紹繼 소계] 이어받음. 계승함.
[紹登 소등] 계속하여 올라감.
[紹隆 소륭] 계승하여 융성하게 함.
[紹復 소복] 계승하여 일으킴. 부흥(復興)시킴.
[紹擯 소빈] 주인과 빈객 사이에서 주선함. 빈객을 주인에게 인접(引接)시킴.
[紹續 소속] 소계(紹繼).
[紹述 소술] 선대(先代)의 일을 이어받아 밝힘.
[紹承 소승] 이어받음.
[紹位 소위] 지위(地位)를 이음.
[紹衣 소의] 들은 바를 소술(紹述)하여 이를 실행함.
[紹祚 소조] 보위(寶位)를 이어받음.
[紹志 소지] 어버이의 뜻을 이어받음.
[紹恢 소회] 선대(先代)의 사업을 이어받아 이를 크게 함. 회(恢)는 대(大).
[紹興 소흥] ㉠계승하여 흥하게 함. ㉡저장 성(浙江省)에 있는 지명(地名).
[紹興酒 소흥주] 사오싱(紹興)에서 나는 유명한 술.
◉介紹. 繼紹. 克紹. 要紹. 遠紹. 後紹.

5 ⑪ [紺] [人名] 감 [去]勘 古暗切 gàn 绀
[字解] 감색 감 검은빛을 띤 푸른빛. 청색과 자색(紫色)의 간색(間色). '一碧'. '君子不以一緅

飾'《論語》.

字源 篆文 形聲. 糸+甘〔音〕. '甘감'은 '拑겸'과 통하여, 끼워 넣다의 뜻. 푸른 바탕에 붉은색을 끼워 넣은 색, 곧 감색의 뜻을 나타냄.

[紺瞳 감동] 검푸른 눈동자.
[紺碧 감벽] 검은빛을 띤 푸른빛. 검푸른 빛.
[紺宇 감우] ㉠절. 사찰(寺刹). ㉡귀인(貴人)의 집.
[紺園 감원] 절. 감우(紺宇).
[紺珠 감주] 손으로 만지면 기억(記憶)이 되살아난다고 하는 이상한 보주(寶珠). 당(唐)나라의 장열(張說)이 남에게서 선사받은 것이라 함.
[紺青 감청] 고운 남빛. 또, 그 피륙.
[紺緅 감추] 감색과 보랏빛.

5 ⑪ [結] 고 ㊥虞 攻乎切 gū

字解 풀이름 고 '一, 一蔞, 艸名'《集韻》.

5 ⑪ [紼] ㊀ 불 ㉧物 分勿切 fú ㊁ 비 ㉮未 芳未切 fèi 绋

字解 ㊀ ①상여줄 불 조상하는 사람이 상여·영구차를 끄는 줄. '助葬必執一'《禮記》. ②줄 불 물건을 잡아매는 줄. '一纚維之'《詩經》. ③인끈 불 紱(糸部 五畫)과 통용. '加一而封之'《漢書》. ④슬갑 불 芾(艸部 四畫)과 통용. '一者蔽也, 行以蔽前'《白虎通》. ⑤얽힌삼 불 '一, 亂枲也. (段注) 亂枲者, 亂麻也'《說文》. ㊁ 지스러기삼 비 '一, 緼也'《集韻》.

字源 篆文 形聲. 糸+弗〔音〕

◉王言如綸其出如紼. 綸紼. 引紼.

5 ⑪ [紽] 타 ㊥歌 徒河切 tuó

字解 타래 타 실을 세는 수사(數詞). '素絲五一'《詩經》.

字源 形聲. 糸+它〔音〕

◉素絲五紽.

5 ⑪ [紾] ㊀ 혈 ㉧屑 胡決切 xué ㊁ 일 ㉧質 弋質切 ㊂ 술 ㉧質 食律切 ㊃ 결 ㉧屑 古穴切

字解 ㊀ ①실한올 혈 '一, 縷一枚也. (段注) 一枚, 猶一箇也'《說文》. ②수의 혈 '一, 襚也'《玉篇》. ㊁ 실한올 일, 수의 일 ㊀과 뜻이 같음. ㊂ 실한올 술, 수의 술 ㊀과 뜻이 같음. ㊃ 실한올 결, 수의 결 ㊀과 뜻이 같음.

字源 形聲. 糸+穴〔音〕

5 ⑪ [紾] ㊀ 진 ㉯軫 章忍切 zhěn ㊁ 긴 ㉯軫 頸忍切 jǐn

字解 ㊀ ①돌 진, 돌릴 진 회전함. 또, 회전시킴. '千變萬一'《淮南子》. ②비틀 진 힘 있게 틂. 또, 비틀림. '一兄之臂'《孟子》. ③휘감겨얽힐 진 '以相繆一'《淮南子》. ㊁ 거칠 긴 결이 거칠고 윤기가 없음. '老牛之角, 一而昔'《周禮》.

字源 篆文 形聲. 糸+㐱〔音〕. '㐱진'은 밀도(密度)가 높다의 뜻. 실을 친친 감다의 뜻을 나타냄.

◉繆紾. 錯紾.

5 ⑪ [紿] 태 ㉯賄 徒亥切 dài 绐

字解 ①속일 태 기만함. '欺一'. '惡公子之一'《穀梁傳》. ②이를 태 至(部首)와 뜻이 같음. '出百死, 而一一生'《淮南子》. ③의심할 태 남에게 의심을 품음. '疑一'. '一, 疑也'《玉篇》. ④실삭을 태 실이 오래되어 삭음. '絲勞卽一'《說文》. ⑤느슨할 태 '一, 緩也'《廣雅》. ⑥게을리할 태 '一之言, 怠也'《說文 段注》.

字源 篆文 形聲. 糸+台〔音〕. '台태'는 '느슨해지다〔怠〕'의 뜻. 오래된 실이 삭아서 느즈러져 약하다의 뜻을 나타냄. '詒태'와 통하여, '속이다'의 뜻을 나타냄.

◉欺紿. 疑紿.

5 ⑪ [絀] ㊀ 출 ㉧質 竹律切 chù ㊁ 굴 ㉧物 區勿切 qū 绌

字解 ㊀ ①꿰맬 출 실로 꿰맴. 또, 꿰맨 줄. 솔기. '却冠秫一'《史記》. ②물리칠 출 黜(黑部 五畫)과 同字. '不孝子, 君一以爵'《禮記》. ③물러설 출, 굽힐 출 겸손함. '恭敬縛一, 以畏事人'《荀子》. ㊁ 굽을 굴, 굽힐 굴 '緩急嬴一'《荀子》. '一意適代'《史記 自序》.

字源 篆文 形聲. 糸+出〔音〕. '出출'은 '나오다'의 뜻. 실을 드나들게 하여 꿰매다의 뜻을 나타냄. 뒤에, 이 뜻은 스러져 안 쓰이게 되었음.

[絀寸以信尺 굴촌이신척] 소절(小節)을 굽히고 대절(大節)을 폄. 소리(小利)를 버리고 대리(大利)를 취함.
◉嬴絀.

5 ⑪ [絁] 시 ㊥支 式支切 shī

字解 ①명주 시 거친 견직물. '丁歲輸綾一二丈'《唐書》. ②가늘 시 가느다람. '一, 細也'《廣雅》.

字源 形聲. 糸+㐌〔音〕

◉綾絁.

5 ⑪ [終] 中·人 종 ㊥東 職戎切 zhōng 终

筆順 ⺊ 幺 糸 糸 糹 約 終 終

字解 ①끝 종 마지막. '始一'. '一末'. '原始要一, 以爲質也'《易經》. ②끝날 종 ㉠마지막이 됨. '始於初問, 一於九道'《鶡冠子》. ㉡극(極)에 이름. '一, 極也'《廣雅》. '一, 窮也'《廣雅》. ㉢다함. 다 없어짐. '數將幾一'《呂氏春秋》. ㉣그침. '婦怨無一'《左傳》. ③끝낼 종 끝을 맺음. '子思, 引夫子之言, 以一此章之義'《中庸章句》. ④마칠 종 ㉠성취함. '百事不一'《左傳》. ㉡완료함. '未有好義, 其事不一者也'《大學》. ㉢죽음.

'—焉'. '莫知其所—'《十八史略》. ⑤마침내 종 ㉠마지막에. 필경. '不矜細行, —累大德'《書經》. ㉡암만해도. 아무리 하여도. 끝끝내. '有斐君子, —不可諠兮'《大學》. ⑥방백리 종 사방 백 리의 땅. '成方十里, 成十爲—'《左傳》. ⑦열두해 종 12년의 일컬음. '十二年矣, 是謂之——'《左傳》.

字源 甲骨文 金文 篆文 古文 甲骨文, 金文은 象形으로, 실의 양 끝을 맺은 모양을 본떠, 끝맺음, 끝을 나타냄. 篆文은 形聲으로, 糸+冬〔音〕.

[終講 종강] 강의를 끝마침. 또는 그 강의.
[終決 종결] 결말이 남.
[終結 종결] 끝을 냄. 결말(結末)이 남.
[終竟 종경] 끝남. 또, 끝.
[終古 종고] ㉠언제까지나. 영구(永久)히. ㉡옛날. 고석(古昔). ㉢평상(平常).
[終局 종국] ㉠바둑을 한 판 끝냄. ㉡끝판. 또, 결말을 지음.
[終葵 종규] ㉠망치. ㉡지치. 자초(紫草).
[終極 종극] 끝남. 또, 끝. 마지막.
[終旣 종기] 끝남. 다함.
[終期 종기] ㉠끝날 시기. 마칠 때. ㉡법률 행위의 효력이 끝나는 시기.
[終南 종남] 종남산(終南山).
[終南山 종남산] 산시 성(陝西省) 장안(長安)의 남부에 있는 산. 주남산(周南山)·남산(南山), 또는 진령(秦嶺)이라고도 함.
[終南捷徑 종남첩경] 세상에 뜻이 없는 체하고 종남산(終南山)에 들어가 은거(隱居)하면 세상 사람이 경모(敬慕)하여 허명(虛名)을 얻으므로, 벼슬하기에 가장 지름길이라는 뜻.
[終乃 종내] ㉠필경에. 마침내. ㉡끝끝내.
[終年 종년] ㉠일 년 내내. ㉡일평생. ㉢한 해를 마침.
[終了 종료] 끝남. 또, 끝. 결료(結了).
[終末 종말] 끝판. 결말(結末).
[終尾 종미] 일의 끝.
[終生 종생] ㉠일평생. ㉡일생을 마침.
[終夕 종석] 종야(終夜).
[終聲 종성] ㉠말음(末音). 끝소리. ㉡《韓》받침.
[終歲 종세] 일평생. 죽을 때까지. 종년(終年).
[終宵 종소] 종야(終夜).
[終始 종시] ㉠끝과 처음. ㉡끝냄과 시작함. ㉢처음부터 끝까지. ㉣처음부터 끝까지 관계를 같이함.
[終始一貫 종시일관] 처음부터 끝까지 변하지 아니함. 시종일관(始終一貫).
[終熄 종식] 한때 아주 성(盛)하던 것이 주저앉아서 그침.
[終食之間 종식지간] 식사를 끝내는 시간. 밥 한 끼 먹을 정도의 극히 짧은 시간이라는 뜻.
[終身 종신] ㉠일생(一生)을 마칠 때까지. 일평생. 종생(終生). ㉡《韓》부모의 임종(臨終) 때 옆에 모심.
[終身讓路不枉百步 종신양로불왕백보] 일평생 남을 위하여 길을 비켜도 더 걷게 되는 걸음이 불과 백 보라는 뜻으로, 겸양(謙讓)을 권하는 말.
[終身之計 종신지계] 한평생을 지낼 계책(計策).
[終身之計莫如樹人 종신지계막여수인] 한평생의 계획을 세움에는, 인재(人材)를 육성(育成)하는 일보다 더 좋은 것이 없음.
[終審 종심] ㉠마지막의 심판. ㉡소송 사건의 최종의 심리(審理).
[終夜 종야] 밤새도록. 통소(通宵).
[終養 종양] 부모가 죽을 때까지 봉양(奉養)함. 집에 있어서 부모를 임종 때까지 모심.
[終焉 종언] ㉠일생의 마지막. 죽음. 임종(臨終). ㉡자리 잡고 편히 사는 일. ㉢막다른 처지에 이름. 곤궁(困窮)함.
[終業 종업] ㉠그날의 업무를 끝냄. ㉡하던 일을 끝냄. 졸업(卒業). 필업(畢業).
[終譽 종예] 끝까지 명예를 잃지 아니함.
[終日 종일] 하루 동안. 아침부터 저녁까지.
[終點 종점] 맨 끝이 되는 곳.
[終制 종제] ㉠상례(喪禮)의 제도. ㉡삼년상(三年喪)을 끝마침.
[終朝 종조] 새벽부터 조반을 먹을 때까지. 아침 동안.
[終止 종지] 끝남. 또, 끝. 마지막.
[終天 종천] 이 세상의 끝. 곧, 영원·영구라는 뜻, 또 비통(悲痛)이 무한히 오래간다는 말로, 친상(親喪)을 이름.
[終天命 종천명] 제 명(命)에 죽음. 와석종신(臥席終身).
[終篇 종편] 마지막 편(篇).
[終風 종풍] ㉠종일 부는 바람. ㉡서풍(西風).
[終畢 종필] 끝남. 또, 끝. 종경(終竟).
◉更僕未可終. 古終. 無始無終. 死終. 歲終. 始終. 始中終. 愼始敬終. 愼終. 令終. 永終. 有始無終. 有始者必有終. 有終. 臨終.

5 ⑪ [絃] 高人 현 ①-③㊥先 胡田切 xián ④㊤霰 許縣切 xuàn

筆順 ㄠ 幺 糸 糸 紅 紅 絃 絃

字解 ①줄 현 현악기의 줄. '絕—'. ②현악기 현 줄풍류의 악기. 거문고·가야금 따위. '絲竹箜—'《漢書》. ③탈 현 현악기를 탐. '令樂人謌—之'《史記》. ④새끼 현 새끼줄. '—, 索也'《廣雅》.

字源 形聲. 糸+玄〔音〕. '玄현'은 '弦현'과 통하여, '줄'의 뜻.

[絃歌 현가] 현송(絃誦).
[絃琴 현금] 거문고.
[絃索 현삭] 현악기의 줄. 또, 현악기의 소리.
[絃誦 현송] ㉠현악기를 타며 노래함. ㉡현악기를 타며 낭송(朗誦)함. 학업(學業)의 하나임. 현가(絃歌).
[絃樂 현악] 현악기로 연주하는 음악.
[絃樂器 현악기] 줄을 걸어 타거나 쳐서 소리를 내는 악기(樂器). 가야금·거문고·비파 따위.
◉管絃. 嬌絃. 斷絃. 大絃. 伯牙絕絃. 繁絃. 悲絃. 絲竹箜絃. 小絃. 續絃. 夜絃. 絕絃. 朝歌夜絃. 調絃. 鐘石箜絃. 淸絃. 彈絃.

5 ⑪ [組] 高人 조 ㊤麌 則古切 zǔ 组

筆順 ㄠ 幺 糸 糸 糿 糿 組 組

字解 ①끈 조 ㉠갓·인장 등에 매는 끈. 끈목. '—綬'. '—纓'. '著—繫'《儀禮》. ㉡물건을 묶는 끈. '織紝—紃'《禮記》. ②짤 조 ㉠길쌈을 함. '執轡如—'《詩經》. ㉡구성함. '—成'. '—織仁

義'《劉峻》. ③수놓을 조 자수(刺繡)함. '素絲一之'《詩經》.

字源 金文 篆文 組 形聲. 糸+且〔音〕. '且조'는 수북이 쌓아 올린 제물(祭物)의 象形. 실을 겹쳐 포개다, 끈을 엮다의 뜻을 나타냄.

[組閣 조각] 내각(內閣)을 조직함.
[組繫 조계] 끈.
[組練 조련] ㉠갑옷과 투구. 갑주(甲胄). ㉡군대. 군사.
[組紱 조불] 인끈.
[組成 조성] 조직하여 성립시킴. 구성(構成).
[組綬 조수] 끈목. 인끈.
[組紃 조순] ㉠새끼처럼 꼰 끈. 물건을 묶는 끈. ㉡끈을 꼬고 베를 짬.
[組纓 조영] 갓끈.
[組紝 조임] 끈을 꼬고 베를 짜는 일. 여자의 일의 뜻.
[組帳 조장] 끈에 달아 늘어뜨린 방장(房帳).
[組織 조직] ㉠끈을 꼬고 베를 짬. ㉡얽어 만듦. 또, 그 만든 것. 낱낱의 것을 모아 일정한 질서를 가진 통일체를 만듦. 또, 그 통일체. ㉢같은 기능과 같은 구성을 가진 세포(細胞)의 단결(團結).
[組織學 조직학] 동식물체(動植物體)의 각부(各部)의 조직을 연구하는 과학.
[組珮 조패] 끈목과 몸에 차는 것. 모두 고위 관리(高位官吏)의 몸에 다는 것.
◉改組. 結組. 綺組. 勞組. 文組. 鞶組. 縫組. 素組. 縟組. 簪組. 朱組. 纂組. 綵組. 尺組. 楚組. 解組. 華組.

5 ⑪ [絅] 人名 경 ①㊥青 古螢切 jiōng ②㊤迥 口迥切 jiǒng 䌹

字解 ①바짝죌 경 단단히 당겨 죔. '一, 急引也'《說文》. ②홑옷 경 한 겹으로 된 옷. '衣錦尙一'《中庸》.

字源 金文 篆文 絅 形聲. 糸+冋〔音〕. '冋경'은 '縈영'과 통하여, '두르다'의 뜻. 걸치는 의상(衣裳)의 뜻을 나타냄.

◉衣錦尙絅.

5 ⑪ [絆] 人名 반 ㊦翰 博慢切 bàn 绊

字解 ①줄 반 ㉠말의 다리를 매어 못 가게 하는 줄. 또, 마소를 매어 끄는 줄. '繫足曰一, 絡首曰羈'《辭海》. '人有盜馬一者'《北史》. ㉡물건을 매어 두는 줄. '遷徙就新一'《王令》. '仁義之羈一'《漢書》. ②맬 반 잡아매어 자유를 구속함. '不羈不一'《揚雄》.

字源 篆文 絆 形聲. 糸+半〔音〕. '半반'은 '攀반'과 통하여, '비끄러매다'의 뜻. '굴레'의 뜻을 나타냄.

[絆拘 반구] 매어 둠. 구속함.
[絆羈 반기] 마소를 매어 두는 밧줄. 전(轉)하여, 세상의 굴레. 구속. 기반(羈絆).
[絆創膏 반창고] 약제(藥劑)를 헝겊 위에 발라 만든 고약(膏藥).
◉脚絆. 系絆. 拘絆. 羈絆. 籠絆. 勒絆. 螞蝗絆. 囚絆. 圉絆. 連絆. 縈絆. 絕絆. 釘絆. 華絆.

5 ⑪ [絇] 구 ㊥虞 其俱切 qú ㊦遇 九遇切

字解 신코장식 구 신의 앞쪽의 장식. '青一繶純'《儀禮》.

字源 篆文 絇 形聲. 糸+句〔音〕. '句구'는 갈고리꼴로 구부러지다의 뜻. 갈고리 모양으로 굽은 신 끝의 장식끈의 뜻을 나타냄.

[絇屨 구구] 신끈에 장식이 있는 신.
[絇繶 구억] 신코 장식.
◉屨絇. 青絇.

5 ⑪ [絆] 반 ㊥寒 薄官切 fán

字解 말갈기꾸미개 반 말갈기에 하는 장식(裝飾). 緐(糸部 七畫)과 同字.

5 ⑪ [紘] 횡 ㊥庚 戶萌切 hóng

字解 ①벼리 횡 그물의 끈. '狼跋乎一中'《左思》. ②관끈 횡 관(冠)을 매는 끈. ③매일 횡 걸림. '一, 係也'《廣雅》.

字源 紘의 別體 紘 形聲. 糸+弘〔音〕

5 ⑪ [紅] 정 ㊥庚 諸盈切 zhēng

字解 말꾸미개 정 승여(乘輿)의 말의 장식(裝飾). '一綊, 乘輿馬飾也'《說文》.

字源 篆文 紅 形聲. 糸+正〔音〕

[紅綊 정협] 임금이 타는 수레의 말 장식.

5 ⑪ [絨] 월 ㊇月 王伐切 yuè

字解 ①천무늬 월 직물(織物)에 넣은 무늬. '一, 采彰也'《說文》. ②모시 월 모시 옷감. 저포(紵布). '一, 紵布'《廣韻》. ③가는베 월 촘촘한 베. '一, 一曰, 細布'《集韻》.

字源 篆文 絨 形聲. 糸+戉〔音〕. '戉월'은 큰 도끼. 큰 도끼의 모양을 그린 듯한 무늬, 또 그런 무늬가 있는 끈의 뜻을 나타냄.

5 ⑪ [紨] 부 ①-③㊥虞 芳無切 fū ④㊦遇 符遇切 fù

字解 ①천이름 부 직물(織物)의 이름. '一, 布也. (段注) 謂布名'《說文》. ②명주 부 거친 명주. '一, 一曰, 粗紬'《說文》. ③굵은실 부 '大絲曰一'《集韻》. ④새끼 부, 끈 부 '一, 縛繩也'《集韻》.

字源 篆文 紨 形聲. 糸+付〔音〕. '付부'는 꼭 붙이다의 뜻. 실을 꼭 붙이듯이 짠 피륙의 뜻을 나타냄.

5 ⑪ [統] 〔통〕 統(糸部 六畫〈p. 1738〉)의 本字

5 ⑪ [綸] 〔륜〕 綸(糸部 八畫〈p. 1749〉)의 俗字

5 ⑪ [組] 〔탄〕 綻(糸部 八畫〈p. 1750〉)과 同字

字源 篆文 形聲. 糸+旦〔音〕. '旦단'은 '袒단'과 통하여, 옷이 터져서 안이 밖으로 드러나다의 뜻. 터진 데를 실로 꿰매다의 뜻을 나타냄.

5 ⑪ [経] 〔경〕 經(糸部 七畫〈p. 1741〉)의 俗字

5 ⑪ [紫] 高·人 자 ㊤紙 將此切 zǐ

筆順

字解 ①자줏빛 자 적색(赤色)과 청색(青色)의 간색(間色). 보랏빛. 자색(紫色). '惡—之奪朱也'《論語》. ②자줏빛의관(衣冠) 자 자색의 의복. 또, 자색의 인끈. '紆青拖—'(자색의 인끈을 늘어뜨려 끎)《晉書》. '懷金垂—'《後漢書》. ③제왕신선의집빛 자 또, 제왕(帝王)·신선에 관한 사물 위에 붙이는 말. '—禁'. ④성 자 성(姓)의 하나.

字源 篆文 形聲. 糸+此〔音〕

[紫茄 자가] 과채(果菜)의 하나. 가지.
[紫閣 자각] 자달(紫闥).
[紫葛 자갈] 산포도. 덩굴풀의 한 가지.
[紫紺 자감] 자줏빛을 띤 감색(紺色).
[紫蓋 자개] ㉠형산(衡山)의 최고봉(最高峯). ㉡운기(雲氣)의 일종(一種). 천자(天子)의 기(氣)라 함.
[紫扃 자경] 대궐 문의 문짝.
[紫姑 자고] 신(神)의 이름.
[紫誥 자고] 조서(詔書). 자줏빛의 종이에 쓰므로 이름.
[紫宮 자궁] ㉠자미궁(紫微宮). ㉡대궐. 황궁(皇宮).
[紫蕨 자궐] 고사리.
[紫闕 자궐] 대궐. 황궁(皇宮).
[紫極 자극] 대궐. 궁궐(宮闕).
[紫金 자금] 적동(赤銅)의 이칭(異稱).
[紫禁 자금] 대궐. 궁궐(宮闕).
[紫錦 자금] 자줏빛의 비단.
[紫禁城 자금성] ㉠북경(北京)의 황성(皇城)의 별칭. ㉡대궐. 황성(皇城).
[紫金牛 자금우] 자금우과(紫金牛科)에 속하는 상록 소관목(常綠小灌木). 백색 또는 담홍색 꽃이 핌. 관상용으로 심음. 뿌리는 해독(解毒)·이뇨제(利尿劑)로 씀.
[紫氣 자기] 자줏빛의 서기(瑞氣).
[紫氣東來 자기동래] 자줏빛의 서기(瑞氣)가 동쪽에서 떠옴. 성인(聖人)이 오는 전조(前兆)라 함.
[紫泥 자니] 무도(武都)에서 나는 자줏빛의 진흙. 조서(詔書)를 봉(封)하는 인주(印朱)로 썼음.
[紫泥封 자니봉] 자니서(紫泥書).
[紫泥書 자니서] 조서(詔書).
[紫檀 자단] 콩과에 속하는 열대 지방에 나는 교목(喬木). 재목이 아름답고 단단하여 고급 가구(家具) 등을 만드는 데 씀.
[紫闥 자달] 대궐 문. 전(轉)하여, 대궐.
[紫桃 자도] 자두나무.
[紫銅 자동] '청동(青銅)'의 별칭(別稱).
[紫藤 자등] 등(藤)나무의 한 가지. 보랏빛의 꽃이 핌.
[紫嵐 자람] 보랏빛의 남기(嵐氣).
[紫騮 자류] 털이 밤빛인 말. 자류마(紫騮馬).
[紫騮馬 자류마] ㉠자류(紫騮). ㉡한(漢)나라의 횡취곡(橫吹曲)의 이름.
[紫李 자리] 자두.
[紫磨 자마] 질이 썩 좋은 금. 순금(純金).
[紫磨金 자마금] 자마(紫磨).
[紫陌 자맥] 서울의 도로(道路)를 이름.
[紫冥 자명] 하늘.
[紫微 자미] 북두성(北斗星)의 북쪽에 있는 성좌. 천제(天帝)가 거처하는 곳이라 함. 전(轉)하여, 천자의 대궐.
[紫薇 자미] 백일홍(百日紅)의 이칭(異稱). 당대(唐代)에 이 나무를 중서성(中書省)에 심었으므로 현종(玄宗)이 중서성을 자미성(紫薇省)이라고 고쳤음.
[紫微宮 자미궁] 자미(紫微).
[紫薇郞 자미랑] 자미성(紫薇省)의 속관(屬官). 중서랑(中書郞).
[紫薇令 자미령] 자미성(紫薇省)의 장관(長官). 중서령(中書令).
[紫微省 자미성] 자미성(紫薇省).
[紫薇省 자미성] '자미(紫薇)'를 보라.
[紫微垣 자미원] 자미(紫微).
[紫斑 자반] 자줏빛의 반점(斑點).
[紫房 자방] 황태후가 거처하는 방.
[紫雰 자분] 자줏빛의 운기(雲氣).
[紫杉 자삼] 주목과(朱木科)에 속하는 상록 교목. 수피가 적갈색임. 주목(朱木).
[紫參 자삼] 여뀟과에 속하는 다년초(多年草). 홍색 물감을 채취함. 쪽.
[紫塞 자새] '만리장성(萬里長城)'의 이칭(異稱). 흙이 자줏빛이므로 이름.
[紫色 자색] 적색(赤色)과 청색(青色)의 간색(間色). 자줏빛.
[紫書 자서] 도가(道家)의 경전(經典).
[紫石 자석] ㉠자석영(紫石英)의 약칭(略稱). ㉡벼루〔硯〕의 별칭(別稱).
[紫石稜 자석릉] ㉠롱저우(隴州)에서 나는 자주색의 모난 돌. ㉡눈〔目〕이 모나고 광채가 나는 모양.
[紫石英 자석영] 자줏빛의 수정(水晶). 자수정(紫水晶).
[紫霄 자소] ㉠하늘. ㉡대궐. 황궁(皇宮).
[紫蘇 자소] 꿀풀과에 속하는 일년초. 차조기.
[紫綬 자수] 자줏빛의 인수(印綬).
[紫筍 자순] ㉠푸른빛에 약간 붉은빛을 띤 죽순. ㉡좋은 차(茶).
[紫宸 자신] ㉠천자(天子)가 정사(政事)를 보는 궁전. 정전(正殿). ㉡천자가 쉬는 궁전. 편전(便殿).
[紫宸殿 자신전] 자신(紫宸) ❶.
[紫幄 자악] 자줏빛의 장막(帳幕). 신(神)을 제사 지낼 때 침.
[紫陽 자양] 산(山) 이름. 송(宋)나라 주희(朱熹)의 부친 주송(朱松)이 독서하던 곳. 이 때문에 주희가 그의 서재(書齋) 이름을 '자양 서실(紫陽書室)'이라 이름 지었음.
[紫陽花 자양화] ㉠가을에 자줏빛 꽃이 피는 산에 나는 풀. ㉡《韓》범의귓과에 속하는 낙엽 관목. 담자벽색(淡紫碧色)의 꽃이 7~8월에 핌. 수국(水菊).
[紫煙 자연] 자줏빛의 연기. 담배 연기 같은 것을

이름.

[紫燕 자연] 준마(駿馬) 이름.

[紫髯綠眼 자염녹안] 호인(胡人) 또는 백색(白色) 인종의 용모의 형용.

[紫玉玦 자옥결] '차(茶)'의 별칭(別稱).

[紫菀 자완] 국화과에 속하는 다년초. 초가을에 자줏빛의 꽃이 핌. 관상용으로 심음.

[紫外線 자외선] 스펙트럼의 자색부 밖의 암흑부(暗黑部)에 이르는 복사선(輻射線). 살균 작용을 함. 화학선(化學線).

[紫宇 자우] 잘생긴 미우(眉宇). 잘생긴 얼굴. 남의 얼굴의 경칭(敬稱)으로 쓰임. 당(唐)나라 사람 원자지(元紫芝)의 얼굴이 썩 잘생겼던 고사(故事)에서 나온 말. 지우(芝宇)·지미(芝眉)라고도 함.

[紫雲英 자운영] 콩과에 속하는 이년초(二年草). 녹비용(綠肥用)으로 많이 심음.

[紫苑 자원] 자완(紫菀).

[紫葳 자위] 능소화나무. 능소화(凌霄花).

[紫楡 자유] 느릅나뭇과에 속하는 낙엽 교목. 나무껍질은 약재로 씀. 왕느릅나무.

[紫衣 자의] ㉠자줏빛 옷. ㉡《佛敎》 자줏빛의 가사(袈裟).

[紫電 자전] ㉠칼날이 자줏빛을 띤 전광같이 시퍼렇게 선 명검(名劍). 또, 명검의 이름. ㉡쏘는 것같이 위엄이 있는 안광(眼光).

[紫庭 자정] ㉠대궐의 뜰. 전하여, 대궐. 황성(皇城). 궁정(宮庭). ㉡막부(幕府)의 별칭.

[紫宙 자주] 하늘.

[紫竹 자죽] 대나무의 일종. 마디 사이의 겉껍질에 자흑색(紫黑色)의 반점(斑點)이 있음.

[紫芝 자지] 보랏빛의 영지(靈芝).

[紫菜 자채] 김. 청태(靑苔).

[紫草 자초] 지칫과(科)에 속하는 다년초(多年草). 뿌리는 화상(火傷)·동상(凍傷) 등의 약재로 씀. 지치.

[紫翠 자취] 자줏빛과 비취색.

[紫駝 자타] 털이 자색인 낙타. 고기가 대단히 맛이 있다 함.

[紫奪朱 자탈주] 간색(間色)인 자줏빛이 정색(正色)인 붉은빛을 변색시킨다는 뜻. 곧, 부정(不正)한 자가 바른 사람을 이김의 비유.

[紫貝 자패] 복족류(腹足類)에 속하는 조개. 옛날에 화폐로도 썼음.

[紫袍 자포] 자줏빛의 저고리.

[紫蝦 자하] 새우의 하나. 곤쟁이.

[紫霞 자하] 자줏빛의 운기(雲氣). 신선(神仙)이 사는 곳에 떠돈다는 운기.

[紫霞想 자하상] 선경(仙境)에서 노는 기분.

[紫蟹 자해] 자줏빛의 게.

[紫虛 자허] 하늘. 구름이 햇빛을 반영(反映)할 때 자줏빛을 띠므로 이름.

[紫荊 자형] 콩과(科)에 속하는 낙엽 관목. 홍자색 꽃이 핌. 박태기나무.

[紫毫 자호] 토끼털로 만든 붓.

[紫花地丁 자화지정] 제비꽃과에 속하는 다년초(多年草). 제비꽃. 오랑캐꽃.

[紫渙 자환] 조서(詔書).

[紫篁 자황] 푸른 대나무 숲. 푸른 죽림(竹林). 취황(翠篁).

◉金紫. 濃紫. 賜紫. 純紫. 襲紫. 深紫. 姚黃魏紫. 紆靑拖紫. 朱紫. 淺紫. 靑紫. 紅紫. 懷金垂紫.

5 ⑪ [累] 高·人 ㊀ 루 ㊤紙 力委切 lěi / ㊥支 倫追切 léi / ㊦寘 良僞切 lèi ㊁ 라 ㊤哿 魯果切 luǒ 累

筆順 丨 冂 冃 田 田 罒 畀 累

字解 ㊀ ①포갤 루, 포개질 루 포개어 쌈. 축적함. '一積'. '增一'. '贈遺一數百金'《世說》. ②불어날 루, 불릴 루 늘어남. 늘림. 絫(糸部 六畫)와 同字. '絫, 說文曰, 增也. 一, 上同'《廣韻》. ③층 루 단층(斷層). '四一之上也'《列子》. ④거듭 루 잇따라. 여러 번. '一戰有功'. '一遷諫大夫丞相司直, 歲中三遷官'《後漢書》. ⑤묶을 루 결박함. '係一其子弟'《孟子》. ⑥누끼칠 루 ㉠폐·우환을 끼침. '無一後人'《左傳》. ㉡좋지 못한 영향을 끼침. '終一大德'《書經》. ⑦누 루 ㉠폐. 걱정. '家一'. '除穢去一'《文子》. ㉡허물. 죄. 탈. '恐死而負一'《史記》. ㉢처자. 권속(眷屬). '北俗亡一七齋日'《釋氏要覽》. ⑧연할 루 연결함. 관련함. '一坐'. '連一'. ㊁ 벌거벗을 라 倮(人部 八畫)와 同字. '爲大夫一之'《禮記》.

字源 形聲. 糸+田(畾)〔音〕. '畾뢰'는 '포개다'의 뜻. 실을 차례로 겹쳐 포개다의 뜻을 나타냄.

[累加 누가] ㉠여러 번 보탬. ㉡같은 수를 여러 번 보탬.

[累家 누가] 대대(代代)의 집.

[累減 누감] 차차로 줆. 또, 차차로 줄임.

[累巨萬 누거만] 여러 거만. 썩 많음을 형용하는 말.

[累計 누계] 합쳐 온 그 전 것까지 몰아서 셈함. 또, 그 친 셈. 총계(總計).

[累句 누구] 쓸데없는 중첩된 문구. 자기의 시문(詩文) 같은 것을 겸손하게 이르는 말. 우작(愚作).

[累及 누급] 누(累)가 미침.

[累氣 누기] 누식(累息).

[累棊 누기] 쌓아 올린 바둑돌. 몹시 위태로운 것의 비유.

[累騎 누기] 남이 탄 말의 뒤에 탐.

[累年 누년] 여러 해. 연년(年年). 해마다.

[累累 누누] ㉠첩첩이 쌓인 모양. 중첩(重疊)한 모양. ㉡연이어 잇단 모양. ㉢자주. 여러 번. 누차(累次).

[累旦 누단] 매일 아침. 매조(每朝).

[累代 누대] ㉠여러 대에 걸쳐. 대대로. ㉡여러 대. 대대(代代).

[累德 누덕] ㉠덕(德)에 누(累)가 됨. ㉡덕을 쌓음. 또, 쌓은 덕. 적덕(積德).

[累牘連編 누독연편] 문장이 번거롭고 용장(冗長)함을 이름.

[累棟 누동] 여러 층 겹친 지붕의 마룻대.

[累卵 누란] 쌓아 올린 달걀. 몹시 위태로운 것의 비유.

[累卵之危 누란지위] 아슬아슬한 위험.

[累累 누루] 누누(累累).

[累萬 누만] 여러 만(萬).

[累拜 누배] 누천(累遷).

[累犯 누범] 범죄를 거듭하는 일. 또는 그 범인.

[累算 누산] 누계(累計).

[累觴 누상] 술을 많이 마심.

[累善 누선] 선행(善行)을 쌓음. 착한 일을 많이

함. 적선(積善).
[累紲 누설] 포승(捕繩)에 묶임. 곧, 죄인이 됨. 유설(縲絏).
[累世 누세] 누대(累代).
[累歲 누세] 누년(累年).
[累宵 누소] 여러 밤.
[累囚 누수] 죄인. 죄수(罪囚).
[累宿 누숙] 여러 날을 묵음.
[累乘 누승] 여러 번 곱함.
[累時 누시] 자주. 여러 번. 여러 차례. 누차(屢次).
[累息 누식] 숨을 죽임. 병식(屛息).
[累心 누심] 걱정함. 근심함.
[累礙 누애] 거리끼는 일. 장애(障礙).
[累譯 누역] 여러 사람의 통역(通譯)을 통함. 갑국(甲國) 나라 말을 을국(乙國) 나라 말로 옮기고, 을국 나라 말을 병국(丙國) 나라 말로 옮겨 여러 번 통역하여 의사를 통함.
[累葉 누엽] 누대(累代).
[累月 누월] 여러 달. 연월(連月).
[累日 누일] 여러 날. 연일(連日).
[累稔 누임] 해를 거듭함. 누년(累年).
[累載 누재] 누년(累年).
[累積 누적] 포개어 쌓음. 또, 포개져 쌓임.
[累戰 누전] 여러 번 싸움.
[累帝 누제] 대대의 천자(天子).
[累祖 누조] ㉠대대의 조상. ㉡황제(黃帝)의 아들로, 여행하는 사람의 안전을 지키는 신(神). 조신(祖神).
[累朝 누조] 대대의 조정(朝廷). 역조(歷朝).
[累坐 누좌] 연좌(連坐)함.
[累重 누중] 짐이 되는 처자 권속(妻子眷屬)·재산 같은 것. 계루(係累).
[累進 누진] ㉠자꾸 위로 올라감. ㉡누천(累遷).
[累次 누차] 여러 번. 여러 차례. 누차(屢次).
[累遷 누천] 관직이 여러 번 승진하여 옮김.
[累墜 누추] 괴로워함. 또는 그 사람.
[累蓄 누축] 포개어 쌓아 둠.
[累七 누칠] 《佛敎》 사람의 사후(死後) 49일간, 7일마다 추선(追善)·공양(供養)하는 불사(佛事).
[累土 누토] 흙을 쌓음. 또, 쌓은 흙.
[累惑 누혹] 쌓이고 쌓인 의혹.
[累洽 누흡] 태평세월이 오래 계속됨.
[累欷 누희] 자주 슬퍼함. 자주 비탄(悲嘆)에 잠김.
◉家累. 去民累. 讉累. 繫累. 口腹累. 物累. 煩累. 蓬累. 負俗累. 私累. 世累. 俗累. 損累. 外累. 一物一累. 積累. 情累. 罪累. 增累. 塵累. 炊累. 形骸累. 禍累. 患累.

5
⑪ [紮] [人名] 찰 [入]黠 側八切 zhā, zā 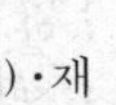

[字解] ①묶을 찰 얽어 동임. 감음. ②머무를 찰 주재함. 주둔함. '俗謂屯駐軍隊曰一營'《中華大字典》.

[字源] 形聲. 糸+札〔音〕

[紮營 찰영] 군대의 주둔(駐屯).

5
⑪ [絮] [一] 녀 [平]魚 女居切 rú
[二] 나 ㊤馬 奴下切 nǎ

[字解] [一] ①삼거웃 녀 삼 검불. 난마(亂麻). '一, 絜縕也'《說文》. ②묵은솜 녀 '一, 一日, 敝絮也'《說文》. ③막을 녀 틀어막음. '一, 塞也'《廣雅》. [二] 달라붙을 나 '縿一'는 실 따위가 서로 엉켜 달라붙는 모양.

[字源] 篆文  形聲. 糸+奴〔音〕

6
⑫ [絲] [中人] 사 [平]支 息茲切 sī 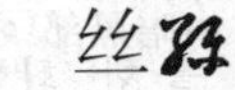

[筆順] 幺 幺 糸 糸 糹 糹 絲 絲

[字解] ①실 사 명주실. '一, 蠶所吐也'《說文》. 전(轉)하여, 솜·삼·털 등의 실. 또, 실같이 가는 물건. '游一'. '柳一'. '其藕無一'《酉陽雜俎》. ②명주 사 견직물. '妾不衣一'《漢書》. ③자을 사 실을 뽑아냄. '不蠶不一'《郭璞》. ④악기이름 사 거문고 등의 현악기. 팔음(八音)의 하나. '一竹'. '宴酣之樂, 非一非竹'《歐陽修》. ⑤십홀 사 소수(小數)의 한 단위(單位). 1의 만분의 일. '忽'의 10배를 '一'라 하며, '一'의 10배를 '毫'라 함. 전(轉)하여, 미세(微細)한 것. '只慚無補一毫事'《蘇軾》.

[字源] 甲骨文  金文  篆文  會意. 糸+糸. 누에가 끊임없이 토해 내는 '실'의 뜻을 나타냄. 흔히, 생략체(省略體)인 '糸사'를 사용함.

[絲繭 사견] 명주실과 고치.
[絲瓜 사과] 박과에 속하는 일년생 만초(蔓草). 수세미외. 천사과(天絲瓜).
[絲管 사관] 사죽(絲竹).
[絲絇 사구] 실로 만든 신발의 장식.
[絲桐 사동] '거문고〔琴〕'의 별칭(別稱). 거문고의 바탕은 오동나무를 쓰므로 이름.
[絲蘿 사라] 토사(菟絲)와 송라(松蘿). 여라(女蘿). 전(轉)하여, 혼인(婚姻)의 비유.
[絲蘿托喬木 사라탁교목] 여자가 훌륭한 남자에게 의탁하여 그 처첩이 됨을 이름.
[絲來線去 사래선거] 일이 얽히고설키어 복잡함을 이름.
[絲路 사로] 좁은길. 세로(細路).
[絲縷 사루] 실.
[絲綸 사륜] 조칙(詔勅)의 아칭(雅稱).
[絲履 사리] 명주실로 만든 신.
[絲麻 사마] 명주실과 삼실.
[絲拂 사불] 명주실로 만든 불자(拂子).
[絲不如竹竹不如肉 사불여죽죽불여육] 현악기는 관악기만 못하고 관악기는 육성만 못함. 곧, 음악은 자연에 가까울수록 좋다는 말.
[絲事 사사] 길쌈. 바느질의 일.
[絲絲 사사] 실처럼 가늚. 봄비의 실같이 가는 모양.
[絲絮 사서] 실과 솜.
[絲緖 사서] 실의 첫머리. 실마리.
[絲蓴 사순] 실과 같이 가는 순채(蓴菜).
[絲繩 사승] 명주실로 꼰 노.
[絲言 사언] 천자(天子)의 말. 조령(詔令).
[絲雨 사우] 가랑비. 보슬비.
[絲恩髮怨 사은발원] 조그마한 은혜와 원한.
[絲人 사인] 명주를 짜는 사람.
[絲竹 사죽] 거문고와 퉁소. 현악기와 관악기. 전(轉)하여, 음악(音樂).

[絲竹筦絃 사죽관현] 음악의 총칭. '筦'은 '管'과 같은 것으로 저〔笛〕를 뜻하고, '絃'은 거문고〔琴〕임.
[絲織品 사직품] 견직물(絹織物).
[絲車 사차] 물레.
[絲鞋 사혜] 사리(絲履).
[絲毫 사호] 매우 작은 수량(數量). 근소(僅少).
[絲籰 사확] 얼레.
◉絹絲. 繭絲. 故絲. 機絲. 麻絲. 綿絲. 鳴絲. 毛絲. 悲絲. 素絲. 垂絲. 練絲. 緊絲. 圓絲. 願絲. 柳絲. 遊絲. 蛛絲. 靑絲. 寸絲. 菟絲.

6 ⑫ [絎] 행 [去]敬 下更切 háng (hèng) 绗

[字解] ①바느질할 행 옷을 꿰맴. '一, 刺縫'《廣韻》. ②가장자리 행 '一, 緣也'《廣雅》.
[字源] 形聲. 糸＋行〔音〕

6 ⑫ [結] [中入] [一] 결 [入]屑 古屑切 jié, jiē [二] 계 [去]霽 胡計切 jì 结

[筆順] 幺 幺 糸 糸 紅 紅 結 結

[字解] [一] ①맺을 결 ㉠끄나풀 따위를 얽어 매듭을 지음. '一繩之政'. '親一其縭'《詩經》. ㉡약속을 맺음. '一交'. '江東羅隱工爲詩, 紹威厚幣一之'《唐書》. ㉢조합(組合)을 맺음. 한동아리가 됨. '一社'. '一黨連群'《張衡》. ㉣초목이 열매를 맺음. '一果'. '一實如麥'《晉書》. ㉤엉김. 고체가 됨. '凝一'. '一冰'. '一晶'. '嚴霜一庭蘭'《古詩》. ㉥모임. '到則解散, 去復屯一'《後漢書》. ㉦얽음. 집 같은 것을 지음. '一構'. '一廬在人境'《陶潛》. ㉧머리를 땋음. 쪽 찜. '一髮'. ㉨끝을 맺음. 마침. 종료함. '終一'. '一論'. '言之以一之'《大學 朱註》. ㉩묶음. 또, 맴. '一, 束也'《釋名》. '罝羅之所羂一'《張衡》. ㉪멈춤. 말림. 막음. '一徒爲營'《張衡》. ㉫모음. '一集'. '不一於一迹之塗'《淮南子》. ㉬가까이 사귐. 친교를 맺음. '好以義一, 友以文會'《摯虞》. ②맺힐 결 ㉠마음이 울적함. '鬱一'. '心如一兮'《詩經》. ㉡눈물이나 이슬 같은 것이 방울짐. '露一爲霜'《千字文》. ③매듭 결 맨 자리. 매듭진 데. '帶有一'《左傳》. ④물리칠 결 '一, 詘也'《廣雅》. ⑤다질 결 단단히 함. '一根彌於華岱'《孫綽》. ⑥굽힐 결, 굽을 결 구부림. 또, 구부러지게 함. '一軌還轅'《漢書》. ⑦성 결 성(姓)의 하나. [二] 상투 계 髻(髟部 六畫)와 통용. '魋一箕踞'《漢書》.
[字源] 篆文 結 形聲. 糸＋吉〔音〕. '吉길'은 '緊긴'과 통하여, 단단히 죄다의 뜻. 실을 단단히 매어 합치다의 뜻을 나타냄.

[結跏 결가] 《佛敎》 결가부좌(結跏趺坐).
[結跏趺坐 결가부좌] 《佛敎》 책상다리하고 앉는 법의 한 가지. 오른발을 왼쪽 넓적다리 위에 얹어 놓은 다음에, 왼발을 오른쪽 다리 위에 올려놓는 항마좌(降魔坐)와 그 반대인 길상좌(吉相坐)의 두 가지가 있음. 반가부좌(半跏趺坐)의 대(對).

[結跏趺坐]

[結界 결계] 《佛敎》 중의 불도(佛道) 수행(修行)에 장애(障礙)가 없도록 하기 위하여 일정한 지역을 정하여 의식주(衣食住) 같은 것에 제한을 가하는 일. 또, 그 지역.
[結縎 결골] 마음이 맺힌 모양. 울적(鬱寂)한 모양.
[結果 결과] ㉠초목이 열매를 맺음. ㉡어떤 원인으로 말미암아 도달한 결말의 상태. 성과(成果). ㉢《佛敎》 인연(因緣)의 갚음. 원인의 결말.
[結課 결과] 고과(考課)의 결과. 벼슬아치의 성적(成績)을 조사하는 일. 또, 그 결과(結果).
[結襘 결괴] 띠를 맨 데. 띠의 매듭. 인체(人體)의 중앙을 이름.
[結交 결교] 교분(交分)을 맺음.
[結句 결구] 끝 시구(詩句). 마지막 구.
[結構 결구] 얽어 만듦. 엮어 만듦. 집 또는 문장 같은 것을 지음.
[結局 결국] ㉠끝판. ㉡끝을 맺음.
[結根 결근] 뿌리를 굳게 다짐.
[結納 결납] ㉠마음이 서로 통하여 도움. 결탁(結託). ㉡혼약(婚約)의 뜻으로 양가(兩家)에서 서로 보내는 예물. 납채(納采).
[結念 결념] 한 가지 일에 열중하여 골몰함. 전념(專念)함.
[結團 결단] 단체를 결성함.
[結黨 결당] ㉠도당(徒黨)을 결합(結合)함. 당파를 맺음. ㉡정당(政黨)을 조직함.
[結代錢 결대전] 토지(土地)의 조세(租稅)로 곡식 대신 내던 돈.
[結凍 결동] 결빙(結氷).
[結童 결동] 머리를 땋을 나이의 아이.
[結連 결련] 서로 맺어 한데 이음. 연결(連結). 연결(聯結).
[結聯 결련] 율시(律詩)의 제7·제8의 두 구.
[結綠 결록] 일종의 아름다운 옥. 미옥(美玉)의 이름.
[結論 결론] ㉠설명하는 말이나 글의 끝맺는 부분(部分). ㉡삼단 논법(三段論法)의 셋째 명제(命題). 곧, 대소(大小) 두 전제(前提)에서 얻은 단안(斷案).
[結了 결료] 끝남. 완료함.
[結縭 결리] ㉠딸이 시집갈 때 어머니가 향주머니를 띠에 매어 주는 일. 일설(一說)에는, 수건을 띠에 매어 주는 일. 결세(結帨). ㉡시집가는 일. 출가(出嫁).
[結膜 결막] 눈꺼풀의 안과 눈알의 겉을 이어서 싼 무색투명(無色透明)한 얇은 막.
[結末 결말] 일의 끝. 결미(結尾).
[結盟 결맹] 맹약(盟約)을 맺음.
[結文 결문] 문장의 끝의 문구(文句).
[結尾 결미] 결말(結末).
[結縛 결박] ㉠두 손을 한데 묶음. ㉡《佛敎》 번뇌(煩惱)의 별칭(別稱). 물욕(物欲)에 속박당한다는 뜻.
[結髮 결발] ㉠상투를 틀거나 쪽을 찜. ㉡남녀가 처음으로 머리를 짜 올리고 어른이 됨.
[結髮夫婦 결발부부] 숫총각(總角)과 숫처녀(處女)로서 정식으로 혼인(婚姻)한 부부(夫婦).
[結氷 결빙] 얼음이 얾. 또, 그 얼음.
[結社 결사] 일정(一定)한 목적을 위하여 여러 사람이 합동(合同)하여 단체(團體)를 결성함. 또, 그 단체.

[結駟 결사] 말 네 마리가 끄는 수레. 전(轉)하여, 이 수레를 탈 수 있는 혁혁(赫赫)한 신분. '사마(駟馬)' 참조.
[結駟連騎 결사연기] 말 네 필(匹)이 끄는 수레에 타고 말 탄 종자(從者)들로 줄지어 호위(護衞)하게 한다는 뜻으로, 행렬(行列)의 화려(華麗)함을 이름.
[結轖 결색] 마음이 울적함. 울결(鬱結).
[結舌 결설] 입을 다물고 이야기하지 아니함. 함구(緘口).
[結成 결성] 단체의 조직(組織)을 형성(形成)함.
[結帨 결세] 결리(結縭) ❶.
[結束 결속] ㉠한 덩이가 되게 묶음. 전(轉)하여, 일치단결함. ㉡여행이나 출전하기 위한 차림을 차림. 또, 그 차림.
[結綬 결수] 벼슬에 취임함. 해수(解綬)의 대(對).
[結繩 결승] 새끼를 매듭지음. '결승지정(結繩之政)'을 보라.
[結繩文字 결승문자] 태고에 새끼를 매듭지어 그 모양과 수로써 의사(意思)를 소통하던 문자.

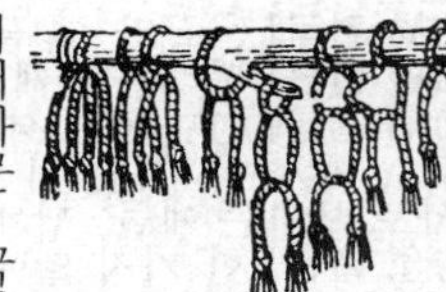
[結繩文字]

[結繩之政 결승지정] 중국의 태고적 문자가 없던 때에 노끈으로 매듭을 맺어 정령(政令)의 부호로 한 일. 전(轉)하여, 태고의 간이한 정사(政事).
[結實 결실] ㉠열매가 맺힘. ㉡튼튼함. ㉢견실(堅實)함. 착실함. ㉣《韓》 일의 결과가 잘 맺어짐. 성공(成功)함.
[結審 결심] 재판의 심리를 끝내고 결말을 지음.
[結約 결약] 약속(約束)을 맺음.
[結緣 결연] ㉠인연을 맺음. ㉡《佛教》 불문(佛門)에 귀의(歸依)하는 인연을 맺음.
[結纓 결영] 갓끈을 맴. 군자(君子)는 죽을 때에도 예의를 지킴을 이름.
[結怨 결원] 원한을 품음.
[結願 결원] 신불(神佛)에 기원한 날수가 참. 만원(滿願).
[結義 결의] 남과 의리(義理)로써 친족(親族) 같은 관계를 맺음.
[結因 결인] 인연을 맺음.
[結姻 결인] 혼인에 의하여 인척 관계를 맺음.
[結子 결자] 열매를 맺음. 여묾. 결실(結實).
[結裝 결장] 결속(結束) ❷.
[結腸 결장] 대장(大腸)의 맹장(盲腸)과 직장(直腸)을 제외한 가운데 토막을 이룬 부분.
[結晶 결정] 광물(鑛物) 같은 것이 일정한 자연 법칙에 따라 규칙적인 특수한 형체를 이룬 상태. 또, 그 물질.
[結集 결집] 《佛教》 석가여래(釋迦如來)가 죽은 뒤에 제자들이 모여 석가여래의 언행(言行)을 적어 경전(經典)을 만든 일.
[結着 결착] ㉠맺혀 붙음. ㉡《韓》 결말이 나서 낙착(落着)됨.
[結撰 결찬] 문장을 구상(構想)하여 지음.
[結滯 결체] 맥(脈)이 때때로 멈추어 맥박이 고르지 아니함.
[結締 결체] 단단히 맴. 졸라맴.
[結體 결체] ㉠글자의 형체. ㉡형체를 결합함. 또, 그 형체.
[結草 결초] 결초보은(結草報恩).
[結草報恩 결초보은] 춘추 전국 시대(春秋戰國時代)에 진(晉)나라 위무자(魏武子)가 아들 위과(魏顆)에게 자기 첩(妾)을 개가(改嫁)시키라고 유언(遺言)을 하였다가 다시 마음이 변하여 자기를 따라 순사(殉死)하게 하라고 유언하였는데, 위과는 인정에 끌려 그의 서모(庶母)를 차마 순사시키지 못하고 개가하게 하였더니, 그 후 위과가 진(秦)나라의 용사 두회(杜回)와 싸울 때 서모의 아버지의 망령(亡靈)이 나타나서 풀을 매어 놓아 두회가 그 풀에 걸려 넘어져 위과의 포로가 되었다는 고사(故事). 전(轉)하여, 죽은 뒤에도 은혜(恩惠)를 갚음을 이름.
[結託 결탁] 마음을 합쳐 서로 의탁함. 합심하여 서로 도움.
[結鬪 결투] 뒤섞여 싸움.
[結風 결풍] 회오리바람. 선풍(旋風).
[結夏 결하] 《佛教》 인도(印度)의 우기(雨期)에 해당하는 음력 4월 15일부터 90일간 중이 한 곳에 조용히 있어 불도(佛道)를 닦는 일.
[結合 결합] 둘 이상이 맺어서 하나가 됨.
[結核 결핵] 결핵균(結核菌)이 기생(寄生)하는 곳이 딴딴하게 맺힌 멍울. 또, 그 병. 결핵병.
[結好 결호] 친분을 맺음. 가까워짐.
[結婚 결혼] 혼인(婚姻)의 관계를 맺는 일. 장가들고 시집가는 일.
[結禍 결화] 화근(禍根)을 만듦. 재난(災難)을 일으킴.
[結喉 결후] 성년 남자의 턱 아래 목에 약간 튀어나온 후골(喉骨).
◉鈐結. 哽結. 固結. 科結. 括結. 絓結. 魁結. 交結. 捲結. 歸結. 糾結. 樛結. 團結. 凍結. 屯結. 面結. 撫結. 百結. 兵連禍結. 覆結. 紛結. 冰結. 憑結. 死結. 約結. 連結. 縈結. 蘊結. 完結. 枉結. 要結. 繞結. 紆結. 憂結. 鬱結. 苑結. 冤結. 誘結. 凝結. 積結. 轉結. 纏結. 終結. 直結. 集結. 癥結. 締結. 妥結.

6 ⑫ [絓] 一 과 ㊥佳 苦緺切 kuā 二 괘 ㊤卦 胡卦切 guà 䋎 𦁛

字解 一 풀솜실 과 풀솜으로 자은 실. 전(轉)하여, 그 실로 짠 명주. 二 걸릴 괘 ㉠걸리는 것이 있어 거리끼어 멈춤. '驂—於木而止'《左傳》. ㉡그물에 걸림. '不—聖人之罔'《漢書》.
字源 篆文 絓 形聲. 糸+圭〔音〕. '圭규'는 '모나다'의 뜻. 고치에서 뽑아낸 채로의, 모난 마디가 있는 명주실, 곧 '풀솜실'의 뜻을 나타냄.

[絓絲 괘사] 풀솜을 자은 실.
[絓結 괘결] 울적함. 우울함.
[絓閡 괘애] 거치적거리는 것이 있어 걸림.

6 ⑫ [絕] 中人 절 ㊁屑 情雪切 jué 绝 𦀹

筆順 幺 幺 糸 糸 紀 紹 絕 絕

字解 ①끊을 절 ㉠두 동강이를 냄. '—斷'. '繇繇不—, 蔓蔓奈何'《戰國策》. ㉡거절함. '謝—'. '子—長者乎'《孟子》. ㉢목숨을 끊음. 죽임. 또, 멸(滅)함. '—命'. '勦—其命'《書經》. ㉣없앰. '—版'. '子—四'《論語》. ㉤그만둠. '—食'. '—筆于獲麟'《孔子家語》. ㉥격리함. '隔—'. '與諸將—席'《後漢書》. ㉦막음. 차단함. '—趙

軍後'《史記》. ⓞ버림. '一世于良'《左傳》. ②끊어질 절 전항(前項)의 자동사. '斷一'. '腸雖欲一, 目猶爛然'《顏氏家訓》. '我命一今日'《古詩》. '秋七月大雨, 渭橋一'《漢書》. ③건널 절 횡단함. '一海'. '一江'. '正一流曰亂'《爾雅》. ④지날 절 통과함. '一流沙'《淮南子》. ⑤뛰어날 절 남보다 월등 나음. '有力一人'《唐書》. 또, 그러한 일. '三一'(시·서·화에 뛰어난 일). ⑥떨어질 절 ㉠양도(糧道)가 떨어짐. 전(轉)하여, 빈궁함. '一糧'. '求乏一'《禮記》. ㉡멀리 떨어져 있음. '一島'. '一國殊俗'《淮南子》. ⑦극(極)할 절 더없이 누림. '榮寵一矣'《後漢書》. ⑧결코 절 절대로. '一無而僅有'《蘇軾》. ⑨심히 절 대단히. '一美'. '一愛幸之'《史記》. ⑩절구 절 시(詩)의 한 체(體). 율시(律詩)를 반으로 끊은 것. '七一'. '五一'.

字源 甲骨文 [甲骨文] 篆文 [篆文] 古文 [古文] 會意. 篆文은 刀+糸+卩. '卩절'은 사람이 무릎을 꿇는 모양을 본뜸. 날붙이로 실을 자르다의 뜻과, 사람이 무릎 꿇는 모양에서, '중단(中斷)하다'의 뜻을 나타냄. 甲骨文·古文은 실을 끊는 모양을 본뜸.

[絕佳 절가] 썩 아름다움. 아주 좋음.
[絕家 절가] 절손(絕孫)한 집.
[絕澗 절간] ㉠멀리 떨어진 산간(山間)의 계곡. ㉡절벽 사이를 흐르는 시내.
[絕裾 절거] 남의 만류하는 것을 뿌리치고 떠남.
[絕徑 절경] 앞이 막힌 좁은 길.
[絕景 절경] 절묘(絕妙)한 경치. 절승(絕勝).
[絕境 절경] 절역(絕域).
[絕谷 절곡] 깊고 험(險)한 골짜기. 험준한 구렁.
[絕哭 절곡] 애절(哀絕)히 곡함. 대단히 슬피 곡함.
[絕穀 절곡] 곡기(穀氣)를 끊음. 음식을 먹지 아니함.
[絕巧 절교] ㉠지극히 교묘함. ㉡기교를 그만둠.
[絕交 절교] 교제를 끊음. 서로 상종(相從)을 않음.
[絕句 절구] ㉠끊어져 계속되지 않는 글귀. ㉡한시(漢詩)의 한 체. 기(起)·승(承)·전(轉)·결(結)의 네 구로 되며 오언(五言) 또는 칠언(七言)이 보통임.
[絕國 절국] 아주 먼 곳에 있는 외국.
[絕群 절군] 같은 무리에서 특출하게 뛰어남. 발군(拔群).
[絕叫 절규] 힘을 다하여 외침.
[絕根枯葉 절근고엽] 뿌리를 자르고 잎을 마르게 하여 근절하여 버림.
[絕技 절기] 절묘한 기예. 또, 기예가 더없이 뛰어남.
[絕奇 절기] 썩 진기(珍奇)함.
[絕棄 절기] 아주 버림. 버려 관계를 끊음.
[絕念 절념] 단념(斷念)함.
[絕端 절단] 맨 끝.
[絕大 절대] 월등하게 큼. 비상히 큼.
[絕代 절대] ㉠당대에 견줄 만한 상대가 없을 만큼 뛰어남. 절세(絕世). ㉡아득하게 먼 고대. 태고(太古).
[絕對 절대] ㉠상대하여 비교할 만한 것이 없음. ㉡아무 제한을 받지 않음. ㉢아무 조건을 붙일 수 없음. ㉣모든 현상에서 초월한 것. 상대(相對)의 대(對).
[絕島 절도] 육지(陸地)에서 멀리 떨어져 있는 섬.
[絕倒 절도] ㉠느닷없이 넘어짐. 기절하여 넘어짐. 졸도(卒倒). ㉡대단히 감탄함. ㉢대단히 슬퍼함. ㉣대단히 근심함. ㉤'포복절도(抱腹絕倒)'와 같음.
[絕東 절동] 동쪽 끝. 극동(極東).
[絕等 절등] 월등하게 뛰어남.
[絕糧 절량] 양식이 떨어짐.
[絕麗 절려] 절미(絕美).
[絕類 절류] 절륜(絕倫).
[絕類離倫 절류이륜] 동료들보다 월등하게 뛰어남.
[絕倫 절륜] 남보다 월등하게 뛰어남.
[絕粒 절립] ㉠절량(絕糧). ㉡절식(絕食).
[絕邈 절막] 아주 아득함. 썩 멂.
[絕望 절망] ㉠아주 실망(失望)함. ㉡소망(所望)이 아주 끊어짐. 희망(希望)이 조금도 없음.
[絕脈 절맥] 맥이 끊어짐. 죽음.
[絕滅 절멸] 아주 멸망(滅亡)함. 또, 아주 멸망시킴.
[絕命 절명] 목숨이 끊어짐. 죽음.
[絕命詞 절명사] 임종 때 남기는 시문. 사세(辭世).
[絕命辭 절명사] 절명사(絕命詞).
[絕目 절목] 시야(視野)가 미치는 한.
[絕妙 절묘] 썩 기묘(奇妙)함.
[絕妙好辭 절묘호사] 아주 묘한 시문(詩文)을 칭찬하는 말. '황견유부(黃絹幼婦)' 참조.
[絕無 절무] 조금도 없음.
[絕無而僅有 절무이근유] 아주 없다시피 함. 극히 희귀함.
[絕味 절미] 아주 썩 좋은 맛.
[絕美 절미] 썩 아름다움.
[絕壁 절벽] 바위가 바람벽같이 깎아지른 듯한 낭떠러지. 단애(斷崖).
[絕峯 절봉] 깎아지른 듯이 아주 험준한 산봉우리.
[絕比 절비] 견줄 만한 것이 없음. 아주 뛰어남.
[絕臏 절빈] 무거운 물건을 들어 경골(脛骨)이 부러짐.
[絕祀 절사] 선조(先祖)의 제사를 끊는 일. 전(轉)하여, 나라가 망함을 이름.
[絕塞 절새] 멀리 떨어진 국경의 요새.
[絕色 절색] 월등하게 아름다운 여자. 절세의 미인.
[絕瑞 절서] 썩 길(吉)한 상서(祥瑞). 극히 드문 길조(吉兆).
[絕世 절세] ㉠세상(世上)에 견줄 만한 것이 없을 만큼 뛰어남. ㉡자손이 끊어짐. 무후(無後)함. ㉢세상을 버림. 죽음.
[絕世獨立 절세독립] 절세(絕世) ❶.
[絕所 절소] 아주 험준한 곳.
[絕笑 절소] 대단히 웃음. 크게 웃음. 대소(大笑).
[絕俗 절속] ㉠시속(時俗) 일에 관계하지 아니함. ㉡시속 사람보다 월등하게 뛰어남.
[絕續 절속] 단절함과 계속함. 단속(斷續).
[絕孫 절손] 대를 이을 자손이 끊어짐.
[絕勝 절승] ㉠절묘(絕妙)한 경치. 절경(絕景). ㉡대단히 뛰어남.
[絕食 절식] 식사를 끊음. 음식을 먹지 아니함.
[絕息 절식] ㉠없어짐. ㉡숨이 끊어짐. 죽음. 절명(絕命).
[絕岸 절안] 절벽(絕壁).
[絕巖 절암] 깎아지른 듯한 바위.
[絕崖 절애] 깎아지르듯이 매우 가파른 벼랑. 절벽(絕壁).

[絶愛 절애] 지극히 사랑함.
[絶業 절업] 끊어져 버린 사업.
[絶域 절역] 멀리 떨어져 있는 외국. 절국(絶國). 절경(絶境).
[絶緣 절연] ㉠인연(因緣)을 끊음. 관계를 끊음. ㉡전류(電流)가 통(通)하지 못하게 막음.
[絶緣體 절연체] 전류가 통하지 않는 물체. 견사·유리·에보나이트 등. 부도체(不導體).
[絶艶 절염] 절염(絶豔).
[絶豔 절염] 아주 요염하고 아리따움. 썩 예쁨. 또, 그 미인.
[絶影 절영] 그림자조차 끊어짐.
[絶纓 절영] 관(冠)의 끈을 끊음. 초(楚)나라 장왕(莊王)이 신하들과 잔치를 벌였을 때, 촛불이 펄럭거리다 꺼지자 미인(美人)의 옷을 당기는 자가 있었다. 미인은 그 자의 갓끈을 끊고 왕에게 고하여, 불을 밝혀 그 자를 찾자고 하였으나 왕은 거부하고 신하들에게 모두 자기의 갓끈을 끊으라고 명하였다. 훗날, 진(晉)나라와 싸울 때, 늘 왕 앞에서 적을 물리치는 자가 있어 이상히 여겨 넌지시 알아보았더니, 전날 갓끈을 끊긴 자였다는 고사(故事).
[絶藝 절예] 절기(絶技).
[絶遠 절원] ㉠관계를 끊고 멀리함. 물리침. ㉡대단히 멂. 또, 그곳.
[絶垠 절은] 아주 멀리 끝 간 데. 하늘 끝.
[絶異 절이] 뛰어나게 다름. 월등하게 뛰어남.
[絶人 절인] 남보다 훨씬 뛰어남.
[絶人之勇 절인지용] 남보다 훨씬 뛰어난 용기.
[絶長補短 절장보단] 긴 것은 잘라서 짧은 것에 보태어 알맞게 함. 전(轉)하여, 잘되거나 넉넉한 부분에서 못되거나 부족한 것을 보충함.
[絶才 절재] 썩 뛰어난 재능. 또, 그 사람.
[絶巓 절전] 절정(絶頂).
[絶頂 절정] ㉠산의 꼭대기. 맨 꼭대기. ㉡사물의 치오른 극도.
[絶調 절조] 절창(絶唱).
[絶足 절족] ㉠뛰어나게 빠른 걸음. ㉡발걸음을 끊고 왕래를 하지 않음.
[絶族 절족] 절손(絶孫)한 집안.
[絶種 절종] 씨가 끊어져 없어짐.
[絶蹤 절종] ㉠자취를 알 수 없음. 간 곳이 묘연(杳然)함. ㉡남에게 알리지 않음.
[絶峻 절준] 절험(絶險).
[絶盡 절진] 다 없어짐.
[絶塵 절진] ㉠걸음이 하도 빨라서 나는 것 같아 먼지가 조금도 나지 아니함. ㉡속세(俗世)와 인연을 끊음. 시속(時俗) 일에 관계하지 아니함. 절속(絶俗).
[絶讚 절찬] 극구 칭찬함. 또, 그 칭찬.
[絶唱 절창] ㉠견줄 만한 것이 없는 뛰어난 시문(詩文). ㉡《韓》뛰어나게 잘 부르는 노래. 명창(名唱).
[絶處逢生 절처봉생] 궁박(窮迫)한 끝에는 살 길이 생긴다는 말.
[絶致 절치] 아주 뛰어난 운치(韻致).
[絶歎 절탄] 대단히 찬탄함. 극구 칭찬함.
[絶特 절특] 견줄 만한 것이 없을 만큼 뛰어남. 아주 뛰어남.
[絶版 절판] ㉠출판하지 아니함. ㉡판목(版木) 또는 원판이 없어짐.
[絶品 절품] 월등하게 뛰어난 물품(物品). 더할 나위 없이 좋은 물품. 일품(逸品).
[絶筆 절필] ㉠붓을 놓고 다시 쓰지 아니함. ㉡지극히 뛰어난 필적. ㉢죽기 전의 마지막 필적, 또는 저서.
[絶乏 절핍] 아주 없어짐.
[絶學 절학] 중도에 끊어져 후세(後世)에 전하지 않는 학문.
[絶壑 절학] 절곡(絶谷).
[絶亢 절항] 멱을 끊어 죽음.
[絶海 절해] ㉠바다를 횡단함. 바다를 건넘. ㉡아주 먼 바다. 육지에서 아주 멀리 떨어져 있는 바다.
[絶響 절향] 진(晉)나라의 혜강(嵇康)이 사형을 당할 때 거문고를 타며 광릉산(廣陵散)〈금곡(琴曲)의 이름〉도 오늘로써 끊어져 없어질 것이라고 한 고사(故事)에서 나온 말로, 풍류 운사(風流韻事)를 다시 볼 수 없는 것을 개탄(慨歎)하는 말.
[絶巘 절헌] 썩 높은 산.
[絶險 절험] 아주 험준함. 또, 그곳.
[絶峽 절협] 깊은 산협.
[絶好 절호] ㉠더할 수 없이 좋음. ㉡절교(絶交).
[絶火 절화] 밥을 짓지 못함.
[絶潢 절황] 수로(水路)가 통하지 않는 웅덩이.
[絶後 절후] 금후 다시는 없음. 이제부터는 다시 나타나지 아니함.
◉佳絶. 奸絶. 拒絶. 距絶. 鬲絶. 隔絶. 決絶. 困絶. 過絶. 冠絶. 曠絶. 根絶. 禁絶. 奇絶. 氣絶. 斷絶. 大絃急小絃絶. 途絶. 斗絶. 杜絶. 妙絶. 泯絶. 悶絶. 謝絶. 秀絶. 殊絶. 勝絶. 遏絶. 闕絶. 抑絶. 艶絶. 五絶. 雍絶. 委絶. 韋編三絶. 凝絶. 義絶. 離絶. 壯絶. 峻絶. 中絶. 遮絶. 斬絶. 凄絶. 斥絶. 超絶. 勦絶. 七絶. 卓絶. 踔絶. 遍絶. 閉絶. 廢絶. 乏絶. 險絶. 懸絶. 橫絶.

6 ⑫ [絖] 광 ㊀漾 苦謗切 kuàng 纩

字解 솜 광 고운 솜. 세면(細綿). '以洴澼絖爲事'《莊子》.
字源 纊의 別體 形聲. 糸＋光〔音〕

6 ⑫ [絚] 긍 ㊀蒸 古恆切 gēng ㊀徑 古鄧切 gèng

字解 바 긍 緪(糸部 九畫)과 同字. '一繳上下'《晉書》.

[絚繳 긍격] 바. 굵게 드린 줄.
[絚橋 긍교] 바를 매어 건넨 다리.

6 ⑫ [翊] 〔익〕 翼(羽部 十一畫〈p. 1811〉)과 同字

6 ⑫ [絸] 〔견〕 繭(糸部 十一畫〈p. 1769〉)과 同字

6 ⑫ [緱] 구 ㊀尤 居侯切 gōu

字解 펼 구 폄. 舒(舌部 六畫)와 뜻이 같음. '一, 舒也'《字彙補》.

6 ⑫ [絝] 고 ㊀遇 苦故切 kù 绔

[字解] ①바지 고 袴(衣部 六畫)와 同字. '平生無襦, 今五一'《後漢書》. ②걸터앉을 고 跨(足部 六畫)와 同字. '一白虎'《史記》.
[字源] 篆文 形聲. 糸+夸〔音〕. '夸과'는 '걸터앉다, 걸치다'의 뜻. '바지·잠방이'의 뜻을 나타냄.

◉綷絝. 小絝. 野絝. 襦絝. 皮絝. 紈絝.

6 ⑫ [絞] [人名] [一] 교 [上]巧 古巧切 jiǎo [二] 효 [平]肴 何交切 xiáo 绞

[字解] [一] ①목맬 교 목을 매어 죽임. '一殺'. '一縊以戮'《左傳》. ②꼴 교 새끼를 꼼. '糾一繩索'《爾雅 疏》. ③묶을 교 결박함. '一縛'. '求一囚繩'《明道雜志》. ④엄할 교 조금도 여유가 없음. '叔孫一而婉'《左傳》. ⑤성 교 성(姓)의 하나. [二] ①초록빛 효 청색과 황색의 중간색. 창황색(蒼黃色). 연둣빛. '一衣以裼之'《禮記》. ②염베 효 염(斂)에 쓰는 형겊 띠. '小斂布一'《禮記》.
[字源] 篆文 形聲. 糸+交〔音〕. '交교'는 '짜 맞추다'의 뜻. '묶다, 죄다'의 뜻을 나타냄.

[絞絞 교교] 빙 두른 모양.
[絞戮 교륙] 교살(絞殺).
[絞縛 교박] 묶음.
[絞盤 교반] 녹로(轆轤)의 별칭(別稱).
[絞死 교사] 목을 매어 죽음. 의사(縊死).
[絞殺 교살] 목을 매어 죽임.
[絞首 교수] ㉠교살(絞殺). ㉡교형(絞刑)을 집행「함.
[絞首臺 교수대] 사형수(死刑囚)에 대한 교수형(絞首刑)을 집행하는 기구.
[絞縊 교의] 목을 맴.
[絞罪 교죄] 교수형(絞首刑)에 해당하는 죄.
[絞刑 교형] 목을 매어 죽이는 형벌. 교수형(絞首刑).
[絞衾 효금] 속대(束帶)의 일종으로서, 시체(屍體)를 장식하는 데 쓰는 것.
[絞帶 효대] 참최(斬衰)에 띠는 새끼로 만든 띠.
[絞汁 효즙] 짜낸 즙액(汁液).

6 ⑫ [絡] [高人] 락 [入]藥 盧各切 luò 络

[筆順] 纟 幺 糹 糸 紁 終 絡 絡

[字解] ①두를 락 둘러쌈. 환요(環繞)함. '籠出一野'《班固》. '靑絲繫馬尾, 黃金一馬頭'《古詩》. ②쌀 락 포괄(包括)함. '緜一天地'《漢書》. ③묶을 락 속박함. 잡아맴. '鄭綿一些'《宋玉》. ④얽힐 락 이리저리 감김. '翠蔓蒙一'《柳宗元》. ⑤이을 락 연함. '連一'. '一繹'. '一一結雲騎'《謝朓》. ⑥줄 락, 고삐 락 물건 또는 말을 매는 줄. '金鑣玉一'《史記》. ⑦솜 락, 실 락 면(綿). 일설(一說)에는, 사(絲). '以爲絲一'《逸周書》. ⑧근(筋) 락 인체(人體)의 맥락(脈絡). '經一'. '中經維一'《史記》. ⑨띠 락 대(帶). '鉤一鉤帶也'《晉書》. ⑩그물 락 망(網). '振天維, 衍地一'《張衡》. ⑪명주 락 '一, 卽今之生纊也'《急就篇 注》. ⑫생명주 락 '一, 絹也'《廣雅》. ⑬두레박줄 락 '繘, 自關而東, 周洛韓魏之閒, 謂之綆, 或謂之一'《揚子方言》. ⑭생마(生麻) 락 누이지 않은 삼. '一, 一曰, 麻未漚也'《說文》. ⑮성 락 성(姓)의 하나.
[字源] 篆文 形聲. 糸+各〔音〕. '各각·락'은 '盧로'와 통하여, '두르다'의 뜻. '실을 감다, 감기다, 두르다'의 뜻을 나타냄.

[絡頭 낙두] ㉠말의 머리에 걸어 고삐에 매는 장식 끈. ㉡머리띠.
[絡絡 낙락] 죽 이은 모양.
[絡絲娘 낙사랑] 낙위(絡緯)의 별칭(別稱).
[絡束 낙속] 묶음.
[絡新婦 낙신부] 호랑거밋과에 속하는 거미. 무당거미. 반주(斑蛛).
[絡繹 낙역] 왕래가 끊이지 아니하는 모양.
[絡纓 낙영] 말의 가슴에 걸어 안장에 매는 끈. 가슴걸이.
[絡緯 낙위] 베짱이. 일설(一說)에는, 여치.
◉結絡. 經絡. 繫絡. 交絡. 羈絡. 羅絡. 籠絡. 幕絡. 網絡. 脈絡. 緜絡. 蒙絡. 覆絡. 連絡. 聯絡. 纓絡. 織絡. 穿絡. 包絡.

6 ⑫ [絢] [人名] [一] 현 [去]霰 許縣切 xuàn [二] 순 [平]眞 松倫切 xún 绚

[字解] [一] ①무늬 현 문채(文采). '素以爲一兮'《論語》. ②고울 현 문채가 있어 고움. '一爛'. ③빠를 현 佝(人部 六畫)과 통용. '一練敻絕'《顏延之》. [二] 노끈 순 둥글게 친 끈. 또, 여러 가닥을 한데 엮은 끈. 紃(糸部 三畫)과 同字. '紃, 說文, 圜采也. 一曰, 條也. 儀禮作一'《集韻》.
[字源] 篆文 形聲. 糸+旬〔音〕. '旬순'은 '均균'과 통하여, '같다'의 뜻. 균질(均質)의 직물(織物)의 발, 기하학적(幾何學的)인 아름다운 무늬의 뜻을 나타냄.

[絢爛 현란] ㉠눈이 부시도록 고움. ㉡시가·문장의 자구(字句)가 풍부하고 화려함.
[絢練 현련] 빠른 모양.
[絢美 현미] 문채가 있어 아름다움.
[絢服 현복] 문채가 있는 눈부시게 화려한 옷.
[絢飾 현식] 곱게 장식함. 수식함.
◉光絢. 明絢. 炳絢. 英絢. 流絢. 遺絢. 摛絢. 彫絢. 藻絢. 彩絢. 華絢.

6 ⑫ [絣] 〔병〕
絣(糸部 八畫〈p. 1747〉)의 俗字

6 ⑫ [給] [中人] 급 [入]緝 居立切 jǐ, gěi 给

[筆順] 纟 幺 糹 糸 紒 給 給 給

[字解] ①넉넉할 급 물건이 충분히 있음. '一足'. '秋省斂而助不一'《孟子》. ②넉넉히할 급, 보탤 급 넉넉하게 해 줌. 더함. '一, 相足也'《說文》. '弗能一'《漢書》. '且何地以一之'《呂氏春秋》. ③줄 급 공여함. '一與'. '一錢五萬'《宋史》. ④댈 급 공급함. '一水'. '仍一口糧'《金史》. '用善書, 一事尙書'《漢書》. ⑤급여 급 사여(賜與). 녹봉(祿俸). '仰一縣官'《史記》. ⑥미칠 급 '豫而後一. (注)一, 及也'《國語》. ⑦구변좋을 급 능변임. '捷一'. '禦人以口一'《論語》.
[字源] 篆文 形聲. 糸+合〔音〕. 실을 자아 뽑을 때, 끊어지면 곧 이어 대다의 뜻에서, '더하다, 보태다'의 뜻을 나타냄.

[給假 급가] 관(官)에서 휴가를 줌. 말미를 줌.

가(假)는 가(暇).
[給諫 급간] '급사중(給事中)'을 보라.
[給孤獨園 급고독원] 《佛敎》 '기원(祇園)'과 같음. 고독(孤獨)한 사람을 급양(給養)하므로 이름.
[給供 급공] 급료(給料)를 줌.
[給金 급금] 급료로서 주는 금전.
[給料 급료] 노력에 대한 보수.
[給廩 급름] 녹미(祿米)를 줌.
[給米 급미] 쌀을 줌. 또, 그 쌀.
[給復 급복] 조세·부역을 면제함. 사복(賜復).
[給扶 급부] 급조(給助).
[給富 급부] 재산이 넉넉함. 요부(饒富).
[給費 급비] 비용(費用)을 대줌.
[給使 급사] 곁에서 잔심부름을 하는 사람.
[給事 급사] ㉠일을 댐. ㉡귀인(貴人)을 곁에서 섬김.
[給賜 급사] 금품의 하사(下賜).
[給事中 급사중] 관명(官名). 진한(秦漢) 때에는 중앙 관청의 각부(各部)에 분속(分屬)하여 비답(批答) 또는 상유(上諭)를 내각(內閣)에서 받아 발표하는 것을 맡았고, 수당(隋唐) 이후에는 문하성(門下省)에 속하여 제칙(制勅)·박정(駁正)의 일을 맡았으며, 명(明)나라에 이르러서는 시종(侍從)·규간(規諫)의 직책을 맡고 겸하여 육부(六部)를 감찰하였으며, 청대(清代)에는 도찰원(都察院)에 속하여 어사(御史)와 같이 간관(諫官)이었으므로 급간(給諫)이라고도 하였음.
[給散 급산] 나누어 줌.
[給水 급수] 물을 공급함.
[給侍 급시] 귀인(貴人)을 곁에서 섬기는 사람.
[給養 급양] ㉠의식을 대주어 먹여 살림. ㉡군대에 의식(衣食) 및 기타의 필요품을 공급함.
[給與 급여] 물품을 줌. 또, 그 물품.
[給園 급원] 《佛敎》 기수급고독원(祇樹給孤獨園)의 준말. 고독(孤獨)을 애휼(哀恤)한 사위국(舍衛國)의 장자(長者)가 불타(佛陀)에게 바친 원림(園林). 기원정사(祇園精舍).
[給由 급유] 《韓》 급가(給假).
[給資 급자] 자본을 댐.
[給濟 급제] 금품을 급여하여 구제함.
[給助 급조] 금품을 주어 도와줌.
[給足 급족] 충족함. 자급자족함.
[給犒 급호] 호궤(犒饋)함.
◉經給. 共給. 供給. 官給. 口給. 饋給. 敏給. 配給. 辯給. 奉給. 俸給. 富給. 辭給. 賞給. 贍給. 年給. 佞給. 營給. 完給. 饒給. 月給. 日給. 自給. 資給. 粗給. 坐給. 周給. 支給. 賑給. 捷給. 寵給. 出給. 充給. 豐給. 餉給.

6 ⑫ **[絨]** [人名] 융 [平]東 如融切 róng 绒

[字解] ①융 융 감이 두툼하고 고운 모직물. '一緞'. '搔亂金牀五色一'《揚維楨》. ②발고운베 융 狨(犬部 六畫)과 同字. '一, 細布'《廣韻》.
[字源] 形聲. 糸＋戎〔音〕. '戎융'은 '이민족, 오랑캐'의 뜻. 이민족이 사용하는 모직물의 뜻을 나타냄.

[絨緞 융단] 두꺼운 모직물의 한 가지. 대개 담요로 씀.
[絨毯 융담] 융단(絨緞).
[絨衣 융의] 나사(羅紗)로 지은 옷.
[絨氈 융전] 융단(絨緞).
◉石絨. 製絨.

6 ⑫ **[絪]** [人名] 인 [平]眞 於眞切 yīn 细

[字解] 자리 인 앉거나 눕도록 바닥에 까는 물건. 茵(艸部 六畫)과 同字. '畫繡一馮'《漢書》.
[字源] 形聲. 糸＋因〔音〕. '因인'은 사람이 자리에 눕다의 뜻. '糸멱'을 붙여, '자리'의 뜻을 나타냄.

[絪縕 인온] 만물(萬物)을 생성(生成)하는 기운이 왕성한 모양.

6 ⑫ **[絩]** [一] 조 ①[去]嘯 他弔切 tiào ②[上]篠 徒了切 [二] 도 [上]晧 杜皓切 dào

[字解] [一] ①실수효 조 견직물(絹織物)의 날실의 수효. '一, 綺絲之數也'《說文》. ②명주길 조 명주가 긴 모양. '一, 繒長皃'《集韻》. [二] 오색실 도 '一, 五色縷'《集韻》.
[字源] 形聲. 糸＋兆〔音〕

6 ⑫ **[絯]** 해 ①[平]灰 古哀切 gāi ②[上]蟹 侯楷切 hài

[字解] ①묶을 해, 잡아맬 해 '方且爲物一'《莊子》. ②걸 해 '一, 挂也'《廣韻》.
[字源] 形聲. 糸＋亥〔音〕

6 ⑫ **[絰]** 질 [入]屑 徒結切 dié 绖

[字解] 질 질 상복(喪服)을 입을 때 머리에 쓰는 수질(首絰)과 허리에 감는 요질(腰絰). '衰一'. '凡弔事弁一服'《周禮》.
[字源] 篆文 形聲. 糸＋至〔音〕. '至지'는 꼭 끼여 빈틈이 없다의 뜻. 상복(喪服)을 입을 때, 목과 허리에 단단히 두르는 베띠의 뜻을 나타냄.

[絰皇 질황] 무덤 앞의 땅을 두두룩하게 한 곳.
◉弁絰. 苴絰. 衰絰.

6 ⑫ **[絳]** [人名] 강 [去]絳 古巷切 jiàng 绛

[字解] ①진홍 강 진한 적색. 진홍색(眞紅色). '一脣'. '綸組紫一'《左思》. ②성 강 성(姓)의 하나.
[字源] 篆文 形聲. 糸＋夅〔音〕. '夅강'은 '紅홍'과 통하여, '붉음'의 뜻을 나타냄. '紅'은 본래 '絳'과 같은 음(音)은 아니나, 방언차(方言差)를 나타내는 것으로도 생각됨. 해돋이 때의 태양 빛처럼 '진홍빛'을 가리킴.

[絳灌 강관] 한(漢)나라의 강후(絳侯) 주발(周勃)과 관영(灌嬰). 모두 고조(高祖)의 신하(臣下).
[絳裙 강군] 강상(絳裳).
[絳闕 강궐] 빨갛게 칠한 대궐의 문. 전(轉)하여, 대궐. 궁성(宮城).
[絳氣 강기] 빨간 운기(雲氣).
[絳羅 강라] 진홍색의 얇고 고운 명주.
[絳氛 강분] 무지개 같은 것의 빨간 기(氣).
[絳裳 강상] 빨간 치마. 홍상(紅裳).

[絳樹 강수] ㉠옛날의 미녀(美女)의 이름. ㉡산호(珊瑚)의 별칭(別稱).
[絳樹青琴 강수청금] 강수(絳樹)와 청금(青琴). 모두 옛 미녀(美女)의 이름.
[絳脣 강순] 빨간 입술. 미인(美人)의 고운 입술.
[絳萼 강악] 빨간 꽃받침.
[絳英 강영] 빨간 꽃.
[絳雲 강운] 빨간 구름.
[絳雲樓 강운루] 청(淸)나라 전겸익(錢謙益)의 장서실(藏書室)의 이름. 〈강운루서목(絳雲樓書目)〉 4권이 있음.
[絳帷 강유] 빨간 장막. 강장(絳帳).
[絳衣 강의] 진홍색의 옷. 장군(將軍)이 입던 옷임.
[絳衣大冠 강의대관] 진홍색의 옷과 큰 관(冠). 장군(將軍)의 차림.
[絳帳 강장] 빨간 장막. 진홍색의 장막. 전(轉)하여, 스승이 앉는 자리. 또, 학자의 서재.
[絳帖 강첩] 강주(絳州)에서 나온 법첩(法帖) 이름.
[絳被 강피] 빨간 이불.
[絳河 강하] 은하(銀河). 하늘을 이름.
[絳汗 강한] 피의 빛을 한 땀.
[絳虹 강홍] 빨간 무지개. 비가 갤 때 나타남.
◉似絳. 緹絳. 淺絳.

6 ⑫ [綘] 絳(前條)과 同字

6 ⑫ [絨] [一] 지 [去]寘 職吏切 zhì
[二] 식 [入]職 設職切 shì

[字解] [一] ①짤 지 베를 짬. ②베틀의날실 지 아직 씨실과 섞어 짜지 않은 베틀의 날실. '一, 方言云, 趙魏閒, 呼經而未緯者曰機一'《廣韻》. [二] 짤 식, 베틀의날실 식 [一]과 뜻이 같음.

6 ⑫ [絧] 동 ①②[平]東 徒紅切 tóng, ②tōng
③-⑤[去]送 徒弄切 dòng

[字解] ①천이름 동 직물(織物)의 이름. '一, 布名'《集韻》. ②더디나바로통할 동 완만하나 직통(直通)하는 모양. '一, 緩而直通皃'《集韻》. ③서로통할 동 상통(相通)함. '一, 相通之皃'《廣韻》. ④곧달릴 동 '鴻一'은 바로 달리는 모양. '鴻一緁獵'《漢書》. ⑤잇댈 동 상련(相連)하는 모양. '鴻一, 一曰, 相連次皃'《集韻》.
[字源] 形聲. 糸+同〔音〕

6 ⑫ [絪] 이 [上]紙 忍止切 ěr

[字解] 고삐 이 '一一'는 고삐의 모양. '一一, 轡盛皃'《集韻》.

6 ⑫ [絘] 차 [去]寘 七四切 cì
[平]支 津私切

[字解] ①삼삼을 차 삼을 삼아 이어서 길게 함. '一, 績所緝'《大徐本說文》. ②낳이하지않은실 차 잣기만 하고 낳이하지 않은 실. '一, 績所未緝者'《段注本說文》. ③집세 차 저자에 있는 집에 매기는 가옥세(家屋稅). '一, 一日, 一布, 稅布也'《集韻》.
[字源] 篆文 形聲. 糸+次〔音〕. '次차'는 순서를 매겨 늘어놓다의 뜻. 자아낸 삼을 길게 낳다의 뜻. 또, '次차'를 멈추다의 뜻으로 본다면, 삼을 잣기만 하고 낳이하지 않다의 뜻을 나타냄.

6 ⑫ [絑] 주 [平]虞 章俱切 zhū

[字解] ①붉을 주 새빨간색. '一, 純赤也'《說文》. ②붉은비단 주 '一, 一日, 赤色繒'《集韻》.
[字源] 篆文 形聲. 糸+朱〔音〕. '朱주'는 붉은색. 붉은 실의 뜻에서, '붉은빛'의 뜻을 나타냄.

6 ⑫ [絔] [一] 백 [入]陌 博麥切 bǎi
[二] 맥 [入]陌 莫白切 mò

[字解] [一] 보충할 백 보충함. '一, 補也'《字彙》. [二] 두건 맥 두건. '一, 頭巾'《字彙》.

6 ⑫ [絲] 미 [上]薺 莫禮切 mǐ

[字解] 쌀무늬 미 실로 쌀 무늬를 놓은 수. '一, 繡文如聚細米也'《說文》.
[字源] 篆文 形聲. 糸+米〔音〕. 쌀알의 흩어진 모양을 무늬로 한 수(繡), 또 그 무늬의 뜻을 나타냄.

6 ⑫ [綏] 〔영〕
纓(糸部 十七畫〈p. 1780〉)과 同字

6 ⑫ [絙] 환 [平]寒 胡官切 huán

[字解] 끈 환, 인(印)끈 환 끈 끈. 끈목. '一, 綬也'《玉篇》.
[字源] 篆文 形聲. 糸+亘(亘)〔音〕

6 ⑫ [經] 〔경〕
經(糸部 七畫〈p. 1741〉)의 俗字

6 ⑫ [絟] 전 [平]先 此緣切 quán

[字解] ①가는베 전 고운 베. '一, 細布也'《說文》. ②갈포(葛布) 전 칡의 섬유로 짠 베. '一, 葛也'《玉篇》.
[字源] 篆文 形聲. 糸+全〔音〕

6 ⑫ [緊] 〔계·경〕
綮(糸部 八畫〈p. 1753〉)와 同字

6 ⑫ [綵] 타 [上]哿 都果切 duǒ

[字解] 면류관앞드림 타 면류관의 앞에 드리우는 것. '一, 冕前垂也'《集韻》.

6 ⑫ [絙] 파 [去]卦 卜封切 pài

[字解] ①흩은실 파 '一, 散絲也'《說文》. ②잣지 않은삼 파 '一, 未緝麻也'《廣韻》.
[字源] 形聲. 糸+𠂢〔音〕

6 ⑫ [絬] 설 [入]屑 私列切 xiè

[字解] ①옷솔기탄탄할 설 '一, 衣堅也'《說文》.

②실질길 설 실이 탄력이 있고 질김. '一, 按謂絲韌也'《通訓》. ③평상복 설 褻(衣部 十一畫)과 통용. '論語曰一衣長短右袂'《說文》.

字源 篆文 絬 形聲. 糸+舌〔音〕

6 ⑫ [統] 中人 통 ㊀宋 他綜切 tǒng ㊤董 他總切 统

筆順 ㄠ 幺 糸 糸 紅 紅 統 統

字解 ①거느릴 통 통솔함. '一治'. '一百官'《書經》. ②합칠 통 한데 모음. 하나로 묶음. '一一'. '一計'. '前在方外, 仍一軍實'《後漢書》. ③법 통 강기(綱紀). '國一備矣'《史記》. ④줄기 통 계통. '血一'. '援立皇一'《後漢書》. ⑤실마리 통 사업 등의 단서. '創業垂一'《孟子》. ⑥근본 통 기초함. 근본을 둠. '乃一天'《易經》. ⑦모두 통 전체가. 한데 합하여. '一舊國五新國三, 凡八大國'《資治通鑑》. ⑧성 통 성(姓)의 하나.

字源 篆文 統 形聲. 糸+充〔音〕. '充충'은 '채우다'의 뜻. 실의 여러 가닥을 한데 모아 한 줄기 실로서 채우다, 거느리다, 다스리다의 뜻을 나타냄.

[統監 통감] 통솔하고 감독함. 정치 또는 군사(軍事)를 통할하여 감독함. 또, 그 사람.
[統計 통계] ㉠한데 몰아쳐서 셈. ㉡같은 범위에 속하는 낱낱의 현상을 모아 계수(計數)에 의하여 그 상태를 나타내는 법.
[統括 통괄] 한데로 모아서 묶음. 총괄(總括).
[統帶 통대] 청대(淸代)의 벼슬. 일군(一軍)의 장(長).
[統督 통독] 통감(統監).
[統領 통령] 도맡아 다스림. 또, 그 사람.
[統論 통론] 총괄(總括)하여 논함. 총론(總論).
[統理 통리] 도맡아 다스림. 통치(統治).
[統萬 통만] 산시 성(陝西省) 횡산현(橫山縣) 서쪽에 있던 지명(地名). 하(夏)나라의 혁련발발(赫連勃勃)이 이곳에 도읍하여 후진(後秦)에 대항하였음.
[統攝 통섭] 도맡아 다스림. 통치(統治).
[統率 통솔] 일체를 통할(統轄)하여 거느림.
[統帥 통수] 통솔(統率).
[統承 통승] 계통을 이어받음. 계승(繼承).
[統御 통어] 도맡아 다스림. 통치(統治).
[統馭 통어] 통어(統御).
[統業 통업] 천하(天下)를 통치하는 사업.
[統乂 통예] 통치(統治).
[統一 통일] 여럿을 모아서 계통이 선 하나로 만듦.
[統壹 통일] 통일(統一).
[統制 통제] ㉠도맡아 다스림. 통치(統治). ㉡송대(宋代)에 설치한 벼슬. 출정군 사령관(出征軍司令官). 총사령관은 도통제(都統制)라 함.
[統制經濟 통제경제] 국가가 자유 경쟁을 억제하여, 국민 전체의 입장에서 경제 정책을 정하는 일.
[統主 통주] 통할함. 또는, 그 사람.
[統輯 통집] 한데 모아 거느림.
[統治 통치] ㉠도맡아 다스림. ㉡원수(元首)가 주권(主權)을 행사하여 나라를 다스림.
[統治權 통치권] 국가의 원수(元首)가 주권(主權)을 행사하여 나라를 다스리는 권력.
[統治者 통치자] 통치권을 가진 사람.
[統稱 통칭] 도거리로 부르는 이름.
[統下 통하] 치하(治下). 지배하(支配下).
[統轄 통할] 통할하여 다스림. 통괄하여 관할(管轄)함.
[統合 통합] 여럿을 하나로 합침.
[統護 통호] 도맡아 보호함.

◉監統. 乾統. 兼統. 系統. 官統. 管統. 光統. 根統. 大統. 道統. 法統. 本統. 分統. 三統. 聖統. 世統. 垂統. 王統. 元統. 源統. 閏統. 戎統. 人統. 一統. 立極垂統. 掌統. 適統. 典統. 傳統. 正統. 祖統. 宗統. 旨統. 鎭統. 天統. 踐統. 總統. 遐統. 學統. 血統. 洪統. 皇統.

6 ⑫ [絗] ㊀ 홀 ㊇月 胡骨切 hú ㊁ 골 ㊇月 胡骨切

字解 ㊀ 실감길 홀 실이 감김. '一, 縷縈也'《集韻》. ㊁ 실감길 골 ㊀과 뜻이 같음.

6 ⑫ [絠] ㊀ 개 ㊤賄 古亥切 gǎi ㊁ 애 ㊤賄 倚亥切 ǎi

字解 ㊀ ①튀는활고자 개 시위를 당기어 화살을 쏠 때, 활고자가 튀어 벗겨지는 일. '一, 彈彄也'. ②갓아래띠 개 '一, 一曰, 冠卷'《集韻》. ㊁ 튀는활고자 애, 갓아래띠 애 ㊀과 뜻이 같음.

字源 形聲. 糸+有〔音〕

6 ⑫ [絍] 〔임〕 紝(糸部 四畫〈p.1719〉)과 同字

6 ⑫ [絏] 〔설〕 紲(糸部 五畫〈p.1723〉)과 同字

字源 形聲. 糸+曳〔音〕

6 ⑫ [絵] 〔회〕 繪(糸部 十三畫〈p.1774〉)의 俗字

6 ⑫ [絛] 〔조〕 絛(糸部 七畫〈p.1744〉)의 俗字

6 ⑫ [絯] 〔격〕 綌(糸部 七畫〈p.1740〉)의 俗字

6 ⑫ [紱] ㊀ 비 ㊀寘 平祕切 ㊁ 복 ㊇屋 房六切 fú

字解 ㊀ 식(軾)위가리개 비 '一, 車一也'《說文》. ㊁ 식위가리개 복 ㊀과 뜻이 같음.

字源 形聲. 糸+伏〔音〕

6 ⑫ [絭] 권 ㊀願 去願切 juàn ㊥先 驅圓切

字解 ①팔찌 권 팔의 소매를 걷어 매는 끈. ②묶을 권 '一, 有叚𢍏爲之者. …𢍏, 收衣袖也. 引申爲凡束縛之偁'《說文 段注》.

字源 篆文 絭 形聲. 篆文은 糸+𢍏〔音〕. '𢍏권'은 둥글게 동이다, 묶다의 뜻. 소매를 동이다, 묶다, 팔찌의 뜻을 나타냄.

6 ⑫ [絫] 루 ㊤紙 力委切 lěi ㊥支 倫追切

字解 ①포갤 루, 쌓을 루 累(糸部 五畫)와 同字.

'脅肩一足'《漢書》. ②기장열알의무게 루 기장 낟알 열 개의 중량. 일수(一銖)의 십분의 일. '權輕重者, 不失黍一'《漢書》.
[字源] 篆文 形聲. 糸+厽〔音〕. '厽루'는 '포개다'의 뜻. 실을 포개어 가다, 묶다의 뜻을 나타냄. 일반적으로 '포개다'의 뜻을 나타냄. 자해(字解)❶의 뜻으로는, 현재 '累루'가 쓰이고 있음.

[絫息 누식] 걱정이 되어 자꾸 한숨을 쉼.
◉黍絫.

6 ⑫ [絮] [人名] [一] 서 [去]御 息據切 xù
[二] 처 [去]御 抽據切 chù

[字解] [一] ①솜 서 헌솜. 풀솜. 또, 거친 솜. '敗一'. '弊一'. '九十以上, 賜帛人二疋一三斤'《漢書》. ②솜옷 서 솜을 둔 옷. '冬不衣一'《孝子傳》. ③막힐 서 絮(糸部 五畫)와 통용. '一, 塞也'《廣雅》. ④버들개지 서 버들의 꽃. '柳一'. '千絲萬一惹春風'《鄭谷》. ⑤머뭇거릴 서 주저하여 결정을 내리지 못함. '富韓並相時, 偶有一事. 富公疑之久不決. 韓謂富曰, 公又一'《兩抄摘腴》. ⑥지루히얘기할 서 장황함. '一煩'. '語一且泣'《錦衣志》. [二] 간맞출 처 음식의 간을 맞춤. '毋一羹'《禮記》.
[字源] 篆文 形聲. 糸+如〔音〕. '如여'는 '女녀'와 통하여, 보드라운 모양, 폭신하고 보드라운 섬유인 '솜'의 뜻.

[絮纊 서광] 솜. 서(絮)는 묵은 솜, 광(纊)은 햇솜.
[絮縷 서루] 솜과 실.
[絮緜 서면] 솜. 면(緜)은 새 솜, 서(絮)는 헌솜.
[絮煩 서번] 번거로움. 장황함. 지루함.
[絮飛 서비] 버들개지가 낢.
[絮絮叨叨 서서도도] 지루하게 이야기하는 모양.
[絮雪 서설] 버들개지, 곧 유서(柳絮)의 이칭(異稱).
[絮說 서설] 지루하게 이야기함.
[絮語 서어] ㉠지루하게 오래 이야기함. 또, 그 이야기. ㉡자세히 이야기함. 또, 그 이야기.
[絮衣 서의] 솜을 둔 옷.
[絮酒 서주] 술에 솜을 담금. 동한(東漢)의 서치(徐穉)가 술에 적신 솜을 말려 두었다가, 초상이 나면 그 솜을 다시 물에 적셔 술 냄새가 나게 하여 조상(弔喪)하였다는 고사(故事)에서 온 말.
[絮繒 서증] 솜과 명주.
[絮袍 서포] 솜을 둔 옷. 핫옷.
[絮羹 처갱] 국에 간을 맞춤.
◉輕絮. 繫絮. 故絮. 聒絮. 壞絮. 落絮. 綿絮. 絲絮. 柳絮. 紵絮. 繒絮. 敗絮. 弊絮.

6 ⑫ [絜] [一] 혈 [入]屑 胡結切 xié
[二] 결 [入]屑 古屑切 jié

[字解] [一] 잴 혈 대소를 헤아림. '一之百圍'《莊子》. [二] 깨끗할 결, 깨끗이할 결 潔(水部 十二畫)과 통용. '一, 粢豐盛'《左傳》. '一, 爾牛羊'《詩經》.
[字源] 篆文 形聲. 糸+㓞〔音〕. '㓞'은 죄·더러움을 깨끗이 하기 위해 칼집을 내다의 뜻. '糸사'는 특히 '삼실'의 뜻. 삼실로 매어 깨끗이 씻다의 뜻을 나타냄.

[絜楹 결영] 돌로 기둥을 닦아 반들반들하게 윤이 나도록 함. 전(轉)하여, 원전활탈(圓轉滑脫)의 뜻.
[絜粢 결자] 깨끗한 제반미(祭飯米).
[絜齊 결제] 깨끗하고 정제(整齊)함.
[絜矩 혈구] 곡척(曲尺)을 가지고 잼. 법에 의하여 잼. 자기의 마음을 척도(尺度)로 하여 남의 마음을 추측하여 어떠한 경우에도 곡척(曲尺)처럼 방정(方正)함.
[絜矩之道 혈구지도] 자기를 척도(尺度)로 하여 남을 헤아리는 동정(同情)의 도(道).
◉約絜.

[紫] 〔자〕
糸部 五畫(p. 1728)을 보라.

7 ⑬ [絹] [高人] 견 ①[去]霰 吉掾切 juàn
②[上]銑 古泫切

[筆順] 纟 糹 糸 糹 絹 絹 絹 絹

[字解] ①명주 견 견직물. '一布'. '一帛'. '令遺一二疋'《後漢書》. ②포박할 견, 덫 견 걸어서 잡음. 또, 그것. 罥(网部 七畫)·羂(网部 十三畫)과 同字. '罥, 挂也. 或作羂·一'《集韻》.
[字源] 篆文 形聲. 糸+肙〔音〕. '肙연'은 '涓연'과 통하여, 실줄기처럼 물이 조금만 흐르는 모양의 뜻. 조금의 물이 흐르는 것 같은 '실·명주실'의 뜻을 나타냄.

[絹緜 견면] 명주와 솜.
[絹帛 견백] 명주. 견포(絹布).
[絹本 견본] 명주에 쓰거나 그린 서화.
[絹絲 견사] 누에고치에서 뽑은 실.
[絹素 견소] 흰 명주. 서화(書畫)에 쓰임.
[絹紬 견주] 작잠(柞蠶)의 견사(繭絲)로 짠 직물.
[絹布 견포] 명주.
◉官絹. 俸絹. 賻絹. 生絹. 素絹. 贖絹. 純絹. 練絹. 人絹. 租絹.

7 ⑬ [絺] 치 ①②[平]支 丑飢切 chī
③[上]紙 展几切 zhǐ

[字解] ①칡베 치 칡의 섬유로 짠 고운 베. 고운 갈포(葛布). 세갈포(細葛布). 또, 그 옷. '一綌'. '爲一爲綌'《詩經》. '天子始一'《呂氏春秋》. ②성 치 성(姓)의 하나. ③바느질할 치, 수놓을 치 黹(部首)와 통용. '黼黻一繡'《書經》.
[字源] 篆文 形聲. 糸+希〔音〕. '希희'는 발이 성기다, 드물다의 뜻. 칡의 섬유로 짠 비교적 거친 베의 뜻을 나타냄.

[絺綌 치격] 갈포(葛布). 또, 갈포 옷.
[絺纊 치광] ㉠갈포(葛布)와 솜. 여름옷과 겨울옷. ㉡여름과 겨울의 뜻으로 쓰임.
[絺索 치삭] 혼잡함.
[絺帷 치유] 갈포로 만든 휘장.
[絺衣 치의] 갈포 옷. 갈의(葛衣).
◉葛絺. 單絺. 纖絺. 紵絺. 粗絺.

7 ⑬ [絻] [一] 문 [去]問 亡運切 wèn
[二] 면 [上]銑 亡辨切 miǎn

[字解] [一] ①상복 문 발상(發喪)할 때 입는 상복. '使太子一'《左傳》. ②상여줄 문 조상하는 자가 상여를 끌 때 잡는 줄. '弔所執紼曰一'《公羊傳

註》. [二] 갓 면 冕(冂部 九畫)과 통용. '郊之麻—'《史記》.
[字源] 形聲. 糸+免〔音〕

◉麻絻.

7 ⑬ [絼] 진 ㊤軫 丈忍切 zhèn
[字解] 고삐 진 紖(糸部 四畫)과 同字. '凡祭祀, 飾其牛牲, 設其楅衡, 置其—'《周禮》.

7 ⑬ [絽] 려 ㊤語 力擧切 lǚ
[字解] ①명주 려 무늬 없는 견직물. ②꿰맬 려 바느질함. '—, 一繄, 紩衣也'《玉篇》.
[字源] 形聲. 糸+呂〔音〕

7 ⑬ [絿] 구 ㊥尤 巨鳩切 qiú
[字解] ①급할 구 급박(急迫)함. '不競不—'《詩經》. ②구할 구 '—, 求也'《廣雅》.
[字源] 篆文 形聲. 糸+求〔音〕

7 ⑬ [綀] 소 ㊥魚 所葅切 shū
[字解] ①칡베 소 거친 갈포(葛布). '著—巾'《後漢書》. ②거친실 소 자아 뽑은 거친 실. '—, 紡麤絲'《玉篇》.
[字源] 篆文 形聲. 糸+束〔音〕

[綀裳竹笥 소상죽사] 거친 갈포(葛布) 치마와 대나무 옷상자. 혼수(婚需)가 아주 빈약함을 이름.
◉布綀.

7 ⑬ [綃] [一] 초 ㊥蕭 相邀切 xiāo
[二] 소 ㊥肴 所交切 shāo 绡
[字解] [一] ①생사 초 삶아서 익히지 아니한 명주실. '—, 生絲也'《說文》. ②생초 초 생사(生絲)로 얇게 짠 사(紗)붙이의 하나. 생견(生絹). '潛織而卷—'《左思》. [二] ①건 소 머리를 동여매어 머리가 내려오지 않게 하는 것. 건·머리띠 따위. '著絳—頭'《後漢書》. ②돛대 소 돛을 다는 기둥. '維長—'《木華》.
[字源] 篆文 形聲. 糸+肖〔音〕. '肖소'는 '消소'와 통하여, 스러질 것같이 가볍고도 얇은 깁의 뜻을 나타냄.

[綃頭 소두] 머리띠.
[綃紋 초문] 생초의 무늬.
[綃素 초소] 초환(綃紈).
[綃衣 초의] 얇은 깁옷.
[綃帳 초장] 얇은 깁의 방장(房帳).
[綃紈 초환] 고운 흰 명주.
◉絳綃. 單綃. 微綃. 飛綃. 生綃. 素綃. 繒綃.

7 ⑬ [綅] [一] 침 ㊥侵 七林切 qīn
[二] 섬 ㊥鹽 息廉切 xiān
[字解] [一] 붉은실 침 적사(赤絲). '貝冑朱—'《詩經》. [二] 흑백교직비단 섬 '—, 白經黑緯'《廣韻》.
[字源] 篆文 形聲. 糸+侵〈省〉〔音〕

◉朱綅.

7 ⑬ [紗] 사 ㊥麻 師加切 shā
[字解] 작을 사 '—, 小也'《篇海》.

7 ⑬ [綗] 〔경〕
絅(糸部 五畫〈p. 1727〉)의 訛字

7 ⑬ [綆] [一] 경 ㊤梗 古杏切 gěng
[二] 병 ㊤梗 必郢切 bǐng 绠
[字解] [一] 두레박줄 경 두레박을 매는 줄. '—短不可汲深'《莊子》. [二] 바퀴치우칠 병 수레바퀴가 한쪽으로 기욺. '眡其—, 欲其蚤之正也'《周禮》.
[字源] 篆文 形聲. 糸+更(㪅)〔音〕. '㪅경'은 질기고 튼튼하다의 뜻. 튼튼한 줄의 뜻에서, '두레박줄'의 뜻을 나타냄.

[綆短汲深 경단급심] 재능은 부족하고 임무는 중함을 이름.
[綆縻 경미] ㉠두레박줄. ㉡쏟아지는 비의 형용.
[綆繘 경율] 두레박줄. 급경(汲綆).
[綆縋 경추] 두레박줄을 내림.
◉汲綆. 縻綆. 纖綆. 繘綆.

7 ⑬ [綈] 제 ㊥齊 杜奚切 tí 绨
[字解] 명주 제 올이 굵고 거친 명주. '弋—'. '—袍戀戀, 有故人之意'《史記》.
[字源] 篆文 形聲. 糸+弟〔音〕. '弟제'는 '낮다'의 뜻. 굵은 실로 두껍게 짠 명주로서, 가치가 낮은 견직물(絹織物)의 뜻.

[綈几 제궤] 두꺼운 명주로 싼 안석(案席).
[綈弋 제익] 검은 두꺼운 명주.
[綈繒 제증] 두꺼운 명주.
[綈袍 제포] 두꺼운 명주로 만든 솜옷.
[綈袍戀戀 제포연연] 위(魏)나라의 수가(須賈)가 그의 벗 범저(范雎)의 궁한 것을 동정하여 제포(綈袍)를 준 고사(故事)에서 나온 말로, 벗을 그리워하는 정이 간절함을 이름.
◉弋綈. 阜綈. 繒綈.

7 ⑬ [綌] 격 ㊇陌 綺戟切 xì 绤
[字解] 칡베 격 거친 갈포(葛布). 또, 그것으로 만든 옷. '—衰'. '爲絺爲—'《詩經》.
[字源] 篆文 別體 形聲. 糸+谷〔音〕. '谷곡'은 '隙극'과 통하여, '틈새'의 뜻. 틈새가 있는 발이 거친 베의 뜻을 나타냄. 여름옷용(用)으로 쓰임.

[綌錫 격석] 거친 칡베와 고운 삼베.
[綌衰 격최] 거친 갈포(葛布)의 상복(喪服).
◉輕綌. 袗綌. 絺綌.

7 ⑬ [綍] 발(①불㊍, ②비㊍) ①㊇物 分勿切 fú
②㊋未 方未切 fú
[字解] ①상여줄 발 紼(糸部 五畫)과 同字. '及葬

帥而屬六一'《周禮》. ②바 발 굵은 줄. 대삭(大索). '王言如綸, 其出如一'《禮記》.
字源 形聲. 糸+孛〔音〕

7 ⑬ [綎] 人名 정 ㊏青 特丁切 tīng 他丁切

筆順 纟 糸 糸 紅 紆 紝 綎 綎

字解 인끈 정 인수(印綬). '汝兒亦搢一'《王安石》.

字源 篆文 形聲. 糸+廷〔音〕. '廷정'은 '곧게 뻗다'의 뜻. 끈 따위의 뜻을 나타냄.

7 ⑬ [綏] 人名 ■一 수 ㊏支 息遺切 suī ■二 유 ㊏支 儒隹切 ruí ■三 타 ㊤哿 吐火切 tuǒ

字解 ■一 ①끈 수 수레에 오를 때, 또는 수레 위에 설 때 쥐는 끈. '壻御婦車授一'《儀禮》. ②갓끈 수 갓에 달린 끈. '夏后氏之一'《禮記》. ③편안할 수, 편안히할 수 마음이 편함. 마음을 편케 함. '福履一之'《詩經》. ④물러갈 수 퇴각함. '乃皆出戰, 交一'《左傳》. ⑤말릴 수 멈추게 함. '使民以勸一謗言'《國語》. ⑥느릴 수 '時恬淡以一肆'《王褒》. ■二 기장식 유 기(旗)의 장식. '淑旂一章'《詩經》. ■三 드리울 타 물건을 들 때 가슴 아래로 처뜨려 듦. '執天子之器則上衡, 國君則平衡, 大夫則一之'《禮記》.

字源 甲骨文 金文 篆文 形聲. 糸+妥〔音〕. '妥타'는 손으로 누르다의 뜻. 몸을 버티는 수레의 손잡이 줄의 뜻을 나타냄. 또, '편안하다'의 뜻도 나타냄.

[綏寧 수령] 수정(綏靖).
[綏理 수리] 편안히 다스림.
[綏撫 수무] 편안히 하고 위무함.
[綏邊 수변] 변방의 백성을 편안히 함.
[綏服 수복] ㉠안심하고 복종함. ㉡오복(五服)의 하나. 백성을 편안히 하여 복종시킨다는 뜻으로서, 왕기(王畿)에서 천 리부터 천오백 리 떨어진 사이의 지역.
[綏肆 수사] 편안하여 멋대로임. 편안하여 방자함.
[綏綏 수수] ㉠편안한 모양. ㉡같이 감. 동행하는 모양. ㉢축 늘어뜨린 모양. ㉣물이 어는 모양. ㉤비가 쏟아지는 모양.
[綏視 수시] 얼굴로부터 아래로 봄. 수(綏)는 타(妥), 하(下)의 뜻.
[綏遏 수알] 편안히 하여 침입(侵入)하는 것을 막음.
[綏御 수어] 편안하게 다스림.
[綏遠 수원] 먼 지방을 편안히 함.
[綏遠省 수원성] 산시 성(山西省)의 북쪽에 있던 성(省). 청(淸)나라 때 수원 장군(綏遠將軍)이 이 지역에 주둔하였으므로 이 이름이 생겼음.
[綏慰 수위] 수무(綏撫).
[綏宥 수유] 가엾이 여겨 위무(慰撫)함.
[綏定 수정] 국가를 안정(安定)시킴.
[綏靖 수정] 백성을 편안히 함.
[綏靜 수정] 안정(安靜)시킴.
[綏集 수집] 안온(安穩)하게 함.
[綏輯 수집] 수집(綏集).
[綏懷 수회] 편안히 하여 따르게 함.
◉交綏. 來綏. 撫綏. 安綏. 玉綏. 蕤綏. 靖綏. 鎭綏. 緝綏. 寵綏. 妥綏. 惠綏.

7 ⑬ [綐] 예(태㊕) ㊀霽 都外切 duì

字解 명주 예 견직물의 한 가지. '刑餘戮民, 不敢服一'《管子》.

7 ⑬ [經] 中人 경 ㊏青 古靈切 jīng ㊀徑 古定切 jìng

筆順 纟 糸 糸 紅 經 經 經 經

字解 ①날 경 피륙 따위의 세로 놓인 실. 날실. '天地之一緯'《左傳》. 전(轉)하여, 평면(平面)에 대하여 상하, 동서에 대하여 남북, 좌우에 대하여 전후의 방향을 이름. '一度'. '正督一緯'《算經》. ②지경 경 경계. '仁政必自一界始'《孟子》. 또, 경계를 정함. '體國一野'《周禮》. 전(轉)하여, 경계를 지음. 기율(紀律)을 세움. '先王以是一夫婦, 成孝敬'《詩經 周南 關雎 序》. ③길 경 ㉠도로. '九一九緯'《周禮》. ㉡도덕. 항상 변치 않는 도리. 상법(常法). '常一'. '夫孝者, 天之一也'《孝經》. ④지날 경 ㉠통과함. '一過'. '亦崎嶇而一丘'《陶潛》. ㉡세월이 감. 또, 세월을 보냄. '曠日一年'《谷永》. ⑤지낼 경 겪어 옴. 지내 옴. '一歷'. '一驗'. ⑥잴 경 공사의 측량을 함. '一之營之'《孟子》. 전(轉)하여, 사물을 기획(企畫)하고 영위함. 방침을 세워 일을 함. '一營'. '吾子一楚國'《國語》. ⑦구(救)할 경 구제함. '君子以一綸'《易經》. ⑧다스릴 경 처리함. 통치함. '一國濟世'. '一國家'《左傳》. ⑨걸 경, 걸릴 경 맴. 매임. '遂一其頸於樹枝'《史記》. ⑩목맬 경 의사(縊死)함. '自一於溝瀆'《論語》. ⑪좇을 경 순종함. '一而無絕'《周禮》. ⑫보일 경 가리킴. '一, 示也'《廣雅》. ⑬책 경 ㉠사물의 전거(典據)가 되는 책. '挾一秉袍'《國語》. ㉡성인(聖人)의 저서. '六一'. '四書三一'. '右一一章, 蓋孔子之言'《大學章句》. ⑭불경 경 불타(佛陀)의 교훈을 쓴 책. '唯誦佛一'《晉書》. ⑮십조 경 조(兆)의 10배. ⑯일찍이 경 지금까지. '曾一'으로 연용(連用)하기도 함. '其語不一見'《史記》. ⑰경도 경 월경. '一水'. ⑱성 경 성(姓)의 하나.

字源 金文 篆文 形聲. 糸+巠〔音〕. '巠경'은 베틀에 세로 곧게, 단단히 켕긴 날실의 象形으로, '날실'의 뜻. '糸멱'을 덧붙여 뜻을 명확히 했음.

[經戒 경계] 불경에 씌어 있는 경계(警戒).
[經界 경계] 시비·선악 등의 분간되는 한계.
[經過 경과] ㉠때가 지나감. ㉡일을 겪음. 또, 그 과정.
[經國 경국] 나라를 다스림.
[經國濟世 경국제세] 나라를 다스리고 세상을 구제함.
[經國之大業 경국지대업] 국가를 경륜(經綸)하는 대사업. 전(轉)하여, 문장(文章)의 과칭(誇稱).
[經國之才 경국지재] 나랏일을 경륜(經綸)하는 재주.
[經卷 경권] ㉠성인(聖人)이 저술한 책. 경서(經書). ㉡불경(佛經). 경문(經文).
[經几 경궤] 불전(佛前)에서 독경(讀經)할 때 경문(經文)을 올려놓은 책상.
[經紀 경기] ㉠강기(綱紀). 기율(紀律). ㉡순리

(順理)로 다스림. ㉢경륜(經綸)하여 다스림. ㉣집안을 다스림. 치가(治家)함. ㉤천체 운행의 도수(度數). ㉥거간. 중개인.
[經難 경난]《韓》㉠어려운 일을 겪음. ㉡여러 가지 일을 경험(經驗)함.
[經年 경년] 여러 해를 지냄.
[經堂 경당]《佛敎》불경(佛經)을 수장(收藏)하는 당(堂).
[經德 경덕] ㉠사람으로서 지켜야 할 도덕. ㉡도덕을 꿋꿋이 지켜 변하지 아니함.
[經度 경도] ㉠지구 상의 일정한 지점을 통과하는 자오선(子午線)을 기점(起點)으로 하여 동서로 각각 180분(分)한 각도(角度). 위도(緯度)의 대(對). ㉡《韓》월경(月經).
[經絡 경락] 기혈(氣血)이 인체(人體) 안을 돌아다니는 맥관(脈管).
[經略 경략] 천하(天下)를 경영·통치하며 사방을 공략함.
[經略使 경략사] 벼슬 이름. 당대(唐代)에 변경(邊境)에 두어 절도사(節度使)가 겸임하였고, 송대(宋代)에는 각로(各路)의 민사를 맡았으며, 명대(明代)에는 주로 군사(軍事)를 관장하였음.
[經歷 경력] ㉠세월이 지나감. 또, 세월을 지냄. ㉡돌아다님. 편답(遍踏)함. ㉢겪어 온 여러 가지 일들. 이력(履歷). 열력(閱歷). ㉣금(金)·원(元)·명(明) 때의 벼슬 이름. 추밀원(樞密院) 또는 도원수부(都元帥府)에서 문서의 출납을 맡았음.
[經禮 경례] 예법(禮法)의 대강(大綱).
[經路 경로] ㉠지나는 길. ㉡일의 진행되어 온, 또는 진행되어 가는 순서. 경로(徑路).
[經論 경론]《佛敎》부처가 친히 말한 것을 적은 경(經)과 그것을 해석한 논(論).
[經綸 경륜] ㉠경영(經營)하고 처리(處理)함. ㉡천하(天下)를 다스림. ㉢정치(政治).
[經律 경률] ㉠항상 변하지 않는 도리. 상법(常法). ㉡《佛敎》불도(佛道)의 법. 불법(佛法).
[經理 경리] ㉠다스림. 또, 그 길. 그 방법. ㉡경서(經書)의 의리. ㉢회계(會計) 사무의 처리.
[經履 경리] 겪어 옴. 지내 옴.
[經脈 경맥] 몸의 맥(脈). 혈관(血管).
[經文 경문] ㉠유교의 경서(經書)의 글. ㉡《佛敎》불교의 근본의 교리(敎理)를 적은 문장. 또, 그것을 실은 책. 곧, 불경(佛經).
[經文緯武 경문위무] 문을 종(縱)으로 하고 무를 횡(橫)으로 함. 문무를 겸전(兼全)함.
[經方 경방] 고대의 의술(醫術). 또, 그 의술을 실은 책.
[經邦 경방] 나라를 다스림.
[經法 경법] 경서(經書)의 뜻과 예법(禮法).
[經部 경부] 경(經)·사(史)·자(子)·집(集)의 사부(四部)의 하나. 경서(經書) 및 소학(小學), 곧 문자학(文字學)에 관한 책을 수장(收藏)했음. 갑부(甲部).
[經費 경비] ㉠평상의 비용. 경상비(經常費). ㉡사업(事業)을 경영(經營)하는 데 드는 비용.
[經史 경사] 경서(經書)와 사서(史書). 전(轉)하여, 여러 문서. 서적.
[經死 경사] 목매어 죽음. 의사(縊死).
[經事 경사] ㉠항상 하는 일. ㉡일에 경험이 있음.
[經師 경사] ㉠경전(經典)을 가르치는 스승. ㉡덕행(德行)이 없이 단지 경서만 가르치는 스승. 구두사(句讀師). 인사(人師)의 대(對).
[經史笥 경사사] 책 상자. 전(轉)하여, 학식이 해박한 사람의 일컬음.
[經史子集 경사자집] 중국의 서적의 분류법. 곧, 경서·사서·제자류(諸子類)·시문집의 네 가지.
[經商 경상] 각처를 돌아다니는 상인. 행상(行商).
[經常 경상] 항상 일정하여 변하지 아니함. 임시(臨時)의 대(對).
[經書 경서] 성현(聖賢)의 언행(言行)이나 가르침을 적은 책. 곧, 사서오경(四書五經)과 같은 유교의 성전(聖典). 경전(經典).
[經席 경석] 경서(經書)를 강의하는 좌석.
[經線 경선] ㉠피륙의 세로 짠 실. 날. ㉡지구의 표면 상의 위선(緯線)과 직각으로 교차하여 남북 양극을 연결하는 권선(圈線). 자오선(子午線).
[經說 경설] 경서 또는 불경의 설(說).
[經涉 경섭] 지남. 통과함.
[經星 경성] 항성(恆星).
[經世 경세] 세상(世上)을 다스림.
[經世家 경세가] 정치가(政治家).
[經世濟民 경세제민] 세상을 다스려 백성을 고난(苦難)에서 구제함.
[經水 경수] ㉠원천(源泉)에서 물이 곧장 흘러 내려와 바다로 들어가는 내. ㉡월경(月經).
[經售 경수] 팖〔賣〕.
[經宿 경숙] 하룻밤 지남.
[經術 경술] 경학(經學). 또, 그 응용.
[經始 경시] ㉠집을 짓기 시작함. ㉡일을 시작함.
[經心 경심] 마음을 둠. 유의(留意)함.
[經案 경안] 경서(經書)를 얹어 놓는 책상.
[經夜 경야] 밤을 지냄. 하룻밤 지남.
[經業 경업] ㉠항상 하는 일. 일정한 업무. ㉡경학(經學)의 수업(修業).
[經延 경연] 세월을 끎. 해를 보냄.
[經筵 경연] 임금 앞에서 경서(經書)를 강론(講論)하는 자리.
[經營 경영] ㉠집을 지을 때 토지를 측량하여 터를 잡음. ㉡방침을 세워 사업을 함. ㉢일. 사업.
[經藝 경예] 경학(經學).
[經于溝瀆 경우구독] 스스로 목을 매고 구렁에 빠져 죽음.
[經院 경원] 경서(經書)를 강(講)하는 당(堂).
[經緯 경위] ㉠직물(織物)의 날과 씨. 전(轉)하여, 가로와 세로. 종횡(縱橫). ㉡남북과 동서. ㉢경선(經線)과 위선(緯線). 또, 경도(經度)와 위도(緯度). ㉣사리(事理). 조리(條理). ㉤베를 짬. 전(轉)하여, 순서를 세워 바르게 다스림. ㉥가로세로 잡아맴.
[經由 경유] ㉠지나다 들름. ㉡거쳐 감. 또, 옴.
[經意 경의] ㉠경서(經書)에 나타나 있는 주지(主旨). ㉡마음에 둠. 주의함.
[經義 경의] ㉠경서(經書)의 뜻. ㉡과거(科擧)의 고시(考試)에서 경서 중에서 낸 문제에 대하여 그 뜻을 설명하는 글.
[經誼 경의] 경의(經義).
[經義考 경의고] 책 이름. 청(淸)나라 주이준(朱彝尊)의 찬(撰). 300권. 역대(歷代)의 경의(經義)의 서목(書目)을 해설하였음.
[經義述聞 경의술문] 책 이름. 청(淸)나라 왕인지(王引之)의 찬(撰). 32권. 주역(周易)·상서(尙書) 등의 의리(義理)·훈고(訓詁)를 진술하였음.

[經藏 경장]《佛敎》 절에서 경문(經文)을 수장(收藏)하는 곳집. 경당(經堂).
[經籍 경적] 경서(經書).
[經籍籑詁 경적찬고] 책 이름. 청(淸)나라 완원(阮元) 등의 찬(撰). 106권. 고대로부터 당초(唐初)까지의 제유(諸儒)의 경사(經史)의 주해(註解)를 모아 운자(韻字)에 의하여 배열하였음.
[經典 경전] ㉠경서(經書). ㉡《佛敎》 불경(佛經). 경문(經文).
[經傳 경전] 경서(經書)와 경서를 주해(註解)한 책.
[經典釋文 경전석문] 책 이름. 당(唐)나라 육덕명(陸德明)의 찬(撰). 경서(經書)의 음의(音義) 및 문자(文字)의 이동(異同)을 채집(採集)하였음.
[經傳釋詞 경전석사] 책 이름. 청(淸)나라 왕인지(王引之)의 찬(撰). 구경(九經)·삼전(三傳) 등의 조어(助語)를 해석했음.
[經制 경제] ㉠나라를 다스리는 규제(規制). 전제(典制). 제도(制度). ㉡경리(經理)하고 절제(節制)함. 잘 다스려 통어(統御)함.
[經濟 경제] ㉠나라를 잘 다스려 백성을 고난(苦難)에서 건짐. 경세제민(經世濟民). ㉡인류(人類)가 욕망을 충족(充足)하기 위하여 재화(財貨)를 획득하여 사용하는 일체의 행동. ㉢절약. 절검(節儉). 낭비(浪費)의 대(對).
[經濟恐慌 경제공황] 경제계가 급격한 혼란 상태에 빠져서 산업이 침체(沈滯)하고 금융이 핍박(逼迫)하여 파산자(破産者)가 속출하는 현상. 생산이나 공급의 과잉(過剩) 혹은 부족으로 일어남.
[經濟封鎖 경제봉쇄] ㉠두 나라 이상이 연합하여 경제상 밀접한 관계에 있는 제삼국(第三國)에 대하여 경제상의 단교(斷交)를 하여 무역·금융 등을 정지하는 일. ㉡전시(戰時)에 적국(敵國)이 중립국과 통상 무역을 하는 것을 금지하여 적국을 경제적으로 고립시키는 일.
[經制錢 경제전] 송(宋)나라의 선화 연간(宣化年間)에 동남 칠로(東南七路)의 주세(酒稅)·점세(店稅) 등 칠종목(七種目)의 세금의 세율(稅率)을 인상하여 얻은 금전.
[經濟政策 경제정책] 국가가 국민의 경제상의 이익을 보호하고 증진(增進)시키기 위하여 취하는 정책.
[經濟學 경제학] 사회의 경제 현상을 연구하여 그 법칙을 설명하는 과학.
[經呪 경주] 부처를 향하여 부르는 주문(呪文).
[經旨 경지] 경서(經書)의 뜻. 경서의 취지.
[經天緯地 경천위지] ㉠하늘의 육기(六氣)를 날로 하고 땅의 오행(五行)을 씨로 함. ㉡천지를 경위(經緯)함. 천지를 다스림.
[經筒 경통]《佛敎》 경문(經文)을 담아 지중(地中)에 묻기 위하여 동(銅)·돌·도기(陶器) 따위로 만든 통.
[經學 경학] 경서(經書)의 뜻을 연구하는 학문.
[經函 경함] 불경(佛經)을 넣어 두는 함.
[經解 경해] ㉠경서(經書)의 뜻을 해석한 책. ㉡육예(六藝)와 정교(政敎)의 득실(得失)을 설명한 예기(禮記) 중의 한 편(篇).
[經行 경행] ㉠돌아다님. 순행(巡行)함. ㉡월경(月經). 경도. ㉢《佛敎》 좌선(坐禪) 중에 졸음이 올 때 일정한 장소를 도는 일.
[經驗 경험] ㉠몸소 겪음. 실제로 보거나 듣거나 해 봄. ㉡관찰과 실험에 의하여 얻은 지식이나 기술. ㉢감관(感官)을 통하여 얻은 지식.
[經驗論 경험론] ㉠경험에 의하여 세운 의론(議論). ㉡지식은 모두 경험에 의하여 얻은 것이라고 주장하는 인식론(認識論).
[經穴 경혈] 신체의 맥락(脈絡)과 급소(急所).
[經護 경호] 다스려 지킴.
[經畫 경획] 헤아려 계획을 세움.
[經訓 경훈] 경적(經籍)의 훈고(訓詁). 경서의 해석.
[經訓堂叢書 경훈당총서] 진한(秦漢) 이래의 고적(古籍)을 모은 총서(叢書). 청(淸)나라 필원(畢沅)의 편(篇). 23종(種).
◉看經. 講經. 九經. 群經. 紀經. 羅經. 大經. 道經. 讀經. 東經. 明經. 反經. 梵經. 不經. 佛經. 寫經. 常經. 西經. 石經. 善經. 說經. 聖經. 小經. 誦經. 神經. 心醉六經. 十三經. 禮經. 五經. 熊經. 月經. 僞經. 緯經. 儒經. 六經. 義經. 麟經. 全經. 典經. 政經. 中經. 天經. 帖經. 雉經. 七經. 行常帶經. 鴻經. 橫經.

7 ⑬ [綖] [一] 연 [平]先 以然切 yán
[上]銑 以淺切
[二] 선 [去]霰 私箭切 xiàn 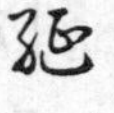

[字解] [一] 면류관덮개 연 면류관의 위를 덮는, 검은 헝겊을 바른 것. '衡紞紘一'《左傳》. [二] 실 선 綫(糸部 八畫)과 同字. '綫, 說文, 縷也. 或从延'《集韻》.
[字源] 形聲. 糸+延〔音〕

◉紘綖.

7 ⑬ [綕] 치 [去]寘 職利切 zhì

[字解] 무늬옷감 치 織(糸部 十二畫)와 同字.

7 ⑬ [綑] 곤 [上]阮 苦本切 kǔn 𦈡

[字解] ①짤 곤 베를 짬. '一, 織也'《集韻》. ②칠 곤 때림. 捆(手部 七畫)과 同字.
[字源] 形聲. 糸+困〔音〕

7 ⑬ [綄] [一] 환 [上]旱 戶管切 huǎn
[二] 완 [去]諫 烏患切 wàn

[字解] [一] ①바람개비 환 풍향(風向)을 살피는 기구. '一, 船上候風羽, 楚謂之五兩'《集韻》. ②감을 환 휘휘 감음. '一, 纏也'《廣雅》. [二] 맬 완 잡아맴. 綰(糸部 八畫)과 同字. '綰, 繫也. 或作一'《集韻》.

7 ⑬ [綁] 방 [上]養 補曠切 bǎng 绑

[字解] 묶을 방 '胥役一鎖殆盡'《福惠全書》.
[字源] 形聲. 糸+邦〔音〕

7 ⑬ [綊] 협 [入]葉 胡頰切 xié

[字解] ①말꾸미개 협 승여(乘輿)의 말의 장식(裝飾). '一, 紅一也'《說文》. ②면류관덮개 협 면류관의 위를 덮는 것. '一, 綖也'《玉篇》.

[字源] 篆文 形聲. 糸＋夾〔音〕

7 ⑬ **[綎]** 〔정〕
綎(糸部 七畫〈p.1741〉)과 同字

7 ⑬ **[綊]** 〔서〕
紓(糸部 四畫〈p.1715〉)와 同字

7 ⑬ **[綉]** 〔수·소〕
繡(糸部 十三畫〈p.1773〉)와 同字

7 ⑬ **[綂]** 〔통〕
統(糸部 六畫〈p.1738〉)의 俗字

7 ⑬ **[続]** 〔속〕
續(糸部 十五畫〈p.1779〉)의 俗字

7 ⑬ **[継]** 〔계〕
繼(糸部 十四畫〈p.1777〉)의 俗字

7 ⑬ **[絋]** 〔굉〕
紘(糸部 四畫〈p.1717〉)의 俗字

7 ⑬ **[絸]** 〔견〕
繭(糸部 十三畫〈p.1776〉)의 古字

7 ⑬ **[緐]** 반 [平]元 附袁切 fán
[平]寒 薄官切

[字解] 말갈기꾸미개 반 繁(糸部 十一畫)과 同字. '一, 馬髦飾也'《說文》.
[字源] 金文 篆文 別體 會意. 糸＋每. '每매'는 '每매'의 俗字. '每'는 머리 꾸미개를 한 여자 모양을 본뜸. 머리 장식의 끈, 특히 말갈기에 단 꾸미개의 뜻을 나타냄. 나중에, 俗字인 '繁번'이 쓰이게 되었음.

7 ⑬ **[絛]** 조(도[本]) [平]豪 土刀切 tāo

[字解] 끈 조 납작하게 만든 끈. '不願腰間纏綿一'《蘇軾》.
[字源] 篆文 形聲. 糸＋攸〔音〕. '攸유'는 긴 줄의 뜻. 길게 엮은 끈의 뜻을 나타냄.
[參考] 條(糸部 六畫)는 俗字.

[絛絲 조사] 끈 끈. 끈목.
[絛蟲 조충] 촌충(寸蟲).
◉馬絛. 綿絛. 銀絛.

8 ⑭ **[綜]** [人名] 종 [去]宋 子宋切 zèng, ②zōng

[筆順] 纟 糸 糸 綜 綜 綜 綜 綜

[字解] ①잉아 종 피륙을 짜는 제구의 한 가지. '機一'. '推而行, 引而來者, 一也'《列女傳》. ②모을 종 ㉠실을 모아 짬. '一, 織縷'《廣韻》. ㉡한데 모아 정리함. 한데 묶음. '一合'. '一其實'《史記》. '錯一其數'《易經》.
[字源] 篆文 形聲. 糸＋宗〔音〕. '宗종'은 우두머리 어른, 족장(族長)의 뜻. 족장(族長)이 구역(區域)이나 일족(一族)을 다스리듯이, 실을 고르고 짜기 위한 바디의 뜻을 나타냄. 또, 총괄하여 다스리다의 뜻을 나타냄.

[綜管 종관] 전체를 모두 다스림. 종리(綜理).
[綜括 종괄] 하나로 묶음. 총괄(總括).
[綜校 종교] 종합하여 조사함.
[綜達 종달] 모두 달통(達通)함.
[綜覽 종람] ㉠첫 번부터 끝까지 죽 훑어봄. ㉡종합(綜合)하여 봄. 또, 그 문서.
[綜理 종리] 전체를 모두 다스림. 총리(總理)함. 또, 그 사람.
[綜務 종무] 여러 가지 일을 통틀어 다스림.
[綜析 종석] 종합과 분석.
[綜攝 종섭] 종리(綜理).
[綜悉 종실] 빠짐없이 다함.
[綜緝 종집] 모두 모음.
[綜合 종합] 모두 합침. 총합(總合)함.
[綜合大學 종합대학] 단과 대학 셋 이상으로 구성된 대학.
[綜核 종핵] 사건의 본말(本末)을 종합하여 자세히 밝힘.
[綜覈 종핵] 종핵(綜核).
◉甄綜. 關綜. 窮綜. 機綜. 旁綜. 硏綜. 專綜. 詮綜. 錯綜. 參綜. 探綜. 通綜. 畢綜. 該綜.

8 ⑭ **[綝]** [一] 침 [平]侵 丑林切 chēn
[二] 림 [平]侵 犂鍼切 lín
[三] 심 [平]侵 疏簪切 shēn

[字解] [一] 사람이름 침 '孫一'은 삼국 시대의 오(吳)나라의 승상(丞相). [二] 성(盛)할 림 성하게 장식함. '佩一纚以煇煌'《張衡》. [三] 늘어질 심 우모(羽毛) 또는 의복이 축 늘어진 모양. '舒佩兮一纚'《楚辭》.
[字源] 篆文 形聲. 糸＋林〔音〕. '林림'은 '매이다'의 뜻. 끈으로 매어 움직이지 않게 하다의 뜻을 나타냄.

[綝纚 심사] 우모(羽毛) 또는 의복이 축 늘어진 모양.

8 ⑭ **[綟]** [一] 려 [去]霽 郎計切 lì
[二] 렬 [入]屑 練結切 liè

[字解] [一] ①연둣빛 려 청색과 황색의 간색. '復設諸侯王金璽一綬'《東觀漢記》. ②실 려 '一, 綫也'《字彙》. [二] ①연둣빛 렬 [一]❶과 뜻이 같음. ②인끈 렬 조개풀로 물들인 인끈. '一, 綬謂之一'《集韻》.
[字源] 篆文 形聲. 糸＋戾〔音〕. '戾려'는 '莀려'와 통하여, '조개풀'의 뜻. 조개풀을 물감으로 하는 빛, '연둣빛'의 뜻을 나타냄.

[綟綬 여수] 연둣빛의 인수(印綬).

8 ⑭ **[綠]** [中人] 록 [入]沃 力玉切 lǜ, lù

[筆順] 纟 糸 糸 紵 紵 紵 綠 綠

[字解] ①초록빛 록 청색과 황색의 간색. '新一'. '翠一'. 또, 검고 아름다운 빛의 형용으로 쓰임. '一髮'. '一雲擾擾, 梳曉鬟也'《杜牧》. ②조개풀 록 볏과(科)에 속하는 억새 비슷한 풀. 초록빛의 물감으로 쓰임. 菉(艸部 八畫)과 同字. '終朝采一'《詩經》.
[字源] 篆文 形聲. 糸＋彔〔音〕. '彔록'은 두레박으로 퍼 올린 물의 象形. 초록빛 실의 뜻을 나타냄.

[綠車 녹거] 왕손(王孫)이 타는 수레 이름.
[綠卿 녹경] 대나무〔竹〕의 별칭(別稱).
[綠溪 녹계] 푸른 계곡(溪谷).
[綠髻 녹계] 검은 상투. 검은 쪽.
[綠槐 녹괴] 잎이 우거진 회화나무.
[綠筠 녹균] 푸른 대나무. 녹죽(綠竹).
[綠橘 녹귤] 푸른 귤나무.
[綠旗 녹기] 청대(淸代)의 이대 병제(二大兵制)의 하나. 한인(漢人)으로 편제(編制)한 군대. 녹색의 기를 표지(標識)로 하였으며 지방에만 주둔하였음.
[綠毯 녹담] 푸른 모전(毛氈).
[綠潭 녹담] 푸른 늪(沼).
[綠瞳 녹동] 푸른 눈동자. 외국인의 눈을 이름.
[綠豆 녹두] 팥의 변종(變種). 열매가 잘고 빛이 푸름.
[綠羅 녹라] 푸른 고운 명주.
[綠蘿 녹라] 푸른 담쟁이. 벽라(碧蘿).
[綠醽 녹령] 좋은 술. 미주(美酒).
[綠柳 녹류] 푸른 버드나무.
[綠林 녹림] ㉠푸른 숲. ㉡후베이 성(湖北省)에 있는 산 이름. 후한말(後漢末)의 왕망(王莽) 때 왕광(王匡)·왕봉(王鳳) 등이 백성을 모아 이 산을 근거지로 하여 도둑질하며 관군(官軍)에 대항하였으므로, 전(轉)하여 도적(盜賊)의 별칭(別稱)으로 쓰임. 백파(白波).
[綠蔓 녹만] 푸른 만초(蔓草).
[綠灣 녹만] 푸른 만(灣).
[綠滿窓前草不除 녹만창전초부제] '푸른 풀이 창 앞에 잔뜩 우거져 있어도 베어 버리지 아니함'. 천지의 자연의 뜻을 따르겠다는 주희(朱熹)의 '사시독서락(四時讀書樂)'의 시(詩)의 한 구.
[綠茗 녹명] ㉠빛이 푸른 차(茶). ㉡빛이 좋은 차(茶).
[綠毛龜 녹모귀] 거북의 한 가지.
[綠苗 녹묘] 푸른 모. 푸른 볏모.
[綠蕪 녹무] 푸릇푸릇하게 무성한 풀.
[綠珉 녹민] 빛이 푸른 아름다운 돌. 녹색의 옥돌.
[綠礬 녹반] 담록색(淡綠色)의 투명한 결정물(結晶物). 물감과 잉크의 원료로 쓰임. 황산제일철(黃酸第一鐵).
[綠髮 녹발] 아름다운 검은 머리. 윤이 흐르는 검은 머리.
[綠醅 녹배] 빛이 푸른 술. 좋은 술. 녹주(綠酒).
[綠碧 녹벽] ㉠녹색(綠色). ㉡녹색의 옥(玉).
[綠肥 녹비] 생풀이나 생나무 잎을 썩이지 않고 그대로 하는 거름. 풋거름.
[綠蘋 녹빈] 푸른 부평초(浮萍草). 청빈(青蘋). 녹평(綠萍).
[綠鬢 녹빈] 소년·소녀의 윤이 나는 검은 머리.
[綠鬢紅顔 녹빈홍안] 소녀 또는 소년의 윤이 나는 검은 머리와 홍조를 띤 고운 얼굴.
[綠莎 녹사] 푸른 사초(莎草).
[綠蓑 녹사] 어부(漁夫)가 걸치는 푸른 도롱이.
[綠蓑衣 녹사의] 녹사(綠蓑).
[綠色 녹색] 청색과 황색의 간색(間色). 곧, 풀빛.
[綠嶼 녹서] 초목이 무성한 작은 섬.
[綠蘚 녹선] 푸른 이끼. 녹태(綠苔).
[綠水 녹수] 빛이 푸른 물.
[綠綬 녹수] 녹색의 인수(印綬). 녹색의 인끈.
[綠樹 녹수] 푸른 나무. 무성한 나무.
[綠眼 녹안] 푸른 눈. 호인(胡人)이나 서양 사람의 눈. 벽안(碧眼).
[綠岩 녹암] 녹색의 암석. 휘록석(輝綠石)·섬록암(閃綠巖) 같은 것.
[綠秧 녹앙] 푸른 볏모. 푸른 벼. 녹묘(綠苗).
[綠野 녹야] 푸른 들.
[綠楊 녹양] 푸른 버들. 취양(翠楊).
[綠烟 녹연] ㉠빛이 푸른 연기. ㉡버들의 푸른 잎의 형용.
[綠葉 녹엽] 푸른 잎.
[綠玉 녹옥] 녹색이고 육각주상(六角柱狀)의 옥돌. 에메랄드는 이 돌의 일종임. 녹주석(綠柱石).
[綠縟 녹욕] 푸른 요. 무성한 풀이 땅에 빈틈없이 깔려 있는 것을 형용한 말.
[綠芋 녹우] 토란. 청우(青芋). 자우(紫芋).
[綠雨 녹우] 신록(新綠) 때에 오는 비. 늦은 봄이나 초여름에 나무가 푸릇푸릇할 때 오는 비.
[綠雲 녹운] ㉠푸른 구름. ㉡여자의 함치르르한 삼단 같은 머리. 여자의 머리가 검고 숱이 많아 아름다운 것을 형용한 말.
[綠陰 녹음] 푸른 잎이 우거진 나무의 그늘. 수음(樹陰).
[綠陰幽草勝花時 녹음유초승화시] 여름의 짙은 나무 그늘과 무성한 풀의 경치는 봄의 꽃이 한창 필 때의 경치보다 나음.
[綠漪 녹의] 빛이 푸른 잔물결.
[綠蟻 녹의] '미주(美酒)'의 별칭(別稱). 녹주(綠酒).
[綠衣使者 녹의사자] '앵무(鸚鵡)'의 별칭(別稱).
[綠衣紅裳 녹의홍상] 젊은 여자의 곱게 치장한 복색(服色).
[綠衣黃裳 녹의황상] 간색(間色)인 녹색의 저고리와 정색(正色)인 노란 치마를 입는다는 뜻으로, 귀천(貴賤)이 뒤바뀜을 비유한 말.
[綠耳 녹이] 준마(駿馬)의 이름. 녹이(綠駬).
[綠字 녹자] 하(夏)나라의 우왕(禹王)이 하백(河伯)에게서 받았다는 문서.
[綠田 녹전] 작물이 무성하여 푸른 밭.
[綠錢 녹전] 이끼. 녹태(綠苔).
[綠汀 녹정] 빛이 푸른 물가.
[綠藻 녹조] 푸른 조류(藻類).
[綠洲 녹주] 갈대 같은 것이 파랗게 무성한 사주(沙洲).
[綠酒 녹주] 빛이 푸른 술. 좋은 술. 미주(美酒).
[綠竹 녹죽] 푸른 대나무. 일설(一說)에는, 녹(綠)은 녹(菉)으로서 여초(戾草)라 함.
[綠尊 녹준] ㉠녹색의 술 그릇. ㉡녹주(綠酒), 곧 좋은 술을 담는 술 그릇. ㉢좋은 술. 미주(美酒).
[綠池 녹지] 물이 푸른 못.
[綠芰 녹지] 푸른 마름.
[綠袗 녹진] 녹색의 홑옷. 전(轉)하여, 젊은이.
[綠車 녹차] 녹색의 수레. 황손(皇孫)이 타는 수레.
[綠茶 녹차] 푸른빛이 그대로 나도록 말린 부드러운 찻잎. 또, 그것을 끓인 차. 홍차(紅茶)의 대(對).
[綠窓 녹창] ㉠가난한 여자가 사는 집. 홍루(紅樓)의 대(對). ㉡부녀자가 거처하는 방의 창. 내실(內室)의 창.
[綠天 녹천] ㉠'파초(芭蕉)'의 별칭(別稱). ㉡당(唐)나라의 중 회소(懷素)가 있던 곳.
[綠青 녹청] ㉠구리에 슨 녹색의 녹. ㉡녹색의 안료(顔料). 무수 탄산(無水炭酸)과 구리의 화합

물. 그림물감의 재료로 쓰임.
[綠蔕 녹체] 푸른 꼭지.
[綠草 녹초] 푸른 풀.
[綠蕉 녹초] 푸른 파초(芭蕉).
[綠叢 녹총] 무성하여 푸릇푸릇한 수풀.
[綠翠 녹취] 녹색. 청색.
[綠苔 녹태] 푸른 이끼. 녹선(綠蘚).
[綠態 녹태] 푸른 자태. 아름다운 초목의 형용.
[綠波 녹파] 푸른 물결. 벽파(碧波).
[綠萍 녹평] 푸른 개구리밥. 녹색의 부평초(浮萍草).
[綠荷 녹하] 푸른 연(蓮)잎.
[綠荇 녹행] 빛이 푸른 노랑어리연꽃.
[綠紅 녹홍] 푸른 잎과 붉은 꽃. 잎과 꽃.
[綠化 녹화] 나무를 많이 심어 푸르게 함.
[綠鬟 녹환] 검은 쪽. 검은 낭자.
[綠篁 녹황] 푸릇푸릇한 대숲.
[綠畦 녹휴] 푸른 밭두둑.
[綠蠵龜 녹휴귀] 푸른거북. 바다거북.
◉結綠. 故綠. 穠綠. 橙黃橘綠. 萬綠. 繁綠. 碧綠. 粉白黛綠. 紛紅駭綠. 常綠. 新綠. 淺綠. 縮綠. 翠綠. 寒綠. 紅綠. 花紅柳綠.

8 ⑭ [緑] 綠(前條)과 同字

8 ⑭ [綢] 人名 ■ 주 平尤 直由切 chóu ■ 도 平豪 土刀切 tāo 绸

字解 ■ ①얽을 주, 얽힐 주 얼기설기 감음, 또는 감김. '一繆束薪, 三星在天'《詩經》. ②동여맬 주 잡아맴. 묶음. '一繆牖戶'《詩經》. ③빽빽할 주 빽빽함. 촘촘함. 稠(禾部 八畫)와 통용. '禁林一密'《謝朓》. ④명주 주 紬(糸部 五畫)와 통용. '一緞'. ■ 쌀 도 韜(韋部 十畫)와 同字. '一練設旐'《禮記》.

字源 篆文 形聲. 糸+周〔音〕. '周주'는 두루 미치다의 뜻. 실이 얽히어 감기다의 뜻을 나타냄.

[綢緞 주단] 명주와 비단. 견직물.
[綢緞鋪 주단포] 포목점.
[綢繆 주무] ㉠서로 얽힘. ㉡동여맴. ㉢심원(深遠)함. 그윽함.
[綢密 주밀] 빽빽함. 촘촘함.
[綢莊 주장] 포목점.
[綢直 주직] 성질이 치밀하고 마음이 곧음.

8 ⑭ [綤] 념 去豔 奴店切 niàn

字解 밧줄 념 배를 끄는 밧줄. '一, 引舟繩也'《集韻》.

8 ⑭ [綣] 권 上阮 去阮切 quǎn 绻

字解 ①굽을 권 곧지 아니함. '有鍪而一領'《淮南子》. ②정다울 권 간곡함. 곡진함. ③목도리 권 '一領'은 털가죽 목도리.

字源 篆文 形聲. 糸+卷〔音〕. '卷권'은 '감기다'의 뜻. 실이 감겨 달라붙듯이, 붙어 떨어지지 않다의 뜻을 나타냄.

[綣繾 권견] 곡진(曲盡)한 모양. 간곡하게 정성을 다 들이는 모양. 견권(繾綣).
◉繾綣. 短綣.

8 ⑭ [䋡] ■ 검 平鹽 其淹切 jìn ■ 금 平鹽 巨禁切

字解 ■ 포백(布帛)이름 검 '衿, 布帛名. 或作一'《集韻》. ■ 紟(糸部 四畫)의 籀文.

8 ⑭ [綪] ■ 천 去霰 倉甸切 qiàn ■ 청 平青 倉經切 qīng ■ 쟁 平庚 側莖切 zhēng 绪

字解 ■ 꼭두서니 천 검붉은빛. 또, 그 빛의 비단. '一茷旃旌'《左傳》. ■ 옥색 청 연둣빛. 담벽색(淡碧色). ■ 굽힐 쟁 굽게 함. '一結佩'《禮記》.

字源 篆文 形聲. 糸+青〔音〕

[綪繳 쟁교] 감김. 얽힘. 일설(一說)에는, 주살.

8 ⑭ [綫] 선 去霰 私箭切 xiàn 平先 相然切 线

字解 실 선 線(糸部 九畫)과 同字. '不絕如一'《漢書》.

字源 篆文 古文 形聲. 糸+戔〔音〕. '戔전'은 '가늘다'의 뜻. 가는 실의 뜻을 나타냄. '線선'은 古文에 따른 자형(字形)임.

8 ⑭ [綬] 人名 수 上有 殖酉切 去有 承呪切 shòu 绶

字解 ①끈 수 ㉠물건을 묶기 위하여 꼰 실. '華一'. '綸一'. '掌帷幕幄帟一之事'《周禮》. ㉡인(印)의 끈. 인끈. '印一'. '解一'. '銅印黃一'《漢書》. ㉢패옥(佩玉)의 끈. '天子佩白玉而玄組一'《禮記》. ②문채옷 수 무늬 있는 옷의 모양. '一, 綵衣皃'《廣韻》.

字源 篆文 形聲. 糸+受〔音〕. '受수'는 받아넘기다의 뜻. 관직(官職)을 나타내는 인(印) 따위와 혁대(革帶) 사이를 이어서 고정시키는 끈의 뜻을 나타냄.

◉結綬. 挂綬. 卷綬. 文綬. 璽綬. 釋綬. 纓綬. 綸綬. 印綬. 掌綬. 組綬. 解綬. 華綬.

8 ⑭ [維] 高入 유 平支 以追切 wéi 维

筆順 幺 糸 糸 糹 糹 紨 維 維

字解 ①바 유, 벼리 유 밧줄. '渡江河亡一楫'《漢書》. 전(轉)하여, 비유적으로 도덕의 기초가 되는 것. '四一'(예·의·염·치). 또, 세계를 매달아 떨어지지 않게 하는 바. '天柱地一'. '折天柱絕地一'《列子》. 또, 줄처럼 가늘고 긴 물건. '纖一'. ②맬 유 ㉠줄을 매어 버팀. '一王之大常'《周禮》. ㉡잡아 묶음. '縶之一之'《詩經》. '弭棹獨一舟'《陳子良》. ㉢연(連)함. 맺음. '以一邦國'《周禮》. ③지탱할 유 버팀. '大小相一'《逸周書》. ④귀퉁이 유 천지(天地)의 끝. '土不及四一'《素問》. ⑤생각할 유, 꾀할 유 惟(心部 八畫)와 통용. '一萬世之安'《史記》. ⑥오직 유 惟(心部 八畫)·唯(口部 八畫)과 同字. '一鳩居之'《詩經》. ⑦성 유 성(姓)의 하나.

字源 金文 篆文 形聲. 糸+隹〔音〕. '隹추'는 일정한 길을 따르다의 뜻. 일정한

길에 매어 둠의 뜻을 나타냄.

[維綱 유강] 국정(國政)을 매어 유지하는 밧줄이라는 뜻으로, 강기(綱紀)·법도(法度)를 이름.
[維繫 유계] 맴. 잡아맴.
[維管束 유관속] 식물(植物)의 재질(材質)을 구성하는 부분.
[維那 유나]《佛敎》중을 감독하는 승직(僧職).
[維納 유납] 유야납(維也納).
[維多利亞 유다리아] 빅토리아(Victoria)의 음역(音譯). 영국의 여왕.
[維斗 유두] '북두성(北斗星)'의 이칭(異稱).
[維廉 유렴] 빌헬름(Wilhelm)의 음역(音譯). 독일의 황제(皇帝).
[維摩 유마] 석가여래(釋迦如來)의 재가 제자(在家弟子). 인도의 비사리국(毘舍離國)의 사람으로서 불도(佛道)를 닦아 보살(菩薩)이 되었음. 유마힐(維摩詰) 또는 비마라힐(毘摩羅詰)이라고도 함.
[維城 유성] ㉠성(城)처럼 방패가 되는 사람. ㉡황태자(皇太子). 또는 황족을 이름.
[維新 유신] ㉠오래된 낡은 나라가 제도를 쇄신(刷新)하여 새로운 나라가 됨. ㉡사물의 면목을 일신(一新)함.
[維也納 유야납] 비엔나(Wienna)의 음역(音譯). 오스트리아의 수도(首都).
[維日不足 유일부족] 종일 힘써도 시간이 모자람.
[維鵜 유제] 소인(小人)을 나무라는 말. 시경(詩經)의 '維鵜在梁, 不濡其翼'에서 나온 말임.
[維舟 유주] ㉠제후(諸侯)가 타는 배. 배 넷을 연결시킴. ㉡배를 맴.
[維持 유지] 지탱하여 감. 버티어 감.
[維楫 유집] ㉠배를 매는 바와 배를 젓는 노. ㉡의지하는 것. 의뢰하는 것.
[維縶 유칩] 옭아맴. 잡아맴.
[維他命 유타명] 비타민(vitamine)의 음역(音譯). 동물체의 주영양소 외에, 동물의 영양을 돕고 성장 및 건강 유지에 필요 불가결한 미량(微量)의 유기물(有機物)의 총칭.
◉綱維. 乾維. 坤維. 國維. 羈維. 屠維. 四維. 纖維. 水維. 王維. 地維. 天維. 縶維. 皇維.

8 ⑭ [絣] ㊀ 병 ㊥庚 北萌切 bēng ㊁ 팽 ㊤梗 必幸切 pēng

字解 ㊀ ①명주 병 무늬 없는 견직물. ②솜 병 면(綿). 일설(一說)에는, 끈. '妻自組甲—'《戰國策》. ③이을 병 계승함. 계속함. '將—萬嗣'《後漢書》. ④섞을 병 '—之以象類'《漢書》. ⑤먹줄칠 병 먹 묻힌 끈이나 실로 목재에 검은 줄을 곧게 침. '—, 振繩墨也'《廣韻》. ⑥시위얹을 병 활시위를 팽팽하게 겲. '—, 張弦也'《集韻》. ㊁ 켕긴줄 팽 팽팽히 켕긴 줄. '—, 急絚也'《集韻》.

字源 篆文 形聲. 篆文은 糸+幷〔音〕. '幷병'은 한데 섞다의 뜻. 색이 다른 실을 섞어 짠 줄무늬의 천의 뜻을 나타냄.

◉甲絣.

8 ⑭ [綯] 도 ㊥豪 徒刀切 táo 绹

字解 ①꼴 도 노·새끼 같은 것을 꼼. '宵爾索—'《詩經》. ②노 도, 새끼 도 승삭(繩索). '縻以尋—'《新論》.

字源 形聲. 糸+匋〔音〕. '匋도'는 도기(陶器)를 만들다의 뜻. 도기를 만들듯이 새끼를 꼬다의 뜻을 나타냄.

[綯首 도수] 목을 졸라맴. 교죄(絞罪).
◉曲綯. 晝茅宵綯.

8 ⑭ [綵] ㊀ 래 ㊥灰 郎才切 lái ㊁ 리 ㊥支 陵之切

字解 ㊀ 거친털 래 털이 거칢. '𣯴, 說文, 強曲毛, 可以箸起衣, 或作—'《集韻》. ㊁ 털설 리 털이 섬. '氂, 毛起. —, 上同'《廣韻》.

8 ⑭ [綰] 관(완㊍) ㊤潸 烏板切 wǎn 绾

字解 ①통괄할 관 한데 몰아서 잡음. 또, 다스림. 통치(統治)함. '—轂其口'《史記》. '東—穢貉朝鮮眞番之利'《史記》. ②꿸 관 '—, 貫也'《玉篇》. ③맬 관 묶음. '絳侯—皇帝璽'《漢書》.

字源 金文 篆文 形聲. 糸+官〔音〕. '官관'은 '括괄'과 통하여, '묶다'의 뜻. 실을 매다의 뜻을 나타냄.

[綰轂 관곡] 통괄(統括)함.
[綰攝 관섭] 통괄(統括)하여 다스림. 통섭(統攝).

8 ⑭ [綱] 高人 강 ㊥陽 古郎切 gāng 纲

筆順 纟 纟 糸 糹 絅 綱 綱 綱 綱

字解 ①벼리 강 그물의 위쪽 코를 꿴 굵은 줄. '若網在—, 有條而不紊'《書經》. 전(轉)하여, 사물을 총괄하여 규제하는 것. 곧, 도덕·법칙·규율 따위. '紀—'. '—常'. '勤三—之嚴'《漢書》. ②과녁줄 강 과녁을 달기 위해 치는 줄. '上—與下—, 出舌尋'《周禮》. ③줄칠 강 줄을 침. '—紀四方'《詩經》. ④대강 강 동류의 사물을 크게 구별한 유별. '—目'. ⑤맬 강 잡아맴. '—惡馬'《周禮》. ⑥다스릴 강 통치함. '此朕所以垂拱總—, 責成于良二千石'《晉書》. ⑦줄 강 행렬. '離—別赴'《鮑照》. ⑧주낙 강 연승(延繩). '子釣而不—'《論語》.

字源 篆文 古文 形聲. 糸+岡〔音〕. '岡강'은 '強강'과 통하여, '강하다, 튼튼하다'의 뜻. 튼튼한 새끼줄, 밧줄의 뜻을 나타냄.

[綱擧目張 강거목장] 대강(大綱)을 들면 세목(細目)은 저절로 환하여짐을 이름.
[綱貫 강관] 조리(條理).
[綱紀 강기] ㉠법강(法綱)과 풍기(風紀). 국가의 대법(大法)과 사회의 도덕. 기강(紀綱). ㉡국가를 다스림. 통치함.
[綱紀肅正 강기숙정] 관리 등의 부정(不正)을 경계하여 규율(規律)을 바로잡음.
[綱紀廢弛 강기폐이] 정도(政道)가 쇠퇴하여 느슨해짐.
[綱領 강령] 일의 으뜸되는 큰 줄거리.
[綱理 강리] 나라를 다스림. 통치함. 강기(綱紀).
[綱目 강목] 강령(綱領)과 조목(條目). 사물(事物)의 대별(大別)과 소별(小別).
[綱常 강상] 사람이 마땅히 지켜야 할 근본되는 도덕인 삼강(三綱)과 오상(五常).

[綱常罪人 강상죄인] 삼강(三綱)·오상(五常)을 어긴 사람.
[綱常之變 강상지변] 삼강(三綱)·오상(五常)에 관계되는 변고(變故).
[綱要 강요] 가장 중요한 요점. 골자. 요령(要領).
[綱運 강운] 수레 또는 배로 큰 화물을 운반함.
[綱維 강유] ㉠벼리. 나라의 법도. ㉡큰 줄거리.
[綱條 강조] 국가의 법도(法度)와 사회의 도덕. 강기(綱紀).
◉擧綱. 乾綱. 宏綱. 國綱. 權綱. 紀綱. 大綱. 道綱. 斗綱. 民綱. 本綱. 三綱. 王綱. 維綱. 人綱. 政綱. 提綱. 條綱. 朝綱. 頹綱. 憲綱. 花石綱. 皇綱.

8 ⑭ [網] [人名] 망 [上]養 文兩切 wǎng 网

[筆順] 幺 糸 糸 絅 網 網 網 網

[字解] ①그물 망 ㉠물고기·새 등을 잡는 기구. '魚一'. '若一在綱'《書經》. 전(轉)하여, 법률·형벌·제재를 이름. '法一'. '天一恢恢, 疏而不失'《老子》. ㉡거미줄. '一積窓文亂'《駱賓王》. ②그물질할 망 ㉠그물을 쳐서 잡음. '漁人騈集, 以釣以一'《王十朋》. ㉡법망(法網)에 걸려들게 함. '是一民也'《孟子》. ㉢나포함. '禁止行道, 以一外奸也'《尉繚子》. ㉣그물질하듯이 사물(事物)을 남기지 않고 휘몰아들임. '一羅天下異能之士'《漢書》.
[字源] 形聲. 糸+罔〔音〕. '罔망'은 '그물'의 뜻. 실로 얽은 '그물'의 뜻을 나타냄.

[網巾 망건] 《韓》 상투 있는 사람이 머리가 흘어지지 않도록 이마 위에 둘러쓰는, 말총으로 만든 물건.
[網罟 망고] 그물.
[網球 망구] 정구(庭球). 테니스.
[網羅 망라] ㉠그물. ㉡그물로 훑듯이 남김없이 휘몰아들임.
[網絡 망락] 빠짐없이 모두 한데 모음.
[網漏於呑舟之魚 망루어탄주지어] 그물은 배를 삼킬 만한 큰 고기는 빠뜨리어 잡지 못한다는 뜻으로, 큰 죄인은 법망(法網)에 걸리지 않음을 비유한 말.
[網膜 망막] 안구(眼球) 속에 있는 시신경 세포가 산포된 막.
[網目 망목] 그물눈. 전(轉)하여, 형률(刑律). 법.
[網墨 망묵] 형벌. 법률.
[網密 망밀] ㉠그물눈이 촘촘함. ㉡법령 따위가 세세하여 빈틈이 없음.
[網紗 망사] 그물과 같이 성기게 짠 사(紗).
[網狀脈 망상맥] 망상(網狀)을 이룬 엽맥(葉脈).
[網疏 망소] 그물코가 성김. 전(轉)하여, 법령(法令)이 빠져나갈 구멍이 많음.
[網罩 망조] 가리. '조(罩)' 참조.
[網周 망주] 법망(法網)이 주밀(周密)하여 죄인을 놓치지 아니함.
[網中 망중] 그물 속. 남의 술책(術策) 속.
[網蟲 망충] 거미. 곧 '지주(蜘蛛)'의 딴 이름.
[網捕 망포] 그물을 쳐 잡음.
[網戶 망호] 그물눈처럼 가로세로 현란하게 조각한 문. 부귀한 집의 형용.
◉綱網. 計網. 罟網. 科網. 極網. 金網. 禁網. 機網. 羅網. 文網. 密網. 法網. 罘網. 纖網. 世網. 疎網. 魚網. 威網. 淫網. 罝網. 蛛網. 塵網. 天網. 湯網. 解網. 憲網. 刑網. 虎網.

8 ⑭ [綴] [人名] 철 [去]霽 陟衛切 zhuì [入]屑 陟劣切 chuò 缀

[筆順] 幺 糸 糸 紁 綴 綴 綴 綴

[字解] ①이을 철 연결함. '連一'. '點一'. ②꿰맬 철, 맬 철 바늘로 얽어맴. 또, 종이 같은 것을 겹쳐 맴. '補一'. '一甲厲兵'《戰國策》. ③지을 철 어휘를 연결시켜 글을 지음. '自孔子後, 一文之士衆矣'《漢書》. ④표 철 안표(眼標). '行其一兆'《禮記》. ⑤깃발 철 기각(旗脚). '熊耳爲一'《揚雄》. ⑥맺을 철 '爲下國一旒'《詩經》. ⑦계속할 철 '一之以祀'《漢書》. ⑧자을 철 실을 뽑아냄. '一, 緝也'《玉篇》. ⑨장식 철 '赤一戶也'《大戴禮》. ⑩막을 철 방지함. '禮者所以一淫也'《禮記》.
[字源] [篆文] 形聲. 糸+叕〔音〕. '叕'은 실을 한데 이은 모양을 본떠, '잇다, 꿰매다, 글을 짓다'의 뜻. '糸멱'을 덧붙여서 뜻을 분명히 했음.

[綴輅 철락] 금(金)으로 장식한 큰 수레. 제왕(帝王)의 수레.
[綴旒 철류] 잡아맨 기(旗)의 술.
[綴文 철문] 글을 지음. 저술함.
[綴鉢 철발] 중의 식기(食器)인 바리때.
[綴純 철순] 여러 가지 빛깔을 섞어 꾸민 자리의 가선.
[綴五 철오] 오목(五目) 비슷한 유희(遊戲).
[綴音 철음] 어떤 음과 딴 음을 합쳐 한 음을 만듦. 또, 그 음.
[綴衣 철의] ㉠휘장. 장막. ㉡주대(周代)에 천자(天子)의 의복을 맡은 벼슬. 일설(一說)에는, 근시(近侍)의 신하. 시신(侍臣).
[綴字 철자] 자음과 모음의 글자를 맞추어서 한 글자를 만듦. 또, 글자를 서로 맞추어 한 단어를 만듦.
[綴兆 철조] 춤을 추는 사람의 각자의 자리.
[綴緝 철집] 철집(綴輯).
[綴輯 철집] 편집(編輯)함.
[綴綴 철철] ㉠붙어 따라다니는 모양. ㉡붙어 떨어지지 아니하는 모양.
[綴宅 철택] 몸. 신체.
[綴學 철학] ㉠학문상의 성과를 모음. 옛글을 널리 교정 편집(校正編輯)함. ㉡학문을 이어받음.
[綴行 철행] 행렬(行列). 또, 행렬을 지음.
◉牽綴. 校綴. 羅綴. 班綴. 補綴. 縫綴. 比綴. 連綴. 聯綴. 旒綴. 粘綴. 點綴. 接綴. 珠綴. 集綴. 緝綴. 鈔綴. 編綴. 筆綴.

8 ⑭ [綵] [人名] 채 [上]賄 倉宰切 cǎi 䌽

[筆順] 幺 糸 糸 紒 綵 綵 綵 綵

[字解] ①비단 채 빛깔이 화려한 무늬 있는 비단. 또, 그 옷. '一帳'. '妻不重一'《晉書》. ②채색 채 문채. '衣五一衣'《高士傳》.
[字源] 形聲. 糸+采〔音〕. '采채'는 '彩채'와 통하여 '채색'의 뜻. 빛깔이 화려한 실, 무늬 있는 비단을 뜻함.

[綵縑 채겸] 합사로 짠 오색 비단(五色緋緞).
[綵毬 채구] 색실로 아름답게 꾸민 공.
[綵絚 채긍] 색실로 꼰 바.
[綵旂 채기] 화려한 빛깔의 기(旗).
[綵綺 채기] 무늬가 있는 고운 빛깔의 비단.
[綵藍 채람] 화려한 빛깔의 농(籠).
[綵纜 채람] 화려한 빛깔의 닻줄.
[綵翎 채령] 빛깔이 고운 깃.
[綵籠 채롱] 채람(綵藍).
[綵樓 채루] 단청(丹青)을 한 누각(樓閣).
[綵縷 채루] 빛깔이 고운 실. 빛깔이 고운 올.
[綵綾 채릉] 무늬가 있는 고운 빛깔의 비단.
[綵房 채방] 화려한 빛으로 찬란하게 꾸민 방.
[綵帛 채백] 빛깔이 고운 비단.
[綵鳳 채봉] 빛깔이 고운 봉새.
[綵絲 채사] 고운 색실. 고운 색사(色絲).
[綵索 채삭] 채승(綵繩).
[綵船 채선] 단청(丹青)을 한 배.
[綵線 채선] 채사(綵絲).
[綵勝 채승] 머리에 꽂는 조화(造花).
[綵繩 채승] 색실로 꼰 노.
[綵幄 채악] 빛깔이 고운 장막.
[綵帷 채유] 채악(綵幄).
[綵衣 채의] 때때옷.
[綵衣娛親 채의오친] 노래자(老萊子)가 나이 일흔에 때때옷을 입고 어린애처럼 장난을 하여 그의 모친을 기쁘게 한 고사(故事).
[綵仗 채장] 화려한 의장(儀仗). 또, 그 행렬.
[綵帳 채장] 무늬 있는 비단의 휘장.
[綵牋 채전] 시를 쓰는 빛깔이 고운 종이.
[綵組 채조] 빛깔이 고운 끈.
[綵綢 채주] 빛깔이 고운 얇은 비단.
[綵幟 채치] 채기(綵旂).
[綵漆 채칠] 빛깔이 고운 옻칠.
[綵花 채화] 조화(造花).
[綵華 채화] 채화(綵花).
◉縑綵. 輕綵. 奇綵. 綾綵. 文綵. 繡綵. 五綵. 雜綵. 翦綵. 繒綵.

8 ⑭ [綷] [一] 쵀 [去]隊 子對切 cuì
[二] 취 [去]寘 七醉切 cuì

[字解] [一] ①오색비단 쵀 여러 가지 빛깔이 섞인 찬란한 비단. '辮, 說文, 會五采繒也. 一, 上同'《廣韻》. ②같을 쵀 모두. '掩·醜·掍·一, 同也'《揚子方言》. ③합칠 쵀, 섞을 쵀 '一雲蓋, 而樹華旗'《漢書》. [二] 와삭거릴 취 비단옷이 스치어 나는 소리. '紛一縩兮紈素聲'《漢書》.
[字源] 形聲. 糸+卒〔音〕

[綷縩 최채] 비단옷이 흔들려 와삭와삭 나는 소리.

8 ⑭ [綸] [人名] [一] 륜 [平]眞 力迍切 lún
[二] 관 [平]刪 古頑切 guān 纶

[筆順] 幺 糸 糸 糸 紒 絵 綸 綸

[字解] [一] ①낚싯줄 륜 낚시를 맨 줄. '垂一'. '言一之繩'《詩經》. ②거문고줄 륜 거문고에 맨 줄. '以文之一'《莊子》. ③굵은실 륜 '王言如絲, 其出如一'《禮記》. ④인끈 륜 청사(青絲)로 꼰 인수(印綬). '百石青紺一'《後漢書》. ⑤솜 륜 면(綿). '一組節束'《淮南子》. ⑥다스릴 륜 경리(經理)함. '君子以經一'《易經》. ⑦쌀 륜 휩쌈. '彌一天地之道'《易經》. ⑧따를 륜 '故玄鴻一天元'《太玄經》. ⑨새끼 륜 새끼줄. '貉縮, 一也. (注) 一者, 繩也'《爾雅》. ⑩길 륜 도(道). 倫(人部 八畫)과 통용. '一, 道也'《廣雅》. ⑪가라앉을 륜, 가라앉힐 륜 '紛一葳蕤'《史記》. ⑫성 륜 성(姓)의 하나. [二] ①인끈 관 [一]❹와 뜻이 같음. ②관건 관 '一巾'은 두건(頭巾)의 한 가지. 은자(隱者)나 풍류인(風流人)이 썼음. '著白一巾'《晉書》.
[字源] 篆文 形聲. 糸+侖〔音〕. '侖륜'은 가닥을 잡다, 조리를 세우다의 뜻. 가닥이 잡힌 실의 뜻을 나타냄.

[綸巾 윤건] 윤자(綸子)로 만든 두건(頭巾)의 한 가지. 제갈건(諸葛巾).
[綸緜 윤면] 줄과 솜.
[綸命 윤명] 윤언(綸言).
[綸綍 윤발] 윤언(綸言).
[綸紼 윤불] 윤언(綸言).
[綸綬 윤수] 청사(青絲)로 꼰 인끈.
[綸言 윤언] 조칙(詔勅). 조서(詔書).
[綸言如汗 윤언여한] 땀이 한번 나면 도로 들어가지 않는 것같이, 조칙(詔勅)은 한번 나오면 취소하거나 변경할 수 없음.
[綸音 윤음] 윤언(綸言).
[綸子 윤자] 두껍고 부드러우며 광택이 있는 사(紗) 비슷한 비단.
[綸詔 윤조] 윤언(綸言).
[綸旨 윤지] 윤언(綸言).
[綸布 윤포] 다시마, 곧 '곤포(昆布)'의 별칭.
◉縑綸. 經綸. 彌綸. 緡綸. 紛綸. 絲綸. 纖綸. 垂綸. 修綸. 釣綸. 青綸. 沈綸. 投綸.

8 ⑭ [綺] [人名] 기 [上]紙 墟彼切 qǐ 绮

[筆順] 幺 糸 糸 紒 紑 綺 綺 綺

[字解] ①비단 기 무늬가 있는 비단. '紈一'. '賈人毋得衣錦繡一穀絺紵罽'《漢書》. ②무늬 기 문채. '綵一'. '流一星連'《張協》. 전(轉)하여, 교묘하게 꾸미는 일. '一語'. ③고울 기 아름다움. 화려함. '充備一室'《後漢書》. '詩緣情而一靡'《陸機》. ④성 기 성(姓)의 하나.
[字源] 篆文 形聲. 糸+奇〔音〕. '奇기'는 평범하지 않다의 뜻. 사람의 눈길을 끌 정도의 고운 무늬 비단의 뜻.

[綺閣 기각] 화려한 누각(樓閣).
[綺季 기계] 기이계(綺異季).
[綺穀 기곡] 무늬가 있는 고운 명주.
[綺觀 기관] 기각(綺閣).
[綺衾 기금] 화려한 이불.
[綺年 기년] 젊은 나이.
[綺談 기담] 재미있고 아름다운 이야기.
[綺羅 기라] ㉠무늬 놓은 비단과 얇은 비단. ㉡화려한 옷. 화려한 것. 또, 화려한 옷을 입은 사람.
[綺麗 기려] 화려함.
[綺樓 기루] 기각(綺閣).
[綺綾 기릉] 무늬가 있는 비단.
[綺里季 기리계] 한(漢)나라의 상산사호(商山四皓)의 한 사람.

[綺幕 기막] 기장(綺帳).
[綺陌 기맥] 화려한 거리.
[綺夢 기몽] 화려한 꿈.
[綺文 기문] 화려한 무늬.
[綺美 기미] 화려하고 아름다움.
[綺媚 기미] 기미(綺靡).
[綺靡 기미] 화려함. 화미(華美)함.
[綺思 기사] 아름다운 생각. 묘한 생각.
[綺歲 기세] 소년 시대. 기환세(綺紈歲).
[綺疏 기소] 고운 비단을 바른 창(窓).
[綺袖 기수] 무늬 있는 고운 비단으로 만든 소매.
[綺樹 기수] 빛이 고운 수목.
[綺繡 기수] 고운 수. 화려한 수.
[綺室 기실] 화려하게 꾸민 방.
[綺語 기어] ㉠교묘하게 꾸민 말. ㉡아름다운 말.
[綺艶 기염] 기염(綺豔).
[綺豔 기염] 화려함. 화미(華美)함. 기미(綺靡).
[綺雲 기운] 아름다운 구름.
[綺襦紈袴 기유환고] 무늬 있는 비단 저고리와 흰 비단 바지. 부귀한 집 자제를 이름. 기환자제(綺紈子弟).
[綺衣 기의] 무늬 있는 비단옷.
[綺帳 기장] 무늬 있는 비단의 장막.
[綺節 기절] '칠석(七夕)'의 별칭.
[綺井 기정] 화려한 천장.
[綺藻 기조] ㉠화려한 무늬. ㉡화려한 시문(詩文).
[綺粲 기찬] 화려함. 화미(華美)함.
[綺窓 기창] 화려한 창.
[綺態 기태] 아름다운 모습. 고운 자태.
[綺霞 기하] 아름다운 저녁놀.
[綺檻 기함] 화려한 난간(欄干).
[綺花 기화] 아름다운 꽃. 고운 꽃.
[綺紈 기환] 무늬 놓은 비단과 흰 비단. 전(轉)하여, 화려한 옷감이나 의복(衣服).
[綺紈歲 기환세] 기세(綺歲).
[綺紈子弟 기환자제] 부귀한 집 자제.
◉輕綺. 錦綺. 羅綺. 綠綺. 綾綺. 文綺. 奢綺. 紫綺. 雕綺. 清綺. 華綺. 紈綺.

8 ⑭ [綻] [人名] 탄 [去]諫 丈莧切 zhàn 绽

[字解] ①솔기터질 탄 꿰맨 자리의 실이 풀어짐. '斷—'. '衣裳—裂'《禮記》. ②터질 탄 '肉—股紅透'《郝經》. ③필 탄 꽃봉오리가 피려고 벌어짐. '紅—'. '日點野塘梅欲—'《王禹偁》. ④꿰맬 탄 기움. '補—缺壞'《崔寔》.

[字源] 形聲. 糸+定〔音〕. '定정'은 '旦단'과 통하여, 숨어 있던 것이 얼굴을 내밀다의 뜻. 솔기가 터져 속옷이 보이다의 뜻을 나타냄.

[綻開 탄개] 꽃이 핌.
[綻裂 탄열] 터지고 찢어짐.
[綻破 탄파] 터지거나 찢어짐.
◉斷綻. 衣綻. 破綻. 紅綻.

8 ⑭ [綽] [人名] 작 [入]藥 昌約切 chuò 绰

[字解] ①너그러울 작 관대한 모양. 또, 여유가 있는 모양. '寬兮—兮'《詩經》. ②얌전할 작 유순하고 정숙함. '便嬛—約'《司馬相如》. '—約如處子'《莊子》. ③많을 작 '滂心—態'《楚辭》.

[字源] 金文 篆文 別體 形聲. 素(縈)+卓〔音〕. '縈소'는 하얀 실의 뜻. '卓탁'은 눈에 띄게 뛰어나다의 뜻. 부드럽고 뛰어난 실의 뜻에서 파생(派生)되어, '얌전함, 나긋나긋함'의 뜻을 나타냄. 뒤에, '素'가 '糸멱'으로 생략되어 糸+卓〔音〕이 됨.

[綽名 작명] 별명(別名). 작호(綽號).
[綽楔 작설] 효자나 의사(義士) 등을 정표(旌表)하기 위하여 문 옆에 세운 대(臺).
[綽約 작약] 얌전함.
[綽然 작연] 여유가 있는 모양.
[綽綽 작작] 언행이나 태도에 여유가 있는 모양.
[綽綽然有餘裕 작작연유여유] 언행과 태도에 여유가 있음. 곧, 일을 당하여 놀라거나 당황하지 않고 침착함.
[綽態 작태] 많은 모양. 일설(一說)에는, 너그러운 태도. 얌전한 태도.
[綽兮 작혜] 관대한 모양.
[綽乎 작호] 작혜(綽兮).
[綽號 작호] 별명(別名). 당(唐)나라 때 이임보(李林甫)를 이묘(李貓), 이의부(李義府)를 인묘(人貓)라고 한 것 따위.
◉寬綽. 卓綽. 閒綽. 弘綽. 和綽. 揮綽.

8 ⑭ [綾] [人名] 릉 [平]蒸 力膺切 líng 绫

[筆順] 幺 … 綾

[字解] ①비단 릉 무늬가 있는 비단. '繒—'. '白—二千匹'《北史》. ②평평하지않을 릉 '繒—'은 평평하지 않은 모양. '崱繒—而龍鱗'《王延壽》.

[字源] 篆文 形聲. 糸+夌〔音〕. '夌릉'은 '凌릉'과 통하여, 도도록하게 솟은 얼음의 뜻. 도드라진 무늬를 짜 넣은 비단의 뜻을 나타냄.

[綾衾 능금] 무늬가 있는 비단 이불.
[綾綺 능기] 무늬 있는 비단. 또, 그 옷.
[綾羅 능라] 무늬가 있는 비단과 얇은 비단. 기라(綺羅).
[綾羅錦繡 능나금수] 명주실로 짠 피륙의 총칭(總稱). 전(轉)하여, 화려한 의복.
[綾帽 능모] 무늬가 있는 비단 두건(頭巾).
[綾文 능문] 올새가 비스듬하며 두껍고 광택이 있는 흰 비단.
[綾扇 능선] 무늬가 있는 비단을 바른 부채.
[綾屬 능속] 비단붙이.
[綾紈 능환] 무늬가 있는 비단과 흰 비단. 또, 그 옷.
◉綺綾. 文綾. 色綾. 細綾. 輭綾. 吳綾. 繚綾. 異綾. 繒綾. 綵綾. 靑綾. 胡綾.

8 ⑭ [綿] [高·人] 면 [平]先 武延切 mián 绵

[筆順] 幺 … 綿

[字解] ①솜 면 ㉠목화의 솜. '交州永昌木綿樹, 高過屋, 實大如酒杯, 中有—如絮, 色正白'《吳錄》. ㉡고치의 솜. 풀솜. '純—之麗密'《漢書》. ②솜옷 면 솜을 둔 옷. '夏則衣—'《雲笈七籤》. ③명주 면 '—, 紬也'《廣雅》. ④연이을 면 연이어 끊이지 아니함. 연속함. '—綿'. '—日月而不衰'《張衡》. ⑤뻗칠 면 길게 연속함. '—三百里'《柳宗元》. ⑥얽힐 면, 감길 면 '纏—經穴'《淮

南子》. ⑦약할 면 얇음. 박약함. '且越人一力薄材, 不能陸戰'《漢書》. ⑧작을 면 '一, 小也'《廣雅》. ⑨멀 면 아득함. 요원(遼遠)함. '去家邈以一'《陸機》. ⑩새우는소리 면 '一蠻'. ⑪성 면 성(姓)의 하나.
字源 篆文 會意. 糸+帛. '糸멱'은 '잇다'의 뜻. 실을 연이어서 명주를 짠다는 뜻에서, 끊어짐이 없이 이어짐의 뜻을 나타냄.

[綿纊 면광] 솜. 또, 그 옷.
[綿亙 면긍] 길게 연하여 뻗침. 연긍(連亙).
[綿代 면대] 대대. 누대(累代).
[綿篤 면독] 병이 대단히 중함. 위독(危篤).
[綿頓 면돈] 병이 중함.
[綿絡 면락] 휩쌈. 쌈.
[綿麗 면려] 섬세하고 고움.
[綿力 면력] 힘이 약함. 약한 힘. 미력(微力).
[綿歷 면력] 연이음. 연속함.
[綿連 면련] 연이음. 연속함. 연면(連綿).
[綿裏針 면리침] 솜에 싼 바늘이란 뜻으로, 풍자하는 말의 비유.
[綿馬 면마] 꼬리고사릿과에 속하는 양치식물(羊齒植物). 뿌리는 구충약(驅蟲藥)으로 씀.
[綿邈 면막] 연대가 대단히 멂. 요원함.
[綿蔓 면만] ㉠길게 끄는 모양. ㉡허베이 성(河北省)에 있는 현(縣) 이름. 한신(韓信)이 조(趙)나라를 칠 때 배수진(背水陣)을 친 곳.
[綿蠻 면만] 새가 우는 소리.
[綿襪 면말] 솜버선.
[綿綿 면면] ㉠죽 연이어 끊이지 않는 모양. 연면(連綿). ㉡세밀한 모양. ㉢가는 모양.
[綿毛 면모] 솜털.
[綿密 면밀] 자세하고 빈틈이 없음. 찬찬함.
[綿薄 면박] 재력(才力)이 약(弱)함.
[綿帛 면백] 솜과 비단. 또, 면직물과 견직물.
[綿服 면복] 무명옷. 면의(綿衣).
[綿紗 면사] 소독하여 의료용으로 쓰는 무명베. 가제.
[綿思 면사] 잇달아 끊임없는 생각.
[綿絲 면사] ㉠솜과 실. ㉡무명실.
[綿絮 면서] 솜.
[綿手 면수] 가냘프고 부드러운 손. 섬수(纖手).
[綿水 면수] 면양하(綿陽河).
[綿弱 면약] 섬약(纖弱)함. 가냘픔.
[綿羊 면양] 양의 일종. 털이 길고 뿔이 없으며, 그 털은 모직물의 원료로 함. 면양(緬羊).
[綿陽 면양] 쓰촨 성(四川省)에 있는 현(縣) 이름.
[綿陽河 면양하] 쓰촨 성(四川省)을 흐르는 낙강(雒江)의 지류. 면수(綿水).
[綿延 면연] 죽 연이어 길게 뻗음.
[綿襖 면오] 솜을 둔 웃옷.
[綿繞 면요] 길게 뻗어 감김.
[綿雨 면우] 여름철의 비.
[綿衣 면의] ㉠솜옷. ㉡무명옷. 면복(綿服).
[綿紬 면주] 《韓》 명주실로 무늬 없이 짠 피륙. 명주(明紬).
[綿地 면지] 길게 연한 땅.
[綿紙 면지] 솜을 원료로 한 종이.
[綿芊 면천] 화목(花木)이 대단히 무성한 모양.
[綿惙 면철] ㉠병이 위중하여 숨이 끊어질 듯한 모양. ㉡근심으로 마음이 안정되지 않음.
[綿蕞 면체] ㉠야외(野外)에서 예(禮)를 강(講)할 때에 띠[茅]를 베어 묶어서 죽 세워 존비(尊卑)의 차례를 표시하는 일. ㉡본보기. 의표(儀表).
[綿蕝 면체] 면체(綿蕞).
[綿歎 면탄] 긴 한숨. 오래 끊이지 않는 탄식.
[綿布 면포] ㉠솜과 피륙. ㉡무명. 면직물.
[綿袍 면포] 솜을 둔 두루마기.
[綿被 면피] 이불.
[綿花 면화] 목화(木花)나무에서 딴 씨가 들어 있는 솜. 목화(木花).
◉佳綿. 木綿. 絮綿. 純綿. 連綿. 煙綿. 柳綿. 纏綿. 周綿. 芊綿. 海綿.

8 ⑭ [緁] 첩 ㉧葉 七接切 qiè

字解 꿰맬 첩 단을 감침. '白縠之表, 薄紈之裏, 一以偏諸'《漢書》.
字源 篆文 別體 形聲. 糸+疌〔音〕

8 ⑭ [緂] 담 ①②㉯覃 他酣切 tián ③㉤感 吐敢切 tǎn

字解 ①깎을 담 깎아서 실을 이음. '一厤索縷'《淮南子》. ②선명할 담 옷의 빛깔이 선명한 모양. '一, 白鱻衣皃. …謂衣采色鮮也'《說文》. ③연둣빛 담 청황색(靑黃色). 유록(柳綠)빛. '一, 靑黃色'《廣韻》.
字源 篆文 形聲. 糸+炎〔音〕. '炎염'은 활활 빛나다의 뜻. 옷의 빛깔이 선명하다의 뜻을 나타냄.

8 ⑭ [緄] ㊀ 곤 ㉤阮 古本切 gǔn ㉯元 公渾切 ㊁ 혼 ㉤阮 戶兗切 hùn 绲

字解 ㊀ ①띠 곤 짜서 만든 허리띠. '童子佩刀·一帶各一'《後漢書》. ②노 곤, 새끼 곤 승삭(繩索). '竹閉一縢'《詩經》. ③묶음 곤 '束組三百一'《戰國策》. ④꿰맬 곤 바느질을 함. '一, 縫也'《字彙》. ㊁ 오랑캐이름 혼 '一戎'은 간쑤 성(甘肅省)에 있던 만족(蠻族). '有綿諸一戎'《史記》.
字源 篆文 形聲. 糸+昆〔音〕. '昆곤'은 발이 많이 달린 벌레의 象形으로서, '밀집(密集)하다'의 뜻. 발이 촘촘한 직물, '띠'의 뜻을 나타냄.

[緄帶 곤대] 짜서 만든 허리띠.
[緄縢 곤등] 새끼. 노끈.
[緄邊 곤변] 의복의 가선.
[緄佩 곤패] 허리띠에 달아 늘어뜨리는 장식물.
[緄戎 혼융] 간쑤 성(甘肅省)에 있던 오랑캐.

8 ⑭ [緅] 추 ㉯尤 側鳩切 zōu

字解 보랏빛 추 적색과 청색의 간색. 또, 그 빛의 비단이나 옷. '君子不以紺一飾'《論語》.
字源 篆文 形聲. 糸+取〔音〕

8 ⑭ [緆] 석 ㉧錫 先擊切 xī

字解 ①삼베 석 고운 삼베. '冪用綌若一'《儀禮》. ②누인삼베 석 '一, 治厤布也'《玉篇》. ③회

장(回裝) 석 치맛단에 꾸민 회장. '縓緈一'《儀禮》.

字源 篆文 形聲. 糸+易〔音〕. '易역'은 얇고 평평함의 뜻. 얇고 고운 삼베의 뜻을 나타냄.

◉阿緆. 弱緆. 灰緆.

8 ⑭ [緇] 人名 치 ㊥支 側持切 zī ㊤寘 側吏切

字解 ①검을 치, 검은빛 치 흑색. '一衣之宜兮'《詩經》. ②검은옷 치 ㉠흑의(黑衣). '衣一衣而反'《列子》. ㉡중의 검은 옷. '披一別家人'《高啓》. ③검은비단 치 繒(糸部 九畫)와 同字. '一, 帛黑色也'《說文》. ④중 치 승려. 검은 옷을 입으므로 이름. 속인을 '素'라 함의 대(對). '一素'. '滅跡在一流'《盧綸》. ⑤검게물들 치, 검게 물들일 치 '一涅'. '涅而不一'《論語》.

字源 篆文 形聲. 糸+甾〔音〕. '甾치'는 강(江)의 범람·재난의 뜻. '糸멱'을 덧붙여, 흑비단의 뜻. 혼탁한 빛깔의 실, '검다'의 뜻을 나타냄.

[緇衲 치납] 치의(緇衣)❶.

[緇徒 치도] 치의(緇衣)를 입은 무리. 곧, 승려(僧侶).

[緇侶 치려] 치도(緇徒).

[緇流 치류] 치도(緇徒).

[緇磷 치린] 때가 묻어 거멓게 됨과 닳아서 얇게 됨.

[緇林 치림] 학문을 닦는 곳. 도(道)를 강(講)하는 곳. 공자(孔子)가 제자를 가르치던 곳은 검은 휘장을 친 것처럼 숲이 무성하였다는 고사(故事)에서 나온 말.

[緇墨 치묵] 검음. 또, 흑색.

[緇服 치복] 검은 옷. 치의(緇衣).

[緇素 치소] ㉠검은색과 흰색. ㉡승려와 속인(俗人).

[緇叟 치수] 늙은 중.

[緇涅 치열] 검은 물을 들임.

[緇帷 치유] 검은 휘장. '치림(緇林)'을 보라.

[緇衣 치의] ㉠검은 옷. 옛날에 관리가 집에 있을 때 입던 옷. ㉡검은 중의 옷. 전(轉)하여, 중.

[緇塵 치진] 분주히 돌아다니느라고 옷이 먼지로 거멓게 됨.

[緇布冠 치포관] 고대(古代)에 관례(冠禮)를 행할 때 제일 먼저 쓰던 관(冠). 한대(漢代)에는 진현관(進賢冠)이라 하여, 사인(士人)·학자(學者)가 평상시에 썼음.

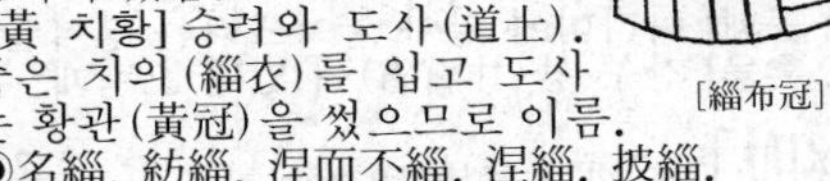

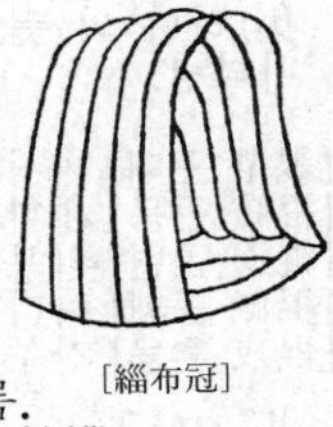

[緇布冠]

[緇黃 치황] 승려와 도사(道士). 중은 치의(緇衣)를 입고 도사는 황관(黃冠)을 썼으므로 이름.

◉名緇. 紡緇. 涅而不緇. 涅緇. 披緇.

8 ⑭ [緉] 량 ㊤養 良獎切 liǎng ㊤漾 力讓切

字解 ①신 량 신 한 켤레. '一, 雙履'《廣韻》. ②꼴 량 새끼를 꼼. '繩兩股曰纆, 亦曰一'《通訓》.

字源 篆文 形聲. 糸+兩〔音〕. '兩량'은 '둘'의 뜻. 실을 꼬다의 뜻을 나타냄.

8 ⑭ [緋] 人名 비 ㊥微 甫微切 fēi

字解 ①붉을 비, 붉은빛 비 홍색. 주홍빛. '一甲'. '血可染一'《酉陽雜俎》. ②비단 비 붉은 비단. '一, 絳練也'《玉篇》. '五品以上一'《唐書》.

字源 篆文 形聲. 糸+非〔音〕. '非비'는 좌우로 열리다의 뜻. 눈에 반짝 띄는 실이나 색깔이란 뜻으로, 산뜻한 '주홍빛'의 뜻을 나타냄.

[緋甲 비갑] 붉은 갑옷.

[緋衲 비납] 붉은 중의 옷.

[緋緞 비단] 《韓》명주실로 광택이 있고 두껍고 탄탄하게 짠 피륙의 총칭.

[緋綠 비록] 붉은빛과 푸른빛. 또, 그 의복.

◉上緋. 染緋.

8 ⑭ [緎] 역 ㊅職 雨逼切 yù

字解 ①꿰맬 역 바느질함. '素絲五一'《詩經》. ②솔기 역 가죽 옷의 꿰맨 줄. '一, 羔裘之縫'《爾雅》.

字源 形聲. 糸+或〔音〕

8 ⑭ [緌] 유 ㊥支 儒隹切 ruí

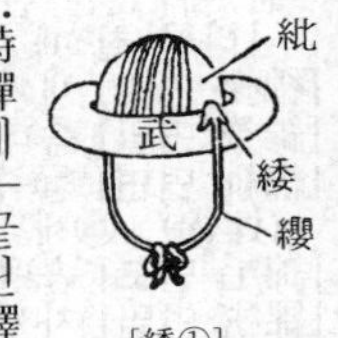

[緌①]

字解 ①갓끈 유 갓의 늘어진 끈. '素一'. '朱一'. '冠一雙止'《詩經》. ②입 유 매미의 주둥이. '蟬有一'《禮記》. ③늘어질 유 길게 아래로 늘어진 모양. '壯髮綠一一'《杜牧》. ④기(旗) 유 깃대 끝에 소의 꼬리털을 달아 늘어뜨린 정(旌). '一, 有虞氏之旌也'《釋名》. ⑤끈 유 앞치마의 끈. '一, 按婦人蔽膝之系也'《通訓》.

字源 篆文 形聲. 糸+委〔音〕. '委위'는 '늘어지다'의 뜻. 갓의 늘어진 끈의 뜻을 나타냄.

[緌緌 유유] 길게 늘어진 모양.

◉纘緌. 素緌. 垂緌. 綏緌. 纓緌. 紫緌. 長緌.

8 ⑭ [緃] 종 ㊥冬 將容切 zōng ㊤宋 足用切

字解 ①물들인비단 종 색실로 짠 비단. '一, 緎屬'《說文》. ②거마(車馬)장식 종 '一, 一曰, 車馬飾'《集韻》.

字源 形聲. 糸+從〈省〉〔音〕

8 ⑭ [綹] 류 ㊤有 力久切 liǔ

字解 ①끈 류 꼰 끈. 끈목. '上有仙人長命一, 中看玉女迎歡繡'《沈佺期》. ②실타래 류 실의 한 묶음. '俗謂絲麻一束一一'《玉篘說文句讀》. ③실올 류 실을 세는 단위. ㉠씨 열 올. '緯十縷爲一'《說文》. ㉡생사(生絲) 스무 올. '一, 一曰, 絲十爲綸, 綸倍爲一'《集韻》.

字源 篆文 形聲. 糸+咎〔音〕

8 ⑭ [⿰糸阿] 아 ㊥歌 烏河切 ē

字解 ①가는비단 아 고운 비단. '一, 細繒'《玉篇》. ②누인비단 아 잿물에 담가 찐 비단. '一縞, 練也'《廣雅》.

8 ⑭ [緉] 一 궐 ㊀月 丘月切 jué
二 굴 ㊀物 九勿切 jué

字解 一 ①맺을 궐 연결함. '一, 結也'《集韻》. ②부인제복 궐 꿩의 무늬가 있는 후부인(后夫人)의 제복(祭服). '一狄, 后夫人之服'《集韻》.
二 맺을 굴, 부인제복 굴 一과 뜻이 같음.

[緉狄 굴적] 부인의 제의(祭衣). 옷에 꿩의 무늬가 있음.

8 ⑭ [綦] 곡 ㊀沃 居玉切 jú

字解 ①묶을 곡 '一, 約也'《說文》. ②얽을 곡 '一, 纆也'《廣韻》. ③이을 곡 '一, 連也'《玉篇》.
字源 形聲. 糸+具〔音〕

8 ⑭ [綾] 접 ㊀葉 卽涉切 jiē

字解 실이을 접 실을 이음. '一, 續縷也'《集韻》.

8 ⑭ [綪] 쟁 ㊥庚 側莖切 zhēng

字解 ①드리지않은새끼 쟁 아직 드리지 않은 외가닥의 새끼. '一, 紆未縈繩'《說文》. ②굽힐 쟁, 굽을 쟁 비틀어 굽힘. 또, 구부러짐. '詘而戾之, 爲一'《小爾雅》. ③풍류줄켕길 쟁 켕긴 현(絃)의 소리. '一, 一日, 急弦之聲'《說文》.
字源 篆文 形聲. 糸+爭〔音〕. '爭쟁'은 양쪽에서 잡아당기다의 뜻. 끈을 양쪽에서 당긴다는 뜻으로, 아직 다 드리지 않은 새끼줄의 뜻을 나타냄.

8 ⑭ [綥] 기 ㊥支 渠之切 qí

字解 ①연둣빛 기 연둣빛. 또, 연둣빛의 비단. '詩日, 縞衣一巾. 未嫁女所服'《說文》. ②들메끈 기 羈(网部 十一畫)와 통용.
字源 篆文 別體 形聲. 糸+畀〔音〕

8 ⑭ [緀] 綥(前條)의 本字

8 ⑭ [緀] 처 ㊥齊 七稽切 qī
㊤薺 千禮切

字解 무늬 처 비단의 아름다운 무늬. '一, 帛文貌. 詩日, 一兮斐兮'《說文》.
字源 篆文 形聲. 糸+妻〔音〕. '妻처'는 '齊제'와 통하여, 잘 정돈되어 가지런하다의 뜻. 비단의 가지런한 아름다운 무늬의 뜻을 나타냄.

8 ⑭ [綳] 〔붕〕
繃(糸部 十一畫〈p.1768〉)과 同字

8 ⑭ [綠] 〔련〕
練(糸部 九畫〈p.1758〉)의 略字

8 ⑭ [緒] 〔서〕
緖(糸部 九畫〈p.1754〉)의 略字

8 ⑭ [緄] 〔승·잉〕
繩(糸部 十三畫〈p.1774〉)의 俗字

8 ⑭ [綧] 〔신〕
紳(糸部 五畫〈p.1724〉)의 本字

8 ⑭ [総] 人名 〔총〕 總(糸部 十一畫〈p.1767〉)과 同字

8 ⑭ [緍] 〔민〕
緡(糸部 九畫〈p.1755〉)의 本字

8 ⑭ [綦] 기 ㊥支 渠之切 qí
㊦寘 渠記切

字解 ①연둣빛 기 녹색(綠色). 초록빛. 옛날에, 중국에서 처녀가 입던 복색(服色)임. '縞衣一巾'《詩經》. ②무늬비단 기 '一, 綵也'《廣雅》. ③들메끈 기 신을 들메는 끈. '屨一'. '一繫于踵'《儀禮》. ④검푸른빛 기, 검붉은빛 기 '四人一弁. (鄭註) 青黑日一. (王註) 一, 赤黑色'《書經》. ⑤신자국 기 신을 신고 밟은 자국. '履纍槍以爲一'《漢書》. ⑥지극할 기 극진한 데까지 이름. '一大而王, 一小而亡'《荀子》. ⑦성 기 성(姓)의 하나.
字源 篆文 形聲. 糸+其〔音〕

[綦巾 기건] 초록빛의 처녀 옷.
[綦衛 기위] 화살의 이름.
◉文綦. 步綦. 履綦. 珠綦.

8 ⑭ [綨] 綦(前條)와 同字

8 ⑭ [綮] 一 계 ㊤薺 康禮切 qǐ
二 경 ㊦徑 詰定切 qìng

字解 一 ①창집 계 棨(木部 八畫)와 同字. '一, 一日, 戟衣'《廣韻》. ②창날가지 계 '一, 戟支'《廣韻》. ③발고운비단 계 '一, 致繒也'《說文》.
二 힘줄붙은곳 경 '肯一'은 힘줄이 살에 붙어 있는 곳. 전(轉)하여, 사물의 가장 종요로운 곳. '技經肯一之未嘗'《莊子》.
字源 篆文 形聲. 糸+啓〈省〉〔音〕. '啓계'는 열어서 속에 있는 것을 꺼내다의 뜻. '棨계'와 통하여, '창집'의 뜻을 나타냄.

◉肯綮. 牙綮.

8 ⑭ [緊] 高人 긴 ㊤軫 居忍切 jǐn

筆順 〔획순〕 緊

字解 ①탄탄할 긴 견고함. '戈戟之一'《管子》. ②급할 긴, 긴할 긴 빠름. 또, 일이 급함. 시급함. '一急'. '聲一而小'《雲仙雜記》. ③팽팽할 긴 느슨하지 않고 켕김. '一張'. '弛一急之絃張兮'《傅毅》. ④줄일 긴, 줄 긴 축소함. 줄어듦. '一縮'. '其化一斂'《素問》. ⑤속찰 긴 알참. '風物自凄一'《殷仲文》. ⑥죌 긴 단단히 감음. 또, 감김. '一, 纏絲急也'《說文》.

字源 篆文 形聲. 糸+臤〔音〕. '臤견'은 단단히 하다의 뜻. 실로 단단히 죄다의 뜻을 나타냄.

[緊急 긴급] ㉠현악기의 줄이 팽팽함. ㉡대단히 긴하고 급함.
[緊那羅 긴나라]《佛敎》인도 신화(神話)의 신(神)으로서 천룡팔부(天龍八部)의 하나. 사람 비슷하나 머리 위에 뿔이 있고 가무(歌舞)·음악을 맡았으며, 제석천(帝釋天)을 섬긴다 함.
[緊腦 긴뇌] 긴장한 두뇌. 곧, 아주 단단한 마음.
[緊談 긴담] 긴(緊)한 이야기.
[緊務 긴무] 긴요(緊要)한 볼일.
[緊密 긴밀] ㉠견고하고 빈틈이 없음. 또, 바싹 달라붙어 빈틈이 없음. ㉡엄밀하여 빈틈이 없음.
[緊迫 긴박] 몹시 급박(急迫)함.
[緊縛 긴박] 바짝 잡아맴. 꼭 묶음.
[緊紗 긴사] 곱고 얇은 비단.
[緊束 긴속] 긴박(緊縛).
[緊要 긴요] 매우 필요(必要)함. 대단히 소중함.
[緊用 긴용] 요긴하게 씀.
[緊張 긴장] ㉠팽팽하게 함. ㉡정신을 바싹 차림.
[緊切 긴절] ㉠긴요(緊要)하고 절실(切實)함. 지극히 중요함. ㉡꼭 맞음. 적절(適切)함.
[緊捉 긴착] 꼭 잡음.
[緊縮 긴축] ㉠팽팽히 죔. 또, 죄어짐. ㉡바짝 줄임.
[緊歇 긴헐] 요긴한 것과 그렇지 아니한 것.
◉高緊. 喫緊. 鮮緊. 細緊. 要緊. 適緊. 凄緊. 圓緊.

9 ⑮ [緖] 高人 ━ 서 ㊤語 徐呂切 xù ═ 사 ㊥麻 詩車切 shē 绪

筆順 ㄠ 糸 糹 紩 紶 緒 緒 緖

字解 ━ ①실마리 서 ㉠실의 첫머리. 사단(絲端). '白鶴飛兮繭曳—'《張衡》. ㉡사물의 발단. '端—'. '論端究—'《北史》. '反覆終始, 不知其端—'《淮南子》. ②실 서 사루(絲縷). '蚤繅而—, 蚤織而縷'《柳宗元》. ③줄기 서 계통. '—胄'. '故宗—中圮'《張衡》. ④나머지 서 잔여. '—風'. '其—餘以爲國家'《莊子》. ⑤차례 서 순서. '食不敢先嘗, 必取其—'《莊子》. ⑥일 서 사업. '—業'. '纘太王之—'《詩經》. ⑦마음 서 '情—'. '絲中傳意—, 花裏寄春情'《王融》. ⑧타다남은것 서 '捧椀以爲—'《管子》. ⑨끝 서 '—, 末也'《廣雅》. ⑩앞 서 '先生有一言而去'《莊子》. ⑪따를 서 '—信所孌'《阮瑀》. ⑫찾을 서 추심(推尋)함. '—正'. '時—正律曆'《史記》. ⑬성 서 성(姓)의 하나. ═ 나머지 사 '—餘'는 나머지. '—餘, 殘也'《集韻》.

字源 篆文 形聲. 糸+者〔音〕. '者자'는 '삶다'의 뜻. 고치를 삶아 실을 뽑아 내다의 뜻에서, '실마리'의 뜻을 나타냄.

[緖功 서공] 처음으로 세운 공(功). 첫 공. 시공(始功).
[緖論 서론] 본론(本論)에 들어가기 전(前)에 그 준비로서 서술하는 논설(論說). 「단.
[緖言 서언] ㉠머리말. 서문(序文). ㉡논설의 발
[緖業 서업] ㉠시작한 일. 사업. ㉡뒤에 남긴 사업. 유업(遺業).
[緖餘 서여] 나머지. 잔여(殘餘). 여력(餘力).
[緖戰 서전] 첫 싸움. 전쟁의 첫 시작.
[緖正 서정] 근본을 캐어 찾아서 바로잡음.
[緖胄 서주] 혈통(血統).
[緖風 서풍] 남은 바람. 여풍(餘風).
◉家緖. 功緖. 基緖. 內緖. 端緖. 談緖. 頭緖. 萬緖. 苗緖. 茂緖. 紊緖. 福緖. 丕緖. 絲緖. 先緖. 聖緖. 心緖. 令緖. 睿緖. 由緖. 遺緖. 意緖. 一緖. 前緖. 情緖. 帝緖. 宗緖. 纘緖. 墜緖. 就緖. 鴻緖. 皇緖. 勳緖.

9 ⑮ [緛] 주 ㊦宥 直祐切 zhòu

字解 ①직업 주 직업. '—, 博雅, 業也'《集韻》. ②실마리 주 실마리. '—, 一日, 緖也'《集韻》. ③명주 주 명주. '—, 或作紬'《集韻》.

9 ⑮ [緗] 상 ㊥陽 息良切 xiāng 緗

字解 담황색 상 엷은 황색. 연노랑. 또, 그 옷감. '—, 帛淺黃色也'《說文》.

字源 篆文 形聲. 糸+相〔音〕

[緗縑 상겸] 합사로 짠 담황색의 비단.
[緗素 상소] ㉠담황색의 깁. 고인(古人)의 사본(寫本)은 대개 겸소(縑素)를 썼는데, 그것을 담황색으로 물들인 것을 '——'라 이름. ㉡서책(書冊).
[緗帙 상질] 담황색의 헝겊으로 만든 책갑(冊匣).
[緗縹 상표] ㉠담황색과 옥색. ㉡담황색과 옥색의 옷. ㉢책. 서책(書冊).
◉縑緗. 綈緗. 青緗.

9 ⑮ [緘] 人名 함 ㊥咸 古咸切 jiān 缄

字解 ①봉할 함 ㉠열지 못하게 붙임. '封—'. ㉡입을 틀어막음. 또, 입을 다물고 말하지 아니함. '—口'. '—默'. '有金人, 參—其口'《孔子家語》. ②묶을 함 상자 같은 것을 끈 따위로 묶음. '—制'. '葛以—之'《墨子》. ③봉한데 함 봉한 자리. '必題其—'《宋史》. 또, 봉한 편지. 봉한 서통(書筒). '捧—跪發'《令狐楚》. ④새끼줄 함, 줄 함. '必攝—縢'《莊子》.

字源 金文 篆文 形聲. 糸+咸〔音〕. '咸함'은 모두 다함, 다 없어짐의 뜻. 상자에 물건을 다 집어넣고 마지막으로 봉하는 실의 뜻을 나타냄.

[緘口 함구] 입을 다묾.
[緘口無言 함구무언] 입을 다물고 말을 아니함.
[緘口不言 함구불언] 함구무언(緘口無言).
[緘默 함묵] 함구(緘口).
[緘封 함봉] 편지·상자 같은 것을 봉(封)함.
[緘祕 함비] 봉하여 비밀로 함.
[緘書 함서] 봉한 편지. 봉서(封書).
[緘鎖 함쇄] 꼭 봉함.
[緘脣 함순] 함구(緘口).
[緘繩 함승] 관(棺)을 묶는 노. 옛날에는 관에 못을 치지 않았음.
[緘制 함제] 봉쇄(封鎖)하여 제어함. 묶어 꼼짝 못하게 함.
[緘札 함찰] 함서(緘書).
[緘包 함포] 봉하여 쌈.

[緘翰 함한] 봉한 편지. 함서(緘書).
◉開緘. 啓緘. 滕緘. 駢緘. 封緘. 三緘. 素緘. 參緘. 披緘. 華緘.

9 ⑮ [線] 中·人 선 ㊀霰 私箭切 xiàn
筆順 幺 糸 約 綽 綿 緽 線 線
字解 ①실 선 섬유를 가늘고 길게 꼰 것. '鍼—'. '王宮之縫—之事'《周禮》. ②줄 선 가늘고 길어 실 같은 모양을 한 것. '罫—'. '電—'. '春風柳—長'(봄바람에 가늘고 긴 버들의 가지가 흔들림)《范雲》. ③선 선 수학에서, 위치 및 길이는 있으나 넓이와 두께가 없는 것. '直—'. '垂—'.
字源 綫의 古文 形聲. 糸+泉〔音〕

[線脚 선각] 꿰맨 바늘 자국.
[線纊 선광] 실과 솜.
[線路 선로] ㉠좁은 길. ㉡기차·전차 등이 다니는 길. 철로(鐵路).
[線縷 선루] 실.
[線鞋 선혜] 끈이 달린 가죽신.
◉架線. 幹線. 經線. 係腸線. 曲線. 光線. 罫線. 琴線. 單絲不成線. 短線. 單線. 斷線. 銅線. 痲線. 傍線. 伏線. 複線. 本線. 雪線. 素線. 垂線. 熟線. 視線. 弱線. 緯線. 電線. 戰線. 絕線. 點線. 接線. 支線. 直線. 草蛇灰線. 針線. 鍼線. 脫線. 瓣線. 風流線. 混線.

9 ⑮ [緝] 人名 ■ 즙 ㊁緝 七入切 jī, ②qī
■ 집 ㊁緝 卽入切 jí
(즙㊟)
字解 ■ ①자을 즙 실을 뽑아 냄. 또, 낳이함. '—績作衣服'《詩經 箋》. ②꿰맬 즙 바느질함. '斬者何, 不—也'《儀禮》. ③이을 즙 계속함. 계승함. '—熙'. '授几有—御'《詩經》. ④빛날 즙. 밝을 즙 '於—熙敬止'《詩經》. ⑤화목할 즙 친목함. '—和'. '—穆'. '招懷綏—'《後漢書》. ⑥잡을 즙 체포함. '—盜'. '不教—捕闖門來'《陳造》. ■ 모일 집. 모을 집 집합함. '—綴'. '編—'. '衣冠未—'《褚淵》.
字源 篆文 形聲. 糸+咠〔音〕. '咠집'은 입과 귀를 가까이 대고 이야기하다의 뜻. 실과 실을 그러모아서 낳이하다의 뜻을 나타냄.

[緝拿 즙나] 체포함. 나포(拿捕)함.
[緝寧 즙녕] 편안히 함.
[緝理 즙리] 잘 추슬러 다스림.
[緝穆 즙목] 모여 화목(和睦)함.
[緝私 즙사] 사염(私鹽)을 밀수(密輸)하는 자를 체포함.
[緝績 즙적] 길쌈함. 실을 자아 피륙을 짬.
[緝緝 즙즙] 수다스럽게 지껄이는 모양. 또, 그 소리.
[緝捕 즙포] ㉠죄인을 잡음. 체포함. ㉡벼슬 이름. 경관(警官). 우리나라의 순경(巡警)에 해당함.
[緝和 즙화] 즙목(緝穆).
[緝熙 즙희] ㉠빛남. 밝음. 인격이 계속하여 오래 빛남. ㉡계승하여 넓힘.
[緝綴 집철] 모아서 엮음.
[緝合 집합] 한데 모아 합함.
[緝和 집화] 화합(和合)함.
◉糾緝. 撫緝. 補緝. 綏緝. 連緝. 寧緝. 營緝. 製緝. 綜緝. 采緝. 綴緝. 招緝. 總緝. 編緝. 諧緝.

9 ⑮ [緙] 격 ㊁陌 楷革切 kè
字解 ①꿰맬 격 '—, 紩也'《廣韻》. ②씨실 격 '—, 又織緯'《廣韻》.

9 ⑮ [緞] 人名 단 ㊤旱 徒管切 duàn ㊀翰 徒玩切
筆順 幺 糸 糹 紓 絆 緞 緞 緞
字解 ①비단 단 '—子'는 비단의 한 가지로, 바탕이 곱고 광택이 있으며 두꺼움. '—, 今厚繒曰—'《正字通》. ②신뒤축에댄천조각 단 '—, 履跟之帖也'《急就篇 註》.
字源 篆文 形聲. 糸+段〔音〕

[緞子 단자] 자해(字解)❶을 보라.
◉緋緞. 絨緞. 綢緞.

9 ⑮ [締] 人名 체 ㊀霽 特計切 dì
筆順 幺 糸 糸 紵 絝 綞 締 締
字解 ①맺을 체 얽어서 꼭 맺음. 전(轉)하여, 벗·인연·조약 따위를 맺음. '—結'. '—姻'. '合從—交'《史記》. ②맺힐 체 얽히어 풀리지 아니함. 또, 울적해짐. '氣繚轉而自—'《楚辭》.
字源 篆文 形聲. 糸+帝〔音〕. '帝제'는 밑부분을 꽉 죄어서 단단히 짜 맞춘 신(神)을 제사하는 받침의 象形. 끈으로 풀리지 않게 단단히 죔의 뜻.

[締結 체결] ㉠얽어서 맺음. ㉡조약·약속 등을 맺음.
[締交 체교] 교분을 맺음.
[締構 체구] 얽어 만듦. 형성(形成)함.
[締盟 체맹] 맹약(盟約)을 함. 동맹을 체결함. 또, 그 맹약·동맹.
[締約 체약] 약속(約束)을 맺음. 또, 그 약속.
[締造 체조] 얽어 만듦.

9 ⑮ [緡] 人名 ■ 민 ㊥眞 武巾切 mín
■ 면 ㊥先 彌延切 mián
字解 ■ ①낚싯줄 민 낚시를 맨 줄. '釣—'. '垂—'. '維絲伊—'《詩經》. ②돈꿰미 민 엽전을 꿰는 꿰미. 또, 그 꿴 돈. '算—'. '初算—錢'《漢書》. '出告—令'《史記》. ③새끼줄 민. ④입을 민. 입힐 민 '吳人解衣相被, 謂之—'《說文》. '言—之絲'《詩經》. ⑤합할 민 맞음. '當我—乎'《莊子》. ⑥성할 민 무성함. '丘陵草木之—'《莊子》. ⑦성 민 성(姓)의 하나. ■ ①연이을 면. ②새우는소리 면 綿(糸部 八畫)과 통용. '—蠻黃鳥'《大學》.
字源 篆文 形聲. 篆文은 糸+昏〔音〕
參考 緍(糸部 八畫)은 本字.

[緡蠻 면만] 새가 우는 소리. 면만(綿蠻).
[緡綸 민륜] 낚싯줄.

[緡緜 민면] 덮음. 덮어씌움.
[緡緡 민민] 엽전을 꿰는 노끈. 돈꿰미.
[緡錢 민전] ㉠꿰미에 꿴 돈. 돈꿰미. ㉡한대(漢代)의 세법(稅法)의 하나. 천전(千錢)을 한 꿰미에 꿰어 일관(一貫)이라 하고, 1관마다 20전씩 소득세로 바치는 세법.
◉算緡. 垂緡. 釣緡. 錢緡. 脆緡. 沈緡.

9 ⑮ [緟] 중 ①-③㊥冬 直容切 chóng ④㊤宋 柱用切 zhòng

字解 ①거듭할 중, 겹칠 중 포갬. 重(里部 二畫)과 同字. '一, 疊也. 複也'《玉篇》. ②늘 중 '一, 增益也'《說文》. ③두꺼울 중 '一, 一曰, 厚也'《集韻》. ④명주실 중 '一, 繒縷'《廣韻》.
字源 金文 篆文 形聲. 糸+重〔音〕. '重중'은 '거듭하다, 포개다, 늘다'의 뜻.

9 ⑮ [緣] 高人 연 ㊤霰 以絹切 yuàn ㊥先 與專切 yuán

筆順 幺 糸 糹 糹 紷 綠 緣 緣
字解 ①가선 연 의복의 가장자리를 싸서 돌린 선. '純袂一'《禮記》. ②가 연 가장자리. '一邊諸鎭'《唐玄宗》. ③말미암을 연 인연함. '由一'. '凡一而往埋之'《荀子》. ④좇을 연 따름. '攀一'. '一木而求魚'《孟子》. ⑤탈 연 인연을 탐. 연줄을 잡음. '夤一'. ⑥두를 연 위요(圍繞)함. '一縈'. '一之以方城'《荀子》. ⑦연줄 연 인연이 맺어지는 길. '世一'. '俗一未盡'《傳燈錄》. ⑧연분 연 인륜 및 남녀의 관계. '良一'. '新一貴壻起朱樓'《李商隱》. ⑨《佛敎》 인연 연 원인을 도와 결과를 낳게 하는 작용. '三一不斷, 故三因不生'《楞嚴經》.
字源 篆文 形聲. 糸+彖〔音〕. '彖단'은 '轉전'과 통하여, '두르다'의 뜻. 옷 가장자리에 두른 장식, 가선의 뜻에서, '가, 얽히다, 관련되다'의 뜻을 나타냄.

[緣家 연가] ㉠친척집. 일가. ㉡인척(姻戚).
[緣覺 연각] 《佛敎》 십이인연(十二因緣)의 이치를 관찰하여 진리를 깨닫는 일.
[緣竿伎 연간기] 곡예(曲藝).
[緣竿兒 연간아] 연간인(緣竿人).
[緣竿人 연간인] 곡예사(曲藝師). 광대.
[緣界 연계] 가. 경계.
[緣故 연고] 까닭. 이유. 사유(事由).
[緣起 연기] 《佛敎》 ㉠인(因)과 연(緣)이 서로 응하여 만법(萬法)이 생기는 일. ㉡사원(寺院) 등의 창건(創建)된 유래.
[緣木求魚 연목구어] 나무에 올라가서 고기를 잡는다는 뜻으로, 목적을 달성하기 위하여 취하는 수단이 잘못됨의 비유.
[緣法 연법] ㉠구법(舊法)을 인습(因襲)함. 옛 법을 좇음. ㉡법도(法度)를 준수(遵守)함.
[緣邊 연변] 가. 변두리.
[緣分 연분] 인연(因緣)에 의하여 맺어진 인륜(人倫) 및 남녀의 관계. 정분(定分).
[緣姓 연성] 중이 되기 전의 성. 속성(俗姓).
[緣飾 연식] 외관(外觀)을 꾸밈.
[緣縈 연영] 빙 두름. 또, 휘휘 감김.
[緣由 연유] 까닭. 사유(事由). 유래(由來).
[緣因 연인] ㉠까닭. 사유(事由). 유래(由來). ㉡《佛敎》 이인(二因)의 하나. 현재의 결과를 낳게 한 원인.
[緣坐 연좌] 남의 범죄에 관련되어서 죄를 받음. 연좌(連坐).
◉結緣. 勸緣. 奇緣. 機緣. 內緣. 來緣. 都盧緣. 萬緣. 妙緣. 無緣. 攀緣. 百緣. 不緣. 佛緣. 世緣. 所緣. 俗緣. 宿緣. 順緣. 新緣. 信天緣. 十二因緣. 良緣. 逆緣. 縈緣. 外緣. 由緣. 有緣. 類緣. 依緣. 離緣. 因緣. 夤緣. 一大事因緣. 前緣. 絶緣. 情緣. 周緣. 塵緣. 合緣. 血緣.

9 ⑮ [緦] 시 ㊥支 息玆切 sī

字解 ①베 시 시마(緦麻)에 쓰는 올이 가늘고 올새가 성긴 베. '四世而一, 服之窮也'《禮記》. ②시마 시 '一麻'는 석 달 동안 입는 상복(喪服). '一麻三月者. 傳曰, 一者, 十五升抽其半'《儀禮》. ③모을 시 '一, 聚也'《廣雅》.
字源 篆文 古文 形聲. 糸+思〔音〕

[緦麻 시마] 석 달 동안 입는 상복(喪服).
[緦衰 시최] 거친 삼베로 지은 상복(喪服). 임금이 제후(諸侯)를 위해 복상(服喪)함.

9 ⑮ [緥] 보 ㊤皓 博抱切 bǎo

字解 포대기 보 젖먹이를 업는 보. '曾孫雖在襁一'《漢書》.
字源 篆文 形聲. 糸+保〔音〕. '保보'는 어른이 젖먹이를 안고 있다의 뜻. '糸멱'을 덧붙여, 젖먹이의 옷의 뜻.
參考 褓(衣部 九畫)는 俗字.

◉繈緥.

9 ⑮ [緮] 〔경〕
綆(糸部 七畫〈p. 1740〉)의 本字

9 ⑮ [編] 高人 ㊀ 편 ㊥先 卑連切 biān ㊁ 변 ㊤銑 方典切 biǎn

筆順 幺 糸 糹 糹 紵 絹 絹 編
字解 ㊀ ①맬 편 실로 철(綴)함. '與衆篇合一'《詩經》. ②엮을 편 ㉠물건을 얼기설기 맞추어 맴. '一柳'. ㉡책을 엮음. 찬술함. '一修'. '手自一輯'《南史》. ㉢순서를 매김. 순서대로 벌여 놓음. '一次'. '一, 次也'《廣韻》. ㉣짜 넣음. 한데 늘어세움. '一入'. '一之徒官'《漢書》. '一町成篁'《張衡》. ㉤(직물을) 짬. '一, 織也'《一切經音義》. ㉥맺음. '一愁苦以爲膺'《楚辭》. ③책 편 서적. 篇(竹部 九畫)과 同字. '千百家之一'《韓愈》. ④편 편 책의 갈래를 구분하는 말. '窮黃石之三一'《李納》. ⑤끈 편 '一, 絛也'《廣雅》. ⑥책끈 편 책을 맨 끈. 또, 그 맨 자리. '韋一三絶'《史記》. ⑦성 편 성(姓)의 하나. ㊁ ①얇은깁 변 '一, 一綃也'《廣韻》. ②꼴 변 '一, 絞也'《集韻》. ③땋을 변 머리·실 같은 것을 땋음. 辮(糸部 十四畫)과 통용. '有解一髮, 削左衽, 襲冠帶, 要衣裳, 而蒙化者焉'《漢書》.
字源 篆文 形聲. 糸+扁〔音〕. '扁편'은 문자를 써 넣는 대쪽의 뜻. 실로 죽간(竹簡)을 엮다의 뜻을 나타냄.

[編髮 변발] 머리를 땋아 늘임. 또, 땋아 늘인 머리. 변발(辮髮).
[編遣 편견] 군대를 개편(改編)함과 해산함.
[編磬 편경] 열여섯 개의 경쇠를 한 틀에 매어 단 악기(樂器).

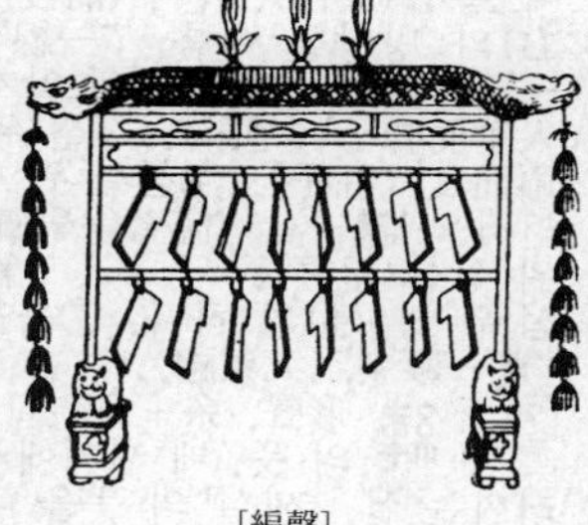
[編磬]

[編管 편관] 송대(宋代)의 형벌의 하나. 입묵(入墨)시켜 귀양 보내는 벌.
[編年史 편년사] 편년체(編年體)로 쓴 역사(歷史).
[編年體 편년체] 연대(年代)를 좇아 사실(史實)을 열기(列記)하는 역사 편찬의 한 체재(體裁). 기전체(紀傳體)의 대(對).
[編隊 편대] 대오(隊伍)를 편성(編成)함.
[編柳 편류] 고학함. 손경(孫敬)이란 사람이 가난하기 때문에 버드나무 조각을 엮어 경서(經書)를 베낀 고사(故事)에서 나온 말.
[編氓 편맹] 민간의 호적에 편입된 백성. 곧, 평민(平民).
[編物 편물] 털실 같은 것을 떠서 의복·양말·장갑 등을 만듦. 또, 그 제품.
[編排 편배] 순서를 따라 배열함.
[編削 편삭] 순서에 따라 책을 맴.
[編成 편성] ㉠엮어 만듦. ㉡모아서 조직(組織)함.
[編修 편수] ㉠의례(儀禮) 등이 정돈되어 바름. ㉡사서(史書)를 저술함. 또, 그 벼슬. ㉢편집하고 수정함. 또, 그 일에 종사하는 사람.
[編隨 편수] 많은 사람이 수행함.
[編述 편술] 재료를 모아 자기의 의견을 보태어 책을 엮음.
[編輿 편여] 대를 엮어 만든 가마. 죽교(竹轎).
[編譯 편역] 편집(編輯)과 번역(飜譯).
[編列 편열] ㉠엮어 연결시킴. 또, 엮어 늘어놓음. ㉡편호(編戶)❶.
[編入 편입] ㉠엮거나 짜 넣음. ㉡한동아리에 끼게 함.
[編者 편자] 책을 엮는 사람. 엮은이.
[編著 편저] 편집하여 저술(著述)함.
[編制 편제] 낱낱의 것을 모아 통제(統制) 있는 단체로 조직함.
[編鐘 편종] 열여섯 개의 작은 종을 한 틀에 매어 단 악기(樂器).

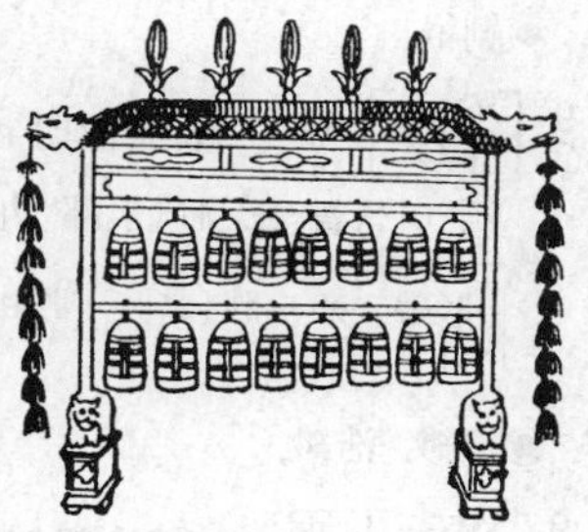
[編鐘]

[編緝 편집] 여러 가지 재료(材料)를 수집(蒐集)하여 책이나 신문(新聞) 등을 엮음. 편집(編輯). 편찬(編纂).
[編輯 편집] 편집(編緝).
[編次 편차] 순서를 따라 편찬함.
[編纂 편찬] 편집(編緝).
[編冊 편책] 맨 책.
[編綴 편철] 맴. 철(綴)함.
[編貝 편패] 조개를 엮은 것같이 고르고 고운 이.
[編蒲 편포] 고학(苦學)함. 노온서(路溫舒)란 사람이 가난하기 때문에 부들의 잎을 엮어 경서(經書)를 베낀 고사(故事)에서 나온 말. 포편(蒲編) 참조.
[編戶 편호] ㉠민간의 호적에 편입된 집. 서민(庶民)의 집. ㉡죽 늘어선 집.
◉佳編. 間編. 簡編. 故編. 高編. 群編. 短編. 蠹編. 末編. 史編. 祥編. 續編. 詩編. 神編. 新編. 藝編. 雄編. 韋編. 遺編. 類編. 長編. 前編. 絕編. 齊編. 陳編. 次編. 後編.

9 ⑮ [緩] 高人 완 ㊤旱 胡管切 huǎn 缓 𦃃

筆順 纟 糸 糹 紅 紓 緩 緩 緩

字解 ①느릴 완 더딤. 둔함. 또, 바쁘지 아니함. '一慢'. '董安于性一'《韓非子》. '農事一則貧'《墨子》. ②느슨할 완, 느슨해질 완 늘어나서 헐거움. 또, 늘어나서 헐거워짐. '衣帶日以一'《古詩》. ③부드러울 완 ㉠딱딱하지 아니함. '地肥而土一'《呂氏春秋》. ㉡엄하지 아니함. 관대함. '寬一不苛'《史記》. ④느즈러질 완 해이(解弛)함. '弛一'. '德義之一'《呂氏春秋》. ⑤늦출 완 느슨하게 함. 또, 기한을 멀리 잡음. '一帶'. '民事不可一也'《孟子》. ⑥늘어질 완 축 처짐. '連一耳'《後漢書》. ⑦성 완 성(姓)의 하나.

字源 篆文 緩 別體 緩 形聲. 素(糸)+爰〔音〕. '爰원'은 '寬관'과 통하여, 느리다, 느슨하다, 늦추다, 너그러이 하다의 뜻을 나타냄. '緩완'은 別體로 糸+爰〔音〕.

[緩歌 완가] 느리게 노래함.
[緩急 완급] ㉠느림과 급함. 늦음과 빠름. ㉡위급(危急)한 일. 돌발한 사변. 완(緩)은 조사(助辭).
[緩期 완기] 기일을 늦춤.
[緩帶 완대] 허리띠를 느슨하게 함. 안심하여 경계를 게을리 한다는 뜻.
[緩賂 완뢰] 때가 이미 늦은 뇌물.
[緩慢 완만] 느릿느릿함.
[緩步 완보] 천천히 걸음.
[緩不濟急 완불제급] 때가 이미 늦음.
[緩緩 완완] 동작이 느릿느릿한 모양.
[緩衝地帶 완충지대] 양국 또는 수개 국의 충돌을 완화하기 위하여 설치한 중립 지대.
[緩怠 완태] 마음이 늘어지고 게으름.
[緩行 완행] 느리게 다님.
[緩頰 완협] 안색을 누그러뜨림. 온화한 낯빛으로 비유 등을 써 가며 느릿느릿 조용히 이야기함.
[緩刑 완형] 형벌을 너그럽게 함. 형을 경하게 함.
[緩和 완화] 급박(急迫)한 것을 느슨하게 함. 또, 급박한 것이 느슨하여짐.
◉稽緩. 寬緩. 急緩. 矜緩. 徐緩. 舒緩. 疎緩. 淹緩. 優緩. 儒緩. 弛緩. 挺緩. 停緩. 靜緩. 遲緩. 疲緩. 閑緩.

9 ⑮ [緪] 긍 ①-④㊥蒸 古恆切 gēng ⑤⑥㊎徑 古鄧切 gèng 緪 𦄂

字解 ①동아줄 긍 굵은 줄. 바. '城內繫一, 數百人叫呼引之'《南史》. ②팽팽하게맬 긍 줄을 바싹 켕겨 맴. '一瑟兮交鼓'《楚辭》. ③팽팽할 긍 줄이 켕김. '大絃一'《淮南子》. ④빠를 긍 신속

함. '如日月之一升'《杜牧》. ⑤걸칠 긍, 미칠 긍 亙(二部 四畫)과 同字. '一以年歲'《班固》. ⑥끝낼 긍, 끝날 긍 '一, 竟也. 秦晉或曰一'《揚子方言》.

字源 篆文 形聲. 糸+恆〔音〕. '恆긍'은 달의 규칙적인 운행(運行)의 뜻. 악기의 줄, 밧줄을 팽팽하게 매다의 뜻. 또, 그 줄의 뜻을 나타냄.

參考 絚(糸部 六畫)은 同字.

[緪橋 긍교] 줄을 건너 매어 놓은 다리.
[緪瑟 긍슬] 줄을 팽팽히 켕긴 큰 거문고.
[緪昇 긍승] 빨리 올라감.
◉高緪. 羅緪. 舞緪. 環緪.

9 ⑮ [緫] 총 ㊥東 麤叢切 zōng

字解 ①푸를 총 청색. 일설(一說)에는, 얇은 비단. '重翟錫面朱一'《周禮》. ②타래 총 실을 세는 수사(數詞). '素絲五一'《詩經》.

參考 總(糸部 十一畫)의 俗字.

[緫緫 총총] 집합(集合)하는 모양.
◉素絲五緫. 朱緫.

9 ⑮ [緺] 과 ㊥歌 口和切 kē

字解 ①무늬 과 무늬. '一, 紋緺'《篇海》. ②실 다스릴 과 실을 정리함. '一, 理絲'《玉篇》.

9 ⑮ [緬] 人名 면 ㊤銑 彌兖切 miǎn 缅

字解 ①가는실 면 세사(細絲). '一, 散絲也'《說文》. ②멀 면 아득히 먼 모양. '一然引領南望'《國語》. '擧下一也'《穀梁傳》. ③생각할 면 생각하는 모양. '一, 思貌也'《華嚴經音義》. ④다할 면 다 없어짐. '冀闕一其堙盡'《潘岳》. ⑤가벼울 면 '一, 輕也'《玉篇》. ⑥나라이름 면 중국 서남의 나라. 지금의 미얀마. '一甸'. '問以征一事宜'《元史》. ⑦성 면 성(姓)의 하나.

字源 篆文 形聲. 糸+面〔音〕. '面면'은 …쪽으로 향하게 하다, 돌리다의 뜻. 대상에 마음을 돌려, 실을 당기듯이 생각하다의 뜻을 나타냄.

[緬禮 면례] 《韓》 무덤을 옮기어 다시 장사(葬事) 지냄.
[緬奉 면봉] 《韓》 면례(緬禮).
[緬想 면상] 멀리 상상함. 요상(遙想).
[緬羊 면양] 털이 긴 양(羊). 그 털은 모직물의 원료로 씀. 면양(綿羊).
[緬憶 면억] 먼 지난 일을 회상함.
[緬然 면연] ㉠먼 모양. ㉡생각하는 모양. ㉢멀리 바라보는 모양.
[緬維 면유] 면상(緬想).
[緬甸 면전] 나라 이름. 미얀마.
◉陵緬. 冥緬. 崇緬. 迂緬. 悠緬. 超緬. 遐緬. 懷緬.

9 ⑮ [緯] 高人 위 ㊦未 于貴切 wěi ㊤尾 羽鬼切 纬

筆順 ⺓ 糸 紵 綍 緯 緯 緯 緯

字解 ①씨 위 피륙의 가로 짠 실. 씨실. '經一'. '嫠不恤其一'《左傳》. 전(轉)하여, 횡선 또는 상하(上下)에 대하여 평면, 남북(南北)에 대하여 동서(東西), 전후(前後)에 대하여 좌우(左右)의 방향을 이름. '一線'. '一度'. '正督經一'《算經》. ②켕긴줄 위 악기의 현(弦) 줄. '挾人箏而彈一'《楚辭》. ③짤 위 직조를 함. '恃一蕭而食'《莊子》. ④참서 위 미래기(未來記). 예언서. '讖一'. '儒者爭學圖一'《後漢書》. ⑤별 위 성신(星辰). '五一'. '兼明星一'《漢書》. ⑥성 위 성(姓)의 하나. ⑦묶을 위 결속(結束)함. '農一厥耒'《大戴禮》.

字源 篆文 形聲. 糸+韋〔音〕. '韋위'는 '두르다'의 뜻. 베 짜기에서 날실의 주위를 둘러싸는 실, '씨실'의 뜻을 나타냄.

[緯經 위경] ㉠씨와 날. ㉡가로줄과 세로줄.
[緯度 위도] 적도(赤道)와 평행(平行)하여 지구의 표면을 측정(測定)하는 좌표(座標). 적도 이남을 남위(南緯), 적도 이북을 북위(北緯)라 함. 적도를 영도(零度)로 하여 양극(兩極)까지 각각 90도(度)가 있음. 경도(經度)의 대(對).
[緯武經文 위무경문] 무(武)를 씨로 하고 문(文)을 날로 하여 짬. 곧, 문무를 겸비(兼備)함.
[緯書 위서] ㉠경서(經書)에 가탁(假託)하여 미래의 일을 설명한 책. 역위(易緯)·서위(書緯)·시위(詩緯)·예위(禮緯)·악위(樂緯)·춘추위(春秋緯)·효경위(孝經緯)의 칠위(七緯)가 있음. ㉡미래의 일과 길흉화복을 예언한 책.
[緯線 위선] 지구상(地球上)의 장소를 알기 위하여 적도(赤道)에 평행(平行)하여 지구의 표면에 그린 가정(假定)의 선(線). 경선(經線)의 대(對).
[緯世 위세] 세상을 다스림. 경세(經世).
◉經緯. 晷緯. 絡緯. 南緯. 圖緯. 符緯. 北緯. 不恤緯. 祕緯. 五緯. 六緯. 嫠不恤緯. 精緯. 綜緯. 辰緯. 天經地緯. 讖緯. 七緯.

9 ⑮ [緱] 구 ㊥尤 古侯切 gōu 缑

字解 ①칼자루감을 구 노 따위로 칼자루를 감음. 또, 그 노. '馮先生甚貧, 猶有一劍耳, 又蒯一'《史記》. ②성 구 성(姓)의 하나.

字源 篆文 形聲. 糸+侯〔音〕. '侯후'는 '喉후'와 통하여, 목구멍의 뜻. 결후(結喉) 모양으로 노를 감은 칼자루의 뜻.

◉蒯緱.

9 ⑮ [緲] 묘 ㊤篠 弭沼切 miǎo 缈

字解 아득할 묘 渺(水部 九畫)와 同字. '煙霞縹一'《宣和畫譜》.

字源 形聲. 糸+眇〔音〕. '眇묘'는 눈을 가늘게 뜨다의 뜻.

◉縹緲. 浩緲.

9 ⑮ [練] 中人 련 ㊦霰 郎甸切 liàn 练

筆順 ⺓ 糸 紅 紆 紳 紳 綀 練

字解 ①누일 련 무명·모시 따위를 잿물에 삶아

물에 빨아 말림. 표백함. '春曝—'《周禮》. ②익힐 련 익숙하게 함. 연습함. '訓—'. '—磨'. '簡—傑俊'《禮記》. ③익을 련, 익숙해질 련 배워 익힘. 익숙해짐. 습숙(習熟)함. '明習文法, 一國制度'《漢書》. ④일 련 일어서 가림. '灑—五藏'《枚乘》. ⑤가릴 련 선택함. 정선(精選)함. '—擇'; '—時日'《漢書》. ⑥겪을 련 경험함. '音靡不—'《漢書》. ⑦누인명주 련 표백한 흰 명주. '被—三千'《左傳》. ⑧연복 련 소상(小祥) 때 입는 상복. '—而慨然'《禮記》. ⑨성 련 성(姓)의 하나.

字源 篆文 形聲. 糸+柬〔音〕. '柬간'은 자루 속에 물건을 넣은 모양을 본떠, 속에 가두다의 뜻. 상당 기간 물속에 담가 잘 삶아 누인 실, 누인 명주, 누이다의 뜻을 나타냄.

[練冠 연관] 누인 명주로 만든 관.
[練究 연구] 정성을 들여 구명(究明)함.
[練句練字 연구연자] 시문(詩文)을 짓는 데 자구(字句)를 여러 번 퇴고(推敲)함.
[練囊 연낭] 누인 명주로 만든 주머니.
[練囊盛螢 연낭성형] 진(晉)나라의 차윤(車胤)이 집이 가난하여 기름을 살 돈이 없어서 여름밤에 명주 주머니에 개똥벌레를 여러 마리 잡아 담고 그 빛으로 공부하였다는 고사(故事).
[練達 연달] 숙달(熟達)함.
[練練 연련] 희고 반들반들한 모양.
[練磨 연마] 연마(硏磨)함.
[練武 연무] 무예를 익힘.
[練帛 연백] 누인 비단.
[練兵 연병] 군대를 훈련함.
[練服 연복] 소상(小祥) 뒤 담제(禫祭) 전에 입는 상복(喪服).
[練絲 연사] 누인 실. 표백한 실. 생실을 잿물 같은 것에 담갔다가 쪄서 희고 광택이 나게 만든 실. 생사(生絲)의 대(對).
[練祥 연상] 소상(小祥)과 대상(大祥). 소기(小忌)와 대기.
[練熟 연숙] 경험을 쌓아 익숙함. 숙련(熟練).
[練習 연습] 자꾸 되풀이하여 배움. 익힘.
[練悉 연실] 충분히 익혀 다 앎.
[練實 연실] 대나무의 열매.
[練若 연야] 절〔寺〕의 별칭(別稱). 범어(梵語) 아란야(阿蘭若)의 준말.
[練染 연염] 누이고 물들임. 표백하고 염색함.
[練銳 연예] 훈련이 잘되어 날램. 또, 그 군사.
[練字 연자] '연구연자(練句練字)'를 보라.
[練鵲 연작] 때까치.
[練祭 연제] 소상(小祥). 소기(小忌).
[練繒 연증] 누인 명주.
[練擇 연택] 고름. 가림.
[練布 연포] 누인 피륙.
[練覈 연핵] 세밀히 조사함.
◉簡練. 哭岐泣練. 瓜練. 校練. 鍛練. 達練. 大練. 擣練. 明練. 文練. 詳練. 選練. 洗練. 素練. 蒐練. 熟練. 幹練. 暗練. 閫練. 歷練. 浣練. 澡練. 綜練. 重練. 繒練. 討練. 通練. 閑練. 該練. 絢練. 縞練. 訓練.

9 ⑮ [緵] 종 ①㊥東 子紅切 zōng ②㊔送 作弄切 zòng

字解 ①새 종 포백(布帛)의 여든 올의 일컬음. 일승(一升). '令徒隷衣七—布'《史記》. ②그물 종 물고기를 잡는 그물. '—罟, 謂之九罭'《爾雅》.

字源 形聲. 糸+㚇〔音〕

[緵罟 종고] 물고기를 잡는 그물.

9 ⑮ [緶] 편 ㊥先 房連切 biàn(pián) 缏

字解 ①꿰맬 편 바느질함. '—, 縫也'《廣韻》. ②삼베실드릴 편 삼베실을 꼼.

字源 篆文 形聲. 糸+便(㑊)〔音〕

9 ⑮ [緹] 제 ㊥齊 杜奚切 tí ㊤薺 他禮切 缇

字解 ①붉을 제, 붉은빛 제 적색. '辨五齊之名, 四曰, —齊'《周禮》. ②명주 제 붉은 명주. 적백(赤帛). '—緖十重'《後漢書》.

字源 篆文 形聲. 糸+是〔音〕

[緹騎 제기] 붉은 옷을 입은 금군(禁軍)의 기마대(騎馬隊).
[緹油 제유] 수레 앞 가로장에 거는 흙받기.
[緹齊 제제] 붉은 술.
◉赤緹. 青緹. 布緹.

9 ⑮ [緺] 왜 (괘㊍) ㊥佳 古蛙切 guā 埚

字解 인끈 왜 야청빛의 인수(印綬). '佩青—'《史記》.

字源 篆文 形聲. 糸+咼〔音〕. '咼와'는 '邪사'로서, 중간색, 청자색(青紫色)의 뜻.

◉青緺.

9 ⑮ [緻] 人名 치 ㊔寘 直利切 zhì 致

字解 ①고울 치 결이 곱거나 올이 뱀. '—密'. '硬礦采—'《後漢書》. ②찬찬할 치 면밀함. '用思精—'《唐書》. ③메울 치 보충함. '—, 補也'《廣雅》. ④기울 치 터진 데를 기움. 꿰맴. '褸, 謂之—'《揚子方言》.

字源 篆文 形聲. 糸+致〔音〕. '致치'는 끝까지 이루다, 빈틈없이 미치다의 뜻. 실의 결이 촘촘해서 빈틈이 없다의 뜻으로, '배다, 곱다'의 뜻을 나타냄.

[緻密 치밀] ㉠결이 고움. ㉡피륙 같은 것이 배고 톡톡함. ㉢빽빽이 들어섬. ㉣찬찬함. 면밀(綿密)함.
◉堅緻. 梱緻. 工緻. 巧緻. 密緻. 薄緻. 詳緻. 細緻. 精緻. 周緻. 縝緻. 叢緻. 會緻.

9 ⑮ [緸] 인 ㊥眞 伊眞切 yīn

字解 움직일 인 요동하는 모양. '—冤蜿蟺'《馬融》.

9 ⑮ [緷] 一 혼 ㊤阮 胡本切 gǔn 二 곤 ㊤阮 古本切 gǔn 三 운 ㊔問 王問切 yùn

字解 一 ①깃다발 혼 새의 깃 백 개를 이름. '—

羽謂之箴, 十羽謂之縛, 百羽謂之一'《爾雅》. ② 다발 흔 큰 묶음. '一, 束也'《廣雅》. 二 깃다발 곤, 다발 곤 一과 뜻이 같음. 三 씨실 운 '一, 緯也'《說文》.

字源 篆文 形聲. 糸+軍〔音〕. '軍군'은 둥글게 둘러싸다의 뜻. '실다발'의 뜻을 나타냄.

9 ⑮ [緼] 韓 선

字解 《韓》 가선 선, 선두를 선 옷·자리 따위의 가장자리 끝을 딴 헝겊으로 가늘게 싸서 두르는 일. 또, 그 선(線).

[緼緞 선단] 선을 두르는 데 쓰이는 깁.
[緼袱 선복] 보자기에 선을 두름. 또, 그 보자기.

9 ⑮ [緭] 위 去未 于貴切 wèi

字解 ①비단 위 직물의 한 가지. '一, 繒也'《說文》. ②드린끈 위 두 겹 이상으로 드린 끈. 끈목.

字源 篆文 形聲. 糸+胃〔音〕. '胃위'는 둥글게 둘러싸다의 뜻. 둥글게 드린 끈목의 뜻을 나타냄.

9 ⑮ [緒] 개 平佳 口皆切 kāi / 上蟹 口駭切

字解 굵은실 개 '一, 大絲也'《說文》.

字源 篆文 形聲. 糸+皆〔音〕. '皆개'는 나란히 가지런하다의 뜻. 가는 실을 가지런히 하여 꼰 굵은 실의 뜻을 나타냄.

9 ⑮ [緢] 묘 ① 上巧 莫飽切 miáo / 去效 莫教切 miáo / ② 平肴 謨交切 máo

字解 ①쇠꼬리기(旗)술 묘 모우(犛牛)의 꼬리의 몹시 가는 털을 늘어뜨린 기(旗) 장식. 또, 그 털. '惟一有稽'《周禮》. ②실돌 묘 실이 빙빙 돎. '絲旋曰一'《集韻》.

字源 篆文 形聲. 糸+苗〔音〕. '苗묘'는 '가냘프다'의 뜻. 가냘픈 실의 뜻을 나타냄.

9 ⑮ [緥] 봉 上董 補孔切 běng

字解 ①미투리 봉 생삼으로 삼은 신. ②꺽두기 봉 아이들이 신는 당혜(唐鞋). '一, 一日, 小兒皮履'《集韻》.

字源 篆文 形聲. 糸+封〔音〕. '封봉'은 '긁어모으다'의 뜻. 삼베 따위를 모아서 만든 신의 뜻을 나타냄.

9 ⑮ [綱] 〔강〕
綱(糸部 八畫〈p.1747〉)의 本字

9 ⑮ [緇] 〔치〕
緇(糸部 八畫〈p.1752〉)의 本字

9 ⑮ [緧] 〔추〕
鞦(革部 九畫〈p.2527〉)와 同字

9 ⑮ [緧] 〔추〕
鞦(革部 九畫〈p.2527〉)와 同字

字源 篆文 形聲. 糸+酋〔音〕. '酋추'는 당겨 죄다의 뜻. 말을 죄는 끈, '밀치'의 뜻을 나타냄.

9 ⑮ [緤] 〔설〕
紲(糸部 五畫〈p.1723〉)과 同字

字源 形聲. 糸+枼〔音〕

9 ⑮ [緃] 〔종〕
縱(糸部 十一畫〈p.1765〉)의 俗字

9 ⑮ [緼] 〔온〕
縕(糸部 十畫〈p.1760〉)의 俗字

9 ⑮ [緾] 〔전〕
纏(糸部 十五畫〈p.1779〉)의 俗字

9 ⑮ [緅] 〔루〕
縷(糸部 十一畫〈p.1766〉)의 俗字

9 ⑮ [縄] 〔승·잉〕
繩(糸部 十三畫〈p.1774〉)의 俗字

9 ⑮ [緫] 〔총〕
總(糸部 十一畫〈p.1767〉)의 俗字

9 ⑮ [緜] 〔면〕
綿(糸部 八畫〈p.1750〉)의 本字

9 ⑮ [緳] 혈 入屑 奚結切 xié

字解 띠 혈 허리띠. '正一係履'《莊子》.

◉正緳.

10 ⑯ [縉] 人名 진 去震 卽刃切 jìn 缙

字解 ①분홍빛 진 엷게 붉은 빛깔. '一, 淺赤色也'《急就篇 註》. ②붉은비단 진 '一雲氏有不才子'《史記》. ③꽂을 진 搢(手部 十畫)과 同字. '一紳而無鉤帶矣'《荀子》.

字源 篆文 形聲. 糸+晉(晉)〔音〕. '搢진'과 통하여, 꽂다, 끼우다의 뜻.

[縉紳 진신] 예복을 입을 때, 홀(笏)을 큰 띠〔紳〕에 꽂는 일. 전(轉)하여, 그런 복장을 할 수 있는 신분의 사람. 공경(公卿) 또는 널리 고관(高官)의 일컬음.

10 ⑯ [縉] 縉(前條)의 俗字

10 ⑯ [縕] 人名 온 ①② 平文 於云切 yùn / ③-⑧ 上吻 於粉切 缊

字解 ①삼부스러기 온 뒤얽힌 삼 지스러기. '卽束一請火於亡肉家'《漢書》. ②헌솜 온 묵은 솜. '一爲袍'《禮記》. ③솜옷 온 솜을 둔 옷. '不制一袍之一'《齊書》. ④삼 온 엉클어진 대마(大麻). 난마(亂麻). '束一'《漢書》. ⑤삼베 온 난마(亂麻)로 짠 베. 또, 그 옷. '服麻一'《南史》. ⑥그윽할 온, 그윽한곳 온 蘊(艸部 十六畫)과 同字. '乾坤, 其易之一耶'《易經》. ⑦어지러워질 온 '齊桓之時一'《揚子法言》. ⑧주홍빛 온 적색과 황색의 간색(間色). '一, 禮曰, 一命一韍'

《廣韻》.
字源 篆文 形聲. 糸＋𥁕〔音〕. '𥁕온'은 속에 스미다, 붇다의 뜻. 물에 삶아 불어난 명주나 삼의 뜻을 나타냄.

[縕襏 온발] 솜을 둔 우장(雨裝) 옷.
[縕緒 온서] 거친 옷.
[縕巡 온순] 나란히 가는 모양.
[縕褚 온저] 온포(縕袍).
[縕袍 온포] 솜을 둔 옷.
◉紛縕. 細縕. 疏縕. 敝縕. 袍縕.

10 16 [縊] 의(액俗) 去寘 於賜切 / 去霽 於計切 yì 缢

字解 목맬 의 목을 졸라매어 자살하거나 죽임. '一死'. '一殺'. '不伏其轅, 必一其牛'《周禮》.
字源 篆文 形聲. 糸＋益〔音〕. '益익'은 '戹액'과 통하여, 비좁아 답답하다의 뜻. 끈으로 목을 졸라매다의 뜻.

[縊死 의사] 목을 매어 죽음.
[縊殺 의살] 목을 옭아 죽임.
[縊刑 의형] 교수형(絞首刑).
◉絞縊. 刎縊. 自縊.

10 16 [縋] 추 去寘 馳僞切 zhuì 缒

字解 ①매달 추 줄을 매닮. '夜一而出'《左傳》. ②줄 추 매다는 줄. '乘一以入秦園'《晉書》.
字源 篆文 形聲. 糸＋追〔音〕. '追추'는 한 줄기의 길을 따라가다의 뜻. 매달리기 위하여 위에서 내려뜨린 한 가닥의 줄의 뜻을 나타냄.

[縋登 추등] 밧줄을 걸어 그것을 타고 올라감.
[縋繩 추승] 밧줄을 걺.
[縋出 추출] 밧줄을 걸고, 그것을 타고 나옴.
◉繩縋. 下縋. 懸縋.

10 16 [縌] 역 入陌 宜戟切 nì

字解 인끈 역 인수(印綬). '赤韍一'《漢書》.
字源 篆文 形聲. 糸＋逆〔音〕. '逆역'은 '맞이하다'의 뜻. (임명할 때) 맞아들여 받는 관인(官印)의 인끈의 뜻을 나타냄.

10 16 [縎] ㊀골 入月 古忽切 gǔ / ㊁홀 入月 胡骨切 hú

字解 ㊀ ①옭매일 골 풀리지 않도록 매어짐. ②맺힐 골 가슴속에 뭉쳐 있음. '必結一兮折摧'《楚辭》. ㊁ 비단 홀 비단의 일종. '一, 繒類'《集韻》.
字源 篆文 形聲. 糸＋骨〔音〕

10 16 [縘] 〔계〕
系(糸部 一畫〈p. 1709〉)의 籒文

10 16 [縘] 〔계〕
繫(糸部 十三畫〈p. 1776〉)와 同字

10 16 [縧] 〔조·도〕
絛(糸部 七畫〈p. 1744〉)와 同字

10 16 [縐] ㊀추 去宥 側救切 zhòu / ㊁축 入屋 側六切 cù 绉

字解 ㊀ 주름질 추 주름이 잡힘. '襞積褰一'《史記》. 또, 바싹 꼰 실로 짜서 주름이 잡힌 포백(布帛). '蒙彼一絺'《詩經》. ㊁ 주름질 축 ㊀과 뜻이 같음.
字源 篆文 形聲. 糸＋芻〔音〕. '芻추'는 풀을 한 움큼씩 몰아 베는 모양을 본뜸. 실이 오글오글 주름져 오그라드는 직물의 뜻.

[縐絺 추치] 주름이 잡힌 고운 갈포(葛布).
◉褰縐.

10 16 [縑] 겸 平鹽 古甜切 jiān 缣

字解 ①비단 겸 ㉠합사로 짠 비단. '紈一'. '素一'. '數賜一帛'《列仙傳》. ㉡비단. '一, 絹也'《廣韻》. '作一單衣'《漢書》. ②생명주 겸 생견(生絹). '繰謂之一'《廣雅》.
字源 篆文 形聲. 糸＋兼〔音〕. '兼겸'은 '아우르다'의 뜻. 합사(合絲)로 짠 비단의 뜻을 나타냄.

[縑纊 겸광] 합사로 짠 비단과 솜.
[縑練 겸련] 합사로 짠 비단과 누인 비단.
[縑綸 겸륜] 합사로 짠 비단과 합사.
[縑帛 겸백] 합사로 짠 비단.
[縑緗 겸상] 담황색의 얇은 비단. 책의 포장에 씀. 전(轉)하여, 서적.
[縑素 겸소] 합사로 짠 흰 비단. 서화(書畫)에 씀.
[縑衣 겸의] 합사로 짠 비단옷.
[縑楮 겸저] 합사로 짠 비단과 종이. 모두 서화(書畫)의 재료임.
[縑繒 겸증] 합사로 짠 비단.
[縑綵 겸채] 합사로 짠 비단과 무늬가 있는 비단.
[縑布 겸포] 합사로 짠 비단.
◉輕縑. 綾縑. 斷縑. 生縑. 素縑. 熟縑. 新縑. 殘縑. 尺縑. 紈縑.

10 16 [縓] 전 平先 此緣切 quán / 去霰 七絹切

字解 분홍빛 전 엷게 붉은 빛깔. '一染謂之一'《爾雅》. 또, 분홍빛의 비단. '練冠一緣'《禮記》.
字源 篆文 形聲. 糸＋原〔音〕

10 16 [縒] ㊀치 平支 楚宜切 cī / ㊁차 上哿 蘇可切 suǒ / ㊂착 入藥 倉各切 cuò

字解 ㊀ 가지런하지않을 치 '參一'는 가지런하지 않은 모양. 참치(參差)한 모양. '一, 說文, 參一也. 謂絲亂皃'《集韻》. ㊁ 빛고운 차 선명하고 깨끗한 모양. '采色鮮曰一'《廣韻》. ㊂ 엉클어질 착 '一綜'은 엉클어짐.
字源 篆文 形聲. 糸＋差(𢀩)〔音〕. '𢀩차'는 가지런하지 않다의 뜻. 실이 가지런하지 않다의 뜻.

◉參縒.

10 16 [縗] 최 平灰 倉回切 cuī 缞

字解 상옷이름 최 상복(喪服)을 입을 때 가슴에

다는 길이 여섯 치, 폭 네 치의 헝겊. 衰(衣部 四畫)와 同字. '晏嬰麤一斬'《左傳》.
[字源] [篆文] 形聲. 糸+衰〔音〕. '衰쇠'는 '쇠하다'의 뜻. 거상(居喪) 중에 마음이 쇠한 근친자(近親者)가 있는 베의 뜻을 나타냄. 일설(一說)에는, '縗'의 原字는 '衰'라고 함.

10 ⑯ [縚] 도 [平]豪 土刀切 tāo

[字解] ①끈 도 絛(糸部 七畫)와 同字. '甲士皆靑一甲居左, 紅一甲居右'《北轅錄》. ②감출 도, 넓을 도 韜(韋部 十畫)와 同字. '韜, 藏也. 寬也. 一, 上同'《廣韻》. ③검자루 도 칼을 챙겨 넣어 두는 검대(劍袋). '韜, …說文, 劍衣也. 一, 上同'《廣韻》.
[字源] 形聲. 糸+舀〔音〕

◉青縚. 紅縚.

10 ⑯ [縛] 박 [入]藥 符鑁切 fù 缚

[字解] ①묶을 박 ㉠동임. '一束'. '一一如瑱'《左傳》. ㉡포박함. '生一'. '執一之'《史記》. ㉢속박함. 자유행동을 못하게 함. '苦被微名一'《杜甫》. ②포승 박 박승(縛繩). '解其一'《史記》. ③《韓》얽을 박 얼굴에 마맛자국이 있음.
[字源] [篆文] 形聲. 糸+專〔音〕. '專'는 볏모를 손에 쥔 모양. 벼의 모춤을 손바닥으로 움켜쥐고 묶다의 뜻에서, '묶다'의 뜻을 나타냄.

[縛格 박격] 묶고 때림.
[縛擒 박금] 포박(捕縛).
[縛紲 박설] 묶는 끈.
[縛束 박속] 묶음.
[縛繩 박승]《佛敎》묶는 끈. 부동명왕(不動明王)이 왼손에 쥔 것으로서, 방편 자재(放便自在)의 뜻을 나타낸다 함.
[縛纏 박전] 묶음. 동임.
[縛執 박집] 체포하여 묶음.
[縛着 박착] 잡아맴.
◉劫縛. 結縛. 繫縛. 毆縛. 擒縛. 急縛. 羈縛. 勒縛. 袒縛. 面縛. 反縛. 生縛. 束縛. 囚縛. 收縛. 繩縛. 連縛. 狙縛. 纏縛. 塵縛. 執縛. 就縛. 捕縛.

10 ⑯ [縝] [人名] 진 [上]軫 章忍切 zhěn / [平]眞 昌眞切 chēn 缜

[筆順] 幺 糸 糸' 紀 絎 縜 縝 縝
[字解] ①고울 진 촘촘함. '非繡非繪, 一緻柔美'《陸龜蒙》. ②찬찬할 진 면밀함. '溫潤而澤, 仁也, 一密以栗, 知也'《禮記》. ③검은머리 진 흑발(黑髮). '誰能一不變'《謝脁》. ④맺을 진 '一, 結也'《廣韻》. ⑤홑옷 진 '袗一, 單衣. 或作一'《廣韻》. ⑥삼실 진 '纑, 謂之一'《揚子方言》.
[字源] 形聲. 糸+眞〔音〕. '眞진'은 속이 가득 차다의 뜻. 발이 곱고 촘촘하다의 뜻을 나타냄.

[縝密 진밀] ㉠촘촘함. 고움. ㉡찬찬함. 면밀함.
[縝紛 진분] 혼잡하게 뒤섞인 모양.
[縝緻 진치] 진밀(縝密).

10 ⑯ [縞] 호(고[本]) [上]晧 古老切 gǎo / [去]號 古到切 缟

[字解] ①명주 호 고운 명주. 또, 흰 명주. 일설(一說)에는, 생견(生絹). '一裙'. '厥篚玄纖一'《書經》. ②흴 호, 흰빛 호 백색. '一舃'. '一衣綦巾'《詩經》.
[字源] [篆文] 形聲. 糸+高〔音〕. '高고'는 윤기 있는 흰색의 뜻. 흰 비단의 뜻을 나타냄.

[縞巾 호건] 희고 고운 명주의 두건(頭巾).
[縞裙 호군] 흰 명주 치마.
[縞練 호련] 흰 누인 명주. 소련(素練).
[縞服 호복] 희고 고운 명주옷. 호의(縞衣).
[縞舃 호석] 흰 신.
[縞素 호소] ㉠흰 옷. 곧, 상복(喪服). ㉡흰 관(冠)과 흰 가선.
[縞羽 호우] 흰 깃. 백우(白羽).
[縞衣 호의] 희고 고운 명주옷.
[縞衣綦巾 호의기건] 흰빛과 초록빛의 여복(女服). 모두 주대(周代)의 초라한 여자의 복장. 전(轉)하여, 자기 아내의 겸칭(謙稱).
[縞紵 호저] 오(吳)나라의 계찰(季札)이 정(鄭)나라의 자산(子産)에게 흰 명주 띠를 선사하고 자산이 그 답례로 모시 옷을 보낸 고사(故事)에서, 벗 사이의 선물 또는 교제의 뜻으로 쓰임.
◉強弩末力不能入魯縞. 綺縞. 萬頃縞. 薄縞. 鮮縞. 纖縞. 素縞. 阿縞. 曳縞. 吳縞.

10 ⑯ [縟] 욕 [入]沃 而蜀切 rù 缛

[字解] ①채색 욕, 채식(采飾) 욕 번다하게 장식한 채색. '鮮一'. '紛一'. '采飾纖一'《張衡》. '一組爭映'《郭璞》. ②번다할 욕 번거로울 정도로 많음. 번잡함. '繁一'. '一禮'. '喪成人者, 其文一'《儀禮》. ③요 욕, 자리 욕 褥(衣部 十畫)과 통용. '援綺衾兮坐芳一'《謝惠連》.
[字源] [篆文] 形聲. 糸+辱〔音〕. '辱욕'은 풀을 베어 포개다의 뜻. 여러 색깔의 실이 겹쳐진 것의 뜻에서, 장식·무늬의 뜻을 나타냄.

[縟麗 욕려] 정교하게 장식한 채색이 화려함.
[縟禮 욕례] 번잡한 예식.
[縟繡 욕수] 복잡하고 화려하게 놓은 수.
[縟組 욕조] 여러 가지 고운 빛깔의 실로 꼰 끈.
[縟藻 욕조] 아름다운 시문(詩文).
[縟彩 욕채] 복잡하고 화려하게 칠한 채색(彩色).
◉衮縟. 繁縟. 紛縟. 鮮縟. 纖縟. 婉縟. 優縟. 蔚縟. 柔縟. 雕縟. 珍縟. 華縟.

10 ⑯ [縡] [人名] 재 [去]隊 作代切 zài / [上]賄 作亥切

[筆順] 幺 糸 紵 絝 綷 綷 縡 縡
[字解] 일 재 事(亅部 七畫)와 뜻이 같음. '上天之一'《漢書》.
[字源] [篆文] 形聲. 糸+宰〔音〕. '宰재'는 '처리하다'의 뜻. 베를 짜거나 하는 여자의 일의 뜻으로, 일반적으로 '일〔事〕'의 뜻을 나타냄.

10 ⑯ [緆] 탑 [入]合 託盍切 tà 绹

[字解] 잡을 탑 올무를 던져서 생물을 잡음. '契

丹設伏横擊之, 飛索以一玄遇·仁節, 生獲之'《資治通鑑》.

10 ⑯ [縭] [一] 리 [平]支 鄰知切 lí
[二] 려 [平]齊 郞奚切 lí

[字解] [一] ①헌솜 리 묵은 솜. '綼一, 惡絮'《廣韻》. ②비끄러맬 리 잡아맴. '一, 繫一也'《說文》. ③줄 리 바. '一, 一曰, 維也'《說文》. [二] 헌솜 려, 비끄러맬 려, 줄 려 [一]과 뜻이 같음.

[字源] 篆文 形聲. 糸+虒〔音〕

◉綼縭.

10 ⑯ [縍] 방 ①[平]陽 逋旁切 bāng
②[去]漾 補曠切 bàng

[字解] ①신가퀘맬 방 신의 가장자리를 꾸밈. '幫, 治履邊也, 或作一'《集韻》. ②묵은솜 방 헌솜. '吳俗謂縭絮曰一'《集韻》.

10 ⑯ [緂] 담 [上]感 吐敢切 tǎn

[字解] 옥색비단 담 파르스름한 비단. '一, 帛騅色也, 詩曰, 毳衣如一. (段注) 騅者, 蒼白色也'《說文》.

[字源] 篆文 形聲. 糸+剡〔音〕

10 ⑯ [縜] 균(윤[本]) [平]眞 爲贇切 yún

[字解] 벼릿줄매는끈 균 벼릿줄을 그물에 매는 가는 끈. '一, 持綱紐也'《說文》. '上綱與下綱出舌尋, 一寸焉'《周禮》.

[字源] 篆文 形聲. 糸+員〔音〕

10 ⑯ [綼] 비 [平]支 頻脂切 pí

[字解] 가는천 비 곱게 짠 직물(織物). '一, 細布'《集韻》.

10 ⑯ [緻] 〔치〕
緻(糸部 九畫〈p.1759〉)의 訛字

10 ⑯ [縠] 곡 [入]屋 胡谷切 hú

[字解] 명주 곡 주름이 잡힌 고운 명주. 오글 비단. '細一'. '羅一'. '動霧一以徐步兮'《宋玉》.

[字源] 篆文 形聲. 糸+㱿〔音〕. '㱿각'은 단단한 외피(外皮)의 뜻. 잡힌 주름이 단단한 느낌을 주는 오글 비단의 뜻을 나타냄.

◉縝縠. 綺縠. 羅縠. 霧縠. 文縠. 紋縠. 薄縠. 碧縠. 纖縠. 細縠. 綃縠. 紈縠.

10 ⑯ [縣] [高人] 현 ①②[平]先 胡涓切 xuán
③④[去]霰 黃絢切 xiàn 县

[筆順] 目 目 県 県 県 縣 縣 縣

[字解] ①매달 현 懸(心部 十六畫)의 本字. '一鼓'. '一萬斤石于心上'《後漢書》. ②떨어질 현 격(隔)함. '一隔千里'《漢書》. ③고을 현, 현 현 진시황(秦始皇) 때부터 시작한 행정상의 구획으로, 처음에는 군(郡)의 위였으나, 후에는 군(郡) 또는 부(府)에 속함. '一治'. '分天下爲郡一'《漢書》. 현재는 성(省)의 아래 구분(區分). '山東省曲阜一'. ④성 현 성(姓)의 하나.

[字源] 金文 篆文 會意. 金文에서는, 木+糸+目으로, 나무에서 머리 또는 끈으로 목을 거꾸로 건 모양에서, '걸다'의 뜻을 나타냄. '眣견'과 통하여, 경작지의 뜻에서, 다시 지방 행정 구획(行政區劃)의 하나를 나타내는 군현(郡縣)의 현(縣)의 뜻을 나타내게 되었음.

[縣隔 현격] 서로 격(隔)하여 있음. 현격(懸隔).
[縣磬 현경] 매단 경쇠와 같이 집안이 빈한하여 세간이 하나도 없이 텅 빔. 경(罄)은 경(磬).
[縣鼓 현고] 걸어 놓은 북.
[縣官 현관] ㉠천자(天子). ㉡조정. ㉢현(縣)의 관아(官衙). ㉣현령(縣令). 현장(縣長). 현리(縣吏).
[縣君 현군] ㉠부인(婦人)의 봉호(封號). 진대(晉代)에서 비롯함. ㉡신분이 높은 여관(女官).
[縣令 현령] ㉠현의 장관. 한(漢)나라 때에 만호(萬戶) 이상의 현에 두었으며, 그 이하의 현에는 장(長)을 두었음. ㉡《韓》 종오품(從五品)의 현의 장관.
[縣名勝母曾子不入 현명승모증자불입] 현의 이름이 승모(勝母)라고 하여 효자인 증자가 그 이름을 꺼려 들어가지 아니하였다는 고사(故事).
[縣師 현사] 멀리 떨어져 있는 군대.
[縣耜 현사] 보습을 걸어 놓고 농사를 쉼. 또, 걸어 놓은 보습.
[縣賞 현상] 상품을 걺. 현상(懸賞).
[縣署 현서] 현의 관아(官衙).
[縣丞 현승] 현의 현령(縣令)·현장(縣長) 다음가는 벼슬아치.
[縣掾 현연] 현의 속관(屬官).
[縣遠 현원] 동떨어져 멂.
[縣尹 현윤] 현(縣)의 장관.
[縣傳 현전] 현의 역참(驛站)에 둔 말. 현의 역말.
[縣廷 현정] 현의 관아(官衙).
[縣旌萬里外 현정만리외] 국외(國外)로 출정(出征)함.
[縣主 현주] 황족(皇族)의 여자의 봉호(封號).
[縣次續食 현차속식] 역로(驛路)에 있는 현이 차례로 음식물을 공급하는 일.
[縣治 현치] ㉠현의 행정. ㉡현의 마을의 소재지.
[縣圃 현포] 곤륜(崑崙)에 있는 산으로서, 천제(天帝)가 있다는 곳.
[縣衡 현형] 저울에 단다는 뜻으로, 균형이 잡힘. 곧, 힘이 비슷함을 이름.

◉曲縣. 挂縣. 區縣. 郡縣. 近縣. 畿縣. 同縣. 僻縣. 邊縣. 府縣. 比縣. 山縣. 宿縣. 心縣. 樂縣. 宇縣. 赤縣. 州縣. 村縣. 軒縣.

10 ⑯ [縢] 등 [平]蒸 徒登切 téng

[字解] ①봉할 등 열지 못하게 봉함. 묶음. 또, 봉한 데. '封一'. '金一'. '启一剖衷'《謝靈運》. ②행전 등 바지를 가든히 하려고 바지 위에 눌러 치는 물건. '行一'. '嬴一履蹻'《戰國策》. ③노 등, 끈 등 '朱英綠一'《詩經》. ④주머니 등 幐(巾部 十畫)과 同字. '制爲一囊'《後漢書》.

[字源] 金文 篆文 形聲. 糸+朕〔音〕. '朕등'은 위를 향해 올라가다의 뜻. 등나무 덩굴이 휘감기며 오르듯이 묶다, 얽어매다의

뜻. 파생(派生)하여, '행전(行纏)'의 뜻.

[縢囊 등낭] 전대.
◉緄縢. 金縢. 封縢. 纓縢. 緘縢. 行縢.

10⑯ [縈] 영 [平]庚 於營切 yíng

[字解] ①얽힐 영 얼기설기 감김. '一結'. '葛藟一之'《詩經》. ②두를 영 위요함. 둘러쌈. '一繞'. '河水一帶'《李華》. ③굽을 영 꾸불꾸불 구부러짐. 굴곡함. '紆一'. '一河之洋洋'《張衡》.

[字源] 金文 篆文 形聲. 糸+熒〈省〉〔音〕. '熒형'은 둘러싼 야영(夜營)의 화톳불의 뜻. 끈이 휘감겨 달라붙다, 두르다, 둘러싸다의 뜻을 나타냄.

[縈結 영결] 얽혀 맺힘.
[縈帶 영대] ㉠맨 띠. ㉡둘러쌈.
[縈繚 영료] 둘러쌈.
[縈彎 영만] 고부라져 빙 돎.
[縈旋 영선] 영회(縈廻).
[縈愁 영수] 맺힌 근심.
[縈緣 영연] 얽힘.
[縈繞 영요] 둘러쌈.
[縈紆 영우] 얽힘. 휘감김.
[縈青繚白 영청요백] 푸른 산(山)과 흰 하천으로 둘러싸임. 산수(山水)의 경치를 이름.
[縈抱 영포] 안은 것처럼 둘러쌈.
[縈河 영하] 꼬불꼬불한 강.
[縈廻 영회] 둘러쌈.
◉牽縈. 盤縈. 蟠縈. 煩縈. 垂縈. 緣縈. 遶縈. 繚縈. 紆縈. 纏縈. 萃縈. 廻縈.

10⑯ [緣] 〔권〕
絭(糸部 六畫〈p.1738〉)의 本字

10⑯ [縏] 반 [平]寒 薄官切 pán

[字解] 주머니 반 작은 주머니. '施一袠'《禮記》.

11⑰ [縪] [一] 필 [入]質 卑吉切 bì
[二] 별 [入]屑 必結切 biè

[字解] [一] ①슬갑 필 韠(韋部 十一畫)과 同字. '韍謂之一'《廣雅》. ②혼솔 필 갓의 혼솔. '冠六升外一'《儀禮》. ③멈출 필 그침. '一, 止也'《說文》. ④묶을 필 '一, 一日, 約束'《集韻》. [二] 묶을 별 끈으로 규옥(圭玉)의 한가운데를 동임.

[字源] 篆文 形聲. 糸+畢〔音〕. '畢필'은 새나 짐승을 눌러 잡는 그물의 뜻으로, '누르다'의 뜻, 끈으로 묶다의 뜻을 나타냄.

11⑰ [縫] [人名] 봉 ①②[平]冬 符容切 féng
③[去]宋 扶用切 fèng

[字解] ①꿰맬 봉 바느질함. '裁一'. '可以一裳'《詩經》. 또, 꿰맨 물건. 바느질감. '羔羊之一'《詩經》. ②기울 봉 보합(補合)함. 수리(修理)함. '敢拜子之彌一敝邑'《左傳》. ③혼솔 봉 관(冠)의 혼솔. '一, 衣會也'《集韻》. '古者冠縮一, 今也衡一'《禮記》.

[字源] 篆文 形聲. 糸+逢〔音〕. '逢봉'은 '만나다'의 뜻. 실로 꿰매어 합치다의 뜻.

[縫界 봉계] 솔기.
[縫工 봉공] ㉠재봉사(裁縫師). ㉡주대(周代)에 왕궁의 재봉을 담당하던 관직.
[縫機 봉기] 재봉틀.
[縫紕 봉비] 감침.
[縫衣女 봉의녀] 바느질하는 여자.
[縫衣淺帶 봉의천대] 유학자(儒學者)의 옷.
[縫印 봉인] 붙인 데나 봉한 데에 찍는 도장.
[縫紉 봉인] 실로 꿰맴. 또, 옷을 꿰맨 실.
[縫刺 봉자] 꿰맴과 수놓음. 재봉과 자수.
[縫匠 봉장] 재봉사(裁縫師).
[縫織 봉직] 재봉과 직조. 바느질과 길쌈.
[縫紩 봉질] 꿰맴.
[縫着 봉착] 꿰매어 부착시킴.
[縫綴 봉철] 합쳐 꿰맴.
[縫罅 봉하] ㉠혼솔. 솔기. ㉡틈. 갈라진 데.
◉甲縫. 躬縫. 彌縫. 書縫. 深縫. 瓦縫. 裁縫. 天衣無縫. 縮縫. 袍縫. 合縫. 衡縫.

11⑰ [縭] 리 [平]支 呂支切 lí
(⑤치[本]) [平]支 抽知切

[字解] ①향주머니 리 향낭(香囊). 옛날에 여자가 시집갈 때 어머니가 허리에 채워 주는 것. 일설(一說)에는, 여자가 차는 수건. 곧, 세(帨) 같은 것이라 함. '親結其一'《詩經》. ②신꾸밀 리 실로 신을 장식함. '一, 以絲介履也'《說文》. ③향주머니끈 리 향(香)주머니를 다는 끈. '一, 婦人香纓'《廣韻》. ④맬 리 잡아 묶음. '紼一維之'《詩經》. ⑤빗질할 리 '風一露沐'《唐書》. ※❺本音 치.

[字源] 篆文 形聲. 糸+离〔音〕. '离리'는 '離리'와 같은 뜻으로, '달다, 붙이다'의 뜻. 꾸미개로 쓰이는 실·끈의 뜻으로, 신에 붙이거나 향(香)주머니를 차기 위해 허리에 두르거나 함.

11⑰ [縮] [高人] 축 [入]屋 所六切 suō, sù

[筆順] 幺 糸 紵 紵 紵 綜 縮 縮

[字解] ①줄 축 ㉠작아짐. '短一'. '一小'. '孟秋始一'《淮南子》. ㉡움츠러듦. 기가 꺾임. '賊氣沮一'《唐書》. ②줄일 축 ㉠움츠림. 거두어들임. '一, 斂也'《唐書》. '春秋一其和'《淮南子》. ㉡감축함. 절감(節減)함. '一于財用'《戰國策》. ③오그라들 축 오그라져 작아짐. '風寒馬毛一'《劉長卿》. ④다스릴 축 치리(治理)함. '一, 亂也'《說文》. ⑤물러날 축 '一, 退也'《廣韻》. '退舍爲一'《漢書》. ⑥거를 축 막걸리를 걸러 냄. '無以一酒'《左傳》. ⑦세로 축 가로의 대(對). '古者冠一縫, 今也衡縫'《禮記》. ⑧묶을 축 동여맴. '一版以載'《詩經》. ⑨바를 축 올바름. 곧음. '自反而一'《孟子》. ⑩성 축 성(姓)의 하나.

[字源] 篆文 形聲. 糸+宿〔音〕. '宿숙'은 '肅숙'과 통하여, 두려워서 움츠러들다의 뜻. 실이 오그라들다의 뜻을 나타냄.

[縮減 축감] 줄임. 덜어 냄. 또, 줆. 축남.
[縮氣 축기] 기운이 지지러짐. 용기가 없어짐.
[縮朒 축뉵] 움츠러듦.
[縮圖 축도] 원형(原形)보다 작게 그린 그림.
[縮頭 축두] 무섭고 두려워서 고개를 움츠림.
[縮慄 축률] ㉠초목이 서리 맞아 시듦. ㉡축률(縮慄).

[縮慄 축률] 무서워 움츠림.
[縮米 축미] 축난 쌀.
[縮本 축본] 축쇄(縮刷)한 서화 또는 책.
[縮縫 축봉] 세로로 꿰맴.
[縮鼻 축비] 콧등을 주름지게 함. 곧, 얼굴을 찡그림.
[縮寫 축사] 원형(原形)보다 작게 찍음.
[縮小 축소] 줄어 작아짐. 또, 줄이어 작게 함.
[縮刷 축쇄] 서적·서화 등의 원형(原形)을 축소시키어 인쇄함.
[縮手 축수] 하던 일을 쉼. 일을 그만둠.
[縮收 축수] 줄어듦. 수축(收縮).
[縮首 축수] 축두(縮頭).
[縮頞 축알] 축비(縮鼻).
[縮酒 축주] 술을 거름.
[縮地 축지] 땅을 축소하여 먼 곳을 가깝게 함.
[縮地補天 축지보천] 땅을 줄여 하늘을 깁는다는 뜻으로, 천자(天子)가 천하를 개조함을 이름.
[縮竄 축찬] 몸을 움츠리고 달아나 숨음.
[縮尺 축척] 축도(縮圖)를 그릴 때 그 축소시킬 비례의 척도(尺度). 줄인자. 비례척(比例尺).
[縮縮 축축] 부끄러워 움츠리는 모양.
[縮退 축퇴] 움츠리고 물러감.
[縮項 축항] 목덜미를 움츠림. 두려워하는 모양.
◉卻縮. 減縮. 恐縮. 愧縮. 局縮. 卷縮. 茅縮. 舒縮. 收縮. 羞縮. 伸縮. 攣縮. 羸縮. 畏縮. 恧縮. 將噬者爪縮. 展縮. 掣縮. 蓄縮. 蹴縮. 惴縮. 退縮. 寒縮.

11 ⑰ [縯] [人名] [一] 연 [上]銑 以淺切 yǎn [二] 인 [上]軫 余忍切 yǐn 𬙂

[字解] [一] 길 연 짧지 아니함. [二] ①당길 인 잡아당겨 늘임. ②사람이름 인 '劉—'은 후한(後漢)의 광무제(光武帝)의 아들.
[字源] 形聲. 糸+寅〔音〕

11 ⑰ [縰] 쇄 [上]紙 所綺切 xǐ

[字解] ①머리쓰개 쇄 머리를 싸는 검은 비단. 纚(糸部 十九畫)와 同字. '櫛—笄總'《禮記》. ②많을 쇄 수가 많은 모양. '——莘莘'《宋玉》.
[字源] 形聲. 糸+徙〔音〕

[縰縰 쇄쇄] 많은 모양.

11 ⑰ [縱] [高·人] 종 ①-⑩⑮[去]宋 子用切 zòng ⑪⑫[平]冬 卽容切 zōng ⑬[上]腫 足勇切 zǒng ⑭[上]董 祖動切 zǒng 纵

[筆順] 幺 糸 糹 紒 紒 紒 紒 縱

[字解] ①늘어질 종 팽팽하던 것이 축 처짐. '天綱—, 人紘弛'《釋誨》. ②놓아둘 종 제 마음대로 하도록 내버려둠. '天—之'《論語》. '帝故—之'《後漢書》. ③놓을 종 ㉠둠. '—, 置也'. ㉡석방함. '—囚'. '七—七擒'《蜀志》. ㉢방화(放火)함. '—燒'. '—火焚兵'《史記》. ④버릴 종 내버림. '—, 一曰, 捨也'《說文》. ⑤내보낼 종 나가게 함. '—擊'. '莫敢—兵'《漢書》. ⑥쏠 종 활을 쏨. '—矢'. '抑—送忌'《詩經》. ⑦방종할 종 제멋대로 굶. '—逸'. '—恣'. '—敗禮'《書經》. '—欲而不忍'《楚辭》. ⑧어지러울 종, 어지럽힐 종 '—, 亂也'《爾雅》. ⑨낳을 종 '姚氏—華感樞'《尙書緯帝命驗》. ⑩가령 종 설사. '—令'·'—使'로 연용(連用)하기도 함. '—江東父兄憐而王我, 我何面目見之'《史記》. ⑪세로 종 평면에 대하여 상하, 동서에 대하여 남북, 좌우에 대하여 전후의 방향. '—橫'. '遂橫溝—'《詩名物疏》. ⑫발자취 종 蹤(足部 十一畫)과 통용. '發—指使獸處者'《漢書》. ⑬권할 종, 부추길 종 종용(慫慂)함. 사주(使嗾)함. '日夜—臾王謀反'《漢書》. ⑭서두를 종 급히 서두르는 모양. '喪事, 欲其——爾'《禮記》. ⑮성 종 성(姓)의 하나.
[字源] 篆文 形聲. 糸+從〔音〕. '從종'은 사람이 세로로 뒤따르다의 뜻. 세로로 놓인 실·날실의 뜻에서, '세로'의 뜻을 나타냄. 또, 마음에 따르는 대로 하다, 제 마음대로 하다의 뜻도 나타냄.
[參考] 縦(糸部 九畫)은 俗字.

[縱歌 종가] 멋대로 노래함. 방가(放歌).
[縱擊 종격] ㉠군사를 내보내어 침. ㉡마음대로 침. 멋대로 때림.
[縱遣 종견] ㉠석방(釋放)함. ㉡종사(縱使).
[縱谷 종곡] 산맥에 평행하는 골짜기.
[縱貫 종관] ㉠세로 꿰뚫음. ㉡남북으로 통함.
[縱觀 종관] 종람(縱覽).
[縱擒 종금] 놓아줌과 사로잡음.
[縱氣 종기] 방자(放恣)한 성질.
[縱斷 종단] ㉠세로 끊음. ㉡길이로 가름.
[縱談 종담] 마음대로 이야기함. 거리낌 없이 이야기함. 방담(放談).
[縱隊 종대] 세로로 줄을 지어 선 대형(隊形).
[縱覽 종람] 마음대로 봄.
[縱列 종렬] 세로 늘어섬. 또, 그 줄.
[縱令 종령] 종사(縱使).
[縱斑 종반] 세로 아롱져 있는 무늬. 세로무늬.
[縱放 종방] ㉠방종(放縱)함. ㉡석방함. ㉢자유자재임.
[縱步 종보] 멋대로 걸음.
[縱騁 종빙] 말이 멋대로 달림.
[縱使 종사] 가령. 설사.
[縱奢 종사] 방종하고 사치함.
[縱肆 종사] 종자(縱恣).
[縱線 종선] 세로 그은 선(線).
[縱燒 종소] 불을 놓아 태움.
[縱送 종송] 활을 쏘아 새를 쫓음. 전(轉)하여, 말을 잘 모는 것을 '磬控——'이라 함.
[縱囚 종수] 죄수를 석방함.
[縱豎 종수] 세로 섬. 또, 세로 세움.
[縱心 종심] 일흔 살. 70세. 논어(論語)의 '七十而從心所欲不踰矩'에서 나온 말. 종(縱)은 종(從).
[縱言 종언] 각 방면에 걸쳐 여러 가지 이야기를 함.
[縱然 종연] 종사(縱使).
[縱傲 종오] 방종(放縱)하고 오만함.
[縱欲 종욕] 사욕(私欲)을 누르지 않고 제멋대로 굶.
[縱臾 종유] 권함. 종용(慫慂)함. 부추김. 사주(使嗾)함.
[縱淫 종음] 제멋대로 함. 도가 지나친 짓을 제 마음대로 함.
[縱飮 종음] 술을 실컷 마심.
[縱弛 종이] 방종(放縱)함.

[縱逸 종일] 멋대로 굶.
[縱溢 종일] 종일(縱逸).
[縱任 종임] 방종(放縱)함.
[縱恣 종자] 방자(放恣)함.
[縱迹 종적] 행방. 종적(蹤迹).
[縱縱 종종] 서두르는 모양.
[縱縱爾 종종이] 종종(縱縱).
[縱誕 종탄] 큰소리를 함. 호언장담함.
[縱脫 종탈] 예의범절을 무시하고 방종한 행위를 함.
[縱探 종탐] 마음대로 찾음. 마음대로 탐승(探勝)함.
[縱忒 종특] 방종하고 흉특(凶忒)함.
[縱橫 종횡] ㉠가로와 세로. ㉡자유자재. ㉢방종(放縱)함. ㉣합종(合縱)과 연횡(連衡). ㉤산(算)가지를 늘어놓는 방법. 하나부터 넷까지는 세로, 다섯은 가로, 그 이상은 가로세로 다 늘어놓음. ㉥십자형(十字形).
[縱橫家 종횡가] 구가(九家)의 하나. 전국 시대(戰國時代)에 합종(合縱) 또는 연횡(連衡)을 주장하며 제후(諸侯)한테 유세(遊稅)하러 돌아다니던 모사(謀士). 소진(蘇秦)·장의(張儀) 같은 사람.
[縱橫無礙 종횡무애] 사방에 조금도 거리끼는 것이 없다는 뜻으로, 자유자재로 행동함을 이름.
[縱橫無盡 종횡무진] 한없이 자유자재함.
[縱橫學 종횡학] 합종(合縱)과 연횡(連衡)의 책략을 가지고 유세하러 돌아다니던 학파. 소진(蘇秦)·장의(張儀) 등이 이 학파에 속함.
◉假縱. 酣縱. 擒縱. 矜縱. 放縱. 舍縱. 肆縱. 阿縱. 壓縱. 英縱. 傲縱. 緩縱. 弛縱. 任縱. 恣縱. 操縱. 知縱. 僭縱. 天縱. 誕縱. 衡縱.

11 ⑰ [縲] [一] 류 [平]支 力追切 léi [二] 라 [平]歌 盧戈切 luó 缧

[字解] [一] 포승 류, 묶을 류 빛이 검은 포승(捕繩). 또, 그 포승으로 죄인을 결박함. '雖在一絏之中, 非其罪也'《論語》. [二] 밧줄 라 '一, 大索也'《集韻》.
[字源] 形聲. 糸+累〔音〕. '累루'는 '매다'의 뜻. 죄인을 붙들어 매는 '포승'의 뜻을 나타냄.

[縲紲 유설] 유설(縲絏).
[縲絏 유설] ㉠죄인을 검은 포승으로 묶음. ㉡잡혀 갇힌 몸.

11 ⑰ [縳] 전 ①[去]霰 柱戀切 zhuàn ②[上]銑 柱兗切 ③[平]先 重緣切 chuán

[字解] ①열묶음 전 새의 깃 백을 동인 묶음 열을 이름. '百羽爲摶, 十摶爲一'《周禮》. ②흴 전 흼. 백색. 또, 그 명주. '一, 白鮮卮也'《說文》. ③말 전 싸서 감음. '以帷一其妻而載之'《左傳》.
[字源] 篆文 形聲. 糸+專〔音〕

11 ⑰ [縴] 견 [平]先 苦堅切 qiān 纤

[字解] 헌솜 견 묵은 솜. '一縭'.

[縴縭 견리] 헌솜. 묵은 솜.

11 ⑰ [縵] 만 ①②[去]翰 莫半切 màn ③④[去]諫 謨晏切 缦

[字解] ①명주 만 무늬 없는 견직물. '一表白裏'《漢律》. 전(轉)하여, 장식이 없는 물건을 이름. '乘一'(장식이 없는 수레를 탐)《左傳》. ②골없을 만 밭골이 없음. '一田謂不爲甽者也'《漢書註》. ③늘어질 만 완만한 모양. 또, 관대한 모양. '糺一一'《尙書大傳》. ④만악(縵樂) 만 딴 음악에 섞어 연주하는 음악. '教一樂'《周禮》.
[字源] 篆文 形聲. 糸+曼〔音〕. '曼만'은 '완만함, 느슨함'의 뜻. 무늬가 없이 느슨한 비단의 뜻을 나타냄.

[縵立 만립] 오래 멈추어 서 있음.
[縵縵 만만] ㉠늘어진 모양. 완만한 모양. 또, 관대한 모양. ㉡사생(死生)을 같이하는 모양.
[縵樂 만악] 딴 음악에 섞어 연주(演奏)하는 모양. 아악(雅樂) 이외의 여러 가지 음악.
[縵田 만전] 골을 타지 않은 밭.
[縵繒 만증] 무늬 없는 비단.
[縵布 만포] 무늬가 없는 거친 베.
◉紕縵. 乘縵. 絁縵. 緹縵.

11 ⑰ [縷] [人名] 루 ①-③[上]麌 力主切 lǚ ④[平]尤 郎侯切 缕

[字解] ①실 루, 올 루 실의 가닥. 사조(絲條). 섬유. '絲一'. '不絕如一'《蘇軾》. 전(轉)하여, 가늘고 긴 실 같은 물건. '柳一生芽香玉春'《溫庭均》. ②자세할 루 상세함. '一言'. '一述而申言之'《宋史》. ③잘게썰 루 작게 벰. '一肉'. '雍人一切'《潘岳》. ④누더기 루 褸(衣部 十一畫)와 통용. '篳路藍一以啓山林'《左傳》.
[字源] 篆文 形聲. 糸+婁〔音〕. '婁루'는 중도에 끊어지는 일 없이 잇달아의 뜻. 길게 이어지는 '실'의 뜻을 나타냄.

[縷帶 누대] 가느다란 띠.
[縷縷 누루] ㉠실이 길게 연속한 모양. ㉡가늘고 끊이지 아니하는 모양. ㉢모두 가는 모양. ㉣세세(細細)하고 잔단 모양. 편지에 쓰는 말.
[縷望 누망] 일루(一縷)의 희망.
[縷析 누석] 세밀하게 분석하여 설명함.
[縷說 누설] 누언(縷言).
[縷續 누속] 실같이 가늘게 연속함.
[縷述 누술] 자세히 진술함.
[縷言 누언] 자세히 말함. 또, 그 말.
[縷肉 누육] 고기를 잘게 썲.
[縷切 누절] 잘게 썲. 세절(細切).
[縷旨 누지] 상세한 본지(本旨).
[縷陳 누진] 누술(縷述).
[縷解 누해] 누석(縷析).
[縷形 누형] 자세히 나타냄. 상세히 형용함.
[縷膾 누회] 잘게 썬 회(膾).
◉結縷. 金縷. 羅縷. 藍縷. 襤縷. 微縷. 帛縷. 繁縷. 帔縷. 絲縷. 線縷. 細縷. 縺縷. 一縷. 長命縷. 紙縷. 綵縷. 寸縷. 布縷. 香縷.

11 ⑰ [縸] [一] 막 [入]藥 末各切 mò [二] 모 [去]遇 莫故切 mù

[字解] [一] 그물칠 막 幕(巾部 十一畫)과 통용. '絡一, 張羅也'《集韻》. '纖羅絡一'《後漢書》. [二] 헌솜 모 '一, 惡絮也'《集韻》.

11 ⑰ [縹] 표 ①[上]篠 敷沼切 piǎo ②[上]篠 紕紹切 piāo 缥

[字解] ①옥색 표 조금 파르스름한 빛. '一靑'. '賈人緗一而已'《後漢書》. ②휘날릴 표 나부끼는 모양. 飄(風部 十一畫)와 통용. '鳳一一其高逝兮'《賈誼》.
[字源] 篆文 形聲. 糸+票(㶡)〔音〕

[縹囊 표낭] 옥색의 서낭(書囊). 책을 넣는 옥색의 자루.
[縹綠 표록] 옥색과 초록색.
[縹綾 표릉] 옥색의 무늬 있는 비단.
[縹眇 표묘] 멀어서 분명하지 아니한 모양. 아득한 모양.
[縹渺 표묘] 표묘(縹眇).
[縹緲 표묘] ㉠표묘(縹眇). ㉡높고 먼 모양.
[縹碧 표벽] 옥색의 옥돌.
[縹瓦 표와] 옥색의 기와.
[縹帙 표질] 옥색의 책갑(冊匣). 전(轉)하여, 서권(書卷)의 일컬음.
[縹靑 표청] 옥색.
[縹縹 표표] 휘날리는 모양. 나부끼는 모양.
[縹壺 표호] 옥색의 병.
◉碧縹. 緗縹. 裝縹. 淺縹. 靑縹. 翠縹.

11 ⑰ [縺] 련 [平]先 落賢切 lián

[字解] 얽힐 련 맺혀 풀리지 않음. '一縷如縈絲'《范成大》.
[字源] 形聲. 糸+連〔音〕. '連련'은 '이어지다'의 뜻. 실이 얽혀서 이어지다의 뜻을 나타냄.

[縺縷 연루] 얽힌 실.

11 ⑰ [總] [高·人] 총 ㊤董 作孔切 zǒng [平]東 鸁叢切 zōng 总

[筆順] 幺 糸 糸' 紵 總 總 總 總

[字解] ①거느릴 총 통솔함. 또, 통치함. '一督'. '一軍'. '若一其罪人以臨之'《左傳》. ②합칠 총 한데 합함. '一合'. '一會'. '一乘馬'《儀禮》. ③묶을 총 한데 합쳐 맴. 동임. '一括'. '一束髮也'《釋名》. '一風雨之所交'《張衡》. ④맬 총 잡아맴. '一余轡乎扶桑'《楚辭》. ⑤모일 총 하나로 됨. '萬物一而爲一'《淮南子》. ⑥머리끈 총 머리를 묶는 데 쓰는 끈. 상투 끈. '笄一'《禮記》. ⑦잡을 총 손에 듦. '一干而山立'《禮記》. ⑧모두 총 다. '問我來期一不知'《姚合》. ⑨갑자기 총 悤(心部 七畫)과 통용. '寒氣一至, 民力不堪'《呂氏春秋》. ⑩단 총 볏단. '百里賦納一'《詩經》. ⑪술 총 장식으로 다는 여러 가닥의 실. '錫面赤一'《周禮》. ⑫묶은머리 총 속발(束髮). '一角丱兮'《詩經》. ⑬대강 총 대요(大要). '執其一'《周禮》. ⑭꿰맬 총, 솔기 총 '一, 縫也'《字彙》. '一, 縫界合處'《正字通》. ⑮성 총 성(姓)의 하나.
[字源] 篆文 形聲. 糸+悤〔音〕. '悤총'은 '束속'과 통하여, '묶다, 다발 짓다'의 뜻. 많은 실·머리털 따위를 묶다의 뜻에서, 총괄하다, 통솔하다, 술의 뜻을 나타냄.
[參考] 総(糸部 八畫)은 同字.

[總角 총각] ㉠아이의 머리를 두 갈래로 갈라 머리 위 양쪽에 뿔처럼 동여맨 것. 전(轉)하여 아이. 미성년(未成年)의 남녀. ㉡《韓》장가갈 나이가 되고도 아직 장가가지 아니한 남자.

[總角㉠]

[總角之好 총각지호] 어릴 때부터의 친분.
[總監 총감] 전체를 감독함. 또, 그 벼슬.
[總鑒 총감] 전체의 선악(善惡)을 살펴봄.
[總綱 총강] 정사(政事)의 대강을 총괄함.
[總計 총계] 통틀어 합친 계산.
[總攻擊 총공격] 전군(全軍)을 동원하여 하는 공격(攻擊).
[總戈 총과] 술이 달린 창(槍).
[總丱 총관] 총각(總角).
[總管 총관] 전체를 관할함. 또, 그 벼슬.
[總括 총괄] ㉠통틀어 모아 하나로 뭉침. ㉡요점(要點)을 모아서 한 개의 개념(概念)을 만듦.
[總軍 총군] 전군(全軍).
[總期 총기] 순(舜)임금의 궁전(宮殿).
[總代 총대] 전체의 대표.
[總督 총독] ㉠전체를 감독함. 또, 그 사람. ㉡명청(明淸) 이후의 한 성(省)의 장관. ㉢국가 원수를 대표하여 식민지(植民地)를 통치하는 벼슬.
[總攬 총람] ㉠국가의 권력을 모두 장악함. ㉡인심을 얻어 모두 자기에게 심복시킴.
[總量 총량] 전체의 양. 전량(全量).
[總力 총력] 모든 힘.
[總領 총령] 전체를 거느림. 또, 그 사람.
[總錄 총록] 전체를 감독함. 또, 그 사람.
[總論 총론] 전체에 걸친 논설. 각론(各論)의 대(對).
[總理 총리] ㉠전체를 다스림. 또, 그 사람. ㉡중국 국민당(中國國民黨)의 총재(總裁). ㉢벼슬 이름. 군주국(君主國)의 내각의 우두머리는 총리대신(總理大臣)이라 일컫고, 공화국(共和國)의 국무원(國務院)의 우두머리는 국무총리(國務總理)라 일컬음.
[總理大臣 총리대신] 총리(總理)㉢을 보라.
[總名 총명] 총칭(總稱).
[總目 총목] 전부의 목록. 전체의 목차(目次).
[總務 총무] 전체의 사무. 또, 그 사무를 취급하는 사람.
[總髮 총발] 머리를 묶음. 또, 그 머리. 속발(束髮).
[總凡 총범] 모두. 무릇.
[總秉 총병] 일을 통틀어 잡음.
[總本山 총본산]《佛敎》㉠한 종(宗)의 본종(本宗)이 되는 절. 본산(本山). ㉡우리나라에서는 불교의 최고 종정 기관(宗政機關). 종래의 31 본산이 모여 이루어진 것.
[總辭職 총사직] 전원(全員)의 사직.
[總署 총서] 통틀어 맡음.
[總選擧 총선거] 의원(議員) 전체의 선거. 의원의 임기 만료, 또는 해산하였을 때의 선거.
[總說 총설] 전체에 걸친 논설. 전체를 총괄한 설명. 모두풀이.
[總攝 총섭] 전체를 다스림.
[總數 총수] 모든 수. 전체의 수.
[總身 총신] 온몸. 전신(全身).
[總額 총액] 전체의 액수.
[總御 총어] 전체를 다스림.
[總領事 총영사] 최상급(最上級)의 영사(領事).

[總員 총원] 모든 사람. 전체의 인원. 전원(全員).
[總戎 총융] 전군(全軍)을 지휘하는 사람. 총수(總帥).
[總意 총의] 전체 인원에 공통되는 의사.
[總一 총일] 통일(統一)함.
[總長 총장] ㉠전체(全體)를 통할(統轄)하는 우두머리. ㉡민국(民國) 때의 중앙 정부의 각부(各部)의 장관(長官). 국민 정부(國民政府)가 선후 부장(部長)이라 개칭(改稱)하였음. ㉢《韓》종합 대학(綜合大學)의 우두머리.
[總章 총장] 대침(大寢)의 서당(西堂)의 남쪽. 침(寢) 참조(參照).
[總裁 총재] 전체를 총괄하여 재결(裁決)함. 또, 그 사람.
[總齊 총제] 모두 가지런히 함.
[總之 총지] 요컨대.
[總持 총지]《佛敎》다라니(陀羅尼)의 역어(譯語). 범문(梵文)의 긴 구(句)를 번역하지 않고 그대로 송독(誦讀)하는 일.
[總集 총집] 여러 사람의 시문(詩文)을 한데 모은 것. 문선(文選) 같은 것. 별집(別集)의 대(對).
[總緝 총집] 한데 모음. 모두 모음.
[總察 총찰] 전체를 살핌.
[總冊 총책] 통계연감(統計年鑑).
[總體 총체] 전체(全體).
[總總 총총] ㉠많은 모양. 많이 모인 모양. ㉡어지러운 모양.
[總聚 총취] 모두 모임. 또, 모두 모음.
[總則 총칙] 전체를 총괄(總括)하는 규칙(規則).
[總稱 총칭] 전체를 총괄한 명칭.
[總統 총통] 총괄하여 통솔(統率)함. 또, 그 사람.
[總辦 총판] 지배인(支配人).
[總包 총포] 모두 쌈. 모두 겸함.
[總轄 총할] 전체를 관할(管轄)함.
[總合 총합] 통틀어 합함. 종합(綜合).
[總行 총행] 본점(本店). 분행(分行)의 대(對).
[總護 총호] 통솔하고 보호함.
[總會 총회] ㉠전원이 모임. 또, 전원을 모음. ㉡한 단체의 전원의 모임. ㉢회원·주주로 조직된, 사단 법인(社團法人)의 의사를 결정하는 기관.
◉監總. 兼總. 笄總. 躬總. 繁總. 分總. 紛總. 任總. 專總. 塡總. 銓總. 組總. 親總. 該總.

11 ⑰ [績] [高人] 적 [入]錫 則歷切 jī 绩

[筆順] 幺 糸 糸 紆 紶 綪 績 績

[字解] ①자을 적 실을 뽑음. 낳음. '紡—'. '不—其麻'《詩經》. ②이을 적 '—, 繼也'《爾雅》. ③이룰 적 됨. '—, 成也'《爾雅》. ④공 적 이룬 업적. '成—'. '功—'. '庶—咸熙'《書經》. ⑤일 적 사업. '維禹之—'《詩經》.

[字源] 金文 篆文 形聲. 糸+責〔音〕. '責책'은 '積적'과 통하여, '쌓다'의 뜻. 실을 쌓아서 포개다, 잣다의 뜻을 나타냄.

[績女 적녀] 실을 잣는 여자.
[績文 적문] 문장을 지음.
[績紡 적방] 실을 잣고 베를 짬. 길쌈함.
[績用 적용] 공훈. 공적(功績).
[績效 적효] 적용(績用).
◉嘉績. 巨績. 考績. 功績. 舊績. 名績. 美績. 微績. 邦績. 紡績. 丕績. 三載考績. 庶績. 善績. 成績. 聲績. 殊績. 庸績. 遠績. 異績. 蠶績. 政績. 紬績. 緝績. 織績. 治績. 敗績. 勳績. 徽績.

11 ⑰ [縿] [一] 삼 [平]咸 所銜切 shān [二] 초 [平]蕭 思邀切 xiāo

[字解] [一] 깃발 삼 기각(旗脚). '以縫紕旌之旒—'《詩經 箋》. [二] 생초 초 綃(糸部 七畫)와 同字. '—幕, 魯也'《禮記》.

[字源] 篆文 形聲. 糸+參〔音〕

◉旒縿. 風縿.

11 ⑰ [繀] 쇄 [去]隊 蘇內切 suì

[字解] 물레 쇄 방차(紡車).

[字源] 篆文 形聲. 糸+崔〔音〕

11 ⑰ [繂] 률 [入]質 呂卹切 lǜ

[字解] ①동아줄 률 물건을 매어 끄는 굵은 줄. ②옥받침 률 옥 밑에 까는 다룬 가죽 깔개. '藻—鞶厲'《張衡》.

[字源] 形聲. 糸+率〔音〕

11 ⑰ [繃] [人名] 붕 [平]庚 北萌切 bēng 绷

[字解] ①묶을 붕, 감을 붕 '—帶'. '葛以—之'《墨子》. ②띠 붕, 포대기 붕 어린애를 업을 때 두르는 띠 또는 포대기. '襁, 卽今之小兒—也'《漢書註》.

[字源] 篆文 形聲. 糸+崩〔音〕. '崩붕'은 '凡범'과 통하여, '확산(擴散)하다'의 뜻. 탄력성이 있어 피부 감촉이 보드라운 섬유를 소재로 한 '처네, 띠'의 뜻을 나타냄.

[繃帶 붕대] 소독(消毒)한 면포(綿布)를 좁고 길게 찢어 둥글게 만 것. 종기(腫氣)·상처(傷處) 등을 감는 데 씀.
◉錦繃. 羅繃. 倒繃. 繡繃. 懷繃.

11 ⑰ [繅] [一] 소 [平]豪 蘇遭切 sāo [二] 조 [上]晧 子皓切 zǎo 缫

[字解] [一] 켤 소 누에고치에서 실을 뽑음. '—絲'. '夫人蠶—'《孟子》. [二] ①옥받침 조 옥 밑에 까는 무늬 있는 가죽 깔개. '加—席畫純'《周禮》. ②문채 조 繰(糸部 十三畫)와 同字. '—, 文采也'《集韻》.

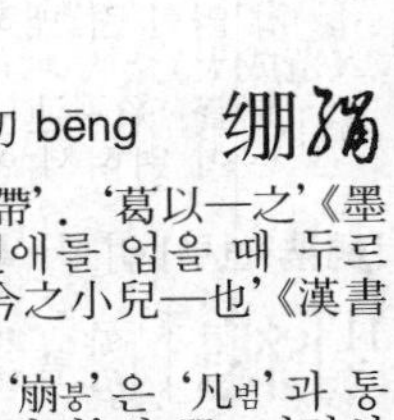
[繅車]

[字源] 篆文 形聲. 糸+巢〔音〕. '巢소'는 새의 보금자리의 뜻. 새가 보금자리를 틀 때, 차례로 재료를 나르듯이, 쉴새없이 실을 뽑아 내다의 뜻을 나타냄. '繰조'와 동일어(同一語) 이체자(異體字)로서, 실을 켜다의 뜻.

[繅車 소거] 고치에서 실을 켜는 물레.
[繅絲 소사] 고치로 실을 켬.

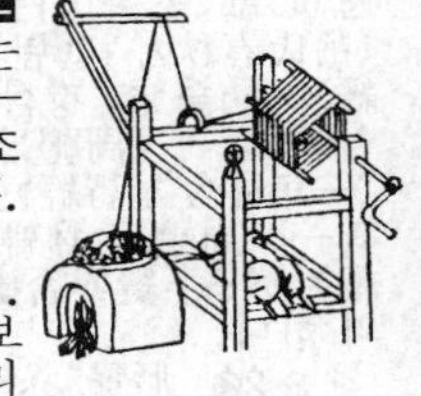

[繅絲車 소사거] 소거(繅車).
[繅席 조석] 옥 밑에 까는 무늬 있는 깔개. 옥 반침.
[繅藉 조자] 조석(繅席).

11 ⑰ [繆] [人名] [一] 무 [平]尤 莫浮切 móu
[二] 목 [去]宥 靡幼切 miù, ⑤miào
[三] 목 [入]屋 莫六切 mù
[三] 규 [平]尤 居虯切 jiū
[四] 료 [上]篠 朗鳥切 liǎo

[字解] [一] ①얽을 무, 동여맬 무 '綢一牖戶'《詩經》. ②잘못 무, 잘못할 무 謬(言部 十一畫)와 뜻이 같음. '考諸三王, 而不一'《中庸》. ③틀릴 무 상위(相違)함. '一戾'. '何以錯一至是'《漢書》. ④속일 무 기만함. '一言'. '臨邛令一爲恭敬'《漢書》. ⑤성 우 성(姓)의 하나. [二] 사당차례 목 穆(禾部 十一畫)과 同字. '序以昭一'《禮記》. [三] ①목맬 규 목을 매어 죽음, 또는 죽임. '卽自一死'《漢書》. ②꼴 규 노 같은 것을 꼼. '衣衰而一絰'《禮記》. [四] 두를 료 繚(糸部 十二畫)와 同字. '一繞玉綏'《漢書》.
[字源] 篆文 形聲. 糸+翏〔音〕. '翏료'는 양 날개와 꽁지깃을 이어 붙인 모양으로, '잇다, 얽히다'의 뜻. 실이 얽히다의 뜻을 나타냄.

[繆死 규사] 목매어 죽음.
[繆巧 무교] 교묘한 속임수.
[繆戾 무려] 도리에 어그러짐.
[繆論 무론] 잘못된 논설.
[繆說 무설] 무론(繆論).
[繆言 무언] 거짓말.
[繆意 무의] 잘못 생각함. 또, 잘못된 생각.
[繆篆 무전] 육서(六書)의 하나. 꼬불꼬불한 체(體)의 전자(篆字). 주로 인각(印刻)에 쓰임.
[繆繆 요료] 실이 헝클어진 모양.
[繆繚 요료] 둘러쌈. 위요(圍繞)함.
◉乖繆. 紕繆. 桑土綢繆. 細繆. 錯繆.

[繆篆]

11 ⑰ [繈] 강 [上]養 居兩切 qiǎng

[字解] ①포대기 강 어린애를 업을 때 둘러 대는 보. 일설(一說)에는, 둘러 매는 띠라 함. 襁(衣部 十一畫)과 同字. '靑子在一褓中'《史記》. ②돈꿰미 강 엽전을 꿰는 꿰미. '臧一千萬'《漢書》.
[字源] 篆文 形聲. 糸+強〔音〕. '強강'은 질기고 튼튼함의 뜻. 마디가 많고 튼튼한 쌍고치 명주실의 뜻을 나타냄.

[繈褓 강보] 포대기. 강보(襁褓).

11 ⑰ [縩] 채 [去]隊 倉代切 cài

[字解] ①와삭거릴 채 '綷一'는 새 옷이 스쳐 와삭거리는 소리. '紛綷一兮紈素聲'《漢書》. ②고운옷 채 '綷一'는 고운 옷. '綷一, 鮮衣'《集韻》. ③비단찢어질 채 '一, 綃殺也'《淮南子 注》.
[字源] 形聲. 糸+祭〔音〕
◉綷縩.

11 ⑰ [緷] 혼 [平]元 胡昆切 hún

[字解] 꿰맬 혼 바느질함. '擅權渠一縩'《管子》.

11 ⑰ [繐] 세 [去]霽 相銳切 suì

[字解] 가는천 세 촉(蜀)나라에서 나는 곱게 짠 직물(織物). '一, 蜀細布也'《說文》.
[字源] 篆文 形聲. 糸+彗〔音〕

11 ⑰ [縼] 선 [去]霰 辭變切 xuàn

[字解] 맬 선 긴 고삐로 우마(牛馬)를 맴. '一, 以長繩系牛也'《說文》. '一, 係也'《廣雅》.
[字源] 篆文 形聲. 糸+旋〔音〕. '旋선'은 '돌다, 빙빙 돌다'의 뜻. 소·말을 줄로 비끄러매다의 뜻을 나타냄.

11 ⑰ [縬] 축 [入]屋 側六切 cù

[字解] ①줄어들 축 오그라짐. '一, 縮也'《集韻》. ②주름살 축 구김살. '一, 聚文也'《集韻》. ③비단무늬 축 '一, 一曰, 繒文'《集韻》.
[字源] 形聲. 糸+戚〔音〕

11 ⑰ [縴] 견 [平]先 古賢切 jiān

[字解] 긴박할 견 긴장함. 다급함. '一, 緊也'《集韻》.

11 ⑰ [縎] 〔첩〕
緁(糸部 八畫〈p. 1751〉)과 同字

11 ⑰ [繇] [人名] [一] 요 [平]蕭 餘昭切 yáo
[二] 유 [平]尤 以周切 yóu
[三] 주 [去]宥 直祐切 zhòu

[字解] [一] ①우거질 요 무성함. '厥草惟一'《書經》. ②역사 요 부역. 徭(彳部 十畫)와 통용. '高祖常一咸陽'《漢書》. ③노래 요 謠(言部 十畫)와 통용. '人民一俗'《漢書》. ④흔들릴 요 搖(手部 十畫)와 통용. '三日而莫不盡一'《史記》. ⑤근심할 요 걱정함. '一, 憂也'《爾雅》. ⑥기뻐할 요 '一, 喜也. 詩云, 我歌且一'《廣韻》. ⑦사람이름 요 陶(阜部 八畫)와 통용. '咎一'는 곧 '皐陶'. ⑧성 요 성(姓)의 하나. [二] ①말미암을 유 由(田部)와 同字. '不知所一'《漢書》. ②지날 유 통과함. '一朐汰輈'《左傳》. ③까닭 유 이유. 또, 방도. '無一教訓其民'《漢書》. ④부터 유 …로부터. '一膝以下'《爾雅》. ⑤꾀 유 猷(犬部 九畫)와 同字. '先聖之大一'《漢書》. ⑥다닐 유 '一一'는 다니는 모양. '悠悠'와 같음. '犬馬一一'《漢書》. [三] 점 주 괘조(卦兆)의 점사(占辭). 점괘에 적혀 있는 말. '聞成季之一'《左傳》.
[字源] 形聲. 系+䚻(𦉶)〔音〕. '𦉶요'는 '由유'와 통하여, '따르다'의 뜻. '傜요'와 통하여 '부역(賦役)'의 뜻을, '謠요'와 통하여 '노래'의 뜻을 나타냄.

[繇賦 요부] 부역과 조세(租稅).

[繇俗 요속] 가요(歌謠)와 풍속.
[繇戍 요수] 부역(賦役)으로 국경에 가서 지킴. 또, 그 군사. 수자리.
[繇役 요역] 부역(賦役). 부역을 나감.
[繇繇 유유] 다니는 모양. 유유(悠悠).

◉率繇. 優繇. 皇繇.

11 ⑰ [縶] 칩 ㊀緝 陟立切 zhí

字解 ①맬 칩 잡아 묶음. 붙들어 맴. '繫—'. '—之維之'《詩經》. ②잡을 칩 체포함. '拘—'. '南冠而—者誰也'《左傳》. ③연할 칩 이음. '冀相維—'《北史》. ④굴레 칩 붙들어 매는 것. 기반(羈絆). '厥執—馬前'《左傳》.

字源 羼의 別體 形聲. 糸+執[音]. '執집'은 '잡다'의 뜻. '糸멱'을 더하여 '매다'의 뜻을 나타냄.

[縶拘 칩구] 연루되어 잡힘. 또는 얽매여 멈춤.
[縶維 칩유] 맴. 묶음. 또는 밧줄.
◉繫縶. 拘縶. 羈縶. 籠縶. 維縶.

11 ⑰ [縜] ㊀ 경 ㊤迥 口迥切 / ㊥青 涓熒切 jiōng ㊁ 현 ㊤銑 胡典切 xuǎn

字解 ㊀ 홑옷 경 褧(衣部 十畫〈p. 2074〉)과 통용. '被—黼'《儀禮》. ㊁ ①이을 현 연결함. '—, 綴也'《集韻》. ②느슨할 현 '—, 緩也'《篇海》.

11 ⑰ [縻] 미 ㊥支 靡爲切 mí / ㊦寘 縻寄切

字解 ①맬 미, 묶을 미 잡아맴. 묶음. '拘—'. '繫—'. '愈—於茲, 不能自引去'《韓愈》. ②끈 미 잡아매는 끈이나 줄. 고삐 따위. '羈—'. ③흩어질 미, 흩을 미 靡(非部 十一畫)와 통용. '月費俸錢, 歲—廩粟'《韓愈》. ④나눌 미 가름. '—, 分也'《集韻》. ⑤성 미 성(姓)의 하나.

字源 篆文 別體 形聲. 糸+麻[音]. '麻마'는 '삼'의 뜻. 고삐, 잡아매다의 뜻.

◉緶縻. 繫縻. 拘縻. 羈縻. 斷縻.

11 ⑰ [繁] 高 人 ㊀ 번 ㊥元 附袁切 fán ㊁ 반 ㊥寒 薄官切 pán

筆順 𠂉 𠂉 𠂉 每 每 每 敏 繁

字解 ㊀ ①많을 번 적지 않음. '—多'. '正月—霜'《詩經》. ②성할 번 융성함. 번영함. '—昌'. '—榮'. '辭讓之節—'《禮記》. ③번거로울 번 ㉠번잡함. '—碎'. '甘儀—辭不見信'《論衡》. ㉡바쁨. '—忙'. '獄—而無邪'《淮南子》. ④잦을 번 자주 있음. '頻—'. '筆策—用'《淮南子》. ⑤뒤섞일 번 착잡함. '—雜'. '安得不窮其—蕪'《孝經 序》. ⑥무성할 번 우거짐. '—陰'. '後益—茂'《宋書》. ⑦많게할 번, 번거롭게할 번 '景公—于刑'《左傳》. ⑧대개 번 대체로. '—, 槪也'《廣韻》. ㊁ ①뱃대끈 반 마소의 배에 걸쳐서 조르는 줄. '大路—纓一就.〈疏〉—, 謂馬腹帶也'《禮記》. ②말갈기꾸미개 반 '咸龍旂而—纓'《張衡》.

字源 形聲. 攵(攴)+緐[音]. 緐(糸部 七畫)과 同字.

[繁纓 반영] 말의 뱃대끈과 가슴걸이. 제후(諸侯)의 말의 장식.
[繁苛 번가] 법령(法令) 등이 번거롭고 가혹(苛酷)함.
[繁柯 번가] 무성한 나무의 가지.
[繁簡 번간] 번다(繁多)함과 간략함.
[繁劇 번극] 번망(繁忙).
[繁勤 번근] 번무(繁茂).
[繁多 번다] 번거로울 정도로 많음.
[繁亂 번란] 뒤섞임. 난잡함.
[繁禮 번례] 예절을 번거롭게 함. 또, 번거로운 예절.
[繁忙 번망] 바쁨. 다망(多忙)함.
[繁茂 번무] 무성함.
[繁務 번무] 바쁜 직무.
[繁蕪 번무] ㉠번잡하고 어지러움. ㉡번무(繁茂).
[繁文 번문] ㉠번거로운 수식(修飾). ㉡번거로운 규칙.
[繁文縟禮 번문욕례] 지나치게 형식적이어서 번거롭고 까다로운 규칙과 예절(禮節).
[繁法 번법] ㉠법이나 규칙을 번거롭게 함. ㉡번거로운 법. 까다로운 법. 가혹한 법. 가법(苛法).
[繁複 번복] 너무 많아 중복(重複)함.
[繁霜 번상] 서리가 많이 내림. 또, 많이 내리는 서리.
[繁庶 번서] 번성하여 많음.
[繁暑 번서] 대단히 더움. 또, 그 더위. 혹서(酷暑).
[繁說 번설] 번거롭게 이야기함. 지루하게 이야기함.
[繁盛 번성] 번화(繁華)하고 창성(昌盛)함.
[繁細 번세] 번거롭고 잔닮.
[繁碎 번쇄] 번세(繁細).
[繁殖 번식] 붇고 늚.
[繁約 번약] 번간(繁簡).
[繁弱 번약] 하후씨(夏后氏)의 명궁(名弓)의 이름.
[繁衍 번연] 번성하여 불음.
[繁葉 번엽] 무성한 잎.
[繁英 번영] 많이 핀 꽃.
[繁榮 번영] 번창(繁昌).
[繁縟 번욕] ㉠채색(彩色)이 화려함. ㉡번거로움. 번잡함. ㉢음성이 가늚. 곡조가 낮음.
[繁用 번용] 바쁜 용무. 번무(繁務).
[繁蔚 번위] ㉠무성함. 번무(繁務). ㉡문장(文章)이 화려한 모양.
[繁陰 번음] 무성한 나무 그늘.
[繁滋 번자] 붇고 늚. 번식(繁殖).
[繁雜 번잡] 번거롭고 뒤섞여 어수선함. 많아 번거로움.
[繁條 번조] 무성한 나뭇가지.
[繁稠 번조] 번무(繁茂).
[繁奏 번주] 급한 장단으로 연주(演奏)함.
[繁湊 번주] 연이어 모여듦.
[繁稠 번주] 번조(繁稠).
[繁祉 번지] 많은 복(福).
[繁昌 번창] ㉠초목이 무성함. 번성(繁盛). ㉡번영하고 창성(昌盛)함.
[繁朶 번타] 꽃이 많이 달린 가지.
[繁閑 번한] 다망함과 한가함.
[繁絃 번현] 급한 장단으로 타는 거문고 소리.
[繁絃急管 번현급관] 가락이 급한 음악.
[繁刑 번형] 까다롭고 엄한 형벌.

[繁華 번화] ㉠초목이 무성하고 꽃이 화려하게 핌. 전(轉)하여, 청장년(靑壯年)의 시절. ㉡화려함. ㉢토지가 기름져 번창함.
[繁禧 번희] 번지(繁祉).
◉劇繁. 穠繁. 阜繁. 不勝繁. 頻繁. 庶繁. 世繁. 殷繁. 滋繁. 翠繁. 浩繁. 喧繁.

11 ⑰ [繄] 예 [平]齊 烏奚切 yī

[字解] ①창전대 예 창(槍)에 씌우는 자루. '一, 戟衣也'《說文》. ②이 예 是(日部 五畫)와 뜻이 같음. '惟德一物'《左傳》. ③아 예 탄식하는 소리. '爾有母遺, 一我獨無'《左傳》.
[字源] [篆文] 形聲. 糸+殹〔音〕. '殹예'는 '덮다, 가리다'의 뜻. 창(槍)을 덮어씌우는 자루의 뜻을 나타냄.

[徽] 〔휘〕 彳部 十四畫(p. 755)을 보라.

12 ⑱ [繐] [一] 세 [去]霽 相銳切 suì
[二] 혜 [去]霽 胡桂切

[字解] [一] 베 세 올이 가늘며 설핀 베. '緦縗一裳'《禮記》. [二] 베 혜 [一]과 뜻이 같음.
[字源] [篆文] 形聲. 糸+惠〔音〕. '惠혜'는 제(齊)나라의 방언(方言)으로는 '涼량', 곧 얇고 설피다의 뜻. 얇고 설핀 깁이나 베의 뜻을 나타냄.

[繐帷 세유] 가늘고 설핀 베로 만든 장막.

12 ⑱ [繑] [一] 교 [平]蕭 去遙切 qiāo
[二] 각 [入]藥 訖約切 juē

[字解] [一] 끈 교, 띠 교 바지의 허리띠. '褸一而踵相隨'《管子》. [二] 신 각 짚신. 屩(尸部 十五畫)과 同字. '屩, 說文, 屐也. 或作一'《集韻》.
[字源] [篆文] 形聲. 糸+喬〔音〕. '喬교'는 높게 구부러져 뻗다의 뜻. 바지의 끈의 뜻을 나타냄.

12 ⑱ [繒] [人名] 증 [平]蒸 疾陵切 咨騰切 zēng 缯

[字解] ①명주 증, 비단 증 견직물의 총칭. '一帛'. '睢陽販一者也'《漢書》. ②주살 증 矰(矢部 十二畫)과 통용. '具一繳以射雁'《三輔黃圖》.
[字源] [篆文] [籀文] 形聲. 糸+曾〔音〕. '曾증'은 '겹치다, 거듭하다'의 뜻. 실을 겹쳐서 짠 견포(絹布)의 뜻을 나타냄. '矰증'과 통하여, '주살'의 뜻을 나타냄. 籀文의 '綷'은 糸+宰〈省〉〔音〕.

[繒纊 증광] 명주와 솜.
[繒綺 증기] 무늬가 있는 비단.
[繒練 증련] 누인 명주.
[繒綾 증릉] 산악(山岳)이 고저(高低)가 있는 모양.
[繒絮 증서] 명주와 솜.
[繒繳 증작] 증작(矰繳).
[繒綈 증제] 두꺼운 명주.
[繒綵 증채] 빛깔이 화려한 비단.
[繒紈 증환] 곱고 흰 비단.
◉綷繒. 縑繒. 金繒. 縵繒. 文繒. 阜繒. 霜繒. 織繒. 細繒. 素繒. 練繒. 雜繒. 粗繒. 重繒. 蒼繒. 敝繒. 好繒. 縝繒. 厚繒.

12 ⑱ [織] [高入] [一] 직 [入]職 之翼切 zhī 织
[二] 치 [去]寘 職吏切 zhì

[筆順] 糸 … 織 織

[字解] [一] ①짤 직 ㉠베를 짬. '紡一'. '十三能一素'《古詩》. ㉡조립함. '組一'. '共爲羅一'《舊唐書》. ②베틀 직, 실 직 베를 짜는 기계. 또, 베틀에 건 실. '何異斷斯一'《後漢書》. ③직물 직 짠 옷감. '母粥機一資給'《宋史》. [二] ①무늬있는 옷감 치 무늬를 놓은 직물. 또, 그 옷. '士不衣一'《禮記》. ②표 치 휘장(徽章). '一文鳥章'《詩經》. ③기치 치 기(旗)의 표지(標識). 幟(巾部 十二畫)와 통용. '旗一加其上'《漢書》.
[字源] [金文] [篆文] 形聲. 金文은 音+弋〔音〕. '音음'의 자형(字形)은 무슨 뜻인지 분명치 않지만, 베틀의 기구(器具)를 본뜬 것인지도 모름. '弋익'은 엇걸리게 얽어 짠 말뚝의 象形. 나중에 '糸멱'을 덧붙여, 실을 어긋매껴 짜다, 직조(織造)하다의 뜻을 나타냄.

[織耕 직경] 짜는 일과 가는 일. 길쌈과 경작(耕作).
[織錦坊 직금방] 비단을 짜는 궁전(宮殿).
[織女 직녀] ㉠길쌈하는 여자. 베 짜는 여자. ㉡직녀성(織女星)의 약어(略語).
[織女星 직녀성] 은하(銀河)를 끼고 견우성(牽牛星)과 마주 대하는 별. 칠월 칠석(七月七夕)에 은하수(銀河水)를 건너 견우성과 서로 만난다고 함.
[織絡 직락] 짜 두름.
[織文 직문] 무늬 있는 비단.
[織坊 직방] 궁중(宮中)의 베를 짜는 방.
[織縫 직봉] 길쌈과 바느질.
[織婦 직부] ㉠피륙을 짜는 여자. 직녀(織女). ㉡직녀성(織女星).
[織成 직성] ㉠짬. 짜냄. ㉡일을 만들어 냄.
[織素 직소] 베를 짬. 또, 직물.
[織室 직실] 한대(漢代)에 궁중(宮中)에서 베를 짜던 방. 당대(唐代)에는 직염서(織染署)라 하였음.
[織烏 직오] 태양(太陽)의 딴 이름.
[織紝 직임] 직조(織造).
[織作 직작] 직조(織造).
[織匠 직장] 피륙을 짜는 장색(匠色).
[織製 직제] 짜서 만듦.
[織造 직조] 피륙을 짜는 일. 길쌈.
[織花 직화] 짜 넣은 무늬. 또는 자수(刺繡).
◉耕織. 急織. 機織. 羅織. 妙織. 文織. 紡織. 桑織. 手織. 紝織. 蠶織. 組織. 促織. 趨學如斷織.

12 ⑱ [繕] [人名] 선 [去]霰 時戰切 shàn 缮

[筆順] 糸 … 繕

[字解] ①기울 선 수선함. 보수함. '營一'. '一甲治兵'《詩經》. '一修干戈'《漢書》. ②다스릴 선 '征一以輔孺子也'《左傳》. ③모아엮을 선 책을 편록(編錄)함. '供一寫上'《後漢書》. ④갖출 선 음식을 갖추어 권함. '一兵不傷衆'《史記》. ⑤굳셀 선, 굳세게할 선 勁(力部 七畫)과 뜻이 같음. '急一其怒'《禮記》.

[字源] 篆文 形聲. 糸+善〔音〕. '善선'은 '좋다'의 뜻. 실로 기워서 좋게 하다, 수선하다, 보수하다의 뜻.

[繕補 선보] 고치고 보충함.
[繕寫 선사] 엮어 베낌. 또, 정서(淨書)함.
[繕修 선수] 수선(修繕)함. 손봄.
[繕營 선영] 수리하고 건축함. 영선(營繕).
[繕完 선완] 기워 완전하게 함.
[繕造 선조] 수선하고 제작함.
[繕葺 선즙] 집을 수리하고 지붕을 새로 임. 성벽(城壁) 따위를 손보아 보수함.
[繕治 선치] 손을 보아 고침. 수선(修繕)함.
[繕艦 선함] 병선(兵船)을 수리함.
◉督繕. 膽繕. 補繕. 修繕. 飾繕. 營繕. 戎繕. 征繕. 濬繕. 葺繕. 興繕.

12 ⑱ [繖] 산 [上]旱 蘇旱切 sǎn / [去]翰 蘇旰切

[字解] 우산 산 ㉠비단 우산. '錦—'. '—, 蓋也'《廣韻》. ㉡지우산. '遇雨謂以—入'《晉書》.
[字源] 篆文 形聲. 糸+散(𢿱)〔音〕. '𢿱산'은 사방으로 흩어지다의 뜻. 사방에 비단을 친 비단 우산의 뜻을 나타냄.

◉錦繖. 羅繖. 大繖. 御繖. 儀繖. 赭繖. 夾繖. 火繖.

12 ⑱ [繻] [一] 수 [平]虞 詢趨切 / [上]麌 相庾切 xū / [去]遇 宣遇切 / [上]有 息拱切 [二] 송 [上]腫 息有切

[字解] [一] 앞다리동일 수 두 앞다리를 동임. '—, 絆前兩足也'《說文》. [二] 앞다리동일 송 [一]과 뜻이 같음.
[字源] 形聲. 糸+須〔音〕

12 ⑱ [繘] [一] 율 [入]質 餘律切 yù [二] 귤 [入]質 居聿切 jú [三] 결 [入]屑 古穴切 jué

[字解] [一] 두레박줄 율 두레박을 맨 줄. '關東謂之綆, 關西謂之—'《揚子方言》. [二] 두레박줄 귤 [一]과 뜻이 같음. [三] 실날 결 실올. '—, 緶也'《集韻》.
[字源] 篆文 古文 形聲. 糸+矞〔音〕

◉綆繘. 纍繘.

12 ⑱ [繙] 번 [平]元 孚袁切 fān / [平]元 附袁切 fán

[字解] ①풀 번 맨 끈을 풂. ②펴볼 번 책을 펴서 읽음. '於是—十二經, 以說老聃'《莊子》. ③휘날릴 번 기가 바람에 펄렁거림. '繽—, 風吹旗皃'《廣韻》. ④어지러울 번, 어지럽힐 번 '—, —冤也'《說文》.
[字源] 篆文 形聲. 糸+番〔音〕. '番번'은 방사상(放射狀)으로 퍼지다의 뜻. 맺혀 있는 끈을 풀어 헤치다의 뜻을 나타냄.

[繙繹 번역] 책을 읽고 그 뜻을 캠.
[繙譯 번역] 한 나라 말을 다른 나라 말로 바꾸어 옮김. 번역(飜譯).
[繙冤 번원] 휘날리는 모양.
[繙帙 번질] 책을 폄. 책을 읽음.

12 ⑱ [繚] 료 [平]蕭 落蕭切 liáo / ①-③[去]嘯 力照切 / ④[上]篠 盧鳥切 缭

[字解] ①얽힐 료, 감길 료 '再—四寸'《禮記》. ②두를 료 둘러쌈. '—垣'. '—以周牆'《漢書》. ③묶을 료 묶음. 잡아맴. '—之兮杜衡'《楚辭》. ④다스릴 료 정리함. 撩(手部 十二畫)와 통용. '—意絕體而爭'《莊子》.
[字源] 篆文 形聲. 糸+尞〔音〕. '尞료'는 얼기설기 불 위에 얹어 세운 나무와 그 불똥의 象形으로, 화톳불의 뜻. 불티가 튀어 어지러이 뒤엉기듯이 붙어 떨어지지 않음의 뜻을 나타냄.

[繚糾 요규] 얽힘.
[繚亂 요란] 분란(紛亂)함.
[繚悷 요려] 너무 서러워 창자가 끊어지는 듯함.
[繚繚 요료] 둘러싼 모양.
[繚縈 요영] 둘러쌈.
[繚繞 요요] ㉠요영(繚縈). ㉡소매가 긴 모양.
[繚垣 요원] 담을 두름. 또, 둘러싼 담.
◉翹繚. 屈繚. 縈繚. 繞繚. 回繚.

12 ⑱ [繞] [人名] 요 [上]篠 而沼切 rǎo 绕

[字解] ①얽힐 요, 감길 요 '四蛇相—'《山海經》. ②두를 요, 돌 요 '—樹三匝, 何枝可依'《魏武帝》. ③둘러쌀 요 에워쌈. '—, 圍也'《正字通》. '圍—數重'《吳志》. ④쌀 요 포장함. ⑤성 요 성(姓)의 하나.
[字源] 篆文 形聲. 糸+堯〔音〕. '堯요'는 '弱약'과 통하여, '유연함'의 뜻. 실을 탄력 있게 둘러 감다의 뜻.

[繞帶 요대] 두름. 몸에 감음.
[繞亂 요란] 어지러이 얼크러짐.
[繞梁 요량] 옛날에 한아(韓娥)라는 유명한 음악가가 음악을 연주하였을 때 그 여음(餘音)이 사흘 동안이나 대들보를 빙빙 돌며 사라지지 않았다는 열자(列子)에 실린 이야기에서 나온 말로, 노랫소리가 절묘(絕妙)함을 이름.
[繞繚 요료] 두름. 둘러쌈.
[繞繞 요요] 두른 모양. 둘러싼 모양.
◉繳繞. 繆繞. 盤繞. 紛繞. 連繞. 營繞. 繚繞. 紆繞. 圍繞. 纏繞. 摧繞. 夾繞. 圜繞. 環繞. 回繞.

12 ⑱ [繢] 회 [去]隊 胡對切 huì / [上]賄 戶賄切 huí 缋

[字解] ①수 회, 무늬 회, 그림 회 자수. 문채. 또는 회화. '蒲筵—純'《周禮》. ②수놓을 회, 무늬놓을 회, 그릴 회 '畫—之事'《周禮》. ③무늬옷감 회 무늬를 놓은 포백(布帛). 또는 그림이 있는 포백(布帛). '以—爲皮幣'《漢書》.

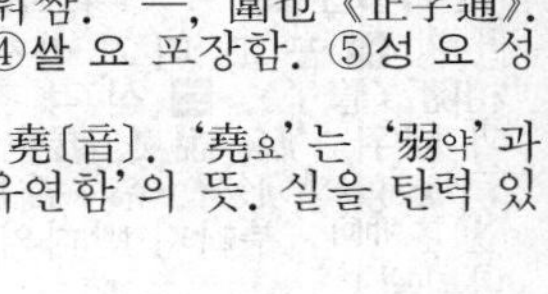
[繢③]

[字源] 篆文 繢 形聲. 糸+貴(賫)〔音〕. '會회'와 통하여, '채색하다'의 뜻.

[繢繡 회수] 수놓은 비단.
[繢綏 회유] 고운 빛깔의 갓끈.
[繢繒 회증] 수놓은 비단.
[繢畫 회화] 그림. 회화(繪畫).
◉錦繢. 綺繢. 文繢. 繁繢. 粉繢. 純繢. 雅繢. 染繢. 雕繢. 藻繢. 織繢. 采繢.

12 ⑱ [繣] [一] 홰 [去]卦 胡卦切 huà [二] 획 [入]陌 呼麥切 huà 繣

[字解] [一] ①어그러질 홰 괴려(乖戾)함. 사리에 어그러짐. '忽緯一其難遷'《楚辭》. ②세가닥줄 홰 세 가닥으로 드린 밧줄. '一, 徽也'《集韻》. ③끈 홰 묶는 노나 줄. '枚如箸銜之, 有一, 結項中'《周禮》. [二] 깨지는소리 획 물건이 깨지는 소리. '一瓦解而冰泮'《潘岳》.
[字源] 形聲. 糸+畫〔音〕

12 ⑱ [繝] 간 [去]諫 居莧切 jiàn

[字解] 무늬 간 비단의 무늬. 금문(錦文). '禁大一竭鑿六破錦'《唐書》.
[字源] 形聲. 糸+間〔音〕

12 ⑱ [繯] 선 [去]霰 息絹切 xuàn

[字解] ①노 선 승삭(繩索). ②비단이름 선 촉(蜀) 땅에서 나는 비단. '自造奇錦, 紌一緪緅'《揚雄》.

12 ⑱ [繟] [一] 천 [上]銑 昌善切 chǎn [二] 단 [平]寒 徒干切 chǎn

[字解] [一] ①느슨할 천 맨 띠가 느슨함. '一, 帶緩也'《說文》. ②연달아댈 천 잇대어 끊이지 않음. '一, 一聯, 不絕皃'《集韻》. [二] 느슨할 단, 연달아댈 단 [一]과 뜻이 같음.
[字源] 篆文 繟 形聲. 糸+單〔音〕. '嬗선'과 통하여 '느슨하다'의 뜻.

[繟然 단연] 느슨한 모양. 넓고 큰 모양. 일설(一說)에는, 평이(平易)한 모양.

12 ⑱ [繎] 연 [平]先 如延切 rán

[字解] ①실엉킬 연 실올이 서로 얽히어 엉클어짐. 또, 그런 것. '一, 絲勞也, 云云. (段注) 勞, 玉篇作縈. 蓋玉篇爲是. 與下文紆義近也'《說文》. ②새빨간 연 심홍색(深紅色). '一, 一曰, 紅色'《集韻》.
[字源] 篆文 繎 形聲 糸+然〔音〕. '然연'은 연한 지육(脂肉)을 태우는 모양으로, '엉클어지다'의 뜻. 실이 엉키다의 뜻을 나타냄.

12 ⑱ [繜] 심 [平]侵 徐林切 xún

[字解] 이을 심 계속 시킴. 尋(寸部 七畫)과 同字. '一, 續也'《玉篇》.

12 ⑱ [繓] 촬 [入]曷 宗括切 zuǒ

[字解] ①맺을 촬 맴. '一, 結也'《集韻》. ②가위밥 촬 바느질하고 남은 헝겊. '一, 一曰, 縫餘也'《集韻》.

12 ⑱ [繑] 초 [平]蕭 玆消切 jiāo

[字解] ①생마(生麻) 초 누이지 않은 삼. '一, 亦作焦, 生枲未漚'《玉篇》. ②피륙이름 초 직물(織物)의 일종. ③삼뜰 초 오랜 장마로 삼이 누렇게 뜸.

12 ⑱ [繛] 〔작〕
綽(糸部 八畫〈p. 1750〉)과 同字

12 ⑱ [縢] 〔등〕
縢(糸部 十畫〈p. 1763〉)과 同字

12 ⑱ [繪] 〔회〕
繪(糸部 十三畫〈p. 1774〉)의 俗字

12 ⑱ [繜] 〔준〕 撙(手部 十二畫〈p. 905〉)과 同字 繜

[字源] 篆文 繜 形聲. 糸+尊〔音〕. '尊존'은 듬직하게 앉히다의 뜻. 여자의 허리띠의 뜻을 나타냄. 또, '撙준'과 통하여 '누르다'의 뜻을 나타냄.

[繡] 〔수〕
糸部 十三畫(p. 1773)을 보라.

12 ⑱ [繠] 예 [上]紙 如累切 ruǐ

[字解] ①늘어질 예 아래로 처짐. '珮玉一兮'《左傳》. ②무성할 예 우거짐. '一, 茸也'《廣韻》. ③미칠 예 纍(糸部 十五畫)와 통용. '一, 及也'《廣雅》.
[字源] 篆文 繠 形聲. 糸+惢〔音〕. '惢예'는 '꽃술'의 뜻. '늘어지다'의 뜻을 나타냄.

◉纍繠.

12 ⑱ [繖] 철 [入]屑 直列切 zhé

[字解] 옷해어질 철 옷이 해어짐. 누더기. '一, 衣破'《集韻》.
[參考] 繖(糸部 十二畫)은 別字.

13 ⑲ [繡] [人名] [一] 수 [去]宥 息救切 xiù [二] 소 [平]蕭 先彫切 xiāo 绣 繡

[筆順]

[字解] [一] ①수 수 자수. '五采備, 謂之一'《周禮》. ②수놓을 수 '鴛鴦一了從教看'《元好問》. ③비단 수 무늬 있는 비단. 또, 그 옷. '錦一'. '衣一夜行'《史記》. ④성 수 성(姓)의 하나. [二] 생초 소 생명주. 綃(糸部 七畫)와 통용. '一黼丹朱中衣'《禮記》.
[字源] 篆文 繡 形聲. 糸+肅〔音〕

[繡局 수경] 수놓은 문짝. 수호(繡戶).
[繡工 수공] 수놓는 일. 또는 자수 직공.
[繡口 수구] 수놓은 입이라는 뜻으로, 문재(文才)

가 뛰어난 사람의 재능을 이름. 수장(繡腸).
[繡毬 수구] ㉠수놓은 공. ㉡국화(菊花)의 일종. 자주 꽃이 핌.
[繡衾 수금] 비단 이불. 수놓은 비단 이불.
[繡囊 수낭] 수놓은 주머니.
[繡簾 수렴] 수를 놓은 화려한 발.
[繡履 수리] 수놓은 신.
[繡陌 수맥] 번화(繁華)한 거리.
[繡帽 수모] 수놓은 모자.
[繡文 수문] 수(繡).
[繡屛 수병] 수놓은 곡병(曲屛), 또는 병풍.
[繡佛 수불] 수놓은 부처.
[繡裳 수상] 수놓은 치마.
[繡眼兒 수안아] 동박새.
[繡衣 수의] 수를 놓은 옷.
[繡衣夜行 수의야행] 《韓》 '의수 야행(衣繡夜行)'과 같음.
[繡衣直指 수의직지] 한무제(漢武帝) 때의 벼슬 이름. 지방의 도적을 토벌하기 위하여 파견하였는데, 수의(繡衣)를 입었음.
[繡刺 수자] 수(繡). 수문(繡文).
[繡匠 수장] 수놓는 것을 업으로 삼는 사람.
[繡帳 수장] 수를 놓은 장막.
[繡腸 수장] 수놓은 창자라는 뜻으로, 시문(詩文)에 뛰어난 사람의 재능을 이름.
[繡梓 수재] 문서를 판목(版木)에 아름답게 새김. 전(轉)하여, 출판함.
[繡柱 수주] 화려하게 새기거나 단청(丹靑)한 기둥.
[繡氅 수창] 고운 깃으로 만든 옷.
[繡綵 수채] 수를 놓은 무늬 있는 비단.
[繡被 수피] 수놓은 이불.
[繡鞋 수혜] 수를 놓은 여자가 신는 신.
[繡虎 수호] 수놓은 범이라는 뜻으로, 아름다운 글을 이름.
[繡幌 수황] 수놓은 휘장.
◉錦繡. 綺繡. 文繡. 繁繡. 夜行被繡. 縟繡. 刺繡. 組繡. 藻繡. 錯繡. 綵繡. 紈繡. 繢繡. 絺繡.

13 [繑] 〔수〕
⑲ 繻(糸部 十八畫〈p. 1782〉)과 同字

13 [繩] 人名 ㊀ 승 ㊥蒸 食陵切 shéng
⑲ ㊁ 잉 ㊦徑 以證切 yìng 绳
㊂ 민 ㊤軫 弭盡切 mǐn

筆順 糸 紀 紀 紀 紀 綳 繩 繩

字解 ㊀ ①노 승 실 따위를 여러 겹 꼰 것. '一索'. '上古結一而治'《易經》. ②먹줄 승 목수가 쓰는 직선을 그리는 줄. '準一'. '惟木從一則正'《書經》. ③법 승 법도. 표준. '中程者賞, 缺一者誅'《淮南子》. ④바로잡을 승 잘못을 광정(匡正)함. '一愆糾謬'《書經》. ⑤경계할 승 '一其祖武'《詩經》. ⑥곧을 승 바름. 정직함. '一, 直也'《廣雅》. '潔白淸廉中一'《呂氏春秋》. ⑦묶을 승 '一之, 謂之縮之'《爾雅》. ⑧칭찬할 승 '一息嬀以語楚子'《左傳》. ⑨헤아릴 승 '省其文采, 以一德厚'《禮記》. ⑩이을 승 뒤를 계속함. 계승함. '一, 繼'《集韻》. ⑪성 승 성(姓)의 하나. ㊁ 알들 잉 여묾. 결실(結實)함. 孕(子部 二畫)과 통용. '秋一而芟之'《周禮》. ㊂ 끝없을 민 끊임없음. '一一, 無涯際皃'《集韻》.

字源 篆文 形聲. 糸+蠅〈省〉〔音〕. '蠅승'은 배가 불룩한 파리의 뜻. 꼰 부분이 불룩한 배와 같은 데서, '노끈'의 뜻을 나타냄.

[繩愆 승건] 과실(過失)을 바로잡음.
[繩檢 승검] ㉠바로잡고 단속함. ㉡단정한 품행.
[繩繫 승계] 끈으로 잡아맴.
[繩矩 승구] ㉠먹줄과 곡척(曲尺). ㉡법. 법도(法度). 규칙(規則).
[繩屨 승구] 미투리.
[繩糾 승규] 과실을 바로잡음.
[繩伎 승기] 줄타기. 주승지기(走繩之伎). 승희(繩戲).
[繩度 승도] ㉠법. 법도(法度). 기율(紀律). ㉡줄을 매고 험(險)한 길을 건넘.
[繩督 승독] 바로잡아 다스림.
[繩絡 승락] 이리저리 묶음.
[繩墨 승묵] ㉠먹줄. ㉡법(法). 법도(法度). 준칙(準則).
[繩縛 승박] 포승(捕繩). 또, 포승으로 묶음.
[繩削 승삭] 먹줄을 치고 깎아 냄. 반듯하게 깎음.
[繩索 승삭] 노. 새끼.
[繩牀 승상] 새끼를 맨 의자.
[繩繩 승승] ㉠연속하여 끊이지 아니하는 모양. ㉡많아서 한이 없는 모양. ㉢타이름. 경계함.
[繩外 승외] 먹줄 밖. 전(轉)하여, 법도(法度)의 범위 밖.
[繩正 승정] 법(法)에 의하여 바로잡음.
[繩祖 승조] 조상의 업적(業績)을 계승(繼承)함.
[繩準 승준] 법도(法度). 법칙. 준승(準繩).
[繩直 승직] 먹줄처럼 곧음.
[繩察 승찰] 살펴 바로잡음. 규찰(糾察).
[繩尺 승척] ㉠먹줄과 자. ㉡사물(事物)을 헤아리는 표준. ㉢법도(法度). 준칙(準則).
[繩樞 승추] 새끼로 대용(代用)한 문지도리. 빈가(貧家)의 형용.
[繩縋 승추] 바를 걸고 매달려 내려감.
[繩趨尺度 승추척도] 거동(擧動)에 법도(法度)가 있음을 이름.
[繩河 승하] 은하수. 은하(銀河).
[繩劾 승핵] 탄핵(彈劾)하여 바로잡음.
[繩鞋 승혜] 《韓》 미투리.
[繩戲 승희] 승기(繩伎).
◉巨繩. 結繩. 絞囚繩. 矩繩. 鉤繩. 糾繩. 規繩. 廂繩. 妄想繩. 負繩. 絲繩. 世繩. 申繩. 綸繩. 長繩. 赤繩. 準繩. 紙繩. 直繩. 綵繩. 推繩. 脆繩. 火繩.

13 [繪] 人名 회 ㊦隊 胡對切 huì 绘
⑲ ㊦泰 黃外切

筆順 糸 糸 紒 給 給 綸 繪 繪

字解 ①그림 회 색칠한 그림. '一畫'. 또, 수 또는 그림이 있는 피륙. '視之則錦一'《文心雕龍》. ②그릴 회 색칠하여 그림. '一事後素'《論語》.

字源 篆文 形聲. 糸+會〔音〕. '會회'는 '모으다'의 뜻. 오채(五彩)의 실을 모아 수(繡)를 놓다의 뜻에서, '그림'의 뜻을 나타냄.

[繪圖 회도] 그림.
[繪事 회사] 그림 그리는 법.
[繪事後素 회사후소] 그림을 그릴 때 백색을 제일 나중에 칠하여 딴 빛을 한층 선명하게 함. 곧, 지식을 쌓기보다도 우선 덕(德)을 닦음.
[繪像 회상] 화상(畫像).

[繪素 회소] 그림.
[繪塑 회소] 채색을 한 소상(塑像).
[繪畫 회화] 그림.
◉刻繪. 圖繪. 墨繪. 文繪. 美繪. 粉繪. 鮮繪. 素繪. 裝繪. 彩繪. 品繪. 華繪.

13 ⑲ [繮] 강 [平]陽 居良切 jiāng

[字解] 고삐 강 말의 고삐. 韁(革部 十三畫)과 同字. '鳥出樊籠馬脫—'《陸游》.
[字源] 篆文 形聲. 糸+畺〔音〕. '韁강'과 동일어(同一語) 이체자(異體字)로, '고삐'의 뜻.

13 ⑲ [繯] 현 [上]銑 胡畎切 huán

[字解] ①맬 현 잡아맴. '韋昭云, —, 繫也'《廣韻》. ②졸라맬 현 끈으로 목을 졸라맴. '—首'. ③휘감을 현, 휘감길 현 감아 얽음, 또 얽힘. ④고리 현 '紅蜺爲—'《漢書》. ⑤그물 현 '—網罝罘, 不敢出於門'《呂氏春秋》.
[字源] 篆文 形聲. 糸+睘(瞏)〔音〕. '瞏선'은 '둥근 고리'의 뜻. 실이 얽히다, 실을 휘감다의 뜻을 나타냄.

[繯首 현수] 교수형(絞首刑).

13 ⑲ [繫] [一] 감 [平]咸 古咸切 jiān [平]覃 古南切 [二] 겸 [平]鹽 苦兼切

[字解] [一] ①뜻굳게가질 감 뜻을 견지(堅持)함. '—, 堅持意'《說文》. ②입다물 감 '—, 口閉也'《說文》. ③인색할 감 '—, 慳悋'《廣韻》. [二] 뜻굳게가질 겸 [一]❶과 뜻이 같음.
[字源] 形聲. 欠+緘〔音〕

13 ⑲ [繰] [人名] [一] 소 [平]豪 蘇遭切 sāo [二] 조 [上]晧 子晧切 zǎo

[字解] [一] 켤 소 繅(糸部 十一畫)와 同字. '六七日乃盡—訖'《女仙傳》. [二] ①야청비단 조 감색 비단. 반물 비단. '—, 帛如紺色. 或曰, 深繒'《說文》. ②야청 조 반물. '紺色曰—'《廣韻》. ③통견(通絹) 조 얇고 질기게 짠 명주. '—, 謂之縑'《廣雅》.
[字源] 篆文 形聲. 糸+喿〔音〕. 본디, 반물 비단의 뜻을 나타냈으나, '繅소'와 통용하게 됨. '繅'는 고치에서 실을 켜다의 뜻.

13 ⑲ [繲] 해 [去]卦 古隘切 xiè

[字解] ①헌옷 해 낡은 옷. '—, 故衣也'《集解》. ②빨 해 옷을 세탁함. '挫鍼治—'《莊子》.
[字源] 形聲. 糸+解〔音〕

13 ⑲ [縺] [現] 달 da

[字解] 《現》매듭 달 '紇—'은 끈이나 노의 매듭.

13 ⑲ [繳] [一] 작 [入]藥 之若切 zhuó (격[俗]) [二] 교 [上]篠 古了切 jiǎo

[字解] [一] ①주살 작 오늬에 줄을 매어 쏘는 화살. 또, 그 줄. '矰—'. '思援弓—而射之'《孟子》. ②실 작 생사(生絲)의 실. '結—於矢'《易經 疏》. [二] ①얽힐 교 얼기설기 감김. 전(轉)하여, 법문(法文)에 구애함. '名家苛察—繞'《漢書》. ②바칠 교, 갚을 교 납부함. 지불함. 交(亠部 四畫)와 통용. '—, 叚借, 爲交. 今俗用爲—納字'《通訓》. ③행전 교 각반. '行縢謂之幧. 或从—'《集韻》.
[字源] 篆文 形聲. 糸+敫〔音〕. '敫교'는 '죄다'의 뜻. 주살의 줄의 뜻을 나타냄.

[繳繞 교요] ㉠얽힘. 얼기설기 감김. ㉡법문(法文)에 구애되어 작은 일에는 정통하나 대체(大體)를 모름.
[繳交 작교] 물품을 내줌.
[繳網 작망] ㉠주살과 그물. ㉡사냥하고 고기 잡는 일.
[繳矰 작증] 주살을 맨 줄과 주살.
[繳彈 작탄] 주살과 탄환.
[繳還 작환] 돌려보냄.
◉輕繳. 弓繳. 絚繳. 繁繳. 纖繳. 繩繳. 縈繳. 弋繳. 纏繳. 釣繳. 矰繳. 罾繳.

13 ⑲ [繫] 繳(前條)의 本字

13 ⑲ [繶] 억 [入]職 於力切 yì

[字解] ①끈 억 ㉠여러 가닥으로 꼰 끈이나 줄. '—, 絛也'《廣雅》. '—, 絛繩'《廣韻》. ㉡신의 가장자리를 선두르는 오색(五色)의 끈. '赤—黃—'《周禮》. ②묶을 억, 단지을 억 '—, 束也'《廣雅》.
[字源] 形聲. 糸+意〔音〕

13 ⑲ [繷] 농 [上]腫 乃湩切 nǒng

[字解] ①많을 농, 성(盛)할 농 '紛—'은 좋지 않은 사물이 많은 모양. '紛—塞路'《後漢書》. ②좋지않을 농 '紛—, 不善也'《集韻》.
◉紛繷.

13 ⑲ [繸] [一] 렴 [上]琰 良冉切 liǎn [二] 섬 [上]琰 纖琰切

[字解] [一] ①누에발다는줄 렴 '所以縣榯, 關西謂之—'《揚子方言》. ②노끈 렴 노. '—, 索也'《廣雅》. [二] 누에발다는줄 섬, 노끈 섬 [一]과 뜻이 같음.

13 ⑲ [繹] [人名] [一] 역 [入]陌 羊益切 yì [二] 석 [入]陌 施隻切 shì

[字解] [一] ①당길 역 실마리를 뽑아냄. '燕見紬—'《漢書》. ②찾을 역 근본을 찾아 캐냄. 추구(推究)함. '—味'. '—之爲貴'《論語》. ③연달을 역 잇닮. 끊이지 아니하고 계속함. '絡—不絕'. '——者, 無窮之意也'《白虎通》. ④늘어놓을 역 질서 있게 벌여 놓음. '會同有—'《詩經》. ⑤길 역 짧지 않음. '—, 長也'《廣雅》. ⑥끝날 역 '—, 終也'《廣雅》. ⑦통할 역 뜻이 통함. '—, 鄭云, 志意條達之貌'《論語 釋文》. ⑧다스릴 역 '—, 理也'《揚子方言》. ⑨클 역 '—, 大

也'《廣韻》. ⑩풀 역, 풀릴 역 얽힌 것이나 뭉친 것을 풂. '有美一人兮心不一'《宋玉》. ⑪실마리 역 단서(端緖). '神歆靈一'《揚雄》. ⑫기뻐할 역 '亦不夷一'《詩經》. ⑬제사이름 역 종묘(宗廟)의 제사 다음 날에 지내는 제사. '一祭'. '壬午猶一'《左傳》. [二] 풀 석 釋(釆部 十三畫)과 통용.

[字源] 篆文 繹 形聲. 糸+睪(睪)〔音〕. '睪역'은 양손으로 번갈아 당기다의 뜻. 실을 당기다의 뜻.

[繹味 역미] 뜻을 캠. 뜻을 음미(吟味)함.
[繹史 역사] 책 이름. 160권. 청(淸)나라 마숙(馬驌) 찬(撰). 상고(上古)부터 진말(秦末)까지의 사실(史實)을 고증하였음.
[繹騷 역소] 오래도록 시끄러운 모양. 자꾸 떠드는 모양.
[繹如 역여] 잇단 모양. 연속부절한 모양.
[繹繹 역역] ㉠잘 달리는 모양. ㉡나서 자라는 모양. ㉢조화(調和)를 이룬 모양. ㉣무궁(無窮)한 모양. ㉤고대(高大)한 모양.
◉講繹. 絡繹. 論繹. 繙繹. 思繹. 舒繹. 尋繹. 衍繹. 連繹. 演繹. 吟繹. 理繹. 紬繹. 闡繹. 追繹. 討繹.

13 ⑲ [繸] 수 [去]寘 徐醉切 suì

[字解] 인끈 수 패물(佩物)의 인(印)에 달린 끈. '一, 綬也. (註) 卽佩玉之組, 所以連繫瑞玉者, 因通謂之一'《爾雅》.

[字源] 形聲. 糸+遂〔音〕

13 ⑲ [縿] 금 [平]侵 渠今切 jīn / [去]沁 居廕切 jìn

[字解] ①실 금 '一, 絲也'《玉篇》. ②푸를 금 감색(紺色). '一, 青色, 陶隱居說, 藍染一碧所用'《篇海》.

13 ⑲ [䌰] [一] 녑 [入]葉 尼輒切 niè / [二] 업 [入]葉 逆怙切

[字解] [一] ①꿰맬 녑 '一, 縫也'《廣雅》. ②기울 녑 옷의 해어진 데를 기움. '一, 補衣'《集韻》. ③묶을 녑 붙들어 맴. '蹔拏鬟以一縛'《王延壽》. [二] 꿰맬 업, 기울 업, 묶을 업 [一]과 뜻이 같음.

13 ⑲ [纏] [一] 전 [平]先 澄延切 chán / [平]寒 唐干切 tán / [二] 단 [上]旱 徒旱切 dàn

[字解] [一] ①홑옷 전 홑겹의 옷. '礿一, 謂之襌'《揚子方言》. ②얽힐 전, 맥(脈)얽힐 전 纏(糸部 十五畫)과 同字. '動胃一緣中經維絡. (注)一緣, 謂脈纏繞胃也'《史記》. [二] ①노 단 끈. 새끼. '一, 繩也'《集韻》. ②자줏빛 단 자색(紫色). '一, 一曰, 紫色'《集韻》. ③허리띠 단 큰 띠. '一, 束腰大帶'《廣韻》. ④묶을 단 '一, 束也'《廣韻》.

13 ⑲ [繬] 색 [入]職 所力切 sè

[字解] ①합할 색 합침. '一, 合也'《廣雅》. ②꿰맬 색, 홀 색 바느질함. 누빔. '一, 縫也'《廣雅》.

13 ⑲ [繴] 벽 [入]陌 必益切 bì / 蒲革切 bó

[字解] ①분합대(分合帶) 벽 실로 짠 띠. '織絲爲帶, 謂之一'《集韻》. ②솜 벽 '給一'은 묵은 솜. 오래되어 나쁜 솜. '給一, 絮也'《集解》.

13 ⑲ [繭] [人名] 견 [上]銑 古典切 jiǎn 茧 𦃃

[字解] ①고치 견 누에고치. '蠶事既登, 分一稱絲, 效功'《禮記》. ②실 견 고치의 섬유. '輕似曳一'《何遜》. ③솜옷 견 새 솜을 둔 옷. 일설(一說)에는, 명주. 비단. 또, 그 옷. 襺(衣部 十九畫)과 통용. '重一衣裘'《左傳》. ④부르틀 견 趼(足部 六畫)과 통용. '足重一, 而不休息'《戰國策》.

[字源] 篆文 繭 古文 絸 會意. 糸+虫+芇. '芇면'은 '僅근'과 통하여, 겨우 그 몸을 덮어 가리다의 뜻이라는 설(說), 뽕〔桑〕의 象形이라는 설(說) 등이 있음. 음형상(音形上)으로는, 古文에서 알 수 있듯이, 누에의 실이 모양을 이루어 나타난 것, '고치'의 뜻으로 생각됨.

[繭繭 견견] 음성이나 호흡이 가냘프게 끊이지 아니하는 모양.
[繭館 견관] 양잠(養蠶)하는 방, 또는 집. 잠실(蠶室).
[繭眉 견미] 누에나방의 더듬이같이 가늘게 굽은 눈썹. 미인(美人)을 이름.
[繭絲 견사] ㉠명주실. ㉡고치와 실. ㉢누에고치에서 실을 뽑듯이 조세(租稅)를 계속하여 가혹하게 징수함.
[繭栗 견율] 고치나 밤만 한 크기라는 뜻으로, 송아지가 처음으로 뿔이 조그맣게 난 것을 형용한 말.
[繭蠶 견잠] 고치를 지은 누에.
[繭足 견족] ㉠발이 부르틈. ㉡전족(纏足).
[繭紬 견주] 산누에의 고치에서 켠 실로 짠 명주.
[繭綢 견주] 견주(繭紬).
[繭紙 견지] 명주실로 뜬 종이.
◉角繭. 累繭. 絲繭. 野繭. 魚繭. 玉繭. 蠶繭. 重繭.

13 ⑲ [繫] [高人] 계 [去]霽 古詣切 jì / [平]齊 牽奚切 系 𦃓

[字解] ①맬 계 ㉠동임. '解綬一其頸, 着馬枊'《蜀志》. ㉡잡아맴. '一留'. '不一之舟'《莊子》. ㉢체포하여 구금함. '械一'. '捕一豪強'《漢書》. ㉣연철(聯綴)함. '一邦國之名'《周禮》. ②매달 계, 매달릴 계 매어서 겖. 또, 걸려 있음. '一匏'. '取金印如斗大, 一肘'《晉書》. '吾豈匏瓜也哉. 焉能一而不食'《論語》. ③달릴 계 관계됨. '民命一矣'《淮南子》. ④이어질 계 잇닿음. 연접(連接)함. '南一于洛水, 北因郟山'《逸周書》. ⑤죄수 계 계류(繫留) 중의 죄인. '出輕一'《禮記》. ⑥끈 계 매는 끈. '襪一解, 自結之'《韓非子》. ⑦계사 계 주역(周易)의 괘(卦)의 설명. '一辭'.

[字源] 篆文 繫 形聲. 糸+毄〔音〕. '毄계'는 수레와 수레가 맞닿아 부딪치다의 뜻. 특히, '이어지다'의 뜻을 나타내기 위해, '糸멱'을 덧붙였음.

[繫絚 계긍] 동아줄을 맴.
[繫羈 계기] 계미(繫縻).
[繫纜 계람] 닻줄을 맴. 배를 맴.

[繫驢橛 계려궐] 나귀를 매는 말뚝. 쓸모없는 사람을 이름.
[繫戀 계련] 대단히 연모(戀慕)함.
[繫攣 계련] 매임. 걸림.
[繫累 계루] 몸에 얽매인 누(累). 계루(係累).
[繫留 계류] 붙잡아 매어 둠. 잡아맴.
[繫馬 계마] ㉠말을 맴. ㉡마구간에 매 놓은 말.
[繫縻 계미] 잡아맴.
[繫泊 계박] 배를 매어 둠.
[繫縛 계박] 묶음. 결박함.
[繫臂之寵 계비지총] 궁녀(宮女)로서 군주에게서 받는 특별한 총애.
[繫辭 계사] ㉠문왕(文王)이 주역(周易)의 괘효(卦爻)를 설명한 글. ㉡공자(孔子)가 주역을 설명한 글. ㉢명제(命題)의 주사(主辭)와 빈사(賓辭)를 맺어 긍정 또는 부정의 뜻을 나타내는 말. 예컨대, '甲爲乙'·'甲非乙'의 '爲'·'非'.
[繫索 계삭] 잡아매는 줄.
[繫船 계선] 배를 맴. 또는 매어 둔 배.
[繫紲 계설] 계미(繫縻).
[繫世 계세] 세계(世系)를 적은 책. 족보(族譜). 보첩(譜牒).
[繫束 계속] 계박(繫縛).
[繫屬 계속] 맴. 또, 매임.
[繫鎖 계쇄] ㉠잡아매는 쇠사슬. ㉡자유를 구속하는 것. 기반(羈絆).
[繫獄 계옥] 감옥에 가둠.
[繫畜 계축] 목축(牧畜).
[繫縶 계칩] 계박(繫縛).
[繫縶 계칩] 자유의 구속을 당하여 집에 들어 있음.
[繫匏 계포] 걸려 있는 바가지. 곧, 하는 일 없이 세월을 보냄의 비유.
[繫風捕影 계풍포영] 바람을 잡아매고 그림자를 잡는다는 뜻으로, 헛수고함의 비유. 계풍 포영(系風捕影).
◉檢繫. 輕繫. 械繫. 官繫. 拘繫. 毆繫. 羈繫. 縲繫. 襪繫. 誣繫. 泊繫. 絆繫. 束繫. 頌繫. 囚繫. 收繫. 宿繫. 業繫. 連繫. 列繫. 繞繫. 冤繫. 罝繫. 纏繫. 組繫. 踵繫. 坐繫. 徵繫. 捕繫. 劾繫.

13 ⑲ [繴] 벽 ㊀錫 北激切 bì

字解 새그물 벽 새를 잡기 위하여 끌채 위에 치는 그물. '—謂之罿, 罿, 罬也, 罬謂之罦, 罦, 覆車也'《爾雅》.

字源 金文 篆文 形聲. 糸+辟〔音〕. '羉벽'과 동일어(同一語) 이체자(異體字)로, 끌채 위에 친 '새잡이 그물'의 뜻.

14 ⑳ [繻] ▣ 수 ㊥虞 相兪切 xū ▣ 유 ㊥虞 人朱切 rú 𦈡

字解 ▣ ①명주 수 올이 가늘고 톡톡한 명주. '—有衣袽'《易經》. ②명주조각 수 ㉠옷단에 대는 작은 명주 조각. ㉡관문(關門) 출입의 부신(符信)으로 쓰는 명주 조각. '關吏予軍—'《漢書》. ▣ 명주 유, 명주조각 유 ㊀과 뜻이 같음.

字源 篆文 形聲. 糸+需〔音〕. '需수'는 보드라움의 뜻. 보드라운 실, 얇은 명주의 뜻.

◉契繻. 軍繻. 符繻.

14 ⑳ [繼] 高人 계 ㊦霽 古詣切 jì 继

筆順 糸 糸 糸 糸 糸 糸 繼 繼

字解 ①이을 계 ㉠이어 나감. '—續'. '善—人之志'《中庸》. ㉡이어받음. '—承'. '—主君'《周禮》. ㉢계통을 이음. '—絕世'《論語》. ㉣이어. 계속하여. '—而有師命'《孟子》. ②맬 계 잡아맴. 겲. 繫(糸部 十三畫)와 통용. '羣下—望'《後漢書》. ③후계 계 대(代)를 이을 사람. 후사(後嗣). '覲禮高禖, 祈廟嗣—'《揚雄》.

字源 金文 篆文 篆文 別體 象形. 본래 실을 잇는 모양을 본떠, 잇다의 뜻을 나타냄. 篆文은 그것에 다시 '糸멱'을 덧붙여, 糸+㡭〔音〕의 形聲.

參考 継(糸部 七畫)는 俗字.

[繼繼 계계] 차례차례로 계승(繼承)하는 모양.
[繼繼承承 계계승승] 자자손손(子子孫孫)이 대(代)를 이어 가는 모양.
[繼姑 계고] 남편의 계모(繼母).
[繼軌 계궤] 전인(前人)의 길을 이어받음.
[繼代 계대] 대를 이음.
[繼糧 계량] 추수(秋收)한 것으로 1년 양식을 이어 감.
[繼母 계모] 아버지의 후취(後娶).
[繼武 계무] 앞사람의 보무(步武)를 따름. 앞사람의 걸음걸이에 맞추어 바로 뒤따라 걸음. 전(轉)하여, 전인(前人)의 하던 일을 이음.
[繼配 계배] ㉠계실(繼室). ㉡《韓》죽은 계실(繼室).
[繼夫 계부] 다시 시집가서 맞은 남편.
[繼父 계부] ㉠아버지를 이음. ㉡어머니의 후부(後夫)로서 자기를 길러 준 사람.
[繼嗣 계사] 후사(後嗣).
[繼序 계서] 계승하는 차례.
[繼緖 계서] 뒤를 이어받음.
[繼紹 계소] 이어받음.
[繼續 계속] ㉠끊이지 아니하고 잇대어 나아감. ㉡끊어진 것을 다시 이음.
[繼受 계수] 계승(繼承).
[繼述 계술] 전인(前人)이 하던 일이나 뜻을 이어감.
[繼襲 계습] 계승(繼承).
[繼承 계승] 뒤를 이어받음.
[繼室 계실] 후취의 아내. 후실(後室).
[繼業 계업] 선인(先人)의 업을 이음.
[繼隕 계운] 연이어 죽음.
[繼貳 계이] 계사(繼嗣).
[繼子 계자] 자기가 낳지 않은 아들.
[繼蹤 계종] 뒤를 이음.
[繼志 계지] 전인(前人)의 뜻을 이음.
[繼纘 계찬] 이어받음.
[繼妻 계처] 계실(繼室).
[繼體 계체] 조상의 유체(遺體)를 이음. 선대(先代)의 뒤를 이어받음.
[繼體之君 계체지군] 황태자.
[繼娶 계취] 두 번째 드는 장가.
[繼統 계통] 임금의 계통(系統)을 이음.
[繼和 계화] 남의 뒤를 받아 노래를 부르거나 시를 지음.
[繼後 계후] 계사(繼嗣).
[繼興 계흥] 계속하여 흥함.

◉過繼. 常繼. 紹繼. 承繼. 聯繼. 傳繼. 纘繼. 天繼. 表繼. 後繼.

14 ⑳ [繽] 人名 빈 ㊥眞 匹賓切 bīn 缤

字解 많을 빈, 성할 빈, 어지러울 빈 많이 뒤섞여 어지러운 모양. 또, 많고 성(盛)한 모양. '一紛'. '九疑一其竝迎'《楚辭》.
字源 形聲. 糸+賓[音]. '賓빈'은 '주름지다'의 뜻. 실처럼 어지럽게 얽히는 모양을 나타냄.

[繽翻 빈번] 여럿이 뒤섞여 나는 모양.
[繽紛 빈분] ㉠많고 성(盛)한 모양. ㉡어지러운 모양. 얽힌 모양. ㉢꽃 같은 것이 떨어져 어지럽게 흩어지는 모양.
[繽繽 빈빈] 많은 모양. 또, 어지러운 모양.

14 ⑳ [繾] 견 ㊤銑 去演切 qiǎn 缱

字解 곡진할 견 '一綣'은 ㉠곡진(曲盡)한 모양. 간곡하게 정성을 다 들이는 모양. '以謹繾綣'《詩經》. ㉡서로 정이 깊이 들어서 떨어지지 아니하는 모양. 마음속에 맹세하여 배반하지 않는 모양. '一綣從公'《左傳》.
字源 篆文 形聲. 糸+遣[音]

[繾綣 견권] 자해(字解)를 보라.

14 ⑳ [繢] 궤 ㊦寘 求位切 huì

字解 토끝 궤 토끝. 베를 짠 나머지. '一, 織餘也, 或从貴'《集韻》.

14 ⑳ [纁] 훈 ㊥文 許云切 xūn 纁

字解 분홍빛 훈 엷은 적색(赤色). '三入爲一'《周禮》. 또, 그 빛깔의 명주. '一裳純衣'《儀禮》.
字源 金文 篆文 形聲. 糸+熏[音]. '熏훈'은 잘 타지 않고 연기를 내다, 그슬리다의 뜻으로, 담홍(淡紅), 좀 어둡다의 뜻이 있음.

[纁裳 훈상] 분홍빛의 치마.
[纁襦 훈유] 분홍빛의 짧은 속옷.
[纁朱 훈주] 검붉은 빛.
[纁黃 훈황] 황혼(黃昏)의 빛. 전하여, 황혼.
◉詩纁. 深纁. 玄纁.

14 ⑳ [繶] 은 ㊤吻 於謹切 yǐn

字解 꿰맬 은 마주 꿰맴. '一, 縫衣也'《玉篇》. '一, 一曰, 縫衣相合'《集韻》.

14 ⑳ [纙] 도 ㊦號 大到切 dáo

字解 초록빛 도 연두색. 황록색. '一, 綠也'《集韻》.

14 ⑳ [繿] 〔람〕
襤(衣部 十四畫〈p. 2079〉)과 同字

14 ⑳ [繅] 〔소〕
繅(糸部 十一畫〈p. 1768〉)의 本字

14 ⑳ [纏] 〔전〕
纏(糸部 十五畫〈p. 1779〉)의 俗字

14 ⑳ [辮] 변 ㊤銑 薄泫切 biàn 辮

字解 ①땋을 변 머리털이나 실을 엇결어 한 가닥으로 함. '交一'. '一貞亮以爲鞶兮'《張衡》. ②땋은머리 변 변발(編髮). '貴者以兩股一爲鬟髻'《唐書》.
字源 篆文 形聲. 糸+辡[音]. '辡변'은 나란히 하다, 늘어놓다, 엮다의 뜻. 실을 엮다의 뜻을 나타냄.

[辮髮 변발] 뒤로 길게 늘여 땋은 머리. 변발(編髮).
◉交辮. 條辮. 索辮. 髫辮.

14 ⑳ [纂] 人名 찬 ㊤旱 作管切 zuǎn

筆順 ⺮ 竹 笞 笪 箅 篡 纂 纂

字解 ①모을 찬 문서를 모아 엮음. 책을 편집함. 欑(木部 十九畫)과 통용. '編一'. '揚雄取其有用者, 以作訓一篇'《漢書》. ②이을 찬 계승함. 纘(糸部 十九畫)과 同字. '一乃祖服'《禮記》. '一堯之緖'《漢書》. ③붉은끈 찬 붉은 실로 꼰 끈. '錦繡一組'《漢書》. ④무늬 찬, 채색 찬 '縷一以爲奉'《國語》. '富人則車輿衣一錦'《淮南子》.
字源 篆文 形聲. 糸+算[音]. '算산'은 '정리하다'의 뜻. 모아서 정리하여 책 따위를 엮다의 뜻을 나타냄.

[纂錄 찬록] 모아 기록함.
[纂類 찬류] 모아서 유별(類別)함.
[纂成 찬성] 모아 완성함.
[纂紹 찬소] 이어받음. 승계(承繼)함. 소승(紹承).
[纂修 찬수] ㉠문서(文書)의 자료를 모아 정리함. ㉡정돈함.
[纂述 찬술] 자료를 모아 저술함.
[纂承 찬승] 이어받음. 계승함.
[纂嚴 찬엄] 계엄(戒嚴)과 같음.
[纂業 찬업] 전인(前人)의 사업을 이어받음.
[纂組 찬조] 끈.
[纂冑 찬주] 혈통을 이어받음.
[纂集 찬집] 찬집(纂輯).
[纂輯 찬집] 자료를 모아 책을 엮음. 편집함.
[纂次 찬차] 편집 자료를 모아 순서를 매김.
[纂撰 찬찬] 모아 엮음. 모아 찬술(撰述)함.
[纂纂 찬찬] 모이는 모양.
◉論纂. 嗣纂. 纏纂. 參纂. 編纂.

15 ㉑ [纆] 묵 ㊣職 莫北切 mò 纆

字解 노묵 두 겹 노. 또, 세 겹 노. '夫禍之與福兮, 何異糾一'《史記》.
字源 篆文 形聲. 糸+黑[音]. '黑흑'은 나중에, '墨묵'으로 변형(變形)됨.

[纆牽 묵견] 말의 고삐.
◉縼纆. 禍福若糾纆. 徽纆.

15 ㉑ [纈] 힐(혈本) ㊣屑 胡結切 xié 缬

字解 홀치기염색 힐 옷감의 군데군데를 묶어 물들이는 염색. 또, 그 무늬. '氷作花如—'《酉陽雜俎》. 또, 그와 같이 군데군데 점재(點在)하는 무늬. '醉眼何由作—文'《蘇軾》. 또, 그 무늬의 옷감. '奴婢不得衣綾綺—'《魏書》.
字源 形聲. 糸+頡〔音〕. '頡'은 '단단히 죄다'의 뜻. 헝겊의 여기저기를 묶어 물들이다의 뜻을 나타냄.

◉羅纈. 細纈. 碎纈. 采纈. 醉纈.

15 ㉑ [纅] 一 약 ㉧藥 以灼切 yào 二 삭 ㉧藥 式灼切 三 력 ㉧錫 狼狄切 lì

字解 一 실색고울 약 실의 색깔이 고움. '—, 絲色也. (段注) 謂之絲之色, 光采灼然也'《說文》. 二 실색고울 삭 一과 뜻이 같음. 三 실다듬을 력 '—, 治絲也'《集韻》.
字源 形聲. 糸+樂〔音〕

15 ㉑ [纊] 광 ㉮漾 苦謗切 kuàng 纩 𦈭

字解 ①솜 광 새 솜. 고운 솜. '絮—'. '絮之細者曰—'《小爾雅》. '屬—以俟絕氣'《儀禮》. ②솜옷 광 '冬日不衣綿—'《南史》. ③누에고치 광 '小人在上位, 如寢關曝—'《淮南子》.
字源 篆文 纊 別體 絖 形聲. 糸+廣〔音〕. '廣광'은 '펼치다'의 뜻. 포근하게 편 풀솜의 뜻을 나타냄.

[纊縑 광겸] 솜과 합사로 짠 비단.
◉綿纊. 發纊. 白纊. 絮纊. 纖纊. 屬纊. 旒纊. 黈纊. 重纊. 寢關曝纊. 曝纊. 挾纊.

15 ㉑ [續] 中人 속 ㉧沃 似足切 xù 续 𦈏

筆順 糸 紶 紼 綪 續 續 續 續

字解 ①이을 속 ㉠연이음. 이어짐. 계속함. '連—'. '—紝鉤邊'《禮記》. '微言之緖, 絕而復—'《晉書》. ㉡이어 댐. 이어 닮. '貂不足, 狗尾—'《晉書》. ㉢뒤를 이음. 계승함. '—襲'. '紹—昆裔'《國語》. ㉣이어 맴. '以馬羈相—'《魏志》. ②계속 속 전철(前轍)을 밟는 일. 되풀이. '此亡秦之—耳'《史記》. ③공 속 공적(功績). '伯尊其無—乎'《穀梁傳》. ④전(傳)해질 속 '教順施—'《淮南子》. ⑤속(贖)할 속 '刑者不可復—'《史記》. ⑥성 속 성(姓)의 하나.
字源 甲骨文 𦃃 篆文 續 古文 賡 形聲. 糸+賣〔音〕. '賣육'은 '屬속'과 통하여, '연잇다, 계속하다'의 뜻. 실이 연달아 이어지다의 뜻에서, '잇다, 잇따르다'의 뜻을 나타냄.
參考 続(糸部 七畫)은 俗字.

[續刊 속간] 신문·잡지 등이 일시 정간(停刊)되었다가 다시 계속하여 간행(刊行)함.
[續稿 속고] 원고를 계속하여 씀. 또, 그 원고.
[續短斷長 속단단장] 긴 것을 잘라 짧은 것에 이음. 곧, 장단(長短)이 같게 함.
[續發 속발] 계속하여 발생함.
[續生 속생] 속발(續發).
[續續 속속] 계속하여 끊어지지 아니하는 모양.
[續襲 속습] 이어받음.
[續載 속재] 계속하여 실음. 연재(連載)함.
[續貂 속초] '초부족구미속(貂不足狗尾續)'과 같음.
[續出 속출] 계속하여 나옴.
[續編 속편] 정편(正編)에 잇달아서 지은 책.
[續行 속행] 계속하여 행(行)함.
[續絃 속현] 재취(再娶). 금슬(琴瑟)을 부부(夫婦)에 비유하여 상처(喪妻)하는 것을 단현(斷絃)이라 하고 재취하는 것을 '續絃'이라 함.
◉更續. 繼續. 膠續. 斷續. 補續. 似續. 嗣續. 相續. 紹續. 迸續. 延續. 連續. 永續. 陸續. 轉續. 接續. 存續. 持續. 纘續.

15 ㉑ [纏] 人名 전 ㊤先 直連切 chán ㉮霰 持碾切 缠 𦈲

字解 ①얽을 전, 얽힐 전 '—縈'. '—緜'. '舊說—於胸中'《傳習錄》. ②감을 전, 감길 전 '—足'. '—繞'. '腰—十萬貫'《殷芸小說》. ③묶을 전 '—, 束也'《廣雅》. '—, 約也'《玉篇》. ④줄 전 끈. 새끼줄. '儋—采薪'《淮南子》. ⑤끌 전 견인(牽引)함. '質弱易版—'《謝靈運》. ⑥밟을 전 궤도를 따라 순행함. 躔(足部 十五畫)과 통용. '歲—星紀'《漢書》. ⑦성 전 성(姓)의 하나.
字源 篆文 纏 形聲. 糸+廛〔音〕. '廛전'은 '帶대'와 통하여, 띠를 두르다의 뜻. 끈을 매다, 두르다의 뜻을 나타냄.

[纏牽 전견] 얽어맴. 속박(束縛).
[纏結 전결] 동여맴.
[纏繫 전계] 동여맴.
[纏裹 전과] 감아 쌈.
[纏繳 전교] 휘감음.
[纏頭 전두] 배우·기생 등에게 주는 돈. 화대. 행하(行下).
[纏絡 전락] 얽힘. 감김.
[纏綿 전면] 전면(纏緜).
[纏緜 전면] 사랑이나 근심 같은 것이 마음에 얽히고 설키어 떠나지 아니함.
[纏縛 전박] 동여맴. 전(轉)하여, 계루(繫累). 속박(束縛).
[纏索 전삭] 밧줄. 감옥.
[纏束 전속] 동여 묶음.
[纏身 전신] 몸에 휘감김. 책임을 짐.
[纏縈 전영] 얽음.
[纏繞 전요] 휘감음. 전(轉)하여, 계루(繫累).
[纏足 전족] 피륙으로 발을 감아서 작게 만드는 중국 여성의 풍속. 또, 그 발.
[纏着 전착] 감겨 달라붙음.
[纏纂 전찬] 모아 정리함.
◉牽纏. 結纏. 拘纏. 糾纏. 擔纏. 縛纏. 扳纏. 邪纏. 星纏. 縈纏. 腰纏. 紆纏. 包纏.

15 ㉑ [纋] 우 ㊤尤 於求切 yōu ㊤尤 烏侯切

字解 ①비녀가운데가늘 우 비녀〔笄〕의 가운데가 잘록함. '笄中央狹曰—'《集韻》. ②댕기 우 비녀 허리에 말아 머리를 고정시키는 헝겊. '—, 笄巾'《廣韻》. ③덧머리 우 비녀 허리를 감는 다리. '—, 笄之中央髮'《玉篇》.

15 ㉑ [䌨] 一 찰 ㉧曷 七曷切 cā 二 채 ㉮泰 七蓋切 cài

[字解] [一] ①오글명주 찰 오글오글한 주름이 잡히게 짠 얇은 비단. '一, 綃縠也'《玉篇》. ②얇은비단 찰 '一, 綃屬'《集韻》. [二] 와삭거릴 채 얇은 비단이 서로 스쳐 나는 소리. '綃紈綷一'《潘岳》.
[字源] 形聲. 糸+蔡〔音〕

15 ㉑ [纉] 〔찬〕
纘(糸部 十九畫〈p. 1782〉)의 俗字

15 ㉑ [纎] 〔섬〕
纖(糸部 十七畫〈p. 1781〉)의 俗字

15 ㉑ [纇] 뢰 [去]隊 盧對切 lèi 纇

[字解] ①마디 뢰 실의 두두룩하게 뭉친 부분. 또, 그 실. '絲之結一'《淮南子》. 전(轉)하여, 사물의 갈등(葛藤). '治條疏一'《唐書》. ②어그러질 뢰 마음에 어그러짐. '忿一無期'《左傳》. ③꽃봉오리 뢰 가지에 달린 꽃봉오리. '野杏正破一'《梅堯臣》. ④흠 뢰 흠집. 흠절. '明月之珠不能無一'《淮南子》. ⑤잘못 뢰 허물. 과오. '凡人之愆尤, 皆曰一'《說文 段注》. ⑥치우칠 뢰 공평하지 않음. '一, 不平也'《左傳 疏》.
[字源] [篆文] 形聲. 糸+頪〔音〕. '頪뢰'는 서로 비슷한 낟알의 뜻. 실에 생긴 알갱이, 곧 '매듭'의 뜻을 나타냄.

◉結纇. 微纇. 忿纇. 疵纇. 瑕纇. 花纇. 荒纇.

15 ㉑ [纍] 루 [平]支 力追切 léi 累

[字解] ①연이을 루, 연이어질 루 연속한 모양. '一, 聯絡貌'《正字通》. '一一乎端如貫珠'《禮記》. ②고달플 루 피로하여 기운이 없는 모양. '一一若喪家之狗'《史記》. ③쌓일 루 겹겹이 쌓인 모양. '印何一一'《漢書》. ④가둘 루, 갇힐 루 잡아 가둠. 구금됨. '一囚'. '一紲'. '不以一臣釁鼓'《左傳》. ⑤얽힐 루 얼기설기 감김. '葛藟一之'《詩經》. ⑥매달릴 루 높은 데 걸림. '甘瓠一之'《詩經》. ⑦바 루 굵은 줄. '以劍斫絕一'《漢書》. ⑧갑옷그릇 루 갑옷을 넣는 그릇. '不解一'《國語》. ⑨원사자 루 원죄(冤罪)로 죽은 사람. '欽弔楚之湘一'《漢書》. ⑩화(禍)부를 루 그것이 원인으로 화가 됨. '骨一其肉'《太玄經》. ⑪성 루 성(姓)의 하나.
[字源] [篆文] 形聲. 糸+畾〔音〕. '畾뢰'는 '거듭하다'의 뜻. 실을 거듭하여 매다, 실을 휘감다의 뜻을 나타냄.

[纍纍 누누] ㉠실지(失志)한 모양. 뜻을 펴지 못하는 모양. ㉡피로한 모양. 여윈 모양. ㉢연속한 모양. ㉣여러 겹으로 쌓인 모양.
[纍纍 누루] 누누(纍纍).
[纍紲 누설] ㉠잡혀 갇힘. ㉡포승(捕繩). ㉢옥(獄).
[纍囚 누수] 옥에 갇힘. 또, 그 사람.
[纍垂 누수] ㉠쇠약(衰弱)하여 고달픈 모양. ㉡축 처짐.
[纍臣 누신] 옥에 갇힌 신하.
◉係纍. 魁纍. 羈纍. 僕纍. 湘纍. 族纍.

16 ㉒ [纄] 거 [上]語 苟許切 jǔ

[字解] 말더듬을 거, 말막힐 거, 부끄러워할 거 '藉靡舌一.(注)舌一, 未詳. 或曰, 莊子云, 公孫龍, 口呿而不合, 舌舉而不下, 謂辭窮. 亦恥辱也'《荀子》.

16 ㉒ [䌭] 균 [平]眞 俱倫切 jūn

[字解] 묶을 균 묶음. '一, 束也, 或作䊵'《集韻》.

16 ㉒ [纑] 로 [平]虞 落胡切 lú 纑

[字解] ①실 로 무명 또는 삼의 섬유로 만든 실. '教女學紡一'《趙孟頫》. ②누일 로 삼이나 명주실을 누임. '妻辟一'《孟子》. ③삼 로 삼과(科)에 속하는 식물. 줄기 껍질의 섬유로 삼실을 만듦. '山西饒材竹穀一'《史記》. ④삼베 로 마포(麻布). '吾衣任穀一'《皮日休》. ⑤설필 로 곱지 않고 거칢. '惡土地之次曰五一'《管子》.
[字源] [篆文] 形聲. 糸+盧〔音〕. '盧로'는 '검다'의 뜻. 생사(生絲)에 비해 거무스레한 삼실의 뜻을 나타냄.

◉紡纑. 辟纑.

16 ㉒ [䌩] 빈 [平]眞 符眞切 pín

[字解] 옷방망이질할 빈 옷을 방망이로 두들겨 다듬이질함. '一, 擣衣'《廣雅》.

16 ㉒ [䌳] 력 [入]錫 狼狄切 lì

[字解] 새끼줄칠 력 새끼줄을 침. 세력 범위를 표시함. '一, 繩爲界埒也'《集韻》.

16 ㉒ [䌫] 〔람〕
纜(糸部 二十一畫〈p. 1783〉)의 俗字

16 ㉒ [䊶] 〔산〕
繖(糸部 十二畫〈p. 1772〉)의 本字

16 ㉒ [䌜] 〔계〕
繼(糸部 十四畫〈p. 1777〉)의 本字

16 ㉒ [纒] 〔전〕
纏(糸部 十五畫〈p. 1779〉)의 俗字

17 ㉓ [纓] [人名] 영 [平]庚 於盈切 yīng / [去]敬 於正切 纓

[字解] ①갓끈 영 갓에 맨 끈. '滄浪之水, 清兮可以濯我一'《孟子》. ②노 영, 새끼 영 승삭(繩索). '請一繫南粤'《魏徵》. ③가슴걸이 영 말 가슴에 걸어 안장에 매는 가죽 끈. 馬(部首) 참조. '馬一'. '絡一'. '薦馬一三就'《儀禮》. ④감을 영 휘휘 감음. '一情於好爵'《孔稚圭》.

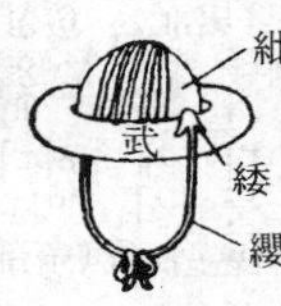

[纓①]

[字源] [篆文] 形聲. 糸+嬰〔音〕. '嬰영'은 목걸이를 하다의 뜻. '갓끈'의 뜻을 나타냄.

[纓冠 영관] 갓끈을 맴.
[纓絡 영락] 구슬을 꿰어 만든 장신구(裝身具). 머리·목·가슴에 걺.

[纓綏 영수] 갓끈과 인끈.
[纓紳 영신] 갓끈과 대대(大帶). 전(轉)하여, 높은 벼슬아치.
[纓緌 영유] 갓끈과 그 매듭에서 늘어진 부분. 전(轉)하여, 현귀(顯貴)한 사람.
◉冠纓. 羅纓. 絡纓. 馬纓. 繁纓. 玉纓. 氂纓. 簪纓. 長纓. 皁纓. 組纓. 珠纓. 紅纓. 華纓.

17 ㉓ [纖] 人名 섬 ㊥鹽 息廉切 xiān 纤 䊹

筆順 糹 紩 紵 絍 纎 纖 纖 纖

字解 ①가늘 섬, 작을 섬 미세함. 잚. '一細'. '剖一入冥'《蔡邕》. ②자세할 섬 정밀함. '一密'. '春秋義一'《論衡》. ③고운비단 섬 곱고 얇은 비단. '被文服一'《楚辭》. ④가는베 섬 올이 고운 베. 세포(細胞). '一七日'《史記》. ⑤가는 줄 섬 가는 실. 세선(細線). '一維'. '縷積于一'《賈餗》. ⑥아낄 섬 검소함. 인색함. '一嗇'. '周人旣一'《史記》. ⑦고울 섬 가냘프고 예쁨. '一一玉手'. '腰一蔑楚媛'《江洪》. ⑧찌를 섬 칼로 찌름. '其刑罪則一剸'《禮記》. ⑨소수(小數)이름 섬 천만분의 일(一). 미(微)의 십분의 일.

字源 篆文 纖 形聲. 糸+韱[音]. '韱섬'은 '부추'의 뜻. 가냘픈 실의 뜻을 나타냄.

[纖角 섬각] 가늘고 뾰족한 뿔.
[纖介 섬개] 섬개(纖芥).
[纖芥 섬개] ㉠티끌. 먼지. 전(轉)하여, 근소(僅少). 썩 작은 사물. ㉡조금 마음에 걸림.
[纖鉅 섬거] 가늚과 큼. 거세(鉅細). 홍섬(洪纖).
[纖徑 섬경] 가늘고 약한 줄기.
[纖過 섬과] 극히 사소한 잘못. 작은 잘못.
[纖巧 섬교] 섬세하고 교묘함.
[纖垢 섬구] 조금의 때.
[纖刀 섬도] 가는 칼.
[纖羅 섬라] 고운 비단. 얇고 촘촘한 비단.
[纖麗 섬려] 날씬하고 아름다움.
[纖離 섬리] 옛날의 준마(駿馬)의 이름.
[纖悋 섬린] 인색함. 섬색(纖嗇).
[纖毛 섬모] 가는 털.
[纖妙 섬묘] 가늘고 묘함.
[纖眉 섬미] 가는 눈썹. 미인의 아름다운 눈썹. 아미(蛾眉).
[纖微 섬미] 섬세(纖細).
[纖靡 섬미] 작고 아름다움.
[纖密 섬밀] 면밀(綿密)함.
[纖魄 섬백] 초승달. 섬월(纖月). 백(魄)은 월(月).
[纖嗇 섬색] 인색(吝嗇)함.
[纖纖 섬섬] ㉠가늘고 고운 모양. 날씬한 모양. 또, 가냘픈 모양. ㉡가늘고 뾰족한 모양. ㉢작거나 잔단 모양. ㉣조심성 있는 모양.
[纖纖弱質 섬섬약질] 가냘픈 몸.
[纖纖玉手 섬섬옥수] 가냘프고 고운 여자(女子)의 손. 미인(美人)의 손.
[纖細 섬세] 가늚. 작음. 미세(微細)함.
[纖疎 섬소] 체격(體格)·구조(構造) 등이 가냘픔.
[纖手 섬수] 섬섬옥수(纖纖玉手).
[纖身 섬신] 가냘픈 몸. 또, 날씬한 몸.
[纖悉 섬실] 미세(微細)한 데까지 두루 미침.
[纖兒 섬아] 어린아이. 소아(小兒).
[纖阿 섬아] ㉠달의 신(神). 월신(月神). ㉡여자의 아름다운 모양.
[纖惡 섬악] 작은 나쁜 짓.
[纖埃 섬애] ㉠티끌. 먼지. ㉡근소(僅少). 또, 썩 작은 사물.
[纖壒 섬애] 섬애(纖埃).
[纖弱 섬약] ㉠가냘픔. ㉡가늘고 고움. 날씬함.
[纖姸 섬연] 가늘고 아름다움. 날씬함.
[纖艷 섬염] 날씬하고 가냘픈 아름다움.
[纖葉 섬엽] 가는 잎. 세엽(細葉).
[纖銳 섬예] 가늘고 날카로움.
[纖翳 섬예] 조금 구름이 낌. 또, 어두운 작은 그늘.
[纖婉 섬완] 섬염(纖艷).
[纖腰 섬요] 가늘고 고운 허리. 미인(美人)의 날씬한 허리.
[纖腰娘 섬요랑] 허리가 날씬한 예쁜 여자.
[纖縟 섬욕] 장식(裝飾)이 섬세하고 단청(丹靑)이 휘황(輝煌)함.
[纖月 섬월] 초승달.
[纖柔 섬유] ㉠섬약(纖弱). ㉡가늘고 고우며 부드러움.
[纖維 섬유] 생물체(生物體)를 조직(組織)하는 가는 실 같은 물질. 또, 그와 비슷한 직물(織物).
[纖人 섬인] 가냘픈 사람. 약질. 약골(弱骨).
[纖疵 섬자] 섬하(纖瑕).
[纖長 섬장] 가늘고 긺.
[纖剸 섬전] 잘게 저밈. 가늘게 썲.
[纖條 섬조] 가는 가지.
[纖指 섬지] 가는 손가락. 미인의 손가락.
[纖塵 섬진] 티끌. 먼지.
[纖質 섬질] 사소한 재능.
[纖毳 섬취] 솜털.
[纖瑕 섬하] 작은 하자(瑕疵). 자그마한 흠.
[纖形 섬형] 가는 몸. 수척한 몸.
[纖毫 섬호] 가는 털. 전(轉)하여, 근소(僅少). 썩 작은 사물.
◉輕纖. 穠纖. 微纖. 玉纖. 纖纖. 脩纖. 至纖. 珍纖. 尖纖. 洪纖.

17 ㉓ [纕] 양(①-③ 상㊍) ①-③㊥陽 息良切 xiāng ㊥陽 如陽切 ráng ④㊤養 汝兩切 rǎng

字解 ①띠 양 허리띠. '既替余以蕙一兮'《楚辭》. ②뱃대끈 양 말의 배에 걸쳐서 조르는 줄. 馬(部首) 참조. '懷挾纓一'《國語》. ③팔걷어붙일 양 '一, 援臂也'《說文》. ④실얽힐 양 '一, 絲絭也'《集韻》.

字源 篆文 纕 形聲. 糸+襄[音]. '襄양'은 안으로 넣다의 뜻. 피륙의 끝을 말아서 접어 넣다(팔을 걷어붙이다)의 뜻을 나타냄.

◉錦纕. 佩纕.

17 ㉓ [纔] ㊀ 재 ㊥灰 昨哉切 cái ㊁ 삼 ㊥咸 所銜切 shān 才 纔

字解 ㊀ ①겨우 재 근근이. 가까스로. '得一免'. '遠縣一至'《漢書》. ②조금 재 약간. 잠깐. '一小怠於防嚴'《歐陽修》. ㊁ ①잿빛 삼 회색(灰色). 또, 그 비단. ②밤색 삼 밤색의 비단. '一, 帛雀頭色也'《說文》.

字源 篆文 纔 形聲. 糸+毚[音]. '毚참'은 '섞이다'의 뜻. 약간 검은 기가 있거나 붉은 기가 섞인 비단의 뜻. 또, 假借하여 '겨우'의 뜻을 나타냄.

[纔至 재지] 겨우 도착함. 간신히 도착함. 방금 도착함.

17 ㉓ [繼] 계 ㊀霽 居例切 jì

字解 털붙이 계 모직물(毛織物). '一, 氈類, 織毛爲之'《廣韻》.

字源 篆文 形聲. 糸+罽〔音〕. '罽계'는 모직(毛織)·양탄자의 뜻.

17 ㉓ [綸] 약 ㊀藥 弋灼切 yào

字解 실 약 '一, 絲也'《玉篇》.

17 ㉓ [纏] 〔전〕 纏(糸部 十五畫〈p.1779〉)의 俗字

17 ㉓ [纛] 〔도·독〕 纛(糸部 十八畫〈p.1782〉)과 同字

18 ㉔ [纗] 一 수 ㊀支 姊規切 zuī 二 휴 ㊀齊 戶圭切 三 유 ㊀寘 以睡切

字解 一 ①맬 수 끈으로 맴. '一幽蘭之秋華兮'《張衡》. ②맬끈 수 매는 끈이나 줄. 二 맬 휴, 맬끈 휴 一과 뜻이 같음. 三 줄끊어질 유 '一, 絃中絕也'《廣韻》.

字源 篆文 形聲. 糸+巂〔音〕

18 ㉔ [纔] 〔재〕 纔(糸部 十七畫〈p.1781〉)와 同字

18 ㉔ [纐] 〔율〕 繘(糸部 十二畫〈p.1772〉)의 古字

18 ㉔ [纛] 一 도 ㊀號 徒到切 dào 二 독 ㊀沃 徒沃切 dú

字解 一 기 도 쇠꼬리로 장식한 큰 기(旗). 군중(軍中) 또는 천자(天子)의 거가(車駕)의 왼쪽에 세움. '黃屋左一'《漢書》. 전(轉)하여, 천자의 친정군(親征軍)을 '大一'라 함. 二 기 독 一과 뜻이 같음.

字源 形聲. 縣+毒〔音〕

[纛]

[纛馬 독마] 군대의 큰 기 독(纛)을 든 사람이 타는 말.
[纛手 독수] 군대의 큰 기 독(纛)을 드는 사람.
[纛祭床 독제상] 초례상(醮禮床)을 통속적으로 이르는 말.
[纛差備 독차비] 대가(大駕)의 앞이나 군중에서 군대의 큰 기 독(纛)을 받드는 사람.
◉鼓纛. 旗纛. 鸞纛. 狼纛. 大纛. 皃纛. 旌纛. 左纛. 陣纛.

18 ㉔ [纙] 녑 ㊀葉 尼攝切 niè

字解 ①실이음매 녑 실 이음매. '一, 絲接岐也'《六書故》. ②실다섯오리 녑 '五絲爲一, 倍一爲升, 倍升爲紌, 倍紌爲紀, ……'《西京雜記》.

19 ㉕ [纘] 人名 찬 ㊤旱 作管切 zuǎn 缵

筆順 糹 糹 糹 糹 糹 纘 纘 纘

字解 ①이을 찬 계승함. 주로, 사업에 관하여 이름. '武王一太王·王季·文王之緖'《中庸》. ②모을 찬 纂(糸部 十四畫)과 同字. '論一述之要'《容齋隨筆》.

字源 篆文 形聲. 糸+贊〔音〕. '贊찬'은 가지런히 하다, 맞추다의 뜻. 선인(先人)의 사업에 참여하여 이어받다의 뜻을 나타냄.

參考 繢(糸部 十五畫)은 俗字.

[纘繼 찬계] 이어받음. 계승함.
[纘緖 찬서] 전인(前人)의 사업(事業)을 이어받음. '緖'는 '業'.
[纘續 찬속] 찬계(纘繼).
[纘述 찬술] '찬술(纂述)'과 같음.
[纘承 찬승] 이어받음. 계승(繼承).
◉繼纘. 承纘.

19 ㉕ [纚] 一 사 ㊤紙 所綺切 xǐ 二 리 ㊀支 鄰知切 lí 三 쇄 ㊤蟹 所蟹切 sǎ 𬙊

字解 一 ①머리싸개 사 머리털을 싸는 헝겊. '緇一廣終幅, 長六尺'《儀禮》. ②떼지어갈 사 떼를 이루어 가는 모양. '一乎淫淫'《漢書》. ③잇달 사 연이음. 연속함. '輦道一屬'《漢書》. 二 ①갓끈 리 갓에 맨 끈. '紼一維之'《詩經》. ②맬 리 잡아맴. '一朱鳥以承旗'《後漢書》. 三 ①떨어질 쇄 떨어지는 모양. '落英幡一'《史記》. ②족대 쇄 반두 비슷한 어구(漁具)의 일종. '釣魴鱧, 一鰋鮋'《張衡》.

字源 篆文 形聲. 糸+麗〔音〕. '麗려'는 '짜다'의 뜻. 갓을 쓸 때 머리를 싸는 비단 헝겊의 뜻을 나타냄.

[纚纚 사사] ㉠길게 연이은 모양. ㉡올새가 곱고 빛이 고운 모양.
[纚屬 사속] 연이음. 연속(連續)함.
[纚迤 사이] 가늘고 길게 연속한 모양.
[纚乎 사호] 떼 지어 가는 모양.
◉颯纚. 緋纚. 緇纚.

19 ㉕ [纙] 라 ㊀箇 魯過切 luò

字解 ①고르지않을 라. ②마디있는실 라 '一, 一曰, 絲有節'《集韻》. ③가늘지않을 라 '一, 不細也'《廣韻》.

字源 形聲. 糸+羸〔音〕

20 ㉖ [纝] 纙(前條)의 本字

21 ㉗ [纍] 루 ㊀支 倫追切 léi

字解 ①얽힐 루 얼기설기 감김. '一纆, 絡也'《集韻》. ②검은줄 루 흑색의 굵은 끈. '一, 網絡, 論語注云, 黑索也'《廣韻》.

字源 形聲. 糸+畾〔音〕. '畾루'는 '감기다'의 뜻.

21 [纜] [人名] 람 [去]勘 盧瞰切 lǎn 缆
㉗
[字解] 닻줄 람 닻을 매다는 줄. 배를 매는 줄. '解―'. '遲日徐看錦―牽'《杜甫》.
[字源] 形聲. 糸+覽〔音〕. '覽람'은 '攬람'과 통하여, '거두다'의 뜻. 배를 거두기 위한 밧줄의 뜻을 나타냄.

[纜舸 남가] 배를 닻줄로 맴.
◉舸纜. 結纜. 繫纜. 錦纜. 收纜. 艤纜. 解纜.

21 [𦇧] 촉 [入]沃 朱欲切 zhú
㉗
[字解] 띠 촉 '―, ―帶也'《玉篇》.

23 [纞] 련 [去]霰 龍絹切 liàn
㉙
[字解] 이어질 련 끊이지 않음.
[字源] 形聲. 糸+戀〔音〕. '戀련'은 '이어지다'의 뜻.

25 [𦇹] 〔율〕
㉛ 繘(糸部 十二畫〈p. 1772〉)의 籀文

缶 (6획) 部
〔장군부부〕

0 [缶] [人名] 부 [上]有 方久切 fǒu
⑥
[筆順] ノ 𠂉 𠂒 午 缶 缶
[字解] ①장군 부, 양병 부 중두리를 뉘어 놓은 것 같은 질그릇. 배가 불룩하고, 그 가운데에 목이 좁은 아가리가 있음. 술·장을 담는 데 씀. '土―'. '瓦―'. ②질장구 부 진(秦)나라 사람은 장군을 장구를 치듯이 쳐서 노래의 장단을 맞추는 데 악기(樂器)로 썼음. '相如復請秦王, 擊―爲秦聲'《十八史略》. ③용량이름 부 사곡(四斛)을 이름.

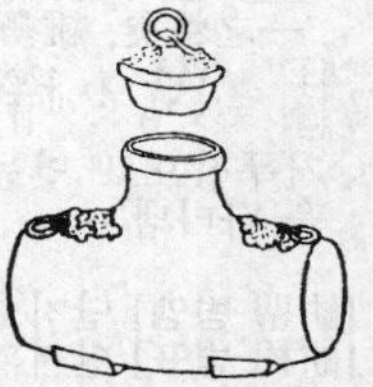
[缶①]

[字源] [金文] [篆文] 象形. 술 따위를 담는 중배가 부른 뚜껑 달린 토기(土器)의 모양을 본뜸.
[參考] '缶부'를 의부(意符)로 하여, 항아리에 관한 문자를 이룸.

◉鼓缶. 汽缶. 木罌缶. 罌缶. 瓦缶. 土缶.

0 [缶] 缶(前條)의 俗字
⑥

3 [缸] [人名] 항 [平]江 下江切 gāng
⑨
[字解] 항아리 항 질그릇의 한 가지. 열 되가 담김. '罌―'. '醯醬千―'《史記》.
[字源] [篆文] 形聲. 缶+工〔音〕. '缶부'는 '항아리'의 뜻. '工공'은 '크다'의 뜻. 큰 항아리의 뜻을 나타냄.

[缸面酒 항면주] 처음으로 익은 술.
[缸硯 항연] 항아리의 파편으로 만든 벼루. 촉(蜀)에 사는 등씨(滕氏)라는 이가 깨진 술 항아리로 벼루를 만들어 '――'이라 하였다는 말이 소철(蘇轍)의 '항연부서(缸硯賦序)'에 나옴.
◉罌缸. 玉缸. 糟缸. 酒缸. 花缸.

4 [缺] [高人] 결 [入]屑 苦穴切 quē
⑩ [入]屑 傾雪切
[筆順] ノ 𠂉 午 缶 缶 缶ㄱ 缶ᅳ 缺
[字解] ①이지러질 결 한 귀퉁이가 떨어져 나감. '―月'. '甕破缶―'《易林》. ②없어질 결 있어야 할 사물이 없어짐. '周室微, 而禮惡廢, 詩書―'《史記》. ③모자랄 결 부족함. '―乏'. '粟―于倉'《大戴禮》. ④빌 결 벼슬자리가 빔. 또, 그 자리. '開―'. '官―'. ⑤나오지않을 결 나올 자리에 빠짐. '―席'. '―勤'. ⑥궐할 결 하여야 할 일을 하지 아니함. '―禮'.
[字源] [篆文] 形聲. 缶+夬〔音〕. '缶부'는 '항아리'의 뜻. '夬결'은 후벼 내다의 뜻. 항아리의 일부가 에어져서, 일그러지다의 뜻을 나타냄.

[缺刻 결각] 무·가새뽕 같은 것의 잎과 같이 가장자리가 패어 들어간 형상.
[缺格 결격] 필요한 자격이 결여함.
[缺缺 결결] ㉠모자라는 모양. ㉡슬기가 모자라고 언행이 잔단 모양.
[缺壞 결괴] 결(缺)하여 파괴됨.
[缺口 결구] 언청이. 결순(缺脣).
[缺勤 결근] 출근(出勤)하지 아니함.
[缺落 결락] 한 귀퉁이가 떨어짐.
[缺略 결략] 빠져 모자람. 또, 빠뜨림.
[缺禮 결례] 예의를 다하지 아니함.
[缺漏 결루] 누락(漏落).
[缺籬 결리] 한 귀퉁이가 부서진 울타리.
[缺望 결망] 부족하게 여겨 원망함.
[缺本 결본] 낙질(落帙)된 책.
[缺盆 결분] 견갑골(肩胛骨)의 안쪽의 오목 들어간 곳.
[缺席 결석] 참석(參席)하지 아니함. 출석(出席)하지 아니함.
[缺損 결손] ㉠축나거나 손해가 남. ㉡계산상의 손실.
[缺脣 결순] 언청이. 결구(缺口).
[缺失 결실] ㉠이지러진 데. 흠. ㉡과오. 과실(過失).
[缺如 결여] ㉠모자라는 모양. 부족한 모양. 궐여(闕如). ㉡결연(缺然).
[缺然 결연] 만족하지 아니하는 모양. 부족해하는 모양.
[缺員 결원] 정원(定員)에서 일부가 빠져 모자람. 또, 그 인원.
[缺月 결월] 이지러진 달.
[缺積 결적] 조세나 소작료(小作料) 따위가 밀려서 쌓임.
[缺典 결전] 불완전한 전장(典章).
[缺點 결점] 부족한 점. 완미(完美)하지 아니한 점. 흠.
[缺甃 결추] 파손된 벽돌.
[缺乏 결핍] 모자람. 부족함.

[缺呀 결하] 떨어져 나가 움푹 팸. 천자(天子) 또는 귀인(貴人)의 이름을 쓸 때 휘(諱)하기 위하여 그 자(字)의 최후의 획을 빼고 쓰지 아니함.
[缺陷 결함] 완전(完全)하지 못하여 흠이 됨. 부족. 불비(不備).
[缺項 결항] 치포관(緇布冠) 따위를 쓸 때 벗어지지 않게 비녀〔笄〕 대신 목에 매는 것. 관을 잡아매는 네 개의 끈이 달렸음.

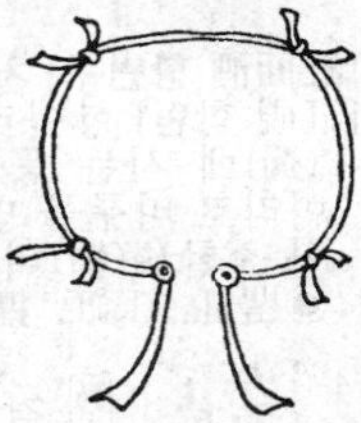
[缺項]

[缺畫 결획] 글자의 마지막의 획을 빼고 씀.
[缺朽 결후] 이지러져 썩음.
◉金甌無缺. 亡缺. 微缺. 剝缺. 補缺. 圮缺. 散缺. 損缺. 脣缺. 列缺. 嶢嶢者易缺. 圓缺. 淪缺. 殘缺. 玷缺. 點缺. 凋缺. 天柱折地維缺. 充缺. 兔缺. 頹缺. 破缺. 廢缺. 瑕缺. 虧缺.

4 ⑩ **[缼]** 缺(前條)의 俗字

4 ⑩ **[䍃]** [一] 요 [平]蕭 餘招切 yóu [二] 유 [上]尤 以周切 yóu
[字解] [一] ①항아리 요 입이 작고 배가 부른 질그릇. '罌, 淮汝之閒, 謂之—'《揚子方言》. ②가마 요 숯·질그릇·벽돌 따위를 굽는 요(窯). '—, 爲瓦器之通名. 因謂燒瓦竈爲—'《說文》. [二] 항아리 유, 가마 유 [一]과 뜻이 같음.
[字源] 篆文 形聲(會意). 缶+肴〈省〉. '肴요·유'는 '由유'·'卣유'와 통하여, '술 항아리'의 뜻. '항아리'의 뜻을 나타냄.

5 ⑪ **[䍅]** [一] 탑 [入]合 敵盍切 tà [二] 벽 [入]陌 鋪亻切
[字解] [一] ①밑납작한독 탑 '—, 下平缶也'《說文》. ②항아리 탑 '—, 甁也'《廣雅》. [二] 밑납작한독 벽, 항아리 벽 [一]과 뜻이 같음.
[字源] 形聲. 缶+乏(之)〔音〕

5 ⑪ **[䍄]** 점 [上]琰 多忝切 diǎn [去]豔 都念切
[字解] 이지러질 점 도자기의 이가 빠진 흠집. '—, 缺也. (段注) 刀缺謂之刮, 瓦器缺謂之—'《說文》.
[字源] 篆文 形聲. 缶+占〔音〕. '占점'은 '흠집'의 뜻. 질그릇의 이 빠진 흠집의 뜻. 보통, 구슬 따위의 흠집에도 이름.

5 ⑪ **[𦈢]** 〔결〕 缺(缶部 四畫〈p. 1783〉)의 本字

5 ⑪ **[缽]** 〔발〕 鉢(金部 五畫〈p. 2385〉)의 俗字

5 ⑪ **[缻]** 〔부〕 缶(部首〈p. 1783〉)와 同字

6 ⑫ **[缿]** 항(②후[本]) [上]講 胡講切 xiàng [去]宥 下遘切 hòu
[字解] ①벙어리 항 질그릇 저금통. 작은 구멍으로 돈을 넣게 되어, 깨뜨리기 전에는 꺼낼 수 없게 되어 있음. ②투서함 항 대로 만든 벙어리 모양의 밀고용(密告用) 투서함. '投—, 購告言姦'《史記》.
[字源] 篆文 形聲. 缶+后〔音〕. '后후'는 엉덩이의 구멍으로, 항문이 오므라듦의 뜻. 넣으면 꺼낼 수 없는 질그릇 저금통.

[缿筩 항통] 비밀의 문서를 넣거나 밀고하는, 대로 만든 투서함(投書函).

6 ⑫ **[缾]** 〔병〕 缾(缶部 八畫〈p. 1784〉)의 俗字

6 ⑫ **[𦉈]** 〔기〕 器(口部 十二畫〈p. 405〉)와 同字

6 ⑫ **[䍊]** [一] 교 [平]肴 居肴切 jiāo [二] 각 [入]覺 訖岳切
[字解] [一] 질장구 교 진흙으로 구워 만든 악기. '—, 樂器, 以土爲之'《廣韻》. [二] 그릇이름 각 그릇 이름. '—, 器名'《集韻》.

7 ⑬ **[䍌]** 부 [平]虞 芳無切 fū
[字解] 날기와 부 𣪍(缶部 十畫)와 同字.

8 ⑭ **[䍑]** 〔잔〕 琖(玉部 八畫〈p. 1429〉)과 同字

8 ⑭ **[罁]** 강 [平]陽 居郎切 gāng
[字解] 항아리 강 '—·缸·瓨·甌, 竝同'《正字通》.

8 ⑭ **[缾]** 병 [平]靑 薄經切 píng
[字解] 단지 병, 두레박 병 甁(瓦部 八畫)과 同字. '—之罄矣, 維罍之恥'《詩經》.
[字源] 金文 篆文 別體 形聲. 缶+幷〔音〕. '幷병'은 '합치다'의 뜻. 같은 거푸집으로 만든 반을 합쳐 만든 '단지'의 뜻을 나타냄.

[缾罌 병앵] 단지. 앵병(罌缾).
[缾杓 병표] 단지와 국자.
◉空缾. 短缾. 德缾. 銅缾. 罌缾. 磁缾. 長缾.

9 ⑮ **[䍉]** 제 [平]齊 待禮切 dì
[字解] 자배기 제 '—, 甂也, 方言, 陳魏宋謂之—, 或从缶'《集韻》.

10 ⑯ **[罃]** 앵 [平]庚 烏莖切 yīng
[字解] 물동이 앵 방화용(防火用)의 물을 담아 두는 목이 긴 병. 또, 중배가 부른 항아리. '—, 備火長頸缾也'《說文》.
[字源] 篆文 形聲. 缶+熒〈省〉〔音〕

[罃甄 앵계] 쟁반.

10 ⑯ **[𣪍]** [一] 구 [去]宥 苦候切 kòu [二] 부 [平]虞 芳無切

[字解] [一] 굽지않은그릇 구 아직 굽지 않은 질그릇. 缿(缶部 七畫)와 同字. '一, 未燒瓦器也'《說文》. [二] 굽지않은그릇 부 [一]과 뜻이 같음.
[字源] [篆文] 形聲. 缶+𣪊〔音〕

11 ⑰ [罆] 관 guàn

[字解] 그림물감단지 관 도자기(陶瓷器)에 그림을 그리는 그림물감을 담는 단지.

11 ⑰ [罅] 하 [去]禡 呼訝切 xià

[字解] ①틈 하 벌어져 사이가 난 자리. '一隙'. '不能傳合疏一'《史記》. ②갈라질 하 터져 사이가 벌어짐. '樼栗一發'《左思》.
[字源] [篆文] 形聲. 缶+虖〔音〕. '虖호'는 '呼호'와 같아, 기(氣)가 새다의 뜻. 토기(土器)에 금이 가서 공기가 샘.

[罅隙 하극] 틈.
[罅漏 하루] 갈라진 틈.
[罅裂 하열] 갈라짐.
◉孔罅. 隙罅. 明罅. 石罅. 疏罅. 巖罅. 雲罅. 林罅. 窗罅. 寸罅.

[繇] 〔요〕
糸部 十一畫(p. 1769)을 보라.

11 ⑰ [罄] 경 [去]徑 苦定切 qìng / [上]迥 棄梃切

[字解] ①빌 경 속이 텅 빔. '一, 器中空也'《說文》. ②다할 경 다 없어짐. 그릇 속이 비게 됨. '缾之一矣, 維罍之恥'《詩經》. ③다 경 모두. 빠짐없이. '一無不宜'《詩經》. ④경쇠 경 磬(石部 十一畫)과 통용. ⑤보일 경 눈에 보임. '鬼神無形者, 不一於前'《韓非子》.
[字源] [篆文] 形聲. 缶+殸〔音〕. '殸'은 고음(高音)을 내는 중국 고대(古代)의 악기, '경쇠'의 뜻. 높고 경쾌한 소리를 내는 속이 빈 토기(土器)의 뜻에서, '다하다, 가볍다'의 뜻을 나타냄.

[罄竭 경갈] 다하여 없어짐.
[罄窮 경궁] 다함. 돈 따위가 다 없어짐.
[罄匱 경궤] 경갈(罄竭).
[罄輸 경수] 다함. 있는 대로 다 들임.
[罄絕 경절] 다함. 다 없어짐.
[罄地 경지] 모든 나라.
[罄盡 경진] 경갈(罄竭).
[罄乏 경핍] 경갈(罄竭).
◉空罄. 窘罄. 室如縣罄. 凋罄. 疲罄. 虛罄. 歡罄.

12 ⑱ [罈] 〔담〕
壜(土部 十六畫〈p. 471〉)과 同字

12 ⑱ [罇] 준 [平]元 祖昆切 zūn

[字解] 준 준 술 그릇. 尊(寸部 九畫)·樽(木部 十二畫)과 同字. '合一促席'《左思》.
[字源] 形聲. 缶+尊〔音〕. '尊준'은 '술 그릇'의 뜻. '尊'이 '존중하다'의 뜻으로 쓰이게 되자, '缶부'를 붙여 구별함.

[罇罍 준뢰] 술 그릇.
◉金罇. 茶罇. 芳罇. 酒罇. 淸罇. 華罇.

12 ⑱ [䍀] 선 [去]霰 時戰切 shàn

[字解] 질그릇전 선 질그릇의 전.

13 ⑲ [罋] 옹 [去]送 烏貢切 wèng / [平]冬 於容切

[字解] ①항아리 옹 오지그릇. 甕(瓦部 十三畫)과 同字. '醯醢百一'《儀禮》. ②두레박 옹 '一, 汲器'《廣韻》.

13 ⑲ [罊] [一] 기 [去]寘 罄致切 qì / [二] 계 [去]霽 苦計切 / [三] 격 [入]陌 楷革切

[字解] [一] 그릇속빌 기 그릇 속에 아무것도 없게 됨. '一, 器中盡也'《說文》. [二] 그릇속빌 계 [一]과 뜻이 같음. [三] 그릇속빌 격 [一]과 뜻이 같음.
[字源] 形聲. 缶+毄(毄)〔音〕

14 ⑳ [罌] [人名] 앵 [平]庚 烏莖切 yīng

[字解] 항아리 앵 입이 작고 배가 부른 큰 질그릇. '以木一缶度軍'《漢書》.
[字源] [篆文] 形聲. 缶+賏〔音〕

[罌缾 앵병] 항아리.
[罌缶 앵부] 항아리.
[罌粟 앵속] 양귀비.
◉罍罌. 銅罌. 杯罌. 缾罌. 浮罌. 玉罌. 湯罌. 蟠罌. 壺罌. 毀罌.

14 ⑳ [䍃] 흔 [去]震 許愼切 xìn

[字解] 그릇태갈 흔 그릇의 깨져서 금이 감. '一, 器裂'《集韻》.

14 ⑳ [䍐] 함 ①[上]豏 戶黤切 xiàn / ②[去]勘 胡暫切

[字解] ①질그릇 함 '一, 陶器'《集韻》. ②큰항아리 함 𤮃(瓦部 十四畫)과 同字.

15 ㉑ [䍇] 알 [入]黠 牛轄切 yà

[字解] 그릇이빠질 알 그릇의 이가 빠짐. 또, 그릇이 깨어짐. '一, 器缺也'《集韻》.

15 ㉑ [罍] [一] 뢰 [平]灰 魯回切 léi / [二] 루 [平]支 倫追切 léi

[字解] [一] ①술그릇 뢰 구름무늬를 그린 단지 비슷한 오지그릇. '玉一'. '我姑酌彼金一'《詩經》. ②대야 뢰 세숫대야. '一, 盥器'《字彙》. [二] 술그릇 루, 대야 루 [一]과 뜻이 같음.
[字源] 櫑의 別體 形聲. 缶+畾〔音〕

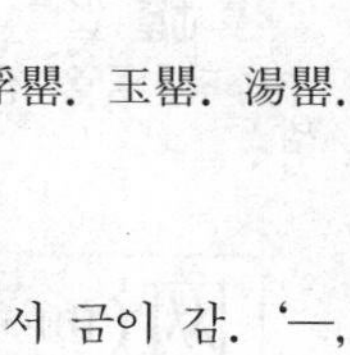
[罍[一]①]

[罍斝 뇌가] 뇌상(罍觴).
[罍觴 뇌상] 술 그릇과 술잔.
[罍罌 뇌앵] 술 그릇. 술 단지.
[罍尊 뇌준] 구름무늬를 그린 오지 술 그릇.
◉金罍. 甁罍. 玉罍. 瓦罍. 樽罍.

16 ㉒ [罏] 로 ㊥虞 落胡切 lú

字解 술그릇 로 술을 담는 준(罇). 술독. 술 항아리. '一, 罍也'《玉篇》.
字源 廬의 籒文 形聲. 缶+盧〔音〕.

16 ㉒ [罎] 〔담〕 壜(土部 十六畫〈p. 471〉)과 同字
字源 形聲. 缶+曇〔音〕.

17 ㉓ [罍] 령 ㊥靑 郞丁切 líng

字解 족자리달린질장군 령 병 비슷한데 족자리가 달린 질그릇. '一, 瓦器也'《說文》.
字源 金文 篆文 形聲. 缶+霝〔音〕.

18 ㉔ [罐] 人名 관 ㊧翰 古玩切 guàn

字解 ①두레박 관 물을 푸는 그릇. '毁絣一'《世說》. ②단지 관 물 따위를 담는 항아리나 그릇. 또, 물을 끓이는 탕관. ③《現》 통 관, 깡통 관 원통형의 용기(容器). '數人持水一子'《淸波雜誌》.
字源 篆文 形聲. 缶+雚〔音〕. '雚관'은 '황새'의 뜻. 황새 모양의 단지란 뜻일 것으로 추측됨. 물을 긷는 '단지·항아리'의 뜻을 나타냄.

网(罒·㓁·罓) (6획) 部

〔그물망부〕

0 ⑥ [网] 망 ㊤養 文兩切 wǎng

筆順 丨 冂 冂 冈 网 网

字解 그물 망 網(糸部 八畫)의 古字.
字源 甲骨文 金文 篆文 別體 別體 古文 籒文 象形. 그물을 본뜬 모양으로, '그물'의 뜻. '網망'의 原字.
參考 '网망'을 의부(意符)로 하여, 여러 가지 종류의 그물이나, 그물로 잡다 등의 뜻을 포함하는 글자를 이룸. '罒, 㓁, 罓' 등으로 변형되기도 함.

0 ⑤ [罒] 网(前條)의 略字

0 ④ [㓁] 网(前前條)의 略字

3 ⑧ [罔] 高人 망 ㊤養 文兩切 wǎng

筆順 丨 冂 冂 冂 冈 冈 罔 罔

字解 ①그물 망 網(糸部 八畫)과 同字. '結繩而爲一罟'《易經》. 전(轉)하여, 법률. 제재(制裁). '天之降一'《詩經》. ②그물질할 망 그물로 고기를 잡음. 전(轉)하여, 법률로 처벌함. '一民而可爲也'《孟子》. ③엮을 망, 얽을 망 교결(交結)함. '一薜荔兮爲帷'《楚辭》. ④없을 망 있지 아니함. '一有攸赦'《書經》. ⑤말 망 하지 말라고 이르는 말. '一淫于樂'《書經》. ⑥넘볼 망 깔봄. '偸儒而一'《荀子》. ⑦속일 망 기만함. '誣一'. '欺一'. '以爲國氏之重一己也'《列子》. ⑧어두울 망 무식한 모양. '一芒芒之無紀'《楚辭》. ⑨멍할 망 상심(喪心)한 모양. '一然若酲'《張衡》. ⑩근심할 망 수심에 잠긴 모양. '一兮不樂'《宋玉》. ⑪도깨비 망 魍(鬼部 八畫)과 同字. '一兩'.
字源 网의 別體 形聲. 网+亡〔音〕. '网망'은 그물의 象形. '亡망'은 덮어 가리다의 뜻. '网'의 음(音)을 명확히 하기 위해 덧붙였음. '그물'의 뜻. 뒤에, '糸멱'을 덧붙여, '網망'으로 됨. 또, 假借하여, '亡망'과 통하여, '없다'의 뜻도 나타냄.

[罔罟 망고] 그물.
[罔極 망극] 어버이의 은혜(恩惠)가 한이 없음.
[罔極之恩 망극지은] 한없는 은혜. 부모의 큰 은혜.
[罔極之痛 망극지통] 한없는 슬픔. 임금과 어버이의 상사(喪事)에 쓰는 말.
[罔兩 망량] ㉠그림자. 엷은 그림자. ㉡의지할 데 없는 모양. ㉢도깨비. 귀신. 망량(魍魎).
[罔罔 망망] 망연(罔然).
[罔民 망민] 백성(百姓)을 속임.
[罔赦之罪 망사지죄] 용서(容恕)할 수 없는 큰 죄(罪).
[罔然 망연] 멍한 모양. 상심(喪心)한 모양.
[罔知所措 망지소조] 창황하여 어찌할 바를 모름. 허둥지둥함.
[罔兮 망혜] 근심하는 모양. 수심에 잠긴 모양.
[罔惑 망혹] 마음이 어두워 미혹(迷惑)함.
◉姦罔. 欺罔. 誣罔. 文罔. 勿罔. 迷罔. 罘罔. 天罔. 侵罔. 敝罔. 學而不思則罔. 罕罔. 惑罔.

3 ⑧ [罗] 〔라〕 ①羅(网部 十四畫〈p. 1793〉)의 俗字·簡體字. ②囉(口部 十九畫〈p.414〉)의 簡體字.

3 ⑧ [罘] 〔군〕 軍(車部 二畫〈p. 2258〉)의 古字

3 ⑦ [罕] 人名 한 ㊤旱 呼旱切 hǎn

字解 ①그물 한 ㉠긴 자루가 달린 조망(鳥網). '一罔'. '一車飛揚'《揚雄》. ㉡토끼 잡는 그물. '一, 兎網'《字彙》. ②기 한 정기(旌旗). '荷一旗以先驅'《史記》. ③드물 한 희소함. 거의 없음. '一種'. '封禪之符一用'《史記》. 또, 드물게. 간혹. '一見'. '子一言利'《論語》. ④별이름 한 성

수(星宿)의 하나. 그 모양이 그물 같으므로 이름. 필(畢)이라고도 함. ⑤성 한 성(姓)의 하나.
[字源] 篆文 形聲. 篆文은 网+干〔音〕. '干간'은 '장대〔竿〕'의 뜻. 긴 자루가 달린 '그물'의 뜻을 나타냄.

[罕車 한거] ㉠별 이름. 필성(畢星). ㉡그물을 실은 수레.
[罕見 한견] 간혹 봄. 드물게 봄.
[罕旗 한기] 기(旗).
[罕漫 한만] 분명하지 아니한 모양.
[罕罔 한망] 그물.
[罕種 한종] 희귀한 종자.
[罕畢 한필] 천자(天子)의 의장(儀仗).
◉雲罕. 旌罕. 畢罕.

3 ⑧ [罕] 罕(前條)과 同字

4 ⑧ [罙] 미 [平]齊 緜批切 [上]紙 母婢切 mí
[字解] ①깊이들어갈 미 깊이 들어감. '—, 深入也'《集韻》. ②무릅쓸 미 '—, 冒也'《集韻》.

4 ⑨ [罘] 부 ①[平]尤 縛謀切 (fóu) ②[平]虞 芳無切 fú
[字解] ①그물 부 ㉠토끼를 잡는 그물. '—罔彌山'《史記》. ㉡사슴 잡는 그물. '畢弋罝—'《淮南子》. ㉢덮치기. 수레 채에 장치하여 새를 잡는 그물. ②면장(面墻) 부, 그물친창 부 '—罳'는 궁문(宮門) 안에 대나무 따위로 엮어 세운 담. 또, 궁문 밖에 있는 담에 낸 그물을 친 창(窓). 또, 참새·비둘기 같은 새가 앉지 못하게 하느라고 전각(殿閣)의 처마에 치는 철망.
[字源] 形聲. 罒(网)+不〔音〕

[罘罔 부망] 토끼를 잡는 그물.
[罘罳 부시] 자해(字解) ❷를 보라.

4 ⑨ [⿱罒互] 호 [去]遇 胡誤切 hù
[字解] 토끼그물 호 토끼잡이의 그물. '—, 兎網'《廣韻》.
[字源] 篆文 形聲. 网+互〔音〕. '互호'는 '짜 맞추다'의 뜻.

4 ⑨ [⿱罒厷] 횡 [平]庚 古橫切 gōng
[字解] 그물벼리 횡 '—, 網綱'《正字通》.

5 ⑩ [罛] 고 [平]虞 古胡切 gū
[字解] ①그물 고 큰 어망. '魚罟謂之—'《爾雅》. '施—濊濊'《詩經》. ②나타날 고 나타나는 모양. '睽—孛豁'《張衡》.
[字源] 篆文 形聲. 罒(网)+瓜〔音〕. '瓜과'는 위에서 크게 덮는 모양을 본뜸.

◉睽罛. 圓罛.

5 ⑩ [罝] [一] 저 [平]魚 子余切 jū [二] 자 [平]麻 子邪切 jiē
[字解] [一] 그물 저 짐승 특히 토끼를 잡는 그물. '肅肅兎—'《詩經》. [二] 그물 자 [一]과 뜻이 같음.
[字源] 篆文 別體 籒文 形聲. 罒(网)+且〔音〕. '且저'는 '포개어 쌓다'의 뜻. 실을 겹쳐 엮은 그물의 뜻을 나타냄. 別體는 网+組〔音〕. 籒文은 网+虘〔音〕.

[罝麗 저록] 토끼를 잡는 그물.
[罝罘 저부] 짐승, 특히 토끼를 잡는 그물.
[罝罦 저부] 새와 짐승을 잡는 그물.
◉禽罝. 繁罝. 罦罝. 疎罝. 兎罝.

5 ⑩ [罟] 고 [上]麌 公戶切 gǔ
[字解] ①그물 고 ㉠조망·어망 등 그물의 총칭. '鳥—'. '數—不入洿池'《孟子》. '結繩而爲罔—'《易經》. ㉡형벌. 형률(刑律). 법망(法網). '豈不懷歸, 畏此罪—'《詩經》. ②그물질할 고 그물을 쳐서 잡음. '掌—田獸'《周禮》.
[字源] 篆文 形聲. 罒(网)+古〔音〕. '古고'는 '固고'와 통하여, '단단히 가두다'의 뜻. '그물'의 뜻을 나타냄.

[罟客 고객] 고기잡이하는 사람. 어부(漁夫).
[罟網 고망] 그물. 망고(罔罟).
[罟罘 고부] 새·물고기 등을 잡는 그물.
[罟師 고사] 어부(漁夫).
[罟擭陷阱 고확함정] 그물과 덫과 함정.
◉羅罟. 罔罟. 守罟. 數罟. 獸罟. 漁罟. 撩罟. 典籍爲罟. 鳥罟. 緵罟. 罪罟. 兎罟.

5 ⑩ [罠] 민 [平]眞 武巾切 mín
[字解] ①그물 민 토끼·고라니 등을 잡는 그물. '—蹏連網'《左思》. ②낚싯줄 민 '—, 所㠯釣也'《說文》. ③낚시 민 '—, 釣也'《玉篇》.
[字源] 篆文 形聲. 罒(网)+民〔音〕. '民민'은 '旼민'과 통하여, '강행(強行)하다'의 뜻. 강제적으로 짐승을 잡는 '그물'의 뜻을 나타냄.

[罠蹏 민체] 토끼 그물.

5 ⑩ [罡] 강 [平]陽 居康切 gāng
[字解] 북두성 강 '天—'은 북두성(北斗星)의 별칭(別稱). '八月麥生, 天—據酉'《參同契》.
[字源] '剛강'의 俗字인 '㓻강'을 변형시켜서, 하늘에서 가장 강력한 별의 뜻을 나타냄.

◉天罡.

5 ⑩ [罜] [一] 주 [去]遇 之戍切 zhǔ [上]麌 腫庾切 [二] 독 [入]屋 徒谷切 dú
[字解] [一] 그물 주 작은 그물. 일설(一說)에는, 어망(魚網). '設—麗'《張衡》. [二] 그물 독 [一]과 뜻이 같음.
[字源] 篆文 形聲. 罒(网)+主〔音〕. '主주'는 등잔 접시에서 불타는 등잔불의 뜻에서, '작다'의 뜻을 나타냄.

[罜麗 주록] 작은 그물. 일설(一說)에는, 어망(魚網).

5 **[罞]** [一] 몽 [平]東 莫紅切
⑩ [二] 모 [平]肴 莫交切 máo

[字解] [一] 고라니그물 몽 '麋罟, 謂之一'《爾雅》. [二] 고라니그물 모 [一]과 뜻이 같음.

5 **[罦]** 〔부〕
⑩ 罦(网部 七畫〈p. 1788〉)와 同字

[字源] 篆文 別體 形聲. 罒(网)+包〔音〕. '包포'는 '덮어 싸다'의 뜻. 別體는 罒(网)+孚〔音〕. '孚부'는 '包'와 통함.

5 **[罝]** 〔저〕
⑨ 罝(网部 五畫〈p. 1787〉)와 同字

6 **[罣]** 괘 [去]卦 古賣切 guà
⑪

[字解] 걸릴 괘, 거리낄 괘 걸려서 방해나 상처가 됨. '心無一礙'《般若心經》.

[字源] 形聲. 罒(网)+圭〔音〕. '圭규는 '挂'와 통하여, '걸다'의 뜻. 그물에 걸리다, 방해되다의 뜻을 나타냄

[罣罳 괘시] 대나무로 만든 어레미.
[罣礙 괘애] 거리끼는 것. 장애.
[罣誤 괘오] 벼슬아치가 과실로 인하여 견책(譴責)당하는 일.

6 **[罙]** 미 [平]支 武移切 mí
⑪

[字解] ①두루다닐 미 두루 돌아다님. '一, 周行也'《大徐本說文》. ②그물 미 '一, 罟也'《廣韻》. ③깊을 미 '一, 一曰, 深也'《集韻》.

[字源] 篆文 別體 形聲. 罒(网)+米〔音〕. '그물'의 뜻. 別體는 冂+米〔音〕.

7 **[罥]** 견 ①②[上]銑 姑泫切
⑫ ③[去]霰 古縣切 juàn

[字解] ①걸 견, 얽을 견 '一, 謂以繩繫取鳥也'《華嚴經音義》. '一, 挂也'《廣韻》. ②걸릴 견 '或挂一於岑嶅之峯'《木華》. ③그물 견, 올가미 견 '一, 綰也'《廣韻》. '掉罥絕一'《揚子法言》.

[字源] 形聲. 罒(网)+肙〔音〕. '肙연'은 '繯현'과 통하여, '얽히다'의 뜻. 얽어 잡는 올가미의 뜻을 나타냄.

◉掛罥.

7 **[罦]** 부 [平]虞 芳無切 fú
⑫

[字解] ①그물 부 수레 위에 치는 조망(鳥網). '有兔爰爰, 雉離于一'《詩經》. ②가리개 부 '一罳'는 칸막이. 가리개.

[字源] 篆文 形聲. 罒(网)+孚〔音〕. '孚부'는 젖먹이를 안은 모양을 본뜸. 새나 짐승을 싸서 잡는 그물의 뜻을 나타냄.

[參考] 罦(网部 五畫)와 同字.

◉罝罦.

7 **[罠]** 랑 [去]漾 郎宕切 làng
⑫

[字解] 펀할 랑 '莽一'은 광대(廣大)한 모양. '相與騰躍乎莽一之野'《左思》.

◉莽罠.

7 **[罧]** [一] 모 [上]麌 文甫切
⑫ [二] 매 [平]灰 莫杯切 méi

[字解] [一] 꿩그물 모 꿩 잡는 그물. '一, 雉罔'《廣韻》. [二] 꿩그물 매 [一]과 뜻이 같음.

[字源] 金文 篆文 形聲. 罒(网)+每〔音〕

7 **[罤]** [一] 제 [平]齊 杜奚切 tí
⑫ [二] 곤 [平]元 公渾切 kūn

[字解] [一] 토끼그물 제 蹄(足部 九畫)와 통용. '一, 兔網'《集韻》. [二] 형 곤 형(兄).

[字源] 形聲. 罒(网)+弟〔音〕

7 **[罘]** [一] 부 ①②[平]尤 房尤切 fú(fóu)
⑫ ③[平]虞 馮無切 fú
[二] 비 [平]支 貧悲切

[字解] [一] ①그물 부 토끼 잡는 그물. '一, 兔罟也'《說文》. ②칸막이 부 '一罳'는 칸막이. 또, 집 정면에 쌓은 담. '一罳, 闕前觪'《集韻》. ③새그물 부 수레의 채 위에 친 새를 잡는 그물. 罦(网部 七畫)과 同字. '罦, 覆車罔也. 或从否'《集韻》. [二] 그물 비, 칸막이 비 [一]❶❷와 뜻이 같음.

[字源] 篆文 形聲. 罒(网)+否〔音〕. '否부'는 '조비'·'不불'과 통하여, '크다'의 뜻.

[罘罳 부시] 집의 정면에 쌓은 담. 면장(面牆).

[詈] 〔리〕
言部 五畫(p. 2118)을 보라.

[買] 〔매〕
貝部 五畫(p. 2193)을 보라.

8 **[罨]** [一] 엄 [上]琰 衣檢切 yǎn
⑬ [二] 압 [入]合 烏合切 yǎn

[字解] [一] ①그물 엄 위에서 씌워 잡는 그물. '一, 罕也'《說文》. ㉠덮치기. 새를 잡는 그물. ㉡어망(魚網). '一, 魚網'《廣韻》. ②그물질할 엄 그물을 씌워서 잡음. '一翡翠釣鰋鮋'《左思》. ③덮을 엄 씌워 덮음. '一岸春濤打船尾'《張泌》. [二] 그물 압, 그물질할 압, 덮을 압 [一]과 뜻이 같음.

[字源] 篆文 形聲. 罒(网)+奄(奄)〔音〕. '奄엄'은 '덮어씌우다'의 뜻. 그물로 덮어씌우다의 뜻을 나타냄.

[罨法 엄법] 염증(炎症)을 없애고 충혈(充血)을 풀기 위하여 찜질하거나 열을 식히는 방법.
[罨畫 엄화] 색칠한 그림.

8 **[罩]** 조 [去]效 都教切 zhào
⑬

[字解] ①가리 조 닭의어리나 통발 모양으로 가는 대쪽으로 엮어, 옆면에 구멍을 내고 속에 먹이를 넣어서, 물에 엎어 놓아 고기가 들어간 후에 들어 내는 고기 잡는 제구. '罺謂之一'《爾雅》. ②잡을 조

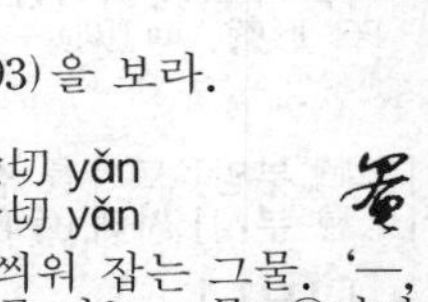
[罩①]

가리를 놓아 고기를 잡음. '南有嘉魚, 烝然一一'《詩經》. ③속에넣을 조. 쌀 조 속에 넣어서 쌈. '荷塘烟一小齋虛'《司空圖》.

字源 篆文 形聲. 罒(网)＋卓〔音〕. '卓탁'은 '높다'의 뜻. 운두가 높게 엮은 바구니의 뜻으로, 물에 넣어 위에서 손으로 누름.

[罩罩 조조] 가리를 놓아 고기를 잡는 모양.
◉鉤罩. 籠罩. 網罩. 釣罩. 罾罩.

8 ⑬ [罪] 中人 죄 ㊤賄 徂賄切 zuì

筆順 罒 罒 罒 罗 罗 罪 罪 罪

字解 ①허물 죄 ㉠범죄. '待一'. '赦過宥一'《易經》. ㉡과오. 실수. '一過'. '至相如門謝一'《史記》. ㉢재앙. 화(禍). '懷璧其一'《左傳》. ②죄줄 죄 ㉠벌을 줌. 형벌을 과함. '四一而天下咸服'《書經》. ㉡책(責)함. 비난함. '夫子一我, 以羣婢故也夫'《史記》. ③대그물 죄 고기를 잡는 죽망(竹網). '一, 捕魚竹网'《說文》.

字源 篆文 會意. 罒(网)＋非. '网망'은 그물에 걸려들게 하다의 뜻. '非비'는 '잘못'의 뜻. 잘못을 저지른 사람을 그물에 걸리게 하다, 죄주다의 뜻을 나타냄.

[罪譴 죄견] 죄(罪).
[罪辜 죄고] 죄(罪).
[罪科 죄과] 형벌.
[罪過 죄과] 죄와 과실.
[罪魁 죄괴] 죄인의 괴수.
[罪咎 죄구] 죄과(罪過).
[罪根 죄근] 죄(罪)를 범(犯)하는 원인(原因).
[罪戾 죄려] 죄(罪).
[罪隷 죄례] 죄를 지어 관노(官奴)가 된 사람.
[罪累 죄루] 죄(罪)를 저질러서 몸을 더럽힘.
[罪名 죄명] 죄(罪)의 이름.
[罪目 죄목] 범죄(犯罪) 사실의 명목(名目).
[罪罰 죄벌] 죄(罪)에 대한 형벌.
[罪不容於死 죄불용어사] 죄가 커서 죽여도 오히려 부족함.
[罪不容誅 죄불용주] 죄불용어사(罪不容於死).
[罪狀 죄상] 범죄(犯罪)의 정상(情狀).
[罪悚 죄송] 매우 황송함.
[罪囚 죄수] 옥(獄)에 갇힌 죄인(罪人).
[罪惡 죄악] 죄, 사념(邪念) 또는 악행.
[罪案 죄안] 범죄에 대한 재판의 안.
[罪孽 죄얼] 죄악(罪惡)에 대(對)한 재앙(災殃).
[罪業 죄업]《佛敎》번뇌에서 일어나는 죄악의 업인(業因).
[罪疑惟輕 죄의유경] 확실치 아니한 죄는 경하게 다스림.
[罪人 죄인] ㉠죄를 범(犯)한 사람. ㉡어버이 상사 중(喪事中)에 있는 사람의 일인칭 대명사.
[罪人不孥 죄인불노] 그 한 몸에만 죄를 주고 처자(妻子)에겐 미치지 않게 함.
[罪障 죄장]《佛敎》극락왕생에 지장이 되는 죄.
[罪跡 죄적] 범죄의 자취.
[罪證 죄증] 범죄의 증거.
[罪疾 죄질] 재액. 재난.
[罪責 죄책] 범죄상(犯罪上)의 책임(責任).
[罪禍 죄화] 죄(罪)를 저지르고 받는 재앙(災殃).
◉開罪. 愆罪. 輕罪. 鯨罪. 辜罪. 公罪. 功罪. 過罪. 舊罪. 斷罪. 待罪. 徒罪. 同罪. 滅罪. 無罪. 問罪. 微罪. 白罪. 犯罪. 伏罪. 服罪. 死罪. 竢罪. 謝罪. 塞罪. 成罪. 聲罪. 贖罪. 首罪. 宿罪. 餘罪. 逆罪. 五罪. 原罪. 冤罪. 有罪. 流罪. 陰罪. 疑罪. 罹罪. 杖罪. 贓罪. 抵罪. 坐罪. 重罪. 懲罪. 斬罪. 觸罪. 治罪. 擢髮贖罪. 破廉恥罪. 呷汁同罪. 顯罪. 刑罪. 橫罪.

8 ⑬ [罫] 人名 ▣ 괘 ㊤蟹 古買切 guǎi ▣ 홰 ㊦卦 胡卦切 huà

字解 ▣줄 괘 가로세로 교차(交叉)하여 친 줄. '方一'. '使一中死基皆生'《桓譚》. ▣ 거리낄 홰 거치적거려 방해함. '絓, 礙也. 或从网'《集韻》.

字源 形聲. 罒(网)＋卦〔音〕. '卦괘'는 '걸다'의 뜻. 그물에 걸어서 자유를 방해하다의 뜻을 나타냄. 또, '卦'는 '점괘'의 뜻. 그물코나 점괘처럼 가로세로 교차한 선의 뜻을 나타냄.

[罫中 괘중] 바둑판의 정간(井間) 안.
[罫紙 괘지] 사란(絲欄)을 친 종이. 인찰지(印札紙).
[罫版 괘판] 인찰지(印札紙)를 박는 판.
◉方罫.

8 ⑬ [罛] 〔고〕
罟(网部 五畫〈p. 1787〉)와 同字

8 ⑬ [罭] 역 ㊇職 雨逼切 yù

字解 그물 역 잔고기를 잡는 작은 어망(魚網). '九一之魚'《詩經》.

字源 篆文 形聲. 罒(网)＋或〔音〕. '或혹'은 '域역'과 통하여, 작게 한정하다의 뜻. 물속의 어떤 장소에 한정하여 치는 어망의 뜻을 나타냄.

◉九罭. 網罭.

8 ⑬ [置] 高人 치 ㊦寘 陟吏切 zhì

筆順 罒 罒 罒 罒 罝 罝 置 置

字解 ①둘 치 ㉠정한 곳에 놓음. '安一'. ㉡버림. 버려둠. 그만둠. 폐(廢)함. '一, 捨也'《華嚴經音義》. '一, 棄也'《字彙》. '是以小怨一大德也'《國語》. ㉢남김. 남겨 둠. '招樊噲出, 一車官屬'《漢書》. ②놓을 치 놓아 둠. 용서함. '無有所一'《史記》. ③베풀 치 차리어 벌임. '設一'. '一酒大會耆老'《晉書》. ④세울 치 지위에 서게 함. 자리에 앉힘. '無子則爲之一後'《禮記》. '莫如一天子'《呂氏春秋》. ⑤역마을 치 역참(驛站). '速於一郵而傳命'《孟子》. ⑥역말 치 역마(驛馬). '騎一以聞'《漢書》. ⑦안정시킬 치 자리 잡게 함. '剖胷探心, 易而一之'《列子》.

字源 篆文 形聲. 罒(网)＋直〔音〕. '直직'은 '곧다'의 뜻. 그물을 곧게 쳐서 세워 두다의 뜻에서, '두다, 놓다, 세우다'의 뜻을 나타냄.

[置毒 치독] 독약(毒藥)을 음식(飮食)에 섞음.
[置簿 치부] 금전(金錢)·물품(物品)의 출납(出納)을 기록함.
[置辭 치사] 발언(發言). 변명(辯明).

[置郵 치우] 역말. 역참(驛站).
[置傳 치전] 치우(置郵).
[置酒高會 치주고회] 주연(酒宴)을 성대히 베풂.
[置中 치중] 가운데에 둠.
[置重 치중] 중요(重要)하게 여김.
[置之 치지] 버려둠.
[置贄 치지] 폐백을 임금께 드리어 벼슬아치가 됨. 지(贄)는 윗사람에게 올리는 예물(禮物).
[置之度外 치지도외] 버려두고 눈여겨보지 아니함.
[置錐之地 치추지지] '입추지지(立錐之地)'와 같음.
◉改置. 建置. 廢置. 均置. 庋置. 騎置. 倒置. 鶩置. 配置. 排置. 變置. 備置. 散置. 署置. 選置. 設置. 召置. 安置. 易置. 驛置. 誤置. 郵置. 位置. 留置. 移置. 謫置. 傳置. 亭置. 措置. 迭置. 疾置. 創置. 處置. 廢置. 布置. 標置.

8 ⑬ [罩] 조 [去]效 知教切 zhào

[字解] ①새덮칠 조 새를 덮쳐 못 날아가게 함. '一, 覆鳥令不得飛走也'《說文》. ②덮치기 조 새를 덮쳐 잡는 제구. '一, 覆鳥者'《字彙》.

[字源] 篆文 會意. 罒(网)+隹. '网망'은 '그물', '隹추'는 꽁지가 짧은 새의 뜻. 합쳐서, 새 잡는 그물, 덮치기의 뜻을 나타냄.

8 ⑬ [罧] 삼 [平]侵 疏簪切 / [上]寢 斯甚切 shēn

[字解] 고기깃 삼 물고기를 잡고자 물속에 넣어두는 나뭇가지나 풀포기. '一者, 以柴積水中以取魚. 扣, 擊也. 魚聞擊舟聲, 藏柴下. 壅而取之'《淮南子 注》.

[字源] 篆文 形聲. 罒(网)+林〔音〕. '林림'은 섶을 많이 쌓다의 뜻.

8 ⑬ [罬] 철 [入]屑 陟劣切 zhuó

[字解] 그물 철 새 잡는 그물. '繴謂之罿. 罿, 一也. 一謂之罦. 罦, 覆車也'《爾雅》.

[字源] 篆文 別體 形聲. 罒(网)+叕〔音〕. '叕철'은 '연잇다'의 뜻. 別體는, 車+叕〔音〕. '車거'는 채〔轅〕의 뜻. 두 개의 긴 채에 친 '그물'의 뜻을 나타냄.

[睪] 〔역〕
目部 八畫(p.1545)을 보라.

8 ⑬ [署] 署(次次條)의 略字

9 ⑭ [罰] [高人] 벌 [入]月 房越切 fá

[筆順] 一 罒 罒 罒 罒 詈 罰 罰

[字解] ①벌 벌 형벌. '懲一'. '五刑不簡, 正于五一'《書經》. ②벌줄 벌 형벌을 과함. '信賞必一'. '三讓而一之'《周禮》. ③속(贖)할 벌 벌전(罰錢)을 바치고 속죄함. '一金'. '入金贖罪曰一鍰'《正字通》. ④죄 벌 가벼운 죄. '刀詈爲一'《廣韻》.

[字源] 金文 篆文 會意. 詈+刀. '詈리'는 '꾸짖다'의 뜻. '刀도'는 '날붙이'의 뜻. 날붙이를 들이대고 꾸짖다, 책(責)하다의 뜻을 나타냄.

[參考] 罸(网部 十畫)은 同字.

[罰殛 벌극] 처벌하여 죽임. 사형(死刑)에 처함.
[罰金 벌금] ㉠범죄인(犯罪人)에게 돈을 내게 하는 재산형(財産刑). ㉡징계(懲戒)로 받는 돈.
[罰杯 벌배] 벌(罰)로 먹이는 술. 벌주(罰酒).
[罰俸 벌봉] 벌로써 봉급을 감봉(減俸)하거나 몰수하는 일.
[罰惡 벌악] 악을 벌함.
[罰爵 벌작] ㉠옛날 군신(君臣)이 함께 술자리를 베풀었을 때 결례(缺禮)한 자에게 벌로 술을 먹이던 일. ㉡벌배(罰杯).
[罰錢 벌전] 약속(約束)을 어긴 허물로 내는 돈. 벌(罰)로 내는 돈.
[罰酒 벌주] 벌배(罰杯).
[罰懲 벌징] '징벌(懲罰)'과 같음.
[罰責 벌책] 꾸짖어 벌(罰)함.
[罰則 벌칙] 처벌하는 규칙.
[罰布 벌포] 시장(市場)의 규칙을 범한 자로부터 벌로 징수하던 포백(布帛).
[罰鍰 벌환] 일정한 금액을 바치고 죄를 속(贖)하게 함.
◉譴罰. 亂罰. 濫罰. 冥罰. 撲罰. 佛罰. 私罰. 賞罰. 神罰. 信賞必罰. 審罰. 殃罰. 嚴罰. 郵罰. 威罰. 佚罰. 謫罰. 罪罰. 誅罰. 懲罰. 責罰. 處罰. 陟罰. 天罰. 體罰. 黜罰. 偏罰. 鞭罰. 褒罰. 蒲鞭罰. 顯罰. 刑罰. 訓罰.

9 ⑭ [署] [高人] 서 [去]御 常恕切 shǔ(shù)

[筆順] 罒 罒 罒 罒 罗 罗 署 署

[字解] ①임명할 서 관리에 임명함. '召一主簿'《後漢書》. ②맡을 서 ㉠관할함. '總一曹事'《後漢書》. ㉡대리로 맡음. '一理'. ③나눌 서 부(部)를 나누어 베풂. 부서를 정함. '選一衆神'《楚辭》. ④부서 서 나뉘어 있는 사무의 부분. '部一'. '北面受一'《後漢書》. ⑤쓸 서 ㉠이름을 씀. 기명함. '一名'. '一其官爵姓名'《漢書》. '睨丞曰當一'《韓愈》. ㉡또, 그 이름. 기명. '聯一'《唐書》. ㉢제목·표제를 씀. 표기(表記)함. '大一榜曰'《後漢書》. ⑥표제 서 제목. '魏公殿題一'《魏志》. ⑦마을 서 관청. '官一'. '公一'. '久汚玉堂之一'《漢書》. ⑧성 서 성(姓)의 하나.

[字源] 篆文 形聲. 罒(网)+者〔音〕. '网망'은 '그물'의 뜻. '者자'는 '모으다'의 뜻. 그물코처럼 구분된 각 역할의 직소(職所)의 뜻. 또, 그 부서(部署)에 표지(表識)를 하는 데서, '쓰다, 적다'의 뜻을 나타냄.

[署記 서기] 성명을 기입함.
[署理 서리] 공석된 직무(職務)를 대리(代理)함. 또, 그 사람.
[署名 서명] 성명을 기입함.
[署府 서부] 마을. 관청.
[署書 서서] 진(秦)나라의 팔체서(八體書)의 하나. 현판(懸板) 등에 많이 쓰임.
[署押 서압] 수결(手決)을 둠.
[署長 서장] 관서의 우두머리.
[署職 서직] 관직(官職).
[署置 서치] 관직(官職)에 각각 배치함.
◉公署. 官署. 局署. 禁署. 蘭署. 郎署. 內署.

大署. 代署. 本署. 府署. 部署. 分署. 寺署. 案署. 連署. 委署. 自署. 典署. 題署. 中署. 總署. 治署. 親署. 平署. 廨署. 宦署.

9 ⑭ [罱] ━ 남 ㊤感 乃感切 nǎn ━ 람 ㊤感 盧敢切 lǎn

字解 ━ 그물어롱(魚籠) 남 잡은 물고기를 넣어 모으는 그물. '一, 一網'《廣韻》. ━ 그물어롱 람 ━과 뜻이 같음.

9 ⑭ [罳] ━ 시 ㊥支 息玆切 sī ━ 새 ㊥灰 桑才切

字解 ━ 면장(面墻) 시 집 정면에 쌓은 담. 罘(网部 四畫)를 보라. '罘一, 屛也'《說文》. ━ 면장 새 ━과 뜻이 같음.

字源 篆文 形聲. 罒(网)+思〔音〕

9 ⑭ [罾] 〔선〕 羼(网部 十二畫〈p. 1792〉)과 同字

10 ⑮ [罵] 人名 매 ㊦禡 莫駕切 mà 骂

字解 ①욕할 매 욕설을 함. '一詈'. '輕士善一'《史記》. ②욕 매 욕설. '官卑遭俗一'《宋濂》.

字源 篆文 形聲. 罒(网)+馬〔音〕. '网망'은 그물의 象形. '馬마'는 '幕막' 따위와 통하여, '덮어씌우다'의 뜻. 그물이나 막(幕)을 덮어씌우듯이 욕설을 퍼붓다, 매도하다의 뜻을 나타냄.

[罵譏 매기] 욕하고 헐뜯음.
[罵倒 매도] 몹시 꾸짖음. 대단히 욕함.
[罵詈 매리] 욕설을 퍼부으며 꾸짖음.
[罵言 매언] 욕함. 매도함. 또, 그 말.
[罵辱 매욕] 욕설을 퍼부어 욕보임.
[罵曹 매조] 극곡(劇曲) 이름. 내용은 예형(禰衡)이 조조(曹操)를 꾸짖은 고사(故事).
[罵坐 매좌] 같은 좌석에 있는 사람을 욕함. 매좌(罵座).

◉呵罵. 叫罵. 極罵. 怒罵. 慢罵. 面罵. 侮罵. 謗罵. 忿罵. 笑罵. 誶罵. 惡罵. 仰罵. 詈罵. 殘罵. 爭罵. 竊罵. 嘲罵. 卒罵. 呪罵. 瞋罵. 讒罵. 責罵. 推罵. 捶罵. 筆地罵. 醉罵. 唾罵. 笞罵. 痛罵. 詬罵.

10 ⑮ [羉] 겸 ㊥鹽 堅嫌切 jiān

字解 명주그물 겸 명주실로 결은 그물. 어망. '一, 絲網曰一'《集韻》.

10 ⑮ [罶] 류 ㊤有 力久切 liǔ

字解 통발 류 가는 댓조각으로 만든 물고기를 잡는 제구. '魚麗于一'《詩經》.

字源 篆文 別體 形聲. 罒(网)+留(畱)〔音〕. '畱류'는 '머무르다'의 뜻. 가늘게 짜갠 대 따위를 통상(筒狀) 따위로 엮어, 양 끝은 열어 두어 물고기가 마음대로 드나들 수 있게 한 것.

10 ⑮ [罷] 高人 ━ 파 ㊤蟹 薄蟹切 bà ━ 피 ㊥支 符羈切 pí 罢

筆順 罒 罒 罒 罒 罒 罒 罷 罷

字解 ━ ①파할 파 ㉠쉼. 또, 쉬게 함. '一休'. '欲一不能'《論語》. ㉡그만둠. 폐지함. '一遣'. '鄰里爲之一社'《世說》. ㉢끝남. 마침. 또, 끝냄. '一, 了也'《字彙》. ②그칠 파 '一, 止也'《廣韻》. ㉠계속되었던 것이 멈춤. 또, 멈추게 함. '雨一葉生光'《梁元帝》. ㉡중지됨. 또, 중지함. '或鼓或一'《易經》. ③놓을 파 놓아줌. 방면함. '乃一魏勃'《史記》. ④내칠 파 물리침. 파면함. '一黜'. '時欲沙汰郞官非才者一之'《晉書》. ⑤물러갈 파 퇴귀(退歸)함. '皆自朝布路而一'《左傳》. ━ ①고달플 피 피로함. '一倦'. '騰駕一牛'《賈誼》. ②둔할 피 노둔함. '一駑'. '誅譏一只'《楚辭》.

字源 篆文 會意. 罒(网)+能. '网망'은 그물을 본뜬 모양. '能능'은 짐승의 象形. 덮치는 짐승을 잡다의 뜻에서, 물리치다, 제거하다, 그만두게 하다의 뜻을 나타냄. 또, '疲피'와 통하여, 고달프다, 피로하다의 뜻으로도 쓰임.

[罷家 파가] 살림살이를 작파함.
[罷遣 파견] 하던 일을 그만두게 하고 보냄.
[罷工 파공] 파업(罷業).
[罷軍 파군] 파진(罷陣).
[罷免 파면] 직무(職務)를 해면(解免)함.
[罷養 파양] 양자(養子)의 인연(因緣)을 끊음.
[罷業 파업] ㉠하던 일을 중지함. ㉡동맹 파업(同盟罷業).
[罷宴 파연] 잔치가 끝남.
[罷意 파의] 단념(斷念)함.
[罷議 파의] 의논(議論)을 그만둠.
[罷場 파장] ㉠과장(科場)이 파(罷)함. ㉡시장(市場)이 파(罷)함.
[罷職 파직] 관직(官職)을 파면(罷免)시킴.
[罷陣 파진] 진(陣)을 풂.
[罷黜 파출] 물리침. 내쫓음.
[罷倦 피권] 지침. 피로함.
[罷勌 피권] 피권(罷倦).
[罷極 피극] 지칠 대로 지침.
[罷駑 피노] 지친 둔한 말. 전(轉)하여, 둔재(鈍材).
[罷勞 피로] 피로(疲勞)함.
[罷癃 피륭] 곱사등이.
[罷民 피민] 피로한 백성.
[罷士 피사] ㉠둔한 선비. ㉡지친 사졸.
[罷怨 피원] 과로로 피로하여 원망함.
[罷柝 피탁] '언탁(偃柝)'과 같음.
[罷敝 피폐] '피폐(疲弊)'와 같음.
[罷弊 피폐] 피폐(罷敝).

◉九柠一罷. 郞罷. 老罷. 斥罷. 廢罷.

10 ⑮ [罻] 여 ㊥魚 羊舒切 yú

字解 그물 여 '一, 網也'《篇海》.

10 ⑮ [罸] 〔벌〕 罰(网部 九畫〈p. 1790〉)과 同字

11 ⑯ [罹] 人名 리 ㊥支 呂支切 lí

字解 ①근심할 리, 근심 리 걱정함. 걱정. '逢此百一'《詩經》. ②걸릴 리 병·재앙 따위에 걸림. 또, 그 해를 입음. '一病'. '一災'. '一其凶害'

《書經》.
[字源] 篆文 會意. 罒(网)+隹+忄(心). '网망'은 그물을 본뜬 것. '隹추'는 새의 象形. 그물에 걸린 새의 모양에서, 마음에 걸리다, 근심의 뜻을 나타냄.

[罹難 이난] 이재(罹災).
[罹病 이병] 병(病)에 걸림.
[罹厄 이액] 이재(罹災).
[罹災 이재] 재해를 입음.

11 ⑯ [罼] 필 [入]質 卑吉切 bì

[字解] 족대 필 긴 자루가 달린 반두 비슷한 그물. 일설(一說)에는, 토끼를 잡는 그물. '荷垂天之—'《揚雄》.
[字源] 形聲. 罒(网)+畢〔音〕. '畢필'은 자루 달린 그물의 뜻.

[罼弋 필익] 긴 자루가 달린 새를 잡는 작은 그물과 주살.
[罼罕 필한] ㉠필(畢)과 한(罕). 모두 새를 잡는 그물. ㉡큰 기(旗)의 이름.

11 ⑯ [罺] 조 ①[平]肴 側交切 cháo ②[去]效 初教切

[字解] ①산대 조 반두·오구와 같이 자루가 달린 그물. 또, 그 그물로 고기를 잡음. '—鰝鰕'《左思》. ②작은그물 조 '—, 小網'《廣韻》.
[字源] 形聲. 罒(网)+巢〔音〕

11 ⑯ [罻] [一] 울 [入]物 紆勿切 yù [二] 위 [去]未 於胃切 wèi

[字解] [一] 그물 울 작은 그물. 일설(一說)에는, 조망(鳥網). '鳩化爲鷹, 然後設—羅'《禮記》. [二] 그물 위 [一]과 뜻이 같음.
[字源] 篆文 形聲. 罒(网)+尉(㷉)〔音〕

[罻羅 울라] 새그물. 조망(鳥網).
[罻蒙 울몽] 어두운 모양.

11 ⑯ [䍡] 록 [入]屋 盧谷切 lù

[字解] ①잔챙이그물 록 잡어(雜魚)를 잡는 작은 어망(魚網). '罜—'. ②늘어질 록 '—簌'은 늘어진 모양. '挼絲團金懸—簌, 神光欲截藍田玉'《李賀》.
[字源] 篆文 形聲. 罒(网)+鹿〔音〕. '鹿록'은 따라가는 모양을 나타냄.

[䍡簌 녹속] 드리워진 모양.
◉罜䍡.

11 ⑯ [䍢] 〔저〕 罝(网部 五畫〈p.1787〉)와 同字

11 ⑮ [䍣] 〔저〕 罝(网部 五畫〈p.1787〉)의 俗字

12 ⑰ [罽] 계 [去]霽 居例切 jì

[字解] ①그물 계 어망(魚網). '—, 魚网也'《說文》. ②담 계 모직물의 한 가지. 모전(毛氈). '狗馬被繢—'《漢書》.
[字源] 篆文 形聲. 罒(网)+㓹〔音〕. '㓹예'는 '날카롭다'의 뜻.

[罽毯 계담] 담요.
[罽幕 계막] 털로 짠 막.
[罽繡 계수] 모직물과 자수(刺繡).
◉繢罽.

12 ⑯ [𦌸] 罽(前條)의 俗字

12 ⑰ [罾] 증 [平]蒸 作滕切 zēng

[字解] ①그물 증 네 귀퉁이를 대 같은 것으로 매고, 물속에 가라앉혔다가 급히 들어 올려서 물고기를 잡는 그물. '釣餌罔罟—笱之知'《莊子》. ②그물질할 증 그물로 잡음. '置人所—魚腹中'《漢書》.
[字源] 篆文 形聲. 罒(网)+曾〔音〕. '曾증'은 '層층'과 통하여, 위에 겹쳐지다의 뜻. 그물 위에 물고기가 얹히는 그물을 이름.

[罾笱 증구] 그물과 통발.
[罾罻 증위] 그물. 어망(魚網).
[罾繳 증작] 그물과 주살, 곧 물고기나 새를 잡는 기구. 전(轉)하여, 남을 잡으려는 설비.
◉魚罾. 漁罾. 破罾.

12 ⑰ [罿] [一] 동 [平]東 徒紅切 tóng [二] 총 [平]冬 尺容切 chōng

[字解] [一] 그물 동 수레 위에 쳐서 새를 잡는 그물. '雉離于—'《詩經》. [二] 그물 총 [一]과 뜻이 같음.
[字源] 篆文 形聲. 罒(网)+童〔音〕

[罿罻 총위] 새 잡는 그물. 조망(鳥網).

12 ⑰ [𦍃] 무 ①[上]麌 罔甫切 ②[平]虞 微夫切 wǔ

[字解] ①들창망 무 들창에 댄 망. ②꿩그물 무.

12 ⑰ [䍦] [一] 선 [上]銑 思兗切 xuǎn [去]霰 息絹切 [二] 산 [去]諫 所晏切 xuǎn

[字解] [一] ①올무 선 새나 짐승을 잡는 올가미. '—者, 羂獸足'《說文》. ②그물 선 고기 잡는 그물. 어망(魚網). '—, 取魚網也'《廣韻》. [二] 올무 산, 그물 산 [一]과 뜻이 같음.
[字源] 篆文 別體 形聲. 罒(网)+巽(巺)〔音〕. '巺손'은 발로 밟다〔踐〕의 뜻. '올무'를 이름. 別體는 足+巺〔音〕.

12 ⑰ [𦌨] 료 [去]嘯 力弔切 liào

[字解] 물고기그물 료 고기 잡는 그물. 어망(魚網). '—, 魚罟'《集韻》.

13 ⑱ [羂] 견 [上]銑 姑泫切 juàn

[字解] ①올무 견 짐승을 꾀어 잡는 제구. 罥(网部 七畫)과 同字. 또, 올무로 짐승을 잡음. '一騕褭, 射封豕'《司馬相如》. ②붙들어맬 견 잡아맴. 묶음. '罥羅之所一結'《張衡》.
[字源] 形聲. 罒(网)+絹〔音〕. '絹견'은 '繯현'과 통하여, 잡아매다의 뜻. 꼼짝 못하게 붙들어 매어 잡는 '올무'의 뜻을 나타냄.

[羂結 견결] 잡아맴. 동여 묶음.
[羂索 견삭]《佛教》부동명왕(不動明王)·천수관음(千手觀音) 등이 가진 끈. 양쪽 끝에 금강저(金剛杵)의 반형(半形)이 달려 있음.
◉局羂.

13 ⑱ [⿱罒黔] 〔검·금〕
黔(黑部 四畫〈p. 2704〉)의 古字

14 ⑲ [⿱罒馽] 기 [平]支 居宜切 jī
[字解] 말굴레 기 말 머리에서 볼에 걸쳐 얽어맨 끈 또는 가죽 장식. 羈(网部 十九畫〈p. 1794〉)와 同字. '一, 馬落頭也'《說文》.
[字源] 會意. 罒(网)+馽

14 ⑲ [羃] 멱 [入]錫 幕狄切 mì
[字解] 덮을 멱, 덮개 멱 冪(冖部 十四畫)과 同字. '或以靑帛一之'《春渚紀聞》.

14 ⑲ [羅] [高人] 라 ①-⑥[平]歌 魯何切 luó ⑦[去]箇 郎佐切 罗

[筆順] 罒 ⿱罒糸 ⿱罒糸 ⿱罒糹亻 ⿱罒糹亻 羅 羅 羅

[字解] ①그물 라 새 잡는 그물. 조망(鳥網). '雀一'. '以禮爲一, 網而致之幕下'《韓愈》. ②그물질할 라 ㉠그물을 쳐서 잡음. '一雀'. '掌一烏鳥'《周禮》. ㉡그물을 쳐서 잡듯이 휘몰아 들임. '網一天下異能之士'《漢書》. ③비단 라 얇은 비단. '輕一'. '一幬張些'《楚辭》. ④늘어설 라, 벌이어놓을 라, 연이을 라 '一列'. '一布'. '步騎一些'《楚辭》. '一生兮堂下'《楚辭》. ⑤체질할 라 체로 침. '用此一之'《日用雜字》. ⑥성 라 성(姓)의 하나. ⑦돌 라 순행함. 邏(辵部 十九畫)와 同字.
[字源] [篆文] 會意. 罒(网)+維. '网망'은 그물의 象形. '維유'는 새를 잡아매다의 뜻. 음형상(音形上)으로는, '列렬'·'連련'과 통하여, 벌여 놓은 그물, 늘어세우다, 연잇다의 뜻을 나타냄.

[羅裾 나거] 얇은 비단옷의 옷자락.
[羅郭 나곽] 성(城)의 외곽. 나성(羅城).
[羅綺 나기] 곱고 아름다운 비단. 기라(綺羅). 전(轉)하여, 아름다운 직물(織物). 아름다운 의복(衣服).
[羅騎 나기] ㉠죽 늘어선 기병(騎兵). ㉡둘러싼 기병.
[羅緞 나단] 무명실과 주란사로 섞어 짠 피륙.
[羅羅 나라] 또렷또렷한 모양. 깨끗한 모양. 산뜻한 모양.
[羅落 나락] 둘러싼 울타리.
[羅綾 나릉] 능라(綾羅).
[羅立 나립] 죽 늘어섬.
[羅馬 나마] Roma의 음역(音譯). 로마.
[羅馬教皇 나마교황] 로마 교회(教會)의 교권(教權)을 대표(代表)하고, 로마교의 최고직(最高職)에 있는 사람.
[羅馬法 나마법] 서력 기원전(西曆紀元前) 8세기경부터 기원후(紀元後) 6세기경까지 로마에서 쓰였던 법률(法律). 근대 유럽 법률의 기초(基礎)가 됨.
[羅馬數字 나마수자] 고대(古代) 로마 사람이 쓰던 숫자. 지금은 번호(番號)나 기호(記號) 등에 쓰임. 'Ⅰ·Ⅱ·Ⅴ·Ⅹ' 같은 것. 로마 숫자.
[羅馬字 나마자] 고대(古代)의 로마 문자(文字). 지금의 알파벳. 로마자.
[羅網 나망] ㉠그물. ㉡법망(法網). ㉢《佛教》주옥(珠玉)을 그물 모양으로 연철(連綴)한 장식물.
[羅舞 나무] 죽 늘어서서 춤춤.
[羅文 나문] ㉠얇은 비단의 무늬. ㉡'벼루〔硯〕'의 이명(異名).
[羅紋 나문] 얇은 비단의 무늬.
[羅盤 나반] 나침반(羅針盤).
[羅拜 나배] 둘러싸고 절함.
[羅敷 나부] 광둥 성(廣東省)에 있는 산(山) 이름. 매실(梅實)의 명산지(名産地). 나부(羅浮).
[羅浮夢 나부몽] 광둥 성(廣東省) 쩡청 현(增城縣)에 있는 나부(羅浮)라는 산에서 수(隋)나라의 조사웅(趙師雄)이 꿈에 나부 소녀(羅浮少女)를 만났다는 이야기.
[羅浮仙 나부선] 나부 소녀(羅浮少女).
[羅浮少女 나부소녀] 조사웅(趙師雄)이 만난, 매림(梅林)의 정령(精靈)인 미인(美人).
[羅浮春 나부춘] 소동파(蘇東坡)가 혜주(惠州)에서 살 때에 스스로 만들었던 술〔酒〕 이름.
[羅紗 나사] 포르투갈 어 raxa의 음역(音譯). 양복감으로 쓰이는 두꺼운 모직물.
[羅星 나성] 죽 늘어선 별.
[羅城 나성] 성밖의 주위.
[羅袖 나수] 얇은 비단옷의 소매.
[羅我 나아] 코끼리 등 위에 안장을 얹어 그곳에 앉음.
[羅列 나열] 죽 늘어섬. 죽 벌여 놓음. 나진(羅陳). 진열(陳列).
[羅纓 나영] 얇은 명주로 된 갓끈.
[羅畏 나외] 붐빔.
[羅衣 나의] 얇은 비단옷.
[羅甸 나전] Latin의 음역(音譯). 라틴.
[羅甸語 나전어] 인도게르만 어족(語族)에 속함. 원래 이탈리아의 지방어(地方語)인데, 로마를 중심으로 하여 상류 사회(上流社會)에 널리 퍼짐. 지금은 사어(死語)이나 학술어(學術語)로서 통용됨. 라틴 어.
[羅從彦 나종언] 송(宋)나라의 학자. 양시(楊時)의 문인(門人). 예장 선생(豫章先生)이라 부름.
[羅織 나직] 죄를 꾸며 법망(法網)에 끌어넣음.
[羅陳 나진] 나열(羅列).
[羅刹 나찰]《佛教》사람을 잡아먹는 악귀(惡鬼) 이름.
[羅致 나치] 그물로 새를 잡듯이 사람을 초치(招致)함.
[羅針 나침] 자침(磁針).
[羅針盤 나침반] 자침(磁針)이 보통의 경우 남북(南北)을 가리키는 특성(特性)을 이용하여, 방

위(方位) 또는 지평각(地平角) 등을 측정하는 기구.
[羅布 나포] 죽 늘어서서 포진(布陣)함.
[羅漢 나한] '아라한(阿羅漢)'의 준말.
[羅睺羅 나후라]《佛敎》㉠아수라(阿修羅)의 이름. 자주 손을 들어 일월(日月)을 가리어 제천(諸天)을 괴롭혔다 함. ㉡석가(釋迦)의 맏아들. 15세에 출가하여 밀행(密行) 제일로써 석가 16제자 중의 한 사람이 되었음. 나후라 존자(尊者).
◉伽羅. 迦毘羅. 輕羅. 宏羅. 綺羅. 籠羅. 綾羅. 摩羅. 馬尾羅. 曼陀羅. 網羅. 汨羅. 紗羅. 參羅. 森羅. 霜羅. 纖羅. 星羅. 首陀羅. 修多羅. 水羅. 修羅. 新羅. 阿修羅. 菴羅. 濾水羅. 列羅. 閻羅. 弋羅. 轔羅. 鱗羅. 一目之羅. 紫羅. 雀羅. 爵羅. 罝羅. 旃陀羅. 鳥羅. 眈羅. 土羅. 爬羅. 貝多羅. 包羅. 海羅. 紅羅.

14 ⑲ [羄] 조 [去]效 陟教切 zhào
[字解] 새덮칠 조 새를 덮침. '一, 說文, 覆鳥令不飛走也. 或作一'《集韻》.

14 ⑲ [羆] 비 [平]支 彼爲切 pí 罴
[字解] 말곰 비 곰과(科)에 속하는 짐승. 곰보다 큰데, 털빛은 갈색임. 큰곰. '維熊維一'《詩經》.
[字源] 篆文 古文 會意. 罒(网)+熊. '网망'은 그물을 본뜬 모양. '熊웅'은 '곰'의 뜻. 그물이 아니고서는 물리칠 수 없는 '곰'의 뜻을 나타냄.

[羆虎 비호] 큰곰과 호랑이.

14 ⑲ [羇] 제 [上]薺 子禮切 jǐ
[字解] 잘 제, 거를 제 술 따위를 짜 거름. '一, 漉也'《廣雅》.

15 ⑳ [羅] 〔견〕
羂(网部 十三畫〈p.1792〉)의 俗字

15 ⑳ [羉] 독 [入]屋 徒谷切 dú
[字解] 작은물고기그물 독 작은 물고기의 그물. 罜(网部 五畫)와 同字. '罜, 罜麗, 小罟, 或作一'《集韻》.

16 ㉑ [羉] 력 [入]錫 郎擊切 lì
[字解] ①연기 력 연기의 모양. '羃一, 煙皃'《集韻》. ②보자기 력 음식을 덮는 보자기. 상보. '一, 蓋食巾'《玉篇》.

17 ㉒ [羇] 기 [平]支 居宜切 jī
[字解] ①타관살이할 기 타향에 기우(寄寓)함. '一寓'. ②나그네 기 '一, 客也'《廣雅》. '爲一終世'《左傳》. ③굴레 기 말의 굴레. 羈(网部 十九畫)와 통용. '執負一縶而從'《韓詩外傳》.
[字源] 形聲. 罒(网)+革+奇〔音〕. '网망'은 '그물'의 뜻. '革혁'은 '가죽'의 뜻. '奇기'는 '綺기'와 통하여, '아름답다'의 뜻. 마구(馬具)의 일종. 재갈을 꾸미기 위해 말의 머리에 거는 끈 또는 가죽 장구(裝具)의 뜻을 나타냄.

[羇客 기객] 나그네. 타향(他鄕)에 우거(寓居)하는 사람.
[羇孤 기고] ㉠혼자 하는 나그넷길. 또, 의지할 데 없는 외로운 나그네. ㉡고립함.
[羇旅 기려] 타향에 우거(寓居)함. 또, 그 사람. 나그네.
[羇旅之臣 기려지신] 타국에 기우(寄寓)하는 나그네로서의 신하.
[羇婁 기루] 타국(他國)에 우거하여 가난함.
[羇絆 기반] 기반(羈絆).
[羇魄 기백] 나그네가 된 몸. 나그네의 몸.
[羇愁 기수] 나그네의 수심.
[羇役 기역] 속박을 받아 사역(使役)을 당함.
[羇寓 기우] 타향에 우거(寓居)함.
[羇雌 기자] 짝 잃은 암새.
[羇滯 기체] 나그네가 되어 머무름. 여행 중에 체류함.
◉孤羇. 旅羇.

18 ㉓ [羅] 리 [平]支 呂支切 lí
[字解] 건(巾) 리 '羃一'는 머리에 쓰는 헝겊으로 만든 물건. '古冠而不幘, 晉宋之世方用羃一'《唐書》.

◉羃羅.

19 ㉔ [羈] [人名] 기 [平]支 居宜切 jī 羁
[字解] ①굴레 기 ㉠마소의 얼굴을 얽는 줄. '一絆'. '臣負一紲'《左傳》. ㉡계루(繫累). '絕一獨放'《傅亮》. ②맬 기 잡아매어 자유를 속박함. '不一'. '使麒麟可係而一兮'《賈誼》. ③고삐 기 말을 어거하기 위해 재갈에 매어 다는 줄. '一, 馬絆也'《廣韻》. '其義一縻勿絕而已'《司馬相如》. ④끌 기 끌어당김. '幸也者, 審於戰期, 而有以一誘之也'《呂氏春秋》. ⑤타관살이할 기 羇(网部 十七畫)와 통용. '棄親用一'《左傳》.

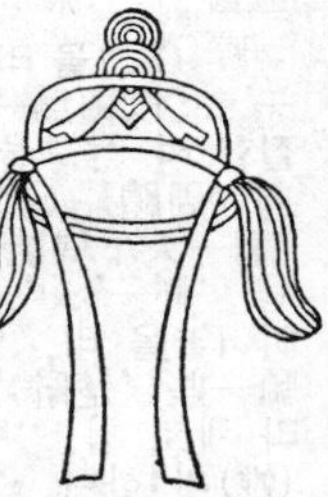
[羈①㉠]

[字源] 篆文 會意. 罒(网)+革+馬. '网망'은 '그물'의 뜻. 말의 머리에 씌우는 가죽 그물, '굴레'의 뜻을 나타냄.

[羈角 기각] ㉠옛날 어린아이의 머리를 좌우 양쪽으로 틀어올린 것. ㉡어린 시절.
[羈客 기객] 나그네.
[羈繫 기계] 매임. 속박되어 자유로이 되지 않음.
[羈孤 기고] 혼자 여행함. 혼자임.
[羈梏 기곡] 속박하여 자유스럽지 못하게 함.
[羈貫 기관] 기각(羈角).
[羈旅之臣 기려지신] '기려지신(羇旅之臣)'과 같음.
[羈勒 기륵] 잡아매어 자유를 속박함.
[羈縻 기미] 맴. 또, 매임. 전(轉)하여, 외국의 내속(內屬).

[羈絆 기반] ㉠굴레. ㉡굴레를 씌운 듯이 자유를 얽맴.
[羈事 기사] 속박당하여 억지로 섬김.
[羈思 기사] 나그네의 생각. 여수(旅愁).
[羈紲 기설] ㉠굴레와 고삐. ㉡신하가 되어 섬기는 겸칭(謙稱).
[羈束 기속] 맴. 속박함.
[羈臣 기신] 기려지신(羈旅之臣).
[羈心 기심] 나그네의 마음. 여행 중의 생각.
[羈役 기역] 속박되어 사역(使役)당함.
[羈維 기유] 굴레. 자유를 구속함.
[羈子 기자] 기객(羈客).
[羈鳥戀舊林 기조연구림] 새장 안에 갇힌 새가 원래 살던 산림(山林)을 그리워함. 타향(他鄕)에 떠도는 나그네가 고향을 그리워함의 비유. 도잠(陶潛)의 시구(詩句).
[羈枕 기침] 객지에서의 잠자리. 객침(客枕).
[羈恨 기한] 나그네의 생각.
[羈魂 기혼] 여행하는 마음. 여행 중의 생각.
[羈宦 기환] 먼 지방으로 가서 입신출세(立身出世)함.
◉牽羈. 係羈. 繫羈. 幾羈. 絆羈. 不羈.

19
㉔ [罥] 견 ㉮霰 扃縣切 juàn ㉯銑 古泫切

字解 ①그물 견, 올무 견 '一, 网也'《說文》. ②옭을 견 그물로 옭아 잡음. 罝(网部 七畫)과 同字. '一, 挂也. 或作一'《集韻》.
字源 形聲. 罒(网)+繯(繯)〔音〕

羊(⺶) (6획) 部

〔양양부〕

0
⑥ [羊] 中·人 양 ㉮陽 與章切 yáng

筆順 丶 丷 䒑 兰 ⺷ 羊

字解 ①양 양 가축의 하나. 성질이 순하고 털이 희며 부드러움. 착한 것, 아름다운 것 등에 비유함. 또, 오행(五行)에서는 화(火)·토(土)에 배당하며, 역(易)의 팔괘(八卦)에서는 태(兌)에 배당함. '一頭狗肉'. '食麥與一'《禮記》. ②성 양 성(姓)의 하나.
字源 甲骨文 金文 篆文 象形. 양의 머리 모양을 본떠서, '양'의 뜻을 나타냄.
參考 '羊양'을 의부(意符)로 하여, 여러 가지 종류의 양이나 그 상태에 관한 문자를 이룸.

[羊角 양각] ㉠양(羊)의 뿔. 약재(藥材) 또는 물건을 만드는 데 씀. ㉡회오리바람. 선풍(旋風). ㉢'대추[棗]'의 이명(異名).
[羊角風 양각풍] 회오리바람. 양각(羊角)㉡.
[羊羹 양갱] 양고깃국.
[羊裘 양구] 양의 가죽으로 만든 옷.
[羊杜 양두] 진(晉)나라의 양호(羊祜)와 두예(杜預). 두 사람이 다 상양(襄陽) 태수(太守)가 되어 덕정(德政)을 베풀었음.
[羊頭狗肉 양두구육] 양의 대가리를 내걸고는 개고기를 판다는 뜻. 겉으로는 훌륭한 체하고 실상은 음흉한 짓을 함의 비유. 「품.
[羊酪 양락] 양젖의 지방을 분리하여 만든 식료
[羊卜 양복] 양(羊)의 비골(髀骨)을 그슬리어 그 튼 무늬를 보고 길흉을 점치는 일.
[羊肉 양육] 양(羊)의 고기.
[羊腸 양장] ㉠양(羊)의 창자. ㉡꼬불꼬불한 길. ㉢대행산(大行山)의 꼬불꼬불한 고개.
[羊酒 양주] 양의 고기와 술.
[羊質虎文 양질호문] 겉으로 보기에는 훌륭하나, 실상은 별수 없음을 이름.
[羊質虎皮 양질호피] 양질호문(羊質虎文).
[羊車 양차] ㉠궁중(宮中)에서 쓰는 화려하게 꾸민 수레. 양(羊)은 선(善). ㉡양에게 끌리는 자그마한 수레.
[羊齒 양치] 고사리.
[羊皮 양피] 양(羊)의 가죽.
[羊祜 양호] 진(晉)나라의 명장(名將). 벼슬이 정남대장군(征南大將軍)에 이름. 오(吳)나라를 치다가 병사(病死)함.
[羊毫 양호] 붓을 만드는 양털.
[羊毫筆 양호필] 양(羊)의 털로 만든 붓.
[羊很 양흔] 양처럼 이르는 말을 듣지 않음.
[羊很狼貪 양흔낭탐] 양처럼 마음이 비뚤어지고 이리처럼 욕심이 많음.
◉犬羊. 告朔餼羊. 羔羊. 多岐亡羊. 屠所之羊. 讀書亡羊. 望羊. 綿羊. 緬羊. 牧羊. 方羊. 白石變羊. 白羊. 山羊. 相羊. 商羊. 野羊. 羚羊. 牛羊. 牂羊. 羝羊. 臬羊. 餼羊. 犧羊.

0
⑦ [芉] 羊(部首)의 本字

2
⑧ [羌] 人名 강 (⑤향㊍) ㉮陽 去羊切 qiāng ㉯漾 許亮切

字解 ①오랑캐 강 중국 서방의 오랑캐 이름. 현재의 티베트 족(族). ②아 강 탄식하는 소리. '一內恕己以量人兮'《楚辭》. ③강할 강 굳셈. '一, 強也'《廣雅》. ④성 강 성(姓)의 하나. ⑤굶주릴 강 새끼 새가 배고픔에 시달리는 모양. '一量, 鳥雛飢困皃'《集韻》.
字源 甲骨文 金文 篆文 古文 形聲. 儿+羊〔音〕. '儿인'은 사람의 象形. '羊양'은 양의 象形. 목양민(牧羊民)의 뜻을 나타냄.

[羌虜 강로] 오랑캐. 또, 그 군대를 이름.
[羌婦 강부] 오랑캐의 여자.
[羌戎 강융] 강이(羌夷).
[羌夷 강이] 오랑캐. 중국 서(西)쪽의 이민족(異民族). 강융(羌戎). 강호(羌胡).
[羌笛 강적] 오랑캐의 부는 피리.
[羌胡 강호] 강이(羌夷).
[羌活 강활] 모양이 땅두릅과 같고 줄기와 잎 사이의 마디가 심자색(深紫色)으로 된 약초(藥草). 두통(頭痛)·중풍(中風) 등의 약재(藥材)로 씀. 강호리.

3
⑨ [美] 中·人 미 ㉯紙 無鄙切 měi

筆順 丷 䒑 丷 羊 ⺶ 美 美 美

字解 ①아름다울 미 ㉠미려함. '一人'. '一文'. '一而豔'《左傳》. ㉡옳음. 착함. '一政'. '一事'. ㉢훌륭함. 좋음. '其田一而多'《蘇軾》. '楚公子甚一'《國語》. ②맛날 미 맛이 있음. '甘一'. '一味'. '膾炙與羊棗孰一'《孟子》. ③기릴 미 칭찬함. '賞一'. '褒一'. '甘棠一召伯也'《詩經》. ④잘할 미 옳게 또는 훌륭하게 함. '彼將惡始而一終'《國語》. ⑤아름답게여길 미, 좋다고할 미 아름답다 또는 좋다고 인정함. '誠一其厚也. …誠一其德也'《荀子》. ⑥미국 미, 미주 미 북미 합중국(北美合衆國). 또, 아메리카 주(洲)의 약칭(略稱).

字源 甲骨文 金文 篆文 美 會意. 羊+大. 크고 훌륭한 양(羊)의 뜻에서, '맛있다, 아름답다'의 뜻을 나타냄. 음형상(音形上)으로는 '米미'와 통하여, 맛 좋은 쌀의 뜻을 나타냄.

[美價 미가] 좋은 값. 높은 가격.
[美感 미감] 미(美)에 대한 감각.
[美擧 미거] 칭찬(稱讚)할 만한 아름다운 행실(行實).
[美景 미경] 아름다운 경치. 좋은 경치.
[美景良辰 미경양신] 좋은 경치와 좋은 계절.
[美果 미과] ㉠아름다운 과실. ㉡좋은 결실(結實). 호결과(好結果).
[美官 미관] 훌륭한 벼슬.
[美觀 미관] 보기에 아름다운 것. 훌륭한 경치.
[美光 미광] 아름다운 빛.
[美國 미국] 아메리카 합중국.
[美妓 미기] 아름다운 기생(妓生).
[美男子 미남자] 얼굴이 아름다운 남자(男子).
[美女 미녀] 얼굴이 예쁜 여자(女子). 미인(美人).
[美女者醜婦之仇 미녀자추부지구] 충신(忠臣)·현사(賢士)는 간신(姦臣)·속사(俗士)의 원수라는 말.
[美談 미담] 후세(後世)에 전(轉)할 만한 아름다운 이야기.
[美德 미덕] 아름다운 덕행.
[美麗 미려] 아름답고 고움.
[美祿 미록] ㉠후한 녹봉. ㉡술[酒]의 이칭(異稱).
[美名 미명] 아름다운 이름. 좋은 평판(評判).
[美貌 미모] 아름답고 고운 얼굴 모양. 미용(美容).
[美妙 미묘] 아름답고 묘함.
[美文 미문] 아름다운 글.
[美味 미미] 좋은 맛.
[美服 미복] 아름답고 고운 옷.
[美婦 미부] 아름다운 부인.
[美士 미사] ㉠용모가 아름다운 선비. ㉡재덕이 뛰어난 선비.
[美仕 미사] 좋은 관직의 벼슬살이.
[美事 미사] 아름다운 행위 또는 일.
[美辭 미사] 아름다운 말.
[美辭學 미사학] 수사학(修辭學).
[美祥 미상] 좋은 조짐. 길조(吉兆).
[美色 미색] ㉠아름다운 용모. ㉡아름다운 빛.
[美晳 미석] 살결이 아주 곱고 흼.
[美選 미선] 훌륭한 사람을 뽑아 임명함. 적임자(適任者)를 선임(選任)함.
[美少年 미소년] 아름다운 소년(少年).
[美鬚 미수] 아름다운 수염.
[美鬚豪眉 미수호미] 아름다운 수염과 짙은 눈썹.
[美術 미술] 미(美)의 표현을 목적으로 하며, 시각(視覺)에 의하여 관상하는 예술. 즉, 회화·조각 등.
[美食 미식] 맛 좋은 음식. 훌륭한 요리.
[美飾 미식] 아름다운 장식.
[美惡 미악] ㉠아름다움과 보기 흉함. 미추(美醜). ㉡착함과 악함. 선악.
[美御 미어] 아름다운 첩(妾).
[美言 미언] ㉠아름다운 말. 잘 지은 문구. ㉡착한 말. 유익한 말. ㉢칭찬하는 말.
[美如冠玉 미여관옥] 외양은 버젓하나 속이 텅 빔의 비유. 또는 재주만 있고 덕이 없음의 비유.
[美艶 미염] 아리땁고 요염함.
[美譽 미예] 아름다운 명예. 좋은 평판.
[美容 미용] 미모(美貌).
[美音 미음] 아름다운 음성(音聲).
[美蔭 미음] 상쾌한 나무 그늘.
[美意識 미의식] 미를 감상하는 의식.
[美而艶 미이염] 얼굴이 곱고 자태가 요염하여 사람의 마음을 녹임.
[美人 미인] ㉠얼굴이 예쁜 여자(女子). 미녀(美女). ㉡자기가 그리워하는 사람. ㉢재덕이 뛰어난 사람. 군자(君子). ㉣궁녀(宮女). ㉤여관(女官)의 한 계급. ㉥미국인(美國人).
[美人計 미인계] 여색(女色)을 이용(利用)하여 남을 꾀는 꾀.
[美人局 미인국] 남편 있는 여자가 남편과 짜고 간통한 후 그 간부(姦夫)를 협박하여 돈을 빼앗는 일.
[美人草 미인초] '우미인초(虞美人草)'의 약어(略語).
[美裝 미장] 고운 차림.
[美丈夫 미장부] 미남자(美男子).
[美才 미재] 훌륭하게 뛰어난 재주. 또, 그 사람.
[美績 미적] 뛰어난 공적.
[美田 미전] 비옥한 논밭.
[美節 미절] 좋은 시절. 가절(佳節).
[美點 미점] 좋은 점. 장점(長點).
[美政 미정] 바른 정치. 선정(善政).
[美爪術 미조술] 손톱이나 손가락을 곱게 다듬는 기술. 매니큐어.
[美蹤 미종] 아름다운 행실. 선행(善行).
[美酒 미주] 맛 좋은 술.
[美疢不如惡石 미진불여악석] 미진(美疢)은 달되 몸을 해치고, 약석(藥石)은 쓰되 병을 고침. 고식적인 사랑은 듣기 싫은 훈계의 말보다 못함의 비유.
[美質 미질] 좋은 성질. 좋은 바탕.
[美遷 미천] 훌륭한 관위(官位)에 오름. 영전(榮轉)함.
[美醜 미추] 아름다움과 보기 흉함.
[美趣 미취] 훌륭한 정취.
[美稱 미칭] ㉠아름다운 칭호(稱號). ㉡미명(美名).
[美態 미태] 아름다운 태도(態度).
[美風 미풍] 아름다운 풍속(風俗). 좋은 풍속.
[美學 미학] 자연 및 인생에 나타나는 미에 관하여 연구하는 학문.
[美行 미행] 아름다운 행동(行動).
[美形 미형] 미모(美貌).
[美好 미호] 용모가 아름다움.
[美化 미화] ㉠아름다운 감화(感化). ㉡아름답게 바꿈. 또, 만듦. ㉢실질(實質) 이상으로 표현함. ㉣아름다운 풍습(風習).

[美花 미화] 아름다운 꽃.
[美肴 미효] 맛있는 안주.
[美厚 미후] 맛있는 음식과 훌륭한 옷.
[美姬 미희] 아름다운 여자.
◉甘美. 姣美. 具美. 綺美. 肥美. 四美. 賞美. 盛美. 世濟其美. 頌美. 粹美. 淑美. 醇美. 審美. 雙美. 雅美. 麗美. 軟美. 艷美. 沃美. 優美. 幽美. 有終之美. 潤美. 逸美. 溢美. 刺美. 咨美. 專美. 精美. 濟美. 鍾美. 遒美. 衆美. 至美. 盡善盡美. 贊美. 讚美. 擅美. 淸美. 追美. 醜美. 歎美. 便美. 褒美. 豐美. 虛美. 華美.

3 ⑨ [羑] 유 [上]有 與久切 yǒu

[字解] ①권할 유, 인도할 유 착한 일을 하도록 권하고 이끎. '誕受一若'《書經》. ②성 유 성(姓)의 하나.

[字源] 篆文 形聲. 羊(𦍌)＋久〔音〕. 양을 오랜 시간을 들여서 유도해 가다의 뜻을 나타냄.

[羑里 유리] 은(殷)나라 주왕(紂王)이 주(周)나라 문왕(文王)을 유폐(幽閉)한 곳.

3 ⑨ [养] 〔양〕 養(食部 六畫〈p. 2574〉)의 簡體字

[姜] 〔강〕 女部 六畫(p. 531)을 보라.

3 ⑨ [羍] 달 [入]曷 他達切 dá

[字解] ①새끼양 달 '一, 小羊也'《說文》. ②아름다울 달 '一, 美也'《廣雅》. ③날 달 태어남. '一, 生也'《玉篇》.

[字源] 篆文 別體 形聲. 羊＋大〔音〕. '새끼 양(羊)'의 뜻. 古本의 《說文》에 의하면, 태어난 지 일곱 달 된 양이라고 함. 別體는 그 생략체(省略體). 段玉裁는, 別體의 '人인'의 부분이 사람의 뜻으로서, 양에게 인의례(仁義禮)의 덕(德)이 있기 때문이라고 함. 그렇다면, 篆文의 '大대'도 '人(서 있는 사람)'으로 볼 수 있음. 일설(一說)에는, 새끼 양이 태어나는 모양을 뒤에서 본 象形字라고도 함.

[庠] 〔상〕 广部 六畫(p. 696)을 보라.

4 ⑩ [羔] [人名] 고 [平]豪 古勞切 gāo

[字解] ①양새끼 고 새끼 양. '一羊之皮'《詩經》. ②검은양 고 빛이 검은 양. 오양(烏羊). '緇衣一裘'《論語》.

[字源] 甲骨文 金文 篆文 會意. 羊＋火. 양을 불 위에 놓은 모양을 나타내며, 통구이에는 새끼 양이 적합한 데서, 어린 양의 뜻을 나타냄.

[羔裘 고구] 어린 양의 가죽으로 만든 옷.
[羔豚 고돈] 어린 양과 돼지.
[羔袖 고수] 어린 양의 가죽으로 만든 소매. ㉠그런대로 괜찮으나 조금 결점이 있음의 비유. ㉡천(賤)한 사람의 비유.
[羔雁 고안] 양과 기러기. 경대부(卿大夫)의 진상물(進上物).
[羔羊 고양] ㉠새끼 양과 큰 양. ㉡시경(詩經)의 편명(篇名). 전(轉)하여, 염결(廉潔)한 군자의 비유로 쓰임.
◉豚羔. 璧羔. 腼羔. 烝羔.

4 ⑪ [羐] 羔(前條)와 同字

4 ⑩ [羙] 羔(前前條)의 俗字

4 ⑩ [羕] 양 [去]漾 餘亮切 yàng

[字解] ①내길 양 강이 긺. '一, 水長也. …詩曰, 江之一矣'《說文》. ②길 양 '一, 長也'《爾雅》.

[字源] 金文 篆文 形聲. 永＋羊〔音〕. '永영'은 강이 길다의 뜻.

4 ⑩ [羗] 〔강〕 羌(羊部 二畫〈p. 1795〉)과 同字

[恙] 〔양〕 心部 六畫(p. 773)을 보라.

4 ⑩ [羒] 분 [平]文 符分切 fén

[字解] 숫양 분 양의 수컷. '一, 牡羊也'《爾雅》. 일설(一說)에는, 암양.

[字源] 篆文 形聲. 羊＋分〔音〕. '分분'은 쌀가루의 뜻인 '粉분'의 생략으로 '희다'의 뜻.

4 ⑩ [羓] 파 [平]麻 邦加切 bā

[字解] 포 파 말린 고기.

4 ⑩ [羖] 고 [上]麌 公戶切 gǔ

[字解] ①암양 고 빛이 검은 암양. 또는 검은 숫양. '俾出童一'《詩經》. ②불깐양 고 거세(去勢)한 양. '一, 亦羯也'《一切經音義》.

[字源] 篆文 形聲. 羊＋殳〔音〕

[羖䍽 고력] 산양(山羊). 검은빛의 양.

4 ⑩ [羘] 장 [平]陽 玆郞切 zāng

[字解] 암양 장 牂(爿部 六畫)과 同字. '泰山之高百仞, 而疲一牧其上'《史記》.

4 ⑩ [⿰月羊] [一] 장 [平]陽 子唐切 zāng [二] 양 [韓]

[字解] [一] 숫양 장 저양(羝羊). [二] 《韓》 양 양 소의 밥통의 고기. 臟(肉部 十七畫)의 俗字.

[⿰月羊領 양령] 소의 밥통 부분.

5 ⑪ [羞] [人名] 수 [平]尤 息流切 xiū

[字解] ①나아갈 수 앞으로 나아감. '今我既一告

爾于朕志'《書經》. ②드릴 수 음식을 올림. 또, 일반적으로, 바침. '一以含桃'《禮記》. '獻壽一璧'《謝莊》. ③음식 수 '珍一'. '食飲膳一'《周禮》. ④부끄러워할 수 '一惡之心'《孟子》. '一愧流汗'《後漢書》. ⑤부끄럽게할 수 욕보임. '以一先帝之遺德'《漢書》. ⑥부끄럼 수 수치. 치욕. '含一'. '包一忍恥是男兒'《杜牧》.

字源 甲骨文 金文 篆文 形聲. 羊+丑〔音〕. '丑추'는 손의 象形. 희생의 양을 올리다의 뜻을 나타냄. 假借하여, '부끄러워하다'의 뜻으로 쓰임.

[羞看 수간] 부끄러워하며 봄.
[羞悸 수계] 부끄러워 가슴이 두근거림.
[羞愧 수괴] 부끄러워함.
[羞赧 수난] 부끄러워 얼굴이 붉어짐.
[羞面 수면] 부끄럼을 띤 얼굴.
[羞明 수명] ㉠낮에 오면서 녹아 쌓이지 아니하는 눈. ㉡눈부심.
[羞澁 수삽] 부끄러워 머뭇머뭇함.
[羞惡之心 수오지심] 자기의 나쁜 짓을 부끄러워하고, 남의 나쁜 짓을 미워하는 마음. 정의감(正義感).
[羞辱 수욕] 부끄럽고 욕(辱)됨. 수치(羞恥). 치욕(恥辱).
[羞怍 수작] 부끄러움. 부끄러워함.
[羞慙 수참] 부끄러워함. 또, 부끄럼.
[羞縮 수축] 부끄러워 움츠림.
[羞恥 수치] 부끄러움.
[羞汗 수한] 부끄러워 땀이 남.
[羞恨 수한] 부끄러워하여 원한(怨恨)을 품음.
[羞花閉月 수화폐월] 꽃도 부끄러워하고 달도 숨는다는 뜻으로, 절세의 미인(美人)의 형용.
[羞悔 수회] 부끄러워하며 뉘우침.
◉嘉羞. 嬌羞. 常羞. 庶羞. 膳羞. 時羞. 深羞. 飮膳之羞. 忍羞. 珍羞. 慙羞. 薦羞. 豐羞. 含羞. 香羞. 好羞.

5 ⑪ [羛] 〔의〕
義(羊部 七畫〈p. 1799〉)와 同字

5 ⑪ [羍] 〔고〕
辜(辛部 五畫〈p. 2281〉)와 同字

[盖] 〔개〕
皿部 六畫(p. 1520)을 보라.

5 ⑪ [羚] 령 ㊥青 郎丁切 líng

字解 ①영양 령 솟과(科)에 속하는 짐승. 염소 비슷함. 암컷과 수컷이 모두 뿔이 있음. '一羊'. '一, 羊挂角, 無迹可求'《滄浪詩話》. ②새끼양 령 어린 양. '一, 羊子'《廣韻》.

字源 形聲. 羊+令〔音〕. '令령'은 무릎 꿇다의 뜻. 무릎 꿇듯이 하여 쉬는 새끼 양, 영양의 뜻을 나타냄.

[羚羊 영양] 자해(字解)❶을 보라.

5 ⑪ [羜] 저 ㊤語 直呂切 zhù

字解 양새끼 저 생후(生後) 5개월 되는 양. '既有肥一, 以速諸父'《詩經》.

字源 篆文 形聲. 羊+宁〔音〕. '宁저'는 쌓아 모으다, 살찌다의 뜻. 살쪄서 통통한 새끼 양을 이름.

5 ⑪ [羝] 저 ㊥齊 都奚切 dī

字解 ①숫양 저 양의 수컷. '一羊觸藩'《易經》. '取一以軷'《詩經》. ②세살짜리양 저 '三歲曰一'《一切經音義》.

字源 篆文 形聲. 羊+氏〔音〕. '氏저'는 서로 뿔로 들이받다〔觝〕의 뜻. 서로 뿔로 들이받는 숫양의 뜻을 나타냄.

[羝羊觸藩 저양촉번] 숫양이 뿔로 울타리를 받아 진퇴양난에 빠진다는 뜻으로, 만용(蠻勇)을 내어 저돌(豬突)하는 사람은 도리어 실패한다는 비유.
[羝乳 저유] 숫양이 새끼를 낳아서 젖을 먹임. 결코 있을 수 없는 일의 비유. 유(乳)는 새끼를 낳는다는 뜻.
[羝乳乃得歸 저유내득귀] 숫양이 새끼를 낳으면 돌려보낸다, 곧 영원히 돌아가지 못한다의 뜻. 한(漢)나라 소무(蘇武)가 흉노(匈奴)에게 잡혔을 때, 흉노가 소무에게 한 말.

5 ⑪ [羢] 말 ㊇月 勿發切 wà

字解 말갈 말 '一羯'은 오랑캐의 양의 이름. '一羯, 胡羊名'《集韻》.

5 ⑪ [羟] 평 ㊥庚 披耕切 pēng

字解 얼룩양 평 털빛이 얼룩얼룩한 양의 이름. '一, 駁羊名'《集韻》.

5 ⑪ [羖] 〔고〕
羖(羊部 四畫〈p. 1797〉)의 俗字

5 ⑫ [羑] 〔유〕
羑(羊部 三畫〈p. 1797〉)의 本字

6 ⑫ [羡] 이 ㊥支 以脂切 yí

字解 땅이름 이 '沙一'는 한대(漢代)의 현(縣) 이름. 지금의 후베이 성(湖北省)에 속(屬)함. '江夏郡, 縣十四, 沙一'《漢書》.

字源 形聲. 羊+次〔音〕

參考 羨(羊部 七畫)은 別字.

6 ⑫ [着] 中 人 〔착〕 著(艸部 九畫〈p. 1943〉)㊁의 俗字

筆順 丶 丷 䒑 兰 羊 关 着 着

6 ⑫ [羕] 〔양〕
羕(羊部 四畫〈p. 1797〉)의 俗字

[善] 〔선〕
口部 九畫(p. 394)을 보라.

6 ⑫ [羠] ㊀ 조 ㊤篠 治小切 zhào
㊁ 도 ㊤晧 杜皓切

字解 ㊀ 새끼양 조 난 지 1년 된 양. 또, 거세(去勢)한 양으로 무게가 100근 전후의 것. '一, 羊未卒歲也. 或曰, 羠羊百斤左右爲一'《說文》. ㊁ 새끼양 도 ㊀과 뜻이 같음.
字源 形聲. 羊+兆〔音〕

6 ⑫ [羠] ㊀ 이 ㊥支 以脂切 yí ㊁ 시 ㊤紙 徐姊切 yí

字解 ㊀ ①불깐양 이 거세한 숫양. '夏羊牾曰羯, 吳羊牾曰一'《說文 段注》. ②들양 이 큰 뿔이 있는 야생의 암양. '四方有野羊犬角. 牡者曰羱, 牝者曰一'《急就篇》. ㊁ 불깐양 시, 들양 시 ㊀과 뜻이 같음.
字源 篆文 形聲. 羊+夷〔音〕

◉羯羠.

6 ⑫ [羦] 궤 ㊤紙 古委切 guǐ

字解 양뿔가지런하지않을 궤 양의 뿔이 가지런하지 아니함. '羦, 或从羊, 羊角不齊也'《集韻》.

6 ⑫ [羢] 융 ㊥冬 而容切 róng

字解 양털 융 가는 양모(羊毛).
字源 形聲. 羊+戎〔音〕. '戎융'은 '오랑캐'의 뜻. 다른 나라에서 온 양의 털의 뜻을 나타냄.

6 ⑫ [羫] 〔동〕 羶(羊部 十二畫〈p. 1803〉)과 同字

[翔] 〔상〕 羽部 六畫(p. 1807)을 보라.

7 ⑬ [羨] 人名 ㊀ 선 ㊦霰 似面切 xiàn ㊁ 연 ㊥先 夷然切 yán

筆順

字解 ㊀ ①부러워할 선 ㉠탐내어 부러워함. '貪一'. '無然歆一'《詩經》. ㉡남이 자기보다 나은 것을 부러워하거나 흠모(欽慕)하여 부러워함. '欽一'. '一望'. '昔爲人所一'《古詩》. ②지날 선, 넘칠 선 더함. '功一於五常'《史記》. ③나머지 선 여분. 잉여. '以一補不足'《孟子》. ④바르지않을 선 부정(不正)함. 사곡(邪曲)됨. '一于微'《太玄經》. ⑤그르칠 선 잘못함. '有天下不一其和'《淮南子》. ⑥불러들일 선 '乃一公侯卿士'《張衡》. ⑦길 선 치수가 긺. '璧一以起度'《周禮》. ⑧성 선 성(姓)의 하나. ㊁ 묘도(墓道) 연 埏(土部 七畫)과 同字. '共伯入釐侯一, 自殺'《史記》.
字源 篆文 形聲. 羊+㳄〔音〕. '㳄선·연'은 입을 벌린 사람의 물, 군침의 뜻. '羊양'은 양고기 따위의 맛있는 요리의 뜻. 맛있는 음식을 보고 군침을 흘리다의 뜻에서, '부러워하다'의 뜻을 나타냄.
參考 羡(羊部 六畫)는 別字.

[羨望 선망] 부러워함.
[羨慕 선모] 부러워하고 사모(思慕)함.
[羨餘 선여] 나머지.
[羨溢 선일] 넘칠 정도로 많음.
[羨門 연문] 무덤 입구의 문.
◉嘉羨. 建羨. 慶羨. 企羨. 奇羨. 曼羨. 仰羨. 餘羨. 盈羨. 榮羨. 流羨. 充羨. 歎羨. 豐羨. 欽羨. 歆羨.

7 ⑬ [義] 中人 의 ㊦寘 宜寄切 yì ㊥支 魚羈切 yí

筆順

字解 ①의 의 ㉠군신 간의 도덕. 오륜(五倫)의 하나. '君臣有一'. ㉡옳은 길. 사람이 지켜야 할 준칙. 오상(五常)의 하나. '仁一禮智信'. '立人之道, 曰仁與一'《易經》. ㉢국가·군주 또는 공공을 위한 마음씨. 또, 그 일. '一倉'. '一擧'. ㉣은혜. 덕혜(德惠). '竊以爲君市一'《戰國策》. ㉤직분(職分). '一務'. '背恩忘一'《漢書》. ㉥혈연관계가 없는 사람과 친족 관계를 맺는 일. '一父'. '一兄弟'. '養以爲兒, 號一兒軍'《五代史》. 전(轉)하여, 실물(實物)의 대용(代用)을 하는 것. '一足'. '一齒'. ②옳을 의, 의로울 의 '春秋無一戰'《孟子》. '以公子之高一, 爲能急人之困'《史記》. ③사리(事理) 의 도리(道理). '一, 理也. 故行'《荀子》. ④뜻 의 의미. '大一'. '文一'. '詩有六一焉'《詩經》. ⑤바르지않을 의 부정(不正)함. 사곡(邪曲). 俄(人部 七畫)와 통용. '雖有大一, 無從知之'《管子》. ⑥처리할 의 정도(正道)에 따라 옳게 재결(裁決)함. '分何以能行. 曰, 以一. 故一以分則和'《荀子》. ⑦성 의 성(姓)의 하나.
字源 甲骨文 金文 篆文 別體 形聲. 羊+我〔音〕. '我아'는 들쭉날쭉한 이가 있는 톱의 象形. 희생양(犧牲羊)을 날붙이로 잡는 모양에서, 엄숙한 의식(儀式)에 맞는 거동의 뜻을 나타냄. 또, '僞위'와 통하여, 사람이 짓다의 뜻을 나타내어, 실물이 아닌 명목상의 뜻을 나타냄.
參考 羛(羊部 五畫)와 同字.

[義脚 의각] 의족(義足).
[義擧 의거] 정의(正義)를 위해 일을 일으키는 일. 의(義)로운 거사(擧事).
[義據 의거] 의미의 근거. 뜻의 출처(出處).
[義經 의경] 바른길.
[義故 의고] 이전에 은의(恩義)로써 맺은 사람.
[義戈 의과] 정의(正義)를 위하여 일으킨 전쟁.
[義軍 의군] 정의를 위해 일으키는 군대. 또, 정의를 위해 궐기하는 군사. 의용병(義勇兵).
[義氣 의기] 의(義)로운 마음. 의(義)로 인하여 일어나는 기개(氣概).
[義旗 의기] 정의를 위한 전쟁. 또, 그 깃발.
[義女 의녀] 의붓딸.
[義徒 의도] 의를 위하여 신명(身命)을 아끼지 아니하는 무리.
[義烈 의렬] 의열(義烈).
[義例 의례] 책의 범례(凡例), 짓게 된 연유, 책의 대체(大體)에 대한 설명.
[義理 의리] ㉠사람으로서 이행(履行)하여야 할 정당한 도리(道理). ㉡서로 사귀는 도리. ㉢뜻. 의미.
[義母 의모] ㉠의붓어미. ㉡수양어머니.
[義務 의무] ㉠맡은 직분. ㉡응당 하여야 할 본분. ㉢법률이 제정하여 강제하는 행위 또는 불행

위. 권리(權利)의 대(對).

[義務敎育 의무교육] 국민의 의무(義務)로 자기가 보호하는 아이에게 받게 하는 교육(敎育). 곧, 국민으로서 반드시 받지 아니하면 안 되는 교육.

[義米 의미] 빈민을 구제하기 위한 쌀.

[義方 의방] 신의를 지키도록 하는 방법. 아버지가 아들을 교훈하는 일을 이름.

[義兵 의병] 의(義)를 위하여 일어나는 군사(軍事).

[義僕 의복] 충복(忠僕).

[義父 의부] ㉠의붓아비. ㉡수양아버지.

[義婦 의부] 의기(義氣)가 장(壯)한 여자. 의협심(義俠心)이 많은 여자.

[義奮 의분] 의(義)를 위하여 분발(奮發)함.

[義憤 의분] 의(義)를 위하여 일어나는 분노(憤怒).

[義士 의사] 의리와 지조(志操)를 굳게 지키는 선비.

[義死 의사] 의(義)를 위하여 죽음.

[義師 의사] 정의(正義)를 위하여 일으키는 군사. 의군(義軍). 의병(義兵).

[義嗣 의사] 당연히 뒤를 이을 사람. 적자(敵子)를 이름.

[義疏 의소] 책의 뜻풀이. 주소(註疏).

[義手 의수] 사람이 만들어 붙인 나무 또는 고무의 손.

[義塾 의숙] 사인(私人)이 공익(共益)을 위하여 세운 학사(學舍).

[義心 의심] 의(義)로운 마음.

[義兒 의아] 의자(義子)❶.

[義眼 의안] 사람이 만들어 박은 눈.

[義役 의역] 부역(賦役)에 나가지 아니하는 사람에게 전곡(田穀)을 바치게 하여, 부역에 나간 사람의 집에 급여하는 제도.

[義捐 의연] 자선(慈善)과 공익(公益)을 위하여 금품(金品)을 연조(捐助)함. 또, 그 금품.

[義淵 의연] 의(義)의 깊고도 확실하게 밝힐 수 없음의 비유.

[義烈 의열] 뛰어난 충의(忠義).

[義榮 의영] 자신에게 갖춰져 있는 영예(榮譽).

[義勇 의용] ㉠충의(忠義)와 용기(勇氣). 의를 위하여 일어나는 용기(勇氣). ㉡의용병(義勇兵).

[義勇兵 의용병] 국민(國民) 중에서 뜻있는 사람이 단결(團結)하고 자진(自進)하여 출전(出戰)하는 군사.

[義援 의원] 의연(義捐).

[義人 의인] 의사(義士).

[義子 의자] ㉠의붓아들. ㉡한 그릇 안에 차례로 모양이 같은 작은 그릇을 넣게 된 그릇.

[義莊 의장] 의전(義田).

[義賊 의적] 불의(不義)의 재물(財物)을 훔쳐다가 어려운 사람을 구제(救濟)하는 도적(盜賊).

[義田 의전] 가난한 일가를 구제하기 위한 전기.

[義戰 의전] 정의의 전쟁. 명분이 서는 싸움.

[義絶 의절] ㉠맺었던 의를 끊음. ㉡의리를 위하여 절교함.

[義弟 의제] 결의(結義)한 아우.

[義足 의족] 사람이 만들어 댄 나무나 고무의 발.

[義倉 의창] 토지에서 나는 수입의 일부를 거출하여 흉년에 대비하여 저축하여 두는 창고.

[義冢 의총] 연고 없는 사람의 시체를 묻은 무덤.

[義塚 의총] 의총(義冢).

[義齒 의치] 사람이 만들어 박은 이.

[義學 의학] 의숙(義塾).

[義解 의해] 의미의 해석. 의소(義疏).

[義行 의행] 의(義)로운 행위.

[義俠 의협] ㉠강자(強者)를 억누르고 약자(弱者)를 도와주는 마음. ㉡체면을 중하게 알고 의리가 있음.

[義兄 의형] 결의(結義)한 형(兄).

[義形於色 의형어색] 가슴속에 정의(正義)를 위한 마음을 품고 있으면 외모(外貌)에 나타남.

[義刑義殺 의형의살] 시세(時世)에 맞는 법(法)에 의해 형벌(刑罰)을 매기고 또 사형(死刑)에 처함.

[義兄弟 의형제] 형제(兄弟)의 의(義)를 맺은 사람.

[義懷 의회] 정의(正義)의 마음.

[義訓 의훈] ㉠사람의 지켜야 할 가르침. 정의(正義)의 교훈. ㉡문장이나 문자의 뜻을 명확히 함.

◉講義. 慾義. 見利思義. 古義. 故義. 高義. 公義. 廣義. 敎義. 起義. 難義. 論義. 斷章取義. 談義. 大道廢有仁義. 大義. 德義. 道義. 同義. 名義. 文義. 法義. 本義. 不義. 佛義. 朋義. 死義. 私義. 辭義. 常義. 釋義. 順義. 詩六義. 信義. 新義. 深義. 十義. 演義. 禮義. 五義. 奧義. 六義. 恩義. 音義. 意義. 疑義. 異義. 理義. 人義. 仁義. 字義. 詮義. 轉義. 節義. 漸仁摩義. 正義. 定義. 情義. 精義. 第二義. 第一義. 主義. 旨義. 咫尺之義. 質義. 集義. 唱義. 彰義. 忠義. 鴟義. 通義. 學義. 解義. 鴻義. 孝義. 訓義.

7 ⑬ [羥] ㊀ 간 ㊥刪 苦閑切 qiān ㊁ 경 ㊥庚 口莖切 qiǎng 羟

字解 ㊀ ①양 간 '一, 羊名也'《說文》. ②원소이름 간 '一基'는 '氫氧基'의 약칭으로, 수소(水素)의 일컬음. ㊁ 양 경, 원소이름 경 ㊀과 뜻이 같음.

字源 形聲. 羊+巠〔音〕

7 ⑬ [羦] 환 ㊥寒 胡官切 huán

字解 ①산양 환 뿔이 가는 산양(山羊). '莧, 說文, 山羊細角者. 或作一'《集韻》. ②짐승이름 환 양 비슷한 못된 짐승. '一, 獸似羊惡也'《玉篇》.

字源 形聲. 羊+完〔音〕

7 ⑬ [群] 高·人 군 ㊥文 渠云切 qún

筆順 ㇕ ⺕ ⺕ 尹 君 君' 君兰 群

字解 ①무리 군 ㉠여럿. 떼. '拔一'. '誰謂爾無羊, 三百維一'《詩經》. ㉡같은 부류(部類). 동류(同類). '物以一分'《易經》. ②동아리 군 붕우. '離一而索居'《禮記》. ③떼질 군 무리 지음. 떼 지어 모임. '一而不黨'《論語》. ④모을 군 모이게 함. '壹統類而一天下之英傑'《荀子》. ⑤집안 군 가족. 친족. '稱情而立文, 因以飾一'《禮記》. ⑥많을 군 많은. 여럿의. '一雄'. '王爲一姓立社'《禮記》.

字源 金文 篆文 形聲. 羊+君〔音〕. '君군'은 '昆곤'과 통하여, 떼 지어 모이다, 무리 짓다의 뜻. 떼 지은 양(羊)의 뜻에서, '무

리·떼'의 뜻을 나타냄.
[參考] 羣(次條)은 本字.

[群居 군거] 떼를 지어 있음. 모여 삶.
[群犬吠所怪 군견폐소괴] 속인(俗人)들이 성현(聖賢)의 언행이 자기들과 다른 것을 괴이쩍게 여겨 비방(誹謗)함의 비유.
[群輕折軸 군경절축] 가벼운 물건도 많이 모이면 수레의 굴대를 부러뜨림. 작은 힘도 합하면 비상한 힘이 됨의 비유.
[群經平議 군경평의] 청(淸)나라의 유월(兪樾)이 찬(撰)한 해석서(解釋書). 모두 35권. 시(詩)·서(書)·역(易) 등 경서(經書)의 의의(意義)에 대한 새로운 해석을 시도(試圖)한 책.
[群起 군기] 떼를 지어 일어남. 봉기(蜂起).
[群譏 군기] 뭇사람의 비방.
[群黨 군당] 무리. 떼.
[群島 군도] 모여 있는 작고 큰 여러 섬.
[群盜 군도] 많은 도적(盜賊)의 떼.
[群落 군락] 떼. 무리. 모인 단체.
[群黎 군려] 많은 백성.
[群靈 군령] 여러 사람의 영혼.
[群僚 군료] 많은 관리.
[群盲 군맹] 많은 소경.
[群牧 군목] 여러 제후(諸侯), 또는 지방 장관.
[群民 군민] 많은 백성.
[群邦 군방] 여러 나라.
[群芳 군방] 가지가지의 꽃. 전(轉)하여, 많은 현인(賢人).
[群司 군사] 많은 벼슬아치.
[群翔 군상] 떼를 지어 낢.
[群像 군상] ㉠많은 사람들. ㉡많은 인물을 떼를 지어 그린 그림이나 새긴 조각.
[群生 군생] ㉠많은 사람. ㉡떼를 지어 무더기로 남. 총생함.
[群書 군서] 많은 책(冊).
[群小 군소] ㉠수많은 소인(小人). ㉡수많은 첩(妾).
[群蝨處褌中 군슬처곤중] 많은 이가 잠방이 속에 있다는 뜻으로, 속인(俗人)이 한때의 안락(安樂)에 만족하여 세월을 보냄을 이름.
[群臣 군신] 많은 신하(臣下).
[群神 군신] 많은 신령.
[群心 군심] 여러 사람들의 마음.
[群言 군언] 여러 사람들의 말. 중구(衆口).
[群英 군영] 많은 뛰어난 인물. 군웅(群雄).
[群枉 군왕] 많은 바르지 못한 사람.
[群雄 군웅] 많은 영웅(英雄).
[群雄割據 군웅할거] 많은 영웅이 각 지방에 웅거(雄據)하여 세력을 떨침.
[群遊 군유] 떼를 지어 놂.
[群疑 군의] 많은 미심쩍은 점. 많은 의문.
[群議 군의] 여러 사람의 의론. 중의(衆議).
[群疑滿腹 군의만복] 여러 사람들이 모두 의심을 품음.
[群蟻附腥羶 군의부성전] 사람이 이로운 데로 떼를 지어 모임의 비유.
[群才 군재] 많은 재능 있는 사람.
[群籍 군적] 많은 책(冊).
[群情 군정] 여러 사람의 마음.
[群衆 군중] 많이 모인 여러 사람.
[群衆心理 군중심리] 많은 사람이 모일 때 남의 말과 행동(行動)에 덩달아 붙좇는 마음.
[群集 군집] 떼를 지어 모임. 또, 많은 사람이 모임.
[群策群力 군책군력] 여러 사람의 지력(智力)을 합함.
[群醜 군추] 군흉(群兇).
[群聚 군취] 군집(群集).
[群下 군하] 많은 부하나 제자. 또, 신하.
[群行 군행] 떼를 지어 감.
[群賢 군현] 뭇 어진 이.
[群化 군화] 만물의 변화.
[群花 군화] 많은 꽃. 군방(群芳).
[群喙 군훼] 많은 사람의 말. 속인(俗人)의 말.
[群凶 군흉] 많은 악인(惡人).
◉鷄人鵝群. 孔群. 冠群. 毛群. 拔群. 不群. 殊群. 野鶴在雞群. 越群. 離群. 鱗群. 逸群. 絕群. 珍群. 超群. 出群. 特群. 匹群.

7 ⑬ [羣] 群(前條)의 本字

7 ⑬ [羭] [一] 서 [平]魚 祥余切 xú [二] 여 [平]魚 羊諸切
[字解] [一] 양 서 양의 한 가지. '一, 郊羊也'《集韻》. [二] 들양 여 들양. '一, 野羊'《集韻》.

8 ⑭ [羾] [一] 동 [平]東 都籠切 dōng [去]送 多貢切 [二] 진 [平]眞 直珍切
[字解] [一] 짐승이름 동 양 비슷하고, 뿔이 하나, 눈이 하나인 짐승의 이름. '一, 獸名. 似羊, 一角一目'《廣韻》. [二] 짐승이름 진 [一]과 뜻이 같음.

8 ⑭ [羿] 쟁 [平]庚 甾莖切 zhēng
[字解] ①영양(羚羊) 쟁 '一, 羚羊名'《集韻》. ②새끼양 쟁 '一, 羊子也'《玉篇》.

8 ⑭ [挼] 위 [去]寘 於僞切 wěi [上]紙 烏毁切
[字解] ①양떼지어모일 위 '一, 羊相一積'《說文》. ②양의유행병 위 '一積'은 양의 돌림병. '一, 一積, 羊疫'《集韻》.
[字源] 形聲. 羊+委〔音〕

8 ⑭ [羫] [一] 강 [平]江 枯江切 qiāng [二] 공 [去]送 苦貢切 kòng
[字解] [一] 양갈빗대 강 양의 갈빗대. '一, 羊肋'《玉篇》. [二] 양고기포 공 양고기 포. '一, 羊腊, 亦从肉'《集韻》.

8 ⑭ [羬] [一] 결 [入]屑 傾雪切 jué [二] 철 [入]屑 株劣切 chuò
[字解] [一] 양의병 결 양의 병. '一, 羊病'《集韻》. [二] 뛰다가죽을 철 양이 뛰다가 죽음. '一, 羊躍而死'《集韻》.

8 ⑭ [羷] 잔 [上]濟 仕限切 zhàn
[字解] 양의우리 잔 양을 치는 우리.

9 ⑮ [羹] 〔갱〕 羹(羊部 十三畫〈p. 1803〉)의 俗字

9 ⑮ [羭] 유 [平]虞 羊朱切 yú [去]遇 兪戌切

[字解] ①숫양 유 빛이 검은 숫양. 또는 암양. '夏羊牡—, 牝羖'《爾雅》. '—, 黑羊也. 牝羊也'《釋文》. ②아름다울 유 훌륭함. 또 그 일. '攘公之—'《左傳》.

[字源] 篆文 羭 形聲. 羊+兪〔音〕

9 ⑮ [羯] 갈 [入]月 居謁切 jié

[字解] ①불깐양 갈 거세(去勢)한 양. '羖之犗者爲—'《急就篇 註》. ②오랑캐 갈 오호(五胡)의 하나로, 흉노(匈奴)의 별종. 산시 성(山西省)에 살았음. '擒—送之'《晉書》.

[字源] 篆文 羯 形聲. 羊+曷〔音〕. '曷갈'은 '割할'과 통하여, '절단(切斷)하다'의 뜻. 거세한 양의 뜻.

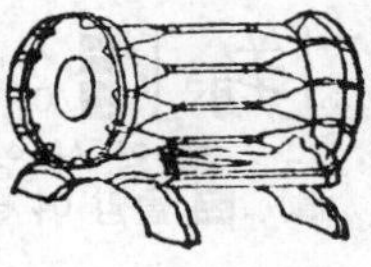
[羯鼓]

[羯鼓 갈고] 마구리를 말가죽으로 메웠으며, 받침 위에 올려놓고 치는 장구.
[羯磨 갈마] 《佛敎》 ㉠업(業). ㉡수계(受戒)나 참회 때의 의식법.
[羯兒 갈아] 오랑캐.
[羯羊 갈양] 불깐 양(羊).
[羯狨 갈이] 들양〔野羊〕. 전(轉)하여, 간악하고 강함.
◉羌羯. 寇羯. 戎羯. 拓羯. 胡羯. 獯羯.

9 ⑮ [羶] [一] 예 [平]齊 烏奚切 [二] 인 [平]眞 於眞切 [三] 안 [平]刪 烏閑切 yān

[字解] [一] ①양떼지어모일 예 '—, 羣羊相積也'《說文》. ②검은양 예 '—, 黑羊'《集韻》. ③검을 예 '—, 黑也'《廣雅》. [二] 양떼지어모일 인, 검은양 인, 검을 인 [一]과 뜻이 같음. [三] 양떼지어모일 안, 검은양 안, 검을 안 [一]과 뜻이 같음.

[字源] 形聲. 羊+垔〔音〕

9 ⑮ [羬] [一] 검 [平]鹽 其淹切 qián [二] 암 [平]咸 魚咸切 yán [三] 함 [平]咸 胡讒切 xián

[字解] [一] 큰양 검 키가 6척(尺)의 큰 양. '羊六尺爲—'《爾雅》. [二] 염소 암 또, 큰 염소. '—, 郊羊 其大者—麢'《集韻》. [三] 크고뿔가는염소 함 '麙, 說文, 山羊而大者, 細角. 或从羊'《集韻》.

10 ⑯ [羲] [人名] 희 [平]支 許羈切 xī

[筆順] 䒑 羊 羊 羊 羊 羊 羲 羲

[字解] ①사람이름 희 사람의 성명. '—和'. ㉠복희(伏羲)씨. '基隆於—農'《班固》. ㉡왕희지(王羲之)의 약칭. '鐘張云沒, —獻獵之'《書譜》. ②베풀 희 '—, 施也'《廣雅》. ③숨 희 내쉬는 숨.

[字源] 篆文 羲 篆文 羲 形聲. 丂(兮)+義〔音〕. '兮혜'는 김이 오르는 모양. '丂'는 '兮'의 생략체. 날이 들쭉날쭉한 톱 따위 날붙이로 양을 베어 째다의 뜻. 바친 희생의 김이 무럭무럭 오르는 일.

[參考] 羲(次條)는 俗字.

[羲經 희경] 역경(易經).
[羲農 희농] 복희씨(伏羲氏)와 신농씨(神農氏).
[羲文 희문] 복희(伏羲)와 주(周)의 문왕(文王). 모두 중국(中國) 고대(古代)의 성인(聖人)으로 역리(易理)를 발명(發明)하였음.
[羲娥 희아] 희화(羲和)와 소아(素娥). 해와 달. 일월(日月).
[羲獻 희헌] 왕희지(王羲之)와 왕헌지(王獻之) 부자. 모두 유명한 서가(書家).
[羲和 희화] ㉠요(堯) 임금 때 천문(天文)·역상(曆象)을 맡은 희씨(羲氏)와 화씨(和氏). ㉡태양을 실은 마차(馬車)를 부린다는 어자(馭者).
[羲皇 희황] 복희(伏羲).
[羲黃 희황] 복희(伏羲)와 황제(皇帝).
[羲皇上人 희황상인] 복희씨(伏羲氏) 시대(時代)인 태곳적의 사람이라는 뜻으로, 속세(俗世)를 떠나 한가(閑暇)히 지내는 사람을 이름.
◉伏羲.

10 ⑯ [羲] 羲(前條)의 俗字

10 ⑯ [羱] [一] 완 [平]寒 五丸切 [二] 원 [平]元 愚袁切 yuán

[字解] [一] 들양 완 야생(野生)의 양의 일종. 납작하고 둥근 뿔이 있음. '—羊, 似吳羊而大角, 角橢'《爾雅 注》. [二] 들양 원 [一]과 뜻이 같음.

[羱鹿 완록·원록] 뿔이 큰 들양과 사슴.
[羱羊 완양·원양] 들양. 들염소.

10 ⑯ [羲] 구 [去]宥 居候切 gòu

[字解] 양젖짤 구 '—, 取羊乳也'《集韻》.

12 ⑱ [羵] 분 [平]文 符分切 fén [去]吻 父吻切

[字解] 땅속괴물 분 '—羊'은 땅속에 산다는 괴상한 양. 암수의 구별이 없다고 함. '墳羊'으로도 씀. '土之怪曰—羊'《國語》.

[羵羊 분양] 자해(字解)를 보라.

12 ⑱ [羴] [一] 선 [平]先 尸連切 shān [二] 한 [平]刪 許閒切

[字解] [一] 양냄새 선 '—, 羊臭也'《說文》. [二] 양냄새 한 [一]과 뜻이 같음.

[字源] 會意. '羊양'을 셋 합쳐서 무리 지은 양이 발산(發散)하는 냄새의 뜻을 나타냄.

12 ⑱ [羳] 번 [平]元 附袁切 fán

[字解] 배누른양 번 '—羊, 黃腹'《爾雅》.

[字源] 篆文 羳 形聲. 羊+番〔音〕

12 ⑱ [羵] [一] 잠 [平]覃 祖含切 zān [二] 잡 [入]合 作答切

[字解] [一] ①소금에절인양고기 잠 '—, 羊䱱'《玉篇》. ②땅속에저장한고기 잠 '—, 埳藏肉'《集韻》. ③짐승이름 잠 '—, 一曰, 獸名, 似羊'《集

韻》. ④양의노린내 잠 '一, 羊臭謂之一'《集韻》. [二] ①소금에절인양고기 잡 '一, 羊腌也'《集韻》. ②짐승이름 잡 [一]❸과 뜻이 같음.

12 ⑱ [⿰羊朁] ⿰羊朁(前條)과 同字

12 ⑱ [⿰羊童] 동 [平]東 徒東切 tóng

[字解] 뿔없는양 동 ⿰羊同(羊部 六畫)과 同字. '一, 無角羊也'《集韻》.

13 ⑲ [羹] [人名] [一] 갱 [平]庚 古行切 gēng [二] 랑 [平]陽 盧當切 láng

[字解] [一] ①국 갱 음식의 한 가지. '肉一'. '菜一'. ②국끓일 갱 국을 만듦. '屠者一藿'《淮南子》. [二] 땅이름 랑 '不一'은 춘추(春秋) 시대의 초(楚)나라 지명(地名).

[字源] 古文 籀文 篆文 會意. 본디, 羔+鬲. '羔고'는 새끼 양의 뜻. '鬲력'은 무럭무럭 김이 오르는 세발솥의 象形. 새끼 양 따위를 국으로 끓인 것의 뜻을 나타냄. 篆文은 羔+美.

[羹藜含糗 갱려함구] 명아주 국에 미숫가루를 넣어 먹는다는 뜻으로, 악식(惡食)을 이름.
[羹藜含糗者不足與論太牢之滋味 갱려함구자부족여론태뢰지자미] 야채(野菜)나 건량(乾糧)을 먹는 조식자(粗食者)에게는 태뢰(太牢)의 좋은 맛을 말하여도 모름. 비천(卑賤)한 사람에게는 천하 대사(天下大事)를 논(論)하기 어렵다는 뜻.
[羹飪 갱임] 떡국.
[羹牆 갱장] 남을 경모(敬慕) 추념(追念)하는 일.
[羹粥 갱죽] ㉠국과 죽. ㉡곡식과 나물을 한데 넣고 간을 맞추어 끓인 죽.
[羹汁 갱즙] 국물
[羹湯 갱탕] 국.
[羹臛 갱학] 고기에 야채를 섞은 국.
[羹獻 갱헌] 종묘(宗廟)의 제례에 쓰이는 개고기.
[羹鱠 갱회] 국과 어회(魚鱠).
◉骨董羹. 大羹. 芼羹. 藜羹. 肉羹. 一簞食一豆羹. 胾羹. 七種菜羹. 和羹.

13 ⑲ [羶] [一] 전(선[本]) [平]先 式連切 shān [二] 형 [平]青 希經反 xīn

[字解] [一] ①누린내 전, 누린내날 전 수육(獸肉)의 냄새. 또, 그 냄새가 남. '過屠家覺一'《李義山雜纂》. ②누린고기 전 '靈鳳不啄一'《白居易》. ③더러울 전 오예(汚穢). '舜有一行'《莊子》. [二] 향기 형 향내. 馨(香部 十一畫)과 同字. '燔燎一薌'《禮記》.

[字源] 羴의 別體 形聲. 羊+亶〔音〕. '亶선'은 양의 냄새의 뜻. '羊양'을 붙여서, 양의 냄새의 뜻을 나타냄.

[羶食 전식] 누린내 나는 음식.
[羶腴 전유] 살지고 누린내가 남.
[羶臭 전취] 누린내. 양에서 나는 냄새.
[羶香 전향] 누린내.
[羶行 전행] 남들이 흠모(欽慕)하는 착한 행위.
[羶血 전혈] 비린내 나는 피. 성혈(腥血).
◉群蟻附腥羶. 逐羶. 庖羶. 葷羶.

13 ⑲ [羷] [一] 렴 [上]琰 良冉切 liǎn [二] 검(험[本]) [上]琰 虛檢切

[字解] [一] 양뿔굽을 렴 뿔이 세 번 굽어 말린 모양. '角三觠, 一'《爾雅》. [二] 양뿔굽을 검 [一]과 뜻이 같음.

13 ⑲ [羸] [人名] [一] 리 [平]支 力爲切 léi [二] 련 [平]先 靈年切 lián

[字解] [一] ①파리할 리 수척함. 여윔. '民之一餒, 日日已甚'《國語》. ②고달플 리 피로함. '身病體一'《禮記》. ③약할 리, 약하게할 리 강하지 아니함. '或強或一'《老子》. '請一師以張之'《左傳》. ④앓을 리 병을 앓음. '恤民之一'《國語》. ⑤못할 리 …만 못함. …에 비하여 빠짐. '一, 劣也'《玉篇》. ⑥번거롭힐 리 누를 끼침. '一, 累也. 恒累於人也'《釋名》. ⑦엎을 리 뒤집어엎음. 전복시킴. '一其瓶'《易經》. ⑧괴로워할 리 걸려 고생을 함. 곤란을 당함. '羝羊觸藩, 一其角'《易經》. [二] 현(縣)이름 련 '一膢'는 현명(縣名).

[字源] 篆文 形聲. 羊+羸〔音〕. '羸라·리'는 늘어났다 줄었다 하는 달팽이의 象形. 줄어들어 야위다의 뜻을 나타냄.

[羸餒 이뇌] 주리어 파리함.
[羸童 이동] 야윈 아이. 「인.
[羸老 이로] ㉠나이가 먹어 쇠약함. ㉡피로한 노
[羸馬 이마] 수척하고 지친 말.
[羸兵 이병] 파리한 군사.
[羸病 이병] 병으로 파리해짐.
[羸師 이사] 파리한 군대.
[羸瘦 이수] 파리함. 수척함.
[羸餓 이아] 고달프고 굶주림.
[羸弱 이약] 파리하고 약함.
[羸羊 이양] 피로한 양.
[羸卒 이졸] 약한 병졸. 약병(弱兵).
[羸坐 이좌] 지치어 앉음.
[羸疾 이질] 쇠약하여 병이 됨.
[羸敗 이패] 피로하여 패함.
◉老羸. 貧羸. 餓羸. 危羸. 罷羸. 疲羸.

14 ⑳ [羺] 누 [平]尤 奴鉤切 nóu

[字解] 되양 누 오랑캐의 양. '胡羊謂之一'《集韻》.

15 ㉑ [⿰羊賣] 매 [去]卦 莫懈切 mài

[字解] 때찌들 매 때가 찌든 모양. '一㜸, 垢膩皃'《集韻》.

15 ㉑ [羼] 찬 [去]諫 初鴈切 chàn

[字解] 섞일 찬, 섞을 찬 뒤섞임. 뒤섞음. '典籍錯亂, 皆由後人所一'《顏氏家訓》.

[字源] 篆文 會意. 尸+羴. '羴선'은 냄새가 코를 찌를 정도로 양이 많다의 뜻. '尸시'는 '屋옥'의 뜻으로서, 양떼가 집 안에 들어와서 뒤섞이다의 뜻.

16 ㉒ [⿰羊歷] 력 [入]錫 郎擊切 lì

[字解] 메양 력 검은 산양의 수컷. '羖一, 山羊'《集韻》.

17 ㉓ [羺] 〔령〕 麢(鹿部 十七畫〈p. 2693〉)과 同字

羽 (6획) 部
〔깃우부〕

0 ⑥ [羽] 高·人 ■ 우 ㊤麌 王矩切 yǔ ㊧遇 王遇切 ■ 호 ㊤麌 後五切 hù

筆順 丁 丁 刁 刁 羽 羽

字解 ■ ①깃 우 ㉠새의 날개의 긴 털. '一毛'. ㉡깃의 모양을 한 것. 또는, 깃으로 만든 부분. '中石沒一'《漢書》. ㉢무적(舞翟). 춤추는 사람이 갖는 꿩의 깃으로 만든 물건. '秉一'《莊子》. ㉣살깃. 화살의 깃. '鳥須一而飛, 矢須一而前也'《釋名》. ②날개 우 ㉠새의 날개. '其一可用爲儀'《易經》. ㉡벌레의 날개. '蟬一'. '螽斯一, 詵詵兮'《詩經》. ③새 우 조류의 총칭. '一族'. '其蟲一'《禮記》. ④음이름 우 오음(五音)의 하나. 가장 맑은 음. '宮商角徵一'《周禮》. '其音一'《禮記》. ⑤찌 우 낚시찌. '一有動靜'《呂氏春秋》. ⑥모일 우 '一, 聚也'《廣韻》. ⑦성 우 성(姓)의 하나. ■ 느슨할 호 '一, 緩也'《集韻》. '弓而一䋄'《周禮》.

[羽①㉢]

字源 篆文 象形. 새의 양 날개의 象形. '깃·날개'의 뜻.

參考 '羽우'를 의부(意符)로 하여, 새의 날개, 날개에 특징이 있는 새의 이름, 날다의 뜻을 나타내는 문자를 이룸.

[羽褐 우갈] 깃털로 지은 옷.
[羽客 우객] ㉠날개가 달린 신선(神仙). ㉡우인(羽人).
[羽檄 우격] 우서(羽書).
[羽隊 우대] 화살을 등에 진 군대.
[羽獵 우렵] 수렵(狩獵)을 이름. 천자(天子)의 수렵에는 우시(羽矢)를 짊어진 종자(從者)가 따라가기 때문임.
[羽流 우류] 신선의 술법을 닦는 무리.
[羽林 우림] ㉠별 이름. ㉡천자(天子)의 숙위(宿衞).
[羽毛 우모] 새의 깃과 짐승의 털.
[羽舞 우무] 무악(舞樂)의 이름. 꿩 깃으로 만든 무적(舞翟)을 쥐고 춤춤. 자해(字解) ❶㉢ 참조.
[羽士 우사] '도사(道士)'의 이칭(異稱). '우인(羽人)' 참조.
[羽山 우산] 산(山) 이름. 산둥 성(山東省) 안에 있음. 우(禹)의 아버지 곤(鯀)이 극형(極刑)당한 곳.
[羽觴 우상] 참새 모양의 잔. 전(轉)하여, 잔의 범칭(汎稱).
[羽書 우서] 아주 급한 뜻을 표시하기 위하여 새의 깃을 꽂은 격문(檄文).
[羽書之警 우서지경] 전쟁이 일어났다는 통문. 전시(戰時)에는 우서(羽書)를 이용하여 통신(通信)했기 때문임.
[羽扇 우선] 새의 깃으로 만든 부채.
[羽聲 우성] 오음(五音)의 하나. 가장 맑은 음(音)임.
[羽籥 우약] 무곡(舞曲)의 이름. 약무(籥舞). 약(籥)은 피리〔笛〕의 일종. 피리를 불고 깃을 모아 묶은 것을 들고 춤춤.
[羽衣 우의] 새의 깃으로 지은 옷.
[羽儀 우의] ㉠의식(儀式)에 장식으로 쓰는 새 깃. ㉡훌륭한 태도로 조정에 출사함. 또는, 일세(一世)의 의표(儀表)가 됨.
[羽翼 우익] ㉠새의 날개. ㉡보좌(補佐)하는 사람이나 사물. ㉢보좌함.
[羽人 우인] ㉠주(周)나라 때의 관명(官名). ㉡도사(道士)의 별칭(別稱). 우사(羽士). 우의(羽衣)를 입었으므로 이름.
[羽調 우조] 오음(五音)의 하나인 우성(羽聲)의 곡조(曲調).
[羽族 우족] 조류(鳥類).
[羽蟲 우충] 우족(羽族).
[羽翮飛肉 우핵비육] 가벼운 새의 깃이 새의 육체를 날림. 약한 것도 합치면 강해짐.
[羽化 우화] ㉠날개가 생김. ㉡우화등선(羽化登仙)과 같음.
[羽化登仙 우화등선] 사람의 몸에 날개가 생기어 하늘로 올라가서 신선(神仙)이 됨.
◉干羽. 怪羽. 宮商角徵羽. 鷺羽. 毛羽. 暮羽. 舞羽. 拂羽. 蟬羽. 素羽. 刷羽. 陰羽. 飮羽. 異羽. 鱗羽. 箭羽. 戢羽. 砥礪括羽. 翠羽. 縞羽. 華羽. 候羽.

0 ⑥ [羽] 羽(前條)와 同字

2 ⑧ [羽] 羽(前前條)의 本字

3 ⑨ [羿] 예 ㊧霽 五計切 yì

字解 ①사람이름 예 하(夏)나라 때의 제후(諸侯)로, 궁술(弓術)의 명인(名人). '盡一之道'《孟子》. ②날아오를 예 날개를 펴서 바람을 타고 날아오름. '一, 羽䨥風而上也'《通訓》.

字源 篆文 會意. 羽+廾(幵). '幵견'은 평평하게 가지런히 함의 뜻. 평평하게 좌우로 날개를 펴고 바람을 타고 낢.

3 ⑨ [翃] 공 ㊥東 古送切 gòng

字解 날아올 공 '登椽欒而一天門兮'《漢書》.

3 ⑨ [翄] 치 ㊥支 陳知切 chí

字解 제비날 치 제비가 나는 모양. '翊一, 燕飛皃'《集韻》.

4 ⑩ [翆] 〔취〕 翠(羽部 八畫〈p. 1808〉)의 俗字

[毣] 〔목〕 毛部 六畫(p. 1166)을 보라.

4 ⑩ [翀] 충 ㊥東 直弓切 chōng

字解 높이날 충 沖(水部 四畫)과 同字. '謂君已飛一'《程鉅夫》.
字源 形聲. 羽+中〔音〕

4 ⑩ [翂] 분 ㊥文 敷文切 fēn

字解 날 분 '一一'은 낮게 나는 모양. 또, 느릿느릿 나는 모양. '其爲鳥也, 一一翐翐, 而似無能'《莊子》.

[翂翂 분분] 자해(字解)를 보라.

4 ⑩ [翃] 翅(次條)과 同字

4 ⑩ [翃] 굉(횡㊥) ㊥庚 戶萌切 hóng

字解 벌레풀풀날 굉 벌레가 나는 모양. '一, 蟲飛也'《玉篇》.
字源 形聲. 羽+厷〔音〕

4 ⑩ [翉] 남 ㊤感 乃感切 rǎn

字解 ①깃약할 남 새의 깃털이 약함. '一, 羽弱'《廣韻》. ②깃 남 '一, 博雅, 翸一, 羽也'《集韻》. ③날개솜털 남 새의 날개 밑의 솜털. '一, 鳥翼下細毛'《集韻》.

4 ⑩ [翓] 혈 ㊅屑 翾劣切 xuè

字解 작은새날 혈 작은 새가 나는 모양. '一, 小鳥飛皃, 或作決'《集韻》.

4 ⑩ [翍] 翅(次次條)와 同字

4 ⑩ [翄] 翅(次條)와 同字

4 ⑩ [翅] 人名 시 ㊤寘 施智切 chì ㊥支 商支切

字解 ①날개 시 조류 또는 곤충류의 날개. '一翼'. '折一傷翼'《史記》. ②지느러미 시 물고기가 헤엄치는 데 소용되는 기관(器官). ③날 시 공중을 나는 모양. '皤比一回集'《漢書》. ④뿐 시 啻(口部 九畫)와 통용. '奚一食重'《孟子》.
字源 篆文 形聲. 羽+支〔音〕. '支지'는 '가지'의 뜻. 갈래져 있는 '날개'의 뜻을 나타냄.

[翅翮 시령] 날개깃.
[翅影 시영] 새의 그림자. 또, 새의 모습.
[翅翼 시익] 날개.
◉廣翅. 薄翅. 奮翅. 拂翅. 比翅. 舒翅. 雙翅. 羽翅. 翼翅. 皓翅.

4 ⑩ [翃] 항 ㊥陽 胡郎切 háng ㊤漾 下浪切

字解 내리날 항 새가 내리 낢. '鳥飛上曰翃, 下曰一'《集韻》.

4 ⑩ [翌] ㊀황 ㊥陽 胡光切 huáng ㊁왕 ㊥陽 雨方切

字解 ㊀ 우무(羽舞)이름 황 깃을 머리 위에 들고, 성신(星辰)을 제사 지내는 악무(樂舞)의 이름. '一, 樂舞. 以羽翿自翳其首, 以祀星辰也'《說文》. ㊁ 우무이름 왕 ㊀과 뜻이 같음.
字源 形聲. 羽+王〔音〕

4 ⑩ [翁] 高人 옹 ①-⑥㊥東 烏紅切 wēng ⑦㊤董 鄔孔切 wěng

筆順 八 公 公 兮 翁 翁 翁 翁

字解 ①목털 옹 새의 목에 난 털. '殊一雜, 五采文'《漢書》. ②늙은이 옹 노인의 존칭. '一媼'. '與長孺共一老禿一'《史記》. ③아버지 옹 부친. '吾一卽若一'《史記》. ④장인 옹 아내의 아버지. '稱丈人女壻曰一壻'《類書纂要》. ⑤시아버지 옹 남편의 아버지. '一姑'. ⑥성 옹 성(姓)의 하나. ⑦창백할 옹 '一一, 葱白色'《集韻》.
字源 篆文 形聲. 羽+公〔音〕. '公공'은 '項항'과 통하여, '목'의 뜻. 새의 목의 깃털의 뜻. 뒤에 전(轉)하여 노인의 존칭(尊稱)으로 쓰이게 됨.

[翁姑 옹고] 시아버지와 시어머니.
[翁嫗 옹구] 옹온(翁媼).
[翁同龢 옹동강] 청(淸)나라 사람. 벼슬이 대학사(大學士)에 이름. 시문(詩文)을 잘 짓고, 서법(書法)에 통(通)하였음.
[翁方綱 옹방강] 청(淸)나라 건륭(乾隆)대의 학자. 벼슬이 진사(進士)에 이르고, 호(號)를 담계(覃溪)라 함. 금석(金石)·서화(書畫)·사장(詞章)에 능하였음.
[翁壻 옹서] 장인(丈人)과 사위.
[翁媼 옹온] 늙은 남자와 늙은 여자.
[翁主 옹주] ㉠제왕(諸王) 또는 제후(諸侯)의 딸. ㉡《韓》서출(庶出)의 왕녀(王女).
[翁仲 옹중] 진(秦)나라의 거인(巨人) 완옹중(阮翁仲)을 이름. 전(轉)하여, 돌이나 구리로 만든 우상(偶像)을 이름.
◉家主翁. 孤翁. 老翁. 棹翁. 禿翁. 白頭翁. 不倒翁. 婦翁. 梟翁. 山翁. 塞翁. 殊翁. 信天翁. 嶽翁. 野翁. 漁翁. 田舍翁. 田翁. 酒翁. 主人翁. 天下翁. 樵翁. 娶孤女撾婦翁. 醉翁. 皤翁.

4 ⑩ [翁] 〔분〕 翂(羽部 四畫〈p. 1805〉)과 同字

[扇] 〔선〕 戶部 六畫(p. 841)을 보라.

5 ⑪ [翌] 人名 익 ㊅職 與職切 yì

筆順 ㇆ ㇇ 羽 羽 羽 翌 翌 翌

字解 이튿날 익 다음 날. '一朝'. '一日親登嵩高'《漢書》.
字源 會意. 羽+立. '立립'은 '서다'의 뜻. 날갯짓하며 서다의 뜻에서, '다음 날, 해'의 뜻을 나타냄. '翊익'과 본래 동일어(同一語)였으나, 의미(意味) 분화에 따라 자형(字形)도 다르게 되었음.

[翌年 익년] 이듬해.
[翌夕 익석] 이튿날 저녁.
[翌夜 익야] 이튿날 밤.
[翌月 익월] 이듬달. 다음 달.
[翌日 익일] 다음 날. 이튿날.
[翌朝 익조] 이튿날 아침.

5 ⑪ [翏] 료 [平]蕭 落蕭切 liù

[字解] ①날 료 높이 나는 모양. '一, 高飛皃'《廣韻》. ②바람소리 료 '一一'는 바람이 먼 데서부터 세게 불어오는 소리. 장풍(長風)의 소리. '作則萬竅怒呺, 而獨不聞之一一乎'《莊子》.
[字源] 金文 篆文 象形. 양 날개와 꽁지깃을 연이은 모양을 본뜸. 전(轉)하여, 높이 날다의 뜻을 나타냄.

[翏翏 요료] 자해(字解)❷를 보라.

5 ⑪ [習] [中·人] 습 [入]緝 似入切 xí

[筆順] 𠃌 习 羽 羽 羽 習 習 習

[字解] ①익힐 습 ㉠배워 익힘. '一祖業'《李義山雜纂》. ㉡연습을 함. '與弟子, 一禮大樹下'《史記》. ㉢복습을 함. '學而時一之'《論語》. ㉣새끼 새가 날개를 움직여 날기를 배움. '一, 數飛也'《說文》. ②익숙할 습 ㉠숙달함. '穰侯智而一於事'《戰國策》. ㉡너무 친숙하여 버릇이 없음. '狎一'. '所在翫一, 遂至怠慢'《後漢書》. ③버릇 습 습관. '積一'. '慣一'. '一與性成'《書經》. ④겹칠 습 중첩함. '象曰, 一坎, 重險也'《易經》. ⑤성 습 성(姓)의 하나.
[字源] 篆文 會意. 羽+白. '羽우'는 서로 겹쳐진 날갯짓의 象形. '白백'은 '日왈'의 변형으로, '말하다'의 뜻. 되풀이 입으로 소리를 내어, 익혀 배우다, 익숙해지다의 뜻을 나타냄.

[習坎 습감] 육십사괘(六十四卦)의 하나. 곧, ䷜〈감하(坎下)·감상(坎上)〉. 험준한 곳이 중첩(重疊)한 상(象).
[習貫 습관] 습관(習慣).
[習慣 습관] 버릇. 익혀 온 행습(行習).
[習貫如自然 습관여자연] 습관은 자기도 모르는 사이에 변하여 천성과 같이 됨.
[習氣 습기] 습관(習慣).
[習得 습득] 배워 앎.
[習練 습련] 연습(練習)함.
[習禮 습례] ㉠예법에 익숙함. ㉡예법을 익힘.
[習性 습성] ㉠습관과 성질. ㉡버릇. 행습.
[習俗 습속] 풍습(風習).
[習誦 습송] 익히고 읽음.
[習熟 습숙] 익숙해짐.
[習習 습습] ㉠봄바람이 솔솔 부는 모양. ㉡떼를 지어 나는 모양.
[習與性成 습여성성] 습관이 배어 성질을 변화시킴.
[習字 습자] 글씨를 익힘.
[習作 습작] 익히기 위하여 지은 작품.
[習陣 습진] 진법(陣法)을 연습함.
[習學 습학] 되풀이하여 익히고 배움.
◉簡習. 講習. 貫習. 慣習. 校習. 教習. 究習. 近習. 氣習. 陋習. 篤習. 獨習. 明習. 博習. 補習. 服習. 復習. 常習. 素習. 俗習. 誦習. 宿習. 崇習. 時習. 新習. 惡習. 業習. 歷習. 沿習. 演習. 練習. 染習. 豫習. 溫習. 翫習. 狃習. 因習. 自習. 積習. 專習. 傳習. 調習. 耽習. 便習. 弊習. 風習. 學習. 閑習. 曉習. 翕習.

5 ⑪ [翇] 불 [入]物 分勿切 fú

[字解] 우무(羽舞)이름 불 사직(社稷)의 제사 때, 꿩의 깃으로 만든 무적(舞翟)을 들고 춤추는 것. '一, 樂舞, 執全羽以祀社稷也'《說文》.
[字源] 篆文 形聲. 羽+犮〔音〕. '犮발'은 '불제(祓除)'의 뜻. 깃을 들고 추는 춤의 뜻으로 쓰임.

5 ⑪ [𦐓] 翇(前條)과 同字

5 ⑪ [翍] 피 ①②[平]支 敷羈切 pī ③[去]寘 平義切 bì

[字解] ①열 피 披(手部 五畫)의 古字. '一桂椒'《漢書》. ②펼 피 날개를 편 모양. '一, 張羽皃'《集韻》. ③날개 피 조류의 날개. '一, 羽也'《集韻》.

5 ⑪ [翐] 질 [入]質 直一切 zhì

[字解] 날 질 느릿느릿 나는 모양. '翂翂一一'《莊子》.

[翐翐 질질] 느릿느릿 나는 모양.

5 ⑪ [𦐦] 〔지〕 咫(口部 六畫〈p.369〉)와 同字

5 ⑪ [翊] [人名] 익 [入]職 與職切 yì

[筆順] ˊ 亠 亣 立 立 翊 翊 翊

[字解] ①도울 익 보좌함. '一贊'. '鎭一鴻業'《呂溫》. ②다음날 익 이튿날. '越若一辛丑, 諸生庶民, 大和會'《漢書》. ③삼갈 익 근신하는 모양. '共一一, 合所思'《漢書》. ④날 익 나는 모양. '一, 飛皃'《說文》.
[字源] 甲骨文 篆文 會意. 立+羽. 날개를 세우고 날아오르다의 뜻을 나타냄. 또, 전(轉)하여 이튿날의 뜻도 나타내어, '翌익'으로도 씀. 甲骨文에 '日일'이 붙어 있어, 이미 이튿날의 뜻을 나타내고 있음. '翼익'과 통하여, '돕다'의 뜻도 나타냄.

[翊戴 익대] 도와 군왕(君王)으로 추대함.
[翊禮 익례] 조선 때 통례원(通禮院)의 종삼품(從三品) 벼슬.
[翊善 익선] 송대(宋代)의 관명(官名). 태자(太子) 및 친왕(親王)의 강수(講授)를 맡았음. 명대(明代) 태자(太子)에 속하는 사람을 찬선(贊善), 친왕(親王)의 그것을 기선(紀善)이라 하였음.
[翊成 익성] 도와주어 이루게 함.
[翊翊 익익] 삼가는 모양.
[翊贊 익찬] 정치(政治)를 도움.

◉匡翊. 輔翊. 馮翊. 左馮翊. 鑽翊. 環翊.

5 ⑪ [狗] ㊀ 구 ㊥虞 其俱切 qú ㊤麌 俱雨切 ㊁ 수 ㊤麌 爽主切 ㊂ 우 ㊦遇 王遇切 yù

字解 ㊀ ①깃구부정할 구 '一, 羽曲也'《說文》. ②깃 구 새의 깃. '翑, 鳥羽. 一, 同翑'《廣韻》. ③뒷발흰말 구 '後足皆白, 一'《爾雅》. ㊁ 깃구부정할 수, 깃 수, 뒷발흰말 수 ㊀과 뜻이 같음. ㊂ 살깃 우 흰살에 붙인 것. '一, 箭羽'《集韻》.

字源 形聲. 羽+句〔音〕

5 ⑪ [翵] 狗(前條)의 本字

5 ⑪ [翎] 人名 령 ㊥青 郎丁切 líng

字解 깃 령 ㉠새의 날개의 긴 털. '霜鶴一爲箭'《長編》. ㉡청조(淸朝)에서 공(功)이 있는 자에게 하사하던 관(冠)의 장식으로 쓰는 깃. '花一'. '藍一'.

字源 篆文 形聲. 羽+令〔音〕

[翎毛 영모] 새의 깃과 짐승의 털. 전(轉)하여, 조류(鳥類)와 수류(獸類). 날짐승과 길짐승.
◉光翎. 藍翎. 毛翎. 白翎. 複翎. 素翎. 翅翎. 雙翎. 羽翎. 蝶翎. 綵翎. 花翎.

5 ⑪ [䎀] 초 ㊥蕭 田聊切 tiáo

字解 새꼬리 초 새 꽁지의 긴 털.

6 ⑫ [翐] 휼 ㊇質 許律切 xù

字解 ①나는듯이달릴 휼 '一, 飛走貌'《玉篇》. ②날갯짓할 휼 날개를 움직이는 모양. '鼓翅翻一'《郭璞》. ③당황해할 휼 놀라서 당황하는 모양. 矞(矛部 七畫)과 同字. '矞, 驚遽皃. 或作一'《集韻》.

6 ⑫ [翔] 人名 상 ㊥陽 似羊切 xiáng

筆順 丷 ⺷ 䒑 羊 翔 翔 翔 翔

字解 ①날 상 날개를 펴고 빙빙 돌며 낢. '翺一'. '鳳凰一于千仞兮'《賈誼》. ②돌아볼 상 뒤를 돌아봄. '後弱則一'《周禮》. ③돌 상 선회함. '過其故鄕回一焉'《禮記》. ④삼갈 상 근신하는 모양. '濟濟一一'《禮記》. ⑤자세할 상 詳(言部 六畫)과 통용. '王侯戶數, 道里遠近, 一實矣'《漢書》. ⑥헤맬 상 배회함. '一, 佯也. 言仿佯也'《釋名》.

字源 篆文 形聲. 羽+羊〔音〕. '羊양'은 '揚양'과 통하여, '오르다'의 뜻. 날개로 올라가다의 뜻을 나타냄.

[翔翺 상고] 빙빙 돌며 낢.
[翔貴 상귀] 물가가 뜀.
[翔舞 상무] 날며 춤춤. 빙빙 돌며 낢.
[翔翔 상상] 근신(謹愼)하는 모양. 공경(恭敬)하는 모양.
[翔實 상실] 자세하고 확실함.
[翔陽 상양] 태양(太陽)의 이칭(異稱). 해 속에 새가 있다고 하는 데서 이름.
[翔泳 상영] 날아가는 새와 헤엄치는 물고기.
[翔畋 상전] 이리저리 달리며 사냥을 함.
[翔集 상집] ㉠날아와서 모임. ㉡널리 모음.
◉驚翔. 高翔. 翺翔. 群翔. 翻翔. 飛翔. 馴翔. 燕翼鳳翔. 雲翔. 遊翔. 趨翔. 沈翔. 回翔. 嬉翔.

6 ⑫ [翓] 힐(혈㊍) ㊇屑 胡結切 xié

字解 새날아오를 힐 새가 날아오름. '一翃, 飛上下皃'《集韻》.

6 ⑫ [翢] 주 ㊥尤 之由切 zhōu

字解 ①부등깃 주 새끼의 약한 깃. '一, 弱羽'《集韻》. ②급할 주 '一, 急也'《玉篇》.

6 ⑫ [翖] 翕(次條)과 同字

6 ⑫ [翕] 人名 흡 ㊇緝 許及切 xī

筆順 𠆢 亼 合 合 㑹 翕 翕 翕

字解 ①합할 흡 화합(和合)함. '兄弟旣一'《詩經》. ②모을 흡, 모일 흡 '一合'. '天下一然'《史記》. ③거둘 흡 수렴(收斂)함. '其靜也一'《易經》. ④당길 흡 잡아당김. '載一其舌'《詩經》. ⑤날아오를 흡 새가 날아오름. '一从合者, 鳥將起, 必斂翼也'《說文 段注》. ⑥일어날 흡 많은 것이 일제히 일어남. '樂其可知也. 始作一如也'《論語》. ⑦성(盛)할 흡 '一, 熾也'《揚子方言》. '何晏曰, 五音始奏, 一如盛'《論語注疏》. ⑧배울 흡 배워 익힘. '一, 習也'《論語》. ⑨닫을 흡 '一, 猶閉也'《易經 註》. ⑩따를 흡 순종함. '一其志'《太玄經》. ⑪많을 흡 '一, 一曰, 衆也'《集韻》.

字源 篆文 形聲. 羽+合〔音〕. '合합'은 '만나다'의 뜻. 새가 날개깃을 합치고 날아오르다의 뜻을 나타냄.

參考 翖(前條)과 同字.

[翕受 흡수] 합하여 받음.
[翕習 흡습] ㉠바람이 솔솔 부는 모양. ㉡위광(威光)이 성(盛)한 모양. 위세(威勢)가 대단한 모양. ㉢음악 등이 느린 모양.
[翕如 흡여] ㉠음악(音樂)의 성률(聲律) 같은 것이 잘 맞는 모양. ㉡성(盛)한 모양.
[翕然 흡연] ㉠모이는 모양. ㉡일치하는 모양.
[翕合 흡합] 모아 합침.
[翕赫 흡혁] 흡여(翕如) ㉡.
◉前翕. 靜翕. 吐翕. 噓翕. 呼翕.

6 ⑫ [翖] 翕(前條)과 同字

7 ⑬ [翜] ㊀ 습 ㊇緝 色立切 shà ㊁ 삽 ㊇洽 所甲切 shà

字解 ㊀ ①획날 습 빨리 낢. '一, 捷也, 飛之疾

也'《說文》. ②도울 습 '一, 一曰, 俠也'《說文》. 三 운불삽 삽 翣(羽部 八畫)과 同字.
字源 篆文 形聲. 羽+夾〔音〕

7 ⑬ [狐] 〔부〕 䎃(羽部 十畫〈p.1810〉)와 同字

7 ⑬ [翛] 一 소 ㊥蕭 蘇彫切 xiāo 二 유 ㊤有 以九切 yóu
字解 一 날개찢어질 소 날개가 찢어지는 모양. '予尾——'《詩經》. 二 빠를 유 신속한 모양. 빨리 가는 모양. '一然而往'《莊子》.
字源 形聲. 羽+攸〔音〕. '攸유'는 '평온하다'의 뜻.

[翛翛 소소] 날개가 찢어지는 모양.
[翛然 유연] 빠른 모양. 빨리 가는 모양.

8 ⑭ [翟] 人名 一 적 ㊀錫 徒歷切 dí 二 책 ㊀陌 場伯切 zhái(zhé) 三 탁 ㊀覺 直角切
字解 一 ①꿩 적 꽁지가 긴 꿩. 또, 그 꿩의 깃. '羽畎夏一'《書經》. ②무적(舞翟) 적 꿩의 깃을 한 개 또는 여러 개를 한데 모아 묶어, 무악(舞樂)에서 손에 쥐는 것. 羽(部首)❶과 뜻이 같음. '右手秉一'《詩經》. ③깃옷 적 꿩의 깃으로 장식한 옷. '其之一也'《詩經》. ④수레포장 적 꿩의 깃으로 장식한 차상(車箱)을 둘러 가리는 것. 茀(艸部 五畫) 참조. '一茀以朝'《詩經》. ⑤오랑캐 적 만족(蠻族). 狄(犬部 四畫)과 통용. '竄于戎一之間'《國語》. ⑥성 적 성(姓)의 하나. 二 ①고을이름 책 '陽一'은 옛 현명(縣名). 지금의 허난 성(河南省) 우현(禹縣). ②성 책 성(姓)의 하나. 三 꿩 탁 一❶과 뜻이 같음.

[翟②]

字源 金文 篆文 會意. 羽+隹. '羽우'는 '날개'의 뜻. '隹추'는 '새'의 뜻. 깃털의 볏을 가진 새의 뜻에서, '꿩'의 뜻을 나타냄.

[翟公書門 적공서문] 한(漢)나라 하규(下邽) 사람 적공(翟公)이 정위(廷尉)가 되었을 때에 방문객이 앞을 다투어 밀려닥쳐 왔었으나 퇴관 후에는 방문객이 없었는데, 그 후에 또다시 정위가 되니 방문객이 또 많이 와서 찾으므로 적공이 그 문에 '一死一生乃知交情, 一貧一富乃知交態, 一貴一賤交情乃見'이라고 대서하여 인정이 경박한 것을 탄식한 고사(故事).
[翟輅 적로] 황후(皇后)가 타는 수레.
[翟茀 적불] 꿩 털로 장식한 수레 포장.
◉簡翟. 馴翟. 厭翟. 重翟. 夏翟. 翬翟.

8 ⑭ [翠] 人名 취 ㊂寘 七醉切 cuì
筆順 ㄱ ㅋ ㅋ7 ㅋㅋ 翌 翠 翠 翠
字解 ①물총새 취 참새보다 크고 등의 빛은 암녹청색(暗綠青色)인 새의 암컷. 물가에서 물고기를 잘 잡아먹음. 쇠새. '翡一'. '一鳥千'《漢書》. ②비취색 취 물총새의 등 빛과 같은 연둣빛. 청황(青黃)의 간색. '蒼一'. '青一'. '必無經時之一'《晉書》. ③새꽁지살 취 '舒鴈一'《禮記》. '肉之美者, 雋觾之一'《呂氏春秋》. ④성 취 성(姓)의 하나.
字源 篆文 形聲. 羽+卒〔音〕. '卒졸'은 '粹수'와 통하여, '순수하다'의 뜻. 섞임이 없는 날갯짓의 모양에서, '물총새'의 뜻을 나타냄. 또 파생하여, 물총새의 날개와 같은 빛, '청록색'의 뜻도 나타냄.

[翠髻 취계] 윤이 나고 아름다운 검은 쪽을 이름. 계(髻)는 쪽. 미인의 머리의 형용.
[翠翹 취교] 물총새의 깃으로 만든 부인(婦人)의 수식(首飾).
[翠閨 취규] 부인(婦人)의 침방.
[翠筠 취균] 취죽(翠竹).
[翠黛 취대] ㉠눈썹을 그리는 푸른 먹. ㉡산 같은 것의 검푸른 빛.
[翠嵐 취람] 파란 산 기운.
[翠浪 취랑] 파란 물결.
[翠簾 취렴] 파란 발.
[翠輅 취로] 황후(皇后)가 타는 수레.
[翠樓 취루] 푸른빛을 칠한 누각(樓閣).
[翠巒 취만] 파란 산봉우리.
[翠眉 취미] ㉠파란 눈썹. ㉡버들잎이 푸른 모양.
[翠微 취미] ㉠산꼭대기에서 조금 내려온 곳. ㉡파란 산 기운.
[翠髮 취발] 윤이 나는 아름다운 검은 머리.
[翠屛 취병] ㉠푸른빛의 병풍. 산이 병풍처럼 첩첩한 형용(形容). ㉡《韓》꽃나무의 가지를 엮어서 문(門)의 형상으로 만든 물건.
[翠鳳 취봉] 물총새와 봉황. 천자(天子)의 기(旗)를 꾸미는 장식.
[翠色 취색] 파란색.
[翠扇 취선] 푸른빛의 부채. 연(蓮)잎의 형용(形容).
[翠影 취영] 파란 초목의 그림자.
[翠玉 취옥] 비췻빛의 보옥(寶玉).
[翠雨 취우] 나뭇잎에 오는 비.
[翠陰 취음] 녹음(綠陰).
[翠帳 취장] 푸른 장막. 전(轉)하여, 부인(婦人)의 침실.
[翠嶂 취장] 푸른빛의 연산(連山).
[翠鳥 취조] 물총새. 쇠새. 비취(翡翠).
[翠竹 취죽] 푸른빛의 대나무. 녹죽(綠竹). 취균(翠筠).
[翠尖 취첨] 푸른 산꼭대기.
[翠華 취화] 물총새의 깃으로 장식한 천자(天子)의 기(旗).
[翠鬟 취환] 푸른빛이 나는 땋은 머리. 미인(美人)의 머리의 형용(形容).
◉空翠. 光翠. 金翠. 嵐翠. 綠翠. 濃翠. 晚翠. 翡翠. 疏翠. 松翠. 宿翠. 新翠. 深翠. 野翠. 聳翠. 鬱翠. 幽翠. 精翠. 蒼翠. 彩翠. 青翠. 蔥翠.

8 ⑭ [翣] 삽 ㊀洽 所甲切 shà
字解 ①운불삽 삽 상여의 양옆에 세우고 가는 제구. 원래는 깃으로 만들었으나, 후세에 네모

진 화포(畫布)에 길이 다섯 자의 자루가 있고 깃털을 장식했음. '后之喪持—'《周禮》. ②부채 삽 箑(竹部 八畫)과 同字. '杖笠—'《儀禮》. ③부채질할 삽 부채로 부침. '手無容, 不—也'《禮記》.

[字源] [篆文] 形聲. 羽+妾〔音〕. '妾첩'은 '잇다'의 뜻. 깃털을 이어 모아서 만든 상여 장식의 뜻을 나타냄.

[翣①]

[翣箑 삽삽] 부채.

8 ⑭ [𦑛] 엄 [去]豔 於贍切 yàn

[字解] 날개접을 엄 새가 날개를 거둠. '—, 斂羽'《集韻》.

8 ⑭ [翢] 도 [平]豪 他刀切 / [去]號 大到切 dào

[字解] ①기 도 검정소〔旄牛〕의 꼬리, 또는 꿩의 깃털로 장식한 기(旗). 纛(糸部 十八畫)과 同字. '—, 纛也. (注)今之羽葆幢'《爾雅》. ②새이름 도 '——'는 새의 이름. '鳥有——者 重首而屈尾'《韓非子》.

8 ⑭ [𦑝] [一] 잔 [上]潸 側板切 zhǎn / [二] 전 [上]銑 旨善切 zhǎn

[字解] [一] ①빨리날 잔 새가 빨리 나는 모양. '鷹隼——'《揚子法言》. ②덮칠 잔 맹조(猛鳥)가 매우 사납게 덮치는 모양. '—, 鳥鷙擊勢也'《玉篇》. [二] 빨리날 전, 덮칠 전 [一]과 뜻이 같음.

8 ⑭ [𦑸] 줄 [入]質 昨律切 zú

[字解] 훽날 줄 빨리 나는 모양. '—, 飛疾皃'《集韻》.

8 ⑭ [翡] [人名] 비 [去]未 扶沸切 fěi

[字解] ①물총새 비 '—翠'는 물가에 살며, 물고기를 잘 잡아먹는 새의 수컷. 등의 빛이 암녹청색임. 쇠새. ②비취옥 비 '—翠'는 녹색(綠色)의 보석(寶石).

[字源] [篆文] 形聲. 羽+非〔音〕

[翡翠 비취] 자해(字解) ❶❷를 보라.
[翡翠跳 비취도] 물총새가 물속의 고기를 잡으려고 나무 위에서 뛰어들어 가듯이, 거꾸로 물속으로 뛰어드는 것을 이름.

9 ⑮ [翨] [一] 시 [去]寘 施智切 chì / [二] 기 [去]寘 居企切 chì

[字解] [一] ①칼깃 시, 사나운새 시 '—, 鳥之彊羽猛者'《說文》. ②사나울 시 '—, 猛也'《玉篇》. ③벼슬이름 시 '—氏'는 주(周)나라 때의 관명(官名)으로, 맹조(猛鳥)를 퇴치하는 일을 맡았음. [二] 칼깃 기, 사나운새 기, 사나울 기, 벼슬이름 기 [一]과 뜻이 같음.

[字源] [篆文] 形聲. 羽+是〔音〕

9 ⑮ [翬] 휘 [平]微 許歸切 huī

[字解] ①훨훨날 휘 날개를 훨훨 치며 빨리 낢. '鷹隼醜, 其飛也—'《爾雅》. ②꿩 휘 털빛이 오색(五色)으로 영롱한 대단히 아름다운 꿩. '如—斯飛'《詩經》.

[字源] [篆文] 形聲. 羽+軍〔音〕. '軍군'은 매 따위가 빨리 날 때의 바람을 가르는 세찬 날갯소리를 나타내는 의성어적(擬聲語的)인 음부(音符).

[翬飛 휘비] 궁실(宮室)이 으리으리하고 화려함.
[翬翬 휘휘] 새가 기운차게 날개를 훨훨 치며 나는 소리.
◉飛翬. 翛翬. 衛翬.

9 ⑮ [翭] 후 [平]尤 戶鉤切 hóu / [去]宥 下遘切

[字解] ①부등깃날 후 어린 날개가 남. '—, 一曰, 羽初生'《說文》. ②죽지 후 새의 날개가 몸에 붙은 부분. '—, 羽本也'《說文》. ③화살 후 쇠살촉과 살깃이 달린 화살. 鍭(金部 九畫)와 통용. '金鏃翦羽謂之鍭. 或从羽'《集韻》.

[字源] [篆文] 形聲. 羽+侯〔音〕

9 ⑮ [𦒍] 翭(前條)와 同字

9 ⑮ [翫] [人名] 완 [去]翰 五換切 wàn

[字解] ①갖고놀 완, 한껏반복할 완, 마음껏익힐 완 '—, 習猒也'《說文》. 玩(玉部 四畫)과 同字. ②즐길 완 재미있어 함. 보고 즐김. '流目—儵魚'《張華》. ③탐할 완, 아낄 완 忨(心部 四畫)과 同字. '—歲而愒日'《左傳》. ④장난감 완 완구(玩具). '服—車馬, 皆窮一時之驚絕'《南史》.

[字源] [篆文] 形聲. 習+元〔音〕. '習습'은 '친숙해지다'의 뜻. '元원'은 '圜환'과 통하여, '돌다, 둘러싸다'의 뜻. 하나의 것을 가지고 친숙하게 지냄, 가지고 놂의 뜻을 나타냄.

[翫愒 완개] 탐냄.

9 ⑮ [翮] [一] 객 [入]陌 各核切 gé / [二] 혁 [入]職 訖得切

[字解] [一] 날개 객 새의 날개. '—, 翅也'. [二] 날개 혁 [一]과 뜻이 같음.

[字源] 形聲. 羽+革〔音〕

9 ⑮ [翩] [人名] 편 [平]先 芳連切 piān

[字解] ①훌쩍날 편 가볍게 나는 모양. '—彼飛鴞'《詩經》. ②나부낄 편 펄럭이는 모양. 또, 번드치는 모양. '—其反矣'《詩經》. ③오락가락할 편 왕래하는 모양. '聯—'. '緝緝——'《詩經》.

[字源] [篆文] 形聲. 羽+扁〔音〕. '扁편'은 '평평하다, 납작하다'의 뜻. 날개를 평평하게 하여 새가 가볍게 낢의 뜻을 나타냄.

[翩翻 편번] 새가 나는 모양.

[翮然 편연] 펄럭이는 모양.
[翮翮 편편] ㉠빨리 날아가는 모양. ㉡훌쩍 나는 모양. ㉢왕래하는 모양. 오락가락하는 모양. ㉣재치가 있는 모양. ㉤궁전(宮殿)이 크고 으리으리한 모양. ㉥자득(自得)한 모양. 득의(得意)한 모양.
◉落花翮翮. 聯翮. 翠羽翮.

9 ⑮ [翨] 시 [平]支 常支切 chí
[字解] 떼지어날 시 提(手部 九畫)와 同字. '——'.

9 ⑮ [翥] 저 [去]御 章恕切 zhù
[字解] 날 저 높이 낢. 날아 올라감. '鸞鳥軒—而翔飛'《楚辭》.
[字源] [篆文] 形聲. 羽+者〔音〕
◉騫翥. 龍褰鳳翥. 軒翥. 鴻翥.

9 ⑮ [翿] 〔독〕
纛(糸部 十八畫〈p.1782〉)과 同字

9 ⑮ [翦] 전 ①-④[上]銑 卽淺切 jiǎn
⑤[去]霰 子賤切
[字解] ①자를 전 ㉠절단함. '勿—勿伐'《詩經》. ㉡끝을 잘라 가지런히 함. '茅茨不—'《韓非子》. ㉢멸(滅)함. '—, 滅也'《左傳 會箋》. ㉣죽임. '—, 殺也'《廣韻》. ㉤잘라 없앰. 제거함. '此文王之所以止殃—妖也'《呂氏春秋》. ②깎을 전 깎아 냄. '其—以賜諸侯'《左傳》. 剪(刀部 九畫)과 통용. ③말잘할 전 언변이 좋은 모양. 일설(一說)에는, 천박한 모양. '佞人之心, ——者'《莊子》. ④가위 전 전도(剪刀). '便欲手把幷州—'《楊維楨》. ⑤화살 전 箭(竹部 九畫)과 同字. '—, 說文, 矢也'《集韻》.
[字源] [篆文] 形聲. 羽+前〔音〕. '前전'은 '截절'과 통하여, '자름'의 뜻. '홅다, 자르다'의 뜻을 나타냄.

[翦斷 전단] 끊음. 전단(剪斷).
[翦刀 전도] 가위.
[翦落 전락] 중이 머리와 수염을 깎음.
[翦滅 전멸] 섬멸(殲滅)함.
[翦髮易書 전발역서] 원(元)나라 진우(陳祐)의 어머니가 두발(頭髮)을 잘라 팔아 가지고 책을 사서 그 아들에게 읽혔다는 고사(故事).
[翦伐 전벌] ㉠나무를 벰. ㉡정벌(征伐)함.
[翦夷 전이] 정벌하여 평정함.
[翦裁 전재] 피륙을 재단하여 옷을 지음.
[翦翦 전전] ㉠변별(辨別)은 잘하나 천박한 모양. ㉡바람이 솔솔 부는 모양.
[翦草除根 전초제근] 풀을 베어 내고 뿌리를 뽑아 버림. 곧, 발본색원(拔本塞源)함.
◉開翦. 鬫翦. 剗翦. 禽翦. 刪翦. 碎翦. 夷翦. 裁翦. 除翦. 誅翦. 剔翦. 刑翦.

10 ⑯ [𦑣] 답 [入]合 丁盍切 dá
[筆順] 𠦝 𦑣
[字解] 나는모양 답 '—, 飛貌'《字彙補》.

10 ⑯ [翯] [一] 혹 [入]沃 胡沃切 hè
[二] 학 [入]覺 胡覺切 hè
[字解] [一] ①함치르르할 혹 새털이 희고 번지르르하게 윤이 나는 모양. '麀鹿濯濯, 白鳥——'《詩經》. ②날개깃흴 혹 새의 날개의 희고 깨끗한 모양. '——, 潔白貌'《詩經 集傳》. ③번쩍일 혹 물이 번쩍번쩍 빛나는 모양. '—乎滈滈'《史記》. [二] 함치르르할 학, 날개깃흴 학, 번쩍일 학 [一]과 뜻이 같음.
[字源] [篆文] 形聲. 羽+高〔音〕. '高고'는 함치르르하게 횜의 뜻. 고니의 함치르르한 모양을 나타냄.

[翯乎 혹호] 물이 번쩍번쩍 비치는 모양.
[翯翯 혹혹] 새가 살지고 깃이 윤이 흐르는 모양.

10 ⑯ [𦒉] 답 [入]合 達合切 tà
[字解] ①날 답 훨훨 낢. '—, 飛也'《廣雅》. ②함께어울려많을 답 '參譚㺃—, 若離若合者.'(注) 向曰, 參譚㺃—, 相隨驅逐衆多皃'《左思》.

10 ⑯ [𦒊] 부 [平]虞 芳無切 fū
[字解] 깃 부, 솜털 부 翑(羽部 七畫)와 同字. '—, 博雅, 羽也, 一曰, 細毛'《集韻》.

10 ⑯ [翺] 〔고〕
翱(羽部 十二畫〈p.1812〉)의 本字

10 ⑯ [翮] [一] 핵 [入]陌 下革切 hé
[二] 력 [入]錫 郎狄切 lì
[字解] [一] ①깃촉 핵 우경(羽莖). '羽—'. '羽本謂之—'《爾雅》. ②날개 핵 새의 날개. '—, 鳥羽'《廣韻》. '鴽雛弄—乎山東'《郭璞》. [二] 세발솥 력 '呑三—六翼, 以高世主'《史記》.
[字源] [篆文] 形聲. 羽+鬲〔音〕. '鬲격'은 갈라져 격(隔)하다의 뜻. 많은 깃털의 각기 따로따로 되어 있는 부분, '깃촉'을 이름.

◉幹翮. 文翮. 浮翮. 飛翮. 舒翮. 素翮. 疏翮. 翅翮. 羽翮. 逸翮. 駿翮. 風翮.

10 ⑯ [翰] [人名] [一] 한 [去]翰 侯旰切 hàn
[二] 간(한[本]) [平]寒 胡安切 hàn
[筆順] 十 古 吉 卓 𠦝 倝 翰
[字解] [一] ①깃 한 새의 깃. '如翮如—'《魏志》. ②붓 한 옛날에는, 새의 깃으로 붓을 만들었으므로 이름. '筆—'. '投—長歎息'《劉楨》. ③글 한 문서. 또, 편지. '書—'. '—林'. ④흰말 한 백마(白馬). '戎事乘—'《禮記》. ⑤흴 한 빛이 썩 흰 모양. '白馬—如'《易經》. ⑥날 한 ㉠높이 낢. '龍—于天'《太玄經》. ㉡빨리 날아가는 모양. '如飛如—'《詩經》. ⑦높을 한 '—飛戾天'《詩經》. ⑧길 한 '—, 又長也'《字彙》. '雞曰—音'《禮記》. ⑨성 한 성(姓)의 하나. [二] 줄기 간 幹(干部 十畫)과 통용. '維周之—'《詩經》.
[字源] [篆文] 形聲. 羽+倝〔音〕. '倝간'은 '깃대'의 뜻. 깃대같이 긴 날개의 뜻.

[翰林 한림] ㉠학자 또는 문인의 모임. ㉡한림원(翰林院)의 약칭(略稱).
[翰林院 한림원] 당(唐)나라에서 시작하여 청(淸)나라까지 계속한 관사(官司). 그 직제는 시대에 따라 변천하였지만, 주로 학문·문필에 관한 일을 맡았음.
[翰林學士 한림학사] 당대(唐代)의 관명(官名). 조서(詔書)를 초(草)하는 것을 맡았던 벼슬.
[翰毛 한모] 붓의 털.
[翰墨 한묵] 붓과 먹. 전(轉)하여, 문자. 필적.
[翰墨場 한묵장] 시문을 짓거나 서화를 그리는 곳.
[翰藩 한번] 번병(藩屛).
[翰飛 한비] 하늘 높이 낢.
[翰如 한여] ㉠새가 날듯이, 빨리 달리는 모양. ㉡아주 흼. 눈처럼 흼.
[翰苑 한원] 한림원(翰林院).
[翰音 한음] ㉠높이 날아 옮. 높이 울려 퍼지는 음성(音聲). 전(轉)하여, 이름만 있고 실질이 없는 비유. ㉡'닭[鷄]'의 이칭(異稱). 닭의 울음소리가 멀리까지 들리므로 이름.
[翰長 한장] ㉠한림(翰林)의 선배(先輩). ㉡한림원(翰林院)의 장관.
[翰藻 한조] 문사(文辭). 시가(詩歌).
[翰池 한지] 연적(硯滴). 묵지(墨池).
[翰札 한찰] 편지.
[翰采 한채] 문장이 아름답고 문채(文采)가 있음.
[翰海 한해] ㉠몽고(蒙古)에 있는 고비 사막. ㉡바이칼 호(湖).
◉輕翰. 驚翰. 鼓翰. 管翰. 貴翰. 內翰. 弄翰. 芳翰. 藩翰. 屛翰. 飛翰. 史翰. 書翰. 手翰. 宸翰. 雙翰. 染翰. 羽翰. 雲翰. 柔翰. 遺翰. 牋翰. 點翰. 藻翰. 札翰. 尺翰. 靑翰. 翠翰. 投翰. 筆翰. 揮翰.

10 ⑯ [翃] 횡 [平]庚 呼宏切 hōng

[字解] 푸드득날 횡 '一一'은 푸드득 낢. 또, 그 소리. '一一, 飛也'《集韻》.

11 ⑰ [翼] [高人] 익 [入]職 與職切 yì

[筆順] 羽 羿 翌 翼 翼 翼 翼 翼

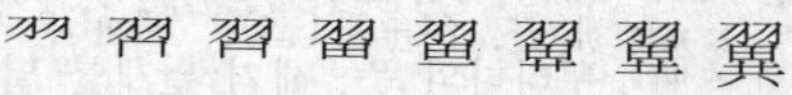

[字解] ①날개 익 ㉠새의 날개. '鳥一'. '鵬一'. '明夷于飛, 垂其一'《易經》. ㉡곤충의 날개. '蟬一'. '王獨不見夫蜻蛉乎. 六足四一'《戰國策》. ㉢좌우의 부대. '左一'. '右一'. '多爲奇陣, 張左右一'《史記》. ②지느러미 익 물고기의 헤엄치는 기관(器官). '振鱗奮一'《宋玉》. ③처마 익 지붕의 도리 밖으로 내민 부분. '列棼橑以布一'《後漢書》. ④솥귀 익 솥의 손잡이. '呑三翮六一, 以高世主'《史記》. ⑤도울 익 보좌함. '扶一'. '補一'. '輔之一之'《孟子》. ⑥삼갈 익 근신함. '有嚴有一'《詩經》. ⑦천거할 익 추천함. '一姦以獲封侯'《漢書》. ⑧이튿날 익 翌(羽部 五畫)과 同字. '越一日'《書經》. ⑨몰아낼 익 '一, 猶驅也'《書經 註》. '虞人一五豝'《詩經》. ⑩방종할 익 '一 放縱而綽寬'《宋玉》. ⑪지킬 익, 덮어감쌀 익 '一, 衛也'《字彙》. '子西曰, 勝如卵. 予一而長之'《左傳》. ⑫보낼 익 '一, 送也'《小爾雅》. ⑬별이름 익 이십팔수(二十八宿)의 하나. 남방의 성수(星宿). '昏一中'《禮記》. ⑭성 익 성(姓)의 하나.

[字源] 金文 籀文 篆文 形聲. 羽＋異[音]. '異이'는 사람이 귀두(鬼頭)의 탈을 쓰고, 두 손을 들고 있는 象形字. '異이'에 포함되는 여러 뜻 중, 양손을 강조하고, '羽우'를 덧붙여 '양익(兩翼)·날개'의 뜻을 나타냄. 또, 곁에서 두 손의 힘으로 돕다의 뜻을 나타냄.

[翼戴 익대] 임금을 도와 추대함.
[翼戴功臣 익대공신] 송대(宋代)에 공신(功臣)에게 준 명예(名譽)의 칭호.
[翼卵 익란] 새가 알을 품음. 전(轉)하여, 양육함.
[翼亮 익량] 천자(天子)를 도와 천하를 다스림.
[翼輔 익보] 도움. 보좌함.
[翼星 익성] 이십팔수(二十八宿)의 하나.
[翼手類 익수류] 포유류(哺乳類)의 일종(一種). 전후지(前後肢)와 꼬리 사이에 피막(皮膜)이 있어서 날개 모양으로 된 짐승. 박쥐 따위.
[翼室 익실] 좌우(左右) 쪽에 있는 방(房).
[翼然 익연] 새가 좌우의 날개를 편 것처럼, 좌우가 넓은 모양.
[翼翼 익익] ㉠공경하고 삼가는 모양. ㉡익숙한 모양. ㉢온화(溫和)한 모양. ㉣무성한 모양. ㉤아름다운 모양. ㉥굳센 모양. 건장한 모양. ㉦정돈된 모양. ㉧날아오르는 모양. ㉨많은 모양. ㉩성대한 모양.
[翼軫 익진] 이십팔수(二十八宿) 중의 두 별.
[翼贊 익찬] 천자(天子)를 보좌함.
[翼訓 익훈] 돕고 가르침.
◉角而翼. 鼓翼. 匡翼. 跂翼. 綺翼. 卵翼. 圖南翼. 補翼. 輔翼. 服翼. 扶翼. 拊翼. 鵬翼. 比翼. 毗翼. 憑翼. 舒翼. 蟬翼. 素翼. 垂翼. 修翼. 翅翼. 十翼. 勵翼. 燕翼. 斂翼. 右翼. 爲虎傅翼. 壯翼. 鵜不濡翼. 鳥翼. 左翼. 振翼. 贊翼. 鶴翼. 虎翼. 鴻漸之翼. 翕翼.

11 ⑰ [翲] 표 [平]蕭 撫招切 piāo / [去]嘯 匹妙切

[字解] ①날 표 나는 모양. '一一, 飛也'《廣雅》. ②높이날 표 '一, 高飛'《廣韻》. ③극히조금 표 '一忽'은 아주 조금. 또, 극히 잠깐. 초홀(秒忽). '律歷更相治, 閒不容一忽'《史記》.

[字源] 形聲. 羽＋票[音]. '票표'는 '날아오르다'의 뜻. 날갯짓하여 날아오르다의 뜻을 나타냄.

11 ⑰ [翳] 예 [去]霽 於計切 yì / [平]齊 烏奚切

[字解] ①깃일산 예 ㉠천자(天子)의 화개(華蓋). ㉡새의 깃으로 만든 춤출 때 쓰는 제구. 무악(舞樂)에서, 춤추는 사람이 이것을 머리 위로 들어 가림. '左手操一'《山海經》. ②그늘 예 볕이나 불빛이 가려진 곳. '陽彩皆陰一'《陳子昂》. ③가릴 예 덮어 가림. '蔽一'. '蒙一'. ④흐릴 예 ㉠날이 흐림. '纖靄不一'《宋史》. ㉡눈이 흐림. 침침해짐. '目爲之一'《宋史》. ⑤물리칠 예 배척함. 멀리함. '是去其藏而一其人也'《國語》. ⑥숨을 예 자취를 감춤. '潛一海隅'《魏志》. ⑦가로막을 예 '好縱過而一諫'《國語》. ⑧멸(滅)할 예 '一曰, 一, 滅也'《國語 注》.

[翳①㉡]

⑨말라죽을 예 나무가 고사(枯死)함. 또, 그 일. '一朽'. '其菑其一'《詩經》. ⑩방패 예 무기의 한 가지. '兵不解一'《國語》.
字源 篆文 形聲. 羽+殹〔音〕. '殹예'는 '덮어 가리다'의 뜻. 깃으로 꾸민 수레의 일산의 뜻을 나타내고, '덮다, 흐리다'의 뜻을 나타냄.

[翳昧 예매] 흐림. 가리어 어두움.
[翳桑 예상] 뽕나무가 무성하게 우거진 곳.
[翳翳 예예] 환하지 아니한 모양. 해가 질 무렵의 어스레한 모양.
[翳壅 예옹] 덮어서 막음.
[翳薈 예회] 초목이 우거져 그늘을 이룸. 또, 그 그늘. 회예(薈翳).
[翳朽 예후] 나무가 저절로 죽어 썩어서 문드러짐.
◉媒翳. 霾翳. 冥翳. 目翳. 蒙翳. 屏翳. 氛翳. 織翳. 掩翳. 雲翳. 淪翳. 隱翳. 陰翳. 潛翳. 壒翳. 叢翳. 菑翳. 沈翳. 蔽翳. 荒翳. 薈翳.

11 ⑰ [䎕] 훙(횡本) 平庚 呼宏切 hōng
字解 푸드득날 훙 푸드득 낢. 또, 그 날갯소리. 翁(羽部 十畫)과 뜻이 같음. '營營群衆, 一一亂飛'《成公綏》.

12 ⑱ [翼] 〔익〕
翼(羽部 十一畫〈p. 1811〉)의 本字

12 ⑱ [翿] 〔율〕
翻(羽部 十二畫〈p. 1813〉)과 同字

12 ⑱ [翿] 동 去送 達貢切 tóng
字解 나는모양 동 '一, 飛皃'《玉篇》.

12 ⑱ [翱] 고 平豪 五勞切 áo
字解 날 고 날개를 펴고 위아래로 흔들면서 빙빙 돎. '一翔'. '一一飛雲閒'《何景明》.
字源 篆文 形聲. 篆文은 羽+皐(臯)〔音〕. '皐고'는 큰 얼굴의 뜻. 새가 날개를 크게 펴서 자유롭게 하늘 높이 날아다니는 뜻을 나타냄.

[翱翱 고고] 날개를 펴고 빙빙 돌며 나는 모양.
[翱翔 고상] ㉠빙빙 돌며 낢. 새가 날며 날개를 위아래로 흔드는 것을 고(翱)라 하고, 날개를 움직이지 아니함을 상(翔)이라 함. ㉡발호(跋扈)함. ㉢방황(彷徨)함. ㉣뛰놂.
◉翔翱. 風翱.

12 ⑱ [翹] 교 平蕭 祁堯切 qiáo
字解 ①비스듬히날 교 '一, 仄飛曰一'《集韻》. ②높이날 교 '一, 高飛也'《類篇》.

12 ⑱ [翿] 翹(前條)와 同字

12 ⑱ [翹] 人名 교 平蕭 渠遙切 qiáo
字解 ①꼬리 교 새의 긴 꼬리. '踞躇森衰以垂一'《郭璞》. ②들 교 위로 올림. '一尾'. '一首望太平'《韓愈》. ③발돋움할 교 '一企'. '可一足而待'《史記》. ④머리꾸미개 교 부인(婦人)의 수식(首飾). '寶髻珊瑚一'《梁簡文帝》. ⑤빼어날 교 재능이 남보다 뛰어남. '擧善進賢, 英一是務'《韋希賢》. ⑥위태로울 교 '業業·一一, 危也'《爾雅》. ⑦도리어 교 반대로. '一爲讎敵'《北齊書》.
字源 篆文 形聲. 羽+堯〔音〕. '堯요'는 '높다'의 뜻. 새의 긴 꽁지깃을 치켜 올리다의 뜻에서, 일반적으로 '들다, 올리다'의 뜻을 나타냄.

[翹翹 교교] ㉠높은 모양. ㉡위태로운 모양. ㉢먼 모양.
[翹企 교기] 발돋움하고 바라봄. 몹시 기다림.
[翹望 교망] 교수(翹首).
[翹思 교사] 마음에 늘 두고 생각함. 기다림.
[翹首 교수] 머리를 들고 바라봄. 대단히 기다림.
[翹材館 교재관] 한(漢)나라의 평진후(平津侯) 공손홍(公孫弘)이 세운 관(館)으로 현사(賢士)를 불러들인 곳.
[翹足 교족] 교기(翹企).
[翹足而待 교족이대] 발돋움하고 서서 이제나저제나 하고 기다림.
[翹楚 교초] 잡목 중에서 가장 높이 자란 가시나무. 전(轉)하여, 뭇사람 가운데에서 가장 뛰어난 사람의 비유.
◉大翹. 雙翹. 連翹. 雲翹. 異翹. 藻翹. 春翹. 翠翹. 雉翹.

12 ⑱ [翻] 人名 번 平元 孚袁切 fān
筆順 一 ㄸ 平 釆 香 番 翻 翻
字解 ①날 번 높이 낢. '一飛'. '衆鳥翩一'《張衡》. ②나부낄 번 바람에 흔들려 날림. '芝草一一'《古詩》. ③뒤집힐 번, 뒤집을 번 '一覆'. '一案'. ④변할 번 사물·태도가 변함. 또, 마음을 돌이킴. '一志'. ⑤번역할 번 '一譯'. '一梵天之語, 轉成漢土之言'《翻譯名義集》. ⑥도리어 번 반대로. '宜誡一奬, 應訶一笑'《顔氏家訓》.
字源 篆文 形聲. 羽+番〔音〕. '番번'은 씨를 흩뿌리다의 뜻. 새가 날개를 널찍이 펴고 나부끼는 뜻을 나타냄. 또, '反반'과 통하여 '뒤집히다'의 뜻도 나타냄.
參考 飜(飛部 十二畫)과 同字이며, 교육부(教育部)와 대법원(大法院)에서는, '飜' 자를 교육한자 및 인명(人名) 한자로 정하고 있음.

[翻刻 번각] 한 번 새긴 책판(冊板) 따위를 그 본새대로 똑같게 다시 새김.
[翻弄 번롱] 놀림. 조롱함.
[翻謬 번류] 전도(轉倒)되어 착오를 일으킴. 착각하여 잘못됨.
[翻翻 번번] 나부낌.
[翻覆 번복] 뒤집힘.
[翻翔 번상] 몸을 거꾸로 뒤집으며 낢. 빙 휘돌며 낢.
[翻城 번성] 배반. 내통.
[翻手作雲覆手雨 번수작운복수우] 번수(翻手)는 손바닥을 위로, 복수(覆手)는 손바닥을 아래로 뒤집음. 인정(人情)이 변하기 쉬움을 이름. 두

보(杜甫)의 시(詩) '빈교행(貧交行)'의 구절.
[翻案 번안] ㉠원래의 구조(構造)를 조금 고쳐서 만듦. ㉡안건(案件)을 뒤집음. 남의 시문이나 작품을 개작(改作)함.
[翻譯 번역] 한 나라의 말이나 글을 딴 나라의 말이나 글로 바꾸어 옮김.
[翻譯名義集 번역명의집] 송(宋)나라의 중 법운(法雲)이 찬(撰)한 책. 모두 20권(卷). 64목(目). 범어(梵語)를 풀이한 것으로서 내전(內典)을 읽는 데 필요한 책임.
[翻然 번연] 나는 모양.
[翻雲覆雨 번운복우] 홀연(忽然)히 구름이 끼고 비가 옴. 인정이 변하기 쉬움의 비유.
[翻車 번차] 물레방아. 수차(水車). 용골차(龍骨車).
◉翹翻. 踏翻. 騰翻. 亂翻. 覆翻. 飛翻. 繽翻. 聯翻. 翩翻. 翾翻.

12 ⑱ [翿] 율 ㉹質 餘律切 yù
字解 날 율 나는 모양. '鼓翅一𦐂'《郭璞》.
參考 𦑈(羽部 十二畫)과 同字.

12 ⑱ [翷] 증 ㉺蒸 作滕切 zēng
字解 ①오를 증 '一, 擧也'《集韻》. ②날 증 '一, 飛也'《廣韻》.

12 ⑱ [翽] 혜 ㉻霽 胡桂切 huì
字解 칼깃 혜 새의 풍절우(風切羽).
參考 𦒉(羽部 十五畫)와 同字.

13 ⑲ [翽] 홰 ㉻泰 呼會切 huì
字解 날개치는소리 홰 퍼덕퍼덕 날개를 치는 소리. '鳳凰于飛, 一一其羽'《詩經》.
字源 篆文 形聲. 羽＋歲〔音〕. '歲세'는 날개 치는 소리를 나타냄.

13 ⑲ [翾] 현 ㉺先 許緣切 xuān
字解 ①날 현 조금 낢. '一飛兮翠曾'《楚辭》. ②빠를 현 儇(人部 十三畫)과 통용. '喜則輕而一'《荀子》.
字源 篆文 形聲. 羽＋睘(瞏)〔音〕. '瞏경·선'은 '둥글다'의 뜻. 작게 원(圓)을 그리고 잽싸게 나는 일. '翾현'은 생략체(省略體).

[翾飛 현비] 조금 낢.
[翾翾 현현] 조금 나는 모양.
◉輕翾. 連翾. 翩翾. 飄翾.

13 ⑲ [䎘] 숙 ㉹屋 所六切 sù
字解 날 숙 '一, 飛也'《廣雅》.

14 ⑳ [翿] 도 ㉻號 徒到切 dào
字解 깃일산 도 새의 깃으로 만든 춤출 때 쓰는 제구. 무악(舞樂)에서, 춤추는 사람이 이것을 머리 위로 들어 가림. '君子陶陶, 左執一'《詩經》.
字源 篆文 形聲. 篆文은 羽＋壽(㱿)〔音〕

14 ⑳ [耀] 人名 요 ㉻嘯 弋照切 yào
筆順 耀
字解 ①빛날 요 광휘를 발함. 曜(日部 十四畫)와 同字. '爛一一以成光'《司馬相如》. ②빛낼 요 '以一德於廣遠也'《國語》. ③빛남 요, 빛 요 '建天地之功, 增日月之一者也'《後漢書》.
字源 形聲. 光＋翟〔音〕

[耀耀 요요] 찬란하게 빛나는 모양.
[耀電 요전] 번쩍번쩍하는 번개.
◉誇耀. 誑耀. 明耀. 文耀. 炳耀. 鮮耀. 英耀. 榮耀. 靈耀. 晶耀. 精耀. 照耀. 藻耀. 震耀. 燀耀. 淸耀. 燭耀. 炫耀. 眩耀. 衒耀. 焜耀. 華耀. 晃耀. 輝耀.

14 ⑳ [翸] 빈 ㉺眞 匹賓切 pīn
字解 날 빈 나는 모양. '一, 飛皃'《玉篇》.

15 ㉑ [𦒉] 〔혜〕
翽(羽部 十二畫〈p. 1813〉)와 同字

15 ㉑ [翾] 〔현〕
翾(羽部 十三畫〈p. 1813〉)의 本字

老(耂) (6획) 部
〔늙을로부〕

0 ⑥ [老] 中·人 로 ㉸晧 盧晧切 lǎo
筆順 一 十 土 耂 耂 老
字解 ①늙을 로 ㉠나이를 많이 먹음. '偕一'. '一當益壯'《後漢書》. ㉡늙어서 은퇴함. '桓公立, 乃一'《左傳》. ㉢시일을 오래 끌어 피로함. '楚師一矣'《國語》. ㉣시일을 오래 끌어 쇠(衰)해짐. '一大國'. '美不一'《荀子》. ②늙은이 로 ㉠나이를 먹은 사람. '一弱男女'. '敬一慈幼'《孟子》. ㉡나이 먹은 자기의 겸칭(謙稱). '幸得一與足下, 並爲遺種之叟'《王朗》. ③어른 로 ㉠연장자. 선배. '父一'. '長一'. 덕이 높고 나이가 많은 사람. '長一'. '鄕一'. ㉡공경(公卿)·제후(諸侯)의 우두머리. '天子之一'《禮記》. ㉢신하(臣下) 또는 가신(家臣)의 우두머리. '爲趙魏一則優'《論語》. ④노자의학설 로 노자(老子)가 제창한 학설. '佛一'. '黃一'. '好通一易'《後漢書》. ⑤노인대접할 로 경로(敬老)함. '一吾老'《孟子》. ⑥익숙할 로 숙달함. '一練'. '非一於文學, 其誰宜爲'《元結》. ⑦성 로 성(姓)의 하나.
字源 甲骨文 金文 篆文 象形. 甲骨文은 허리를 구부리고 지팡이를 짚은 노인의 모습을 형상화한 것임을 잘 알 수 있는데,

篆文은 그것이 변형(變形)된 것. 늙은이의 뜻을 나타냄.
參考 '老로'를 의부(意符)로 하여 노인에 관한 문자를 이룸. 부수(部首)로서는 생략체인 '耂'가 흔히 쓰임.

[老脚 노각] 노인의 비틀거리는 다리.
[老健 노건] ㉠노인이 기력이 좋음. ㉡문장 같은 것이 노련하고 기운참.
[老境 노경] 늙바탕.
[老姑 노고] 할멈.
[老公 노공] 나이 먹은 귀인(貴人)의 존칭(尊稱).
[老功 노공] ㉠다년의 경험을 쌓아 일에 익숙함. ㉡오래 근무한 공적.
[老嫗 노구] 할멈.
[老軀 노구] 늙은 몸.
[老君 노군] ㉠노자(老子)의 존칭. ㉡노인(老人)에 대한 존칭.
[老窮 노궁] 가난한 늙은이.
[老歸 노귀] 노쇠하여 벼슬을 그만두고 돌아옴.
[老妓 노기] 나이 많은 기생(妓生). 늙은 기생(妓生).
[老氣 노기] 노인의 의기(意氣).
[老驥伏櫪 노기복력] 유위(有爲)한 인물이 나이를 먹어 뜻을 펴지 못하고 궁지에 빠짐의 비유.
[老衲 노납] ㉠노승(老僧). ㉡노승(老僧)의 자칭.
[老女 노녀] 늙은 여자.
[老年 노년] 늙은 나이.
[老農 노농] ㉠늙은 농부. ㉡농사(農事) 경험이 많은 사람.
[老當益壯 노당익장] 늙을수록 더욱 기운을 내어야 한다는 말.
[老大 노대] 나이 먹음.
[老大國 노대국] 옛적에는 융성하였으나 지금은 쇠약해진 나라.
[老大人 노대인] ㉠노인이나 장자(長者)의 존칭. ㉡남의 아버지의 경칭.
[老杜 노두] 두보(杜甫)의 일컬음. 두목(杜牧)을 소두(少杜)라 함에 대한 말.
[老鈍 노둔] 늙어서 재빠르지 못함.
[老來 노래] 늙바탕.
[老萊子 노래자] 초(楚)나라의 현인(賢人). 중국의 이십사 효자(二十四孝子)의 하나. 70에 어린애 옷을 입고 어린애 같은 장난을 하여서 부모를 즐겁게 하였음. 황로(黃老)의 학(學)을 배워서 벼슬하지 않고, 노래자(老萊子) 15편(篇)을 지었음.
[老萊之戲 노래지희] '노래자(老萊子)'를 보라.
[老鍊 노련] 오래 경험을 쌓아서 아주 익숙함.
[老齡 노령] 늙은 나이.
[老老 노로] 노인(老人)을 대접해 드림.
[老吏 노리] ㉠일에 익숙한 벼슬아치. ㉡나이 먹은 벼슬아치.
[老馬之智 노마지지] 제(齊)나라 환공(桓公)이 길을 잃고 헤맬 때에, 관중(管仲)이 노마(老馬)를 풀어놓고 그 뒤를 따라가 마침내 길을 찾았다고 하는 고사(故事). 전(轉)하여, 쓸모없는 사람도 때로는 유용함을 이름.
[老妄 노망] 늙어서 망령을 부림.
[老母 노모] 늙은 어머니.
[老耄 노모] 늙어 꼬부라짐.
[老謀 노모] 노련한 꾀.
[老木 노목] 여러 해 묵은 나무.
[老物 노물] ㉠오래된 물건. 낡은 물건. ㉡늙어서 쓸모없는 사람. 노인을 욕하는 말.
[老蚌出珠 노방출주] ㉠늙은 조개 속에서 진주(眞珠)가 나옴. 곧, 아들이 아버지보다 뛰어남의 비유. ㉡부자(父子)가 모두 출중(出衆)함의 비유. 노방생주(老蚌生珠).
[老輩 노배] 노인들.
[老病 노병] 노쇠(老衰)하여 나는 병.
[老病有孤舟 노병유고주] 늙고 병든 몸을 의탁한 것은 오직 한 척의 작은 배뿐이어서 정처가 없음. 두보(杜甫)의 시구(詩句)임.
[老僕 노복] ㉠늙은 종. ㉡노인의 자칭(自稱).
[老父 노부] ㉠늙은 아버지. ㉡늙은이.
[老夫 노부] 늙은이.
[老婦 노부] 늙은 부녀(婦女).
[老佛 노불] 도교와 불교.
[老憊 노비] 늙어 쇠약함.
[老師 노사] ㉠군대를 오래 주둔시키어 피로하게 함. 또, 그 군대. ㉡조예가 깊은 나이 먹은 학자. 노선생.
[老產 노산] 늙어서 아이를 낳음.
[老生 노생] 나이 먹은 이.
[老生之常譚 노생지상담] '노유상어(老儒常語)'와 같음.
[老先生 노선생] ㉠노사(老師)❶. ㉡나이가 많거나 지위가 높은 사람의 존칭.
[老成 노성] 경력이 많아 사물에 노련함.
[老成人 노성인] 노성한 사람.
[老小 노소] ㉠늙은이와 어린아이. ㉡진(晉)나라의 제도(制度)에서 66세 이상과 12세 이하.
[老少 노소] 늙은이와 젊은이. 노인(老人)과 소년(少年).
[老少不定 노소부정] 《佛敎》 노인이나 소년이나 수명이 일정하지 아니하여 언제 죽을지 알 수 없음.
[老衰 노쇠] 늙어서 쇠약함.
[老手 노수] 노련한 솜씨. 또, 그 사람.
[老叟 노수] 늙은이.
[老壽 노수] 장수(長壽).
[老宿 노숙] ㉠불도(佛道)의 수행(修行)을 마친 승려(僧侶). ㉡나이를 먹어 경험이 많은 사람.
[老熟 노숙] 오래 경험(經驗)을 쌓아 익숙함.
[老僧 노승] 늙은 중.
[老臣 노신] ㉠나이 먹은 신하. ㉡지위가 높은 신하.
[老新郞 노신랑] 나이 많은 신랑.
[老實 노실] 일에 익숙하고 충실함.
[老眼 노안] 늙은이의 원시안(遠視眼).
[老艾 노애] 나이 많은 사람. 늙은이. 애(艾)는 50세.
[老爺 노야] 노옹(老翁).
[老弱 노약] 노소(老少).
[老易 노역] 노자(老子)와 주역(周易).
[老炎 노염] 늦더위.
[老屋 노옥] 낡은 집.
[老翁 노옹] 늙은이.
[老慾 노욕] 늙어 가면서 생기는 욕심.
[老友 노우] 나이 먹은 친구. 늙은 벗.
[老牛舐犢 노우지독] 어미 소가 송아지를 핥음. 곧, 어버이가 자식을 사랑함의 비유. 지독(舐犢).
[老雄 노웅] 나이 먹은 영웅.
[老幼 노유] 늙은이와 어린이.
[老儒 노유] ㉠나이 먹어 열력(閱歷)이 많고 조예

가 깊은 학자. ㉡나이 먹어 쓸모없는 학자.
[老儒常語 노유상어] 늙은 학자가 항상 하는 말. 곧, 시세(時勢)에 어두운 상투어. 평범한 의론(議論). 노생지상담(老生之常譚).
[老益壯 노익장] 나이 먹을수록 기력이 좋아짐.
[老人 노인] 늙은이.
[老人鏡 노인경] 돋보기.
[老人星 노인성] '남극노인성(南極老人星)'의 약어(略語).
[老人子弟 노인자제] 늙은이가 낳은 아들.
[老子 노자] ㉠장노(長老)의 일컬음. ㉡아버지를 이름. ㉢주(周)나라 말기의 철학자. 성은 이(李). 이름은 이(耳). 자는 백양(伯陽). 시호는 담(聃). 도가(道家)의 시조. ㉣노자가 지은 책 이름. 상하 두 편으로 되었음.
[老丈 노장] 노인(老人)의 경칭(敬稱).
[老壯 노장] 늙은이와 젊은이.
[老將 노장] ㉠나이 많은 장수(將帥). 늙은 장수. ㉡군사(軍事)에 노련한 장수.
[老莊 노장] ㉠노자(老子)와 장자(莊子). ㉡노자와 장자의 학설. 노장학(老莊學).
[老措大 노조대] 늙은 서생(書生).
[老從子 노종자] 여자는 나이 먹어서는 무슨 일이든지 아들을 따라야 함.
[老酒 노주] 빚은 지 여러 해 된 술. 고주(古酒).
[老疾 노질] 노병(老病).
[老傖 노창] 시골 노인. 남북조(南北朝) 시대에, 남조(南朝) 사람이 북방(北方) 사람을 천하게 여겨 일컫던 말.
[老蒼 노창] ㉠나이가 들어 보임. ㉡늙은이.
[老妻 노처] 늙은 아내.
[老處女 노처녀] 과년한 처녀.
[老體 노체] 늙은 몸.
[老親 노친] 늙으신 부모(父母).
[老親侍下 노친시하] 늙으신 부모(父母)를 모시고 있는 터.
[老台 노태] 연장자(年長者)의 존칭.
[老態 노태] 늙은이의 태(態). 나이가 들어 보이는 모양.
[老退 노퇴] 늙어서 벼슬에서 물러남.
[老坡 노파] 소동파(蘇東坡)를 일컬음.
[老婆 노파] 할멈.
[老婆心 노파심] 남의 걱정을 너무 하는 마음. 지나치게 친절한 마음.
[老廢 노폐] 늙어서 소용이 없음.
[老圃 노포] 농사일에 경험이 많은 사람.
[老鋪 노포] 예전부터 있는 가게.
[老罷 노피] 노비(老憊).
[老筆 노필] 필력(筆力)이 없는 노인(老人)의 글씨.
[老學究 노학구] 세상에 쓸모없는 속학자(俗學者).
[老學庵筆記 노학암필기] 송(宋)나라 육유(陸游)가 찬(撰)한 책. 모두 10권(卷). 속필기(續筆記) 두 권이 있음. 구문(舊聞)을 많이 실었음.
[老漢 노한] 늙은 남자.
[老兄 노형] ㉠나이 먹은 형. ㉡나이 먹은 벗의 존칭.
[老昏 노혼] 늙어서 정신이 흐림.
[老患 노환] 노병(老病).
[老猾 노활] 늙고 교활함.
[老況 노황] 노래(老來)의 상황.
[老獪 노회] 경험(經驗)이 많고 교활(狡猾)함. 또, 그 사람.
[老朽 노후] 늙어서 소용이 없음. 또, 그 사람.
[老後 노후] 늙은 후.
◉家老. 閣老. 敬老. 卿老. 古老. 告老. 故老. 孔老. 舊老. 國老. 窮老. 歸老. 耆老. 單老. 堂老. 大老. 篤老. 耄老. 文章宿老. 物壯則老. 父老. 扶老. 佛老. 不憖遺一老. 鄙老. 辭老. 三老. 庶老. 碩老. 釋老. 衰老. 垂老. 宿老. 野老. 養老. 犂老. 愚老. 元老. 月下老. 幼老. 遺老. 癃老. 羸老. 佚老. 長老. 莊老. 拙老. 宗老. 終老. 中老. 直壯曲老. 耋老. 請老. 初老. 醜老. 退老. 罷老. 海老. 偕老. 鄕老. 黃老. 朽老.

2 ⑥ [考] 中人 고 ㊤晧 苦晧切 kǎo

筆順 一 十 土 耂 耂 考

字解 ①상고할 고 ㉠곰곰 생각함. '熟—'. '—察'. ㉡학생·관리 등의 성적을 조사함. '科—'. '—試'. ②칠 고 두드림. '弗鼓弗—'《詩經》. ③이룰 고 완성함. '—仲子之宮'《左傳》. ④마칠 고 끝냄. '—終命'《書經》. ⑤수할 고 오래 삶. '周王壽—'《詩經》. ⑥아버지 고 죽은 아버지. '—妣'. '—無咎'《易經》. ⑦시험 고 고사. '—試'. '左右五—, 送兵部試'《唐書》. ⑧흠 고 하자(瑕疵). '白璧有—'《淮南子》. ⑨성 고 성(姓)의 하나.

字源 甲骨文 金文 篆文 形聲. 耂(老)+丂〔音〕. '老로'는 등이 굽은 노인의 뜻. '丂고'도 '굽다'의 뜻. 장수하는 노인의 뜻을 나타냄. 假借하여, '생각하다'의 뜻으로 쓰임.

[考降 고강] 오르내림. 고(考)는 등(登).
[考據 고거] 참고(參考)하여 증거(證據)로 삼음.
[考檢 고검] 상고(詳考)하고 조사함.
[考考 고고] 북을 치는 소리.
[考稿 고고] 초고(草稿).
[考古學 고고학] 유적(遺蹟)·유물(遺物) 등을 상고(詳考)하여 고대 주민의 문화를 연구하는 학문.
[考工記 고공기] 책 이름. 모두 한 권. 주례(周禮)의 제육편(第六篇)으로서 백공(百工)의 일에 관해서 썼음.
[考課 고과] 관리나 학생 등의 공적·조행·학업 등을 조사함.
[考校 고교] 성적 같은 것을 꾾음.
[考較 고교] 상고(詳考)하여 조사함. 비교하여 생각함.
[考究 고구] 상고(詳考)하여 연구함.
[考鞫 고국] 죄인을 취조함.
[考量 고량] 상고(詳考)하여 헤아림.
[考慮 고려] 생각하여 헤아림.
[考槃 고반] 은거하여 산수(山水)의 사이를 돌아다니며 즐김.
[考妣 고비] 돌아간 부모(父母).
[考死 고사] 고문(拷問)당하여 죽음.
[考査 고사] 상고(詳考)하여 조사함.
[考選 고선] 고사(考査)하여 뽑음.
[考試 고시] 학력 등의 시험.
[考信六藝 고신육예] 고사(古事)의 신빙성(信憑性) 여부(與否)를 육경(六經)에 비추어 고구(考

究)함.
[考按 고안] 상고(詳考)하고 조사함.
[考案 고안] ㉠고안(考按). ㉡안(案)을 연구하여 냄. 또, 그 안.
[考閱 고열] 참고하고 열람(閱覽)함.
[考績 고적] 관리(官吏)의 양부(良否) 및 공과(功過)를 조사(調査)함.
[考績幽明 고적유명] 관리(官吏)의 성적(成績)을 조사하여 나쁜 것은 물리치고 좋은 것은 추장(推奬)하는 일.
[考亭 고정] 푸젠 성(福建省)에 있는 지명(地名). 주희(朱熹)가 살던 곳임.
[考訂 고정] 책의 오류를 정정함.
[考中 고중] 시험에 합격함.
[考證 고증] 유물(遺物)이나 문헌을 상고하여 증거를 삼아 설명함.
[考證學 고증학] 경서(經書)를 연구하는 데 오로지 전거(典據)에 의해 그 뜻을 판단하는 청조(淸朝)의 유학(儒學).
[考察 고찰] ㉠상고(詳考)하여 살핌. ㉡관리의 치적(治績)을 상고하여 출척(黜陟)함.
[考驗 고험] 상고(詳考)하고 조사함.
◉勘考. 檢考. 論考. 默考. 覆考. 備考. 三考. 思考. 私考. 上考. 先考. 選考. 收考. 壽考. 熟考. 掠考. 硏考. 烈考. 愚考. 夷考. 一考. 再考. 銓考. 祖考. 參考. 皇考.

[孝] 〔효〕 子部 四畫(p. 559)을 보라.

4 ⑩ [耄] 모 [去]號 莫報切 mào

[字解] ①늙을 모 일흔 살(일설에는 여든 살, 또 일설에는 아흔 살)이 되어 정신이 혼몽하여짐. '一期倦于勤'《書經》. ②늙은이 모 칠팔십 세 된 늙은이. '一耄'. '悼與一, 雖有罪, 不加刑'《禮記》.

[字源] 篆文 形聲. 老+眊〈省〉〔音〕. '眊모'는 눈이 어둡다의 뜻. 시력이 떨어지며 늙다의 뜻을 나타냄.

[耄期 모기] 늙어 정신이 혼몽해짐. 기(期)는 백 세.
[耄齡 모령] 칠팔십 세. 일설에는, 팔구십 세.
[耄老 모로] 늙어 혼몽하여짐.
[耄耄 모모] 머리가 센 모양. 백발(白髮).
[耄思 모사] 정신이 혼몽함.
[耄耋 모질] 늙음. 또, 늙은이.
◉耆耄. 老耄. 衰耄. 昏耄.

4 ⑩ [耆] [人名] [一] 기 [平]支 渠脂切 qí
[二] 지 [上]紙 軫視切 zhǐ

[筆順] 一 十 土 耂 耂 老 耆 耆

[字解] [一] ①늙을 기 수를 함. 예순 살이 됨. '父母一老'《國語》. ②늙은이 기 '六十曰一'《禮記》. ③힘셀 기 힘이 셈. '不懦不一'《左傳》. ④즐길 기 嗜(口部 十畫)와 통용. '節一欲'《禮記》. ⑤성 기 성(姓)의 하나. [二] 이를 지 致(至部 三畫)와 뜻이 같음. '一定爾功'《詩經》.

[字源] 金文 篆文 形聲. 耂(老)+旨〔音〕. '旨지'는 '詣예'와 통하여, '이르다'의 뜻. 이르러 늙은 사람의 뜻을 나타냄.

[耆舊 기구] 늙은이.
[耆年 기년] 노인.
[耆老 기로] 육칠십 세의 노인.
[耆耄 기모] 늙은이.
[耆蒙 기몽] 늙은이와 아이.
[耆山 기산] 《佛敎》 '기사굴산(耆闍崛山)'의 준말. 영취산(靈鷲山)이라 번역.
[耆碩 기석] 인망(人望)이 있는 노인.
[耆叟 기수] 노인(老人).
[耆宿 기숙] 덕망이 있는 노인.
[耆艾 기애] 늙은이.
[耆英會 기영회] 덕망이 있는 노인의 모임.
[耆欲 기욕] 기호(嗜好).
[耆儒 기유] 나이 먹은 학자.
[耆婆 기파] ㉠불경(佛經)에 나오는 명의(名醫). ㉡고대 인도의 명의. 중국의 명의인 편작(扁鵲)과 병칭(竝稱)됨.
◉屠耆. 癡耆. 焉耆. 村耆.

5 ⑨ [耇] 구 [上]有 古厚切 gǒu

[字解] ①늙을 구 검버섯이 생길 정도로 수를 함. '雖及胡一'《左傳》. ②늙은이 구 노인. '敬事一老'《國語》.

[字源] 金文 篆文 形聲. 耂(老)+句〔音〕. '老로'는 '늙은이'의 뜻. '句구'는 휙 구부러지다의 뜻. 허리가 굽은 '노인'의 뜻을 나타냄.

[參考] 耉(次條)는 同字.

[耇老 구로] 늙은이.
[耇長 구장] 노성(老成)한 사람.
◉耆耇. 壽耇. 胡耇. 黃耇.

5 ⑪ [耈] [人名] 耇(前條)와 同字

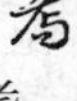

[筆順] 一 十 耂 耂 老 考 考 耈

5 ⑪ [𦒱] 도 [去]號 大到切 dào

[字解] 늙은이 도 나이 일흔을 이름. '一, 七十曰一也, 今作爲悼'《玉篇》.

5 ⑨ [者] [中人] 자 [上]馬 章也切 zhě

[筆順] 一 十 土 耂 耂 者 者 者

[字解] ①놈 자, 사람 자 사람을 가리켜 이름. '仁一'. '賢一'. '行金六百斤, 予守一'《史記》. ②것 자 ㉠일을 가리켜 이름. '以其小一, 信其大一'《孟子》. ㉡물건을 가리켜 이름. '彼茁一葭'《詩經》. ③곳 자 장소를 가리켜 이름. '請更諸爽塏一'《左傳》. ④어조사 자 ㉠어세(語勢)를 강하게 하기 위하여 쓰는 조사. '何一'. '不然一'. '不殺一爲楚國患'《史記》. ㉡둘 이상의 사물을 구별하는 조사. '仁一人也, 義一宜也'《中庸》. (어세(語勢)를 부드럽게 할 때는 '也'와 연용(連用)하여 '也一'로 씀.) ⑤이 자 此(止部 二畫)와 뜻이 같음. '一箇'. '只一一箇無字'《無門關》. ⑥성 자 성(姓)의 하나.

[字源] 金文 篆文 象形. 金文은 받침대 위에 나무를 쌓아 놓고 불을 때는 모양을

형상화하여, '익히다'의 뜻을 나타냄. '煮자'의 原字. 假借하여, '놈'의 뜻으로 쓰임.
◉覺者. 間者. 介者. 缺格者. 古者. 功者. 夸者. 冠者. 近者. 記者. 乃者. 綠衣使者. 論者. 當事者. 佛者. 僻者. 屠者. 讀者. 亡者. 猛者. 門者. 保菌者. 富者. 使者. 相者. 昔者. 選者. 聖者. 屬者. 修驗者. 識者. 信者. 謁者. 御者. 業者. 易者. 役者. 譯者. 緣故者. 緣者. 王者. 容疑者. 勇者. 愚者. 爲政者. 有力者. 儒者. 肉食者. 隱者. 仁者. 日者. 作者. 將命者. 長者. 著者. 前科者. 前者. 帝者. 造物者. 尊者. 拙者. 從者. 智者. 撰者. 菜食者. 諜者. 治者. 判者. 覇者. 編者. 編輯者. 被治者. 筆者. 學者. 行者. 賢者. 俠者. 好事者. 閽者. 化者. 話者. 宦者. 患者. 候補者. 後者.

6 ⑫ [耋] 질(절本) 入屑 徒結切 dié

字解 ①늙을 질 팔십 세(일설에는, 칠십 세)가 됨. 수를 함. '一, 老也'《爾雅》. ②늙은이 질 노인. '一艾'. '一, 年八十曰一'《說文》.
字源 甲骨文 篆文 形聲. 老+至〔音〕. '至지'는 '이르다'의 뜻을 나타냄. 늙음의 구극(究極)인 팔십 노인의 뜻을 나타냄. 篆文은 '耊'로서 老〈省〉+至〔音〕
參考 耊(次條)은 同字.

[耋老 질로] 칠팔십 세의 노인.
[耋艾 질애] 노인. 늙은이. 일설(一說)에는, 늙은이와 젊은이.
◉老老耋. 耆耋. 大耋. 羸耋. 齠耋. 孩耋.

6 ⑩ [耊] 耋(前條)과 同字

而 (6획) 部
〔말이을이부〕

0 ⑥ [而] 中人 이 平支 如之切 ér

筆順 一 丆 丅 丙 而 而

字解 ①말이을 이 접속사(接續詞)로서, 그리하고. '學一時習之'《論語》. 그러나. '吾有司死者三十三人, 一民莫之死也'《孟子》. …하여도. '視一不見'《大學》. 등의 뜻으로 쓰임. ②너 이 자네. '一忘越王之殺一父邪'《十八史略》. ③같을 이 如(女部 三畫)와 뜻이 같음. '垂帶一厲'《詩經》. ④뿐 이 '一已'·'一已矣'로 연용(連用)하여, …일 따름임의 뜻으로 쓰임. '九人一已'《論語》. ⑤어조사 이 무의미의 조자(助字). '今之從政者殆一'《論語》.
字源 金文 篆文 象形. 수염을 본떠 '수염'의 뜻을 나타냄. 假借하여, 접속사(接續詞)나 '그대'의 뜻으로도 쓰임.
參考 '而이'를 바탕으로 하여, '수염'을 뜻하는 문자를 이룸. 그 외에도 '而' 꼴을 가지는 문자를 포함하여, 자형(字形) 분류상 부수(部首)로 설정됨.

[而今 이금] 지금(只今).
[而立 이립] 삼십 세의 일컬음.
[而已 이이] 뿐임. 따름임.
[而還 이환] 그 후. 그때부터.
[而後 이후] 이제부터.
◉餒而. 然而. 褘而. 已而. 在而. 悽而.

2 ⑧ [耐] 〔이·내〕 耏(而部 三畫〈p. 1817〉)와 同字

3 ⑨ [耍] 솨 上馬 沙下切 shuǎ

字解 ①희롱할 솨 장난함. '一, 戲也'《篇海》. ②《現》만질 솨 주무름. ③《現》노름할 솨.
字源 불명(不明). 본디 깜찍하다, 약다의 뜻의 '傻사'와 같은 말이었던 것이, 사투리에 의해 뜻이 변함에 따라, 자체(字體)도 '㜥'의 변형인 '耍'로 되었을 가능성이 있음.
參考 要(襾部 三畫)는 別字.

[耍貨 솨화] 장난감.

3 ⑨ [耎] 연 上銑 而兗切 ruǎn

字解 ①약할 연 강하지 못함. '僕雖怯一'《漢書》. ②부드러울 연 연함. 유연(柔軟)함. '一肥之體'《漢書》. ③굼틀거릴 연 蝡(虫部 九畫)과 통용. '惴一之蟲'《莊子》.
字源 篆文 會意. 而+大. '而이'는 수염의 象形으로, '부드럽다'의 뜻. '大대'는 사람의 象形. 가냘픈 사람의 뜻을 나타냄.

[耎國 연국] 약소국가.
[耎弱 연약] 약함.
[耎脆 연취] 유연(柔軟)함. 연약함.
[耎退 연퇴] 물러남. 퇴직함.
◉選耎. 惴耎.

3 ⑨ [耏] ㊀ 이 平支 如之切 ér ㊁ 내 去隊 奴代切 nài

字解 ㊀ ①구레나룻 이 턱 밑에서 귀까지 난 수염. '冒一之類'《後漢書》. ②성 이 성(姓)의 하나. ㊁ 구레나룻깎을 내 형벌로서 구레나룻을 깎음. 또, 그 형벌. '一爲鬼薪'《漢書》.
字源 篆文 別體 形聲. 彡+而〔音〕. '彡삼'은 긴 털의 象形. '而이'도 '수염'의 뜻. 구레나룻, 짐승의 털이 많다는 뜻을 나타냄.

◉髵耏. 冒耏. 髯耏.

3 ⑨ [䎡] ㊀ 이 平支 如之切 ér ㊁ 환 平寒 胡官切 ㊂ 나 去箇 奴禾切 nuò

字解 ㊀ ①둥근것이잘돌 이 '一, 丸之孰也. (段注) 俗所謂圜熟, 言施轉之易也'《說文》. ②둥근것 이 둥근 물건. '一, 丸之屬'《廣韻》. ㊁ 둥근것이잘돌 환, 둥근것 환 ㊀과 뜻이 같음. ㊂ ①둥근것이잘돌 나 ㊀❶과 뜻이 같음. ②여릴 나 愞(心部 九畫〈p. 802〉)와 同字. '愞, 弱也. 亦作一'《集韻》.
字源 形聲. 丸+而〔音〕

3 ⑨ [耐] [高人] [一] 내 [去]隊 奴代切 nài
[二] 능 [平]蒸 奴登切 néng

[筆順] 一 丆 丆 丙 而 而 耐 耐

[字解] [一] ①견딜 내 배겨 냄. 유지함. '一火'. ② 참을 내 인내함. '一忍'. ③구레나룻깎을 내 耏(前前條)와 同字. '一以上請之'《漢書》. [二] 능할 능 能(肉部 六畫)의 古字. '故聖人一以天下爲一家'《禮記》.

[字源] 耏의 別體 形聲. 寸+而〔音〕. '寸촌'은 '팔꿈치'의 뜻. '而이'는 수염의 象形으로, '부드럽다'의 뜻. 팔꿈치를 유연하게 하고 견디다의 뜻. 사태(事態)에 대한 대응이 부드러우며 견뎌 내다의 뜻을 나타냄. '耏내'의 별체(別體)로도 쓰임.

[耐看 내간] 그런대로 볼만함.
[耐久 내구] 오래 견딤.
[耐久力 내구력] 오래 견디는 힘.
[耐久朋 내구붕] 마음이 변하지 않는 친구.
[耐熱 내열] 열에 견딤.
[耐忍 내인] 참음. 인내함.
[耐震 내진] 지진에 견딤.
[耐乏 내핍] 물자(物資)가 모자라거나 없는 것을 견딤.
[耐寒 내한] 추위를 견딤.
[耐火 내화] 불에 견딤. 불에 타지 아니함.
◉堪耐. 忍耐.

3 ⑨ [耑] [一] 단 [平]寒 多官切 duān
[二] 전 [平]先 昌緣切 zhuān

[字解] [一] 끝 단 端(立部 九畫)과 同字. '摩其一'《周禮》. [二] 오로지 전 속(俗)에, 專(寸部 八畫)으로 쓰임. '一電'(특별 전보).

[字源] 甲骨文 金文 篆文 象形. 甲骨文은 水+止+丕로도 분석할 수 있으며, 수분을 얻어 식물이 뿌리를 뻗고 싹이 튼 모양을 형상화한 것으로 생각됨. 사물의 시초의 뜻을 나타냄. '端단'의 原字.

[耑倪 단예] 맨 끝. 아주 먼 끝.

4 ⑩ [耎] 난 [上]旱 泥短切 ruǎn

[字解] 움츠러들 난 '一, 其心中無勇也'《太玄經》.

[恧] 〔뉵〕
心部 六畫(p. 774)을 보라.

6 ⑫ [需] [一] 이 [平]支 人之切 ér
[二] 수 [平]虞 相俞切 xū

[字解] [一] 잇닿을 이 줄지어 잇닿음. '一, 連繫也'《六書統》. [二] 需(雨部 六畫)의 俗字. '需, 俗作一'《集韻》.

7 ⑬ [䎋] 뉵 [入]屋 乃谷切 nǜ

[字解] 근심할 뉵 근심하는 모양. '憤伊鬱而酷一. (注)蒼頡篇曰, 一, 憂貌'《王褒》.

[需] 〔수〕
雨部 六畫(p. 2500)을 보라.

耒 (6획) 部
〔쟁기뢰부〕

0 ⑥ [耒] 뢰 [去]隊 盧對切 lěi

[筆順] 一 二 三 丰 耒 耒

[字解] 쟁기 뢰, 쟁깃술 뢰 농구의 한 가지. 또 쟁기의 자루. '斲木爲耜, 揉木爲一'《易經》.

[字源] 篆文 會意. 丰+木. '丰개'는 좌우에 많은 이를 가진 날붙이로 잘게 칼질하다의 뜻. 나무 자루 끝에 제초구(除草具)를 단 '쟁기'의 뜻을 나타냄.

[參考] '耒뢰'를 의부(意符)로 하여, 농구인 쟁기나 경작(耕作)에 관한 문자를 이룸.

[耒耜]

[耒耨 뇌누] 쟁기와 괭이. 전(轉)하여, 농구(農具).
[耒耜 뇌사] 쟁기. 뇌(耒)는 쟁깃술, 사(耜)는 보습.
[耒鍤 뇌삽] 쟁기.
◉秉耒. 負耒. 釋耒. 御耒. 輟耒. 投耒.

0 ⑥ [耒] 〔래〕
來(人部 六畫〈p. 124〉)의 略字

2 ⑧ [耓] 정 [平]青 湯丁切 tīng

[字解] 보습 정 나무로 만든 쟁기의 날. '一, 耒下木也'《集韻》.

[字源] 形聲. 耒+丁〔音〕

3 ⑨ [耔] 자 [上]紙 卽里切 zǐ

[字解] 북돋울 자 북을 주어 가꿈. '或耘或一'《詩經》.

[字源] 形聲. 耒+子〔音〕

◉耘耔. 春耔.

3 ⑨ [耙] 걸 [入]物 祛乙切 qǐ

[字解] 평미레질할 걸 평미레를 씀. '一, 平量也'《玉篇》.

4 ⑩ [耕] [中人] 경 [平]庚 古莖切 gēng(jīng)

[筆順] 一 三 丰 耒 耒 耒 耕 耕

[字解] ①갈 경 ㉠농구로 논밭을 파 뒤집음. '一耘'. '深一易耨'《孟子》. ㉡농사에 힘씀. '三年一, 必有一年之食'《禮記》. 전(轉)하여, 농사. '有不勤一之心'《漢書》. ㉢힘써 게을리 하지 아니함. '一道而得道'《揚子法言》. ㉣의식(衣食)을 위하여 힘씀. '筆一'. '舌一'. ②쟁기 경 손

에 들고 논밭을 가는 쟁기. 또, 그 자루. '黎─也. 人用以發土, 亦謂之─'《說文 段注》.

字源 篆文 耕 形聲. 耒+井(幷)〔音〕. '幷정'은 '幵견'의 변형(變形). '幵'은 '틀·테두리'의 뜻. '耒뢰'는 '쟁기'의 뜻. 쟁기로 모양을 정돈하면서 농지를 갈다의 뜻을 나타냄.

[耕稼 경가] 경작(耕作).
[耕墾 경간] 경작(耕作).
[耕械 경계] 논밭을 갈고 김매는 기계.
[耕讀 경독] 농사를 지으며 틈틈이 글을 읽음.
[耕夫 경부] 농부(農夫).
[耕鋤 경서] 논밭을 갈고 김을 맴.
[耕藝 경예] 논밭을 갈고 곡식을 심음.
[耕耘 경운] 논밭을 갈고 김을 맴.
[耕雲種月 경운종월]《佛教》농부가 구름을 밟고 갈고, 달을 위에 이고 씨를 심음. 고생을 마다 않고 정진함.
[耕作 경작] 땅을 갈아 농사(農事)를 지음.
[耕蠶 경잠] 농업과 양잠.
[耕田 경전] 논을 갊. 또는 그 경지(耕地).
[耕種 경종] 논밭을 갈아 씨를 뿌림.
[耕地 경지] 경작함. 또, 경작하는 전지(田地).
[耕織 경직] 농사짓는 일과 길쌈하는 일.
◉墾耕. 梏耕. 躬耕. 歸耕. 農耕. 耨耕. 屯耕. 馬耕. 目耕. 鋤耕. 舌耕. 時耕. 深耕. 力耕. 傭耕. 牛耕. 耦耕. 耘耕. 疾耕. 輟耕. 春耕. 親耕. 退耕. 筆耕. 火耕. 休耕.

4 ⑩ [耗] 人名 모(①-⑥ 去號 虎告切 hào
호本) 去號 莫報切 mào

字解 ①벼 모 秏(禾部 四畫)와 同字. '玄山之禾, 南海之─'《呂氏春秋》. ②덜 모, 덜릴 모 감손함. '消─'. '不抑─其實而已'《柳宗元》. ③쓸 모 써 없앰. 소비함. '以─散其眞'《素問》. ④동정 모 동태(動態). '坐間爲張至家探─'《談怪錄》. ⑤소식 모 음신(音信). '不通─問'《讀書錄》. ⑥성 모 성(姓)의 하나. ⑦어지러울 모 너무 많아 난잡함. '─亂者, 丞相以聞'《漢書》.

字源 形聲. 耒+毛〔音〕. '秏모'의 오자(誤字)가 속자(俗字)로서 사용된 것임.

[耗減 모감] 모손(耗損).
[耗斁 모두] 모손(耗損)하고 패배(敗北)함. 패망(敗亡)시킴.
[耗問 모문] 소식. 음신.
[耗散 모산] 흩어져 없어짐. 또, 소비하여 없앰.
[耗少 모소] 소모하여 줆.
[耗損 모손] 줆. 덞.
[耗盡 모진] 모두 없어짐.
◉減耗. 計耗. 近耗. 省耗. 消耗. 銷耗. 損耗. 衰耗. 息耗. 信耗. 抑耗. 音耗. 雀耗. 虛耗.

4 ⑩ [耘] 人名 운 平文 王分切 yún

筆順 一 三 丰 耒 耒 耒二 耘 耘

字解 ①김맬 운 제초함. '耕─'. '或─或耔'《詩經》. ②없앨 운 제거함. '不戰而─'《史記》.

字源 形聲. 耒+云〔音〕. '云운'은 구름처럼 돌아 움직이다의 뜻. 쟁기로 흙을 움직이어 풀을 없애다의 뜻을 나타냄.

[耘培 운배] 운자(耘耔).
[耘耘 운운] 성(盛)한 모양.
[耘耔 운자] 김매고 북돋움.
◉決耘. 耕耘. 鉏耘.

4 ⑩ [耙] 파 去禡 必駕切 bà, pá

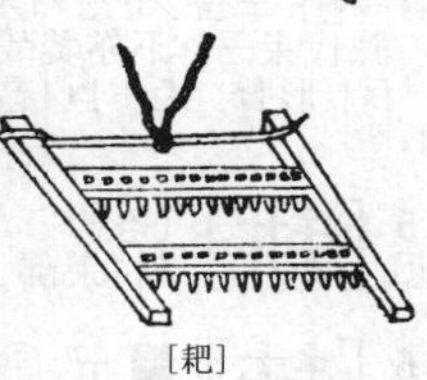
[耙]

字解 써레 파 마소에 끌려 판 흙덩이를 부수어 흙을 고르는 농구. '此方─也. 又有八字─'《農政全書》.

字源 形聲. 耒+巴〔音〕

[耙治 파치] 논밭의 흙덩이를 부수어 평평하게 고르는 일.

4 ⑩ [耖] 초 去效 初教切 chào

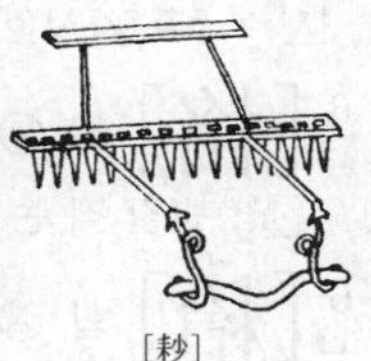
[耖]

字解 써레 초 마소에 끌려, 갈아 놓은 논바닥을 고르거나 흙덩이를 잘게 부수는 농구. 여러 개의 발이 있고 손잡이가 있음. '─如耙, 其齒更長'《農政全書》.

字源 形聲. 耒+少〔音〕

5 ⑪ [耜] 사 上紙 詳里切 sì

字解 보습 사 쟁깃술 끝에 맞추는 날. 원래는 나무로 했으나, 뒤에는 철제(鐵製)로 함. 梠(木部 五畫)와 同字. '斲木爲─'《易經》.

字源 形聲. 耒+㠯〔音〕. '㠯이·사'는 '쟁기'의 原字. '㠯'가 '사용하다'의 뜻으로 바뀐 탓으로, '耒뢰'를 덧붙였음.

◉耒耜. 耨耜. 覃耜. 良耜. 縣耜.

5 ⑪ [耞] 가 平麻 居牙切 jiā

字解 도리깨 가 '連─'는 곡식을 두드려서 떠는 농구의 한 가지. 枷(木部 五畫)와 同字. '─, 連─, 打穀具'《字彙》.

字源 形聲. 耒+加〔音〕

◉連耞.

5 ⑪ [耝] 一 처 去御 七慮切 qù
二 서 平魚 牀魚切 chú

字解 一 ①밭갈아일으킬 처 밭 갈아 흙을 들춤. '─, 耕而土起, 謂之─'《集韻》. ②백성이서로도울 처 二와 뜻이 같음. 二 백성이서로도울 서 耡(耒部 七畫)와 同字. '耡, 起民令相佐助也, 或省'《集韻》.

5 ⑪ [秤] 칭 平蒸 昌蠅切 chēng

字解 쟁기 칭 '─, 耒也'《玉篇》.

5 ⑪ [粭] 치 平支 澄之切 chí

[字解] 김맬 치 밭의 풀을 뽑음. '耘一, 除艸'《集韻》.

5 ⑪ **[耟]** 거 [上]語 其擧切 jù

[字解] 보습 거 쟁기의 끝, 곧 보습. 또 쟁기. '鼎餗代耒一, 不亦美哉'《抱朴子》.
[字源] 形聲. 耒+巨〔音〕

5 ⑪ **[耕]** 〔경〕
耕(耒部 四畫〈p. 1818〉)의 本字

6 ⑫ **[䎕]** [一] 규 [平]齊 古攜切 guī
[二] 와 [平]佳 烏蝸切

[字解] [一] ①굽정이 규 보리를 널고 고루 펴는 데 쓰는 기구. ②갈 규 밭을 갊. '一, 耕也'《集韻》. [二] 굽정이 와, 갈 와 [一]과 뜻이 같음.
[字源] 篆文 形聲. 耒+圭〔音〕. '圭규'는 끝이 삼각형으로 뾰족해지다의 뜻.

6 ⑫ **[䎑]** 객 [入]陌 各額切 gè

[字解] 밭갈 객 논밭을 갊. '一, 耕也'《玉篇》.

6 ⑫ **[耠]** 합 [入]合 俟閤切 huō

[字解] 갈 합 경작함. '一, 耕也'《廣雅》.
[字源] 形聲. 耒+合〔音〕

7 ⑬ **[耡]** 서 [去]御 牀據切
[平]魚 士魚切 chú

[字解] ①호미 서 鋤(金部 七畫)와 同字. ②구실 서 정전(井田)을 경작하는 여덟 집이 공동으로 중앙의 공전(公田)을 경작하여, 그 수확을 공조(公租)로 바치는 일. '野之一粟'《周禮》. ③역참 서 역말을 맡은 곳. '以歲時合耦于一'《周禮》. ④부조 서 백성의 상호 부조. '以興一利甿'《周禮》.
[字源] 篆文 形聲. 耒+助〔音〕. '助조'는 '돕다'의 뜻. 서로 도와서 공공(公共)의 논을 경작하고, 그 수확을 세(稅)로 하는 중국 고대의 세제(稅制)의 이름을 나타냄.

[耡粟 서속] 주대(周代)에 정전(井田)의 공전(公田)에서 바친 조세(租稅)의 곡식.

7 ⑬ **[䎘]** 국 [入]沃 衢六切 jú

[字解] ①보리갈 국 보리밭을 갊. '一, 耕麥地也'《玉篇》. ②갈 국 논밭을 갊.

7 ⑬ **[䎒]** 소 [去]效 所敎切 shào, shāo
[平]肴 師交切

[字解] 심을 소 씨를 심음. '一, 耰種也'《集韻》.

8 ⑭ **[耤]** [一] 적 [入]陌 秦昔切 jí
[二] 자 [去]禡 慈夜切 jiè

[字解] [一] ①빌릴 적 차용(借用)함. '以軀一友報仇'《漢書》. ②갈 적 제왕(帝王)이 민력(民力)을 빌려 밭을 친히 갊. '開一田'《漢書》. [二] 깔개 자 藉(艸部 十四畫)와 同字.
[字源] 甲骨文 金文 篆文 形聲. 耒+昔(䐿)〔音〕. '䐿석'은 '借차'와 통하여, '빌리다'의 뜻. 천자(天子)가 백성의 힘을 빌려 논밭을 몸소 경작하는 뜻을 나타냄.

[耤友 적우] 친구의 힘을 빌림.
[耤田 적전] 임금의 친경전(親耕田).

8 ⑭ **[䎙]** [一] 방 [上]講 步項切 bàng
[二] 부 [平]尤 蒲侯切 póu

[字解] [一] 보습 방 밭을 가는 보습 따위. '一, 耜屬'《集韻》. [二] 갈 부 '䎱一'는 밭을 갊. '一, 博雅, 䎱一, 耕也'《集韻》.

8 ⑭ **[䎦]** 염 [上]琰 以冉切 yǎn

[字解] ①날카로운보습 염 '一, 利耜也'《集韻》. ②밭갈 염 밭을 갊. '一, 耕也'《玉篇》.

9 ⑮ **[耦]** 우 [上]有 五口切 ǒu

[字解] ①나란히갈 우 두 사람이 나란히 서서 밭을 갊. '一而耕'《論語》. 또, 널리 사물의 쌍이 지어진 상태를 이름. 기(奇)의 대(對). ②한자 넓이 우 주대(周代)에 쟁기의 넓이는 다섯 치인데, 이것을 '伐'이라 하고, 두 사람이 나란히 쟁기질할 때에는 넓이가 한 자가 되므로 이름. 또, 나란히 갈아엎은 밭두둑. '二伐爲一'《說文》. ③짝 우 ㉠상대자. '喪其一'《莊子》. ㉡배우자. '人各有一'《左傳》. ④짝지을 우 '吾聞姬姞一, 其子孫必蕃'《左傳》. ⑤마주설 우 상대함. '一語'. '一視而先俯'《荀子》. ⑥우수 우 둘로 나누이는 수. '陽卦奇, 陰卦一'《易經》. ⑦성 우 성(姓)의 하나.
[字源] 篆文 形聲. 耒+禺〔音〕. '耒뢰'는 '쟁기'의 뜻. '禺우'는 '偶우'와 통하여, '짝패'의 뜻. 둘이서 나란히 경작하다의 뜻을 나타냄.

[耦耕 우경] 두 사람이 나란히 밭을 갊.
[耦立 우립] 둘이 나란히 섬.
[耦死 우사] 두 사람이 나란히 죽음.
[耦數 우수] 둘로 나누어지는 수(數). 우수(偶數). 기수(奇數)의 대(對).
[耦語 우어] 마주 앉아 이야기함.
[耦意 우의] 마음에 듦.
[耦刺 우자] 두 사람이 서로 찔려 죽음.
[耦坐 우좌] 마주 대하여 앉음.
[耦進 우진] 쌍방이 같이 나아감.
◉嘉耦. 耕耦. 對耦. 配耦. 不耦. 比耦. 妃耦. 怨耦. 人各有耦. 敵耦. 衆耦. 匹耦. 合耦.

9 ⑮ **[䎫]** 창 [平]江 初江切 chuàng

[字解] 심을 창 '一, 種也'《廣雅》. '𡏖, 不耕而種, 或作一'《集韻》.

10 ⑯ **[耨]** 누 [去]宥 奴豆切 nòu

[字解] ①괭이 누 땅을 파는 농구의 하나. '一, 如鎒, 柄長三尺, 刃廣二寸. 以刺地除草'《廣韻》. ②갈 누, 김맬 누 밭을 팜. 또, 제초함. '深耕易一'《孟子》. ③성 누 성(姓)의 하나.

[字源] 形聲. 耒+辱〔音〕. '辱욕'은 큰 대합 껍질을 날을 세운 풀 베는 도구로써 풀을 베어 깔다의 뜻. '辱'이 '욕보이다'의 뜻으로 바뀌었기 때문에 '耒뢰'를 붙였음.

[耨耕 누경] 김매고 밭을 갊.
[耨鎛 누박] 김매는 작은 괭이.
[耨耜 누사] 보습·괭이 따위의 농기구.
◉耕耨. 耒耨. 水耨. 深耕易耨. 春耨. 火耨.

10 ⑯ [耆] 기 [平]支 渠伊切 qí

[字解] 보리씨뿌릴 기 보리를 파종함. '一, 麥下種也'《集韻》.

10 ⑯ [耪] [現] 방 pǎng

[字解] 《現》 쟁기질할 방, 김맬 방.

10 ⑯ [耩] 강 [上]講 古項切 jiǎng

[字解] ①밭갈 강 '一, 耕也'《廣雅》. ②김맬 강 '一, 耘也'《玉篇》.

11 ⑰ [耬] 루 [平]尤 落侯切 lóu 耧

[字解] ①씨뿌리는수레 루 '一車'는 소에 끌려, 씨앗 상자를 장치하여 씨가 뿌려지게 된 수레. '一車, 下種器也'《農政全書》. ②두렁갈 루 '耬, 耕畦謂之耬. 或从耒'《集韻》.

[耬]

[字源] 形聲. 耒+婁〔音〕

[耬車 누거] 자해(字解)를 보라.

11 ⑰ [耰] 만 [去]翰 莫半切 màn / [平]寒 謨官切 mán

[字解] ①묵정밭 만 오래 내버려 두어 거칠어진 밭. '一, 不蒔田也'《玉篇》. ②널리씨뿌릴 만 널리 씨를 뿌리는 모양. '一, 徧種皃'《集韻》.

11 ⑰ [耫] [一] 살 [入]黠 槎轄切 zhá / [二] 책 [入]陌 士革切 zé

[字解] [一] 농기구 살 '一, 農具也'《廣韻》. [二] ①심을 책 '一, 種也'《廣雅》. ②재속에씨뿌릴 책 '一, 灰中種也'《玉篇》.

11 ⑰ [耥] 체 [去]霽 他計切 tì

[字解] 심을 체 '一, 種也'《廣雅》.

11 ⑰ [耯] 한 [去]翰 呼旰切 hàn

[字解] 겨울밭갈 한 겨울에 밭을 갊. '一, 冬耕也'《玉篇》.

12 ⑱ [耭] [人名] 기 [平]微 居希切 jī

[字解] 밭갈 기 '一, 耕也'《玉篇》.

12 ⑱ [耮] 로 [去]號 郎到切 lào 耢

[字解] 고무래로 밭을 고르는 농구.

12 ⑱ [耱] 당(장[本]) [平]江 傳江切 chuáng

[字解] 씨뿌릴 당 '一, 種入也'《集韻》.

12 ⑱ [耪] 작 [入]藥 疾各切 zuó

[字解] ①땅이름 작 '一, 地名在蜀'《廣韻》. ②성 작 성(姓)의 하나.

14 ⑳ [耲] 확 [入]藥 黃郭切 huò

[字解] 곡식벨 확 穫(禾部 十四畫)과 同字

15 ㉑ [耰] 우 [平]尤 於求切 yōu

[字解] ①곰방메 우 논밭의 흙을 고르는 농구. 씨앗 같은 것을 덮는 데도 씀. '耒耜一鋤'《淮南子》. ②씨앗덮을 우 씨를 곰방메 따위로 덮음. '一而不輟'《論語》. ③갈 우 농구로 흙을 파 뒤집음. '深其耕而孰一之'《莊子》. 櫌(木部 十五畫)와 同字.

[字源] 形聲. 耒+憂〔音〕. '憂우'는 본디 '夒노'로서 '擾요'와 통하여, '어지럽히다, 고르다'의 뜻. 땅을 고르다, 쟁기의 뜻을 나타냄.

[耰鋤 우서] 곰방메와 호미.

15 ㉑ [耱] 〔표〕
穮(禾部 十五畫〈p. 1631〉)와 同字

15 ㉑ [耙] 〔파〕
鑼(金部 十五畫〈p. 2423〉)와 同字

18 ㉔ [耛] 구 [平]虞 權俱切 qú

[字解] 보습 구 땅을 갈아서 흙덩이를 일으키는 농구. '一, 耜也'《集韻》.

耳 (6획) 部
〔귀이부〕

0 ⑥ [耳] [中人] 이 [上]紙 而止切 ěr

[筆順] 一 丅 下 F 巨 耳

[字解] ①귀 이 ㉠오관(五官)의 하나. 청각(聽覺)을 맡음. '一目'. '腎發爲一'《管子》. ㉡물건의 양쪽에 붙어 귀 같은 모양을 한 물건. 솥귀 따위. '有雉登鼎一'《史記》. ②뿐 이 따름. '而已' 두 자의 합음(合音). '與父老約法三章一'《史記》. ③어조사 이 의미 없는 조자(助字). '女得人焉一哉'《論語》. ④성 이 성(姓)의 하나.

字源 金文 篆文 象形. 金文으로도 알 수 있듯이, 귀의 象形으로, '귀'의 뜻을 나타냄.
參考 '耳이'를 의부(意符)로 하여, 귀의 기능이나 상태에 관한 문자를 이룸.

[耳加聰 이가총] 귀가 점점 더 잘 들린다는 뜻으로, 지식이 나날이 진전됨을 이르는 말.
[耳殼 이각] 귓바퀴.
[耳科 이과] 귀의 병(病)을 고치는 의술(醫術).
[耳垢 이구] 귀지.
[耳力 이력] 귀의 듣는 힘. 청력(聽力).
[耳聾 이롱] 귀가 먹어 들리지 아니함.
[耳輪 이륜] 외이(外耳)의 드러난 부분. 귓바퀴.
[耳明酒 이명주] 음력 정월 보름날 아침에 마시는 술. 귀밝이술.
[耳鳴症 이명증] 귓속에서 저절로 소리가 나는 병증(病症).
[耳目 이목] ㉠귀와 눈. ㉡들음과 봄. 견문(見聞). ㉢남의 앞잡이가 되어 견문을 고해바침. ㉣지도자(指導者).
[耳目之官 이목지관] ㉠감찰(監察)을 맡은 벼슬. ㉡귀와 눈의 듣고 보는 작용. 견문(見聞).
[耳聞不如目見 이문불여목견] 귀로 듣는 것은 눈으로 보는 것만 못함.
[耳孫 이손] 현손(玄孫)의 증손. 일설(一說)에는, 현손의 아들.
[耳順 이순] 60세. 공자(孔子)가 예순 살이 되어서는 천지 만물(天地萬物)의 이치(理致)에 통달하였으므로, 어떤 일을 들어도 다 이해(理解)하였다 한 데서 이름.
[耳視 이시] 귀로 본다는 뜻. 곧, 전해 들은 것에 뇌동(雷同)하여 그 시비를 따져 보지도 않고 행함을 이름.
[耳食 이식] 듣기만 하고 맛을 안다는 뜻. 곧, 남의 말을 듣고 그 시비도 판단하지 않고 함부로 믿음을 이름.
[耳語 이어] 귀엣말.
[耳餘 이여] 한(漢)나라 때의 사람 장이(張耳)와 진여(陳餘). 처음에는 아주 친하게 지내다가 후에 권세 이욕(權勢利慾) 때문에 서로 싸우게 되매, 세인(世人)의 웃음거리가 되었음.
[耳提面命 이제면명] 귀를 끌어당겨 들려주고 눈앞에서 가르쳐 줌. 곧, 친절히 가르쳐 줌의 형용.
[耳屬垣 이촉원] 귀가 담에 붙었다는 뜻으로, 누가 말을 언제 어디서 엿들을는지 알 수 없고, 또 말이 언제 어디서 새어 나갈는지 알 수 없다는 말.
[耳朶 이타] 귓불.
[耳痛 이통] 귀앓이.
◉咠耳. 傾耳. 口耳. 卷耳. 馘耳. 內耳. 大聲不入里耳. 面命提耳. 木耳. 蒙耳. 俛(부)首帖耳. 犯顏逆耳. 塞耳. 洗耳. 俗耳. 屬耳. 垂頭塞耳. 秀耳. 植耳. 心耳. 揜目塞耳. 言猶在耳. 掩耳. 逆耳. 潁水洗耳. 盈耳. 苓耳. 忤耳. 外耳. 搖首帖耳. 牛耳. 垣有耳. 李耳. 俚耳. 人生行樂耳. 臧三耳. 鼎鐺尙有耳. 鼎耳. 中耳. 疾雷不及掩耳. 執牛耳. 帖耳. 屬耳. 秋風過耳. 出口入耳. 忠言逆耳. 充耳. 側耳. 賓耳. 褎如充耳. 駭耳. 虎耳. 黃耳.

1 ⑦ [耴] ■ 첩 ㊀葉 陟涉切 zhé ■ 녑 ㊀葉 昵輒切

字解 ■ ①귀처질 첩 '一, 耳垂也'《說文》. ②나라이름 첩 '一耳'는 나라 이름. '一, 一耳, 國名'《廣韻》. ③성 첩 성(姓)의 하나. ■ 귀처질 녑, 나라이름 녑, 성 녑 ■과 뜻이 같음.
字源 指事. 耳+乚

2 ⑧ [耵] 정 ㊤迥 都挺切 dǐng ㊥靑 湯丁切 dīng

字解 귀지 정 '一聹'은 귓구멍 속에 엉겨 붙은 누른 때. '如新去一聹'《韓愈》.
字源 形聲. 耳+丁〔音〕

[耵聹 정녕] 귀지.

[取] 〔취〕 又部 六畫(p. 331)을 보라.

[刵] 〔이〕 刀部 六畫(p. 252)을 보라.

3 ⑨ [耶] 高·人 ■ 야 ㊥麻 以遮切 yé ■ 사 ㊥麻 徐嗟切 xié

筆順 一 丅 F E 耳 耳' 耶 耶
字解 ■ ①그런가 야 의문사(疑問辭). 邪(邑部 四畫)의 俗字. '天道是一非一'《史記》. ②아버지 야 爺(父部 九畫)와 同字. '見一背面啼'《杜甫》. ■ 간사 사 邪(邑部 四畫)와 同字. '一枉僻回失道途'《荀子》.
字源 會意. 耳+阝(邑). '邪야'의 俗字. 지명(地名)을 나타냄. 假借하여, 의문·반어(反語)의 조사(助辭)로 씀.

[耶枉 사왕] 간사(姦邪).
[耶蘇敎 야소교] 예수교(敎). 기독교(基督敎).
[耶孃 야양] 부모(父母). 야양(爺孃).
[耶律楚材 야율초재] 원(元)나라의 명신(名臣). 자(字)는 진경(晉卿). 시호(諡號)는 문정(文正). 태종(太宗) 때 중서령(中書令)이 됨. 몽고의 악풍(惡風)을 뜯어고쳐 원나라 건국의 규모(規模)를 바로잡음.
◉天道是耶非耶. 有耶無耶.

3 ⑨ [耺] 요 ㊥蕭 伊堯切 yāo

字解 귀울 요 '膠一'는 귀가 욺.

3 ⑨ [耾] 공 ㊥東 古紅切 gōng

字解 귀신소리들을 공 미신(迷信)에서 이르는 말. '一, 耳聞鬼'《玉篇》.

3 ⑨ [耷] ■ 답 ㊀合 德盍切 dā ■ 첩 ㊀葉 陟涉切 zhé

字解 ■ 큰귀 답 '一, 大耳也'《玉篇》. ■ 耴(耳部 一畫)의 俗字.

4 ⑩ [耼] 담 ㊥覃 他酣切 dān

字解 ①귓바퀴없을 담 귀가 넓어 축 처져서 귓바퀴가 없음. ②사람이름 담 '老一'은 주(周)나

라 때 학자 노자(老子)의 자(字). ③성 담 성(姓)의 하나.

字源 篆文 別體 形聲. 耳+冄〔音〕. '冄염'은 수염이 늘어지다의 뜻. 두 귀의 귓불이 커서 늘어지다의 뜻을 나타냄. 또, 귓불이 컸던 노자(老子)의 자(字)로 쓰였음.

參考 聃(耳部 五畫)은 俗字.

[耼丘 담구] 노자와 공자(孔子).

4 ⑩ [耽] 人名 탐 ㊥覃 丁含切 dān

筆順 一 丅 F 耳 耳 耳' 耴 耽

字解 ①처질 탐 귀가 커서 축 처짐. '夸父一耳'《淮南子》. ②즐길 탐 화락함. '兄弟既翕, 和樂且一'《詩經》. ③빠질 탐 지나치게 즐김. '一溺'. '今王無乃一於樂乎'《說苑》.

字源 篆文 形聲. 耳+冘〔音〕. '冘음'은 '가라앉다'의 뜻. 귀가 크게 늘어지다의 뜻을 나타냄. 또, '耳이'는 '聶섭' 등에서 볼 수 있는 것처럼, 둘 이상의 것이 일치하고 갖추어지다의 뜻을 나타냄. 대상에게 마음이 향하여 가라앉아 일치하다, 빠지다의 뜻을 나타냄.

[耽古 탐고] 옛것에 몰두함.
[耽嗜 탐기] 지나치게 즐김.
[耽溺 탐닉] 주색(酒色)에 빠짐.
[耽讀 탐독] 다른 것을 잊을 만큼 글을 읽는 데 열중함.
[耽樂 탐락] 주색(酒色)에 빠져 마음껏 즐김.
[耽味 탐미] 글의 깊은 맛을 충분히 즐김.
[耽耽 탐탐] ㉠깊숙한 모양. 그윽한 모양. ㉡무성한 모양.
[耽好 탐호] 대단히 좋아함.
[耽惑 탐혹] 지나치게 즐겨서 정신(精神)이 미혹(迷惑)함.
◉樂耽. 深耽. 玩耽. 荒耽.

4 ⑩ [耿] 人名 경 ㊤梗 古幸切 gěng

筆順 一 丅 F F 耳 耳' 耵 耿

字解 ①빛 경 광휘. 성덕(盛德)의 비유. '以觀文王之一光'《書經》. ②밝을 경 환함. 명백함. '其光一於民矣'《國語》. ③굳을 경 지조가 굳음. '一介之士寡'《韓非子》. ④편안치않을 경 근심이 되어 마음이 편안하지 않은 모양. '一一不寐如有隱憂'《詩經》. ⑤성 경 성(姓)의 하나.

字源 金文 篆文 會意. 金文은 巨+火. '巨거'는 '크다'의 뜻. 뒤에, '耳이'로 잘못 쓰인 탓으로 여러 설(說)을 낳았음. 큰 불의 뜻에서, '밝음'의 뜻을 나타냄.

[耿介 경개] ㉠지조가 굳어 변하지 아니하는 모양. ㉡덕이 빛나고 큰 모양.
[耿絜 경결] 밝고 깨끗함.
[耿耿 경경] ㉠마음에 잊히지 아니하여 염려(念慮)가 되는 모양. ㉡마음이 편안하지 아니한 모양. ㉢불빛이 반짝거리는 모양.
[耿光 경광] 밝은 빛. 성덕(盛德)의 형용.
[耿光大烈 경광대열] 성덕(盛德)과 대업(大業).
[耿精忠 경정충] 청(淸)나라 초기(初期)의 무장(武將). 한군(漢軍) 정황기(正黃旗)에 속함. 아버지 계무(繼茂)를 이어 정남왕(靖南王)을 습작(襲爵)하였음. 오삼계(吳三桂)가 반란(叛亂)을 일으키자 이에 가담하였으나, 청군(淸軍)의 반격(反擊)을 받아 항복(降服)하였으며, 삼번(三藩)의 난(亂)이 평정된 뒤에 책형(磔刑)을 당하였음.
◉剛耿. 光耿. 憂耿. 雄耿. 淸耿.

4 ⑩ [耾] 횡 ㊥庚 戶萌切 hóng

字解 큰소리 횡 대성(大聲). 대음(大音). '動鐘鼓之鏗一有殷'《左思》.

字源 形聲. 耳+厷〔音〕

[耾耾 횡횡] 큰 소리. 대음(大音).

4 ⑩ [耺] ㊀ 운 ㊥文 王分切 yún ㊁ 잉 ㊥蒸 筠氷切 yíng

字解 ㊀ ①귀청우는소리 운 귀울음. '一, 耳中聲'《集韻》. ②종고(鐘鼓)소리 운 '琴瑟不鑑, 鐘鼓不一, 吾則無以見聖人'《揚子法言》. ㊁ 소리 잉 '一耾'은 소리의 형용. '一, 一耾, 聲也'《集韻》.

字源 形聲. 耳+云〔音〕. '云운'은 '웅' 하는 소리를 나타냄. 윙윙하는 귀울음, 종소리를 나타냄.

4 ⑩ [聆] ㊀ 금 ㊥侵 渠金切 qín ㊁ 검 ㊥鹽 其淹切

字解 ㊀ ①땅이름 금 '昔夏之興也, 融降於崇山, 其亡也, 回祿信於一隧. (注)一隧, 地名也'《國語》. ②소리 금 '一, 音也'《廣韻》. ㊁ 땅이름 검, 소리 검 ㊀과 뜻이 같음.

字源 形聲. 耳+今〔音〕

4 ⑩ [聂] 〔섭·녑·접〕 聶(耳部 十二畫〈p. 1829〉)의 簡體字

4 ⑩ [聀] 〔직〕 職(耳部 十二畫〈p. 1829〉)의 俗字

4 ⑩ [耻] 〔치〕 恥(心部 六畫〈p. 772〉)의 俗字

[恥] 〔치〕 心部 六畫(p. 772)을 보라.

5 ⑪ [聆] 人名 령 ㊥青 郞丁切 líng

字解 ①들을 령 귀로 소리를 느낌. '妣一呱而刻石兮'《漢書》. ②깨달을 령 깨치어 알아내는 모양. '所居一一'《淮南子》.

字源 篆文 形聲. 耳+令〔音〕. '令령'은 신의(神意)를 듣다의 뜻. '耳이'를 붙이어, '듣다'의 뜻을 나타냄.

[聆聆 영령] 깨닫는 모양.

5 ⑪ [聊] 유 ㊤有 于糾切 yǒu

字解 고요할 유 조용한 모양. '淸思――, 經緯冥冥'《唐山夫人》.

[聊聊 유유] 고요한 모양.

5 ⑪ [聊] 人名 료 ㊥蕭 落蕭切 liáo

字解 ①귀울 료 이명(耳鳴)이 남. '耳―啾而慲慌'《劉向》. ②어조사 료 무의미한 조자(助字). '椒―之實'《詩經》. ③애오라지 료 마음에 부족하나마 그대로. '―與子同歸兮'《詩經》. ④힘입을 료 의뢰함. '父子不相―'《漢書》. ⑤즐길 료, 즐거움 료 '與子別後, 益復無―'《李陵》. ⑥편안할 료, 안심할 료 '人民不―生'《史記》. ⑦두려워할 료 공구함. '―兮慓兮'《枚乘》. ⑧성 료 성(姓)의 하나.

字源 篆文 形聲. 耳+卯(丣)〔音〕. '丣유'는 '留유'와 통하여, '머무르다'의 뜻. 귀에 머물러 붙다의 뜻에서, 귀울음, 귀에 멈추어 놓고 즐기다, 두려워하다의 뜻 등을 나타냄. 또, 假借하여 '애오라지'의 뜻도 나타냄.

[聊浪 요랑] 마음대로 이리저리 돌아다니는 모양. 방랑하는 모양.
[聊賴 요뢰] 의뢰함.
[聊城 요성] 현(縣) 이름. 산동 성(山東省)에 있음.
[聊爾 요이] 구차한 모양.
[聊齋志異 요재지이] 청(淸)나라의 포송령(蒲松齡)이 지은 소설집(小說集). 모두 16권. 단편 3백여 편이 실렸는데, 귀호 신괴(鬼狐神怪)한 내용을 취급하였음.
[聊啾 요추] 이명(耳鳴).
◉亡聊. 無聊. 椒聊.

5 ⑪ [眕] 진 ㊤軫 止忍切 zhěn

字解 ①고할 진 아룀. '―, 告也. 或引禮, 一於鬼神'《集韻》. ②들을 진 '―, 聽也'《玉篇》.

字源 形聲. 耳+㐱〔音〕

5 ⑪ [聅] 철 ㊀屑 丑列切 chè

字解 살로귀뀔 철 관이전(貫耳箭)으로 귀를 뚫는 형(刑). 군법의 하나. '―, 軍法, 以矢貫耳也'《說文》.

字源 篆文 會意. 耳+矢. 화살로 귀를 찔러 뚫다의 뜻.

5 ⑪ [聃] 〔담〕 耼(耳部 四畫〈p. 1822〉)의 俗字

5 ⑪ [聄] 人名 〔담〕 耼(耳部 四畫〈p. 1822〉)의 俗字

5 ⑪ [聇] 정 ㊥庚 諸盈切 zhēng

字解 홀로갈 정 혼자 가는 모양. '―, 博雅, ――, 行也'《集韻》.

參考 이 글자는 아마도 眐(目部 五畫)의 잘못인 듯함.

[聇聇 정정] 길을 홀로 감.

5 ⑪ [聉] 서 ㊦霽 思計切 xù

字解 사위 서 壻(士部 九畫)와 同字. '怪神女新從―家來'《風俗通》.

6 ⑫ [聒] 괄 ㊀曷 古活切 guō

字解 ①떠들썩할 괄 시끄러움. '―而與之語'《左傳》. ②어리석을 괄 미련한 모양. '今汝――'《書經》. ③올챙이 괄 개구리의 새끼. 과두(蝌蚪). '科斗皆出, 謂之―子'《本草集解》.

字源 篆文 形聲. 耳+舌(𠯑)〔音〕. '𠯑괄'은 '活활'과 통하여, 물이 둑을 무너뜨리고 제멋대로 흐르다의 뜻. 마구 쏟아 붓듯이 이야기하여, 듣는 이의 귀에 시끄럽다의 뜻을 나타냄.

[聒聒 괄괄] ㉠어리석은 모양. ㉡시끄러운 모양.
[聒聒兒 괄괄아] 여칫과에 속하는 곤충. 여치.
[聒然 괄연] 시끄러운 모양.
[聒子 괄자] 올챙이.
◉強聒. 驚聒. 叫聒. 嘵聒. 惡聒. 鳥聒. 噪聒. 喧聒.

6 ⑫ [聏] 이 ㊦寘 人之切 ér / ㊥寘 仍吏切

字解 화할 이 화락함. '以―合驩'《莊子》.

字源 形聲. 耳+而〔音〕. '而이'는 부드럽다의 뜻. 귀가 빨개지면서 마음 약해지다, 부끄러워하다의 뜻을 나타냄.

6 ⑫ [聎] 조 ㊥蕭 吐彫切 tiāo

字解 ①귀앓을 조 '―, 耳病也'《集韻》. ②귀울 조 귀가 울. '―, 耳鳴'《玉篇》.

6 ⑫ [聑] 홍 ㊥東 呼公切 hōng

字解 귓속찡할 홍 귀가 욺. '―, 耳有聲'《集韻》.

6 ⑫ [联] 〔련〕 聯(耳部 十一畫〈p. 1827〉)의 略字

7 ⑬ [聖] 中人 성 ㊦敬 式正切 shèng 圣

筆順 ㄱ 𠀃 耳 耶 聖 聖 聖 聖

字解 ①성스러울 성 지덕(知德)이 가장 뛰어나고 사리에 무불통지함. '乃―乃神'《書經》. ②성인 성 ㉠지덕이 가장 뛰어나고 사리에 통하지 않는 바 없는 사람. '―賢'. '先―後―, 其揆一也'《孟子》. ㉡어느 방면에 공전절후(空前絶後)로 뛰어난 사람. '筆―'. '詩―'. ③천자 성 황제의 존칭. '―上'. '―主'. '佐―扶命'《阮籍》. 또, 천자에 관한 사물의 존칭(尊稱). '―恩'. '―旨'. '參象乎―躬'《班固》. 또, 존숭하는 사물의 경칭(敬稱). '韜靈藏―'《劉峻》. ④맑은술 성 청주(淸酒)의 별칭(別稱). '樂―且銜杯'《李適之》. ⑤성 성 성(姓)의 하나.

字源 金文 篆文 形聲. 耳+口+壬〔音〕. '口구'는 '기도의 말'의 뜻. '壬정'은 발돋움한 사람의 象形. 귀를 곧추세우고 신의(神

意)를 잘 들을 수 있는 사람, 성인(聖人)의 뜻을 나타냄.

[聖駕 성가] 천자의 수레.
[聖潔 성결] 거룩하고 깨끗함.
[聖經 성경] ㉠성인(聖人)이 지은 책(冊). 곧, 경서(經書). ㉡기독교(基督教)의 교리(教理)를 적은 구약 전서(舊約全書)·신약 전서(新約全書)의 총칭. 성서(聖書). 성전(聖典).
[聖經賢傳 성경현전] 성현이 지은 책.
[聖教 성교] ㉠성인의 가르침. ㉡《佛教》 불교.
[聖君 성군] 도덕(道德)이 높은 어진 임금. 성왕(聖王). 성주(聖主).
[聖躬 성궁] 천자의 몸. 성체(聖體).
[聖壇 성단] 신성한 제단(祭壇).
[聖斷 성단] 천자의 재결(裁決).
[聖堂 성당] 성묘(聖廟).
[聖代 성대] 성세(聖世).
[聖德 성덕] ㉠천자의 덕(德). ㉡거룩한 덕(德).
[聖道 성도] 성인이 가르친 도덕.
[聖讀而庸行 성독이용행] 성인의 책을 읽으나 행실은 보통 사람과 다름이 없음.
[聖覽 성람] 천자의 관람.
[聖慮 성려] 천자의 심려(心慮).
[聖輦 성련] 천자가 타는 연(輦).
[聖靈 성령] ㉠신명(神明)의 영능(靈能). ㉡기독교에서 삼위일체(三位一體) 중의 제삼위(第三位).
[聖林 성림] ㉠공자(孔子)의 묘소(墓所)가 있는 삼림(森林). ㉡영화 도시(映畫都市) 할리우드의 한역명(漢譯名).
[聖明 성명] 천자의 고명(高明)한 덕.
[聖母 성모] ㉠성인(聖人)의 어머니. ㉡천자의 어머니. ㉢기독(基督)의 어머니 마리아.
[聖廟 성묘] 공자를 모신 사당.
[聖武 성무] 지덕(智德)을 겸비(兼備)한 무용(武勇).
[聖門 성문] 성도(聖道)에 들어가는 문호. 전(轉)하여, 공자의 문하(門下).
[聖凡 성범] 성인과 범인.
[聖法 성법] ㉠성인이 만든 법(法). ㉡천자가 제정한 법령.
[聖父 성부] 기독교에서 삼위일체(三位一體) 중의 제일위(第一位). 곧, 하나님. 천주(天主).
[聖算 성산] ㉠천자의 나이. ㉡천자의 계책.
[聖上 성상] 당대(當代)의 임금의 존칭(尊稱).
[聖像 성상] 천자 또는 성인의 화상.
[聖書 성서] ㉠성인(聖人)이 지은 책. ㉡기독교의 성경(聖經).
[聖善 성선] ㉠뛰어나게 착함. ㉡어머니.
[聖世 성세] 성군(聖君)이 다스리는 세상. 성대(聖代).
[聖壽 성수] 천자의 나이.
[聖神 성신] ㉠지성(至聖)의 신(神). 상고(上古)의 성인. ㉡성령(聖靈).
[聖心 성심] ㉠천자의 마음. ㉡성인의 마음.
[聖藥 성약] 효험(效驗)이 썩 좋은 약(藥).
[聖業 성업] ㉠임금의 사업. ㉡거룩한 사업.
[聖域 성역] ㉠거룩한 지역(地域). ㉡성인의 경지(境地).
[聖王 성왕] 성군(聖君).
[聖運 성운] 천자의 운수.
[聖諭 성유] 천자의 칙유(勅諭).
[聖恩 성은] 임금의 은혜.
[聖意 성의] 천자의 마음. 성인의 마음.
[聖儀 성의] 천자의 거동.
[聖人 성인] ㉠지혜(智慧)와 도덕(道德)이 뛰어나고, 사물(事物)의 이치(理致)에 정통(精通)하여 만세(萬歲)에 사표(師表)가 될 만한 사람. ㉡청주(淸酒)의 이칭(異稱).
[聖人者不凝滯物 성인자불응체물] 성인은 시세의 추이(推移)를 잘 알므로 외물(外物)에 구속되어 고생하지 아니함.
[聖日 성일] ㉠신성한 해. 전(轉)하여, 성천자(聖天子). ㉡기독교에서 일요일(日曜日)의 일컬음.
[聖子 성자] 기독교에서 삼위일체(三位一體) 중의 제이위(第二位). 곧, 예수 그리스도.
[聖者 성자] 성인(聖人).
[聖姿 성자] 임금의 용모(容貌).
[聖子神孫 성자신손] 천자의 자손.
[聖作 성작] 천자가 지은 시문.
[聖裁 성재] 성단(聖斷).
[聖籍 성적] 성인이 저술한 책. 곧, 경서(經書).
[聖典 성전] ㉠성인이 정한 법. ㉡경전(經典). 성경(聖經).
[聖殿 성전] 신성한 전당(殿堂). 곧, 신전(神殿).
[聖節 성절] 천자가 탄생한 날, 또는 즉위한 날.
[聖帝 성제] 도덕이 높은 어진 천자.
[聖製 성제] 성작(聖作).
[聖祚 성조] 천자의 지위.
[聖祖 성조] 거룩한 천자의 조상.
[聖鳥 성조] 봉황(鳳凰)의 딴 이름.
[聖朝 성조] 당대 조정의 존칭. 전(轉)하여, 지금 세상. 당대.
[聖主 성주] 성군(聖君).
[聖衆 성중] 《佛教》 뭇 불보살(佛菩薩).
[聖地 성지] ㉠신성한 토지. 신·불·성인과 관계 있는 땅. ㉡종교(宗教)의 발상지(發祥地). 기독교의 예루살렘, 회교(回教)의 메카 따위.
[聖旨 성지] 천자의 뜻.
[聖智 성지] 천자의 지혜(智慧).
[聖職 성직] 거룩한 직분(職分).
[聖餐 성찬] ㉠《佛教》 부처 앞에 바쳤던 음식. ㉡성찬식 때에 쓰는 음식.
[聖餐式 성찬식] 기독교에서 예수가 못 박히던 전날 그 제자들에게 떡과 포도주를 나누어 준 최후의 만찬(晩餐)을 기념하는 의식.
[聖札 성찰] 천자의 친필의 쪽지.
[聖哲 성철] 덕(德)이 높고 총명(聰明)한 사람.
[聖聽 성청] 천자의 들음. 천청(天聽).
[聖諦 성체] 불교의 진리.
[聖體 성체] 성궁(聖躬).
[聖衷 성충] 천자의 마음.
[聖勅 성칙] 조칙(詔勅).
[聖誕 성탄] ㉠성인(聖人)의 탄생(誕生). ㉡임금이 탄생한 날.
[聖誕日 성탄일] 성인(聖人)이 탄생(誕生)한 날.
[聖誕祭 성탄제] 예수의 탄일(誕日)의 축제(祝祭). 양력 12월 25일에 행함. 크리스마스.
[聖胎 성태] ㉠도가(道家)에서 생명력(生命力)을 태중에서 수양하는 일. ㉡부처가 모태(母胎) 안에 수태됨.
[聖澤 성택] 천자의 은택.
[聖學 성학] 성인이 진술한 학문. 곧, 유학(儒學).
[聖賢 성현] ㉠성인(聖人)과 현인(賢人). ㉡청주(淸酒)와 탁주(濁酒).
[聖化 성화] 천자의 덕화(德化).

[聖候 성후] 천자의 기거(起居).
[聖訓 성훈] ㉠성인(聖人)의 가르침. ㉡천자의 가르침.
[聖諱 성휘] 성인(聖人)의 휘(諱).
◉歌聖. 劍聖. 克念作聖. 棋聖. 大聖. 明聖. 書聖. 仙聖. 先聖. 詩聖. 神聖. 亞聖. 樂聖. 彥聖. 列聖. 睿聖. 叡聖. 往聖. 仁聖. 轉凡爲聖. 前聖. 酒聖. 至聖. 眞聖. 哲聖. 淸聖. 聽聖. 學積成聖. 玄聖. 賢聖. 畫聖. 廓然無聖.

7 ⑬ [聖] [人名] 聖(前條)과 同字

7 ⑬ [聒] 〔괄〕 聒(耳部 六畫〈p. 1824〉)의 本字

7 ⑬ [聑] 〔첩·녑〕 耴(耳部 一畫〈p. 1822〉)과 同字

7 ⑬ [聘] [高人] 빙 ㊀敬 匹正切 pìn(pìng) 

[筆順] 丅 F 耳 耴 耵 聃 聘 聘

[字解] ①찾을 빙 방문하여 안부를 물음. '一問'. '諸侯使大夫問於諸侯曰一'《禮記》. ②장가들 빙 예의를 갖추어 장가를 듦. '一則爲妻, 奔則爲妾'《禮記》. ③부를 빙 ㉠폐백(幣帛)을 보내어 부름. 예의를 갖추어 부름. '湯使人以幣一之'《孟子》. ㉡보수를 주고 부름. '欲一倡妓'《唐書》.

[字源] 篆文  形聲. 耳+甹〔音〕. '甹병'은 '倂병'과 통하여, '아우르다'의 뜻. 예물을 아울러 보내어, 상대방의 의향을 듣기 위해 방문하다, 상대방을 부르다의 뜻을 나타냄.

[聘君 빙군] 관리로 등용하기 위하여 임금이 부른 은사(隱士)의 존칭.
[聘禮 빙례] ㉠물품을 보내는 예법. ㉡혼인(婚姻)의 예식. 혼례(婚禮).
[聘母 빙모] 아내의 친정(親庭) 어머니. 장모(丈母).
[聘問 빙문] 방문(訪問).
[聘物 빙물] 남에게 주는 예물(禮物).
[聘父 빙부] 아내의 친정 아버지. 장인(丈人).
[聘召 빙소] 예로써 부름.
[聘丈 빙장] 남의 장인(丈人)의 존칭. 악장(岳丈).
[聘招 빙초] 빙소(聘召).
[聘幣 빙폐] 폐백(幣帛).
◉辟聘. 來聘. 報聘. 頻聘. 使聘. 盛聘. 禮聘. 畏犧辭聘. 朝聘. 重聘. 徵聘. 拓聘. 招聘. 幣聘.

7 ⑬ [聕] 오 ㊀遇 五故切 wù
[字解] 들을 오 '一, 聽也'《廣韻》.

7 ⑬ [䎽] 〔문〕 聞(耳部 八畫〈p. 1826〉)의 古字

8 ⑭ [聚] [人名] 취(추㊍) ㊤麌 慈庾切 jù

[筆順] 丆 F 耳 取 聚 聚 聚 聚

[字解] ①모일 취 ㉠회합함. '五星一于東井'《史記》. ㉡복주(輻湊)함. '財散則民一'《大學》. ㉢누적함. '敬德之一也'《左傳》. ②모을 취 전항의 타동사. '一徒教習'《梁簡文帝》. ③무리 취 모인 사람들. 군중. '禹有百人之一'《史記》. ④마을 취 촌락. '一落'. '一年而所居成一'《史記》.

[字源] 篆文  形聲. 乑+取〔音〕. '乑중'은 많은 사람의 뜻. '取취'는 '잡다'의 뜻. 많은 사람을 잡다, 모으다의 뜻을 나타냄.

[聚哭 취곡] 모여 통곡함.
[聚穀 취곡] 곡식을 모음.
[聚軍 취군] 군사나 인부를 불러서 모음.
[聚群 취군] 떼 지어 모임. 또는 모음.
[聚落 취락] 마을. 촌락.
[聚斂 취렴] ㉠세금을 가혹히 징수함. ㉡거두어들임.
[聚蚊成雷 취문성뢰] 모기 같은 작은 벌레도 한데 모여 울면 그 소리가 우레 같다는 뜻. 군소(群小)의 말이 임금의 총명을 어지럽게 함을 이름.
[聚散 취산] 모임과 흩어짐. 또, 모음과 흩음.
[聚訟 취송] 서로 시비를 하여 결말이 나지 아니함.
[聚麀 취우] 금수(禽獸)는 무지(無知)하여 예(禮)를 모르므로, 부자(父子)나 부부(夫婦)의 구별도 없이 한 마리의 암사슴을 공유(共有)함. 난륜(亂倫)함의 비유(比喩).
[聚藏 취장] 모아 저장함.
[聚珍版 취진판] 활자판(活字版). 청(淸)나라의 건륭(乾隆) 38년 사고 전서(四庫全書)의 선본(善本)을 활자로 인쇄할 때에 임금이 지어 준 이름.
[聚集 취집] 모음. 또, 모임.
[聚土 취토] 흩어진 흙을 거두어 모음.
◉鳩聚. 累聚. 陵聚. 霧聚. 民聚. 保聚. 蜂聚. 生聚. 搜聚. 宴聚. 斂聚. 完聚. 雲聚. 類聚. 蟻聚. 以類聚. 雜聚. 貯聚. 積聚. 譟聚. 集聚. 攢聚. 叢聚. 畜聚. 萃聚. 合聚. 環聚. 會聚.

8 ⑭ [聝] 괵 ㊇陌 古獲切 guó
[字解] 귀벨 괵 전쟁에서 적의 귀를 잘라 냄. '以爲俘一'《左傳》.
[字源] 甲骨文  金文  篆文 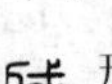 形聲. 耳+或〔音〕. '或혹'은 '구획 짓다'의 뜻. 전쟁에서 죽인 적의 왼쪽 귀를 잘라 내어, 전공(戰功)에 구획을 짓는다는 뜻을 나타냄.

◉俘聝.

8 ⑭ [聙] 정 ㊥庚 子盈切 jīng
[字解] 귀밝을 정 '一, 善聽也'《集韻》.

8 ⑭ [䏔] 타 ㊤哿 丁果反 duǒ
[字解] ①귓불처질 타 '一, 耳垂也'《五音類聚》. ②귀밝을 타 '一, 又耳聽也'《五音類聚》.

8 ⑭ [聡] 〔총〕 聰(耳部 十一畫〈p. 1828〉)의 俗字

8 ⑭ [聞] [中人] 문 ㊥文 無分切 wén ㊀問 亡運切 (wèn) 闻

筆順 丨 𠃌 門 門 門 門 閆 聞

字解 ①들을 문 ㉠귀로 소리를 감득함. '一知'. '予一如何'《書經》. ㉡들어서 앎. '多一'. '我未一者'《戰國策》. 또, 들어서 아는 일. '百一不如一見'《漢書》. ②맡을 문 냄새를 맡음. '五里一香'《魏文帝》. ③알릴 문 남에게 들려 알게 함. 특히, 높은 사람에게 아룀. '臣具以表一'《李密》. '不敢以一'《禮記》. ④들릴 문 듣게 됨. '聲一于天'《詩經》. ⑤알려질 문 널리 알려짐. '名一于天下'. '謀未發而一於國'《戰國策》. ⑥이름 문 널리 알려진 이름. 명망. 성예(聲譽). '一達'. '舊有令一'《書經》. ⑦소문 문 전(傳)하여 들리는 말. '風一'. '珍一'. ⑧성 운 성(姓)의 하나.

字源 金文 篆文 古文 形聲. 耳+門〔音〕. '門문'은 '묻다'의 뜻. 묻고서 듣다의 뜻을 나타냄.

[聞見 문견] 듣고 본 것. 곧, 지식(知識).
[聞鼓而已不聞金矣 문고이이불문금의] 나갈 줄만 알고 물러날 줄을 모르는 필사(必死)의 각오(覺悟)를 말함. 옛날의 전쟁(戰爭)에는 북을 치면서 나가 싸우고 쇠를 치면서 물러났었음.
[聞記 문기] 들어 기록함.
[聞達 문달] 명성이 높고 현달(顯達)함. 입신출세함.
[聞道 문도] ㉠도(道)를 들음. ㉡들으니. 들은 바에 의하면.
[聞望 문망] 명예와 인망. 명망(名望).
[聞問 문문] 문안을 함. 안부를 물음.
[聞法 문법] 《佛教》 불법(佛法)을 들음.
[聞人 문인] 이름이 널리 알려진 사람.
[聞一以知十 문일이지십] 한 대목을 듣고 나머지 열 대목을 깨달아 앎. 극히 총명함을 이름.
[聞知 문지] 들어서 앎.
[聞香 문향] ㉠향내를 분간(分揀)하여 맡음. ㉡여러 사람이 한곳에 모여서 향(香)불을 피우고, 그 우열(優劣)을 맡아서 분간하는 일.
[聞喜宴 문희연] 진사(進士) 시험에 새로 급제(及第)한 사람에게 나라에서 베풀어 주는 연회(宴會).
◉佳聞. 嘉聞. 見聞. 鷄伏相聞. 寡聞. 怪聞. 具聞. 舊聞. 奇聞. 記聞. 多聞. 名聞. 明聞. 博聞. 發聞. 方聞. 百聞. 瞥聞. 上聞. 贍聞. 腥聞. 聲聞. 升聞. 新聞. 餘聞. 如是我聞. 驛聞. 艷聞. 令聞. 誤聞. 臥聞. 外聞. 流聞. 謬聞. 以聞. 異聞. 仁聞. 逸聞. 前代未聞. 傳聞. 奏聞. 珍聞. 淺聞. 薦聞. 聽聞. 聽而不聞. 醜聞. 仄聞. 側聞. 特聞. 風聞.

8 ⑭ [聟] 〔서〕
壻(士部 九畫〈p. 474〉)의 俗字

9 ⑮ [聤] 정 ㊥靑 特丁切 tíng

字解 귀에진물흐를 정 앓는 귀에서 진물이 나옴. '小兒一耳'《本草》.

字源 形聲. 耳+亭〔音〕

9 ⑮ [聥] ㊀ 구 ㊤麌 俱雨切 jǔ
㊁ 우 ㊤麌 王矩切

字解 ㊀ ①놀랄 구 '一, 驚也'《廣雅》. ②귀쫑긋거릴 구 귀를 기울이고 들음. 깜짝 놀라 들음. '一, 張耳有所聞也'《說文》. ㊁ 놀랄 우, 귀쫑긋거릴 우 ㊀과 뜻이 같음.

字源 篆文 形聲. 耳+禹〔音〕

9 ⑮ [聩] ㊀ 퇴 ㊤泰 他最切 tuì
㊁ 왈 ㊥黠 五刮切

字解 ㊀ 어리석을 퇴 미련함. '一, 癡也'《玉篇》. ㊁ 어리석을 왈 ㊀과 뜻이 같음.

9 ⑮ [聦] 〔총〕
聰(耳部 十一畫〈p. 1828〉)의 俗字

9 ⑮ [聨] 〔련〕
聯(耳部 十一畫〈p. 1827〉)의 略字

10 ⑯ [聹] 재 ㊤賄 作亥切 zǎi

字解 반귀머거리 재 '一, 益梁之州, 謂聾爲一, 秦晉, 聽而不聰, 聞而不達, 謂之一'《說文》.

字源 篆文 形聲. 耳+宰〔音〕

10 ⑯ [聺] 답 ㊥合 德合切 dā

字解 귀크게처질 답 '一, 大垂耳皃'《集韻》.

10 ⑯ [聻] 면 ㊥先 莫賢切 mián

字解 들을 면 주의하여 들음. '一, 聽也'《廣雅》.

10 ⑯ [聼] 전 ㊥先 亭年切 tián

字解 귀에찰 전 소리가 귀에 참. '一, 聲盈耳也'《集韻》.

10 ⑯ [聯] 聯(次條)과 同字

11 ⑰ [聯] 高人 련 ㊥先 力延切 lián 联

筆順 耳 耳 聠 聠 聯 聯 聯 聯

字解 ①연할 련 ㉠잇닿음. '爨煙猶相一'《李商隱》. ㉡연결함. '一兄弟'《周禮》. ②나란히할 련 좌우로 나란히 함. '二子舊不識, 欣然肯一鞍'《蘇軾》. ③열사람 련, 열집 련 주대(周代) 호구(戶口) 편제상(編制上)의 단위. '五人爲伍, 十人爲一'《周禮》. '五家爲比, 十家爲一'《周禮》. ④연 련 상대하는 두 구(句)를 하나로 묶어 일컬음. '柱一'. '楹一'. '落霞孤雁齊飛, 秋水長天一色之句, 世以爲警一'《螢雪叢談》.

字源 篆文 會意. 篆文은 耳+絲. '耳이'는 고대의 전쟁에서, 전승자(戰勝者)가 적의 왼쪽 귀를 수급(首級) 대신 잘라서 늘어놓다의 뜻을 나타내는 데 썼음. '絲사'는 줄이 이어진 실의 뜻. 합하여, '연하다'의 뜻을 나타냄.

參考 联(耳部 六畫)·聨(耳部 九畫)은 略字.

[聯結 연결] '연결(連結)'과 같음.
[聯句 연구] ㉠여러 사람이 한 구씩 지어 한 편(篇)

의 시를 이룸. 또, 그 시. ㉡율시(律詩)의 대구(對句).
[聯碁 연기] 네 사람이 두 사람씩 편짜고 한 판의 바둑을 두는 일.
[聯隊 연대] 2개 또는 3개의 대대(大隊)로 된 군대(軍隊).
[聯絡 연락] ㉠서로 관련(關聯)을 맺음. 연락(連絡). ㉡이어 댐.
[聯聯 연련] 끊어지지 않고 이어 댄 모양.
[聯立 연립] 연합하여 섬.
[聯立內閣 연립내각] 2개 이상의 정당원(政黨員)으로 성립된 내각(內閣).
[聯盟 연맹] 공동 목적을 위하여 동일한 행동을 취할 것을 맹약하여 이룬 단체.
[聯綿 연면] 길게 잇닿아 끊이지 않음.
[聯名 연명] 2인 이상의 성명(姓名)을 죽 적음.
[聯邦 연방] 수개국이 연합하여 이룬 나라.
[聯事 연사] 일을 같이 함.
[聯想 연상] 한 관념에 의하여 관련되는 다른 관념을 생각하게 되는 현상.
[聯鎖 연쇄] ㉠서로 연한 사슬. ㉡서로 연이어 맺음.
[聯延 연연] 서로 연하여 뻗음.
[聯珠 연주] ㉠구슬을 꿴다는 뜻으로, 아름다운 시문(詩文)을 지음을 이름. ㉡오목(五目).
[聯翩 연편] 잇대어 끊어지지 않은 모양.
[聯布 연포] 잇대어 깖.
[聯幅 연폭] 피륙·종이 또는 널 같은 것의 여러 조각을 한데 이음.
[聯合 연합] 두 가지 이상의 사물이 서로 합함.
[聯合內閣 연합내각] 연립 내각(聯立內閣).
◉結聯. 頸聯. 警聯. 官聯. 關聯. 校聯. 鉤聯. 起聯. 羈聯. 對聯. 緜聯. 門聯. 尾聯. 榜聯. 比聯. 纚聯. 蟬聯. 星聯. 屬聯. 首聯. 頷聯. 楹聯. 留聯. 姻聯. 接聯. 柱聯.

11 ⑰ [聦] [一] 체 [去]霽 七計切 qì [二] 찰 [入]黠 初戛切 [三] 철 [入]屑 千結切

[字解] [一] ①들을 체 '一, 聽也'《玉篇》. ②귀밝을 체 '一, 聽也'《集韻》. [二] 들을 찰, 귀밝을 찰 [一]과 뜻이 같음. [三] 들을 철, 귀밝을 철 [一]과 뜻이 같음.

11 ⑰ [聰] [高人] 총 [平]東 倉紅切 cōng 聡

[筆順] 𠂤 耳 耳' 耶 聍 聦 聰 聰

[字解] 밝을 총 ㉠귀가 밝음. '不殫傾耳, 而聽已一'《王褒》. ㉡명민함. '一明'. '一作謀'《書經》.
[字源] 篆文 形聲. 耳+悤〔音〕. '悤총'은 '總총'과 통하여, '모으다'의 뜻. 청각 신경을 모으다, 귀 밝다의 뜻에서, '명민하다, 총기 있다'의 뜻을 나타냄.
[參考] 聡(耳部 八畫)·聦(耳部 九畫)은 俗字.

[聰警 총경] 총명하고 재빠름.
[聰氣 총기] ㉠총명(聰明)한 기질(氣質). ㉡기억(記憶)하는 능력(能力). 기억력(記憶力).
[聰了 총료] 총명함.
[聰明 총명] ㉠귀가 잘 들리고 눈이 밝음. ㉡기억력이 좋고 슬기가 있음.
[聰明睿智 총명예지] 성인의 사덕(四德). 총명과 예지. 예(睿)는 사리에 밝고, 지(智)는 모든 것을 앎을 이름.
[聰敏 총민] 총명(聰明)하고 민첩함.
[聰睿 총예] 총명함.
[聰悟 총오] 총명함.
[聰俊 총준] 총명하고 준수(俊秀)함.
[聰察 총찰] 총명하여 관찰력이 예민함.
[聰慧 총혜] 총명함.
◉明四目達四聰. 明聰. 目加明耳加聰. 四聰. 塞聰. 聖聰. 宸聰. 掩聰.

11 ⑰ [聽] 표 [去]嘯 匹妙切 piào

[字解] 겨우들을 표 '一, 聽纔聞'《廣韻》.

11 ⑰ [聱] 〔니〕 聻(耳部 十四畫〈p. 1830〉)의 訛字

11 ⑰ [聵] 곽 [入]藥 光鑊切 guō

[字解] 큰귀 곽 '一, 大耳也'《玉篇》.

11 ⑰ [聱] 오 [平]肴 五交切 áo

[字解] ①듣지아니할 오 남의 말을 받아들이지 아니함. '一牙'. '更曰一叟'《唐書》. ②어려울 오 문장·어구 등이 평이하고 유창하지 아니하여, 해득하기 힘듦. '周誥殷盤, 佶屈一牙'《韓愈》.
[字源] 篆文 形聲. 耳+敖〔音〕. '敖오'는 '방자하다'의 뜻. 방자해서 남의 말에 귀를 기울이지 않다의 뜻.

[聱叟 오수] 남의 말을 잘 듣지 않는 늙은이.
[聱牙 오아] ㉠어구(語句)가 평이(平易)하지 아니함. 문장(文章)이 유창하지 아니하고 어려움. ㉡남의 말을 듣지 아니함.

11 ⑰ [聲] [中人] 성 [平]庚 書盈切 shēng 声

[筆順] 𡈼 声 声' 殸 殸 殸 聲 聲

[字解] ①소리 성 ㉠음향. '風一'. ㉡음성. '笑一'. ㉢말. 언어. '以無形, 求有一'《鬼谷子》. ㉣음악. 또, 음조(音調). '一色'. '四一'. ㉤명예. '名一'. '一施千里'《淮南子》. '爲變新一'《史記》. ㉥가르침. '風一'. '一教訖于四海'《書經》. ㉦소문. '臣聞其一'《呂氏春秋》. ②소리낼 성 발성함. 소리를 냄. '如三歲兒, 晝夜不一'《列仙傳》. ③소리칠 성 소리를 지름. '一討'. '一罪討之'. ④울릴 성 소리가 진동함. '金一而玉振之也'《孟子》. ⑤소식 성 음신. '一息'. '界上亭長, 寄一謝我'《漢書》. ⑥성 성 성(姓)의 하나.
[字源] 篆文 形聲. 耳+殸〔音〕. '殸경'은 중국의 고대 악기로, 높은 음이 나는 경(磬)을 이름. 귀에 들리는 높은 음, 목소리의 뜻.

[聲價 성가] 명성. 좋은 평판.
[聲曲 성곡] 가락. 곡조.
[聲敎 성교] 임금이 백성을 교화하는 덕. 덕화(德化).
[聲妓 성기] 가희(歌姬).
[聲氣 성기] ㉠기세. ㉡목소리와 기운.

[聲帶 성대] 인후(咽喉)의 한가운데에 있는 두 개의 작은 띠같이 생긴 발성 기관(發聲器官).
[聲量 성량] 목소리의 분량(分量).
[聲淚 성루] 하는 말과 눈물. 눈물을 흘리며 이야기함을 이름.
[聲淚俱下 성루구하] 눈물을 흘리며 이야기함.
[聲望 성망] 명성(名聲)과 인망(人望).
[聲名 성명] 명성. 좋은 평판.
[聲明 성명] ㉠말하여 밝힘. 발설함. ㉡《佛敎》오명(五明)의 하나. 음운(音韻)의 원리를 연구하는 학문.
[聲貌 성모] 음성과 용모.
[聲門 성문] 두 줄의 성대(聲帶)의 사이.
[聲問 성문] 소식. 음신.
[聲聞 성문] 성명(聲名).
[聲色 성색] ㉠언어(言語)와 안색(顏色). ㉡음악(音樂)과 여색(女色).
[聲勢 성세] 명성(名聲)과 위세(威勢).
[聲息 성식] 소식. 음신.
[聲樂 성악] 음악. 또는 노래.
[聲言 성언] 성명(聲明) ㉠.
[聲譽 성예] 성명(聲名).
[聲容 성용] 목소리와 용모.
[聲援 성원] 옆에서 소리를 내어 도와줌.
[聲威 성위] ㉠명성으로 위협함. ㉡명성과 위광(威光).
[聲爲律身爲度 성위율신위도] 언행이 법도에 맞음.
[聲音 성음] ㉠목소리. ㉡음악.
[聲音笑貌 성음소모] 목소리와 웃는 얼굴. 외양(外樣).
[聲罪 성죄] 죄를 범한 사실(事實)을 세상(世上)에 발표함.
[聲稱 성칭] 성명(聲名).
[聲華 성화] ㉠성명(聲名). ㉡화려함.
◉家聲. 歌聲. 澗聲. 去聲. 溪聲. 軍聲. 金聲. 奇聲. 櫓聲. 德聲. 曼聲. 萬聲. 名聲. 無聲. 文聲. 發聲. 百舌之聲. 梵聲. 變徵之聲. 沸聲. 四聲. 上聲. 善聲. 笑聲. 頌聲. 市聲. 新聲. 失聲. 心聲. 雙聲. 惡聲. 驛路鈴聲. 軟聲. 豔聲. 英聲. 五聲. 雲影濤聲. 有聲. 肉聲. 吟聲. 音聲. 倚聲. 異聲. 履聲. 逸聲. 入聲. 正聲. 政聲. 鄭聲. 鳥聲. 鐘聲. 俊聲. 秦聲. 淸聲. 聽聲. 燭影斧聲. 秋聲. 醜聲. 呑聲. 珮聲. 平聲. 爆聲. 風聲. 諧聲. 虛聲. 形聲. 惠聲. 洪聲. 和聲.

11 ⑰ [聳] [人名] [一] 용(송 [上]腫 息拱切 sǒng 耸
[二] 송 [本]) [上]講 雙講切 sǒng

[字解] [一] ①솟을 용 높이 솟음. '特—'. '詩思猶孤—'《韓愈》. ②솟게할 용 높이 세움. '—耳'(귀를 쫑긋거림). '層巒—翠'《王勃》. [二] ①두려워할 송 공구함. 竦(立部 七畫)과 同字. '無不—懼'《左傳》. ②권할 송 권장함. '—善而抑惡'《國語》. ③공경할 송 삼가 높임. '—其德'《國語》.
[字源] 篆文 形聲. 耳+從〔音〕. '從종'은 '束속'과 통하여, '죄다'의 뜻. 청각 신경(聽覺神經)을 긴장시키다의 뜻에서 파생하여, 두려워서 삼가다의 뜻을 나타냄. 또, 귀처럼 솟아오른 높은 산의 모양, '솟다'의 뜻을 나타냄.

[聳懼 송구] 송구(竦懼)함.
[聳然 송연] 송구(竦懼)한 모양.
[聳空 용공] 허공에 우뚝 솟음.
[聳起 용기] 우뚝 일어남.
[聳立 용립] 우뚝 솟음.
[聳然 용연] 우뚝 솟은 모양.
[聳耳 용이] 귀를 쫑긋거림.
[聳擢 용탁] 남보다 뛰어나게 빼어남.
◉孤聳. 高聳. 斗聳. 碧聳. 森聳. 懾聳. 秀聳. 修聳. 直聳. 靑聳. 特聳.

11 ⑰ [⿰耳翏] 료 [平]蕭 憐蕭切 liáo
[平]豪 郎刀切

[字解] 귀울 료 귀에서 소리가 남. '—, —⿰耳曹, 耳鳴'《集韻》.

11 ⑰ [聴] 〔청〕
聽(耳部 十六畫〈p. 1830〉)의 俗字

12 ⑱ [聶] [一] 섭(녑 [入]葉 尼輒切 niè 聂
[二] 접 [本]) [入]葉 質涉切 zhé

[字解] [一] ①소곤거릴 섭 囁(口部 十八畫)과 同字. '乃效兒女呫—耳語乎'《史記》. ②쥘 섭 잡음. 攝(手部 十八畫)과 통용. '兩手—其耳'《山海經》. ③성 섭 성(姓)의 하나. [二] 칠 접 잘게 썲. 腜(肉部 九畫)과 통용. '—而切之爲膾'《禮記》.
[字源] 篆文 會意. '耳이'가 셋으로서, 귀를 모으고 있는 모양을 나타내며, 귀를 모으다, 속삭이다의 뜻을 나타냄.

[聶許 섭허] 귀에다 속삼임. 또, 귀를 가지고 가서 들음.

12 ⑱ [⿰耳黑] 골 [入]月 胡骨切 hú

[字解] ①귀검을 골 '—, 耳黳'《廣韻》. ②귀지 골 귀에 생기는 때. '—, 濁垢也'《字彙》. ③귀울 골 이명(耳鳴). '—, 耳聲'《玉篇》. ④땅이름 골 '—, 埤蒼云, 春秋地也'《玉篇》.

12 ⑱ [聵] [一] 외 [去]卦 五怪切 kuì 聩
[二] 회 [去]隊

[字解] [一] 귀머거리 외 귀머거리. '聾—不可使聽'《國語》. [二] 귀머거리 회 [一]과 뜻이 같음.
[字源] 篆文 別體 別體 形聲. 耳+貴(臾)〔音〕. '臾귀'는 '潰궤'와 통하여, '찌부러지다'의 뜻. 찌부러진 귀, 귀머거리의 뜻을 나타냄.

[聵眊 외모] 귀가 먹고 눈이 잘 보이지 아니함.
[聵聵 외외] 무식한 모양. 어리석은 모양.
◉聾聵.

12 ⑱ [聮] 련 [平]先 閭員切 lián

[字解] ①걸릴 련 攣(手部 十九畫〈p. 919〉)과 同字. '攣, 說文, 係也. 或作—'《集韻》. ②聯(耳部 十一畫〈p. 1827〉)의 本字.

12 ⑱ [職] [高人] 직 [入]職 之翼切 zhí 职

[筆順]

[字解] ①구실 직 직분. 임무. '—責'. '共爲子—

而已矣'《孟子》. ②벼슬 직 관직. 직위. '一位'. '不署右一'《漢書》. ③일 직 정업(定業). '一業'. '閒民無常一'《周禮》. ④공물 직 국가에 바치는 물건. '四夷納一'《淮南子》. ⑤맡을 직 주관함. '非子一之, 其誰乎'《國語》. ⑥오로지 직 주로. '蓋言語漏洩, 則一女之由'《左傳》. ⑦성 직 성(姓)의 하나.

[字源] 金文  篆文 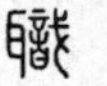 形聲. 耳+戠〔音〕. '戠직'은 '識식'과 통하여, 다른 것과 구별해서 알다의 뜻. '耳이'는 들어서 밝히 판별하다의 뜻. 미세한 곳까지 잘 판별하다의 뜻에서, 세부에까지 걸쳐 잘 알아서 힘쓰는 일의 뜻을 나타냄.

[參考] 耺(耳部 四畫)은 俗字.

[職工 직공] 공장에서 일하는 노동자.
[職貢 직공] 공물(貢物).
[職官 직관] ㉠관직(官職). ㉡백관(百官).
[職權 직권] 직무상(職務上)의 권한.
[職能 직능] 직무상의 능력(能力).
[職僚 직료] 관료. 관리.
[職名 직명] 벼슬이나 직업의 이름.
[職務 직무] 관직 또는 직업상의 사무.
[職方 직방] 주대(周代)의 관명(官名). 천하의 지도(地圖)와 토지에 관한 일을 맡음.
[職蜂 직봉] 집을 짓고 꿀을 모으는 벌.
[職分 직분] ㉠직무상의 본분. ㉡자기가 마땅히 하여야 할 본분.
[職分田 직분전] 직전(職田).
[職司 직사] ㉠직무(職務). ㉡관서(官署).
[職事 직사] ㉠관직상의 일. ㉡직업.
[職事官 직사관] 항상 직무에 종사하는 관원. 산관(散官)의 대(對).
[職業 직업] ㉠관직상의 일. ㉡생계(生計)를 세워 가기 위하여 하는 일.
[職員 직원] 어떠한 직무(職務)를 맡은 사람.
[職由 직유] 기인(基因). 원인.
[職人 직인] 손재주로 하는 일을 업으로 하는 사람. 목수·미장이 등.
[職任 직임] 직무상(職務上)의 임무.
[職場 직장] 직업을 가지고 일을 하는 곳.
[職田 직전] 직분(職分)에 따라 관(官)에서 급여하는 밭.
[職制 직제] 직무상에 관한 제도.
[職職 직직] 많은 모양.
[職責 직책] 직무상의 책임(責任).
[職品 직품] 벼슬의 품계(品階).
[職銜 직함] 벼슬의 이름.

◉諫職. 兼職. 公職. 貢職. 官職. 館職. 曠職. 教職. 求職. 軍職. 宮職. 貴職. 劇職. 浪職. 內職. 瀆職. 免職. 名譽職. 武職. 無職. 藩職. 復職. 本職. 奉職. 不職. 非職. 卑職. 史職. 辭職. 散職. 常職. 聖職. 殉職. 述職. 僧職. 失職. 女職. 役職. 憐職. 營職. 要職. 汚職. 右職. 雄職. 越職. 有職. 六職. 吏職. 離職. 在職. 典職. 停職. 宗職. 仕職. 重職. 天職. 賤職. 就職. 退職. 廢職. 閒職. 解職. 革職. 現職. 顯職. 休職.

12 ⑱ [瞥] 별 [入]屑 匹蔑切 piē

[字解] 언뜻들을 별 잠깐 들음. '一, 暫聞也'《集韻》.

13 ⑲ [聵] 농(낭[本]) [平]江 女江切 náng

[字解] 귀울 농 귀울음이 남. '聽雷者一'《淮南子》.

13 ⑲ [聸] 담 [平]覃 都甘切 dān

[字解] 귀늘어질 담 늘어진 귀.

[字源] 篆文 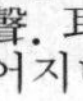 形聲. 耳+詹〔音〕. '詹첨'은 위로부터 늘어지다의 뜻.

13 ⑲ [聺] 당 [平]陽 都郎切 dāng

[字解] 귀처질 당 귀가 아래로 늘어짐. 膛(肉部 十三畫〈p. 1865〉)과 同字. '一, 耳下垂謂之一, 或从肉'《集韻》.

14 ⑳ [聹] 녕 [平]青 奴丁切 níng 聍 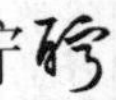

[字解] 귀지 녕 귓구멍 속의 때. '耵一'. '一, 耵一, 耳垢也'《集韻》.

[字源] 形聲. 耳+寧〔音〕

◉耵聹.

14 ⑳ [聺] 철 [入]屑 千結切 qié

[字解] 귀밝을 철, 총명할 철 '一, 聰也'《類篇》.

14 ⑳ [聻] 습 [入]緝 失入切 shī

[字解] 귀쫑긋거릴 습 쇠귀가 쫑긋거리는 모양. '一, 牛耳動也'《廣韻》.

[聻聻 습습] 마소가 귀를 쫑긋거리는 모양.

14 ⑳ [聻] [一] 니 [上]紙 乃里切 nǐ [二] 적 [入]陌 子役切 jiàn 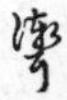

[字解] [一] 어조사 니 불서(佛書)에서 어조(語調)를 돕는 말. '何故一'《無門關》. [二] 부적 적 귀신을 쫓기 위하여 문 위에 써 붙이는 문자. '門上畫虎頭, 書一字'《酉陽雜俎》.

◉何故聻.

15 ㉑ [聾] 곽 [入]藥 光鑊切 guō

[字解] 큰귀 곽 聹(耳部 十一畫〈p. 1828〉)과 同字. '聹, 大耳, 或从廣'《集韻》.

16 ㉒ [聽] [中·人] 청 [去]徑 他定切 tīng [平]青 他丁切 听

[筆順] 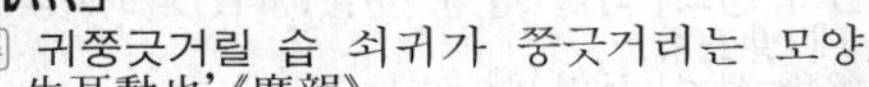

[字解] ①들을 청 ㉠정신을 차리고 들음. '一政'. '一而不聞'《大學》. ㉡들어 줌. '一許'. '要盟也, 神不一'《史記》. ㉢받음. '鄭伯如晉一成'《左傳》. ㉣말을 들어서 단정함. 재판함. '一訟'. '以一獄訟'《禮記》. ㉤좇음. 따름. '寡人盡一子矣'《呂氏春秋》. ②기다릴 청 '以一王命'《周禮》. ③염탐꾼 청 간첩. '百里之一'《荀子》. ④마을 청 廳(广部 二十二畫)과 同字. '所坐一

事，屋棟中折'《吳志》.
[字源] 金文  篆文  形聲. 耳+悳+壬〔音〕. '悳덕' 은 반듯한 마음의 뜻. '壬정'은 '내밀다'의 뜻. 귀를 내밀고 똑바른 마음으로 잘 듣다의 뜻. 金文은 聖+古로, 성인(聖人)은 흔히 열 사람의 말을 아울러 듣다, 잘 듣다의 뜻이라는 설(說)도 있음.
[參考] 聴(耳部 十一畫)은 俗字.

[聽覺 청각] 귀에 음향을 감수(感受)하는 능력.
[聽感 청감] 청각(聽覺).
[聽講 청강] 강의(講義)를 들음.
[聽決 청결] 청단(聽斷).
[聽經 청경] 경서(經書)의 강의를 들음.
[聽管 청관] ㉠피리 소리를 들음. ㉡외청도(外聽道).
[聽納 청납] 청수(聽受).
[聽斷 청단] 하소연을 듣고 결단함.
[聽德惟聰 청덕유총] 덕에 맞는 말을 들으려면 먼저 자기 자신이 총명해야 함. 총명하면 듣는 모든 것이 항상 덕이어서, 간사(奸邪)한 일에 현혹되지 아니함.
[聽令 청령] 명령을 들음.
[聽聞 청문] ㉠들음. ㉡《佛敎》설교를 들음.
[聽訟 청송] 송사(訟事)를 심리(審理)함.
[聽受 청수] 들어줌.
[聽神經 청신경] 귀에서 대뇌(大腦)에 통하는 청각을 맡은 신경.
[聽於無聲 청어무성] 소리 없이 들음. 곧, 자식이 어버이를 섬기는 데 지극한 주의(注意)를 기울여서 함을 이름.
[聽用 청용] 말한 것을 들어 채택하여 씀.
[聽允 청윤] 청수(聽受).
[聽而不聞 청이불문] 들어도 들리지 않음. 곧, 한 일에 마음이 열중하면 딴 일은 도무지 알지 못함을 이름.
[聽政 청정] 제왕이 정사에 관하여 신하가 아뢰는 말을 들음. 정사(政事)를 청단(聽斷)함.
[聽從 청종] 시키는 대로 잘 순종(順從)함.
[聽衆 청중] 강의·연설 등을 듣는 무리.
[聽診 청진] 병자(病者)의 가슴 속에서 일어나는 소리를 들어서 병을 진단(診斷)함.
[聽診器 청진기] 병자(病者)의 가슴 속에서 일어나는 소리를 들어서 진단하는 데 쓰는 기구(器具).
[聽取 청취] 자세히 들음.
[聽治 청치] ㉠정사(政事)를 들음. ㉡들어 판단함. ㉢정치(政治). ㉣재판(裁判).
[聽許 청허] 듣고 허락(許諾)함.
[聽熒 청형] 듣고 의심함. 의미를 알아듣지 못함.
[聽化 청화] 듣고 감화함.
◉兼聽. 敬聽. 傾聽. 姑慈婦聽. 曲聽. 公聽. 過聽. 觀聽. 棘木之聽. 謹聽. 難聽. 來聽. 盜聽. 妄聽. 博聽. 拜聽. 陪聽. 傍聽. 服聽. 上聽. 色聽. 聖聽. 細聽. 視聽. 試聽. 玩聽. 惟命是聽. 倚聽. 潛聽. 竊聽. 靜聽. 周聽. 重聽. 衆聽. 天聽. 淸聽. 諦聽. 聰聽. 側聽. 偏聽. 風聽. 幻聽.

16 ㉒ [聽] 력 [入]錫 狼狄切 lì
[字解] 자세히들을 력 '一, 耳審聞'《集韻》.

16 ㉒ [聾] [人名] 롱 [平]東 盧紅切 lóng
[字解] ①귀머거리 롱 '一啞'. '瘖一跛躃'《禮記》. ②귀먹을 롱 '不癡不一, 不爲姑公'《宋書》. ③어두울 롱 사물에 밝지 못함. '鄭昭宋一'《左傳》.
[字源] 金文  篆文 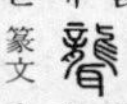 形聲. 耳+龍〔音〕. '龍룡'은 재어 넣다의 뜻. 귀가 꽉 차서 똑똑히 들리지 않다의 뜻을 나타냄.

[聾昧 농매] 사리에 어두움. 무지함.
[聾盲 농맹] 귀머거리와 소경.
[聾俗 농속] 어리석은 속인(俗人).
[聾啞 농아] 귀머거리와 벙어리.
[聾聵 농외] ㉠귀머거리. ㉡어리석은 모양. 무식한 모양.
[聾喑 농음] 귀머거리와 벙어리. 전(轉)하여, 상하의 정리가 서로 통하지 아니함의 비유.
[聾昏 농혼] 귀머거리.
◉盲聾. 頑聾. 瘖聾. 耳聾. 癡聾.

16 ㉒ [聵] 〔외〕
聵(耳部 十二畫〈p. 1829〉)의 本字

17 ㉓ [聵] [一] 얼 [入]黠 五滑切 wà
[二] 외 [去]卦 五怪切 wài
[字解] [一] 귀머거리 얼 귀머거리. '一, 聾也'《廣雅》. [二] 귀머거리 외 [一]과 뜻이 같음.
[字源] 篆文  形聲. 耳+闋〔音〕. '闋결'은 문을 잠그다의 뜻. 귀가 없는 사람을 말함.

聿 (6획) 部
〔붓율부·오직율부〕

0 ⑥ [聿] [人名] 율 [入]質 餘律切 yù 
[筆順] ㇕ ⺕ ⺕ 肀 聿 聿
[字解] ①붓 율 모필. ②마침내 율 드디어. '一求元聖'《書經》. ③이에 율 발어사(發語詞). '神保一歸'《詩經》. ④좇을 율 따름. '一脩厥德'《詩經》. ⑤스스로 율 자신이. 자진하여. '一來胥宇'《詩經》.
[字源] 甲骨文  金文  篆文  象形. 甲骨文으로 알 수 있듯이, 손으로 필기구를 쥐는 모양을 형상화(形狀化)하여, '붓'의 뜻을 나타냄.
[參考] '聿율'을 바탕으로 하여, 붓으로 쓰는 일에 관한 문자를 이룸. 다만, '筆·書·畫' 등은 '聿'을 기본으로 하지만, '聿'이외의 부수(部首)에 분류되고 있음.

[聿來 율래] 스스로 옴. 또는 함께 옴.
[聿修 율수] 조상의 덕(德)을 이어받아 닦음.
[聿遵 율준] 좇음. 준수함.
[聿皇 율황] 몸이 가볍고 빠른 모양.
[聿懷 율회] ㉠말하여 생각함. ㉡드디어 옴. ㉢선왕(先王)의 미덕을 이어받아 백성을 편안하게 함.

0 ⑤ [聿] 녑 [入]葉 呢輒切 niè

[字解] 날렵할 녑 손이 빠르고 능숙함.
[字源] 會意. 篆文은 又+巾. '巾건'(헝겊)을 가진 손이 빠르고 능숙하다의 뜻을 나타냄.

2 ⑧ [肃] 〔숙〕 肅(聿部 七畫〈p.1832〉)의 簡體字

2 ⑧ [甫] 〔숙〕 肅(聿部 七畫〈p.1832〉)의 俗字

3 ⑨ [聿] 진 [平]眞 資辛切 jīn

[字解] 꾸밀 진 붓으로 그리어 꾸밈. 또, 속(俗)에 글씨를 잘 쓴 것을 이름. '一, 聿飾也. 俗語, 以書好爲一'《說文》.
[字源] 會意. 聿+彡

[書] 〔서〕 日部 六畫(p.1007)을 보라.

4 ⑩ [㣇] 사 [去]寘 息利切 sì

[字解] 광(壙) 사 무덤의 구덩이. '掘一見衽'《儀禮》.

◉掘㣇.

4 ⑩ [肁] 조 [上]篠 治小切 zhào

[字解] ①비롯할 조 처음 엶. 肇(聿部 七畫)와 同字. '一, 始開也'《說文》. ②처음 조 시작. '一, 始也'《字彙》. ③성 조 성(姓)의 하나.
[字源] 金文 篆文 會意. 戶+聿. '戶호'는 문의 象形으로, 문을 열다의 뜻. '聿율'은 붓을 든 모양으로, 쓰기 시작하다의 뜻. 처음으로 열다의 뜻을 나타냄.

5 ⑪ [畫] 〔화〕 畫(田部 七畫〈p.1470〉)의 俗字

[晝] 〔주〕 日部 七畫(p.990)을 보라.

5 ⑪ [肅] 〔숙〕 肅(聿部 七畫〈p.1832〉)의 俗字

[畫] 〔화〕 田部 七畫(p.1470)을 보라.

7 ⑬ [肄] [人名] 이 [去]寘 羊至切 yì

[字解] ①익힐 이 연습·학습함. '臣以爲, 一業及之也'《左傳》. ②수고 이 노력. 폐. 괴로움. '旣詒我一'《詩經》. ③움 이 나무를 베어 낸 뿌리에서 나오는 싹. '伐其條一'《詩經》. ④나머지 이 잔여. '夏一是屛'《左傳》.
[字源] 古文 籀文 篆文 形聲. 篆文은 矣+隶〔音〕. '矣'는 '疑의'의 좌변(左邊)에 보이는데, 나아가지 못하다의 뜻. '隶이'는 '이르다'의 뜻. 하나의 목표물에 이르려고 하여, 나아가지 못하면서 힘쓰다, 익히다의 뜻을 나타냄. 籀文·古文은 '肆'의 것인 듯.

[肄習 이습] 익힘. 공부함.
◉講肄. 教肄. 都肄. 素肄. 習肄. 條肄. 存肄.

7 ⑬ [肆] [人名] 사 [去]寘 息利切 sì

[字解] ①방자할 사 멋대로 함. '放一'. '恣一'. ②펼 사 ㉠널리 은혜 따위를 베풂. '一大惠'《左傳》. ㉡넓힘. '一其西封'《左傳》. ③늘어놓을 사 진열함. 벌여 놓음. '一筵設席'《詩經》. ④줄 사 늘어선 줄. '歌鐘二一'《左傳》. ⑤가게 사 상품을 늘어놓고 파는 점포. '陳一辨物'《周禮》. ⑥마구간 사 말이 자는 곳. '木在山, 馬在一'《韓愈》. ⑦버릴 사 ㉠내버림. '不一險'《揚雄》. ㉡사형을 당한 시체를 여러 사람이 보도록 저자에 버림. '一諸市朝'《論語》. ⑧드디어 사 마침내. '一類于上帝'《書經》. ⑨고로 사 그렇기 때문에. '一予以爾衆士'《書經》. ⑩늦출 사 느슨하게 함. 완화(緩和)시킴. '一大眚'《左傳》. ⑪클 사 '于先王一'《書經》. ⑫곧을 사 바름. '其事一而隱'《易經》. ⑬시험할 사 실지로 해 봄. '使輕者一焉'《左傳》. ⑭길 사 짧지 아니함. '其風一好'《詩經》. ⑮찌를 사 힘껏 꽂아 넣음. '是伐是一'《詩經》. ⑯힘쓸 사 노력함. '厥庸孔一'《張衡》. ⑰쥘 사 잡음. '一筆而成書'《揚雄》. ⑱넉 사 四(口部 二畫)의 대용(代用). ⑲성 사 성(姓)의 하나.
[字源] 金文 金文 篆文 別體 形聲. 金文은 又+希〔音〕. '希이'는 털이 긴 짐승의 象形. 털이 긴 짐승을 잡아, 모피를 펴 바래다의 뜻을 나타냄. 파생하여, '늘어놓다, 가게'의 뜻도 나타냄. '肆(肆)·𦘔('肆'의 古文)'도 동일어 이체자(同一語異體字)로, 자형(字形)의 변종인 듯. '肆·𦘔'는 金文·시경(詩經)에서는 假借하여, 그렇기 때문에의 뜻으로도 쓰임. '肆'를 '방자하다'의 뜻으로 쓰는 것은 '恣자'와의 통용(通用)에 의한 것으로 여겨짐. 篆文은 長+隶〔音〕.

[肆氣 사기] 기분 내키는 대로 행동함. 방자하게 굶. 제멋대로 굶.
[肆放 사방] 사종(肆縱).
[肆赦 사사] 죄수(罪囚)를 석방함.
[肆奢 사사] 방자하고 교사(驕奢)함.
[肆廛 사전] 상점. 가게.
[肆鄽 사전] 사전(肆廛).
[肆縱 사종] 방종함.
[肆體 사체] 몸을 편히 함.
[肆惰 사타] 방종하고 나태함.
[肆虐 사학] 잔학(殘虐)한 행위를 거리낌 없이 함.
◉開肆. 踞肆. 廣肆. 驕肆. 鬻肆. 矜肆. 茶肆. 放肆. 奢肆. 書肆. 城肆. 市肆. 安肆. 藥肆. 魚肆. 列肆. 游肆. 恣肆. 鄽肆. 店肆. 井肆. 縱肆. 酒肆. 熾肆. 惰肆. 鮑魚肆. 閑肆. 荒肆. 橫肆.

7 ⑬ [肅] [高人] 숙 [入]屋 息逐切 sù

[筆順] ⺕ 肀 肀 肀 肃 肃 肅 肅

[字解] ①엄숙할 숙 장엄하고 정숙함. '一莊'. '色容厲一'《禮記》. ②삼갈 숙 스스로 경계하여 태만하지 아니함. '一敬'. '恭作一'《書經》. ③공경할 숙 삼가서 예를 차려 높임. '社稷宗廟罔

不祗一'《書經》. ④경계할 숙 타일러 주의시킴. '一戒'. '無以懲一'《晉書》. ⑤엄할 숙 너그럽지 아니함. '刑一而民敝'《禮記》. ⑥맑을 숙 깨끗함. 청렴함. '其政一'《素問》. ⑦찰 숙 추움. '春行冬政一'《管子》. ⑧오그라들 숙 오글쪼글해짐. '草木皆一'《禮記》. ⑨인도할 숙 안내함. '主人一客而入'《禮記》. ⑩절할 숙 머리를 숙여 배례함. '一拜'. '敢一使者'《左傳》.

字源 金文 篆文 古文 會意. 聿+𣶒. '聿율'은 삿대를 손에 든 모양을 형상화한 것. '𣶒연'은 '소'의 뜻. 소에서 삿대질하는 모습에서, 두려워하며 삼가다의 뜻을 나타냄.

[肅客 숙객] 손을 인도함. 손을 안내함.
[肅敬 숙경] 삼가 존경(尊敬)함.
[肅戒 숙계] 경계함. 타일러 주의시킴.
[肅啓 숙계] 삼가 아뢴다는 뜻으로, 편지의 첫머리에 쓰는 말.
[肅拜 숙배] ㉠손이 땅에 닿도록 머리 숙여 공손히 절함. ㉡편지 끝에 쓰는 존댓말.
[肅殺 숙살] 가을 기운이 초목을 말라 죽게 함.
[肅殺之氣 숙살지기] 쌀쌀한 가을 기운.
[肅霜 숙상] 된서리.
[肅肅 숙숙] ㉠삼가는 모양. 공손한 모양. ㉡정돈한 모양. ㉢엄정(嚴正)한 모양. ㉣빠른 모양. 급한 모양. ㉤새의 깃의 소리. ㉥소나무를 스쳐가는 바람 소리. ㉦깨끗한 모양. ㉧깊은 모양. 조용한 모양.
[肅愼 숙신] 옛날에 만주(滿洲)·연해주(沿海州) 지방에 살던 민족. 또, 그 민족이 세운 나라.
[肅遏 숙알] 엄격히 막음.
[肅然 숙연] 삼가고 두려워하는 모양.
[肅雝 숙옹] 삼가고 유화(柔和)로움.
[肅莊 숙장] 장엄(莊嚴)함.
[肅靜 숙정] 조용함.
[肅州 숙주] 간쑤 성(甘肅省)의 서북부에 있는 도시. 교통의 요소(要所)로, 부근의 물산(物產)의 집산지(集產地)임.
[肅淸 숙청] 평란(平亂)하여 세상을 깨끗이 함.
◉恪肅. 簡肅. 虔肅. 謙肅. 敬肅. 恭肅. 匡肅. 勤肅. 端肅. 明肅. 嚴肅. 厲肅. 雍肅. 畏肅. 自肅. 靜肅. 整肅. 齊肅. 祗肅. 振肅. 震肅. 澄肅. 淸肅. 忠肅.

8 ⑭ [肇] 人名 조 ㊤篠 治小切 zhào

筆順 一 ㅋ 戶 戶 戽 肁 肇 肇

字解 ①비롯할 조 ㉠사물을 시작함. '一國'. ㉡시작됨. '喜慶一自玆'《晉傳充》. ②시초 조 시작. 기원(起源). '斯祠之一也, 蓋莫知其原'《王守仁》. ③바로잡을 조 바르게 함. '一末'《國語》. ④잴 조 재빠름. '一牽車牛'《書經》. ⑤꾀할 조 '一敏戎公'《詩經》. ⑥지경 조 국경(國境). '一域彼四海'《詩經》. ⑦성 조 성(姓)의 하나.

字源 金文 篆文 會意. 金文은 戶+攴. '攴복'은 '치다'의 뜻. 문을 치다, 열다의 뜻을 나타냄. 문을 두드리는 모양에서, '열다'의 뜻을 나타냄. 뒤에, '붓'이란 뜻의 '聿율'을 붙이어, 붓으로 쓰기 시작하다의 뜻을 나타냄. 篆文은 戈+戶+聿.

[肇國 조국] 처음으로 나라를 세움. 건국(建國).
[肇基 조기] 토대를 닦음. 기초를 확립함.
[肇冬 조동] 첫겨울. 초동(初冬).
[肇歲 조세] 세수(歲首). 연초(年初).
[肇業 조업] 사업(事業)을 시작함.
[肇域 조역] 지경(地境)을 열어 정(定)함. 국가를 정(定)함.
[肇造 조조] 처음으로 만듦. 개창(開創)함.
[肇秋 조추] 첫가을. 초추(初秋).
[肇春 조춘] 첫봄. 초춘(初春).
[肇夏 조하] 첫여름. 초하(初夏).
◉生肇. 初肇.

8 ⑭ [肈] 肇(前條)의 本字

肉(月) (6획) 部

〔고기육부·육달월부〕

0 ⑥ [肉] 中 入 ■ 육 ㊀屋 如六切 ròu(rù) ■ 유 ㊁宥 如又切

筆順 丨 冂 冂 内 肉 肉

字解 ■ ①살 육 ㉠몸을 구성하는 부드러운 부분. '筋一'. ㉡과실 따위의 몸피를 이룬 부드러운 부분. '果一'. '取笋一五六寸者'《齊民要術》. ②고기 육 식용의 살. '牛一'. '溫酒及炙一'《隋書》. ③몸 육 신체. '一刑'. ④살붙을 육 살이 생김. '所謂生死而一骨也'《左傳》. ■ ①둘레 유 돈 따위와 같이 가운데에 구멍이 있는 것의 외변(外邊). ②저울추 유 저울로 다는 데 쓰는 추. 추체(錘體).

字源 篆文 象形. 썬 고기의 象形으로, '고기'의 뜻을 나타냄.

參考 ①'肉육'을 의부(意符)로 하여, 신체 각부(各部)의 명칭, 그 상태 등에 관한 문자를 이룸. '肉'이 변(邊)이 될 때는 '月', 다리가 될 때는 흔히 '⺼'의 모양을 취함. ②宍(宀部 四畫)은 古字.

[肉感 육감] ㉠육체에 느껴지는 감각. ㉡성욕(性慾)의 실감.
[肉羹 육갱] 고깃국.
[肉冠 육관] 닭의 볏.
[肉塊 육괴] 고깃덩어리.
[肉交 육교] 남녀 간의 교접(交接).
[肉袒 육단] 사죄(謝罪)의 표시로 윗옷을 벗고 몸을 드러냄.
[肉團 육단] 육체(肉體).
[肉荳蔲 육두구] 육두구과에 속한 열대 식물. 열매는 장과(漿果)이며 씨는 약재로 쓰임.
[肉瘤 육류] 육혹.
[肉味 육미] ㉠고기로 만든 음식(飮食). ㉡고기의 맛.
[肉薄 육박] 썩 가까이 덤빔.
[肉薄骨幷 육박골병] 육박(肉薄).
[肉薄戰 육박전] 막 덤비어 돌격(突擊)하는 싸움.
[肉飯 육반] 고기를 넣은 밥.
[肉屛風 육병풍] 육장(肉障).
[肉補 육보] 고기를 먹어 몸을 보(補)함.
[肉腐出蟲 육부출충] 근본이 썩어서 폐단과 화난이 이로 말미암아 자꾸 일어남의 비유.
[肉飛仙 육비선] 곡예사(曲藝師).

[肉山 육산] ㉠살진 몸. ㉡고기가 많음의 형용.
[肉山脯林 육산포림] 고기가 산더미같이 쌓이고 포가 숲의 나무처럼 많다는 뜻. 곧, 호화로운 잔치를 이름.
[肉色 육색] 살빛. 「래.
[肉聲 육성] 사람의 입에서 나오는 소리. 또는 노
[肉水 육수] 고기를 삶아 낸 물.
[肉食 육식] 고기를 먹음. 고기를 상식(常食)함. 전(轉)하여, 미식(美食)함. 또, 후록(厚祿)을 받음. 「지는 일.
[肉食帶妻 육식대처] 중이 고기를 먹고 아내를 가
[肉食者 육식자] ㉠고기를 상식(常食)하는 사람. 곧, 부귀한 사람. ㉡후록(厚祿)을 받는 사람. 곧, 대부(大夫) 이상의 벼슬아치를 이름.
[肉身 육신] 사람의 몸. 육체(肉體).
[肉眼 육안] ㉠사람의 눈. ㉡속인(俗人)의 눈. 식견이 없는 안목.
[肉緣 육연] 혈연(血緣).
[肉慾 육욕] 육체상(肉體上)으로 오는 모든 욕심(慾心). 특히 성욕(性慾).
[肉用 육용] 식육(食肉)으로 쓰임. 또, 그 고기.
[肉刺 육자] 티눈.
[肉障 육장] 여자(女子)를 여럿 늘어세워 병풍(屛風)으로 대용(代用)한 고사(故事).
[肉醬 육장] 쇠고기를 잘게 썰어서 간장에 졸인 음
[肉情 육정] 육욕(肉慾). 「식.
[肉汁 육즙] 쇠고기를 삶은 국물.
[肉饌 육찬] 고기로 만든 반찬.
[肉滯 육체] 고기를 먹고서 생긴 체증(滯症).
[肉體 육체] 물질적인 신체. 몸. 「람.
[肉親 육친] 혈족(血族)의 관계(關係)가 있는 사
[肉彈 육탄] 고깃덩이의 탄환(彈丸)이란 뜻으로, 몸으로써 탄환을 삼아서 적진(敵陣)을 공격하
[肉湯 육탕] 고깃국. 「는 일.
[肉片 육편] 고깃점.
[肉脯 육포] 쇠고기를 얇게 저미어 말린 포(脯).
[肉筆 육필] 당자(當者)가 쓴 필적(筆蹟).
[肉刑 육형] 몸에 상처를 내는 형벌. 곧, 의형(劓刑)·비형(剕刑) 등.
◉強食弱肉. 乾肉. 鷄頭肉. 苦肉. 骨肉. 果肉. 狗肉. 筋肉. 肌肉. 爛肉. 牢肉. 豚肉. 豆肉. 臀肉. 馬肉. 孟母豬肉. 燔肉. 膰肉. 肥肉. 飛肉. 髀肉. 祥肉. 生肉. 腊肉. 獸肉. 宿肉. 視肉. 食肉弱肉. 羊頭狗肉. 梁肉. 魚肉. 餘肉. 欒肉. 牛肉. 濡肉. 人肉. 一塊肉. 殘肉. 截肉. 鼎肉. 胙肉. 鳥肉. 朱肉. 酒肉. 走肉. 贅肉. 齒肉. 土肉. 豐肉. 行口走肉. 懸羊頭賣狗肉. 血肉. 葷肉.

0 ④ [月] 肉(前條)이 글자 옆으로 올 때의 자체(字體). 고기육변. 속칭(俗稱) 육달월변.

[筆順] 丿 冂 月 月

1 ⑤ [肊] 억 [入]職 於力切 yì
[字解] ①가슴뼈 억 흉골(胸骨). '一, 匈骨也'《說文》. ②가슴 억 臆(肉部 十三畫)과 同字. '一, 匈也'《廣雅》. ③기(氣)충만할 억 '一, 氣滿'《廣韻》.
[字源] 會意. 月(肉)+乙

2 ⑥ [肋] [人名] 륵 [入]職 盧則切 lèi(lè) 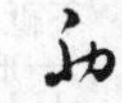
[字解] 갈빗대 륵 늑골. '一膜'. '乃自食一羊一'《北齊書》.
[字源] 篆文 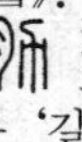 形聲. 月(肉)+力〔音〕. '力력'은 '理리'와 통하여 '줄'의 뜻. 가슴에 줄지어 보이는 '갈빗대'의 뜻을 나타냄.

[肋骨 늑골] 갈빗대.
[肋膜 늑막] 갈빗대 안쪽에 있어서 폐(肺)를 덮는 막(膜).
[肋膜炎 늑막염] 늑막(肋膜)에서 생긴 염증(炎症).
◉鷄肋. 沙肋. 山肋. 羊肋. 兩肋. 脇肋.

2 ⑥ [肍] 구 [平]尤 渠尤切 qiú
[字解] ①삶은고기로담근육장(肉醬) 구 '一, 孰肉醬也'《說文》. ②말린고기로담근육장 구 '一, 乾肉醬也'《廣韻》.
[字源] 形聲. 月(肉)+九〔音〕

2 ⑥ [肐] 흘 [入]物 許訖切 qì
[字解] 떨칠 흘 떨쳐 일어남. '一, 振肹也'《說文》.
[字源] 形聲. 月(肉)+八〔音〕. 또는 八+月(肉)의 會意.

2 ⑥ [肌] [人名] 기 [平]支 居夷切 jī 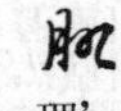
[字解] 살가죽 기 피부. '玉一'. '雪一'. '一理'. '割皮解一'《史記》.
[字源] 篆文 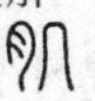 形聲. 月(肉)+几〔音〕. '几궤'는 '緊긴'과 통하여, 바짝 켕기다의 뜻. 육체를 덮는 켕긴 '살갗'의 뜻을 나타냄.

[肌膏 기고] 피부의 기름기.
[肌骨 기골] 피부와 뼈.
[肌理 기리] 살결.
[肌膚 기부] 피부(皮膚).
[肌液 기액] 땀.
[肌肉 기육] 살갗과 살. 또는 살. 또는 살갗.
◉膏肌. 粉肌. 氷肌. 死肌. 雪肌. 細肌. 素肌. 軟肌. 玉肌. 完肌. 鳥肌. 侵肌. 浸肌. 豐肌. 皮肌.

2 ⑥ [肙] 원 [去]霰 烏縣切 yuàn / [平]先 烏縣切 yuān
[字解] ①작은벌레 원 '一, 小蟲也'《玉篇》. ②빌 원 텅 빔. '一, 空也'《玉篇》. ③움직일 원 '一, 動也'《篇海》. ④우물속벌레 원 '一, 井中蟲, 與蜎同'《篇海》.

[刖] 〔월〕 刀部 四畫(p.245)을 보라.

2 ⑥ [肎] 〔긍〕 肯(肉部 四畫〈p.1838〉)의 古字

3 ⑦ [肎] 〔긍〕 肯(肉部 四畫〈p.1838〉)의 本字

3
⑦ [肕] 인 [去]震 而振切 rèn

[字解] 질길 인 근육이 강인함. '筋—而骨強'《管子》.

3
⑦ [肘] 주 [上]有 陟柳切 zhǒu

[字解] ①팔꿈치 주 팔의 관절(關節). '—腋'. '袂可以回—'《禮記》. ②끌 주 팔뚝을 잡아끌어 못 가게 함. 뒤에서 잡아당겨 정지시킴. '欲命駕數數被—'《後漢書》. ③길이 주 '一—二尺. 一日, 一尺五寸爲一—, 四—爲一弓, 三百弓爲一里'《韻會》.

[字源] [篆文] 形聲. 月(肉)+寸〔音〕. '寸촌'은 팔꿈치를 가리키는 指事字. '肉육'을 붙여 '팔꿈치'의 뜻을 나타냄.

[肘腋 주액] ㉠팔꿈치와 겨드랑이. ㉡곁. 좌우(左右).
[肘腕 주완] 팔꿈치와 팔뚝.
◉曲肘. 戟肘. 臂肘. 素肘. 雙肘. 兩肘. 引肘. 制肘. 掣肘. 枕肘.

3
⑦ [肚] 도 [平]虞 東徒切 dū
[去]遇 都故切

[字解] ①배클 도, 큰망치 도 '—, 胍—, 大腹皃, 一日, 椎之大者'《集韻》. ②큰배 도 '䐁, 廣腹也, 或作—'《集韻》.

3
⑦ [肚] 두 [上]麌 徒古切 dù

[字解] 배 두, 밥통 두 복부(腹部). 또, 위(胃). '—, 腹—'《廣韻》. '胃, 謂之—'《廣雅》.

[字源] 形聲. 月(肉)+土〔音〕

[肚裏 두리] 뱃속. 심중(心中).
[肚皮裏 두피리] 두리(肚裏).

3
⑦ [肛] [人名] 항 [平]江 許江切 gāng

[字解] ①부풀 항 배가 부품. '—, 腫也'《廣雅》. ②똥구멍 항 항문. '脫—'. '—門重十二兩'《史記 註》.

[字源] 形聲. 月(肉)+工〔音〕. '工공'은 '크다'의 뜻. 배가 부풀다의 뜻을 나타냄. 또, '工'은 '紅홍'과 통하여, '붉다'의 뜻. 붉은 똥구멍의 뜻을 나타냄.

[肛門 항문] 똥구멍.
◉胮肛. 脫肛.

3
⑦ [肜] 융 [平]東 以戎切 róng

[字解] 제사이름 융 제사 지낸 다음 날에 또 지내는 제사. '高宗—日'《書經》.

[字源] 會意. 月(肉)+彡

3
⑦ [肝] [高入] 간 [平]寒 古寒切 gān

[筆順] 丿 刀 月 月 肝 肝 肝

[字解] ①간 간 간장(肝臟). '—膽'. ②마음 간 진심. 충심(衷心). '披—'. '—肺'. '豁然露心—'《李白》. ③요긴할 간 긴요함. '—要'.

[字源] [篆文] 形聲. 月(肉)+干〔音〕. '干간'은 '幹간'과 통하여, '줄기'의 뜻. 육체 속의 줄기에 해당되는 중요한 부분, '간'을 뜻함.

[肝膈 간격] 마음속. 심중(心中).
[肝氣 간기] 유아(幼兒)가 소화 불량(消化不良)으로 얼굴이 창백(蒼白)해지고 대변(大便)이 푸르고 악취(惡臭)가 나며 쉬지 않고 우는 증세.
[肝腦塗地 간뇌도지] 참살당하여 간과 뇌장(腦漿)이 땅에 흩어지고 시체는 그냥 방치됨.
[肝膽 간담] ㉠간(肝)과 쓸개. ㉡마음. 심중. ㉢혼. 영혼.
[肝膽相照 간담상조] 서로 마음을 터놓고 사귐.
[肝膽楚越 간담초월] 억지로 차별을 지어 보면 간과 담과 같이 서로 가까운 사물도 초나라와 월나라만큼이나 상거(相距)가 먼 것처럼 보임.
[肝銘 간명] 마음에 깊이 새겨 잊지 않음.
[肝腎 간신] ㉠간장과 신장. 전(轉)하여, 마음. 심중. ㉡간요(肝要).
[肝要 간요] 매우 긴요(緊要)함.
[肝油 간유] 어류(魚類)의 간에서 짜낸 기름.
[肝腸 간장] 간(肝)과 창자. 전(轉)하여, 마음.
[肝臟 간장] 오장(五臟)의 하나. 배 속의 오른쪽 위 횡격막(橫膈膜)의 아래, 위장 위에 있어서 소화(消化)에 필요한 물질을 만드는 기관(器官).
[肝肺 간폐] 간과 폐. 전(轉)하여, 마음. 심중.
◉嘔出心肝. 銘肝. 鳳胎龍肝. 剖心析肝. 洗肝. 輸肝. 心肝. 離肝. 鐵肝. 忠肝. 肺肝.

3
⑦ [肔] 이 [上]紙 演爾切 chǐ

[字解] 짼 이 창자를 가름. '—, 刳腸也'《集韻》.

3
⑦ [肒] 환 [去]翰 胡玩切 huàn

[字解] 긁어부스럼날 환 '—, 搔生創也'《說文》.

[字源] [篆文] 形聲. 月(肉)+丸〔音〕

3
⑦ [肐] 훈 [去]問 呼運切 xūn

[字解] 양고기국 훈 '—, 羊羹也'《字彙》.

3
⑦ [肓] 황 [平]陽 呼光切 huāng

[字解] 명치 황 심장 밑, 횡격막(橫膈膜) 위에 있는 국부(局部). 옛날에 한의(漢醫)가 이르기를, 병이 이곳에 침입하면 약석(藥石)으로도 고칠 수 없다고 한 곳. '病入膏—'. '居—之上, 膏之下'《左傳》.

[字源] [篆文] 形聲. 月(肉)+亡〔音〕. '亡망·황'은 '盲맹'과 통하여, 보이지 않다의 뜻. 심장 아래, 횡격막 위, 사람의 눈이 미치지 않는 육체의 깊은 곳. 명치의 뜻을 나타냄.

[參考] 盲(目部 三畫)은 別字.

◉膏肓. 病入膏肓. 潛肓. 鍼膏藥肓.

3
⑦ [肐] [一] 흘 [入]物 許訖切 qì
[二] 억 [入]職 乙力切
[三] 각 [現] 古落切 gē

[字解] [一] 몸흔들릴 흘 '一, 身振也'《玉篇》. [二] 가슴뼈 억 肊(肉部 一畫)의 訛字. '一, 說文, 胷骨也. (校正)案, 肊譌一'《集韻》. [三] 《現》 겨드랑이 각 胳(肉部 六畫)과 同字.

3 ⑦ [肖] [高人] [一] 초 ㊀嘯 私妙切 xiào
[二] 소 ㊥蕭 思邀切 xiāo 

[筆順] 丨 ⺌ 小 ⺌ 肖 肖 肖

[字解] [一] ①닮을 초 비슷함. '一似'. ②닮게할 초 비슷하게 함. '僭一宮省'《唐書》. ③본받을 초 본보기로 함. '七十子之一仲尼'《揚子法言》. [二] ①쇠할 소 쇠미함. '申呂一矣'《史記》. ②흩어질 소 산실(散失)함. '達於知者一'《莊子》.
[字源] [篆文] 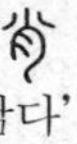 形聲. 月(肉)+小〔音〕. 골육(骨肉) 속의 어리고 작은 자의 뜻에서, 파생하여 '닮다'의 뜻을 나타냄.

[肖翹 초교] 미세(微細)한 생물(生物).
[肖似 초사] 닮음.
[肖象 초상] 초상(肖像).
[肖像 초상] 사람의 용모(容貌)를 본떠서 그린 그림.
[肖形 초형] 모양을 닮게 함.
◉葦肖. 不肖. 十二肖. 僭肖. 賢不肖.

3 ⑦ [育] 〔육〕
育(肉部 四畫〈p. 1839〉)의 本字

4 ⑩ [胔] 자 ㊀禡 之夜切 zhì
[字解] 저민고기 자 '萬片一肉'《韓愈》.

[胔肉 자육] 저민 고기.

4 ⑧ [肥] [高人] 비 ㊥微 符非切 féi 

[筆順] 丿 刀 月 月 月ᄀ 月ᄏ 月ᄑ 肥

[字解] ①살질 비 살이 풍만함. '一大'. '天高馬一'. 척(瘠)의 대(對). ②걸 비 땅이 기름짐. '一沃'. '田之高下一瘠'《書經 傳》. ③살지게할 비, 기름지게할 비 이상의 타동사. '恩一土域'《史記》. ④살진말 비 '乘堅策一'《漢書》. ⑤살진고기 비 '市肉取一'《曹植》. ⑥거름 비 비료. '施一'. '澆一之法'《花鏡》. ⑦성 비 성(姓)의 하나.
[字源] [篆文] 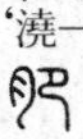 會意. 月(肉)+巴. '巴파'는 뚱뚱한 사람의 象形. 육체가 살찌다의 뜻을 나타냄.

[肥甘 비감] 살지고 맛이 좋음. 또, 그 고기.
[肥強 비강] ㉠살지고 힘셈. ㉡재력(財力)이 많고 병력(兵力)이 강함.
[肥佼 비교] 살집이 좋고 예쁨.
[肥磽 비교] 비옥한 땅과 돌이 많고 메마른 땅.
[肥大 비대] 살지고 몸집이 큼.
[肥腯 비돌·비둔] 살짐. 살진 돼지고기.
[肥遯 비둔] 마음이 너그럽고 욕심이 없어 세상을 피하여 숨음.
[肥滿 비만] 살찜.
[肥胖 비반] 비대(肥大).
[肥碩 비석] 비대(肥大).
[肥鮮 비선] 살지고 신선한 고기.
[肥息 비식] 토실토실 자람.
[肥壤 비양] 건땅. 비옥한 토지.
[肥沃 비옥] 땅이 걸고 기름짐.
[肥饒 비요] 땅이 걸고 기름지어 곡식이 잘됨. 또, 그 땅.
[肥牛 비우] 살진 소.
[肥肉 비육] 살진 짐승의 고기.
[肥瘠 비척] 기름짐과 메마름. 비옥함과 척박함.
[肥泉 비천] 수원(水源)은 같으나 흘러서 들어가는 데가 다른 물줄기.
◉甘肥. 輕肥. 骨肥. 驕肥. 金肥. 基肥. 鮮肥. 施肥. 魚肥. 軟肥. 盈肥. 吾雖瘠天下肥. 溫肥. 溢肥. 珍肥. 追肥. 秋高馬肥. 堆肥. 豐肥. 瓠肥.

4 ⑧ [股] [人名] 고 ㊤麌 公戶切 gǔ 

[字解] ①넓적다리 고 ㉠다리의 상부. 대퇴부(大腿部). '一肱'. '一戰而栗'《史記》. ㉡넓적 다리 모양을 한 것.

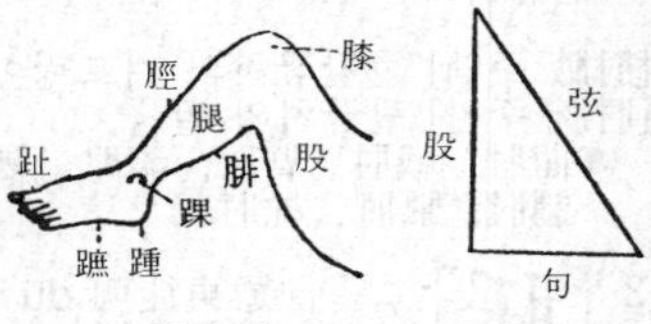

[股①㉠] [股②]

'釵一欲分猶半疑'《韓偓》. 전(轉)하여, 사물의 일부분을 이름. '一一'〈군대의 한 지대(支隊)〉. '一分'〈자본의 일부분인 주(株)〉. ㉢바퀴살의 바퀴통에 가까운 부분. '車輻近轂處曰一'《辭海》. ②고 고 직각 삼각형의 직각을 이룬 긴 변(邊). '句一弦'. '句一求弦之法'《晉書》.
[字源] [篆文]  形聲. 月(肉)+鼓〈省〉〔音〕. '鼓고'는 甲骨文에 '殳'로 적은 것이 있으며, '殳수'로 그 소리를 대표한 것으로 보임. '胯과'와 통하여, '가랑이'의 뜻.

[股間 고간] 두 넓적다리의 사이. 샅. 사타구니.
[股肱 고굉] ㉠다리와 팔. ㉡고굉지신(股肱之臣).
[股肱之力 고굉지력] 다리와 팔의 힘. 곧, 온몸에 있는 힘.
[股肱之臣 고굉지신] 임금이 가장 믿는 중요한 신하(臣下).
[股慄 고율] 무서워서 발이 떨림.
[股掌 고장] 다리와 손바닥.
[股掌之臣 고장지신] 고굉지신(股肱之臣).
[股戰 고전] 고율(股慄).
◉脛股. 句股. 金釵股. 四股. 脩股. 引錐刺股. 赤股. 釵股. 八股. 合股.

4 ⑧ [肢] [人名] 지 ㊥支 章移切 zhī 

[字解] 팔다리 지 수족. '四一'. '四一六道, 身之體也'《管子》.
[字源] [胑의 別體]  形聲. 月(肉)+支〔音〕. '支지'는 '갈라지다'의 뜻. 육체 중에서 가랑이가 갈라진 부분, 곧 '팔다리'의 뜻을 나타냄.

[肢骨 지골] 손발의 뼈. 사지(四肢)의 뼈.
[肢體 지체] 팔다리와 몸. 곧, 전신(全身).
[肢解 지해] 사지(四肢)를 찢어 냄.
◉四肢. 上肢. 雪肢. 腰肢. 義肢. 折肢.

4 ⑧ [肬] [一] 담 ㊤感 他感切 tǎn
[二] 잠 ㊀勘 丁紺切 dàn

[字解] [一] ①고기국물찌꺼기 담 '一, 肉汁滓也'《說文》. ②醓(酉部 九畫)의 古字. [二] 키작고추(醜)할 잠 '一䐶'은 키가 작고 추한 모양. '一, 一䐶, 短醜也'《集韻》.
[字源] 形聲. 月(肉)＋冘〔音〕

4
⑧ [肦] [一] 반 [平]刪 布還切 bān
[二] 분 [平]文 符分切 fén

[字解] [一] 구실매길 반 세금을 부과함. '名山大澤不以一'《禮記》. [二] 머리클 분 머리가 큰 모양. '一, 大首'《廣韻》.
[字源] 形聲. 月(肉)＋分〔音〕

4
⑧ [肪] [人名] 방 [平]陽 符方切 fáng

[字解] ①살질 방 기름지고 비대함. '脂牛正一, 不濯釜而烹'《太玄經》. ②비계 방 기름기. '脂一'. '散似甘露, 凝如割一'《太玄經》.
[字源] 篆文 形聲. 月(肉)＋方〔音〕. '方방'은 양쪽으로 내밀다의 뜻. 육체가 내밀다, 기름져지다의 뜻을 나타냄.

[肪膩 방니] 살결이 기름기가 끼어 윤이 남.
[肪脆 방취] 기름기가 많고 부드러운 것.
◉膏肪. 松肪. 截肪. 脂肪. 割肪.

4
⑧ [肫] 순 [平]眞 章倫切 zhūn

[字解] ①광대뼈 순 협골(頰骨). ②포 순 전신(全身)의 건육(乾肉). '一髀不升'《儀禮》. ③정성스러울 순 성의를 다하는 모양. '一一其仁'《中庸》.
[字源] 篆文 形聲. 月(肉)＋屯〔音〕. '屯둔'은 둥글고 뭉툭하다는 뜻. '광대뼈'를 이름.

[肫髀 순비] 넓적다리 전체의 포(脯).
[肫肫 순순] 정성스러운 모양. 성의를 다하는 모양.

4
⑧ [肬] 우 [平]尤 羽求切 yóu

[字解] ①혹 우 疣(疒部 四畫)와 同字. '一贅'. 전(轉)하여, 무용지물(無用之物). '反離羣而贅一'《楚辭》. ②부을 우 '一, 腫也'《廣韻》.
[字源] 篆文 籀文 形聲. 月(肉)＋尤〔音〕. '尤우'는 '책망하다'의 뜻. 살갗에 난 '부스럼'의 뜻을 나타냄.

[肬贅 우췌] ㉠혹. ㉡쓸데없는 물건. 무용지물(無用之物).
◉多肬. 贅肬.

4
⑧ [肭] 눌 [入]月 內骨切 nà

[字解] ①살질 눌 '膃一'은 살짐. 살져서 보드라움. ②물개 눌 '膃一'은 강치와 비슷한 바다 짐승. 해구(海狗).
[字源] 形聲. 月(肉)＋內〔音〕

◉膃肭. 縮肭.

4
⑧ [肮] 항 [平]陽 胡郎切 háng

[字解] 목 항, 목구멍 항 亢(亠部 二畫)·吭(口部 四畫)과 同字. '不搤其一'《史記》.
[字源] 形聲. 月(肉)＋亢〔音〕. '亢항'은 목의 象形으로 '肮'의 原字.

4
⑧ [䏔] [一] 주 [上]有 陟柳切 zhǒu
[二] 뉴 [上]有 女久切 niǔ
[三] 유 [去]宥 如又切 ròu
[四] 육 [入]屋 而六切 nǜ

[字解] [一] 팔뚝 주 肘(肉部 三畫〈p. 1835〉)와 同字. '肘, 說文, 臂節也. 或作一'《集韻》. [二] 먹는 고기 뉴 '一, 食肉也'《說文》. [三] 좋은고기 유 '腬, 肉善者. 腬或从丑'《集韻》. [四] 코피 육 '衄, 鼻出血也. 或从肉'《集韻》.
[字源] 形聲. 月(肉)＋丑〔音〕

4
⑧ [肱] [人名] 굉 [平]蒸 古弘切 gōng

[字解] 팔뚝 굉 팔꿈치로부터 손목까지의 부분. '曲一而枕之'《論語》. 手(部首) 참조.
[字源] 厷의 別體 形聲. 月(肉)＋厷〔音〕. '厷굉'은 '팔'의 뜻. '肉육'을 붙여, '팔'의 뜻을 나타냄.

[肱膂 굉려] 팔뚝과 등뼈. 전(轉)하여, 심복(心腹).
◉股肱. 曲肱. 三折肱. 折肱. 枕肱.

4
⑧ [肵] [一] 근 [去]問 居焮切
[二] 기 [平]微 渠希切 qí

[字解] [一] 공경할 근 삼가 받들어 높임. '一之爲言, 敬也'《禮記》. [二] 적대 기 제사 지낼 때 희생(犧牲)의 심장·혀 등을 담아 올리는 적대(炙臺). '一俎'. '佐食升一俎'《儀禮》.

[肵俎 기조] ㉠제사 지낼 때 희생(犧牲)의 심장·혀 등을 담아 올리는 적대(炙臺). ㉡시동(尸童)이 먹다 남은 음식을 담는 적대.

4
⑧ [肸] 힐 [入]質 羲乙切 xī

[字解] ①떼지어날 힐 '一蠁布寫'《漢書》. ②웃을 힐 웃는 모양. '天女笑一一'《戴表元》.
[字源] 篆文 形聲. 十＋㣇〔音〕. '十십'은 '많다'의 뜻. '㣇힐'은 고기를 잘게 썰어 늘어놓다의 뜻. 작은 벌레 따위가 왕성하게 무리져 일어나다, 울림이 널리 퍼져 나가다의 뜻을 나타냄.
[參考] 肹(次條)은 俗字.

[肸蠁 힐향] ㉠떼 지어 나는 작은 벌레. ㉡사물이 성(盛)하게 일어나는 모양.
[肸肸 힐힐] 웃는 모양.
◉胇肸. 肤肸.

4
⑧ [肹] 肸(前條)의 俗字

4
⑧ [肺] [高人] [一] 폐 [去]隊 芳廢切 fèi
[二] 패 [去]泰 普蓋切 pèi

[筆順] 丿 刀 月 月 月 肝 肺 肺

[字解] [一] ①허파 폐 오장(五臟)의 하나. 부아. '—臟'. '—爲氣'《淮南子》. ②마음 폐 마음속. 충심. '—腑'. '久覽相如詩—渴'《方岳》. ③친할 폐 지극히 친함. '—附'. [二] 성(盛)할 패 무성한 모양. '其葉——'《詩經》.

[字源] 篆文 形聲. 月(肉)+巿(朩)〔音〕. '朩패'는 '나뉘다'의 뜻. 좌우의 둘로 나뉘어 있는 허파의 뜻을 나타냄.

[肺肺 패패] 무성(茂盛)한 모양.
[肺肝 폐간] 폐와 간. 전(轉)하여, 진심(眞心). 심중(心中).
[肺結核 폐결핵] 폐병(肺病).
[肺氣 폐기] 딸꾹질.
[肺炎 폐렴] 세균(細菌)의 침입으로 일어나는 폐경(肺經)의 염증(炎症).
[肺勞 폐로] 폐결핵(肺結核)의 속칭. 폐로(肺癆).
[肺癆 폐로] 폐로(肺勞).
[肺病 폐병] 결핵균(結核菌)의 침입(侵入)으로 일어나는 폐경(肺經)의 병(病). 폐의 여러 가지 질병(疾病). 특히 폐결핵(肺結核).
[肺附 폐부] 폐부(肺腑) [ㄴ].
[肺腑 폐부] ㉠폐. 부아. ㉡자기와 지극히 친한 사람. 곧, 골육(骨肉)·지친(至親) 따위. ㉢마음속. 심중.
[肺熱 폐열] 폐(肺)의 열기(熱氣).
[肺腸 폐장] 폐와 창자. 전(轉)하여, 마음.
[肺臟 폐장] 폐(肺). 허파. 부아.
[肺虛 폐허] 폐병(肺病).
[肺活量 폐활량] 숨을 깊이 들이마시었다가 내쉬는 공기의 분량.
[肺懷 폐회] 가슴속. 진심.
◉肝肺. 愁肺. 心肺. 膺肺.

4 ⑧ [肣] [一] 금 [平]侵 渠金切 qín
[二] 함 [平]覃 胡男切 hán

[字解] [一] 거둘 금 수렴(收斂)함. [二] ①혀 함 설(舌). '—, 舌也'《玉篇》. ②포 함 살진 소의 포(脯). '—, 肥牛脯'《集韻》.

4 ⑧ [䏐] [一] 결 [入]屑 古穴切 jué
[二] 계 [去]霽 胅桂切

[字解] [一] 구멍 결 몸에 있는 구멍. '—, 孔也'《集韻》. [二] 구멍 계 [一]과 뜻이 같음.

[字源] 形聲. 月(肉)+夬

4 ⑧ [肨] 방 [去]絳 匹絳切 pàng

[字解] ①부을 방 '—, —脹也'《玉篇》. ②종기냄새날 방 '—, 脹臭皃'《廣韻》.

4 ⑧ [䏕] 임 [上]寢 如甚切 rèn

[字解] ①곰국 임 고기를 끓인 국. '—, 肉汁'《廣韻》. ②익을 임, 잘익을 임 飪(食部 四畫)의 古字.

4 ⑧ [胝] 치 [平]支 昌脂切 chī

[字解] 새창자 치 '膍—'는 새의 창자. '膍—, 鳥藏也'《字彙》.

4 ⑧ [肿] 〔종〕 腫(肉部 九畫〈p.1856〉)의 簡體字

4 ⑧ [胁] 〔협·흡〕 脇(肉部 六畫〈p.1847〉)의 簡體字

4 ⑧ [肳] 〔문〕 吻(口部 四畫〈p.356〉)과 同字

4 ⑧ [肧] 〔배〕 胚(肉部 五畫〈p.1840〉)의 本字

[字源] 篆文 形聲. 月(肉)+不〔音〕. '不불·부'는 부푼 씨방의 象形. 부인이 아기를 배어 배가 부르다의 뜻을 나타냄.

4 ⑧ [肩] [高人] [一] 견 [平]先 古賢切 jiān
[二] 흔 [平]元 胡恩切 xián

[筆順] 一 ㄱ ㅋ 戶 戶 肩 肩 肩

[字解] [一] ①어깨 견 목의 바로 아래, 팔의 윗부분. '兩—'. '其—類子產'《史記》. ②견딜 견 어려운 일을 능히 견디어 냄. '—仔'. '朕不—好貨'《書經》. ③세살먹은짐승 견 '並驅從兩—兮'《詩經》. ④성 견 성(姓)의 하나. [二] 곧을 흔 똑바른 모양. 일설(一說)에는, 야위고 작은 모양. '其脰——'《莊子》.

[字源] 篆文 俗體 會意. 원래는 月(肉)+戶. '戶호'는 어깨의 象形. '어깨'의 뜻.

[肩胛骨 견갑골] 어깨 양쪽에 있는 삼각형(三角形)의 뼈.
[肩骨 견골] 어깨뼈.
[肩摩轂擊 견마곡격] 어깨와 어깨가 서로 닿고 수레바퀴와 수레바퀴가 서로 부딪침. 사람의 왕래가 대단히 혼잡한 모양.
[肩臂 견비] 어깨와 팔.
[肩臂痛 견비통] 어깨와 팔이 저리고 아픈 신경통(神經痛).
[肩輿 견여] 사람 둘이 앞뒤에서 메는 가마. 교자(轎子).
[肩仔 견자] 견딤. 부담함.
[肩章 견장] 어깨에 붙여 관직(官職)의 종류와 계급을 밝히는 표장.

[肩輿]

[肩次 견차] 어깨 차례.
[肩肩 흔흔] 곧은 모양. 일설(一說)에는, 야위고 작은 모양.
◉強肩. 巨肩. 及肩. 路肩. 袒肩. 摩肩. 駢肩. 竝肩. 併肩. 比肩. 隨肩. 息肩. 雙肩. 兩肩. 鳶肩. 仔肩. 齊肩. 題肩. 坐肩. 差肩. 側肩. 脫肩. 脅肩.

4 ⑧ [肯] [高人] 긍 [上]迥 苦等切 kěn

[筆順] 丨 ㅏ 止 屮 肯 肯 肯 肯

[字解] ①즐기어할 긍 수긍함. 들어줌. '—定'. '衆莫—爲'《漢書》. ②감히 긍 즐거이 나서서.

'誰一爲之乎'. ③뼈에붙은살 긍 '一綮'.
[字源] [金文] [篆文] [古文] 金文은 會意로 月(肉)+止. '止지'는 뼈의 象形. 뼈에 붙은 살의 뜻을 나타냄. 篆文도 역시 會意로 月(肉)+冎. '冎과'는 살을 긁어낸 뼈의 象形. 假借하여 긍정의 뜻.

[肯可 긍가] 허가함.
[肯綮 긍경] 긍(肯)은 뼈에 붙은 살이고, 경(綮)은 뼈와 살이 이어진 곳. 전(轉)하여, 사물의 가장 요긴(要緊)한 곳을 이름.
[肯構肯堂 긍구긍당] 아비가 업(業)을 시작(始作)하고 자식(子息)이 계승(繼承)함의 비유.
[肯諾 긍낙] 승낙함.
[肯首 긍수] 수긍함. 고개를 세로로 흔듦.
[肯意 긍의] 긍정(肯定)하는 의사.
[肯定 긍정] ㉠좋다고 승인함. ㉡사물의 일정한 관계를 승인함.
[肯從 긍종] 즐기어 좇음.
[肯志 긍지] 찬성의 뜻.
◉首肯. 惠肯.

4 ⑧ [肎] 肯(前條)과 同字

4 ⑧ [育] [中人] 육 [入]屋 余六切 yù

[筆順] 丶 亠 亠 云 云 产 育 育 育

[字解] ①기를 육 ㉠양육함. '一兒'. '長我一我'《詩經》. ㉡양성함. '一英'. '君子以果行一德'《易經》. ②자랄 육 생장함. '發一'. '萬物一焉'《中庸》. ③어릴 육 나이가 어림. 유치함. '昔一恐育鞫'《詩經》. ④낳을 육 출산함. '孕婦不一'《易經》.
[字源] [甲骨文] [金文] [篆文] [別體] 會意. 篆文은 𠫓+月(肉). '𠫓'은 태어나는 갓난아기의 象形. 아이를 낳아 기르는 뜻을 나타냄. 甲骨文·金文은 여자가 아이를 낳는 모양의 형상화. 또, 별체의 '毓육'은 每+㐬의 會意字. '每매'는 머리 장식을 달고 결발(結髮)하는 여성의 象形. '㐬류'는 태어난 아이를 물로 씻어 내리는 의식의 모양을 나타냄.

[育鞠 육국] 육양(育養).
[育苗 육묘] 묘나 묘목을 기름.
[育成 육성] 길러 냄.
[育兒 육아] 어린아이를 기름.
[育兒院 육아원] 고아(孤兒) 등을 기르는 곳.
[育養 육양] 양육(養育)함.
[育英 육영] 인재(人才)를 기름. 또, 널리 교육(教育)의 뜻으로 쓰임.
[育嬰堂 육영당] 육아원(育兒院).
[育育 육육] 활발한 모양.
◉坤育. 教育. 鞠育. 德育. 撫育. 發育. 煩育. 保育. 覆育. 傅育. 扶育. 貢育. 飼育. 生育. 成育. 率育. 愛育. 養育. 遺育. 仁育. 孕育. 字育. 長育. 載育. 濟育. 知育. 智育. 遮育. 體育. 治育. 哺育. 惠育. 化育. 誨育. 煦育. 訓育. 薰育.

4 ⑧ [肴] [人名] 효 [平]肴 胡茅切 yáo (xiáo)

[字解] 안주 효 술안주. '載酒一於田間, 候勸者而勞之'《漢書》.
[字源] [篆文] 形聲. 月(肉)+爻〔音〕. '爻효'는 '뒤섞다'의 뜻. 여러 가지 고기를 뒤섞는 요리, '안주'의 뜻을 나타냄.

[肴味 효미] 효핵(肴核). 안주.
[肴蔬 효소] 안주와 채소.
[肴核 효핵] 안주.
[肴覈 효핵] 효핵(肴核).
◉佳肴. 嘉肴. 甘肴. 山肴. 上肴. 鮮肴. 異肴. 粗肴. 酒肴. 旨肴. 珍肴. 豐肴.

5 ⑪ [胬] 가 [平]麻 居牙切 jiā

[字解] 부스럼 가 부스럼 딱지. '痂, 說文, 疥也, 或作一'《集韻》.

5 ⑪ [胔] 자 [去]寘 疾智切 zì

[字解] 썩은살 자 부패한 살. 일설(一說)에는 살이 붙은 뼈. '掩骼埋一'《禮記》.
[字源] 形聲. 肉+此〔音〕

[胔芥 자개] 물에 뜬 먼지. 일설(一說)에는 해면(海綿).
[胔骼 자격] 뼈만 남은 시체. 백골(白骨).
◉埋胔.

5 ⑨ [胈] 발 [入]曷 蒲撥切 bá

[字解] 솜털 발 피부에 나는 잔털. '腓無一, 脛無毛'《莊子》.
[字源] 形聲. 月(肉)+犮〔音〕. '犮발'은 '髮발'과 통하여, '머리털'의 뜻. 살이 두꺼운 곳에 난 허벅지 털의 뜻을 나타냄.

5 ⑨ [胇] [一] 별 [入]屑 蒲結切 bié
[二] 필 [入]質 薄宓切 bì

[字解] [一] ①살진고기 별 '一, 肥肉也'《說文》. ②살찔 별 '一脊'은 살찜. '一, 一脊, 肥也'《廣韻》. [二] 큰모양 필 '胇, 胇肸, 大皃, 或从必'《集韻》.
[字源] 形聲. 月(肉)+必〔音〕

5 ⑨ [胉] 박 [入]藥 匹各切 pò

[字解] ①옆구리 박 '一, 脅也'《廣韻》. ②어깨뼈 박 견갑골(肩胛骨).

5 ⑨ [朐] 구 [平]虞 其俱切 qú

[字解] ①포 구 굽은 건육(乾肉). '脡'(곧은 포)의 대(對). '左一右末'《禮記》. ②멀 구 가깝지 아니함. '古之祭者, 有時而一'《管子》.
[字源] [篆文] 形聲. 月(肉)+句〔音〕. '句구'는 '구부러지다'의 뜻. 구부러진 육포(肉脯). 반듯한 것은 '脡정'이라 함.
[參考] 朐(月部 五畫)는 別字.

[朐朐 구구] 굽은 모양.
[朐忍 구인] 쓰촨 성(四川省)에 있는 현(縣) 이름.

5 ⑨ [胎] 人名 태 ㊥灰 土來切 tāi

筆順 丿 月 月 胩 胩 胎 胎 胎

字解 ①아이밸 태 잉태함. '一生'. '一生者不殰'《史記》. ②태아 태 태중의 아이. '一已死矣'《魏志》. ③태 태 포의(胞衣). '如在胞一之中'《參同契》. ④조짐 태 전조. '胚一'. '福生有基, 禍生有一'《漢書》.

字源 篆文 形聲. 月(肉)+台〔音〕. '台태'는 '始시'와 통하여, '처음'의 뜻. 육체의 시작의 뜻에서, 아이를 배다, 배 속의 아이, 조짐의 뜻을 나타냄.

[胎甲 태갑] 태내(胎內).
[胎教 태교] 잉부(孕婦)가 언행(言行)을 삼가서 태아(胎兒)에게 좋은 감화(感化)를 주는 일. 태회(胎誨).
[胎禽 태금] 학(鶴)의 이명(異名).
[胎氣 태기] 아이를 밴 기미.
[胎內 태내] 어머니의 배 속.
[胎丹 태단] 태중(胎中)에서 받은 유아(幼兒)의 단독(丹毒).
[胎毒 태독] 태중(胎中)에서 모체(母體)의 독기(毒氣)를 받은 까닭으로 유아(幼兒)의 머리·사지(四肢)·몸 등에 나는 부스럼.
[胎漏 태루] 임신 중에 자궁(子宮)에서 피가 나는 병(病).
[胎膜 태막] 태아를 싸서 보호하는 막상(膜狀)의 물질(物質).
[胎脈 태맥] 잉태한 부인의 맥(脈).
[胎母 태모] 잉부(孕婦).
[胎夢 태몽] 아이를 밸 징조의 꿈.
[胎盤 태반] 태아(胎兒)와 모체(母體)를 결착(結着)하는 조직물.
[胎生 태생] 어미 배 속의 태내(胎內)에서 적당한 발육을 마치고 나옴. 또, 그 동물. 대부분의 포유동물이 이에 속함. 난생(卵生)의 대(對).
[胎生地 태생지] 태어난 땅.
[胎仙 태선] 태금(胎禽).
[胎屎 태시] 갓난아이가 누는 똥. 배내똥.
[胎息 태식] 도가(道家)에서 행하는 위생적 호흡법.
[胎兒 태아] 배 속에 있는 아이.
[胎熱 태열] 유아(幼兒)가 태아(胎兒) 때에 열(熱)을 받아 출생한 뒤 얼굴이 붉어지고 변비(便祕)가 생기고 소변(小便) 빛이 적황색(赤黃色)으로 변하며 젖을 먹지 아니하는 병.
[胎葉 태엽] 탄력(彈力)을 이용하기 위하여 시계(時計)·축음기 따위의 속에 강철(鋼鐵)을 돌돌 말아 넣은 것.
[胎夭 태요] 태내에서 죽음.
[胎衣 태의] 태(胎)의 껍질.
[胎孕 태잉] 잉태함. 아이를 뱀.
[胎藏界 태장계] 《佛教》 대일여래(大日如來)의 이법신(理法身).
[胎中 태중] ㉠태내(胎內). ㉡아이를 밴 동안.
[胎誨 태회] 태교(胎教).
◉鬼胎. 落胎. 卵胎. 母胎. 坏胎. 胚胎. 聖胎. 受胎. 夭胎. 元胎. 孕胎. 竹胎. 處胎. 出胎. 墮胎. 脫胎. 胞胎. 禍胎. 換骨奪胎. 懷胎.

5 ⑨ [胏] 자 ㊤紙 阻史切 zǐ

字解 포 자 뼈가 붙은 건육(乾肉). '噬乾一'《易經》.

字源 篆文 別體 形聲. 月(肉)+朿〔音〕

◉乾胏.

5 ⑨ [肤] 〔결〕
肤(肉部 四畫〈p.1838〉)의 本字

5 ⑨ [胕] 부 ①②㊥虞 風無切 fū ③㊦遇 符遇切 fǔ

字解 ①발 부 '治一腫也'《山海經 註》. ②살갗 부 '尾湛一潰'《戰國策》. ③장부 부 腑(肉部 八畫)와 同字. '肺一之行'《太玄經》.

字源 形聲. 月(肉)+付〔音〕

◉肺胕.

5 ⑨ [胖] 반 ①②㊦翰 普半切 pàn ③㊥寒 蒲官切 pàng, pán

字解 ①희생 반 희생(犧牲)의 반체(半體). '凡掌共羞·脩·刑·膴·一·骨·鱐, 以待共膳'《周禮》. ②안심 반 갈비 곁에 붙어 있는 얇은 고기. '鵠鴞一'《禮記》. ③클 반 비대(肥大)함. '心廣體一'《大學》.

字源 篆文 形聲. 月(肉)+半〔音〕. '半반'은 희생(犧牲) 고기의 절반의 뜻. 또, '半'은 '般반'과 통하여, '크다'의 뜻을 나타내며, 육체가 풍부함, '살지다'의 뜻도 나타냄.

[胖肆 반사] 방사(放肆)함.
[胖子 반자] 살진 사람. 비대한 사람.
◉膴胖. 體胖.

5 ⑨ [胙] 조 ㊦遇 昨誤切 zuò

字解 ①제육 조 제사 지낸 뒤 분배하는 고기. '祭一'. '致一'. '使宰孔賜齊侯一'《左傳》. ②갚을 조 공적에 보답함. '一之土, 而命之氏'《左傳》. ③복 조 행복. 또, 복을 내림. '天地所一'《國語》. ④자리 조 천자의 지위. '反一於絳'《國語》. ⑤성 조 성(姓)의 하나.

字源 篆文 形聲. 月(肉)+乍〔音〕. '乍사'는 '만들다'의 뜻. 손을 댄 고기, 신(神)에게 바치는 고기의 뜻에서, '복'의 뜻을 나타냄.

[胙餘 조여] 남은 제육(祭肉).
[胙俎 조조] 제사 지내는 고기를 올려놓는 적대(炙臺).
◉廟胙. 福胙. 受胙. 餘胙. 祭胙. 致胙. 豐胙.

5 ⑨ [胚] 人名 배 ㊥灰 鋪枚切 pēi

字解 ①아이밸 배 잉태함. 임신 후 1개월째를 이름. '一孕'. ②시초 배 사물의 시초. 기원(起源). '一, 始也'《爾雅》.

字源 形聲. 月(肉)+丕〔音〕. '丕비·배'는 '크다'의 뜻. 태내(胎內)에서 아이가 크다, 아이 배다의 뜻을 나타냄.

[胚芽 배아] 씨 속에 들어 있는 나무나 풀의 싹.

씨눈.
[胚芽米 배아미] 배아(胚芽)가 떨어지지 않도록 찧은 쌀.
[胚乳 배유] 식물의 씨앗 속에 있어 싹이 틀 때에 양분이 되는 가루 같은 물질.
[胚孕 배잉] 잉태함. 아이 뱀.
[胚子 배자] 알에서 발생하여 아직 외계(外界)에 나오지 않고 포피(包皮) 또는 모체(母體) 속에서 보호되고 있는 동물의 유생(幼生).
[胚珠 배주] 현화식물(顯花植物)의 자방(子房) 속에 있는 작은 백색 연질(白色軟質)인데 자라면 씨가 됨.
[胚胎 배태] ㉠아이나 새끼를 뱀. ㉡사물(事物)의 원인(原因)이 되는 빌미.

5 ⑨ [胛] 人名 갑 ㉧洽 古狎切 jiǎ

字解 어깨뼈 갑 견갑골. '中矛貫—'《後漢書》.
字源 形聲. 月(肉)+甲〔音〕. '甲갑'은 거북딱지의 象形. 거북딱지처럼 어깨를 형성하는 '어깨뼈'의 뜻을 나타냄.

[胛骨 갑골] '견갑골(肩胛骨)'의 준말. 어깨뼈.
◉扁胛. 袒胛.

5 ⑨ [胝] 지 ㉤支 丁尼切 zhī

字解 못박일 지, 틀 지 수족의 피부가 딴딴하게 되거나 추워서 갈라짐. '手足胼—'《莊子》.
字源 篆文 形聲. 月(肉)+氐〔音〕. '氐저'는 바닥〔底〕의 뜻. 발바닥에 생기는 굳은 살, 티눈 등의 뜻을 나타냄.

◉瘢胝. 胼胝. 骿胝. 重胝.

5 ⑨ [胞] 高人 포 ①-④㉤肴 匹交切 bāo ⑤㉤肴 薄交切 páo

筆順 丿 刀 月 月' 朐 朐 朐 胞

字解 ①태의 포 태(胎)의 껍질. '善臧我兒—'《漢書》. ②배 포 어머니의 태(胎). '同—之徒'《漢書》. ③두창 포 천연두(天然痘). '癰腫—疾'《戰國策》. ④세포 포 생물체를 조직하는 원형질(原形質)의 미립(微粒). '細—'. ⑤부엌 포 庖(广部 五畫)와 同字. '湯以—人籠伊尹'《莊子》.
字源 篆文 形聲. 月(肉)+包〔音〕. '包포'는 아이를 배는 모양을 형상화(形象化)한 것. 태아(胎兒)를 싸는 막, '태의(胎衣)'의 뜻을 나타냄.

[胞門 포문] 산모(產母)의 음부(陰部). 산문(產門).
[胞衣 포의] 태막(胎膜)과 태반(胎盤).
[胞人 포인] 요리인(料理人).
[胞子 포자] ㉠은화식물(隱花植物)의 자낭(子囊) 속에 있는 분상(粉狀)의 생식 기관. ㉡원생동물(原生動物)의 개체가 나뉘어 이룬 소체(小體).
[胞胎 포태] 태막(胎膜)과 태반(胎盤).
◉空胞. 氣胞. 單細胞. 同胞. 細胞. 芽胞. 育胞.

5 ⑨ [胠] 거 ㉤魚 去魚切 qū

字解 ①열 거 닫힌 것을 엶. '—篋探囊'《莊子》. ②떠날 거 떠나감. '—於沙而思水'《荀子》. ③오른편진 거 진(陣)의 우익(右翼). 좌익은 '啓'라 함. '爲右—'《左傳》.
字源 篆文 形聲. 月(肉)+去〔音〕. '去거'는 '떨어지다〔離〕'의 뜻. 몸뚱이 중에서 마음대로 열 수 있는 부분, 곧 겨드랑이의 뜻을 나타냄.

[胠篋 거협] 상자를 엶.
◉兩胠. 右胠. 左胠. 支胠.

5 ⑨ [胠] 胠(前條)의 本字

5 ⑨ [胣] 치 ㉯紙 丑豸切 chǐ

字解 창자가를 치 장(腸)을 가름. '比干剖, 萇弘—'《莊子》.

5 ⑨ [胗] 진 ㉯軫 章忍切 zhěn

字解 ①순종 진 입술에 나는 부스럼. '中脣爲—'《宋玉》. ②종기 진 '瘡—, 三蒼云, —, 腫也'《一切經音義》.
字源 篆文 籒文 形聲. 月(肉)+㐱〔音〕. 籒文도 形聲. 疒+㐱〔音〕

5 ⑨ [胦] 앙 ㉤陽 於良切 yāng

字解 배꼽 앙 '脖—'.

◉脖胦.

5 ⑨ [胑] 지 ㉤支 章移切 zhī

字解 팔다리 지 肢(肉部 四畫)와 同字. '四—不動'《淮南子》.
字源 篆文 別體 篆文은 形聲. 月(肉)+只〔音〕. 別體도 形聲. 月(肉)+支〔音〕. 단, '支지'는 '(대나무의) 가지'의 뜻. 몸에서 갈라져 나온 가지. '팔다리'를 이름.

◉四胑.

5 ⑨ [胍] 고 ㉤虞 古胡切 gū, ②guā

字解 ①배뚱뚱할 고 배가 큼. '—, —肚, 大腹'《廣韻》. ②《現》구아니딘 고 화학 약품의 이름.
字源 形聲. 月(肉)+瓜〔音〕

[胍肚 고도] ㉠큰 배. ㉡지팡이의 대가리가 큰 것을 속되게 이르는 말.

5 ⑨ [胂] ㊀ 신 ①㉤眞 丑人切 chēn ②㉤眞 失人切 shēn ㊁ 이 ㉤支 延知切

字解 ㊀ ①기지개켤 신 기지개를 켬. '—, 伸身也'《集韻》. ②등고기 신 '—, 夾脊肉也'《說文》. ㊁ 등고기 이 胰(肉部 六畫)와 同字.
字源 篆文 形聲. 月(肉)+申(申)〔音〕. '申신'은 똑바로 뻗다의 뜻. 등에 붙은 살, '등고기'의 일컬음.

5 ⑨ **[脏]** 정 [平]庚 諸盈切 zhēng

[字解] 저냐 정 물고기나 또는 짐승의 고기를 지짐. '煮魚煎肉曰―'《集韻》.

5 ⑨ **[胜]** [人名] 성 [平]靑 桑經切 xīng

[字解] ①비릴 성 개고기의 비린내. '―, 犬膏臭也'《說文》. ②날고기 성 '―, 一曰, 不孰也'《說文》.

[字源] 篆文 形聲. 月(肉)+生〔音〕. '生생'은 '날 것'의 뜻. '날고기, 비리다'의 뜻을 나타냄.

5 ⑨ **[脏]** 급 [入]緝 气及切 qì

[字解] 고깃국 급 고기를 끓인 국. '䐑, 謂之―'《廣雅》.

5 ⑨ **[胆]** 저 [平]魚 七余切 qū

[字解] 구더기 저 蛆(虫部 五畫)와 同字. '―, 蟲在肉中'《廣韻》.

[字源] 篆文 形聲. 月(肉)+且〔音〕. '且조'는 마디가 겹치다의 뜻. 몸 안에 기생(寄生)하는 '구더기'를 일컬음.

5 ⑨ **[胆]** [一] 단 [上]旱 蕩旱切 tǎn [二] 담 [上]感 都敢切 dǎn [三] 달 [入]曷 堂割切 dá

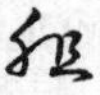

[字解] [一] 어깨벗을 단 膻(肉部 十三畫)과 同字. '―, 肉―也'《集韻》. [二] 쓸개 담 膽(肉部 十三畫)의 俗字. [三] 살질 달 '膈―'은 살진 모양. '膈―, 肥皃'《集韻》.

[字源] 形聲. 月(肉)+旦〔音〕. '旦단'은 해가 지평선 위에 드러나다의 뜻. 살갗이 드러나다, 어깨를 벗다의 뜻을 나타냄.

5 ⑨ **[胇]** [一] 필 [入]質 房密切 bì [二] 폐 [去]隊 芳廢切 fèi [三] 비 [去]未 扶沸切 fěi

[字解] [一] 큰 필 '―肸'은 큰 모양. '―, ―肸, 大皃'《廣韻》. [二] 허파 폐 肺(肉部 四畫)와 同字. '肺, 說文, 金藏也. 或作―'《集韻》. [三] 마를 비 '―, 乾也'《五音集韻》.

5 ⑨ **[胍]** 〔고〕 尻(尸部 二畫〈p.619〉)와 同字

5 ⑨ **[胟]** 〔무〕 拇(手部 五畫〈p.858〉)와 同字

5 ⑨ **[脉]** 〔맥〕 脈(肉部 六畫〈p.1846〉)의 俗字

5 ⑨ **[胡]** [高人] 호 [平]虞 戶吳切 hú

[筆順] 一 十 十 古 古 刮 胡 胡

[字解] ①턱밑살 호 축 늘어진 턱 밑의 살. '狼跋其―'《詩經》. ②어찌 호 어찌하여서. '汝―執人於王宮'《左傳》. 또, '―爲'는 '何爲', '―如'는 '何如'와 뜻이 같음. ③수할 호 오래 삶. '―考之寧'《詩經》. ④늙은이 호 노인. '雖及―耇'《左傳》. ⑤멀 호 가깝지 아니함. '永受―福'《儀禮》. ⑥창가지 호 과극(戈戟)의 끝의 갈라진 갈래. '戟―四之'《周禮》. ⑦오랑캐 호 중국의 북부에 살던 만족(蠻族). '五―'. ⑧예기(禮器) 호 瑚(玉部 九畫)와 同字. '―簋之事'《左傳》. ⑨성 호 성(姓)의 하나.

[字源] 篆文 形聲. 月(肉)+古〔音〕. '古고'는 모호한 모양을 나타내는 의태어(擬態語). 고기의 일부인지 턱수염인지, 모호해서 알 수 없다, 소의 턱 밑의 늘어진 살의 뜻을 나타냄. 또, 모호하여 잘 알 수 없다, 아득히 먼 오랑캐 땅의 뜻도 나타냄. 또 假借하여 '어찌'라는 뜻의 조자(助字)로 쓰임.

[胡笳 호가] 북방의 호인(胡人)이 갈대의 잎으로 말아 부는 피리.
[胡笳十八拍 호가십팔박] 곡명(曲名). 후한(後漢)의 채염(蔡琰)〈채옹(蔡邕)의 아내〉이 지음.
[胡角 호각] 북쪽 오랑캐들이 부는, 뿔로 만든 피리.
[胡居仁 호거인] 명(明)나라의 유학자(儒學者). 자(字)는 숙심(叔心). 호(號)는 경재(敬齋). 그의 학문(學問)은 충신(忠信)으로써 선(先)을 삼고, 경(敬)으로써 주(主)를 삼음.
[胡考 호고] 장수(長壽). 또, 늙은이.
[胡爪 호과] 오이.
[胡耇 호구] 호고(胡考).
[胡國 호국] 북쪽 오랑캐의 나라.
[胡弓 호궁] 동양(東洋)에 널리 쓰이는 궁현 악기(弓弦樂器)의 총칭.
[胡琴 호금] 깡깡이와 비슷한 현악기(絃樂器). 말총으로 된 이 현(二絃)에 몸통은 뱀 껍질을 입혔고, 말총 채로 탐. 길이는 한 자 가량임.

〔胡琴〕

[胡桃 호도] 호두나무의 열매. 호두. 당추자.
[胡蘿蔔 호라복] 당근.
[胡亂 호란] ㉠사물(事物)이 거칠고 난잡함. ㉡의심스러움. ㉢호인(胡人)들로 인하여 일어난 병란(兵亂).
[胡盧 호로] ㉠입을 가리고 웃는 모양. 일설(一說)에는 깔깔거리고 웃는 모양. ㉡호리병박.
[胡簶 호록] 전동(箭筒).
[胡馬 호마] 중국 북방에서 나는 말.
[胡麻 호마] 참깨와 검은깨의 총칭.
[胡馬依北風 호마의북풍] 북쪽의 말은 남쪽에 와서 북풍을 만나면 머리를 들어 북쪽을 바라본다는 뜻. 곧, 고향을 그리워함의 비유.
[胡麥 호맥] 호밀.
[胡服 호복] 중국 북방의 오랑캐가 입는 옷.
[胡福 호복] 오래 계속되는 큰 행복.
[胡粉 호분] ㉠분(粉). ㉡석회.
[胡沙 호사] ㉠중국 북방의 사막. ㉡'상어〔鮫〕'의 별칭. 사(沙)는 사(鯊).
[胡思亂量 호사난량] 터무니없는 생각.
[胡散 호산] 의심스러움.
[胡牀 호상] 교의(交椅). 의자.
[胡孫 호손] '원숭이〔猴〕'의 이칭(異稱). 그 생김새가 호인(胡人)과 닮았다는 데서 이름.
[胡孫入袋 호손입대] 원숭이가 포대 속에 들어감.

곧, 자유로이 활동할 수 없음을 이름.
[胡安國 호안국] 북송(北宋)의 유학자. 자(字)는 강후(康侯). 시호(諡號)는 문정(文定). 벼슬이 중서사인(中書舍人)에 이르렀으며, 저서에 〈춘추전(春秋傳)〉이 있음.
[胡鹽 호염] 중국(中國)에서 나는 굵고 거친 소금.
[胡髥 호염] 턱에 난 수염. 턱수염.
[胡元 호원] 원조(元朝)의 낮춤말. 북쪽 오랑캐의 뜻.
[胡瑗 호원] 송(宋)나라의 유학자. 자(字)는 익지(翼之). 해릉(海陵) 사람. 교육자로서 뛰어났으며, 만년에는 국자감직강(國字監直講)이 되었음. 정이(程頤)는 그 제자(弟子)의 한 사람임.
[胡越 호월] 중국(中國) 북(北)쪽의 호(胡)와 남(南)쪽의 월(越)이라는 뜻으로, 토지(土地)가 멀리 떨어져 있는 것을 이르는 말.
[胡越一家 호월일가] 사해(四海)가 다 통일됨.
[胡爲乎 호위호] 어찌하여.
[胡荽 호유] 미나릿과에 속하는 일년초. 열매는 향미료로 씀. 고수풀.
[胡惟庸 호유용] 명(明)나라 초기의 정치가. 안후이(安徽) 정원(定遠) 사람. 홍무제(洪武帝)의 신임(信任)이 두터워 벼슬이 좌승상(左丞相)에 이르렀음. 후에 반란(叛亂)을 일으키려다가 주살(誅殺)당하였음.
[胡應麟 호응린] 명(明)나라의 학자·문장가(文章家). 자(字)는 원서(元瑞). 후베이(湖北) 난계(蘭谿) 사람. 찬저(撰著)에 〈소실산방필총(小室山房筆叢)〉과 〈소실산방유고(類稿)〉 등이 있음.
[胡人 호인] 중국 북방의 오랑캐.
[胡林翼 호임익] 청(淸)나라 말기(末期)의 무장(武將). 자(字)는 황생(貺生). 태평천국(太平天國)의 난(亂)을 평정하는 데 공로가 커서 벼슬이 호북순무(湖北巡撫)에 이르렀음.
[胡笛 호적] 속이 빈 나무에 구멍 여덟을 뚫고 아래 끝에는 나팔형(喇叭形)의 쇠를 대고 위 끝에는 서를 꽂아서 부는 악기(樂器). 새납. 태평소(太平簫).
[胡適 호적] 민국(民國)의 사상가. 상해(上海) 사람. 계몽 운동의 선구자로서 문학 혁명의 지도자. 맨 처음 백화(白話)로 시(詩)를 쓴 사람이었음.
[胡銓 호전] 남송(南宋)의 정신(廷臣)·유학자. 자(字)는 방형(邦衡). 호(號)는 담암(澹菴). 장시(江西) 여릉(廬陵) 사람. 고종(高宗) 때 추밀원편수(樞密院編修)가 됨. 소흥(紹興) 8년에 재신(宰臣) 진회(秦檜)가 유화책(柔和策)을 주장하매 그는 봉사(封事)를 올려 진회(秦檜)·손근(孫近)·왕윤(王倫) 등의 목을 벨 것을 주청(奏請)했다가 도리어 소주(昭州)로 쫓기었음.
[胡蝶 호접] 나비.
[胡蝶之夢 호접지몽] 장자(莊子)가 꿈에 나비가 되어 즐거이 놀았다는 고사(故事). 전(轉)하여, 단지 꿈의 뜻으로도 씀.
[胡種 호종] 만주족(滿洲族). 또, 만주(滿洲)에서 나는 여러 가지 물종.
[胡竹 호죽] 피리의 이칭(異稱). 원래는 호국(胡國)의 대나무로 만들었음.
[胡地 호지] 중국의 북부 지방.
[胡枝子 호지자] 싸리.
[胡枝花 호지화] 호지자(胡枝子).
[胡塵 호진] 오랑캐가 쳐들어오는 소동.
[胡椒 호초] 후추나무의 열매. 후추.
[胡頹子 호퇴자] 수유(茱萸)의 한명(漢名).
◉彊胡. 賈胡. 盧胡. 隴胡. 東胡. 曼胡. 鏝胡. 跋胡. 肥胡. 柴胡. 五胡. 由胡. 茈胡. 鵜胡. 彫胡. 含胡. 函胡. 闔胡.

5 ⑨ [胤] 人名 윤 ㊀震 羊晉切 yìn

筆順 丿 ⺁ ⺁ ⺁ 㣇 㣇 㣇 胤

字解 ①이을 윤 자손이 부조(父祖)의 뒤를 이음. '予乃一保, 大相東土'《書經》. ②자손 윤 혈통을 잇는 자손. '後一'. '罔非天一'《書經》. ③성 윤 성(姓)의 하나.

字源 金文 篆文 古文 會意. 月(肉)+八+幺. '八팔'은 '분화(分花)하다'의 뜻. '幺요'는 실의 象形으로, '이어짐'의 뜻. 육친(肉親)이 분화하면서도 이어지는 모양에서, '잇다'의 뜻을 나타냄. 음형상(音形上)으로는 '引인'과 통하며, 서로 당기면서 이어지는 관계를 나타내는 말인 듯함.

[胤裔 윤예] 자손. 후예(後裔).
◉曲胤. 落胤. 來胤. 名胤. 苗胤. 昭胤. 淑胤. 傳胤. 帝胤. 祚胤. 祖胤. 枝胤. 天胤. 冢胤. 賢胤. 血胤. 皇胤. 後胤.

5 ⑨ [胃] 高人 위 ㊀未 于貴切 wèi

筆順 丨 冂 冃 用 田 罒 胃 胃

字解 ①밥통 위 오장(五臟)의 하나. 위부(胃腑). '腸一'. ②별이름 위 이십팔수(二十八宿)의 하나. 백호(白虎)의 제삼수(第三宿). 서방(西方)에 있음. '季春之月, 日在一'《禮記》. ③성 위 성(姓)의 하나.

字源 金文 篆文 會意. 田(囟)+月(肉). '囟'은 위 속에 들어간 음식물의 象形. '肉육'을 붙이어, '밥통'의 뜻을 나타냄.

[胃經 위경] ㉠위(胃)에 붙은 인대(靭帶)의 총칭. ㉡한방(漢方)에서 위장에 딸린 경락(經絡)을 이름.
[胃痙攣 위경련] 위(胃)에 극통(劇痛)을 일으키는 병증.
[胃潰瘍 위궤양] 위의 안쪽이 허는 병(病).
[胃壁 위벽] 위의 내면(內面).
[胃腑 위부] 위(胃).
[胃腺 위선] 위(胃) 안에서 위액(胃液)을 분비하는 선(腺).
[胃星 위성] 이십팔수(二十八宿)의 하나. 자해(字解) ❷를 보라.
[胃癌 위암] 위에 나는 암종(癌腫).
[胃液 위액] 위선(胃腺)에서 분비(分泌)되는 소화액(消化液).
[胃弱 위약] 위(胃)의 소화력이 약한 병.
[胃腸 위장] 위와 창자.
[胃臟 위장] 횡격막(橫膈膜) 아래에 있는 주머니 모양의 소화기(消化器).
[胃腸病 위장병] 위장(胃腸)에 탈이 나서 생긴 병.
[胃痛 위통] 위가 아픈 증세.
[胃虛 위허] 위(胃)가 허약(虛弱)해짐.
[胃擴張 위확장] 위(胃)의 근육의 수축력(收縮力)이 약해져 위가 늘어진 상태.

◉肝胃. 健胃. 腹胃. 脾胃. 脾胃. 洗胃. 心胃. 飮灰洗胃. 腸胃. 調胃. 治胃.

5
⑨[胄] [人名] 주 [去]宥 直祐切 zhòu

[字解] ①맏아들 주 장자(長子). 사자(嗣子). '教一子'《書經》. ②자손 주 후예. '一裔'. '四嶽之裔一'《左傳》. ③성 주 성(姓)의 하나.

[字源] 金文 篆文 形聲. 月(肉)+由〔音〕. '由유'는 깊은 구멍의 뜻. 육체적으로 서로 깊이 통하는 바가 있다, 후사(後嗣)의 뜻을 나타냄.

[參考] '胄주(투구)'(冂部 七畫)는 別字. 다만, 예로부터 혼용되고 있음.

[胄裔 주예] 자손(子孫). 후예(後裔).
[胄胤 주윤] ㉠직계(直系)의 자손. ㉡자손. 후예(後裔).
[胄子 주자] 제왕(帝王)이나 경대부(卿大夫)의 맏아들.
◉開胄. 高胄. 國胄. 貴胄. 末胄. 名胄. 門胄. 緖胄. 世胄. 餘胄. 裔胄. 遠胄. 胤胄. 支胄. 齒胄. 遐胄. 洪胄. 華胄. 皇胄.

5
⑨[背] [高人] 배 ①-③[去]隊 補妹切 bèi ④-⑥[去]隊 蒲昧切

[筆順]

[字解] ①등 배 가슴과 배의 뒤쪽. '見於面, 盎於一'《孟子》. ②뒤 배 앞의 대(對). '一後'. '若一手文'《周禮》. ③집북쪽 배 남향한 집의 북쪽. '言樹之一'《詩經》. ④등질 배 ㉠등의 뒤에 둠. '一水而陣'《十八史略》. ㉡배반함. 어김. '一恩'. '一約'. '噂沓一憎'《詩經》. ⑤죽을 배 세상을 버림. '慈父見一'《李密》. ⑥성 배 성(姓)의 하나.

[字源] 篆文 形聲. 月(肉)+北〔音〕. '北북·배'는 사람의 등 쪽, '북쪽'의 뜻. 몸뚱이의 등, '등지다, 배반하다'의 뜻을 나타냄.

[背景 배경] ㉠무대(舞臺) 뒤쪽 벽(壁)에 꾸민 경치. ㉡주위의 상태. ㉢뒤에서 돌보아 주는 세력.
[背教 배교] 신앙(信仰)하던 종교(宗敎)를 배반(背反)함.
[背囊 배낭] 물건을 넣어서 등에 짊어지는 주머니.
[背戾 배려] 배반함.
[背盟 배맹] 맹세를 어김.
[背面 배면] ㉠얼굴을 돌림. ㉡등 쪽.
[背反 배반] 배반(背叛).
[背叛 배반] 등지고 돌아섬. 배반(背反).
[背腹 배복] 뒤와 앞. 전후(前後).
[背世 배세] ㉠세상에 섞여 어울리지 못하고 거스름. ㉡세상을 떠남. 죽음.
[背誦 배송] 책(冊)을 보지 않고 돌아앉아서 욈.
[背水之陣 배수지진] 한(漢)나라의 한신(韓信)이 물을 등지고 진을 친 고사(故事). 전(轉)하여, 위험을 무릅쓰고 전력을 다하여 일의 성패를 다투는 경우의 비유.
[背水陣 배수진] 배수지진(背水之陣).
[背信 배신] 신의(信義)를 저버림.
[背心 배심] 배반(背反)하는 마음. 반심(叛心).
[背約 배약] 약속(約束)을 배반(背反)함.
[背逆 배역] 배은(背恩).
[背泳 배영] 반듯이 누워서 치는 헤엄. 송장헤엄.
[背恩 배은] 은혜를 배반(背反)함.
[背恩忘德 배은망덕] 은혜(恩惠)를 배반(背反)하고 덕(德)을 저버림.
[背子 배자] 소매 없는 흔의(襯衣).
[背腫 배종] 등에 나는 부스럼.
[背憎 배증] 배반하고 증오함.
[背進 배진] 후퇴함.
[背瘡 배창] 등창.
[背馳 배치] 반대(反對) 방면으로 어긋남.
[背誕 배탄] 명령을 어기고 방탕한 짓을 함.
[背皮 배피] 책(冊)을 장정(裝幀)하는 데 등만을 가죽으로 싼 것.
[背向 배향] 배반함과 좇음. 향배(向背).
[背後 배후] 뒤. 뒤편.
◉肩背. 光背. 乖背. 傴背. 棄背. 驢背. 刀背. 逃背. 芒刺在背. 反背. 翻背. 腹背. 拊咽搤背. 手背. 捐背. 違背. 離背. 裝背. 紙背. 台背. 悖背. 項背. 向背. 嚮背. 廻背. 後背.

5
⑨[胐] [一] 골 [入]月 苦骨切 kū
[二] 돌 [入]月 張滑切
[三] 촬 [入]黠

[字解] [一] ①볼기 골 '一, 一臀'《廣韻》. ②오금 골 무릎의 구부러진 안쪽. '一, 曲腳也'《廣雅》. ③삘 골 관절(關節)이 퉁겨짐. '一, 朕出也'《集韻》. [二] 볼기 돌, 오금 돌, 삘 돌 [一]과 뜻이 같음. [三] 무릎병 촬 '一, 膝疾'《集韻》.

[參考] 朏(月部 五畫)는 別字.

5
⑨[肞] 귤 [入]質 居聿切 jú

[字解] 성(姓) 귤 '一, 姓也, 出韻譜'《廣韻》.

5
⑨[胥] [人名] 서 [平]魚 相居切 xū

[字解] ①서로 서 번차례로. '一命者何'《公羊傳》. ②다 서 모두. '於一樂兮'《詩經》. ③기다릴 서 사람·때 등이 오기를 바람. '一後令'《史記》. ④볼 서 눈으로 봄. '聿來一宇'《孟子》. ⑤도울 서 힘을 보탬. '一靡之'《漢書》. ⑥아전 서 하급 관리. '吏一'. '一鼓南'《詩經》. ⑦게장 서 게젓. '蟹一'. ⑧나비 서 호접(蝴蝶). '蝴蝶, 一也'《莊子》. ⑨어조사 서 시구(詩句)의 무의미한 조자(助字). '君子樂一'《詩經》. '侯氏燕一'《詩經》. ⑩성 서 성(姓)의 하나.

[字源] 篆文 形聲. 月(肉)+疋〔音〕. '疋소'는 '酢초'와 통하여, 초절임한 게살의 뜻을 나타냈었으나, '相상'과 통하여 쓰임.

[胥匡 서광] 서로 광정(匡正)함.
[胥徒 서도] 하급 관리.
[胥動浮言 서동부언] 거짓말을 퍼뜨리어 인심(人心)을 선동(煽動)함.
[胥吏 서리] 하급 관리. 아전(衙前).
[胥靡 서미] 고역(苦役)을 과하는 죄. 도형(徒刑). 또, 도형의 죄수.
◉樂胥. 徒胥. 相胥. 象胥. 閭胥. 餘胥. 靈胥. 淪胥. 儲胥. 追胥. 蟹胥. 猾胥. 熏胥. 薰胥.

5
⑨[肩] 〔견〕 肩(肉部 四畫〈p. 1838〉)의 本字

6 ⑫ [胾] 자 [去]寘 側吏切 zì

[字解] 고깃점 자 저민 고기. '毛炰一羹'《詩經》.
[字源] [金文] [篆文] 形聲. 肉＋𢦏(𢦏)〔音〕. '𢦏재'는 '자르다'의 뜻. 크게 자른 '고깃점'의 뜻을 나타냄.

[胾羹 자갱] 고기를 썰어 넣은 고깃국.
◉枯胾. 大胾. 臠胾. 牛胾. 炙胾. 炮胾.

6 ⑩ [胭] [一] 인(연[本]) [平]先 烏前切 yān
[二] 연 [平]先 因仙切 yān

[字解] [一] 목구멍 인 咽(口部 六畫)과 同字. '一, 一喉也'《玉篇》. [二] 연지 연 뺨에 찍는 화장품. 臙(肉部 十六畫)과 同字. '一, 一脂'《廣韻》.
[字源] 形聲. 月(肉)＋因〔音〕

[胭脂 연지] 뺨에 찍는 화장품. 연지(臙脂).

6 ⑩ [胯] 과 [去]遇 苦故切 kuà

[字解] 사타구니 과 두 넓적다리의 사이. 샅. '不能死, 出我一下'《史記》.
[字源] [篆文] 形聲. 月(肉)＋夸〔音〕. '夸과'는 활처럼 구부러지다의 뜻. 인체(人體)의 활처럼 구부러진 부분, '사타구니'의 뜻을 나타냄.

[胯下 과하] 샅의 밑. 사타구니 밑.

6 ⑩ [胰] 이 [平]支 以脂切 yí

[字解] ①등심 이 등의 고기. 등심살. 胂(肉部 五畫)과 同字. '一, 夾脊肉也'《廣韻》. ②이자 이 췌장(膵臟). '一臟'.

6 ⑩ [胱] [人名] 광 [平]陽 古黃切 guāng

[字解] 오줌통 광 오줌을 받아 모으는, 주머니 모양의 비뇨기(泌尿器). '膀一'.
[字源] 形聲. 月(肉)＋光〔音〕

◉膀胱.

6 ⑩ [胳] 각 [入]藥 古落切 gē

[字解] 겨드랑이 각 어깨 아래의 옆구리와 팔 사이.
[字源] [篆文] 形聲. 月(肉)＋各〔音〕

6 ⑩ [胴] [人名] 동 [去]送 徒弄切 dòng

[字解] ①큰창자 동 대장(大腸). '以玄一腸裹, 蒸之於赤土下'《抱朴子》. ②구간(軀幹) 동 몸통.
[字源] 形聲. 月(肉)＋同〔音〕. '同동'은 '筩통'과 통하여 '관(管)'의 뜻. 통 모양으로 생긴 대장(大腸)의 뜻을 나타냄. 한국에서는 팔다리와 머리를 제외한 몸통의 뜻으로 쓰임.

[胴體 동체] 몸뚱이의 몸통 부분. 전(轉)하여, 물건의 중앙 부분.
◉侗胴.

6 ⑩ [胵] 치 [平]支 處脂切 chī

[字解] 멀떠구니 치 조류(鳥類)의 식도(食道) 아래에 있는 주머니 모양의 소화기. 소낭(嗉囊).
[字源] [篆文] 形聲. 月(肉)＋至〔音〕

6 ⑩ [胸] [中人] 흉 [平]冬 許容切 xiōng

[筆順] 丿 月 月' 肑 肑 胸 胸 胸

[字解] 가슴 흉 ㉠목과 배 사이의 젖이 있는 부분. '一滿腹脹'《素問》. ㉡마음. '一襟'. '死生驚懼不入乎其一'《列子》. ㉢몸의 가슴에 비(比)할 만한 요처. '魏天下之一腹'《戰國策》.
[字源] 形聲. 月(肉)＋匈〔音〕. '匈흉'은 '가슴'을 뜻함.
[參考] 胷(肉部 六畫)은 同字.

[胸腔 흉강] 가슴의 내부.
[胸膈 흉격] 가슴과 배의 사이. 전(轉)하여, 마음속. 심중.
[胸曲 흉곡] 흉중(胸中).
[胸廓 흉곽] 가슴을 이루는 골격.
[胸襟 흉금] 가슴속. 심중.
[胸裏 흉리] 가슴속. 마음속. 흉중(胸中).
[胸壁 흉벽] ㉠흉장(胸牆). ㉡흉부(胸部)의 외벽(外壁).
[胸腹 흉복] 가슴과 배. 전(轉)하여, 지세(地勢)의 요처.
[胸算 흉산] 속셈.
[胸腋 흉액] 가슴과 겨드랑이.
[胸臆 흉억] ㉠가슴. 마음. ㉡자기의 소견.
[胸宇 흉우] 흉중(胸中).
[胸牆 흉장] 성곽(城廓)·포대(砲臺) 등에 쌓은 가슴 높이만 한 담.
[胸中 흉중] 가슴속. 심중.
[胸中甲兵 흉중갑병] 지략(知略)이 있어 용병(用兵)을 잘함.
[胸中無宿物 흉중무숙물] 마음속이 깨끗하여 티끌 하나도 없음.
[胸中有成竹 흉중유성죽] 대를 그리는 데 미리 가슴속에 대를 그려 보고 붓을 듦. 일을 착수하기 전에 대체로 성안(成案)이 서 있음.
[胸中鱗甲 흉중인갑] 남과 다툴 마음이 있음을 이름.
[胸次 흉차] 흉중(胸中).
[胸痛 흉통] 가슴이 아픈 증세.
[胸懷 흉회] 흉중(胸中).
◉谿胸. 鳩胸. 龜胸. 氣胸. 膿胸. 摩胸. 滿胸. 心胸. 椎胸. 充胸. 肺胸.

6 ⑩ [胹] 이 [平]支 如之切 ér

[字解] 삶을 이 충분히 삶음. 삶아 익힘. '一熊蹯'《左傳》.
[字源] [篆文] 形聲. 月(肉)＋而〔音〕. '而이'는 수염의 象形. 부드럽게 잘 익은 고기의 뜻을 나타냄.

◉腍胹. 調胹.

6 ⑩ [胶] [一] 효 [平]肴 何交切 xiáo
[二] 교 [平]肴 古肴切 jiāo

[字解] [一] ①소리 효 '一, 字書云, 一, 聲也'《廣韻》. ②정강이뼈 효 '一, 脛骨也'《集韻》. [二] ①사귈 교 交(亠部 四畫〈p. 84〉)와 同字. '一, 與日月交道之交同'《字彙補》. ②膠(肉部 十一畫〈p. 1862〉)의 簡體字.

6 ⑩ [胻] 행 [平]庚 戶庚切 héng

[字解] 정강이 행 다리의 아랫부분. '壯士斬其一'《史記》.

[字源] 篆文 形聲. 月(肉)+行〔音〕. '정강이'를 이름.

6 ⑩ [胼] 〔변〕
胼(肉部 八畫〈p. 1852〉)의 俗字

6 ⑩ [脂] [人名] 지 [平]支 旨夷切 zhī

[字解] ①비계 지 기름기. '一肪'. '膏如凝一'《詩經》. ②진 지 나무에서 나오는 끈끈한 액체. '樹一'. '松三千歲者, 其皮中有聚一'《抱朴子》. ③기름바를 지 기름을 발라 미끄럽게 함. '載一載牽'《詩經》. ④연지 지 뺨에 바르는 화장품. '一粉'. '濃粉深一圖畫眉'《何中》.

[字源] 篆文 形聲. 月(肉)+旨〔音〕. '旨지'는 '맛나다'의 뜻. 기름기가 앉은 맛있는 고기를 뜻함.

[脂膏 지고] 기름.
[脂膠 지교] 기름과 아교(阿膠).
[脂膩 지니] 비계. 지방.
[脂肪 지방] 동식물(動植物)에서 채취한, 상온(常溫)에서는 휘발(揮發)하지 않고 늘 고체(固體)로 있는 기름.
[脂粉 지분] 연지와 분.
[脂粉氣 지분기] 여자 같음. 유약해서 호탕한 기운이 적음.
[脂水 지수] 연지와 분을 닦은 물.
[脂韋 지위] 비계와 다룬 가죽같이 윤이 나고 부드러움. 전(轉)하여, 아첨을 잘함의 비유.
[脂肉 지육] 기름과 살.
[脂澤 지택] ㉠피부가 기름이 흘러 윤이 남. ㉡화장에 쓰는 기름.
◉口脂. 丹脂. 松脂. 樹脂. 脣脂. 燕脂. 臙脂. 油脂. 凝脂. 胭脂. 竊脂. 脫脂. 紅脂.

6 ⑩ [脆] [人名] 취 [去]霽 此芮切 cuì

[字解] ①무를 취 바탕이 성글어 힘이 적음. 단단하지 아니함. '一弱' '城一致衝'《管子》. ②연할 취 무르고 부드러움. '一軟'. '草木之生也柔一'《老子》. ③가벼울 취 경박함. '風俗一薄'《後漢書》.

[字源] 篆文 形聲. 月(肉)+危〈絕省〉〔音〕. '絕절'은 '끊다'의 뜻. 조금 약해서 끊어지기 쉬운 고기의 뜻에서, '무르다, 연하다'의 뜻을 나타냄.

[參考] 膬(肉部 六畫)는 本字.

[脆味 취미] 연하고 좋은 맛.
[脆美 취미] 고기가 연하고 맛이 있음.
[脆薄 취박] ㉠무르고 얇음. ㉡경박함.
[脆弱 취약] 무르고 약(弱)함.
[脆軟 취연] 연함. 무르고 부드러움.
[脆破 취파] 물러 깨짐.
◉甘脆. 輕脆. 嬌脆. 凍脆. 肪脆. 浮脆. 肥脆. 新脆. 耎脆. 危脆. 柔脆. 淸脆.

6 ⑩ [脈] [高人] 맥 [入]陌 莫獲切 mài, mò

[筆順] 丿 月 月 𦙶 肵 脈 脈 脈

[字解] ①맥 맥 ㉠피가 순환하는 줄기. '血一'. '靜一'. '張一僨興'《左傳》. 전(轉)하여, 연하여 줄기를 이룬 것. '山一'. '地一'. '李氷爲郡守識水一'《華陽國志》. 또, 조리(條理). '一絡貫通'《朱熹》. ㉡혈맥을 보아 병을 진찰하는 일. '一口'. '天下言一者, 由扁鵲也'《史記》. ②연달 맥 끊이지 않는 모양. 계속하는 모양. '花情羞一一, 柳意悵微微'《溫庭筠》.

[字源] 篆文 別體 籒文 會意. 月(肉)+𠂢. 篆文은 血+𠂢. '𠂢파'는 '지류(支流)'의 뜻. 몸 안을 흐르는 핏줄의 뜻을 나타냄. '脈'은 別體.

[參考] 脉(肉部 五畫)은 俗字.

[脈管 맥관] 혈관(血管).
[脈口 맥구] 맥을 보는 곳.
[脈度 맥도] 맥(脈)이 뛰는 정도(程度).
[脈絡 맥락] 조리(條理).
[脈絡貫通 맥락관통] 조리가 섬. 내용이 일관함.
[脈理 맥리] 연락하는 줄.
[脈脈 맥맥] ㉠서로 보는 모양. ㉡끊이지 아니하는 모양. 계속하는 모양.
[脈搏 맥박] 심장(心臟)의 수축(收縮) 또는 확장(擴張)에 의(依)하여 일어나는 혈관 벽(血管壁)의 주기적(週期的) 동요(動搖). 곧, 쉬지 않고 뛰는 맥(脈).
◉經脈. 結脈. 礦脈. 鑛脈. 國脈. 筋脈. 金脈. 氣脈. 絡脈. 亂脈. 道脈. 動脈. 命脈. 苗脈. 文脈. 山脈. 色脈. 水脈. 語脈. 葉脈. 人脈. 一脈. 切脈. 正脈. 靜脈. 支脈. 地脈. 診脈. 泉脈. 平脈. 血脈.

6 ⑩ [脉] 脈(前條)과 同字

6 ⑩ [朓] [一] 조 [去]嘯 他弔切 tiǎo [二] 요 [平]蕭 餘招切

[字解] [一] ①천묘(遷廟)제사이름 조 '一, 祭也, 从肉兆聲'《說文》. '爲遷廟而祭之名, 亦作祧'《通訓定聲》. ②제사고기 조 '一, 祭肉'《集韻》. [二] 아름다울 요 '一, 好也'《方言》.

[參考] 朓(月部 六畫)는 別字.

6 ⑩ [胲] 해 ①[平]灰 古哀切 gāi ②[上]賄 己亥切 gǎi

[字解] ①엄지발가락 해. ②뺨 해 볼. 또, 볼의 살. '樹頰一'《漢書》.

[字源] 篆文 形聲. 月(肉)+亥〔音〕. '亥해'는 '돼지'('亠'는 머리, '𠃊'는 몸과 사지)의 뜻. (돼지를 연상시키는) 엄지발가락의 털이 많이 난 부분의 뜻을 나타냄.

◉頰胲.

6 ⑩ [䏧] [一] 나 [平]麻 女加切 ná
[上]馬 女下切 nà
[去]禡 乃亞切 nà
[二] 치 [上]紙 敞尒切 chǐ
[三] 다 [上]哿 典可切

[字解] [一] ①성길 나 '膠—'는 성김. '膠—, 不密也'《集韻》. ②기름질 나 살지고 고움. '—, 膩也'《廣韻》. [二] 기름질 치 [一]❷와 뜻이 같음. [三] 기름질 다 [一]❷와 뜻이 같음.

6 ⑩ [脄] 회(매[本]) [平]灰 莫杯切 méi
[去]代 莫代切 méi

[字解] 등심 회 척골(脊骨)의 곁의 살. '擣珍取牛羊麋鹿麕之肉, 必—'《禮記》.

6 ⑩ [䏉] [一] 광 [去]漾 區旺切 kuàng
[二] 강 [平]陽 去羊切 kuāng

[字解] [一] 뱃속넓을 광 마음이 너그러움. '—, 腹中寬'《集韻》. [二] 빌 강 텅 빔. 몸속에서 장기(臟器)를 싸고 있는 공동(空洞) 부분. '—, 腔也'《集韻》.

6 ⑩ [䏦] [一] 첨 [平]鹽 徒兼切 tián
[二] 괄 [入]黠 古滅切 guā

[字解] [一] 살찔 첨 '胋, 肥也, 或作—'《集韻》. [二] 기름 괄 지방(脂肪). '—, 脂也'《五音集韻》.

6 ⑩ [胮] 방 [平]江 薄江切 pāng

[字解] 불룩할 방 '—肛'은 불룩하여져서 큰 모양. '形軀頓—肛'《韓愈》.
[字源] 形聲. 月(肉)+夅(夆)〔音〕

6 ⑩ [䏛] 순 [上]軫 尺尹切 chǔn

[字解] 지렁이 순 '—䏰'은 지렁이. '—䏰, 蟲名, 漢中有䏛䏰縣, 地下多此蟲, 因以爲名'《說文》.
[字源] [篆文] 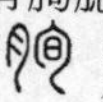 形聲. 月(肉)+旬〔音〕. '旬순'은 둥글게 두르다의 뜻. 둥글게 기어 돌아다니다, '지렁이'의 뜻을 나타냄.

6 ⑩ [脙] 휴 [平]尤 虛尤切 xiū

[字解] ①배와등성마루사이 휴 '—, 腹脊之間謂之—, 或作脉·膐'《集韻》. ②여윌 휴 '脉, 瘠也, 俗作, —, 膐, 上同'《廣韻》.

6 ⑩ [脃] [一] 〔취〕脆(肉部 六畫〈p. 1846〉)의 本字
[二] 〔취〕膬(肉部 十二畫〈p. 1864〉)와 同字

6 ⑩ [𦙪] 〔증〕
脀(肉部 六畫〈p. 1848〉)과 同字

6 ⑩ [脇] 〔협〕
脅(肉部 六畫〈p. 1848〉)과 同字
[字源] 形聲. 月(肉)+劦〔音〕. '脅협'의 別體로, '옆구리'의 뜻을 나타냄.

6 ⑩ [𦙝] 〔전〕
脠(肉部 七畫〈p. 1851〉)의 本字

6 ⑩ [脑] 〔뇌〕
腦(肉部 九畫〈p. 1855〉)의 簡體字

6 ⑩ [脱] 〔탈〕
脫(肉部 七畫〈p. 1849〉)의 俗字

6 ⑩ [䏓] 〔유〕
腴(肉部 九畫〈p. 1856〉)의 俗字

6 ⑩ [脉] 〔맥〕
脈(肉部 六畫〈p. 1846〉)의 俗字

[䍩] 〔양〕
羊部 四畫(p. 1797)을 보라.

6 ⑩ [能] [中人] [一] 능 [平]蒸 奴登切 néng 
[二] 내 [去]隊 奴代切 nài

[筆順] 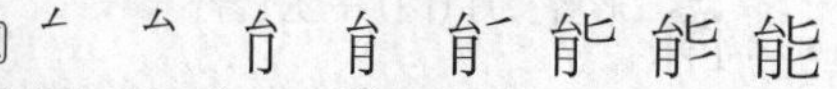

[字解] [一] ①곰 능 곰〔熊〕의 한 종류. ②재능 능 일을 잘하는 재주. '—力'. '天下莫與汝爭—'《書經》. 또, 그 사람. 재능이 있는 사람. '尊賢使—'《孟子》. ③능할 능 능히 함. '唯聖者—之'《中庸》. '不爲也, 非不—也'《孟子》. ④능히 능 힘에 가당하게. '已知將軍—用兵'《史記》. [二] ①견딜 내 참고 버팀. 耐(而部 三畫)와 통용. '胡貊之人, 性—寒'《漢書》. ②자라 내 세 발 자라. ③성 내 성(姓)의 하나.
[字源] [金文]  [篆文]  象形. 金文은 꼬리를 들어 올리고 커다랗게 입을 벌린 곰의 모양을 형상화한 것. '곰'의 뜻을 나타내며, 假借하여, 능력으로서 할 수 있다의 뜻을 나타냄.

[能幹 능간] 재간(才幹).
[能傑 능걸] 재능이 뛰어나고 몸이 튼튼함. 또, 그 사람.
[能當 능당] 넉넉히 감당(堪當)함.
[能力 능력] ㉠일을 해낼 수 있는 힘. ㉡사권(私權)을 행사할 수 있는 자격.
[能率 능률] 일정(一定)한 시간(時間)에 할 수 있는 일의 비례(比例).
[能吏 능리] 재간이 있는 관리.
[能名 능명] 재능이 있다는 평판.
[能文 능문] 글을 잘 씀.
[能辯 능변] 말을 잘함. 또, 그 사람.
[能士 능사] 재간이 있는 선비.
[能事 능사] ㉠능히 감당해 낼 수 있는 일. ㉡소용이 되는 일.
[能書 능서] 글씨를 잘 씀. 또, 그 사람.
[能書不擇筆 능서불택필] 글씨를 잘 쓰는 사람은 붓을 가리지 아니함.
[能所 능소] 능동과 피동.
[能小能大 능소능대] 모든 일을 두루 잘함.
[能臣 능신] 재간이 있는 신하.
[能言 능언] 말을 잘함.
[能言鳥 능언조] 앵무새.
[能仁 능인] 《佛教》 석가여래(釋迦如來)의 일컬음.
[能通 능통] 사물(事物)에 잘 통달(通達)함.
[能筆 능필] 글씨를 잘 씀.
[能好人能惡人 능호인능오인] 좋아할 만한 사람을 좋아하고 미워할 만한 사람은 미워함.
[能化 능화] ㉠잘 교화함. ㉡《佛教》 능히 중생을 교화할 수 있는 사람. 부처·보살은 능화이고 중

생은 소화(所化)라 함. ㉢승려(僧侶).
◉可能. 幹能. 坩能. 功能. 官能. 伎能. 技能. 機能. 多能. 萬能. 無能. 放射能. 本能. 不可能. 不能. 性能. 殊能. 良能. 良知良能. 力能. 藝能. 欲能不能. 有能. 吏能. 異能. 人各有能不能. 才能. 材能. 低能. 全能. 全知全能. 知能. 智能. 職能. 賢能. 效能.

6 ⑩ [䏻] 能(前條)의 俗字

6 ⑩ [脀] 증 [平]蒸 煮仍切 zhēng

[字解] 넣을 증, 담을 증 희생(犧牲)의 고기를 솥에 넣거나 적대(炙臺)에 담음. 또, 그 고기. 생육(牲肉). '脯醢無一'《儀禮》.
[字源] 篆文 形聲. 月(肉)+丞〔音〕

6 ⑩ [脅] [高入] [一] 협 [入]葉 虛業切 xié 胁
[二] 흡 [入]緝 迄及切 xī

[筆順]

[字解] [一] ①겨드랑이 협 가슴의 측면(側面). 늑골(肋骨)이 있는 부분. '胸一'. '折一摺齒焉'《史記》. ②곁 협 옆. '滄島之一, 有白沙之墟焉'《顧況》. ③으를 협 위협함. '一迫'. '一從罔治'《書經》. [二] 으쓱거릴 흡 어깨를 으쓱으쓱 쳐듦. '一肩諂笑'《孟子》.
[字源] 篆文 形聲. 月(肉)+劦〔音〕. '劦협'은 '합하다'의 뜻. 팔과 몸통 사이인 겨드랑이에 끼다, 겨드랑이의 뜻을 나타냄. 또, '劦'은 '劫겁'과도 통하여, '겁주다, 으르다'의 뜻도 나타냄.

[脅喝 협갈] 위협함. 공갈함.
[脅恐 협공] 협갈(脅喝).
[脅勒 협륵] 위협(威脅)함.
[脅迫 협박] 으르고 대듦.
[脅息 협식] 대단히 무서워하여 숨을 죽임.
[脅威 협위] 으름. 위협(威脅).
[脅制 협제] 위협하고 억누름.
[脅從 협종] 악인에게 위협당하여 복종함.
[脅奪 협탈] 위협하여 빼앗음.
[脅嚇 협하] 으름. 위협(威脅).
[脅肩 흡견] ㉠아첨하느라고 어깨를 으쓱거림. ㉡두려워서 삼가는 모양.
◉劫脅. 恐脅. 驅脅. 迫脅. 駢脅. 仳脅. 汚脅. 威脅. 誘脅. 抽脅. 蔽脅. 逼脅. 胷脅.

6 ⑩ [脇] 脅(前條)과 同字

6 ⑩ [脋] 脅(前前條)의 俗字

6 ⑩ [脊] [人名] 척 [入]陌 資昔切 jǐ, jí

[字解] ①등골뼈 척 척추. '狸去正一'《禮記》. ②등성마루 척 지형(地形) 등이 등골뼈같이 된 곳. '山一'. '屋一'. '必折天下之一'《史記》. ③조리 척 일을 이루어 갈 도리. '有倫有一'《詩經》.
[字源] 篆文 會意. 본디 月(肉)+𠦬. '𠦬수'는 겹쳐 쌓여 있는 등뼈의 象形. '肉육'을 붙여 '등뼈'의 뜻을 나타냄.

[脊骨 척골] 척추골(脊椎骨).
[脊梁 척량] 척주(脊柱). 집의 들보와 같은 뼈라는 뜻에서 이름.
[脊令 척령] '척령(鶺鴒)'과 같음.
[脊令在原 척령재원] 형제가 서로 위난(危難)을 구제함을 비유하여 이르는 말.
[脊髓 척수] 등골.
[脊髓神經 척수신경] 등골에서 갈려 나와 전신(全身)에 퍼진 신경(神經).
[脊柱 척주] 등골뼈로 이어진 등마루.
[脊脊 척척] 서로 짓밟는 모양. 어지러운 모양.
[脊椎 척추] ㉠척주(脊柱). ㉡척추골(脊椎骨).
[脊椎骨 척추골] 척주(脊柱)를 이루는 낱낱의 뼈. 척골(脊骨). 추골(椎骨).
[脊椎動物 척추동물] 척주(脊柱)를 몸의 중추(中樞)로 하여 몸을 지지(支持)하는 동물.
◉曲脊. 穹脊. 刀脊. 山脊. 嶺脊. 屋脊.

6 ⑩ [胹] [人名] 이 [去]寘 仍吏切 èr

[字解] 힘줄질길 이 '一, 筋健'《廣韻》.

6 ⑩ [胷] 〔흉〕 胸(肉部 六畫〈p. 1845〉)과 同字

[骨] 〔골〕 部首(p. 2612)를 보라.

6 ⑫ [脔] 〔련〕 臠(肉部 十九畫〈p. 1870〉)의 俗字

7 ⑪ [脕] 만 [去]願 無販切 wàn

[字解] 흠치르르할 만 윤이 나고 예쁨. '玉色頩以一顏兮'《楚辭》.
[字源] 形聲. 月(肉)+免〔音〕

[脕顏 만안] 흠치르르하고 예쁜 얼굴.

7 ⑪ [脚] [中人] 각 [入]藥 居勺切 jiǎo (jué)

[筆順]

[字解] ①다리 각 ㉠하지(下肢). '號泣抱馬一'《漢書》. ㉡물건의 하부. '山一'. ㉢다리 비슷한 부분. '橋一'. ㉣다리가 있어 걷는 것같이 보이는 것. '雲一飛銀綿'《韓愈》. ㉤몸 둘 곳. 지위. '失一'. ②밟을 각 발로 밟음. '射麋一麟'《司馬相如》.
[字源] 篆文 形聲. 月(肉)+却(卻)〔音〕. '卻각'은 무릎걸음으로 뒤로 물러감의 뜻. 뒷걸음질 칠 때에 사용하는 육체의 부분, '정강이'의 뜻을 나타냄.
[參考] 腳(肉部 七畫)은 正字.

[脚氣 각기] 다리가 마비(痲痺)되어 저리고 부어 걷기가 곤란한 병(病).
[脚力 각력] ㉠다리의 힘. ㉡각부(脚夫).

[脚爐 각로] 잘 때에 이불 안에 넣어 몸을 덥게 하는 화로.
[脚本 각본] 연극의 무대 장치 및 배우의 대사(臺詞) 등을 적은 글.
[脚夫 각부] 파발꾼.
[脚色 각색] ㉠벼슬할 때 내는 이력서. ㉡소설(小說)을 각본(脚本)이 되게 만드는 일.
[脚註 각주] 본문 밑에 붙인 주해. 두주(頭註)의 대(對).
[脚疾 각질] 각기(脚氣).
[脚婆 각파] 탕파(湯婆).
[脚下 각하] 발밑. 전(轉)하여, 목하(目下). 현금(現今).
[脚戲 각희] 씨름.
◉健脚. 高脚. 橋脚. 老脚. 露出馬脚. 頓脚. 馬脚. 別脚. 卑脚. 山脚. 三脚. 船脚. 信脚. 失脚. 鴨脚. 輭脚. 雨脚. 雲脚. 韻脚. 六經皆我註脚. 日脚. 立脚. 赤脚. 注脚. 隻脚. 跛脚. 豹脚. 行脚.

7 ⑪ [脛] [人名] 경 [去]徑 胡定切 jìng / [上]迥 胡頂切 胫

[字解] ①정강이 경 다리의 무릎 아래에서 복사뼈까지의 부분. '赤一'. '積雪沒一'《李華》. ②정강이뼈 경 정강마루를 이룬 뼈. 경골(脛骨). ③걸음 경 보행(步行). '想白日之寸一'《陸雲》.

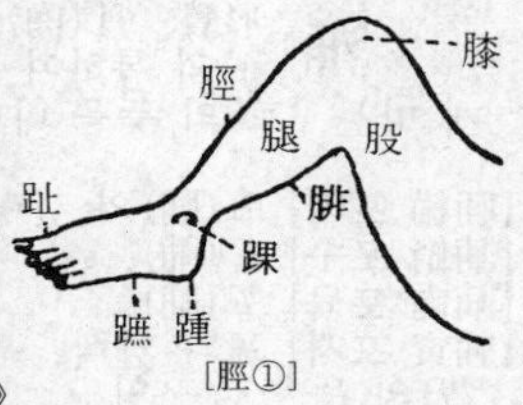

[脛①]

[字源] 篆文 形聲. 月(肉)+巠[音]. '巠경'은 힘이 세고 쪽 곧음의 뜻. 육체 중에서 힘이 세고 쪽 곧은 부분, 곧 '정강이'의 뜻을 나타냄.

[脛巾 경건] 각반(脚絆). 행전(行纏).
[脛脛 경경] 곧은 모양.
◉高脛. 沒脛. 瘦脛. 雙脛. 赤脛. 寸脛.

7 ⑪ [脘] 완 [上]旱 古滿切 wǎn, guǎn

[字解] ①밥통 완 위(胃)의 내강(內腔). '佳句洗肺一'《黃庭堅》. ②밥통포 완 위(胃)의 포육(脯肉). '一, 胃脯也'《說文》. ③육포 완 말린 고기. '一, 脯也'《廣雅》.
[字源] 篆文 形聲. 月(肉)+完[音]. '完완'은 '둥글다'의 뜻. 밥통의 포의 뜻을 나타냄. 일설에는, '밥통'을 뜻한다고 함.

◉肺脘.

7 ⑪ [脝] 형 [平]庚 許庚切 hēng

[字解] 배불룩할 형 '一, 膨一, 脹也'《廣韻》.

◉膨脝.

7 ⑪ [脞] 좌 [上]哿 倉果切 cuǒ

[字解] 잘 좌 좀스러움. '元首叢一哉'《書經》.
[字源] 形聲. 月(肉)+坐[音]
◉叢脞. 瑣脞.

7 ⑪ [脡] 정 [上]迥 他鼎切 tǐng

[字解] ①포 정 곧고 길쭉한 건육(乾肉). '朐'의 대(對). '簞食與四一脯'《公羊傳》. ②곧을 정 똑바름.
[字源] 形聲. 月(肉)+廷[音]. '廷정'은 곧게 뻗다의 뜻. 곧게 펴서 말린 포.

[脡脯 정포] 곧게 펴서 길쭉한 포.

7 ⑪ [脢] 매 [平]灰 莫杯切 méi / [去]隊 莫佩切

[字解] 등심 매 등의 고기. 등 곁의 고기. 등심살. '九五咸其一'《易經》.
[字源] 篆文 形聲. 月(肉)+每[音]

◉脊脢.

7 ⑪ [脙] [一] 구 [平]尤 巨鳩切 qiú / [二] 휴 [平]尤 許尤切

[字解] [一] 야윌 구 파리함. '一, 齊人謂臞一也'《說文》. [二] ①배등사이 휴 '脙, 腹脊之閒謂之脙, 或作一'《集韻》. ②야윌 휴 [一]과 뜻이 같음.
[字源] 形聲. 月(肉)+求[音]

7 ⑪ [脤] 신 [上]軫 時忍切 shèn

[字解] 제육(祭肉) 신 제사에 쓰는 날고기. 제사 뒤 천자(天子)는 그 남은 고기를 동성(同姓)의 제후(諸侯)에게 나눠 줌. '受命於廟, 受一于社'《左傳》.
[字源] 形聲. 月(肉)+辰[音]. '辰진'은 큰 놋그릇의 象形. 큰 놋그릇에 담아 올린 날고기, 곧 '제육'의 뜻을 나타냄.

[脤膰 신번] 사직(社稷)이나 종묘에 제사 지내는 날고기.

7 ⑪ [脫] [中人] [一] 탈 [入]曷 他括切 tuō(tuǒ) / [二] 태 [去]泰 吐外切 tuì

[筆順] 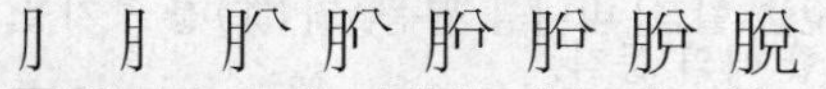

[字解] [一] ①벗을 탈 옷 따위를 벗음. '一衣'. ②벗길 탈 허물 따위를 벗게 함. '其狀若一'《列子》. ③벗어날 탈 탈출함. 또는 어려운 일에서 헤어남. '不得一長安'《漢書》. '桓子詐之得一'《史記》. '俗緣不一三生債'《劉迎》. ④벗어나게 할 탈 면제함. '至踐更時, 一之'《史記》. ⑤풀 탈 맨 것을 풂. '虎賁之士一劍'《孔子家語》. ⑥빠질 탈, 빠뜨릴 탈 떨어져 나감. 넣기를 잊음. '一字'. '時有所一漏'《裴松之》. ⑦떨어질 탈 나뭇잎 같은 것이 떨어짐. '木葉盡一'《蘇軾》. ⑧소홀할 탈 소략(疏略)함. '疏一'. '凡禮始乎一'《史記》. [二] 기뻐할 태 기뻐하는 모양. 일설(一說)에는, 천천히 가는 모양. '一然而喜矣'《淮南子》. '舒而一一兮'《詩經》.
[字源] 篆文 形聲. 月(肉)+兌[音]. '兌태'는 벗어져 떨어지다의 뜻. 살이 떨어져서 야위다의 뜻을 나타내고, 전(轉)하여 '벗어지다,

벗다'의 뜻을 나타냄.

[脫却 탈각] 벗어 버림.
[脫殼 탈각] 벌레들이 허물을 벗음. 또, 그 허물.
[脫監 탈감] 탈옥(脫獄).
[脫去 탈거] ㉠도망함. 탈출함. ㉡탈각(脫却).
[脫巾 탈건] 건(巾)을 벗음.
[脫稿 탈고] 원고(原稿)를 다 씀.
[脫句 탈구] 빠진 구절(句節).
[脫臼 탈구] 뼈의 관절(關節)이 접질려서 어긋남.
[脫黨 탈당] 당파(黨派)에서 탈퇴(脫退)함.
[脫落 탈락] ㉠털 같은 것이 빠짐. ㉡내버림. 벗어 버림.
[脫略 탈략] ㉠소홀히 함. ㉡일을 덜어 간략히 함.
[脫漏 탈루] 빠져 나감. 새어 나감.
[脫離 탈리] 벗어나서 따로 떨어짐.
[脫毛 탈모] 털이 빠짐. 또, 빠진 털.
[脫帽 탈모] 모자(帽子)를 벗음.
[脫屣 탈사] ㉠벗어 내버린 신. 곧, 버리고 돌아보지 않는 사물. ㉡임금의 양위(讓位).
[脫喪 탈상] 삼년상(喪)을 마침.
[脫線 탈선] ㉠기차(汽車)·전차(電車) 등이 선로(線路)에서 벗어남. ㉡행동(行動)이 상규(常規)를 벗어남. ㉢논문(論文)·연설(演說)·이야기 등에서 본문제(本問題)을 벗어나 다른 방면(方面)으로 빗나감.
[脫稅 탈세] 납세 의무자가 정당한 과세(課稅)를 기피하여 세액(稅額)의 일부 또는 전부를 불법하게 포탈(逋脫)하는 일.
[脫俗 탈속] 속태(俗態)를 벗어남.
[脫粟之飯 탈속지반] 겨우 겉껍질만 벗겨 낸 거친 현미밥.
[脫灑 탈쇄] 범속(凡俗)의 기풍을 떠나서 깨끗함.
[脫習 탈습] 탈투(脫套).
[脫身 탈신] 관계하던 곳에서 몸을 빼치어 나옴.
[脫身逃走 탈신도주] 몸을 빼치어 도망(逃亡)함.
[脫然 탈연·태연] ㉠병이 바로 깨끗이 낫는 모양. ㉡'태연(脫然)'을 보라.
[脫營 탈영] 병영을 빠져 도망함.
[脫獄 탈옥] 죄수가 감옥을 탈출함.
[脫衣 탈의] 옷을 벗음.
[脫易 탈이] 소홀(疎忽)함.
[脫頤 탈이] 턱이 빠짐. 크게 웃음. 해이(解頤).
[脫字 탈자] 빠진 글자.
[脫簪 탈잠] 비녀를 뽑음. 죄(罪)를 주기를 청(請)할 때의 동작.
[脫疽 탈저] 수족의 끝 같은 데가 혈액의 순환이 잘되지 않아 썩어 문드러지는병.
[脫罪 탈죄] 죄(罪)를 벗어남.
[脫走 탈주] 빠져 달아남. 도망함.
[脫脂 탈지] 기름을 뺌.
[脫脂綿 탈지면] 기름기를 빼고 소독한 솜.
[脫驂 탈참] 남의 상사(喪事)에 부조(扶助)를 톡톡히 보냄.
[脫出 탈출] 빠져 나옴. 도망함.
[脫胎 탈태] 남의 문장을 본떴으나 그 형식을 바꿈.
[脫兎 탈토] 그물에서 벗어나 도망하는 토끼. 곧, 빠른 행동을 이름.
[脫退 탈퇴] 물러남. 또, 뒤로 도망함. 또, 관계를 끊고 빠져나옴.
[脫套 탈투] 구습(舊習)에서 벗어남.
[脫肛 탈항] 항문(肛門)이 빠져나오는 병.
[脫會 탈회] 회(會)에서 탈퇴(脫退)함.
[脫然 태연] 천천히 가는 모양. 또, 기뻐하는 모양.
[脫脫 태태] 기뻐하는 모양. 일설(一說)에는, 천천히 가는 모양.
◉簡脫. 傾脫. 輕脫. 高脫. 詭脫. 漏脫. 度脫. 得脫. 免脫. 剝脫. 蟬脫. 疎脫. 洒脫. 灑脫. 穎脫. 誤脫. 圓轉滑脫. 遺脫. 頤脫. 離脫. 逸脫. 條脫. 褫脫. 超脫. 通脫. 擺脫. 解脫. 虛脫. 活脫.

7 ⑪ [脬] 포 [平]肴 匹交切 pāo

[字解] 오줌통 포 방광(膀胱). '風癉客—'《史記》.
[字源] [篆文] 形聲. 月(肉)+孚〔音〕. '孚부'는 수분(水分)을 덜어 싸다의 뜻. '방광'을 이름.

7 ⑪ [脯] [人名] 포 [上]麌 方矩切 fǔ

[字解] 포 포 얇게 저미어서 말린 고기. '束—'. '脡—'.
[字源] [篆文] 形聲. 月(肉)+甫〔音〕. '甫보'는 '薄박'과 통하여, '얇다'의 뜻. 고기를 얇게 만든 '포'의 뜻을 나타냄.

[脯糒 포비] 포(脯)와 건량(乾糧).
[脯脩 포수] 포(脯).
[脯肉 포육] 포(脯).
[脯資 포자] 포와 양식. 후세(後世)에는 여비(旅費)의 뜻으로 쓰임.
[脯資餼牽 포자희견] 포와 양식과 날고기와 소·양·돼지 같은 짐승. 곧, 모든 식료품.
[脯醢 포해] 포와 젓. 사람을 죽여 시체(屍體)를 포(脯)로 뜨거나 젓으로 담근다는 뜻으로, 참혹한 형륙(刑戮)을 이름.
◉腶脯. 福脯. 肥脯. 束脯. 脩脯. 市脯. 脡脯. 瓠脯.

7 ⑪ [脰] 두 [去]宥 徒候切 dòu

[字解] 목 두 목. '絕—而死'《史記》.
[字源] [金文] [篆文] 形聲. 月(肉)+豆〔音〕. '豆두'는 똑바로 서다의 뜻. '목덜미'를 이름.

◉頸脰. 短脰. 白脰. 邪脰.

7 ⑪ [脟] [一] 련 [上]銑 力兗切 luán [二] 렬 [入]屑 力輟切 liè, lè

[字解] [一] ①굽을 련 만곡함. '龍邛—圈'《楚辭》. ②가를 련 잼. '—割輪焠'《漢書》. [二] 갈비살 렬 '—, 脅肉也'《說文》.
[字源] [篆文] 形聲. 月(肉)+寽〔音〕

[脟圈 열권] 굽음.
[脟割 열할] 잼. 가름.

7 ⑪ [脗] 문 [上]吻 武粉切 wěn

[字解] 맞출 문 입을 맞춤. 맞음. '—合'은 딱 맞음. '—, 合口也. 凡事相同者, 曰—合'《字彙》.

'爲其一合, 置其滑涽'《莊子》.

字源 形聲. 月(肉)+㫚〔音〕. '㫚문'은 '입술'의 뜻. 아래위 입술처럼 딱 들어맞다의 뜻을 나타냄.

[脗合 문합] 꼭 맞음.

7 ⑪ [脖] 발 ㊀月 蒲沒切 bō

字解 ①배꼽 발 '—胦'은 배꼽. ②목덜미 발 '—項'은 목덜미.

字源 形聲. 月(肉)+孛〔音〕

[脖胦 발앙] 자해(字解)를 보라.
[脖項 발항] 목덜미.

7 ⑪ [朘] 최 ㊥灰 臧回切 zuī

字解 불알 최 갓난아이의 생식기. 峻(血部 七畫)와 同字. '—, 赤子陰也'《說文》.

字源 篆文 形聲. 月(肉)+夋〔音〕

參考 朘(月部 七畫)은 別字.

7 ⑪ [肕] 인 ㊤軫 爾軫切 / ㊦震 如順切 rùn

字解 지렁이 인 '—, 朐—, 蟲名'《集韻》.

字源 篆文 形聲. 月(肉)+忍〔音〕. '忍인'은 끈기 있다의 뜻.

7 ⑪ [脠] 전 ㊥先 式連切 shān

字解 날고기장 전 날고기를 담근 장. '—, 生肉醬也'《說文》.

字源 篆文 形聲. 篆文은 月(肉)+延〔音〕. '延연'은 개어 연하게 만들다의 뜻. 장에 담가서 연해진 날고기, 고기 장아찌의 뜻을 나타냄.

7 ⑪ [脥] 一 겸 ㊤琰 謙琰切 qiǎn / 二 협 ㊀葉 迄業切 qū

字解 一 배아래 겸 배의 아래쪽. '—, 腹下也'《集韻》. 二 ①겨드랑이밀 협 '雉—肩而旋踵'《潘岳》. ②뺨 협 頰(頁部 七畫)과 同字. '—, 與頰同'《字彙》.

7 ⑪ [腰] 경 ㊤梗 古杏切 gěng

字解 목에걸릴 경 가시가 목구멍에 걸림. 骾(骨部 七畫)과 同字.

7 ⑪ [胧] 一 몽 ㊤腫 莫湩切 měng / 二 망 ㊤講 母項切 mǎng

字解 一 풍성하고클 몽 '—, 豐大也'《集韻》. 二 풍성한고기 망 살진 고기. 朦(肉部 十四畫)과 同字. '—, 豐肉'《集韻》.

[豚] 〔돈〕 豕部 四畫(p. 2174)을 보라.

7 ⑪ [脩] 人名 수 ㊥尤 息流切 xiū

筆順 丿 亻 们 伦 佗 攸 脩 脩

字解 ①포 수 건육(乾肉). '束—'. '脯—'. '凡肉—之頒賜, 皆掌之'《周禮》. ②닦을 수 修(人部 八畫)와 통용. '老子—道德'《史記》. '心正而后身—'《大學》. ③마를 수, 말릴 수 건조함. '其—矣'《詩經》. ④길 수 짧지 아니함. '—短'. '—竹'. '四牡—廣'《詩經》. ⑤멀 수 가깝지 아니함. '—路'. '路漫漫其—遠兮'《楚辭》. ⑥오랠 수 장구함. '及其大—也'《周禮》. ⑦성 수 성(姓)의 하나.

字源 篆文 形聲. 月(肉)+攸〔音〕. '攸유·수'는 긴 줄의 뜻. 원뜻은 고기를 가늘고 길게 찢어서 말린 것, 곧 육포(肉脯). '修수'와 통하여 '닦다'의 뜻으로 쓰임.

[脩短 수단] 길고 짧음. 장단.
[脩路 수로] 먼 길. 원로.
[脩睦 수목] 화목(和睦)함. 화목하도록 힘씀.
[脩纖 수섬] 길고 가늚.
[脩遠 수원] 길이 멂.
[脩長 수장] 긺.
[脩竹 수죽] 긴 대.
[脩脯 수포] 포(脯). 건육(乾肉).
◉段脩. 束脩. 酒脩. 脯脩. 遐脩. 廻脩.

7 ⑪ [脣] 高人 순 ㊥眞 食倫切 chún

筆順 厂 尸 戶 戸 戸 辰 脣 脣

字解 ①입술 순 입의 가장자리. '—亡則齒寒'《穀梁傳》. ②가 순 물건의 가장자리. '薄如錢—'《夢溪筆談》.

字源 篆文 古文 形聲. 月(肉)+辰〔音〕. '辰진'은 쌍각류의 조개가 발을 내민 모양을 형상화한 것. 조개 발 같은 육체의 부분, 곧 '입술'의 뜻을 나타냄.

參考 唇(口部 七畫)은 別字이지만, 俗字로 쓰임.

[脣頭 순두] 입술 끝.
[脣亡則齒寒 순망즉치한] 순망치한(脣亡齒寒).
[脣亡齒寒 순망치한] 입술이 없으면 이가 시리다는 뜻으로, 서로 의지하고 서로 돕는 상황에서 한 나라가 망하면 다른 한 나라도 위태롭다는 비유.
[脣吻 순문] 입술.
[脣薄輕言 순박경언] 입술이 얇은 자는 까불까불 잘 지껄임.
[脣舌 순설] 말을 잘함.
[脣腫 순종] 입술에 나는 부스럼.
[脣脂 순지] 연지(臙脂).
[脣齒 순치] ㉠입술과 이. 전(轉)하여, 발언(發言)하는 기관(器官). ㉡서로 의지하고 서로 돕는 국세(國勢).
[脣齒之國 순치지국] 이해관계(利害關係)가 가장 깊은 나라.
[脣齒之勢 순치지세] 서로서로 의지(依持)하는 관계(關係).
[脣形科 순형과] 쌍자엽식물(雙子葉植物)의 한 과(科). 화관(花冠)이 입술 모양임. 골무꽃·금란초·꿀풀 따위가 이 과에 속함. 꿀풀과.
◉絳脣. 缺脣. 丹脣. 反脣. 宣脣. 齞脣. 搖脣.

牛脣. 濡脣. 張脣. 赬脣. 朱脣. 舐脣. 兔脣. 緘脣. 紅脣. 厚脣.

7
⑪ [脮] [一] 퇴 [上]賄 吐猥切 tuǐ
[二] 뇌 [上]賄 弩罪切 něi

[字解] [一] 살찔 퇴 '一, 腲一, 肥也'《集韻》. [二] 생선썩을 뇌 鮾(魚部 八畫)와 同字.

7
⑪ [脞] 폐 [上]紙 部比切 bì

[字解] ①허벅다리 폐 '一, 唐李甘, 罶疽剚一, 以急親病'《洪武正韻》. ②밥통 폐 '一胵'. '一胵, 胃脘也'《洪武正韻》.

7
⑪ [脳] 〔뇌〕
腦(肉部 九畫〈p.1855〉)의 俗字

8
⑭ [腐] [高·人] 부 [上]麌 扶雨切 fǔ

[筆順] 广 广 庐 府 府 府 腐 腐

[字解] ①썩을 부 부패함. '一爛'. '一草爲螢'《禮記》. 전(轉)하여, 쓸모없음. '一生'. '安用一儒'《史記》. ②썩힐 부 썩게 함. '甘脆肥濃, 命曰一腸之藥'《枚乘》. ③불알발라내는형벌 부 궁형(宮刑). '死罰欲一者許之'《漢書》.

[字源] 篆文 形聲. 肉+府〔音〕. '府부'는 '곳간'의 뜻. 곳간에 간수해 둔 고기, 썩다, 묵다 등의 뜻을 나타냄.

[腐爛 부란] 썩어 문드러짐.
[腐史 부사] 〈사기(史記)〉의 별칭(別稱). 사마천(司馬遷)이 부형(腐刑)을 당하였으므로 이름.
[腐生 부생] 부유(腐儒).
[腐鼠 부서] 썩은 쥐. 작고 천(賤)한 물건의 비유.
[腐蝕 부식] ㉠썩어서 벌레가 먹음. ㉡썩어서 개먹어 들어감.
[腐心 부심] 속을 썩임. 고심(苦心).
[腐儒 부유] 활용의 재능이 없는 썩은 학자.
[腐腸之藥 부장지약] 창자를 썩이는 약(藥)이란 뜻으로, 좋은 음식(飮食)과 술을 이름.
[腐井 부정] 물이 썩은 우물.
[腐敗 부패] ㉠썩어서 못 쓰게 됨. ㉡타락(墮落)함.
[腐刑 부형] 남자(男子)를 거세(去勢)하는 형벌(刑罰). 궁형(宮刑).
[腐朽 부후] 썩음.
◉枯腐. 爛腐. 豆腐. 防腐. 盈腐. 迂腐. 流水不腐. 陳腐. 草木俱腐. 摧枯折腐. 臭腐. 敗腐. 紅腐. 朽腐.

8
⑭ [腎] 신 [上]軫 時忍切 shèn

[字解] 혹 신 굿은살. 군더더기 살. '陽山有獸焉, 其狀如牛而赤尾, 其頸一, 其狀如句瞿'《山海經》.

8
⑫ [脹] [人名] 창 [去]漾 知亮切 zhàng 胀

[字解] 부를 창 ㉠배가 부름. '一滿'. '飮水徒一滿'《梅堯臣》. ㉡뚱뚱함. 불룩해짐. '膨一'.

[字源] 形聲. 月(肉)+長〔音〕. '長장'은 '팽팽해지다'의 뜻. 배가 팽팽해져 부풀다의 뜻을 나타냄.

[脹滿 창만] ㉠배가 부름. ㉡배가 부른 병.
[脹症 창증] 창만(脹滿)㉡.
[脹脹 창창] 배가 부른 모양.
◉鼓脹. 痞脹. 臚脹. 腫脹. 膨脹.

8
⑫ [脽] 수 [平]支 視隹切 shuí

[字解] ①볼기 수 엉덩이. '連一尻'《漢書》. ②엉덩뼈 수 '一, 尻骨也'《正字通》.

[字源] 金文 篆文 形聲. 月(肉)+隹〔音〕. '隹추'는 꽁지 없는 새로서, 둥글고 통통하다의 뜻. '볼기'를 이름.

[脽尻 수구] 볼기.

8
⑫ [腊] 석 [入]陌 思積切 xī

[字解] ①포 석 생강·계피 등을 섞어 말린 고기. 건육(乾肉). '一肉'. '田獸之脯一'《周禮》. 전(轉)하여, 널리 말린 것의 뜻으로도 쓰임. '蓋花一耳'《深異錄》. ②심할 석 대단함. '味厚者一毒'《漢書》.

[字源] 形聲. 月(肉)+昔〔音〕. '昔석'은 '腊석'의 原字로서, '포'의 뜻. '昔'이 옛날의 뜻으로 쓰이게 된 탓으로 구별하여, '肉육'을 덧붙임.

[腊毒 석독] 심한 독.
[腊物 석물] 포. 말린 고기.
[腊魚 석어] 건어(乾魚).
[腊肉 석육] 포.
◉乾腊. 枯腊. 人腊.

8
⑫ [脾] [人名] 비 [平]支 符支切 pí

[字解] ①지라 비 '一臟'은 위(胃)의 뒤쪽에 있는 오장(五臟)의 하나. 암적색의 구형(球形)으로, 백혈구의 생성과 노폐한 적혈구를 파괴하는 기능이 있음. '孟春之月, 祭先一'《禮記》. ②넓적다리 비 髀(骨部 八畫)와 통용. '一肉之歎'.

[字源] 篆文 形聲. 月(肉)+卑〔音〕. '卑비'는 '낮다'의 뜻. 위(胃)보다 낮은 곳에 있는 기관(器官)의 뜻을 나타냄.

[參考] 脾(次條)는 俗字.

[脾胃 비위] 비장과 위(胃). 비장(脾臟)과 위경(胃經).
[脾胃虛 비위허] '위약(胃弱)'의 별칭(別稱).
[脾肉之歎 비육지탄] '비육지탄(髀肉之歎)'과 같음.
[脾臟 비장] 지라. 자해(字解)❶을 보라.

8
⑫ [脾] 脾(前條)의 俗字

8
⑫ [胼] 변 [平]先 部田切 pián

[字解] 못박일 변, 틀 변 '一胝'는 수족의 피부가 딴딴해지거나 갈라짐. '手足一胝'《荀子》.

[字源] 形聲. 月(肉)+幷〔音〕

[參考] 胼(肉部 六畫)은 俗字.

[胼胝 변지] 자해(字解)를 보라. 티눈, 굳은살, 또는 튼 데.

8 ⑫ [腆] 전 [上]銑 他典切 tiǎn

[字解] ①두터울 전 주식(酒食)을 많이 차림. 전(轉)하여, 후함. '一贈'. 자기의 선사는 겸손하여 '不一'이라 함. '一以致其厚'《書經》. '自洗一致用酒'《書經》. ②착할 전 옳음. '辭無不一'《禮記》. ③이를 전 옴. '殷小一'《書經》.
[字源] [篆文] [古文] 形聲. 月(肉)+典[音]. '典전'은 높고 존귀(尊貴)하다의 뜻. 존귀한 고기의 뜻에서, '두텁다, 좋다'의 뜻을 나타냄.

[腆愧 전괴] 몹시 부끄럽게 생각함.
[腆贈 전증] 후한 선사.
◉不腆. 鮮腆. 洗腆. 豐腆. 荒腆.

8 ⑫ [腋] [人名] 액 [入]陌 羊益切 yè

[字解] 겨드랑이 액 ㉠어깨 밑의 팔과 옆구리 사이의 부분. 掖(手部 八畫)과 同字. '一臭'. ㉡겨드랑이의 가죽. '千羊之皮不如一狐之一'《史記》.
[字源] 形聲. 月(肉)+夜[音]. '夜야·역'은 또 夕+亦[音]의 形聲字. 이 '亦역'은 겨드랑이의 뜻으로, '腋'의 原字. '亦'이 '또한'의 뜻으로 쓰이게 되었기 때문에, '겨드랑이'의 뜻으로서 '腋액'이 쓰이게 되었음.

[腋間 액간] 겨드랑이.
[腋氣 액기] 액취(腋臭).
[腋毛 액모] 겨드랑이에 난 털.
[腋芽 액아] 식물의 엽액(葉腋)에서 나는 싹.
[腋臭 액취] 겨드랑이에서 나는 악취(惡臭). 암내.
[腋汗 액한] 곁땀.
◉反腋. 縫腋. 兩腋. 肘腋. 千羊皮不如一狐腋.

8 ⑫ [腌] [一] 업 [入]葉 於業切 yān
[二] 엄 [平]鹽 於嚴切 yān

[字解] [一] 절인고기 업 소금에 절인 어육(魚肉). 또, 소금에 절임. '一, 漬肉也'《說文》. [二] 절인고기 엄 [一]과 뜻이 같음.
[字源] [篆文] 形聲. 月(肉)+奄[音]. '奄엄'은 '淹엄'과 통하여, '담그다'의 뜻. 초나 소금에 담근 고기의 뜻을 나타냄.

8 ⑫ [䐂] [一] 차 [平]歌 倉何切 cǎi
[二] 채 [上]賄 此宰切

[字解] [一] 배부를 차 배〔腹〕가 큼. '丹熏之山, 有獸焉, 名曰耳鼠, 食之不一. (注)一, 大腹也'《山海經》. [二] 배부를 채 [一]과 뜻이 같음.

8 ⑫ [䐁] [一] 착 [入]覺 竹角切 zhuó
[二] 독 [入]屋 都木切 dū

[字解] [一] ①궁둥이 착 '一, 博雅, 臀也'《集韻》. ②살찔 착 '一, 一曰, 肥也'《集韻》. [二] 항문(肛門) 독 '一, 尾下竅也'《廣韻》.

8 ⑫ [腑] [人名] 부 [上]麌 方矩切 fǔ

[字解] 장부 부 담·위·대장·소장·방광·삼초(三焦)의 여섯 가지 내장 기관(器官). '五臟六一'. '破積聚於一臟'《抱朴子》. 전(轉)하여, 마음. 충심(衷心). '常繫心一'《柳宗元》.
[字源] 形聲. 月(肉)+府[音]. '府부'는 물건을 간수하는 곳간의 뜻. 내장(內臟)을 간수하는 부분의 뜻을 나타냄.

[腑臟 부장] 오장 육부(五臟六腑). 장부(臟腑).
◉襟腑. 五臟六腑. 六腑. 藏腑. 臟腑. 肺腑.

8 ⑫ [腑] 腑(前條)와 同字

8 ⑫ [腒] 거 [平]魚 九魚切 jū

[字解] 포 거 새, 특히 꿩의 건육(乾肉). '夏用一'《儀禮》.
[字源] [篆文] 形聲. 月(肉)+居[音]

[腒鱐 거수] 새고기와 물고기의 포.

8 ⑫ [腓] 비 [平]微 符非切 féi

[字解] ①장딴지 비 정강이 뒤쪽의 물고기 배처럼 살이 찐 부분. '一骨'. '一無胈'《莊子》. ②앓을 비 병듦. '百卉具一'《詩經》. ③피할 비 회피함. '君子所依, 小人所一'《詩經》.
[字源] 形聲. 月(肉)+非[音]. '非비'는 '肥비'와 통하여 '살찌다'의 뜻. 정강이 뒤쪽의 살이 찐 부분, 장딴지의 뜻을 나타냄.

[腓骨 비골] 종아리뼈.
[腓腸 비장] 장딴지.

8 ⑫ [腔] [人名] 강 [平]江 苦江切 qiāng

[字解] ①빈속 강 체내(體內)의 공허한 곳. '腹一'. '滿一熱血'. ②가락 강 곡조. 시가(詩歌)의 가락. '秀句入新一'《黃庭堅》.
[字源] [篆文] 形聲. 月(肉)+空[音]. '空공'은 비어 있다는 뜻. 몸 안의 공허한 곳의 뜻을 나타냄.

[腔子 강자] 체내(體內)의 텅 빈 곳. 가슴 속.
[腔子裏 강자리] 강자의 안. 마음이 있는 곳을 이름.
[腔腸 강장] 체강(體腔)의 소화·영양을 맡은 기관(器官).
[腔腸動物 강장동물] 동물 분류상의 한 부문. 물에 사는 하등 동물로서 몸의 형상은 종형(鐘形) 또는 원통형이고 강장(腔腸)으로 됨. 말미잘·산호·해파리 따위.
◉空腔. 滿腔. 腹腔. 新腔. 體腔. 土腔.

8 ⑫ [腃] [一] 귀 [去]寘 丘愧切 kuì
[二] 권 [平]先 驅圓切 quán

[字解] [一] 힘줄당길 귀 힘줄이 켕김. '一, 筋節急也'《集韻》. [二] ①입술 권 '一, 吻也'《集韻》. ②몸굽을 권 '一, 身曲皃'《集韻》.

8 ⑫ [䐃] [一] 군 [上]軫 渠殞切 jùn
[二] 준 [平]眞 支春切 zhūn

字解 ▣ ①창자속기름 군 '一, 腹中脂也'《廣韻》. ②짐승기름뭉칠 군 짐승의 지방(脂肪)이 모이는 모양. '一, 獸脂聚皃'《集韻》. ③사태 군 팔꿈치나 무릎 뒤쪽에 붙은 고깃덩이. '身熱, 脫肉破一. (注)一, 謂肘膝後肉如塊者'《素問》. ▣ 괴(塊) 준 융모 상피종(絨毛上皮腫). '一, 腹中績聚成形塊膜也'《正字通》.

8 ⑫ [腂] ▣ 과 ㊤箇 古臥切 guò ▣ 뢰 ㊤紙 力軌切 lěi ▣ 화 ㊤馬 戶瓦切 huà

字解 ▣ 붉게부어오를 과 '一, 腫赤也'《集韻》. ▣ 살갗부을 뢰 '一, 皮起也'《玉篇》. ▣ 약초이름 화 '一, 藥草名, 生山谷中, 益氣延年'《集韻》.

8 ⑫ [腒] 굴 ㊀月 苦骨切 kū

字解 ①볼기 굴 '一, 一臀也'《玉篇》. ②볼기뼈 굴, 부어오를 굴 朏(肉部 五畫)과 同字.

8 ⑫ [腨] 〔눌〕 肭(肉部 四畫〈p. 1837〉)과 同字

8 ⑫ [腕] 人名 완 ㊤翰 烏貫切 wàn

字解 ①팔목 완 손목. '偏袒扼一'《戰國策》. ②팔뚝 완 팔꿈치로부터 팔목까지의 부분. '玉一', '發和顏攘皓一'《嵇康》. ③《韓》 팔 완 어깨에서 손목까지의 부분. 어깨에서 팔꿈치까지를 '上一', 팔꿈치에서 손목까지를 '前一'이라 함.

字源 形聲. 月(肉)＋宛〔音〕. '宛완'은 부드럽게 굽다의 뜻. 자유롭고 부드럽게 구부릴 수 있는 육체의 부분, 곧 '팔'의 뜻을 나타냄.

[腕車 완거] 인력거(人力車).
[腕骨 완골] 손목 부분에 있는 짧고 작은 여덟 개의 뼈.
[腕力 완력] 주먹 기운. 팔의 힘. 힘꼴. 뚝심.
[腕釧 완천] 팔찌.
◉關腕. 怪腕. 辣腕. 敏腕. 上腕. 手腕. 扼腕. 弱腕. 玉腕. 才腕. 提腕. 切齒扼腕. 隻腕. 鐵腕. 枕腕. 懸腕. 皓腕.

8 ⑫ [腎] 계 ㊤薺 康禮切 qǐ ㊤霽 苦計切

字解 장딴지 계 정강이 뒤쪽의 불룩한 부분. '一, 腓腸'《集韻》.

字源 形聲. 月(肉)＋啓〈省〉〔音〕.

8 ⑫ [腄] 〔기〕 跽(足部 七畫〈p. 2233〉)와 同字

8 ⑫ [腇] 뇌 ㊤賄 弩罪切 něi

字解 ①약할 뇌 '萎一'는 연약한 모양. '萎一咋舌'《後漢書》. ②주릴 뇌 餒(食部 七畫)와 同字.

字源 形聲. 月(肉)＋委〔音〕

◉萎腇.

8 ⑫ [腍] 임 ㊤寢 如甚切 rèn

字解 익힐 임 익게 함. '腥肆爓一祭'《禮記》.

8 ⑫ [腏] 함 ㊥覃 胡南切 hán

字解 턱 함 頷(頁部 八畫)과 同字.

8 ⑫ [腏] ▣ 철 ㊀屑 陟劣切 chuò ▣ 체 ㊤霽 陟衛切 zhuì

字解 ▣ ①살도릴 철 뼈 사이의 살을 발라냄. '一, 挑取骨閒肉也'《說文》. ②골 철 골수(骨髓). '一, 一曰, 髓謂之一'《集韻》. ▣ 제주부을 체 제삿술을 땅에 부음. 餟(食部 八畫)와 同字. '其下四方地爲一食'《漢書》.

字源 篆文 形聲. 月(肉)＋叕〔音〕. '叕철'은 '깎다〔剟〕'의 뜻. 뼈 사이의 고기를 우벼 내는 일.

[腏食 체식] 뭇 신(神)을 제사 지낼 때 위패를 나란히 하여 한꺼번에 지내는 일.

[腴] 〔유〕 腴(肉部 九畫〈p. 1856〉)를 보라.

8 ⑫ [腎] 人名 신 ㊤軫 時忍切 shèn

字解 ①콩팥 신 오장의 하나. '一臟'. '一者作強之官'《素問》. ②자지 신, 불알 신 '一氣'. '一子'.

字源 篆文 形聲. 月(肉)＋臤〔音〕. '臤견'은 '臣신'과 통하여, 아마도 다른 기관(器官)에 신례(臣隷)로서 봉사하는 기관을 뜻하는 듯함.

[腎經 신경] ㉠신장(腎臟). ㉡한방(漢方)에서 신장의 경락(經絡)을 이름.
[腎氣 신기] 자지의 기운.
[腎囊 신낭] 불알.
[腎水 신수] 사람의 정수(精水).
[腎子 신자] 불알.
[腎腸 신장] ㉠신장과 장. 콩팥과 창자. ㉡진심(眞心).
[腎臟 신장] 오장(五臟)의 하나. 복강(腹腔) 뒷벽의 상부 좌우(左右)에 하나씩 있어서 피 속에서 오줌을 걸러 방광(膀胱)으로 보내는 작용(作用)을 함. 콩팥.
[腎虛 신허] 신기(腎氣)가 허약(虛弱)한 병(病).
[腎虛腰痛 신허요통] 방사(房事)의 과도(過度)로 일어나는 허리가 아픈 병.
[腎候 신후] 귀〔耳〕의 이칭(異稱).
◉肝腎. 內腎. 心腎. 腸腎. 海狗腎.

8 ⑫ [腦] 치 ①㊤寘 側吏切 zì ②㊥支 仄師切

字解 ①살통통할 치 '一, 肥皃'《集韻》. ②포 치 말린 살코기. 육포.

8 ⑫ [脺] ▣ 졸 ㊀月 蒼沒切 cuì ▣ 수 ㊤寘 雖遂切 suì

字解 ▣ 무를 졸 '臎, 說文, 耎易破也. 或作一'《集韻》. ▣ ①윤택할 수 얼굴에 윤기가 돎. '一, 顏面澤也'《集韻》. ②뇌 수 腦(肉部 九畫)와 뜻

이 같음. '一, 一曰腦也'《集韻》.
字源 形聲. 月(肉)＋卒〔音〕

8 ⑫ [腍] 〔검〕
臉(肉部 十三畫〈p. 1866〉)의 俗字

8 ⑫ [腄] 一 추 ㊥支 竹垂切 chuí
二 수 ㊥支 視隹切
三 취 ㊥佳 崇懷切 chuái

字解 一 발꿈치못 추. 二 볼기 수 '一, 臀也'《集韻》. 三 보기흉할 최 '膗一'. '腄, 膗腄, 形惡. 或作一'《集韻》.
字源 篆文 形聲. 月(肉)＋垂(埀)〔音〕. '埀수'는 '늘어지다'의 뜻.

9 ⑬ [腜] 매 ㊥灰 莫杯切 méi
字解 ①아이밸 매 여자가 처음으로 잉태함. '一, 婦孕始兆也'《說文》. ②아름다울 매 아름다운 모양. '一一坰野'《左思》.
字源 篆文 形聲. 月(肉)＋某〔音〕. 일설에는, '某모'는 자식을 얻으려고 신목(神木)에 비는 뜻. 여자가 임신함을 뜻함.

[腜腜 매매] 살이 찌는 형용. 아름다운 모양.

9 ⑬ [腞] 전 ㊤銑 杜兗切 zhuàn
字解 아로새길 전 조각함. 전자(篆字)를 새겨 장식함. '一楯'. '死得於一楯之上'《莊子》.

[腞楯 전순] '腞'도 '楯'도 관(棺)을 싣는 수레. 일설에는, '腞'은 조각한 제사용의 상(床).

9 ⑬ [腠] 주 ㊦有 倉奏切 còu
字解 살결 주 피부. 또, 피부의 결. '膚一'. '君有疾, 在一理'《史記》.
字源 形聲. 月(肉)＋奏〔音〕

[腠理 주리] 살결.
[腠胝 주지] 피부에 굳은살(티눈)이 생김. 또, 그 굳은살.
◉膚腠. 肉腠. 中腠.

9 ⑬ [腢] 우 ㊥尤 魚侯切
㊤有 語口切 ǒu
字解 어깻죽지 우 어깨에 팔이 붙은 부분. 또, 그 뼈. 髃(骨部 九畫)와 同字. '當一用吉器'《儀禮》.

9 ⑬ [腥] 人名 성 ㊥青 桑經切 xīng
字解 ①날고기 성 생고기. '君賜一, 必熟而薦之'《論語》. ②누릴 성, 비릴 성 날고기의 냄새가 남. '一臊'. '砧几餘一'《歐陽修》. ③더러울 성 추함. '一德'. '一聞在上'《書經》.
字源 篆文 形聲. 月(肉)＋星〔音〕. '星성'은 '별'의 뜻. 고기 속에 별과 같이 박히는 흰 지방(脂肪)이 있는 차돌박이 고기의 뜻을 나타냄.

[腥德 성덕] 더러운 덕. 추한 행위. 예덕(穢德).
[腥聞 성문] 추문(醜聞).
[腥魚 성어] 생선.
[腥羶 성전] 누린내가 남. 더러움. 또, 그 물건.
[腥臊 성조] ㉠비린내 또는 누린내가 남. ㉡더러움.
[腥臭 성취] 누린내 또는 비린내.
[腥風 성풍] 비린내 풍기는 바람.
[腥血 성혈] 비린 피.
◉鮮腥. 羶腥. 臊腥. 臭腥. 鹹腥. 血腥. 葷腥.

9 ⑬ [腦] 高人 뇌 ㊤晧 奴皓切 nǎo 脑
筆順 丿 月 月巛 月巛 脳 腦 腦 腦
字解 ①머릿골 뇌 두개골 안에 있는 회백색 물질. '一漿'. '楚子伏己, 而盬其一'《左傳》. ②머리 뇌 ㉠두개(頭蓋). '市人爭開其一, 取其髓'《五代史》. ㉡판단력·기억력 등의 정신의 작용. 또, 마음. '頭一明晰'. '痛心拔一'《陸機》. ㉢주요 인물. '首一'.
字源 篆文 會意. 篆文은 匕＋巛＋囟. '巛천'은 머리털의 象形. '囟신'은 아직도 숫구멍이 열려 있는 어린아이의 두개골의 象形. '匕비'는 '붙다'의 뜻. 이 '匕'는 뒤에 '月(肉)'로 변형됨. 머리털과 두개골에 말려 있는 '머릿골'의 뜻을 나타냄.

[腦蓋骨 뇌개골] 뇌(腦)를 싸고 머리를 이루는 뼈. 두개골(頭蓋骨).
[腦筋 뇌근] 뇌신경(腦神經).
[腦力 뇌력] 정신을 써서 생각하는 힘. 지력(智力).
[腦漏 뇌루] 코에서 악취가 나거나 고름이 나오는 병.
[腦裏 뇌리] 뇌 안. 곧, 머릿속.
[腦裡 뇌리] 뇌리(腦裏).
[腦膜 뇌막] 뇌(腦)를 싸고 있는 막(膜).
[腦膜炎 뇌막염] 뇌막(腦膜)에 나는 염증(炎症).
[腦病 뇌병] 뇌(腦)에 관(關)한 병의 총칭(總稱).
[腦貧血 뇌빈혈] 뇌(腦)의 혈액 순환이 나빠져 생기는 병.
[腦髓 뇌수] 머릿골.
[腦神經 뇌신경] 대뇌(大腦)의 밑과 연수(延髓)에서 나와서 머리·얼굴에 퍼져 있는 운동 신경(運動神經) 및 지각 신경(知覺神經).
[腦溢血 뇌일혈] 뇌(腦) 속에서 혈관(血管)이 터져 피가 딴 데로 도는 병(病).
[腦漿 뇌장] ㉠뇌수(腦髓) 속의 점액(粘液). ㉡슬기.
[腦震蕩 뇌진탕] 머리를 크게 부딪쳤을 때에 뇌에 일어나는 현상. 의식을 잃거나 혹은 죽음.
[腦瘡 뇌창] 머리에 나는 부스럼.
[腦充血 뇌충혈] 뇌(腦) 속에 피가 많이 흘러 들어가서 일어나는 병.
[腦後 뇌후] 뒤통수.
[腦後拔箭 뇌후발전] 오대(五代) 때에 왕은(王殷)이 두중위(杜重威)의 화살에 뇌를 맞자, 곧 그 화살을 뽑아 버리고, 적(敵)에게 도리어 화살을 쏘았다는 고사(故事). 선가(禪家)에서 스승이 제자한테 한마디 말로 기사회생(起死回生)시키는 수단을 가리킴.
[腦後腫 뇌후종] 발찌.

◉肝腦. 緊腦. 大腦. 頭腦. 馬腦. 首腦. 小腦. 洗腦. 瘦腦. 髓腦. 龍腦. 樟腦. 主腦.

9 ⑬ **[腧]** 수 [去]遇 傷遇切 shù

[字解] 혈 수 '一穴'은 등의 침놓는 자리. '一穴在脊中'《正字通》.

[字源] 形聲. 月(肉)+兪〔音〕

[腧穴 수혈] 자해(字解)를 보라.

9 ⑬ **[腫]** [人名] 종 [上]腫 之隴切 zhǒng 肿

[字解] ①부스럼 종 종기. '一瘍'. ②부르틀 종 살이 솟아오르거나, 살가죽이 들뜸. 부음. '公閉門而泣之, 目盡一'《漢書》.

[字源] [篆文] 形聲. 月(肉)+重〔音〕. '重중'은 부풀어서 무거운 자루의 象形. 육체의 일부가 부푼 종기의 뜻을 나타냄.

[腫氣 종기] 부스럼.
[腫毒 종독] 종기(腫氣)의 독기(毒氣).
[腫病 종병] 붓는 병.
[腫瘍 종양] 종기(腫氣).
[腫瘡 종창] 종기(腫氣).
[腫處 종처] 부스럼이 난 곳.
[腫膾 종회] 초췌(憔悴)한 모양.
◉疼腫. 浮腫. 水腫. 癌腫. 癭腫. 擁腫. 臃腫. 肬腫. 瘤腫. 陰腫. 疽腫. 赤腫. 瘡腫. 黃腫. 掀腫.

9 ⑬ **[腯]** [一] 돌 [入]月 陀骨切 tú [二] 둔 [去]願 徒困切 dùn

[字解] [一] 살찔 돌 돼지 같은 것이 비대(肥大)하여짐. '牛羊曰肥, 豕曰一'《說文》. [二] 살찔 둔 [一]과 뜻이 같음.

[字源] [篆文] 形聲. 月(肉)+盾〔音〕. '盾순'은 눈으로부터 몸 전체를 가리는 크고 무거운 방패로, 육중하게 무겁다는 뜻. 뚱뚱하게 살찐 고기를 이름.

[腯肥 돌비] 돼지〔豕〕의 이칭(異稱).
◉博腯. 肥腯. 豐腯.

9 ⑬ **[腰]** [高人] 요 [平]蕭 於霄切 yāo

[筆順] 月 肌 肝 脝 脝 腰 腰 腰

[字解] ①허리 요 ㉠복부와 둔부(臀部)의 중간. '一帶'. ㉡요해처(要害處). '梁者, 山東之一也'《戰國策》. ㉢산기슭에 가까운 부분. '山一'. ㉣허리에 띠거나 차는 물건의 수사(數詞)로 쓰임. '帶一一'《北史》. ②찰 요 허리에 참. '負琴一劍成三友'《陸游》.

[字源] 形聲. 月(肉)+要〔音〕. '要요'는 '허리'의 뜻. '要'가 허리 이외의 많은 뜻으로 쓰이게 되자, '肉육'을 붙여서 구별하여, '허리'의 뜻을 나타냄.

[參考] 腰(次條)는 同字.

[腰間 요간] 허리의 둘레.
[腰劍 요검] 칼을 허리에 참. 또, 그 칼.
[腰鼓 요고] 통의 양쪽을 메운 악기(樂器). 채로 침. 장구.

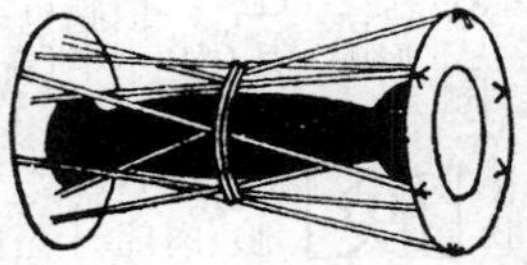

〔腰鼓〕

[腰帶 요대] 허리띠.
[腰刀 요도] 허리에 차는 칼.
[腰繩 요승] 죄인의 허리를 결박하는 노끈.
[腰輿 요여] 앞뒤에 여러 사람이 각각 손으로 허리만큼 높이 들고 가는 가마.
[腰圍 요위] 허리통.
[腰絰 요질] 상복(喪服)에서 허리에 띠는, 삼으로 만든 굵은 띠.
[腰斬 요참] 허리를 자르는 형벌.
[腰椎 요추] 허리 부분의 척추골(脊椎骨).
[腰痛 요통] 허리가 아픈 병.
[腰下 요하] 허리 근처.
◉曲腰. 弓腰. 蜂腰. 山腰. 纖腰. 細腰. 伸腰. 爲五斗米折腰. 柳腰. 低腰. 折腰. 楚腰. 蝦腰.

9 ⑬ **[腰]** 腰(前條)와 同字

9 ⑬ **[腱]** [人名] 건 [去]願 渠建切 jiàn

[字解] 힘줄 건 힘줄의 밑동. 일설(一說)에는, 힘줄의 끝. '肥牛之一, 臑若芳些'《楚辭》.

[字源] 形聲. 月(肉)+建〔音〕

9 ⑬ **[腴]** 유 [平]虞 羊朱切 yú [上]麌 勇主切

[字解] ①살찔 유 아랫배가 살찜. '桀紂之君, 垂一尺餘'《論衡》. 또, 그 고기. '冬右一'《禮記》. ②고기 유 살지고 기름기가 많은 고기. '膳無鮮一'《南史》. ③기름기 유 고기가 섞인 기름기. '甘而多一'《論衡》. ④기름질 유, 기름지게할 유 비옥함. 또, 그 땅. '沃一'. '九州膏一'《漢書》. '潟鹵可一'《王融》. ⑤내포 유 돼지·개의 창자. '君子不食圂一'《禮記》. ⑥영화 유 부귀영화. '處一能約'《晉書》. ⑦맛 유 음식의 미미(美味). 사물의 진미(眞味). '味道之一'《班固》.

[字源] [篆文] 形聲. 月(肉)+臾〔音〕. '臾유'는 원뿔꼴로 솟아오르다의 뜻. 아랫배가 살찌다의 뜻을 나타냄.

[腴膏 유고] 살쪄서 기름기가 흐름. 또, 부유(富裕)함.
[腴潤 유윤] ㉠살찌고 윤이 남. ㉡아름다운 일.
◉苦腴. 膏腴. 濃腴. 道腴. 肥腴. 上腴. 鮮腴. 贍腴. 垂腴. 沃腴. 滋腴. 羶腴. 脂腴. 珍腴. 豐腴. 華腴. 圂腴.

9 ⑬ **[腊]** 개 [平]佳 居諧切 [上]蟹 苦蟹切 jiē

[字解] 여윌 개 여윔. 또, 여위는 모양. '一, 瘦皃'《廣韻》.

[字源] 形聲. 月(肉)+皆〔音〕

9 ⑮ **[臈]** 腊(前條)와 同字

9 ⑬ [腶] 단 [去]翰 丁貫切 duàn

[字解] 포 단 건육(乾肉). '一脩'. '進稻醴·粱糗·一脯'《左傳》.

[字源] 形聲. 月(肉)+段〔音〕

[腶脩 단수] 생강(生薑)과 계피(桂皮) 등의 향신료를 섞어 말린 고기.
[腶脯 단포] 단수(腶脩).

9 ⑬ [臝] 라 [上]哿 魯果切 [平]歌 盧戈切 luó

[字解] 노새 라 羸(馬部 十三畫)의 古字. '一, 或曰, 嘼名'《說文》.

[字源] 象形. 괄태충, 달팽이 등의 연체동물의 상형.

9 ⑬ [腷] 픽(벽[本]) [入]職 符逼切 bì

[字解] ①답답할 픽 가슴이 답답함. '一臆誰訴'《李華》. ②홰치는소리 픽 또, 얼음이 깨지는 소리. 또는 문을 두드리는 소리.

[字源] 形聲. 月(肉)+畐〔音〕

[腷膊 픽박] 물건 때리는 소리. 또, 새가 홰치는 모양.
[腷臆 픽억] 가슴이 답답한 모양.
[腷腷膊膊 픽픽박박] ㉠닭이 홰치는 소리. ㉡얼음이 갈라지는 소리.

9 ⑬ [腸] [高人] 장 [平]陽 直良切 cháng

[筆順] 月 月ᄆ 月日 月旦 月昜 腸 腸 腸

[字解] ①창자 장 육부(六腑)의 하나. 위(胃)에서 항문에 이르는 가늘고 긴 소화 기관. 대장과 소장으로 나뉨. '胃一'. '心腹腎一'《書經》. ②마음 장 '熱一'. '廉忠實無它一'《漢書》.

[字源] [篆文] 形聲. 月(肉)+昜〔音〕. '昜양·장'은 '발돋움하다'의 뜻. 늘어나는 대장(大腸)·소장, '창자'의 뜻을 나타냄.

[參考] 膓(肉部 十一畫)은 俗字.

[腸加答兒 장가답아] 장(腸)의 점막(粘膜)의 염증(炎症). 장(腸)카타르.
[腸斷 장단] 창자가 끊어짐. 곧, 대단히 애통(哀痛)함을 이름.
[腸肚 장두] 배. 마음속.
[腸肚相連 장두상련] 서로 협력(協力)하여 일을 해 나감.
[腸腎 장신] 창자와 콩팥. 전(轉)하여, 마음.
[腸液 장액] 창자 점막(粘膜)에 분포(分布)된 무수(無數)한 선(腺)에서 분비(分泌)하는 소화액(消化液).
[腸癰 장옹] 아랫배가 띵띵 붓고 발열(發熱)·오한(惡寒)·압통(壓痛)·소변(小便)이 잦은 증세(症勢)가 있고 대변(大便)과 함께 피고름이 나오는 병(病).
[腸胃 장위] ㉠창자와 밥통. 전(轉)하여, 배 속. ㉡요충(要衝). 목.
[腸窒扶斯 장질부사] 티푸스균이 장(腸)에 침입하여 일어나는 급성 전염병. 염병. 장(腸)티푸스.
[腸痔 장치] 분문(糞門) 속에 있는 근육(筋肉)이 밖으로 나오는 치질(痔疾). 밑이 빠지는 병(病). 탈항(脫肛).
◉腔腸. 剛腸. 枯腸. 灌腸. 錦繡腸. 錦心繡腸. 饑腸. 冷腸. 鹿腸. 斷腸. 大腸. 盲腸. 石腸. 小腸. 俗腸. 愁腸. 詩腸. 腎腸. 心腸. 羊腸. 女腸. 熱腸. 浣腸. 胃腸. 調腸. 酒有別腸. 中腸. 直腸. 鐵心石腸. 鐵腸. 寸腸. 衷腸. 它腸. 脫腸. 肺腸. 黃腸. 回腸.

9 ⑬ [腹] [高人] 복 [入]屋 方六切 fù

[筆順] 月 月' 月' 胙 胙 胙 腹 腹

[字解] ①배 복 ㉠가슴 아래의 위장을 싼 부분. '一部'. '夢蒼龍據吾一'《史記》. ㉡음식이 들어가는 곳. 위장. '偃鼠飮河, 不過滿一'《莊子》. ㉢마음. '敢布一心'《左傳》. ㉣앞. 전면. '一背受敵'. 물건의 배에 상당한 부분. '中一'. '水出山一'《廬山記》. ②두터울 복 얇지 아니함. '水澤一堅'《禮記》. ③껴안을 복 '出入一我'《詩經》.

[字源] [篆文] 形聲. 月(肉)+复(夏)〔音〕. '夏복'은 '包포'와 통하여, '싸다'의 뜻. 내장(內臟)을 싸는 육체의 부분, 곧 '배'의 뜻을 나타냄.

[腹腔 복강] 배의 얼안.
[腹稿 복고] 붓을 들기 전에 미리 복안을 짬.
[腹雷 복뢰] 복명(腹鳴).
[腹膜 복막] 복벽(腹壁)의 속 전체(全體)를 덮은 얇은 막(膜).
[腹鳴 복명] 배탈이 나서 배 속이 꾸르륵거리는 현상.
[腹背 복배] ㉠배와 등. ㉡앞과 뒤. ㉢대단히 가까움. 극히 친함.
[腹背受敵 복배수적] 앞뒤로 적병(敵兵)을 만남.
[腹壁 복벽] 뱃가죽의 안쪽.
[腹部 복부] 배의 부분(部分).
[腹誹 복비] 입 밖에 내놓지는 않으나 속으로 비방(誹謗)함.
[腹瀉 복사] 설사와 토하는 일.
[腹笥 복사] 배 속의 책 상자. 곧, 학문의 축적.
[腹笥空虛 복사공허] 학식이 적음.
[腹心 복심] ㉠배와 가슴. ㉡마음 속 깊은 곳. 또는 속에 품고 있는 심정. ㉢매우 긴하여 없어서는 안 될 사물.
[腹心之疾 복심지질] ㉠고치기 어려운 병. ㉡제거하기 어려운 외환(外患).
[腹案 복안] 마음속으로 품고 있는 생각.
[腹癰 복옹] 복벽(腹壁)에 나는 종기(腫氣).
[腹足類 복족류] 연체동물(軟體動物)의 한 부류. 대개 나사 형상의 껍데기가 있고 머리와 가슴의 구별이 없으며 배의 거죽은 근육질(筋肉質)의 발이 되어 기어 다님. 소라·우렁이 따위.
[腹中 복중] ㉠배 속. ㉡마음. 심중(心中).
[腹中書 복중서] 읽고 기억해 둔 책.
[腹疾 복질] 배 아픈 병.
[腹脹症 복창증] 배가 더부룩한 병(病).
[腹痛 복통] 배가 아픔.
[腹瘧 복학] 비장이 부어 배 속에 자라 모양의 단단한 것이 생겨 한열(寒熱)이 심한 어린이 병. 자라배.

◉開腹. 鼓腹. 空腹. 寬腹. 口腹. 屠腹. 同腹. 馬腹. 滿腹. 袹腹. 半腹. 背腹. 捧腹. 私腹. 山腹. 船腹. 蟬腹. 小腹. 雖鞭長不及馬腹. 心腹. 熱腹. 牛腹. 遺腹. 異腹. 葬魚腹. 妾腹. 坦腹. 帕腹. 皤腹. 便腹. 抱腹. 豐腹. 割腹. 割股啖腹. 含哺鼓腹. 枵腹. 胷腹.

9 ⑬ [腩] 남 ㊤感 奴感切 nǎn

字解 ①고기 남 삶은 고기. '有—炙法'《齊民要術》. ②포 남 건육(乾肉). ③《韓》 간납 남 간(肝) 저냐.

字源 形聲. 月(肉)+南〔音〕

9 ⑬ [腱] 腩(前條)과 同字

9 ⑬ [腵] 가 ㊥麻 居牙切 jiā

字解 ①창자의병 가 '—, 腸病'《集韻》. ②배에 응어리가생기는병 가 '—, 癥病也'《正字通》.

9 ⑬ [腜] 접 ㊇葉 直葉切 zhé

字解 ①저밀 접 고기를 얇게 썲. '有作犬—法, 苞—法'《齊民要術》. ②저민고기 접 '—, 薄切肉也'《說文》. '—, 細切肉也'《廣韻》.

字源 篆文 形聲. 月(肉)+枼〔音〕. '枼엽·섭'은 '얇고 평평하다'의 뜻. 얇고 납작하게 썬 고기.

9 ⑬ [腛] ㊀ 악 ㊇覺 於角切 wò ㊁ 옥 ㊇屋 烏谷切

字解 ㊀ ①기름질 악 기름이 많음. 비계가 두꺼움. '欲其柔滑而—脂之'《周禮》. ②두꺼울 악 '—, 厚也'《集韻》. ㊁ 기름질 옥 ㊀과 뜻이 같음.

9 ⑬ [腠] 규 ㊥支 渠追切 kuí

字解 못생길 규 보기 흉함. '噅—哆嗃'《淮南子》.

9 ⑬ [腟] 질 ㊇質 丑一切 chì

字解 살돋아날 질 '—, 肉生'《玉篇》.

字源 形聲. 月(肉)+室〔音〕

9 ⑬ [腺] 人名 선 ㊥先 讀若線 xiàn

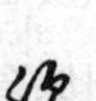

字解 샘 선 생물체 내에서 분비 작용(分泌作用)을 하는 기관(器官). '淋巴—'.

字源 形聲. 月(肉)+泉〔音〕. 살 가운데 수분이 괴는 곳의 뜻.

參考 본디 日本字. '肉육'과 '泉천'의 합자(合字)로 살 속에 수분이 괴는 뜻을 취한 것. 한국(韓國)·중국에서도 쓰임.

[腺病 선병] 어린이의 체질성 질환(體質性疾患)으로, 임파성(淋巴性) 체질에 흔한데, 피부가 껄껄해지며 습진·수포성 결막염·만성 비염 등이 일어나는 결핵성(結核性) 전신병임.

[腺病質 선병질] ㉠선병(腺病)에 걸린 어린이에게 나타나는 특별한 체질(體質). ㉡병에 걸리기 쉬운 신경질적인 체질.

◉甲狀腺. 內分泌腺. 淚腺. 生殖腺. 乳腺. 耳下腺. 淋巴腺. 唾液腺. 汗腺.

9 ⑬ [腝] 갹 ㊇藥 極虐切 jué

字解 ①소의혀 갹 '—, 牛舌'《集韻》. ②크게웃을 갹 껄껄 웃음. '—, —噱, 大笑也'《廣韻》.

9 ⑬ [腡] ㊀ 라 ㊥歌 盧戈切 luó ㊁ 과 ㊥麻 姑華切 䐢

字解 ㊀ 지문(指紋) 라 손가락 끝의 금. '—, 手理也'《廣韻》. '—, 手文謂之—'《集韻》. ㊁ 지문 과 ㊀과 뜻이 같음.

9 ⑬ [腪] 춘 ㊤軫 尺尹切 chǔn

字解 살찔 춘 '—, 肥也'《集韻》.

9 ⑬ [腲] 외 ㊤賄 烏賄切 wěi

字解 ①살찔 외 살찐 모양. '—, —腇, 肥也'《集韻》. ②느릿느릿할 외 '—腇'는 느릿느릿한 모양. '阿那—腇者已. (注)阿那—腇, 舒遲貌'《王褒》.

9 ⑬ [腝] ㊀ 니 ㊥齊 年題切 ní ㊁ 눈 ㊦願 奴困切 nèn

字解 ㊀ 장조림 니 고기와 뼈를 난도질하여 만든 장조림. 臡(肉部 十九畫)와 同字. '—, 有骨醢也'《說文》. ㊁ 연할 눈 고기가 부드러움. 연함. '—, 肉—'《正字通》.

字源 篆文 別體 形聲. 月(肉)+耎〔音〕. '耎연'은 '부드럽다'의 뜻. 부드러운 고기, 젓갈의 뜻을 나타냄.

9 ⑬ [腨] 천 ㊤銑 市兗切 shuàn

字解 장딴지 천 '—, 腓腸也'《說文》.

字源 篆文 形聲. 月(肉)+耑〔音〕. '耑단'은 '끝'의 뜻. 정강이 뒤쪽의 끝 부분, 곧 '장딴지'.

9 ⑬ [腬] 유 ㊥尤 耳由切 róu

字解 고기기름질 유 살지고 맛있는 고기. '—, 嘉善肉也'《說文》.

字源 篆文 形聲. 月(肉)+柔〔音〕

9 ⑬ [腤] 암 ㊥覃 烏含切 ān

字解 ①어육익힐 암 어육(魚肉)을 끓여 익힘. '—, 煮魚肉也'《廣韻》. ②끓일 암 '—, 烹也'《集韻》.

9 ⑬ [膋] 〔요〕 腰(肉部 九畫〈p. 1856〉)와 同字

9 ⑬ [腨] 〔위〕 胃(肉部 五畫〈p. 1843〉)와 同字

9 ⑬ [腭] 〔악〕
齶(齒部 九畫〈p.2727〉)과 同字

9 ⑬ [腳] 〔각〕
脚(肉部 七畫〈p.1848〉)의 本字

9 ⑬ [腮] 〔시〕
顋(頁部 九畫〈p.2550〉)의 俗字

9 ⑬ [膃] 〔올〕
膃(肉部 十畫〈p.1859〉)의 俗字

9 ⑬ [膋] 〔영·형〕
營(火部 十三畫〈p.1358〉)의 俗字

[塍] 〔승〕
土部 十畫(p.460)을 보라.

[媵] 〔잉〕
女部 十畫(p.544)을 보라.

10 ⑯ [膐] 〔려〕
膂(肉部 十畫〈p.1860〉)와 同字

10 ⑭ [腿] [人名] 퇴 [上]賄 吐猥切 tuǐ

[字解] ①다리살 퇴 넓적다리의 뒤쪽 살과 장딴지의 살. ②다리 퇴 넓적다리와 정강이의 총칭. 넓적다리는 '大一', 정강이는 '小一'라 함.
[字源] 形聲. 月(肉)+退〔音〕

[腿骨 퇴골] 다리뼈.
◉大腿. 小腿. 下腿.

10 ⑭ [膀] [人名] 방 [平]陽 步光切 páng, ③pāng

[字解] ①오줌통 방 오줌을 저장하는 비뇨기(泌尿器). 방광(膀胱). ②옆구리 방 髈(骨部 十畫)과 同字. ③부풀 방 부풀어 오름. '一, 脹也'《集韻》.
[字源] [篆文] [別體] 形聲. 月(肉)+旁〔音〕. '旁방'은 '옆'의 뜻. '옆구리'의 뜻.

[膀胱 방광] 오줌을 저장해 두는 주머니 모양의 배설 기관. 오줌통.

10 ⑭ [膃] 올 [入]月 烏沒切 wà

[字解] ①살질 올 '一肭'은 살져 보드라움. '一, 一肭, 肥也'《集韻》. ②물개 올 '一肭'은 북해(北海)에 사는 바다짐승. 해구(海狗).
[字源] 形聲. 月(肉)+𥁕〔音〕

[參考] '올눌(膃肭)'은 아이누 어(語)인 onnep의 중국 음역(音譯).

[膃肭 올눌] ㉠살져서 보드라움. ㉡물갯과(科)에 속하는 바다짐승. 온몸에 난 흑갈색의 보드라운 털로 덮인 모피는 진중하며, 신(腎)은 해구신(海狗腎)이라 하여 보신제(補腎劑)로 씀. 바닷개. 해구(海狗).
[膃肭臍 올눌제] 해구신(海狗腎).

10 ⑭ [膄] 〔수〕
瘦(疒部 十畫〈p.1492〉)와 同字

10 ⑭ [腱] 〔건〕
腱(肉部 九畫〈p.1856〉)과 同字

10 ⑭ [膗] 〔둔〕
臀(尸部 五畫〈p.622〉)과 同字

10 ⑭ [膈]
[一] 〔고〕餻(食部 十畫〈p.2582〉)와 同字
[二] 〔확〕臛(肉部 十畫〈p.1860〉)의 俗字

10 ⑭ [膆] 소 [去]遇 桑故切 sù

[字解] ①멀떠구니 소 嗉(口部 十畫)와 同字. '裂一破觜'《潘岳》. ②살찔 소 '一, 肥也'《集韻》.
[字源] 形聲. 月(肉)+素〔音〕

10 ⑭ [膇] 추 [去]寘 馳僞切 zhuì

[字解] 발부을 추 발이 부음. '民愁則墊隘, 於是乎有沉溺重一之疾'《左傳》.
[字源] 形聲. 月(肉)+追〔音〕

[膇脂 추함] 발이 부음.
◉重膇. 沈膇.

10 ⑭ [膈] [人名] 격 [入]陌 古核切 gé

[字解] ①칸막이 격 심장과 비장 사이의 장격(障隔). '一, 塞也, 一塞上下, 使氣與穀不相亂也'《釋名》. ②가슴 격 가슴 속. '多病背一痛'《後漢書 註》. ③종틀 격 종을 걸어 놓는, 나무로 만든 틀. '懸一鐘, 尙拊一'《史記》.
[字源] 形聲. 月(肉)+鬲〔音〕

[膈膜 격막] 가슴과 배의 중간(中間)에 있는 막(膜).
◉肝膈. 胸膈.

10 ⑭ [膗]
[一] 차 [平]佳 初佳切 chāi
[二] 자 [平]歌 才何切 cuó

[字解] [一] 포육(脯肉) 차 말린 고기. '一, 一䏲, 脯腊'《廣韻》. [二] 배끓을 자 배에서 꾸르륵거리는 소리가 남. '一, 腹鳴也'《集韻》.

10 ⑭ [膉] 익 [入]陌 伊昔切 yì

[字解] 목살 익 목의 살. '取諸左一'《儀禮》.

10 ⑭ [膊] [人名] 박 [入]藥 匹各切 bó

[字解] ①포 박 건육(乾肉). ②팔 박 어깨에서 팔꿈치까지를 '上一', 팔꿈치에서 손목까지를 '下一'이라 함. ③어깨 박 견부(肩部). '拉一摰脅'《潛夫論》. ④책살할 박 발가벗겨 기둥에 묶고 책형(磔刑)에 처함. '殺而一諸城上'《左傳》. ⑤홰치는소리 박 닭이 날개를 치는 소리. '一一庭

樹雞初鳴'《陸游》.
[字源] 篆文 形聲. 月(肉)+專〔音〕. '專부'는 '펴다'의 뜻. 두들겨 얇게 펴서 말린 고기를 이름.

[膊膊 박박] ㉠닭이 홰치는 소리. ㉡얼음이 깨져 터지는 소리의 형용.
◉袒膊. 臂膊. 上膊. 前膊. 脳膊. 下膊.

10 ⑭ [臛] 확 [入]藥 忽郭切 huò
[字解] 곰국 확 고깃국. '一, 肉羹也'《說文》.
[字源] 篆文 形聲. 月(肉)+隺〔音〕

10 ⑭ [膌] 척 [入]陌 資昔切 jí
[字解] 파리할 척 瘠(疒部 十畫)과 同字. '簡稽帥馬牛之肥一'《管子》.
[字源] 篆文 古文 形聲. 月(肉)+脊(脊)〔音〕. '脊척'은 등뼈의 울퉁불퉁한 모양을 나타냄. 古文도 形聲. 疒+朿〔音〕. '朿속'은 가늘게 죄어지다의 뜻을 나타냄.

◉肥膌.

10 ⑭ [膉] 개 [平]灰 柯開切 gāi [上]賄 可亥切 kǎi
[字解] ①살찔 개 '一, 肥也'《集韻》. ②축류(畜類)새끼밸 개 가축이 새끼를 뱀. '一, 一曰, 六畜胎曰一'《集韻》. ③좋은고기 개 '一, 肉美'《廣韻》.

10 ⑭ [膍] 비 [平]支 房脂切 pí
[字解] ①처녑 비 반추위(反芻胃)의 제삼위(第三胃). '一, 牛百葉也'《說文》. ②후(厚)할 비, 후하게할 비 '福祿一之'《詩經》.
[字源] 篆文 別體 形聲. 月(肉)+㿝〔音〕. 別體도 形聲. 月(肉)+比〔音〕. '㿝비'·'比비'는 주름이 줄지어 있는 뜻. 소 따위의 '처녑, 밥통'을 이름.

10 ⑭ [膎] 해 [平]佳 戶佳切 xié
[字解] ①포 해 건육(乾肉). '酒無一, 取伏雞卵爲肴'《南史》. ②음식 해 익힌 음식. '費我一功'《太玄經》.
[字源] 篆文 形聲. 月(肉)+奚〔音〕

10 ⑭ [轂] [一] 곡 [入]屋 古祿切 gǔ [二] 각 [入]覺 苦角切 què
[字解] [一] ①발등 곡 '一, 足跗'《集韻》. ②희생(犧牲)의뒷다리 곡 '一, 牲後足'《集韻》. [二] ①껍질 각 껍데기. '一, 皮甲也'《五音集韻》. ②위에서아래를칠 각 '一, 从上擊下也'《五音集韻》. ③흴 각 백색(白色). '一, 一曰, 素也'《五音集韻》.

10 ⑭ [臽] 함 [上]感 戶感切 hán
[字解] 아래턱 함 函(凵部 七畫)과 同字.

10 ⑭ [膁] 겸 [上]琰 苦簟切 qiǎn
[字解] 허구리 겸 허리 좌우쪽 갈비 아래의 잘쏙한 부분. '一, 腰左右虛肉處'《廣韻》.
[字源] 形聲. 月(肉)+兼〔音〕

10 ⑭ [瞋] 진 [平]眞 昌眞切 chēn
[字解] 부을 진 살이 부음. '一, 肉張起'《廣韻》.
[字源] 篆文 形聲. 月(肉)+眞〔音〕. '眞진'은 안에 차서 부풀다의 뜻. 살이 탱탱하게 성이 나는 일.

10 ⑭ [膓] 식 [入]職 相卽切 xī
[字解] 콧속군살 식 '膞, 一也. (注) 謂息肉也'《揚子方言》.

10 ⑭ [膖] 궁 [平]東 居雄切 gōng
[字解] 궁형(宮刑) 궁 생식기를 제거하는 형벌. 宮(宀部 七畫)과 통용. '一, 腐刑也'《集韻》.

10 ⑭ [膐] 려 [上]語 力擧切 lǚ
[字解] ①등골뼈 려 척골(脊骨). 전(轉)하여, 의지가 되는 것. '作股肱心一'《書經》. ②힘 려 근력. 체력. '一力絕群'《晉書》.
[字源] 篆文 形聲. 月(肉)+旅〔音〕. '旅려'는 '呂려'와 통하여, 줄지어 있다의 뜻. 서른 개 이상의 추골(椎骨)이 이어져 이루어진 등뼈의 뜻을 나타냄.
[參考] 膂(肉部 十畫)와 同字.

[膐力 여력] 체력(體力). 완력.
[膐力過人 여력과인] 완력이 남보다 뛰어남.
◉共膐. 肱膐. 筋膐. 背膐. 髀膐. 心膐.

10 ⑭ [膡] 〔기〕 嗜(口部 十畫〈p. 397〉)와 同字

10 ⑭ [膋] 료 [平]蕭 落蕭切 liáo
[字解] 기름 료 창자 사이에 낀 기름. '取其血一'《詩經》.
[字源] 篆文 形聲. 月(肉)+勞〈省〉〔音〕

10 ⑭ [膏] [人名] 고 ①-⑧[平]豪 古勞切 gāo ⑨⑩[去]號 古到切 gào
[字解] ①기름 고 ㉠지방(脂肪). '雉一不食'《易經》. ㉡등유(燈油). '焚一油以繼晷'《韓愈》. ②기름질 고 ㉠살지고 기름기가 흐름. 또는 땅이 비옥함. '不能爲一'《國語》. ㉡윤이 흐르고 맛이 좋음. '一菽一稻'《山海經》. ③고약 고 기름으로 만든 붙이는 약. '傅以神一'《後漢書》. ④연지 고 기름을 섞어 만든 연지. '豈無一沐'《詩經》. ⑤살진고기 고 '一粱之性'《國語》. ⑥기름진땅 고 '爲九州一腴'《漢書》. ⑦염통밑 고 심장의 아래. 명치. '一肓'. ⑧은혜 고 은택. '一澤'. '土一其動'《國語》. ⑨기름지게할 고 적셔 윤택하게 함. '陰雨一之'《詩經》. ⑩기름칠 고

기름을 쳐서 미끄럽게 함. '一吾車兮'《韓愈》.
[字源] 甲骨文 篆文 形聲. 月(肉)+高〔音〕. '高고'는 '皦교'와 통하여, 윤기 있는 백색(白色)의 뜻. 흰 지방(脂肪)의 뜻을 나타냄.

[膏粱 고량] 살진 고기와 상등의 곡식. 전(轉)하여, 썩 맛있는 음식.
[膏粱子弟 고량자제] 부귀(富貴)한 집의 자제.
[膏粱之性 고량지성] 고량진미만 먹고 교만해진 사람의 성질.
[膏粱珍味 고량진미] 썩 맛있는 음식.
[膏露 고로] 만물을 기름지게 하는 이슬.
[膏沐 고목] 머리를 감고 연지를 바름. 몸치장.
[膏鋒鏑 고봉적] 창(槍)날에 기름칠을 한다는 뜻. 피살(被殺)당함을 이름.
[膏藥 고약] 약제(藥劑)를 기름에 고아 만들어 종기(腫氣)·상처(傷處) 등에 붙이는 끈끈한 약(藥).
[膏壤 고양] 기름진 땅.
[膏雨 고우] 농작물을 기름지게 하는 비. 감우(甘雨).
[膏油 고유] 기름. 비계. 또, 등유(燈油).
[膏腴 고유] ㉠땅이 기름져 걺. 또, 그 땅. ㉡풍요(豐饒)함. ㉢맛있는 음식.
[膏雉 고치] 살진 꿩. 기름진 꿩.
[膏澤 고택] 은택을 베풂. 또, 은택.
[膏土 고토] 기름지고 건 땅.
[膏汗 고한] 기름과 땀.
[膏血 고혈] 사람의 기름과 피. 전(轉)하여, 피땀을 흘려 얻은 이익.
[膏肓 고황] ㉠심장과 격막의 사이의 부분. 곧, 침이나 약으로 고치지 못하는 곳. 명치. ㉡전부터 내려오는 고치기 어려운 오류(誤謬).
[膏肓之疾 고황지질] 고칠 수 없는 중한 병.
◉肌膏. 民膏. 鉛膏. 雨如膏. 腴膏. 脂膏. 土膏. 豐膏.

10 ⑭ [膜] 〔막〕
膜(肉部 十一畫〈p. 1861〉)의 俗字

11 ⑮ [膕] 괵 [入]陌 古獲切 guó 䐸
[字解] 오금 괵 무릎의 구부리는 안쪽. '詘要撓一'《荀子》.
[字源] 形聲. 月(肉)+國〔音〕

◉撓膕.

11 ⑮ [膒] 구(①우㊟) [平]尤 烏侯切 ōu [去]有 於候切
[字解] ①찌든기름 구 찌든 기름. '一, 久脂也'《玉篇》. ②가죽기름먹일 구 가죽에 기름을 먹임. '一, 一曰, 以脂漬皮'《集韻》.

11 ⑮ [膛] 당 [平]陽 他郎切 táng
[字解] ①가슴 당 '胸一'은 가슴. ②살찔 당 '一一', '一, 肥皃'《集韻》. ③속 당, 빌 당 물건 안의 비어 있는 부분. 포신(砲身)의 '前一'·'後一' 따위.
[字源] 形聲. 月(肉)+堂〔音〕
◉前膛. 後膛.

11 ⑮ [膜] [人名] [一] 막 [入]藥 慕各切 mó [二] 모 [平]虞 莫胡切 mó
[字解] [一] 꺼풀 막 동식물체 내부의 근육 및 모든 기관을 싸고 있는 얇은 꺼풀. '骨一'. '角一'. [二] 무릎꿇을 모 절하기 위하여 무릎을 꿇고 두 손을 듦. '乃一拜而受'《穆天子傳》.
[字源] 篆文 形聲. 月(肉)+莫〔音〕. '莫막'은 가리어 숨기다의 뜻. 생물의 체내(體內) 기관(器官)을 싸 덮는 얇은 거죽의 뜻을 나타냄.

[膜外 막외] 생각 밖. 문제 삼지 않음.
[膜質 막질] 막으로 된 바탕.
[膜拜 모배] 땅에 무릎을 꿇고 손을 들어 절함.
[膜唄 모패] 합장하고 부처에 절하며 노래함.
◉角膜. 鬲膜. 結膜. 膈膜. 鼓膜. 骨膜. 腦膜. 肋膜. 網膜. 薄膜. 腹膜. 眼膜. 粘膜. 脆膜. 瓣膜. 昏膜. 横膈膜.

11 ⑮ [膝] [人名] 슬 [入]質 息七切 xī
[筆順] 月 月+ 月夫 月夹 月秦 膝 膝 膝
[字解] ①무릎 슬 ㉠정강이 위와 넓적다리 아래와의 사이의 관절. '屈一'. '袂屬幅長下一'《儀禮》. ㉡앉은 자리의 바로 앞. 무릎 앞. '當造一諫之'《魏志》. ②무릎꿇을 슬 '餘半一席'《史記》.
[字源] 篆文 形聲. 篆文은 卩+桼〔音〕. '卩절'은 사람이 무릎 꿇는 모양을 형상화한 것이며, 무릎 관절의 뜻. '桼칠'도 '節절'과 통하여, '무릎'의 뜻. 합하여, '무릎'의 뜻을 나타냄. '膝'은 俗字로서, 月(肉)+桼〔音〕의 形聲字.

[膝甲 슬갑] 추위를 막기 위해 무릎까지 내려오게 입는 옷.
[膝蓋骨 슬개골] 무릎 앞 한가운데에 있는 작은 접시 같은 뼈. 종지뼈.
[膝邊 슬변] 무릎 옆.
[膝臏 슬빈] 슬개골(膝蓋骨).
[膝癢搔背 슬양소배] 무릎이 가려운데 등을 긁는다는 뜻으로, 의론(議論) 같은 것이 이치(理致)에 닿지 않음의 비유로 쓰임.
[膝下 슬하] 부모의 무릎 아래. 부모의 옆. 모시고 있는 어버이의 그늘 아래.
[膝寒症 슬한증] 무릎이 아프고 시린 병(病). 노인(老人)에게 많음.
[膝行 슬행] 무릎으로 걸음.
◉傾膝. 屈膝. 奴顔婢膝. 端膝. 蜂腰鶴膝. 鬅膝. 斂膝. 擁膝. 容膝. 牛膝. 立膝. 慈膝. 前膝. 接膝. 造膝. 促膝. 蔽膝. 抱膝. 鶴膝.

11 ⑮ [膞] 전 ①[上]銑 旨兗切 zhuǎn ②[平]先 淳沿切 chuǎn
[字解] ①고기 전 저민 고기. 고기 조각. '一一炭熯'《淮南子》. ②질그릇틀 전 질그릇을 만드는 틀. '器中一'《周禮》.
[字源] 篆文 形聲. 月(肉)+專〔音〕. '專전'은 둥근 덩어리의 뜻. 둥글게 저민 고깃덩어리를 뜻함.

11 ⑮ [膯] [一] 잉 [去]徑 以證切 yìng [二] 등 [平]蒸 徒登切

[字解] [一] ①아름다운눈 잉 눈이 아름다운 모양. '一, 美目也'《集韻》. ②크게볼 잉 '一, 大視'《集韻》. ③한쌍 잉 두 개. '一, 雙也'《廣韻》. [二] 아름다운눈 등 [一]과 뜻이 같음.

11 ⑮ [膟] 률 [入]質 呂卹切 lǜ

[字解] 기름 률 창자 사이에 낀 기름. '取一膋乃退'《禮記》.

[膟膋 율료] 창자 사이에 낀 기름.

11 ⑮ [膠] [人名] 교 ①-⑧[平]肴 古肴切 jiāo ⑨[上]巧 吉巧切 jiǎo 胶

[筆順] 月 月' 月'' 月'' 月'' 月羽 月羽 膠

[字解] ①갖풀 교 아교. '一漆'. '歡洽如一'《列仙傳》. ②갖풀칠할 교 아교를 칠함. '若一柱而鼓瑟耳'《史記》. ③굳을 교 견고함. '德音孔一'《詩經》. ④붙을 교 달라붙음. 밀착함. '置杯焉則一'《莊子》. ⑤집착할 교 사물에 마음이 너무 쏠림. '事至不一'《宋史》. ⑥어그러질 교 괴려(乖戾)함. '蜿蟺一戾'《史記》. ⑦학교이름 교 고대(古代)의 학교의 한 가지. '周人養國老於東一, 養庶老於虞庠'《禮記》. ⑧성 교 성(姓)의 하나. ⑨움직일 교 움직여 혼란한 모양. '堯曰, 一一擾擾乎'《莊子》.

[字源] 篆文 形聲. 月(肉)＋翏〔音〕. '翏료'는 양 날개와 꽁지깃을 뻗친 양으로, '줄짓다, 엉겨 붙다'의 뜻. 동물의 뼈·가죽으로 만든, 끈적끈적 들러붙는 '갖풀'의 뜻을 나타냄.

[膠加 교가] 어그러짐. 혼란함.
[膠匣 교갑] 먹기 어려운 약품을 넣어 삼키는, 아교(阿膠)로 만든 갑(匣).
[膠固 교고] ㉠아교로 붙인 것같이 굳음. ㉡찰싹 붙음. ㉢융통성이 없음.
[膠膠 교교] ㉠닭의 소리. ㉡움직여 혼란한 모양.
[膠戾 교려] 교가(膠加).
[膠沙 교사] 바다 밑에 달라붙은 개흙이 섞인 모래.
[膠庠 교상] ㉠고대(古代)의 학사(學舍). ㉡학사(學舍). 학교(學校).
[膠瑟 교슬] 교주고슬(膠柱鼓瑟).
[膠柱 교주] 교주고슬(膠柱鼓瑟).
[膠柱鼓瑟 교주고슬] 기러기발을 아교로 붙여 놓고 거문고를 탐. 고지식하여 조금도 변통성(變通性)이 없음을 이름.
[膠柱而調瑟 교주이조슬] 교주고슬(膠柱鼓瑟).
[膠着 교착] 찐득찐득하게 단단히 달라붙음.
[膠漆 교칠] 아교(阿膠)와 칠(漆). 두 가지가 다 물건(物件)을 붙이는 물건인 고로 교제(交際)가 친밀(親密)함을 이름.
◉東膠. 阿膠. 魚膠. 黐膠. 漆膠. 皓膠.

11 ⑮ [膢] 루 [平]尤 落侯切 lǘ

[字解] 사냥제사 루 입추(立秋) 날에 천자(天子)가 사냥하다가 돌아와서 종묘(宗廟)에서 지내는 제사. '一五日'《漢書》.

[字源] 篆文 形聲. 月(肉)＋婁〔音〕. '婁루'는 끊이는 법 없이 이어지다의 뜻. 옛날에 봄과 가을에, 나중에 섣달에 돼지·양 등의 고기를 계속 먹어 풍년이 이어지기를 빌었던 제사의 뜻을 나타냄.

[膢獵 누렵] 사냥의 제사(祭祀)를 이름.

11 ⑮ [膪] [一] 차 [上]馬 竹下切 [二] 척 [入]陌 陟革切 [三] 채 [去]卦 陡卦切 zhài

[字解] [一] 뼈사이살 차 '一, 腏肉'《集韻》. [二] 뼈사이살발라낼 척 '一, 挑取骨間肉'《集韻》. [三] 살찐모양 채 '一, 腟一, 肥皃'《集韻》.

11 ⑮ [膣] [人名] 질 [入]質 陟栗切 zhì

[字解] ①새살날 질 새살이 나타남. ②보지 질 여자의 생식기(生殖器)의 일부. 음문(陰門)에서 자궁(子宮)으로 통하는 길. 교접(交接) 및 분만도(分娩道)의 기능을 함. '一, 女子陰道也. 上通子宮'《中華大字典》.

[字源] 形聲. 月(肉)＋窒〔音〕

11 ⑮ [膘] 표 [上]篠 敷沼切 piǎo

[字解] 소옆구리 표 소의 옆구리. '自左一而射之, 達於右腢, 爲上殺'《詩經》.

[字源] 篆文 形聲. 月(肉)＋票(㶾)〔音〕

11 ⑮ [膙] 강 [上]養 擧兩切 jiǎng

[字解] ①힘줄머리 강 '一, 筋頭'《廣韻》. ②힘줄셀 강 '一, 筋強也'《集韻》.

11 ⑮ [膑] 인 [平]眞 翼眞切 yín

[字解] 등심 인 소의 등골뼈에 붙은 고기. '一, 夾脊肉'《集韻》.

11 ⑮ [膓] 〔장〕 腸(肉部 九畫〈p. 1857〉)의 俗字

[滕] 〔등〕 水部 十畫(p. 1268)을 보라.

11 ⑮ [膭] 개 [去]隊 古對切 guì

[字解] 허리아플 개 허리가 갑자기 아픔. '一, 腰痛'《玉篇》.

11 ⑮ [膢] 〔거·갹〕 醵(酉部 十三畫〈p. 2363〉)와 同字

11 ⑮ [膽] 〔담〕 膽(肉部 十三畫〈p. 1865〉)의 俗字

11 ⑮ [膚] [人名] 부 [平]虞 甫無切 fū 肤

[筆順] 广 卢 卢 广 虍 虐 膚 膚

[字解] ①살갗 부 살가죽의 겉면. 신체의 표피(表皮). '身體髮一'《孝經》. ②겉껍질 부 식물의 표피. '爪其一, 以驗其生枯'《柳宗元》. ③길이 부

네 손가락을 나란히 한 폭. '一寸而合'《公羊傳》. ④제육 부 돼지고기. '一鮮魚鮮腊'《儀禮》. ⑤얕을 부 천박함. '末學一受'《張衡》. ⑥아름다울 부 훌륭함. '公孫碩一'《詩經》. ⑦클 부 작지 아니함. '以奏一公'《詩經》.

[字源] 金文 臚의 籒文 形聲. 月(肉)+盧〈省〉〔音〕. '盧로'는 부르르, 빙그르르 등의 의태어(擬態語)로, 전면적으로 한 바퀴 도는 뜻. 육체를 완전히 싸고 있는 표피(表皮), '살갗'의 뜻을 나타냄.

[膚見 부견] 천박한 견해. 피상적 관찰.
[膚公 부공] 대단히 큰 공. 대공(大功). 공(公)은 공(功).
[膚肌 부기] 피부.
[膚理 부리] 살결.
[膚敏 부민] 사람이 뛰어나고 재주가 있음.
[膚受 부수] ㉠속뜻은 모르고 겉만 이어받아 전함. ㉡살을 찌르는 것같이 통절(痛切)함.
[膚受之愬 부수지소] 살을 에는 듯한 통절(痛切)한 호소(呼訴).
[膚如凝脂 부여응지] 살결이 고와 엉긴 비계 같음.
[膚引 부인] 속뜻은 잘 모르면서 남의 책에서 이것저것 인용하여 서술함.
[膚淺 부천] 천박함.
[膚寸 부촌] 네 손가락을 붙인 가로 길이. 약간의 길이.
[膚學 부학] 천박한 학문.
[膚汗 부한] 피부에 땀이 남.
[膚合 부합] 작은 조각조각의 구름이 모여 합침.
◉肌膚. 鏤膚. 腊膚. 曼膚. 銘膚. 芳膚. 氷膚. 碩膚. 雪膚. 素膚. 粟膚. 身體髮膚. 玉膚. 完膚. 倫膚. 頹膚. 淺膚. 靑膚. 體膚. 皮膚. 豐膚. 寒膚. 險膚.

11 ⑮ [𦢊] 〔둔〕 遯(辵部 十一畫〈p. 2320〉)과 同字

12 ⑯ [膨] [人名] 팽 ㊀敬 蒲孟切 pèng

[字解] 부를 팽 불룩함. 또, 불룩해짐. '一脹' '豕腹脹一脝'《韓愈》.

[字源] 形聲. 月(肉)+彭〔音〕. '彭팽'은 북소리의 형용(形容)으로서, '부풀다'의 뜻. 육체가 붓다, 부풀다의 뜻을 나타냄.

[膨大 팽대] 불룩해서 큼.
[膨脹 팽창] ㉠부르고 띵띵함. ㉡발전(發展)하여 늚. ㉢물체(物體)가 열(熱)을 받아서 그 부피가 커짐.
[膨脝 팽형] 배가 불룩함.

12 ⑯ [䐺] 담 ①㊀勘 他紺切 tàn ②㊀勘 徒紺切 ③㊁覃 徒南切 tán

[字解] ①맛좋을 담 맛이 좋음. '一, 食美也'《集韻》. ②살찔 담 살찜. '一, 一曰, 腤一, 肥皃'《集韻》. ③맛이진할 담 맛이 진함. '醰, 厚味, 或作一'《集韻》.

12 ⑯ [膩] 니 ㊀寘 女利切 nì

[字解] ①기름 니 ㉠비계. '脂一'. ㉡화장하는 기름. '渭流漲一, 棄脂水也'《杜牧》. ②기름질 니 살져서 기름기가 흐름. '不食肥一'《蔡邕》. ③때 니 기름기가 섞인 때. 몸의 때 같은 것. '領一如初'《潘岳》. ④반드르르할 니 기름기가 있어 살결이 고움. '靡顏一理'《楚辭》.

[字源] 篆文 形聲. 月(肉)+貳〔音〕. '貳이'는 '尼니'와 통하여, '들러붙다'의 뜻. 끈끈한 기름의 뜻을 나타냄.

[膩理 이리] 살결이 곱고 반들반들함.
[膩脂 이지] 비계.
[膩滑 이활] 기름기가 끼어 반들반들함.
◉堅膩. 垢膩. 肥膩. 腥膩. 細膩. 刷膩. 餘膩. 領膩. 柔膩. 潤膩. 滋膩. 脂膩.

12 ⑯ [䐷] 단 ㊁寒 多寒切 dān

[字解] 배클 단 배가 큼. '一, 大腹'《廣韻》.

12 ⑯ [膧] [人名] 一 동 ㊁東 徒東切 tóng 二 당 ㊁江 傳江切 chuáng

[字解] 一 살찐모양 동 살찐 모양. '一, 肥皃'《集韻》. 二 엉덩이뼈 당 엉덩이뼈. '一, 一胵, 尻骨, 或从肉'《集韻》.

[參考] 膧(月部 十二畫)은 別字.

12 ⑯ [膪] 一 타 ㊀禡 陟嫁切 zhà 二 채 ㊀卦 竹賣切 zhài

[字解] 一 살찔 타 살찜. 또, 살이 찐 모양. '一, 䐢一, 肥也'《集韻》. 二 살바를 채 뼈 사이의 살을 발라냄. '一, 腏肉也'《集韻》.

12 ⑯ [膮] 효 ㊁蕭 許幺切 xiāo

[字解] 국 효 돼지고깃국. '一, 豕肉羹也'《說文》.

[字源] 篆文 形聲. 月(肉)+堯〔音〕

[膮醢 효해] 돼지고깃국.

12 ⑯ [膰] 번 ㊁元 附袁切 fán

[字解] ①제육(祭肉) 번 종묘의 제사에 쓰고 끝난 뒤에 나누어 주는 익힌 고기. '致一乎大夫'《史記》. ②나눌 번 제육을 나누어 줌. '天子有事一焉'《左傳》.

[字源] 形聲. 月(肉)+番〔音〕. '番번'은 '흩뿌리다'의 뜻. 제사에 올렸던 고기를 제사 후 참가한 사람들에게 나누어 뿌리는 모양에서, 제사에 올린 고기의 뜻을 나타냄.

[膰肉 번육] 제사(祭祀)에 쓰는 익힌 고기.
[膰俎 번조] 제육(祭肉)을 담은 적대(炙臺).
◉脤膰.

12 ⑯ [膯] 등 ㊁蒸 他登切 tēng

[字解] 배부를 등 배부름. 많이 먹어 물림. '一, 吳人謂, 飽曰, 一'《集韻》.

12 ⑯ [膱] 직 ㊅職 之翼切 zhí

字解 포 직 길이 한 자 두 치 되는 건육(乾肉). '一長尺二寸'《儀禮》.

12 ⑯ [膲] 초 ㊥蕭 卽消切 jiāo

字解 삼초 초 焦(火部 八畫)와 통용.
字源 形聲. 月(肉)+焦〔音〕

◉上膲. 中膲. 下膲.

12 ⑯ [膰] 一 기 ㊥微 居希切 jī 二 개 ㊤賄 己亥切

字解 一 뺨살 기 '一, 頰肉也'《說文》. 二 뺨살 개 一과 뜻이 같음.
字源 形聲. 月(肉)+幾〔音〕

12 ⑯ [膳] 人名 선 ㊤霰 時戰切 shàn

筆順 月 月' 肸 胼 胼 膳 膳 膳

字解 ①찬 선 요리한 음식. '損一省宰'《漢書》. ②올릴 선 찬을 올림. '一於君'《禮記》. ③먹을 선 '食下, 問所一'《禮記》. ④생육 선 희생(犧牲)의 고기. '食飮一羞'《周禮》.
字源 金文 篆文 形聲. 月(肉)+善〔音〕. '善선'은 '좋다'의 뜻. 좋은 고기의 뜻에서, 잘 갖추어진 요리의 뜻을 나타냄.

[膳物 선물] 선사(膳賜)로 물건을 줌. 또, 그 물건.
[膳服 선복] 음식과 의복.
[膳夫 선부] ㉠주대(周代)에 궁중(宮中)의 요리를 만드는 사람. ㉡요리를 만드는 사람. 쿡.
[膳部 선부] ㉠요리인(料理人). ㉡진대(晉代)의 벼슬 이름. 궁정의 요리를 도맡아 하는 자리.
[膳羞 선수] ㉠희생(犧牲)의 고기와 맛있는 음식. ㉡음식. 찬.
[膳宰 선재] 선부(膳夫)의 장(長).
◉加膳. 供膳. 配膳. 本膳. 常膳. 素膳. 羞膳. 宿膳. 侍膳. 食膳. 御膳. 玉膳. 饔膳. 六膳. 飮膳. 典膳. 主膳. 珍膳. 饗膳.

12 ⑯ [膮] 一 힐 ㊣屑 下結切 xì 二 계 ㊤薺 胡計切

字解 一 얇은막 힐 얇은 막. '一, 膜也'《廣雅》. 二 목구멍맥 계 목구멍 맥(脈). 또는 배〔腹〕. '一, 喉脈也, 一曰, 腹也. 或作膜'《集韻》.

12 ⑯ [膴] 무 ①②㊥虞 武夫切 hū ③④㊤麌 文甫切 wǔ

字解 ①포 무 뼈 없는 건육(乾肉). 또, 크게 벤 고기. '凡掌共羞脩刑一胖骨鱐'《周禮》. ②법 무 법칙. 법도. '民雖靡一, 或哲或謀'《詩經》. ③아름다울 무 땅이 기름져서 아름다운 모양. '周原一一'《詩經》. ④두터울 무 후함. '則無一仕'《詩經》.
字源 篆文 形聲. 月(肉)+無〔音〕. '無무'는 '없다'의 뜻. 뼈 없는 포육(脯肉)의 뜻을 나타냄.

[膴膴 무무] 땅이 걸고 아름다운 모양.
[膴仕 무사] 충분히 대우하여 사람을 씀. 또, 후한 녹봉을 타며 사환(仕宦)함. 또, 그 벼슬.
◉靡膴.

12 ⑯ [膱] 력 ㊣錫 狼狄切 lì

字解 강한기름 력 진한 기름. '一, 一脂, 強脂也'《集韻》.
參考 曆(日部 十二畫)은 別字.

12 ⑱ [膱] 曆(前條)과 同字

12 ⑯ [膬] 취 ㊤霽 此芮切 cuì

字解 ①무를 취 脆(肉部 六畫)와 同字. '釋堅而攻一'《管子》. ②맛날 취 맛있음. '溫淳甘一'《枚乘》.
字源 篆文 形聲. 月(肉)+毳〔音〕. '毳취'는 (털이) 가늘고 보드랍다의 뜻. 고기가 연하다의 뜻을 나타냄.

◉甘膬. 攻膬. 釋堅攻膬.

12 ⑯ [膶] 〔간〕 瞷(目部 十二畫〈p. 1551〉)과 同字

12 ⑯ [膗] 획 ㊣陌 呼麥切 huò

字解 오금 획 오금. 무릎을 구부리는 안쪽. '一, 曲腳中也'《廣韻》.

12 ⑯ [膭] 괴 ㊥灰 公回切 guī

字解 살뚱뚱히찔 괴 살이 뚱뚱하게 찐 모양. '一, 肥大皃'《集韻》.

12 ⑯ [膫] 〔료〕 膋(肉部 十畫〈p. 1860〉)와 同字
字源 篆文 別體 形聲. 月(肉)+尞〔音〕

12 ⑯ [膸] 〔뇌〕 腦(肉部 九畫〈p. 1855〉)와 同字

[膹] 〔수〕 肉部 十三畫(p. 1865)을 보라.

[螣] 〔등〕 虫部 十畫(p. 2026)을 보라.

[縢] 〔등〕 糸部 十畫(p. 1763)을 보라.

12 ⑯ [膭] 一 굉 ㊥庚 姑橫切 gōng 二 황 ㊥陽 胡光切 huáng

字解 一 살찐모양 굉 살찐 모양. '一, 肥皃'《玉篇》. 二 병으로부어오를 황 '一, 病腫'《集韻》.

12 ⑯ [膵] 人名 췌 ㊐ cuì

字解 이자 췌 췌장이라 하며, 소화액인 췌액을 분비하는 기관. '一, 胰也. 亦謂之甜肉. 日本, 謂之一'《中華大字典》.

字源 形聲. 月(肉)＋萃〔音〕. 일본자(日本字)인데, 한국·중국에서도 사용함.

[膵管 췌관] 췌장에서 분비되는 췌액을 십이지장으로 보내는 관.
[膵液 췌액] 췌장에서 분비되는 소화액.
[膵臟 췌장] 이자.

12 ⑯ [膦] 련 ㊤銑 力展切 liǎn

字解 힘없을 련 힘이 없음. '一, 一腰, 無力'《集韻》.

13 ⑲ [臃] 옹 ㊥冬 於容切 yōng

字解 부스럼 옹 癰(疒部 十八畫)과 同字. '一腫'.
字源 形聲. 肉＋雍〔音〕. '雍옹'은 '감싸 안다'의 뜻. 세균을 안아 들여 염증을 일으킨 부스럼의 뜻을 나타냄.

[臃腫 옹종] 부스럼.

13 ⑲ [臀] 〔둔〕
臋(肉部 十三畫〈p. 1867〉)과 同字

13 ⑰ [膷] 향 ㊥陽 許良切 xiāng

字解 국 향 쇠고깃국. '一臐膮醢'《禮記》.

[膷臐 향훈] 쇠고깃국과 양고깃국.

13 ⑰ [䐡] 당 ㊥陽 都郎切 dāng

字解 귀처질 당 귀가 처짐. '一, 耳下垂, 謂之一'《集韻》.

13 ⑰ [膴] 수 ㊥尤 所鳩切 sōu

字解 건어 수 말린 물고기. 鱐(魚部 十三畫)과 同字. '夏宜腒一'《禮記》.
字源 篆文 形聲. 月(肉)＋肅〔音〕

◉腒膴.

13 ⑰ [膻] ■ 단 ㊤旱 徒旱切 dàn
■ 전 ㊥先 尸連切 shān

字解 ■ 옷벗을 단 '一, 肉一也'《說文》. ■ 누릴 전 누린내가 남. 羶(羊部 十三畫)과 同字. '肘腋生臊一'《李商隱》. '王之嬪御, 一惡而不可親'《列子》.
字源 篆文 形聲. 月(肉)＋亶〔音〕. '亶단'은 '旦단'과 통하여 '나타내다'의 뜻. 살갗을 드러내다의 뜻을 나타냄.

[膻惡 전악] 더럽고 나쁨.
◉臊膻.

13 ⑰ [膽] 人名 담 ㊤感 都敢切 dǎn 胆

筆順 月 肸 肸 肸 肸 肸 膽 膽

字解 ①쓸개 담 ㉠간장(肝臟)에 달린 주머니 같은 것. 육부(六腑)의 하나. '一囊'. '坐臥卽仰一'《史記》. ㉡기백. 용기. '一力'. '大一'. '倜儻有一氣'《五代史》. '一擲千金都是一'《高適》. ㉢마음. '肝一'. '同心一'《漢書》. ②씻을 담 닦음. '桃曰一之'《禮記》.
字源 篆文 形聲. 月(肉)＋詹〔音〕. '詹첨·담'은 차양의 뜻. 간장(肝臟)을 차양 삼아 자리하고 있는 기관(器官), '쓸개'의 뜻을 나타냄.
參考 胆(肉部 五畫)은 俗字.

[膽氣 담기] 담력(膽力).
[膽囊 담낭] 쓸개의 덩이. 간장(肝臟) 뒤의 아래에 달려 있음.
[膽大 담대] 담이 큼. 대담함.
[膽大心小 담대심소] 담은 커서 무슨 일이고 두려워하지 아니하며, 마음은 치밀하여서 무슨 일이고 소홀히 하지 아니함.
[膽大於身 담대어신] 담여두(膽如斗).
[膽略 담략] 꾀가 많음. 또, 담력과 책략(策略).
[膽力 담력] 겁(怯)이 없고 용감(勇敢)스러운 의지의 힘.
[膽礬 담반] 빛이 푸르고 돌같이 굳은 독(毒)한 약재(藥材). 황산동(黃酸銅).
[膽如斗 담여두] 담이 큼의 형용.
[膽如升 담여승] 담여두(膽如斗).
[膽汁 담즙] 간장(肝臟)에서 분비(分泌)하는 소화액(消化液).
[膽汁質 담즙질] 침착하고 냉정하며 인내력이 강하고 의지가 센 기질.
[膽智 담지] 담력과 지혜.
◉肝膽. 剛膽. 開口見膽. 落膽. 大膽. 斗膽. 明目張膽. 放膽. 喪膽. 嘗膽. 石膽. 小膽. 試膽. 心膽. 臥薪嘗膽. 勇膽. 龍膽. 熊膽. 義膽. 一身是膽. 壯膽. 沮膽. 精膽. 地膽. 志膽. 奪膽. 破膽. 披肝瀝膽. 豪膽. 魂膽.

13 ⑰ [膾] 人名 회 ㊦泰 古外切 kuài 脍

字解 ①회 회 잘게 저민 날고기. '一不厭細'《論語》. ②회칠 회 회로 만듦. '炰鱉一鯉'《詩經》.
字源 篆文 形聲. 月(肉)＋會〔音〕. '會회'는 '모으다'의 뜻. 잘게 썬 육류(肉類)나 어육(魚肉)을 날로 먹게 만들어 모아 담은 요리, 곧 '회'의 뜻을 나타냄.

[膾羹 회갱] 회와 뜨거운 고깃국.
[膾刀 회도] 고기를 저미는 칼.
[膾炙 회자] ㉠회(膾)와 구운 고기. ㉡'회자 인구(膾炙人口)'와 같음.
[膾炙人口 회자인구] 회(膾)나 구운 고기〔炙〕는 맛이 있어 누구 입에나 맞듯이, 어떤 일의 명성(名聲)·평판이 뭇사람의 입에 오르내림을 이름.
[膾殘魚 회잔어] '뱅어〔白魚〕'의 별칭.
[膾截 회절] 회침.
◉金齏玉膾. 縷膾. 鮮膾. 蓴羹鱸膾. 魚膾. 肉膾. 蒸膾.

13 ⑰ [膿] 人名 농 ㊥冬 奴冬切 nóng 脓

字解 ①고름 농 헌데에서 나오는 즙. '一汁'. '後八日嘔一死'《史記》. ②국물 농 진한 국물.

'肥豢一肌'《曹植》. ③썩어문드러질 농 '草悉一死'《齊民要術》.

[字源] 篆文 俗體 形聲. 篆文은 血+農(農)〈省〉〔音〕. '農농'은 '끈적끈적하다'의 뜻. 끈적거리는 피, '고름'의 뜻을 나타냄. '膿농'은 俗體字로, 月(肉)+農〔音〕의 形聲字.

[膿團 농단] 고름 덩어리. 무용지물.
[膿漏 농루] 고름이 나옴.
[膿墨 농묵] 진한 먹물.
[膿死 농사] 부란(腐爛)하여 죽음.
[膿汁 농즙] 고름.
[膿血 농혈] 피고름.
◉醲膿. 化膿.

13 ⑰ [臃] 옹 [平]冬 於容切 yōng [上]腫 委勇切

[字解] 부스럼 옹 종기. '色將發一'《史記》.

[字源] 形聲. 月(肉)+雍〔音〕. '雍옹'은 안아 들이다의 뜻. 세균을 안아 들여 염증(炎症)을 일으킨 종기의 뜻을 나타냄.

[臃腫 옹종] ㉠부스럼. ㉡나무 같은 것이 울퉁불퉁함. 옹이. ㉢사물(事物)에 서툴러서 무용(無用)한 자(者)의 비유.
◉發臃.

13 ⑰ [膼] 과 [平]麻 張瓜切 zhuā

[字解] ①발부을 과 발이 부음. '一, 腿也'《廣韻》. ②허벅다리 과 허벅다리. '一, 腿也'《集韻》.

13 ⑰ [膕] 굴 [入]月 口骨切 kū

[字解] 볼기 굴 볼기. 엉덩이. '一, 臀也'《字彙補》.

13 ⑰ [臄] 갹 [入]藥 其虐切 jué

[字解] ①윗입술 갹 코 아래 입 윗부분. '口上曰一, 口下曰脑'《風俗通》. ②순대 갹 짐승의 만화·콩팥 같은 것을 저며 창자 속에 넣고 익힌 것. '嘉殽脾一'《詩經》.

◉脾臄.

13 ⑰ [臅] 촉 [入]沃 尺玉切 chù

[字解] 비계 촉 가슴 안에 있는 지방. '小切狼一膏'《禮記》.

[字源] 形聲. 月(肉)+蜀〔音〕

[臅膏 촉고] 가슴의 비계.

13 ⑰ [臆] [人名] 억 [入]職 於力切 yì

[字解] ①가슴 억 ㉠흉부. '正度於胸一之中'《列子》. ㉡마음. 생각. '請以一對'《史記》. ②막힐 억 기(氣)가 충만하여 막힘. '嘘唏服一'《史記》.

[字源] 篆文 形聲. 月(肉)+意〔音〕. '意의·억'은 '생각하다'의 뜻. 감정을 지배하는 가슴의 뜻을 나타냄.

[臆見 억견] 자기 혼자의 견해.
[臆決 억결] 억단(臆斷).
[臆斷 억단] 억측(臆測)으로 판단(判斷)함.
[臆算 억산] 억측(臆測).
[臆塞 억색] 원통(冤痛)하여 가슴이 막힘.
[臆說 억설] 확실한 근거 없이 주장하는 의론.
[臆出 억출] 억견(臆見)에서 나옴.
[臆測 억측] 자기 혼자의 생각으로 어림치고 생각함.
[臆度 억탁] 억측(臆測).
[臆判 억판] 억단(臆斷).
◉空臆. 服臆. 腷臆. 含臆. 胷臆.

13 ⑰ [臉] 검 [上]琰 居奄切 liǎn 脸

[字解] 뺨 검 눈 아래 뺨의 윗부분. 전(轉)하여, 안면(顔面)의 전부. '紅一桃花色'《陳後主》.

[字源] 形聲. 月(肉)+僉〔音〕. '僉검'은 많은 사람이 입을 모으다의 뜻. 인체(人體) 중에서 그 사람의 개성이 가장 잘 갖추어져 있는 얼굴의 뜻을 나타냄.

[臉前 검전] 코앞. 면전(面前).
[臉波 검파] 여자(女子)의 상긋거리는 눈짓.
◉鬼臉. 丹臉. 桃花臉. 曼臉. 芙蓉臉. 笑臉. 愁臉. 雙臉. 玉臉. 粧臉. 啼臉. 醉臉. 紅臉. 花臉.

13 ⑰ [臊] 조 [平]豪 蘇遭切 sāo

[字解] ①누릴 조 짐승 고기의 냄새가 남. 또, 그 냄새. 누린내. '犯肉腥一, 何足食'《史記》. ②기름 조 지방. '膳膏一'《周禮》.

[字源] 篆文 形聲. 月(肉)+喿〔音〕. '喿소'는 안달스럽게 메슥거리다의 뜻. 돼지·개 등의 누린내가 나다의 뜻을 나타냄.

[臊羯狗 조갈구] 누린내가 나고 더러운 갈(羯)〈북쪽 오랑캐〉의 개. 사람을 욕하는 말.
[臊腥 조성] 누린내가 남. 비린내가 남.
[臊聲 조성] 추문(醜聞).
[臊惡 조악] 누린내가 나고 나쁨.
[臊膻 조전] 누린내가 남.
◉膏臊. 腥臊. 羶臊. 臭臊.

13 ⑰ [臌] [現] 고 gǔ

[字解] 《現》 ①부어오를 고 '他的臉一滿起來一些'《老舍》. ②고창(臌脹) 고 배가 붓는 병. '你們兩箇都是有一脹病的麼'《李漁》.

13 ⑰ [臇] 전 [上]銑 子兗切 juǎn

[字解] 지짐이 전 국보다 국물이 적게 끓인 요리. '臛江東之潛鼉, 一漢南之鳴鶉'《曹植》.

[字源] 篆文 別體 形聲. 月(肉)+雋〔音〕. '雋전'은 (새의) 고기가 살지고 연하다의 뜻. 別體도 形聲으로 火+巽(巺)〔音〕.

[臇鳧 전부] 오리 고기 지짐이.

13 ⑰ [髓] 수 [上]紙 選委切 suǐ

[字解] 뼛골 수 골수(骨髓). '一, 骨中脂也'《五音

集韻》.
參考 髓(骨部 十三畫)와 同字.

13 ⑰ [臝] 〔잉〕
孕(子部 二畫〈p.556〉)의 古字

13 ⑰ [臈] 〔랍〕
臘(肉部 十五畫〈p.1868〉)과 同字

13 ⑰ [膝] 〔슬〕
膝(肉部 十一畫〈p.1861〉)의 俗字

[賸] 〔잉〕
貝部 十畫(p.2205)을 보라.

[謄] 〔등〕
言部 十畫(p.2150)을 보라.

13 ⑰ [膺] 人名 응 ㊥蒸 於陵切 yīng

筆順 广 户 府 府 府 府 膺 膺

字解 ①가슴 응 흉부. '大一大胷'《史記》. ②받을 응 인수함. (가슴으로) 받음. 당함. '誕一天命'《書經》. ③칠 응 정벌함. '戎狄是一'《孟子》. ④가까이할 응 몸에 가까이함. '執箕一揭'《禮記》. ⑤뱃대끈 응 말의 배에 걸치는 줄. '虎韔鏤一'《詩經》.

字源 金文 篆文 形聲. 月(肉)+雁(䧹)〔音〕. '䧹응'은 매사냥에서의 '매'의 뜻. 金文은 팔꿈치에 앉힌 매를 가슴께로 끌어당긴 모양을 형상화한 것. 여기에 '肉육'을 붙이어, 매사냥 때 매를 끌어당기는 사람의 육체 부분, '가슴'의 뜻을 나타냄.

[膺圖 응도] 응록(膺籙).
[膺籙 응록] 미래기(未來記)의 글귀에 해당함. 곧, 천자(天子)의 자리에 오를 운명(運命)을 받음.
[膺受 응수] 받음. 인수함.
[膺懲 응징] 적(敵)을 정벌함.
◉光膺. 鉤膺. 鏤膺. 篤膺. 煩膺. 服膺. 懲膺.

13 ⑰ [臂] 人名 비 ㊋寘 卑義切 bì

字解 ①팔 비 어깨와 팔목 사이의 부분. ②팔뚝 비 팔꿈치에서 팔목까지의 사이. '攘一'. '紾兄之一, 而奪之食'《孟子》. ③쇠뇌자루 비 쇠뇌〔弩〕의 자루. '弩, 弓有一者也'《說文》.

字源 篆文 形聲. 月(肉)+辟〔音〕. '辟벽·비'는 옆으로 다가가다의 뜻. 인체(人體)의 양옆에 붙다, 팔꿈치의 뜻을 나타냄.

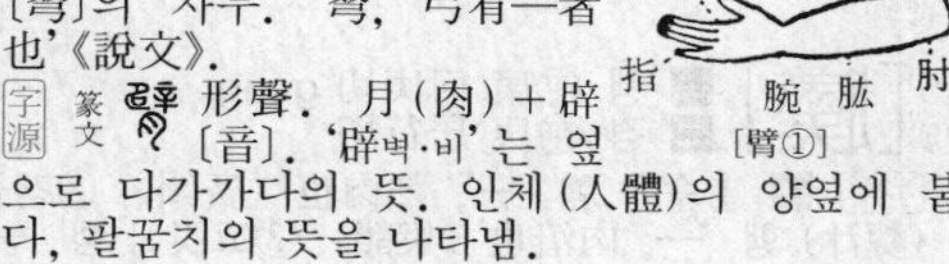

〔臂①〕

[臂力 비력] 팔의 힘. 완력(腕力).
[臂膊 비박] 팔과 어깨. 전(轉)하여, 가장 믿어 의지하는 사람.
[臂膊不向外曲 비박불향외곡] 팔도 어깨도 안으로 굽지, 밖으로 굽지 않음. 결코 할 수 없음의 비유.
[臂使 비사] 팔이 손가락을 부리듯이 마음대로 부려 먹음.
[臂環 비환] 팔찌.
◉態臂. 交臂. 怒臂. 半臂. 般臂. 攘臂. 猨臂. 肘臂.

13 ⑰ [臀] 人名 둔 ㊥元 徒渾切 tún

字解 ①볼기 둔 궁둥이. '一腫'. '一無膚'《易經》. ②밑 둔 그릇의 밑바닥. '爲量其一一寸'《周禮》.

字源 形聲. 月(肉)+殿〔音〕. '殿전'은 '볼기'의 뜻.

參考 臋(肉部 十三畫)은 同字.

[臀癰 둔옹] 둔종(臀腫).
[臀肉 둔육] 볼기의 살.
[臀腫 둔종] 볼기짝에 나는 종기(腫氣).
◉胜臀.

14 ⑱ [臍] 人名 제 ㊥齊 徂奚切 qí 脐

字解 ①배꼽 제 ㉠배의 중앙에 있는 탯줄의 자국. '噬一'. '莽首晨懸, 董一昏燎'《晉書》. ㉡배꼽 모양을 한 것. '如磑之一'《朱熹》. ②꼭지 제 외가 달린 꼭지. '北極如瓜蔕, 南極如瓜一'《博物廣志》.

字源 金文 篆文 形聲. 月(肉)+齊〔音〕. '齊제'는 가지런히 갖추어지다의 뜻. 균형이 잡힌 신체(身體)의 중앙부에 있는 '배꼽'의 뜻을 나타냄.

[臍帶 제대] 탯줄.
◉固臍. 磨臍. 噬臍. 磑臍. 膃肭臍.

14 ⑱ [臏] 빈 ㊤軫 毗忍切 bìn 膑

字解 ①종지뼈 빈 무릎에 있는 그릇 모양의 뼈. 슬개골(膝蓋骨). '脫一'《潘岳》. ②정강이뼈 빈 하퇴(下腿) 안쪽에 있는 긴 뼈. 경골(脛骨). '擧鼎絶一'《史記》. ③빈형 빈 경골을 절단하는 형벌. 일설(一說)에는, 종지뼈를 없애는 형. 또, 그 형벌을 과함. '孫子一脚'《司馬遷》.

字源 形聲. 月(肉)+賓〔音〕. '賓빈'은 '주름지다'의 뜻. 주름이 지는 종지뼈의 뜻을 나타냄. 또, 그곳을 자르는 형(刑), 경골을 자르는 형인 빈형(臏刑)의 뜻도 나타냄.

[臏脚 빈각] 빈형(臏刑).
[臏辟 빈벽] 다리를 자르는 형. 벽(辟)은 죄(罪).
[臏刑 빈형] 경골(脛骨)을 끊는 형벌.
◉膝臏. 絶臏. 脫臏.

14 ⑱ [臐] 훈 ㊥文 許云切 xūn

字解 ①국 훈 양(羊)고깃국. '膷一膮醢'《禮記》. ②향기로울 훈 '一, 香也'《廣雅》.

字源 形聲. 月(肉)+熏〔音〕. '熏훈'은 연기를 내다의 뜻.

◉膷臐.

14 ⑱ [臑] 一 노 ㊋號 乃到切 nào
二 이 ㊥支 人之切 ér

[字解] [一] ①팔꿈치 노 비절(臂節). ②정강이 노 하퇴(下腿). ‘取前足—骨’《史記》. [二] 골 이 삶아 곰. 胹(肉部 六畫)와 同字. ‘熊蹯之—’《枚乘》.
[字源] [篆文]  形聲. 月(肉)+需〔音〕. ‘需수’는 ‘부드럽다’의 뜻. 양(羊)과 돼지의 부드러운 발꿈치 뼈의 뜻을 나타냄.

[臑羔 이고] 곧 새끼 양고기.

14 ⑱ [朦] [一] 몽 [平]東 莫紅切 méng
[二] 망 [上]講 母項切 mǎng
[字解] [一] ①풍성할 몽 풍부함. ‘—, 豐也’《廣雅》. ②클 몽 큰 모양. ‘自關而西, 秦晉之閒, 凡大貌謂之—’《揚子方言》. [二] 풍성한고기 망 胧(肉部 七畫)과 同字.
[參考] 朦(月部 十四畫)은 別字.

14 ⑱ [⿰月鼻] [一] 비 [去]寘 匹備切 pì
[二] 이 [去]寘 魚器切 yì
[字解] [一] 성할 비 ‘—, 盛也’《揚子方言》. [二] 군살이 궂은살. ‘—, 腴也. (注) 謂息肉也’《揚子方言》.

[⿰月鼻呬 비희] 성함. 왕성함.

14 ⑱ [⿰月巤] 〔랍〕
臘(肉部 十五畫〈p. 1868〉)의 俗字

14 ⑱ [⿰月爾] 견 [上]銑 吉典切 jiǎn
[字解] 티눈 견 티눈. 못. 계안창(鷄眼瘡). ‘—, 胝—也’《篇海類編》.

14 ⑱ [⿰月寧] 녕 [上]迥 奴頂切 nǐng
[字解] 귀지 녕 귓구멍 속에 낀 때. ‘—, 耳中垢也’《字彙》.

14 ⑱ [⿰月疑] 〔니〕
膩(肉部 十二畫〈p. 1863〉)와 同字

14 ⑱ [⿰月對] 대 [去]隊 杜對切 duì
[字解] 무성한모양 대 ‘—, 茂貌’《篇海》.

15 ⑲ [臗] [一] 곤 [平]元 苦昆切 kuān
[二] 관 [平]寒 枯官切 kuān 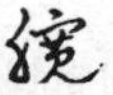
[字解] [一] ①몸 곤. ②볼기 곤 궁둥이. [二] 몸 관, 볼기 관 [一]과 뜻이 같음.
[字源] 形聲. 月(肉)+寬〔音〕

[臗脽 곤수] 볼기.

15 ⑲ [臘] [人名] 랍 [入]合 盧盍切 là 腊 
[字解] ①납향 랍 납일(臘日)에 행하는 제사. 또, 그 제사를 지냄. ‘—祭’. ‘孟冬—先祖五祀’《禮記》. ②섣달 랍 음력 12월. ‘舊—’. ‘送—辭寒律’《吳融》. ③쌍날칼 랍 양옆에 다 날이 있는 칼. ‘桃氏爲劍, —廣二寸有半寸’《周禮》. ④햇수 랍 중이 득도(得度)한 이후의 햇수. ‘七十八年三十—’(나이 일흔여덟에 중이 된 지 삼십 년)《元稹》.
[字源] [篆文]  形聲. 月(肉)+巤〔音〕. ‘巤랍’은 긴 갈기의 象形. 큰 사냥을 하여 얻은 사냥감으로 조상에게 지내는 제사 이름, 그것을 거행하는 연말(年末)의 뜻을 나타냄.
[參考] ①臈(肉部 十三畫)은 同字. ②⿰月巤(肉部 十四畫)은 俗字.

[臘乾 납건] 고기〔肉〕를 소금에 절여 말린 것. 흔히 돼지고기를 씀.
[臘鼓 납고] 납제(臘祭)에 치는 북.
[臘茶 납다] 납설수(臘雪水).
[臘梅 납매] 관목(灌木)의 하나. 납월(臘月)에 담황색(淡黃色)의 꽃이 핌. 납매(蠟梅). 당매(唐梅).
[臘尾 납미] 연말(年末).
[臘半 납반] 음력 12월의 중간.
[臘雪水 납설수] 납일(臘日) 전후일에 온 눈의 녹은 물. 살충(殺蟲)·해독약(解毒藥)으로 씀. 납다(臘茶).
[臘月 납월] 섣달, 곧 음력 12월의 이칭(異稱). 이달에 납제(臘祭)를 행하므로 이름.
[臘日 납일] 동지(冬至) 후 제3의 술일(戌日). 우리나라에서는 조선 태조(太祖) 후부터는 동지 후 제3 미일(未日)로 정함.
[臘祭 납제] 음력 12월의 납일(臘日)에 백신(百神)에게 지내는 제사.
[臘酒 납주] 납월, 곧 섣달에 빚었다가 봄에 봉합(封合)을 열고 마시는 술.
[臘八 납팔]《佛敎》음력 12월 8일. 오미죽(五味粥)을 먹고 길상(吉詳)을 빎. 이날에 석가(釋迦)가 명성(明星)을 보고 대오(大悟)를 열었다 함.
[臘八粥 납팔죽] 납팔(臘八)에 먹는 일종의 죽. 오미죽(五味粥).
[臘平 납평] 납일(臘日).
[臘享 납향]《韓》납일(臘日)에 그해 1년 동안의 농형(農形)을 여러 신에게 고하는 제사.
[臘虎 납호] 족제빗과(科)에 속하는 물짐승. 모피(毛皮)는 최고품으로 침. 해달(海獺).
◉舊臘. 窮臘. 腰臘. 法臘. 伏臘. 蜡臘. 壽臘. 一臘. 正臘. 眞臘. 初臘. 夏臘. 寒臘.

15 ⑲ [臕] 표 [平]蕭 甫嬌切 biāo
[字解] 뚱뚱할 표 살찜. 비만(肥滿)함. ‘—, 脂—, 肥皃’《廣韻》.
[字源] 形聲. 月(肉)+麃〔音〕

15 ⑲ [⿰月羹] [一] 행 [平]庚 何庚切 gēng
[二] 경 [平]庚 居行切
[字解] [一] ①수육 행 ‘—, 熟肉也’《廣韻》. ②갱즙(羹汁) 행 ‘—, 肉湆也’《集韻》. ③고깃국 행 ‘—, 謂之肞’《博雅》. [二] 오미화갱(五味盉羹) 경 ‘—, 五味盉鬻也’《集韻》.

15 ⑲ [⿰月賣] 〔독〕
殰(歹部 十五畫〈p. 1155〉)의 古字

15 ⑲ [臓] 〔장〕
臟(肉部 十八畫〈p. 1869〉)의 俗字

[鵬] 〔붕〕
鳥部 八畫(p. 2672)을 보라.

16 ⑳ [臙] 연 ㉾先 因仙切 yān 胭

字解 ①목 연 '一, 一喉也'《五音類聚》. ②연지 연 뺨에 찍는 화장품. '一, 一脂'《字彙》.
字源 形聲. 月(肉)+燕〔音〕. '燕연'은 '咽인'과 통하여, '목'의 뜻. '肉육'을 붙여, '목'을 뜻함. 또, 연(燕)나라에서 얻은 '연지'의 뜻을 나타냄.

[臙脂 연지] 여자가 화장(化粧)할 때에 양쪽 뺨에 찍는 홍분(紅粉). 연지(燕脂).

16 ⑳ [臚] 려 ㉾魚 力居切 lú 胪

字解 ①가죽 려, 살갗 려 몸의 표피. '淳于能解一以理腦'《抱朴子》. ②배 려 배의 앞. '一脹腹彭脹也'《通雅》. ③벌여놓을 려 진열함. '一列'. '一於郊祀'《史記》. ④전할 려 말을 전함. '風聽一言於市'《國語》.
字源 金文 篆文 籀文 形聲. 月(肉)+盧〔音〕. '盧려'는 한 바퀴 빙 돌다의 뜻. 몸뚱이를 빙 둘러싸는 표피, 곧 '살갗'의 뜻을 나타냄.

[臚句 여구] 윗사람의 말을 아랫사람에게 전하는 일〔臚〕과, 아랫사람의 말을 윗사람에게 아뢰는 일〔句〕을 이름.
[臚言 여언] 세상에 전해진 말.
[臚列 여열] 진열함. 또, 나열(羅列)함.
[臚傳 여전] ㉠윗사람의 말을 아랫사람에게 전함. ㉡여창(臚唱).
[臚陳 여진] 진열(陳列)함.
[臚唱 여창] 전상(殿上)에서 호명(呼名)하여 들어오게 함.
[臚驩 여환] 기쁨을 나타내어 말함.
◉腹臚. 傳臚. 鴻臚.

16 ⑳ [臛] ㊀ 학 ㉿藥 黑各切 huò ㊁ 혹 ㉿沃 火酷切 huò

字解 ㊀ ①국 학 고깃국. '羹一'. ②훈(燻)할 학 그을림. '乃一其目'《史記》. ㊁ 국 혹, 훈할 혹 ㊀과 뜻이 같음.
字源 形聲. 月(肉)+霍〔音〕. '霍곽'은 '熇혹'과 통하여, 높은 온도의 뜻. '고깃국'의 뜻을 나타냄.

◉羹臛. 餅臛. 煮臛.

[騰] 〔등〕
馬部 十畫(p. 2605)을 보라.

17 ㉑ [臝] 라 ㊤哿 郞果切 luǒ

字解 ①벌거벗을 라 裸(衣部 八畫)와 同字. '童子一而, 轉以歌'《左傳》. ②털짧은짐승 라 범·표범 따위. '其動物宜一物'《周禮》. ③풀열매 라 蓏(艸部 十畫)와 통용. '果一之實'《詩經》.
字源 形聲. 羸+果〔音〕. '羸영'은 괄태충·달팽이의 象形. '果과·라'는 '裸라'와 통하여, 알몸뚱이의 뜻. 괄태충과 같은 알몸뚱이의 뜻을 나타냄.

[臝物 나물] 털이 짧은 짐승. 범·표범 따위.
[臝葬 나장] 시체를 벌거벗은 채 묻음.
◉瓜臝. 果臝. 螺臝.

17 ㉑ [臁] 양 ㊤養 如兩切 rǎng ㉾陽 如陽切

字解 ①살찔 양, 성할 양 '一, 盛也'《揚子方言》. ②《韓》양 양 소의 밥통의 고기.
字源 篆文 形聲. 月(肉)+襄〔音〕. '襄양'은 '풍부함, 성함'의 뜻.

17 ㉑ [膞] 〔박〕
膊(肉部 十畫〈p. 1859〉)과 同字

[螣] 〔등〕
魚部 十畫(p. 2653)을 보라.

18 ㉒ [臞] 구 ㉾虞 其俱切 qú

字解 ①파리할 구 여윔. '形容甚一'《史記》. ②줄 구 적어짐. 모손(耗損)함. '赫河一'《太玄經》.
字源 篆文 形聲. 月(肉)+瞿〔音〕. '瞿구'는 두려워서 눈을 부릅뜨다의 뜻. 두려움 때문에 육체가 야위다의 뜻을 나타냄.

[臞小 구소] 야위어 작음.
[臞儒 구유] 야윈 학자.

18 ㉒ [臛] ㊀ 권 ㉾先 巨員切 quán ㊁ 환 ㉾寒 呼官切 huān

字解 ㊀ 추할 권 '一朕, 醜也'《廣雅》. ㊁ 짐승이름 환 '一疏'는 짐승의 이름. '帶山, 有獸焉. 其狀如馬, 一角有錯. 其名曰一疏. 可以辟火'《山海經》.

18 ㉒ [䐑] ㊀ 엽 ㉿葉 日涉切 niè ㊁ 접 ㉿葉 質涉切 zhé ㊂ 녑 ㉿洽 昵洽切 nà

字解 ㊀ 살떨 엽 살이 떪. '一, 動一'《廣韻》. ㊁ 토막고기 접 토막 친 고기. '牒, 切也, 或从聶'《集韻》. ㊂ 팔꿈치 녑 '一, 臑也'《集韻》.

18 ㉒ [臟] 高人 장 ㊀漾 才浪切 zàng 脏

筆順 月 月艹 肝 肝 臓 臓 臟 臟

字解 오장 장 내장, 곧 가슴과 배 안에 있는 여러 기관(器官)의 총칭. '心一'·'肺一'·'肝一'·'腎一'·'脾一'을 '五一'이라 함. '破積聚於腑一'《抱朴子》.
字源 形聲. 月(肉)+藏〔音〕. '藏장'은 숨기어 간수하다의 뜻. 신체(身體)의 내부에 숨겨져 있는 기관(器官)의 뜻을 나타냄.

[臟器 장기] 내장(內臟)의 기관(器官).
[臟腑 장부] 오장(五臟)과 육부(六腑).
[臟汚 장오] 부정한 물건을 받는 더러운 행위를 이름.
◉肝臟. 內臟. 脾臟. 腎臟. 心臟. 五臟. 膵臟. 肺臟.

[臢] 〔대〕
黑部 十畫(p. 2709)을 보라.

19 ㉕ [臠] 련 ㊤銑 力兗切 luán

字解 ①저민고기 련 잘게 저민 고기. '一肉'. '一擧盡一'《禮記》. ②파리할 련 수척함.

字源 篆文 形聲. 肉+䜌〔音〕. '䜌련·란'은 '亂란'과 통하여, 실을 양손으로 당겨서 어지럽히다의 뜻. 육체를 잡아 찢다, 여위다의 뜻.

[臠殺 연살] 촌단(寸斷)하여 죽임.
[臠肉 연육] 저민 고기. 고기 조각.

19 ㉕ [臡] 니 ㊥齊 年題切 ní

字解 장조림 니 고기와 뼈를 난도질하여 섞어 넣은 장조림. '昌本麋一'《周禮》.
字源 形聲. 肉+難〔音〕

19 ㉓ [臢] 〔갱〕
羹(羊部 十三畫〈p. 1803〉)과 同字

臣 (6획) 部
〔신하신부〕

0 ⑥ [臣] 中人 신 ㊥眞 植鄰切 chén

筆順 一 丅 ㄈ 𠂤 ㄈ 臣

字解 ①신하 신 ㉠임금을 섬겨 벼슬하는 사람. '一子'. '君一'. '今非但君擇一, 一亦擇君'《後漢書》. ㉡널리 백성(百姓)의 뜻으로도 쓰임. '率土之濱, 莫非王一'《詩經》. ②신 신 ㉠신하가 임금에게 쓰는 자칭 대명사. '一多多而益善耳'《史記》. ㉡장상(長上)에게 쓰는 자칭 대명사. '宋義乃諫項梁曰 …一爲君畏之'《史記》. ③신하로삼을 신 '欲以力一天下之主'《戰國策》. ④신하노릇할 신 '君不君, 臣不一'《論語》. ⑤성 신 성(姓)의 하나.

字源 甲骨文 金文 篆文 臣 象形. 甲骨文·金文으로 알 수 있는 것처럼 단단히 벌려 뜬 눈의 象形으로, 똑똑한 신하의 뜻을 나타냄.

參考 '臣'이 본디 크게 뜬 눈의 象形이므로, 이것을 부수(部首)로 세워, '보다, 눈' 등의 뜻을 포함하는 문자를 이룸.

[臣工 신공] 군신 백관(群臣百官). 공(工)은 백공(百工).
[臣道 신도] 신하(臣下)로서 마땅히 지켜야 할 도리(道理). 신하의 본분.
[臣等 신등] 임금에 대한 신하들의 일인칭 복수 대명사(一人稱複數代名詞).
[臣隷 신례] 신복(臣僕).
[臣禮 신례] 신하로서 지켜야 할 예의(禮儀).
[臣虜 신로] 생포(生捕)당하여 신하가 됨. 또 그 사람.
[臣僚 신료] 벼슬아치. 관료(官僚).
[臣隣 신린] 신하(臣下). 신하가 임금의 좌우에서 보필하는 일이 집에서 이웃이 있는 것과 같다는 뜻.
[臣民 신민] 신하와 백성. 신서(臣庶).
[臣服 신복] 신사(臣事).
[臣僕 신복] 신하와 종.
[臣事 신사] 신하로서 섬김.
[臣庶 신서] 신민(臣民).
[臣屬 신속] ㉠신사(臣事). ㉡신하.
[臣臣 신신] 신하는 항상 그 직분(職分)을 지켜야 「함.
[臣心如水 신심여수] 마음의 결백(潔白)함의 비 「유.
[臣一 신일] 신하로 삼아 일통(一統)함.
[臣一主二 신일주이] 신하로서 섬기는 몸은 하나이나 임금으로 받들 사람은 많음. 어느 나라로 가거나 임금으로 섬길 사람을 찾는 것은 자유(自由)라는 뜻.
[臣子 신자] 신하와 아들.
[臣節 신절] 신하가 지킬 절조(節操).
[臣妾 신첩] ㉠신하와 첩. ㉡굴복하는 사람.
[臣下 신하] 임금을 섬기어 벼슬하는 사람.
◉家臣. 閣臣. 奸臣. 姦臣. 孤臣. 功臣. 具臣. 舊臣. 君臣. 群臣. 權臣. 閨閤之臣. 近臣. 羈旅之臣. 亂臣. 老臣. 弄臣. 大臣. 盜臣. 東海波臣. 末臣. 亡臣. 名臣. 謀臣. 武臣. 微臣. 叛臣. 陪臣. 藩臣. 法臣. 柄臣. 封疆之臣. 不臣. 史臣. 社稷之臣. 褻臣. 世臣. 小臣. 守臣. 純臣. 侍臣. 市井之臣. 信臣. 良臣. 輿臣. 力臣. 迷臣. 佞臣. 隷臣. 王臣. 外臣. 庸臣. 儒臣. 諛臣. 遺臣. 彝臣. 人臣. 媵臣. 刺草之臣. 爭臣. 賊臣. 貞臣. 帝臣. 朝臣. 宗臣. 主臣. 重臣. 曾臣. 直臣. 盡臣. 諂臣. 草莽之臣. 寵臣. 逐臣. 忠臣. 親臣. 波臣. 嬖臣. 下臣. 幸臣. 倖臣. 獻臣. 賢臣. 虎臣. 猾臣. 勳臣.

0 ⑥ [𦣞] ■ 이 ㊥支 盈之切 yí
■ 애 ㊥灰 曳來切

筆順 一 丅 丙 丙 丙 𦣞

字解 ■ 턱 이 頤(頁部 六畫)의 古字. '一, 顄也'《說文》. ■ 턱 애 ■과 뜻이 같음.

2 ⑧ [臥] 中人 와 ㊤箇 五貨切 wò

筆順 一 丅 ㄈ 𠂤 ㄈ 臣 臥 臥

字解 ①누울 와 ㉠몸을 가로놓음. '橫一'. '一者一, 起者起'《戰國策》. ㉡잠을 잠. '熟一'. '隱几而一'《孟子》. ②누일 와 눕게 함. 자게 함. '畜產皆布氈一之'《水經注》. ③쉴 와 휴식함. '一名利者, 寫生危'《管子》. ④침실 와 자는 방. '出入一內'《後漢書》.

字源 篆文 會意. 人+臣. '臣신'은 아래쪽을 향하는 눈의 象形. 사람이 눈을 아래쪽으로 돌리고는 감고 쉼을 뜻함.

參考 卧(次條)는 俗字.

[臥見 와견] 드러누워서 봄. 와간(臥看).
[臥具 와구] 침구(寢具).
[臥起 와기] 잠잠과 일어남.
[臥內 와내] 침소. 침실.
[臥龍 와룡] ㉠누운 용(龍). ㉡누운 용은 때를 만나면 운우(雲雨)를 얻어 하늘로 올라가는 것이

므로, 때를 기다리는 호걸(豪傑)의 비유.
[臥龍鳳雛 와룡봉추] '와룡(臥龍)'과 같은 뜻.
[臥房 와방] 침실(寢室). 침방(寢房).
[臥病 와병] 병으로 누움.
[臥床 와상] 침상. 침대.
[臥席終身 와석종신] 제명에 죽음.
[臥食 와식] 일을 하지 않고 놀고먹음.
[臥薪 와신] 오왕(吳王) 부차(夫差)가 아버지의 원수를 갚으려고 섶 위에서 자며 고생한 고사(故事).
[臥薪嘗膽 와신상담] 섶에 눕고 쓸개를 맛본다는 뜻으로, 원수(怨讎)를 갚고자 고생을 참고 견디는 일. 춘추 시대 오왕 부차(夫差)가 월왕 구천(句踐)을 쳐서 부왕 원수를 갚고자 매일 섶 속에 앉아서 신고(辛苦)를 하였으며, 또 월왕 구천은 오나라를 쳐서 회계(會稽)의 치욕을 씻고자 쓸개를 핥으며 보복을 잊지 않았다는 고사(故事).
[臥室 와실] 침실(寢室).
[臥雲伴 와운반] 세상을 피하여 산에서 사는 은사(隱士)의 무리.
[臥游 와유] 누워서 그림 안의 경치를 보고 즐김.
[臥衣 와의] 잠옷.
[臥喘 와천] 코 고는 소리.
[臥治 와치] 자면서 다스린다는 뜻으로, 힘쓰지 않고 다스림. 또, 정치(政治)를 잘함을 이름.
[臥榻之側 와탑지측] 침대 옆. 전(轉)하여, 영역(領域) 안. 또는 이웃.
[臥虎 와호] ㉠누운 호랑이. ㉡엄격(嚴格)한 벼슬아치의 비유. ㉢용맹(勇猛)한 사람의 비유.
◉假臥. 閒臥. 酣臥. 僵臥. 堅臥. 高臥. 歸臥. 起臥. 露臥. 眠臥. 病臥. 仆臥. 扶臥. 憊臥. 睡臥. 熟臥. 惡臥. 安臥. 仰臥. 恬臥. 雲臥. 吟臥. 裡臥. 一臥. 長臥. 醉臥. 閒臥. 行住坐臥. 橫臥.

2 ⑧ [卧] 臥(前條)의 俗字

2 ⑧ [臤] [一] 간 [平]刪 苦閑切 qiān
[平]寒 苦寒切 qiān
[二] 긴 [去]震 去刃切 qìn
[三] 경 [平]庚 口耕切 qiān
[四] 견 [平]先 輕煙切
[五] 현 [平]先 胡田切 xián

[字解] [一] 굳을 간 손으로 잡는 것이 굳음. '一, 堅也'《說文》. [二] 굳을 긴 [一]과 뜻이 같음. [三] 굳을 경 [一]과 뜻이 같음. [四] 굳을 견 [一]과 뜻이 같음. [五] 賢(貝部 八畫)의 古字.
[字源] 形聲. 又＋臣〔音〕

[宦] 〔환〕
宀部 六畫(p. 579)을 보라.

5 ⑪ [⿰臣尔] [人名] 진 [上]軫 之忍切 zhěn
[字解] 밝을 진 밝음. '一, 同眕, 明也'《篇海》.

6 ⑫ [臦] [一] 광 [去]漾 居況切 guàng
[上]養 求往切
[二] 왕 [上]養 嫗往切
[三] 경 [上]梗 俱永切 jiǒng

[字解] [一] 어그러질 광 '一, 乖也, 从二臣相違'《說文》. [二] 어그러질 왕 [一]과 뜻이 같음. [三] 사람이름 경 '一, 人名. 周有伯一'《集韻》.
[字源] 會意. '臣신'이 서로 등지다의 뜻으로, 어그러지다의 뜻을 나타냄.

8 ⑭ [⿱孤臣] 〔고〕
孤(子部 五畫〈p. 560〉)와 同字

8 ⑭ [臧] [人名] 장 ①-⑤[平]陽 則郎切 zāng
⑥⑦[去]漾 才浪切 zàng

[字解] ①착할 장 마음이 곱고 어짊. 또, 좋음. '一否'. '何用不一'《詩經》. ②종 장 노복. '一獲'. '荊淮海岱雜齊之閒, 罵奴曰一, 罵婢曰獲'《揚子方言》. ③회뢰 장 贓(貝部 十四畫)과 통용. '貪汙坐一'《漢書》. ④감출 장, 숨을 장 藏(艸部 十四畫)과 통용. '一去'. '天子一珠玉'《管子》. '遠濁世而自一'《賈誼》. ⑤성 장 성(姓)의 하나. ⑥곳집 장 藏(艸部 十四畫)과 통용. '御府禁一'《漢書》. ⑦오장 장 臟(肉部 十八畫)과 통용. '練一'《漢書》.
[字源] 金文 篆文 籒文 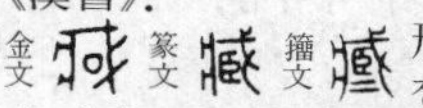 形聲. 臣＋戕〔音〕. '戕장'은 긴 창의 뜻. '臣신'은 부하의 뜻. 늘씬하게 키가 큰 부하의 뜻에서, 전(轉)하여, '좋다'의 뜻을 나타냄.

[臧去 장거] 감춤. 간직하여 둠.
[臧穀 장곡] 장획(臧獲).
[臧否 장부] 선악(善惡). 또, 선인과 악인.
[臧三耳 장삼이] 종에게는 귀가 셋 있어, 양쪽 귀 두 개와 말을 듣는 귀가 하나 더 있다는 말. 공손룡(公孫龍)의 고사(故事). 장(臧)은 심부름 하는 아이.
[臧獲 장획] 종. 노비. 장(臧)은 사내종. 획(獲)은 계집종.
◉否臧. 式臧. 自臧. 捘臧. 獲臧.

11 ⑰ [臨] [高人] 림 ①-⑤[平]侵 力尋切 lín
⑥[去]沁 良鴆切 lìn

[筆順] 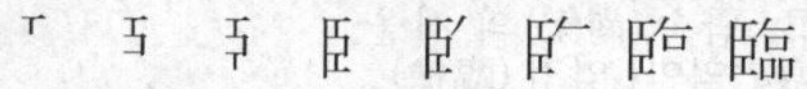

[字解] ①임할 림 ㉠높은 곳에서 내려다봄. '瞰一'. '俯一'. '一清流而賦詩'《陶潛》. ㉡높은 곳에서 낮은 곳을 대함. '照一下土'《詩經》. ㉢높은 사람이 낮은 사람을 대함. 특히, 군주가 신하를 대함. '君一'. '屢省考績, 以一臣下'《說苑》. ㉣높은 사람이 낮은 사람에게 감. '光一'. '一諸侯'《禮記》. ㉤마주 대함. '如一父母'《易經》. ㉥어떠한 장소에 나옴. '一席'. ㉦그때에 당함. '一別贈言'《王勃》. ㉧침. 출정함. '以一韓魏'《戰國策》. ㉨지킴. 수비함. '君一函谷'《戰國策》. ㉩다스림. 제어함. '君一之'《國語》. ②병거 림 전쟁에 쓰는 수레. 전차(戰車). '與爾一衝'《詩經》. ③쓸 림, 그릴 림 글씨본이나 그림본을 보고 쓰거나 그림. '一寫'. ④괘이름 림 육십사괘(六十四卦)의 하나. 곧, ䷒〈태하(兌下), 곤상(坤上)〉. 양기(陽氣)가 점차로 길어져서 음기(陰氣)에 육박하는 상(象). '一元亨利貞'《易經》. ⑤성 림 성(姓)의 하나. ⑥울 림 장례 때 여러 사람이 한군데 모여서 울며 슬퍼함. '一哭'. '一于大宮'《左傳》.
[字源] 金文 金文 篆文 會意. 臥＋品. '臥와'는 '監감'의 윗부분과 동형

(同形)으로, 위로부터 들여다보는 형태를 상형화함. '品품'은 많은 물건의 뜻. 여러 물건을 들여다보다, 바라보다, 임하다의 뜻을 나타냄.

[臨渴掘井 임갈굴정] 목이 마르매 우물을 팜. 곧, 준비가 없이 일을 당하여 허둥지둥하는 것을 가리키는 말.
[臨監 임감] 현장에 가서 감독함.
[臨瞰 임감] 내려다봄.
[臨檢 임검] 현장에 가서 검사함.
[臨界 임계] 경계(境界).
[臨哭 임곡] 장례식에 가서 울며 슬퍼함.
[臨機 임기] 시기(時機)에 임(臨)함.
[臨機應變 임기응변] 그때그때의 형편에 따라서 수단을 강구(講究)하여 적당히 처리함.
[臨難鑄兵 임난주병] 전쟁(戰爭)이 일어나고서야 뒤늦게 병기(兵器)를 만들고자 서두름. 대비(對備)가 없음의 비유(比喩). '도둑 보고 새끼 꼰다.'와 뜻이 같은 말.
[臨臨 임림] 성대(盛大)한 모양.
[臨迫 임박] 시기(時機)가 닥쳐옴.
[臨死 임사] 죽게 된 때를 당함.
[臨事 임사] 일에 임(臨)함.
[臨寫 임사] 본보기를 보고 씀.
[臨產 임산] 해산(解產)할 때를 당함.
[臨床 임상] 병상(病床)에 임(臨)함.
[臨席 임석] 자리에 임함.
[臨時 임시] ㉠그때가 닥쳐옴. ㉡일정하지 아니한 시간. ㉢잠시(暫時) 아쉬운 것을 면함. ㉣시기(時期)에 임하여 행함.
[臨視 임시] ㉠임금이 몸소 가 봄. ㉡현장에 가서 시찰함.
[臨時變通 임시변통] 준비하지 아니한 일을 때에 따라서 잠시 처리함.
[臨時處變 임시처변] 기회를 따라 처리함.
[臨深履薄 임심리박] 깊은 못에 가서 엷은 얼음을 밟음의 뜻. 곧, 전전긍긍하여 경계하고 조심함을 이름.
[臨安 임안] 저장 성(浙江省)에 있는 부(府)의 이름. 남송(南宋)의 서울.
[臨按 임안] 임검(臨檢).
[臨御 임어] ㉠천자가 즉위하여 천하를 다스림. ㉡임행(臨幸).
[臨淵羨魚不如退而結網 임연선어불여퇴이결망] 앉아서 헛되이 행복을 바라기보다는 물러서서 행복을 얻을 수 있는 방법을 강구하는 것이 나음.
[臨月 임월] 산월(產月).
[臨場 임장] 그곳에 감.
[臨財毋苟得 임재무구득] 재물(財物)을 대(對)함에 구차스럽게 얻지 말라는 뜻. 곧, 옳으면 취하고 옳지 못하면 취하지 말 것이며, 결코 사욕(私慾)에 끌려서 얻고자 해서는 안 된다는 말.
[臨濟宗 임제종] 선종(禪宗)의 일파. 임제(臨濟)를 조(祖)로 함.
[臨洮 임조] 간쑤 성(甘肅省)에 있는 현(縣) 이름. 만리장성(萬里長城)의 기점(起點)임.
[臨眺 임조] 내려다봄. 높은 곳에서 조감함.
[臨存 임존] 귀인(貴人)이 직접 또는 사람을 보내어 위문(慰問)함.
[臨終 임종] ㉠임사(臨死). ㉡부모가 돌아갈 때에 모시고 있음.
[臨池 임지] 후한(後漢)의 장지(張芝)가 못가에서 붓글씨를 배울 때 못물이 온통 까맣게 변했다고 하는 고사(故事)에서, 습자(習字)의 뜻으로 쓰임.
[臨陣對敵 임진대적] 적군과 대진(對陣)함.
[臨陣易將 임진역장] 숙달한 사람을 서투른 사람과 바꿈을 가리키는 말.
[臨川 임천] 장시 성(江西省) 린촨 현(臨川縣)에 있는 군(郡) 이름.
[臨川集 임천집] 송(宋)나라 왕안석(王安石)의 시문집(詩文集). 모두 100권. 임천은 왕안석의 별호(別號).
[臨帖 임첩] 서화 등의 본보기 책.
[臨淄 임치] 산둥 성(山東省)에 있는 현(縣) 이름. 제(齊)나라의 도읍지.
[臨幸 임행] 임금이 그곳에 감.
[臨況 임황] 귀인(貴人)이 낮은 사람의 집을 방문함.
◉監臨. 瞰臨. 光臨. 君臨. 窺臨. 來臨. 東出西臨. 登臨. 摹臨. 撫臨. 俯臨. 賁臨. 侍臨. 枉臨. 遠臨. 蒞臨. 慈臨. 弔臨. 昭臨. 照臨. 至臨. 親臨. 幸臨.

11 ⑰ [臩] [一] 광 ㊤養 俱往切 guǎng
[二] 경 ㊤梗 俱永切 jiǒng

[字解] [一] ①놀라서달릴 광 놀라서 달림. '一, 驚走也'《說文》. ②왕래할 광 '一, 往來也'《說文》. [二] ①놀라서달릴 경 [一]❶과 뜻이 같음. ②囧(囗部 四畫)의 古字.
[字源] 形聲. 夰+䀠〔音〕

自 (6획) 部

〔스스로자부〕

0 ⑥ [自] [中·人] 자 ㊄寘 疾二切 zì

[筆順] 

[字解] ①몸 자 자기. '獨一'. '一我'. ②스스로 자 ㉠몸소. 친히. '君子以一彊不息'《易經》. ㉡저절로. '一然而已'《列子》. ③부터 자 …로부터. '一是'. '一初至終'. '一我致寇'《易經》. ④부터올 자 어느 곳으로부터 옴. '晨門曰, 奚一, 子路曰, 一孔氏'《論語》. ⑤부터할 자 무엇부터 시작함. '長國家務財用者, 必一小人矣'《大學》. ⑥좇을 자 따름. '天視一我民視'《孟子》. ⑦인할 자 의(依)함. 기인함. '法之不行, 一於貴戚'《史記》. ⑧쓸 자 사용함. '一我五禮'《書經》.
[字源] 甲骨文  金文 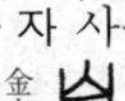 篆文 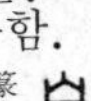 古文 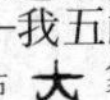 象形. 코의 象形. 전(轉)하여 '자기(自己), 나'를 뜻하며, 假借하여 조자(助字)인 '부터·에서'의 뜻도 나타냄.
[參考] '自'를 의부(意符)로 하여, 코를 나타내는 '鼻'나 냄새를 나타내는 '臭' 자 등이 이루어짐.

[自家 자가] ㉠자기의 집. ㉡저. 자기.
[自家撞着 자가당착] 자기 스스로의 언행(言行)의 앞뒤가 서로 충돌하여 일치하지 않아 모순됨.
[自刻 자각] 자기 스스로 각고면려(刻苦勉勵)함.
[自覺 자각] ㉠자기의 위치 또는 가치를 의식함.

㉡자기가 자기를 의식하는 작용. 자의식(自意識). ㉢《佛敎》 삼각(三覺)의 하나. 스스로가 주체(主體)가 되어 미망(迷妄)을 끊고 정법(正法)을 깨닫는 일.
[自強 자강] 스스로 힘을 씀.
[自彊 자강] 자강(自強).
[自強不息 자강불식] 스스로 힘쓰고 쉬지 아니함.
[自怯 자겁] 스스로 겁(怯)냄.
[自決 자결] 자살(自殺).
[自剄 자경] 자문(自刎).
[自經 자경] 자액(自縊).
[自警 자경] 스스로 경계(警戒)함.
[自古 자고] 예전부터. 자래(自來).
[自顧 자고] 자기 자신을 돌아봄.
[自古以來 자고이래] 옛날부터 지금까지.
[自過不知 자과부지] 자기의 허물은 자기가 모름.
[自愧之心 자괴지심] 스스로 부끄러워하는 마음.
[自求 자구] 스스로 구(求)함.
[自國 자국] 자기의 나라. 제 나라.
[自潰 자궤] 저절로 터짐. 저절로 뭉그러짐.
[自今 자금] 이제부터.
[自今已後 자금이후] 이제부터 이후.
[自給 자급] 자기의 생활을 자기가 함.
[自矜 자긍] 자기 스스로의 긍지.
[自己 자기] 제 몸. 저. 자아(自我). 자신.
[自記 자기] ㉠자기 손으로 씀. ㉡자동 작용(自動作用)으로 글자 또는 부호를 적음.
[自期 자기] 스스로 심중(心中)에 기약(期約)함.
[自欺 자기] 자기가 자기 양심을 속임.
[自棄 자기] 자기 자신을 버리고 돌아보지 않음.
[自己本位 자기본위] 자기를 본위로 하여 생각하고 행동함.
[自農 자농] 자작농(自作農).
[自斷 자단] 스스로 결단(決斷)함.
[自擔 자담] 자기가 부담(負擔)함. 자기가 담당(擔當)함.
[自當 자당] 자담(自擔).
[自黨 자당] 자기의 당파. 제 당파.
[自大 자대] 자만(自慢).
[自動 자동] 스스로 움직임.
[自動詞 자동사] 동사(動詞)의 하나. 자동(自動)하는 성질(性質)을 가져서 동작이나 작용이 타(他)에 미치지 않음. 곧, 놀다, 울다, 자다 따위. 타동사(他動詞)의 대(對).
[自動車 자동차] 내연 기관(內然機關)의 동력으로써 바퀴를 돌려 달리는 수레.
[自頭至足 자두지족] 전신(全身).
[自得 자득] ㉠자기 스스로 깨달음. ㉡마음에 만족하게 여김. 불평을 품지 아니함. ㉢의기양양함. 뽐냄.
[自量 자량] 스스로 헤아림.
[自力 자력] ㉠자기 스스로 힘씀. ㉡자기의 힘. 타력(他力)의 대(對).
[自勞而得 자로이득] 자기가 힘들여 얻음.
[自律 자률] 자율(自律).
[自利 자리] ㉠스스로 통(通)함. 또, 스스로 이익을 봄. ㉡《佛敎》 자기가 쌓은 공덕이 남에게는 아니 가고 결국 자신에게 돌아옴.
[自立 자립] ㉠복종의 관계를 벗어나 자주(自主)의 지위에 섬. ㉡자기 스스로 군주(君主)가 됨. ㉢자기 힘으로 생활함.
[自慢 자만] 스스로 자랑함.
[自滿 자만] 스스로 만족(滿足)함.
[自滅 자멸] 자기가 자기 자신을 망침.
[自明 자명] 설명하지 아니하여도 저절로 분명(分明)함.
[自命 자명] 자부(自負).
[自鳴鐘 자명종] 때가 되면 저절로 울려서 시간을 알리는 시계(時計).
[自侮人侮之 자모인모지] 자기가 자기를 존중히 여기지 아니하고 천하게 굴므로 말미암아 남도 따라 자기를 업신여기게 됨. 남한테 모욕을 당하는 것은 자초(自招)한 것임.
[自刎 자문] 자기가 자기의 목을 찌름.
[自問自答 자문자답] 자기가 묻고 자기가 대답함. 의심나는 것을 자기의 마음으로 판단(判斷)함.
[自反 자반] ㉠제 자신을 반성함. ㉡저절로 돌아옴.
[自白 자백] 자기의 허물을 스스로 고백함.
[自服 자복] 범죄 사실을 스스로 고백하고 항복함. 또는 복종함.
[自奉 자봉] 스스로 자기 몸을 기름. 남의 힘을 빌리지 않고 제 스스로 생활해 나감.
[自負 자부] 자기가 자기의 가치(價値)·능력(能力)을 믿음.
[自負心 자부심] 자부(自負)하는 마음.
[自費 자비] 자기가 내는 비용(費用).
[自殺 자살] 자기가 자기 목숨을 끊음.
[自生 자생] 저절로 생김. 저절로 남.
[自序 자서] 자기가 저술(著述) 또는 편찬(編撰)한 책(冊)머리에 기록하는 서문(序文).
[自署 자서] 친(親)히 자기의 성명(姓名)을 씀.
[自敍傳 자서전] 자기가 쓴 자기의 전기.
[自選 자선] 자기가 자기를 선거함.
[自說 자설] 자기가 주장하는 학설.
[自性 자성] 《佛敎》 본래부터 갖추어 있는 불성(佛性).
[自省 자성] 제 자신을 반성함.
[自疏 자소] 자기 변명을 함.
[自訴 자소] 자수하여 자백함.
[自訟 자송] 자책(自責).
[自手 자수] 자기의 손. 자기 혼자의 노력.
[自首 자수] 자기 스스로 자기의 죄과(罪科)를 아뢰어 바침.
[自修 자수] ㉠제힘으로 학문을 닦음. ㉡자기 스스로 제 몸을 바로잡음.
[自手成家 자수성가] 물려받은 재산이 없이, 자기 힘으로 한 살림을 이룩함.
[自肅 자숙] 몸소 삼감.
[自肅自戒 자숙자계] 몸소 삼가 경계(警戒)함.
[自乘 자승] 같은 수(數)를 곱함. 또, 그 곱한 수.
[自勝 자승] 자기의 사욕을 억누름.
[自繩自縛 자승자박] 자기 끈으로 자기를 묶는다는 뜻으로, 자기의 번뇌나 비행(非行) 때문에 자기 자신을 괴롭힘을 이름.
[自身 자신] 제 몸. 자기.
[自信 자신] 자기가 자기의 재주를 믿음. 또, 자기의 견해·주장 등이 틀림없다고 믿음.
[自新 자신] 개과천선(改過遷善)함.
[自失 자실] 얼이 빠짐. 정신을 잃음.
[自我 자아] ㉠자기(自己). ㉡인식(認識)의 주관(主觀). ㉢의식(意識)의 주관(主觀).
[自我作古 자아작고] 고례(古禮)에 얽매이지 않고 스스로 고사 선례(古事先例)가 될 예(禮)를 만들어 냄.
[自愛 자애] 제 몸을 스스로 사랑함.
[自縊 자액] 스스로 목매어 죽음.

[自若 자약] 기색(氣色)이 태연(泰然)한 모양.
[自業自得 자업자득] 자기가 지은 재앙(災殃)이 자기의 몸에 닥침.
[自如 자여] 자약(自若).
[自餘 자여] 그 밖. 기타(其他).
[自然 자연] ㉠인력(人力)을 가하지 아니한 그대로의 상태. ㉡저절로. ㉢산천초목 같은 모든 유형적 현상 또는 인식의 대상으로서의 외계(外界)에 있는 온갖 현상. ㉣자연물과 자연력.
[自然界 자연계] 인식(認識)의 대상이 되는 모든 외계(外界).
[自然科學 자연과학] 자연계(自然界)의 물질적 현상을 연구하는 과학. 곧, 동물학·식물학·물리학·화학(化學)·광물학(鑛物學) 등.
[自然教 자연교] 자연을 신(神)으로 숭배하는 종교.
[自然淘汰 자연도태] 생물(生物)이 외계(外界)의 상태에 맞는 자는 경쟁(競爭)에 이기어 생존(生存)하고 그렇지 못한 것은 멸망(滅亡)하는 상태.
[自然美 자연미] 자연계의 산수풍월(山水風月)의 아름다움.
[自然生 자연생] 심지 아니하여도 저절로 남.
[自然人 자연인] 권리의 주체(主體)인 일 개인. 법인(法人)의 대(對).
[自然主義 자연주의] ㉠자연 속에서 인생(人生)의 이상(理想)을 발견하고자 하는 주의(主義). ㉡자연을 근본 원리로 삼고 모든 현상을 그의 소산으로 보는 학설. ㉢인간 생활의 추악한 면을 적나라하게 드러내어 그리는 문학.
[自營 자영] ㉠자력(自力)으로 사업을 경영(經營)함. ㉡자력(自力)으로 생계를 함.
[自用 자용] ㉠남의 말을 듣지 아니하고 자기 생각대로 함. ㉡자기의 사용.
[自怨自艾 자원자예] 전에 저지른 비행(非行)을 후회하고 언행을 삼감.
[自慰 자위] 스스로 마음을 위로함.
[自衛 자위] 몸이나 나라 등을 스스로 막아 지킴.
[自由 자유] ㉠마음이 내키는 대로 함. ㉡남의 구속을 받지 아니함. ㉢법률(法律)의 범위 안에서 마음대로 하는 행동(行動). 거주·언론·집회·결사·신교(信敎) 등의 자유가 있음.
[自由民 자유민] 정당(正當)한 행위에 의하여 자기의 권리를 자유롭게 행사할 수 있는 국민.
[自由自在 자유자재] 마음대로 할 수 있음.
[自由主義 자유주의] 국가의 권력을 줄이고 국민의 자유를 더욱 확장(擴張)시키고자 하는 주의(主義).
[自由港 자유항] 각국(各國)의 배가 관세(關稅)를 물지 않고 자유롭게 출입하며 가공과 포장 같은 것도 자유로이 할 수 있는 항구(港口).
[自由行動 자유행동] 남의 간섭을 받지 않고 자기 마음대로 하는 행동.
[自由刑 자유형] 범죄자(犯罪者)의 신체의 자유를 빼앗는 형벌(刑罰).
[自律 자율] ㉠자기가 자기를 제어(制御)함. ㉡자기의 의사가 외부의 구속으로부터 자유로움.
[自意 자의] 자기의 의견(意見).
[自刃 자인] 칼로 자살함.
[自認 자인] 자신이 시인(是認)함.
[自任 자임] ㉠자기 스스로 자기의 임무로서 떠맡음. ㉡자기 스스로 견디어 냄. ㉢자부(自負).
[自作 자작] 손수 만듦. 손수 지음.
[自作農 자작농] 자기(自己)의 논밭을 자기가 짓는 농사.
[自酌自飮 자작자음] 술을 손수 따라 마심.
[自作之孽 자작지얼] 자기(自己) 스스로가 저지른 재앙.
[自在 자재] ㉠방자(放恣)함. ㉡장애가 없음. 지장이 없음.
[自裁 자재] 자살(自殺).
[自適 자적] 마음이 가는 대로 유유히 생활함.
[自全 자전] 자기 몸을 온전히 함.
[自傳 자전] 자서전(自敍傳).
[自轉 자전] ㉠저절로 돌아감. ㉡지구(地球) 또는 다른 유성(遊星)이 자신의 축(軸)을 중심으로 하여 회전함.
[自轉車 자전거] 타고 앉아서 발로 바퀴를 돌리어 가게 된 수레.
[自全計 자전계] 자기 몸을 보전(保全)하는 꾀.
[自制 자제] 자기(自己)의 감정이나 욕망을 스스로 제어함.
[自製 자제] 손수 만듦. 또, 그것.
[自助 자조] ㉠남의 힘을 빌리지 아니하고 일을 함. ㉡자기의 도움이 되게 함.
[自照 자조] ㉠제 스스로 비침. ㉡개똥벌레〔螢〕의 이칭(異稱).
[自足 자족] ㉠스스로 만족(滿足)을 느낌. ㉡자기가 가진 것으로서 충분함.
[自尊 자존] ㉠자기가 제 몸을 높임. ㉡자기(自己)의 품위(品位)를 높임.
[自尊心 자존심] 자존(自尊)하는 마음.
[自主 자주] 자기(自己) 일을 자기가 처리(處理)함. 독립하여 남의 간섭을 받지 아니함.
[自主獨立 자주독립] 남의 간섭(干涉)을 받지 않고 자기(自己)의 힘으로 자기의 일을 처리(處理)함.
[自重 자중] ㉠자기 몸을 소중(所重)히 함. ㉡자기의 인격을 소중히 여겨 언행을 신중히 함.
[自中之亂 자중지란] 내분(內紛).
[自知 자지] 자기의 재능이나 역량을 자기가 앎.
[自進 자진] 자의로 나섬.
[自盡 자진] 자해(自害).
[自贊 자찬] 자기가 자기 일을 칭찬함. 또, 그 말.
[自責 자책] 제 잘못을 스스로 꾸짖음.
[自處 자처] ㉠자기 일을 스스로 처리함. ㉡자결(自決). ㉢제 스스로 어떠한 사람인 체함.
[自薦 자천] 자기(自己)가 자기를 천거(薦擧)함.
[自請 자청] 제 스스로가 청(請)함.
[自初 자초] 처음부터.
[自初至終 자초지종] 처음부터 끝까지의 동안이나 일.
[自麤入細 자추입세] 대강대강(大綱大綱)에서 시작하여 세밀(細密)하게 들어감. 작문(作文)이란 처음에는 너무 규칙 따위에 구애(拘礙)됨이 없이 생각나는 대로 지었다가 차차 숙달(熟達)해짐에 따라 정세(精細)하게 파고들어가야 한다는 말.
[自炊 자취] 자기(自己)가 손수 밥을 지어 먹음.
[自取 자취] 잘잘못 간에 제 스스로가 지어서 됨.
[自取其禍 자취기화] 제 스스로가 재앙(災殃)을 초래함.
[自取之禍 자취지화] 자기(自己)가 자취(自取)한 재앙(災殃).
[自治 자치] ㉠자기의 일을 제가 처리함. ㉡저절로 다스리어짐. ㉢다스림. ㉣지방 단체(地方團

體) 또는 공공 조합(公共組合)이 그 공선(公選)된 사람으로 그 사무를 처리하게 함.
[自沈 자침] 제 손으로 침몰(沈沒)시킴.
[自稱 자칭] ㉠남에게 대한 자기 자신의 일컬음. ㉡자기가 자기를 칭찬함.
[自稱代名詞 자칭대명사] 자기의 이름을 대신하여 일컫는 대명사. 곧, '나·저·우리' 따위. 제일인칭(第一人稱).
[自快 자쾌] 제 스스로 쾌하게 여김.
[自他 자타] ㉠저와 남. ㉡자동(自動)과 타동(他動).
[自歎 자탄] 스스로 탄식(歎息)함.
[自退 자퇴] 스스로 물러감.
[自辦 자판] 자기의 일을 손수 처리(處理)함.
[自暴自棄 자포자기] 스스로 자기의 몸을 해치고 스스로 자기의 몸을 버림. 곧, 실망(失望)·타락(墮落)하여 조금도 노력해 나아가려고 하지 않는 마음가짐이나 몸가짐.
[自爆 자폭] 제 손으로 폭발(爆發)시킴.
[自筆 자필] 자기가 쓴 글씨.
[自害 자해] 스스로 자기 목숨을 끊음.
[自解 자해] 자기 변명을 함.
[自行自止 자행자지] 마음대로 행동(行動)함.
[自許 자허] 자부(自負).
[自現 자현] 범죄인(犯罪人)이 자기의 범죄 사실을 관부(官府)에 고백하고 그 처치를 바람.
[自號 자호] 자기가 자기의 호(號)를 부르거나 지음.
[自畫自讚 자화자찬] 제가 그린 그림에 스스로 칭찬하는 말을 써 넣음. 곧, 제가 한 일을 자기가 칭찬함.
[自活 자활] 자력으로 살아감.
[自晦 자회] 자기의 재능을 감춤.
◉各自. 獨自. 思所自. 出自. 何自. 奚自.

1 ⑦ [𦣻] ㊀ 수 ㊤有 書九切 shǒu ㊁ 백 ㊇陌 博陌切 bǎi

[字解] ㊀ 머리 수 首(部首)와 同字. '一, 頭也. 象形'《說文》. ㊁ 일백 백 百(白部 一畫)의 古字. '百, 十十也. 一, 古文百'《說文》.

[字源] 象形. 눈과 머리털을 강조(強調)한 머리의 상형으로, 머리의 뜻을 나타냄.

1 ⑦ [𦣼] 교 ㊤篠 居小切 jiǎo

[字解] 삼갈 교 삼감. 자중함. '一, 自重之也'《篇海》.

2 ⑧ [𦣽] 〔혜〕 惠(心部 八畫〈p. 786〉)의 古字

3 ⑨ [𦤃] 〔경〕 京(亠部 六畫〈p. 87〉)과 同字

3 ⑨ [臭] 臭(次次條)의 略字

4 ⑩ [臬] 얼 ㊇屑 五結切 niè

[字解] ①말뚝 얼 闑(門部 十畫)과 同字. '檝謂之杙, 在地者, 謂之一'《爾雅》. ②과녁 얼 사적(射的). '所發無一'《張衡》. ③해시계 얼 '圭一'. '樹八尺之一'《周禮 註》. ④법 얼 법칙. 규정. '準一'. '汝陳時一'《書經》. ⑤한 얼 극한(極限). '其廣無一'《王粲》. ⑥위태로울 얼 臲(自部 十畫)과 同字. '一兀'.

[字源] 甲骨文  篆文  形聲. 木+自〔音〕. '自자·얼'은 얼굴 복판에 있는 코의 象形. 조준(照準)의 중심을 지닌 과녁의 뜻을 나타냄.

[臬司 얼사] 사법관(司法官)·안찰사(按察使) 등.
[臬兀 얼올] '얼올(臲卼)'을 보라.
◉圭臬. 無臬. 藩臬. 水臬. 柝臬. 準臬.

4 ⑩ [臭] [高人] ㊀ 취 ㊄宥 尺救切 chòu (추[本]) ㊁ 후 ㊄宥 許救切 xiù 

[筆順] ′ ľ 门 白 自 自 臭 臭

[字解] ㊀ ①냄새 취 코로 맡을 수 있는 온갖 기운. '惡一'. '無聲無一'《詩經》. ②구린내 취 나쁜 냄새. '十年尙猶有一'《左傳》. 전(轉)하여, 오명(汚名). '遺一萬載'《晉書》. ③향내 취 향기. '其一如蘭'《易經》. ④냄새날 취 악취가 남. '年老口一'《漢官儀》. ⑤더러울 취, 더럽힐 취 '無起穢以自一'《書經》. ⑥썩을 취 부패함. '一厥載'《書經》. ㊁ 맡을 후 嗅(口部 十畫)와 통용. '一之而無嗛于鼻'《荀子》.

[字源] 甲骨文  篆文  會意. 自+犬. '自자'는 코의 象形, '犬견'은 코의 작용이 예민한 개의 뜻. 냄새, 냄새 맡다의 뜻을 나타냄.

[參考] 臰(次次條)는 俗字.

[臭氣 취기] 악취(惡臭).
[臭橙 취등] 귤(橘)의 이명(異名). 회청등(回靑橙).
[臭味 취미] ㉠냄새와 맛. ㉡동류(同類). ㉢취미(趣味).
[臭腐 취부] 취패(臭敗).
[臭腥 취성] 냄새가 비림. 또, 그런 것.
[臭素 취소] 자극성(刺戟性)의 냄새가 있고 휘발(揮發)하기 쉬운 적갈색(赤褐色)의 액체 원소(液體元素).
[臭敗 취패] 썩음. 부패함.
◉口臭. 奇臭. 氣臭. 銅臭. 防臭. 腐臭. 死臭. 生臭. 腥臭. 聲臭. 俗臭. 惡臭. 腋臭. 餘臭. 五臭. 容臭. 乳臭. 遺臭. 異臭. 豬臭. 赤臭. 體臭. 脫臭. 香臭. 狐臭. 酷臭.

[息] 〔식〕 心部 六畫(p. 775)을 보라.

6 ⑫ [臰] 臭(前前條)의 俗字

6 ⑫ [臯] 〔고〕 皐(白部 六畫〈p. 1512〉)의 俗字

6 ⑫ [臮] 기 ㊄寘 居氣切 jì

[字解] 및 기 함께. 曁(日部 十二畫〈p. 1001〉)와 同字. '淮夷蠙珠一魚. (注)一, 古曁字, 與也'《史記》.

[字源] 形聲. 㐺+自〔音〕

9 ⑮ [臱] 면 ㊥先 眉然切 mián

[字解] ①보이지않을 면 '一, 不見也'《玉篇》. ②먼곳을보는모양 면 '一, 視遠之皃'《廣韻》.
[字源] 會意. 自＋四＋冋(金文에서는 方)

[鼻] 〔비〕
部首(p. 2718)를 보라.

10 ⑯ [臲] 얼 [入]屑 五結切 niè 

[字解] 위태할 얼 '一卼'은 동요하여 안정하지 아니한 모양. 위태로운 모양. 위구(危懼)하여 마음을 놓지 못하는 모양. '困于葛藟, 于一卼'《易經》.
[字源] 形聲. 危＋臬〔音〕
[參考] 자형(字形)을 𦤶(次條)로 쓰기도 함.

[臲卼 얼올] 자해(字解)를 보라.

10 ⑯ [𦤶] 臲(前條)과 同字

13 ⑲ [臭曷] [一] 할 [入]曷 許葛切 hè [二] 알 [入]月 於歇切 ài

[字解] [一] 개비린내 할 '一, 犬臭也'《集韻》. [二] 썩은내 알 썩어서 퀴퀴한 냄새. '一, 物敗气也'《集韻》.

14 ⑳ [鼻皀] 비 [去]寘 毗至切 bì

[字解] ①무녀리 비 개의 맨 먼저 낳은 새끼. 또는 첫 배. '一, 犬初生子, 一曰, 首子'《集韻》. ②첫머리 비 '一, 首也'《五音集韻》.

至 (6획) 部
[이를지부]

0 ⑥ [至] [中人] 지 [去]寘 脂利切 zhì 

[筆順] 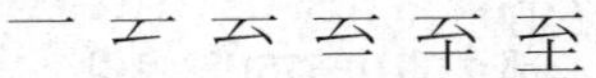

[字解] ①이를 지 ㉠옴. 도착함. '賓一下塵榻'《沈約》. ㉡도래함. '禍福將一'《中庸》. ㉢다다름. 도달함. '舟車所一, 人力所通'《中庸》. ㉣와 모임. '禽獸一'《孟子》. ②지극할 지 극진한 데까지 이름. '中庸其一矣乎'《中庸》. 또, 지극한 일. '養之一也'《孟子》. ③지극히 지 더할 나위 없이. '一賢'. '示人之意, 一深切矣'《中庸章句》. ④동지 지, 하지 지 한 해 중 낮이 가장 짧은 날과 가장 긴 날. '先王以一日閉關'《易經》.
[字源] 甲骨文 金文 篆文 古文  指事. 화살이 땅바닥에 꽂힌 모양에서, '이르다, 당도하다'의 뜻을 나타냄.

[至感 지감] 성실한 마음이 남에게 감응됨.
[至竟 지경] 구경(究竟).
[至計 지계] 최상(最上)의 계략.
[至公 지공] 지극히 공평함.
[至恭 지공] 아주 공순(恭順)함.
[至公無私 지공무사] 공평(公平)하여 조금도 사(私)가 없음.
[至公至平 지공지평] 매우 공평함.
[至交 지교] 절친한 교분.
[至極 지극] ㉠극한(極限). ㉡극한에 이름. 극진한 데까지 이름.
[至近 지근] 썩 가까움.
[至今 지금] 지금까지.
[至急 지급] 매우 급함.
[至難 지난] 썩 어려움. 지극히 곤란함.
[至當 지당] 사리(事理)에 꼭 맞음.
[至大 지대] 아주 큼.
[至大至剛 지대지강] 대단히 크고 대단히 강함.
[至德 지덕] 지극히 높은 덕.
[至道 지도] 지선(至善)의 도덕.
[至毒 지독] ㉠매우 심(甚)함. ㉡몹시 독(毒)함.
[至鈍 지둔] 매우 어리석음. 몹시 우둔(愚鈍)함.
[至樂 지락·지악] ㉠지극한 즐거움. ㉡'지악(至樂)'을 보라.
[至理 지리] 아주 지당한 도덕.
[至妙 지묘] 아주 묘함.
[至味 지미] 썩 맛있는 음식.
[至美 지미] 지극히 아름다움.
[至微 지미] 지극히 세미(細微)함. 지극히 미묘함.
[至寶 지보] 매우 중요(重要)한 보물.
[至福 지복] 더할 수 없는 복.
[至貧 지빈] 매우 가난함.
[至死不屈 지사불굴] 죽을 때까지 항거해 굽히지 아니함.
[至上 지상] 제일 높음.
[至善 지선] ㉠최상의 선. 최고의 선. ㉡선악(善惡)을 초월한 본연(本然)의 성(性).
[至性 지성] 매우 착한 성질(性質).
[至誠 지성] 지극(至極)한 정성(精誠).
[至誠感天 지성감천] 정성이 지극하면 하늘에까지 감동이 됨.
[至誠如神 지성여신] 지극한 정성은 신명(神明)과 같이 무슨 사물에나 감응(感應)하여 틀리지 아니함.
[至小 지소] 지극히 작음.
[至順 지순] 매우 순(順)함.
[至神 지신] 지극히 신통(神通)함.
[至惡 지악] 지극히 악(惡)함.
[至樂 지악·지락] ㉠아주 선미(善美)한 음악. ㉡'지락(至樂)'을 보라.
[至於此 지어차] 일이 이에 이름.
[至言 지언] 꼭 이치에 들어맞는 말.
[至嚴 지엄] 매우 엄(嚴)함.
[至愚 지우] 아주 미련함.
[至于今 지우금] 지금까지.
[至願 지원] 지극한 소원.
[至月 지월] 《韓》 동짓달.
[至恩 지은] 지극한 은혜.
[至人 지인] 도덕(道德)이 지극히 높은 사람.
[至仁至慈 지인지자] 지극히 인자함.
[至日 지일] ㉠동지(冬至). ㉡하지(夏至).
[至慈 지자] 지극한 자애.
[至材 지재] 더할 나위 없는 재주. 또, 그 사람.
[至情 지정] 정성. 진정.
[至尊 지존] 지극히 높은 지위. 곧, 제왕(帝王)의 지위. 또, 제왕.
[至重 지중] 매우 귀중(貴重)함.

[至賤 지천] ㉠매우 천(賤)함. ㉡수효(數爻)가 많아서 조금도 귀(貴)할 것이 없음.
[至治 지치] 이상적으로 잘 다스려진 정치.
[至親 지친] ㉠지극히 가까운 겨레붙이. 곧, 부자 형제 등. 골육(骨肉). ㉡더없이 친(親)함.
[至行 지행] 지극히 훌륭한 행위.
[至賢 지현] 지극히 어짊. 또, 그 사람.
[至孝 지효] 지극(至極)한 효행(孝行). 「좋음.
[至厚 지후] 인정이 지극이 두터움. 사이가 극히
[至凶 지흉] 아주 흉악(凶惡)함.
◉乾鵲噪而行人至. 麋至. 南至. 乃至. 來至. 敦至. 冬至. 竝至. 北至. 愛冬憎至. 飮至. 履霜堅氷至. 二至. 日至. 長至. 洊至. 徧至. 必至. 夏至. 後至.

[到] 〔도〕
刀部 六畫(p. 252)을 보라.

3 ⑨ [致] [中人] 치 [去]寘 陟利切 zhì

[筆順] 一 ㄷ 五 조 至 至 到 致

[字解] ①이를 치 극진(極盡)한 데까지 이름. '一知在格物'《大學》. ②부를 치 오게 함. '招一'. '將成家而一汝'《韓愈》. ③보낼 치 부쳐 줌. '一書'. '季孫行父如宋一女'《春秋》. ④전할 치 전달함. 알림. '一言'. '一意'. '工祝一告'《詩經》. ⑤이룰 치 성취함. '一富'. ⑥다할 치 진력함. '人未有自一者也'《論語》. ⑦돋울 치 겲. '一戰'. '以一晉師'《左傳》. ⑧맡길 치 위탁함. '事君能一其身'《論語》. ⑨그만둘 치 사직함. '退而一仕'《公羊傳》. ⑩풍취 치 상태. '景一'. '情一'. '自然成高一'《王縉》. ⑪뜻 치 의취(意趣). '其一也'《王羲之》. '其志一遠矣'《後漢書》. ⑫고울 치 치밀함. '德產之一也精微'《禮記》.
[字源] 篆文 形聲. 본디 夂+至〔音〕. '夂치'는 아래를 향한 발의 象形으로, '되돌아오다'의 뜻. 되돌려 전하다의 뜻을 나타냄.
[參考] 致(次次條)는 '夂'를 '攵복'으로 잘못 쓴 속자(俗字)임.

[致家 치가] 가업(家業)을 이룸.
[致命 치명] ㉠목숨을 바침. ㉡천명(天命)이 있는 한 있는 힘을 다함. ㉢명령을 전함.
[致命傷 치명상] ㉠목숨이 위험할 정도의 큰 상처. ㉡명예에 대한 회복하기 힘든 상처.
[致味 치미] 썩 좋은 맛.
[致富 치부] 부자(富者)가 됨.
[致仕 치사] 나이가 늙어서 벼슬을 사양(辭讓)함. 치사(致事).
[致死 치사] 죽게 함. 죽임.
[致事 치사] 치사(致仕).
[致師 치사] 적(敵)에게 도전(挑戰)함. 「표함.
[致謝 치사] 고맙다고 인사함. 감사(感謝)한 뜻을
[致誠 치성] ㉠정성(精誠)을 다함. ㉡신불(神佛)에게 정성(精誠)을 드림.
[致言 치언] 말을 전함.
[致役 치역] 남에게 사역(使役)당함.
[致爲臣 치위신] 사임(辭任)함. 치사(致仕).
[致意 치의] ㉠자기의 뜻을 상대방에 전함. ㉡자기의 의사를 충분히 밝힘. ㉢마음을 가다듬음. 주의함.
[致疑 치의] 의심(疑心)을 둠.
[致齋 치재] 삼일간의 재계(齋戒).
[致戰 치전] 싸움을 겲. 도전(挑戰)함.
[致知 치지] 알기에 이름.
[致賀 치하] 남의 경사(慶事)를 하례(賀禮)함. 기쁘다는 뜻을 표(表)함.
[致賢 치현] 현인(賢人)을 불러서 오게 함.
[致效 치효] 신명(身命)을 던져 진력(盡力)함.
◉佳致. 格致. 兼致. 景致. 高致. 拘致. 屈致. 極致. 奇致. 羈致. 羅致. 拉致. 生致. 書致. 送致. 馴致. 勝致. 時致. 雅致. 案致. 幽致. 誘致. 引致. 一致. 自致. 絶致. 精致. 祭政一致. 坐致. 招致. 暴致. 風致. 必致. 筆致. 合致. 休致.

[郅] 〔질〕
邑部 六畫(p. 2334)을 보라.

4 ⑩ [致]
致(前前條)의 俗字

6 ⑫ [臸] 천 [去]霰 在甸切 jiàn

[字解] ①거듭올 천 다시 거듭하여 옴. '一, 重至'《廣韻》. ②거듭 천 재차(再次). '一, 重也'《集韻》.
[字源] 形聲. 至+存〔音〕

6 ⑫ [臷] 질(절[本]) [入]屑 徒結切 dié

[字解] 늙을 질 늙음. 80세의 노인. 耋(老部 六畫)과 同字. '犬馬齒一'《漢書》.

6 ⑫ [臸] 일 [入]質 人質切 zhī

[字解] 이를 일 찾아옴. 당도함.
[字源] 金文 篆文 會意. 至+至

7 ⑬ [臹] 수 [平]尤 思留切 xiū

[字解] 익힐 수, 나아갈 수 '一, 習也, 進也, 出太上老君碑'《字彙》.
[字源] 會意. 至+成

7 ⑬ [臺]
臺(次條)의 俗字

8 ⑭ [臺] [高人] 대 [平]灰 徒哀切 tái 台

[筆順] 士 吉 高 亭 臺 臺 臺 臺

[字解] ①대 대 ㉠흙을 높이 쌓아서 사방을 관망할 수 있게 만든 곳. 돈대. '登武子之一'《史記》. ㉡후세에는 조망(眺望)하기 위하여 만든 정자도 이름. '一榭'. ㉢높고 평탄한 토지. '嚴子陵釣一, 在桐城縣'《寰宇記》. ㉣물건을 올려놓는 제구. '飯一'. '堂中, 設覗章一'《夢溪筆談》. ②능 대 능묘(陵墓). '帝嚳堯舜各二一'《山海經》.

[臺①㉠]

③성문 대 성(城)의 문. '驅駕出城一'《江總》. ④마을 대 중앙의 정무(政務)를 맡은 관서. 또, 그 고관(高官). 한대(漢代)에는 상서(尙書)를 중대(中臺), 어사(御史)를 헌대(憲臺), 알자(謁者)를 외대(外臺)라 하여, 이를 통틀어 '三一'라 일컬었음. ⑤하인 대, 종 대 심부름하는 천한 사람. '僕臣一'《左傳》. ⑥어른 대 남의 존칭(尊稱). '老一'. '尊一'. ⑦사초 대 식물의 이름. 薹(艸部 十四畫)와 통용. '南山有一'《詩經》. ⑧조정 대 조당(朝堂). 주로, 육조 시대(六朝時代)의 용어임. '奉旨詣一'《晉書》. ⑨성 대 성(姓)의 하나.

字源 篆文 形聲. 至+高〈省〉+㞢〔音〕. '至지'는 '이르다'의 뜻. '高고'는 망대(望臺)의 象形. '㞢지'는 '趾지'와 통하여, '토대'의 뜻. 토대가 튼튼한 사람이 곧잘 가는 조망대(眺望臺)의 뜻을 나타냄.

[臺閣 대각] ㉠돈대와 누각. ㉡상서성(尙書省). 전(轉)하여, 내각(內閣).
[臺閣生風 대각생풍] 묘당(廟堂)에서 대신(大臣)이 모두 숙연(肅然)히 두려워하는 모양.
[臺諫 대간] 어사대(御史臺)의 이칭(異稱). 송대(宋代)에는 간관(諫官)을 겸했으므로 이름.
[臺觀 대관] 망루(望樓).
[臺軍 대군] 육조(六朝) 시대의 관군(官軍)의 일컬음.
[臺灣 대만] 동지나해(東支那海) 남부에 있는 중국령의 섬. 대만 해협을 사이로 푸젠 성(福建省)·광둥 성(廣東省)과 대하여 있음. 중앙에는 타이완 산맥이 남북으로 뻗었으며, 서해안에는 전도(全島)의 약 3할(割)을 차지하는 타이완 평야가 전개됨. 수도는 타이베이(臺北).
[臺府 대부] 마을. 관부(官府).
[臺榭 대사] 망루(望樓).
[臺省 대성] 대각(臺閣) ㉡을 보라.
[臺城 대성] 육조 시대(六朝時代)의 궁성(宮城).
[臺座 대좌] 우상(偶像)을 안치(安置)하는 자리. 또, 물건(物件)을 안치하는 대(臺).

[臺座]

◉鏡臺. 高臺. 觀臺. 蘭臺. 露臺. 累臺. 樓臺. 丹臺. 盤臺. 氷臺. 三臺. 崇臺. 廝臺. 夜臺. 邪馬臺. 御史臺. 輿臺. 靈臺. 五臺. 芸臺. 輪臺. 章臺. 尊臺. 中臺. 重臺. 燭臺. 夏臺. 昫臺. 行臺. 滑臺. 黃金臺.

9 ⑮ [臷] 질 ㉧質 徒結切 dié

字解 상옷 질 상제가 입는 상복(喪服). '一, 縗絰也'《篇海》.

10 ⑯ [臻] 人名 진 ㉠眞 側詵切 zhēn

字解 ①이를 진 ㉠옴. '饑饉薦一'《詩經》. ㉡미침. 도달함. '澤一四方'《後漢書》. '一于衛'《詩經》. ②모일 진 한 군데로 모임. 폭주(輻輳)함. '商賈之所一, 萬物之所殖'《鹽鐵論》.

字源 篆文 形聲. 至+秦〔音〕. '秦진'은 자라 무성해지다의 뜻. 자라서 어느 지점까지 이르다의 뜻을 나타냄.

[臻赴 진부] 감. 이름.
◉饑饉薦臻. 來臻. 旁臻. 遄臻. 澤臻. 歘臻. 翕臻.

臼 (6획) 部

〔절구구부〕

0 ⑥ [臼] 人名 구 ㉤有 其九切 jiù

筆順 ´ 丨 𠂉 𦥑 𦥑 臼

字解 ①절구 구, 확 구 방앗공이로 곡식을 찧는 기구. '杵一'. '掘地爲一'《易經》. ②성 구 성(姓)의 하나.

字源 篆文 象形. 옛날에는 땅바닥을, 뒤에는 나무·돌을 파서 만드는 절구의 象形으로, '절구'의 뜻을 나타냄.

參考 '臼구'를 바탕으로 하여, '절구, 절구로 찧다'의 뜻을 포함하는 문자를 이룸. 이 부수(部首)에는 또 '𦥑국' 자도 포함되어 있어, '𦥑'을 바탕으로 하여, 양손으로 들어 올리다의 뜻을 포함하는 문자가 이루어지고 있음.

[臼頭深目 구두심목] 보기 싫은 여자의 형용.
[臼磨 구마] 절구와 맷돌.
[臼狀 구상] 확처럼 가운데가 우묵하게 팬 모양. 요형(凹形).
[臼杵 구저] 절구와 절굿공이.
[臼齒 구치] 어금니.
[臼砲 구포] 구경(口徑)에 비하여 포신(砲身)이 짧고 사각(射角)이 큰 포.
◉穀臼. 茶臼. 踏臼. 磨臼. 石臼. 外孫齏臼. 杵臼. 井臼. 脫臼.

0 ⑦ [𦥑] 국 ㉧沃 居玉切 jú ㉧屋 居六切

字解 ①좌우로부터손낼 국, 양손내려깍지낄 국 '一, 叉手也'《說文》. ②두손으로물건받들 국 '一, 兩手奉物'《廣韻》. ③손거둘 국 '一, 斂手'《廣韻》.

字源 篆文 象形. 양손을 위로부터 뻗어 물건을 집어올리는 모양을 형상화하여, 물건을 들어 올리다의 뜻을 나타냄.

1 ⑧ [申] 〔신〕 申(田部 0畫〈p. 1460〉)의 本字

2 ⑧ [臼] 〔구〕 臼(部首〈p. 1878〉)의 本字

2 ⑨ [臾] 人名 ㊀ 유 ㉠虞 羊朱切 yú ㊁ 용 ㉤腫 尹竦切 yǒng

字解 ㊀ ①잠깐 유 잠시. '道也者, 不可須一離也'《中庸》. ②성 유 성(姓)의 하나. ㊁ 권할 용 慂(心部 十畫)과 통용. '縱一'.

字源 篆文 會意. 申(申)+乙. '申신'은 양손으로 위로 끌다의 뜻. '乙을'은 초목(草木)의 구부러진 모양을 형상화(形象化)함. 물건을

양손으로 끌어 올리다, 잡아 말리다의 뜻을 나타냄.

◉須臾. 縱臾. 夾臾.

[兒] 〔아〕
儿部 六畫(p. 197)을 보라.

2 ⑧ [臽] 함 [去]陷 戶韽切 xiàn

[字解] ①함정 함 작은 함정. ②함정에빠뜨릴 함. ③함정에빠질 함 '一, 失足入坑坎也'《同文備考》.

[字源] [金文] [篆文] 象形. 사람이 허방다리에 빠진 모양을 형상화하여, '함정, 빠지다'의 뜻을 나타냄.

2 ⑨ [臾] 〔예〕
曳(曰部 二畫〈p. 1004〉)의 本字

3 ⑨ [舁] [一] 여 [平]魚 以諸切 yú
[二] 거 [上]語 居許切 jǔ

[字解] [一] 마주들 여 두 사람이 한 물건을 마주듦. '一夫'. '一, 共擧也'《說文》. [二] 마주들 거 [一]과 뜻이 같음.

[字源] [篆文] 會意. 臼+廾. 양손을 위아래로부터 마주 질러서 물건을 들어 올리다의 뜻을 나타냄.

[參考] 舁(臼部 四畫)는 本字.

3 ⑨ [臿] 삽 [入]洽 楚洽切 chā

[字解] ①끼울 삽 插(手部 九畫)과 同字. '褋一其開'《史記》. ②가래 삽 鍤(金部 九畫)과 同字. '擧一爲雲'《漢書》.

[字源] [篆文] 會意. 干+臼. '干간'은 절굿대의 象形. '臼구'는 절구의 象形. 절구 속에 절굿대를 내리박는 모양에서, '절구질하다, 끼우다'의 뜻을 나타냄.

◉擧臿. 雜臿.

3 ⑩ [臿] 臿(前條)의 訛字

4 ⑩ [𦥮] 벌 [入]月 房越切 fèi

[字解] 쌀찧을 벌 절구에 쌀을 찧음. '一, 舂也'《集韻》.

4 ⑩ [舀] [一] 요 [上]篠 以沼切 yǎo
[二] 유 [平]虞 羊朱切

[字解] [一] ①숧을 요 절구에서 숧은쌀을 퍼냄. ②떠낼 요 물 같은 것을 퍼냄. '今人凡酌彼注此, 皆曰一'《說文 段注》. ③성 요 성(姓)의 하나. [二] 숧을 유, 떠낼 유, 성 유 [一]과 뜻이 같음.

[字源] [篆文] [別體] [別體] 會意. 爪+臼. '爪조'는 물건을 집는 손의 象形. '臼구'는 절구의 象形. 절구 속으로부터 물건을 집어내다의 뜻.

4 ⑩ [舀] 舀(前條)와 同字

4 ⑪ [舁] 〔여〕
舁(臼部 三畫〈p. 1879〉)의 本字

5 ⑪ [眛] 말 [入]曷 莫葛切 mò

[字解] 쌀빻을 말 쌀을 절구질하여 빻음. '一, 舂米碎也'《集韻》.

5 ⑪ [舂] [一] 용 [平]冬 書容切 chōng
(송[本])
[二] 창 [平]江 初江切 chuāng

[字解] [一] ①찧을 용 곡식을 절구에 넣고 찧음. '或一或揄'《詩經》. ②해질 용 해가 서산으로 넘어감. '隔溪遙見夕陽一'《薛能》. ③종용할 용 從(彳部 八畫)과 뜻이 같음. '待其一容'《禮記》. ④찌를 용 衝(行部 九畫)과 뜻이 같음. '一其喉, 以戈殺之'《史記》. [二] 오랑캐이름 창 팔만(八蠻)의 하나.

[字源] [金文] [篆文] 會意. 廾+杵〈省〉+臼. '廾공'은 양손의 象形. '杵저'는 '절굿공이'의 뜻. '臼구'는 '절구'의 뜻. '절구질하다'의 뜻을 나타냄.

[舂歌 용가] 절구를 찧으면서 부르는 노래.
[舂碓 용대] 절구통.
[舂陵 용릉] 후난 성(湖南省)에 있는 땅 이름.
[舂容 용용] 침착하고 조용한 모양.
[舂炊 용취] 절구질과 밥 짓는 일.
[舂簸 용파] 쌀을 찧어 키로 까붊.
◉高舂. 戈舂. 宿舂. 賃舂. 下舂. 喧舂.

5 ⑪ [臿] 〔삽〕
臿(臼部 三畫〈p. 1879〉)의 本字

6 ⑫ [舄] [人名] [一] 작 [入]藥 七雀切 què
[二] 석 [入]陌 思積切 xì

[字解] [一] ①까치 작 새 이름. 鵲(鳥部 八畫)·䧿(隹部 八畫)과 同字. '一, 䧿也'《說文》. ②성 작 성(姓)의 하나. [二] ①신 석 바닥이 겹으로 된 신. '革一'. '履一'. '赤一几几'《詩經》. ②클 석 작지 않음. 또, 그 모양. '松桷有一'《詩經》. ③빛날 석 광휘(光輝)를 발하는 모양. '一奕乎千載'《班固》. ④염밭 석 潟(水部 十二畫)과 통용. '終古一鹵兮'《漢書》.

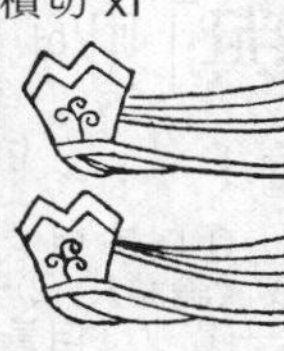
[舄[二]①]

[字源] [金文] [古文] [篆文] 象形. 까치의 象形으로 '까치'의 뜻. '鵲작'의 古字. 또, 음형상(音形上) '藉자' 등과 통하여, 바닥을 이중(二重)으로 겹쳐 깐 '신발'의 뜻을 나타냄.

[舄鹵 석로] 간석지(干潟地).
◉金舄. 馬舄. 複舄. 履舄. 礎舄. 海舄. 革舄.

6 ⑫ [舄] 舄(前條)의 俗字

6 ⑫ [𦦔] 박 [入]藥 匹名切 pò

[字解] 찧을 박, 절구질할 박 '一, 齊謂舂曰一'《說文》.

[字源] 篆文 形聲. 臼+𠂔〔音〕. '臼구'는 '절구'의 뜻. '𠂔백'은 끝이 쌍갈진 창(槍)의 뜻. 막대기로 절구를 찧는 뜻을 나타냄.

6 ⑫ [䍃] 〔요·유〕
舀(臼部 四畫〈p.1879〉)의 本字

7 ⑬ [舅] [人名] 구 [上]有 其九切 jiù

[字解] ①외숙 구 외삼촌. '母—'. '我送—氏'《詩經》. ②시아버지 구 남편의 아버지. '婦事—姑'《禮記》. ③장인 구 아내의 아버지. '外—'. '壻親迎見於—姑'《禮記》. ④호칭 구 천자(天子) 또는 제후(諸侯)가 이성(異性)의 사람을 친하게 부르는 데 쓰는 말. '—所病也'《國語》. ⑤성 구 성(姓)의 하나.
[字源] 篆文 形聲. 男+臼〔音〕. '臼구'는 '久구'와 통하여, 오랜 교제가 있는 남성, 외숙·장인·시아버지 등의 뜻을 나타냄.

[舅姑 구고] ㉠시아버지와 시어머니. ㉡장인과 장모(丈母).
[舅母 구모] 외숙모.
[舅父 구부] 외숙(外叔).
[舅甥 구생] ㉠외숙(外叔)과 생질(甥姪). ㉡장인(丈人)과 사위.
[舅嫂 구수] 처남(妻男)의 아내.
[舅氏 구씨] 외숙(外叔).
[舅弟 구제] 외사촌(外四寸) 아우.
◉姑舅. 國舅. 母舅. 伯舅. 父舅. 叔舅. 外舅. 元舅. 從舅. 賢舅.

7 ⑬ [甥] 舅(前條)와 同字

7 ⑭ [與] [中·人] 여 ①-⑮[上]語 余呂切 yǔ ⑯[去]御 羊洳切 yù ⑰[平]魚 以諸切 yú 与

[筆順] … 與

[字解] ①더불 여 더불어. 함께. '鄙夫可—事君也與哉'《論語》. ②및 여 …과. 급(及). '仁—義'. '陰—陽'. ③더불어할 여 일을 같이 함. '吾非斯人之徒—而誰—'《論語》. ④더불어갈 여 함께 감. '之子歸, 不我—'《詩經》. ⑤줄 여 급여함. '施—'. '—人者, 不問其所欲'《禮記》. ⑥허락할 여 허여함. 찬성함. '天地—之'《管子》. ⑦좇을 여 따름. '—於不仁之甚者也'《孟子》. ⑧도울 여 '是—人爲善也'《孟子》. ⑨편들 여 한편이 됨. '—黨'. '是君以合齊—強楚'《戰國策》. ⑩친할 여 친숙함. '諸侯以禮相—'《禮記》. ⑪셀 여 수효를 셈함. '生—來日, 死—往日'《禮記》. ⑫위할 여 爲(爪部 八畫)와 뜻이 같음. '一人傭耕'《十八史略》. ⑬보다는 여 비교하는 말. '禮—其奢也, 寧儉'《論語》. ⑭무리 여 동류(同類). '黨—'. '其應者必其人之—也'《韓愈》. ⑮성 여 성(姓)의 하나. ⑯참여할 여 참예함. '—其謀'. '夫婦之愚, 可以—知焉'《中庸》. ⑰그럴까 여 의문사(疑問辭). 歟(欠部 十四畫)와 통용. '其爲仁之本—'《論語》.
[字源] 金文 篆文 古文 形聲. 金文은 牙+口+舁〔音〕. '牙아'는 맞무는 이〔齒〕의 뜻. '舁여'는 집어 올리는 양손과 끌어올리는 양손의 象形. 손과 말귀를 맞춰서 동아리가 되고, 상호 부조하는 뜻에서, 더불어하다, 편들다, 주다의 뜻을 나타냄. 篆文은 舁+与로 되는데, '与여'는 '牙'의 변형임.
[參考] 与(一部 二畫)는 俗字.

[與件 여건] ㉠주어진 조건. ㉡추리·연구의 출발점으로서 주어지거나 가정(假定)된 사물.
[與共 여공] 함께. 같이.
[與國 여국] 동맹(同盟)을 맺은 나라.
[與黨 여당] ㉠당여(黨與). 한패. ㉡정부(政府)에 편드는 정당(政黨).
[與謀 여모] 모의(謀議)에 참여함.
[與民同樂 여민동락] 왕자(王者)는 즐거움을 홀로 차지하지 아니하고 백성과 함께 즐김.
[與不善人居如入鮑魚之肆 여불선인거여입포어지사] 좋지 못한 사람과 섞여 있으면 비린내 나는 어물전에 들어가는 것과 같아서 자기 몸에 취기(臭氣), 곧 불선(不善)이 배어들게 된다는 말.
[與世俯仰 여세부앙] 세상 사람들과 함께 부침(浮沈)하여 거스르지 않음.
[與世浮沈 여세부침] '여세추이(與世推移)'와 같음.
[與世偃仰 여세언앙] 세속(世俗)의 상태대로 부침(浮沈)한다는 뜻. 언(偃)은 부(俯).
[與世推移 여세추이] 세상 돌아가는 대로 따름. 여세부침(與世浮沈).
[與俗違 여속위] 세상의 속인(俗人)과 마음이 안 맞음.
[與時俯仰 여시부앙] 시대의 풍조를 좇아 행동함. 여세부침(與世浮沈).
[與與 여여] ㉠무성한 모양. ㉡위의(威儀) 있는 모양. ㉢왕래하는 모양.
[與子同仇 여자동구] 당신의 원수는 곧 나의 원수라는 뜻으로, 친구 간의 교분(交分)이 아주 두터움의 비유.
[與衆同好靡不成 여중동호미불성] 여러 사람이 뭉쳐서 일을 하면, 무슨 일이든지 못할 것이 없다는 말.
[與知 여지] 관여하여 앎.
[與奪 여탈] 주었다 빼앗았다 하는 일.
◉歸與. 給與. 黨與. 大與. 付與. 私與. 賞與. 巽與. 施與. 讓與. 易與. 容與. 猶與. 猗與. 儲與. 儔與. 參與. 天與. 取與. 奪與.

9 ⑯ [興] [中·人] 흥 [平]蒸 虛陵切 xīng [去]徑 許應切 xìng 兴

[筆順] … 興

[字解] ①일 흥 ㉠성(盛)하여짐. '—亡'. '勃—'. '國家將—, 必有禎祥'《中庸》. ㉡생김. 나타남. '淫樂—焉'《史記》. ②일으킬 흥 ㉠일이 일어나게 함. 일을 시작함. '—師'. '不可以—土功'《禮記》. ㉡거용(擧用)함. '進賢—功'《周禮》. ㉢성(盛)하게 함. '—復宋統'《後漢書》. ③일어날 흥 ㉠일어섬. '君爲之—'《儀禮》. ㉡깨어 일어남. '夙—夜寐'《詩經》. ㉢행(行)하여짐. '禮樂不—'《論語》. ④느낄 흥 감동함. '—於詩, 立於禮'《論語》. ⑤성 흥 성(姓)의 하나. ⑥기뻐할 흥 좋아함. '不—其藝, 不能樂學'《禮記》. ⑦흥 흥 흥취. '—味'. '—盡悲來'《王勃》. ⑧시 흥 시(詩)의 한 체로, 〈시경(詩經)〉의 '육의(六義)'

의 하나. 아무 관계도 없는 딴 물건을 빌려다가 자기의 뜻을 나타내는 것. '教六詩 曰風曰賦曰比曰一曰雅曰頌'《周禮》.

字源 甲骨文 金文 金文 篆文 會意. 舁+同. '舁여'는 네 손으로 물건을 들다의 뜻. '同동'은 '합하다'의 뜻. 힘을 합하여 물건을 들어 올리다의 뜻. 甲骨文은 가마[輿]를 둘이서 양손으로 들어 올리고 있는 象形字. 또, '同'이 그릇의 몸체와 뚜껑이 합쳐진 象形이라는 설에 따른다면, 그 뚜껑을 위로 올리는 象形字. 파생하여, 마음의 설렘이나 대상(對象)에 대한 공감(共感)에서, '즐기다'의 뜻을 나타냄.

[興感 흥감] 흥취(興趣)를 느낌.
[興國 흥국] 나라를 흥하게 함. 또, 흥한 나라.
[興國所用亡國臣 흥국소용망국신] 신흥한 나라에서 쓰는 인재(人材)는 망한 나라의 신하임. 섬기는 사람은 같으나, 위에서 쓰는 사람 여하에 따라서 그 치적(治績)은 판이하게 다름.
[興起 흥기] ㉠떨치고 일어남. ㉡성(盛)해짐.
[興隆 흥륭] 흥하여 번성해짐.
[興利 흥리] 식리(殖利).
[興亡 흥망] 흥함과 망함.
[興亡盛衰 흥망성쇠] 흥망(興亡)과 성쇠(盛衰).
[興味 흥미] 재미. 흥취(興趣).
[興復 흥복] 부흥(復興)시킴.
[興奮 흥분] ㉠마음이 일어나 동(動)함. ㉡자극(刺戟)을 받아서 신경(神經)의 작용(作用)을 일으킴.
[興産 흥산] 산업(產業)을 일으킴.
[興盛 흥성] 성(盛)하게 일어남.
[興詩立禮成樂 흥시입례성악] 인격 완성(人格完成)의 과정을 말한 것. 곧, 시(詩)에서 감분 흥기(感憤興起)하고, 예(禮)에서 탁연 자립(卓然自立)하며, 악(樂)에서 화순(和順)의 덕(德)을 이룸.
[興安 흥안] ㉠산시 성(陝西省) 남동부에 있는 도시. 시가지는 한수이(漢水) 상류의 남안(南岸)에 임하며 신구(新舊)의 두 성(城)이 있음. ㉡만주 서북부에 위치하여 서쪽으로 외몽고에 접한 성(省). 대싱안링(大興安嶺) 산맥이 남북으로 뻗어 나간 산악 지대로서 목축이 발달함.
[興安嶺 흥안령] 만주(滿洲)의 복판을 동북(東北)에서 서남(西南)으로 뻗어 나간 산맥의 이름.
[興於詩 흥어시] 시경(詩經)을 읽고 마음을 감분 흥기(感憤興起)시킴.
[興業 흥업] 산업(產業)을 일으킴.
[興訛做訕 흥와주산] 있는 말 없는 말을 보태어 함부로 남을 비방함.
[興旺 흥왕] 매우 번창(繁昌)함.
[興作 흥작] 일어남. 또, 일으킴.
[興盡悲來 흥진비래] 즐거운 일이 다하면 슬픈 일이 옴. 곧, 흥망(興亡)·성쇠(盛衰)가 순환(循環)하는 것을 이르는 말.
[興替 흥체] 성쇠(盛衰).
[興趣 흥취] 흥치(興致)와 취미(趣味).
[興致 흥치] 재미있는 정형(情形).
[興敗 흥패] 흥(興)함과 패(敗)함.
[興廢 흥폐] 흥체(興替).
[興行 흥행] ㉠일으키어 행(行)함. ㉡연극(演劇) 등을 하여 구경시킴.
[興況 흥황] 흥미가 있는 정황(情況).

◉佳興. 感興. 更興. 繼興. 高興. 軍興. 代興. 安興. 拔興. 勃興. 發興. 百廢具興. 蕃興. 繁興. 竝興. 福興. 復興. 僨興. 奮興. 嗣興. 序興. 紹興. 夙興. 詩興. 晨興. 鬱興. 隆興. 吟興. 一興. 逸興. 作興. 再興. 座興. 酒興. 中興. 迭興. 遞興. 叢興. 寢興. 廢興. 暴興.

9 ⑮ [舅] 〔구〕
舅(臼部 七畫〈p. 1880〉)의 本字

10 ⑯ [嗟] 차 ㊥歌 昨何切 cuó
字解 절구질할 차 '一, 舂也'《廣雅》.

10 ⑰ [舉] 〔거〕
擧(手部 十四畫〈p. 912〉)의 本字

11 ⑱ [舉]
㊀ 공 ㊥冬 渠容切 gǒng
㊤腫 古勇切
㊁ 거 ㊤語 苟許切
㊂ 봉 ㊤腫 方勇切

字解 ㊀ ①세발받침 공 솥을 받치는 세 발 달린 제구. 또, 세 발로 받침. '一, 所目枝鬲者. (注)類篇引作支, 謂有三足支出也'《說文》. ②곡식찧는기구 공 '一, 舂器'《集韻》. ③성 공 성(姓)의 하나. ㊁ 세발받침 거, 곡식찧는기구 거, 성 거 ㊀과 뜻이 같음. ㊂ 세발받침 봉, 곡식찧는기구 봉.
字源 會意. 爨〈省〉+鬲〈省〉

11 ⑱ [舉] 〔거〕
擧(手部 十四畫〈p. 912〉)의 俗字

[舉] 〔거〕
手部 十四畫(p. 912)을 보라.

12 ⑱ [舊] 中人 구 ㊦宥 巨救切 jiù 旧

筆順 艹 萑 萑 萑 萑 舊 舊 舊

字解 ①예 구 ㉠옛날. '按往一造說'《荀子》. ㉡옛일. '修一也'《公羊傳》. ②옛날 구 ㉠옛날부터. 오래 전부터. '一有令聞'《書經》. ㉡옛날에. 이전에. '一學于甘盤'《書經》. ③친구 구 오래 사귄 벗. '故一'. '一見如一'. '且棄一也'《國語》. ④구의 구 옛 정의. '恃一不虔'《魏志》. ⑤늙은이 구 노인. '尙齒重一'《唐太宗》. ⑥오랠 구 세월이 많이 경과됨. '一慣'. '民之戴商, 厥惟一哉'《書經》. ⑦낡을 구 오래 묵음. '弁冕雖一, 必加於首'《穀梁傳》. ⑧성 구 성(姓)의 하나.

字源 甲骨文 金文 篆文 形聲. 篆文은 萑+臼〔音〕. '萑추'는 머리에 털이 많은 새의 象形. 본디, 올빼미 등의 뜻을 나타냈었으나, '久구'와 음(音)이 가까워, 오래 지나서 '낡다'의 뜻을 나타내게 되었음.

參考 旧(日部 一畫)는 俗字.

[舊家 구가] 예전부터 내려오는 내력 있는 집안.
[舊故 구고] 구지(舊知).
[舊稿 구고] 전에 써 두었던 원고.
[舊曲 구곡] 예전부터 있는 음곡(音曲).
[舊穀 구곡] 묵은 곡식.
[舊功 구공] 예전에 세운 공.

[舊貫 구관] 구관(舊慣).
[舊慣 구관] 예전부터 내려오는 관례(慣例).
[舊觀 구관] ㉠예전 모양. 예전 형상. ㉡오래된 누관(樓觀).
[舊交 구교] 오래된 교분. 또, 사귄 지 오래된 친구.
[舊敎 구교] 천주교(天主敎). 신교(新敎)의 대「(對).
[舊君 구군] 예전에 섬기던 임금.
[舊記 구기] 예전 기록.
[舊基 구기] 예전 집터.
[舊年 구년] 지난해. 작년.
[舊唐書 구당서] 당(唐)나라의 역사를 적은 책. 진(晉)나라의 유구(劉昫) 등이 칙명(勅命)을 받들어 지음. 모두 2백 권. 〈신당서(新唐書)〉와 함께 이십사사(二十四史)의 하나.
[舊都 구도] 옛 도읍(都邑).
[舊道 구도] 예전부터 있던 길.
[舊冬 구동] 작년 겨울.
[舊臘 구랍] 지난해의 세모(歲暮). 납(臘)은 섣달.
[舊曆 구력] ㉠전에 시행하던 달력. ㉡태음력(太陰曆).
[舊例 구례] 예전부터 내려온 관례.
[舊禮 구례] 예전부터 있던 예식.
[舊老 구로] 늙은이. 고로(故老).
[舊里 구리] 고향(故鄕).
[舊面 구면] 전부터 아는 사람.
[舊夢 구몽] 지나간 헛된 꿈.
[舊聞 구문] ㉠예전부터 전해 내려오는 이야기. ㉡예전에 있던 이야기.
[舊物 구물] 오래된 물건.
[舊邦 구방] 오래전에 세워져 역사가 오래된 나라.
[舊法 구법] 예전 법률.
[舊譜 구보] 옛 족보.
[舊服 구복] ㉠오래된 의복. ㉡예전 영토(領土).
[舊朋 구붕] 구우(舊友).
[舊史 구사] 예전 역사.
[舊師 구사] 옛 스승.
[舊祠 구사] 예전부터 있는 사당.
[舊相識 구상식] 구식(舊識).
[舊歲 구세] 지난해.
[舊世界 구세계] 아시아·유럽·아프리카의 삼대 주.
[舊俗 구속] 구습(舊習).
[舊習 구습] 옛날의 풍속(風俗)과 습관(習慣).
[舊式 구식] 시체(時體)로 유행(流行)하지 아니하는 예전의 격식(格式).
[舊識 구식] 구면(舊面).
[舊臣 구신] 예전부터 섬기는 신하.
[舊痾 구아] 오래 낫지 아니하는 병.
[舊惡 구악] 전에 한 나쁜 짓.
[舊愛 구애] 예전에 귀애하던 일.
[舊約 구약] 예전 약속(約束).
[舊約全書 구약전서] 기독교 성경(聖經) 중 기독(基督) 강탄(降誕) 이전에 있던 교전(敎典). 전 39권.
[舊言 구언] 늘 하는 말.
[舊業 구업] 예전부터 전해 오는 산업 또는 사업.
[舊染 구염] 예전의 나쁜 풍습.
[舊五代史 구오대사] 송(宋)나라 설거정(薛居正) 등이 태종(太宗)의 명(命)을 받들어 양(梁)·당(唐)·진(晉)·한(漢)·주(周) 각대(各代)의 역사를 편수한 책. 모두 150권. 신오대사(新五代史) 참조.
[舊友 구우] 전(前)부터 아는 친구. 사귄 지 오래된 친구.
[舊雨 구우] 구우(舊友). 우(雨)는 우(友)와 음(音)이 통(通)함.
[舊雨今雨 구우금우] '구우신우(舊雨新雨)'와 같「음.
[舊雨新雨 구우신우] 구우(舊友)와 신우(新友). 오래 사귄 친구와 새로 사귄 친구. 우(雨)는 우(友).
[舊游 구유] ㉠예전에 하던 놀이. ㉡옛 친구.
[舊恩 구은] 예전에 입은 은혜(恩惠).
[舊誼 구의] 예전 정의(情誼).
[舊人 구인] 구우(舊友).
[舊因 구인] 예전 인연(因緣).
[舊作 구작] 예전에 지은 시문(詩文).
[舊章 구장] ㉠예전부터 내려오는 전장(典章). ㉡예전에 시행하던 전장.
[舊粧 구장] 먼저 한 화장.
[舊迹 구적] 고적(古跡).
[舊典 구전] ㉠예전 문서. ㉡구장(舊章).
[舊情 구정] 옛 정.
[舊制 구제] 옛 제도.
[舊製 구제] ㉠예전에 지은 시문. 또, 예전에 만든 물건. ㉡예전에 만들던 양식.
[舊蹤 구종] 예전의 발자취. 옛 자취.
[舊主 구주] 예전에 섬기던 임금 또는 주인.
[舊地 구지] ㉠고적(古跡). ㉡예전 영토.
[舊址 구지] 예전에 건물이 있던 터.
[舊知 구지] 예전부터 잘 아는 사람.
[舊趾 구지] 그전 터.
[舊債 구채] 묵은 빚. 전부터 있던 빚.
[舊態 구태] 옛 모양.
[舊宅 구택] 전에 살던 집.
[舊套 구투] 구식(舊式).
[舊弊 구폐] 예전부터 내려오는 폐해.
[舊風 구풍] 구습(舊習).
[舊恨 구한] 예전부터 품은 원한.
[舊嫌 구혐] 묵은 혐의(嫌疑). 오래된 혐의(嫌疑).
[舊好 구호] 구의(舊誼).
[舊洿 구호] 전부터 내려오는 폐해.
[舊歡 구환] 예전 환락(歡樂).
[舊懷 구회] 옛정회(情懷).
[舊勳 구훈] 예전에 세운 공훈.
●感舊. 故舊. 交舊. 耆舊. 倍舊. 復舊. 朋舊. 世舊. 素舊. 守舊. 新舊. 恩舊. 義舊. 一見如舊. 仍舊. 知舊. 親舊. 鄕舊. 懷舊. 勳舊.

13 ⑳ [釁] 〔흔〕 釁(酉部 十八畫〈p. 2364〉)과 同字

13 ⑳ [辳] 〔농〕 農(辰部 六畫〈p. 2285〉)의 古字

舌 (6획) 部

〔혀설부〕

0 ⑥ [舌] 中入 설 入屑 食列切 shé

筆順 一 二 千 千 舌 舌

字解 ①혀 설 ㉠오관(五官)의 하나. 입속에 있

어 맛을 감각하며 발음을 돕는 기관. '一端'. '視吾一尙在不'《史記》. ㉡물건에 딸려 혀의 모양을 하였거나, 혀의 기능을 하는 것. '諸儒金口而木一'《法言》. ㉢말. '辯一'. '駟不及一'《論語》. ②성 설 성(姓)의 하나.

[字源] 甲骨文  篆文  象形. 입으로 내민 혀의 모양을 형상화하여, '혀'의 뜻을 나타냄.

[參考] '舌'을 의부(意符)로 하여, 핥다 등 혀의 기능에 관한 문자를 이룸. 또, 편의상 '舍사'의 형태를 지닌 문자도 이 부수에 분류됨.

[舌耕 설경] ㉠강의(講議) 또는 강연의 보수를 받아 생계를 이룸. ㉡말품을 팔아 먹고삶.
[舌根 설근] 혀뿌리.
[舌端 설단] 혀끝.
[舌論 설론] 말다툼.
[舌芒于劍 설망우검] 혀는 칼보다 날카로움. 논봉(論鋒)이 날카로운 형용.
[舌鋒 설봉] 날카롭고 매서운 변설.
[舌上有龍泉殺人不見血 설상유용천살인불견혈] 용천(龍泉)은 명검(名劍)의 이름. 참소하여 사람을 죽이는 것은 예리한 칼로 사람을 죽이는 것보다도 더 무서움을 이름.
[舌尙存 설상존] 공명(功名)을 세울 수 있는 기량(器量)이 아직도 남아 있음을 이름. 장의(張儀)의 고사(故事)에서 나옴.
[舌癌 설암] 혀에 난 암종(癌腫).
[舌音 설음] 혓소리.
[舌人 설인] 통역(通譯). 통변.
[舌戰 설전] 말다툼. 논전(論戰).
[舌尖 설첨] 혀끝.
[舌下腺 설하선] 혀 밑에 있는 타액선(唾液腺). 침을 분비하는 침샘.
[舌盒 설합] 의장(衣欌)·찬장(饌欌)·책상·경대(鏡臺) 등에 있는 빼었다 끼었다 하는 뚜껑이 없는 상자. 서랍.
[舌禍 설화] 말을 잘못하여 받는 재앙.
◉鴃舌. 結舌. 鼓舌. 膏脣拭舌. 廣長舌. 巧舌. 口舌. 卷舌. 金口木舌. 弄舌. 訥舌. 掉舌. 毒舌. 木舌. 美女破舌. 反舌. 百舌. 辯舌. 駟不及舌. 詞舌. 三寸舌. 蘇張舌. 惡舌. 鸚舌. 兩舌. 嬰舌. 佞舌. 饒舌. 搖脣鼓舌. 亢舌. 利舌. 雀舌. 長舌. 張儀視舌. 重舌. 讒舌. 焦脣乾舌. 忠舌. 吐舌. 筆舌. 喉舌.

[乱] 〔란〕 乙部 六畫(p. 64)을 보라.

[刮] 〔괄〕 刀部 六畫(p. 252)을 보라.

2
⑧ [舍] [中人] [一] 사 ①-⑦[去]禡 始夜切 shè
[二] 석 ⑧-⑫㊤馬 書冶切 shě
[入]陌 施隻切 shì 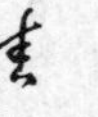

[筆順] 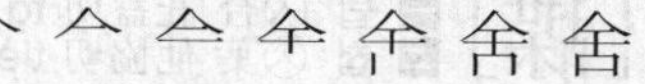

[字解] [一] ①집 사 ㉠가옥. '廬一'. '屋一'. '庶人一屋, 許五架門'《宋史》. ㉡거처. '神歸其一'《鬼谷子》. ②여관 사 여인숙. '旅一'. '天子賜一'《儀禮》. ③성수 사 진수(辰宿). '行九州七一'《淮南子》. ④머무를 사 머물러 휴식함. '亦不遑一'《詩經》. ⑤삼십리 사 군대가 하루에 걷는 거리(우리나라 거리로는 오륙십 리). '其辟君三一'《左傳》. ⑥베풀 사 시행함. '施一不倦'《左傳》. ⑦둘 사 머물러 있게 함. '一需於側'《戰國策》. ⑧버릴 사 ㉠내버림. 방기함. '賊追至, 王欲一所攜人'《世說》. ㉡제거함. '一彼有罪'《詩經》. ⑨폐할 사 그만둠. 폐지함. '一中軍'《左傳》. ⑩놓을 사 석방함. 용서함. '常刑不一'《漢書》. ⑪쏠 사 화살을 쏨. '一矢旣均'《詩經》. ⑫쉴 사 ㉠휴식함. '是月也, 耕者少一'《禮記》. ㉡정지함. '不一晝夜'《論語》. [二] 둘 석 물건을 놓음. 釋(釆部 十三畫)과 同字. '春入學, 一采合舞'《周禮》.

[字源] 金文  金文  篆文  形聲. 口+余〔音〕. '口구'는 주위의 벽(壁)의 뜻, 장소의 뜻, 입의 뜻 등이라고 함. '余여'는 제초구(除草具)의 상형으로, 자유롭게 자라 가다의 뜻을 나타냄. 합하여, 심신(心身)을 자유롭게 해 주다, 깃들이다의 뜻과 그 장소를 뜻함.

[舍監 사감] 학교 기타 기숙사(寄宿舍)의 사생(舍生)을 감독하는 사람.
[舍車 사거] 수레를 폐함. 수레의 말을 폐함.
[舍館 사관] 여관(旅館).
[舍己從人 사기종인] 나를 버리고 남의 착한 일을 좇음.
[舍匿 사닉] 숨겨 둠.
[舍短取長 사단취장] 나쁜 점은 버리고 좋은 점을 취함.
[舍廊 사랑] 바깥주인이 거처하는 곳.
[舍利 사리]《佛敎》㉠부처나 고승(高僧)의 유골(遺骨). ㉡시체를 화장하고 남은 뼈.
[舍利塔 사리탑]《佛敎》사리(舍利)를 모시어 둔 탑.
[舍伯 사백] 자기의 맏형.
[舍生取義 사생취의] 목숨을 버리더라도 정의(正義)·의리를 지킴.
[舍叔 사숙] 자기의 숙부(叔父).
[舍音 사음] 마름.
[舍人 사인] ㉠한 집안의 잡무를 맡은 사람. 가인(家人). ㉡궁중(宮中)에서 숙직하며 보살피는 벼슬.
[舍弟 사제] 자기의 아우.
[舍次 사차] 숙박함.
[舍兄 사형] ㉠자기의 형. ㉡형의 아우에 대한 자칭.
[舍采 석채] 채소를 놓고 지내는 공자(孔子)의 제사. 채(采)는 채(菜). 석채(釋菜).
◉客舍. 空舍. 官舍. 館舍. 校舍. 求田問舍. 寄宿舍. 壘舍. 頓舍. 同舍. 茅舍. 芨舍. 旁舍. 比舍. 肆舍. 宿舍. 僧舍. 施舍. 謁舍. 野舍. 旅舍. 廬舍. 屋舍. 蝸舍. 外舍. 義舍. 耳舍. 二十八舍. 隣舍. 邸舍. 田舍. 傳舍. 精舍. 第舍. 次舍. 儆舍. 趨舍. 避三舍. 學舍. 橫舍. 休舍.

2
⑧ [舎] 舍(前條)와 同字

3
⑨ [䑛] 〔지〕 舓(舌部 八畫〈p. 1884〉)와 同字

4
⑩ [舐] 지 ㊤紙 神帋切 shì

[字解] 핥을 지 혀끝을 물건에 대고 문지름. 舓(舌部 八畫)·䑛(舌部 三畫)의 俗字. '一糠'.

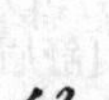

'一痔者, 得車五乘'《莊子》.
[字源] 形聲. 舌+氏〔音〕. '氏씨'는 '壬정'과 통하여, '내밀다'의 뜻. 물건에 혀를 내밀다, 핥다의 뜻을 나타냄.

[舐糠 지강] 지강급미(舐糠及米).
[舐糠及米 지강급미] 겨를 핥다가 마침내 쌀까지 먹어 치운다는 뜻으로, 곧 외부(外部)의 침범이 마침내 내부(內部)에까지 미침을 비유한 말. 또는 욕심이 점점 커짐의 비유.
[舐犢 지독] 지독지애(舐犢之愛).
[舐犢之愛 지독지애] 늙은 소가 새끼를 핥아서 사랑한다는 뜻으로, 제 자식 사랑하는 것을 찬사하는 말.
[舐痔 지치] 진왕(秦王)의 치창(痔瘡)을 핥고 많은 상(賞)을 얻었다는 데서, 비열한 수단으로써 권력·부귀를 누림을 이름.
[舐筆 지필] 붓을 핥음. 곧, 정신을 들이지 아니하고 끄적거림.

4 ⑩ [䑙] 금 [去]沁 巨禁切 jìn
[字解] ①쇠혓병 금 소의 혓바닥의 병. ②입다물 금 噤(口部 十三畫)과 同字. '直辭一以薦, 巧舌千皆一'《韓愈》.

4 ⑩ [舑] 담 [平]覃 他酣切 tiàn / [去]勘 吐濫切
[字解] 혀내밀 담 혀를 입 밖으로 내놓음. '玄熊一舕以斷斷'《王延壽》.

[舑舕 담담] 혀를 입 밖으로 내놓음.

5 ⑪ [䑘] 舑(前條)의 訛字

[甜] 〔첨〕
甘部 六畫(p. 1453)을 보라.

6 ⑫ [舒] [人名] 서 [平]魚 傷魚切 shū
[筆順] 𠆢 亼 亼 仝 舍 舍 舍 舒
[字解] ①펼 서 ㉠말린 것이나 개킨 것을 폄. '一卷'. ㉡넓힘. '一之幎於六合'《淮南子》. ②퍼질 서 널리 미침. '凡植木之性, 其本欲一'《柳宗元》. ③조용할 서 점잖고 조용함. '君子之容一遲'《禮記》. ④느릴 서 더딤. '爲之者疾, 用之者一, 則財恒足矣'《大學》. ⑤천천히 서 조용히. '登東皐以一嘯'《陶潛》. ⑥실마리 서 단서. '陰陽辨一, 二姓相合'《易林》. ⑦성 서 성(姓)의 하나.
[字源] [篆文] 形聲. 予+舍〔音〕. '予여'는 '杼저'의 原字로, 베틀의 올실을 거침없이 넣는 '북'의 뜻. '舍사'는 심신을 활달하게 하다의 뜻. 합하여, '펴다, 펴지다'의 뜻을 나타냄.

[舒卷 서권] ㉠폄과 맒. ㉡책을 폄. ㉢경우에 따라서 자기 재능을 발휘하거나 또는 숨김.
[舒眉 서미] 찌푸린 눈썹을 폄. 근심을 풀어 없앰.
[舒舒 서서] ㉠느릿느릿한 모양. ㉡마음이 조용한 모양.
[舒嘯 서소] 조용히 풍월을 즐김.
[舒緩 서완] 느린 모양. 천천히 하는 모양.
[舒情 서정] 자기의 정서(情緖)를 그려 냄.
[舒州 서주] 산둥 성(山東省) 안에 있는 지명.
[舒遲 서지] 점잖고 조용함.
[舒懷 서회] 생각을 베풀어 말함.
◉寬舒. 卷舒. 望舒. 發舒. 散舒. 素舒. 安舒. 緩先. 長舒. 疾舒. 淸舒. 閑舒.

[辞] 〔사〕
辛部 六畫(p. 2282)을 보라.

8 ⑭ [䑜] 답 [入]合 他合切 tà
[字解] ①들이마실 답 빨아들여 목구멍으로 넘김. 또, 많이 먹음. 대식(大食)함. '一隨光化揞其州'《韓愈》. ②개가먹을 답 '狧, 犬食. 一, 上同'《廣韻》.
[字源] [篆文] 形聲. 舌+沓〔音〕. '沓답'은 '겹치다'의 뜻. 혀에 혀를 겹치다의 뜻에서, 크게 입을 벌리고 흘려 넣듯이 마시다의 뜻을 나타냄.

[䑜楡 답유] 허베이(河北) 사람이 느릅나무 꽃을 즐겨 먹는 데서, 허난(河南) 사람이 허베이 사람을 부르는 별명.

8 ⑭ [𦧇] 䑜(前條)의 本字

8 ⑭ [舕] 담 [去]勘 吐濫切 tàn
[字解] 혀내밀 담 혀를 입 밖으로 내놓음. '玄熊舑一以斷斷'《王延壽》.
[字源] [篆文] 形聲. 炎+舌〔音〕

◉舑舕.

8 ⑭ [𦧟] 舕(前條)과 同字

8 ⑭ [舔] 첨 [上]琰 他點切 tiǎn
[字解] 핥을 첨 '玄猿綠羆一舕崟岌'《李白》.
[字源] 形聲. 舌+忝〔音〕

8 ⑭ [舓] 〔지〕
舐(舌部 四畫〈p. 1883〉)의 本字
[字源] [篆文] 形聲. 舌+易〔音〕. '易역·이'는 '壬정'과 통하여, '내밀다'의 뜻. 혀를 내밀고 핥다의 뜻을 나타냄.

8 ⑭ [䑝] 𦧲(次條)과 同字

9 ⑮ [𦧲] [一] 탑 [入]合 託盍切 tà / [二] 첩 [入]葉 他協切 tiè
[字解] [一] ①크게먹을 탑 '一, 大食也'《玉篇》. ②마실 탑 '一, 歠也'《集韻》. [二] 할짝할짝할 첩 개가 조금 핥음. '一, 犬小舐'《集韻》.

9 ⑮ [舖] 〔포〕
鋪(金部 七畫〈p. 2396〉)와 同字

9 ⑮ [舖] 〔포〕
舖(金部 七畫〈p.2396〉)의 俗字

10 ⑯ [䑛] 괄 ㊀黠 居轄切 jiá
字解 혀빼물 괄 혀를 내미는 모양. '一, 舌出皃'《集韻》.

10 ⑯ [舙] 〔게〕
憩(心部 十二畫〈p.816〉)와 同字

10 ⑯ [舚] 〔답〕
䑙(舌部 八畫〈p.1884〉)의 俗字

10 ⑯ [舘] 人名 〔관〕
館(食部 八畫〈p.2579〉)의 俗字
筆順 𠆢 亼 今 舍 舍' 舍'' 舍'' 舘

11 ⑰ [䑜] 〔탑·첩〕
䑜(舌部 九畫〈p.1884〉)과 同字

12 ⑱ [䑝] 화 ㊁禡 胡化切 huà
字解 ①계교부릴 화 말을 좌지우지하며 계교를 부림. '一, 謀譖人也, 不象其往來營營, 象其反復, 故重三舌明意, 二三其言也'《六書精蘊》. ②이야기 화 話(言部 六畫)와 同字.
字源 會意. '舌설'을 셋 합하여, 혀를 놀려 남을 속임을 뜻함. '話화'의 別體로 쓰임.

12 ⑱ [䑞] ㊀ 탄 ㊥寒 他干切 tān
㊁ 전 ㊥先 亭年切
筆順 ㇀ 千 舌 舌' 舌'' 舌𠮛 舌亘 䑞
字解 ㊀ 말바르지아니할 탄 말이 바르지 아니함. '䑞, 一䑞, 語不正'《集韻》. ㊁ 말바르지아니할 전 ㊀과 뜻이 같음.

13 ⑲ [䑟] 담 ㊥覃 他酣切 tiàn
㊁勘 吐濫切
字解 혀내밀 담 舑(舌部 四畫)과 同字. '交驚舌互一'《韓愈》.

17 ㉓ [䑠] 䑟(前條)과 同字

17 ㉓ [䑡] 란 ㊥寒 郞干切 lán
字解 말바르지아니할 란 '一, 䑞一, 語不正'《集韻》.

舛(舛) (6획) 部
〔어그러질천부〕

0 ⑥ [舛] 천 ㊤銑 昌兗切 chuǎn
筆順 ノ ク 夕 夕' 夕㇐ 舛

字解 ①어그러질 천, 틀릴 천 상치가 됨. 괴려(乖戾)함. '乖一'. '命途多一'《王勃》. ②어지러울 천 착란함. 혼란함. '詭類一錯'《左思》.
字源 篆文 別體 象形. 양발이 반대 방향으로 향하는 모양을 형상화하여, '어그러지다'의 뜻을 나타냄.
參考 '舛'을 의부(意符)로 하여, '舞무' 등의 문자를 이룸.

[舛駁 천박] 서로 뒤섞임. 순수하지 아니함.
[舛逆 천역] 천오(舛午).
[舛午 천오] 서로 어그러지고 거슬림.
[舛誤 천오] 착오. 착오가 있음.
[舛訛 천와] 천오(舛誤).
[舛雜 천잡] 천박(舛駁).
[舛錯 천착] 착란(錯亂)함.
◉蹇舛. 乖舛. 壞舛. 交舛. 蕪舛. 煩舛. 粉舛. 疏舛. 訛舛. 違舛. 謬舛. 雜舛. 差舛. 錯舛.

[桀] 〔걸〕
木部 六畫(p.1064)을 보라.

6 ⑫ [舜] 人名 순 ㊁震 舒閏切 shùn
筆順 一 罒 爫 舜 舜 舜 舜 舜
字解 ①메꽃 순 다년생 덩굴풀로 여름에 담홍백색(淡紅白色) 꽃을 피우는데, 낮에 피었다 오후에 시듦. ②무궁화 순 아욱과의 낙엽 관목. 여름·가을에 담자색·담홍색·백색 등의 꽃이 핌. 蕣(艸部 十二畫)과 同字. '顏如一華'《詩經》. ③순임금 순 요(堯)임금의 선양을 받은 고대의 성군(聖君). '虞一者, 名曰重華'《史記》. ④성 순 성(姓)의 하나.
字源 篆文 古文 形聲. 匧+舛〔音〕. '匧'은 메꽃 덩굴이 땅을 기어〔匸〕, 불타는 듯한 꽃을 줄줄이 피우고 있는 모양〔炎〕의 象形. '舛천'은 '어긋나다'의 뜻을 나타내며, 그 꽃이 덩굴의 좌우로 갈라져 피는 뜻을 나타낸다 함. 다만, 이설(異說)이 많음. 假借하여, 고대 전설상의 제(帝)의 이름으로 쓰임.

[舜英 순영] 무궁화꽃. 미인에 비유함.
[舜禹 순우] 중국 고대의 순임금과 우임금. 모두 성왕(聖王)임.
[舜華 순화] 무궁화꽃.
◉堯舜.

6 ⑫ [舞] 〔가〕
斝(斗部 八畫〈p.950〉)의 訛字

7 ⑬ [舝] 할 ㊀黠 胡瞎切 xiá
字解 ①비녀장 할 바퀴가 벗어나지 않게 굴대 머리에 지르는 큰 못. '車一'. '間關車之一兮'《詩經》. ②비녀장지를 할 수레에 비녀장을 질러 출발할 차비를 차림. '載脂載一'《詩經》.
字源 篆文 形聲. 舛+萬〈省〉〔音〕. '萬설'은 '契설'과 통하여, '새기다'의 뜻. '舛천'은 좌우의 발의 象形. 수레의 굴대의 양 끝에 새겨 박은 비녀장을 뜻함.
◉載脂載舝. 車舝.

8
⑭ **[舞]** 中·人 무 ㊤麌 文甫切 wǔ

筆順 ㇒ 𠂉 𠂉 無 無 舞 舞 舞

字解 ①춤 무 무용. '一樂'. '入學習一'《禮記》. ②춤출 무 ㉠무용을 함. '前爲壽, 請以劍一'《十八史略》. ㉡놂. 선회함. '鳥一魚躍'. '飛鳥悉翔一城中下食'《史記》. ㉢기뻐하여 뜀. '抃一'. '不知手之一之足之蹈之'《禮記》. ③춤추게할 무 춤을 추도록 함. '衣文衣, 而一康樂'《史記》. ④환롱할 무 자유자재로 꾸며 농락함. '一文弄法'《史記》. ⑤성 무 성(姓)의 하나.

字源 甲骨文 金文 篆文 古文 形聲. 舛+𣞤[音]. 甲骨文은 象形. 사람이 장식이 있는 소매를 달고 춤추는 모양을 형상화하여, '춤'의 뜻을 나타냈으나, 이것이 없다[無]는 뜻으로 假借되어 갔기 때문에, 좌우의 다리의 象形인 '舛천'을 덧붙이어 구별했음.

[舞曲 무곡] ㉠춤의 곡조(曲調). ㉡춤과 음악.
[舞妓 무기] 무희(舞姬).
[舞技 무기] 춤. 춤추는 재주.
[舞臺 무대] 노래·춤·연극(演劇) 등을 할 때에 정면에 한층 높게 만들어 놓은 곳.
[舞蹈 무도] ㉠기뻐하여 뛰며 춤춤. ㉡조정(朝廷)의 배하(拜賀)에 손을 휘두르고 발을 구르는 의절(儀節). ㉢남녀가 서로 손을 잡고 추는 서양식의 춤. 댄스.
[舞蹈病 무도병] 어깨·입·다리 등이 부들부들 떨리는 일종의 신경병(神經病).
[舞弄 무롱] ㉠가지고 놂. 소일 삼아 함. ㉡조롱함.
[舞馬之災 무마지재] 화재(火災). 말이 춤추는 꿈을 보면 불이 난다는 데서 나온 말. 마무지재(馬舞之災).
[舞文弄法 무문농법] 법률의 조문을 마음대로 해석하여 법을 남용함.
[舞抃 무변] 기뻐서 손뼉 치고 춤을 춤.
[舞衫 무삼] 춤출 때 입는 옷.
[舞樂 무악] 춤에 맞추어하는 아악(雅樂).
[舞筵 무연] 춤을 추는 자리.
[舞鐃 무요] 옛 악기(樂器)의 한 가지.

[舞鐃]

[舞容 무용] 춤추는 모습.
[舞踊 무용] 춤.
[舞雩詠歸 무우영귀] 자연을 즐기는 쾌락을 이름.
[舞翟 무적] 춤출 때 갖는 꿩의 깃.
[舞知 무지] 재지(才智)를 부림. 농지(弄知).
[舞態 무태] 춤추는 자태.
[舞弊 무폐] 관리(官吏)가 법률(法律)을 남용(濫用)하여 뇌물(賂物) 따위를 받음.
[舞筆 무필] 붓을 마음대로 놀려 사실을 왜곡(歪曲)해 씀.
[舞鶴 무학] 날개를 벌리고 춤추는 학.
[舞姬 무희] 춤을 잘 추는 여자.
◉歌舞. 劍舞. 群舞. 鼓舞. 起舞. 羅舞. 亂舞. 踏舞. 蹈舞. 跳舞. 獨舞. 馬舞. 慢舞. 妙舞. 邦舞. 抃舞. 鳳舞. 獅子舞. 翔舞. 僧舞. 洋舞. 兩驂如舞. 燕歌趙舞. 演舞. 軟舞. 龍飛鳳舞. 綏舞. 羽舞. 圓舞. 輪舞. 奏舞. 中夜聞荒雞起舞. 集舞. 聚舞. 呼舞. 環舞. 掀舞. 興舞.

8
⑭ **[舜]** 〔가〕
斝(斗部 八畫<p. 950>)의 訛字

舟(6획)部
〔배주부〕

0
⑥ **[舟]** 高·人 주 ㊥尤 職流切 zhōu

筆順 ㇒ 丿 ⺆ 冂 舟 舟

字解 ①배 주 선박. '一車'. '刳木爲一'《易經》. ②띨 주 몸에 띰. '何以一之'《詩經》. ③반 주 제기(祭器)인 준(罇)을 받쳐 놓는 그릇. 차탁(茶托) 비슷함. '皆有一'《周禮》. ④성 주 성(姓)의 하나.

[舟①]

字源 甲骨文 金文 篆文 象形. 나룻배의 象形으로, '배'를 뜻함.

參考 '舟'를 의부(意符)로 하여, 여러 가지 종류의 배나, 배의 부품(部品)·용구(用具), 배로 가는 일 등에 관한 문자를 이룸. 참고로, '舟'가 생략되어 '月'(배주월)의 형태가 되는 문자가 있는데, '朕짐'·'服복' 등이 그것으로, 그것들은 '月월' 부(部)에 분류됨.

[舟居 주거] 배에서 하는 살림.
[舟橋 주교] 배다리.
[舟軍 주군] 주사(舟師).
[舟梁 주량] ㉠배다리. ㉡배와 다리.
[舟筏 주벌] 배와 뗏목.
[舟非水不行 주비수불행] 배는 물이 없으면 갈 수 없다는 뜻으로, 임금은 백성이 없으면 다스릴 수 없다는 말.
[舟師 주사] 수사(水師).
[舟輿 주여] 주차(舟車).
[舟遊 주유] 뱃놀이.
[舟人 주인] 뱃사공.
[舟子 주자] ㉠뱃사공. ㉡수군(水軍).
[舟戰 주전] 배를 타고 하는 싸움.
[舟中敵國 주중적국] 바로 곁의 자기편 사람도 변절(變節)하면 적(敵)이 됨을 이름.
[舟楫 주즙] ㉠배와 노. 전(轉)하여, 수운(水運). ㉡천자를 보좌하는 신하.
[舟艦 주함] 전함(戰艦).
[舟行 주행] 배를 타고 감.
◉刻舟. 芥舟. 客舟. 輕舟. 桂舟. 孤舟. 歸舟. 獨木舟. 方舟. 泛舟. 蓬舟. 浮舟. 不繫舟. 飛舟. 犀舟. 小隙沈舟. 小舟. 水載舟水覆舟. 漁舟. 吳越同舟. 龍舟. 艤舟. 一葉舟. 一月三舟. 積羽沈舟. 造舟. 釣舟. 操舟. 春舟. 扁舟. 編舟. 虛舟.

2
⑧ **[舠]** 도 ㊥豪 都牢切 dāo

字解 거룻배 도 칼 모양을 한 작은 배. 일설(一說)에는, 3백 곡(斛)을 싣는 배. '刀'로도 씀. '誰謂河廣, 曾不容一'《詩經》.
字源 形聲. 舟+刀〔音〕. '刀도'는 작은 배의 모양을 나타냄.

◉輕舠. 金舠. 小舠. 漁舠. 行舠. 回舠.

3 ⑨ [舡] 人名 ㊀ 강 ㊥江 許江切 xiāng (항㊂)
㊁ 선 ㊥先 食川切 chuán
字解 ㊀ 배 강 선박. '晉一人固來'《漢書》. ㊁ 배 선 船(舟部 五畫)의 俗字.
字源 形聲. 舟+工〔音〕

[舡魚 강어] 낙지의 일종.
[舡軒 강헌] 배 모양으로 지은 정자(亭子).

3 ⑨ [舦] 침 ㊥侵 癡林切 ㊦沁 丑林切 chěn
字解 배떠갈 침, 배잇대어갈 침 '一, 吳楚謂船行曰一'《集韻》. '一, 舟行相續也'《正字通》.
字源 形聲. 舟+彡〔音〕

3 ⑨ [舣] 〔차〕
艖(舟部 十畫〈p. 1891〉)와 同字

4 ⑩ [航] 高人 항 ㊥陽 胡郎切 háng
筆順 ′ 亻 介 舟 舟 舟 舡 航
字解 ①배 항 선박. '譬臨河而無一'《張衡》. ②방주(方舟) 항 둘을 매어서 나란히 가게 된 배. '以爲舟一'《淮南子》. ③배다리 항 부교(浮橋). '浮一'. '守朱雀一'《北史》. ④건널 항 배로 물을 건넘. '一行'. '聊一葦而可一'《北齊書》. ⑤날 항 비행기로 하늘을 낢. '一空'.
字源 形聲. 舟+亢〔音〕. '亢항'은 '行행'과 통해, '가다'의 뜻. 배로 가다의 뜻을 나타냄.

[航空 항공] 항공기를 타고 공중을 비행함.
[航空機 항공기] 비행기·비행선(飛行船)의 총칭.
[航路 항로] 배가 다니는 길. 항행(航行)하는 길.
[航運 항운] 배로 물건을 수송함.
[航程 항정] 항행하는 이정(里程).
[航海 항해] 배를 타고 바다를 건넘.
[航海曆 항해력] 항해에 필요한 천문(天文) 사항을 적은 달력.
[航海術 항해술] 항행 중 그 배가 있는 곳의 경위도(經緯度)를 자세히 알고 침로(針路)·항로(航路) 등을 헤아리는 법.
[航行 항행] 배를 타고 감.
◉缺航. 歸航. 急航. 妓航. 寄航. 難航. 來航. 樓航. 渡航. 密航. 浮航. 艀航. 溯航. 巡航. 夜航. 野航. 曳航. 運航. 引航. 潛航. 離航. 舟航. 周航. 直航. 津航. 車航. 出航. 就航. 通航. 回航.

4 ⑩ [舫] 방 ㊦漾 甫妄切 fǎng
字解 ①방주(方舟) 방 둘을 매어서 나란히 가게 된 배. '一船載卒'《史記》. ②배 방 선박. '晝一'. '常所乘一'《晉書》.
字源 篆文 形聲. 舟+方〔音〕. '方방'은 나란히 섬의 뜻. 두 척을 나란히 이어 엮은 배를 뜻함.

[舫樓 방루] 배의 망루(望樓).
[舫船 방선] 둘을 매어서 나란히 가게 된 배. 방주(方舟).
[舫人 방인] 뱃사공.
[舫艇 방정] 배.
◉巨舫. 輕舫. 空舫. 官舫. 筏舫. 船舫. 野舫. 驛舫. 連舫. 偶舫. 遊舫. 齋舫. 敗舫. 行舫. 花舫. 畫舫.

4 ⑩ [般] 高人 반 ①-③㊥寒 北潘切 bān ④-⑧㊥刪 布還切
筆順 ′ 亻 介 舟 舟 舟 舡 般
字解 ①돌 반 선회함. '一旋'. '主人一還曰辟'《禮記》. ②옮길 반 운반함. 속(俗)에, 搬(手部 十畫)으로 씀. '船艘一載'《通典》. ③즐길 반 즐거움을 누림. '一樂'. '惟一逸之無斁兮'《張衡》. ④돌아올 반, 돌아오게할 반 班(玉部 六畫)과 통용. '一師罷兵'《漢書》. ⑤일반 반 사물을 총괄하여 이르는 말. '全一'. '朝市山林隱一一'《陸龜蒙》. ⑥수사 반 사물을 세는 수사(數詞). '兩一顏色一一香'《許渾》. ⑦나눌 반 頒(頁部 四畫)과 통용. '渙爵一秩'《太玄經》. ⑧얼룩 반 斑(文部 八畫)과 통용. '馬黑脊而一臂螻'《周禮》.
字源 甲骨文 金文 篆文 古文 會意. 舟+殳. '舟주'는 '배'의 뜻. '殳수'는 동작을 가하는 것을 뜻함. 큰 배를 움직이는 모양에서, '나르다'의 뜻을 나타냄. 또, 배 모양의 악기를 치며 즐기다의 뜻도 있음.

[般樂 반락] 잘 놀면서 즐김.
[般礴 반박] 두 다리를 쭉 뻗고 앉음. 기좌(箕坐).
[般般 반반] 얼룩얼룩한 모양.
[般師 반사] 군사를 이끌고 돌아옴.
[般旋 반선] 빙 돎. 또, 빙 돌림.
[般還 반선] 빙돎.
[般若 반야]《佛教》분별 망상(分別妄想)을 떠난 종횡무애한 지혜.
[般若湯 반야탕]《佛教》'술〔酒〕'의 별칭(別稱).
[般遊 반유] 반락(般樂).
[般逸 반일] 반락(般樂).
[般桓 반환] 나아가지 않는 모양.
◉各般. 箇般. 過般. 今般. 幾般. 多般. 萬般. 百般. 先般. 十八般. 兩般. 一般. 這般. 全般. 諸般. 千般.

4 ⑩ [舥] 초 ㊦效 楚教切 chào
字解 배불안할 초 배가 기우뚱거림. '一, 船不安也'《廣韻》.

4 ⑩ [舻] 〔로〕
艫(舟部 十六畫〈p. 1892〉)의 略字

4 ⑩ [舥] 파 ㊥麻 披巴切 pā
字解 배다리 파 '浮梁謂之一'《集韻》.

4 ⑩ [舡] 〔구〕 舡(舟部 五畫〈p.1889〉)와 同字

4 ⑩ [舩] 〔선〕 船(舟部 五畫〈p.1888〉)의 俗字

4 ⑩ [舸] 가 ㊥歌 賈我切 gē

字解 ①배이름 가 '一, 船名'《集韻》. ②舸(舟部 五畫)와 同字.

5 ⑪ [舲] 령 ㊥靑 郎丁切 líng

字解 배 령 ㉠지붕이 있고 창이 달린 거룻배. '漁一'. '乘一船'《楚辭》. ㉡거룻배. '越一蜀艇'《淮南子》.

字源 形聲. 舟+令〔音〕. '令령'은 '櫺령'과 통하여, '창살'의 뜻. 살창이 있고 지붕을 씌운 배를 뜻함.

[舲船 영선] 지붕이 있고 창이 달린 작은 배.
[舲舟 영주] 작은 배. 소주(小舟).
◉孤舲. 同舲. 漁舲. 風舲.

5 ⑪ [舳] 一 축 ㊀屋 直六切 zhú 二 유 ㊂宥 余救切 yòu

字解 一 고물 축 배의 뒤쪽. 선미(船尾). '一艫'. '船後曰一. 一, 制水也'《揚子方言》. 二 이물 유 배의 앞쪽. 선수(船首). '船頭謂之一, 尾謂之艫'《小爾雅》.

字源 篆文 舳 形聲. 舟+由〔音〕

[舳艫 축로] 고물과 이물. 선수(船首)와 선미(船尾).
[舳艫相銜 축로상함] 많은 배가 서로 잇닿음.
[舳艫千里 축로천리] 많은 배가 서로 잇닿은 모양.
◉艫舳. 連舳. 玉舳.

5 ⑪ [舴] 책 ㊀陌 側伯切 zé

字解 배 책 거룻배. '兩兩三三一艋舟'《張志和》.

字源 形聲. 舟+乍〔音〕

[舴艋 책맹] 작은 배. 거룻배.

5 ⑪ [舶] 박 ㊀陌 傍陌切 bó

字解 배 박 바다에서 쓰는 큰 배. '船一'. '乘賈人一入海'《南史》.

字源 形聲. 舟+白〔音〕. '白백'은 '泊박'과 통하여, '머물다'의 뜻. 장기간 바다를 항해하는 큰 배의 뜻을 나타냄.

[舶賈 박고] 외국에서 온 상인.
[舶來品 박래품] 외국에서 건너온 물품.
[舶物 박물] 박래품(舶來品).
[舶船 박선] 큰 배.
[舶載 박재] 큰 배에 실음.
[舶趠風 박초풍] 5월에 부는 바람. 박초바람.
◉巨舶. 賈舶. 歸舶. 來舶. 大舶. 蠻舶. 蕃舶. 寶舶. 商舶. 船舶. 市舶. 游舶. 海舶.

5 ⑪ [舷] 人名 현 ㊥先 胡田切 xián

字解 뱃전 현 배의 가. 선연(船緣). '詠採菱以叩一'《郭璞》.

字源 形聲. 舟+玄〔音〕. '玄현'은 '弦현'과 통하여, '활시위'의 뜻. 시위가 팽팽히 켕긴 활같이 휜 '뱃전'의 뜻을 나타냄.

[舷燈 현등] 뱃전에 켜 놓은 등불.
[舷窓 현창] 선창(船窓).
[舷柵 현책] 뱃전에 마련된 난간.
[舷側 현측] 뱃전. 선연(船緣).
[舷舷相摩 현현상마] 뱃전과 뱃전이 서로 스침.
◉刻舷. 叩舷. 船舷. 右舷. 左舷.

5 ⑪ [舸] 가 ㊤哿 古我切 gě

字解 배 가 큰 배. '弘一連舳'《左思》.

字源 篆文 舸 形聲. 舟+可〔音〕

[舸船 가선] 배.
[舸艦 가함] 큰 전함(戰艦).
◉輕舸. 單舸. 慢舸. 飛舸. 小舸. 遙舸. 龍舸. 利舸. 走舸.

5 ⑪ [船] 中人 선 ㊥先 食川切 chuán

筆順 ´ ∫ 𠂉 𠂊 冃 舟 舟八 船

字解 ①배 선 선박. 옛날, 중국의 함곡관(函谷關) 동쪽의 관동(關東)에서는 '舟', 함곡관(函谷關) 서쪽의 관서(關西)에서는 '船'이라 했음. ②성 선 성(姓)의 하나.

字源 金文 𦨶 篆文 船 形聲. 舟+㕣〔音〕. '㕣연'은 '穿천'과 통하여, '파다'의 뜻. 나무를 파서 만든 배. 또, '㕣'은 '沿연'과 통하여, 강의 흐름을 따라 오르내리는 '배'의 뜻을 나타낸다고도 함.

[船歌 선가] 뱃노래.
[船價 선가] 뱃삯.
[船脚 선각] ㉠배 밑. 배의 하부. ㉡배의 속력.
[船客 선객] 배를 탄 손님.
[船庫 선고] 배를 뭍에 올려 넣어 두는 창고.
[船工 선공] 배를 만드는 목수.
[船橋 선교] ㉠배다리. ㉡갑판(甲板) 위에 더 한 층 높게 만든 곳.
[船具 선구] 배에 쓰는 기구(器具).
[船軍 선군] 수군(水軍). 수전(水戰).
[船旗 선기] 배에 세우는 기.
[船頭 선두] 배의 앞머리. 이물.
[船燈 선등] 배에 켠 등불.
[船路 선로] 뱃길.
[船艫 선로] 고물. 선미(船尾).
[船樓 선루] 배 안에 있는 망루(望樓).
[船文 선문] 배가 지나간 뒤에 남은 물결. 배가 일으키는 파문.
[船尾 선미] 고물. 선로(船艫).
[船舶 선박] 배.
[船步 선보] ㉠수군(水軍)과 보병(步兵). ㉡나루.
[船腹 선복] 배의 중간 쪽. 곧, 배에 짐을 실을 수 있는 곳.

[船篷 선봉] ㉠배를 덮는 뜸. ㉡배.
[船夫 선부] 뱃사공.
[船稅 선세] 배에 부과하는 세금.
[船手 선수] 선부(船夫).
[船首 선수] 이물. 선두(船頭).
[船室 선실] 배 안의 방.
[船緣 선연] 뱃전.
[船員 선원] 선장(船長)과 승무원의 총칭.
[船遊 선유] 뱃놀이.
[船人 선인] 뱃사공.
[船匠 선인] 배를 만드는 목수(木手).
[船長 선장] 선원(船員)의 장(長).
[船裝 선장] 배의 장식.
[船檣 선장] 배의 돛대.
[船載 선재] 배에 실음.
[船底 선저] 배의 밑바닥.
[船主 선주] 배의 소유주.
[船中 선중] 배 안.
[船車 선차] 배와 수레.
[船窓 선창] 배의 창문.
[船艙 선창] ㉠배의 하부의 화물을 적재하는 곳. ㉡물가에 다리처럼 만들어서 배가 닿게 하는 곳.
[船隻 선척] 배.
[船體 선체] 배의 몸체.
[船便 선편] 배가 오고 가는 편.
[船艦 선함] 전함(戰艦).
[船舷 선현] 뱃전.
[船戶 선호] 배의 출입구.
[船暈 선훈] 뱃멀미.
◉舸船. 駕船. 開船. 客船. 堅船. 輕船. 苦船. 賈船. 航船. 軍船. 汽船. 難船. 難破船. 樓船. 單船. 大船. 母船. 泊船. 舶船. 發船. 舫船. 帆船. 病院船. 覆船. 篷船. 上船. 商船. 書畫船. 乘船. 夜船. 御船. 漁船. 聯絡船. 宇宙船. 郵船. 遊船. 油槽船. 陸船. 輪船. 艤船. 弋船. 戰船. 定期船. 造船. 釣船. 漕船. 操船. 酒船. 綵船. 鐵船. 僦船. 鬪船. 破釜沈船. 破船. 便船. 皮船. 下船. 艦船. 解船. 海鱒船. 虛船. 豪華船. 渾船. 回船. 廻船.

5 ⑪ [舵] [人名] 타 [上]哿 徒可切 duò
[字解] 키 타 柁(木部 五畫)와 同字. '—工宜加犒勞'《願體集》.
[字源] 形聲. 舟+它〔音〕. '它타'는 뱀의 象形. 뱀 꼬리처럼 마음대로 움직여서 방향을 잡는 배의 키의 뜻을 나타냄.

[舵工 타공] 키잡이 사공.
[舵手 타수] 키잡이.

5 ⑪ [⿰舟㐌] 舵(前條)와 同字

5 ⑪ [⿰舟句] 구 [平]尤 古侯切 gōu
[字解] 배 구 '—⿰舟鹿'은 납작하고 큰 배. '卽呂蒙作—⿰舟鹿大艑處'《北堂書鈔》.

[⿰舟句⿰舟鹿 구록] 납작하고 큰 배.

5 ⑪ [⿰舟召] 초 [平]蕭 丁聊切 diāo
[字解] 오(吳)나라배 초 '—, 吳船'《廣韻》.

5 ⑪ [⿰舟氐] 제 [去]霽 丁計切 dì
[字解] 배 제 '—艡'은 배. 또, 싸움하는 배. '—艡, 舟也, 一曰, 水戰船'《集韻》.

[⿰舟氐艡 제당] 싸움배.

5 ⑪ [舺] 갑 [入]洽 轄甲切 xiá
[字解] 배 갑 '艒—'은 배〔舟〕.
[字源] 形聲. 舟+甲〔音〕

5 ⑪ [⿰舟叚] 〔반〕
般(舟部 四畫〈p. 1887〉)의 俗字

6 ⑫ [舽] 방 [平]江 薄江切 páng
[字解] 배 방 '—艭'은 오(吳)나라 방언으로 배.

6 ⑫ [⿰舟兆] [一] 도 [平]豪 他刀切 tāo
[二] 요 [去]嘯 弋笑切 yào
[字解] [一] 배 도 '—, 舟也'《廣雅》. [二] 큰배 요 '—, 大舟'《集韻》.

6 ⑫ [⿰舟共] [一] 공 [平]冬 渠容切 qióng
[二] 홍 [平]東 胡公切 hóng
[字解] [一] 거룻배 공 작고 바닥이 깊은 배. '—, 小船'《玉篇》. [二] 배 홍 '—, 舟也'《廣雅》.

6 ⑫ [⿰舟邛] ⿰舟共(前條)과 同字

6 ⑫ [⿰舟伐] 〔벌〕
筏(竹部 六畫〈p. 1663〉)과 同字

6 ⑫ [⿰舟关] 〔짐〕
朕(月部 六畫〈p. 1018〉)과 同字

6 ⑫ [⿰舟同] 〔동〕
艟(舟部 十二畫〈p. 1891〉)과 同字

7 ⑬ [艀] 부 [平]尤 縛謀切 fú
[字解] 거룻배 부 작은 배. '—, 舟短小者'《集韻》.
[字源] 形聲. 舟+孚〔音〕. '孚부'는 '浮부'와 통하여, '떠오르다'의 뜻. 가볍고 뜨기 쉬운 작은 배의 뜻을 나타냄.

[艀艇 부정] 거룻배.

7 ⑬ [艄] 소 [平]肴 師交切 shāo
[字解] 고물 소 선미(船尾). '—, 船尾'《集韻》.
[字源] 形聲. 舟+肖〔音〕

[艄公 소공] 뱃사공.

7 ⑬ [艅] 여 [平]魚 以諸切 yú

[字解] 배이름 여 '一艎'은 오(吳)나라 왕(王)의 배의 이름. '一艎鷁首, 涉川之良器也'《抱朴子》.
[字源] 篆文 形聲. 舟+余〔音〕

[艅艎 여황] 배의 한 가지.

7 ⑬ [艇] [人名] 정 [上]迥 徒鼎切 tǐng
[字解] 거룻배 정 좁고 긴 거룻배. 보트. '小一'. '短一'. '蜀一, 一版之舟'《淮南子 注》.
[字源] 篆文 形聲. 舟+廷〔音〕. '廷정'은 똑바로 튀어나오다의 뜻. 끝이 튀어 내밀어 바람의 저항을 적게 받도록 만든 경쾌한 작은 배를 이름.

[艇子 정자] 뱃사공.
◉競艇. 孤艇. 歸艇. 短艇. 舫艇. 飛行艇. 小艇. 掃海艇. 水雷艇. 游艇. 潛航艇. 釣艇. 漕艇. 舟艇. 艦艇.

7 ⑬ [艀] 부 [去]遇 薄故切 bù
[字解] 배 부 길이가 짧고 바닥이 깊은 배. '使引淮中舣一及海艟'《通鑑》.

7 ⑬ [艆] 랑 [平]陽 魯當切 láng
[字解] ①큰배 랑 바다를 가는 대선(大船). '一, 舟也'《廣雅》. '一, 海中大船'《廣韻》. ②뱃전 랑 榔(木部 七畫)과 同字. '榔, 舟舷曰榔, 扣舷曰鳴榔. 俗作一'《正字通》.
[字源] 形聲. 舟+良〔音〕

8 ⑭ [艄] 도 [去]效 直教切 zhào
[字解] 노 도 배 젓는 기구. 櫂(木部 十四畫)와 同字. '一, 一船也'《玉篇》. '櫂, 行舟也, 或作一'《集韻》.

8 ⑭ [艡] [一] 도 [平]豪 都勞切 dāo
[二] 초 [平]蕭 丁聊切 diāo
[字解] [一] 거룻배 도 작은 배. '一, 小船也'《說文》. [二] ①삼백곡싣는배 초 '三百斛曰一'《釋名》. ②배이름 초 '船, 舟名. 或作一'《集韻》.
[字源] 形聲. 舟+周〔音〕

8 ⑭ [艋] 맹 [上]梗 莫幸切 měng
[字解] 거룻배 맹 '舴一, 舟也'《廣雅》. '一, 舴一, 小船'《廣韻》.
[字源] 形聲. 舟+孟〔音〕

8 ⑭ [艍] [韓] 거
[字解] 《韓》거룻배 거 작은 배.

[艍舠船 거도선] 거룻배. 또, 거룻배같이 만든 작은 병선(兵船).

8 ⑭ [艌] 념 [去]豔 奴店切 niàn
[字解] ①배끌밧줄 념 배를 끌 밧줄. '一, 挽舟索謂之笁'《正字通》. ②배 념 배〔船〕. '一, 一船'《篇海》.

8 ⑭ [艕] 배 [去]卦 蒲邁切 bài
[字解] 키 배 배의 방향을 조정하는 기구. '一, 船後一木'《韻會》.

9 ⑮ [艎] 황 [平]陽 胡光切 huáng
[字解] ①배 황 ㉠큰 배. '飛一溯極浦'《謝朓》. ㉡나룻배. '荆人呼渡津舫爲一'《字彙補》. ②배이름 황 艅(舟部 七畫)를 보라.
[字源] 篆文 形聲. 舟+皇〔音〕. '皇황'은 '크다'의 뜻.

9 ⑮ [艑] [一] 편 [平]先 紕連切
[二] 변 [上]銑 薄泫切 biàn
[字解] [一] 배 편 큰 배. '大一所出, 皆受萬斛'《荆州記》. [二] 변차배 변 '一艖'는 납작한 배. '乘一亡去'《唐書》.
[字源] 形聲. 舟+扁〔音〕

9 ⑮ [艓] 접 [入]葉 達協切 dié
[字解] 거룻배 접 작은 배. '葉花裝小一'《戴暠》.
[字源] 形聲. 舟+葉〔音〕

9 ⑮ [艒] 위 [去]未 于貴切 wèi
[字解] 운송선 위 운송선(運送船). '一, 運舟也'《集韻》.

9 ⑮ [艘] 종 [平]東 子紅切 zōng
[字解] ①좌초할 종 배가 모래 위에 얹혀서 가지 못함. ②다다를 종, 이를 종 '蹋以一路兮'《史記》.
[字源] 篆文 形聲. 舟+㚇〔音〕. '㚇종'은 다리를 오그리다의 뜻. 배가 모래톱에 얹히어 움직이지 않음의 뜻을 나타냄.

9 ⑮ [艙] 돌 [入]月 陁沒切 tū
[字解] 낚싯거루 돌 낚싯배. '一, 釣舟, 謂之一'《集韻》.

9 ⑮ [艐] 범 [去]陷 符咸切 fān
[字解] 돛 범 帆(巾部 三畫)과 同字. '祥飇送一'《韓愈》.

9 ⑮ [艛] 〔루〕
艛(舟部 十一畫〈p. 1891〉)의 俗字

9 ⑮ [艒] [一] 목 [入]屋 莫卜切 mù
[二] 모 [去]號 莫報切 mò
[字解] [一] 거룻배 목 '一, 小艇'《廣韻》. [二] 거룻배

모 [一]과 뜻이 같음.

9 ⑮ [艐] 〔소〕
艘(舟部 十畫〈p.1891〉)와 同字

9 ⑮ [艏] 수 [上]有 始九切 shǒu

[字解] ①배 수 '一, 舟也'《集韻》. ②뱃머리 수 뱃머리. 이물. '艗一'. '船首謂之閤閭, 或謂之艗一'《方言》. ③배이름 수 배의 이름. '一, 舟名'《玉篇》.

10 ⑯ [䑽] 탑 [入]合 託盍切 tà

[字解] 큰배 탑 '𦪔, 大船曰𦪔. 或作一'《集韻》. '何時乘一歸'《梁元帝》.

10 ⑯ [艖] 차 ①[平]麻 初牙切 chā
②[平]歌 昨何切

[字解] ①거룻배 차 작은 배. '一, 小船'《玉篇》. ②납작한배 차 '艑一'는 납작한 배.
[字源] 形聲. 舟+差〔音〕

10 ⑯ [䑲] 〔도·요〕
䑬(舟部 六畫〈p.1889〉)와 同字

10 ⑯ [艘] 소 [平]豪 蘇遭切 sāo
[平]蕭 蘇彫切

[字解] ①배 소 선박의 총칭. '必因一楫之器'《抱朴子》. ②척 소 배의 수효를 세는 말. '渾萬一而旣同'《左思》.
[字源] 形聲. 舟+叟〔音〕

[艘楫 소즙] 배를 젓는 노.
[艘海 소해] 큰 배.
◉客艘. 巨艘. 輕艘. 交艘. 文艘. 連艘. 征艘. 戲艘.

10 ⑯ [艙] [人名] 창 cāng

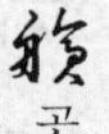

[字解] ①선창 창 배의 화물을 쌓아 두는 곳. '開一, 卸貨'《東華錄》. ②《現》 배나 항공기의 내부를 칸 지은 방. '客一'.
[字源] 形聲. 舟+倉〔音〕. '倉창'은 '곳간'의 뜻.

[艙間 창간] 배의 짐 싣는 곳.
[艙底 창저] 선저(船底).
◉船艙.

10 ⑯ [艗] 익(역[本]) [入]錫 五歷切 yì

[字解] 이물 익, 배 익 익(鷁) 새 모양을 이물에 새긴 배. '一, 一舟. 舟頭爲鷁首'《廣韻》.
[字源] 形聲. 舟+益〔音〕

10 ⑯ [艕] 방 [去]漾 補曠切 bàng
[去]敬 北孟切

[字解] ①쌍배 방 두 척의 배를 나란히 함. '一, 兩船'《集韻》. ②배 방.

11 ⑰ [艚] 조 [平]豪 昨勞切 cáo

[字解] ①거룻배 조 작은 배. '維一以梁其上'《唐書》. ②배 조 '一, 舟也'《集韻》.
[字源] 形聲. 舟+曹〔音〕. '曹조'는 두 사람이 마주 보다의 뜻. 두 사람이 마주 보고 타는 작은 배의 이름.

◉輕艚. 舸艚.

11 ⑰ [艛] 루 [平]尤 落侯切 lóu

[字解] ①배 루 '一, 舟也'《廣雅》. ②배다락 루 배의 다락. '旌旗一船中'《白居易》.

11 ⑰ [䑹] 록 [入]屋 盧谷切 lù

[字解] 배 록 '䑦一'은 배.

11 ⑰ [艓] 조 [上]篠 丁了切 diǎo

[字解] ①배가길 조 배가 긴 형용. '一, 一舠, 船長皃'《集韻》. ②작고긴배 조 '一, 船小而長者曰一舠'《正字通》.
[參考] 鳥(鳥部 六畫)와 자형(字形)은 같으나 뜻이 다름.

12 ⑱ [𦪔] 〔탑〕
䑽(舟部 十畫〈p.1891〉)과 同字

12 ⑱ [艟] 동 [平]東 徒東切 tóng

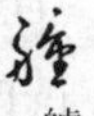

[字解] 싸움배 동 병선(兵船). 전선(戰船). '一艫甚盛'《唐書》.
[字源] 形聲. 舟+童〔音〕. '童동'은 '衝충'과 통하여, '들이박다'의 뜻. 적에게 들이박아 가는 배를 뜻함.

[艟艫 동로] 싸움배.
◉艨艟.

12 ⑱ [𦪈] 궐 [入]月 其月切 jué

[字解] ①배 궐 배〔船〕. '一, 一頭, 船也'《字彙》. ②뱃머리 궐 뱃머리. '一, 船頭'《篇海》. ③말뚝 궐 배를 매는 말뚝. '一, 今繫舟木曰橛'《正字通》.

12 ⑱ [䒆] 〔등〕
縢(糸部 十畫〈p.1763〉)의 本字

12 ⑱ [𦪹] 료 [平]蕭 憐蕭切 liáo

[字解] 작은배 료 작고 긴 배. '一, 船小而長'《正字通》.

12 ⑱ [𦪲] [一] 벌 [入]月 房越切 fá
[二] 발 [入]曷 北末切 fá

[字解] [一] 큰배 벌 바다로 다니는 큰 배. '一, 海中大船'《集韻》. [二] 큰배 발 [一]과 뜻이 같음.

12 ⑱ [艎] [一] 황 [平]陽 胡光切 huáng
[二] 횡 [平]庚 胡盲切 héng

[字解] [一] 오나라배이름 황 오나라 배 이름. '艎, 艅艎, 吳大舟名, 或从黃'《集韻》. [二] 뗏목 횡 뗏목. '潢, 博雅, 筏也, 或从舟'《集韻》.

13 ⑲ [艣] 로 [上]麌 郎古切 lǔ

[字解] 노 로 艪(舟部 十五畫)와 同字. '—, 所以進船'《廣韻》.
[字源] 形聲. 舟+虜〔音〕

●健艣. 篙艣. 急艣. 鳴艣. 烟艣. 柔艣.

13 ⑲ [艤] [人名] 의 [上]紙 魚倚切 yǐ 舣

[字解] 차릴 의 배를 떠날 준비를 차리고 언덕에 갖다 댐. '—裝'. '試水客, —輕舟'《左思》.
[字源] 形聲. 舟+義〔音〕. '義의'는 규칙에 맞아서 좋다의 뜻. 배가 항해해도 되도록 준비를 함을 이름.

[艤裝 의장] 배가 떠날 준비를 차림.

13 ⑲ [⿰舟達] 달 [入]合 同答切 dá

[字解] 배이름 달 '舭—'은 배의 이름. '始造舭—船'《宋史》.

13 ⑲ [艡] 당 [平]陽 都郎切 dāng

[字解] 배 당 '⿰舟氐—'은 주선(舟船).

13 ⑲ [艢] 〔장〕
檣(木部 十三畫〈p. 1116〉)과 同字

13 ⑲ [艥] 〔즙〕
楫(木部 九畫〈p. 1087〉)과 同字

14 ⑳ [艦] [人名] 함 [上]豏 胡黤切 jiàn 舰

[筆順] 丿 月 舟 舟" 舟F 舟F 艦 艦
[字解] 싸움배 함 병선(兵船). '—船'. '大—漂沒'《晉書》.
[字源] 形聲. 舟+監〔音〕. '監감'은 '檻함'과 통하여, '우리'의 뜻. 적의 공격을 막기 위해, 우리처럼 사면(四面)을 판자로 싼 싸움배를 이름.

[艦橋 함교] 군함 안에서 장교가 지휘할 때에 올라가는 전망대(展望臺).
[艦隊 함대] 군함(軍艦) 두 척 이상으로 조직한 해군 부대(部隊).
[艦列 함렬] 함대의 대열.
[艦尾 함미] 군함의 고물.
[艦船 함선] 군함과 선박.
[艦首 함수] 군함의 이물.
[艦長 함장] 군함의 지휘 감독을 하는 사람.
[艦載 함재] 군함에 실음. 또는 그것.
[艦艇 함정] 전투력을 가진 온갖 배의 총칭.
[艦砲 함포] 군함에 장치한 대포(大砲).
●舸艦. 巨艦. 輕艦. 驅逐艦. 軍艦. 旗艦. 樓艦. 大艦. 母艦. 船艦. 巡洋艦. 乘艦. 戎艦. 潛水艦. 戰艦. 舟艦. 鬪艦. 砲艦. 航空母艦. 海防艦.

14 ⑳ [艨] 몽 [平]東 莫紅切 méng
[去]送 莫弄切

[字解] 싸움배 몽 병선(兵船). '—艟巨艦—毛輕'《朱熹》.
[字源] 形聲. 舟+蒙〔音〕

[艨艟 몽동] 좁고 긴 병선(兵船). 우피(牛皮)로 선체를 싸서 시석(矢石)을 방비하며, 나아가 적함(敵艦)에 돌진하여 파괴하는 배. 몽충(艨衝).
[艨衝 몽충] 몽동(艨艟).

14 ⑳ [艧] 확 [入]藥 烏郭切 huò

[字解] 배 확 주선(舟船). '方水埋金—, 圓岸伏丹瓊'《江淹》.
[字源] 形聲. 舟+蒦〔音〕

15 ㉑ [艪] 〔로〕
艣(舟部 十三畫〈p. 1892〉)와 同字

15 ㉑ [艠] 〔등〕
䲢(言部 十畫〈p. 2150〉)의 本字

16 ㉒ [⿰舟騰] 〔등〕
騰(馬部 十畫〈p. 2605〉)의 本字

16 ㉒ [艫] 로 [平]虞 落胡切 lú 舻

[字解] ①이물 로 뱃머리. '舳—千里'《漢書》. ②배 로 선박. '共乘—江中'《唐書》.
[字源] [篆文] 形聲. 舟+盧〔音〕

[艫枻 노예] 뱃머리의 노.
●巨艫. 艟艫. 飛艫. 乘艫. 戰艫. 接艫. 舟艫. 峻艫. 舳艫.

16 ㉒ [⿰舟龍] [一] 롱 [平]冬 力鍾切 lóng
[二] 롱 [平]東 盧東切 lóng

[字解] [一] 뚜껑덮은배 롱 뜸으로 뚜껑을 하여 덮은 배. '扁舟蓋, 謂之—'《集韻》. [二] 배이름 롱 '—, 舟名'《集韻》.

[⿰舟龍䑋 용공] 작고 깊은 배.

16 ㉒ [⿰舟歷] 력 [入]錫 狼狄切 lì

[字解] 배 력 배〔船〕. '—, 船也'《集韻》.

17 ㉓ [⿰舟霝] 령 [平]青 郎丁切 líng

[字解] 배 령 배. 또, 지붕이 있고 창이 달린 배. '—, 舟也, 一曰, 舟有窻者'《集韻》.

18 ㉔ [艭] 쌍 [平]江 所江切 shuāng

[字解] 배 쌍 선박. '群公促膝共輕—'《虞集》.

字源 形聲. 舟＋雙〔音〕

◉輕艭.

19 [艭] 〔차〕
㉕ 艖(舟部 十畫〈p. 1891〉)와 同字

艮 (6획) 部

〔머무를간부·괘이름간부〕

0 [艮] 人名 간 ㊀願 古恨切 gèn, gěn
⑥

筆順 ㇕ ㇕ ㇕ 巳 艮 艮

字解 ①머무를 간, 한정할 간 정지함. 일설(一說)에, 제한함. '一其背'《易經》. ②어려울 간 쉽지 아니함. '象一有守'《太玄經》. ③간괘 간 ㉠팔괘(八卦)의 하나. 곧, ☶. 정지(靜止)하는 상(象). 방위(方位)로는 동북(東北). 시각으로는 오전 2시부터 4시까지. '成言乎一'《易經》. ㉡육십사괘(六十四卦)의 하나. 곧, ䷳〈간하(艮下), 간상(艮上)〉. 정지하여 나아가지 않는 상(象). '兼山一, 君子以思不出其位'《易經》. ④성 간 성(姓)의 하나.

字源 篆文 象形. 사람의 눈을 강조한 모양을 형상화하여, 본디 눈을 뜻했던 듯싶음. 눈의 뜻으로 '眼안' 자가 쓰이게 되자, '艮간'은 '어긋나다, 머무르다'의 뜻으로 쓰이게 되었음. 또 假借하여 방향·시간의 '艮'의 뜻으로도 쓰였음.

參考 '艮'이 의부(意符)가 되는 문자의 예는 없으며, 자형(字形) 분류상 부수(部首)로 설정됨.

[艮嶽 간악] 산 이름. 허난 성(河南省) 개봉현(開封縣) 성내(城內) 동북(東北) 귀퉁이에 있음.
[艮止 간지] 머물러야 할 곳에 머무름.

1 [良] 中·人 량 ㊥陽 呂張切 liáng
⑦

筆順 ' ㇕ ㇕ ㇕ 良 良 良

字解 ①어질 량 ㉠착함. '善一'. ㉡현명함. '股肱一哉'《書經》. 또, 그 사람. '任一'《左傳》. ㉢온순함. '溫一·恭·儉·讓'《論語》. ②곧을 량 바름. '貞一之節'《後漢書》. ③좋을 량 훌륭함. '優一'. '陶器必一'《禮記》. ④아름다울 량 예쁨. '見此一人'《詩經》. ⑤길할 량 상서로움. '日吉時一'《韓愈》. ⑥남편 량 아내의 대(對). '一人'. '一席在東'《儀禮》. ⑦잠깐 량 잠시. '一久'. ⑧진실로 량 참으로. '弗一及也'《左傳》. ⑨성 량 성(姓)의 하나.

字源 甲骨文 金文 篆文 古文 古文 古文 象形. 곡류(穀類) 중에서 특히 좋은 것만을 골라내기 위한 기구의 象形으로, '좋다'의 뜻을 나타냄.

[良家 양가] 지체가 있는 집안.
[良景 양경] 좋은 경치.
[良計 양계] 좋은 꾀.
[良苦 양고] 대단히 고생함.
[良賈深藏若虛 양고심장약허] 장사를 잘하는 사람은 물품을 깊숙이 감추어 둠. 어진 사람이 자기의 학식과 덕행을 감춤의 비유.
[良工 양공] 재주가 있는 장색(匠色).
[良久 양구] 한참 지남.
[良弓 양궁] ㉠좋은 활. ㉡활 잘 쏘는 사람.
[良貴 양귀] 자연히 갖춘 고귀한 지위.
[良金美玉 양금미옥] 인격이나 문장이 훌륭함의 비유.
[良器 양기] ㉠좋은 그릇. ㉡좋은 기량(器量). 뛰어난 재능(才能).
[良吉 양길] 좋은 날.
[良農 양농] 선량한 농부.
[良能 양능] 천생으로 갖춘 재능. 타고난 재주.
[良圖 양도] 양계(良計).
[良吏 양리] 선량한 관리.
[良媒 양매] 좋은 중매인.
[良民 양민] 국법을 지키고 생업에 힘쓰는 백성.
[良方 양방] ㉠좋은 방법(方法). ㉡약효(藥效)가 있는 약방문(藥方文).
[良法 양법] 좋은 법. 또, 좋은 방법.
[良兵 양병] 선량한 병사. 또, 좋은 무기.
[良輔 양보] 보좌를 잘하는 사람.
[良否 양부] 좋음과 좋지 못함.
[良朋 양붕] 좋은 친구. 양우(良友).
[良士 양사] 선량한 선비.
[良史 양사] ㉠잘된 역사. ㉡뛰어난 역사가.
[良死 양사] 와석종신(臥席終身)함.
[良師 양사] 우수한 선생.
[良相 양상] 어진 재상(宰相).
[良書 양서] 좋은 책.
[良壻 양서] 훌륭한 사위.
[良善 양선] 어질고 착함.
[良宵 양소] 맑게 갠 밤.
[良手 양수] 좋은 솜씨.
[良順 양순] 어질고 순함.
[良時 양시] 좋은 때. 또, 춘절(春節).
[良臣 양신] 선량한 신하.
[良辰 양신] 좋은 날. 좋은 시절.
[良辰美景 양신미경] 좋은 시절과 아름다운 경치.
[良心 양심] 사물의 시비·선악을 분별할 줄 아는 천부(天賦)의 능력.
[良案 양안] 좋은 생각.
[良冶 양야] 솜씨 있는 대장장이.
[良夜 양야] ㉠깊은 밤중. ㉡경치 좋은 밤.
[良藥 양약] 좋은 약.
[良藥苦於口 양약고어구] 좋은 약은 입에 씀. 곧, 충고하는 말은 귀에 거슬리나 자기에게 유익함을 이름.
[良御 양어] 말을 잘 모는 어자(御者).
[良緣 양연] 좋은 인연. 좋은 연분.
[良玉不彫 양옥부조] 좋은 옥은 조탁(彫琢)할 필요가 없는 것같이 바탕이 좋은 것은 꾸미지 않아도 아름다움.
[良友 양우] 좋은 친구. 착한 벗.
[良月 양월] 좋은 달. 전(轉)하여, 음력 10월.
[良衣 양의] 잠방이.
[良醫 양의] 병을 잘 고치는 의사.
[良二千石 양이천석] 어진 지방 장관. 한대(漢代)에 군(郡)의 태수(太守)의 연봉(年俸)이 2천

석이었으므로 이름.
[良人 양인] ㉠남편. ㉡예쁘고 착한 아내. ㉢선량한 사람. ㉣지위가 있는 사람. ㉤한대(漢代) 여관(女官)의 명칭.
[良日 양일] ㉠양신(良辰). ㉡음력 7월 7일의 이칭(異稱).
[良箴 양잠] 좋은 경계의 말.
[良匠 양장] 양공(良工).
[良將 양장] 군략이 뛰어난 장수.
[良才 양재] 뛰어난 재능. 또, 그 사람.
[良材 양재] 좋은 재목. 또, 뛰어난 인물.
[良田 양전] 좋은 전지(田地).
[良劑 양제] 양약(洋藥).
[良籌 양주] 양책(良策).
[良駿 양준] 뛰어난 준마(駿馬).
[良知 양지] '양지양능(良知良能)'을 보라.
[良知良能 양지양능] 경험이나 교육에 의하지 아니하고도 알며, 또한 행할 수 있는 타고난 지능(知能).
[良質 양질] 좋은 바탕.
[良策 양책] 좋은 계책(計策).
[良妻 양처] 착한 아내.
[良妻賢母主義 양처현모주의] 양처(良妻)가 되고 현모(賢母)가 될 것을 목적으로 하는 여자 교육상의 주의.
[良哲 양철] 마음이 착하고 재주가 뛰어난 사람.
[良稱 양칭] 좋은 칭호.
[良平 양평] 장량(張良)과 진평(陳平). 전(轉)하여, 슬기와 꾀가 많은 사람.
[良風 양풍] 좋은 풍속(風俗).
[良匹 양필] 좋은 배필(配匹).
[良弼 양필] 양보(良輔).
[良港 양항] 좋은 항구(港口).
[良好 양호] 매우 좋음.
[良貨 양화] 좋은 보배. 좋은 재화.
◉佳良. 嘉良. 改良. 國良. 牢良. 丹良. 端良. 明良. 邦良. 不良. 善良. 選良. 聖良. 純良. 淳良. 順良. 溫良. 完良. 優良. 元良. 柔良. 精良. 齊良. 調良. 俊良. 畯良. 駿良. 儁良. 駿良. 淸良. 最良. 忠良. 平良. 閑良. 賢良. 黃良.

2
⑧ [艰] 艱(次條)의 簡體字

11
⑰ [艱] 간 ㊥刪 古閑切 jiān 艰

字解 ①어려울 간 쉽지 않음. 평이하지 않음. '或問經之一易'《揚子法言》. ②괴로울 간 ㉠힘이 들고 어려움. '稼穡之一難'《書經》. ㉡몸이나 마음이 고통을 느낌. '其心孔一'《詩經》. ③어렵게여길 간 '惟帝其一之'《書經》. ④괴로워할 간 고생함. '奏庶一食鮮食'《書經》. ⑤고생 간 간고. 괴로움. '哀民生之多一'《楚辭》. ⑥당고(當故) 간 부모의 상(喪). '母一'. '在一'《晉書》. '遭母童夫人一, 朝夕哭臨'《世說》.

字源 甲骨文 金文 篆文 籀文 形聲. 菓(堇)+艮(㫐)〔音〕. '堇근'은 '가뭄'의 뜻. '㫐간'은 머물러 나아가지 않음의 뜻. 가뭄이나 나아가지 못하여 일이 제대로 진행되지 않다, 괴로워하다의 뜻을 나타냄.

[艱苦 간고] 고생.
[艱困 간곤] 간고(艱苦).
[艱苟 간구] 빈곤하고 구차함.
[艱窘 간군] 간고(艱苦).
[艱棘 간극] 곤란(困難).
[艱急 간급] 간고(艱苦).
[艱難 간난] 간고(艱苦).
[艱辛 간신] 간고(艱苦).
[艱深 간심] 시문이 뜻이 깊어 해석하기 어려움.
[艱虞 간우] 고생과 근심.
[艱易 간이] 어려움과 쉬움.
[艱險 간험] ㉠험한 곳. ㉡고생.
[艱患 간환] 근심. 고생.
◉苦艱. 曲艱. 難艱. 內艱. 母艱. 私艱. 辛艱. 外艱. 在艱. 丁艱. 阻艱. 拙艱. 險艱. 後艱.

14
⑳ [艱] 艱(前條)과 同字

色(6획)部
〔빛색부〕

0
⑥ [色] 中人 색 ㊇職 所力切 sè, shǎi

筆順 ノ ク 㔾 夕 Ꮓ 色

字解 ①빛 색 ㉠색채. '五一'. '彩一'. ㉡안색. '變一'. '察一'. ㉢윤. 광택. '體一不變'《北史》. ㉣꼴. 태. '車馬有行一'《莊子》. ㉤경치. '景一'. ②낯 색 용모. '溪邊有二女, 一甚美'《列仙傳》. ③색 색 여색. '漁一'. '寡人好一'《孟子》. ④갈래 색 종류. '六一'. '各様各一'. '敦厚浮薄, 一一有之'《唐書》. ⑤낯변할 색 ㉠안색을 변하여 화를 냄. '一於市'《戰國策》. ㉡온화한 안색을 함. '載一載笑'《詩經》. ㉢깜짝 놀라는 모양. '一然而駭'《公羊傳》. ⑥색칠할 색 채색을 하여 장식함. 또, 윤이 나게 함. '東里子産潤一之'《論語》.

字源 篆文 古文 會意. 人+卪. '卪절'은 무릎 꿇은 사람의 象形. 무릎 꿇은 사람 위에 사람이 있는 모양에서, 남녀의 정애(情愛)의 뜻을 나타냄. 파생하여 아름다운 낯빛, 채색의 뜻을 나타냄. 음형상(音形上)으로는 '嗇색'·'畟측'과 통하여, 이성(異性)을 구슬리다의 뜻을 나타냄.

參考 '色'을 의부(意符)로 하여, 색채, 용모에 관한 문자를 이룸.

[色界 색계] ㉠여색의 세계. ㉡《佛敎》 욕계 제천(欲界諸天) 위에 있는 세계로서 여색을 좋아하는 마음을 벗어나지 못한 세계.
[色骨 색골] 색을 좋아하는 골격(骨格). 또, 그 사람.
[色狂 색광] 색(色)에 미친 사람.
[色德 색덕] 부녀(婦女)의 고운 얼굴과 아름다운 덕행(德行).
[色讀 색독] 문장을 그 문자대로 해석하여 그 참뜻을 돌아보지 아니함.
[色動 색동] ㉠놀람·성남 따위로 얼굴빛이 변함. ㉡빛깔이 흔들림.

[色厲內荏 색려내임] 겉으로는 강해 보여도 내심은 의지가 약함.
[色魔 색마] 색정(色情)을 위하여 온갖 그른 행동을 하는 사람의 별칭.
[色盲 색맹] 색각(色覺)에 이상이 생겨 색의 구별이 되지 않는 상태. 또, 그 사람.
[色貌 색모] 안색과 외모.
[色目 색목] ㉠종류의 명목(名目). ㉡원대(元代)에 몽고인 이외의 몽고 종족의 칭호. ㉢문벌(門閥).
[色絲 색사] 색실.
[色相 색상]《佛教》 육안(肉眼)으로 볼 수 있는 만물의 형상(形狀).
[色傷 색상] 방사(房事)의 과도(過度)로 생기는 병(病).
[色色 색색] 여러 가지. 가지각색.
[色素 색소] 생물의 가죽 밑에 있어서 그 빛을 나타내는 근본(根本)이 되는 작은 구체(球體).
[色身 색신]《佛教》 색상(色相)의 신체. 곧, 육체.
[色心 색심] 색욕(色慾)을 일으키는 마음.
[色養 색양] 부모의 안색을 살펴 마음에 거슬리지 않도록 효양함. 일설에는, 기쁜 안색으로 부모를 섬김.
[色然 색연] 놀라서 안색이 변하는 모양.
[色慾 색욕] ㉠색정(色情). ㉡색정과 이욕(利慾).
[色容 색용] 안색(顏色).
[色情 색정] 색을 좋아하는 정욕(情慾). 춘정(春情).
[色卽是空 색즉시공] 물질상의 사물은 본래 허무하다는 뜻.
[色采 색채] 색채(色彩).
[色彩 색채] 빛깔.
[色貪 색탐] 여색(女色)을 탐(貪)하는 일.
[色態 색태] 여자의 아리따운 태도.
[色澤 색택] 빛나는 윤기.
[色鄕 색향] 미인(美人)이 많이 나는 고을. 기생(妓生)이 많이 나는 고장.
[色荒 색황] 색을 함부로 쓰는 일.
[色候 색후] 안색으로 병을 진찰함.
◉假色. 脚色. 間色. 褐色. 遽色. 景色. 古色. 空卽是色. 觀色. 光色. 愧色. 驕色. 巧言令色. 句色. 國色. 鬼貌藍色. 禁色. 氣色. 飢色. 饑色. 卵色. 難色. 男色. 黛色. 德色. 動色. 得色. 望色. 面色. 名色. 冒色. 暮色. 無人色. 物色. 美色. 配色. 白色. 服色. 變色. 保護色. 本色. 不豫色. 祕色. 辭色. 山色. 三色. 生色. 鮮色. 設色. 盛色. 聲色. 愁色. 隨聲逐色. 水天一色. 神色. 失色. 顏色. 夜色. 魚色. 漁色. 言色. 女色. 厲色. 染色. 艷色. 獵色. 令色. 五色. 忤色. 溫色. 慍色. 玩色. 欲炙色. 容色. 憂色. 怨色. 原色. 月色. 有難色. 柔色. 柳色. 愉色. 潤色. 怡色. 異色. 印色. 姿色. 紫色. 作色. 雜色. 才色. 赤色. 戰色. 絕色. 正色. 淨色. 酒色. 中間色. 瞋色. 着色. 察色. 采色. 彩色. 菜色. 天色. 天然色. 天香國色. 青色. 秋色. 春色. 出色. 翠色. 泰色. 褪色. 褪紅色. 特色. 敗色. 嬖色. 風色. 寒色. 含色. 行色. 鄕土色. 賢賢易色. 血色. 形色. 好色. 華色. 黃色. 灰色. 曉色. 黑色. 喜怒不形色. 喜色.

5 ⑪ [艴] ㊀ 발 ㊁月 蒲沒切 bó ㊁ 불 ㊁物 敷勿切 fú

字解 ㊀ ①발끈할 발 낯빛을 바꾸어 화를 내는 모양. '一然不悅'《孟子》. ②색칠할 발 '一, 一日, 畫工設色'《集韻》. ㊁ 발끈할 불 ㊀❶과 뜻이 같음.

字源 篆文 形聲. 色+弗〔音〕. '弗불'은 '沸비'와 통하여, '끓어오르다'의 뜻. 노여움이 끓어올라 낯빛으로 드러나는 뜻을 나타냄.

[艴然 발연] 화를 발끈 내는 모양.

7 ⑬ [艳] 艴(前條)과 同字

[赩] 〔혁〕 赤部 六畫(p. 2211)을 보라.

8 ⑭ [艶] 〔안〕 顏(頁部 九畫〈p. 2551〉)과 同字

8 ⑭ [艶] 〔염〕 豔(豆部 二十一畫〈p. 2173〉)과 同字

10 ⑯ [䳜] 명 ㊂徑 莫定切 mìng

字解 검푸를 명 '一艴'은 검푸른 빛. '與世開一艴'《郝經》.

[䳜艴 명정] 검푸른빛.

12 ⑱ [䒉] ㊀ 승 ㊀蒸 思登切 sēng ㊁ 층 ㊂徑 七鄧切

字解 ㊀ 마음어지러울 승 '一, 䒉一, 神不爽也'《集韻》. ㊁ 빛흉할 층 '一, 䒉一, 色惡'《集韻》.

13 ⑲ [艶] 人名 〔염〕 艷(色部 十八畫〈p. 1895〉)의 俗字

筆順 日 曲 曲 豊 豊 豊 艶 艶

14 ⑳ [艷] 훈 ㊂問 吁運切 xùn

字解 불에눌을 훈 불에 눌은 빛. '一, 物被熏色'《集韻》.

16 ㉒ [䒋] 맹 ㊀蒸 彌登切 méng

字解 정신어지러울 맹 마음이 개운하거나 깔끔하지 않음. '一䒉, 神亂也'《集韻》.

18 ㉔ [艷] 人名 염 ㊂豔 以贍切 yàn 艳

筆順 丨 冂 冊 曲 豊 豊 豔 艷

字解 ①고울 염 ㉠윤이 나며 아름다움. '花一無凋落'《列仙傳》. ㉡살결이 곱고 탐스러우며 예쁨. '一美'. '美而一'《左傳》. 전(轉)하여, 미인. '吳娃與越一'《李白》. ②윤 염 광택. '摛筆一于紈素'《晉書》. ③부러워할 염 선망(羨望)함. '歆一'. '使欣一也'《禮記 註》.

字源 篆文 形聲. 豊+盍〔音〕. '盍합·염'은 '덮다'의 뜻. 덮고도 남게 풍부하다는 뜻에서, 보기 좋음, 윤기가 남의 뜻을 나타냄. 뒤에 豊+色의 會意字가 됨.

參考 ①豔(豆部 二十一畫)과 同字. ②豔(豆部

二十畫)은 本字. ③艶(色部 十三畫)은 俗字.

[艷歌 염가] 고운 노래.
[艷麗 염려] 아름답고 고움.
[艷文 염문] 연애편지.
[艷美 염미] 염려(艷麗).
[艷色 염색] 아리따운 얼굴.
[艷羨 염선] 부러워함.
[艷冶 염야] 아리따움.
[艷陽 염양] 만춘(晩春)의 계절.
[艷語 염어] 고운 말.
[艷艷 염염] ㉠비치는 모양. ㉡아리따운 모양.
[艷姿 염자] 아리따운 모습.
[艷粧 염장] 예쁜 치장.
[艷情 염정] 연정(戀情).
[艷質 염질] 예쁜 바탕.
[艷妻 염처] 아리따운 아내.
[艷態 염태] 아리땁고 고운 태도.
◉光艷. 嬌艷. 綺艷. 冷艷. 濃艷. 丹艷. 澹艷. 芳艷. 浮艷. 鮮艷. 纖艷. 麗艷. 姸艷. 婉艷. 妖艷. 優艷. 柔艷. 淫艷. 絶艷. 遒艷. 孌艷. 豐艷. 香艷. 華艷. 歆艷.

艸(艹)(6획) 部
〔초두부〕

0
⑥ [艸] 人名 초 ㊤晧 采老切 cǎo

筆順 丿 ㇓ 屮 屮| 艸 艸

字解 풀 초 草(艸部 六畫)의 古字. '在野曰一茅之臣'《儀禮》.

字源 篆文 象形. 가지런히 자란 풀의 象形으로, 풀을 뜻함.

參考 ①'艸'가 한자(漢字)의 머리가 될 때 '艹(초두)'의 꼴을 취함. ②'艸'를 의부(意符)로 하여, 풀에 관한 여러 가지 이름, 풀의 상태, 풀로 만드는 물건 등에 관한 문자를 이룸. '蔑' 등은 '艸'와는 관계가 없지만, 편의상 이 부(部)에 포함시키고 있음.

0
④ [艹] 艸(前條)가 글자의 머리로 올 때의 자체(字體). 속칭(俗稱) 초두.

筆順 丨 十 十丨 艹

1
⑤ [丫] ㊀ 개 ㊤蟹 乖買切 guǎi
㊁ 괴 ㊥佳 公懷切
㊂ 과 ㊤馬 古瓦切

字解 ㊀ ①양뿔 개 '一, 羊角也'《說文》. ②양뿔 벌어진모양 개 '一一'는 양의 뿔이 벌어져 있는 모양. '一, 一一, 羊角開皃'《廣韻》. ㊁ 양뿔 괴, 양뿔벌어진모양 괴 ㊀과 뜻이 같음. ㊂ 양뿔 과, 양뿔벌어진모양 과 ㊀과 뜻이 같음.

字源 象形. 양의 뿔의 모양을 본뜸.

2
⑥ [艼] 정 ㊤迥 他鼎切 dǐng

字解 술취할 정 '艼一'은 술에 취함. 명정(酩酊). '艼一馬上知爲誰'《韓愈》.

字源 篆文 形聲. 艹(艸)+丁〔音〕

◉茗艼.

2
⑥ [艽] ㊀ 구 ㊥尤 巨鳩切 qiú
㊁ 교 ㊥肴 古肴切 jiāo

字解 ㊀ ①변방 구, 두메 구 국경의 황무지. 또, 벽촌(僻村). '我征徂西, 至于一野'《詩經》. ②갈개 구 풀을 깔아 놓은 짐승의 잠자리. '一, 又獸蓐也'《廣韻》. ㊁ 풀이름 교 약초(藥草)의 하나. '麝香秦一'《唐書》.

字源 形聲. 艹(艸)+九〔音〕. '九구'는 '究구'와 통하여, '다하다'의 뜻. 땅끝의 황야(荒野)의 뜻을 나타냄.

[艽野 구야] 벽촌. 두메.
◉秦艽.

2
⑥ [艾] 人名 ㊀ 애 ㊦泰 五蓋切 ài
㊁ 예 ㊦隊 魚肺切 yì

筆順 ㇐ 十 十丨 艹 艹ノ 艾

字解 ㊀ ①쑥 애 국화과에 속하는 다년초. 식용함. '彼采一兮'《詩經》. ②약쑥 애 뜸질에 쓰기 위하여 약쑥 잎을 말린 것. '削冰令圓, 擧以向日, 以一承其影得火'《博物志》. ③늙은이 애 노인. '五十曰一, 服官政'《禮記》. ④기를 애 양육함. '保一爾後'《詩經》. ⑤다할 애 다 없어짐. '憂未一也'《左傳》. ⑥갚을 애 보답함. '一人必豐'《國語》. ⑦예쁠 애 아름다움. 또, 그 여자. 미녀. '知好色, 則慕少一'《孟子》. ⑧성 애 성(姓)의 하나. ㊁ ①벨 예 곡식 같은 것을 베어 들임. '一年不一而百姓飢'《穀梁傳》. ②다스릴 예, 다스려질 예 乂(丿部 一畫)와 통용. '天下一安'《漢書》. ③징계할 예 경계함. '自怨自一'《孟子》.

字源 篆文 形聲. 艹(艸)+乂〔音〕. 약쑥의 일컬음.

[艾豭 애가] 수퇘지 새끼.
[艾年 애년] 쉰 살. 50세.
[艾老 애노] 50세 이상의 노인.
[艾餠 애병] 쑥떡.
[艾服 애복] ㉠애년(艾年). ㉡힘써 종사함.
[艾艾 애애] 말을 더듬는 모양.
[艾葉 애엽] 쑥 잎. 약재(藥材)로 씀.
[艾人 애인] 50세 된 사람.
[艾蒿 애호] 쑥.
[艾康 예강] 잘 다스려 편안히 함.
[艾安 예안] 잘 다스려져 편안함. 태평 무사함.
◉灸三斗艾. 耆艾. 蘭艾. 老艾. 保艾. 福艾. 蓬艾. 少艾. 秀艾. 然艾. 幼艾. 銀艾. 灼艾. 俊艾. 耋艾. 銍艾. 差艾. 創艾. 蒼艾. 七年病求三年艾. 針艾. 鍼艾. 沛艾. 蒿艾. 混淆蘭艾. 横艾.

2
⑥ [艿] 잉 ㊥蒸 如乘切 réng

字解 풀 잉 묵은 뿌리에서 다시 살아 나오는 풀. '得陂一數百頃'《唐書》.

[字源] 金文 篆文 形聲. 艹(艸)+乃〔音〕

2 ⑥ [芀] 조 [平]蕭 徒聊切 tiáo

[字解] 갈대이삭 조 갈대의 화축(花軸). 비를 만드는 데 쓰임. '葦, 醜—'《爾雅》.

2 ⑥ [艻] 芀(前條)와 同字

2 ⑥ [艻] 륵 [入]職 盧則切 lè

[字解] ①나륵풀 륵 '蘿—'은 향초(香草)의 하나. ②약이름 륵 '牛脂—'은 약의 이름.
[字源] 形聲. 艹(艸)+力〔音〕

3 ⑨ [芔] [一] 훼 [上]尾 虎委切 huǐ [二] 휘 [去]未 許貴切 huì

[字解] [一] 풀 훼 卉(十部 三畫)와 同字. '—, 艸之總名也'《說文》. [二] 성할 휘 성(盛)한 모양. '—然興道而遷義, 刑措不用'《史記》.

[芔吸 훼흡] 초목(草木)이 바람에 움직여 울리는 소리.
[芔然 휘연] 성(盛)한 모양.
[芔隕 휘운] 걷잡을 수 없이 떨어짐.

3 ⑦ [芃] 봉 [平]東 薄紅切 péng

[字解] ①우거질 봉 '——'은 초목이 무성한 모양. 벼가 잘 자라는 모양. '——其麥'《詩經》. ②길 봉 꼬리가 긴 모양. 일설(一說)에는, 짐승이 작은 모양. '有—者狐, 率彼幽艸'《詩經》. ③성 봉 성(姓)의 하나.
[字源] 篆文 形聲. 艹(艸)+凡〔音〕. '凡범·봉'은 바람처럼 자유롭고 널리 퍼짐의 뜻. 초목이 우거지는 모양을 나타냄.

[芃芃 봉봉] 자해(字解)❶을 보라.

3 ⑦ [芄] 환 [平]寒 胡官切 wán

[字解] ①박주가리 환 '—蘭'은 박주가릿과에 속하는 다년생 만초(蔓草). 새박덩굴. 나마(蘿藦). 일설(一說)에는, 물억새. '—蘭之支'《詩經》. ②우거질 환 '—蘭'은 무성한 모양. '陽氣親天, 萬物—蘭'《揚雄》.
[字源] 篆文 形聲. 艹(艸)+丸〔音〕. '丸환'은(그 잎의 모양이) 둥글다의 뜻.

[芄蘭 환란] 자해(字解)❶❷를 보라.

3 ⑦ [芊] 천 [平]先 蒼先切 qiān

[字解] ①우거질 천 초목이 무성한 모양. '遠樹暖——'《謝朓》. ②퍼럴 천 빛이 푸릇푸릇한 모양. '碧色肅其——'《潘岳》.
[字源] 篆文 形聲. 艹(艸)+千〔音〕. '千천'은 '많다'의 뜻.

[芊蕨 천련] 무성하여 푸릇푸릇한 모양.
[芊眠 천면] 천위(芊蔚).
[芊緜 천면] 초목이 번성한 모양.
[芊蔚 천위] 풀이 우거진 모양.
[芊芊 천천] ㉠풀이 우거진 모양. ㉡빛이 푸릇푸릇한 모양.
◉靑芊. 葱芊.

3 ⑦ [芎] 芋(次條)의 本字

3 ⑦ [芋] [人名] [一] 우 [上]麌 王矩切 yù [二] 후 [平]虞 匈于切 yǔ(xū)

[字解] [一] 토란 우 천남성과의 다년초. 근경(根莖)과 엽병(葉柄)을 식용함. '士卒食—菽'《史記》. [二] 클 후 '君子攸—'《詩經》.
[字源] 篆文 形聲. 艹(艸)+于(亏)〔音〕. '亏우'는 '誇과'와 통하여, 자랑스레 말하다의 뜻. 그 뿌리가 의외로 커서 사람을 놀라게 하여, 자랑스럽게 말하고 싶어지는 식물, 곧 '토란'의 뜻을 나타냄.
[參考] 芋(艸部 三畫)·芓(艸部 三畫)은 別字.

[芋渠 우거] 토란.
[芋魁 우괴] 토란의 가장 큰 괴근(塊根). 여럿 달린 토란 중에 중앙의 가장 큰 것.
[芋頭 우두] 우괴(芋魁).
[芋菽 우숙] 토란과 콩.
◉家芋. 綠芋. 白芋. 水芋. 野芋. 烏芋. 紫芋.

3 ⑦ [芍] [人名] [一] 작 [入]藥 市若切 sháo(shuò) [二] 적 [入]錫 都歷切 dì

[筆順] 丨 十 艹 艹 芍 芍 芍

[字解] [一] 작약 작 '—藥'은 미나리아재빗과에 속하는 다년초. 크고 아름다운 꽃이 피는데, 빛이 흰 것과 붉은 것의 두 종류가 있음. 뿌리는 약재로 씀. [二] 연밥 적 菂(艸部 八畫)과 同字.
[字源] 篆文 形聲. 艹(艸)+勺〔音〕. '勺작'은 '灼작'과 통하여, '밝다'의 뜻. 빛나는 꽃을 피우는 풀, '작약'의 뜻을 나타냄.

[芍藥 작약] 자해(字解)[一]을 보라.

3 ⑦ [芎] [人名] 궁 [平]東 去宮切 xiōng, qiōng

[字解] 천궁이 궁, 궁궁이 궁 미나릿과에 속하는 다년초. 어린잎은 식용, 뿌리는 약재로 씀. '川—'. '—藭'. '發蘭蕙與—藭'《揚雄》.
[字源] 篆文 形聲. 艹(艸)+弓〔音〕

[芎藭 궁궁] 자해(字解)를 보라.
◉川芎.

3 ⑦ [芑] 기 [上]紙 巨己切 qǐ

[字解] ①차조 기 차진 조. '維糜維—'《詩經》. ②상추 기 국화과에 속하는 일년 또는 월년초(越年草). 야채(野菜)의 한 가지. 와거(萵苣). '薄言采—'《詩經》. ③풀 기 초본(草本). '豐水有—'《詩經》.
[字源] 篆文 形聲. 艹(艸)+己〔音〕

3 ⑦ [芒] 人名 一 망 ㊥陽 莫郎切 máng 二 황 ㊥陽 呼光切 huāng

字解 一 ①까끄라기 망 벼·보리 따위의 수염. '一種'. ②가시 망 식물의 줄기나 잎에 돋은 가늘고 뾰족한 물건. '有一刺在背'《漢書》. ③빛망 빛의 첨단. '七有彗星長十數丈, 一角燭天'《十八史略》. ④어두울 망 분명하지 않은 모양. '人之生也, 固若是一乎'《莊子》. ⑤억새 망 볏과에 속하는 다년초. '茅一'. ⑥봉망(鋒芒) 망 鋩(金部 七畫)과 통용. '洩針一'《後漢書》. ⑦성 망 성(姓)의 하나. 二 황홀할 황 怳(心部 五畫)과 통용. '一乎芴乎'《莊子》.

字源 篆文 形聲. ++(艸)+亡(亾)〔音〕. '亾망'은 '萌맹'과 통하여, '조짐'의 뜻. 벼·보리 등의 맨 끝 세모(細毛), 곧 '까끄라기'의 뜻을 나타냄.

參考 芒(艸部 三畫)은 本字.

[芒角 망각] ㉠까끄라기. ㉡모. 능각(稜角). ㉢빛의 첨단.
[芒穀 망곡] 까끄라기가 있는 곡물. 벼·보리 따위. 망종(芒種).
[芒屨 망리] 짚신.
[芒芒 망망] ㉠큰 모양. 또, 넓고 아득한 모양. 또, 끝이 없는 모양. ㉡피로한 모양. 지친 모양. ㉢눈이 침침해지는 모양. ㉣많은 모양.
[芒洋 망양] 넓고 멀어 아득한 모양.
[芒銳 망예] ㉠까끄라기의 날카로운 첨단(尖端). ㉡까끄라기 끝처럼 날카로움.
[芒刃 망인] 칼날. 서슬.
[芒刺 망자] 가시.
[芒刺在背 망자재배] 가시를 등에 짐. 곧, 등 뒤에 자기가 꺼리고 두려워하는 사람이 있어서 마음이 편안하지 아니함을 이름.
[芒種 망종] ㉠까끄라기가 있는 곡식. 곧, 벼·보리 따위. ㉡이십사절기(二十四節氣)의 하나. 양력 6월 5일경.
[芒硝 망초] 황산(黃酸)소다.
[芒鞋 망혜] 망리(芒屨). 망혜(芒鞋).
[芒芴 황홀] '황홀(恍惚)'과 같음.
◉江芒. 光芒. 句芒. 麥芒. 鋒芒. 北芒. 星芒. 穎芒. 雄芒. 赤芒. 精芒. 青芒. 寒芒. 毫芒. 混芒. 芴芒. 暉芒.

3 ⑦ [芞] 〔걸〕 芞(艸部 四畫〈p. 1900〉)과 同字

3 ⑦ [芐] 一 호 ㊤麌 侯古切 hù 二 하 ㊧禡 胡駕切 xià

字解 一 지황 호 현삼과(玄蔘科)에 속하는 다년초. 뿌리는 약재로 씀. 二 지황 하 一과 뜻이 같음.

字源 篆文 形聲. ++(艸)+下〔音〕. '下하'는 지하(地下)의 뜻. 지황(地黃)의 근경(根莖)이 땅속을 기다의 뜻을 나타냄.

3 ⑦ [芏] 一 토 ㊤麌 他魯切 dù 二 도 ㊧遇 徒故切 dù

字解 一 갯벌왕골 토 바닷가에 나며, 거적을 엮는 데 씀. '一, 一草, 生海邊, 似莞藺. 今南越人, 采以爲席'《爾雅 注》. 二 풀이름 도 '一, 艸名, 海莧也'《集韻》.

3 ⑦ [芇] 一 면 ㊥先 武延切 mián ㊤銑 彌殄切 二 만 ㊥寒 母官切

字解 一 ①당할 면 맞섬. '一, 相當也'《說文》. ②밑질 면 내기를 하여 손해를 봄. '一, 今人賭物相折謂之一'《廣韻》. ③비길 면 바둑을 두어 승부(勝負)가 나지 않음. '圍棋兩無勝敗曰一'《通玄集》. 二 당할 만, 밑질 만, 비길 만 一과 뜻이 같음.

字源 形聲. 丫+㒼〈省〉〔音〕

3 ⑦ [芓] 자 ㊧寘 疾置切 zì

字解 삼 자 일설(一說)에는, 모시. '一, 麻母也'《說文》.

字源 篆文 形聲. ++(艸)+子〔音〕

參考 茡(艸部 六畫)는 同字.

3 ⑦ [芉] 간 ㊥寒 居寒切 gān ㊤旱 古旱切 gǎn

字解 ①풀이름 간 '一, 蔽一, 草名'《集韻》. ②율무씨 간 '一, 一曰, 薏苡子也'《廣韻》.

字源 形聲. ++(艸)+干〔音〕

參考 芋(艸部 三畫)·芊(艸部 三畫)은 別字.

3 ⑦ [芥] 〔개〕 芥(艸部 四畫〈p. 1900〉)와 同字

3 ⑦ [芒] 〔망〕 芒(艸部 三畫〈p. 1898〉)의 本字

4 ⑩ [芻] 人名 추 ㊥虞 測隅切 chú

字解 ①꼴 추 마소의 먹이로 하는 말린 풀. '生一一束'《詩經》. ②꼴꾼 추 꼴을 베는 사람. '詢于一蕘'《詩經》. ③풀먹는짐승 추 소·말·양 등의 초식 동물. '猶一豢之悅我口'《孟子》. ④기를 추 꼴을 주어 기름. '一之三月'《周禮》. ⑤짚 추 벼·보리 등의 이삭을 떨어낸 줄기. '士執一'《禮記》. ⑥성 추 성(姓)의 하나.

字源 甲骨文 篆文 象形. 손으로 풀을 모아 잡아 뜯는 모양을 형상화하여, 풀을 베다, 꼴 등을 뜻함.

[芻狗 추구] 짚으로 만든 개. 중국에서 옛날에 제사에 쓰던 것. 제사가 끝나면 내버리므로, 전(轉)하여 소용이 있을 때는 이용하고, 소용이 없을 때 버리는 물건의 비유.
[芻靈 추령] 풀을 묶어 만든 인형(人形). 순사자(殉死者)의 대신으로 쓰던 것.
[芻秣 추말] 마소에 먹이는 풀. 꼴.
[芻米 추미] 꼴과 쌀.
[芻言 추언] 꼴 베는 사람의 말. 곧, 천한 사람의 말.
[芻蕘 추요] ㉠꼴꾼과 나무꾼. 천한 사람의 뜻. ㉡꼴과 푸나무. ㉢자기의 문장·작품의 겸칭(謙稱).
[芻蕘之說 추요지설] 고루하고 촌스러운 말.
[芻場 추장] 꼴을 베는 곳.
[芻豢 추환] 초식(草食)하는 짐승인 소·양 따위

와 곡식을 먹는 짐승인 개·돼지 따위.
◉牧芻. 反芻. 白飯青芻. 詢芻. 玉芻. 青芻. 苾芻.

4 ⑧ [芘] 비 ㊀寘 毗至切 pí

字解 ①풀이름 비 '一, 艸也. 一曰, 一赤木'《說文》. ②당아욱 비 '一芣'는 당아욱. ③덮을 비, 가릴 비 庇(广部 四畫)와 同字. '隱將一其所藾'《莊子》.

字源 篆文 形聲. ++(艸)+比〔音〕

4 ⑧ [芙] 人名 부 ㊥虞 防無切 fú

筆順 芙

字解 부용 부 '一蓉'은 ㉠연(蓮)의 이칭(異稱). '外發一蓉蔆華'《史記》. ㉡목부용(木芙蓉). '千葉一蓉詎相似'《江總》.

字源 篆文 形聲. ++(艸)+夫〔音〕

[芙蕖 부거] 부용(芙蓉).
[芙蓉 부용] ㉠연(蓮)의 이칭(異稱). ㉡목부용(木芙蓉).
[芙蓉劍 부용검] 옛날 보검(寶劍)의 이름.
[芙蓉峯 부용봉] 형산(衡山)의 최고봉(最高峯)의 이름.
[芙蓉姿 부용자] 미인(美人)의 아리따운 모습.

4 ⑧ [芚] 人名 둔 ①㊥元 徒渾切 tún ②㊥眞 敕倫切 chūn

字解 ①싹나올 둔 나무의 싹이 처음으로 나오는 모양. '春木之一兮'《揚子法言》. ②어리석을 둔 무식한 모양. '聖人愚一'《莊子》.

字源 形聲. ++(艸)+屯〔音〕

◉愚芚. 渾芚.

4 ⑧ [芝] 人名 지 ㊥支 止而切 zhī

筆順 芝

字解 ①영지 지 모균류(帽菌類)에 속하는 버섯의 한 가지. 고래로부터 상서로운 풀로 여김. 지초(芝草). '靈一'. '瑞一'. '一生於土, 土氣和, 故一草生'《論衡》. ②버섯 지 균류(菌類). '一栭蔆根'《禮記》. ③일산 지 별을 가리기 위한 큰 양산. '登夫鳳凰兮翳華一'《揚雄》. ④성 지 성(姓)의 하나.

字源 篆文 形聲. ++(艸)+之〔音〕

[芝蘭 지란] ㉠영지(靈芝)와 난초(蘭草). 모두 향초(香草). 일설(一說)에, 지(芝)는 지(芷)의 잘못이라 함. ㉡선인 재자(善人才子)의 뜻.
[芝蘭生於深林 지란생어심림] 군자가 역경에 처하여 절조를 지킴의 비유.
[芝蘭玉樹生庭堦 지란옥수생정계] 많은 인재(人才)가 한 문하(門下)에서 배출함의 비유.
[芝蘭之交 지란지교] 친구 사이의 청아(清雅)하고 고상(高尙)한 교제.
[芝蘭之室 지란지실] 향초(香草)가 있어 좋은 향기가 나는 방. 선인(善人)에 비유함.
[芝眉 지미] 남의 안색(顏色)의 경칭(敬稱).
[芝房 지방] 한효무제(漢孝武帝) 때 감천궁(甘泉宮)에 영지(靈芝)가 나매 이를 상서롭다고 기리어서 짓게 한 노래.
[芝罘 지부] 산둥 성(山東省) 동북부에 있는 항구 이름.
[芝山巖 지산암] 대북시(臺北市) 서북방에 있는 땅 이름.
[芝宇 지우] 지미(芝眉).
[芝栭 지이] 버섯.
[芝草 지초] 모균류(帽菌類)에 속하는 버섯. 상서(祥瑞)로운 상징으로 여김. 영지(靈芝).
◉蘭芝. 雷芝. 拜祥芝. 瑞芝. 水芝. 靈芝.

4 ⑧ [芢] 一 항 ㊥陽 胡郎切 háng 二 강 ㊥陽 古郎切

字解 一 풀이름 항 '一, 艸名. 葉似蒲, 叢生'《集韻》. 二 풀이름 강 一과 뜻이 같음.

4 ⑧ [芟] 삼 ㊥咸 所銜切 shān

字解 ①벨 삼 잡초를 베어 버림. '載一載柞'《詩經》. 전(轉)하여, 제거함. '煩事如掃一'《鄭俠》. ②낫 삼 풀을 베는 연장. '耒耜枷一'《國語》.

字源 篆文 會意. ++(艸)+殳. '殳수'는 지팡이로 치는 모양을 형상화한 것. 풀을 베다의 뜻을 나타냄.

[芟鋤 삼서] ㉠삼제(芟除). ㉡난리를 평정함.
[芟穢 삼예] 잡초를 베어 버림. 전(轉)하여, 난리를 평정함.
[芟夷 삼이] 풀을 벰.
[芟荑 삼이] 삼이(芟夷).
[芟斫 삼작] 풀을 베고 나무를 자름.
[芟正 삼정] 잘못을 바로잡음. 산정(刪正).
[芟除 삼제] 풀을 베어 없앰.
[芟討 삼토] 풀을 베듯이 적(敵)을 토평(討平)함.
◉掃芟.

4 ⑧ [芢] 人名 인 ㊥眞 而鄰切 rén

字解 풀이름 인 '一, 草名'《集韻》.

4 ⑧ [芡] 감(검㊍) ㊤琰 具險切 qiàn

字解 가시연 감 수련과(睡蓮科)에 속하는 일년생의 수초(水草). 못이나 늪에 남. 지하경(地下莖)은 식용하며, 열매는 가시연밥, 씨는 '一仁'이라 하여 식용·약용함. '蔆一'《周禮》.

字源 篆文 形聲. ++(艸)+欠〔音〕

◉蔆芡. 莅芡. 刺芡.

4 ⑧ [芣] 부 ㊥尤 縛謀切 fóu, fú

字解 ①꽃성할 부 꽃이 한창인 모양. '一, 華盛'《說文》. ②질경이 부 '一苢'는 질경잇과에 속하는 다년초. 길가 등에 저절로 남. 식용으로 하며, 씨는 차전자(車前子)라 하여 약용하는

데, 먹으면 애를 낳는다 함. 차전초(車前草). 부이(芣苡). '采采—苢'《詩經》.
[字源] 篆文 形聲. ++(艸)+不〔音〕

[芣苢 부이] 자해(字解)를 보라.
[芣苡 부이] 부이(芣苢).

4 ⑧ [芞] 걸 [入]物 欺訖切 [入]質 極乙切 qì
[字解] 향초이름 걸 '—輿'는 향초(香草)의 이름. '—, —輿也'《說文》.
[字源] 形聲. ++(艸)+气〔音〕

4 ⑧ [芥] [人名] 개 [去]卦 古拜切 jiè
[字解] ①겨자 개 십자화과에 속하는 일년 또는 이년초. 또, 그 씨. 갓 비슷하며, 씨는 맵고 향기로운 맛이 있어서 양념과 약용으로 하며, 잎과 줄기는 먹는데 맛이 씀. '—醬魚膾'《儀禮》. ②티끌 개 먼지. '土—'. '經術苟明, 其取青紫, 如俛拾地—'《漢書》. 전(轉)하여, 미세(微細)·사소(些少)의 뜻으로 쓰임. '紀纖—之失'《春秋繁露》.
[字源] 篆文 形聲. ++(艸)+介〔音〕. '介개'는 '害해'와 통하여, '해치다'의 뜻. 혀·코에 자극을 주는 '겨자'의 뜻을 나타냄.

[芥蔕 개대] 사소한 지장.
[芥屑 개설] ㉠먼지. 티끌. ㉡겨자.
[芥子 개자] 겨자씨. 전(轉)하여, 극히 작은 것.
[芥子園畫傳 개자원화전] 청(淸)나라 왕안절(王安節)이 지은 책으로 모두 네 권인데, 주로 남종파(南宗派)의 역대 산수화(歷代山水畫) 중 명가(名家)의 화법(畫法)을 모아 엮은 것.
[芥舟 개주] 물에 뜬 티끌과 같은 작은 배.
[芥塵 개진] 먼지. 티끌.
◉蔕芥. 腐芥. 蔴芥. 纖芥. 拾芥. 如俛拾地芥. 塵芥. 薑芥. 草芥. 土芥.

4 ⑧ [芧] [一] 저 [上]語 直呂切 zhù [二] 서 [上]語 象呂切 xù
[字解] [一] ①매자기 저 사초과에 속하는 다년초. 줄기는 세모짐. 잎은 노의 원료가 됨. 뿌리는 약재. 형삼릉(荊三稜). 삼릉초. '蔣—青薠'《漢書》. ②모시풀 저 苧(艸部 五畫)와 同字. [二] ①상수리나무 서 참나뭇과에 속하는 낙엽 교목(落葉喬木). ②상수리 서 상수리나무의 열매. '狙公賦—'《莊子》.
[字源] 篆文 形聲. ++(艸)+予〔音〕. '予여'는 길게 자라다의 뜻. 그 줄기의 섬유로 새끼를 꼬는 풀의 뜻을 나타냄.

[芧栗 서율] 작은 밤. 산밤.

4 ⑧ [芨] 급 [入]緝 居立切 jī
[字解] ①대왐풀 급 난초과에 속하는 다년초. 인경(鱗莖)은 백급(白芨)이라 하여 약재로 씀. 자란(紫蘭). ②삭조(蒴藋) 급 인동과에 속하는 다년초. 흰 꽃이 여름에 핌. 잎은 약용. ③나무이름 급 나무의 하나. 수피(樹皮)는 종이를 만듦. '剝—巖椒'《謝靈運》.
[字源] 篆文 形聲. ++(艸)+及〔音〕

4 ⑧ [芩] [人名] 금 [平]侵 巨金切 qín
[字解] 풀이름 금 만초(蔓草)의 하나. 잎은 나뭇잎 같으며, 소나 말이 잘 먹음. 소금기 있는 습지에 남. '食野之—'《詩經》.
[字源] 篆文 形聲. ++(艸)+今〔音〕

◉經芩. 鼠尾芩. 宿芩. 子芩. 黃芩.

4 ⑧ [芫] 원 [平]元 愚袁切 yuán
[字解] 팥꽃나무 원 팥꽃나뭇과에 속하는 낙엽 관목(落葉灌木). 담자색(淡紫色)의 작은 꽃은 약재로 씀. '飮以—華一撮'《史記》.
[字源] 篆文 形聲. ++(艸)+元〔音〕

[芫花·芫華 원화] 팥꽃나무.

4 ⑧ [⿱艹公] [一] 공 [平]東 沽紅切 gōng [二] 숭 [平]東 思融切 sōng
[字解] [一] 풀이름 공 풀이름. '—, 艸名'《集韻》. [二] 나물이름 숭 나물 이름. '菘, 菜名, 或作—'《集韻》.

4 ⑧ [芶] 구 gōu
[字解] 야채이름 구 '—, 菜名'《字彙》.

4 ⑧ [⿱艹仇] 구 [平]尤 渠尤切 qiú
[字解] ①대암풀 구 대암풀. 자란(紫蘭). '—, —蒼, 艸名'《集韻》. ②구릿대 구 구릿대. '—, 白芷'《廣韻》.

4 ⑧ [芬] [人名] 분 [平]文 撫文切 fēn
[筆順] 丨 十 廾 艹 芀 芃 芬 芬
[字解] ①향내날 분 풀 따위의 향기가 발산함. '苾—孝祀'《詩經》. ②향내 분 향기. '蘭蕙含—'《傅咸》. 전(轉)하여, 명예. 이름. '揚—千載之上'《晉書》. ③오를 분 높이 올라가는 모양. '—然若灰'《管子》. ④많을 분 紛(糸部 四畫)과 통용. '—哉芒芒'《漢書》. ⑤성 분 성(姓)의 하나.
[字源] 岎의 別體 形聲. ++(艸)+分〔音〕. '分분'은 '분산(分散)하다'의 뜻. 풀이 나기 시작하여 그 향내를 분산시키다, 향내의 뜻을 나타냄. '岎분'의 이체자(異體字).

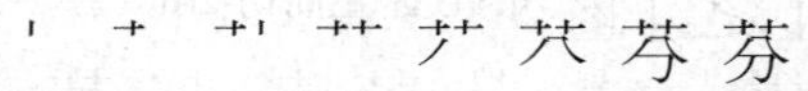

[芬陀利 분다리] 《佛教》 백련화(白蓮花). 묘호화(妙好華).
[芬烈 분렬] 분열(芬烈).
[芬芳 분방] 향기.
[芬芬 분분] ㉠향기가 많이 나는 모양. ㉡어지러운 모양.
[芬菲 분비] 향기가 남.
[芬然 분연] 솟아오르는 모양.

[芬烈 분열] ㉠향기가 강렬함. ㉡명예스러운 공훈(功勳).
[芬郁 분욱] 향기가 대단한 모양.
[芬鬱 분울] 향기가 대단히 남.
[芬澤 분택] 향기와 윤기.
[芬苾 분필] 향기로움.
[芬香 분향] 향기.
[芬馨 분형] 분향(芬香).
[芬華 분화] 화려함. 화미(華美).
◉高芬. 奇芬. 蘭芬. 芳芬. 麝芬. 淸芬. 澤芬. 苾芬.

4 ⑧ [芭] 人名 파 ㊊麻 伯加切 bā

筆順 丨 十 廾 艹 艹 艹 芭 芭

字解 ①풀이름 파 향초(香草)의 일종. '傳—兮代舞'《楚辭》. ②꽃 파 葩(艸部 九畫)와 통용. '桐—始生'《大戴禮》. ③파초 파 '—蕉'는 파초과에 속하는 열대산(熱帶産)의 다년초. 잎은 크고 긴 타원형이며, 꽃은 황백색임. '—, —蕉'《廣韻》.

字源 形聲. ⺿(艸)+巴〔音〕

[芭蕉 파초] 자해(字解)❸을 보라.
[芭蕉葉之夢 파초엽지몽] 인생(人生)의 득실(得失)이 꿈처럼 덧없음의 비유. 옛날에 나무꾼이 사슴을 잡아 파초 잎을 덮어 숨겨 놓았다가 그 자리를 잊어버리어 남이 가져갔다. 그래서 나무꾼은 사슴을 잡은 것은 꿈이었다고 생각하고 집에 돌아갔는데, 그날 밤 숨긴 곳과 사슴을 가지고 간 사람의 꿈을 꾸어 그 사람을 찾아내어 사슴의 소유를 싸고 다투었다는 우화.《列子, 周穆王》

4 ⑧ [芮] 人名 예 ㊍霽 而銳切 ruì

筆順 丨 十 廾 艹 艹 芀 芮 芮

字解 ①풀싹이작고연할 예 '—, ——, 艸生皃'《說文》. ②물가 예 수애(水涯). '—鞫之卽'《詩經》. ③방패끈 예 방패의 뒤쪽에 다는 끈. '革抉吠—'《史記》. ④성 예 성(姓)의 하나.

字源 金文 篆文 形聲. ⺿(艸)+内〔音〕. '内내'는 안으로 끌어 들이다의 뜻. 풀의 싹이 작게 오그라들다의 뜻.

[芮芮 예예] ㉠풀이 뾰족뾰족 나는 모양. ㉡나라 이름. 오랑캐의 일종.
◉旮芮. 石龍芮. 蒠芮.

4 ⑧ [芯] 人名 심 ㊊侵 思林切 xīn

字解 ①골풀 심 골풀과에 속하는 다년초. 줄기는 자리·바구니 등을 만들며, 심(心)은 등잔의 심지로 씀. 등심초(燈芯草). ②심 심 물건의 중심. 중앙. 心(部首)과 同字. '心, 凡函蓄于中者, 皆謂之心. 艸木華葉之心, 是也. 別作—'《六書故》.

字源 形聲. ⺿(艸)+心〔音〕. '心심'은 신체의 중심에 해당되는 곳. 물건의 중심, 심의 뜻을 나타냄.

4 ⑧ [芰] 기 ㊍寘 奇寄切 jì

字解 마름 기 마름과에 속하는 일년생의 수초(水草). 능각(稜角)이 있는 딱딱한 껍데기에 싸인 열매를 맺음. '菱—'. '屈到嗜—'《左傳》.

字源 篆文 別體 形聲. ⺿(艸)+支〔音〕. '支지·기'는 '갈라지다'의 뜻. 잎이 삼각(三角)으로 갈라져 있는 '마름'의 뜻을 나타냄.

[芰製 기제] 마름의 잎을 엮어 만든 옷. 은인(隱人)이 입음.
[芰荷 기하] 마름과 연(蓮). 그 잎을 엮어 옷을 만들어 은인(隱人)이 입음.
◉菱芰.

4 ⑧ [花] 中人 화 ㊊麻 呼瓜切 huā

筆順 丨 十 廾 艹 艹 芀 芲 花

字解 ①꽃 화 ㉠초목의 꽃. '—月'. '每—朝月夕, 與賓佐賦咏'《舊唐書》. ㉡꽃이 피는 초목(草木). '澆—亦自有時'《歐陽修》. ㉢모란(牡丹)·해당(海棠)과 같이 썩 고운 꽃이 피는 초목. '洛陽人謂牡丹爲—, 成都人謂海棠爲—'《鶴林玉露》. ㉣꽃 같은 모양을 한 것. '燈—'. ㉤무늬 따위의 꽃과 같이 아름다운 것. '競添—樣綾紗'《國史補》. ②필 화 꽃이 핌. '溫庭橘未—'《宋之問》. ③얽은자국 화 두흔(痘痕). '天—'. '種—'. ④소비할 화 써 없앰. '—費'. ⑤창기 화 기생. ⑥성 화 성(姓)의 하나.

字源 篆文 別體 形聲. ⺿(艸)+化〔音〕. '化화'는 '꽃〔華〕'의 뜻. 풀꽃의 뜻으로 쓰임. 篆文은 蕚(華)의 原字로, 𠂹+亏〔音〕. '𠂹수'는 꽃잎이 늘어지는 모양을 형상화한 것. '亏우'는 '夸과'와 통하여, '아름답다'의 뜻. '花'자는 육조(六朝) 시대에 '華화'와 구별하기 위해 俗字로 만들어졌음.

參考 苍(艸部 四畫)는 俗字.

[花甲 화갑] 화갑(華甲).
[花甲子 화갑자] 육십갑자(六十甲子)의 별칭(別稱).
[花崗石 화강석] 석영(石英)·운모(雲母)·장석(長石)의 세 광물(鑛物)로 된 화성암(火成岩).
[花蓋 화개] 꽃받침과 꽃부리의 외관상의 총칭.
[花客 화객] ㉠단골손님. ㉡꽃을 구경하는 사람.
[花梗 화경] 꽃이 달린 꼭지.
[花莖 화경] 꽃줄기. 꽃대.
[花冠 화관] ㉠아름답게 장식한 관(冠). ㉡꽃부리.
[花魁 화괴] 제일 먼저 피는 꽃. 곧, 매화(梅花)의 이칭(異稱).
[花氣 화기] 꽃의 향기. 화향(花香).
[花期 화기] 꽃이 피는 철.
[花旗 화기] 미국 국기(美國國旗).
[花奴 화노] 무궁화(無窮花)의 별칭.
[花壇 화단] 화초(花草)를 심기 위하여 마련하여 놓은 단.
[花娘 화랑] 노는계집.
[花柳 화류] 꽃과 버들. 전(轉)하여, 노는계집. 또, 화류항(花柳巷)을 가리키는 말.
[花柳界 화류계] 노는계집의 사회.
[花柳病 화류병] 성병(性病).
[花柳巷 화류항] 노는계집이 모여 사는 거리.

[花幔 화만] ㉠꽃무늬를 놓은 장막. ㉡꽃이 만발하여 장막을 친 것같이 보임의 형용(形容).
[花鬘 화만] 《佛敎》 불전(佛前)을 장엄하게 꾸미기 위하여 불당(佛堂)의 난간(欄干) 등에 거는 장식품. 원래 인도(印度) 풍습에 남녀(男女)가 몸을 치레하기 위하여 꽃을 실에 꿰어 걸치던 것이 후에 불구(佛具)가 되었음. 대개 금·구리·가죽 등으로 만들어 화조(花鳥)·천녀(天女) 등을 투각(透刻)함.

[花鬘]

[花面 화면] 꽃 같은 아름다운 얼굴.
[花木 화목] 화수(花樹).
[花無十日紅 화무십일홍] 열흘 붉은 꽃이 없다는 뜻으로, 한 번 성하면 반드시 쇠(衰)하여짐을 이름.
[花門 화문] 회골(回鶻)의 이칭(異稱). 회골은 서역(西域) 민족의 이름.
[花紋 화문] 꽃의 무늬. 무늬.
[花紋席 화문석] 꽃돗자리.
[花發多風雨 화발다풍우] 꽃 필 무렵 비나 바람이 많음. 곧, 세상일이 뜻과 같이 잘되지 않음을 이름.
[花瓶 화병] 꽃을 꽂는 병(瓶).
[花譜 화보] 꽃를 그 피는 계절의 순서에 따라 적거나 그린 책.
[花峯 화봉] 꽃봉오리.
[花盆 화분] 화초(花草)를 심는 분(盆).
[花粉 화분] 꽃가루.
[花費 화비] 비용.
[花絲 화사] 웅예(雄蕊)의 약(葯)의 자루.
[花序 화서] 줄기에 붙은 꽃의 배열.
[花石綱 화석강] 꽃나무와 기석(奇石)을 운반하는 많은 배의 행렬.
[花仙 화선] 화중신선(花中神仙).
[花樹 화수] 꽃이 피는 나무.
[花穗 화수] 이삭으로 된 꽃.
[花鬚 화수] 꽃술.
[花脣 화순] ㉠화판(花瓣). ㉡미인(美人)의 입술.
[花市 화시] 꽃을 파는 저자.
[花時 화시] 꽃이 피는 시절(時節).
[花信 화신] 꽃이 핀 소식(消息).
[花神 화신] ㉠꽃을 맡은 신(神). ㉡꽃의 정령(精靈).
[花信風 화신풍] 꽃이 필 무렵에 부는 바람. '이십사번화신풍(二十四番花信風)' 참조(參照).
[花心 화심] 꽃술. 전(轉)하여, 미인(美人)의 마음.
[花顔 화안] 화용(花容).
[花押 화압] 수결(手決)과 함자(銜字).
[花樣 화양] 꽃의 모양. 또, 무늬.
[花御堂 화어당] 《佛敎》 사월 초파일(四月初八日)의 관불회(灌佛會) 때에 꽃 장식을 한 작은 당(堂). 거기에 석가 탄생의 상(像)을 안치함.
[花御史 화어사] 홍매(紅梅)의 별칭(別稱).
[花宴 화연] 환갑(還甲) 잔치.
[花葉 화엽] ㉠화판(花瓣). ㉡꽃과 잎.
[花英 화영] 꽃.
[花影 화영] 꽃이 비친 그림자.
[花蕊 화예] 꽃술.
[花蘂 화예] 화예(花蕊).
[花蕊夫人 화예부인] ㉠오대(五代)의 촉(蜀)나라 사람 왕건(王建)의 첩 소서비(小徐妃)를 이름. ㉡오대(五代)의 촉나라 임금 맹창(孟昶)의 부인. 궁사(宮詞) 백 수(首)를 지었음. 그중, '十四萬人齊解甲, 也無一個是男兒'라는 구절이 있어 세상에 널리 알려졌음.
[花王 화왕] 모란(牡丹)의 미칭(美稱).
[花容 화용] 꽃 같은 아름다운 얼굴.
[花容月態 화용월태] 미인(美人)의 얼굴과 맵시.
[花苑 화원] 화원(花園).
[花園 화원] 화초(花草)를 심은 동산.
[花月 화월] ㉠꽃과 달. ㉡꽃 위에 비치는 달.
[花乳 화유] ㉠차(茶)의 딴 이름. ㉡처음으로 핀 꽃.
[花儒者 화유자] 매화(梅花)의 딴 이름. 화형(花兄).
[花音 화음] 화신(花信).
[花衣 화의] 화려한 옷.
[花茵 화인] 꽃자리. 꽃 요.
[花裀 화인] 화인(花茵).
[花子 화자] ㉠부인(婦人)의 안면 장식(顔面裝飾). ㉡거지.
[花簪 화잠] 금은(金銀)·주옥(珠玉)으로 눈을 박은 비녀.
[花宰相 화재상] 작약(芍藥)의 딴 이름.
[花鈿 화전] 화잠(花簪).
[花箋 화전] 꽃무늬가 있는 종이.
[花氈 화전] 무늬가 있는 털 담요.
[花田衝火 화전충화] 꽃밭에 불을 지른다는 뜻으로, 행복(幸福)이 있을 때에 재앙(災殃)이 일어남의 비유.
[花朝 화조] ㉠꽃이 피는 아침. ㉡음력 2월 15일.
[花鳥使 화조사] 남녀 사이의 애정에 관계되는 일을 심부름하여 주는 사람. 당(唐)나라의 개원연간(開元年間)에 천하의 미인을 간선하기 위하여 조정에서 파견한 사자(使者)의 이름에서 나온 말.
[花朝月夕 화조월석] ㉠꽃 피는 아침과 달 밝은 밤. ㉡음력 2월 15일과 8월 15일.
[花柱 화주] 암술의 씨방 위의 기둥 모양으로 가늘고 긴 부분.
[花中君子 화중군자] 연꽃의 미칭(美稱).
[花中神仙 화중신선] 해당화(海棠花)의 미칭(美稱). 화선(花仙).
[花中王 화중왕] 화왕(花王).
[花債 화채] 해웃값.
[花天月地 화천월지] 꽃이 핀 달밤의 경치를 이름.
[花草 화초] 꽃을 관상(觀賞)하기 위하여 심는 식물(植物)의 총칭.
[花燭 화촉] 화려한 등불. 전(轉)하여, 결혼의 예식(禮式). 화촉(華燭).
[花朶 화타] 꽃이 핀 가지.
[花托 화탁] 화경(花梗)의 위. 꽃이 붙은 불룩한 부분. 꽃받침.
[花瓣 화판] 꽃잎.
[花片 화편] 흩어진 꽃잎이나 꽃의 떨어진 조각.
[花圃 화포] 꽃밭.
[花被 화피] 화관(花冠)과 악(萼)의 총칭.
[花含 화함] 꽃봉오리.
[花蛤 화합] 무명조개.
[花香 화향] 꽃의 향기.
[花兄 화형] 화유자(花儒者).
[花火 화화] 불꽃.
[花環 화환] 가화(假花)나 생화(生花)로 고리같

이 만들어 환영 혹은 조상(弔喪)의 뜻을 표하는 데 보내는 물건.
[花卉 화훼] 꽃이 피는 풀. 화초(花草).
◉佳花. 假花. 嘉花. 茄花. 江花. 開花. 牽牛花. 鷄冠花. 鼓子花. 空花. 嬌花. 國花. 菊花. 君子花. 群花. 宮花. 槿花. 錦上添花. 金盞花. 禁花. 奇花. 綺花. 洛花. 落花. 浪花. 凌霄花. 蔆花. 菱花. 斷腸花. 丹花. 桃花. 杜鵑花. 燈花. 馬頭始見米囊花. 晩花. 萬花. 茉莉花. 陌上花. 名花. 美花. 芳花. 白花. 百花. 繁花. 凡花. 邊花. 絣花. 鳳仙花. 富貴花. 山茶花. 上陽花. 生花. 瑞花. 鮮花. 薛花. 雪月花. 雪花. 聖陽花. 洗水花. 細花. 疎花. 繡毬花. 水梭花. 眼花. 櫻花. 鶯花. 野花. 楊花. 御花. 女郎花. 燕子花. 煙花. 豔花. 玉簪花. 雨花. 蕘花. 六花. 隱逸花. 二月花. 異花. 梨花. 人面桃花. 紫陽花. 殘花. 簪花. 摘花. 荻花. 接花. 庭花. 造花. 衆花. 綵花. 天竺花. 天下眞花. 千花. 天花. 燭花. 叢花. 蟲媒花. 聚花. 探花. 苔花. 鬪花. 風花. 筆頭生花. 寒花. 解語花. 香花. 胡子花. 好花. 紅花. 火花. 黃花. 風媒花.

4
⑧ [芳] [高·人] 방 [平]陽 敷方切 fāng

[筆順] 芳

[字解] ①향내날 방 향기를 발산함. '蘭芷變而不一兮'《楚辭》. ②꽃다울 방 명성이 좋음. 명예가 꽃같이 아름다움. '雖沒不朽, 名字一兮'《蔡邕》. 전(轉)하여, 타인의 사물에 관(冠)하여 경칭(敬稱)으로 쓰임. '一名'. '一志'. '遲還一札'《梁書》. ③향내 방 향기. '一香'. 전(轉)하여, 꽃다운 이름. 명예. 미명. '流一百世'《十八史略》. 또, 어진 선비. 현사(賢士). '衆一之所在'《楚辭》. ④꽃 방 향기가 좋은 꽃. '百一'. '是異乎衆一'《益部方物略記》. ⑤성 방 성(姓)의 하나.
[字源] 篆文 形聲. 艹(艸)+方〔音〕. '方방'은 좌우로 퍼지다의 뜻. 풀꽃의 향기가 퍼지다의 뜻을 나타냄.

[芳景 방경] 봄 경치.
[芳紀 방기] 방년(芳年).
[芳氣 방기] 향기.
[芳年 방년] 꽃다운 젊은 여자의 나이.
[芳烈 방렬] ㉠명예스러운 공로. ㉡진한 향기.
[芳齡 방령] 방년(芳年).
[芳名 방명] ㉠꽃다운 이름. 명예. ㉡남의 성명의 존칭.
[芳命 방명] 윗사람의 명령.
[芳墨 방묵] 방찰(芳札).
[芳美 방미] 아름다움. 꽃다움. 향기로움.
[芳馥 방복] 향내가 남.
[芳芬 방분] 향기. 향내가 남.
[芳菲 방비] 꽃 향기. 또, 향기가 나는 꽃.
[芳歲 방세] 춘절(春節). 봄철.
[芳樹 방수] 화수(花樹). 꽃피는 나무.
[芳醇 방순] 향내가 나는 좋은 술.
[芳辰 방신] 봄철. 춘절(春節).
[芳信 방신] ㉠화신(花信). ㉡남의 심방(尋訪)의 경칭(敬稱).
[芳埃 방애] 꽃 밑에서 나는 먼지.
[芳液 방액] 냄새가 좋은 국.
[芳艶 방염] 향내가 나고 아리따움.
[芳友 방우] '난(蘭)'의 이명(異名).
[芳郁 방욱] 향내가 남.
[芳潤 방윤] 향내와 윤이 남.
[芳吟 방음] 남의 시가(詩歌)의 경칭.
[芳意 방의] ㉠봄철의 경치. ㉡남의 의사(意思)의 경칭(敬稱).
[芳姿 방자] 꽃다운 자태(姿態). 예쁜 맵시.
[芳鈿 방전] 화잠(花簪).
[芳情 방정] 남의 심정의 경칭(敬稱).
[芳朝 방조] 꽃 피는 아침. 봄날 아침.
[芳樽 방준] 좋은 술을 담은 통.
[芳志 방지] 방의(芳意)㉡.
[芳札 방찰] 남의 편지의 경칭(敬稱).
[芳草 방초] 꽃다운 풀. 향기가 좋은 풀.
[芳叢 방총] 꽃이 피는 풀숲.
[芳春 방춘] ㉠온갖 꽃이 피는 봄. ㉡풀.
[芳翰 방한] 방찰(芳札).
[芳香 방향] 좋은 향기. 꽃다운 향기.
[芳魂 방혼] 꽃의 정령(精靈). 전(轉)하여, 미인(美人)의 죽은 영혼(靈魂).
[芳花 방화] 향기 좋은 꽃.
[芳華 방화] 방화(芳花).
[芳卉 방훼] 향기로운 풀.
◉群芳. 蘭芳. 美芳. 微芳. 百芳. 芬芳. 蘇芳. 垂芳. 餘芳. 年芳. 姸芳. 英芳. 流芳. 幽芳. 遺芳. 殘芳. 傳芳. 衆芳. 叢芳. 秋芳. 春芳. 香芳. 薰芳.

4
⑧ [芴] [一] 물 [入]物 文弗切 wù
[二] 홀 [入]月 呼骨切 hū

[字解] [一] ①부추 물 백합과에 속하는 다년초. 잎은 식용으로 함. '菲, 幽州人謂之一'《詩經 疏》. ②고울 물 치밀(緻密)함. '縝紛緻一'《司馬相如》. [二] 어두울 홀 어리석은 모양. 분명하지 아니한 모양. 惚(心部 八畫)과 同字. '愚者之言, 一然而粗'《荀子》.
[字源] 篆文 形聲. 艹(艸)+勿〔音〕

[芴莫 홀막] 흐릿하고 밝지 않음.
[芴然 홀연] 어두운 모양. 분명하지 아니한 모양. 어리석은 모양.
◉軋芴. 芒芴.

4
⑧ [芷] [人名] 지 ㊤紙 諸市切 zhǐ

[字解] 어수리 지 산형과에 속하는 다년초. 뿌리는 백지(白芷)라 하여 약용함. '雜杜衡與芳一'《楚辭》.
[字源] 形聲. 艹(艸)+止〔音〕

◉蘭芷. 芳芷. 白芷. 蘅芷. 蕙芷.

4
⑧ [芸] [人名] [一] 운 [平]文 王分切 yún
[二] 예 [去]霽 魚祭切 yì

[字解] [一] ①운향 운 산형과(科)에 속하는 다년초. 잎은 향기가 나며, 이것을 책 속에 넣으면 좀이 먹지 아니함. 약용 식물임. '一香'. '一始生'《禮記》. ②많을 운 많이 있는 모양. '夫物一一'《老子》. ③김맬 운 耘(耒部 四畫)과 통용. '植其杖而一'《論語》. ④성 운 성(姓)의 하나.

[二] 재주 예 藝(艸部 十五畫)의 略字.
[字源] [篆文] 形聲. ++(艸)+云〔音〕. '云운'은 운기(雲氣)가 돌다의 뜻. 향내가 나는 풀의 뜻을 나타냄. 또, '耘운'과 통하여, '김매다'의 뜻으로 쓰임.

[芸閣 운각] 장서(藏書)하는 창고. 또, 서재(書齋).
[芸縑 운겸] 운편(芸編).
[芸夫 운부] 풀을 깎는 남자.
[芸省 운성] 비서성(祕書省)을 이름.
[芸芸 운운] ㉠성(盛)한 모양. 많은 모양. ㉡꽃이 노란 모양.
[芸帙 운질] ㉠좀이 먹지 않게 하기 위하여 운향(芸香) 잎을 넣은 서질(書帙). ㉡책. 서적.
[芸窓 운창] 서재(書齋).
[芸編 운편] 서책(書冊).
[芸香 운향] 향초의 하나. 잎을 책 속에 넣으면 좀이 먹지 아니함.
[芸黃 운황] ㉠아주 노람. ㉡초목이 조락(凋落)하는 모양.

4 ⑧ [芺] [一] 오 [上]晧 烏皓切 ǎo / [去]號 於到切 [二] 요 [上]篠 於兆切

[字解] [一] 풀이름 오 엉겅퀴의 일종. '一, 艸也. 味苦. 江南食以下氣'《說文》. '凡物稺曰一, 此物嫩時可食, 故以名之'《本草綱目》. [二] 풀이름 요 [一]과 뜻이 같음.
[字源] 形聲. ++(艸)+夭〔音〕

4 ⑧ [芹] [人名] 근 [平]文 巨斤切 qín

[字解] 미나리 근 미나릿과에 속하는 다년생의 수초(水草). 향기가 있으며 식용함. '一菜'. '薄采其一'《詩經》.
[字源] [篆文] 形聲. ++(艸)+斤〔音〕. '斤근'은 잘게 썰다의 뜻. 잘게 썬 것 같은 잎을 가진 미나리를 뜻함.

[芹菜 근채] 미나리.
[芹獻 근헌] 물품을 남에게 보내는 겸칭(謙稱). 헌근(獻芹).
◉白芹. 水芹. 鴨兒芹. 野芹. 香芹. 獻芹.

4 ⑧ [芛] [一] 의 [上]紙 羊捶切 wěi [二] 율 [入]質 餘律切 [三] 순 [上]軫 聳尹切 [四] 술 [入]質 食律切

[字解] [一] 꽃 의 풀이나 나무의 꽃. 처음 피는 꽃. '一, 艸之皇榮也'《說文》. [二] 꽃 율 [一]과 뜻이 같음. [三] 꽃 순 [一]과 뜻이 같음. [四] 꽃 술 [一]과 뜻이 같음.
[字源] 形聲. ++(艸)+尹〔音〕

4 ⑧ [芼] [人名] 모 ①②[去]號 莫報切 mào / ③[平]豪 莫袍切 máo

[字解] ①뽑을 모, 솎을 모 야채를 가려 뽑아냄. '參差荇菜, 左右一之'《詩經》. ②국 모 고기에 채소를 섞어 끓인 국. '一羹菽麥'《禮記》. ③풀모 초본(草本). '頗雜池沼一'《柳宗元》.
[字源] [篆文] 形聲. ++(艸)+毛〔音〕. '毛모'는 털처럼 쪽 깎을 뜻함.

[芼羹 모갱] 채소에 고기를 넣어 끓인 국.

4 ⑧ [芽] [高人] 아 [平]麻 五加切 yá

[筆順] 丨 ⺊ 艹 艹 芐 芐 芽 芽

[字解] ①싹 아 ㉠땅속에서 처음으로 나오는 어린잎과 줄기. '發一'. '新一'. '此月也, 安萌一'《禮記》. ㉡사물의 시작. '防絕萌一'《漢書》. ②싹틀 아 새싹이 나옴. '徒蒙蔭覆, 莫自根一'《薛逢》.
[字源] [篆文] 形聲. ++(艸)+牙〔音〕. '牙아'는 '엄니'의 뜻. 엄니처럼 내민 초목의 새순의 뜻을 나타냄.

[芽甲 아갑] 자엽(子葉). 새싹.
◉露芽. 綠芽. 嫩芽. 豆芽. 麥芽. 萌芽. 發芽. 芳芽. 胚芽. 新芽. 叢芽. 抽芽. 出芽. 吐芽.

4 ⑧ [芾] [一] 비 [去]未 方味切 fèi [二] 불 [入]物 分勿切 fú

[字解] [一] ①작을 비 조그마한 모양. '蔽一甘棠'《詩經》. ②성 비 성(姓)의 하나. [二] ①우거질 불 초목이 무성한 모양. ②슬갑 불 韍(韋部 五畫)과 통용. '朱一斯皇'《詩經》.
[字源] 形聲. ++(艸)+市〔音〕

4 ⑧ [芠] 문 [平]文 無分切 wén

[字解] ①풀이름 문 풀의 하나. 범의귀. '一, 草也'《玉篇》. ②흐릴 문 분명하지 아니한 모양. '芒一漠閔'《淮南子》.
[字源] 形聲. ++(艸)+文〔音〕

4 ⑧ [芜] [一] 담 [上]感 都敢切 [二] 침 [平]侵 直深切 / [去]沁 直禁切 chén [三] 음 [平]侵 餘針切 yín

[字解] [一] ①풀이름 담 '一, 艸也'《說文》. ②지모(知母) 담 '一藩'은 지모(知母). 菧(艸部 七畫)과 同字. [二] 풀이름 침, 지모 침 [一]과 뜻이 같음. [三] ①풀이름 음 [一]❶과 뜻이 같음. ②뜨거울 음 '一, 熱也'《廣韻》.
[字源] 形聲. ++(艸)+冘〔音〕

4 ⑧ [芿] [人名] 잉 [去]徑 而證切 rèng

[字解] ①움풀 잉 베어 낸 그루에서 움 돋은 풀. '一, 艸芟故生新曰一'《集韻》. ②풀 잉 베지 않아 묵은 잡초. '藉一燔林'《列子》.
[字源] 形聲. ++(艸)+仍〔音〕

4 ⑧ [茚] 앙 [平]陽 五剛切 áng

[字解] 창포(菖蒲) 앙 창포. '一, 一茀, 菖蒲也'《說文》.

字源 篆文 形聲. ++(艸)+卬〔音〕

4 ⑧ [芪] 기(③지本) ①②平支巨支切 qí ③平支 陳尼切

字解 ①지모 기 백합과의 관상용 다년초. '一, 一母也'《說文》. ②단너삼 기 '黃一'는 약초의 이름. 황기(黃耆). '釋名, 黃一, 集解, 頌曰, 根長二三尺以來, 獨莖, 或作叢生. 枝幹去地二三寸, 其葉扶疎, 作羊齒狀'《本草》. ③남오미자 기 풀이름.

字源 篆文 形聲. ++(艸)+氏〔音〕

4 ⑧ [芤] 규 平尤 苦侯切 kōu

字解 ①파 규 파. '釋名, 一. 時珍曰, 外直中空, 有葱通之象也. 一者, 草中有孔也'《本草》. ②병든맥가운데허할 규 경화(硬化)된 혈관으로서, 가운데가 허한 것. '一, 病脈, 徐氏說, 按之卽無, 擧之來至, 傍實中空者曰一'《集韻》.

字源 形聲. ++(艸)+孔〔音〕. '孔공'은 '구멍'의 뜻. 잎의 속이 비어 있는 '파'를 뜻함.

4 ⑧ [芣] 우 平尤 魚尤切 niú

字解 ①풀이름 우 '一, 艸名'《集韻》. ②약초이름 우 '一膝'은 약초의 이름. '一, 一曰, 一膝, 藥艸'《集韻》.

4 ⑧ [芵] 결 入屑 古穴切 jué

字解 초결명 결 콩과의 일년초. 씨앗으로 결명차(決明茶)를 만들어 음용(飮用)함. '一茪, 艸名. 芵明也'《爾雅》.

4 ⑧ [芦] 高人 ■〔호〕苄(艸部 三畫〈p. 1898〉)와 同字 ■〔로〕蘆(艸部 十六畫〈p. 1987〉)의 俗字

4 ⑧ [芿] 〔예〕 刈(刀部 二畫〈p. 243〉)의 俗字

4 ⑧ [苂] 〔췌〕 萃(艸部 八畫〈p. 1935〉)의 略字

4 ⑧ [苄] 〔등〕 等(竹部 六畫〈p. 1661〉)의 俗字

4 ⑧ [苏] 〔소〕 蘇(艸部 十六畫〈p. 1987〉)의 簡體字

4 ⑧ [苭] 〔약〕 藥(艸部 十五畫〈p. 1983〉)의 略字

5 ⑨ [苑] 人名 ■ 원 ①②上阮 於阮切 yuàn ③平元 於袁切 yuān ■ 울 入物 於勿切 yù

筆順 ' + ++ 艹 芍 芍 苑 苑

字解 ■ ①동산 원 ㉠울타리를 치고 금수를 기르는 곳. 옛날에는 '囿', 한(漢)나라 이후에는 '一'이라 함. '一囿'. '渭南上林一中'《史記》. ㉡울타리를 치고 식물을 심는 곳. '花一'. '禁一'. '發五一之蔬果'《韓非子》. ㉢사물이 모이는 곳. 연총(淵叢). '藝一'. '晉世文一, 足儷鄴都'《文心雕龍》. ②문채날 원 문채(文采)가 있는 모양. '蒙伐有一'《詩經》. ③성 원 성(姓)의 하나. ■ 막힐 울 鬱(鬯部 十九畫)과 同字. '我心一結'《詩經》.

字源 篆文 形聲. ++(艸)+夗〔音〕. '夗원'은 '園원'과 통하여, '동산'의 뜻. 초원(草原)이 펼쳐진 '동산'의 뜻을 나타냄.

[苑結 울결] 가슴이 답답하고 막힘. 울결(鬱結)함.
[苑沼 원소] 동산과 늪.
[苑樹 원수] 동산에 심은 나무.
[苑囿 원유] 금수를 기르는 동산.
[苑牆 원장] 정원(庭園)의 담.
[苑池 원지] 동산과 못.
[苑花 원화] 동산에 핀 꽃.

◉故苑. 廣苑. 廏苑. 舊苑. 宮苑. 根苑. 禁苑. 鹿苑. 名苑. 茂苑. 文苑. 鳳苑. 上苑. 仙苑. 神苑. 藥苑. 御苑. 藝苑. 外苑. 園苑. 囿苑. 遊苑. 紫苑. 池苑. 天苑. 廢苑. 學苑. 花苑.

5 ⑨ [苒] 人名 염 上琰 而琰切 rǎn

字解 ①성할 염 성(盛)한 모양. '金華紛一若'《王融》. ②우거질 염 '一一'은 풀이 무성한 모양. '一一之柔莖'《王粲》. ③천연(遷延)할 염 시간을 자꾸 끄는 모양. '時去一荏, 歲行復半'《陸雲》. ④성 염 성(姓)의 하나.

字源 形聲. ++(艸)+冉〔音〕. '冉염'은 수염의 象形. 수염처럼 자란 풀의 모양을 나타냄.

[苒苒 염염] 자해(字解)❷를 보라.
[苒荏 염임] '임염(荏苒)'과 같음. 자해(字解)❸을 보라.

◉掩苒. 荏苒.

5 ⑨ [苓] 령 平青 郎丁切 líng

字解 ①도꼬마리 령 '一耳'는 국화과에 속하는 일년초. 열매는 창이자(蒼耳子)라 하여 약재로 씀. 권이(卷耳). ②감초 령 콩과(科)에 속하는 다년생의 약초(藥草). 뿌리가 단맛이 있어 약용함. '山有榛, 隰有一'《詩經》. ③버섯 령 균류(菌類). '豬一'. '茯一'. '劃一春霧重'《虞集》.

字源 篆文 形聲. ++(艸)+令〔音〕

[苓落 영락] 초목이 시드는 모양. 영락(零落).
[苓耳 영이] 자해(字解)❶을 보라.
[苓通 영통] 돼지 똥과 말똥.

◉茯苓. 蛋苓.

5 ⑨ [苔] 人名 태 平灰 徒哀切 tái

字解 이끼 태 은화식물(隱花植物)에 속하는 선류(蘚類)·태류(苔類)·지의류(地衣類)의 총칭. '蘚一'. '窮谷之汙, 生以青一'《淮南子》.

字源 形聲. ++(艸)+台〔音〕

[苔碣 태갈] 이끼가 낀 갈(碣).
[苔徑 태경] 이끼 낀 소로(小路).
[苔階 태계] 이끼 낀 계단.
[苔磴 태등] 이끼가 낀 돌이 많은 고개.
[苔類 태류] 선태(蘚苔)식물의 한 부류. 우산이끼 등이 이에 속함.
[苔碑 태비] 이끼가 낀 비(碑).
[苔石 태석] 이끼가 낀 돌.
[苔蘚 태선] 이끼. 선태(蘚苔).
[苔衣 태의] 이끼.
[苔篆 태전] 이끼가 낀 비(碑)의 제자(題字).
[苔泉 태천] 이끼가 낀 샘.
◉綠苔. 碧苔. 石苔. 蘚苔. 舌苔. 陰苔. 蒼苔. 靑苔. 翠苔. 海苔.

5 ⑨ [茌] 치 [平]支 仕之切 chí

[字解] ①풀모양 치 '茌, 說文, 艸皃. 或从仕'《集韻》. ②고을이름 치 '—平'은 현(縣)의 이름. 산동 성(山東省) 서부에 있음.

5 ⑨ [苕] [人名] 초 [平]蕭 徒聊切 tiáo

[字解] ①완두 초 콩과에 속하는 이년생의 만초(蔓草). '邛有旨—'《詩經》. ②능소화 초 능소화과(凌霄花科)에 속하는 낙엽 만목(落葉蔓木). 잎이 우상 복엽(羽狀複葉)이고, 황적색 꽃이 핌. 자위(紫葳). '—之華, 芸其黃矣'《詩經》. ③이삭 초 억새·갈대 등의 이삭. '繫之葦—'《荀子》. ④우뚝할 초 '——'는 높은 모양. '虎牢臨河——孤上'《水經注》. ⑤성 초 성(姓)의 하나.
[字源] 篆文 形聲. ++(艸)+召〔音〕. '召소'는 '부르다'의 뜻. 손으로 부르듯이 덩굴이 자라는 풀, '완두·능소화' 등을 뜻함.

[苕嶢 초요] 산 같은 것이 높은 모양.
[苕苕 초초] 높은 모양.
◉陵苕. 連苕. 葦苕. 旨苕.

5 ⑨ [苗] [高人] 묘 [平]蕭 武瀌切 miáo

[筆順] 丨 十 卄 艹 芇 苩 苗 苗
[字解] ①모 묘 곡초(穀草) 등의 싹. '禾—'. '新—'. '宋人有閔其—之不長而揠之者'《孟子》. ②곡식 묘 곡물. '無食我—'《詩經》. ③백성 묘 뭇 백성. 중서(衆庶). '以贍黎—'《後漢書》. ④핏줄 묘 혈통. 자손. '—胤'. '帝高陽之—裔兮'《楚辭》. ⑤사냥 묘 여름철의 사냥. '之子于—'《詩經》. ⑥오랑캐이름 묘 중국의 윈난(雲南) 및 구이저우(貴州) 지방에 사는 만족(蠻族). '—族'. '竄三—于三危'《書經》. ⑦성 묘 성(姓)의 하나.
[字源] 篆文 會意. ++(艸)+田. 논밭에 심은 가느다란 풀. '모'의 뜻을 나타냄.
[參考] 苗(艸部 五畫)은 別字.

[苗稼 묘가] 벼의 모.
[苗脈 묘맥] ㉠묘예(苗裔). ㉡지중(地中)의 광맥.
[苗木 묘목] 어린나무.
[苗民 묘민] 삼묘(三苗)의 백성. 묘족(苗族).
[苗床 묘상] 못자리.
[苗緖 묘서] 묘예(苗裔).
[苗心 묘심] 초목의 모의 심(心).
[苗裔 묘예] 먼 자손.
[苗胤 묘윤] 묘예(苗裔).
[苗子 묘자] 묘족(苗族)㉡.
[苗族 묘족] ㉠후예(後裔). 먼 자손. ㉡중국 남방에 있는 만족(蠻族).
[苗板 묘판] 못자리.
[苗圃 묘포] 묘목을 기르는 밭.
◉嘉苗. 昆苗. 稻苗. 晩苗. 美苗. 三苗. 宋人揠苗. 蒐苗. 新苗. 秧苗. 藥苗. 良苗. 黎苗. 有苗. 育苗. 早苗. 蚤苗. 種苗. 靑苗. 禾苗.

5 ⑨ [苙] 립 [入]緝 力入切 lì

[字解] ①어수리 립 산형과에 속하는 다년초. 뿌리는 약재로 씀. 자란(紫蘭). ②우리 립 돼지우리. '旣入其—'《孟子》.
[字源] 形聲. ++(艸)+立〔音〕

5 ⑨ [苛] [人名] 가 [平]歌 胡歌切 kē(hé)

[字解] ①풀 가 잔풀. ②독할 가 엄혹함. 준엄함. '—酷'. '—政猛於虎'《禮記》. ③까다로울 가 잔다랗고 번거로움. '煩—'. '細—'. '好—禮'《史記》. ④무거울 가 중함. '—殃'. '—疾不生'《素問》. ⑤가려울가 긁고 싶은 감각이 남. '問衣燠寒疾痛—癢'《禮記》. ⑥꾸짖을 가 책망함. 訶(言部 五畫)와 同字. '—罰'. '亭長—之'《漢書》. ⑦어지럽힐 가 혼란케 함. '—我邊鄙'《國語》. ⑧성 가 성(姓)의 하나.
[字源] 金文 篆文 形聲. ++(艸)+可〔音〕. 원래 자잘한 풀을 뜻했으나, '呵가'와 통하여 큰 소리로 나무라다, 가혹하게 굴다의 뜻으로 쓰임.

[苛刻 가각] 가혹하고 각박함.
[苛求 가구] 심하게 요구함.
[苛急 가급] 가혹(苛酷).
[苛厲 가려] 가혹하고 사나움.
[苛斂誅求 가렴주구] 세금 같은 것을 가혹하게 받고 물건을 강제로 청구하여 국민을 못살게 굶.
[苛令 가령] 가혹한 법령.
[苛禮 가례] 까다로운 예절.
[苛吏 가리] 가혹한 관리.
[苛罰 가벌] 꾸짖고 처벌함.
[苛法 가법] 가혹한 법령(法令).
[苛性 가성] 동식물의 세포 조직을 썩이는 성질.
[苛細 가세] 까다롭고 잗닮.
[苛稅 가세] 가혹한 세금.
[苛碎 가쇄] 가세(苛細).
[苛殃 가앙] 심한 재앙.
[苛癢 가양] 몸이 몹시 가려움.
[苛嚴 가엄] 대단히 엄함.
[苛切 가절] 가혹하고 엄함.
[苛政 가정] 가혹한 정치(政治).
[苛重 가중] 가혹하고 과중함.
[苛疾 가질] 중한 병.
[苛察 가찰] 엄하게 살핌.
[苛責 가책] 가혹한 꾸지람.
[苛虐 가학] 가혹하게 학대함.
[苛酷 가혹] 까다롭고 혹독함.
◉細苛. 小苛. 深苛. 嚴苛. 殘苛. 慘苛. 暴苛.

5 ⑨ [苜] 목 ㊅屋 莫六切 mù

字解 거여목 목 '一蓿'은 콩과(科)에 속하는 일년초. 우마(牛馬)의 사료 또는 비료로 쓰임. '馬嗜一蓿'《史記》.

字源 形聲. ++(艸)+目〔音〕

[苜蓿 목숙] 자해(字解)를 보라.

5 ⑨ [苞] 人名 포 ㊉肴 布交切 bāo

字解 ①그령 포 볏과에 속하는 다년초. 신·자리를 만드는 원료로 쓰임. '葴菥一荔'《司馬相如》. ②더부룩이날 포 총생(叢生)함. '草木漸一'《書經》. ③덤불 포 총생한 초목. '集于一栩'《詩經》. ④밑 포 물건의 아래쪽. 근본. '一有三蘖'《詩經》. '一桑'은 뽕나무의 뿌리. ⑤쌀 포 包(勹部 三畫)와 同字. '白茅一之'《詩經》. 또, 짚 같은 데 싼 물품. 꾸러미. '一二'《儀禮》. ⑥성 포 성(姓)의 하나.

字源 篆文 形聲. ++(艸)+包〔音〕. '包포'는 '싸다'의 뜻. 물건을 싸는 풀, '그령'의 뜻과 '싸개'의 뜻을 나타냄.

[苞裹 포과] 쌈. 꾸림.
[苞羅 포라] 포괄(包括)함.
[苞桑 포상] ㉠뽕나무 뿌리. ㉡근본(根本)이 견고함.
[苞苴 포저] ㉠선사하는 물건. 예물. ㉡뇌물.
[苞天 포천] 하늘을 싼다는 뜻으로, 기량(器量)이 큼을 이름.
◉兼苞. 芳苞. 集苞. 香苞.

5 ⑨ [苟] 高人 구 ㊤有 苦厚切 gǒu

筆順 ' ⺊ ⺾ 艹 芍 芍 苟 苟

字解 ①구차할 구 일시를 미봉함. 눈앞의 안전만 도모함. '一安'. '民不一'《周禮》. ②진실로 구 참으로. '一志於仁矣'《論語》. ③겨우 구 조금. 간신히. '一美矣'《論語》. ④단지 구 다만. '非一知之'《揚子法言》. ⑤성 구 성(姓)의 하나.

字源 篆文 形聲. ++(艸)+句〔音〕. 원래는 풀이름을 나타냈으나, 假借하여, '적어도·진실로' 등의 뜻으로 쓰임.

參考 茍(艸部 五畫)은 別字.

[苟簡 구간] ㉠일을 간단히 해치워 일시(一時)를 미봉함. ㉡예절을 등한시함.
[苟同 구동] 구합(苟合) ㉠.
[苟免 구면] ㉠당장을 모면함. ㉡자기의 할 일을 하지 아니함.
[苟安 구안] 일시적인 편안.
[苟容 구용] 비굴하게 남의 비위를 맞춤.
[苟存 구존] 구활(苟活).
[苟且 구차] ㉠일시를 미봉함. 등한히 함. ㉡가난함.
[苟且偸安 구차투안] 구차하게 눈앞의 안일(安逸)만을 취함.
[苟偸 구투] 일시적인 안일을 취함.
[苟合 구합] ㉠함부로 남에게 영합(迎合)함. ㉡겨우 모임.
[苟活 구활] 눈앞의 안일(安逸)만을 탐내어 구차하게 삶.
◉民不苟.

5 ⑨ [苡] 人名 이 ㊤紙 羊已切 yǐ

字解 ①질경이 이 芣(艸部 四畫)를 보라. ②율무 이 薏(艸部 十三畫)를 보라.

字源 篆文 形聲. ++(艸)+以(㠯)〔音〕

參考 苢(次條)는 本字.

◉芣苡. 薏苡.

5 ⑨ [苢] 苡(前條)의 本字

5 ⑨ [苣] 거 ㊤語 其呂切 jù

字解 ①홰 거 횃불을 켜는 물건. 炬(火部 五畫)와 同字. '束一乘城'《後漢書》. ②참깨 거 '一藤'은 호마(胡麻)의 별칭. 거승(巨勝).

字源 甲骨文 篆文 形聲. ++(艸)+巨〔音〕. '巨거'는 '크다'의 뜻. 갈대를 묶어 커다란 불로 사용한 '홰'의 뜻을 나타냄.

[苣文·苣紋 거문] 횃불 불꽃 모양의 무늬.
[苣勝·苣藤 거승] 자해(字解) ❷를 보라.
◉苦苣. 蘆苣. 萵苣.

5 ⑨ [若] 中人 ㊀ 약 ㊅藥 而灼切 ruò ㊁ 야 ㊤馬 人者切 rě

筆順 ' ⺊ ⺾ 艹 芀 芀 若 若

字解 ㊀ ①좇을 약 따름. '欽一昊天'《書經》. ②너 약 이인칭 대명사. '一等'. '一輩'. '一不趣降漢, 漢今虜一'《史記》. ③같을 약 如(女部 三畫)와 뜻이 같음. '一合符節'. '一網在綱'《書經》. ④이같을 약 이와 같은. '一者必死'《史記》. '一而'도 뜻이 같음. '夫婦所生, 一而人'《左傳》. ⑤만일 약 가정하여 하는 말. '君一降逆之, 則不敢顧'《儀禮》. ⑥및 약 그 밖에. 또. '子一孫'《漢書》. ⑦이에 약 乃(丿部 一畫)와 뜻이 같음. '一能有濟也'《國語》. ⑧바다귀신 약 해신(海神). '向一而歎'《莊子》. ⑨어릴 약 弱(弓部 七畫)과 통용. '匈奴一子'《賈誼新書》. ⑩어조사 약 형용사에 붙이는 조사(助辭). '自一'. '瞠一乎其後矣'《莊子》. ⑪성 약 성(姓)의 하나.
㊁ ①반야 야 '般一'는 분별·망상을 떠난 지혜. ②난야 야 '蘭一'는 절. 사찰(寺刹). ③성 야 성(姓)의 하나.

字源 甲骨文 金文 篆文 象形. 甲骨文은 머리를 흐트러뜨리고 정신없이 신의(神意)를 받아 듣는 무녀(巫女)의 모양을 형상화하여, 신의에 따르다의 뜻을 나타냄. 假借하여, '너, 같다, 만일'의 뜻으로 씀. 또, '弱약'과 통하여, '약년(弱年), 젊다'의 뜻으로도 씀.

[若干 약간] ㉠몇. ㉡얼마 되지 아니함.
[若箇 약개] ㉠몇. ㉡어디. 어느 곳. ㉢그. 그것.
[若觀火 약관화] 불을 보듯이 명확함.
[若大旱之望雲霓 약대한지망운예] 큰 가뭄에 비

올 조짐이 생겨 비 내리기를 바란다는 뜻. 사물(事物)의 도래(到來)를 간절히 바람.
[若輩 약배] ㉠너희들. 자네들. ㉡젊은이.
[若不繫之舟 약불계지주] 조금도 거리낌이 없이 마음 내키는 대로 이리저리 소요(逍遙)하고 다님을 비유(譬喩)한 말.
[若不勝衣 약불승의] ㉠옷의 무게를 이기지 못할 만큼 몸이 여위어 파리한 모양. ㉡겸손(謙遜)한 모양.
[若粟之有秕 약속지유비] 조 가운데 쭉정이가 섞여 있는 것과 같음. 곧, 소인(小人)이 군자(君子)들 틈에 끼여 있음의 비유(譬喩).
[若是 약시] 이와 같이. 약차(若此).
[若是若是 약시약시] 이러이러함.
[若耶 약야] 산 이름. 서시 완사(西施浣紗)의 옛 유적이 있음. 약야(若邪).
[若若 약약] 길게 늘어진 모양.
[若魚遊釜中 약어유부중] 고기가 좀 있으면 삶아질 것도 모르고 가마 속을 헤엄쳐 다님과 같다는 뜻으로, 가령(假令) 살아 있다고는 하더라도 오래가지 못할 것의 비유(比喩).
[若越人視秦人之肥瘠 약월인시진인지비척] 월(越)나라와 진(秦)나라와는 서로 멀리 떨어져 있는 까닭에, 월(越)나라 사람에게는 진인(秦人)이 살찌거나 여위거나 아무런 영향(影響)도 없음. 곧, 아무런 관계(關係)가 없다는 뜻.
[若爲 약위] '여하(如何)'와 같음.
[若飮醇醪 약음순료] 좋은 술을 마시는 것처럼 그 사람의 덕(德)에 저절로 감화(感化)되는 일.
[若而人 약이인] 아무개. 모모(某某).
[若摘頷底髭 약적함저자] 턱 아랫수염을 걷어잡음과 같음. 극(極)히 쉬운 일의 비유(比喩).
[若曹 약조] 너희들. 자네들. 약배(若輩).
[若此 약차] 이와 같이. 약시(若是).
[若此若此 약차약차] 이러이러함. 약시약시(若是若是).
[若何 약하] 내하(奈何). 여하(如何).
[若合符節 약합부절] '여합부절(如合符節)'과 같음.
[若火之燎于原 약화지료우원] 불이 벌판을 태워 들어가듯이 죄(罪)나 악(惡)이 세차게 퍼져서 가까이할 수 없음을 이름.
◉敬若. 蘭若. 老若. 丹若. 瞠若. 杜若. 般若. 奉若. 孰若. 肅若. 儼若. 苒若. 沃若. 蒻若. 顒若. 允若. 自若. 祗若. 嗟若. 沱若. 波若. 何若. 海若. 奚若. 炯若. 欽若.

5 ⑨ [苦] 中人 고 ①-⑨㊤麌 康杜切 kǔ ⑩⑪㊦遇 苦故切

筆順 ' ⺾ 艹 艹 芏 芊 苦 苦

字解 ①씀바귀 고. 방가지똥 고 국화과에 속하는 다년초. 뿌리는 맛이 쓴데 나물로 먹음. '采一采一'《詩經》. ②쓸 고 맛이 씀. '誰謂荼一, 其甘如薺'《詩經》. ③괴로워할 고 ㉠근심함. 걱정함. '愁一'. '又一跋盭'《漢書》. ㉡힘을 들임. '劾一'. '勞一而功高如此'《史記》. ㉢간난을 겪음. '民一則不仁'《說苑》. ㉣아파함. '自一而居海上'《呂氏春秋》. ④괴롭힐 고 '不一一民'《戰國策》. ⑤괴로움 고 고난. '無勞倦之一'《戰國策》. ⑥맑을 고 청명함. '月色一兮霜白'《李華》. ⑦거칠 고, 무를 고 조악(粗惡)함. 견고하지 아니함. '器皆不一窳'《史記》. '辨其功一. (注) 一, 脆也'《國語》. ⑧간절할 고 친절함. 절실함. '一諫'. '一言藥也, 甘言疾也'《戰國策》. ⑨심히 고 과도히. '一加撻辱'《侍兒小名錄》. ⑩멀미 고 뱃멀미. 차멀미. '一車'. '今人不善乘船, 謂之一船'《西谿叢語》. ⑪성 고 성(姓)의 하나.

字源 篆文 形聲. ⺾(艸)+古〔音〕. '古고'는 '固고'와 통하여, '굳다'의 뜻. 굳은 풀의 뜻에서, 쓴 나물의 뜻을 나타냄. 전(轉)하여, '괴롭다, 매우'의 뜻을 나타냄.

[苦諫 고간] 하기 어려운 것을 참고 간절히 간함.
[苦客 고객] 귀찮은 손.
[苦車 고거] 멀미. 차멀미.
[苦境 고경] 괴로운 지경(地境).
[苦界 고계] 괴로운 세계. 인간계.
[苦功 고공] 거칠게 만들어진 것. 양공(良功)의 대(對).
[苦難 고난] 괴로움과 어려움.
[苦惱 고뇌] 몸과 마음이 괴로움.
[苦毒 고독] 신고(辛苦).
[苦樂 고락] 괴로움과 즐거움.
[苦慮 고려] 고심(苦心).
[苦力 고력·쿠리] ㉠괴로움을 참고 힘을 다하여 일함. ㉡'쿠리(苦力)'를 보라.
[苦勞 고로] 노고(勞苦).
[苦留 고류] 억지로 머무르게 함.
[苦悶 고민] 괴로워하고 번민함.
[苦使 고사] 혹사(酷使)함.
[苦辭 고사] 간절히 사양(辭讓)함.
[苦蔘 고삼] 콩과에 속한 다년생 풀. 뿌리는 한약재로 씀. 쓴너삼.
[苦狀 고상] 고생하는 상황(狀況).
[苦色 고색] 싫어하는 기색(氣色).
[苦生 고생] ㉠괴롭고 어려운 생활. ㉡괴롭게 수고함.
[苦船 고선] 뱃멀미.
[苦笑 고소] 쓴웃음.
[苦辛 고신] 신고(辛苦)함.
[苦心 고심] 마음을 괴롭힘. 근심 걱정함.
[苦惡 고악] 기물(器物)이 잘못 구워짐.
[苦言 고언] 고간(苦諫)하는 말.
[苦業 고업] 《佛敎》 번뇌의 업연(業緣).
[苦役 고역] 힘이 듦. 또, 그 일.
[苦熱 고열] ㉠심한 더위. 지독한 더위. ㉡더위에 고생함.
[苦鹽 고염] 간수.
[苦雨 고우] 오래 두고 내리는 궂은비. 장마.
[苦窳 고유] 그릇이 거칠고 이지러지거나 흠이 있음.
[苦吟 고음] 고심하여 시가(詩歌)를 읊음.
[苦戰 고전] 곤란한 싸움.
[苦切 고절] 아주 간절함.
[苦節 고절] 고경을 당하여도 변하지 아니하는 굳은 절개.
[苦情 고정] 괴로운 정상(情狀).
[苦酒 고주] 맥주.
[苦竹 고죽] 대의 한 가지. 참대.
[苦集滅道 고집멸도] '사제(四諦)'와 같음.
[苦菜 고채] 씀바귀.
[苦草 고초] 《韓》 고추.
[苦楚 고초] 어려움과 괴로움.
[苦土 고토] 염화(鹽化)마그네슘.
[苦痛 고통] 괴롭고 아픔.

[苦鬪 고투] 고전(苦戰).
[苦學 고학] ㉠고생하며 공부함. ㉡학비를 자력(自力)으로 벌며 공부함.
[苦寒 고한] ㉠추위에 고생함. ㉡지독한 추위.
[苦海 고해] ㉠《佛敎》 고계(苦界). ㉡쓰레기를 버리는 곳.
[苦行 고행] 불법(佛法)을 닦기 위하여 괴로움을 쌓는 일.
[苦患 고환] 고난(苦難).
[苦力 쿨리(중국음)] 중국의 하층 노동자.
◉苛苦. 刻苦. 艱苦. 甘苦. 孤苦. 困苦. 攻苦. 功苦. 菊甘薏苦. 窮苦. 勤苦. 勞苦. 病苦. 悲苦. 貧苦. 四苦. 死苦. 四苦八苦. 酸苦. 三苦. 愁苦. 辛苦. 愛別離苦. 良苦. 嚴苦. 業苦. 五苦. 蓼苦. 憂苦. 危苦. 粒粒皆辛苦. 疾苦. 悽苦. 淸苦. 蟲不知苦. 七難八苦. 歎苦. 痛苦. 八苦. 寒苦. 鹹苦.

5 ⑨ [苧] 人名 저 ㊤語 直呂切 zhù

筆順

字解 모시풀 저 쐐기풀과에 속하는 다년생 귀화(歸化) 식물. 줄기의 섬유는 실을 뽑아 모시를 짬. '一麻'. '一絲'. '其草則蔗一蘋莞'《張衡》.
字源 形聲. ++(艸)＋宁〔音〕

[苧麻 저마] 모시풀.

5 ⑨ [苨] 니 ㊤薺 奴禮切 nǐ

字解 ①모싯대 니 '薺一'는 모싯대. 또는 도라지. '今俗呼薺一爲甜桔梗也'《本草》. ②우거질 니 무성한 모양. '維葉一一'《詩經》.
字源 形聲. ++(艸)＋尼〔音〕

[苨苨 이니] 초목이 무성한 모양.

5 ⑨ [苫] ㊀ 점 ㊥鹽 失廉切 shān ㊁ 섬 韓

字解 ㊀ ①거적 점 띠·짚 따위를 엮어 자리처럼 만든 물건. '寢一枕干'《禮記》. ②덮을 점 덮어 가림. '倚木於樹, 一覆而居'《世說》. ③성 점 성(姓)의 하나. ㊁《韓》 ①섬 섬 곡식을 담기 위해 짚으로 엮은 멱서리. ②섬 섬 도서(島嶼).
字源 篆文 形聲. ++(艸)＋占〔音〕. '占점'은 '葉접'과 통하여, 얇고 넓적하다의 뜻. 새 따위를 엮어 만든 '거적'을 뜻함.

[苫塊 점괴] 옛날에 부모상을 당했을 때에 남자는 중문(中門) 밖에, 여자는 중문 안에 여막(廬幕)을 짓고 거적자리를 깔고 흙뭉치를 베개로 한 일. 전(轉)하여, 부모상을 당하는 일.
◉蓑苫. 廉苫. 寢苫.

5 ⑨ [苯] 분 ㊤阮 布忖切 běn

字解 우거질 분 '一蓴'은 풀이 무성한 모양. '禾卉一蓴以垂穎'《晉書》.
字源 形聲. ++(艸)＋本〔音〕

[苯蓴 분준] 자해(字解)를 보라.

5 ⑨ [英] 中·人 영 ㊥庚 於驚切 yīng

筆順

字解 ①꽃 영 초목의 꽃. 핀 뒤에 열매가 여는 것을 '華', 열매가 열지 않는 것을 '一'이라 함. '華一'. '殘一'. '顏如舜一'《詩經》. ②꽃부리 영 '夕餐秋菊之落一'《楚辭》. ③싹 영 초목의 싹. '毋夭一'《管子》. ④꽃다울 영 꽃과 같이 아름다움. 또, 그러한 사물. '一華'. '五金之一'《吳越春秋》. ⑤빼어날 영 뛰어남. 또, 그러한 사람. '一雄'. '與三代之一'《禮記》. ⑥영국 영 영국의 약칭(略稱). '美一'. ⑦성 영 성(姓)의 하나.
字源 篆文 形聲. ++(艸)＋央〔音〕. '央앙'은 '景경'과 통하여, 높아 가는 빛의 뜻. 찬란히 빛날 정도의 '꽃'의 뜻을 나타냄.

[英槪 영개] 뛰어난 기개.
[英傑 영걸] 영준 호걸(英俊豪傑).
[英果 영과] 영단(英斷).
[英氣 영기] 뛰어난 재기(才氣).
[英斷 영단] 지혜롭고 용기 있게 처단함.
[英達 영달] 영명(英明).
[英圖 영도] 영략(英略).
[英略 영략] 뛰어난 계략.
[英靈 영령] ㉠뛰어난 사람. ㉡영혼(英魂).
[英邁 영매] 영민(英敏)하고 비범함.
[英名 영명] ㉠뛰어난 좋은 이름. ㉡영어(英語)로 된 이름.
[英明 영명] 영민(英敏)하고 총명(聰明)함.
[英髦 영모] 빼어난 젊은이. 뛰어난 사람.
[英武 영무] 무용(武勇)이 뛰어남.
[英文 영문] ㉠영어(英語). ㉡영어(英語)로 쓴 글.
[英物 영물] 뛰어난 인재.
[英敏 영민] 영특하고 민첩함.
[英發 영발] 재기(才氣)가 밖에 나타남.
[英輔 영보] 훌륭한 재상. 명상(明相).
[英士 영사] 뛰어난 선비.
[英書 영서] 영어(英語)로 쓴 글씨.
[英聖 영성] 학덕이 뛰어나고 사리에 밝음. 또, 그 사람.
[英聲 영성] 영명(英名) ❶.
[英語 영어] 영국(英國) 말.
[英彥 영언] 영사(英士).
[英譯 영역] 영어로 번역함.
[英英 영영] ㉠아름다운 모양. ㉡성(盛)한 모양. ㉢소리가 맑아 듣기 좋은 모양. ㉣구름이 뜬 모양.
[英乂 영예] 영사(英士).
[英銳 영예] 영민(英敏)한 예기(銳氣).
[英悟 영오] 준수하고 총명함.
[英雄 영웅] 재능과 담력이 탁월한 인물.
[英雄忌人 영웅기인] 영웅은 공명(功名)을 세우기 위하여 남을 시기함.
[英雄欺人 영웅기인] 영웅은 책략을 써서 남을 잘 속임.
[英偉 영위] 영특하고 위대함. 또, 그 사람.
[英人 영인] 영국(英國) 사람.
[英字 영자] 영어(英語)로 쓴 글자. 영서(英書).
[英姿 영자] 고상한 자태(姿態). 뛰어난 풍채(風采).
[英資 영자] 뛰어난 자질(資質).

[英姿颯爽 영자삽상] 뛰어난 풍채가 보기에 늠름하고 시원시원해 보임.
[英才 영재] 영민(英敏)한 재주. 또, 그 사람.
[英照 영조] 꽃이 물에 비친 것이 아름다움.
[英主 영주] 뛰어난 임금. 영명(英明)한 임금.
[英俊 영준] 영특하고 준수(俊秀)함.
[英俊豪傑 영준호걸] 걸출한 인물.
[英智 영지] 영민(英敏)한 지혜(智慧).
[英哲 영철] 영명(英明)하고 현철(賢哲)함.
[英特 영특] 걸출함.
[英風 영풍] ㉠뛰어난 덕화(德化). ㉡뛰어난 풍채.
[英賢 영현] 영특하고 현명함. 또, 그 사람.
[英豪 영호] 영준 호걸(英俊豪傑).
[英華 영화] ㉠꽃. ㉡아름다운 심정이 외부에 나타난 것. ㉢우수한 문장. ㉣명예(名譽).
◉瓊英. 群英. 落英. 蘭英. 丹英. 渡英. 麥英. 繁英. 三英. 祥英. 石英. 秀英. 蕣英. 玉英. 雲英. 育英. 紫雲英. 才英. 殘英. 俊英. 重英. 衆英. 集英. 蒲公英. 韓英. 含英. 玄英. 賢英. 豪英. 花英. 華英.

5 ⑨ **[苴]** [一] 저 [平]魚 七余切 jū [二] 차 [平]麻 鉏加切 chá [三] 자 [上]馬 側下切 zhǎ [四] 조 [平]虞 宗蘇切 zū

[字解] [一] ①깔 저 ㉠신 속에 짚을 깖. 또, 그 물건. '冠雖蔽, 不以一履'《漢書》. ㉡자리 같은 것을 깖. '一白茅于江淮'《漢書》. ②꾸러미 저 짚 같은 것으로 싼 것. '苞一簞笥'《禮記》. ③삼씨 저 삼의 씨. '九月叔一'《詩經》. ④삼 저 열매가 여는 삼. '一麻'. '一布之衣'《莊子》. ⑤검을 저, 검정 저 '斬衰裳一'《儀禮》. ⑥성 저 성(姓)의 하나. [二] ①마른풀 차, 고목 차 말라 죽어 물 위에 뜬 풀이나 나무. '如彼棲一'《詩經》. ②마를 차 말라 죽음. '草一比而不芳'《楚辭》. [三] 두엄풀 자 거름에 섞은 풀. '其土一以治天下'《莊子》. [四] 거적 조 제사(祭祀) 때 까는 띠로 엮은 거친 자리. '席用一稭'《漢書》.
[字源] 甲骨文 篆文 形聲. 艹(艸)＋且〔音〕. '且차·저·조'는 포개어 쌓다의 뜻. 풀을 겹쳐 쌓아 깐 '깔창'의 뜻을 나타냄.

[苴麻 저마] 열매가 여는 삼.
[苴杖 저장] 상중(喪中)에 쓰는 검정빛의 대지팡이.
[苴絰 저질] 상중(喪中)에 쓰는 수질(首絰)과 요질(腰絰).
[苴布 저포] 삼으로 짠 거친 베.
◉補苴. 棲苴. 叔苴. 土苴. 巴苴. 苞苴.

5 ⑨ **[苼]** [一] 생 [平]庚 師庚切 shēng [二] 유 [平]支 儒隹切 ruí

[字解] [一] 땅이름 생 '一, 地名, 在魯'《集韻》. [二] 꽃드리워질 유 꽃이 늘어진 모양. '蕤, 說文, 艸木花垂皃, 或省'《集韻》.

5 ⑨ **[苭]** 요 [上]篠 伊鳥切 yǎo

[字解] 풀자라는모양 요 '一, 一笑, 艸長皃'《集韻》.

5 ⑨ **[苶]** 날(녈[本]) [入]屑 奴結切 niè

[字解] 고달플 날 피로한 모양. 또, 잊는 모양. '一然疲役, 而不知其所歸'《莊子》.
[字源] 形聲. 艹(艸)＋尒〔音〕. '尒니·녈'은 '泥니'와 통하여 '진흙'의 뜻. 진흙처럼 지친 모양을 나타냄.

[苶然 날연] 고달픈 모양. 또, 망각(忘却)하는 모양.
◉衰苶.

5 ⑨ **[苹]** [一] 평 [平]庚 符兵切 píng [二] 편 [平]先 蒲眠切

[字解] [一] ①쑥 평 국화과에 속하는 풀. 쑥〔艾〕의 일종. '呦呦鹿鳴, 食野之一'《詩經》. ②사과 평 과실의 한 가지. '一果'. ③돌 평 선회함. '爭湍一縈'《馬融》. ④개구리밥 평 부평초(浮萍草). 萍(艸部 八畫)과 同字. '湟潦生一'《大戴禮》. [二] 병거 편 '一車'는 적(敵)에 대하여 자기를 가리는 병거(兵車).
[字源] 篆文 形聲. 艹(艸)＋平〔音〕. '平평'은 '평평함'의 뜻. 물 위에 납작하게 뜨는 풀을 뜻함.

[苹車 편거] 자해(字解)[二]를 보라.
[苹果 평과] 사과.
[苹縈 평영] 선회하는 모양. 도는 모양.

5 ⑨ **[苺]** [人名] 매 [上]賄 母罪切 méi

[字解] ①딸기 매 나무딸기·양딸기 등의 총칭. '蛇一䔰一'《本草》. ②이끼 매 선태(蘚苔). '隨意坐一苔'《杜甫》.
[字源] 篆文 形聲. 艹(艸)＋母〔音〕. '母모'는 젖통이 있는 어머니의 뜻. 젖꼭지 같은 열매가 달리는 '딸기'를 뜻함.

[苺苔 매태] 이끼. 선태(蘚苔).
◉蛇苺. 烏蘞苺. 䔰苺.

5 ⑨ **[苻]** 부 ①[平]虞 防無切 fú ②[平]虞 蓬逋切 pú

[字解] ①껍질 부 풀씨의 껍질. '剖一甲'《史記》. ②성 부 성(姓)의 하나.
[字源] 形聲. 艹(艸)＋付〔音〕

[苻甲 부갑] 풀씨의 껍질.
[苻堅 부견] 부진(苻秦)의 군주. 처음엔 왕맹(王猛)을 등용하여 세력을 떨치다가 진(晉)에게 망하였음.
[苻秦 부진] 전진(前秦). 진(晉)나라 때 부홍(苻洪)이 관중(關中)에 웅거하여 삼진왕(三秦王)이라 일컬었으므로 이름.

5 ⑨ **[苳]** 동 [平]冬 都宗切 dōng

[字解] 풀이름 동 '一, 艸也'《說文》.
[字源] 形聲. 艹(艸)＋冬〔音〕

5 ⑨ **[苽]** [人名] 고 [平]虞 古胡切 gū

[字解] 줄 고 菰(艸部 八畫)와 同字. '一食雉羹'《禮記》.

字源 篆文 形聲. ++(艸)+瓜〔音〕

◉巨苽.

5 ⑨ [苾] 人名 필 ⓐ入質 毗必切 bì

筆順 ' ⺈ ⺾ 艹 苃 苾 苾 苾

字解 향내 필 향기. 또, 향기가 남. '一芬孝祀'《詩經》.

字源 篆文 形聲. ++(艸)+必〔音〕. '必필'은 '密밀'과 통하여, '고요하다'의 뜻. 고요하고 은근한 향기를 뜻함.

[苾勃 필발] 향기가 대단히 나는 모양.
[苾芬 필분] 향기가 남.
[苾芻 필추] 중. 비구(比丘).
[苾苾 필필] 좋은 향기가 나는 모양.
◉契苾. 芳苾. 芬苾.

5 ⑨ [茀] 一 불 ⓐ入物 敷勿切 fú 二 발 ⓐ入月 薄沒切 bó

字解 一 ①풀숲 불, 덤불 불 풀의 수풀. '得隣之一地'《曾鞏》. ②다스릴 불 풀을 베어 가지런히 함. '一厥豐草'《詩經》. ③막힐 불 통하지 아니함. '道一不可行也'《國語》. ④머리꾸미개 불 수식(首飾). '婦喪其一'《易經》. ⑤수레포장 불 부인용 수레의 앞뒤에 가리어 치는 것. '翟一以朝'《詩經》. ⑥복 불 행복. '一祿爾康矣'《詩經》. ⑦상여줄 불 紼(糸部 五畫)과 통용. '用葛一'《左傳》. 二 숨쉴 발 숨을 쉬는 모양. '氣息一然'《莊子》.

[茀⑤]

字源 篆文 形聲. ++(艸)+弗〔音〕. '弗불'은 '내뿜다'의 뜻. 풀이 많이 자라다의 뜻을 나타냄.

[茀然 발연] 숨 쉬는 모양.
[茀祿 불록] 복. 행복. 복록.
[茀茀 불불] 강성(強盛)한 모양.
[茀矢 불시] 주살. 증작(繒繳).
◉葛茀. 吡茀.

5 ⑨ [茁] 人名 一 절 ⓐ入屑 側劣切 zhuó 二 촬 ⓐ入黠 鄒滑切 三 줄 ⓐ入質 厥律切 zhuó (굴本)

筆順 ' ⺈ ⺾ 艹 艹 芇 茁 茁

字解 一 싹 절 초목의 싹. 맹아(萌芽). '後春蓴一活如酥'《蘇軾》. 二 ①싹틀 촬 풀이 뾰족뾰족 나는 모양. '彼一者葭'《詩經》. ②자랄 촬 동물이 성장하는 모양. '牛羊一壯長而已矣'《孟子》. 三 ①싹 줄 초목의 싹. ②성 줄 성(姓)의 하나.

字源 篆文 形聲. ++(艸)+出〔音〕. '出출'은 '나오다'의 뜻. 풀이 싹 터서 나오는 모양.

[茁茁 촬촬] 싹이 뾰족뾰족 나오는 모양.
◉萌茁. 草茁.

5 ⑨ [茂] 中人 무 ⓐ去有 莫候切 mào

筆順 ' ⺈ ⺾ 艹 芦 芦 芃 茂 茂 茂

字解 ①우거질 무 무성함. '繁一'. '春華至秋, 不得久一'《列仙傳》. ②성(盛)할 무 '先王以一對時, 育萬物'《易經》. ③빼어날 무 재덕(才德)이 뛰어남. '一士'. '存問一才'《漢書》. ④힘쓸 무 懋(心部 十三畫)와 통용. '一正其德'《國語》. ⑤성 무 성(姓)의 하나.

字源 篆文 形聲. ++(艸)+戊〔音〕. '戊무'는 '冃모'와 통하여, '덮다'의 뜻. 풀이 뒤덮고 우거지다의 뜻을 나타냄.

[茂陵 무릉] 산시(陝西)의 현(縣)의 이름. 한무제(漢武帝)의 능(陵)이 있음.
[茂林 무림] 나무가 무성한 수풀.
[茂士 무사] 재주가 뛰어난 선비.
[茂盛 무성] 나무가 잘 자람. 초목이 번성함.
[茂松 무송] 무성한 소나무.
[茂樹 무수] 무성한 나무.
[茂蔭 무음] 무성한 나무의 그늘.
[茂才 무재] ㉠재주가 뛰어남. 또, 그 사람. ㉡후한(後漢)의 관리 등용 과목의 이름.
[茂材 무재] 무재(茂才).
[茂宰 무재] 부(府)·현(縣)의 지사(知事)의 존칭(尊稱).
[茂迹 무적] 뛰어난 공적.
[茂特 무특] 대단히 무성함.
[茂行 무행] 선행(善行).
[茂勳 무훈] 뛰어난 공훈.
◉蔓茂. 美茂. 朴茂. 蕃茂. 繁茂. 富茂. 生茂. 碩茂. 秀茂. 邃茂. 淑茂. 純茂. 淳茂. 闍茂. 豔茂. 英茂. 榮茂. 鬱茂. 偉茂. 幽茂. 莘茂. 滋茂. 紫荊茂. 壯茂. 雋茂. 竹苞松茂. 俊茂. 暢茂. 叢茂. 翠茂. 熾茂. 沈茂. 豐茂. 弘茂. 黃茂.

5 ⑨ [范] 人名 범 ⓐ上豏 防鋄切 fàn

筆順 ' ⺈ ⺾ 艹 艹 芀 芀 范

字解 ①풀이름 범 '一, 艸也'《說文》. ②벌 범 막시류(膜翅類)에 딸린 날벌레. '一則冠'《禮記》. ③거푸집 범 주형(鑄型). '一金合土'《禮記》. ④법 범 範(竹部 九畫)과 통용. '左右軌一'《禮記》. ⑤성 범 성(姓)의 하나.

字源 篆文 形聲. ++(艸)+氾〔音〕

[范寧 범녕] 진(晉)나라 사람으로, 자(字)는 무자(武子)라 하는데, 〈춘추곡량전집해(春秋穀梁傳集解)〉를 지었음.
[范丹 범단] 범염(范冉).
[范滂 범방] 후한(後漢) 사람. 자(字)는 맹박(孟博). 영제(靈帝) 때에 당사(黨事)로 인하여 환관(宦官)에게 죽임을 당하였음.
[范成大 범성대] 송(宋)나라 시인(詩人)으로, 자(字)는 치능(致能). 호(號)는 석호거사(石湖居士). 특히, 시(詩)를 잘 지어 양만리(楊萬里)와

아울러 일컬어짐. 저서에는 〈석호집(石湖集)〉과 〈오선록(吳船錄)〉 등이 있음. 소희(紹熙) 4년, 68세로 죽었음.
[范叔 범숙] 범저(范雎).
[范蠡 범여] 춘추(春秋) 시대의 초(楚)나라 사람으로, 월왕(越王) 구천(勾踐)을 도와서 오(吳)나라를 멸망시키어 회계(會稽)의 치욕을 씻어 주었음. 그 후엔 벼슬을 버리고 도(陶)에 숨어 살면서 큰 부호(富豪)가 되매 세인이 도주공(陶朱公)이라 불렀음.
[范冉 범염] 후한(後漢)의 고사(高士). 자(字)는 사운(史雲). 일명(一名) 범단(范丹). 환제(桓帝) 때 내무(萊蕪)(땅 이름)의 장(長)이 되었음. 청빈(淸貧)하기로 이름나서 당시의 세속에서 '甑衆生塵范史雲'이라고까지 하였음.
[范曄 범엽] 남북조 시대(南北朝時代)의 송(宋)나라 사람. 자(字)는 위종(蔚宗). 박학 능문(博學能文)하여 후한서(後漢書) 90권을 지었으나, 문제(文帝)의 원가(元嘉) 22년 반란을 꾀하다가 죽음을 당하였음.
[范鎔 범용] 금속을 녹여 거푸집에 넣음.
[范雎 범저] 전국 시대(戰國時代)의 위(魏)나라 사람. 원교 근공책(遠交近攻策)을 진(秦)의 소양왕(昭襄王)에게 진언하여 재상이 되고 응후(應侯)에 봉(封)해졌음.
[范仲淹 범중엄] 송(宋)나라 인종(仁宗) 시대의 명상(名相). 자(字)는 희문(希文). 벼슬이 참지정사(參知政事)에 이르렀음. 문집(文集)을 지었는 바, 그중 악양루(岳陽樓)는 가장 잘 알려졌음. 황우(皇祐) 4년에 죽음. 문정(文正)이라 시호(諡號)하였음.
[范增 범증] 초(楚)나라 항우(項羽)의 모신(謀臣). 아부(亞父)라 불림. 뒤에 항우로부터 의심을 받자 벼슬을 내놓고 물러나 등창을 앓다가 죽었음.
◉矩范. 軌范. 大范. 小范.

5 ⑨ **[茄]** [人名] [一] 가 [平]歌 求迦切 qié [二] 하 [平]麻 古牙切 jiā

[字解] [一] ①가지 가 가짓과(科)에 속하는 일년생의 재배초. 과채(果菜)의 하나. '一子'. '別一披葱'《王褒》. ②연줄기 가 연(蓮)의 줄기. '蒂倒一於藻井'《張衡》. [二] 연(蓮) 하 荷(艸部 七畫)와 통용. '衿芰一之綠衣兮'《漢書》.
[字源] 篆文 形聲. ++(艸)+加〔音〕. '加가'는 위에 얹다의 뜻. 잎이나 꽃을 위에 얹고 있는 연(蓮)의 뜻을 나타냄.

[茄子 가자] 가지. 열매를 식용함.
◉芰茄.

5 ⑨ **[苲]** [一] 자 [上]馬 側下切 zhǎ / [去]禡 側駕切 [二] 작 [入]藥 疾各切 / [入]陌 側格切

[字解] [一] ①풀이름 자 '一, 草名'《玉篇》. ②두엄 자, 찌끼 자, 지게미 자 '苴, 土苴, 和糞艸也. 一曰, 糟魄. 或作一'《集韻》. ③술주자 자 술을 거르는 기구. '醡, 酒醡也. 或作一'《集韻》. [二] ①고을이름 작 '筰, 說文, 越嶲縣名. 或从乍'《集韻》. ②풀이름 작 '一, 艸名'《集韻》. ③산이름 작 '一領'은 산 이름. '桂陽郡, 湞陽有一領山'《後漢書》.

5 ⑨ **[茅]** [人名] 모 [平]肴 莫交切 máo

[字解] ①띠 모 볏과의 다년초. 근경(根莖)은 약용, 잎은 지붕을 임. '拔一連茹'《易經》. ②띠벨 모 띠를 낫 같은 것으로 벰. '晝爾于一'《詩經》. ③띳집 모 띠로 지붕을 인 집. '聊結一間一'《方岳》.
[字源] 篆文 形聲. ++(艸)+矛〔音〕. '矛모'는 '창'의 뜻. 창처럼 튀어나온 풀, '띠'를 뜻함.

[茅居蒿牀 모거호상] 띠로 인 집에 쑥을 깐 마루. 곧, 누추한 집.
[茅坤 모곤] 명(明)나라 문장가(文章家). 자(字)는 순보(順甫). 호(號)는 녹문(鹿門). 고문(古文)을 잘하여 〈당송팔대가문초(唐宋八大家文鈔)〉를 찬(撰)함. 만력(萬曆) 29년에 죽었음.
[茅堂 모당] 모옥(茅屋).
[茅門 모문] 띠로 지붕을 인 문.
[茅舍 모사] 모옥(茅屋).
[茅山 모산] 산 이름. 구곡산(句曲山)이라고도 함. 신선(神仙)이 사는 데라 함. 장쑤 성(江蘇省)내에 있음.
[茅塞 모색] 마음이 사욕에 막힘.
[茅塞子之心矣 모색자지심의] 띠가 우거져 길을 막듯이 사람의 마음이 사욕(私慾) 때문에 가리워짐을 이름.
[茅柴 모시] 탁주. 맛이 나쁜 술.
[茅庵 모암] 띠로 인 암자.
[茅茹 모여] 띠 뿌리가 많이 벋어 서로 연함. 전(轉)하여, 동류(同類)끼리 서로 한패가 됨의 비유.
[茅屋 모옥] ㉠띠로 지붕을 인 집. 전(轉)하여, 누추한 집. ㉡자기 집의 겸칭(謙稱).
[茅茨 모자] 띠. 또, 띠로 인 지붕.
[茅茨不翦 모자부전] 띠로 지붕을 이고 끝을 베어 가지런히 하지 아니함. 생활이 아주 검소함을 이름.
[茅蕝 모체] 띠를 묶어 죽 늘어놓고 석차(席次)를 표시한 것.
[茅草 모초] 띠.
[茅土 모토] 옛날에 천자가 제후를 봉할 때 그 방향의 빛깔〈동(東)은 청(靑), 서(西)는 백(白), 남(南)은 적(赤), 북(北)은 흑(黑), 중앙(中央)은 황(黃)〉의 흙을 백모(白茅)에 싸서 하사한 것. 전(轉)하여, 봉역(封域)의 일컬음.
[茅茷 모패] 띠가 우거진 숲.
[茅軒 모헌] 띠로 인 집.
◉芒茅. 白茅. 葺茅. 菁茅. 草茅. 包茅. 衡茅. 黃茅.

5 ⑨ **[茆]** [一] 묘 [上]巧 莫飽切 máo, mǎo [二] 모 [平]晧 武道切 [三] 류 [上]有 力久切

[字解] [一] 순채 묘 수련과(睡蓮科)에 속하는 다년생의 수초(水草). 어린잎은 먹음. '薄采其一'《詩經》. [二] ①띠 모 茅(前條)와 통용. '山房幾度換一茨'《陸游》. ②풀섶 모 '一, 艸叢生也'《集韻》. [三] 갯버들 류 포류(蒲柳).
[字源] 篆文 形聲. ++(艸)+卯〔音〕

[茆茨 모자] 띠. 또, 띠로 인 지붕. 모자(茅茨).
[茆檐 모첨] 띠로 인 처마.

[茆菹 묘저] 순채(蓴菜)의 일종. 부규(凫葵).

5 ⑨ [茇] 발 ㉧曷 蒲撥切 bá

字解 ①뿌리 발 초목의 뿌리. ②한둔할 발 옥외(屋外)에서 잠. 노숙함. '召伯所一'《詩經》. ③넘을 발 跋(足部 五畫)과 통용. '一涉至此'《通鑑綱目》. ④성 발 성(姓)의 하나.

字源 篆文 形聲. 艹(艸)+犮〔音〕. '犮발'은 '뽑다'의 뜻. 풀을 뽑고 노숙(露宿)하다의 뜻과 봄에 뽑는 초목의 뿌리를 뜻함.

[茇舍 발사] 한데서 잠. 노숙함.
[茇涉 발섭] 산을 넘고 물을 건넘. 곧, 여러 곳을 두루 돌아다님. 발섭(跋涉).
◉藁茇. 草茇.

5 ⑨ [茉] 人名 말 ㉧曷 彌葛切 mò

筆順 一 十 卄 艹 芒 芊 茉

字解 말리(茉莉) 말 '一莉'는 물푸레나뭇과(科)에 속하는 상록 관목(常綠灌木). 관상용 또는 향유(香油) 원료를 채취하기 위하여 재배함. 소형(素馨). '南越五穀無味, 百花不香, 獨一莉不隨水土而變也'《陸賈》.

字源 形聲. 艹(艸)+末〔音〕

[茉莉 말리] 자해(字解)를 보라.

5 ⑨ [茈] 자 ㊤紙 將此切 zǐ

字解 능소화나무 자 '一葳'는 능소화과에 속하는 낙엽 만목(落葉蔓木). 정원에 심어 가꾸며, 여름철에 빨간 꽃이 핌. 능소화(凌霄花).

字源 篆文 形聲. 艹(艸)+此〔音〕

[茈薑 자강] 생강의 싹.
[茈葳 자위] 자해(字解)를 보라.
[茈虒 자치] 가지런하지 아니한 모양.

5 ⑨ [茌] 선 ㊥先 相然切 xiān

字解 풀이름 선 골풀 비슷한 풀. '南郊神座, 皆用一席'《隋書》.

[茌席 선석] 골풀 비슷한 풀로 만든 자리.

5 ⑨ [苘] 경 ㊤迥 口迥切 qǐng

字解 어저귀 경 아욱과에 속하는 일년초. 경마(苘麻). '一, 枲屬'《集韻》.

5 ⑨ [苬] 一 수 ㊥尤 似由切 xiú 二 유 ㊥尤 夷周切

字解 一 목영지(木靈芝) 수 '一, 芝. (注) 芝, 一歲三華. 瑞草'《爾雅》. 二 목영지 유 一과 뜻이 같음.

5 ⑨ [苷] 감 ㊥覃 古三切 gān

字解 감초(甘草) 감 콩과의 다년생 약용 식물. '一, 甘艸也'《說文》.

字源 篆文 形聲. 艹(艸)+甘〔音〕. '甘감'은 '달다'의 뜻. 단맛이 나는 풀, '감초'의 일컬음.

5 ⑨ [苵] 질 ㉧屑 徒結切 dié

字解 돌피 질 볏과의 일년초. 가축 사료로 씀. '蕛, 一名一. 似稗之穢草也. 布生於地'《爾雅 疏》.

字源 篆文 形聲. 艹(艸)+失〔音〕

5 ⑨ [苖] 적 ㉧錫 徒歷切 dí

字解 소루쟁이 적 마디풀과의 다년초. 잎은 식용함. 양제(羊蹄).

字源 篆文 形聲. 艹(艸)+由〔音〕

參考 苗(艸部 五畫)는 別字.

5 ⑨ [苠] 민 ㊥眞 眉貧切 mín

字解 ①대껍질 민 대나무 줄기의 겉쪽. '一, 竹膚也'《集韻》. ②많을 민 많은 모양. '人一一而處乎中'《太玄經》. ③《現》늦될 민 만생(晚生). 작물의 성숙이 늦음.

字源 形聲. 艹(艸)+民〔音〕

5 ⑨ [苩] 一 백 ㉧陌 薄陌切 bó 二 파 ㊥麻 披巴切 pā

字解 一 성 백 성(姓)의 하나. '一, 姓也, 百濟有一氏'《集韻》. 二 꽃 파 葩(艸部 九畫)와 同字.

5 ⑨ [茁] 출 ㉧質 直律切 zhú

字解 삽주 출 국화과의 다년초. 어린잎은 식용(食用), 뿌리는 건위제(健胃劑), 모기약 등으로 씀. '一, 山薊也'《說文》.

字源 篆文 形聲. 艹(艸)+朮〔音〕. '朮술'은 '삽주'의 뜻. '艸초'를 덧붙여, 더욱 그 뜻을 분명히 한 것.

◉白茁. 赤茁. 蒼茁.

5 ⑨ [茍] 극 ㉧職 紀力切 jì

字解 삼갈 극 '一, 自急敕也'《說文》.

字源 金文 篆文 古文 象形. 머리를 묶고 고개를 숙인 사람의 모양을 형상화하여, 자책하는 모습에서 자신을 타이르는 뜻을 나타냄. 본래는, '敬경'의 原字였으나, '亟극'과 뜻이 가까워 '亟'과 동음(同音)이 됨.

參考 苟(艸部 五畫)는 別字.

5 ⑨ [苐] 一 〔이〕荑(艸部 六畫〈p. 1921〉)와 同字 二 〔제〕第(竹部 五畫〈p. 1658〉)의 俗字

5 ⑨ [茶] 〔괴〕 乖(丿部 七畫〈p. 55〉)의 本字

5 ⑨ [茎] 〔경〕
莖(艸部 七畫〈p.1925〉)의 俗字

5 ⑨ [茔] 〔견〕
菺(艸部 七畫〈p.1924〉)과 同字

6 ⑩ [茗] 人名 명 ㊤迥 莫迥切 míng(mǐng)

字解 ①차 명 ㉠차나무의 싹. 또, 차나무의 잎을 따서 음료(飮料)의 원료로 만든 것. 또, 그 음료. '佳―'. '新―'. '落日平臺上, 春風啜―時'《杜甫》. ㉡늦게 딴 차. '早取曰茶, 晩取曰―'《茶經》. ②차나무 명 후피향나뭇과에 속하는 상록 관목(常綠灌木). 잎으로 차를 만듦. '拔―而植桑'《宋史》. ③성 명 성(姓)의 하나.
字源 篆文 形聲. ++(艸)＋名〔音〕

[茗柯有實理 명가유실리] 차나무는 가지는 작아도 열매가 열림. 외형(外形)은 허술하여도 그 내면(內面)이 충실함의 비유.
[茗果 명과] 차와 과일.
[茗具 명구] 명기(茗器).
[茗器 명기] 차(茶)를 마시는 그릇.
[茗邈 명막] 높고 먼 모양.
[茗坊 명방] 다방(茶房).
[茗肆 명사] 차(茶)를 파는 집.
[茗芽 명아] 차나무의 싹.
[茗宴 명연] 차를 마시는 모임. 다회(茶會).
[茗醼 명연] 명연(茗宴).
[茗園 명원] 명포(茗圃).
[茗飮 명음] 차를 마심.
[茗艼 명정] 술에 취함. 명정(酩酊).
[茗粥 명죽] 차에 끓인 죽.
[茗圃 명포] 차나무를 심은 밭.
◉佳茗. 綠茗. 濃茗. 茶茗. 薄茗. 芳茗. 新茗. 煮茗. 煎茗.

6 ⑩ [荔] 려 ㊀霽 郎計切 lì

字解 ①염교 려 백합과에 속하는 다년초. 인경(鱗莖)은 식용함. '―挺'. ②여지 려 '―枝'는 ㉠무환자과(無患子科)에 속하는 상록 교목(常綠喬木). 우상(羽狀) 복엽(複葉)이고, 열매는 용안(龍眼)의 열매 비슷하며 식용함. 남방 원산(原産)임. ㉡박과(科)에 속하는 만초(蔓草). 여주. 고과(苦瓜). ③성 려 성(姓)의 하나.
字源 篆文 形聲. ++(艸)＋劦(劦)〔音〕. '劦려'은 기세가 성(盛)하다의 뜻.
參考 茘(次條)는 本字.

[荔丹 여단] 빨갛게 익은 여지(荔枝)의 열매.
[荔子 여자] 여지의 열매.
[荔挺 여정] 염교. 백합과의 다년초.
[荔枝 여지] 자해(字解)❷를 보라.
◉丹荔. 大荔. 薜荔. 山荔. 香荔.

6 ⑩ [茘] 荔(前條)의 本字

6 ⑩ [茍] 구 ㊤有 巨九切 jiù

字解 ①말뱅이나물 구 '―, 藥名, 按本草, 鬼臼, 生深山巖谷, 一年生一莖, 云云, 本作臼, 俗作―'《正字通》. ②잔대 구 초롱꽃과에 딸린 여러해살이풀. 어린잎과 뿌리는 식용함.

6 ⑩ [茮] ㊀ 초 ㊥蕭 玆消切 jiāo ㊁ 뇨 ㊤篠 乃了切 niǎo

字解 ㊀ ①나무이름 초 산초나무의 일종. 보통의 산초나무보다 가시는 적지만, 잎·열매가 크고 향기가 강함. '―, ―菉也'《說文》. ②산초열매송이질 초 산초 열매가 다닥다닥 송이 진 모양. '―, 一曰, 菉·萸子聚生成房皃'《集韻》. ㊁ 풀자랄 뇨 '茐―'는 풀이 자람. '―, 茐―, 艸長'《集韻》.
字源 形聲. ++(艸)＋尗〔音〕

6 ⑩ [茙] 융 ㊥東 如融切 róng

字解 ①접시꽃 융 아욱과에 속하는 다년초. 접시 모양의 백색·적색·자색 꽃이 핌. 관상용으로 심음. 촉규(蜀葵). '―葵本胡中葵, 似葵而大者'《述異記》. ②성 융 성(姓)의 하나.

[茙葵 융규] 접시꽃.
[茙菽 융숙] 콩의 일종.

6 ⑩ [茛] 간 ㊀願 古恨切 gèn

字解 미나리아재비 간 '毛―'은 미나리아재빗과에 속하는 다년초. 들에 자생(自生)하는 독초(毒草)임.
字源 形聲. ++(艸)＋艮〔音〕
參考 莨(艸部 七畫)은 別字.

◉毛茛.

6 ⑩ [茜] 人名 천 ㊀霰 倉甸切 qiàn

字解 꼭두서니 천 ㉠꼭두서닛과에 속하는 다년생 만초(蔓草). 뿌리는 꼭두서니 빛의 염료(染料) 또는 진통제로 쓰고, 어린잎은 식용함. '千畝巵―'《史記》. ㉡꼭두서니를 원료로 하여 만든 빨간 물감이나, 또 그 빛. '染藍―'《玉燭寶典》.
字源 篆文 形聲. ++(艸)＋西〔音〕. '西서'는 서쪽의 뜻. 서쪽 하늘을 물들이는 저녁놀 같은 색깔의 물감과 풀, '꼭두서니'를 이름.

◉染藍茜.

6 ⑩ [茝] 채 ㊤賄 昌亥切 chǎi

字解 어수리 채 산형과에 속하는 다년초. 뿌리는 약재로 씀. '側載臭―, 所以養鼻也'《史記》.
字源 篆文 形聲. ++(艸)＋臣〔音〕

[茝蘭 채란] 구릿대.

6 ⑩ [茞] 신 ㊥眞 植鄰切 chén

字解 풀이름 신 '―, 艸也'《說文》.

字源 形聲. ++(艸)+臣〔音〕

6 ⑩ [茡] 〔자〕
芓(艸部 三畫〈p.1898〉)와 同字

6 ⑩ [荸] 〔등〕
等(竹部 六畫〈p.1661〉)의 俗字

6 ⑩ [莂] 렬 ㊀屑 良辥切 liè

字解 갈대이삭 렬 갈대의 화수(花穗). 사기(邪氣)를 쓸어버리는 비를 만듦. '君臨臣喪, 以巫祝桃一執戈'《禮記》.

字源 篆文 形聲. ++(艸)+列〔音〕. '列렬'은 나누어 늘어놓다의 뜻. 이삭 끄트머리를 나란하게 하여 비를 매어 부정을 쓸어버리기 때문에 이름.

◉桃莂. 紫莂.

6 ⑩ [茨] 人名 자 ㊥支 疾資切 cí

字解 ①일 자 풀 또는 띠로 지붕을 임. '環堵之室, 一以生草'《莊子》. ②띠 자 지붕을 이는 띠. '茅一不翦'《史記》. ③가시나무 자 가시가 있는 작은 관목(灌木)의 총칭. 형극(荊棘). '楚楚者一'《詩經》. ④남가새 자 남가샛과에 속하는 일년초. 가시가 있고, 노란 꽃이 핌. 뿌리와 씨는 약재로 씀. 질려(蒺藜). '牆有一'《詩經》. ⑤쌓을 자 축적함. '曾孫之稼, 如一如梁'《詩經》. ⑥성 자 성(姓)의 하나.

字源 篆文 形聲. ++(艸)+次〔音〕. '次차'는 '齊제'와 통하여, '가지런해지다'의 뜻. 새 따위의 풀을 가지런히 골라 지붕을 이다의 뜻을 나타냄. 또, '次'는 '疾질'과 통하여, 상처 입히다의 뜻. 사람을 다치게 하는 풀, '가시나무'를 이름.

[茨棘 자극] ㉠가시나무. ㉡곤란. 분요(紛擾).
[茨牆·茨墻 자장] 가시 울타리.
[茨草 자초] ㉠풀로 지붕을 임. ㉡가시나무와 풀. 잡초(雜草)를 이름.
◉棘茨. 茅茨. 葺茨.

6 ⑩ [茭] 교 ㊥肴 古肴切 jiāo

字解 ①꼴 교 마소의 먹이로 하는 건초(乾草). '峙乃芻一'《書經》. ②벨 교, 깎을 교 꼴풀을 벰. '民一牧其中'《史記》. ③승검초 교 미나릿과에 속하는 다년초. 좋은 향기가 나며, 뿌리는 말려 약재로 씀. 당귀(當歸). '一, 牛蘄'《爾雅》. ④노 교 대오리 또는 갈대로 꼰 노. '搴長一兮湛美玉'《後漢書》.

字源 篆文 形聲. ++(艸)+交〔音〕

[茭牧 교목] 목축(牧畜)을 함.
◉芻茭.

6 ⑩ [茤] ㊀ 기 ㊤寘 奇寄切 jì
㊁ 다 ㊥歌 當何切 duō

字解 ㊀ 마름 기 '茤, 蔆也. 一, 杜林說, 茤从多'《說文》. ㊁ 이민족이름 다 '鹿一'는 한(漢)나라 때, 남쪽 이민족(異民族)의 이름. '南下江漢, 擊附塞夷鹿一'《後漢書》.

6 ⑩ [茫] 高人 ㊀ 망 ㊥陽 莫郎切 máng
㊁ 황 ㊤養 呼晃切 huǎng

筆順 丨 十 卄 艹 艹 芢 茫 茫

字解 ㊀ ①아득할 망, 망망할 망 한량없이 넓은 모양. '渺一'. '一乎不知其畔岸'《蘇軾》. ②멍할 망 어리둥절한 모양. '一然自失'《列子》. '一然增愧赧'《韓愈》. ㊁ 황홀할 황 慌(心部 十畫)과 同字. '一惚使人愁'《韓愈》.

字源 形聲. ++(艸)+汒〔音〕. '汒망'은 '아득하다'의 뜻. '艸초'를 붙여, 초원 따위가 넓고 끝없이 아득한 모양을 나타냄.

[茫漠 망막] ㉠넓고 먼 모양. 아득한 모양. ㉡분명하지 아니한 모양.
[茫邈 망막] 망막(茫漠) ㉠.
[茫茫 망망] 넓고 멀어 아득한 모양.
[茫昧 망매] 분명하지 아니함. 어두움.
[茫無頭緖 망무두서] 정신이 망연(茫然)하여 사리(事理)를 분간(分揀)할 수 없음.
[茫無涯畔 망무애반] 아득히 멀어 끝이 없음.
[茫洋 망양] ㉠한량없이 넓은 모양. 아득한 모양. ㉡어리둥절한 모양.
[茫然 망연] 넓고 멀어 아득한 모양.
[茫然自失 망연자실] 정신을 잃어 어리둥절함.
[茫惚 황홀] 정신이 흐리멍덩함. 정신이 멍함.
◉昧茫. 冥茫. 杳茫. 淼茫. 渺茫. 微茫. 瀰茫. 旺茫. 滄茫. 蒼茫. 沆茫. 浩茫. 混茫.

6 ⑩ [茯] 복 ㊀屋 房六切 fú

字解 복령(茯苓) 복 '一苓'은 담자균류(擔子菌類)에 속하는 버섯의 한 가지. 소나무의 땅속뿌리에 기생(寄生)하며, 겉은 흑갈색이고 주름이 많음. 말리면 희게 됨. 수종(水腫)·임질 등의 약재로 씀. '千年之松, 下有一苓'《淮南子》.

字源 形聲. ++(艸)+伏〔音〕

[茯苓 복령] 자해(字解)를 보라.

6 ⑩ [萿] 괄 ㊀曷 古活切 guā

字解 하늘타리 괄 '一蔞'는 박과에 속하는 다년생의 만초(蔓草). 뿌리에서 전분(澱粉)이 나는데, 이를 천화분(天花粉)이라 하여 약재로 씀.

字源 篆文 形聲. ++(艸)+𠯑〔音〕. '𠯑괄('舌'은 變形)'은 (나무에 감기어서 덮어) 막다의 뜻.

[萿蔞 괄루] 자해(字解)를 보라.

6 ⑩ [茱] 수 ㊥虞 市朱切 zhū

字解 수유나무 수 '一萸'는 운향과(芸香科)에 속하는 낙엽 교목(落葉喬木). 열매의 기름을 짜서 머릿기름으로 쓰며, 또 9월 9일에 높은 산에 올라가서 이 열매를 머리에 꽂으면 사기(邪氣)를 물리친다 함. '吳一萸'. '山一萸'. '九月

九日折一萸房插頭, 可辟惡氣'《風土記》.
字源 篆文 形聲. ++(艸)+朱〔音〕. '朱주'는 '붉다'의 뜻. 붉은 열매가 달리는 수유나무를 뜻함.

[茱萸 수유] 자해(字解)를 보라.

6 ⑩ [茲] 中人 자 ①-⑤㊥支 子之切 zī ⑥㊥支 疾之切 cí

筆順

字解 ①불을 자 滋(水部 十畫)와 통용. '天不之一'《太玄經》. ②더욱 자 일층 많이. 滋(水部 十畫)와 통용. '賦斂一重'《漢書》. ③자리 자 앉거나 눕도록 바닥에 까는 물건. '康叔封布一'《史記》. ④이 자, 이곳 자, 이때 자 가까운 곳을 가리키는 관형사. '受一介福'《易經》. 또, 여기. '名言一在一. 出一在一'《書經》. ⑤성 자 성(姓)의 하나. ⑥나라이름 자 '龜一'는 서역(西域)의 나라 이름. 지금의 신장(新疆)웨이우얼 자치구(自治區) 쿠처 현(庫車縣) 일대.
字源 甲骨文 金文 篆文 形聲. ++(艸)+絲〈省〉〔音〕. '丝사'는 두 가닥의 실로서, 초목(草木)이 붇다, 우거지다의 뜻. 그러나 甲骨文·金文 모두 양사(兩絲)의 象形. 甲骨文에서부터 이미 '여기, 이'의 뜻의 지시사(指示詞)로도 썼음.
參考 玆(玄部 五畫)는 別字이나, 그릇 혼동(混同)하는 일이 있음.

◉龜茲. 今茲. 來茲. 負茲. 在茲.

6 ⑩ [茳] 강 ㊥江 古雙切 jiāng

字解 천궁모 강 천궁(川芎)의 모. '一蘺'. '要我賦蘭一'《黃庭堅》.
字源 形聲. ++(艸)+江〔音〕

[茳蘺 강리] ㉠천궁(川芎)의 모〔苗〕. 또, 강리(江蘺)로도 씀. ㉡해감·수면(水綿).
[茳芒決明 강망결명] 콩과에 속하는 다년생 만초(蔓草). 활량나물.

6 ⑩ [茴] 人名 회 ㊥灰 戶恢切 huí

字解 회향풀 회 '一香'은 미나릿과에 속하는 이년초. 향기가 남. 열매는 건위 구풍(健胃驅風)의 약재로 씀. '一香生蒙楚之間'《嵇康》.
字源 形聲. ++(艸)+回〔音〕

[茴香 회향] 자해(字解)를 보라.

6 ⑩ [茵] 人名 인 ㊥眞 於眞切 yīn

字解 ①깔개 인 주로 수레 안에 까는 자리. '文一', '乘一步輦'《班固》. ②사철쑥 인 '一蔯'은 국화과에 속하는 다년초. 떡잎은 식용하고, 또 인진호(茵蔯蒿)라 하여 약용(藥用)으로 함. 더위지기.
字源 篆文 別體 形聲. ++(艸)+因〔音〕. '因인'은 사람이 깔개에 눕는 모양의 형상화. '因'이 '말미암다'의 뜻으로 쓰이자, 구별할 필요가 생겨서 '艸초'를 붙임.

[茵毯 인담] 담요〔毯〕.
[茵席 인석] 자리.
[茵席之臣 인석지신] 임금 곁에서 시중을 드는 신하.
[茵蓐 인욕] 인석(茵席).
[茵褥 인욕] 인석(茵席).
[茵蔯 인진] 자해(字解) ❷를 보라.
◉錦茵. 文茵. 芳茵. 拂茵. 軟茵. 旃茵. 重茵. 苔茵. 花茵. 華茵.

6 ⑩ [茶] 高人 다(차㊗) ㊥麻 宅加切 chá

筆順

字解 ①차나무 다 후피향나뭇과에 속하는 상록 관목(常綠灌木). 어린잎을 따서 차를 만듦. '拔一而植桑'《宋史》. ②차 다 ㉠차의 재료. '貢一'《唐書》. ㉡일찍 딴 차. '早取曰一, 晩取曰茗'《茶經》. ㉢차를 넣은 음료. '好飮一'《世說》. ③성 다 성(姓)의 하나.
字源 形聲. ++(艸)+余〈省〉〔音〕. '余여·야·도'는 '자라다'의 뜻. 자란 새싹을 따서 음료(飮料)로 삼는 것, 곧, '차'를 뜻함.

[茶榷 다각] 관부(官府)가 차를 전매(專賣)하여 그 이익을 독점함.
[茶褐色 다갈색] 조금 검은빛이 도는 적황색(赤黃色).
[茶磑 다개] 다구(茶臼).
[茶客 다객] 차를 파는 사람.
[茶經 다경] 당(唐)나라 육우(陸羽)가 지은 책. 3권. 차에 관하여 상세히 설명한 책.
[茶果 다과] 차와 과일.
[茶菓 다과] 차와 과자(菓子).
[茶課 다과] 차(茶)의 세금(稅金).
[茶罐 다관] 차를 달이는 그릇.
[茶臼 다구] 차를 가는 맷돌.
[茶旗 다기] 차의 잎.
[茶器 다기] 차를 마시는 그릇.
[茶啖 다담] 불가(佛家)에서 손님 앞에 내는 다과(茶菓) 같은 것.
[茶禮 다례] 죽은 사람에게 명일(名日)에 지내는 제사(祭祀).
[茶爐 다로] 차를 끓이는 화로.
[茶寮 다료] 다실(茶室).
[茶梅 다매] 차나뭇과〔山茶科〕에 속한 상록 교목. 동백나무 비슷하나 좀 작음.
[茶博士 다박사] ㉠차를 파는 사람. ㉡차에 달통(達通)한 사람. ㉢차를 끓여 나르는 하인.
[茶房 다방] 차(茶)를 파는 집. 찻집.
[茶毗 다비] 범어(梵語)로 화장(火葬)을 뜻함.
[茶肆 다사] 다방(茶房).
[茶色 다색] ㉠차의 종류. ㉡엽차(葉茶)의 빛. ㉢다갈색(茶褐色).
[茶市 다시] 차(茶)를 파는 시장.
[茶食 다식] 녹말·송홧가루·승검초 가루·황밤 가루·흑화자(黑花子) 가루 등을 꿀에 반죽해서 다식판(茶食板)에 박아 낸 과자(菓子).
[茶室 다실] 차를 끓이는 방.
[茶宴 다연] 차를 마시는 모임.

[茶烟 다연] 차를 끓이는 연기.
[茶醼 다연] 다연(茶宴).
[茶椀 다완] 차를 마시는 그릇.
[茶園 다원] 차를 심는 밭.
[茶人 다인] 엽차(葉茶)를 따는 사람.
[茶店 다점] 차를 파는 가게.
[茶粥 다죽] 차에 끓인 죽.
[茶槍 다창] 차의 싹〔芽〕.
[茶托 다탁] 다기(茶器)를 올려놓는 조그마한 탁자.
[茶湯 다탕] 차(茶).
[茶戶 다호] 차를 파는 집.
[茶話 다화] 차를 마시며 하는 이야기.
[茶會 다회] 차를 마시는 모임.
◉喫茶. 綠茶. 濃茶. 淡茶. 末茶. 抹茶. 麥茶. 名茶. 銘茶. 焙茶. 餠茶. 新茶. 烏龍茶. 龍茶. 煮茶. 殘茶. 煎茶. 磚茶. 碾茶. 點茶. 製茶. 粗茶. 惣茶. 烹茶. 獻茶. 紅茶.

6 ⑩ [茷] 패 ①㊀隊 符廢切 fá, fèi ②㊀泰 蒲蓋切 pèi

字解 ①우거질 패 풀이 무성함. 또, 그곳. '斫榛莽焚茅—'《柳宗元》. ②깃발 패 旆(方部 六畫)와 통용. '綪—旃旌'《左傳》.
字源 篆文 形聲. ⺾(艸)＋伐〔音〕

[茷茷 패패] 순서 있는 모양. 정돈된 모양.
◉茅茷. 綪茷.

6 ⑩ [茸] 人名 용 ①-③㊥冬 而容切 róng ④-⑧㊤腫 乳勇切 rǒng

筆順

字解 ①우거질 용 풀잎이 무성한 모양. '尨—'. '阿那蓊—'《張衡》. ②어지러울 용 헝클어진 모양. 흩어진 모양. '狐裘蒙—'《史記》. ③녹용 용 사슴의 새로 돋은 연한 뿔. '槲葉風微鹿養—'《黃庭堅》. ④잔털 용 가는 털. '微霜結裘—'《陸游》. ⑤싹 용 풀의 싹. 맹아(萌芽). '蓼—蒿笋試春盤'《蘇軾》. ⑥버섯 용 고등 균류(菌類). 균심(菌蕈). '掇野之—'《王鏊》. ⑦미련쟁이 용 미련한 사람. 또, 천한 사람. '闒—'. ⑧밀 용 떼밂. '僕又—以蠶室'《漢書》.
字源 篆文 會意. ⺾(艸)＋耳

[茸茸 용용] 풀잎이 우거진 모양.
◉鹿茸. 蘢茸. 蒙茸. 尨茸. 丰茸. 蓊茸. 叢茸. 㲨茸.

6 ⑩ [茹] 人名 여 ㊥魚 人諸切 rú ㊀御 人恕切 ㊤語 人渚切

字解 ①연할 여 초목의 뿌리가 서로 연결된 모양. 또, 그 뿌리. '拔茅連—'《易經》. ②먹을 여 주로 야채를 먹음을 이름. '飯糗—草'《孟子》. ③받을 여 주는 것을 받음. '柔亦不—'《詩經》. ④채소 여 야채. '白露之—'《枚乘》. ⑤데삶을 여, 데칠 여 살짝 삶아 부드럽게 함. '蒸爲—'《爾雅翼》. 또, 데쳐서 조미(調味)한 채소. '廚人進藿—'《傅玄》. ⑥부드러울 여 유연함. '攬—蕙以掩涕兮'《楚辭》. ⑦썩을 여 부패함. '以—魚去蠅'《呂氏春秋》. ⑧말라죽을 여 고사(枯死)함. '神藥形—'《左思》. ⑨헤아릴 여 촌탁(忖度)함. '不可以—'《詩經》. ⑩꼭두서니 여 꼭두서닛과에 속하는 다년생 만초(蔓草). '—藘在阪'《詩經》. ⑪성 여 성(姓)의 하나.
字源 篆文 形聲. ⺾(艸)＋如〔音〕. '如여'는 '부드럽다'의 뜻. 부드러운 나물을 이름. 또, 싱싱함이 없어진 시든 나물, '썩다'의 뜻을 나타냄.

[茹淡 여담] 변변찮은 음식을 먹음.
[茹藘 여려] 꼭두서닛과에 속하는 다년생의 만초(蔓草). 꼭두서니.
[茹毛飮血 여모음혈] 상고(上古) 시대에 짐승을 사냥하여 생식(生食)한 일.
[茹腥 여성] 비린내 나는 것을 먹음.
[茹素 여소] 채식(菜食)함.
[茹菽 여숙] ㉠채소와 콩. ㉡콩을 먹음.
[茹哀 여애] 슬퍼함.
[茹魚 여어] 썩은 생선.
[茹茹 여여] 옛날에 중국 북방에 있던 만족(蠻族).
◉茅茹. 蔬茹. 連茹. 菜茹.

6 ⑩ [茺] 충 ㊥東 昌終切 chōng

字解 익모초(益母草) 충 꿀풀과의 월년초. 암눈비앗. 충울(茺蔚). '—, —蔚, 艸名, 益母也'《集韻》.
字源 形聲. ⺾(艸)＋充〔音〕

6 ⑩ [茼] 동 ㊥東 徒紅切 tóng

字解 쑥갓 동 '—蒿'는 국화과에 속하는 일년초. 채소(菜蔬)의 하나. '—蒿香可茹'《物性志》.
字源 形聲. ⺾(艸)＋同〔音〕

[茼蒿 동호] 자해(字解)를 보라.

6 ⑩ [荀] 人名 순 ㊥眞 相倫切 xún

筆順

字解 ①풀이름 순 꽃은 노랗고 열매는 붉은 풀. '名曰—草. 服之美人色'《山海經》. ②성 순 성(姓)의 하나.
字源 篆文 形聲. ⺾(艸)＋旬〔音〕

[荀賈 순가] 순욱(荀勗)과 가충(賈充). 모두 진대(晉代)의 명신(名臣).
[荀卿 순경] 순황(荀況)의 존칭.
[荀爽 순상] 후한(後漢) 사람. 자(字)는 자명(慈明). 숙(淑)의 아들. 경학(經學)에 밝았음. 왕윤(王允)과 함께 동탁(董卓)을 죽이고자 꾀하다가 뜻을 이루지 못한 채 죽었음.
[荀淑 순숙] 후한(後漢) 사람. 자(字)는 계상(季相). 환제(桓帝) 때 낭릉후(朗陵侯)의 정승이 되었음. 아들 여덟을 두었는데, 모두 재명(才名)이 있어 세상이 그들을 팔룡(八龍)이라 불렀음.
[荀氏八龍 순씨팔룡] 이름난 형제가 많음을 이름.

'순숙(荀淑)' 참조(參照).

[荀彧 순욱] 후한(後漢) 사람. 자(字)는 문약(文若). 조조(曹操) 밑에서 분무사마(奮武司馬)가 되었음.

[荀子 순자] ㉠순황(荀況)의 존칭. ㉡책 이름. 춘추 시대 조(趙)나라의 유학자 순황의 찬(撰). 모두 20권. 주공(周孔)의 가르침을 밝히고, 예학(禮學)을 권장하였음.

[荀況 순황] 전국 시대 조(趙)나라의 유학자. 특히 예학(禮學)을 역설하여 맹자(孟子)의 성선설(性善說)을 부정하고 성악설(性惡說)을 주창하였음. 그때의 사람들이 순(荀) 또는 손(孫)이라 일컬어 존경하는 뜻으로 순경(荀卿) 또는 손경(孫卿)이라 하였음. 저서에는 〈순자(荀子)〉가 있음.

6 ⑩ [荁] 환 [平]寒 胡官切 huán

[字解] 오랑캐꽃 환 오랑캐꽃〔菫〕의 일종. '菫—枌楡'《禮記》.

◉菫荁.

6 ⑩ [茾] [一] 교 [上]篠 巨夭切 jiào [二] 구 [平]尤 居尤切

[字解] [一] 꼬일 교 풀이 얽히는 모양. '—, 艸相糾皃'《集韻》. [二] 꼬일 구 [一]과 뜻이 같음.

6 ⑩ [茥] 광 [平]陽 曲王切 kuāng

[字解] ①풀이름 광 '—, 一曰, 艸名'《集韻》. ②따를 광 뒤따름. '—, 隨也'《方言》.

6 ⑩ [茪] 광 [平]陽 古黃切 guāng

[字解] ①결명차 광 '茯—'은 약초(藥草)인 결명차. 결명초(決明草). '薢茩, 茯—. (疏) 藥草, 茯明也. 一名茯—, 一名決明'《爾雅》. ②마름 광 '—, 一曰, 蔆也'《集韻》.

6 ⑩ [荕] 근 jīn

[字解] 뼈 근 '—, 骨也'《篇海》.

6 ⑩ [荞] 〔근〕 菫(艸部 八畫〈p. 1933〉)의 古字

6 ⑩ [茈] 기 [上]紙 口已切 qǐ

[字解] 약초이름 기 벤 상처에 효험이 있는 약초(藥草). '—, 藥草. 可治金瘍'《集韻》.

6 ⑩ [荛] 〔탈〕 莌(艸部 七畫〈p. 1924〉)과 同字

6 ⑩ [荃] [人名] 전 [平]先 此緣切 quán (③절[本]) [入]屑 促絕切

[筆順] 丨 十 艹 艹 芺 苎 苓 荃

[字解] ①향초 전 향기로운 풀. '—不揆余之中情兮'《楚辭》. ②통발 전 筌(竹部 六畫)과 통용. '—蹄'. '得魚而忘—'《莊子》. ③가는베 전 絟(糸部 六畫)과 통용. '絟, 細布也. 或作—'《集韻》. '繇王閩侯遺建—葛'《漢書》.

[字源] [篆文] 形聲. 艹(艸)+全〔音〕.

[荃宰 전재] 천자(天子)가 되어 천하를 다스림.
[荃蹄 전제] '전제(筌蹄)'와 같음.
[荃蕙 전혜] 향초(香草)의 이름.

6 ⑩ [荄] 해 [平]灰 古哀切 gāi

[字解] 풀뿌리 해 초근(草根). '靑陽開動, 根—以遂'《漢書》.

[字源] [篆文] 形聲. 艹(艸)+亥〔音〕. '亥해'는 아래로부터 양기(陽氣)(생기)를 일으키다의 뜻.

◉根荄.

6 ⑩ [荅] 답 [入]合 都合切 dá

[字解] ①대답할 답 答(竹部 六畫)과 통용. '奉—天命'《書經》. ②팥 답 소두(小豆). '菽—麻麥'《晉書》. ③홉 답 용량의 단위. 한 홉(合). '鹽豉千—'《史記》. ④성 답 성(姓)의 하나.

[字源] [金文] [篆文] 形聲. 艹(艸)+合〔音〕. '合합'은 '맞다'의 뜻. 깍지가 꼭 들어맞는 '팥'의 일컬음.

◉渠荅. 芳荅. 奉荅. 鮓荅.

6 ⑩ [荆] [人名] 형 [平]庚 舉卿切 jīng

[字解] ①모형 형 마편초과에 속하는 낙엽 관목(落葉灌木). 줄기와 잎은 약재로 씀. '其下多—杞'《山海經》. ②가시나무 형 가시가 있는 작은 관목(灌木)의 총칭. '—棘'. '攀—榛陟堆埼'《吳儆》. ③곤장 형 태형(笞刑)에 쓰는 모형(牡荊)으로 만든 막대기. 형장(刑杖). '肉袒負—'《史記》. ④아내 형 자기 아내의 겸칭. 후한(後漢)의 양홍(梁鴻)의 아내 맹광(孟光)이 가시나무의 비녀를 꽂은 고사(故事)에서 나온 말. '—妻'. '—釵布裙'《列女傳》. ⑤땅이름 형 우공 구주(禹貢九州)의 하나. 지금의 후난(湖南)·후베이·광시(廣西) 및 구이저우(貴州)의 땅. 전(轉)하여, 초(楚)나라의 땅. 초나라. '晉伐鄭, —救之'《國語》. ⑥성 형 성(姓)의 하나.

[字源] [金文] [金文] [篆文] [古文] 金文은 象形으로, 사람을 수갑을 채우고 있는 모양의 상형화이며, 매질하는 가시나무를 이름. 篆文은 形聲으로 艹(艸)+刑〔音〕.

[荆軻 형가] 전국 시대의 자객(刺客) 이름. 연(燕)나라의 태자(太子) 단(丹)을 위해서 진왕(秦王)을 죽이려 하다가 도리어 진왕에게 죽음.
[荆關 형관] 형호(荊浩)와 관동(關東). 모두 송대(宋代)의 화가(畫家).
[荆棘 형극] ㉠가시나무. ㉡고난(苦難). ㉢뒤얽힌 사태. 분규. ㉣나쁜 마음.
[荆杞 형기] 모형(牡荊). 인삼목(人蔘木).
[荆蠻 형만] 중국 남방의 오랑캐.
[荆門 형문] ㉠가시나무의 문. ㉡후베이 성(湖北省) 의도현(宜都縣)에 있는 산 이름. 양자강 중류(中流)의 절험(絕險)한 곳.

[荊山 형산] 후베이 성(湖北省) 남장현(南漳縣)의 산 이름. 황제(黃帝)가 솥을 만들던 곳.
[荊舒是懲 형서시징] 형서(荊舒)는 중국 남방의 오랑캐. 도리(道理)에 어두운 만민(蠻民)은 무력으로 쳐서 응징하여야 한다는 뜻.
[荊尸 형시] 춘추 시대(春秋時代)의 초(楚)나라의 진법(陣法).
[荊越之竹猶不能書 형월지죽유불능서] 고대에는 대나무 쪽에 글을 썼는데, 형월(荊越) 지방에서 나는 많은 대에도 다 기록할 수 없을 만큼 쓸 것이 많다는 말.
[荊榛 형진] 가시나무와 개암나무. 잡목(雜木)의 「숲.
[荊釵布裙 형차포군] 가시나무의 비녀와 베치마. 부인의 검소한 차림. 후한(後漢) 양홍(梁鴻)의 처(妻) 맹광(孟光)의 고사에서 나온 말.
[荊妻 형처] 자기 아내의 겸칭(謙稱).
[荊楚歲時記 형초세시기] 초(楚)나라 풍속과 연중행사를 적은 책. 양(梁)나라 종름(宗懍)이 지었음. 1권. 형초(荊楚)는 옛 구주(九州)의 하나로서 형주(荊州)의 춘국(椿國)을 이름.
[荊布 형포] ㉠형처(荊妻). 형차포군(荊釵布裙)에서 나온 말. ㉡가난한 사람이 입는 거친 옷.
[荊浩 형호] 오대(五代)의 화가(畫家). 자(字)는 호연(浩然). 산수 수석(山水樹石)을 그리는 데 능하였음.
◉牡荊. 負荊. 柴荊. 識荊. 紫荊. 拙荊. 榛荊.

6 ⑩ [荊] 荊(前條)의 俗字

6 ⑩ [荇] 人名 행 ㊤梗 何梗切 xìng

字解 ①노랑어리연꽃 행 '一菜'는 조름나물과에 속하는 다년생 수초(水草). 연한 잎은 먹음. '參差一菜, 左右流之'《詩經》. ②성 행 성(姓)의 하나.

字源 篆文 別體 別體 形聲. 篆文은 ++(艸)+杏[音]. '杏행'은 물의 위 아래로 줄기·뿌리를 뻗는 모양. 別體는 ++(艸)+洐[音]. '洐행'은 물을 떠돌며 흐르다의 뜻. '荇행'은 그 생략체(省略體).

參考 莕(艸部 七畫)은 同字.

[荇菜 행채] 자해(字解)를 보라.
◉綠荇. 紫荇.

6 ⑩ [荈] 천 ㊤銑 昌兗切 chuǎn

字解 ①차 천 차나무의 노엽(老葉)으로 만든 차(茶). '密賜茶一, 以當酒'《吳志》. ②풀이름 천 '一, 艸名'《集韻》.

6 ⑩ [草] 中人 초 ㊤晧 采老切 cǎo

筆順 ' + ++ 廾 芇 苜 苴 草

字解 ①풀 초 ㉠초본(草本) 식물의 총칭. '雜一'. '一木'. ㉡풀이 우거진 곳. 풀숲. '軍無橫一之功'《漢書》. ②풀벨 초 풀을 벰. '民弗敢一也'《禮記》. ③거칠 초 조잡함. '以惡一具進楚使'《史記》. ④야비할 초 천덕스러움. 촌스러움. '一野'. 전(轉)하여, 재야(在野)의 일컬음. '一茅'. '一莽之臣'. ⑤시작할 초 창시(創始)함. '一創天下'《後漢書》. ⑥처음 초 창시. '天造一昧'《易經》. ⑦초할 초 초를 잡음. '蕭何一律'《後漢書》. ⑧초 초 초고(草稿). '視一廼遣'《漢書》. ⑨초서 초 가장 자획을 간략히 한 서체. '好古字, 鳥篆隷一'《魏志》. ⑩성 초 성(姓)의 하나.

字源 篆文 形聲. ++(艸)+早[音]. '艸초'와 동일어(同一語)인데, 그 음(音)을 나타내기 위해 '早조'가 붙여졌음. '艸'는 풀의 象形으로, '풀'을 뜻함.

[草家 초가] ㉠이엉으로 지붕을 인 집. 초가집. ㉡띳집의 별칭(別稱).
[草間 초간] ㉠풀이 무성한 땅. 촌. ㉡민간(民間).
[草間求活 초간구활] 민간에서 무위 무관(無位無官)으로 살아가기를 바란다는 뜻으로, 한갓 삶을 탐내는 일.
[草芥 초개] 지푸라기. 전(轉)하여, 아무 소용없는 것.
[草稿 초고] 시문(詩文)의 원고(原稿)를 초벌로 쓴 글.
[草藁 초고] 초고(草稿).
[草具 초구] 악식(惡食).
[草根木皮 초근목피] 풀뿌리와 나무껍질. 전(轉)하여, 한약재(漢藥材) 또는 험한 음식.
[草琴 초금] 풀 잎사귀로 만든 피리. 호드기.
[草堂 초당] ㉠초가(草家). 누추한 집. ㉡자기 집의 겸칭(謙稱).
[草頭 초두] 잎사귀 끝. 초엽(草葉)의 위.
[草頭露 초두로] 초로(草露).
[草萊 초래] ㉠풀숲. ㉡풀이 우거진 땅. 황폐한 토지.
[草略 초략] 매우 거칠고 간략함.
[草廬 초려] 초당(草堂).
[草廬三顧 초려삼고] 촉한(蜀漢)의 유비(劉備)가 몸을 낮추어 제갈공명(諸葛孔明)의 집을 세 번 찾은 고사(故事).
[草路 초로] 풀밭의 길.
[草露 초로] 풀잎에 맺힌 이슬. 전(轉)하여, 사물의 덧없음을 이름.
[草露人生 초로인생] 풀잎에 맺힌 이슬과 같은 덧없는 인생(人生).
[草綠 초록] 청색(靑色)과 황색(黃色)의 간색(間色).
[草履 초리] 짚신.
[草笠 초립] 나이가 어린 남자(男子)로서 관례(冠禮)한 사람이 쓰는 누른 풀로 만든 갓.
[草笠童 초립동] 초립(草笠)을 쓴 나이가 어린 남자.
[草幕 초막] ㉠절의 근처(近處)에 있는 중의 집. ㉡조그마하게 지은 초가(草家)의 별장(別莊).
[草莽 초망] 풀숲. 전(轉)하여, 민간.
[草莽之臣 초망지신] 벼슬하지 아니하고 민간에 묻혀 사는 사람. 재야(在野)한 사람. 초모지신(草茅之臣).
[草昧 초매] ㉠천지가 개벽하던 어두운 세상. ㉡혼돈(混沌)하여 어두움.
[草茅 초모] ㉠잔디. 전(轉)하여, 민간. 재야(在野). ㉡재야(在野)한 사람.
[草茅危言 초모위언] 재야(在野)하여 국정(國政)을 통렬히 비판함.
[草茅之臣 초모지신] 초망지신(草莽之臣).
[草木 초목] 풀과 나무. 식물(植物).
[草木皆兵 초목개병] 적이 우세한데 겁을 먹어 초목이 모두 군사로 보임을 이름. 또, 군대의 수

효가 대단히 많아 산야(山野)에 가득 차 있는 상태에도 이름.
[草木俱腐 초목구부] 할 일을 못하고 초목과 같이 썩음. 곧, 세상에 이름을 남기지 못하고 죽음을 이름.
[草木俱朽 초목구후] 초목구부(草木俱腐).
[草木怒生 초목노생] 봄이 되어 초목이 싱싱하게 싹이 틈.
[草服 초복] 촌사람이 입는 누추한 옷.
[草本 초본] ㉠초고(草稿). ㉡풀. 목본(木本)의 대(對).
[草索 초삭] 새끼.
[草色 초색] 풀잎의 빛깔. 풀빛.
[草書 초서] 서체(書體)의 하나. 행서(行書)를 더 풀어 자획(字畫)을 간략히 흘려 쓰는 글씨. 흘림.
[草席 초석] 짚으로 엮어 만든 자리.
[草聖 초성] 초서(草書)의 명필.
[草食 초식] ㉠어육(魚肉)을 먹지 않고 푸성귀만 먹음. ㉡채소(菜蔬)로 만든 음식(飮食).
[草食動物 초식동물] 초식하는 포유(哺乳)동물. 곧, 소·말·양 따위.
[草芽 초아] 풀의 싹.
[草案 초안] 초를 잡은 서류(書類).
[草庵 초암] 짚으로 인 암자.
[草野 초야] ㉠천함. 야비함. ㉡촌. ㉢민간. 재야(在野).
[草如走 초여주] 초서(草書)의 필세(筆勢)의 형용(形容).
[草纓艾韠 초영애필] 풀로 맨 갓끈과 애초(艾草)로 만든 슬갑. 성인(聖人)의 치세(治世)에는 죄인에게 체형(體刑)을 과(科)하지 아니하고, 이것들을 착용하게 하였음.
[草屋 초옥] 초당(草堂).
[草衣 초의] ㉠은자(隱者)의 옷. ㉡은자(隱者).
[草人 초인] ㉠주대(周代)의 명관(名官). 메마른 토지를 가꾸어 기름지게 하는 방법을 도맡았음. ㉡시골 사람.
[草酌 초작] 간략한 주연(酒宴).
[草材 초재] 풀의 약재(藥材).
[草賊 초적] 좀도둑.
[草竊 초절] 초적(草賊).
[草卒 초졸] 급작스러움. 창졸(倉卒).
[草紙 초지] ㉠더러운 것을 닦아 내는 종이. 휴지. ㉡초안(草案).
[草次 초차] 바빠서 틈이 없음.
[草創 초창] ㉠초고(草稿)를 작성함. ㉡일의 시작. 사업의 시초.
[草草 초초] ㉠근심하는 모양. ㉡바쁜 모양. ㉢허둥지둥하는 모양.
[草行 초행] 초서(草書)와 행서(行書)를 겸한 글씨체.
[草鞋 초혜] 짚신.
[草鞋錢 초혜전] 행각승(行脚僧) 등이 도중에서 쓰는 잡비(雜費).
[草花 초화] 화초(花草).
[草荒 초황] 풀이 우거져 황폐해짐.
◉諫草. 結草. 驚蛇入草. 勁草. 枯草. 狂草. 君子德風小人德草. 奇草. 起草. 亂草. 露草. 綠草. 嫩草. 大樹下無美草. 毒草. 萬草. 蔓草. 牧草. 茂草. 美草. 芳草. 百草. 本草. 腐草. 山草. 霜草. 生草. 庶草. 碩草. 仙草. 善草. 纖草. 水草. 詩草. 神草. 惡草. 野無靑草. 野草. 藥草. 煙草. 染草. 豔草. 囹圄生草. 詠草. 靈草. 穢草. 幽草. 遺草. 以赭鞭鞭百草. 異草. 雜草. 章草. 殘草. 苫草. 除草. 芝草. 珍草. 眞草. 榛草. 眞行草. 疾風知勁草. 採草. 靑草. 翠草. 鬪草. 豐草. 寒草. 海草. 行草. 香草. 諼草. 萱草. 荒草. 橫草.

6 ⑩ [荍] 교 ㊥蕭 渠遙切 qiáo

字解 당아욱 교 아욱과에 속하는 이년초. 담홍색, 또는 백색의 꽃이 핌. 금규(錦葵). '視爾如一'《詩經》.

字源 篆文 形聲. ++(艸)+收〔音〕

[荍麥 교맥] 교맥(蕎麥). 메밀.

6 ⑩ [荓] 〔병〕
荓(艸部 八畫〈p.1932〉)의 俗字

6 ⑩ [荏] 人名 임 ㊤寢 如甚切 rěn

字解 ①들깨 임 꿀풀과에 속하는 일년생초. 열매에서 들기름을 짬. ②부드러울 임 유순함. '色厲而內一'《論語》. ③왕콩 임 콩과에 속하는 다년생 재배초. '蓺之一菽'《詩經》. ④천연할 임 '一苒'은 시간을 자꾸 끄는 모양.

字源 篆文 形聲. ++(艸)+任〔音〕

[荏弱 임약] 나약(懦弱)함.
[荏染 임염] ㉠부드러운 모양. ㉡임염(荏苒).
[荏苒 임염] 세월이 천연함. 시일을 자꾸 끎. 염임(苒荏).
◉桂荏. 色厲內荏. 蘇荏.

6 ⑩ [茬] ㊀ 치 ㊥支 士之切 chí ㊁ 사 ㊥麻 鋤加切 chá

字解 ㊀ ①풀우거질 치 '一, 艸皃'《說文》. ②고을이름 치 ㉠'一平'은 현명(縣名). '一, 濟北有一平縣'《說文》. ㉡태산군(泰山郡)에 있는 현(縣) 이름. '一, 丘名. 案, 漢書地理志, 泰山郡有一縣'《廣韻》. ③산이름 치 '一, 山名. 漢泰山郡有一山'《集韻》. ④성 치 성(姓)의 하나. ㊁ 그루터기 사 '一, 邪斫木也. 漢書, 山不一蘖'《集韻》.

字源 形聲. ++(艸)+在〔音〕

6 ⑩ [荐] 천 ㊦霰 在甸切 jiàn

字解 ①거듭 천 중첩해서. 연이어. '晉一饑'《左傳》. ②풀 천 초본(草本). '戎狄一居'《左傳》. ③깔개 천 '一, 薦席也'《說文》. ④모일 천 '戎狄一居'《左傳》. ⑤천거할 천 薦(艸部 十三畫)과 통용.

字源 篆文 形聲. ++(艸)+存〔音〕. '存존'은 밑에 놓다의 뜻. 밑에 깔고 앉는 풀이나 자리를 이름.

[荐居 천거] 수초(水草)가 있는 곳을 찾아서 이주(移住)함. 일설(一說)에, 모여 삶.
[荐及 천급] 계속하여 옴. 연이음.
[荐問 천문] 자주 방문함.

[荐食 천식] 잠식(蠶食)함.
[荐仍 천잉] 계속함.
[荐處 천처] 천거(荐居).
◉草荐.

6⑩ [荑] 人名 一 제 ㊥齊 杜奚切 tí 二 이 ㊥支 以脂切 yí

字解 一 ①띠싹 제 갓 나온 띠. '手如柔一'《詩經》. ②싹 제 초목의 싹. '蘭一爭翹'《晉書》. ③돌피 제 稊(禾部 七畫)와 同字. '苟爲不熟, 不如一稗'《孟子》. 二 벨 이, 깎을 이 풀을 깎음. '以水殄草, 芟一之'《周禮》.
字源 篆文 形聲. 艹(艸)+夷〔音〕. '夷이'는 화살의 일종인 주살의 象形. 화살처럼 자라는 풀, 즉 '띠'의 뜻과 풀이 화살처럼 자라다, 싹트다의 뜻을 나타냄.
參考 苐(艸部 五畫)는 同字.

[荑指 제지] 부드러운 손가락. 고운 손가락.
[荑稗 제패] 돌피와 피.
◉蕪荑. 手如柔荑. 柔荑.

6⑩ [茢] 一 체 ㊦霽 直例切 zhì 二 애 ㊦霽 於例切 三 륙

字解 一 ①기울 체 풀로 기움. '一, 以艸補闕'《說文》. ②빈곳에채울 체 '一, 一曰, 約空也. (注) 約空者, 今俗語有空處以物塡塞之曰一, 聲如霽'《說文》. 二 기울 애, 빈곳에채울 애 一과 뜻이 같음. 三 기울 륙, 빈곳에채울 륙 一과 뜻이 같음.
字源 形聲. 艹(艸)+丙〔音〕

6⑩ [荒] 高人 황 ㊥陽 呼光切 huāng

筆順 荒

字解 ①거칠 황 ㉠황무함. '一地'. '田疇一蕪'《國語》. 또, 거친 땅. 황무지. '開一五千餘頃'《晉書》. '遜于一'《書經》. ㉡사물이 난잡하여 정돈되지 아니함. ②흉년들 황 곡식이 잘 여물지 아니함. '凶一'. '一歲'. '四穀不升, 謂之一'《韓詩外傳》. ③변방 황 변경(邊境). '八一'. '五百里一服'《書經》. ④버릴 황 폐지함. 폐기함. '無一失朕命'《書經》. ⑤빠질 황 탐닉함. '一亡'. '好樂無一'《詩經》. ⑥클 황, 크게할 황 '大王一之'《詩經》. ⑦빌 황 공허함. '一成不盟'《國語》. ⑧덮을 황 가림. '葛藟一之'《詩經》. ⑨황홀할 황 慌(心部 十畫)과 同字. '一忽其焉極'《楚辭》. ⑩성 황 성(姓)의 하나.
字源 篆文 形聲. 艹(艸)+巟〔音〕. '巟황'은 큰 강이 물 말고는 아무것도 없다의 뜻. 황량한 풀 이외에는 아무것도 없다는 뜻을 나타냄.

[荒客 황객] 성질(性質)이 거칠고 허탄(虛誕)한 사람. 황당객(荒唐客).
[荒雞 황계] 때 아닌 때 우는 수탉.
[荒郊 황교] 쓸쓸한 들.
[荒棄 황기] 폐기함. 버림.
[荒饑 황기] 흉년이 들어 배를 주림.
[荒年 황년] 흉년(凶年).
[荒唐 황당] 언행이 거칠고 주책없음.
[荒唐客 황당객] 황객(荒客).
[荒唐無稽 황당무계] 말이 황당하여 믿을 수 없음.
[荒唐之言 황당지언] 엉터리없는 말.
[荒涼 황량] 황폐하여 쓸쓸함.
[荒漠 황막] 거칠고 한없이 넓음.
[荒亡 황망] 주색 같은 것에 빠짐.
[荒湎 황면] 황망(荒亡).
[荒蕪 황무] 땅이 황폐함.
[荒民 황민] 기근(饑饉)에 굶주리는 백성.
[荒僻 황벽] 벽촌(僻村).
[荒服 황복] 오복(五服)의 제일 변두리의 구역. 곧, 왕기(王畿)로부터 2천 리(里)에서 2천5백 리(里) 사이. 전(轉)하여, 화외(化外)의 만이(蠻夷). '오복(五服)' 참조.
[荒肆 황사] 황음(荒淫)하고 방자(放恣)함.
[荒說 황설] 허황(虛荒)한 말. 엉터리없는 말.
[荒歲 황세] 흉년.
[荒失 황실] 딴 데에 마음이 팔려 할 일을 버려둠.
[荒野 황야] ㉠황폐한 들. ㉡벽촌(僻村).
[荒裔 황예] 멀리 떨어진 지방.
[荒原 황원] 황야(荒野) ㉠.
[荒幼 황유] 어려서 물정(物情)에 어두움.
[荒淫 황음] 주색(酒色)에 빠짐.
[荒淫無道 황음무도] 주색(酒色)에 빠져 인도(人道)를 돌아보지 아니함.
[荒夷 황이] ㉠먼 지방의 오랑캐. ㉡왕위(王威)에 복종 않는 거친 오랑캐.
[荒殘 황잔] 거칠고 잔약함. 또, 그 사람.
[荒田 황전] 거친 밭.
[荒腆 황전] 술에 탐닉함.
[荒政 황정] ㉠황음하여 정사를 돌보지 아니함. ㉡흉년에 백성을 구제하는 정치.
[荒酒 황주] 술에 빠짐.
[荒疇 황주] 황폐한 전지.
[荒瘠 황척] 땅이 황폐하고 메마름.
[荒村 황촌] 황폐(荒廢)한 마을.
[荒陬 황추] 벽촌(僻村).
[荒誕 황탄] 언행이 허황함.
[荒耽 황탐] 주색(酒色)에 탐닉함.
[荒怠 황태] 성질이 거칠고 게으름.
[荒波 황파] 거친 물결.
[荒敗 황패] ㉠황폐하고 파괴됨. ㉡황음하여 몸을 버림.
[荒廢 황폐] 거칠게 버려두어 못 쓰게 됨.
[荒墟 황허] 황폐한 성지(城址).
[荒惑 황혹] 마음이 몹쓸 데에 깊이 빠짐.
[荒忽 황홀] ㉠마음이 팔려 정신이 멍한 모양. ㉡공막(空漠)한 모양.
[荒荒 황황] 어둠침침함. 암담(暗澹).
[荒毁 황훼] 망가지고 깨어짐.
[荒畦 황휴] 황폐한 진지.
◉救荒. 墾荒. 窮荒. 蠻荒. 蕪荒. 邊荒. 備荒. 四荒. 色荒. 殊荒. 炎荒. 要荒. 幽荒. 流荒. 淫荒. 酒荒. 榛荒. 天荒. 怠荒. 破天荒. 八荒. 包荒. 豐荒. 遐荒. 忽荒. 洪荒. 鴻荒. 凶荒.

6⑩ [莁] 공 ㊥冬 渠容切 qióng

字解 명협(蓂莢)열매 공 '一, 蓂莢實也'《廣韻》.

6⑩ [荖] 一 배 péi 二 로 lǎo

字解 ㊀ 필발(蓽茇) 배 후춧과에 속한 풀. 이란 원산으로 잎은 식용하며, 열매는 약재로 쓰임. '閩, 廣人食檳榔, 每切作片, 蘸蠣灰, 以一葉裹嚼之'《西溪叢語》. ㊁ 필발 로 ㊀과 뜻이 같음.

6 ⑩ [荂] 과 ㊥麻 枯瓜切 huā

字解 꽃 과 초목에 피는 꽃. '華, 一也'《爾雅》.

字源 篆文 形聲. ++(艸)+夸[音]. '花화'의 本字. '夸과'는 '젠체하다, 자랑하다'의 뜻. 자랑스레 아름답게 피는 꽃을 이름. '夸'와 음이 통하는 '化화'를 음부(音符)로 하는 '花' 자가 속(俗)에 쓰이게 되었음.

6 ⑩ [茠] ㊀ 호 ㊥豪 呼毛切 hāo ㊁ 휴 ㊥尤 虛尤切 xiū

字解 ㊀ 김맬 호 밭의 잡초를 뽑아 없앰. '身操畚鍤, 一刺無休時'《唐書》. ㊁ 나무그늘 휴 庥(广部 六畫)와 통용. '得一越下, 則脫然喜矣. (注) 一, 蔭也'《淮南子》.

6 ⑫ [茻] ㊀ 망 ㊤養 模朗切 mǎng ㊁ 모 ㊤麌 滿補切 mǔ ㊂ 무 ㊤有 莫後切 mǔ

字解 ㊀ ①잡풀우거질 망 풀이 우거짐. 또, 우거져 어지러운 풀. '一, 衆艸也'《說文》. ②고사리 망 '一, 蕨類. 繁蓄而叢生'《通志》. ㊁ 다년초모 숙근초(宿根草). '一, 宿艸'《集韻》. ㊂ 잡풀우거질 무 ㊀❶과 뜻이 같음.

字源 會意. 4개의 '屮철'(풀이 돋아남)을 합쳐서, 풀이 우거지다의 뜻을 나타냄.

6 ⑩ [茥] ㊀ 규 ㊥齊 涓畦切 guī ㊁ 계 ㊦霽 涓惠切 guì

字解 ㊀ 장딸기 규 복분자(覆盆子). '一, 蒛葐'《爾雅》. ㊁ 풀이름 계 '荰, 艸名. 或省'《集韻》.

字源 形聲. ++(艸)+圭[音]

6 ⑩ [荋] ㊀ 이 ㊥支 人之切 ér ㊁ 내 ㊥灰 汝來切

字解 ㊀ ①잎많을 이 풀에 잎이 많은 모양. '一, 艸多葉皃'《說文》. ②풀많을 이 풀이 많은 모양. '一, 艸多皃'《集韻》. ③버섯 이 '芝一堇荁'《馬融》. ㊁ 잎많을 내, 풀많을 내, 버섯 내 ㊀과 뜻이 같음.

字源 形聲. ++(艸)+而[音]

6 ⑩ [茟] ㊀ 율 ㊀質 允律切 yù ㊁ 외 ㊤賄 烏賄切 wěi ㊂ 필

字解 ㊀ 명아주 율 '一, 藜也'《廣雅》. ㊁ 봉오리 외, 꽃망울 외 초목(草木)의 꽃의 봉오리. '一者, 草木花始生也'《字彙》. ㊂ 筆(竹部 六畫〈p. 1660〉)의 訛字.

6 ⑩ [茴] 곡 ㊀沃 丘玉切 qū

字解 잠박 곡 누에를 치는 잠구(蠶具). '一, 一植也, 養蠶器也'《玉篇》.

字源 篆文 形聲. ++(艸)+曲(𠙹)[音]. '𠙹곡'은 누에의 집의 뜻. 억새나 갈대로 만들기 때문에 '艸초'를 덧붙였음.

6 ⑩ [茖] 격 ㊀藥 古伯切 gé

字解 골파 격 산에서 나는 파. '葱生山中者名一'《爾雅 疏》.

字源 篆文 形聲. ++(艸)+各[音]

6 ⑩ [茦] 책 ㊀陌 測革切 cè

字解 ①풀가시 책 풀에 돋는 가시. '木芒曰刺, 草芒曰一'《說文 段注》. ②침 책 '一, 箴也'《廣雅》.

字源 篆文 形聲. ++(艸)+朿[音]. '朿자'는 '가시'의 뜻.

6 ⑩ [茧] 혈 ㊀屑 呼決切 xuè

字解 꼭두서니 혈 꼭두서닛과의 다년생 만초. 뿌리는 염료·진통제로 씀. 천초(茜草). '一, 地一蒨也'《類篇》.

字源 篆文 形聲. ++(艸)+血[音]. '血혈'은 그 뿌리에서 얻은 액(液)의 빛깔이 붉은 것을 나타냄.

6 ⑩ [茩] 구 ㊤有 古厚切 gòu

字解 초결명(草決明) 구 '薢一'는 초결명. '一, 薢一也'《說文》.

字源 篆文 形聲. ++(艸)+后[音]

6 ⑩ [茪] 과 ㊥佳 空媧切 guāi, ②kuā

字解 ①어긋날 과 '芣, 說文, 戾也, 睽也, 或作一·乖'《集韻》. ②사곡(邪曲)될 과 바르지 못함. '一, 不正也, 或作華·㕦·𦧺'《集韻》.

6 ⑩ [茧] 충 ㊥東 持中切 chóng

字解 ①풀 충 '一, 草也'《集韻》. ②시들 충 풀이 시듦. '一, 草衰也'《玉篇》.

6 ⑩ [荘] 〔장〕 莊(艸部 七畫〈p. 1924〉)의 俗字

6 ⑩ [茰] 〔유〕 萸(艸部 九畫〈p. 1941〉)의 俗字

6 ⑩ [萸] 〔유〕 萸(艸部 九畫〈p. 1941〉)와 同字

6 ⑩ [茥] 〔규〕 葵(艸部 九畫〈p. 1947〉)의 本字

6 ⑩ [莽] 〔망〕 莽(艸部 八畫〈p. 1928〉)의 俗字

6 ⑩ [蒸] 〔증〕 蒸(艸部 十畫〈p. 1952〉)과 同字

7 ⑪ [莊] 두 ㊤麌 徒古切 dù

[字解] 두형 두 '一蘅'은 쥐방울과에 속하는 상록 다년초. 초겨울에 암자색의 작은 꽃이 핌. 뿌리는 약재로 씀. 두형(杜衡).
[字源] 形聲. 艹(艸)+杜〔音〕

[荰蘅 두형] 자해(字解)를 보라.

7 ⑪ [荳] [人名] 두 ㊀有 徒候切 dòu

[字解] 콩 두 豆(部首)의 俗字. '菽者, 衆一之名'《物理論》.
[字源] 形聲. 艹(艸)+豆〔音〕

[荳芽 두아] 콩나물.

7 ⑪ [荷] [高·人] 하 ①㊥歌 胡歌切 hé ②③㊤哿 胡可切 hè

[筆順]

[字解] ①연 하 연꽃과에 속하는 다년생 수초(水草). 蓮(艸部 十一畫)과 뜻이 같음. '一葉'. '有蒲與一'《詩經》. ②멜 하 ㉠물건을 어깨에 멤. '有一蕢而過孔子之門者'《論語》. ㉡떠맡음. '負一'. ㉢남에게서 은혜를 받음. '感一'. '拜一'. '世一朝恩'《晉書》. ③짐 하 하물. '擔一'. '至有重一趨肆而徙返者'《唐書》.
[字源] [篆文] 形聲. 艹(艸)+何〔音〕. '何하'는 甲骨文에서는 사람이 물건을 어깨에 멘 모양을 형상화하여, '짊어지다'의 뜻. '艸'를 붙이어, '연(蓮)'의 뜻도 나타냄.

[荷蕖 하거] 연(蓮). 부용(芙蓉).
[荷校滅耳 하교멸이] 귀를 가리울 정도로 칼이 씌워져서 들을 수가 없음.
[荷眷 하권] 은혜(恩惠)를 받음.
[荷擔 하담] 짐을 짐.
[荷禮 하례] 번잡스러운 예의(禮儀). 가례(苛禮).
[荷露 하로] 연잎에 내린 이슬. 하주(荷珠).
[荷物 하물] 짐.
[荷負 하부] ㉠짐을 짐. ㉡사무(事務)를 인수(引受)함. 부하(負荷).
[荷葉 하엽] ㉠연(蓮)잎. ㉡화가(畫家)가 돌의 주름을 그리는 법.
[荷葉飯 하엽반] 연잎을 잘게 썰어서 넣고 지은 밥.
[荷錢 하전] 작은 연잎이 물 위에 떠 있는 것을 돈에 비유하여 한 말.
[荷電 하전] 물체가 전기를 띠는 일.
[荷主 하주] 짐 임자.
[荷佩 하패] 은혜나 훈계를 잊지 아니하고 명심함.
[荷包 하포] ㉠연잎으로 쌈. ㉡꾸러미.
[荷荷 하하] 원망하여 성내는 소리.
[荷香 하향] 연꽃의 향기. 하기(荷氣).
[荷花 하화] 연꽃.
◉感荷. 枯荷. 露荷. 綠荷. 擔荷. 薄荷. 拜荷. 碧荷. 負荷. 船荷. 衰荷. 蘘荷. 膺荷. 入荷. 在荷. 積荷. 重荷. 集荷. 忝荷. 出荷. 銜荷. 紅荷.

7 ⑪ [荻] [人名] 적 ㊇錫 徒歷切 dí

[字解] ①물억새 적 볏과에 속하는 다년초. 물가에 나는데, 억새 비슷함. '枯一'. '一花'. '以一畫地學書'《宋史》. ②갈피리 적 '一, 篍也'《風俗通》. ③성 적 성(姓)의 하나.
[字源] 形聲. 艹(艸)+狄〔音〕

[荻花 적화] 물억새 꽃.
◉枯荻. 蘆荻. 岸荻. 靑荻.

7 ⑪ [荼] ㊀ 도 ㊥虞 同都切 tú ㊁ 서 ㊥魚 商居切 shū

[字解] ㊀ ①씀바귀 도, 방가지똥 도 꽃상춧과에 속하는 초본(草本). 꽃이 국화와 비슷함. 잎·뿌리는 모두 맛이 쓴데, 나물로 먹음. 고채(苦菜). '誰謂一苦'《詩經》. ②물억새이삭 도 물억새의 화수(花穗). '採一薪樗'《詩經》. ③띠 도 띠〔茅〕의 이칭(異稱). '有女如一'《詩經》. ④해독 도 사물에 해를 끼치는 것. '弗忍一毒'《書經》. ㊁ 옥이름 서 제후가 지니는 홀(笏). 위 끝이 둥글고 아래 끝이 모짊. '天子搢珽…諸侯一'《禮記》.
[字源] [篆文] 形聲. 艹(艸)+余〔音〕. '余도'는 '자라다'의 뜻. 풀이 차례로 자라는 '씀바귀'를 뜻함.

[荼毒 도독] 씀바귀의 독(毒). 해독(害毒)의 비유.
[荼蓼 도료] 씀바귀와 여뀌. 모두 쓴 풀임. 전(轉)하여, 신고(辛苦)·고민(苦悶)·우수(憂愁) 등의 뜻.
[荼毗 도비] 화장(火葬). 다비(茶毗).
[荼薺 도제] 씀바귀와 냉이. 씀바귀는 쓰고 냉이는 달콤하므로, 전(轉)하여 악인(惡人)과 선인(善人)의 비유로 쓰임.
[荼炭 도탄] 도탄(塗炭).
◉苦荼. 堇荼. 神荼. 茹荼.

7 ⑪ [荽] 유 ㊥支 息遺切 suī

[字解] 고수풀 유 미나릿과에 속하는 일년초. 열매는 향료(香料)·식용으로 함. '胡一'. '蓼一芬芳'《潘岳》.
[字源] 形聲. 艹(艸)+妥〔音〕

◉香荽. 胡荽.

7 ⑪ [莅] 리 ㊀寘 力至切 lì

[字解] 임할 리 ㉠그 자리에 나감. '臨一'. '一于介次, 而聽小治小訟'《周禮》. ㉡군림(君臨)함. '一中國而撫四夷也'《孟子》.
[字源] 會意. 艹(艸)+位. 풀로 엮은 깔개의 위치로 나아가다의 뜻을 나타냄.
[參考] 蒞(艸部 十畫)는 俗字.

[莅臨 이림] 그 자리 또는 그 일에 임(臨)함.
[莅盟 이맹] 그 장소에 가서 맹세함.
[莅颯 이삽] 수풀의 나무가 바람에 흔들리는 소리.
[莅任 이임] 부임(赴任)하여 사무를 봄.
[莅職 이직] 직무를 이행함.
◉遠莅. 臨莅.

7 ⑪ [菺] 견 [平]先 圭玄切 juān

[字解] 띠 견 제사 때 깔개로 쓰이는 풀. '一, 一明, 艸名. 祭以爲藉, 或从玄'《集韻》.

7 ⑪ [莆] 포 [平]虞 薄胡切 pú

[字解] ①부들 포 蒲(艸部 十畫)와 同字. '咸播秬黍一雚是營'《楚辭》. ②성 포 성(姓)의 하나.

[字源] 篆文 形聲. 艹(艸)＋甫〔音〕

7 ⑪ [莥]
[一] 유 [上]有 忍九切 ròu
[二] 뉴 [上]有 女久切 niǔ
[三] 추 [上]有 敕九切
[四] 구 [上]有 巨九切
[五] 뉵 [入]屋 女六切

[字解] [一] ①개익을 유 개와 친해짐. '一, 犬狎也'《集韻》. ②익을 유, 익힐 유 '一, 一日, 習也'《集韻》. [二] 여우콩 뉴 녹곽(鹿藿)의 열매. 또는 완두콩 비슷하여 덩굴이 있고, 길고 큼. 식용이 됨. '一, 鹿藿之實名也'《說文》. [三] 여우콩 추 [二]와 뜻이 같음. [四] 여우콩 구 [二]와 뜻이 같음. [五] 여우콩 뉵 [二]와 뜻이 같음.

[字源] 形聲. 艹(艸)＋丑〔音〕

7 ⑪ [莌] 탈 [入]曷 徒活切 他括切 tuō

[字解] 활탈초 탈 '活一'은 덩굴풀의 이름. 통탈목(通脫木). '一, 活一, 草名, 生江南, 高丈許, 大葉, 莖中有瓤, 正白, 或作莌'《集韻》.

7 ⑪ [莉] [人名] 리 [平]支 隣其切 lì

[筆順] 莉

[字解] 말리 리 茉(艸部 五畫)을 보라. '茉一'.

[字源] 形聲. 艹(艸)＋利〔音〕

7 ⑪ [莊] [高人] 장 [平]陽 側羊切 zhuāng

[筆順] 莊

[字解] ①엄할 장 ㉠예의범절이 엄정함. '季孫好士, 終身一, 居處衣服, 常如朝廷'《韓非子》. ㉡엄격함. 무게가 있어 존귀하게 보임. '君子之於臣妾, 一以涖之'《論語集註》. ②꾸밀 장 성장함. '貌豐盈以一姝兮'《宋玉》. ③한길 장 여섯 갈래의 큰 거리. '康一'. '得慶氏之木百車于一'《左傳》. ④별장 장 별저(別邸). '得裴度午橋一'《宋史》. ⑤시골집 장 전사(田舍). '村一'. '山下有小一'《列仙傳》. ⑥장전 장 귀척(貴戚)·고관 등의 사유지. '明時爲民厲者, 皇一外, 莫如諸王勳戚中官一田爲甚'《續文獻通考》. ⑦가게 장 큰 점포. '衣一'. '錢一'. ⑧장자 장 장자(莊子)의 약칭(略稱). '老一'. '下逮一騷太史所錄'《韓愈》. ⑨성 장 성(姓)의 하나.

[字源] 金文 篆文 古文 形聲. 艹(艸)＋壯〔音〕. '壯장'은 성장(成長)이 왕성하다의 뜻. 풀이 왕성하게 자라다의 뜻을 나타냄.

[莊稼 장가] 농작물.
[莊敬 장경] 엄숙히 삼감.
[莊賈哂 장고신] 마정혜(馬正惠)의 고사(故事). 전(轉)하여, 실정(實情)을 아는 사람의 웃음.
[莊馗 장규] 큰길. 대로(大路). 장(莊)은 육달(六達), 규(馗)는 구달(九達)의 길.
[莊列 장렬] 장자(莊子)와 열자(列子).
[莊老 장로] 장자(莊子)와 노자(老子).
[莊缶 장부] 장자(莊子)가 그의 부인이 죽었을 때 동이를 두드리며 노래를 불렀다는 이야기.
[莊士 장사] 엄숙한 선비. 단정한 선비.
[莊騷 장소] 장자(莊子)와 이소(離騷).
[莊嶽 장악] 춘추 시대(春秋時代)의 제(齊)나라의 서울. 지금의 산둥 성(山東省) 안에 있음.
[莊嶽委談 장악위담] 명(明)나라 호응린(胡應麟)의 수필(隨筆).
[莊語 장어] 바른말.
[莊嚴 장엄] 규모가 크고 엄숙함.
[莊園 장원] 별장과 별장에 딸린 동산. 또, 귀인(貴人)의 영지(領地).
[莊子 장자] ㉠중국 전국 시대(戰國時代)의 사상가. 이름은 주(周)인데 보통 장자(莊子)라고 존칭(尊稱)함. 그의 주장이 노자(老子)의 사상에 기초를 두었으므로 노장(老莊)이라 병칭(倂稱)함. ㉡장자(莊子)의 지은 책. 모두 10권. 일명(一名) '남화진경(南華眞經)'.
[莊莊 장장] 성(盛)한 모양.
[莊田 장전] 납세(納稅)하지 아니하는 귀척 현관(貴戚顯官)의 사유전(私有田).
[莊周 장주] 장자(莊子)의 본이름.
[莊周之夢 장주지몽] 장자(莊子)가 꿈에 호접(蝴蝶)이 됐다가 깬 후, 장주(莊周)가 호접이 됐는지 호접이 장주가 됐는지 판단하기에 애썼다는 고사(故事). 자기(自己)와 외물(外物)이 근본을 캐면 같다는 이치를 말한 것.
[莊重 장중] 장엄하고 정중함.
[莊椿 장춘] 비상한 장수(長壽).
◉康莊. 溪莊. 矜莊. 老莊. 端莊. 墨莊. 美莊. 別莊. 山莊. 肅莊. 漁莊. 嚴莊. 旅莊. 厲莊. 衣莊. 靚莊. 齊莊. 祗莊. 村莊.

7 ⑪ [莎] [人名]
[一] 사 ①[平]歌 蘇禾切 suō ②[平]麻 師加切 shā
[二] 수 [平]支 宣隹切 suī

[字解] [一] ①사초 사 방동사닛과에 속하는 다년초. 바닷가의 모래땅에 나는데, 그 괴근(塊根)을 향부자(香附子)라 하여 약재로 씀. '青一'. '綠一'. ②베짱이 사 일설에는, 귀뚜라미. '一雞'. [二] 비빌 수 손으로 문지름. '挼一五木擲梟盧'《元稹》.

[字源] 篆文 形聲. 艹(艸)＋沙〔音〕. '沙사'는 '모래'의 뜻. 모래땅에 나는 '사초'를 이름.

[莎雞 사계] 베짱이. 일설(一說)에는, 귀뚜라미라 함.
[莎城 사성] 무덤 뒤에 반달 모양으로 두둑하게 둘러쌓은 토성(土城).
◉綠莎. 踏莎. 摩莎. 碧莎. 鴨脚莎. 挼莎. 青莎. 叢莎.

7 ⑪ [莏] 莎(前條)와 同字

7 ⑪ [莒] 거 ㊤語 居許切 jǔ

[字解] ①감자 거 '一, 齊謂芋爲一'《說文》. ②나라이름 거 주대(周代)의 국명(國名). 지금의 산둥 성(山東省) 거현(莒縣)에 있었음. '一人入向'《春秋》. ③성 거 성(姓)의 하나.

[字源] 金文 篆文 形聲. ++(艸)+呂〔音〕. '呂려'는 둥근 감자가 줄줄이 달린 모양을 나타냄.

[莒刀]

[莒刀 거도] 옛날 전폐(錢幣)의 하나. 거읍(莒邑)이란 곳에서 만들었으므로 이름.

[莒父 거보] 춘추 시대(春秋時代)의 노(魯)나라의 고을. 지금의 산둥 성(山東省)에 있었음.

7 ⑪ [莓] 매 [平]灰 莫杯切 méi

[字解] ①이끼 매 담자균류(擔子菌類)에 속하는 은화식물(隱花植物). '隨意坐一苔'《杜甫》. ②딸기 매 장미과에 속하는 소관목(小灌木) 또는 초본(草本). 열매를 먹음. '一草實可食'《齊民要術》.

[字源] 形聲. ++(艸)+每〔音〕

[參考] 苺(艸部 五畫)의 俗字.

[莓莓 매매] ㉠풀이 푸릇푸릇한 모양. ㉡비옥(肥沃)한 전지(田地). 미전(美田).

[莓苔 매태] 이끼.

◉蛇莓. 烏蘞莓. 五葉莓. 蠶莓.

7 ⑪ [⿱艹浃] 〔결〕 芵(艸部 四畫〈p. 1905〉)과 同字

7 ⑪ [莖] [人名] 경 [平]庚 戶耕切 jīng

[筆順]

[字解] ①줄기 경 ㉠식물의 줄기. '細一'. '根一'. '綠葉兮紫一'《楚辭》. ㉡줄기 모양을 한 물건. 또, 그 물건을 세는 말. '數一白髮那抛得'《杜甫》. ②버팀목 경 버티어 세우는 나무. '雙立之六一'《班固》. ③대 경 가늘고 긴 막대기. '旌旗躍一'《左思》. ④칼자루 경 칼의 손잡이. '爲之一圍'《周禮》.

[字源] 篆文 形聲. ++(艸)+巠〔音〕. '巠경'은 베짜기에서의 날실의 象形으로, 반듯함, 강하다의 뜻. 풀의 똑바르고 강한 부분, 곧 '줄기'의 뜻.

[莖柯 경가] 줄기와 가지.

[莖幹 경간] 풀의 줄기와 몸 줄기. 초목의 가지.

◉塊莖. 根莖. 丹莖. 碧莖. 本莖. 纖莖. 細莖. 修莖. 宿莖. 新莖. 弱莖. 鱗莖. 紫莖. 翠莖.

7 ⑪ [莘] [人名] 신 [平]眞 所臻切 shēn

[字解] ①족두리풀 신 세신과(細莘科)에 속하는 다년초. 뿌리는 약용으로 함. 세신(細莘). '一草, 生山澤'《正字通》. ②나라이름 신 주대(周代)의 국명(國名). 허난 성(河南省)에 있었음. ③많을 신 '俎豆一一'《班固》. ④길 신 긴 모양. '魚在在藻, 有一其尾'《詩經》. ⑤성 신 성(姓)의 하나.

[字源] 形聲. ++(艸)+辛〔音〕

[莘莘 신신] 많은 모양.

[莘野 신야] 지명(地名). 이윤(伊尹)이 농사를 지었다는 곳.

◉細莘.

7 ⑪ [莍] [一] 구 [平]尤 巨鳩切 qiú [二] 국 [入]屋 渠竹切

[字解] [一] 안이몇개의방으로나뉜씨 구 외피(外皮)에 이어진 막(膜)으로 안이 몇 개의 방(房)으로 나뉘어져 있는 열매. 산초(山椒) 따위. '一, 樧茱實, 裹如裘也'《說文》. [二] 씨가방을이룬모양 국 '一萸'는 산초(山椒) 등의 열매가 방(房)을 이루고 있는 모양. '一, 一萸, 子聚生成房皃'《集韻》.

[字源] 形聲. ++(艸)+求〔音〕

7 ⑪ [⿱艹沂] 기 [平]微 渠希切 qí

[字解] 미나리 기 芹(艸部 四畫〈p. 1904〉)과 뜻이 같음. '芹, 水艸, 或作一'《集韻》.

7 ⑪ [⿱艹忌] 기 [去]寘 渠記切 jì

[字解] ①풀이름 기 '一, 艸名'《集韻》. ②콩깍지 기 마소의 먹이로 하는 콩깍지. '一秆一石, 當吾二十石. (注)一, 豆稭也, 今作萁'《孫子》.

7 ⑪ [⿱艹忌] ⿱艹忌(前條)와 同字

7 ⑪ [莗] [一] 녈 [入]屑 乃結切 niè [二] 달 [入]曷 多葛切

[字解] [一] 야채이름 녈 마늘 비슷하고, 물가에 남. '一, 菜名. 似蒜, 生水邊'《集韻》. [二] 풀이름 달 '蕈一'은 풀의 이름. '一, 蕈一, 草'《字彙補》.

7 ⑪ [莀] [一] 신 [平]眞 丞眞切 chén [二] 농 [平]冬 奴冬切 nóng

[字解] [一] 풀무성할 신 '一, 艸多皃'《集韻》. [二] 農(辰部 六畫〈p. 2285〉)의 古字. '農, 古作莀'《集韻》.

7 ⑪ [莻] [韓] 늦

[字解] 《韓》 늦을 늦 늦음. '一, 늣. 晩也. 느즐. 兒名奴各多用之. 見俗書'《新字典》.

7 ⑪ [⿱艹里] [一] 리 [平]支 陵之切 lí [二] 휵 [入]屋 許竹切 [三] 축 [入]屋 丑六切 [四] 척 [入]職 恥力切

[字解] [一] 참소리쟁이 리 마디풀과(科)의 다년초(多年草). 잎·줄기는 산미(酸味)가 강하지만, 산(酸)을 뽑으면 식용(食用)이 됨. 뿌리는 완하제(緩下劑)로 씀. '一, 羊蹏也'《廣雅》. [二] 참

소리쟁이 휵 [一]과 뜻이 같음. [三] 참소리쟁이 축 [一]과 뜻이 같음. [四] ①참소리쟁이 척 [一]과 뜻이 같음. ②풀이름 척 삭조(蒴藋)의 별명(別名). '蒴藋, 一名一'《廣雅》.
[字源] 形聲. 艹(艸)+里〔音〕

7 ⑪ [莙] 군 [上]軫 渠殞切 jūn
[字解] 버들말즘 군 가랫과에 속하는 다년생 수초(水草). 식용함. 말. 마조(馬藻). 우조(牛藻). '一, 牛藻也'《說文》.
[字源] 篆文 形聲. 艹(艸)+君〔音〕

7 ⑪ [莛] 정 [平]青 特丁切 tíng
[字解] ①풀줄기 정 풀의 줄거리. '以一撞鐘'《漢書》. ②들보 정 간(間)과 간 사이의 두 기둥을 건너지르는 나무. '一與楹'《莊子》.
[字源] 篆文 形聲. 艹(艸)+廷〔音〕. '廷정'은 '튀어나오다'의 뜻. 지상(地上)으로 튀어나오는 줄기의 뜻.

7 ⑪ [莚] [人名] 연 [去]霰 予線切 yán
[字解] 뻗을 연 멀리 뻗어 끊이지 아니함. '風連一蔓於蘭皐'《左思》.
[字源] 形聲. 艹(艸)+延〔音〕. '延연'은 '자라다'의 뜻. 풀이 자라서 퍼지다의 뜻을 나타냄.

◉蔓莚.

7 ⑪ [莝] 좌 [去]箇 麤臥切 cuò
[字解] ①여물 좌 마소를 먹이는 썬 짚. '置一豆其前'《史記》. ②저밀 좌 잘게 썲. '乃後一之'《周禮 註》. ③작을 좌 경소(輕小)함. 약소(弱小)함. '合一脆以爲強'《柳宗元》.
[字源] 篆文 形聲. 艹(艸)+坐〔音〕. '坐좌'는 무릎을 꺾다의 뜻. 짚을 썰다의 뜻을 나타냄.

[莝豆 좌두] 콩을 섞은 여물.

7 ⑪ [莞] [人名] 완 (①-④관[本] [平]寒 胡官切 guān ⑤환[本]) [上]潸 戶板切 wǎn
[筆順] 丨 十 卄 艹 艹 芦 芦 莞
[字解] ①골풀 완 골풀과에 속하는 다년초. 습지에 자생(自生)함. 줄기는 자리를 만드는 데 쓰임. 등심초(燈心草). '一, 苻蘺'《爾雅》. ②왕골 완 사초과에 속하는 일년초. 논이나 수택(水澤)에 재배함. 줄기는 자리를 만드는 데 쓰임. '一筵'. ③왕골기직 완 왕골자리. '下一上簟'《詩經》. ④성 완 성(姓)의 하나. ⑤웃을 완 빙그레 웃는 모양. '夫子一爾而笑'《論語》.
[字源] 篆文 形聲. 艹(艸)+完〔音〕. '完완'은 '管관'과 통하여, '관'의 뜻. 줄기의 속이 비어 관으로 되어 있는 풀, '골풀'을 이름.

[莞然 완연] 완이(莞爾).
[莞筵 완연] 왕골자리.
[莞爾 완이] 빙그레 웃는 모양.
[莞簟 완점] 왕골자리와 대자리.
[莞蒲 완포] 왕골과 부들.

7 ⑪ [莧] 莞(前條)과 同字

7 ⑪ [莟] 함 [去]勘 胡紺切 hàn
[字解] ①꽃술 함 화예(花蕊). '紅芳紫一處處有'《歐陽修》. ②꽃봉오리 함 얼마 안 되어 필 꽃봉오리. '櫻桃開通隔牆一'《楊萬里》.
[字源] 形聲. 艹(艸)+含〔音〕. '含함'은 '포함하다'의 뜻. 아직도 꽃잎을 품어 안고 있는 꽃봉오리의 뜻을 나타냄.

◉晩莟. 新莟. 紫莟.

7 ⑪ [莠] 유 [上]有 與久切 yǒu
[字解] 가라지 유 밭에 난 강아지풀. '稂一'. '惡一恐其亂苗也'《孟子》. 화곡(禾穀)을 해치는 풀이므로, 전(轉)하여, 유해 또는 추악의 비유로 쓰임. '一言自口'《詩經》.
[字源] 篆文 形聲. 艹(艸)+秀〔音〕

[莠言 유언] 추잡한 말. 고약한 말.
◉稂莠. 藜莠. 讒莠.

7 ⑪ [莢] [人名] 협(겹[本]) [入]葉 古協切 jiá
[字解] ①꼬투리 협 콩과 식물의 열매가 들어 있는 깍지. 또, 그러한 열매가 열리는 식물. '其植物宜一物'《周禮》. ②명협 협 蓂(艸部 十畫)을 보라. '蓂一'. ③조협 협 '皁一'은 쥐엄나무. ④성 협 성(姓)의 하나.
[字源] 篆文 形聲. 艹(艸)+夾〔音〕. '夾협'은 '끼우다'의 뜻. 콩과 식물의 씨앗이 들어 있는 깍지의 뜻을 나타냄.

[莢果 협과] 꼬투리로 맺히는 열매. 녹두·콩·팥 따위.
[莢物 협물] 협과(莢果)가 열리는 식물.
[莢錢 협전] 돈 이름. 모양이 느릅나무 열매의 꼬투리 비슷함.
◉蓂莢. 皁莢.

7 ⑪ [莧] 현 ①[去]諫 侯襉切 xiàn ②[去]霰 形甸切 苋
[字解] ①비름 현 비름과에 속하는 일년초. 밭이나 길가에 나는데, 어린잎은 식용함. '一下于蒲'《管子》. ②자리공 현 '一陸'은 자리공과에 속하는 다년초. 뿌리는 유독(有毒)하며 약재로 씀. 자리공. 상륙(商陸). '一陸夬夬'《易經》.
[字源] 甲骨文 篆文 形聲. 艹(艸)+見〔音〕

[莧陸 현륙] 자해(字解)❷를 보라.

7 ⑪ [莨] 랑 [平]陽 魯當切 láng, ②làng 莨
[字解] ①수크령 랑 '藏一'은 마소에게 먹이는 풀

의 한 가지. '其埤濕則生藏一蒹葭'《司馬相如》. ②미치광이 랑 '一菪'은 가짓과에 속하는 일년 또는 이년초. 잎은 긴 타원형이고, 황갈색의 꽃이 핌. 잎과 씨에는 맹독(猛毒)이 있어 마취(痲醉) 약재로 쓰임. 일설에는, 사리풀.

[字源] 篆文 形聲. ++(艸)+良〔音〕. '良량'은 '狼랑'과 음(音)이 통하여, 그 이리의 꼬리와 닮은 것을 나타냄.

[參考] 莨(艸部 六畫)은 別字.

[莨菪 낭탕] 자해(字解)❷를 보라.

7 ⑪ [莩] [人名] [一] 부 [平]虞 芳無切 fú
[二] 표 [上]篠 平表切 piǎo

[字解] [一] ①독말풀 부 귀목초(鬼目草). '一, 一艸也. 字亦作苻. 爾雅釋草. 苻, 鬼目'《說文通訓定聲》. ②갈대청 부 갈대 줄기 속에 있는 아주 얇은 막(膜). 전(轉)하여, 극히 얇은 것의 비유로 쓰임. '非有葭一之親, 鴻毛之重'《漢書》. [二] 굶어죽을 표 殍(歹部 七畫)와 同字. '野有餓一'《孟子》.

[字源] 篆文 形聲. ++(艸)+孚〔音〕. '孚부'는 속에 있는 얇은 껍질의 뜻. 본뜻은 갈대 외피(外皮) 안쪽에 있는 박피(薄皮), 갈대청. '苻부'와 통하여, '독말풀'의 뜻으로 쓰임.

[莩甲 부갑] 싹이 남. 순이 돋음.
◉葭莩. 餓莩.

7 ⑪ [莪] [人名] 아 [平]歌 五何切 é

[字解] 쑥 아 쑥〔蒿〕의 일종. 연한 잎은 식용함. '非一伊蒿'《詩經》.

[字源] 篆文 形聲. ++(艸)+我〔音〕. '我아'는 잎에 톱니 자국이 있음을 뜻함.

◉蓼莪. 菁莪.

7 ⑪ [莫] [中人] [一] 막 [入]藥 慕各切 mò
[二] 모 [去]遇 莫故切 mù

[筆順] 一 十 廾 廾 芔 苜 荁 莫

[字解] [一] ①없을 막 無(火部 八畫)와 뜻이 같음. '不祥一大焉'《孟子》. ②말 막 하지 말라는 금지의 말. '一多飲酒'《魏志》. ③빌 막 허무(虛無)함. '獨與道遊于大一之國'《莊子》. ④아득할 막 한없이 넓은 모양. '廣一之野'《莊子》. ⑤어두울 막 밝지 않음. '悖亂昏一, 不終極'《荀子》. ⑥정할 막 정해짐. 안정됨. '求民之一'《詩經》. ⑦앓을 막, 앓게할 막 瘼(疒部 十一畫)과 통용. '一此下民'《詩經》. ⑧장막 막 幕(巾部 十一畫)과 통용. '一府省約文書籍事'《史記》. ⑨깎을 막 잘라 냄. '刃可以一鐵'《管子》. ⑩막 막 膜(肉部 十一畫)과 통용. ⑪조용할 막 조용한 모양. '君婦一一'《詩經》. ⑫꾀할 막 謨(言部 十一畫)와 통용. '聖人一之'《詩經》. ⑬성 막 성(姓)의 하나. [二] ①저물 모 暮(日部 十一畫)와 통용. '一夜有戎'《易經》. ②나물 모 야채의 한 가지. '言采其一'《詩經》.

[字源] 甲骨文 金文 篆文 會意. '茻'+日. '茻망'은 '풀덤불'의 뜻. 태양이 초원(草原)에 진 모양에서, '해 질 무렵'을 뜻하며, 假借하여, '없다'의 뜻으로 씀.

[莫可奈何 막가내하] 어찌할 수 없음.
[莫強 막강] 아주 강함.
[莫強之國 막강지국] 아주 강한 나라.
[莫能當 막능당] 대적(對敵)할 사람이 없음.
[莫大 막대] 더할 수 없이 많음. 아주 큼.
[莫論 막론] 의론(議論)할 것이 없음.
[莫莫 막막] ㉠무성한 모양. ㉡먼지가 몹시 일어나는 모양. ㉢조용한 모양. ㉣깨끗한 모양.
[莫府 막부] 장군(將軍)의 진영(陣營). 막부(幕府).
[莫匪爾極 막비이극] 요(堯)임금의 덕을 그린 노래의 한 구(句). 백성이 이 세상에 편안히 살 수 있음은 모두 요(堯)임금의 지극한 은덕(恩德) 때문이라는 뜻.
[莫上 막상] 극상(極上).
[莫上莫下 막상막하] 우열(優劣)의 차(差)가 없음.
[莫愁 막수] 고대(古代) 여자 이름. 석성(石城) 사람. 가요(歌謠)를 잘하였음.
[莫須有 막수유] ㉠반드시 없다고는 할 수 없음. 있을는지도 알 수 없음. ㉡원죄(冤罪)로 남을 죄망에 몰아넣는 일.
[莫須有獄 막수유옥] 송(宋)나라의 진회(秦檜)가 악비(岳飛)를 모함하여 일으킨 옥사(獄事).
[莫哀 막애] 고대의 웅장한 가곡(歌曲) 이름.
[莫邪 막야] 옛날 명검(名劍)의 이름. 막야(鏌鋣).
[莫逆 막역] 서로 뜻을 거스르지 아니함. 곧, 서로 뜻이 맞아 절친함.
[莫逆之友 막역지우] 마음이 맞는 절친한 친구.
[莫往莫來 막왕막래] 서로 왕래하지 아니함.
[莫重 막중] ㉠아주 귀중함. ㉡썩 무거움.
[莫見隱莫顯微 막현은막현미] 숨기는 것이 있으므로 나타나는 것이 있음. 폭로(暴露)는 숨김에서 일어나고, 큰 일은 세미(細微)한 데서 나타남. 그러므로 사람이 보지 않는 곳, 듣지 않는 곳에 홀로 있어도 삼감이 있어야 한다는 뜻.
[莫夜 모야] 밤.
[莫春 모춘] 만춘(晚春).
◉廣莫. 落莫. 大莫. 倅莫. 無適無莫. 文莫. 索莫. 歲莫. 夙莫. 闇莫. 寂莫. 適莫. 蚤莫. 遮莫. 昏莫.

7 ⑪ [莁] 무 [平]虞 武夫切 wú

[字解] 흰비름 무 '一荑'는 비름과의 일년초. 일명 백궤(白蕢).

7 ⑪ [莗] 차 [平]麻 昌遮切 chē

[字解] 질경이 차 씨는 차전자(車前子)라 하여, 한방에서 약재로 씀. '一, 一莿, 艸名'《集韻》.

7 ⑪ [莬] 보 [去]遇 薄故切 bù

[字解] ①꼴 보 마소를 먹이는 풀. 또는 흐트러진 짚. '一, 牛馬艸, 亂稾也'《玉篇》. ②흐트러진풀 보 '一, 亂艸'《說文》.

[字源] 篆文 形聲. ++(艸)+步〔音〕. '步보'는 '짓밟다'의 뜻.

[莬攎 보로] 흐트러진 풀을 거두어들임.

7 ⑪ [莜] 조 [去]嘯 徒弔切 diào

字解 ①김매는연장 조 밭의 김을 매는 연장. '一, 艸田器'《說文》. ②삼태기 조 짚·대 등으로 만들어, 흙을 나르는 도구. ③부추 조 '一子'는 부추.
字源 篆文 形聲. ++(艸)+攸〔音〕

7 ⑪ [莣] 망 ㊥陽 武方切 wáng ㊤漾 無放切

字解 ①억새 망 벼과의 다년초. 두영(杜榮). '今一草, 似茅, 皮可以爲繩索履屩也'《爾雅注》. ②망우초(忘憂草) 망 백합과의 다년초. 원추리. '一憂, 萱也'《集韻》.
字源 形聲. ++(艸)+忘〔音〕. '忘망'은 '잊다'의 뜻. 본뜻은 망우초(忘憂草). '芒망'과 통하여, '억새'를 일컬음.

7 ⑪ [莤] ㊀ 숙 ㊂屋 所六切 sù ㊁ 유 ㊤有 以九切 yóu

字解 ㊀ ①거를 숙 다발 지은 띠로 술을 거름. '禮, 祭束茅加于祼圭, 而灌鬯酒, 是爲一'《說文》. ②마개 숙 통〔榼〕 위의 마개. '一, 榼上塞也'《說文》. ㊁ 누린내풀 유 수초(水草)의 하나. '一, 蔓于. (注)草, 多生水中, 一名軒于, 江東呼一'《爾雅》.
字源 甲骨文 篆文 形聲. ++(艸)+酉〔音〕

7 ⑪ [莇] 백 ㊂陌 博陌切 bó

字解 쪽 백 여뀟과의 일년초. '一, 藍之別名'《廣韻》.

7 ⑪ [莑] 분 ㊤願 蒲悶切 bèn

字解 풀갈피 분 풀로써 갈피를 지음. '一, 以艸爲界'《集韻》.

7 ⑪ [莔] ㊀ 맹 ㊥庚 武庚切 méng ㊁ 경 ㊤迥 犬迥切 qǐng

字解 ㊀ 패모(貝母) 맹 백합과의 다년초. 관상용. '王芻一臺'《張衡》. ㊁ 어저귀 경 苘(艸部 五畫)과 同字.
字源 篆文 形聲. ++(艸)+朙〈省〉〔音〕. '朙명'은 '明명'의 本字.

7 ⑪ [莂] 人名 별 ㊂屑 方列切 bié

字解 ①모종낼 별 '一, 移蒔也'《玉篇》. ②씨뿌릴 별 '一, 種穊移蒔也'《廣韻》. ③중의글 별 불가에서 만든 글을 말함. '佛家作詩曰偈, 作文曰一'《康熙字典》.
字源 形聲. ++(艸)+別〔音〕

7 ⑪ [莬] ㊀ 문 ㊤問 亡運切 wèn ㊁ 만 ㊤阮 武遠切 wǎn ㊂ 면 ㊤銑 美辨切 miǎn

字解 ㊀ 새로날 문 초목이 새로 돋은 것. '一, 艸新生'《集韻》. ㊁ 풀이름 만 '一, 艸名'《集韻》. ㊂ 사람이름 면 葂(艸部 九畫)과 同字.
字源 形聲. ++(艸)+免〔音〕

7 ⑪ [莻] 〔괄〕 苦(艸部 六畫〈p. 1915〉)의 本字

7 ⑪ [莣] 지 ㊤寘 職吏切 zhì

字解 원지 지 '薳一'는 약초. '一, 遠一, 藥艸'《集韻》.

7 ⑪ [莩] 부 ㊥虞 芳無切 fū

字解 깔 부 널리 펴서 깖. 널리 퍼짐. '函菱一以俟風兮'《漢書》.

[莩露 부로] 널리 퍼져서 드러남.

7 ⑪ [莮] 미 ①㊤尾 武斐切 wěi ②㊤未 無沸切 wèi

字解 ①풀이름 미 '一, 艸名'《集韻》. ②풀늘어질 미 풀이 늘어진 모양. '一, 艸垂皃'《集韻》.

7 ⑪ [莇] ㊀ 저 ㊤御 遲據切 zhū ㊁ 서 ㊤御 牀據切 zhù

字解 ㊀ 구기자 저 '一, 艸名. 苟芑也'《集韻》. ㊁ 갈 서 논밭을 갊. 耡(耒部 七畫)·鉏(金部 五畫)와 同字. '耡, 說文, 商人七十而耡. 或作鉏·一'《集韻》.
字源 形聲. ++(艸)+助〔音〕

7 ⑪ [莮] 남 ㊥覃 那含切 nán

字解 원추리 남 '一, 玉篇, 萱一也, 本作宜男'《康熙字典》.

7 ⑪ [莙] 人名 ㊀ 운 ㊤軫 于敏切 yǔn ㊁ 윤 ㊥眞 爲贇切 ㊂ 균 ㊥眞 規倫切

字解 ㊀ ①먹는풀뿌리 운 작은 연근(蓮根)이나 죽순(竹筍) 따위. '一, 茭也. (疏)一, 一名茭, 謂草根可食者也'《爾雅》. ②새의뿌리 운 '一, 茅根也'《說文》. ㊁ 먹는풀뿌리 윤, 새의뿌리 윤 ㊀과 뜻이 같음. ㊂ 먹는풀뿌리 균, 새의뿌리 균 ㊀과 뜻이 같음.
字源 形聲. ++(艸)+均〔音〕

7 ⑪ [莕] 〔행〕 荇(艸部 六畫〈p. 1919〉)과 同字

7 ⑪ [茆] 〔묘〕 茆(艸部 五畫〈p. 1912〉)의 本字

7 ⑪ [莽] 莽(次條)의 俗字

8 ⑫ [莽] 人名 망 ㊤養 模朗切 mǎng

字解 ①풀 망 잡초. '草一'. '夕攬中州之宿一'《楚辭》. ②숲 망 풀의 숲. 또, 초원(草原). '伏戎于一'《易經》. ③멀 망, 아득할 망 유원(幽遠)한 모양. '一眇之鳥'《莊子》. ④넓을 망 광대(廣大)한 모양. '一買之野'《左思》. ⑤거칠 망 조략

(粗略)함. '君爲政焉, 勿鹵一'《莊子》. ⑥성 망 성(姓)의 하나.
[字源] 篆文 形聲. 犬＋茻〔音〕. '茻망'은 풀이 무성하다의 뜻. 개의 몸이 숨을 정도의 풀덤불을 뜻함. 또, 그 속의 토끼를 몰아내는 일.
[參考] 莽(前條)·莾(次條)은 俗字.

[莽大夫 망대부] 전한(前漢)의 양웅(揚雄)을 이름. 그는 한(漢)나라의 신하로서 변절(變節)하여 왕망(王莽)을 섬겼으므로, 사가(史家)가 그를 기자(譏刺)한 말임.
[莽莽 망망] ㉠풀이 우거진 모양. ㉡장대(長大)한 모양. ㉢넓은 모양. 광대(廣大)한 모양.
[莽新 망신] 왕망 시대(王莽時代). 왕망이 국호를 신(新)이라 한 데서 온 말.
[莽操懿卓 망조의탁] 전한(前漢)의 왕망(王莽), 위(魏)의 조조(曹操)·사마의(司馬懿), 후한(後漢)의 동탁(董卓). 모두 군주의 자리를 찬탈 혹은 독재를 쓴 사람임.
[莽蒼 망창] 푸릇푸릇한 근교(近郊)의 경치.
[莽蕩 망탕] 초원(草原)이 넓은 모양.
◉高莽. 灌莽. 鹵莽. 曠莽. 衰莽. 宿莽. 深莽. 野莽. 穢莽. 林莽. 榛莽. 蒼莽. 草莽. 叢莽.

8 ⑫ [莾] 莽(前條)의 俗字

8 ⑫ [菀] [一] 원 ㊤阮 於阮切 wǎn [二] 울 [入]物 紆物切 yù
[字解] [一] ①우거질 원 무성한 모양. '有一其特'《詩經》. 또, 우거진 초목. '有一者柳'《詩經》. ②동산 원 苑(艸部 五畫)과 통용. ③성 원 성(姓)의 하나. [二] 쌓일 울 鬱(鬯部 十九畫)과 통용. 울적함. '一結'.
[字源] 篆文 形聲. ++(艸)＋宛〔音〕

[菀結 울결] 울결(鬱結)함.
[菀熱 울열] 쌓인 열.
◉女菀. 紫菀.

8 ⑫ [菁] [人名] [一] 정(①② [平]庚 子盈切 jīng [二] 청 청[俗]) [平]青 倉經切 jīng
[字解] [一] ①부추꽃 정 부추의 꽃. '秋韭冬一'《張衡》. ②순무 정 십자화과에 속하는 일이년초. 무와 비슷한 채소임. '一菹'《周禮》. ③화려할 정 화미(華美)함. '麗服颺一'《張衡》. [二] 우거질 청 무성한 모양. '一一者莪, 在彼中沚'《詩經》.
[字源] 篆文 形聲. ++(艸)＋青〔音〕. '靑청'은 '푸르다'의 뜻. 시퍼런 풀을 뜻함.

[菁華 정화] '정화(精華)'와 같음.
[菁莪 청아] 인재(人材)를 교육함. 전(轉)하여, 많은 인재.
[菁菁 청청] 초목이 무성한 모양.
◉冬菁. 蔓菁. 蕪菁. 麗服颺菁.

8 ⑫ [莀] [一] 려 [去]霽 郎計切 lí [二] 렬 [入]屑 力結切
[字解] [一] ①조개풀 려 볏과의 일년초. 진초(藎草). '一, 艸也. 可已染留黃'《說文》. ②지치 려 자초(紫草). '一, 紫草'《廣韻》. [二] 지치 렬 [一]❷와 뜻이 같음.
[字源] 形聲. ++(艸)＋戾〔音〕

8 ⑫ [菂] 적 [入]錫 丁歷切 dì
[字解] 연밥 적 연꽃의 열매. 연실(蓮實). '綠房紫一'《王延壽》.
[字源] 形聲. ++(艸)＋的〔音〕

[菂薂 적격] 연밥. 연실(蓮實).
◉紫菂.

8 ⑫ [菅] [人名] [一] 간 [平]刪 古顏切 jiān [二] 관 [平]寒 姑歡切
[字解] [一] ①솔새 간 볏과에 속하는 다년초. 삿갓 또는 도롱이를 만들고 지붕을 임. '白華一兮'《詩經》. ②거적 간 사초로 엮은 거적. '白一爲席'《山海經》. ③사사로울 간, 부정할 간. ④주린 빛 간 주린 얼굴빛. '野蕪曠, 則民乃一'《管子》. [二] 솔새 관, 거적 관, 사사로울 관, 부정할 관, 주린빛 관 [一]과 뜻이 같음.
[字源] 篆文 形聲. ++(艸)＋官〔音〕. '官관'은 '管관'과 통하여, '관(管)'의 뜻. 줄기가 관 모양으로 되어 있는 사초의 뜻.

[菅屩 간갹] 짚신.
[菅茅 간모] 사초(莎草)의 한 가지.
[菅葦 간위] 사초(莎草)와 갈대.

8 ⑫ [菆] [一] 추 [平]尤 側鳩切 zōu [二] 찬 [平]寒 在丸切 cuán
[字解] [一] ①더부룩이날 추 풀이 총생(叢生)함. '一, 草也. 叢生也'《玉篇》. ②삼줄기 추 삼 껍질을 벗긴 줄기. '一, 麻蒸也'《說文》. ③화살 추 좋은 화살. '左射以一'《左傳》. ④깔개 추 요·자리 같은 까는 물건. '蓐謂之一'《博雅》. [二] 모을 찬, 모일 찬 총집(叢集)함.
[字源] 篆文 形聲. ++(艸)＋取〔音〕. '取취'는 '聚취'와 통하여, '모이다, 무리 짓다〔叢〕'의 뜻. 본뜻은 풀이 무리 지어 나는 것. 또, 무리 지어 나는 풀, 삼의 줄기의 뜻을 나타냄.

8 ⑫ [萘] [現] 내 nài
[字解] 《現》 나프탈렌 내 약품(藥品)의 이름. 공업용 원료(工業用原料)로서, 또 방충(防蟲)·방취제(防臭劑)로 쓰임.

8 ⑫ [菦] 근 [平]文 渠斤切 / ㊤吻 居隱切 qín / [去]問 巨靳切
[字解] 미나리 근 芹(艸部 四畫〈p. 1904〉)과 同字. '一, 菜. 類蒿'《說文》.
[字源] 形聲. ++(艸)＋近〔音〕

8 ⑫ [菰] 고 [平]虞 攻乎切 gū
[字解] 풀무성할 고 풀이 많은 모양. '一, 艸多皃, 从艸狐聲, 江夏平春有一亭'《大徐本說文》.

8 ⑭ [⿱艸⿰廾屮] 〔공〕
共(八部 四畫〈p. 216〉)의 古字

8 ⑫ [⿱艹⿰月丑] 〔유·뉴〕
⿱艹狃(艸部 七畫〈p. 1924〉)와 同字

8 ⑭ [⿱艸⿰丩屮] 규 [平]尤 居虯切 jiū
[字解] 얽힐 규 풀이 서로 얽히는 모양. '一, 艸之相丩者'《說文》.
[字源] 形聲. 茻+丩〔音〕

8 ⑫ [⿱艹亟] 〔극〕
亟(二部 六畫〈p. 82〉)과 同字

8 ⑫ [⿱艹⿰多刂] 〔렬〕
茢(艸部 六畫〈p. 1915〉)의 本字

8 ⑫ [萉] [一] 비 ①[去]未 父沸切 fèi
②[平]微 符非切 féi
[二] 분 [平]文 符分切
[三] 복 [入]職 蒲北切 fú
[字解] [一] ①삼씨 비 '一, 枲實也'《說文》. ②피할 비 '一, 避也'《集韻》. [二] 삼씨 분 [一]❶과 뜻이 같음. [三] 무 복 菔(艸部 八畫〈p. 1931〉)과 통용. '葖, 蘆一.(注)一, 宜爲菔. 蘆菔, 蕪菁屬, 紫華大根'《爾雅》.
[字源] 形聲. ++(艸)+肥〔音〕

8 ⑫ [菉] [人名] 록 [入]沃 力玉切 lù
[字解] ①조개풀 록 벼과에 속하는 다년초. 억새 비슷하며, 줄기·잎을 말려 황색(黃色) 염료로 씀. 황초(黃草). '終朝采一'《詩經》. ②적을 록 錄(金部 八畫)과 통용. '一幣焉'《汲冢周書》. ③푸를 록 綠(糸部 八畫)과 통용. '一竹'.
[字源] [篆文] 形聲. ++(艸)+彔〔音〕. '彔록'은 '녹색'의 뜻.

[菉竹 녹죽] 푸른 대. 녹죽(綠竹).

8 ⑫ [菈] 랍 [入]合 盧合切 lā
[字解] ①무 랍 뿌리채소인 무. '一, 菜名. 蘆菔'《集韻》. ②꺾을 랍 부러뜨림. '一, 擸雷硠'《左思》.

[菈擸 납랍] 꺾는 소리.

8 ⑫ [菊] [高人] 국 [入]屋 居六切 jú
[筆順] ' 十 卄 艻 芍 芶 菊 菊
[字解] ①국화 국 국화과에 속하는 다년초. 가을에 피는 화초(花草)의 한 가지. '黃一'. '芳一'. '秋一之落英'《楚辭》. ②성 국 성(姓)의 하나.
[字源] [篆文] 形聲. ++(艸)+匊〔音〕. '匊국'은 양손으로 떠서 집다의 뜻. 양손으로 떠서 잡을 때의 가지런한 손가락같이, 꽃잎이 한 점으로 모여 피는 '국화'를 일컬음.

[菊水 국수] 난양(南陽)의 역현(酈縣)(지금의 허난성 내)에 있는 내. 상류에 국화가 많은데, 그 냇물을 마시면 장수(長壽)한다 함.
[菊月 국월] 음력(陰曆) 9월의 별칭(別稱).
[菊判 국판] ㉠세로 93cm, 가로 63cm의 양지(洋紙)의 크기. ㉡국판 전지를 16겹으로 접은 책의 크기(세로 21cm, 가로 14.8cm).
[菊花 국화] 국화과에 속하는 관상용의 다년초. 품종에 따라 여러 가지 빛깔의 꽃이 늦가을까지 핌.
[菊花節 국화절] 음력 9월 9일. 중양절.
[菊花酒 국화주] 국화꽃을 넣어 빚은 술. 음력 9월 9일에 마시며 불길한 것을 떨어 버린다 함. 기근(杞根)의 껍질·찹쌀 등으로 담근 술. 치풍제(治風劑)로 씀.
[菊花之隱逸者 국화지은일자] 국화는 다른 꽃보다 늦게 피어 서릿발을 잘 견뎌 이기는 것으로, 은자(隱者) 같은 풍격(風格)이 있음을 이름.
[菊花天 국화천] 음력(陰曆) 9월의 절후(節候).
◉佳菊. 觀菊. 亂菊籬菊. 東菊. 芳菊. 白菊. 芬菊. 盆菊. 霜菊. 細菊. 疏菊. 殘菊. 除蟲菊. 叢菊. 寒菊. 黃菊. 畦菊.

8 ⑫ [菛] 문 [平]元 謨奔切 mén
[字解] 문동 문 문동(菛冬)은 약초의 이름. '一, 一冬, 艸名'《集韻》. '一, 今省作門'《康熙字典》.

8 ⑫ [菌] [高人] 균 ㊤軫 渠隕切 jùn, ②jūn
[筆順] 丨 十 卄 芇 芮 菌 菌 菌
[字解] ①버섯 균 담자균류(擔子菌類)에 속하는 고등 균류의 총칭. 모양이 대개 삿갓 같으며, 포자(胞子)로 번식함. '松一'. '采一'. ②균 균 세균. '病一'. '黴一'. ③죽순 균 箘(竹部 八畫)과 同字. '駱越之一'《呂氏春秋》.
[字源] [篆文] 形聲. ++(艸)+囷〔音〕. '囷균'은 곡식 곳간의 뜻. 곳간 같은 갓이 있는 '버섯'을 뜻함.

[菌桂 균계] 계수나무 비슷한 향목(香木).
[菌毒 균독] 균류(菌類)의 독.
[菌類 균류] 버섯·곰팡이붙이의 총칭.
[菌傘 균산] 버섯 윗머리의 넓게 우산을 편 것 같은 부분.
[菌蕈 균심] 버섯.
[菌腫 균종] 세균의 번식으로 생기는 혹과 같은 것. 소·말 따위에 흔히 생김.
◉桿菌. 球菌. 黴菌. 滅菌. 病菌. 保菌. 殺菌. 細菌. 松菌. 濕菌. 癒菌. 異菌. 朝菌. 雜菌. 抗菌.

8 ⑫ [⿱艹固] 고 [去]遇 古慕切 gù
[字解] 풀이름 고 '一, 艸也'《說文》.
[字源] 形聲. ++(艸)+固〔音〕

8 ⑫ [⿱艹兖] [一] 연 ㊤銑 以轉切 yǎn
[二] 권 ㊤銑 渠篆切 juàn
[字解] [一] 풀이름 연 '一, 艸名, 雀弁也'《集韻》. [二] 가날플 권 '一, 葽也'《廣韻》.

8 ⑫ [菎] 곤 [平]元 古渾切 kūn

[字解] 풀이름 곤 향초(香草)의 하나. '一蕗雜乎叢蒸'《東方朔》.
[字源] 篆文 形聲. ⺿(艸)+昆(罤)〔音〕

8 ⑫ [菑] [一] 치 ①-④[平]支 側持切 zī
⑤[去]寘 側吏切 zì
[二] 재 [平]灰 將來切 zāi

[字解] [一] ①묵정밭 치, 따비밭 치 묵어서 잡초가 우거진 밭. 또, 일구고 아직 씨를 뿌리지 아니한 밭. 또, 일군 뒤에 한 해 지난 새 밭. '于此一畝'《詩經》. ②일굴 치 황무지를 기경(起耕)함. '不一畬'《易經》. ③고목 치 서서 말라 죽은 나무. 또, 말라 죽는 일. '其一其翳'《詩經》. ④성 치 성(姓)의 하나. ⑤쪼갤 치 가름. '一栗不迤'《周禮》. [二] 재앙 재 災(火部 三畫)와 同字. '無一無害'《詩經》.
[字源] 篆文 別體 形聲. ⺿(艸)+田+巛〔音〕. '巛재'는 '재앙'의 뜻. 재해를 당한 경작지, '묵정밭' 등을 뜻함.

[菑害 재해] 재해(災害).
[菑患 재환] 재난(災難). 재환(災患).
[菑畬 치여] 황무지를 개간함.
◉無菑.

8 ⑫ [菓] [人名] 과 [上]哿 古火切 guǒ

[筆順] 丨 十 艹 艹 苩 苴 萆 菓

[字解] ①실과 과 果(木部 四畫)의 俗字. '杭有賣一者, 善藏柑'《劉基》. ②《韓》 과자 과 밀가루·설탕 등으로 만들어 끼니 외에 먹는 음식. 옛날에는, 과일을 이용하였음. '一子'.
[字源] 形聲. ⺿(艸)+果〔音〕. '果과'는 '과일'의 뜻. '果'에 많은 뜻이 생긴 탓으로, 구별하여 '艸'를 붙여, '과일'을 뜻함.

◉生菓. 茶菓. 銘菓. 氷菓. 乳菓. 油蜜菓. 製菓. 造菓. 韓菓.

8 ⑫ [菔] 복 [入]屋 房六切 fú

[字解] 무 복 야채의 한 가지. 蘿(艸部 十九畫)를 보라. '蘿一'.
[字源] 篆文 形聲. ⺿(艸)+服〔音〕. '服복'은 '匐복'과 통하여, 부풀어 가득 차다의 뜻.

◉蘿菔. 萊菔. 蘆菔. 蒼菔.

8 ⑫ [菖] [人名] 창 [平]陽 尺良切 chāng

[筆順] 丨 十 艹 艹 芇 苷 菖 菖

[字解] 창포 창 '一蒲'. '一始生'《呂氏春秋》.
[字源] 形聲. ⺿(艸)+昌〔音〕

[菖蒲 창포] 천남성과에 속하는 다년초. 향기가 있어서 5월 단오(端午)에 머리에 꽂고, 또 목욕물에 넣어 씀. 뿌리는 약재로 씀. 장포.
[菖蒲酒 창포주] 창포 뿌리를 넣어 빚은 술.
◉白菖. 石菖. 泥菖. 夏菖.

8 ⑫ [莉] [一] 리 [平]支 良脂切 lí
[二] 려 [平]齊 憐題切 lí

[字解] [一] ①많을 리, 뭇 리, 늙을 리, 구두풀 리 구두를 만드는 데 쓰는 풀. 黎(黍部 三畫〈p. 2702〉)의 古字. '黎, 說文, 履黏也. 作履所用. 一曰, 衆也. 老也. 或作一'《集韻》. ②땅이름 리 '一, 地名'《集韻》. ③성 리 성(姓)의 하나. [二] 많을 려, 뭇 려, 늙을 려, 구두풀 려, 땅이름 려, 성 려 [一]과 뜻이 같음.

8 ⑫ [菘] 숭 [平]東 息弓切 sōng

[字解] 숭채 숭 십자화과에 속하는 야채의 한 가지. 평지의 변종으로서, 잎이 두꺼워 추위에 잘 견딤. 일설(一說)에는 배추. '秋末晩一'《南史》.
[字源] 形聲. ⺿(艸)+松〔音〕

◉甘菘. 葵菘. 晩菘. 早菘. 地菘.

8 ⑫ [菙] 수 [上]紙 時髓切 chuí

[字解] ①모형(牡荊) 수 마편초과(馬鞭草科)에 속하는 낙엽 관목(落葉灌木). 인삼목(人蔘木). '燋焌用荊, 一之類'《周禮 註》. ②채찍 수, 채찍질할 수 箠(竹部 八畫)와 同字. '一, 所以捶笞人馬'《周禮 疏》.

◉荊菙.

8 ⑫ [菜] [中人] 채 [去]隊 倉代切 cài

[筆順] 丨 十 艹 苎 芢 苎 菜 菜

[字解] ①나물 채 야채. '蔬一'. '務畜一'《禮記》. ②채마밭 채 푸성귀를 심는 밭. '園中鋤一'《世說》. ③찬 채, 안주 채 반찬. 술안주. ④주린빛 채 곡식이 부족하여 푸성귀만 먹어서 누르스름하게 된 얼굴빛. '民無一色'《禮記》. ⑤캘 채 采(釆部 一畫)와 통용. '釋一'.
[字源] 篆文 形聲. ⺿(艸)+采〔音〕. '采채'는 '뜯다'의 뜻. 채취하여 먹는 풀, 곧 '나물'을 일컬음.

[菜甲 채갑] 채소의 새싹.
[菜羹 채갱] 나물국.
[菜根 채근] 채소의 뿌리. 전(轉)하여, 나물 반찬의 밥. 소사(蔬食).
[菜根譚 채근담] 어록체(語錄體)의 책. 명(明)나라 홍자성(洪自誠)이 지음. 2권. 천리 인정(天理人情)을 근본(根本)으로 삼아 덕행(德行)을 숭상하고 명리(名利)를 가볍게 보며, 문아풍류(文雅風流)의 경향이 많음.
[菜刀 채도] 식칼. 부엌칼.
[菜麻 채마] 밭에 심은 채소(菜蔬)·삼 따위. 「밭.
[菜麻田 채마전] 채소(菜蔬)·삼을 심은 밭. 채마
[菜飯 채반] 무·배추 등을 넣어 끓인 밥. 전(轉)하여, 조식(粗食).
[菜色 채색] ㉠푸성귀의 빛깔. ㉡굶주린 사람의 누

르스름한 얼굴빛.
[菜蔬 채소] 푸성귀.
[菜市 채시] 채소 시장.
[菜食 채식] 반찬을 푸성귀로만 먹음.
[菜食者 채식자] 초식(草食)만 하는 가난한 사람.
[菜園 채원] 채포(菜圃).
[菜菹 채저] 여름철의 김치.
[菜種 채종] 채소(菜蔬)의 씨.
[菜圃 채포] 채마밭.
[菜殽 채효] 야채로 만든 안주.
◉咬菜. 根菜. 奇菜. 鹿尾菜. 美菜. 白菜. 蘋菜. 舍菜. 山菜. 釋菜. 雪花菜. 蔬菜. 水菜. 蓴菜. 野菜. 鹽菜. 五菜. 異菜. 一汁一菜. 糞菜. 甜菜. 青菜. 總菜. 七菜. 菠薐菜. 解菜. 荇菜. 葷菜.

8 ⑫ **[菟]** [一] 토 [去]遇 湯故切 tù
[二] 도 [平]虞 同都切 tú

[字解] [一] ①새삼 토 메꽃과(科)에 속하는 일년생 기생(寄生) 만초(蔓草). 토사(菟絲). 일설(一說)에는 실새삼. ②토끼 토 兔(儿部 六畫)와 통용. '下不見伏一'《漢書》. [二] ①고을이름 도 ㉠ '玄一'는 한사군(漢四郡)의 하나. ㉡ '一裘'는 노(魯)나라 은공(隱公)이 은거(隱居)한 곳. 지금의 산둥 성(山東省) 태안현(泰安縣)의 동남에 있음. 전(轉)하여, 은거함. 또, 은거지(隱居地). ②성 도 성(姓)의 하나.
[字源] 形聲. ⺿(艸)＋兔〔音〕

[菟裘 도구] 자해(字解)[二]❶㉡을 보라.
[菟絲 토사] 메꽃과에 속하는 일년생 기생 만초(寄生蔓草). 잎이 없고 딴 식물에 감겨 붙어서 양분을 섭취함. 열매는 토사자(菟絲子)라 하여 약재로 씀. 새삼.
◉木菟. 於菟. 玄菟.

8 ⑫ **[荵]** [一] 임 [上]寢 忍甚切 rěn
[二] 녈 [入]屑 乃結切 niè

[字解] [一] 나무이름 임 '棯, 木名, 或从艸'《集韻》. [二] 풀이름 녈 '一, 艸名'《集韻》.

8 ⑫ **[萙]** 역 [入]職 越逼切 yù

[字解] 초목이무더기로날 역 '一, 艸木叢生, 通作棫'《集韻》.

8 ⑫ **[莿]** [一] 자 [去]寘 七賜切 cì
[二] 척 [入]陌 七迹切

[字解] [一] ①까끄라기 자, 가시 자 초목(草木)의 가시. '一, 茦也'《說文》. ②헐뜯을 자 '非過材之一也'《鶡冠子》. [二] 까끄라기 척, 가시 척 [一]❶과 뜻이 같음.
[字源] 形聲. ⺿(艸)＋刺〔音〕

8 ⑫ **[萋]** [一] 접 [入]葉 卽葉切 jiē
[二] 삽 [入]洽 色甲切 shà

[字解] [一] 노랑어리연꽃 접 '一餘'는 조름나물과(科)에 속하는 다년생 수초. 연못에 남. [二] 운불삽 삽 翣(羽部 八畫)과 同字.
[字源] [篆文] 形聲. ⺿(艸)＋妾〔音〕

[萋餘 접여] 다년생 수초(水草)의 한 가지. 연한 잎은 먹음. 접여(接余). 노랑어리연꽃.

8 ⑫ **[菠]** 파 [平]歌 逋禾切 bō

[字解] 시금치 파 '一薐'은 명아줏과(科)에 속하는 일이년초. 재배 식용함.
[字源] 形聲. ⺿(艸)＋波〔音〕

[菠薐 파릉] 명아줏과에 속하는 일이년초. 채소로 재배함. 시금치.
[菠菜 파채] 시금치.

8 ⑫ **[菿]** [一] 도 [去]號 都導切 ①-③dào
[上]晧 覩老切 ④dǎo
[二] 초 [去]效 陟孝切
[三] 착 [入]覺 竹角切

[字解] [一] ①풀클 도 풀이 큰 모양. '一, 艸大也'《說文》. ②클 도 '一, 大也'《爾雅》. ③쓰러질 도 풀이나 나무가 쓰러짐. '一, 艸木倒'《說文》. ④풀이름 도 '一, 艸名'《集韻》. [二] 풀이름 초 [一]❹와 뜻이 같음. [三] 풀클 착 [一]❶과 뜻이 같음.
[字源] 形聲. ⺿(艸)＋到〔音〕

8 ⑫ **[荓]** 병 [平]青 薄經切 pēng

[字解] ①하여금 병 …으로 하여금 …하게 함. '一云不逮'《詩經》. ②끌 병 예인(曳引)함. '莫予一峰, 自求辛螫'《詩經》. ③풀이름 병 풀의 하나.
[字源] [篆文] 形聲. ⺿(艸)＋幷〔音〕. '幷병'은 모아 늘어놓다의 뜻.
[參考] 苹(艸部 六畫)은 俗字.

8 ⑫ **[菡]** 함 [上]感 胡感切 hàn

[字解] 연꽃 함, 연꽃봉오리 함 연의 꽃. 또, 그 봉오리. '一萏'. '折一巫山下'《吳均》.
[字源] [篆文] 形聲. ⺿(艸)＋函〔音〕. '函함'은 '포함하다'의 뜻. 통통하게 물건을 담은 모양의 '연꽃 봉오리'를 뜻함.

[菡萏 함담] 연꽃. 또, 연꽃 봉오리.

8 ⑫ **[菩]** [人名] [一] 배 [上]賄 薄亥切 bèi
[二] 보 [平]虞 薄胡切 pú

[筆順]

[字解] [一] 보살풀 배 蓓(艸部 十畫)와 같음. '以一芻棘柏爲神主'《周禮 註》. [二] 보리 보, 보살 보 '一提'는 범어(梵語) Bodhi의 음역(音譯). 불도(佛道)의 정각(正覺). 불지(佛智)·불도(佛道)·정각(正覺)이라 번역함. '一薩'은 보리살타(菩提薩埵)의 준말. 각유정(覺有情)이라 번역함. 대용맹심(大勇猛心)으로 보리를 구하고 대자비(大慈悲)를 펴서 중생(衆生)을 제도(濟度)하는 부처의 다음가는 성인.
[字源] [篆文] 形聲. ⺿(艸)＋咅〔音〕

[菩提 보리] 《佛教》 자해(字解)[二]를 보라.

[菩提樹 보리수] ㉠피나뭇과에 속하는 낙엽 교목(落葉喬木). 중국 원산. 재목은 염주를 만드는 데 쓰임. ㉡뽕나뭇과에 속하는 상록 교목(常綠喬木). 동인도에서 나는데 석가(釋迦)가 이 나무 아래에서 득도(得道)하였다 함.
[菩提心 보리심]《佛教》성불 득도(成佛得道)하고자 하는 마음. 불도(佛道)를 구하는 마음.
[菩薩 보살]《佛教》자해(字解)㊂를 보라.
[菩薩面 보살면] '작약(芍藥)'의 별칭.
[菩薩乘 보살승]《佛教》보살이 되는 도(道). 삼승(三乘)의 하나. 육바라밀(六波羅蜜)을 닦고 중생을 교화(教化)하여, 생사를 초탈(超脫)하게 하는 일.

8 ⑫ [菪] 탕 ㊀漾 徒閬切 dàng

字解 ①미치광이 탕 莨(艸部 七畫)을 보라. '莨—'. ②풀이름 탕 자리를 매는 데 쓰는 풀. '—, 艸名. 可席也'《玉篇》.
字源 形聲. ++(艸)+宕〔音〕

◉莨菪.

8 ⑫ [菫] 人名 근 ①㊤吻 几隱切 jǐn ②㊀震 渠吝切 jìn

字解 ①제비꽃 근 산야(山野)에 저절로 나는 다년초. 자줏빛의 아름다운 꽃이 핌. 오랑캐꽃. '—荁枌楡'《禮記》. ②바꽃 근 미나리아재빗과에 속하는 다년초. 독초(毒草)이며 의약에 씀. 오두(烏頭). '夫高帝之視呂后, 猶醫者之視—也'《蘇洵》.
字源 篆文 形聲. ++(艸)+堇〔音〕. '堇근'은 '조금, 작다'의 뜻.

[菫菫 근근] 근소(僅少)함.
[菫荼 근도] 바꽃과 씀바귀. 모두 쓰거나 독이 있어서 먹지 못함.
◉和菫.

8 ⑫ [菭] 태 ㊥灰 徒哀切 tái

字解 ①물이끼 태 '—, 水靑衣也'《說文》. ②이끼 태 苔(艸部 五畫)와 同字. '華殿塵兮玉階—'《漢書》.
字源 篆文 形聲. ++(艸)+治〔音〕. 은습(隱濕)한 땅에서 자라는 이끼. '苔태'는 '氵수'가 생략된 글자.

◉玉階菭.

8 ⑫ [華] 中人 화 ①㊥麻 呼瓜切 huā ②-⑬㊀禡 胡化切 huá 华

筆順 丨 艹 艹 芈 芈 莘 華 華

字解 ①꽃 화, 꽃필 화 초목의 꽃의 총칭. 花(艸部 四畫)의 古字. '春—'. '灼灼其—'《詩經》. '桂樹—不實'《古詩》. ②빛 화 ㉠광휘. '日月光—兮'《竹書紀年》. ㉡광택. 윤. '大夫玄—'《禮記》. ③번성할 화 창성함. '榮—'. '不以繁—時樹本'《史記》. ④좋을 화 맛 같은 것이 좋음. '—食而脂肥'《素問》. ⑤고울 화 아름다움. '—麗'. '—采衣兮若英'《楚辭》. ⑥풍채 화 풍도(風度). '謝混風—爲江左第一'《南史》. ⑦이름 화 명망. '聲—'. '淸—所不爲'《南史》. ⑧분 화 화장하는 가루. '鉛—不御'《曹植》. ⑨흰머리 화 백발. '—首彌固'《後漢書》. ⑩치레 화 허식. '背實趨—'《潛夫論》. ⑪중화 화 중국 사람이 자국(自國)을 부르는 이름. '中—'. '—夏'. '混一戎—'《隋書》. ⑫산이름 화 오악(五嶽)의 하나. '—山'. '—嶽'. '至于太—'《書經》. ⑬성 화 성(姓)의 하나.
字源 金文 篆文 形聲. 篆文은 ++(艸)+𠌶〔音〕. '𠌶화'는 초목의 꽃의 뜻. 뒤에 '艸초'를 덧붙여 뜻을 분명하게 했음.

[華間 화간] 꽃 사이.
[華簡 화간] 화한(華翰) ❶.
[華菅茅束 화간모속] 부부가 서로 떨어질 수 없다는 뜻.
[華甲 화갑] '화(華)'는 '十' 여섯과 '一' 하나로 이룬 글자이므로, 예순한 살의 뜻으로 쓰임. 환갑(還甲).
[華蓋 화개] 북두칠성을 둘러싸는 별 이름. 전(轉)하여, 제왕(帝王)의 차개(車蓋).
[華京 화경] 서울의 미칭(美稱).
[華景 화경] 음력 2월의 별칭.
[華界 화계] 상해(上海)·천진(天津) 등에서 외국 조계(租界)에 대해서 중국 사람의 거주 구역(居住區域)의 일컬음.
[華僑 화교] 중국 사람으로서 국외에 이주한 사람.
[華軍 화군] 중국 군대.
[華年 화년] ㉠화갑(華甲). ㉡젊은 때. 한창때.
[華洛 화락] 서울의 미칭(美稱). 화경(華京). 화락(花洛).
[華麗 화려] 빛나고 고움.
[華騮 화류] ㉠주(周)의 목왕(穆王)이 기르던 팔준마(八駿馬)의 하나. ㉡양마(良馬). 화류(花騮).
[華鬘 화만] 본디 서역(西域) 부녀의 수식(首飾). 지금은 불상(佛像)의 머리 위에 장식하는 조화(造花). '화만(花鬘)' 참조(參照).
[華美 화미] 빛나고 아름다움.
[華靡 화미] 화사(華奢).
[華髮 화발] 노년(老年)의 일컬음.
[華閥 화벌] 현달(顯達)한 문벌(門閥).
[華封三祝 화봉삼축] 화(華)라고 하는 토지의 봉인(封人)이 수(壽)·부(富)·다남자(多男子) 세 가지를 가지고 요제(堯帝)를 축하(祝賀)했다는 고사(故事). 축하할 때에 이 말을 씀.
[華府 화부] 미국의 수도인 워싱턴. 화성돈(華盛頓).
[華不再揚 화부재양] 떨어진 꽃은 다시 가지로 되돌아가 달릴 수 없음. 곧, 지난 세월이나 죽은 사람은 다시 되돌아올 수 없음을 이름.
[華奢 화사] 화려하고 사치스러움.
[華山 화산] 산시 성(陝西省) 화음현(華陰縣)에 있는 산 이름. 오악(五嶽)의 하나.
[華胥 화서] 안심 자득(安心自得)의 경지. 전(轉)하여 낮잠.
[華胥之國 화서지국] 태평한 나라. 썩 잘 다스려진 나라.
[華胥之夢 화서지몽] 낮잠. 황제(黃帝)가 낮잠을 자다가 꿈에 화서(華胥)의 나라에 가서 그 나라가 이상적으로 잘 다스려진 상황을 보았다는 고사(故事)에서 나온 말로, 길몽(吉夢) 또는 단지 꿈의 뜻으로도 쓰임.

[華贍 화섬] 화려하고 풍부함.
[華星秋月 화성추월] 남의 편지에 대한 높임말. 글월의 낱말을 아름답게 빛나는 별에 비기고, 전편(全篇)을 맑은 가을 달에 비긴 것.
[華首 화수] 흰머리. 노인.
[華嵩 화숭] 화산(華山)과 숭산(嵩山). 전(轉)하여, 높고 큼을 뜻함.
[華飾 화식] 화려한 장식.
[華實 화실] 꽃과 열매. 전(轉)하여, 형식과 실질. 외관과 내용.
[華嶽 화악] 오악(五嶽)의 하나. 화산(華山).
[華顏 화안] 꽃 같은 얼굴. 화려한 얼굴.
[華押 화압] 수결(手決)과 함자(銜字). 화압(花押).
[華陽巾 화양건] 은인(隱人)이 쓰는 두건(頭巾).
[華陽國志 화양국지] 진(晉)나라 상거(常璩)가 찬(撰)한 사서(史書). 파촉(巴蜀)의 역사(歷史)를 개벽(開闢)부터 영화(永和) 3년까지 기록한 책. 모두 12권. 부록(附錄) 1권.
[華語 화어] 중국어(中國語).
[華言 화언] 겉치레하는 말.
[華嚴宗 화엄종] 《佛敎》 불교의 한 파(派). 마명보살(馬鳴菩薩)이 세움. 화엄경(華嚴經)을 근본 경전(根本經典)으로 삼고 믿음.
[華姸 화연] 화려하고 아름다움. 또, 그 여자.
[華艷 화염] 화려하고 아리따움.
[華英 화영] ㉠꽃. ㉡빛.
[華榮 화영] ㉠꽃. ㉡화려하고 번영함.
[華屋 화옥] ㉠화려한 가옥. ㉡비단으로 만든 화려한 일산(日傘).
[華僞 화위] 겉치레하는 거짓말.
[華夷 화이] 중화(中華)와 이적(夷狄).
[華而不實 화이불실] 말은 번드르르하나 하는 짓은 보잘것없음. 외관은 좋으나 내용이 없음.
[華甸 화전] 제도(帝都)가 있는 땅. 경기(京畿). 기전(畿甸).
[華箋 화전] 화려한 용지(用紙). 고운 종이.
[華顚 화전] 꽃이 피는 가지의 끝.
[華亭鶴唳 화정학려] 진(晉)나라의 육기(陸機)가 살해당할 때 그의 고향 화정(華亭)의 학의 우는 소리를 다시 들을 수 없다고 탄식한 말.
[華族 화족] 귀족(貴族).
[華胄 화주] 왕족이나 귀족의 자제(子弟). 주(胄)는 사자(嗣子).
[華清宮 화청궁] 당(唐)나라의 현종(玄宗)이 여산(驪山)에 세운 이궁(離宮)의 이름. 산시 성 임당현(陝西省臨潼縣) 남쪽에 있음.
[華燭 화촉] ㉠화려한 촛불. ㉡결혼식.
[華榱 화최] 장식을 한 화려한 서까래.
[華蟲 화충] 꿩[雉]의 이칭(異稱).
[華侈 화치] 화사(華奢).
[華佗 화타] 후한(後漢) 사람. 자(字)는 원화(元化). 의술(醫術)이 매우 뛰어났음.
[華平 화평] 서목(瑞木) 이름.
[華表 화표] 묘 앞에 세우는 문·망주석(望柱石) 따위.

[華表]

[華夏 화하] 화(華)는 화려함, 하(夏)는 대국(大國)이라는 뜻으로, 중국 본토의 과칭(誇稱).
[華翰 화한] ㉠좋은 붓. ㉡남의 편지.
[華軒 화헌] 화려하게 꾸민 수레.
[華煥 화환] 빛남.
◉京華. 枯楊生華. 高華. 空華. 九華. 光華. 狂華. 國華. 南華. 露華. 菱華. 端華. 德華. 曼陀羅華. 名華. 文華. 物華. 繁華. 法華. 浮華. 芬華. 紛華. 詞華. 奢華. 色如桃華. 鮮華. 雪華. 聲華. 歲華. 素華. 韶華. 水華. 亞鉛華. 顏如舜華. 女華. 年華. 姸華. 鉛華. 蓮華. 英華. 榮華. 容華. 優曇華. 優華. 雲華. 園華. 月華. 日華. 才華. 節華. 菁華. 精華. 朱華. 胄華. 中華. 重華. 珍華. 淸華. 秋華. 春華. 翠華. 風華. 豊華. 荷華. 閑華. 韓華. 含英咀華. 香華. 虛華. 豪華. 黃華.

8 ⑫ [菰] 人名 고 ㊥虞 古胡切 gū

字解 ①줄 고 볏과에 속하는 다년생의 수초(水草). 잎은 자리를 만드는 데 쓰이고, 열매와 어린싹은 식용함. '―米'. ②외로울 고 孤(子部 五畫)와 통용.
字源 形聲. ⺾(艸)+孤〔音〕

[菰米 고미] 줄의 열매. 식용함.
[菰蒲 고포] 줄과 부들.
◉淡巴菰. 茈菰. 蒲菰. 胡菰.

8 ⑫ [菱] 人名 릉 ㊥蒸 力膺切 líng

筆順 ⼀ ⺾ ⺾ 芢 苂 苃 菱 菱

字解 마름 릉 마름과에 속하는 일년생의 수초(水草). 열매는 식용함. '―藻'.
字源 形聲. ⺾(艸)+夌〔音〕. '夌릉'은 모난 언덕의 뜻. 그 열매가 모난 수초(水草), 곧 '마름'을 뜻함.

[菱歌 능가] 능창(菱唱).
[菱芰 능기] 마름.
[菱池 능지] 마름이 나 있는 못.
[菱唱 능창] 마름을 뜯는 사람의 노래.
[菱荷 능하] 마름과 연(蓮).
[菱形 능형] 네 변이 같고 대각선의 길이가 다른 사변형.
[菱花 능화] ㉠마름꽃. ㉡거울〔鏡〕의 별칭.
◉採菱. 鐵菱.

8 ⑫ [菲] 人名 비 ①②㊤尾 敷尾切 fěi ③㊦未 扶沸切 fèi ④⑤㊥微 芳非切 fēi

字解 ①채소이름 비 순무 비슷한 야채. 습지에 자라며 자적색(紫赤色)의 꽃이 핌. '采葑采―'《詩經》. ②엷을 비, 엷게할 비 박함. 박하게 함. '―薄'. '―飮食'《論語》. ③짚신 비 扉(尸部 八畫)와 통용. '不杖不―'《禮記》. ④향초 비 향기로운 풀. 또, 아름다운 꽃. 미화(美花). '春日生芳―'《庾肩吾》. ⑤우거질 비 풀이 무성한 모양. 또, 향기로운 모양. '芳――兮滿堂'《楚辭》.
字源 篆文 形聲. ⺾(艸)+非〔音〕. '非비'는 '貧빈'과 통하여, '가난하다, 얇다'의 뜻을 나타냄. 또, 야채 이름을 나타냄.

[菲德 비덕] 박(薄)한 덕. 자기의 덕의 겸칭(謙稱). 박덕(薄德). 과덕(寡德).
[菲禮 비례] 변변하지 못한 예물.
[菲薄 비박] 적어 변변하지 아니함.

[菲菲 비비] ㉠풀이 우거진 모양. ㉡꽃이 아름다운 모양. ㉢좋은 향기가 나는 모양. ㉣난잡한 모양. 뒤섞인 모양. ㉤고하(高下)가 정하여지지 아니한 모양.
[菲食 비식] 변변하지 못한 음식(飮食). 악식(惡食).
[菲衣 비의] 너절한 옷.
[菲儀 비의] 변변치 못한 사례(謝禮).
[菲才 비재] 변변하지 못한 재주. 자기의 재능의 겸칭(謙稱).
[菲質 비질] 둔한 재질.
◉芳菲. 葑菲. 芬菲. 采菲.

8 ⑫ [菴] 人名 암 ①㊀勘 烏紺切 yǎn ②㊥覃 烏含切 ān

筆順 ⺊ ⺾ 艹 芢 芡 莃 菴 菴

字解 ①우거질 암 무성한 모양. '豐蔚所盛, 茂八區而一藹焉'《左思》. ②암자 암 庵(广部 八畫)과 同字. '爲一舍于墓下'《齊書》.
字源 形聲. ⺾(艸)+奄〔音〕. '奄엄'은 '덮다'의 뜻. 풀로 덮은 초라한 오두막을 뜻함.
參考 葊(艸部 九畫)은 古字.

[菴舍 암사] 암자.
[菴藹 암애] 무성함.

8 ⑫ [菐] 복 ㊇屋 步木切 ㊇沃 蒲沃切 pú

字解 번거로울 복 '一, 瀆一也. 从丵从廾, 廾亦聲. (段注)瀆, 煩瀆也. 一, 如孟子書之僕僕, 趙云, 煩猥皃'《說文》.

8 ⑫ [菶] 봉 ㊤董 邊孔切 běng

字解 우거질 봉 '一一'은 초목이 우거진 모양. 또, 열매가 많이 달린 모양. '一一萋萋'《詩經》.
字源 篆文 形聲. ⺾(艸)+奉〔音〕. '奉봉'은 우거진 어린나무를 바치는 모양. '艸초'를 붙여, 식물이 잘 우거진 모양을 나타냄.

[菶菶 봉봉] 자해(字解)를 보라.
[菶茸 봉용] 초목이 한창 성한 모양. 몹시 더부룩한 모양.

8 ⑫ [菸] 어 ㊥魚 衣虛切 yū

字解 시들 어 잎 같은 것이 말라서 생기가 없어짐. '葉一邑而無色兮'《楚辭》.
字源 篆文 形聲. ⺾(艸)+於〔音〕

[菸邑 어읍] 시듦.

8 ⑫ [菹] ㊀ 저 ㊥魚 側魚切 zū ㊁ 자 ㊥麻 咨邪切 jù

字解 ㊀ ①김치 저 절여서 저장한 채소. '水草之一'《禮記》. ②절일 저 염분에 절게 함. '一其骨肉於市'《漢書》. ㊁ 늪 자 풀이 무성한 소택(沼澤). '驅蛇龍而放之一'《孟子》.
字源 篆文 別體 別體 形聲. ⺾(艸)+沮〔音〕. '沮저'는 '酢초'와 통하여, 초로 절인 야채를 이름.

[菹戮 저륙] 살육(殺戮).
[菹醢 저해] 김치와 육장(肉醬). 전(轉)하여, 살육(殺戮)의 뜻으로 씀.

8 ⑫ [菼] 담 ㊤感 吐敢切 tǎn

字解 물억새 담 볏과에 속하는 다년초. 강·연못가에 남. '毳衣如一'《詩經》.
字源 篆文 別體 形聲. 篆文은 ⺾(艸)+剡〔音〕. '剡염'은 잎 끝이 날카롭다의 뜻. 別體는 그 생략체(省略體).

8 ⑫ [菽] 人名 숙 ㊇屋 式竹切 shū

字解 ①콩 숙 콩과 식물 및 그 열매의 총칭. '一粟'. '一麥'. '含一飮水'《世說》. ②대두 숙 흰콩. '采一采一'《詩經》.
字源 形聲. ⺾(艸)+叔〔音〕. '叔숙'은 '尗숙'의 부분이 본래 가지에 달린 풋콩의 象形. 뒤에 '艸초'를 붙여, '풋콩'의 뜻을 나타냄.

[菽麥 숙맥] ㉠콩과 보리. ㉡콩과 보리를 변별하지 못한다는 뜻으로, 어리석은 사람을 비유하는 말.
[菽麥不辨 숙맥불변] 콩과 보리를 구별하지 못하는 지독한 바보. 숙맥.
[菽粟 숙속] 콩과 조. 사람이 상식(常食)하는 곡식.
[菽水 숙수] 콩과 물. 곧, 악식(惡食).
[菽水之歡 숙수지환] 가난한 중에도 부모(父母)를 잘 섬기는 즐거움.
[菽醬 숙장] 콩자반.

8 ⑫ [萁] 기 ㊥支 渠之切 qí

字解 ①콩대 기 콩을 떨고 남은 줄기와 가지. '種一頃豆, 落而爲一'《漢書》. ②풀이름 기 물억새 비슷한 풀로서, 예전에 호인(胡人)이 전동(箭筒)을 만드는 재료로 썼음. '檿弧一服'《漢書》. ③어조사 기 其(八部 六畫)와 同字. '梁曰薌一'《禮記》.
字源 篆文 形聲. ⺾(艸)+其〔音〕. '其기'는 '旗기'와 통하여, '기(旗)'의 뜻. 열매를 띤 모양이 자루 달린 작은 기 비슷한 '콩깍지'의 뜻을 나타냄.

[萁稈 기간] 콩대.
[萁服 기복] 기초(萁草)로 엮은 전동(箭筒). 복(服)은 복(箙).
◉枯萁. 豆萁. 茈萁. 煮豆燃萁. 薌萁.

8 ⑫ [萃] 人名 ㊀ 췌(취㊍) ㊀寘 秦醉切 cuì ㊁ 쵀 ㊀隊 取內切 cuì

筆順 ⺊ ⺾ 艹 苎 芖 茨 茭 萃

字解 ㊀ ①모을 췌, 모일 췌 '拔一'. '叢一'. '良朋一止'《仲長統》. ②야윌 췌 顇(頁部 八畫)와 통용. '勞苦煩一而愈無功'《荀子》. ③췌괘 췌 육십사괘(六十四卦)의 하나. 곧, ䷬〈곤하(坤下), 태상(兌上)〉. 만물이 한데 모이는 상(象). ㊁ 스칠 쵀 '一蔡'는 옷이 스치는 소리. '翕呷一蔡'《司馬相如》.
字源 金文 篆文 形聲. ⺾(艸)+卒〔音〕. '卒졸'은 거의 마지막까지 다 가다의

뜻. 풀이 풀다움의 극한에 이르다, 풀숲·모임의 뜻을 나타냄.

[萃蔡 췌채] 옷이 스치는 소리.
[萃然 췌연] 모이는 모양.
[萃聚 췌취] 모음. 모임.
◉群萃. 屯萃. 霧萃. 拔萃. 雲萃. 鱗萃. 蕉萃. 叢萃. 出萃. 畢萃. 咸萃. 會萃.

8 ⑫ [萄] 人名 도 ㊥豪 徒刀切 táo

字解 포도나무 도 '葡—'. '—, 葡—'《廣韻》.
字源 篆文 形聲. ++(艸)+匋〔音〕

◉葡萄.

8 ⑫ [萆] 一 비 ㊥支 賓彌切 bēi 二 폐 ㊤霽 必袂切 bì

字解 一 도코로마 비 '—薢'는 맛과에 속하는 다년생 만초(蔓草). 괴경(塊莖)은 식용으로 함. 二 가릴 폐 蔽(艸部 十二畫)와 통용. '從間道—山而望趙軍'《漢書》.
字源 篆文 形聲. ++(艸)+卑〔音〕. '卑비'는 얇고 둥글다의 뜻. 풀로 만든 비옷, 도롱이의 일컬음.

[萆薢 비해] 자해(字解)一을 보라.

8 ⑫ [萇] 장 ㊥陽 直良切 cháng

字解 ①양도(羊桃) 장 괭이밥과에 속하는 다년생 만초(蔓草). 꽃과 열매가 모두 복숭아 비슷하나, 맛이 씀. 오릉자(五稜子). 일설(一說)에는, 협죽도(夾竹桃). '—楚'. '薇蕪蓀—'《張衡》. ②성 장 성(姓)의 하나.
字源 篆文 形聲. ++(艸)+長〔音〕. '長장'은 '길다'의 뜻. 길차게 자라는 풀, '양도'의 뜻을 나타냄.

[萇楚 장초] 양도(羊桃). 자해(字解)❶을 보라.
[萇弘 장홍] 주(周)나라 경왕(敬王)의 대부(大夫). 진(晉)나라 범중행(范中行)의 난(難)에 죽음.

8 ⑫ [萊] 人名 래 ㊥灰 落哀切 ㊤隊 洛代切 lái

筆順 ' ++ ++ ++ ++ ++ 萊 萊

字解 ①명아주 래 명아줏과에 속하는 일년초. 어린잎은 식용함. '北山有—'《詩經》. ②거칠 래 잡초가 우거져 거칢. '草—'. '田卒汙—'《詩經》. ③묵정밭 래 잡초가 무성한 밭. '辨其夫家人民田—之數'《周禮》. ④잡초 래 무성한 잡풀. '燔—而播粟'《鹽鐵論》. ⑤깎을 래 잡초를 깎아 없앰. '—山田之野'《周禮》. ⑥성 래 성(姓)의 하나.
字源 篆文 形聲. ++(艸)+來〔音〕
參考 莱(艸部 七畫)는 약자(略字).

[萊蕪 내무] ㉠순무. 무청(蕪菁). ㉡잡초가 무성한 땅.
[萊菔 내복] 무.
[萊婦 내부] 내처(萊妻).
[萊婦鴻妻 내부홍처] 노래자(老萊子)의 아내와 양홍(梁鴻)의 아내. 모두 현처(賢妻)로 유명함.
[萊藪 내수] 잡초가 우거진 덤불.
[萊衣 내의] 노래자(老萊子)가 오색(五色)의 옷을 입고 늙은 어버이를 위로했다고 하는 그 옷. 내채(萊綵).
[萊孱 내잔] 성행이 거칠고 재주가 없음.
[萊蒸 내증] 명아주 잎을 찐 것. 바뀌어, 조식(粗食)을 이름.
[萊綵 내채] 노래자(老萊子)가 오채반란의(五綵斒斕衣)를 입고 춤추어 어버이를 기쁘게 한 고사(故事).
[萊妻 내처] ㉠노래자(老萊子)의 아내. 남편을 간(諫)하여 벼슬을 아니하게 하고 청빈한 생활을 하게 하였음. ㉡천한 아내. 자기 아내의 겸칭(謙稱).
◉燔萊. 蓬萊. 汚萊. 田萊. 草萊. 荒萊.

8 ⑫ [萋] 처 ㊥齊 七稽切 qī

字解 ①우거질 처 초목이 무성한 모양. '維葉——'《詩經》. '卉木—止'《詩經》. ②아름다울 처 문채가 화려한 모양. '—兮斐兮'《詩經》. ③공손할 처 공경하고 삼가는 모양. '有—有苴'《詩經》.
字源 篆文 形聲. ++(艸)+妻〔音〕. '妻처'는 '齊제'와 통하여, 다 나옴의 뜻. 풀이 다 나와서 우거지다의 뜻을 나타냄.

[萋斐·萋菲 처비] 문채(文彩)가 나는 모양. 무늬가 아름다운 모양.
[萋萋 처처] ㉠잎이 무성한 모양. ㉡아름다운 모양. ㉢구름이 뭉게뭉게 가는 모양. ㉣힘쓰는 모양.

8 ⑫ [萌] 人名 맹 ㊥庚 莫耕切 méng

筆順 ' ++ ++ 艹 ++ 苜 萌 萌

字解 ①싹틀 맹 ㉠초목의 싹이 나옴. '草木—動'《禮記》. ㉡일이 생김. '莫知其所—'《莊子》. ②싹 맹 ㉠씨앗에서 터져 나오는 어린잎. '—芽'. ㉡사물의 시작. 발단. '以銷衆邪之—'《漢書》. ③갈 맹 경작함. '春始生而—之'《周禮》. ④꼼짝아니할 맹 움직이지 아니하는 모양. '—乎不震不正'《莊子》. ⑤백성 맹 氓(氏部 四畫)과 통용. '施及—隷'《戰國策》. ⑥성 맹 성(姓)의 하나.
字源 甲骨文 篆文 形聲. ++(艸)+明(朙)〔音〕. '朙명'은 날이 새기 시작하다의 뜻. 풀이 싹이 트다의 뜻을 나타냄.

[萌動 맹동] ㉠싹이 남. 싹이 틈. ㉡시작함. 일어남.
[萌黎 맹려] 백성.
[萌隷 맹례] 백성.
[萌生 맹생] ㉠싹이 나옴. ㉡많이 생김.
[萌芽 맹아] ㉠싹이 남. 싹이 틈. ㉡싹. ㉢시작함. 일어남.
[萌蘖 맹얼] 초목의 싹.
[萌兆 맹조] 조짐(兆朕).

[萌乎 맹호] 꼼짝 아니하는 모양. 조금도 움직이지 아니하는 모양.
◉萬萌. 未萌. 邪萌. 蘗萌. 孳萌. 竹萌. 衆萌.

8 ⑫ [萍] [人名] 평 [平]青 薄經切 píng

[字解] 개구리밥 평 개구리밥과에 속하는 다년생 수초(水草). 수면에 부생(浮生)하며, 담홍색(淡紅色)의 잔꽃이 핌. 부초(浮草). 부평초(浮萍草). '流—'. '—始生'《禮記》.

[字源] [篆文] 形聲. 氵(水)＋苹[音]. '苹평'은 '개구리밥'을 뜻함.

[萍梗 평경] 평박(萍泊).
[萍泊 평박] 물 위의 부평초(浮萍草) 같이 이리저리 유랑함.
[萍泛 평범] 평박(萍泊).
[萍蘋 평빈] 개구리밥. 부평초(浮萍草).
[萍水相逢 평수상봉] 서로 우연히 타향에서 만나 알게 됨.
[萍實 평실] '태양(太陽)'의 이칭(異稱).
[萍寓 평우] 부평초(浮萍草) 같이 일정(一定)한 거처(居處)가 없이 남의 집에 우거(寓居)함.
[萍遊 평유] 평박(萍泊).
[萍跡 평적] 부평초(浮萍草)의 떠다닌 자취. 각처로 유랑함을 이름.
[萍藻 평조] 개구리밥. 부평초(浮萍草).
[萍蹤 평종] 평적(萍跡).
[萍蹤靡定 평종미정] 부평초(浮萍草)처럼 사방을 분주히 떠돌아 정처(定處)가 없다는 말.
[萍漂 평표] 부평초같이 떠돌아다님.
[萍鄕 평향] 장시 성(江西省)의 현(縣) 이름. 이곳의 탄갱(炭坑)은 매장량이 많고 좋은 석탄이 나와서 유명함.
◉輕萍. 枯萍. 密萍. 白萍. 浮萍. 流萍. 青萍. 漂萍.

8 ⑫ [萎] [人名] 위 ①-③[平]支 於爲切 wēi ④[上]紙 鄔毁切

[字解] ①시들 위 말라서 축 늘어짐. '凋—'. '無木不—'《詩經》. ②앓을 위 병듦. '哲人其—乎'《禮記》. ③쇠미할 위 쇠약함. '—靡不振'. ④둥굴레 위 '—蕤'는 백합과(百合科)에 속하는 다년초. 위유(葳蕤).

[字源] [篆文] 形聲. ⺾(艸)＋委[音]. '委위'는 나긋나긋한 여성의 뜻. 나긋나긋한 풀의 뜻에서, '시들다'의 뜻을 나타냄.

[萎苶 위날] 쇠약함. 쇠미함.
[萎餒 위뇌] 피로하고 주림.
[萎落 위락] 시들어 떨어짐.
[萎靡 위미] 시듦. 활기가 없어짐. 약해짐.
[萎蕤 위유] 자해(字解) ❹를 보라.
[萎縮 위축] ㉠시들어서 우그러짐. ㉡기운을 펴지 못함.
[萎悴 위췌] 시들어 빠짐.
◉枯萎. 衰萎. 委萎. 猗萎.

8 ⑫ [⿱艹徂] [一] 서 [平]魚 詳餘切 qū [二] 조 [平]虞 叢租切 cú

[字解] [一] 서개(⿱艹徂蓋) 서 부추 비슷한 채소. '—, —蓋, 菜名, 似韭'《集韻》. [二] 조고(⿱艹徂菇) 조 쇠귀나물. '—, —菇, 艸名, 生下田, 可食或作蔖'《集韻》.

8 ⑫ [萏] 담 [上]感 徒感切 dàn

[字解] 연꽃 담, 연꽃봉오리 담 '荷, 其華, 菡—'《爾雅》.

[字源] [篆文] 形聲. ⺾(艸)＋臽(閻)〔音〕. '閻염·담'은 우묵하게 꺼진 구덩이의 뜻. 꽃잎이 우묵하게 꺼져 들어가는, 개화(開花) 직전의 연꽃의 뜻을 나타냄.

◉菡萏.

8 ⑫ [菥] 석 [入]錫 先擊切 xī

[字解] 큰냉이 석 '—蓂'은 십자화과(科)에 속하는 월년초(越年草). 전주(全株)에 거친 털이 있음. 대제(大薺). '—蓂芋瓜'《張衡》.

[菥蓂 석명] 자해(字解)를 보라.

8 ⑫ [菤] 권 [上]銑 居轉切 juǎn

[字解] 도꼬마리 권 '—耳'는 국화과에 속하는 일년초. 열매는 창이자(蒼耳子)라 하여 약재로 씀. 권이(卷耳). 창이(蒼耳).

[菤耳 권이] 자해(字解)를 보라.

8 ⑫ [菕] 론 [平]元 盧昆切 lún

[字解] 참죽나무 론 멀구슬나뭇과에 속하는 낙엽교목(落葉喬木). 지엽(枝葉)에 향기가 있음. 향춘(香椿). '其木宜蚖—與杜松'《管子》.

8 ⑫ [萑] [一] 환 [平]寒 胡官切 huán [二] 추 [平]支 職追切 zhuī

[字解] [一] 물억새 환 '—葦'는 충분히 자란 물억새. [二] 익모초 추 꿀풀과에 속하는 월년초. 씨와 잎은 약용함. 암눈비앗. 충울(茺蔚).

[字源] [篆文] [篆文] 形聲. ⺾(艸)＋隹〔音〕

[萑蘭 환란] 눈물을 흘리는 모양.
[萑葦 환위] 충분히 자란 물억새.

8 ⑫ [⿱艹泥] 니 ①[平]齊 奴低切 ②[上]薺 奴禮切 nǐ

[字解] ①풀뿌리드러낼 니 '—, 草露根'《玉篇》. ②이슬많을 니 이슬이 진한 모양. '零露——'《詩經》.

8 ⑫ [菺] 견 [平]先 古賢切 jiān

[字解] 접시꽃 견 촉규(蜀葵). '—, 戎葵'《爾雅》.

8 ⑫ [⿱艹屈] [一] 골 [入]月 古忽切 qū [二] 굴 [入]物 曲勿切

[字解] [一] ①쓸 골 쓸어냄. '—, 觙也'《說文》. ②풀이름 골 '—, 神農本經, 有屈草. 生漢中川澤閒'《正字通》. [二] 쓸 굴, 풀이름 굴 [一]과 뜻이 같음.

字源 形聲. ⺾(艸)＋屈〔音〕

8 ⑫ [荶] 금 ㉶侵 去金切 qín

字解 풀이름 금 ㉠'黃—'은 풀의 이름. 황금(黃芩). '—, 黃—也'《說文》. ㉡쑥 비슷한 풀의 이름. '—, 艸名, 似蒿'《廣韻》. ㉢'—茎'은 풀의 이름. '—, —茎, 艸名'《集韻》. ㉣'—蔭'은 풀의 이름. '—, —蔭, 艸名'《集韻》.

字源 形聲. ⺾(艸)＋金〔音〕

8 ⑫ [菣] ❶ 긴 ㊀震 去刃切 qìn ❷ 견 ㊀霰 苦甸切

字解 ❶ 제비쑥 긴 국화과의 다년초. 어린잎은 식용함. '蒿, —.(注) 今人呼靑蒿香中炙啖者爲—. (疏) 荊楚之閒, 謂蒿爲—'《爾雅》. ❷ 제비쑥 견 ❶과 뜻이 같음.

字源 篆文 別體 形聲. ⺾(艸)＋臤〔音〕. 別體는 ⺾(艸)＋堅〔音〕

8 ⑫ [菢] 포 ㊀號 薄報切 bào

字解 ①새알품을 포 새가 알을 품음. '鶴翎不天生, 變化在啄—'《韓愈》. ②덮을 포 덮어 가림. '—, 覆也'《韻會》.

8 ⑫ [菏] 하 ㉶歌 胡歌切 hé

字解 ①풀이름 하 '—菔'은 풀의 이름. '—, 艸也'《玉篇》. ②늪이름 하, 강이름 하 '—, 澤名'《字彙》.

字源 形聲. ⺾(艸)＋河〔音〕

8 ⑫ [菨] 삽 ㉷洽 山洽切 shà

字解 ①삽보풀 삽 '—莆'는 서초(瑞草)의 이름. 요(堯)임금 때에 부엌에 나서 스스로 움직여 서늘한 바람을 일으켜 음식이 상하는 것을 막았다 함. '—莆, 瑞艸也, 堯時生於庖廚, 扇暑而涼'《說文》. ②부채 삽 箑(竹部 八畫)과 통용. '薄如—形'《論衡》.

字源 篆文 形聲. ⺾(艸)＋疌〔音〕. '疌녑'은 움직임이 부드러운 뜻. 부채를 만드는 풀을 이름.

[菨莆·菨脯 삽보] 자해(字解)❶을 보라.

8 ⑫ [萞] 비 ㉶齊 邊兮切 bì

字解 아주까리 비 비마(蓖麻). 蓖(艸部 十畫)와 同字.

8 ⑫ [菇] 고 ㉶虞 故吳切 gū

字解 ①쥐참외 고 '—, 爾雅, 本作菇, 俗作—'. ②《現》버섯 고〔菌〕. '香—'. '草—'.

8 ⑫ [菒] 고 ㉤晧 古老切 gǎo

字解 짚 고 稾(禾部 十畫)와 同字. '稾, 說文, 稈也, 或作—'《集韻》.

8 ⑫ [菍] 〔총〕 葱(艸部 九畫〈p.1946〉)과 同字

8 ⑫ [营] 〔영·형〕 營(火部 十三畫〈p.1358〉)의 簡體字

8 ⑫ [䓫] 〔극〕 茍(艸部 五畫〈p.1913〉)과 同字

8 ⑫ [莯] 〔목〕 苜(艸部 五畫〈p.1907〉)과 同字

8 ⑫ [著] 〔저〕 著(艸部 九畫〈p.1943〉)의 俗字

8 ⑫ [荆] 〔형〕 荊(艸部 六畫〈p.1918〉)의 本字

9 ⑬ [䕞] 〔사·도〕 蒣(艸部 十一畫〈p.1962〉)와 同字

9 ⑬ [萩] 人名 추 ㉶尤 七由切 qiū

字解 ①쑥 추 국화과에 속하는 다년초. 어린잎은 식용함. 봉애(蓬艾). '秦周伐雍門之—'《左傳》. ②개오동나무 추 楸(木部 九畫)와 同字. '山居千章之—'《漢書》.

字源 篆文 形聲. ⺾(艸)＋秋〔音〕

9 ⑬ [萬] 中人 만 ㊀願 無販切 wàn 万

筆順 ' ⺾ 艹 苩 莒 萬 萬 萬

字解 ①일만 만 천의 열 배. '長于百, 大于千, 衍于—'《漢書》. 전(轉)하여, 다수(多數)를 이름. '千態—狀'. '—國咸寧'《易經》. 또 전(轉)하여, 만에 하나도의 뜻으로 쓰임. '—不失—'. '且—無母子俱往理'《韓愈》. ②춤이름 만 간척(干戚)을 가지고 추는 춤. 은(殷)나라 탕왕(湯王) 때 생겼음. '方將—舞'《詩經》. ③성 만 성(姓)의 하나.

字源 甲骨文 金文 篆文 象形. 독충(毒蟲)인 전갈의 象形. 假借하여, 수사(數詞)로 쓰임.

[萬感 만감] 여러 가지 생각. 만 가지의 느낌.
[萬康 만강] 썩 강녕함.
[萬劫 만겁] 한없이 긴 시간. 영겁(永劫).
[萬頃 만경] ㉠1만 이랑. ㉡한없이 넓은 모양.
[萬頃滄波 만경창파] 한(限)없이 넓고 넓은 바다.
[萬古 만고] ㉠태고(太古). ㉡한없는 세월. 영원.
[萬古不變 만고불변] 영원(永遠)히 변하지 아니함.
[萬古不易 만고불역] 영원(永遠)히 바뀌지 아니함.
[萬古不朽 만고불후] 영원(永遠)히 썩지 아니함.
[萬古絕色 만고절색] 이 세상에는 유(類)가 없는 뛰어난 미색(美色).
[萬古絕唱 만고절창] 이 세상에는 유(類)가 없는 유명한 시가(詩歌). 또, 그 시가(詩歌)를 부르는 사람.

[萬古千秋 만고천추] 만고(萬古) ㉡.
[萬古風霜 만고풍상] 이 세상(世上)에서 지내 온 많은 고생.
[萬古恨 만고한] 영원히 사라지지 않는 원한.
[萬口 만구] 다수의 사람. 또, 그 입.
[萬區 만구] 만국(萬國).
[萬口成碑 만구성비] 여러 사람이 칭찬(稱讚)하는 것은 송덕비(頌德碑)를 세우는 것과 같다는 말.
[萬口傳播 만구전파] 온 세상에 널리 전파됨.
[萬國 만국] 세계(世界)에 있는 여러 나라. 만방(萬邦).
[萬國如在紅爐中 만국여재홍로중] 만국이 화로(火爐) 안에 들어 있는 것 같다는 뜻으로, 더위가 극심함을 이름.
[萬卷 만권] 많은 서적.
[萬鈞 만균] 매우 무겁다는 말. 균(鈞)은 30근.
[萬金 만금] 많은 돈.
[萬金不換 만금불환] 무릇 먹[墨]은 날마다 쓰고 1년이 지나도 겨우 반 치밖에 닳지 않으니, 많은 돈을 주어도 바꾸지 못할 귀한 것임. 먹의 이름인 '금불환(金不換)'은 준말.
[萬幾 만기] 만기(萬機).
[萬機 만기] 정치상(政治上) 온갖 중요한 기틀. 천하의 큰 정사(政事).
[萬機主 만기주] 일국의 만기를 맡은 임금. 군주.
[萬難 만난] 갖은 고난.
[萬年 만년] 만 번 거듭하는 햇수. 아주 많은 햇수.
[萬年芝 만년지] 영지(靈芝).
[萬能 만능] ㉠모든 사물(事物)에 능통(能通)함. ㉡모든 사물(事物)을 처리(處理)할 능력(能力).
[萬端 만단] ㉠여러 가지 엉클어진 일의 실마리. ㉡만반(萬般). ㉢만방(萬方).
[萬端俱起 만단구기] 만사(萬事)가 함께 발생함.
[萬代 만대] 만세(萬世).
[萬代不易 만대불역] 만고불변(萬古不變).
[萬綠叢中紅一點 만록총중홍일점] 많은 푸른 잎 가운데에 붉은 꽃이 하나 있음. 전(轉)하여, 변변치 못한 여럿 가운데에 하나 뛰어난 것이 있거나 뭇 남자 중에 여자가 한 명 끼여 있음을 이름. '홍일점(紅一點)' 참조.
[萬雷 만뢰] 많은 우레. 굉장히 큰 소리의 형용.
[萬籟 만뢰] 온갖 소리.
[萬類 만류] 온갖 종류.
[萬里 만리] ㉠1리(里)의 만 배(萬倍). ㉡거리(距離)가 썩 먼 것.
[萬里鏡 만리경] 망원경(望遠鏡).
[萬里同風 만리동풍] 광대한 지역이 풍속(風俗)을 같이함.
[萬里船 만리선] 먼 곳을 왕래하는 배.
[萬里猶比隣 만리유비린] 만 리나 멀리 떨어진 곳도 이웃과 같음.
[萬里長城 만리장성] ㉠진시황(秦始皇)이 흉노(匈奴)를 방비하기 위하여 쌓은 성. 후에 여러 번 수축(修築)하였으며 위치도 다소 변동이 있었음. ㉡적국(敵國)에 대한 유일한 방어 수단.
[萬里長天 만리장천] 높고 넓은 하늘.
[萬里之任 만리지임] 지방 장관(地方長官)의 직책.
[萬里侯 만리후] 왕도(王都)에서 멀리 떨어진 곳에 봉한 제후(諸侯).
[萬萬 만만] ㉠대단히 많은 수. ㉡여러 곱이 됨. ㉢절대로.
[萬萬不當 만만부당] 절대로 옳지 아니함.
[萬萬不可 만만불가] 만만부당(萬萬不當).
[萬目 만목] ㉠갖은 세목(細目). ㉡여러 사람의 눈.
[萬無一失 만무일실] 조금도 실책이 없음.
[萬物 만물] 천지간(天地間)에 있는 모든 물건(物件).
[萬物皆備於我 만물개비어아] 천하의 온갖 이치가 내 마음속에 갖추어 있음. 자기가 생각하여 착한 일이라고 믿는 바를 행하면 세상에 통하지 아니하는 곳이 없음.
[萬物父母 만물부모] 만물이 생장하는 천지.
[萬物不能移 만물불능이] 천하(天下)의 온갖 사물도 한 마음을 움직일 수 없다는 뜻으로, 의지의 견고함을 이름.
[萬物一府 만물일부] 온갖 사물은 아무 차별이 없음.
[萬物之靈 만물지령] 만물(萬物) 중에 가장 신령(神靈)한 것. 곧, 사람.
[萬物之祖 만물지조] 하늘을 이름.
[萬民 만민] 모든 백성(百姓).
[萬般 만반] 온갖 것. 전부.
[萬方 만방] ㉠만국(萬國). ㉡온갖 방법(方法).
[萬邦 만방] 만국(萬國).
[萬變 만변] 자꾸 변함.
[萬別 만별] 가지각색.
[萬病 만병] 온갖 병.
[萬寶 만보] ㉠갖은 보물. ㉡만민(萬民)의 보배. 곧, 오곡(五穀).
[萬福 만복] ㉠온갖 복록. ㉡남에게 복이 많이 내리기를 빈다는 인사말.
[萬夫 만부] 많은 사내. 여러 남자.
[萬不當 만부당] 아주 당(當)치 아니함.
[萬夫不當 만부부당] 만 명으로도 도저히 당해 내지 못함.
[萬夫之望 만부지망] 만인의 앙망(仰望)하는 바.
[萬分一 만분일] ㉠만으로 나눈 하나. ㉡있을 수 없는 일이지만 혹시. 만일.
[萬分之一 만분지일] 만(萬)으로 나눈 그중의 하나. 곧, 극소 부분을 이름.
[萬不失一 만불실일] 조금도 실책이 없음.
[萬死 만사] ㉠만 번 죽음. ㉡살아나기 힘든 위태한 경우.
[萬事 만사] 모든 일. 여러 가지 일.
[萬謝 만사] ㉠여러 번 사죄함. ㉡후히 사례함.
[萬斯大 만사대] 청(淸)나라 학자. 자(字)는 충종(充宗). 황종희(黃宗羲)의 제자. 경학(經學) 특히 춘추삼례(春秋三禮)에 정통함. 저서엔 〈학춘추수필(學春秋隨筆)〉·〈학례질의(學禮質疑)〉 등이 있음.
[萬斯同 만사동] 청(淸)나라의 학자. 사대(斯大)의 동생. 황종희(黃宗羲)의 제자. 자(字)는 계야(季野). 호(號)는 석원(石園). 역사(歷史)에 정통함. 명사고(明史稿) 5백 권, 그 밖의 저서가 있음.
[萬死無惜 만사무석] 만 번 죽어도 아깝지 않을 만큼 죄(罪)가 무거움.
[萬死不顧一生 만사불고일생] 죽음을 무릅씀.
[萬事瓦解 만사와해] 한 가지 잘못으로 모든 일이 다 실패로 돌아감.
[萬死一生 만사일생] 요행히 살아남. 겨우 죽음을 모면함.

[萬事亨通 만사형통] 모든 일이 뜻과 같이 잘됨.
[萬事休 만사휴] 온갖 일이 어찌할 도리가 없어짐.
[萬狀 만상] 온갖 형상(形狀).
[萬象 만상] 온갖 사물. 만물(萬物).
[萬緖 만서] 만단(萬端) ❼.
[萬善 만선] 온갖 옳은 일.
[萬姓 만성] ㉠백관(百官). ㉡한없이 많은 백성.
[萬世 만세] 한(限)없는 세월(歲月). 영원(永遠)한 세대.
[萬歲 만세] ㉠만년(萬年). ㉡예로부터 축하·축복의 뜻으로 일반에 널리 쓰이는 말. 당(唐)나라 말엽부터는 오직 천자(天子)의 장수(長壽)를 축하함에만 쓰임. ㉢평생을 마침.
[萬世功 만세공] 영원히 남을 공훈.
[萬歲樂 만세악] 당(唐)의 측천무후(則天武后)가 시작한 무악(舞樂)의 이름.
[萬世不刊 만세불간] 영원히 깎아 낼 수 없음. 영원히 전함.
[萬世不忘 만세불망] 은덕(恩德)을 영구(永久)히 잊지 아니함.
[萬世不易 만세불역] 만고불역(萬古不易).
[萬世不朽 만세불후] 만고불후(萬古不朽).
[萬世之業 만세지업] 영원히 계속될 불후의 사업.
[萬歲天子 만세천자] 장수(長壽)한 천자(天子)라는 뜻.
[萬歲後 만세후] 죽은 후. 사후(死後).
[萬殊 만수] 각양각색으로 다름.
[萬壽 만수] 장수(長壽)를 비는 말.
[萬壽無疆 만수무강] 장수를 축복(祝福)하는 말.
[萬壽山 만수산] 북경(北京) 서쪽에 있는 산 이름. 그 산기슭에 곤명지(昆明池)·이화원(頤和園)이 있음.
[萬壽節 만수절] 임금의 생신(生辰).
[萬乘 만승] 주(周)나라 때에 천자(天子)는 그 영토 안에서 병거(兵車) 일만 량(一萬輛)을 내는 제도가 있었음. 따라서 천자(天子)나 천자의 자리, 또는 대국(大國)을 뜻함.
[萬乘之國 만승지국] 대국(大國)의 제후(諸侯) 또는 천자(天子)가 다스리는 나라.
[萬乘之君 만승지군] 만승지국(萬乘之國)을 다스리는 군주.
[萬乘之威 만승지위] 제왕(帝王)의 위력. 또는 대군의 위력.
[萬乘之尊 만승지존] 천자(天子)의 지위(地位).
[萬乘之主 만승지주] 만승지군(萬乘之君).
[萬乘天子 만승천자] 천자(天子). 황제(皇帝).
[萬安 만안] 아주 평안(平安)함.
[萬若 만약] 만일(萬一).
[萬億 만억] 셀 수 없을 만큼 많은 수.
[萬緣 만연] 온갖 인연(因緣).
[萬葉 만엽] 만대(萬代).
[萬旺 만왕] 평안(平安).
[萬有 만유] 천지간(天地間)에 있는 온갖 물건(物件).
[萬有引力 만유인력] 온갖 물체(物體)가 서로 잡아당기는 힘.
[萬仞 만인] 만 길이라는 뜻으로, 대단히 높거나 대단히 깊음을 이름.
[萬人異心 만인이심] 각 사람마다 각기 마음이 다름.
[萬人敵 만인적] ㉠병법(兵法)을 이름. ㉡만인을 당해 낼 만한 지략(智略)과 용기가 있는 사람.
[萬人之上 만인지상] 인신(人臣)으로서 최고 지위.
[萬一 만일] ㉠만분지일(萬分之一). ㉡만분일(萬分一) ❶.
[萬鎰 만일] 많은 값. 일(鎰)은 이십 냥(二十兩) 또는 이십사 냥(二十四兩).
[萬紫千紅 만자천홍] 여러 가지 화초(花草)가 만발(滿發)한 모양.
[萬丈 만장] 매우 높음.
[萬章 만장] 전국 시대의 사람으로, 맹자(孟子)의 제자.
[萬障 만장] 온갖 지장.
[萬全 만전] 아주 안전(安全)함.
[萬全之計 만전지계] 아주 안전(安全)하게 하는 꾀.
[萬全之策 만전지책] 만전지계(萬全之計).
[萬卒 만졸] 많은 병사(兵士). 천병(千兵).
[萬鍾 만종] 후한 녹봉(祿俸). 많은 녹봉. 종(鍾)은 중국의 양(量)으로 육곡 사두(六斛四斗), 혹은 십곡(十斛).
[萬鍾祿 만종록] 만종(萬鍾).
[萬衆 만중] 많은 사람.
[萬千 만천] 수가 대단히 많음.
[萬疊靑山 만첩청산] 중첩(重疊)한 깊은 산(山).
[萬雉 만치] 왕성(王城). 치(雉)는 길이가 삼장(三丈), 높이가 일장(一丈)의 담.
[萬朶 만타] 많은 가지.
[萬態 만태] 온갖 형태(形態).
[萬派 만파] 여러 갈래. 여러 지류(支流). 여러 유파(流派).
[萬壑 만학] 많은 구렁. 많은 골짜기.
[萬壑千峯 만학천봉] 중첩(重疊)한 골짜기와 산봉우리.
[萬幸 만행] 매우 다행(多幸)함.
[萬戶長安 만호장안] 인가(人家)가 조밀(稠密)한 서울.
[萬戶侯 만호후] 1만 호가 사는 영지(領地)를 가진 제후.
[萬或 만혹] 만일(萬一).
[萬化 만화] ㉠온갖 변화. ㉡만물의 화육(化育).
[萬化方暢 만화방창] 봄날이 따뜻하여 만물(萬物)이 생장(生長)함.
[萬花會 만화회] 꽃의 우열(優劣)을 경쟁하는 회(會).
◉巨萬. 鉅萬. 累萬. 十百千萬. 億萬. 以一知萬. 振萬. 千萬. 統萬.

9
⑬ [萱] 人名 훤 ㊥元 況袁切 xuān

筆順 丨 艹 艹 芦 芦 苎 菅 萱

字解 ①원추리 훤 백합과에 속하는 다년초. 어린잎과 꽃은 식용함. 망우초(忘憂草). '一草忘憂'《嵇康》. ②성 훤 성(姓)의 하나.
字源 篆文 別體 別體 形聲. ++(艸)+宣〔音〕

[萱堂 훤당] ㉠어머니의 아칭(雅稱). ㉡남의 어머니의 존칭(尊稱). 옛날에 어머니는 북당(北堂)에서 거처하는데 그 뜰에 근심을 잊도록 원추리를 심었으므로 이름.
◉樹萱. 紫萱. 庭萱. 秋萱. 椿萱.

9
⑬ [萻] 〔구〕
苟(艸部 五畫〈p. 1907〉)와 同字

9 ⑬ [⿱艹毒] 〔독〕
⿰氵⿱艹毒(艸部 十二畫〈p. 1968〉)과 同字

9 ⑬ [萰] 련 [去]霰 郞甸切 liàn
[字解] ①가위톱 련 '一, 白蘞也'《玉篇》. ②퍼렁게우거질 련 '芊一'은 퍼렇게 우거진 모양. '涯灌芊一'《郭璞》.

9 ⑬ [萵] 와 [平]歌 烏禾切 wō
[字解] 상추 와 '一苣'는 국화과에 속하는 일년 또는 월년초(越年草). 잎은 쌈으로 먹음. '一苣向二旬矣'《杜甫》.
[字源] 形聲. ++(艸)+咼〔音〕

[萵苣 와거] 자해(字解)를 보라.

9 ⑬ [萹] 변 [平]先 方典切 芳連切 布玄切 biān
[字解] 마디풀 변 '一蓄'·'一竹'은 여뀟과(科)에 속하는 일년초.
[字源] 篆文 形聲. ++(艸)+扁〔音〕. '扁편'은 잎이 편평한 모양을 나타냄.

[萹竹 변죽] 변축(萹蓄).
[萹蓄 변축] 여뀟과에 속하는 일년초. 들이나 길가에 많이 나는데, 줄기와 잎은 약용함. 마디풀.

9 ⑬ [萸] [人名] 유 [平]虞 羊朱切 yú
[字解] 수유나무 유 '茱一'. '一, 茱一也'《說文》.
[字源] 篆文 形聲. ++(艸)+臾〔音〕

◉茱萸.

9 ⑬ [葋] 구 [平]虞 其俱切 qú
[字解] 풀이름 구 '一, 艼熒'《爾雅》.

9 ⑬ [萼] 악 [入]藥 五各切 è
[字解] 꽃받침 악 꽃잎을 받치고 있는 엽질(葉質)의 조각. '素一'. '紅一'. '春華發一'《晉書》.
[字源] 形聲. ++(艸)+咢〔音〕. '咢악'은 뜻밖의 일에 놀라다의 뜻. 거기서부터 뜻밖의 색깔의 꽃잎이 나오는 '꽃받침'의 뜻을 나타냄.
[參考] 蕚(艸部 十二畫)은 俗字.

[萼珠 악주] 꽃받침의 미칭(美稱).
◉萬萼. 發萼. 素萼. 妖萼. 千萼. 香萼. 紅萼. 花萼.

9 ⑬ [落] [中·人] 락 [入]藥 盧各切 luò, là, lào

[筆順] 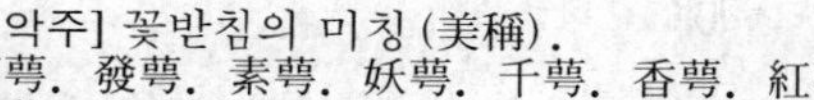

[字解] ①떨어질 락 ㉠꽃이나 잎이 말라 떨어짐. '凋一'. '草木零一'《禮記》. ㉡떨어져 내려옴. '一下'. '墜一'. '向有煤, 一甑中'《孔子家語》. ㉢적어짐. 감소함. '家貧客一'. '水一石出'《蘇軾》. ㉣손에 들어감. '中原之鹿, 未識一誰手'《晉書》. ㉤해이함. 퇴폐함. '弛一'. '因多難治綱一'《梁武帝》. ㉥이산함. 흩어짐. '民人離一'《國語》. ㉦낙탁(落魄)함. 유리(流離)함. '零一'. '流一變遷'《唐書》. ㉧뒤떨어짐. '一後'. '風流豈肯一人後'《李白》. ㉨모략 등에 빠짐. '不一賊計'. ㉩죽음. '一年'. '帝乃殂一'《書經》. ㉪함락함. '城一'. ㉫이·털 등이 빠짐. '動搖者或脫而一'《韓愈》. ㉬해나 달이 짐. '日一西山'. ②떨어뜨릴 락 전항(前項)의 타동사. '無一吾事'《莊子》. ③낙엽 락 떨어진 잎. '振一'《淮南子》. ④이룰 락 준공함. '一成'. 또, 낙성식. 또는 낙성식을 행함. '楚子成章華之臺, 願與諸侯一之'《左傳》. ⑤빗방울 락 '矗不知其幾千萬一'《杜牧》. ⑥울타리 락 '籬一'. '揩枳一'《張衡》. ⑦마을 락 촌락. '部一'. '聚一'. '躡冒頓之區一'《後漢書》. ⑧두를 락 絡(糸部 六畫)과 통용. '一以隨珠和璧'《漢書》. ⑨성 락 성(姓)의 하나.
[字源] 篆文 形聲. ++(艸)+洛〔音〕. '洛락'은 '格격'과 통하여, '이르다'의 뜻. 초목의 잎이 땅 위에 이르다, 떨어지다의 뜻을 나타냄.

[落價 낙가] 값이 떨어짐.
[落款 낙관] 서화(書畫)에 필자(筆者)의 이름을 쓰고 도장(圖章)을 찍음.
[落句 낙구] 율시(律詩)의 제7·제8의 양구(兩句). 미련(尾聯).
[落年 낙년] 죽은 해. 몰년(歿年).
[落膽 낙담] ㉠대단히 놀라서 간이 떨어질 지경임. ㉡바라던 것이 아니 되어 마음이 상(傷)함.
[落落 낙락] ㉠서로 용납하지 아니하는 모양. 거절하는 모양. ㉡뜻이 큰 모양. ㉢드문드문한 모양. 성긴 모양. ㉣쓸쓸한 모양. ㉤우뚝 솟은 모양.
[落落難合 낙락난합] 뜻이 커서 세상 사람과 맞지 아니함.
[落落穆穆 낙락목목] 성격이 원만하여 모남이 없는 일.
[落雷 낙뢰] 벼락이 떨어짐.
[落淚 낙루] 눈물을 흘림.
[落馬 낙마] 말에서 떨어짐.
[落莫 낙막] 적막함. 쓸쓸함.
[落寞 낙막] 낙막(落莫).
[落望 낙망] 실망(失望)함.
[落梅花 낙매화] 적악곡(笛樂曲)의 이름.
[落名 낙명] 명예(名譽)가 떨어짐.
[落命 낙명] 생명(生命)을 잃음. 죽음.
[落帽之辰 낙모지신] 음력 9월 9일의 절구(節句). 곧, 중양절(重陽節). 이날 진(晉)의 맹가(孟嘉)가 환온(桓溫)을 따라 용산(龍山)에 올라가서 술 마시고 노닐 적에 바람이 불어 가(嘉)의 모자가 떨어지자, 온(溫)은 사람들에게 글을 지어 이를 조롱하게 하니, 가(嘉)가 이때 대답(對答)으로 지은 글이 매우 훌륭했다고 하는 고사(故事)에서 나온 말임.
[落木 낙목] 잎이 떨어진 나무.
[落眉之厄 낙미지액] 눈앞에 닥친 재앙(災殃).
[落泊 낙박] 낙탁(落魄).
[落魄 낙박] 낙탁(落魄).
[落髮 낙발] 삭발(削髮)함.
[落榜 낙방] 시험(試驗)에 낙제(落第)함.

[落帆 낙범] 배의 돛을 내림.
[落索 낙삭] 쓸쓸한 모양.
[落想 낙상] 착상(着想).
[落傷 낙상] 떨어지거나 넘어져 다침.
[落選 낙선] 선거(選擧)에 떨어짐.
[落成 낙성] 공사의 준공(竣工).
[落星 낙성] 고대의 이름난 누(樓)의 이름.
[落城 낙성] 성(城)이 함락(陷落)됨.
[落水 낙수] 낙숫물.
[落手 낙수] 입수(入手)함. 손에 넣음. 받음.
[落飾 낙식] 삭발(削髮)하고 중이 됨.
[落心 낙심] 소망(所望)이 없어져 실망(失望)함.
[落陽 낙양] 지는 해. 석양(夕陽).
[落語 낙어] 이야기의 끝.
[落宴 낙연] 신축 낙성(新築落成)의 축연(祝宴).
[落然 낙연] 영락(零落)한 모양.
[落葉 낙엽] 떨어진 나뭇잎.
[落葉松 낙엽송] 전나뭇과에 속하는 낙엽 교목(落葉喬木).
[落英 낙영] 낙화(落花).
[落影 낙영] 낙일(落日).
[落伍 낙오] 대오(隊伍)에서 떨어짐. 전(轉)하여, 모든 경쟁에서 뒤떨어짐.
[落吾手 낙오수] 내 손에 들어옴. 내 것이 됨.
[落月 낙월] 지는 달.
[落月屋梁 낙월옥량] 밤에 벗의 꿈을 꾸고 깨 보니 지는 달이 지붕을 비추고 있다는 뜻. 곧, 벗을 생각하는 심정이 간절함을 이름.
[落人後 낙인후] 남보다 뒤떨어짐.
[落日 낙일] 지는 해. 석양(夕陽).
[落字 낙자] 빠뜨린 글자.
[落張 낙장] 책의 장수가 빠짐. 또, 그 책장.
[落籍 낙적] ㉠호적 같은 것에서 이름이 빠짐. ㉡기입한 성명을 지움. ㉢기적(妓籍)에서 몸을 뺌.
[落穽下石 낙정하석] 사람이 함정(陷穽)에 빠진 것을 보고 그 위에서 돌을 던진다는 뜻으로, 속담(俗談)의 '불난 데 부채질한다.'와 같은 말.
[落第 낙제] 시험(試驗)에 못 뽑힘.
[落照 낙조] 저녁때의 햇빛. 석양(夕陽).
[落潮 낙조] 썰물.
[落種 낙종] 씨를 뿌림.
[落地 낙지] 이 세상(世上)에 태어남.
[落職 낙직] 벼슬이 떨어짐. 면직당함. 파직(罷職).
[落帙 낙질] 책(冊)의 권수(卷數)가 모자람.
[落差 낙차] 물 떨어지는 높낮이의 차.
[落着 낙착] 일의 끝을 맺음. 끝이 남.
[落札 낙찰] 입찰(入札)에 뽑힘.
[落體 낙체] 낙하(落下)하는 물체.
[落齒 낙치] 늙어서 이가 빠짐.
[落齒復生 낙치복생] 노인(老人)의 빠졌던 이가 다시 남.
[落托 낙탁] 낙막(落莫).
[落拓 낙탁] 기상(氣象)이 큼.
[落魄 낙탁] 영락(零落)함.
[落脫 낙탈] 탈락(脫落).
[落胎 낙태] 태아(胎兒)가 달이 차기 전에 죽어 나옴.
[落筆 낙필] ㉠붓을 들어 쓰기 시작함. ㉡아무렇게나 장난으로 쓰는 글씨. 낙서(落書).
[落筆點蠅 낙필점승] 화가(畫家)의 훌륭한 기량(技倆).
[落霞 낙하] 저녁놀.
[落下傘 낙하산] 항공기(航空機)에서 사람이나 물건이 땅 위에 안전(安全)하게 내려오도록 그 떨어지는 속도(速度)를 완화(緩和)시키기 위하여 쓰는, 깁으로 만든 큰 양산(洋傘).
[落霞與孤鶩齊飛 낙하여고목제비] 해 질 무렵의 물가의 풍경. 낙하는 낮게 뜬 저녁놀. 목은 따오기.
[落鄕 낙향] 서울 사람이 시골로 이사(移徙)함.
[落婚 낙혼] 문벌(門閥)이 높은 사람이 가문(家門)이 낮은 사람과 혼인(婚姻)함.
[落花 낙화] 떨어지는 꽃.
[落花難上枝 낙화난상지] 한번 떨어진 꽃은 다시 가지에 올라가 달리지 못함. 파경(破鏡)한 인연은 돌이킬 수 없음의 비유.
[落花生 낙화생] 땅콩.
[落花水面皆文章 낙화수면개문장] 풍경이 절로 색무늬지는 일의 비유.
[落花流水 낙화유수] 떨어지는 꽃과 흐르는 물. 정이 있어 서로 보고 싶어 하는 남녀의 관계의 비유.
[落花風 낙화풍] 꽃을 지게 하는 바람.
[落後 낙후] 뒤떨어짐.
[落暉 낙휘] 낙일(落日).
◉刊落. 訣落. 傾落. 枯落. 瓠落. 區落. 群落. 及落. 那落. 奈落. 羅落. 難攻不落. 牢落. 磊落. 礌落. 磊磊落落. 段落. 斷落. 大荒落. 禿落. 沒落. 剝落. 撲落. 藩落. 碧落. 部落. 擯落. 散落. 洒落. 灑落. 承落. 歷落. 漣落. 零落. 榮落. 寥落. 院落. 園落. 萎落. 流落. 留落. 維落. 遺落. 陸落. 淪落. 邑落. 弛落. 里落. 籬落. 一榮一落. 謫落. 轉落. 低落. 殂落. 凋落. 種落. 振落. 錯落. 拓落. 跅落. 村落. 摧落. 墜落. 黜落. 聚落. 墮落. 脫落. 頹落. 擺落. 暴落. 漂落. 飄落. 下落. 陷落. 解落. 墟落. 虎落. 廓落. 黃落.

9 ⑬ **[葆]** 보 ㊤晧 博抱切 bǎo

字解 ①더부룩이날 보 초목이 총생한 모양. 또, 무성한 모양. '頭如蓬一'《漢書》. ②깃장식 보 수레 뚜껑의 가장자리나 깃대의 꼭대기에 다는 새 깃의 장식. '羽一'. '垂翟一'《張衡》. ③움 보 초목의 움. '莖一長稠'《亢倉子》. ④푸성귀 보 채소. '主一旅事'《史記》. ⑤감출 보 보이지 않게 함. '此之謂一光'《莊子》. ⑥칭찬할 보 '不樂一大'《禮記》. ⑦보전할 보 保(人部 七畫)와 통용. '一之會稽'《墨子》. ⑧포대기 보 褓(衣部 九畫)와 통용. '在襁一之中'《史記》. ⑨보배 보 寶(貝部 十三畫)와 통용. '見穀城山下黃石, 取而一祠之'《史記》. ⑩성채 보 堡(土部 九畫)와 통용. '侵盜上郡一塞蠻夷'《史記》.
字源 篆文 形聲. ⺿(艸)+保〔音〕

[葆光 보광] ㉠빛을 감춤. 지덕(智德)을 감추고 나타내지 아니함. ㉡명예 또는 세력을 보지(保持)함.
[葆大 보대] 명예가 큼.
[葆葆 보보] 풀이 우거진 모양.
[葆祠 보사] 보배로 여겨 제사 지냄.
[葆塞 보새] 요새(要塞). 성채(城砦).
[葆守 보수] 보전하여 지킴.
◉襁葆. 幡葆. 蓬葆. 羽葆. 叢葆.

9 [葉] [中人] [一] 엽 [入]葉 與涉切 yè 叶
⑬ [二] 섭 [入]葉 書涉切 shè

[筆順] ' 卄 艹 苹 苷 莗 華 葉

[字解] [一] ①잎 엽 ㉠초목의 잎. '綠一'. '落一'. '匏有苦一'《詩經》. ㉡잎의 모양을 한 것. 또는, 잎과 같이 얇은 것. '鐵一'. '加柶, 覆之面一'《儀禮》. ②대 엽 세대(世代). '末一'. '奕世累一'. '昔在中一'《詩經》. ③갈래 엽 본줄기에서 벗어난 갈래. '枝一'. '神一靈條, 爰自帝堯'《謝莊》. ④후손 엽 자손. '孔穿, 孔子之一也'《公孫龍子》. ⑤장 엽 종이를 세는 말. '一一'. '三一'. '必指卷第冊一所在'《宋史》. ⑥미늘 엽 갑옷의 미늘. '造甲一'《文獻通考》. ⑦성 엽 성(姓)의 하나. [二] ①고을이름 섭 초(楚)나라의 읍명(邑名). 지금의 허난 성(河南省) 남양부(南陽府) 섭현(葉縣). ②성 섭 성(姓)의 하나. '一適'은 송(宋)나라 때의 학자.

[字源] 金文 篆文 篆文 形聲. 艹(艸)+枼〔音〕. '枼엽'은 金文에서 보다시피 象形. 나뭇잎을 형상화하였고, '나뭇잎'을 뜻함. 뒤에 '艸초'를 덧붙임.

[葉公好龍 섭공호룡] 사이비(似而非)함을 이름. 또, 이름만 좋아하고 실질(實質)은 좋아하지 아니함의 비유.
[葉德輝 섭덕휘] 청말(清末)의 학자. 후난 성(湖南省) 창사(長沙) 사람. 자(字)는 환빈(煥彬). 박람 다식(博覽多識)하고 장서(藏書)가 많았으며, 고증(考證)에 능하였음.
[葉適 섭적] 송(宋)나라의 학자. 자(字)는 정칙(正則). 수심 선생(水心先生)이라 부름. 〈수심문집(水心文集)〉·〈습학기언(習學記言)〉 등을 지음.
[葉向高 섭향고] 명(明)나라 사람으로, 자(字)는 진경(進卿). 동각대학사(東閣大學士)에 이름.
[葉脚 엽각] 잎의 밑동.
[葉綠素 엽록소] 엽육(葉肉) 속에 있는 녹색의 물질.
[葉脈 엽맥] 엽육(葉肉)을 꿰뚫은 작고 큰 섬유질(纖維質)의 조직(組織).
[葉柄 엽병] 잎을 받치는 둥글고 가는 자루.
[葉書 엽서] 우편엽서(郵便葉書).
[葉腋 엽액] 잎과 가지 또는 줄기와의 사이.
[葉語 엽어] 대대로 전(傳)해 일러 내려옴.
[葉月 엽월] 음력(陰曆) 8월의 별칭(別稱).
[葉肉 엽육] 잎의 엽맥(葉脈) 이외의 부분.
[葉子 엽자] ㉠맨 책. ㉡초목의 잎.
[葉子戲 엽자희] 골패(骨牌).
[葉錢 엽전] 둥글고 가운데에 구멍이 뚫린 옛날 돈.
[葉菜 엽채] 잎을 먹는 채소(菜蔬).
[葉托 엽탁] 엽각(葉脚)의 좌우에 있는 자엽(子葉).
[葉片 엽편] 잎의 넓은 부분(部分).
◉柯葉. 甲葉. 乾葉. 枯葉. 槁葉. 根葉. 金張七葉. 金枝玉葉. 落葉. 來葉. 露葉. 鹿枝大葉. 累葉. 嫩葉. 萬葉. 末葉. 木葉. 門葉. 百葉. 繁葉. 碧葉. 病葉. 複葉. 上葉. 霜葉. 衰葉. 神葉. 若葉. 五葉. 梧葉. 柳葉. 銀葉. 一葉. 一花五葉. 子葉. 前葉. 粘葉. 貞葉. 庭葉. 竹葉. 中葉. 支葉. 枝葉. 札葉. 冊葉. 千葉. 千枝萬葉. 鐵葉. 靑葉. 墜葉. 麤枝大葉. 翠葉. 貝葉. 薤葉. 荷葉. 奕葉. 紅葉. 黃葉. 後葉.

9 [葍] 복 [入]屋 方六切 fú
⑬

[字解] ①메 복 메꽃과의 다년생 만초. 꽃은 나팔꽃 모양이며 담홍색임. 뿌리는 메라 하여 식용함. 고자화(鼓子花). '一, 藑. (注) 大葉白華. 根如指, 正白可啖'《爾雅》. ②무 복 겨잣과에 속하는 한해살이 또는 두해살이의 채소. 나복(蘿葍). '言采其一'《詩經》.

[字源] 篆文 形聲. 艹(艸)+畐〔音〕

◉蘿葍.

9 [葎] 률 [入]質 呂卹切 lǜ
⑬

[字解] 한삼덩굴 률 삼과에 속하는 일년생의 만초(蔓草). 줄기에는 가는 가시가 밀생(密生)하며, 가을에 담녹색(淡綠色)의 작은 꽃이 핌. 열매는 건위제(健胃劑)로 쓰임. '此草, 莖有細刺, 善勒人膚. 故名勒草, 訛爲一草'《本草》.

[字源] 篆文 形聲. 艹(艸)+律〔音〕

[葎草 율초] 한삼덩굴.

9 [葑] 봉 ①[平]冬 府容切 fēng
⑬ ②[去]宋 方用切 fèng

[字解] ①순무 봉 겨잣과에 속하는 한해살이 또는 두해살이의 채소. 만청(蔓菁). 무청(蕪菁). '采一采菲'《詩經》. ②줄뿌리 봉 줄의 뿌리. '一, 菰根也'《廣韻》.

[字源] 篆文 形聲. 艹(艸)+封〔音〕. '封봉'은 흙에 뒤덮이다의 뜻.

[葑菲 봉비] 부부(夫婦)간에 애정(愛情)으로써 결합하여 불만한 점이 좀 있더라도 버리지 아니함.
[葑田 봉전] 고근(菰根)이 여러 해 동안 쌓여서 밭이 된 것.

9 [葜] 〔갈〕
⑬ 菝(艸部 十一畫〈p. 1964〉)과 同字

9 [葬] 葜(前條)과 同字
⑬

9 [著] [中人] [一] 저 ①-⑥[去]御 陟慮切 zhù
⑬ ⑦⑧[上]語 丁呂切
[二] 착 [入]藥 直略切 zhuó

[筆順] ' 卄 艹 芏 芏 芏 荖 著

[字解] [一] ①나타날 저 ㉠환히 또는 널리 알려짐. 명료해짐. '顯一'. '彰一'. '楊墨之道不息, 孔子之道不一'《孟子》. ㉡유달리 눈에 뜨임. '惡其文之一也'《中庸》. ②나타낼 저 ㉠밝힘. 널리 알림. '一其善'《禮記》. ㉡겉에 내놓아 보임. '揜其不善, 而一其善'《大學》. ③지을 저 글을 지음. 편찬함. '一書'. '一述'. '更議一令'《漢書》. ④적을 저 문서·금석 등에 기록하여 나타냄. '一錄'. '刻一于石'《司馬光》. ⑤생각할 저 사유함. '致慤則一'《禮記》. ⑥자리 저 조정의

석차. '若不廢君命則固有一矣'《左傳》. ⑦쌓을 저, 저축 저 貯(貝部 五畫)와 통용. '子貢廢一'《孔子家語》. ⑧뜰 저 대문과 문병(門屏)과의 사이. '俟我於一乎而'《詩經》. [三] ①입을 착 옷을 입음. '一衣'. '不宜一裘'《禮記》. ②신을 착 신을 신음. '步行一窄鞋'《蘇子瞻雜纂》. ③붙을 착 달라붙음. '黏一'. '附一'. ④살 착 정주(定住)함. 대대로 삶. '定一'. '其俗土一'《漢書》. ⑤필 착 꽃이 핌. '一花'. ⑥손댈 착 일을 시작함. '一手'. ⑦다다를 착 도달함. '到一'. ⑧끝날 착 결말이 남. '落一'. ⑨둘 착 ㉠바둑을 둠. '讓老夫下一一'《世說補》. ㉡솜을 넣음. '一綿'. ⑩옷 착 의복. '褐衣縕一'《韓詩外傳》. ⑪어조사 착 동작을 나타내는 말에 붙여 쓰는 조자(助字). '逢一仙人莫下棋'《許用晦》. '不曾共說一文章'《嘉話錄》.

[字源] 形聲. ⺾(艸)+者〔音〕. '者자'는 많은 것을 모으다의 뜻. 풀의 섬유로 만든 의복을 이것 저것 수집하여 몸에 걸치다, 입다의 뜻을 나타냄. 또 많은 것을 모아, 명확한 형태로 나타내는 뜻도 있고, 죽간(竹簡)에 적다의 뜻에서, '艸초'를 '竹죽'으로 바꿔 '箸저'로 쓰기도 함.

[參考] 着(羊部 六畫)은 [三]의 俗字.

[著大 저대] 현저하게 큼.
[著錄 저록] 기록함.
[著名 저명] 이름이 드러남. 명성(名聲)이 높음.
[著明 저명] 환히 나타남.
[著聞 저문] 유명한 이야기.
[著書 저서] 저술(著述)한 책(冊).
[著姓 저성] 이름이 난 성. 명족(名族).
[著述 저술] 글을 써서 책을 만듦.
[著譯 저역] 저술과 번역.
[著雍 저옹] 십간(十干)의 무(戊).
[著者 저자] 저작자(著作者).
[著作 저작] 책(冊)을 지음. 또, 그 책.
[著作權 저작권] 저작물(著作物)의 복제(複製)·번역(飜譯)·흥행(興行) 등에 관(關)한 권리(權利). 판권(版權).
[著作者 저작자] 책(冊)을 지은 사람.
[著撰 저찬] 찬술(撰述)함.
[著稱 저칭] 칭송이 자자함.
[著枷 착가] 옛날 죄인(罪人)의 목에 칼(형구의 일종)을 씌우던 형벌.
[著冠 착관] 관(冠)을 씀.
[著根 착근] ㉠모종을 낸 초목(草木)이 뿌리가 잘 내림. ㉡타향(他鄕)에 정(情)을 붙여 삶.
[著到 착도] 목적한 곳에 이름.
[著落 착락] 귀착함. 낙착(落着)함.
[著力 착력] 힘을 씀.
[著綿 착면] 솜을 둠.
[著目 착목] 착안(著眼).
[著味 착미] 취미(趣味)를 붙임.
[著服 착복] ㉠옷을 입음. ㉡남의 금품(金品)을 부당하게 자기의 것으로 함.
[著想 착상] 예술 작품이나 무슨 일을 이루려고 할 때의 그것에 대한 구상.
[著色 착색] 색을 칠함.
[著席 착석] 자리에 앉음.
[著先鞭 착선편] 남보다 먼저 말에 채찍질을 한다는 뜻으로, 남에 앞서서 공(功)을 이룸. 남을 앞지름. 기선(機先)을 제함.
[著手 착수] 일에 손을 댐. 일을 시작(始作)함.
[著信 착신] 신용을 얻음.
[著實 착실] 침착(沈着)하고 성실(誠實)함.
[著心 착심] 일에 마음을 붙임.
[著岸 착안] 배가 언덕에 닿음.
[著眼 착안] 어떤 일을 눈여겨보거나 그 일에 대한 기틀을 깨달아 잡음.
[著押 착압] 수결(手決)을 둠.
[著語 착어] 《佛敎》 게송(偈頌) 등에 대하여 자기가 갖는 견해. 벽암(碧巖)에 있어서 원오(圓悟)의 단평(短評) 따위.
[著用 착용] 옷을 입음.
[著衣 착의] 옷을 입음. 또, 입은 옷.
[著意 착의] ㉠착상(著想). ㉡착안(著眼). ㉢유의함. 주의함.
[著足 착족] 발을 붙이고 섬.
[著著 착착] 일이 차례차례로 잘 되어 가는 모양.
[著鞭 착편] 착선편(著先鞭).
[著港 착항] 배가 항구에 닿음.
[著花 착화] 꽃이 핌.

◉激著. 結著. 高著. 共著. 較著. 膠著. 奮著. 貴著. 根著. 喫著. 落著. 論著. 撞著. 到著. 倒著. 頓著. 名著. 明著. 縛著. 發著. 放著. 白著. 逢著. 縫著. 附著. 先著. 說著. 昭著. 崇著. 失著. 愛著. 戀著. 染著. 汚著. 尤著. 流著. 遺著. 衣著. 一著. 雜著. 裝著. 占著. 黏著. 拙著. 住著. 地著. 執著. 彰著. 帖著. 癡著. 沈著. 貪著. 土著. 編著. 暴著. 表著. 合著. 懸著. 顯著. 弘著. 橫著. 洽著.

9 ⑬ [萪] 과 [平]歌 苦禾切 kē

[字解] ①풀이름 과 '一, 艸名. 海葱也'《集韻》. ②등나무 과 등(藤)나무의 일종. '一, 一藤. 生海邊'《廣韻》.

9 ⑬ [萳] 남 ①[上]感 乃感切 nǎn ②[平]覃 那含切 nán

[字解] ①풀이길고약할 남 '一, 艸長弱皃'《集韻》. ②풀이름 남 '一, 艸名'《集韻》.

9 ⑬ [葿] 도 [去]遇 徒故切 dù

[字解] 향초(香草)이름 도 '一, 香艸'《集韻》.

9 ⑬ [葚] 심 [上]寢 食荏切 shèn

[字解] 오디 심 뽕나무의 열매. 상실(桑實). '桑一甜甘'《晉書》.

[字源] 篆文 形聲. ⺾(艸)+甚〔音〕. '甚심'은 '심하다'의 뜻. 그 열매가 매우 많이 달리는 '오디'를 이름.

◉桑葚.

9 ⑬ [葛] [人名] 갈 [入]曷 古達切 gé, ⑤gě

[筆順] 丨 艹 艹 芀 芎 葛 葛 葛

[字解] ①칡 갈 콩과에 속하는 낙엽 만목(落葉蔓木). 산야에 저절로 남. 줄기의 섬유는 갈포(葛布) 또는 노의 원료가 되며, 뿌리의 전분은 갈분이라 하여 식용함. '一之覃兮'《詩經》. ②갈포 갈 칡의 섬유로 짠 베. 또, 그 베로 만든 옷.

'一裘'. '夏日一衣, 冬日鹿裘'《史記》. ③갈등 갈 일신상에 따라붙는 곤란의 비유. '困于一藟于臲卼'《易經》. ④나라이름 갈 주대(周代)의 나라 이름. 허난 성(河南省)에 있었음. ⑤성 갈 성(姓)의 하나.

字源 篆文 形聲. ++(艸)+曷〔音〕. '曷갈'은 높이 오르다의 뜻. 나무 따위에 감기어 높이 자라 올라가는 풀, '칡덩굴'의 뜻을 나타냄.

[葛巾 갈건] 갈포(葛布)로 만든 두건(頭巾).
[葛巾野服 갈건야복] 은사(隱士)의 두건(頭巾)과 옷.
[葛裘 갈구] 갈포(葛布) 옷과 가죽 옷. 여름옷과 겨울옷. 전(轉)하여 1년간.
[葛屨履霜 갈구이상] 칡의 섬유(纖維)로 만든 신은 여름에 신는 것인데, 값이 싸므로 서리가 내리는 겨울에도 신으니, 이는 검소(儉素)가 너무 지나쳐 인색한 일이라고 헐뜯은 말.
[葛根 갈근] 칡뿌리. 해열(解熱)·위장병(胃腸病) 등의 약재(藥材)로 씀.
[葛藤 갈등] ㉠칡이나 등나무 같은 덩굴진 식물. 전(轉)하여, 간사한 것의 비유. ㉡분란. 불화(不和).
[葛藤禪 갈등선]《佛敎》문자(文字)에 구애되어 깨치지 못하는 선(禪).
[葛籠 갈롱] 의복을 넣어 두는 농.
[葛藟 갈류] 칡이나 등나무 같은 덩굴진 식물. 전(轉)하여, 일신상에 누(累)가 되는 곤란의 비유.
[葛粉 갈분] 칡뿌리로 만든 가루.
[葛茀 갈불] 칡의 섬유로 꼬아 만든 상여 줄. 불(茀)은 불(紼).
[葛衫 갈삼] 갈포 적삼.
[葛衣 갈의] 갈포(葛布)로 만든 옷.
[葛絰 갈질] 칡의 섬유로 꼬아 만든 수질(首絰)과 요질(腰絰).
[葛天氏 갈천씨] 상고(上古)의 제왕(帝王) 이름. 무위(無爲)로써 천하를 잘 다스렸다 함.
[葛布 갈포] 칡의 섬유(纖維)로 짠 베.
[葛洪 갈홍] 진(晉)나라 사람으로 자(字)는 치천(稚川). 신선술(神仙術)에 통하고, 〈포박자(抱朴子)〉를 지었음.
[葛花 갈화] 칡의 꽃. 주독(酒毒)을 풀고 하혈(下血)을 고치는 데 씀.
◉瓜葛. 管葛. 膠葛. 糾葛. 裘葛. 藟葛. 細葛. 疎葛. 虎葛.

9
⑬ [葡] 人名 포 ㊥虞 薄胡切 pú

筆順 ' ⺿ 芍 芍 荀 荀 葡 葡

字解 포도나무 포 '一萄'. '有一萄酒'《史記》.
字源 形聲. ++(艸)+匍〔音〕

[葡萄 포도] 포도과(葡萄科)에 속하는 낙엽 만목(落葉蔓木). 열매는 식용으로 하며, 또 이를 원료로 하여 포도주를 빚음.
[葡萄酒 포도주] 포도를 원료로 하여 빚은 술.

9
⑬ [董] 人名 동 ㊤董 多動切 dǒng

筆順 ' ⺿ 芒 芇 苫 菫 董 董

字解 ①바로잡을 동 ㉠감독하여 바로잡음. '一督'. '一正'. '一之用威'《書經》. ㉡절 안에서 대중(大衆) 또는 법무(法務)를 감독함. '前一'(전임의 주지). '後一'(주지의 후임자). ②물을 동 문의함. 상의함. '商一'. ③감출 동 간직하여 둠. '氣當大一'《史記》. ④연뿌리 동 연근(蓮根). ⑤성 동 성(姓)의 하나.
字源 形聲. ++(艸)+重〔音〕. '重중'은 '무겁다'의 뜻. 무거운 물건이 늘어진 것처럼 지하경(地下莖)이 있는 연근(蓮根)을 뜻함. '督독'과 통하여, '묻다'의 뜻도 나타냄.

[董巨 동거] 송(宋)나라의 유명한 화가(畫家)인 동원(董源)과 거연(巨然).
[董其昌 동기창] 명(明)나라의 서화가(書畫家). 자(字)는 현재(玄宰). 시호(諡號)는 문민(文敏). 벼슬은 예부상서(禮部尙書)에 이르렀고, 숭정(崇禎) 9년 83세에 죽었음.
[董督 동독] 맡아서 감독(監督)함.
[董役 동역] 공사(工事)를 감독함.
[董源 동원] 송(宋)나라의 화가. 자는 숙달(叔達). 산수화(山水畫)에 뛰어나고, 석거연(釋巨然)과 병칭하여 동거(董巨)라 함.
[董正 동정] 바로잡음.
[董仲舒 동중서] 전한(前漢) 무제 시대(武帝時代)의 학자. 처음엔 강도(江都)의 정승이 되었음. 공손홍(公孫弘)의 미움을 받아 교서왕(膠西王)의 정승으로 내리 옮고, 후엔 벼슬을 그만두고 저술에 힘쓰다가 생(生)을 마침. 특히 춘추(春秋)의 학(學)에 밝히 알고 〈춘추번로(春秋繁露)〉를 지었음. 무제(武帝)에 상주(上奏)하여 유교(儒敎)를 국교(國敎)로 정하게 한 것으로 유명함.
[董卓 동탁] 후한(後漢) 사람. 영제(靈帝) 때 전장군(前將軍)이 되고, 그 뒤 헌제(獻帝)를 세워 흉포한 짓을 많이 하다가 여포(呂布)·왕윤(王允) 등에 죽임을 당하였음.
[董狐之筆 동호지필] 동호(董狐)는 진(晉)나라의 직필(直筆)하던 사관(史官)이므로, 위세(威勢)를 두려워하지 아니하고 사실을 사실대로 직필하였던 고사(故事)를 이름.
◉古董. 骨董. 校董. 商董. 紳董. 前董. 振董. 後董.

9
⑬ [葰] ㊀ 치 ㊦寘 陟利切
㊁ 도 ㊦號 都道切 dào

字解 ㊀ 풀클 치 '一, 艸大也'《說文》. ㊁ 菿(艸部 八畫)의 訛字.
字源 形聲. ++(艸)+致〔音〕

9
⑬ [葦] 人名 위 ㊤尾 于鬼切 wěi

字解 ①갈대 위 볏과에 속하는 다년초. 물가에서 나며, 자줏빛의 꽃이 핌. 줄기는 발·삿자리 등의 재료로 쓰임. '蘆一'. '葭一'. ②거룻배 위 작은 배. '一一航之'《詩經》. '縱一一之所如'《蘇軾》.
字源 篆文 形聲. ++(艸)+韋〔音〕. '韋위'는 '장대(長大)'의 뜻. 성숙한 '갈대'의 뜻을 나타냄.

[葦車 위거] 장식(裝飾)을 하지 아니한 수레. 값

싼 수레.
[葦蘆 위로] 갈대.
[葦席 위석] 갈대로 엮은 자리.
[葦籥 위약] 갈대로 만든 피리.
[葦筰 위작] 갈대로 꼰 바.
[葦苕 위초] 갈대 이삭.
[葦蒲 위포] 갈대와 부들. 부드러우면서도 강한 것의 비유로 쓰임.
◉葭葦. 菅葦. 枯葦. 亂葦. 蘆葦. 疎葦. 岸葦. 一葦. 蒲葦.

9 ⑬ **[葩]** 파 (平)麻 普巴切 pā

字解 ①꽃 파 '披紅一之狎獵'《張衡》. ②화려할 파 '一之訓華者, 艸木花也. 亦華麗也'《說文 段注》.

字源 篆文 形聲. ++(艸)+皅〔音〕. '皅파'는 '납작하다'의 뜻. '꽃잎'의 뜻을 나타냄.

[葩經 파경] '시경(詩經)'의 이명(異名).
[葩蘤 파위] 꽃.
[葩卉 파훼] 화초(花草).
◉嘉葩. 絳葩. 瓊葩. 群葩. 奇葩. 丹葩. 芳葩. 紛葩. 豔葩. 異葩. 殘葩. 春葩. 含葩. 花葩.

9 ⑬ **[葫]** 人名 호 (平)虞 荒烏切 hú

字解 ①마늘 호 백합과에 속하는 다년생 재배초(栽培草). 잎·지하경(地下莖)은 조미료로 씀. '一爲大蒜'《本草》. ②호리병박 호 조롱박. '一蘆'.

字源 形聲. ++(艸)+胡〔音〕. '胡호'는 서역(西域)에서 들어옴의 뜻.

[葫瓜 호과] 박의 일종. 가운데가 잘록한 호리병박이 열리는 일년생 덩굴 식물.
[葫蘆 호로] 박과(科)에 속하는 일년생 만초(蔓草). 열매는 잔 바가지를 만듦. 호리병박. 조롱박.
◉菰葫. 瓜葫. 蔬葫. 土葫. 風葫.

9 ⑬ **[葬]** 高人 장 (去)漾 則浪切 zàng

筆順

字解 ①장사지낼 장 ㉠시체를 땅에 묻음. '一之中野'《易經》. ㉡시체를 넣음. '一於江魚腹中'《楚辭》. ②장사 장 전항(前項)의 명사. '助一必執紼'《禮記》.

字源 篆文 會意. 死+茻+一. '死사'는 '시체'의 뜻. '茻망'은 '풀덤불'의 뜻. '一일'은 시체를 놓는 '거적'의 뜻. 풀덤불 속에 시체를 놓다의 뜻에서, '장사 지내다'의 뜻을 나타냄.

[葬具 장구] 장사(葬事)에 쓰는 기구.
[葬列 장렬] 장송(葬送)의 행렬.
[葬禮 장례] 장사(葬事)의 예식(禮式).
[葬事 장사] 시체(屍體)를 매장(埋藏) 혹은 화장(火葬)하는 일.
[葬送 장송] 죽은이를 장사 지내어 보냄.
[葬式 장식] 장례(葬禮).
[葬魚腹 장어복] 수중(水中)에 몸을 던져 시체(屍體)가 고기밥이 된다는 뜻. 익사(溺死)함. 물에 빠져 죽음.
[葬玉埋香 장옥매향] 미인(美人)을 매장한 곳.
[葬儀 장의] 장례(葬禮).
[葬日 장일] 장사를 지내는 날.
[葬祭 장제] 장사(葬事)와 제사.
[葬地 장지] 매장(埋藏)하는 땅.
[葬穴 장혈] 무덤의 구덩이. 광(壙). 묘혈(墓穴).
◉假葬. 改葬. 儉葬. 國葬. 歸葬. 羸葬. 蘭亭殉葬. 大葬. 埋葬. 靡葬. 密葬. 薄葬. 反葬. 本葬. 附葬. 佛葬. 奢葬. 喪葬. 燒葬. 送葬. 水葬. 收葬. 殉葬. 神葬. 深葬. 御大葬. 斂葬. 鳥葬. 土葬. 風葬. 合葬. 火葬. 會葬. 厚葬.

9 ⑬ **[塟]** 葬(前條)의 俗字

9 ⑬ **[葭]** 가 (平)麻 古牙切 jiā

字解 ①갈대 가 볏과에 속하는 다년초. 물가에 남. '一葦'. '彼茁者一'《詩經》. ②갈대피리 가 갈댓잎을 말아 만든 피리. '鳴一戾朱宮'《謝靈運》.

字源 篆文 形聲. ++(艸)+叚〔音〕. '叚가'는 임시〔假〕의 뜻. 갈대·억새에 세 이름이 있으니, 초생(初生)은 '葭가', 장대(長大)는 '蘆로', 성숙(成熟)은 '葦위'라 함. 갓 나서 아직 길게 자라지 못한 것을 '葭'라 함.

[葭蘆 가로] 갈대.
[葭莩 가부] 갈대의 줄기에 있는 얇은 막(膜). 전(轉)하여, 아주 얇음의 비유.
[葭莩之親 가부지친] 아주 엷은 교분(交分).
[葭葦 가위] 갈대.
◉鳴葭.

9 ⑬ **[葯]** 人名 ㊀ 약 (入)藥 於略切 yào ㊁ 적 (入)錫 丁歷切 药

字解 ㊀ ①어수리 약, 어수리잎 약 백지(白芷). 또, 그 잎. 약재로 씀. '辛夷楣兮一房'《楚辭》. ②약 약 수술의 끝에 붙은 주머니. 약포(葯胞). ③《現》약(藥) 약. ㊁ 동일 적 동여맴. '首一綠素'《潘岳》.

字源 形聲. ++(艸)+約〔音〕

[葯胞 약포] 수술의 끝에 붙은 주머니.

9 ⑬ **[葰]** 人名 ㊀ 수 (平)支 息遺切 suī ㊁ 준 (去)震 祖峻切 jùn

字解 ㊀ 생강 수 생강(生薑)의 일종. 새앙. '廉薑一也'《博雅》. ㊁ 클 준 초목이 무성하여 큰 모양. '實葉一楙'《司馬相如》.

字源 篆文 形聲. ++(艸)+俊〔音〕

[葰楙 준무] 준무(葰茂).
[葰茂 준무] 초목이 크고 무성함.

9 ⑬ **[葱]** ㊀ 총 (平)東 倉紅切 cōng ㊁ 창 (平)江 初江切 chuāng

字解 ㊀ ①파 총 백합과에 속하는 숙근초(宿根草). 식용함. '指如削一根'《古詩》. ②푸를 총 초목이 무성하여 푸릇푸릇한 모양. '鬱鬱一一'

《後漢書》. [三] 짐수레 창 짐을 싣는 수레. '載一靈'《左傳》.

[字源] 篆文 形聲. ++(艸)+悤〔音〕. '悤·囱총'은 속이 비어 통해 있다의 뜻.

[參考] 蔥(艸部 十一畫)은 本字.

[葱靈 창령] 의복(衣服) 같은 짐을 싣는 수레.
[葱根 총근] 파의 흰 뿌리.
[葱嶺 총령] 파미르 고원(高原). 중국·인도·아프가니스탄·러시아의 접촉 지대.
[葱嶺敎 총령교] 불교(佛敎). 석가모니가 총령에서 도를 닦은 데서 이름.
[葱白 총백] 아주 엷은 푸른빛. 파의 밑동.
[葱蒜 총산] 파와 마늘.
[葱靑 총청] ㉠푸릇푸릇한 모양. ㉡파 잎.
[葱葱 총총] ㉠초목이 푸릇푸릇한 모양. ㉡기(氣)가 통달(通達)하는 모양.
[葱翠 총취] 푸른빛.
[葱湯 총탕] 팟국.

9
⑬ [葳] 위 [平]微 於非切 wēi

[字解] ①둥굴레 위 '一蕤'는 백합과에 속하는 다년초. 지하경(地下莖)과 잎은 약용, 식용으로 함. 위유(萎蕤). ②우거질 위 초목이 무성한 모양. '宿林藪之一蓁'《曹植》.

[字源] 形聲. ++(艸)+威〔音〕

[葳蕤 위유] ㉠초목이 우거진 모양. ㉡자해(字解) ❶을 보라.
[葳蓁 위진] 초목이 무성한 모양.

9
⑬ [葵] [人名] 규 [平]支 渠追切 kuí

[筆順] ˈ 卄 艹 艹 艾 芨 莢 葵

[字解] ①아욱 규 아욱과(科)에 속하는 일년생초. 식용함. 동규(冬葵). '錦一'. ②해바라기 규 국화과의 일년생 관상용(觀賞用) 식물. 향일화(向日花). '七月烹一及菽'《詩經》. ③헤아릴 규 揆(手部 九畫)와 통용. '天子一之'《詩經》. ④성 규 성(姓)의 하나.

[字源] 篆文 形聲. ++(艸)+癸〔音〕. '癸계'는 태양으로 방위(方位)를 재는 기구의 象形. 태양 방향으로 꽃이 돌아가는 식물, '해바라기'를 뜻함.

[葵傾 규경] 해바라기가 해를 향하여 기울어진다는 뜻으로, 군왕(君王)이나 장상(長上)의 덕을 경앙(景仰)하는 뜻으로 쓰임.
[葵藿 규곽] 해바라기.
[葵藿志 규곽지] 충성(忠誠)을 다하고자 하는 뜻.
[葵扇 규선] 포규선(蒲葵扇).
[葵心 규심] 규경(葵傾).
[葵花 규화] 해바라기꽃.
◉菫葵. 錦葵. 露葵. 梟葵. 山葵. 水葵. 戎葵. 錢葵. 楚葵. 菟葵. 蒲葵. 寒葵. 向日葵.

9
⑬ [葷] 훈 [平]文 許云切 hūn 荤

[字解] ①훈채 훈 ㉠생강과 같이 매운 채소. '問夜膳一'《儀禮》. ㉡파와 같이 냄새가 나는 채소. '不在於食一'《荀子》. ②매울 훈, 냄새날 훈 '連一菜'《後漢書》. ③공 훈 勳(力部 十四畫)과 통용. '所獲一允之士'《漢書》.

[字源] 篆文 形聲. ++(艸)+軍〔音〕. '軍군'은 '薰훈'과 통하여, '냄새나다'의 뜻. 냄새나는 채소의 뜻을 나타냄.

[葷辛 훈신] 훈채(葷菜)와 고추 같은 매운 것.
[葷肉 훈육] 훈채(葷菜)와 날고기.
[葷膻 훈전] 훈육(葷肉).
[葷酒 훈주] 훈채(葷菜)와 술.
[葷粥 훈죽] 옛날 종족(種族)의 이름.
[葷菜 훈채] 마늘·파 등과 같이 냄새가 나는 채소(菜蔬).
◉肥葷. 膳葷. 五葷. 膻葷.

9
⑬ [葸] 사 [上]紙 胥里切 xǐ

[字解] ①삼갈 사 '一, 愼也'《廣雅》. ②두려워할 사 외구(畏懼)함. 偲(犬部 九畫)와 뜻이 같음. '愼而無禮則一'《論語》.

[字源] 形聲. ++(艸)+思〔音〕

9
⑬ [葹] 시 [平]支 式支切 shī

[字解] 도꼬마리 시 국화과에 속하는 일년생초. 열매는 약용함. 권이(卷耳). '薋菉一以盈室兮'《楚辭》.

[字源] 形聲. ++(艸)+施〔音〕

9
⑬ [葺] [人名] 즙 ①[入]緝 子入切
②③[入]緝 七入切 qì

[字解] ①일 즙 지붕을 임. '嗣而一之, 庶斯樓之不朽也'《王禹偁》. ②기울 즙 수선함. '一繕'. '繕完一牆'《左傳》. ③겹칠 즙 포개어짐. '一鱗鏤甲'《左思》.

[字源] 篆文 形聲. ++(艸)+咠〔音〕. '咠즙'은 '그러모으다'의 뜻. 새를 그러모아 지붕을 이다의 뜻을 나타냄.

[葺繕 즙선] 수선(修繕)함.
[葺屋 즙옥] 초가(草家).
◉補葺. 繕葺. 修葺. 完葺. 整葺. 草葺. 治葺.

9
⑬ [葽] 요 [平]蕭 於霄切 yāo
[平]蕭 於堯切

[字解] ①애기풀 요 원지과(遠志科)에 속하는 다년초. 뿌리는 보정 장양제(補精壯陽劑)로 쓰임. 원지. 영신초(靈神草). '四月秀一'《詩經》. ②우거질 요 풀이 무성한 모양. '豐草一, 女蘿施'《漢書》.

[字源] 篆文 形聲. ++(艸)+要〔音〕

[葽葽 요요] 풀이 우거진 모양.
◉秀葽.

9
⑬ [蓏] 소 ①[平]肴 師交切 shāo
②[平]蕭 思邀切 xiāo

[字解] ①낙엽질 소, 쓸쓸할 소 잎이 떨어져 보기

에 쓸쓸한 모양. '一櫹椮之可哀兮'《楚辭》. ② 우뚝할 소 나뭇가지가 삐죽이 솟은 모양.

9 ⑬ [葧] 발 [入]月 薄沒切 bó

[字解] ①흰산쑥 발 국화과의 다년초. 전체에 흰 솜털이 밀생(密生)함. '繁母, 蒡一也'《廣雅》. ②성할 발 '蓊一'은 향기가 대단히 풍기는 모양. '路蓊一以揚氣'《柳宗元》.

[字源] 形聲. ⺾(艸)+勃〔音〕

◉蓊葧.

9 ⑬ [萯] 부 [去]遇 房久切 fù

[字解] 쥐참외 부 '王一'는 박과(科)에 속하는 다년생 만초(蔓草). 왕과(王瓜). '一, 王一也'《說文》.

[字源] 篆文 形聲. ⺾(艸)+負〔音〕. '負부'는 다른 물건에 기대다의 뜻.

◉王萯.

9 ⑬ [葙] 상 [平]陽 息良切 xiāng

[字解] 개맨드라미 상 '靑一'은 비름과에 속하는 일년생초. 잎과 줄기가 모두 붉은빛을 띠며, 씨는 청상자(靑葙子)라 하여 약재로 씀.

[字源] 形聲. ⺾(艸)+相〔音〕

[葙根 상근] 개맨드라미의 뿌리.

◉靑葙.

9 ⑬ [葓] 홍 [平]東 戶公切 hóng

[字解] 풀이름 홍 수초(水草)의 하나. 葒(次條)과 同字. '造荻一竟數里, 以塞船路'《北史》.

◉荻葓.

9 ⑬ [葒] 홍 [平]東 戶公切 hóng

[字解] 털여뀌 홍 '一草'는 마디풀과에 속하는 일년생초. 담홍색의 꽃이 피며, 어린잎은 식용함. '一, 馬蓼也'《廣韻》.

[字源] 形聲. ⺾(艸)+紅〔音〕

9 ⑬ [葝] 경 ①[平]庚 渠京切 qíng ②[去]敬 堅正切 jìng

[字解] ①산부추 경 '一, 山薤'《爾雅》. ②둥근뱀차즈기 경 '一, 鼠尾'《爾雅》.

9 ⑬ [葪] 葝(前條)과 同字

9 ⑬ [萴] 즉 [入]職 阻力切 cè

[字解] 부자(附子) 즉 약초(藥草)의 한 가지. '一, 艸名. 說文, 烏喙也, 曰附子一歲者, 博雅, 附子, 一歲爲一子'《集韻》.

[字源] 篆文 形聲. ⺾(艸)+則〔音〕

9 ⑬ [菨] 간 [平]刪 古顔切 jiān

[字解] ①등골나무 간 '一, 香艸也'《說文》. ②새 간 菅(艸部 八畫)과 통용.

[字源] 形聲. ⺾(艸)+姦〔音〕

9 ⑬ [葼] 종 [平]東 子紅切 zōng

[字解] ①가는나뭇가지 종 '慈母之怒子也, 雖折一笞之, 其惠存焉'《揚子方言》. ②작을 종 '一, 小也'《廣雅》. ③물들이는풀 종 '一園供染綠紋綬'《漢官儀》.

[字源] 篆文 形聲. ⺾(艸)+嵏〔音〕. '嵏종'은 가늘고 길다의 뜻.

9 ⑬ [蒯] 괴 [去]卦 古壞切 kuǎi

[字解] 기름사초(莎草)괴 蒯(艸部 十畫)와 同字. '一, 一艸也'《說文》.

[字源] 篆文 形聲. ⺾(艸)+㕟〔音〕

9 ⑬ [葐] 분 ①②[平]文 符分切 fén ③[平]元 蒲奔切 pén

[字解] ①기운왕성할 분 '一蒀'은 기운이 왕성한 모양. '鬱一蒀以翠微'《左思》. ②향기로울 분 향기로움. ③고무딸기 분 '覆一子'. 盆(皿部 四畫)과 통용. '一, 覆盆子. 本作盆'《正字通》.

[字源] 形聲. ⺾(艸)+盆〔音〕

[葐蒀 분온] 기(氣)가 왕성한 모양.

9 ⑬ [萸] 연 [上]銑 而兗切 ruǎn

[字解] 목이버섯 연 뽕나무나 말오줌나무 등의 죽은 나무에서 나는 식용 버섯. '一, 木耳也'《說文》.

[字源] 篆文 形聲. ⺾(艸)+耎〔音〕. '耎연'은 '부드럽다'의 뜻. 탄력 있는 한천질(寒天質)의 목이버섯을 이름.

9 ⑬ [葂] 면 [上]銑 美辨切 miǎn

[字解] 사람이름 면 莬(艸部 七畫)과 통용. '蔣閭一見季徹'《莊子》.

9 ⑬ [葺] [一] 집 [入]緝 直立切 jī [二] 급 [入]緝 訖立切

[字解] [一] 삭조 집 넓은잎딱총나무. 접골초(接骨草). '一, 艸名, 蒴藋也'《集韻》. [二] 삭조 급 [一]과 뜻이 같음.

9 ⑬ [葶] 정 ①[平]靑 特丁切 tíng ②[上]迥 都挺切 dǐng

[字解] ①꽃다지 정 '一藶'은 십자화과에 속하는 이년생초. 어린잎은 식용함. ②취어초(醉魚草) 정 '一薴'은 측백나뭇과에 속하는 독초. '熊耳之山有草焉. 其狀如蘇而赤華. 名曰一薴. 可以毒魚'《山海經》.

字源 形聲. ++(艸)+亭〔音〕

[葶藶 정력] 자해(字解) ❶을 보라.
[葶藶子 정력자] 꽃다지의 씨. 한약재로 씀.

9 ⑬ [蓡] ㊀ 삼 ㊥侵 疏簪切 shēn
㊁ 점 ㊥鹽 舒鹽切 shān

字解 ㊀ 인삼(人蔘) 삼 蔘(艸部 十三畫)과 同字. ㊁ 거적자리 점 상사(喪事)에 쓰는 거적자리. 苫(艸部 五畫)·蔘(艸部 十三畫)과 同字. '一, 猶苫也, 艸自藉也'《玉篇》.
字源 篆文 形聲. ++(艸)+侵(㑴)〔音〕. '㑴침'은 '침입하다'의 뜻. 지하의 습기·냉기(冷氣)가 스며 오는 거친 거적의 뜻을 나타냄.

9 ⑬ [萲] ㊀ 훤 ①㊤阮 火遠切 xuān
②③㊥元 許元切
㊁ 원 ㊥元 于元切

字解 ㊀ ①속일 훤 諼(言部 九畫)과 同字. ②잊을 훤 '一, 忘也'《爾雅》. ③원추리 훤 萱(艸部 九畫)과 同字. ㊁ 잊을 원, 원추리 원 ㊀❷❸과 뜻이 같음.

9 ⑬ [葀] 괄 ㊀曷 古活切 kuò

字解 ①상서로운풀 괄 '茇一'은 서초(瑞草)의 이름. '一, 茇一, 瑞艸'《集韻》. ②박하 괄 '茇一'은 박하(薄荷)의 별명.

9 ⑬ [葇] 유 ㊥尤 耳由切 róu

字解 노야기 유 '香一'는 노야기. 채소 이름. '香一, 菜名'《集韻》.
字源 形聲. ++(艸)+柔〔音〕

◉香葇.

9 ⑬ [葈] 사 ㊤紙 想止切 xǐ

字解 ①도꼬마리 사 '一耳'는 도꼬마리. 과실은 창이자(蒼耳子)라 하여 약재로 씀. '位賤尙一.(注)一者, 一耳, 菜名也, 幽冀謂之檀菜, 雒下謂之胡一'《淮南子》. ②모시풀 사 枲(木部 五畫)의 俗字.
字源 形聲. ++(艸)+枲〔音〕

9 ⑬ [葴] ㊀ 침 ㊥侵 職深切 zhēn
㊁ 함 ㊥咸 胡讒切 xián
㊂ 겸 ㊥鹽 其淹切 qián

字解 ㊀ ①쪽풀 침 산쪽풀. 마람(馬藍). '一, 馬藍也'《說文》. ②꽈리 침 산장(酸漿). '今酸漿草. 江東呼曰苦一'《爾雅 注》. ㊁ 쪽풀 함, 꽈리 함 ㊀과 뜻이 같음. ㊂ 사람이름 겸 鍼(金部 九畫)과 同字. '鍼, 人名. 春秋傳, 秦有鍼虎. 或作一'《集韻》.
字源 篆文 形聲. ++(艸)+咸〔音〕

9 ⑬ [萬] ㊀ 우 ㊤麌 王矩切 yǔ
㊁ 구 ㊥虞 恭于切 jǔ

字解 ㊀ 풀이름 우 '一, 艸也'《說文》. ㊁ 수레바퀴바로잡는연장 구 또, 이 연장에 바퀴를 걸어서 바로잡음. 禹(内部 四畫)·矩(矢部 五畫)와 同字. '一, 所以正車輪者'《集韻》.
字源 篆文 形聲. ++(艸)+禹〔音〕

9 ⑬ [葖] 돌 ㊀月 陀骨切 tū

字解 무 돌 뿌리를 먹는 채소의 일종. '一, 蘆萉'《爾雅》.
字源 形聲. ++(艸)+突〔音〕

9 ⑬ [葛] ㊀ 창 ㊥陽 褚羊切
㊁ 양 ㊥陽 余章切
㊂ 탕 ①㊥陽 吐郞切 tāng
②㊤養 待朗切 dàng

字解 ㊀ 자리공 창 자리공. 상륙(商陸). '蕩, 蓫蕩, 馬尾. 一, 上同'《廣韻》. ㊁ 자리공 양 ㊀과 뜻이 같음. ㊂ ①자리공 탕 ㊀과 뜻이 같음. ②방종할 탕 '儻一'은 방종(放縱)함. '陳湯儻一, 不自收斂'《漢書》.
字源 形聲. ++(艸)+昜〔音〕

9 ⑬ [葮] 단 ㊀翰 徒玩切 duàn

字解 무궁화 단 목근(木槿). 椴(木部 九畫)과 同字.
字源 形聲. ++(艸)+段〔音〕

9 ⑬ [葻] 람 ㊥覃 盧含切 lán

字解 풀이바람에쓸릴 람 '一, 艸得風皃'《說文》.
字源 篆文 形聲. ++(艸)+風〔音〕. '風풍'은 '바람'의 뜻.

9 ⑬ [葅] 〔저〕
菹(艸部 八畫〈p. 1935〉)와 同字

9 ⑬ [葊] 〔암〕
菴(艸部 八畫〈p. 1935〉)의 古字

9 ⑬ [葘] 〔치〕
菑(艸部 八畫〈p. 1931〉)의 本字

9 ⑬ [葢] 〔개〕
蓋(艸部 十畫〈p. 1955〉)의 本字

9 ⑬ [葪] 〔체〕
蔕(艸部 十一畫〈p. 1961〉)와 同字

9 ⑬ [葥] ㊀ 薊(艸部 十三畫〈p. 1973〉)의 俗字
㊁ 芥(艸部 四畫〈p. 1900〉)와 同字

9 ⑬ [葐] 〔온〕
蒕(艸部 十畫〈p. 1957〉)과 同字

9 ⑬ [葌] 〔전〕
篆(竹部 九畫〈p. 1676〉)과 同字

9 ⑬ [萍] 〔평〕
蓱(艸部 十一畫〈p. 1959〉)의 俗字

9 ⑬ [营] 〔영〕 營(火部 十三畫〈p. 1358〉)의 俗字

[韮] 〔구〕 韭部 四畫(p. 2536)을 보라.

10 ⑭ [蓇] 골 [入]月 古忽切 gū

[字解] 풀이름 골 '一蓉'은 파총산(嶓冢山)에 난다는 풀. 꽃이 검고 열매가 맺지 않는데, 이것을 먹으면 아이를 낳지 못한다고 함. '一, 不實草'《廣韻》.

10 ⑭ [蒐] [人名] 수 [平]尤 所鳩切 sōu 

[字解] ①모을 수 모아들임. '一集'. '一, 聚也'《爾雅》. ②사냥 수 봄의 수렵. '春一夏苗'《左傳》. ③숨길 수 은닉함. '服讒一慝'《左傳》. ④꼭두서니 수 꼭두서닛과에 속하는 다년생 만초(蔓草). '釐山, 其陰多一, (注) 茅一, 今之蒨也'《山海經》.

[字源] 篆文  會意. ++(艸)+鬼. '鬼귀'는 망인(亡人)의 혼(魂)의 뜻. 망인의 피에서 난 풀. 꼭두서니를 이름. 또, '搜수'와 통하여, '찾다'의 뜻. '聚취'와 통하여 '모으다'의 뜻을 나타냄.

[蒐羅 수라] 널리 모음.
[蒐練 수련] 군대를 모아 훈련함.
[蒐獵 수렵] 봄 사냥.
[蒐苗 수묘] 봄과 여름의 사냥.
[蒐補 수보] 모아 보충함.
[蒐選 수선] 여럿을 모아 그중에서 가림.
[蒐田 수전] 사냥. 수렵(狩獵).
[蒐畋 수전] 수전(蒐田).
[蒐集 수집] 여러 가지 재료를 찾아 모음.
[蒐輯 수집] 수집(蒐集).
◉大蒐. 茅蒐. 山蒐. 春蒐.

10 ⑭ [蒔] [人名] 시 ①[去]寘 時吏切 shì ②[平]支 市之切 shí 莳 

[字解] ①모종할 시 이식(移植)함. '一植'. '一樹一根, 以旌戰功'《晉書》. ②소회향(小茴香) 시 '一蘿'는 회향(茴香)의 한 가지. 한약재(漢藥材)로 씀.

[字源] 篆文 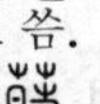 形聲. ++(艸)+時〔音〕. '時시'는 '是시'와 통하여, 똑바로 서다의 뜻. 논에 모를 똑바로 세워 심다의 뜻을 나타냄.

[蒔蘿 시라] 자해(字解)❷를 보라.
[蒔植 시식] 모종함.
[蒔秧 시앙] 모내기.

10 ⑭ [蒙] [高人] 몽 [平]東 莫紅切 méng, ⑫měng

[筆順] 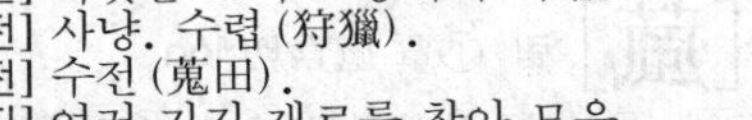

[字解] ①소나무겨우살이 몽 사상(絲狀) 지의류(地衣類)의 일종. 줄기가 분명하고 길게 늘어짐. 여라(女蘿). 송라(松蘿). '一伐有苑'《詩經》. ②입을 몽 ㉠옷을 입음. '閒一甲冑'《國語》. ㉡은혜를 입음. '一惠'. '一國恩'《李密》. ③받을 몽 주는 것을 가짐. '一利'. '今日所一, 稽古之力也'《後漢書》. ④쓸 몽 머리 위에 얹음. '一塵'. '一世俗之塵埃乎'《楚辭》. ⑤덮을 몽, 쌀 몽 덮어 가림. '以幕一之'《左傳》. 또, 덮어 가린 것. '發一'《漢書》. ⑥속일 몽 기만함. '上下相一'《左傳》. ⑦무릅쓸 몽 어려운 일을 견디어 냄. '一死而存之'《漢書》. ⑧어두울 몽 ㉠밝지 아니함. '冥一'. '一以養正, 聖功也'《易經》. ㉡우매함. '愚一'. '一昧'. ⑨어릴 몽 나이가 어림. 또, 어린이. '童一'. ⑩저 몽 자기의 겸칭(謙稱). '一竊惑焉'《張衡》. ⑪괘이름 몽 육십사괘(六十四卦)의 하나. 곤, ䷃〈감하(坎下), 간상(艮上)〉. 사물의 최초이어서 아직 환하지 아니한 상(象). ⑫몽고 몽 몽고(蒙古)의 약칭. '滿一'. ⑬성 몽 성(姓)의 하나.

[字源] 篆文  形聲. ++(艸)+冡〔音〕. '冡몽'은 두건(頭巾)과 같이 머리 부분이 많은 털로 덮인 돼지의 뜻. '艸초'를 붙이어, '덮다'의 뜻을 나타냄.

[蒙古 몽고] ㉠서기 13세기에 헤이룽 강(黑龍江)의 상류에서 일어나 유럽과 아시아 두 대륙을 석권(席卷)하여 전고 무비(前古無比)의 대제국을 세운 부족. ㉡중국 북부의 북쪽, 만주의 서쪽, 시베리아의 남쪽, 신장 성(新疆省)의 동쪽에 있는 땅. '몽고'란 명칭은, 실상은 중국이 몽골을 경멸하여 '어리석고 낡았다.'는 뜻으로 붙인 음표(音標) 명칭임.
[蒙固 몽고] 어리석고 완고함.
[蒙求 몽구] 당(唐)나라 이한(李翰)이 지은 책으로 2권. 고인(古人)의 사적(事蹟) 중 서로 유사한 것들을 모아 대(對)를 짓고, 넉 자씩 자수를 맞추어 표제(標題)를 달았음. 동몽(童蒙)의 송독(誦讀)에 편리하도록 지었음.
[蒙頭 몽두] 옛날, 죄인을 잡아 올 때 밖을 보지 못하도록 얼굴을 싸 가리던 물건.
[蒙絡 몽락] 덩굴이 덮이고 얽힘.
[蒙利 몽리] 이익(利益)을 봄.
[蒙昧 몽매] 어리석고 어두움.
[蒙命 몽명] 명령을 받음.
[蒙蒙 몽몽] ㉠어두운 모양. ㉡성(盛)한 모양.
[蒙密 몽밀] 초목(草木)이 빽빽이 들어서고 무성한 모양.
[蒙放 몽방] 죄인(罪人)이 풀려남.
[蒙士 몽사] 몽매(蒙昧)한 선비.
[蒙死 몽사] 죽음을 무릅씀.
[蒙喪 몽상] 거상(居喪)을 입음.
[蒙叟 몽수] 장자(莊子)의 딴 이름. 몽(蒙)은 장자의 출생지, 수(叟)는 장로(長老).
[蒙然 몽연] 어두운 모양. 환하지 아니한 모양.
[蒙恬 몽염] 진(秦)나라 때의 장군. 군사 30만을 거느리고 나아가서 흉노(匈奴)를 무찌르고 장성(長城)을 쌓았음. 처음으로 붓[筆]을 만들었음.
[蒙茸 몽용] ㉠털이 더부룩하게 일어난 모양. ㉡질서(秩序) 없게 뒤섞여 달리거나 나는 모양. ㉢풀이 더부룩하게 난 모양.
[蒙幼 몽유] 어림. 유소(幼少).
[蒙宥 몽유] 몽방(蒙放).
[蒙戎 몽융] 몽용(蒙茸)㉠.
[蒙恩 몽은] 은혜(恩惠)를 입음.
[蒙塵 몽진] ㉠먼지를 뒤집어씀. 욕을 봄. 수치를 당함. ㉡임금이 난리를 당하여 피난함. 평상시와 같이 길을 깨끗이 소제한 다음 거둥하지 못하고 먼지를 쓰며 간다는 뜻.

[蒙衝 몽충] '몽충(艨衝)'과 같음.
[蒙稚 몽치] 몽유(蒙幼).
[蒙被 몽피] 받음. 입음.
[蒙學 몽학] 어린애의 공부.
[蒙惠 몽혜] 은혜(恩惠)를 입음.
◉啓蒙. 耆蒙. 唐蒙. 童蒙. 僮蒙. 昧蒙. 蒐蒙. 冥蒙. 發蒙. 相蒙. 阿蒙. 吳下阿蒙. 愚蒙. 幼蒙. 旃蒙. 顓蒙. 衝蒙. 便蒙. 蔽蒙. 昏蒙. 鴻蒙. 訓蒙.

10 ⑭ [蒜] [人名] 산(선[俗]) [去]翰 蘇貫切 suàn
[字解] 달래 산, 마늘 산 소산(小蒜). 또, 대산(大蒜). 백합과에 속하는 냄새가 강한 재배 식물. 식용함. '遺以生一'《高士傳》.
[字源] 篆文 形聲. ⺿(艸)+祘〔音〕. '祘산'은 '雋전'과 통하여, '맛있다'의 뜻. 맛있는 풀, '달래'의 뜻을 나타냄.

[蒜氣 산기] 암내. 액취(腋臭).
◉生蒜.

10 ⑭ [蒛] 결 [入]屑 傾雪切 quē
[字解] 고무딸기 결 복분자(覆盆子)딸기. '一, 一盆, 卽覆盆子'《正字通》.

10 ⑭ [蒟] 구 [上]麌 俱雨切 jǔ
[字解] 구약나물 구 '一蒻'은 천남성과(天南星科)에 속하는 다년초. 여름에 자줏빛을 띤 갈색의 꽃이 핌. 구경(球莖)으로 곤약(崑蒻)을 만듦. '出白一蒻, 亦曰鬼芋'《本草》.
[字源] 篆文 形聲. ⺿(艸)+竘〔音〕

[蒟蒻 구약] 자해(字解)를 보라.

10 ⑭ [蒡] [人名] 방 [上]養 北朗切 bàng
[字解] 우엉 방 '牛一'은 국화과에 속하는 이년생초. 뿌리는 식용함.
[字源] 形聲. ⺿(艸)+旁〔音〕

◉牛蒡.

10 ⑭ [蒨] 천 [去]霰 倉甸切 qiàn
[字解] ①꼭두서니 천 茜(艸部 六畫)과 同字. ②우거질 천 풀이 무성한 모양. '夏曄冬一'《左思》. ③선명할 천 '一, 鮮明貌'《正字通》. ④성 천 성(姓)의 하나.
[字源] 形聲. ⺿(艸)+倩〔音〕

[蒨蔚 천위] 천천(蒨蒨)㉡.
[蒨蒨 천천] ㉠선명한 모양. ㉡풀이 무성한 모양.
◉冬蒨. 姸蒨. 染蒨. 紫蒨. 葱蒨.

10 ⑭ [蒩] 조 [平]魚 七余切 zū
[字解] ①거적 조 제사 때 까는 거친 자리. '一, 茅藉也'《說文》. ②김치 조 '共茅一'《周禮》.
[字源] 形聲. ⺿(艸)+租〔音〕. '租조'는 '藉적'과 통하며 '깔개'의 뜻. 특히 새를 엮어 만든 것.
◉茅蒩. 菹蒩.

10 ⑭ [蒫] 〔강〕
薑(艸部 十三畫〈p. 1974〉)과 同字

10 ⑭ [蒯] 괴 [去]卦 苦怪切 kuǎi, kuài
[字解] 기름사초 괴 사초과(科)에 속하는 큰 다년초. 줄기의 섬유로 자리 따위를 만듦. '一席'. '雖有絲麻, 無棄菅一'《左傳》.
[字源] 會意. 刂(刀)+莿

◉菅蒯. 麻蒯. 蒼蒯.

10 ⑭ [莆] 포 [平]虞 薄胡切 pú
[字解] ①노름 포 재물을 태워 놓고 승부를 다투는 장난. '樗一者, 牧豬奴戲耳'《晉書》. ②부들 포 蒲(次條)와 통용. '柔從若一葦'《荀子》.
[字源] 形聲. ⺿(艸)+捕〔音〕

[莆戲 포희] 노름. 도박.
◉樗莆.

10 ⑭ [蒲] [人名] 포 [平]虞 薄胡切 pú
[字解] ①부들 포 부들과에 속하는 다년초. 못·늪 같은 데 저절로 남. 줄기와 잎으로 자리를 만듦. '菰一'. '維筍及一'《詩經》. ②부들자리 포 부들 잎으로 엮은 자리. '妾織一'《孔子家語》. ③냇버들 포 버드나뭇과에 속하는 낙엽 관목(落葉灌木). '一柳'. '揚之水不流束一'《詩經》. ④초가 포 풀로 지붕을 인 둥근 집. '草圓屋曰一'《釋名》. ⑤노름 포 莆(前條)와 통용. '好此樗一'《馬融》. ⑥길 포 匍(勹部 七畫)와 통용. '俛出袴下一伏'《史記》. ⑦성 포 성(姓)의 하나.
[字源] 篆文 形聲. ⺿(艸)+浦〔音〕. '浦포'는 '물가'의 뜻. 물가에 나는 '부들'을 일컬음.

[蒲公英 포공영] 민들레.
[蒲關 포관] '포진관(蒲津關)'의 준말. 황허(黃河) 서안(沿岸)의 관명(關名).
[蒲葵 포규] 야자과에 속하는 상록 교목(常綠喬木). 말레이시아·동인도 지방이 원산지임. 빈랑(檳榔)나무.
[蒲葵扇 포규선] 빈랑(檳榔)나무 잎으로 만든 부채. 규선(葵扇).

[蒲葵扇]

[蒲團 포단] ㉠부들로 만든 둥근 자리. ㉡이불.
[蒲陶 포도] 포도(葡萄).
[蒲蘆 포로] ㉠부들과 갈대. 부들과 갈대는 잘 나고 잘 자라므로, 정치를 하기 쉬움의 비유. ㉡벌의 한 가지. 나나니벌. ㉢박의 한 가지. 호리병박.
[蒲牢 포뢰] ㉠고래를 무서워하는 바다 짐승 이름.

㉡종(鐘)의 용두(龍頭).
[蒲柳 포류] ㉠버드나뭇과에 속하는 낙엽 교목(落葉喬木). 냇버들. ㉡냇버들의 잎이 가을에 제일 먼저 지므로 신체가 허약함을 이름.
[蒲輪 포륜] 덜거덕거리지 않게 하기 위해 부들 잎으로 바퀴를 싼 수레. 노인용임.
[蒲博 포박] 노름. 도박.
[蒲璧 포벽] 오서(五瑞)의 하나. 부들 무늬를 넣은 둥근 옥(玉)으로, 남작(南爵)이 가짐.

[蒲璧]

[蒲伏 포복] 배를 땅에 대고 엉금엉금 김. 포복(匍匐).
[蒲服 포복] 포복(蒲伏).
[蒲色 포색] 붉은 바탕에 누른빛을 띤 부들 이삭과 같은 빛깔.
[蒲席 포석] 부들자리.
[蒲屋 포옥] 부들로 인 집.
[蒲月 포월] 음력 5월의 딴 이름.
[蒲節 포절] 음력 5월 5일의 창포절(菖蒲節).
[蒲州 포주] 산시 성(山西省) 서남단(西南端)에 있는 부명(府名). 우순(虞舜)의 도읍지라고 함.
[蒲阪 포판] 옛 땅 이름. 산시 성(山西省) 융지현(永濟縣)에 있음. 순(舜)임금의 도읍지.
[蒲編 포편] 부들 잎으로 만든 책. 포첩(蒲牒).
[蒲鞭 포편] 때려도 아프지 아니한 부들 가지의 회초리.
[蒲黃 포황] 부들의 화분(花粉). 지혈제(止血劑)로 씀.
◉菰蒲. 茅蒲. 白蒲. 石菖蒲. 深蒲. 莞蒲. 葦蒲. 檽蒲. 菖蒲. 青蒲. 蔥蒲.

10 ⑭ [蓎] 당 [平]陽 徒郎切 táng
[字解] 소나무겨우살이 당 '一蒙'은 소나무겨우살이. 여라(女蘿). '一蒙, 女蘿'《爾雅》.

10 ⑭ [蒵] [一] 계(혜[本]) [去]霽 胡計切 xì
[二] 해(혜[本]) [平]齊 胡雞切 xī
[字解] [一] ①들메끈 계 신을 들메는 끈. '一斷以芒接之'《南史》. ②깔창 계 신 속에 까는 창. '一, 屧一'《廣韻》. [二] 머위 해 '蘱, 菟一'《爾雅》.

10 ⑭ [蒸] [高人] 증 [平]蒸 煮仍切 zhēng
[筆順] 一 艹 艹 芀 芀 茅 荥 蒸 蒸
[字解] ①많을 증 중다(衆多)함. '天生一民'《孟子》. ②백성 증 국민. '覺悟黎一'《司馬相如》. ③찔 증 ㉠수증기 따위의 김이 올라감. '一發'. '氣觸石而結一'《潘尼》. ㉡김을 쐬어서 익힘. '一溜'. '穀未舂一曰粟'《論衡》. ④삼대 증 껍질을 벗겨 낸 삼 줄기. ⑤섶나무 증 가는 섶나무. '以薪以一'《詩經》. ⑥제사이름 증 烝(火部 六畫)과 통용. '冬祭曰一'《爾雅》.
[字源] 篆文 別體 形聲. 艹(艸)+烝〔音〕. '烝증'은 열기(熱氣)가 올라서 찌다의 뜻. '艸초'는 찌는 연료가 되는 식물의 뜻. 삼 껍질을 벗기고 난 속대, 자잘한 땔나무를 뜻함. 假借하여, '烝'의 뜻으로 쓰임.

[蒸氣 증기] 액체(液體)가 증발(蒸發)하여 생긴 기체(氣體). 김.
[蒸騰 증등] 쪄서 김이 올라감.
[蒸溜 증류] 액체를 끓이어 증발시키고 그 증기(蒸氣)를 식히어 다시 액체로 만들어 불순물이 없게 함.
[蒸民 증민] 백성.
[蒸發 증발] 액체(液體)가 기체(氣體)로 변(變)하는 현상(現象).
[蒸餅 증병] 멥쌀가루에 술을 조금 부어 부풀려 찐 떡. 증편.
[蒸庶 증서] 증민(蒸民).
[蒸暑 증서] 찌는 더위. 무더위.
[蒸熱 증열] 증서(蒸暑).
[蒸炎 증염] 증서(蒸暑).
[蒸溽 증욕] 증서(蒸暑).
[蒸鬱 증울] 무더워서 숨이 막힘.
[蒸酒 증주] 정제(精製)한 술.
[蒸炊 증취] 불을 때어 찜.
[蒸炰 증포] 찜.
◉薪蒸. 黎蒸. 炎蒸. 雲蒸. 鬱蒸. 樵蒸. 燻蒸.

10 ⑭ [蒘] [一] 여 [平]魚 女余切 rú
[二] 나 [平]麻 女加切
[字解] [一] ①사상자 여 '蘭一'는 사상자(蛇床子). 미나릿과(科)의 2년초. '蘭一, 竊衣'《爾雅》. ②풀이름 여 '藸一'는 풀 이름. '一, 藸一, 草名'《廣韻》. [二] 사상자 나, 풀이름 나 [一]과 뜻이 같음.

10 ⑭ [蒹] 겸 [平]鹽 古甜切 jiān
[字解] 물억새 겸 볏과에 속하는 다년초. 이삭이 팬 것을 '萑', 아직 이삭이 패지 않은 것을 '蒹'이라 함. '一葭蒼蒼'《詩經》.
[字源] 篆文 形聲. 艹(艸)+兼〔音〕. '兼겸'은 손〔又〕으로 두 대의 벼〔禾〕를 아울러 쥐다의 뜻. 성숙한 물억새를 이름.

[蒹葭 겸가] 갈대.
[蒹葭依玉樹 겸가의옥수] 갈대같이 변변치 못한 인물이 옥(玉)으로 만든 나무와 같은 훌륭한 인물에게 의지한다는 뜻으로, 존귀한 친척의 덕을 보거나 뛰어난 인물의 시중을 듦을 이름.

10 ⑭ [蒺] 질 [入]質 秦悉切 jí
[字解] ①남가새 질 '一藜'은 남가샛과에 속하는 일이년초. 열매는 단단하고 억센 가시가 있음. 뿌리와 씨는 약재로 씀. 남가새. '據于一藜'《易經》. ②마름쇠 질 '一藜'는 적(敵)을 막기 위하여 흩어 두는 마름 모양의 무쇠 덩이. 마름쇠. 철질려(鐵蒺藜). '愴愴履霜, 中多一藜'《古詩》.
[字源] 形聲. 艹(艸)+疾〔音〕

[蒺藜 질려] ㉠자해(字解)❷를 보라. ㉡질려철(蒺藜鐵).
[蒺藜鐵 질려철] 자해(字解)❷를 보라.

10 ⑭ [蒻] [人名] 약 [入]藥 而灼切 ruò
[字解] 구약나물 약 그 구경(球莖)으로 식품을 만

듦. 蒻(艸部 十畫)를 보라.

字源 篆文 形聲. ⺾(艸)+弱〔音〕. '弱약'은 '약소(弱小)'의 뜻. 부들의 싹.

10 ⑭ [蓖] 피(비本) 平齊 邊迷切 bì

字解 아주까리 피 대극과에 속하는 일년생초. 씨로는 기름을 짬. 피마자. '一麻'.

字源 形聲. ⺾(艸)+昆(毗)〔音〕. '毗비'는 논밭과 들에 널리 펴다의 뜻.

[蓖麻 피마] 아주까리.
[蓖麻子 피마자] 아주까리씨.
[蓖麻子油 피마자유] 아주까리씨로 짠 기름. 설사(泄瀉)시키는 데 씀.

10 ⑭ [蒼] 高人 창 平陽 七岡切 cāng 上養 麁朗切 cǎng 苍

筆順 丨 艹 芢 芩 苍 荅 蒼 蒼

字解 ①푸를 창, 푸른빛 창 짙은 푸른빛. '一色'. '悠悠一天'《詩經》. ②우거질 창 무성하게 자람. '至于海隅一生'《書經》. ③허둥지둥할 창 어찌할 겨를이 없을 만큼 매우 급함. '一惶'. '一卒犇逼'《唐書》. ④늙을 창 연로함. '老一'. '一顔白髮'《歐陽修》. ⑤어슴푸레할 창 어둑어둑한 모양. '一然暮色'《柳宗元》. ⑥성 창 성(姓)의 하나. ⑦초목푸를 창 교외(郊外)의 빛깔. '莽一'. '一, 莽一'《廣韻》. '一, 一日, 近郊之色'《集韻》. ⑧아득할 창 넓고 멂. '一莽'.

字源 篆文 形聲. ⺾(艸)+倉〔音〕. '倉창'은 짙은 청색의 뜻. 풀빛이 새파랗다의 뜻에서, '푸르다'의 뜻으로 쓰임.

[蒼空 창공] 창천(蒼天)㉠.
[蒼官 창관] 소나무의 딴 이름.
[蒼穹 창궁] 창천(蒼天)㉠.
[蒼頭 창두] ㉠파란 두건(頭巾)을 쓴 병졸. ㉡종. 노예(奴隸).
[蒼龍 창룡] ㉠푸른 용(龍). 청룡(青龍). ㉡늙은 용. 곧, 노송(老松)의 형용. ㉢푸른 말. 청마(青馬).
[蒼龍窟 창룡굴] 용이 사는 굴. 그 굴에 들어가서 용의 턱 밑에 있는 구슬을 따 온다는 뜻으로, 대오(大悟)함에는 많은 고생을 무릅써야 함의 비유.
[蒼茫 창망] 넓고 멀어서 푸르고 아득한 모양.
[蒼莽 창망] ㉠푸르고 먼 모양. ㉡푸른 들.
[蒼旻 창민] ㉠창천(蒼天). ㉡가을 하늘.
[蒼白 창백] 푸른 기가 있고 해쓱함.
[蒼生 창생] 백성(百姓). 인민(人民).
[蒼蠅 창승] 쉬파리. 전(轉)하여, 소인(小人).
[蒼蠅附驥尾而致千里 창승부기미이치천리] 쉬파리도 준마의 꼬리에 붙어 가면 천 리의 먼 길도 도달할 수 있다는 뜻. 곧, 성현을 따라다녀 그 덕에 공을 이룸의 비유.
[蒼雅 창아] 삼창(三蒼)과 이아(爾雅). 삼창은 이사(李斯)의 창힐편(蒼頡篇), 조고(趙高)의 원력편(爰曆篇)과 호모편(胡母篇)의 박학편(博學篇).
[蒼顏 창안] 노쇠하여 창백해진 얼굴. 노인의 얼굴.
[蒼暗 창암] 어슴어슴하게 어두움.
[蒼靄 창애] 푸른 아지랑이.
[蒼然 창연] ㉠푸른 모양. ㉡날이 저물어 어둑어둑한 모양. ㉢물건이 오래되어서 예스러운 빛이 저절로 드러나 보이는 모양.
[蒼髥叟 창염수] '소나무'의 이명(異名).
[蒼梧 창오] 후난 성(湖南省) 영원현(寧遠縣)의 산 이름. 구의(九疑)라고도 함. 순(舜)임금이 이곳에서 붕어(崩御)하였음.
[蒼梧之望 창오지망] 제왕(帝王)의 붕어(崩御). 순(舜)임금이 창오에서 붕어한 데서 이름.
[蒼遠 창원] 아주 아득하고 오램.
[蒼鷹 창응] 털이 창백색(蒼白色)인 큰 매. 전(轉)하여, 혹리(酷吏).
[蒼耳 창이] 도꼬마리.
[蒼耳子 창이자] 도꼬마리 씨. 피부병·치통 등의 약제.
[蒼鳥 창조] '매〔鷹〕'의 딴 이름.
[蒼卒 창졸] 썩 급(急)한 모양. 급작스러워 허둥지둥하는 모양.
[蒼蒼 창창] ㉠빛이 새파란 모양. ㉡초목이 나서 푸릇푸릇하게 자라는 모양. ㉢하늘이 개어 맑은 모양. ㉣노쇠한 모양. ㉤어둑어둑한 모양.
[蒼天 창천] ㉠푸른 하늘. ㉡봄의 하늘. ㉢동방의 하늘.
[蒼朮 창출] 국화과에 속하는 다년초. 뿌리는 한약재로 씀. 삽주.
[蒼苔 창태] 푸른 이끼.
[蒼海 창해] 크고 넓은 바다.
[蒼昊 창호] 창천(蒼天)㉠.
[蒼黃 창황] ㉠창황(蒼惶). ㉡파래졌다 노래졌다 하는 모양.
[蒼惶 창황] 황급(遑急)한 모양.
[蒼黑 창흑] 검푸른빛.
[蒼頡 창힐] 황제(黃帝)의 신하(臣下)로서 새의 발자국을 보고 처음으로 글자를 만들어 낸 사람. 창힐(倉頡).
◉穹蒼. 老蒼. 莽蒼. 鬱蒼. 青蒼. 彼蒼. 昊蒼.

10 ⑭ [蒿] 人名 호 平豪 呼毛切 hāo

字解 ①쑥 호 국화과에 속하는 다년초. 어린잎은 식용함. '食野之一'《詩經》. ②김오를 호 수증기가 올라가는 모양. '焄一悽愴'《禮記》. ③고달플 호 피로함. '使民一焉'《國語》. ④성 호 성(姓)의 하나.

字源 甲骨文 金文 篆文 形聲. ⺾(艸)+高〔音〕. '高고'는 '높다'의 뜻. 높이 자라는 쑥, 사철쑥을 뜻함.

[蒿萊 호래] 거칠게 자라서 무성한 풀. 황초(荒草). 또, 황초가 우거진 곳.
[蒿廬 호려] 황초(荒草)가 우거진 데 있는 조그마한 초가(草家). 자기 집의 겸칭(謙稱).
[蒿里 호리] ㉠태산(泰山) 남쪽의 산 이름. 사람이 죽으면 그 혼백(魂魄)이 와서 머문다는 곳. 전(轉)하여, 묘지(墓地). ㉡만가(輓歌).
[蒿目 호목] 티가 들어가서 흐려 잘 보이지 아니하는 눈.
[蒿矢 호시] 쑥의 줄기로 만든 화살.
[蒿艾 호애] 쑥. 전(轉)하여, 초야(草野).
◉角蒿. 茼蒿. 牡蒿. 白蒿. 蓬蒿. 艾蒿. 青蒿. 焄蒿.

10 ⑭ [蓀] 人名 손 平元 思渾切 sūn 荪

[字解] ①향초 손 '數惟一之多怒兮'《楚辭》. ②창포 손 창포과에 속하는 다년초. 못가나 습지에 나며, 향기가 좋음. '溪一'. '蘭茝一蕙之芳'《曹植》.
[字源] [篆文] 形聲. ⺾(艸)+孫〔音〕

◉溪蓀.

10 ⑭ **[蓁]** [人名] 진 [平]眞 側詵切 zhēn, qīn

[字解] ①숲 진 초목이 더부룩이 우거진 곳. '傲世逃深一'《晁補之》. ②우거질 진 무성한 모양. '其葉一一'《詩經》.
[字源] [篆文] 形聲. ⺾(艸)+秦〔音〕. '秦진'은 자라 우거지다의 뜻. 초목이 왕성하게 우거지다의 뜻을 나타냄.

[蓁瓜 진과] 붓순나뭇과에 속하는 상록 교목(常綠喬木). 열매에 맹독(猛毒)이 있음. 붓순. 붓순나무.
[蓁莽 진망] 숲.
[蓁蓁 진진] ㉠초목이 무성한 모양. ㉡많은 모양. ㉢머리에 인 모양.
◉深蓁. 葳蓁.

10 ⑭ **[蓂]** [人名] 명 [平]青 莫經切 míng

[字解] 명협 명 '一莢'은 요(堯)임금 때 조정의 뜰에 난 서초(瑞草)의 이름. '一莢朱草'《漢書》.
[字源] [篆文] 形聲. ⺾(艸)+冥〔音〕

[蓂莢 명협] 요(堯)임금 때 조정의 뜰에 난 서초(瑞草)의 이름. 초하룻날부터 매일 한 잎씩 나서 자라고 열엿새째부터 매일 한 잎씩 져서 그믐에 이른 고로, 이것에서 달력을 만들었다 함.

[蓂莢]

10 ⑭ **[蓄]** [高人] 축 [入]屋 丑六切 xù

[筆順] ' 艹 苎 荂 蓄 蓄 蓄 蓄

[字解] ①쌓을 축, 쌓일 축 쌓아 모음. '一財'. '公來始購一'《蘇軾》. ②모을 축 모이게 함. '君子以容民一衆'《易經》. ③감출 축 간직함. '一怨'. '心一之'《柳宗元》. ④기를 축 양성함. 자라게 함. '一髮'. '一力一紀'《國語》. ⑤둘 축 첩·하인 등을 집에 둠. '一妾'. '妻悍不得一媵妾'《後漢書》. ⑥저축 축 쌓아 모은 것. '無私貨, 無私一'《禮記》. ⑦성 축 성(姓)의 하나.
[字源] [篆文] 形聲. ⺾(艸)+畜〔音〕. '畜축'은 길러서 모으다의 뜻. '艸초'를 붙여, 저장한 채소의 뜻에서, '저축하다'의 뜻을 나타냄.

[蓄念 축념] 쌓인 생각.
[蓄力 축력] 힘을 양성함.
[蓄髮 축발] 머리를 기름.
[蓄思 축사] 축념(蓄念).
[蓄泄 축설] 모으기도 하고 흐트러뜨리기도 함.
[蓄用 축용] 쌓아 두고 씀.
[蓄怨 축원] ㉠쌓인 원한. ㉡원한을 품음.
[蓄音機 축음기] 음성(音聲)을 소리판 속에 넣어 두고 필요(必要)할 때마다 몇 번이든지 그 소리를 들을 수가 있게 만든 기계(機械). 유성기(留聲機).
[蓄藏 축장] 모아서 저장함.
[蓄財 축재] 재물(財物)을 모아 쌓음. 돈을 모음.
[蓄積 축적] 쌓아 둠. 저축함. 또, 저축한 물건.
[蓄電池 축전지] 외부의 전원(電源)에서 받은 전기를 화학 에너지의 형태로 축적해 두었다가, 필요할 때에 전기로 재생하여 내는 장치. 배터리.
[蓄妾 축첩] 첩(妾)을 둠.
[蓄縮 축축] ㉠게으름. 태만함. ㉡줄어듦. 수축함.
[蓄聚 축취] 모아 둠. 쌓아 둠.
◉累蓄. 備蓄. 私蓄. 薀蓄. 蘊蓄. 資蓄. 藏蓄. 貯蓄. 積蓄. 電蓄. 渟蓄. 含蓄. 涵蓄.

10 ⑭ **[莮]** [一] 담 [平]覃 他酣切
[二] 남 [平]覃 那含切 nán

[字解] [一] 파 담 파〔葱〕. '一, 艸名, 蔥也'《集韻》. [二] 여로(藜蘆) 남 박새. 백합과에 딸린 여러해살이풀. '一, 艸名'《集韻》.

10 ⑭ **[蓆]** [人名] 석 [入]陌 祥易切 xí

[字解] ①클 석 광대함. '緇衣之一兮'《詩經》. ②자리 석 席(巾部 七畫)과 통용. '坐以文綺之一'《六韜》.
[字源] [篆文] 形聲. ⺾(艸)+席〔音〕. '席석'은 '깔개'의 뜻. 풀로 만든 자리를 이름. 전(轉)하여, 넓고 크다의 뜻으로 씀.

[蓆藁 석고] 거적자리.
[蓆薦 석천] 깔개. 자리. 남의 밑에 있는 일의 비유로 쓰임.

◉文綺蓆. 茵蓆. 亭蓆.

10 ⑭ **[蓉]** [人名] 용 [平]冬 餘封切 róng

[筆順] ' 艹 芢 芢 茓 茓 蓉

[字解] 부용 용 芙(艸部 四畫)를 보라. '芙一'은 연꽃.
[字源] [篆文] 形聲. ⺾(艸)+容〔音〕

◉金芙蓉. 木芙蓉. 芙蓉. 阿芙蓉.

10 ⑭ **[華]** [一] 화 [平]佳 火媧切 huā
[二] 과 [平]麻 枯瓜切

[字解] [一] ①들쭉날쭉섞일 화 들쭉날쭉 섞임. '一, 舛雜皃'《集韻》. ②삐뚤어질 화 삐뚤어짐. '一, 不正也'《康熙字典》. [二] 아주떠날 과 아주 떠남.

10 ⑭ **[蒟]** 구 [去]宥 居候切 gòu

[字解] 풀쌓을 구 풀을 쌓음. 쌓은 풀. '一, 積艸, 或作蘷'《集韻》.

10 ⑭ **[蒟]** 〔구〕
蒟(艸部 九畫〈p.1941〉)와 同字

10 ⑭ [蕕] 〔유·뉵〕 莥(艸部 七畫〈p.1924〉)와 同字

10 ⑭ [蒫] 〔녈·달〕 茥(艸部 七畫〈p.1925〉)과 同字

10 ⑭ [蒣] 서 [平]魚 詳余切 xú

[字解] ①풀이름 서 풀의 이름. '一, 艸名'《集韻》. ②마 서 서여(薯蕷). '一, 與藷同'《正字通》. ③감자 서 감자.

10 ⑭ [蒝] [一] 원 [平]元 愚袁切 yuán
[二] 천 [去]霰 取絹切
[三] 환 [平]寒 胡官切 huán

[字解] [一] ①초목모양 원 '一, 艸木形'《說文》. ②줄기잎퍼질 원 '一, 莖葉布也'《廣韻》. [二] ①초목모양 천 '一, 艸木皃'《集韻》. ②풀이름 천 '一, 艸名'《集韻》. [三] 풀이름 환 [二]❷와 뜻이 같음.

[字源] 形聲. ⺾(艸)＋原〔音〕

10 ⑭ [蓊] 옹 ①[平]東 烏紅切 ②[上]董 烏孔切 wěng

[字解] ①장다리 옹 잔잎이 총생(叢生)하는 꽃줄기. '一, 薹也'《廣雅》. ②우거질 옹 초목이 무성한 모양. '鬱一蔓葑'《張衡》.

[字源] 形聲. ⺾(艸)＋翁〔音〕. '翁옹'은 새의 목줄기의 깃털의 뜻. 새의 깃털처럼 초목이 우거지는 모양을 나타냄.

[蓊勃 옹발] 성(盛)한 모양.
[蓊葧 옹발] 옹발(蓊勃).
[蓊薆 옹애] 옹위(蓊蔚).
[蓊然 옹연] 사물이 성(盛)한 모양.
[蓊蓊 옹옹] 초목이 무성한 모양.
[蓊茸 옹용] 무성한 모양.
[蓊鬱 옹울] ㉠초목이 무성한 모양. ㉡구름이나 안개가 짙은 모양.
[蓊蔚 옹위] 초목이 무성한 모양.
[蓊薈 옹회] 옹위(蓊蔚).

10 ⑭ [蓋] [高·人] [一] 개 [去]泰 古太切 gài [二] 합 [入]合 胡臘切 hé 盖

[筆順] 丨 卄 艹 芏 芸 荃 荖 蓋

[字解] [一] ①덮을 개 ㉠덮어씌움. '一世'. '其高無一'《關尹子》. ㉡가림. 숨김. '爾尙一前人之愆'《書經》. ②숭상할 개 존숭함. '一威以好勝'《國語》. ③뚜껑 개, 덮개 개 '器則執一'《禮記》. '發一'《禮記》. ④일산 개 수레 위에 세우는 일산(日傘). '車一'. '傾一'. '爲一以象天'《周禮》. ⑤하늘 개 상천(上天). '一壤'. ⑥대개 개 ㉠추측·상상하는 말. '一上世嘗有不葬其親者'《孟子》. ㉡완곡하게 하는 말. '屈平之作離騷, 一自怨生也'《史記》. ㉢발어사(發語詞). '一自天降生民'《朱熹》. ⑦어찌 개 어찌하여서. '一可忽乎哉'《戰國策》. ⑧성 개 성(姓)의 하나. [二] 어찌아니할 합 어찌 …하지 않느냐. 盍(皿部 五畫)과 통용. '子一言子之志于公乎'《禮記》.

[蓋④]

[字源] [金文] [篆文] 形聲. ⺾(艸)＋盇(盍)〔音〕. '盇합'은 '덮다'의 뜻. 풀을 엮어서 만든 '덮개'의 뜻을 나타냄.

[參考] 葢(艸部 九畫)는 本字.

[蓋棺事定 개관사정] 시체를 관에 넣어 뚜껑을 닫은 뒤에 그 사람의 가치가 결정됨. 죽은 후에 현부(賢否)가 정하여짐.
[蓋代 개대] 세상에서 뛰어나 견줄 만한 사람이 없음. 개세(蓋世).
[蓋羃 개멱] 뚜껑. 덮개.
[蓋世 개세] 기개(氣概)가 세상을 뒤덮음.
[蓋壤 개양] 천지(天地).
[蓋瓦 개와] 기와.
[蓋瓦級甎 개와급전] 지붕에 인 기와와 계단에 깐 벽돌.
[蓋印 개인] 관인(官印)을 찍음.
[蓋藏 개장] 창고의 문단속.
[蓋草 개초] ㉠이엉. ㉡이엉으로 집을 임.
◉傾蓋. 冠蓋. 穹蓋. 籠蓋. 大蓋. 方底圓蓋. 寶蓋. 覆蓋. 佛蓋. 繖蓋. 插蓋. 素蓋. 偃蓋. 掩蓋. 五蓋. 圓蓋. 藏蓋. 苫蓋. 朱蓋. 車蓋. 遮蓋. 天蓋. 華蓋.

10 ⑭ [蓌] 좌 [去]箇 祖臥切 cuò

[字解] ①속일 좌 기만함. 속임. 거짓 예배함. 夎(夊部 七畫)와 同字. '一, 詐拜也'《集韻》. ②웅크릴 좌 '介者不拜, 爲其拜而一拜'《禮記》.

10 ⑭ [蒷] [一] 기 [上]尾 袪狶切 qǐ
[二] 개 [去]隊 胡對切
[三] 애 [平]灰 魚開切

[字解] [一] ①상추 기 '一, 菜之美者, 雲蒙之一'《說文》. ②미나리 기. [二] 상추 개, 미나리 개 [一]과 뜻이 같음. [三] 건채 애 말린 나물. '一, 乾菜'《集韻》.

[字源] 形聲. ⺾(艸)＋豈〔音〕

10 ⑭ [蔀] 군 [去]問 具運切 jùn

[字解] 버섯 군 버섯. 菌(艸部 八畫)의 俗字. '一, 俗菌字'《正字通》.

10 ⑭ [营] 궁 [平]東 居雄切 gōng

[字解] ①궁궁이 궁 '一藭'은 약초의 이름. '一, 一藭, 香艸也'《說文》. ②꽃다지 궁 '一, 艸名. 葶藶也'《集韻》.

[字源] 形聲. ⺾(艸)＋宮〔音〕

10 ⑭ [蓍] [人名] 시 [平]支 式脂切 shī

[字解] 톱풀 시 '一草'는 국화과에 속하는 다년초. 식용·약용함. 줄기는 점치는 데 씀. 가새풀. '浸彼苞一'《詩經》.

[字源] [篆文] 形聲. ⺾(艸)＋耆〔音〕. '耆기·시'는 '늙은이'의 뜻. 천 년씩이나 오래 산다

고 하는 '톱풀'의 뜻을 나타냄.

[蓍卦 시괘] 시초(蓍草)로 점친 괘.
[蓍龜 시귀] ㉠점(占)칠 때 쓰는 시초(蓍草)와 거북. ㉡점(占).
[蓍草 시초] 자해(字解)를 보라.
◉苞蓍.

10 ⑭ [蓏] 라 ㊤哿 郞果切 luǒ

[字解] 풀열매 라 초본(草本) 식물에서 여는 열매. 나무의 열매는 '果'라 함. '果—'. '木實曰果, 艸實曰—'《急就篇》.
[字源] 篆文 會意. ⺾(艸)+㼌. 땅 위 또는 덩굴에 열리는 열매를 이름. '㼌유'는 그 복수(複數)를 나타냄.

◉果蓏. 蔬蓏.

10 ⑭ [蓐] 욕 [入]沃 而蜀切 rù

[字解] ①깔개 욕 요·자리 등 까는 물건의 총칭. 褥(衣部 十畫)과 同字. '茵—'. '臥—'. '食器席—'《漢書》. ②깃 욕 외양간·마구간 등에 깔아주는 짚이나 풀. '除—釁廏'《周禮》. ③섶 욕 잠족(蠶蔟). '艸部曰, 蔟, 行蠶—也'《說文 段注》. ④성 욕 성(姓)의 하나.
[字源] 篆文 籀文 形聲. ⺾(艸)+辱〔音〕. '辱욕'은 풀을 베다의 뜻. 벤 풀을 겹쳐 깐 깃·깔개를 이름.

[蓐母 욕모] 해산바라지하는 여자. 산파(産婆).
[蓐收 욕수] 가을의 신(神). 형벌을 맡음.
[蓐食 욕식] 이른 아침에 이부자리 안에서 식사를 함.
[蓐月 욕월] 산월(產月). 해산달.
[蓐瘡 욕창] 장병(長病)의 환자가 오래 누워서 피부가 닳아 생긴 상처.
◉病蓐. 產蓐. 牀蓐. 臥蓐. 茵蓐. 薦蓐. 草蓐. 虎蓐.

10 ⑭ [蓑] [人名] [一] 사 [平]歌 蘇禾切 suō [二] 쇠 [平]灰 素回切 suī

[字解] [一] ①도롱이 사 띠·짚 따위로 엮어 만든 우장. '—笠'. '何—何笠'《詩經》. ②덮을 사 덮어 가림. '不—城也'《公羊傳》. [二] ①잎시들 쇠 '—, 艸木葉萎皃'《集韻》. ②꽃술늘어질 쇠 꽃술이 늘어진 모양. '華蘂之——'《張衡》.
[字源] 形聲. ⺾(艸)+衰〔音〕. '衰쇠'는 '도롱이'의 原字. '衰'에 쇠약해지다 등의 뜻이 생기자, 구별하기 위해 '艸초'를 붙임.

[蓑笠 사립] 도롱이와 삿갓.
[蓑城 사성] 성을 덮어 가림.
[蓑翁 사옹] 도롱이를 두른 노인.
[蓑衣 사의] 도롱이.
[蓑唱 사창] 도롱이를 입은 사람이 부르는 노래.
[蓑蓑 쇠쇠] 꽃술이 죽 늘어진 모양.
◉農蓑. 單蓑. 短蓑. 漁蓑. 雨笠烟蓑. 雨蓑. 一蓑. 長蓑. 釣蓑.

10 ⑭ [蔝] 력 [入]錫 狼狄切 lì

[字解] 성길 력 초목(草木) 등이 듬성듬성 성긴 모양. '恆有—髮'《北史》.

10 ⑭ [蒴] 삭 [入]覺 所角切 shuò

[字解] 삭조(蒴藋) 삭 '—藋'는 인동과(忍冬科)의 다년초. 잎은 음건(陰乾)하여 약재로 씀. '陸英—藋'《宋史》.
[字源] 形聲. ⺾(艸)+朔〔音〕

[蒴藋 삭조] 자해(字解)를 보라.

10 ⑭ [蓓] 배 ㊤賄 薄亥切 bèi

[字解] ①풀이름 배 '—, 黃—, 草'《廣韻》. ②꽃봉오리 배 '—蕾'. '細—繁英次第開'《韓愈》.
[字源] 形聲. ⺾(艸)+倍〔音〕

◉細蓓.

10 ⑭ [蒩] 급 [入]緝 極入切 jí

[字解] 동아 급 동과(冬果). 박과에 딸린 한해살이 덩굴풀. '冬瓜—也'《廣雅, 釋草》.

10 ⑭ [蓕] 리 [平]支 陵之切 lí

[字解] ①콩이름 리 콩 이름. '—, 豆名, 可食'《集韻》. ②蘺(艸部 十四畫)의 俗字. '—, 俗—字'《正字通》.

10 ⑭ [蒢] 제 [平]魚 陳如切 chú

[字解] ①까마종이 제 '—, 黃—, 職也'《說文》. ②오이풀 제 지유(地楡). '抽—, 地楡也'《廣雅》. ③풀이름 제 '—, 草名. 可染'《廣韻》. ④알랑거릴 제 '籧—'는 말주변이 좋음. 알랑거림. '舅氏籧—. (注)師古曰, 籧—, 口柔'《漢書》. ⑤땅이름 제 '渠—'는 땅 이름. 춘추 시대(春秋時代)에 송(宋)나라의 땅. '齊侯衛侯, 次于渠—'《春秋》.
[字源] 形聲. ⺾(艸)+除〔音〕

10 ⑭ [蓶] 육 [入]屋 余六切 yù

[字解] ①산부추 육. ②앵두나무 육 薁(艸部 十三畫)과 통용. '食鬱及—'《詩經》.
[字源] 篆文 形聲. ⺾(艸)+隺〔音〕

10 ⑭ [蒤] 도 [平]虞 同都切 tú

[字解] ①감제풀 도 마디풀과에 속하는 다년초. 뿌리는 약재. 고장(苦杖). 호장(虎杖). ②잡초 도 '—, 委草'《爾雅》.

10 ⑭ [蒑] 은 [平]文 於斤切 yīn

[字解] ①풀빛푸를 은 '採英懷中, 飄颻其—'《徐孚遠》. ②채소이름 은 '—, 菜名'《集韻》.

10 ⑭ [蒕] 온 ㊤文 於云切 yūn

字解 ①기운왕성할 온 기운이 왕성한 모양. '蒀—'. '鬱蒀—以翠微'《左思》. ②향기로울 온 향기로운 모양.

10 ⑭ [蓈] 랑 ㊤陽 魯當切 láng

字解 쭉정이 랑 '童—'·'董—'은 벼나 조알이 여물지 않은 것. 또, 강아지풀. '禾粟之莠, 生而不成者, 謂之童—'《說文》.

字源 篆文 別體 形聲. ++(艸)+郎〔音〕. 別體도 形聲. 禾+良〔音〕

10 ⑭ [蒗] 랑 ㊧漾 來宕切 làng

字解 도랑이름 랑 '—蕩'은 수로(水路)의 이름. '東過滎陽縣北, —蕩渠出焉'《水經 注》.

10 ⑭ [蒧] 점 ㊤琰 多忝切 diǎn

字解 ①풀이름 점 '—, 艸名'《字彙》. ②사람이름 점 '—, 闕. 人名. 夫子弟子曾—'《集韻》.

字源 形聲. ++(艸)+戊+占〔音〕

10 ⑭ [莄] 경 ㊤梗 古幸切 gěng

字解 곤대 경 토란의 줄거리. '—, 芋莖也'《玉篇》.

10 ⑭ [蒷] 공 ㊧送 古送切 gòng

字解 씨더부룩이날 공 초목의 씨가 더부룩이 나는 모양. '—, 艸木子聚生'《集韻》.

10 ⑭ [蒦] ㊀ 약 ㊇藥 鬱縛切 huò ㊁ 획 ㊇陌 胡陌切 ㊂ 곽 ㊇藥 厥縛切 wò

字解 ㊀ ①잴 약 손가락으로 길이를 잼. '—, 規—, 商也'《說文》. ②자 약 길이를 재는 제구. '尺者, —也'《漢書》. ③두리번거릴 약 '—, 一曰視遽皃'《說文》. ㊁ ①잴 획, 자 획, 두리번거릴 획 ㊀과 뜻이 같음. ②풀이름 획 '—, 艸名'《集韻》. ㊂ 잡을 곽 집. '—, 持也'《廣雅》.

10 ⑭ [蒳] 납 ㊇合 奴荅切 nà

字解 ①향이름 납 '艾—'은 향의 이름. 또, 소나무 껍질에 돋는 이끼. ②나무이름 납 열매가 빈랑(檳榔) 비슷한 나무. '草則藿—豆蔻'《左思》.

字源 形聲. ++(艸)+納〔音〕

10 ⑭ [蒫] 차 ㊤歌 昨何切 cuō ㊤麻 子邪切

字解 냉이씨 차 제채(薺菜)의 씨. '—, 薺實'《爾雅》.

10 ⑭ [蒩] ㊀ 주 ㊤尤 自秋切 qiú ㊁ 조 ㊤豪 作曹切 zāo

字解 ㊀ 지게미 주 술을 거르고 난 찌끼. '—, 酒滓也, 鄭司農曰, 稻醴清—'《集韻》. ㊁ 지게미 조 糟(米部 十一畫)와 同字.

10 ⑭ [蒮] 오 ㊤虞 哀都切 wū

字解 물억새 오 '—蓲, 艸名, 荻也'《集韻》.

10 ⑭ [蒪] ㊀ 박 ㊇藥 匹各切 pò ㊁ 포 ㊇沃 匹沃切

字解 ㊀ ①양하 박 양하(蘘荷)의 딴 이름. '蘘荷, —苴也'《廣雅》. ②파초 박 '—, 芭蕉'《正字通》. ㊁ 양하 포, 파초 포 ㊀과 뜻이 같음.

10 ⑭ [蔋] 적 ㊇錫 亭歷切 dí

字解 가뭄에풀마를 적 가뭄으로 풀이 시듦. '—, 艸旱盡也'《說文》.

字源 篆文 形聲. ++(艸)+俶〔音〕

10 ⑭ [蓘] 곤 ㊤阮 古本切 gǔn

字解 북돋울 곤 모 뿌리에 북을 돋움. '—, 壅苗也'《集韻》.

10 ⑭ [蒩] 조 ㊤麌 則古切 zǔ

字解 삼백초 조 '—, 采也'《說文》.

字源 篆文 形聲. ++(艸)+租〔音〕. '租조'는 마디를 거듭하다의 뜻. 차례로 땅속줄기를 뻗어서 번식하는 '삼백초(三白草)'를 이름.

10 ⑭ [蓚] 人名 〔수〕 蓨(艸部 十畫)와 同字

10 ⑭ [菡] 〔함〕 菡(艸部 八畫〈p. 1932〉)의 本字

10 ⑭ [蒓] 〔순〕 蓴(艸部 十一畫〈p. 1959〉)과 同字

10 ⑭ [蒞] 〔리〕 莅(艸部 七畫〈p. 1923〉)의 俗字

10 ⑭ [蔚] 〔위〕 蔚(艸部 十一畫〈p. 1961〉)와 同字

10 ⑭ [蓻] 〔국〕 蘜(艸部 十六畫〈p. 1986〉)과 同字

10 ⑭ [蒶] 〔국〕 蘜(艸部 十六畫〈p. 1986〉)과 同字

10 ⑭ [蒤] 〔담〕 菼(艸部 八畫〈p. 1935〉)과 同字

10 ⑭ [蓺] 〔예〕 藝(艸部 十五畫〈p. 1982〉)의 俗字

10 ⑭ [蔡] 〔채〕 蔡(艸部 十一畫〈p. 1962〉)의 俗字

10 ⑭ [蒭] 〔추〕 芻(艸部 四畫〈p. 1898〉)와 同字

[墓] 〔묘〕 土部 十一畫(p.463)을 보라.

[幕] 〔막〕 巾部 十一畫(p.680)을 보라.

11 ⑮ [蓧] 조 ㊤嘯 徒弔切 diào

字解 삼태기 조, 둥구미 조 짚 또는 대오리로 엮은, 곡식 따위를 담는 농구. '以杖荷一'《論語》.

字源 形聲. ++(艸)+條〔音〕

[蓧]

◉荷蓧.

11 ⑮ [蓫] 축 ㊇屋 直六切 zhú

字解 ①산우엉 축 '一薚, 馬尾'《爾雅》. ②소루쟁이 축 마디풀과에 속하는 다년초. 줄기와 잎은 산미(酸味)가 강한데, 산을 빼면 식용이 됨. 양제초(羊蹄草). '言采其一'《詩經》.

字源 形聲. ++(艸)+逐〔音〕

11 ⑮ [蓬] 人名 봉 ①-⑤㊥東 薄紅切 péng ⑥㊤送 菩貢切 pèng

筆順 ' ⺾ 艾 夆 蓬 蓬 蓬 蓬

字解 ①쑥 봉 국화과의 개망초·실망초류(類)에 속하는 다년초. 담홍자색 꽃이 여름에 피며, 가을에는 줄기가 말라 바람에 날림. '飛一'. '一生麻中, 不扶而直'《荀子》. ②흐트러질 봉 흐트러져 산란한 모양. '一髮'. '一頭垢面'《魏書》. ③떠돌아다닐 봉 방랑함. '飄飄客子一'《杜甫》. ④봉래 봉 봉래(蓬萊)의 준말. '經一瀛而蝓碧海'《拾遺記》. ⑤성 봉 성(姓)의 하나. ⑥초목무성할 봉 '蓬, 艸木盛皃, 或作一'《集韻》.

字源 篆文 古文 形聲. ++(艸)+逢〔音〕. '蓬'의 原字는 象形字인 '丰'으로서, 쑥이 무성함을 형상화한 것이었으나, '丰'으로 표현되는 말이 다양한 뜻을 파생시킴에 따라, 이 '蓬'의 자형(字形)으로 되었음.

[蓬塊 봉괴] 티끌. 진애(塵埃).
[蓬丘 봉구] 봉래산(蓬萊山) ㉠.
[蓬島 봉도] 봉래산(蓬萊山) ㉠.
[蓬頭 봉두] 흐트러진 머리. 쑥대강이.
[蓬頭垢面 봉두구면] 흐트러진 머리와 때 묻은 얼굴. 성질이 털털하여 외양에 개의치 아니함을 이름.
[蓬頭亂髮 봉두난발] 쑥대강이같이 흐트러진 머리.
[蓬萊 봉래] 삼신산(三神山)의 하나. 발해(渤海)에 있는, 신선이 산다는 산.
[蓬萊山 봉래산] ㉠동해(東海) 가운데에 있는, 신선이 산다는 산. ㉡《韓》 여름철의 금강산(金剛山)을 이름.
[蓬萊弱水 봉래약수] 봉래와 약수는 서로 30만 리의 거리에 있음. 곧, 매우 멀리 떨어져 있다는 말.
[蓬累 봉루] 머리에 물건을 이고 두 손으로 붙들고 감. 일설(一說)에는, 쑥이 바람에 나부끼는 것처럼 감.
[蓬笠 봉립] 쑥대를 결어 만든 삿갓.
[蓬門 봉문] 쑥을 엮어 만든 문. 가난한 사람이나 은인(隱人)의 집.
[蓬勃 봉발] ㉠구름이 뭉게뭉게 떠오르는 모양. ㉡바람이 이는 모양. ㉢기운이 떠오르는 모양. ㉣비치는 모양.
[蓬髮 봉발] 흐트러진 머리.
[蓬蓬 봉봉] ㉠바람이 부는 모양. ㉡무성한 모양.
[蓬山 봉산] 봉래산(蓬萊山)의 약어(略語).
[蓬生麻中不扶而直 봉생마중불부이직] 꾸불꾸불한 쑥도 곧은 삼 가운데에서 자라면 저절로 곧아진다는 뜻으로, 악한 사람도 착한 사람과 사귀면 그 감화를 받아 저절로 착해진다는 비유.
[蓬首 봉수] 봉두(蓬頭).
[蓬矢 봉시] 쑥의 줄기로 만든 화살.
[蓬室 봉실] 봉우(蓬宇).
[蓬心 봉심] 활달하게 펴지지 못한 마음. 욕심으로 어두워진 마음.
[蓬庵 봉암] 봉우(蓬宇).
[蓬艾 봉애] 쑥.
[蓬瀛 봉영] 봉래(蓬萊)와 영주(瀛洲). 모두 삼신산(三神山) 중의 하나.
[蓬宇 봉우] 쑥으로 인 집. 누추한 집.
[蓬茨 봉자] 쑥과 띠. 전(轉)하여, 누추한 집.
[蓬蓽 봉필] 봉호(蓬戶)와 필문(蓽門). 가난한 사람의 집의 형용. 봉호옹유(蓬戶甕牖).
[蓬壺 봉호] 봉래산(蓬萊山). 그 모양이 병 같으므로 이름.
[蓬蒿 봉호] 쑥.
[蓬戶甕牖 봉호옹유] 쑥으로 엮어 만든 문과 깨진 항아리의 주둥이로 만든 창. 가난한 집의 형용.
◉孤蓬. 斷根蓬. 斷蓬. 頭蓬. 麻中蓬. 飛蓬. 轉蓬. 征蓬. 飄蓬.

11 ⑮ [蓮] 高人 련 ㊥先 落賢切 lián

筆順 ' ⺾ 艹 苜 苣 茟 莗 蓮

字解 ①연 련 연꽃과에 속하는 다년생 수초. 연못에 나며 분홍 또는 흰빛의 고운 꽃이 핌. 지하경(地下莖)은 먹음. 부용(芙蓉). 부거(芙蕖). '紅榴白一'《舊唐書》. ②연밥 련 연꽃의 열매. 연실(蓮實). '華林池雙一同幹'《宋書》.

字源 篆文 形聲. ++(艸)+連〔音〕. '連련'은 '이어지다'의 뜻. 나란히 열매가 달리는 연의 일컬음.

[蓮炬 연거] 연꽃 모양의 촛대.
[蓮經 연경] 《佛敎》 법화경(法華經)의 이칭(異稱).
[蓮境 연경] 절. 사원(寺院).
[蓮根 연근] 연(蓮)의 지하경(地下莖). 연뿌리.
[蓮塘 연당] 연(蓮)을 심은 못. 연못. 또, 연못을 둘러싼 둑.
[蓮幕 연막] 연부(蓮府).
[蓮房 연방] 연밥이 들어 있는 송이.
[蓮步 연보] 미인의 고운 걸음걸이.
[蓮府 연부] 대신(大臣)의 저택의 일컬음. 진(晉)의 왕검(王儉)의 고사(故事)에서 나온 말.
[蓮社 연사] 《佛敎》 정토(淨土)의 업(業)을 닦기 위한 결사(結社). 곧, 백련사(白蓮社). 동진(東晉)의 혜원(慧遠)이 여산(廬山)의 동림사

(東林寺)에서 여러 현사(賢士)들과 더불어 결사(結社)하고 백련(白蓮)을 많이 심고 키운 고사(故事).
[蓮舍 연사] 절. 사찰(寺刹).
[蓮實 연실] 연밥.
[蓮岳 연악] 연악(蓮嶽).
[蓮嶽 연악] 화산(華山) 중의 가장 높은 연화봉(蓮華峯).
[蓮葉 연엽] 연(蓮)의 잎.
[蓮蕊 연예] 연(蓮)의 꽃술.
[蓮藕 연우] 연근(蓮根).
[蓮肉 연육] 연밥의 살.
[蓮子 연자] ㉠연밥. ㉡술잔.
[蓮池 연지] 연(蓮)을 심은 못. 연못.
[蓮荷 연하] 연(蓮).
[蓮花 연화] 연꽃.
[蓮花臺 연화대] 극락세계에 있다는 대(臺).
[蓮華峰 연화봉] 화산(華山) 중의 가장 높은 봉.
[蓮花世界 연화세계] 극락정토(極樂淨土)를 이름.
[蓮花池 연화지] 연부(蓮府).
[蓮華草 연화초] 자운영(紫雲英).
◉枯蓮. 金蓮. 杜蓮. 木蓮. 白蓮. 碧蓮. 素蓮. 疎蓮. 水蓮. 睡蓮. 淤泥蓮. 池蓮. 青蓮. 紅蓮.

11 ⑮ [蓯] [一] 종 [上]董 作孔切 zǒng [二] 종 [平]冬 七恭切 cōng

[字解] [一] 우거질 총 초목이 무성한 모양. '繽紛蘢—'《淮南子》. [二] 육종용 종 '肉—蓉'은 열당과(列當科)에 속하는 기생(寄生) 식물. 모양이 버섯 같으며 깊은 산속에 남. 민간에서 폐병의 특효약이라 함.
[字源] 形聲. ⺾(艸)+從〔音〕

11 ⑮ [蓺] [一] 집 [入]緝 卽入切 zí [二] 녑 [入]葉 諾叶切 [三] 국 [入]屋 居六切 jú

[字解] [一] ①싹트기시작할 집 초목이 싹 트기 시작한 모양. 또 초목이 많이 나는 모양. '—, 又草木生皃'《玉篇》. '—, 草生多皃'《廣韻》. ②띠뿌리 집 '—, 一曰, 茅根'《說文》. ③띠싹 집 '—, 茅芽也'《玉篇》. [二] 싹트기시작할 녑, 띠싹 녑 [一]❶❸과 뜻이 같음. [三] 국화(菊花) 국 '蘜, 艸名. 說文, 治蘠也. 或作—'《集韻》.
[字源] 形聲. ⺾(艸)+執〔音〕

11 ⑮ [蔨] [一] 균 [上]軫 渠殞切 jùn [二] 균 [上]銑 渠篆切 [三] 권 [去]霰 逵眷切

[字解] [一] 여우콩 균 녹두(鹿豆). '—, 鹿藿'《爾雅》. [二] 버섯 균 菌(艸部 八畫)과 同字. '菌, 艸名. 說文, 地蕈. 或作—'《集韻》. [三] 여우콩 권 [一]과 뜻이 같음.

11 ⑮ [蔧] [一] 수 [去]寘 徐醉切 huì(suì) [二] 혜 [去]霽 旋芮切

[字解] [一] 댑싸리 수 '莿, 王—'《爾雅》. [二] 댑싸리 혜 [一]과 뜻이 같음.

11 ⑮ [蓰] 사 [上]紙 想氏切 xǐ [平]支 山宜切

[字解] 다섯곱 사, 다섯곱할 사 5배. 5배를 함. '或相倍—'《孟子》.
[字源] 形聲. ⺾(艸)+徙〔音〕

[蓰蓰 사사] 번거로운 모양. 번쇄(煩瑣)한 모양.
◉倍蓰. 離蓰.

11 ⑮ [蓱] 평 [平]青 薄經切 píng

[字解] ①부평초 평 苹(艸部 八畫)과 同字. '—實'《左思》. ②비의신 평 비를 맡은 신(神). 우사(雨師). '—翳'라고도 함. '—號起雨'《楚辭》.
[字源] [篆文] 形聲. ⺾(艸)+水+幷〔音〕. '幷병'은 나란하게 하다의 뜻.
[參考] 蓱(艸部 九畫)은 俗字.

[蓱浮 평부] 부평초가 물에 뜸.

11 ⑮ [蓴] [人名] 순 [平]眞 常倫切 chún

[字解] ①순채 순 수련과(睡蓮科)에 속하는 다년생 수초(水草). 줄기와 어린잎은 식용함. '—羹鱸膾'. '千里—羹'《世說》. ②부들이삭 순 '蒲穗, 謂之—'《廣雅》.
[字源] [篆文] 形聲. ⺾(艸)+專〔音〕
[參考] 蓴(艸部 十畫)은 別字.

[蓴羹鱸膾 순갱노회] 순챗국과 농어회. 진(晉)나라의 장한(張翰)이 고향의 명산인 순챗국과 농어회를 먹으려고 관직을 사퇴하고 고향에 돌아간 고사(故事)에서, 고향을 잊지 못하고 생각하는 정을 이름.
[蓴鱸 순로] 순갱노회(蓴羹鱸膾).
[蓴菜 순채] 수련과의 다년생 수초. 연못 등에 남. 어린잎은 식용함.

11 ⑮ [蓷] 퇴 [平]灰 他回切 tuī

[字解] 익모초 퇴 꿀풀과의 월년초. 약재로 씀. 암눈비앗. 충위(茺蔚). '中谷有—'《詩經》.
[字源] [篆文] 形聲. ⺾(艸)+推〔音〕

11 ⑮ [蔃] 강 [平]陽 渠良切 qiáng [上]養 巨兩切 jiàng

[字解] ①백합 강 백합(百合). 나리. '—荍'. '—, —荍, 艸名, 百合也'《集韻》. ②풀이름 강 풀의 이름. '—艸名. 儉歲人食其根'《集韻》.

11 ⑮ [蔮] 궤 [去]隊 古對切 guó

[字解] 잠(簪)없는치포관(緇布冠) 궤 뒤통수에서 머리를 싸는 헝겊 관(冠). '—, 儀禮注云, 滕·薛名—爲頍'《廣韻》.

11 ⑮ [蓸] 〔독·대〕 毒(毋部 四畫〈p. 1162〉)의 古字

11 ⑮ [蔻] 구 [去]宥 呼漏切 kòu

[字解] 육두구 구 육두구과의 열대산 상록 교목(常綠喬木). 열매 껍질은 약용 및 조미료용임. '草

則藿蒳荳一'《左思》.
[字源] 形聲. ++(艸)+寇〔音〕

11 ⑮ [蓺] [人名] 예 [去]霽 魚祭切 yì

[字解] ①심을 예 藝(艸部 十五畫)와 同字. '一之荏菽'《詩經》. ②재주 예 藝(艸部 十五畫)와 同字. '有六一略'《漢書》. ③벨 예 자름. '殺人如一'《唐書》. ④과녁 예 '用人無一'《國語》.
[字源] 形聲. ++(艸)+埶〔音〕. '埶예'는 사람이 묘목을 든 모양을 형상화하여, '심다'를 뜻함. '藝예'의 原字.

◉術蓺. 材蓺. 通蓺.

11 ⑮ [蓼] [人名] [一] 료 [上]篠 盧鳥切 liǎo [二] 륙 [入]屋 力竹切 lù

[字解] [一] ①여뀌 료 마디풀과에 속하는 일년초. 습지에 나며, 흰 꽃이 핌. 잎은 맛이 매우므로 조미료로 쓰임. '一蟲不知苦'《鶴林玉露》. ②성 료 성(姓)의 하나. [二] 클 륙 풀이 장대(長大)한 모양. '一一者莪'《詩經》.
[字源] 篆文 形聲. ++(艸)+翏〔音〕

[蓼藍 요람] 겨잣과(科)에 속하는 이년초. 열매는 한약재로 씀.
[蓼蘋 요빈] 여뀌와 마름.
[蓼穗 요수] 갈대 이삭. 갈대 이삭에 핀 꽃.
[蓼蟲不知苦 요충부지고] 매운 여뀌를 갉아 먹는 벌레는 여뀌가 매운 줄을 모름.
[蓼花 요화] 여뀌의 꽃.
[蓼蓼 육륙] 풀이 장대(長大)한 모양.
[蓼莪之詩 육아지시] 효자(孝子)가 부모의 봉양(奉養)을 뜻대로 하지 못하는 것을 슬퍼하여 읊은 시로, 시경(詩經)에 나옴.
◉甘蓼. 紏蓼. 摎蓼. 馬蓼. 嘗蓼. 水蓼. 野蓼.

11 ⑮ [蓽] 필 [入]質 卑吉切 bì

[字解] ①콩 필 '一, 豆也'《集韻》. ②가시나무 필 가시 있는 교목(喬木). '一, 荊也'《集韻》. ③사립짝 필 篳(竹部 十一畫)과 同字. '一門圭窬'《左傳》. ④풀이름 필 '一茇'은 후춧과(科)에 속하는 초본(草本). 흰 꽃이 봄에 핌.
[字源] 形聲. ++(艸)+畢〔音〕

[蓽門 필문] 사립문. 가난한 사람의 집. 필문(篳門).
[蓽茇 필발] 후춧과(科)에 속하는 풀. 열매는 약재로 씀.
◉蓬蓽.

11 ⑮ [蓿] 숙 [入]屋 息逐切 xù(sù)

[字解] 거여목 숙 苜(艸部 五畫)을 보라. '苜一'.
[字源] 形聲. ++(艸)+宿〔音〕

11 ⑮ [蔀] 부 [上]有 蒲口切 bù, pǒu

[字解] ①차양 부 방에 빛이 안 들어오도록 가리는 물건. '豐其一'《易經》. ②덮개 부, 덮일 부 '日蔽雲中稱一'《易經》. ③작을 부 '一, 小也'《集韻》. ④일흔여섯해 부 고대 역법(曆法)에서 76년을 '一一'라 함. '以閏餘一之歲爲一首'《漢書》.
[字源] 形聲. ++(艸)+部〔音〕

◉一蔀.

11 ⑮ [蔆] 릉 [平]蒸 力膺切 líng

[字解] 마름 릉 菱(艸部 八畫)과 同字. '夏食一'《呂氏春秋》.
[字源] 篆文 別體 形聲. ++(艸)+淩〔音〕. '夌릉'은 모가 서다의 뜻. 그 열매가 모가 선 수초(水草)인 마름.

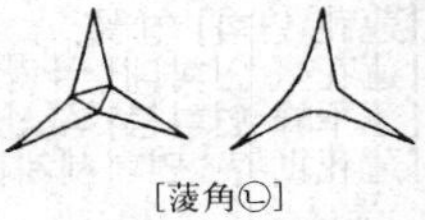
[蔆角㉡]

[蔆角 능각] ㉠마름. 능각(菱角). ㉡쇠나 나무로 마름 모양으로 만들어 길에 뿌려 인마(人馬)의 발을 다치게 하던 무기.
[蔆花 능화] 마름꽃.

11 ⑮ [蔂] [一] 류 [平]支 倫追切 léi [二] 라 [平]歌 盧戈切 léi [三] 뢰 [平]灰 盧回切

[字解] [一] 삼태기 류 흙을 담는 농(籠)같이 만든 그릇. '劓鼻盈一'《鹽鐵論》. [二] 삼태기 라 [一]과 뜻이 같음. [三] 덩굴 뢰 '一, 蔓也'《字彙》.
[字源] 形聲. ++(艸)+累〔音〕

11 ⑮ [蔇] 기 [去]寘 巨至切 jì, ②xì

[字解] ①풀많을 기 '一, 艸多皃'《說文》. ②이를 기 옴. '猶懼不一'《左傳》.
[字源] 篆文 形聲. ++(艸)+既〔音〕. '既기'는 가득 차서 넘치어 나오다의 뜻. 풀이 많이 난 모양을 나타냄.

11 ⑮ [蔑] [人名] 멸 [入]屑 莫結切 miè

[字解] ①어두울 멸 눈에 정기가 없음. 시력이 부족함. '一然無言'《晉書》. ②잘 멸 ㉠정미(精微)함. '玆迪彝教文王一德'《書經》. ㉡미세함. 작음. '視日月而知衆星之一也'《揚子法言》. ③없을 멸 있지 아니함. '一以加於此矣'《左傳》. ④업신여길 멸 경모함. '一視'. '侮一'. '傲百世, 一王侯'《孔稚圭》. ⑤멸할 멸 滅(水部 十畫)과 同字. '一殺其民人'《國語》. ⑥버릴 멸 내버림. '不一民功'《國語》. ⑦깎을 멸 깎아 냄. 삭제함. '一貞凶'《易經》. ⑧속일 멸 기만함. '是一先王之官也'《國語》.
[字源] 甲骨文 金文 篆文 形聲. 伐+苜〔音〕. '伐벌'은 '제거하다'의 뜻. '苜멸'은 희미하여 눈에 보이지 않는 정령(精靈)의 象形. 정령의 힘으로 물리치고 존재를 인정치 않다, 업신여기다의 뜻을 나타냄.

[蔑棄 멸기] 업신여겨 버림. 경멸하여 버림.
[蔑蒙 멸몽] ㉠날아오르는 모양. ㉡빠른 모양. ㉢

기(氣). 기운(氣運).
[蔑殺 멸살] 죽여 멸망시킴.
[蔑視 멸시] 남을 업신여김.
[蔑如 멸여] ㉠멸시하는 모양. ㉡없어짐. 멸망함.
[蔑然 멸연] 어두운 모양. 잘 보이지 아니하는 모양.
[蔑爾 멸이] ㉠작은 모양. ㉡멸시하는 모양. ㉢조금도 없음. 전연 없음.
◉輕蔑. 陵蔑. 侮蔑. 微蔑. 暴蔑.

11 ⑮ [蓘] 곤 [上]阮 古本切 gǔn

[字解] 북돋울 곤 배토(培土)함. '是穮是—'《左傳》.

11 ⑮ [蔋] 적 [入]錫 亭歷切 dí

[字解] 말라죽을 적 가뭄이 대단하여 초목이 말라죽은 모양. '旱旣太甚, ——山川'《詩經》.

11 ⑮ [蔌] 속 [入]屋 桑谷切 sù

[字解] ①푸성귀 속 채소의 총칭. '山殽野—'. '其—維何'《詩經》. ②나물 속 푸성귀로 만든 반찬. '具肴—'《荊楚歲時記》. ③성 속 성(姓)의 하나.
[字源] 形聲. 艹(艸)＋欶〔音〕

[蔌蔌 속속] ㉠누추한 모양. ㉡바람이 세게 부는 소리. ㉢물이 졸졸 흐르는 소리.
◉蔬蔌. 野蔌. 肴蔌.

11 ⑮ [蔎] [人名] 설 [入]屑 識列切 shè

[字解] 향기로울 설 좋은 향기가 나는 모양. '懷椒聊之——'《楚辭》.
[字源] 篆文 形聲. 艹(艸)＋設〔音〕

[蔎蔎 설설] 좋은 향기가 나는 모양.

11 ⑮ [蔓] [人名] 만 ①-⑥[去]願 無販切 wàn / ⑦[平]寒 母官切 mán

[筆順] 蔓

[字解] ①덩굴 만 번어 나가는 식물의 줄기. '野有—草'《詩經》. ②덩굴풀 만 만초. '附苔絡—'《酉陽雜俎》. ③덩굴질 만 덩굴이 되어서 뻗음. '中通外直, 不—不枝'《周敦頤》. ④감을 만 덩굴이 딴 물건을 감음. '葛也藟也, 得纍而—之'《詩經》. ⑤퍼질 만, 뻗을 만 널리 퍼져 나감. '—延'. '無使滋—'《左傳》. ⑥성 만 성(姓)의 하나. ⑦순무 만 '—菁'은 채소의 한 가지. 순무. 무청(蕪菁). '令兵士種—菁'《嘉話錄》.
[字源] 篆文 形聲. 艹(艸)＋曼〔音〕. '曼만'은 길게 자라다의 뜻. '덩굴풀'의 뜻을 나타냄.

[蔓蘿 만라] 포도과에 속하는 낙엽 만목(落葉蔓木). 담쟁이덩굴.
[蔓蔓 만만] ㉠널리 퍼지는 모양. ㉡장구(長久)한 모양.
[蔓茂 만무] 널리 번어 무성함.
[蔓生 만생] 덩굴이 번으며 자람.
[蔓說 만설] 쓸데없는 이야기.
[蔓延 만연] 널리 퍼짐.
[蔓衍 만연] ㉠만연(蔓延). ㉡말이 많음. 수다스러움.
[蔓引 만인] 서로 연결됨.
[蔓菁 만청] 순무.
[蔓草 만초] ㉠덩굴이 번는 풀. ㉡널리 퍼진 풀.
[蔓草寒烟 만초한연] 널리 퍼진 풀과 쓸쓸한 연기. 고적(古跡) 같은 것이 황폐한 정경.
◉枯蔓. 蘿蔓. 絡蔓. 綠蔓. 綿蔓. 碧蔓. 細蔓. 垂蔓. 修蔓. 野蔓. 延蔓. 柔蔓. 滋蔓. 莩蔓. 長蔓. 纏蔓. 走蔓. 青蔓. 蕉蔓. 翠蔓. 荒蔓.

11 ⑮ [蔕] [一] 체 [去]霽 都計切 dì / [二] 대 ①[去]泰 當蓋切 dài / ②[去]卦 丑邁切 chài

[字解] [一] ①꼭지 체 과실이 달린 줄기. '橘——三十子'《述異記》. ②꽃받침 체 악(萼). '扤白—'《左思》. ③성 체 성(姓)의 하나. [二] ①밑대 근본. '深根固—'《晉書》. ②가시 대 작은 가시. 전(轉)하여, 사소한 지장. '細故—芥, 何足以疑'《賈誼》.
[字源] 篆文 形聲. 艹(艸)＋帶〔音〕. '帶대'는 '띠'의 뜻. 과실의 밑동에 띠 모양으로 달리는 꼭지를 뜻함.

[蔕芥 대개] 작은 가시. 전(轉)하여, 사소한 지장(支障).
◉根蔕. 綠蔕. 翠蔕.

11 ⑮ [蔗] [人名] 자 [去]禡 之夜切 zhè

[字解] ①사탕수수 자 벗과에 속하는 다년초. 줄기는 설탕의 원료임. '甘—'. '—糖'. ②맛날 자, 좋을 자, 재미날 자 '—境'.
[字源] 篆文 形聲. 艹(艸)＋庶〔音〕

[蔗境 자경] 가경(佳境).
[蔗糖 자당] 사탕수수·첨채(甜菜) 등에서 만든 설탕.
[蔗漿 자장] 사탕수수에서 짜낸 즙액.
◉甘蔗. 敢蔗. 都蔗. 食蔗. 瘖蔗. 飴蔗. 諸蔗.

11 ⑮ [蔚] [人名] [一] 위 [去]未 於胃切 wèi / [二] 울 [入]物 紆物切 yù

[筆順] 蔚

[字解] [一] ①제비쑥 위 국화과에 속하는 다년초. 청호(靑蒿). '匪莪伊—'《詩經》. ②성할 위 ㉠초목이 무성한 모양. '薈兮—兮'《詩經》. ㉡문교(文教)가 널리 행해지는 모양. '儒風載—'《魏書》. ③아름다울 위 문채가 아름다운 모양. '其文—也'《易經》. ④숲 위 풀숲. '設—施伏'《淮南子》. ⑤무늬 위 문채. '鱗—鳳采'《許孟容》. [二] ①고을이름 울 '—州'는 즈리 성(直隸省)에 속한 땅. ②빽빽할 울 鬱(鬯部 十九畫)과 통용. '上有—藍天'《杜甫》. ③성 울 성(姓)의 하나.
[字源] 篆文 形聲. 艹(艸)＋尉〔音〕. '尉울'은 열기가 서리다의 뜻. 초목이 울창하게 자란 모양을 나타냄.

[蔚藍 울람] 짙은 쪽빛.
[蔚藍天 울람천] 짙은 쪽빛의 하늘. 푸른 하늘. 창공(蒼空).
[蔚然 울연·위연] ㉠무성한 모양. ㉡성(盛)한 모양.
[蔚爾 울이·위이] 성한 모양.
[蔚藹 위애] 많고 성(盛)한 모양.
[蔚恚 위에] 대단히 노함. 성노(盛怒).
[蔚薈 위회] ㉠초목이 무성한 모양. ㉡구름이 뭉게뭉게 떠오르는 모양. 구름이 이는 모양.
◉繁蔚. 炳蔚. 蔚蔚. 彬蔚. 森蔚. 藹蔚. 蓊蔚. 窈蔚. 雄蔚. 幽蔚. 陰蔚. 蔭蔚. 猗蔚. 藻蔚. 藻蔚. 粲蔚. 攢蔚. 芊蔚. 蒨蔚. 翠蔚. 彪蔚. 豐蔚. 煥蔚. 薈蔚.

11 ⑮ [蔛] 곡 ㊅屋 胡谷切 hú

字解 석골풀 곡 '石—'은 난초과의 다년초. 보통, 관상용으로 재배하며, 한방에서 건위 강장제(健胃強壯劑)로 씀. '—, 石—, 藥艸'《集韻》.

[蔛菜 곡채] 석곡(石蔛)의 이칭(異稱). 석골풀.
◉石蔛.

11 ⑮ [蒣] ㊀ 사 ㊥麻 徐嗟切 xié ㊁ 야 ㊥麻 余遮切 yé ㊂ 도 ㊥虞 同都切 tú

字解 ㊀ ①띠꽃 사 띠의 꽃. 띠의 이삭. '——'. '—, —菽, 茅穗, 亦作鄃, 古作荼'《集韻》. ②쑥 사 쑥. 잎무늬가 옆으로 된 쑥. '—蒿'. ㊁ ①쌓을 야 쌓음. 저축함. '—, —曰, 蓄積也'《集韻》. ②띠이삭 야 띠의 이삭. ㊂ 벼이삭 도 벼의 이삭. 稌(禾部 十一畫)와 同字. '稌, 禾穗, 曰稌, 或从斜'《集韻》

11 ⑮ [蔞] 人名 루 ㊥尤 落侯切 lóu ㊥虞 力朱切 蒌

字解 ①산쑥 루 '—蒿'는 국화과에 속하는 다년초. 연한 줄기는 먹음. 사재발쑥. '言刈其—'《詩經》. ②성 루 성(姓)의 하나.

字源 篆文 形聲. ++(艸)+婁〔音〕. '婁루'는 가늘고 길게 이어지다의 뜻.

[蔞翣 누삽] 상여(喪輿)에 단 새깃 장식.
[蔞蒿 누호] 물쑥.
◉括蔞. 繁蔞. 女蔞.

11 ⑮ [蔟] ㊀ 족 ㊅屋 千木切 cù ㊁ 주 ㊍宥 倉奏切 còu

字解 ㊀ ①섶 족 익은 누에를 올리는 짚이나 잎나무 따위. '修成蠶—分繭理絲'《晉書》. ②보금자리 족 새의 둥우리. '鵷鸃棲兮柴—'《王逸》. ③모일 족 簇(竹部 十一畫)과 同字. '陽氣大—'《禮記》. ㊁ ①태주 주 '太—'는 음악의 십이율(十二律)의 하나. 대주(大蔟). '孟春之月, 其音角, 律中太—'《禮記》. ②정월 주 음력 정월의 별칭(別稱).

字源 篆文 形聲. ++(艸)+族〔音〕. '族족'은 '모이다'의 뜻. 풀이 모여서 나 있다의 뜻을 나타냄.

◉上蔟. 蠶蔟. 太蔟.

11 ⑮ [蔡] 人名 ㊀ 채 ㊍泰 倉大切 cài ㊁ 살 ㊅曷 桑曷切 sà

筆順 ' 艹 艹 芬 芬 茨 茨 萘 蔡

字解 ㊀ ①풀 채 초본(草本). '—莽螫刺'《左思》. ②먼지 채 티끌. '繼以兮微—'《王褒》. ③거북 채 점치는 데 쓰는 큰 거북. '臧文仲居—'《論語》. ④법 채 법칙. 또 본받음. '二百里—'《書經》. ⑤나라이름 채 주대(周代)의 국명. 지금의 허난 성(河南省)에 있었음. ⑥성 채 성(姓)의 하나. ㊁ 내칠 살 방축함. '周公殺管叔, 而—蔡叔'《左傳》.

字源 金文 篆文 形聲. ++(艸)+祭〔音〕

[蔡京 채경] 송(宋)나라 휘종(徽宗) 시대의 대신(大臣). 자(字)는 원장(元長). 원우(元祐) 등 구신(舊臣)을 내쫓고 왕안석(王安石)의 신법(新法)을 되살려 쓰면서 전후 네 차례나 정승(政丞)을 지냈으나 후에는 벼슬이 떨어지고, 이내 죽었음.
[蔡倫 채륜] 후한(後漢) 사람. 자(字)는 경중(敬仲). 처음으로 종이를 만들었다 함. 채후지(蔡侯紙) 참조.
[蔡文姬 채문희] 후한(後漢) 채옹(蔡邕)의 아내. 이름은 염(琰). 문희(文姬)는 자(字). 음률(音律)에 정통하여 호가십팔박(胡笳十八拍)을 지었음.
[蔡邕 채옹] 후한(後漢) 사람. 자(字)는 백개(伯喈). 시부(詩賦)를 잘하였으며, 영제(靈帝) 때 〈채중랑전집(蔡中郞全集)〉을 지었음.
[蔡沈 채침] 송(宋)나라 사람. 자(字)는 중묵(仲默) 주희(朱熹)의 제자. '서집전(書集傳)'을 지었음.
[蔡澤 채택] 연(燕)나라 사람. 변설(辯舌)을 잘하였음. 진(秦)나라의 범저(范雎)에 이어 정승(政丞)이 되었음.
[蔡侯紙 채후지] 후한(後漢)의 채륜(蔡倫)이 발명하였다는 종이.
◉居蔡. 神蔡. 靈蔡. 萃蔡.

11 ⑮ [蔣] 人名 장 ①㊥陽 即良切 jiāng ②③㊤養 即兩切 jiǎng 蒋

筆順 ' 艹 艹 芹 荘 蒋 蔣 蔣

字解 ①줄 장 볏과에 속하는 다년생 수초(水草). 잎은 자리를 만드는 데 쓰고, 어린싹은 식용함. '—茅青蘋'《漢書》. ②나라이름 장 주대(周代)의 국명. 지금의 허난 성(河南省)에 있었음. ③성 장 성(姓)의 하나.

字源 篆文 形聲. ++(艸)+將〔音〕

11 ⑮ [蔦] 조 ㊤篠 都了切 niǎo ㊍嘯 多嘯切 茑

字解 누홍초(縷紅草) 조 메꽃과에 속하는 일년생 만초. '—與女蘿, 施于松柏'《詩經》.

字源 篆文 別體 形聲. ++(艸)+鳥〔音〕

11 ⑮ [蔪] ㊀ 점 ㊥鹽 將廉切 jiān ㊁ 삼 ㊥咸 師銜切 shān

字解 ㊀ 우거질 점 무성한 모양. '麥秀——'

《箕子》. [三] 벨 삼 베어 없앰. 芟(艸部 四畫)과 同字. '一去不義諸侯'《漢書》.
[字源] [篆文] [別體] 形聲. ⺾(艸)+斬〔音〕. '斬참'은 '베다'의 뜻. 풀을 베다의 뜻을 나타냄.

[蔪去 삼거] 베어 버림. 삼제(芟除)함.
[蔪蔪 점점] 무성한 모양.

11 ⑮ [蔫] 언 [平]先 於乾切 yān, niān
[字解] ①시들 언 꽃이나 풀이 시듦. '深紅任早一'《蘇軾》. ②낡을 언 낡아 부서짐. '翠鈿一'《黃機》.
[字源] [篆文] 形聲. ⺾(艸)+焉〔音〕

[蔫緜 언면] 연이어진 모양.
◉早蔫.

11 ⑮ [蔬] [高] [人] 소 ①②[平]魚 所葅切 shū ③[上]語 爽阻切
[筆順] 艹 艹 艿 芓 荪 蔬 蔬 蔬
[字解] ①푸성귀 소 채소의 총칭. '園一'. '野一'. '稻曰嘉一'《禮記》. ②성길 소 疏(疋部 六畫)와 통용. '一糲'. ③낟 소 곡식의 알. '鼠壤有餘一'《莊子》.
[字源] [篆文] 形聲. ⺾(艸)+疏〔音〕. '疏소'는 줄이 통하다의 뜻. 몇 줄의 이랑에 정연하게 심은 풀, 식용 푸성귀를 뜻함.

[蔬果 소과] 채소와 과일.
[蔬糲 소려] ㉠채소와 현미(玄米). ㉡거친 현미밥.
[蔬飯 소반] 소식(蔬食) ㉠.
[蔬蔌 소속] 채소. 푸성귀.
[蔬菽 소숙] 푸성귀와 콩.
[蔬筍 소순] 채소와 죽순.
[蔬筍之氣 소순지기] 채소와 죽순만 먹는 기분. 곧, 승려(僧侶)의 기분.
[蔬食 소식] ㉠거친 음식. 악식(惡食). ㉡채식(菜食). ㉢초목의 열매.
[蔬奠 소전] 제사에 쓰는 채소. 또, 간소(簡素)한 제수(祭需).
[蔬菜 소채] 채소. 푸성귀.
[蔬圃 소포] 채전(菜田).
◉家蔬. 嘉蔬. 蘧蔬. 冬蔬. 美蔬. 野蔬. 魚蔬. 園蔬. 柔蔬. 菜蔬. 靑蔬. 草蔬. 豐蔬. 肴蔬. 畦蔬.

11 ⑮ [蔭] [人] [名] 음 [去]沁 於禁切 yìn 荫
[字解] ①그늘 음 ㉠가려져서 해가 비치지 않는 곳. '綠一'. '樹成一而衆鳥息焉'《荀子》. ㉡도움. 힘. '庇一'. '慈一'. '魏氏覆一'《易經 註》. ㉢부조(父祖)의 유훈(遺勳) 또는 문벌의 여영(餘榮)에 의하여 특별 대우를 받는 일. '一補'. '以父一爲太子親衛'《隋書》. ②해그림자 음 일영(日影). '趙孟視一'《左傳》. ③가릴 음 ㉠가리어 그늘을 이룸. '松柏成而塗之人已一'《呂氏春秋》. ㉡무성하여 아래를 가림. '芳條遠一'《陸雲》.
[字源] [篆文] 形聲. ⺾(艸)+陰〔音〕. '陰음'은 '그늘'의 뜻. '艸초'를 붙이어, 특히 초목의 그늘을 뜻함.

[蔭官 음관] 부모의 덕으로 한 벼슬.
[蔭德 음덕] ㉠음덕(陰德). ㉡조상(祖上)의 덕.
[蔭補 음보] 조상의 덕으로 벼슬을 함.
[蔭覆 음부] 덮어 가림.
[蔭仕 음사] 음관(蔭官).
[蔭生 음생] 조상의 덕으로 벼슬한 사람.
[蔭室 음실] 기물(器物)에 칠을 하고 햇빛이나 바람을 쐬지 않게 하기 위하여 넣어 두는 방.
[蔭藹 음애] 수목이 매우 무성한 모양.
[蔭映 음영] 덮어 가림.
[蔭鬱 음울] 초목이 무성하여 밑을 가림.
[蔭子 음자] 음생(陰生).
◉嘉蔭. 軍蔭. 綠蔭. 木蔭. 茂蔭. 美蔭. 繁蔭. 庇蔭. 樹蔭. 涼蔭. 恩蔭. 資蔭. 慈蔭. 藉蔭. 苞蔭. 勳蔭.

11 ⑮ [蔘] [人] [名] 삼 ①②[平]侵 所今切 shēn ③[平]覃 蘇含切 sān
[筆順] 丨 艹 艹 芺 茘 莶 蔘 蔘
[字解] ①우뚝할 삼, 쓸쓸할 삼 잎이 지고 가지만 높이 서 있음. 소삼(蕭蔘)함. '紛溶箾一, 支棘擢也'《漢書》. ②인삼 삼 '人一'은 오갈피나뭇과에 속하는 다년초. 뿌리는 강장제로 가장 유명함. 參(厶部 九畫)과 同字. ③늘어질 삼 아래로 처짐. '白一于下, 明起于上'《鶡冠子 註》.
[字源] 形聲. ⺾(艸)+參〔音〕

[蔘茸 삼용] 인삼과 녹용(鹿茸).
◉乾蔘. 曲蔘. 白蔘. 水蔘. 直蔘. 紅蔘.

11 ⑮ [蔈] 표 [上]篠 匹沼切 piǎo
[字解] 까끄라기 표 벼·보리 등의 수염. '秋分一定. 一定. 而禾熟'《淮南子》.
[字源] [篆文] 形聲. ⺾(艸)+票(㶾)〔音〕. '㶾표'는 불꽃이 높이 오른 끝의 뜻. 높게 자란 풀의 잎 끝.

11 ⑮ [蔏] 상 [平]陽 式羊切 shāng
[字解] 자리공 상 '一陸'은 자리공과에 속하는 다년초. 뿌리는 유독하며 약재로 씀. 상륙(商陸).

[蔏陸 상륙] 자해(字解)를 보라.

11 ⑮ [蔙] 선 [去]霰 隨戀切 xuàn
[字解] 하국 선 '一葍'은 국화과에 속하는 다년초. 여름에 국화꽃 비슷한 황색의 꽃이 핌. 하국(夏菊). 금불초(金佛草).

[蔙葍 선복] 자해(字解)를 보라.

11 ⑮ [蔤] 밀 [入]質 美筆切 mì
[字解] ①연뿌리 밀 연근(蓮根). '茹一倒植'《何晏》. ②부들뿌리 밀 '一, 蒲本亦稱一'《通訓》.

[字源] 篆文 形聲. 艹(艸)＋密〔音〕. 물속에 깊이 들어가다의 뜻으로, '연뿌리'를 나타냄.

11⑮ [蓩] [一] 모 [上]晧 武道切 mǎo
[二] 목 [入]屋 莫卜切 mǎo
[三] 무 [去]遇 亡遇切

[字解] [一] ①취어초(醉魚草) 모 독초(毒草)의 이름. '一, 毒艸也'《說文》. ②우거질 모 무성한 모양. '乘雲駕龍, 鬱何一一'《魏武帝》. [二] 취어초 목 [一]과 뜻이 같음. [三] 취어초 무 '一, 毒草'《廣韻》.

[字源] 篆文 形聲. 艹(艸)＋務〔音〕

[蓩蓩 모모] 우거진 모양.

11⑮ [蔔] [人名] 복 [入]職 蒲北切 bó

[字解] 무 복 菔(艸部 八畫)과 同字. '一匏'.

[字源] 形聲. 艹(艸)＋匐〔音〕

[蔔匏 복포] 무와 박. 악식(惡食)의 뜻으로 씀.
[蔔瓠 복호] 무와 표주박이라는 뜻에서, 변변치 못한 음식을 이르는 말.

11⑮ [蓪] 통 [平]東 他紅切 tōng

[字解] 으름덩굴 통 으름덩굴과의 만목(蔓木). 목통(木通). 통초(通草). '一, 一草, 藥名. 中有小孔通氣'《廣韻》.

[字源] 形聲. 艹(艸)＋通〔音〕

11⑮ [蔯] [人名] 진 [平]眞 池隣切 chén

[字解] 사철쑥 진 국화과의 다년초. 입추(立秋) 때 베어 말려 인진호(茵陳蒿)라 하여 약재로 씀.

[字源] 形聲. 艹(艸)＋陳〔音〕

11⑮ [䔏] 추 [去]宥 初救切 chòu

[字解] ①풀뿌리얽힐 추 '一, 艸根雜也'《玉篇》. ②풀이서로잇닿을 추 풀이 서로 잇닿은 모양. '一, 艸皃. (繫傳) 艸相次也'《說文》. ③풀뿌리 추 '一, 又草根'《廣韻》. ④찰 추 가득 참. '一, 盈也'《廣雅》.

[字源] 篆文 形聲. 艹(艸)＋造〔音〕

11⑮ [蒫] [一] 차 [平]歌 昨何切 cuó
[二] 자 [平]麻 莊加切 zhā

[字解] [一] 기름사초 차 방동사닛과의 다년초. 사초(莎草)의 일종. 신 안창을 만드는 데 씀. [二] 미나리 자 근채(芹菜). '一, 艸名, 楚葵也'《集韻》.

11⑮ [蓞] 담 [平]覃 他酣切 tān

[字解] 오이김치 담 '一藍'은 오이로 담근 김치. '一藍, 瓜菹'《集韻》.

11⑮ [蓲] 구 [平]尤 去鳩切 qiū
[平]虞 匈于切 xū

[字解] ①달 구 '烏一, 艸也'《說文》. ②새알품을 구 새가 몸을 웅크리어 알을 따뜻하게 품음.

[字源] 篆文 形聲. 艹(艸)＋區〔音〕

11⑮ [蔜] 오 [平]豪 五勞切 áo
[去]號 魚到切

[字解] 별꽃 오, 광대나물 오 '一, 蔆蔆. (注) 今蘩蔆也, 或曰, 雞腸草'《爾雅》.

[字源] 形聲. 艹(艸)＋敖〔音〕

11⑮ [蔩] 인 [平]眞 翼眞切 yín

[字解] 쥐참외 인 달걀만 한 주홍색 열매가 달리며 과육(果肉)은 화장품 원료로 씀. 토과(土瓜). '一, 兎瓜也'《說文》.

[字源] 篆文 形聲. 艹(艸)＋寅〔音〕. '寅인'은 뻗어나아가다의 뜻.

11⑮ [葴] 침 [平]侵 諸深切 zhēn

[字解] 꽈리 침 '一, 水艸名, 酸漿也'《集韻》.

11⑮ [蔱] [一] 살 [入]黠 所八切 shā
[二] 세 [去]霽 所例切

[字解] [一] ①흰비름 살 '一蘠'은 흰 비름. 백귀(白蕢). '莁荑, 一蘠. (注)一名白蕢'《爾雅》. ②수유 살 오수유(吳茱萸). '蘇一紫薑'《張衡》. [二] 흰비름 세, 수유 세 [一]과 뜻이 같음.

11⑮ [蓡] 심 [平]侵 式針切 shēn

[字解] 부들싹 심 어린 부들. '一, 一蒲, 蒻之類也'《說文》.

[字源] 篆文 形聲. 艹(艸)＋深〔音〕. '深심'은 '깊다'의 뜻. 물속에서 갓 난 부들의 싹.

11⑮ [䔟] 이 [平]支 弋支切 yí

[字解] 둥글레 이 '萎一'. '一, 艸, 萎一也'《說文》.

[字源] 篆文 形聲. 艹(艸)＋移〔音〕

11⑮ [𦽃] 갈 [入]黠 丘八切 qià

[字解] 청미래덩굴 갈 청미래덩굴. '菝一'. '一, 菝一, 艸名'《集韻》.

11⑮ [蓳] 〔근〕
菫(艸部 八畫〈p.1933〉)의 本字

11⑮ [𦾩] 〔긴〕
菣(艸部 八畫〈p.1938〉)과 同字

11⑮ [𦺇] 〔경〕
苘(艸部 五畫〈p.1913〉)과 同字

11⑮ [𧁞] 〔훈〕
葷(艸部 九畫〈p.1947〉)과 同字

11 ⑮ [蔙] 〔완〕
莞(艸部 七畫〈p.1926〉)과 同字

11 ⑮ [蔋] 〔적〕
荻(艸部 七畫〈p.1923〉)과 同字

11 ⑮ [蔥] 〔총〕
葱(艸部 九畫〈p.1946〉)의 古字

11 ⑮ [蔨] 〔거〕
蘧(艸部 十三畫〈p.1976〉)와 同字

11 ⑮ [蔉] 〔곤〕
菎(艸部 八畫〈p.1931〉)과 同字

11 ⑮ [蔛] 〔괄〕
苦(艸部 六畫〈p.1915〉)과 同字

11 ⑮ [蔝] 〔구〕
艽(艸部 二畫〈p.1896〉)와 同字

11 ⑮ [蔇] 〔기〕
蘄(艸部 十四畫〈p.1979〉)와 同字

11 ⑮ [蔪] 〔담〕
葋(艸部 十畫〈p.1954〉)과 同字

11 ⑮ [蔮] 〔의·아〕
猗(犬部 八畫〈p.1397〉)와 通字

11 ⑮ [蔳] 〔천〕
蒨(艸部 十畫〈p.1951〉)과 同字

11 ⑮ [蔴] 〔마〕
麻(部首〈p.2696〉)의 俗字

11 ⑮ [蔵] 〔최〕
蕞(艸部 十二畫〈p.1968〉)의 俗字

[蔽] 〔폐〕
艸部 十二畫(p.1965)을 보라.

[慕] 〔모〕
心部 十一畫(p.811)을 보라.

[暮] 〔모〕
日部 十一畫(p.999)을 보라.

[摹] 〔모〕
手部 十一畫(p.898)을 보라.

12 ⑯ [蔽] 高人 ㊀ 폐 ㊄霽 必袂切 bì
㊁ 별 ㊇屑 匹蔑切 piē

筆順 ' 艹 芇 芇 蔽 蔽 蔽 蔽

字解 ㊀ ①가릴 폐 ㉠보이지 않도록 사이에 가로막음. '一遮'. '雲能一日'《傳習錄》. ㉡숨김. 비밀로 함. '一匿'. '罪無有掩一'《禮記》. ㉢남의 견문을 방해하여 진상을 모르게 함. '一晦'. '欺上一主'《說苑》. 전(轉)하여, 사리에 통하지 않는 일. 이치에 어두운 일. '六言六一'《論語》. ㉣가로막아 보호함. '一護'. '常以身翼一沛公'《史記》. 전(轉)하여, 가리어 막는 것. '藩一'. '障一'. '韓魏, 趙之南一也'《史記》. ②덮을 폐 ㉠덮어서 쌈. 충색(充塞)함. 가득 참. '功名一天地'《呂氏春秋》. ㉡포괄(包括)함. '一言以一之'《論語》. ③희미할 폐 '一, 微也'《爾雅》. ④정할 폐 단정함. '一獄'. '叔魚一罪邢侯'《左傳》. ⑤주사위 폐 쌍륙(雙六)에서 던지는 정육면체의 물건. '菎一象碁'《楚辭》. ㊁ 떨 별 擎(手部 十二畫)과 통용.

字源 篆文 形聲. ++(艸)+敝〔音〕. '敝폐'는 '깨뜨리다, 가리다'의 뜻. 어떤 물건의 몰골을 망가뜨려 놓을 만큼 풀이 덮어 가리다의 뜻을 나타냄.

[蔽固 폐고] 도리에 어둡고 완고함.
[蔽匿 폐닉] 숨김.
[蔽芾 폐비] 작은 모양. 일설(一說)에는, 무성한 모양.
[蔽塞 폐색] 가려 막음. 또, 가리어 막힘.
[蔽掩 폐엄] 가리어 숨김. 엄폐(掩蔽).
[蔽壅 폐옹] 폐색(蔽塞).
[蔽月羞花 폐월수화] 미인의 형용.
[蔽隱 폐은] ㉠은폐함. ㉡가려 보이지 아니함.
[蔽遮 폐차] 차단함. 막음.
[蔽扞 폐한] 가리어 막음. 보호함.
[蔽護 폐호] 감싸서 보호함.
[蔽晦 폐회] 가리어 어둡게 함.
[蔽虧 폐휴] 초목이 무성하여 햇빛이 잘 보이지 아니함.
◉孤蔽. 欺蔽. 蒙蔽. 薄蔽. 藩蔽. 屏蔽. 覆蔽. 闇蔽. 掩蔽. 擁蔽. 壅蔽. 愚蔽. 六言六蔽. 隱蔽. 陰蔽. 翼蔽. 障蔽. 遮蔽. 侵蔽. 扞蔽.

12 ⑯ [蔾] ㊀ 려 ㊥齊 郞奚切 lí
㊁ 리 ㊥支 力脂切 lí

字解 ㊀ 남가새 려 蒺(艸部 十畫)을 보라. '蒺一'. ㊁ 남가새 리 ㊀과 뜻이 같음.

字源 形聲. ++(艸)+黎〔音〕

◉蒺蔾.

12 ⑯ [蔿] 人名 위 ㊤紙 韋委切 wěi 艻 爲

字解 ①애기풀 위 원지(遠志). 蘤(艸部 十四畫)과 同字. '一, 艸也'《說文》. ②고을이름 위 초(楚)나라의 읍명(邑名). '復治兵於一'《左傳》. ③성 위 성(姓)의 하나.

字源 篆文 形聲. ++(艸)+爲〔音〕

[蔿子 위자] 가시연밥의 딴 이름.

12 ⑯ [蕁] ㊀ 담 ㊥覃 徒含切 tán
㊁ 심 ㊥侵 徐心切 qián(xún) 荨

字解 ㊀ ①지모 담 지모과(知母科)의 다년초. 관상용으로 심음. 근경(根莖)은 해소·담(痰) 등의 약재로 씀. '一, 莸藩'《爾雅》. ②청각채 담 해라(海蘿). ③찔 담 불기가 세차게 올라감. '火上一, 水下流'《淮南子》. ㊁ 쐐기풀 심 '一麻'.

字源 篆文 形聲. ++(艸)+尋〔音〕

[蕁麻 심마] 쐐기풀과에 속하는 숙근초. 온몸에 독기 있는 털이 있어서 쏘이면 몹시 아픔. 쐐기풀.
[蕁麻疹 심마진] 급성 피부병의 하나. 피부가 빨

갛게 도톨도톨 돋음.

12
⑯ [蕃] 人名 번 ㊥元 甫煩切 fān

筆順 艹 芊 茉 菜 蕃 蕃 蕃

字解 ①불을 번 늚. '一息'. '孳一'. '夏餘鳥獸一'《宋之問》. ②우거질 번 무성함. '一茂'. '庶草一庶'《書經》. ③많을 번 중다(衆多)함. '水陸草木之花, 可愛者甚一'《周敦頤》. ④오랑캐 번 화외(化外)의 백성. '生一'. '以封一國'《周禮》. ⑤울타리 번 藩(艸部 十五畫)과 통용. '以一爲軍'《國語》.

字源 金文 篆文 形聲. ⺿(艸)+番〔音〕. '番번'은 '퍼지다'의 뜻. 초목이 번성하다의 뜻. 또, '藩번'과 통하여, '울타리'의 뜻을 나타냄.

[蕃界 번계] 오랑캐가 사는 곳.
[蕃國 번국] 오랑캐 나라.
[蕃茂 번무] 초목이 무성(茂盛)함.
[蕃廡 번무] 번무(蕃茂).
[蕃民 번민] 오랑캐. 화외(化外)의 미개한 사람.
[蕃舶 번박] 화외(化外)의 나라의 배. 외국의 배.
[蕃阜 번부] 번창(繁昌).
[蕃社 번사] 오랑캐의 부락.
[蕃盛 번성] ㉠자손(子孫)이 많이 퍼짐. ㉡초목(草木)이 무성(茂盛)함.
[蕃熟 번숙] 무성하여 익음.
[蕃息 번식] 번식(蕃殖).
[蕃殖 번식] 성(盛)하여 퍼짐.
[蕃神 번신] 오랑캐가 믿는 신(神).
[蕃弱 번약] 상대(上代)의 하후씨(夏后氏)가 가졌던 활의 이름.
[蕃衍 번연] 초목이 무성하여 퍼짐. 전(轉)하여, 자손(子孫)이 많이 퍼짐.
[蕃育 번육] 번식하고 생육(生育)함.
[蕃夷 번이] 외국인 또는 야만인.
[蕃人 번인] 오랑캐. 야만인.
[蕃滋 번자] 무성하여 퍼짐.
[蕃情 번정] 오랑캐의 사정(事情).
[蕃昌 번창] 번창(繁昌)함.
[蕃椒 번초] 고추.
[蕃酋 번추] 오랑캐의 추장(酋長).
[蕃扞 번한] 막음. 방어함.
◉生蕃. 南蕃. 熟蕃. 實蕃. 孳蕃. 諸蕃. 靑蕃. 吐蕃.

12
⑯ [蕆] 천 ㊤銑 丑善切 chǎn 蒇

字解 ①신칙할 천 바로잡음. '一, 敕也'《廣雅》. ②갖출 천, 갖추어질 천 준비함. 차림. '以一陳事'《左傳》.

字源 篆文 會意. 茂+貝

[蕆事 천사] 일을 바로잡음.

12
⑯ [蘮] ㊀ 계 ㊦霽 居例切 jì
㊁ 예 ㊦霽 儒稅切

字解 ㊀잔풀 계 갓 돋아난 풀. '一, 艸之小者'《說文》. ㊁ 잔풀 예 ㊀과 뜻이 같음.

字源 形聲. ⺿(艸)+罽〔音〕

12
⑯ [蕈] 심 ㊤寢 慈荏切 xùn
㊥侵 徐心切

字解 버섯 심 은화식물(隱花植物)의 일종. 산형(傘形)의 균류(菌類). '松一'.

字源 篆文 形聲. ⺿(艸)+覃〔音〕

◉松蕈.

12
⑯ [蕟] ㊀ 발 ㊇月 方伐切 fà
㊁ 폐 ㊦隊 放吠切 fèi

字解 ㊀ 풀이름 발 풀 이름. '一, 艸名'《集韻》. ㊁ 거적 폐 거적. 멍석. '蔽, 或作一'《集韻》.

12
⑯ [蕉] 人名 초 ㊥蕭 卽消切 jiāo

筆順 艹 芢 芢 萑 萑 萑 蕉

字解 ①생마 초 바래지 않은 마(麻). '一, 謂麻未漚治者'《通訓》. ②파초 초 芭(艸部 四畫)를 보라. '芭一'. '怯敎一葉戰'《白居易》. ③쓰레기 초 진개(塵芥). '澤若一'《莊子》. ④섶 초 땔나무. '覆之以一'《列子》. ⑤야윌 초 顦(頁部 十二畫)와 통용. '無棄一萃'《左傳》.

字源 篆文 形聲. ⺿(艸)+焦〔音〕. '焦초'는 '눌은 빛'의 뜻. 아직 바래지 않은 마포(麻布)의 뜻을 나타냄.

[蕉鹿夢 초록몽] 정(鄭)나라 사람이 사슴을 잡아 파초 잎으로 가려 놓은 것을 도둑맞고 생각하기를 이 일이 꿈인가 보다고 단념하였다는 우화(寓話)에서 나온 말로, 이 세상의 득실(得失)은 덧없다는 비유.
[蕉葉 초엽] ㉠파초 잎. ㉡납작한 작은 술잔.
[蕉萃 초췌] '초췌(憔悴)'와 같음.
[蕉布 초포] 파초의 섬유로 짠 베.
◉甘蕉. 綠蕉. 牙蕉. 翠蕉. 芭蕉. 敗蕉.

12
⑯ [蕊] 人名 ㊀ 예 ㊤紙 如累切 ruǐ
如壘切
㊁ 전 ㊤銑 子袞切 juǎn

字解 ㊀ ①꽃술 예 암꽃술과 수꽃술의 총칭. 화예(花蕊). 蘂(艸部 十六畫)와 同字. '雄一'. '雌一'. '貫薜荔之落一'《楚辭》. ②꽃 예 '翹莖瀵一'《郭璞》. ㊁ 모일 전 꽃이 모인 모양. '瓊鈒入一'《潘岳》.

字源 形聲. ⺿(艸)+惢〔音〕. '惢예'는 '甤유'와 통하여, 꽃·열매가 많이 늘어지는 모양. 초목이 무리져 나는 모양을 나타냄.

參考 蕋(次條)는 俗字.

[蕊宮 예궁] 도교(道敎)의 묘우(廟宇).
[蕊書 예서] 도교의 책.
[蕊珠經 예주경] 도교의 경문(經文).
[蕊香 예향] 꽃술의 향기. 또는 꽃의 향기.
◉燈蕊. 雄蕊. 雌蕊.

12
⑯ [蕋] 蕊(前條)의 俗字

12
⑯ [蕎] 人名 교 ㊥蕭 巨嬌切 qiáo 荞

字解 ①메밀 교 '一麥'은 마디풀과에 속하는 일

년생의 재배 식물. 메밀. '月明一麥花如雪'《白居易》. ②대극(大戟) 교 대극과의 다년생 식물. '一, 藥名. 一名, 大戟'《廣韻》.
[字源] 形聲. ++(艸)＋喬〔音〕

[蕎麥 교맥] 자해(字解) ❶을 보라.
[蕎麥麪 교맥면] 메밀국수.
◉苦蕎. 收蕎. 花蕎.

12 ⑯ [蕑] 간 [平]刪 古閑切 jiān

[字解] ①등골나물 간 국화과에 속하는 다년초. '士與女, 方秉一兮'《詩經》. ②연 간, 연실 간 연(蓮). 또는 연밥. '一, 韓詩云, 蓮也'《詩經》. ③성 간 성(姓)의 하나.
[字源] 形聲. ++(艸)＋閒〔音〕

12 ⑯ [蕳] 〔간〕
蕑(艸部 九畫〈p. 1948〉)과 同字

12 ⑯ [蕓] [人名] 운 [平]文 王分切 yún 芸

[字解] 평지 운 '一薹'는 십자화과의 월년초. 씨는 기름을 짜고, 잎과 줄기는 식용함. '一薹足霜乃收'《齊民要術》.
[字源] 形聲. ++(艸)＋雲〔音〕

[蕓薹 운대] 자해(字解)를 보라.

12 ⑯ [蕕] 유 [平]尤 以周切 yóu 莸

[字解] 누린내풀 유 마편초과(科)에 속하는 다년초. 불쾌한 악취(惡臭)가 남. 전(轉)하여, 악취. 악취가 나는 물건 또는 악인 등의 비유로 쓰임. '一薰一一, 十年尙猶有臭'《左傳》.
[字源] [篆文] 形聲. ++(艸)＋猶〔音〕

[蕕薰 유훈] 악취 나는 풀과 향(香)내 나는 풀. 선악(善惡)의 뜻으로 씀.

12 ⑯ [蕖] 거 [平]魚 強魚切 qú

[字解] 부거 거 '芙一'는 연(蓮)의 별칭(別稱). 또, 특히 연꽃.
[字源] 形聲. ++(艸)＋渠〔音〕. '渠거'는 '수로(水路)'의 뜻. 수로에 심는 풀, '연(蓮)'을 일컬음.

[蕖藕 거우] 연뿌리. 연근(蓮根).
[蕖華 거화] 연꽃.
◉丹蕖. 白蕖. 芙蕖. 荷蕖. 紅蕖.

12 ⑯ [蕟] [一] 수 [去]寘 徐醉切 suì
[二] 대 [去]隊 徒對切

[字解] [一] ①풀이름 수 풀 이름. '一, 艸名, 似菌'《集韻》. ②거친대자리 수 거친 대자리. 一, 亦作䔹'《玉篇》. [二] 줄버섯 대 줄버섯. 줄(菰)풀에 나는 버섯. 거소(蘧蔬). '出一'. '一, 出一, 蘧蔬也, 謂菰上菌'《集韻》.

12 ⑯ [蕗] 로 [去]遇 魯故切 lù

[字解] ①머위 로 국화과의 다년초. 나물로 먹음. ②감초 로 콩과에 속하는 다년생 약용 식물. '甘草, 一名一'《急就篇》.
[字源] 形聲. ++(艸)＋路〔音〕

12 ⑯ [蕘] 요 [平]蕭 如招切 ráo 荛

[字解] ①땔나무 요 섶나무. '芻一分棄捐'《元稹》. ②나무꾼 요 땔나무를 하는 사람. 또, 그 일. '淫芻一者'《左傳》.
[字源] [篆文] 形聲. ++(艸)＋堯〔音〕. '堯요'는 '撓요'와 통하여, '휘어 구부리다'의 뜻. 휘어 구부린 풀, 가는 땔나무의 뜻을 나타냄.

[蕘歌牧嘯 요가목소] 나무꾼이나 목동(牧童)의 노래와 휘파람.
[蕘童 요동] 나무하는 아이. 초동(樵童).
[蕘豎 요수] 요동(蕘童).
◉詢芻蕘. 芻蕘.

12 ⑯ [蕀] 극 [入]陌 訖逆切 jí

[字解] 버들옷 극 대극(大戟). 약초의 이름. '一, 大一·巴一, 皆藥艸'《集韻》.

12 ⑯ [藹] [一] 알 [入]曷 阿葛切 è
[二] 갈
[三] 게 [去]霽 去例切 qì

[字解] [一] 물나물 알 수채(水菜)의 이름. '一, 菜, 似蕨, 生水中'《集韻》. [二] 물나물 갈 [一]과 뜻이 같음. [三] 향풀 게 향풀. '一車'. '一, 一車, 香艸'《集韻》.

12 ⑯ [蕳] 고 [去]遇 苦故切 kù

[字解] ①그늘에서키운부추 고 '一, 韭鬱也'《說文》. ②초김치 고 초로 담근 김치. '一, 醋菹'《廣韻》.
[字源] 形聲. ++(艸)＋酤〔音〕

12 ⑯ [蕽] 고 [平]豪 居勞切 gāo

[字解] 쑥 고 '一蘇, 白蓉也'《廣雅》.
[字源] 形聲. ++(艸)＋皐〔音〕

12 ⑯ [蕸] 〔귀〕
蘬(艸部 十七畫〈p. 1991〉)의 古字

12 ⑯ [蕼] 〔담〕
薗(艸部 十六畫〈p. 1989〉)과 同字

12 ⑯ [蕬] 〔망〕
莽(艸部 八畫〈p. 1928〉)의 本字

12 ⑯ [蕫] 〔완·환〕
莞(艸部 七畫〈p. 1926〉)과 同字

12 ⑯ [蕙] [人名] 혜 [去]霽 胡桂切 huì

筆順 一 艹 苎 苗 苗 蕙 蕙 蕙

字解 ①훈초(薰草) 혜 콩과(科)에 속하는 초본(草本). 여름에 꽃이 피고 향기가 강함. 전(轉)하여, 성정(性情)의 아름다움의 비유로 쓰임. '一心紈質'《鮑照》. ②향기로울 혜 '一質'. '一心'.
字源 形聲. 艹(艸)＋惠〔音〕

[蕙氣 혜기] 향초(香草)의 향기.
[蕙蘭 혜란] 향초(香草).
[蕙心 혜심] 미인의 아리따운 마음.
[蕙若 혜약] 혜초(蕙草)와 두약(杜若). 모두 향초(香草)임.
[蕙芷 혜지] 향초(香草). 지(芷)는 구릿대.
[蕙質 혜질] 좋은 성질(性質). 미질(美質).
[蕙草 혜초] 좋은 향내가 나는 난초에 속하는 풀.
◉蘭蕙. 芳蕙. 蓀蕙. 荃蕙. 茝蕙. 蘅蕙.

12 ⑯ [蘢] 룽 ㊥冬 力公切 lóng
字解 ①사람이름 룽 사람 이름. '一, 人名'《字彙補》. ②남편이아내를이르는말 룽 금(金)나라의 말임. '金志, 夫謂妻爲一一'《稱謂錄》.

12 ⑯ [蕝] ㊀ 체 ㊦霽 子芮切 zuì ㊁ 절 ㊅屑 子悅切 jué
字解 ㊀ 표 체 띠를 묶어서 존비(尊卑)의 석차를 표시하여 세운 것. '綿一'. '置茅一表坐'《國語》. 전(轉)하여, 지위의 표지. '髣髴見石一'《蘇軾》. ㊁ 표 절 ㊀과 뜻이 같음.
字源 篆文 形聲. 艹(艸)＋絕〔音〕. '絕절'은 끊어서 떼어 놓다의 뜻.

◉綿蕝. 茅蕝. 靈蕝. 禮蕝. 儀蕝. 表蕝.

12 ⑯ [蕞] ㊀ 최 ㊦泰 才外切 zuì ㊁ 절 ㊅屑 租悅切 jué
字解 ㊀ ①작을 최 작은 모양. '一爾國, 而三世執其政柄'《左傳》. ②모일 최 '一芮於城隅者'《潘岳》. ㊁ ①풀모일 절 '一, 艸聚皃'《集韻》. ②표 절 蕝(前條)과 同字. '爲綿一, 野外習之'《史記》.
字源 形聲. 艹(艸)＋最〔音〕

[蕞芮 최예] 모이는 모양.
[蕞爾 최이] 작은 모양.
[蕞殘 최잔] 견강부회(牽強附會)함.
◉綿蕞.

12 ⑯ [蕺] ㊀ 돈 ㊥元 都昆切 dūn ㊁ 퇴 ㊥灰 都回切 duī
字解 ㊀ 풀이름 돈 풀 이름. ㊁ 풀우거질 퇴 풀이 우거진 모양.

12 ⑯ [藩] 독 ㊅沃 徒毒切 dú
字解 변죽(萹竹) 독 '一, 水萹茿也'《說文》.
字源 形聲. 艹(艸)＋氵(水)＋毒〔音〕

12 ⑯ [蕠] ㊀ 녀 ㊥魚 女居切 ㊁ 여 ㊥魚 人諸切 rú
字解 ㊀ 달라붙을 녀 점착함. '一漆其閒'《史記》. ㊁ 꼭두서니 여 꼭두서닛과의 다년생 만초. 물감으로 씀.
字源 形聲. 艹(艸)＋絮〔音〕

12 ⑯ [蕡] 분 ㊥文 符分切 fén
字解 ①열매많을 분 초목이 열매를 많이 맺은 모양. '有一其實'《詩經》. ②삼씨 분 삼의 씨. '麻之有一者也'《儀禮傳》. ③들깨 분 '一, 穛香艸也'《說文》. ④성 분 성(姓)의 하나.
字源 篆文 形聲. 艹(艸)＋賁〔音〕

12 ⑯ [蕟] 등 ①②㊥蒸 都騰切 dēng (③증㊍) ③㊥庚 除耕切 chéng
字解 ①풀이름 등 '金一'은 풀의 이름. '一, 金一, 草'《廣韻》. ②등차 등 '苦一'은 나무 이름. 등차(蕟茶). 잎은 차(茶) 비슷하되 크고, 음료(飮料)로 쓰이나 차보다 맛이 씀. ③등자나무 등 橙(木部 十二畫)과 同字. '橙, 說文, 橘屬. 或从艸'《集韻》.

12 ⑯ [蕢] ㊀ 궤 ㊦寘 求位切 kuì ㊁ 괴 ㊦卦 苦怪切 kuài
字解 ㊀ 삼태기 궤 풀을 담아 나르는 농구. '有荷一而過孔氏之門者'《論語》. ㊁ 흙덩이 괴 凷(凵部 三畫)와 통용. '一桴而土鼓'《禮記》.
字源 篆文 古文 形聲. 艹(艸)＋貴〔音〕. '貴귀'는 양손으로 물건을 들어 올리다의 뜻. 풀로 엮은 삼태기의 뜻을 나타냄. '塊괴'와 통하여, '흙덩이'의 뜻도 나타냄. 古文은 象形. 양손으로 들어 올리는 모양임.

[蕢桴 괴부] 흙덩이로 만든 북채.
[蕢桴而土鼓 괴부이토고] 흙덩이로 만든 북채와 북. 태고 때의 간소한 악기(樂器)를 이름.
◉荷蕢.

12 ⑯ [蕣] 人名 순 ㊦震 舒閏切 shùn
字解 무궁화나무 순 목근(木槿). '朝一'. '菫一朝采'《王僧孺》.
字源 篆文 形聲. 艹(艸)＋舜(𦱶)〔音〕. '𦱶순'은 '메꽃'의 뜻.

◉菫蕣. 白蕣. 朝蕣. 秋蕣.

12 ⑯ [蕂] 로 ㊥豪 郎刀切 láo ㊦號 郎到切 lào
字解 ①돌콩 로 돌콩. '豋, 野豆謂之豋豆, 或作一'《集韻》. ②김맬 로 김맴. 제초함. '一, 薅也'《集韻》.

12 ⑯ [蕤] 유 ㊥支 儒佳切 ruí
字解 ①꽃 유 축 늘어진 꽃. '播芳一'《陸機》. ②늘어질 유 꽃이나 잎이 축 늘어진 모양. ③장식 유 ㉠관(冠)의 늘어진 장식. '緇布之冠不一'《禮記》. ㉡기(旗)의 늘어진 장식. '羽旄揚一'

《左思》.
字源 篆文 形聲. ++(艸)+甤〔音〕. '甤유'는 초목(草木) 열매가 늘어지는 모양을 뜻함.

[蕤賓 유빈] 음악(音樂) 십이율(十二律)의 하나. 또, 음력 5월의 별칭(別稱).
◉芳蕤. 英蕤. 纓蕤. 玉蕤. 萎蕤. 葳蕤.

12 ⑯ [蕨] 人名 궐 ㊀月 居月切 jué

字解 고사리 궐 양치류(羊齒類) 참고사릿과에 속하는 다년생의 풀. 산야에 자생(自生)함. 어린잎은 먹음. '言采其―'《詩經》.
字源 篆文 形聲. ++(艸)+厥〔音〕. '厥궐'은 '도리다, 파다'의 뜻. 흙을 도리듯이 하여 새싹이 나오는 고사리를 이름.

[蕨拳 궐권] 고사리의 여린 싹.
[蕨薇 궐미] 고사리와 고비.
[蕨鼈 궐별] 고사리.
[蕨筍 궐순] 고사리와 죽순.
◉薇蕨. 藜蕨. 采蕨.

12 ⑯ [蕩] 人名 탕 ㊤養 徒朗切 dàng 荡

字解 ①쓸 탕 쓸어 없앰. 배제함. '掃―'. '―天下之陰事'《禮記》. ②움직일 탕 동요함. 동요시킴. '振―'. '天下不能―'《荀子》. ③옮길 탕 장소를 바꿈. '今我民用, ―析離居, 罔有定極'《書經》. ④흐르게할 탕 물을 흘러가게 함. '以溝―水'《周禮》. ⑤클 탕, 넓을 탕 광대한 모양. '浩―'. '――'. '美哉―乎'《左傳》. ⑥평평할 탕 평탄함. '魯道有―'《詩經》. ⑦방자할 탕 제멋대로 굶. '―逸'. '放―'. '今之狂也―'《論語》.
字源 篆文 形聲. ++(艸)+湯〔音〕. '湯탕'은 자유로이 요동하는 '끓는 물'의 뜻. '艸초'를 붙이어, 풀이 자유롭게 흔들려 움직이다의 뜻에서, 움직이다, 제멋대로의 뜻을 나타냄.

[蕩竭 탕갈] 죄다 써 버림.
[蕩減 탕감] 진 빚을 죄다 면제(免除)하여 줌.
[蕩客 탕객] 방탕(放蕩)한 사람.
[蕩恐 탕공] 대단히 두려워함.
[蕩摩 탕마] 움직이어 서로 스침.
[蕩覆 탕복] 옮겨 전복함.
[蕩婦 탕부] ㉠노는계집. ㉡방탕(放蕩)한 계집.
[蕩析 탕석] 유랑(流浪)함.
[蕩漾 탕양] ㉠물이 흐르는 모양. ㉡물결이 움직이는 모양.
[蕩攘 탕양] 쫓아 버림. 소탕함.
[蕩搖 탕요] ㉠흔들림. 요동함. ㉡흔듦. 움직임.
[蕩倚 탕의] 남의 마음을 움직여 가까이함.
[蕩佚 탕일] 탕일(蕩逸).
[蕩逸 탕일] 방탕(放蕩)함.
[蕩子 탕자] ㉠멀리 고향을 떠나 방랑하는 사람. ㉡주색에 빠진 남자.
[蕩定 탕정] 평정(平定)함.
[蕩盡 탕진] 죄다 써 버림.
[蕩滌 탕척] 씻어 버림. 씻어 깨끗이 함.
[蕩蕩 탕탕] ㉠넓은 모양. 광대한 모양. ㉡평이한 모양. 쉬운 모양. ㉢수세(水勢)가 대단한 모양. ㉣법도(法度)가 어지러운 모양. ㉤마음이 안정(安定)되지 아니한 모양.
[蕩蕩平平 탕탕평평] 어느 쪽에든지 치우치지 아니함.
[蕩敗 탕패] 가산(家產)을 탕진(蕩盡)하여 실패(失敗)함.
[蕩平 탕평] ㉠탕정(蕩定). ㉡탕탕평평(蕩蕩平平).
◉輕蕩. 灌蕩. 曠蕩. 光風蕩. 矜蕩. 儻蕩. 動蕩. 莽蕩. 撲蕩. 放蕩. 燔蕩. 紛蕩. 焚蕩. 扇蕩. 消蕩. 掃蕩. 疎蕩. 漾蕩. 淹蕩. 恬蕩. 搖蕩. 流蕩. 遊蕩. 淫蕩. 夷蕩. 佚蕩. 震蕩. 跌蕩. 滌蕩. 淸蕩. 坦蕩. 誕蕩. 駘蕩. 波蕩. 播蕩. 簸蕩. 板蕩. 平蕩. 逋蕩. 漂蕩. 飄蕩. 虛蕩. 浩蕩. 豪蕩. 豁蕩.

12 ⑯ [蕁] 준 ㊤阮 玆損切 zǔn

字解 더부룩이날 준 초목이 빽빽하게 난 모양. '苯―'. '森――而刺天'《張衡》.
字源 篆文 形聲. ++(艸)+尊〔音〕. '尊존'은 묵직하고 크다의 뜻.

[蕁蕁 준준] 초목이 더부룩이 난 모양. 또, 한데 모인 모양.
◉苯蕁.

12 ⑯ [蕪] 人名 무 ①-④㊥虞 武夫切 wú ⑤㊤麌 罔甫切 芜

字解 ①거칠 무 잡초가 무성함. '田園將―'《陶潛》. 또, 우거진 잡초. '白露生庭―'《顏延之》. 또, 잡초가 우거진 땅. 황무지. '鳥下綠―'《許渾》. ②달아날 무 도망하여 숨음. '孰兩東門之可―'《楚辭》. ③순무 무 채소의 한 가지. '―菁'. ④성 무 성(姓)의 하나. ⑤어지러울 무 난잡함. '擧要刪―'《唐書》.
字源 篆文 形聲. ++(艸)+無〔音〕. '無무'는 덮어서 숨기다의 뜻. 풀이 덮을 만큼 거칠어지다의 뜻을 나타냄.

[蕪徑 무경] 잡초가 우거진 소로(小路). 황경(荒徑).
[蕪昧 무매] 황폐하여 분간할 수 없게 됨.
[蕪沒 무몰] 잡초가 우거져 덮임.
[蕪繁 무번] 풀들이 무성(茂盛)함.
[蕪詞 무사] 무사(蕪辭).
[蕪辭 무사] 난잡한 말. 전(轉)하여, 자기 말의 겸칭(謙稱).
[蕪然 무연] 풀이 무성한 모양.
[蕪穢 무예] 무폐(蕪廢).
[蕪雜 무잡] 난잡(亂雜)하고 정돈(整頓)되지 아니함.
[蕪舛 무천] 문장 같은 것이 거칠고 조리가 닿지 아니함.
[蕪淺 무천] 난잡하고 천박함.
[蕪菁 무청] 순무.
[蕪廢 무폐] 황폐함.
[蕪湖 무호] 안후이 성(安徽省)에 있는 개항장(開港場).
[蕪荒 무황] 잡초가 우거져 황폐함. 황무(荒蕪).
◉高蕪. 萊蕪. 綠蕪. 薇蕪. 蘼蕪. 繁蕪. 疎蕪. 衰蕪. 野蕪. 榛蕪. 蒼蕪. 靑蕪. 春蕪. 平蕪. 荒蕪. 黃蕪.

12 ⑯ [蕒] 매 ㊤蟹 莫蟹切 mǎi 荬

[字解] 시화 매 제스네리아과의 월년초. 잎은 담뱃잎 비슷하며 담자색 꽃이 핌. 어린잎은 식용하며, 민간에서 위장약으로 씀. 고거(苦苣). '一菜生工人吳平家'《晉書》.
[字源] 形聲. 艹(艸)+買〔音〕

[蕒菜 매채] 방가지똥.

12 ⑯ [蕌] 부 [去]有 方副切 fù
[字解] 메 부 메꽃. 葍(艸部 九畫)과 뜻이 같음. '葍, 一名一'《詩經 註》.
[字源] [篆文] 形聲. 艹(艸)+富〔音〕

12 ⑯ [蕂] 승 [去]徑 詩證切 shèng
[字解] 깨 승 호마(胡麻). '一, 胡麻也'《集韻》.

12 ⑯ [蕿] [一] 소 [上]晧 蘇老切 sǎo
[二] 수 [平]尤 所鳩切 sǎo
[字解] [一] 별꽃 소 '一蔞'·'蘩一'는 별꽃. '一, 艸也'《說文》. [二] 광대나물 수 꿀풀과의 일년초 혹은 이년초. '一, 雞腸草也'《廣韻》.
[字源] [篆文] 形聲. 艹(艸)+嫂〔音〕

12 ⑯ [蕶] [一] 금 [平]侵 渠金切 qín
[二] 긍 [平]蒸 巨興切
[字解] [一] 매자기 금 삼릉초(三稜草). 줄기로는 죽기(竹器)의 전을 만듦. 藽(艸部 十六畫)과 同字. '一, 艸名, 根可緣器, 或从金'《集韻》. [二] 매자기 긍 [一]과 뜻이 같음.

12 ⑯ [蕎] 귤 [入]質 厥律切 jú
[字解] ①산미나리 귤 '一, 一曰, 馬芹'《集韻》. ②향채(香菜)이름 귤 종자로 향료를 만듦. '一, 草可染, 子可食'《廣韻》.

12 ⑯ [蕀] 극 [入]職 訖力切 jí
[字解] ①천문동 극 '顛一'은 천문동(天門冬). '髦, 顛一'《爾雅》. ②애기풀 극 '一蒬·一苑'은 애기풀. 원지(遠志). '一苑, 遠志也'《廣雅》.

12 ⑯ [蕧] 복 [入]屋 房六切 fù
[字解] ①금불초 복 선복화(旋覆花). 금전화(金錢花). 국화과의 다년초. 꽃은 약용. '一, 盜庚. (注) 旋一, 似菊'《爾雅》. ②메꽃 복 葍(艸部 九畫)과 同字. '葍, 說文, 葍也. 或作一'《廣韻》.
[字源] [篆文] 形聲. 艹(艸)+復〔音〕

12 ⑯ [董] 동 [上]董 多動切 dǒng
[平]東 徒紅切
[字解] ①기름사초 동 '蘸一'은 사초(莎草)의 하나. '蘸一. (注) 似蒲而細'《爾雅》. ②연뿌리 동 연근(蓮根). '一, 杜林曰, 藕根'《說文》.
[字源] [篆文] 形聲. 艹(艸)+童〔音〕

12 ⑯ [蕆] 감 [上]豏 古斬切 jiǎn
[字解] 꽈리 감 꽈리. 한장(蘵蔣). '一, 艸名, 寒蔣也'《集韻》.

12 ⑯ [款] 관 [上]旱 苦緩切 kuǎn
[字解] 머위 관 '一苳'은 머위. 국화과에 속하는 다년초. '一, 一苳'《玉篇》.

12 ⑯ [綦] 〔기〕
藄(艸部 十四畫〈p. 1979〉)와 同字

12 ⑯ [蕛] 제 [平]齊 杜奚切 tí
[字解] 돌피 제 稊(禾部 七畫)와 통용. '一, 苵. (注) 一, 似稗, 布地生, 穢草'《爾雅》.
[字源] [篆文] 形聲. 艹(艸)+稊〔音〕. '稊제'도 돌피.

12 ⑯ [蕬] 사 [平]支 新玆切 sī
[字解] ①새삼 사 '菟一'는 새삼. 토사자(菟絲子). '菟一, 藥艸'《集韻》. ②물풀이름 사 사초(蕬草). '一草, 江南水草, 葉如薤, 隨水淺深而生'《玉堂閒話》.

12 ⑯ [蕤] 의 ①[上]紙 羊捶切 wěi
②[平]支 悅吹切 wéi
[字解] ①쪽이삭 의 '一, 藍蓼秀'《說文》. ②향부자(香附子) 의 사초(莎草)의 일종. '一, 一曰, 地毛莎一也'《集韻》.
[字源] [篆文] 形聲. 艹(艸)+隋〔音〕. '隋수'는 타원으로, 이삭 모양으로 모여서 피는 쪽의 꽃의 모양.

12 ⑯ [蕅] 우 [上]有 五口切 ǒu
[字解] 연뿌리 우 연근(蓮根). 藕(艸部 十五畫)와 同字. '一, 扶渠根'《說文》.
[字源] [篆文] 形聲. 艹(艸)+水+禺〔音〕

12 ⑯ [蔾] 려 [平]齊 憐題切 lí
[字解] 나라이름 려 흉노(匈奴)의 북쪽의 국명(國名). 犂(牛部 七畫)와 同字. '一, 新一, 國名. 在匈奴北'《集韻》.
[字源] 形聲. 艹(艸)+梨〔音〕

12 ⑯ [蕜] 비 [上]尾 妃尾切 fěi
[字解] 애도할 비 슬퍼함.
[字源] 形聲. 艹(艸)+悲〔音〕

12 ⑯ [蕄] 〔맹〕
莔(艸部 七畫〈p. 1928〉)과 同字

12 ⑯ [蕐] 〔화〕
華(艸部 八畫〈p. 1933〉)와 同字

12 ⑯ **[蓴]** 〔악〕
萼(艸部 九畫〈p.1941〉)의 俗字

12 ⑯ **[薴]** 〔녕〕
薴(艸部 十四畫〈p.1981〉)과 同字

12 ⑯ **[蔭]** 〔음〕
蔭(艸部 十一畫〈p.1963〉)의 俗字

12 ⑯ **[蔲]** 〔구〕
蔻(艸部 十一畫〈p.1959〉)와 同字

12 ⑯ **[蕰]** 〔온〕
薀(艸部 十三畫〈p.1972〉)의 俗字

12 ⑯ **[薣]** 〔고〕
菰(艸部 五畫〈p.1910〉)의 俗字

12 ⑯ **[蕎]** 〔교〕
茭(艸部 六畫〈p.1915〉)와 同字

[蕭] 〔소〕
艸部 十三畫(p.1971)을 보라.

13 ⑯ **[薬]** 〔약〕
藥(艸部 十五畫〈p.1983〉)의 俗字

13 ⑰ **[蕷]** 여 [去]御 羊洳切 yù 蓣

[字解] 마 여 藷(艸部 十四畫)를 보라. '藷—'. 萸(艸部 十四畫)와 同字. '—, 藷—. 俗'《廣韻》.
[字源] 形聲. ++(艸)+預〔音〕

◉藷蕷.

13 ⑰ **[蕭]** [人名] 소 [平]蕭 蘇彫切 xiāo 萧

[字解] ①쑥 소 국화과에 속하는 다년초. 약용·식용함. '彼采—兮'《詩經》. ②시끄러울 소, 바쁠 소 여러 사람이 분주히 노동하는 모양. '—然煩費'《漢書》. ③쓸쓸할 소 아주 고요한 모양. '—條'. '—瑟兮草木搖落'《楚辭》. ④불 소 바람이 부는 소리. '風——兮易水寒'《史記》. ⑤떨어질 소 나뭇잎이 떨어지는 소리. '風颯颯兮, 木——'《楚辭》. ⑥울 소 말이 우는 소리. '——馬鳴'《詩經》. ⑦물건소리 소 물체의 소리. '幽泉落澗夜——'《黃庭堅》. ⑧많을 소 물건이 많은 모양. '樽俎——'《杜甫》. ⑨성 소 성(姓)의 하나.
[字源] [篆文] 形聲. ++(艸)+肅〔音〕

[蕭道成 소도성] 남제(南齊) 고제(高帝)의 이름. 처음에는 송(宋)나라에서 벼슬하다가 순제(順帝)를 폐위(廢位)시키고 천자(天子)가 된 후에는 천하를 크게 다스렸음.
[蕭郎 소랑] 사랑하는 남편의 일컬음. 또, 남편.
[蕭冷 소랭] 쓸쓸하고 싸늘한 모양.
[蕭敷艾榮 소부애영] 쑥이 깔려 우거진 뜻. 곧, 무능한 사람이 때를 만나 번창함을 이름.
[蕭史 소사] 춘추(春秋) 시대의 도인(道人). 퉁소를 잘 불어 봉(鳳)의 울음소리를 내었음.
[蕭寺 소사] 양(梁)나라의 무제(武帝)가 사원(寺院)을 짓고 자기 성(姓)을 따 소사(蕭寺)라 부른 고사(故事). 전(轉)하여, 사원(寺院)의 범칭(汎稱).
[蕭索 소삭] 쓸쓸한 모양.
[蕭散 소산] 조용하고 한가함.
[蕭森 소삼] ㉠적적함. 쓸쓸함. ㉡수목이 많은 모양.
[蕭颯 소삽] 쓸쓸한 바람 소리.
[蕭疏 소소] 나뭇잎이 많이 떨어져서 드문드문하여 쓸쓸하게 보임.
[蕭蕭 소소] ㉠말이 우는 소리. ㉡나뭇잎이 떨어지는 소리. ㉢바람이 부는 소리. ㉣물건의 소리. ㉤분주한 모양. ㉥쓸쓸한 모양.
[蕭瑟 소슬] 으스스하고 쓸쓸한 모양.
[蕭然 소연] ㉠바쁜 모양. 분주한 모양. ㉡쓸쓸한 모양. 조용한 모양.
[蕭遠 소원] 그윽하고 멂.
[蕭張 소장] 소하(蕭何)와 장량(張良). 모두 한(漢)나라 개국(開國)의 원훈(元勳).
[蕭牆 소장] 군신(君臣)이 회견하는 곳에 쌓은 담.
[蕭牆之憂 소장지우] ㉠내부에서 일어난 변란. ㉡형제들 간의 싸움.
[蕭寂 소적] 소조(蕭條).
[蕭條 소조] 쓸쓸한 모양. 한적한 모양.
[蕭何 소하] 한대(漢代) 삼걸(三傑)의 하나. 고조(高祖)를 도와 천하를 다스리고 찬후(酇侯)가 됨. 한(漢)나라의 율령(律令)은 주로 그가 제정한 것임.
◉艾蕭. 寥蕭. 蓼蕭. 跳蕭. 采蕭. 飄蕭.

13 ⑰ **[蕺]** 즙 [入]緝 阻立切 jí

[字解] 삼백초 즙 삼백초과에 속하는 다년초. 산야(山野)의 음습(陰濕)한 땅에 저절로 나며, 잎과 줄기는 약용함. 멸. 즙채(蕺菜). '若其園圃則, 有蓼—蘘荷'《張衡》.
[字源] 形聲. ++(艸)+戢〔音〕

[蕺山書院 즙산서원] 명(明)나라 유종주(劉宗周)가 학문을 강의한 곳. 그곳을 드나드는 찬동자를 즙산학파(蕺山學派)라 불렀음.

13 ⑰ **[蕼]** 사 [去]寘 息利切 sì

[字解] 너그러울 사 관서(寬舒)한 모양. 肆(聿部 七畫)와 同字. '祺然—然'《荀子》.
[字源] [篆文] 形聲. ++(艸)+肆〔音〕

[蕼然 사연] 너그러운 모양. 관서(寬舒)한 모양.

13 ⑰ **[蘬]** [一] 회 [上]賄 戶賄切 huǐ
[二] 괴 [平]灰 姑回切

[字解] [一] 향초이름 회 회양(懷羊). '—, 艸名. 懷羊也'《集韻》. [二] ①향초이름 괴 [一]과 뜻이 같음. ②야채이름 괴 '—, 菜名'《廣韻》.

13 ⑰ **[蕽]** 농 [平]冬 奴冬切 nóng

[字解] 갈대꽃 농 갈대꽃. '蓬—', '—, 蓬—. 蘆華'《集韻》.

13 ⑰ [蕞] 〔체·대〕 蔕(艸部 十一畫〈p. 1961〉)와 同字

13 ⑰ [蕖] 〔약〕 藥(艸部 十五畫〈p. 1983〉)의 俗字

13 ⑰ [蕮] 一 갈 ㊇屑 去竭切 qiè
二 할 ㊇曷 何葛切 hé

字解 一 향초 갈 향초(香草). '一車', '一, 一車, 香草'《玉篇》. 二 수초 할 수초(水草). 고비와 비슷하며 식용함. '一, 水艸, 似蕨可啖. 或从歇, 从褐'《集韻》.

13 ⑰ [蕾] 뢰 ㊤賄 落猥切 lěi

字解 꽃봉오리 뢰 '花一'. '一西風開瘦一'《楊萬里》.

字源 形聲. ⺾(艸)+雷〔音〕

◉蓓蕾. 艷蕾. 珠蕾. 破蕾. 花蕾.

13 ⑰ [蕰] 온 ①㊥元 烏渾切 wēn
②㊤吻 於粉切 yùn

字解 ①붕어마름 온 붕어마름과(科)에 속하는 수초(水草). 여름에 홍색 꽃이 핌. 금어조(金魚藻). '蘋蘩一藻'《左傳》. ②쌓일 온. 쌓을 온 蘊(艸部 十六畫)과 同字. '芟夷一崇之'《左傳》.

字源 篆文 形聲. ⺾(艸)+溫〔音〕. '溫온'은 '따스하다'의 뜻. 쌓은 풀이 떠서 따스해지는 모양에서, '쌓다'의 뜻을 나타냄.

[蕰崇 온숭] 높이 쌓음.
[蕰藏 온장] 온축(蕰蓄).
[蕰藻 온조] 조류(藻類).
[蕰蓄 온축] 깊이 쌓아 둠.

13 ⑰ [薁] 욱 ㊇屋 於六切 yù

字解 ①까마귀머루 욱 포도과의 덩굴나무. 흑자색 열매는 달며, 식용함. '一, 嬰一也'《說文》. ②산앵두나무 욱 장미과에 속하는 낙엽 관목(落葉灌木). 또, 그 열매. 앵두. '六月食鬱及一'《詩經》.

字源 篆文 形聲. ⺾(艸)+奧〔音〕

◉燕薁. 蘡薁.

13 ⑰ [薄] 高人 박 ㊇藥 傍各切 báo, bó, ㉒bò

筆順 丨 艹 艹 芦 蒲 蒲 薄 薄

字解 ①숲 박 초목이 빽빽이 우거진 곳. '林一'. '隱於榛一之中'《淮南子》. ②발 박 가리기 위하여 치는 물건. '帷一之外不趨'《禮記》. ③대그릇 박 대 또는 갈대로 만든 기명. '一器不成內'《荀子》. ④잠박 박 누에를 올려 기르는 물건. '以織一曲爲生'《史記》. ⑤얇을 박 두껍지 아니함. '一板'. '如履一冰'《詩經》. ⑥적을 박 많지 아니함. '一利'. '德一而位尊'《易經》. ⑦가벼울 박 ㉠경함. '二曰, 一征'《周禮》. ㉡경박함. '一俗'. '輕一'. '器楅不浮一'《唐書》. ⑧낮을 박 천함. 얕음. '年少官一'《史記》. ⑨좁을 박 협착함. '此地狹一'《史記》. ⑩싱거울 박 맛이 없음. 담박함. '一酒'. '魯酒一而邯鄲圍'《莊子》. ⑪메마를 박 땅이 척박함. '磽一'. '土一水淺'《左傳》. ⑫박할 박 인정이 없음. '刻一'. '貴賤情何一'《古詩》. ⑬박하게할 박 적게 함. '厚往而一來'《中庸》. '一滋味'《呂氏春秋》. ⑭가벼이 여길 박 경시함. '骨肉還相一'《左思》. ⑮가까이할 박 접근함. '一而觀之'《左傳》. ⑯붙을 박 부착함. '心搖搖如懸旌, 而無所終一'《史記》. ⑰침로할 박 침범함. '寒暑未一而疾'《荀子》. ⑱이를 박 도달함. '外一四海'《書經 禹貢》. ⑲덮을 박 덮어 가림. '外一四海'《書經 益稷》. ⑳모일 박 '掩一水渚'《司馬相如》. ㉑잠깐 박 ㉠잠시. '一澣我衣'《詩經》. ㉡조금. '一言采之'《詩經》. ㉒박하 박 '一荷'. ㉓넓을 박 博(十部 十畫)과 통용. '一一之地'《荀子》. ㉔성 박 성(姓)의 하나.

字源 篆文 形聲. ⺾(艸)+溥〔音〕. '溥보'는 골고루 널리 퍼지다의 뜻. 풀만이 무리져 퍼지는 초원의 모양에서, '얇다'의 뜻을 나타냄.

[薄曲 박곡] 잠박(蠶箔).
[薄給 박급] 박한 월급.
[薄技 박기] 졸렬한 기예.
[薄器 박기] 대나 갈대 같은 것으로 만든 기명.
[薄沓 박답] 메마른 논.
[薄待 박대] 푸대접함.
[薄德 박덕] 덕행(德行)이 적음.
[薄祿 박록] 박한 녹봉.
[薄利 박리] 박(薄)한 이(利). 적은 이익(利益). 또, 이자.
[薄利多賣 박리다매] 이익(利益)을 적게 남기고 팔기를 많이 함.
[薄膜 박막] 얇은 막(膜).
[薄面皮 박면피] 수줍음.
[薄明 박명] 희미한 빛.
[薄命 박명] 기박(奇薄)한 운명(運命). 좋지 못한 팔자.
[薄暮 박모] 땅거미. 황혼.
[薄薄 박박] ㉠광대(廣大)한 모양. ㉡말을 재우쳐 모는 소리의 형용. ㉢맛이 없는 모양.
[薄福 박복] 복이 적음. 불행(不幸).
[薄俸 박봉] 박(薄)한 봉급(俸給). 적은 봉급.
[薄夫 박부] 경박한 사내.
[薄賦 박부] 가벼운 부과(賦課).
[薄氷 박빙] 살얼음.
[薄謝 박사] 약소(略少)한 사례(謝禮).
[薄色 박색] 못생긴 얼굴. 또, 그 사람.
[薄暑 박서] 약간 더움. 초하(初夏)의 기후(氣候).
[薄俗 박속] 경박(輕薄)한 풍속(風俗).
[薄夜 박야] 박모(薄暮).
[薄弱 박약] ㉠굳세지 못함. ㉡확실하지 못함.
[薄祐 박우] 박복(薄福).
[薄雲 박운] 얇은 구름.
[薄運 박운] 불행한 운명.
[薄陰 박음] 엷게 흐림.
[薄衣 박의] 얇은 옷.
[薄葬 박장] 간략한 장사.
[薄才 박재] 재주가 없음. 또, 그 사람.
[薄田 박전] 메마른 땅.
[薄情 박정] 인정(人情)이 없음. 쌀쌀함. 무정.

[薄酒 박주] 맛없는 술. 물 탄 술.
[薄志 박지] ㉠박약한 의지. ㉡약소한 사례(謝禮).
[薄志弱行 박지약행] 의지가 박약하여 실행력이 없음.
[薄之又薄 박지우박] 더할 수 없이 박(薄)함.
[薄妻 박처] 아내를 소박(疏薄)함.
[薄片 박편] 얇은 조각.
[薄皮 박피] 얇은 가죽.
[薄荷 박하] 꿀풀과에 속하는 숙근초. 경엽(莖葉)은 약재·향료로 쓰임. 영생이.
[薄學 박학] 넉넉하지 못한 학식(學識). 변변하지 못한 학문.
[薄行 박행] 경박한 행위.
[薄幸 박행] 복이 적음. 불행(不幸).
[薄倖 박행] 박행(薄幸).
◉刻薄. 埆薄. 儉薄. 激薄. 輕薄. 鍥薄. 空薄. 寡薄. 磽薄. 詘薄. 懦薄. 陋薄. 淡薄. 面皮薄. 靡薄. 槃薄. 旁薄. 滂薄. 浮薄. 濆薄. 卑薄. 飛薄. 菲薄. 鄙薄. 貧薄. 邪薄. 鮮薄. 憸薄. 疏薄. 修薄. 身薄. 深薄. 涼薄. 劣薄. 畏薄. 澆薄. 愚薄. 僞薄. 帷薄. 肉薄. 林薄. 臨深履薄. 訾薄. 蠶薄. 精薄. 佻薄. 嘲薄. 拙薄. 終薄. 榛薄. 瘠薄. 淺薄. 沾薄. 叢薄. 脆薄. 偸薄. 褊薄. 漂薄. 狹薄. 酷薄. 迴薄. 厚薄. 毁薄. 稀薄.

13 ⑰ [薇] [人名] 미 [平]微 無非切 wēi(wéi)

[筆順]

[字解] ①고비 미 고빗과에 속하는 양치류(羊齒類)의 다년초. 산야(山野)에 저절로 나며, 어린 잎은 식용함. '一蕨'. '言采其一'《詩經》. ②백일홍나무 미 '紫一'는 부처꽃과에 속하는 낙엽 교목(落葉喬木). 관상용으로 심음. 배롱나무. 백일홍(百日紅). 紫一花對紫一郞'《白居易》. ③장미 미 薔(艸部 十三畫)을 보라. '薔一'.
[字源] 篆文 籀文 形聲. 艹(艸)+微〔音〕. '微미'는 (콩이) 작다의 뜻. 들완두를 이름. 籀文도 形聲. 艹(艸)+敚〔音〕.

[薇蕨 미궐] 고비와 고사리.
[薇蕪 미무] 향초(香草)의 하나. 뿌리는 약재로 쓰임. 천궁(川藭).
[薇省 미성] 중서성(中書省)의 별칭(別稱). 행정 기관을 총괄하는 마을. 자미성(紫薇省). 미원(薇垣).
[薇垣 미원] 중서성(中書省)의 별칭(別稱). 당대(唐代)에 중서성에 백일홍나무 곧 자미(紫薇)를 심은 것이 연유(緣由)가 되어 개원 원년(開元元年)에 자미성(紫薇省)이라 개칭(改稱)하였으므로 이름.
◉蕨薇. 芳薇. 首陽采薇. 紫薇. 薔薇.

13 ⑰ [薈] 회 [去]泰 烏外切 huì

[字解] ①우거질 회 초목이 무성한 모양. '林木翳一'《孫子》. ②일 회 구름이나 안개 같은 것이 이는 모양. '一兮蔚兮'《詩經》. ③숲 회 풀숲. '近浮游於圍一'《郭璞》.
[字源] 篆文 形聲. 艹(艸)+會〔音〕. '會회'는 '모이다'의 뜻. 풀이 모여서 무성한 모양을 나타냄.

[薈蔚 회울] ㉠초목이 무성한 모양. ㉡구름이 뭉게뭉게 피어오르는 모양. ㉢축축함.
[薈鬱 회울] 초목이 무성한 모양.
[薈蔚 회위] ㉠구름이 이는 모양. ㉡초목이 무성한 모양.
◉蘆薈. 芳薈. 翳薈. 穢薈. 蓊薈. 蔚薈. 榛薈. 叢薈. 鴻薈.

13 ⑰ [薆] 애 [去]隊 烏代切 ài

[字解] ①우거질 애 초목이 무성한 모양. '鬱蓊一薱'《張衡》. ②숨을 애, 숨길 애, 가릴 애 은폐함. '一障卽隱蔽也'《爾雅》. ③향기로울 애 향내가 남. '晻一咇茀'《司馬相如》.
[字源] 形聲. 艹(艸)+愛〔音〕. '愛애'는 '휘감기다'의 뜻. 풀에 휘감기고 뒤덮이다의 뜻을 나타냄.

[薆薱 애대] 초목이 무성한 모양.
[薆薆 애애] 초목이 무성한 모양. 또, 덮어 가리는 모양. 가려 숨기는 모양.
[薆然 애연] 초목이 무성한 모양. 또, 덮어 가리는 모양. 가려 숨기는 모양.
[薆障 애장] 숨김. 덮어 가림. 은폐(隱蔽)함.
◉晻薆. 掩薆. 蓊薆.

13 ⑰ [薊] 계 [去]霽 古詣切 jì

[字解] ①엉겅퀴 계 국화과에 속하는 엉겅퀴속(屬)의 총칭. 큰엉겅퀴·흰꽃엉겅퀴·바늘엉겅퀴 등이 있음. ②나라이름 계 주대(周代)의 국명. 지금의 북경성(北京城)에 있었음. ③성 계 성(姓)의 하나.
[字源] 篆文 形聲. 艹(艸)+魝〔音〕. '魝결'은 베어 가른 물고기의 뼈의 모양을 나타냄. 가시가 있는 풀, '엉겅퀴'의 일컬음.

[薊丘 계구] 북경(北京) 덕승문(德勝門)의 서북(西北)의 땅. 춘추 전국 시대(春秋戰國時代)의 연(燕)나라의 고지(故地). 지금은 토성관(土城關)이라고도 함.
◉馬薊. 芺薊. 山薊.

13 ⑰ [薌] 향 [平]陽 許良切 xiāng

[字解] ①향내 향 향기. '芬一以送之'《荀子》. ②향내날 향 향기가 남. 좋은 냄새가 남. '牛膏一'《禮記 註》.
[字源] 篆文 形聲. 艹(艸)+鄉〔音〕. '鄉향'은 향하다〔嚮〕, 울리다〔響〕의 뜻. 곡물(穀物)의 향기가 향하여 떠돌아옴을 이름.

[薌氣 향기] 향기(香氣).
[薌萁 향기] 조, 곧 양(粱)의 별칭(別稱).
[薌澤 향택] 향기(香氣).
[薌合 향합] 기장, 곧 서(黍)의 별칭(別稱).
◉芬薌. 羶薌.

13 ⑰ [薏] [一] 억 [入]職 於力切 [二] 의 [去]寘 於記切 yì

[字解] [一] 연밥알 억 연실(蓮實) 속의 알맹이. '荷芙蕖, 其中, 的. 的中, 一'《爾雅》. [二] 율무의 '一苡'는 볏과에 속하는 일년초. 열매는 약

재로 씀. '援在交阯, 嘗餌一苡實, 用能輕身省欲'《後漢書》.
[字源] 篆文 形聲. 篆文은 ++(艸)+啻〔音〕. '啻의'는 '意의'의 古字.

[薏苡 의이] 자해(字解)[三]를 보라.
[薏苡仁 의이인] 율무의 열매의 껍질을 벗긴 알맹이. 약재임. 율무쌀.
[薏苡之讒 의이지참] 뜻밖의 참소(讒訴). 후한(後漢)의 마원(馬援)이 교지(交趾)에서 돌아올 때 율무를 이식(移植)하려고 하여 수레에 싣고 온 것을 어떤 사람이 남토(南土)의 진귀한 명주(明珠)를 싣고 돌아왔다고 참소한 고사(故事)에서 나온 말.

13 ⑰ [薐] 릉 [平]蒸 盧登切 léng

[字解] 시금치 릉 '菠一'. '一, 菠一, 菜名'《字彙》.
[字源] 形聲. ++(艸)+稜〔音〕

◉菠薐.

13 ⑰ [藑] 경 [平]庚 葵營切 qióng

[字解] 풀휘감길 경 풀이 휘감김. '一, 艸旋皃, 或作藑'《集韻》.

13 ⑰ [薣] 고 [上]麌 果五切 gǔ

[字解] 큰여뀌 고 큰 여뀌. 여뀌의 하나. '一, 艸名, 爾雅, 葒, 蘢一'《集韻》.

13 ⑰ [薑] [人名] 강 [平]陽 居良切 jiāng 姜

[字解] 생강 강 생강과에 속하는 다년초. 근경(根莖)은 맵고 향기가 있어, 식용 및 약용으로 함. '生一'. '不撤一食'《論語》.
[字源] 篆文 形聲. 篆文은 ++(艸)+彊〔音〕. '彊강'은 (향내·매운맛이) 강하다의 뜻. '薑강'은 생략체(省略體).

[薑桂之性 강계지성] 생강과 육계는 오래 둘수록 맛이 매워지므로, 늙어서 더욱 강직하여지는 성질을 이름.
◉乾薑. 生薑. 片薑.

13 ⑰ [薓] 삼 [平]侵 所今切 shēn

[字解] 인삼 삼 蔘(艸部 十一畫)·參(厶部 九畫)의 本字. '太原府土貢人一'《唐書》.
[字源] 篆文 形聲. ++(艸)+浸〔音〕. '浸침'은 '점점 증가하다'의 뜻. 해가 갈수록 뿌리가 성장하는 야채, '인삼'의 뜻을 나타냄.

13 ⑰ [薔] [人名] [一] 색 [入]職 所力切 sè / [二] 장 [平]陽 在良切 qiáng 蔷

[筆順] ' 艹 芊 芺 萊 蔷 薔 薔

[字解] [一] 물여뀌 색 여뀟과에 속하는 다년초. 물가에 남. 수료(水蓼). 택료(澤蓼). '一, 虞蓼'《爾雅》. [二] 장미 장 '一薇'는 장미과에 속하는 낙엽 관목(落葉灌木). 관상용(觀賞用)임.
[字源] 篆文 形聲. ++(艸)+嗇〔音〕

[薔棘 장극] 가시나무의 가시. 장미류의 가시.
[薔薇·薔蘼 장미] 자해(字解)[二]를 보라.

13 ⑰ [薖] 과 [平]歌 苦禾切 kē

[字解] 너그러울 과, 헛헛할 과 관대한 모양. 일설(一說)에는, 주린 모양. '碩人之一'《詩經》.
[字源] 篆文 形聲. ++(艸)+過〔音〕

[薖軸 과축] 병으로 고생함.

13 ⑰ [薘] 달 [入]曷 唐割切 dá 苂

[字解] 질경이 달 질경잇과에 속하는 다년초. 들이나 길가에 나며, 종자는 약용, 어린잎은 식용함. 차전초(車前草). '風振蕉一裂'《謝朓》.
[字源] 形聲. ++(艸)+達〔音〕

13 ⑰ [薙] [一] 체 [去]霽 他計切 tì / [二] 치 [上]紙 直几切 zhì

[字解] [一] 깎을 체 ㉠풀을 깎음. '芟一'. '一草得斷碑'《蘇軾》. ㉡머리를 바싹 깎음. '李贄奪一髮刀自剄'《列朝詩集》. [二] 목련 치 '辛一'는 목련과(木蓮科)에 속하는 낙엽 교목. 신이(辛夷)의 별명.
[字源] 篆文 形聲. ++(艸)+雉〔音〕. '雉치'는 상처내어 죽이다의 뜻. 풀을 제거하다의 뜻을 나타냄.

[薙刀 치도] 언월도.
[薙髮 치발] 머리를 깎음.
[薙髮刀 치발도] 머리를 깎는 칼. 배코칼.
◉刊薙. 耕薙. 剷薙. 辛薙. 芟薙.

13 ⑰ [薝] 단 [平]寒 唐干切 tán

[字解] ①풀이름 단 '一, 艸名'《集韻》. ②덩굴땅에퍼질 단 '一, 艸蔓布地'《正字通》.

13 ⑰ [薅] 호 [平]豪 呼毛切 hāo

[字解] 김맬 호 밭의 풀을 뽑음. '以一荼蓼'《詩經》.
[字源] 篆文 籒文 形聲. 蓐+好〈省〉〔音〕. '蓐욕'은 풀을 베어 깔다의 뜻. '好호'는 '좋다'의 뜻. 풀을 베어서 좋은 상태가 되다의 뜻을 나타냄.

[薅馬 호마] 풀을 깎는 농구(農具).

13 ⑰ [薛] [人名] 설 [入]屑 私列切 xuē

[筆順] ' 艹 艹 苩 苩 萨 薛 薛

[字解] ①쑥 설 국화과에 속하는 다년초. '一莎青薠'《司馬相如》. ②나라이름 설 주대(周代)의 국명(國名). 전국 시대(戰國時代)에 제(齊)나라에게 멸망당하였음. 지금의 산둥 성(山東省)에 있었음. ③성 설 성(姓)의 하나.

字源 金文 篆文 形聲. 篆文은 ++(艸)+辥〔音〕

參考 薛(次條)은 別字.

[薛居州 설거주] 전국 시대(戰國時代) 송(宋)나라의 현신(賢臣).
[薛濤 설도] 당(唐)나라 중기(中期)의 명기(名妓). 원래는 장안(長安) 양가(良家)의 딸. 음률(音律)과 시사(詩詞)에 능하였음.
[薛濤箋 설도전] 종이 이름. 당나라 기생 설도(薛濤)가 촉(蜀)나라 완화계(浣花溪)에서 만든 열가지 빛깔의 전(箋). '완화전(浣花箋)'이라고도 함.
[薛卞 설변] 옛날에 도검(刀劍)을 잘 감정한 설촉(薛燭)과 보옥(寶玉)을 발견한 변화(卞和). 전(轉)하여, 감상(鑑賞)하는 재주가 깊음을 이름.
[薛瑄 설선] 명(明)나라 전기(前期)의 학자. 자(字)는 덕온(德溫). 호(號)는 경헌(敬軒). 벼슬이 예부우시랑(禮部右侍郎) 겸 한림원 학사(翰林院學士)에 이르렀음. 정주학(程朱學)을 주로 하였음. 명조(明朝) 이학(理學)의 종(宗)으로 일컬어지며, 저서에 〈독서록(讀書錄)〉이 있음. 시호(諡號)는 문청(文淸).
[薛存儀 설존의] 당나라 하동(河東) 사람. 영주영릉(永州永陵)의 수령(守令)이 되어 백성을 잘 다스렸음.

13 ⑰ [薜] 一 폐 ㊀霽 蒲計切 bì 二 벽 ㊀陌 博厄切 bò

字解 一 왕모람 폐 '一荔'는 뽕나뭇과(科)에 속하는 상록 관목. 기근(氣根)으로 딴 물건에 부착함. 모람보다 큼. '被一荔兮帶女蘿'《楚辭》. 二 ①당귀(當歸) 벽 '一, 山蘄'《爾雅》. ②줄사철나무 벽 '一荔'는 노박덩굴과에 속하는 상록 만목(常綠蔓木). 산과 들에 저절로 나는데, 관상용으로 심기도 함.

字源 篆文 形聲. ++(艸)+辟〔音〕. '辟벽'은 열리어 퍼지다의 뜻.

[薜蘿 벽라] ㉠덩굴이 벋는 풀. ㉡은자(隱者)의 옷. 만초(蔓草).
[薜荔 벽려] 자해(字解)二❷를 보라.
◉蘿薜.

13 ⑰ [薝] 담 ㊤感 覩敢切 dǎn

字解 치자나무꽃 담 '一蔔'은 치자나무. 또, 그 꽃. 빛이 희고 향내가 매우 좋음. '一蔔冠諸香'《陸龜蒙》.

字源 形聲. ++(艸)+詹〔音〕

[薝棘 담극] 나무의 하나.
[薝蔔 담복] 자해(字解)를 보라.

13 ⑰ [蔉] 두 ㊤有 徒口切 dòu

字解 ①풀이름 두 풀 이름. '一, 艸名'《集韻》. ②깔개 두 깔개. 풀로 엮은 둥근 방석. '一, 圓草褥也'《廣韻》.

13 ⑰ [蘞] 렴(②험本) ㊥鹽 力鹽切 liǎn 蔹

字解 ①거지덩굴 렴 포도과에 속하는 다년생 만초(蔓草). 각지에 저절로 나며 뿌리는 약재로 씀. 오렴매(烏蘞苺). 蘞(艸部 十七畫)과 同字. ②털진득찰 렴 '豨一'은 국화과(科)에 속하는 다년초. 노란 꽃이 가을에 핌.

字源 篆文 別體 形聲. ++(艸)+僉〔音〕. 別體도 形聲. 艸+斂〔音〕

[蘞芋 염우] 토란(土卵). 토련(土蓮).

13 ⑰ [蘮] 격 ㊀錫 古歷切 jī

字解 풀이름 격 풀 이름. '一, 艸也'《說文》.

字源 形聲. ++(艸)+毄(毄)〔音〕

13 ⑰ [薢] 해 ㊤蟹 佳買切 xiè

字解 도꼬로마 해 萆(艸部 八畫)를 보라. '萆一'.

字源 篆文 形聲. ++(艸)+解〔音〕. '解해'는 찢기어 갈라지다의 뜻.

◉萆薢.

13 ⑰ [薤] 해 ㊀卦 胡介切 xiè

字解 염교 해 백합과에 속하는 다년초. 파 비슷한 훈채(葷菜)임. 인경(鱗莖)은 식용으로 함. 해채(薤菜). '切蔥及一'《禮記》.

字源 形聲. ++(艸)+韰〈省〉〔音〕. '韰해'의 俗字.

[薤露 해로] 상여가 나갈 때에 부르는 노래. 사람의 목숨이 염교 잎 위의 이슬과 같아서 쉽사리 없어진다는 뜻. 만가(輓歌).
[薤葉 해엽] 전서(篆書)의 일체(一體).
[薤菜 해채] 염교. 백합과(科)에 속하는 다년초. 인경(鱗莖)은 식용하는 훈채(葷菜)의 한 가지.

13 ⑰ [薦] 高人 一 천 ㊀霰 作甸切 jiàn 二 진 ㊀震 卽刃切 jìn 荐

筆順 ' ⺾ 产 芦 芦 芦 蓆 薦 薦

字解 一 ①드릴 천 물건을 바침. 진상함. '殷一之上帝'《易經》. ②올릴 천 제수(祭需)를 올림. '一新'. '一其時食'《中庸》. 또, 제수. '薄一'. ③천거할 천 인재를 소개하여 쓰게 함. '推一'. '馬援並一之'《後漢書》. ④깔 천 자리로 삼음. '白茅以一'《法苑珠林》. ⑤자리 천 밑에 까는 자리. '席一'. '薜荔飾而陸離一兮'《楚辭》. ⑥풀 천, 꼴 천 짐승이 먹는 잡초. '麋鹿食一'《莊子》. ⑦우거질 천 무성함. '一草多衍'《管子》. ⑧거듭 천 연거푸. '饑饉一臻'《詩經》. ⑨성 천 성(姓)의 하나. 二 꽂을 진 縉(糸部 十畫)과 통용. '一紳先生難言之'《史記》.

字源 甲骨文 金文 篆文 會意. ++(艸)+廌. '廌채'는 소 비슷한데 외뿔을 가진 짐승의 이름. '廌'가 먹는 풀을 뜻함. 또, '饌찬'과 통하여 '올리다, 천거하다'의 뜻을 나타냄.

[薦紳 진신] 신분(身分)이 높은 사람. 진신(縉紳).

사군자(士君子).
[薦可 천가] 임금의 과실에 관하여 바른말로 간(諫)함. 헌가(獻可).
[薦擧 천거] 인재(人材)를 추천(推薦)함.
[薦祼 천관] 제수(祭需)를 올리는 일과 강신제(降神祭)를 지내는 일. 모두 제사(祭祀)의 의식임.
[薦達 천달] 천거(薦擧).
[薦望 천망] 벼슬아치를 윗자리로 천거함.
[薦聞 천문] 인물을 임금에게 천거하여 아룀.
[薦拔 천발] 인재를 발탁(拔擢)하여 천거함.
[薦羞 천수] 제물(祭物). 제수(祭需).
[薦新 천신] 새로 나는 음식물을 먼저 신명(神命)에게 올림.
[薦譽 천예] 천거하며 칭찬함.
[薦引 천인] 인재(人材)를 추천함.
[薦章 천장] 추천장(推薦狀).
[薦奏 천주] 천문(薦聞).
[薦枕席 천침석] 여자가 윗사람을 모시고 잠자리를 같이함. 시침(侍寢). 불침석(拂枕席).
[薦擢 천탁] 천발(薦拔).
◉嘉薦. 供薦. 口薦. 論薦. 談薦. 登薦. 毛遂自薦. 木薦. 覆薦. 席薦. 謬薦. 自薦. 體薦. 追薦. 推薦. 稱薦. 他薦. 蒲薦. 褒薦. 豐薦. 顯薦.

13 ⑰ [薧] [一] 고 [上]晧 苦浩切 kǎo [二] 호 [平]豪 呼毛切 hāo

[字解] [一] 마를 고, 건어 고 말린 물고기. '辨魚物爲鱻—'《周禮》. [二] 무덤 호, 저승 호 묘지(墓地). '—, 死人里也'《說文》.
[字源] 篆文 形聲. 《說文》에서는 死+蒿〈省〉〔音〕. '蒿호'는 '쑥'의 뜻. 사자(死者)를 장사 지내는 쑥 따위의 잡초가 덮인 곳. 묘지.

[薧里 고리] 저승의 마을. 황천(黃泉).

13 ⑰ [薨] [人名] [一] 훙 [平]蒸 呼肱切 hōng [二] 횡 [平]庚 呼宏切 hōng

[字解] [一] 훙서할 훙 제후(諸侯)·왕공(王公)·귀인(貴人)이 죽음. '公—于齊'《春秋》. [二] ①많을 횡 많이 모인 모양. '螽斯羽, ——兮'《詩經》. ②빠를 횡 급속한 모양. '度之——'《詩經》.
[字源] 篆文 形聲. 死+瞢〈省〉〔音〕. '瞢몽·맹'은 눈이 흐려져서 어두워지다의 뜻. 사람의 의식이 흐려져서 이윽고 죽다의 뜻을 나타냄.

[薨薨 횡횡] ㉠많은 모양. ㉡빠른 모양.
[薨去 훙거] 훙서(薨逝).
[薨逝 훙서] 귀인(貴人)의 죽음의 존칭(尊稱).
[薨卒 훙졸] 훙거.

13 ⑰ [薪] [人名] 신 [平]眞 息鄰切 xīn

[筆順] 一 艹 芏 苹 茾 䔁 薪 薪

[字解] ①땔나무 신 섶나무. 연료로 하는 초목. '析—如之何'《詩經》. ②나무할 신 땔나무나 풀을 벰. '—於野'《列子》. ③땔나무로할 신 '芃芃棫樸, —之槱之'《詩經》.
[字源] 篆文 形聲. 艹(艸)+新〔音〕. '新신'은 땔나무의 原字. '新'이 '새롭다'의 뜻으로 쓰이게 되어, '艸초'를 붙여 구별함.

[薪燎 신료] 화톳불.
[薪木 신목] ㉠잡초와 잡목. ㉡땔나무.
[薪米 신미] 땔나무와 쌀. 생활의 재료를 이름.
[薪水 신수] ㉠땔나무와 마실 물. ㉡봉급(俸給) 또는 식비(食費)의 뜻으로 쓰임.
[薪水之勞 신수지로] 땔나무를 하고 물을 긷는 수고. 밥을 지어 먹기 위한 노동(勞動).
[薪盡火滅 신진화멸] 기연(機緣)이 다하여 사물(事物)이 멸망(滅亡)함.
[薪采 신채] 땔나무를 함.
[薪採 신채] 땔나무. 또, 땔나무를 하는 사람. 나무꾼.
[薪樵 신초] 땔나무.
[薪炭 신탄] 땔나무와 숯.
◉曲突徙薪. 救火投薪. 鬼薪. 勞薪. 負薪. 負折薪. 束薪. 拾薪. 輿薪. 臥薪. 錯薪. 采薪. 採(采)薪之憂. 尺薪. 芻薪.

13 ⑰ [蕺] 적 [入]職 昨則切 zéi

[字解] 속새 적 '木—'은 속샛과에 속하는 다년생의 상록 숙근초(常綠宿根草). 줄기는 딱딱한 기구(器具)를 닦는 데 씀. 속새. 목적(木蕺).

◉木蕺.

13 ⑰ [薍] [一] 란 [去]翰 盧玩切 luàn [二] 완 [去]諫 五患切 wàn

[字解] [一] 달래뿌리 란 달래의 뿌리. '—, 小蒜根曰—子'《集韻》. [二] 물억새 완 볏과에 속하는 다년초. 억새 비슷함. '葭—阻奧'《唐書》.
[字源] 篆文 形聲. 艹(艸)+亂〔音〕. '亂란'은 어리고 어지러웠던 것이 좌정되다의 뜻. '菼담'이 길게 자란 물억새.

◉葭薍.

13 ⑰ [薋] 자 [平]支 疾資切 cí

[字解] ①남가새 자 해변의 모래땅에 나는 일년초. 질려(蒺藜). '—菉葹以盈室兮. (注)—, 蒺藜也'《楚辭》. ②대암풀 자 난초과의 다년초. 뿌리는 백급(白及)이라 하여 약재로 씀. '白芷, 芁—'《廣雅》. ③풀더부룩할 자 풀이 많은 모양. '—, 艸多皃'《說文》.
[字源] 篆文 形聲. 艹(艸)+資〔音〕. '資자'는 '積적'과 통하여, '쌓다'의 뜻. 풀이 많은 모양.

13 ⑰ [蘧] 거 [平]魚 強魚切 [上]語 其呂切 qú

[字解] 이고들빼기 거 국화과(科)의 2년초. 산과 들에 자생(自生)하며, 줄기·잎에 흰 즙이 있음. 고매채(苦蕒菜). '—, 苦—. 江東呼爲苦蕒'《廣韻》.
[字源] 形聲. 艹(艸)+豦〔音〕

13 ⑰ [薂] [一] 격(혁[本]) [入]錫 刑狄切 xí [二] 효 [上]篠 胡了切 xiào

[字解] [一] 연밥 격 '的, —. (注)卽蓮實'《爾雅》.

[二] 올방개 효 '芍, 艸名…或从敫'《集韻》.

13⑰ [薠] 번 [平]元 附袁切 fán

[字解] 사초(莎草) 번 '靑—'은 향부자(香附子) 비슷하되 더 큰 사초의 일종. '路無莎—'《淮南子》.

[字源] 篆文  形聲. ⺿(艸)+煩〔音〕

13⑰ [蕸] 하 [平]麻 胡加切 xiá

[字解] ①연(蓮)잎 하 하엽(荷葉). '荷, 芙渠, 其莖, 茄, 其葉, —'《爾雅》. ②이삭안팬갈대 하 '—, 葦未秀者'《康熙字典》.

13⑰ [蕶] 령 [平]青 郎丁切 líng

[字解] 풀이울 령 풀잎이 말라서 떨어짐. '—, 艸零落也'《集韻》.

13⑰ [⿱艹稱] 칭 [去]徑 詩證切 / [平]蒸 蚩承切 chēng

[字解] 검은깨 칭 호마(胡麻). 蕂(艸部 十三畫)과 뜻이 같음. '胡麻, 一名—, 即, 黑芝麻'《素問 註》.

13⑰ [薡] 정 [上]迥 都挺切 dǐng

[字解] 기름사초(莎草) 정 '—董'은 사초과의 다년초. '—董, 艸名, 似蒲而細'《集韻》.

13⑰ [薥] 촉 [入]沃 殊玉切 shǔ

[字解] ①접시꽃 촉 '—葵'는 촉규화(蜀葵花). '—, 俗字, —葵, 艸名, 誤蜀葵, 本作蜀'《正字通》. ②철쭉나무 촉 躅(艸部 二十畫)과 同字.

13⑰ [⿱艹閜] 가 [去]箇 許個切 hè

[字解] 박하 가 박하. '蔢—'. '—, 蔢—, 艸名'《集韻》.

13⑰ [⿱艹⿱隹臼] 〔구〕 舊(臼部 十二畫〈p. 1881〉)의 俗字

13⑰ [⿱艹⿱𠀎亏] 〔화〕 華(艸部 八畫〈p. 1933〉)의 本字

13⑰ [⿱艹⿱日⿱罒万] 〔만〕 蔓(艸部 十一畫〈p. 1961〉)과 同字

13⑰ [⿱艹義] 〔아〕 莪(艸部 七畫〈p. 1927〉)와 同字

13⑰ [⿱艹頓] 〔돈〕 蘋(艸部 十二畫〈p. 1968〉)과 同字

13⑰ [⿱艹較] 〔교〕 茭(艸部 六畫〈p. 1915〉)와 同字

13⑰ [⿱艹豿] 구 [平]尤 居侯切 gōu

[字解] 지칭개 구 국화과의 두해살이풀. '—芺'. '—, —芺, 艸名'《集韻》.

13⑰ [⿱艹腅] 〔담〕 菼(艸部 八畫〈p. 1935〉)의 俗字

13⑰ [⿱艹感] 담 dǎn

[字解] 궤짝 담 궤짝, 상자 따위. '—, 箱屬, 與匵同'《海篇》.

13⑰ [⿱艹孼] 〔얼〕 孼(子部 十六畫〈p. 567〉)과 同字

13⑰ [⿱艹截] 〔절〕 芺(艸部 五畫〈p. 1913〉)과 同字

13⑰ [⿱艹幹] 간 [上]旱 古旱切 gǎn / [去]翰 居案切 gàn

[字解] ①풀줄기 간 풀줄기. '—, 衆草莖也'《廣韻》. ②풀이름 간 풀 이름. '—, 說文, 艸也, 或从幹'《集韻》.

13⑰ [薉] 〔예〕 穢(禾部 十三畫〈p. 1630〉)와 同字 

13⑰ [薎] [一] 〔멸〕 蠛(虫部 十五畫〈p. 2037〉)과 同字
[二] 〔멸〕 蔑(艸部 十一畫〈p. 1960〉)과 同字

13⑰ [薗] 〔원〕 園(囗部 十畫〈p. 428〉)과 同字

13⑰ [⿱艹煖] 〔훤〕 萱(艸部 九畫〈p. 1940〉)과 同字

[蟇] 〔마〕 虫部 十一畫(p. 2030)을 보라.

14⑱ [薩] [人名] 살 [入]曷 桑割切 sà 萨 

[筆順] 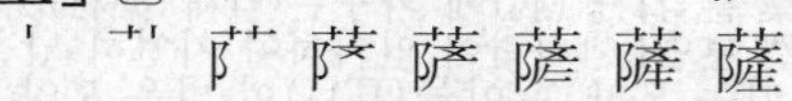

[字解] ①보살 살 구함〔濟〕. 범어(梵語) sat의 음역자(音譯字). ②성 살 성(姓)의 하나.

[字源] 形聲. 본디 土+薛〔音〕. '薩살'로 써야 하는 것이 뒤에, '薩'로 쓰게 되었음.

[薩都刺 살도랄] 원(元)나라 후기(後期)의 시인(詩人). 자(字)는 천석(天錫). 시문(詩文)에 능하며, 그 글은 유려 청완(流麗淸婉)함으로 이름 있음. 〈안문집(雁門集)〉을 지었음.

[薩埵 살타]《佛敎》부처에 다음가는 지위. 대용맹심을 가지고 불도(佛道)를 구하며 대자비(大慈悲)를 가지고 중생을 구제하는 사람.

[薩陲 살타] 살타(薩埵).

◉菩薩. 布薩.

14⑱ [薯] [人名] 서 [去]御 常恕切 shǔ 

[字解] ①마 서 '—蕷'는 맛과(科)에 속하는 다년생 만초(蔓草). 엽액(葉腋)에서 나는 육아(肉芽)는 먹으며, 괴근(塊根)은 강장제의 약재료임. 일설(一說)에는, 참마. 藷(艸部 十六畫)와

뜻이 같음. ②감자 서 널리 감자류의 총칭. '馬鈴一'.
[字源] 形聲. ⺾(艸)+署〔音〕

[薯類 서류] 감자류.
[薯蕷 서여] 자해(字解)❶을 보라.
◉馬鈴薯.

14 ⑱ [⿱艹⿱更灬] 경 gěng
[字解] 토란대 경 토란의 대. 토란의 잎줄기. '一, 芋莖也'《篇海》.

14 ⑱ [薰] [人名] 훈 [平]文 許云切 xūn
[筆順] 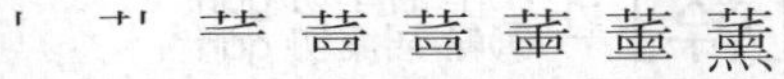
[字解] ①훈초(薰草) 훈 콩과(科)에 속하는 향기로운 풀. '一以香自燒, 膏以明自銷'《漢書》. ②향내 훈 향기. '一一一蕕'《左傳》. ③향기로울 훈 좋은 향내가 남. '陌上草一'《江淹》. ④태울 훈 열에 타게 함. '厲一心'《易經》. ⑤솔솔불 훈 바람이 부드럽게 붊. '南風之一兮'《孔子家語》. ⑥훈자할 훈 남의 교화를 받아 감화됨. '一陶'. '一其德'《韓愈》. ⑦훈할 훈 熏(火部 十畫)과 통용. '與世嘗一赫'《張九齡》. ⑧오랑캐이름 훈 獯(犬部 十四畫)과 통용. '一育戎狄攻之'《史記》. ⑨공 훈 勳(力部 十四畫)과 통용. ⑩성 훈 성(姓)의 하나.
[字源] 篆文 形聲. ⺾(艸)+熏〔音〕. '熏훈'은 연기가 나다의 뜻. 향기가 피어오르는 풀, 향초(香草)를 뜻함.

[薰氣 훈기] 훈훈한 기운. 훈김.
[薰陶 훈도] 덕의(德義)로써 사람을 교화(敎化)함.
[薰沐 훈목] 향(香)내를 옷에 피우고 머리를 감음. 몸을 깨끗이 함.
[薰門 훈문] 권세(權勢) 있는 집안.
[薰藥 훈약] 병(病)에 피우는 약재(藥材).
[薰然 훈연] ㉠사람이 인자하여 자연히 남을 감화시키는 모양. ㉡이목(耳目)이 밝은 모양.
[薰染 훈염] 향기가 뱀. 전(轉)하여, 감화(感化)를 받음.
[薰蕕 훈유] 향기를 풍기는 풀과 악취가 나는 풀. 전(轉)하여, 선(善)과 악(惡), 미(美)와 추(醜), 성현(聖賢)과 소인(小人)의 비유.
[薰育 훈육] ㉠덕의(德義)로써 교육함. ㉡오랑캐이름. '훈육(獯鬻)'과 같음.
[薰以香自燒 훈이향자소] 향초는 향기가 있기 때문에 연소(燃燒)당한다는 뜻으로, 재능이 있기 때문에 도리어 화를 당함의 비유로 쓰임.
[薰灼 훈작] ㉠훈(薰)함. ㉡권세가 대단함.
[薰蒸 훈증] 찌는 듯이 무더움.
[薰風 훈풍] 남풍(南風). 첫여름에 부는 훈훈한 바람.
[薰赫 훈혁] 권세가 대단함.
[薰化 훈화] 덕행으로 남을 감화시킴.
◉嘉薰. 蘭薰. 南薰. 芳薰. 芬薰. 麝薰. 餘薰. 蕕薰. 香薰.

14 ⑱ [薲] 빈 [平]眞 符眞切 pín
[字解] 개구리밥 빈 蘋(艸部 十六畫)과 同字. '瓜州飼馬以一草'《酉陽雜俎》.

14 ⑱ [⿱艹截] 절 [入]屑 昨結切 jié
[字解] ①다스릴 절 정제(整齊). '一, 治也'《廣雅, 釋詁》. ②풀이름 절 풀 이름. '一, 一曰, 艸名'《集韻》.

14 ⑱ [⿱艹截] ⿱艹截(前條)과 同字

14 ⑱ [薳] 원 [上]阮 雨阮切 yuǎn
[字解] 원지 원 '一⿱艹志'는 원지과에 속하는 다년초. 산야(山野)에 저절로 남. 뿌리는 보정 강장제(補精強壯劑)로 씀. 원지(遠志). 영신초(靈神草).
[字源] 篆文 形聲. ⺾(艸)+遠〔音〕

[薳⿱艹志 원지] 자해(字解)를 보라.

14 ⑱ [⿱艹領] 령 [上]梗 里郢切 lǐng / [平]青 郎丁切 líng
[字解] ①풀이름 령 풀 이름. '一, 草名'《廣韻》. ②도꼬마리 령 도꼬마리. 권이(卷耳). '一, 鼠耳草也, 本亦作苓'《廣韻》.

14 ⑱ [薸] 표 [平]蕭 符霄切 piāo
[字解] 개구리밥 표 부평초(浮萍草). '江東謂浮萍爲一'《揚子方言》.
[字源] 形聲. ⺾(艸)+漂〔音〕. '漂표'는 물에서 떠돌다의 뜻을 나타냄.

14 ⑱ [薹] 대 [平]灰 徒哀切 tái
[字解] ①삿갓사초 대 사초과에 속하는 다년초. 잎을 말려 삿갓 따위를 만듦. '一笠聚東菑'《謝朓》. ②장다리 대 무·배추 등의 꽃줄기. '此菜易起一'《本草》. ③평지 대 蕓(艸部 十二畫)을 보라. '蕓一'.
[字源] 形聲. ⺾(艸)+臺〔音〕

[薹笠 대립] 삿갓사초로 엮은 삿갓.
◉苦麻薹. 蕓薹.

14 ⑱ [薺] [人名] 제 [上]薺 徂禮切 jì 荠
[字解] 냉이 제 겨잣과에 속하는 월년초. 길가나 밭에 저절로 많이 남. 어린잎과 뿌리는 식용함. 맛이 달콤함. 제채(薺菜). '誰謂荼苦, 其甘如一'《詩經》.
[字源] 篆文 形聲. ⺾(艸)+齊(亝)〔音〕
[參考] 荠(艸部 八畫)는 俗字.

◉甘心如薺. 甘薺. 采薺.

14 ⑱ [⿱艹察] 찰 [入]黠 初八切 chá
[字解] 지푸라기 찰, 쓰레기 찰 초개(草芥). '燾養

均草一'《韓愈》.

14 ⑱ [蘔] [一] 진 [平]眞 職鄰切 zhēn
[二] 견 [平]先 居延切

[字解] [一] 담배풀 진 천명정(天名精). '一, 豕首也'《說文》. [二] 담배풀 견 [一]과 뜻이 같음.
[字源] 形聲. ++(艸)+甄〔音〕

14 ⑱ [藈] 규 [平]齊 涓畦切 kuí

[字解] 쥐참외 규 '一菇, 王瓜也'《廣雅》.

14 ⑱ [薿] [一] 의 [上]紙 魚紀切 nǐ
[二] 억 [入]職 魚力切 nǐ 

[字解] [一] 우거질 의 곡초가 무성한 모양. '或耘或耔, 黍稷一一'《詩經》. [二] 우거질 억 [一]과 뜻이 같음.
[字源] 篆文  形聲. ++(艸)+疑〔音〕. '疑의'는 꼼짝 않고 멈추다의 뜻. 풀이 뭉치어 나 있는 모양, 우거진 모양을 나타냄.

[薿薿 의의·억억] 곡초(穀草)가 무성한 모양.

14 ⑱ [藁] [人名] 고 [上]晧 古老切 gǎo 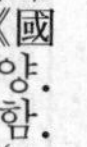

[字解] ①짚 고 볏짚. 稾(禾部 十畫)의 俗字. '席一請罪'《史記》. ②초고 고 문서의 원안(原案). '原一'. '屬草一'《史記》. ③마를 고 ㉠건조함. '一魚'. ㉡말라 죽음. '中昊不雨, 傷風病'《易林》.
[字源] 形聲. ++(艸)+槀〔音〕. '槀고'는 '시들다'의 뜻. 마른풀, 짚을 이름.

[藁街 고가] 한대(漢代)의 장안(長安)에 만이(蠻夷)가 살던 구역.
[藁稻 고도] 벼.
[藁魚 고어] 말린 물고기. 건어(乾魚).
[藁人 고인] 짚으로 만든 허수아비.
[藁草 고초] 초고(草稿).
◉原藁. 遺藁. 奏藁. 草藁. 芻藁.

14 ⑱ [藒] [一] 걸 [入]屑 丘竭切 qiè
[二] 갈 ①[入]月 丘謁切 ②[入]曷 居曷切
[三] 계 [去]霽 去例切

[字解] [一] 향초이름 걸 '一車'는 향초(香草)의 이름. '一車, 芞輿. (注)一車, 香草'《爾雅》. [二] ①향초이름 갈 [一]과 뜻이 같음. ②벼길 갈 벼가 긴 모양. '一, 禾長皃'《集韻》. [三] 향초이름 계 [一]과 뜻이 같음.
[字源] 形聲. ++(艸)+䅥〔音〕

14 ⑱ [藄] 기 [平]支 渠之切 qí

[字解] 고사리 기 빛이 보랏빛인 고사리의 일종. '一, 土夫也'《說文》.
[字源] 形聲. ++(艸)+綦〔音〕

14 ⑱ [藇] [人名] [一] 서 [上]語 徐呂切 xù
[二] 여 [去]御 羊洳切 yù 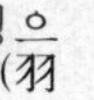

[字解] [一] ①아름다울 서 아름다운 모양. '釃酒有一'《詩經》. ②성 서 성(姓)의 하나. [二] 마 여 蕷(艸部 十三畫)와 同字. '藷一桑椒'《水經注》.
[字源] 形聲. ++(艸)+與〔音〕

14 ⑱ [藉] [人名] [一] 자 [去]禡 慈夜切 jiè
[二] 적 [入]陌 秦昔切 jí 

[筆順] 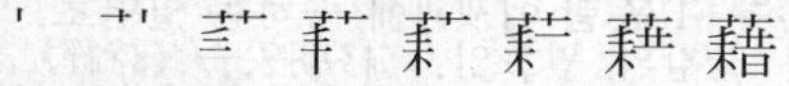

[字解] [一] ①깔개 자, 자리 자 밑에 까는 물건. 또, 실 같은 것을 떠서 옥(玉) 같은 것의 밑에 까는 물건. 받침. '執玉, 其有一者'《禮記》. ②깔 자 자리 같은 것을 깖. '一用白茅'《易經》. ③빌릴 자 ㉠남의 도움을 입음. '一兵乞食於西周'《戰國策》. ㉡차용함. '一外論之'《莊子》. ㉢'一口'는 입을 빌린다는 뜻으로, 핑계함을 이름. '苟有以一口而復於寡君'《左傳》. ④빌려줄 자 대여함. '一寇兵而齎盜糧也'《十八史略》. ⑤의뢰할 자 의지함. '可一與謀'《管子》. '民一以安'《十八史略》. ⑥도울 자 도와 권함. '一之以樂'《左傳》. ⑦이바지할 자 공물(貢物) 같은 것을 바침. '其一于成周'《穀梁傳》. ⑧갈 자 천자 또는 제후가 민력(民力)을 빌려 경작함. '不一千畝'《國語》. ⑨온화할 자 성품이 부드럽고 화락한 모양. '爲人溫雅有醞一'《漢書》. ⑩위로할 자 위안함. '慰一之'《後漢書》. ⑪가령 자 가정하는 말. '一令'. '一使子嬰有庸主之材'《賈誼》. [二] ①왁자할 적 떠들썩함. '名聲一甚'《漢書》. ②밟을 적 발로 밟음. 유린함. '鄴民大怨, 欲一史起'《呂氏春秋》. ③업신여길 적 대단히 경멸함. 능멸(凌蔑)함. '人皆一吾弟'《史記》. ④범할 적 침범함. '一夫子者無禁'《莊子》. ⑤노 적 실로 꼰 노. '狗來一'《莊子》. ⑥적전 적 '一田'은 천자(天子)가 친히 가는 전지(田地). ⑦성 적 성(姓)의 하나.
[字源] 篆文  形聲. ++(艸)+耤〔音〕. '耤적'은 '席석'과 통하여, '깔개'의 뜻. '艸초'를 붙여, 제사용의 풀로 엮은 자리를 뜻함.

[藉口 자구] 핑계함. 구실을 삼음.
[藉寇兵 자구병] 제 무기를 적에게 빌려 준다는 뜻으로, 수단이 졸렬(拙劣)하여 적을 이롭게 한 결과가 됨의 비유.
[藉令 자령] 가령(假令).
[藉甚 자심·적심] 평판이 높음. 명성이 대단함. 적심(籍甚).
[藉藉 자자] '적적(藉藉)'을 보라.
[藉藉 적적] ㉠엉클어진 모양. 어지러운 모양. ㉡왁자한 모양. 여러 사람의 입에 오르내려 시끄러운 모양.
[藉田 적전] 자해(字解)[二]❻을 보라.
◉權藉. 狼藉. 牢藉. 踏藉. 蹈藉. 杯盤狼藉. 崩藉. 憑藉. 承藉. 溫藉. 醞藉. 慰藉. 倚藉. 因藉. 繅藉. 薦藉. 枕藉.

14 ⑱ [藋] 조 [去]嘯 徒弔切 diào

[字解] 명아주 조 명아주〔藜〕의 일종. 전야(田野)에 저절로 남. 잎은 먹으며, 줄기는 지팡이를 만듦. '藜一柱乎鼪鼬之徑'《莊子》.
[字源] 篆文 形聲. ++(艸)+翟〔音〕. '翟적'은 꿩으로, 삭조(蒴藋)의 잎의 우상 복엽(羽

狀複葉)을 나타냄.

◉蓬藋. 蒴藋. 藜藋. 灰藋.

14 ⑱ [藍] 人名 람 ㊥覃 魯甘切 lán 蓝

筆順 丨 艹 艹 苎 苎 萨 萨 藍

字解 ①쪽 람 여뀟과에 속하는 일년초. 잎은 남빛 물감의 원료임. '終朝采—'《詩經》. ②남빛 람 진한 푸른빛. '鬼貌—色'《唐書》. ③누더기 람 襤(衣部 十四畫)과 통용. '華路—縷, 以啓山林'《左傳》. ④절 람 불사(佛寺). '伽—'. '創建精—, 號平田禪院'《傳燈錄》. ⑤함부로 람 濫(水部 十四畫)과 통용. '—之以樂, 以觀其不寧'《大戴禮》. ⑥성 람 성(姓)의 하나.

字源 篆文 形聲. ⺿(艸)+監〔音〕

[藍縷 남루] 누더기. 남루(襤褸).
[藍面 남면] 파란 얼굴.
[藍碧 남벽] 짙은 푸른빛.
[藍本 남본] 원본(原本).
[藍色 남색] 쪽빛.
[藍綬 남수] 남빛의 인끈.
[藍輿 남여] 남빛의 가마.
[藍靛 남전] 남빛의 옥(玉).
[藍田生玉 남전생옥] ㉠남전(藍田)은 산시 성(陝西省)에 있는 산 이름. 좋은 옥이 남. ㉡명문(名門)에 명사(名士)가 나고 어진 아버지에 어진 아들이 남을 이름. ㉢용모(容貌)가 수려함을 이름.
[藍靑 남청] 짙은 푸른빛.
◉伽藍. 甘藍. 俱藍. 木藍. 山藍. 菘藍. 蔚藍. 咱夫藍. 出藍. 紅藍.

14 ⑱ [藎] 人名 신 ㊦震 徐刃切 jìn 荩

字解 ①조개풀 신 벼과에 속하는 월년초. 줄기와 잎은 말려서 황색의 물감을 제조함. 황초(黃草). '—草一名黃草'《本草》. ②나아갈 신 충성심이 두터워 나아가 힘쓰는 모양. '王之—臣, 無念爾祖'《詩經》. ③나머지 신 잔여. '—滯抗絕'《馬融》. ④탄나머지 신 여신(餘燼). '具禍以—'《詩經》.

字源 篆文 形聲. ⺿(艸)+盡〔音〕. '盡진'은 '進진'과 통하여, '나아가다'의 뜻. 풀의 이름을 나타내나, 假借하여 적극적인 충애(忠愛)의 정을 다하다의 뜻을 나타냄.

[藎臣 신신] 충군애국(忠君愛國)하는 마음이 두터운 신하.
◉誠藎. 忠藎.

14 ⑱ [䔾] 〔격〕
蔽(艸部 十三畫〈p. 1975〉)의 本字

14 ⑱ [蒣] 〔록〕
菉(艸部 八畫〈p. 1930〉)과 同字

14 ⑱ [藏] 高人 장 ①-③㊥陽 昨郎切 cáng ④-⑥㊦漾 徂浪切 zàng

筆順 丨 艹 䒑 芹 莊 莊 藏 藏

字解 ①감출 장 ㉠속에 넣어 둠. '韞匵而—諸'《論語》. ㉡간직함. 저장함. '—書'. '我有斗酒, —之久矣'《蘇軾》. 또, 저장한 것. '厚積餘—'《史記》. ㉢숨김. '—匿'. '伏生壁—之'《漢書》. ㉣마음속에 품음. '—怒以待之'《國語》. ②숨을 장 자취를 감춤. '公子聞趙有處士毛公, —于博徒'《史記》. ③성 장 성(姓)의 하나. ④곳집 장 창고. '庫—'. '府—'. '謹蓋—'《禮記》. ⑤오장 장 臟(肉部 十八畫)과 통용. '未至二三里, 摧—馬悲哀'《古詩》. ⑥서장 장 서장(西藏)의 약칭(略稱). '—文'.

字源 篆文 形聲. ⺿(艸)+臧〔音〕. '臧장'은 '倉창'과 통하여, 감추어 저장하다의 뜻. 뒤에 '艸초'를 붙이어 '감추다, 숨기어 저장하는 장소, 곳간' 등을 뜻함.

[藏監 장감] 곳집을 맡아보는 사람.
[藏弆 장거] 서화 등을 간직함.
[藏經 장경] 대장경(大藏經).
[藏金於山藏珠於淵 장금어산장주어연] 쓸데없는 보옥(寶玉)은 귀중(貴重)히 하지 않는다는 말.
[藏頭隱尾 장두은미] 머리를 감추고 꼬리를 숨긴다는 뜻으로, 전말(顚末)을 분명히 설명하지 아니함.
[藏六 장륙] 거북의 이칭(異稱). 머리·꼬리, 네 발의 여섯 부분을 귀갑(龜甲) 속에 감추므로 이름.
[藏魄之地 장백지지] 육체를 묻은 땅.
[藏本 장본] 장서(藏書).
[藏鋒 장봉] 글씨를 쓰는 데 그 예봉(銳鋒)을 감추고 나타내지 아니함.
[藏書 장서] 간직하여 둔 책. 또, 책을 간직함.
[藏修游息 장수유식] 장수(藏修)는 학문을 정과(正課)로서 수습(修習)하는 일. 유식(游息)은 정과(正課) 이외의 휴식 시간에도 학문에 마음을 두는 일. 군자가 학문을 배우는데 마음이 항상 학문에서 떠나지 않는다는 뜻.
[藏拙 장졸] 졸(拙)함을 감추고 나타내지 않음.
[藏舟於壑 장주어학] 물건을 감춘 것이 견고(堅固)함의 뜻.
[藏中 장중] 광 속.
[藏竄 장찬] 달아나 숨음.
[藏置 장치] 넣어 둠. 감추어 둠.
[藏版 장판] 보관(保管)하여 둔 서적(書籍)의 책판(冊板).
[藏諱 장휘] 숨겨 입 밖에 내지 아니함. 감춤.
◉架藏. 家藏. 蓋藏. 經藏. 姑藏. 庫藏. 舊藏. 歸藏. 禁藏. 機藏. 內藏. 冷藏. 錄藏. 逃藏. 韜藏. 遁藏. 慢藏. 埋藏. 無盡藏. 迷藏. 密藏. 白藏. 壁藏. 寶藏. 伏藏. 腹藏. 封藏. 府藏. 祕密藏. 祕藏. 舍藏. 死藏. 私藏. 三藏. 所藏. 守藏. 收藏. 壽藏. 深藏. 愛藏. 餘藏. 斂藏. 瘞藏. 蘊藏. 窩藏. 用舍行藏. 幽藏. 匿藏. 輪藏. 隱藏. 潛藏. 貯藏. 儲藏. 積藏. 蟄藏. 正法眼藏. 地藏. 珍藏. 捉迷藏. 冢藏. 畜藏. 沈藏. 帑藏. 土藏. 退藏. 閉藏. 包藏. 含藏. 行藏. 晦藏.

14 ⑱ [藐] 一 묘 ㊤篠 亡沼切 miǎo 二 막 ㊂覺 莫角切 mò

字解 一 ①작을 묘 형체가 작음. '以是—諸孤, 辱在大夫'《左傳》. ②약할 묘 '—, 弱也'《字彙》. ③업신여길 묘 경시함. '—視'. '說大人則—之,

勿視其藐藐然'《孟子》. 三 멀 막 邈(辵部 十四畫)과 同字. '——昊天'《詩經》.

字源 篆文 形聲. 艹(艸)+貌(皃)〔音〕

[藐姑射之山 막고야지산] 북해(北海) 중에 있어 신선이 산다는 산.
[藐藐 막막] ㉠아름다운 모양. ㉡광대한 모양. 끝없는 모양. ㉢귀담아듣지 아니하는 모양.
[藐然 막연] 멀어서 미치지 아니하는 모양. 아득한 모양.
[藐視 묘시] 넘봄. 깔봄.

14 ⑱ [藧] 만 ㊀翰 莫半切 màn

字解 ①풀이름 만 풀이름. '—, 艸也'《集韻》. ②蔓(艸部 十一畫)의 訛字.

14 ⑱ [藑] 경 ㊀庚 渠營切 qióng

字解 ①풀이름 경 '—茅'는 향초(香草)의 하나. '索—茅以筳篿兮'《楚辭》. ②무 경 십자화과(科)의 재배 식물.

字源 篆文 形聲. 艹(艸)+夐(夐)〔音〕

14 ⑱ [藆] 간 ①㊤旱 古旱切 gǎn ②㊁翰 居案切 gàn

字解 ①짚 간 벼의 줄기. '稈, 說文, 禾莖也. 或作—'《集韻》. ②풀이름 간 '—, 艸也'《說文》.

字源 形聲. 艹(艸)+幹〔音〕

14 ⑱ [薶] 一 매 ㊀佳 莫皆切 mái 二 외 ㊀歌 烏禾切 wō

字解 一 ①묻을 매 埋(土部 七畫)와 同字. '掩骼—骴'《淮南子》. ②막을 매 '—, 塞也'《爾雅》. 二 더러울 외, 더럽힐 외 '塵垢不能—'《淮南子》.

字源 甲骨文 篆文 形聲. 艹(艸)+貍〔音〕. '貍매'는 '묻다'의 뜻. 풀로 덮어서 묻다의 뜻을 나타냄. '埋매'와 동일어 이체자(同一語異體字).

14 ⑱ [薱] 대 ㊁隊 徒對切 duì

字解 우거질 대 초목이 무성한 모양. '鬱蓊蔆—'《張衡》.

◉蔆薱.

14 ⑱ [藒] 一 〔걸〕 藒(艸部 十四畫〈p. 1979〉)과 同字 二 〔알〕 藹(艸部 十二畫〈p. 1967〉)의 俗字

14 ⑱ [薾] 이 ㊤紙 忍氏切 ěr

字解 ①성할 이 꽃이 한창 많이 핀 모양. '彼—維何'《詩經》. ②지칠 이 지쳐서 괴로워함.

字源 篆文 形聲. 艹(艸)+爾〔音〕. '爾이'는 빛깔이 선명한 모양.

14 ⑱ [藃] 一 효 ㊀肴 許交切 xiāo 二 고 ㊁號 呼到切 hào

字解 一 ①풀모양 효 풀의 모양. '—, 艸皃'《集韻》. ②벼상할 효 땅이 너무 걸어서 벼가 상함. '—, 禾傷肥'《廣韻》. 二 될 고 갑자기 튀어 일어남. '—, 暴起也'《集韻》.

字源 篆文 形聲. 艹(艸)+歊〔音〕. '歊효'는 기(氣)가 피어오르는 모양. 풀의 기운이 물씬물씬 풍기다의 뜻.

14 ⑱ [薷] 유 ㊀虞 汝朱切 rú

字解 ①노야기 유 '香—'는 노야기. 葇(艸部 九畫)와 同字. ②목이버섯 유 '—, 木耳'《集韻》.

字源 形聲. 艹(艸)+需〔音〕

14 ⑱ [精] 정 ㊀庚 咨盈切 jīng

字解 ①죽대 정 백합과의 다년초. 근경은 황정(黃精)이라 하여 약용하며, 어린잎과 줄기는 먹음. ②순무 정 '蕪—'은 순무. 菁(艸部 八畫)과 통용. ③장다리 정 무·배추 등의 꽃줄기. '今人呼蔬菜中心所抽之莖通曰—'《中華大字典》.

14 ⑱ [藊] 변 ㊤銑 補典切 biǎn

字解 변두 변 콩과의 만초. 씨와 어린 꼬투리까지 먹음. '—, 豆名'《正字通》.

字源 形聲. 艹(艸)+禾+扁〔音〕

14 ⑱ [薴] 녕 ㊀庚 女耕切 níng

字解 ①흐트러질 녕 ㉠풀이 흐트러짐. '—, 葶—'《廣韻》. ㉡머리가 흐트러짐. '鬤髮—穎兮顥鬢白'《楚辭》. (注) '—, 亂也'. ②뱀차조기 녕.

字源 篆文 形聲. 艹(艸)+寧〔音〕

14 ⑱ [藀] 영 ㊀庚 于平切 qióng

字解 ①얽힐 영 풀이 돌아서 얽힘. 縈(糸部 十畫)과 同字. '—, 艸旋皃也'《說文》. ②둥굴레 영 위유(萎蕤). '—, 萎蕤也'《玉篇》.

字源 篆文 形聲. 艹(艸)+熒〔音〕. '熒영'은 돌아서 감기다〔縈〕의 뜻.

14 ⑱ [藬] 〔궤〕 蕢(艸部 十二畫〈p. 1968〉)와 同字

14 ⑱ [藚] 탕 ㊁漾 大浪切 dàng

字解 미치광이 탕 미치광이. 낭탕(莨菪). 독초의 이름. '蘭—'. '—, 蘭—, 毒藥'《廣韻》.

14 ⑱ [藭] 一 〔구〕 冓(艸部 十畫〈p. 1954〉)와 同字 二 〔구〕 冓(冂部 八畫〈p. 223〉)의 俗字

14 ⑱ [藻] 〔조〕 藻(艸部 十六畫〈p. 1985〉)와 同字

14 ⑱ [藂] 〔총〕 叢(又部 十六畫〈p. 333〉)의 俗字

15 ⑲ **[藕]** [人名] 우 [上]有 五口切 ǒu

[字解] ①연뿌리 우 연의 지하경(地下莖). 연근(蓮根). '下有並根―'《古樂府》. ②연 우 부용(芙蓉). '丹―淩波而的皪'《左思》.
[字源] 形聲. ⺾(艸)＋耦〔音〕

[藕根 우근] 연뿌리. 연근(蓮根).
[藕斷絲連 우단사련] 연뿌리는 절단해도 그 실은 이어져 있다는 말. 이혼을 당하고서도 여전히 남편에게 마음이 끌리는 아내의 마음의 비유.
[藕絲 우사] 연(蓮)의 엽병(葉柄). 또는 연뿌리 속에 있는 섬유(纖維).
[藕花 우화] 연꽃. 연화(蓮花).
◉干挺藕. 蕖藕. 丹藕. 素藕. 蓮藕. 玉藕.

15 ⑲ **[藘]** 려 [平]魚 力居切 lǘ

[字解] ①꼭두서니 려 '茹―'는 꼭두서닛과에 속하는 다년생 만초(蔓草). 뿌리는 염료 또는 진통제(鎭痛劑)로 씀. 꼭두서니. '茹―在阪'《詩經》. ②성 려 성(姓)의 하나.
[字源] 形聲. ⺾(艸)＋慮〔音〕

◉茹藘.

15 ⑲ **[藙]** 의 [去]未 魚既切 yì

[字解] 머귀나무 의 운향과(芸香科)의 낙엽 교목(落葉喬木). 가지에 가시가 많으며, 열매는 매움. 식수유(食茱萸). 일설(一說)에는, 산초나무의 일종. '三牲用―'《禮記》.
[字源] [篆文] 形聲. ⺾(艸)＋毅〔音〕. '毅의'는 '豙의'로도 쓰며, '豪의'와 통하여, 멧돼지가 털을 곤두세우고 성을 내다의 뜻. 나무에 곤두선 털 같은 가시가 있는 머귀나무를 이름.

15 ⑲ **[藚]** 속 [入]沃 似足切 xù

[字解] 질경이택사 속 택사과에 속하는 다년초. 늪이나 논에 저절로 나는데, 뿌리는 약용하며, 관상용으로 심음. '言采其―'《詩經》.
[字源] [篆文] 形聲. ⺾(艸)＋賣〔音〕

15 ⑲ **[藜]** [人名] 려 [平]齊 郎奚切 lí

[字解] ①명아주 려 명아줏과에 속하는 일년초. 각처의 전야(田野)에 나는데, 잎은 먹으며, 줄기로는 지팡이를 만듦. '―杖'. '―莠蓬蒿竝興'《禮記》. ②성 려 성(姓)의 하나.
[字源] [篆文] 形聲. ⺾(艸)＋黎〔音〕. '黎려'는 수수의 뜻. 수수 이삭과 같은 알갱이 모양의 꽃을 다는 '명아주'를 일컬음.

[藜羹 여갱] 명아주 국. 전(轉)하여, 악식(惡食).
[藜藿 여곽] 명아주 잎과 콩잎. 전(轉)하여, 악식(惡食).
[藜杖 여장] 명아주대로 만든 지팡이.
[藜杖韋帶 여장위대] 명아주 지팡이와 가죽 띠. 아주 검소한 생활을 이름.
[藜灰 여회] 명아주를 태운 재. 염료(染料)로 씀.
◉配藜. 杖藜. 蒺藜.

15 ⑲ **[藝]** [中人] 예 [去]霽 魚祭切 yì 艺

[筆順] 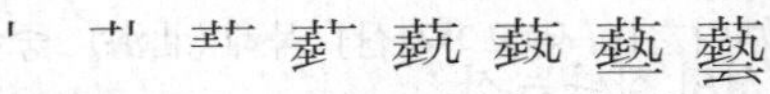

[字解] ①재주 예 ㉠재능. '材―'. '故功有―也'《禮記》. ㉡학문. 또는, 기술. '六―'. '能通一―以上'《史記》. ②재주있을 예 재능 또는 학예에 뛰어남. '求也―'《論語》. ③법 예 법도. 준칙. '貢之無―'《左傳》. ④끝 예 극한(極限). '貪欲無―'《國語》. ⑤나눌 예 분배함. 분별함. '合諸侯而―貢事禮也'《孔子家語》. ⑥심을 예 땅에 심음. '辛勤―宿麥, 所望明年熟'《陸游》. ⑦성 예 성(姓)의 하나.
[字源] 形聲. 芸＋埶〔音〕. '埶예'는 '藝'의 原字. '김매다'의 뜻의 '芸운'을 덧붙임. 원에 기술의 뜻에서, 일반적으로, '재주'의 뜻도 나타내게 됨.
[參考] 芸(艸部 四畫)는 略字.

[藝極 예극] 법도. 표준(標準).
[藝技 예기] 기예(技藝).
[藝妓 예기] 기생(妓生).
[藝能 예능] 예술과 기능(技能).
[藝林 예림] ㉠예원(藝苑). ㉡문학가(文學家)의 사회.
[藝文 예문] 기예(技藝)와 학문. 예술과 문학.
[藝文類聚 예문유취] 당나라 구양순(歐陽詢) 등이 칙명(勅命)을 받들어 수찬(修撰)한 유서(類書). 모두 1백 권. 천(天)·세시(歲時)·지(地)·주(州)·군(郡)·산(山)·수(水)·제왕(帝王)·후비(后妃) 등 48문(門)을 분류하여 사실(事實)을 설명 고증(考證)하고 권말(卷末)에 그에 관한 시문(詩文)을 벌여 놓았음.
[藝文志 예문지] 당시(當時)에 있는 서적 목록(目錄)을 수집 기록해 놓은 책. 한서(漢書)의 예문지가 그 효시(嚆矢)이며, 또 가장 유명함.
[藝事 예사] 기예(技藝)에 관한 일.
[藝術 예술] ㉠기예(技藝)와 학술. ㉡미(美)를 표현하는 수단. 미술(美術).
[藝苑 예원] 전적(典籍)이 많이 모인 곳.
[藝人 예인] 기예(技藝)로 섬기는 신하.
[藝祖 예조] ㉠문덕(文德)이 있는 조상(祖上). 문조(文祖). 일설(一說)에는, 예조(禰祖)의 전음(轉音)이라 함. ㉡태조(太祖).
◉嘉藝. 貇藝. 耕藝. 經藝. 曲藝. 工藝. 羣藝. 技藝. 農藝. 多藝. 道藝. 陶藝. 篤藝. 武藝. 無藝. 文藝. 民藝. 博藝. 射藝. 詞藝. 手藝. 樹藝. 術藝. 識藝. 演藝. 耘藝. 雄藝. 園藝. 偉藝. 遊藝. 遺藝. 六藝. 異藝. 一藝. 壯藝. 才藝. 材藝. 絕藝. 種藝. 豐藝. 學藝.

15 ⑲ **[藞]** 라 [上]馬 呂下切 lǎ

[字解] ①맞지않은모양 라 빗맞은 모양. '―, ―礎, 不中皃'《集韻》. ②진흙흐슬부슬할 라 '―苴'는 진흙이 차지지 못한 모양. '―, ―苴, 泥不熟'《集韻》.

15 ⑲ **[藟]** 류 [上]紙 力軌切 lěi

[字解] 덩굴풀 류 딴 것에 감기는 만초(蔓草)의 총칭. 일설(一說)에는, 등나무(藤). '葛—纍之'《詩經》.
[字源] 篆文 形聲. 艹(艸)+畾〔音〕. '畾뢰'는 '겹치다'의 뜻. 덩굴이 위로 겹쳐 가는 덩굴풀의 뜻을 나타냄.

◉葛藟. 蘿藟.

15 ⑲ [藤] [人名] 등 [平]蒸 徒登切 téng

[筆順] ' 艹 芹 萨 藤 藤 藤 藤

[字解] ①등나무 등 콩과에 속하는 낙엽 만목(落葉蔓木). 산과 들에 나는데 줄기로는 의자·가구(家具) 등을 만들며, 어린잎과 씨는 식용(食用)함. 관상용으로 심음. '—架'. '唯將數人攀—而上'《北史》. ②성 등 성(姓)의 하나.
[字源] 形聲. 艹(艸)+滕〔音〕. '滕등'은 위로 오르다의 뜻. 덩굴이 위로 올라가는 '등나무'의 뜻을 나타냄.
[參考] 籐(竹部 十五畫)은 別字.

[藤架 등가] 등나무 시렁.
[藤蘿 등라] 등나무.
[藤纏 등전] 등나무가 얽힘.
[藤紙 등지] 종이의 한 가지.
◉葛藤. 亂藤. 綠藤. 白藤. 常春藤. 剡藤. 紫藤. 蒼藤. 青藤. 寒藤. 榼藤. 荒藤.

15 ⑲ [藥] [中·人] 약 [入]藥 以灼切 yào 药

[筆順] ' 艹 苜 䒷 蕬 蕬 藥 藥

[字解] ①약 약 ㉠병을 고치는 데 효력이 있는 물질. '醫—'. '服—'. '君有疾飮—'《禮記》. ㉡신체를 해치는 물질. 독(毒). '仰—'. '臣願請—賜死'《戰國策》. ㉢폭발 작용을 하는 물질. '火—'. '裝—'. ②약초 약 약으로 쓰는 초목. '—園'. '執衽采—'《司馬光》. ③약쓸 약 약을 사용하여 병을 고침. '不可救—'《詩經》. ④성 약 성(姓)의 하나.
[字源] 金文 篆文 形聲. 艹(艸)+樂〔音〕. '樂료'는 '了료'·'料료'·'療료' 등과 통하여, '다스리다'의 뜻. 병(病)을 끝내는 풀, '약(藥)'의 뜻을 나타냄.

[藥價 약가] 약값.
[藥局 약국] 약(藥)을 짓는 곳.
[藥氣 약기] 약내.
[藥囊 약낭] 약봉지.
[藥袋 약대] 약낭(藥囊).
[藥德 약덕] 약의 효험(效驗).
[藥毒 약독] 약의 독기(毒氣).
[藥力 약력] 약의 힘. 약의 효험.
[藥令市 약령시] 봄·가을에 한약재를 매매하던 시장.
[藥爐 약로] 약을 달이는 화로.
[藥籠 약롱] 약을 넣는 농.
[藥籠中物 약롱중물] 약롱에 든 약이라는 뜻으로, 필요한 인물을 이름.
[藥料 약료] ㉠약재(藥材). ㉡약값.
[藥名 약명] 약의 이름.
[藥物 약물] 약. 또, 그 재료.
[藥味 약미] ㉠약의 맛. ㉡약품(藥品).
[藥方 약방] 약방문.
[藥房 약방] 약을 파는 가게.
[藥方文 약방문] 약제(藥劑)의 약명(藥名)과 분량(分量)을 적은 종이. 방문(方文). 약화제(藥和劑).
[藥弗瞑眩厥疾弗瘳 약불명현궐질불추] 약을 마시고 어질어질하지 아니하면 병이 낫지 아니함. 곧, 폐해를 제거하기 위하여는 철저한 방법을 써서 다소의 고통을 참지 아니하면 안 된다는 뜻.
[藥師 약사] ㉠의사. ㉡《佛敎》 약사여래(藥師如來)의 준말. 중생의 병환을 고치고 무명(無明)을 건지는 법약(法藥)을 주는 부처. ㉢약제사(藥劑師).
[藥商 약상] 약을 파는 사람. 약장수.
[藥石 약석] ㉠약과 침(鍼). 전(轉)하여, 병의 치료. ㉡경계가 되는 유익한 말.
[藥石之言 약석지언] 약석(藥石)㉡.
[藥性 약성] 약의 성질.
[藥水 약수] 약물.
[藥液 약액] 약으로 쓰는 액체(液體).
[藥養 약양] 약을 먹고 몸을 보양(保養)함.
[藥言 약언] 약석(藥石)㉡.
[藥王 약왕] 《佛敎》 ㉠약왕보살(藥王菩薩)의 약칭. ㉡약사여래(藥師如來).
[藥用 약용] 약의 작용. 또, 약으로 씀.
[藥園 약원] 약초를 심는 밭.
[藥餌 약이] 약과 음식. 또, 약.
[藥材 약재] 약의 재료.
[藥箋 약전] 약의 처방을 쓴 종이. 처방전(處方箋).
[藥劑 약제] 여러 가지 약재(藥材)를 섞어 조제한 약.
[藥劑師 약제사] 약재(藥材)로 약을 조제하는 사람.
[藥種 약종] 약재(藥材).
[藥酒 약주] 약으로 쓰는 술. 또, 독한 술.
[藥債 약채] 남에게 진 약값.
[藥草 약초] 약재로 쓰는 풀.
[藥湯 약탕] 탕약.
[藥圃 약포] 약원(藥園).
[藥鋪 약포] 약국(藥局).
[藥品 약품] ㉠약의 품질(品質). ㉡약제(藥劑).
[藥學 약학] 약재의 과학적 성질과 치료·위생(衛生)과의 관계에 대하여 연구하는 학문.
◉膏藥. 狂藥. 救藥. 劇藥. 奇藥. 農藥. 丹藥. 毒藥. 麻藥. 賣藥. 妙藥. 無病無藥. 媚藥. 發藥. 方藥. 百藥. 服藥. 傅藥. 腐腸藥. 不龜手藥. 不死藥. 祕藥. 鼻藥. 山藥. 散藥. 上藥. 仙藥. 善藥. 成藥. 水藥. 試藥. 神藥. 仰藥. 良藥. 御藥. 靈藥. 五藥. 釉藥. 痦藥. 應病與藥. 醫藥. 餌藥. 勺藥. 灼藥. 芍藥. 長生藥. 裝藥. 典藥. 箭藥. 製藥. 調藥. 坐藥. 座藥. 持藥. 珍藥. 採藥. 硝藥. 祝藥. 鍼藥. 彈藥. 湯藥. 投藥. 爆藥. 漢方藥. 韓方藥. 行藥. 紅藥. 火藥. 丸藥.

15 ⑲ [蘑] 마 [去]箇 莫臥切 mó

[字解] 박주가리 마 '蘿—'는 박주가리과에 속하는 다년생 만초(蔓草). 새박덩굴.

◉蘿蘑.

15 ⑲ [藨] 표 ①②[上]篠 平表切
③[平]蕭 甫嬌切 biāo

[字解] ①쥐눈이콩 표 콩과(科)에 속하는 다년생 만초(蔓草). 녹곽(鹿藿). ②기름사초 표 사초과에 속하는 다년초. 물가 습지에 나는데, 기름 냄새가 남. '其草則—苧薠莞'《張衡》. ③뱀딸기 표 장미과에 속하는 다년초. 산과 들에 저절로 남. 사매(蛇莓).

[字源] 篆文 形聲. ++(艸)+麃〔音〕. '麃표'는 고라니. 사슴이 즐겨 먹는 콩, '쥐눈이콩'을 뜻함.

15 ⑲ [藩] [人名] 번 [平]元 甫煩切 fān

[字解] ①울 번 울타리. '—籬'. '羝羊觸—'《易經》. 전(轉)하여, 가려 막는 물건. '价人維—'《詩經》. 또, 한 지방(地方)을 진정(鎭定)하여 왕실(王室)을 수호하는 제후(諸侯)의 나라. 또는 지방 정부를 이름. '—屛'. '重—'. '爲陛下守—'《漢書》. ②지경 번 구획을 한 경계. '遊于其—'《莊子》. ③지킬 번 수호함. '—衞侯之舍'《左傳》. ④휘장 번 수레의 가리개. 수레 양편에 달아 바람·먼지를 막는 것. '—, 謂車兩邊禦風爲—蔽'《儀禮 疏》. ⑤성 번 성(姓)의 하나.

[字源] 篆文 形聲. ++(艸)+潘〔音〕. '潘번'은 '쌀뜨물'의 뜻. 가리어서 막는 '울타리'의 뜻에서, 군주(君主)를 수호하는 제후(諸侯)의 나라를 뜻함.

[藩車 번거] 덮개가 있는 수레.
[藩國 번국] 국가의 번병(藩屛)이 되는 나라. 곧, 제후(諸侯)의 나라. 번방(藩邦).
[藩落 번락] 울. 울타리.
[藩籬 번리] ㉠울. 울타리. ㉡덮개. ㉢제후(諸侯). ㉣울 안. 범위(範圍).
[藩邦 번방] 번국(藩國).
[藩屛 번병] ㉠울. 울타리. ㉡수레의 덮개. ㉢제후(諸侯). ㉣왕실 또는 국가를 수호함.
[藩輔 번보] 제후(諸侯).
[藩服 번복] 구복(九服)의 하나. 왕궁(王宮)과 거리가 5천 리 되는 땅. 번복(蕃服).
[藩府 번부] 제후(諸侯) 또는 번진(藩鎭)의 관아(官衙).
[藩臣 번신] 왕실의 번병(藩屛)이 되는 신하. 곧, 제후(諸侯).
[藩垣 번원] 울타리. 담. 국가 조정의 수호, 또는 수호인을 이르는 말.
[藩牆 번장] 울. 울타리.
[藩職 번직] 제후(諸侯) 밑에 속하는 관직.
[藩鎭 번진] 당대(唐代)의 절도사(節度使). 전(轉)하여, 왕실의 번병(藩屛)이 되는 지방의 군진(軍鎭).
[藩戚 번척] 천자(天子)와 일가가 되는 제후(諸侯).
[藩蔽 번폐] ㉠울. 울타리. ㉡제후(諸侯).
[藩翰 번한] 번병(藩屛).
[藩侯 번후] 제후(諸侯).
◉彊藩. 鉅藩. 大藩. 名藩. 小藩. 列藩. 外藩. 雄藩. 遠藩. 懿藩. 籬藩. 昵藩. 牆藩. 羝羊觸藩. 諸藩. 宗藩. 重藩. 戚藩. 親藩. 脫藩. 廢藩. 翰藩.

15 ⑲ [藪] [人名] 수 [上]有 蘇后切 sǒu 薮

[字解] ①수풀 수 '林—'. '山林麓—, 非人所處'《易林》. 전(轉)하여, 사물이 많이 모이는 곳. '淵—'. '遂爲逋逃之—'《北史》. 또, 처사(處士)가 은거하는 시골. '辭朝歸—'《湛方生》. ②늪 수 어류(魚類)·조수(鳥獸) 등이 많이 모이며 초목이 빽빽이 우거진 습지. '—牧養蕃鳥獸'《周禮》.

[字源] 篆文 形聲. ++(艸)+數〔音〕. '數수'는 '수많다'의 뜻. 조수(鳥獸)가 많이 모이는 곳.

[藪澤 수택] 초목이 무성하거나 어류·동물이 많이 번식하는 넓은 습지.
◉寠藪. 歸藪. 萊藪. 談藪. 淵藪. 原藪. 幽藪. 林藪.

15 ⑲ [藭] 궁 [平]東 渠弓切 qióng 䓖

[字解] 천궁이 궁, 궁궁이 궁 芎(艸部 三畫)을 보라. '芎—'《廣韻》.

[字源] 篆文 形聲. ++(艸)+窮〔音〕

15 ⑲ [藒] 〔걸〕
藒(艸部 十四畫〈p. 1979〉)과 同字

15 ⑲ [藘] 려 [平]魚 力居切 lǘ

[字解] ①다북쑥 려 '菴—'는 다북쑥. '菴—, 艸名, 狀如艾蒿, 近道處處有之'《集韻》. ②풀이름 려 '—茹'는 일년생의 들풀. 뿌리는 약용함.

15 ⑲ [藖] 간(한[本]) [平]刪 戶閒切 xián

[字解] ①여물찌꺼기 간 마소의 여물의 찌끼. '豈欲皁櫪中, 爭食薧與—'《元結》. ②굳을 간 단단함. '—, 堅也'《廣雅》.

15 ⑲ [藫] 담 [平]覃 徒含切 tán

[字解] ①수태(水苔) 담 녹조류(綠藻類)의 담수조(淡水藻). 실 모양으로 못·늪 같은 데 남. 석의(石衣). 수면(水棉). '—, 石衣. (注) 水苔也, 一名石髮, 江東食之'《爾雅》. ②풀가사리 담 홍조류(紅藻類)의 하나. 끈끈하며 광택이 남. 해라(海蘿). '—, 海藻也, 又名海蘿, 如亂髮, 生海水中'《玉篇》.

15 ⑲ [藗] 속 [入]屋 桑谷切 sù

[字解] 띠 속 열매를 맺지 않는 백모(白茅)의 일종. '—, 牡茅. (注) 白茅屬. (疏) 茅之不實者也'《爾雅》.

[字源] 篆文 形聲. ++(艸)+遬〔音〕

15 ⑲ [藤] 슬 [入]質 息七切 xī

[字解] 쇠무릎지기 슬 '牛—'은 쇠무릎지기. 膝(肉部 十一畫)과 통용. '牛—, 藥名, 按, 本草綱目作膝'《正字通》.

15 ⑲ [䕸] 렵 [入]葉 力涉切 liè

[筆順] 十 艹 艹 ...

[字解] 풀흔들리는모양 렵 풀이 흔들리는 모양. '一, 草動貌'《字彙》.

15 ⑲ [膚] 부 ㊥虞 甫無切 fū

[字解] 댑싸리 부 '地一'는 댑싸리. 膚(肉部 十一畫)와 통용. '一, 地膚, 嫩苗, 可作蔬, 一科數十枝, 團簇直上, 子最繁, 一名地麥, 因其子形似也, 一名地葵, 因其苗形似也'《正字通》.

15 ⑲ [蕮] 사 ㊤馬 洗野切 xiě

[字解] 택사 사 택사(澤蕮). '澤一, 藥草'《集韻》.

15 ⑲ [藳] 〔고〕
稾(禾部 十畫〈p.1627〉)와 同字

15 ⑲ [蘄] 〔기·근〕
蘄(艸部 十六畫〈p.1987〉)와 同字

15 ⑲ [薾] 〔니〕
苨(艸部 五畫〈p.1909〉)와 同字

15 ⑲ [藫] 〔담〕
藫(艸部 十六畫〈p.1989〉)과 同字

15 ⑲ [蔕] 〔체·대〕
蔕(艸部 十一畫〈p.1961〉)와 同字

15 ⑲ [莨] 〔랑〕
莨(艸部 七畫〈p.1926〉)과 同字

15 ⑲ [蕗] 〔로〕
蕗(艸部 十六畫〈p.1986〉)와 同字

15 ⑲ [疐] 〔치〕
疐(疋部 十一畫〈p.1478〉)와 同字

15 ⑲ [藴] 〔온〕
蘊(艸部 十六畫〈p.1988〉)의 俗字

15 ⑲ [藑] 〔경〕
藑(艸部 十四畫〈p.1981〉)의 本字

16 ⑳ [藶] 력 ㊇錫 郎擊切 lì

[字解] 꽃다지 력 葶(艸部 九畫)을 보라. '葶一'.
[字源] 形聲. 艹(艸)+歷〔音〕

◉葶藶.

16 ⑳ [藷] [人名] 저 ①②㊦御 常恕切 shǔ
③㊥魚 章魚切 zhū

[字解] ①마 저 맛과에 속하는 다년초. 일설(一說)에는, 참마. '芋蘱一藇'《蘇軾》. ②고구마 저 '甘一'는 고구마. ③사탕수수 저 '一, 一蔗也'《說文》.
[字源] [篆文] 形聲. 艹(艸)+諸〔音〕

[藷芋 저우] 고구마.
[藷蔗 저자] 사탕수수.

◉甘藷. 山藷. 蒜腦藷. 土藷.

16 ⑳ [藹] 애 ㊦泰 於蓋切 ǎi

[字解] ①우거질 애 수목이 무성한 모양. '晻一'. '鬱蕭條其幽一'《揚雄》. ②온화할 애 성품이 온화한 모양. 화기가 있는 모양. '一然'. ③성 애 성(姓)의 하나.
[字源] 形聲. 艹(艸)+謁〔音〕. '謁알·애'는 왕성하게 갈구함의 뜻. '艸초'를 붙이어, 풀이 왕성하게 자라듯 왕성함을 뜻함.

[藹藹 애애] ㉠많고 성(盛)한 모양. ㉡초목이 무성한 모양. ㉢좋은 향기가 나는 모양. ㉣달빛이 어둠침침한 모양.
[藹然 애연] ㉠성(盛)한 모양. ㉡성품(性品)이 온화한 모양.
[藹蔚 애위] 초목이 무성함.
[藹彩 애채] 신선한 모양.
◉暗(闇)藹. 菴藹. 蓊藹. 蔚藹. 幽藹. 黝藹. 隱藹. 蔭藹.

16 ⑳ [藺] [人名] 린 ㊦震 良刃切 lìn

[字解] ①골풀 린 골풀과에 속하는 다년초. 못과 늪에 나는데, 줄기로는 자리를 만듦. 등심초(燈心草). '馬一草株'《北史》. ②성 린 성(姓)의 하나.
[字源] [篆文] 形聲. 艹(艸)+閵〔音〕

[藺相如 인상여] 전국 시대 조(趙)나라의 명신(名臣). 진(秦)나라 소양왕(昭襄王)이 열다섯 성(城)을 조(趙)나라 화씨(和氏)의 벽(璧)과 바꾸고자 하였을 때 사신(使臣)으로 가서 소양왕의 간계(奸計)를 간파하고 벽(璧)을 잘 보존(保存)하여 귀국하였음. 뒤에 상경(上卿)이 되어 용장(勇將)인 염파(廉頗)와 문경지교(刎頸之交)로써 사귀어 함께 조나라를 융성하게 했음.
[藺石 인석] 성(城) 위에서 적(敵)에게 던지는 돌.
◉馬藺. 慕藺. 廉藺.

16 ⑳ [藻] [人名] 조 ㊤晧 子皓切 zǎo

[字解] ①조류 조 은화식물(隱花植物)인 수초(水草)의 총칭. '于以采一'《詩經》. ②무늬 조, 꾸밈 조 문채. 문식(文飾). 전(轉)하여, 시가·문장 등의 미사여구(美辭麗句). '詞一'. '文一'. '鋪鴻一'《班固》. '故作文賦, 以述先士之盛一'《陸機》. ③꾸밀 조 수식(修飾)함. 장식함. '劉繇一厲名行, 好尙臧否'《吳志》. ④그릴 조 무늬를 그림. '山節一梲'《論語》. ⑤깔개 조, 옥받침 조 옥(玉) 밑을 받쳐 까는 물건. '玉一'. '執玉其有一者則裼'《禮記》. ⑥성 조 성(姓)의 하나.
[字源] [篆文] [別體] 形聲. 艹(艸)+澡〔音〕. '澡조'는 '씻다'의 뜻. 물속에서 씻기고 있는 조류(藻類)의 일컬음.

[藻鑑 조감] 지인지감(知人之鑑).
[藻鏡 조경] 조감(藻鑑).
[藻棟 조동] 수초(水草)를 그린 마룻대.
[藻厲 조려] 수식하고 탁마(琢磨)함.

[藻類 조류] 은화식물인 수초(水草)의 총칭. 갈조류(褐藻類)·녹조류(綠藻類)·홍조류(紅藻類) 등이 있음.
[藻文 조문] 수초(水草)의 무늬. 또, 무늬.
[藻抃 조변] 뛰며 좋아함.
[藻思 조사] 시문을 잘 짓는 재능. 문재(文才).
[藻飾 조식] ㉠외양을 꾸밈. 몸단장을 함. ㉡문장을 수식함. 미사여구(美辭麗句)를 씀.
[藻雅 조아] 시문(詩文)에 능하고 고아(高雅)함. 문아(文雅).
[藻耀 조요] 아름답게 빛남.
[藻井 조정] 불을 피하는 방으로 수초(水草)를 그린 천장. 또, 단지 천장.
[藻翰 조한] ㉠아름다운 무늬가 있는 것. ㉡미문(美文).
[藻荇 조행] 수초(水草).
[藻火 조화] 수초(水草)와 불꽃. 모두 치마의 무늬로 쓰이었음.
◉嘉藻. 芹藻. 摛藻. 綺藻. 馬藻. 文藻. 密藻. 斧藻. 浮藻. 鳧藻. 蘋藻. 詞藻. 辭藻. 盛藻. 粹藻. 魚藻. 麗藻. 詠藻. 睿藻. 蘊藻. 牛藻. 才藻. 萍藻. 品藻. 翰藻. 海藻. 鴻藻.

16 ⑳ [藔] 로 [上]晧 盧皓切 lǎo

[字解] 마른매실 로 건조시킨 매화나무의 열매. '乾一榛實'《周禮》.
[字源] 篆文 別體 形聲. 艹(艸)+橑〔音〕. '橑로'는 '땔나무, 건조하다'의 뜻. 別體도 形聲. 艹(艸)+潦〔音〕. '潦료'는 '橑'와 통용.

◉乾藔.

16 ⑳ [藾] 뢰 [去]泰 落蓋切 lài

[字解] ①쑥 뢰 쑥〔蒿〕의 일종. '苹, 一蕭'《爾雅》. ②덮을 뢰 덮어 가림. '隱將芘其所一'《莊子》.('芘'는 '庇')
[字源] 形聲. 艹(艸)+賴〔音〕

◉菱藾. 苹藾.

16 ⑳ [薂] [一] 효 [平]肴 下巧切 xiào [二] 교 [上]巧 古巧切 jiǎo

[字解] [一] 풀뿌리 효 풀의 뿌리. '一, 艸根'《集韻》. [二] 풀뿌리 교 [一]과 뜻이 같음.

16 ⑳ [蘡] 루(구[本]) [上]麌 郡羽切 jù

[字解] 풀이름 루 풀이름. 또는 목이버섯. '一, 艸名, 一曰, 木耳, 或省'《集韻》.

16 ⑳ [蘜] 국 [入]屋 丘六切 jú [入]職 丘菊切

[字解] 국화 국 '一, 日精也. 㠯秋華'《說文》.
[字源] 形聲. 艹(艸)+鞠〈省〉〔音〕

16 ⑳ [藿] [人名] 곽 [入]藥 虛郭切 huò

[字解] ①콩 곽 풋콩. '椒一'. '食我場一'《詩經》. ②콩잎 곽 콩의 잎. '牛一'《儀禮》. ③풀이름 곽 향초(香草)의 하나. '草則一蒳豆蔻'《左思》. ④《韓》미역 곽 '甘一'.
[字源] 篆文 形聲. 艹(艸)+霍〔音〕. '霍곽'은 황급히 지다의 뜻. 엽병(葉柄)이 떨어지기 쉬운 콩잎을 뜻함.

[藿羹 곽갱] 콩잎 국.
[藿亂 곽란] 여름에 음식(飮食)에 체(滯)하여 별안간 토(吐)하고 설사(泄瀉)가 심(甚)한 병(病).
[藿食者 곽식자] 콩잎을 먹는 자(者)라는 뜻으로, 백성을 이름. 관리를 육식자(肉食者)라 함의 대(對).
[藿田 곽전] 미역을 양식하는 밭.
[藿蠋 곽촉] 콩잎을 갉아 먹는 벌레.
◉鹿藿. 屠者羹藿. 芳藿. 菽藿. 藜藿. 糲藿. 春藿.

16 ⑳ [蘀] [一] 탁 [入]藥 他各切 tuò [二] 택 [入]陌 直格切 zé

[字解] [一] ①낙엽 탁 떨어진 잎. '秋一'. '一兮一兮, 風其吹女'《詩經》. ②대껍질 탁 籜(竹部 十六畫)과 통용. '初篁苞綠一'《謝靈運》. ③갈댓잎 탁 갈대의 잎. '太液池邊, 皆是彫胡紫一綠節之類'《西京雜記》. ④떨어질 탁 잎이 짐. '一, 落也'《廣雅》. [二] 택사 택 벗풀. '蘀, 蘀蕮, 藥艸. 或作一'《集韻》.
[字源] 篆文 形聲. 艹(艸)+擇〔音〕. '擇택'은 '殬두'와 통하여, '찢어지다'의 뜻. 고엽(枯葉).

[蘀蕮 택사] 벗풀. 연못에 나는 택사과(科)의 다년생 식물. 뿌리는 약재로 씀.
◉輕蘀. 枯蘀. 綠蘀. 隕蘀. 紫蘀. 秋蘀.

16 ⑳ [蘘] [一] 낭 [平]陽 奴當切 [二] 녕 [平]庚 乃庚切 níng

[字解] [一] 풀이름 낭 '藉一'은 풀의 이름. 소의 재갈이나 우물의 두레박줄을 만드는 데 쓰임. '一, 藉一, 可㠯作縻·綆'《說文》. [二] 풀이름 녕 [一]과 뜻이 같음.
[字源] 形聲. 艹(艸)+甯〔音〕

16 ⑳ [蘁] [一] 오 [去]遇 五故切 wù [二] 악 [入]藥 逆各切 è

[字解] [一] 거스를 오 이치에 거스름. 忤(心部 四畫)와 통용. '不敢一立'《莊子》. [二] ①놀랄 악 愕(心部 九畫)과 통용. '一夢'《列子》. ②꽃받침 악 萼(艸部 九畫)과 同字.
[字源] 形聲. 艹(艸)+噩〔音〕

16 ⑳ [蘂] [人名] 예 [上]紙 如累切 ruǐ

[字解] 꽃술 예 蕊(艸部 十二畫)의 俗字. '華一之蓑蓑'《張衡》.

◉金蘂. 落蘂. 纖蘂. 麗蘂. 玉蘂. 花蘂. 華蘂.

16 ⑳ [蘃] 蘂(前條)의 訛字

16 ⑳ [蘄] ㊀ 기 ㊥支 渠之切 qí ㊁ 근 ㊥文 巨斤切 qín 蘄

字解 ㊀ ①재갈 기 마함(馬銜). '結駟方—'《張衡》. ②바랄 기 기원함. 祈(示部 四畫)와 통용. '—生'《莊子》. ③성 기 성(姓)의 하나. ㊁ 왜당귀(倭當歸) 근 '山—'은 산형과(科)에 속하는 다년초. 뿌리는 약재로 씀. '山—, 當歸'《康熙字典》.

字源 篆文 形聲. ⺾(艸)＋斳〔音〕

◉山蘄.

16 ⑳ [蘅] 형 ㊥庚 戶庚切 héng

字解 두형 형 '杜—'은 세신과(細辛科)에 속하는 상록 다년초. '雜杜—與芳芷'《楚辭》.

字源 形聲. ⺾(艸)＋衡〔音〕

◉丹蘅. 杜蘅. 薇蘅. 幽蘅. 楚蘅.

16 ⑳ [蘆] 人名 로 ㊥虞 落胡切 lú 芦

字解 ①갈대 로 볏과(科)에 속하는 다년초. 아직 이삭이 패지 않은 갈대로, 줄기는 발·자리의 재료, 뿌리는 약재로 씀. '葭—'. '—荻無花秋水長'《王士禎》. ②호리병박 로 박의 일종. '瓠—'. '胡—'. ③성 로 성(姓)의 하나.

字源 篆文 形聲. ⺾(艸)＋盧〔音〕. '盧로'는 '旅려'와 통하여, '줄 잇다'의 뜻. 줄이어 나는 풀, '갈대'를 뜻함.

[蘆管 노관] 노적(蘆笛).
[蘆笠 노립] 갈삿갓.
[蘆菔 노복] 무. 나복(蘿蔔).
[蘆雪 노설] 갈대 이삭이 눈처럼 흼을 이름.
[蘆岸 노안] 갈대가 우거진 물가의 언덕.
[蘆葦 노위] 갈대.
[蘆荻 노적] 갈대와 물억새.
[蘆笛 노적] 갈대의 잎을 말아 만든 피리. 갈피리.
[蘆田 노전] 갈밭.
[蘆簟 노점] 삿자리.
[蘆汀 노정] 갈대가 난 물가.
[蘆洲 노주] 갈대가 난 사주(砂洲).
[蘆錐 노추] 갈대의 싹.
[蘆花 노화] 갈꽃.
[蘆灰 노회] 갈대를 땐 재.

◉葭蘆. 菰蘆. 碧蘆. 岸蘆. 藜蘆. 葦蘆. 依様畫胡蘆. 荻蘆. 秋蘆. 蒲蘆. 胡蘆. 壺蘆. 瓠蘆. 黃蘆.

16 ⑳ [蘇] 高人 소 ㊥虞 素姑切 sū 苏

筆順 蘇

字解 ①차조기 소 꿀풀과의 일년생 재배초(栽培草). 엽경(葉莖)은 약용, 어린잎과 씨는 식용함. '紫—'. ②술 소 장식으로 늘이는 여러 가닥의 실 또는 깃. '流—'. '金—翠幄'《梁簡文帝》. ③쉴 소 휴식함. '后來其—'《書經》. ④깨날 소 회생함. '—六'. '大日而—'《左傳》. ⑤깰 소 잠에서 깸. '—世獨立'《楚辭》. ⑥구할 소 희구(希求)함. '—援世事'《淮南子》. ⑦쥘 소 손에 잡음. '—糞壤'《楚辭》. ⑧깎을 소 풀을 깎음. '樵—後爨'《史記》. ⑨풀 소 초본(草本). '累塊積—'《列子》. ⑩《現》 소련 소 옛 소련(蘇聯)의 약칭(略稱). ⑪성 소 성(姓)의 하나.

字源 金文 篆文 形聲. ⺾(艸)＋穌〔音〕. '穌소'는 나무를 하거나 물고기를 잡다의 뜻. '艸초'를 붙이어, 풀을 베다의 뜻과 차조기를 일컬음. 또, '遡소'와 통하여, 되돌아오다, 죽음으로부터 소생하다의 뜻도 나타냄.

[蘇莖 소경] 차조기의 줄기. 약재로 씀.
[蘇公隄 소공제] 소식(蘇軾)이 쌓은 서호(西湖)의 제방(堤防). 소제(蘇隄).
[蘇老泉 소노천] 소순(蘇洵). 노천(老泉)은 그의 호(號).
[蘇東坡 소동파] 소식(蘇軾). 동파는 그의 호(號).
[蘇聯 소련] '소비에트 사회주의 공화국 연방'의 준말.
[蘇梅 소매] 송(宋)나라 때 시인(詩人)인 소순흠(蘇舜欽)과 매요신(梅堯臣).
[蘇武 소무] 한(漢)나라 사람. 자(字)는 자경(子卿). 무제(武帝) 때 중랑장(中郎將)으로서 흉노(匈奴)에 사신(使臣)으로 갔다가 억류되어 19년 만에 돌아오니 소제(昭帝)가 그의 절개를 지킨 공을 기리어 전속국(典屬國) 벼슬을 내렸음.
[蘇武節 소무절] ㉠한(漢)나라의 소무(蘇武)가 기(旗)와 병부(兵符)를 가지고 사신(使臣)으로 흉노(匈奴)에게 가니 선우(單于)가 그를 항복시키려고 갖은 수단을 다 썼으나 소무는 끝끝내 굴복하지 아니한 고사(故事). ㉡충의지사(忠義之士)가 갖는 기와 병부. 또는 그의 행위.

[蘇武節㉡]

[蘇門 소문] 허난 성(河南省) 후이 현(輝縣) 서북쪽의 산 이름. 진(晉)나라의 완적(阮籍)이 숨어 살던 곳.
[蘇門答蠟 소문답랍] '수마트라'의 음역(音譯).
[蘇味道 소미도] 당(唐)나라 측천무후(則天武后) 때의 재상(宰相). 문장에 뛰어나 이교(李嶠)와 아울러 소리(蘇李)라 불림.
[蘇迷廬 소미로] 수미산(須彌山).
[蘇方 소방] 콩과에 속하는 작은 상록 교목(常綠喬木). 목재는 속의 붉은 부분을 깎아서 붉은 물감을 만들며 또, 소목(蘇木)이라 하여 한약재로도 쓰임. 다목.
[蘇枋 소방] 소방(蘇方).
[蘇芳 소방] 소방(蘇方).
[蘇復 소복] 병(病) 뒤에 원기(元氣)를 회복(回復)함.
[蘇生 소생] 다시 살아남.
[蘇小 소소] 제(齊)의 전당(錢塘)의 명기(名妓)의 이름. 전(轉)하여, 기녀(妓女)의 범칭(泛稱).
[蘇蘇 소소] 기가 막히는 모양. 또, 두려워하는 모양. 또, 떠들며 움직이는 모양.
[蘇小小 소소소] 소소(蘇小).
[蘇洵 소순] 송(宋)나라 학자. 문장가(文章家). 자는 명윤(明允), 호는 노천(老泉). 아들 식(軾)·철(轍)과 함께 당송 팔대가(唐宋八大家)의 한 사람. 나이 스물일곱에 비로소 발분(發憤)하여 책을 읽기 시작하였는데, 마침내 육경(六經) 백가(百家)의 설(說)에 통하고 붓을 들면 경각(頃刻)에 수천언(數千言)을 내리쓰게

되었음. 가우 연간(嘉祐年間)에 아들을 데리고 상경(上京), 구양수(歐陽修)에게 지은 책을 보이자 가의(賈誼)만 못지않다고 상찬(賞讚)을 받았음.

[蘇舜欽 소순흠] 송(宋)나라 시인(詩人). 자(字)는 자미(子美). 범중엄(范仲淹)의 추천(推薦)으로 집현교리(集賢校理)가 됨. 매요신(梅堯臣)과 함께 소매(蘇梅)로 병칭됨.

[蘇息 소식] 소생(蘇生).

[蘇軾 소식] 송(宋)나라의 문장가(文章家). 자(字)는 자첨(子瞻). 순(洵)의 장자(長子)로서 아버지와 동생과 함께 당송 팔대가(唐宋八大家)의 한 사람. 신종(神宗) 때 왕안석(王安石)과 뜻이 맞지 않아, 황주(黃州)로 좌천되어 동파(東坡)라 호(號)를 지음. 철종(哲宗) 때 소환(召還)되어 한림학사(翰林學士)·병부상서(兵部尙書)가 됨. 시문서화(詩文書畫)에 모두 뛰어남.

[蘇雀 소작] 홍방울새.

[蘇張 소장] ㉠소진(蘇秦)과 장의(張儀). 모두 전국 시대의 책사(策士). ㉡소정(蘇頲)과 장열(張說). 모두 당(唐)나라 초기의 시인(詩人).

[蘇張舌 소장설] 소진(蘇秦)과 장의(張儀)의 변설(辯舌). 곧, 궤변(詭辯)을 농하는 일.

[蘇頲 소정] 당(唐)나라 문장가(文章家). 자(字)는 정석(廷碩). 현종(玄宗) 때 동평장사(同平章事)가 되어 허국공(許國公)에 봉(封)한 바 됨. 연국공(燕國公) 장열(張說)과 함께 문학으로써 이름이 나니 연허(燕許)의 대수필(大手筆)이라 병칭되었음.

[蘇州 소주] 장쑤 성(江蘇省)의 주도(主都). 옛 이름은 고소(姑蘇)·평강(平江). 월왕(越王) 구천(勾踐)과 오왕(吳王) 부차(夫差)가 이곳에서 싸웠음.

[蘇州碼字 소주마자] 소주 숫자(蘇州數字). 기장용(記帳用)의 중국 숫자(數字).

[蘇秦 소진] 전국 시대의 책사(策士). 뤄양(洛陽) 사람. 연(燕)·조(趙) 등 육국(六國)을 합종(合從)하여 진(秦)과 대항케 하고 스스로 육국의 재상(宰相)이 되었음.

[蘇轍 소철] 송(宋)나라 때의 문장가(文章家). 자(字)는 자유(子由), 호는 난성(欒城). 순(洵)의 둘째 아들. 한림학사(翰林學士)·문하시랑(門下侍郎)을 지냄. 문학에 뛰어나 아버지 및 형(兄)인 식(軾)과 함께 당송 팔대가(唐宋八大家)의 한 사람.

[蘇鐵 소철] 소철과(蘇鐵科)에 속하는 상록 교목. 수꽃은 솔방울 모양임. 관상용으로 심음.

[蘇活 소활] 소생(蘇生).

[蘇黃 소황] 소식(蘇軾)과 황정견(黃庭堅). 모두 송(宋)나라 시인(詩人)임.

◉故蘇. 落蘇. 來蘇. 老蘇. 大蘇. 屠蘇. 茅蘇. 三蘇. 小蘇. 昭蘇. 新蘇. 耶蘇. 流蘇. 紫蘇. 樵蘇. 香蘇.

16 ⑳ [蘉] 망 ㊥陽 莫郎切 máng

字解 힘쓸 망 힘써 함. '汝乃是不—'《書經》.

16 ⑳ [蘊] 人名 온 ㊤問 紆問切 yùn ㊤吻 於粉切 　蕴

字解 ①쌓을 온, 쌓일 온 ㉠축적함. '我心—結兮'《詩經》. ㉡축적. '善發其—'《文中子》. ②모을 온, 모일 온 한데 모음. 한데 모임. '雜以—藻'《左思》. ③속내 온 사물의 가장 깊은 속내. 심오(深奧)한 데. '底—'. '精—'. '其易之—耶'《易經》. ④마름 온 수조(水藻). 해조(海藻). '蘋蘩—藻之菜'《左傳》. ⑤온화할 온 醞(酉部 十畫)과 同字. '—藉'. '崔琯有器—'《唐書》.

字源 形聲. ++(艸)+縕〔音〕. '縕온'은 '뜨다'의 뜻. 풀이 뜸이 들여지는 듯한 열기(熱氣)의 뜻에서, '쌓다, 저장하다'의 뜻을 나타냄.

參考 ①薀(艸部 十三畫)과 同字. ②藴(艸部 十五畫)은 俗字.

[蘊結 온결] 걱정 때문에 마음이 울결함.

[蘊淪 온륜] 잔물결.

[蘊隆 온룡] 온서(蘊暑).

[蘊暑 온서] 무더움.

[蘊崇 온숭] 모아 쌓음. 또, 모여 쌓임.

[蘊奧 온오] 학문 같은 것의 심오한 이치.

[蘊蘊 온온] ㉠모이는 모양. ㉡무더운 모양.

[蘊藉 온자] 마음이 온화함. 온자(醞藉).

[蘊蓄 온축] ㉠저축함. 축적함. ㉡오랜 연구로 학식을 많이 쌓아 둠.

[蘊抱 온포] 머릿속에 재주를 품음.

[蘊合 온합] 쌓아 모음. 쌓아 합침.

◉瓊蘊. 高蘊. 器蘊. 內蘊. 埋蘊. 密蘊. 締蘊. 祕蘊. 崇蘊. 淹蘊. 餘蘊. 五蘊. 幽蘊. 潛蘊. 藏蘊. 才蘊. 底蘊. 精蘊. 賢蘊. 幻蘊.

16 ⑳ [蘋] 빈 ㊥眞 符眞切 pín, ③píng 　苹

字解 ①네가래 빈 네가랫과에 속하는 다년생 수초(水草). 깊은 산의 습지 또는 물가에 남. 초장조(酢漿藻). '—藻'. '于以采—'《詩經》. ②개구리밥 빈 부평초(浮萍草). '靑—'. '綠—'. ③《現》사과 빈 '—果'는 사과.

字源 篆文 形聲. 본디, ++(艸)+賓〔音〕. '賓빈'은 '濱빈'과 통하여, '물가〔水邊〕'의 뜻. 물가의 풀을 이름. '蘋빈'도 形聲으로, ++(艸)+頻〔音〕. '頻빈'은 '瀕빈'과 통하여 '물가'의 뜻.

[蘋蘩 빈번] 개구리밥과 산흰쑥. 전(轉)하여, 변변치 못한 제수(祭需).

[蘋藻 빈조] 네가래와 개구리밥.

[蘋萍 빈평] 개구리밥. 부평초(浮萍草).

[蘋風蓼雨 빈풍요우] 개구리밥에 부는 바람과 여뀌에 내리는 비. 곧, 여름의 비바람.

[蘋花 빈화] 개구리밥의 꽃.

◉綠蘋. 渚蘋. 藻蘋. 靑蘋. 萍蘋.

16 ⑳ [蘛] ㊀ 독 ㊇屋 徒谷切 dú ㊁ 촉 ㊇沃 殊玉切 shǔ

字解 ㊀ 땅두릅 독 땅두릅. 독활(獨活). '—菭'. '—, —菭, 藥艸'《集韻》. ㊁ 나물이름 촉 나물이름. '—, 菜名'《集韻》.

16 ⑳ [蘔] 〔경〕

絅(糸部 五畫〈p. 1727〉)과 同字

16 ⑳ [蘕] 〔수·대〕

蒣(艸部 十二畫〈p. 1967〉)와 同字

16 ⑳ [蘢] 롱 ㊥東 盧紅切 lóng 　茏

[字解] ①말여뀌 롱 '一古' 는 마디풀과에 속하는 일년초. 개여뀌. 마료(馬蓼). '有一與斥'《管子》. ②우거질 롱 초목이 우거져 덮은 모양. '草木蒙一'《漢書》.
[字源] 篆文 形聲. ⺾(艸)＋龍〔音〕. '龍롱' 은 고대(高大)를 뜻함.

[蘢茸 농용] 초목이 나는 모양. 또, 우거진 모양.
[蘢蔥 농총] 초목이 우거진 모양.
[蘢蓯 농총] 초목이 우거진 모양.
◉蒙蘢.

16 ⑳ [蘞] 섬 [平]鹽 徐鹽切 qián

[字解] ①산부추 섬 '一, 山韭也'《字彙》. ②쐐기풀 섬 쐐기풀과에 속하는 다년초. 임야(林野)에 나며 풀 전체에 독기 있는 털이 있어서, 쏘이면 몹시 아픔. '一草四時靑'《白居易》.

16 ⑳ [蕁] [一] 담 [平]覃 徒南切 tán
[二] 심 [平]侵 徐心切 xún

[字解] [一] 지모(知母) 담 '一, 芜蕃也'《說文》. [二] ①따름 심 해라(海蘿). '一, 海藻'《爾雅》. ②쐐기풀 심 '一麻' 는 쐐기풀.

16 ⑳ [藽] 츤 [去]震 初覲切 qìn

[字解] 무궁화 츤 櫬(木部 十六畫)과 통용.

16 ⑳ [蘈] 퇴 [平]灰 杜回切 tuí

[字解] 소리쟁이 퇴 마디풀과의 다년초. 줄기와 잎은 맛이 심. 어린잎은 먹음. 양제초(羊蹄草). '牛一'. '今江東呼爲牛一草者, 高尺餘許, 方莖, 葉長而銳, 有穗, 穗閒有華, 華紫縹色, 可淋以爲飮'《爾雅 注》.

16 ⑳ [蘀] 택 [入]陌 場伯切 zé

[字解] 벗풀 택 택사(蘀蕮).

16 ⑳ [蘖] 〔설〕
蘖(艸部 十三畫〈p. 1974〉)의 本字

16 ⑳ [藝] 〔설〕
爇(火部 十五畫〈p. 1362〉)의 本字

16 ⑳ [薑] 〔강〕
薑(艸部 十三畫〈p. 1974〉)의 本字

16 ⑳ [蕢] 〔궤〕
蕢(艸部 十二畫〈p. 1968〉)의 本字

16 ⑳ [蘦] 〔금·긍〕
蓤(艸部 十二畫〈p. 1970〉)과 同字

16 ⑳ [蘢] 〔기〕
驥(馬部 十七畫〈p. 2611〉)의 古字

16 ⑳ [藺] 〔담〕
菼(艸部 八畫〈p. 1937〉)과 同字

16 ⑳ [蕁] 〔담·심〕
蕁(艸部 十六畫〈p. 1989〉)과 同字

16 ⑳ [蘐] 〔훤〕
萱(艸部 九畫〈p. 1940〉)과 同字

16 ⑳ [蘷] 〔기〕
夔(夊部 二十畫〈p. 477〉)의 訛字

16 ⑳ [蕤] 〔유〕
蕤(艸部 十二畫〈p. 1968〉)의 訛字

17 ㉑ [蘗] [人名] 얼 [入]屑 魚列切 niè

[字解] ①그루터기 얼 초목을 베어 내고 남은 부분. '苞有三一'《詩經》. ②움 얼 그루터기에서 나는 싹. '芽一'. '非無萌一之生焉'《孟子》. ③성 얼 성(姓)의 하나.
[字源] 形聲. ⺾(艸)＋檗〔音〕

[蘗牙·蘗芽 얼아] 싹.
◉麴蘗. 根蘗. 萌蘗. 纖蘗. 芽蘗. 由蘗. 育蘗. 栽蘗. 條蘗. 枝蘗. 黃蘗.

17 ㉑ [蘘] 양 [平]陽 汝陽切 ráng

[字解] 양하 양 '一荷' 는 생강과에 속하는 숙근초(宿根草). 지하경은 향미료로 쓰임. '茈薑一荷'《漢書》.
[字源] 篆文 形聲. ⺾(艸)＋襄〔音〕. '襄양' 은 옷을 뜯다의 뜻. 뿌리줄기의 모양을 나타냄.

[蘘荷 양하] 자해(字解)를 보라.

17 ㉑ [蘙] 예 [去]霽 於計切 yì

[字解] 우거질 예, 가릴 예 초목이 무성하여 아래를 덮어 가림. '一薈萋茸'《潘岳》.
[字源] 形聲. ⺾(艸)＋翳〔音〕

[蘙薈 예회] 무성하여 아래를 덮어 가림.

17 ㉑ [蘚] [人名] 선 [上]銑 息淺切 xiǎn 蘚

[字解] 이끼 선 경엽(莖葉)의 구별이 분명치 아니한 은화식물(隱花植物). '苔一'. '綠一'. '風雨斷一埋殘碑'《高啓》.
[字源] 形聲. ⺾(艸)＋鮮〔音〕

[蘚磴 선등] 이끼가 낀 돌계단.
[蘚書 선서] 돌 위에 이끼가 낀 글씨를 쓴 것처럼 보이는 것.
[蘚崖 선애] 이끼가 낀 낭떠러지.
[蘚苔 선태] 이끼. 태선(苔蘚).
[蘚花 선화] 이끼의 꽃. 태화(苔花).
◉綠蘚. 碧蘚. 宣蘚. 水蘚. 員蘚. 淨蘚. 蒼蘚. 苔蘚.

17 ㉑ [蘛] 척 [入]陌 直炙切 zhí

[字解] 연꽃진달래 척 철쭉과에 속하는 낙엽 활엽관목. '一, 艸名, 博雅, 羊一躅, 芙光也'《集韻》.

17 ㉑ [蘜] 국 [入]屋 居六切 jú

[字解] 국화 국 菊(艸部 八畫)과 同字. '一有黃華'《禮記》.

[字源] 篆文 形聲. 艹(艸)＋鞠〔音〕. '鞠국'은 '둥글다'의 뜻. 둥근 꽃이 피는 풀, 국화. '菊국'의 동일어 이체자(同一語異體字).

17 ㉑ [蘞] 렴 [平]鹽 力鹽切 liàn

[字解] ①거지덩굴 렴 포도과에 속하는 다년생 만초(蔓草). 뿌리는 약재로 쓰임. 오렴매(烏蘞莓). '一蔓于野'《詩經》. ②덩굴 렴 '一, 一曰蔓也'《集韻》.

[字源] 形聲. 艹(艸)＋斂〔音〕

◉白蘞.

17 ㉑ [蘡] 영 [平]庚 於盈切 yīng

[字解] 까마귀머루 영 '一薁'은 포도과에 속하는 만초(蔓草). 열매는 식용 및 양조(釀造)에 쓰임. 까마귀머루.

[字源] 形聲. 艹(艸)＋嬰〔音〕

[蘡薁 영욱] 자해(字解)를 보라.

17 ㉑ [蘧] 거 [上]語 臼許切 qú

[字解] 방가지똥 거 풀이름. 매거(蕒蘧). '一, 蕒一, 艸名, 或作蒙'《集韻》.

17 ㉑ [薊] 계 [去]霽 居例切 jì

[字解] ①사상자 계 '一蘳'는 사상자(蛇床子). '一蘳兮靑葱'《王逸》. ②성 계 성(姓)의 하나.

17 ㉑ [蘤] 위 [上]紙 韋委切 wéi

[字解] 꽃 위, 꽃필 위 현화식물(顯花植物)의 생식 기관. '西王母進洞淵紅一'《拾遺記》.

[字源] 形聲. 艹(艸)＋白＋爲〔音〕

◉落蘤. 素蘤. 野蘤. 雜蘤. 珍蘤. 葩蘤. 花蘤.

17 ㉑ [藲] 령 [平]靑 郞丁切 líng

[字解] ①감초 령 콩과에 속하는 다년생 약초(藥草). 뿌리는 속이 누렇고 맛이 달아 식용과 약용으로 많이 쓰임. 일설(一說)에는, 도꼬마리라고도 함. ②떨어질 령 零(雨部 五畫)과 통용. '悼芳草之先一'《楚辭》.

[字源] 篆文 形聲. 艹(艸)＋霝〔音〕

17 ㉑ [蘧] 거 [平]魚 強魚切 qú

[字解] ①패랭이꽃 거 '一麥'은 석죽과에 속하는 다년초. 패랭이꽃. 구맥(瞿麥). ②주막 거 '一廬'는 주막. 여관. 객사(客舍). ③놀랄 거 경악(驚愕)한 모양. 일설(一說)에는, 자득(自得)한 모양. '俄然覺, 則一一然周也'《莊子》.

[字源] 篆文 形聲. 艹(艸)＋遽〔音〕

[蘧蘧 거거] ㉠자득(自得)한 모양. 또, 놀란 모양. ㉡집이 높은 모양.
[蘧廬 거려] 자해(字解)❷를 보라.
[蘧麥 거맥] 자해(字解)❶을 보라.
[蘧伯玉 거백옥] 이름은 원(瑗), 자(字)는 백옥(伯玉). 위(衛)나라 영공(靈公) 때의 현대부(賢大夫). 공자(孔子)가 위나라에 갔을 때 그의 집에 머물렀음.

17 ㉑ [蘩] 번 [平]元 附袁切 fán

[字解] ①산흰쑥 번 국화과에 속하는 다년초. 모양이 국화와 비슷함. 백호(白蒿). '于以采一'《詩經》. ②별꽃 번 '一蔞'는 석죽과에 속하는 이년생초. 잎은 광란형(廣卵形)이며, 흰빛의 잔 오판화(五瓣花)가 핌. 별꽃.

[字源] 篆文 形聲. 篆文은 艹(艸)＋緐〔音〕. '蘩번'은 艹(艸)＋繁〔音〕.

[蘩蔞 번루] 자해(字解)❷를 보라.
[蘩縷 번루] 번루(蘩蔞).
◉綠蘩. 蘋蘩. 水蘩. 采蘩.

17 ㉑ [蘪] 미 [平]支 武悲切 mí

[字解] ①풀날 미 ㉠잡초가 무성하게 남. ㉡물속에 풀이 남. 또, 그곳. '一, 從水生, 生於水中'《爾雅》. ②천궁이 미, 궁궁이 미 '一蕪'는 미나릿과에 속하는 다년초. 또, 그 모. 뿌리는 한약재로 쓰임. 천궁(川芎). 궁궁(芎藭). '一蕪布濩于中阿'《左思》.

[字源] 篆文 形聲. 艹(艸)＋麋〔音〕

[蘪蕪 미무] 자해(字解)❷를 보라.

17 ㉑ [蘭] [高人] 란 [平]寒 落干切 lán 兰

[筆順] ' 艹 艹 芦 芦 蔄 蔄 蘭

[字解] ①난초 란 난초과에 속하는 다년초. 향기가 좋은 화초(花草)임. '芝一'. '紉秋一以爲佩'《楚辭》. ②목련 란 목련과(木蓮科)에 속하는 낙엽 교목(落葉喬木). 관상용으로 심음. 목란(木蘭). '桂櫂兮一枻'《楚辭》. ③풀이름 란 국화과에 속하는 다년초. 등골나물 비슷함. ④난간 란 欄(木部 十七畫)과 통용. '徙於馬一'《後漢書》. ⑤화란 란 화란(和蘭)의 약칭(略稱). ⑥성 란 성(姓)의 하나.

[字源] 篆文 形聲. 艹(艸)＋闌〔音〕. '闌란'은 '암내'의 뜻. 방향(芳香)이 강한 풀, '난초'의 뜻을 나타냄.

[蘭客 난객] 좋은 벗. 양우(良友).
[蘭膏 난고] 좋은 향기가 나는 기름.
[蘭交 난교] 뜻이 맞는 친구 간의 두터운 교분. 고운 마음씨를 난초 향기에 비유하여 이름. 금란지교(金蘭之交).

[蘭菊 난국] 난초와 국화.
[蘭閨 난규] ㉠좋은 향기 나는 침실. 곧, 후비(后妃)의 침실. ㉡미인(美人)의 침실. 난방(蘭房).
[蘭堂 난당] 훌륭한 집. 아름다운 집.
[蘭臺 난대] ㉠초왕(楚王)의 궁전(宮殿)의 이름. ㉡후한(後漢)의 비서(祕書)의 벼슬. ㉢한대(漢代)의 제실(帝室)의 문고(文庫). ㉣어사대(御史臺)의 이명(異名).
[蘭燈 난등] 아름다운 등롱(燈籠).
[蘭陵美酒 난릉미주] 장쑤 성 무진현(江蘇省武進縣) 난릉에서 만든 좋은 술.
[蘭陵王 난릉왕] 무악(舞樂)의 이름. 북제(北齊)의 난릉왕 장공(長恭)이 5백 기(騎)를 이끌고 나가서 주(周)나라의 군사를 금용성(金墉城) 아래에서 격파한 일을 표현한 것. 나릉왕(羅陵王). 능왕(陵王).
[蘭房 난방] ㉠깨끗하고 좋은 향기가 나는 방. ㉡미인(美人)의 침실.
[蘭省 난성] ㉠상서성(尙書省)의 이명(異名). ㉡후비(后妃)의 침실.
[蘭室 난실] 난방(蘭房).
[蘭艾 난애] 난초와 쑥. 전(轉)하여, 군자와 소인.
[蘭若 난야·난약] ㉠절. 사원(寺院). ㉡난초(蘭草)와 두약(杜若). 모두 향초의 이름.
[蘭言 난언] 뜻이 서로 맞는 말.
[蘭輿 난여] 아름다운 수레. 아름다운 가마.
[蘭玉 난옥] ㉠질녀(姪女)를 이름. 진(晉)나라 사현(謝玄)의 고사(故事)에 의함. 지란옥수(芝蘭玉樹)의 준말. ㉡남의 자제를 이름. ㉢여자의 절개의 비유.
[蘭橈 난요] 난장(蘭槳).
[蘭月 난월] 난추(蘭秋).
[蘭章 난장] 남의 편지의 경칭(敬稱).
[蘭槳 난장] 목란(木蘭)으로 만든 배의 노.
[蘭殿 난전] 황후(皇后)의 궁전.
[蘭亭殉葬 난정순장] 당태종(唐太宗)이 왕희지(王羲之)의 난정첩(蘭亭帖)을 대단히 좋아하여 죽을 때에 관 속에 넣게 한 고사(故事).
[蘭亭帖 난정첩] 법첩(法帖)의 이름. 진(晉)나라 왕희지(王羲之)가 난정회(蘭亭會) 때 명사(名士) 41명의 시첩(詩帖)에 스스로 서문(序文)을 쓴 것.
[蘭亭會 난정회] 진(晉)나라 목제(穆帝)의 영화(永和) 9년 3월 3일에 당시의 명사(名士) 41명이 난정에 모여서 곡수(曲水)에 잔을 띄워 계연(禊宴)을 베풀며 시를 지어 읊은 모임. 난정은 저장 성 사오싱 현(浙江省紹興縣) 서남쪽에 있음.
[蘭藻 난조] 문장(文章)의 아름다움을 이름.
[蘭芷 난지] 난(蘭)과 지(芷). 모두 향초(香草)임. 전(轉)하여, 현인(賢人)·미녀 등의 비유.
[蘭芷漸滫 난지점수] 향초(香草)를 뜨물에 담근다는 뜻으로, 착한 사람이 나쁜 풍습에 물듦의 비유.
[蘭草 난초] 난초과에 속하는 다년초. 향기가 짙음. 줄기는 없고 잎은 뿌리에서 나오며, 꽃은 두상화(頭狀花)로 향기(香氣)가 매우 좋음.
[蘭摧玉折 난최옥절] ㉠난초가 부러지고 옥이 부서짐. 곧, 현인군자 또는 가인재자의 죽음을 이름. ㉡난초가 되어 부러지고 옥이 되어 부서짐. 곧, 공을 이루고 그 때문에 천수(天壽)를 다 누리지 못함을 이름.
[蘭秋 난추] 음력 7월.
◉金蘭. 樓蘭. 木蘭. 墨蘭. 芳蘭. 野蘭. 玉蘭. 幽蘭. 紫蘭. 汀蘭. 芝蘭. 椒蘭. 叢蘭. 賀蘭. 香蘭. 蕙蘭. 芄蘭. 萑蘭.

17 ㉑ [蘬] 귀 [平]支 丘追切 kuī

[字解] ①냉이씨 귀 '一, 薺實也'《說文》. ②털여뀌 귀 여뀟과에 속하는 일년초. 대농고(大蘢古). '一, 蘢古大者曰一'《廣韻》.
[字源] 篆文 形聲. 艹(艸)+歸〔音〕

17 ㉑ [蘠] 장 [平]陽 在良切 qiáng

[字解] ①장미 장 '一蘼'는 장미(薔薇). 薔(艸部 十三畫)과 同字. ②국화 장 '治一'은 국화. '蘜, 治一. (注) 今之秋華菊'《爾雅》. ③울타리 장 牆(爿部 十三畫)과 통용. '一, 叚借, 爲牆'《通訓》.
[字源] 篆文 形聲. 艹(艸)+牆〔音〕. '牆장'은 울타리. 울타리로 많이 심는 화초, 장미.

17 ㉑ [蘨] 〔요〕
蘨(艸部 十八畫〈p. 1992〉)의 古字

17 ㉑ [蘿] 〔관〕
蘿(隹部 十畫〈p. 2488〉)과 同字

17 ㉑ [虆] 〔곤〕
菎(艸部 八畫〈p. 1931〉)의 本字

17 ㉑ [蘥] 약 [入]藥 以灼切 yuè

[字解] ①귀리 약 연맥(燕麥). '一, 雀麥. (注) 一, 卽燕麥也'《爾雅》. ②털여뀌 약 '天一'은 털여뀌.
[字源] 篆文 形聲. 艹(艸)+龠〔音〕

17 ㉑ [虄] 루 [上]麌 隴主切 lǔ

[字解] 닭의장풀 루 '蔞一'는 계장초(雞腸草). '一, 一曰, 雞腸'《集韻》.

17 ㉑ [蘫] [一] 람 [平]覃 盧甘切 làn
[二] 함 [去]勘 呼濫切 hàn

[字解] [一] 오이김치 람 오이를 초에 절인 김치. '一, 瓜菹也'《說文》. [二] 오이김치 함 [一]과 뜻이 같음.
[字源] 形聲. 艹(艸)+濫〔音〕

17 ㉑ [蘗] [人名] [一] 폐 [去]霽 蒲計切 bì
[二] 벽 [入]陌 博厄切 bò

[字解] [一] 승검초 폐 薜(艸部 十三畫)와 同字. '一, 艸名. 說文, 牡贊也. 或作一'《集韻》. [二] ①황벽나무 벽 檗(木部 十三畫)과 同字. '檗, 說文, 黃木也. 或从薜'《集韻》. ②쓸 벽 맛이 씀. '一苦'.
[字源] 形聲. 艹(艸)+檗〔音〕

[蘗苦 벽고] 곤란하고 괴로움.
[蘗木 벽목] 황벽나무.

17 ㉑ [虁] 〔기〕
虁(夊部 十七畫〈p. 477〉)의 古字

[驀] 〔맥〕
馬部 十一畫(p. 2607)을 보라.

18 ㉒ [⿱艹瞿] 구 [平]虞 權俱切 qú

[字解] 패랭이꽃 구 '一麥'은 석죽과에 속하는 다년초. 산과 들에 남. 꽃은 약재로 씀. 蘧(艸部 十七畫)와 同字.

[⿱艹瞿麥 구맥] 자해(字解)를 보라.

18 ㉒ [䕺] 총 [平]東 徂紅切 cóng

[字解] ①풀우거질 총 풀이 총총하게 우거진 모양. '一, 艸叢生皃'《說文》. ②줄기 총 '一, 株也'《韻會》.

[字源] 篆文 形聲. ++(艸)+叢〔音〕. '叢총'은 '무리 짓다'의 뜻. '풀숲'을 뜻함.

18 ㉒ [蘴] 풍 [平]東 敷隆切 fēng

[字解] 순무 풍 무청(蕪菁). 葑(艸部 九畫)과 同字. '一, 蕪菁也, 陳楚之郊, 謂之一'《揚子方言》.

18 ㉒ [⿰鼓董] 동 [上]董 多動切 dǒng

[字解] 북소리 동 '一一'은 북이 울리는 소리. '一一, 鼓聲'《集韻》.

18 ㉒ [⿰黑⿱艹吉] [一] 갈 [入]黠 胡八切 jiē
[二] 개 [平]佳 古諧切 jiē

[字解] [一] ①삼대 갈 껍질을 벗긴 삼대. 마경(麻莖). '一, 麻莖'《集韻》. ②짚대 갈 껍질을 벗겨 낸 짚. 稭(禾部 九畫)과 同字. '一, 禾稾去皮穎'《集韻》. [二] 삼대 개, 짚대 개 [一]과 뜻이 같음.

18 ㉒ [蘵] 직 [入]職 之翼切 zhí

[字解] 까마종이 직 가짓과의 일년초. 용규(龍葵). '江南別有苦菜, 葉似酸漿, 其花或紫或白, 子大如珠, 或赤或黑, 案, 郭璞注爾雅, 此乃一黃蒢也, 今河北謂之龍葵'《顏氏家訓》.

18 ㉒ [蘶] 위 [去]未 虞貴切 wèi

[字解] 움 위 초목의 움 돋은 싹.

[字源] 形聲. ++(艸)+魏〔音〕

18 ㉒ [蘒] 교 [平]蕭 祁堯切 qiáo

[字解] 개나리 교 연교(連蘒). 翹(羽部 十二畫〈p. 1812〉)와 통용. '一, 艸名, 連一'《集韻》. '一, 爾雅, 本作翹'《正字通》.

18 ㉒ [蘜] 국 [入]屋 居六切 jú

[字解] 등골나물 국 '一, 艸名, 大蘭也, 葉細, 華紅紫色'《集韻》.

18 ㉒ [蘛] [一] 저 [平]魚 陳如切 shǔ
[二] 서 [去]御 常恕切 shǔ

[字解] [一] 참마 저 藷(艸部 十六畫)와 同字. '一蕷, 署預也'《廣雅》. [二] 참마 서 [一]과 뜻이 같음.

18 ㉒ [蘨] 요 [平]蕭 餘招切 yáo

[字解] 풀무성할 요 '一, 艸盛皃'.

[字源] 篆文 形聲. ++(艸)+繇〔音〕. '繇요'는 의지해 따르다의 뜻. 풀이 모여서 많은 것을 이름.

18 ㉒ [蘲] 〔류〕
藟(艸部 十一畫〈p. 1960〉)와 同字

18 ㉒ [⿱艹織] 〔직〕
蘵(艸部 十八畫〈p. 1992〉)과 同字

19 ㉓ [⿱艹繭] 〔견〕
繭(糸部 十三畫〈p. 1776〉)과 同字

19 ㉓ [⿱艹繭] 견 [上]銑 古典切 jiǎn

[字解] 풀이름 견 고사리의 일종. 자기(茈萁). '一, 艸名, 紫綦也'《集韻》.

19 ㉓ [蘮] 계 [去]霽 吉詣切 jì

[字解] 독초(毒草)이름 계 '一, 狗毒'《爾雅》.

[字源] 形聲. ++(艸)+繫〔音〕

19 ㉓ [蘸] 잠 [去]陷 莊陷切 zhàn

[字解] 담글 잠 물건을 물속에 담금. '黛一油檀'《庾信》.

[字源] 篆文 會意. ++(艸)+酉+焦. '酉유'는 주기(酒器)의 象形. '焦초'는 눋게 하다의 뜻. 데운 물건을 물이 담긴 항아리에 담금의 뜻을 나타냄. '艸초'의 뜻은 불명(不明)이나, 혹 증기(蒸氣)의 상형일지도 모름.

[蘸甲 잠갑] 술을 가득 따른 술잔. 술잔을 들면 손톱을 적시기 때문에 이르는 말.
[蘸墨 잠묵] 붓을 먹물에 담금. 먹을 찍음.
[蘸破 잠파] 깨닫게 함. 각성(覺醒)시킴.

19 ㉓ [蘺] 리 [平]支 呂支切 lí

[字解] ①돌피 리 볏과에 속하는 일년초. 피〔稗〕와 비슷하나 좀 작음. '一先稻熟'《淮南子》. ②천궁이 리 '江一'는 천궁이의 다 자란 것. ③울리 籬(竹部 十九畫)와 同字. '築長城, 而守藩一'《漢書》.

[字源] 篆文 形聲. ++(艸)+離〔音〕

◉藩蘺.

19 ㉓ [⿱艹豋] 등 ①[去]徑 丁鄧切 dèng
②[平]蒸 徒登切 téng

[字解] ①잠깨어어리둥절할 등 맹등(蘉⿱艹豋). '一, 蘉一, 臥初起皃'《集韻》. ②눈어두운모양 등 '一,

一瞢, 目暗'《集韻》.

19 ㉓ [蘼] 미 [平]支 靡爲切 mí

[字解] ①장미 미 장미(薔薇). 薇(艸部 十三畫)와 통용. '蘠—'. '說文云, 蘠—, 虋冬也, 卽今薔薇, 又虋冬, 天門冬, 二名相亂'《釋文 義疏》. ②천궁이 미 '—蕪'는 어린 천궁(川藭)이. 향초(香草)의 한 가지. '秋蘭兮—蕪'《楚辭》.
[字源] 形聲. ++(艸)+靡〔音〕

[蘼蕪 미무] 자해(字解) ❷를 보라.

19 ㉓ [蘿] [人名] 라 [平]歌 魯何切 luó 萝

[字解] ①쑥 라 '莪—'는 쑥〔艾〕의 일종. 아호(莪蒿). ②여라 라 '女—'는 선태류(蘚苔類)에 속하는 이끼. '女—託松而生'《玉篇》. ③풀가사리 라 '海—'는 홍조류(紅藻類)의 일종. ④무 라 '—蔔'은 십자화과에 속하는 채소의 한 가지. ⑤울 라 울타리. 籮(竹部 十九畫)와 통용.
[字源] 篆文 形聲. ++(艸)+羅〔音〕. '羅라'는 '줄 잇다'의 뜻. 줄지어 나는 풀.

[蘿徑 나경] 여라(女蘿)의 덩굴이 무성한 소로(小路).
[蘿藦 나마] 박주가릿과(科)에 속하는 다년생 만초(蔓草). 씨는 한약재로 씀. 박주가리. 새박덩굴.
[蘿蔓 나만] 담쟁이의 덩굴.
[蘿蔔 나복] 무.
[蘿月 나월] 여라(女蘿)의 덩굴에 걸려 보이는 달.
[蘿衣 나의] 여라(女蘿). 송라(松蘿).
◉綠蘿. 藤蘿. 碧蘿. 織蘿. 松蘿. 深蘿. 女蘿. 幽蘿. 蔦蘿. 靑蘿. 翠蘿. 薜蘿.

19 ㉓ [虀] 제 [平]齊 祖稽切 jī

[字解] ①나물 제, 나물무침 제 식물성 부식물(副食物). '—鹽'. ②김치 제 소금에 절인 채소. '—, 葅也'《廣雅》.
[字源] 形聲. ++(艸)+韲〔音〕. '韲제'는 부추를 가지런하게 한 무침의 뜻.

[虀鹽 제염] 채소 반찬. 나물. 악식(惡食).

19 ㉓ [蘽] 류 [上]紙 力軌切 lěi

[字解] 등나무덩굴 류, 덩굴 류 藟(艸部 十五畫)·虆(艸部 二十一畫)와 同字.
[字源] 篆文 籒文 形聲. 木+藟〔音〕. '藟류'는 등나무덩굴. 덩굴 식물을 이름. 籒文은 形聲. 木+回+𤳳〔音〕.

19 ㉓ [蘛] 촉 [入]沃 廚玉切 zhú

[字解] 철쭉나무 촉 '蹢—'.

◉蹢蘛. 艸蘛.

19 ㉓ [蘒] 〔궁〕
藭(艸部 十五畫〈p.1984〉)의 本字

19 ㉓ [蘁] 〔강〕
薑(艸部 十三畫〈p.1974〉)과 同字

19 ㉓ [蘏] 〔궁〕
藭(艸部 十五畫〈p.1984〉)과 同字

19 ㉓ [蘱] [一] 류 [去]寘 力遂切 lèi
[二] 귀 [去]寘 丘媿切

[字解] [一] 풀이름 류 물고랭이의 하나. '—, 鼎童'《爾雅》. [二] 땅이름 귀 '公孫歸父帥師伐邾婁取—'《公羊傳》.

19 ㉓ [蘺] [一] 리 [平]支 呂支切 lí
[二] 려 [去]霽 郎計切 lì

[字解] [一] 붙을 리 초목이 땅에 붙어 남. '—, 艸木生着土'《說文》. [二] 붙을 려 [一]과 뜻이 같음.
[字源] 篆文 形聲. ++(艸)+麗〔音〕. '麗려'는 '붙다〔着〕'의 뜻.

[糵] 〔얼〕
米部 十七畫(p.1709)을 보라.

20 ㉔ [虃] 첨 [平]鹽 子廉切 jiān

[字解] 풀이름 첨 지오공초(地蜈蚣草). 백족(百足). '—, 百足'《爾雅》.

20 ㉔ [䕾] [一] 엄 [平]鹽 魚枚切 yán
[二] 음 [平]侵 魚音切 yín

[字解] [一] 풀이름 엄 '—, 艸名'《集韻》. [二] 나물이름 음 달래 비슷하며 물속에서 남. '荶, 菜名, 似蒜, 生水中, 古作—'《集韻》.

20 ㉔ [虄] [韓] 살

[字解] 《韓》 화살 살 '—, 箭也'《新字典》.

20 ㉔ [虂] 로 [去]遇 洛故切 lù

[字解] 덩굴지치 로 '虆—'는 덩굴지치.
[字源] 形聲. ++(艸)+露〔音〕

[躠] 〔설〕
足部 十七畫(p.2252)을 보라.

21 ㉕ [虆] [一] 라 [平]歌 盧戈切
[二] 류 [平]支 力追切 léi

[字解] [一] 들것 라 흙을 나르는 제구. '—梩'. '盛之以—'《詩經 箋》. [二] 덩굴 류 덩굴. 풀의 총칭. '—, 蔓草'《廣韻》.
[字源] 形聲. ++(艸)+纍〔音〕. '纍루'는 겹쳐서 이어지다의 뜻을 나타냄.

[虆梩 나리] 흙을 나를 때에 쓰는 제구(諸具). 들것.
[虆垂 나수] 나리(虆梩).

21 ㉕ [虈] 효 [平]蕭 許嬌切 xiāo

[字解] 어수리 효 산형과에 속하는 다년초. 뿌리는 백지(白芷)라 하여 약재로 씀. '芳—兮挫枯'《楚辭》.

[字源] 篆文 形聲. ++(艸)+囂〔音〕

◉芳虈.

21 ㉕ [虇] 권 [上]阮 去阮切 / [去]願 去願切 quǎn / [平]先 逵員切

[字解] ①갈순 권 갈대의 순. '一, 蘆筍'《廣韻》. ②죽순 권 '一, 萌筍'《廣韻》.

21 ㉕ [虉] 역 ①[入]錫 五歷切 yì / ②[入]陌 五革切 è

[字解] ①수초(綬草) 역 오색의 무늬가 있어 수(綬)와 같은 풀이름. '一, 綬. (注) 小草, 有雜色, 似綬'《爾雅》. ②새이름 역 '一, 一曰鳥名'《集韻》.

21 ㉕ [虀] 〔제〕 齏(艸部 十九畫〈p. 1993〉)와 同字

21 ㉕ [⿱艹躑] 척 [入]陌 直炙切 zhí

[字解] 철쭉나무 척 '一⿱艹躅'은 철쭉과에 속하는 낙엽 관목(落葉灌木). 두견화(杜鵑花). '一⿱艹躅成山開不算'《韓愈》.

[⿱艹躑⿱艹躅 척촉] 자해(字解)를 보라.

23 ㉗ [⿱艹⿱若⿰若若] 약 [入]藥 以灼切 yuè

[字解] 물위바람불 약 물 위로 바람이 불어침. '風吹水, 謂之一'《集韻》.

23 ㉗ [⿱艹蠲] 〔견〕 稍(禾部 七畫〈p. 1620〉)과 同字

23 ㉗ [⿱艹欒] 虊(次條)과 同字

23 ㉗ [虊] [一] 란 [平]寒 盧丸切 luán / [平]先 閭員切 / [二] 련 [去]霰 龍眷切 / [上]銑 力轉切

[字解] [一] 노랑어리연꽃 란 '一, 鳧葵也'《說文》. [二] 노랑어리연꽃 련 [一]과 뜻이 같음.
[字源] 形聲. ++(艸)+攣〔音〕

24 ㉘ [⿱艹釀] 양 ①[上]養 如兩切 niàng / ②[平]陽 如陽切

[字解] ①노야기 양 '一葇'는 꿀풀과의 일년초. 산·들에 나며 약재임. 향유(香薷). '案, 一葇卽香葇也, 郭注云, 薰葇, 薰亦香耳, 名醫別錄作香薷'《廣雅 疏證》. ②채소담글 양 채소로 김치를 담금. '一, 漬菜爲葅也'《正字通》.
[字源] 篆文 形聲. ++(艸)+釀〔音〕

24 ㉘ [⿱艹贛] [一] 감 [上]感 古禫切 / [去]勘 古暗切 gàn / [二] 공 [平]送 古送切

[字解] [一] 율무 감 열매는 의이인(薏苡仁). '一, 薏苡'《集韻》. [二] 율무 공 [一]과 뜻이 같음.
[字源] 形聲. ++(艸)+贛〔音〕

24 ㉘ [⿱艹靃] [一] 수 [上]紙 選委切 suǐ / [二] 곽(확[本]) [入]藥 忽郭切 huò

[字解] [一] 꽃깔릴 수 초목(草木)의 꽃이 흩어져 깔려 있는 모양. '一, 艸木花敷皃'《集韻》. [二] 藿(艸部 十六畫)의 本字.

24 ㉘ [⿱艹靈] 〔령〕 蘦(艸部 十七畫〈p. 1990〉)과 同字

25 ㉙ [虋] 문 [平]元 莫奔切 mén

[字解] ①붉은조 문 붉은 차조의 일종. '一, 赤苗. (注) 今之赤粱粟'《爾雅》. ②장미 문 '一冬'은 장미(薔薇). '蘠蘼, 一冬'《爾雅》.
[字源] 篆文 形聲. ++(艸)+釁〔音〕. '釁흔'은 피칠하다, 적색(赤色)의 뜻.

25 ㉙ [虌] 별 [入]屑 幷列切 biē

[字解] 고사리 별 '蕨, 一. (注) 初生無葉可食, 江西謂之一'《爾雅》.

33 ㊲ [⿱艹麤] 추 [平]虞 倉胡切 cū

[字解] 짚신 추 기름사초 따위로 삼은 신. '一, 艸履也'《說文》.
[字源] 篆文 形聲. ++(艸)+麤〔音〕. '麤추'는 '거칠다'의 뜻. 풀로 삼은 성긴 신발, 곧 '짚신'.

虍(6획)部

〔범호엄부〕

0 ⑥ [虍] 호 [平]虞 荒烏切 hū

[筆順] 丨 ⺊ 𠂉 ... 广 卢 虍

[字解] 범의문채 호 범 가죽의 무늬. 호문(虎文). '一, 虎文也. 象形'《說文》.
[字源] 篆文 象形. 호랑이의 온 형태의 象形字가 '虎호', 거기에서 몸통과 발을 떼내고 머리 부분만을 형상화한 것. 부수(部首)로 쓰임.
[參考] '虍호'·'虎호'를 의부(意符)로 하여, 호랑이에 관한 문자를 이룸.

2 ⑧ [虎] [中人] 호 [上]麌 呼古切 hǔ

[筆順] 丨 ⺊ 𠂉 ... 广 卢 卢 虍 虎

[字解] ①범 호 고양잇과에 속하는 맹수(猛獸)의 하나. 호랑이. '一狼'. '匪兕匪一, 率彼曠野'《詩經》. 전(轉)하여, 용맹(勇猛) 또는 포학(暴虐)의 비유로 쓰임. '矯矯一臣'《詩經》. '秦一狼之國也'《史記》. 또, '羊'과 호용(互用)하여,

강약(強弱)의 대조(對照)로 삼음. '夫一之與羊, 不格明矣'《戰國策》. ②성 호 성(姓)의 하나.

字源 甲骨文 金文 篆文 古文 象形. 범의 象形. 음형상(音形上)으로는 범의 포효 소리의 의성어로 이루어진 것으로 보임.

[虎踞 호거] ㉠범같이 무릎을 세우고 앉음. ㉡지세(地勢)가 웅대함을 이름. ㉢괴석(怪石)의 형용.
[虎溪三笑 호계삼소] 진(晉)나라의 혜원 법사(慧遠法師)가 도연명(陶淵明)과 육수정(陸修靜) 두 사람을 전송할 때에 이야기에 팔려 자기도 모르는 사이에 호계(虎溪)를 건너가 범 우는 소리를 듣고 비로소 정신을 차리고 세 사람이 서로 대소(大笑)하였다는 고사(故事).
[虎骨 호골] 범의 뼈.
[虎口 호구] ㉠범의 입. 대단히 위험한 경우의 비유. ㉡엄지손가락과 집게손가락의 사이. 곧, 집뼘이 되는 사이.
[虎口之戹 호구지액] 대단히 위험한 재액(災厄).
[虎騎 호기] 기병대(騎兵隊).
[虎膽 호담] 범의 쓸개. 약재(藥材)로 씀.
[虎韜 호도] 병서(兵書) 〈육도(六韜)〉 중의 일편(一篇).
[虎渡河 호도하] 유비(劉備)가 홍농(弘農) 태수(太守)가 되어 인정(仁政)을 베풀었더니, 호랑이가 그 덕에 감동되어 내를 건너 도망했다는 고사(故事).
[虎落 호락] ㉠범을 막는 담. 옥외의 담. ㉡외번(外藩).
[虎狼 호랑] ㉠범과 이리. 전(轉)하여, 무서운 사람, 잔인한 사람, 욕심이 많고 포악한 사람 등의 비유. ㉡《韓》 호랑이.
[虎狼之國 호랑지국] 탐욕이 많고 포악한 나라.
[虎狼之心 호랑지심] 사납고 인정(人情)이 없는 마음.
[虎吻鴟目 호문치목] 범의 입술과 솔개의 눈. 곧, 잔인하고 욕심이 많은 상(相).
[虎魄 호박] 호박(琥珀).
[虎班 호반] 무관(武官)의 반열(班列).
[虎榜 호방] 진사(進士)에 급제한 사람의 이름을 적어 건 방(榜).
[虎變 호변] 호피(虎皮)의 무늬와 같이 명확하게 면목을 일신함.
[虎變鼠 호변서] 임금도 권력을 잃으면 모멸(侮蔑)당하게 됨을 이름.
[虎步 호보] 범처럼 늠름하게 걸음. 거동(擧動)에 위무(威武)가 있음을 이름.
[虎符 호부] 동호부(銅虎符)의 준말. 동(銅)으로 범 형상으로 만든 부절인데, 군사를 징발(徵發)하는 병부(兵符)임.
[虎負嵎 호부우] 범이 산모롱이에 의지하고 있음. 전(轉)하여, 호걸이 한 지방에 웅거(雄據)하고 있는 경우.
[虎賁 호분] 날래다는 뜻으로, 천자(天子)를 호위(護衛)하는 군사 또는 용사(勇士)를 이름.
[虎噬 호서] 범과 같이 깨묾.
[虎嘯 호소] 범의 울음. 전(轉)하여, 영웅(英雄)이 때를 만나 활약함.
[虎鬚 호수] ㉠범의 수염. ㉡등심초(燈心草)의 이칭(異稱).
[虎兕出於柙 호시출어합] 범과 들소가 우리에서 나와 달아남. 문지기의 부주의(不注意)를 이름.
[虎視眈眈 호시탐탐] 날카로운 안광(眼光)으로 고요히 형세(形勢)를 바라보며 기회를 노림을 이름.
[虎臣 호신] 용맹한 신하.
[虎牙 호아] ㉠범의 어금니. ㉡한대(漢代)의 장군(將軍)의 한 관명(官名).
[虎牙鷹爪 호아응조] 범의 어금니와 매의 발톱과 같이 일신상의 가장 의뢰가 되는 이기(利器).
[虎疫 호역] 호열자(虎列剌).
[虎列剌 호열자] 고열(高熱)·토사(吐瀉)가 심한 급성(急性) 전염병(傳染病)의 한 가지. 콜레라.
[虎髥 호염] 빳빳한 구레나룻.
[虎威 호위] 범의 위엄. 전(轉)하여, 군주 또는 관부(官府)의 위엄.
[虎耳 호이] 범의귀과에 속하는 상록초(常綠草). 범의귀.
[虎彝 호이] 범을 새긴 술 그릇. 종묘 제사 때 씀.
[虎而冠 호이관] 포악하고 무정한 벼슬아치를 이름.
[虎翼吏 호익리] 혹리(酷吏).
[虎子 호자] ㉠범의 새끼. ㉡변기(便器).
[虎杖 호장] 마디풀과에 속하는 다년초. 뿌리는 호장근(虎杖根)이라 하여 한약재로 씀.
[虎將 호장] 용맹(勇猛)한 장수(將帥)의 일컬음.
[虎節 호절] 육절(六節)의 하나. 산간(山間) 땅에 사신으로 가는 벼슬아치가 갖는 부절(符節). 장방형(長方形)에 범을 새기었음.

[虎節]

[虎竹 호죽] 동호부(銅虎符)와 죽사부(竹使符). 대장(大將)에게 내려 주는 부절(符節).
[虎韔 호창] 호랑이 가죽으로 만든 동개.
[虎擲龍拏 호척용나] '용호상박(龍虎相搏)'과 같음.
[虎豹 호표] ㉠범과 표범. ㉡호표(虎豹)의 형상을 한 바위 등의 형용. ㉢포악한 자의 비유.
[虎皮 호피] 호랑이 털가죽.
[虎皮下 호피하] 편지 겉봉의 상대편 이름 아래 쓰는 말.
[虎穴 호혈] 범이 사는 구멍. 전(轉)하여, 퍽 위험한 장소를 이름.
[虎患 호환] 범이 끼치는 해(害).
◉苛政猛於虎. 騎虎. 南山狼虎. 狼虎. 魯魚帝虎. 餒虎. 猛虎. 搏虎. 白額虎. 白虎. 伏虎. 貙虎. 三人成市虎. 蠅虎. 市有虎. 市虎. 兕虎. 餓虎. 扼虎. 兩虎. 魚虎. 如養虎. 臥虎. 龍虎. 熊虎. 乳虎. 螭虎. 逸虎. 殿中虎. 咆虎. 暴虎. 風從虎.

[虎韔]

2 ⑧ [虏] 〔로〕 虜(虍部 六畫〈p. 1998〉)의 簡體字

3 ⑨ [虐] 人名 학 ㊀藥 逆約切 nüè

字解 ①해롭게할 학 잔해(殘害)함. '方命一民'《孟子》. ②몹시굴 학 학대함. '繼親一則兄弟爲讎'《顏氏家訓》. ③사나울 학 가혹함. 잔인함. '一政'. '暴一'. '不教而殺, 謂之一'《論語》. ④재앙 학 재화. '股降大一'《書經》.

字源 篆文 古文 會意. 篆文은 虍+爪+人. 범이 사람을 붙잡는 모양에서, '잔인

하다'의 뜻을 나타냄.

[虐待 학대] 잔혹하게 굶. 가혹하게 부림.
[虐使 학사] 가혹하게 부림.
[虐殺 학살] 참혹하게 죽임.
[虐遇 학우] 학대(虐待).
[虐政 학정] 가혹한 정치.
◉苛虐. 狂虐. 驕虐. 亂虐. 大虐. 毒虐. 芳虐. 邪虐. 肆虐. 胥虐. 首藥厲虐. 弑虐. 惡虐. 五虐. 傲虐. 威虐. 淫虐. 自虐. 殘虐. 戕虐. 賊虐. 助桀爲虐. 躁虐. 慘虐. 侵虐. 貪虐. 暴虐. 害虐. 酷虐. 橫虐. 凶虐.

4 ⑩ [虔] 人名 건 (平)先 渠焉切 qián

筆順 ' ㅏ 广 广 卢 卢 虍 虔

字解 ①삼갈 건 공경하는 마음으로 삼가 조심함. '敬―'. '糾―天刑'《國語》. ②베풀 건 은혜를 베풂. '上―郊祀'《張華》. ③죽일 건 인명을 빼앗음. '芟夷我農功, ―劉我邊陲'《左傳》. ④빼앗을 건 강탈함. '撟―吏'《漢書》. ⑤굳을 건 견고함. '―共爾位'《詩經》. ⑥모탕 건 도끼 받침. '方斲是―'《詩經》.

字源 金文 篆文 會意. 虍〈省〉+文. '虎호'는 '범'의 뜻. '文문'은 '문신(文身)'의 뜻. 범 가죽 따위에 문신을 놓는 의식(儀式)의 모양에서, '삼가다'의 뜻을 나타냄.

[虔恪 건각] 경건(敬虔).
[虔虔 건건] 삼가고 조심하는 모양.
[虔敬 건경] 경건(敬虔)함.
[虔恭 건공] 경건(敬虔)함.
[虔鞏 건공] 삼가 조심하며 마음을 굳게 가짐.
[虔劉 건류] 죽임.
[虔奉 건봉] 삼가 섬김. 삼가 받음.
[虔誠 건성] 삼가고 정성스러운 일.
[虔肅 건숙] 경건(敬虔)함.
◉恪虔. 敬虔. 恭虔. 矯虔. 肅虔. 嚴虔. 寅虔. 精虔.

4 ⑩ [虓] 효 (平)肴 許交切 xiāo 

字解 ①범울부짖을 효 범이 성내어 욺. '虎―振欻'《太玄經》. ②범성낼 효 범이 성을 냄. '闞如―虎'《詩經》.

字源 篆文 形聲. 虎+九〔音〕. '九구'는 범의 포효를 나타내는 의성어(擬聲語). 호랑이가 울부짖다의 뜻을 나타냄. 일설에는, '사자(獅子)'의 뜻.

[虓怒 효노] 범이 성내어 욺. 전(轉)하여, 용맹한 기세(氣勢)의 비유.
[虓將 효장] 용맹한 장수. 호장(虎將).
[虓闞 효함] 범이 성내어 욺. 전(轉)하여, 용맹한 장사가 맹위를 떨침.
[虓虎 효호] 성내어 우는 범.
[虓吼 효후] 범이 성내어 욺. 전(轉)하여, 용맹을 떨침.
◉闞虓. 雄虓. 呼虓.

4 ⑩ [虒] ㊀ 치 ㊤紙 丈尒切 zhì ㊁ 사 (平)支 息移切 sī

字解 ㊀ ①짐승 치 '委―'는 범 비슷하며 뿔이 있는 짐승. '―, 委―, 虎之有角者也'《說文》. ②가지런하지않을 치 '玼―'는 가지런하지 아니한 모양. '傑池玼―'《司馬相如》. ㊁ 대궐이름 사 '―祁'는 궁전의 이름. '築―祁之宮'《左傳》.

字源 篆文 形聲. 虎+厂〔音〕. '厂예'는 옆으로 당기다의 뜻. 범을 옆으로 당겨 늘인 모양의 짐승으로서, 뿔이 있는 것.

[虒祁 사기] 궁전(宮殿)의 이름.
◉玼虒.

5 ⑪ [處] 中·人 처 ①(去)御 昌據切 chù ②-⑧㊤語 昌與切 chǔ 处 䖏

筆順 ' ㅏ 广 广 卢 虍 虔 虔 處

字解 ①곳 처 ㉠장소 또는 지위. '安其―'《管子》. ㉡거실(居室). 주거. '爰居爰―'《詩經》. ②머무를 처 ㉠정지함. '其後也―'《詩經》. ㉡머물러 삶. '―江湖之遠'《范仲淹》. ㉢머물러 쉼. '莫或遑―'《詩經》. ㉣머물러 있음. '去者半, ―者半'《禮記》. ㉤그 위치·장소 등을 차지함. '在所自―耳'《史記》. ㉥그 경우에 있음. '―仁遷義'《孟子》. ㉦관직에 있음. '一人―南臺, 一人―北省'《北齊書》. ㉧벼슬하지 않고 야(野)에 머물러 있음. '出―進退'. '―士橫議'《孟子》. ㉨시집가지 않고 집에 머물러 있음. '綽約若―子'《莊子》. ③둘 처 머물러 있게 함. '魏立永明寺以―沙門'《通鑑》. ④정할 처 결정함. '蚤―之'《國語》. ⑤돌아갈 처 편히 머물러 있을 곳으로 돌아감. '各有攸―'《左傳》. ⑥나눌 처 분별함. '―分旣定'《晉書》. ⑦처할 처 제재함. '―刑'. '竊人之財, 刑辟之所―'《顏氏家訓》. ⑧성 처 성(姓)의 하나.

字源 金文 篆文 形聲. 処+虍〔音〕. '虍호'는 '居거'와 통하여, '있다'의 뜻. '処처'는 걸상에 걸터앉다, 있다의 뜻. 《說文》에서는 '処'를 本字, '處처'를 別體로 보지만, 후세에 와서는 '処'는 '處'의 俗字로 간주됨.

參考 ①処(几部 三畫)는 同字. ②處(夊條)는 俗字.

[處決 처결] 결단(決斷)하여 처분함.
[處女 처녀] 시집갈 나이가 되고 아직 시집가지 않은 계집애. 색시. 숫색시.
[處女作 처녀작] 처음으로 발표(發表)하는 작품.
[處女地 처녀지] 아직 개척(開拓)하지 아니한 땅.
[處斷 처단] 처결(處決).
[處待 처대] 대우. 대접.
[處理 처리] 일을 다스림. 일을 끝냄.
[處方 처방] 병(病)의 증세(症勢)를 따라 약제(藥劑)를 배합(配合)하는 방법.
[處罰 처벌] 형벌(刑罰)에 처(處)함.
[處變 처변] 일을 따라 변통(變通)하여 처치(處置)함.
[處分 처분] ㉠몫몫이 나눔. ㉡취급함. 처리함. ㉢이미 있는 객체(客體)에 변동을 일으키는 일.
[處士 처사] ㉠벼슬하지 아니하고 민간에 있는 선비. ㉡거사(居士).
[處事 처사] 일을 처리함.
[處暑 처서] 이십사절기(二十四節氣)의 하나. 양력 8월 22일경.
[處世 처세] 세상(世上)에서 살아감.

[處世若大夢 처세약대몽] 세상 살아 나가는 것이 꿈과 같이 허무함을 이름.
[處所 처소] 있는 곳.
[處守 처수] 머물러 지킴.
[處身 처신] 몸을 가지는 일.
[處約 처약] 곤궁(困窮)한 처지에 있음.
[處遇 처우] 조처(措處)하여 대우(待遇)함.
[處子 처자] ㉠처녀(處女). ㉡처사(處士) ❶㉠.
[處姊 처자] 아직 시집가지 않은 누이.
[處地 처지] ㉠자기(自己)가 당하고 있는 경우(境遇). ㉡있는 곳. ㉢지위(地位) 또는 신분(身分).
[處斬 처참] 목을 베어 죽이는 형벌(刑罰)에 처(處)함.
[處處 처처] ㉠집에 있음. ㉡각처(各處). ㉢처소(處所). ㉣여기저기.
[處置 처치] 다투어서 치움. 일을 처리함.
[處刑 처형] 형벌(刑罰)에 처(處)함.
◉佳處. 居處. 啓處. 區處. 窮處. 難處. 逃處. 獨處. 無下箸處. 僻處. 常處. 首足異處. 隨處. 安處. 巖處. 野處. 燕處. 偶處. 隱處. 雜處. 定處. 措處. 住處. 出處. 寢處. 特處. 閒處. 穴處.

5 ⑪ [䖏] 處(前條)의 俗字

5 ⑪ [虘] ❶ 차 ㊥歌 昨何切 cuó
❷ 조 ㊥虞 才都切
[字解] ❶ 범사납고순하지않을 차 '一, 虎不柔不信也'《說文》. ❷ 범사납고순하지않을 조 ❶과 뜻이 같음.
[字源] 形聲. 虍+且〔音〕

5 ⑪ [虖] 호 ①-③㊥虞 荒烏切 hū
④㊥虞 戶吳切 hú
[字解] ①울부짖을 호, 짖을 호 '虖, 哮一也'《說文》. ②아 호 탄식하는 말. 呼(口部 五畫)와 통용. '嗚一何施而臻此與'《漢書》. ③성 호 성(姓)의 하나. ④그런가 호 의문사(疑問辭). 乎(丿部 四畫)와 통용. '書不云一'《漢書》.
[字源] 金文  篆文  形聲. 虍+乎〔音〕. '乎호'는 '부르다'의 뜻. 범이 짖다의 뜻을 나타냄. 또, 일찍이 金文 시대부터 '烏虖오호'로 묶어, '아아'의 뜻을 나타냈음.

◉嗚虖.

5 ⑪ [𧆛] 로 ㊥虞 龍都切 lú
[字解] ①독 로 아가리가 작은 독. '一, 罋也'《說文》. ②주발 로 마실 것을 담는 그릇. '一, 飮器'《字彙》. ③범가죽무늬 로 '一, 虎文也'《字彙補》.
[字源] 形聲. 甶+虍〔音〕

5 ⑪ [䖑] 虖(前前條)의 本字

5 ⑪ [虙] 복 ㊀屋 房六切 fú
[字解] ①범 복 범의 형용. '一, 虎皃'《說文》. ②복희씨 복 伏(人部 四畫)·宓(宀部 五畫)과 통용. '一犧'. '青琴一妃之徒'《漢書》. ③성 복 성(姓)의 하나.
[字源] 篆文  形聲. 虍+必〔音〕

[彪] 〔표〕
彡部 八畫(p. 733)을 보라.

5 ⑪ [虗] 虛(次次條)와 同字

5 ⑪ [虚] 虛(次條)의 俗字

6 ⑫ [虛] [中·人] 허 ㊥魚 朽居切 xū
去魚切 
[筆順] 丨 广 虍 虍 虛 虛 虛 虛
[字解] ①빌 허 ㉠아무것도 없음. '空一'. ㉡방비가 없음. '衡其方一'《史記》. ㉢능력이 없음. 쓸모가 없음. '抱一求進'《漢書》. ㉣욕심이 없음. '恆一而易足'《淮南子》. ㉤실질이 없음. 진실이 아님. '一言'. '一名'. '名冠諸侯, 不一耳'《史記》. ㉥약함. 쇠함. '一弱'. '齊國以一也'《呂氏春秋》. ②비울 허 ㉠장소를 비게 함. '公子從車騎, 一左, 自迎夷門侯生'《史記》. ㉡공허하게 함. '一心'. ③공허 허 텅 빔. 아무것도 없음. '執一如執盈, 入一若有人'《禮記》. ④하늘 허 '一空'. '凌一'. '馮一御風'《蘇軾》. ⑤구멍 허, 틈 허 '若循一而出入'《淮南子》. ⑥헛될 허 헛되게. '不一發'《司馬相如》. ⑦별이름 허 이십팔수(二十八宿)의 하나. '一星'. '里一'《書經》. ⑧터 허 墟(土部 十二畫)와 同字. '升彼一矣'《詩經》. ⑨성 허 성(姓)의 하나.
[字源] 金文  篆文 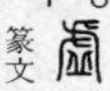 形聲. 篆文은 北+虍〔音〕. '北'는 '丘구'와 동자(同字)로서, '언덕'의 뜻. '虍호'는 '巨거'와 통하여, '크다'의 뜻. 큰 언덕을 이르는데, 전(轉)하여 '공허하다'의 뜻도 나타냄.
[參考] ①虗(前前條)는 同字. ②虚(前條)는 俗字.

[虛喝 허갈] 허세(虛勢)를 부리어 위협(威脅)함.
[虛怯 허겁] 허약하여 겁(怯)이 많음.
[虛空 허공] ㉠아무도 없는 한적한 곳. ㉡하늘.
[虛構 허구] 사실(事實)이 아닌 일을 사실처럼 꾸며 만듦.
[虛己 허기] 사심(私心)을 일체 버리고 남의 의견(意見)을 물음.
[虛飢 허기] 굶어서 배가 고픔.
[虛器 허기] ㉠속이 빈 그릇. ㉡아무 소용없는 물건. ㉢실권(實權)이 없는 지위.
[虛氣平心 허기평심] 기를 가라앉히고 마음을 조용히 가짐.
[虛洞 허동] 공동(空洞).
[虛頭 허두] 글이나 말의 첫머리.
[虛浪 허랑] 언행(言行)이 허황하고 착실(着實)하지 못함.
[虛靈不昧 허령불매] 마음은 공허하여 형체가 없으나, 그 기능은 맑고 환하여 거울이 물건을 비추는 것과 같음을 이름.
[虛禮 허례] 겉으로만 꾸미고 성의가 없는 예의.

[虛勞 허로] 심신(心身)의 쇠약.
[虛論 허론] 허설(虛說).
[虛妄 허망] 허위(虛僞).
[虛名 허명] 헛된 명예(名譽). 실질이 없는 명예.
[虛名無實 허명무실] 헛된 이름만 있고 실상(實狀)이 없음.
[虛耗 허모] ㉠텅 빔. ㉡허로(虛勞).
[虛無 허무] ㉠아무것도 없고 텅 빔. 형체가 없음. ㉡마음속이 텅 비고 아무 잡념이 없음. ㉢만물의 본체가 몽롱하여 알 수 없음. 노자(老子)의 설. ㉣무상(無常)함. ㉤하늘.
[虛無黨 허무당] 정치상의 허무주의를 실현하려고 하는 비밀 결사.
[虛無因應 허무인응] 노자(老子)의 학설. 허무는 본체(本體), 인응은 운용(運用). 곧, 본체는 공허하여 아무것도 있지 않으며, 현상은 자연(自然) 그대로 소아(小我)의 편집(偏執)이 없다는 뜻.
[虛無主義 허무주의] ㉠철학상(哲學上)으로는 모든 진리(眞理)를 무시(無視)하고 사물(事物)의 보편적 표준(標準)을 부정(否定)하는 주의(主義). ㉡정치상으로는 일체의 속박을 해방하여 개인의 절대적 자유를 누리자는 주의.
[虛發 허발] 총·활을 쏘아 빗나감.
[虛病 허병] 꾀병.
[虛費 허비] 쓸데없는 비용.
[虛事 허사] 헛된 일. 헛일.
[虛想 허상] 실행할 수 없는 생각. 공상(空想).
[虛說 허설] 헛된 말. 거짓말.
[虛星 허성] 이십팔수(二十八宿)의 하나. 현무 칠수(玄武七宿)의 제사성(第四星). 가을에 볼 수 있음.
[虛勢 허세] 실상이 없는 기세. 겉으로만 보이는 위세.
[虛所 허소] 들 가운데의 교역장(交易場). 야시(野市).
[虛損 허손] 폐병(肺病).
[虛送 허송] 헛되게 보냄.
[虛送歲月 허송세월] 세월(歲月)을 헛되게 보냄.
[虛數 허수] ㉠소용없는 수. ㉡부수(負數)의 평방근(平方根). 실수(實數)의 대(對).
[虛飾 허식] 실상(實狀) 없는 외면(外面)치레.
[虛實 허실] ㉠방어(防禦)의 유무. ㉡거짓과 참. ㉢공허와 실질.
[虛室生白 허실생백] 방이 비면 밝다는 뜻으로, 사람의 마음도 망상이 들어가지 아니하면 도(道)를 깨달을 수 있다는 말.
[虛心 허심] ㉠마음속에 아무 망상이 없음. ㉡공평무사한 마음.
[虛弱 허약] ㉠세력이 없음. ㉡신체가 약함.
[虛語 허어] 거짓말. 헛된 말. 빈말.
[虛言 허언] 거짓말.
[虛榮 허영] ㉠일시적인 명예 또는 권력. ㉡실속 없는 겉만 차리는 영화(榮華).
[虛譽 허예] 허명(虛名).
[虛往實歸 허왕실귀] 빈 몸으로 가서 가득히 얻어 가지고 옴. 지덕(智德)이 없는 사람이 스승의 가르침을 받고 지덕(智德)을 갖추게 됨을 이름.
[虛慾 허욕] 공연(空然)한 욕심(慾心). 헛된 욕심(慾心).
[虛位 허위] ㉠빈 지위. 빈자리. 공위(空位). ㉡이름만 있고 실권이 없는 자리. ㉢빈이름. 공명(空名).
[虛威 허위] 허세(虛勢).
[虛僞 허위] 거짓.
[虛引 허인] ㉠화살은 끼지 아니하고 활만 당김. ㉡허심탄회하여 남을 받아들임.
[虛日 허일] 할 일이 없는 날.
[虛字 허자] 한문에서 동사 또는 형용사로 쓰이는 글자. 명사인 실자(實字)의 대(對).
[虛張聲勢 허장성세] 허세(虛勢)만 떠벌림.
[虛掌實指 허장실지] 서예(書藝)에서 붓을 잡는 데 손바닥을 비우고 손가락에 힘을 주는 일.
[虛傳 허전] 근거 없는 헛된 풍문.
[虛靜 허정] 마음에 잡념이나 망상이 없이 조용함.
[虛舟 허주] ㉠빈 배. ㉡잡념이나 망상이 없는 마음.
[虛中 허중] ㉠속이 빔. ㉡공복. 빈속. ㉢마음에 잡념이나 망상이 없음.
[虛中子 허중자] 대〔竹〕의 딴 이름.
[虛則實 허즉실] 보기에 허(虛)하면 속은 충실(充實)함.
[虛沖 허충] 허심탄회함.
[虛誕 허탄] 허망(虛妄).
[虛脫 허탈] 몸이 몹시 쇠약하여져서 빈사 상태에 있음.
[虛蕩 허탕] 허랑하고 방탕함. 큰소리를 침.
[虛風 허풍] 너무 지나치게 실상(實狀)이 없는 말을 함.
[虛汗 허한] 원기(元氣)가 쇠약(衰弱)하여 나는 땀.
[虛行 허행] 목적(目的)을 이루지 못하고 공연(空然)히 갔다 옴.
[虛虛實實 허허실실] 서로 재주와 꾀를 다하여 다툼.
[虛荒 허황] 마음이 들떠서 황당(荒唐)함.
[虛懷 허회] 허심탄회한 마음.
[虛暈 허훈] 원기(元氣)가 쇠약(衰弱)하여 일어나는 현기(眩氣).
◉謙虛. 空虛. 廣虛. 凌虛. 四虛. 恬虛. 盈虛. 有若無實若虛. 里虛. 靜虛. 中虛. 淸虛. 充虛. 沖虛. 太虛. 平虛. 避實擊虛. 玄虛.

6
⑫ [虜] 로 ㊤麌 郎古切 lǔ

字解 ①사로잡을 로 적(敵)의 군사를 생포함. '其將固可襲而一也'《漢書》. ②포로 로 사로잡은 적의 군사. '俘一'. '生得曰一, 斬首曰獲'《連文釋義》. ③종 로 노복(奴僕). '嚴家無格一者'《史記》. ④오랑캐 로 ㉠화외(化外)의 백성. 야만인. '羌一及疏勒龜玆'《後漢書》. ㉡적(敵) 또는 남을 욕하여 이르는 말. '胡一'. '一在我目中矣'《後漢書》.

字源 篆文 形聲. 力+虘〔音〕. '虘로'는 '빙 두르다'의 뜻을 나타내는 의태어. 우격으로 빙 둘러싸다, 사로잡다의 뜻을 나타냄. 《說文》에서는 毌+力+虍〔音〕. '毌관'은 '貫관'의 古字로, '꿰다'의 뜻. 포로를 새끼줄로 꿰어 구속하다의 뜻임.

[虜騎 노기] 오랑캐의 기병(騎兵). 적국의 기병.
[虜略 노략] 노략(虜掠).
[虜掠 노략] 떼를 지어 돌아다니며 사람 또는 재물(財物)을 빼앗아 감.
[虜兵 노병] 오랑캐의 군사. 적국의 군사.
[虜囚 노수] 포로(捕虜).

[虜將 노장] 오랑캐의 장수. 적(敵)의 장수.
[虜庭 노정] 오랑캐의 조정. 외국의 조정을 욕하여 이르는 말.
[虜艦 노함] 오랑캐의 군함. 적함(敵艦).
[虜獲 노획] 사로잡은 적(敵)의 군사와 자른 적의 군사의 머리. 생포한 적병과 죽인 적병.
◉格虜. 係虜. 驕虜. 劇虜. 奴虜. 蠻虜. 亡虜. 僕虜. 俘虜. 囚虜. 守錢虜. 臣虜. 身虜. 敵虜. 捕虜. 降虜.

6 ⑫ [虩] 〔호〕 虎(虍部 二畫〈p. 1994〉)의 古字

7 ⑬ [虞] 人名 우 ㊥虞 遇俱切 yú

字解 ①생각할 우 미리 마음속에 생각하여 둠. '有不—之譽'《孟子》. ②근심할 우 염려함. '悔吝者憂—之象也'《易經》. ③걱정 우 ㉠쳐들어올 걱정. 또, 이에 대한 방비. '有邢翟之—'《國語》. ㉡사변. 소란. 난리. '封域寡—'《陸機》. ④잘못 우 과오. '無貳無—'《詩經》. ⑤편안할 우 안심함. 걱정이 없음. '—于湛樂'《國語》. ⑥즐길 우 즐거워함. '許由—乎潁陽'《呂氏春秋》. ⑦우제 우 부모의 장례(葬禮)를 지낸 날에 행하는 제사. '—祭'. '—主用桑'《公羊傳》. ⑧순임금성 우 고대의 성천자(聖天子)인 순(舜)임금의 성(姓). '—舜'. '唐—稽古'《書經》. ⑨벼슬이름 우 산택(山澤)을 맡은 벼슬. '—人'. '汝作朕—'《書經》. ⑩성 우 성(姓)의 하나.

字源 金文 篆文 形聲. 虍+吳〔音〕. 호랑이 비슷한 인수(仁獸)를 뜻했었으나, 음부(音符)인 '吳오'가 '懼구'와 통하여, '두려워하다'의 뜻을 나타냄.

[虞官 우관] 우인(虞人).
[虞唐 우당] 유우씨(有虞氏)와 도당씨(陶唐氏). 곧, 순(舜)임금과 요(堯)임금.
[虞美人 우미인] ㉠초(楚)나라 항우(項羽)의 총희(寵姬). ㉡우미인초(虞美人草).
[虞美人草 우미인초] 양귀비과(科)에 속하는 월년초(越年草). 여름에 홍색·자색·백색 꽃이 핌. 우미인(虞美人)의 무덤에 피었었다고 하여 이름 지었음. 개양귀비.
[虞犯 우범] 성격·환경으로 죄를 범할 우려가 있음.
[虞殯 우빈] 장송곡(葬送曲).
[虞世南 우세남] 당(唐)나라 초기(初期)의 서예가(書藝家). 자(字)는 백시(伯施). 글을 고야왕(顧野王)에게 배우고 글씨를 중 지영(智永)에게 배워 태종(太宗) 때 홍문관 학사(弘文館學士)가 되었는데, 태종으로부터 항상 덕행(德行)·충직(忠直)·박학(博學)·문사(文詞)·서한(書翰)의 오절(五絕)이라고 칭찬을 받았음.
[虞韶 우소] 우순(虞舜)이 지은 음악.
[虞舜 우순] 순(舜)임금.
[虞淵 우연] ㉠해 지는 곳. ㉡해 질 녘. 황혼(黃昏).
[虞芮之訟 우예지송] 우(虞)와 예(芮)의 두 나라의 임금이 서로 밭의 소유권을 둘러싸고 다투다가 결말이 나지 아니하므로 서백(西伯)〈주(周)의 문왕(文王)〉에게 판결을 받으려고 주나라 경내에 들어가니, 밭 가는 자는 두렁을 양보하고 길 가는 자는 길을 양보하여 겸양(謙讓)의 미덕(美德)이 일반 민간에 행해지므로, 이를 본 두 임금은 우리가 싸우는 일은 수치스러운 노릇이라 하여 서백(西伯)에게 가 뵙지 아니하고 돌아와 서로 밭을 양보하였다는 고사(故事).
[虞人 우인] 산림 소택(山林沼澤)을 맡은 벼슬.
[虞集 우집] 원(元)나라 초기(初期)의 문학자. 자(字)는 백생(伯生), 호(號)는 도원(道園). 벼슬은 규장각시서학사(奎章閣侍書學士)에 이르렀으며, 명(命)을 받아 〈경세대전(經世大典)〉을 수찬(修纂)하였음. 저서에 〈도원학고록(道園學古錄)〉 50권이 있음.
[虞初 우초] 한(漢)나라 무제(武帝) 때의 방사(方士). 소설을 처음 지었으므로 전(轉)하여, 소설의 일컬음.
[虞衡 우형] 우인(虞人).
[虞詬 우후] 지조(志操)가 없음.
◉艱虞. 近虞. 多虞. 唐虞. 無虞. 不虞. 山虞. 綏虞. 外虞. 憂虞. 即鹿無虞. 騶虞. 澤虞. 驩虞.

7 ⑬ [虞] 虞(前條)와 同字

7 ⑬ [號] 中人 호 ①②㊥豪 胡刀切 háo ③-⑫㊤號 胡到切 hào 号

筆順 口 旦 号 号' 号⺊ 号广 号虍 號

字解 ①부르짖을 호 큰 소리로 부름. '叫—'. '下民—而上訴'《後漢書》. ②울 호 ㉠큰 소리를 내어 욺. 통곡함. '夜—'. '至伏屍而—'《說苑》. ㉡닭이 욺. '雞始三—'《晉書》. ③부를 호 ㉠일컬음. '自—隱君'《北史》. '—曰張侯論'《何晏》. ㉡오라고 함. '—召天下之賢士'《國語》. ㉢양언(揚言)함. 선전함. '羽兵四十萬, —百萬'《十八史略》. ④고할 호 명령을 알림. '—令於三軍'《國語》. ⑤이름 호 ㉠명칭. '名—'. '掌辨六—'《周禮》. '竊仁人之—'《史記》. ㉡명성(名聲). '嘉—布於外'《說苑》. ⑥호 호 통칭(通稱) 외(外)의 칭호. '雅—'. '別—'. '賜—爲馬服君'《史記》. ⑦시호 호 죽은 뒤에 내리는 이름. '詔其—'《周禮》. ⑧신호 호 '墩軍—火'《皇明世法錄》. ⑨영 호 명령. '渙汗其大—'《易經》. ⑩표 호 표지(標識). '記—'. '符—'. '殊徽—'《禮記》. ⑪상호 호 상점의 일컬음. '銀—'. '票—'. 또, 선박의 일컬음. '高陞—'. ⑫차례 호 수사(數詞) 밑에 붙여 순번·등급을 나타내는 말. '第二十一—'. '五—活字'. '編立字—'《王守仁》.

字源 篆文 形聲. 虎+号〔音〕. '号호'의 '丂고'는 숨결이 올라가려 해도 위에 장애물이 있어 구부러지는 모양의 의성어(擬聲語). 소리를 내려 해도 너무 긴장되어 낼 수 없는 처절한 부르짖음의 뜻을 나타냄.

參考 号(口部 二畫)는 略字.

[號角 호각] 호루라기.
[號哭 호곡] 소리를 내어 슬피 우는 울음.
[號叫 호규] 호읍(號泣).
[號旗 호기] 신호(信號)하는 기.
[號咷 호도] 큰 소리로 욺. 울부짖음. 대곡(大哭).
[號令 호령] ㉠지휘(指揮)하는 명령(命令). ㉡큰 소리로 꾸짖음.
[號令如山 호령여산] 호령은 산과 같아서 한번 내린 호령은 다시 취소할 수 없음을 이르는 말.
[號令如汗 호령여한] 일단 내린 명령은 이미 나온

땀이 되들어갈 수 없듯이 취소할 수가 없는 것임.
[號房 호방] 명(明)나라 때 과거 보는 사람들이 드는 방.
[號屛 호병] 우신(雨神)의 이름.
[號召 호소] 불러냄. 불러옴.
[號數 호수] 차례(次例)의 수(數).
[號外 호외] 신문·잡지 등의 임시로 발행하는 중요한 보도(報道).
[號泣 호읍] 소리를 높여서 욺.
[號衣 호의] 군복(軍服).
[號笛 호적] 군호(軍號)로 부는 피리.
[號鐘 호종] 군호(軍號)로 치는 종.
[號天搶地 호천창지] 몹시 통곡하는 모양.
[號筒 호통] 군중(軍中)에서 입으로 불어서 호령(號令)을 전(轉)하는 대통 같은 물건.
[號砲 호포] 군호(軍號)로 놓는 대포(大砲).
[號火 호화] 신호(信號)의 불.
◉改號. 驚號. 口號. 舊號. 國號. 叫號. 記號. 旗號. 怒號. 名號. 番號. 別號. 負號. 符號. 商號. 殊號. 諡號. 信號. 雅號. 暗號. 哀號. 年號. 泣號. 正號. 尊號. 僭號. 追號. 稱號. 呼號. 徽號.

7 ⑬ [虜] [人名] 〔로〕 虜(虍部 六畫〈p.1998〉)의 俗字

8 ⑭ [虡] 거 [上]語 其呂切 jù

[字解] ①쇠북거는틀 거 종경(鐘磬)을 걸어 놓는 나무로 만든 틀. 또는 그 기둥. 簴(竹部 十四畫)와 同字. '一業維樅'《詩經》. ②책상 거 '一, 几也'《廣雅》.
[字源] [金文] [篆文] [別體] 形聲. 본디, 畀+兀+虍〔音〕. '虡거'는 그 약체(略體).

[膚] 〔부〕 肉部 十一畫(p.1862)을 보라.

[慮] 〔려〕 心部 十一畫(p.810)을 보라.

9 ⑮ [虥] 열 [入]屑 弋雪切 yuè
[字解] 범졸 열 호랑이가 졺. '一, 虎睡'《直音》.

9 ⑮ [虢] 괵 [入]陌 古伯切 guó
[字解] ①발톱자국 괵 범이 할퀸 자국. ②나라이름 괵 주대(周代)의 국명(國名). 동서로 나뉘었는데, '東一'은 허난 성(河南省) 형택현(滎澤縣)의 땅. '西一'은 산시 성(陝西省) 보계현(寶雞縣)의 땅에 있었음.
[字源] [金文] [篆文] 會意. 虎+寽. 범이 발톱〔爪〕을 세워 물건을 거머잡다의 뜻.

[虢國夫人 괵국부인] 당(唐)나라 현종(玄宗)의 총비(寵妃) 양귀비(楊貴妃)의 언니.

9 ⑮ [虣] 포 [去]號 薄報切 bào
[字解] ①사나울 포 暴(日部 十一畫)와 통용. ②범할 포 폭력을 가함. '以刑罰禁一而去盜'《周禮》.
[字源] [篆文] 會意. '虍호'와 '𣥂무'('武'의 本字. '사납다'의 뜻)를 합하여, '사납다, 거칠다, 학대하다'의 뜻을 나타냄.

[虣亂 포란] 침범하여 어지럽게 함.

9 ⑮ [虤] 虣(前條)의 本字

10 ⑯ [虤] 현 [上]銑 胡犬切 yán
[字解] 범성낼 현 호랑이가 성을 냄. '求閑未得閑, 衆誚瞋一一'《孟郊》.
[字源] [篆文] 會意. '虎호'를 둘 합하여, 범이 성내는 뜻을 나타냄.

[盧] 〔로〕 皿部 十一畫(p.1525)을 보라.

[鬳] 〔권〕 鬲部 六畫(p.2633)을 보라.

10 ⑯ [虥] 잔 [平]刪 昨閑切 zhàn [去]諫 士諫切 [上]潸 士限切
[字解] 범 잔 '一貓'는 털이 짧은 범. 일설(一說)에는, 살쾡이. '虎竊毛, 謂之一貓'《爾雅》.
[字源] [篆文] 形聲. 虎+戔〔音〕. '戔전'은 '淺천'과 통하여, '얕다'의 뜻. 털이 적은 범의 종류.

[虥貓 잔묘] 자해(字解)를 보라.

10 ⑯ [虦] 虥(前條)의 本字

10 ⑯ [虠] 도 [平]虞 同都切 tú
[字解] 범 도 호랑이. '於一'. '烏一'. '虎, …或謂於一. (注) 今江南山夷呼虎爲一'《揚子方言》.
[字源] [篆文] 形聲. 虎+兔〔音〕. 옛날에, 초(楚)나라 지방에서는 범을 오토(於菟)라 하였음.

10 ⑯ [虠] 요 [去]嘯 牛召切 yāo
[字解] 뒤뚝거릴 요 '一虠'는 쓰러질 듯함. '我亦平行踏一虠'《韓愈》.

[虠虠 요교] 자해(字解)를 보라.

11 ⑰ [虨] 반 [平]刪 方閑切 bīn
[字解] 범무늬 반 범 가죽의 얼룩얼룩한 무늬. '一, 虎文也'《廣韻》.
[字源] [篆文] 形聲. 虍+彬〔音〕. '彬빈·반'은 문채 모양의 뜻.

11 ⑰ [虧] [人名] 휴 (규[本]) [平]支 去爲切 kuī
[字解] ①이지러질 휴 한 귀퉁이가 떨어짐. '盈一'. '一損'. '月滿則一'《史記》. ②덜 휴, 덜릴 휴 줄임. 감함. '服罪者爲一除, 免之而已'《漢

書》. ③덕분에 휴 다행히. 덕택에. '況兼你的田產, 一我們照管, 依然俱在'《醒世恆言》.
字源 篆文 形聲. 亏+虘〔音〕. '亏우'는 물건을 깎기 위한 날붙이의 象形. '虘호'는 '缺결'과 통하여, '이지러지다'의 뜻. '이지러지다, 깎이다'의 뜻을 나타냄.

[虧價 휴가] 값을 깎음.
[虧缺 휴결] 부족함. 완전하지 아니함.
[虧本 휴본] 본전을 손해 봄. 밑짐.
[虧負 휴부] 빚을 짐.
[虧喪 휴상] 상실함. 실패함.
[虧損 휴손] 이지러져 덜림.
[虧蝕 휴식] ㉠일식(日蝕) 또는 월식(月蝕). ㉡자본이 줄어듦. 밑천을 까먹음. 「앰.
[虧失 휴실] ㉠이지러져 없어짐. ㉡소홀히 하여 없
[虧盈 휴영] 이지러짐과 참. 모자람과 가득 참.
[虧月 휴월] 이지러진 달. 둥글지 아니한 달.
[虧蔽 휴폐] 이지러져 가리워짐.
[虧欠 휴흠] ㉠일정한 수(數)에 부족이 생김. 축(縮). ㉡빚. 부채.
◉傾虧. 喫虧. 滿則虧. 覆虧. 星漢虧. 盈虧. 漸虧. 中虧. 贅虧. 頹虧. 蔽虧.

12 ⑱ [虧] 虧(前條)와 同字

12 ⑱ [虩] 혁 ㊀陌 許郤切 xì

字解 ①승호(蠅虎) 혁 거미의 일종. 파리를 잘 잡아먹음. ②두려워할 혁 공구하는 모양. '震來一一'《易經》.
字源 金文 篆文 形聲. 虎+㡭〔音〕. '㡭극'은 틈〔隙〕의 뜻. 범이 덮치려고 틈을 엿보는 데서, 파생하여 노림을 받고 놀라고 무서워하다의 뜻.

[虩虩 혁혁] 두려워하는 모양.

13 ⑲ [虪] ━ 색 ㊀陌 所責切 sè ━ 혈 ㊀屑 顯結切 xì

字解 ━ 범놀랄 색 범이 놀라는 모양. '一, 虎驚貌'《字彙補》. ━ 범소리 혈 범의 소리. '一, 虎聲也'《字彙補》.

13 ⑲ [虩] 虩(前前條)의 訛字

14 ⑳ [虤] 은 ㊥眞 語巾切 yín

字解 범싸우는소리 은 두 마리 범이 싸우는 소리. '一, 兩虎爭聲'《說文》.
字源 甲骨文 篆文 會意. 虤+曰. '虤현'은 두 호랑이가 성내는 뜻. '曰왈'은 입김이 나오다의 뜻으로, 두 호랑이가 노하여 싸우는 소리를 이름.

15 ㉑ [虢] 격 ㊀陌 古核切 gé

字解 ①범소리 격. ②범골낼 격 범이 물건을 치며 성을 내는 모양. '一, 虎搏物怒貌'《六書統》.
字源 形聲. 虎+毄〔音〕

15 ㉑ [虪] 虢(前條)의 本字

15 ㉑ [虪] 虢(前前條)과 同字

20 ㉖ [虪] 숙 ㊀屋 式竹切 shū

字解 검은범 숙 '一, 黑虎也'《說文》.
字源 篆文 形聲. 虎+儵〔音〕

22 ㉘ [虪] 등 ㊥蒸 徒登切 téng

字解 검은범 등 '一, 黑虎也'《說文》.
字源 篆文 形聲. 虎+騰〔音〕

虫 (6획) 部
〔벌레충부·벌레훼부〕

0 ⑥ [虫] ━ 훼 ㊤尾 許偉切 huǐ ━ 충 ㊥東 直弓反 chóng

筆順 丨 口 口 中 虫 虫

字解 ━ 벌레 훼 사람·짐승·새·물고기 이외의 동물의 일컬음. ━ 벌레 충 속(俗)에 蟲(虫部 十二畫)의 略字로 쓰임.
字源 甲骨文 金文 篆文 象形. 머리가 큰 살무사의 象形으로, '살무사'를 이름.
參考 ①'虫'은 蟲(虫部 十二畫)의 俗字. ②'虫'을 의부(意符)로 하여, 곤충 등 작은 동물의 이름 외에, '蚌·蛙·蛇·蛟' 등 각종 동물의 이름이나 상태를 나타내는 문자를 이룸.

1 ⑦ [虬] 虯(次次條)의 俗字

1 ⑦ [虫] 〔충〕 蟲(虫部 十二畫〈p. 2030〉)의 俗字

2 ⑧ [虯] 규 ㊥尤 渠幽切 qiú

字解 ①규룡 규 용의 새끼로 뿔이 둘 있다는 상상의 동물. 뿔이 없는 것은 '螭'라 함. '蛛一'. '焉有一龍, 負熊以遊'《楚辭》. ②뿔없는용 규 '一, 龍無角者'《說文》.
字源 篆文 形聲. 虫+丩〔音〕. '丩구·교'는 '휘감기다'의 뜻. '虫훼'는 '뱀'의 뜻. 휘감기는 뱀, '규룡'의 뜻을 나타냄.

[虯龍 규룡] 용(龍)의 일종. 빛이 붉고 뿔이 돋쳤다는 용의 새끼.
[虯髥 규염] 규룡같이 꼬불꼬불한 수염.
◉蛟虯. 蟠虯. 螺虯. 潛虯. 赤虯.

2 ⑧ [虰] ━ 증 ㊥庚 宅耕切 chēng ━ 정 ① ㊥庚 丑貞切 chēng ㊥青 當經切 dīng

[字解] [一] 개미 증 '一, 螘也'《廣韻》. [二] ①개미 정 [一]과 뜻이 같음. ②버마재비 정 사마귀. 당랑(螳螂). '螳螂或謂之一'《揚子方言》. ③잠자리 정 '一蛵'은 잠자리의 일종. '一蛵, 負勞. (注) 或曰, 卽蜻蛉也'《爾雅》.

2 ⑧ [⿷匚虫] 닉 [入]職 昵力切 nì

[字解] ①벌레이름 닉 蠶(虫部 十七畫〈p. 2039〉)과 同字. '蠶, 蟲名, 博雅, 蠶蠶, 蝱也, 或作一·䘌'《集韻》. ②벌레먹는병 닉 벌레가 장(腸)을 파먹는 병. '一, 蟲食病'《廣韻》.

2 ⑧ [虮] 기 [平]支 居狋切 jī

[字解] 벌레이름 기 '一, 蟲名, 爾雅, 蜜一, 繼英'《集韻》.

2 ⑧ [虱] 〔슬〕
蝨(虫部 九畫〈p. 2020〉)과 同字

2 ⑧ [虽] 〔수〕
雖(隹部 九畫〈p. 2487〉)의 俗字

3 ⑨ [虷] 간(①한[本]) ①[平]寒 胡安切 hán
②③[平]寒 居寒切 gān

[字解] ①장구벌레 간 모기의 유충(幼蟲). '還一蟹與科斗'《莊子》. ②범할 간 침범함. 干(部首)과 통용. '白虹一日'《漢書》. ③벌레먹을 간 '一, 蟲侵物'《洪武正韻》.
[字源] 形聲. 虫+干〔音〕

3 ⑨ [⿱工虫] [一] 홍 [平]東 胡公切 hóng
[二] 강 [上]講 古項切

[字解] [一] ①무지개 홍 虹(虫部 三畫)과 同字. '虹, 說文, 螮蝀也. 或書作一'《集韻》. ②신의이름 홍 '一一'은 신(神)의 이름. '一, 一一, 海外神名. 有兩首'《字彙補》. [二] 무지개 강 [一]❶과 뜻이 같음.

3 ⑨ [虸] 자 [上]紙 卽里切 zǐ 

[字解] 며루 자 '一蚄'은 각다귀의 유충(幼蟲). 벼·보리·조 따위의 뿌리와 싹을 잘라 먹는 해충. 며루. '以馬踐過爲種, 無一蚄蟲也'《齊民要術》.

[虸蚄 자방] 자해(字解)를 보라.
[虸蚄蟲 자방충] 자방(虸蚄).

3 ⑨ [虼] [現] 걸 gè

[字解] 《現》벼룩 걸 '一蚤'는 벼룩.

3 ⑨ [虹] [人名] [一] 홍 [平]東 戶公切 hóng 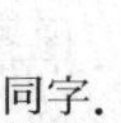
[二] 항 [平]江 胡江切

[筆順] ㄇ 口 中 虫 虫 虫 虹 虹

[字解] [一] ①무지개 홍 강우(降雨) 전후에 해의 반대 방향에 일곱 가지 색이 반원형으로 뻗친 줄. 천궁(天弓). 체동(螮蝀). '一蜺'(옛날에 이것을 용(龍)의 일종으로 생각하여 '一'을 수컷, '蜺'를 암컷으로 구별하였음). '一銷雨霽'《王勃》. 햇빛이 공중의 수증기에 비치어 생기는 흰 기운. '白一貫日'《戰國策》. ②다리 홍 무지개 모양으로 된 다리. '一橋'. '獨吹長笛過垂一'《陸游》. [二] 어지럽힐 항, 어지러울 항 訌(言部 三畫)과 통용. '實一小子'《詩經》.
[字源] 篆文  形聲. 虫+工〔音〕. '虫훼'는 '뱀'의 뜻. '工공'은 '꿰뚫다'의 뜻. 천공(天空)을 꿰뚫는 뱀, '무지개'의 뜻을 나타냄.

[虹橋 홍교] 무지개 모양으로 된 다리.
[虹洞 홍동] ㉠깊고 먼 모양. ㉡서로 연한 모양.
[虹沴 홍려] 재앙(災殃)의 전조(前兆)로서 나타난 무지개.
[虹蜺 홍예] 무지개.
[虹霓 홍예] ㉠홍예(虹蜺). ㉡별 이름.
[虹蜺門 홍예문] 인방(引枋)을 무지개같이 반원형(半圓形)으로 만든 문.
[虹彩 홍채] 눈동자의 주위(周圍)에 고리 모양으로 된 근섬유(筋纖維).
[虹泉 홍천] 폭포(瀑布). 비천(飛泉).
◉絳虹. 跨虹. 錦虹. 爛虹. 丹虹. 晩虹. 木霽虹. 文虹. 白虹. 霁虹. 宛虹. 雄虹. 長虹. 直虹. 彩虹.

3 ⑨ [⿰工虫] 虹(前條)과 同字

3 ⑨ [虳] [一] 굴 [入]物 九勿切 jué
[二] 적 [入]錫 丁歷切

[字解] [一] 쥐 굴 '一, 鼠也'《玉篇》. [二] 쥐 적 [一]과 뜻이 같음.

3 ⑨ [虾] 〔하〕
蝦(虫部 九畫〈p. 2022〉)의 簡體字

3 ⑨ [虵] 〔사·이〕
蛇(虫部 五畫〈p. 2007〉)의 俗字

3 ⑨ [虻] 〔맹〕
蝱(虫部 九畫〈p. 2020〉)과 同字

3 ⑨ [虺] [一] 훼 [上]尾 許偉切 huǐ 
[二] 회 [平]灰 呼恢切 huī

[字解] [一] ①살무사 훼 독사의 일종. '維一維蛇, 女子之祥'《詩經》. ②작은뱀 훼 어린 뱀. '爲一弗摧, 爲蛇將若何'《國語》. ③우렛소리 훼 우레가 울리는 소리의 형용. '一一其靁'《詩經》. ④성 훼 성(姓)의 하나. [二] 고달플 회 '一隤'는 말이 병들어 고달픈 모양. '陟彼崔嵬, 我馬一隤'《詩經》.
[字源] 篆文 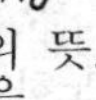 形聲. 兀+虫〔音〕. '虫훼'는 머리 큰 살무사의 뜻. '兀올'은 머리를 들어 올리다의 뜻. 머리를 쳐들고 덤벼 오는 살무사를 일컬음.

[虺隤 회퇴] 말이 병들어 고달픈 모양.
[虺蛇入夢 훼사입몽] 살무사나 뱀의 꿈을 꿈. 살무사와 뱀은 모두 음성(陰性)의 동물이므로 여아를 밸 태몽(胎夢)이라 함.
[虺蜴 훼척] 뱀과 도마뱀. 전(轉)하여, 남에게 해독을 끼치는 사람의 비유.
[虺虺 훼훼] 우렛소리.

◉毒虺. 蟒虺. 蝮虺. 王虺. 維虺.

[独] 〔독〕
犬部 六畫(p.1394)을 보라.

3 ⑨ [蚩] 천 ㊤銑 丑善切 chǎn
字解 길 천 벌레가 꿈틀거리며 기어감. '指禿腐骨, 不簡一傳'《晉書》.
字源 篆文 形聲. 虫+屮〔音〕. '屮좌'는 싹 트는 꼴. 벌레가 기어 나오는 뜻을 나타냄.
參考 蚩(虫部 四畫)는 別字인데 혼동됨.

3 ⑨ [蚛] 〔충·훼〕
虫(部首〈p.2001〉)과 同字

3 ⑨ [䖟] 〔맹〕
蝱(虫部 九畫〈p.2020〉)과 同字

3 ⑨ [虽] 〔수〕
雖(隹部 九畫〈p.2487〉)의 俗字

3 ⑨ [虮] 〔원·완〕
蚖(虫部 四畫〈p.2004〉)과 同字

3 ⑨ [𧈪] 〔원·완〕
蚖(虫部 四畫〈p.2004〉)의 訛字

3 ⑨ [𧈫] 주 ㊤有 陟柳切 zhǒu
字解 바다벌레이름 주 '一, 海蟲名, 似肘形'《集韻》.

[風] 〔풍〕
部首(p.2559)를 보라.

4 ⑩ [蚄] 방 (平)陽 分房切 fāng
字解 머루 방 虸(虫部 三畫)를 보라. '虸一'.

◉虸蚄.

4 ⑩ [蚌] 방 ㊤講 步項切 bàng
字解 ①씹조개 방 석패과(科)에 속하는 민물조개. '寒山之北有黑一飛翔來去'《拾遺記》. ②방합 방 대합조개. '一蛤'은 백합과(科)에 속하는 민물조개. '一蛤珠胎, 與月虧全'《左思》.
字源 篆文 形聲. 虫+丰〔音〕. '丰봉'은 '逢봉'과 통하여, '만나다'의 뜻. 조가비가 합치는 쌍각류(雙殼類) 조개를 뜻함.

[蚌殼 방각] 대합 껍질. 또, 씹조개의 껍질. 옛날에 점치는 데 쓰임.
[蚌珠 방주] 방합·진주조개·주모(珠母) 등의 살 속에 생기는 진주(眞珠).
[蚌蛤 방합] 자해(字解) ❷를 보라.
◉巨蚌. 老蚌. 珠出老蚌. 鷸蚌.

4 ⑩ [蚍] 비 (平)支 房脂切 pí
字解 왕개미 비 '一蜉'는 개밋과에 속하는 벌레. 보통의 개미보다 큼. 마의(馬蟻). 왕(王)개미. 말개미. '一蜉撼大樹, 可笑不自量'《韓愈》.
字源 篆文 別體 形聲. 篆文은 蟲+毗〔音〕. '蚍비'는 別體로서, 虫+比〔音〕.

[蚍蜉 비부] 자해(字解)를 보라.
[蚍蜉撼大樹 비부감대수] 왕개미가 큰 나무를 흔들려고 한다는 뜻. 곧, 자기의 역량도 생각하지 않고 함부로 큰일을 계획하거나 큰소리침을 이름.
[蚍蜉蟻子之援 비부의자지원] 왕개미나 작은 개미의 원조. 곧, 아주 미력한 원조.

4 ⑩ [蚑] 기 (平)支 巨支切 qí
字解 ①길 기 벌레가 천천히 기어감. '一行'. '一一脈脈善緣壁, 是非守宮卽蜥蜴'《漢書》. ②갈거미 기 '長一, 蠨蛸也'《古今注》.
字源 篆文 形聲. 虫+支〔音〕. '支지'는 구부러져 갈라지다의 뜻. 벌레가 느릿느릿 기는 모양을 나타냄.

[蚑蚑 기기] 기행(蚑行).
[蚑行 기행] 벌레가 기어가는 모양.
◉昆蚑. 石蚑. 長蚑.

4 ⑩ [蚓] 人名 인 ㊤軫 余忍切 yǐn
字解 지렁이 인 빈모류(貧毛類)에 속하는 환형동물(環形動物). 진 땅이나 물속에서 사는 자웅 동체(雌雄同體)로 둥글며 가늘고 긴 벌레. '蚯一'. '夫一, 上食槁壤, 下飮黃泉'《孟子》.
字源 螾의 別體 形聲. 虫+引〔音〕. '引인'은 '끌다'의 뜻. 몸을 바닥에 댄 채 움직이는 벌레, 지렁이의 뜻을 나타냄.

◉蚯蚓. 蟺蚓. 附蚓. 紫蚓. 秋蚓. 春蚓. 寒蚓.

4 ⑩ [蚐] 균 (平)眞 規倫切 jūn
字解 노래기 균 '一, 蟲名, 馬蚿也'《集韻》.

4 ⑩ [蚜] 아 (平)麻 火牙切 yá
字解 진디 아 아주 작은 날벌레로서, 초목의 잎이나 가지에 떼 지어 붙어서 진을 빨아 먹는 해충. 비렴(蜚蠊). '紅螺一光'《黃庭堅》.
字源 形聲. 虫+牙〔音〕

4 ⑩ [蚡] 분 (平)文 符分切 fén ㊤吻 房吻切
字解 두더지 분 식충류(食蟲類)에 속하는 쥐 비슷한 동물. 땅속에서 삶. 전서(田鼠). '鼢, 田中鼠. 一, 上同'《廣韻》.
字源 鼢의 別體 形聲. 虫+分〔音〕

4 ⑩ [蚣] 人名 ❶공 (平)東 古紅切 gōng ❷송 (平)冬 職容切 zhōng
字解 ❶지네 공 '蜈一'. '一, 蜈一, 蟲'《廣韻》. ❷베짱이 송 蜙(虫部 八畫)과 同字.
字源 蜙의 別體 形聲. 虫+公〔音〕

[蚣蝑 송서] 여치.
◉蜈蚣. 地蜈蚣.

4 ⑩ **[蚦]** 염 [平]鹽 如占切 rán

[字解] ①비단뱀 염 길이가 10미터에 이르며, 껍질은 곱게 빛나는 뱀. 쓸개는 약용(藥用)함. '一, 大它可食'《說文》. ②이무기 염 용(龍)이 되려다 못되고 물속에 산다는 여러 해 묵은 큰 구렁이. '一蛇珍於越土'《嵇康》.
[字源] 篆文 形聲. 虫+冄〔音〕. '冄염'은 '늘어지다'의 뜻. 수목 등에 늘어져 있는 큰 뱀, 비단뱀.

[蚦蛇 염사] 이무기.

4 ⑩ **[蚧]** 개 [去]卦 居拜切 jiè

[字解] ①조개 개 패류(貝類). '燕雀入於海, 化而爲一'《大戴禮》. ②옴 개 疥(疒部 四畫)와 통용. '手足之一瘙'《後漢書》.
[字源] 形聲. 虫+介〔音〕

[蚧瘙 개소] 옴.
◉蛤蚧.

4 ⑩ **[蚨]** 부 [平]虞 防無切 fú

[字解] 청부 부 '靑一'는 매미 비슷한 벌레. 중국 남해(南海)에서 남. 그 어미와 새끼의 피를 따로따로 돈에 바르고, 하나를 곁에 두고 다른 하나를 쓰면, 그 돈이 곧 도로 날아 돌아온다 함. '南方有蟲, 名靑一, 大如蠶子, 取其子, 則母飛來, 以母血, 塗錢八十一文, 每市物, 或先用母錢, 或先用子錢, 皆復飛歸, 輪環無已'《搜神記》. 전(轉)하여, 돈〔錢〕의 별칭(別稱).
[字源] 篆文 形聲. 虫+夫〔音〕

[蚨蟬 부선] 파랑강충이.
[蚨虷 부우] 그리마의 이칭(異稱).
◉靑蚨.

4 ⑩ **[蚘]** [一] 우 [平]尤 于求切 yóu [二] 회 [平]灰 戶恢切 huí

[字解] [一] 치우 우 '蚩一'는 옛날의 제후(諸侯)의 호(號). 尤(尢部 一畫)와 통용. [二] 거위 회 蛔(虫部 六畫)와 同字.
[字源] 形聲. 虫+尤〔音〕. '尤우'는 '책망'의 뜻. 사람에게 이변(異變)을 안겨 주는 벌레를 이름.

◉蚩蚘.

4 ⑩ **[蚝]** 자 [去]寘 七吏切 cì

[字解] 쐐기 자 쐐기나방의 유충. 풀쐐기. 蛓(虫部 六畫)와 同字. '痒肌遭一刺'《韓愈》.

4 ⑩ **[蚪]** 두 [上]有 當口切 dǒu

[字解] 올챙이 두 '蝌一'. '一, 蝌一, 蟲也'《廣韻》.
[字源] 形聲. 虫+斗〔音〕. '斗두'는 국자의 象形. 국자 모양을 한 올챙이를 뜻함.

◉蝌蚪.

4 ⑩ **[蚊]** [人名] 문 [平]文 無分切 wén

[字解] 모기 문 장구벌레가 우화(羽化)한 곤충. 암컷은 사람이나 짐승의 피를 빨아 먹음. '一蚋'. '一虻噆膚, 則通昔不寐矣'《莊子》.
[字源] 篆文 別體 俗體 形聲. 篆文은 蚰+民〔音〕. '蚰곤'은 벌레의 총칭인 곤충. '民민'은 모기의 날개 소리의 의성어(擬聲語). '모기'를 뜻함. '蚊문'은 俗字로, 虫+文〔音〕.
[參考] ①蟁(虫部 十一畫)은 本字. ②螡(虫部 四畫)은 同字.

[蚊脚 문각] 모기의 발. 전(轉)하여, 세자(細字).
[蚊脚蟹行 문각해행] 로마자(字)를 형용하는 말.
[蚊軍 문군] 모기떼.
[蚊雷 문뢰] 모기가 많이 모여 윙윙하는 소리.
[蚊虻 문맹] 모기와 등에.
[蚊蝱 문맹] 문맹(蚊虻).
[蚊蝱宵見 문맹소견] 재주와 슬기가 비상하여 모기나 등에 같은 하찮은 사람의 일까지도 환히 안다는 뜻.
[蚊蝱走牛羊 문맹주우양] 작은 것이 큰 것을 누르고 다스림을 이름. 맹(蝱)은 등에.
[蚊煙 문연] 모깃불.
[蚊蚋 문예] 모기.
[蚊蚋負山 문예부산] 역량이 부족하여 중임(重任)을 감당할 수 없음의 비유.
[蚊帳 문장] 모기장.
[蚊幬 문주] 모기장.
[蚊幮 문주] 모기장.
[蚊睫之蟲 문첩지충] 모기의 눈썹에 산다는 벌레. 극히 미세한 것의 비유.
[蚊幌 문황] 모기장.
◉朝蠅暮蚊. 聚蚊. 避蚊.

4 ⑩ **[蚖]** [一] 원 [平]元 愚袁切 yuán [二] 완 [平]寒 五丸切 wán

[字解] [一] 도마뱀 원, 영원(蠑螈) 원 '龍蟠於泥, 一其肆矣'《揚子法言》. '一, 今蘇俗謂之四腳蛇者, 是也. 形似壁虎而大'《通訓》. [二] 살무사 완 '不畏一蛇'《郭璞》.
[字源] 篆文 形聲. 虫+元〔音〕. '元원'은 '兀올'의 이체자(異體字)로, 머리를 들어 올리다, 머리가 둥글게 튀어나와 있다의 뜻. 도마뱀, 또 영원(蠑螈)의 뜻을 나타냄.

[蚖蛇 원사] 살무사.

4 ⑩ **[蚏]** 월 [入]月 王伐切 yuè

[字解] 방게 월 '蟚一'은 방게. 방기(螃蜞). '蟚一, 水蟲, 似蟹而小'《集韻》.

4 ⑩ **[蚔]** 척 [入]陌 昌石切 chǐ

[字解] 자벌레 척 '一蠖, 蟲名, 今蝍蛷'《集韻》.

4 ⑩ [蚗] 결 [入]屑 古穴切 jué

[字解] ①애매미 결 매미의 일종. 조료(蜩蟟). ②교룡 결 '一蠪'은 교룡(蛟龍). '一蠪伏之'《史記》.
[字源] 篆文  形聲. 虫＋夬〔音〕

[蚗蠪 결룡] 도롱뇽. 일설(一說)에는, '蚗'은 '蛟'의 잘못이라 함.

4 ⑩ [蚄] [一] 부 [平]尤 房尤切 fóu [二] 류 [平]尤 力求切

[字解] [一] 물벌레 부 게 비슷한 물벌레. '三蝬一江'《郭璞》. [二] 물벌레 류 [一]과 뜻이 같음.

4 ⑩ [蚡] 묘 [平]蕭 彌遙切 miáo

[字解] 개미누에 묘 알에서 갓 깨어 나온 누에. '一, 蠶初生者'《集韻》.

4 ⑩ [蚢] 윤 [上]軫 庾準切 yǔn

[字解] ①봄누에 윤 '一, 續博物志, 蠶四月續者名一'《字彙補》. ②벌레이름 윤 '一, 蟲名'《集韻》.

4 ⑩ [蚆] 파 [平]麻 普巴切 bā

[字解] 조개 파 '一, 貝也'《廣韻》.

4 ⑩ [蚥] 보 [上]麌 方矩切 fǔ

[字解] ①말매미 보 '王一'는 쓰르라미〔蜩〕의 큰 것. '不蜩, 王一'《爾雅》. ②사마귀 보 버마재비. '一, 蜛一, 螳螂別名'《廣韻》. ③두꺼비 보 '一, 蝦蟆也'《廣雅》.

4 ⑩ [蚢] [一] 항 [平]陽 胡郞切 háng [二] 강 [上]養 胡郞切 [去]漾 苦浪切

[字解] [一] ①누에 항 사철쑥의 잎을 먹는 누에의 일종. '一, 蕭蠲. (注)食桑葉者, 蠶類'《爾雅》. ②조개이름 항 거거(車渠) 비슷한 큰 조개. '紫一如渠'《郭璞》. [二] 누에 강, 조개이름 강 [一]과 뜻이 같음.

4 ⑩ [蚚] [一] 기 [平]微 渠希切 qí [二] 회 [平]灰 胡輩切 [三] 해 [去]隊 胡隈切

[字解] [一] ①쌀바구미 기 '一, 強也'《說文》. ②버마재비 기 '一父'는 버마재비. 사마귀. '螳蜋, 一名一父'《說文》. [二] 쌀바구미 회, 버마재비 회 [一]과 뜻이 같음. [三] 쌀바구미 해, 버마재비 해 [一]과 뜻이 같음.
[字源] 形聲. 虫＋斤〔音〕

4 ⑩ [蚳] [一] 기 [平]支 翹移切 qí [二] 치 [上]紙 陳尼切 zhǐ [三] 지

[字解] [一] ①청개구리 기 '一, 畫也'《說文》. ②등에 기 '一, 土蝱也'《玉篇》. ③전갈 기 '一, 蠍也'《廣雅》. [二] 갈거미 치 '一, 蟲名. 蚑也'《集韻》. [三] 개미알 지 蚔(虫部 五畫〈p. 2006〉)와 통용.
[字源] 形聲. 虫＋氏〔音〕

4 ⑩ [蚋] 〔예〕 蜹(虫部 八畫〈p. 2016〉)와 同字

4 ⑩ [虺] 〔훼·회〕 虺(虫部 三畫〈p. 2002〉)와 同字

4 ⑩ [蚈] 〔견〕 蚈(虫部 六畫〈p. 2011〉)의 俗字

4 ⑩ [蚤] [人名] 조 ①②[上]晧 子晧切 zǎo ③[上]巧 側絞切 zhǎo 

[字解] ①벼룩 조 잘 뛰며 인축의 피를 빨아 먹는 곤충. '鴟鵂夜撮一察毫末'《莊子》. ②일찍 조 早(日部 二畫)와 통용. '一死'. '今僕不幸一失二親, 無兄弟之親'《漢書》. ③손톱 조 爪(部首)와 통용. '一甲'. '差論一牙之士'《墨子》.
[字源] 篆文  別體  形聲. 篆文은 虫＋叉〔音〕. '叉조'는 '爪조'의 古字로, 위로부터 덮는 손의 象形. 사람을 무는 이로, 뛰는 것을 위에서 손으로 덮쳐 손톱으로 눌러 죽이는 '벼룩'의 뜻을 나타냄.

[蚤甲 조갑] 손톱.
[蚤起 조기] 아침에 일찍 일어남. 조기(早起).
[蚤莫 조모] 해 뜰 녘과 해 질 녘. 아침과 저녁. 조모(早暮). 모(莫)는 모(暮).
[蚤死 조사] 조요(蚤夭). 조사(早死).
[蚤世 조세] 조요(蚤夭).
[蚤歲 조세] 젊었을 때. 조세(早歲).
[蚤牙之士 조아지사] 발톱이나 엄니가 조수(鳥獸)를 지키듯이 임금을 지키는 선비. 국가의 중임을 맡은 신하(臣下)의 비유로 쓰임.
[蚤蝨 조슬] 벼룩과 이.
[蚤夜 조야] '숙야(夙夜)'와 같음.
[蚤夭 조요] 일찍 죽음. 요사(夭死).
[蚤知 조지] 일이 일어나기 전에 미리 앎. 사전(事前)에 앎. 선견(先見).
[蚤知之士 조지지사] 선견지명(先見之明)이 있는 선비.
[蚤寢 조침] 일찍 잠.
[蚤寢晏起 조침안기] 일찍 자고 늦게 일어남.

4 ⑩ [蚙] [一] 건 [平]眞 其淹切 qín [二] 금 [平]鹽 巨今切 qián

[字解] [一] 벌레이름 건 '一, 蟲名'《字彙》. [二] 집게발 금 새우나 게 따위의 집게발. '一, 蝦蟹距也'《集韻》.

4 ⑩ [蚭] 뉵 [入]屋 女六切 nǜ

[字解] 그리마 뉵 '一蚭'는 그리마. 유연(蚰蜒). '蚰蜒, 北燕謂之一蚭'《方言》.

4 ⑩ [蚩] [人名] 치 [平]支 赤之切 chī

[字解] ①얕볼 치 업신여김. 모멸함. '一眩邊鄙'《張衡》. ②어리석을 치, 못생길 치 우둔함. 또, 보기 흉함. '妍一好惡, 可得以言'《陸機》. ③비웃을 치 '一, 笑也'《小爾雅》. ④성 치 성(姓)의

하나.
[字源] 金文 篆文 形聲. 虫+㞢〔音〕

[蚩笑 치소] 비웃음.
[蚩惡 치악] 보기 싫고 나쁨.
[蚩尤 치우] ㉠고대의 제후(諸侯)의 이름. 병란(兵亂)을 좋아하였기 때문에 황제(黃帝)에게 주벌(誅伐)당하였음. 치우(蚩蚘). ㉡병란의 전조(前兆)가 된다는 별.
[蚩尤旗 치우기] 치우(蚩尤)㉡.
[蚩蚩 치치] ㉠무지(無知)한 모양. 일설(一說)에는, 돈후(敦厚)한 모양. ㉡소란한 모양.
[蚩眩 치현] 멸시하여 현혹하게 함. 깔보고 속임.

4 ⑩ [蚥] 보 [上]麌 方矩切 fǔ
[字解] 노랑등에 보 오이의 잎을 먹는 벌레. 수과(守瓜). '一, 蟲名, 食瓜者'《集韻》.

4 ⑩ [蚵] 면 [平]先 武延切 mián
[字解] 말매미 면 '蝒, 一蚗, 蟬屬'《說文》.
[字源] 篆文 形聲. 虫+丏〔音〕. '丏면'은 말매미의 울음소리를 나타냄.

4 ⑩ [蚗] 권 [平]先 逵員切 quán
[字解] 벌레불에뛰어들 권 '一, 入火皃'《集韻》.

4 ⑩ [蚠] 분 [平]文 符分切 fén
[字解] 사람이름 분 '一, 鬫. 人名'《集韻》.
[字源] 形聲. 虫+分〔音〕

4 ⑩ [蚉] 〔문〕
蚊(虫部 四畫〈p.2004〉)과 同字

4 ⑩ [蚩] 〔독·대〕
毒(毋部 四畫〈p.1162〉)의 古字

4 ⑩ [蚕] 〔잠〕
蠶(虫部 十八畫〈p.2040〉)의 俗字

5 ⑪ [蚯] 구 [平]尤 去鳩切 qiū
[字解] 지렁이 구 빈모류(貧毛類)에 속하는 환형동물(環形動物). 진 땅이나 물속에서 사는 자웅 동체로 둥글며 가늘고 긴 벌레. '孟夏之月, 一蚓出'《禮記》.
[字源] 形聲. 虫+丘〔音〕

[蚯蚓·蚯螾 구인] 지렁이.

5 ⑪ [蚰] 유 [平]尤 以周切 yóu
[字解] 그리마 유 '一蜒'은 그리맛과에 속하는 절지동물(節肢動物). 마루 틈이나 방구석에서 삶. 그리마. '巷有兮一蜒'《王逸》.
[字源] 形聲. 虫+由〔音〕

[蚰蜒·蚰蝝 유연] 그리마.

5 ⑪ [蚸] 석 [入]陌 常隻切 shí
[字解] 사마귀 석 버마재비. 당랑(螳螂). '一, 蟲名, 螳螂也, 一名一蛝'《集韻》.

5 ⑪ [蚊] 〔문〕
蟁(虫部 十一畫〈p.2027〉)과 同字

5 ⑪ [蚱] 책 [入]陌 側伯切 zhà
[字解] ①벼메뚜기 책 '一蜢'은 메뚜깃과에 속하는 곤충. 뒷다리가 발달되어 뛰기를 잘하며, 날개가 몹시 길. 벼의 잎을 갉아 먹음. 부종(蠜螽). ②말매미 책 '一蟬'은 매미 가운데 가장 큰 곤충. 몸빛은 흑색에 광택이 나고, 여름에 크게 울. 마조(馬蜩).
[字源] 形聲. 虫+乍〔音〕

[蚱蜢 책맹] 자해(字解)❶을 보라.
[蚱蟬 책선] 자해(字解)❷를 보라.

5 ⑪ [蚾] [一] 필 [入]質 薄必切 bì
[二] 비 [去]寘 毗至切
[字解] [一] 검은벌 필 '一, 黑蜂'《玉篇》. [二] 큰벌 비 '一, 蟲名, 大蜂也'《集韻》.

5 ⑪ [蚳] 지 [平]支 直尼切 chí
[字解] ①개미알 지 개미의 알. '腶脩一醢'《禮記》. ②전갈 지 '一, 蠍也'《一切經音義》. ③성 지 성(姓)의 하나.
[字源] 篆文 籀文 古文 形聲. 虫+氐〔音〕. '氐저'는 '평평함'의 뜻. 몸이 납작하고 두께가 없는 전갈을 이름.

5 ⑪ [蚴] 유 [上]有 於糾切 yǒu
[字解] ①굼틀거릴 유 '一蟉'는 용이나 뱀이 굼틀거리며 가는 모양. '一蟉於東廂'《司馬相如》. ②나나니벌 유 '一蜕'. '一, 蟲名. 博雅, 一蜕, 土蜂'《集韻》.
[字源] 形聲. 虫+幼〔音〕

[蚴蟉·蚴虬 유규] 용이나 뱀이 굼틀거리며 가는 모양. 유류(蚴蟉).

5 ⑪ [蚶] 감 [平]覃 呼談切 hān
[字解] ①새꼬막 감 돌조갯과에 속하는 바닷조개. 껍질의 모양은 기와지붕과 비슷하고, 살빛은 붉으며 맛이 좋음. 피안다미조개. '洪一專車'《郭璞》. ②다슬기 감 '螺라'의 작은 것. 蜬(虫部 八畫)과 同字. '蜬, 蠃之小者. 或作一'《集韻》.

[蚶田 감전] 새꼬막을 양식하는 곳.

5 ⑪ [蚷] 거 [上]語 臼許切 jù
[平]魚 求於切 qú
[字解] 노래기 거 '商一'는 배각류(倍脚類)에 속

하는 절지동물(節肢動物)의 하나. 모양은 지네 비슷하나 그보다 작고, 고약한 노린내가 남. 노래기. 마륙(馬陸). '商一馳河'《莊子》.
[字源] 形聲. 虫+巨〔音〕

◉商蚷.

5 ⑪ [蚿] 현 [平]先 胡田切 xián

[字解] 노래기 현 배각류(倍脚類)에 속하는 절지동물(節肢動物)의 하나. 모양이 지네 비슷하나 그보다 작고 고약한 노린내가 남. '馬一'. '一憐蛇'《莊子》.
[字源] 形聲. 虫+玄〔音〕

◉馬蚿.

5 ⑪ [蚹] 부 [去]遇 符遇切 fù

[字解] 비늘 부 뱀의 아랫배에 있는 비늘. '蛇一蜩翼'《莊子》.

◉蛇蚹.

5 ⑪ [蛀] 주 [去]遇 之戍切 zhù

[字解] ①나무굼벵이 주 목두충(木蠹蟲). ②벌레 먹을 주 벌레가 파먹음. '一牙'는 충치(蟲齒). '一, 凡物被蠹皆曰一'《中華大字典》.
[字源] 形聲. 虫+主〔音〕

[蛀齒 주치] 충치(蟲齒).

5 ⑪ [蛁] 조 [平]蕭 都聊切 diāo

[字解] 애매미 조 '一蟟'는 몸은 검고 갸쭉하며, 두흉부(頭胸部)에 황록색 점이 있는 작은 매미. 애매미. 기생매미. '一, 一曰, 一蟧, 小蟬'《集韻》.
[字源] 篆文 形聲. 虫+召〔音〕. 애매미의 울음소리의 의성어.

[蛁蟟 조료] 자해(字解)를 보라.

5 ⑪ [蛅] 점 [平]鹽 之廉切 zhān

[字解] 쐐기 점 '一斯'·'一蟖'는 쐐기나방의 유충(幼蟲). 풀쐐기. 쐐기.
[字源] 篆文 形聲. 虫+占〔音〕. '占점'은 '들러붙다'의 뜻. 쐐기를 이름.

[蛅蟖 점사] 자해(字解)를 보라.

5 ⑪ [蛄] 고 [平]虞 古胡切 gū

[字解] ①땅강아지 고 螻(虫部 十一畫)를 보라. '螻一'. '螻蛭, 謂之螻一'《揚子方言》. ②씽씽매미 고 '蟪一'.
[字源] 篆文 形聲. 虫+古〔音〕. '古고'는 '딱딱하다'의 뜻. 몸이 딱딱한 벌레의 뜻으로, '땅강아지·씽씽매미' 등을 이름.

[蛄蟹 고시] 쌀·보리·옥수수 따위를 갉아 먹음. 바구미.
◉螻蛄. 仙蛄. 蟪蛄.

5 ⑪ [蛆] [一] 날 [入]曷 乃曷切 nà
[二] 철 [入]屑 陟列切

[字解] [一] ①쏠 날 벌레가 쏨. '一, 一曰, 螫也'《集韻》. ②아플 날 '一, 痛也'《廣雅》. [二] 쏠 철, 쏘일 철 벌레가 쏨. 전갈에 쏘임. '蠍毒傷人曰一'《左傳疏》.

5 ⑪ [蛆] 저 [平]魚 七余切 qū

[字解] 구더기 저 파리의 유충(幼蟲). '何處放一來'《北史》.
[字源] 形聲. 虫+且〔音〕

[蛆蠅糞穢 저승분예] 구더기·파리·똥 같은 몹시 더러운 것.
[蛆蟲 저충] 구더기. 또, 사람을 욕하는 말.
◉水蛆. 玉蛆. 蝍蛆. 蟲蛆.

5 ⑪ [蛇] [高人] [一] 사 [平]麻 食遮切 shé
[二] 이 [平]支 弋支切 yí

[筆順] 口 中 虫 虫 虫' 虫宀 虫宀 蛇

[字解] [一] ①뱀 사 파충(爬蟲)의 하나. '一蠍'. '內一與外一鬪'《左傳》. ②별이름 사 북방의 성수(星宿)의 이름. '一乘龍'《左傳》. ③성 사 성(姓)의 하나. [二] 구불구불갈 이 '委一'는 뱀이 굼틀거리며 가는 모양. '委一蒲服'《史記》.
[字源] 它의 別體 形聲. 虫+它〔音〕. '它사'는 뱀의 象形. '虫훼'를 더하여 뜻을 분명히 함.

[蛇蝎 사갈] 사갈(蛇蠍).
[蛇蠍 사갈] 뱀과 전갈(全蠍). 사람이 두려워하고 싫어하는 자, 또는 몹시 징그러운 물건의 비유.
[蛇毒 사독] 뱀의 몸속에 있는 독(毒).
[蛇龍 사룡] 이무기가 환퇴(幻退)하여 된 용(龍).
[蛇苺 사매] 장미과(薔薇科)에 속하는 다년생 풀. 뱀딸기.
[蛇無頭不行 사무두불행] 단체에는 수령이 없어서는 안 됨.
[蛇紋石 사문석] 뱀 껍질 같은 무늬가 있는 짙은 녹색 또는 연둣빛의 돌. 장식용의 석재로 쓰임.
[蛇鱓 사선] 물뱀.
[蛇豕 사시] '장사 봉시(長蛇封豕)'의 준말. 곧, 긴 뱀과 큰 돼지. 욕심이 많고 성질이 사나운 자의 비유.
[蛇身人首 사신인수] 옛날 중국(中國)의 제왕(帝王) 복희씨(伏羲氏)가 몸은 뱀이고 머리는 사람의 모양이었다 함.
[蛇心 사심] 간악(奸惡)하고 질투(嫉妬)가 심(甚)한 마음.
[蛇心佛口 사심불구] 속은 음험하고 겉으로는 친절한 체함.
[蛇足 사족] 뱀은 발이 없는데 발을 그린다는 뜻으로, 소용없는 일을 함의 비유. 화사첨족(畫蛇添足).

[蛇行 사행] ㉠엉금엉금 기어감. ㉡뱀처럼 구불구불 감.
[蛇化爲龍不變其文 사화위룡불변기문] 소물(小物)이 대물(大物)이 되어도 옛 모습은 변함없이 남아 있음.
[蛇虺 사훼] 뱀과 살무사. 사람이 두려워하고 싫어하는 자의 비유.
◉巨蛇. 蛟蛇. 大蛇. 毒蛇. 螣蛇. 白蛇. 蝮蛇. 封豕長蛇. 小蛇. 深山大澤生龍蛇. 兩頭蛇. 蚺蛇. 靈蛇. 王蛇. 龍蛇. 委蛇. 透蛇. 一籠一蛇. 長蛇. 青蛇. 春蚓秋蛇. 打草驚蛇. 虺蛇.

5 ⑪ [蛈] [一] 철 [入]屑 他結切 tiè
[二] 체 [去]霽 他計切
[字解] [一] 땅거미 철 '一蜴'은 땅거미. '若一母之從其子也'《鬼谷子》. [二] 땅거미 체 [一]과 뜻이 같음.

5 ⑪ [蛉] 령 [平]青 郎丁切 líng 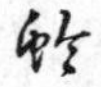
[字解] ①잠자리 령 '一, 蜻一也'《說文》. ②명령 령 '螟一'은 접아류(蝶蛾類)의 유충(幼蟲)으로서 빛이 푸른 것. 배추벌레.
[字源] 篆文  形聲. 虫+令[音]. '令령'은 '冷랭'과 통하여, '차다'의 뜻. 맑고 서늘해 보이는 날개를 가진 '잠자리'를 뜻함.

◉螟蛉. 蠓蛉. 蜻蛉.

5 ⑪ [蚸] 력 [入]錫 力的切 lì
[字解] 방아깨비 력 '蟿一'은 메뚜깃과의 벌레. 방아깨비. '蟿螽, 蟿一'《爾雅》.
[字源] 形聲. 虫+斥[音]

◉蟿蚸.

5 ⑪ [蛃] 병 [上]梗 兵永切 bǐng
[字解] 반대좀 병 '一魚'는 책·의류를 해치는 벌레. '衣書中蟲, 一名一魚'《爾雅 注》.
[字源] 形聲. 虫+丙[音]

5 ⑪ [蛣] [一] 겁 [入]葉 訖業切 jié
[二] 거 [上]語 羌擧切 qǔ
[字解] [一] 거북다리 겁 '石一'은 갑각류 만각목(蔓脚目)의 절지동물. 바닷가의 바위에 붙어 삶. '一, 南越志, 石一, 形如龜脚'《韻會》. [二] 두꺼비 거 '一蚾'는 두꺼비. '一, 一蚾也'《康熙字典》.

5 ⑪ [蚲] 평 [平]庚 蒲兵切 píng
[字解] 등에 평 '一, 蚌一'《廣韻》.

5 ⑪ [蛂] [一] 별 [入]屑 蒲結切 bié
[二] 불 [入]物 敷勿切
[三] 비 [入]齊 騈迷切
[去]未 方未切
[四] 제 [去]霽 大計切
[字解] [一] 풍뎅이 별 '一, 一蟥蚦, 甲蟲也'《廣韻》. [二] 풍뎅이 불 [一]과 뜻이 같음. [三] 풍뎅이 비 [一]과 뜻이 같음. [四] 풍뎅이 제 [一]과 뜻이 같음.

5 ⑪ [蚵] [一] 하 [平]歌 胡歌切 hé
[二] 가 [去]箇 口箇切 kè
[字解] [一] ①도마뱀 하 '一蠪'은 도마뱀. '一, 蟲名. 博雅, 一蠪, 蜤蜴也'《集韻》. ②쥐며느리 하 '一蝂'는 집신벌레. ③두꺼비 하 '一蚾'는 두꺼비. ④여우오줌풀 하 습지(濕地)에 나는 풀, 천명정(天名精)의 별명(別名). [二] 도마뱀 가, 쥐며느리 가, 두꺼비 가, 여우오줌풀 가 [一]과 뜻이 같음.

5 ⑪ [蛶] 괴 guǎi
[字解] 개구리 괴 개구리의 일종. '一, 蛙屬'《續辭源》.

5 ⑪ [蚼] [一] 후 [上]有 呼后切 xù
[平]虞 其俱切 qú
[二] 구 [平]尤 居侯切 gǒu
[去]遇 吁句切
[字解] [一] ①개 후 사람을 잡아먹는다는 개의 일종. '一, 北方有一犬食人'《說文》. ②큰개미 후 현후(玄蚼). '玄一, 螘也'《廣雅》. [二] 개 구, 큰개미 구 [一]과 뜻이 같음.

5 ⑪ [蚍] [一] 졸 [入]屑 職悅切 zhuō
[二] 굴 [入]物 曲勿切 qū
[三] 올 [入]月 五忽切
[字解] [一] 거미 졸 '一, 蟲名. 蜘蛛也. 或从出'《集韻》. [二] 나무굼벵이 굴 '蛣一'은 나무굼벵이. '一, 蛣一也'《說文》. [三] 나무굼벵이 올 [二]와 뜻이 같음.
[字源] 形聲. 虫+出[音]

5 ⑪ [蛎] 〔려〕
蠣(虫部 十五畫〈p. 2038〉)의 俗字

5 ⑪ [蚺] 〔염〕
蚺(虫部 四畫〈p. 2004〉)의 俗字

5 ⑪ [蚦] 〔염〕
蚺(虫部 四畫〈p. 2004〉)의 俗字

5 ⑪ [蛋] [人名] 단 [去]翰 徒歎切 dàn 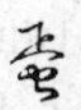
[字解] ①오랑캐이름 단 蜑(虫部 七畫)과 同字. 중국 남방의 종족. 수상(水上)생활을 함. '胡夷一蠻'《柳宗元》. ②새알 단 조란(鳥卵). '一白'. '呼鳥卵爲一'《字彙補》.
[字源] 形聲. 虫+疋(延)[音]. '延연'은 '誕탄'과 통하여, 나다의 뜻. 벌레나 뱀이 생겨나는 알을 뜻함.

[蛋殼 단각] 알껍데기. 난각(卵殼).
[蛋民 단민] 중국 남부의 수상생활자. 배를 집으로 삼고 어업·수운(水運) 등에 종사함.
[蛋白 단백] ㉠알의 흰자위. 난백(卵白). 단백질로 된 물건. ㉡단백질의 약(略).
[蛋白質 단백질] 탄소·산소·수소·질소·유황 등을 포함한 동식물의 주요 성분을 이루는 유기(有機) 화합물.

[蛋黃 단황] 난세포(卵細胞) 노른자위. 안에 있는 누른빛의 양분. 난황(卵黃).

5 ⑪ [蚻] 찰 (入)黠 側八切 zhá

[字解] 씽씽매미 찰 매미의 한 가지로서, 모양이 작음. '始去杏飛蜂, 及歸柳嘶一'《孟郊》.

[字源] 形聲. 虫+札〔音〕

◉嘶蚻.

5 ⑪ [蚖] [一] 원 (平)元 於袁切 wān (上)阮 於阮切 wǎn [二] 완 (平)寒 烏丸切 wān

[字解] [一] ①꿈틀거릴 원 용(龍)이 기어가는 모양. 蜿(虫部 八畫)과 同字. '蜿, 蜿蜿, 龍皃. 亦作一'《集韻》. ②지렁이 원 '一蟺'·'一蟮'은 지렁이. 蜿(虫部 八畫)과 同字. '蜿, 一蟺, 蚯蚓也. 亦作一'《廣韻》. [二] 꿈틀거릴 완 蜿(虫部 八畫)과 同字. '蜿, 博雅, 蜿蜿·蝹蝹, 動也. 亦作一'《集韻》.

[蚖轉 원전] 움직이는 모양.

5 ⑪ [蚵] 가 (平)麻 居牙切 jiā

[字解] 바구미 가 '一, 米中黑蟲'《集韻》.

5 ⑪ [蚭] 니 (平)支 女夷切 ní

[字解] 그리마 니 '蚰一, 蚰蜒也'《廣雅》.

5 ⑪ [蛊] 〔고〕 蠱(虫部 十七畫〈p. 2038〉)와 同字

5 ⑪ [蛍] 〔형〕 螢(虫部 十畫〈p. 2027〉)의 俗字

5 ⑪ [蛍] 〔형〕 螢(虫部 十畫〈p. 2027〉)의 俗字·簡體字

5 ⑪ [蛩] 〔공〕 蛩(虫部 六畫〈p. 2011〉)의 俗字

6 ⑫ [蛑] 모 (平)尤 莫浮切 móu

[字解] ①뿌리잘라먹는벌레 모 농작물 또는 묘목의 뿌리를 잘라 먹는 해충의 총칭. 蝥(虫部 九畫)와 同字. ②당랑 모 버마재비, 곧 당랑(螳螂)의 별칭(別稱). ③꽃게 모 蝤(虫部 九畫)를 보라.

[字源] 古文 形聲. 虫+牟〔音〕

◉蝤蛑.

6 ⑫ [蛔] [人名] 회 (平)灰 胡隈切 huí

[字解] 거위 회 사람에게 가장 흔한 기생충(寄生蟲)의 하나. 회. 蛕(次次條)와 同字. '蛕, 說文, 腹中長蟲. 或作一'《集韻》. 고충(蠱蟲).

[字源] 形聲. 虫+回〔音〕. '回회'는 '돌다'의 뜻. 배 속을 돌아다니는 회충을 이름.

[蛔蟲 회충] 사람의 배 속에 기생하는 벌레의 한 가지. 거위.

6 ⑫ [蛕] [一] 유 (平)虞 容朱切 yú [二] 수 (平)虞 雙雛切 shū

[字解] [一] 거미 유 '蠋一'는 거미. 蝓(虫部 九畫〈p. 2020〉)와 同字. '蝓, 方言, 趙魏謂鼅鼄爲蠋蝓. 或作一'《集韻》. [二] 집게벌레 수 '蠷一'는 집게벌레. '一, 蠷一, 多足蟲'《集韻》.

6 ⑫ [蛕] 회 (平)灰 戶恢切 huí

[字解] 거위 회 회충(蛔蟲). 蛔(前前條)와 同字. '脩一恙心, 短蟯穴胃'《柳宗元》.

[字源] 篆文 形聲. 虫+有〔音〕

6 ⑫ [蛙] [人名] [一] 와 (平)麻 烏瓜切 wā [二] 왜 (平)佳 烏媧切 wā

[字解] [一] ①개구리 와 올챙이의 성충(成蟲). '井底一'. '一與蝦蟆群鬪'《漢書》. ②음란할 와 음탕하고 난잡함. '紫色一聲'《漢書》. [二] 개구리 왜, 음란할 왜 [一]과 뜻이 같음.

[字源] 形聲. 虫+圭〔音〕. '圭규'는 개구리의 울음소리의 의성어.

[蛙鳴 와명] 개구리가 우는 소리.
[蛙鳴蟬噪 와명선조] ㉠개구리와 매미가 시끄럽게 욺. 전(轉)하여, 속물(俗物)들이 시끄럽게 변설(辯舌)을 농함을 이름. ㉡졸렬한 시문(詩文).
[蛙聲 와성] ㉠와명(蛙鳴). ㉡음란(淫亂)한 음악.
[蛙市 와시] 개구리가 떼를 지어 욺.
[蛙吹 와취] 와명(蛙鳴).
[蛙吠 와폐] 와명(蛙鳴).

◉群蛙. 亂蛙. 怒蛙. 鳴蛙. 淫蛙. 泥蛙. 井蛙. 井底蛙. 青蛙.

6 ⑫ [蛛] [人名] 주 (平)虞 陟輸切 zhū

[字解] 거미 주 거미줄을 쳐서 벌레를 잡아먹는 곤충. '蜘一'. '一絲'.

[字源] 鼄의 別體 形聲. 虫+朱〔音〕

[蛛網 주망] 거미집.
[蛛煤 주매] 거미줄과 그을음.
[蛛絲 주사] 거미줄.

◉饑蛛. 網蛛. 壁蛛. 蜘蛛. 蒼蛛.

6 ⑫ [蛜] 이 (平)支 於脂切 yī

[字解] 쥐며느리 이 '一威'·'一蝛'는 쥐며느릿과의 곤충. 썩은 나무나 마루 밑 같은 음습한 곳에 남. 쥐며느리.

[字源] 篆文 形聲. 虫+伊〔音〕

[蛜蛈 이결] 참매미.
[蛜威·蛜蝛 이위] 자해(字解)를 보라.

6 ⑫ [蛡] 이 (去)寘 仍吏切 ěr

[字解] 미끼 이 낚싯밥. '一, 釣魚食也'《集韻》.

6 ⑫ [蛞] 활 ㊀曷 苦栝切 kuò

字解 ①올챙이 활 '一, 蟲名, 科斗也'《集韻》. ②새끼두꺼비 활 '一, 蝦蟆子名'《廣韻》. ③괄태충 활 '一蝓'는 연체동물(軟體動物) 복족류(腹足類)에 속하는 동물. 달팽이같이 생겼으나 껍데기가 없음. 괄태충(栝胎蟲). '一蝓無殼'《本草》. ④땅강아지 활 '一螻'는 몸은 황갈색 또는 암갈색을 띤 흙빛으로서, 연한 털이 배에 난 작은 곤충. 땅강아지. 누고(螻蛄).

字源 形聲. 虫+舌〔音〕

[蛞螻 활루] 자해(字解) ❹를 보라.
[蛞蝓 활유] 자해(字解) ❸을 보라.

6 ⑫ [蛟] 人名 교 ㊥肴 古肴切 jiāo

字解 ①교룡 교 '一龍'은 용(龍)의 일종. '命漁師伐一'《禮記》. ②뿔없는용 교 악어의 무리. '一, 龍屬. 無角曰蛟'《說文》.

字源 篆文 形聲. 虫+交〔音〕. '交교'는 '뒤섞이다'의 뜻. 몸이 뒤틀어져 있는 '교룡'을 이름.

[蛟虯 교규] ㉠마음이 울결함. 반굴(蟠屈). ㉡도검(刀劍)의 형용.
[蛟龍 교룡] 용(龍)의 일종(一種)으로 상상상의 동물. 큰 물을 일으킨다 함. 모양이 뱀 같으며 길이가 한 길이 넘는다 함.
[蛟龍得水 교룡득수] 교룡득운우(蛟龍得雲雨).
[蛟龍得雲雨 교룡득운우] 영웅이 때를 만나면 큰 사업을 이룬다는 비유.
[蛟龍吼 교룡후] 음영(吟咏)하는 소리가 큼을 비유하는 말.
[蛟蛇 교사] 교룡(蛟龍).
[蛟篆 교전] 종정(鐘鼎)에 새긴 전자(篆字). 그 자체(字體)가 교룡(蛟龍)처럼 꾸불꾸불하므로 이름.
◉騰蛟. 素蛟. 水蛟. 龍蛟. 潛蛟. 斬蛟. 蟄蛟. 黑蛟.

[蛟龍]

6 ⑫ [蛣] 길(①결㊍) ①㊀屑 詰結切 qiè ②㊀質 去吉切 jié

字解 ①장구벌레 길 '一蟩'은 모기의 유충(幼蟲). ②쇠똥구리 길 '一蜣'은 풍뎅잇과의 곤충. 말똥구리. '一蜣之智, 在乎轉丸'《莊子》.

字源 篆文 形聲. 虫+吉〔音〕

[蛣蜣 길강] 풍뎅잇과에 속하는 곤충. 몸이 둥글둥글한데, 빛이 검고 광택이 나며, 봄과 여름철에 말똥·쇠똥 따위를 굴려다가 집에 쌓아 두고 그 속에다 알을 낳음. 말똥구리. 쇠똥구리.
[蛣蝠 길굴] 나무좀·나무굼벵이의 총칭. 「(孑孒).
[蛣蟩 길궐] 모기의 유충(幼蟲). 장구벌레. 혈궐

6 ⑫ [蛨] 〔구·후〕 蚼(虫部 五畫〈p. 2008〉)와 同字

6 ⑫ [翎] ㊀ 익 ㊀職 逸職切 yì ㊁ 후 ㊤麌 火羽切 xǔ

字解 ㊀ ①벌집 익 봉방(蜂房). '一, 蜂房也'《類篇》. ②벌레길 익 벌레가 기는 모양. '一, 一一, 蟲行皃'《廣韻》. ㊁ ①벌레이름 후 '一, 蟲名'《玉篇》. ②벌레날 후 '一, 蟲飛'《類篇》.

6 ⑫ [蛤] 人名 합 ㊀合 古沓切 gé, há

字解 ①대합조개 합 바다에서 나는 조개의 한 가지. 무명조개. '蜃一'. '爵入大水爲一'《禮記》. ②기생개구리 합, 개구리 합 올챙이가 자란 것. '何處多啼一'《高啓》. ③두꺼비 합 '一卽是蝦蟇'《韓愈》.

字源 篆文 形聲. 虫+合〔音〕. '合합'은 '만나다'의 뜻. 두 조가비가 합치는 대합조개를 뜻함.

[蛤蜊 합리] 물이 얕은 모래땅에 사는 조개. 새조개.
[蛤蟆 합마] 개구리.
[蛤仔 합자] 참조개.
[蛤蜆 합현] 대합조개와 바지락조개.
◉魁蛤. 牡蛤. 文蛤. 蚌蛤. 山蛤. 蜃蛤. 珠蛤. 花蛤.

6 ⑫ [蛔] 동 ㊥東 徒紅切 tóng

字解 벌레 동 벌레 이름. '一, 蟲也'《玉篇》.

6 ⑫ [蛧] 망 ㊤養 文兩切 wǎng

字解 도깨비 망 '一蜽'은 산령(山靈). 산·내·나무·돌의 정(精). 즐겨 사람의 목소리를 흉내내어 사람을 홀린다 함. 망량(魍魎). 망량(罔兩). 방량(方良). 산정(山精). '追水豹兮鞭一蜽'《張衡》.

字源 篆文 形聲. 虫+网〔音〕. '网망'은 숨어서 보이지 않다의 뜻을 나타냄.

[蛧蜽 망량] 도깨비. 망량(魍魎).

6 ⑫ [蚼] 향 ㊤養 許兩切 xiǎng

字解 번데기 향 풍뎅이 따위가 땅속에서 번데기가 된 것. '蠁, 知聲蟲也. 一, 司馬相如說, 从向'《說文》.

6 ⑫ [蛝] 곤 ㊥元 古渾切 kūn

字解 벌레 곤 곤충(昆蟲). '一, 蟲之總名也'《說文》.

字源 甲骨文 金文 篆文 會意. 虫+虫

6 ⑫ [蛭] 人名 질 ㊀質 之日切 zhì

字解 ①거머리 질 환형동물(環形動物) 거머리목(目)에 속하는 동물의 총칭. 논과 못 같은 데 살며, 동물의 살에 달라붙어 피를 빨아 먹음. '水一'. '食寒葅而得一'《劉向》. ②개밋둑 질 '人莫躓於山, 而躓於一'《淮南子》. ③그리마 질 '一, 蚰蜒也'《中華大字典》. ④성 질 성(姓)의

하나.
[字][源] 篆文  形聲. 虫+至〔音〕. '至지'는 찰싹 붙다의 뜻. 사람의 살갗에 찰싹 들러붙는 벌레, '거머리'를 뜻함.

[蛭蝚 질유] 거머리의 한 가지.
[蛭螾 질인] 거머리와 지렁이.
◉馬蛭. 山蛭. 石蛭. 水蛭. 泥蛭. 草蛭.

6
⑫ [蛦] [一] 이 [平]支 以脂切 yí
[二] 제 [平]齊 田黎切
[字解] [一] ①산계 이 '鷔—'는 산계(山鷄). 꿩의 일종. '鷔—山棲'《左思》. ②매미 이 '螗—, 蟬類'《字彙》. ③벌레이름 이 '蝭—'는 벌레의 이름. '—, 蝭—, 蟲名'《廣韻》. [二] 산계 제, 매미 제, 벌레이름 제 [一]과 뜻이 같음.

6
⑫ [蛇] 차 [去]禡 除駕切 zhà
[字解] 해파리 차 해파릿과에 속하는 강장동물(腔腸動物)의 하나. 산형(傘形) 또는 종형(鐘形)으로 생겼고, 투명한 한천(寒天) 같은 물질로 이루어졌으며, 바다 위에 떠다님. 수모(水母). 해월(海月). 해철(海蜇).

6
⑫ [蛐] 곡 [入]沃 區玉切 qū
[字解] ①지렁이 곡 '—, 蟲名, 引也'《集韻》. ②《現》귀뚜라미 곡 '——兒'는 귀뚜라미.

6
⑫ [蛘] 양 [平]陽 與章切 yáng
[字解] ①벌레굼틀거릴 양 벌레가 살갗 위에서 굼틀거림. ②옴벌레 양 개선충(疥癬蟲). ③가려울 양 癢(疒部 十五畫)과 통용. ④개미 양 '蚍蜉, 燕謂之蛾—'《揚子方言》. ⑤바구미 양 '強—'은 바구미. 곡상(穀象).
[字][源] 篆文  形聲. 虫+羊〔音〕.

6
⑫ [蛚] 렬 [入]屑 良薛切 liè
[字解] 귀뚜라미 렬 '蜻—'은 귀뚜라미의 일종. '蜻—, 蟋蟀'《廣韻》.
[字][源] 篆文 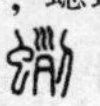 形聲. 虫+列〔音〕.

6
⑫ [蛙] [一] 왜 [平]佳 烏蝸切 wā
[二] 규 [平]齊 苦圭切 kuí
[字解] [一] ①전갈 왜 '—, 蟲名. 說文, 蠆也'《集韻》. ②개구리 왜 蛙(虫部 六畫〈p. 2009〉)의 本字. [二] ①전갈 규 '—, 蠆也'《說文》. ②별이름 규 奎(大部 六畫〈p. 505〉)와 통용.
[字][源] 形聲. 虫+圭〔音〕.

6
⑫ [蛒] [一] 격 [入]陌 各額切 gé
[二] 락 [入]藥 歷各切 luò
[字解] [一] ①풍뎅이애벌레 격 '—, 蠐螬別名'《廣韻》. ②노래기 격 '蛭—'은 노래기. '—, 博雅, 蛭—, 蝍蛆也'《康熙字典》. ③땅강아지 격 '杜—'은 땅강아지. '蛄詣, 謂之杜—'《揚子方言》. ④벌 격 벌의 일종. '—, 蜂類而大'《元稹》. [二] 여치 락 '—蟑'는 여치. '蟑, —蟑, 鳴蟲'《集韻》.

6
⑫ [蛪] [一] 결 [入]屑 詰結切 qiè
[二] 열 [入]屑 倪列切 ní
[字解] [一] ①파리 결 '—, —蠅蟲'《廣韻》. ②애매미 결 '—蚼'는 애매미. '—, 又—蚼, 似蟬而小'《廣韻》. [二] 무지개 열 '其—者類闕旗'《史記》.

6
⑫ [蛭] 광 [平]陽 曲王切 kuāng
[字解] 큰새우 광 '—, 大蝦'《集韻》.

6
⑫ [蛫] 궤 [上]紙 過委切 guǐ
[字解] ①게 궤 다리가 여섯 있는 게의 일종. 독이 있어 먹지 못한다고 함. '—, 說文, 蟹也. 一曰, 蟹六足者'《集韻》. ②쥐며느리 궤 '—, 一曰, 鼠負也'《集韻》. ③원숭이 궤 '—, 一曰, 猿類'《集韻》. ④짐승이름 궤 '—, 一曰, 獸名, 似龜, 善禦火'《集韻》.
[字][源] 形聲. 虫+危〔音〕

6
⑫ [蛝] [一] 한 [平]刪 戶閒切 xián
[二] 은 [平]眞 魚巾切
[字解] [一] ①노래기 한 '—, 馬蝬'《爾雅》. ②살무사 한 '—, 一曰, 蝮蝠也'《集韻》. ③큰개미알 한 '—, 一曰, 蚍蜉子'《集韻》. [二] 노래기 은, 살무사 은, 큰개미알 은 [一]과 뜻이 같음.

6
⑫ [蛢] 견 [平]先 苦堅切 qiān
[字解] ①개똥벌레 견 물가의 풀떨기에 살며, 배 끝에 발광 기관(發光器官)이 있는 곤충. 그 반짝이는 불빛을 반딧불이라 함. '腐草化爲螢—'《淮南子》. ②노래기 견 배각류(倍脚類)에 속하는 절지동물(節肢動物)의 하나. 모양은 지네 비슷하며, 고약한 노린내가 남. 상거(商距).
[字][源] 形聲. 虫+幵〔音〕

◉螢蛢.

6
⑫ [蛩] 공 [平]冬 渠容切 qióng 
[字解] ①메뚜기 공 황충(蝗蟲). '飛—滿野'《淮南子》. ②귀뚜라미 공 蛬(次條)과 통용. '—聲'. '陰壁夜多—'《許渾》. ③매미허물 공.
[字][源] 篆文  形聲. 虫+巩〔音〕. '巩공'은 '공허한'의 뜻. 매미의 허물을 뜻함.

[蛩蛩 공공] ㉠근심하는 모양. ㉡북해(北海) 중에 있다는 말 비슷한 짐승 이름. 거허(巨虛).
[蛩聲 공성] 귀뚜라미가 우는 소리.
◉亂蛩. 鳴蛩. 斑蛩. 幽蛩. 吟蛩. 潛蛩. 秋蛩. 寒蛩.

6
⑫ [蛬] 공 [上]腫 居悚切 gǒng
[平]冬 渠容切 qióng
[字解] 귀뚜라미 공 실솔(蟋蟀). '吟—'. '—近陰依於土'《蠡海集》.
[字][源] 形聲. 虫+共〔音〕

◉吟蛬. 潛蛬. 秋蛬.

6 ⑫ **[蛓]** 자 [去]寘 七賜切 cì

[字解] 쐐기 자 쐐기나방의 유충(幼蟲). 점사(蛅蟖). '一緣兮我裳'《王逸》.

[字源] [篆文] 形聲. 虫+𢦏(𢦏)〔音〕

6 ⑫ **[蝗]** 부 [上]有 房缶切 fù

[字解] 메뚜기 부 '一螽'은 메뚜기. '一螽, 蠜'《爾雅》.

[字源] 形聲. 虫+阜〈省〉〔音〕

6 ⑫ **[蛮]** 〔만〕 蠻(虫部 十九畫〈p. 2041〉)의 俗字

7 ⑬ **[蛼]** 차 [平]麻 昌遮切 chē

[字解] 차오 차 '一螯'는 대합(大蛤) 비슷한 바닷조개의 하나.

[字源] 形聲. 虫+車〔音〕

[蛼螯 차오] 바닷조개의 일종. 맛이 좋으며, 그 껍데기로 흰 바둑돌을 만듦. 모양이 대합(大蛤) 비슷함. 차오(車螯).

7 ⑬ **[蛸]** 초(소[本]) ①[平]肴 所交切 shāo ②[平]蕭 相邀切 xiāo

[字解] ①갈거미 초 蠨(虫部 十七畫)를 보라. '蠨一'. ②오징어 초 螵(虫部 十一畫)를 보라. '螵一'.

[字源] [篆文] 形聲. 虫+肖〔音〕

[蛸枕 초침] 왜형류(歪形類)에 속하는 극피동물(棘皮動物)의 일종. 삿갓 모양이고 얕은 바다 밑에 서식함. 해연(海燕).
◉蠨蛸. 螵蛸.

7 ⑬ **[蛹]** 용 [上]腫 余隴切 yǒng

[字解] 번데기 용 유충이 성충으로 변하기 이전의 곤충의 한 변태. '繭中一兮蠶蠕須'《蔡邕》.

[字源] [篆文] 形聲. 虫+甬〔音〕. '甬용'은 '踊용'과 통하여, '춤추다'의 뜻. 꼬리를 둥글게 들어 올리고 춤추는 벌레, '번데기'를 이름.

[蛹臥 용와] 번데기가 고치 속에 누워 있다는 뜻으로, 은자(隱者)가 세상에 나오지 아니함의 비유.

7 ⑬ **[蛺]** [一] 협 [入]洽 轄夾切 jiá [二] 겹 [入]葉 古協切 jiá

[字解] [一] 호랑나비 협 '一蝶輕薄, 夾翅而飛'《本草》. [二] 호랑나비 겹 [一]과 뜻이 같음.

[字源] [篆文] 形聲. 虫+夾〔音〕. '夾협'은 사이에 끼다의 뜻. 물건을 끼듯이 날개를 접는 '나비'를 이름.

[蛺蝶 협접] 호랑나빗과의 나비. 몸이 큼. 호랑나비. 봉접(鳳蝶).

7 ⑬ **[蛻]** [一] 세 [去]霽 舒芮切 tuì [二] 태 [去]泰 他外切 tuì

[字解] [一] ①허물 세 매미 또는 뱀 등이 벗은 껍질. '蟬一'. '予蜩甲也, 蛇一也'《莊子》. ②허물 벗을 세 매미·뱀 등이 허물을 벗음. '蟬一于濁穢'《史記》. [二] 허물 태, 허물벗을 태 [一]과 뜻이 같음.

[字源] [篆文] 形聲. 虫+兌〔音〕. '兌태'는 '벗다'의 뜻. 벌레의 허물을 뜻함.

[蛻骨 세골] 허물 벗음. 곧, 뼈를 뽑음.
◉變蛻. 蛇蛻. 蟬蛻. 神蛻. 靈蛻. 委蛻. 遺蛻. 蜩蛻.

7 ⑬ **[蛾]** [人名] [一] 아 [平]歌 五何切 é [二] 의 [上]紙 魚倚切 yǐ

[字解] [一] ①나방 아 누에·송충이·쐐기 같은 것이 우화(羽化)하여 된 성충. 특히, 누에나방을 이름. '蠶一'. '飛一'. '食桑者有絲而一'《大戴禮》. ②눈썹 아 누에나방의 촉수(觸鬚)처럼 털이 짧고, 초승달 모양으로 길게 굽은 눈썹. 미인의 눈썹을 이름. '一眉'. '揚一微眺'《魏文帝》. ③초승달 아 나방의 촉각에 견주어 이름. '今夕千餘里, 雙一映水生'《何遜》. ④목이버섯 아 목이(木耳). '釋名, 木一. 時珍曰, 木耳'《本草》. ⑤갑자기 아 俄(人部 七畫)와 통용. '選入後宮, 始爲小使, 一而大幸'《漢書》. [二] 개미 의 蟻(虫部 十三畫)와 통용. '一子時術之'('術'은 '習')《禮記》.

[字源] [篆文] [篆文] 形聲. 虫+我〔音〕. '我아'는 톱니 모양의 날이 있는 '도끼'의 象形. 톱니 형상의 촉각이 있는 '나방'을 이름. 또, '蟻의'의 別體로서 '개미'를 뜻함.

[蛾眉 아미] ㉠누에나방의 촉수(觸鬚)처럼 털이 짧고 초승달 모양으로 길게 굽은 아름다운 눈썹. 곧, 미인(美人)의 눈썹. ㉡미인. ㉢초승달의 비유.
[蛾眉月 아미월] 초승달.
[蛾赴火 아부화] 불나방이 불에 뛰어 들어감. 욕심이 과하여 패가망신(敗家亡身)함의 비유.
[蛾附 의부] 개미떼처럼 모여듦.
[蛾術 의술] 새끼 개미가 어미 개미가 하는 것을 배워 쉬지 않고 흙을 운반하여 개밋둑을 쌓는 것과 같이, 사람도 항상 성현의 가르침을 배워 익히면 지덕(知德)이 향상하여 대성(大成)할 것이라는 뜻.
[蛾賊 의적] 개미떼와 같이 모이는 도적(盜賊)이란 뜻으로, 황건적(黃巾賊)의 이칭(異稱).
◉黛蛾. 灯蛾. 文蛾. 白蛾. 飛蛾. 翅蛾. 雙蛾. 夜蛾. 野蛾. 蠶蛾. 螓蛾. 青蛾.

7 ⑬ **[蜂]** [高·人] 봉 [平]冬 敷容切 fēng

[筆順] 口 中 虫 虫 虫' 虫夂 蜂 蜂

[字解] ①벌 봉 막시류(膜翅類) 중 개미류(類)를 제외한 곤충의 총칭. 꿀벌·호박벌 등. '蜜一'. '一房不容鵠卵'《淮南子》. ②거스를 봉 거역함. '夆, 說文, 牾也. …或作一'《集韻》. ③칼끝 봉,

봉망 봉 鋒(金部 七畫)과 통용. '突厥—銳, 所向無完'《唐書》.
[字源] 篆文 古文 形聲. 篆文은 䖵+逢〔音〕. '蜂봉'은 篆文의 생략체로서 형성(形聲). 虫+夆〔音〕. '夆봉'은 끝이 뾰족하다의 뜻. 꼬리 끝에 침이 있는 벌레, '벌'을 뜻함.
[參考] 蠭(虫部 十七畫)은 同字.

[蜂窠 봉과] 봉소(蜂巢).
[蜂起 봉기] 벌떼같이 일어남. 반란(叛亂) 등이 일어남을 형용함.
[蜂屯 봉둔] 벌이 모이듯 많이 모임.
[蜂蜜 봉밀] 벌꿀. 꿀.
[蜂房 봉방] 봉소(蜂巢).
[蜂巢 봉소] 벌집.
[蜂衙 봉아] 봉소(蜂巢).
[蜂午 봉오] 붐빔. 북적북적하고 복잡함.
[蜂王 봉왕] 여왕벌.
[蜂腰 봉요] ㉠벌의 허리. 전(轉)하여, 가는 허리. 유요(柳腰). ㉡악시(惡詩)를 이름. 시의 일 구(一句) 중의 제이 자(第二字)와 제오 자의 상거입(上去入)을 같게 한 시.
[蜂腰體 봉요체] 율시(律詩)의 후련(後聯) 제오(第五)와 제육(第六)의 구(句)만이 대(對)를 이루고 전련(前聯)은 대를 이루지 아니하는 체(體).
[蜂準 봉절] 높은 콧등.
[蜂準長目 봉절장목] 높은 콧등과 긴 눈. 곧, 영민(英敏)하고 생각이 깊은 상(相).
[蜂蝶 봉접] 벌과 나비.
[蜂蠆 봉채] 벌과 전갈(全蠍). 작지만 무서운 것의 비유로 쓰임.
[蜂出 봉출] 벌처럼 떼 지어 우 나옴.
[蜂聚 봉취] 봉둔(蜂屯).
◉木蜂. 蜜蜂. 奔蜂. 蟺蜂. 細蜂. 女王蜂. 熊蜂. 土蜂. 胡蜂.

7 ⑬ [蜄] 신 ①②[去]震 之刃切 zhèn
③[上]軫 時忍切 shèn
[字解] ①움직일 신 '辰者曰萬物之—也'《史記》. ②교룡 신 교룡(蛟龍)의 일종. 蜃(虫部 七畫)과 통용. '—, 蛟屬. 通作蜃'《集韻》. ③대합 신 蜃(虫部 七畫)과 同字.
[字源] 形聲. 虫+辰〔音〕

7 ⑬ [⿰虫更] 경 [上]梗 古杏切 gěng
[字解] 벌레이름 경 '—, 蟲名'《廣韻》.

7 ⑬ [⿰虫谷] 계 [平]齊 牽奚切 qī
[字解] 나나니벌 계 螇(虫部 十畫〈p. 2024〉)와 같음. '螇, 蟲名, 土螽也, 亦省'《集韻》.

7 ⑬ [⿰虫⿵几虫] 〔슬〕
蝨(虫部 九畫〈p. 2020〉)과 同字

7 ⑬ [蜆] 현 ①[上]銑 胡典切 xiàn
②[上]銑 呼典切 xiǎn 蚬
[字解] ①도롱이벌레 현 '—, 縊女也'《說文》. ②바지라기 현 참조갯과에 속하는 조개의 총칭. 가막조개. 흑합(黑蛤). '—蛤'. '好啖—'《隋書》.
[字源] 篆文 形聲. 虫+見〔音〕. '見현'은 '나타나다'의 뜻. 얕은 바다에 나타나 있는 '바지라기'를 이름.

[蜆蛤 현합] 바지라기와 대합(大蛤) 조개.
◉啖蜆.

7 ⑬ [蜈] 오 [平]虞 五乎切 wú
[字解] 지네 오 '—蚣生大吳川谷及江南'《本草別錄》.
[字源] 形聲. 虫+吳〔音〕

[蜈蚣 오공] 절지동물(節肢動物)에 속하는 독충(毒蟲)으로서, 몸은 가늘고 길며 마디가 많고 스무 쌍의 발이 있음. 지네.

7 ⑬ [蜉] 부 [平]尤 縛謀切 fú
[字解] ①왕개미 부 蚍(虫部 四畫)를 보라. '蚍—'. ②하루살이 부 '—蝣'. '—蝣之羽'《詩經》.
[字源] 篆文 形聲. 虫+孚〔音〕. '孚부'는 '浮부'와 통하여, '뜨다'의 뜻. 떠도는 벌레, 하루살이를 이름.

[蜉蝣·蜉蝤·蜉蝤 부유] 하루살잇과에 속하는 잠자리 비슷한 작은 곤충. 여름과 가을에 물가에서 떼 지어 나는데 산란 후 수시간 만에 죽음. 하루살이. 인생의 덧없음에 비유하여 짧은 인생.
◉蚍蜉.

7 ⑬ [蛶] [一] 렬 [入]屑 力輟切 liè
[二] 랄 [入]曷 郎括切
[字解] [一] 도마뱀 렬 '—, 商何也'《說文》. [二] 도마뱀 랄 [一]과 뜻이 같음.
[字源] 形聲. 虫+寽〔音〕

7 ⑬ [蜊] 리 [平]支 力脂切 lí
[字解] 바지락개량조개 리 개량조갯과(科)에 속하는 조개. '蛤—'. '且食蛤—'《南史》.
[字源] 形聲. 虫+利〔音〕

◉蛤蜊.

7 ⑬ [蜋] [一] 랑 [平]陽 魯當切 láng
[二] 량 [平]陽 呂張切 liáng
[字解] [一] 사마귀 랑 버마재비. '螳—'. [二] 쇠똥구리 량 蜣(虫部 八畫)을 보라. '蜣—'.
[字源] 篆文 形聲. 虫+良〔音〕

◉蜣蜋. 螳蜋.

7 ⑬ [⿰虫赤] 동 [平]東 胡弓切 tóng
[字解] ①붉은벌레 동 '—, 赤蟲也. 同䖢'《正字通》. ②웅황 동 '—黃'은 웅황(雄黃). 유황(硫

黃)의 일종. '一黃疑金'《太玄經》.

7 ⑬ [蜍] 여(①② ①②[平]魚 署魚切 chú 저[本]) ③[平]魚 以諸切 yú

[字解] ①두꺼비 여 '蟾—'. '—, 蟾—也'《廣韻》. ②달 여 蟾(虫部 十三畫)을 보라. '蟾—'. ③거미 여 '蠕—'는 거미의 딴 이름. '—, 蜘蛛'《廣韻》.

[字源] 形聲. 虫+余〔音〕

◉蟾蜍.

7 ⑬ [蜎] [一] 연 [平]先 烏玄切 yuān [二] 견 [上]銑 狂兗切

[字解] [一] ①장구벌레 연 모기의 유충(幼蟲). '—, 蠉'《爾雅》. ②휠 연 굽음. '刺兵欲無—'《周禮》. ③길 연 누에·쐐기 같은 것이 기는 모양. '——者蠋'《詩經》. ④성 연 성(姓)의 하나. [二] 장구벌레 견 [一]❶과 뜻이 같음.

[字源] [篆文] 形聲. 虫+肙〔音〕. '肙연'은 '장구벌레'를 뜻함. 뒤에, '虫훼'를 붙이어 뜻을 분명하게 함.

[蜎飛 연비] 벌레가 낢.
[蜎蜎 연연] 누에·쐐기 같은 것이 기는 모양.
◉蟬蜎. 蜵蜎. 便蜎.

7 ⑬ [蜐] 겁 [入]葉 居怯切 jié

[字解] 거북다리 겁 '石—'은 절지동물(節肢動物) 갑각류(甲殼類)에 속하는 해충(海蟲). 거북의 다리와 같이 생겼으며, 바닷가의 바위틈에 떼를 지어 삶. 귀각(龜脚). '海人有食石—'《江淹》.

[字源] 形聲. 虫+劫〔音〕

◉石蜐.

7 ⑬ [蜓] [一] 전 [上]銑 徒典切 diàn [二] 정 [平]青 特丁切 tíng

[字解] [一] 수궁 전 도마뱀 비슷한 동물. '蝘—'. '—, 蝘—, 一名守宮'《廣韻》. [二] 잠자리 정 '蜻—'.

[字源] [篆文] 形聲. 虫+廷〔音〕. '廷정'은 똑바로 뻗다의 뜻. 몸통이 똑바로 뻗어 있는 벌레, '수궁'의 뜻을 나타냄.

◉蝘蜓. 青蜓. 蜻蜓.

7 ⑬ [蜒] 연 [平]先 以然切 yán

[字解] ①그리마 연 蚰(虫部 五畫)를 보라. '蚰—'. ②구불구불길 연 구불구불하며 긴 모양. '蜿—'. '—, 一曰蜿—, 龍皃'《集韻》.

[字源] 形聲. 虫+延〔音〕. '延연'은 '뻗다'의 뜻. '虫훼'는 몸부림치는 뱀의 象形. 길게 뻗치다의 뜻을 나타냄.

[參考] 蜑(虫部 七畫)은 別字.

[蜒蜒 연연] 뱀 같은 것이 서린 모양. 또, 구불구불하며 긴 모양.

◉蟃蜒. 蜿蜒. 蚰蜒. 祝蜒.

7 ⑬ [蛷] 구 [平]尤 巨鳩切 qiú

[字解] 집게벌레 구 집게벌렛과에 속하는 곤충. 빛은 적갈색이고, 미단(尾端)이 집게 모양으로 돌출(突出)하였음. '蜿垣亂—蛆'《韓愈》.

[字源] [篆文] [別體] 形聲. 篆文은 蚰+求〔音〕

[蛷螋 구수] 집게벌레.

7 ⑬ [𧊲] 蛷(前條)와 同字

7 ⑬ [𧋍] 제 [平]齊 杜奚切 tí

[字解] 씽씽매미 제 매미의 일종. 蝭(虫部 九畫)와 同字.

7 ⑬ [𧊧] 회 [平]灰 呼回切 huī

[字解] ①돼지땅뒤질 회 '—, 豕發土也, 或作豗·䝰'《集韻》. ②고슴도치 회 '刺端分兩歧者蝟, 如棘鍼者—'《炙轂子》.

7 ⑬ [蜌] 폐 [上]薺 部禮切 bì

[字解] ①긴맛 폐 맛과의 조개. 마도패(馬刀貝). '—, 蚌長者'《玉篇》. ②홍합 폐 '海—'는 홍합. '釋名, 殼菜, 海—, 東海夫人'《本草》.

7 ⑬ [蜁] 선 [平]先 似宣切 xuán

[字解] 다슬기 선 '—蝸'는 다슬깃과의 고둥. 대사리. 와라(蝸螺). '鸚螺—蝸'《郭璞》.

7 ⑬ [𧊳] 〔양〕 蛘(虫部 六畫〈p. 2011〉)의 本字

[參考] 蝆(虫部 八畫)는 別字.

7 ⑬ [𧋘] 〔각〕 蟉(虫部 九畫〈p. 2023〉)과 同字

7 ⑬ [蜑] 단 [上]旱 徒旱切 dàn

[字解] ①오랑캐 단 광둥(廣東)·푸젠(福建) 지방에 살던 만족. 배 안에서 생활하고, 물속에 들어가 해산물·진주조개 등을 채취함. '—人'. '林蠻洞—'《韓愈》. ②해인 단 물속에 들어가 어로(漁撈)하는 것을 업(業)으로 하는 사람. '—戶'. '試問池邊—'《秦觀》.

[字源] [篆文] 形聲. 虫+延〔音〕

[參考] 蜒(虫部 七畫)은 別字.

[蜑船 단선] 단인(蜑人)이 탄 배.
[蜑衣 단의] 어부가 입는 옷.
[蜑人 단인] 중국(中國) 남해(南海)에 사는 오랑캐. 수상(水上)의 배 안에서 생활함.
[蜑丁 단정] 단인(蜑人)의 장정.
[蜑戶 단호] 단인(蜑人)의 집. 또는 그 가족. 전(轉)하여, 해인(海人)의 집. 또는 그 가족.

◉烏蠋. 巴蠋.

7 ⑬ [蜀] 人名 촉 ㊀沃 市玉切 shǔ

字解 ①나비애벌레 촉 나비의 유충. 蠋(虫部 十三畫)과 同字. '蠶之與一, 狀相類, 而愛憎異'《淮南子》. ②제기 촉 제사에 쓰는 기명. '抱一不言, 而廟堂旣修'《管子》. ③하나 촉, 혼자 촉 '獨者一.(注) 一亦孤獨'《爾雅》. ④촉계(蜀鷄) 촉 몸집이 큰 닭. '鷄大者一'《爾雅》. ⑤고을이름 촉 쓰촨 성(四川省) 청두(成都)의 고칭(古稱). '司馬錯定一'《史記》. ⑥나라이름 촉 ㉠삼국(三國)의 하나. 한고조(漢高祖)의 말예(末裔) 유비(劉備)가 세운 왕조(王朝). 영토는 지금의 쓰촨 성(四川省) 지방이며, 서울은 청두(成都)에 정하였는데, 사가(史家)들이 이를 촉한(蜀漢)이라 함. 2주(主) 44년에 위(魏)나라에게 망함.(221~265) ㉡전촉(前蜀)은 오대십국(五代十國)의 하나로, 왕건(王建)이 창립(創立). 후당(後唐)에게 망함.(891~925) ㉢후촉(後蜀)은 둘이 있어, 하나는 진(晉)나라 때 이웅(李雄)이 창건(創建)한 나라로, 성한(成漢)이라고도 하며, 동진(東晉)에게 망함.(302~347) 또, 하나는 오대십국(五代十國)의 하나로, 맹지상(孟知祥)이 창건, 송(宋)나라에게 망함.(930~965). ⑦성 촉 성(姓)의 하나.

字源 甲骨文 篆文 象形. 큰 눈을 가졌고, 뽕나무에 붙어서 떼 지어 움직이는 징그러운 벌레, 나비·나방의 애벌레의 모양을 형상화한 것.

[蜀江錦 촉강금] 촉금(蜀錦).
[蜀客 촉객] '해당화'의 딴 이름.
[蜀犬吠日 촉견폐일] 중국 촉(蜀)나라는 산이 높고 안개가 짙은 위에 비 오는 날이 많아서 해를 보기 드문 고로 해가 뜨면 개들이 이상(異常)히 여기어 짖는다는 뜻으로, 식견(識見)이 좁은 사람이 성현(聖賢)의 언행을 이상하게 여겨 비난함의 비유.
[蜀雞 촉계] 몸통이 큰 닭.
[蜀葵 촉규] 아욱과에 속하는 다년생 화초. 접시꽃.
[蜀錦 촉금] ㉠촉(蜀)의 금강(錦江)에서 실을 빨아 짠 비단. ㉡상등의 고운 비단을 이름.
[蜀刀 촉도] 서도(書刀).
[蜀道 촉도] ㉠쓰촨 성(四川省)으로 통하는 험준한 길. 촉(蜀)의 잔도(棧道). ㉡처세(處世)하기 대단히 어려움의 비유로 쓰임.
[蜀道難 촉도난] 이백(李白)이 촉도의 험난함을 묘사하여 현종(玄宗)의 서행(西行)이 불리함을 풍유(諷諭)한 시(詩).
[蜀相 촉상] 촉(蜀)나라의 재상. 특히 제갈량(諸葛亮)의 일컬음.
[蜀黍 촉서] 수수.
[蜀棧 촉잔] ㉠쓰촨 성(四川省)에서 산시 성(陝西省)으로 통하는 잔도(棧道). ㉡촉도(蜀道). 경치가 좋고 또 험준하기로 유명함.
[蜀鳥 촉조] 촉혼(蜀魂).
[蜀秫 촉출] 수수.
[蜀布 촉포] 촉군(蜀郡)에서 나는 촘촘한 베.
[蜀漢 촉한] ㉠촉군(蜀郡)과 한중(漢中). ㉡나라이름. 자해(字解) ❻㉠을 보라.
[蜀魂 촉혼] 두견(杜鵑)의 이칭(異稱). 촉(蜀)나라 망제(望帝)의 혼백이 이 새가 되었다는 전설에서 유래함. 촉백(蜀魄). 촉조(蜀鳥).
◉得隴望蜀. 望蜀. 前蜀. 巴蜀. 後蜀.

7 ⑬ [蜃] 人名 신 ㊤軫 時忍切 shèn

字解 ①대합조개 신 조개의 한 가지. 큰 것을 '一', 작은 것을 '蛤'이라 함. 무명조개. '文一'. '魚鹽一蛤'《左傳》. ②이무기 신 교룡(蛟龍)의 일종. 기운을 토(吐)하면 신기루를 일으킨다 함. '一氣樓'. '海旁一氣象樓臺'《史記》. ③상여 신 관(棺)을 싣는 수레. '一車'《儀禮》. ④제기 신 제사에 쓰는 고기를 담는 제기. '以一盛溺'《莊子》.

字源 篆文 形聲. 虫+辰〔音〕. '辰진'은 쌍각류(雙殼類) 조개의 상형. '辰'이 '용'의 뜻으로 쓰이자 뒤에 '虫훼'를 첨가함.

[蜃氣樓 신기루] 광선과 수증기와의 관계로 해변 또는 사막의 상공에 산천이나 성곽(城郭) 등이 나타나는 현상.
[蜃樓 신루] 신기루(蜃氣樓).
[蜃市 신시] 신기루(蜃氣樓).
[蜃蛤 신합] 대합(大蛤).
◉老蜃. 文蜃. 蛟蜃. 海蜃.

7 ⑬ [蜇] 철 ㊀屑 陟列切 zhé, ①zhē

字解 ①쏠 철 벌레가 살을 쏨. '一吻裂鼻'《柳宗元》. ②아플 철 '一於口'《列子》. ③해파리 철 강장동물(腔腸動物)의 하나. 수모(水母). 해월(海月).

[蜇吻 철문] 입술을 찌름.

8 ⑭ [蜘] 人名 지 ㊥支 陟離切 zhī

字解 거미 지 '聖人師一蛛立網罟'《關尹子》.

字源 形聲. 虫+知〔音〕

[蜘蛛 지주] 절지동물(節肢動物)의 하나. 거미줄을 쳐서 벌레를 잡아먹음. 거미.

8 ⑭ [蜡] ▣ 저 ㊧御 七慮切 qù ▣ 사(자㊍) ㊧禡 鋤駕切 zhà

字解 ▣ 구더기 저 파리의 애벌레. 蛆(虫部 五畫)·胆(肉部 五畫)와 同字. '一, 蠅胆也'《說文》. ▣ 납제 사 세말에 지내는 군신(群神)의 합사(合祀). '一也者, 索也, 歲十二月合聚萬物而索饗之也, 一之祭也, 主先嗇而祭司嗇也'《禮記》.

字源 篆文 形聲. 虫+昔〔音〕. '昔석'은 겹쳐 쌓이다의 뜻. 겹쳐 쌓여서 우글거리고 있는 벌레 '구더기'의 뜻을 나타냄.

[蜡月 사월] 음력 12월의 별칭(別稱). 납월(臘月).
[蜡祭 사제] 사월(蜡月)에 지내는 군신(群神)의 합사(合祀). 납제(臘祭).
◉大蜡.

8 ⑭ [蜢] 맹 ①㊤梗 莫杏切 měng ②㊧敬 莫更切 mèng

字解 ①벼메뚜기 맹 '蚱一'은 날개가 긴 메뚜

기. 蟒(虫部 十二畫)과 同字. '一, 蚝一, 蝗類'《集韻》. ②두꺼비 맹 '胡一'. '胡一, 蝦蟆也'《廣雅》.
字源 篆文 形聲. 虫+孟〔音〕. '孟맹'은 성(盛)하다는 뜻. 왕성하게 번식하는, 또 성장하는 벌레의 뜻으로 '벼메뚜기'를 이름.

8 ⑭ [蜣] 강 ㊥陽 去羊切 qiāng
字解 쇠똥구리 강 '一蜋'은 쇠똥구리. 말똥구리. 길강(蛣蜣). '一蜋轉丸丸, 成而精思之'《關尹子》.
字源 形聲. 虫+羌〔音〕

[蜣螂 강랑] 강량(蜣蜋).
[蜣蜋 강량] 자해(字解)를 보라.
◉蛣蜣.

8 ⑭ [蝫] 답 ㊀合 達合切 tà
字解 바구미 답 '蟻一, 蛘也'《廣雅》.

8 ⑭ [蜥] 석 ㊀錫 先擊切 xī
字解 도마뱀 석 '是非守宮, 卽一蜴'《漢書》.
字源 篆文 形聲. 虫+析〔音〕. '析석'은 '易역'과 통하여, '도마뱀'의 뜻. 뜻을 분명하게 하기 위해 '虫훼'를 덧붙였음. 또, '析'은 '자르다'의 뜻. 꼬리를 자르고 도망치는 '도마뱀'의 뜻으로도 생각됨.
參考 蜤(虫部 八畫)은 同字.

[蜥蜴 석척] 도마뱀과에 속하는 파충(爬蟲). 네 발과 꼬리가 있고 금속성 광택이 나며, 풀숲·담·벽 등에 서식(棲息)함. 도마뱀.

8 ⑭ [蜔] 전 ㊤銑 佗典切 tiǎn
字解 벌레 전 '一, 蟲也'《玉篇》.

8 ⑭ [蜩] 조 ㊥蕭 徒聊切 tiáo
字解 쓰르라미 조 매밋과에 속하는 곤충. 쓰르람쓰르람 하고 욺. 또, 널리 매미의 뜻으로 쓰임. '一, 蟬也'《說文》.
字源 篆文 別體 形聲. 虫+周〔音〕

[蜩甲 조갑] 매미 허물.
[蜩螗沸羹 조당비갱] 하는 말이 대단히 시끄러움.
[蜩蜋 조랑] 쓰르라미.
[蜩蟉 조료] 용이 머리를 움직이는 모양.
[蜩沸 조비] '조당비갱(蜩螗沸羹)'의 준말.
[蜩蟬 조선] 매미.
[蜩蛻 조세] 매미 허물.
◉蜋蜩. 螗蜩. 馬蜩. 鳴蜩. 茅蜩. 蟬蜩. 葉底蜩. 瘖蜩. 殘蜩. 青蜩. 秋蜩. 蛻蜩. 寒蜩.

8 ⑭ [蜮] 역 ㊀職 雨逼切 yù
字解 ①물여우 역 날도래의 유충. 물속에 살며, 주둥이에 한 개의 긴 뿔이 앞으로 뻗치었는데, 독기(毒氣)로써 사람의 그림자를 쏘면 종기가 생긴다는 옛말이 있음. 단호(短狐). 사공(射工). 사영(射影). 전(轉)하여, 사람을 해치는 것. '爲鬼爲一'《詩經》. ②헷갈리게할 역 '秋有蜮 (注) 一之猶言惑也'《公羊傳》. ③잎벌레 역 모의 잎을 먹는 벌레. '又無螟一'《呂氏春秋》. ④두꺼비 역, 개구리 역 '一, 一曰, 蝦蟇也'
字源 篆文 別體 形聲. 虫+或〔音〕

◉鬼蜮. 䖝蜮.

8 ⑭ [蜴] 척(역㊍) ㊀陌 夷益切 yì
字解 도마뱀 척 '蜥一'.
字源 形聲. 虫+易〔音〕. '易역'은 도마뱀의 象形으로, '蜴'의 原字. 뒤에, '虫훼'를 붙임.

◉蜥蜴. 䖝蜴.

8 ⑭ [蜷] 권 ㊥先 巨員切 quán
字解 굽을 권 벌레가 구부리고 가는 모양. '蛟龍連一於東厓兮'《漢書》.
字源 形聲. 虫+卷〔音〕. '卷권'은 '말다'의 뜻. 벌레가 몸을 말다, 구부리고 움직이는 모양을 나타냄.

[蜷局 권국] 벌레가 굼틀굼틀 기어가는 모양.
[蜷蜿 권원] 뱀 같은 것이 서림.

8 ⑭ [蜶] 공 ㊥東 枯公切 kōng
字解 매미허물 공 '一, 蟬蛻, 一皮也'《玉篇》.

8 ⑭ [蜠] ㊀ 균 ㊤軫 渠殞切 jùn ㊁ 균 ㊥眞 去倫切
字解 ㊀ 조개 균 껍질이 크고 얇은 조개. '一, 大貝'《廣韻》. ㊁ 조개 균 ㊀과 뜻이 같음.

8 ⑭ [蜞] 기 qí
字解 전갈(全蠍) 기 '釋名, 蚚一'《本草》.

8 ⑭ [蜭] 담 ㊦勘 吐濫切 tàn
字解 혀내놓을 담 짐승이 혀를 내미는 모양. '一, 蚦一, 獸吐舌皃'《集韻》.

8 ⑭ [蜪] 도 ㊥豪 徒刀切 táo
字解 메뚜기새끼 도 '蝮一'는 아직 날개가 나지 않은 메뚜기. '一, 蝗子'《廣韻》.

8 ⑭ [蜹] 예 ㊦霽 而銳切 ruì
字解 파리매 예 파리매의 유충. 蚋(虫部 四畫)와 同字. 또, 모기. 모깃과에 속하는 곤충. 암컷은 사람의 피를 빨아 먹음. '秦晉謂之一, 楚謂之蟁'《說文》.
字源 篆文 形聲. 虫+芮〔音〕. '芮예'는 '파고들다'의 뜻. 인체(人體)에 파고드는 벌레, '파리매'를 이름.

8 ⑭ **[蜺]** 예 ㊥齊 五稽切 ní

字解 ①애매미 예 매밋과에 속하는 곤충. 몸빛은 어두운 녹색이고, 두흉부(頭胸部)에 황록색 점이 있음. 기생매미. 조료(蛁蟟). '一, 寒蜩'《爾雅》. ②무지개 예 霓(雨部 八畫)와 同字. 옛날에 무지개를 용의 일종으로 생각하여, 수컷을 '虹홍', 암컷을 '蜺'라고 했음. '虹一'. '妖一'.

字源 篆文 形聲. 虫+兒〔音〕. '兒아·예'는 '어린아이'의 뜻. 머리가 상대적으로 커 보이고, 어린아이 같은 모양으로 보이는 매미를 뜻함. 또, '虫훼'는 뱀의 뜻으로서, 무지개를 하늘에 걸려 있는 무지개로 보고, 암무지개의 뜻을 나타냄.

[蜺旌 예정] 무지개 형상을 그린 기(旗).
◉氣成虹蜺. 素蜺. 雲蜺. 了蜺. 妖蜺. 珥蜺. 虹蜺.

8 ⑭ **[蜻]** 청 ①㊥青 倉經切 qīng ②㊥庚 子盈切 jīng

字解 ①잠자리 청 잠자릿과에 속하는 곤충. 해충(害蟲)을 잡아먹는 익충(益蟲)임. 청낭자(青娘子). '一蛉'. '一蜓'. '每居海上從一游'《呂氏春秋》. ②귀뚜라미 청 '一蛚'은 귀뚜라밋과에 속하는 곤충. 수놈은 몸이 검으며, 촉각은 몸보다 길. 귀뚜라미. 실솔(蟋蟀). '俯聞一蛚吟'《張載》.

字源 篆文 形聲. 虫+靑〔音〕. '靑청'은 맑음, 시원함의 뜻. 시원스러운 소리, 날개 달린 벌레, 귀뚜라미와 잠자리를 이름.

[蜻蛚 청렬] 자해(字解)❷를 보라.
[蜻蛉 청령] 잠자리.
[蜻蜓 청정] 잠자리.

8 ⑭ **[螤]** 동 ㊥冬 徒冬切 tóng

字解 붉을 동 빨강. '一, 赤色也, 从赤蟲省聲'《說文》.

8 ⑭ **[蜱]** 비 ㊥支 符支切 pí

字解 사마귀알 비 '一蛸'는 사마귀의 알. 약재(藥材)로 씀. 표초(螵蛸). '螵蛸所在有之以桑上者, 爲佳本草, 謂之桑一蛸'《爾雅》.

字源 篆文 別體 形聲. 篆文은 蚰+卑〔音〕

[蜱蛸 비초] 자해(字解)를 보라.

8 ⑭ **[蜼]** 유 ㊤宥 余救切 wěi

字解 거미원숭이 유, 긴꼬리원숭이 유 원숭이 비슷한데, 코가 위로 향하고 꼬리가 매우 길. 나무 위에서 생활함. '一玃飛猵'《司馬相如》.

字源 篆文 形聲. 虫+隹〔音〕. '隹추'는 새. 새같이 꼬리가 긴 원숭이, '긴꼬리원숭이'를 이름.

[蜼彝 유이] 제기(祭器)의 한 가지. 원숭이〔蜼〕형상을 겉에 새긴 술 그릇. 관준(灌尊).

8 ⑭ **[蜾]** 과 ㊤哿 古火切 guǒ

字解 나나니벌 과 '螟蛉有子, 一蠃負之'《詩經》.

字源 篆文 別體 形聲. 虫+果〔音〕. '果과'는 '둥글다'의 뜻. 배가 둥그렇게 부풀어 있는 벌레, 나나니벌 등을 이름. 篆文은 虫+㒿〔音〕.

[蜾蠃 과라] 나나니벌과에 속하는 곤충. 허리가 가늘고 길. 나나니벌. 세요봉(細腰蜂).

8 ⑭ **[蜿]** ㊀ 원 ㊥元 於袁切 wān ㊁ 완 ㊤阮 於阮切 wǎn

字解 ㊀ ①굼틀거릴 원 용이나 뱀이 굼틀굼틀 가는 모양. '蛇行一蜒'《易林》. ②어슬렁어슬렁 갈 원 범이 어슬렁어슬렁 가는 모양. '虎豹一只'《楚辭》. ㊁ 지렁이 완 '一蟺'은 ㉠구인(蚯蚓)의 별칭(別稱). 지렁이. ㉡산세(山勢) 같은 것이 굴곡(屈曲)한 모양.

字源 形聲. 虫+宛〔音〕. '宛완'은 부드럽게 구부러지다의 뜻. '虫훼'는 뱀의 象形. 뱀·용이 구불구불 구부러지는 모양을 나타냄.

[蜿蟺 완선] 자해(字解)㊁를 보라.
[蜿蜒 원연] ㉠뱀 같은 것이 굼틀거리며 가는 모양. ㉡산맥(山脈)이 길게 연한 모양.
[蜿蜿 원원] 원연(蜿蜒).

8 ⑭ **[蜙]** 송 ㊥冬 息恭切 sōng ㊥東 蘇叢切

字解 베짱이 송 '一蝑'는 여칫과의 곤충. 베짱이. 종사(螽斯). '蜇螽, 一蝑'《爾雅》.

字源 篆文 別體 形聲. 虫+松〔音〕

[蜙蝑 송서] 여칫과에 속하는 곤충. 베짱이. 종사(螽斯). 촉직(促織).
[蜙蠑 송종] 송서(蜙蝑).

8 ⑭ **[蝀]** 人名 동 ㊥東 德紅切 dōng

字解 무지개 동 蝃(次條)를 보라. '蝃一'. '一, 螮一也'《說文》.

字源 篆文 形聲. 虫+東〔音〕. '東동'은 '꿰뚫다'의 뜻. 용이 하늘을 꿰뚫은 형상을 무지개로 생각한 전설에 근거하여, '무지개'의 뜻을 나타냄.

◉蝃蝀.

8 ⑭ **[蝃]** 체 ㊦霽 都計切 dì

字解 무지개 체 '一蝀'은 무지개〔虹〕의 이칭(異稱). 홍예(虹蜺). '一蝀在東'《詩經》.

字源 形聲. 虫+叕〔音〕. '叕철'은 이어지게 하다의 뜻. '虫훼'는 뱀의 象形. 뱀처럼 하늘에 이은 무지개의 뜻을 나타냄.

[蝃蝀 체동] '무지개〔虹〕'의 이칭(異稱).

8 ⑭ **[蜲]** 위 ㊤紙 於詭切 wěi

字解 쥐며느리 위 '一蜲'는 쥐며느릿과에 속하

는 절지동물(節肢動物). 썩은 나무나 마루 밑 등 음습한 곳에 서식함. 서부(鼠婦). '—, 蟲名, 黍負也'《集韻》.
字源 形聲. 虫+委〔音〕. '委위'는 나긋나긋 구불거림의 뜻.

[蜲蜲 위위] 뱀이나 용이 꿈틀꿈틀 가는 모양.
[蜲蛇 위이] '위이(委蛇)'와 같음.

8 ⑭ [蜳] 돈 ㊥元 都昆切 dūn

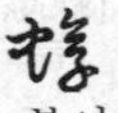

字解 불안정할 돈 '—螴'은 두려워 마음이 불안한 모양. '—, —螴, 氣不安定也'《集韻》.
字源 形聲. 虫+享(𦎫)〔音〕

[蜳螴 돈진] 두려워서 불안한 모양.

8 ⑭ [蝂] 판 ㊤潸 布綰切 bǎn

字解 벌레이름 판 '蝜—'은 작은 벌레. 물건을 잘 지며, 괴로워도 멈추지 않는다 함. '—, —蝜, 蟲'《廣韻》.

8 ⑭ [蜫] 곤 ㊥元 古渾切 kūn

字解 벌레 곤 벌레의 총칭(總稱). '蛟蟯之類, —蠕之類'《論衡》.

8 ⑭ [⿰虫坴] 륙 ㊈屋 力竹切 lù

字解 꼬막 륙 '魁—'은 돌조갯과의 바닷물조개. 살조개. '—, 魁—也'《玉篇》. '—, 海蛤, 員厚而有文'《集韻》.

8 ⑭ [⿰虫屈] 굴 ㊈物 區勿切 qū

字解 나무굼벵이 굴 '蛣—'은 하늘솟과의 유충. 목두충(木蠹蟲).

8 ⑭ [蜛] 거 ㊥魚 斤於切 jū

字解 벌레이름 거 '—蠩'는 벌레 이름. '—蠩森衰以垂翹'《郭璞》.

8 ⑭ [⿰虫匊] 국 ㊈屋 渠竹切 jú

字解 ①개구리 국, 두꺼비 국 '—鼁'은 개구리, 두꺼비. '—, —鼁, 詹諸'《說文》. ②지렁이 국 '—, 蟲名, 廣雅, 蛩蟺也'《集韻》.
字源 形聲. 虫+匊〔音〕

8 ⑭ [蝆] 미 ㊤紙 綿婢切 mǐ

字解 ①바구미 미 '強—'는 바구미. 곡상(穀象). '蛄䗐, 強—'《爾雅》. ②버마재비 미 '——'는 버마재비. 사마귀. '螳螂, 或謂之——'《揚子方言》.
參考 蛘(虫部 七畫)은 別字.

8 ⑭ [⿰虫帚] 부 ㊤有 房久切 fù

字解 쥐며느리 부 '鼠—'는 쥐며느리. '—, 鼠—'《玉篇》.

8 ⑭ [蜦] 륜 ㊤軫 縷尹切 lǔn

字解 꿈틀꿈틀기어갈 륜 '蝹—'은 꿈틀꿈틀 기어가는 모양. '神蜧蝹—以沈遊'《郭璞》.
字源 篆文 別體 形聲. 虫+侖〔音〕

8 ⑭ [⿰虫虎] 호 ㊤麌 呼古切 hǔ

字解 파리잡이거미 호 '蠅—'는 거미의 일종. '—, 蟲名, 善捕蠅'《集韻》.

8 ⑭ [蜧] 려 ㊋霽 郎計切 lì

字解 ①신사(神蛇) 려 신천(神泉)에 살며 비를 잘 내린다는 신령한 검은 뱀. '黑—躍重淵'《張協》. ②두꺼비 려 '—, 大蝦蟆也'《廣韻》.

8 ⑭ [⿰虫阜] 부 ㊤有 扶久切 fù

字解 메뚜기 부 '—, 螽也'《玉篇》.

8 ⑭ [⿰虫奇] 기 ①㊥支 去奇切 qì ②㊤紙 渠綺切 jì

字解 ①갈거미 기 갈거밋과의 거미. 소초(蠨蛸). '—, 蜘蛛長足者'《集韻》. ②매미 기 '—, 蟬也'《廣韻》.

[⿰虫奇蛣 기길] 매미.

8 ⑭ [蜨] 접 ㊈葉 達協切 dié

字解 나비 접 속(俗)에 蝶(虫部 九畫)과 통용. '—, 蛺—也'《說文》.
字源 篆文 形聲. 虫+疌〔音〕. '疌접'은 가볍게 움직이는 뜻. '나비'를 뜻함. 나비를 이름.

8 ⑭ [蜬] ㊀ 함 ㊥覃 胡男切 ㊁ 감 ㊥覃 古南切 hán

字解 ㊀ ①다슬기 함, 고둥 함 '贏小者, —'《爾雅》. ②물속조개 함 '貝, …在水者—'《爾雅》. ㊁ 다슬기 감, 고둥 감, 물속조개 감 ㊀과 뜻이 같음.

8 ⑭ [蜽] 량 ㊤養 良奬切 liǎng

字解 도깨비 량 魎(鬼部 八畫)과 同字. '追水約兮鞭蝄—'《張衡》.
字源 篆文 形聲. 虫+兩〔音〕. '魎량'과 통하여, '산령(山靈)'의 뜻.

8 ⑭ [蜞] 〔기〕 蟿(虫部 八畫〈p. 2019〉)와 同字
字源 形聲. 虫+其〔音〕

8 ⑭ [蝄] 〔망〕 蛧(虫部 六畫〈p. 2010〉)·魍(鬼部 八畫〈p. 2637〉)과 同字
字源 形聲. 虫+罔〔音〕

8 ⑭ [蜯] 〔방〕
蚌(虫部 四畫〈p. 2003〉)과 同字
[字源] 形聲. 虫＋奉〔音〕

8 ⑭ [蝋] 〔랍〕
蠟(虫部 十五畫〈p. 2037〉)의 俗字

8 ⑭ [蝱] 〔맹〕
蝱(虫部 九畫〈p. 2020〉)의 俗字

8 ⑭ [蝇] 〔승〕
蠅(虫部 十三畫〈p. 2034〉)의 俗字

[蜵] 〔연〕
虫部 九畫(p. 2020)을 보라.

8 ⑭ [蜚] [人名] 비 ①②㊤尾 扶沸切 fěi
③㊥微 匪微切 fēi

[字解] ①바퀴 비 바퀴과에 속하는 곤충. 몸빛은 갈색이고 악취가 남. 종류가 많음. 향랑자(香娘子). '有—有蜚'《漢書》. ②쌕쌔기 비 벼 잎을 갉아 먹는 해충. 일설(一說)에는 메뚜기. '有—, 不爲災'《左傳》. ③날 비 飛(部首)와 同字. '—禽'. '三年不—不鳴'《史記》.

[字源] 篆文 別體 形聲. 虫＋非〔音〕. '非비'는 펴고 날다의 뜻. 날개를 펴서 나는 벌레, 날다의 뜻을 이름.

[蜚禽 비금] 나는 짐승. 새. 비조(飛鳥).
[蜚騰 비등] 뛰어오름.
[蜚廉 비렴] ㉠바람의 신(神). 풍신(風神). ㉡바람을 잘 일으킨다는 신조(神鳥). ㉢은(殷)나라 주왕(紂王)의 영신(佞臣)의 이름.
[蜚蠊 비렴] 바퀴.
[蜚蝱 비맹] 등에. 주로 마소의 피를 빠는 해충.
[蜚語 비어] 근거(根據) 없이 떠도는 말. 유언비어(流言蜚語).
[蜚鳥盡良弓藏 비조진양궁장] 나는 새가 없어지면 활이 소용없게 되므로 활집에 넣어 둔다는 뜻으로, 소용이 있으면 귀하게 여기고 소용이 없으면 버림을 받음을 이름.
[蜚芻 비추] 마초(馬草)를 빨리 나르는 일.
[蜚鴻 비홍] ㉠진디등에. 곧, 멸몽(蠛蠓)의 별칭(別稱). ㉡준마(駿馬)의 이름.

8 ⑭ [蜜] [高·人] 밀 ㊅質 彌畢切 mì

[筆順] 宀 宓 宓 宓 宻 宻 蜜 蜜

[字解] ①꿀 밀 꿀벌이 겨울에 먹으려고 준비하여 두는 먹이. 벌꿀. '—蜂'. ②명충알 밀 마디충의 알.

[字源] 篆文 別體 形聲. 虫＋宓〔音〕. '宓밀'은 꽉 차 있다, 봉입(封入)하다의 뜻. 벌이 집 속에 꽉 채워 넣은 꿀의 뜻을 나타냄. 篆文은 䖵＋鼏〔音〕. '鼏멱'은 '덮다'의 뜻.

[蜜柑 밀감] 운향과(芸香科)에 속하는 상록 관목(常綠灌木). 또, 그 과실. 귤나무.
[蜜蠟 밀랍] 꿀벌의 집에서 꿀을 짜내고 남은 찌끼를 끓이면 기름 같은 것이 끓어오르는데, 이것을 냉수(冷水)에 굳힌 것. 황랍(黃蠟).
[蜜房 밀방] 벌집.
[蜜蜂 밀봉] 꿀벌. 참벌.
[蜜水 밀수] 꿀물.
[蜜月 밀월] ㉠신혼(新婚) 뒤의 즐거운 한 달 동안. 이 동안에는 밀당수(蜜糖水) 혹은 봉밀주(蜂蜜酒)를 마시는 서양 풍속에서 온 말. 영어 honeymoon의 번역명. ㉡신혼여행.
[蜜人 밀인] 미라(mirra).
[蜜印 밀인] 증직(贈職)할 때 하사(下賜)하는 밀랍(蜜蠟)에 새긴 인(印).
[蜜酒 밀주] 꿀과 메밀가루를 섞어서 담근 술.
[蜜汁 밀즙] 꿀.
[蜜香紙 밀향지] 종이의 일종.
[蜜花 밀화] 호박(琥珀)의 일종(一種). 꿀빛 같은 누른빛이 남.
[蜜丸 밀환] 약(藥) 가루를 꿀에 반죽하여 만든 환.
◉口有蜜. 波羅蜜. 蜂蜜. 山蜜. 巖蜜. 崖蜜. 野蜜. 飴蜜. 甜言如蜜.

8 ⑭ [蜝] 기 ㊥支 渠之切 qí
[字解] 방게 기 蟚(虫部 十二畫)을 보라. '蟚—'.
[參考] 蜞(虫部 八畫)와 同字.

8 ⑭ [蜸] 견 ㊤銑 牽典切 qiǎn
[字解] 지렁이 견 '—蚕'은 지렁이. '—, —蚕, 蚯蚓'《廣韻》.

8 ⑭ [蜰] 비 ㊤尾 府尾切 féi
[字解] ①바퀴 비 음식물과 의복에 해를 끼치고 병을 전염시키는 실내 해충. 비렴(蜚蠊). 蜚(虫部 八畫)와 同字. '—, 卽負盤臭蟲'《爾雅 注》. ②빈대 비 '俗呼齧人壁蟲曰臭蟲, 亦曰—'《中華大字典》.
[字源] 篆文 形聲. 虫＋肥〔音〕. '肥비'는 '살찌다'의 뜻. 살이 찐 벌레, '바퀴벌레'의 뜻.

8 ⑭ [蝁] 악 ㊅藥 烏各切 è
[字解] 악뱀 악, 살무사 악 살무사의 일종. '蝮屬, 大眼, 最有毒, 今淮南人呼—子'《爾雅 注》.
[字源] 篆文 形聲. 虫＋亞〔音〕. '亞아'는 '惡악'의 뜻. 악독(惡毒)을 가지고 있는 벌레, 살무사의 일종의 뜻을 나타냄.

8 ⑭ [蝅] 〔잠〕
蠶(虫部 十八畫〈p. 2040〉)과 同字

8 ⑭ [蜊] [一] 리 ㊥支 良脂切 lí
[二] 려 ㊥齊 憐題切
[字解] [一] ①귀뚜라미 리 '蟍—'는 귀뚜라미. '蟍—, 蟲名. 似蝗, 大腹長角, 食蛇腦'《集韻》. ②바지락개량조개 리 '合—'는 바지락개량조개. 蜊(虫部 七畫〈p. 2013〉)와 同字. '若土者, 食合—之肉'《論衡》. [二] 귀뚜라미 려, 바지락개량조개 려 [一]과 뜻이 같음.

8 ⑭ [蜤] [一] 사 ㊥支 息移切 sī
[二] 석 ㊅錫 先的切 xī

[字解] [一] 여치 사 '—蜤, 蜙蝑'《爾雅》. [二] 도마뱀 석 蜥(虫部 八畫)을 보라.
[字源] 形聲. 虫+析〔音〕

9 ⑮ [蝨] [人名] 슬 [入]質 所櫛切 shī

[字解] ①이 슬 포유동물(哺乳動物)의 외부에 기생(寄生)하여 피를 빨아 먹는 작은 곤충. '捫—談當世之務'《十八史略》. ②섞일 슬 잡거(雜居)함. '得無—其閒'《韓愈》.
[字源] 篆文 形聲. 蚰+卂〔音〕. '卂신·슬'은 날쌔게 베다의 뜻. 사람 따위의 살갗을 물어 피를 빨아 먹는 '이'를 뜻함.
[參考] 虱(虫部 二畫)과 同字.

[蝨官 슬관] 나라를 좀먹는 악덕 관리.
[蝨處褌中 슬처곤중] 이가 잠방이 속에 숨어 삶. 식견이 좁아 목전의 편안만을 만족히 여김의 비유.
[蝨處頭而黑 슬처두이흑] 흰 이도 머리에 있으면 까매짐. 사람도 사귀는 사람에 의하여 성질이 변함의 비유.
◉褌蝨. 拘蝨. 口中蝨. 群蝨. 蟣蝨. 捫蝨. 壁蝨. 沙蝨. 搔蝨. 蚤蝨. 竹蝨.

9 ⑮ [蝱] 맹 [平]庚 武庚切 méng

[字解] ①등에 맹 등엣과에 속하는 곤충. 파리같이 생겼으며, 마소에 붙어 피를 빨아 먹는 것도 있고, 화밀(花蜜)을 먹는 것도 있음. 노랑등에·쇠등에·꽃등에 따위가 있음. '蚊—宵見'《漢書》. ②패모(貝母) 맹 백합과에 속하는 다년초. 관상용 또는 약용으로 심음. 莔(艸部 七畫)과 통용. '言采其—'《詩經》. ③새이름 맹 일족 일익 일목(一足一翼一目)으로, 두 마리가 서로 도와 난다고 함.
[字源] 篆文 形聲. 蚰+亡〔音〕. '亡망'은 등에의 날개 소리의 의성어. 사람·짐승의 피를 빠는 '등에'를 이름.
[參考] 虻(虫部 三畫)·䖟(虫部 三畫)은 同字.

[蝱飛 맹비] 등에처럼 낢.
◉蚊蝱. 奔蝱. 飛蝱. 牛蝱. 草蝱.

9 ⑮ [蜵] 연 [平]先 縈玄切 yuān

[字解] ①장구벌레 연 모기의 유충. 蜎(虫部 七畫)과 同字. '蜎, 井中小蟲. 或作—'《集韻》. ②넓을 연 '—蜎'은 대궐(大闕)이 깊고 넓은 모양. '—蜎蠖濩之中'《漢書》.
[字源] 形聲. 虫+淵〔音〕

[蜵蜎 연연] 대궐(大闕)이 깊고 넓은 모양.

9 ⑮ [蝌] 과 [平]歌 苦禾切 kē

[字解] 올챙이 과 개구리의 유생(幼生). 과두(科斗). '—蚪'. '—, —斗, 蟲名'《集韻》.
[字源] 形聲. 虫+科〔音〕

[蝌蚪 과두] 개구리의 유생(幼生). 올챙이. 과두(科斗).
[蝌蚪文字 과두문자] 고대 문자(古代文字)의 한 가지. 황제(黃帝) 때에 창힐(蒼頡)이 지었다 함. 글자의 획이 올챙이 모양과 같으므로 이름. 과두 문자(科斗文字).

9 ⑮ [⿱科虫] 蝌(前條)와 同字

9 ⑮ [⿱彖虫] 〔려·라〕
蠡(虫部 十五畫〈p. 2037〉)와 同字

9 ⑮ [蝍] 즉 [入]職 子力切 jí

[字解] ①지네 즉 마디와 발이 많은 절지(節肢)동물의 하나. 오공(蜈蚣). '—蛆甘帶'《莊子》. ②귀뚜라미 즉 '蒺蔾, —蛆'《爾雅》. ③자벌레 즉 '——, 尺蠖也'《廣雅》.
[字源] 形聲. 虫+卽〔音〕

[蝍蛉 즉령] 잠자리.
[蝍蛆 즉저] ㉠지넷과에 속하는 절지동물(節肢動物)의 총칭. 몸 마디와 발이 많음. 지네. 오공(蜈蚣). ㉡메뚜기. ㉢귀뚜라미.
[蝍蝍 즉즉] ㉠가을밤에 벌레가 우는 소리. ㉡베짜는 소리. ㉢소곤소곤 이야기하는 소리. ㉣참새가 우는 소리.

9 ⑮ [⿰虫韋] 위 [去]未 于貴切 wèi

[字解] 베짱이 위 '蛒—'는 베짱이. '—, 蛒—, 蟲名'《集韻》.

9 ⑮ [蝎] [人名] [一] 할(헐[本]) [入]曷 胡葛切 hé
[二] 갈(헐[本]) [入]月 許竭切 xiē

[字解] [一] 나무굼벵이 할 하늘소 종류의 유충(幼蟲)의 총칭. 나무 속에 기생(寄生)함. 목두충(木蠹蟲). 추제(蝤蠐). '—盛則木朽'《嵇康》. [二] ①수궁 갈 '—虎'는 도마뱀 비슷한 파충. 도마뱀붙이. ②전갈 갈 蠍(虫部 十三畫)의 本字. '—, 本作—, 俗作蠍'《正字通》.
[字源] 篆文 形聲. 虫+曷〔音〕. '曷갈'은 '절단하다'의 뜻. 나무를 베는 벌레, '나무굼벵이'의 뜻을 나타냄.

[蝎虎 갈호] 도마뱀붙잇과(科)에 속하는 파충. 도마뱀 비슷하나 허리가 짧고 납작함. 도마뱀붙이. 수궁(守宮). 벽호(壁虎). 언정(蝘蜓).
◉蛇蝎.

9 ⑮ [蝖] [一] 훤 [平]元 況袁切 xuān
[二] 선 [平]先 荀緣切

[字解] [一] ①풍뎅이애벌레 훤 지잠(地蠶). '—, 蠀螬'《廣韻》. ②길 훤 벌레가 기어가는 모양. '—飛垂蠕動'《韓詩外傳》. [二] 풍뎅이애벌레 선, 길 선 [一]과 뜻이 같음.

9 ⑮ [蝓] 유 [平]虞 羊朱切 yú

[字解] ①괄태충 유 '蛞—'. ②달팽이 유 와우(蝸牛).

[字源] 篆文 形聲. 虫+兪〔音〕. '兪유'는 '빠져나오다'의 뜻. '달팽이'를 이름.

9 ⑮ **[蝗]** [人名] 황 [平]陽 胡光切 huáng

[字解] 누리 황 메뚜깃과(科)에 속하는 곤충. 큰 떼를 지어 날아다니면서 곡식에 큰 해를 끼침. '一蟲爲災'《禮記》. 전(轉)하여, 누리의 피해. '大旱一'《漢書》.

[字源] 篆文 形聲. 虫+皇〔音〕. '皇황'은 '遑황'과 통하여, '분주하다'의 뜻. 분주한 벌레, '누리'를 이름.

[蝗災 황재] 주로 벼농사를 해치는 황충(蝗蟲)으로 인한 재앙.
[蝗蟲 황충] 누리.
[蝗旱 황한] 누리의 피해(被害)와 가뭄.
[蝗害 황해] 누리가 떼 지어 벼에 끼치는 큰 피해(被害).
◉大旱蝗.

9 ⑮ **[蝘]** 언 [上]阮 於幰切 yǎn

[字解] 수궁 언 '一蜓'은 도마뱀붙잇과에 속하는 파충. 수궁(守宮). '執一蜓而朝龜龍'《揚雄》.

[字源] 篆文 別體 形聲. 虫+匽〔音〕. '匽언'은 엎어 숨기다의 뜻. 항상 몸을 숨기고 있는 '수궁'을 뜻함.

[蝘蜓 언정] 도마뱀붙잇과(科)에 속하는 파충. 도마뱀 비슷하나 허리가 좀 짧고 좀 납작함. 수궁(守宮). 도마뱀붙이. 갈호(蝎虎).

9 ⑮ **[蝙]** 편 [平]先 布玄切 biān

[字解] 박쥐 편 '一蝠夜藏, 不敢晝行'《易林》.

[字源] 篆文 形聲. 虫+扁〔音〕. '扁편'은 얇고 평평하고 팔락팔락 날다의 뜻. '박쥐'를 이름.

[蝙蝠 편복] 익수류(翼手類)에 속하는 동물의 하나. 쥐처럼 생겼으며, 밤에 날아다니고 벌레를 잡아먹음. 박쥐. 복익(伏翼). 비서(飛鼠).

9 ⑮ **[蝛]** 위 [平]微 於非切 wēi

[字解] 쥐며느리 위 蛜(虫部 六畫)를 보라. '蛜一'.

[字源] 形聲. 虫+威〔音〕

◉蛜蝛.

9 ⑮ **[蝜]** 부 [上]有 房久切 fù

[字解] ①쥐며느리 부 '蟠一'는 쥐며느리. '一, 蟠一'《廣韻》. ②벌레이름 부 '一蝂'은 작은 벌레의 한 가지. 몸은 작으나 물건을 잘 짊어지고 그 무게를 잘 견디어 낸다 함. 부판(負版). '一蝂者善負小蟲也, 行遇物, 輒持取, 卬其首負之, 雖困劇不止也'《柳宗元》.

[字源] 形聲. 虫+負〔音〕

[蝜蝂 부판] 자해(字解)❷를 보라.

9 ⑮ **[蝠]** 복 [入]屋 方六切 fú

[字解] ①박쥐 복 '蝙一'. ②살무사 복 蝮(虫部 九畫)과 통용. '一蛇其心, 縱毒不辜'《後漢書》.

[字源] 篆文 形聲. 虫+畐〔音〕. '畐복'은 '副복·부'와 같은 뜻으로, '찰싹 들러붙다'의 뜻. 물건에 꽉 달라붙는 '박쥐'의 뜻을 나타냄.

◉蝙蝠.

9 ⑮ **[蝝]** 연 [平]先 與專切 yuán

[字解] ①새끼누리 연 아직 날개가 나지 아니한 누리의 유충(幼蟲). '一, 蝗子'《爾雅》. ②새끼 왕개미 연 비부(蚍蜉)의 새끼. '蠹一仆柱梁'《說苑》.

[字源] 篆文 形聲. 虫+彖〔音〕

[蝝災 연재] 누리의 재해.
[蝝蝗 연황] 누리.

9 ⑮ **[蝟]** [人名] 위 [去]未 于貴切 wèi

[字解] ①고슴도치 위 고슴도칫과에 속하는 동물. 쥐 비슷하며, 꼬리 이외의 등덜미와 몸의 양편으로 바늘 같은 털이 온통 덮여 있음. '反者如一毛而起'《漢書》. ②떼지어모일 위, 번잡할 위 '一集'.

[字源] 彙의 別體 形聲. 虫+胃〔音〕

[蝟結 위결] 위집(蝟集).
[蝟起 위기] 고슴도치 털이 일어남. 일이 번잡하여 짐의 비유.
[蝟毛 위모] 고슴도치의 가시 같은 털. 수가 많은 형용.
[蝟集 위집] 고슴도치 털같이 일시에 많이 모임.
[蝟縮 위축] 두려워서 움츠리는 모양. 외축(畏縮).

9 ⑮ **[蝡]** [一] 연 [上]銑 而兗切 ruǎn
[二] 윤 [上]軫 而允切 ruǎn

[字解] [一] 굼틀거릴 연 벌레가 움직임. 준동함. '跂行喙息, 一動之類'《漢書》. [二] 굼실거릴 윤 '一動'.

[字源] 篆文 形聲. 虫+耎〔音〕. '耎연'은 '부드럽다'의 뜻. 벌레가 굼틀거리다의 뜻을 나타냄.

[蝡動 연동] 굼틀거림. 준동(蠢動).
[蝡蝡 연연] 벌레가 굼틀거리는 모양.
◉惴蝡.

9 ⑮ **[蝣]** 유 [平]尤 以周切 yóu

[字解] 하루살이 유 '蜉一'. '蜉一, 渠略'《爾雅》.

[字源] 形聲. 虫+斿〔音〕. '斿유'는 펄럭이는 기(旗)의 뜻. 공중을 떠도는 벌레, '하루살이'를 이름.

◉惴蝣.

9 [蝤] [一] 추 [平]尤 卽由切 qiú, ②jiū
⑮ [二] 유 [平]尤 夷周切 yóu

[字解] [一] ①나무굼벵이 추 '—蠐'는 몸이 흰 나무굼벵이. 전(轉)하여, 미인(美人)의 목이 아름다움을 형용하는 데 쓰임. '領如—蠐'《詩經》. ②꽃게 추 '—蛑'는 꽃겟과에 속하는 바닷게. '—蛑大有力'《續博物志》. [二] ①하루살이 유 '蜉—'. ②꽃게 유 [一]❷와 뜻이 같음.
[字源] 篆文 形聲. 虫+酋〔音〕

[蝤蛑 추모] 꽃겟과에 속하는 게. 바다에서 남.
[蝤蠐 추제] 몸이 흰 나무굼벵이. 몸이 깨끗하고 희므로 미인의 목의 아름다운 형용으로 쓰임.

9 [蝦] [人名] 하 [平]麻 胡加切 xiā, ①há 虾
⑮

[字解] ①두꺼비 하 '見食于—蟆'《史記》. ②새우 하 鰕(魚部 九畫)와 통용. '蛟—委蛇'《張衡》.
[字源] 篆文 形聲. 虫+叚〔音〕. '叚가'는 외피(外皮) 또는 껍데기를 둘러쓰다의 뜻. '두꺼비·새우' 등을 이름.

[蝦蛄 하고] 갯가잿과(科)에 속하는 가재 비슷한 절지동물(節肢動物). 바닷가 진흙 속에 서식(棲息)함. 갯가재.
[蝦蟆 하마] 두꺼빗과에 속하는 개구리 비슷한 양서류(兩棲類) 동물. 두꺼비.
[蝦蟹 하해] 새우와 게.
[蝦蜆 하현] 갯가재와 바지라기.
◉佳蝦. 乾蝦. 魚蝦. 侶魚蝦.

9 [蝮] 복 [入]屋 芳福切 fù
⑮

[字解] ①살무사 복 살무삿과에 속하는 뱀. 독사(毒蛇)의 일종임. '—蛇'. '—螫手則斬手'《漢書》. ②큰뱀 복 '—, 大蛇也, 非虺之類'《爾雅》. ③성 복 성(姓)의 하나.
[字源] 篆文 形聲. 虫+复(复)〔音〕. '复복'은 '腹복'과 통하여, 부푼 배의 뜻. 배가 불룩한 뱀, '살무사'의 뜻을 나타냄.

[蝮蠍 복갈] 살무사와 전갈. 무서운 악인(惡人)의 비유.
[蝮蛇 복사] 살무사.
[蝮鷙 복지] 독사와 새매. 가혹(苛酷)함의 비유.
◉毒蝮. 蛇蝮. 青蝮. 虺蝮.

9 [蝳] [一] 독 [入]沃 徒沃切 dú
⑮ [二] 대 [去]隊 待戴切 dài

[字解] [一] 거미 독 '—蜍'는 거미. '鼅鼄, 北燕朝鮮洌水之間, 謂之—蜍'《揚子方言》. [二] 대모 대 瑇(玉部 九畫)와 同字. '摸—蝐, 捫觜蠵'《左思》.
[字源] 形聲. 虫+毒〔音〕

[蝳蜍 독여] 거미.

9 [蝴] [人名] 호 [平]虞 洪吾切 hú
⑮

[字解] 나비 호 '—蝶'은 인시류(鱗翅類) 중 나방을 제외한 곤충의 총칭. 胡(肉部 五畫)의 俗字. '莊周夢爲—蝶'《莊子》.
[字源] 形聲. 虫+胡〔音〕

[蝴蝶 호접] 인시류(鱗翅類) 중 나방을 제외한 곤충의 총칭. 나비.
[蝴蝶夢 호접몽] 장자(莊子)가 꿈에 나비가 되어 피아(彼我)의 분별(分別)을 잊고 즐겁게 놀았다는 고사(故事).

9 [蝶] [高人] 접 [入]葉 徒協切 dié
⑮

[筆順] 口 中 虫 虫 虫⁻ 虫⁺⁺ 虫⁺⁺ 蝶

[字解] 나비 접 인시류(鱗翅類) 중 나방을 제외한 곤충의 총칭. '蝴—'. 蜨(虫部 八畫)의 俗字. '蜨, 蟲名. 或作—'《集韻》.
[字源] 形聲. 虫+枼〔音〕. '枼엽'은 얇고 평평하다의 뜻. 얇고 평평한 날개의 벌레, '나비'를 뜻함.

[蝶翎 접령] 나비의 날개.
[蝶夢 접몽] ㉠호접몽(蝴蝶夢). ㉡널리 꿈의 뜻으로 쓰임.
[蝶粉蜂黃 접분봉황] 나비 날개의 흰 가루와 벌의 「누른빛.
[蝶兒 접아] 나비. 아(兒)는 조사(助辭).
◉驚蛺蝶. 孤蝶. 狂蝶. 粉蝶. 仙蝶. 素蝶. 野蝶. 異蝶. 彩蝶. 風蝶. 蛺蝶. 胡蝶. 蝴蝶. 黃蝶. 戲蝶.

9 [蝸] [人名] 와 [平]麻 古華切 wō
⑮ (과[本]) (guā, wā) 蜗

[字解] 달팽이 와 '—牛'는 달팽잇과(科)에 속하는 연체동물(軟體動物)의 하나. '—牛角上爭何事'《白居易》.
[字源] 篆文 形聲. 虫+咼〔音〕. '咼와'는 '渦와'와 통하여, '소용돌이'의 뜻. 소용돌이 모양의 껍질이 있는 '달팽이'를 이름.

[蝸角之爭 와각지쟁] 달팽이 뿔, 곧 촉각(觸角) 위에 있는 두 나라가 전쟁(戰爭)을 한다는 뜻으로, 사소한 일로 쓸데없이 다툼을 이름.
[蝸廬 와려] 달팽이 집같이 작은 집. 또, 자기 집의 겸칭(謙稱).
[蝸屋 와옥] 와려(蝸廬).
[蝸牛 와우] 달팽잇과(科)에 속하는 연체동물(軟體動物)의 하나. 패각(貝殼)은 고둥처럼 생겼고 두부(頭部)에 두 촉각이 있음. 속살을 내어 땅 위나 풀 위를 기어다님. 달팽이.
[蝸牛角上 와우각상] 극히 작은 경우(境遇).
[蝸牛角上爭 와우각상쟁] 와각지쟁(蝸角之爭).
[蝸跡 와적] 달팽이가 기어간 자국.
[蝸篆 와전] 전자(篆字)같이 꼬불꼬불한 달팽이의 기어간 자국.
◉蜁蝸.

9 [蝚] [一] 유 [平]尤 耳由切 róu
⑮ [二] 노 [平]豪 奴刀切 náo

[字解] [一] ①땅강아지 유 땅강아짓과의 곤충. 누고(螻蛄). ②거머리 유 '蛭—'는 거머리의 한 가지. [二] 원숭이 노 猱(犬部 九畫)와 同字. '蛭蜩蠼—'《司馬相如》.
[字源] 篆文 形聲. 虫+柔〔音〕

◉蠼蝚. 蛭蝚.

9 ⑮ [蝤] 유 [平]尤 於虬切 yōu 

[字解] 굼틀거릴 유 '—蟉'는 용(龍)이나 뱀이 굼틀거리며 가는 모양. '驂赤螭靑虬之—蟉蜿蜒'《司馬相如》.

[字源] 篆文  形聲. 虫+幽〔音〕

[蝤蟉 유규] 용(龍)이나 뱀이 굼틀거리며 가는 모양. 유규(蚴蟉).

9 ⑮ [蝲] 랄 [入]曷 盧達切 là

[字解] ①전갈 랄 '—, 蝎也'《一切經音義》. ②벌레이름 랄 '—, —蟽'《廣韻》.

9 ⑮ [蝺] [一] 구 [上]麌 果羽切 qǔ
[二] 우 [上]麌 央矩切 yǔ 

[字解] [一] 아름다울 구 좋음. '惠子之言—焉, 美無所用'《呂氏春秋》. [二] 곱사등이 우 '旁行—僂'《宋玉》.

[蝺焉 구언] 솜이 좋은 모양.
[蝺僂 우루] 곱사등이. 구루(佝僂).

9 ⑮ [蝯] 원 [平]元 雨元切 yuán

[字解] 긴팔원숭이 원 팔이 매우 긴 원숭이의 하나. 나무 위에서 군서(群棲)함. '猱—, 善援'《爾雅》.

[字源] 篆文  形聲. 虫+爰〔音〕. '爰원'은 '끌다'의 뜻. 팔이 긴 원숭이를 뜻함.

[蝯眩 원현] 원숭이 눈이 어지러움. 몹시 험준한 곳의 비유.

9 ⑮ [蝻] 남 nǎn

[字解] 메뚜기새끼 남 태어나서 아직 날지 못하는 메뚜기 새끼. '—, 蝗子也'《中華大字典》.

9 ⑮ [蝑] 서 [平]魚 相居切 xū
[上]語 寫與切 xiè

[字解] 베짱이 서 '蜙—'. '—, 蜙—也'《說文》.

[字源] 篆文  形聲. 虫+胥〔音〕

◉蜙蝑.

9 ⑮ [蟌] 총 [平]東 倉紅切 cōng

[字解] 잠자리 총 청령(蜻蛉). '水蠆爲—'《淮南子》.

9 ⑮ [蝩] [一] 중 [平]冬 傳容切 chóng
[二] 종 [平]冬 諸容切 zhōng

[字解] [一] 여름누에 중 여름에 치는 누에. '—, 夏蠶'《集韻》. [二] 메뚜기 종 작은 메뚜기. '小曰—, 大曰蝗'《一切經音義》.

9 ⑮ [䗂] 우 [平]虞 偶俱切 yú 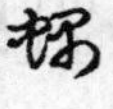

[字解] 파랑강충이 우 '蠓—'는 빛이 푸른 강충이. 청부(靑蚨). 자모전충(子母錢蟲). '蠓—, 形如蟬, 其子如蝦, 著草葉. 得其子, 則母飛來, 就之, 煎食, 辛而美'《酉陽雜俎》.

9 ⑮ [䗁] 〔개〕
蚧(虫部 四畫〈p. 2004〉)와 同字

9 ⑮ [蝔] [一] 천 [上]銑 尺兗切 chuǎn
[二] 취 [上]紙 楚委切 chuǎi

[字解] [一] 굼틀거리는벌레 천 '蠉—'은 굼틀거리는 벌레. 또, 발이 없는 벌레. '蠉—, 動蟲, 一曰, 無足蟲'《集韻》. [二] 벌레굼실거릴 취 벌레가 굼실거리는 모양. '—, 蟲動皃'《集韻》.

9 ⑮ [蝭] 제 [平]齊 杜奚切 tí

[字解] 씽씽매미 제 '—蟧'는 씽씽매미. 蟬(虫部 七畫)와 同字. '—蟧春鳴而秋止'《傅占衡》.

[蝭蟧 제로] 씽씽매미.

9 ⑮ [蝬] 수 [平]尤 所鳩切 sōu

[字解] 집게벌레 수 '蛷—'는 집게벌레. '古蠼—短狐, 踏影蠱, 皆中人影爲害'《酉陽雜俎》.

9 ⑮ [䗃] 천 [平]先 疾緣切 quán

[字解] 자개 천 '餘—'은 자개. '貝白質黃文曰餘—'《集韻》.

9 ⑮ [蝪] 탕 [平]陽 吐郎切 tāng

[字解] 땅거미 탕 담·나무줄기 밑 등에 긴 주머니 모양의 집을 짓고 사는 거미. '—, 蛈—, 蟲名'《廣韻》.

9 ⑮ [蝐] 모 [去]隊 莫佩切 mèi

[字解] 대모 모 거북속(屬)의 바다 짐승. 瑁(玉部 九畫)와 同字. '瑁, 瑇瑁, 龜屬. 或从虫'《集韻》.

[字源] 形聲. 虫+冒〔音〕

9 ⑮ [蝍] [一] 각 [入]藥 其虐切 jué
[二] 극 [入]陌 丘獲切
[三] 향 [平]陽 墟羊切

[字解] [一] ①쇠똥구리 각 '渠—'은 말똥구리. '—, 渠—, 一曰, 天社'《說文》. ②바퀴 각 '—, 蟲名, 天甲也'《類篇》. [二] 쇠똥구리 극, 바퀴 극 [一]과 뜻이 같음. [三] 쇠똥구리 향, 바퀴 향 [一]과 뜻이 같음.

9 ⑮ [蝐] 〔홍〕
虹(虫部 三畫〈p. 2002〉)의 籒文

9 ⑮ [蝰] 규 [平]齊 苦圭切 kuí

[字解] ①번데기 규 누에의 번데기. '—, 蛹也'《廣韻》. ②독사이름 규 살무사의 종류. '集解, 又有靑—, 卽竹根蛇'《本草》.

9
⑮ **[蜳]** 정 [平]靑 唐丁切 tíng

[字解] 긴맛 정 조개의 일종. 마도(馬刀). '一, 一蜓, 水蟲名'《集韻》.

9
⑮ **[蝹]** 〔윤〕
蝹(虫部 十畫〈p. 2024〉)의 俗字

9
⑮ **[蝿]** 〔승〕
蠅(虫部 十三畫〈p. 2034〉)의 俗字

9
⑮ **[蝼]** 〔루〕
螻(虫部 十一畫〈p. 2028〉)의 俗字

9
⑮ **[蝕]** [人名] 식 [入]職 乘力切 shí 蚀

[字解] 먹을 식 벌레가 갉아 먹어 들어감. '蠹一'. 전(轉)하여, 조금씩 조금씩 개먹어 들어감. 또는, 그 형적. '侵一'. '浸一'. 또, 달이 해를 가리거나 지구의 그림자가 달을 가리는 현상. '月一'. '日一'. '日月虧曰一, 稍稍侵虧, 如蟲食草木之葉也'《釋名》.

[字源] 篆文 形聲. 篆文은 虫+人+食〔音〕. '食식'은 '먹다'의 뜻. '벌레 먹다'의 뜻을 나타냄.

[蝕既 식기] 개기식(皆既蝕)을 이름.
◉皆既蝕. 皆蝕. 蠹蝕. 煤蝕. 剝蝕. 薄蝕. 腐蝕. 雨蝕. 月蝕. 日蝕. 蠶蝕. 震蝕. 侵蝕. 虧蝕.

9
⑮ **[蝱]** 범 [上]豏 防錽切 fàn

[字解] 벌 범 '一, 蜂也'《廣雅》.

9
⑮ **[蝨]** 시 [平]支 式支切 shī

[字解] 바구미 시 '姑一'는 쌀·보리 등의 해충. '一, 說文, 姑一, 強羊也, 謂米穀中蠹小黑蟲'《集韻》.

[字源] 篆文 形聲. 虫+施〔音〕

9
⑮ **[蝥]** 모(무[本]) [平]肴 莫交切 máo

[字解] ①뿌리잘라먹는벌레 모 '一賊'은 농작물 또는 묘목의 뿌리를 잘라 먹는 해충의 총칭. '去其螟螣, 及其一賊. (傳)食根曰一, 食節曰賊'《詩經》. 전(轉)하여, 양민을 해치는 악인. '帥我一賊, 以來, 蕩搖我邊疆'《左傳》. ②기이름 모 '一弧'는 옛날에 제후(諸侯)의 기(旗)의 이름. '潁考叔取鄭伯之旗一弧以先登'《左傳》.

[字源] 篆文 形聲. 虫+敄〔音〕. '敄무'는 창으로 치고 덤비다의 뜻. 창 같은 이를 가진 뿌리 잘라 먹는 벌레, '집게벌레'를 이름.

[蝥賊 모적] 나무 뿌리나 마디를 갉아 먹는 해충. 전(轉)하여, 양민을 해치는 악인(惡人).
[蝥弧 모호] 옛날의 제후(諸侯)의 기(旗)의 이름.

10
⑯ **[蝹]** 윤 [平]眞 於倫切 yūn

[字解] 굼틀거릴 윤 용이나 뱀이 굼틀거리며 기어가는 모양. '山磨電奕奕, 水淬龍一一'《韓愈》.

[字源] 形聲. 虫+昷〔音〕

[參考] 蝹(虫部 九畫)은 俗字.

[蝹蜦 윤륜] 윤윤(蝹蝹).
[蝹蝹 윤윤] 용이나 뱀이 굼틀거리며 가는 모양.

10
⑯ **[螂]** [人名] 〔랑〕
蜋(虫部 七畫〈p. 2013〉)과 同字
◉蝗螂. 螳螂.

10
⑯ **[螃]** 방 [平]陽 步光切 páng

[字解] 방게 방 게의 하나. 바다 가까운 단물의 모래 속에 구멍을 뚫고 생활함. '一蜞'. '一蟹'.

[字源] 形聲. 虫+旁〔音〕

[螃蜞 방기] 게의 한 가지. 방게.
[螃蟹 방해] 방기(螃蜞).

10
⑯ **[螇]** 혜 [平]齊 胡鷄切 xī

[字解] ①씽씽매미 혜 '一螰'은 매밋과에 속하는 씽씽매미. 털매미. '諸生獨不見季夏之一乎'《鹽鐵論》. ②방아깨비 혜 메뚜기의 일종. '一蚸'.

[字源] 篆文 形聲. 虫+奚〔音〕

[螇蚸 혜력] 메뚜깃과에 속하는 곤충. 방아깨비. 계종(蟿螽).

10
⑯ **[螄]** 사 [平]支 疏夷切 sī 蛳

[字解] 고둥 사 우렁이·소라같이 생긴 복족류(腹足類)의 권패(卷貝)의 총칭. '一, 蟲名. 螺也'《集韻》.

[字源] 形聲. 虫+師〔音〕

10
⑯ **[螈]** 원 [平]元 愚袁切 yuán

[字解] ①영원 원 蠑(虫部 十四畫)을 보라. '蠑一'. ②하잠 원 여름에 치는 누에. '一蠶一歲再收'《淮南子》.

[字源] 形聲. 虫+原〔音〕

[螈蠶 원잠] 하잠(夏蠶).
◉蠑螈.

10
⑯ **[螉]** 옹 [平]東 烏公切 wēng

[字解] ①등에 옹 '一蠮'은 쇠등에의 애벌레. 마소의 피부에 붙어 피를 빪. '一, 一蠮, 蟲在牛馬皮者'《說文》. ②나나니벌 옹 '蠮一'.

[字源] 篆文 形聲. 虫+翁〔音〕. 등에의 날개 소리의 의성어.

◉蠓螉. 蠮螉.

10
⑯ **[螋]** 후 [去]宥 火救切 xiù

[字解] 고개들고갈 후 '赳—'는 용(龍)이 고개를 들고 가는 모양. '沛艾赳—'《史記》.

10 ⑯ [蟏] 공 [平]冬 渠容切 qióng

[字解] 귀뚜라미 공 '—, 蟋蟀也'《篇海》.

10 ⑯ [螶] 〔공〕
蛬(虫部 六畫〈p. 2011〉)과 同字

10 ⑯ [蟜] 교 [上]篠 吉了切 jiǎo

[字解] 벌레이름 교 '—, 蟲名'《字彙》.

10 ⑯ [螓] 진 [平]眞 匠鄰切 qín

[字解] 씽씽매미 진 매미의 일종. '—, —蜻, 似蟬而小'《廣韻》. 이마가 넓고 아름다우므로 미인의 이마의 형용으로 쓰임. '—首蛾眉'《詩經》.
[字源] 形聲. 虫+秦〔音〕

[螓首 진수] 아름다운 얼굴. 미모(美貌). 자해(字解)를 보라.
[螓蛾 진아] 씽씽매미와 같이 이마가 넓고 나방이처럼 눈썹이 아름답게 굽음. 전(轉)하여, 미인(美人)의 용모(容貌). 미모(美貌).
◉胡螓.

10 ⑯ [螕] 비 ①[平]齊 邊迷切 bī
②[平]支 頻脂切 pī

[字解] ①진드기 비 지주류(蜘蛛類)에 속하는 동물의 하나. 소·말·개 따위에 기생(寄生)하여 피를 빨아 먹음. 우슬(牛蝨). '牛蝨一名牛—'《本草》. ②왕개미 비 蚍(虫部 四畫)와 통용.
[字源] 篆文 形聲. 虫+箆〔音〕. '箆비'는 찰싹 들러붙다의 뜻. '진드기'를 이름.

10 ⑯ [螔] 이 [平]支 弋支切 yí

[字解] 달팽이 이 와우(蝸牛). '—蝓'.
[字源] 形聲. 虫+虒〔音〕

[螔蝓 이유] 달팽이.

10 ⑯ [螞] 마 [上]馬 莫下切 mǎ, ②mà 蚂

[字解] ①말거머리 마 '—蟥'은 대형(大形)의 거머리의 일종. ②《現》 메뚜기 마 '—蚱'은 메뚜기.
[字源] 形聲. 虫+馬〔音〕

[螞蟥 마황] 대형(大形)의 거머리의 일종. 거머리와 달라 인축(人畜)의 피를 빨지 아니함.

10 ⑯ [螖] 활 [入]黠 戶八切 huá

[字解] 방게 활 바위겟과에 속하는 게의 일종. 바다 근처 단물의 모래 속에 서식함. '水瀌雜鱣—'《韓愈》.

10 ⑯ [螐] 오 [平]虞 汪胡切 wū

[字解] 배추벌레 오 '—蠋'은 배추벌레. '—, —蠋, 蟲名, 似蠶. 通作烏'《集韻》.

10 ⑯ [螊] 렴 [平]鹽 離鹽切 lián

[字解] 방게 렴 '—蛾'은 바위겟과에 속하는 게의 하나. 바다 가까운 단물의 모래 속에서 삶. '或至海邊, 拘—蛾以資養'《晉書》.
[字源] 篆文 形聲. 虫+兼〔音〕

[螊蛾 염월] 방게.

10 ⑯ [螗] 당 [平]陽 徒郞切 táng

[字解] 씽씽매미 당 매미의 일종. '如蜩如—'《詩經》.
[字源] 形聲. 虫+唐〔音〕

[螗蛦 당저] 두꺼비.
[螗蜩 당조] 씽씽매미.

10 ⑯ [蛢] 견 [平]齊 堅奚切 qiān

[字解] ①개똥벌레 견 '—, 一曰, 螢火'《集韻》. ②나방 견 '—, 蛾也'《廣雅》.

10 ⑯ [螜] 곡 [入]屋 胡谷切 hú

[字解] ①땅강아지 곡 누고(螻蛄). 천루(天螻). '—, 天螻'《爾雅》. ②풍뎅이유충(幼蟲) 곡 '蠀, 或謂之蝖—'《方言》.

10 ⑯ [𧐏] 〔기〕
蚔(虫部 四畫〈p. 2005〉)와 同字

10 ⑯ [螙] 〔두〕
蠹(虫部 十八畫〈p. 2040〉)와 同字

10 ⑯ [䗁] 〔략〕
蟓(虫部 十一畫〈p. 2029〉)의 本字

10 ⑯ [蟁] 〔문〕
蚊(虫部 四畫〈p. 2004〉)과 同字

10 ⑯ [螋] 〔수〕
蝬(虫部 九畫〈p. 2023〉)와 同字

10 ⑯ [螘] 의 [上]紙 魚倚切 yǐ

[字解] 개미 의 蟻(虫部 十三畫)와 同字. '蚍蜉大—'《爾雅》.
[字源] 篆文 形聲. 虫+豈〔音〕. '蟻의'와 동일어 이체자(同一語異體字)로서, '개미'의 뜻.

[螘動 의동] 수없는 개미가 이리저리 움직여 가듯이 백성이 소동(騷動)함.
[螘垤 의질] 개밋둑. 의질(蟻垤).
[螘塚 의총] 개밋둑. 의총(蟻塚).
◉大螘. 飛螘. 戰螘. 蟲螘. 打螘.

10 ⑯ [螟] 人名 명 ㊥青 莫經切 míng

字解 ①마디충 명 명충나방의 유충. 벼·조·피 따위의 줄기의 속을 파먹어 말라 죽게 함. '一蟲'. '去其一螣'《詩經》. 전(轉)하여, 마디충의 피해. '元光五年八月一'《漢書》. ②모기 명 '山多蟲一. (注) 一, 卽蚉'《管子》.

字源 篆文 形聲. 虫+冥[音]. '冥명'은 깊숙한 곳의 뜻. 줄기 속 깊숙이 숨어 있는 벌레, '마디충'을 이름.

[螟蛉 명령] ㉠나비·나방류의 유충(幼蟲)으로서 빛이 푸른 것. 배추벌레. ㉡명령자(螟蛉子), 곧 양자(養子).
[螟蛉子 명령자] 명령(螟蛉)은 나나니벌이 업고 가서 기른다는 전설에서, 양자(養子)를 이름.
[螟蟲 명충] 명충나방의 유충(幼蟲). 마디충.
[螟螣 명특] 명충(螟蟲)과 박각시나방의 애벌레. 모두 농작물을 해치는 벌레. 전(轉)하여, 백성을 해치는 자.
◉飛螟. 焦螟. 秋螟. 蟲螟.

10 ⑯ [螠] 의 ㊤寘 於賜切 yì

字解 도롱이벌레 의 '一女'는 도롱이벌레. '一, 一女, 蟲, 案, 爾雅曰, 蜆, 縊女'《廣韻》.

字源 形聲. 虫+益[音]. '益익'은 '縊의'와 통하며, 끈으로 목을 죄다의 뜻. 얼핏 보기에 목을 맨 것처럼 나무에서 늘어지는 '도롱이벌레'를 이름.

[螠女 의녀] 자해(字解)를 보라.

10 ⑯ [螝] ㊀ 회 ㊤隊 胡對切 guī ㊁ 훼 ㊤賄 戶賄切 huǐ

字解 ㊀ 번데기 회 누에의 번데기. 잠용(蠶蛹). '一, 蛹也'《說文》. ㊁ 살무사 훼 虺(虫部 三畫)와 통용. '一蠚已毒, 不以外肆'《柳宗元》.

字源 篆文 形聲. 虫+鬼[音]

10 ⑯ [螛] 할 ①㊀曷 何葛切 hé ②㊀黠 下瞎切 xiá

字解 ①눈뒤룩거리고혀널름거릴 할 '螖一'은 용이 눈을 뒤룩거리고 혀를 널름거리는 모양. '跮踱螖一, 容以骪麗兮'《漢書》. ②땅강아지 할 벌레의 이름. '一, 蟲名, 仙姑也'《集韻》.

10 ⑯ [螣] 특 ㊀職 徒得切 tè

字解 벌레 특 묘엽(苗葉)을 먹는 벌레. '一, 蟲食苗葉者, 吏乞貣, 則生一'《說文》.

字源 篆文 形聲. 虫+貣[音]

10 ⑯ [蝶] ㊀ 걸 ㊀屑 丘傑切 ㊁ 책 ㊀陌 陟格切 zhé

字解 ㊀ 송장메뚜기 걸 '似蝗而小, 今謂之土一'《爾雅》. ㊁ 송장메뚜기 책 ㊀과 뜻이 같음.

10 ⑯ [螬] 궁 ㊥東 居雄切 gōng

字解 도마뱀붙이 궁 '守一'은 도마뱀붙이. '守一, 蟲名, 通作宮'《集韻》.

10 ⑯ [螓] 韓 소

字解 《韓》 배좀 소 배〔舟〕의 나무를 쏠아 먹는 좀의 일종.

10 ⑯ [融] 人名 융 ㊥東 以戎切 róng

筆順 ⼀ 冂 鬲 鬲 鬲 融 融 融

字解 ①녹을 융, 녹일 융 고체가 액체로 됨. 또, 그 타동사. '一解'. '一而爲川瀆'《孫綽》. '東風一雪汁'《蘇軾》. ②통할 융 유통(流通)함. '一通'. '品物咸一'《何晏》. ③화합할 융, 화락할 융 '一和'. '其樂也一一'《左傳》. ④밝을 융 썩 환한 모양. '明而未一'《左傳》. ⑤길 융 짧지 않음. '昭明有一'《詩經》. ⑥성 융 성(姓)의 하나.

字源 篆文 籒文 形聲. 鬲+蟲〈省〉[音]. '鬲력'은 솥의 象形. '蟲충'은 '벌레'의 뜻. 솥에서 벌레가 기어 나오듯이 증기가 피어오르는 모양에서, '통하다, 녹다'의 뜻을 나타냄.

[融釋 융석] 융해(融解).
[融液 융액] ㉠고체가 녹아 액체(液體)가 됨. ㉡녹은 액즙.
[融然 융연] 화평한 모양. 화락한 모양.
[融融 융융] ㉠화평한 모양. 화락한 모양. ㉡온화한 모양.
[融資 융자] 자본(資本)을 융통(融通)함.
[融暢 융창] 막히는 데가 없음.
[融通 융통] ㉠녹아 통함. 막힘없이 통함. ㉡있는 것과 없는 것을 서로 돌려씀.
[融風 융풍] 동북풍. 입춘(立春) 전후하여 부는 바람.
[融合 융합] 녹아서 한 가지가 됨. 또, 녹여 한 가지로 만듦.
[融解 융해] 녹음. 또, 녹임.
[融化 융화] 녹아서 아주 다른 물건(物件)이 됨.
[融和 융화] ㉠융합(融合). ㉡화락됨. ㉢서로 화합함.
[融會 융회] 소상하게 이해함.
◉孔融. 光融. 金融. 圓融. 祝融. 鬯融. 春融. 沖融. 顯融. 渾融.

10 ⑯ [螎] 融(前條)과 同字

10 ⑯ [螤] 유 ㊤麌 弋主切 zhōng

字解 예순너말 유 '一斛'은 용량(容量)의 단위. 예순너 말. '一斛不敢入于四竟'《莊子》.

[螤斛 유곡] 용량(容量)의 단위. 예순너 말.

10 ⑯ [螣] ㊀ 등 ㊥蒸 徒登切 téng ㊁ 특 ㊀職 徒得切 tè

字解 ㊀ 등사 등 '一蛇'는 용(龍) 비슷한 신사(神蛇). 운무(雲霧)를 일으키어 몸을 감추고 난다 함. '一蛇無足而飛'《荀子》. ㊁ 박각시나방애벌레 특 박각시나방의 유충(幼蟲). 모양은 원통형이고, 몸에 아름다운 무늬가 있음. 재배 식물의 잎을 갉아 먹음. '去其螟一'《詩經》.

字源 篆文 形聲. 虫+朕〔音〕. '朕등'은 위로 향해 가다의 뜻. 구름·안개 등을 피우며 노는 신사(神蛇)를 이름. 去聲일 때에는 假借하여, '蟥'의 뜻을 나타냄.

[螣蛇 등사] ㉠자해(字解)㊀을 보라. ㉡별 이름.
[螣蟇 특막] 박각시나방.

10 ⑯ [螚] ㊀ 내 ㊇隊 奴代切 nài
㊁ 내 ㊅灰 奴來切 nái
㊂ 늑 ㊈職 匿德切 nài
㊃ 능 ㊄迥 奴等切 něng
㊄ 나 ㊇號 乃多切

字解 ㊀ ①등에 내, 벌 내 '一, 小寅蟲也'《廣韻》. '螚, 蜂類, 或从虫'《集韻》. ②자라 내 能(肉部 六畫〈p. 1847〉)의 俗字. '一, 俗能字. 鼈屬'《玉篇》. ㊁ 등에 늑, 벌 늑 ㊀❶과 뜻이 같음. ㊂ 등에 능, 벌 능 ㊀❶과 뜻이 같음. ㊃ 자라 나 ㊀❷와 뜻이 같음.

10 ⑯ [蚪] 두 dǒu

字解 올챙이 두 '一, 蝌斗蟲'《篇海》.

10 ⑯ [螌] 반 ①㊅刪 布還切 bān
②㊅寒 蒲官切 pán

字解 ①가뢰 반 '一蝥'는 가뢰. 반묘(斑猫). '一蝥, 毒蟲也'《說文》. ②바퀴 반 '負一'은 바퀴. '負一, 臭蟲'《說文》.
字源 篆文 形聲. 虫+般〔音〕

10 ⑯ [螢] 高人 형 ㊅青 戶扃切 yíng 蛍

筆順 丶 火 炏 𤇾 𤇾 䒖 螢 螢

字解 반딧불이 형 반딧불잇과에 속하는 갑충(甲蟲). 물가의 풀떨기에 살며, 배 끝에 발광기가 있어 여름밤에 반짝거리며 날아다님. 개똥벌레. '一光'. '腐草爲一'《禮記》.
字源 形聲. 虫+熒〈省〉〔音〕. '熒형'은 둘러서 놓은 모닥불의 뜻. 모닥불 같은 빛을 내는 벌레, '개똥벌레'를 이름.
參考 蛍(虫部 五畫)·萤(虫部 五畫)은 俗字.

[螢光 형광] ㉠반딧불. ㉡어느 물체가 어느 빛을 받았을 때, 다만 이를 반사하는 대신으로 받은 빛과 다른 그 물체의 고유한 빛을 내는 현상.
[螢石 형석] 투명 또는 반투명하며 열을 가하면 형광(螢光)을 발하는 광석.
[螢雪 형설] 차윤(車胤)은 반딧불에 글을 읽고 손강(孫康)은 눈〔雪〕빛에 글을 읽었다는 고사(故事). 전(轉)하여, 부지런히 면학하는 일.
[螢案 형안] 고학하는 사람의 책상. 공부.
[螢窓 형창] 고학하는 서재.
[螢窓雪案 형창설안] 형설(螢雪).
[螢惑星 형혹성] 화성(火星).
[螢火 형화] 반딧불.
◉孤螢. 高螢. 群螢. 飛螢. 星螢. 盛螢. 疎螢. 新螢. 野螢. 涼螢. 練囊盛螢. 流螢.

11 ⑰ [螽] 종 ㊅東 職戎切 zhōng

字解 ①누리 종 황충(蝗蟲). 메뚜깃과(科)의 곤충. '春一之股'《列子》. 벼에 큰 피해를 입히는 해충이므로, 전(轉)하여, 누리의 피해. '大雩一'《春秋》. ②베짱이 종 '一斯'는 베짱이. ③방아깨비 종 '蟿一'은 방아깨비. '蟿一蟆蚸'《爾雅》. ④마디충 종 명충(螟蟲).
字源 篆文 別體 形聲. 虫(䖵)+終〈省〉〔音〕

[螽斯 종사] 여칫과에 속하는 곤충. 수컷은 베짱베짱하고 욺. 한 번에 알을 아흔아홉 개 낳는다 하여 부부(夫婦)가 화합하여 자손이 많음의 비유로 쓰임. 일설(一說)에는 방아깨비. 베짱이. 계종(蟿螽). 용서(舂黍).
◉蟿螽. 大雩螽. 阜螽. 蚯螽. 青螽. 草螽. 春螽. 土螽.

11 ⑰ [蜭] 감 ㊅覃 胡甘切 hàn
㊇勘 乎濫切

字解 외벌레 감 외 또는 뽕잎을 갉아 먹는 벌레. '一, 蟲名, 食桑食瓜者'《集韻》.

11 ⑰ [蟁] 〔문〕
蚊(虫部 四畫〈p. 2004〉)과 同字

11 ⑰ [蚪] 〔두〕
蚪(虫部 四畫〈p. 2004〉)와 同字

11 ⑰ [蠭] 〔봉〕
蠭(虫部 十七畫〈p. 2039〉)과 同字

11 ⑰ [蠭] 蠭(前條)과 同字

11 ⑰ [蟊] 〔모〕
蝥(虫部 九畫〈p. 2024〉)와 同字

11 ⑰ [螬] 조 ㊅豪 昨勞切 cáo

字解 굼벵이 조 매미의 유충(幼蟲). '蠐一'. '一食實者過半矣'《孟子》.
字源 篆文 形聲. 虫(䖵)+曹(䨩)〔音〕

◉蠐螬.

11 ⑰ [螭] 리(치㊍) ㊅支 丑知切 chī

字解 ①용 리 빛이 누른 용. 혹은, 뿔 없는 용. 혹은, 용(龍)의 암컷이라고도 함. '蛟龍赤一'《漢書》. ②산신 리 魑(鬼部 十一畫)와 통용. '禦一魅'《左傳》.
字源 篆文 形聲. 虫+离〔音〕. '离리'는 파충류의 모양. 용의 일종인 '이무기'의 뜻을 나타냄.

[螭頭 이두] 이수(螭首).
[螭龍 이룡] 용(龍)의 일종. 혹은 뿔 없는 용이라고도 하고, 혹은 용의 암컷이라고도 함.
[螭魅 이매] 짐승의 형상을 한 산신(山神).
[螭首 이수] 비(碑) 머리, 궁전의 섬돌, 종정(鐘鼎) 같은 데에 뿔 없는 용의 서린 모양을 새긴 형상.

[螭陛 이폐] 궁전의 섬돌.
◉蛟螭. 虬螭. 盤螭. 蟠螭. 伏螭. 奔螭. 蒼螭.

11 ⑰ **[螮]** 체 [去]霽 都計切 dì

[字解] 무지개 체 蝃(虫部 八畫)와 同字. '—蝀'.
[字源] 篆文 形聲. 虫+帶〔音〕. '帶대'는 '띠'의 뜻. '띠' 모양의 뱀, '무지개'의 뜻.

[螮蝀 체동] 무지개.

11 ⑰ **[螳]** [人名] 당 [平]陽 徒郞切 táng

[字解] 사마귀 당 '—螂'은 사마귀. 버마재비. '仲夏之月, —螂生'《禮記》.
[字源] 篆文 形聲. 虫+堂〔音〕. '堂당'은 금속이 부딪치는 소리의 의성어. 낫 모양의 앞발에서 쨍강 소리가 들릴 것 같은 벌레, '버마재비'의 뜻을 나타냄.

[螳蜋 당랑] 당랑(螳螂).
[螳螂 당랑] 사마귓과에 속하는 곤충. 앞다리가 발달하여 낫 모양이고 톱니 같은 것이 있어서 벌레 따위를 잘 잡아먹음. 사마귀. 버마재비. 거부(拒斧).
[螳螂拒轍 당랑거철] 당랑노비당거철(螳螂怒臂當車轍).
[螳螂怒臂當車轍 당랑노비당거철] 당랑이 성을 내어 발로 차의 통로를 막음. 제 힘은 생각지도 아니하고 대적(大敵)을 대항함을 이름. 당랑거철.
[螳螂在後 당랑재후] 단지 눈앞의 이익에만 눈이 어두워 장차 그 뒤에 올 재화(災禍)를 알지 못함의 비유.
[螳螂之力 당랑지력] 당랑의 힘. 미약한 힘.
[螳螂之斧 당랑지부] 당랑의 도끼. 미약한 힘. 곧, 당랑이 두 발을 들면 도끼를 든 것 같으므로 이름.
[螳螂之衛 당랑지위] 미약한 병비(兵備).
[螳斧 당부] 당랑지부(螳螂之斧).

11 ⑰ **[螵]** 표 [平]蕭 符霄切 piāo

[字解] ①사마귀알 표 '—蛸'는 사마귀의 알. ②오징어 표 '—蛸'는 두족류(頭足類)의 일종. 오징어.
[字源] 形聲. 虫+票〔音〕

[螵蛸 표초] ㉠사마귀의 알. ㉡연체동물(軟體動物)의 하나. 오징어.

11 ⑰ **[螺]** [人名] 라 [平]歌 落戈切 luó

[筆順] 口 中 虫 虫 虫ᄆ 虫罒 螺 螺

[字解] ①고둥 라 껍데기가 왼쪽으로 말린 소용돌이꼴을 한 패류(貝類), 곧 복족류(腹足類)에 속하는 권패(卷貝)의 총칭. '田—'(우렁이)·'蝸—'(다슬기)·'法—'(소라고둥)·'榮—'(소라) 등이 이에 속함. ②소라 라 ㉠소라고둥의 껍데기로 만든 악기. '吹—擊鼓'《南史》. ㉡지문(指紋)이 나선형(螺旋形)으로 된 것을 이름. '其文如指上—'《蘇軾》.
[字源] 形聲. 虫+累〔音〕. '累라'는 '겹치다'의 뜻. 그 껍데기가 나사 모양으로 겹친 형태의 '고둥'의 뜻을 나타냄.

[螺階 나계] 나선형으로 된 계단.
[螺髻 나계] ㉠어린아이의 결발(結髮)의 한 가지. ㉡멀리 바라보이는 청산(青山).
[螺髮 나발] 고둥 껍데기같이 나선형으로 꼬불꼬불한 머리. 불상(佛像)의 머리 같은 것.
[螺杯 나배] 앵무조개 껍데기로 만든 술잔.
[螺絲 나사] ㉠고둥 껍데기같이 비틀린 물건. ㉡나사못.
[螺旋 나선] ㉠고둥 껍데기의 선 모양이나 나사 모양의 형상. ㉡나사.
[螺子墨 나자묵] 먹〔墨〕의 일종.
[螺鈿 나전] 조개껍데기의 진주빛 나는 부분을 여러 가지 형상으로 조각내어 박아 붙여 꾸미는 일. 또, 그 기물.
[螺貝 나패] 소라고둥.
◉陵螺. 黛螺. 馬珂螺. 文螺. 法螺. 旋螺. 鸚螺. 鸚鵡螺. 榮螺. 茈螺. 田螺. 鈿螺. 銓螺. 青螺. 吹螺. 翠螺. 陀螺. 扁螺. 香螺.

11 ⑰ **[螻]** 루 [平]尤 落侯切 lóu

[字解] ①땅강아지 루 '—蛄'는 땅강아지. 메뚜기 비슷한 곤충. '將制於—蟻'《賈誼》. ②청개구리 루 '—蟈'은 개구리. 청개구리. '孟夏之月, —蟈鳴, 蚯蚓出'《禮記》. ③구린내날 루, 악취 루 '馬黑脊, 而般臂, —'《周禮》.
[字源] 篆文 形聲. 虫+婁〔音〕. '婁루'는 끊이지 않고 잇다의 뜻. 논두렁 등에 실낱같이 이어지는 지나간 자국을 남기는 '땅강아지'를 뜻함.
[參考] 蝼(虫部 九畫)는 俗字.

[螻蛄 누고] 땅강아짓과에 속하는 곤충. 메뚜기 비슷한데, 땅속에 혈거(穴居)하며 앞발로 땅을 파헤쳐 식물의 뿌리를 해침. 땅강아지.
[螻蟈 누괵] 양서류(兩棲類)에 속하는 개구리의 일종. 몸집이 작고 발이 길며 몸빛은 푸름. 청개구리.
[螻蟻 누의] 땅강아지와 개미. 전(轉)하여, 미력(微力)한 것.
[螻蟻得志 누의득지] 소인(小人)이 득세한 비유.
[螻蟻之誠 누의지성] 땅강아지나 개미와 같은 작은 벌레의 정성. 자기의 정성의 겸칭(謙稱).
[螻螲 누질] 누고(螻蛄).

11 ⑰ **[螲]** 질 [入]質 陟栗切 zhì

[字解] 땅강아지 질 '螻—'.

◉螻螲.

11 ⑰ **[螾]** 인 ①②[平]眞 翼眞切 yǐn ③[去]震 羊進切

[字解] ①애매미 인 한선(寒蟬). '—, 蟲名, 寒蟹也'《集韻》. ②지렁이 인 蚓(虫部 四畫)과 同字. '蝦與蛭—'《賈誼》. ③그리마 인 '—蜇'.
[字源] 篆文 別體 形聲. 虫+寅〔音〕. '寅인'은 '늘어나다, 늘이다'의 뜻. '지렁이'를 이름.

◉蛭蟥.

11 ⑰ [⿰虫區] 구 [去]遇 吁句切 xù

[字解] 누에의번데기 구 蚼(虫部 五畫〈p. 2008〉)로도 씀. '一, 蟲名, 幺蠶也, 或作蚼'《集韻》.

11 ⑰ [螼] ㊤軫 弃忍切 / 근 [去]震 羌印切 qǐn / ㊤吻 口謹切

[字解] 지렁이 근 '一, 螾也'《說文》.

11 ⑰ [蟀] 솔 [入]質 所律切 shuài

[字解] 귀뚜라미 솔 蟋(虫部 十一畫)을 보라. '蟋一'.
[字源] 篆文 形聲. 篆文은 虫+帥〔音〕. '蟀솔'은 虫+率〔音〕. '帥솔'·'率솔'은 날개를 마찰시키는 소리를 나타내는 의성어적 음부(音符). '귀뚜라미·베짱이'의 뜻으로 쓰임.

◉蟋蟀.

11 ⑰ [蟈] 괵 [入]陌 古獲切 guō

[字解] ①청개구리 괵 螻(虫部 十一畫)를 보라. '螻一'은 개구리, 청개구리. '一, 螻一, 蛙別名'《廣韻》. ②베짱이 괵 '一一'은 베짱이. 또, 철써기.
[字源] 蟈의 別體 形聲. 虫+國〔音〕

◉螻蟈.

11 ⑰ [蟉] [一] 류 [平]尤 力幽切 liú / [二] 규 [平]尤 渠幽切 / [三] 료 [去]嘯 力弔切 liào

[字解] [一] 굼틀거릴 류 '一虯·⿰虫幽一·蚴一'는 용이나 뱀 같은 것이 굼틀거리며 가는 모양. '騰蛇一虯而遶榱'《王延壽》. [二] 굼틀거릴 규 [一]과 뜻이 같음. [三] 머리흔들 료 '蜩一'는 용이 머리를 흔드는 모양. '蜩一偃蹇'《漢書》.
[字源] 篆文 形聲. 虫+翏〔音〕. '翏류'는 구부러져 줄짓다의 뜻.

[蟉虯 유규] 자해(字解)[一]을 보라.
◉蟋蟉. 蚴蟉. ⿰虫幽蟉. 蜩蟉.

11 ⑰ [⿰虫康] 강 [平]陽 丘岡切 kāng

[字解] 잠자리 강 강이(⿰虫康蛜). 청령(蜻蛉). '一, 一蛜, 蟲名, 蜻蛉也'《集韻》.

11 ⑰ [蟋] 실 [入]質 息七切 xī

[字解] 귀뚜라미 실 '一蟀'은 귀뚜라미. '一蟀在堂, 歲聿其莫'《詩經》.
[字源] 篆文 形聲. 虫+悉〔音〕. '悉실'은 귀뚜라미의 날개 소리를 나타내는 의성어.

[蟋蟀 실솔] 귀뚜라밋과에 속하는 곤충. 메뚜기 비슷하나 작고 촉각(觸角)이 몸보다 긺. 첫가을부터 밤에 욺. 귀뚜라미.

11 ⑰ [蟌] 총 [平]東 倉紅切 cōng

[字解] 잠자리 총 청령(蜻蛉). '水蠆爲一'《淮南子》.

11 ⑰ [蟆] 마 [平]歌 莫霞切 má

[字解] 두꺼비 마 蟇(虫部 十一畫)와 同字. '蝦一'. '一, 蝦一也'《說文》.
[字源] 篆文 形聲. 虫+莫〔音〕

◉蝦蟆.

11 ⑰ [蟂] 교 [平]蕭 古堯切 xiāo

[字解] ①영원 교 영원(蠑螈)의 일종. '一, 水蟲, 似蛇四足, 能害人也'《廣韻》. ②씽씽매미 교 '一蟧'는 매미의 일종.

11 ⑰ [⿰虫鳥] 蟂(前條)와 同字

11 ⑰ [⿰虫亰] 략 [入]藥 力灼切 lüè

[字解] 하루살이 략 부유(蜉蝣). '聶一'은 하루살이.
[字源] 篆文 形聲. 篆文은 虫+亰〔音〕

11 ⑰ [⿰虫畧] ⿰虫亰(前條)과 同字

11 ⑰ [蟃] 만 [去]願 無販切 wàn

[字解] ①뽕나무벌레 만 명령(螟蛉)의 유충. '一, 蟲名, 螟蛉也'《集韻》. ②산짐승이름 만 '一蜒'은 너구리 비슷한 큰 짐승. '其下則有白虎玄豹一蜒貙犴'《司馬相如》.
[字源] 形聲. 虫+曼〔音〕

11 ⑰ [⿰虫連] 련 [平]先 陵延切 lián

[字解] ①벌레서릴 련 '蜷一'은 벌레가 서리는 모양. '蜷一, 蟲盤曲貌'《正字通》. ②율모기 련 '赤一'은 뱀의 일종. '赤一, 蛇名'《集韻》.

11 ⑰ [⿰虫莾] 〔망〕 蟒(虫部 十二畫〈p. 2031〉)의 俗字

11 ⑰ [螫] 석 [入]陌 施隻切 shì

[字解] ①쏠 석 벌레가 쏨. '毒蟲不一'《老子》. ②성낼 석 화를 냄. '一將軍'《史記》. ③해독 석 해와 독. '招殃來一'《易林》.
[字源] 篆文 形聲. 虫+赦〔音〕. '赦사'는 '쏘다'의 뜻. 독충(毒蟲)이 '쏘다'의 뜻을 나타냄.

[螫毒 석독] 독충에게 쏘인 독.
◉噬螫. 辛螫. 遺螫. 哲螫.

11
⑰ [蟝] 거 ①[平]魚 強魚切 qú
②[上]語 臼許切 jù

[字解] ①하루살이 거 '一, 蟲名, 說文, 一蟟也. 朝生暮死. 著豬好啖之'《集韻》. ②짐승이름 거 '一, 獸名'《集韻》.

[字源] 形聲. 蚰+巨〔音〕

11
⑰ [螴] 진 [平]眞 地鄰切 chén

[字解] 설렐 진 '一蜳'은 가슴이 설레는 모양. 마음이 공연히 안정되지 못한 모양. '一蜳不得成'《莊子》.

[螴蜳 진돈] 자해(字解)를 보라.

11
⑰ [螯] 오 [平]豪 五勞切 áo

[字解] ①집게발 오 게의 큰 발. 끝이 집게 비슷이 되었음. '左手持酒杯, 右手持蟹一'《晉書》. ②차오 오 '蛼一'는 대합조개 비슷한 바닷조개의 일종. '車一'.

[字源] 形聲. 虫+敖〔音〕

◉車螯. 蛼螯. 蟹螯.

11
⑰ [螿] 장 [平]陽 卽良切 jiāng

[字解] 애매미 장 매미의 하나. 기생매미. '寒一'. '蛩一'. '一鳴百草根'《李商隱》.

[字源] 形聲. 虫+將〔音〕

◉蛩螿. 啼螿. 寒螿.

11
⑰ [蟄] [人名] 칩 [入]緝 直立切 zhé 蟄

[筆順] 土 圭 幸 幸九 執 蟄 蟄 蟄

[字解] ①숨을 칩 벌레가 땅속에 숨음. '方冬不寒, 一蟲復出'《呂氏春秋》. 전(轉)하여, 조용한 곳. 또는, 집에 틀어박혀 나오지 아니함. '一居'. '龍蛇之一, 以存身也'《易經》. ②모일 칩 즐거이 모이는 모양. '宜爾子孫, 一一兮'《詩經》.

[字源] [篆文] 形聲. 虫+執〔音〕. '執집'은 '잡다'의 뜻. 벌레가 땅속에 붙잡히다, 숨다의 뜻을 나타냄.

[蟄居 칩거] 집 속에 가만히 틀어박혀 있음.
[蟄龍 칩룡] ㉠숨어 있는 용(龍). ㉡때를 만나지 못한 영웅(英雄). 복룡(伏龍).
[蟄伏 칩복] ㉠벌레 같은 것이 땅속에서 겨울을 남. ㉡숨음. 틀어박혀 나오지 아니함.
[蟄獸 칩수] 겨울에 칩복(蟄伏)하고 있는 짐승.
[蟄藏 칩장] 칩복(蟄伏).
[蟄蟲 칩충] 겨울에 칩복(蟄伏)하고 있는 벌레.
[蟄蟄 칩칩] ㉠즐거이 모이는 모양. 일설에는, 많은 모양. ㉡조용한 모양.
◉驚蟄. 啓蟄. 冬蟄. 發蟄. 幽蟄. 藏蟄. 土蟄. 閉蟄.

11
⑰ [蟅] 자 [去]禡 之夜切 zhè

[字解] ①쥐며느리 자 '一, 一曰, 鼠婦'《集韻》. ②메뚜기 자 '一, 螽也'《說文》.

11
⑰ [蟇] 〔마〕
蟆(虫部 十一畫〈p. 2029〉)와 同字

12
⑱ [蟲] [中·人] 충 [平]東 直弓切 chóng 虫

[筆順] 口 中 虫 虫 虫 虫 虫 蟲

[字解] ①벌레 충 ㉠동물의 총칭. '毛一'(짐승)·'羽一'(새)·'甲一'(거북)·'鱗一'(물고기)·'裸一'(사람)으로 구분함. ㉡인수조어패(人獸鳥魚貝)를 제외한 딴 동물. '禽獸一魚'. '蟄一始振'《禮記》. ㉢곤충(昆蟲). 절지(節肢)동물의 한 부류. 발이 여섯 개 있음. 파리·매미·나비 따위. ㉣발이 있는 동물. '有足爲之一, 無足謂之豸'《爾雅》. ㉤벌레의 피해. 충해(蟲害). '旱及霜一. 百姓饑乏'《舊唐書》. ②성 충 성(姓)의 하나.

[字源] [篆文] 會意. 虫+虫+虫. '虫충'은 뱀을 본뜬 모양. 많은 발이 없는 벌레의 뜻을 나타냄. 본래 '虫훼'와 '蟲충'은 別字이지만, '蟲'의 省略體로서 '虫'이 사용됨.

[蟲蝎 충갈] 나무좀과에 딸린 곤충. 나무좀.
[蟲垢 충구] 어리석음. 어리석고 더러움.
[蟲籠 충롱] 벌레를 넣어 두는 장. 벌레장.
[蟲類 충류] 벌레의 종류.
[蟲媒花 충매화] 곤충(昆蟲)의 매개(媒介)에 의하여 다른 꽃의 화분(花粉)을 받아 생식(生殖) 작용을 하는 꽃.
[蟲臂鼠肝 충비서간] 벌레의 팔과 쥐의 간. 곧, 하찮은 것의 비유. 일설(一說)에는, 만물이 여러 가지로 변화함의 비유. 또, 일설에는 만물(萬物)의 천부(天賦)의 형태 이름.
[蟲絲 충사] ㉠벌레가 뿜어 내는 실. ㉡단풍나무의 누에에서 얻은 실.
[蟲霜水旱 충상수한] 충해·상해·수재·한재를 아울러 이르는 말. 다 농작물에 해가 되는 것. 또는 박명 불우(薄命不遇)함을 이르는 말.
[蟲書 충서] ㉠진(秦)나라 팔서체(八書體)의 하나. 자체(字體)가 벌레 모양 같으므로 이름. 충전(蟲篆). ㉡벌레가 갉아 먹은 자국이 글자 비슷하게 된 것.
[蟲聲 충성] 벌레 소리.
[蟲損 충손] 해충으로 인하여 농작물이 손해를 입음. 또는 그 손해.
[蟲蝕 충식] 벌레 먹음. 좀먹음.
[蟲蛾 충아] 벌레와 개미. 아(蛾)는 의(蟻).
[蟲魚 충어] 벌레와 물고기. 또, 하등 동물.
[蟲蟻 충의] ㉠벌레와 개미. 충의(蟲螘). ㉡'미물(微物)'을 비유하여 이르는 말.
[蟲災 충재] 해충(害蟲)으로 생기는 농작물 재앙(災殃). 충해(蟲害).
[蟲篆 충전] ㉠충서(蟲書). 자체(字體)가 벌레의 굼틀거리는 것 같으므로 이름. ㉡하찮은 재주. 소기(小技).
[蟲蟲 충충] 뜨거운 모양. 무더운 모양.
[蟲齒 충치] 벌레가 파먹은 이.
[蟲害 충해] 충재(蟲災).
◉甲蟲. 昆蟲. 咬蟲. 寄生蟲. 裸蟲. 大蟲. 蠹書

蟲. 毛蟲. 琵琶蟲. 沙蟲. 獅子身中蟲. 三尸蟲. 三蟲. 成蟲. 尸蟲. 食蓼蟲. 夜蟲. 蟯蟲. 羽蟲. 幼蟲. 吟蟲. 陰蟲. 益蟲. 鱗蟲. 醬濁蟲. 雕蟲. 草蟲. 寸蟲. 害蟲. 華蟲. 蛔蟲.

12 ⑱ [蟒] [一] 망 ㊤養 模朗切 mǎng [二] 맹 ㊤梗 母梗切 měng 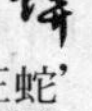

[字解] [一] 이무기 망 거대한 뱀. 왕뱀. '一王蛇'《爾雅》. [二] 누리 맹 메뚜기류(類). 황충(蝗蟲). 蜢(虫部 八畫)과 同字. '一, …南楚之外, 謂之蟅一'《揚子方言》.

[蟒服 망복] 용(龍)의 무늬가 있는 명청(明淸) 시대의 관복(官服). 곤룡포(袞龍袍)에 있는 무늬보다 용의 사지(四肢)의 손톱 수가 하나 적으며, 또 용의 수도 관계(官階)에 따라 다름.
[蟒繡衣 망수의] 군사(軍士)가 무예(武藝)를 연습할 때에 입던 옷의 한 가지.
[蟒衣 망의] 망복(蟒服).
◉巨蟒. 怪蟒. 叫蟒. 毒蟒. 蟠蟒. 修蟒.

12 ⑱ [蠘] 월 [入]月 王伐切 yuè 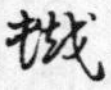

[字解] 방게 월 '蠊一'은 바위겟과에 속하는 게의 일종. 바다에 가까운 단물의 모래 속에 삶. 방게. '或至海邊, 抱蠊一以資養'《晉書》.

◉蠊蠘.

12 ⑱ [蟝] 거 [平]魚 強魚切 qú

[字解] 하루살이 거 渠(水部 九畫)·蠷(虫部 十一畫)와 同字. '蠷, 蟲名, 說文, 蠷, 蟒也, 朝生暮死, 豬好啖之, 或作一'《集韻》.

12 ⑱ [蟦] 관 [去]翰 古玩切 guàn

[字解] 다슬기 관 와라(蝸螺). '一, 蟲名, 螺也'《集韻》.

12 ⑱ [蟡] [一] 궤 ㊤紙 過委切 guǐ [二] 의 [平]支 於爲切

[字解] [一] 물마른내의정(精) 궤 '涸川之精者生于一. 一者, 一頭而兩身. 其形若虵, 其長八尺'《管子》. [二] 물마른내의정 의 [一]과 뜻이 같음.

12 ⑱ [蟕] 주 [平]支 津垂切 zhī 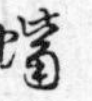

[字解] 바다거북 주 몸빛은 암녹색임. 푸른거북. '一蠵'.

[蟕蠵 주휴] 바다거북과에 속하는 해산(海產) 거북의 일종. 몸빛은 암녹색이고 등 껍데기에 무늬가 있어 장식재로 쓰임. 푸른거북.

12 ⑱ [蟖] 사 [平]支 息移切 sī

[字解] 쐐기 사 쐐기나방의 유충(幼蟲). '蛅一'.
[參考] 蟴(虫部 十二畫)와 同字.

12 ⑱ [蟛] 팽 [平]庚 薄庚切 péng 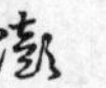

[字解] 방게 팽 바위겟과에 속하는 게. '一蜞, 小蟹也, 生海邊泥中'《古今注》.

[蟛蜞 팽기] 팽활(蟛螖).
[蟛螖 팽활] 바위겟과에 속하는 게의 일종. 바다 가까운 단물 모래 속에 삶. 방게.

12 ⑱ [蟜] 교 ①-④㊤篠 居夭切 jiǎo ⑤[平]蕭 巨嬌切 qiáo 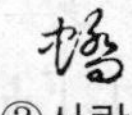

[字解] ①벌레이름 교 '蚑一螻蟻'《枚乘》. ②사람이름 교 '一牛'는 순(舜)임금의 조부. ③서릴 교 '夭一'는 용(龍)이 서린 모양. ④성 교 성(姓)의 하나. ⑤개미 교 '䗁一, 螘也'《廣韻》.
[字源] 篆文  形聲. 虫+喬〔音〕

◉蚑蟜. 夭蟜.

12 ⑱ [蟟] 료 [平]蕭 落蕭切 liáo 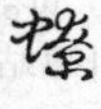

[字解] 참매미 료 매미의 일종. '蛁一'.

12 ⑱ [蟠] [人名] 반 [平]寒 薄官切 pán 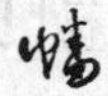

[字解] ①서릴 반 몸을 휘감고 엎드림. '龍一于泥'《太玄經》. ②쌓을 반, 쌓일 반 축적함. 축적됨. '極乎天而一乎地'《禮記》. ③돌 반, 두를 반 '圜軫七一'《春秋緯文耀鉤》.
[字源] 篆文  形聲. 虫+番〔音〕. '番번'은 '퍼지다'의 뜻. '서리다'의 뜻.

[蟠踞 반거] '반거(盤踞)'와 같음.
[蟠據 반거] '반거(盤據)'와 같음.
[蟠屈 반굴] ㉠꼬불꼬불 서림. ㉡마음이 울결함.
[蟠虯 반규] 서린 규룡(虯龍).
[蟠糾 반규] 서려 얽힘.
[蟠亙 반긍] 서리어 뻗음.
[蟠桃 반도] 선경(仙境)에 있다는 큰 복숭아라는 뜻으로, 장수(長壽)를 비는 데 쓰는 말.
[蟠龍 반룡] 땅 위에 서리고 있어 아직 하늘에 올라가지 아니한 용(龍).
[蟠蟒 반망] 서리고 있는 이무기.
[蟠石 반석] '반석(盤石)'과 같음.
[蟠縈 반영] 서리어 얽힘.
[蟠蜿 반완] 서리어 꿈틀거림.
◉屈蟠. 根蟠. 龍蟠. 潛蟠.

12 ⑱ [蟢] 희 ㊤紙 虛里切 xǐ 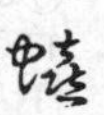

[字解] 갈거미 희 갈거밋과(科)에 속하는 거미. '一子'. '野人晝見一子者, 以爲有喜樂之瑞'《劉勰新論》.

[蟢子 희자] 갈거밋과에 속하는 거미의 일종. 다리가 몹시 길며 그물같이 줄을 쳐 놓고 곤충을 잡아먹음. 갈거미. 희자(喜子). 소소(蠨蛸).

12 ⑱ [蟣] 기 ①㊤尾 居狶切 jǐ ②[平]微 渠希切 qí 虮 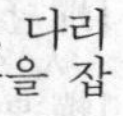

[字解] ①서캐 기, 이 기 이의 알. '介冑生一蝨'《漢書》. ②거머리 기 수질(水蛭). '齊謂蛭曰一'《說文》.
[字源] 篆文  形聲. 虫+幾〔音〕. '幾기'는 '잘다'의 뜻. '잔벌레, 이'의 뜻을 나타냄.

[蟣蝨 기슬] 이. 옷엣니와 머릿니를 통틀어 이름.

12 ⑱ **[螽]** ㊀ 종 ㊥東 職戎切 zhōng ㊁ 중 ㊤送 之仲切

字解 ㊀ 메뚜기 종 '一, 蝗也'《玉篇》. ㊁ 땅강아지 중 '一蛉'은 땅강아지. '一, 方言, 螻蛄, 謂之一蛉'《集韻》.

12 ⑱ **[蟪]** 혜 ㊤霽 胡桂切 huì

字解 씽씽매미 혜 매미의 일종. 털매미. '一蛄不知春秋'(생명이 극히 짧음)《莊子》.

字源 篆文 形聲. 虫+惠〔音〕

[蟪蛄 혜고] 매미의 일종. 몸빛은 암황록색에 녹색 점무늬가 있음. 가장 흔한 작은 매미임. 씽씽매미. 털매미.
[蟪蛄聲 혜고성] 씽씽매미의 우는 소리.

12 ⑱ **[蟫]** ㊀ 음 ㊥侵 餘針切 yín ㊁ 담 ㊥覃 徒含切 tán ㊂ 심 ㊥侵 徐心切 xún

字解 ㊀ 반대좀 음 반대좀과에 속하는 곤충. 몸빛이 은백색(銀白色), 날개는 퇴화되고, 세 개의 긴 꼬리가 있음. 옷이나 종이 등을 잘 쏢. 지어(紙魚). '一魚'. ㊁ 반대좀 담 ㊀과 뜻이 같음. ㊂ 움직일 심 벌레가 움직이는 모양. '蟫蟫一一'《漢書》.

字源 篆文 形聲. 虫+覃〔音〕. '覃담'은 '深심' 따위와 통하여, '깊다'의 뜻. 서적(書籍)의 속 깊이 숨어드는 벌레, '반대좀'의 뜻을 나타냄.

[蟫蟫 심심] 벌레가 움직이는 모양.

12 ⑱ **[蟬]** 人名 선 ㊥先 市連切 chán ㊤銑 上演切 shàn 蝉

字解 ①매미 선 반시류(半翅類) 매밋과에 속하는 곤충의 총칭. 굼벵이가 우화(羽化)한 성충(成蟲)임. 수컷은 늦봄부터 초가을까지 나무에서 욺. '秋一'. '一飲而不食'《大戴禮》. ②이을 선 연속한 모양. '一聯'. '有周氏之一嫣兮'《漢書》. ③뻗을 선 '索隱曰, 一, 猶伸也'《史記 注》. ④두려워할 선, 두려워떨 선 '一, 懼也'《廣雅》. ⑤아름다울 선 嬋(女部 十二畫)과 통용. '蔭脩竹之一娟'《成公綏》.

字源 篆文 形聲. 虫+單〔音〕. '單선'은 퉁겨 쏘는 활의 象形. 날개를 튀겨 떨게 하여 우는 벌레, 곧 '매미'의 뜻.

[蟬殼 선각] 매미 허물.
[蟬冠 선관] 매미 날개로 장식한 관(冠). 귀인(貴人)이 씀.
[蟬連 선련] 연속함.
[蟬聯 선련] 선련(蟬連).
[蟬紋 선문] 매미 모양을 새긴 무늬.
[蟬紗 선사] 매미 날개같이 엷은 깁.
[蟬蛻 선세] 매미가 허물을 벗음. 또, 그 허물.
[蟬語 선어] 매미의 우는 소리.
[蟬嫣 선언] 연속한 모양.
[蟬娟 선연] 아름답고 우아한 모양.
[蟬羽月 선우월] 음력 6월의 이칭(異稱).
[蟬吟 선음] 매미가 욺. 또, 그 우는 소리. 선성(蟬聲).
[蟬珥 선이] ㉠관(冠)의 장식(裝飾). 옛날에 근시(近侍)인 신하(臣下)가 담비의 꼬리와 매미의 날개로 관을 장식하였으므로 이름. ㉡근시의 신하.
[蟬翼 선익] 매미의 날개. ㉠지극히 가벼운 것. ㉡얇음의 비유. ㉢아름다움의 비유.
[蟬蜩 선조] 매미.
[蟬噪 선조] ㉠매미가 시끄럽게 욺. ㉡공연스레 시끄럽게 떠듦.
[蟬蛻 선태] 선세(蟬蛻).
◉枯蟬. 亂蟬. 螳螂捕蟬. 馬蟬. 鳴蟬. 暮蟬. 暗蟬. 涼蟬. 雌蟬. 殘蟬. 蜩蟬. 噪蟬. 晝蟬. 蚱蟬. 青蟬. 貂蟬. 秋蟬. 脫殼蟬. 寒蟬.

12 ⑱ **[蟯]** 人名 요 ㊥蕭 如招切 náo 蛲

字解 ①요충 요 선충류(線蟲類) 요충과의 기생충. 모양은 선형(線形). 빛은 희며, 사람의 창자 속에 기생함. '一瘕爲病'《史記》. ②작은벌레 요 '澤及跂一'《淮南子》.

字源 篆文 形聲. 虫+堯〔音〕. '堯요'는 '弱약'과 통하여, 부들부들한 모양. 사람 배 속에 기생(寄生)하는 부드러운 벌레의 뜻.

[蟯瘕 요하] 요충(蟯蟲).

12 ⑱ **[蟥]** 황 ㊥陽 胡光切 huáng

字解 ①말거머리 황 螞(虫部 十畫)를 보라. '馬一, 水蛭'《篇海》. ②풍뎅이 황 '蚑, 一蛢'《爾雅》.

字源 篆文 形聲. 虫+黃〔音〕. '黃황'은 '노랑'의 뜻. '풍뎅이'의 뜻을 나타냄.

◉螞蟥.

12 ⑱ **[蟳]** 심 ㊥侵 徐盈切 xún

字解 꽃게 심 '青一'은 게의 일종. 몸빛이 암녹색(暗綠色)임. 식용으로 함. 꽃게.

◉青蟳.

12 ⑱ **[蟒]** 린 ㊤震 良刃切 lìn

字解 반딧불 린 '一, 螢火'《集韻》.

12 ⑱ **[蟲]** ㊀ 최 ㊤泰 祖外切 cuì ㊁ 취 ㊤霽 此芮切

字解 ㊀ 벌레이름 최 '一, 蟲也'《說文》. ㊁ 벌레이름 취 ㊀과 뜻이 같음.

字源 形聲. 虫+毳〔音〕

12 ⑱ **[蟓]** 상 ㊤養 徐兩切 xiàng ㊤漾 式亮切

字解 ①누에 상 '一, 蟲名, 食桑葉作繭者'《集韻》. ②땅강아지 상 '一蛉'은 땅강아지. ③개미 상 '一, 螘也'《廣雅》.

[蟓蛉 상령] 땅강아지. 누고(螻蛄).

12 ⑱ [蟔] 돈 (平)元 他昆切 tūn

字解 파랑강충이 돈 '—蝺'는 파랑강충이. 모양이 매미 비슷한데 길고, 그 새끼는 풀잎에서 자라며, 사람이 그 새끼를 잡으면 어미벌레가 반드시 날아온다는 데서, 옛사람은 그 어미의 피와 새끼 피를 각각 다른 돈에 발라, 그 하나를 갖고 있으면 다른 하나가 멀리 떨어져 있다가도 같은 곳으로 돌아오게 할 수 있다고 하였음. 자모전충(子母錢蟲). '—蝺子如蠶, 著草葉, 得其子, 母自飛來就之'《異物志》.

12 ⑱ [蟮] 선 (上)銑 上演切 shàn

字解 ①지렁이 선 '—, 曲—'《玉篇》. ②나나니벌 선 '—, 土蠭'《中華大字典》.

12 ⑱ [蟭] 一 초 (平)蕭 卽消切 jiāo 二 추 (平)尤 將由切

字解 一 사마귀알 초 '螵—, 螗蜋卵也'《廣韻》. 二 사마귀알 추 一과 뜻이 같음.

[蟭螟 초명] 작은 벌레의 이름. 모기의 눈썹에 집을 짓는다고 함.

12 ⑱ [蟗] 축 (入)屋 子六切 zú

字解 자벌레 축 잎을 갉아 먹는 해충. 척확(尺蠖).

12 ⑱ [蟩] 궐 (入)月 居月切 jué

字解 장구벌레 궐 모기의 유충(幼蟲). '羽族翔林, —蛁赴濕'《晉書》.

12 ⑱ [蟍] 서 (上)語 賞呂切 shǔ

字解 ①쥐며느리 서 '蝼—'는 쥐며느리. 서부(鼠婦). '蝼, —也'《玉篇》. ②베짱이 서 여칫과의 곤충. 낙위(絡緯).

12 ⑱ [蟧] 〔료〕 蟟(虫部 十二畫〈p. 2031〉)와 同字

12 ⑱ [蠕] 〔윤〕 蝡(虫部 九畫〈p. 2021〉)과 同字

12 ⑱ [龜] 〔귀·균〕 龜(部首〈p. 2732〉)와 同字

12 ⑱ [螣] 〔등·특〕 螣(虫部 十畫〈p. 2026〉)의 本字

12 ⑱ [蟯] 〔요〕 蟯(虫部 十二畫〈p. 2032〉)와 同字

12 ⑱ [蟞] 별 (入)屑 蒲結切 bié

字解 ①개미 별 '—蜉'는 개미. '—蜉, 螘也'《廣雅》. ②나비 별 '—蛈'은 나비. '蛺蝶, —蛈也'《廣雅》. ③오랑캐이름 별 강(羌)의 일종(—種). '羌岸尾摩—等, 脅同種'《後漢書》.

[蟞蜉 별부] 개미.

12 ⑱ [蟨] 一 궐 (入)月 居月切 jué 二 귀 (去)霽 姑衞切

字解 一 ①짐승이름 궐 앞발이 짧고 스스로 뛰지 못하며, 늘 공공거허(邛邛岠虛)와 공거(共居)하여 그를 위하여 먹이를 취하며, 위난에 부닥치면 그 등에 업혀서 달아난다는 짐승의 이름. '邛邛岠虛'는 짐승의 이름. '—, 卽爾雅之比肩獸也, 釋地, 西方有比肩獸焉, 與邛邛岠虛比, 爲邛邛岠虛齧甘草, 卽有難, 邛邛岠虛負而走, 其名謂之—'《說文通訓定聲》. ②장구벌레 궐 모기의 유충. 蟩(虫部 十二畫)과 同字. 二 쥐 귀 '—, 鼠也'《字彙補》.

字源 篆文 形聲. 虫+厥〔音〕

12 ⑱ [蟚] 〔팽〕 蟛(虫部 十二畫〈p. 2031〉)과 同字

12 ⑱ [蟴] 〔사〕 蟖(虫部 十二畫〈p. 2031〉)와 同字

13 ⑲ [蝘] 一 연 (上)銑 以淺切 yǎn 二 단 (上)旱 蕩旱切 dàn

字解 一 벌레꿈틀거릴 연 벌레가 꿈틀거리는 모양. 二 오랑캐 단 蜑(虫部 七畫)과 同字.

13 ⑲ [蟶] 정 (平)庚 丑貞切 chēng 蛏

字解 긴맛 정 맛과에 속하는 조개. 직사각형(直四角形)에, 각질(殼質)은 얇고 무름. 살은 식용함. 마도패(馬刀貝). 죽정(竹蟶).

13 ⑲ [蟺] 선 ①-④(上)銑 常演切 shàn ⑤(平)先 時連切 chán

字解 ①서릴 선 '蜿—'은 용이나 뱀이 서린 모양. '蜿—相糾'《嵇康》. ②옮길 선 변천함. '形氣轉續兮, 變化而—'《賈誼》. ③지렁이 선 '蛩—, 蚯蚓'《廣韻》. ④장어 선 뱀장어. 鱓(魚部 十二畫)과 통용. '夫蚖—以淵爲淺, 而鑿穴其中'《老子》. ⑤매미 선 蟬(虫部 十二畫)과 同字.

字源 篆文 形聲. 虫+亶〔音〕

[蟺蟺蠖蠖 선선확확] 정묘(精妙)한 조각물(彫刻物)의 형용.
◉蜿蟺.

13 ⑲ [蟻] 人名 의 (上)紙 魚倚切 yǐ 蚁

字解 ①개미 의 막시류(膜翅類) 개밋과에 속하는 곤충. 떼 지어 땅속이나 썩은 나무 속에 집을 짓고 서식하는데, 암컷을 여왕개미로 삼고, 수개미·일개미·병정개미가 질서 있는 사회생활을 함. '—穴'. '千丈之堤, 以螻—之穴潰'《韓非子》. ②검을 의 흑색. '麻冕—裳'《書經》. ③성 의 성(姓)의 하나.

[蟻孔 의공] 개미구멍. 의혈(蟻穴).
[蟻軍 의군] 개미떼.
[蟻潰 의궤] 개미가 집을 파괴당하여 산지사방으로 흩어져 달아나듯이 사산(四散)함.

[蟻動 의동] 개미같이 많이 모여 움직임.
[蟻封 의봉] ㉠개밋둑. ㉡작은 산. 조금 높은 곳.
[蟻蜂 의봉] 개미와 벌.
[蟻附 의부] 꿀에 꾀는 개미떼처럼 달라붙음. 사방에서 모여들어 따름.
[蟻酸 의산] 개미나 벌 등의 체내(體內)에 있는 산(酸). 피부에 닿으면 아프고 물집이 생김.
[蟻壤 의양] 개밋둑.
[蟻援 의원] 구원(救援)하는 군사(軍士)를 가리키는 말.
[蟻蠶 의잠] 알에서 갓 나온 누에.
[蟻垤 의질] 의봉(蟻封).
[蟻集 의집] 의취(蟻聚).
[蟻蟲 의충] 개미.
[蟻聚 의취] 개미떼처럼 많이 모여듦.
[蟻穴 의혈] ㉠개미굴. ㉡미세(微細)한 것의 비유.
◉巨蟻. 群蟻. 綠蟻. 螻蟻. 白蟻. 浮蟻. 以肉去蟻. 赤蟻. 職蟻. 香蟻.

13 ⑲ [蟾] 人名 섬 ㊥鹽 視占切 chán

筆順 口 中 虫 虫' 虫'' 虫''' 蟾 蟾

字解 ①두꺼비 섬 양서류(兩棲類) 두꺼빗과에 속하는 동물. 개구리 비슷하나 크고 온몸이 우툴두툴하며, 살가죽에서 유독한 산액(酸液)을 분비함. '—蜍'. '聚—爲戱'《抱朴子》. ②달 섬 달 속에 두꺼비가 있다는 전설에서, 달〔月〕의 별칭. '—宮'. '殘霞弄影, 孤—浮天'《宋史》. ③연적 섬 벼루에 물을 따르는 그릇. '水冷硯—初薄凍'《陸游》.

[蟾桂 섬계] 두꺼비와 계수나무. 모두 달 속에 있다 함.
[蟾光 섬광] 달빛. 월광(月光).
[蟾宮 섬궁] ㉠달〔月〕의 이칭(異稱). ㉡진사(進士)에 급제함. ㉢과거(科擧)에 합격한, 동경의 세계.
[蟾宮展志 섬궁전지] 과거(科擧)에 등과(登科)하는 일.
[蟾輪 섬륜] 달〔月〕의 이칭(異稱).
[蟾盤 섬반] 달〔月〕의 이칭(異稱).
[蟾魄 섬백] 달〔月〕의 이칭(異稱).
[蟾蛇酒 섬사주] 두꺼비를 갓 먹은 뱀으로 담근 술. 허약증(虛弱症)·빈혈증(貧血症) 등에 씀.
[蟾眼 섬안] 벼루의 딴 이름.
[蟾蜍 섬여] ㉠두꺼비. ㉡달〔月〕의 이칭(異稱). ㉢연적(硯滴).
[蟾諸 섬제] ㉠두꺼비. ㉡연적(硯滴).
[蟾彩 섬채] 달빛. 월광.
[蟾兔 섬토] 달〔月〕의 이칭(異稱).
◉孤蟾. 硯蟾.

13 ⑲ [蠅] 人名 승 (응本) ㊥蒸 余陵切 yíng 蝇

字解 ①파리 승 쌍시류(雙翅類)에 속하는 집파리·쉬파리·금파리·쇠파리 등의 총칭. 구더기가 우화(羽化)한 성충(成蟲)임. '營營靑—'《詩經》. ②깡충거미 승 파리를 잡아먹는 거미의 일종. 승호(蠅虎).

字源 篆文 會意. 黽+虫. '黽맹'은 배가 큰 '맹꽁이'의 뜻. '虫훼'는 '곤충'의 뜻. 곤충 중에서도 배가 큰 파리의 뜻을 나타냄.

參考 蝇(虫部 八畫)·蠅(虫部 九畫)은 俗字.

[蠅頭 승두] 파리의 대가리. 전(轉)하여, 잔 것의 비유.
[蠅頭微利 승두미리] 조그마한 이익.
[蠅頭細書 승두세서] 파리의 대가리처럼 잔글씨.
[蠅利 승리] 승두미리(蠅頭微利).
[蠅拂 승불] 파리채.
[蠅營 승영] 파리가 분주히 이리저리 날아다니듯이, 사소한 이익을 얻으려고 악착같이 일함.
[蠅集 승집] ㉠파리가 모임. ㉡파리처럼 모여듦.
[蠅虎 승호] 승호과(蠅虎科)에 속하는 거미. 등에 흰 줄이 있으며, 거미줄을 치지 않고 뛰어가서 파리 같은 곤충을 잡아먹음. 파리잡이거미.
◉飢蠅. 落筆點蠅. 附驥蠅. 飛蠅. 鷹頭蠅. 以魚驅蠅. 蒼蠅. 靑蠅. 寒蠅.

13 ⑲ [蠉] 현 ㊥先 許緣切 xuān

字解 ①장구벌레 현 모기의 유충(幼蟲). ②길 현 벌레가 기어가는 모양. '—飛蝡動'《淮南子》.

字源 篆文 形聲. 虫+瞏〔音〕. '瞏환'은 '돌다'의 뜻. 벌레가 꿈틀거리며 기어가다의 뜻을 나타냄.

[蠉飛蝡動 현비연동] 벌레가 굼실거리며 기어다니는 모양.

13 ⑲ [蠋] 촉 ㊀沃 直錄切 zhú ㊀沃 之欲切

字解 나비애벌레 촉 나비의 유충으로서, 모양이 누에 비슷함. 보통, 빛이 푸르며 배추 등 식물의 잎을 갉아 먹음. 蜀(虫部 七畫)과 同字. '蜎蜎者—'《詩經》.

字源 形聲. 虫+蜀〔音〕. '蜀촉'은 '나비 애벌레'의 뜻. '虫훼'를 붙여 뜻을 분명히 함.

◉藿蠋. 蛇蠋. 烏蠋.

13 ⑲ [蠍] 갈 ㊀月 許謁切 xiē

字解 전갈 갈 지주류(蜘蛛類) 전갈과에 속하는 절지동물. 꼬리 끝에 독침(毒針)이 있어서, 쏘이면 생명이 위험함. '好取—'《北史》. 전(轉)하여, 해독 또는 남이 꺼리고 싫어하는 자의 비유로 쓰임. '蛇—'.

字源 形聲. 虫+歇〔音〕. '歇'은 높이 걸다의 뜻. 꼬리 끝을 치켜들고 덮치는 '전갈'의 뜻을 나타냄.

◉猛蠍. 蝮蠍. 蛇蠍.

13 ⑲ [蝸] 과 ㊦箇 古臥切 guò

字解 사마귀 과 당랑(螳螂). 불과(不蝸). '—, 不—, 蟲名, 一曰, 蟷蠰, 通作過'《集韻》.

13 ⑲ [蟷] 당 ㊥陽 都郎切 dāng

字解 사마귀 당 '—蠰·—蜋'은 사마귀. 버마재비. 螳(虫部 十一畫)과 同字.

字源 篆文 形聲. 虫+當〔音〕. '當당'은 상대에게 부딪치다의 뜻. 상대를 세게 부딪치

는 벌레, '사마귀'의 뜻을 나타냄.

[螳蠰 당낭] 사마귀. 버마재비. 당랑(螳螂).

13 ⑲ [蠨] 소 [平]蕭 蘇彫切 xiāo

[字解] 갈거미 소 갈거밋과에 딸린 거미. '—蛸, 長股者'《說文》.

[字源] 篆文 形聲. 虫＋肅〔音〕

13 ⑲ [蠊] 렴 [平]鹽 力鹽切 lián

[字解] 바퀴 렴 비렴(蜚蠊). 일명(一名), 석강(石薑).

[字源] 形聲. 虫＋廉〔音〕

◉飛蠊. 蜚蠊.

13 ⑲ [蠕] 강 [平]陽 居良切 jiāng

[字解] 백강잠(白殭蠶) 강 누에가 경화병에 걸려 흰빛의 균사(菌絲)로 덮여서 죽음. '—, 蠶白死'《集韻》.

13 ⑲ [蠟] 〔랍〕 蠟(虫部 十五畫〈p. 2037〉)의 俗字

13 ⑲ [蟒] 〔망〕 蟒(虫部 十二畫〈p. 2031〉)의 訛字

13 ⑲ [蠡] 〔려·라〕 蠡(虫部 十五畫〈p. 2037〉)와 同字

13 ⑲ [蠢] 〔구〕 蛷(虫部 七畫〈p. 2014〉)와 同字

13 ⑲ [蟷] 〔당〕 蟷(虫部 十三畫〈p. 2034〉)의 本字

13 ⑲ [蟷] 〔당〕 蟷(虫部 十三畫〈p. 2034〉)의 訛字

13 ⑲ [蠣] 〔려〕 蠣(虫部 十五畫〈p. 2038〉)와 同字

13 ⑲ [蠏] 蟹(次條)의 本字

13 ⑲ [蟹] [人名] 해 [上]蟹 胡買切 xiè

[字解] 게 해 갑각류(甲殼類) 중 단미류(短尾類)에 속하는 동물의 총칭. 몸은 납작하며, 등과 배는 딱딱한 딱지로 덮임. 다섯 쌍의 발이 있는데, 한 쌍은 집게 비슷이 생겼으며, 물속에서 삶. 꽃게·방게·도적게 등이 있음. '仄行—屬'《周禮》.

[字源] 篆文 別體 形聲. 虫＋解〔音〕. '解해'는 뿔뿔이 나뉘어 헤어지다의 뜻. 두 개의 집게발, 여덟 개의 발이 곧 분해(分解)되는 벌레, 곧 '게'의 뜻.

[參考] 蠏(前條)는 本字.

[蟹甲 해갑] 게딱지.
[蟹卵 해란] 게 알.
[蟹舍 해사] 어부의 게딱지 같이 작은 집.
[蟹胥 해서] 게젓.
[蟹眼 해안] 차를 끓일 때에 부그르르 끓어오르는 거품. 게의 눈 비슷하므로 이름.
[蟹螯 해오] 게의 집게발.
[蟹行 해행] ㉠게가 기어감. ㉡모로 감.
[蟹黃 해황] 게장.
◉巨蟹. 乾蟹. 寄居蟹. 霜蟹. 石蟹. 魚蟹. 紫蟹. 糟蟹. 蝦蟹.

13 ⑲ [蟿] 계 [去]霽 苦計切 jì

[字解] 방아깨비 계 '—螽'. '—螽, 蠑虾'《爾雅》.

[字源] 形聲. 虫＋毄〔音〕

[蟿螽 계종] 메뚜깃과에 속하는 곤충. 암컷은 메뚜기보다 훨씬 큼. 방아깨비. 혜력(蠑虾). 용서(舂黍).

13 ⑲ [蠁] 향 [上]養 許兩切 xiǎng / [去]漾 許亮切

[字解] ①성할 향 '肸—'은 물건이 성(盛)한 모양. '肸—布寫'《司馬相如》. ②번데기 향 완전변태를 하는 곤충의 유충에서 성충으로 변하는 과정의 중간 형태의 몸. '今呼蛹蟲爲—'《爾雅註》. ③가시 향 지게미 같은 데 꾀는 작은 구더기. '—子'.

[字源] 篆文 別體 形聲. 虫＋鄕〔音〕. '鄕향'은 …으로 향하다, 방향을 바꾸다의 뜻. 사람이 서(西)쪽이 어느 쪽이냐고 물으면 몸을 틀어 대답한다는 벌레의 뜻을 나타냄.

[蠁子 향자] 자해(字解) ❸을 보라.
◉肸蠁.

13 ⑲ [蠆] 채 [去]卦 丑犗切 chài

[字解] ①전갈 채 지주류(蜘蛛類) 전갈과에 속하는 동물. 꼬리 끝에 독침(毒針)이 있어서, 쏘면 극독(劇毒)을 일으킴. '彼君子女, 卷髮如—'《詩經》. ②가시 채 薑(艸部 十一畫)와 뜻이 같음. '睚眦—芥'《張衡》.

[字源] 金文 篆文 別體 形聲. 虫＋萬〔音〕. '萬만'은 전갈의 모양. '萬'이 수(數)를 표시하는 데 쓰이게 되었으므로, '虫'을 덧붙여 '전갈'의 뜻을 나타냄.

[蠆芥 채개] 가시.
[蠆尾 채미] 전갈에 사람을 쏘는 독침(毒針)이 있음과 같이, 백성에게 해독(害毒)을 끼침을 이름.
◉蝮蠆. 蠭蠆. 水蠆. 螽蠆.

13 ⑲ [蠈] 적 [入]職 疾則切 zéi

[字解] 마디충 적 벼의 줄기 속을 파먹는 곤충. 賊(貝部 六畫)과 同字. '—, 食禾節蟲'《廣韻》.

13 ⑲ [蠑] 경 [上]梗 居影切 jǐng / [平]庚 擧卿切

[字解] 두꺼비 경 개구리의 일종. '蝦蟆, 一名一, 大腹而短脚'《急就篇 註》.

13 ⑲ **[蠃]** 라 ①[平]歌 落戈切 luó ②[上]哿 郞果切 luǒ

[字解] ①고둥 라 螺(虫部 十一畫)와 同字. '爲一爲蚌'《易經》. ②나나니벌 라 '蜾一';

[字源] [篆文] 形聲. 虫+羸〔音〕. '羸라'는 살이 부드럽다의 뜻. 괄태충·달팽이 종류를 나타냄.

[蠃髻 나계] 소라의 모양으로 틀어서 묶은 동자(童子)의 머리.
[蠃蚌 나방] 고둥과 방합(蚌蛤).
[蠃蜆 나현] 고둥과 바지락조개.
◉果蠃. 螺蠃. 蚌蠃. 鸚蠃. 蓏蠃.

14 ⑳ **[蠱]** 부 [上]有 房九切 fù

[字解] 메뚜기 부 '一, 一螽'《廣韻》.

14 ⑳ **[蠐]** 제 [平]齊 徂奚切 qí

[字解] ①굼벵이 제 '一螬'는 매미의 유충. 땅속에서 서식함. 굼벵이. '烏足之根, 爲一螬'《莊子》. ②나무굼벵이 제 '蝤一'는 몸이 흰 굼벵이. 미인(美人)에 비유.

[字源] [篆文] 形聲. 虫+齊(亝)〔音〕

[蠐螬 제조] 자해(字解) ❶을 보라.
◉蝤蠐.

14 ⑳ **[蝀]** 동 [平]東 都籠切 dōng

[字解] 올챙이 동 '一, 蛞一, 科斗, 通作東'《集韻》.

14 ⑳ **[蠑]** 영 [平]庚 永兵切 róng

[字解] 영원 영 '一螈'은 도롱뇽과에 속하는 양서류.

[字源] 形聲. 虫+榮〔音〕

[蠑螈 영원] 도롱뇽과에 속하는 양서류(兩棲類) 동물. 등은 검고 배에는 붉은 바탕에 구름 모양의 검은 무늬가 있음. 중국에서 옛날에는 수궁(守宮)과 동일시(同一視)하였음.

14 ⑳ **[蠙]** 빈 [平]眞 符眞切 bīn [上]軫 婢忍切

[字解] ①펄조개 빈 석패과에 속하는 민물조개의 일종. '一蚌也'《說文通訓定聲》. ②물이끼 빈 청태(靑苔). '得水土之際, 則爲蛙一之衣'《莊子》.

[字源] [玭의 別體] 形聲. 虫+賓〔音〕

[蠙珠 빈주] 진주(眞珠).

14 ⑳ **[蠓]** 몽 [上]董 莫孔切 měng [平]東 莫紅切

[字解] 진디등에 몽 '一蚋'는 쌍시류(雙翅類) 진디등엣과에 속하는 작은 곤충. 풀숲에서 서식하며, 여름에 사람의 눈앞에 어지럽게 떼 지어 날며 뱅뱅 돌기도 하고 아래위로 까불거리기도 함. 눈에놀이. 멸몽(蠛蠓). '春夏之月, 有一蚋者. 因雨而生, 見陽而死'《列子》.

[字源] [篆文] 形聲. 虫+蒙〔音〕. '蒙몽'은 '덮다'의 뜻. 주변을 뒤덮듯이 어지러이 나는 작은 벌레, 곧 '진디등에'의 뜻.

[蠓蚋 몽예] 자해(字解)를 보라.
◉蠛蠓.

14 ⑳ **[蟳]** 단 [平]寒 徒官切 tuán

[字解] 자라 단 단어(蟳魚). '一, 一魚, 鼈也'《篇海》.

14 ⑳ **[蠕]** 연 [平]虞 汝朱切 rú [上]銑 乳兗切

[字解] 꿈틀거릴 연 벌레가 꿈틀꿈틀 움직임. 준동(蠢動)함. '一動'. '端而言, 一而動'《荀子》.

[字源] 形聲. 虫+需〔音〕. '需수'는 수염이 흔들리다의 뜻.

[蠕動 연동] ㉠벌레가 꿈틀거림. ㉡조용히 움직임. 연동(蠕動).
[蠕蠕 연연] ㉠벌레 같은 것이 꿈틀거리는 모양. ㉡유연(柔然)의 별칭.
[蠕形動物 연형동물] 체질(體質)이 무르고 척주(脊柱)가 없으며, 체형(體型)은 양쪽이 같은 동물. 종류가 많음. 지렁이·거위·촌백충(寸白蟲) 따위.
◉蝚蠕.

14 ⑳ **[蠗]** 탁 [入]覺 直角切 zhuó

[字解] ①원숭이 탁 '一, 禺屬'《說文》. ②조개이름 탁 '一, 小蜃名'《廣韻》.

[字源] 形聲. 虫+翟〔音〕

14 ⑳ **[蠖]** 확 [入]藥 烏郭切 huò

[字解] 자벌레 확 '尺一'은 자벌레나방의 유충. 모양이 누에 비슷함. 몸을 움츠렸다 폈다 하면서 기어가는 모양이 흡사 자로 무엇을 재는 듯함에서 이 이름을 얻음. '尺一之屈, 以求信也'('信'은 '伸')《易經》.

[字源] [篆文] 形聲. 虫+蒦〔音〕. '蒦확'은 '잡다'의 뜻. 잡아 집어내는 벌레, 곧 '자벌레'의 뜻을 나타냄.

[蠖屈 확굴] 자벌레가 몸을 굽힘. 사람이 잠시 굴(屈)함의 비유.
[蠖濩 확확] 물러가 숨는 모양. 일설(一說)에는 깊숙한 모양.
[蠖蠖 확확] 혹은 나아가고 혹은 정지하는 모양.
◉求伸蠖. 蚸蠖. 溫蠖. 柔蠖. 尺蠖.

14 ⑳ **[蠔]** 호 [平]豪 乎刀切 háo

[字解] ①굴조개 호 굴과에 속하는 조개의 한 가지. 살은 굴이라 하여 식용으로 함. 모려(牡蠣). '一初生海旁, 止如拳石, 四面漸長, 高一二丈, 黏附如山, 俗呼一山'《本草》. '一相黏爲山, 百十各自生'《韓愈》. ②해녀 호 '一蜑' 은 바다에서 물질하여 조개를 잡는 해녀(海女).

14 ⑳ [𧓍] 녕 ①㊤迥 乃挺切 nǐng ②㊥青 囊丁切 níng

[字解] ①개구리 녕 '一, 似蛙'《廣韻》. ②땅강아지 녕 '𧓍, 說文, 蟲也. 一曰, 螻蛄. 或作一'《集韻》.

14 ⑳ [蠘] 절 ㊅屑 疾屑切 jié

[字解] 게 절 게의 일종. '一, 蟹類'《字彙補》.

14 ⑳ [蠟] 〔랍〕 蠟(虫部 十五畫〈p. 2037〉)의 俗字

14 ⑳ [蠵] 유 ㊦寘 以醉切 wèi

[字解] ①등에 유 등에의 작은 것. '蝱一之旣多, 而不能掉其尾. (註) 大曰蝱, 小曰一'《國語》. ②바구미 유 '蚌一, 蟲名'《廣韻》.

14 ⑳ [蠒] 〔견〕 繭(糸部 十三畫〈p. 1776〉)의 俗字

15 ㉑ [蠡] [一] 려 ①②㊤薺 盧啓切 lǐ ③④㊥齊 憐題切 [二] 라 ①㊤哿 魯果切 luǒ ②③㊥歌 落戈切 luó

[字解] [一] ①나무좀 려 나무를 좀먹는 벌레. 나무굼벵이·자치·가루좀 따위. ②좀먹을 려 벌레가 쏢. '以追一'《孟子》. ③표주박 려 조롱박이나 둥근 박을 반으로 쪼개어 만든 바가지. '以管闚天, 以一測海'《東方朔》. ④사람이름 려 '范一' 는 춘추 시대 초(楚)나라 사람. [二] ①옴 라 개선(疥癬). '謂其不疾瘯一也'《左傳》. ②고둥 라 螺(虫部 十一畫)와 통용. '法一蚌'《文子》. ③연이을 라 연속한 모양. '登長陵而四望兮, 覽芒圃之一一'《楚辭》.

[字源] 篆文 古文 形聲. 虫+彖〔音〕

[蠡蠡 나라] 연속한 모양. 또, 행렬.
[蠡酌 여작] 표주박으로 바닷물을 떠서 측량함. 얕은 지혜로써 큰 일을 헤아림의 비유. 여측(蠡測).
[蠡測 여측] 표주박으로 바닷물을 측량함. 곧, 천박한 식견으로 심원한 이치를 헤아리는 비유. 이려측해(以蠡測海).
◉谷蠡. 螟蠡. 彭蠡.

15 ㉑ [蠢] [人名] 준 ㊤軫 尺尹切 chǔn

[字解] ①꿈틀거릴 준 벌레가 움직임. '一動'. '一一庶類'《束晳》. ②어리석을 준 무지함. '一愚'. '一玆有苗, 昏迷不恭'《書經》. ③일어날 준, 일으킬 준 동작이 일어남. 또, 동작을 일으킴. '一, 作也. (注) 謂動作也'《揚子方言》. ④따르지않을 준 불손(不遜)함. '一動爲惡. 不謙遜也'《集韻》.

[字源] 篆文 古文 形聲. 蚰+春(萅)〔音〕. '萅춘' 은 '봄'의 뜻. 봄이 되어 많은 벌레가 꿈틀거리다의 뜻을 나타냄.

[蠢動 준동] ㉠벌레 같은 것이 꿈틀거림. ㉡되지 못한 것들이 법석을 함.
[蠢然 준연] 벌레가 굼지럭거리는 모양.
[蠢愚 준우] 굼뜨고 또 아주 어리석음.
[蠢爾 준이] ㉠작은 벌레가 굼틀거리는 모양. ㉡어리석어 사리를 분간 못하고 불손한 모양.
[蠢蠢 준준] ㉠시끄럽게 법석대는 모양. 어지럽게 움직이는 모양. ㉡무례한 모양. ㉢꿈틀거리는 모양.
◉窘蠢. 憃蠢.

15 ㉑ [蠚] [一] 학 ㊅藥 呵各切 hē [二] 석 ㊅陌 施隻切

[字解] [一] ①쏠 학 벌레가 독침(毒針)으로 쏨. '一木則枯'《山海經》. '蝮一手則斬手, 一足則斬足'《漢書》. ②아플 학 '一, 痛也'《廣雅》. ③독 학 벌레가 쏘는 독(毒). '蝮蛇一生'《漢書》. '故猛虎之猶與, 不如蠭蠆之致一'《漢書》. [二] 쏠 석, 아플 석, 독 석 [一]과 뜻이 같음.

15 ㉑ [蠛] 멸 ㊅屑 莫結切 miè

[字解] 진디등에 멸 '一蠓' 은 진디등에. 쌍시류(雙翅類) 진디등엣과에 속하는 작은 곤충. 몽예(蠓蚋). '浮一蠓而蔽天'《揚雄》.

[字源] 篆文 形聲. 虫+蔑〔音〕. '蔑멸' 은 잘 보이지 않다, 작다의 뜻. 매우 작은 '진디등에'의 뜻을 나타냄.

[蠛蒙 멸몽] 멸몽(蠛蠓).
[蠛蠓 멸몽] 자해(字解)를 보라.

15 ㉑ [蠟] [人名] 랍 ㊅合 盧盍切 là 蜡

[字解] ①밀 랍 벌똥, 곧 꿀 찌끼를 끓여서 짜낸 기름. '茶一芒硝'《唐書》. ②밀바를 랍 밀을 바름. '正見自一屐'《晉書》. ③밀초 랍 밀로 만든 초. '一燭'. '紅一'. '已嫌刻一春宵短'《韓偓》.

[蠟屐 납극] 밀을 발라 반들반들하게 한 나막신.
[蠟淚 납루] 초가 불에 녹아 흘러내리는 것. 곧, 촛농을 눈물에 비긴 말.
[蠟梅 납매] 녹나뭇과에 속하는 낙엽 관목(落葉灌木). 생강나무. 황매(黃梅).
[蠟書 납서] 납환(蠟丸) 속에 넣은 밀서(密書).
[蠟石 납석] 곱돌.
[蠟詔 납조] 비밀히 보내기 위하여 납환(蠟丸) 속에 넣은 조서(詔書).
[蠟珠 납주] 초가 불에 녹아 흘러 떨어지는 것을 구슬에 비긴 말.
[蠟紙 납지] 밀을 먹인 종이.
[蠟燭 납촉] 밀초.
[蠟觜 납취] 고지새.
[蠟花 납화] 촛불.
[蠟丸 납환] 밀을 둥그렇게 뭉쳐 그 속에 서류를 넣어 비밀로 통신하는 데 쓰던 것.
◉綠蠟. 淚蠟. 蜜蠟. 白蠟. 封蠟. 香蠟. 紅蠟. 黃蠟.

15 ㉑ [蠣] [人名] 려 [去]霽 力制切 lì 蛎

[字解] 굴조개 려 굴과에 속하는 조개의 일종. 살은 굴이라 하여 식용으로 함. '牡—'. '疑食蛆—'《南史》.

[字源] 篆文 形聲. 虫+厲〔音〕

[蠣房 여방] 굴 껍데기.
[蠣粉 여분] 굴 껍데기를 빻은 가루.
[蠣黃 여황] 굴젓.
◉牡蠣. 石蠣. 玄蠣.

15 ㉑ [蠝] 뢰 [平]灰 盧回切 léi

[字解] 박쥐 뢰 편복(蝙蝠). 일설(一說)에는 하늘다람쥐. '蜼玃飛—'《漢書》.

◉飛蠝.

15 ㉑ [蠜] 번 [平]元 附袁切 fán

[字解] ①누리 번 날개가 긴 메뚜기의 일종. 또, 그 유충. '趯趯阜螽. (傳) 阜螽, —也'《詩經》. ②방귀벌레 번 '氣—'은 방귀벌레. '氣—, 蟲, 好夜行, 狀似蜚蠊, 人觸之卽氣出'《正字通》.

[字源] 篆文 形聲. 虫+樊〔音〕. '樊번'은 뛰어오르다의 뜻. 날개가 긴 '벼메뚜기'의 뜻을 나타냄.

15 ㉑ [蠇] [一] 래 [去]泰 落蓋切
[二] 려 [去]霽 力制切 lì

[字解] [一] 전갈 래 채미충(蠆尾蟲). '其知憯於—蠆之尾'《莊子》. [二] 숫돌 려 厲(厂部 十三畫)와 同字.

16 ㉒ [蠭] 방 [平]江 蒲江切 páng

[字解] 성 방 성(姓)의 하나. '羿—門'《荀子》. 일설(一說)에는 蠭(虫部 十七畫)의 訛字.

16 ㉒ [蠫] 리 [去]寘 力器切 lì

[字解] 쪼갤 리 가름. '—盤盂刎牛馬'《荀子》.

16 ㉒ [蠠] 원 [平]元 愚袁切 yuán

[字解] 여름누에 원 여름에 치는 누에. '今呼重蠶爲—'《爾雅 注》.

16 ㉒ [蠹] 〔두〕
蠹(虫部 十八畫〈p. 2040〉)의 俗字

16 ㉒ [蠪] 롱 lóng

[字解] 벌레이름 롱 '—蜂'은 벌레 이름. '—蜂, 蟲名. 蓄之能知蠱毒'《廣東新語》.

16 ㉒ [蠩] 저 [平]魚 章魚切 zhū

[字解] 두꺼비 저 '蟾—'는 두꺼비. '—, —曰, 蝦蟆'《集韻》.

16 ㉒ [螣] 등 [平]蒸 徒登切 téng

[字解] 해충이름 등 해충 이름. 벼 잎을 갉아 먹는 해충. '—, 蟲食禾葉'《玉篇》.

16 ㉒ [蠣] 력 [入]錫 狼狄切 lì

[字解] 산누에 력 산누에. '—, 野蠶'《集韻》.

16 ㉒ [蠥] 얼 [入]屑 魚列切 niè

[字解] ①근심 얼 우수(憂愁). '卒然離—'《楚辭》. ②요괴 얼, 재앙 얼 조수(鳥獸) 및 벌레의 요괴(妖怪). '禽獸蟲蝗之怪, 謂之—'《說文》.

[字源] 篆文 形聲. 虫+辥〔音〕

16 ㉒ [能蟲] [一] 늑 [入]職 匿德切 nài
[二] 능 [上]迥 奴等切 něng

[字解] [一] 벌레이름 늑 등에. '—, 似蝱而小'《玉篇》. [二] 벌 능 벌. '—, 蜂類, 或从虫'《集韻》.

16 ㉒ [蠬] 롱 [平]東 盧紅切 lóng

[字解] ①신이름 롱 '鮭—'은 신(神)의 이름. ②개미 롱 붉은 반점이 있는 왕개미. '—丁, 螘也'《說文》. ③도마뱀 롱 '蚵—'은 도마뱀. '蚵—, 蜥蜴也'《廣雅》. ④두꺼비 롱 '苦—, 蝦蟆也'《廣雅》.

[字源] 篆文 形聲. 虫+龍〔音〕

◉鮭蠬.

16 ㉒ [蟊] 무 [平]尤 迷浮切 máo

[字解] 뿌리를먹는벌레 무 묘(苗)의 뿌리를 먹는 벌레. '—, 蟲食艸根者'《說文》. 蝥(虫部 九畫)와 同字.

[字源] 篆文 別體 會意. 蟲+矛

16 ㉒ [蠆] 〔채〕
蠆(虫部 十三畫〈p. 2035〉)의 本字

17 ㉓ [蠱] [人名] 고 [上]麌 公戶切 gǔ 蛊

[字解] ①배속벌레 고 배 속에 있는 기생충. '腹有—'《唐書》. ②곡식벌레 고 곡식 속에 있는 벌레. '穀之飛亦爲—'《左傳》. ③굿에쓰는벌레 고 남을 해치려는 푸닥거리에 쓰는 벌레. 또, 그 술법. '巫—'. '妖—'. '造—之法, 以百蟲置皿中, 俾相啖食, 其存者爲—'《通志》. ④해독 고 사람에게 해를 끼치는 것. '掌除毒—'《周禮》. ⑤악기(惡氣) 고 나쁜 기운. '以狗禦—'《史記》. ⑥굿 고 남을 해치려는 푸닥거리. '典治巫—'《漢書》. ⑦의심할 고 의혹함. '有—疾'《左傳》. ⑧미혹게 할 고, 미혹할 고 호림. 또, 홀림. '欲—文夫人'《左傳》. ⑨어지럽힐 고, 어지러울 고 '用止狂—'《太玄經》. ⑩경계할 고 신칙(申飭)함. '—, 則飭也'《易經》. ⑪일 고 故(攵部 五畫)와 통용. '幹父止—'《易經》. ⑫고괘 고 육십사괘(六十四卦)의 하나. 곤, ䷑〈손하(巽下), 간상(艮上)〉. 괴

란(壞亂)이 극에 달한 뒤에 사물이 새로 일어나는 상(象).
[字源] 甲骨文  篆文  會意. 蟲+皿. 그릇에 담은 음식에 생기는 벌레의 뜻. 파생(派生)되어, 그것을 먹고 그 독(毒)에 중독되다의 뜻을 나타냄.

[蠱女 고녀] 남을 호리는 여자.
[蠱毒 고독] ㉠잔해(殘害)함. ㉡독약으로 남을 해침.
[蠱殺 고살] 저주하여 죽임.
[蠱石 고석] 화산(火山)에서 뿜어내는 용암(熔岩)이 식어서 된 돌의 일종. 잔구멍이 많고 가볍고 무름. 속돌.
[蠱疾 고질] 정신을 혹란(惑亂)시키는 병.
[蠱脹 고창] 배 속이 더부룩하고 헛배가 부른 창증(脹症)의 하나.
[蠱敝 고폐] 쌓인 폐해. 적폐(積弊).
[蠱惑 고혹] 남의 마음을 미혹(迷惑)하게 함. 남을 호림.
◉幹蠱. 毒蠱. 巫蠱. 禦蠱. 厭蠱. 妖蠱.

17 ㉓ [蠭] 봉 [平]冬 敷容切 fēng
[字解] ①벌 봉 蜂(虫部 七畫)과 同字. '一蠆有毒'《左傳》. ②기이름 봉 기(旗)의 한 가지. '獲其一旗'《左傳》. ③칼끝 봉, 봉망 봉 鋒(金部 七畫)과 통용. '反其一東向, 可以爭天下'《漢書》.

[蠭起 봉기] '봉기(蜂起)'와 같음.
[蠭氣 봉기] 봉망(鋒鋩)의 날카로운 정기(精氣)라는 뜻으로, 세력 또는 기세가 대단함을 이름.
[蠭目豺聲 봉목시성] 용모와 음성이 흉악한 것. 곧, 흉악한 사람의 외양.
[蠭生 봉생] 벌떼같이 들고 일어남.
[蠭午 봉오] 사람이 많이 휩쓸려 분잡한 모양.
[蠭蠆有毒 봉채유독] 벌 같은 조그마한 벌레도 독이 있음. 곧, 미소한 것이라고 업신여겨서는 안 된다는 말.
[蠭出 봉출] 봉생(蠭生).

17 ㉓ [蠠] 닉 [入]職 昵力切 nì
[字解] ①등에 닉 등에. '一, 蟲名, 博雅, 一, 䗪䘃也'《集韻》. ②벌레먹는병 닉 벌레 먹는 병. '一, 一曰, 蟲食病'《集韻》.

17 ㉓ [蠯] [一] 패 [平]佳 薄佳切
[二] 비 [平]支 符支切 pí
[字解] [一] 긴맛 패 맛의 일종. 마도패(馬刀貝). '供蝸一與麦芡'《張衡》. [二] 긴맛 비 [一]과 뜻이 같음.

17 ㉓ [⿰虫谿] 계 [平]齊 牽奚切 qī
[字解] 나나니벌 계 나나니벌. 땅벌. '⿰虫奚, 蟲名, 土蠭也, 或作一'《集韻》.

17 ㉓ [蠨] 소 [平]蕭 先彫切 xiāo 蠨 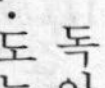
[字解] 갈거미 소 '一蛸'는 갈거밋과에 속하는 거미의 일종. '一蛸在戶'《詩經》.
[字源] 形聲. 虫+蕭〔音〕

[蠨蛸 소초] 갈거밋과에 속하는 거미의 일종. 다리가 몹시 길며 그물 같은 줄을 치고 곤충을 잡아먹음. 갈거미. 희자(蟢子).

17 ㉓ [蠮] 열 [入]屑 烏結切 yē
[字解] 나나니벌 열 벌의 일종. 세요봉(細腰蜂). '一螉'.
[字源] 形聲. 虫+翳〔音〕

[蠮螉 열옹] 구멍벌과에 속하는 벌의 일종. 허리가 몹시 가늘며 모래땅 속에 서식함. 나나니벌.

17 ㉓ [蠳] 영 [平]庚 烏亨切 yīng
[字解] 거북이름 영 거북〔龜〕의 일종. '其水蟲則有一龜鳴蛇'《張衡》.

[蠳龜 영귀] 거북 이름. 뱀을 잡아먹는다는 거북의 한 가지.
[蠳螺 영라] 고둥의 한 가지.

17 ㉓ [⿰虫霝] 령 [平]青 郎丁切 líng
[字解] 뽕나무벌레 령 '螟一'은 명령(螟蛉)나방의 유충. 뽕나무벌레. '螟一, 桑蟲也'《說文》.
[字源] 篆文  形聲. 虫+霝〔音〕

17 ㉓ [⿰虫應] 응 [平]蒸 於陵切 yīng
[字解] 애매미 응 기생매미. '一, 謂之寒蜩. (注) 爾雅以蜺爲寒蜩, 寒蜩, 螿也'《揚子方言》.

17 ㉓ [蠰] [一] 상 [去]漾 式亮切 shàng
[二] 양 [上]養 如兩切 rǎng
[三] 낭 [平]陽 奴當切 náng
[字解] [一] 뽕나무하늘소 상 하늘소의 일종. 상우(桑牛). '一, 齧桑. (注) 似天牛角長, 體有白點, 喜齧桑樹, 作孔入其中'《爾雅》. [二] 벼메뚜기 양 '一谿'는 벼메뚜기. [三] 버마재비 낭 '蟷一'은 버마재비. 사마귀.
[字源] 篆文  形聲. 虫+襄〔音〕. '襄양'은 속으로 파고들다의 뜻. 뽕나무를 갉아서 구멍을 뚫고, 그 속에 드는 벌레, '하늘소'의 뜻을 나타냄.

17 ㉓ [⿰虫龠] 약 [入]藥 以灼切 yuè
[字解] 개똥벌레 약 반디. '蠗一, 蟲名, 螢也'《集韻》.

17 ㉓ [蠲] 견 [平]先 古玄切 juān 蠲
[字解] ①조촐할 견 깨끗함. '一潔'. '除其不一'《周禮》. ②밝을 견, 밝힐 견 명백함. 명백히 함. '惠公一其大德'《左傳》. ③덜 견 제거함. 떨어버림. '一除'. '應時而一'《揚雄》. ④나을 견 '一, 癒也'《廣雅》. ⑤빠를 견 '一, 疾也'《玉篇》.

⑥노래기 견, 그리마 견 '一, 馬一也. …明堂月令曰, 腐艸爲一'《說文》.

字源 篆文 會意. 蜀+益. '蜀촉'은 나비의 애벌레, '益익'은 '가득하다'의 뜻. 썩은 나무에 와글와글 들끓는 노래기의 뜻을 나타냄. 《說文》에는 虫+罒+益〔音〕으로 보임.

[蠲減 견감] 조세(租稅) 등의 일부분을 면제(免除)하여 줌.
[蠲潔 견결] 조촐하고 깨끗함. 연결(涓潔).
[蠲救 견구] 조세(租稅)를 면제하여 구하여 줌.
[蠲復 견복] 조세(租稅) 같은 것을 면제함.
[蠲除 견제] ㉠조세(租稅)를 덜어 징수하지 아니함. ㉡제거함. 물리침. ㉢그만둠. 폐지함.
[蠲滌 견척] 더러운 것을 씻어 버림.
[蠲蕩 견탕] 미납(未納)한 조세(租稅) 등을 탕감(蕩減)하여 줌.
◉吉蠲. 明蠲. 文蠲. 優蠲. 粢蠲. 濯蠲. 豐蠲.

18 ㉔ [蠹] 두 ㊀遇 當故切 dù

字解 ①나무굼벵이 두 나무 속에 기생(寄生)하는 굼벵이. 목두충(目蠹蟲). 추제(蝤蠐). '一魚'. '樹鬱則爲一'《呂氏春秋》. ②좀 두 ㉠반대좀. 의어(衣魚). '辟惡生香, 聊防羽陵之一'《徐陵》. ㉡사물을 좀먹어 해독을 끼치는 사람이나 사물. '國民之一也'《左傳》. '法開二門, 爲政之一'《任昉》. ③좀먹을 두 좀이 쏢. '腐一'. '一蝕'. '以爲杜則一'《莊子》. ④해칠 두 잔해(殘害)함. '一害'. '攘韓一魏'《戰國策》. ⑤쬘 두 좀이 안 먹도록 햇볕에 쬠. 포쇄(曝曬)함. '一書'. '一書于羽林'《穆天子傳》.

字源 篆文 別體 形聲. 䖵+橐〔音〕. '橐탁'은 '주머니'의 뜻. '나무좀·반대좀'을 나타냄.

[蠹簡 두간] 좀이 먹은 서류나 책.
[蠹毒 두독] 잔해(殘害)함. 전(轉)하여, 해독(害毒).
[蠹書 두서] ㉠좀이 먹은 책. ㉡책을 볕에 쬐거나 바람에 쐼. 폭서(曝書).
[蠹書蟲 두서충] ㉠책을 먹는 좀. ㉡일평생을 헛되이 독서(讀書)로 지내는 사람.
[蠹蝕 두식] 좀먹음.
[蠹魚 두어] ㉠좀. 좀벌레. ㉡책을 읽고 활용할 줄 모르는 사람을 조소(嘲笑)한 말.
[蠹政 두정] 백성을 해롭게 하는 정치(政治).
[蠹編 두편] 좀이 먹은 책.
[蠹害 두해] 잔해(殘害)함. 전(轉)하여, 해독(害毒).
◉狡蠹. 老蠹. 螟蠹. 毛蠹. 浮蠹. 腐蠹. 粃蠹. 邪蠹. 桑蠹. 書蠹. 宿蠹. 魚枯生蠹. 汚蠹. 殘蠹. 蟲蠹. 敝蠹. 戶蠹. 朽蠹.

18 ㉔ [蠶] 人名 잠 ㊥覃 昨含切 cán 蚕

筆順

字解 ①누에 잠 누에나방의 유충. 자벌레 비슷하며 네 번 허물을 벗고, 다 커서 실을 토하여 고치를 지음. '養一'. '三月一始生, 纖細如牛毛'《趙孟頫》. ②누에칠 잠 누에를 사육함. 또, 그 일. '一婦'. '一桑'. '就公桑蠶室而一'《禮記》.

字源 甲骨文 篆文 形聲. 䖵+朁〔音〕. '朁잠'은 '숨다'의 뜻. 실을 토하여 자신을 감추고, 고치를 만드는 누에의 뜻을 나타냄.
參考 蚕(虫部 四畫)은 俗字.

[蠶架 잠가] 잠박(蠶箔)을 올려놓은 시렁.
[蠶繭 잠견] 누에고치.
[蠶具 잠구] 누에를 치는 데 쓰는 기구(器具).
[蠶農 잠농] 누에를 치는 일. 누에 농사.
[蠶豆 잠두] 콩과(科)에 속하는 재배 식물. 잎은 우상 복엽(羽狀複葉), 꽃은 흰 바탕에 검은 반점이 있으며 꼬투리는 위로 향함. 열매는 식용함.
[蠶卵 잠란] 누에의 알.
[蠶卵紙 잠란지] 누에가 알을 슬어 놓은 종이.
[蠶莓 잠매] 뱀딸기.
[蠶箔 잠박] 누에를 치는 데 쓰는 채반.
[蠶薄 잠박] 잠박(蠶箔).
[蠶婦 잠부] 누에를 치는 여자.
[蠶史 잠사] 사기(史記)의 별칭(別稱). 사마천(司馬遷)이 궁형(宮刑)을 당한 뒤에 잠실(蠶室)에 유폐(幽閉)되어 지은 것이므로 이름.
[蠶事 잠사] 누에 치는 일.
[蠶砂 잠사] 누에의 똥. 약제(藥劑)로 씀.
[蠶絲 잠사] 누에고치에서 켜낸 실. 곧, 명주실.
[蠶桑 잠상] 누에를 치고 뽕나무를 심음.
[蠶繅 잠소] 누에를 쳐 고치를 켬.
[蠶食 잠식] ㉠누에가 뽕나무 잎을 차차 조금씩 먹어 들어가는 것처럼, 차차로 침략해 들어감. ㉡조세(租稅) 같은 것을 가혹하게 과하여 민력(民力)을 소모함.
[蠶室 잠실] ㉠누에를 치는 방. ㉡궁형(宮刑)에 처할 사람을 수용하는 일종의 감방. ㉢누에고치.
[蠶兒 잠아] 누에. 아(兒)는 조사(助辭).
[蠶蛾 잠아] 누에나방.
[蠶業 잠업] 누에를 치는 직업. 양잠업(養蠶業).
[蠶衣 잠의] ㉠누에고치. ㉡누에 칠 때 입는 옷. ㉢명주옷.
[蠶績 잠적] 누에를 치고 실을 뽑음.
[蠶蔟 잠족] 누에가 고치를 짓도록 마련하여 놓은 짚이나 잎나무. 섶.
[蠶種 잠종] 누에씨.
[蠶織 잠직] 누에를 치고 명주를 짬.
[蠶叢 잠총] ㉠옛날의 촉왕(蜀王)의 선조(先祖)의 이름. 백성들에게 잠상(蠶桑)을 가르쳤다고 함. ㉡촉(蜀)의 별칭(別稱).
◉繭蠶. 耕蠶. 農蠶. 晩蠶. 桑蠶. 石蠶. 蟬蠶. 掃蠶. 野蠶. 養蠶. 原蠶. 二化蠶. 再蠶. 族蠶. 地蠶. 天蠶. 秋蠶. 春蠶. 夏蠶.

18 ㉔ [蠺] 蠶(前條)과 同字

18 ㉔ [蠻] 녕 ㊥青 女丁切 ㊀敬 女正切 níng

字解 땅강아지 녕 누고(螻蛄). '一, 一蟲也'《說文》.

字源 形聲. 䖵+甯〔音〕

18 ㉔ [蠵] 휴 ㊥齊 戶圭切 xī

字解 바다거북 휴 암황색 반점이 있는 거북. '蠵一'.

字源 篆文 別體 形聲. 虫+巂〔音〕

◉鮮蠣. 靈蠣. 蠐蠣.

18 ㉔ [蠸] 권 ㊥先 巨員切 quán

字解 노린재 권 노린잿과(科)에 속하는 갑충(甲蟲)의 총칭. 넓적노린재·별점박이노린재·실노린재 등이 있음. 몸은 납작하고 고약한 노린내가 남. 오이·참외·박·호박 따위의 잎을 갉아먹음. '瞀芮生乎腐一'《莊子》.

字源 篆文 形聲. 虫+雚〔音〕

18 ㉔ [蘧] 〔거〕
蠸(虫部 十一畫〈p.2030〉)와 同字

18 ㉔ [蠷] 구 ㊥虞 其俱切 qú

字解 집게벌레 구 '一螋'는 집게벌레. '一螋蟲, 溺人影, 隨所著處生瘡'《博物志》.

19 ㉕ [蠻] 人名 만 ㊥刪 謨還切 mán 蛮

筆順 言 言 絲 絲 繺 繺 蠻 蠻

字解 ①오랑캐 만 남방의 미개 민족. '南方曰一, 雕題交趾'《禮記》. 전(轉)하여, 미개 민족의 통칭. '內撫諸夏, 外綏百一'《班固》. ②얕볼 만 깔봄. '一, 傷也'《廣雅》. ③성 만 성(姓)의 하나.

字源 金文 篆文 形聲. 虫+變〈省〉〔音〕. '變변'은 '색다르다'의 뜻. 한민족(漢民族)과는 다른 습속(習俗)을 가진 종족(種族), '오랑캐'의 뜻을 나타냄.

參考 蛮(虫部 六畫)은 俗字.

[蠻歌 만가] 오랑캐의 노래.
[蠻境 만경] 오랑캐의 땅.
[蠻隷 만례] 오랑캐의 땅에서 징발한 인부.
[蠻貊 만맥] 오랑캐.
[蠻舶 만박] 오랑캐의 나라에서 온 선박. 외국에서 온 큰 배.
[蠻方 만방] 오랑캐의 나라.
[蠻性 만성] 야만(野蠻)의 성질(性質).
[蠻俗 만속] 만풍(蠻風) ㉠㉡.
[蠻野 만야] 인지(人智)가 진보하지 않음. 문물이 보잘것없음.
[蠻語 만어] ㉠오랑캐의 말. ㉡외국인의 말.
[蠻勇 만용] 사리(事理)를 분간하지 않고 함부로 날뛰는 용기(勇氣).
[蠻夷 만이] 오랑캐. 야만인. 화외(化外)의 백성.
[蠻人 만인] 야만인(野蠻人).
[蠻族 만족] 만이(蠻夷)의 종족(種族). 야만 민족.
[蠻種 만종] 야만(野蠻) 인종(人種).
[蠻地 만지] 야만인이 사는 땅.
[蠻觸 만촉] '하찮은 일로 다투는 싸움'의 비유. 《장자(莊子)》에 와우(蝸牛) 곧, 달팽이의 왼쪽 뿔에 만씨(蠻氏), 오른쪽 뿔에 촉씨(觸氏)가 있었는데 서로 싸웠다는 가설(假說)의 이야기. 전(轉)하여, 하찮은 일로 서로 싸움의 비유로 씀. 만촉지쟁(蠻觸之爭)·와우각상지쟁(蝸牛角上之爭).
[蠻觸之爭 만촉지쟁] 만촉(蠻觸).
[蠻酋 만추] 오랑캐의 추장(酋長).
[蠻風 만풍] ㉠야만인의 풍속(風俗). 오랑캐의 풍속. ㉡천한 풍속. ㉢오랑캐 땅의 바람.
[蠻行 만행] 《韓》 야만스러운 행실.
[蠻荒 만황] 오랑캐 땅.
◉九夷八蠻. 群蠻. 南蠻. 綿蠻. 緡蠻. 百蠻. 野蠻. 遠蠻. 夷蠻. 荊蠻.

19 ㉕ [蠡] ㊀ 리 ㊥支 鄰知切 lí
㊁ 려 ㊤霽 郎計切

字解 ㊀ 그리마 리 그리마. 유연(蚰蜒). '蜧一'. ㊁ 그리마 려 ㊀과 뜻이 같음.

20 ㉖ [蠼] ㊀ 각 ㊇藥 厥縛切 jué
㊁ 구 ㊥虞 音瞿切 qú

字解 ㊀ 큰원숭이 각 모후(母猴). '蛭蜩一猱'《司馬相如》. ㊁ 집게벌레 구 蠷(虫部 十八畫)와 통용.

字源 形聲. 虫+矍〔音〕

21 ㉗ [蠾] 촉 ㊇沃 之欲切 zhú

字解 ①벼룩 촉 기생 곤충(寄生昆蟲)의 일종. '一, 蚤也'《廣韻》. ②나비애벌레 촉 蜀(虫部 七畫)·蠋(虫部 十三畫)과 同字.

21 ㉗ [蠽] 절 ㊇屑 子列切 jié

字解 쓰르라미 절 매미의 하나. '一, 小蟬蜩也'《說文》.

字源 篆文 形聲. 蚰+截〔音〕

21 ㉗ [蠿] 〔려〕
蠣(虫部 十五畫〈p.2038〉)와 同字

21 ㉗ [蟫] 〔음·담·심〕
蟫(虫部 十二畫〈p.2032〉)의 本字

22 ㉘ [蠶] 〔강〕
強(弓部 八畫〈p.725〉)의 籀文

22 ㉘ [蠹] 〔두〕
蠹(虫部 十八畫〈p.2040〉)의 本字

22 ㉘ [蠰] 〔상·양·낭〕
蠰(虫部 十七畫〈p.2039〉)과 同字

血 (6획) 部
〔피혈부〕

0 ⑥ [血] 中人 혈 ㊇屑 呼決切 xuè, xiě

筆順 ′ ′ 白 白 血 血

字解 ①피 혈 ㉠혈액(血液). '一球'. '一流漂杵'《書經》. ㉡골육의 관계. '一嗣'. '一屬在焉'《昨夢錄》. ②피칠할 혈 피를 바름. '兵不一刃'《荀子》. '叩其鼻以一社也'《公羊傳》. ③물들일

혈 염색하여 광채를 냄. '可以一玉'《山海經》. ④상처 혈 '渙其一去'《易經》. ⑤눈물 혈 몹시 슬플 때 나오는 눈물. '戰士爲陵飮一'《李陵》. ⑥근심할 혈, 근심 혈 恤(心部 六畫)과 통용. '一去惕出'《易經》.

字源 甲骨文 篆文 象形. 제사 때 신(神)에게 바치는 희생의 피를 그릇에 담은 모양을 본떠, 피의 뜻을 나타냄.

參考 '血'을 의부(意符)로 하여, 혈액에 관한 문자를 이룸.

[血痂 혈가] 상처(傷處)에 엉겨 붙은 핏덩어리. 또는 피딱지.
[血枯 혈고] 경도(經度)가 막히는 부인병(婦人病).
[血管 혈관] 염통에서 나와서 몸속에 퍼진, 피가 다니는 맥관(脈管). 핏줄.
[血塊 혈괴] ㉠핏덩이. ㉡체내에서 혈관 밖으로 나와 뭉친 핏덩어리.
[血球 혈구] 혈액의 성분. 적혈구(赤血球)·백혈구(白血球)의 총칭(總稱).
[血忌 혈기] ㉠옛날, 피를 보는 것을 꺼리어 동물을 잡지 않은 날. ㉡결혼·고용(雇用) 따위를 피하는 날.
[血氣 혈기] ㉠생명(生命)을 유지(維持)하는 체력(體力). ㉡격동(激動)하기 쉬운 의기(意氣). 장년(壯年)의 피가 끓는 기상(氣象).
[血氣之勇 혈기지용] 혈기(血氣)로 일어나는 한 때의 용맹(勇猛).
[血痰 혈담] 《韓》 피가 섞이어 나오는 가래.
[血黨 혈당] 생사(生死)를 같이하는 무리.
[血路 혈로] ㉠핏자국을 남기고 도망간 길. ㉡위급을 벗어나 도망하는 길.
[血淚 혈루] 몹시 애통하여 흘리는 눈물. 피눈물.
[血漏 혈루] 부녀(婦女)의 음부(陰部)에서 때 없이 피가 나오는 병(病).
[血流漂杵 혈류표저] 싸움에 죽은 사람의 피가 많이 흘러 방패[杵]가 뜬다는 뜻으로, 전쟁이 아주 격렬(激烈)하여 사상자(死傷者)를 많이 냄을 이름.
[血痢 혈리] 적리(赤痢).
[血痳 혈림] 오줌에 피가 섞이어 나오는 임질(痳疾).
[血脈 혈맥] ㉠혈관(血管). ㉡혈통(血統).
[血脈貫通 혈맥관통] 몸에 혈맥이 통하고 있다는 뜻으로, 문장 등에서 한 편(篇)의 전후(前後)의 연결이 잘됨을 이름.
[血盟 혈맹] 혈판(血判)을 찍어 굳게 맹세함.
[血便 혈변] 피가 섞이어 나오는 똥.
[血祀 혈사] 혈식(血食).
[血嗣 혈사] 핏줄. 혈손(血孫). 혈통(血統).
[血色 혈색] ㉠피의 빛. ㉡빨간빛. ㉢핏기. 안색(顏色).
[血色素 혈색소] 적혈구(赤血球)가 가지고 있는 붉은 색소(色素).
[血書 혈서] 자기의 피로 글씨를 씀. 또, 그 글씨. 결사적(決死的)인 맹세(盟誓)나 결의(決意)를 나타내는 것임.
[血誠 혈성] 진심(眞心)에서 나오는 정성(精誠).
[血屬 혈속] 혈족(血族).
[血孫 혈손] 혈통(血統)을 잇는 자손(子孫). 혈사(血嗣).
[血讎 혈수] 죽기를 결단(決斷)하고 갚고자 하는 깊은 원수(怨讎).
[血食 혈식] 희생(犧牲)을 올리고 제사 지냄.
[血心 혈심] 혈성(血誠).
[血眼 혈안] 기를 써서 핏대가 오른 눈.
[血壓 혈압] 혈관(血管) 속의 피의 압력(壓力).
[血液 혈액] 피.
[血緣 혈연] 같은 핏줄에 의하여 연결된 관계. 부모와 자식·형제 따위의 관계.
[血怨骨讎 혈원골수] 피맺힌 원한과 골수에 사무친 원수(怨讎).
[血肉 혈육] ㉠피와 살. ㉡자기가 낳은 자녀(子女). 소생(所生).
[血胤 혈윤] 혈통(血統).
[血漿 혈장] 혈청(血淸)과 섬유소(纖維素)로 된 혈액의 한 성분을 이루는 액질(液質). 「툼.
[血爭 혈쟁] 생사(生死)를 돌아보지 아니하고 다
[血戰 혈전] 생사(生死)를 돌아보지 않고 싸움.
[血點 혈점] 피가 떨어진 자국.
[血祭 혈제] 희생(犧牲)을 죽여 제사 지냄.
[血族 혈족] 같은 조상(祖上)에서 갈려 나온 친족(親族). 일가.
[血淸 혈청] 엉긴 피에서 나오는 누르스름하고 맑은 물.
[血忠 혈충] 혈성(血誠)을 다하는 충성.
[血痔 혈치] 피가 나오는 치질(痔疾).
[血統 혈통] 친족의 서로 관계가 있는 피의 계통.
[血判 혈판] 서약(誓約)을 배반치 않는다는 결의(決意)를 보이기 위해 손가락 끝을 베어 그 피를 도장 대신 찍음.
[血閉 혈폐] 월경이 그치는 병(病).
[血汗 혈한] 피와 땀.
[血行 혈행] 혈액의 순환(循環).
[血虛 혈허] 빈혈증(貧血症).
[血暈 혈훈] 산후(產後) 또는 기타 출혈(出血)로 몸이 떨리는 병.
[血痕 혈흔] 피가 묻은 흔적.
◉咯血. 頸血. 鷄狗馬血. 膏血. 嘔血. 冷血. 淚血. 丹血. 白血. 碧血. 貧血. 歃血. 鮮血. 腥血. 輸血. 純血. 心血. 熱血. 溫血. 鬱血. 流血. 泣血. 凝血. 以血洗血. 簸血. 赤血. 戰血. 啼血. 止血. 地血. 採血. 喋血. 靑血. 出血. 充血. 吐血. 下血. 汗血. 嵇侍中血.

2 ⑧ [衂] 〔뉵〕 衄(血部 四畫〈p. 2043〉)과 同字

[衃] 〔휼〕 卩部 六畫(p. 316)을 보라.

3 ⑨ [衃] 衃(前條)의 訛字

3 ⑨ [衁] 황 ㊥陽 呼光切 huāng

字解 ①피 황 혈액. '士刲羊, 亦無一也'《左傳》. ②게장 황 게의 누런 알집. '蟹黃, 俗曰一'《正字通》.

字源 篆文 形聲. 血+亡〔音〕

3 ⑨ [衄] 경 ㊥靑 巨靈切 qíng

字解 생각정해질 경 생각이 정해짐. 의견이 잡

히어짐. '一, 見定也'《字彙補》.

3 ⑨ [衂] 衄(次條)의 俗字

4 ⑩ [衄] 뉵 ⓐ屋 如六切 nǜ

字解 ①코피 뉵 코에서 나오는 피. '一, 鼻出血也'《說文》. '脾移熱于肝, 則爲驚一'《素問》. ②질 뉵, 꺾일 뉵 패배함. 좌절함. 기력이 쇠함. '折一'. '未嘗敗一'《五代史》. '臣兵累見折一'《後漢書》. ③움츠러들 뉵 굴(屈)함. '師徒小一'《曹植》.

字源 篆文 形聲. 血+丑〔音〕. '丑축'은 손가락에 단단히 힘을 주어 비트는 모양을 나타냄. 코를 비틀어 나오는 코피의 뜻을 나타냄. 또, 비틀어 움직이지 못하게 하다, 꺾이다의 뜻도 나타냄.

[衄血 육혈] 코피.
◉窮衄. 奔衄. 畏衄. 沮衄. 折衄. 挫衄. 敗衄.

4 ⑩ [衂] 衄(前條)의 俗字

4 ⑩ [䘏] 〔결〕
缺(缶部 四畫〈p.1783〉)과 同字

4 ⑩ [衃] 배 ㊥灰 芳杯切 pēi

字解 어혈 배 썩은 피. 검붉어진 응혈(凝血). '赤如一血者死'《素問》.

字源 篆文 形聲. 血+不〔音〕. '不불'은 '부풀다'의 뜻. 피가 응어리지고 부푼 것의 뜻. 어혈.

[衃血 배혈] 검붉어진 응혈(凝血). 어혈(瘀血).

5 ⑪ [衅] 흔 ㊦震 許覲切 xìn

字解 피칠할 흔 釁(酉部 十八畫)과 同字. '車甲一而藏之府庫'《禮記》.

字源 會意. 血+半. '半반'은 희생을 둘로 가르다의 뜻. 희생을 죽이어 피를 제기에 바르다, 피칠하다의 뜻을 나타냄.

5 ⑪ [衇] 〔맥〕
脈(肉部 五畫〈p.1842〉)과 同字

6 ⑫ [衆] 中人 중 ㊦送 之仲切 zhòng ㊥東 職戎切 zhōng 众

筆順 ′ 宀 血 衆 衆 衆 衆

字解 ①무리 중 ㉠많은 사람. '一庶'. '一惡之必察焉'《論語》. ㉡많은 사람의 마음. 민심(民心). '失一則失國'《大學》. ②많을 중 수가 많음. '一寡'. '生之者一, 食之者寡'《大學》. ③군신(群臣) 중 백관(百官). '一者, 爲人下者也'《後漢書》. ④장마 중 사흘 이상 계속되는 비. '雨三日以上爲霖. 今月令曰一雨'《禮記》. ⑤차조 중 차진 조. '一, 秫'《爾雅》. ⑥성 중 성(姓)의 하나.

字源 甲骨文 金文 篆文 會意. 甲骨文은 日+乑. '日'은 '촌락(村落)'의 뜻. '乑중'은 많은 사람의 뜻. 촌락에 모이는 많은 사람의 뜻을 나타내며, 보통 '많다'의 뜻을 나타냄. '日'은 金文부터 '目목'으로 되고, 다시 나중에 '血혈'로 바뀌었음.

[衆苦 중고] 많은 고생. 많은 고통.
[衆寡 중과] 수효(數爻)의 많음과 적음.
[衆寡不敵 중과부적] 적은 인원으로 많은 인원을 대적(對敵)하지 못함.
[衆口 중구] 뭇 입. 여러 사람의 말. 여러 사람의 평판.
[衆口難防 중구난방] 여러 사람의 말을 이루 막기 어려움.
[衆口鑠金 중구삭금] 여러 사람이 이러니저러니 하는 말은 쇠같이 굳은 물건(物件)도 녹일 수가 있다는 뜻으로, 뭇사람의 참소(讒訴)하는 말은 대단히 무서움을 이름.
[衆怒 중노] 많은 사람의 화.
[衆多 중다] 많음. 다수임.
[衆徒 중도] 많은 승려(僧侶).
[衆論 중론] 여러 사람의 의론(議論). 중의(衆議).
[衆望 중망] 여러 사람에게서 받는 신망(信望). 인망(人望).
[衆萌 중맹] 많은 초목(草木)의 싹.
[衆目 중목] 여러 사람의 눈.
[衆目所視 중목소시] 여러 사람이 다 같이 보고 있는 터.
[衆物 중물] 만물(萬物).
[衆芳 중방] 다수의 꽃.
[衆賓 중빈] 많은 빈객(賓客).
[衆生 중생] ㉠모든 생명이 있는 것. ㉡사람 이외(以外)의 동물. ㉢《佛敎》 모든 생물(生物). 또는 인류(人類).
[衆庶 중서] ㉠뭇사람. 모든 백성. ㉡서출(庶出).
[衆說 중설] 여러 설(說).
[衆小 중소] 많은 하등(下等)의 사람.
[衆少 중소] ㉠많은 것과 적은 것. 다소(多少). 중과(衆寡). ㉡적은 것을 모음.
[衆臣 중신] 뭇 신하(臣下).
[衆心 중심] 뭇사람의 마음. 민심(民心).
[衆心成城 중심성성] 뭇사람의 마음이 일치하면 성벽(城壁) 같이 견고(堅固)해짐.
[衆嶽 중악] 많은 큰 산.
[衆陽之長 중양지장] 태양(太陽)의 딴 일컬음.
[衆藝 중예] 많은 기예(技藝).
[衆辱 중욕] 여러 사람 앞에서 모욕(侮辱)을 당함.
[衆愚 중우] 다수의 어리석은 사람.
[衆怨 중원] 뭇사람에게 받는 원망.
[衆意 중의] 여러 사람의 의향(意向)·의견(意見).
[衆議 중의] 중론(衆論).
[衆人 중인] ㉠여러 사람. 뭇사람. 세상 사람. ㉡보통 사람. 범인(凡人).
[衆人所視 중인소시] 중목소시(衆目所視).
[衆人重利 중인중리] 범속(凡俗)한 사람들은 이익(利益)을 소중히 여김.
[衆子 중자] 장남(長男) 이외의 아들.
[衆評 중평] 여러 사람의 비평(批評). 뭇사람의 비평.
[衆賢 중현] 많은 어진 사람. 다수의 현인(賢人).
[衆賢茅茹 중현모여] 모여(茅茹)는 띠 뿌리가 서로 엉클어짐의 뜻. 많은 현인(賢人)이 함께 조정(朝廷)으로 나아가서 벼슬함을 이름.
[衆呴漂山 중후표산] 많은 사람이 내쉬는 숨결은

산도 움직인다는 뜻으로, 여러 사람의 힘은 놀랍다는 말.
◉家衆. 公衆. 觀衆. 廣衆. 群衆. 大衆. 徒衆. 民衆. 士衆. 四衆. 烏合之衆. 有衆. 義衆. 人衆. 聽衆. 合衆.

6 ⑫ [衉] 객 [入]陌 乞格切 kè
[字解] 토할 객 피를 토함. '鄭人擊我, 吾伏弢—血'《國語》.
[字源] 形聲. 血+各〔音〕
◉衉血.

6 ⑫ [衈] 이 [去]寘 仍吏切 ěr
[字解] ①닭피제사 이 닭을 죽여 지내는 혈제(血祭). ②귀피제사 이 희생의 귀에서 나오는 피를 바치는 제사. '其—皆於屋下'《禮記》. ③피칠할 이 피를 바름. '叩其鼻以—社也'《穀梁傳》.
[字源] 形聲. 血+耳〔音〕. '耳이'는 '귀'의 뜻. 귀의 피를 바쳐서 제기(祭器)에 바르다, 피칠하다의 뜻을 나타냄.

6 ⑫ [⿳亠口血] 〔도〕
圖(囗部 十一畫〈p.429〉)와 同字

6 ⑫ [衇] 〔맥〕
脈(肉部 六畫〈p.1846〉)의 籒文

7 ⑬ [⿱沈血] 〔담〕
⿱肬血(血部 八畫〈p.2044〉)과 同字

7 ⑬ [⿰血夋] 최 [平]灰 臧回切 zuī
[字解] 자지 최 갓난아기의 음경(陰莖). '未知牝牡之合, 而—作精之至也'《老子》.
[字源] 形聲. 血+夋〔音〕. '夋준'은 '出출'과 통하여, '나다'의 뜻. 혈관이 두드러져 보이는 아기의 음부의 뜻을 나타냄.

[睾] 〔고〕
目部 九畫(p.1547)을 보라.

8 ⑭ [⿰血臽] [一] 감 [去]勘 苦紺切 kàn
[二] 담 [去]勘 徒濫切
[字解] [一] ①선지 감 양(羊)의 선지. '—, 羊凝血也'《說文》. ②선짓국 감 혈갱(血羹). '宋時大官作—'《本草註》. [二] 선짓국 담 [一]❷와 뜻이 같음.
[字源] 篆文 形聲. 血+臽〔音〕

8 ⑭ [⿰血咎] 〔구〕
歐(欠部 十一畫〈p.1134〉)와 同字

8 ⑭ [⿰血或] 괵 [入]陌 古獲切 guó
[字解] 개피 괵 개의 피. '—, 犬血'《集韻》.

8 ⑭ [⿱肬血] 담 [上]感 他感切 dǎn
[字解] 피조림 담 피로 담근 육장. '—, 血醢也'《說文》.
[字源] 篆文 形聲. 血+肬〔音〕

8 ⑭ [⿱明血] 〔맹〕
盟(皿部 八畫〈p.1522〉)과 同字

9 ⑮ [⿰血思] 〔녁〕
惄(心部 八畫〈p.785〉)의 古字

9 ⑮ [⿰血客] 〔객〕
衉(血部 六畫〈p.2044〉)의 俗字

10 ⑯ [⿰血辱] 뇩 [入]屋 奴篤切 nú
[字解] 더럽힐 뇩 더럽힘. 더럽혀짐. '—, 汙也'《篇海》.

10 ⑯ [⿱幾血] 기 [平]微 居依切 jī
[字解] ①자를 기 베어서 동강을 냄. 刉(刀部 四畫)와 同字. '—, 斷也, 刲也'《類篇》. ②피칠할 기 희생의 피를 칠해 제사함. 또, 그 제사. '—, 㠯血有所刉涂祭也'《說文》.
[字源] 篆文 形聲. 血+幾〔音〕. '幾기'는 '刉기'와 통하여, 베어 쪼개어 상처를 입히다의 뜻. 짐승을 잡아 피를 칠하는 제사의 뜻을 나타냄.

11 ⑰ [⿰血虖] 호 [去]遇 荒故切 hù
[字解] 피로더럽힐 호 '—, 血汙也'《集韻》.

12 ⑱ [⿰血敢] 〔감〕
⿰血臽(血部 八畫〈p.2044〉)과 同字

13 ⑲ [⿱農血] 〔농〕
膿(肉部 十三畫〈p.1865〉)과 同字

14 ⑳ [⿰血鼻] 〔뉵〕
衄(血部 四畫〈p.2043〉)과 同字

15 ㉑ [衊] 멸 [入]屑 莫結切 miè
[字解] ①더럽힐 멸 ㉠피 또는 더러운 물건을 발라 더럽힘. '糞穢—面'《列女傳》. ㉡신성을 모독함. 치욕을 줌. '汚—宗室'《漢書》. ②더러운 피 멸 '—, 汚血也'《說文》. ③코피날 멸 코에서 피가 나옴. 또, 그 피. '—, 鼻出血也'《篇海》. '衄—瞑目'《素問》.
[字源] 篆文 形聲. 血+蔑〔音〕. '蔑멸'은 '물리치다'의 뜻. 없애야 할 더러운 피의 뜻을 나타냄.
◉垢衊. 誣衊. 汚衊.

18 ㉔ [衋] 혁 [入]職 許極切 xì
[字解] 애통할 혁 몹시 서러워함. 마음 아파함. '民罔不—傷心'《書經》.
[字源] 金文 篆文 會意. 血+聿+皕. 일설에는, 形聲. 盡(省)+奭〔音〕. '盡진'은 '다하다'의 뜻. '奭혁'은 '노려보다'의 뜻. 악

(惡)에 대하여 마음속으로 성을 내어 꾸짖다의 뜻을 나타냄.

[衋傷 혁상] 몹시 마음 아파함.
[衋然 혁연] 슬퍼하는 모양.

24 ㉚ [⿱贛血] 〔감〕 衉(血部 八畫〈p.2044〉)과 同字

行 (6획) 部
〔다닐행부〕

0 ⑥ [行] [中人] ■ 행 [平]庚 戶庚切 xíng [去]敬 下更切 xìng ■ 항 [去]漾 下浪切 hàng [平]陽 胡郎切 háng 

[筆順] ノ ク 彳 彳 行 行

[字解] ■ ①다닐 행, 걸을 행 ㉠보행을 함. '臣少多疾病, 九歲不一'《李密》. ㉡걸어감. '男女一者別於塗'《史記》. ㉢거닐면서. '一吟澤畔'《楚辭》. ②갈 행 ㉠'膝一蒲伏'《史記》. 떠남. '告之使一'《左傳》. '與子偕一'《詩經》. ㉡나아감. 전진함. '曰吾老矣, 不能用也, 孔子一'《論語》. ③돌 행 ㉠한 바퀴 돎. '酒三一'《韓愈》. ㉡순환(循環)함. '日月運一'. ㉢순행함. 순시함. '入山一木, 毋有斬伐'《禮記》. ④흐를 행 물이 흐름. '水逆一'《孟子》. ⑤지날 행 거침. '一年七十'《莊子》. ⑥가게할 행, 보낼 행 '一軍'. '激而一之, 可使在山'《孟子》. ⑦행할 행 ㉠함. '力一'. '實一'. '先一其言'. (皇疏)一, 猶爲也'《論語》. ㉡베풂. 줌. '論功一賞'. '一糜粥飮食'《禮記》. ㉢씀. 사용함. '及其於銅則不一也'《淮南子》. ⑧행해질 행 시행됨. 쓰임. '書十上而說不一'《戰國策》. ⑨길 행 ㉠통로. 도로. '一有死人'《詩經》. ㉡이정(里程). '千里之一, 始於足下'《老子》. 전(轉)하여, 여정(旅程). 여행. '聊以吾子之一卜之也'《韓愈》. 또, 여행의 차림. 행장. '治一'. ㉢사람이 행하여야 할 길. 도의(道義). '下有直言, 臣之一也'《國語》. ⑩길귀신 행 길을 맡은 신(神). '孟冬其祀一'《禮記》. ⑪행서 행 서체(書體)의 하나. '眞一草'. '尤能隷一'《法書要錄》. ⑫시이름 행 한시(漢詩)의 한 체(體). '短歌一'. '琵琶一'. ⑬행 행 관계(官階)가 높고 관직이 낮은 경우에 벼슬 이름 위에 붙여 일컫는 말. '輔國大將軍一左神策軍將軍'《柳公權》. ⑭가게 행 상점. '銀一'. '大小貨一'《東京夢華錄》. ⑮행실 행 ㉠행위. '言顧一, 一顧言'《中庸》. ㉡품행. '操一'. '觀其一'《論語》. ㉢바른 행위. '劉子翼峭直有一'《世說》. ⑯성 행 성(姓)의 하나. ■ ①항렬 항 서열. 서차. '配一'. '漢天子我丈人一'《史記》. ②같은또래 항 등배(等輩). '其游知交, 皆其大夫一'《史記》. ③줄 항 대열. '一伍'. '一出犬雞'《左傳》. ④성 항 성(姓)의 하나.

[字源] 甲骨文 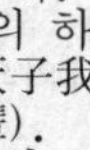 金文 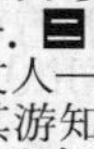 篆文 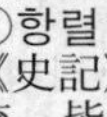 象形. 잘 정리된 네거리의 象形으로, 길, 가다의 뜻을 나타냄. ■일 때에는 정리된 줄〔列〕의 뜻.

[參考] '行'을 의부(意符)로 하여, 도로나 거리에 관한 문자를 이룸.

[行列 항렬·행렬] ㉠배열(排列)의 차례. ㉡《韓》친족 등급의 차례. ㉢'행렬(行列)'을 보라.
[行伍 항오] 군대를 편성한 행렬.
[行脚 행각] ㉠《佛敎》중이 여러 곳으로 돌아다님. 또, 그 중. ㉡어떤 목적으로 여러 곳을 돌아다님.
[行脚僧 행각승] 여러 곳으로 다니며 수행(修行)하는 중.
[行姦 행간] 간음(姦淫)을 행함.
[行間 행간] ㉠군중(軍中). ㉡글줄의 사이.
[行客 행객] 나그네. 길 가는 사람.
[行巾 행건] 복인(服人) 또는 상제가 쓰는 건.
[行檢 행검] 품행이 바름. 또는 행실.
[行徑 행경] 좁은 길.
[行賈 행고] 돌아다니는 장수. 행상.
[行官 행관] 당대(唐代)의 관명(官名). 사방으로 사신 가는 일을 맡음.
[行具 행구] 여행(旅行)의 도구.
[行衢道者不至 행구도자부지] 여러 갈래로 된 길을 가는 사람은 목적지에 도달하지 못한다는 뜻으로, 한 가지 일에 전력하지 아니하면 성공하지 못함을 비유한 말.
[行國 행국] ㉠나라를 순행함. 또, 나라를 떠남. ㉡일정한 주거(住居)가 없이 수초(水草)를 따라 유목(游牧)하는 부락(部落).
[行軍 행군] ㉠진군(進軍)함. ㉡군대의 전쟁터 이외에서의 행진(行進).
[行宮 행궁] 임금이 거둥할 때에 묵는 곳. 행재소(行在所).
[行卷 행권] 과거에 급제한 자가 그가 제출한 문장을 시험관이 열람(閱覽)하도록 만든 두루마리.
[行權 행권] 권도(權道)를 씀. 비상수단(非常手段)을 씀.
[行殣 행근] 길가에서 아사(餓死)한 시체.
[行己 행기] 세상살이의 몸가짐. 처신(處身).
[行器 행기] 여행용의 기구.
[行囊 행낭] ㉠음식을 넣고 허리에 띠는 전대(纏帶). ㉡우편물을 넣어 우송(郵送)하는 푸대.
[行年 행년] ㉠향년(享年). ㉡세상을 살아온 햇수, 먹은 나이.
[行能 행능] 품행과 재능.
[行臺 행대] ㉠위(魏)·진(晉) 시대에 정토(征討)에 관한 일을 맡기 위하여 임시로 외주(外州)에 베푼 지방 출장소. ㉡행궁(行宮). ㉢중앙 관청의 지방 출장소.
[行動 행동] ㉠몸을 움직여 행하는 일. ㉡신체적·정신적 활동을 통틀어 이르는 말.
[行童 행동] 절에서 심부름하는 아이.
[行動擧止 행동거지] 몸의 온갖 동작. 행위(行爲).
[行同能偶 행동능우] 행적(行跡)이 같고 재능이 막상막하(莫上莫下)함.
[行燈 행등] 속에 등잔을 넣고 손에 들고 다니게 된 등. 등롱(燈籠).

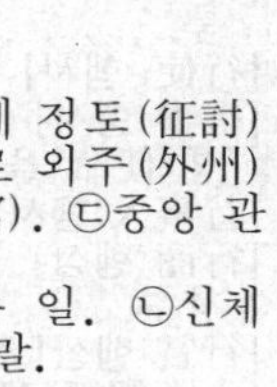
[行燈]

[行縢 행등] 행전(行纏).
[行樂 행락] 잘 놀고 즐겁게 지냄. 유쾌히 날을 보냄.
[行旅 행려] 나그네.
[行旅病人 행려병인] 나그네의 몸으로 병(病)이 나고 치료(治療)할 길이 없는 사람.
[行歷 행력] 지나감.

[行列 행렬] 여럿이 벌이어 선 줄.
[行令 행령] 명령을 시행(施行)함.
[行路 행로] ㉠통행(通行)하는 길. 한길. ㉡세상(世上)에서 살아가는 과정(過程). 세로(世路). ㉢길을 가는 사람. 자기와 관계가 없는 남을 이름.
[行路難 행로난] 길을 걷는 곤란. 전(轉)하여, 세상을 살아가는 곤란.
[行路心 행로심] 아무 관계없는 길 가는 사람의 마음. 아주 냉담한 마음.
[行錄 행록] 사람의 언행(言行)을 기록한 글.
[行潦 행료] 길바닥에 괸 물.
[行栗 행률] 길의 안표(眼標)로 삼기 위하여 심은 나무.
[行李 행리] ㉠관청의 사자(使者). 또는 빈객(賓客)을 맞던 벼슬. 이(李)는 이(理), 또는 리(吏)에 통함. 행리(行理). ㉡행장(行裝).
[行理 행리] 행리(行李)❶.
[行馬 행마] ㉠귀인(貴人)의 집이나 관서(官署)의 문(門) 밖에 베푼, 말을 매어 두는 제구. 사람의 출입을 금하는 데도 세움. ㉡바둑·장기(將棋)·쌍륙(雙六) 등에서 말을 씀.

〔行馬㉠〕

[行媒 행매] 중매하는 사람.
[行文 행문] 문장을 짓는 솜씨.
[行伴 행반] 길동무.
[行方 행방] 가는 방향. 또, 간 방향.
[行方不明 행방불명] 간 방향(方向)이 분명(分明)하지 못함.
[行百里者半九十 행백리자반구십] 사람은 피로(疲勞)를 느끼기 쉬우므로 길을 가는데 처음 90리와 나중 10리가 서로 필적(匹敵)하다는 뜻으로, 일이란 시작은 쉽지만 나중이 어려움의 비유.
[行步 행보] 걸음. 보행(步行).
[行不由徑 행불유경] 길을 다니는 데 샛길로 아니감. 행위가 방정(方正)함의 비유.
[行祕書 행비서] 보행하는 비서라는 뜻으로, 박학다식(博學多識)하고 기억력이 강한 사람을 이름.
[行使 행사] ㉠행인(行人)❶. ㉡사용함. 부려서 「씀.
[行事 행사] ㉠한 일. 하는 일. ㉡일을 행함. ㉢사명(使命)을 띠고 가는 데 관계된 일.
[行事人 행사인] 사건을 취급하는 사람. 당사자.
[行商 행상] 돌아다니며 물건을 파는 일. 또는 그 장수.
[行賞 행상] 상(賞)을 줌.
[行常帶經 행상대경] 외출할 때 항상 경서(經書)를 가지고 다님. 곧, 학문에 열중함을 이름.
[行色 행색] ㉠길을 떠나려고 하는 모습. ㉡행동(行動)하는 태도(態度).
[行書 행서] 해서(楷書)와 초서(草書)의 중간 되는 글자체(體).
[行星 행성] 유성(遊星) 또는 혹성(惑星).
[行世 행세] 《韓》 ㉠세상을 살아감. ㉡세상을 살아가는 태도.
[行水 행수] ㉠흘러가는 물. 유수(流水). ㉡배로 물을 건넘. ㉢물을 다스림. 치수(治水)함. ㉣수세(水勢)를 순시(巡視)함. ㉤《佛敎》 의식(儀式)을 올리기 전에 찬물로 몸을 깨끗이 씻음.
[行戍 행수] 국경(國境)을 지키기 위하여 감. 또, 그 군인.
[行巡 행순] 순(巡)을 도는 일.
[行習 행습] 이루어진 버릇.
[行尸走肉 행시주육] 걸어가는 시체와 달리는 육체. 무식하고 미련한 사람을 욕하는 말.
[行食 행식] ㉠직업 없이 놀고먹음. 유식(遊食). ㉡밥상을 차려 내옴.
[行身 행신] 몸을 가지는 일. 처신(處身).
[行神 행신] 길을 지키는 신(神). 나그네의 안전을 지키는 신. 도조신(道祖神).
[行實 행실] 품행(品行).
[行惡 행악] 못된 짓을 함. 또, 그 짓.
[行藥 행약] 약을 먹은 후에 약기운이 잘 순환하게 하기 위하여 천천히 걷는 일.
[行業 행업] ㉠조행(操行). 품행. ㉡생산의 작업. 또는 직업.
[行餘 행여] 실천궁행(實踐躬行) 뒤의 여가.
[行役 행역] ㉠징용당하여 공사를 하거나 국경을 수비하는 부역(賦役). ㉡여행.
[行營 행영] ㉠진영(陣營)의 순시(巡視). ㉡진영(陣營). ㉢경영(經營)함.
[行徼 행요] 순찰(巡察)함.
[行用 행용] 널리 행하여 씀.
[行雲流水 행운유수] 떠가는 구름과 흐르는 물이란 뜻으로, ㉠일정한 형체 없이 자꾸 변화함의 비유. ㉡심정이 유쾌함의 비유.
[行圍 행위] 사냥터의 울타리.
[行爲 행위] 하는 짓. 행동(行動).
[行有餘力 행유여력] 일을 다하고도 오히려 힘이 남음.
[行有餘力則以學文 행유여력즉이학문] 자제(子弟)된 자는 제 소임(所任)을 다하고도 힘이 남으면 글을 배울 것임.
[行吟 행음] 거닐면서 읊조림.
[行淫 행음] 행간(行姦).
[行衣 행의] 여행 때 입는 옷.
[行誼 행의] 올바른 행위.
[行人 행인] ㉠국외로 가는 사신과 빈객(賓客)의 접대를 맡은 벼슬. ㉡길 가는 사람.
[行子 행자] 행객(行客).
[行者 행자] ㉠길 걷는 사람. 행인. ㉡《佛敎》 불도(佛道)를 닦는 사람.
[行狀 행장] ㉠사람이 죽은 뒤에 그 평생(平生)의 행적(行蹟)을 기록한 글. ㉡행실. 조행.
[行裝 행장] 여행할 때에 쓰는 모든 기구. 또, 여행의 차림.
[行藏 행장] 세상에 나가서 도(道)에 맞는 일을 행함과 물러가서 숨음.
[行在 행재] 거둥 때에 임금이 머무는 곳.
[行在所 행재소] 행재(行在).
[行炙 행적] 불고기를 연석(宴席)의 사람들에게 도름.
[行迹 행적] ㉠다닌 발자취. ㉡행실. 행위.
[行纏 행전] 바지·고의를 입을 때 정강이에 꿰어 무릎 아래에 매는, 헝겊으로 된 것.
[行政 행정] ㉠정치(政治)를 행(行)함. ㉡국가의 정사, 곧 입법(立法)·사법(司法) 이외의 정무(政務)의 총칭.
[行程 행정] 노정(路程).
[行程曆 행정력] 길 가는 도중의 일을 적은 일기.
[行第 행제] 연차(年次). 연순(年順).
[行酒 행주] ㉠연석(宴席)에서 술잔을 도름. ㉡주법(酒法)을 시행(施行)함.
[行廚 행주] 도시락.

[行住坐臥 행주좌와] 《佛敎》 행(行)·주(住)·좌(坐)·와(臥), 곧 사람의 행동의 네 가지 위의(威儀).
[行止 행지] ㉠감과 정지함. ㉡행함과 그침. ㉢기거동작.
[行陣 행진] 행군(行軍).
[行進 행진] 앞으로 걸어 나아감.
[行進曲 행진곡] 행진(行進)할 때 취주(吹奏)하는 악곡(樂曲).
[行春 행춘] 관할(管轄)하는 현(縣)을 봄에 순회하는 일.
[行通 행통] 통행. 교통.
[行販 행판] 행상(行商).
[行悖 행패] 버릇없이 체면(體面)에 어그러지는 짓을 함.
[行暴 행포] 난폭한 행위(行爲).
[行行 행행] ㉠강건(剛健)한 모양. ㉡쉬지 않고 가는 모양.
[行幸 행행] 천자(天子)의 대궐 밖의 거둥.
[行香 행향] 향을 피움.
[行刑 행형] ㉠사형(死刑)을 집행(執行)함. ㉡형벌(刑罰)을 줌.
[行號施令 행호시령] 호령을 내림.
[行火 행화] 불의 사용.
[行貨 행화] ㉠뇌물을 줌. ㉡화물을 운반함. ㉢싸구려 물건. 조제품(粗製品).
[行休 행휴] ㉠가서 쉼. 또는 잠깐 쉼. ㉡일생이 거의 다 지나가고 죽을 날이 눈앞에 닥쳐 있음.
[行凶 행흉] 사람을 죽임.
◉郤行. 敢行. 改行. 擧行. 決行. 兼行. 景行. 苦行. 公行. 慣行. 軍行. 群行. 躬行. 勤行. 急行. 奇行. 紀行. 吉行. 內行. 單行. 端行. 大行. 德行. 徒行. 獨立獨行. 篤行. 獨行. 斗折蛇行. 尾行. 微行. 旁行. 配行. 排行. 輩行. 竝行. 步行. 奉行. 飛行. 私行. 師行. 蛇行. 山行. 索行. 生知安行. 徐行. 善行. 攝行. 性行. 星行. 細行. 所行. 續行. 殊行. 修行. 遂行. 數行. 隨行. 膝行. 順行. 施行. 實行. 惡行. 安行. 雁行. 夜行. 弱行. 言行. 旅行. 力行. 逆行. 五行. 運行. 遠行. 危行. 流行. 陸行. 戎行. 銀行. 淫行. 移行. 履行. 印行. 一字行. 一行. 潛行. 前行. 諸行. 操行. 周行. 遵行. 中行. 至行. 直情徑行. 直行. 陳行. 進行. 執行. 醜行. 擇行. 通行. 特立獨行. 特行. 平行. 品行. 閒行. 航行. 偕行. 蟹行. 現行. 血行. 橫行. 孝行. 携行. 凶行. 興行.

2⑧ [衏] 〔궤〕
軌(車部 二畫〈p. 2257〉)의 古字

2⑧ [衎] 〔도〕
道(辵部 九畫〈p. 2313〉)의 籒文

3⑨ [衍] [人名] 연 [上]銑 以淺切 yǎn

[筆順] 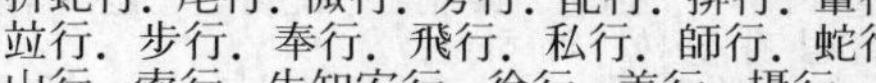

[字解] ①넘칠 연 넘쳐흐름. '一溢'. '至今一於四海'《書經 傳》. ②퍼질 연 널리 뻗어서 퍼짐. '蔓一'. '篠簜敷一'《張衡》. ③펼 연 널리 폄. '布一'. '廣一'. '大一之數五十'《易經》. ④넉넉할 연 풍요로움. '饒一'. '豐一'. '仁人詘約, 暴人一也'《荀子》. ⑤지날 연 초과함. '功一於太祖'《杜篤》. ⑥남을 연 ㉠한도 밖에 더 있음. '餘一之財'《韓詩外傳》. ㉡군것이 더 있음. '一文'. '一字'. ⑦흐를 연 흘러감. '一在中也'《易經》. ⑧흩어질 연 '一, 散也'《小爾雅》. ⑨끌 연 끌어들임. '博一幽隱'《後漢書》. ⑩즐길 연 '一, 樂也'《集韻》. ⑪넓을 연 끝없음. '陵高一之嵱嵸兮'《漢書》. ⑫많을 연 '國富人一'《杜篤》. ⑬클 연 '列聖相承丕一無疆之祚'《元史》. ⑭평지 연 평탄한 땅. 또, 비옥한 땅. '井一沃'《左傳》. ⑮성 연 성(姓)의 하나.

[字源] 甲骨文 金文 篆文 會意. 水+行. '行행'은 길의 象形. 물이 길에 넘쳐 퍼지다의 뜻.

[衍凱 연개] 화평하고 즐거운 모양.
[衍曼 연만] 널리 뻗어서 퍼짐. 만연(曼衍).
[衍文 연문] 글월 가운데 쓸데없이 끼인 글.
[衍聖公 연성공] 송(宋)나라 인종(仁宗) 때 공자(孔子)의 자손들에게 내려 준 세습(世襲)의 작호(爵號).
[衍繹 연역] 의미를 널리 해석하여 밝힘. 연역(演繹).
[衍衍 연연] 물이 흘러가는 모양.
[衍盈 연영] 넘쳐흐름. 충만(充滿)함.
[衍沃 연옥] 비옥(肥沃)한 평지(平地).
[衍義 연의] ㉠인의(仁義)의 도(道)를 널리 퍼뜨림. ㉡의미를 넓혀 해설함. 또, 그 해설.
[衍溢 연일] 그득 차 넘침.
[衍字 연자] 문장 중에 쓸데없이 끼인 글자.
◉高衍. 寬衍. 廣衍. 曠衍. 閎衍. 大衍. 登衍. 摩訶衍. 曼衍. 蔓衍. 繁衍. 普衍. 富衍. 敷衍. 墳衍. 肥衍. 盈衍. 沃衍. 饒衍. 流衍. 推衍. 充衍. 平衍. 豐衍. 華衍. 恰衍.

3⑨ [衎] 간 [去]翰 苦旰切 kàn / [上]旱 空旱切 kǎn

[字解] ①즐길 간 즐거워함. '嘉賓式燕以一'《詩經》. ②기뻐할 간 기뻐하는 모양. '一, 行喜皃'《說文》. ③곧을 간 강직한 모양. '張敞一一, 履忠進言'《漢書》. ④성 간 성(姓)의 하나.

[字源] 篆文 形聲. 行+干〔音〕. '干간'은 뚫고 나아가다의 뜻. 마음대로 나아가 만족해하다의 뜻으로, 전(轉)하여, '즐기다, 기뻐하다'의 뜻을 나타냄.

[衎衎 간간] ㉠화락(和樂)한 모양. 즐거운 모양. ㉡강직(剛直)한 모양. 일설에는, 굳세고 민첩한 모양.
[衎衎然 간간연] 직언(直言)하는 모양.
[衎然 간연] ㉠마음이 안정(安定)한 모양. ㉡즐기며 기뻐하는 모양.

4⑩ [衘] 랍 [入]合 力盍切 là

[字解] 걷지못할 랍 걷지 못함. 발을 올릴 수 없음. '一, 不能擧足也'《字彙補》.

4⑩ [衕] 항 háng

[字解] 남즐겁게할 항 남을 즐겁게 함. '一衕'. '一, 一衕, 樂人也'《篇海》.

5⑪ [衒] [人名] 현 [去]霰 黃絢切 xuàn

[字解] ①자랑할 현 자기가 자기 자랑을 함. 자기 선전을 함. '一學'. '矜一'. '將一外以惑愚瞽也'《劉基》. ②팔 현 다니면서 팖. '一, 賣也'《廣雅》.

[字源] 篆文 別體 形聲. 行+玄〔音〕. '玄현'은 어두어지게 하다의 뜻. 남의 눈을 속여 상품을 실질(實質) 이상으로 선전 자랑하여 팔고 다니다의 뜻을 나타냄. 篆文의 '衙현'은 會意로, 行+言.

[衒沽 현고] 자랑하여 팖.
[衒氣 현기] 자긍하는 마음. 자신을 실질 이상으로 자랑하여 뽐내는 마음.
[衒女 현녀] 자기 용모가 예쁘다고 뽐내는 여자.
[衒賣 현매] 자랑하여 팖. 판매함.
[衒士 현사] 자기의 학문과 재능이 뛰어나다고 뽐내는 선비.
[衒言 현언] 뽐내는 말. 잘난 체하는 말.
[衒耀 현요] 자기 재주나 학문을 자랑하여 보임.
[衒鬻 현육] 자기 재능을 자랑하여 남이 써 주기를 바람.
[衒張 현장] 과장(誇張)함. 풍침.
[衒學 현학] 자기의 학식(學識)을 자랑하여 뽐냄.
◉估衒. 賈衒. 誇衒. 矜衒. 媒衒. 女衒. 自衒.

5 ⑪ [術]

[高人] [一] 술 [入]質 食聿切 shù
[二] 수 [去]寘 徐醉切
术

[筆順] ノ 彳 … 術

[字解] [一] ①길 술 ㉠마을 안의 통로. '園囿一路'《漢書》. ㉡방법. 수단. '致君堯舜終無一'《十八史略》. '是乃仁一也'《孟子》. ②꾀 술 계략. '權謀一數'. '一策'. '用兵有一矣'《淮南子》. '思通造化, 策略奇妙, 是爲一家'《人物志》. ③업 술 ㉠일. 사업. '營道同一'《禮記》. ㉡학문. 기예. 기술. '藝一'. '學一'. '易之爲一, 幽明遠矣'《史記》. ④술수 술 음양가·복서가 등의 술법. '一家'. '余知隱地一'《陸龜蒙》. ⑤지을 술, 서술할 술 述(辵部 五畫)과 통용. '一省之'《禮記》. '一追厥功'《漢書》. ⑥성 술 성(姓)의 하나. [二] 일만이천오백호 수 주대(周代)의 자치 단체로서, 1만 2천5백 호(戶)의 일컬음. 遂(辵部 九畫)와 통용. '一有序, 國有學'《禮記》.

[字源] 篆文 形聲. 行+朮〔音〕. '朮출'은 '계속하다'의 뜻. 어떤 행위를 계속시켜 나가기 위한 길, 방법의 뜻을 나타냄.

[術家 술가] ㉠책략(策略)이 뛰어난 사람. ㉡술수(術數)에 정통한 사람. 술객(術客).
[術客 술객] 술가(術家).
[術計 술계] 술책(術策).
[術法 술법] 술수(術數).
[術士 술사] ㉠유학자(儒學者). ㉡방술(方術)에 정통한 사람. 방사(方士). ㉢술책·계약에 뛰어난 사람. 책사(策士).
[術書 술서] 술가(術家)의 책.
[術數 술수] ㉠술책(術策). ㉡음양(陰陽)·오행(五行) 등의 원리(原理)로써 인사(人事)의 길흉화복(吉凶禍福)을 추측(推測)하는 복서(卜筮)·점술(占術) 등. ㉢산술(算術).
[術語 술어] 학술상(學術上)에 전용(專用)하는 말. 학술어(學術語).
[術業 술업] 학술. 또는 기예. 기술.
[術藝 술예] 기술과 문예. 학문.
[術藝之場 술예지장] 술예의 우열을 다투는 곳.
[術者 술자] 점치는 것을 업(業)으로 하는 사람.
[術中 술중] 남의 꾀 속.
[術知 술지] 꾀를 잘 쓰는 슬기.
[術策 술책] 꾀. 계략(計略). 술수.
[術學 술학] 예술과 학문. 학문.
◉劍術. 經術. 權術. 技術. 奇術. 道術. 馬術. 魔術. 美術. 方術. 法術. 兵術. 卜術. 不學無術. 祕術. 算術. 相術. 書術. 仙術. 性術. 星術. 手術. 數術. 心術. 藝術. 妖術. 柔術. 儒術. 醫術. 仁術. 才術. 戰術. 占術. 智術. 針術. 他術. 學術. 話術. 幻術.

5 ⑪ [術]

術(前條)과 同字

6 ⑫ [衕]

동 [平]東 徒紅切 tóng
[去]送 徒弄切 dòng

[字解] ①거리 동 길거리. '衚一'. ②설사할 동 '梁渠之山, …有鳥焉, 名曰囂. 食之已腹痛, 可以止一'《山海經》.

[字源] 篆文 形聲. 行+同〔音〕. '同동'은 '通통'과 통하여, 꿰뚫어 통하다의 뜻. 거리의 길의 뜻.

6 ⑫ [街]

[中人] 가 [平]佳 古膎切 jiē
[平]佳 古諧切

[筆順] ノ 彳 … 街

[字解] ①거리 가 ㉠네거리 또는 한길. '一頭'. '十字一'. '對一爲宅'《後漢書》. ㉡큰 거리. 시가(市街). '入一下馬, 擁經而前'《後漢書》. ②길 가 '一, 道也'《廣雅》. '此腎之一也'《素問》. ③성 가 성(姓)의 하나.

[字源] 篆文 形聲. 行+圭〔音〕. '圭규'는 '系계'와 통하여, '이어지다'의 뜻. 두 길이 이어지는 네거리의 뜻에서, '거리'의 뜻을 나타냄.

[街鼓 가고] 당대(唐代)에 경사(京師)에서 조석(朝夕)으로 치던 북.
[街官 가관] 시가(市街)를 순찰(巡察)하는 벼슬아치.
[街區 가구] 시가(市街)의 구획.
[街衢 가구] 거리. 큰 거리.
[街談 가담] 세상의 풍문. 길거리의 화제(話題). 항담(巷談).
[街談巷說 가담항설] 거리나 항간에 떠도는 소문. 가담항어(街談巷語).
[街道 가도] 도시를 통하는 큰길.
[街童走卒 가동주졸] 길거리에서 노는 철없는 아이와 길거리를 쏘다니는 경박한 사람들.
[街頭 가두] 길거리. 가상(街上).
[街燈 가등] 가로등(街路燈).
[街邏 가라] 시가(市街)를 순찰(巡察)하는 군사.
[街路 가로] 길. 거리. 길거리.
[街路燈 가로등] 길가에 켜는 등(燈). 가등(街燈).
[街路樹 가로수] 길가 좌우(左右)에 심은 나무.
[街坊 가방] ㉠거리. 시가(市街). ㉡근처의 사람. 이웃 사람.
[街使 가사] 가관(街官).
[街上 가상] 길거리. 가두(街頭).
[街說 가설] 가담(街談).

[街衝 가충] 거리의 번화한 곳.
[街彈 가탄] 네거리에 설치한 검문소(檢問所).
[街巷 가항] 거리. 가(街)는 넓고 곧은 거리, 항(巷)은 좁고 굽은 거리.
◉槀街. 籠街. 大街. 都街. 雪街. 市街. 十字街. 御街. 長街. 天街. 巷街. 花街.

6 ⑫ [衖] 〔항〕 巷(己部 六畫〈p. 665〉)과 同字

6 ⑫ [衟] 〔미〕 微(彳部 十畫〈p. 751〉)와 同字

6 ⑫ [術] 〔수·술〕 術(行部 五畫〈p. 2048〉)과 同字

6 ⑫ [銜] 〔함〕 銜(金部 六畫〈p. 2049〉)의 俗字

6 ⑫ [衠] 각 ㊇藥 巨略切 jué

字解 싫증날 각 싫증남. 지침. '一, 倦也'《篇海》.

7 ⑬ [衙] 人名 ■ 아 ㊥麻 五加切 yá ■ 어 ①②㊥魚 語居切 yú ③㊤御 牛據切 yù

筆順 ′ 彳 彳 彳 彳 衙 衙 衙

字解 ■ ①마을 아 관청. '官一'. '一門'. '入一入閤'《舊唐書》. ②대궐 아 궁전. '天子居曰一'《唐書》. ③모일 아 참집(參集)함. '早晩一集'《篇海》. ④성 아 성(姓)의 하나. ■ ①갈 어 걸어가는 모양. '飛廉之一一'《宋玉》. ②성 어 성(姓)의 하나. ③막을 어 禦(示部 十一畫)와 통용. '逆一'.

字源 篆文 形聲. 行+吾〔音〕. '吾오'는 지켜 막다의 뜻. '막다'의 뜻을 나타냄. 또, '牙아'와 통하여, 대궐 호위병의 지키는 곳, 관청·마을의 뜻을 나타냄.

[衙官 아관] 마을. 관아. 또, 벼슬아치.
[衙內 아내] 궁성 안. 전(轉)하여, 궁성을 수위하는 군사. 금병(禁兵).
[衙隷 아례] 지방 관청에서 부리던 하인.
[衙門 아문] ㉠병영(兵營)의 문. 또, 병영. ㉡마을. 관부(官府).
[衙兵 아병] 궁성을 지키는 군사. 금병(禁兵).
[衙署 아서] 관청. 마을.
[衙前 아전] ㉠송대(宋代)의 부역(賦役)의 이름. ㉡송대(宋代), 하급 벼슬아치의 이름. 종복(從僕). ㉢《韓》 지방 관아(地方官衙)에 딸린 구실아치.
[衙參 아참] 벼슬아치가 조석(朝夕)으로 조정(朝廷)에 모이는 일.
[衙牒 아첩] 관청으로부터의 문서(文書). 공문서(公文書).
[衙推 아추] 당대(唐代)의 절도사(節度使)·관찰사(觀察使) 등의 밑에 속한 벼슬아치. 「양.
[衙衙 어어] 걸어가는 모양. 또, 소원(疏遠)한 모
◉公衙. 官衙. 蜂衙. 殿衙. 正衙. 退衙.

[銜] 〔함〕 金部 六畫(p. 2392)을 보라.

9 ⑮ [衚] 호 ㊥虞 洪孤切 hú

字解 거리 호 큰 거리. 한길. '北方謂巷道曰一衕'《日下舊聞》.

字源 形聲. 行+胡〔音〕. '胡호'는 본디, 몽고어(蒙古語)의 '胡同호동'의 뜻을 나타냄. '胡同'이 도로와 관계가 있으므로 '行행'을 붙임.

[衚衕 호동] 큰 거리. 한길.

9 ⑮ [衝] 高人 충 ㊥冬 尺容切 chōng, chòng ㊤宋 ④昌用切 冲

筆順 ′ 彳 彳 彳 彳 衝 衝 衝

字解 ①거리 충 큰 거리. 사통오달하는 길. '陳留天下之一, 四通五達之郊也'《史記》. ②찌를 충 ㉠직진(直進)함. '逆流而上, 直一浮橋'《後漢書》. ㉡침. 공격함. '所一無不陷'《呂氏春秋》. '趙一吾北, 齊臨吾東'《吳子》. ㉢들이밀어 뚫음. 쳐부숨. '光武與敢死者三千人, 一其中堅'《後漢書》. ㉣위로 치솟음. '怒髮上一冠'《史記》. ③부딪칠 충 '一突'. '白頭巨浪自一撞'《薩都剌》. ④향할 충 '一, 向也'《廣韻》. '臺, 四方, 隅有一蛇, 虎色. 首一南方'《山海經》. ⑤움직일 충 '一, 動也'《揚子方言》. ⑥돌 충 회오리 침. '一風起兮橫波'《楚辭》. ⑦병거 충 적진에 쳐들어가도록 만든 수레. '與爾臨一'《詩經》. ⑧병선 충 적함(敵艦)에 돌격하도록 만든 병선(兵船). '蒙一'. ⑨목 충 요긴한 곳. 요소. '神王守要一'《元稹》.

字源 篆文 形聲. 篆文은 行+童〔音〕. '童동'은 탕 소리를 나타내는 의성어. 노상(路上)에서 탕 부딪치다의 뜻을 나타냄.

[衝車 충거] 적진(敵陣)에 돌진(突進)하는 병거(兵車).
[衝激 충격] 서로 심하게 부딪침.
[衝擊 충격] 찔러 침.
[衝口而出 충구이출] 마음에 떠오르는 대로 척척 말함. 말이 술술 나옴.
[衝撞 충당] 부딪침. 충돌(衝突).
[衝突 충돌] ㉠서로 부딪침. ㉡서로 의견(意見)이 맞지 아니하여 다툼.
[衝動 충동] ㉠들쑤시어서 움직여 일으킴. ㉡목적(目的)을 의식(意識)하지 아니하고 단지 무슨 행동을 하려고 하는 마음의 활동.
[衝路 충로] ㉠적병이 쳐들어오는 길. ㉡사물이 많이 모이는 장소.
[衝天 충천] 높이 솟아 하늘에 부딪침. 기세가 대단한 모양.
[衝衝 충충] 근심하는 모양.
[衝輣 충팽] 적의 성(城)을 돌파하는 망루(望樓)가 있는 병거(兵車).
[衝火 충화] 일부러 불을 놓음.
◉街衝. 渠衝. 蒙衝. 兵衝. 水衝. 緩衝. 要衝. 臨衝. 折衝. 尊俎折衝. 中衝.

9 ⑮ [衜] 〔도〕 衜(行部 十畫〈p. 2051〉)와 同字

9 ⑮ [衞] 高人 衞(次條)의 俗字

筆順 彳 彳 彳 彳 彳 衞 衞 衞

10 ⑯ [衞] 高人 위 ㉠霽 于歲切 wèi 卫

筆順 彳 彳 衤 彳 衞 衞 衞 衞

字解 ①지킴 위 숙위(宿衞). '禁一嚴警'《晉書》. '文公之入也无一'《左傳》. ②지킬 위 '一, 護也'《廣韻》. '閑輿一'《易經》. '朋友相一'《公羊傳》. ③막을 위 방어함. 방비(防備). '防一'. '爪牙不足以自守一'《呂氏春秋》. ④덮을 위 '以一諸夏之地'《國語》. ⑤아름다울 위, 좋을 위 禕(衣部 九畫)와 통용. ⑥의심할 위 '爾雅釋詁, 一, 嘉也. 鄭樵注曰, 時俗訝其物則曰一'《通俗編》. ⑦위복(衞服) 위 구복(九服)의 하나. 기내(畿內)로부터 다섯째의 지경. '侯·甸·男·采·一'《書經》. ⑧경영할 위 영위(營爲)함. '有貨以一身也'《國語》. ⑨경영 위 영위. '恭儉爲一, 終無禍尤'《易林》. ⑩나라이름 위 주대(周代)의 국명(國名). 지금의 즈리 성(直隸省)과 허난 성(河南省)이었음. '一莊公娶于齊'《左傳》. ⑪성 위 성(姓)의 하나.

字源 甲骨文 金文 金文 篆文 形聲. 行＋韋[音]. '韋위'는 어떤 장소 아래위에 발을 놓는 모양으로, 궁궐(宮闕) 등의 주위를 돌다의 뜻에서, 지키다의 뜻을 나타냄. 甲骨文에 보이는 '方방'은 '傍방'과 통하여, '곁'의 뜻을 나타내며, '防방'과 통하여, '막다, 방어하다'의 뜻을 나타낸다고도 생각됨.

參考 衛(前條)는 俗字.

[衞霍 위곽] 위청(衞靑)과 곽거병(霍去病). 모두 전한(前漢)의 무제(武帝) 때에 흉노(匈奴)를 쳐서 용맹(勇猛)을 날린 장군(將軍)임.
[衞瓘 위관] 진(晉)나라 사람. 자(字)는 백옥(伯玉). 벼슬이 태보(太保)에 이르렀으나, 가후(賈后)의 모함으로 피륙(被戮)당하였음. 초서(草書)에 뛰어나 상서랑(尙書郞) 삭정(索靖)과 더불어 이묘(二妙)로 불리었음.
[衞氣 위기] 음식의 양분이 피부와 주리(腠理)를 튼튼히 하여 몸을 보호하는 기운.
[衞矛 위모] 노박덩굴과에 속하는 낙엽 교목(落葉喬木). 화살나무.
[衞兵 위병] 궁성(宮城)이나 병영(兵營)을 호위하는 군사. 금병(禁兵).
[衞輔 위보] 보호하고 도움.
[衞服 위복] 주대(周代)의 구복(九服)의 하나. 기내(畿內)로부터 다섯째 되는 지역임. '구복(九服)' 참조.
[衞士 위사] 궁중을 지키는 군사.
[衞士坐甲 위사좌갑] 천자(天子)가 붕어하면, 위사(衞士)가 갑옷을 곁에 지니고 있어, 일단 유사시에 곧 무장하고 나갈 수 있도록 준비함을 이름.
[衞生 위생] 의식주(衣食住) 등에 주의하여 신체의 건강을 보전함.
[衞星 위성] 유성(遊星)의 주위를 돌면서 그 유성과 같이 태양(太陽)의 주위를 도는 별.
[衞送 위송] 호위하여 보냄. 호송(護送).
[衞戍 위수] 군대가 오래 그 지방에 주둔하여 지킴.
[衞侍 위시] 곁에 모시어 지킴. 가까이 모시어 수호(守護)함.
[衞鞅 위앙] 전국(戰國) 시대 진(秦)나라의 정치가 상앙(商鞅)의 본명(本名).
[衞尉 위위] 구경(九卿)의 하나. 대궐의 문의 경비 및 병영(兵營)을 맡은 관직(官職). 진대(秦代)에 두었음.
[衞將牌 위장패] 오위장(五衞將)이 대궐을 순찰할 때 가지던 패.
[衞護 위호] 지킴. 호위(護衞).
◉警衞. 近衞. 禁衞. 蟷螂衞. 屯衞. 武衞. 門衞. 防衞. 兵衞. 備衞. 四衞. 戍衞. 守衞. 宿衞. 侍衞. 迎衞. 營衞. 擁衞. 外衞. 儀衞. 翼衞. 自衞. 前衞. 正當防衞. 鄭衞. 鎭衞. 親衞. 陛衞. 護衞. 後衞.

10 ⑯ [衡] 高人 ■ 형 ㊥庚 戶庚切 héng ■ 횡 ㊥庚 胡盲切 héng

筆順 彳 彳 彳 彳 彳 衡 衡 衡

字解 ■ ①저울대 형 저울의 추를 단 대. '權一'. '一誠懸矣, 則不可欺以輕重'《荀子》. ②저울 형 '度量一'. ③달 형 무게를 닮. '一之於左右, 無私輕重'《淮南子》. ④가로나무 형 ㉠마차(馬車)의 채 끝에 댄 횡목(橫木). 또, 멍에. '倚於一'《論語》. ㉡혼천의(渾天儀)의 횡목. '在璿璣玉一'《書經》. ⑤뿔나무 형 소의 두 뿔에 가로 매어서 받는 것을 막는 나무. '設其楅一'《周禮》. ⑥비녀 형 관이 벗겨지지 않게 머리에 지르는 물건. 관계(冠笄). '一紞紘綖'《左傳》. ⑦패옥 형 몸에 차는 옥(玉). '赤韍幽一'《禮記》. ⑧난간 형 층계나 다리 등의 가장자리를 막은 물건. '百金之子不騎一'《漢書》. ⑨눈두덩 형 눈썹과 속눈썹 사이. '揚一含笑'《蔡邕》. ⑩치우치지않을 형, 평형이룰 형 '均一'. '惟嗣王不惠乎阿一'《書經》. ⑪바를 형 '朝有定度一儀, 以尊王位'《管子》. ⑫벼슬이름 형 산림(山林)을 맡은 벼슬. '虞一作山澤之材'《周禮》. ⑬산이름 형 오악(五嶽)의 하나. '江南一'《爾雅》. ⑭별이름 형 북두칠성의 다섯째 별. '玉一'. '一殷南斗'《漢書》. ⑮성 형 성(姓)의 하나. ■ 가로 횡 橫(木部 十二畫)과 同字. '一行'. '合縱連一'《漢書》.

字源 金文 篆文 古文 形聲. 角＋大＋行[音]. '角각'은 뿔을 본뜬 모양. '大대'는 소의 몸의 象形. '行행'은 네거리를 본뜸. 세로의 쇠뿔에 대하여, 가로 건넨 나무, 뿔나무의 뜻. 소의 뿔이 사람 몸에 접촉됐을 때 받히지 않도록 고안된 것. 전(轉)하여, '천칭(天秤)'의 뜻도 나타냄.

[衡鈞 형균] 공평함.
[衡度 형도] 저울과 자.
[衡廬 형려] 형산(衡山)과 여산(廬山).
[衡鹿 형록] 산림을 맡아보던 벼슬. '衡'은 '林衡'의 준말. '鹿'은 '麓'의 가차(假借).
[衡茅 형모] 형문(衡門)과 모옥(茅屋). 곧, 누추한 집.
[衡門 형문] ㉠두 개의 기둥에 한 개의 횡목(橫木)을 가로질러서 만든 허술한 문. ㉡궁궐 앞에 서서 천자(天子)를 지키는 사람.
[衡山 형산] 오악(五嶽)의 하나. 후난 성(湖南省) 형산현(衡山縣)에 있음.
[衡湘 형상] 형산(衡山)과 상수(湘水).
[衡石 형석] 저울. 추(錘)가 돌로 된 저울.
[衡嵩 형숭] 오악(五嶽) 중의 형산과 숭산(嵩山).
[衡宇 형우] 누추한 집.

[衡宰 형재] 재상(宰相).
[衡平 형평] 균형. 평균.
[衡巷 형항] 거리. 시가(市街).
[衡人 횡인] 연횡설(連衡說)을 주장(主張)하는 사람.
[衡縮 횡축] 가로와 세로. 종횡(縱橫). 축(縮)은 종(縱).
[衡行 횡행] 횡행(橫行).
◉肝衡. 坑衡. 權衡. 均衡. 鈞衡. 機衡. 度量衡. 保衡. 璿璣玉衡. 阿衡. 連衡. 爭衡. 銓衡. 樞衡. 稱衡. 台衡. 平衡. 抗衡.

10 ⑯ [衜] 〔도〕
道(辵部 九畫〈p. 2313〉)의 古字

11 ⑰ [𧗾] 솔 ㊀質 所律切 shuài
[字解] ①거느릴 솔 '一, 將一也'《說文》. ②이끌 솔 '一, 導也'《玉篇》. ③복속시킬 솔 붙좇게 함. '一, 循也'《廣韻》.
[字源] 篆文 形聲. 行+率〔音〕. '率솔'은 '다잡다'의 뜻. 많은 사람을 다잡아 거느리다의 뜻을 나타냄.

11 ⑰ [衡] 〔형·횡〕
衡(行部 十畫〈p. 2050〉)의 俗字

[鴴] 〔행〕
鳥部 六畫(p. 2666)을 보라.

12 ⑱ [衝] 〔충〕
衝(行部 九畫〈p. 2049〉)의 本字

18 ㉔ [衢] [人名] 구 ㊁虞 其俱切 qú
[字解] ①거리 구 네거리. '街一'. '通一'. '尸諸周氏之一'《左傳》. ②갈림길 구 기로(岐路). '行一道者不至'《荀子》. ③성 구 성(姓)의 하나.
[字源] 篆文 形聲. 行+瞿〔音〕. '瞿구'는 새가 불안하여 눈을 두리번거리다의 뜻. 번화하여 두리번거리게 하는 큰 거리의 뜻을 나타냄.

[衢街 구가] 큰 길거리.
[衢國 구국] 사방(四方)으로 적(敵)의 공격(攻擊)을 받을 지세(地勢)의 곳.
[衢道 구도] 갈림길. 기로(岐路).
[衢路 구로] 구도(衢道).
[衢肆 구사] 거리의 가게.
[衢巷 구항] 거리.
◉街衢. 康衢. 廣衢. 郊衢. 路衢. 四衢. 修衢. 術衢. 隘衢. 雲衢. 長衢. 天衢. 通衢. 皇衢. 荒衢.

衣(衤) (6획) 部

〔옷의부〕

0 ⑥ [衣] [中][人] 의 ①②㊁微 於希切 yī
③-⑥㊂未 於旣切 yì

[筆順] 丶 亠 ナ 衣 衣 衣

[字解] ①옷 의 ㉠의복. '白一'. ㉡중의 법복(法服). 가사(袈裟). '不傳一鉢'《傳燈錄》. ㉢물건의 표면에 나서 덮은 곰팡이·이끼 같은 것. '垣一'. '地一'. ②윗도리옷 의 윗도리에 입는 옷. 저고리 따위. 상의(上衣). '裳'의 대(對). '綠一黃裳'《詩經》. ③입을 의 옷을 입음. '一敝縕袍'《論語》. ④입힐 의 옷을 입힘. '一之尨服'《左傳》. ⑤덮을 의 '古之葬者, 厚一之以薪'《易經》. ⑥행할 의 복응(服膺)함. '一德言'《書經》.
[字源] 甲骨文 金文 篆文 篆文 象形. 몸에 걸친 의복의 깃 언저리의 象形으로, '옷'의 뜻을 나타냄.
[參考] '衣'가 변(邊)이 될 때에는 '衤'의 꼴을 취하며, '옷의변'이라 부름. '衣·衤'를 의부(意符)로 하여, 의류나 그 상태, 그에 관한 동작 등을 나타내는 문자를 이룸.

[衣架 의가] 옷걸이.
[衣褐 의갈] 굵은 베옷을 입음.
[衣裾 의거] 옷 뒷자락.
[衣巾 의건] ㉠의복과 수건. ㉡의복과 두건.
[衣冠 의관] ㉠옷과 갓. 전(轉)하여, 예모(禮貌). ㉡의관을 차린 벼슬아치 등의 일컬음.
[衣冠盛事 의관성사] 장상(將相)의 집에 태어나 부조(父祖)에 부끄럽지 않은 공(功)을 계속하여 세우는 사람.
[衣冠族 의관족] 문벌이 좋은 겨레.
[衣衾 의금] 옷과 이부자리. 의복(衣服)과 금침(衾枕).
[衣襟 의금] 옷깃.
[衣錦褧衣 의금경의] 화려(華麗)함을 피(避)하고자 비단옷 위에 홑옷을 걸침. 군자(君子)는 미덕(美德)이 있어도 이를 내세우지 않음의 비유(比喩).
[衣錦尙絅 의금상경] 의금경의(衣錦褧衣).
[衣錦夜行 의금야행] 비단옷 입고 밤길 가기란 뜻으로, 출세(出世)하고도 고향(故鄕)에 돌아가지 않으면 아무 보람이 없음의 비유.
[衣錦晝行 의금주행] 비단옷 입고 낮에 간다는 뜻으로, 출세(出世)하여 영광스럽게 고향(故鄕)에 돌아감의 비유.
[衣錦之榮 의금지영] 비단옷을 입고 고향에 가는 명예. 금의환향(錦衣還鄕)하는 영화.
[衣錦還鄕 의금환향] 출세(出世)하여 고향(故鄕)에 돌아감.
[衣帶 의대] ㉠옷과 띠. ㉡띠.
[衣帶中贊 의대중찬] 송(宋)나라의 충신 문천상(文天祥)이 죽음에 임하여 의대(衣帶) 속에 써 넣은 찬사(贊辭).
[衣糧 의량] 의복과 양식(糧食).
[衣領 의령] 옷깃. 전(轉)하여, 의복.
[衣莫若新人莫若故 의막약신인막약고] 옷은 새것이 좋고 사람은 오래 사귄 친구가 좋음.
[衣紋 의문] 옷의 무늬. 의복.
[衣鉢 의발] 《佛敎》 스승이 제자에게 전법(傳法)의 표로서 주는 가사(袈裟)와 식기(食器). 전(轉)하여, 스승한테서 전수(傳授)받은 도법(道法).
[衣服 의복] 옷.
[衣不重帛 의불중백] 비단옷을 겹쳐 입지 않음. 곧, 검약(儉約)함을 이름.
[衣笥 의사] 옷 넣는 상자.

[衣裳 의상] ㉠저고리와 바지 또는 치마. ㉡의복의 총칭.
[衣裳之會 의상지회] 평화의 회합. 병거지회(兵車之會)의 대(對).
[衣繡夜行 의수야행] 의금야행(衣錦夜行).
[衣食 의식] 의복(衣服)과 음식(飮食). 전(轉)하여, 생활.
[衣食於奔走 의식어분주] 호구(糊口)하기 위하여 분주하게 돌아다님.
[衣食足知榮辱 의식족지영욕] 사람은 생활이 족하여야만 비로소 명예와 치욕을 알아 몸을 닦고 덕을 기르게 됨.
[衣食住 의식주] 의복(衣服)·음식(飮食)·주택(住宅). 곧, 인간 생활에 가장 필요한 것.
[衣魚 의어] 반대좀.
[衣欌 의장] 옷을 넣는 장(欌).
[衣至骭 의지한] 의복이 짧아서 겨우 정강이에 이름.
[衣被 의피] ㉠의복과 금침. ㉡모조리 덮음.
[衣桁 의항] 의가(衣架).
[衣香鬢影 의향빈영] 옷의 향기와 귀밑머리의 그림자. 규중(閨中) 부녀자의 형용.
◉葛衣. 客衣. 褰衣. 更衣. 故衣. 垢衣. 錦衣. 綺衣. 衲衣. 綠衣. 短衣. 端衣. 厤衣. 白衣. 絲衣. 三衣. 蓑衣. 繡衣. 鶉衣. 僧衣. 惡衣. 禮衣. 浴衣. 羽衣. 雨衣. 儒衣. 戎衣. 紫衣. 蠶衣. 征衣. 朝衣. 地衣. 著衣. 寢衣. 脫衣. 敗衣. 敝衣. 布衣. 胞衣.

0
⑤ [衤] 衣(前條)가 글자의 변(邊)으로 올 때에 쓰는 자체(字體). '옷의변'이라 부름.

2
⑧ [卒] 〔졸〕 卒(十部 六畫〈p.306〉)의 本字

2
⑦ [衦] 료 ㊤篠 朗鳥切 liǎo
字解 잠방이 료 가랑이가 짧은 홑고의.

2
⑦ [衩] 〔반〕 襻(衣部 十九畫〈p.2081〉)과 同字

[初] 〔초〕 刀部 五畫(p.247)을 보라.

3
⑧ [衫] 人名 삼 ㊥咸 所銜切 shān
字解 ①적삼 삼 윗도리에 입는 작고 짧은 옷. 또, 소매가 없는 옷. '一子'. '脅汗一以當熱'《束晳》. ②옷 삼 의복의 통칭(通稱). '靑一'. '以枲苧襴一爲上服'《唐書》.
字源 篆文 形聲. 衤(衣)+彡〔音〕. '彡삼'은 털의 귀얄로 그린 귀얄 자국. 그처럼 홀쭉한 속옷의 뜻을 나타냄.

[衫子 삼자] 부인(婦人)의 옷.
◉襴衫. 靑衫. 翠衫. 汗衫.

3
⑧ [衩] 차 ㊦禡 楚稼切 chà, ③chǎ
字解 ①옷깃 차. ②옷자락 차 '裙一芙蓉小'《李商隱》. ③잠방이 차 무릎까지 닿는 홑고의.
字源 形聲. 衤(衣)+叉〔音〕

[衩衣 차의] 잠방이.
◉裙衩.

3
⑧ [衪] 이 ㊥支 弋支切 yí ㊤紙 移爾切
字解 ①옷선 이 옷자락 가장자리에 딴 천으로 둘러 꾸민 선. '纚裳緇一'《廣韻》. ②소매 이 '一, 衣袖'《廣韻》.

3
⑧ [衦] 간 ㊤旱 古旱切 gǎn ㊦翰 古案切
字解 옷펼 간 옷을 만져 폄. '一, 摩展衣也'《說文》.
字源 形聲. 衤(衣)+干〔音〕

3
⑧ [表] 中人 표 ㊤篠 陂嬌切 biǎo
筆順 一 二 十 主 声 耒 表 表

字解 ①웃옷 표 겉에 입는 옷. '袍必有一'《禮記》. ②입을 표 웃옷을 입음. '必一而出'《論語》. ③겉 표 ㉠거죽. 겉면. '一面'. '至于海一'《書經》. '人見其一, 莫測其裏'《潘岳》. ㉡밖〔外〕. '忽在世一'《陸機》. ㉢위〔上〕. '色昭昭于衆象之一'《盧景亮》. ④나타낼 표 ㉠표창함. '旌一, 一厥宅里'《書經》. ㉡명백히 함. '發一'. '君子一微'《禮記》. ㉢표시함. '水行者一深, 使人無陷'《荀子》. ⑤나타날 표 사람에게 알려짐. 뚜렷하게 됨. '文采不一於後'《漢書》. ⑥표(標) 표 안표. 표지(標識). '一札'. '設望一'《國語》. ⑦법 표 본보기. 의범(儀範). '一式'. '抱一懷繩'《淮南子》. ⑧모습 표 용모. 태도. '儀一'. '姿一瓌麗'《南史》. ⑨표(表) 표 ㉠군주에게 올리는 서장(書狀). '賀一'. '出師一'. '陳事曰一'《文選註》. ㉡사물을 분류·배열하여 개요(槪要)를 보기에 편리하도록 만든 것. '年一'. '統計一'. ⑩외가붙이 표 모친의 겨레붙이. '一兄弟'. '有中一親'《晉書》. ⑪뛰어날 표 특이한 모양. 빼난 모양. '一一'. '一獨立兮山之上'《楚辭》. ⑫성 표 성(姓)의 하나.
字源 篆文 古文 會意. 衣+毛. 옛날에는 털〔毛〕로 윗옷을 만들었으므로, 衣+毛로 상의(上衣)의 뜻을 나타냄. 음형(音形)은 '暴포·漂표'에 가까워 외기(外氣)에 노출되는 의류(衣類)의 뜻일 것으로 추측됨. 또, 겉으로 드러내다의 뜻도 나타냄.

[表揭 표게] 비석(碑石)을 세워 표창함.
[表決 표결] 의안(議案)에 대하여 가부를 명백히 나타내어 결정함.
[表慶 표경] 축하(祝賀)의 뜻을 나타냄.
[表啓 표계] 표(表)를 올려 상주(上奏)함.
[表具 표구] 종이·천 따위로 병풍·족자 따위를 꾸며 만드는 일.
[表記 표기] ㉠표면에 적음. 표시하는 기록. ㉡안표(眼標)를 하여 표시함. 표지(標識).
[表對 표대] 시문(詩文)의 안팎의 짝이 꼭 들어맞게 된 대구(對句).
[表閭 표려] 선행(善行)을 이문(里門)에 뚜렷이

나타내어 칭찬(稱讚)함.
[表勵 표려] 표창(表彰)하여 장려함.
[表露 표로] 나타냄. 또, 나타남.
[表裏 표리] ㉠거죽과 속. 안팎. ㉡표정(表情)과 내심(內心).
[表裏不同 표리부동] 마음이 음충맞아서 겉과 속이 다름. 겉 다르고 속 다름.
[表裏山河 표리산하] 밖에는 대천(大川)이 있고 안에는 큰 산이 있다는 뜻으로, 요새(要塞)가 견고(堅固)함을 이름.
[表裏相應 표리상응] 안과 밖이 서로 응하여 도움. 표리상의(表裏相依).
[表裏相依 표리상의] 표리상응(表裏相應).
[表裏一致 표리일치] 안과 밖이 일치함. 언어(言語)와 행동(行動)이 다르지 않음.
[表妹 표매] 표친(表親) 관계의 종매(從妹).
[表面 표면] 거죽.
[表明 표명] ㉠표시(表示)하여 명백(明白)히 함. ㉡나타나 명백함.
[表木 표목] 표로 말뚝을 세움. 또, 그 말뚝. 표목(標木).
[表文 표문] 임금 또는 정부에 올리는 글.
[表背匠 표배장] 장황(粧潢)하는 사람. 표구사(表具師).
[表白 표백] ㉠사룀. ㉡드러내어 말함. 발표하여 명백히 함.
[表謝 표사] 사의(謝意)를 나타냄.
[表象 표상] ㉠나타난 형상. 외면에 나타난 조짐. ㉡과거의 인상이 다시 의식 중에 나타난 것.
[表石 표석] 무덤 앞에 세우는 푯돌. 품계(品階)·관직(官職)·성명(姓名)·제주명(祭主名) 등을 새긴 돌. 묘표(墓表).
[表率 표솔] 모범. 본보기.
[表叔 표숙] 외숙(外叔).
[表示 표시] 나타내어 보임. 드러내어 발표함.
[表式 표식] ㉠표시(表示)하는 일정한 방식. ㉡본보기. 모범(模範).
[表信 표신] 성의(誠意)를 표시함.
[表衣 표의] 겉에 입는 옷. 웃옷.
[表儀 표의] 본보기.
[表異 표이] 특이(特異)한 점을 나타냄. 또는 특이한 점.
[表字 표자] 사람의 본이름 외에 부르는 이름. 자(字).
[表章 표장] 표창(表彰).
[表的 표적] 목표. 표적(標的).
[表迹 표적] 겉으로 나타낸 형적(形迹).
[表箋 표전] 표문(表文)과 전문(箋文).
[表情 표정] ㉠정의(情意)를 나타냄. ㉡감정을 외모에 나타냄. 또, 그 감정.
[表旌 표정] 충신(忠臣)·효자(孝子)·열녀(烈女) 등의 정절(貞節)을 표창(表彰)하여 세상(世上)에 나타냄.
[表題 표제] ㉠서책(書冊)의 겉에 쓰는 책명(冊名). ㉡연설(演說)·예술 작품(藝術作品)의 제목(題目).
[表從 표종] 외종(外從).
[表奏 표주] 표(表)를 올려 아룀.
[表紙 표지] 책(冊)의 뚜껑.
[表徵 표징] 겉에 나타난 징후(徵候).
[表次 표차] 표를 작성하여 순서를 세우는 일.
[表札 표찰] 문패.
[表彰 표창] 나타내어 밝힘.
[表則 표칙] 본보기. 모범(模範). 표식(表式).
[表則之地 표칙지지] 재상(宰相)의 지위. 관민(官民)의 의표(儀表)가 되는 지위라는 뜻.
[表親 표친] 부모의 자매 및 모친의 형제 등의 가족과의 친척 관계를 이름.
[表土 표토] 경토(耕土).
[表表 표표] 뛰어나 눈에 잘 띄는 모양.
[表皮 표피] 겉껍질.
[表賀 표하] 상표(上表)하여 경하(慶賀)함.
[表現 표현] 보임. 들어서 나타냄.
[表顯 표현] 나타냄. 또, 나타남.
[表兄 표형] 표친(表親) 관계의 종형(從兄).
[表兄弟 표형제] 어머니의 형제자매의 아들. 중표형제(中表兄弟).
◉公表. 代表. 圖表. 銅表. 墓表. 門表. 發表. 四表. 師表. 謝表. 辭表. 上表. 世表. 年表. 雲表. 意表. 儀表. 人表. 章表. 旌表. 地表. 塵表. 天日之表. 八表. 風塵表. 賀表. 華表. 黑表.

[哀] 〔애〕
口部 六畫(p.372)을 보라.

4 ⑨ [衱] 겁 ㊀葉 ①其輒切 ②居怯切 jié
字解 ①옷자락 겁 '—謂之裾'《爾雅》. ②옷깃 겁 '襋—謂之褸'《博雅》.
字源 形聲. 衤(衣)+及〔音〕.

◉襋衱.

4 ⑨ [衲] 人名 납 ㊀合 奴荅切 nà
字解 ①기울 납 옷을 기움. '—被蒙頭睡'《戴復古》. ②승복 납 중의 옷. '應著—衣'《智度論》. ③중 납 승려. '老—供茶盌'《戴叔倫》.
字源 形聲. 衤(衣)+內〔音〕.

[衲僧 납승] 납자(衲子).
[衲衣 납의] 빛이 검은 중의 옷.
[衲子 납자] 중의 별칭(別稱).
[衲被 납피] ㉠기운 이불. 떨어진 이불. ㉡비망록(備忘錄).
◉壞衲. 老衲. 半衲. 梵衲. 緋衲. 野衲. 愚衲. 毳衲. 癡衲. 敝衲. 寒衲.

4 ⑨ [衵] 일 ㊀質 人質切 yì
字解 속속곳 일 여자의 맨 속에 입는 옷. '皆衷其—服, 以戲于朝'《左傳》.
字源 篆文 形聲. 衤(衣)+日〔音〕. '日일'은 '매일'의 뜻. 늘 입는 옷, 평상복의 뜻을 나타냄.

[衵服 일복] 부인(婦人)의 속속곳.

4 ⑨ [袅] 두 ㊤有 當口切 dǒu
字解 소매 두 소매. '—, 衫袖'《玉篇》.

4 ⑨ [袡] 염 ㊥鹽 如占切 rán

[字解] ①저고리 염 특히, 시집갈 때 입는 저고리. 곧, 활옷 같은 것. '婦人復不以—'《禮記》. ②옷끝동 염 옷의 가장자리를 딴 헝겊으로 가늘게 싸서 돌린 선. '純衣纁—'《儀禮》. ③폐슬(蔽膝) 염 옷 앞에 무릎까지 느리는 헝겊. '稅衣纁—'《禮記》.
[字源] 形聲. 衤(衣)＋冄〔音〕

◉纁袡.

4 ⑨ [袚] [一] 발 [入]曷 普活切 pō
[二] 비 [去]未 方未切 bō
[字解] [一] 옷소매 발 옷소매. 소매. '—, 袂也'《廣雅》. [二] 오랑캐옷이름 비 오랑캐의 옷 이름. 남방 오랑캐의 옷 이름. '祓, 蠻夷衣也, 或作—'《集韻》.

4 ⑨ [衽] 임 [去]沁 汝鴆切 rèn
[上]寑 忍甚切
[字解] ①옷섶 임 '被髮左—'《論語》. ②솔기 임 치마의 솔기. '攝—'《管子》. ③자락 임 치맛자락. '執—采藥'《司馬光》. ④요 임 누울 때에 방바닥에 까는 것. '臥—'. '王之燕衣服—席'《周禮》. ⑤나비은살대 임 나비은장이음에 쓰는 나비 모양의 은살대. '—, 每束一'《禮記》. ⑥깔 임 요 같은 것을 밑에 깖. '—金革'《中庸》. ⑦여밀 임 옷깃을 바로잡음. '—襟而肘見'《新序》.
[字源] [篆文] 形聲. 衤(衣)＋壬〔音〕. '壬임'은 지속적으로 품어 지니다의 뜻. 인체(人體)를 싸서 보온(保溫)하는 옷깃, '요'의 뜻을 나타냄.

[衽褐 임갈] 거친 베로 깃을 만든 옷. 천한 사람이 입는 의복.
[衽席 임석] ㉠요. 까는 요. ㉡침실(寢室). ㉢눈앞. 목전(目前).
◉結衽. 衾衽. 牀衽. 斂衽. 臥衽. 左衽. 綢衽. 被髮左衽. 懷衽.

4 ⑨ [衸] 개 [去]卦 古拜切 jiè
[字解] ①바지 개 앞에 터진 데가 있는 바지. '—, 褳膝, 裙也'《廣韻》. ②옷자락 개 '—, 衣裾也'《玉篇》. ③옷폭 개 '—, 布衣幅也'《廣韻》. ④옷길 개 옷이 긴 모양. '—, 衣長皃'《玉篇》.
[字源] 形聲. 衤(衣)＋介〔音〕

4 ⑨ [袧] 〔구〕
袧(衣部 五畫〈p.2058〉)의 俗字

4 ⑨ [衹] [一] 기 [平]支 巨支切 qí
[二] 지 [平]支 章移切 zhī
[三] 제 [上]薺 土禮切
[字解] [一] 옷 기 '—衼'는 옷. 가사(袈裟). 스님의 법복(法服). '—, —衼, 尼法衣'《廣韻》. [二] 마침 지 '—, 適也'《集韻》. [三] 명주 제 적황색(赤黃色)의 명주. '緹, 帛丹黃色也. —, 緹或作—'《說文》.

4 ⑨ [衼] 기 qì

[字解] 소매 기 옷소매. '—, 袖也'《字彙補》.

4 ⑨ [衵] 뉴 [上]有 女九切 niǔ
[筆順] ' ㇇ 衤 衤 衤 衵 衵 衵 衵
[字解] ①옷부드러울 뉴 옷의 부드러운 모양. '—, 衣耎也'《集韻》. ②매듭 뉴 매듭으로 맨 짬. '—, 一日, 衣紐叩'《正字通》.

4 ⑨ [袇] 조 [平]蕭 丁聊切 diāo
[字解] ①관안쪽비단 조 관(棺)의 안쪽에 붙인 비단. '—, 棺中縑裏也'《說文》. ②수의 조 시체에 입히는 옷. ③오랑캐옷 조.
[字源] 形聲. 衤(衣)＋弔〔音〕

4 ⑨ [袀] 균 [平]眞 居勻切 jūn
[字解] ①군복 균 '—服'은 군인의 제복. '六軍—服, 四騏龍驤'《左思》. ②같을 균 다르지 않음. ③검은옷 균 '—服振振'《漢書》. ④오로지 균 순수함.
[字源] [篆文] 形聲. 衤(衣)＋勻〔音〕. '勻균'은 '같다'의 뜻. 상하(上下) 구별이 없는, '군복(軍服)'의 뜻으로 쓰임.

[袀服 균복] 군인의 제복. 군복(軍服).

4 ⑨ [衿] [人名] 금 ①[平]侵 居吟切 jīn
②③[去]沁 巨禁切
[字解] ①옷깃 금 襟(衣部 十三畫)과 同字. '青青子—'《詩經》. ②맬 금 잡맴. '—纓綦屨'《禮記》. ③띨 금 띠를 두름. '—芰茄之綠衣兮'《漢書》.
[字源] 形聲. 衤(衣)＋今〔音〕. '今금'은 '덮다'의 뜻. 가슴을 덮는 깃의 뜻을 나타냄.

[衿契 금계] 극친한 교분(交分).
[衿帶 금대] ㉠옷깃과 띠. ㉡산이 둘러싸 옷깃 같고 강이 둘러싸 띠 같은 요해처(要害處).
[衿喉 금후] 옷깃과 목구멍. 전(轉)하여, 요해처·급소(急所)의 뜻으로 쓰임.
◉青衿. 解衿. 喉衿.

4 ⑨ [袂] [人名] 메 [去]霽 彌獘切 mèi
[字解] 소매 메 본디는 소매 밑의 주머니같이 늘어진 부분을 말하는 것이나, 전(轉)하여, 소매의 뜻으로도 씀. '分—'. '—聳筵上'《孔稚珪》.
[字源] [篆文] 形聲. 衤(衣)＋夬〔音〕. '夬쾌'는 '가르다'의 뜻. 옷에서 손을 내밀기 위하여 갈라지도록 꿰맨 소맷자락의 뜻을 나타냄.

[袂口 메구] 소맷부리. 수구(袖口).
[袂別 메별] 소매를 잡고 헤어짐. 작별(作別)함.
◉分袂. 奮袂. 拂袂. 聯袂. 衣袂. 振袂. 把袂. 行袂. 香袂. 華袂. 揮袂.

4 ⑨ [衳] [一] 송 [上]腫 取勇切 zhōng
[二] 종 [平]冬 諸容切
[字解] [一] ①속바지 송 잠방이. '—, 小褌也'《廣韻》. ②책싸개 송 책싸개. '—, 一日, 帙也'《集

韻》. ■ ①쇠코잠방이 종 쇠코잠방이. '一, 幝也'《廣雅》. ②어린아이옷 종 어린아이의 옷. '袵一'. '袵一, 小兒衣'《字林》.

4 ⑨ [袄] 〔오〕 襖(衣部 十三畫〈p. 2077〉)의 俗字

4 ⑨ [衯] 분 ㊥文 府文切 fēn

字解 치렁거릴 분 옷이 길어 치렁치렁한 모양. 또, 옷이 큰 모양. '一一裶裶'《司馬相如》.

字源 篆文 形聲. 衤(衣)＋分〔音〕

[衯衯 분분] 옷이 길어 치렁치렁한 모양. 또, 옷이 큰 모양.

4 ⑨ [衴] 담 ㊤感 都感切 dǎn

字解 가장자리 담 가장자리. 이불깃. '一, 緣也'《集韻》.

4 ⑨ [衶] 중 ㊤腫 直勇切 zhòng

字解 바지 중 바지. '一, 袴也'《玉篇》.

4 ⑨ [衱] 〔표〕 褾(衣部 十一畫〈p. 2075〉)와 同字

4 ⑨ [衭] 부 ㊥虞 甫無切 fū

字解 ①껴입을 부 옷을 겹쳐 입음. '一, 襲一也'《說文》. ②앞섶 부 '一, 一曰, 衣前襟'《集韻》. ③바지 부 아랫도리에 입는 옷. '一, 襲袴也'《玉篇》. ④칼전대 부 칼을 넣어 두는 전대. 부요(衭褸).

字源 篆文 形聲. 衤(衣)＋夫〔音〕

4 ⑩ [衮] 곤 ㊤阮 古本切 gǔn

字解 ①곤룡포 곤 고대의 천자(天子) 또는 상공(上公)의 예복. 용의 무늬가 있음. '一龍'. '王之吉服, 享先王則一冕'《周禮》. ②삼공(三公) 곤 '位居上一'《北史》. ③띠 곤 緄(糸部 八畫)과 통용. '一, 帶也'《廣雅》. ④클 곤 公(八部 二畫)과 통용. '一, 大也'《廣雅》.

字源 金文 篆文 篆文 形聲. 衣＋公(台)〔音〕. '公공'은 공식(公式)·공적(公的)의 뜻. 공식적으로 입는 옷의 뜻을 나타내어, 천자 또는 삼공(三公)의 예복(禮服)의 뜻으로 쓰임.

[衮衮 곤곤] ㉠성의껏 설명하는 모양. ㉡바쁜 모양. 일설(一說)에는, 연이은 모양. ㉢성(盛)하게 떠오르는 모양.
[衮闕 곤궐] 천자(天子)의 과실.
[衮龍 곤룡] 천자(天子)의 제복(制服). 곤룡포. 전(轉)하여, 천자(天子).
[衮龍袍 곤룡포] 곤룡(衮龍).
[衮冕 곤면] 선왕(先王)의 제사 등에 천자(天子)가 입는 곤룡포(衮龍袍)와 쓰는 면류관(冕旒冠).

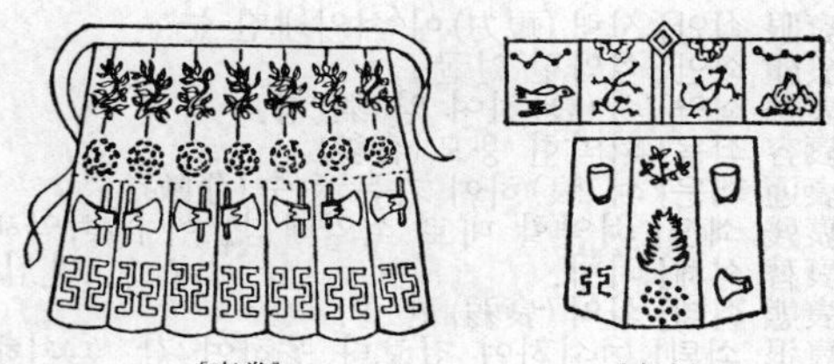
〔衮裳〕 〔衮衣〕

[衮命 곤명] 삼공(三公)의 직임(職任).
[衮服 곤복] 곤룡(衮龍).
[衮裳 곤상] 고대에 천자(天子)가 입던 하의(下衣). 조(藻)·분미(粉米)·보(黼)·불(黻)의 수를 놓았음.
[衮衣 곤의] 고대에 천자(天子)가 입던 웃옷. 곤룡포(衮龍袍).
[衮職 곤직] ㉠천자(天子)의 직책. ㉡삼공(三公)의 직책. 삼공(三公)도 곤의(衮衣)를 입으므로 이름.
◉御衮. 龍衮. 玄衮. 華衮.

4 ⑩ [衰] 高人 ■ 쇠 ㊥支 所追切 shuāi
■ 최 ①㊥支 楚危切 cuī ②㊥灰 倉回切
■ 사 ㊥歌 蘇禾切 suō

筆順 亠 亣 卉 吉 声 声 衰 衰

字解 ■ 쇠할 쇠 ㉠약하여짐. 기운이 없어짐. '及其老也, 血氣既一'《論語》. ㉡늙음. 나이 먹음. '年一志慨'《淮南子》. ㉢세력이 없어짐. 기울어짐. '周室既一'《史記》. ㉣감퇴함. 미약하여짐. '陽氣日一'《呂氏春秋》. ㉤미(美)가 감소함. 퇴색하여짐. '華落色一'《詩經》. ■ ①줄 최, 줄일 최 일정한 비율로 줄거나 줄임. 감쇄(減殺)함. 체감함. '等一'. '相地而一征'《國語》. ②상옷 최 縗(糸部 十畫)와 同字. '齊一'. '斬一括髮以麻'《禮記》. ■ 도롱이 사 蓑(艸部 十畫)·簑(竹部 十畫)와 同字. '何一何笠'《詩經》.

字源 篆文 古文 象形. 풀로 엮어 만든 도롱이의 모양을 본떠, '도롱이'의 뜻을 나타냄. 음형상(音形上) '卒졸'과 통하고, 또 자형상(字形上)으로도 '卒'과 공통되는 부분이 있어 쇠하다의 뜻을 보이게 되었음. 일설(一說)에는, '縗최'의 原字로서, 장례식 때 옷깃에 달아 늘어뜨리는 헝겊의 뜻을 나타낸다고 함.

[衰減 쇠감] 쇠하여 줆.
[衰境 쇠경] 늙바탕.
[衰困 쇠곤] 쇠약(衰弱)하고 피곤(疲困)함.
[衰軀 쇠구] 쇠약한 몸.
[衰年 쇠년] 늙어서 쇠(衰)한 나이. 노년(老年).
[衰老 쇠로] 늙어 쇠약함. 또, 그 사람.
[衰亡 쇠망] 쇠(衰)하여 망(亡)함.
[衰耗 쇠모] 쇠감(衰減).
[衰耄 쇠모] 쇠로(衰老).
[衰暮 쇠모] 늙어 쇠약하여짐.
[衰門 쇠문] 영락(零落)한 가문.
[衰微 쇠미] 쇠하여 잔약하고 희미해짐.
[衰白 쇠백] 몸이 쇠약해지고 머리는 희어짐.
[衰病 쇠병] 몸이 늙어서 쇠약해져 나는 병.
[衰憊 쇠비] 쇠약하여 피로함.
[衰世 쇠세] 쇠약한 세상.

[衰眼 쇠안] 시력(視力)이 쇠약해진 눈.
[衰顔 쇠안] 쇠약한 얼굴.
[衰弱 쇠약] 쇠(衰)하여 약(弱)함.
[衰容 쇠용] 쇠약한 용모(容貌).
[衰運 쇠운] 쇠(衰)하여 가는 운수(運數).
[衰殘 쇠잔] 쇠약할 대로 쇠약해짐. 아주 쇠약해짐.
[衰替 쇠체] 쇠함.
[衰態 쇠태] 쇠약(衰弱)한 꼴.
[衰退 쇠퇴] ㉠쇠하여 전보다 못하여 감. ㉡쇠해서 기가 죽음.
[衰頹 쇠퇴] 쇠하여 무너짐.
[衰敗 쇠패] 노쇠(老衰)하여 기력이 약해짐.
[衰廢 쇠폐] 쇠(衰)하여 못 쓰게 됨.
[衰弊 쇠폐] 쇠약하고 피폐함.
[衰麻 최마] 상복(喪服).
[衰服 최복] 상복(喪服).
[衰絰 최질] 상복(喪服)과 수질(首絰) 및 요질(腰絰).
◉縗衰. 墨衰. 變衰. 森衰. 裼衰. 盛衰. 盛者必衰. 蕭衰. 一盛一衰. 齊衰. 斬衰. 天人五衰.

4 ⑩ [衷] 人名 충 ①-⑧㊥東 陟弓切 zhōng ⑨㊤送 陟仲切 zhòng

筆順 丶 亠 亡 吉 声 声 吏 衷

字解 ①속옷 충 속에 입는 옷. '—其衵服, 以戱于朝'《左傳》. ②마음 충 생각. 심중. '莫不總制淸—'《任昉》. ③참마음 충 성심. 진심. '惟皇上帝, 降—于下民'《書經》. ④가운데 충 중앙. 중정(中正). '折—'. '必度于本末, 而後立—焉'《左傳》. ⑤정성스러울 충 성실함. '發命之不—'《左傳》. ⑥입을 충 속에 입음. '楚人—甲'《左傳》. ⑦바를 충 옳음. '楚辟我—'《左傳》. ⑧성 충 성(姓)의 하나. ⑨알맞을 충 적당함. 적합함. '服之不—'《左傳》.

字源 篆文 形聲. 衣+中〔音〕. '中중'은 '속'의 뜻. 안에 입는 '속옷'의 뜻을 나타냄. 파생(派生)되어, '진심'의 뜻도 보임.

[衷甲 충갑] 옷 안에 갑옷을 입음.
[衷曲 충곡] 간절(懇切)한 마음. 심곡(心曲).
[衷款 충관] 충성(衷誠).
[衷誠 충성] 진심(眞心). 성의(誠意).
[衷心 충심] 속에서 진정으로 우러나오는 마음. 충정(衷情).
[衷正 충정] 지나치거나 모자람이 없이 바름.
[衷情 충정] 충심(衷心).
◉潔衷. 苦衷. 聖衷. 宸衷. 深衷. 折衷. 天衷. 和衷.

4 ⑩ [衺] 사 ㊥麻 似嗟切 xié

字解 ①사특할 사 바르지 않음. 못됨. 邪(邑部四畫)와 同字. ②비낄 사 비스듬함. '—, 褭也'《說文》.

字源 篆文 形聲. 衣+牙〔音〕. '牙아'는 뾰족한 엄니의 象形. 옷이 엄니가 삐져나온 것처럼 단정치 못하다의 뜻에서, 비스듬함, 바르지 않다의 뜻을 나타냄.

◉姦衺. 奇衺. 文衺. 回衺.

4 ⑩ [袁] 人名 원 ㊥元 雨元切 yuán

筆順 一 十 土 吉 声 声 声 袁

字解 ①옷길 원 옷이 긴 모양. '—, 長衣皃'《說文》. ②성 원 성(姓)의 하나.

字源 篆文 會意. 止+口+衣〈省〉. '止지'는 발자국의 象形. 지금은 '土토'로 변형(變形)됨. '口구'는 구슬을 본뜬 모양. 옷 속에 구슬을 넣어 여행길의 안전을 빌다의 뜻에서, 멀어지다의 뜻을 나타냄. '遠원'의 原字. 《說文》은 '口'를 공간으로 보고, 낙낙한 옷으로 치는데, 그 용례는 볼 수가 없음.

[袁凱 원개] 원말 명초(元末明初)의 시인. 자(字)는 경문(景文). 홍무(洪武) 때 어사(御史)가 되었으나 교활한 성격 때문에 천자(天子)의 미움을 사서 퇴임(退任)하였음. 시(詩)를 잘했음.
[袁宏道 원굉도] 명(明)나라의 시인. 자(字)는 중랑(中郞). 형(兄) 종도(宗道), 동생 중도(中道)와 더불어 재명(才名)이 있어 삼원(三袁)이라 불렸음. 청신(淸新)한 시풍(詩風)으로 후세에 끼친 영향이 큼. 저서(著書)에 〈원중랑집(袁中郞集)〉이 있음.
[袁枚 원매] 청(淸)나라 중기(中期)의 시인. 전당(錢塘) 사람. 자(字)는 자재(子才). 호(號)는 간재(簡齋). 〈수원시화(隨園詩話)〉·〈소창산방집(小倉山房集)〉 등을 저술하였음.
[袁世凱 원세개] 중화민국(中華民國)의 초대(初代) 대총통. 허난 성(河南省) 항성현(項城縣) 사람. 자(字)는 위정(慰庭). 호(號)는 용암(容菴). 임오군란(壬午軍亂) 때 조선(朝鮮)에 파견되어 내치(內治)·외교(外交)를 간섭하였으며, 이홍장(李鴻章)이 죽은 후 청조(淸朝)의 실권(實權)을 쥐었으나 혁명(革命)이 일어나자 선통제(宣統帝)의 퇴위(退位)를 강요(強要)하고, 또 손문(孫文)의 양보(讓步)를 받아 중화민국 초대 대총통이 되었으며, 그 후 황제(皇帝) 즉위(卽位)를 선포(宣布)하자 각지에서 반대하므로 제제(帝制)만을 취소하였으나 제삼혁명(第三革命)과 함께 반대 세력이 커져서 마침내 민사(悶死)하였음.
[袁紹 원소] 후한 말(後漢末)의 군웅(群雄). 자(字)는 본초(本初). 원안(袁安)의 현손(玄孫). 기주(冀州)에 할거(割據)하여 세력을 기르더니 위(魏)나라의 조조(曹操)와 관도(官渡)에서 싸워 크게 패하고 병들어 죽었음.
[袁安 원안] 후한(後漢)의 중기(中期)의 충신. 여남(汝南) 사람. 자(字)는 소공(邵公). 호(號)는 정엄명(政嚴明). 벼슬이 사도(司徒)에 이르렀는데, 화제(和帝) 때 두헌(竇憲)이 전횡(專橫)하매 이를 탄핵(彈劾)하여 조금도 굽히지 않았음.
[袁盎 원앙] 한(漢)나라 전기(前期)의 중신(重臣). 문제(文帝) 때 중랑장(中郞將)이 되어 직언 극간(直言極諫)으로써 섬기었음. 뒤에 오초칠국(吳楚七國)의 반란이 일어났을 때 어사대부(御史大夫) 조착(鼂錯)이 주살(誅殺)당한 것은 그의 참소에 말미암은 것임. 원앙(爰盎)이라고도 씀.
[袁彦道 원언도] ㉠진(晉)나라 때의 도박을 잘한 사람. ㉡도박.
[袁粲 원찬] 남조(南朝)의 송(宋)나라의 관리(官吏). 자(字)는 경천(景倩). 제왕(齊王) 소도성(蕭道成)이 명제(明帝)를 시역(弑逆)하려는 음

모(陰謀)를 미리 알아 소도성을 주살(誅殺)하려다가 탄로 나서 도리어 죽임을 당함.

4 ⑩ [衾] [人名] 금 [平]侵 去金切 qīn

[筆順] 𠆢 亼 今 仐 仒 仒 衾 衾

[字解] ①이불 금 잘 때 몸에 덮는 물건. '一枕'. '抱一與裯'《詩經》. ②수의(壽衣) 금 시신(屍身) 위에 걸치는 옷. '幠用一'《儀禮》.

[字源] 篆文 形聲. 衣+今〔音〕. '今금'은 '含함'과 통하여, '포함하다'의 뜻. 사람의 몸을 완전히 덮는 '이불'의 뜻을 나타냄.

[衾具 금구] 침구.
[衾褑 금수] 죽은 사람에게 입히는 옷과 이불.
[衾影無慚 금영무참] 남이 안 보는 데서도 언행을 삼가 양심에 조금도 부끄러울 것이 없음.
[衾褥 금욕] 이불과 요. 곧, 침구(寢具).
[衾衽 금임] 이불과 요. 침구(寢具).
[衾裯 금주] 이불과 홑이불. 전(轉)하여, 잠자리.
[衾幬 금주] 금주(衾裯).
[衾枕 금침] 이부자리와 베개. 곧, 침구. 전(轉)하여, 잠자리.
◉輕衾. 孤衾. 錦衾. 羅衾. 綾衾. 單衾. 同衾. 薄衾. 芳衾. 複衾. 繡衾. 鴛鴦衾. 重衾. 枕衾. 破衾. 布衾. 被衾. 夏衾. 合歡衾.

4 ⑩ [衾] 衾(前條)의 本字

[扆] 〔의〕 戶部 六畫(p.842)을 보라.

5 ⑩ [袍] [人名] 포 ①-③[平]豪 薄褒切 páo ④[去]號 薄報切 bào

[字解] ①솜옷 포 솜을 둔 옷. '縕一'. '取一綈一贈之'《史記》. ②웃옷 포 겉에 입는 옷. 도포 따위. '望見后一衣疏麤, 反以爲綺縠'《後漢書》. ③속옷 포 내의같이 속에 입는 옷. '一必有表'《禮記》. ④앞깃 포 옷깃의 앞부분. '反袂拭面, 涕沾一'《公羊傳》.

[字源] 篆文 形聲. 衤(衣)+包〔音〕. '包포'는 '싸다'의 뜻. 몸을 싸는 옷, 솜을 둔 옷의 뜻을 나타냄.

[袍仗 포장] 군장(軍裝).
[袍笏 포홀] 도포와 홀. 곧, 조복(朝服).
◉綾袍. 同袍. 綿袍. 綉袍. 縕袍. 綈袍.

5 ⑩ [袑] 소 [上]篠 市沼切 shào

[字解] ①바지 소 아랫도리에 입는 옷. 또, 바지의 허리에 닿는 부분. '褒衣大一'《漢書》. ②옷깃 소 '一, 一曰, 衣襟'《集韻》.

[字源] 篆文 形聲. 衤(衣)+召〔音〕

5 ⑩ [袦] [一] 날 [入]黠 女刮切 nà [二] 굴 [入]物 渠勿切 jué

[筆順] 丶 ㇇ 礻 礻 衤 衵 袦 袦

[字解] [一] 짧은옷 날 짧은 옷. 단의(短衣). 미천한 사람이 입는 옷. '一, 帶襦也'《集韻》. [二] 누더기 굴 누더기. '一梳'.

5 ⑩ [袒] [人名] [一] 단 [上]旱 徒旱切 tǎn [二] 탄 [去]諫 丈莧切 zhàn

[字解] [一] ①웃통벗을 단 ㉠웃통을 벗어 어깨를 드러냄. '一裼裸程'. ㉡윗옷의 한쪽만을 벗음. '勞毋一'《禮記》. ㉢예법(禮法)의 하나로, 윗옷의 왼쪽 소매를 벗음. '一免'. '司射適堂, 一決遂'《儀禮》. 또, 사죄(謝罪)하기 위하여 벗는 것을 '肉一'이라 함. ㉣의사를 나타내기 위하여 윗옷의 한쪽을 벗음. '爲呂氏者右一, 爲劉氏者左一'《十八史略》. ②팔걷어붙일 단 사람을 감싸고 도움. '士獲厥心, 大一高驤'《柳宗元》. [二] 솔기터질 탄 綻(糸部 八畫)과 同字. '一, 衣縫解也'《說文》.

[字源] 篆文 形聲. 衤(衣)+旦〔音〕. '旦단'은 지평선 위에 해가 떠오르는 모양을 본뜸. 옷의 솔기가 터지다, '웃통 벗다'의 뜻을 나타냄.

[袒褐 단갈] 어깨에 옷을 엇멤.
[袒肩 단견] 웃통을 벗음.
[袒裸 단라] 단석나정(袒裼裸程).
[袒免 단문] 초상 때 윗옷의 왼쪽 소매를 벗는 일과 관을 벗고 머리를 묶어 매는 일.
[袒裼裸程 단석나정] 윗옷을 벗어 어깨를 드러냄과 발가벗음. 모두 무례한 행위.
[袒跣 단선] 웃통을 벗고 발을 벗음.
◉裸袒. 露袒. 鄙袒. 兩袒. 右袒. 肉袒. 左袒. 偏袒. 解袒.

5 ⑩ [袖] [人名] 수 [去]宥 似祐切 xiù

[字解] ①소매 수 옷의 소매. '長一'. '左手把其一, 右手揕其胸'《史記》. ②소매에넣을 수 소매 속에 감춤. '一手'. '一刃妬名娼'《劉禹錫》. ③성 수 성(姓)의 하나.

[字源] 篆文 俗體 篆文은 會意로서 衣+采. '采수'는 벼의 이삭의 뜻. 옷 중에서 벼이삭처럼 되어 있는 부분, '소맷자락'의 뜻을 나타냄. '袖수'는 본디 俗體로서, 形聲, 衤(衣)+由〔音〕. '由유'는 구멍이 깊이 통하다의 뜻. 사람이 팔을 꿰는 옷의 부분, 곧, '소매'의 뜻을 나타냄.

[袖口 수구] 소매의 부리. 소맷부리.
[袖納 수납] 편지 따위를 지니고 가서 손수 드림.
[袖裏 수리] 소매의 속.
[袖幕 수막] 한길의 번화한 모양. 통행인의 소매가 장막처럼 연이어짐의 뜻.
[袖手 수수] 팔짱을 낌. 전(轉)하여, 아무 일도 안 함.
[袖手傍觀 수수방관] 아무것도 하지 아니하고 그저 옆에서 보고만 있음.
[袖刃 수인] 비수(匕首)를 소매 속에 숨김.
[袖中冊 수중책] 소매 속에 넣을 만한 조그마한 책.
[袖珍 수진] 소매 속에 넣어 가지고 다닐 만한 자그마한 책(冊).
[袖箚 수차] 임금에게 직접 올리던 상소(上疏).
◉輕袖. 廣袖. 綺袖. 羅袖. 大袖. 舞袖. 半袖. 芳袖. 修袖. 領袖. 衣袖. 長袖. 窄袖. 褒袖.

狐裘羔袖. 闊袖.

5 ⑩ [袗] 진 ㊤軫 章忍切 zhěn
㊀震 章刃切

字解 ①홑옷 진 홑겹으로 된 옷. '當暑—絺綌'《論語》. ②수놓은옷 진 자수를 한 옷. '被—衣'《孟子》. ③검은옷 진 '—, 玄服'《大徐本說文》. ④가장자리 진 '—, 緣也'《玉篇》. ⑤아름다울 진 珍(玉部 五畫)과 통용. '—, 衣之美者'《孟子音義》.

字源 篆文 別體 形聲. 衤(衣)+㐱〔音〕. '㐱'은 '珍진'과 통하여, '귀중하다'의 뜻을 나타냄. 수놓은 옷의 뜻을 나타냄.

[袗衣 진의] 수놓은 옷. 자수를 한 옷.
[袗絺綌 진치격] 세갈포(細葛布)의 홑옷.
[袗玄 진현] 위아래가 검은 옷.

5 ⑩ [袐] 필 ㊅質 壁吉切 bì

字解 찌를 필 찌름. '—, 同撟, 方言, 刺也'《篇海》.

5 ⑩ [袘] 이 ①㊀寘 以豉切 yì
②㊤紙 演爾切
③㊥支 余支切 yí

字解 ①가선 이 치맛자락의 가선. '纁裳緇—'《儀禮》. ②소매 이 옷소매. '揚—戍削'《司馬相如》. ③길 이 옷의 섶과 무 사이의 넓고 큰 폭. '衣中謂之—'《集韻》.

字源 形聲. 衤(衣)+㐌〔音〕. '㐌이'는 '施시·이'와 통하여, '나부끼다'의 뜻. 나부끼는 옷자락, '소매'의 뜻을 나타냄.

5 ⑩ [袙] 말 ㊅黠 莫轄切 mò

字解 머리띠 말 帕(巾部 五畫)과 同字. '爲絳—, 以表貴賤'《後漢書》.

字源 形聲. 衤(衣)+白〔音〕

5 ⑩ [⿰衤立] 랍 ㊅合 落合切 là

字解 옷해질 랍 옷이 해어짐. 옷이 찢어짐. '—, —⿰衤菲, 衣敝'《集韻》.

5 ⑩ [袛] 저 ㊥齊 都奚切 dī

字解 속적삼 저 '—裯'는 땀이 겉에 배지 않게 입는 속적삼. '布衾敝—裯'《後漢書》.

字源 篆文 形聲. 衤(衣)+氐〔音〕. '氐저'는 낮은 바닥의 뜻. 안에 받쳐 입는 속옷의 뜻을 나타냄.

[袛裯 저도] 땀이 겉에 배지 않게 윗도리의 속에 입는 짧은 옷. 속적삼.

5 ⑩ [袜] 말 ①㊅曷 莫撥切 mò
②㊅月 勿發切 wà

字解 ①허리띠 말 허리에 매는 띠. '寶—楚宮腰'《隋煬帝》. ②버선 말 襪(衣部 十五畫)과 同字. '約縑迫—'《漢雜事祕辛》.

字源 形聲. 衤(衣)+末〔音〕

◉寶袜.

5 ⑩ [袢] 一 번 ㊥元 附袁切 fán
二 반 ㊀翰 普半切 pàn

字解 一 속옷 번 속에 입는 짧은 땀받이. '是紲—也'《詩經》. 二 차려입을 반 '—迅'은 차려입은 모양. '—迅, 盛服皃'《集韻》.

字源 篆文 形聲. 衤(衣)+半〔音〕. '半반'은 '절반'의 뜻. 땀받이용의 짧은 '속옷'의 뜻을 나타냄.

◉紲袢.

5 ⑩ [袣] 一 이 ㊀寘 羊至切 yì
二 예 ㊀霽 餘制切

字解 一 소매 이 옷소매. '曳獨繭之褕—'《司馬相如》. 二 긴옷 예 옷의 긴 모양.

◉褕袣.

5 ⑩ [袧] 구 ①㊀有 丘候切 gōu
②㊤有 擧后切 gòu

字解 ①주름 구 치마의 주름. '幅三—'《儀禮》. ②제복 구 '—, 祭服也'《龍龕手鑑》.

5 ⑩ [袨] 현 ㊀霰 黃絢切 xuàn

字解 ①고운옷 현 '—服'은 성장(盛裝)할 때 입는 잘 꾸민 검은 옷. '—服叢臺之下者, 一旦成市. (註) —服, 大盛玄黃服也'《鄒陽》. ②좋은옷 현 '—, 好衣'《廣韻》.

字源 篆文 形聲. 衤(衣)+玄〔音〕. '玄현'은 '검다'의 뜻. 검은 옷의 뜻으로, 성장(盛裝)할 때의 옷의 뜻을 나타냄.

[袨服 현복] 성장(盛裝)할 때 입는 잘 꾸민 검은 옷. 또, 그 옷을 입음.

5 ⑩ [袝] 부 ㊀遇 符遇切 fù

字解 나들이옷 부 나들이할 때에 입는 깨끗한 옷. '—, 盛服'《集韻》.

5 ⑩ [袪] 거 ㊥魚 去魚切 qū
㊀御 丘據切

字解 ①소매 거 옷소매. '摻執子之—兮'《詩經》. ②소매통 거 소매의 손이 드나드는 데. 소맷부리. '—尺二寸'《儀禮》. ③올릴 거, 걸 거 옷을 걺. '—黼帷'《後漢書》. ④벌릴 거, 흩을 거 '合—於天地神祇'《漢書》. ⑤떠날 거 사라짐. '惑—吝亦泯'《殷仲文》.

字源 篆文 形聲. 衤(衣)+去〔音〕. '去거'는 '떠나다'의 뜻. 옷 중에서 자유로이 벌리고 들어 올릴 수 있는 부분, 곧 '소매'의 뜻을 나타냄.

[袪袂 거메] 소매를 걷어붙임.
◉分袪. 齊袪.

5 ⑩ [被] 高人 피 ①②㊤紙 皮彼切 bèi
③-⑭㊀寘 平義切

筆順 丶 ㇇ 礻 衤 衤 衤 衤 被 被

字解 ①이불 피 덮는 침구. '布一'. '一綿'. '一雖溫, 無忘人之寒'《傅玄》. ②성 피 성(姓)의 하나. ③머리꾸미개 피 여자의 수식(首飾). '一之僮僮'《詩經》. ④겉 피 거죽. 표면. '緇一纁裏'《儀禮》. ⑤덮을 피 덮어 가림. '皐蘭一徑兮'《宋玉》. ⑥입을 피 ㉠옷을 입음. '一衣'. '夫子一之矣'《國語》. ㉡받음. 은혜 등을 입음. '一恩'. '一慈母三選之敎'《趙岐》. ㉢피해·부상 등을 당함. '一害'. '陟險一創'《諸葛亮》. ⑦씌울 피 입게 함. '天一爾祿'《詩經》. ⑧질 피 등에 짐. '一羽先登'《後漢書》. ⑨미칠 피 널리 미침. '光一'. '西一于流沙'《書經》. ⑩당할 피 피동적임을 나타내는 말. '以萬乘之國一圍'《史記》. '信而見疑, 忠而一謗'《史記》. ⑪흐트러뜨릴 피 풀어뜨림. 披(手部 五畫)와 同字. '一髮而浮游'《淮南子》. ⑫더할 피 '一, 加也'《玉篇》. '高祖一酒'《史記》. ⑬쓸 피 '一髮衣皮'《禮記》. ⑭벨 피 자름. '於是民人一髮文身'《淮南子》.

字源 篆文 形聲. 衤(衣)+皮〔音〕. '皮피'는 짐승의 가죽의 뜻. 모피(毛皮)처럼 덮어 쓰는 '이불'의 뜻을 나타내며, '입다'의 뜻도 나타냄.

[被褐懷玉 피갈회옥] 굵은 베옷을 입고, 옥을 품음. 곧, 지덕(智德)을 갖추고도 출세(出世)하기를 원하지 아니함을 이름.
[被甲 피갑] 갑옷을 입음.
[被檢 피검] ㉠검거(檢擧)됨. 붙잡힘. ㉡검사(檢査)를 받음.
[被譴 피견] 견책을 당함.
[被堅執銳 피견집예] 갑주(甲冑)로 몸을 싸고 예리한 병기(兵器)를 가짐. 완전 무장을 함.
[被告 피고] 소송 사건(訴訟事件)에서 소송을 당한 사람. 곧, 원고(原告)의 상대자(相對者).
[被及 피급] 널리 미침.
[被動 피동] 남에게서 동작을 입게 됨. 수동(受動). 능동(能動)의 대(對).
[被毛 피모] 몸을 덮는 털.
[被髮 피발] 머리를 풀어뜨림. 피발(披髮).
[被髮徒跣 피발도선] 《韓》 부모상에 여자가 머리를 풀고 버선을 벗음.
[被髮纓冠 피발영관] 머리를 풀어뜨린 채 갓끈을 맨다는 뜻으로, 몹시 급하게 서두름을 이름.
[被髮左衽 피발좌임] 머리를 풀고 오른쪽 섶을 왼쪽 섶 위에 여미는 옷을 입음. 모두 야만(野蠻)의 풍속.
[被服 피복] ㉠옷. 의복. ㉡실천(實踐)함. ㉢전신(全身)에 받음.
[被覆 피복] 덮어씌움. 덮음.
[被殺 피살] 살해(殺害)를 당함.
[被選 피선] 뽑힘.
[被襲 피습] 습격(襲擊)을 당함.
[被衣 피의] ㉠옷을 입음. 또, 옷. ㉡여자가 얼굴을 가리기 위해 머리에서 둘러쓰던 장옷. ㉢장자(莊子)의 우화(寓話)에 나오는 옛날 현인(賢人).
[被任 피임] 임명(任命)됨.
[被底鴛鴦 피저원앙] 이불 속의 원앙이란 뜻으로, 한 이불 속에서 정답게 자는 남녀의 비유.
[被酒 피주] 술을 많이 마심. 크게 취함. 피(被)는 가(加).
[被逮 피체] 체포당함.
[被治者 피치자] 통치(統治)당하는 사람. 또는 국민.
[被侵 피침] 침범(侵犯)을 당함.
[被奪 피탈] 빼앗김.
[被害 피해] 손해(損害)를 당함. 해를 입음.
[被劾 피핵] 논박(論駁)을 당함.
[被禍 피화] 재화(災禍)를 입음.
◉加被. 共被. 光被. 廣被. 錦被. 衲被. 同被. 蒙被. 覆被. 溥被. 四被. 繡被. 衣被. 狷被. 寢被. 通被. 布被. 遐被. 香被. 橫被.

5 ⑩ [袓] 저 ㊤語 展呂切 zhǔ

字解 ①해진옷 저 해진 옷. '一褨'. '褨, 一褨, 敝衣'《集韻》. ②솜옷 저 솜옷. 핫옷. '裝衣曰一'《一切經音義》.

5 ⑩ [袟] 질 ㊀質 直質切 zhì

字解 ①칼전대 질 칼집에 꽂은 칼을 넣어 두는 전대. ②책갑 질 帙(巾部 五畫)과 同字. ③녹 질 秩(禾部 五畫)과 통용. '官一益輕'《唐書》. ④품계 질 차서(次序). '一, 程也'《廣雅》.

字源 形聲. 衤(衣)+失〔音〕

◉劍袟. 官袟.

5 ⑩ [袎] 요 ㊦效 於敎切 yào

字解 버선목 요 '馬嵬店嫗收得楊妃錦一一隻'《唐國史補》.

5 ⑩ [袉] 타 ㊥歌 徒河切 tuó / ㊤哿 吐可切 tuǒ

字解 ①옷자락 타 '一, 裾也'《說文》. ②끌 타 끌어당김. 拖(手部 五畫)와 통용. '朝服一紳'《說文》. ③아름다울 타 '一一'는 아름다운 모양. '一一, 美也'《玉篇》.

字源 篆文 形聲. 衤(衣)+它〔音〕. '拕타'·'拖타'와 통하여, 옷자락을 질질 끌다, 전(轉)하여, '옷자락'의 뜻을 나타냄.

5 ⑩ [袚]
㊀ 발 ㊀曷 北末切 bō
㊁ 비 ㊦未 方未切
㊂ 불 ㊀物 敷勿切 fú
㊃ 폐 ㊦泰 蒲蓋切

字解 ㊀ ①오랑캐옷 발 '一, 蠻夷衣'《說文》. ②슬갑(膝甲) 발 '一, 一曰, 蔽厀'《說文》. ㊁ 오랑캐옷 비, 슬갑 비 ㊀과 뜻이 같음. ㊂ ①오랑캐옷 불 '一, 蠻夷衣'《集韻》. ②깔개 불 '一, 褯也'《廣雅》. ③떨 불 신(神)에게 빌어 재액을 제거함. 또, 그 행사. '一, 說文, 除惡, 祭也'《集韻》. ㊃ ①떨 폐 ㊂❸과 뜻이 같음. ②고을이름 폐 한(漢)나라 때, 지금의 산둥 성(山東省) 교현(膠縣)의 남서쪽에 둔 현(縣)의 이름.

字源 形聲. 衤(衣)+犮〔音〕

5 ⑩ [袚] 袚(前條)과 同字

5 ⑩ [袷] 갑 ㊀洽 古狎切 jiá

字解 ①짧은옷 갑 짧은 옷. 웃옷. '一, 廣雅, 襦也'《集韻》. ②옷깃 갑 옷깃. '一, 衿也'《集韻》.

5 ⑩ **[袮]** 니 (平)齊 年題切 ní
(上)紙 乃倚切 nǐ

字解 ①머리치장 니 머리치장. 상(喪)에 머리에 붙이는 것. '一, 喪禮首服'《集韻》. ②옷의좋은모양 니 옷의 좋은 모양. 좋은 옷의 모양. '一, 裿一, 衣好皃'《集韻》.

5 ⑩ **[袊]** 령 (上)梗 里郢切 lǐng

字解 ①깃 령 '一, 衣一也'《玉篇》. ②활옷 령 '直一'은 시집갈 때 입는 예복. '一, 方言, 袒飾謂之直一, 婦人初嫁上服'《集韻》. ③옷자락 령, 치마 령 '襓一謂之帬. (注) 俗人呼接下, 江東通言下裳'《揚子方言》.

5 ⑩ **[袥]** 탁 (入)藥 他各切 tuō

字解 ①옷깃헤칠 탁 '一, 開衣領也'《廣韻》. ②가운데튼치마 탁 정면을 터놓은 치마. '一, 衣衸'《說文》. ③넓고클 탁 광대함. '天地開闢, 宇宙一袒'《太玄經》.
字源 篆文 形聲. 衤(衣)+石〔音〕. '石석'은 '찢다, 열다, 트다'의 뜻. 옷의 깃을 헤치다의 뜻을 나타냄.
參考 祏(示部 五畫)은 別字.

5 ⑩ **[䘹]** 자 (上)紙 阻氏切 zǐ

字解 ①갈아입을옷 자 여벌의 옷. ②솔기 자 꿰매어 맞춘 부분.

5 ⑩ **[𧘻]** 출 (入)質 直律切 shù

字解 칼전대 출 칼집에 꽂은 칼을 넣어 두는 자루. 검의(劍衣).

5 ⑩ **[袔]** 一 하 (去)箇 何佐切 hè
二 과 (上)馬 苦瓦切 kuǎ
三 가 (去)箇 口箇切 kè

筆順 丶 ㇇ 礻 衤 衤 衤 衦 袔

字解 一 소매 하 소매. '一, 袖也'《廣雅》. 二 속옷 과 속옷. 작은 속옷. 소매 없는 속옷. '袴, 小衫曰袴, 或作一'《集韻》. 三 겹옷 가 겹옷. '一, 夾衣'《集韻》.

5 ⑪ **[𧙁]** 아 (上)哿 烏可切 ě

字解 ①간드러질 아 간드러지고 날씬한 모양. ②옷치렁치렁할 아 '一袲'는 옷이 길어 치렁치렁한 모양. ③유약할 아 '一袲'는 부드럽고 약한 모양.

5 ⑪ **[𧚓]** 一 지 (去)寘 爭義切 zhì
二 피 (去)寘 平義切 pī
三 제 (去)霽 才詣切 jì

字解 一 옷주름 지 옷에 접은 주름. '一, 襦縐'《玉篇》. 二 띠안맬 피 띠를 매지 않음. '一, 衣不帶'《集韻》. 三 깃 제 옷깃. '一, 衣交衿'《集韻》.

5 ⑪ **[䘫]** 나 (平)麻 女加切 ná

字解 해진옷 나 '一, 敝衣'《說文》.
字源 形聲. 衣+奴〔音〕.

5 ⑪ **[袠]** 질 (入)質 直一切 zhì

字解 ①책갑 질 袟(衣部 五畫)과 同字. '吾綈一中'《後漢書》. ②의낭(衣囊) 질 옷에 붙은 주머니. '施囊一'《禮記》. ③십년 질 열 해의 일컬음. 秩(禾部 五畫)과 同字. '以十年爲一一'《野客叢書》. ④성 질 성(姓)의 하나.
字源 帙의 別體 形聲. 衣+失〔音〕.

◉囊袠.

5 ⑪ **[袌]** 〔포〕
袍(衣部 五畫〈p.2057〉)와 同字

5 ⑪ **[袤]** 무 (去)宥 莫候切 mào

字解 길이 무 남북 또는 세로의 연장. 동서(東西)는 '廣'이라 함. '延一萬餘里'《史記》. '量徑輪考廣一'《張衡》.
字源 篆文 籒文 形聲. 衣+矛〔音〕. '矛모'는 '덮다'의 뜻. 남북에 걸쳐 땅을 덮다의 뜻에서, 남북의 길이의 뜻을 나타내며, 또 옷의 띠로부터 윗부분의 명칭을 나타냄.

◉廣袤. 延袤. 周袤.

5 ⑪ **[袈]** 人名 가 (平)麻 古牙切 jiā

字解 가사 가 '一裟'는 범어(梵語) Kasāya의 음역(音譯). 장삼 위에 왼쪽 어깨에서 오른쪽 겨드랑이 밑으로 걸쳐 입는 중의 옷. '武后賜僧法朗等紫一裟'《通鑑》.
字源 形聲. 衣+加〔音〕.

[袈裟 가사] 자해(字解)를 보라.

5 ⑪ **[袋]** 人名 대 (去)隊 徒耐切 dài

筆順 亻 亻 代 代 岱 岱 垈 袋

字解 부대 대, 자루 대 '布一'. '作五一'《南史》.
字源 形聲. 衣+代〔音〕.

[袋鼠 대서] 캥거루.

◉角袋. 甲袋. 劍袋. 骨董袋. 琴袋. 頭陀袋. 麻袋. 書袋. 手袋. 魚袋. 右袋. 慰問袋. 布袋. 皮袋. 合財袋. 香袋. 夾袋. 胡孫入袋. 火石袋.

5 ⑪ **[𧛓]** 〔곤〕
衮(衣部 四畫〈p.2055〉)의 本字

6 ⑪ **[袱]** 복 (入)屋 房六切 fú

[字解] 보 복, 보자기 복 '包―'. '就樓角尋得―小―, 封記如故'《摭青雜記》.
[字源] 形聲. 衤(衣)+伏〔音〕. '伏복'은 배를 깔고 엎드리다의 뜻. 펼치면 평면에 착 붙는 보자기의 뜻을 나타냄.

◉裹袱. 卓袱. 包袱.

6 ⑪ [衶] 충 [平]東 昌嵩切 chōng

[字解] 누더기옷 충 누더기 옷. 기운 옷. 또는 짧은 옷. 단의(短衣).

6 ⑪ [袴] [人名] [一] 고 [去]遇 苦故切 kù
[二] 과 [去]禡 苦化切 kuà

[字解] [一] 바지 고 가랑이가 있는 아랫도리옷. '衣不帛襦―'《禮記》. [二] 사타구니 과 샅. 胯(肉部 六畫)와 同字. '出我―下'《史記》.
[字源] 形聲. 衤(衣)+夸〔音〕. '夸과'는 가랑이를 벌리고 서다의 뜻. '바지'의 뜻을 나타냄.

[袴褶 고습] 사마치. 기마복(騎馬服).
[袴衣 고의] 여름에 바지 대신으로 입는 홑옷.
[袴鞾 고화] 바지와 가죽신. 군복(軍服)을 이름.
[袴下 과하] 사타구니 밑.
[袴下辱 과하욕] 바짓가랑이 아래를 기어 나온 치욕. 한신(韓信)의 고사에서 온 말.
◉故袴. 寬袴. 短袴. 半袴. 紗袴. 小袴. 昭侯弊袴. 長袴. 破袴. 弊袴.

6 ⑪ [袽] 여 [平]魚 女余切 rú

[字解] ①해진옷 여 폐의(敝衣). '袾―'는 해어진 옷. '繻有衣―'《易經》. ②해진헝겊 여, 걸레 여 '―者, 殘幣帛, 可拂拭器物也'《易經 注》. ③실보무라지 여 '―, 絲―也'《易經 釋文》. ④뱃밥 여 배에 물이 새어들지 못하게 틀어막는 것.
[字源] 形聲. 衤(衣)+如〔音〕

◉袾袽.

6 ⑪ [⿱如衣] 袽(前條)와 同字

6 ⑪ [袷] [一] 겹 [入]洽 古洽切 jiā
[二] 겁 [入]葉 居怯切 jié

[字解] [一] ①겹옷 겹 두 겹으로 된 옷. '―衣'. '衣裳施裏曰―'《急就篇》. '御―衣'《潘岳》. ②겹칠 겹 '―, 重也'《廣雅》. [二] 옷깃 겁 '天子視不上于―, 不下于帶'《禮記》.
[字源] 篆文 形聲. 衤(衣)+合〔音〕. '合합'은 '합치다'의 뜻. 안감이 합쳐져 한데 붙어 있는 옷의 뜻을 나타냄.

[袷衣 겹의] 겹옷.

6 ⑪ [袳] [一] 치 [上]紙 尺氏切 chǐ
[二] 계 [上]薺 遣禮切 qǐ
[三] 타 [上]哿 典可切 duǒ

[字解] [一] ①옷펄쳐질 치 '―, 衣張也'《說文》. ②긴옷 치 옷이 긴 모양. '―, 長衣貌'《玉篇》. [二] 옷헤칠 계 옷을 벌림. '―, 開衣也'《集韻》. [三] 옷보드라울 타 '―, 衣弱皃'《集韻》.
[字源] 篆文 形聲. 衤(衣)+多〔音〕. '多다'는 '벌리다'의 뜻. 옷이 펼쳐지다의 뜻을 나타냄.

6 ⑪ [袺] 결 [入]屑 古屑切 jié

[字解] 옷섶잡을 결 옷섶의 위쪽을 잡음. '薄言―之'《詩經》.
[字源] 篆文 形聲. 衤(衣)+吉〔音〕. '吉길'은 '확보하다'의 뜻. 옷섶을 잡다의 뜻을 나타냄.

6 ⑪ [袼] [一] 각 [入]藥 古落切 gē
[二] 락 [入]藥 盧各切 luò

[字解] [一] 소매 각 소매의 겨드랑이 밑의 부분. '―之高下, 可以運肘'《禮記》. [二] 턱받이 락 '繄―謂之褔'《揚子方言》.
[字源] 形聲. 衤(衣)+各〔音〕

6 ⑪ [袿] 규 [平]齊 古攜切 guī

[字解] ①여자웃옷 규 '―裳鮮明'《後漢書》. ②자락 규 옷자락. 옷의 뒷자락. 일설(一說)에는, 소매 통. '微風動―'《嵇康》.
[字源] 形聲. 衤(衣)+圭〔音〕. '圭규'는 '掛괘'와 통하여, '걸치다'의 뜻. 여성의 예복 위에 걸치는 옷, '웃옷'의 뜻을 나타냄.

[袿裳 규상] 여자의 웃옷.
◉動袿.

6 ⑪ [裀] 인 [平]眞 於眞切 yīn

[字解] 요 인, 자리 인 茵(艸部 六畫)·絪(糸部 六畫)과 통용. '絳蚊帳―褥'《晉書》.
[字源] 形聲. 衤(衣)+因〔音〕

[裀褥 인욕] 요. 자리.

6 ⑪ [裗] 〔류〕
裗(衣部 七畫〈p.2064〉)의 本字

6 ⑪ [袾] 주 [平]虞 陟輸切 zhū

[字解] ①붉은옷 주 주의(朱衣). '朱衣曰―'《廣韻》. ②길 주 웃옷의 섶과 무 사이에 있어, 옷의 주체가 되는 넓고 큰 폭. '―, 裑也'《廣雅》.
[字源] 篆文 形聲. 衤(衣)+朱〔音〕. '朱주'는 '붉다'의 뜻. '붉은 옷'의 뜻을 나타냄.

6 ⑪ [⿰衤式] 식 [入]職 施職切 shì

[字解] 치장할 식 치장함. 옷을 차려입음. '―, 裝也'《字彙》.

6 ⑪ [袹] [一] 맥 [入]陌 莫白切 bó
[二] 말 [入]黠 莫轄切 mò

[字解] [一] 배띠 맥 배를 감는 헝겊. '着布―腹'《晉書》. [二] 머리띠 말 초상 때 머리를 싸는 것. '―, 邪巾―頭, 始喪之服'《集韻》.

[字源] 形聲. 衤(衣)＋百〔音〕

6 ⑪ [袵] 〔임〕
衽(衣部 四畫〈p. 2054〉)과 同字

6 ⑪ [袣] 〔이〕
袣(衣部 五畫〈p. 2058〉)와 同字

6 ⑪ [衦] 간 [去]諫 居莧切 jiàn
[字解] ①옷 간 옷. '一, 衣也'《玉篇》. ②헌옷 간 헌 옷. '一, 古衣'《廣韻》.

6 ⑪ [衈] 간 jiàn
[字解] 헌옷 간 헌 옷. 고의(古衣). '一, 古衣'《直音》.

6 ⑪ [袎] 교 [上]篠 古了切 jiǎo
[平]巧 下巧切
[去]嘯 吉弔切
[字解] ①잠방이 교 '小袴謂之一衩. 楚通語也'《揚子方言》. ②고기잡이옷 교 '一衩'는 어부가 입는 옷. '一衩漁人服'《皮日休》.

6 ⑪ [裥] [一] 농 [平]東 盧東切 lóng
[二] 동 [上]董 吐孔切 tǒng
[字解] [一] 바지통 농 바지통. '襱, 袴襠也. 踦袴也, 一, 同上'《玉篇》. [二] 소매짧은옷 동 소매가 짧은 옷. '一, 衣短袖'《集韻》.

6 ⑫ [袳] [一] 이 [平]支 弋支切
[二] 치 [上]紙 尺氏切 chǐ
[三] 나 [上]哿 奴可切 nuǒ
[字解] [一] 땅이름 이 춘추 전국 시대(春秋戰國時代)의 송(宋)나라에 있던 지명. '公會宋公衞侯陳侯于一, 伐鄭'《春秋》. [二] 옷길 치 옷이 긴 모양. [三] 옷치렁치렁할 나 '裒一'는 옷이 길어 보기 좋은 모양. '裒一, 衣長好貌'《字彙》.

6 ⑫ [裁] [高·人] 재 [平]灰 昨哉切 cái 裁
[筆順] 土 圭 圭 圭 圭 裁 裁 裁
[字解] ①마를 재 옷감을 마름질함. '十四學一衣'《古詩》. ②자를 재 절단함. 끊음. '刪一繁蕪'《後漢書》. '觖望難一'《後漢書》. ③결단할 재, 판가름할 재 결정함. 처단함. '一決'. '大王一其罪'《戰國策》. ④헤아릴 재 재량함. '取民則不一其力'《淮南子》. ⑤분별할 재 감식안(鑑識眼)이 있어 잘 분간함. '明智者一之'《孔叢子》. ⑥존절할 재 사물을 알맞게 줄임. 절감함. '救其不足, 一其有餘'《國語》. ⑦누를 재 제압함. '爲螻蟻之所一'《楚辭》. ⑧헝겊 재 피륙의 조각. '衫布一一'《唐書》. ⑨겨우 재 才(手部)와 통용. '戶口可得而數者, 一什二三'《漢書》.
[字源] [篆文] 形聲. 衣＋𢦏〔音〕. '𢦏재'는 才＋戈로서, '才재'나 '戈과'나 모두 강물의 범람을 끊기 위한 기구(器具)의 象形. '옷을 마르다'의 뜻.

[裁可 재가] ㉠재량하여 결정함. ㉡임금이 결재하여 허가함. 윤허(允許).
[裁決 재결] 사물의 옳고 그름을 가려 결정함.
[裁斷 재단] ㉠끊음. 절단함. ㉡재결(裁決).
[裁答 재답] 편지에 써서 대답함.
[裁量 재량] 헤아려 처리함.
[裁縫 재봉] 바느질.
[裁剖 재부] 재판(裁判)㉠.
[裁成 재성] 재량하여 성취함.
[裁詩 재시] 시를 지음. 부시(賦詩).
[裁抑 재억] 못하게 억누름.
[裁營 재영] 바느질함.
[裁衣 재의] 옷을 짓기 위해 옷감을 마름.
[裁酌 재작] 재량(裁量).
[裁定 재정] 재결(裁決).
[裁制 재제] ㉠천을 말라 옷을 지음. ㉡억제(抑制)함. ㉢재단하여 처리함.
[裁處 재처] 재량하여 처리함.
[裁衷 재충] 중도(中道)에 맞도록 재단(裁斷)함.
[裁度 재탁] 재량(裁量).
[裁判 재판] ㉠시비곡직을 판단함. ㉡소송(訴訟)에 대하여 법률을 적용하여 심판함.
[裁割 재할] 재량(裁量)하여 처리함.
[裁許 재허] 재결(裁決)하여 허가(許可)함.
◉檢裁. 決裁. 斷裁. 獨裁. 刪裁. 洋裁. 抑裁. 自裁. 長短自裁. 裝裁. 剪裁. 制裁. 製裁. 奏裁. 準裁. 仲裁. 體裁. 總裁. 勅裁. 親裁. 討裁. 品裁. 風裁. 割裁.

6 ⑫ [裂] [高·人] 렬 [入]屑 良辥切 liè 裂
[筆順] 一 ア 歹 列 列 裂 裂 裂
[字解] ①찢을 렬, 찢어질 렬 '破一'. '一裳帛而與之'《左傳》. '衣裳綻一'《禮記》. ②자투리 렬 재단하고 남은 포백(布帛). '一, 繒餘也'《說文》.
[字源] [篆文] 形聲. 衣＋列(𠛱)〔音〕. '𠛱렬'은 목을 베다의 뜻. 의복을 잘라 찢다의 뜻을 나타냄.

[裂肝碎首 열간쇄수] 간을 찢고 머리를 바숨. 곧, 지독한 화(禍)를 이름.
[裂開 열개] 찢기어 벌어짐. 또, 찢어 벌림.
[裂壞 열괴] 갈라져 무너짐.
[裂帛 열백] ㉠비단을 찢음. 또, 그 찢는 소리. ㉡소쩍새가 우는 소리.
[裂眥 열자] 찢어진 눈초리. 대단히 성냈을 때의 흘겨보는 눈초리.
[裂繒 열증] 비단을 찢음.
[裂敝 열폐] 찢어지고 해어짐.
◉決裂. 龜裂. 褸裂. 屠裂. 凍裂. 挽裂. 滅裂. 目眦盡裂. 擘裂. 剖裂. 分裂. 圮裂. 四分五裂. 碎裂. 轘裂. 支離滅裂. 震裂. 車裂. 抽裂. 七花八裂. 拆裂. 綻裂. 爆裂. 橫裂.

6 ⑪ [𧙃] 裂(前條)과 同字

6 ⑫ [𧚌] 裂(前前條)의 古字

6 ⑫ [裷] 견 [上]阮 去遠切 gǔn

字解 버선 견 버선. '一, 蔑也'《字彙補》.

6 ⑫ [装] 〔장〕 裝(衣部 七畫〈p. 2066〉)의 俗字

7 ⑬ [裔] 人名 예 ㉮霽 餘制切 yì

字解 ①자락 예 옷자락. '一, 衣裙也'《說文》. ②가 예, 끝 예 변애(邊涯). '水一'. '江潯海一'《淮南子》. ③변경 예 변방. '四一'. '一夷之俘'《左傳》. ④후예 예 후손. '苗一'. '德垂後一'《書經》. ⑤남을 예 '其中一'《太玄經》. ⑥배울 예 익힘. '一, 習也'《廣雅》. ⑦성 예 성(姓)의 하나.

字源 金文 篆文 古文 會意. 衣+冏. '冏경'은 대좌(臺座) 앞에서 빌다의 뜻. 대좌에 옷을 놓고 조상을 비는 모양에서, 먼 후손(後孫)의 뜻이나, 먼 곳의 뜻을 나타냄. 시간적으로나 공간적으로나, 중심에서 먼 연장(延長)된 점(點)을 뜻함. 《說文》에서는 形聲, 衣+冏〔音〕으로 봄.

[裔末 예말] 예손(裔孫).
[裔民 예민] 변방에 사는 백성.
[裔孫 예손] 대수(代數)가 먼 자손(子孫). 예(裔)는 원(遠).
[裔習 예습] 손에 익도록 가지고 즐김.
[裔裔 예예] ㉠천천히 가는 모양. ㉡떼 지어 가는 모양. ㉢흐르는 모양.
[裔夷 예이] 변방에 있는 오랑캐.
[裔子 예자] 먼 자손(子孫). 일설(一說)에는, 막내아들.
[裔胄 예주] 예손(裔孫). '胄'는 핏줄. 혈통.
[裔土 예토] 변방(邊方).
◉苗裔. 邊裔. 四裔. 殊裔. 餘裔. 容裔. 遠裔. 幽裔. 流裔. 融裔. 胄裔. 醜裔. 遐裔. 海裔. 荒裔. 後裔.

7 ⑫ [裋] 수 ㉯麌 臣庾切 shù ㉮遇 殊遇切

字解 ①해진옷 수 남루한 옷. '一褐風霜入'《杜甫》. '寒者, 利一褐'(일본(一本)에는 '一'가 '短'으로 되었음)《史記》. ②겹바지 수 '一, 複襦也'《釋文》.

字源 篆文 形聲. 衤(衣)+豆〔音〕. '豆두'는 굽 달린 그릇의 象形. 머리가 크고 키가 작은 아이 하인의 뜻을 나타냄. 하인의 옷의 뜻.

[裋褐 수갈] 조악(粗惡)한 옷. 해진 짧은 옷.
[裋褐不完 수갈불완] 해진 옷도 갖추지 못함. 극빈함.

7 ⑫ [裎] 정 ①②㉯梗 丑郢切 chěng ③㉰庚 直貞切 chéng

字解 ①벌거숭이 정 나체. '裸一'. '秦人捐甲, 徒一以趨敵'《戰國策》. ②홑옷 정 '一, 襌衣也'《集韻》. ③끈 정 패물을 차는 끈. '佩紟謂之一'《廣雅》.

字源 篆文 形聲. 衤(衣)+呈〔音〕. '呈정'은 '내밀다, 드러내다'의 뜻. 입은 옷 속의 살을 드러내다, 벌거벗다의 뜻.

[裎袒 정단] 발가벗음과 웃옷을 벗음.
[裎裸 정라] 웃통을 벗음.
◉裸裎. 徒裎.

7 ⑫ [裑] 신 ㉰眞 升人切 shēn

字解 길 신 옷의 주체(主體)가 되는 크고 넓은 폭. 의신(衣身).

字源 形聲. 衤(衣)+身〔音〕

7 ⑫ [裕] 高人 유 ㉮遇 羊戍切 yù

筆順 ' ㇇ 衤 衤 衤 衸 裕 裕 裕

字解 ①넉넉할 유 유족함. '餘一'. '富一'. '一无咎'《易經》. ②넉넉하게할 유 풍요롭게 함. '一其衆庶'《國語》. ③너그러울 유 관대함. '寬一'. '一則乃以民寧'《書經》. ④늘어질 유 서완(舒緩)함. '布施優一也'《國語》.

字源 金文 篆文 形聲. 衤(衣)+谷〔音〕. '谷곡'은 '容용'과 통하여, 많은 것을 들이다의 뜻. 옷이 많다, 넉넉하다의 뜻을 나타냄.

[裕寬 유관] 너그러움.
[裕福 유복] 살림이 넉넉함.
[裕裕 유유] 마음이 너그러운 모양.
[裕足 유족] ㉠살림살이가 넉넉함. ㉡충분함.
◉謙裕. 寬裕. 廣裕. 德裕. 富裕. 雅裕. 餘裕. 恬裕. 溫裕. 容裕. 優裕. 威裕. 怡裕. 閒裕. 弘裕. 和裕.

7 ⑫ [裙] 人名 군 ㉰文 渠云切 qún

字解 ①치마 군 여자의 아랫도리에 입는 겉옷. '紅一'. '羅一飄飄昭儀光'《張華》. 또, 치마같이 생긴 중의 아랫도리옷. '一子'. '四部之殊, 以着一表異'《寄歸傳》. ②속옷 군 속에 입는 옷. '取親中一廁牏, 身自浣滌'《史記》.

字源 形聲. 衤(衣)+君〔音〕. '君군'은 '群군'과 통하여, 수효가 많다의 뜻. 많은 천을 이어 붙여 만든 '치마'의 뜻을 나타냄.

[裙帶 군대] 치마와 띠. 또, 속옷과 띠.
[裙帶菜 군대채] 곤포과(昆布科)에 속하는 해초(海草). 미역.
[裙帽 군모] 속옷과 모자.
[裙襦 군유] 속옷.
[裙子 군자] 치마같이 생긴 중의 아래에 입는 옷.
[裙釵 군차] ㉠치마와 비녀. 또, 속옷과 비녀. ㉡부녀자.
◉羅裙. 禿裙. 舞裙. 長裙. 皁裙. 青裙. 布裙. 風裙. 縞裙. 紅裙.

7 ⑫ [補] 高人 보 ㉯麌 博古切 bǔ

筆順 ' ㇇ 衤 衤 衤 衬 裄 補 補

字解 ①기울 보 ㉠옷을 기움. '一綴'. '修破謂之一, 縫解謂之綻'《急就篇》. ㉡광구(匡救)함. '袞職有闕, 惟仲山甫一之'《詩經》. ②고칠 보 ㉠수선함. 수리함. '修一'. '修宮室, 一牆垣'《呂氏春秋》. ㉡잘못을 고침. '疾其過而不一也'《大戴禮》. ③도울 보 보조함. '毗一'. '令膊一之'

《周禮》. ④보탤 보 ㉠보충함. '一完'. '春省耕而一不足, 秋省斂而助不給'《孟子》. ㉡유익하게 함. '只慚無一絲亭事'《蘇軾》. ⑤맡길 보 관직에 임명함. '一任'. '選一衆職'《後漢書》. ⑥보탬 보 보조. 보충. 유익. '竟無絲毫一'《蘇軾》. ⑦성 보 성(姓)의 하나.
字源 篆文 形聲. 衤(衣)+甫〔音〕. '甫보'는 '扶부'와 통하여 '도와주다'의 뜻. 의류(衣類)의 터진 곳에 헝겊 조각의 도움을 받아 '깁다'의 뜻에서, '고치다, 보충하다, 메우다'의 뜻을 나타냄.

[補強 보강] 빈약한 일이나 물건을 기워 더 튼튼하게 함.
[補缺 보결] 궐(闕)난 곳을 채움. 관리(官吏)의 결원(缺員)을 다시 뽑아서 갈아 채움.
[補袞資 보곤자] 곤직(袞職)을 보좌할 자격. 곧, 재상감.
[補空 보공] 빈자리를 메움.
[補過拾遺 보과습유] 천자(天子)의 부덕(不德)한 점을 보좌(補佐)함.
[補闕 보궐] 보결(補缺).
[補給 보급] 뒷바라지로 대어 줌.
[補氣 보기] 약(藥) 또는 영양물(營養物)을 먹어서 원기(元氣)를 도움.
[補短 보단] 단점(短點)을 메움.
[補導 보도] 부족한 점을 기워 올바르게 인도함.
[補理 보리] 수리함.
[補脾胃 보비위] ㉠위경(胃經)을 보(補)함. ㉡남의 뜻을 낮춤.
[補償 보상] 남의 손해를 채워 줌.
[補色 보색] 색상(色相)이 다른 두 색을 섞어서 무채색(無彩色), 곧 흰색·회색 또는 흑색을 이룰 때 이 두 색을 서로 일컫는 말. 여색(餘色).
[補續 보속] 보충하여 계속함. 계속하여 보충함.
[補習 보습] 일정(一定)한 과정(課程)을 마친 자(者)에게 더 적당한 교과(教科)를 보충(補充)하여 가르침.
[補腎 보신] 보약(補藥)을 먹어서 정력(精力)을 보충(補充)함.
[補藥 보약] 보제(補劑).
[補陽 보양] 양기(陽氣)를 도움.
[補完 보완] 보충하여 완전하게 함.
[補元 보원] 보기(補氣).
[補遺 보유] 빠진 것을 기워서 채움.
[補陰 보음] 약(藥)을 먹어서 몸의 음기(陰氣)를 도움.
[補益 보익] 보태어 도움.
[補翼 보익] 보충하여 도움. 보좌(補佐).
[補任 보임] 직(職)에 보(補)하고 관(官)에 임(任)함. 관직을 수여함.
[補刺 보자] ㉠옷의 떨어진 데를 기움. ㉡입묵(入墨).
[補苴 보저] 수리함. 수선함.
[補全 보전] 부족한 데를 보충하여 완전히 함. 보완(補完).
[補塡 보전] 부족한 데를 채움.
[補劑 보제] 몸을 보하는 약.
[補助 보조] ㉠도와줌. ㉡백성의 곤궁을 구원함.
[補足 보족] 부족을 메움. 보태서 넉넉하게 함.
[補佐 보좌] 자기보다 신분(身分)이 높은 사람을 도와줌.
[補註 보주] 주석이 부족한 데를 보충함. 또, 그 주석.
[補緝 보집] 보집(補輯).
[補輯 보집] 서적 등의 부족한 데를 보충하여 편집함.
[補天浴日 보천욕일] 보천(補天)은 여왜씨(女媧氏)가 하늘의 이지러진 데를 기운 고사(故事). 욕일(浴日)은 의화(義和)가 해를 목욕시킨 고사. 전(轉)하여, 국가에 큰 공이 있음을 이름.
[補綴 보철] ㉠떨어진 데를 기움. ㉡부족한 것을 보충하여 철(綴)함.
[補充 보충] 모자라는 것을 기워서 채움.
[補陀落 보타락] 《佛教》 관음(觀音)의 궁전(宮殿)이 있는 영지(靈地).
[補綻 보탄] 터진 곳을 기움.
[補胎 보태] 잉부(孕婦)의 원기를 보(補)하여 줌.
[補土 보토] 파인 곳을 흙으로 메움.
[補弊 보폐] 폐단을 바로잡음.
[補害 보해] 손해를 채워 메움.
[補血 보혈] 몸의 피를 보충(補充)함.
[補回戰 보회전] 야구 용어. 9회(回)가 끝나도록 승부가 나지 않을 경우, 다시 시합을 계속하는 일.
◉加補. 匡補. 毗補. 裨補. 刪補. 繕補. 小補. 修補. 蒐補. 試補. 完補. 蔭補. 塡補. 銓補. 添補. 寸補. 候補.

7 ⑫ [裞] 세 ㊀霽 舒芮切 shuì
字解 ①수의 세 죽은 사람에게 입히는 옷. '迺奉百金一'《漢書》. ②추복 세 상(喪)을 당한 것을 늦게 알고 그때부터 상복을 입는 일. '日月已過, 乃聞喪而追服, 謂之曰一'《禮記 註》.
字源 篆文 形聲. 衤(衣)+兌〔音〕. '兌태'는 '벗게 하다'의 뜻. 지금껏 입었던 옷을 벗기고 죽은 사람에게 입히는 옷의 뜻을 나타냄.

7 ⑫ [裖] 진 ㊤軫 章忍切 zhěn
字解 ①홑옷 진 한 겹으로만 된 옷. 袗(衣部 五畫)과 同字. ②검은옷 진 '一, 說文云, 玄服也'《廣韻》.

7 ⑫ [裉] 랑 ㊤養 里黨切 lǎng
字解 옷해어질 랑 옷이 해어짐. '一褬'. '一, 一褬, 衣敝'《集韻》.

7 ⑫ [裍] 곤 ㊤阮 苦本切 kǔn
字解 ①옷잡아맬 곤 옷을 걷어 올려 잡아맴. '一, 縛衣也'《字彙》. ②이룰 곤 성취함. '一, 成就'《廣韻》.
字源 形聲. 衤(衣)+困〔音〕

7 ⑫ [裶] 비 ㊀未 方未切 fèi
字解 옷소매 비 옷소매. 소매. '一, 衣袖'《集韻》.

7 ⑫ [裗] 류 ㊥尤 力求切 liú
字解 옷해질 류 '衣一謂之裞'《爾雅》.

7 ⑫ [裓] ■一 극 ㊀職 古得切 gé ■二 계 ㊥佳 居諧切 jiē

字解 ■一 옷자락 극 '一, 衣裾也'《集韻》. ■二 바닥벽돌 계 땅바닥에 까는 벽돌. '一則塼道者也'《周禮疏》.

字源 形聲. 衤(衣)+戒〔音〕

7 ⑫ [裌] 겹 ①㊀洽 古洽切 jiā ②③㊀葉 檄頰切 xié

字解 ①겹옷 겹 袷(衣部 六畫)과 同字. '子起尋一衣, 感歎執我手'《蘇軾》. ②깃 겹 옷깃. '一, 衽也'《集韻》. ③넣을 겹 '懷一'은 품속·주머니에 넣음. '懷一, 藏也'《集韻》.

字源 形聲. 衤(衣)+夾〔音〕

7 ⑫ [裓] 격 ㊀陌 古伯切 gé

字解 앞깃 격 앞깃. 옷의 앞깃. '一, 衣前襟也'《字彙補》.

7 ⑫ [裐] 견 ㊥先 居緣切 juān

字解 좁을 견 좁음. '一, 褊也'《玉篇》.

7 ⑫ [裐] 초 ㊥蕭 千遙切 shāo

字解 옷깃 초 옷깃. '一, 袛也, 襬也'《集韻》.

7 ⑫ [裡] 人名 裏(次條)와 同字

筆順 ' ㇇ 礻 衤 衵 裡 裡 裡

7 ⑬ [裏] 高人 리 ㊤紙 良士切 lǐ ㊦寘 良志切 里

筆順 亠 亩 亩 車 重 裏 裏 裏

字解 ①안 리 ㉠의복의 안쪽. '綠衣黃一'《詩經》. '抱時無衣, 襦復無一'《古詩》. ㉡모든 사물의 겉의 반대쪽. '一面'. '蒸嵐相澒洞, 表一忽通透'《韓愈》. ②속 리 ㉠깊숙한 속. 내부. '只有向一存心窮理'《朱熹》. '不知明鏡一, 何處得秋霜'《李白》. ㉡배 속. 가슴 속. '一急暴痛'《素問》. ㉢마음. 충심(衷心). '一言, 心腹之言也'《中華大字典》. ③다스려질 리 理(玉部 七畫)와 통용. '宇宙一矣'《荀子》.

字源 金文 篆文 形聲. 衣+里〔音〕. '里리'는 '줄'의 뜻. 솔기의 줄이 보이는 옷의 뒷면, '안'의 뜻을 나타냄.

[裏甲 이갑] 옷 안에 갑옷을 입음.
[裏面 이면] ㉠속. 안. 거죽에 나타나지 아니한 내부. ㉡사물의 겉에 나타나지 아니한 비밀로 된 부분.
[裏城 이성] 바깥 성 안에 있는 성.
[裏言 이언] 가만히 하는 거드는 말. 내밀(內密)의 조언(助言).
[裏海 이해] 내해(內海).

◉匣裏. 客裏. 閨裏. 禁裏. 內裏. 綠衣黃裏. 腦裏. 夢裏. 門裏. 盃裏. 山裏. 袖裏. 心裏. 屋裏. 甕裏. 雨裏. 園裏. 牆裏. 竹裏. 塵裏. 治裏. 表裏. 紅裏. 花裏. 胸裏.

7 ⑬ [裒] ■一 부 ㊥尤 薄侯切 póu ■二 보 ㊥豪 博毛切 bāo

字解 ■一 ①모을 부, 모일 부 많이 모으거나 모임. '一集'. '原隰一兮, 兄弟求矣'《詩經》. ②줄 부, 덜 부 감소시킴. 감소함. '君子以一多益寡'《易經》. ③포로 부, 사로잡을 부 '一荊之旅'《詩經》. ④많을 부 '一時之對'《詩經》. ■二 자락큰옷 보 '一, 說文, 衣博裾也'《集韻》.

字源 會意. 衣+臼. '臼국'은 양손으로 물건을 집어 올리는 모양을 본뜸. 양손으로 모아서 옷속에 넣다의 뜻을 나타냄.

[裒斂 부렴] 세금을 많이 거둠.
[裒集 부집] 모음. 또, 모임.
[裒次 부차] 순서를 세워 편찬함. 편차(編次)함.
[裒會 부회] 부렴(裒斂).

7 ⑬ [裛] ■一 업 ㊀葉 於輒切 ■二 읍 ㊀緝 於汲切 yì

字解 ■一 책주머니 업 서낭(書囊). '一, 書囊也'《說文》. ■二 ①두를 읍 전요(纏繞)함. '一以藻繡'《班固》. ②향내밸 읍 옷에 좋은 향기가 뱀. '衫一翠微潤'《杜甫》.

字源 篆文 形聲. 衣+邑〔音〕. '邑읍'은 '모으다'의 뜻. 서적(書籍)을 챙겨 넣는 주머니의 뜻을 나타냄.

[裛露 읍로] 이슬에 젖음.
[裛衣 읍의] 좋은 향기가 나는 옷.

7 ⑬ [褰] 〔양〕 襄(衣部 十一畫〈p. 2075〉)의 略字

7 ⑬ [裝] 〔장〕 裝(衣部 七畫〈p. 2066〉)과 同字

7 ⑬ [裊] 뇨 ㊤篠 乃了切 niǎo

字解 ①간드러질 뇨 嫋(女部 十畫)와 同字. '一娜'. ②끈목맬 뇨 말의 배에 끈목을 걸쳐 맴. '褭, 說文曰, 以組帶馬也. 又作一'《六書故》.

字源 形聲. 衣+鳥〈省〉〔音〕. '鳥조'는 '柔유'와 통하여 '부드럽다'의 뜻. '衣의'를 붙여 '단정하다'의 뜻을 나타냄.

[裊娜 요나] 간드러진 모양.
[裊裊 요뇨] ㉠간드러진 모양. ㉡간드러진 소리가 계속해서 자꾸 들리는 모양. ㉢바람에 나뭇잎과 가지가 나부끼는 모양.

7 ⑬ [裘] 구 ㊥尤 巨鳩切 qiú

字解 ①갖옷 구 가죽 옷. '狐一'. 전(轉)하여, 겨울옷. '一葛'. '狐一'. '中秋獻良一'《周禮》. ②갖옷입을 구 가죽옷 또는 겨울옷을 입음. '天子始一'《呂氏春秋》. ③성 구 성(姓)의 하나.

〔裘①〕

字源 篆文 形聲. 衣+求〔音〕. '求구'는 갖옷의 象

形. '求'가 '구하다'의 뜻으로 쓰이게 되었기 때문에, '衣'를 덧붙여서 구별하게 됨.

[裘葛 구갈] ㉠가죽 옷과 갈포 옷. 겨울옷과 여름옷. ㉡1년(一年)의 뜻으로 씀.
[裘褐 구갈] 갖옷과 굵고 짧은 모포 옷. 전(轉)하여, 소박한 옷.
[裘馬 구마] ㉠갖옷과 거마(車馬). ㉡부자(富者).
[裘裳 구상] 갖옷의 치마. 갖옷을 이름.
[裘氏 구씨] 갖옷을 만드는 사람.
◉輕裘. 羔裘. 功裘. 箕裘. 鹿裘. 大裘. 大寒索裘. 菟裘. 黼裘. 羊裘. 良裘. 氈裘. 珍裘. 千金之裘. 貂裘. 鼲裘. 敗裘. 敝裘. 皮裘. 狐裘. 狐白裘.

7 ⑬ [求衣] 裘(前條)의 本字

7 ⑬ [裝] 高人 장 ㊥陽 側羊切 zhuāng 裝

筆順 ㅣ ㅓ 爿 爿一 壯 壯 裝 裝 裝

字解 ①차릴 장 ㉠옷을 차려입음. '一甲'. '夜分嚴一衣冠待明'《後漢書》. ㉡길 떠날 준비를 차림. '速一, 妻子可全'《後漢書》. ②꾸밀 장 ㉠화장을 함. '脂澤一具'《後漢書》. ㉡수식함. 정돈함. '一飾'. '密一船艦二百餘艘'《北史》. ③넣을 장 속에 넣음. 포장(包藏)함. '牒訴倥偬, 一其懷'《孔稚珪》. ④차림 장 옷차림. 길을 떠날 차림. '行一'. '約車治一'《戰國策》. ⑤옷 장 의복. '爲鬻衣一'《後漢書》.
字源 篆文 形聲. 衣+壯〔音〕. '壯장'은 '倉창'과 통하여, '넣다, 싸다, 감추다'의 뜻. 의복으로 몸을 싸다, 차리다, 꾸미다의 뜻을 나타냄.

[裝甲 장갑] ㉠갑옷을 입고 투구를 씀. ㉡배·수레 등을 강철(鋼鐵)로 쌈.
[裝甲車 장갑차] 강철(鋼鐵)로 싸서 만든 전지(戰地)에서 쓰는 차(車).
[裝具 장구] 화장 도구.
[裝束 장속] ㉠여장(旅裝). ㉡고운 의복. ㉢몸을 꾸려 차림.
[裝送 장송] 혼수(婚需).
[裝飾 장식] 꾸밈. 치장(治粧)함.
[裝藥 장약] 총포에 장전하는 화약.
[裝塡 장전] 총포에 탄알·화약을 잼.
[裝釘 장정] 장정(裝幀).
[裝幀 장정] ㉠책 뚜껑의 모양. 배문자(背文字). 싸개·상자 등에 대한 의장(意匠). ㉡책을 매어 꾸밈.
[裝置 장치] ㉠차리어 둠. ㉡만들어 둠. ㉢기계(機械)의 설비(設備).
[裝彈 장탄] 총포에 탄환을 잼.
[裝行 장행] 길 떠날 채비. 여행 준비.
[裝潢 장황] 책이나 서화첩을 꾸며 만듦. 표구(表具).
[裝潢匠 장황장] 표구사(表具師).
◉假裝. 嫁裝. 改裝. 輕裝. 軍裝. 歸裝. 金裝. 急裝. 男裝. 倒裝. 道裝. 武裝. 蜜裝. 辨裝. 變裝. 服裝. 扮裝. 船裝. 盛裝. 束裝. 飾裝. 新裝. 女裝. 旅裝. 禮裝. 僞裝. 戎裝. 衣裝. 儀裝. 纖裝. 春裝. 包裝. 鋪裝. 表裝. 寒裝. 行裝. 活裝.

7 ⑬ [裟] 사 ㊥麻 所加切 shā

字解 가사 사 '袈一'는 왼쪽 어깨에서 오른쪽 겨드랑이 밑으로 걸쳐 입는 중의 옷.
字源 形聲. 衣+沙〔音〕. '沙사'는 범어 kaśāya의 śā의 음역(音譯)을 나타냄. '袈裟가사'로 승려의 옷의 뜻을 나타냄.

7 ⑬ [裚] 제 ㊤霽 子計切 jì

字解 끊을 제 절단함. 자름. '一領而刎頸'《管子》.

7 ⑬ [裠] 〔군〕 裙(衣部 七畫〈p. 2063〉)과 同字

8 ⑬ [裧] ▣ 첨 ㊥鹽 處占切 chān ▣ 담 ㊤感 吐敢切 tǎn

字解 ▣ ①휘장 첨 襜(衣部 十三畫)과 同字. '婦車亦如之, 有一'《儀禮》. ②가 첨, 가장자리 첨 변연(邊緣). '其輤有一'《禮記》. ▣ 털옷 담 '毳衣謂之一'《集韻》.
字源 形聲. 衤(衣)+炎〔音〕

8 ⑬ [裨] 人名 비 ㊥支 ①-④府移切 bì ⑤-⑦符支切 pí

字解 ①도울 비 보좌함. '一補'. '一將'. '竟死何一'《韓愈》. ②더할 비, 보탤 비 '一益'. '若以同一同'《國語》. ③붙을 비 '一, 附也'《廣韻》. ④줄 비 '一, 與也'《廣韻》. ⑤성가퀴 비 여장(女牆). 陴(阜部 八畫)와 통용. '反其一'《國語》. ⑥작을 비 稗(禾部 八畫)와 통용. '一王'. '於是有一海環之'《史記》. ⑦천할 비 '一之言, 卑也'《荀子 注》.
字源 篆文 形聲. 衤(衣)+卑〔音〕. '卑비'는 '俾비'와 통하여, 보탬이 되다, 돕다의 뜻. 의복에 덧붙이다, 보충하다의 뜻.

[裨補 비보] 도와서 모자람을 채움.
[裨王 비왕] 작은 나라의 임금.
[裨益 비익] ㉠보태어 더함. 보충함. ㉡유익함. 보익(補益).
[裨將 비장] 부장군(副將軍).
[裨助 비조] 보조함. 유조(有助)함.
[裨販 비판] 소규모로 차린 장사, 또는 장수. 소매상(小賣商).
[裨海 비해] 작은 바다.

8 ⑬ [裪] 도 ㊥豪 徒刀切 táo

字解 소맷부리 도 소매의 끝. '一, 一襹, 袖褾也'《集韻》.

8 ⑬ [裿] ▣ 기 ㊤紙 去倚切 qǐ ▣ 의 ㊤紙 隱綺切 yǐ

字解 ▣ ①좋을 기 좋음. 불품이 좋음. '一, 好也'《玉篇》. ②홑속옷 기 홑속옷. ▣ 옷모양 의 옷의 모양. '一, 一裗, 衣皃'《集韻》.

8 ⑬ [裣] 금 ㊥侵 居吟切 jīn ㊤沁 巨禁切

字解 ①옷깃 금 '襟, 袍襦前袂, 一, 上同'《廣

韻》. ②옷고름 금 '衿, 衣系. 或从金'《集韻》.
[字源] 形聲. 衤(衣)+金〔音〕

8
⑬ [裉] [現] 건 kèn

[字解] 《現》 겨드랑이솔기 건 옷의 겨드랑이의 솔기.

8
⑬ [䘬] 공 [平]東 去紅切 kōng

[字解] 소맷자락 공 소맷자락. 소매. '一, 衣袂'《字彙》.

8
⑬ [䘾] 관 ①[上]旱 古緩切 guǎn
②[去]翰 古玩切 guàn

[字解] ①바짓가랑이통 관 바짓가랑이의 통. '一, 袴襱也'《玉篇》. ②가죽바지 관 가죽 바지. '一, 韋袴'《集韻》.

8
⑬ [裯] [一] 주 [平]尤 直由切 chóu
[二] 도 [平]豪 都牢切 dāo

[字解] [一] 홑이불 주 홑겹의 이불. 일설(一說)에는, 잠자리에 두르는 휘장. '抱衾與一'《詩經》. [二] 속적삼 도 '祗一'는 땀이 겉에 배지 않도록 윗도리 속에 받쳐 입는 적삼. '說文曰, 祗一, 短衣'《廣韻》.
[字源] 篆文 形聲. 衤(衣)+周〔音〕

[裯衽 주임] 홑이불과 요. 곧, 침구.

8
⑬ [裰] 철 [入]曷 丁括切 duō

[字解] 기울 철 해진 옷을 기움. '一, 補一破衣也'《廣韻》.
[字源] 形聲. 衤(衣)+叕〔音〕. '叕철'은 '깁다'의 뜻.

8
⑬ [裱] 표 ①[去]嘯 方廟切
②③[上]篠 俾小切 biǎo

[字解] ①목도리 표 여자의 목도리. ②소맷부리 표 소매 끝. 褾(衣部 十一畫)와 同字. '一, 袖端'《集韻》. ③장황 표 표구(表具). '此一匠之事'《閒情偶寄》.
[字源] 形聲. 衤(衣)+表〔音〕

[裱背匠 표배장] 장황장(裝潢匠). 표구사(表具師).
[裱手 표수] 표구(表具)의 기능(技能).
[裱匠 표장] 표배장(裱背匠).

8
⑬ [裲] 량 [上]養 里養切 liǎng

[字解] 배자 량 '一襠'은 저고리 위에 덧입는 소매가 없는 옷. 배자. '單衫繡一襠'《沈約》.
[字源] 形聲. 衤(衣)+兩〔音〕. '兩량'은 옷의 모양을 나타냄.

[裲襠 양당] 자해(字解)를 보라.

8
⑬ [裬] 릉 [平]蒸 閭承切 líng

[字解] 말뱃대끈 릉 말의 뱃대끈. '一, 馬腹帶'《集韻》.

8
⑬ [䘹] 수 [去]隊 祖對切 zuì

[字解] ①홑옷 수 홑옷. 단의(單衣). '一, 襌衣也'《玉篇》. ②갈아입을옷 수 갈아입을 옷. 여벌의 옷. '一, 副衣也'《集韻》.

8
⑬ [裷] [一] 원 [平]元 於袁切 yuān
[二] 권 [上]阮 去阮切 gǔn

[字解] [一] 복두 원, 건 원 두건(頭巾). '以其一麾之'《韓非子》. [二] 버선 권 '一, 幭也'《廣韻》.
[字源] 形聲. 衤(衣)+卷〔音〕

8
⑬ [裸] [人名] 라 [上]哿 郎果切 luǒ

[字解] ①벌거숭이 라 나체. '赤一一'. '曹共公聞其騈脅, 欲觀其一'《左傳》. ②벌거벗을 라 옷을 모두 벗음. '一裎'.
[字源] 篆文 別體 形聲. 篆文은 衣+羸〔音〕. '羸라'는 괄태충·달팽이의 象形. 괄태충 같은 벌거숭이 맨몸의 뜻을 나타냄. 지금은 別體인 '裸'가 통용됨. 別體도 形聲, 衤(衣)+果〔音〕.

[裸麥 나맥] 쌀보리.
[裸跣 나선] 벌거벗은 몸과 벗은 발.
[裸葬 나장] 관(棺)을 쓰지 않고 시체(屍體)를 염한 채 그대로 묻는 일.
[裸裎 나정] 벌거벗은 몸. 또, 나체.
[裸體 나체] 벌거벗은 몸. 알몸뚱이.
[裸體畫 나체화] 벌거벗은 사람을 그린 그림.
[裸出 나출] 바깥에 드러남. 노출(露出)함.
[裸蟲 나충] 사람. 인류(人類).
[裸形 나형] 나체(裸體).
◉袒裸. 赤裸裸. 赤裸.

8
⑬ [裼] [一] 석 [入]錫 先擊切 xī
[二] 체 [去]霽 他計切 tì

[字解] [一] ①웃통벗을 석 웃통을 벗어 어깨를 드러냄. '袒一裸裎'《孟子》. ②팔드러낼 석 소매를 걷어붙임. '一, 露臂也'《字彙》. ③웃옷 석 예복으로 쓰이는 일종의 웃옷. '裘之一也見美也'《禮記》. [二] 포대기 체 강보(襁褓). '載衣之一'《詩經》.
[字源] 篆文 形聲. 衤(衣)+易〔音〕. '易역'은 '갈다, 바꾸다, 없애다'의 뜻. 상의(上衣)를 벗어 어깨를 드러내다의 뜻을 나타냄.

◉袒裼. 襢裼. 徒裼. 素裼. 偏裼.

8
⑬ [裾] 거 ①[平]魚 九魚切 jū
②-⑤[去]御 居御切

[字解] ①자락 거 ㉠옷자락. '攬一脫絲履'《古詩》. ㉡드리운 것의 끝. '傘一直至地'《正字通》. ②거만할 거 倨(人部 八畫)와 통용. '禹爲人廉一'《漢書》. ③목빳빳이할 거 '低卬夭蟜, 一以驕驁兮'《漢書》. ④곧을 거 바르고 곧음. '其流也埤下一拘, 必循其理'《荀子》. ⑤의거할 거 據(手部 十三畫)와 통용. '由重山之束阨, 因長川之一勢'《左思》.

[字源] 篆文 形聲. 衤(衣)+居〔音〕. '居거'는 엉덩이를 붙이고 앉다의 뜻. '옷자락'의 뜻을 나타냄.

[裾裾 거거] 의복이 훌륭한 모양.
[裾裺 거솔] 짧은 옷.
◉輕裾. 短裾. 馬牛襟裾. 修裾. 衣裾. 簪裾. 長裾. 征裾. 翠裾. 紅裾. 華裾.

8
⑬ [袷] 〔갑〕 帢(巾部 六畫〈p.671〉)과 同字

8
⑬ [祿] 록 [入]屋 盧谷切 lù

[字解] 옷스치는소리 록 옷 스치는 소리. '一褳'. '一, 一褳, 衣聲'《集韻》.

8
⑬ [褂] 괘 [去]卦 古賣切 guà 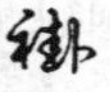

[字解] 웃옷 괘 청조(清朝) 시대의 예복의 일종으로, '外一', '馬一'의 두 가지가 있음. '服有袍有一'《清會典》.
[字源] 形聲. 衤(衣)+卦〔音〕

◉馬褂. 外褂.

8
⑬ [裞] 예 [平]齊 五稽切 ní

[字解] 옷해질 예 '衣䘿謂之一'《爾雅》.

8
⑬ [裶] 비 [平]微 芳非切 fēi

[字解] ①옷끌릴 비 '一一'는 옷이 긴 모양. '衯衯一一'《司馬相如》. ②옷끌 비 옷을 끄는 모양. '一, 曳衣貌'《韻會》.

[裶裶 비비] 옷이 긴 모양.

8
⑬ [裾] 굴 [入]物 渠勿切 jué

[字解] 등거리 굴 소매가 없는 짧은 옷. 반비의(半臂衣). '一, 衣短'《廣韻》.

8
⑬ [掖] 액 [入]陌 夷益切 yì

[字解] ①소매 액 '一, 袖也'《集韻》. ②솔기 액 겨드랑이 솔기. '一, 一縫'《廣韻》.

8
⑬ [裮] 창 [平]陽 尺良切 chāng

[字解] 띠아니띨 창 옷을 풀어 헤치고 띠를 띠지 않음. 猖(犬部 八畫)과 통용. '一被, 不帶也'《廣雅》.

8
⑬ [裺] [一] 엄 ①②[上]琰 衣儉切 yǎn
③[去]豔 於贍切
[二] 암 [平]覃 烏含切 ān

[字解] [一] ①깃 엄 옷깃. ②덮을 엄 덮어서 가림. '一, 被也'《玉篇》. ③옷풍신할 엄 옷이 몸에 끼이지 않고 풍신한 모양. '一, 一日, 衣寬皃'《集韻》. [二] 꼴주머니 암 '一篼'는 말먹이를 넣는 주머니. '飮馬橐, 自關而西, 謂之一囊, 或謂之一篼'《揚子方言》.
[字源] 篆文 形聲. 衤(衣)+奄〔音〕. '奄엄'은 '틀어막다, 덮다'의 뜻. 몸을 덮는 옷의 깃의 뜻을 나타냄.

8
⑬ [裷] 〔강〕 襁(衣部 十一畫〈p.2075〉)과 同字

8
⑬ [裧] 〔탄〕 綻(糸部 八畫〈p.1750〉)과 同字

8
⑬ [裥] 〔붕〕 綳(糸部 八畫〈p.1753〉)과 同字

8
⑬ [裮] 〔곤〕 褌(衣部 九畫〈p.2070〉)과 同字

8
⑬ [裹] 과 [上]哿 古火切 guǒ 

[字解] ①쌀 과 포장함. '乃一餱糧'《詩經》. 또, 싼 물건. 꾸러미. '松屑二一'《仙苑編珠》. ②꽃송이 과 여러 꽃이 한 꼭지에 크게 달린 덩이. '綠葉紫一'《宋玉》. ③풀열매 과 초실(草實). '濯潁散一'《郭璞》. ④보배 과 재화. '富之以國一'《管子》.
[字源] 篆文 形聲. 衣+果〔音〕. '果과'는 '會회'와 통하여, 한데 합치다의 뜻. 옷을 한데 합쳐 싸다의 뜻을 나타냄.

[裹頭 과두] ㉠머리를 싸맴. ㉡주머니 속의 물품.
[裹糧 과량] 양식을 쌈. 또, 싼 양식.
[裹足 과족] 두려워서 앞으로 나아가지 못함을 말함.
◉馬革裹. 覆裹. 纏裹. 苞裹.

8
⑭ [褄] 계 [上]薺 戶禮切 qǐ

[字解] 옷헤칠 계 '一, 開衣也'《字彙》.

8
⑭ [裵] [人名] 裴(次條)의 本字 

[筆順] 亠 亠 亠 亠 非 非 裵 裵

8
⑭ [裴] [人名] [一] 배 [平]灰 薄回切 péi
[二] 비 [平]微 符非切 féi

[筆順] 丿 ヲ ヲ 非 非 裴 裴 裴

[字解] [一] ①옷치렁치렁할 배 긴 옷의 모양. '一一'. ②서성거릴 배 徘(彳部 八畫)와 통용. '彌節一回, 翺翔往來'《史記》. ③성 배 성(姓)의 하나. [二] 나라이름 비 '郿一'는 한(漢)나라의 후국(侯國).
[字源] 篆文 形聲. 衣+非〔音〕. '非비'는 좌우로 벌어지다, 열리다의 뜻. 옷자락이 좌우로 질질 끌리는 의복의 뜻을 나타냄.
[參考] 裵(前條)는 本字.

[裴度 배도] 당(唐)나라 중기(中期)의 재상(宰相). 허둥(河東) 사람. 자(字)는 중립(中立). 회서(淮西)의 난(亂)을 토평(討平)한 공로로 진국공(晉國公)에 피봉(被封)되고, 벼슬은 중서령(中書令)에 이르렀음. 시호(諡號)는 문충

(文忠).

[裴延齡 배연령] 당(唐)나라 중기(中期)의 간신(姦臣). 성질이 간악(奸惡)하여 덕종(德宗) 밑에서 사농소경(司農少卿)·탁지(度支)의 자리에 있음을 기화(奇貨)로 남을 술중(術中)에 빠뜨리고 부정(不正)을 자행하여 사복(私腹)을 채우는 등 갖은 횡포(橫暴)를 다 부렸음.

8 ⑭ [裳] [高人] 상 [平]陽 市羊切 cháng, ②shāng

[筆順] ⺌ ⺍ 尚 尚 堂 堂 裳 裳

[字解] ①아랫도리 상, 치마 상 아랫도리에 입는 치마·바지 따위. '衣'의 대(對). '繡—'. '綠衣黃—. (傳)上曰衣, 下曰—'《詩經》. ②《現》옷 상 '衣—'은 옷.

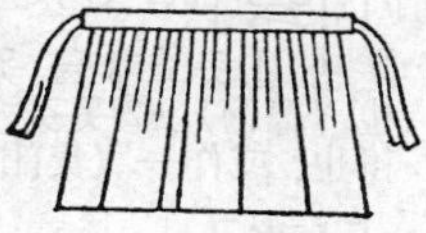

[裳①]

[字源] [常의 別體] 形聲. 衣＋尚〔音〕. '尚상'은 '長장'과 통하여, '길다'의 뜻. 단이 긴 치마의 뜻을 나타냄.

[裳裳 상상] 성(盛)한 모양. 훌륭한 모양. 아름다운 모양.
[裳繡 상수] 아랫도리옷에 수를 놓음.
[裳衣 상의] ㉠아랫도리옷과 윗옷. 치마와 저고리. ㉡군복(軍服). 일설(一說)에는, 평상시에 입는 옷. 평복(平服).
◉甲裳. 絳裳. 褰裳. 羅裳. 綠衣黃裳. 素裳. 繡裳. 霓裳. 羽裳. 帷裳. 衣裳. 玄裳. 紅裳. 纁裳.

8 ⑭ [製] [中人] 제 [去]霽 征例切 zhì 制

[筆順] ⺧ 𠂒 𠂔 𠂔 制 製 製 製

[字解] ①지을 제 ㉠옷을 지음. '子有美錦, 不使人學—焉'《左傳》. 전(轉)하여, 의복. 가죽 옷. '衣貍—'《左傳》. ㉡의복 등의 체재·양식. '變其服, 服短衣楚—'《漢書》. ㉢시문 등을 지음. '嘗—千字詩, 當時以爲盛作'《舊唐書》. 전(轉)하여, 지은 시문. '御—'. '聖—'. '灑落富淸—'《杜甫》. ㉣약(藥)을 지음. '醫書有雷公炮—'《中華大字典》. ②만들 제 물건을 만듦. '—作'. '—造'. '百官備而不—'《後漢書》. ③모습 제 용자(容姿). '頎晳美姿—'《唐書》. ④비옷 제 우의(雨衣). 우장. '成子衣—杖戈'《左傳》.

[字源] 篆文 形聲. 衣＋制〔音〕. '制제'는 나무를 깎아 다듬다의 뜻. 의복을 말라 만들다의 뜻을 나타냄.

[製鋼 제강] 시우쇠를 불려서 강철(鋼鐵)을 만듦.
[製菓 제과] 과자(菓子)를 만듦.
[製糖 제당] 설탕(雪糖)을 만듦.
[製圖 제도] 기계·건축물 등의 도면을 그려 만듦.
[製法 제법] 물건을 제작하는 방법.
[製本 제본] 책을 매는 일. 또, 그 책.
[製粉 제분] 가루를 만듦. 특히 밀에서 밀가루를 만듦.
[製氷 제빙] 얼음을 만듦.
[製絲 제사] 솜 또는 고치로 솜을 만듦.
[製藥 제약] 약재(藥材)를 조합(調合)하여 약(藥)을 만듦.
[製鹽 제염] 소금을 만듦.
[製作 제작] 물건(物件)을 만듦.
[製材 제재] 재목(材木)을 만듦.
[製造 제조] 물건(物件)을 만듦.
[製紙 제지] 종이를 만듦.
[製鐵 제철] 철광(鐵鑛)에서 쇠를 갈라내고 또는 쇠를 정제(精製)함.
[製版 제판] 활자·그림 따위로 인쇄판(印刷版)을 만듦.
[製革 제혁] 짐승의 가죽을 정제(精製)함.
◉古製. 高製. 工製. 官製. 舊製. 謹製. 芟製. 名製. 密製. 別製. 私製. 聖製. 手製. 述製. 新製. 野製. 御製. 睿製. 禮製. 自製. 作製. 精製. 粗製. 調製. 織製. 淸製. 特製. 匹製. 形製.

8 ⑭ [裻] [一] 독 [入]沃 冬毒切 dú
[二] 속 [入]沃 先篤切

[字解] [一] 등솔기 독 의복의 등의 꿰맨 줄. '衣—'. '衣之偏—之衣'《國語》. '顧見其—'《史記》. [二] 새옷스치는소리 속.

[字源] 篆文 形聲. 衣＋叔〔音〕

8 ⑬ [褠] 裻(前條)과 同字

9 ⑭ [複] [高人] [一] 복 [入]屋 方六切 fù
[二] 부 [去]宥 扶富切 fù 复

[筆順] ⺈ 衤 衤 衤 衤 袹 複 複

[字解] [一] ①겹옷 복 안을 댄 옷. '隨時單—'《魏志》. ②겹칠 복 ㉠있는 위에 또 있음. '重—'. '魏晉以來所著諸子, 理重事—, 遞相模斅'《顏氏家訓》. ㉡겹임. 이중임. '紅羅—斗帳'《古詩》. ㉢하나가 아님. 둘 이상임. '—數'. ③겹 복 둘 이상의 것. 포개어진 것. '以單攻—'《魏文帝》. [二] 거듭 부 '—, 重—'《廣韻》.

[字源] 篆文 形聲. 衤(衣)＋复(㚆)〔音〕. '复'은 본디의 길을 되돌아가다, 겹치다의 뜻. 겹옷의 뜻에서, 일반적으로, 겹치다의 뜻을 나타냄.

[複閣 복각] 두 층 이상의 누각.
[複道 복도] 상하(上下) 이중으로 된 길. 윗길은 천자(天子), 아랫길은 백성이 다녔음. 또, 이중의 낭하(廊下).
[複利 복리] 일정(一定)한 기한(期限) 안의 이자(利子)를 본전(本錢)에 가(加)하고, 그 합계금(合計金)에 다시 이자를 붙이는 방법.
[複名 복명] 두 글자로 된 이름. 천상(天祥)·방득(枋得) 따위.
[複壁 복벽] 이중(二重)의 벽.
[複本 복본] 부본(副本).
[複寫 복사] ㉠베낀 것을 또 베끼는 일. ㉡두 장 이상(以上)을 포개어 한 번에 베끼는 일.
[複線 복선] 단선(單線)에 대(對)하여 두 줄로 놓은 선로.
[複成 복성] ㉠거듭 만듦. ㉡같은 것을 또 만듦.
[複姓 복성] 두 글자로 된 성(姓). '남궁(南宮)·독고(獨孤)·선우(鮮于)' 등.
「(數).
[複數 복수] 어떠한 단위(單位)의 갑절 이상의 수

[複式 복식] ㉠복잡한 방식. ㉡복식 부기(複式簿記). ㉢두 항(項) 이상으로 된 셈의 방식. 단식(單式)의 대(對).
[複眼 복안] 곤충류(昆蟲類)·갑각류(甲殼類) 등의 눈. 작은 눈이 여러 개 모여서 된 눈으로서, 물건의 모양·운동만을 판별함.
[複語 복어] 같은 글자를 겹친 말. 곧, 명명(明明)·백백(白白) 따위.
[複葉 복엽] 하나의 잎사귀가 갈라져서 둘 이상의 잎사귀가 합친 것같이 된 것. 우상(羽狀) 복엽과 장상(掌狀) 복엽의 두 가지가 있음.
[複垣 복원] 이중(二重) 담.
[複衣 복의] ㉠겹옷. ㉡옷을 겹쳐 입음.
[複雜 복잡] 사물의 갈피가 뒤섞여서 어수선함.
[複製 복제] ㉠저작물·서화 등을 그 저자·필자 이외의 사람이 똑같이 만듦. ㉡예전 판본(版本)을 다시 새김.
[複合 복합] 둘 이상이 합쳐 하나가 됨.
◉繁複. 諄複. 洋複. 重複. 持複. 千疊萬複. 廻複.

9 ⑭ [褊] [一] 편(①② ①②㊤銑 方緬切 biǎn [二] 변 변[本]) [平]先 蒲眠切 piān 

[字解] [一] ①좁을 편 ㉠폭이 좁음. '齊國雖—小, 吾何愛一牛'《孟子》. ㉡도량이 좁음. '—狹'. '維是—心'《詩經》. ②성급할 편 '—, 急也'《爾雅》. [二] 휘날릴 변 '—襬'은 옷이 펄럭이는 모양. '—襬, 衣揚貌'《韻會》.

[字源] 篆文  形聲. 衤(衣)+扁〔音〕. '扁편'은 편평하고 얇다의 뜻. 얄팍한 옷의 뜻에서, 일반적으로, 좁고 여유가 없다의 뜻으로 쓰임.

[褊槩 편개] 좁은 역량(力量).
[褊激 편격] 마음이 편협하고 성질이 과격함.
[褊急 편급] 소견(所見)이 좁고 성미(性味)가 급(急)함.
[褊忌 편기] 마음이 편협하여 시기심이 많음.
[褊陋 편루] 편협하고 고루함.
[褊薄 편박] 인정(人情)이 적음. 박정(薄情)함.
[褊忿 편분] 마음이 좁아 성을 잘 냄.
[褊裨 편비] 부장(副將).
[褊小 편소] 협소함.
[褊心 편심] 편협한 마음.
[褊隘 편애] 편협(褊狹).
[褊切 편절] 좁고 답답함.
[褊促 편촉] 마음이 편협하고 성미가 급함.
[褊狹 편협] ㉠도량이 좁고 작음. ㉡땅 같은 것이 좁음.
◉剛褊. 卑褊. 禪居褊. 貪褊.

9 ⑭ [褋] 접 [入]葉 徒協切 dié 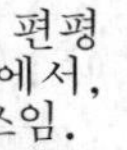

[字解] ①홑옷 접 홑겹의 옷. '襌衣, 江淮南楚之閒, 謂之—'《揚子方言》. ②제복 접 신(神)을 제사할 때 입는 제복(祭服)의 하나. '遺余—兮醴浦'《楚辭》.

[字源] 篆文 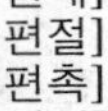 篆文 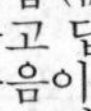 形聲. 衣+枼〔音〕. '枼엽'은 '얄팍하다'의 뜻. 얇은 홑옷의 뜻을 나타냄.

9 ⑭ [褌] 곤 [平]元 古渾切 kūn 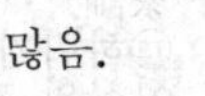

[字解] ①잠방이 곤 가랑이가 짧은 고의. '犢鼻—'. '華下曝—'《李義山雜纂》. ②속옷 곤 가랑이가 짧은 내의(內衣). '合襠謂之—, 最親身者也'《急就篇 注》.

[字源] 形聲. 衤(衣)+軍〔音〕. '軍군'은 '두르다'의 뜻. 아랫도리에 두르는 옷, 잠방이의 뜻을 나타냄.

[褌中 곤중] 잠방이 안.
◉緊褌. 犢鼻褌. 緋褌. 曬犢鼻褌. 蔽褌. 紅褌. 花下曬褌.

9 ⑭ [裣] 금 [平]侵 居吟切 jīn

[字解] ①옷소매 금 옷소매. 소매. '—, 袍襦前袂也'《篇海》. ②옷깃 금 옷깃. 깃. '䘳, 說文, 交衽也, 或作—'《集韻》.

9 ⑭ [䙆] 규 [去]霽 睽桂切 kuì

[字解] ①가운데를가른옷 규 가운데를 가른 옷. '—, 衣裾分也'《集韻》. ②가운데를가른승마복 규 가운데를 가른 승마복.

9 ⑭ [袧] 구 ㊤有 古口切 gōu

[字解] 제복 구 제복(祭服). 제향 때 입는 예복. '—, 祭服也'《字彙補》.

9 ⑭ [𧜮] 〔구〕
褠(衣部 十畫〈p. 2073〉)와 同字

9 ⑭ [褐] [人名] 갈(할[本]) [入]曷 胡葛切 hè 

[字解] ①털옷 갈 거친 털로 짠 천한 사람들이 입는 옷. '無衣無—, 何以卒歲'《詩經》. ②베옷 갈 굵은 베로 만든 옷. '被—振裾'《潘岳》. ③솜옷 갈 솜을 둔 옷. '—, 袍也'《玉篇》. ④천인 갈 미천한 사람. '旨酒—盛兮, 余與—之父睨之'《左傳》. ⑤다색 갈 갈색. 다갈색. '—色'. '色蒼—'《爾雅翼》. ⑥성 갈 성(姓)의 하나.

[字源] 篆文  形聲. 衤(衣)+曷〔音〕. '曷갈'은 '葛갈'과 통하여, '칡'의 뜻. 칡 섬유로 짠 거친 베의 뜻.

[褐寬博 갈관박] 갈박(褐博).
[褐博 갈박] 거친 베로 지은, 천한 사람이 입는 옷. 전(轉)하여, 천한 사람.
[褐父 갈부] 갈부(褐夫).
[褐夫 갈부] 거친 베로 지은 옷을 입은 천한 사람.
[褐色 갈색] 적황색(赤黃色)에 검은빛이 나는 빛.
[褐衣 갈의] 거친 모직물로 만든 옷. 천(賤)한 사람이 입는 옷. 전(轉)하여, 천한 사람. 상사람.
[褐炭 갈탄] 석탄의 한 종류. 흑갈색을 띤 것.
◉裘褐. 短褐. 馬褐. 毛褐. 釋褐. 素褐. 裋褐. 豎褐. 緼褐. 粗褐. 振褐. 毳褐. 敝褐. 布褐. 皮褐. 解褐.

9 ⑭ [𧜭] 〔건〕
褰(衣部 十畫〈p. 2074〉)과 同字

9 ⑭ [䙈] 자 [平]支 津私切 zī

[字解] 소매 자 소매. 옷소매. '—, 衣袂也'《篇海》.

9
⑭ [褕] ━ 유 ㊥虞 羊朱切 yú
二 요 ㊥蕭 餘昭切 yú
三 두 ㊥尤 徒侯切 tóu

字解 ━ 고울 유 옷이 화려함. '一衣甘食'《史記》. 二 황후옷 요 '一翟'은 꿩의 깃으로 장식한 황후의 옷. '一狄'. '伫翬一於紫氛'《張說》. 三 속옷 두 내의(內衣). '一, 一曰, 近身衣'《集韻》.
字源 篆文 形聲. 衤(衣)+俞〔音〕.

[褕狄 요적] 꿩의 깃으로 장식한 오채(五彩)가 찬란한 황후(皇后)의 옷.
[褕翟 요적] 요적(褕狄).
[褕衣 유의] 고운 옷.
[褕衣甘食 유의감식] 고운 옷을 입고 맛있는 것을 먹음.
[褕袘 유이] 아래가 짧은 홑옷.
◉短褕. 襜褕. 翬褕.

9
⑭ [褖] 단 ㊤翰 通貫切 tuàn

字解 단의 단 '一衣'는 황후(皇后)의 평상복. 또, 붉은 가선을 두른 색이 검은 선비의 아내의 예복(禮服). '一衣纚帶'《儀禮》.
字源 形聲. 衤(衣)+彖〔音〕. '彖단'은 가를 두르다의 뜻. 붉은 가선을 두른 검은 옷의 뜻을 나타냄.

[褖衣 단의] ㉠황후(皇后)의 평상복. ㉡붉은 가선을 두른 색이 검은 선비의 아내의 예복(禮服).

9
⑭ [褘] 人名 ━ 휘 ㊥微 許歸切 huī
二 위 ㊥微 于非切 yī

字解 ━ ①폐슬 휘 무릎 위에 늘이는 헝겊. '蔽厀, 江淮之間, 謂之一'《揚子方言》. '天子大服冕一'《穆天子傳》. ②황후제복 휘 제사 때 입는 꿩을 그린 황후의 옷. '王后一衣'《禮記》. 二 ①아름다울 위 고움. '漢帝之德, 侯其一而'《張衡》. ②향낭 위 부인(婦人)이 향을 넣어서 차는 주머니. '婦人之一, 謂之縭'《爾雅》.
字源 篆文 形聲. 衤(衣)+韋〔音〕. '韋위'는 '휘감다, 말다, 싸다'의 뜻. 무릎을 둘러 싸다, 폐슬의 뜻을 나타냄.

[褘衣]

[褘衣 휘의] 꿩 무늬가 있는 황후(皇后)의 제복(制服).

9
⑭ [褚] 저 ①-⑤㊤語 丁呂切 zhǔ
⑥㊤語 丑呂切 chǔ

字解 ①솜옷 저 솜을 둔 옷. 핫옷. '上一五十衣'《漢書》. ②솜둘 저 옷에 솜을 둠. '以緜裝衣曰一'《漢書 註》. ③둘 저, 쌓을 저 일정한 곳에 둠. '取我衣冠而一之'《左傳》. ④구의(柩衣) 저 '一幕'은 관 위를 덮는 홑이불 같은 보자기. '一幕丹質'《禮記》. ⑤주머니 저 돈 같은 것을 넣는 것. '傾一以濟'《唐書》. ⑥성 저 성(姓)의 하나.
字源 篆文 形聲. 衤(衣)+者〔音〕. '絮서'와 통하여 '솜옷'의 뜻. 또, '赭저'는 붉은 옷으로, 그것을 입는 병졸(兵卒)의 뜻을 나타냄.

[褚幕 저막] 관 위를 덮는 홑이불 같은 보자기. 구의(柩衣).
[褚遂良 저수량] 당(唐)나라 초기의 명신(名臣)·서예가(書藝家). 자(字)는 등선(登善). 문사(文史)에 널리 통하고, 해예(楷隷)에도 능하였음. 태종(太宗)의 굄을 받아 중서령(中書令)을 지냈으며, 고종(高宗) 때 하남군공(河南郡公)에 피봉(被封)되고 상서좌복야(尙書左僕射)에 이르렀으나, 황후(皇后) 폐립(廢立)의 비(非)를 극간(極諫)하다가 무후(武后) 때 애주자사(愛州刺史)로 좌천되어 우민(憂悶) 끝에 죽었음.
[褚衣 저의] 솜옷. 핫옷.
[褚橐 저탁] 주머니.
◉囊褚. 緼褚.

9
⑭ [褓] 人名 보 ㊤晧 博抱切 bǎo

字解 포대기 보 어린아이를 업을 때 두르는 작은 이불. 처네. '襁一'. '欲慰泉下魂, 但視一中兒'《劉績》.
字源 形聲. 衤(衣)+保〔音〕. '保보'는 젖먹이를 안다의 뜻. 젖먹이용의 포대기의 뜻을 나타냄.

[褓襁 보강] 포대기와 처네. 어린애의 옷과 처네. 전(轉)하여, 어림. 유소(幼少).
[褓中兒 보중아] 포대기 두른 어린애.
◉襁褓. 錦褓. 繻褓.

9
⑭ [⿰衤关] 체 ㊤霽 他計切 tì

字解 보충할 체 보충함. 부족한 것을 채움. '一, 補也'《集韻》.

9
⑭ [⿰衤要] 요 ①㊥蕭 於宵切 yāo
②㊤嘯 一笑切 yào

字解 ①허리띠 요 허리를 매는 띠. ②옷고름 요 '一, 衣䘸'《集韻》.
字源 形聲. 衤(衣)+要〔音〕. '要요'는 '허리'의 뜻.

9
⑭ [褆] 제 ㊥齊 杜奚切 tí

字解 ①옷두툼할 제 '一, 衣厚皃'《集韻》. ②옷좋을 제 '一, 一曰, 衣好'《集韻》.
字源 篆文 形聲. 衣+是〔音〕. '是시'는 '바르다'의 뜻. 의복이 바르다의 뜻을 나타냄.
參考 禔(示部 九畫)는 別字.

9
⑭ [⿰衤盾] 순 ㊥眞 詳遵切 xún

字解 ①옷 순 옷. 의복. '一, 衣也'《字彙》. ②옷의등솔기 순 옷의 등솔기를 꿰맴. 또는 그 등솔기. '一, 衣裂脊也, 方言作緧'《正字通》.

9
⑭ [褍] 단 ㊥寒 多官切 duān

字解 ①길 단 옷의 넓고 큰 폭. '一, 衣正幅'《集韻》. ②풍신할 단 옷이 너르고 낙낙함. '一,

衣寬也'《集韻》.
字源 篆文 形聲. 衤(衣)+耑〔音〕. '耑단'은 양쪽에 늘어지다의 뜻. 몸의 앞뒤에 늘어지는 옷의 길의 뜻을 나타냄.

9 ⑭ [褁] 외 ㊥灰 烏恢切 wēi
字解 때묻은옷 외 '一, 垢衣也'《玉篇》.

9 ⑭ [褫] 치 ㊤紙 展豸切 zhǐ
字解 ①해어진옷 치 해어진 옷. 찢어진 옷. '一, 衸一, 敝衣'《集韻》. ②옷꿰맬 치 옷을 꿰맴. '褫, 說文, 紩衣也, 或作一'《集韻》.

9 ⑭ [褙] 人名 배 ㊦隊 補妹切 bèi
字解 ①배자 배 여자의 겉옷의 하나. ②속옷 배 '一, 襦也'《集韻》. ③배접할 배 종이·헝겊 따위를 포개어 붙임.

[褙子 배자] 부인의 웃옷. 저고리 위에 덧입는 옷으로, 마고자와 같으나 소매가 없음.
[褙接 배접] 종이나 헝겊 따위를 여러 겹 포개어 붙임.
[褙板 배판] 배접(褙接)할 때 바닥에 깔고 쓰는 널.

9 ⑭ [褗] 언 ㊤阮 於幰切 yǎn / ㊦願 於建切
字解 ①옷깃 언 '一, 一領也'《說文》. ②숨겨덮을 언 '一, 隱被也'《玉篇》.
字源 形聲. 衤(衣)+匽〔音〕

9 ⑭ [福] 부 ㊦宥 敷救切 fù
字解 ①옷한벌 부 옷 일습(一襲). '今俗呼一襲爲一一衣'《匡謬正俗》. ②부응할 부 '以一海內欣戴之望'《魏大饗碑》. ③간직할 부 '邦一重寶'《史記》. ④같을 부 '仰一帝居'《張衡》. ⑤찰 부 그득 참. '一, 盈也'《廣雅》.

9 ⑭ [褑] 人名 원 ①㊦願 ㊦霰 于眷切 yuàn ②㊥元 于元切 yuán
字解 ①패옥끈 원, 패옥띠 원 패금(佩衿). '佩衿謂之一'《爾雅》. ②옷 원 '一, 衣也'《集韻》.

9 ⑭ [褛] 〔루〕
褸(衣部 十一畫〈p. 2075〉)의 俗字

9 ⑭ [褊] 〔극〕
襋(衣部 十二畫〈p. 2076〉)과 同字

9 ⑭ [褈] 〔인〕
裀(衣部 六畫〈p. 2061〉)과 同字

9 ⑭ [褵] 〔이〕
袘(衣部 五畫〈p. 2058〉)와 同字

9 ⑭ [褞] 〔온·운〕
縕(衣部 十畫〈p. 2073〉)의 俗字

9 ⑮ [褒] 人名 一 포 ㊥豪 博毛切 bāo / 二 부 ㊥尤 蒲侯切 póu
筆順 亠 产 䘖 䘖 褒 褒 褒 褒
字解 一 ①기릴 포 칭찬함. '一美'. '得升屋招用一衣也'《禮記 注》. ②자락 포 넓고 큰 옷자락. '一衣博帶'《漢書》. ③클 포, 넒을 포 '一人被之不一'《淮南子》. ④성 포 성(姓)의 하나. 二 모을 부, 모일 부 裒(衣部 七畫)와 통용. '爾雅, 聚也'《集韻》.
字源 篆文 形聲. 衣+保〈省〉〔音〕. '保보'는 '保보'의 古字. '保보'는 부풀다, 껴안다의 뜻. 물건을 싸 안을 수 있을 만큼 자락이 넓고도 불룩한 옷의 뜻. '報보'와 통하여 '칭찬하다'의 뜻.
參考 ①襃(衣部 十一畫)는 本字. ②褎(次條)는 別字.

[褒勸 포권] 칭찬하고 권면(勸勉)함.
[褒賚 포뢰] 포사(褒賜).
[褒美 포미] 칭찬함.
[褒姒 포사] 주(周)나라 유왕(幽王)의 총희(寵姬). 포(褒)는 국명(國名). 사(姒)는 성(姓). 유왕이 웃기를 좋아하지 않는 그의 웃음을 보기 위하여 봉화(烽火)를 올려 제후(諸侯)를 참집시키고 포사를 웃겼다는 이야기는 유명함. 후에, 폐후(廢后) 신후(申后)의 아버지, 신후(申侯)가 병란(兵亂)을 일으켜 유왕은 죽고 포사는 포로가 되었다고 함.
[褒詞 포사] 칭찬하는 말. 찬사(讚辭).
[褒賜 포사] 칭찬하여 물건을 하사함.
[褒賞 포상] 칭찬하여 상(賞)을 줌.
[褒錫 포석] 포사(褒賜).
[褒升 포승] 칭찬하여 승진(升進)시킴.
[褒揚 포양] 찬양(贊揚)함.
[褒優 포우] 칭찬하고 우대(優待)함.
[褒衣博帶 포의박대] 품이 넓은 옷과 폭이 넓은 띠. 곧, 선비가 입는 옷.
[褒章 포장] 기특한 행위가 있는 사람을 표창하기 위하여 주는 휘장(徽章).
[褒懲 포징] 포상(褒賞)함과 징계(懲戒)함.
[褒讚 포찬] 칭찬함. 찬양함.
[褒寵 포총] 칭찬하고 총애함.
[褒稱 포칭] 칭찬함.
[褒貶 포폄] 칭찬함과 폄론(貶論)함.
◉過褒. 飾褒. 榮褒. 旌褒. 寵褒. 稱褒.

9 ⑮ [褎] 一 수 ㊦宥 似救切 xiù / 二 유 ㊦宥 余救切 yòu
字解 一 소매 수 袖(衣部 五畫)는 俗字. '羔裘豹一'《詩經》. 二 ①옷잘입을 유 복식(服飾)이 화려한 모양. 일설(一說)에는, 웃는 모양. '叔兮伯兮, 一如充耳'《詩經》. ②우거질 유 곡초(穀草)가 무성한 모양. '實種實一'《詩經》.
字源 篆文 會意. 衣+采
參考 ①褏(次條)는 同字. ②褒(前條)는 別字.

[褎如充耳 유여충이] 옷을 잘 입고 귀막이〔瑱〕를 함. 곧, 외모는 훌륭하나 간언 충고를 듣지 않음의 비유.
[褎然 유연] 옷을 잘 입은 모양.
[褎褎 유유] 성한 모양.

◉實褎. 豹褎.

9 ⑮ [褏] 褎(前條)와 同字

9 ⑮ [褧] 〔가〕
袈(衣部 五畫〈p. 2060〉)와 同字

10 ⑮ [褞] [一] 온 [平]元 烏昆切 wēn
[二] 운 [上]吻 於粉切 yǔn

[字解] [一] 무명핫옷 온 솜을 둔 거친 무명옷. '布獘—袍, 不足以避寒'《新語》. [二] ①옷 운 '—, 衣也'《集韻》. ②겉옷 운 겉에 걸쳐 입는 옷. '—, —袿'《廣韻》.
[字源] 形聲. 衤(衣)+昷〔音〕. '昷온'은 '따뜻하다'의 뜻. 따뜻한 옷의 뜻을 나타냄.
[參考] 褞(衣部 九畫)은 俗字.

[褞褐 온갈] ㉠솜옷. ㉡천한 사람.
[褞袍 온포] 거친 솜옷.

10 ⑮ [褥] [人名] 욕 [入]沃 而蜀切 rù

[字解] 요 욕 누울 때 방바닥에 까는 것. '茵—'. '牀—'. '布衣皮—'《後漢書》.
[字源] 形聲. 衤(衣)+辱〔音〕. '辱욕'은 풀을 베어 깔다의 뜻. 헝겊 깔개, '요'의 뜻을 나타냄.

[褥席 욕석] 요. 까는 요.
◉錦褥. 芳褥. 牀褥. 席褥. 茵褥. 簟褥. 蒲褥. 皮褥.

10 ⑮ [褦] 내 [去]隊 乃代切 nài

[字解] ①패랭이 내 '—襶'는 볕을 가리기 위하여 쓰는 폐양자(蔽陽子). ②어리석을 내 사리에 어두움. '今世—襶子, 觸熱到人家'《程曉》.
[字源] 形聲. 衤(衣)+能〔音〕

[褦襶 내대] ㉠볕을 가리기 위하여 쓰는 모자. 패랭이. ㉡무더위에 성복(盛服)을 하고 남을 찾는 일. ㉢오활(迂闊)하여 사정(事情)에 통하지 아니하는 사람을 비웃어 내대자(褦襶子)라 함.

[褦襶㉠]

[褦襶子 내대자] 내대(褦襶)㉢을 보라.

10 ⑮ [褨] 차 [上]哿 想可切 suǒ

[字解] 옷길 차 옷이 긺. 또, 그 모양. '—, 衣長也'《集韻》.

10 ⑮ [褔] 격 [入]陌 克革切 kè

[字解] ①갖옷안 격 '韐, 說文曰, 裘裏也. —, 上同'《廣韻》. ②얇을 격 '—, 褲也'《廣雅》. ③찧을 격 절구에 찧음. '—, 擣也'《字彙》.

10 ⑮ [褪] [人名] 퇴(톤[本]) [去]願 吐困切 tùn 褪

[字解] ①벗을 퇴 옷을 벗음. '頓覺春衫—'《趙鼎》. ②물러설 퇴 나가려고 하다가 도리어 뒤로 물러섬. '十篙八九—'《沈與求》. ③바랠 퇴 퇴색함. '花—殘紅青苔小'《蘇軾》.
[字源] 形聲. 衤(衣)+退〔音〕. '退퇴'는 '물러나다'의 뜻. 옷의 빛깔이 물러나다, 바래다의 뜻을 나타냄.

[褪色 퇴색] 빛이 바램.
[褪英 퇴영] 빛이 바랜 꽃잎.

10 ⑮ [褠] 구 [平]尤 古侯切 gōu

[字解] ①홑소창옷 구 소매가 좁고 무가 없는 홑옷. '釋—着袴褶'《吳志 註》. ②팔찌 구, 토시 구 소매 끝을 묶어 일하기에 편하게 하는 것. 비의(臂衣). '蒼頭衣綠—'《後漢書》. ③통소매 구 소맷자락이 없고 홑으로 된 소매. '—, 禪衣之無胡者也. 言袖夾直形如溝也'《釋名》.
[字源] 形聲. 衤(衣)+冓〔音〕

[褠幘 구책] 토시와 두건(頭巾).
◉綠褠.

10 ⑮ [褡] 합 [入]洽 苦盍切 kè

[字解] 계집저고리 합 '—襠'은 여자의 상의(上衣). '—襠, 婦人袍'《集韻》.

[褡襠 합당] 여자의 저고리와 배자.

10 ⑮ [褫] [一] 혜 [平]佳 戶佳切 xié
[二] 계 [去]霽 胡計切 xì

[字解] [一] 소매 혜 소매. 옷소매. '—, 埤蒼, 衣袖也'《集韻》. [二] 띠 계 띠. 허리띠. '—, 帶也, 或作褫縩'《集韻》.

10 ⑮ [褲] 〔고〕
絝(糸部 六畫〈p. 1734〉)의 俗字

10 ⑮ [褫] 치 [上]紙 池爾切 chǐ
[去]寘 直吏切

[字解] ①옷벗길 치 옷을 벗겨 빼앗음. '終朝三—之'《易經》. 전(轉)하여, 널리 빼앗는 뜻으로 쓰임. '—奪'. '試人一縷立—魄'《晁補之》. ②벗을 치 옷을 벗음. '極禮而—'《荀子》.
[字源] [篆文] 形聲. 衤(衣)+虒〔音〕. '虒치'는 '바뀌다, 갈마들다'의 뜻. 옷을 벗다의 뜻을 나타냄.

[褫職 치직] 면직함.
[褫脫 치탈] 벗김.
[褫奪 치탈] ㉠벗겨 빼앗음. ㉡관직(官職)을 박탈함.
◉三褫. 裝褫. 摧褫. 偸褫.

10 ⑮ [褯] 용 [平]冬 於容切 yōng

[字解] 버선 용 '褯, 襪勒, 或从邕'《集韻》.

10 ⑮ [褶] 추 [去]宥 側救切 zhòu

[字解] 옷구길 추 옷이 구겨져 생긴 주름. '—, 衣

不伸也'《集韻》.

10 ⑮ [褡] 답 [入]合 都合切 dā

[字解] ①소매없는옷 답 '背—'은 소매가 없는 옷. '背—, 蘇俗半臂之稱'《中華大字典》. ②옷 해어질 답 '—, 一曰, 衣敝'《集韻》. ③이불 답 '褙—'은 이불. '褙—, 小被'《廣韻》.

[字源] 形聲. 衤(衣)+荅〔音〕

10 ⑮ [褯] 개 [去]卦 居拜切 jiè

[字解] 윗옷 개 상의(上衣). '—, 衣上羅'《玉篇》.

10 ⑯ [褭] 뇨 [上]篠 奴鳥切 niǎo

[字解] ①낭창거릴 뇨 嫋(女部 十畫)·裊(衣部 七畫)와 同字. '風—兮弱柳'《盧肇》. ②꾸밀 뇨 장식함. '脩箭—金餌'《孟郊》. ③말뱃대끈 뇨 말의 배에 졸라매는 띠. '秦封爵, 三日簪—'《說文》. ④말이름 뇨 '騕—'는 양마명(良馬名).

[字源] 篆文 會意. 衣+馬. 끈을 말의 배에 매다의 뜻을 나타냄.

[褭褭 요뇨] ㉠낭창낭창한 모양. ㉡바람이 산들거리는 모양. ㉢한들거리며 나아가는 모양.

10 ⑯ [褢] 회 [平]佳 戶乖切 huái

[字解] ①품을 회 懷(心部 十六畫)와 同字. '—誠秉忠, 維義是從'《漢書》. ②소매 회, 소맷자락 회 '—, 褏也'《說文》. ③쌀 회 싸서 간직함. '—, 苞也. 在衣曰—, 在手曰握'《玉篇》.

[字源] 篆文 形聲. 衣+鬼〔音〕. '鬼귀'는 '褱회'와 통하여 '싸다'의 뜻. 옷으로 싸고 있는 소매, 소맷자락의 뜻을 나타냄.

10 ⑯ [褱] 회 [平]佳 戶乖切 huái

[字解] ①따를 회 사모하여 붙좇음. 懷(心部 十六畫)의 古字. '鳥獸猶知—德'《楚辭》. ②품을 회 품 안이나 손에 넣어 가짐. '—, 盜竊—物也. 在衣曰—, 在手曰握'《說文 段注》. ③쌀 회 '—, 苞也'《廣韻》. '—山襄陵'《漢書》. ④생각할 회, 생각 회 '心之所思念藏貯, 亦曰—'《字彙》.

[字源] 金文 篆文 會意. 衣+眔. '眔'은 눈에서 쏟아져 흐르는 눈물의 象形. 눈물에 젖은 얼굴을 의상(衣裳)으로 가리며, 그리워하다를 뜻함.

10 ⑯ [褧] 경 [上]迥 口迥切 jiǒng

[字解] 홑옷 경 絅(糸部 五畫)과 同字. '衣錦—衣'《詩經》.

[字源] 篆文 形聲. 衣+耿〔音〕. '耿경'은 좀 얇은 옷. 삼베의 '홑옷'의 뜻을 나타냄.

[褧衣 경의] 삼베의 옷. 비단옷을 입었을 때 그 고움이 눈에 띄지 않게, 그 위에 덧입음.

10 ⑯ [褰] 건 [平]先 去乾切 qiān / [上]阮 紀偃切

[字解] ①걷을 건 ㉠소매나 치맛자락 같은 것을 걷어 올림. '—裳涉溱'《詩經》. ㉡발을 걷어 올림. '珠簾亦高—'《李商隱》. ②올릴 건 '—虹旗於玉門'《楚辭》. ③열 건 '—微罟以長眺'《潘岳》. ④접을 건, 주름잡힐 건 주름을 잡음. 또, 주름살이 잡힘. '襞積—縐'《史記》. ⑤바지 건 아랫도리에 입는 옷. '徵—與襦'《左傳》.

[字源] 篆文 形聲. 衣+寒〈省〉〔音〕. '寒한'은 추워서 몸이 움츠러들다의 뜻. 옷자락을 접어 올려 추워 보이는 모양에서, '올리다'의 뜻을 나타냄.

[褰縐 건추] 주름살이 잡힘.

10 ⑯ [褽] 〔위〕 褽(衣部 十一畫〈p.2076〉)와 同字

11 ⑯ [褵] 리 [平]支 呂支切 lí

[字解] ①향낭 리 縭(糸部 十一畫)와 同字. '親結其—'《詩經》. ②띠 리 의대(衣帶). '—, 衣帶也'《玉篇》.

[字源] 形聲. 衤(衣)+离〔音〕

11 ⑯ [褶] [人名] [一] 첩 [入]葉 徒協切 dié / [二] 습 [入]緝 似入切 xí, ②zhě

[字解] [一] ①겹옷 첩 '帛爲—'《禮記》. ②덧옷 첩 위에 덧입는 옷. '襚者以—'《儀禮》. [二] ①사마치 습 말 탈 때 입는 바지. '袴—'. ②주름 습 옷의 주름. 벽적(襞積).

[字源] 形聲. 衤(衣)+習〔音〕. '習습'은 '겹치다'의 뜻. 천을 겹쳐서 만든 옷, '겹옷'의 뜻을 나타냄.

[褶曲 습곡] ㉠주름이 잡혀 굽음. ㉡지층(地層)이 옆으로부터의 압력을 받아 물결과 같은 꼴이 됨.

11 ⑯ [褳] [現] 련 lián

[字解] 《現》 돈지갑 련 '褡—'은 중앙에 세로로 아가리가 있고, 둘로 접어서 양 끝으로 돈을 집어넣는 직사각형의 작은 주머니. 보통, 허리띠에 걸어 맴.

11 ⑯ [䙔] 구(우[本]) [平]尤 烏侯切 ōu / [上]有 烏后切

[字解] ①턱받이 구 흐르는 침이 옷에 떨어지지 않게 어린이의 턱에 대어 주는 물건. '繄絡謂之—'《揚子方言》. ②삼베옷 구 삼베로 짠 천한 사람의 옷. '—, 編枲衣'《說文》.

[字源] 篆文 形聲. 衤(衣)+區〔音〕

11 ⑯ [褷] 시 [平]支 所宜切 shī

[字解] 털날 시 털이 처음으로 나는 모양. 또, 털이 나 있는 모양. '鳧雛離—'《木華》.

[字源] 形聲. 衤(衣)+徙〔音〕

[褷襹 시리] 털이 나 있는 모양.

◉襤褸.

11 ⑯ [褸] 人名 루 ㊤麌 力主切 lǚ 褛

字解 ①누더기 루, 해진옷 루 옷이 해짐. 또, 남루한 옷. '襤—'. ②기울 루 옷의 해진 데를 기움. '紩衣, 謂之—'《揚子方言》.

字源 篆文 形聲. 衤(衣)+婁〔音〕. '婁루'는 가느다랗다, 가늘게 달리다의 뜻. 옷의 가느다란 깃, 잡아 찢겨 터져서 가늘게 된 누더기의 뜻을 나타냄.

參考 褛(衣部 九畫)는 俗字.

◉襤褸.

11 ⑯ [褾] 표 ㊤篠 方小切 biǎo

字解 ①소맷부리 표 옷소매의 말단. '—, 袖端'《廣韻》. ②장황할 표, 배접할 표 표구(表具)를 함. '—工'.

字源 形聲. 衤(衣)+票〔音〕

[褾工 표공] 표구(表具)를 하는 사람. 장황장(粧潢匠).
[褾背 표배] 배접함. 표장(表裝)함.

11 ⑯ [襀] 적 ㊅陌 資昔切 jì

字解 주름 적 옷의 주름. '襞—褰縐'《史記》.

字源 形聲. 衤(衣)+責〔音〕

◉襞襀.

11 ⑯ [襁] 人名 강 ㊤養 居兩切 qiǎng

字解 ①포대기 강 어린애를 업을 때 두르는 보. '曾孫雖在—褓'《漢書》. ②띠 강 어린애를 업는 띠. '—負其子而至矣'《論語》. ③업을 강 사람을 등에 짐. '老者—之'《新書》.

字源 篆文 形聲. 衤(衣)+強〔音〕. '強강'은 '硬경'과 통하여, '단단하다'의 뜻. 어린애를 업기 위해 심을 넣은 띠의 뜻.

[襁褓 강보] ㉠포대기. ㉡어린아이를 업는 띠. ㉢포대기에 안길 때. 어릴 때.
[襁負 강부] 업고 띠를 두름.
[襁抱 강포] ㉠어린아이를 업거나 안음. ㉡어림을 이름.

11 ⑯ [褹] ㊀예 ㊁霽 魚祭切 yì ㊁내 ㊁卦 女介切 niè ㊂날 ㊥黠 女黠切

字解 ㊀홑옷 예 소매가 긴 짧은 홑옷. '—, 字林云, 複襦也'《廣韻》. ㊁홑옷 내 ㊀과 뜻이 같음. ㊂홑옷 날 ㊀과 뜻이 같음.

11 ⑯ [襂] 삼 ①㊥侵 疏簪切 shēn ②㊥咸 師銜切 shān

字解 ①늘어질 삼 '—纚'는 옷이나 우모(羽毛)가 늘어진 모양. '纚虖—纚'《揚雄》. ②깃발 삼 기각(旗脚). '重旬始以爲—'《司馬相如》.

字源 形聲. 衤(衣)+參〔音〕

[襂纚 삼시] 의복이나 우모(羽毛)가 늘어진 모양.

11 ⑯ [䘹] 솔 ㊅質 所律切 shuài

字解 솜옷 솔 '裾—'은 솜 둔 무명옷. '—, 衣也, 褐謂之—'《集韻》.

11 ⑯ [襳] 선 ㊥先 相然切 xiān

字解 옷너푼거릴 선 옷이 너푼거리는 모양. '褊—, 衣揚貌'《正字通》.

11 ⑯ [褡] 합 ㊅合 苦盍切 kè

字解 더그레 합 '—襠'은 앞뒤 두 가닥으로 된 옷. 호의(號衣). 袷(衣部 十畫)과 同字. '鼓吹披工, 加白練—襠'《唐書》.

11 ⑰ [褻] 人名 설 ㊅屑 私列切 xiè 亵

字解 ①속옷 설 내의같이 속에 입는 옷. '—衣'. '思有短褐之—'《漢書》. ②평복 설 평상복. 사복(私服). '紅紫不以爲—服'《論語》. ③더러울 설, 더럽힐 설 '猥—'. '執—器'《周禮》. ④무람없을 설 너무 가까이하여 버릇없음. '君之—臣也'《禮記》. ⑤업신여길 설 경멸함. '—瀆'. '不欲人—之也'《禮記 注》.

字源 金文 篆文 形聲. 衣+埶〔音〕. '埶예·세'는 어린나무를 손에 잡는 모양. 오랫동안 입어 익숙해진 옷의 뜻을 나타냄.

[褻器 설기] 변기(便器).
[褻瀆 설독] ㉠더러움. 또는 더럽힘. ㉡업신여김. 경멸함.
[褻慢 설만] 무례하고 방자함.
[褻服 설복] 평상복(平常服).
[褻臣 설신] 임금에게 압근(狎近)하는 신하. 무람없는 신하.
[褻狎 설압] 버릇없이 굶.
[褻言 설언] ㉠천한 말. 외설한 말. ㉡버릇없이 구는 말.
[褻翫 설완] 가까이 두고 완상함.
[褻衣 설의] ㉠속옷. ㉡평상복(平常服).
[褻戲 설희] 외설한 장난.
◉私褻. 燕褻. 猥褻.

11 ⑰ [襄] 人名 양(상㊍) ㊥陽 息良切 xiāng

筆順 亠 亩 亶 𧟌 襄 襄 襄 襄

字解 ①오를 양 높은 곳에 올라감. '懷山—陵'《書經》. ②올릴 양 ㉠우러름. 고개를 듦. '交龍—首奮翼'《漢書》. ㉡목소리를 높임. '思曰贊贊—哉'《書經》. ③치울 양 제거함. '牆有茨, 不可—也'《詩經》. ④이룰 양 성취함. '不克—事'《左傳》. ⑤도울 양 조력함. '—同'. '—, 助也'《正字通》. ⑥탈것 양 타고 다니는 물건. '兩服上—'《詩經》. ⑦옮길 양 장소를 옮김. 이동함. '跂彼織女, 終日七—'《詩經》. ⑧높을 양 '—岸夷塗'《張衡》. ⑨성 양 성(姓)의 하나.

[字源] 金文 篆文 古文 形聲. 衣+𤁩〔音〕. '𤁩양'은 '襄양'의 原字. '𤁩'의 金文은 會意로서, 衣〈省〉+土+攴. '衣의'의 생략형(省略形)은 옷의 깃을 본뜬 모양. '土토'는 '흙'의 뜻. '攴복'은 '치다'의 뜻. 의복에 흙 따위 주물(呪物)을 넣어 사기(邪氣)를 물리치다의 뜻을 나타냄. '𤁩'의 篆文은 金文의 변형(變形)으로서 會意. 爻+工+吅+己. '襄양'은 '𤁩'에 다시 '衣'를 덧붙여 원뜻을 분명히 한 것. 또, '上상'과 통하여 '오르다'의 뜻도 나타냄.

[襄事 양사] 일을 이룸. 장례를 마침. 전(轉)하여, 장례식.
[襄岸 양안] 높은 둔덕.
[襄羊 양양] 배회함. 서성거림.
[襄陽 양양] 후베이 성(湖北省) 내에 있는 현(縣).
◉上襄. 龍襄. 定襄. 贊襄. 七襄. 懷襄.

11 ⑰ [襃] 〔포〕
褒(衣部 九畫〈p. 2072〉)의 本字

11 ⑰ [⿱亠⿳⿰口口冂衣] 〔예〕
裔(衣部 七畫〈p. 2063〉)의 訛字

11 ⑰ [⿱亠⿳⿰口口⿱⺈冂衣] 〔뇨〕
褭(衣部 十畫〈p. 2074〉)와 同字

11 ⑰ [褽] 위 [去]未 於胃切 wèi
[字解] ①갈 위 밑에 깖. '一之以玄纁'《左傳》. ②옷깃 위 '一, 衣袝也'《廣韻》.
[字源] 篆文 形聲. 衣+尉(㷉)〔音〕. '㷉위'는 '누르다'의 뜻. 옷을 몸에 누르는, '깃'의 뜻을 나타냄.

11 ⑰ [褺] 접 [入]葉 徒協切 diē
[字解] 겹옷 접 '一, 重衣也'《說文》.
[字源] 篆文 形聲. 衣+執〔音〕

11 ⑰ [⿱亠⿳⿰口口⿰丰丰衣] 〔예〕
裔(衣部 七畫〈p. 2063〉)와 同字

11 ⑯ [襂] 〔붕〕
繃(糸部 十一畫〈p. 1768〉)과 同字

12 ⑰ [襋] 극 [入]職 紀力切 jí
[字解] 깃 극 옷깃. '要之一之'《詩經》.
[字源] 篆文 形聲. 衤(衣)+棘〔音〕

12 ⑰ [⿰衤登] 등 [平]蒸 都騰切 dēng
[字解] 모직(毛織)의띠 등 '一, 毛帶也'《篇海》.

12 ⑰ [襌] 단 [平]寒 都寒切 dān
[字解] ①홑옷 단 홑겹의 옷. '一爲絅'《禮記》. ②속옷 단 내의와 같은 속에 입는 땀받이. '衣紗縠一衣'《漢書》. ③겹옷 단 '一襦, 如襦而無絮也'《釋名》.
[字源] 篆文 形聲. 衤(衣)+單〔音〕. '單단'은 '하나, 홑'의 뜻. 겹쳐져 있지 않은 옷, '홑옷'의 뜻을 나타냄.

[襌衣 단의] 홑옷. 단의(單衣).

12 ⑰ [⿰衤替] 체 [去]霽 他計切 tì
[字解] 꿰맬 체 '一, 補一也'《字彙》.

12 ⑰ [襏] 발 [入]曷 北末切 bó
[字解] ①일복 발 허술하게 짠 작업복. '烝徒讙呼, 奪一而舞'《劉禹錫》. ②도롱이 발 '一襫'은 도롱이. 비옷. 우의(雨衣). '身服一襫'《管子》.
[字源] 形聲. 衤(衣)+發〔音〕

[襏襫 발석] 비옷. 우의(雨衣).
◉緼襏. 奪襏.

12 ⑰ [襀] [一] 궤 [去]寘 丘愧切 [去]未 丘畏切 kuì [二] 회 [去]泰 黃外切 huì
[字解] [一] 옷고름 궤 '一, 增韻, 衣系也'《康熙字典》. [二] 수 회 오색(五色)실로 놓은 수(繡). '一, 同繢'《康熙字典》.

12 ⑰ [襓] 요 [平]蕭 如招切 ráo
[字解] 칼전대 요 '夫一'는 칼집에 꽂은 칼을 넣어 두는 전대. 검의(劍衣). '加夫一與劍焉'('夫'는 '袪'로도 씀)《禮記》.

◉夫襓.

12 ⑰ [襒] [人名] 별 [入]屑 蒲結切 bié
[字解] ①털 별 옷을 털. 또, 옷으로 털거나 훔침. '側行一席'《史記》. ②옷 별 의복. '一衣'.
[字源] 形聲. 衤(衣)+敝〔音〕

12 ⑰ [⿰衤識] 〔식〕
袦(衣部 六畫〈p. 2061〉)과 同字

12 ⑰ [⿰衤著] 저 [上]語 知呂切 zhǔ
[字解] 옷치장할 저 '一, 裝衣也'《字彙補》.

12 ⑰ [襐] 상 [上]養 徐兩切 xiàng
[字解] ①머리꾸미개 상 미성년자의 귀 뒤에 늘어뜨리는 수식(首飾). '皆珠翠一飾'《唐書》. ②꾸미개 상, 꾸밀 상 장식(裝飾). '一飾刻畫無等雙'《急就篇》.
[字源] 篆文 形聲. 衤(衣)+象〔音〕. '象상'은 모양·자태의 뜻. 몸에 옷을 입혀 꾸미다의 뜻을 나타냄.

[襐飾 상식] 머리 꾸미개. 특히 미성년자가 귀의 뒤에 늘어뜨리는 머리 장식.

12 ⑰ [襨] 퇴 [平]灰 徒回切 tuí
[字解] 관(棺)덮개 퇴 '一, 棺覆也'《集韻》.

12 ⑰ [褅] 체 [去]霽 他計切 tì
[字解] 포대기 체 裼(衣部 八畫)와 同字. '一, 緥也'《說文》.
[字源] 篆文 形聲. 衤(衣)+啻〔音〕

12 ⑰ [𧞄] 거 [平]魚 強魚切 qú
[字解] 끈 거 잡아매는 끈. '一, 繫也'《集韻》.

12 ⑰ [襇] 간 [去]諫 古莧切 / [上]濟 賈限切 jiǎn 裥
[字解] ①치마주름 간 '一, 帬幅相襵也'《集韻》. ②간색옷 간 두 색 이상이 혼색(混色)되어 있는 옷. '凡一色衣不過十二破, 渾色衣不過六破'《唐書》. ③터질 간 옷의 솔기가 터져 찢어짐. '一, 褑縫也'《正字通》.
[字源] 形聲. 衤(衣)+開〔音〕

12 ⑰ [𧝥] 하 [去]箇 胡箇切 hè
[字解] 소매 하 옷소매.

12 ⑰ [𧞣] 결 [入]屑 古穴切 jué
[字解] 소매 결 옷소매. '一, 博雅, 䘿一, 袖也. 或从夬'《集韻》.

12 ⑰ [襈] [一] 전 [去]霰 逵眷切 zhuàn / [二] 권 [去]霰 鷄兔切 juàn
[字解] [一] 가장자리 전 옷의 깃. '一, 衣緣'《集韻》. [二] 비단을포갤 권 '一, 重繒'《廣韻》.

12 ⑰ [𧞅] 궐 [入]月 居月切 jué
[字解] ①옷걷어올리고물건널 궐 '一, 揭衣渡也'《集韻》. ②짧은옷 궐 '一, 短衣'《集韻》.

12 ⑰ [襑] [一] 심 [平]侵 徐林切 xín / [二] 탐 [上]感 他感切
[字解] [一] 옷클 심 옷이 크고 넓음. '一, 衣博大也'《說文》. [二] 옷클 탐 [一]과 뜻이 같음.
[字源] 金文 篆文 形聲. 衤(衣)+尋〔音〕. '尋심'은 좌우의 손을 벌린 넓이의 뜻. 옷이 넓고 큼의 뜻을 나타냄.

12 ⑰ [襊] [一] 최 [去]泰 麤最切 cuì / [二] 촬 [入]曷 倉括切 cuō
[字解] [一] 시침질할 최, 옷솔기 최 옷을 꿰맴. 또, 꿰맨 자리. '一, 衣縫'《集韻》. [二] ①치포관(緇布冠) 촬 검은 베의 관(冠). '一, 緇布冠'《廣韻》. ②옷주름 촬 '褊裆雙心共一抹, 袒腹兩邊作八一'《劉孝標》. ③깃 촬 옷깃. '一, 衣領也'《玉篇》.

12 ⑰ [襆] 〔복〕 幞(巾部 十二畫〈p. 681〉)과 同字
[字源] 形聲. 衤(衣)+菐〔音〕

12 ⑰ [襍] 〔잡〕 雜(隹部 十畫〈p. 2489〉)과 同字

12 ⑰ [襦] 〔유〕 繻(衣部 十四畫〈p. 2079〉)와 同字

12 ⑱ [𧝞] 〔괴〕 傀(人部 十畫〈p. 164〉)와 同字

12 ⑱ [𧞡] 전 [上]銑 知輦切 zhàn
[字解] 붉은저사(紵紗)옷 전 '一, 丹縠衣也'《說文》.
[字源] 篆文 形聲. 衣+茬〔音〕. '茬전'은 '壇단'과 통하여, '제단(祭壇)'의 뜻. 주대(周代)의 귀부인(貴婦人)이 제단 앞 따위에서, 예복(禮服)으로 입은 옷의 뜻. '襢전'과 같은 뜻. '𧞡전'은 본래 '펼치다'의 뜻으로 사용되었을 것으로 짐작되지만, 그 뜻은 '展전' 자(字)에 양보하고, '𧞡'은 상술(上述)한 뜻으로 한정되어 쓰이게 된 것으로 보임.

13 ⑱ [襖] 오 [上]晧 烏晧切 ǎo 袄
[字解] ①웃옷 오 거죽에 입는 옷. 긴 것을 '袍', 짧은 것을 '一'라 함. '破一請來綻'《韓愈》. ②갖옷 오 '一, 裘屬'《說文新附》. ③겹옷 오 '今以夾衣爲一'《六書故》.
[字源] 篆文 形聲. 衤(衣)+奧〔音〕. '奧오'는 '燠욱'과 통하여, '따뜻하다'의 뜻. 따뜻한 갖옷의 뜻을 나타냄.

◉素襖. 襦襖. 袍襖.

13 ⑱ [𧞝] 〔갈〕 褐(衣部 九畫〈p. 2070〉)과 同字

13 ⑱ [襗] 탁 [入]藥 徒落切 duó
[字解] 속고의 탁 아랫도리에 입는 속옷. '與子同一'《詩經》.
[字源] 篆文 形聲. 衤(衣)+蜀〔音〕. '睪역'은 차례로 바꾸다의 뜻. 더러워지면 갈아입는 속옷의 뜻을 나타냄.

13 ⑱ [襘] [一] 괴 [去]泰 古外切 guì / [二] 회 [去]泰 黃外切 huì
[字解] [一] 띠매듭 괴 띠의 매는 자리. 일설(一說)에는, 옷깃이 합치는 데. '衣有一, 帶有結'《左傳》. [二] 띠느슨히맬 회 띠를 느슨히 맴. 또, 그 띠. '一, 衣緩帶'《集韻》.
[字源] 篆文 形聲. 衤(衣)+會〔音〕. '會회'는 '만나다'의 뜻. 띠나 깃의 양쪽이 만나는 부분의 뜻을 나타냄.

◉領襘.

13 ⑱ [襚] 수 [去]寘 徐醉切 suì
[字解] ①수의 수 죽은 사람에게 입히는 옷. 또,

그 옷을 보내는 일. '一者以衣送死人之稱'《禮記 疏》. ②옷 수 생존한 사람에게 의복을 보내는 일. 또, 그 옷. '謹上一三十五條'《西京雜記》.
字源 篆文 形聲. 衤(衣)+遂〔音〕. '遂수'는 '隊대'와 통하여, 무덤 속의 통로(通路)의 뜻. 무덤 속에 드는 사자(死者)에게 보내는 옷의 뜻을 나타냄.

◉衾襚. 賵襚. 賻襚. 贈襚.

13 ⑱ [襛] 농 ㊥冬 女容切 nóng

字解 ①두툼할 농 옷이 두툼한 모양. 일설(一說)에는, 얼굴이 예쁜 모양. '何彼一矣, 唐棣之華'《詩經》. ②한창일 농, 성할 농 꽃이 한창 아름답게 핀 모양. '何彼一矣, 唐棣之華'《詩經》.
字源 篆文 形聲. 衤(衣)+農〔音〕. '農농'은 '진하다, 짙다'의 뜻. 옷이 몇 겹이고 겹치다, 우거지다의 뜻을 나타냄.

13 ⑱ [襁] 〔강〕
襁(衣部 十一畫〈p. 2075〉)과 同字

13 ⑱ [襩] 〔독〕
裻(衣部 八畫〈p. 2069〉)과 同字

13 ⑱ [襜] 첨 ㊥鹽 處占切 chān

字解 ①행주치마 첨 치마 위에 입는 앞만 가리는 치마. '終朝采藍, 不盈一一'《詩經》. ②홑옷 첨 짧은 홑겹의 옷. '一男子衣黃一褕'《漢書》. ③휘장 첨 수레에 치는 휘장. 또는, 방의 입구(入口)에 치는 휘장. '赤屛泥絳一絡'《後漢書》. ④옷겨드랑이밑 첨 '一, 謂之裧'《揚子方言》.
字源 篆文 形聲. 衤(衣)+詹〔音〕. '詹첨'은, 처마 끝에 이어댄 차양의 뜻. 차양처럼 덮어 가리는 앞치마의 뜻.

[襜如 첨여] 입은 옷이 가지런한 모양. 옷차림이 단정한 모양.
[襜帷 첨유] 휘장(揮帳).
[襜褕 첨유] 짧은 홑옷.
[襜襦 첨유] 속옷. 땀받이.
[襜襜 첨첨] ㉠가지런한 모양. ㉡움직이는 모양.

13 ⑱ [襟] 人名 금 ㊥侵 居吟切 jīn

筆順 ㇇ 衤 衤 衤 襟 襟 襟 襟

字解 ①깃 금 옷깃. '正一'. '霑余一之浪浪'《楚辭》. ②가슴 금, 마음 금 '胸一'. '虛一善誘'《北史》. '欸一或遼, 音問其先'《陶潛》. ③합수머리 금 강물이 합류(合流)하는 곳. '水交會處亦曰一'《中華大字典》.
字源 形聲. 衤(衣)+禁〔音〕

[襟裾 금거] ㉠옷의 깃과 옷자락. ㉡옷을 입음.
[襟曲 금곡] 마음속. 심곡(心曲).
[襟期 금기] 마음에 생각함. 또, 그 일.
[襟帶 금대] ㉠깃과 띠. 전(轉)하여, 의복. 옷. ㉡형세가 접근함. ㉢깃은 목을 두르고 띠는 허리를 두름. 산천이 둘러싼 요해처(要害處)의 형용.
[襟度 금도] 가슴속. 도량(度量).
[襟素 금소] 마음속.
[襟要 금요] 옷깃과 허리. 요(要)는 요(腰). 전(轉)하여, 요해처(要害處).
[襟韻 금운] 가슴속의 풍운(風韻).
[襟情 금정] 마음. 심정(心情).
[襟抱 금포] ㉠가슴속. ㉡마음.
[襟兄弟 금형제] 아내의 자매의 남편. 동서(同壻).
[襟懷 금회] 가슴속. 마음속.
[襟喉 금후] 옷깃과 목구멍. 전(轉)하여, 요해처(要害處).
◉開襟. 煩襟. 分襟. 素襟. 愁襟. 宸襟. 憂襟. 幽襟. 衣襟. 整襟. 塵襟. 靑襟. 懷襟. 胸襟.

13 ⑱ [襠] 당 ㊥陽 都郎切 dāng

字解 ①배자 당 등거리. 裲(衣部 八畫)을 보라. '一, 裲一也. 其一當背, 其一當胷'《玉篇》. ②잠방이 당 짧은 고의·쇠코잠방이 따위. '動不敢出褌一'《阮籍》.
字源 形聲. 衤(衣)+當〔音〕

◉袷襠. 袴襠. 褌襠. 繡襠. 裲襠. 合襠.

13 ⑱ [襡] ㊀ 촉 ㊀沃 市玉切 shǔ ㊁ 독 ㊀屋 徒谷切 dú

字解 ㊀ 통치마 촉 통으로 된 긴 속치마. '服袿一炫金翠'《晉書》. ㊁ 쌀 독 포장(包藏)함. '斂簟而一之'《禮記》.
字源 篆文 形聲. 衤(衣)+蜀〔音〕. '蜀촉'은 '屬속'과 통하여, '꼭 붙다'의 뜻. 살에 붙는 속옷의 뜻을 나타냄.

◉袿襡.

13 ⑱ [襢] ㊀ 단 ㊤旱 徒旱切 tǎn ㊁ 전 ㊦霰 陟扇切 zhàn

字解 ㊀ ①웃통벗을 단 袒(衣部 五畫)과 同字. '一裼暴虎'《詩經》. ②드러낼 단 노출함. '設牀一第'《禮記》. ㊁ ①소복 전 무늬 없는 흰옷. '一命一衣'《禮記》. ②오글비단옷 전 바탕이 오글오글한 붉은 비단의 옷. 襄(衣部 十二畫)과 同字. '襄, 說文, 丹縠衣也. 或作一'《集韻》.
字源 形聲. 衤(衣)+亶〔音〕. '亶단'은 '旦단'과 통하여, '나타나다'의 뜻. 옷을 벗어 살갗을 드러내다의 뜻을 나타냄.

[襢裼 단석] 웃통을 벗어 어깨를 드러냄. 단석(袒裼).
[襢衣 전의] 무늬 없는 흰옷. 소복.
◉袀襢.

13 ⑲ [襞] 벽 ㊀陌 必益切 bì

字解 ①주름 벽 옷의 주름. '一積褰縐'《史記》. ②접을 벽 옷을 차곡차곡 개킴. '不如一而幽之離房'《漢書》.
字源 篆文 形聲. 衣+辟〔音〕. '辟벽'은 '劈벽'과 통하여, '찢다'의 뜻. 언뜻 보아 찢어진 것같이 보이는 옷의 주름의 뜻을 나타냄.

[襞積 벽적] 옷의 주름. '積'도 주름.
◉褶襞.

13 ⑲ [𧝁] 라 ㊤哿 郞果切 luǒ

字解 벌거숭이 라 裸(衣部 八畫)와 同字. '白畫使—伏'《漢書》.

[𧝁伏 나복] 벌거벗고 엎드림.

13 ⑱ [襮] 거 ㊋御 居御切 jù

字解 옷 거 의복(衣服). '—, 衣也'《字彙》.

14 ⑲ [𧞸] 과 ㊋箇 古火切 guǒ

字解 쌀 과 포장(包裝)함. '—, 包也'《字彙補》.

14 ⑲ [襤] 人名 람 ㊥覃 魯甘切 lán

字解 ①누더기 람, 해진옷 람 옷이 해짐. 또, 그 옷. '南楚, 凡人貧, 衣被醜弊, 或謂之—褸'《揚子方言》. ②가선대지않은옷 람 '無緣之衣, 謂之—'《揚子方言》.

字源 篆文 形聲. 衤(衣)+監〔音〕. '監감'은 '濫람'과 통하여, '흐트러지다'의 뜻. '누더기'의 뜻을 나타냄.

[襤褸 남루] 누더기. 해진 옷.

14 ⑲ [𧞤] 닐 ㊇黠 女黠切 niè

字解 노비(奴婢)의옷 닐 '—, 人奴衣'《集韻》.

14 ⑲ [襦] 유 ㊥虞 人朱切 rú

字解 ①속옷 유 짧은 속옷. 속에 입는 짧은 옷. '平生無—, 今五袴'《後漢書》. ②턱받이 유 어린아이 턱 밑에 대는 침 받이. '裺謂之—'《揚子方言》. ③고운비단 유 올이 촘촘한 얇은 비단. '蜡則作羅—'《周禮》. ④《韓》 싸개갓장이 유 갓싸개 하는 장색. '—匠'. ⑤《韓》 동옷 유 종이를 넣어 지은 옷. 수자리하는 사람들이 입었음. '—衣'.

字源 篆文 形聲. 衤(衣)+需〔音〕. '需수'는 보드라움의 뜻. 보드라운 감촉의 '속옷'의 뜻.

[襦袴 유고] 속옷과 바지.
[襦袢 유반] 속옷.
◉裙襦. 羅襦. 珠襦. 汗襦.

14 ⑲ [襣] 비 ㊋寘 毗至切 bí

字解 쇠코잠방이 비 잠방이의 한 가지. '犢—褌'.

字源 形聲. 衤(衣)+鼻〔音〕. '鼻비'는 '코'의 뜻. 소의 코 모양으로 보이는 잠방이의 뜻을 나타냄.

14 ⑲ [襘] 개 ㊋卦 居拜切 jiè

字解 윗옷 개 윗도리. '武舞緋絲大襃白練—襠'《唐書》.

14 ⑲ [襨] 韓 대

字解 《韓》 옷감 대 '衣—'는 임금의 옷. 또, 무당이 굿할 때 입는 옷.

14 ⑳ [齌] 자 ㊥支 卽夷切 zí

字解 ①옷단홀 자 옷단을 홈. '—, 緶也, 裳下緝'《說文》. ②치마 자 겉옷 속에 받쳐서 아랫도리에 입는 옷. '攝—登堂'《漢書》.

字源 篆文 形聲. 衣+齊〔音〕. '齊제'는 '가지런히 하다, 정돈하다'의 뜻. 옷을 호다의 뜻.

15 ⑳ [韤] 人名 말 ㊇月 望發切 wà

字解 버선 말 족의(足衣). '凌波微步, 羅—生塵'《曹植》.

字源 形聲. 衤(衣)+蔑〔音〕. '蔑멸'은 '업신여기다'의 뜻. 풀어도 짧아서 가볍게 보일 실로 이루어진 버선의 뜻을 나타냄.

[韤繫 말계] 버선에 달린 끈.
[韤線才 말선재] 버선의 끈을 풀어도 그 끈이 길지 아니하므로, 이렇다 할 특징이 없는 재주나 천박한 재능을 이름.
◉羅韤. 洋韤.

15 ⑳ [襫] 석 ㊇陌 施隻切 shì

字解 비옷 석 '襏—'은 우의(雨衣). 비옷.

字源 形聲. 衤(衣)+奭〔音〕

◉襏襫.

15 ⑳ [襭] 힐(혈㊍) ㊇屑 胡結切 xié

字解 옷자락걷을 힐 옷자락을 걷어 띠에 끼움. '薄言—之'《詩經》.

字源 篆文 別體 形聲. 衤(衣)+頡〔音〕. '頡힐'은 꽉 죄다의 뜻. 옷자락을 걷어 올려 띠에 질러 끼우다의 뜻을 나타냄.

15 ⑳ [襳] 〔구〕
褔(衣部 十一畫〈p. 2074〉)와 同字

15 ⑳ [襬] 피 ㊥支 彼爲切 bēi
㊋寘 披義切

字解 치마 피 帔(巾部 五畫)와 同字. '帬, 卽裳也, 一名帔, 一曰—'《急就篇 注》.

字源 形聲. 衤(衣)+罷〔音〕

15 ⑳ [襩] ㊀ 촉 ㊇沃 袖蜀切 shǔ
㊁ 독 ㊇屋 徒谷切 dú
㊂ 롱 ㊤重 魯孔切

字解 ㊀ 긴속옷 촉 '襡, 玉篇云, 長襦也. —, 上同'《廣韻》. ㊁ 쌀 독 '襡, 韜也. 或作—'《集韻》. ㊂ 바짓가랑이 롱 '襱, 絝踦也. —, 襱或从賣'《說文》.

15 ⑳ [襮] 박 ㊇藥 補各切 bó

字解 ①깃 박 수를 놓은 옷깃. '黼領謂之—'《爾

雅》. '素衣朱一'《詩經》. ②겉 박 표면. '修一而內逼'《班固》. ③드러낼 박 겉에 나타냄. 명백하게 함. '將務持重, 豈宜自表一爲賊餌哉'《唐書》. ④옷장식 박 '一, 衣外飾也'《正字通》.
[字源] [篆文] 形聲. 衤(衣)+暴(㬥)〔音〕. '暴폭'은, 나타나다의 뜻. 옷의 밖으로 나타나 있는 장식이나 깃의 뜻을 나타냄.

◉朱襮.

16 ㉑ [襯] 츤 [去]震 初覲切 chèn
[字解] ①속옷 츤 내의같이 속에 입는 옷. '取名于一, 一近尸也'《禮記 註》. ②가까이할 츤 접근함. '天一樓臺籠苑外'《韓偓》. ③베풀 츤 시여(施與)함. '布一'. '以一衆僧'《續齊諧記》. ④나타낼 츤 밖으로 드러냄. '一, 在內者使之外顯也'《中華大字典》. ⑤도울 츤 '一, 從旁裏助也'《中華大字典》.
[字源] 形聲. 衤(衣)+親〔音〕. '親친'은 '친하다'의 뜻. 살갗에 가장 친한 '속옷'의 뜻을 나타냄.

[襯衫 츤삼] 속옷.
[襯衣 츤의] 속옷. 내의.
◉貼襯. 布襯.

16 ㉑ [襱] [一] 롱 [平]東 盧紅切 lóng
[上]董 力董切
[二] 롱 [去]宋 良用切 lòng
[字解] [一] ①바짓가랑이 롱 '袴之兩股曰一'《急就篇 注》. ②치마 롱 '一, 一曰, 裙也'《集韻》. [二] 낙낙할 롱 '一緟'은 옷의 낙낙한 모양. '一緟, 衣寬皃'《集韻》.
[字源] [篆文] 形聲. 衤(衣)+龍〔音〕

16 ㉑ [⿰衤遺] [一] 유 [平]支 夷隹切 wéi
[二] 수 [去]寘 徐醉切 suì
[字解] [一] 옷 유 의상(衣裳). '一, 衣也'《集韻》. [二] 수의 수 죽은 사람에게 보내는 옷. 繸(衣部 十三畫)와 同字.

16 ㉒ [襲] [高入] 습 [入]緝 似入切 xí 袭
[筆順] 立 音 育 龍 龍 龍 龔 襲
[字解] ①엄습할 습 불의에 덮침. '一擊'. '率賚人一魯'《史記》. '楚令尹子木欲一晉軍'《國語》. ②물려받을 습 계승함. '承一'. '世一'. '一爵'. '一天祿'《左傳》. '一琁室與傾宮兮'《漢書》. ③인할 습 종전대로 따름. '因一'. '卜筮不相一也'《禮記》. ④입을 습 옷을 입음. '一朝服'《司馬相如》. ⑤들어갈 습 안으로 들어감. '使晉一於爾門'《國語》. ⑥맞을 습 합치함. '一于休祥'《國語》. ⑦껴입을 습 옷을 두 가지 이상 입음. '寒不敢一'《禮記》. ⑧되풀이할 습 한 번 한 일을 다시 거듭함. '始終相一, 無窮極也'《尹文子》. ⑨벌 습 옷 한 벌. '衣被一一'《漢書》. ⑩성 습 성(姓)의 하나.
[字源] [篆文] [籀文] 形聲. 본디, 衣+龖〔音〕. '龖답'은 겹쳐 합치다의 뜻. 의복을 겹쳐 입음의 뜻을 나타냄. 篆文의 '襲'은 籀文의 생략체.

[襲擊 습격] 느닷없이 엄습하여 침.
[襲踏 습답] 남의 뒤를 받아 그대로 함.
[襲來 습래] 습격해 옴.
[襲殮 습렴] 시체(屍體)를 씻기고 수의(壽衣)를 입힌 뒤에 염포(殮布)로 묶는 일. 염습(殮襲).
[襲冒 습모] 불의에 침범하여 침.
[襲封 습봉] 제후(諸侯)가 대대로 영지(領地)를 물려받음.
[襲殺 습살] 엄습(掩襲)하여 죽임. 불의(不意)에 쳐 죽임.
[襲常 습상] 일정불변한 자연의 도(道)를 감추어 가지고 일체의 집착(執着)과 사지(私智)를 끊어 오로지 자연 그대로 행동하여 화복(禍福)의 밖에 초연(超然)함.
[襲承 습승] 물려받음.
[襲用 습용] 써 오던 대로 씀.
[襲衣 습의] 장례(葬禮) 때에 시체(屍體)에 입히는 옷.
[襲因 습인] 옛것을 좇아함.
[襲刺 습자] 급습하여 찔러 죽임.
[襲爵 습작] 부조(父祖)의 봉작(封爵)을 이어받음.
[襲取 습취] 습격하여 빼앗음.
[襲稱 습칭] 전의 칭호를 이어받아 일컬음.
[襲奪 습탈] 엄습하여 빼앗음. 불의(不意)에 쳐 빼앗음.
◉強襲. 繼襲. 空襲. 急襲. 奇襲. 來襲. 踏襲. 蹈襲. 世襲. 承襲. 什襲. 夜襲. 掩襲. 逆襲. 因襲. 仍襲. 積襲. 葺襲. 勦襲. 討襲. 被襲. 紅錦襲.

16 ㉑ [⿰衤畺] 〔강〕
襁(衣部 十一畫〈p. 2075〉)과 同字

16 ㉑ [⿰衤篤] 〔독〕
裻(衣部 八畫〈p. 2069〉)과 同字

16 ㉒ [⿱毄衣] 독 [入]屋 都木切 dū
[字解] ①새옷의모양 독 '一, 一⿱毄衣, 新衣貌'《集韻》. ②옷의소리 독 '一, 一⿱毄衣, 衣聲'《類篇》.

17 ㉒ [襳] [一] 섬 [平]鹽 息廉切 xiān
[二] 삼 [平]咸 師銜切 shān
[字解] [一] ①깃옷휘날릴 섬 '一襹'는 우의(羽衣)가 휘날리는 모양. '被毛羽之一襹'《張衡》. ②띠 섬 허리띠. '蜚一垂髾'《漢書》. ③홑속옷 섬 '一, 襌襦也'《玉篇》. [二] 깃발 삼 縿(糸部 十一畫)과 同字. '一, 說文, 旌旗之游也. 一曰, 正幅'《集韻》.
[字源] 形聲. 衤(衣)+韱〔音〕

[襳襹 섬시] 우의(羽衣)가 휘날리는 모양.
[襳纚 섬시] 섬시(襳襹).
◉蜚襳.

17 ㉒ [襴] 란 [平]寒 郎干切 lán
[字解] 내리닫이옷 란 치마와 저고리가 연한 옷. 원피스. '一衫'. '着一及裾'《綱目集覽》.
[字源] 形聲. 衤(衣)+闌〔音〕

[襴裙 난군] 치마 띠. 허리띠.
◉金襴.

17 ㉒ [䙬] 영 [去]敬 鷖迸切 yìng

[字解] ①무늬 영 여러 색상이 어우러져 아름다운 무늬를 이룸. '—以藺紅'《郭璞》. ②치마주름 영 '—, 裠襉也'《玉篇》.

17 ㉒ [襶] 대 [去]隊 丁代切 dài

[字解] 어리석을 대 '褦—'는 어리석음. '—, 褦—, 不曉事'《集韻》. 褦(衣部 十畫)를 보라.
[字源] 形聲. 衤(衣)＋戴〔音〕

◉褦襶.

17 ㉒ [𧞫] 건 [平]先 去乾切 qiān / [上]銑 紀偃切

[字解] 바지 건 褰(衣部 十畫)과 同字. '袴, 齊魯之閒, 謂之—'《揚子方言》.

18 ㉓ [襵] [一] 접 [入]葉 之涉切 zhé / [二] 첩 [入]葉 陟葉切 zhé

[字解] [一] ①주름 접 옷의 주름. 또, 접음. '—, 謂衣襞積'《集韻》. '—, 韏衣'《一切經音義》. '熨斗成裙—'《梁簡文帝》. ②장막 접 '—, 幕也'《玉篇》. [二] 깃끝 첩 옷깃의 끝. 帪(巾部 七畫)과 同字. '—, 說文, 領耑也'《集韻》.
[字源] 形聲. 衤(衣)＋聶〔音〕

◉裙襵.

18 ㉓ [𧞛] 간 [上]濟 賈限切 jiǎn

[字解] 주름 간 치맛자락의 주름. '—, 帬幅相攝也, 或省'《集韻》. 襇(衣部 十二畫〈p. 2077〉)과 同字.

18 ㉓ [𧞝] 〔박〕
襮(衣部 十五畫〈p. 2079〉)의 本字

19 ㉔ [𧟉] 리 [平]支 呂支切 lí

[字解] 털날 리 '—襹'는 털이 처음으로 나는 모양. '毳䍦—褷'《木華》.

[𧟉褷 이시] 이시(𧟉襹).
[𧟉襹 이시] 털이 처음으로 나는 모양.
◉褷𧟉.

19 ㉔ [襹] 시 [平]支 所宜切 shī / [上]紙 所綺切

[字解] ①깃옷휘날릴 시 襳(衣部 十七畫)을 보라. '襳—'. ②털날 시 𧟉(前條)를 보라. '𧟉—'.

◉𧟉襹.

19 ㉔ [襼] 예 [去]霽 倪制切 yì 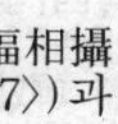

[字解] 소매 예 옷소매. '揄裳連—'《潘岳》.
[字源] 形聲. 衤(衣)＋藝〔音〕

◉連襼.

19 ㉔ [襻] 반 [去]諫 普患切 pàn

[字解] 옷고름 반 옷을 여미어 매는 끈. '—, 衣—'《廣韻》. '裠斜假—'《庾信》.

19 ㉔ [襺] 견 [上]銑 古典切 jiǎn

[字解] ①솜옷 견 솜을 둔 옷. '纊爲—'《禮記》. ②고치 견 누에고치. 繭(糸部 十三畫)과 통용.
[字源] [篆文]  形聲. 衤(衣)＋繭〔音〕. '繭견'은 고치, 또 풀솜의 뜻. 솜을 둔 옷의 뜻을 나타냄.

19 ㉔ [襸] 찬 [去]翰 則旰切 zàn

[字解] ①고울 찬 고움. '—, 姸也'《玉篇》. ②좋을 찬 '—, 好也'《玉篇》. ③고운옷 찬 '鮮衣謂之—'《集韻》.

19 ㉕ [𧟎] 〔곤〕
衮(衣部 四畫〈p. 2055〉)과 同字.

20 ㉕ [𧟗] 〔농〕
襛(衣部 十三畫〈p. 2078〉)의 本字

20 ㉕ [𧟋] 건 [平]先 qiān

[字解] 바지 건 '—, 袴也'《篇海》.

20 ㉕ [𧟘] 〔견〕
襺(衣部 十九畫〈p. 2081〉)과 同字

21 ㉖ [𧟖] 〔곤〕
衮(衣部 四畫〈p. 2055〉)의 俗字

21 ㉖ [𧟄] 촉 [入]沃 市玉切 shǔ

[字解] 통치마 촉 襡(衣部 十三畫〈p. 2078〉)과 同字.

22 ㉗ [𧟰] 낭 [去]漾 乃浪切 nàng

[字解] 느슨할 낭 헐거움. 儾(人部 二十二畫)과 同字. '儾, 寬緩也, 或从衣'《集韻》.

24 ㉙ [𧟟] 령 [平]青 郎丁切 líng

[字解] 옷의광택 령 옷의 윤. '—, 衣光也'《集韻》.

襾 (6획) 部
〔덮을아부〕

0 ⑥ [襾] [人名] 아 [去]禡 衣嫁切 yà

筆順 一 丅 冂 冃 襾 襾

字解 덮을 아 덮어 가림. 엄폐(掩蔽)함. '一, 覆也'《說文》.

字源 篆文 象形. 그릇의 뚜껑을 본뜬 모양으로, '덮다'의 뜻. 이것을 독립해서 사용하는 일은 없고, 부수(部首)로 쓰임.

參考 '襾'를 의부(意符)로 하여, '덮다'의 뜻을 지닌 문자를 이루는데, 예는 적음.

0
⑥ [西] 中·人 서 ㊥齊 先稽切 xī

筆順 一 丅 冂 丙 两 西

字解 ①서녘 서 서쪽. 해가 지는 방위. 사시(四時)로는 가을, 십이지(十二支)로는 유(酉), 오행(五行)에서는 금(金), 팔괘(八卦)로는 태(兌)에 배당함. '東一'. '東漸于海, 一被于流沙'《書經》. ②서녘으로향할 서 ㉠서쪽으로 향하여 감. '濟河而一'《史記》. '且布聞之, 鼓行一耳'《漢書》. ㉡서쪽으로 향하여. '一出陽關無故人'《王維》. ③깃들일 서 새가 보금자리에 깃들임. 棲(木部 八畫)·栖(木部 六畫)와 통용. '一, 鳥在巢上也'《說文》. '一遲衡門'《漢嚴發碑》. ④서양 서 서양(西洋)의 약칭(略稱). '一曆'. '一諺'. ⑤성 서 성(姓)의 하나.

字源 甲骨文 金文 篆文 別體 古文 籒文 象形. 甲骨文·金文은 술 따위를 거르기 위한 용구의 모양을 본뜸. 假借하여, 방위의 서(西)의 뜻을 나타냄.

[西康 서강] 중국 서부 오지(奧地)의 성(省). 한(漢)·티베트·이(彝) 등 여러 민족의 혼혈인이 거주함. 주도(主都)는 야안(雅安).
[西客 서객] ㉠앵무(鸚鵡)의 이칭(異稱). ㉡서쪽에서 온 손.
[西京 서경] ㉠한당(漢唐) 시대의 장안(長安). ㉡당(唐)나라의 지덕(至德) 2년 이후의 봉상부(鳳翔府). ㉢오대(五代)의 당(唐)나라 장종(莊宗) 이후의 태원(太原). ㉣요(遼)의 대동부(大同府). ㉤오대(五代)의 진(晉) 시대 및 북송(北宋)에서는 뤄양(洛陽). ㉥서한(西漢).
[西境 서경] 서쪽의 경계(境界).
[西京雜記 서경잡기] 전한(前漢)의 잡사(雜事)를 기록한 책. 모두 여섯 권(卷). 한(漢)나라의 유흠(劉歆) 또는 진(晉)나라의 갈홍(葛洪)의 저술(著述)이라고 함.
[西階 서계] 당(堂)으로 올라가는 동서 두 계단 중의 서쪽 계단. 손님은 이 계단으로 올라감.
[西曲 서곡] ㉠예전에 형영(荊郢) 지방에서 부르던 악곡(樂曲). ㉡서양 전래의 악곡.
[西崑體 서곤체] 당(唐)나라의 이의산(李義山), 곧 이상은(李商隱)의 시체(詩體).
[西瓜 서과] 수박.
[西郊 서교] ㉠서쪽 교외. ㉡가을의 들.
[西教 서교] 서양 전래의 종교. 특히 야소교(耶蘇教).
[西歐 서구] ㉠구라파 서부(西部)의 여러 나라. ㉡서양(西洋).
[西國 서국] 서쪽의 나라.
[西極 서극] ㉠서쪽 끝. ㉡명마(名馬)의 이름. 한무제(漢武帝)가 오손국(烏孫國)에서 얻은 말.
[西紀 서기] 서력기원(西曆紀元).
[西南 서남] 서쪽과 남쪽.
[西南間 서남간] 서쪽과 남쪽의 사이 되는 방위(方位).
[西南風 서남풍] 서남에서 불어오는 바람.
[西南向 서남향] 동북쪽에서 서남쪽으로 향(向)함.
[西內 서내] 당(唐)나라 때 장안(長安)의 태극궁(太極宮)의 일컬음. 대명전(大明殿)을 동내(東內)라 함의 대(對).
[西大陸 서대륙] 서반구의 대륙. 곧, 남아메리카와 북아메리카.
[西都 서도] ㉠주(周)시대의 호경(鎬京). 서경(西京). ㉡한(漢)나라 장안(長安)의 일컬음.
[西涼 서량] 오호 십육국(五胡十六國)의 하나. 한(漢)나라 사람 이고(李暠)가 간쑤 성(甘肅省) 서북부(西北部)에 세운 나라. 서울은 둔황(敦煌). 3주(主) 21년 만에 북량(北涼)에게 망함. (400～420)
[西曆 서력] 기독(基督)이 탄생(誕生)한 해를 기원(紀元)으로 하는 서양(西洋)의 달력(실지로 기독이 탄생한 해는 기원전 4년이라고 함).
[西路 서로] 서쪽 길.
[西遼 서료] 나라 이름. 요(遼)가 금(金)에게 망한 뒤, 그 왕족인 야율대석(耶律大石)이 천산남북로(天山南北路) 및 중앙아시아를 합쳐서 세운 나라. 5주(主) 88년 만에 몽골의 압박으로 서주(西走)한 내만(乃蠻)의 굴출률(屈出律)에게 망하였음. (1124～1211)
[西陸 서륙] 별자리의 하나. 규(奎)·누(婁)·위(胃)·묘(昴)·필(畢)·삼(參) 등이 이에 속함.
[西面 서면] 서향(西向).
[西銘 서명] 송(宋)나라 때의 학자 장재(張載)〈횡거 선생(橫渠先生)〉가 서재(書齋)의 서쪽 창에 걸어 놓은 명(銘). 모두 250자(字)로 된 것으로 인도(仁道)의 원리를 밝혀 놓은 글월임.
[西門土 서문토] 시멘트.
[西門豹佩韋 서문표패위] 서문표(西門豹)는 전국(戰國) 시대 위(魏)나라 문후(文侯)의 신하(臣下). 성질이 급한 까닭에 부드럽게 무두질한 가죽을 패용(佩用)하여 스스로 경계(警戒)한 고사(故事).
[西班 서반] 무관(武官)의 반열(班列).
[西半球 서반구] 지구의 서쪽 반(半).
[西班牙 서반아] 스페인. 에스파냐.
[西方 서방] 서쪽.
[西方美人 서방미인] 서쪽에 있는 미덕(美德)이 있는 사람. 서주(西周)의 임금을 이른 말.
[西方淨土 서방정토] 서쪽 십만억토(十萬億土)의 저쪽에 있다는 극락세계(極樂世界).
[西伯 서백] 주(周)나라 문왕(文王)의 일컬음. 은(殷)나라의 주왕(紂王)이 문왕을 명(命)하여, 서방 제후(西方諸侯)의 장(長)으로 삼은 데서 이름.
[西伯利亞 서백리아] 시베리아.
[西邊 서변] ㉠서쪽의 부근. ㉡서쪽 변방(邊方).
[西部 서부] 서쪽 부분(部分).
[西北 서북] 서쪽과 북쪽.
[西北間 서북간] 서쪽과 북쪽의 사이 되는 방위(方位).
[西北風 서북풍] 서북쪽에서 불어오는 바람.
[西北向 서북향] 동남(東南)쪽에서 서북(西北)쪽으로 향(向)함.

[西賓 서빈] 동쪽을 향하여 서쪽에 자리를 잡는 손님이라는 뜻으로, 사부(師傅)를 이름. 서석(西席) 참조.
[西史 서사] 서양 역사. 서양사.
[西山 서산] 산 이름. ㉠베이핑(北平) 서쪽에 있는 산(山). ㉡수양산(首陽山). ㉢푸젠 성(福建省) 젠양 현(建陽縣) 북쪽에 있는 산. 송(宋)나라의 채원정(蔡元定)이 독서하던 곳. ㉣푸젠 성(福建省) 포성현(浦城縣) 서쪽에 있는 산. 송(宋)나라의 진덕수(眞德秀)〈서산 선생(西山先生)〉가 글 읽던 곳. 서암산(西巖山). ㉤장시 성(江西省) 신건현(新建縣) 서쪽에 있는 산. 난창 산(南昌山).
[西廂 서상] 서쪽에 있는 곁채.
[西廂記 서상기] 원곡(元曲)의 편명(編名). 잡극(雜劇) 다섯 편(篇) 중 앞 네 편은 왕실보(王實甫)가, 마지막 한 편은 관한경(關漢卿)이 지었다고 전하여 옴. 장군서(張君瑞)와 최앵앵(崔鶯鶯)과의 연애(戀愛)를 각색(脚色)한 것으로 당(唐)나라 회진기(會眞記)에 의해서 지었음. 북곡(北曲)의 대표작임.
[西序 서서] 하(夏)나라 때의 소학교(小學校). 왕궁(王宮)의 서쪽에 있던 까닭에 이르는 명칭. 동쪽에 있던 대학(大學)을 동서(東序)라 함의 대(對).
[西席 서석] 스승이 앉는 자리. 전(轉)하여, 스승. 사부(師傅). 태공망(太公望)이 동쪽을 향하여 서쪽에 앉아서 무왕(武王)에게 황제(黃帝)의 글을 가르친 고사에 연유함. 서빈(西賓).
[西成 서성] 가을의 수확을 이름. 오행설(五行說)에서 가을은 '西'에 해당함.
[西陲 서수] 서쪽 변방(邊方).
[西僧 서승] 서역(西域)의 승려(僧侶).
[西施 서시] 오(吳)나라 임금 부차(夫差)의 총희(寵姬)였던 월(越)나라의 미인(美人).
[西岳 서악] 화산(華山)의 딴 이름. 서악(西嶽).
[西安 서안] 산시 성(陝西省)의 주도(主都). 한(漢)나라 때엔 장안(長安)이라 했음.
[西掖 서액] 중서성(中書省)의 별칭. 중서성은 궁성의 서쪽에 있었으므로 이름.
[西洋 서양] 유럽 주와 남북 아메리카 주.
[西諺 서언] 서양의 속담(俗談).
[西域 서역] 중앙아시아 및 인도 지방의 일컬음.
[西燕 서연] 오호 십육국(五胡十六國) 시대의 작은 나라. 선비족(鮮卑族)의 모용충(慕容沖)이 전진(前秦)의 부견(苻堅)을 쳐부수고 세운 나라. 6주(主) 11년 만에 후연(後燕)에게 망하였음. (384~394)
[西王母 서왕모] 중국 신화에 나오는 여선(女仙). 불사약(不死藥)을 갖고 곤륜산(崑崙山)에 살았다 함.
[西魏 서위] 후위(後魏)의 말엽(末葉)에 효문제(孝文帝)가 고환(高歡)에게 쫓기어 서쪽으로 가서 우문태(宇文泰)의 옹립(擁立)을 받아 장안(長安)에 도읍을 정하고 세운 나라. 3세(世) 23년 만에 망하였음. (535~557)
[西遊記 서유기] 책 이름. ㉠원(元)나라의 이지상(李志常)이 그의 스승 구처기(邱處機)를 따라 서역(西域)으로 가면서 도중에서 듣고 본 사실을 적어 놓은 기행문. 상하 2권. ㉡사대 기서(四大奇書)의 하나. 명(明)나라 오승은(吳承恩)이 서유(西遊)에 관한 종래의 전설을 종합한 소설. 당(唐)나라 삼장 현장(三藏玄奘)이 손오공(孫悟空) 등과 함께 인도에 가서 불경(佛經)을 가지고 돌아오기까지의 경과를 적었음.
[西戎 서융] 서쪽 오랑캐.
[西人 서인] ㉠춘추 시대(春秋時代)에 주(周)나라 사람의 칭호. ㉡서양 사람.
[西子 서자] 서시(西施).
[西藏 서장] 티베트.
[西漸 서점] 차차로 서쪽으로 진출함.
[西征 서정] ㉠서쪽으로 감. ㉡해가 서쪽으로 진다는 뜻으로, 사람의 죽음을 이름.
[西周 서주] 왕조(王朝)의 이름. 주(周)나라 무왕(武王)에서 유왕(幽王)까지. 수도(首都)였던 호경(鎬京)〈서도(西都)〉이 평왕(平王) 이후의 수도인 낙읍(洛邑)의 서쪽에 있었으므로 이름. 동주(東周)의 대(對).
[西疇 서주] 서쪽에 있는 전지(田地). 전(轉)하여, 널리 전지의 뜻으로 쓰임.
[西晉 서진] 위(魏)나라의 사마염(司馬炎)이 원제(元帝)를 폐(廢)하고 제위(帝位)를 찬탈하여 뤄양(洛陽)에 도읍한 나라 이름. 52년 만에 흉노(匈奴)의 유총(劉聰)에게 망하였음. (265~316)
[西秦 서진] 오호 십육국(五胡十六國)의 하나. 선비족(鮮卑族)의 걸복국인(乞伏國仁)이 간쑤 성(甘肅省) 남부 지방에 세운 나라. 4주(主) 47년 만에 하(夏)나라의 혁연정(赫連定)에게 망하였음. (385~431)
[西窓 서창] 서쪽으로 향(向)한 창(窓).
[西廠 서창] 명(明)나라 헌종(憲宗) 때 궁정(宮廷) 안에 설치한 재판소. 환관(宦官)이 제멋대로 참형(慘刑)을 내린 곳.
[西天 서천] ㉠서쪽 하늘. ㉡중국에서 인도(印度)를 부르는 칭호.
[西哲 서철] 서양의 철인(哲人).
[西淸 서청] 본채 서쪽에 있는 곁채.
[西淸古鑑 서청고감] 궁중(宮中) 소장(所藏)의 고기(古器)의 도설(圖說)을 붙인 책. 청(淸)나라 건륭(乾隆) 14년에 칙찬(勅撰). 모두 40권. 서청(西淸)은 청조(淸朝)의 궁내(宮內)의 일실(一室)로 한림학사가 출근하던 남서방(南書房)의 별칭(別稱).
[西楚 서초] 저장 성(浙江省) 안에 있는 땅 이름. 항우(項羽)가 이곳에서 패왕(霸王)이 되었음.
[西土 서토] ㉠서양(西洋). ㉡서방(西方)의 나라. ㉢인도(印度). ㉣촉(蜀).
[西便 서편] 서쪽.
[西風 서풍] 서쪽에서 불어오는 바람. 전(轉)하여, 가을바람.
[西皮調 서피조] 무악(舞樂)의 이름. 안후이(安徽) 출신의 광대들인 휘반(徽班)만이 북경(北京)에서 공연했음.
[西夏 서하] 송(宋)나라 중기(中期)에 탁발사모(拓跋思慕)가 내몽고(內蒙古)와 간쑤 성(甘肅省) 서북부(西北部)에 걸쳐서 세운 나라 이름. 사모(思慕)의 자손은 대하 황제(大夏皇帝)라 칭하고 도읍을 흥경(興慶)에 정하였으나, 10주(主) 190년 만에 칭기즈 칸(Chingiz Khan; 1167~1227)에게 망하였음. (1038~1227)
[西學 서학] ㉠주대(周代)의 소학교(小學校). ㉡서양의 학문(學問). ㉢'기독교(基督敎)'의 별칭(別稱).
[西漢 서한] 전한(前漢)의 별칭. 전한의 수도인 장안(長安)이 후한의 수도인 뤄양(洛陽)의 서

쪽에 있는 데서 이름.

[西海 서해] 서쪽에 있는 바다.

[西向 서향] 서쪽으로 향(向)함.

[西湖 서호] ㉠저장 성(浙江省) 항저우 시(杭州市)의 성밖 서쪽 고산(孤山) 곁에 있는 유명한 호수(湖水). 명성호(明聖湖)·상호(上湖)·전당호(錢塘湖)·외호(外湖) 등의 별칭이 있음. ㉡광둥 성(廣東省) 후이양 현(惠陽縣) 안에 있는 호수(湖水).

[西顥 서호] ㉠서쪽을 맡은 신(神). ㉡가을 기운.

[西紅柹 서홍시] 토마토. 일년감.

◉江西. 關西. 洛西. 隴西. 東西. 山西. 陝西. 城西. 遼西. 移東就西. 鎭西. 泰西. 河西. 湖西. 淮西.

3 ⑨ [要] 中人 요 ①-⑯㊥蕭 於霄切 yāo ⑰-⑳㊎嘯 於笑切 yào

筆順

字解 ①구할 요 요구함. '一請'. '脩其天爵, 以一人爵'《孟子》. ②요할 요 필수(必須)로 함. '必一'. '劉君亮一在山中靜坐'《傳習錄》. ③기다릴 요 도중에서 기다려 막음. '一擊'. '將一而殺之'《孟子》. ④으를 요 협박함. '雖曰不一君, 吾不信也'《論語》. ⑤막을 요 억지로 못하게 함. '皇太后固一'《漢書》. '一淫佚'《管子》. ⑥언약할 요 약속함. 맹세함. '一約'. '一結'. '使季路一我, 吾無盟矣'《左傳》. ⑦규찰할 요 문초하여 규명함. '異其死刑之罪而一之'《周禮》. ⑧모을 요 한데 합침. '一其節奏'《禮記》. ⑨반드시 요 꼭. '一須'. '男兒一當死於邊野, 以馬革裹屍還葬'《後漢書》. ⑩요컨대 요 대체(大體)는. 요약하여 말하면. '一自胸中無滯礙'《韓愈》. ⑪허리 요 腰(肉部 九畫)와 同字. '自一以下, 不及禹三寸'《史記》. ⑫허리띠 요 褄(衣部 九畫)와 통용. '一之襋之'《詩經》. ⑬허리에찰 요 '解玉佩以一之'《曹植》. ⑭굽힐 요 夭(大部 一畫)와 통용. '微行一屈'《張衡》. ⑮요복 요 오복(五服)의 하나. 왕성(王城)에서 상거(相距)가 백 리 되는 땅. '一服'《書經》. ⑯성 요 성(姓)의 하나. ⑰종요로울 요 중요함. '一路'. '先王有至德一道'《孝經》. ⑱대요 요 종요로운 줄거리. '第五章乃明善之一'《大學章句》. ⑲목 요 중요한 곳. '一害之處'《史記》. ⑳회계 요 금전의 계산. '一會'. '則受邦國之比一'《周禮》.

字源 篆文 古文 象形. 篆文은 인체(人體)의 한 가운데에 양손을 댄 모양을 본떠, '허리'의 뜻을 나타냄. 古文은 囟+臼+女. 이 古文의 변형(變形)이 '要요'인데, 古文에서부터 '女녀'를 덧붙이게 된 것은, 허리가 발달한 여성이란 뜻에서임. 허리는 몸의 요처(要處)란 데서, 전(轉)하여, 종요로운 곳의 뜻도 나타냄. 또 '徼요'와 통하여, '요구하다'의 뜻도 나타냄.

[要綱 요강] 중요(重要)한 강령(綱領).

[要件 요건] ㉠요긴(要緊)한 일. ㉡긴요(緊要)한 조건.

[要擊 요격] 도중에서 기다리고 있다가 공격함.

[要訣 요결] 종요로운 비결(祕訣). 요긴(要緊)한 뜻.

[要結 요결] 맹세함. 서약함.

[要功 요공] 공(功)을 자랑함.

[要求 요구] ㉠달라고 청함. ㉡언약함. 맹세함. 요결(要結).

[要具 요구] 필요한 도구.

[要劇 요극] 중요하고 바쁜 지위.

[要近 요근] 임금의 측근에 있는 중요한 벼슬.

[要急 요급] 급(急)을 요함. 또, 맨 먼저 하여야 할 중요한 일.

[要緊 요긴] 중요하고도 긴(緊)함.

[要談 요담] 요긴한 말.

[要道 요도] 중요한 도(道).

[要覽 요람] 중요한 것만 간추려서 보게 한 책.

[要略 요략] ㉠중요한 것만 추려 줄임. ㉡문장·저서 등의 개요(槪要)만 적음. 또, 그 적은 것.

[要領 요령] ㉠허리와 고개. 곧, 신체의 중요한 부분. ㉡사물의 요점.

[要路 요로] ㉠요해처(要害處)로 가는 길목. ㉡권력을 쥔 자리. 추요(樞要)한 지위.

[要望 요망] 꼭 그리하여 주기를 바람.

[要盟 요맹] 힘으로 억지로 맺은 맹세.

[要目 요목] 중요한 조목(條目). 요긴(要緊)한 곳.

[要眇 요묘] 아름다운 모양.

[要務 요무] 중요한 임무. 긴요(緊要)한 일.

[要償 요상] 손해 배상을 청구함.

[要塞 요새] ㉠국방상(國防上) 필요한 곳에 쌓은 성(城). ㉡변경(邊境)의 둔영(屯營).

[要誓 요서] 맹세.

[要所 요소] 중요한 곳. 또, 점(點). 요점(要點).

[要素 요소] 사물(事物)의 필요 불가결한 원소(元素).

[要囚 요수] 죄수 판결의 주문(主文).

[要須 요수] 꼭 필요함. 없어서는 안 됨.

[要術 요술] 중요한 수단. 중요한 계략.

[要式 요식] 반드시 좇아야 할 일정한 법식.

[要約 요약] ㉠주요 대목을 추려 냄. ㉡단속함. ㉢약속함. 맹세함.

[要言 요언] ㉠언약함. ㉡요점만 추려서 하는 말. 요령이 있는 말.

[要用 요용] 긴요함. 필요함. 또, 긴요하게 씀. 간요(肝要).

[要義 요의] 중요한 뜻. 또, 요약(要約)한 내용. 또, 그것을 적은 책.

[要人 요인] 중요한 자리에 있는 사람.

[要節 요절] ㉠행해야 할 때에 만남. ㉡절의(節義)로써 행동을 단속함. ㉢글의 중요한 대목.

[要點 요점] 중요한 점(點).

[要地 요지] ㉠중요한 곳. ㉡요해처. ㉢추요(樞要)한 지위. 요로(要路).

[要旨 요지] ㉠중요한 뜻. ㉡대체적인 내용. 요약한 내용.

[要指 요지] 요지(要旨).

[要職 요직] 중요한 직무.

[要津 요진] ㉠중요한 나루터. ㉡권력이 있는 중요한 지위. 또, 그 지위에 있는 사람.

[要鎭 요진] 요해처에 있는 병영(兵營).

[要斬 요참] 허리를 벰. 또, 그 형벌. 요참(腰斬).

[要處 요처] ㉠중요한 곳. ㉡변소.

[要請 요청] 요구하여 청함. 억지로 청함.

[要諦 요체] ㉠《佛敎》 중요한 깨달음. ㉡중요한 점. 요점(要點). 안목(眼目).

[要樞 요추] 중요한 장소·지위. 추요(樞要).

[要衝 요충] ㉠긴요한 처소. ㉡요해처(要害處).

[要港 요항] 군사상 중요한 항구.

[要項 요항] 중요한 사항(事項). 요긴한 사항.

[要害 요해] 요해처(要害處).
[要害處 요해처] ㉠지세(地勢)가 험준(險峻)하여 적(敵)을 방비(防備)하기에 편리한 곳. ㉡신체(身體)의 중요한 부분(部分).
[要會 요회] 결산(決算). 요(要)는 한 달의 계산. 회(會)는 1년의 총결산.
◉肝要. 簡要. 強要. 綱要. 概要. 久要. 權要. 急要. 紀要. 機要. 緊要. 大要. 法要. 邊要. 祕要. 小要. 所要. 須要. 需要. 摘要. 切要. 提要. 主要. 重要. 知要. 撮要. 樞要. 衝要. 治要. 必要. 險要. 嶮要. 顯要. 會要.

3 ⑨ [要] 要(前條)와 同字

[栗] 〔률〕 木部 六畫(p.1063)을 보라.

5 ⑪ [覂] 봉 [上]腫 方勇切 fěng [去]宋 房用切

[字解] ①엎을 봉, 엎어질 봉 泛(水部 五畫)과 同字. '一駕之軼'《顔延之》. ②다할 봉 다하여 없어짐. '公私一竭'《唐書》.

[字源] 篆文 形聲. 襾+乏〔音〕. '襾아'는 '覆복'의 생략체로, '엎어지다'의 뜻. '乏핍'은 '犯범'과 통하여, '난잡하다'의 뜻. 질서를 어지럽혀 뒤엎다의 뜻을 나타냄.

[覂駕 봉가] 말〔馬〕이 사나워서 수레가 바른 길에서 벗어남.
[覂竭 봉갈] 다하여 없어짐.

[票] 〔표〕 示部 六畫(p.1597)을 보라.

[粟] 〔속〕 米部 六畫(p.1700)을 보라.

6 ⑫ [覀圭] 휴(규[俗]) [平]齊 戶圭切 xī

[字解] ①천할 휴 '一, 鄙也'《玉篇》. ②성 휴 성(姓)의 하나.

[字源] 形聲. 西+圭〔音〕

6 ⑫ [覃] [人名] [一] 담 [平]覃 徒含切 tán [二] 염 [平]鹽 余廉切 yǎn

[筆順] 一 冖 覀 覀 覀 覀 覃 覃

[字解] [一] ①벋을 담, 퍼질 담 벋어 널리 퍼짐. '葛之一兮'《詩經》. ②미칠 담 벋어 미침. 널리 퍼져 미침. '一及鬼方'《詩經》. ③깊을 담, 넓을 담 깊고 넓음. '一恩'. '揚雄一思于太玄'《晉書》. '硏精一思'《孔安國》. ④길 담 '一, 長也'《廣雅》. '實一實訏'《詩經》. ⑤성 담 성(姓)의 하나. [二] 날설 염 예리함. 잘 베어짐. '以我一耜'《詩經》.

[字源] 金文 籒文 古文 篆文 會意. 본디, 鹵+㫗. '鹵로'는 '소금'의 뜻. '㫗'는 '厚후'의 하부(下部)와 같은 자(字)로, '두껍다'의 뜻을 나타냄. 간간하여 입맛이 당기다의 뜻을 나타냄. 또, 음형상(音形上)으로는 '深심'과 통하여, '깊다, 힘차다'의 뜻을 나타냄. '覃'은 생략체(省略體).

[覃及 담급] 미침. 벋어 미침.
[覃思 담사] 깊이 생각함. 심사함.
[覃恩 담은] 은혜를 깊이 함. 은혜를 널리 베풂.
[覃惠 담혜] 은혜를 베풂. 또, 깊은 은혜.
[覃耜 염사] 날이 선 보습.
◉廣覃. 普覃. 聖澤覃. 遙覃. 遠覃. 遐覃.

10 ⑯ [燡] 〔계〕 烓(火部 六畫〈p.1328〉)와 同字

10 ⑯ [罷] 〔파〕 罷(网部 十畫〈p.1791〉)와 同字

12 ⑱ [覆] [高人] [一] 복 [入]屋 芳福切 fù [二] 부 [去]宥 敷救切 fù

[字解] [一] ①엎어질 복, 넘어질 복 '顚一'. '舟遂一'《十八史略》. '不勝任則屋一'《管子》. ②뒤집을 복, 엎을 복, 넘어뜨릴 복 ㉠전복시킴. '命舟牧一舟'《禮記》. ㉡무너뜨림. 멸망시킴. '惡利口之一邦家者'《論語》. ㉢전쟁에 이김. '常一三軍'《李華》. ③배반할 복 신의를 저버림. '夸詐多變反一之國'《漢書》. ④되풀이할 복 한 일을 거듭함. '欲反一之'《史記》. ⑤사뢸 복, 알릴 복 '申一'. '一函'. '官府吏文之申請于上者, 曰申, 曰一'《正字通》. ⑥살필 복 '一之而角至'《周禮》. '檢一私隱'《唐書》. ⑦구할 복 찾음. '一, 索也'《廣雅》. ⑧도리어 복 반대로. '不懲其心, 一怨是正'《詩經》. ⑨복병 복 伏(人部 四畫)과 통용. '君爲三一'《左傳》. [二] ①덮을 부 ㉠씌워 얹음. '瓦屋, 以瓦一屋也'《急就篇》. ㉡덮어 쌈. '天之所一'《禮記》. ㉢가리워 감춤. '微瑕細故, 當掩一之'《魏志》. ㉣비호(庇護)함. '以一救之'《荀子》. ㉤널리 퍼짐. 널리 미침. '仁一天下'《孟子》. ②덮개 부 덮는 물건. 또, 덮는 일. '射一'.

[字源] 篆文 形聲. 襾+復(復)〔音〕. '襾아'는 뚜껑의 象形. '復복'은 '뒤집다'의 뜻. 뚜껑을 뒤집다, 덮다의 뜻을 나타냄.

[覆勘 복감] 다시 조사함.
[覆蓋 복개] 덮음.
[覆檢 복검] 복고(覆考).
[覆傾 복경] 뒤집어 기울임. 뒤집혀 기욺.
[覆啓 복계] 답장의 첫머리에 쓰는 말. 복계(復啓).
[覆考 복고] 다시 조사함.
[覆校 복교] 다시 교정함.
[覆溺 복닉] 복몰(覆沒)㉠.
[覆面 복면] 얼굴을 가림. 또, 그 가리는 물건.
[覆面強盜 복면강도] 얼굴을 가린 강도(強盜).
[覆滅 복멸] 뒤집혀 멸망함.
[覆沒 복몰] ㉠배가 뒤집히어 가라앉음. ㉡싸움에 대패함.
[覆翻 복번] 뒤집음.
[覆盆 복분] ㉠사발을 엎음. 또, 엎은 사발. ㉡동이를 머리에 임. 동이를 이면 하늘을 우러러 해를 보지 못하므로 임금의 은택을 입지 못함을 이름. ㉢동이의 물을 엎지름. 큰비의 형용. ㉣복분자(覆盆子).
[覆盆子 복분자] 장미과(薔薇科)에 속한 낙엽 관목. 고무딸기. 「래.
[覆沙 복사] 논밭에 모래가 덮이는 일. 또, 그 모
[覆船 복선] 배가 뒤집힘.

[覆姓 복성] 두 자(字)로 된 성(姓). 사마(司馬)·구양(歐陽) 따위.
[覆巢無完卵 복소무완란] 엎어진 새집 밑에는 온전한 알이 없음. 곧, 근본이 썩으면 그 지엽(枝葉)도 따라서 썩는다는 뜻.
[覆水不歸盆 복수불귀분] 복수불수(覆水不收).
[覆水不收 복수불수] 엎지른 물은 다시 담을 수 없음. 이혼한 아내는 다시 맞아들일 수 없음.
[覆試 복시] 재시험(再試驗).
[覆審 복심] 다시 조사함. 재심(再審)함.
[覆按 복안] 다시 조사함.
[覆壓 복압] 덮어씌움. 덮어 누름.
[覆育 복육] 천지(天地)가 만물을 덮어 기름. 천복지육(天覆地育).
[覆掌 복장] 손바닥을 뒤집음. 전(轉)하여, 손쉬운 일의 비유. 또, 변하기 쉬움의 비유.
[覆醬 복장] 간장독을 덮는 뚜껑이 됨. 그 문장·저서 따위가 햇빛을 못 보고 휴지 조각이 되어 독의 뚜껑이 됨. 자기의 저서·시문의 겸칭.
[覆照 복조] 덮어 비춤.
[覆舟山 복주산] 난징(南京) 동북방에 있는 산 이름. 동진(東晉)의 유유(劉裕)가 환현(桓玄)을 격파한 곳.
[覆酒甕 복주옹] 술독의 뚜껑을 덮음. 곧, 서투르게 지은 시문(詩文)을 버린다는 뜻.
[覆舟之下無伯夷 복주지하무백이] 군자는 위태로운 데를 가까이하지 아니함의 비유.
[覆轍 복철] 엎어진 수레바퀴라는 뜻. 곧, 실패한 자취. 전인(前人)의 실패.
[覆墜 복추] 엎어져 떨어짐.
[覆被 복피] 덮음.
[覆驗 복험] 다시 조사함.
[覆載 부재] ㉠하늘은 만물을 덮고 땅은 만물을 싣는다는 뜻으로, 천지(天地)의 일컬음. ㉡널리 은택을 베풀어 기름.
◉檢覆. 傾覆. 反覆. 翻覆. 溥覆. 私覆. 申覆. 掩覆. 蔭覆. 顚覆. 蕩覆. 被覆. 驗覆.

12 ⑱ [覆] 高人 覆(前條)와 同字

13 ⑲ [覈] 一 핵 ㊀陌 下革切 hé 二 흘 ㊀月 恨竭切
字解 一 ①핵실할 핵 사실을 조사하여 밝힘. '考—'. '—論'. '何以—諸'《張衡》. ②엄할 핵 준엄함. '深—'. '峭—爲方'《後漢書》. ③씨 핵 核(木部 六畫)과 同字. '其植物宜—物'《周禮》. 二 보리싸라기 흘 麧(麥部 三畫)과 통용. '食糠—'《漢書》.
字源 篆文 別體 形聲. 襾+敫〔音〕. '敫격'은 '분명하다'의 뜻. 덮여 있는 것(襾)을 분명히 하다의 뜻을 나타냄.

[覈擧 핵거] 엄격히 조사하여 거용함.
[覈得 핵득] 일의 실상(實狀)을 조사하여 사실을 알아냄.
[覈論 핵론] ㉠핵실(覈實)하여 논(論)함. ㉡엄하게 논평함.
[覈物 핵물] 핵(核)이 있는 열매. 살구·자두 따위.
[覈辨 핵변] 핵실(覈實)하여 밝힘.
[覈實 핵실] 일의 실상을 조사함.
◉檢覈. 考覈. 校覈. 究覈. 窮覈. 明覈. 深覈. 審覈. 按覈. 硏覈. 精覈. 綜覈. 峭覈. 推覈. 看覈.

13 ⑲ [覈] 覈(前條)과 同字

13 ⑲ [覇] 人名 〔패〕 霸(雨部 十三畫〈p. 2508〉)의 俗字
筆順 一 襾 覀 覀 覀 覀 覀 覇

17 ㉓ [羇] 〔기〕 羈(网部 十七畫〈p. 1794〉)의 俗字

19 ㉕ [羈] 〔기〕 羈(网部 十九畫〈p. 1794〉)의 俗字

見 (7획) 部
〔볼견부〕

0 ⑦ [見] 中人 一 견 ㊀霰 古電切 jiàn 二 현 ㊀霰 胡甸切 xiàn 见
筆順 丨 冂 冃 月 目 貝 見
字解 一 ①볼 견 ㉠눈으로 봄. 목격함. '行其庭, 不—其人'《易經》. ㉡발견함. '—賢不能擧'《大學》. ㉢대면함. 만나 봄. '君欲—之召之, 則不往—之'《孟子》. ㉣생각함. '以余所—'. ㉤되돌아봄. 돌아다봄. '未得省—'《漢書》. ②보일 견 ㉠눈에 띔. '視而不—, 聽而不聞'《大學》. ㉡마음에 해득함. '讀書百遍, 義自—'《魏略》. ③당할 견 수동적임을 나타내는 말. '所—'. '爲—'. '—受'로 연용(連用)하기도 함. '信而—疑, 忠而被謗'《史記》. '所—推許'《韓愈》. '爲—忌嫉者, 橫致脣吻'《柳宗元》. '本來求解脫, 卻—受驅馳'《拾得詩》. ④견해 견 보는 바. 소견. 견식. '—聞'. '識—'. '偏—'. '敢陳愚—'《晉書》. ⑤성 견 성(姓)의 하나. 二 ①볼 현 불러서 봄. '延—群臣'《漢書》. ②뵐 현 웃어른을 만나 봄. '謁—'. '某也願—'《儀禮》. ③보일 현 대면시킴. 소개함. '從者—之'《論語》. ④나타날 현 ㉠드러남. '露—'. '情—勢屈'《漢書》. ㉡나아가 섬김. '天下有道則—'《論語》. ⑤나타낼 현 드러냄. '不—而章'《中庸》. ⑥현재 현 지금. 또는 지금 있음. '—錢'. '軍無—糧'《史記》.
字源 甲骨文 金文 篆文 篆文 會意. 目+儿. 사람 위에 큰 눈을 얹어, 무엇을 명확히 보다의 뜻을 나타냄.
參考 '見'을 의부(意符)로 하여, 보는 행위에 관한 뜻을 나타내는 문자를 이룸.

[見幾 견기] '견기(見機)'와 같음.
[見機 견기] ㉠낌새를 알아챔. 기미를 앎. ㉡기회(機會)를 봄.
[見卵求時夜 견란구시야] 달걀을 보자 곧 밤의 때를 알려 주기를 바란다는 뜻으로, 일의 순서를 무시하고 지나치게 조급히 굶을 이름.
[見利思義 견리사의] 이익(利益)을 보면 의(義)에 맞는가 맞지 않는가의 여부(與否)를 잘 생각하여 취하고 안 취함을 결정함.

[見侮 견모] 업신여김을 당함.
[見聞 견문] 보고 들음. 지식(知識).
[見蚊拔劍 견문발검] 모기를 보고 칼을 뺀다는 뜻으로, 하찮은 일에 허둥지둥 덤빔을 이름.
[見物生心 견물생심] 무슨 물건이든지 눈에 뜨이면 가지고 싶은 욕심이 난다는 말.
[見甁水凍知天下之寒 견병수동지천하지한] 작은 일로 미루어서 큰 이치(理致)를 앎.
[見本 견본] 본보기. 간색(看色).
[見蛇首知長短 견사수지장단] 뱀 대가리를 보면 그 몸길이를 알 수 있음. 곧, 일부분(一部分)을 보고 전체(全體)를 미루어서 알 수 있다는 뜻.
[見說 견설] 보니. 본 바에 의하면. 설(說)은 조자(助字).
[見性成佛 견성성불] 《佛教》 자기 본래의 천성을 깨달으면 부처가 됨.
[見小敵怯見大敵勇 견소적겁견대적용] 소적(小敵)을 깔보지 아니하고 오히려 대사(大事)로 여기며 대적(大敵)에 대하여는 이를 겁내지 아니하고 오히려 용기를 내어 나아감.
[見習 견습] 옆에서 보고 익힘. 남이 하는 것을 보고 배움.
[見識 견식] ㉠견문(見聞)과 지식(知識). ㉡생각. 의견(意見).
[見失 견실] 잃어버림.
[見煙知火 견연지화] 어떤 사물을 보고 그와 관련된 다른 일을 짐작함을 이름.
[見外 견외] ㉠외국 사정에 밝음. ㉡외인(外人)이라 하여 소원(疏遠)하게 여김.
[見危致命 견위치명] 위급(危急)할 때에는 신명(身命)을 던지어 노력함.
[見義不爲無勇也 견의불위무용야] 정의(正義)인 줄 알면서도 실행(實行)하지 않음은 용기(勇氣)가 없는 것임.
[見地 견지·현지] ㉠자기가 보는 입장. ㉡'현지(見地)'를 보라.
[見知 견지] ㉠눈으로 보고 마음으로 앎. ㉡실지로 견문함.
[見知法 견지법] 관리가 백성의 범죄를 보고도 검거(檢擧)하지 아니할 때에는 그 관리도 똑같이 처벌하는 법. 한무제(漢武帝) 때의 사법관(司法官) 장탕(張湯)에 의해서 처음으로 시행되었음.
[見天日 견천일] ㉠복위(復位)함. ㉡죄가 사면(赦免)되어 감금(監禁)이 풀림.
[見學 견학] 실지로 보고 학습함.
[見解 견해] ㉠사리(事理)를 보고 깨달음. ㉡가지고 있는 의견(意見).
[見賢思齊 견현사제] 어진 사람을 보면 자기도 또한 어진 사람이 되기를 바람.
[見功 현공] 뚜렷이 드러난 공적. 또, 효과가 있음.
[見口 현구] 현재의 인구(人口).
[見今 현금] 현재. 현금(現今).
[見金 현금] 현금(現金).
[見頭角 현두각] 두각(頭角)을 나타냄. 곧, 학식(學識)이나 재능(才能)이 뭇사람에 비하여 뛰어남.
[見糧 현량] 현재 있는 군량(軍糧).
[見龍 현룡] 용(龍)처럼 뛰어난 인물이 나타남. 또, 그 인물.
[見米 현미] 현재 있는 쌀.
[見兵 현병] 현재 있는 군사.
[見素 현소] 꾸밈 없는 마음을 보임.
[見員 현원] 현재의 인원.
[見在 현재] ㉠눈앞에 있음. 지금 있음. ㉡지금. 현재.
[見錢 현전] 현금(現金).
[見卒 현졸] 현병(現兵).
[見地 현지] 현재의 소유지(所有地).
[見參 현참] 웃어른을 뵘.
[見齒 현치] 이를 보임. 미소함.
[見行 현행] 현재 행해지고 있음. 현행(現行).
◉高見. 顧見. 寡見. 管見. 露見. 短見. 達見. 讀書百遍意自見. 望見. 面見. 目見. 聞見. 博見. 白見. 百聞不如一見. 瞥見. 奮見. 邪見. 賜見. 散見. 想見. 先見. 召見. 所見. 識見. 仰見. 豫見. 外見. 愚見. 隱見. 意見. 引見. 一見. 正見. 朝見. 知見. 進見. 淺見. 親見. 卓見. 偏見. 披見. 顯見. 會見.

2 ⑨ [观] 〔관〕
觀(見部 十八畫〈p. 2094〉)의 俗字

3 ⑩ [覌] 〔관〕
觀(見部 十八畫〈p. 2094〉)의 俗字

3 ⑩ [㝵] 〔득·덕〕
得(彳部 八畫〈p. 745〉)의 古字

4 ⑪ [覐] 〔각〕
覺(見部 十三畫〈p. 2093〉)의 古字

4 ⑪ [規] 高·人 규 ㊥支 居隋切 guī 规

筆順 ニ 扌 夫 知 規 規 規 規

字解 ①그림쇠 규 원형을 그리는 제구. '圓者中一, 方者中矩'《莊子》. ②동그라미 규 원형. '半一'. '天道成一'《太玄經》. '一成一, 一成矩'《莊子》. ③그릴 규 둥글게 그림. '其母夢神一其臀以墨'《國語》. ④법 규 법칙. '一則'. '一約'. '創業垂統, 爲萬世一'《司馬相如》. ⑤경계할 규, 경계 규 바른길로 나아가도록 신칙함. 또, 그 일. 그 말. '一誡'. '不以頌而以一'《韓愈》. ⑥간할 규 잘못한 일을 고치도록 아룀. '一諫'. '近臣盡一'《呂氏春秋》. ⑦꾀할 규, 꾀 규 책략. 계략. '無天下之一'《戰國策》. ⑧바로잡을 규 바른길로 나아가도록 함. '官師一正'《書經》. ⑨한정할 규 구획함. '一方千里, 以爲甸服'《國語》. ⑩보유할 규 영유(領有)함. '不一東夏'《國語》. ⑪구할 규 탐내어 청함. '一求無度'《左傳》. ⑫본뜰 규 모범으로 삼음. '一遵王度'《張衡》. ⑬문체이름 규 한문의 한 체(體). 과실을 경계하는 글. '一之爲文, 則漢以前, 絶無作者, 至唐元結, 始作五一'《文體明辯》. ⑭성 규 성(姓)의 하나.

字源 篆文 規 會意. 夫+見. '夫부'는 성인(成人)의 象形. 성인이 행동의 규범으로 보는 것, 법규의 뜻을 나타냄. 일설(一說)에는, '夫'는 '矢시'의 변형으로, 화살을 돌릴 때 보이는 원형(圓形)의 뜻이라고 함.

[規諫 규간] 바르게 간함.
[規格 규격] 규정(規定)한 격식(格式). 일정한 표준(標準).

[規戒 규계] 규계(規誡).
[規誡 규계] 바르게 경계함.
[規過 규과] 잘못을 바로잡음.
[規求 규구] 탐내어 구함.
[規矩 규구] ㉠정규(定規)와 자. 그림쇠. ㉡법도(法度). 본보기.
[規矩準繩 규구준승] 사물의 준칙(準則).
[規規 규규] ㉠작은 모양. ㉡얼빠진 모양. ㉢해와 달이 둥근 모양.
[規那 규나] 기나수(幾那樹).
[規圖 규도] 계략(計略)을 씀.
[規略 규략] 계략(計略). 꾀.
[規例 규례] 규칙(規則)과 정례(定例).
[規律 규률] 규율(規律).
[規模 규모] ㉠법(法). 본보기. ㉡물건의 구조.
[規摹 규모] 규모(規模).
[規範 규범] 법(法). 본보기.
[規繩 규승] '규구준승(規矩準繩)'의 준말. 규준(規準).
[規式 규식] 규칙과 법식.
[規約 규약] 약정(約定)한 규칙.
[規益 규익] 경계(警戒)하여 도움.
[規切 규절] 경계하여 바로잡음.
[規定 규정] 규칙을 정함. 또, 그 규칙.
[規程 규정] ㉠규약. ㉡법규(法規)와 장정(章程).
[規準 규준] 법. 본보기. 표준.
[規則 규칙] 규정한 법칙.
[規度 규탁] 계략(計略)을 씀. 꾀를 냄.
[規行矩步 규행구보] 행보(行步)가 법도에 맞는다는 뜻. 곧, 품행(品行)이 방정함.
[規誨 규회] ㉠바르게 가르침. ㉡가르침.
[規畫 규획] 계략(計略). 또, 계략을 씀.
◉家規. 官規. 宏規. 內規. 明規. 半規. 法規. 常規. 世規. 神規. 良規. 英規. 月規. 子規. 箴規. 正規. 定規. 朝規. 清規. 忠規. 洪規.

4 ⑪ [視] 〔시〕 視(見部 五畫〈p. 2088〉)의 俗字

4 ⑪ [覞] 〔렴〕 覝(見部 七畫〈p. 2090〉)의 訛字

[現] 〔현〕 玉部 七畫(p. 1425)을 보라.

4 ⑪ [覓] [人名] 멱 [入]錫 莫狄切 mì 觅

[字解] 구할 멱 '一得'. '一索餘光'《魏志》. '是猶欲登山者涉舟航而一路'《晉書》.
[字源] 形聲. 見+爫(𠂢)〔音〕. '𠂢맥'은 물이 갈리어 흐르다의 뜻. 곁눈질로 보다의 뜻을 나타냄. 또, '구하다'의 뜻도 나타냄.
[參考] 覔(次條)은 俗字.

[覓去 멱거] 찾아감. 가져감.
[覓擧 멱거] 공거(貢擧)를 구함. 사인(士人)이 거용(擧用)하여 달라고 청탁함.
[覓得 멱득] 구해 얻음.
[覓來 멱래] 찾아옴.
[覓索 멱색] 찾음.

4 ⑪ [覔] 覓(前條)의 俗字

5 ⑫ [覕] 별 [入]屑 蒲結切 piē

[字解] ①언뜻볼 별 瞥(目部 十二畫)과 통용. '一, 司馬云, 暫見貌'《釋文》. ②가를 별 쪼갬. '猶一一也'《莊子》.
[字源] 篆文 形聲. 見+必〔音〕. '必필'은 '꽉 죄다, 닫다'의 뜻. 덮여서 보이지 않다의 뜻을 나타냄.

5 ⑫ [視] [中人] 시 [去]寘 常利切 shì [上]紙 承矢切 视

[筆順] 二 亍 示 礻冂 礻日 礻目 礻見 視

[字解] ①볼 시 ㉠정신을 차려 봄. 자세히 봄. '熟一'. '一之而弗見'《中庸》. ㉡몰래 봄. 훔쳐봄. 또, 엿봄. '莫不竊一'《漢書》. ㉢자세히 보아 살핌. '一察'. '一遠惟明'《書經》. ㉣맡아봄. 주관함. '一政'. '一事'. '四方羣后, 我監我一'《漢書》. ㉤대우함. 취급함. '善一之'《左傳》. '君之一臣, 如手足'《孟子》. ㉥돌봄. 보살핌. '避黃巾之難, 歸虞者百餘萬口, 皆收一溫卹'《晉書》. ㉦삶. '莫不欲長生久一'《呂氏春秋》. ㉧보는 일. 보는 바. 시야(視野). '山原曠其盈一'《王勃》. ②견줄 시 비교함. '必比類, 量大小, 一長短'《禮記》. ③본받을 시 본보기로 함. '一乃厥祖'《書經》. ④보일 시 示(部首)와 통용. '一項羽無東意'《漢書》. ⑤성 시 성(姓)의 하나.
[字源] 甲骨文 篆文 古文 古文 形聲. 見+示〔音〕. '示시'는, 손가락으로 가리키다의 뜻. 한 점(點)에 시선(視線)을 집중시켜서 보다의 뜻을 나타냄.

[視覺 시각] 물건의 형상이 눈 속 망막(網膜)에 비치어 일어나는 감각(感覺).
[視感 시감] 시각(視覺).
[視界 시계] 시력이 미치는 범위.
[視官 시관] 오관(五官)의 하나. 눈.
[視君不如奕棊 시군불여혁기] 권력 있는 신하가 함부로 임금을 몰아내거나 들여세우는 일은, 임금을 생각하기를 바둑알 한 개를 놓으면서 생각하는 것만 못하게 대수롭게 여기지 않는다는 말.
[視力 시력] 눈으로 물건을 볼 수 있는 힘. 안력(眼力).
[視務 시무] 사무(事務)를 봄.
[視物 시물] 눈으로 물상(物象)을 봄.
[視民如傷 시민여상] 백성을 보기를 다친 자를 보듯 한다는 뜻으로, 깊이 백성을 사랑하고 긍휼히 여김을 이름.
[視民如子 시민여자] 백성을 친자식처럼 생각함. 군주(君主)가 백성을 사랑하여 그 행복을 위하여 애씀을 이름.
[視事 시사] 관청에 나가서 사무를 봄.
[視死若歸 시사약귀] 죽는 것을 자기 집에 돌아가듯이 생각함. 죽음을 조금도 두려워하지 아니한다는 뜻.
[視死如生 시사여생] 죽음을 두려워하지 아니함을 이름.
[視生如死 시생여사] 생사(生死)를 초월(超越)하여 죽음이 무엇인가를 생각하지 않음.
[視線 시선] ㉠눈동자의 중심점(中心點)과 밖의 주시점(注視點)을 맺는 선(線). ㉡눈이 가는 길. 또는 눈의 방향.

[視息 시식] 생존(生存)함. 눈으로 보고 코로 숨쉰다는 뜻.
[視神經 시신경] 대뇌(大腦)의 앞 아래에서 일어나 눈동자 속에 이르는 망막(網膜)에 퍼진 신경(神經).
[視野 시야] 시력(視力)의 미치는 범위(範圍). 눈에 보이는 곳.
[視若楚越 시약초월] 서로 멀리하고 돌아보지 아니함.
[視養 시양] 잘 돌보아 기름.
[視遇 시우] 대우함.
[視而不見 시이불견] 시선(視線)은 그쪽을 향해 있어도 마음이 딴 데 있으면, 그것이 눈에 잘 들어오지 않음.
[視酒如醬 시주여장] 술을 가볍게 여기는 일.
[視察 시찰] ㉠주의하여 봄. 살펴봄. ㉡실지 사정을 돌아다니며 살펴봄.
[視瞻 시첨] 봄. 물체를 봄.
[視聽 시청] ㉠보고 들음. ㉡경험. 견문(見聞).
[視聽之區 시청지구] 실지로 견문할 수 있는 범위.
[視險若夷 시험약이] 험난(險難)한 지위(地位)에 임(臨)하여서도 평지(平地)에 있는 듯이 동요(動搖)하지 않음. 이(夷)는 평(平).
◉監視. 檢視. 輕視. 仇視. 近視. 亂視. 同一視. 妄視. 蔑視. 明視. 無視. 默視. 傍視. 白眼視. 俯視. 斜視. 詳視. 熟視. 巡視. 仰視. 弱視. 傲視. 龍驤虎視. 雄視. 遠視. 凝視. 一視. 臨視. 長生久視. 敵視. 竊視. 點視. 正視. 坐視. 注視. 重視. 衆人環視. 直視. 疾視. 嫉視. 聽視. 諦視. 透視. 虎視.

5 ⑫ [覗] 사 [平]支 息茲切
[去]寘 相吏切 sì

[字解] 엿볼 사 몰래 봄. 훔쳐봄. '凡相竊視, 自江而北謂之貼, 或謂之—'《揚子方言》.

5 ⑫ [䚁] [一] 소 [上]篠 shào
[二] 교 [平]蕭 jiāo

[字解] [一] ①볼 소 눈으로 봄. '—, 見也'《集韻》. ②부를 소 불러들임. '—, 召也'《集韻》. [二] ①볼 교 뵘. 만남. '—, 覿也'《字彙補》. ②멀 교 거리가 가깝지 않음. '—, 遠也'《字彙補》.

5 ⑫ [覘] 점 [平]鹽 丑廉切 chān
[去]豔 丑豔切
觇

[字解] ①엿볼 점 몰래 가만히 봄. '—望'. '公使—之'《左傳》. 전(轉)하여, 몰래 형편을 알아봄. 정탐함. '—候'. ②볼 점 '使人—之'《孔子家語》.
[字源] 篆文 形聲. 見+占〔音〕. '占점'은 '點점'과 통하여, 작은 장소의 뜻. 작은 곳에서 상대에게 들키지 않게 보다의 뜻을 나타냄.

[覘邏 점라] 탐색하여 봄. 또, 그 사람.
[覘望 점망] 엿봄.
[覘視 점시] 엿봄.
[覘敵 점적] 적(敵)의 형세를 엿봄.
[覘候 점후] 몰래 형편을 알아봄. 정탐함.
◉窺覘. 密覘. 使覘. 應覘.

5 ⑫ [𧠛] 시 [平]支 式支切 shī

[字解] ①찾아뵐 시 문안드림. '—, 司人也'《說文》. ②아첨할 시 '—, 一曰, 䙌—, 面柔'《集韻》.
[字源] 篆文 形聲. 見+它〔音〕. '它타'는, '他타(다른 사람)'의 뜻. 남을 찾아보다, 남의 집을 들르다의 뜻을 나타냄.

[覞] 〔연〕
石部 七畫(p. 1573)을 보라.

5 ⑫ [覚] 〔각·교〕
覺(見部 十三畫〈p. 2093〉)의 俗字

5 ⑫ [𧠟] 〔규〕
規(見部 四畫〈p. 2087〉)의 本字

6 ⑬ [覛] [一] 맥 [入]陌 莫獲切 mò
[二] 멱 [入]錫 莫狄切 mì

[字解] [一] ①볼 맥 ㉠스쳐 봄. 곁눈질하여 봄. '—, 衺視也'《說文》. '—往昔之遺館'《張衡》. ㉡가만히 살펴봄. '—, 密察也'《六書故》. ㉢잘 봄. 주의하여 봄. '古者太史, 順時—土'《國語》. ②구(求)할 맥 구하여 찾음. 覓(見部 四畫)과 통용. [二] 볼 멱, 구할 멱 [一]과 뜻이 같음.
[字源] 篆文 籀文 會意. 𠂢+見. '𠂢맥'은 물이 모로 흐르다의 뜻. 곁눈질로 보다의 뜻을 나타냄.

[覛土 맥토] 땅을 봄. 토지를 자세히 관찰함.

6 ⑬ [覜] 조 ①②[去]嘯 他弔切 tiào
③[平]蕭 他彫切
④[上]篠 土了切

[字解] ①뵐 조 알현함. '以—聘'《周禮》. ②조회 조 주대(周代)에 3년마다 제후(諸侯)가 모여 천자(天子)에게 알현하던 의식(儀式). '諸侯三年大相聘曰—'《說文》. ③볼 조 회견함. '享—有璋'《左傳》. ④바라볼 조 眺(目部 六畫)와 통용. '流目—夫衡阿'《張衡》.
[字源] 篆文 形聲. 見+兆〔音〕. '兆조'는 좌우로 갈라지다, 제후(諸侯)들이 좌우로 갈라져서 천자를 뵙다의 뜻을 나타냄.

◉聘覜. 存覜. 徧覜. 享覜.

6 ⑬ [𧠞] 척 [入]錫 倉歷切 qī

[字解] 아첨할 척 '—䙌'는 아첨함. '—䙌, 面柔'《集韻》.

6 ⑬ [覐] 〔각·교〕
覺(見部 十三畫〈p. 2093〉)의 古字

6 ⑬ [覟] [一] 질 [入]質 職日切 zhì
[二] 적 [入]錫 亭歷切 dí

[字解] [一] 볼 질 눈으로 봄. 眰(目部 六畫〈p. 1540〉)과 통함. '—, 視也, 或从目'《集韻》. [二] 볼 적 覿(見部 十五畫〈p. 2094〉)과 同字. '覿, 爾雅, 見也, 或作—'《集韻》.

7 ⑭ [覞] [一] 요 [去]嘯 弋照切 yào
[二] 초 [去]嘯 昌召切
[三] 석 [入]陌 施隻切

[字解] [一] 아울러볼 요, 두루볼 요 '—, 竝視也'

《說文》. [二] 두루볼 초 '一, 普視也'《集韻》. [三] 두루볼 석 [二]와 뜻이 같음.
[字源] 會意. '見견'을 둘 합쳐서, 아울러 보다의 뜻을 나타냄.

7 ⑭ [覡] 격(혁[本]) [入]錫 胡狄切 xí 觋
[字解] 박수 격 남자 무당. '男—女巫'《隋書》.
[字源] [篆文] 覡 會意. 巫+見. 신(神)을 섬겨, 신(神)의 뜻을 여쭤 보다, 무당의 뜻을 나타냄. '巫무'를 여자 무당이라고 함에 대하여, '覡격'은 '박수'의 뜻으로 쓰임.

◉男覡. 巫覡.

7 ⑭ [覠] 균 [平]眞 俱倫切 jūn
[字解] 볼 균 눈으로 봄. '一, 視也'《玉篇》.

7 ⑭ [覝] 렴 [平]鹽 力鹽切 lián
[字解] 살펴볼 렴 '廉, 察也, 字本作一'《漢書 注》.
[字源] [篆文] 覝 [篆文] 覝 形聲. 見+㶊(兼)〔音〕. '兼염'은 '분명함'의 뜻. 분명하게 보다, 상세히 조사하다의 뜻을 나타냄.

7 ⑭ [⿰告見] 고 [去]號 古到切 gào
[字解] 오래도록보는모양 고 '一, 久視皃'《玉篇》.

8 ⑮ [⿰臼見] 구 [去]宥 居又切 jiù
[字解] 여럿이볼 구 '一, 衆視也'《集韻》.

8 ⑮ [覫] 동 [去]送 多貢切 dòng
[字解] 보는모양 동 '一, 視皃'《玉篇》.

8 ⑮ [覤] 혁 [入]陌 乞逆切 xì
[字解] 놀랄 혁 놀라 두려워하는 모양. '——然驚'《莊子》.

[覤覤 혁혁] 놀란 모양. 놀라 두려워하는 모양.

8 ⑮ [覢] 섬 [上]琰 失冉切 shǎn
[字解] 언뜻볼 섬 '一, 暫見也'《說文》.
[字源] [篆文] 覢 形聲. 見+炎〔音〕

[靚] 〔정〕
青部 七畫(p. 2515)을 보라.

[寬] 〔관〕
宀部 十二畫(p. 599)을 보라.

9 ⑯ [⿰甚見] [一] 탐 [平]覃 丁含切 dān
[二] 담 [上]感 徒感切 dàn
[三] 침 [平]侵 充針切
[字解] [一] 돌아볼 탐 반성함. '一, 內視也'《說文》. '——虎視, 不折其節'《張壽碑》. [二] 천천히볼 담 '一, 徐視謂之一'《集韻》. [三] 돌아볼 침 [一]과 뜻이 같음.
[字源] 形聲. 見+甚〔音〕

9 ⑯ [覦] 유 [平]虞 羊朱切 yú 觎
[字解] 넘겨다볼 유 자기 신분에 맞지 않는 일을 바람. 분수 밖의 욕망을 가짐. '覬—'. '能官人, 則民無—心'《左傳》.
[字源] [篆文] 覦 形聲. 見+兪〔音〕. '兪유'는 '벗어나다'의 뜻. 신분의 범위를 벗어나 어울리지 않게 바라다의 뜻.

[覦心 유심] 분외의 생각. 분수에 넘치는 일을 바라는 마음.
◉闚覦. 覬覦.

9 ⑯ [⿰⿱酉土見] 견 [平]先 稽延切 juàn
[去]霰 規掾切
[字解] ①보는모양 견 '一, 視貌'《玉篇》. ②볼 견 '一, 視也'《集韻》.

9 ⑯ [⿰契見] 계 [去]霰 去計切 qì
[字解] ①볼 계 '一, 見也'《字彙》. ②찾아뵐 계 문후(問候)함. '一, 伺人也'《正字通》. ③두려워할 계 '一, 恐也'《正字通》.

9 ⑯ [⿰癸見] 계 [去]寘 其季切 guì, kuì
[字解] 볼 계 '一, 視也, 亦作睽'《集韻》. 睽(目部 十一畫〈p. 1549〉)와 同字.

9 ⑯ [⿲月儿見] 계 [去]霽 公帝切 jì
[字解] 볼 계 '一, 視也'《字彙補》.

9 ⑯ [⿰爰見] [一] 훤 [上]阮 況晩切 huǎn
[二] 완 [上]旱 胡管切
[三] 권 [平]先 逵員切
[字解] [一] 크게볼 훤 '一, 大視也'《說文》. [二] 크게볼 완 [一]과 뜻이 같음. [三] 크게볼 권 [一]과 뜻이 같음.
[字源] 形聲. 見+爰〔音〕

9 ⑯ [⿰畀見] 규 [平]支 渠追切 kuí
[字解] 음란하게볼 규 '一, 淫視也'《字彙》.

9 ⑯ [⿰⿱䒑火見] 〔렴〕
覝(見部 七畫〈p. 2090〉)의 本字

9 ⑯ [⿰軍見] [一] 운 [去]問 王問切 yùn
[二] 훈 [平]元 胡昆切
[字解] [一] 둘러볼 운 넓게 많은 것을 봄. '覞, 說文, 外博衆多視也, 或作一'《集韻》. [二] 볼 훈 '一, 一視'《廣韻》.

9 ⑯ [覩] [人名] 도 [上]麌 當古切 dǔ
[字解] ①볼 도 睹(目部 九畫)와 同字. '聖人作而萬物一'《易經》. ②성 도 성(姓)의 하나.

字源 睹의 古文 [古文字] 形聲. 見+者〔音〕. '者자'는 '모으다'의 뜻. 시선을 모으다, 보다의 뜻을 나타냄.

[覩聞 도문] 보는 일과 듣는 일.

9 ⑯ [親] 中人 친 ㊥眞 七人切 qīn, qìng ㊦震 七遴切 亲 [草書]

筆順 亠 立 亲 辛 亲 新 親 親

字解 ①친할 친 ㉠사이가 가까움. 우정이 두터움. '一友'. '交一而不比'《荀子》. ㉡가까이 사귐. '愛人不一, 反其仁'《孟子》. ㉢가까이함. '燈火稍可一'《韓愈》. ㉣가까움. '本乎天者一上, 本乎地者一下'《易經》. ㉤화목하게 함. '不能相一'《呂氏春秋》. ②사랑할 친 귀애함. '人之一其兄之子, 爲若一其隣之赤子乎'《孟子》. ③어버이 친 부모. '兩一'. '不順乎一'《中庸》. ④겨레 친 일가. '一戚'. '六一'. '姻一'. '祿勳合一'《左傳》. ⑤혼인 친 결혼. '以陰禮敎一, 則民不怨'《周禮》. ⑥친애 친 친한 관계. 우호(友好). '親其一'《大學》. '連六國從一'《史記》. ⑦친한이 친 친한 사람. 자기편의 사람. '輕則失一'《左傳》. ⑧몸소 친 친히. 손수. 자신이 직접. '一展'. '吾豈若於吾身一見之哉'《孟子》. 특히, 천자(天子)에 관하여 많이 쓰임. '一征'. '一耕'. '不能一國事也'《戰國策》. ⑨성 친 성(姓)의 하나.

字源 金文 [金文字] 篆文 [篆文字] 形聲. 見+亲〔音〕. '亲진'은 '進진'과 통하여, 나아가 이르다의 뜻. 나아가 돌보다, 가까이하다의 뜻을 나타냄.

[親家 친가] ㉠일가. ㉡《佛敎》 중의 부모(父母)가 사는 속가(俗家).
[親客 친객] 친(親)한 손님.
[親見 친견] ㉠몸소 봄. ㉡직접 면회함.
[親耕 친경] ㉠몸소 갊. ㉡임금이 친히 전답을 가는 의식.
[親敬 친경] 친하고 공경함.
[親告 친고] 몸소 알리어 바침.
[親故 친고] 친구(親舊).
[親告罪 친고죄] 피해자 또는 그 친족의 고소를 공소(公訴) 제기의 요건으로 하는 범죄.
[親串 친관] 친함. 또, 그 사람.
[親交 친교] 친하게 사귐. 또, 그 교제(交際).
[親敎 친교] 부모의 교훈(敎訓).
[親舊 친구] ㉠친척과 고우(故友). ㉡고우(故友)와 친하게 지냄. ㉢《韓》 친우(親友).
[親鞫 친국] 임금이 반역(叛逆) 죄인(罪人)을 친히 신문(訊問)함.
[親軍 친군] 친병(親兵).
[親眷 친권] ㉠친족(親族). ㉡친하게 지내며 돌보아줌.
[親權 친권] 부모가 자식(子息)을 감독·교육하고 그 재산(財産)을 관리(管理)하는 권리(權利).
[親貴 친귀] ㉠임금에 가까워 높은 지위에 올라감. 또, 그 사람. ㉡임금의 일가.
[親近 친근] 정의(情意)가 썩 가까움. 또, 그 사람.
[親忌 친기] 부모의 제사(祭祀).
[親昵 친닐] 친닐(親暱).
[親暱 친닐] 친함. 또, 그 사람.
[親同氣 친동기] 친형제(親兄弟).
[親等 친등] 친족 관계에 있어서의 친소(親疏)의 등급.
[親類 친류] 친족(親族).
[親臨 친림] 임금이 몸소 나옴.
[親命 친명] 부모의 명령.
[親母 친모] 자기를 낳은 어머니. 친어머니. 생모(生母).
[親睦 친목] 서로 친하여 화목(和睦)함.
[親廟 친묘] 종묘(宗廟).
[親聞 친문] 몸소 들음.
[親媚 친미] 가까이하고 아첨함.
[親民 친민] ㉠백성에 친근하게 함. ㉡백성을 새롭게 함. 백성을 교화(敎化)시켜 선(善)으로 이끎.
[親密 친밀] ㉠친근함. ㉡임금에 친근함.
[親藩 친번] 천자(天子)와 동족(同族)이거나 사이가 가까운 제후(諸侯).
[親兵 친병] 임금의 신변을 호위하는 군대. 금병(禁兵).
[親父 친부] 친아버지.
[親附 친부] 정이 들어 붙좇음. 또, 정이 들어 붙좇게 함.
[親分 친분] 가까운 정분.
[親不因媒 친불인매] 부부의 인연은 중매를 통하여 맺어지는 것이나, 그들 사이의 정의는 저절로 우러나는 것임.
[親朋 친붕] 친한 친구.
[親朋無一字 친붕무일자] 친척이나 친구에게서 전혀 소식이 없음. 전란(戰亂) 따위로 인해 친척이나 친구의 소식을 모르게 됨.
[親山 친산] 부모의 산소(山所).
[親喪 친상] 부모의 상사(喪事).
[親書 친서] ㉠손수 글씨를 씀. ㉡손수 쓴 편지(便紙).
[親署 친서] 임금이 친히 어명(御名)을 씀.
[親善 친선] 서로 친하여 사이가 좋음.
[親疎 친소] 친하여 가까움과 친하지 못하여 버성김.
[親屬 친속] 일가. 친족(親族).
[親率 친솔] ㉠천자(天子)가 솔선(率先)하여 일을 함. ㉡몸소 군사를 거느림. ㉢한집안의 권솔(眷率).
[親受 친수] 몸소 받음.
[親授 친수] 몸소 줌.
[親熟 친숙] 정의(情意)가 두터움. 숙친(熟親)함.
[親臣 친신] 임금이 가까이 부리는 신하. 근신(近臣).
[親信 친신] 가까이하고 신임함. 또, 그 사람.
[親審 친심] 친히 심사(審査)함.
[親婭 친아] 동서(同壻). 또, 일가붙이.
[親狎 친압] 사이가 가까워 아무 허물이 없음.
[親愛 친애] 서로 사이가 친밀하고 사랑함.
[親閱 친열] 임금이 몸소 열람(閱覽)함.
[親迎 친영] ㉠친히 나아가 맞음. ㉡혼인의 육례(六禮)의 하나. 신랑이 신부 집에 가서 신부를 맞는 의식.
[親王 친왕] 황형제(皇兄弟)와 황자(皇子)의 칭호.
[親往 친왕] 몸소 감.
[親用 친용] 몸소 씀.
[親友 친우] 가까운 친구. 친한 벗.
[親遇 친우] 친절히 대우함.
[親衛 친위] 친병(親兵).
[親誼 친의] 가까운 정의.
[親懿 친의] 가까운 친족(親族)의 사이. 의친(懿親).

[親姻 친인] 혼인으로 맺어진 인척(姻戚).
[親任 친임] 친근하여 신임함.
[親炙 친자] 스승이나 존경하는 분에게 가까이하여 친히 가르침을 받음.
[親蠶 친잠] 후비(后妃)가 친히 누에를 치는 의식.
[親長 친장] 손윗사람. 어른.
[親裁 친재] 임금이 친히 재결(裁決)함.
[親展 친전] ㉠서로 흉금을 터놓고 이야기함. ㉡수신인이 직접 펴 보아 주기를 바란다는 뜻으로, 편지 겉봉의 수신인 이름 밑에 쓰는 말.
[親傳 친전] 직접 전하여 줌.
[親切 친절] 정(情)답고 고맙게 함.
[親接 친접] 친교(親交).
[親征 친정] 임금이 친히 정벌(征伐)함.
[親政 친정] 임금이 몸소 정치를 함.
[親庭 친정] 시집간 여자(女子)의 생가(生家).
[親族 친족] 촌수가 가까운 겨레붙이. 일가.
[親知 친지] 친우(親友).
[親執 친집] 일을 몸소 함.
[親札 친찰] 손수 쓴 편지(便紙).
[親戚 친척] ㉠본종(本宗)과 외척(外戚). 모든 일가. ㉡부모.
[親筆 친필] 신분이 높은 사람이 친히 쓴 글씨.
[親幸 친행] 가까이하여 사랑함. 아랫사람을 총애함.
[親行 친행] 일을 몸소 함.
[親兄弟 친형제] 부모가 같은 형제(兄弟). 친동기(親同氣).
[親好 친호] ㉠사이가 좋음. 친밀함. ㉡친분.
[親和 친화] ㉠사이좋게 지냄. ㉡이질(異質)의 물질이 결합함.
[親患 친환] 부모의 병환(病患).
[親厚 친후] 서로 친하여 사이가 두터움.
[親洽 친흡] 은혜가 도탑고 널리 미침.
◉懇親. 強親. 繼親. 骨肉之親. 君親. 近親. 內疎外親. 老親. 大義滅親. 等親. 燈火可親. 睦親. 不因媒親. 雙親. 兩親. 養親. 魚水親. 嚴親. 六親. 肉親. 懿親. 二親. 姻親. 一等親. 慈親. 宗親. 從親. 周親. 至親. 眞親. 和親.

[靦] 〔전〕
面部 七畫(p. 2519)을 보라.

9 ⑯ **[覧]** 〔람〕
覽(見部 十四畫〈p. 2093〉)의 俗字

10 ⑰ **[覬]** 기 [去]寘 几利切 jì 觊

[字解] ①넘겨다볼 기 분수에 넘치는 일을 바람. '下無一覦'《左傳》. ②늘어질 기 처짐. '一, 垂也'《韻會小補》.
[字源] 篆文 形聲. 見+豈〔音〕. '豈기'는 '祈기'와 통하여, 행복을 구하다의 뜻. 행복을 찾아보다, 바라다의 뜻을 나타냄.

[覬望 기망] 바람. 소망.
[覬覦 기유] 분수에 넘치는 것을 바람. 아랫사람으로서 바라서는 아니 될 일을 바람.
[覬幸 기행] 요행을 바람.
◉窺覬. 妄覬. 非覬. 陰覬. 終覬. 貪覬. 希覬.

10 ⑰ **[覨]** 두 [平]尤 當侯切 dōu
[字解] 눈곱 두 '一, 目蔽垢也'《說文》.
[字源] 形聲. 見+兜〔音〕

10 ⑰ **[覯]** 구 [去]宥 古候切 gòu 觏

[字解] ①만날 구 우연히 만남. '固非觀者之所一也'《史記》. '亦旣一止'《詩經》. ②이룰 구 이루어짐. 구성함. '其惡易一'《左傳》. ③볼 구 '迺一于京'《詩經》. ④합칠 구 '男女一精, 萬物化生'《詩經 箋》. ⑤피동사(被動詞) 구 수동(受動)을 나타내는 말. …지다. …을 당하다. …게 되다. '一閔旣多'《詩經》.
[字源] 篆文 形聲. 見+冓〔音〕. '冓구'는 하나로 모아 합치다의 뜻. '합치다, 만나다'의 뜻.

◉奇覯. 徒覯. 咨覯.

10 ⑰ **[覵]** 견 [平]先 古玄切 jiān
[字解] 멀리볼 견 조망(眺望)함. '一, 遠視'《字彙》.

10 ⑰ **[覰]** 기 [平]支 渠伊切 qí
[字解] 볼 기 '一, 視也'《廣雅》.

10 ⑰ **[覭]** [一] 명 [平]青 莫經切 míng [二] 맥 [入]陌 莫獲切 mò
[字解] [一] ①볼 명 조금 봄. '一, 小見也'《廣韻》. ②몰래엿볼 명 어두운 곳에서 가만히 엿봄. '暗處密窺曰一'《正字通》. [二] 더부룩이날 맥 초목이 총생(叢生)한 모양. '一髳, 茀離也'《爾雅》.
[字源] 篆文 形聲. 見+冥〔音〕. '冥명'은 '어둡다, 희미하다'의 뜻. 어렴풋이 보다, 잠깐 보다의 뜻을 나타냄.

11 ⑱ **[覷]** 처 [去]御 七慮切 qù

[字解] ①엿볼 처 기회를 엿봄. 노림. 狙(犬部 五畫)와 통용. '北寇一邊'《唐書》. ②볼 처 '一, 視也'《廣雅》. ③거칠 처 치밀(緻密)하지 않음. '拘一, 未致密也'《說文》.
[字源] 篆文 形聲. 見+虘〔音〕. '虘조'는 '狙저'와 통하여, '엿보다'의 뜻. '見견'을 덧붙여, 뜻을 보다 분명히 했음.

[覷步 처보] ㉠다니면서 봄. 시찰하면서 순행(巡行)함. ㉡탐정(探偵).

11 ⑱ **[覲]** [人名] 근 [去]震 渠遴切 jìn(jǐn)

[字解] ①뵐 근 알현(謁見)함. '朝一'. '諸侯北面而見天子曰一'《禮記》. ②만날 근, 볼 근 군신(群臣)과 회견함. '日一四岳羣牧'《書經》. ③겨우 근 僅(人部 十一畫)과 통용. '至於一存'《呂氏春秋》.
[字源] 篆文 形聲. 見+堇〔音〕. '堇근'은 '勤근'과 통하여, '근무하다'의 뜻. 가을에 제후(諸侯)가 임금을 뵙고 왕사(王事)에 힘써 복무하다의 뜻을 나타냄.

[覲禮 근례] 제후(諸侯)가 천자(天子)에게 알현(謁

見)하는 의식(儀式).
[覲接 근접] 신분이 높은 분을 만남. 뵘.
[覲天 근천] 천자(天子)를 알현함.
[覲親 근친] ㉠친정 어버이를 뵘. ㉡승려가 속가(俗家)에 있는 어버이를 뵘.
[覲見 근현] 뵘. 알현(謁見)함. 배알(拜謁)함.
◉來覲. 王覲. 入覲. 朝覲. 參覲.

11 [覩] 〔관〕
⑱ 觀(見部 十八畫〈p. 2094〉)의 俗字

12 [覴] ㊀ 등 ㊥蒸 都騰切 dēng
⑲ ㊁ 층 ㊦徑 丑證切
字解 ㊀ ①오래볼 등 '一, 久視也'《集韻》. ②瞪(目部 十二畫〈p. 1550〉)과 통용. '一, 與瞪通'《正字通》. ㊁ 똑바로볼 층 응시(凝視)함. 眙(目部 五畫〈p. 1535〉)로도 씀. '一, 直視皃, 或作眙'《集韻》.

12 [覵] ㊀ 간 ㊦諫 古莧切 jiàn
⑲ ㊁ 한 ㊥刪 古閑切 jiàn
字解 ㊀ 엿볼 간 瞯(目部 十二畫)과 同字. '一, 視也'《廣雅》. ㊁ 엿볼 한 ㊀과 뜻이 같음.
字源 形聲. 見+閒〔音〕. '閒간'은 '틈'의 뜻. '見견'을 붙여, 틈으로 엿보다의 뜻을 나타냄.

12 [覾] 고 ㊥豪 居勞切 gāo
⑲
字解 볼 고 '一, 見也'《廣雅》.

12 [覿] 당 ㊥江 傳江切 chuáng
⑲ ㊦絳 丈降切 zhuàng
字解 ①어두울 당 보기에 밝지 않음. '一, 視不明也'《集韻》. ②똑바로볼 당 '一, 覩一, 直視'《集韻》.

12 [覶] 人名 ㊀ 라 ㊥歌 盧戈切 luó
⑲ ㊁ 란 ㊦翰 盧玩切 luàn
字解 ㊀ ①자세할 라 '一縷'는 자세히 말하는 모양. 말이 곡진한 모양. 일설(一說)에는, 차례. 차서(次序). '嗟難得而一縷'《左思》. ②좋게볼 라 '一, 好視也'《說文》. ㊁ 자세할 란, 좋게볼 란.
字源 金文 篆文 形聲. 見+𤔔〔音〕. '𤔔란'은 엉클어진 실을 정성껏 풀다의 뜻. '자세히 보다'의 뜻을 나타냄.

[覶縷 나루] 자해(字解)를 보라.

12 [覹] 〔별〕
⑲ 瞥(目部 十二畫〈p. 1552〉)과 同字

13 [覺] 高人 ㊀ 각 ㊇覺 古岳切 jué, jiào
⑳ ㊁ 교 ㊦效 古孝切 jiào
筆順
字解 ㊀ ①깨달을 각 ㉠사리(事理)를 생각하던 끝에 혜두(慧竇)가 트이어 환하게 앎. '一悟'. '知來本無知, 一來本無一'《傳習錄》. ㉡알아차림. '一今是而昨非'《陶潛》. ㉢느낌. 느끼어 앎. '一秋冷'. '晚涼徐一喜詩成'《朱熹》. ②깨우칠 각 가르침. 알림. '予將以斯道一斯民'《孟子》. ③깨달음 각 사리에 통달함. 도(道)를 터득함. '妙一'. '且有大一, 而後知此大夢'《莊子》. 또, 도를 터득한 사람. '淨一'. '未寤于前一'《左思》. ④나타날 각 드러남. '發一'. '事一被誅'. ⑤나타낼 각 명백하게 함. '以一報宴'《左傳》. ⑥높을 각, 클 각 높고 큰 모양. '有一其楹'《詩經》. ⑦곧을 각 정직함. '夫子一者也'《左傳》. '有一德行'《詩經》. ⑧비교할 각 '彼此相一, 有善惡耳'《孟子注疏》. ⑨성 각 성(姓)의 하나. ㊁ ①깰 교 잠이 깸. '一醒'. '俄然一, 則蘧蘧然周也'《莊子》. ②깨울 교 잠을 깨게 함. '中夜聞荒雞鳴, 蹴琨一曰, 此非惡聲也'《晉書》.
字源 篆文 形聲. 見+學〈省〉〔音〕. '學학'은 '배우다'의 뜻. 배워서 확실히 보이다의 뜻에서, 깨닫다, (잠을) 깨다, 분명히 드러나다의 뜻을 나타냄.

[覺劍 각검] 깨달음의 힘. 그 힘이 능히 사집(邪執)을 깨뜨리므로 이를 칼에 비유하여 이른 말.
[覺羅 각라] ㉠만주어(滿洲語)로, 부락(部落)의 이름. ㉡성씨(姓氏). 청(淸)나라 현조(顯祖)의 본지 자손(本支子孫)을 종실(宗室)이라 함에 대해 그 방지 자손(旁支子孫)을 일컬음.
[覺非 각비] 잘못을 깨달음. 결점(缺點)을 앎.
[覺書 각서] 두 나라 사이에 어떠한 사건에 대하여 이쪽 정부 또는 그 사신(使臣)이 저쪽 정부 또는 그 사신에게 자기의 태도와 주장을 적어서 보내는 외교 문서(外交文書).
[覺醒 각성] 잠이 깸. 전(轉)하여, 전비(前非)를 깨달아 정신을 차림.
[覺悟 각오] 깨달아 앎. 또, 깨달아 알게 함.
[覺寤 각오] ㉠잠에서 깸. ㉡각오(覺悟).
[覺王 각왕] 《佛教》 부처의 이칭(異稱).
[覺知 각지] 깨달아 앎.
[覺海 각해] 불교(佛教)를 이름. 해(海)는 그 교의(教義)가 광대(廣大)함을 비유하여 이른 말.
◉感覺. 警覺. 驚覺. 大覺. 晚覺. 妙覺. 味覺. 發覺. 先覺. 善覺. 睡覺. 緣覺. 悟覺. 自覺. 前覺. 正覺. 淨覺. 至覺. 知覺. 直覺. 錯覺. 聽覺. 觸覺. 呼覺. 幻覺. 嗅覺.

14 [觀] 〔라·란〕
㉑ 覶(見部 十二畫〈p. 2093〉)의 俗字

14 [覲] 〔근〕
㉑ 覲(見部 十一畫〈p. 2092〉)의 本字

14 [覽] 高人 람 ㊤感 盧敢切 lǎn
㉑ ㊦勘 盧瞰切
筆順
字解 ①볼 람 ㉠두루 봄. 또, 멀리 바라다봄. '博一'. '登玆泰山, 周一東極'《史記》. ㉡생각하여 봄. 비교하여 봄. 살펴봄. '每一昔人興感之由'《王羲之》. '又一纍之昌辭'《漢書》. ②전망람 경관. '富一山無盡, 幽尋力不堪'《王惲》. ③받을 람 받아들임. '大王一其說'《戰國策》. ④성 람 성(姓)의 하나.
字源 篆文 形聲. 見+監〔音〕. '監감'은 '비추어 보다'의 뜻. '見견'을 덧붙여, '보다'의 뜻을 나타냄.
參考 覧(見部 九畫)은 俗字.

[覽古 남고] 고적(古蹟)을 찾아보고 그 당시의 일

을 회상함.
[覽觀 남관] 관람함. 봄.
[覽究 남구] 보고 연구함. 보고 구명함.
[覽揆之辰 남규지신] 생일(生日).
[覽讀 남독] 죽 훑어 읽음.
[覽勝 남승] 경승지(景勝地)를 구경함.
[覽示 남시] 보임.
◉敬覽. 顧覽. 觀覽. 校覽. 登覽. 博覽. 俯覽. 上覽. 詳覽. 聖覽. 熟覽. 巡覽. 歷覽. 閱覽. 叡覽. 流覽. 遊覽. 劉覽. 乙覽. 乙夜覽. 一覽. 展覽. 眺覽. 照覽. 綜覽. 縱覽. 周覽. 天覽. 淸覽. 台覽. 便覽. 偏覽. 披覽. 畢覽. 玄覽. 回覽.

15 ㉒ [覿] 적 ①[入]錫 徒歷切 dí ②[入]錫 前歷切 jí 觌

[字解] ①볼 적 만나 봄. 면회함. 알현함. 예물(禮物)을 가지고 가서 만남. '私―愉愉如也'《論語》. ②눈붉을 적, 멀리바라볼 적 '―, 說文, 目赤也. 一曰, 遙視皃'《集韻》.
[字源] 篆文 形聲. 見+賣〔音〕

[覿面 적면] 눈앞. 목전.
◉俯覿. 私覿. 遠覿.

15 ㉒ [覵] [一] 간 [平]刪 丘閑切 qiān [二] 건 [上]銑 苦戰切
[字解] [一] ①패려궂게볼 간 '―, 很視也'《說文》. ②사람이름 간 '―, 人名, 出孟子'《廣韻》. [二] 패려궂게볼 건, 사람이름 건 [一]과 뜻이 같음.

18 ㉕ [䙆] [一] 규 [平]支 渠龜切 kuī [二] 귀 [平]微 [去]未 丘畏切 kuí [三] 괴 [平]灰 丘韋切 guì
[字解] [一] ①눈여겨볼 규 '―, 注目視也'《說文》. ②곁눈질할 규 '―, 淫視'《廣韻》. [二] 눈여겨볼 귀, 곁눈질할 귀 [一]과 뜻이 같음. [三] 곁눈질할 괴 [一]❷와 뜻이 같음.
[字源] 形聲. 見+歸〔音〕

18 ㉕ [䙈] 䙆(前條)와 同字

18 ㉕ [觀] [中人] 관 ①-②[平]寒 古丸切 guān ③-⑩[去]翰 古玩切 guàn 观
[筆順] 艹 … 雚 … 觀
[字解] ①볼 관 ㉠사물을 잘 주의하여 봄. '―察'. '諦―'. '視其所爲, ―其所由'《論語》. ㉡경치 같은 것을 봄. '―花'. '―月'. '諸將皆從壁上―之'《史記》. 또, 구경 또는 그 대상. '壯―'. '美―'. '吾何修而可以比於先王―也'《孟子》. ㉢생각하여 봄. '由是―之'. ㉣멀리 바라봄. '―望'. '眺―'. ㉤엿봄. 추이를 관망함. '釋趙養民, 以―諸侯之變'《戰國策》. ㉥천문을 봄. '―測'. '―天地變化, 陰陽消長'《十八史略》. ②점칠 관 점(占)을 침. '―成潰'《史記》. ③나타낼 관 밝힘. 명백하게 함. '以―欲天下'《漢書》. ④보일 관 보게 함. '―古人之象'《書經》. '東―兵至於盟津'《十八史略》. ⑤모양 관 ㉠용모. '儀―'. '容―'. '上用目則下飾―'《韓非子》. ㉡상태. '外―'. '海內改―'《後漢書》. ⑥생각 관 의견. 견해. '主―'. '達―'. ⑦누각 관, 망루 관 높이 지은 집. '宮―'. '繕修樓―'《後漢書》. 또, 도사(道士)의 절. 도궁(道宮). '作益延壽―'《史記》. ⑧황새 관 鸛(鳥部 十八畫)과 통용. '―雀蚊虻'《莊子》. ⑨괘이름 관 육십사괘(六十四卦)의 하나. 곧, ䷓〈곤하(坤下), 손상(巽上)〉. 아래가 위를 믿고 우러러보는 상(象). ⑩성 관 성(姓)의 하나.

[觀⑦]

[字源] 甲骨文 篆文 古文 形聲. 見+雚〔音〕. '雚관'은 눈언저리가 붉은 황새의 뜻. 눈을 크게 뜨고 잘 보다의 뜻을 나타냄.
[參考] 覌(見部 二畫)·覌(見部 三畫)은 俗字.

[觀感 관감] 눈으로 보고 감동함.
[觀感興起 관감흥기] 눈으로 보고 감동하여 분기(奮起)함.
[觀客 관객] 구경꾼.
[觀經 관경] 《佛敎》 경문(經文)을 읽음.
[觀過知仁 관과지인] 군자(君子)의 과오는 관대한 데서 나오고 소인(小人)의 과오는 잔인한 데서 나오는 것이므로 그 과오를 보고 인(仁)과 불인(不仁)을 곧 알 수 있음.
[觀光 관광] ㉠타국의 문물제도를 봄. ㉡다른 지방이나 타국의 산수·풍속 등을 유람함.
[觀闕 관궐] 누문(樓門). 또는 궁성의 문.
[觀闕之誅 관궐지주] 공자(孔子)가 노(魯)나라의 사구(司寇)가 되어, 정치를 문란케 한 대부(大夫) 소정묘(少正卯)를 관궐 옆에서 벤 고사(故事). 전(轉)하여, 부정한 공경대부가 주륙(誅戮)당하는 일.
[觀念 관념] ㉠생각. ㉡경험한 사실이 머리에 남아 있는 것. ㉢《佛敎》 눈을 감고 마음을 가라앉혀 사념(思念)함.
[觀念論 관념론] 물질 또는 자연에 대하여, 정신 또는 의식을 보다 근원적(根源的)인 원리로서 생각하는 입장.
[觀得 관득] ㉠잘 보고 이해함. ㉡신심(信心)이 두터워서, 신불(神佛)이 기원을 받아들임.
[觀燈 관등] 음력 정월 보름날 밤, 가두(街頭)나 집집이 단 등불을 보고 즐기며 다니는 일.
[觀樂 관락] 구경하며 즐김.
[觀覽 관람] 구경함.
[觀蓮節 관련절] 음력 6월 24일.
[觀望 관망] 거취(去就)를 정하기 위하여 형세(形勢)를 바라봄.
[觀廡 관무] 누각(樓閣).
[觀榜 관방] 방문(榜文)을 봄. 시험 성적의 게시(揭示)를 봄.
[觀法 관법] ㉠법(法)을 환히 관찰함. ㉡《佛敎》 진리를 관념(觀念)하는 일.
[觀兵 관병] ㉠군대의 위세를 보임. ㉡군대를 정렬시키고 사열함.
[觀相 관상] 사람의 상(相)을 보고 운명(運命)을 판단(判斷)함.
[觀象 관상] ㉠점괘(占卦)를 봄. ㉡천문(天文)의 현상을 관찰함.
[觀賞 관상] 보고 즐기거나 칭찬함.
[觀象臺 관상대] 천체(天體)를 관측(觀測)하는 곳.

천문대(天文臺).
[觀世音 관세음] 관세음보살(觀世音菩薩).
[觀世音菩薩 관세음보살] 자비(慈悲)의 화신(化身)인 보살.
[觀示 관시] 보임.
[觀視 관시] ㉠분명하게 봄. ㉡가리킴. 보임.
[觀往知來 관왕지래] 과거를 회고(回顧)하고 장래(將來)를 추찰(推察)함.
[觀魏 관위] 궁문(宮門)의 누관(樓觀).
[觀音 관음] 관세음보살(觀世音菩薩).
[觀音堂 관음당] 관세음보살을 모신 당우(堂宇).
[觀音菩薩 관음보살] 관세음보살(觀世音菩薩).
[觀者如堵 관자여도] 구경하는 사람이 대단히 많아 마치 담을 친 것 같아 보임.
[觀自在 관자재] 《佛敎》 ㉠마음이 밝으므로 온갖 괴로움이 없고 보는 것이 자유자재임. ㉡관세음보살.
[觀戰 관전] 싸움을 바라봄.
[觀照 관조] 마음을 가라앉히고 충분히 생각하여 밝히 앎.
[觀潮會 관조회] 조수(潮水)를 보는 모임.
[觀衆 관중] 많은 구경꾼.
[觀察 관찰] 사물을 자세히 살펴 앎.
[觀察使 관찰사] 여러 주(州)를 순시하여 정치의 양부(良否)를 조사하는 벼슬.
[觀聽 관청] ㉠봄과 들음. ㉡구경하는 사람.
[觀測 관측] ㉠천문을 관찰하여 천체의 변화 운행 등을 측량함. ㉡사물을 살펴 헤아림.
[觀風 관풍] 타국의 풍속과 인정을 관찰함.
[觀海 관해] 보는 바가 큼의 비유.
[觀形察色 관형찰색] 얼굴빛을 살펴봄.
[觀花 관화] 꽃구경.
[觀釁 관흔] 적(敵)의 틈을 엿봄. 틈을 타려고 기회를 기다림.
[觀釁而動 관흔이동] 적군(敵軍)의 틈을 보아 아군(我軍)의 병사(兵士)를 움직임.
◉可觀. 概觀. 客觀. 傑觀. 京觀. 景觀. 舊觀. 宮觀. 奇觀. 樂觀. 覽觀. 內觀. 來觀. 樓觀. 達觀. 大觀. 臺觀. 道觀. 門觀. 美觀. 博觀. 傍觀. 陪觀. 拜觀. 竝觀. 悲觀. 寺觀. 城觀. 盛觀. 世界觀. 列觀. 娛觀. 外觀. 宇宙觀. 遠觀. 偉觀. 遊觀. 唯物觀. 儀觀. 人生觀. 一心三觀. 臨觀. 壯觀. 邸觀. 展觀. 貞觀. 靜觀. 縱觀. 坐觀. 主觀. 止觀. 直觀. 參觀. 諦觀. 側面觀.

19 ㉖ [覼] 리 ①②㊋寘 力至切 lì ③㊏支 隣知切
字解 ①볼 리 '一海陵之倉, 則紅粟流衍'《左思》. ②구하여볼 리 구하여서 봄. '一, 求視也'《集韻》. ③살펴볼 리 '一, 察視也'《集韻》.
字源 篆文 形聲. 見+麗〔音〕. '麗려'는 '붙이다'의 뜻. 지그시 구하여 보다, 응시하다의 뜻을 나타냄.

角 (7획) 部

〔뿔각부〕

0 ⑦ [角] 中入 一 각 ㊀覺 古岳切 jiǎo, jué 二 록 ㊀屋 盧谷切 lù

筆順 ノ ク KY 角 角 角 角

字解 一 ①뿔 각 ㉠동물의 뿔. '牛一'. '羊一'. '傳翼戴一'《列子》. ㉡달팽이 같은 것의 머리 위에 난 뿔 모양을 한 돌기. '有國于蝸之左一者'《莊子》. ㉢사람의 액골(額骨). '隆準日一'《後漢書》. ②뿔질 각 동물의 뿔을 잡아 이를 생포함. 전(轉)하여, 전면(前面)에서 적(敵)을 제어함. '譬如捕鹿, 晉人一之, 諸戎掎之'《左傳》. ③모 각, 귀 각 모진 데. '隅一'. '稜一'. '屋一'. ④구석 각 한쪽으로 치우친 곳. 모퉁이. '冒頓開圍一一'《史記》. '不存其一一, 而野戰不足用也'《戰國策》. ⑤쌍상투 각, 총각 각 사내아이가 머리를 좌우로 갈라 뿔처럼 하여 묶은 것. '總一'. '男一女羈'《禮記》. ⑥견줄 각 ㉠비교함. '非親一材而臣之'《漢書》. ㉡마주 대하여 겨룸. '一力'. '一無用之虛文'《漢書》. ⑦오음의하나 각 음악의 다섯 가지 소리 중의 하나.

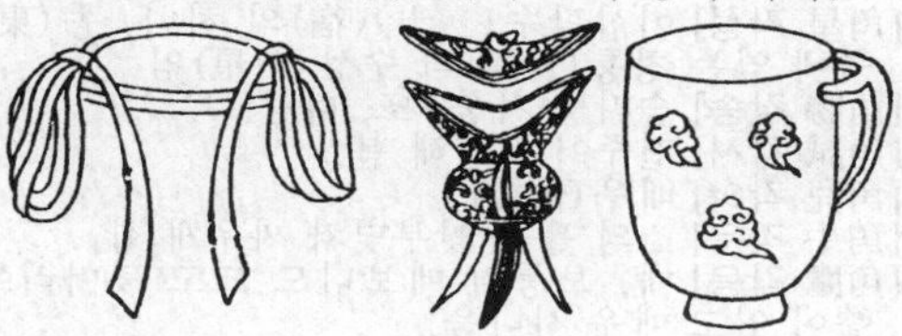
[角⑤] [角⑨]

'宮商一徵羽'. ⑧뿔피리 각 군대에서 부는 악기. 모양이 나팔 비슷함. '銅一'. '帝命吹一爲龍鳴禦之'《演繁露》. ⑨술그릇 각 넉 되들이의 술 그릇. '卑者擧一'《禮記》. ⑩되 각 용량을 되는 데 쓰는 그릇. '正鈞石, 齊升一'《呂氏春秋》. ⑪깍지 각 콩이나 팥 따위의 꼬투리의 껍질. '結細一, 一內有細子'《本草》. ⑫닿을 각 접촉함. '物觸地而出, 戴芒一也'《漢書》. ⑬뛸 각 '一者, 躍也. 陽氣動躍一'《白虎通》. ⑭짐승 각 금수(禽獸). '山無一'《太玄經》. ⑮시도할 각 해봄. '肄射御一力'《呂氏春秋》. ⑯평평하게할 각 '一斗甬'《禮記》. ⑰별이름 각 이십팔수(二十八宿)의 하나. 동방(東方)에 있는 청룡(靑龍)의 수성(首星)임. '一宿未旦'《楚辭》. ⑱각 각 두 직선이 만나 이룬 도형. '銳一'. ⑲성 각 성(姓)의 하나. 二 사람이름 록 '一里'는 상산 사호(商山四皓)의 한 사람. 角(用部 一畫)은 訛字. '一里先生'《十八史略》.
字源 甲骨文 金文 篆文 象形. 속이 빈 딱딱한 뿔의 모양을 본떠서, '뿔·모'의 뜻을 나타냄.
參考 '角'을 의부(意符)로 하여, 뿔로 만들어진 물건, 주로 술잔이나, 뿔의 상태·동작 등을 나타내는 문자를 이룸.

[角角 각각] 꿩의 우는 소리.
[角巾 각건] 처사(處士)나 은자(隱者)가 쓰는 두건.
[角冠 각관] 도사(道士)가 쓰는 관(冠). 도관(道冠).
[角弓 각궁] ㉠쇠뿔·양 뿔 따위로 꾸민 활. ㉡시경(詩經) 소아편(小雅篇)의 편명(篇名). 그 내용은 유왕(幽王)이 골육(骨肉)을 멀리하고, 간녕(奸佞)한 사람을 가까이함을 나무라는 것. 각궁자(角弓刺).
[角掎 각기] 뿔을 잡아당기고 다리를 잡아끌어 쓰러뜨림. 앞뒤에서 적을 제어함.

[角度 각도] 각(角)의 크기.
[角力 각력] ㉠힘을 서로 겨루는 일. ㉡씨름.
[角列 각렬] 경쟁하여 늘어섬.
[角立 각립] ㉠서로 버티어 굴복하지 아니함. 병립(竝立)함. ㉡다른 사람보다 뛰어남. 걸출(傑出).
[角膜 각막] 안구(眼球)의 백색 외벽(外壁)의 전면(前面)에 있는 유리 모양의 투명한 막(膜). 안막(眼膜).
[角面堡 각면보] 면을 모나게 꺾은 보루(堡壘).
[角門 각문] 정문(正門) 좌우에 있는 소문(小門).
[角黍 각서] 떡의 한 가지. 종(糉)의 자해(字解)를 보라.
[角犀 각서] 이마 위의 뼈가 머리털이 난 어름에서 솟아오름. 현인(賢人)의 상(相)으로 일컬어짐.
[角閃石 각섬석] 검은빛으로 사방형(斜方形)의 결정을 이룬 광석.
[角星 각성] 이십팔수(二十八宿)의 하나. 동(東)쪽에 있는 창룡(蒼龍)의 수성(首星)임.
[角勝 각승] 승리를 겨룸. 또, 다툼.
[角試 각시] 견주어 시험해 봄.
[角兒 각아] 배우(俳優).
[角牛 각우] 소의 뿔을 맞부딪쳐 싸우게 함.
[角鷹 각응] 매. 보통의 매보다도 크고 뒷머리에 뿔이 있고 매우 사나움.
[角材 각재] ㉠재능(才能)을 겨룸. ㉡《韓》네모지게 만들어 놓은 재목(材木).
[角抵 각저] 씨름.
[角觝 각저] ㉠서로 다투어 힘이나 기예(技藝)를 겨룸. ㉡씨름.
[角笛 각적] 쇠뿔로 만든 피리.
[角招 각초] 고대(古代)의 악장(樂章) 이름.
[角逐 각축] 서로 이기려고 다툼.
[角鴟 각치] 부엉이. 목토(木兎).
[角牌 각패] 검은 뿔로 만든 호패(號牌). 정삼품 이하의 벼슬아치들이 찼음.
[角戲 각희] 씨름.
[角里先生 녹리선생] 한(漢)나라 상산 사호(商山四皓)의 한 사람.
◉鼓角. 骨角. 口角. 圭角. 羈角. 內角. 鹿角. 樓角. 稜角. 多角. 端角. 銅角. 頭角. 方角. 補角. 四角. 死角. 三角. 塞角. 犀角. 城角. 岸角. 眼角. 仰角. 羊角. 軟角. 銳角. 屋角. 蝸角. 外角. 牛毛麟角. 肉角. 一角. 日角. 折角. 地角. 直角. 錯角. 天角. 天涯地角. 觸角. 總角. 皮角. 見頭角. 互角. 曉角.

1 ⑧ [角] 角(前條)의 本字

[甪] 〔록〕 用部 一畫(p. 1458)을 보라.

2 ⑨ [觔] 근 ㊥文 擧欣切 jīn

字解 ①힘줄 근 筋(竹部 六畫)과 同字. '良馬者, 可以形容一骨相也'《淮南子》. ②열엿냥쭝 근 斤(部首)과 同字. '得鹽一十二一一兩'《舊唐書》.
字源 會意. 角+力

[觔骨 근골] '근골(筋骨)'과 같음.

[觔斗 근두] ㉠곤두. ㉡산악(散樂)의 이름.

2 ⑨ [觟] 다 ㊥歌 丁戈切 duō

字解 뿔짧을 다 '一, 角短貌'《字彙》.

2 ⑨ [觓] 구 ㊥尤 渠幽切 qiú ㊤有 古酉切

字解 굽을 구 뿔의 끝이 굽은 모양. '展一角而知傷'《穀梁傳》.
字源 篆文  形聲. 角+丩[音]. '丩규'는 '휘감기다, 구부러지다'의 뜻. 굽은 뿔의 모양을 나타냄.

[觓角 구각] 굽은 뿔.

3 ⑩ [觕] 〔강·종〕 觵(角部 四畫〈p. 2097〉)과 同字

3 ⑩ [觖] ㊀ 신 ㊥眞 所巾切 shēn ㊁ 건 ㊥眞 居銀切 jīn

字解 ㊀ 대구(帶鉤)스무개의일컬음 신 '一, 紉也, 二十枚曰一'《集韻》. ㊁ 대구스무개의일컬음 건 ㊀과 뜻이 같음.

3 ⑩ [觗] 차 ㊥麻 初加切 chā

字解 띠장식 차 허리띠에 꿰는 장식. '觻, 謂之一'《廣雅》.

4 ⑪ [觘] 〔촉〕 觸(角部 十三畫〈p. 2101〉)의 古字

4 ⑪ [觖] ㊀ 결 ㊅屑 古穴切 jué ㊁ 기 ㊤紙 遣尒切 kuì

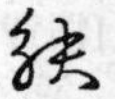

字解 ㊀ ①서운해할 결 불만족하게 여김. '獨此尙一望'《史記》. ②들추어낼 결 적발함. '欲摘一以揚我惡'《漢書》. ㊁ 바랄 기 희망함. '以一一切之功哉'《後漢書》. '爲羣臣一望'《史記》.
字源 形聲. 角+夬[音]. '夬쾌·결'은 '이지러지다'의 뜻. 뿔이 없다의 뜻을 나타냄. 또, 전(轉)하여, 이지러진 부분이 채워지도록 바라다의 뜻도 나타냄.

[觖望 결망] ㉠원망함. 불평을 품음. ㉡기망(觖望).
[觖如 결여] 서운한 모양. 불만족한 모양.
[觖望 기망] 바람. 희망함. 기망(冀望).
◉摘觖.

[斛] 〔곡〕 斗部 七畫(p. 949)을 보라.

4 ⑪ [觕] 추 ①㊥虞 倉胡切 cū ②㊤麌 徂古切

字解 ①거칠 추 麤(鹿部 二十二畫)와 同字. '其器高以一'《呂氏春秋》. ②대강 추 대략. '一擧僚職'《漢書》.

4 ⑪ [觘] 초 ㊄效 ㊥肴 楚敎切 chào

字解 ①뿔숟가락 초 '一, 角匕也'《廣韻》. ②뿔오를 초 뿔이 위로 올라간 모양. '一, 角上皃'《集韻》.

4 ⑪ [舡] ㊀ 강 ㊥江 古雙切 gāng
㊁ 종 ㊥冬 諸容切

字解 ㊀ ①뿔들 강 '一, 擧角也'《說文》. ②들 강 '一鼎緣橦'《魏大饗碑》. ㊁ 뿔들 종, 들 종 ㊀과 뜻이 같음.

字源 形聲. 角+公〔音〕

4 ⑪ [觙] 기 ㊤寘 其利切 jì

字解 뿔 기 '一, 角也, 誤作觓'《字彙》.

5 ⑫ [觚] 고 ㊥虞 古胡切 gū 觚

字解 ①술잔 고 두 되(우리나라의 1홉 8작(勺) 가량)들이 술잔. '一不一'《論語》. ②네모 고 사각형. '漢興破一而爲圜'《漢書》. ③모 고 모서리각(角). '成六一'《漢書》. '其一而不堅也'《莊子》. ④법 고 규칙. 법칙. '占之以其一'《太玄經》. ⑤대쪽 고 간찰(簡札). '或操一以率爾'《陸機》. ⑥칼자루 고 검파(劍把). '提劍鋒而捽劍一'《新論》. ⑦홀로 고 혼자. '王云, 一, 特立不群也'《莊子 釋文》. ⑧줄 고 菰(艸部 八畫)와 통용. '蓮藕一盧'《漢書》.

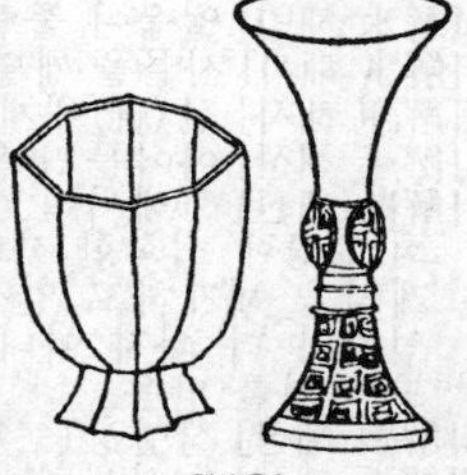

[觚①]

字源 篆文 形聲. 角+瓜〔音〕. '瓜과'는 '호리병박'의 뜻. 호리병 모양의 뿔로 만든 술잔의 뜻.

[觚牘 고독] 글자를 쓰는 대쪽. 전(轉)하여, 서책(書冊).
[觚盧 고로] 호리병박.
[觚稜 고릉] 전당(殿堂)의 가장 높고 뾰족하게 나온 모서리.
[觚不觚 고불고] 고(觚)는 향음(鄕飮)에 쓰이는 술잔. 고대(古代)에는 모[稜]가 있었으나, 후세(後世)에는 없어져 이름만 남았으므로, 유명무실(有名無實)함을 이름.
[觚竹 고죽] 북쪽 끝에 있는 나라. 사황(四荒)의 하나. 고죽(孤竹).
◉劍觚. 操觚. 執觚.

5 ⑫ [觘] 觚(前條)의 俗字

5 ⑫ [觛] 겸 ㊥鹽 巨炎切 qián

字解 부리 겸 새의 주둥이. '一, 觜也'《玉篇》.

5 ⑫ [觖] 〔곤〕
髡(骨部 七畫〈p. 2615〉)과 同字

5 ⑫ [觝] ㊀ 저 ㊤薺 都禮切 dǐ
㊁ 지 ㊤紙 掌氏切 zhǐ

字解 ㊀ ①닥뜨릴 저 抵(手部 五畫)·牴(牛部 五畫)와 同字. '一排異端'《韓愈》. ②이를 저 도달함. '觸巖一隈'《嵇康》. ㊁ 칠 지 '抵, 說文, 側擊也. 或作一'《集韻》.

字源 形聲. 角+氐〔音〕. '氐저'는 '이르다'의 뜻. 뿔이 이르게 하다, 닥뜨리다의 뜻을 나타냄.

[觝排 저배] 배척함. 거절함.
[觝觸 저촉] ㉠서로 닥뜨림. ㉡법(法)에 걸림.
[觝戲 저희] 씨름.
◉角觝. 相觝.

5 ⑫ [觟] 거 ㊤語 臼許切 jù

字解 ①며느리발톱 거 距(足部 五畫〈p. 2229〉)와 同字. '距, 說文, 雞距也, 或作一'《集韻》. ②짐승이름 거 觷(角部 八畫〈p. 2100〉)와 同字. '觷, 獸名, 角似雞距, 或作一'《集韻》.

5 ⑫ [觛] 단 ㊤旱 蕩旱切 dàn
㊤翰 得按切

字解 술잔 단 작은 술잔. '一, 巵也'《說文》.

字源 形聲. 角+旦〔音〕

5 ⑫ [觜] ㊀ 자 ㊥支 姊規切 zī
㊁ 주 ㊥支 卽移切
㊂ 취 ㊤紙 卽委切 zuǐ

字解 ㊀ 별이름 자 이십팔수(二十八宿)의 하나. 서방(西方)에 있는 백호(白虎)의 제육성(第六星). '一觿'. '奎婁胃昴畢一參'. ㊁ 바다거북 주 蠵(虫部 十二畫)와 통용. '戕一觿'《後漢書》. ㊂ ①부리 취 새의 주둥이. '利一'. '裂膝破一'《潘岳》. ②끝 취 단각(端角). '鷓鴣飛達靑山一'《皇甫松》.

字源 篆文 形聲. 角+此〔音〕. '此차'는 조금 벌리다, 뿔처럼 딱딱하고 조금 벌어지는 부리의 뜻.

[觜觿 자휴·주휴] ㉠이십팔수(二十八宿)의 하나. 서쪽에 있음. ㉡'주휴(觜觿)'를 보라.
[觜觿 주휴] 바다거북.
[觜角 취각] 부리와 뿔. 전(轉)하여, 무기(武器)를 이름.
[觜距 취거] 부리와 며느리발톱.
[觜吻 취문] 입.
[觜翅 취시] 부리와 날개.
◉曲觜. 猛觜. 蜂觜. 沙觜. 鴉觜. 義觜. 利觜. 鐵觜.

5 ⑫ [觡] 〔학〕
觷(角部 十三畫〈p. 2102〉)의 俗字

6 ⑬ [解] 中人 해(개㊍) ㊤蟹 佳買切 jiě
㊤卦 古隘切 jiè

筆順 ⺈ ⺈ 角 角 角 角' 解 解

字解 ①풀 해 ㉠맨 것·얽힌 것 등을 풂. '一網'. '衣不一帶'《小學》. 전(轉)하여, 얽힌 일을 풀어 무사히 처리함. '一決'. '患可一也'《孫子》. ㉡원한·화 등을 씻어 버림. '和一'. '一怒'. '羽意旣一'《漢書》. ㉢의심나는 것을 밝혀 알게 함. 또는, 설명함. '一釋'. '師者所以傳道授業一惑也'《韓愈》. '一經'《小學》. ㉣변명함. '辯一'. '急於自一而謝'《韓愈》. ㉤이해함. 납득이 감. '此臣之未一也'《諸葛亮》. ㉥자유롭게 함. '一禁'. ㉦파면함. '一職'. '一雇'. ②가를

해 쪼개어 나눔. '一剖'. '庖丁一牛'《莊子》. ③흩을 해, 흩어질 해 헤어지게 함. 또, 헤어짐. '一散'. '民一落'《呂氏春秋》. '恐天下一也'《漢書》. ④벗을 해 신 따위를 벗음. '一履'. '一其冠溺其中'《漢書》. ⑤열 해 닫은 것을 엶. '一扉'. ⑥떨어질 해 탈락함. '鹿角一'《禮記》. ⑦통할 해, 통하게할 해 통달(通達)함. '無南無北, 奭然四一'《莊子》. ⑧깨달음 해 오득(悟得). '空一淵深, 至理高妙'《江總》. ⑨보낼 해 지방의 학문·덕행이 뛰어난 자를 서울에 보내어 과거를 보게 함을 '發一'·'一送'이라 함. 전(轉)하여, 널리 보내는 뜻으로 씀. '一發'(임명하여 보냄). '一犯'(범죄자를 호송함). '一餉'(군량을 보냄). ⑩능히 해 能(肉部 六畫)과 같은 뜻. 주로, 시(詩)에 씀. '一放胡鷹逐塞鳥'《唐詩》. ⑪괘이름 해 육십사괘(六十四卦)의 하나. 곧, ䷧〈감하(坎下), 진상(震上)〉으로서, 곤란에서 벗어나는 상(象). ⑫성 해 성(姓)의 하나. ⑬게을리할 해, 게으를 해 懈(心部 十三畫)와 同字. '不一于位'《詩經》. '三日不一'《禮記》. ⑭없앨 해 토산물을 바쳐 재앙을 물리침. '故一之以牛之白顙者'《莊子》. ⑮사과할 해 '雖有一除'《後漢書》. ⑯속일 해, 거짓 해 '一垢, 詭曲之辭'《集韻》. ⑰마을 해 관청. 廨(广部 十三畫)와 同字. '高其一舍'《商子》.

字源 甲骨文 篆文 會意. 刀＋牛＋角. 칼로 소를 찢어 가르다의 뜻에서, '해체하다, 풀다'의 뜻을 나타냄. 甲骨文은 쇠뿔에 두 손을 걸치는 모양으로 만듦.

[解渴 해갈] ㉠목마른 것을 풂. ㉡금전(金錢)의 융통(融通)이 생김. ㉢비가 와서 가뭄을 면함.
[解褐 해갈] 천(賤)한 옷을 벗어 버리고 관복(官服)을 입는다는 뜻으로, 낭인(浪人)이 사환(仕宦)함을 이름. 석갈(釋褐).
[解巾 해건] 사환(仕宦)함. 출사(出仕)함. 건(巾)은 은자(隱者)가 쓰는 머리쓰개로, 그것을 벗어 버린다는 뜻.
[解決 해결] ㉠분쟁(紛爭)을 처리함. ㉡사건을 결말지음.
[解詁 해고] 옛말의 풀이. 훈고(訓詁).
[解雇 해고] 피고용자를 내보냄.
[解官 해관] ㉠관리(官吏)가 부모의 상(喪)을 당해 현직(現職)에서 물러나 복상(服喪)함. ㉡죄수 호송의 관리. ㉢식량 수송의 관리.
[解冠 해관] 관(冠)을 벗음. 관직(官職)을 떠남.
[解垢 해구] 부회(附會)하는 말. 궤변(詭辯).
[解構 해구] 이간(離間)질함.
[解禁 해금] 금지(禁止)하던 것을 풀어 줌. 막았던 것을 터 줌.
[解紐 해뉴] ㉠묶은 끈이 풀어져 느슨해짐. 전(轉)하여, 권위가 떨어져 정치가 어지러워짐. ㉡관인(官印)의 인끈을 풂. 벼슬을 그만둠. 해조(解組).
[解答 해답] 문제를 풀어 대답함. 또, 풀어 놓은 대답(對答).
[解道 해도] ㉠이해(理解). 앎. ㉡남이 한 말이 이해가 간다 하며, 남의 명구(名句)를 인용하여 시(詩)를 지을 때 그 앞에 쓰는 말.
[解毒 해독] 독기(毒氣)를 풀어 없애 버림.
[解頭 해두] 주(州)의 시험(試驗)에 수석(首席)으로 급제(及第)한 사람. 해원(解元).
[解得 해득] 풀어 앎. 깨달아 앎.
[解纜 해람] 배를 맨 줄을 풀고 떠남.
[解離 해리] 분해(分解)함. 또, 분해시킴.
[解免 해면] ㉠책임(責任)을 면제(免除)함. ㉡면직당함.
[解明 해명] 의문되는 점을 설명함.
[解夢 해몽] 꿈의 길흉(吉凶)을 판단(判斷)함.
[解蒙 해몽] 일깨워서 알게 함.
[解悶 해민] 번민을 풂. 근심을 해소함.
[解放 해방] 속박(束縛)을 풂. 또, 속박에서 풀림.
[解配 해배] 귀양 간 사람을 놓아줌.
[解罰 해벌] 벌(罰)을 풀어 줌.
[解帆 해범] 해람(解纜).
[解腹 해복] 해산(解產).
[解剖 해부] ㉠생물의 몸을 쪼개어 그 조직을 조사함. ㉡사물의 조리를 분석하여 연구함.
[解紛 해분] ㉠얽힌 것을 풂. ㉡분쟁을 해결함.
[解氷 해빙] 얼음이 풀림.
[解事 해사] 사물을 깨달음. 사물에 숙달(熟達)함.
[解謝 해사] 신(神)에게 제사 지내 불제(祓除)함.
[解產 해산] 아이를 낳음.
[解散 해산] ㉠헤어짐. 흩어짐. 또, 흩뜨림. ㉡집회 도중에 집회한 사람들을 흩어져 가게 함. ㉢계약을 해제하고 일정한 사업을 폐지시킴. ㉣임기가 다 차지 아니한 의원의 자격을 해제하고 의회를 닫음.
[解喪 해상] 삼년상(三年喪)을 마침.
[解析 해석] ㉠상세히 풀어서 밝힘. ㉡함수 관계(函數關係)에 있는 수학(數學)의 여러 분과의 총칭.
[解釋 해석] 알기 쉽게 설명(說明)함.
[解說 해설] ㉠뜻을 풀어서 밝힘. ㉡변명(辨明)함.
[解消 해소] 어떤 관계를 풀어서 없애 버림.
[解綬 해수] 괘수(挂綬). 결수(結綬)의 대(對).
[解顏 해안] 희색이 만면하여 웃음.
[解額 해액] 향시(鄕試)에 급제한 사람에게 해장(解狀)을 주어 해인(解人)이라 하였는데, 그 총수(總數)를 이르는 말. 당(唐)나라 때 제도임.
[解約 해약] ㉠계약을 해제함. ㉡파약(破約).
[解語花 해어화] 말을 하는 꽃이란 뜻으로, 곧 미인(美人)을 이르는 말. 당(唐)나라의 현종(玄宗)이 양귀비(楊貴妃)를 일컬은 말.
[解嚴 해엄] 경계를 해제함.
[解熱 해열] 몸의 열기(熱氣)를 내리게 함.
[解悟 해오] 깨달음.
[解傭 해용] 해고(解雇).
[解元 해원] 향시(鄕試)에 수석으로 급제한 사람.
[解冤 해원] 원한을 풂.
[解圍 해위] ㉠적(敵)의 포위를 뚫음. ㉡싸움을 중재(仲裁)함.
[解由 해유] 재직(在職) 중에 책임을 완수(完遂)했다는 증명서.
[解衣 해의] 옷을 벗음.
[解義 해의] 뜻을 풀어 밝힘. 해석함. 석의(釋義).
[解弛 해이] 마음이나 규율이 풀리어 느즈러짐.
[解頤 해이] ㉠아주 교묘하게 설명하여 듣는 사람으로 하여금 입을 벌리고 감탄하게 함. ㉡이야기가 아주 흥겨워 저절로 입을 벌리고 껄껄 웃음.
[解印 해인] 인끈을 풂. 벼슬을 그만둠.
[解任 해임] 임무를 해면(解免)함.
[解停 해정] 해금(解禁).
[解除 해제] ㉠풀어서 치움. 그만둠. ㉡어떤 관계나 책임을 지워 없애고 그 관계나 책임이 없던 그전의 상태로 되돌림.

[解題 해제] 서적의 저자·권수 및 내용·연혁 등의 해설.
[解組 해조] 인끈〔印綬〕을 풂. 곧, 관직(官職)을 그만둠.
[解嘲 해조] ㉠남의 조소(嘲笑)에 대하여 변명함. ㉡전한(前漢)의 양웅(揚雄)이 세상 사람의 조소(嘲笑)를 변명하여 해조 한 편을 지었음. ㉢소문이 좋게 나게 함.
[解注 해주] 서책(書冊)의 의의(意義)를 밝히고 주석(注釋)을 닮.
[解職 해직] 직무를 해면(解免)함.
[解縉 해진] 명(明)나라 초기(初期)의 정치가. 자(字)는 대신(大紳). 시호(諡號)는 문의(文毅). 어사(御史)·한림원시독(翰林院侍讀) 등을 거쳐 한림학사(翰林學士)가 되었으나, 이지강(李至剛)의 참소(讒訴)로 옥사(獄死)하였음. 초서(草書)를 잘 썼고, 저술에《문의집(文毅集)》이 있음.
[解體 해체] ㉠사람들이 사방으로 흩어져 버림. 해산(解散). ㉡어떠한 조직체를 풀어 헤침. ㉢해부(解剖).
[解惰 해타] 게을리 함. 게으름 피움.
[解脫 해탈] ㉠질곡 또는 속박에서 벗어나게 함. 석방함. ㉡《佛敎》 번뇌의 속박을 풀어 삼계(三界)의 업고(業苦)에서 벗어남.
[解脫禪 해탈선]《佛敎》참선(參禪)하여 번뇌를 해탈하는 일.
[解怠 해태] 게을리 함. 게으름 피움. 해타(解惰).
[解土 해토] 봄이 되어 언 땅이 풀림.
[解版 해판] 식자(植字)한 활자판(活字版)을 풀어 헤침.
[解惑 해혹] 의심(疑心)을 풂.
[解曉 해효] 깨달음.
◉講解. 見解. 曲解. 求解. 難解. 論解. 圖解. 讀解. 明解. 妙解. 辯解. 分解. 不可解. 譬解. 氷解. 詳解. 俗解. 尸解. 深解. 略解. 諒解. 諺解. 頒解. 誤解. 瓦解. 了解. 義解. 弛解. 理解. 一知半解. 沮解. 電解. 節解. 正解. 精解. 注解. 支解. 枝解. 肢解. 知解. 體解. 聽解. 脫解. 土崩瓦解. 通解. 和解. 曉解. 訓解.

6 ⑬ **[解]** 解(前條)의 訛字

6 ⑬ **[觧]** 解(前前條)의 俗字

6 ⑬ **[觥]** 굉 [平]庚 古橫切 gōng

[字解] ①뿔잔 굉 시우(兕牛)의 뿔로 만든 큰 술잔. '我姑酌彼兕—'《詩經》. ②클 굉 '—羊之毅'《太玄經》. ③꿋꿋할 굉 강직한 모양. '關東——郭子橫'《後漢書》.
[字源] 篆文 觵 俗體 觥 形聲. 角+光〔音〕. '光광'은 '크다'의 뜻. 뿔로 된 큰 술잔의 뜻을 나타냄. '觥굉'은 '觵굉'의 俗字. 篆文의 '觵'은 角+黃〔音〕.

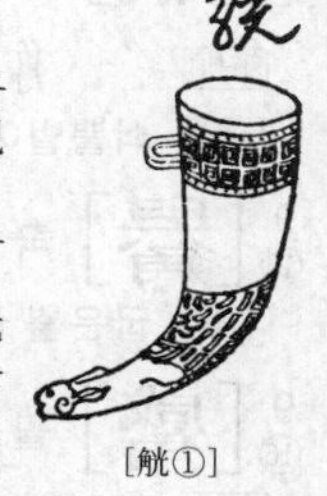

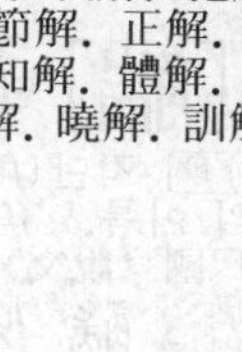
[觥①]

[觥觥 굉굉] 강직(剛直)한 모양.
[觥飯 굉반] 성찬(盛饌).
[觥船 굉선] 큰 술잔. 그 모양이 배처럼 생겼기 때문임.
[觥盂 굉우] 술잔.
[觥籌 굉주] 술잔과, 누가 많이 마시나 내기를 하기 위하여 마신 술잔의 수를 세는 댓가지.
[觥籌交錯 굉주교착] 술잔이 자꾸 왔다 갔다 함. 주연(酒宴)이 성대한 모양의 형용.
◉巨觥. 罰觥. 兕觥. 銀觥. 酒觥. 彭觥.

6 ⑬ **[觤]** 궤 [上]紙 過委切 guǐ

[字解] 양뿔좌우같지않을 궤 양의 뿔이 하나는 길고 하나는 짧음. '—, 羊角不齊也'《說文》.
[字源] 形聲. 角+危〔音〕

6 ⑬ **[觡]** 격 [入]陌 古伯切 gé

[字解] 뿔 격 사슴의 뿔처럼 가지가 있는 뿔. 또, 윤이 나지 않는 딱딱한 뿔. '角—生'《禮記》.
[字源] 篆文 觡 形聲. 角+各〔音〕

6 ⑬ **[觟]** 화 [上]馬 胡瓦切 huà

[字解] ①화살이름 화 화살의 한 가지. '以—矢射雉, 日數百數'《西京雜記》. ②성 화 성(姓)의 하나.
[字源] 篆文 觟 形聲. 角+圭〔音〕

6 ⑬ **[䚯]** [一] 훤 [平]元 況袁切 xuān [二] 희 [平]支 許羈切

[字解] [一] ①뿔숟가락 훤 '—, 角匕'《廣韻》. ②억박뿔 훤 소의 뿔이 하나는 위로, 하나는 아래로 뻗은 뿔. '—, 一曰, 牛角一頫一仰'《集韻》. [二] 뿔숟가락 희, 억박뿔 희 [一]과 뜻이 같음.
[字源] 形聲. 角+亘〔音〕

6 ⑬ **[触]** 〔촉〕 觸(角部 十三畫〈p. 2101〉)의 俗字

6 ⑬ **[觠]** 권 [平]先 巨員切 quán [去]霰 居倦切

[字解] 뿔 권 굽은 뿔. 또, 뿔이 굽음. '羊角三—, 羷'《爾雅》.
[字源] 篆文 觠 形聲. 角+𠔉〔音〕. '𠔉권'은 '말다, 굽다'의 뜻. 뿔이 굽다, 굽은 뿔의 뜻을 나타냄.

6 ⑬ **[觢]** 체 [去]霽 尺制切 shì

[字解] 꿋꿋할 체 뿔이 곧음. '其牛—'《易經》.
[字源] 篆文 觢 形聲. 角+㓞〔音〕

◉角觢.

7 ⑭ **[觩]** 구 [平]尤 渠幽切 qiú

[字解] ①굽을 구 뿔이 꼬부장한 모양. '兕觥其—'《詩經》. ②셀 구 활이 센 모양. '—, 弓健貌'《詩經集傳》. ③느슨할 구 느즈러짐. '角弓其—'

《詩經》.
[字源] 形聲. 角+求〔音〕

7 ⑭ [觫] 속 [入]屋 蘇谷切 sù

[字解] 곱송그릴 속 죽음을 두려워하는 모양. 觳(角部 十畫)을 보라. '吾不忍其觳一若無罪而就死地'《孟子》.
[字源] 形聲. 角+束〔音〕. '觳觫곡속'으로 연용(連用)되어, 가슴이 두근거리는 모양을 나타내는 의태어.

◉觳觫.

7 ⑭ [⿰角告] 곡 [入]沃 胡沃切 hú

[字解] ①뿔다듬을 곡 '一, 治角也'《集韻》. ②상아(象牙)다듬을 곡 '一, 治象牙'《玉篇》.

7 ⑭ [⿰角肖] 초 [上]巧 所教切 shào

[字解] ①쇠뿔이좌우로갈라선모양 초 '一, 牛角開皃'《集韻》. ②뿔뾰족이날 초 '一, 銳角上'《集韻》.

7 ⑭ [觪] 성 [平]庚 思營切 xīng

[字解] 활손익을 성 활이 손에 익숙해짐. '一, 用弓便也'《玉篇》.

8 ⑮ [觭] 기 [平]支 去奇切 jī

[字解] ①천지각 기 하나는 위로 하나는 아래로 향한 소의 뿔. 또, 그런 뿔이 난 소. '角一俯一仰, 一'《爾雅》. ②짝 기 둘 있는 것 중의 한 짝. '一偶'. '匹馬一輪, 無反者'《漢書》. ③기이할 기 이상함. 奇(大部 五畫)와 통용. '二曰, 一夢'《周禮》. ④얻을 기 꿈에서 얻음. '一, … 言夢之所得'《周禮 注》. ⑤홀수 기 기수(奇數). 奇(大部 五畫)와 통용. '以一偶不仵之辭相應'《莊子》.
[字源] 篆文 形聲. 角+奇〔音〕. '奇기'는 굽히고 선 사람의 모양에서, 단정하지 않다의 뜻을 나타냄. 좌우(左右)가 가지런하지 않은 뿔의 뜻을 나타냄.

[觭輪 기륜] 수레바퀴 한 짝. 수레 하나.
[觭夢 기몽] 괴상한 꿈. 기몽(奇夢).
[觭偶 기우] '기우(奇偶)'와 같음.

8 ⑮ [⿰角居] 〔거〕
⿰角巨(角部 五畫〈p.2097〉)와 同字

8 ⑮ [⿰角或] 곡 [入]屋 胡谷切 hú

[字解] 쇠뿔 곡 소의 뿔. '一, 牛角'《字彙》.

8 ⑮ [⿰角叕] 궐 [入]月 古月切 jué

[字解] 부딪칠 궐 닿음. 스침. '一, 抵觸也'《集韻》.

8 ⑮ [⿰角卓] [一] 낙 [入]覺 昵角切 nuò
[二] 탁 [入]覺 敕角切 chuò

[字解] [一] 잡을 낙 잡아 쥠. '一, 握也'《集韻》. [二] 내이름 탁 '一, 水名'《集韻》.

8 ⑮ [⿰角來] 대 [上]賄 多改切 dǎi

[字解] 뿔심 대 뿔 속의 육질(肉質)의 부분. '一, 角心也'《玉篇》.

9 ⑯ [⿰角枼] 철 [入]屑 丑列切 chè

[字解] ①대구 철 혁대의 두 끝을 서로 끼워 맞추게 하는 자물단추. '天子, 革帶玉鉤一, 皇太子, 革帶金鉤一'《隋書》. ②뿔 철 '一, 角也'《玉篇》.

◉鉤⿰角枼.

9 ⑯ [觰] 다 [平]麻 陟加切 zhā
[上]馬 都賈切 dǎ

[字解] ①뿔뿌리 다 뿔 밑동 부분의 굵은 곳. '謂角之下大者曰一'《說文 段注》. ②가로난쇠뿔 다 소의 뿔이 가로 뻗은 것. '一, 牛角橫'《廣韻》. ③뿔위넓을 다 뿔이 위로 갈수록 넓어짐. '一, 角上廣也'《廣韻》. ④클 다 '一, 大也'《廣雅》. ⑤근거 다 '一拏'는 근거. '今俗謂根據爲一拏'《六書故》.
[字源] 篆文 形聲. 角+者〔音〕

[觰沙 다사] 벌어져 켕기는 모양.

9 ⑯ [⿰角思] 새 [平]灰 蘇來切 sāi
[去]隊 先代切

[字解] ①뿔속 새 뿔 속의 육질(肉質). '一, 角中骨也'《說文》. ②겉반드러운뿔 새 뿔의 외피(外皮)가 매끄러운 것. '無一曰觡'《禮記 注》.
[字源] 篆文 形聲. 角+思〔音〕

9 ⑯ [⿰角耑] 단 [平]寒 多官切 duān

[字解] 각단(角⿰角耑) 단 '角一'은 돼지를 닮은 짐승의 이름. '角一, 獸也, 狀似豕, 角善爲弓. 出胡尸國'《說文》.
[字源] 篆文 形聲. 角+耑〔音〕

9 ⑯ [⿰角咼] 과 [上]馬 古瓦切 guǎ

[筆順] ⺈ 角 角 角 角冂 角冋 角咼 ⿰角咼

[字解] 쇠뿔벌어질 과 '一, 觰一, 牛角開'《廣韻》.

9 ⑯ [⿱髟角] 국 [入]沃 拘玉切 jú

[字解] 굽은뿔 국 '一, 曲角'《集韻》.

9 ⑯ [觱] 필 [入]質 卑吉切 bì

[字解] ①악기이름 필 '一篥'은 피리. '一篥本龜茲國樂'《明皇雜錄》. ②쌀쌀할 필 '一發'은 바람이 쌀쌀한 모양. '一之日一發'《詩經》. ③용솟음칠 필 '一沸'은 샘물이 용솟음치는 모양. '一沸檻泉'《詩經》.

[字源] 篆文 形聲. 角+咸(或)〔音〕

[觱篥]

[觱篥 필률] 가로로 부는 피리. 앞면에 일곱 개, 뒷면에 한 개의 구멍이 있음.
[觱發 필발] 바람이 쌀쌀한 모양.
[觱沸 필불] 샘물이 용솟음치는 모양.

9 ⑯ [⿰角咠] 즙 [入]緝 阻立切 jí
[字解] ①뿔단단할 즙 뿔이 단단한 모양. '一, 角堅皃'《玉篇》. ②뿔많을 즙 뿔이 많은 모양. '一, 多角皃'《集韻》.

10 ⑰ [⿰角虒] [一] 치 [上]紙 池爾切 zhì
[二] 비 [上]紙 普弭切
[字解] [一] 뿔기울 치 뿔이 곧지 않음. '一, 角傾也'《說文》. [二] 뿔기울 비 [一]과 뜻이 같음.
[字源] 形聲. 角+虒〔音〕

10 ⑰ [觲] 성 [平]庚 思營切 xīng
[字解] 뿔잘쓸 성 소나 양이 뿔을 아래위로 잘 씀. '一, 用角低仰便也'《說文》.
[字源] 篆文 會意. 羊+牛+角. 양(羊)이나 소가 뿔을 교묘하게 아래위로 치켰다 숙였다 하다의 뜻을 나타냄.

10 ⑰ [⿰角留] 〔구〕
觓(角部 二畫〈p. 2096〉)의 俗字

10 ⑰ [⿱𢍏角] 〔권〕
觠(角部 六畫〈p. 2099〉)의 本字

10 ⑰ [觳] [一] 곡(혹[本]) [入]屋 胡谷切 hú
[二] 각 [入]覺 苦角切 què, ①jué
[字解] [一] ①뿔잔 곡 뿔로 만든 큰 잔. ②다할 곡 끝이 됨. '雖監門之養, 不一於此'《史記》. ③말 곡 斛(斗部 七畫)과 통용. '庾實二一'《周禮》. ④곱송그릴 곡 '一觫'은 죽는 것을 두려워하는 모양. '吾不忍其一觫若無罪而就死地'《孟子》. [二] ①견줄 각 角(部首)과 同字. '彊弱不一力'《韓非子》. ②마를 각 건조함. 윤기가 없음. '其道大一使人憂'《莊子》. ③뒷다리 각 짐승의 후족(後足). '主婦俎一折'《儀禮》. ④검소할 각 검박(儉朴)함. '其奉君親, 皆以儉一爲無窮計'《唐書》. ⑤발등 각 '長及一'《儀禮》. ⑥척박할 각 땅이 메마름. '剛而不一'《管子》.
[字源] 篆文 形聲. 角+㱿〔音〕. '㱿각'은 속이 빈 껍데기의 뜻. 뿔로 만든 술잔의 뜻.

[觳力 각력] 힘을 겨룸.
[觳薄 각박] 검약(儉約)함. 검소함.
[觳抵 각저] 힘을 겨루는 일. 씨름. 각저(角抵). 각저(角觝).
[觳土 각토] 메마른 땅. 척박한 토지.
[觳觫 곡속] 죽기를 두려워하는 모양.

11 ⑱ [⿰角國] 〔괵〕
摑(手部 十一畫〈p. 899〉)과 同字

11 ⑱ [⿰角翏] 류 [平]尤 力求切 liú
[字解] 뿔바르지못할 류 '一, 角不正也'《玉篇》.

11 ⑱ [觴] [人名] 상 [平]陽 式羊切 shāng 觴
[字解] ①잔 상 술잔. '羽一'. '奉一加璧以進'《左傳》. ②잔낼 상 술잔을 남에게 주고 술을 따름. '一曲沃人'《左傳》.
[字源] 金文 篆文 籀文 形聲. 角+煬〈省〉〔音〕. '煬상'은 상처를 내다의 뜻. 뿔에 진집을 내어 만든 술잔의 뜻을 나타냄.

[觴詠 상영] 술을 마시며 시가(詩歌)를 읊음.
[觴飮 상음] 술잔을 들고 술을 마심.
[觴酌 상작] 술잔과 술 따르는 병. 전(轉)하여, 술잔을 주고받음. 대작(對酌)함.
[觴政 상정] 주연(酒宴)에서 술을 권하는 일을 맡음. 또, 그 사람.
◉酣觴. 擧觴. 空觴. 交觴. 濫觴. 累觴. 杯觴. 泛觴. 飛觴. 壽觴. 玉觴. 羽觴. 流觴. 重觴. 行觴. 獻觴. 壺觴.

12 ⑲ [觶] 치 [去]寘 支義切 zhì
[平]支 章移切 zhī 觶
[字解] 잔 치 향음주(鄕飮酒)의 예(禮)에 쓰는 뿔잔. 일설(一說)에는, 벌주로 마시게 하는 술잔. 또, 일설에는, 빈 술잔. 또 일설에는, 중국 되로 석 되들이 술잔. '尊者擧一'《禮記》.

[觶]

[字源] 篆文 別體 別體 形聲. 角+單〔音〕
◉擧觶.

12 ⑲ [⿰角喬] 교 [平]蕭 渠嬌切 qiáo
[字解] 비뚤 교 뿔이 곧지 않고 비뚦. 또, 뿔이 긺. 또, 일설(一說)에는, 뿔이 높음. '一其角'《太玄經》.

12 ⑲ [⿰角閒] [一] 약 [入]藥 王縛切 yuè
[二] 간 [去]諫 居莧切 jiàn
[字解] [一] 실패 약 '篗, 所以收絲者也…一, 篗或从角閒'《說文》. [二] 나란한뿔 간, 실패 간 '一, 角雙者爲一. 一曰, 篗也'《集韻》.

12 ⑲ [⿰角厥] 궐 [入]月 其月切 jué
[字解] 뿔로받아드러낼 궐 '一, 以角發物'《廣韻》.
[字源] 形聲. 角+厥〔音〕

12 ⑲ [觵] 〔굉〕
觥(角部 六畫〈p. 2099〉)의 本字

12 ⑲ [觹] 〔결〕
觼(角部 十五畫〈p. 2102〉)과 同字

13 ⑳ [觸] [高人] 촉 [入]沃 尺玉切 chù 触

[筆順] ⺈ ⺈ 角 角 觸 觸 觸 觸

[字解] ①닿을 촉 서로 접함. '接―'. ②부딪칠 촉 부딪침. '羝羊―藩'《易經》. '睡頭―屛風'《漢書》. ③받을 촉 뿔로 받음. '―突'. '―槐而死'《左傳》. ④범할 촉 저촉됨. 침범하여 걸려듦. '抵―'. '去禮義, ―刑法'《漢書》. ⑤느낄 촉 감각함. 감동함. '―目'. '―類而長之'《易經》. ⑥더럽힐 촉, 더럽혀질 촉 더럽게 함. 더러워짐. 또, 더러운 것. '塵―'. '不受塵事―'《韓愈》. '燋鰱在躬, 輒復塵―'《江淹》. ⑦의거할 촉 '―, 據也'《玉篇》. ⑧성 촉 성(姓)의 하나.

[字源] 金文 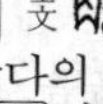 篆文 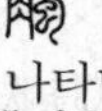 形聲. 角+蜀〔音〕. '蜀촉'은 쿡쿡 찌르다의 뜻. 뿔이 부딪혀 닿다의 뜻을 나타냄.

[參考] 触(角部 六畫)은 俗字.

[觸角 촉각] 곤충류(昆蟲類)·갑각류(甲殼類)의 머리 위에 있는 뿔 같은 감각기(感覺器). 달팽이의 뿔 따위.
[觸覺 촉각] 피부의 겉에 다른 물건이 닿을 때 느끼는 감각.
[觸諫 촉간] 법도를 거스르며 간(諫)함.
[觸感 촉감] 촉각(觸覺).
[觸激 촉격] 세게 부딪침.
[觸擊 촉격] 침. 부딪침.
[觸官 촉관] 촉각(觸覺)을 느끼는 기관(器官).
[觸怒 촉노] 웃어른의 마음을 거슬러서 성을 벌컥 내게 함.
[觸突 촉돌] 충돌함.
[觸羅 촉라] 촉망(觸網).
[觸冷 촉랭] 냉기(冷氣)가 몸에 닿음.
[觸蠻之爭 촉만지쟁] '와각지쟁(蝸角之爭)'을 보라.
[觸網 촉망] ㉠법망(法網)에 걸림. ㉡그물에 걸림.
[觸冒 촉모] 촉범(觸犯).
[觸目 촉목] 눈에 띔. 눈에 느낌.
[觸目傷心 촉목상심] 어떠한 것을 보고 당장에 슬픈 생각이 남.
[觸搏 촉박] 촉격(觸擊).
[觸發 촉발] ㉠사물(事物)에 맞닥뜨리어 감회(感懷)가 일어남. ㉡닿거나 부딪쳐 폭발함.
[觸撥 촉발] 닿으면 튀어서 되돌아옴.
[觸犯 촉범] ㉠충돌(衝突)함. ㉡웃어른의 감정을 돋움.
[觸鼻 촉비] 냄새가 코를 찌름.
[觸緖縈懷 촉서영회] 감동하여 정서(情緖)가 얽힘.
[觸手 촉수] ㉠하등 동물(下等動物)의 촉각(觸覺)을 맡은 기관(器官). 대부분의 무척추동물의 입 근처에 있는데, 모양이 실같이 생겼음. ㉡물건을 쥐는 손. 곧, 오른손.
[觸鬚 촉수] 하등 동물의 촉각을 맡은 수염과 같은 것. 귀뚜라미·새우 등의 수염 따위. 더듬이.
[觸穢 촉예] 더러운 것에 손을 댐.
[觸忤 촉오] 촉노(觸怒).
[觸戰 촉전] 적과 충돌하여 싸움. 접전(接戰).
[觸處 촉처] 닥치는 곳. 이르는 곳.
[觸處逢敗 촉처봉패] 가는 곳마다 실패(失敗)를 당함.
[觸礁 촉초] 암초(暗礁)에 얹힘. 좌초(坐礁).
[觸風 촉풍] 바람을 쐼.
[觸寒 촉한] 추운 기운이 몸에 닿음.

●感觸. 繫觸. 蠻觸. 犯觸. 抵觸. 觝觸. 接觸.

13 ⑳ [觷] [一] 학 [入]覺 胡覺切 xué [二] 악 [入]覺 五角切 [三] 옥 [入]沃 烏酷切 [四] 곡 [入]屋 胡谷切 hù

[字解] [一] 뿔다듬을 학 '―, 治角也'《廣韻》. [二] 뿔다듬을 악 [一]과 뜻이 같음. [三] 뿔다듬을 옥 [一]과 뜻이 같음. [四] 뿔소리 곡 뿔이 부딪치는 소리. '―, 角聲'《集韻》.

[字源] 形聲. 角+學〈省〉〔音〕

13 ⑳ [觺] [一] 격 [入]錫 胡狄切 xí [二] 각 [入]覺 古岳切 [三] 오 [平]肴 牛交切 áo

[字解] [一] ①지팡이뿔장식 격 지팡이 손잡이의 뿔 장식. '―, 杖耑角也'《說文》. ②채찍뿔장식 격 채찍 손잡이와 끝의 뿔 장식. '―, 以角飾莢本末也'《玉篇》. [二] 지팡이뿔장식 각, 채찍뿔장식 각 [一]과 뜻이 같음. [三] 칠 오 '―, 擊也'《集韻》.

[字源] 形聲. 角+敫〔音〕

14 ㉑ [觺] [一] 의 [平]支 語其切 yí [二] 억 [入]職 魚力切 yí

[字解] [一] 뾰족할 의 뿔이 뾰족한 모양. '其角――'《楚辭》. [二] 뾰족할 억 [一]과 뜻이 같음.

[觺觺 의의] 뿔이 뾰족한 모양.

14 ㉑ [艦] 감 [平]咸 古銜切 jiān

[字解] 뿔 감 '―, 角也'《字彙》.

15 ㉒ [觼] 결 [入]屑 古穴切 jué

[字解] 쇠고리 결 물건과 물건을 끼워 연결시키는 금속제의 고리. '鋈以―軜'《詩經》.

[字源] 篆文 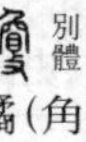 別體 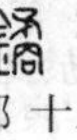 形聲. 角+夐〔音〕. '鐍결'은 동일어(同一語) 이체자(異體字).

[參考] 觿(角部 十二畫)은 同字.

15 ㉒ [觵] 광 [平]庚 姑橫切 kuàng

[字解] 뿔로찌를 광 '―, 角刺'《玉篇》.

15 ㉒ [觻] [一] 록 [入]屋 盧谷切 lù [二] 력 [入]錫 郎擊切 lì

[字解] [一] ①뿔 록 '―, 角也'《說文》. ②고을이름 록 '―得'은 한(漢)나라의 현(縣)의 이름. 간쑤 성(甘肅省) 장예 현(張掖縣)의 서북쪽. '―, ―得, 縣名. 在張掖'《廣韻》. [二] 뿔끝 력 뿔의 뾰족한 끝. '―, 角鋒'《廣韻》.

[字源] 形聲. 角+樂〔音〕

16 ㉓ [觽] 觿(次條)와 同字

18 ㉕ [觿] 휴 [平]齊 戶圭切 xī

[字解] 뿔송곳 휴 뿔 또는 뼈로 만든 매듭을 푸는

송곳같이 생긴 물건. 성인(成人)이 늘 허리에 차고 다녔음. '童子佩─'《詩經》. '─, 錐也. 以象骨爲之. 所以解結. 成人之佩, 非童子飾也'《集傳》.

字源 篆文 形聲. 角+巂〔音〕. '巂휴'는 베어 가르다의 뜻. 뿔송곳의 뜻을 나타냄.

[觿]

[觿年 휴년] 아직 갓을 쓰지 아니한 아이. ◉觽觿. 佩觿.

言 (7획) 部

〔말씀언부〕

0 ⑦ [言] 中人 ━ 언 ㊏元 語軒切 yán ㊔願 牛堰切 yàn ═ 은 ㊏眞 魚巾切 yín

筆順 一 二 三 言 言 言 言

字解 ━ ①말 언, 말씀 언 ㉠언어. '以其─正也'《漢書》. ㉡글자. 문자. '獨說四十餘萬─'《揚雄》. ㉢시문 등의 한 구(句). '─一以蔽之'《論語》. ㉣문장. '士載─'《禮記》. ㉤분부. 명령. 가르침. '受─藏之'《詩經》. ②말할 언 ㉠발언함. '─志'. '多─'. '對而不─'《禮記》. ㉡말로 나타냄. 표현함. '曰, 難─也'《孟子》. ㉢진술하여 말함. '─, 宣也. 宣彼此之意也'《釋名》. ㉣물어봄. '及葬─鸞車象人'《周禮》. ㉤논의(論議)함. '使天下之士不敢─'《戰國策》. ③여쭐 언 말씀을 올림. '謹再拜─相公閣下'《韓愈》. ④나 언 자기. 주로, 시에 씀. '─告師氏'《詩經》. ⑤어조사 언 무의미의 조사. 주로, 시에 씀. '永─配命'《詩經》. ⑥높을 언 고대(高大)한 모양. '崇墉──'《詩經》. ⑦꾀 언 일을 꾸밈. 모의(謀議). '初既與余成─兮'《楚辭》. ⑧성 언 성(姓)의 하나. ⑨호소할 언 고소(告訴)함. 소송을 함. '─, 訟也'《集韻》. ═ 화기애애할 은 誾(言部 八畫)과 통용. '二爵而──斯'《禮記》.

字源 甲骨文 金文 篆文 篆文 會意. 辛+口. '辛신'은 결손이 있는 날붙이의 象形. '口구'는 맹세의 문서(文書)의 뜻. 불신(不信)이 있을 때에는 죄(罪)를 받을 것을 전제로 한 맹세, 삼가 말하다의 뜻을 나타냄.

參考 '言'을 의부(意符)로 하여, 말이나 말에 따르는 갖가지 행위에 관한 문자를 이룸.

[言輕則招憂 언경즉초우] 말을 경솔히 하면 뒷날의 화근(禍根)이 됨.

[言過其實 언과기실] 말하는 것이 실제보다도 과대(過大)함. 사실 이상으로 과장해서 말함.

[言官 언관] 간언(諫言)을 맡은 벼슬. 간관(諫官).

[言權 언권] 말할 권리(權利).

[言根 언근] 소문의 출처.

[言近旨遠 언근지원] 말은 비근(卑近)하나 뜻은 심장(深長)함.

[言及 언급] 하는 말이 그곳까지 미침.

[言端 언단] 말다툼을 일으키는 단서(端緖).

[言談 언담] 이야기. 또, 이야기를 함. 담화.

[言談之林藪 언담지임수] 능변가(能辯家)를 이름.

[言渡 언도] 재판(裁判)에서, '선고(宣告)'의 옛말.

[言動 언동] 말과 행동.

[言靈 언령] 말이 갖는 이상한 힘.

[言論 언론] ㉠말이나 글로써 자기의 사상을 발표하는 일. ㉡언쟁(言爭).

[言明 언명] 분명히 말함. 공언함.

[言貌 언모] 언어와 용모(容貌).

[言文 언문] 말과 글. 언어(言語)와 문장(文章).

[言文一致 언문일치] 실제로 쓰는 말과 글로 적는 말이 똑같음.

[言未畢 언미필] 하던 말이 채 끝나기 전(前).

[言辯 언변] 말솜씨. 입담.

[言不盡意 언부진의] 말로는 충분히 심정을 나타낼 수 없음.

[言飛千里 언비천리] 말이 전파(傳播)되는 것이 빠른 것을 이름.

[言辭 언사] 말. 말씨.

[言上 언상] 웃어른에게 아룀.

[言誓 언서] 말로 맹세함. 또, 그 맹세.

[言說 언설] 말. 설명(說明)하는 말.

[言聲 언성] 말하는 목소리.

[言笑 언소] ㉠웃으면서 이야기함. ㉡지껄이거나 웃거나 함.

[言少意多 언소의다] 말은 적으나 그 함축한 뜻은 많음.

[言笑自若 언소자약] 근심되는 일이나 놀라운 일을 당해도 평시와 같은 태도를 가짐. 태연(泰然)함.

[言身之文 언신지문] 말은 몸의 문채라 그 사람의 가치를 나타내는 것임.

[言約 언약] 말로 약속(約束)함.

[言語 언어] 말.

[言語道斷 언어도단] ㉠《佛教》 말로는 표현할 도리가 없음. 말로 표현할 수 없는 심오한 진리. ㉡너무나 어이가 없어서 말하려야 말할 수 없음.

[言語不通 언어불통] 말이 달라 서로 통하지 못함.

[言語相通 언어상통] 말이 서로 통함.

[言語學 언어학] 언어의 성질·발달·구조 등을 연구하는 학문.

[言語行動 언어행동] 언어와 행동.

[言言 언언·은은] ㉠높은 모양. 고대(高大)한 모양. ㉡할 말을 함. ㉢'은은(言言)'을 보라.

[言言事事 언언사사] 모든 말과 모든 일.

[言外 언외] 말로 나타낸 그 밖. 입으로 말한 것 이외.

[言容 언용] 말씨.

[言猶在耳 언유재이] 먼저 들은 말이 아직도 귀에 쟁쟁하여 잊혀지지 아니함.

[言者不知 언자부지] 알고 있다고 스스로 생각하여 함부로 지껄이는 자는 사실은 모르는 자임.

[言才 언재] 말을 잘하는 재주.

[言筌 언전] 말과 통발. 말은 뜻을 전달하는 도구이며, 통발은 물고기를 잡는 도구로서, 이 두 가지는 다 목적(目的)·본질(本質)에 대해서는 수단(手段)에 지나지 않는 것이므로, 그러한 '수단에 구애되어 목적·본질을 잊어버리는 일의 어리석음'을 비유하여 이르는 말.

[言詮 언전] ㉠언어(言語)로 설명된 사항(事項). 또는 언어. 말. ㉡언전(言筌).

[言傳 언전] 말로 전함.

[言正理順 언정이순] 언어가 사리(事理)에 맞음.
[言提 언제] 귀에 입을 갖다 대고 간곡히 가르쳐 깨우침.
[言足以飾非 언족이식비] 자기 잘못을 교묘한 말로 꾸며 대어 속임. 말을 썩 잘함을 이름.
[言重 언중] 말씨가 가볍지 아니함. 입이 무거움.
[言中有言 언중유언] 말 속에 다른 뜻이 포함(包含)되어 있음.
[言旨 언지] 말의 내용. 말의 취지.
[言志 언지] ㉠자기의 뜻을 이야기함. ㉡시(詩)를 이름.
[言之無文行之不遠 언지무문행지불원] 언어(言語)가 솔직하기만 하고 기교(技巧)가 없으면 남에게 감동을 줄 수 없고, 그 말이 미치는 범위도 넓지 못함. 공자(孔子)의 말.
[言質 언질] ㉠어떤 일을 약속하는 말의 꼬투리. ㉡남의 말을 뒷날의 증거(證據)로 삼음.
[言次 언차] 말하던 김. 말하던 차.
[言讖 언참] 말이 미래(未來)의 사실(事實)과 꼭 맞음.
[言責 언책] 말할 책임. 간관(諫官) 등의 책임.
[言泉 언천] 말의 샘. 말이 막힘없이 술술 나옴을 샘에 비유한 말.
[言悖而出者亦悖而入 언패이출자역패이입] 도리(道理)에 거슬리는 말을 하면, 남도 또한 그러한 말을 나에게 함.
[言必稱 언필칭] 말을 할 때마다 그 말을 들추어 냄.
[言下 언하] 말하자 곧 그 자리. 말함과 동시에. 말이 채 끝나기도 전에. 즉석(卽席).
[言行 언행] 말과 행실(行實). 말하는 바와 행하는 바.
[言行相反 언행상반] 말과 행실이 서로 어긋남.
[言行一致 언행일치] 말과 행실이 똑같음.
[言戲 언희] 말로 희롱함. 농담함. 놀림.
[言言 은은] 화기애애하게 즐기는 모양.
◉佳言. 諫言. 甘言. 格言. 苦言. 高言. 公言. 空言. 過言. 寡言. 狂言. 巧言. 群言. 極言. 金言. 奇言. 訥言. 多言. 端言. 斷言. 談言. 大言. 代言. 德言. 妄言. 面從後言. 名言. 明言. 無言. 文言. 美言. 微言. 發言. 方言. 放言. 謗言. 煩言. 法言. 附言. 浮言. 不可言. 不言. 鄙言. 飛言. 私言. 緒言. 碩言. 釋言. 宣言. 善言. 聖言. 笑言. 矢言. 愼言. 失言. 雅言. 惡言. 藥石之言. 約言. 陽言. 揚言. 颺言. 豫言. 訛言. 王言. 妖言. 庸言. 寓言. 怨言. 違言. 僞言. 流言. 游言. 遺言. 綸言. 疑言. 耳言. 俚言. 一家之言. 一口二言. 一言. 逸言. 立言. 雜言. 適言. 前言. 傳言. 正言. 定言. 造言. 中冓之言. 衆言. 至言. 知言. 直言. 眞言. 陳言. 盡言. 讒言. 讖言. 昌言. 千里結言. 草茅危言. 忠言. 贅言. 他言. 擇言. 片言. 偏言. 虛言. 好言. 豪言. 華言.

2 ⑨ [訂] 高人 정 ①②㊀徑 徒鼎切 dìng ③④㊥青 他丁切 订訂

筆順 ⺀ ⺕ 言 言 言 言 言一 訂

字解 ①바로잡을 정 ㉠사실을 바로잡아 정(定)함. '足有所一正'《晉書》. ㉡문자·문장 등의 틀린 것을 고침. '校一'. '宜酊一一書'《康熙帝》. ②맺을 정 약속을 맺음. '一交'. ③평의(評議)할 정 공평하게 평의함. '一, 平議也'《說文》. ④평평하게고를 정 비교하여 균평(均平)하게 함. '以此一大王文王之道'《詩經 箋》.

字源 篆文 形聲. 言+丁〔音〕. '丁정'은 못을 박아 고정시킴의 뜻. 의견의 차이나 잘못을 바로잡다의 뜻.

[訂交 정교] 교분을 맺음.
[訂盟 정맹] 언약이나 동맹, 조약 따위를 맺음.
[訂補 정보] 불충분한 데나 잘못 따위를 바로잡아 보충함.
[訂訛 정와] 정정(訂正).
[訂正 정정] 잘못을 고쳐서 바로잡음.
[訂證 정증] 바로잡아 밝힘.
◉改訂. 檢訂. 校訂. 再訂. 增訂.

2 ⑨ [訃] 人名 부 ㊀遇 芳遇切 fù 讣訃

字解 ①통부(通訃)할 부 사람의 죽음을 알림. '內憂遠一'《張說》. ②부고 부 사람의 죽은 것을 알리는 통지. '捧一哀號'《柳宗元》. ③이를 부 '一, 又至也'《廣韻》.

字源 形聲. 言+卜〔音〕. '卜복'은 '赴부'와 통하여, 급히 가다의 뜻. 사람이 갑자기 죽은 것을 알림의 뜻을 나타냄.

[訃告 부고] 사람의 죽은 것을 알리는 통고(通告).
[訃聞 부문] 부고(訃告).
[訃報 부보] 부고(訃告).
[訃音 부음] 부고(訃告).
◉告訃. 捧訃. 奔訃. 省訃. 承訃. 遠訃.

2 ⑨ [計] 中人 계 ㊀霽 古詣切 jì 计計

筆順 ⺀ ⺕ 言 言 言 言 言一 計

字解 ①셀 계 수를 셈. '一算'. '可一日而待也'《諸葛亮》. 전(轉)하여, 수학. 산술. '學書一'《禮記》. ②수(數) 계 ㉠수효. 숫자. '使領郡錢穀一'《漢書》. ㉡총계. 총수(總數). '合一'. '一八百餘字'《侍兒小名錄》. ③헤아릴 계 비교하여 조사함. 관리를 사찰함. '以聽官府之六一, 弊群吏之治'《周禮》. ④꾀할 계 책략. 계획을 세움. '一謀'. '會薛一事'《史記》. ⑤꾀 계 ㉠책략. 계략. '妙一'. '奇一'. '一者事之機也'《史記》. ㉡계획. 경영. 생계. '身一'. '子孫一'. '一年之一, 莫如樹穀'《管子》. '爲妾門戶一耳'《晉書》. ⑥셈 계 회계. '月一'. '一簿'. 또, 그 장부. '受一于甘泉'《漢書》. ⑦성 계 성(姓)의 하나.

字源 篆文 會意. 言+十. '十십'은 수(數)의 뜻을 지사적(指事的)·추상적(抽象的)으로 나타냄. 입으로 수를 헤아리는 모양에서, 수를 세다의 뜻을 나타냄. 음형상(音形上)·의미상으로는 '稽계'와 통함.

[計家 계가] 바둑을 둔 뒤에 승부(勝負)를 알기 위하여 집을 헤아림.
[計巧 계교] 빈틈없이 생각하여 낸 꾀.
[計校 계교] 계교(計較).
[計較 계교] ㉠비교함. 서로 대봄. ㉡논쟁(論爭)함. ㉢의논함. 상의(相議)함.
[計窮力盡 계궁력진] 꾀와 힘이 다함.
[計圖 계도] 계략(計略).
[計略 계략] 꾀. 모략(謀略).

[計量 계량] 분량(分量)을 헤아림.
[計慮 계려] 계략(計略).
[計吏 계리] ㉠회계를 맡은 벼슬아치. ㉡회계 장부를 조정(朝廷)에 올리는 벼슬아치.
[計網 계망] 적(敵)이 속아 걸려들게 하는 꾀.
[計謀 계모] 계략(計略).
[計簿 계부] 회계를 적는 장부.
[計仕 계사] 관리의 출근한 날수를 계산함.
[計事 계사] 일을 꾀함. 또는 계략.
[計朔 계삭] 계월(計月).
[計算 계산] ㉠수량(數量)을 헤아림. ㉡국가의 회계.
[計相 계상] 국가의 회계를 맡은 주임관(主任官).
[計省 계성] 송대(宋代)에 국가의 회계를 맡은 관아(官衙). 염철(鹽鐵)·탁지(度支)·호부(戶部)의 삼사(三司)를 그 관할(管轄) 밑에 두었음.
[計數 계수] ㉠수효(數爻)를 헤아림. 계산(計算). ㉡계략(計略).
[計月 계월] 달수(數)를 계산함.
[計議 계의] ㉠꾀. 계략(計略). ㉡서로 모의(謀議)함. 상의함.
[計日 계일] 날수(數)를 계산함.
[計帳 계장] ㉠호적부(戶籍簿). ㉡회계(會計)의 장부(帳簿).
[計籍 계적] 계부(計簿).
[計策 계책] 계략(計略).
[計寸 계촌] 일가의 촌수(寸數)를 따지는 일.
[計最 계최] 관리의 성적의 대강의 기록. 최(最)는 요지(要旨).
[計測 계측] 수(數)·양(量)·길이·무게 따위를 계기(計器)를 사용하여 잼.
[計會 계회] 계산(計算) ❶.
[計畫 계획] ㉠계략(計略). ㉡꾀하여 미리 작정함.
◉家計. 奸計. 姦計. 堅計. 權計. 詭計. 奇計. 累計. 短計. 大計. 萬全計. 謀計. 妙計. 密計. 百計. 祕計. 邪計. 算計. 三計. 三十六計. 上計. 生計. 書計. 設計. 歲計. 熟計. 術計. 時計. 身計. 身後計. 失計. 心計. 深計. 良計. 愚計. 遠計. 月計. 遺計. 陰計. 日計. 子孫計. 長久計. 點計. 正計. 早計. 終身計. 智計. 千年計. 總計. 推計. 度計. 太早計. 統計. 下計. 合計. 活計. 會計.

2
⑨ [訄] ❶ 구 ①-③㊥尤 去鳩切 qiú
④㊥豪 苦刀切 kāo
❷ 노 ㊥豪 奴刀切

字解 ❶ ①급할 구 '一, 迫也'《說文》. ②편안할 구 '一, 一曰, 安也'《集韻》. ③꾀할 구 계획을 세움. '一, 一曰, 謀也'. ④희학질할 구 또, 그 말. '一, 戲言'《廣韻》. ❷ 희학질할 노 '一, 戲也'《集韻》.
字源 形聲. 言+九〔音〕

2
⑨ [訅] 訄(前條)와 同字

2
⑨ [訆] 〔비〕
訛(言部 四畫〈p. 2110〉)와 同字

2
⑨ [訇] 현 ㊥先 呼淵切 xuān
字解 ①소리 현 '一, 聲也'《字彙》. ②訇(次條)의 訛字. '一, 訇字之譌'《正字通》.

2
⑨ [訋] 〔규〕
叫(口部 二畫〈p. 336〉)와 同字
字源 篆文 形聲. 言+ㄐ〔音〕

2
⑨ [訇] ❶ 굉(횡 ㊥庚 呼宏切 hōng
❷ 균 本) ㊀震 九峻切 jùn
字解 ❶ ①큰소리 굉 여러 가지 큰 소리의 형용. '一然震動, 如雷霆'《韓愈》. ②성 굉 성(姓)의 하나. ❷ 속일 균 기만함. '訇, 博雅, 欺也. 或作一'《集韻》.
字源 金文 篆文 籒文 形聲. 言+勻〈省〉〔音〕. '勻균'은 두루 미치다의 뜻. 큰 소리가 널리 퍼지는 모양을 나타냄.

[訇磕 굉개] 돌이 서로 부딪치는 소리.
[訇礚 굉개] 굉개(訇磕).
[訇訇 굉굉] 큰 소리의 형용.
[訇然 굉연] 큰 소리의 형용.
[訇隱 굉은] 큰 파도의 소리. 또, 종고(鐘鼓)의 소리.
[訇磤 굉은] 우렛소리.
[訇哮 굉효] 바람이 세차게 부는 소리.
◉隱訇. 砰訇.

3
⑩ [訊] 人名 신 ㊀震 息晉切 xùn 讯
筆順 訊
字解 ①물을 신 ㉠질문함. '君嘗一臣矣'《公羊傳》. ㉡죄상을 물어 조사함. '一問'. '鞫一'. '一群吏'《周禮》. 또, 그 조사. 신문. '從吏一'《漢書》. ㉢방문하여 안부를 물음. '帝朝夕問一, 進膳藥'《後漢書》. 또, 안부. 음신(音信). '不可託一者與'《荀子》. ②알릴 신 고(告)함. '一, 告也'《廣韻》. ③간할 신 잘못을 고치도록 아룀. '歌以一之'《詩經》. ④말할 신 '用情一之'《周禮》. ⑤말 신 '執一獲醜'《詩經》. ⑥움직일 신, 떨칠 신 '猋駭雲一'《漢書》. ⑦나무랄 신 책망함. '乃一申胥'《國語》. ⑧다스릴 신 병 같은 것을 다스림. '一疾以雅'《禮記》. ⑨빠를 신 迅(辵部 三畫)과 同字.
字源 金文 篆文 古文 金文은 會意. 口+糸+女+ム의 형태로, 잡힌 사람이 구두(口頭)로 질문을 받고 추궁을 당하는 모양에서, '묻다'의 뜻을 나타냄. '訊신'은 形聲으로서 言+卂〔音〕. '卂신'은 칼로 잽싸게 치다의 뜻. 잇따라 추궁하다의 뜻을 나타냄.

[訊檢 신검] 검문(檢問)함.
[訊鞫 신국] 죄상을 취조함. 국문(鞫問)함.
[訊問 신문] ㉠물음. ㉡죄인을 조사하여 물음.
[訊責 신책] 추궁함. 문책(問責)함.
[訊治 신치] 죄를 엄하게 추궁함.
◉鞫訊. 考訊. 問訊. 芳訊. 覆訊. 騷訊. 案訊. 音訊. 吏訊. 振訊. 驗訊.

3
⑩ [訌] 人名 홍 ㊥東 戶公切 hòng 讧
㊀送 胡貢切
字解 ①어지러울 홍 내부에서 저희끼리 분쟁을 일으켜 무너짐. '蟊賊內一'《詩經》. ②내홍 홍 내부의 분쟁. '兵一'. '外阻內一'《唐書》.
字源 篆文 形聲. 言+工〔音〕. '工공'은 '攻공'과 통하여, '치다, 공격하다'의 뜻. 말로

싸우다의 뜻.
◉內訌. 兵訌. 紛訌. 戢訌.

3 ⑩ [討] [高人] 토 [上]晧 他浩切 tǎo 讨

[筆順] 亠 言 言 言 言 言 計 討 討

[字解] ①칠 토 ㉠공격함. '莒人來—'《左傳》. ㉡죄 있는 자를 정벌하거나 제거함. '—伐'. '天—有罪'《書經》. ㉢윗사람이 아랫사람을 침. '是故天子—而不伐'《孟子》. ㉣꾸짖음. '—, 訶也'《洪武正韻》. ②다스릴 토 치죄(治罪)함. '—治有罪, 使之絕惡'《書經 疏》. ③찾을 토, 더듬을 토 탐구함. '—論'. '探—'. '尋—禍源'《魏志》. ④없앨 토 제거함. '其稱人何. —賊之辭也'《公羊傳》. ⑤어지러울 토 뒤섞임. '據鄭所言, 則—者亂也'《說文 段注》. ⑥구(求)할 토 '—, 一曰, 求也'《集韻》.

[字源] 篆文 形聲. 言+肘〈省〉〔音〕. '肘주'는 '팔꿈치'의 뜻. 말과 손으로 죄인(罪人)을 문초하다, 추궁하다의 뜻을 나타냄.

[討擊使 토격사] 당(唐)나라 무후(武后) 때의 벼슬 이름. 직책은 초토사(招討使)와 대략 같은데, 지방에 변란이 있을 때 중앙 정부에서 임시 파견함.
[討究 토구] 사리(事理)를 검토(檢討)하여 궁구(窮究)함.
[討窮 토궁] 토구(討究).
[討論 토론] 여러 사람이 모여 각자의 의견을 내세워 그것이 마땅함을 논함.
[討滅 토멸] 격멸(擊滅)함.
[討問 토문] 질문(質問)함.
[討伐 토벌] 병력(兵力)에 의해 죄 있는 자를 침. 정벌(征伐)함.
[討索 토색] 금전이나 물품을 강청(強請)함.
[討襲 토습] 적을 엄습(掩襲)함.
[討議 토의] 토론하여 의논함.
[討賊 토적] 적을 토벌함.
[討罪 토죄] 죄목(罪目)을 들어 다부지게 나무람.
[討春 토춘] 봄 경치를 찾음.
[討破 토파] 남의 말이나 이론을 쳐서 깨뜨림.
[討平 토평] 토벌하여 평정함.
[討捕 토포] 토벌(討伐)하여 잡음.
[討覈 토핵] 조사함.
◉檢討. 攻討. 論討. 赴討. 奮討. 聲討. 搜討. 尋討. 幽討. 專討. 征討. 鎭討. 勦討. 追討. 探討. 平討. 捕討.

3 ⑩ [訏] [一] 우(후[本]) [上]麌 火羽切 xǔ / [平]虞 況于切 xū [二] 호 [平]虞 荒胡切 讦

[字解] [一] ①클 우 큰 모양. '川澤——'《詩經》. '洵—且樂'《詩經》. ②거짓 우 '—, 詭譌也'《說文》. ③과장할 우 과장해 말함. 흰소리 침. '—, 大言也'《正字通》. [二] 시끄러울 호 소리침. 떠들썩함. '實覃實—'《詩經》.

[字源] 篆文 形聲. 言+于(亏)〔音〕. '亏우'는 '華화'와 통하여, '화려함'의 뜻. 화려한 말, 거짓, 속임의 뜻을 나타냄.

[參考] 訏(次次條)은 別字.

[訏謨 우모] 크게 모의(謀議)함. 대모(大謀).
[訏訏 우우] 큰 모양. 넓고 큰 모양.

3 ⑩ [訏] 訏(前條)의 本字

3 ⑩ [訐] [一] 알(갈 [入]月 居竭切 jié [二] 계 [本]) [去]隊 九刈切 jì 讦

[字解] [一] ①들추어낼 알 적발(摘發)함. '惡—以爲直者'《論語》. ②비방할 알 남의 단처(短處)를 헐뜯어 말함. '—, 持人短'《廣韻》. [二] 거리낌없이 말할 계 직언(直言)함. '—, 直言'《集韻》.

[字源] 篆文 形聲. 言+干〔音〕. '干간'은 '깎아 내다'의 뜻. 남의 죄(罪)를 맞대 놓고 폭로하다의 뜻을 나타냄.

[參考] 訏(前前條)는 別字.

[訐揚 알양] 남의 비밀을 들추어냄.
[訐直 알직] 남의 개인적인 비밀을 들추어내어, 자신이야말로 정직한 사람이라고 자임(自任)함.
◉醜訐. 告訐. 驕訐. 非訐. 肆訐. 詆訐. 峭訐.

3 ⑩ [訑] [一] 이 [平]支 余支切 yí [二] 타 [平]歌 湯何切 tuó [三] 탄 [上]旱 徒亶切 dàn 𬣙

[字解] [一] 으쓱거릴 이 '——'는 사람이 경박하고 자존심이 많아 남의 말을 듣지 않는 모양. '——之聲音顏色, 距人於千里之外'《孟子》. [二] 속일 타 기만함. '或—謾而不疑'《楚辭》. '寡人甚不喜—者言也'《戰國策》. [三] 방종할 탄 誕(言部 七畫)과 同字. '僻陋慢—'《莊子》.

[字源] 形聲. 言+也〔音〕

[訑訑 이이] 사람이 경박하고 자존심이 많아 남의 말을 듣지 않는 모양.
[訑謾 타만] 기만(欺謾)함.
◉慢訑.

3 ⑩ [訒] 인 [去]震 而振切 rèn / [上]軫 爾軫切 讱

[字解] 말적을 인 과묵하여 함부로 말하지 아니함. '仁者, 其言也—'《論語》.

[字源] 篆文 形聲. 言+刃〔音〕. '刃인'은 '忍인'과 통하여 '참다'의 뜻. 나오는 말을 참고 하지 아니하다의 뜻을 나타냄.

3 ⑩ [訕] 산 [去]諫 所晏切 shàn / [平]刪 所姦切 讪

[字解] 헐뜯을 산 비방함. '有諫而無—'《禮記》. 또, 헐뜯는 말. 비방. '興誹造—'《韓愈》.

[字源] 篆文 形聲. 言+山〔音〕

[訕謗 산방] 헐뜯음. 비방함.
[訕笑 산소] 헐뜯고 비웃음.
◉無訕. 造訕.

3 ⑩ [訓] [中人] [一] 훈 [去]問 許運切 xùn [二] 순 [平]眞 松倫切 xún 训

[筆順] 亠 言 言 言 言 言 訂 訓 訓

[字解] [一] ①가르칠 훈 교회(敎誨)함. '—諭'. '—誡'. '聽伊尹之—己也, 復歸于亳'《孟子》. ②가르침 훈 ㉠교회. '敎—正俗'《禮記》. ㉡훈계, 잠언(箴言). '論集往世酒之敗德, 以爲酒—'《魏

書》. ③이끌 훈 가르쳐 이끎. '四方其一之'《詩經》. ④새길 훈 자구(字句)의 뜻을 해석함. '順其義以一之也'《字彙》. ⑤새김 훈, 훈훈 자구(字句)의 의의(意義)의 해석. '一詁'. '一義'. '爾雅者所以通詁一之指歸'《郭璞》. ⑥따를 훈 순종함. '皇天用一厥道'《書經》. [二] 길 순 '一, 道也'《集韻》.

[字源] [篆文] 形聲. 言+川〔音〕. '川천'은 '따르다〔順〕'의 뜻. 말로 이끌어 따르게 하는 일, 가르쳐 깨우치다의 뜻으로 쓰임.

[訓戒 훈계] 타이름. 경계함.
[訓誡 훈계] 훈계(訓戒).
[訓告 훈고] 가르쳐 알림. 훈계하여 알림.
[訓故 훈고] 훈고(訓詁).
[訓詁 훈고] 경서(經書) 등 고문(古文)의 고증(考證)·해석·주해의 총칭.
[訓誥 훈고] 윗사람으로부터 아랫사람에 대하여 가르쳐 알리는 글.
[訓導 훈도] ㉠가르쳐 인도(引導)함. ㉡학교의 교원(教員).
[訓練 훈련] 훈련(訓鍊).
[訓鍊 훈련] ㉠무술(武術)을 연습(練習)함. ㉡가르쳐 익히게 함.
[訓令 훈령] 상급 관청에서 하급 관청에 훈시(訓示)하는 명령(命令).
[訓蒙 훈몽] 아이나 초학자(初學者)를 가르침.
[訓範 훈범] 모범으로 삼을 만한 가르침.
[訓辭 훈사] 훈계하는 말.
[訓說 훈설] 훈해(訓解).
[訓示 훈시] ㉠가르쳐 보임. ㉡상관이 하관에 대하여 하는 집무상의 주의.
[訓言 훈언] 가르쳐 깨우치는 말.
[訓喩 훈유] 훈유(訓諭).
[訓誘 훈유] 가르쳐 이끎.
[訓諭 훈유] 가르쳐 깨닫게 함. 또, 그 가르침.
[訓育 훈육] ㉠가르쳐 기름. 교육함. ㉡아동과 학생의 품성(品性)의 도야(陶冶)를 목적으로 하는 교육.
[訓長 훈장] 글방의 선생. 학구(學究).
[訓迪 훈적] 가르쳐 이끎. 또, 그 벼슬.
[訓典 훈전] 교훈이 되는 옛적 성현의 저서.
[訓定 훈정] 가르쳐 정함.
[訓政 훈정] 청조(淸朝)의 제도로서 천자(天子)가 있어도 태상황(太上皇) 또는 황태후(皇太后)가 정무(政務)를 재결하는 일.
[訓注 훈주] 훈고(訓詁)와 주석(注釋). 훈주(訓註).
[訓飭 훈칙] 훈령으로 계칙(戒飭)함.
[訓解 훈해] 새겨 읽음과 뜻의 설명.
[訓化 훈화] 교화(教化)함.
[訓話 훈화] 교훈(教訓)하는 말. 훈시(訓示)하는 말.
[訓誨 훈회] 가르침. 교회(教誨).
◉家訓. 戒訓. 高訓. 詁訓. 校訓. 教訓. 規訓. 內訓. 大訓. 導訓. 明訓. 師訓. 善訓. 聖訓. 垂訓. 嚴訓. 遺訓. 音訓. 彝訓. 慈訓. 箴訓. 典訓. 庭訓. 祖訓.

3 ⑩ **[訖]** [人名] [一] 글 ㊀物 居乞切 qì [二] 흘 ㊀物 許訖切 讫 訖

[字解] [一] ①마칠 글 끝냄. 끝남. '語未一'《漢書》. ②다할 글 다 없어짐. '典獄非一于威'《書經》. ③그만둘 글 중지함. 멈춤. '毋一糴'《穀梁傳》. ④마침내 글 필경. '劉歆一不告'《漢書》. '莽以錢幣一不行'《漢書》. ⑤모두 글 모조리. '民一自若是盤'《書經》. ⑥이미 글 '一亦有孚'《逸周書》. [二] 이를 흘 이르기까지. 迄(辵部 三畫)과 통용. '一今不改'《漢書》.

[字源] [篆文] 形聲. 篆文은 言+气〔音〕. '气걸'은 매끄럽게 나아가지 않다의 뜻. 발언(發言)을 그치다의 뜻에서, 일반적으로 '멈추다'의 뜻을 나타냄.

[訖息 글식] 그침.
◉語末訖.

3 ⑩ **[託]** [人名] 탁 ㊀藥 他各切 tuō 讬 託

[筆順] 亠 言 言 言 言 訁 訁 託

[字解] ①부탁할 탁 ㉠청탁함. '請一'. '士之不一諸侯, 何也'《孟子》. ㉡맡김. '委一'. '可以一六尺之孤'《論語》. ②의탁할 탁 몸을 남에게 의뢰함. '一食'. '遠一異國, 昔人所悲'《李陵》. 또, 의탁할 데. '上無許史之屬, 下無金張之一'《漢書》. ③핑계할 탁 칭탁함. 말막음으로 내세움. '假一'. '一疾辭官'《劉基》. ④우의(寓義)할 탁 사물에 뜻을 붙임. '一寄'. '一以他辭'《後漢書》.

[字源] [篆文] 形聲. 言+乇〔音〕. '乇탁'은 대지(大地)에 뿌리를 내리고, 내맡긴 식물(植物)의 뜻. '부탁하다, 맡기다'의 뜻을 나타냄.

[託孤 탁고] (아버지를 여읜) 고아(孤兒)를 부탁함.
[託故 탁고] 핑계함.
[託孤寄命 탁고기명] 임금이 죽기 전에 유고(遺孤), 즉 어린 황태자를 부탁하고 국정을 맡기는 일.
[託國 탁국] 나라의 정사(政事)를 위탁(委託)함.
[託寄 탁기] ㉠의탁함. 기탁(寄託). ㉡우의(寓意)함.
[託驥尾 탁기미] 쉬파리가 천리마(千里馬) 꼬리에 붙어서 천 리(千里)를 달린다는 뜻으로, 후진(後進)이 선배(先輩)를 따라서 이름을 날림을 이름.
[託付 탁부] 위탁함. 부탁(付託).
[託附 탁부] 의탁함.
[託事 탁사] 딴 일을 구실 삼음. 어떤 일을 핑계 댐.
[託辭 탁사] 핑계하는 말.
[託生 탁생] 삶을 의탁함. 생명을 맡겨 의탁함.
[託送 탁송] 남에게 부탁하여 보냄.
[託承 탁승] 뒤를 이어받음. 부탁을 떠맡음.
[託食 탁식] 남의 집에 의탁해서 생활함.
[託身 탁신] 남에게 몸을 의탁함.
[託言 탁언] 탁사(託辭).
[託疾 탁질] 병을 칭탁함. 병을 핑계 댐.
[託處 탁처] 기우(寄寓)함.
[託諷 탁풍] 풍자(諷刺)함.
◉假託. 結託. 顧託. 供託. 矯託. 寄託. 反託. 付託. 宣託. 承託. 信託. 神託. 永託. 委託. 依託. 請託. 囑託. 詒託.

3 ⑩ **[記]** [中人] 기 ㊁寘 居吏切 jì 记 記

[筆順] 亠 言 言 言 言 言 訁 訂 記

字解 ①적을 기 씀. '筆一'. '一錄'. '門人一之也'《大學》. ②적은것 기 ㉠기록. 문서. '著災異之一'《史記》. '一日, 脣亡則齒寒'《公羊傳》. ㉡하달문(下達文). 명령서. '出一問墾田頃畝'《漢書》. ㉢상주문(上奏文). '前後十餘通一'《後漢書》. ③기억할 기, 욀 기 잊지 아니함. '闇一'. '一誦'. '常一在懷'《傳習錄》. '撻以一之'《書經》. ④표 기 표지(標識). '一號'. '封還一'《後漢書》. ⑤인 기 인장. '鑄銅一給之'《宋史》. ⑥문체이름 기 한문의 한 체(體). 사실을 그대로 적은 것. '一者紀事之文也, 禹貢顧命乃一之祖'《文體明辯》.

字源 篆文 形聲. 言+己〔音〕. '己기'는 실 가닥을 가지런히 하는 실패의 象形. 말을 다듬어 쓰다, 마음에 새기다의 뜻을 나타냄.

[記功 기공] 공훈의 사적을 기록함.
[記念 기념] ㉠기억하여 잊지 아니함. ㉡죽은 사람 또는 이별한 사람을 생각나게 하는 물건.
[記念碑 기념비] 어떠한 사건을 후세(後世)에 전하기 위하여 세운 비(碑).
[記得 기득] 기억(記憶)함. 득(得)은 조자(助字).
[記覽 기람] 견문(見聞)을 넓혀 사물을 많이 기억하는 일. 실용(實用)을 떠난 학문의 뜻으로 쓰임.
[記錄 기록] 적음. 또, 그 서류(書類).
[記名 기명] ㉠이름을 기억함. ㉡이름을 적음.
[記問之學 기문지학] 단지 고서(古書)를 읽고 기억하여 남의 물음에 대답하기만 하는 학문.
[記府 기부] 기록을 보관하는 창고.
[記簿 기부] 장부(帳簿). 노트.
[記事 기사] 사실(事實)을 기록(記錄)함. 또, 그 글.
[記寫 기사] 베낌. 씀.
[記事本末 기사본말] 역사의 한 체(體). 연월일의 순서를 따르지 아니하고 한 사건마다 그 전말을 적은 것.
[記性 기성] 기억력(記憶力).
[記誦 기송] 기억하여 외어 읽음.
[記述 기술] 기록(記錄)하여 논술(論述)함.
[記室 기실] 기록을 맡은 벼슬.
[記憶 기억] 마음속에 간직하여 잊지 아니함.
[記入 기입] 적어 넣음.
[記載 기재] 적어 실음.
[記傳 기전] 역사(歷史) 및 전기(傳記).
[記號 기호] 부호(符號).
◉強記. 舊記. 單記. 登記. 明記. 聞記. 別記. 附記. 簿記. 書記. 疏記. 速記. 手記. 授記. 實記. 暗記. 諳記. 連記. 列記. 位記. 日記. 雜記. 傳記. 奏記. 聽記. 追記. 筆記. 動記.

3
⑩ **[訌]** 구 ㊤有 苦后切 kòu

字解 ①두드릴 구, 애걸할 구 연해 동정을 구함. ②웃을 구 '一一, 笑也'《廣雅》.

字源 篆文 形聲. 言+口〔音〕

3
⑩ **[訏]** 〔과〕 誇(言部 六畫〈p. 2124〉)의 古字

3
⑩ **[訊]** 범 ㊎陷 扶泛切 fàn

字解 말많을 범 '一, 多言'《集韻》.

3
⑩ **[訙]** 신 ㊎震 息晉切 xìn

字解 ①진실 신, 진심 신 信(人部 七畫)의 古字. ②사람이름 신 '必一·一夫'《宋史》.

3
⑩ **[訚]** 은 ㊥眞 語巾切 yín

字解 ①언쟁할 은 '一一'은 말하는 모양. 논쟁하는 모양. '一一, 爭辯貌'《字彙》. ②누그러질 은, 온화하게논쟁할 은 誾(言部 八畫)과 同字. '一, 說文, 和悅而諍也'《集韻》.

字源 形聲. 山+言〔音〕

4
⑪ **[訛]** 人名 와 ㊥歌 五禾切 é 讹 䚲

字解 ①잘못될 와, 그릇될 와 ㉠문자·언어가 잘못됨. '一傳'. '一字'. '借吏抄書字半一'《林尙仁》. ㉡발음이 변하여 그릇됨. '轉一'. '諸部因呼之爲步搖, 其後音一, 遂爲慕容焉'《晉書》. ②잘못 와, 사투리 와 '音一'. '校正一謬'《舊唐書》. '自是後人, 語一相承不改耳'《唐國史補》. ③속일 와 거짓말을 함. '欺一'. '民之一言'《詩經》. ④거짓 와 '叔代澆一'《晉書》. 또, 요괴한 말. 요언(妖言). '民人一謠'《漢書》. ⑤변할 와 변화함. '平秩南一'《書經》. ⑥깰 와, 움직일 와 잠이 깸. '或寢或一'《詩經》. ⑦어긋날 와 일치하지 않음. '毫髮盡備無差一'《韓愈》.

字源 形聲. 言+化〔音〕. '化화'는 '변하다'의 뜻. 말의 본래의 용법에서 변화하여 '잘못되다, 변하다'의 뜻을 나타냄.

[訛謬 와류] 잘못. 오류(誤謬).
[訛說 와설] 와언(訛言).
[訛語 와어] 사투리. 방언(方言).
[訛言 와언] ㉠거짓말. 유언(流言). ㉡사투리. 와어(訛語).
[訛僞 와위] 거짓. 잘못.
[訛音 와음] ㉠그릇 전(轉)해진 글자의 음. 틀린 음. ㉡사투리.
[訛字 와자] 잘못된 글자.
[訛跡 와적] 잘못 전해진 사적(事跡).
[訛傳 와전] 그릇 전(傳)함. 잘못 전함.
[訛舛 와천] 틀리고 어그러짐.
[訛火 와화] 들에 난 불. 야화(野火).
◉姦訛. 欺訛. 文訛. 浮訛. 妖訛. 澆訛. 違訛. 轉訛. 差訛. 錯訛. 舛訛. 遷訛.

4
⑪ **[訝]** 人名 아 ㊎禡 吾駕切 yà 讶 訝

字解 ①맞을 아 영접하여 위로함. 迓(辵部 四畫)와 통용. '一賓于館'《儀禮》. ②의아할 아 괴이하게 여김. '怪一'. '驚一'. '高祖一無表'《唐書》. ③놀랄 아 '今用一爲相驚之辭'《通訓》.

字源 篆文 別體 形聲. 言+牙〔音〕. '牙아'는 '迎영'과 통하여 '맞이하다'의 뜻. 맞이하여 말로 위로하다의 뜻. 또, '牙'는 밖으로 내다의 뜻으로, 말을 내놓아 사태(事態)를 소상히 조사하고 싶다고 생각하다, 의아해하다의 뜻을 나타냄.

[訝郎當 아랑당] 그것참. 원, 참.
[訝賓 아빈] 왕명(王命)으로 손을 맞이하여 위로

하는 일.
[訝惑 아혹] 괴이하고 의심쩍음.
◉譴訝. 驚訝. 怪訝. 猜訝. 疑訝. 嗟訝.

4 ⑪ **[訞]** 요 [平]蕭 於喬切 yāo 𫍐

[字解] ①요사할 요 요망함. 괴이함. '除一言之辠'《漢書》. ②요괴 요 妖(女部 四畫)와 통용. '一蘖數起'《大戴禮》. ③재앙 요 흉사(凶事). 祆(示部 四畫)와 통용. '一, 災也'《玉篇》.
[字源] 形聲. 言+夭〔音〕. '夭요'는 불가사의한 무당의 象形. 불가사의한 말의 뜻을 나타냄.

[訞怪 요괴] 요사스럽고 괴상함.
[訞惡 요악] 요망하고 못됨.
[訞言 요언] 요사스러운 말.

4 ⑪ **[訟]** [高人] 송 [去]宋 似用切 sòng 讼

[筆順] 訟

[字解] ①송사할 송 법정에 고소하여 시비곡직의 재판을 원함. 소송. '乃詣闕令, 一老君索傭錢'《列仙傳》. ②송사 송 '必也使無一乎'《論語》. ③시비할 송 시비곡직(是非曲直)이 정하여지지 않아 서로 언쟁함. '會禮之家, 名爲聚一'《後漢書》. ④자책할 송 스스로 반성하여 가책을 느낌. '吾未見能見其過而內自一者也'《論語》. ⑤드러낼 송 여럿 앞에 공개함. '未敢一言誅之'《史記》. ⑥다스려바로잡을 송 '使尹氏與聃啓一周公于晉'《左傳》. ⑦떠들어주장할 송 '一謂閻娵爲醜惡'《楚辭》. ⑧송괘 송 육십사괘(六十四卦)의 하나. 곧, ䷅〈감하(坎下), 건상(乾上)〉. 다투어 송사하는 상(象). '一有孚窒'《易經》.
[字源] [金文] [篆文] [古文] 形聲. 言+公〔音〕. '公공'은 '공공의 광장'의 뜻. 공정(公廷)에서 발언(發言)하다의 뜻에서, '소송하다, 고소하다'의 뜻을 나타냄.

[訟理 송리] ㉠재판이 공정히 이루어짐. ㉡소송하여 일을 수습함.
[訟費 송비] 소송(訴訟)의 비용.
[訟事 송사] 재판(裁判)을 거는 일. 소송.
[訟聲 송성] 대단히 칭찬하는 말.
[訟訴 송소] 송사(訟事)를 함. 또, 송사.
[訟案 송안] ㉠송사(訟事)의 기록(記錄). ㉡소송 사건.
[訟言 송언] 공언(公言)함. 명언(明言)함.
[訟獄 송옥] 송사(訟事).
[訟廷 송정] 송사(訟事)를 듣고 처리(處理)하는 마을 재판소.
[訟牒 송첩] 고소장(告訴狀). 소송장(訴訟狀).
[訟鬩 송혁] 소송하여 다툼.
◉健訟. 辨訟. 訴訟. 水訟. 新訟. 獄訟. 陰訟. 自訟. 爭訟. 地訟. 聽訟. 滯訟. 聚訟. 鬪訟. 貨訟.

4 ⑪ **[訢]** [一] 흔 [平]文 許斤切 xīn
[二] 은 [平]眞 魚巾切 yín
[三] 희 [平]支 虛其切 xī 䜣

[字解] [一] ①기뻐할 흔 欣(欠部 四畫)과 同字. '終身一然, 樂而忘天下'《孟子》. ②성 흔 성(姓)의 하나. [二] 화평할 은 誾(言部 八畫)과 同字. '僮僕一一如也'《漢書》. [三] 찔 희 천지(天地)의 기(氣)가 교합(交合)함. '天地一合, 陰陽相得'《禮記》.
[字源] [篆文] 形聲. 言+斤〔音〕. '欣흔·忻흔' 따위와 통하여, '기뻐하다'의 뜻을 나타냄.

[訢訢如 은은여] 화기애애(和氣靄靄)하며 공손한 모양.
[訢然 흔연] 기뻐하는 모양. 흔연(欣然).
[訢合 흔합·희합] ㉠기뻐하여 모임. ㉡'희합(訢合)'을 보라.
[訢訢焉 흔흔언] 기뻐하는 모양.
[訢合 희합] 천지(天地)의 기(氣)가 교합(交合)하여 하나가 됨.

4 ⑪ **[訣]** [人名] 결 [入]屑 古穴切 jué 诀

[筆順] 訣

[字解] ①헤어질 결 ㉠이별함. 또, 이별. '一別'. '生一'. '與其母一'《史記》. ㉡사별(死別)함. '飮二斗酒, 然後臨一'《晉書》. ②끊을 결 절단함. '一厲悄切'《王褒》. ③비결 결 비방(祕方). '一要'. '聞長生之一'《魏書》. ④꾸짖을 결 노하여 책망함. '一, 怒訶也'《韻會小補》.
[字源] [篆文] 形聲. 言+決〈省〉〔音〕. '決결'은 딱 잘라 갈라지다의 뜻. '작별하다'의 뜻을 나타냄.

[訣竅 결규] 결요(訣要).
[訣厲 결려] 맑고 높은 소리의 형용.
[訣別 결별] 기약 없는 작별. 이별.
[訣要 결요] 비결(祕訣). 요결.
◉口訣. 道訣. 妙訣. 祕訣. 辭訣. 四句訣. 生訣. 神訣. 永訣. 要訣. 引訣. 眞訣.

4 ⑪ **[訧]** 과 [去]箇 古臥切 guò

[字解] 더딜 과 느림. 늦음. '一, 遲也'《字彙》.

4 ⑪ **[訩]** [一] 균 [去]震 九峻切 jùn
[二] 운 [去]震 于訓切 yùn

[字解] [一] 속일 균 '一, 欺也'《廣雅》. [二] ①화할 운 '一, 和也'《六書統》. ②韵(音部 四畫〈p. 2537〉)·韻(音部 十畫〈p. 2538〉)과 同字. '一, 韵·韻竝同'《正字通》.

4 ⑪ **[訲]** 뉵 [入]屋 女六切 nǜ

[字解] 부끄러워할 뉵 '一, 慙也'《字彙》.

4 ⑪ **[訥]** [人名] 눌 [入]月 內骨切 nè(nà) 讷

[字解] ①말더듬을 눌 吶(口部 四畫)과 同字. '木一'. '一辯'. '拔去一舌'《柳宗元》. ②말적을 눌 입이 무거워 말을 잘 하지 아니함. '君子欲一於言, 而敏於行'《論語》.
[字源] [篆文] 形聲. 言+內〔音〕. '內내'는 '들어가다'의 뜻. 말이 들어가 나오지 않다, 말주변이 없다의 뜻을 나타냄.

[訥口 눌구] 말을 더듬음. 또, 말더듬이. 눌변(訥辯).

[訥訥 눌눌] 말을 더듬는 모양.
[訥辯 눌변] 더듬더듬하는 서투른 말솜씨. 말주변이 없음.
[訥澁 눌삽] 눌변(訥辯).
[訥舌 눌설] 눌변(訥辯).
[訥言 눌언] 떠듬거리는 말. 구변(口辯)이 없는 일.
[訥言敏行 눌언민행] 말은 더듬지만 행하는 일은 민첩함.
[訥直 눌직] 입이 무겁고 정직함.
◉口訥. 大辯若訥. 木訥. 拙訥. 質訥.

4 ⑪ [⿱言大] 결 [入]屑 居哲切 jié

[字解] ①높고큰모양 결, 용장(勇壯)한모양 결 '─, 仡仡也'《字彙補》. ②⿱言大(士部 七畫)의 訛字. '─, ⿱言大字之譌'《康熙字典》.

4 ⑪ [⿹勹言] 〔굉·균〕
訇(言部 二畫〈p. 2105〉)의 籒文

4 ⑪ [訡] 〔음·금〕
吟(口部 四畫〈p. 353〉)과 同字

4 ⑪ [訧] 우 [平]尤 羽求切 yóu

[字解] 허물 우 ㉠잘못. 尤(尤部 一畫)와 同字. '俾無─兮'《詩經》. ㉡죄(罪). '─, 罪也. 周書曰, 報以庶─'《說文》.
[字源] 篆文 形聲. 言+尤〔音〕. '尤우'는 '이변(異變), 허물'의 뜻. '言언'을 덧붙여, '죄, 잘못'의 뜻을 나타냄.

4 ⑪ [訨] 〔광〕
誑(言部 十畫〈p. 2147〉)의 本字

4 ⑪ [訪] 〔구·후〕
謳(言部 十一畫〈p. 2151〉)의 略字

4 ⑪ [訖] 〔글·흘〕
訖(言部 三畫〈p. 2107〉)의 本字

4 ⑪ [訤] 두 [上]有 他口切 tǒu

[字解] 꾈 두 유혹함. '─, 誘也'《集韻》.

4 ⑪ [訵] 비 [上]紙 普弭切 pǐ

[字解] 갖추어질 비 언어(言語)가 갖추어짐. 庀(广部 二畫)·訛(言部 二畫)와 同字. '─, 具也, 今作庀'《玉篇》. '─, 言具也, 或省'《集韻》.

4 ⑪ [訮] [人名] 임 [平]侵 如林切 rén

[字解] 생각할 임 '─, 念也'《集韻》.

4 ⑪ [訩] 흉 [平]冬 許容切 xiōng

[字解] ①떠들썩할 흉 소란한 모양. '天下──, 只爭品位'《晉書》. ②재화 흉 재난. 화란(禍亂). '降此鞠─'《詩經》. ③송사(訟事)할 흉 다툼. '不告于─'《詩經》. ④울 흉 새 따위가 욺. '─, 鳴也'《廣雅》.
[字源] 詾의 別體 形聲. 言+凶〔音〕

[訩訩 흉흉] 떠들썩한 모양. 소란한 모양. 흉흉(匈匈). 흉흉(詾詾).
◉鞠訩.

4 ⑪ [訪] [中人] 방 [去]漾 敷亮切 fǎng

[筆順] 訪 訪

[字解] ①물을 방 상의함. 문의함. 질문함. '詢─'. '咨─'. '─以世務'《十八史略》. '王─于箕子'《書經》. ②찾을 방 ㉠심방함. '─問'. '來─'. '門人有相─者, 氣象皆好'《朱熹》. ㉡사물을 두루 찾음. 구함. '─採'. '博─遺書'《晉書》. ㉢장소를 찾음. '─古'. '探─'. '─風景於崇阿'《王勃》. ③상의할 방 널리 상의하여 물음. '使─物官'《國語》. ④미칠 방 '─, 增韻, 及也'《康熙字典》. ⑤바야흐로 방 方(部首)과 통용. '─以呂氏故, 幾亂天下'《漢書》. ⑥성 방 성(姓)의 하나.
[字源] 篆文 形聲. 言+方〔音〕. '方방'은 좌우(左右)로 내밀다의 뜻. 말을 좌우로 내밀다, 널리 묻다, 찾다의 뜻.

[訪客 방객] 찾아온 손. 방문객(訪問客).
[訪古 방고] 역사적 고적(古蹟)이나 명소를 탐방(探訪)함.
[訪求 방구] 사람을 찾아 구(求)함.
[訪戴 방대] 진(晉)나라의 왕휘지(王徽之)가 산음(山陰)에 살 때, 눈 내리는 밤에 문득 대규(戴逵)〈자(字)는 안도(安道)〉 생각이 떠올라 배를 타고 그가 있는, 섬계(剡溪)의 그의 집 앞에까지 갔다가 '흥이 나서 찾아왔으나, 흥이 다하였으니, 꼭 찾을 필요가 있으랴?(本乘興而來, 興盡反, 何必見安道邪)' 라고 중얼거리며 돌아갔다는 고사(故事).
[訪問 방문] 남을 찾아봄. 심방(尋訪)함.
[訪慰 방위] 방문하여 위로함.
[訪議 방의] 상의함. 의논함.
[訪採 방채] 찾아가서 모아 취함. 여기저기 찾아서 모음. 채방(採訪).
[訪薦 방천] 인재(人材)를 찾아 추천함.
◉顧訪. 來訪. 搜訪. 詢訪. 尋訪. 歷訪. 往訪. 咨訪. 採訪. 諏訪. 探訪.

4 ⑪ [訲] [一] 염 [平]鹽 如占切
[二] 남 [平]覃 那含切 nán

[字解] [一] ①수다할 염 '──'은 수다스럽게 지껄이는 모양. '─, ──, 多語也'《說文》. ②고을이름 염 '─邯'은 고을 이름. '─, 樂浪有─邯縣'《說文》. [二] 재재거릴 남 '─, 博雅, ──, 語也. 或作諵·喃'《集韻》.
[字源] 形聲. 言+冄〔音〕

4 ⑪ [訬] [一] 초 ①-③[平]肴 楚交切 chāo
④[去]效 楚教切 chǎo
[二] 묘 [上]篠 亡沼切 miǎo

[字解] [一] ①재빠를 초 민첩함. '越人有重遲者, 而人謂之─'《淮南子》. ②어지러울 초 시끄러움. '─, ─擾也'《說文》. ③교활할 초 '─, 一曰, ─

獪'《說文》. ④가벼울 초 경박함. '輕—褊急'《南史》. ㊁ ①가냘플 묘 가냘프고 예쁜 모양. '—婧之纖腰兮'《張衡》. ②높을 묘 숭고한 모양. '—以竦峙'《張衡》.

字源 篆文 形聲. 言+少[音].

[訬婧 묘청] 허리가 가냘프고 예쁜 모양.
[訬輕 초경] 간사하고 경박함.

4 ⑪ [設] 中人 설 (入)屑 識列切 shè 设

筆順 設

字解 ①베풀 설 ㉠늘어놓음. 진열함. '陳—'. '布—'. '—其裳衣'《中庸》. ㉡세움. '—立'. '建—'. '故高帝—之, 以撫海內'《漢書》. ㉢만듦. 제작함. '門雖—常關'《陶潛》. ㉣둠. 갖추어 둠. '—置'. '—九賓于廷'《史記》. '日令家共具—酒食'《漢書》. ㉤설비함. 시설함. '權之所—'《公羊傳》. ②설령 설 가령. 가정하는 말. '假—'. '—使'·'—令'·'—爲'로 연용(連用)하기도 함. '—未得其當, 雖十易之不爲病'《柳宗元》. '—百歲後'《史記》. ③클 설, 크게할 설 '中其莖, —其後'《周禮》. ④합칠 설 '—, 合也'《廣雅》. ⑤탐할 설 욕심을 냄. '—策於前'《戰國策》. ⑥성 설 성(姓)의 하나.

字源 甲骨文 篆文 會意. 言+殳. '言언'은 기도의 말의 뜻. '殳수'는 몽둥이를 손에 들고 때리다의 뜻. 완력(腕力)이나 염력(念力)을 끊임없이 가(加)하여 베푸는 모양에서, '베풀다, 늘어놓다'의 뜻을 나타냄.

[設計 설계] 계획(計劃)을 세움. 또, 그 계획.
[設頭 설두] 앞장을 서서 주선함.
[設令 설령] ㉠명령을 냄. ㉡그렇다손 치고. 가령.
[設立 설립] 베풀어 세움.
[設問 설문] 문제나 물음을 냄. 또, 그 문제나 물음.
[設備 설비] 베풀어 갖춤. 또, 그 갖춘 것.
[設使 설사] 설령(設令)㉡을 보라.
[設色 설색] 색을 칠함.
[設帨 설세] ㉠딸을 낳는 일. 옛날에, 아들을 낳으면 대문 왼쪽에 호(弧)(활)를 달고, 딸을 낳으면 대문 오른쪽에 세(帨)(수건)를 걸어 놓은 데서 이름. ㉡여자의 생일(生日).
[設施 설시] 시설함.
[設筵 설연] 자리를 마련함. 술자리를 베풂.
[設營 설영] 시설 따위를 미리 준비함.
[設張 설장] 베풂. 시설함.
[設定 설정] 만들어 작정(作定)함.
[設置 설치] 베풀어서 둠.
[設或 설혹] 설령(設令)㉡을 보라.
◉架設. 假設. 開設. 概設. 建設. 公設. 具設. 併設. 附設. 敷設. 私設. 常設. 詳設. 施設. 新設. 整設. 造設. 增設. 陳設. 創設. 特設. 布設. 鋪設. 合設.

4 ⑪ [許] 中人 ㊀ 허 ㊤語 虛呂切 xǔ
㊁ 호 ㊤麌 火五切 hǔ 许

筆順 許

字解 ㊀ ①허락할 허 ㉠승인함. 인가함. '—諾'. '告訴不—'《李密》. ㉡들어줌. '聽—'. '唯上幸—'《史記》. ㉢맡김. '老母在, 政身未敢以—人也'('政'은 聶政)《史記》. ㉣믿음. '明足以察秋毫之末, 而不見輿薪, 則王—之乎'《孟子》. ②편들 허 한편이 됨. '爾之—我'《書經》. ③바랄 허 기대함. '管仲晏子之功, 可復—乎'《孟子》. ④나아갈 허 앞으로 나아감. '昭兹來—, 繩其祖武'《詩經》. ⑤허락 허 '宜蒙亮—'《宋書》. ⑥곳 허 장소. '山公出何—'《晉書》. ⑦쯤 허 정도. '小—'. '赴河死者, 五萬—人'《漢書》. '山下有口, 高二丈—'《列仙傳》. ⑧얼마 허 어느 만큼. 얼마만큼. '幾—'. ⑨이 허 '如—'로 연용(連用)하여, '如此'의 뜻으로 씀. '面皮厚如—'《南史》. ⑩무엇 허 何(人部 五畫)와 뜻이 같음. '不知—事'《南史》. ⑪나라이름 허 주대(周代)의 국명(國名). 허난 성(河南省)에 있었음. ⑫성 허 성(姓)의 하나. ㊁ 이영차 호 여러 사람이 힘을 한목 모아서 쓸 때 신명이 나게 내는 소리. '邪—'. '伐木——'《詩經》.

字源 金文 篆文 形聲. 言+午〔音〕. '午오'는 공이 모양의 신체(神體)의 象形. 신(神)에게 빌어 받아들여지다의 뜻을 나타냄.

[許可 허가] ㉠윗사람이 아랫사람의 소원을 들어줌. ㉡법령에 의한 어떤 행위의 일반적인 제한 또는 금지를 특정한 경우에 해제하고 이를 적법하게 할 수 있도록 해 주는 행정 행위.
[許嫁 허가] 혼인을 허락함. 양쪽의 부모들이 결정한 것임. 허혼(許婚).
[許交 허교] 마음을 허(許)하고 사귐. 벗함.
[許久 허구] 매우 오래임.
[許國 허국] 나라를 위하여 몸을 바침. 몸을 잊고 나랏일을 돌봄.
[許多 허다] 대단히 많음.
[許諾 허락] 소청(所請)을 들어줌.
[許否 허부] 허락함과 허락하지 아니함.
[許劭 허소] 후한(後漢) 말기(末期)의 은둔자(隱遁者)·학자. 자(字)는 자장(子將). 향당(鄕黨)의 인물(人物)을 평론(評論)하기 좋아하였는데, 당시 조조(曹操)를 보고 "너는 평시의 간적(姦賊), 난세(亂世)의 영웅(英雄)."이라 평하였으며, 종형 허정(許靖)과 더불어 즐겨 인물(人物) 평론을 함에 매월(每月) 그 품제(品題)를 바꾸었으므로 이를 일러 월단평(月旦評)이라 함. 청담(淸談)의 기원(起源)으로 보기도 함.
[許身 허신] 여자가 몸을 남에게 허락함.
[許愼 허신] 후한(後漢) 초기(初期)의 학자. 자(字)는 숙중(叔重). 박학(博學)으로 널리 알려졌고, 〈설문해자(說文解字)〉 14편과 〈오경이의(五經異義)〉를 지음. 어릴 때부터 경서(經書)에 통달하여, 당시 사람들이 '오경무쌍 허숙중(五經無雙許叔重)'이라 일컬었음. 후세(後世)에 이르러 소학(小學)을 배우는 사람은 모두 이를 종(宗)으로 삼았음.
[許心 허심] 마음을 허(許)함.
[許與 허여] 허락(許諾)하여 줌.
[許容 허용] 허락함.
[許由 허유] ㉠요(堯)임금 때의 고사(高士). 요임금이 천하(天下)를 그에게 양여(讓與)하려 했으나, 거절하고 기산(箕山)으로 들어가 숨음. ㉡말미를 허(許)함.
[許昌 허창] 허난 성(河南省)의 현(縣) 이름. 위

(魏)나라의 도읍지(都邑地).
[許衡 허형] 원(元)나라 초기(初期)의 학자. 자(字)는 중평(仲平). 노재 선생(魯齋先生)이라 일컬어졌음. 정주학(程朱學)에 깊이 통하고, 세조(世祖) 때 벼슬이 국자좨주(國子祭酒)에 이름. 〈노재전서(魯齋全書)〉를 지음.
[許婚 허혼] 혼인함을 허락함.
[許渾 허혼] 당(唐) 말엽의 시인(詩人). 단양(丹陽) 사람. 자(字)는 용회(用晦). 〈정묘집(丁卯集)〉 5권을 지음.
[許邪 호야] '호호(許許)'와 같음.
[許許 호호] 여러 사람이 같이 일할 때에 신명이 나게 내는 소리. 이영차.
◉官許. 幾許. 免許. 默許. 赦許. 少許. 邪許. 然許. 允許. 認許. 自許. 裁許. 專賣特許. 從許. 聽許. 勅許. 特許. 何許.

4 ⑪ [訜] 애 [去]卦 烏懈切 ài

[字解] 볼멘소리 애 목소리가 순탄치 않음. 呃(口部 四畫)와 同字.

4 ⑪ [詉] 나 [平]麻 女加切 ná

[字解] 말바르지아니할 나 '一, 語不正貌'《字彙補》.

4 ⑪ [訰] 준 [去]震 之閏切 zhùn / [平]眞 章倫切

[字解] ①어지러울 준 어지러워짐. '一一, 亂也'《爾雅》. ②난언(亂言)할 준 어지러이 말하는 모양. '一, 亂言之皃'《廣韻》. ③마음산란할 준 심란(心亂)함. '一, 心亂皃'《集韻》. ④난잡할 준 '肫, 與一肫同. 雜亂之貌'《荀子 注》.

4 ⑪ [訳] 〔역〕
譯(言部 十三畫〈p. 2158〉)의 俗字

5 ⑫ [訴] [高人] [一] 소 [去]遇 桑故切 sù / [二] 척 [入]陌 昌石切 诉

[筆順] 亠 亖 言 言' 訂 訢 訴 訴

[字解] [一] ①아뢸 소 위에 신고(申告)함. '上有德義, 故敢告一'《史記》. ②하소연할 소 원통한 일을 호소함. '一願'. '擧頭若欲自一'《後漢書》. ③송사할 소 관청에 호소하여 곡직의 판결을 받기를 청함. '告一'. '一訟'. ④참소할 소 윗사람에게 누구를 헐뜯어 고해바침. '讒一'. '一公於晉侯'《左傳》. ⑤호소 소, 참소 소 '子輿困臧倉之一'《劉峻》. [二] 헐뜯을 척 참소함. 비방함. '一, 毁也'《集韻》.
[字源] 篆文 篆文 別體 別體 形聲. 言＋斥(㡿)〔音〕. '㡿척'은 '물리치다'의 뜻. 부당(不當)함을 물리치기 위한 말, '소송(訴訟)'의 뜻을 나타냄.

[訴訟 소송] 송사를 함. 재판을 겲.
[訴冤 소원] 억울하고 원통한 죄(罪)를 호소함. 원소(冤訴).
[訴願 소원] ㉠호소하여 청원함. ㉡행정 관청의 부당한 처분 또는 재결에 의하여 권리 또는 이익의 침해를 당했다고 믿는 자가 그 처분 또는 재결을 한 행정 관청의 상급 관청에 호소하는 일. 행정 심판.
[訴人 소인] 소송(訴訟)하는 사람.
[訴狀 소장] 소송(訴訟)을 제기(提起)하는 서류(書類).
[訴牒 소첩] 소장(訴狀).
[訴毁 소훼] 남을 헐뜯고 참소함.
◉告訴. 公訴. 控訴. 起訴. 密訴. 煩訴. 上訴. 愁訴. 勝訴. 仰訴. 哀訴. 獄訴. 怨訴. 越訴. 自訴. 提訴. 嘲訴. 直訴. 讒訴. 投訴. 敗訴. 號訴.

5 ⑫ [訶] [人名] 가 [平]歌 虎何切 hē 诃

[字解] ①꾸짖을 가 큰 소리로 견책함. '一詰'. '乃一之'《後漢書》. ②꾸지람 가 '應一反笑'《顏氏家訓》. ③노할 가 성남. 성냄. '一, 怒也'《廣韻》. ④책망할 가 견책함. '一, 責也'《廣韻》.
[字源] 金文 篆文 形聲. 言＋可〔音〕. '可가'는 큰 소리로 노하다의 뜻. 뒤에 '言언'을 덧붙이게 됨.

[訶譏 가기] 가저(訶詆).
[訶辱 가욕] 꾸짖어 욕보임.
[訶詆 가저] 꾸짖고 흉봄.
[訶止 가지] 꾸짖어 못 하게 함.
[訶詰 가힐] 꾸짖음.
◉譴訶. 禁訶. 摩訶. 詆訶. 誅訶.

5 ⑫ [訹] 술 [入]質 辛聿切 xù

[字解] 꾈 술 유혹함. '一飛'《宋史 岳飛傳》. 또, 유혹을 당함. '一邪臣浮說'《漢書》.
[字源] 篆文 形聲. 言＋朮〔音〕. '朮출'은 '이어받다'의 뜻. 말로써 자신의 생각을 남에게 이어받게 하다의 뜻에서, '꾀다, 유혹하다'의 뜻을 나타냄.

5 ⑫ [診] [人名] 진 [上]軫 章忍切 zhěn / [去]震 直忍切 诊

[筆順] 亠 亖 言 言 訁 訡 診 診

[字解] ①볼 진 ㉠눈으로 봄. '上方一視'《後漢書》. '乃自一兮在玆'《楚辭》. ㉡맥을 봄. 병상을 살핌. '一察'. '一脈'. '一切其脈'《史記》. 또, 맥에 나타난 증상. '病名多同而一異, 或死或不死何也'《史記》. ㉢엿봄. '羣臣怪而一之'《後漢書》. ②증거 진 증상. '願聞其一'《素問》. ③점칠 진 점에 의하여 길흉을 판단함. 일설(一說)에는 알림. 고(告)함. 畛(田部 五畫)과 통용. '匠石覺而一其夢'《莊子》.
[字源] 篆文 形聲. 言＋㐱〔音〕. '㐱진'은 밀도(密度)가 높다의 뜻. 병자(病者)의 증상을 자상하게 물어보다의 뜻을 나타냄.

[診斷 진단] 의사가 진찰(診察)하여 병(病)의 상태를 단정(斷定)함.
[診療 진료] 진찰(診察)하고 치료함.
[診脈 진맥] 병자(病者)의 손의 맥박(脈搏)을 짚어 봄.
[診夢 진몽] 꾼 꿈을 이야기하여 줌.
[診病 진병] 병·병상(病狀)을 진찰함.
[診視 진시] 조사해 봄.
[診切 진절] 진맥(診脈)하여 병의 증세를 살핌.

[診察 진찰] 병의 원인이나 병상(病狀)을 살핌.
[診治 진치] 병을 진찰하여 고침.
[診候 진후] 진찰(診察).
◉檢診. 來診. 誤診. 往診. 聽診. 打診. 宅診. 表診. 回診. 休診.

5 ⑫ [註] [人名] 주 [去]遇 之戍切 zhù

[筆順] 亠 亖 言 言 訁 訁 詿 註

[字解] ①주낼 주 본문(本文) 사이나 위 같은 데, 뜻을 풀어 밝힘. 주해를 함. '—解'. '欲—莊子'《晉書》. ②주(註) 주 주해(註解). '旁—'. '此書詎須—'《晉書》. ③적을 주 기술(記述)함. '記—'. '—事—乎志, 所以惡楚子也'《穀梁傳》.
[字源] 形聲. 言+主〔音〕. '主주'는 '注주'와 통하여 '붓다'의 뜻. 어려운 말에 쉬운 말을 쏟아 부어서 풀다의 뜻을 나타냄.

[註明 주명] 주를 붙여서 본문의 뜻을 밝힘.
[註文 주문] 주석(註釋)한 문구.
[註書 주서] ㉠책에 주(註)를 냄. ㉡주를 낸 책. 주서(注書).
[註釋 주석] 주해(註解).
[註疏 주소] 세밀한 주해(註解). 소(疏)는 주(註)를 다시 해설한 것임. 주소(注疏).
[註解 주해] 본문 사이 또는 아래 등에 뜻을 풀어 적어 넣는 일. 또, 그 글. 주해(注解). 주석(註釋).
◉脚註. 頭註. 旁註. 點註. 側註. 標註. 解註.

5 ⑫ [証] [一] 정 [去]敬 之盛切 zhèng
[二] 증 [去]徑 諸應切 zhèng 证

[字解] [一] 간할 정 윗사람에게 잘못을 고치도록 고함. '士尉以—靖郭君'《戰國策》. [二] 증거 증 속(俗)에 證(言部 十二畫)의 略字로 씀. '范甯據經傳奏上, 皆有典—'《晉書》.
[字源] [篆文] 形聲. 言+正〔音〕. '正정'은 '바로잡다'의 뜻. 말로 바로잡다, 간(諫)하다의 뜻. 속(俗)에 假借하여 '證증'의 뜻으로 쓰이지만, 형(形)·음(音)·의(義) 모두가 別字임.

◉典証.

5 ⑫ [詢] [一] 후 [去]宥 呼漏切 hòu
[二] 구 [去]宥 苦候切 gòu

[字解] [一] 꾸짖을 후 詬(言部 六畫)와 同字. '余不忍其—'《左傳》. [二] 꾸짖을 구 [一]과 뜻이 같음.

5 ⑫ [詨] 〔결〕
訣(言部 四畫〈p. 2109〉)의 本字

5 ⑫ [詀] [一] 잠 [平]咸 竹咸切 zhān
[二] 점 [平]鹽 丁兼切 diān
[三] 첩 [入]葉 叱涉切 chè

[字解] [一] 희학질할 잠 희롱을 함. 교묘하게 말하는 모양. '擧世徒——'《王安石》. [二] 교묘히말할 점 [一]과 뜻이 같음. [三] 속삭일 첩 '—喃'은 오래도록 소곤소곤 이야기하는 모양. 속삭거리는 모양. '鵲報語—喃'《元稹》.
[字源] 形聲. 言+占〔音〕

[詀詀 점점] 교묘하게 말하는 모양.
[詀喃 첩남] 자해(字解)[三]을 보라.
[詀讘 첩섭] 첩남(詀喃).

5 ⑫ [詄] 질 [入]屑 徒結切 dié

[字解] ①잊을 질 망각(忘却)함. '—, 忘念'《廣韻》. ②단단할 질 견고하고 맑은 모양. '天門開, —蕩蕩'《漢書》. ③널리퍼질 질, 넓을 질 泆(水部 五畫)과 통용.
[字源] [篆文] 形聲. 言+失〔音〕. '失실'은 '잊다'의 뜻. 말한 것을 잊다의 뜻으로, 일반적으로 '잊어버리다'의 뜻을 나타냄.

5 ⑫ [詁] 고 [上]麌 公戶切 gǔ
[去]遇 古慕切 诂

[字解] 훈고 고 문자의 뜻 및 고어(古語)의 해석. '訓—'. '—訓以紀六經讖候'《舊唐書》.
[字源] [篆文] 形聲. 言+古〔音〕. '古고'는 '오래됨, 옛'의 뜻. 옛말의 뜻에서 고어(古語)의 읽기, 해석의 뜻을 나타냄.

[詁訓 고훈] 문자의 뜻 및 고어(古語)의 해석. 훈고(訓詁).
◉釋詁. 纂詁. 解詁. 訓詁.

5 ⑫ [詅] 령 [平]青 郎丁切 líng
[去]敬 力政切

[字解] 자랑할 령, 팔 령 물건을 자랑하며 팖. '無才思自謂淸華, (中略) 江南號爲—癡符'《顔氏家訓》.
[字源] 形聲. 言+令〔音〕

[詅癡符 영치부] 천치를 파는 표라는 뜻으로, 서투른 문장을 명문인 체 자랑하다가 창피를 당하는 일.

5 ⑫ [詆] 저 [上]薺 都禮切 dǐ
[平]齊 杜奚切 诋

[字解] ①꾸짖을 저 나무람. '深—'. '痛—'. '作書—佛譏君王'《蘇軾》. ②흉볼 저 결점을 들어 말함. '面—'. '醜—'. '排擯—辱'《宋史》. ③들추어낼 저 적발함. '—訐'. '—訿孔子之徒'《史記》. ④속일 저 기만함. '—欺'.
[字源] [篆文] 形聲. 言+氐〔音〕. '氐저'는 '낮다'의 뜻. 사람을 낮추어 말하다, 헐뜯다의 뜻을 나타냄.

[詆訶 저가] 성내어 꾸짖음.
[詆欺 저기] 속임. 기만함.
[詆嫚 저만] 흉보며 업신여김.
[詆排 저배] 흉보며 배척함.
[詆訐 저알] 남의 나쁜 짓을 들추어냄.
[詆辱 저욕] 흉보아 욕보임.
[詆訾 저자] 들추어내어 헐뜯음.
[詆毁 저훼] 흉봄. 헐뜯음.
◉訶詆. 巧詆. 譏詆. 面詆. 誣詆. 排詆. 相詆. 深詆. 歷詆. 峻詆. 醜詆. 嗤詆. 劾詆. 顯詆. 毁詆.

5 ⑫ [詌] 감 [去]勘 古暗切 gàn

字解 다물 감 입을 다묾. '無取―, ―亂也'《荀子》.

5 ⑫ [詍] 예 ㊤霽 餘制切 yì

字解 수다스러울 예 말이 많음. '辨利非以言, 是則謂之―'《荀子》.

字源 篆文 形聲. 言+世〔音〕. '世세'는 '잡아 늘이다'의 뜻. 수다스러움, 말이 많음의 뜻을 나타냄. '詍예'와 같은 뜻.

5 ⑫ [詎] 거 ㊤語 其呂切 jù 讵 詎

字解 ①어찌 거 반어(反語)로 쓰이는 말. 豈(豆部 三畫)와 뜻이 같음. '寧―'·'庸―'로 연용(連用)하기도 함. '天下―可知而閉長者乎'《後漢書》. '庸―知吾所謂知之非知耶'《莊子》. ②몇 거 '―幾'는 확실하지 않은 수효를 이르는 말. 몇. 얼마(若). '樂爲之者, ―幾人也'《北史》. ③멈출 거, 머물 거 '―, 止也'《玉篇》. ④이를 거 '―, 至也. 格也'《玉篇》. ⑤적어도 거 '―非聖人, 不有外患, 必有內憂'《經傳釋詞》. ⑥부터 거 …에서, …부터는. '―非聖人, 必偏而後可'《國語》.

字源 篆文 形聲. 言+巨〔音〕

[詎幾 거기] 자해(字解)❷를 보라.
◉寧詎. 庸詎.

5 ⑫ [詐] 高·人 사 ㊀禡 側駕切 zhà 诈 詐

筆順 ⺀ 言 言 言 言' 訁 許 詐

字解 ①속일 사 교묘한 꾀를 써서 기만함. '―取'. '―之得脫'《史記》. ②거짓 사 속임. 사기. 거짓말. '―僞'. '民苦則不仁, 勞則―生'《說苑》. '無伐功而求榮富, ―也'《呂氏春秋》. ③말꾸밀 사, 교묘한말 사 '巧言爲―'《淮南子 注》. ④함정에빠뜨릴 사 수단을 써서 속임. '繁戰之君, 不足於―'《呂氏春秋》. ⑤갑자기 사 갑작스러움. 乍(丿部 四畫)와 통용. '―戰不日'《公羊傳》.

字源 金文 篆文 形聲. 言+乍〔音〕. '乍사'는 '작위(作爲)'의 뜻. 작위(作爲)가 있는 말, '속이다'의 뜻을 나타냄.

[詐計 사계] 속이는 계교. 위계(僞計).
[詐巧 사교] 교묘하게 속임. 또, 그 속임수.
[詐欺 사기] ㉠속임. 거짓말을 함. ㉡남을 꾀로 속여 해치는 행위.
[詐力 사력] 사기(詐欺)와 폭력.
[詐妄 사망] 속임. 또, 거짓말. 기만(欺瞞).
[詐冒 사모] 속임. 사망(詐妄).
[詐謀 사모] 남을 속이는 꾀. 사술(詐術).
[詐諝 사서] 속임. 또, 거짓. 기만(欺瞞).
[詐善 사선] 위선(僞善).
[詐數 사수] 사모(詐謀).
[詐術 사술] 남을 속이는 꾀. 속이는 방법. 사모(詐謀). 사수(詐數).
[詐佯 사양] 거짓. 기만(欺瞞).
[詐僞 사위] 속이는 일. 허위.
[詐戰 사전] 기습(奇襲). 사(詐)는 '갑자기'의 뜻.
[詐晴 사청] 장마 때에 잠깐 동안 맑게 개는 것.
[詐取 사취] 남을 속여 빼앗음.
[詐飾 사칙] 표면적인 허식(虛飾).
[詐稱 사칭] 성명(姓名)·지위(地位) 등을 거짓 일컬음.
[詐誕 사탄] 언행(言行)이 간사하고 허황함. 허탄(虛誕).
[詐態 사태] 거짓. 속임.
[詐慝 사특] 속임. 거짓.
[詐騙 사편] 속여서 남의 금품(金品)을 편취(騙取)함.
[詐怖 사포] 속여 협박함.
[詐諼 사훤] 거짓. 속임.
[詐譎 사휼] 거짓. 속임.
◉姦詐. 巧詐. 狡詐. 矯詐. 權詐. 詭詐. 欺詐. 多詐. 謀詐. 變詐. 逆詐. 矮詐. 愚詐. 譎詐.

5 ⑫ [詒] ■ 태 ㊤賄 徒亥切 dài ㊀隊 他代切 ■ 이 ㊥支 與之切 yí ㊀寘 羊吏切 诒 詒

字解 ■ ①속일 태 기만함. 紿(糸部 五畫)와 同字. '骨肉相―'《徐幹》. ②게으를 태 나태한 모양. '誒―爲病, 數日不出'《莊子》. ■ ①줄 이, 보낼 이 증여함. 貽(貝部 五畫)와 통용. '叔向使人―子產書'《左傳》. ②끼칠 이 물려줌. 전함. 貽(貝部 五畫)와 통용. '―厥孫謀'《詩經》. ③부칠 이 '夫請者非可―託而往也'《穀梁傳》.

字源 篆文 形聲. 言+台〔音〕. '台이'는 '怡이'와 같은 뜻으로 '기뻐하다'의 뜻. 남이 기뻐할 만한 말을 하여, '속이다'의 뜻을 나타냄. 또, '台'는 주다, 보내다의 뜻으로, 말을 보내다의 뜻을 나타냄.

[詒厥 이궐] 자손(子孫).
[詒謀 이모] 자손을 위하여 좋은 계략(計略)을 남김.
[詒託 이탁] 핑계함. 가탁(假託)함.
[詒欺 태기] 속임. 사기(詐欺).
◉誒詒.

5 ⑫ [詔] 詒(前條)와 同字

5 ⑫ [詔] 人名 ■ 조 ㊀嘯 之少切 zhào ■ 소 ㊥蕭 之遙切 zhāo 诏 詔

筆順 ⺀ 言 言 訂 訒 詔 詔 詔

字解 ■ ①조서 조 천자(天子)의 명령. '聖―'. '命爲制, 令爲―'《史記》. ②알릴 조 ㉠위에서 밑으로 알림. '―, 按, 上告下之義'《通訓》. ㉡신(神)에게 고(告)함. '司勳―之'《周禮》. ㉢고하여 알림. 보고함. '出入有―於國'《禮記》. ㉣말함. '若唯無―'《莊子》. ③가르칠 조 가르쳐 알림. 가르쳐 인도함. '―告'. '爲人父者, 必能―其子'《莊子》. ④도울 조 보필(輔弼)함. '以八柄―王馭群臣'《周禮》. ⑤부를 조 초빙함. '―伊尹於亳郊兮'《後漢書》. ⑥왕호 조 남방 야만인의 왕(王)의 호(號). '南―'. '自號六―'《唐書》. ■ 소개 소 紹(糸部 五畫)와 통용. '禮有擯―'《禮記》.

字源 篆文 形聲. 言+召〔音〕. '召소'는 '부르다, 초청하다'의 뜻. 불러서 말하다, 알리

다·조칙의 뜻을 나타냄.

[詔告 조고] ㉠알림. 고함. ㉡조칙(詔勅).
[詔記 조기] 조칙(詔勅)을 써 적은 것. 조책(詔策).
[詔令 조령] 천자의 명령. 조칙(詔勅).
[詔命 조명] 천자(天子)의 명령. 칙명.
[詔使 조사] 조서(詔書)를 받들고 사신으로 감. 또, 그 사신.
[詔書 조서] 조명(詔命)을 쓴 기록.
[詔召 조소] 조칙(詔勅)으로써 부름.
[詔獄 조옥] 칙명(勅命)에 의하여 죄수를 다스리는 일. 또, 옥.
[詔諭 조유] 조칙(詔勅)을 내려 효유(曉諭)함.
[詔條 조조] 조서(詔書)의 조목.
[詔旨 조지] 조서(詔書)의 요지(要旨).
[詔冊 조책] 조칙(詔勅)을 기록한 문서.
[詔草 조초] 조칙(詔勅)의 초고(草稿).
[詔勅 조칙] 천자(天子)의 명령.
[詔敕 조칙] 조칙(詔勅).
[詔黃 조황] 천자의 조서(詔書).
◉大詔. 待詔. 明詔. 密詔. 拜詔. 璽詔. 聖詔. 手詔. 哀詔. 嚴詔. 玉詔. 優詔. 遺詔. 六詔. 恩詔. 應詔. 制詔. 天詔. 草詔.

5 ⑫ [評] 高 人 평 ㊥庚 符兵切 píng 评 评

筆順 ᅳ 言 言 言 言 訂 訂 評

字解 ①품평 평 사물의 시비·우열에 관한 논평. '批—'. '論—'. '著詩—'《南史》. '品古今詩爲—'《南史》. ②품평할 평 비평함. 꾫음. '互相譏—'《舊唐書》. '強—價色'《李義山雜纂》. ③바로잡을 평 '—, 訂也'《一切經音義》. ④성 평 성(姓)의 하나.

字源 形聲. 言+平〔音〕. '平평'은 '평평함'의 뜻. 사물을 공평하게 평정(評定)하여 논하다의 뜻을 나타냄.

[評價 평가] ㉠물건의 값을 평정함. 또, 그 값. ㉡선(善)·악(惡)·미(美)·추(醜)의 가치를 논정함. 또, 그 가치.
[評決 평결] 평의(評議)하여 결정함.
[評論 평론] 시비·득실·선악 등을 비평(批評)하여 논함.
[評理 평리] 시비(是非)·선악(善惡)을 심의(審議)하여 정함.
[評林 평림] 비평(批評)을 모아서 실은 책.
[評釋 평석] 시문(詩文)을 비평(批評)하고 그 뜻을 해석함. 또, 비평과 주석(注釋).
[評語 평어] 비평의 말. 평언(評言).
[評言 평언] 비평의 말.
[評議 평의] 모여 의논함. 의논하여 정함. 또, 그 의논.
[評傳 평전] 평론을 가한 전기(傳記).
[評點 평점] ㉠시문(詩文)의 묘처(妙處)·안목(眼目) 등에 표하는 점(點). ㉡비평하여 내리는 점수.
[評定 평정] 평의(評議)하여 결정함.
[評註 평주] 비평과 주석. 또, 그것을 모은 것.
[評判 평판] 세상 사람의 비평(批評).
[評品 평품] 품평(品評).
◉苛評. 講評. 考評. 高評. 公評. 譏評. 冷評. 論評. 短評. 妄評. 不評. 批評. 書評. 世評. 細評. 時評. 惡評. 月旦評. 月評. 異評. 適評. 定評. 嘲評. 寸評. 品評. 風評. 下馬評. 合評. 好評. 酷評.

5 ⑫ [詉] ㊀ 노 ㊥肴 尼交切 náo / ㊁ 나 ㊥麻 女加切 / ㊂ 나 ㊤禡 乃嫁切 / ㊃ 노 ㊤遇 奴故切 诐

字解 ㊀ 떠들썩할 뇨 시끄러움. 呶(口部 五畫〈p. 363〉)와 同字. '以號—爲令德'《舊唐書》. ㊁ ①말할 나 말하는 모양. '—, 諸—, 語皃'《廣韻》. ②말이해되지않을 나 '—, 諸—, 一曰, 言不可解'《集韻》. ③속일 나 '諸—'는 속임. '—, 諸—, 詐也'《集韻》. ㊂ 나쁘게말할 노 '—, 惡言'《集韻》.

5 ⑫ [詎] 니 ①㊥齊 年題切 ní ②㊤紙 女履切 nǐ ③㊤霽 乃計切 nì

字解 ①사람부를 니 사람을 부름. 사람을 오게 함. '—, 呼人也'《玉篇》. ②말해줄 니 말해 줌. 가르쳐 줌. '—, 言以示人, 或从口'《集韻》. ③말안통할 니 말이 통하지 아니함. '—, 言不通也'《集韻》.

5 ⑫ [詖] 피 ㊤寘 彼義切 bì / ㊥支 彼爲切 诐 诐

字解 ①치우칠 피 편파적임. '—辭知其所蔽'《孟子》. ②교활할 피 간사하고 꾀가 많음. '趙敬險—'《漢書》. ③판별해논할 피 분석해서 사리를 밝혀 말함. '—, 辯辟'《廣韻》. ④비뚤어질 피 공정하지 않음. '而無險—私謁之心'《詩經》. ⑤기울 피 '不從俗而—行兮'《楚辭》. ⑥아첨할 피 아부함. '險—陰賊'《漢書》.

字源 篆文 形聲. 言+皮〔音〕. '皮피'는 짐승의 가죽을 벗기는 모양을 본떠 가르다의 뜻을 나타냄. 표현의 정부(正否)를 분간하다의 뜻을 보임. 去聲일 때에는 '皮'는 '波파'와 통하여 '물결'의 뜻. 평정(平正)치 않은 표현의 뜻을 나타냄.

[詖辭 피사] 편파(偏頗)적인 말. 부정한 언론.
[詖行 피행] 편파(偏頗)적인 행동.
[詖險 피험] 심지가 비뚤어지고 아첨함.
◉傾詖. 險詖.

5 ⑫ [詓] 거 ㊤語 口舉切 qǔ

字解 숨소리 거 숨소리. 편안하게 잠자는 숨소리. '古之民人, 臥之—, 起之吁吁'《白虎通》.

5 ⑫ [詗] 형 ㊤敬 休正切 xiòng / ㊤迥 火迥切 诇 诇

字解 ①염탐할 형 남몰래 사정을 탐지함. 염찰함. '覘—'. '窺—時事'《唐書》. ②염탐꾼 형 염탐하는 자. 간첩. '爲中—長安'《史記》. ③구(求)할 형 찾음. '—, 求也'《廣雅》. ④깨달을 구환히 깨달아 앎. '—, 明悟了知也'《廣韻》.

字源 篆文 形聲. 言+同〔音〕

[詗邏 형라] 순찰함. 순라(巡邏)를 돌며 살핌.

[詗察 형찰] 염탐(廉探)함.
[詗探 형탐] 염탐하여 수색함.
◉窺詗. 覘詗. 中詗.

5
⑫ [詃] 견 ㊤銑 古泫切 jiǎn

[字解] ①꾈 견 꾐. 유혹함. '一, 誘也'《集韻》. ② 속일 견 속임. 기만함. '一, 詐也'《集韻》.

5
⑫ [詘] [一] 굴 [入]物 區勿切 qū
[二] 출 [入]質 敕律切 chù
[三] 눌 [入]月 奴骨切
诎 㓛

[字解] [一] ①굽을 굴, 굽힐 굴 屈(尸部 五畫)과 同字. ㉠물건을 굽힘. '一五指'《荀子》. ㉡뜻을 굽힘. '能以富貴下貧賤, 賢能一於不肖'《史記》. ㉢몸을 굽혀 복종함. '一敵國'《戰國策》. ②말막힐 굴, 궁할 굴 대꾸할 말이 없어 입을 다묾. '於是魏王聞其言也甚一'《戰國策》. 또, 대꾸할 말이 없어 입을 다물도록 함. '莫能一其辭'《劉向》. ③다할 굴 다 없어짐. '徼呪受一'《漢書》. ④기뻐할 굴 기뻐하는 빛이 겉에 나타나는 모양. '敬以一'《禮記》. ⑤짧을 굴 '往者一也. 來者信也'《周髀算經》. ⑥줄 굴, 줄게할 굴 적어짐. 적게 함. '皆一其勞'《史記》. ⑦접을 굴 '凡陳衣不一'《禮記》. ⑧두려워할 굴 '無所一'《漢書》. ⑨도리어 굴 '一令韓魏歸帝重於齊'《戰國策》. ⑩성 굴 성(姓)의 하나. [二] 떨어뜨릴 출, 물리칠 출 黜(黑部 五畫)과 同字. '秦勢能一之'《戰國策》. [三] 말더듬을 눌 訥(言部 四畫)과 同字. '訥, 說文, 言難也, 亦作一'《集韻》.

[字源] 篆文 別體 形聲. 言+屈(屈)〈省〉〔音〕. '屈굴'은 '굽히다'의 뜻. 말이 막히다의 뜻을 나타냄.

[詘服 굴복] 몸을 굽혀 복종함. 굴복(屈服).
[詘伸 굴신] 굽힘과 폄. 굴신(屈伸).
[詘信 굴신] 굴신(詘伸).
[詘言 굴언] 입이 무거움. 말을 더듬음. 눌언(訥言).
[詘然 굴연] 그치는 모양.
[詘指 굴지] ㉠손가락을 꼽음. 또, 손가락을 꼽아 셈. ㉡뜻을 굽힘. 지(指)는 지(旨).
◉俛詘. 不詘. 身詘. 抑詘. 充詘. 詰詘.

5
⑫ [詚] 달 [入]曷 當拔切 dá

[字解] 조용하지않을 달 조용하지 않음. '一, 㖡一, 不靜也'《字彙》.

5
⑫ [詜] 도 [平]豪 他刀切 tāo

[字解] ①말절도없을 도 말에 절도가 없음. 수선스러움. '一, 一詢, 言不節也'《玉篇》. ②정확하지못한말 도 정확하지 못한 말. 어린애의 말 따위. '一, 一日, 小兒語不正'《集韻》.

5
⑫ [詛] [人名] 저 ①-④[去]御 莊助切 zǔ
(조[本]) ⑤㊤語 壯所切
诅 詛

[字解] ①저주할 저 원한을 품은 사람에게 화가 내리기를 신에게 빎. '否則厥口一祝'《書經》. ②저주 저 '呪一'. '幸免兆人一'《白居易》. ③헐뜯을 저 비방함. '謗一'. '皆匈詈腹一'《後漢書》. ④맹세할 저 서약함. 또, 맹세. '掌盟一'《周禮》. '出此三物, 以一爾斯'《詩經》. ⑤막을 저 저지함. '使人行事一限於言也'《釋名》.

[字源] 篆文 形聲. 言+且〔音〕. '且조'는 제물(祭物)의 고기를 얹는 받침의 象形. 제물을 바쳐 신(神)에게 화복(禍福)을 빌다의 뜻을 나타내며, '맹세하다, 저주하다'의 뜻을 나타냄.

[詛詈 저리] 저주하고 매도함.
[詛盟 저맹] 맹세함. 서약(誓約)함.
[詛呪 저주] 남이 못되기를 빌고 바람. 방자.
[詛祝 저축] 저주(詛呪).
◉盟詛. 謗詛. 厭詛. 怨詛. 呪詛. 匈詈腹詛.

5
⑫ [詞] [高人] 사 [平]支 似兹切 cí
词 㓗

[筆順] 亠 言 言 訂 訶 詞 詞 詞

[字解] ①고할 사 알림. '其一于賓日'《禮記》. ②말 사 언어 또는 문장. 辭(辛部 十二畫)와 혼용(混用)함. '文一'. '祝一'. '春秋之信史也, 其一則丘有罪焉爾'《公羊傳》. ③설(說)할 사 말함. '一, 說也'《廣韻》. ④청할 사 '一, 請也'《廣韻》. ⑤호소할 사 소송(訴訟)함. 고소함. '一, 訟也'《字彙》. ⑥계승할 사 이음. 상속함. '一, 嗣也'《釋名》. ⑦시문 사, 문체이름 사 원은 시문(詩文)의 범칭(汎稱)이었으나, 후에 운문(韻文)의 한 가지인 시여(詩餘)의 특칭(特稱)으로 되었음. '一曲'〈당대(唐代)에 시작된 악부(樂府)의 한 체(體), 곡(曲)은 노랫가락〉. '是時天子方好文一'《史記》.

[字源] 金文 篆文 篆文 形聲. 言+司〔音〕. '司사'는 신(神)의 뜻을 말로써 물어 알아낼 수 있는 제사(祭祀)를 관장하다의 뜻. '言언'은 말의 뜻. 신의(神意)를 물어 알아내기 위한 말, 축문(祝文)의 뜻.

[詞客 사객] 시문을 짓는 사람. 사인(詞人).
[詞曲 사곡] 당대(唐代)에 시작한 악부(樂府)의 한 체(體). 시여(詩餘).
[詞壇 사단] 사장(詞場).
[詞律 사률] 사율(詞律).
[詞林 사림] ㉠시문 또는 문필의 모임. ㉡한림(翰林)의 별칭(別稱).
[詞伯 사백] 걸출한 사객(詞客). 시문의 대가.
[詞犯 사범] 시문(詩文)에서 정(定)해진 규칙을 깬 따위의 결점(缺點).
[詞賦 사부] ㉠사(詞)와 부(賦). ㉡운자(韻字)를 달아 평측(平仄)을 구별하여 지은 한시(漢詩)의 총칭.
[詞訟 사송] 송사(訟事). 소송(訴訟).
[詞臣 사신] 시문(詩文)의 재주로써 섬기는 신하.
[詞藝 사예] ㉠시문(詩文). 문예(文藝). ㉡문학과 예술.
[詞韻 사운] ㉠말의 운치. 말솜씨. ㉡운서(韻書).
[詞苑 사원] 문인(文人)·학자(學者)의 모임. 문단(文壇). 또, 한림원(翰林院).
[詞律 사율] ㉠시문의 격률(格律). ㉡책 이름. 청(淸)의 만수(萬樹)가 지음. 모두 20권(卷). 당송(唐宋) 이래의 사(詞)에 대해, 구보(舊譜)의 잘못을 바로잡고, 구두(句讀)와 요자(拗字)를 논(論)한 것.
[詞意 사의] 말의 뜻. 사의(辭意).

[詞人 사인] 사객(詞客).
[詞章 사장] 시문(詩文).
[詞場 사장] 시인 문사들이 시문을 짓고 우열을 겨루는 곳.
[詞藻 사조] ㉠시문(詩文)의 문채. 아름다운 말. ㉡시문의 편장(篇章). ㉢시문의 재주. ㉣청(淸)의 팽손휼(彭孫遹)이 지은 책 이름. 모두 4권(卷). 당송(唐宋)에서 청초(淸初)까지의 사조(詞調)를 논한 전구명편(雋句名篇)을 골라서 그 장단(長短)에 대해 품제(品題)한 것.
[詞宗 사종] 사백(詞伯).
[詞綜 사종] 청(淸)나라의 주이준(朱彝尊)이 편찬한 책 이름. 송(宋)·금(金)·원(元)의 사(詞) 가운데서 5백여 가(家)를 수록(收錄)한 것으로 모두 34권(卷).
[詞采 사채] 사채(詞彩).
[詞彩 사채] 말의 문채(文彩). 전(轉)하여, 시문(詩文)의 아름다움을 이름.
[詞致 사치] 말의 운치(韻致).
[詞牌 사패] 사〈詞—韻文의 한 체(體)〉의 제명(題名).
[詞表 사표] 언외(言外).
[詞學 사학] 시문(詩文)의 학문.
[詞兄 사형] 시문을 같이 짓는 벗에 대한 경칭(敬稱).
[詞花 사화] 사화(詞華).
[詞華 사화] 시문의 재화(才華). 훌륭한 시문(詩文)을 이름.
◉歌詞. 感嘆詞. 冠詞. 宮詞. 代名詞. 臺詞. 動詞. 名詞. 文詞. 密詞. 報詞. 副詞. 賞詞. 序詞. 誓詞. 聲詞. 數詞. 心詞. 雅詞. 哀詞. 獄詞. 庾詞. 自動詞. 塡詞. 接續詞. 制詞. 助動詞. 弔詞. 助詞. 祝詞. 枕詞. 他動詞. 褒詞. 品詞. 賀詞. 恨詞. 形容詞.

5 ⑫ [詠] 高人 영 ㊄敬 爲命切 yǒng 詠

筆順 ⼀ ⼆ 言 言 訁 訂 訪 詠 詠

字解 ①읊을 영 ㉠소리를 길게 빼어 시가(詩歌)를 노래함. '吟—'. '朗—'. '船上有—詩聲, 甚有情致'《世說》. ㉡시가를 지어 읊음. '君臣之際良可—矣'《袁宏》. ㉢새가 재잘거림. 지저귐. '耳悲—時禽'《陸機》. ②시가 영 읊는 시가(詩歌) 또는 사장(詞章). '歌—'. '詩—'. '雅頌歌—, 以思其德'《劉向》.

字源 金文 篆文 別體 形聲. 言+永〔音〕. '永영'은 길게 끌어 늘이다의 뜻. 소리를 길게 빼어 읊다의 뜻.

[詠歌 영가] 시가(詩歌)를 짓거나 읊음. 또, 그 시가.
[詠歸 영귀] 교외의 풍경을 바라보고 시를 읊으며 돌아감. 풍류를 즐긴다는 뜻.
[詠物 영물] 조수화월(鳥獸花月) 등을 주제(主題)로 하여 시가(詩歌)를 지음. 또, 그 시가.
[詠史 영사] 사실(史實)을 주제로 하여 시가(詩歌)를 지음. 또, 그 시가.
[詠雪之才 영설지재] 여자가 문재(文才)가 있는 것. 유서지재(柳絮之才).
[詠頌 영송] 시가를 지어 칭송함.
[詠詩 영시] 시(詩)를 읊음. 또, 그 시.
[詠吟 영음] 읊음. 노래함.
[詠志 영지] 자기의 뜻을 시가(詩歌)로 읊음.
[詠唱 영창] 가극(歌劇)에서, 오케스트라의 반주로 노래하는 독창. 아리아(aria).
[詠歎 영탄] ㉠목소리를 길게 빼어서 읊음. ㉡읊어 칭찬함.
[詠懷 영회] 소회(所懷)를 시가(詩歌)로 지어 읊음.
◉歌詠. 高詠. 口詠. 朗詠. 談詠. 舞詠. 賦詠. 賞詠. 嘯詠. 誦詠. 愛詠. 玩詠. 謠詠. 偶詠. 遺詠. 吟詠. 一觴一詠. 題詠. 諷詠.

5 ⑫ [詇] 앙 ㊄漾 於亮切 yàng ㊤養 於兩切

字解 ①슬기로울 앙 '—, 早知也'《說文》. ②물을 앙 '—, 問也'《廣雅》. ③고할 앙 아룀. 알림. '—, 告也'《廣雅》. ④강제할 앙 강청(強請)함. '人所不願而強請之爲—求'《新方言》.

字源 篆文 形聲. 言+央〔音〕.

5 ⑫ [詑] 〔이·타·탄〕 訑(言部 三畫〈p. 2106〉)와 同字

5 ⑫ [訷] 〔염·남〕 詽(言部 四畫〈p. 2110〉)과 同字

5 ⑫ [詃] 〔녕〕 佞(人部 五畫〈p. 123〉)과 同字

5 ⑫ [詋] 〔주〕 呪(口部 五畫〈p. 361〉)와 同字

5 ⑫ [詘] 訾(次條)와 同字

5 ⑫ [訾] 자 ①-③㊤紙 將此切 zǐ ④-⑨㊥支 卽移切 zī 訾

字解 ①헐뜯을 자 헐어 말함. '不苟—'《禮記》. ②싫어할 자 좋아하지 아니함. '—食者, 不肥體'《管子》. ③방자할 자 제멋대로 굶. '以不俗爲俗, 離縱而跂—者也'《荀子》. ④되질할 자 곡식을 되로 됨. '—粟而稅'《商子》. 또, '不—'는 수(數)의 큼을 나타내는 말. ⑤흠 자 병통. 결점. '非禮之—'《禮記》. ⑥생각할 자 '不—重器'《禮記》. ⑦한정할 자 제한하여 정함. '有—程事律'《管子》. ⑧아 자, 탄식할 자 탄식하는 말. 차탄함. 呰(口部 六畫)와 同字. '—黃其何不徠下'《漢書》. ⑨재보 자 보배로운 재물. 貲(貝部 五畫)와 통용. '以—爲郎'《漢書》.

字源 篆文 形聲. 言+此〔音〕. '此차'는 '疵자'와 통하여 '흠'의 뜻. 말로써 남을 흠집내다, 헐뜯다의 뜻.

[訾咎 자구] 헐뜯고 나무람.
[訾給 자급] 자재(資財)를 급여(給與)함. 자급(資給).
[訾短 자단] 헐어 말함. 헐뜯음.
[訾厲 자려] 병. 질환.
[訾謗 자방] 훼방(毁謗)함. 헐뜯음.
[訾病 자병] 욕함. 헐뜯음.
[訾警 자오] 자단(訾短).
[訾怨 자원] 비방하고 원망함. 비방이나 원한.
[訾訾 자자] 헐뜯는 모양. 또, 직무(職務)를 게을

리 하는 모양.
[訾毁 자훼] 헐뜯음. 비난함. 욕을 함. 자단(訾短).
◉謗訾. 非訾. 誹訾. 怐訾. 怨訾. 詆訾. 毁訾.

5 ⑫ [⿱功言] 〔변·편·평〕
辯(辛部 十四畫〈p. 2284〉)의 俗字

5 ⑫ [⿱巧言] 〔변·편·평〕
辯(辛部 十四畫〈p. 2284〉)의 俗字

5 ⑫ [詈] 리 [去]寘 力智切 lì

[字解] ①꾸짖을 리 욕하며 꾸짖음. '罵—'. '小人怨汝—汝'《書經》. ②빗대어욕할 리 '—, 正斥曰罵, 旁及曰—'《韻會》.
[字源] 篆文 會意. 罒(网)+言. 꾸짖거나 욕하는 말을 덮어씌우다의 뜻을 나타냄.

[詈罵 이매] 욕하며 꾸짖음.
[詈辱 이욕] 꾸짖어 욕보임.
◉訶詈. 怒詈. 罵詈. 忿詈. 肆詈. 怨詈. 詛詈. 嘲詈. 瞋詈. 詬詈.

6 ⑬ [詡] 후 [上]麌 況羽切 xǔ 诩

[字解] ①자랑할 후 자찬함. 또, 큰소리를 함. 호언장담함. '誇—衆庶'《漢書》. ②두루미칠 후 널리 고루 미침. '德發揚, —萬物'《禮記》. ③클 후 '尙泰奢, 麗誇—'《漢書》. ④날랠 후 민첩하고 용감함. '會同主—'《禮記》. ⑤아리따울 후 예쁨. 요염함. 嫵(女部 十二畫)와 통용. '北方人謂媚好爲—畜'《漢書 注》. ⑥말 후 ㉠사람의 언어. '—, 人語也'《玉篇》. ㉡분명하고 세련된 말. '—者, 辭氣明盛之貌'《禮記 集說》.
[字源] 篆文 形聲. 言+羽〔音〕. '羽우'는 '크다'의 뜻. 과장해서 말하다, 자랑하다의 뜻을 나타냄.

[詡畜 후축] 예쁘고 아양 부리는 모양.
[詡詡 후후] 호언장담하는 모양. 일설(一說)에는, 아첨하는 모양.
◉誇詡.

6 ⑬ [詢] [人名] 순 [平]眞 相倫切 xún 询

[字解] ①물을 순 상의함. 문의함. '—咨'. '周爰咨—'《詩經》. '先民有言, —于芻蕘'《詩經》. ②같을 순 '—十有二變'《尙書大傳》.
[字源] 篆文 形聲. 言+旬〔音〕. '旬순'은 한 바퀴 돌다의 뜻. 한 차례 묻다의 뜻을 나타냄.

[詢求 순구] 원하여 찾음.
[詢謀 순모] 상의함. 또, 꾀를 물어봄.
[詢問 순문] 순자(詢咨).
[詢訪 순방] 순자(詢咨).
[詢咨 순자] 상의함. 자문(諮問)함.
[詢察 순찰] 물어 살핌.
◉博詢. 細詢. 咨詢. 諮詢. 許詢.

6 ⑬ [詣] [人名] 예 [去]霽 五計切 yì 诣

[字解] ①이를 예 ㉠장소에 가 닿음. 또, 와 닿음. 도달함. '代王乘傳, —長安'《史記》. ㉡계절이나 절후(節候)가 옴. '—, 候至也'《說文》. ㉢방문함. '陳太邱—荀朗陵'《世說》. ㉣관청에 출두함. '乃—闕令訟老君'《列仙傳》. ㉤불사에 가서 참배함. '元日—佛寺'《世說》. ㉥학문·기에 따위가 깊은 경지에 이름. '學業深入曰造—'《正字通》. ②갈 예 '—, 往也'《玉篇》. ③나아갈 예 '—, 進也'《小爾雅》.
[字源] 篆文 形聲. 言+旨〔音〕. '旨지'는 '指지'와 통하여, 맛있는 것에 식지(食指)를 가져다 대다의 뜻. '이르다'의 뜻을 나타냄.

[詣闕 예궐] 대궐(大闕)에 참내(參內)함.
[詣門 예문] 대문에 이름. 사람을 방문함.
◉奔詣. 率詣. 游詣. 前詣. 精詣. 造詣. 重詣. 指詣. 參詣. 馳詣. 險詣.

6 ⑬ [詤] 황 [平]陽 呼光切 huǎng
[上]養 呼晃切

[字解] ①잠꼬대 황 섬어(譫語). ②속일 황 기만함. '無由接而見—'《呂氏春秋》. ③망령된말 황 망언(妄言). '—, 妄語也'《正字通》.
[字源] 篆文 形聲. 言+㠩〔音〕

6 ⑬ [謊] 詤(前條)의 本字

6 ⑬ [試] [中人] 시 [去]寘 式吏切 shì 试

[筆順] 亠 ⺀ 言 言 言 言一 訁 試 試

[字解] ①시험할 시 시험하여 봄. '—驗'. '—射'. 또, 시험적으로의 뜻으로 쓰이는데, '嘗—'로 연용(連用)하기도 함. '王—爲之, 有驗'《列仙傳》. '嘗—言之'《莊子》. ②시험 시 '擧子就—偶疏脫'《蘇子膽雜纂》. ③조사할 시, 살펴볼 시 '—其弓弩'《周禮》. '臣請—之'《戰國策》. ④견줄 시 비교함. '—, 增韻, 較也'《康熙字典》. ⑤쓸 시 사용함. '刑不—而民咸服'《禮記》. ⑥성 시 성(姓)의 하나.
[字源] 篆文 形聲. 言+式〔音〕. '式식'은 '규칙'의 뜻. 규칙에 따라 말로 시험하다, 규칙에 따라 쓰다의 뜻을 나타냄.

[試官 시관] ㉠시험하는 일을 맡아보고 감독하는 사람. 시험관. ㉡시보(試補).
[試掘 시굴] 시험적으로 파 봄.
[試卷 시권] 시험의 답안(答案).
[試金 시금] 금(金)의 품질(品質)을 시험(試驗)하여 알아냄.
[試金石 시금석] 금은을 갈아 보아 그 진가(眞假)를 알아내는 데 쓰는, 빛이 검고 결이 치밀한 돌. 전(轉)하여, 가치나 실력을 알아보는 기회나 사물.
[試技 시기] ㉠능력·실력의 정도를 시험해 봄. ㉡경기회(競技會) 따위에서, 정식 경기에 앞서 갖는 연습적 경기.
[試膽 시담] 담력을 시험함.
[試刀 시도] 죄인 등의 머리를 베어 칼이 잘 드는가를 시험하여 봄.
[試鍊 시련] ㉠시험하고 단련(鍛鍊)함. ㉡신앙이

나 결심의 정도를 시험함.
[試問 시문] 인품·능력·지식 따위를 시험하여 물음. 또, 그 질문.
[試尾 시미] 미행(尾行)함.
[試補 시보] 견습 관리(見習官吏).
[試射 시사] ㉠활·총 따위를 시험(試驗) 삼아 쏨. ㉡활·총 따위를 잘 쏘는 사람을 시취(試取)함.
[試寫 시사] 영화(映畫) 같은 것을 시험적(試驗的)으로 영사(映寫)하여 봄.
[試涉 시섭] 다리를 개통(開通)할 때 처음으로 통행함.
[試食 시식] 맛을 보기 위하여 먹어 봄.
[試兒 시아] 어린아이의 성질(性質)을 시험하는 일.
[試案 시안] 시험적으로 만들어 본 계획. 시험 삼아 내놓은 안(案).
[試業 시업] 업무 또는 학업의 시험.
[試藝 시예] ㉠재예(才藝)를 시험함. ㉡과거(科擧) 답안(答案)의 문장을 이름.
[試用 시용] 시험적으로 써 봄.
[試運轉 시운전] 기차·기선·전차·자동차·기타 기계(機械) 따위를 새로 만들었을 때 시험적으로 운전하여 봄.
[試作 시작] 시험적으로 지어 봄.
[試才 시재] 재주를 시험해 봄.
[試取 시취] 시험(試驗)을 보아 인재(人才)를 뽑음.
[試筆 시필] 시험 삼아 글씨를 써 봄.
[試行錯誤 시행착오] 과제(課題)가 곤란할 때 몇 번이고 시도하여 실패를 거듭하면서 점차 목적에 접근해 가는 방식.
[試驗 시험] ㉠학력을 필기나 구술을 시켜 알아보는 일. ㉡사물의 성질을 실지로 따져 알아보는 일.
[試驗管 시험관] 화학의 실험에 쓰는 유리로 만든 관상(管狀)의 용기.
[試毫 시호] 시필(試筆).
◉角試. 講試. 考試. 課試. 校試. 求試. 都試. 明試. 覆試. 嘗試. 選試. 按試. 量試. 御試. 歷試. 入試. 殿試. 點試. 廷試. 庭試. 調試. 策試. 初試. 鄕試. 會試.

6 ⑬ [詩] 中人 시 ㊥支 書之切 shī 诗 诗

筆順 ⼆ 三 言 言 言⼀ 計 詩 詩 詩

字解 ①시 시 운문(韻文)의 한 체(體). 고시(古詩)와 금시(今詩)의 두 가지가 있음. '唐—'. '近體—'. '—言志'《書經》. ②시경 시 오경(五經)의 하나. 공자(孔子)가 취사·선정하였다고 하는 고대(古代)의 시 311편(篇)을 수록하였음. 모시(毛詩). '—曰衣錦尙絅'《中庸》. ③받들 시 받들어 가짐. '寢門外—負之'《禮記》. ④노래할 시 읊음. '—以道之'《國語》. ⑤말 시 '—, 辭也'《毛詩指說》. ⑥성 시 성(姓)의 하나.

字源 篆文 古文 形聲, 言+寺〔音〕. '寺시'는 '之지'와 통하여 '가다'의 뜻. 내면적인 것이 언어(言語) 표현을 향해 간 것의 뜻.

[詩家 시가] 시인(詩人). 시객(詩客).
[詩歌 시가] 시(詩)와 노래.
[詩客 시객] 시인(詩人).
[詩格 시격] ㉠시를 짓는 법칙. ㉡시의 품격.
[詩經 시경] 상고(上古)의 시를 모은 책 이름. 오경(五經)의 하나. 원은 3,000여 수인 것을 공자(孔子)가 산제(刪除)하여 311편으로 함.
[詩境 시경] ㉠시(詩)의 경지. ㉡시취(詩趣)가 풍부한 장소.
[詩稿 시고] 시(詩)의 초고(草稿).
[詩藁 시고] 시고(詩稿).
[詩課 시과] 시를 짓는 과정(課程).
[詩窖 시교] 시재(詩才)가 뛰어난 사람.
[詩國 시국] 시취(詩趣)가 풍부한 나라나 지방.
[詩卷 시권] 시집(詩集).
[詩記 시기] 시경(詩經)과 춘추(春秋).
[詩囊 시낭] 시의 원고를 넣어 두는 주머니.
[詩壇 시단] 시를 지어 그 우열(優劣)을 다투는 곳. 또, 시인(詩人)으로 이루어진 사회.
[詩侶 시려] 시우(詩友).
[詩聯 시련] 시로 된 주련(柱聯).
[詩禮之訓 시례지훈] 자식이 부친에게서 받는 교훈. 백어(伯魚)가 부친인 공자(孔子)에게서 시와 예를 배워야 할 이유를 들은 고사(故事)에서 나온 말.
[詩料 시료] 시작(詩作)의 재료.
[詩流 시류] ㉠시의 유파(流派). ㉡시인(詩人).
[詩魔 시마] ㉠바르지 못한 시상(詩想). ㉡시를 지을 마음이 일어나게 하는 불가사의한 힘.
[詩文 시문] 시와 글.
[詩伯 시백] 걸출한 시인(詩人). 시의 대가(大家).
[詩癖 시벽] ㉠시 짓기를 좋아하는 성격. ㉡시에 나타난 그 시인의 말버릇.
[詩病 시병] 작시(作詩)의 규칙에 맞지 않는 점. 또, 작시상의 빠지기 쉬운 결점.
[詩賦 시부] 시(詩)와 부(賦). 전(轉)하여, 운문(韻文).
[詩朋 시붕] 서로 시(詩)를 읊는 벗.
[詩史 시사] 시로써 시사(詩事)를 읊은 시편.
[詩社 시사] 시인들이 모여서 음영(吟詠)하는 일. 시인의 사회(社會).
[詩思 시사] 시를 짓고자 하는 생각.
[詩想 시상] ㉠시에 나타난 사상. ㉡시를 짓게 하는 생각이나 영감(靈感).
[詩序 시서] ㉠시경(詩經)의 각편(各篇)에 부속(附屬)한 서문(序文). ㉡시의 서문(序文).
[詩書 시서] ㉠시경(詩經)과 서경(書經). ㉡시작(詩作)과 문자(文字).
[詩書氣 시서기] 시경(詩經)·서경(書經)을 읽고서 인의(仁義)를 함양(涵養)한 기운(氣運).
[詩仙 시선] ㉠큰 시인(詩人). 천재적(天才的) 시인(詩人). ㉡시작(詩作)에 몰두하여 세사(世事)에 무관심한 사람. ㉢이백(李白)을 이름.
[詩聖 시성] 고금(古今)에 뛰어난 위대한 시인(詩人).
[詩頌 시송] 시가(詩歌)로 칭송함. 칭송하는 시가.
[詩什 시습] 시집(詩什).
[詩僧 시승] 시를 잘 짓는 중.
[詩眼 시안] ㉠시(詩)를 볼 줄 아는 눈. 시에 대한 안식(眼識). ㉡그 한 자(字)의 쓰임으로 그 시 전체가 생생하게 살아나는 힘을 가진 자(字).
[詩言志 시언지] 시는 자기의 의사를 말한 것.
[詩餘 시여] 시의 한 체(體). 악부(樂府)가 변한 것. 전사(塡詞).
[詩翁 시옹] 시(詩)를 짓는 노인. 시인(詩人)의 미칭(美稱).

[詩友 시우] 시붕(詩朋).
[詩韻 시운] ㉠시의 운자(韻字). ㉡시의 운치.
[詩有別才 시유별재] 시를 잘 짓는 것은 학문이 많은 것보다도 천분(天分)이 뛰어나야 한다는 뜻.
[詩人 시인] 시를 잘 짓는 사람.
[詩腸 시장] 시사(詩思).
[詩腸鼓吹 시장고취] 꾀꼬리 소리.
[詩材 시재] 시작(詩作)의 재료.
[詩敵 시적] 시를 짓는 데 좋은 적수(敵手).
[詩傳 시전] 시경(詩經)을 주(註)낸 책. 전(傳)은 경서(經書)의 주해(註解)라는 뜻임.
[詩箋 시전] 시를 적는 용지.
[詩情 시정] 시를 짓고자 하는 마음. 시(詩)를 짓는 흥미(興味).
[詩宗 시종] ㉠시백(詩伯). ㉡시경(詩經) 전문의 대가.
[詩酒 시주] 시와 술. 시를 지음과 술을 마심.
[詩酒徵逐 시주징축] 시와 술을 즐겨서 벗들과 어울려 서로 왕래(往來)함. 징(徵)은 벗을 부름, 축(逐)은 벗을 찾아감.
[詩中有畫 시중유화] 경치를 교묘하게 묘사한 시를 칭찬한 말.
[詩什 시집] ㉠시의 열 편(篇). ㉡시(詩). ㉢시집(詩集).
[詩集 시집] 시를 모은 책.
[詩讖 시참] 자기가 지은 시가 우연히 자기의 신상에 관한 예언이 된 것.
[詩債 시채] 시의 부채(負債). 곧, 마땅히 지어야 할 시를 아직 짓지 아니한 것.
[詩體 시체] 시를 짓는 격식(格式). 시의 형식과 체재.
[詩草 시초] 시의 초고(草稿).
[詩軸 시축] 시를 적은 두루마리.
[詩趣 시취] 시의 취미. 시의 흥취.
[詩筒 시통] 시(詩)를 넣는 대통.
[詩牌 시패] ㉠시를 새기거나 쓴 목판(木版). ㉡시의 운자를 적은 패.
[詩篇 시편] ㉠시의 제작. ㉡시의 한 편.
[詩風 시풍] 시(詩)의 풍격(風格). 시의 격조(格調).
[詩學 시학] 시에 관한 학문(學問).
[詩號 시호] 시인의 아호(雅號).
[詩豪 시호] 뛰어난 시인(詩人).
[詩魂 시혼] 시를 짓는 마음. 시사(詩思). 시정(詩情).
[詩話 시화] 시에 관한 이야기.
[詩話總龜 시화총귀] 송(宋)나라 완열(阮閱)이 편집한 책 이름. 전집(前集) 45권(卷), 후집(後集) 50권(卷). 한위(漢魏)에서 북송(北宋)까지의 시화(詩話)를 실었음.
[詩會 시회] 시를 짓는 모임.
[詩懷 시회] 시(詩)의 생각. 시를 지으려는 마음. 시사(詩思).
[詩興 시흥] 시정(詩情)을 일으키는 흥미(興味). 시를 짓는 재미.
◉歌詩. 古詩. 古體詩. 舊詩. 近體詩. 唐詩. 賦詩. 四詩. 散文詩. 敍事詩. 抒情詩. 聲詩. 誦詩. 新體詩. 惡詩. 詠詩. 零詩. 五言詩. 律詩. 逸詩. 作詩. 祭詩. 贈詩. 采詩. 七步詩. 漢詩. 廻文詩.

6 ⑬ [詫] ㊀ 타(차) ㊍禡 丑亞切 chà ㊁ 하 ㊍ ㊍禡 虛訝切 诧 詫

字解 ㊀ ①속일 타 기만함. '甘言—語'《晉書》. ②자랑할 타 자만함. '自誇—'《宋史》. ㊁ 고할 하 알림. '踵門而—子扁慶子'《莊子》.
字源 形聲. 言+宅〔音〕.

[詫誇 타과] 자랑함.
[詫絶 타절] 매우 괴이쩍어 추측할 수가 없음.
◉誇詫.

6 ⑬ [詬] ㊀ 후 ㊍有 呼漏切 hòu ㊁ 구 ㊤有 古厚切 gòu 诟 詬

字解 ㊀ ①꾸짖을 후 욕설을 하며 꾸짖음. '—罵'. '曹人—之'《左傳》. ②망신줄 후 욕을 보임. 수치를 당하게 함. '常以儒相—病'《禮記》. ③부끄럼 후 치욕. 수치. '忍尤而攘—'《楚辭》. '—莫大於卑賤'《史記》. ㊁ 꾸짖을 구, 망신줄 구, 부끄럼 구 ㊀과 뜻이 같음.
字源 篆文 詬 別體 訽 形聲. 言+后〔音〕. '后후'는 '垢구'와 통하여, 두껍게 낀 때의 뜻. 말로써 더럽힘, 욕보이다의 뜻.

[詬怒 후노] 욕설을 하며 성냄.
[詬厲 후려] 후병(詬病).
[詬罵 후매] 욕설을 하며 꾸짖음.
[詬病 후병] 꾸짖어 망신을 줌.
[詬言 후언] 욕설을 함.
[詬辱 후욕] 꾸짖어 욕을 보임.
[詬叱 후질] 욕설을 하며 꾸짖음.
[詬恥 후치] 후욕(詬辱).
◉尤詬. 虞詬. 威詬. 嘲詬. 責詬. 答詬.

6 ⑬ [詭] 人名 궤 ㊤紙 過委切 guǐ 诡 詭

字解 ①책할 궤 책망함. '今臣得出守郡, 自—效功'《漢書》. ②속일 궤 기만함. '—辭而出'《穀梁傳》. ③괴이할 궤 기이함. '豈不—哉'《張衡》. ④어그러질 궤 이치에 맞지 아니함. '有所—於天之理與'《漢書》. ⑤헐뜯을 궤 비방함. '若固之序事, 不激—'《後漢書》. ⑥다를 궤, 달리할 궤 같지 않음. '—色殊音'《木華》.
字源 篆文 詭 形聲. 言+危〔音〕. '危위'는 '불안정'의 뜻. 불안정한 말의 뜻에서, '거짓, 속이다'의 뜻을 나타냄.

[詭激 궤격] 언행이 상도(常道)를 벗어나서 괴이하고 과격함.
[詭計 궤계] 남을 속이는 꾀.
[詭觀 궤관] 기이한 광경. 훌륭한 경치.
[詭怪 궤괴] 이상야릇함. 괴상함.
[詭矯 궤교] 속임.
[詭求 궤구] 심하게 책(責)하여, 재화(財貨) 따위를 요구함.
[詭道 궤도] ㉠속이는 수단. ㉡지름길. 첩경(捷徑).
[詭麗 궤려] 진기하고 화려함.
[詭謬 궤류] 잘못. 또, 틀림. 잘못함.
[詭妄 궤망] 거짓. 허망(虛妄).
[詭謀 궤모] 궤계(詭計).
[詭辯 궤변] ㉠억지로 공교롭게 꾸며 대는 말. ㉡형식적인 논리만으로써 논리의 내용을 무시하고 거짓을 진실같이 꾸미는 변론.
[詭變 궤변] 변화무쌍하게 속임.

[詭服 궤복] 거짓 따름. 겉으로만 온순하게 굶.
[詭祕 궤비] ㉠속여 감춤. ㉡이상야릇하여 용이하게 알 수 없음.
[詭詐 궤사] 속임. 또, 거짓.
[詭辭 궤사] 궤언(詭言).
[詭狀 궤상] 보통이 아닌, 색다른 모양.
[詭說 궤설] ㉠속이는 말. 거짓말. ㉡억지로 갖다 붙여 설명함.
[詭隨 궤수] 시비를 가리지 아니하고 남을 따름. 맹종함.
[詭術 궤술] 속이는 술책.
[詭言 궤언] 속이는 말. 또, 교묘히 꾸며 대는 말.
[詭遇 궤우] 정도(正道)에 의하지 아니하고 부귀를 얻음.
[詭異 궤이] 궤괴(詭怪).
[詭責 궤책] 호되게 책(責)함.
[詭策 궤책] 궤계(詭計).
[詭誕 궤탄] 허황된 말. 허탄(虛誕).
[詭特 궤특] 괴상하고 특이함.
[詭銜竊轡 궤함절비] 말이 재갈을 뱉어 내고 고삐를 물어뜯음. 곧, 기속(羈束)된 것이 제어(制御)하기 어렵도록 항거(抗拒)함을 비유(譬喩)한 말.
[詭形 궤형] 괴상한 형상.
[詭譎 궤휼] 궤괴(詭怪).
◉激詭. 輕詭. 怪詭. 瑰詭. 奇詭. 卓詭. 特詭. 虛詭. 譎詭.

6 ⑬ [詮] [人名] 전 [平]先 此緣切 quán 诠

[筆順] 亠 亖 言 訁 訟 詮 詮 詮

[字解] ①설명할 전 상세히 사리(事理)를 설명함. '一論'. '惟夫子一斯義也'《吳越春秋》. 또, 사리를 설명한 말. '言一'. '衣褐向眞一'《杜甫》. ②깨우칠 전 '一言者, 譬類人事相解喩也'《一切經音義》. ③갖춰질 전, 갖출 전 '一, 具也'《廣雅》. ④법 전, 길 전 법칙 또는 도리. '發必中一, 言必合數'《淮南子》. ⑤골라말할 전 '一, 一日, 擇言'《集韻》.

[字源] [篆文] 形聲. 言+全〔音〕. '全전'은 '갖춰지다'의 뜻. 갖춰져 있는 설명의 뜻을 나타냄.

[詮簡 전간] 고름. 가려 뽑음.
[詮較 전교] 비교하여 조사함.
[詮論 전론] 사리를 상세히 설명하여 밝힘.
[詮釋 전석] 해설함. 훈해(訓解)함.
[詮義 전의] 뜻을 자세히 설명함.
[詮議 전의] ㉠평의(評議)하여 일을 명백히 정함. 평정(評定). ㉡죄적(罪迹) 또는 죄인(罪人)을 조사(調査)함.
[詮證 전증] 사실에 기초한 해석.
[詮次 전차] 확실하게 정한 순서.
[詮衡 전형] ㉠인재(人材)를 평의(評議)하여 선택(選擇)함. ㉡전형(銓衡)의 속용(俗用).
◉能詮. 名詮. 妙詮. 祕詮. 所詮. 言詮. 眞詮. 評詮.

6 ⑬ [詰] [人名] 힐 [入]質 去吉切 jié 诘

[筆順] 亠 亖 言 訁 計 詁 詰 詰

[字解] ①꾸짖을 힐 잘못을 따져 책망함. 힐책함. '一責'. '窮一'. '一弘'《史記》. '一姦慝'《左傳》. ②물을 힐 대답을 구함. '不可致一'《老子》. ③다스릴 힐 처리함. '子盍一盜'《左傳》. ④경계할 힐 계고(戒告)함. 또, 삼가서 조심하게 함. '一四方'《周禮》. ⑤죄줄 힐 벌함. '取之不一'《呂氏春秋》. ⑥조사할 힐 '一誅暴慢'《禮記》. ⑦못하게할 힐 금지함. '五曰, 刑典. 以一邦國'《易經》. ⑧채울 힐 '其克一爾戎兵'《書經》. ⑨굽을 힐 굴곡(屈曲)함. '不能數其一屈'《晉書》. ⑩새벽 힐 날이 밝을 녘. 일설(一說)에는, '喆'의 오용(誤用)이라 함. '一旦'. '一朝將相見'《左傳》.

[字源] [篆文] 形聲. 言+吉〔音〕. '吉길'은 '緊긴'과 통하여, 바짝 죄다의 뜻. 말로 다잡아 죄어치다, 추궁하다의 뜻을 나타냄.

[詰曲 힐곡] 굽음. 굴곡(屈曲).
[詰究 힐구] ㉠끝까지 캐어 물어봄. ㉡철저히 처리함.
[詰屈 힐굴] ㉠굽음. ㉡굽어 펴지지 아니함.
[詰詘 힐굴] 힐굴(詰屈).
[詰屈聱牙 힐굴오아] 문장이 어려워 읽기 힘듦.
[詰窮 힐궁] 끝까지 캐어물음.
[詰難 힐난] 힐문하여 비난함.
[詰旦 힐단] 아침 일찍. 힐조(詰朝).
[詰問 힐문] 책망(責望)하며 물음.
[詰晨 힐신] 이른 아침. 또는 아침 일찍.
[詰朝 힐조] ㉠내일 아침. 이튿날 아침. 명조(明朝). ㉡새벽.
[詰責 힐책] 꾸짖음. 힐문함. 죄인 등을 추궁함.
[詰斥 힐척] 꾸짖어 물리침.
◉訶詰. 究詰. 窮詰. 難詰. 面詰. 密詰. 辯詰. 彈詰.

6 ⑬ [話] [中人] 화 [去]卦 下快切 huà [去]禡 胡化切 话

[筆順] 亠 亖 言 訁 訂 訐 話 話

[字解] ①이야기 화 담화. 말. '悅親戚之情一'《陶潛》. '愼爾出一'《詩經》. ②이야기할 화 말함. 고(告)함. '乃一民之弗率'《書經》. ③착한말 화 좋은 말. '著之一言'《左傳》. ④다스릴 화 '一, 治也'《小爾雅》.

[字源] [篆文] [籒文] 形聲. 篆文은 言+𠯑〔音〕. '𠯑괄'은 '活활'과 통하여, 제멋대로 흘러나옴의 뜻. 마음대로 흘러나오다, 이야기하다의 뜻을 나타냄.

[話談 화담] 이야기함. 또, 이야기. 담화(談話).
[話頭 화두] 말의 첫머리. 이야기의 실마리.
[話柄 화병] 이야깃거리.
[話說 화설] ㉠이야기함. 말함. ㉡그런데. 각설(卻說).
[話言 화언] ㉠이야기. ㉡유익한 말. 좋은 말.
[話題 화제] 이야기의 제목(題目). 담화의 주제(主題). 이야깃거리.
[話次 화차] 말하는 김. 말하던 차.
[話欛 화파] 화병(話柄).
◉佳話. 嘉話. 講話. 款話. 謹話. 茶話. 談話. 對話. 童話. 面話. 民話. 白話. 祕話. 說話. 笑話. 俗話. 詩話. 神話. 哀話. 夜話. 野話. 良話. 寓話. 逸話. 電話. 情話. 淨話. 靜話.

清話. 叢話. 癡話. 閑話. 會話. 訓話.

6 ⑬ [該] 高人 해 ㊥灰 古哀切 gāi 该

筆順 ⺀ 言 言 訁 訁 訁 該 該

字解 ①갖출 해, 갖춰질 해 충분히 갖춤. 두루 가짐. '淹―'. '體用兼―, 本末殫擧'《葉采》. '齊桓聞以―輔'《楚辭》. ②겸할 해 '旁―終始'《太玄經》. ③모두 해 다. '萬物―兼'《太玄經》. ④맞을 해 일치함. '―當'. ⑤그 해 지정(指定)하는 말. 其(八部 六畫)와 뜻이 같음. '―事'. '―案'. '某處―如何備設'《王畿》. ⑥마땅히 해 당연히. 속문(俗文)에서, 宜(宀部 五畫)와 같은 뜻으로 씀. '―當'. '應―'. '合―'로 연용(連用)하기도 함. '此一句不―與, 求之文字之中云云, 混作一例看'《傳習錄》. ⑦성 해 성(姓)의 하나.

字源 篆文 形聲. 言+亥[音]. '亥해'는 '改개'따위와 통하여, '고쳐지다, 바뀌다, 새로워지다'의 뜻. 말이 고쳐져 고루 미치어 있는 모양에서, 아울러 갖춰지다의 뜻을 나타냄.

[該貫 해관] 빠짐없이 상세히 통함.
[該究 해구] 널리 연구함.
[該當 해당] 바로맞음. 꼭 맞음.
[該博 해박] 모든 사물을 널리 앎. 학문(學問)이 넓음.
[該社 해사] 그 회사.
[該贍 해섬] 갖추어 넉넉함.
[該涉 해섭] 박람함. 섭렵함.
[該悉 해실] 모두 빼놓지 아니하고 다 앎.
[該案 해안] ㉠그 안(案). ㉡그 사건. ㉢적용되는 안(案).
[該人 해인] 그 사람.
[該地 해지] 그 땅.
[該處 해처] 그곳.
[該覈 해핵] 널리 조사하여 앎. 빠짐없이 조사하여 앎.
[該曉 해효] 널리 통효(通曉)함.
[該洽 해흡] ㉠해박(該博). ㉡널리 미침.
◉兼該. 當該. 博該. 備該. 淹該. 遍該.

6 ⑬ [詳] 高人 ㊀ 상 ㊥陽 似羊切 xiáng ㊁ 양 ㊥陽 與章切 yáng 详

筆順 ⺀ 言 言 言' 訁 訁 詳 詳

字解 ㊀ ①자세할 상 세밀함. '―細'. '其說之也―'《朱熹》. 또, 자세한 일. 상세한 내용. '其―不可得聞也'《孟子》. ②자세히할 상 ㉠명백히 함. 명확히 밝힘. '不能退不能遂, 不―也'《易經》. ㉡상세히 심의(審議)함. '―, 審議也'《說文》. ㉢자세히 봄. '非先王―刑之意也'《後漢書》. ③자세히알 상 잘 앎. '不―其姓字'《陶潛》. ④갖춰질 상 두루 갖춤. '略則擧大, ―則擧小'《荀子》. ⑤다 상 모두. 빠짐없이. '―延天下方聞之士'《漢書》. ⑥상서로울 상 祥(示部 六畫)과 통용. '―以事神'《左傳》. ㊁ 거짓 양 佯(人部 六畫)과 통용. '―醉'. '箕子―狂爲奴'《史記》.

字源 篆文 形聲. 言+羊[音]. '羊양'은 '相상'과 통하여 '자태'의 뜻. 물체의 자태를 말로 하다, 상세히 하다의 뜻을 나타냄. 또, ㊁일 때에는 '羊'은 '巨거'와 통하여 '크다'의 뜻. 사실 이상으로 크게 말하다의 뜻에서, '속이다'의 뜻을 나타냄.

[詳計 상계] 세밀히 계획을 세움.
[詳考 상고] 자세히 참고(參考)함.
[詳究 상구] 세밀히 연구함. 또, 자세히 추구함.
[詳記 상기] 자세히 기록(記錄)함.
[詳覽 상람] 상세히 봄.
[詳略 상략] 자세한 것과 소략한 것.
[詳料 상료] 세밀히 고려함.
[詳明 상명] ㉠세밀히 밝힘. ㉡자세하고 명확함.
[詳夢 상몽] 상서(詳瑞)가 있을 꿈. 길몽(吉夢).
[詳敏 상민] 자상(仔詳)하고 민첩함. 사물을 자세히 알고 슬기가 있음.
[詳密 상밀] ㉠성질이 치밀함. ㉡상세함. 세밀함.
[詳報 상보] 자세한 보도(報道).
[詳瑞 상서] 좋을 조짐. 경사스러운 일.
[詳說 상설] 자세히 설명함. 또, 자세한 설명.
[詳細 상세] 자세함. 「說).
[詳述 상술] 자세히 진술함. 상진(詳陳). 상설(詳
[詳悉 상실] 모두 빼놓지 아니하고 자세히 앎.
[詳審 상심] 세세한 데까지 두루 미침. 주도(周到)함.
[詳雅 상아] 자상(仔詳)하고 온아(溫雅)함. 찬찬하고 예의 바름.
[詳言 상언] 말을 곡진(曲盡)하게 함. 또, 상세히 말함.
[詳運 상운] 상서(詳瑞)가 있을 운수(運數).
[詳盡 상진] 구석구석 자세히 봄. 세세한 데까지 두루 미침.
[詳察 상찰] 자세히 살핌.
[詳緻 상치] 상밀(詳密) ❶.
[詳探 상탐] 자세히 더듬어 찾음.
[詳解 상해] 자세히 풀어 밝힘. 또, 그 해석.
[詳覈 상핵] 세밀히 조사함.
[詳確 상확] 세밀하고 확실함.
[詳狂 양광] 거짓 미친 체함. 미치광이의 흉내를 냄.
[詳醉 양취] 취한 체함.
◉寬詳. 端詳. 未詳. 不詳. 審詳. 安詳. 姸詳. 仔詳. 精詳. 周詳.

6 ⑬ [詉] 나 ㊥麻 女加切 ná

字解 끌어당길 나 끌어당김. 잡아당김. '―, 拏也'《廣雅》.

6 ⑬ [詵] 人名 ㊀ 선 ㊤霰 先見切 ㊁ 신 ㊥眞 所臻切 shēn 诜

字解 ㊀ ①많을 선 수가 많은 모양. '螽斯羽, ――兮'《詩經》. ②모일 선 함께 모여 화목한 모양. 앙모하여 모여드는 모양. '後進――'《陳書》. ㊁ 많을 신, 모일 신 ㊀과 뜻이 같음.

字源 篆文 形聲. 言+先[音]. '先선'은 앞을 다투다의 뜻. 많은 사람이 앞을 다투어 발성(發聲)·발언(發言)하다의 뜻을 나타냄.

[詵詵 선선] ㉠수가 많은 모양. ㉡함께 모여 화목한 모양. 앙모(仰慕)하여 모여드는 모양.

6 ⑬ [詶] 수 ㊥尤 市流切 chóu 詶

字解 ①대답할 수 酬(酉部 六畫)와 同字. '號眺

以一咨'《後漢書》. ②저주할 수 '一, 詛也'《說文》. ③갚을 수 보답함. 酬(酉部 六畫)와 同字. '一, 報也'《一切經音義》. ④누구 수 疇(田部 十四畫)와 통용. '一咨羣寮'《魏元丕碑》. ⑤詛의 ❷와 뜻이 같음.

字源 篆文 形聲. 言+州〔音〕

[詶答 수답] 응수함. 대답함.

6 ⑬ [詷] 동 ㊥東 徒東切 tóng ㊤送 徒弄切 dòng

字解 ①바쁠 동 '諰一'은 분망한 모양. 또, 급히 말하는 모양. '輕薄諰一'《後漢書》. ②함께 동, 같을 동 공동. '一, 共也'《說文》. ③자랑할 동 과장해 말함. '言過謂之諰一'《說文 段注》.

字源 篆文 形聲. 言+同〔音〕

◉諰詷.

6 ⑬ [詻] 액 ㊀陌 五陌切 è

字解 ①다툴 액 말다툼하는 모양. '分議者延延, 而支苟者一一'《墨子》. ②엄할 액 사기(辭氣)가 엄한 모양. 또, 교령(敎令)이 준엄한 모양. '言容一一'《禮記》.

字源 篆文 形聲. 言+各〔音〕. '各각'은 '挌격'과 통하여 쑥 내밀다의 뜻. 말을 내밀다, 말다툼하다의 뜻.

[詻詻 액액] ㉠말다툼하는 모양. ㉡사기(辭氣)가 엄한 모양. 또, 교령(敎令)이 준엄한 모양.
◉作詻.

6 ⑬ [詼] 회 ㊥灰 苦回切 huī

字解 ①기롱(譏弄)할 회, 농할 회 희학(戲謔)을 함. 또, 비웃음. '一嘲'. '見人一諢'《黃允文雜纂》. '一笑類俳倡'《漢書》. ②농지거리 회, 농 회 '頗復一諧'《漢書》.

字源 形聲. 言+灰〔音〕. '灰회'는 '재'의 뜻. 내용이 없는 재와 같은 말, '농(弄)'의 뜻을 나타냄.

[詼笑 회소] 익살을 부리며 웃음.
[詼諢 회원] 농지거리함.
[詼啁 회조] 회조(詼嘲).
[詼嘲 회조] 농지거리함.
[詼謔 회학] 회해(詼諧).
[詼諧 회해] 실없이 하는 농담(弄談). 익살.
◉詭詼. 俳詼. 嘲詼.

6 ⑬ [詾] 흉 ①-③㊥冬 許容切 xiōng ④㊤腫 許拱切

字解 ①다툴 흉, 떠들썩할 흉 말다툼하여 시끄러운 모양. 또, 소란한 모양. '聚而謀者一一'《五代史》. ②송사할 흉 고소(告訴)함. 訩(言部 四畫)과 同字. '一, 訟也'《說文》. ③찰 흉 그득참. '一, 一曰, 盈也'《廣韻》. ④으를 흉 협박함. '一, 一嚇也'《廣韻》.

字源 篆文 別體 別體 形聲. 言+匈〔音〕. '匈흉'은 '어지러워지다'의 뜻. 시끄럽게 떠들다, 송사하다의 뜻을 나타냄.

[詾詾 흉흉] 말다툼하여 시끄러운 모양. 또, 소란한 모양.

6 ⑬ [詿] 괘 ㊤卦 古賣切 guà

字解 ①그르칠 괘, 속일 괘 남을 속여 그릇된 방면으로 인도함. '一誤'. '一上誤朝'《漢書》. ②방해할 괘 거리낌. 罣(网部 六畫)와 同字. '一, 礙也'《廣韻》.

字源 篆文 形聲. 言+圭〔音〕. '圭규'는 걸려들게 하다의 뜻. 그럴듯한 말로 상대를 걸려들게 하다, 속이다의 뜻을 나타냄.

[詿亂 괘란] 백성을 속여 세상을 어지럽게 함.
[詿誤 괘오] ㉠남을 속여 그릇된 방면으로 인도함. ㉡관리가 견책(譴責)당함.

6 ⑬ [誂] 조 ①②㊤篠 徒了切 tiǎo ③㊤嘯 多嘯切 diào

字解 ①꾈 조 유혹함. '使中大夫應高一膠西王'《史記》. ②희롱할 조 실없이 놀림. '人一其長者'《戰國策》. ③별안간 조 갑자기. '一合刃于天下'《淮南子》.

字源 篆文 形聲. 言+兆〔音〕. '兆조'는 '挑도'와 통하여 '휘젓다'의 뜻. 말로 상대의 마음을 휘저어 유혹하다의 뜻.

[誂撆 조별] 조롱함.
◉嗷誂.

6 ⑬ [誃] ❶ 치 ㊤紙 尺氏切 chǐ ❷ 타 ㊤哿 待可切 duò

字解 ❶ ①헤어질 치, 가를 치 이별함. 또, 분리시킴. '一, 離別也'《說文》. '一, 別也'《廣韻》. ②곁채 치 전당(殿堂)의 곁에 있는 작은 집. '出一門'《戰國策》. ❷ 속일 타 訑(言部 三畫)와 同字.

字源 篆文 形聲. 言+多〔音〕

[誃臺 치대] 별관(別館).

6 ⑬ [誆] 광 ①㊤養 求往切 kuāng ②㊤漾 渠放切

字解 ①속일 광 誑(言部 七畫)과 同字. '晉使解揚一楚'《史記》. ②속이는말 광 '一, 謬言'《廣韻》.

字源 形聲. 言+匡〔音〕

[誆騙 광편] 속임. 편취(騙取)함.

6 ⑬ [誄] 뢰 ㊤紙 力軌切 lěi

字解 ①뇌사 뢰 죽은 사람의 생전의 공덕을 칭송하는 말. '一辭'. '哀一'. '一者道死人之志也'《墨子》. 또, 그 말을 진술함. '孔丘卒, 公一之'《左傳》. ②제문 뢰 죽은 이의 명복(冥福)을 신(神)에게 비는 글. '一曰, 禱爾於上下神祇'《論語》. ③빌 뢰 신(神)에게 행복을 기원(祈願)함. 또, 그 말.

字源 篆文 誄 形聲. 言+耒〔音〕. '耒뢰'는 '累루'와 통하여 '거듭하다'의 뜻. 사자(死者)의 생전의 사적(事績)을 거듭 열거(列擧)하여 조상(弔喪)하는 글의 뜻을 나타냄.

[誄詞 뇌사] 죽은 사람의 명복을 빌기 위해 하는 말. 조문(弔文).
[誄讚 뇌찬] 추도사(追悼辭).
◉銘誄. 哀誄. 鉞誄.

6
⑬ **[誅]** 人名 주 ㊥虞 陟輸切 zhū 诛 誅

字解 ①벨 주 ㉠죄인을 죽임. '一戮'. '詰一暴慢'《禮記》. ㉡풀 같은 것을 베어 없앰. 삼제(芟除)함. '寧一鋤草茅以力耕乎'《楚辭》. ②칠 주 죄인을 토벌함. '一伐'. '商罪貫盈, 天命一之'《書經》. ③멸할 주 죄(罪)를 그 가족에까지 연루시켜 모두 죽임. 주멸(誅滅)함. '明夷一也'《易經》. ④책할 주 책망함. '一責'. '一求無時'《左傳》. '一以馭其過'《周禮》. ⑤덜 주 제거함. 없앰. '以惠一怨'《國語》. ⑥죄줄 주, 형벌 주 '一賞'. '以足蹙馬芻有一'《禮記》. '不敢辟一'《禮記》. ⑦다스릴 주 죄를 다스림. '阿上亂法者一'《淮南子》.

字源 篆文 誅 形聲. 言+朱〔音〕. '朱주'는 '殳수'와 통하여 '치다'의 뜻. 말로 치다, 책(責)하다의 뜻을 나타냄.

[誅求 주구] 엄하게 책망하여 백성의 재물을 강제로 빼앗음.
[誅戮 주륙] 죄인을 죽임. 죄로 몰아 죽임.
[誅滅 주멸] 죄인을 죽여 없앰.
[誅伐 주벌] 죄인을 침. 또, 쳐 죽임.
[誅罰 주벌] 처벌함. 죄를 줌.
[誅殺 주살] 죄인을 죽임.
[誅賞 주상] 악한 사람에게 형벌을 주고 착한 사람에게 상을 줌. 악한 사람을 책망하고 착한 사람을 칭찬함.
[誅鋤 주서] ㉠악초(惡草)를 베어 버림. ㉡주전(誅翦).
[誅刈 주예] 쳐 죽임.
[誅意 주의] 마음속의 악(惡)을 책(責)함. 주심(誅心).
[誅夷 주이] ㉠토평(討平)함. ㉡죽여 씨를 없앰.
[誅殘 주잔] 주살(誅殺).
[誅翦 주전] 죄인을 죽여 없앰.
[誅殄 주진] 주멸(誅滅).
[誅斬 주참] 죄인을 베어 죽임.
[誅責 주책] 깊이 책망(責望)함.
[誅討 주토] 죄 있는 자를 토벌함.
◉刻誅. 鬼誅. 濫誅. 自誅. 征誅. 族誅. 罪誅. 天誅. 筆誅. 詰誅.

6
⑬ **[誇]** 高人 ㊀ 과 ㊥麻 苦瓜切 kuā ㊁ 구 ㊦遇 區遇切 qù 夸 誇

筆順 亠 亖 言 訁 訡 誇 誇 誇

字解 ㊀ ①자랑할 과 자만함. '一大'. '一妻妾端正'《王君玉雜纂》. ②자랑 과 자만. 자부. '青紫今爲里巷一'《蘇軾》. ③거칠 과 굵고 성김. 곱지 아니함. '妾一布服, 糲食'《漢書》. ㊁ 노래할 구 '一, 歌也'《集韻》.

字源 篆文 誇 形聲. 言+夸〔音〕. '夸과'는 '華화'와 통하여 '화려함'의 뜻. 화려하게 말하다, 자랑하다의 뜻.

[誇競 과경] 서로 다투어 자랑함.
[誇功 과공] 공로를 자랑함.
[誇矜 과긍] 자랑함.
[誇多 과다] 많음을 자랑함.
[誇大 과대] ㉠과장(誇張)하여 말함. ㉡자랑함.
[誇大妄想狂 과대망상광] 정신병의 하나. 자신(自身)의 현재의 상황을 매우 크게 생각하는 일종의 정신병.
[誇尙 과상] 자랑함.
[誇色 과색] 자랑하는 빛. 자부하는 안색.
[誇說 과설] 과장하여 설명함.
[誇示 과시] 자랑하여 보임.
[誇言 과언] 자랑하여 하는 과장된 말.
[誇張 과장] 실제보다 더하게 떠벌림.
[誇稱 과칭] 과장하여 일컬음.
[誇布 과포] 굵고 성긴 베. 거친 베.
[誇衒 과현] 자랑함.
[誇詡 과후] 자랑함. 자만함.
◉驕誇. 矜誇. 陵誇. 浮誇. 自誇.

6
⑬ **[誇]** 誇(前條)와 同字

6
⑬ **[詨]** 효 ㊥肴 虛交切 xiào

字解 부르짖을 효 외침. '忽聞局上一然有聲'《北史》.

6
⑬ **[詪]** ㊀ 흔 ㊤阮 下懇切 hěn ㊁ 간 ㊤阮 古很切 ㊦願 古恨切 ㊂ 현 ㊤銑 胡典切

字解 ㊀ ①어그러질 흔 '謓一'은 어그러지는 모양. '一, 謓一, 很皃'《集韻》. ②말하기어려울 흔 '一, 難語皃'《玉篇》. ③듣지않을 흔 '一, 不聽從也'《正字通》. ㊁ ①말하기어려울 간 ㊀❷와 뜻이 같음. ②말할 간 '一一'은 말하는 모양. '一一, 語也'《廣雅》. ③어그러질 간 '一, 很戾也'《集韻》. ㊂ 말다툼할 현 '一, 爭語'《廣韻》.

字源 形聲. 言+皀(艮)〔音〕

6
⑬ **[詺]** 〔고〕 誥(言部 七畫〈p. 2130〉)의 古字

6
⑬ **[誋]** 기 ㊦寘 几利切 zhǐ

字解 ①폭로할 기 폭로함. 들추어냄. 남의 나쁜 점을 들추어냄. '一, 訐也'《集韻》. ②사람이름 기 사람 이름. '朝奉郎不一'《宋史》.

6
⑬ **[詯]** 誋(前條)와 同字

6
⑬ **[詿]** 기 ㊦寘 具義切 jì

字解 꾀할 기 꾀함. 도모함. '一, 謀也'《字彙補》.

6
⑬ **[誂]** 〔미〕 謎(言部 十畫〈p. 2146〉)와 同字

6 ⑬ [諫] 자 ㊀寘 七賜切 cì

字解 ①책하여나무랄 자 刺(刀部 六畫)와 통용. '一, 數諫也'《說文》. ②원망할 자 '一, 怨也'《廣雅》. ③쓸 자 글씨를 씀. '一, 書也'《廣雅》.

字源 篆文 形聲. 言+朿〔音〕. '朿자'는 '가시, 찌르다'의 뜻. 몹시 책망하다, 따끔하게 간(諫)하다, 충고를 주다의 뜻을 나타냄.

6 ⑬ [詩] 치 ㊀寘 疾置切 zì

字解 이름지을 치 '一, 詺也'《集韻》.

6 ⑬ [詺] 명 ㊀敬 彌正切 mìng

字解 이름지을 명 명목(名目)을 붙임. '昔陶弘景, 以神農經合雜家別錄, 注一之'《唐書》.

字源 形聲. 言+名〔音〕

6 ⑬ [詍] 〔예〕
詍(言部 五畫〈p. 2114〉)와 同字

6 ⑬ [詠] 〔영〕
詠(言部 五畫〈p. 2117〉)과 同字

6 ⑬ [詼] 〔유〕
諛(言部 九畫〈p. 2139〉)의 俗字

6 ⑬ [詽] 〔유〕
諛(言部 九畫〈p. 2139〉)의 俗字

6 ⑬ [詖] ㊀ 사 ㊀寘 疎吏切 shì
㊁ 간 ㊀諫 居晏切 jiàn

字解 ㊀ 잊을 사 잊음. '一, 忘也'《集韻》. ㊁ 간할 간 간함. 충고함. '一, 古諫字'《六書統》.

參考 諫(言部 九畫)의 本字.

6 ⑬ [詚] 구 ㊤有 巨九切 jiù

字解 헐뜯을 구 헐뜯음. 비방함. '一, 毁也'《字彙》.

6 ⑬ [詹] 人名 ㊀ 첨 ㊥鹽 職廉切 zhān
㊁ 담 ㊀勘 徒濫切 dàn

字解 ㊀ ①이를 첨 다다름. 도달함. '魯邦所一'《詩經》. ②수다스러울 첨 말이 많은 모양. 연해 지껄이는 모양. '大言炎炎, 小言一一'《莊子》. ③볼 첨 瞻(目部 十三畫)과 통용. '顧一有河'《史記》. 벼슬 이름의 '一事'는 이 뜻을 땄음. '長信一事爲長信少府'《史記》. ④두꺼비 첨 蟾(虫部 十三畫)과 뜻이 같음. '一諸'. '四五一兔缺'《古詩》. ⑤점 첨, 점칠 첨 占(卜部 三畫)과 뜻이 같음. '往見太卜鄭一尹'《楚辭》. ⑥성 첨 성(姓)의 하나. ㊁ 넉넉할 담 贍(貝部 十三畫)과 뜻이 같음. '不充則不一'《呂氏春秋》.

字源 篆文 會意. 厃+八+言. '厃첨'은 지붕의 용마루에서 처마로 내리뻗은 선(線)의 象形. 처마의 밑, 소리가 반향하는 곳에서 말하는 모양에서, 장황하게 말하다의 뜻을 나타냄. '八팔'은 음향이 반향·분산하는 모양을 나타냄.

[詹公之術 첨공지술] 첨하(詹何)라는 사람이 낚시질을 잘했다는 고사(故事)가 〈회남자(淮南子)〉에 나옴. 인하여 낚시질을 이름.

[詹事 첨사] 진한(秦漢) 이래의 벼슬 이름. 황후·태자의 가사(家事)를 맡음.

[詹尹 첨윤] 점(占)을 맡은 장관(長官).

[詹諸 첨저] 달 속에 산다는 두꺼비. 전(轉)하여, 달을 가리킴.

[詹詹 첨첨] 수다스러운 모양. 말이 많은 모양. 자꾸 지껄이는 모양.

[詹何 첨하] 전국 시대의 사람. 술수(術數)에 능하여 점을 잘 쳤다고도 하고, 낚시를 잘했다고도 함.

◉顧詹.

6 ⑬ [誉] 〔예〕
譽(言部 十四畫〈p. 2162〉)의 俗字

6 ⑬ [誊] 〔등〕
謄(言部 十畫〈p. 2150〉)의 簡體字

6 ⑬ [詧] 〔찰〕
察(宀部 十一畫〈p. 594〉)의 古字

字源 篆文 形聲. 言+祭〈省〉〔音〕. '察찰'의 古字.

◉宥詧.

7 ⑭ [誩] ㊀ 경 ㊀敬 渠敬切 jìng
㊁ 탐 ㊀勘 他紺切

字解 ㊀ 다투어말할 경 '一, 競言也'《說文》. ㊁ 다투어말할 탐 ㊀과 뜻이 같음.

字源 篆文 會意. 言+言. 다투어 말하는 뜻을 나타냄.

7 ⑭ [誋] 기 ㊀寘 渠記切 jì

字解 ①경계할 기 하지 못하게 훈계함. '不可以昭一'《淮南子》. ②알릴 기 고(告)함. '一, 告也'《廣雅》. ③못하게할 기 금(禁)함. '一, 禁也'《玉篇》.

字源 金文 篆文 形聲. 言+忌〔音〕. '忌기'는 명령을 받들다의 뜻. 사람에게 '받들어 송구해하도록 알리다, 경계하다'의 뜻을 나타냄.

7 ⑭ [誌] 高人 지 ㊀寘 職吏切 zhì

筆順 ⺀ 言 言 言 言一 計 計 誌 誌

字解 ①적을 지 기록함. '太古之事滅矣, 孰一之哉'《列子》. ②월 지 기억함. '博見圖史一經目, 輒一于心'《唐書》. ③표 지 표지(標識). '種桑樹于界上, 爲一'《齊書》. ④기록 지 사실을 적은 문장. 또는 문서. '地一'. '鄕土一'. '朝堂榜一'《齊書》. ⑤문체이름 지 문장의 한 체(體). 사실을 그대로 적은 것. '碑一'. '墓一'. (이상 ❶부터 ❺까지) 志(心部 三畫)와 同字. ⑥사마귀 지 痣(疒部 七畫)와 통용. '高宗胛上有赤一'《齊書》.

字源 篆文 形聲. 言+志〔音〕. '志지'는 마음이 작용하다의 뜻. 마음이 움직여 말로 정착(定着)해 두다, 적다의 뜻을 나타냄.

[誌代 지대] 잡지 따위의 대금.

[誌乘 지승] 기재(記載)한 문서. 지승(志乘).
[誌心 지심] 마음에 새김. 마음속에 기억해 둠.
◉銘誌. 碑誌. 日誌. 雜誌. 週刊誌. 地誌. 會誌.

7 ⑭ [認] [中人] [一] 인 [去]震 而振切 rèn [二] 잉 [去]徑 而證切 rèn 认

[筆順] 亠 亖 言 訂 訒 訒 認 認

[字解] [一] ①알 인 ㉠발견하여 앎. '靑帘一酒家'《鄭谷》. ㉡스스로 그러한 줄로 앎. '一定'. '一他高貴爲親'《李義山雜纂》. ㉢분별하여 앎. 확실히 앎. '一識'. '時嘗出行, 有人一其馬'《後漢書》. ㉣확인함. '細一苔開字'《劉克莊》. ②허가할 인 허락함. 승인함. '一可'. '承一'. ③행할 인 진실을 행함. 진지하게 행함. '臨事不一眞, 豈盡忠之道乎'《元史》. [二] 적을 잉 씀. '一, 誌也'《集韻》.
[字源] 形聲. 言+忍〔音〕. '忍인'은 '참다'의 뜻. 자신의 감정이나 의사를 겉으로 드러내지 않고 상대의 발언(發言)에 참고 귀를 기울이다, 인정하다의 뜻을 나타냄.

[認可 인가] 인정(認定)하여 허가함.
[認得 인득] 승인(承認)함. 인정함.
[認保 인보] 보증(保證)함.
[認識 인식] ㉠사물을 확실히 알고 그 의의를 옳게 이해함. ㉡마음이 내계(內界) 및 외계(外界)의 대상을 감지(感知) 또는 의식하는 작용.
[認識論 인식론] 인식(認識)의 기원(起源)·본질(本質)·범위(範圍) 등에 대하여 연구(硏究)하는 철학(哲學).
[認容 인용] 인정하여 허락함.
[認賊爲子 인적위자] 《佛敎》 망념(妄念)을 가지고 진각(眞覺)이라고 여긴다는 뜻.
[認定 인정] 그런 줄로 알아줌.
[認知 인지] ㉠앎. ㉡규정의 절차에 의해, 적출(嫡出)이 아닌 자식의 아버지, 또는 어머니임을 인정하는 의사 표시.
[認許 인허] 인정(認定)하여 허락함. 허가(許可). 인가(認可).
[認確 인확] 조사하여 확인(確認)함.
◉公認. 默認. 否認. 承認. 是認. 識認. 誤認. 容認. 自認. 諦認. 追認. 現認. 確認.

7 ⑭ [認] 認(前條)과 同字

7 ⑭ [誗] 겹 [入]葉 吉協切 jiá
[字解] 지껄일 겹 자꾸 지껄임. 말을 많이 함. 또, 망언(妄言)을 함. '讘一, 多誦先古之書, 以亂當世之治'《韓非子》.
◉讘誗.

7 ⑭ [誑] 광 [去]漾 居況切 kuáng 诳
[字解] 속일 광 기만하여 의혹을 일으키게 함. '紀信乘王駕, 詐爲漢王一楚'《史記》.
[字源] [篆文] 形聲. 言+狂(𤞣)〔音〕. '𤞣광'은 '미치다'의 뜻. '미친 말, 속이다'의 뜻.

[誑詐 광사] 속임.
[誑語 광어] 속이는 말.
[誑耀 광요] 허탄(虛誕)한 소리를 하며 자랑함.
[誑誘 광유] 속여 꾐.
[誑誕 광탄] 거짓. 거짓말. 허탄(虛誕).
[誑惑 광혹] 속여 호림.
◉欺誑. 自誑. 譎誑.

7 ⑭ [豆] 투 [去]宥 都豆切 dòu
[字解] 말머뭇거릴 투 '一讀'는 말을 머뭇거리는 모양. '後鈍嗔一讀'《韓愈》.

[豆讀 투누] 말을 머뭇거리는 모양. 말을 잘 못하는 모양.

7 ⑭ [諗] 〔감〕 譀(言部 十二畫〈p. 2157〉)의 俗字

7 ⑭ [誒] 희 [平]支 許其切 xī 诶
[字解] ①억지로할 희 마음에 없는 것을 함. 일설(一說)에는, 즐거워하여 웃음. 기뻐하여 웃음. '一笑狂只'《楚辭》. ②느른할 희 '一詒'는 느른한 모양. 일설(一說)에는, 정신을 잃어 어리둥절한 모양. '一詒爲病, 數日不出'《莊子》. ③아희 탄식하는 소리. 또, 염오(厭惡)하는 소리. '勤一厥生'《漢書》.
[字源] [篆文] 形聲. 言+矣〔音〕. '矣의'는 '탄식하다'의 뜻. 탄식하여 '아'하고 발(發)하는 소리를 나타냄.

[誒笑 희소] 선웃음 침. 억지로 웃음. 일설(一說)에는, 즐거워하여 웃음. 기뻐하여 웃음.
[誒詒 희이] 자해(字解) ❷를 보라.

7 ⑭ [誕] [高人] 탄 [上]旱 徒旱切 dàn 诞

[筆順] 亠 亖 言 言 訁 訐 証 誕 誕

[字解] ①거짓 탄, 거짓말 탄 허언(虛言). 남을 속이는 큰소리. '多一而寡信'《說苑》. ②속일 탄 거짓말을 함. '欺一'. '先生得無一之乎'《史記》. ③방종할 탄 제멋대로 굶. '一放'. '縱一'. '子姑憂子晳之欲背一'《左傳》. ④날 탄 출생함. '一生'. '降一'. '上一日, 不納中外之貢'《舊唐書》. ⑤클 탄 '國之一章'《漢書》. 또, 크게. 대단히. '一敷文德'《書經》. ⑥넓을 탄 광활함. '何一之節兮'《詩經》. ⑦바르지않을 탄 '弦高一而存鄭'《淮南子》. ⑧기를 탄 '昔文王一妻一致十子'《後漢書》. ⑨이에 탄 발어사(發語辭). '一寘之隘巷'《詩經》.
[字源] [金文] [篆文] [籒文] 形聲. 言+延〔音〕. '延연'은 길게 늘이다의 뜻. 말을 사실보다 늘이다, 거짓말하다, 속이다의 뜻을 나타냄. 또, 늘어나 길게 되다의 뜻에서, 태어나 자라다의 뜻도 나타냄.

[誕降 탄강] 제왕(帝王)·성인(聖人)들이 세상(世上)에 남. 강탄(降誕).
[誕欺 탄기] 속임. 거짓말함.
[誕謾 탄만] 함부로 큰소리를 하여 속임.
[誕妄 탄망] 거짓. 허위.
[誕命 탄명] 대명(大命).

[誕放 탄방] 방종(放縱)함.
[誕辭 탄사] 탄언(誕言).
[誕生 탄생] 출생함.
[誕辰 탄신] ㉠생일(生日). ㉡《韓》 귀인(貴人)의 생일.
[誕言 탄언] 허풍 치는 말.
[誕日 탄일] 탄신(誕辰).
[誕章 탄장] 나라의 중대(重大)한 법전(法典).
[誕譎 탄휼] 속임. 거짓말.
◉降誕. 寬誕. 詎誕. 怪誕. 詭誕. 矜誕. 欺誕. 妄誕. 放誕. 背誕. 浮誕. 生誕. 聖誕. 傲誕. 妖誕. 迂誕. 縱誕. 虛誕. 華誕. 荒誕. 恢誕.

7 ⑭ [誖] 패 [去]隊 蒲昧切 bèi

[字解] ①어지러울 패, 어지럽힐 패 마음이 산란하여 의혹이 생김. 또, 그렇게 함. '或一其心'《史記》. ②어그러질 패 悖(心部 七畫)와 통용. '誣罔一大臣節'《漢書》. ③혹할 패 미혹(迷惑)함. '愍學者不達其意而師一'《漢書》. ④어리석을 패 어두움. '一, 癡也'《廣雅》. '一, 惛也'《集韻》.

[字源] 篆文 別體 籒文 形聲. 言+孛〔音〕. '孛패'는 '非비'와 통하여 '어그러지다'의 뜻. 사리(事理)에 어긋나 어지럽다의 뜻을 나타냄. 또, '孛패'와 같은 뜻으로, 세찬 기세로 일어나는 모양도 나타냄.

[誖亂 패란] 마음이 산란함. 또, 마음을 산란케 함.
◉驕誖. 師誖.

7 ⑭ [誘] [高人] 유 [上]有 與久切 yòu 诱

[筆順] 亠 亖 言 言一 言千 訁禾 訁秀 誘

[字解] ①꾐 유 ㉠유혹함. '以女樂一之'《淮南子》. ㉡유인함. 꾀어냄. '一致'. '一拐'. '其將愚而信人, 可詐而一'《吳子》. ㉢불러냄. 데리고 나옴. '有女懷春, 吉士一之'《詩經》. ㉣마음을 움직임. 감동시킴. '好憎成形, 而知一於外'《淮南子》. ㉤이끎. 안내함. 인도함. '一導'. '天一其衷'《孔子家語》. ②달랠 유, 권할 유 옳은 말로 잘 이끎. '勸一'. '一民孔易'《禮記》. ③가르칠 유 교육하여 지도함. '訓一'. '循循然善一人'《論語》. ④꾐 유 '去夫外一之私'《中庸章句》. ⑤속일 유 '彼一其名'《荀子》.

[字源] 篆文 別體 別體 古文 形聲. 篆文은 본디 '羑'으로 썼는데 羊+厶+久〔音〕. '羊양'은 일반의 양의 뜻. '厶사'는 작게 둘러싸다의 뜻. '久구'는 긴 시간이 지나다의 뜻. 양을 장시간에 걸쳐 둘러싸다의 뜻에서, 사람이나 동물을 시간을 들이며 어떤 장소·상태로 유도(誘導)하다의 뜻을 나타냄. 別體인 '誘유'는 會意로 言+秀. '秀수'는 '빼어나다'의 뜻. 사람에게 말을 걸어서 빼어나도록 시키다의 뜻을 나타냄.

[誘拐 유괴] 꾀어냄.
[誘敎 유교] 달래어 가르침.
[誘勸 유권] 권유함. 달램.
[誘騎 유기] 적(敵)을 꾀어내는 기병(騎兵).
[誘道 유도] 유도(誘導).
[誘導 유도] 인도(引導)함.
[誘慕 유모] 다른 사물에 마음이 끌림.
[誘發 유발] 어떤 일이 일어나고, 그것으로 인해 다른 일이 일어남.
[誘兵 유병] 패하여 달아나는 체하며 적을 꾀어내는 군사.
[誘殺 유살] 꾀어내어 죽임.
[誘說 유설·유세] 감언이설(甘言利說)로 꾐.
[誘掖 유액] 유익(誘益).
[誘益 유익] 인도(引導)하여 도와줌.
[誘引 유인] 남을 꾀어냄. 꾀어서 끌어들임.
[誘因 유인] 어떤 일을 일으키는 계기나 원인이 되는 것.
[誘衷 유충] 마음을 인도하여 착한 일을 하도록 가르침.
[誘致 유치] ㉠꾀어냄. ㉡시설이나 행사 따위를 끌어들임.
[誘惑 유혹] 남을 꾀어서 정신(精神)을 현혹(眩惑)하게 함. 남을 그릇된 길로 꾐.
[誘誨 유회] 가르쳐 이끎. 유교(誘敎).
◉開誘. 誑誘. 勸誘. 導誘. 善誘. 掖誘. 外誘. 慰誘. 招誘. 化誘. 誨誘.

7 ⑭ [誙] 경 [平]庚 口莖切 kēng

[字解] 죽음으로다다를 경 '一一然'은 자기도 모르게 죽음으로 다다르는 모양. '一一然如將不得已'《莊子》.

[字源] 形聲. 言+巠〔音〕.

[誙誙然 경경연] 자기도 모르게 죽음으로 다다르는 모양.

7 ⑭ [誝] 녈 [入]屑 乃結切 niè

[字解] ①성낼 녈 성냄. 노함. '一, 博雅, 怒也'《集韻》. ②꾸짖을 녈 꾸짖음. 나무람.

7 ⑭ [誝] 誝(前條)의 訛字

7 ⑭ [誚] 초 [去]嘯 才笑切 qiào 诮

[字解] 꾸짖을 초 譙(言部 十二畫)의 古字. '王亦未敢一公'《書經》.

[字源] 譙의 古文 形聲. 言+肖〔音〕. '肖초'는 '깎다'의 뜻. 몸을 깎는 듯한 말, '꾸짖다'의 뜻을 나타냄.

[誚讓 초양] 꾸짖어 나무람.
[誚責 초책] 꾸짖음. 책망함.
◉譏誚. 謗誚. 讓誚. 詆誚. 嘲誚. 責誚.

7 ⑭ [語] [中人] 어 [上]語 魚巨切 yǔ / [去]御 牛倨切 yù 语

[筆順] 亠 亖 言 言一 訁丅 語 語 語

[字解] ①말할 어 ㉠말함. 이야기함. 설(說)함. '笑一'. '耳一'. '三年之喪, 言而不一'《禮記》. '故君子一大'《禮記》. '樂年反而一功'《戰國策》. ㉡남과 의론을 함. 논쟁함. 논란함. '食不一, 寢不言'《論語》. ㉢의사를 발표함. '或默或一'《易經》. ②말 어 ㉠언어. '飛一'. '欲其子之

齊一也'《孟子》. ㉡어구. 성구(成句). '古一'. '諺一'. '一佳一'《陸游》. ㉢속담(俗談). '俚一'. '一曰脣亡則齒寒'《穀梁傳》. ③소리 어 새·벌레 등의 우는 소리. '鶯燕一'. '關關鶯一花底滑'《白居易》. ④깨달을 어 悟(心部 七畫)와 통용. '甚矣子之難一也'《莊子》. ⑤알릴 어 ㉠고함. '居吾一汝'《論語》. ㉡가르침. '主亦有以一肥也'《國語》.

字源 金文 篆文 形聲. 言+吾〔音〕. '吾오'는 '互호'와 통하여, 번갈아 하다의 뜻. 번갈아 발언(發言)하다, 이야기하다의 뜻을 나타냄.

[語幹 어간] 어미(語尾)가 변화(變化)하는 낱말의 변하지 아니하는 부분.
[語感 어감] 어음(語音)에 대(對)한 느낌과 맛.
[語格 어격] 말하는 법식의 맞고 안 맞음.
[語系 어계] 말의 계통.
[語句 어구] 말의 구절(句節).
[語根 어근] 어간(語幹).
[語氣 어기] ㉠말하는 투. 말씨. ㉡어세(語勢).
[語訥 어눌] 말을 떠듬거림.
[語多品小 어다품소] 말 많은 사람은 품위(品位)가 없음.
[語頭 어두] 말의 최초의 부분.
[語鈍 어둔] 말이 둔함.
[語錄 어록] 명유(名儒) 또는 고승(高僧)의 말을 적어 모은 책.
[語林 어림] 말의 모음. 어구(語句)가 많이 모여 있는 것.
[語脈 어맥] 말과 말의 유기적인 관련.
[語孟 어맹] 논어(論語)와 맹자(孟子).
[語默 어묵] 말하는 일과 침묵하는 일.
[語文 어문] ㉠말과 문자. ㉡말과 문학.
[語尾 어미] ㉠말의 끝. ㉡설명어(說明語)의 어간(語幹)에 붙어 변화(變化)하는 부분.
[語法 어법] 언어의 조직에 관한 법칙. 문법(文法).
[語病 어병] 어폐(語弊)❶.
[語不成說 어불성설] 말이 사리(事理)에 맞지 아니함.
[語詞 어사] ㉠말. ㉡술어(述語).
[語辭 어사] 말.
[語澁 어삽] 말이 잘 나오지 아니함.
[語塞 어색] 말이 막힘.
[語序 어서] 말을 늘어놓는 순서. 어순(語順).
[語釋 어석] 언어(言語)의 해석. 말의 뜻풀이.
[語聲 어성] 말하는 소리.
[語勢 어세] 말의 고저와 억양.
[語笑 어소] 서로 이야기하며 웃음.
[語言 어언] 말. 언어.
[語原 어원] 어원(語源).
[語源 어원] 낱말이 생겨난 역사적 근원.
[語音 어음] 말하는 소리.
[語意 어의] 말의 뜻.
[語典 어전] ㉠자전(字典). ㉡사전(辭典).
[語調 어조] 말의 가락.
[語助辭 어조사] 한문(漢文)의 토. 곧, 의(矣)·언(焉)·야(也) 따위.
[語族 어족] 한 계통의 말을 하나로 묶어서 하는 말. 우랄알타이 어족 따위.
[語次 어차] 이야기하던 김. 이야기하던 차.
[語趣 어취] 말의 취지(趣旨).
[語套 어투] 말버릇.
[語弊 어폐] ㉠말의 폐단(弊端). 말의 결점(缺點). ㉡남의 오해(誤解)를 받기 쉬운 말씨.
[語學 어학] ㉠말의 발달(發達)·변화(變化)·성질(性質) 및 용법(用法)을 연구하는 학문. 언어학(言語學). ㉡외국 말을 배우는 일.
[語彙 어휘] ㉠일정한 언어 체계 속에서 쓰이는 말의 총체. 또, 그것을 유별(類別)하여 모은 것. ㉡특정한 개인, 또는 부문에서 사용하는 낱말의 총체. 또, 그것을 모은 것.
◉街談巷語. 客語. 結語. 敬語. 季語. 古語. 空語. 款語. 口語. 國語. 禽語. 綺語. 大言壯語. 獨語. 妄語. 面語. 目語. 文語. 密語. 反語. 跋語. 梵語. 佛語. 飛語. 鄙語. 死語. 沙中偶語. 常套語. 成語. 世界語. 笑語. 俗語. 手語. 熟語. 述語. 術語. 詩語. 失語. 雅語. 言語. 譯語. 緣語. 英語. 囈語. 外國語. 外來語. 偶語. 原語. 危語. 流語. 類語. 隱語. 耳語. 俚語. 一轉語. 壯語. 底語. 傳語. 齊東野人語. 鳥語. 造語. 主語. 疊語. 勅語. 土語. 標語. 標準語. 閒語. 漢語. 巷語. 解語. 好語. 豪語. 歡語.

7 ⑭ [誠] 中人 성 ㊥庚 是征切 chéng 诚

筆順 亠 亖 言 訁 訂 訴 誠 誠

字解 ①정성 성 적심(赤心). 진심. '開心見一'《後漢書》. ②참 성 ㉠언어·행위에 거짓이 없음. '以嫗爲不一'《史記》. ㉡공평무사하고 순일(純一)함. '一者天之道也'《中庸》. ③참되게할 성 공평무사하고 순일하게 함. '一之者, 人之道也'《中庸》. ④참으로 성 ㉠진실로. '子一齊人也'《孟子》. ㉡만일. 과연. '今王一聽之, 彼必以國事楚王'《戰國策》. ⑤상세히 성 자세히. '繩墨一陳'《禮記》.

字源 篆文 形聲. 言+成〔音〕. '成성'은 완성되어 안정감(安定感)이 있다의 뜻. 안정감이 있는 말, '진심'의 뜻을 나타냄.

[誠慤 성각] 정성. 성의.
[誠敬 성경] ㉠정성껏 공경함. ㉡주자학(朱子學)에서 존성(存誠)과 거경(居敬).
[誠恐 성공] 참으로 황송함.
[誠款 성관] 정성. 성심.
[誠勤 성근] 성실(誠實)하고 부지런함.
[誠金 성금] 정성(精誠)으로 낸 돈.
[誠道 성도] 참의 도(道).
[誠烈 성렬] 성실하며 절개(節槪)가 곧고 굳음.
[誠服 성복] 진심으로 따름.
[誠素 성소] 성실하고 가식(假飾)이 없음.
[誠信 성신] 정성. 성심.
[誠實 성실] ㉠성의가 있고 착실함. ㉡진실로. 참으로.
[誠心 성심] ㉠참된 마음. 정성(精誠)스러운 마음. ㉡마음을 성실하게 함.
[誠意 성의] 성심(誠心).
[誠意伯文集 성의백문집] 명(明)나라 유기(劉基)의 시문집(詩文集). 모두 20권(卷). 그의 시(詩)는 침착 돈탕(沈着頓宕)하여 고계(高啓)에 버금가며, 문(文)은 송렴(宋濂)에 다음감. 성의백(誠意伯)은 봉호(封號).
[誠壹 성일] 성실하고 순일(純一)함.
[誠齋易傳 성재역전] 송(宋)나라의 양만리(楊萬

里)가 지은 책으로 모두 20권(卷). 정씨(程氏)의 설(說)에 의하여 본전(本傳)을 고증(考證)했음.
[誠齋集 성재집] 송(宋)나라 양만리(楊萬里)의 시문집(詩文集). 모두 133권(卷). 그의 아들 양장유(楊長孺)가 편수한 것으로 역사(歷史) 연구에 귀중한 소재가 풍부함.
[誠切 성절] 성의가 있고 친절함.
[誠情 성정] 참된 마음. 진정(眞情).
[誠中形外 성중형외] 심중에 생각하고 있는 것은, 비록 숨기려고 하여도 겉으로 나타나는 법임.
[誠直 성직] 성실하고 정직함.
[誠忠 성충] 성심에서 우러나오는 충성.
[誠惶誠恐 성황성공] 대단히 황송함. 신하가 천자에게 하는 상서(上書)에 쓰는 말.
◉懇誠. 虔誠. 潔誠. 款誠. 巧詐不若拙誠. 丹誠. 篤誠. 純誠. 熱誠. 允誠. 赤誠. 積誠. 精誠. 存誠. 拙誠. 至誠. 眞誠. 寸誠. 忠誠. 衷誠. 表誠.

7 ⑭ [誡] 人名 계 去卦 古拜切 jiè 诫

筆順 ⺀ 言 言 言一 言二 訁戒 誡 誡

字解 ①경계할 계 ㉠조심하고 삼감. '必不一'《左傳》. ㉡조심하도록 훈계함. '訓一'. '邑人不一'《易經》. '小懲而大一, 此小人之福也'《易經》. ②경계 계 훈계. '發一布令而敵退'《荀子》. ③명(命)할 계 명령함. '一, 命也'《玉篇》.
字源 篆文 形聲. 言+戒〔音〕. '戒계'는 '경계하다, 훈계하다'의 뜻. 말로 훈계하다의 뜻을 나타냄.

[誡厲 계려] 경계하고 격려함.
[誡勉 계면] 경계하고 격려함.
[誡罰 계벌] 경계하여 처벌함.
[誡嚴 계엄] 적(敵)의 공격에 대비하여, 엄하게 경계함. 계엄(戒嚴).
[誡飭 계칙] 경계함. 계칙(戒飭).
[誡誨 계회] 경계하고 가르침.
◉家誡. 敎誡. 軍誡. 勸誡. 聖誡. 嚴誡. 女誡. 立誡. 箴誡. 勅誡. 訓誡.

7 ⑭ [誣] 무 平虞 武夫切 wū 诬

字解 ①꾸밀 무 ㉠없는 것을 있는 것처럼 말하거나 있는 것을 없는 것처럼 말함. 유무를 전도하여 사실을 왜곡함. '一告'. '一善之人'《易經》. 죄 없는 사람을 죄가 있는 것처럼 꾸밈. '其刑矯一'《國語》. ㉡악(惡)을 선(善)으로 가장함. '且夫欒氏一晉國也久矣'《國語》. ②속일 무 기만함. '一欺'. '是邪說一民'《孟子》. ③더럽힐 무 더럽게 함. '不能而居之一也'《荀子》. ④강제할 무 남의 의사를 누르고 억지로 시킴. '欲他人己從, 一人也'《張載》. ⑤아첨할 무 '一, 諂與也'《揚子方言》.
字源 篆文 形聲. 言+巫〔音〕. '巫무'는 '莫막'과 통하여, 덮어 가리다의 뜻. 말로 진실(眞實)을 덮어 가리다, 무고(誣告)하다, 조작하다, 강제하다의 뜻을 나타냄.

[誣告 무고] 없는 일을 꾸며 대어 일러바치거나 고소함.
[誣構 무구] 죄 없는 자를 죄가 있는 것처럼 꾸밈.
[誣欺 무기] 속임.
[誣妄 무망] 무망(誣罔).
[誣罔 무망] 속임. 기망(欺罔).
[誣謗 무방] 없는 일을 꾸며 비방함.
[誣報 무보] 거짓의 보고(報告).
[誣服 무복] 강제를 당하여 없는 죄를 있다고 자복(自服)하고 형벌을 받음.
[誣殺 무살] 죄 없는 사람에게 죄를 씌워 죽임.
[誣說 무설] 무근지설. 거짓 풍문.
[誣訴 무소] 없는 일을 꾸며 고소(告訴)함.
[誣言 무언] 없는 일을 꾸며서 남을 해치는 말.
[誣染 무염] 무오(誣汚).
[誣汚 무오] 속여 더럽힘. 억지로 더럽힘.
[誣枉 무왕] 남을 억지로 죄에 빠뜨림.
[誣淫 무음] 거짓이 많고 음란(淫亂)함.
[誣引 무인] 죄 없는 자를 죄가 있다고 끌어들임.
[誣罪 무죄] 죄 없는 자에게 억지로 죄를 씌움.
[誣陷 무함] 죄 없는 자를 모함함.
◉矯誣. 欺誣. 詆誣. 讒誣. 虛誣.

7 ⑭ [誤] 中人 오 去遇 五故切 wù 误

筆順 ⺀ 言 言 言口 訁呉 誤 誤 誤

字解 ①그릇할 오, 잘못할 오 ㉠잘못을 저지름. '過一'. '君何言之一'《漢書》. '使者聘而一, 主君弗親饗食也'《禮記》. ㉡잘못되게 함. 속임. '是特姦人之一於亂說, 以欺愚者'《荀子》. ②그릇 오, 잘못 오 과오. '一謬'. '曲有一'《吳志》. '再尋畏迷一'《王維》. ③의혹할 오, 의혹게할 오 悞(心部 七畫)와 통용. '一天下蒼生者'《十八史略》.
字源 篆文 形聲. 言+吳〔音〕. '吳오'는 '華화'와 통하여 '화려하다'의 뜻. 말을 화려하게 하여 사람을 미혹(迷惑)시키다의 뜻에서, '잘못하다, 그르치다, 틀리다'의 뜻을 나타냄.

[誤計 오계] 잘못된 계획. 잘못된 꾀.
[誤記 오기] 잘못 씀. 틀리게 씀. 또, 그것.
[誤蹈 오도] 잘못 행함.
[誤錄 오록] 잘못 기록(記錄)함.
[誤謬 오류] 잘못. 틀림. 과오. 착오(錯誤).
[誤聞 오문] 잘못 들음.
[誤犯 오범] 잘못하여 죄를 저지름. 또, 그 죄. 과실범(過失犯).
[誤報 오보] 사실을 잘못 알림. 또, 그릇된 보도(報道).
[誤死 오사] 비명(非命)에 죽음.
[誤寫 오사] 잘못 베낌.
[誤算 오산] 잘못 계산(計算)함.
[誤殺 오살] 잘못하여 사람을 죽임.
[誤書 오서] 잘못 씀.
[誤植 오식] 활판에 활자(活字)를 잘못 꽂음. 또, 식자(植字)의 잘못.
[誤信 오신] 그릇 믿음.
[誤譯 오역] 잘못 번역(飜譯)함.
[誤用 오용] 잘못 씀.
[誤認 오인] 잘못 봄. 잘못 앎.
[誤入 오입] 노는계집과 상종(相從)함.
[誤字 오자] 잘못 쓴 글자.
[誤字落書 오자낙서] 글씨를 잘못 씀과 빠뜨리고 씀.
[誤傳 오전] 사실(事實)과 틀리게 잘못 전(轉)함.

오보(誤報). 와전(訛傳).
[誤診 오진] 잘못 진단함.
[誤差 오차] ㉠착오. ㉡일정한 분량을 보이는 참값과 근삿값과의 차이.
[誤錯 오착] 착오(錯誤).
[誤脫 오탈] 글자를 잘못 베끼거나 빠뜨림. 오자낙서(誤字落書). 「앎.
[誤解 오해] ㉠그릇 해석(解釋)함. ㉡뜻을 잘못
[誤惑 오혹] 미혹(迷惑)시킴. 또, 미혹함.
◉刊誤. 過誤. 闕誤. 魯魚之誤. 辨誤. 訛誤. 謬誤. 正誤. 錯誤. 舛誤. 脫誤.

7 ⑭ [誤] 誤(前條)와 同字

7 ⑭ [誤] 誤(前前條)의 俗字

7 ⑭ [誥] [人名] 고 ㊀號 古到切 gào 诰

[字解] ①고할 고 위에서 아래에 고시하거나 유시함. '一示'. '后以施命一四方'《易經》. 또, 그 말이나 문서. 서경(書經) 중의 '大一'·'康一' 등. ②가르침 고, 경계 고 훈계. 교령(敎令). '一誓不及五帝'《穀梁傳》. ③직첩 고, 고신 고 '一命'은 명청(明淸) 시대에 오품관(五品官) 이상을 임명할 때에 수여하는 사령. 직첩(職牒). 고신(告身).
[字源] 篆文 古文 形聲. 言+告〔音〕. '告고'는 '알리다'의 뜻. '言언'을 덧붙여, 위에서 아래에 알리다의 뜻을 나타냄.

[誥誡 고계] 경계하여 고함.
[誥告 고고] 알림.
[誥命 고명] 자해(字解) ❸을 보라.
◉論誥. 誓誥. 申誥. 雅誥. 遺誥. 典誥. 制誥. 酒誥.

7 ⑭ [誦] [高人] 송 ㊀宋 似用切 sòng 诵

[筆順] 二 亖 言 言 訁 訁 訁 誦 誦 誦

[字解] ①읽을 송 글을 읽음. '一經'. '一習之'《史記》. ②읊을 송 ㉠가락을 붙여 읽음. '一明月之詩'《蘇軾》. ㉡가락을 붙여 부름. 노래함. '春夏絃'《禮記》. 또, 읊는 글. 곧, 시가(詩歌). '家父作一'《詩經》. ③말할 송 이야기함. '進講志'《王融》. ④욀 송 보지 않고 읽음. '背一'. '諳一'. '皆一讀之'《漢書》. ⑤헐뜯을 송, 원망할 송 원망하여 비방함. '國人一之'《左傳》. ⑥송사할 송 고소(告訴)함. 訟(言部 四畫)과 통용. '公言曰訟, 告訴曰一'《正字通》.
[字源] 篆文 形聲. 言+甬〔音〕. '甬용'은 '踊용'과 통하여 '뛰어오르다'의 뜻. 말이 뛰어오르다, 읽다, 읊다의 뜻.

[誦經 송경] ㉠경서(經書)를 읽음. ㉡불경(佛經)을 읽음. 독경(讀經).
[誦讀 송독] 외어 읽음. 암송(諳誦).
[誦說 송설] 읽음과 설명함.
[誦習 송습] 읽어 익힘.
[誦言 송언] ㉠입 밖에 내어 말함. 또, 공언(公言)함. ㉡선왕(先王)의 바른말을 욈.
[誦詠 송영] 시가(詩歌)를 외며 읊조림.
[誦奏 송주] 상주문(上奏文)을 읽어 올림.
[誦絃 송현] 시를 읊거나 노래를 부르고 거문고를 탄다는 뜻으로, 교육(敎育)의 뜻으로 쓰임.
◉口誦. 謳誦. 記誦. 讀誦. 背誦. 覆誦. 暗誦. 諳誦. 念誦. 傳誦. 晝耕夜誦. 諷誦.

7 ⑭ [誨] [人名] 회 ㊀隊 荒內切 huì 诲

[筆順] 二 亖 言 言 訁 訁 誨 誨 誨

[字解] ①가르칠 회 ㉠교훈함. '訓一'. '敎一爾子'《詩經》. ㉡알려 줌. '輓父之母, 一孔子之墓'《史記》. ②가르침 회 '昔在齠齓, 便蒙一誘'《顏氏家訓》. '朝夕納一, 以輔台德'《書經》. ③보일 회 가리킴. '一, 示也'《華嚴經音義》.
[字源] 金文 篆文 形聲. 言+每〔音〕. '每매'는 '어둡다'의 뜻. 사리(事理)에 어두운 사람에게 말로 가르치다의 뜻을 나타냄.

[誨盜誨淫 회도회음] 재물(財物)의 간수를 소홀히 하면 도둑을 부르게 되고, 여자의 맵시를 요염(妖艶)하게 꾸미면 음탕(淫蕩)한 짓을 하게 된다는 뜻.
[誨授 회수] 교수(敎授)함.
[誨示 회시] 교시(敎示)함.
[誨言 회언] 가르치는 말. 훈사(訓辭).
[誨誘 회유] 가르쳐 인도함.
[誨諭 회유] 가르쳐 깨우침.
[誨育 회육] 가르쳐 기름. 교육(敎育)함.
◉誡誨. 高誨. 敎誨. 勸誨. 規誨. 善誨. 聖誨. 往誨. 慰誨. 誘誨. 仁誨. 慈誨. 提誨. 胎誨. 訓誨.

7 ⑭ [誎] 구 ㊀有 居又切 ㊥尤 渠尤切 jiù

[字解] ①금할 구 금함. 금지함. '一, 禁也'《玉篇》. ②도울 구 도움. 거듦. '一, 助也'《玉篇》.

7 ⑭ [誎] 도 ㊥虞 同都切 tú

[字解] 말분명하지않을 도 말이 분명하지 않음. '一, 詾一, 語不了'《集韻》.

7 ⑭ [說] [中人]
[一] 설 ㊇屑 失爇切 shuō
[二] 세 ㊀霽 舒芮切 shuì
[三] 열 ㊇屑 弋雪切 yuè
[四] 탈 ㊇曷 他括切 tuō
说

[筆順] 二 亖 言 言 訁 訁 訁 說 說 說

[字解] [一] ①말씀 설, 말 설 언론 또는 의견. '異一'. '邪一'. '學百家之一'《史記》. ②말할 설 ㉠밝히어 말함. 해석함. '一明'. '解一'. '博學而詳一之'《孟子》. ㉡서술함. 진술함. '演一'. '通習能一'《漢書》. ㉢알림. 고함. '使人一于子胥'《國語》. ㉣타이름. 깨우침. '一諭'. '女之耽兮, 不可一兮'《詩經》. ㉤이야기함. 담화를 함. '談一'. '口吃不能道一'《史記》. ③문체이름 설 한문의 한 체(體). 사물에 대한 의견을 진술한 것. '師一'. '愛蓮一'. '一之名, 起於一卦'《文體明辯》. [二] ①달랠 세 남에게 귀에 솔깃하도록 말하여 자기 의견에 따르게 함. '游一'. '誘一'. '一大人則藐之'《孟子》. ②머무를 세 정지함. '一

駕'. '召伯所—'《詩經》. [三] ①기뻐할 열 悅(心部 七畫)과 통용. '一喜'. '民莫不—'《中庸》. '不亦—乎'《論語》. '女爲—己者容'《史記》. ②셈 열 동렬(同列)의 수(數). '與子成—'《詩經》. ③성 열 성(姓)의 하나. [四] ①벗을 탈 脫(肉部 七畫)과 통용. '用—桎梏'《易經》. ②놓아줄 탈 사면함. '女覆—之'《詩經》.

[字源] 篆文 形聲. 言+兌〔音〕. '兌태'는 맺혀져 있던 것이 풀리다의 뜻을 나타냄. 말로 풀다의 뜻을 나타냄.

[說經 설경] ㉠경서(經書)를 설명함. ㉡불경(佛經)을 설명함.
[說卦 설괘] 주역(周易)의 편명(篇名). 십익(十翼)의 하나로서, 팔괘(八卦)의 덕업 변화(德業變化) 및 법상(法象)을 설(說)한 것.
[說教 설교] 종교(宗教)의 교의(教義)를 설명(說明)함.
[說道 설도] ㉠말하는 바로는. 듣는 바로는. ㉡《佛教》바른길을 설(說)함.
[說得 설득] 잘 설명하여 납득시킴.
[說鈴 설령] 방울 소리처럼 작은 소리. 대도(大道)에 부합(符合)하지 않는 소리란 뜻으로, 소설(小說)을 이름.
[說論 설론] ㉠설명하여 논(論)함. ㉡전국 시대(戰國時代)에, 제후(諸侯)를 찾아 자기의 학설·의견을 설명하고 다닌 유세객(遊說客)의 학설·의견.
[說明 설명] 해설하여 밝힘. 또, 그 말.
[說明學 설명학] 현상(現象)을 설명하는 학문. 물리학·화학·동식물학 등의 과학 따위. 규범학(規範學)의 대(對).
[說夢 설몽] 꿈 이야기를 함. 전(轉)하여, 언어(言語)가 분명치 않음의 비유.
[說文解字 설문해자] 후한(後漢)의 허신(許愼)이 지은 자해서(字解書). 모두 30권(卷). 소전(小篆) 9,353자와 고문(古文)·주문(籀文) 등 1,163자를 540부(部)로 분류하여 육서(六書)의 의의(意義)를 추구하였음. 뒤에 청(淸)나라의 단옥재(段玉裁)가 주석(註釋)한 〈설문해자주(說文解字注)〉가 유명함. 설문(說文).
[說法 설법] 불법(佛法)을 설명함.
[說伏 설복] 설파(說破)하여 복종시킴.
[說郛 설부] ㉠중설(衆說)을 집성(集成)한 것. ㉡총서(叢書). 명(明)나라 도종의(陶宗儀)의 편찬. 모두 100권. 뒤에 욱문박(郁文博)과 청(淸)나라의 도정(陶珽)이 증보(增補)하였음.
[說書 설서] ㉠책을 강의함. ㉡송대(宋代)의 벼슬 이름. 경서(經書)를 임금에게 진강(進講)함을 맡음. ㉢진강(進講)한 말을 적은 문서.
[說述 설술] 의견 따위를 설명함.
[說往說來 설왕설래] 서로 번갈아 변론함.
[說苑 설원] 한(漢)의 유향(劉向)이 지은 책 이름. 군도(君道)·신술(臣術)을 20편(篇)으로 분류(分類)하여 명인(名人)들의 일화(逸話)를 열거한 책. 모두 20권.
[說諭 설유] 가르쳐 깨우침. 말로 타이름.
[說破 설파] ㉠내용을 밝혀 말함. ㉡상대자의 이론(理論)을 깨뜨림.
[說話 설화] 이야기.
[說駕 세가] 어가(御駕)가 머무름.
[說客 세객] 유세(遊說)하러 다니는 사람.
[說難 세난] 한비자(韓非子)의 편명(篇名). 유세(游說)는 어려우므로, 먼저 제후(諸侯)의 뜻을 알고서 달램을 비결(祕訣)로 삼아야 한다는 요지를 적은 글. 한비자 중의 명문(名文)에 듦.
[說大人則藐之 세대인즉묘지] 존귀한 사람 앞에서 자기의 의견을 말할 때 그의 권위에 눌리지 아니하기 위하여 그를 경시(輕視)함.
[說樂 열락] 기뻐하고 즐거워함.
[說服 열복] ㉠기꺼이 따름. ㉡설복(說伏).
[說諭 열유] ㉠기뻐하고 즐김. ㉡설유(說諭).
[說懷 열회] 기뻐하여 따름. 열복(悅服)함.
[說喜 열희] 기뻐함.
◉諫說. 講說. 概說. 經說. 古說. 高說. 曲說. 怪說. 口說. 舊說. 論說. 談說. 道說. 道聽塗說. 妄說. 聞說. 辯說. 浮說. 邪說. 社說. 師說. 辭說. 序說. 細說. 小說. 騷說. 俗說. 言說. 力說. 演說. 筵說. 郢書燕說. 遊說. 誘說. 繆說. 異說. 一字不說. 雜說. 長短說. 前說. 傳說. 從橫說. 重說. 衆說. 珍說. 陳說. 讒說. 總說. 叢說. 通說. 評說. 學說. 巷說. 解說. 虛說. 話說. 橫說. 豎說. 訓說.

7 ⑭ [説] 說(前條)과 同字

7 ⑭ [誐] 아 ①②[平]歌 五何切 é ③[上]哿 語可切 ě

[字解] ①좋을 아 아름답고 훌륭함. '—以溢我'《詩經》. ②좋은말 아 아름답고 훌륭한 말. '—, 嘉言也'《字彙》. ③흥얼거릴 아 읊조림. 哦(口部 七畫)와 同字. '—, 吟也'《集韻》.

[字源] 篆文 形聲. 言+我〔音〕

7 ⑭ [諀] 비 [平]支 篇夷切 pī

[字解] 그르칠 비 잘못함. 紕(糸部 四畫)와 통용. '—, 誤也'《廣雅》.

7 ⑭ [誧] 보 [平]虞 博孤切 bū 普胡切

[字解] ①클 보 큰소리를 침. '—, 大言也'《玉篇》. ②간(諫)할 보 '—, 諫也'《廣雅》. ③도울 보 서로 도움. 상부상조함. '—, 人相助也'《集韻》. ④꾀할 보 '—, 謀也'《集韻》.

[字源] 篆文 形聲. 言+甫〔音〕. '甫보'는 '넓어지다, 크다'의 뜻. 과장된 말의 뜻을 나타냄.

7 ⑭ [詉] 노 [平]豪 奴刀切 náo

[字解] ①수수께끼 노 수수께끼. '—, 謎也'《玉篇》. ②기뻐할 노 기뻐함. '—, 喜也'《玉篇》.

7 ⑭ [詐] [一] 자 [去]禡 鋤駕切 zhà [二] 작 [入]藥 疾各切

[字解] [一] 부끄러워말할 자 '—, 慙語也'《說文》. [二] 부끄러워말할 작 [一]과 뜻이 같음.

[字源] 篆文 形聲. 言+作〔音〕. '作작'은 '怍작'과 통하여 '부끄러워하다'의 뜻. 부끄러워하며 이야기하다의 뜻을 나타냄.

7 ⑭ [𧦝] 독 [入]屋 他谷切 tū

[字解] 교사(巧詐)할 독. 속일 독 '詆一'은 교묘하게 남을 속임. 또, 서로 속임. '詆一, 狡猾也, 一曰, 相欺詆'《集韻》.

7 ⑭ [誏] 〔흔·간·현〕
誏(言部 六畫〈p.2124〉)의 本字

7 ⑭ [詖] 〔의〕
誼(言部 八畫〈p.2133〉)의 本字

7 ⑭ [読] 〔독〕
讀(言部 十五畫〈p.2162〉)의 俗字

7 ⑭ [誸] 〔혁〕
鬩(鬥部 八畫〈p.2630〉)과 同字

7 ⑭ [誩] 〔교〕
敎(攴部 七畫〈p.931〉)의 古字

7 ⑭ [誓] [高人] 서 [去]霽 時制切 shì

[筆順] 扌 扌 扌 折 折 折 誓 誓

[字解] ①맹세 서 약속. '一文'. '約信曰一'《禮記》. ②맹세할 서 '信一旦旦'《詩經》. '一天不相負'《古詩》. ③경계 서 훈계. '泰一'. ④경계할 서 ㉠삼가 조심함. '曲藝皆一之'《禮記》. ㉡조심하도록 주의를 줌. '禹乃會羣后, 一于師'《書經》. ⑤알릴 서 고(告)함. '司射西面一之'《儀禮》. ⑥맹세코 서 틀림없이. 반드시. '一不相隔卿'《古詩》.

[字源] 金文 篆文 形聲. 言+折(斷)〔音〕. '斷절'은 '哲철'과 통하여 '분명함'의 뜻. 신(神)이나 사람에게 분명히 한 말, 언약(言約)의 뜻을 나타냄.

[誓告 서고] 맹세하여 고함.
[誓誥 서고] 서명(誓命). 서경(書經)의 태서(泰誓)·주고(酒誥) 따위.
[誓券 서권] 서약서(誓約書).
[誓盟 서맹] 서약(誓約). 맹서(盟誓).
[誓命 서명] 임금의 신하에 대한 맹세.
[誓墓 서묘] ㉠부모의 묘 앞에서 맹세하는 일. ㉡벼슬을 그만두고 고향에 은거(隱居)함.
[誓文 서문] 맹세하는 글.
[誓師 서사] 출정(出征)하는 장병들을 모아 놓고 훈계하여 설유(說諭)하는 일.
[誓詞 서사] 맹세하는 말. 서언(誓言).
[誓書 서서] 서약서(誓約書).
[誓約 서약] 맹세함. 약속함.
[誓約書 서약서] 서약하는 글.
[誓言 서언] 맹세함. 또, 그 말.
[誓要 서요] 맹세하여 약속함.
[誓願 서원] 신불(神佛)에게 맹세하고 기원함.
◉擧楫之誓. 起誓. 盟誓. 牧誓. 默誓. 宣誓. 信誓. 約誓. 澶淵之誓. 泰誓. 弘誓.

8 ⑮ [誰] [中人] 수 [平]支 視佳切 shuí, shéi 谁

[筆順] 二 三 言 訁 計 誰 誰 誰

[字解] ①누구 수 어떤 사람. '吾不知一之子'《老子》. '夫執輿者爲一'《論語》. ②물을 수 '漢帝宜一差天下, 求索賢人'《漢書》. ③예 수, 접때 수 이전(以前). 일설(一說)에는, 발어(發語)의 조사(助辭)라 함. 疇(田部 十四畫)와 뜻이 같음. '一昔然矣'《詩經》. ④성 수 성(姓)의 하나.

[字源] 篆文 形聲. 言+隹〔音〕. '隹추'는 누구냐고 물을 때의 목소리의 뜻. 누구냐고 문다의 뜻을 나타냄.

[誰某 수모] 아무개.
[誰昔 수석] 옛날. 그 옛날.
[誰哉 수재] 누구냐고 힐문(詰問)하는 말.
[誰知烏之雌雄 수지오지자웅] 까마귀의 자웅(雌雄)은 서로 비슷하여 아무도 알 수 없다는 뜻으로, 시비(是非)·선악(善惡)을 구별할 수 없음을 이름.
[誰差 수차] 물어 택함. 물어 골라 뽑음.
[誰何 수하] ㉠누구. 아무개. ㉡누구냐고 힐문(詰問)하는 말.
◉不知誰. 始誰. 阿誰. 何誰.

8 ⑮ [課] [中人] 과 [去]箇 苦臥切 kè 课

[筆順] 二 三 言 訁 訂 訶 課 課

[字解] ①시험할 과 증험해 봄. '試一'. '何不一而行之'《楚辭》. ②살필 과 조사함. '一校人畜計'《史記》. ③매길 과 ㉠할당함. '一稅'. '房奏考功一吏法'《漢書》. ㉡등수를 정함. '論一殿最'《後漢書》. ④차례 과 성적의 등급. '常綢繆於結一'《孔稚珪》. ⑤몫 과 세금 또는 업무 등의 할당. '徵一'. '學一'. ⑥일 과 일상의 일. '日一'. '藁史殘一'《唐書》. ⑦부서 과 사무 분담의 한 단위. 국(局)의 아래. '初等教育一'.

[字源] 篆文 形聲. 言+果〔音〕. '果과'는 '科과'와 통하여 '구분하다'의 뜻. 계획적으로 일을 구분하고 할당하여, 그 결과를 평가하다의 뜻을 나타냄.

[課工 과공] 일과(日課)로 하는 공부.
[課校 과교] 조사함.
[課斂 과렴] 세를 할당하여 거둠.
[課利 과리] 세금(稅金). 과전(課錢).
[課稅 과세] 세금을 매김. 또, 그 세금.
[課試 과시] 어떤 일을 맡겨 시험해 봄. 또, 시험.
[課業 과업] 맡긴 업무. 「킴.
[課役 과역] ㉠세금과 부역. ㉡일을 할당하여 시
[課長 과장] 관청·은행·회사 등의 안에 있는 그 과(課)의 우두머리.
[課績 과적] 할당한 직무(職務)의 성적.
[課錢 과전] 세금. 과은(課銀). 과리(課利).
[課切 과절] 할당하여 엄하게 재촉함.
[課程 과정] ㉠할당한 일의 분량. ㉡물품에 과한 세금. ㉢학년(學年)의 정도에 딸린 과목(課目).
[課題 과제] 풀거나 해결해야 할 문제나 임무.
[課調 과조] 도조(賭租)의 할당.
◉考課. 功課. 局課. 勸課. 論課. 夫課. 賦課. 祕課. 詩課. 日課. 精課. 租課. 學課.

8 ⑮ [詘] 굴 [入]物 曲勿切 qū

[字解] ①굽을 굴, 굽힐 굴 屈(尸部 五畫)과 同字. '一寸而伸尺, 聖人爲之'《淮南子》. ②괴이할 굴 괴상함. '一詭之殊事'《左思》.

[字源] 詘의 別體 形聲. 言+屈〔音〕. '屈굴'은 '굽히다'의 뜻.

[詘詭 굴궤] 괴이함.
[詘伸 굴신] 굽힘과 폄. 굴신(屈伸).

8
⑮ [誼] [人名] 의 [去]寘 宜寄切 yì 谊

[筆順] 二 言 言 言' 訁 訁 諠 誼

[字解] ①옳을 의 義(羊部 七畫)와 통용. '仁一'. '一士'. '摩民以一'《漢書》. ②의논할 의 議(言部 十三畫)와 통용. '論一考問'《漢書》. ③의 의 정의(情誼). 정분. '反一'. '交一'.
[字源] 篆文 形聲. 言+宜(宐)〔音〕. '宐의'는 '옳다'의 뜻. 사람에 의하여 옳다고 단언될 수 있는 옳은 길의 뜻.
[參考] 谊(言部 七畫)는 本字.

[誼士 의사] 의사(義士).
[誼主 의주] 예의를 아는 임금.
◉古誼. 高誼. 交誼. 古誼. 舊誼. 大誼. 道誼. 禮誼. 友誼. 恩誼. 仁誼. 正誼. 情誼. 行誼. 厚誼.

8
⑮ [誶] [一] 수 [去]寘 雖遂切 suì 谇
[二] 쇄 [去]隊 蘇内切 suì
[三] 신 [去]震 須閏切 xùn

[字解] [一] ①꾸짖을 수 힐책함. 욕함. '吳王還自伐齊, 一申胥'《國語》. ②간할 수 웃어른이나 임금에게 잘못을 고치도록 충고함. '謇朝一而夕替'《楚辭》. [二] ①고할 쇄 알림. 고지함. ②풍류 끝가락 쇄 노래의 끝에 난(亂) 곧, 졸장(卒章)을 부언(附言)함. 또, 그 말. ③말더듬을 쇄 '一, 訥澁辯給之貌'《釋文》. [三] 물을 신 訊(言部 三畫)과 同字. '虞人逐而一之'《莊子》.
[字源] 篆文 形聲. 言+卒〔音〕. '卒졸'은 '다 되다, 진(盡)하다'의 뜻. 말이 다할 때까지 매도하다의 뜻을 나타냄.

[誶罵 수매] 욕설을 하여 꾸짖음.
[誶語 수어] 꾸짖음.
◉凌誶. 忿誶.

8
⑮ [諌] 동 [上]董 多東切 dǒng

[字解] 말많을 동 말이 많음. 수다스러움. '一, 多言'《字彙》.
[參考] 諫(言部 九畫〈p. 2141〉)은 別字.

8
⑮ [誷] 망 [上]養 文兩切 wǎng

[字解] 속일 망 罔(网部 三畫)과 同字. '朋黨則誣一'《晉書》.
[字源] 形聲. 言+罔〔音〕. '罔망'은 그물로 잡다의 뜻. 사실을 굽혀서 말로 사람을 잡다, 속이다의 뜻을 나타냄.

◉誣誷.

8
⑮ [誹] [人名] 비 [上]尾 妃尾切 fěi 诽
[平]微 甫微切

[字解] 헐뜯을 비 헐어 말함. 비방함. 또, 비방. '一謗者族'《史記》.
[字源] 篆文 形聲. 言+非〔音〕. '非비'는 등을 돌리다의 뜻. '사람이 서로 등지다, 헐뜯다'의 뜻을 나타냄.

[誹謗 비방] 헐뜯음. 헐어 말함. 욕함.
[誹謗之木 비방지목] 나무를 다리 위에 세워 놓고 백성에게 정치의 과실(過失)을 적게 하여 반성한 고사(故事).
[誹訕 비산] 비방(誹謗).
[誹笑 비소] 비방하여 웃음. 비웃음.
[誹譽 비예] 헐뜯음과 칭찬함. 비방과 명예. 훼예(毁譽).
[誹怨 비원] 비방하며 원망함.
[誹訾 비자] 헐뜯음.
[誹章 비장] 남을 비방하는 글.
[誹諧 비해] 괘사스럽게 욕을 함.
[誹毁 비훼] 비방(誹謗).
◉腹誹. 怨誹. 沮誹.

8
⑮ [諮] 답 [入]合 徒合切 tà

[字解] ①수다스러울 답 沓(水部 四畫)과 同字. '愚者之言, 一一然而沸'《荀子》. ②헐뜯을 답, 욕설할 답 '一, 言相惡也'《洪武正韻》.
[字源] 篆文 形聲. 言+沓〔音〕. '沓답'은 물 흐르듯이 막힘없이 지껄여 대다의 뜻. 마구 수다 떨다의 뜻을 나타냄.

[諮諮 답답] 망언(妄言)을 늘어놓는 모양. 쓸데없이 나불나불 지껄이는 모양.

8
⑮ [調] [中人] [一] 조 [平]蕭 徒聊切 tiáo 调
[去]嘯 徒弔切 diào
[二] 주 [平]尤 張流切 zhōu

[筆順] 二 言 言 訂 訂 訶 訶 調

[字解] [一] ①고를 조 ㉠잘 어울림. '一和'. '琴瑟不一'《十八史略》. ㉡균형이 잡힘. 적당함. '弓矢旣一'《詩經》. '陰陽一而風雨時'《漢書》. ㉢평균함. 고르게 함. '以一盈虛'《漢書》. ②맞을 조 ㉠적합함. '不同味而皆一於口'《淮南子》. ㉡음률의 가락이 맞음. '一竽笙篪簧'《禮記》. ③길들일 조 조수(鳥獸)를 길들게 함. '一馴鳥獸'《史記》. ④조롱할 조, 조소할 조 놀림. 비웃음. '嘲一'. '戱一'. '王丞相每一之'《世說》. ⑤보호할 조 보육(保育)함. '幸卒一護太子'《史記》. ⑥속일 조 기만함. '一, 欺也'《廣雅》. ⑦성 조 성(姓)의 하나. ⑧뽑힐 조, 뽑을 조 관리가 발탁되어 승진함. '十年不得一'《漢書》. ⑨거둘 조 징발(徵發)함. '下一郡縣'《史記》. ⑩살필 조, 헤아릴 조 '一査'. '一立城邑'《漢書》. ⑪구실 조 당대(唐代)의 세법(稅法)으로서 공물(貢物)로 바치는 포백(布帛) 같은 토산물(土産物)의 부과(賦課). '租庸一'. ⑫가락 조 운율(韻律). '曲一'. '音一'. '笛有定一'《晉書》. ⑬운치 조 품위 있는 기상. '神一'. '雅一'. '才一秀出'《晉書》. [二] 아침 주 朝(月部 八畫)와 뜻이 같음. '惄如一飢'《詩經》.
[字源] 篆文 形聲. 言+周〔音〕. '周주'는 빈틈없이 두루 미치다의 뜻. 말에 신경이 두루 미치다, 고르다의 뜻을 나타냄. 또, 去聲일 때에는, 골라 뽑다의 뜻을 나타냄. 또, 平聲 尤韻

일 때에는, '朝조'와 통하여 사용됨.

[調遣 조견] 사람이나 군대를 보냄. 이동시켜 파견함.
[調經 조경] 월경(月經)을 고르게 함.
[調貢 조공] 공물(貢物). 또, 공물을 바침.
[調飢 조기] 아침 식사 전의 공복(空腹).
[調達 조달] 고르고 통(通)함.
[調度 조도] ㉠고르게 처리함. ㉡세금을 걷음. ㉢신변(身邊)에 필요한 것.
[調練 조련] 군사를 훈련함.
[調弄 조롱] ㉠농지거리함. 조롱(嘲弄). ㉡악기(樂器)를 탐.
[調理 조리] ㉠고르게 처리함. ㉡몸을 조섭(調攝)함. ㉢요리(料理)함.
[調馬 조마] ㉠말을 길들임. ㉡말을 징발함.
[調味 조미] 음식 맛을 맞춤.
[調伏 조복]《佛敎》삼업(三業)을 조화(調和)하여 모든 악행(惡行)을 없앰. 또, 불력(佛力)으로 악마를 항복시킴.
[調府 조부] 신라(新羅) 때 공부(貢賦)의 일을 맡아보던 관청.
[調査 조사] 실정을 살펴 알아봄.
[調唆 조사] 부추김. 선동함.
[調書 조서] 조사한 사실을 적은 문서.
[調選 조선] 선발함. 또, 선발되어 영전(榮轉)함.
[調攝 조섭] 몸을 양생(養生)함.
[調笑 조소] 조롱함. 또, 조소(嘲笑)함.
[調馴 조순] 금수를 길들임.
[調習 조습] 훈련하여 길들임.
[調息 조식] 양생(養生)하기 위하여 정좌(正坐)하여 숨을 고르게 함.
[調藥 조약] 약을 지음.
[調養 조양] 몸을 양생(養生)함.
[調役 조역] 조세와 부역.
[調音 조음] 음을 고름. 악기(樂器)의 음을 기준음(基準音)에 맞춤.
[調人 조인] ㉠주대(周代)의 관명(官名). 백성의 분쟁(紛爭)을 화해(和解)시켜 주는 일을 맡음. ㉡중재인(仲裁人). 조정인(調停人).
[調印 조인] 약정서(約定書)에 도장(圖章)을 찍음.
[調節 조절] 정돈(整頓)하여 알맞게 함.
[調停 조정] 중간에 서서 화해시킴.
[調劑 조제] 약을 지음.
[調刁 조조] 지엽(枝葉)이 흔들리는 모양.
[調調 조조] 조조(調刁).
[調布 조포] 물납세(物納稅)로서 상납하는 베.
[調諧 조해] 고름. 또, 고르게 함. 조화(調和).
[調護 조호] 둘러싸 보호(保護)함.
[調和 조화] ㉠고르게 하여 알맞게 맞춤. ㉡서로 모순됨이 없이 잘 어울림. ㉢조미(調味).
[調戲 조희] 희롱함. 놀림.
◉歌調. 格調. 高調. 曲調. 課調. 口調. 均調. 基調. 單調. 同調. 變調. 不調. 賦調. 悲調. 聲調. 順調. 神調. 郢調. 律調. 異國情調. 長調. 低調. 節調. 情調. 租庸調. 租調. 風調. 諧調. 懸調. 協調. 好調. 和調.

8 ⑮ **[諊]** 거 ㊄御 居御切 jù

字解 말법도있을 거 말에 법도가 있음. 또는 그일. '一, 言有則也'《集韻》.

8 ⑮ **[踦]** 기 ①㊥支 居宜切 jī ②㊤紙 區里切 qǐ

字解 ①농담할 기 농담함. 서로 말장난을 함. '一, 語相戲'《集韻》. ②거짓말 기 거짓말. 망어(妄語). '一, 妄語'《字彙》.

8 ⑮ **[諂]** 人名 첨 ㊤琰 丑琰切 chǎn 谄 讇

字解 ①아첨할 첨 알랑거림. '一諛'. '阿一'. '君子上交不一'《易經》. ②아양떨 첨 교태 지음. '稱其讎不爲一'《左傳》.

字源 篆文 讇 別體 諂 形聲. 篆文은 言+閻〔音〕. '諂첨'은 동일어(同一語) 이체자(異體字). 言+臽〔音〕. '臽함'은 '떨어지다'의 뜻. 자기 자신을 떨어뜨려 남의 비위를 맞추며 아첨하다의 뜻을 나타냄.

參考 諂(言部 十畫)는 別字.

[諂巧 첨교] 교묘하게 아첨함.
[諂佞 첨녕] 첨유(諂諛).
[諂詐 첨사] 아첨하고 속임.
[諂笑 첨소] 아첨하여 웃음.
[諂譽 첨예] 아첨하여 칭찬함.
[諂諛 첨유] 아첨(阿諂)함.
[諂耳 첨이] 귀에 대고 알랑거림.
◉姦諂. 欺諂. 邪諂. 阿諂. 諛諂. 讒諂.

8 ⑮ **[諄]** 人名 순 ㊥眞 章倫切 zhūn 谆 諄

筆順 ㇐ 言 言 訁 訁 諄 諄 諄

字解 ①도울 순 조력함. '以一趙鞅之故'《國語》. ②지성스러울 순 성품이 아주 정성스러운 모양. 또, 지성으로 타이르는 모양. '趙孟年未盈五十, 而一一焉如八九十者'《左傳》. ③도타울 순 惇(心部 八畫)과 통용. ④거짓 순 啍(口部 八畫)과 同字. '無取口一'《荀子》.

字源 篆文 諄 形聲. 篆文은 言+𦎧〔音〕. '𦎧순'은 '두텁다'의 뜻. 두터운 마음으로 깨우치다의 뜻을 나타냄.

[諄諄 순순] ㉠곡진(曲盡)하게 타이르는 모양. ㉡충성스럽고 근실한 모양.

8 ⑮ **[諆]** 기 ㊥支 居之切 qī 諆

字解 ①상의할 기 모의함. 또, 모의. '一, 謀也'《廣韻》. ②속일 기 '一, 欺也'《說文》.

字源 金文 諆 篆文 諆 形聲. 言+其〔音〕. '其기'는 '기대하다'의 뜻. 남에게 기대를 하도록 말하면서, '속이다'의 뜻을 나타냄.

8 ⑮ **[談]** 中人 담 ㊥覃 徒甘切 tán 谈 談

筆順 ㇐ 言 言 言 言' 訁火 談 談

字解 ①이야기 담 담화. 설화. '清一'. '魯人至今以爲美一'《公羊傳》. ②이야기할 담 '一笑'. '三日不一'《莊子》. ③농할 담 희학질함. '不敢戲一'《詩經》. ④성 담 성(姓)의 하나.

字源 篆文 談 形聲. 言+炎〔音〕. '炎염'은 활활 타오르는 불꽃의 뜻. 계속해서 주고받는 말, 이야기의 뜻을 나타냄.

[談客 담객] 이야기 상대. 또, 찾아와서 이야기하는 손.
[談空 담공] 불교의 원리인 공(空)을 이야기함. 전(轉)하여, 불교에 관하여 서로 담론(談論)함.
[談論 담론] 이야기함. 서로 언론(言論)함.
[談理 담리] 이치, 주로 노장(老莊)의 철리(哲理)를 이야기함.
[談林 담림] 중이 공부하는 곳. 단림(檀林).
[談伴 담반] 이야기 상대.
[談柄 담병] ㉠이야기할 때 손에 쥐는 불자(拂子). ㉡이야깃거리.
[談緖 담서] 이야기의 실마리. 화두(話頭).
[談說 담설] 이야기함. 또, 이야기. 설화(說話).
[談笑 담소] 웃으면서 이야기함.
[談笑自若 담소자약] 걱정 근심이 있을 때라도 평상시(平常時)와 같은 태도(態度)를 가짐.
[談藪 담수] 담론(談論)이 풍부하고 유창하여 그치지 아니함을 숲에 비유하여 이르는 말.
[談語 담어] 이야기함.
[談言 담언] 담어(談語).
[談言微中 담언미중] 완곡히 남의 급소를 찔러 말「함.
[談餘 담여] ㉠담차(談次). ㉡이야기한 뒤.
[談筵 담연] 담론하기 위해 마련한 장소.
[談讌 담연] 모여서 서로 이야기함. 또, 술잔치. 주연(酒宴).
[談義 담의] ㉠의리를 이야기함. ㉡《佛敎》 설법(說法). 법화(法話).
[談議 담의] 서로 이야기함. 상의함.
[談助 담조] 이야기의 도움. 이야깃거리.
[談次 담차] 이야기하던 김. 이야기하던 결.
[談天雕龍 담천조룡] 천문을 이야기하고 용을 조각하는 것같이 변론이 굉박(宏博)하나 허탄(虛誕)함을 이름.
[談叢 담총] 담수(談藪).
[談吐 담토] 담론. 담화.
[談判 담판] 《韓》 쌍방이 서로 의논하여 판결함.
[談何容易 담하용이] 이야기하기 쉽지 아니함. 전(轉)하여, 이야기하기는 쉬우나 행하기는 어려움을 이름.
[談合 담합] ㉠서로 이야기함. 서로 의논함. 또, 의논. ㉡입찰자가 상의하여 미리 입찰 가격을 협정하는 일.
[談玄 담현] '玄현'을 이야기함. 노장류(老莊流)의 청담(淸談)을 이름.
[談話 담화] 이야기.
[談戲 담희] 희학(戲謔)함. 농지거리함.
◉街談. 懇談. 講談. 高談. 空談. 怪談. 軍談. 劇談. 奇談. 綺談. 對談. 漫談. 面談. 文談. 美談. 放談. 史談. 私談. 相談. 商談. 笑談. 示談. 言談. 餘談. 冗談. 雜談. 政談. 鼎談. 嘲談. 從談. 座談. 眞談. 珍談. 淸談. 快談. 閑談. 巷談. 虛談. 歡談. 會談.

8 ⑮ [諈] 추 ㊀寘 之瑞切 zhuì

字解 ①번거로울 추, 번거롭힐 추 귀찮음. 귀찮게 함. '一諉, 絫也'《說文》. ②둔할 추, 정체될 추 '眠娗·一諉·勇敢·怯疑, 四人相與遊於世'《列子》. ③핑계댈 추 칭탁함. '一, 託也'《玉篇》.
字源 篆文 形聲. 言+垂(坐)〔音〕

[諈諉 추위] ㉠열자(列子)의 우화(寓話)에 나오는 사람 이름. ㉡번거로움. 귀찮음.

8 ⑮ [諉] 위 ㊀寘 女恚切 wěi ㊥支 邕危切

字解 ①번거롭게할 위 귀찮게 함. 폐를 끼침. '執事不一上'《漢書》. ②핑계댈 위 칭탁함. '尙有可一者'《漢書》. ③맡길 위 위탁함. 委(女部五畫)와 통용. '一, 猶委也'《洪武正韻牋》.
字源 篆文 形聲. 言+委〔音〕. '委위'는 '맡기다'의 뜻. 남에게 핑계를 대다, 귀찮게 하다의 뜻을 나타냄.

◉諈諉.

8 ⑮ [請] 中·人 청 ㊤梗 七靜切 qǐng 请

筆順 言 言= 言キ 言圭 請 請 請

字解 ①청할 청 ㉠물건을 구함. '一求'. '一纓繫南粤'《魏徵》. ㉡바람. 원함. '一願'. '上書自一擊吳'《漢書》. ㉢빎. 기원(祈願)함. '余得一於帝'《左傳》. '租稅者所慮而一也'《管子》. ㉣부름. 초대함. '招一'. '一貴客不來, 惡客不一自來'《李義山雜纂》. '賀聞許嗇夫有女. 酒置酒一之'《漢書》. ②물을 청 문의함. '一問'. '客一之王子光'《呂氏春秋》. '一業則起, 一益則起'《禮記》. ③뵐 청 웃어른을 찾음. '造一諸公'《漢書》. 또, 한대(漢代)의 제도(制度)로서, 제후(諸侯)가 가을에 상경하여 천자(天子)를 알현(謁見)하는 일. 봄의 조회(朝會)는 '朝'라 함. '使人爲秋一'《史記》. ④알릴 청 아룀. 고(告)함. '申一'. '一賓曰'《禮記》. '舞文巧一下戶之猾, 以動大豪'《漢書》. ⑤청 청 초청. 청탁. '顧榮在洛陽, 嘗應人一'(남의 초대를 받음)《世說》. ⑥청컨대 청 바라건대. 바라노니. '王一勿疑'《孟子》.
字源 篆文 形聲. 言+靑〔音〕. '靑청'은 아주 맑다의 뜻. 맑은 마음으로 말하다, 청하다의 뜻을 나타냄.

[請假 청가] 청가(請暇).
[請暇 청가] 말미를 청(請)함.
[請簡 청간] ㉠청촉(請囑)하는 편지(便紙). ㉡청첩장.
[請客 청객] 손을 청(請)함. 또, 그 손.
[請求 청구] ㉠원(願)하여 청함. ㉡당연한 권리로서 요구함.
[請急 청급] 관리가 말미를 청함. 청가(請暇).
[請寄 청기] 사사로운 일을 부탁함. 청탁(請託).
[請期 청기] ㉠기일을 정해 달라고 청함. ㉡혼인의 날짜를 알림.
[請禱 청도] ㉠신(神)에게 비는 허가를 요청함. ㉡신(神)에게 기원함.
[請來 청래] 사람을 청하여 오게 함.
[請兵 청병] 원병(援兵)을 청(請)함. 출병(出兵)을 청(請)함.
[請負 청부] 토목건축(土木建築)의 공사(工事)를 도급으로 맡아 하는 업무(業務).
[請賓 청빈] 손을 청(請)함.
[請書 청서] 초청(招請)하는 청장(請狀).
[請室 청실] 죄를 달라고 청하고 기다리는 곳. 곧, 감옥을 이름.
[請謁 청알] ㉠뵙기를 청(請)함. ㉡청탁(請託).

[請纓 청영] 전한(前漢)의 종군(終軍)이 긴 관(冠)의 끈을 청해 받고 이것으로 남월왕(南越王)을 끌고 왔다는 고사(故事)에서, 전(轉)하여, 종군(從軍)하여 나라에 보답함을 이름.
[請邀 청요] 청(請)하여 맞음.
[請雨 청우] 가뭄이 계속될 때 신불(神佛)에게 비를 내려 달라고 빎.
[請援 청원] 구원(救援)을 청(請)함.
[請願 청원] ㉠무슨 일을 해 달라고 청함. ㉡백성이 관헌에 희망을 진술함.
[請益 청익] ㉠급여(給與) 따위의 분량(分量)을 더해 주기를 바람. ㉡한층 상세(詳細)히 가르쳐 주기를 청함.
[請狀 청장] 청(請)하는 글.
[請助 청조] 도움을 청(請)함.
[請罪 청죄] ㉠감형(減刑)을 요청함. ㉡죄를 인정하고 처벌을 기다림. ㉢죄가 면제되도록 요청함.
[請旨 청지] 칙명(勅命)에 의한 지시를 청함. 조정(朝廷)의 명령을 요청함.
[請札 청찰] 청(請)하는 편지.
[請帖 청첩] 청찰(請札).
[請牒 청첩] 청(請)하는 편지. 청첩장(請牒狀).
[請招 청초] 청(請)하여 부름.
[請囑 청촉] 일을 부탁함. 일을 청(請)함.
[請託 청탁] 청촉(請囑).
[請婚 청혼] 혼인(婚姻)을 청(請)함.
[請訓 청훈] 외국에 주재하는 외교 사절이 본국 정부에 훈령(訓令)을 청함.
◉懇請. 強請. 彊請. 勸請. 謹請. 祈請. 禱請. 辟請. 普請. 聘請. 受請. 申請. 要請. 造請. 朝請. 奏請. 陳請. 招請.

8 ⑮ [諍] [人名] 쟁 [去]敬 側迸切 zhèng [平]庚 甾莖切 zhēng 诤

[字解] ①간할 쟁 임금이나 웃어른에게 충고함. '一臣'. '諫一卽見聽'《漢書》. ②간하는말 쟁 '有能盡言於君, 用則可生, 不用則死, 謂之一'《說苑》. ③멈출 쟁 과실(過失)을 멈춰 막음. '一, 謂止其失'《韻會》. ④송사할 쟁 시비곡직의 판단을 관청에 청함. '平理一訟'《後漢書》. ⑤다툴 쟁 爭(爪部 四畫)과 同字. '紛一'. '有一氣者, 勿與論'《韓詩外傳》.
[字源] 篆文 形聲. 言+爭〔音〕. '爭쟁'은 '다투다'의 뜻. '말다툼하다'의 뜻을 나타냄.

[諍氣 쟁기] 남과 다투어 이기고자 하는 기질.
[諍論 쟁론] 논쟁(論爭)함. 또, 언쟁.
[諍訟 쟁송] 소송(訴訟)함.
[諍臣 쟁신] 임금의 잘못에 대(對)하여 직언(直言)하여 간(諫)하는 충신. 쟁신(爭臣).
◉諫諍. 苦諍. 忿諍. 紛諍. 廷諍.

8 ⑮ [諏] [人名] 추 [平]虞 子于切 [平]尤 子侯切 zōu 诹

[字解] 물을 추 뭇사람에게 문의하거나 정사(政事)에 관하여 문의함. 또, 상의함. '諮一'. '一, 聚謀也'《說文》. '周爰咨一'《詩經》.
[字源] 篆文 形聲. 言+取〔音〕. '取취'는 '聚취'와 통하여 '모이다'의 뜻. 모여서 상의하다의 뜻.

[諏謀 추모] 일을 물어 의논함.
[諏訪 추방] 자문(諮問)함.
◉咨諏. 諮諏.

8 ⑮ [諑] 착 [入]覺 竹角切 zhuó

[字解] ①참소할 착 하리놂. 헐뜯음. '謠一謂余以善淫'《楚辭》. ②호소할 착 고소(告訴)함. 소송(訴訟)함. '一, 訴也'《廣雅》.
[字源] 形聲. 言+豖〔音〕. '豖축'은 두드릴 때의 소리를 나타내는 의성어(擬聲語). 말로 두드리다, 호소하다, 참소하다의 뜻을 나타냄.

◉巧諑. 謠諑.

8 ⑮ [諒] [高·人] 량 [去]漾 力讓切 liàng [平]陽 呂張切 liáng 谅

[筆順] 亠 亖 言 訁 訪 諒 諒 諒

[字解] ①참 량 신실(信實)함. '忠一'. '簡一'. '友直友一'《論語》. 전(轉)하여, 하찮은 의리(義理)를 묵수(墨守)하는 일. '豈若匹夫匹婦之爲一也'《論語》. ②믿을 량 신실하다고 생각하여 의심치 않음. '不一人只'《詩經》. ③살펴알 량 사정을 잘 살펴 앎. '一察'. '諸君一之'. ④도울 량 亮(亠部 七畫)과 同字. '一彼武王'《詩經》. ⑤참으로 량 진실로. 의심할 것 없이. '一不我知'《詩經》. ⑥성 량 성(姓)의 하나. ⑦어질 량 良(艮部 一畫)과 통용. '易直子一之心'《禮記》.
[字源] 篆文 形聲. 言+京〔音〕. '京경'은 '量량'과 통하여, '재다, 헤아리다'의 뜻. 상대의 마음을 생각해 헤아리다의 뜻.

[諒不足而談有餘 양부족이담유여] 사람이 말만 번드르르하고 믿음성이 적음.
[諒山 양산] 월남(越南)과 국경을 이루는, 광시성(廣西省) 용주(龍州) 진남관(鎭南關) 밖의 한 지명(地名). 청(淸)나라 때 프랑스와 교전(交戰)하여 청나라가 패(敗)한 곳.
[諒恕 양서] 양해하여 용서해 줌.
[諒闇 양암] 임금이 선제(先帝)의 상중(喪中)에 있음.
[諒陰 양음] 양암(諒闇).
[諒知 양지] 살펴서 앎.
[諒直 양직] 참되고 정직함.
[諒察 양찰] 사정을 잘 살펴 알아줌.
[諒燭 양촉] 양찰(諒察).
[諒解 양해] 사정(事情)을 잘 이해(理解)함.
◉簡諒. 直諒. 忠諒.

8 ⑮ [誽] [一] 나 ①[平]麻 女加切 ná ②[平]佳 女佳切 [二] 예 [去]霽 硏計切

[字解] [一] ①뜨개질할 나 말로 남의 마음을 떠봄. '一, 言相一司也'《說文》. ②말바르지않을 나 '一, 言不正也'《廣韻》. [二] 엿볼 예 '一, 伺也'《集韻》.
[字源] 形聲. 言+兒〔音〕

8 ⑮ [諓] 전 ①-④[上]銑 慈演切 jiàn ⑤[去]霰 才線切

[字解] ①말잘할 전 변설이 교묘한 모양. 또, 그 말. '又安知是一一者乎'《國語》. ②착할 전 작

은 착한 일. 좋은 일. '昔秦穆公, 說——之言'《漢書》. ③아첨할 전 알랑거리는 모양. '習——之辭'《後漢書》. ④얕을 전 말이 천박한 모양. '惟——善竫言'《公羊傳》. ⑤참소할 전 교묘하게 참소하는 모양. '讒人——'《劉向》.

[字源] 篆文 形聲. 言+戔〔音〕. '戔전'은 '잘다'의 뜻. 세세하게 말하다, 교묘하게 떠벌려 대다의 뜻을 나타냄.

[諓諓 전전] ㉠말을 잘하는 모양. 변설이 유창한 모양. ㉡작은 모양. 잔단 모양. ㉢아첨하는 모양. ㉣천박한 모양. ㉤교묘하게 참소를 하는 모양.

8 ⑮ [諔] [一] 숙 [入]屋 之六切 chù
[二] 적 [入]錫 前歷切 jí

[字解] [一] 속일 숙 기만함. '一詭幻怪之名'《莊子》. [二] ①조용할 적 고요함. 宗(宀部 六畫)과 同字. '一, 無人聲'《集韻》. ②편안할 적 '一, 安也'《字彙》.

[字源] 形聲. 言+叔〔音〕

[諔詭 숙궤] 속임. 기만함.

8 ⑮ [論] [中人] [一] 론 [平]元 盧昆切 [去]願 盧困切 lùn
[二] 륜 [平]眞 力迍切 lún
论

[筆順] 二 亖 言 訡 訡 詥 詥 論

[字解] [一] ①말할 론 ㉠서술함. 진술함. '立一'. '請悉一先人所次舊聞'《史記》. ㉡이야기함. 담화를 함. '珍怪奇偉, 不可稱一'《宋玉》. ②논할 론 ㉠사물의 이치를 말함. '一道經邦'《書經》. ㉡자기의 의견을 말함. '議一'. '考一'. ㉢우열·선악을 비평함. '評一'. '願足下之一臣之計也'《戰國策》. ㉣이러니저러니 말함. 왈가왈부함. '功名誰復一'《魏徵》. ㉤판결함. '一罪'. '一死'. '乃捕一之'《史記》. ㉥의결(議決)함. '一功行賞'. ③헤아릴 론 ㉠생각함. '於一鐘鼓'《詩經》. ㉡계교(計較)함. 비교함. '凡官民材, 必先一之'《禮記》. ㉢추측함. '此賢主之所一人也'《呂氏春秋》. ④관장할 론 맡음. 綸(糸部 八畫)과 통용. '經一天下之大經'《禮記》. ⑤고를 론 가림. '勞於一人'《呂氏春秋》. ⑥견해 론 의견·학설 등. '公一'. '觀覽乎孔老之一'《後漢書》. ⑦문체이름 론 한문의 한 체(體). 자기의 의견을 주장하여 서술한 것. '爭臣一'. '春秋一'. [二] 조리 륜 倫(人部 八畫)과 同字. '必卽天一'《禮記》.

[字源] 篆文 形聲. 言+侖〔音〕. '侖륜'은 조리(條理)를 세우다의 뜻. 조리 있게 말하다의 뜻을 나타냄.

[論價 논가] 가격을 논함.
[論客 논객] 변론(辯論)을 잘하는 사람.
[論據 논거] 논설의 근거.
[論決 논결] 의논하여 결정함. 의론하여 결말을 지음.
[論考·論攷 논고] 논하여 고구(考究)함. 또, 그 논문(論文).
[論告 논고] ㉠자기의 의견을 진술함. ㉡형사 공판의 심리에 있어서, 검사가 피고의 죄에 관하여 의견을 진술하고 구형함.
[論功 논공] 공의 대소를 조사하여 정함.
[論功行賞 논공행상] 논공하여 상을 줌.
[論求 논구] 논의하여 시비(是非)를 추구함.
[論究 논구] 사물의 이치를 구명하여 논함.
[論救 논구] 변론하여 구해 줌.
[論及 논급] 논하여 미침.
[論壇 논단] ㉠논객(論客)이 모이는 사회. ㉡변론(辯論)을 하는 곳.
[論斷 논단] 논결(論決).
[論大功者不錄小過 논대공자불록소과] 큰 공(功)을 포상(褒賞)할 때는 그 공에 관한 조그마한 과실을 묻지 않음.
[論篤 논독] 언론이 독실(篤實)함.
[論難 논란] 여럿이 서로 다른 주장을 내며 다툼.
[論列 논렬] 논열(論列).
[論理 논리] ㉠의논·논증 등의 조리. ㉡논리학.
[論理學 논리학] 사고(思考)의 형식에 관한 법칙을 연구하는 학문.
[論孟 논맹] 논어(論語)와 맹자(孟子).
[論文 논문] ㉠의견을 논술한 글. ㉡연구 결과를 발표한 글.
[論駁 논박] 논난(論難).
[論法 논법] 의론하는 방법.
[論辨 논변] 논변(論辯) ㉡.
[論辯 논변] ㉠담론(談論). ㉡말하여 사리를 밝힘.
[論鋒 논봉] 논난하여 냅다 치는 말의 힘.
[論士 논사] 의론을 하는 인사(人士).
[論死 논사] ㉠사형(死刑)의 판결을 받고 죽음을 당함. ㉡의론하여 사형의 판결을 내림.
[論說 논설] 사물의 이치(理致)를 들어 의견을 설명함. 또, 그 글.
[論述 논술] 의견을 진술함.
[論語 논어] 경서(經書). 사서(四書)의 하나. 20편(篇). 공자(孔子)와 그의 제자 또는 당시의 사람들과 문답(問答)한 말 및 제자(弟子)들끼리 주고받은 말들을 공자 사후(死後)에 그의 제자들이 편수했음. 공자의 인(仁)·예(禮)·정치·교육 등에 관한 것을 주로 기술했음.
[論繹 논역] 서로 의견을 진술함.
[論列 논열] 시비(是非)를 늘어놓아 논함.
[論外 논외] ㉠논할 만한 가치가 없음. ㉡의론의 범위 밖.
[論議 논의] 서로 의견을 진술함. 의론(議論).
[論裁 논재] 의론하여 결정함.
[論爭 논쟁] 말다툼.
[論著 논저] 이론을 세워 저술함.
[論戰 논전] 말이나 글로 하는 싸움.
[論點 논점] 의론하는 요점, 또는 개소(箇所).
[論定 논정] 논결(論決).
[論題 논제] 의론 또는 논설의 제목.
[論宗 논종] 《佛敎》 논장(論藏)에 의거해서 세운 종지(宗旨). 곧, 삼론종(三論宗)·법상종(法相宗)·성실종(成實宗)·구사종(俱舍宗) 따위.
[論罪 논죄] 범죄를 심리하여 형벌을 정함.
[論證 논증] ㉠사리(事理)를 구별하여 증명함. ㉡정확(正確)한 원리(原理)에 의하여 이로(理路)를 따라 단안(斷案)을 이끌어 냄.
[論旨 논지] 의론의 취지. 의론의 요점(要點).
[論次 논차] 의견을 세워 논하며 차례를 정(定)함.
[論贊 논찬] ㉠공업(功業)을 논하고 칭찬함. ㉡사전(史傳)의 기술(記述) 끝에 저자가 서술한

논평.
[論纂 논찬] 의론하여 편찬(編纂)함.
[論責 논책] 논죄(論罪).
[論策 논책] 시사 문제에 관하여 의견을 진술한 「글.
[論叢 논총] 논문(論文)을 모은 것. 논문집(集).
[論破 논파] 남의 설이나 주장을 논하여 꺾음.
[論判 논판] 시비를 논하여 구별함.
[論評 논평] 진술하여 비평함.
[論劾 논핵] 죄를 논(論)하여 탄핵(彈劾)함.
[論衡 논형] 후한(後漢)의 왕충(王充)이 지은 사상서(思想書). 잡가(雜家)에 속함. 모두 85편(篇). 구래(舊來)의 사상(思想)과 저작(著作)의 내부적 모순을 폭로하고, 특히 당시의 미신적(迷信的) 사상을 배격한 것이 특징임. 그 내용이 때로는 편벽 과격(偏僻過激)한 바가 있으나, 당시의 풍교(風敎)에 적잖은 도움을 주었음.
[論詰 논힐] 죄과(罪過)를 들어 힐난(詰難)함.
◉各論. 講論. 概論. 激論. 經論. 鯁論. 高論. 公論. 空論. 口論. 國論. 机上論. 極論. 劇論. 多元論. 談論. 讜論. 名論. 勿論. 物論. 駁論. 反論. 放論. 放言高論. 汎論. 辯論. 本論. 史論. 私論. 詳論. 序論. 緖論. 世論. 細論. 俗論. 時論. 言論. 餘論. 輿論. 愚論. 謬論. 議論. 異論. 理論. 一元論. 一定之論. 立論. 爭論. 切論. 正論. 定論. 衆論. 持論. 總論. 推論. 卓論. 討論. 通論. 評論. 抗論. 畫論. 確論.

8 ⑮ [諗] 심 ㊤寢 式荏切 shěn 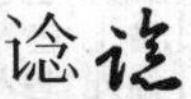

[字解] ①간할 심 임금이나 웃어른에게 충고함. '昔辛伯—周桓公'《左傳》. 일설(一說)에는, 고(告)함. '將母來—'《詩經》. ②숨을 심 몸을 감춤. '魚鮪不—'《孔子家語》. ③생각할 심 '—, 字林, 念也'《集韻》.
[字源] [篆文]  形聲. 言+心+今〔音〕. '念녑'은 언제나 마음속에 생각하다의 뜻. 깊은 사려(思慮)에서 발언(發言)하다, 간하다의 뜻을 나타냄.

◉來諗. 密諗. 神諗.

8 ⑮ [誇] 궁 [去]送 去仲切 qióng

[字解] ①말많을 궁 말이 많아 시끄러움. '—, 多言'《集韻》. ②물을 궁 '—, 詢問也'《廣韻》.

8 ⑮ [諀] 비 ①㊤紙 匹婢切 pǐ ②[平]支 賓彌切 bēi

[字解] ①헐어말할 비 악담하여 헐뜯음. '—, 惡言也'《廣韻》. ②남의말좋아할 비 즐겨 칭찬했다 헐뜯었다 함. '—訾, 好毁譽也'《集韻》.

8 ⑮ [諕] [一] 호 [平]豪 乎刀切 háo [二] 하 [去]禡 虛訝切 xià [三] 획 [入]陌 虎伯切 huò

[字解] [一] 외칠 호 부르짖음. 譹(言部 十四畫)와 同字. '宮人婦女—譺日當奈何'《漢書》. [二] 속일 하 '—, 誑也'《集韻》. [三] 재빠를 획 謋(言部 十畫)과 同字. '謋, 謋然. —, 上同'《廣韻》.
[字源] [篆文] 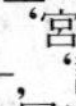 形聲. 言+虎〔音〕. '虎호'는 호랑이가 어흥 하고 우는 소리. '외치다'의 뜻을 나타냄.

8 ⑮ [諚] 범 pián

[字解] 범 뜻은 불명(不明).

8 ⑮ [諮] 구 ㊤有 其九切 jiù

[字解] 헐어말할 구 남을 헐뜯음. '—, 毁也'《說文》.

8 ⑮ [諁] 수 [去]有 承晝切 shòu

[字解] 말전할 수 입으로 말을 전함. 구수(口授). '得其密號—諸軍'《唐書》.

8 ⑮ [諃] 침 [平]侵 癡林切 chēn

[字解] 착한말할 침 '—, 善言'《集韻》.
[字源] 形聲. 言+綝〈省〉〔音〕

8 ⑮ [諫] [一] 치 [平]支 抽知切 chī [二] 래 [去]隊 洛代切 lài

[字解] [一] ①모를 치 물음을 받고 답을 모름. '—, 不知也, 沅澧之閒, 凡相問而不知答曰—'《揚子方言》. ②꾸밀 치 거짓을 사실처럼 꾸며서 말함. '以言相欺曰謾, 以言相誣曰—'《正字通》. ③울림소리 치 메아리. '空谷傳聲曰赤謾白—'《梵書》. [二] 잘못할 래 그르침. '—, 誤也'《廣雅》.

8 ⑮ [諎] [一] 책 [入]陌 側伯切 zé [二] 차 ①㊤馬 側下切 zhǎ ②[去]禡 子夜切 jiè

[字解] [一] 큰소리칠 책 큰 소리로 외침. 唶(口部 八畫)과 同字. '—, 大聲也'《說文》. [二] ①꾈 차 꾐. 또, 그 말. '—, 誘言'《集韻》. ②울 차, 탄식하는소리 차 唶(口部 八畫)와 同字. '—, 廣雅, 鳴也. 一曰, 歎聲'《集韻》.
[字源] [篆文]  [別體]  形聲. 言+昔(㫺)〔音〕

8 ⑮ [諴] 현 [平]先 胡千切 xián

[字解] ①말급할 현 생각해 말할 겨를이 없음. 일이 급박함. '—, 言急'《集韻》. '謀稽乎—'《莊子》. ②굳고바를 현 '—, 一曰, 堅正'《集韻》.

8 ⑮ [諿] 첩 [入]葉 疾葉切 jié

[字解] 말많을 첩 수다스러움. '—, 多言'《集韻》.

8 ⑮ [諜] 〔첩·섭〕 諜(言部 九畫〈p. 2139〉)과 同字

8 ⑮ [謀] 〔첩·섭〕 諜(言部 九畫〈p. 2139〉)과 同字

8 ⑮ [諤] [一] 오 ㊤麌 安古切 wù [去]遇 烏故切 [二] 악 [入]藥 遏鄂切 [三] 가 [去]禡 丘賀切 qià [四] 액 [入]陌 乙格切 è

[字解] [一] ①서로헐뜯을 오 '—, 相毁也'《說文》.

②두려워할 오 '一, 一曰, 畏一'《說文》. ③부끄러워할 오, 미워할 오 '惡, 恥也. 憎也. 或作一'《集韻》. [二] 헐뜯을 악 '謳, 詛也. 或省'《集韻》. [三] 말바르지않을 가 '一, 一訝, 言不正'《集韻》. [四] 웃을 액 '啞, 說文, 笑也. 或从言'《集韻》.
[字源] 形聲. 言+亞〔音〕

8 ⑮ [諊] 국 [入]屋 居六切 jū
[字解] 국문할 국 국문함. 추궁함. '一窮'. '鞫, 說文, 窮理罪人也, 亦作一'《集韻》.

8 ⑮ [謁] 〔알〕
謁(言部 九畫〈p. 2145〉)의 略字

8 ⑮ [諅] 기 ①②[去]寘 渠記切 jì ③[平]支 居之切 jī
[字解] ①꺼릴 기 싫어함. '一富貴之在其上'《新論》. ②뜻할 기 마음먹음. '一, 志也'《廣韻》. ③꾀할 기 '一, 謀也'《廣韻》.
[字源] 篆文 形聲. 言+其〔音〕

8 ⑮ [誾] [人名] 은 [平]眞 語巾切 yín
[筆順] 丨 𠂆 𠃍 門 門 門 閆 誾
[字解] ①화기애애할 은 화기애애한 모양. 일설(一說)에는, 온건하게 시비를 논의하는 모양. '朝與上大夫言, 一一如也'《論語》. ②이야기할 은 '一, 一曰, 語也'《集韻》. ③향기짙을 은 향기가 진하게 나는 모양. 향기가 강렬한 모양. '芳酷烈之一一'《司馬相如》. ④치우침없을 은 '一一'은 중정(中正)한 모양. 또, 공경하고 삼가는 모양. ⑤성 은 성(姓)의 하나.
[字源] 篆文 形聲. 言+門〔音〕

[誾誾 은은] ㉠화기애애(和氣靄靄)한 모양. 일설(一說)에는, 조용히 시비(是非)를 토론하는 모양. ㉡향기가 몹시 나는 모양.

8 ⑮ [諐] 건 [平]先 去乾切 qiān
[字解] 허물 건 잘못. 과오(過誤). 愆(心部 九畫)의 古字. '元首無失道之一'《漢書》.
[字源] 衍의 籀文 形聲. 言+侃〔音〕

8 ⑮ [譼] 〔감〕
監(皿部 九畫〈p. 1523〉)의 古字

8 ⑮ [読] 〔독·두〕
讀(言部 十五畫〈p. 2162〉)의 俗字

8 ⑮ [諡] [一] 謚(言部 十畫〈p. 2148〉)과 同字
[二] 謚(言部 九畫〈p. 2140〉)와 同字

8 ⑮ [詡] 〔후〕
詡(言部 六畫〈p. 2118〉)의 本字

8 ⑮ [譿] 갑 [入]合 渴合切 kē
[字解] 웃으며말할 갑 웃으며 말함. 속삭임. '一, 一謀, 笑話'《集韻》.

8 ⑮ [謟] 도 [去]豪 徒刀切 tāo
[字解] ①말어지러울 도 '一, 詨一, 言不節也'《玉篇》. ②어린아이의서툰말 도 '一, 一曰, 小兒未能正言也'《說文》. ③빌 도 기도함. '一, 一曰, 祝也'《說文》.
[字源] 形聲. 言+匋〔音〕

8 ⑮ [諙] 회 [去]卦 呼怪切 huà
[字解] 실수할 회 실수함. 잘못함. '一, 誤也'《字彙補》.

9 ⑯ [諛] [人名] 유 [平]虞 羊朱切 yú [去]遇 兪戍切
[字解] ①아첨할 유 아당(阿黨)함. '阿一'. '先生何言之一也'《史記》. '惟以貪一事'《逸周書》. ②아첨 유 아첨의 말. '唯一是信'《漢書》. ③기꺼이따를 유 기꺼이 순종함. '一然告民有事'《管子》.
[字源] 篆文 形聲. 言+臾〔音〕. '臾유'는 '북돋우다'의 뜻. 교묘한 말로 사람의 마음을 끌어 기뻐 어쩔 줄 모르게 만들다, 아첨하다의 뜻.

[諛佞 유녕] 남에게 붙어 아첨하는 일.
[諛墓 유묘] 묘비(墓碑)의 지명(誌銘)을 지어, 죽은 사람을 과분하게 칭찬하는 일.
[諛媚 유미] 아첨함. 알랑거림.
[諛辭 유사] 아첨하는 말.
[諛言 유언] 아첨하는 말. 유사(諛辭).
[諛悅 유열] 아첨하여 기쁘게 함.
[諛諂 유첨] 유미(諛媚).
◉姦諛. 傾諛. 恐諛. 巧諛. 善諛. 阿諛. 佞諛. 從諛. 諂諛.

9 ⑯ [諜] [人名] [一] 첩 [入]葉 徒協切 dié [二] 섭 [入]葉 悉協切 xiè
[字解] [一] ①염탐할 첩 적지(敵地)에 들어가 몰래 사정을 조사함. '一知'. '一報'. '使伯嘉一之'《左傳》. ②염탐꾼 첩 간첩. 세작(細作). '間一'. '偵一'. '晉人獲秦一'《左傳》. ③편안히할 첩 '大多政法而不一'《莊子》. ④문서 첩 牒(片部 九畫)과 통용. '余讀一記, 黃帝以來, 皆有年數'《史記》. ⑤재재거릴 첩 喋(口部 九畫)과 同字. '一一利口'《史記》. [二] 말잇달 섭 연달아 말함. '一, 言相次也'《集韻》.
[字源] 篆文 形聲. 言+枼〔音〕. '枼엽'은 '나뭇잎'의 뜻. 나무의 잎처럼 말이 많다의 뜻을 나타냄. 또, '覘점'과 통하여 '간첩'의 뜻으로도 쓰임.

[諜記 첩기] 계보(系譜)를 적은 기록.
[諜報 첩보] 사정을 염탐하여 알림. 또, 그 보고(報告).
[諜人 첩인] 간첩(間諜).
[諜者 첩자] 첩인(諜人).
[諜賊 첩적] 적(敵)의 첩자(諜者). 간첩.
[諜知 첩지] 적국(敵國)의 내정(內情)을 염탐(廉

探)하여 알아냄.
[諜諜 첩첩] 나불나불 지껄이는 모양. 첩첩(喋喋).
[諜候 첩후] 첩인(諜人).
◉間諜. 怪諜. 貴諜. 防諜. 譜諜. 訟諜. 良諜. 偵諜. 解諜.

9 ⑯ [諝] 人名 서 ㊥魚 私呂切 xū ㊤語 相居切 谞

字解 ①슬기로울 서 총명함. 재지(才智). 또, 재지 있는 사람. '謀無遺—'《陸機》. ②속일 서, 거짓 서 허위. 기만. '比周朋黨, 設詐—'《淮南子》.
字源 篆文 形聲. 言+胥〔音〕

◉詐諝.

9 ⑯ [諞] 편 ㊥先 房連切 piǎn ㊤銑 符蹇切 谝

字解 말잘할 편 교묘하게 말을 잘 둘러맞춤. '惟截截善—言'《書經》.
字源 篆文 形聲. 言+扁〔音〕. '扁편'은 '납작하다'의 뜻. 진실미가 없는 얄팍한 말의 뜻을 나타냄.

[諞言 편언] 말을 잘함. 교묘하게 말을 잘 둘러맞춤.

9 ⑯ [諟] 人名 시 ㊤紙 承紙切 shì 提

字解 ①이 시 是(日部 五畫)와 통용. '顧—天之明命'《書經》. ②바를 시, 바로잡을 시 틀림이 없음. 틀린 것을 고침. 시정함. '—正文字'《陳書》. ③자세히할 시 '—, 說文, 審也'《集韻》.
字源 篆文 形聲. 言+是〔音〕. '是시'는 '바로잡다'의 뜻. 바로잡다, 자세히 하다의 뜻을 나타냄.

[諟正 시정] 시정(是正)함.
◉審諟.

9 ⑯ [諠] 훤 ㊥元 況袁切 xuān 諠

字解 ①잊을 훤 諼(言部 九畫)과 同字. '有斐君子, 終不可—兮'《大學》. ②들렐 훤, 떠들 훤 喧(口部 九畫)과 통용. '—傳'. '諸侯皆—譁, 疾黿錯'《史記》. ③속일 훤 諼(言部 九畫)과 同字. '諼, 說文, 詐也. 亦作—'《集韻》.
字源 形聲. 言+宣〔音〕. '宣선'은 둘리어 퍼지다의 뜻. 말을 돌게 하다, 떠들썩하다의 뜻을 나타냄.

[諠競 훤경] 떠들며 다툼.
[諠己 훤기] 자기 자신을 잊음.
[諠言 훤언] 수다스럽게 지껄임. 다변(多辯).
[諠擾 훤요] 시끄럽게 떠듦. 떠들어 댐.
[諠譊 훤요] 시끄럽게 이야기함. 떠듦.
[諠傳 훤전] 뭇사람의 입으로 퍼져서 왁자하게 됨. 훤전(喧傳).
[諠駭 훤해] 놀라 시끄럽게 떠듦.
[諠呼 훤호] 떠들며 부름. 시끄럽게 소리침.
[諠譁 훤화] ㉠떠들썩함. 시끄러움. 또, 시끄럽게 떠듦. ㉡싸움.

9 ⑯ [諡] 人名 시 ㊦寘 神至切 shì 谥

字解 ①시호 시 생전의 공덕을 칭송하여 추증(追贈)하는 칭호. '美—'. '賜—之制, 實始於周也'《周禮 疏》. ②시호내릴 시 시호를 추증(追贈)함. '詔贈新建侯, —文成'《王文成公年譜節略》.
字源 篆文 篆文 形聲. 言+益〔音〕. '益익'은 '더하다, 보내다, 내리다'의 뜻. 사후(死後)에 그 사람의 행적을 고려하여 내리는 이름, 시호의 뜻을 나타냄.

[諡法 시법] 시호(諡號)를 의정(議定)하는 법.
[諡議 시의] 문체(文體)의 이름.
[諡號 시호] 제왕·공경·유현(儒賢) 등의 공덕(功德)을 기리어 죽은 뒤에 주는 이름.
◉美諡. 賜諡. 善諡. 令諡. 追諡.

9 ⑯ [諫] 랄 ㊇曷 郎達切 là

字解 말소리 랄 말소리. 말하는 소리. '—, 謗—, 語聲'《集韻》.

9 ⑯ [諢] 원 ㊦願 五困切 hùn 诨

字解 ①농 원 농담. 또, 농을 함. '打—'. '科—'. '雜以談笑—語'《明道雜志》. ②별명 원 '—名'은 별명. 작호(綽號). '起他一箇—名'《水滸傳》.
字源 形聲. 言+軍〔音〕. '軍군'은 '混혼'과 통하여 '뒤섞다'의 뜻. 말을 뒤섞어 농담을 말하다의 뜻을 나타냄.

[諢官 원관] 악공(樂工).
[諢名 원명] 자해(字解)❷를 보라.
[諢詞小說 원사소설] 속어체(俗語體)의 소설(小說). 송대(宋代)에 나옴.
[諢語 원어] 농담. 익살.
◉科諢. 優諢. 打諢.

9 ⑯ [諤] 악 ㊇藥 五各切 è 谔

字解 곧은말할 악 기탄없이 바른말을 함. 직언(直言)함. '侃—'. '謇—之節'《後漢書》.
字源 形聲. 言+咢〔音〕. '咢악'은 사람이 놀라도록 시끄럽게 말하다의 뜻. '言언'을 덧붙여, 직언하다의 뜻을 나타냄.

[諤諤 악악] 곧은 말을 하는 모양. 직언(直言)을 하는 모양.
[諤諤之臣 악악지신] 바른말 하는 신하.
◉侃諤. 謇諤. 鯁諤.

9 ⑯ [諦] 人名 ㊀ 체 ㊦霽 丁計切 dì ㊁ 제 ㊥齊 田黎切 tí 谛

筆順 言 言 訁 訁 訁 諦 諦 諦

字解 ㊀ ①살필 체 자세히 조사함. '審—'. '—毫末者, 不見天地之大'《關尹子》. ②자세히알 체 상실(詳悉)함. '不—於心'《新論》. ③이치 체 불교(佛敎)에서 진실 무망(眞實無妄)한 도리.

또, 오도(悟道). '眞―'. '俗―'. '若見―則驚悟'《法華經科 註》. ㊁ 울 제 소리쳐 욺. '哭泣―號'《荀子》.

字源 篆文 形聲. 言+帝〔音〕. '帝제'는 '동여매다, 아퀴 짓다'의 뜻. 자세히 하다의 뜻을 나타냄.

[諦觀 체관] ㉠체시(諦視). ㉡단념함.
[諦念 체념] ㉠도리를 깨닫는 마음. ㉡희망을 버리고 생각하지 않음.
[諦料 체료] 곰곰 헤아림.
[諦思 체사] 곰곰 생각함.
[諦視 체시] 주의(注意)하여 똑똑히 봄.
[諦諟 체시] 분명(分明)히 규명함.
[諦聽 체청] 주의(注意)하여 똑똑히 들음.
[諦號 체호] 울부짖음. 체(諦)는 제(啼).
◉明諦. 妙諦. 三諦. 詳諦. 世諦. 俗諦. 審諦. 要諦. 眞諦.

9 ⑯ [諣] ㊀ 회 ㊈卦 呼卦切
㊁ 화 ㊈禡 呼霸切 huà
㊂ 과 ㊉佳 公蛙切 guā

字解 ㊀ 급히말할 회 '―, 疾言也'《說文》. ㊁ 급히말할 화 ㊀과 뜻이 같음. ㊂ ①게으를 과 '―, 惰也'《集韻》. ②약을 과 '―, 黠也'《集韻》.

字源 形聲. 言+咼〔音〕

9 ⑯ [諧] 人名 해 ㊉佳 戶皆切 xié 谐

筆順 言 言 言 訁 訁 訁 諧 諧

字解 ①고를 해, 어울릴 해 잘 조화함. '調―'. '八音克―'《書經》. ②화동할 해 화합(和合)함. '克―以孝'《書經》. ③이룰 해 일이 성취됨. '事不―矣'《後漢書》. ④고르게할 해 물건의 값을 싸지도 비싸지도 않게 정함. '―價, 然後得去'《後漢書》. ⑤농지거리 해, 농 해 희학. '詼―'. '好―謔'《晉書》.

字源 篆文 形聲. 言+皆〔音〕. '皆개'는 사람들이 일제히 말하다의 뜻. 나중에 '言'을 덧붙여, '조화하다'의 뜻을 나타냄.

[諧比 해비] 화합하여 친밀함.
[諧聲 해성] 육서(六書)의 하나. 두 개의 글자를 합하여 한 자를 이루어 한쪽은 뜻을, 한쪽은 음을 나타내는 일. 형성(形聲). 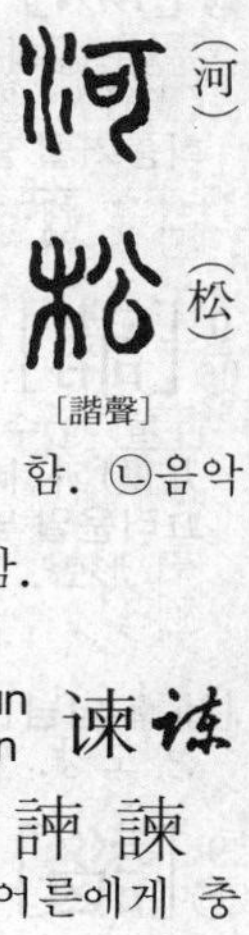
[諧語 해어] ㉠농. 익살. ㉡환담(歡談)함.
[諧易 해이] 성질이 유순함.
[諧暢 해창] 온화하고 맑음.
[諧謔 해학] 농지거리. 익살.
[諧和 해화] ㉠화합함. 또, 화합하게 함. ㉡음악의 가락이 고름.
[諧嬉 해희] 친하게 놂. 농지거리를 함.
◉嘲諧. 和諧. 歡諧. 詼諧.

(河) (松) [諧聲]

9 ⑯ [諫] 人名 ㊀ 간 ㊈諫 古晏切 jiàn 谏
㊁ 란 ㊈翰 郞旰切 làn

筆順 言 言 訁 訁 訁 訁 諫 諫

字解 ㊀ ①간할 간 ㉠임금 또는 웃어른에게 충고함. '諷―'. '直―'. '三―而不聽, 則逃之'《禮記》. ㉡자기의 전비(前非)를 뉘우쳐 탓함. '悟已往之不―, 知來者之可追'《陶潛》. ②간하는말 간 '從―若轉圜'《漢書》. ㊁ 헐뜯을 란 서로 비방함. 讕(言部 十七畫)과 同字. '讕, 詆讕, 誣言相被也. 或从柬'《集韻》.

字源 金文 篆文 形聲. 言+柬〔音〕. '柬간'은 '고르다, 가리다'의 뜻. 윗사람의 언동(言動)의 좋고 나쁨을 골라 '비평하다'의 뜻에서, '간(諫)하다'의 뜻을 나타냄.

[諫鼓 간고] 옛날에 임금을 간하거나 또는 호소하고자 하는 자에게 쳐서 그 뜻을 통하게 하기 위하여 궁문(宮門)에 매단 북.
[諫官 간관] 임금을 간하는 벼슬.
[諫勸 간권] 간하여 착한 일을 하도록 권함.
[諫輔 간보] 간하여 도움.
[諫疏 간소] 간하는 상소.
[諫臣 간신] 임금에게 옳은 말로 간하는 신하.
[諫言 간언] 간하는 말.
[諫垣 간원] 간원(諫院).
[諫院 간원] 간관(諫官)의 마을. 간관이 있는 관아(官衙).
[諫議 간의] 간함.
[諫議大夫 간의대부] 임금을 간하는 벼슬 이름.
[諫爭 간쟁] 간하여 다툼.
[諫諍 간쟁] 간쟁(諫爭).
[諫正 간정] 간하여 바로잡음.
[諫止 간지] 간하여 못하게 함.
[諫職 간직] 임금을 간하는 벼슬. 간관(諫官).
◉強諫. 固諫. 苦諫. 匡諫. 規諫. 極諫. 幾諫. 密諫. 尸諫. 身後之諫. 力諫. 泣諫. 箴諫. 切諫. 正諫. 至諫. 直諫. 忠諫. 諷諫. 顯諫. 譎諫.

9 ⑯ [諭] 人名 ㊀ 유 ㊈遇 羊戍切 yù 谕
㊁ 투 ㊤有 他口切 tǒu

字解 ㊀ ①깨우칠 유 깨닫도록 일러 줌. '―示'. '說―'. '曉―'. '修敎明―'《穀梁傳》. ②깨달을 유 말을 듣고 깨달아 앎. '其言多當矣, 而未―也'《荀子》. ③깨우침 유 깨우치는 말. 가르침. '持節宣―'《北史》. '未敢聞子之高―'《束晳》. ④간할 유 '―, 諫也'《廣韻》. ⑤비유할 유, 비유 유 喩(口部 九畫)와 同字. '誼追傷之, 因以自―'《漢書》. '引―失義'《諸葛亮》. ⑥비유하여간할 유 풍간(諷諫)함. '―, 譬諫也'《一切經音義》. ⑦행하여질 유 널리 미침. '而威已―矣'《呂氏春秋》. ⑧성 유 성(姓)의 하나. ㊁ 꾈 투 '―, 誘也'《玉篇》.

字源 篆文 形聲. 言+兪〔音〕. '兪유'는 '뽑아내다'의 뜻. 불분명한 점(點)을 빼내는 말의 뜻에서, '깨우치다'의 뜻을 나타냄.

[諭告 유고] 윗사람이 아랫사람을 타이름. 또, 그 글.
[諭敎 유교] 효유(曉諭)하여 가르침.
[諭達 유달] 유시(諭示).
[諭德 유덕] ㉠도덕(道德)을 가르쳐 깨우침. ㉡벼슬 이름. 당대(唐代)의 태자(太子)의 시종(侍從).
[諭示 유시] ㉠취지(趣旨)를 말해 들려줌. ㉡윗사람이 아랫사람에게 또는 관(官)에서 백성에게 타일러 가르침. 또, 그 글. 유고(諭告).

[諭旨 유지] 임금이 자기의 뜻을 신하에게 알림. 또, 그 글.
[諭旨免官 유지면관] 임금의 유지로 관직을 면함.
[諭蜀 유촉] 장관(長官)이 백성에게 고유(告諭)하는 문고(文告).
[諭曉 유효] 가르쳐 깨우침.
◉諫諭. 懇諭. 開諭. 告諭. 高諭. 敎諭. 面諭. 譬諭. 上諭. 宣諭. 說諭. 聖諭. 申諭. 審諭. 慰諭. 陰諭. 奬諭. 詔諭. 譙諭. 勅諭. 褒諭. 諷諭. 誨諭. 曉諭. 訓諭.

9 ⑯ **[諮]** [人名] 자 (平)支 卽夷切 zī 谘

字解 물을 자, 상의할 자 높은 이가 낮은 이에게 문의함. 咨(口部 六畫)와 同字. '一詢'. '一問'. '一臣以當世之事'《諸葛亮》.
字源 形聲. 言+咨〔音〕. '咨자'는 심신을 편안히 가지다. 격의 없이 말하다의 뜻에서, '자유로이 상의하다'의 뜻을 나타냄.

[諮決 자결] 자문하여 결정함.
[諮謀 자모] 물어봄. 상의함.
[諮問 자문] 윗사람이 아랫사람과 상의함. 의견을 물음.
[諮詢 자순] 문의함. 의견을 물음. 자문(諮問).
[諮議 자의] ㉠아랫사람에게 상의함. ㉡정부(政府)의 자문에 응하여 그 일을 평의(評議)함.
[諮議局 자의국] 청말(淸末)에 각 성(省)에 설치한 의회(議會). 백성이 선출(選出)한 의원(議員)으로써 조직함.
[諮諏 자추] 아랫사람에게 물음. 자문(諮問).
[諮稟 자품] 상의한 결과 그 의견을 아룀. 또, 일을 물어 명(命)을 받음.

9 ⑯ **[諰]** 시 (上)紙 胥里切 xǐ

字解 ①두려워할 시 공구(恐懼)함. '則甚有其一也'《荀子》. '一一然常恐天下之一合而軋己也'《荀子》. ②생각할 시 얘기하면서 생각함. '一, 言且思之也'《廣韻》. ③직언할 시 곧은 말을 함. '一, 一曰, 直言'《廣韻》.
字源 篆文 形聲. 言+思〔音〕. '思사'는 '생각하다'의 뜻. 얘기를 하면서 생각하다의 뜻을 나타냄.

[諰諰 시시] 두려워하는 모양.

9 ⑯ **[諱]** [人名] 휘 (去)未 許貴切 huì 讳

字解 ①꺼릴 휘 ㉠말하기를 싫어함. '一言'. ㉡싫어함. '其所一者不足不具'《晉書》. ㉢두려워함. '一忌'. '擊斷無一'《史記》. ㉣피함. 회피함. '罰不一强大'《戰國策》. ②숨길 휘 은폐함. '隱一'. '大惡一, 小惡書'《公羊傳》. ③휘할 휘 높은 이의 이름을 부르기를 피함. '漢一武帝名徹爲通'《韓愈》. ④휘 휘 ㉠죽은 이의 이름. '以一事神'《左傳》. ㉡높은 이의 이름. '一辯'《韓愈》.
字源 金文 篆文 形聲. 言+韋〔音〕. '韋위'는 '떨어지다'의 뜻. 입으로 말하는 것을 꺼리어 떨어지다의 뜻을 나타냄.

[諱忌 휘기] ㉠나타냄. 꺼리어 싫어함. 피함. 기휘(忌諱). ㉡음양도 따위에서, 꺼려 피하는 일.
[諱談 휘담] 세상(世上)을 꺼리어 공언(公言)할 수 없는 말.
[諱名 휘명] 이름을 휘함. 이름을 부르지 아니함.
[諱祕 휘비] 휘지비지(諱之祕之).
[諱言 휘언] ㉠꺼리어 피해야 할 말. 욕. 또, 말하기를 꺼리어 피함. ㉡남의 말을 꺼리어 싫어함. 간(諫)하는 말을 거부함.
[諱隱 휘은] 꺼리어 감춤.
[諱音 휘음] 부음(訃音).
[諱日 휘일] 조상(祖上)의 제일(祭日).
[諱字 휘자] 제왕(帝王) 또는 부조(父祖)의 이름에 쓴 글자.
[諱之祕之 휘지비지] ㉠결과를 분명치 않게 맺음. ㉡남을 꺼리어 우물쭈물함.
[諱避 휘피] 꺼리어 피함.
◉拒諱. 忌諱. 大諱. 犯諱. 不諱. 隱諱. 疑諱. 藏諱. 尊諱. 觸諱. 偏諱. 避諱.

9 ⑯ **[諳]** 암 (平)覃 烏含切 ān 谙

字解 ①알 암 익숙히 앎. '一練舊事'《晉書》. ②기억할 암 잊지 아니함. '一記'. '皆一其數'《後漢書》. ③월 암 암송함. '一誦'. '一識內典'《陳書》. ④큰소리 암 '一, 大聲也'《玉篇》.
字源 篆文 形聲. 言+音〔音〕. '音음'은 '暗암'과 통하여 '어둡다'의 뜻. 눈을 가려 어둡게 하며 말하다, 외다의 뜻을 나타냄.

[諳究 암구] 암송(暗誦)하고 연구함.
[諳記 암기] 기억(記憶)하여 잊지 아니함.
[諳練 암련] 아주 익숙하게 알고 있음.
[諳寫 암사] 보지 않고 베낌.
[諳算 암산] 마음속으로 셈함. 암산(暗算).
[諳誦 암송] ㉠보지 않고 읽음. 욈. 암송(暗誦). ㉡《佛敎》 불경(佛經)을 소리를 높여 읽음.
[諳識 암식] 외어 앎.
[諳悉 암실] 모두 욈. 다 앎.
[諳委 암위] 암실(諳悉).
[諳忽 암홀] 욈과 잊음.
[諳曉 암효] 외어 환히 앎.
◉事事諳. 詳諳. 熟諳.

9 ⑯ **[諴]** 함 (平)咸 胡讒切 xián

字解 ①화동할 함 화합함. '其丕能一于小民'《書經》. ②정성 함 지성. '至一感神'《書經》. ③희롱거릴 함 까붊. 농함.
字源 金文 篆文 形聲. 言+咸〔音〕

9 ⑯ **[諵]** 남 (平)覃 那含切 nán

字解 ①수다스러울 남 말이 많은 모양. 喃(口部 九畫)과 同字. '論詩說賦相一一'《韓愈》. ②시끄러운말 남 '一, 聒語'《集韻》.
字源 形聲. 言+南〔音〕

[諵諵 남남] 말이 많은 모양. 수다스럽게 지껄이는 모양. 남남(喃喃).

9 ⑯ **[illegible]** 노 (上)晧 乃老切 nǎo

字解 서로욕할 노 서로 욕함. 말로 서로 능멸함. '一, 語相侮也'《集韻》.

9 ⑯ **[謥]** 노 ㊀遇 乃故切 náo

字解 비방할 노 비방함. 욕함. 욕설을 함. '一, 惡言也'《字彙補》.

9 ⑯ **[諶]** 人名 심 ㊥侵 氏任切 chén 谌

字解 ①참 심 진실하고 거짓이 없음. '其命匪一'《詩經》. ②믿을 심 신뢰함. '天難一, 命靡常'《書經》. ③참으로 심 진실로. '一在弱而難持'《楚辭》. ④성 심 성(姓)의 하나.

字源 金文 篆文 形聲. 言+甚〔音〕. '甚심'은 '沈침'과 통하여, '침잠(沈潛)하다'의 뜻. 언약의 말 하나에 침잠하여 딴 것에 마음을 옮기지 않다의 뜻에서, 진실됨, 의지하여 믿다의 뜻을 나타냄.

[諶訓 심훈] 성의가 있는 가르침.
◉匪諶.

9 ⑯ **[諪]** 人名 정 ㊥青 唐丁切 tíng

字解 조정할 정 조절함. '一, 調一, 亦作調停'《正字通》.

9 ⑯ **[諷]** 人名 풍 ㊀送 方鳳切 fěng ㊥東 方馮切 讽

字解 ①욀 풍 암송함. '能一書九千字以上'《漢書》. ②변죽울릴 풍 넌지시 비춤. 다른 사물에 가탁하여 말함. '一刺'. '以談笑一諫'《史記》. ③간할 풍 '一, 一曰, 諫刺'《集韻》.

字源 篆文 形聲. 言+風〔音〕. 바람처럼 말하다의 뜻에서, 외서 노래 부르다, 넌지시 비추다의 뜻을 나타냄.

[諷諫 풍간] 완곡하게 간함. 넌지시 간함.
[諷讀 풍독] 풍송(諷誦)㉠.
[諷勉 풍면] 넌지시 격려함.
[諷味 풍미] 외서 음미함.
[諷書 풍서] 외어 씀.
[諷嘯 풍소] 시가(詩歌)를 외어 읊음.
[諷誦 풍송] ㉠욈. 암송함. ㉡《佛敎》 불경(佛經)을 소리를 높여 읽음.
[諷詠 풍영] 시가(詩歌)를 외어 읊음.
[諷謠 풍요] ㉠외어 노래함. ㉡노래.
[諷諭 풍유] 넌지시 타이름.
[諷意 풍의] 뜻을 넌지시 말함.
[諷刺 풍자] 빗대고 남의 결점을 찌름.
[諷旨 풍지] 에둘러 말한 완곡한 뜻. 풍지(風指).
◉譏諷. 朗諷. 微諷. 玩諷. 吟諷. 箴諷. 傳諷. 嗟諷.

9 ⑯ **[諸]** 中人 ■ 제(저 ㊥魚 章魚切 zhū ■ 저 ㊍)㊥魚 常如切 chú 诸

筆順 言 言 討 訣 訣 諸 諸 諸

字解 ■ ①모든 제, 여러 제 '一君'. '一事'. '歷試一艱'《書經》. ②어조사 제 ㉠'之於'와 뜻이 같음. '君子求一己, 小人求一人'《論語》. ㉡'之乎'와 뜻이 같아 의문사(疑問辭)로 쓰임. '湯放桀, 武王伐紂, 有一'《孟子》. ㉢또, 특히 '乎'를 첨가한 것도 있음. '信有一乎'《史記》. ㉣무의미의 조사(助辭). '日居月一'('居'도 조사)《詩經》. ③무릇 제 凡(几部 一畫)과 뜻이 같음. '一去大軍, 爲前禦之備'《尉繚子》. ④성 제 성(姓)의 하나. ■ ①김치 저, 장아찌 저 '桃一梅一'《禮記》. ②두꺼비 저 '詹一'은 두꺼비. '詹一, 蝦蟆也'《字彙》.

字源 金文 篆文 形聲. 言+者〔音〕. '者자'는 모여서 많다의 뜻. 지시 대명사(指示代名詞)인 '이'의 뜻으로 차용(借用)되어, '言언'을 덧붙이게 되었음.

[諸家 제가] ㉠많은 집. ㉡많은 사람. 또, 여러 유파(流派).
[諸葛巾 제갈건] 제갈량(諸葛亮)이 썼다는 일종(一種)의 두건(頭巾).
[諸葛亮 제갈량] 삼국(三國) 시대 촉(蜀)나라의 재상(宰相). 자(字)는 공명(孔明). 융중(隆中)에 은거(隱居)하고 있을 때, 유비(劉備)의 삼고초려(三顧草廬)에 못 이겨 출사(出仕)한 후 유비로 하여금 촉(蜀)나라를 건국(建國)하게 하였음. 유비가 죽은 뒤, 유조(遺詔)를 받들어 후주(後主)인 유선(劉禪)을 보필(輔弼)하다가 위(魏)나라의 사마의(司馬懿)와 오장원(五丈原)에서 대전중 진중(陣中)에서 졸(卒)하였음. 그가 지은 〈출사표(出師表)〉는 명문(名文)으로 유명함.

[諸葛巾]

[諸客 제객] ㉠많은 식객(食客). 제국(諸國) 유세(遊說)를 다니는 사람들. ㉡많은 빈객(賓客).
[諸季 제계] 많은 동생.
[諸孤 제고] 여러 고아(孤兒).
[諸公 제공] 여러분.
[諸具 제구] 여러 가지의 기구(器具).
[諸舅 제구] 여러 외숙(外叔). 천자가 이성(異姓)의 제후(諸侯)를 부르는 말.
[諸國 제국] 여러 나라.
[諸君 제군] 여러분. 자네들.
[諸根 제근] 신(神)·근(勤)·염(念)·정(定)·혜(慧)의 오근(五根)과 그 밖의 일체의 선근(善根).
[諸等數 제등수] 둘 이상의 단위의 이름으로 표시하는 수. 삼 척(尺) 오 촌(寸), 삼 원(圓) 오십 전(錢) 따위.
[諸禮 제례] 모든 예의범절.
[諸母 제모] ㉠아버지의 모든 첩. ㉡아버지의 자매(姉妹). 고모(姑母).
[諸般 제반] 여러 가지. 모든.
[諸方 제방] 사방. 각지. 또, 여러 나라.
[諸邦 제방] 여러 나라. 각국(各國).
[諸法無我 제법무아] 우주 만물은 모두 인연 화합(因緣和合)으로 말미암아 나타난 것으로서 실다운 나〔我〕가 없음.
[諸父 제부] ㉠천자(天子)가 동성(同姓)의 제후를, 또 제후가 동성의 대부를 부르는 칭호. ㉡아버지의 형제.
[諸士 제사] 여러 선비.
[諸司 제사] 여러 관리. 모든 벼슬아치. 백관(百官).
[諸事 제사] 모든 일.
[諸色 제색] ㉠각 방면. 또, 각 부류(部類). ㉡각가지 물품.

[諸生 제생] 학생. 학도.
[諸勝 제승] 여러 명승(名勝).
[諸氏 제씨] 여러분. 많은 사람에 대한 경칭(敬稱).
[諸御 제어] ㉠군중(軍中)의 서무관(庶務官). ㉡천자의 시첩(侍妾)들.
[諸彦 제언] ㉠많은 뛰어난 사람. 언(彦)은 남자의 미칭(美稱). ㉡일반인에 대한 경칭(敬稱). 여러분.
[諸役 제역] 각종의 부역(夫役).
[諸緣 제연] 《佛敎》 모든 인연이 있는 것. 일체의 세계의 현상(現狀).
[諸英 제영] 여러 뛰어난 사람. 수재(秀才)들.
[諸于 제우] 부인(婦人)의 웃옷.
[諸位 제위] 여러분.
[諸人 제인] 모든 사람.
[諸子 제자] ㉠제군. 자네들. 웃어른이 아랫사람들을 부르는 제이 인칭. ㉡주대(周代)의 벼슬 이름. 제후의 세자(世子)의 일을 맡음. ㉢제자백가(諸子百家).
[諸姊 제자] 여러 여성에 대한 경칭(敬稱).
[諸子百家 제자백가] 선진(先秦), 곧 전국 시대(戰國時代)의 여러 학자. 또는 그들이 지은 책.
[諸將 제장] 모든 장수(將帥). 여러 장군.
[諸節 제절] ㉠모든 절차(節次). ㉡《韓》 남의 집안 모든 사람의 기거동작.
[諸種 제종] 여러 종류(種類).
[諸天 제천] 《佛敎》 모든 천상계(天上界). 또, 그곳에 사는 부처.
[諸夏 제하] 중국 본토 안에 있는 모든 제후의 나라. 사방의 이적(夷狄)에 대하여 중국(中國)을 이름.
[諸行 제행] 《佛敎》 인연에 의해 생긴 온갖 현상(現象). 여러 변화하는 것. '行'은 변천(變遷)·유동(流動)의 뜻.
[諸行無常 제행무상] 《佛敎》 우리가 거처하는 우주의 만물은 항상 돌고 변하여서 같은 모습으로 꽉 정착하여 있지 아니함. 현세(現世)의 덧없음을 이름.
[諸許 제허] 허다(許多).
[諸賢 제현] ㉠여러 현인(賢人). ㉡여러분.
[諸侯 제후] 봉건 시대(封建時代)에 봉토(封土)를 받아 그 역내의 백성을 지배하던 작은 나라의 임금.
[諸侯之門仁義存 제후지문인의존] 권력이 있는 자는 죄를 져도 걸리지 아니하고 도리어 겉으로는 인의(仁義)를 부르짖음. 곧, 인의(仁義)도 권력에 지배당함을 이름.
◉居諸. 望諸. 方諸. 蟾諸. 于諸. 因諸. 偏諸. 忽諸.

9 ⑯ [諺] 人名 ㊀ 언 ㊍霰 魚變切 yàn ㊁ 안 ㊍翰 魚旰切 àn 谚

筆順 言 言 訁 訁 諺 諺 諺 諺

字解 ㊀ ①상말 언 이언(俚言). '俗—'. '—, 所謂老將至, 而耄及之'《左傳》. ②조문(弔問)할 언 조상(弔喪)함. '子游揚裘而—, 曾參指揮而哂'《新論》. ㊁ 자랑할 안 스스로 자랑함. '—, 諺—, 自矜'《集韻》.

字源 篆文 形聲. 言+彦〔音〕. '彦언'은 '화장품'의 뜻. 인생을 아름답게 꾸밀 교훈을 담은 이언(俚諺)의 뜻을 나타냄.

[諺簡 언간] 한글로 쓴 편지.
[諺文 언문] 한글의 속칭(俗稱).
[諺語 언어] 이언(俚諺). 속담(俗談).
[諺言 언언] 이언(俚諺). 속담.
[諺譯 언역] 한글로 번역함.
[諺解 언해] 한글로 풀이함.
◉古諺. 貴諺. 鄙諺. 俗諺. 野諺. 里諺. 俚諺.

9 ⑯ [諼] 훤 ㊥元 況袁切 xuān ㊤阮 況晚切 谖

字解 ①속일 훤 기만함. '虛造詐—之策'《漢書》. ②잊을 훤 망각함. 諠(言部 九畫)과 同字. '有斐君子, 終不可—兮'《詩經》. ③시끄러울 훤 讙(言部 十八畫)과 통용.

字源 篆文 形聲. 言+爰〔音〕. '爰원'은 '끌다'의 뜻. 진실(眞實)로부터 일부러 멀리하여, 다른 방향으로 끄는 말, '거짓'의 뜻을 나타냄.

[諼草 훤초] 백합과에 속하는 다년초. 원추리. 망우초(忘憂草).
◉弗諼. 詐諼.

9 ⑯ [諾] 高·人 낙 ㊇藥 奴各切 nuò 诺

筆順 言 言 訁 訁 訁 詳 諾 諾

字解 ①대답할 낙 ㉠예 하고 대답함. '史起答—'《呂氏春秋》. ㉡천천히 대답함. 공손하지 않은 대답. '父命呼, 唯而不—'《禮記》. ②승낙할 낙 승인함. '輕—必寡信'《老子》. ③승낙 낙 청하는 바를 들어줌. 또, 승낙한 일. '不如得季布一—'《史記》. ④허용할 낙 '許—'. '子路無宿—'《荀子》. ⑤따를 낙 '劑貌辨答曰, 敬—'《呂氏春秋》. ⑥성 낙 성(姓)의 하나.

字源 金文 篆文 形聲, 言+若〔音〕. '若약'은 '승낙하다'의 뜻. 말로 승낙하다의 뜻을 나타냄.

[諾諾 낙낙] 남의 말을 잘 좇는 모양.
[諾否 낙부] 승낙함과 하지 아니함.
[諾唯 낙유] 옳다고 함. 그렇다고 함.
[諾責 낙책] 승낙한 책임.
◉敬諾. 季布一諾. 謹諾. 嚅諾. 受諾. 宿諾. 承諾. 然諾. 唯諾. 唯唯諾諾. 應諾. 千鈞之諾. 快諾. 許諾.

9 ⑯ [謀] 高·人 모 (무本) ㊥尤 莫浮切 móu 谋

筆順 言 言 訁 訁 訁 謀 謀 謀

字解 ①꾀할 모 ㉠책략을 세움. 계획함. '—議'. '圖—'. '公何不爲王—伐魏'《戰國策》. ㉡생각함. 마음을 씀. '作事—始'《易經》. '君子—道不—食'《論語》. ②물을 모 상의함. '不卽我—, 徹我牆屋'《詩經》. '二人對議, 謂之—'《晉書》. ③속일 모 계략으로 속임. '貪必—人, —人人亦—己'《左傳》. ④꾀 모 계략. 술책. '嘉—'. '君之—過矣'《戰國策》. ⑤성 모 성(姓)의 하나.

字源 篆文 古文 古文 形聲. 言+某〔音〕. 일설(一說)에는, '某모'는 신목(神木)에 빌다의 뜻. 어려운 문제에 대해서 생각하다, 꾀하다의 뜻.

[謀計 모계] 꾀.
[謀及婦人 모급부인] 부인과 꾀를 꾸미면 누설될 염려가 많으므로 여자와 같이 일을 꾸미는 것을 비웃는 말.
[謀略 모략] 모계(謀計).
[謀慮 모려] 꾀.
[謀利 모리] 자기 이익만을 꾀함.
[謀免 모면] 면(免)하려고 꾀함.
[謀反 모반] ㉠모반(謀叛). ㉡군주를 시역(弑逆)함.
[謀叛 모반] 국가나 군주를 뒤집어엎으려고 병란을 일으킴.
[謀士 모사] 온갖 꾀를 잘 내는 사람. 책사.
[謀事 모사] 일을 꾀함.
[謀殺 모살] 계획적으로 사람을 죽임.
[謀臣 모신] 지모(智謀) 있는 신하.
[謀逆 모역] 반역을 꾀함. 역적질을 하려고 함.
[謀猷 모유] 모계(謀計).
[謀議 모의] 일을 계획하여 서로 의논함.
[謀將 모장] 꾀 많은 장수.
[謀主 모주] 주모자(主謀者).
[謀避 모피] 꾀를 써서 피(避)함.
[謀陷 모함] 꾀를 써서 남을 못된 구렁에 빠지게 함.
[謀害 모해] 꾀를 써서 남을 해(害)함.
[謀畫 모획] 모계(謀計).
◉嘉謀. 計謀. 寡謀. 軍謀. 權謀. 奇謀. 老謀. 廟謀. 無謀. 密謀. 祕謀. 詐謀. 善謀. 首謀. 詢謀. 深謀. 勇謀. 遠謀. 陰謀. 疑謀. 人謀. 智謀. 參謀. 策謀. 淺謀. 忠謀. 通謀. 獻謀. 謠謀.

9 ⑯ [謁] [高人] 알 (入)月 於歇切 yè 谒

[筆順] 言 言 訁 訁 訁 謁 謁 謁

[字解] ①명함 알 면회를 청할 때 내놓는 성명을 적은 쪽지. 명자(名刺). '一刺'. '高祖乃紿爲一'《史記》. ②뵐 알 ㉠높은 이에게 면회함. '面一'. '拜一'. '仗策一天子'《魏徵》. ㉡참배(參拜)함. '一廟'. '先拜而後一佛'《世說》. ③아뢸 알 사룀. '臣請一其故'《戰國策》. ④고할 알 알림. '乃一關人'《儀禮》. '事至而戰. 又何一焉'《左傳》. ⑤찾을 알 방문함. '一, 增韻, 訪也'《康熙字典》. ⑥청할 알 구함. '宣子一諸鄭伯'《左傳》. ⑦성 알 성(姓)의 하나.
[字源] 篆文 形聲. 言+曷〔音〕. '曷갈'은 '청하다'의 뜻. '曷'이 의문(疑問)의 조사(助辭)로 쓰임에 따라, '言언'을 덧붙여 구별했음.

[謁告 알고] 휴가를 청하여 고(告)하고 돌아감.
[謁過 알과] 허물을 알림.
[謁廟 알묘] 사당(祠堂)에 참배함.
[謁舍 알사] 객사(客舍). 여관.
[謁聖 알성] 임금이 문묘(文廟)에 참배함.
[謁刺 알자] 명함(名銜).
[謁者 알자] ㉠알현(謁見)을 구하는 사람. ㉡응접(應接)을 맡은 벼슬. 또, 그 사람. ㉢사방(四方)에 사신(使臣) 가는 벼슬.
[謁見 알현] 지위(地位)가 높은 사람을 뵘.
[謁候 알후] 웃어른을 가 뵙고 문안(問安)을 함.
[謁後塵 알후진] ㉠남의 턱찌끼를 핥음. ㉡귀인(貴人)의 뒤를 좇음.
◉啓謁. 內謁. 面謁. 拜謁. 伏謁. 私謁. 上謁. 女謁. 迎謁. 入謁. 刺謁. 典謁. 朝謁. 請謁. 親謁. 通謁.

9 ⑯ [謂] [高人] 위 (去)未 于貴切 wèi 谓

[筆順] 言 言 訁 訁 訁 謂 謂 謂

[字解] ①이를 위 ㉠이야기함. 고(告)함. '周公一魯公曰'《論語》. ㉡평론함. 비평함. '子一子賤'《論語》. ㉢일컬음. 말함. '此之一大丈夫'《孟子》. ㉣설명함. '一天蓋高'《詩經》. ㉤이르기를. 생각하기를. '人皆一, 卿但知經術, 不曉時務'《宋史》. ②이름 위 ㉠이르는 바. 이르는 일. '其斯之一與'《論語》. ㉡뜻. 의미. '非謂有喬木之一也'《孟子》. ③까닭 위 이유. '甚無一也'《漢書》. ④생각할 위 '嗚呼, 曾一泰山不如林放乎'《論語》. ⑤힘쓸 위 근면함. '遐不一矣'《詩經》. '迨其一之'《詩經》. ⑥이른바 위 소위. '諺所一輔車相依, 脣亡齒寒者'《左傳》. ⑦성 위 성(姓)의 하나.
[字源] 金文 篆文 形聲. 言+胃(䏶)〔音〕. '胃위'는 '圍위'와 통하여, '에워싸다'의 뜻. 어떤 개념(概念)을 확실히 담아서 말하다의 뜻을 나타냄.

[謂人莫己若者亡 위인막기약자망] 나를 따를 만한 사람은 없다고 자만하는 사람은 망함.
[謂何 위하] ㉠여하(如何)와 내하(奈何). ㉡뭐라고 할까.
◉來謂. 無謂. 所謂. 意謂. 稱謂.

9 ⑯ [謔] [人名] 학 (入)藥 虛約切 xuè 谑

[字解] ①농할 학 희학질함. 농지거리함. '諧一'. '調一'. '善笑一兮'《詩經》. ②농 학 희학(戲謔). '是謂君臣爲一'《禮記》.
[字源] 篆文 形聲. 言+虐〔音〕. '虐학'은 호랑이가 사람을 어르다가 잡아먹다의 뜻. 말로 농락하다, 장난하다의 뜻을 나타냄.

[謔劇 학극] 학랑(謔浪).
[謔浪 학랑] 농지거리함.
[謔笑 학소] 농을 하며 웃음.
[謔謔 학학] ㉠기뻐 즐기는 모양. ㉡성(盛)하고 맹렬한 모양.
◉乖謔. 侮謔. 善謔. 笑謔. 哂謔. 調謔. 嘲謔. 醜謔. 諧謔. 歡謔. 嬉謔. 戲謔.

9 ⑯ [諲] 인 (平)眞 於眞切 yīn

[字解] 공경할 인 삼감. '一, 敬也'《爾雅》.

9 ⑯ [謏] 一 소 (上)篠 先鳥切 xiǎo 二 수 (去)宥 先奏切 sòu

[字解] 一 작을 소, 꾈 소 '一, 小也, 誘也'《說文新附》. 二 뒤로욕할 수 못 듣는 데서 험담함.
[字源] 篆文 形聲. 言+叜〔音〕

9 ⑯ [諻] 황 (平)庚 呼橫切 huáng

[字解] ①큰소리 황 喤(口部 九畫)과 통용. '喧嘩一呷'《左思》. ②소리 황 '一, 音也'《揚子方言》.

③말소리 황 '一, 語聲'《廣韻》.

9 ⑯ [諔] 극 [入]職 紀力切 jí
[字解] 말더듬거릴 극 말을 더듬음. '一, 訥言也'《集韻》.

9 ⑯ [諿] [一] 집 [入]緝 七入切 qī [二] 서 [上]語 私呂切 xǔ
[字解] [一] 화할 집 온화함. '一, 和也'《集韻》. [二] 꾀 서 계책. '次七女不女, 其心予, 覆夫一'《太玄經》.
[字源] 形聲. 言+咠〔音〕

9 ⑯ [諽] 격 [入]陌 楷革切 gé
[字解] ①경계할 격 계칙(戒飭)함. '一, 飭也'《說文》. ②고칠 격 '一, 一日, 更也'《說文》. ③삼갈 격 '一, 一日, 謹也'《集韻》.
[字源] [篆文] 形聲. 言+革〔音〕

9 ⑯ [諻] 훼 [上]紙 虎委切 huǐ
[字解] 헐뜯을 훼 비방함. 毁(殳部 九畫)와 통용. '一, 謗也'《集韻》.

9 ⑯ [謦] 〔계〕
启(口部 八畫〈p.385〉)와 同字

9 ⑯ [諣] 가 [去]禡 丘駕切 qià
[字解] ①교묘한말 가 '一詬'는 교묘하게 말함. '一, 一詬, 巧言'《集韻》. ②교묘한말재주 가 '一, 一詬, 巧言才也'《廣韻》.

9 ⑯ [謗] 〔보〕
譜(言部 十三畫〈p.2158〉)와 同字

9 ⑯ [諭] 〔유·투〕
諭(言部 九畫〈p.2141〉)의 俗字

9 ⑯ [諺] 〔언·안〕
諺(言部 九畫〈p.2144〉)의 俗字

9 ⑯ [警] 〔감〕
監(皿部 九畫〈p.1523〉)의 古字

9 ⑯ [謠] 〔요〕
謠(言部 十畫〈p.2150〉)의 俗字

9 ⑯ [諄] 〔순〕
諄(言部 八畫〈p.2134〉)의 俗字

9 ⑯ [譡] 〔가〕
訶(言部 五畫〈p.2112〉)와 同字

9 ⑯ [詎] 〔기〕
記(言部 三畫〈p.2107〉)와 同字

9 ⑯ [譊] 〔뇨·효〕
譊(言部 十二畫〈p.2155〉)의 略字

9 ⑯ [謟] 〔도〕
謟(言部 十畫〈p.2149〉)의 略字

9 ⑯ [謳] 〔변·편·평〕
辯(辛部 十四畫〈p.2284〉)과 同字

10 ⑰ [謅] [一] 초 [上]巧 初爪切 chǎo [二] 추 [平]尤 楚鳩切 zhōu
[字解] [一] ①농 초 농담함. 희롱거림. '胡一'. '一, 弄言'《集韻》. ②빠를 초 재빠름. 경첩(輕捷)함. '輕一趫悍'《馬融》. ③친압할 초 서로 친해짐. '一, 相擾也'《字彙》. [二] 속삭일 추 가만히 속삭임. 귀엣말함. '一謏, 陰私小言'《廣韻》.
[字源] 形聲. 言+芻〔音〕

◉輕謅. 胡謅.

10 ⑰ [謆] 선 [去]霰 式戰切 shàn
[字解] 미혹게할 선 말로 남을 미혹(迷惑)시킴. 또, 부추김.
[字源] 形聲. 言+扇〔音〕

10 ⑰ [諜] 획 [入]陌 虎伯切 huò
[字解] ①빠를 획 '一然'은 빠른 모양. 謋(言部 八畫)과 同字. '一然, 速也'《集韻》. ②뼈발라내는소리 획 백정의 칼 놀리는 소리. '動刀甚微, 一然已解'《莊子》.
[字源] 會意. 言+桀. '桀걸'은 사나운 소리의 뜻. 사나운 소리, 뼈와 살이 떨어지는 소리의 모양을 나타냄.

[謋然 획연] 빠른 모양.

10 ⑰ [謎] [人名] 미 ①[去]霽 莫計切 ②[平]齊 緜批切 mí
[字解] ①수수께끼 미 은어(隱語). '君子嘲隱, 化而爲一語. 一也者, 廻互其辭, 使昏迷也'《文心雕龍》. ②미혹시킬 미 말로 현혹하게 함. '一, 言惑也'《集韻》.
[字源] [篆文] 形聲. 言+迷〔音〕. '迷미'는 미혹(迷惑)하게 하다의 뜻. 사람을 헷갈리게 하는 말의 뜻을 나타냄.

[謎語 미어] 사람을 미혹시키는 말. 또, 수수께끼.
[謎題 미제] 풀기 어려운, 또는 풀 수 없는 수수께끼 같은 문제.

10 ⑰ [謕] [一] 제 [平]齊 田黎切 tí [二] 사 [平]支 相支切 sī
[字解] [一] ①말꼬일 제 '一, 轉語'《廣韻》. ②울 제 '孤子一號'《漢書》. ③말로꾈 제 '一, 轉相誘語'《廣韻》. [二] ①참 사 신실(信實)함. '一, 諒也'《廣韻》. ②종종간(諫)할 사 '一, 數諫也'《廣韻》.

10 ⑰ [謏] [一] 소 [上]篠 先鳥切 xiǎo [二] 수 [去]宥 蘇奏切 sòu
[字解] [一] 적을 소, 작을 소 많지 않음. 또, 작음. '足以一聞'《禮記》. [二] 성내어말할 수 꾸짖음. '謅一, 怒言也'《廣韻》.

字源 形聲. 言＋叟〔音〕

[謏聞 소문] 명성(名聲)이 조금 남.

10 ⑰ [謐] 人名 밀 ㊅質 彌畢切 mì

字解 ①조용할 밀 고요하고 평온함. '靜—'. '內外寂—'《漢武帝內傳》. '海表—然'《魏志》. ②상세할 밀 자세함. '—, 猶密也'《說文繫傳》. ③삼갈 밀 조심함. '—, 愼也'《廣韻》. ④편안할 밀, 편안히할 밀 宓(宀部 五畫)과 통용.

字源 篆文 形聲. 言＋监〔音〕. '监밀'은 '密밀'과 통하여, 아주 조용함의 뜻. 소리 없이 조용하다의 뜻을 나타냄.

[謐謐 밀밀] 아주 고요한 모양.
[謐然 밀연] 고요한 모양. 평온한 모양.
◉曠謐. 安謐. 恬謐. 寧謐. 寂謐. 靜謐. 澄謐. 淸謐. 平謐.

10 ⑰ [謔] 〔건〕
譴(言部 十三畫〈p. 2160〉)과 同字

10 ⑰ [謊] 〔광〕
誑(言部 七畫〈p. 2126〉)의 本字

10 ⑰ [課] 〔답〕
諮(言部 八畫〈p. 2133〉)과 同字

10 ⑰ [謑] 혜 ①㊤齊 胡禮切 xǐ ②㊥齊 弦雞切 xí

字解 ①꾸짖을 혜, 욕보일 혜 후욕(詬辱)함. '—, 怒言'《廣韻》. '無廉恥而任—訽'《荀子》. ②바르지아니할 혜 정직하지 아니한 모양. '—髁無任'《莊子》.

字源 篆文 別體 形聲. 言＋奚〔音〕. '奚혜'는 '종'의 뜻. 종에게 대하여 말하듯 창피를 주다의 뜻을 나타냄.

[謑訽 혜구] 혜후(謑詬).
[謑髁 혜화] 바르지 아니한 모양. 정직하지 아니한 모양.
[謑詬 혜후] 후욕(詬辱)함.

10 ⑰ [謖] 人名 속 ㊅屋 所六切 sù

字解 ①일어날 속 일어섬. '神醉而尸—'《詩經》. '未嘗見舟, 而—操之者也'《列子》. ②여밀 속 옷깃을 여밈. '公子—爾斂袂而興'《後漢書》. ③뛰어날 속 '——'은 훨씬 나은 모양. 일설(一說)에는, 소나무에 부는 바람 소리. '——如勁松下風'《世說》.

字源 形聲. 言＋畟〔音〕

[謖謖 속속] 자해(字解)❸을 보라.
[謖然 속연] 옷깃을 여며 단정히 하는 모양.

10 ⑰ [謗] 人名 방 ㊦漾 補曠切 bàng ㊥陽 逋旁切

字解 헐뜯을 방 헐어 말함. 비방함. '誹—'. '國人—王'《國語》. 또, 헐뜯는 말. 비방. '讒—'. '以速官—'《左傳》. '反離—而見攘'《楚辭》.

字源 篆文 形聲. 言＋旁〔音〕. '旁방'은 '妨방'과 통하여, '방해하다'의 뜻. 악의(惡意)에 찬 말로 '방해하다, 헐뜯다, 하리놀다'의 뜻을 나타냄.

[謗譏 방기] 헐뜯음. 비방함. 또, 비방. 방훼(謗毁).
[謗讟 방독] 원망하여 비방함.
[謗論 방론] 방의(謗議).
[謗罵 방매] 헐뜯어 욕함.
[謗訕 방산] 헐뜯음. 또, 비방.
[謗書 방서] 남을 헐뜯는 편지 또는 책.
[謗言 방언] 헐뜯는 말. 비방.
[謗譽 방예] 비방함과 칭찬함. 비방하는 말과 칭찬하는 말.
[謗怨 방원] 헐뜯으며 원망함. 원방(怨謗).
[謗議 방의] 헐뜯음. 비방함. 또, 그 비방.
[謗政 방정] 비방을 받을 만한 못된 정치.
[謗嘲 방조] 헐뜯고 비웃음.
[謗讒 방참] 헐뜯음. 비방함. 또, 비방.
[謗毁 방훼] 헐뜯음. 비방함.
◉群謗. 譏謗. 誣謗. 分謗. 非謗. 誹謗. 訕謗. 猜謗. 怨謗. 造謗. 嘲謗. 虛謗. 毁謗.

10 ⑰ [謘] 지 ㊥支 直尼切 chí ㊦寘 直利切

字解 ①느릴 지 말이 느림. '衆積意——'《荀子》. ②말바르지않을 지 '謘—, 語不正'《集韻》.

字源 篆文 形聲. 言＋犀〔音〕. '犀서'는 '느리다'의 뜻. 말이 느리다의 뜻을 나타냄.

[謘謘 지지] 말이 느린 모양.

10 ⑰ [謉]
㊀ 괴 ㊦寘 俱位切 kuì
㊁ 궤 ㊤紙 古委切 guǐ
㊂ 회 ㊤賄 虎猥切
㊃ 퇴 ①㊤賄 都罪切 duǐ ②㊥灰 徒回切 tuí

字解 ㊀ 부끄러워할 괴 '媿, 慙媿. 愧·聭·—, 並上同'《廣韻》. ㊁ 나무랄 궤, 속일 궤 '詭, 說文, 責也, 一曰, 詐也. 或从鬼'《集韻》. ㊂ 농지거리 회 농담. '—, —諢, 謔言'《廣韻》. ㊃ ①농지거리 퇴 ㊂과 뜻이 같음. ②겸손할 퇴 '—, 謙也'《集韻》.

10 ⑰ [謊] 謉(前條)와 同字

10 ⑰ [譛] ㊀ 치 ㊥支 稱脂切 chī ㊁ 기 ㊥支 渠伊切 chī

字解 ㊀ 꾸짖을 치 나무람. '—, 訶怒也'《集韻》. ㊁ 성낼 기 '—, 廣雅, 怒也'《集韻》.

10 ⑰ [謙] 高人 ㊀ 겸 ㊥鹽 苦兼切 qiān ㊁ 혐 ㊥鹽 胡兼切 xián

筆順 言 言 訁 訁 訁 訁 謙 謙 謙

字解 ㊀ ①겸손할 겸, 사양할 겸 제 몸을 낮춤. 또, 남에게 양보함. '—讓'. '人道惡盈而好—'《易經》. ②공경할 겸 삼감. '—敬博愛'《後漢書》. ③덜 겸 가볍게 함. '—, 輕也'《玉篇》. ④겸괘 겸 육십사괘(六十四卦)의 하나. 곧, ䷎〈간

하(艮下) 곤상(坤上)》. 남에게 겸양(謙讓)하는 상(象). [二] 혐의 혐 嫌(女部 十畫)과 통용. '信而不處—'《荀子》.
[字源] 篆文 形聲. 言+兼〔音〕. '兼겸'은 '廉렴'과 통하여, '단정하다'의 뜻을 나타냄. 단정한 언동을 하다, 삼가다의 뜻을 나타냄.

[謙慤 겸각] 겸손하고 성실함.
[謙謙 겸겸] 겸손한 모양.
[謙敬 겸경] 겸손하고 공경함.
[謙謹 겸근] 겸손하고 삼감.
[謙德 겸덕] 겸손한 덕.
[謙默 겸묵] 겸손하여 말이 적음.
[謙卑 겸비] 자기(自己)의 몸을 겸손(謙遜)하여 낮춤.
[謙辭 겸사] ㉠겸손히 하는 말. ㉡겸손하여 사양함.
[謙恕 겸서] 겸손하고 인정이 많음.
[謙素 겸소] 겸손하고 검소함.
[謙巽 겸손] 겸손(謙遜).
[謙損 겸손] 겸손하여 우쭐거리지 않음.
[謙遜 겸손] 남 앞에서 제 몸을 낮춤.
[謙約 겸약] 겸손하고 절약함.
[謙讓 겸양] 겸손하고 사양함.
[謙抑 겸억] 겸손하여 자기를 억제함.
[謙靖 겸정] 겸손하고 조용함.
[謙沖 겸충] 겸허(謙虛).
[謙稱 겸칭] 겸손하여 일컬음. 또, 그 말.
[謙退 겸퇴] 겸손(謙遜).
[謙虛 겸허] 겸손하고 허심탄회함.
[謙和 겸화] 겸손하여 화평함.
[謙厚 겸후] 겸손하고 온후함.
◉恭謙. 勞謙. 卑謙. 柔謙. 自謙. 和謙. 虧盈益謙.

10 ⑰ [謚] [人名] [一] 익 [入]陌 伊昔切 yì [二] 시 [去]寘 神至切 shì 谥

[筆順] 言 言 言 言 言 謚 謚 謚

[字解] [一] 웃을 익 웃는 모양. '一, 笑皃'《廣韻》. [二] 시호 시 속(俗)에 諡(言部 九畫)로 오용(誤用)함.
[字源] 篆文 形聲. 言+益〔音〕. '益익'은 킬킬 웃는 소리의 의성어.

10 ⑰ [講] [中人] [一] 강 [上]講 古項切 jiǎng [二] 구 [去]宥 居候切 kòu 讲

[筆順] 言 言 言 言 講 講 講 講

[字解] [一] ①풀이할 강 설명함. 의미를 밝힘. '—釋'. '—義'. '—於仁'《禮記》. '村學堂—書'《王君玉雜纂》. ②이야기할 강 담론(談論)함. '—談'. '—信脩睦'《禮記》. ③익힐 강 연습함. 공부함. '—學'. '—習'. '德之不修, 學之不—'《論語》. '乃命將帥—武, 習射御'《禮記》. ④꾀할 강 모의(謀議)함. '—事不令'《左傳》. ⑤토구(討究)할 강 검토 연구함. '—究'. '物—不—'《國語》. ⑥화해할 강 화의함. '—和'. '而秦未與魏—也'《戰國策》. ⑦강의 강 경사(經史)의 해석. '于鍾山聽—'《梁書》. ⑧논할 강 논의함. '仁者—功'《國語》. ⑨알릴 강 '—, 告也'《廣韻》. ⑩조사할 강 '擇臣取諫工, 而—以多物'《國語》. [二] 화해할 구 媾(女部 十畫)와 통용. '與魏—罷兵'《史記》.
[字源] 篆文 形聲. 言+冓〔音〕. '冓구'는 어긋매껴 짜 맞추다의 뜻. 발언(發言)하여 서로 마음이 통하게 하다, 화해를 꾀하다의 뜻을 나타냄.

[講經 강경] 경전(經典)의 뜻을 해설함.
[講求 강구] 조사하여 찾음. 연구함.
[講究 강구] 좋은 방법을 궁리함.
[講壇 강단] 강의나 설교하는 단.
[講堂 강당] 많은 사람을 모아 놓고 강의나 설교 등을 하는 큰 집.
[講道 강도] 도(道) 혹은 교리(敎理)를 강론(講論)함.
[講讀 강독] 글을 설명하며 읽음.
[講論 강론] 학술을 강의하고 토론함.
[講明 강명] 해석하여 밝힘.
[講目 강목] 강독하는 경전의 명목(名目).
[講武 강무] 무예(武藝)를 연습함.
[講史 강사] 송(宋)나라 때의 군담 소설(軍談小說). 연사(演史).
[講師 강사] ㉠학교의 촉탁으로 강의하는 교사. ㉡강습회 등에서 강의 또는 강연하는 사람. ㉢불교를 강의하는 것을 맡은 중. 경스승.
[講書 강서] 책(冊)의 글 뜻을 설명(說明)함.
[講席 강석] ㉠강연(講筵). ㉡스승에게 올리는 편지에 쓰이는 높임말. 함장(函丈).
[講釋 강석] 강의(講義).
[講說 강설] 강의하여 설명함.
[講誦 강송] 강독(講讀).
[講授 강수] 강의하여 줌.
[講述 강술] 학술(學術)을 강의하여 설명(說明)함.
[講習 강습] 학문·기예 등을 배워 익힘.
[講業 강업] 학문·기예(技藝)를 연구함.
[講繹 강역] 강구(講究)하여 찾음. 또, 설명해 밝힘.
[講筵 강연] 강의(講義)하는 자리. 강석(講席).
[講演 강연] 강의 또는 연설을 함.
[講帷 강유] 강의하는 자리. 동중서(董仲舒)가 장막을 치고 강의한 데서 나온 말.
[講義 강의] 문서·학설 등의 뜻을 해석함. 또, 그 책.
[講章對問 강장대문] 경서(經書)의 뜻을 풀어서 밝히고, 어려운 곳에 대해 문답(問答)하여 뜻과 이치를 분명하게 함.
[講座 강좌] ㉠강석(講席). ㉡대학교수로서 맡은 학과목.
[講唱 강창] 강석하여 진술함.
[講學 강학] ㉠학문을 연구함. ㉡강설(講說)하고 학습(學習)함.
[講解 강해] ㉠강화(講和). ㉡강의(講義).
[講和 강화] 서로 전쟁(戰爭)을 그치고 화의(和議)함.
[講話 강화] 학술상의 이야기.
◉開講. 缺講. 勸講. 代講. 都講. 受講. 侍講. 按講. 硏講. 輪講. 進講. 聽講. 廢講. 會講. 休講.

10 ⑰ [謝] [中人] 사 [去]禡 辭夜切 xiè 谢

[筆順] 言 言 訁 訁 謝 謝 謝 謝

[字解] ①끊을 사 거절함. '—絕'. '—絕賓客'《史

記》. ②사양할 사 사퇴함. '一不受'《史記》. ③떠날 사 ㉠물러남. 사직함. '一政'. '青春受一, 白日昭只'《楚辭》. ㉡죽음. '形存則神存, 形一則神滅'《南史》. ④물러갈 사 ㉠퇴거(退去)함. '新陳代一'. '若春秋有代一'《淮南子》. ㉡작별하고 떠남. 사퇴(辭退)함. '願歲幷一與長友兮'《楚辭》. ⑤시들 사 이욺. 조락(凋落)함. '刺桐花一芳草歇'《李郢》. ⑥사죄할 사 과실에 대하여 용서를 빎. '陳一'. '若一我當釋罪'《世說》. ⑦사례할 사 고마운 뜻을 나타냄. '一恩'. '深一'. '阿母一媒人'《古詩》. '嘗有所薦, 其人來一'《漢書》. ⑧허락할 사 들어줌. '大夫七十而致事. 若不得一, 則必賜之几杖'《禮記》. ⑨갚을 사 보상함. '臣私報諸羌, 一其錢貨'《後漢書》. ⑩부끄러워할 사 '屬美一繁翰'《顏延之》. ⑪성 사 성(姓)의 하나.

[字源] 篆文  形聲. 篆文은 言+躲〔音〕. '躲사'는 '쏘다, 던지다'의 뜻. 말을 던지다, 인사하다의 뜻. 또, '捨사'와 통하여 '버리다'의 뜻. '謝사'는 俗字.

[謝客 사객] ㉠손님과 헤어짐. ㉡손님을 받지 않음. 면회를 사절함. ㉢손님에게 사례함. ㉣남조(南朝) 송(宋)나라의 사영운(謝靈運)을 이름.
[謝遣 사견] ㉠사례하여 보냄. ㉡사절(謝絶)하여 보냄.
[謝公屐 사공극] 남조 송(宋)나라의 사영운(謝靈運)이 나막신을 신고 산에 오를 때엔 나막신 앞 굽을 빼고, 내려올 때엔 뒤쪽 굽을 뺀 고사(故事).
[謝公墩 사공돈] 동진(東晉)의 명신(名臣) 사안(謝安)이 살던 곳. 왕희지(王羲之)와 더불어 노닐었음. 지금의 남경(南京)에 있음.
[謝過 사과] 잘못에 대하여 용서를 빎.
[謝金 사금] 사례로 주는 돈. 사례금.
[謝禮 사례] 고마운 뜻을 나타내는 말. 또, 사의를 표하여 보내는 물품.
[謝老 사로] 연로(年老)함을 구실로 사직(辭職)을 청원(請願)함. 고로(告老).
[謝枋得 사방득] 송(宋)나라 말엽의 충신(忠臣). 자(字)는 군직(君直). 호(號)는 첩산(疊山). 익양(弋陽) 태생. 의병(義兵)을 일으켜 원(元)나라 군사와 싸웠으나 포로가 되어 원나라 수도로 압송되자, 절식(絶食)하고 마침내 죽음. '문장궤범(文章軌範)'은 그가 편찬한 것임.
[謝病 사병] 병이라 핑계하고 거절함.
[謝辭 사사] ㉠사례(謝禮)의 말. ㉡사죄(謝罪)의 말.
[謝世 사세] 세상을 떠남. 죽음.
[謝神 사신] 연말(年末)에 상인(商人)들이 갖는 휴업(休業).
[謝安 사안] 동진(東晉) 중기(中期)의 명신(名臣). 자(字)는 안석(安石). 시호(諡號)는 문정(文靖). 양하(陽夏)에서 났음. 벼슬하지 아니하고 동산(東山)에 들어가 은거(隱居)하고 있다가 40세에 이르러 처음으로 관계에 나가서 환온(桓溫)의 사마(司馬)가 되고, 마침내 태보(太保)에 이르렀음. 사후(死後)에 태부(太傅)로 추증(追贈)되었으므로 사태부(謝太傅)라 불렀음.
[謝良佐 사양좌] 북송(北宋)의 유학자(儒學者). 상채(上蔡) 사람. 자(字)는 현도(顯道). 정문(程門)의 고제(高弟)로서, 상채학파(上蔡學派)의 조(祖).
[謝靈運 사영운] 남조(南朝) 송(宋)나라의 시인(詩人). 진(晉)나라의 명장(名將) 사현(謝玄)의 손자로서, 강락공(康樂公)의 작위(爵位)를 이었으므로 사강락(謝康樂)이라 불렀음. 문제(文帝) 때 시중(侍中)이 되었으나 참언에 걸려 사형을 당하였음. 그의 청신(清新)한 시풍(詩風)은 후대(後代)에 큰 영향을 미쳤으며, 종제(從弟) 혜련(惠連)에 대하여 대사(大謝)로 일컬어짐. 불교(佛敎)에도 조예가 깊어 대반열반경(大般涅槃經) 36권의 번역을 완성시켰음.
[謝肉祭 사육제] 로마 구교국(舊敎國)에서 사순절(四旬節) 〈부활제 전 40일간의 재기(齋期)〉에 앞서 3일 내지 8일간 행하는 축제(祝祭). 카니발.
[謝恩 사은] 은혜(恩惠)를 사례(謝禮)함.
[謝意 사의] ㉠사례하는 뜻. 고마워하는 마음. ㉡사죄하는 뜻.
[謝絶 사절] 사양하여 받지 아니함.
[謝朓 사조] 남조(南朝) 남제(南齊)의 시인(詩人). 자(字)는 현휘(玄暉). 오언시(五言詩)를 잘 썼음. 선성(宣城)의 태수(太守)가 되었으므로 사선성(謝宣城)이라 불렀음. 〈사선성집(謝宣城集)〉 5권이 전함.
[謝罪 사죄] 죄에 대한 용서를 빎.
[謝表 사표] 군은(君恩)에 대하여 사례하는 상서(上書).
[謝豹 사표] '자규(子規)'의 별칭(別稱). 두우(杜宇). 두견(杜鵑).
[謝玄 사현] 동진(東晉)의 명장(名將). 자(字)는 유도(幼度). 시호(諡號)는 헌무(獻武). 사안(謝安)의 조카. 무제(武帝) 때 적은 군사를 이끌고 나가서 전진(前秦) 부견(苻堅)의 백만(百萬) 대군(大軍)을 비수(淝水)에서 물리친 공(功)으로 전봉도독(前鋒都督)이 되고 강락현공(康樂縣公)에 피봉(被封)되었음.
[謝惠連 사혜련] 남조(南朝) 송(宋)나라의 시인(詩人). 영운(靈運)의 종제(從弟)로 문명(文名)을 함께 떨쳤으며 37세에 요사(夭死)하였음.
◉懇謝. 感謝. 開謝. 固謝. 賂謝. 多謝. 代謝. 鳴謝. 薄謝. 拜謝. 報謝. 伏謝. 辭謝. 新陳代謝. 深謝. 月謝. 占謝. 凋謝. 陳謝. 慙謝. 遷謝. 遞謝. 追謝. 悔謝. 厚謝.

10 ⑰ [謞] [一] 학 [入]覺 許角切 hè
[二] 효 [去]效 許教切 xiāo 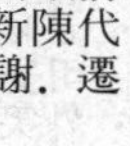

[字解] [一] 간특할 학 남을 헐뜯기를 즐기고 잔학한 것을 돕는 모양. '一一崇讒慝也'《爾雅》. [二] 부르짖을 효 소리침. 대호(大呼)함. '若一之靜'《管子》.
[字源] 形聲. 言+高〔音〕

[謞謞 학학] ㉠남을 헐뜯기를 즐기고 잔학한 것을 돕는 모양. ㉡대단히 성(盛)한 모양.

10 ⑰ [謟] 도 [平]豪 土刀切 tāo
[去]號 叨号切 

[字解] ①의심할 도 믿지 아니함. '天道不一, 不貳其命'《左傳》. ②어그러질 도 어긋남. '帝命不一'《逸周書》.
[字源] 形聲. 言+臽〔音〕

參考 諂(言部 八畫)은 別字.

◉天道不諂.

10 ⑰ [謌] 격 ㊀陌 各額切 gé

字解 ①슬기로울 격 '一, 慧也'《廣雅》. ②말어긋날 격 말이 엇갈려 맞지 않음. '一, 語不相入也, 故从鬲'《正字通》.

10 ⑰ [謠] 高人 요 ㊥蕭 餘昭切 yáo 谣

筆順 言 言 訁 訡 訡 䛂 謠 謠

字解 ①노래할 요 악기의 반주(伴奏) 없이 노래함. '我歌且一'《詩經》. ②노래 요 악기의 반주 없이 하는 노래. 유행가. '俗一'. '童一'. '辨祆祥於一'《國語》. ③소문 요 유언(流言). 풍설. '一言'. '一傳'. '聽民庶之一吟'《後漢書》. ④헐뜯을 요 욕함. 비방함. '一諑謂余以善淫'《楚辭》.

字源 形聲. 言+䍃〔音〕. '䍃요'는 본래는 '䍃요'로 '노래하다'의 뜻. 거기에 다시 '言언'을 붙임.

[謠歌 요가] 가요(歌謠).
[謠俗 요속] ㉠세간의 풍속. ㉡풍속을 노래한 가요(歌謠).
[謠誦 요송] 요영(謠詠).
[謠言 요언] ㉠유행가(流行歌)의 말. ㉡세상의 풍설.
[謠詠 요영] 노래함. 또, 노래.
[謠吟 요음] ㉠요영(謠詠). ㉡풍설(豐說). 유언비어(流言蜚語).
[謠傳 요전] 요언(謠言).
[謠諑 요탁] 헐뜯음. 비방함. 험담을 함.
◉歌謠. 謳謠. 童謠. 民謠. 俗謠. 詩謠. 詠謠. 訛謠. 吟謠. 俚謠. 風謠. 諷謠.

10 ⑰ [謓] 진 ①㊥眞 昌眞切 chēn ②㊦震 之刃切 zhèn

字解 ①성낼 진 嗔(口部 十畫)과 통용. '或以主君寢食一怒, 拒客未通'《顏氏家訓》. ②웃을 진, 비웃을 진 '一, 按, 猶蘇俗所謂冷笑也, 內怒而外笑'《說文通訓定聲》.

字源 篆文 形聲. 言+眞〔音〕. '眞진'은 '충실(充實)'의 뜻. 잔뜩 노기(怒氣)를 띠고 말하다, 성내다의 뜻을 나타냄.

10 ⑰ [謙] 견 ㊤銑 去演切 qiǎn

字解 조금쉴 견 '一, 小息也'《集韻》.

10 ⑰ [謜] 원 ㊦願 虞怨切 yuàn ㊥元 愚袁切 yuán

字解 ①천천히말할 원 천천히 하는 말이 끊어지지 않고 술술 나옴. '一, 徐語也'《說文》. ②끊임없을 원 끊이지 않는 모양. '一, 孟子曰, 故一一而來'《說文》.

字源 篆文 形聲. 言+原〔音〕. '原원'은 끊임없이 솟아 나오는 샘의 뜻. 계속해서 말하다의 뜻을 나타냄.

10 ⑰ [謙] 〔겸〕 謙(言部 十畫〈p. 2147〉)의 俗字

10 ⑰ [謝] 〔소〕 訴(言部 五畫〈p. 2112〉)와 同字

10 ⑰ [謌] 〔가〕 歌(欠部 十畫〈p. 1133〉)와 同字

10 ⑰ [謕] 〔오〕 誤(言部 八畫〈p. 2138〉)의 俗字

10 ⑰ [謊] 〔황〕 謊(言部 六畫〈p. 2118〉)의 俗字

10 ⑰ [謄] 人名 등 ㊥蒸 徒登切 téng 誊

筆順 丿 月 月 肸 胖 胖 胯 謄

字解 베낄 등 등초(謄草)함. '一寫'. '一錄試卷'《元史》.

字源 篆文 形聲. 言+朕〔音〕. '朕짐'은 위로 올리다의 뜻. 원본(原本)을 밑에 깔고, 그 밑에 있는 글이 얇은 종이에 내비치게 하여 쓰다, 베끼다의 뜻을 나타냄.

[謄記 등기] 등초(謄抄).
[謄錄 등록] 등사(謄寫).
[謄本 등본] 원본을 베낀 서류.
[謄寫 등사] 베껴 씀.
[謄書 등서] 등사(謄寫).
[謄抄 등초] 원본(原本)에서 베껴 냄.
[謄搨 등탑] 베낌. 또, 베낀 것. 이사(移寫).
[謄黃 등황] 황지(黃紙)로 조서(詔書)를 베낌.

10 ⑰ [謄] 謄(前條)과 同字

10 ⑰ [謇] 건 ㊤銑 九輦切 jiǎn

字解 ①떠듬거릴 건 말을 더듬음. '因一而徐言'《北史》. ②곧을 건 말이 곧음. 직언을 함. '一諤'. '忠一'. 전(轉)하여, 충직(忠直). '殘忠害一'《晉書》. ③어려울 건 곤란함. '一吾法夫前修兮'《楚辭》. ④아 건 탄식하는 말. '一不可釋也'《楚辭》. ⑤성 건 성(姓)의 하나.

字源 形聲. 言+寒〈省〉〔音〕. '寒한'은 추워서 몸이 움츠러들다의 뜻. 말이 막히다, 더듬다의 뜻을 나타냄. 또, '寒'은 '侃간'과 통하여, 바르고 강하다의 뜻. 직언하는 모양을 나타냄.

[謇謇 건건] ㉠곧은 말을 하는 모양. ㉡고생이 심한 모양. 건건(蹇蹇). ㉢충성되고 곧은 모양.
[謇愕 건악] 건악(謇諤).
[謇諤 건악] 거리낌 없이 곧은 말을 하는 모양.
◉剛謇. 勤謇. 博謇. 諤謇. 忠謇.

10 ⑰ [謍] 영 ㊥庚 余傾切 yíng

字解 ①작은소리 영 '一一'은 작은 목소리의 형용. ②큰소리 영 큰 목소리의 형용. '聲激越, 一厲天'《班固》. ③피리소리 영 '一嗃'는 피리소리의 형용. '錚鑅一嗃'《馬融》.

字源 篆文 形聲. 言+熒〈省〉〔音〕. '熒형'은 작은 등불의 뜻. 작은 목소리의 모양을 나타냄.

[謍謍 영영] 작은 소리의 형용. 영영(營營).
[謍嗃 영효] 피리 소리의 형용.

10 ⑰ [謈] 포 [上]晧 薄晧切 [平]豪 蒲褒切 páo

[字解] ①호소할 포 큰 소리로 원죄(冤罪)를 하소연함. '一, 大嘑自冤也'《說文》. ②아야 포 아플 때 내는 '아야' 소리. '郭舍人榜, 不勝痛呼一'《漢書》.

[謈言 포언] 억울한 죄임을 하소연하는 소리.

11 ⑱ [謨] [人名] 모 [平]虞 莫胡切 mó 谟

[筆順] 言 言' 訁 訐 訐 詌 諎 謨

[字解] ①꾀 모 주로 천자(天子) 또는 정사상(政事上)의 대계(大計)를 이름. '聖一'. '陳天下之一'《周禮》. ②꾀할 모 대계(大計)를 정함. 또는, 널리 모책(謀策)을 의논함. '訏一定命'《詩經》. '一蓋都君咸我績'《孟子》. ③없을 모 無(火部 八畫)와 뜻이 같음. '越人一信, 未可速進'《南唐書》. ④속일 모 '一, 僞也'《爾雅》.

[字源] 篆文 古文 形聲. 言+莫〔音〕. '莫막'은 찾아 구하다의 뜻. 사물의 결론을 찾다, 꾀하다의 뜻을 나타냄.

[謨敎 모교] 회교(回敎).
[謨訓 모훈] 국가의 대계(大計) 및 후왕(後王)의 모범이 될 교훈.
◉嘉謨. 高謨. 宏謨. 奇謨. 謀謨. 廟謨. 聖謨. 宸謨. 良謨. 淵謨. 令謨. 英謨. 睿謨. 訏謨. 雄謨. 遠謨. 典謨. 帝謨. 朝謨. 忠謨. 玄謨. 皇謨.

11 ⑱ [謫] [人名] 적 [入]陌 陟革切 zhé 谪

[字解] ①꾸짖을 적 견책함. '國子一我'《左傳》. ②죄줄 적 죄를 씌워 처벌함. '一戍之衆'《賈誼》. ③귀양갈 적, 귀양보낼 적 원지에 좌천당함. '流一'. '貶一'. '一守巴陵郡'《范仲淹》. ④운기 적 괴상한 운기(雲氣). '日始有一'《左傳》.

[字源] 篆文 形聲. 篆文은 言+啻〔音〕. '啻시'는 적발하다, 들추어내다의 뜻. 책(責)하다, 책(責)하여 처벌하다의 뜻을 나타냄.

[謫降 적강] ㉠허물로 말미암아 변방의 외직(外職)으로 좌천됨. ㉡신선(神仙)이 인간(人間)이 되어 탄생(誕生)함.
[謫客 적객] 귀양살이하는 사람.
[謫居 적거] 귀양살이를 하고 있음.
[謫咎 적구] 재앙(災殃).
[謫徙 적사] 적천(謫遷).
[謫仙 적선] ㉠인간 세계에 귀양 온 신선. 곧, 초범 절군(超凡絕群)한 사재(詞才)가 있는 사람. ㉡이백(李白)·소식(蘇軾)을 칭찬하여 일컬음.
[謫仙人 적선인] 적선(謫仙).
[謫所 적소] 귀양 가서 있는 곳.
[謫戍 적수] 죄를 저지르고 변방으로 수자리 살러 감. 또, 그 병사.
[謫遷 적천] 득죄(得罪)하여 원지(遠地)로 옮겨 감.
[謫墮 적타] 영락(零落)함.

◉譴謫. 遠謫. 流謫. 遷謫. 貶謫. 瑕謫.

11 ⑱ [謬] [人名] 류 (무[本]) [去]宥 靡幼切 miù 谬

[字解] ①그릇될 류 잘못됨. '比之於春秋一矣'《史記》. ②잘못 류 과오. '誤一'. '繩愆糾一, 格其非心'《書經》. ③어긋날 류 상위(相違)함. '差以毫釐, 一以千里'《漢書》. ④속일 류 기만함. '或先貞後黷, 何其一哉'《孔稚珪》. ⑤미친소리 류 미치광이의 종잡을 수 없는 말. '一, 狂者之妄言也'《說文》. ⑥성 류 성(姓)의 하나.

[字源] 篆文 形聲. 言+翏〔音〕. '翏료'는 양 날개와 꽁지깃을 연이어 합친 모양으로, 연이어지다, 휘감기다의 뜻을 나타냄. 말이 뒤엉켜지다의 뜻에서, 잘못되다의 뜻을 나타냄.

[謬擧 유거] 잘못된 천거(薦擧).
[謬見 유견] 잘못된 의견. 틀린 견해.
[謬計 유계] 잘못된 계책. 유산(謬算).
[謬巧 유교] 남을 속이는 꾀. 기만의 계책.
[謬戾 유려] 틀려 어그러짐.
[謬例 유례] 이치에 어긋난 사례(事例).
[謬論 유론] 잘못된 논의(論議). 그릇된 의논.
[謬聞 유문] 유전(謬傳).
[謬算 유산] 유계(謬計). 오산(誤算).
[謬想 유상] 잘못된 생각.
[謬選 유선] 잘못된 선택.
[謬習 유습] 그른 습관(習慣). 못된 버릇.
[謬誤 유오] 과오(過誤). 오류. 착오(錯誤).
[謬字 유자] 자획(字畫)이 바르지 못한 글자. 오자(誤字).
[謬傳 유전] ㉠잘못 전하여진 소문. ㉡잘못 들음.
[謬解 유해] 잘못 해석함. 잘못된 해석.
[謬譎 유휼] 거짓. 사기.
◉愆謬. 詭謬. 糾謬. 迷謬. 紛謬. 誤謬. 訛謬. 愚謬. 違謬. 僞謬. 遺謬. 差謬. 錯謬. 舛謬. 蚩謬. 脫謬. 悖謬. 偏謬. 行與言謬.

11 ⑱ [謯] 조 [去]御 莊助切 zǔ

[字解] 저주할 조 詛(言部 五畫)와 同字. '祝一後宮有身者王美人及鳳等'《漢書》.

[字源] 篆文 形聲. 言+虘〔音〕. '訴'와 통하여, 말이 어그러지다의 뜻을 나타냄.

11 ⑱ [謴] 곤 ①[上]阮 古本切 gǔn ②[去]願 古困切 gùn

[字解] ①말분명치않을 곤 '一, 語不明'《集韻》. ②조롱할 곤 남을 놀림. 諢(言部 十三畫)과 같음. '諢, 戲人也, 或从袞'《集韻》.

11 ⑱ [謮] 〔곤〕
諢(言部 十三畫〈p.2161〉)과 同字

11 ⑱ [謉] 〔뢰〕
讄(言部 十五畫〈p.2163〉)와 同字

11 ⑱ [謳] [人名] [一] 구 [平]尤 烏侯切 ōu [二] 후 [平]虞 匈于切 xú 讴

[字解] [一] ①노래할 구 ㉠노래를 부름. 창가(唱歌)를 함. '河西善一'《孟子》. ㉡여러 사람이 제창(齊唱)함. '皆歌一思東歸'《漢書》. ㉢읊음. '一, 吟也'《廣韻》. ②노래 구 '學一於秦靑'《列

子》. ■ ①기뻐할 후 '一, 喜也'《廣雅》. ②따뜻해질 후.

字源 篆文 形聲. 言+區〔音〕. '區구'는 구획을 짓다의 뜻. 말을 구획 짓다, 단락 짓다, 가락을 붙여 노래하다의 뜻을 나타냄.

[謳歌 구가] 여러 사람이 은덕(恩德)을 칭송하여 제창(齊唱)함.
[謳頌 구송] 사람의 덕(德)을 칭송하는 노래.
[謳誦 구송] ㉠구영(謳詠). ㉡노래.
[謳詠 구영] 노래를 부름. 또, 그 노래.
[謳謠 구요] 노래. 또, 노래를 부름.
[謳吟 구음] ㉠구가(謳歌). ㉡노래를 부름.
[謳唱 구창] 구영(謳詠).
◉歌謳. 謠謳. 樵謳.

11 ⑱ [謹] 高人 근 ①-⑥㊤吻 居隱切 jǐn ⑦㊥文 渠斤切

筆順 ㅡ 言 言艹 言廿 言苦 言堇 謹 謹

字解 ①삼갈 근 ㉠사물에 조심함. '一愼'. '一權量審法度'《論語》. ㉡자성(自省)함. 스스로 경계함. '丞相醇一而已'《史記》. 또, 삼가는 일. '大行不顧細一'《史記》. ②존중할 근 소중히 함. '一, 增韻, 重也'《康熙字典》. ③엄하게할 근 '一其時禁'《荀子》. ④금할 근 엄금(嚴禁)함. '一盜賊'《荀子》. ⑤삼가 근 삼가는 마음으로. 정중히. '一募選閱材伎之士'《荀子》. ⑥성 근 성(姓)의 하나. ⑦찰흙 근 '塗之以一塗'《禮記》.

字源 篆文 形聲. 言+堇〔音〕. '堇근'은 찰흙을 바르다의 뜻. 말이 바르다의 뜻에서, '삼가다, 조심하다'의 뜻을 나타냄.

[謹恪 근각] 직무에 충실하고 행동을 삼감.
[謹愨 근각] 신중하고 성실함.
[謹啓 근계] 삼가 아뢴다는 뜻으로, 편지의 서두에 쓰는 말. 배계(拜啓). 숙계(肅啓).
[謹告 근고] 삼가 아룀.
[謹空 근공] 편지의 끝에 경의를 표하는 말. 경공(敬空).
[謹諾 근낙] 공손한 태도로 승낙함.
[謹毛失貌 근모실모] 털을 하나하나 다 그리려다가 오히려 전체의 모양을 망침. 작은 일에 구애되어 큰일을 망쳐 버림의 비유.
[謹敏 근민] 일을 조심성 있게 하면서도 민첩함.
[謹密 근밀] 신중하고 치밀함.
[謹白 근백] 근언(謹言).
[謹封 근봉] 삼가 봉한다는 뜻으로, 편지나 물품의 겉봉에 쓰는 말.
[謹上 근상] 삼가 올림. 편지 끝에 쓰는 말.
[謹守 근수] 신중하게 지킴. 조심하여 지킴.
[謹肅 근숙] 삼감. 신중함.
[謹順 근순] 삼가 따름.
[謹愼 근신] 언행(言行)을 조심함.
[謹言 근언] 삼가 올린다는 뜻으로, 편지의 끝에 쓰는 말.
[謹嚴 근엄] ㉠조심성스럽고 엄숙함. ㉡조사(措辭)가 엄격하여 일자 일구(一字一句)도 소홀히 하지 아니함.
[謹愿 근원] 근각(謹愨).
[謹呈 근정] 물건을 삼가 바침. 삼가 드림.
[謹正 근정] 신중하고 정직함.
[謹奏 근주] 삼가 상주(上奏)함.
[謹直 근직] 신중하고 곧음.
[謹質 근질] 조신하고 솔직하여 꾸밈이 없음.
[謹聽 근청] 공손한 태도로 삼가 들음.
[謹勅 근칙] 삼가고 경계함.
[謹飭 근칙] 삼가고 경계함.
[謹賀 근하] 삼가 축하함.
[謹孝 근효] 공손하게 부모를 잘 섬김.
[謹厚 근후] 신중하고 중후(重厚)함.
◉恪謹. 謙謹. 敬謹. 恭謹. 勤謹. 大行不顧細謹. 篤謹. 細謹. 醇謹. 愼謹. 良謹. 廉謹. 溫謹. 柔謹. 忠謹. 和謹. 孝謹.

11 ⑱ [誃] ■ 이 ㊥支 弋支切 yí ■ 치 ㊤紙 敞尒切 chǐ

字解 ■ ①협문 이 '一門'은 정문(正門) 옆에 있는 작은 문. '一門且空'《晉書》. ②빙실 이 '一門'은 얼음을 저장하여 두는 곳. '一門曲榭, 邪阻城洫'《張衡》. ■ 이별할 치 誃(言部 六畫)와 同字. '一, 說文, 離別也'《集韻》.

字源 形聲. 言+移〔音〕. '移이'는 옮겨 가다의 뜻. 본체(本體)에서 옮겨져 갈라지다의 뜻을 나타냄.

[誃堂 이당] 따로 지은 건물. 별관(別館).
[誃門 이문] ㉠정문(正門)의 옆에 있는 작은 문. 협문(夾門). ㉡얼음을 저장하여 두는 곳. 빙실(氷室).

11 ⑱ [謥] 총 ㊦送 千弄切 còng

字解 바쁠 총 '一詷'은 바쁜 모양. 분망한 모양. 또, 급히 말하는 모양. '輕薄一詷'《後漢書》.

[謥詷 총동] 자해(字解)를 보라.

11 ⑱ [謼] ■ 호 ㊦遇 荒故切 ㊥虞 荒烏切 hū ■ 효 ㊥肴 虛交切 xiāo

字解 ■ ①부를 호 嘑(口部 十一畫)와 同字. '一, 評也'《說文》. ②외칠 호 소리침. 부르짖음. '一大夫一'《漢書》. '仰天大一'《漢書》. ③성 호 성(姓)의 하나. ■ 울 효 '一服謝罪'《漢書》.

字源 篆文 形聲. 言+虖〔音〕. '虖호'는 '부르다, 외치다'의 뜻. 큰 소리로 소리치다의 뜻을 나타냄.

◉大謼.

11 ⑱ [謽] 강 ㊤養 巨兩切 jiàng

字解 강변(強辯)할 강 말을 굽히지 아니함. '一, 詞不屈也'《集韻》.

11 ⑱ [謽] 기 ㊦寘 几利切 jì

字解 말에차례없을 기 '一, 言無次也'《集韻》.

11 ⑱ [諆] 〔기〕 諆(言部 八畫〈p. 2134〉)와 同字

11 ⑱ [謾] ■ 만 ①-④㊥寒 母官切 mán ⑤⑥㊦諫 謨晏切 màn ■ 면 ㊥先 武延切

字解 ■ ①속일 만 기만함. '一語'. '慴伏一欺以取容'《史記》. ②게으를 만 느림. 게으름을 피움. '一, 慢也'《廣韻》. '讀一, 緩也'《廣雅》. '嫚一亡狀'《漢書》. ③넓을 만, 아득할 만 漫(水部 十一畫)과 통용. '大一, 願聞其要'《莊子》. ④헐뜯을 만 비방함. '鄕則不若, 偝則一之'《荀子》. ⑤업신여길 만 慢(心部 十一畫)과 통용. '一易'. '一人語'《李義山雜纂》. '輕一宰相'《漢書》. ⑥설만할 만 친하여 무람없음. '淳于長書有誖一'《漢書》. ■ ①속일 면 '一, 欺也'《廣韻》. ②교활할 면 '一, 慧黠也'《集韻》.

字源 篆文 形聲. 言+曼〔音〕. '曼만'은 '펴 늘리다'의 뜻. 핵심에 언급되지 않은 채 말을 잡아 늘이다의 뜻에서, '속이다, 업신여기다'의 뜻을 나타냄.

[謾欺 만기] 속임. 기만(欺謾).
[謾語 만어] 거짓말. 망어(妄語).
[謾言 만언] 거짓말함. 또, 그 이야기.
[謾吟 만음] 만연히 시를 읊음.
[謾易 만이] 업신여김.
[謾學 만학] 만연히 배움.
◉夸謾. 欺謾. 面謾. 嫚謾. 訑謾. 誕謾. 誖謾.

11 ⑱ [譩] 〔경〕
競(立部 十五畫〈p. 1652〉)의 本字

11 ⑱ [譩] 競(前條)과 同字

11 ⑱ [譇] ■ 작 ㊀藥 職略切 zhuó
■ 서 ㊃御 商署切 shù
■ 자 ㊥麻 之奢切 zhē

字解 ■ ①속일 작 기만함. '一, 一曰, 欺也'《集韻》. ②꾸짖을 작 책망함. '一, 讁也'《廣雅》. ■ 바랄 서 희망함. 庶(广部 八畫〈p. 699〉)와 통용. '一, 冀也, 通作庶'《集韻》. ■ 말많을 자 수다스러움.

11 ⑱ [譲] 譇(前條)과 同字

11 ⑱ [謕] 〔제·체〕
諦(言部 九畫〈p. 2140〉)의 俗字

11 ⑱ [謵] ■ 습 ㊀緝 席入切 xí
■ 첩 ㊀葉 尺涉切 chè

字解 ■ ①익힐 습 習(羽部 五畫)과 同字. '復一不餽而忘人'《莊子》. ②두려워말할 습, 떨리는 목소리 습 '一, 言一讋也'《說文》. ■ 속삭일 첩 '一, 小語'《廣韻》.

字源 篆文 形聲. 言+習〔音〕. '習습'은 '慴습'과 통하여 '움츠리다'의 뜻. 움츠러들면서 말하다의 뜻을 나타냄.

11 ⑱ [謣] ■ 우 ㊥虞 羽俱切 yú
■ 후 ㊥虞 匈于切 xū

字解 ■ 망령될 우, 거짓 우 '一言敗俗'《揚子法言》. ■ 어영차 후 '一輿'는 무거운 것을 들어 올릴때 내는 소리. '一輿, 擧重勸力歌也'《集韻》.

字源 篆文 別體 形聲. 言+雩〔音〕. '雩우'는 마구 외쳐 떠드는 소리로 망령되이 함부로 말하다, 되는대로 말하다, 거짓의 뜻을 나타냄.

[謣言 우언] 망령된 말. 망언(妄言).
[謣好 우호] 음탕한 기호(嗜好). 음란함을 좋아함.
[謣輿 후여] 무거운 것을 들어 올릴 때 힘을 더 내려고 부르는 노래.

11 ⑱ [謶] 로 ㊤麌 籠五切 lǔ

字解 말종잡지못할 로 말이 종작없음. 또, 말이 구차스러움. '謱一, 言不定'《集韻》.

11 ⑱ [謥] 초 ①㊥肴 楚交切 chāo
②㊥肴 莊交切 zhāo

字解 ①대신말할 초 남을 대신하여 말함. '一, 代人說也'《集韻》. ②시끄러울 초 '一一'는 귀찮음.

11 ⑱ [謯] 하 ㊃禡 虛訝切 xià

字解 속일 하 謑(言部 八畫)와 同字.

11 ⑱ [謠] ■ 요 ㊥蕭 餘招切 yáo
■ 유 ㊥尤 余周切 yóu

字解 ■ ①따를 요 '一, 隨從也'《說文》. ②부역 요 멀리로 떠나는 부역(賦役). '一, 遠屬役也'《字彙》. ③말미암아 요 由(田部 0畫〈p. 1461〉)와 통용. ■ 따를 유, 부역 유, 말미암아 유 ■과 뜻이 같음.

字源 形聲. 系+䍃〔音〕

11 ⑱ [謰] 련 ㊥先 陵延切 lián
㊤銑 力展切
琏

字解 ①말엉킬 련 말이 엉키어 이어지는 모양. '媒女詘兮一謱'《楚辭》. ②쌍성첩운의말 련 '一語'는 쌍성 첩운(雙聲疊韻)의 말. 음성(音聲)에 의해서 물건의 상태를 형용하는 말.

字源 篆文 形聲. 言+連〔音〕. '連련'은 '연이어지다'의 뜻. 말이 엉클어져 계속되다의 뜻을 나타냄.

11 ⑱ [謱] 루 ①②㊥尤 落侯切 lóu
③㊤麌 力主切 lǔ

字解 ①말엉킬 루 말이 엉키어서 잇닮. '一, 謰一也'《說文》. ②삼갈 루 '一, 一曰, 謹也'《集韻》. ③자세할 루 '覼一'는 자세함. 縷(糸部 十一畫)와 통용.

字源 篆文 形聲. 言+婁〔音〕. '婁루'는 끊이지 않고 이어지다의 뜻. 말이 엉클어져 계속되다의 뜻을 나타냄.

11 ⑱ [謮] 책 ㊀陌 側革切 zé

字解 ①성낼 책 '一, 怒也'《集韻》. ②꾸짖을 책 責(貝部 五畫)과 통용. '一, 讓也'《廣雅》. ③부르짖을 책 '一, 大呼也'《說文》.

11 ⑱ [譁] 〔감〕
譀(言部 十二畫〈p. 2157〉)의 本字

11 ⑱ [譎] 〔상〕
商(口部 八畫〈p. 384〉)과 同字

11 ⑱ **[謭]** 〔전〕
譾(言部 十五畫〈p. 2163〉)과 同字

11 ⑱ **[謸]** 謷(次條)와 同字

11 ⑱ **[謷]** 오 ①-③㊥豪 五勞切 áo ④⑤㊀號 五到切 ào

字解 ①헐뜯을 오 비방함. '一醜先王, 排訾舊典'《呂氏春秋》. ②남의말듣지않을 오 자기의 주장만 세우고 남의 말에 귀를 기울이지 않음. '一, 不省人言也'《說文》. ③클 오 큰 모양. '一乎大哉, 獨成其天'《莊子》. ④오만할 오 傲(人部 十一畫)와 同字. '宿將暴一不循命者'《唐書》. ⑤고원(高遠)할 오 뜻이 고매한 모양. '一乎其未可制也'《莊子》.

字源 篆文 形聲. 言+敖〔音〕. '敖오'는 마음대로 나가 놀며 즐기다의 뜻. 남의 말은 들은 체도 않고 멋대로 떠들어 대다의 뜻. 전(轉)하여, 어리석은 사람의 뜻. 또, 去聲일 때에는 뜻이 원대(遠大)함을 나타냄.

[謷然 오연] 오만하고 우쭐대어 남을 멸시하는 모양.
[謷謷 오오] ㉠남의 말을 듣지 아니하고 망령된 말을 하는 모양. ㉡비애와 수심에 찬 소리가 많은 모양. 또, 곡성이 그치지 아니하는 모양.
[謷醜 오추] 헐뜯음. 비방함.
[謷悍 오한] 교만하며 사나움.
[謷乎 오호] 큰 모양.

11 ⑱ **[謦]** 경 ㊤迥 去挺切 qǐng

字解 ①기침 경 인기척을 하기 위하여 내는 소리. '一欬'. '一, 欬聲也'《玉篇》. ②속삭일 경 웃으며 속삭임. '一欬, 言笑也'《集韻》.

字源 篆文 形聲. 言+殸〔音〕. '殸경'은 중국의 고대(古代) 악기로서, 높은음(音)을 내는 경쇠의 뜻. 높은음(音)의 의성어(擬聲語)임. 입에서 나오는 고음(高音), 기침 소리의 뜻.

[謦欬 경해] 기침. 또, 그 소리. 전(轉)하여, 면알(面謁)하는 사람의 언성.

11 ⑱ **[謩]** 〔모〕
謨(言部 十一畫〈p. 2151〉)와 同字

12 ⑲ **[譁]** 人名 ㊀ 화 ㊥麻 呼瓜切 huá ㊁ 와 ㊥麻 吾瓜切 wá 哗

字解 ㊀ 들렐 화, 떠들썩할 화 '諠一'. '嗟人無一聽命'《書經》. ㊁ 바뀔 와 譌(言部 十二畫)와 통용. '蔿·譌·一·涅, 化也'《揚子方言》.

字源 篆文 形聲. 言+華(蕚)〔音〕. '蕚화'는 '화려함'의 뜻. 화려한 말, 떠들썩하다의 뜻을 나타냄.

[譁釦 화구] 떠들어 댐.
[譁沸 화불] 시끄럽게 지껄임. 떠들썩함.
[譁笑 화소] 큰 소리를 내어 웃음. 껄껄 웃음.
[譁然 화연] 떠들썩한 모양. 시끄러운 모양.
[譁吟 화음] 여러 사람이 큰 소리로 시끄럽게 외침.
[譁譟 화조] 떠듦. 훤조(喧噪)함.
[譁囂 화효] 화조(譁譟).

◉紛譁. 囂譁. 喧譁. 諠譁. 讙譁.

12 ⑲ **[譆]** 희 ㊥支 許其切 xī

字解 어이구 희, 아아 희 두려워하여 내는 소리. 또, 아파하거나 감탄하여, 또는 한탄하거나 원통하여 부르짖는 소리. '一吾有所見'《史記》.

字源 篆文 形聲. 言+喜〔音〕. '喜희'는 감탄했을 때의 소리를 나타내는 의성어(擬聲語). '言언'을 덧붙여 감탄의 소리를 나타냄.

[譆譆 희희] 슬퍼하여 부르짖는 소리.

12 ⑲ **[譮]** 회 ㊀隊 胡對切 huì ㊤賄 胡罪切

字解 ①머물 회 멈춤. '司馬法曰, 師多則民一'《說文》. ②깨달을 회 '一, 覺悟'《廣韻》. ③불러 모을 회 '一, 呼聚也'《洪武正韻》.

字源 篆文 形聲. 言+貴〔音〕

12 ⑲ **[譈]** 대 ㊀隊 徒對切 duì

字解 ①원망할 대, 미워할 대 憝(心部 十二畫)와 同字. '憝, 怨也. 惡也. 周書曰, 元惡大憝一, 亦同'《廣韻》. ②죽일 대 '凡民罔不一'《孟子》.

字源 形聲. 言+敦〔音〕

12 ⑲ **[證]** 中人 증 ㊀徑 諸應切 zhèng 证

筆順 言 訁 訁 訁 訁 訁 證 證

字解 ①증명할 증 확실함을 표명함. '所以一之不遠'《楚辭》. ②증거 증 틀림이 없다는 표적. 증험할 만한 사물. '明一'. '一明'. '采前世成事, 以爲一驗'《後漢書》. ③알릴 증 고발함. '其父攘羊, 而子一之'《論語》. ④밝혀낼 증 물어서 밝힘. 따짐. '一, 增韻, 質也'《康熙字典》. ⑤깨달을 증, 깨달음 증 불교에서 오도(悟道)에 들어가는 일. '無得無一, 謂之解脫'《傳燈錄》. ⑥간할 증 충고함. '不可一移'《呂氏春秋》. ⑦법칙 증, 규칙 증 '人不攻之, 自然一也'《太玄經》. ⑧용태 증, 증후 증 '一狀'. '過陳遇老冊, 因告其子之一'《列子》.

字源 篆文 形聲. 言+登〔音〕. '登등'은 '오르다'의 뜻. 말을 아랫사람으로부터 윗사람에게 아뢰어 알리다의 뜻이나, 말로 늘리어 밝게 하다, 밝히다의 뜻을 나타냄.

[證據 증거] 어떠한 사실을 증명할 만한 근거. 또, 그 근거를 듦.
[證果 증과] 《佛敎》 수행(修行)에 의하여 얻은 결과. 무명 번뇌(無明煩惱)를 끊고 불생불멸(不生不滅)의 진리를 깨치는 일.
[證券 증권] ㉠증거가 되는 문서. ㉡재산상의 권리·의무에 관하여 기재한 문권. ㉢'유가 증권(有價證券)'의 준말.
[證道歌 증도가] 당(唐)나라 영가(永嘉) 때의 선승(禪僧)인 현각(玄覺)이 지은 가집명(歌集名). 1권. 칠언(七言)으로 된 운문(韻文)으로 선가(禪家) 오도(悟道)의 오의(奧義)를 읊은 것.
[證明 증명] 증거를 들어 밝힘.

[證憑 증빙] 어떠한 사실을 증명할 만한 근거.
[證書 증서] 증거(證據)가 될 만한 서류(書類).
[證言 증언] ㉠사실을 증명하는 말. 말로써 사실을 증명(證明)함. ㉡증인(證人)이 진술한 말.
[證悟 증오]《佛教》불도(佛道)를 수행하여 진리를 깨달음.
[證人 증인] ㉠증거를 드는 사람. ㉡보증하는 사람. 보증인. ㉢사실을 증명하기 위하여 법원에 호출당하여 선서(宣誓)를 하고 신문을 받는 사람.
[證引 증인] ㉠증거를 듦. ㉡증거를 들어 남을 끌어넣음.
[證印 증인] 증거로서 찍는 인장.
[證入 증입]《佛教》깨달음. 부처의 경지(境地)에 듦.
[證迹 증적] 증거가 되는 자취.
[證跡 증적] 증적(證迹).
[證左 증좌] ㉠증인(證人). ㉡증거(證據).
[證智 증지]《佛教》보살(菩薩)이 중도 진실(中道眞實)의 이치를 깨닫는 정지(正智).
[證參 증참] 참고가 될 만한 증거.
[證票 증표] 어떠한 사실의 증거로서 내주는 표.
[證驗 증험] ㉠증거(證據). ㉡실지로 사실을 경험함.
◉檢證. 考證. 論證. 明證. 反證. 傍證. 辨證. 保證. 查證. 實證. 例證. 誤證. 僞證. 引證. 認證. 立證. 典證. 左證. 罪證. 虛證. 驗證. 確證.

12
⑲ [譊] [一] 뇨 [平]肴 女交切 náo
[二] 효 [平]蕭 馨幺切 xiāo

[字解] [一] ①부를 뇨, 떠들 뇨 성내어 부름. 또, 큰 소리로 지껄임. '臨時喧—'《晉書》. ②다툴 뇨 '—, 爭也'《廣韻》. [二] 두려워할 효 嘵(口部 十二畫)와 同字. '嘵, 說文, 懼也. 或从言'《集韻》.
[字源] 篆文 形聲. 言+堯〔音〕

[譊譊 요요] ㉠성내어 부르는 소리. ㉡쟁송(爭訟)하는 소리. 언성을 높여 싸우는 소리.
◉諠譊. 讙譊.

12
⑲ [譎] [人名] 휼 (결[本]) [入]屑 古穴切 jué

[字解] ①속일 휼 기만함. 권모술수를 씀. '—主便私'《韓非子》. ②거짓 휼, 속임수 휼 권모술수. '權—自在'《漢書》. ③넌지시비출 휼 완곡하게 말함. '主文而—諫'《詩經 序》. ④굽을 휼 굴곡함. '超紆—之淸澄'《漢書》. ⑤진기할 휼 보통과 다름. '怪—'. '彫飾—怪'《後漢書》. ⑥변할 휼 변화함. 바뀜. '瑰異—詭'《張衡》. ⑦어긋날 휼 어그러짐. '恢詭—怪'《易經 注》.
[字源] 篆文 形聲. 言+矞〔音〕. '矞휼'은 '과시하다'의 뜻. 실질(實質) 이상으로 과시하여 말하다의 뜻에서, '속이다'의 뜻을 나타냄.

[譎諫 휼간] 넌지시 간함.
[譎計 휼계] 남을 속이는 꾀.
[譎誑 휼광] 속임.
[譎怪 휼괴] 괴이함. 괴상함. 진기함.
[譎權 휼권] 휼계(譎計).
[譎詭 휼궤] ㉠속임. ㉡괴이함. 이상함. 진기함.
[譎欺 휼기] 속임. 기만함.
[譎妄 휼망] 휼사(譎詐).
[譎謀 휼모] 휼계(譎計).
[譎詐 휼사] 허위(虛僞). 거짓.
[譎數 휼수] 휼계(譎計).
◉怪譎. 巧譎. 狡譎. 權譎. 詭譎. 奇譎. 背譎. 詐譎. 智譎. 誕譎. 險譎.

12
⑲ [䜌] [一] 련 [平]先 呂員切
[去]霰 力卷切
[二] 란 [平]寒 落官切 luán

[字解] [一] ①어지러울 련 '—, 亂也'《說文》. ②이을 련 '—, 繫也'《六書正譌》. ③다스릴 련 '—, 一曰, 治也'《說文》. ④끊어지지않을 련 '—, 一曰, 不絕也'《說文》. ⑤말끊어지지않을 련 '—, 言不絕'《集韻》. ⑥성 련 성(姓)의 하나. [二] ①어지러울 란, 다스릴 란 [一]❶❸과 뜻이 같음. ②방울이름 란 '—, 同鑾, 鈴名'《六書統》.
[字源] 會意. 言+絲

12
⑲ [譏] [人名] 기 [平]微 居依切 jī 讥 𫍣

[筆順] 言 言 言 言 言 言 言 譏

[字解] ①나무랄 기 비난함. '稱鄭伯—失教也'《左傳》. 또, 비난. '無伯夷之—'《論衡》. ②책할 기 책망함. '何以書. —'《公羊傳》. ③간(諫)할 기 충고함. 또, 간언(諫言). '殷有惑婦, 何所—'《楚辭》. ④기찰할 기 조사함. '關市—而不征'《孟子》.
[字源] 篆文 形聲. 言+幾〔音〕. '幾기'는 '세세(細細)하다'의 뜻. 세세하게 남의 결점을 찾아 말하다, 헐뜯다의 뜻을 나타냄.

[譏呵 기가] ㉠조사함. 힐문(詰問)함. ㉡기가(譏訶).
[譏訶 기가] 헐뜯음. 나무람. 꾸짖음.
[譏諫 기간] 간(諫)함. 또, 간언(諫言).
[譏謗 기방] 비난함. 비방(誹謗).
[譏訕 기산] 나무람. 비난함.
[譏笑 기소] 비웃음.
[譏議 기의] 기평(譏評).
[譏而不征 기이부정] 기찰(譏察)만 할 뿐, 세금을 거두지 않음.
[譏刺 기자] 헐뜯음. 나무람. 비난함.
[譏訾 기자] 헐뜯어 비난함. 또, 비방. 비난.
[譏切 기절] 통렬히 비난함.
[譏嘲 기조] 나무라고 비웃음. 비난하고 조소함.
[譏察 기찰] 탐사함. 사찰함.
[譏讒 기참] 헐뜯어 참소(讒訴)함.
[譏揣 기취] 비평하여 비난함.
[譏評 기평] 비난함. 악평(惡評)을 함.
[譏諷 기풍] 넌지시 비꼬는 말.
[譏嫌 기혐] 비난을 받아 남들이 싫어함.
◉訶譏. 群譏. 誹譏. 刺譏. 嘲譏. 讒譏. 詬譏.

12
⑲ [譑] 교 ①-③[上]篠 居夭切 jiǎo
④[去]嘯 丘召切 qiào

[字解] ①들추어낼 교 죄를 적발함. '必有貪利糾—之名'《荀子》. ②말많을 교 수다스러움. '—, 多言也'《玉篇》. ③규명할 교 조사하여 밝힘. '—, 糾也'《集韻》. ④희롱할 교 조롱함. 놀림.

‘一, 弄言’《集韻》.

12 ⑲ [譓] [人名] 혜 [去]霽 胡桂切 huì

[字解] ①슬기로울 혜 총명함. ‘今陽子之情一’《晉書》. ②좇을 혜 명령을 지킴. ‘義征不一’《漢書》.

[字源] 形聲. 言＋惠〔音〕

12 ⑲ [譔] [一] 선(전[本]) [平]先 此緣切 quán [二] 찬 [上]潸 雛產切 zhuàn

[字解] [一] ①가르칠 선 오로지 가르침에 전념함. ‘一, 專敎也’《說文》. ②다를 선 달리함. ‘一, 殊也’《廣雅》. ③기릴 선 칭송함. ‘論一其先祖之美’《禮記》. [二] ①지을 찬 찬술(撰述)함. 撰(手部 十二畫)과 同字. ‘一孝行’《揚子法言》. ②갖춰질 찬 ‘聽歌一只’《楚辭》.

[字源] 篆文 形聲. 言＋巽(𢁉)〔音〕. ‘𢁉손’은 가지런히 갖추다의 뜻. 잘 다듬어진 말의 뜻을 나타냄.

12 ⑲ [譕] [一] 모 [平]虞 蒙晡切 mó [二] 무 [平]虞 武夫切 wú

[字解] [一] 꾀할 모 謨(言部 十一畫)의 古字. ‘一臣者可以遠擧’《管子》. [二] 꾀는말 무 ‘一, 誘詞也’《集韻》.

12 ⑲ [譳] 〔누〕 讓(言部 十四畫〈p. 2162〉)의 俗字

12 ⑲ [譧] 〔력〕 讈(言部 十六畫〈p. 2165〉)과 同字

12 ⑲ [譅] 삽(십[本]) [入]緝 色入切 sè

[字解] ①더듬을 삽 말을 더듬음. 어눌(語訥)함. ‘言語訥一兮’《楚辭》. ②말멈추지않을 삽 ‘一讘’은 말이 끊이지 않음. 줄곧 지껄여 댐. ‘一讘, 言不止’《集韻》.

[字源] 形聲. 言＋歰〔音〕

12 ⑲ [⿰言歮] 譅(前條)과 同字

12 ⑲ [⿰言壹] 의 [去]霽 壹計切 yì

[字解] 상세(詳細)할 의 분명함. ‘一譓, 諟也, 吳越曰一譓’《方言》.

12 ⑲ [譖] 참 ①②[去]沁 莊蔭切 zèn (③점[本]) ③[去]豔 子念切 jiàn

[字解] ①하리놀 참 남을 헐뜯어 윗사람에게 일러바침. 참언함. ‘一訴’. ‘夫人一公於齊侯’《公羊傳》. ‘膚受之一’《論語》. ②하소연할 참 거짓말을 하여 호소함. ‘一, 愬也’《說文》. ③거짓 참, 속일 참 僭(人部 十二畫)과 통용. ‘一始竟背’《詩經》.

[字源] 篆文 形聲. 言＋朁〔音〕. ‘朁참’은 뒤에서 말하다의 뜻. 뒤에 숨어서 말하다, 뒷전에서 험담하다의 뜻을 나타냄.

[譖短 참단] 나쁘게 헐뜯어 말함. 참소(譖訴). 훼단(毀短).
[譖說 참설] 헐뜯는 언론(言論).
[譖訴 참소] 간악한 말로 남을 헐뜯어 없는 죄도 있는 것처럼 윗사람에게 고해 바침.
[譖言 참언] 참소(讒訴)하는 말.
[譖潤 참윤] ㉠자꾸 참소하는 말을 들어 차차로 곧이 듣게 됨. 또, 그러한 참소. ㉡물이 스며들듯이 점차 감화(感化)됨.
[譖毁 참훼] 헐뜯음. 또, 비방. 비난. 참소(譖訴).
◉蝎譖. 巧譖. 構譖. 誣譖. 猜譖. 冤譖. 詆譖. 醜譖. 浸潤之譖. 猾譖. 毁譖.

12 ⑲ [識] [中人] [一] 식 [入]職 賞職切 shí [二] 지 [去]寘 職吏切 zhì [三] 치 [去]寘 昌志切 zhì

[筆順] 言 言 訁 訁 諳 諳 識 識

[字解] [一] ①알 식 ㉠깨달음. 인지함. ‘博一’. ‘不一時務’《後漢書》. ‘不一不知, 順帝之則’《詩經》. ㉡분별함. ‘辨一’. ‘一別’. ‘君子是一’《詩經》. ㉢기억함. ‘意一’. ‘新婦一馬聲, 躡履相逢迎’《古詩》. ㉣인정함. 알아봄. ‘使形狀不可知, 行乞於市, 其妻不一也’《史記》. ㉤사귐. 아는 사이임. ‘交一’. ‘相一’. ‘二子舊不一, 欣然肯聯鞍’《蘇軾》. ②알려질 식 ‘但願一一韓荊州’《李白》. ③지식 식 아는 바. ‘有一’. ‘鄙夫寡一’《張衡》. ④식견 식 사려. 분별. ‘見一’. ‘一者’. ‘史有三長, 才學一, 世罕兼之’《唐書》. ⑤지혜 식 사람이 갖고 있는 시비선악(是非善惡)을 판별하는 마음. ‘一密鑒亦洞’《顏延之》. ⑥친분 식 친한 정분. 또, 친지. ‘舊一’. ‘嘗謂親一曰’《梁書》. ⑦타고난성질 식 천성(天性). ‘一能匡欲者鮮矣’《後漢書》. ⑧성 식 성(姓)의 하나. [二] ①적을 지 기록함. ‘子曰, 小子一之’《孔子家語》. ②표할 지 표시함. ‘不可不一’《漢書》. ③표 지 안표. 기호. ‘標一’. ‘進止皆有表一’《後漢書》. ④음각문자 지 금석(金石) 등에 음각한 글자. ‘款一’(‘款’은 양각 문자). 또, 기물·서적 등의 제자(題字)에도 이름. [三] 깃발 치 幟(巾部 十二畫)와 同字. ‘旌旗表一’《漢書》.

[字源] 金文 篆文 形聲. 金文은 音 또는 言＋弋〔音〕. ‘弋익’은 가로세로의 실로 짜다의 뜻. 말을 번갈아 내어서 사물을 구별해 가다, 알다의 뜻을 나타냄.

[識鑒 식감] 감식(鑑識).
[識見 식견] 학식(學識)과 견문(見聞).
[識其一不知其二 식기일부지기이] 사리(事理)의 일단(一端)은 알되 그 이상의 깊은 이치는 모름.
[識斷 식단] 식견(識見)이 있어 판단이 뛰어남.
[識達 식달] 식견(識見)이 있어서 사리(事理)에 통달(通達)함.
[識度 식도] 학식과 도량. 식견(識見)과 국량(局量).
[識量 식량] 식도(識度).
[識慮 식려] 식견(識見)과 사려(思慮).
[識陋 식루] 견식이 좁고 천함.
[識拔 식발] 인물을 식별하여 발탁함.
[識別 식별] 분별(分別)하여 앎. 감별(鑑別).
[識性 식성] 시비·선악을 잘 분간하는 천성(天性).
[識神 식신] 영혼(靈魂).
[識悉 식실] 모두 다 앎. 지실(知悉).
[識域 식역] 인식의 범위.

[識悟 식오] 깨달아 아는 일.
[識者 식자] 식견(識見)이 있는 사람.
[識字憂患 식자우환] 학식(學識)이 있는 것이 도리어 근심을 사게 됨.
[識韓 식한] 훌륭한 인사(人士)를 면회(面會)하여 이름이 알려짐의 비유(比喩). 한(韓)은 형주(荊州)의 태수(太守) 한조종(韓朝宗)을 이름.
[識荆 식형] 식한(識韓).
◉鑑識. 強識. 見識. 款識. 舊識. 器識. 記識. 多識. 達識. 面識. 明識. 無意識. 默識. 美意識. 博識. 半面識. 相識. 常識. 眼識. 良識. 遠識. 有識. 意識. 忍識. 潛在意識. 題識. 知識. 淺識. 卓識. 表識. 標識. 學識. 玄識.

12 ⑲ [譕] 모 [上]麌 滿補切 mǔ
[字解] 말모자랄 모 '一謯, 言不足'《集韻》.

12 ⑲ [譗] 로 ①-③[平]豪 朗刀切 láo / ④[去]號 朗到切 lào
[字解] ①소리 로 嘮(口部 十二畫〈p. 405〉)와 同字. '一, 聲也, 尙書大傳, 一然作大唐之歌, 或从口'《集韻》. ②말하는소리 로 '謰, 一謰, 語聲'《集韻》. ③빛날 로 '一, 尙書大傳, 一然作大唐之歌, 鄭氏曰, 一, 猶灼也'《正字通》. ④소리많을 로 소리가 많은 모양. '一, 聲多也'《集韻》.

12 ⑲ [譙] 초 ①[去]嘯 才笑切 qiào / ②-④[平]蕭 昨焦切 qiáo 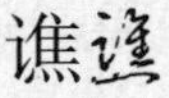
[字解] ①꾸짖을 초 책망함. 誚(言部 七畫)와 통용. '子孫有過失, 不一讓'《史記》. ②문루 초 성문(城門) 위의 망루(望樓). '井幹麗一'《王禹偁》. '與戰一門中'《漢書》. ③깃모지라질 초 새의 깃이 째어지고 무지러진 모양. '予羽一一'《詩經》. ④성 초 성(姓)의 하나.
[字源] 篆文  古文  形聲. 言+焦〔音〕. '책망하다, 꾸짖다'의 뜻을 나타냄.

[譙呵 초가] 누구인지 확인함. 일설에는, 꾸짖음.
[譙樓 초루] 성문(城門) 위에 세운 망루. 성루(城樓).
[譙門 초문] 초루(譙樓)의 문.
[譙讓 초양] 꾸짖음.
[譙譙 초초] 새의 깃 따위가 째어지고 무지러진 모양.
◉門譙. 麗譙. 連譙. 危譙. 重譙.

12 ⑲ [譚] [人名] 담 [平]覃 徒含切 tán 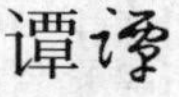
[筆順] 言 言 訁 訂 譚 譚 譚 譚
[字解] ①편안할 담 하는 일 없이 편안히 지냄. '修業居久而一'《大戴禮》. ②붙을 담 부착함. '參一雲屬'《成公綏》. ③이야기 담, 이야기할 담 談(言部 八畫)과 同字. '此老生之常一'《魏志》. '夫子何不一我于王'《莊子》. ④깊을 담, 클 담 覃(襾部 六畫)과 통용. '一思'. '一, 大也'《廣韻》. ⑤나라이름 담 주대(周代)의 국명(國名). 지금의 산둥 성(山東省)에 있었음. ⑥성 담 성(姓)의 하나.
[字源] 形聲. 言+覃〔音〕. '覃담'은 깊고 두텁다의 뜻. 깊이 있는 이야기의 뜻을 나타냄.

[譚叢 담총] 여러 가지 이야기를 모아 놓은 것.
◉怪譚. 奇譚. 常譚. 參譚.

12 ⑲ [譕] 오 ①[上]麌 於五切 wù / ②[去]遇 烏故切
[字解] ①헐어말할 오 서로 헐뜯어 말함. ②부끄러워할 오, 미워할 오 '惡, 恥也, 憎也, 或作一'《集韻》.

12 ⑲ [譒] 파 [去]箇 補過切 bò / [平]歌 逋禾切
[字解] ①펼 파 널리 말을 퍼뜨림. '一, 敷也, 商書曰, 王一告之. (注) 布言之也'《說文》. ②노래할 파 '一, 謠也'《玉篇》.
[字源] 篆文  形聲. 言+番〔音〕. '番파'는 널리 퍼지게 하다의 뜻. 널리 알리다, 펴다를 뜻함.

12 ⑲ [澌] [一] 서 [平]齊 先稽切 xì / [二] 시 [平]支 相支切 sí
[字解] [一] ①슬퍼하는소리 서 '一, 悲聲'《廣韻》. ②소리떨 서 목소리가 떨림. '一, 聲振也'《玉篇》. ③신음할 서 '一, 呻也'《玉篇》. [二] 목쉰소리 시 '一, 聲散也'《集韻》.
[字源] 篆文 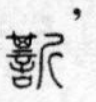 形聲. 言+斯〔音〕

12 ⑲ [譀] [一] 감 [去]勘 下瞰切 hàn / [二] 함 ①[平]咸 乎監切 hàn / ②[去]陷 許鑑切 xiàn / [三] 합 [入]洽 呼甲切
[字解] [一] ①자랑할 감 '一, 誇誕'《廣韻》. ②희롱할 감 '一, 調也'《廣雅》. [二] ①자랑할 함, 희롱할 함 [一]과 뜻이 같음. ②성낼 함 성내어 떠듦. '一, 叫怒'《字彙》. [三] 자랑할 합 [一]❶과 뜻이 같음.
[字源] 形聲. 言+敢〔音〕

12 ⑲ [謿] 〔조〕
嘲(口部 十二畫〈p. 402〉)와 同字

12 ⑲ [譁] 〔고〕
辜(辛部 五畫〈p. 2281〉)와 同字

12 ⑲ [譌] 〔와〕
訛(言部 四畫〈p. 2108〉)와 同字

12 ⑲ [譐] 〔준〕
噂(口部 十二畫〈p. 404〉)과 同字

12 ⑲ [譋] 〔란〕
讕(言部 十七畫〈p. 2166〉)과 同字

12 ⑲ [譜] 〔보〕
譜(言部 十三畫〈p. 2158〉)와 同字

12 ⑲ [譥] 〔포〕
譥(言部 十畫〈p. 2151〉)의 本字

13 ⑳ [譠] 〔담〕
譚(言部 十二畫〈p. 2157〉)의 訛字

13 ⑳ [譱] 선 [上]銑 常演切 shàn

[字解] 착할 선 善(口部 九畫)의 古字. '安上治民, 莫一於禮'《漢書》.

13 ⑳ [譜] [高人] 보 [上]麌 博古切 pǔ 谱

[筆順] 言 言˙ 訁 訁 譜 譜 譜 譜

[字解] ①적을 보 순서·계통을 따라 열기(列記)함. 표(表)를 만듦. '自殷以前, 諸侯不可得而一'《史記》. ②계도 보 순서·계통을 따라 열기한 도면, 또는 문서. '家一'. '年一'. ③악보 보 음악의 곡절(曲節)을 부호로 하여 기재한 표. '音一'. '樂一'. '長官不用求琴一'《蘇軾》.

[字源] [篆文] 形聲. 言＋普〔音〕. '普보'는 '펼치다'의 뜻. 사물(事物)을 유별(類別)하여 말로 계통적으로 펼쳐 보이다의 뜻을 나타냄.

[譜系 보계] 보첩(譜牒).
[譜曲 보곡] ㉠악보(樂譜)에 적힌 곡조. ㉡악보.
[譜紀 보기] 가계(家系)의 기록.
[譜圖 보도] 보첩(譜牒).
[譜錄 보록] 보첩(譜牒).
[譜籍 보적] 보첩(譜牒).
[譜第 보제] ㉠보첩(譜牒). ㉡친척. 혈속(血屬).
[譜牒 보첩] 계보(系譜). 족보(族譜).
[譜學 보학] 제가문(諸家門)의 계보(系譜)를 연구하는 학문.
◉系譜. 曲譜. 棋譜. 圖譜. 世譜. 氏譜. 樂譜. 年譜. 音譜. 印譜. 族譜. 花譜.

13 ⑳ [讘] 섭 [入]葉 失涉切 shè

[字解] 잘못말할 섭 실언(失言)함. '一, 讋一, 言失也'《集韻》.

13 ⑳ [譝] 승 [平]蒸 食陵切 shéng

[字解] ①무식할 승 무지(無知)한 모양. '一一兮如將孩'《子華子》. ②기릴 승 칭찬함. 繩(糸部 十三畫)과 同字. '一息嫣以語楚子'《左傳》.

[譝譝 승승] 무식한 모양.

13 ⑳ [譟] 조(소[本]) [去]號 蘇到切 zào 噪

[字解] ①떠들 조 여러 사람이 모여서 큰 소리로 지껄임. 들렘. '魏人一而還'《左傳》. '王使婦人不幃而一之'《國語》. ②떠들썩할 조 시끄러움. '喧一'. ③기뻐할 조 '車徒皆一'《周禮》. ④북칠 조 북을 쳐 울림. '齊使萊人以兵鼓一, 劫定公'《孔子家語》.

[字源] [篆文] 形聲. 言＋喿〔音〕. '喿소'는 '떠들썩하다'의 뜻. '言언'을 덧붙여, 그 뜻을 더욱 분명히 하였음.

[譟鼓 조고] 북을 시끄럽게 침. 또, 그 소리.
[譟急 조급] 떠들썩함. 시끄러움.
[譟聚 조취] 떠들어 대며 모임.
◉驚譟. 鼓譟. 狂譟. 群譟. 叫譟. 蟬譟. 鴉譟. 譁譟. 喧譟. 諠譟. 讙譟.

13 ⑳ [譪] 애 [去]泰 於蓋切 ǎi 蔼

[字解] ①많을 애 '一一'는 많은 모양. 또, 성(盛)한 모양. 일설(一說)에는, 마음과 힘을 다하는 모양. '一一王多吉士'《詩經》. ②온화할 애 말이 부드러움. '仁義之人, 其言一如'《通訓》.

[字源] [篆文] 形聲. 言＋葛〔音〕

[譪譪 애애] 자해(字解) ❶을 보라.

13 ⑳ [譫] 섬 (첨[本]) [平]鹽 之廉切 zhān 谵

[字解] ①헛소리 섬 병중(病中)에 정신을 잃고 중얼거리는 말. '心病一妄煩亂'《本草綱目》. ②말많을 섬 噡(口部 十三畫)과 同字. '一, 多言也'《廣韻》.

[字源] 形聲. 言＋詹〔音〕. '詹첨·섬'은 '뇌다'의 뜻. '言언'을 붙여, 말이 많다의 뜻을 나타냄.

[譫妄 섬망] 실없는 말. 잠꼬대 같은 소리.
[譫語 섬어] 병중에 나오는 헛소리.
[譫言 섬언] 헛소리. 섬어(譫語).

13 ⑳ [譯] [高人] 역 [入]陌 羊益切 yì 译

[筆順] 言 訁 訁 訁 譯 譯 譯 譯

[字解] ①통변할 역, 번역할 역 딴 나라의 말이나 글을 제 나라의 말이나 글로 옮김. 또, 그 말이나 글. '通一'. '重一請朝'《史記》. ②풀이할 역 서사(書史)의 의리(義理)나 의미를 해석함. '評一'. '傳一'. '賢者爲聖一'《潛夫論》. ③나타낼 역 '一, 見也'《揚子方言》.

[字源] [篆文] 形聲. 言＋睪(𡈼)〔音〕. '𡈼역'은 차례차례 끌어당기다의 뜻. 하나의 국어를 다른 외국어로 차례차례 옮겨 전하다, 통변·번역하다의 뜻.

[譯講 역강] 뜻을 해석함.
[譯經 역경] 《佛敎》 인도 등의 불전(佛典)을 한어(漢語)로 번역함.
[譯官 역관] 통역관. 또는 번역관.
[譯讀 역독] 번역하여 읽음. 또, 해석(解釋)하여 「읽음.
[譯本 역본] 번역한 책. 역서(譯書).
[譯書 역서] 번역한 책.
[譯語 역어] 번역한 말.
[譯言 역언] 통역(通譯). 통변.
[譯註 역주] 원문을 번역하고 또 주해를 붙임.
[譯解 역해] 원문을 번역하고 또 풀이함.
◉共譯. 國譯. 對譯. 名譯. 飜譯. 佛譯. 新譯. 英譯. 誤譯. 意譯. 全譯. 重譯. 直譯. 抄譯. 通譯. 韓譯.

13 ⑳ [譨] 누 [平]尤 奴侯切 nóu

[字解] 말많을 누 많이 말함. 다투어 말하거나 아첨함. '群司兮一一'《楚辭》.

[譨譨 누누] 여러 사람이 다투어 말하는 모양.

13 ⑳ [議] [中人] 의 [去]寘 宜寄切 yì 议

[筆順] 言 言˙ 訁 詳 詳 詳 議 議

字解 ①의논할 의 상의함. '諮―'. '謀―'. '―事以制'《書經》. ②논할 의 ㉠논지함. 따져 말함. '評―'. '論―'. '非天子不―禮'《中庸》. ㉡비평함. 이러니저러니 함. '天下有道, 則庶人不―'《論語》. ③책잡을 의 비난함. '誹―'. '軾―時事'《十八史略》. '入則心非, 出則巷―'《史記》. ④가릴 의 선택함. '乃―侑于賓'《儀禮》. ⑤의론 의 의견(意見). 소설(所說). '始皇下其―丞相'《史記》. ⑥간(諫)할 의 '子胥力於戰伐, 死於諫―'《吳越春秋》. ⑦문체이름 의 한문의 한 체(體). 일을 논하여 그 가부를 비판하는 문장. '奏―'. '昔管仲稱軒轅, 有明臺之―, 則―之來遠矣'《文體明辯》. ⑧감형 의 주대(周代)의 제도로서, 죄과(罪科)의 특별 감경(減輕). '八―'. '――親, 二―故'《周禮》.

字源 篆文 形聲. 言+義〔音〕. '義의'는 그래야 할 바른길의 뜻. 옳은 길을 추구하여 발언하다의 뜻. 金文에는 용례(用例)를 볼 수 없고, 《시경(詩經)》에는 있음. 비교적 새로운 말임.

[議決 의결] 의론(議論)하여 결정(決定)함. 합의하여 결정함.
[議論 의론] ㉠각자가 의견을 내세우고 토론함. ㉡[의논] 상의함.
[議論風生 의론풍생] 의론이 바람처럼 일어남. 의론이 성(盛)함. 담론 풍발(談論風發).
[議事 의사] ㉠일을 의논함. ㉡모여 토의함. ㉢토의 사항.
[議席 의석] ㉠회의(會議)하는 자리. ㉡의원의 자리. 전(轉)하여, 의원의 자격을 이름.
[議案 의안] ㉠토의할 안건. ㉡국회에 제출하는 원안(原案).
[議院 의원] 의회. 의회를 여는 곳.
[議員 의원] 의회를 구성하여, 심의(審議)·의결(議決)의 권리를 가지는 사람.
[議長 의장] ㉠회의를 주재하는 사람. ㉡의원을 통솔하고 의회를 대표하는 사람.
[議定 의정] 협의(協議)하여 결정(決定)함.
[議政 의정] 정사(政事)를 논의함.
[議定書 의정서] ㉠협의하여 결정한 문서. ㉡전권간(全權間)에 결정한 국제간의 각서(覺書).
[議題 의제] ㉠시문(詩文) 등의 제목을 상의하여 결정함. ㉡회의에서 검토하여 해결할 문제. 의안(議案)의 제목.
[議罪 의죄] 죄를 조사(調査)함. 죄를 논(論)하여 정(定)함.
[議奏 의주] 사안(事案)을 심의하여, 그 결과를 아룀.
[議處 의처] 처벌을 의논함.
[議會 의회] 단체의 의사를 결의하는 합의 기관. 국회·도의회·시의회 등.

◉閣議. 諫議. 講議. 建議. 決議. 計議. 公議. 共議. 群議. 譏議. 論議. 談議. 黨議. 讜議. 動議. 謀議. 廟議. 物議. 密議. 駁議. 發議. 謗議. 不可思議. 非議. 私議. 熟議. 審議. 凝議. 疑議. 異議. 諮議. 爭議. 詮議. 廷議. 提議. 朝議. 奏議. 衆議. 參議. 芻議. 聚議. 討議. 評議. 合議. 抗議. 巷議. 協議. 和議. 會議. 横議.

13 ⑳ [諜] 급 ㉧洽 五洽切 yá

字解 말하며웃을 급 말하며 웃는 모양. '―, 話―, 語笑皃'《集韻》.

13 ⑳ [譭] 훼 ㉤紙 虎委切 huǐ

字解 헐어말할 훼 비방함. 毁(殳部 九畫)와 통용.

13 ⑳ [譓] 홰 ㉦泰 呼會切 huì

字解 ①들렐 홰 많은 사람이 떠드는 소리. '―, 衆聲'《廣韻》. ②소리 홰 목소리. '有―其聲'《詩經》.

字源 篆文 形聲. 言+歲〔音〕

13 ⑳ [譮] 홰 ①㉦卦 許介切 xiè ②㉦卦 戶快切 huà

字解 ①성낼 홰 성내는 소리. '―, 怒聲'《集韻》. ②기운높을 홰 '―, 氣高皃'《集韻》.

13 ⑳ [譞] 人名 현 ㉠先 許緣切 xuān

字解 ①지혜로울 현, 지혜 현 儇(人部 十三畫)과 통용. '―, 慧也'《集韻》. ②말많을 현 '―, 多言也'《集韻》.

字源 篆文 形聲. 言+睘〔音〕

13 ⑳ [譂] 一 과 ㉦禡 古罵切 guà 二 차 ㉦禡 丑亞切

字解 一 ①그르칠 과 '―, 相誤也'《說文》. ②속일 과 '―, 欺也'《字彙》. 二 그르칠 차, 속일 차 一과 뜻이 같음.

字源 會意. 言+畀

13 ⑳ [譣] 一 험 ㉤琰 虛檢切 xiǎn 二 섬 ㉠鹽 七廉切

字解 一 간사한말 험, 간사할 험 '詖―, 姦言也'《增韻》. 二 물을 섬 캐어물음. '勿以―人'《周書》.

字源 篆文 形聲. 言+僉〔音〕. '僉첨'은 여러 사람, 모두의 뜻. 사람들에게 묻다, 물어 밝히다의 뜻을 나타냄.

13 ⑳ [譧] 一 잠 ㉦陷 佇陷切 zhàn 二 렴 ㉠鹽 離鹽切 lián

字解 一 속을 잠 '―, 被誑'《字彙》. 二 말바르지못할 렴 '―詀, 言不正'《集韻》.

13 ⑳ [譠] 탄 ㉠寒 他干切 tán ㉠刪 知山切

字解 ①속일 탄 '―, 欺也'《廣雅》. ②업신여길 탄 '―謾'은 업신여기어 속임. '―謾, 欺謾之語也'《揚子方言》. ③돌아보지않을 탄 '冷―'은 돌아보지 않음. '冷―, 不顧'《字彙》.

13 ⑳ [譩] 〔희〕
噫(口部 十三畫〈p. 407〉)와 同字

13 ⑳ [譲] 〔양〕
讓(言部 十七畫〈p. 2166〉)의 俗字

13 ⑳ **[譴]** 〔건〕 謇(言部 十畫〈p.2150〉)과 同字

13 ⑳ **[讍]** 〔굴〕 詘(言部 八畫〈p.2132〉)의 本字

13 ⑳ **[謾]** 〔만·면〕 謾(言部 十一畫〈p.2152〉)과 同字

13 ⑳ **[譯]** 〔역〕 譯(言部 十三畫〈p.2158〉)의 本字

13 ⑳ **[譡]** 〔당〕 讜(言部 二十畫〈p.2167〉)의 俗字

13 ⑳ **[警]** 高·人 경 ㊤庚 居影切 jǐng

筆順

字解 ①경계할 경 ㉠주의함. 조심함. '嚴一'. '一戒羣吏'《周禮》. ㉡신칙(申飭)함. '一告'. '所以一衆也'《禮記》. ㉢방비함. '謹一, 敵人旦暮且至'《韓非子》. ㉣경계하라고 알림. '三曰一鼓'《唐書》. ②경계 경 조심. 신칙. '幽獨怵爾抱深一'《王守仁》. ③경비 경 사변의 방비. '罷關徼之一'《後漢書》. ④사변 경 변고. 난리. '頗有騷一'《逖孫》. '河北有一, 藉卿鎭撫之'《宋史》. ⑤경보 경 사변의 통보. '邊一'. '明烽燧之一'《後漢書》. ⑥놀랄 경, 놀랠 경 驚(馬部 十三畫)과 통용. '節循虛而一立'《陸機》. ⑦두려워할 경 두려워서 불안해함. '王以一于夷'《左傳》. ⑧갈도(喝道) 경 지위 높은 이가 다닐 때 행인을 금하는 일. '一蹕'. '出稱一, 入言蹕'《漢書》. ⑨총민할 경 총기가 있고 민첩함. '一敏'. '奇一'. '性甚一悟'《南史》. ⑩깰 경, 깨울 경 잠이 깸. 잠을 깨움. '目欲瞑而復一'《歐陽修》.

字源 篆文 形聲. 言+敬〔音〕. '敬경'은 '경계하다'의 뜻. 경계하여 말하다의 뜻.

[警覺 경각] 경계하여 깨달음. 경계하여 각성(覺醒)시킴.
[警警 경경] 불안(不安)한 모양.
[警戒 경계] ㉠타일러 주의(注意)시킴. ㉡방심(放心)하지 않고 조심(操心)함.
[警戒色 경계색] 어떠한 동물(動物)이 다른 동물의 박해를 방비하기 위하여 가지고 있는, 눈에 잘 띄는 특수한 몸빛. 보호색(保護色)의 대(對).
[警告 경고] 경계하여 이름. 주의시킴.
[警固 경고] 비상에 대비하여 방비를 단단히 함. 또, 그 설비. 경위(警衛).
[警鼓 경고] ㉠비상사태(非常事態)를 알려 주기 위하여 치는 북. ㉡경위(警衛)의 악곡(樂曲).
[警官 경관] 경찰관(警察官).
[警句 경구] 진리나 진정을 간결하게 표현한 기발한 문구. 경인구(警人句).
[警懼 경구] 경계하며 두려워함.
[警急 경급] ㉠급히 일어난 변고. 급변(急變). ㉡급변(急變)에 대비(對備)하여 경계함.
[警動 경동] 경계하여 움직임.
[警邏 경라] 경순(警巡).
[警勵 경려] 스스로 경계하고 힘씀. 또는 남을 경계하고 힘쓰게 함.
[警吏 경리] 경관(警官).
[警務 경무] 경찰(警察)의 사무(事務).
[警敏 경민] 재주가 있음. 민첩함.
[警拔 경발] 기발(奇拔)함.
[警報 경보] ㉠경계(警戒)하라고 주의(注意)시키는 급보(急報). ㉡폭풍우 등의 예고(豫告).
[警備 경비] 만일(萬一)을 염려(念慮)하여 미리 방비(防備)함. 또, 그 설비.
[警事 경사] 위급(危急)한 사태(事態).
[警醒 경성] 잠을 깨움. 전(轉)하여, 세상 사람의 미혹된 정신을 깨우침.
[警世 경세] 세상(世上)을 깨우침. 세상 사람의 주의를 환기시킴.
[警世通言 경세통언] 명(明)나라 풍몽룡(馮夢龍)이 편찬한 단편 소설집(短篇小說集). 〈유세명언(喩世明言)〉·〈성세항언(醒世恒言)〉과 함께 삼언(三言)이라 일컬어짐.
[警守 경수] 경계(警戒)하여 지킴.
[警巡 경순] 경계하여 순라(巡邏)를 돎. 또, 그 사람.
[警語 경어] 사람을 경동(警動)케 할 만한 기발한 말.
[警悟 경오] ㉠깨달음이 빠름. 잘 깨우침. ㉡경계하여 깨닫게 함.
[警衛 경위] 만일을 경계(警戒)하고 호위(護衛)함. 또, 그 설비나 그 사람.
[警笛 경적] 비상(非常)을 알리거나 주의(注意)를 주기 위하여 울리는 고동. 또, 그 소리.
[警鐘 경종] ㉠비상시에 일을 알리는 종. ㉡세상을 경계하기 위하여 하는 언론.
[警察 경찰] 국가의 안녕(安寧) 질서(秩序)를 유지하는 행정(行政).
[警察官 경찰관] 경찰 사무를 맡은 관리.
[警策 경책] ㉠경계하여 채찍질함. ㉡말을 잘 달리게 치는 채찍. ㉢문장 속에서 전편(全篇)을 생동(生動)하게 하는 중요한 짧은 문구.
[警捷 경첩] 경민(警敏).
[警枕 경침] 잠을 못 들게 하기 위하여 자면 넘어져 깨도록 된 둥근 베개.
[警蹕 경필] 벽제(辟除).
[警護 경호] 경계하며 호위함. 또, 그 사람.
◉開警. 寇警. 軍警. 奇警. 機警. 邊警. 烽警. 備警. 巡警. 市警. 夜警. 威警. 自警. 天警. 聽警.

13 ⑳ **[譤]** 警(前條)과 同字

13 ⑳ **[譬]** 人名 비 ㊀寘 匹賜切 pì

筆順

字解 ①비유할 비 비슷한 딴 사물을 끌어대어 말함. '一諸小人'《論語》. ②비유 비 '取一不遠'《詩經》. ③비유컨대 비 비유를 들어 말하면. 예컨대. '一如北辰'《論語》. ④깨달을 비 모르던 것을 환하게 앎. '聞之者未一'《後漢書》. ⑤깨우칠 비 깨닫도록 함. '請往一降之'《後漢書》.

字源 篆文 形聲. 言+辟〔音〕. '辟비'는 옆으로 비키다의 뜻. 직접 말하지 않고, 짐짓 비켜서 말하다, 비유하다의 뜻을 나타냄.

[譬類 비류] 비유(譬喩).
[譬說 비설] 타일러 깨우침. 설유(說諭).
[譬喩 비유] 어떠한 사물(事物)의 의미(意味)를 다른 사물을 가지고 견주어 설명(說明)함.

[譬諭 비유] ㉠비해(譬解). ㉡비유(譬喩).
[譬解 비해] 비유하여 알도록 함.
[譬況 비황] 비유함. 비유.
◉空譬. 慰譬. 證譬. 曉譬.

13 ⑳ [譥] 교 [去]嘯 古弔切 jiào

[字解] ①소리지를 교 아파 큰 소리를 침. 크게 소리 지름. '一, 痛嘑也'《說文》. '一, 大呼也'《玉篇》. ②아파하는소리 교 '一, 痛聲'《廣韻》. ③들추어낼 교 적발함. '一者爲之'《漢書》.
[字源] [篆文] 形聲. 言+敫〔音〕

13 ⑳ [譤] 격 [入]錫 古歷切 jī

[字解] ①들추어낼 격 적발함. '一, 訐也'《集韻》. ②속일 격 '一, 詐也'《字彙》.

13 ⑳ [諢] 곤 [去]願 古困切 gùn

[字解] 놀릴 곤 조롱함. '一, 翫人也'《集韻》.

13 ⑳ [譍] 응 [去]徑 於證切 yìng / [平]蒸 於陵切 yīng

[字解] 대답할 응 應(心部 十三畫)과 同字. '車馬敲門定不一'《蘇軾》.
[字源] 形聲. 言+雁〔音〕

14 ㉑ [譶] [一] 답 [入]合 徒合切 tà / [二] 집 [入]緝 直立切 zhí

[字解] [一] 재재거릴 답 재잘거림. 말이 빠름. '一, 疾言也'《說文》. [二] 지껄거릴 집 자꾸 지껄여 그치지 않음. '澁一嚳猥, 交貿相競'《左思》.
[字源] [篆文] 會意. 言+言+言. 빠르게 지껄이다, 지껄여 대다의 뜻을 나타냄.

14 ㉑ [譴] [人名] 견 [去]霰 去戰切 qiǎn

[字解] ①꾸짖을 견 과실을 책망함. '一責'. '太卜一之曰'《戰國策》. ②허물 견, 책망 견 '允叶人心, 用消天一'《北史》. ③재앙 견 재난. 화(禍). '何以和穆陰陽, 消伏災一'《後漢書》. ④노할 견 성냄. '一, 怒也'《廣韻》. '畏此一怒'《詩經》. ⑤성 견 성(姓)의 하나.
[字源] [金文] [篆文] 形聲. 言+遣〔音〕. '遣견'은 멀리 보내다의 뜻. 말로 책망하여 먼 곳으로 내치다, 책망하다, 비난하다의 뜻을 나타냄.

[譴呵 견가] 꾸짖음. 나무람.
[譴訶 견가] 견가(譴呵).
[譴告 견고] 견책하는 뜻을 알림.
[譴怒 견노] 성내며 꾸짖음. 책망. 질책(叱責).
[譴罰 견벌] 과실을 견책하여 처벌함.
[譴謫 견적] 죄를 책망하여 관계(官階)를 떨어뜨림.
[譴責 견책] ㉠잘못을 꾸짖음. 책망함. ㉡관리의 직무상의 실책에 대하여 내리는 징계 처분(懲戒處分).
[譴黜 견출] 죄를 책망하여 관계(官階)를 떨어뜨림.
◉加譴. 呵譴. 怒譴. 大譴. 微譴. 嚴譴. 罪譴. 斥譴. 天譴. 禍譴.

14 ㉑ [護] [高人] 호 [去]遇 胡誤切 hù 护

[筆順] 言 訁 訁 訁 訁 譁 護 護

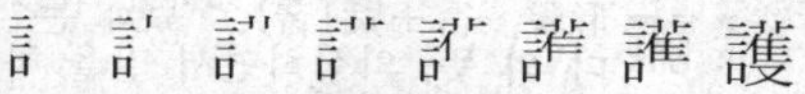

[字解] ①도울 호 구(救)함. 도와줌. '救一'. '數以吏事一高祖'《史記》. ②지킬 호 막음. 수호함. '保一'. '辯一'. '一衛'. '眈眈九虎一秦關'《元好問》. 또, 수호하는 일. 수호하는 설비. '重此藩籬一'《柳宗元》. ③통솔할 호 온통 거느림. '幷一趙楚韓魏燕之兵以伐齊'《史記》.
[字源] [篆文] 形聲. 言+蒦〔音〕. '蒦획'은 '잡다, 붙들다'의 뜻. 말로 붙잡다, 거느리다의 뜻, 지켜보다의 뜻을 나타냄.

[護國 호국] 나라를 외적(外敵)으로부터 지킴.
[護軍 호군] 진대(秦代)의 근위대(近衛隊)의 이름.
[護路軍 호로군] 철도 수비 군대(鐵道守備軍隊).
[護摩 호마] 《佛敎》 지혜(智慧)의 불로 번뇌(煩惱)의 섶을 태워 버린다는 뜻으로, 밀교(密敎)에서 호마단(護摩壇)을 베풀고 화로 속에 유목(乳木)을 태우며 부처에게 비는 일.
[護法 호법] ㉠법을 수호함. ㉡《佛敎》 불법(佛法)을 충실히 지키는 일. ㉢《佛敎》 악마나 질병을 물리치는 법력(法力).
[護符 호부] 호신부(護身符).
[護喪 호상] 초상(初喪)에 관한 모든 일을 주선(周旋)함.
[護送 호송] ㉠위해(危害)에 대비(對備)하여 호위(護衛)하여 보내는 것. ㉡죄인(罪人)을 압송(押送)함.
[護身 호신] 몸을 지킴.
[護身符 호신부] 몸을 보호하는 부적(符籍).
[護衛 호위] 따라다니며 지킴. 또, 그 사람.
[護持 호지] 신불(神佛)의 가호(加護). 보호함.
[護疾而忌醫 호질이기의] 병을 기르며 의사한테 보이기를 꺼림. 과실(過失)이 있으면서 남의 충고(忠告)를 싫어함의 비유.
◉加護. 看護. 監護. 警護. 救護. 都護. 防護. 辯護. 保護. 輔護. 庇護. 守護. 愛護. 養護. 掩護. 擁護. 援護. 衛護. 鎭護. 蔽護. 回護.

14 ㉑ [譸] 주 [平]尤 張流切 zhōu

[字解] ①속일 주 기만함. '一張爲幻'《書經》. ②꾀할 주 籌(竹部 十四畫)와 통용. '以詡一之'《後漢書》. ③저주할 주 '詶, 一詛也. 則一亦詛也'《說文 段注》.
[字源] [篆文] 形聲. 言+壽〔音〕. '壽수'는 '늘어놓다'의 뜻. 말을 차례로 늘어놓아 남을 속이다의 뜻을 나타냄.

[譸張 주장] 터무니없는 말로 남을 속임. 허풍을 침.

14 ㉑ [譹] 호 [平]豪 乎刀切 háo

[字解] 부르짖을 호, 외칠 호 '叫者一者'《莊子》.

14 ㉑ [譺] [一] 의 ①[去]寘 魚記切 ài ②[上]紙 魚紀切 yǐ / [二] 역 [入]職 鄂力切 yì

[字解] [一] ①속일 의 '一, 欺也'《廣韻》. ②희롱할

의 놀림. '一, 調也'《廣雅》. ❷ 삼갈 역 근신하는 모양. '齋戒以待一然'《史記》.
字源 篆文 形聲. 言+疑〔音〕. '疑의'는 '의심하다'의 뜻. 의심하면서 말을 하므로 말이 막히다의 뜻을 나타냄.

[譺然 의연] 삼가는 모양.

14 ㉑ [譾] 녕 ①㊥庚 尼耕切 níng ②㊧徑 乃定切 nìng
字解 ①작은소리 녕 '謍一, 小聲'《集韻》. ②아첨할 녕 '一, 諂也'《廣雅》.

14 ㉑ [譳] 누 ㊧有 乃豆切 nòu
字解 ①말머뭇거릴 누 '詎一'는 말을 하지 못함. '詎一, 不能言也'《集韻》. ②말바르지아니할 누.

14 ㉑ [諰] ❶ 암 ㊥覃 吾含切 án ❷ 갑 ㊇合 鄂合切 è
字解 ❶ ①농담할 암 '一, 謔弄言'《廣韻》. ②어리석을 암 미련함. '一, 不慧也'《集韻》. ❷ 웃으며말할 갑 '一, 諕一, 笑話'《集韻》.

14 ㉑ [譺] 단 ㊤旱 土緩切 tuǎn
字解 ①말망설일 단 명쾌하게 말하지 못함. '一, 譈一, 言惑'《集韻》. ②땅이름 단 '波一羅川, 春夏雨雪'《唐書》.

14 ㉑ [譶] 답 ㊇合 徒合切 tà 達合切
字解 ①말잇달 답 말을 계속함. '一譗, 語相及也'《說文》. ②망령된말 답 '一, 妄言'《廣韻》. ③떠볼 답 말로 남을 떠봄. '方俗以言探人曰一'《正字通》.
字源 篆文 形聲. 言+遝〔音〕. '遝답'은 '뒤섞이다, 겹치다'의 뜻. 잇달아 말하다, 다그치다의 뜻을 나타냄.

[辯] 〔변〕 辛部 十四畫(p.2284)을 보라.

14 ㉑ [譽] 高人 예 ㊧御 羊洳切 yù (여㊍) ㊥魚 以諸切 誉 𰅷
筆順 ⺊ 𦥑 𦥯 與 與 興 譽 譽
字解 ①명예 예 좋은 평판. 명성. '聲一'. '毁一'. '以永終一'《詩經》. '有不虞之一'《孟子》. ②기릴 예 칭찬함. '無毁無一'《王禹偁》. ③바로잡을 예 '君子不以口一人, 則民作忠'《禮記》. ④즐길 예 豫(豕部 九畫)와 통용. '是以有一處兮'《詩經》. ⑤성 예 성(姓)의 하나.
字源 篆文 形聲. 言+與〔音〕. '與여'는 손을 한데 모아 물건을 올리다의 뜻. 말로써 사람을 들어 올리다, 칭찬하다의 뜻을 나타냄.

[譽望 예망] 명예와 인망.
[譽髦 예모] 명망(名望)이 있는 준사(俊士).
[譽聞 예문] 명예(名譽). 명성(名聲).
[譽聲 예성] ㉠명예와 성문(聲聞). ㉡칭찬(稱讚)하는 소리.
[譽兒癖 예아벽] 자기 자식을 칭찬하는 버릇. 당(唐)나라 왕발(王勃)의 아버지 복치(福畤)의 고사(故事).
[譽言 예언] 칭찬하는 말.
[譽諛 예유] 칭찬하여 아첨함.
[譽歎 예탄] 칭찬함. 찬탄(讚歎)함.
◉功譽. 光譽. 廣譽. 德譽. 望譽. 名譽. 妙譽. 謗譽. 誹譽. 聲譽. 時譽. 令譽. 榮譽. 溢譽. 薦譽. 推譽. 稱譽. 歎譽. 虛譽. 毁譽. 喜譽.

14 ㉑ [譍] 등 ㊥蒸 徒能切 téng
字解 말많을 등 '一, 多言也'《字彙補》.

14 ㉑ [譸] 격 ㊇陌 古伯切 guó
字解 말많은모양 격 '一, 多言貌'《字彙補》.

14 ㉑ [譻] 앵 ㊥庚 烏莖切 yīng
字解 소리 앵 ㉠방울의 달랑거리는 소리. '鳴玉鸞之一一'《後漢書》. ㉡작은 목소리. '一譍, 小聲'《廣雅》. ㉢새 따위의 울음소리. '一一, 鳴也'《廣雅》.
字源 篆文 形聲. 言+賏〔音〕. '嚶앵'과 동일어(同一語) 이체자(異體字)로서, 새 따위의 울음소리의 의성어.

14 ㉑ [譼] 〔감〕 監(皿部 九畫〈p. 1523〉)의 古字

14 ㉑ [譶] 〔답·집〕 讋(言部 十四畫〈p. 2161〉)과 同字

14 ㉑ [譵] 〔대〕 ①對(寸部 十一畫〈p. 609〉)의 俗字. ②懟(心部 十四畫〈p. 823〉)와 同字.

14 ㉑ [譾] 〔참〕 讒(言部 十七畫〈p. 2165〉)의 俗字

15 ㉒ [讀] 中人 ❶ 독 ㊇屋 徒谷切 dú ❷ 두 ㊧有 大透切 dòu 读 𰅸
筆順 言 言̄ 詰 詰 譆 讀 讀
字解 ❶ ①읽을 독 ㉠소리를 내어 책 같은 것을 봄. '朗一'. '冬一書'《禮記》. ㉡해독(解讀)함. '吳王伐石, 得紫文金簡之書不能一'《抱朴子》. ②읽기 독 읽는 일. 읽는 법. '習其一'《公羊傳》. ③셀 독 수량을 계산함. '以數之多者, 號而一之也'《莊子》. ❷ ①구두 두 읽기 편하게 하기 위하여 구절에 점을 찍는 일. '句一'. '語未絕而點, 分之以便誦詠, 謂之一'《增韻》. ②《韓》 이두(吏讀) 두 삼국 시대부터 한자의 음과 뜻을 따서 우리나라 말을 표기하는 데 쓰이던 문자. '吏一'.
字源 篆文 形聲. 言+賣〔音〕. '賣육'은 '屬속'과 통하여 '계속하다'의 뜻. 말을 이어 늘어놓다의 뜻에서, '읽다'의 뜻을 나타냄.

[讀經 독경] ㉠경서(經書)를 읽음. ㉡불경(佛經)을 소리 내어 읽음.
[讀禮 독례] 부모(父母)의 상중(喪中)에 있음. 옛

날에는 부모의 상중에는 일을 하지 아니하고 오직 예서(禮書)에 있는 상제(喪祭)에 관한 것만 읽었기 때문에 나온 말.
[讀法 독법] 주대(周代)에 정월에 주민(州民)을 모아 놓고 법령을 읽어 듣게 한 의식.
[讀本 독본] 글을 배우기 위하여 읽는 책.
[讀師 독사] 《佛教》 법회(法會) 때에 강사(講師)의 강경(講經)에 대해 경제(經題) 또는 강경제목(講經題目)을 읽는 일을 맡은 승려.
[讀史方輿紀要 독사방여기요] 청(淸)나라의 고조우(顧祖禹)가 지은 책 이름. 모두 130권. 정사(正史)에 의거해서 지리(地理)를 고정(考訂)하고 산천(山川)의 험요(險要), 고금(古今)의 용병(用兵), 공수 성패(攻守成敗)의 사적(事迹)을 적었음.
[讀書 독서] 글을 읽음. 책을 읽음.
[讀書記 독서기] 송(宋)나라의 진덕수(眞德秀)가 지은 책. 모두 61권. 천인이기(天人理氣)를 논하고, 또 우하(虞夏) 이래의 명신(名臣)의 사적(事迹)을 논했음.
[讀書錄 독서록] 명(明)나라의 유학자(儒學者) 설선(薛瑄)이 지은 책. 모두 11권. 또, 속록(續錄) 12권이 있음. 궁행심득(窮行心得)의 말을 기록했음.
[讀書萬卷始通神 독서만권시통신] 책 만 권을 읽고 난 후라야 비로소 필적(筆蹟)이 신통(神通)하여 훌륭하게 된다는 뜻.
[讀書亡羊 독서망양] 마음을 딴 데에 팔다가 옳은 길을 잃음을 이름.
[讀書百遍義自見 독서백편의자현] 책을 자꾸 되풀이하여 읽으면 뜻을 저절로 알게 됨.
[讀書分年日程 독서분년일정] 원(元)나라 정단례(程端禮)가 지은 책. 모두 3권. 보광(輔廣)이가 엮은 〈주자독서법(朱子讀書法)〉에 의하여 연월일(年月日)로 나누어 독서의 과정(課程)을 세워 놓은 것.
[讀書不求甚解 독서불구심해] 책을 읽는데 모르는 데가 있으면 잠깐 나중으로 미루어 두고, 당장 억지로 캐어 알려고 하지 아니함.
[讀書三到 독서삼도] 독서하는 법은 입으로 딴말을 하지 아니하고 한눈팔지 말며 마음에 딴생각을 하지 말고 오로지 정력을 한곳에 쏟아 반복하여 숙독(熟讀)하여야 한다는 말.
[讀書尙友 독서상우] 책을 읽어 고인(古人)을 벗으로 삼음.
[讀書人 독서인] 학자. 학문에 종사하는 사람.
[讀書種子 독서종자] 대대로 학문을 하는 자손.
[讀誦 독송] 읽음.
[讀脣術 독순술] 농아자(聾啞者) 교육의 한 방법. 입술의 움직임을 보고 서로 상대방의 말을 알아차림.
[讀習 독습] 읽고 익힘.
[讀十遍不如寫一遍 독십편불여사일편] 열 번 읽는 것보다도 한 번 베끼는 편이 효과가 많음.
[讀音統一會 독음통일회] 중국의 문자 개혁(文字改革)을 위한 위원회. 1913년에 처음 소집되어 〈주음자모(注音字母)〉를 결정하였음.
[讀者 독자] 서적(書籍)·신문(新聞)·잡지(雜誌) 등 출판물을 읽는 사람.
[讀祝 독축] 제사(祭祀) 때 제문(祭文)을 읽음.
[讀破 독파] 책(冊)을 다 읽어 내림.
[讀畫 독화] 그림 속에 있는 시취(詩趣)를 완상(玩賞)함. 그림을 감상함.
[讀會 독회] 의안(議案)의 심사 토의(審査討議).
[讀點 두점] 구두점(句讀點). 곧 '、'의 이름.
◉講讀. 購讀. 句讀. 濫讀. 朗讀. 多讀. 代讀. 默讀. 味讀. 色讀. 細讀. 素讀. 誦讀. 熟讀. 侍讀. 愛讀. 夜讀. 譯讀. 閱讀. 誤讀. 音讀. 吏讀. 一讀. 再讀. 轉讀. 精讀. 靜讀. 晴耕雨讀. 耽讀. 通讀. 判讀. 徧讀. 諷讀. 披讀. 解讀. 訓讀.

15 ㉒ [讛] 전 ㊤銑 子淺切 jiǎn 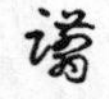

[字解] 얕을 전 깊지 아니함. 천박함. '能薄而材一'《史記》.
[字源] 形聲. 言+翦〔音〕

[讛陋 전루] 천박하고 비루함.
[讛劣 전열] 천박하고 용렬함.
[讛材 전재] 천박한 재능. 비재(菲才).

15 ㉒ [譿] [人名] 혜 [去]霽 胡桂切 huì

[筆順] 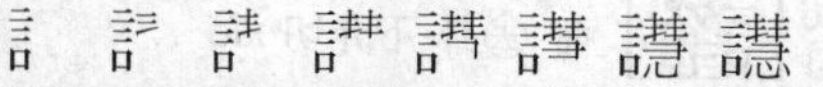
[字解] ①슬기로울 혜 총명하게 살핌. '今陽子之情, 一矣'《國語》. ②재지(才智) 혜 재주와 슬기. '一, 材智也'《玉篇》.

15 ㉒ [讈] 락 [入]藥 歷各切 luò

[字解] 미친말 락 미친 소리. '一, 一詭, 狂言'《集韻》.

15 ㉒ [讂] 현 ①②[去]霰 翾縣切 juàn ③[平]先 火玄切 xuān

[字解] ①구할 현 추구함. '一, 求也'《廣雅》. ②말퍼뜨릴 현 풍설을 퍼뜨림. 또, 뜬소문. '一, 流言也'. ③말많을 현 말을 많이 함. 譞(言部 十三畫)과 同字.

15 ㉒ [讁] 적 [入]陌 陟革切 zhé 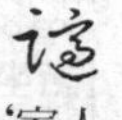

[字解] 꾸짖을 적 謫(言部 十一畫)과 同字. '室人交徧一我'《詩經》.

15 ㉒ [讗] 괵 [入]陌 郭獲切 guó

[字解] 말많을 괵 '一, 一一, 多言'《集韻》.

15 ㉒ [讄] 뢰 ㊤紙 力軌切 lěi

[字解] ①빌 뢰 공덕(功德)을 들어 복(福)을 구함. '一, 禱也. 絫功德㠯求福也'《說文》. ②뇌사뢰 誄(言部 六畫)와 통용.
[字源] 篆文 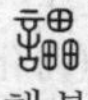 別體  形聲. 言+畾〔音〕. '畾뢰'는 '겹치다'의 뜻. 훌륭한 공적을 쌓아서 행복을 구하고 빌다의 뜻을 나타냄.

15 ㉒ [讖] 〔참〕
讖(言部 十七畫〈p. 2166〉)의 俗字

15 ㉒ [讓] 〔괘〕
詿(言部 六畫〈p. 2123〉)와 同字

15 ㉒ [讀] 〔당〕
讜(言部 二十畫〈p. 2167〉)과 同字

15 ㉒ [變] 〔변〕
變(言部 十六畫〈p. 2164〉)의 俗字

15 ㉒ [譒] 〔심·반〕
審(宀部 十二畫〈p. 598〉)과 同字
字源 形聲. 言+審〔音〕

15 ㉒ [讃] 人名 〔찬〕
讚(言部 十九畫〈p. 2167〉)의 俗字
筆順 言 言 訁 訁 誁 譛 譛 讃

16 ㉓ [讇] ■ 첨 ㊤琰 丑琰切 chǎn 谄
■ 염 ㊥鹽 余廉切 yán
字解 ■ 아첨할 첨, 아첨 첨 諂(言部 八畫)과 同字. '頌而無—'《禮記》. ■ 과공(過恭)할 염 지나치게 겸손함. '立容辨卑毋—'《禮記》.

16 ㉓ [譮] 해 ㊦卦 下介切 xiè
字解 훈계할 해 경고함. '—, 誡也'《集韻》.

16 ㉓ [讌] 연 ㊦霰 於甸切 yàn 讌
字解 ①이야기할 연 여럿이 모여 좌담을 함. '孟嘗君—坐'《戰國策》. ②술잔치 연 주연(酒宴). 醼(酉部 十六畫)·宴(宀部 七畫)과 同字. '—會'. '預飮—'《顔氏家訓》. '欲與親知, 時坐歡—'《晉書》.
字源 形聲. 言+燕〔音〕. '燕연'은 '宴연'과 통하여 '잔치'의 뜻. '言언'을 붙여, 잔치의 뜻이나, 잔치를 벌여 서로 이야기하다의 뜻을 나타냄.

[讌席 연석] 연회(宴會)의 자리.
[讌語 연어] 허물없이 이야기함. 연어(宴語).
[讌飮 연음] 잔치하는 곳에서 술을 마심. 연회를 열어 술을 마심.
[讌坐 연좌] 편히 앉음.
[讌會 연회] 술잔치. 연회(宴會).
[讌戲 연희] 술자리에서 희롱을 함.

16 ㉓ [譌] 〔악〕
諤(言部 九畫〈p. 2140〉)과 同字

16 ㉓ [變] 中人 변 ㊦霰 彼卷切 biàn 变
筆順 言 䜌 䜌 䜌 䜌 䜌 䜌 變
字解 ①변할 변 변화함. '—遷'. '動則—'《中庸》. ②움직일 변 이동함. '夫子之病革矣, 不可以—'《禮記》. ③고칠 변 변개함. '—法'. '國無道至死不—'《中庸》. ④변화 변 전화(轉化). '達萬物之—, 精於物數'《十八史略》. ⑤변고 변 ㉠사변. 예사에 어그러진 큰 일. '卒然有非常之—'《漢書》. ㉡모반. 반란. '舍人弟上—'《史記》. ⑥재앙 변 재난. '—死'. '天—地異'. '災—數見'《漢書》. ⑦상사 변 사람의 죽음. '有—以聞'《穀梁傳》. ⑧꾀 변 임시변통의 수단. '權—'. '非君子, 不可與語—'《文中子》. ⑨성 변 성(姓)의 하나.
字源 篆文 會意. 䜌+攴. '䜌련'은 '계속하다'의 뜻. 연속된 것을 잘라서 바꾸다의 뜻을 나타냄.

[變改 변개] 변경(變更).
[變格 변격] ㉠정상적이 아닌 격식. 정격(正格)의 대(對). ㉡동사(動詞)의 어미(語尾)의 불규칙한 변화.
[變更 변경] 바꾸어 고침.
[變故 변고] 재변(災變)과 사고(事故).
[變怪 변괴] 도깨비. 요괴(妖怪). 또, 괴상스러운 일.
[變德 변덕] 이랬다저랬다 잘 변하는 성질.
[變動 변동] 변(變)하여 움직임.
[變亂 변란] ㉠난리. 병란(兵亂). ㉡변경하여 어지럽힘.
[變名 변명] 성명을 바꿈. 또, 그 성명.
[變貌 변모] 모습이 바뀜.
[變法 변법] 법률·제도를 고침. 또, 고친 법률·제도.
[變報 변보] 사변을 알리는 보도.
[變服 변복] 남의 눈을 가리려고 옷을 달리 바꿔 입음.
[變死 변사] 횡사(橫死)함. 비명에 죽음.
[變事 변사] 예삿일이 아닌 변스러운 일.
[變詐 변사] 거짓. 허위. 사기.
[變相 변상] 《佛教》 정토(淨土) 또는 지옥(地獄)에 있어서의 여러 가지로 변화한 상(相).
[變色 변색] ㉠안색이 변함. ㉡빛깔이 변함.
[變說 변설] 자기(自己)가 하던 말을 중간(中間)에 고침.
[變性 변성] 성질을 고침. 또는 바꿈.
[變姓 변성] 성(姓)을 바꿈.
[變聲 변성] 목소리를 달리 고침. 음성이 변함.
[變成男子 변성남자] 《佛教》 여자가 미래(未來)에 부처〔佛〕가 되기 위해 그 성(性)을 바꾸어 남자가 되는 일.
[變衰 변쇠] 변하여 쇠약해짐.
[變心 변심] 마음이 변(變)함.
[變易 변역] 바꿈. 또, 바뀜.
[變移 변이] 변천(變遷).
[變異 변이] ㉠괴상스러운 일. 천변지이(天變地異). ㉡달리 변함.
[變作 변작] 고쳐서 만듦.
[變災 변재] ㉠재앙(災殃). ㉡사변(事變)과 재난(災難).
[變轉 변전] 변하여 달라짐.
[變節 변절] 절개(節槪)를 고침. 지조(志操)를 지키지 못함.
[變造 변조] 변작(變作).
[變種 변종] 형태와 성질이 변하여 달라진 종류. 동식물의 그 같은 종류 중에서 보통 것보다 변하여 달라진 것. 인위 도태(人爲淘汰)로 인(因)하여 같은 종자(種子)로서 특이(特異)한 점(點)을 가지게 된 것.
[變症 변증] 변화(變化)하는 병(病)의 증세(症勢).
[變遷 변천] 바뀌고 변(變)함.
[變體 변체] 형체(形體) 또는 체재(體裁)를 달리 고침.
[變置 변치] 바꾸어 놓음.
[變徵之聲 변치지성] 음악의 칠음(七音)의 하나

로, 가락이 비장(悲壯)한 것.
[變則 변칙] ㉠원칙에서 벗어남. ㉡변하여 달라진 법칙.
[變態 변태] ㉠변한 모습. 변한 상태. ㉡동물이 난자(卵子)에서 발생하여 성충(成蟲)에 이르기까지 그 형태를 변화하는 현상.
[變通 변통] 임기응변(臨機應變)하여 일을 처리함.
[變風 변풍] 시경(詩經)의 패풍(邶風)에서 빈풍(豳風)까지의 135편의 국풍(國風).
[變革 변혁] 변경(變更).
[變形 변형] 형상(形狀)이 변(變)함.
[變化 변화] 변하여 다르게 됨.
[變幻 변환] 급속히 변함. 또, 갑자기 나타났다 없어졌다 함.
[變換 변환] 변하여 바뀜.
◉權變. 詭變. 機變. 大變. 萬變. 百變. 不變. 事變. 時變. 神戀. 運變. 雲蒸龍變. 應變. 異變. 移變. 一變. 臨機應變. 災變. 地變. 滄桑變. 千變. 天變. 豹變. 合變. 禍變. 譎變.

16 ㉓ [讈] 력 [入]錫 狼狄切 lì
[字解] 말분명하지않을 력 譧(言部 十二畫〈p. 2156〉)과 同字. '一, 譧一, 言不明, 或省'《集韻》.

16 ㉓ [讎] [人名] 수 [平]尤 市流切 chóu
[字解] ①원수 수 ㉠구적(仇敵). '仇一'. '反以我爲一'《詩經》. ㉡원수로 돌림. '又衆兆之所一'《楚辭》. ②동류 수 동배. 제배. '王之一民'《書經》. ③대답할 수 응답함. '無言不一'《詩經》. ④갚을 수 ㉠보상함. 값을 치름. '一數倍'《史記》. '子許買物, 隨價一直'《魏志》. ㉡대갚음함. 보복함. '難相與爲仇一'《周禮》. ㉢대접함. 酬(酉部 六畫)와 통용. '屬之一柞'《戰國策》. ⑤맞을 수, 당할 수 합당함. '其方盡多不一'《史記》. ⑥같을 수 동등함. 또, 동등하게. '皆一有功'《漢書》. ⑦바로잡을 수 원본과 대조하여 교정함. '校一'. '一校篆籀'《左思》. ⑧자주 수 빈번히. '用乂一斂'《書經》. ⑨팔 수, 팔릴 수 售(口部 八畫)와 통용. '每買餠, 所從買家輒大一'《漢書》.
[字源] 金文 篆文 形聲. 言+雔〔音〕. '雔수'는 두 마리의 새가 마주 대해 있는 모양을 본뜸. 말로 이어지다, 대답하다의 뜻을 나타내며, 파생(派生)되어 서로 이어져 있는 것, 원수의 뜻도 나타냄.
[參考] 讐(次條)는 同字.

[讎校 수교] 교정(校正)함. 교수(校讎).
[讎仇 수구] 원수(怨讎).
[讎斂 수렴] 자주 거두어들임. 가렴주구(苛斂誅求)함.
[讎問 수문] 힐문(詰問)함. 물어봄.
[讎殺 수살] 원수로 여겨 죽임.
[讎怨 수원] 원한 있는 자를 원수로 여겨 공격함.
[讎夷 수이] 응시(凝視)하여 아무 말도 아니하는 모양.
[讎柞 수작] 남과 인사함. 수작(酬酢).
[讎敵 수적] 수구(讎仇).
[讎正 수정] 수교(讎校).
[讎疾 수질] 원수처럼 미워함.
[讎嫌 수혐] 원수로서의 혐의. 원한. 원혐(怨嫌).
◉校讎. 仇讎. 寇讎. 舊讎. 國讎. 黨讎. 報讎. 復讎. 私讎. 世讎. 深讎. 怨讎. 恩讎. 敵讎.

16 ㉓ [讐] 讎(前條)와 同字

16 ㉓ [讋] 섭 [入]葉 之涉切 zhé
[字解] ①두려워할 섭 무서워하여 기가 꺾임. '一伏'. '諸將一服'《漢書》. ②꺼릴 섭 질투하여 싫어함. '因其資以一之'《淮南子》.
[字源] 篆文 籀文 形聲. 篆文은 言+讋〈省〉〔音〕. '讋답'은 '겹치다'의 뜻. 새가 깃을 한데 겹치어 움츠리다의 뜻에서, 두려워 움츠리면서 말하다의 뜻을 나타냄.

[讋伏 섭복] 두려워하여 복종함.
[讋服 섭복] 섭복(讋伏).
◉攝讋. 竦讋. 憂讋. 戰讋. 震讋.

16 ㉓ [讏] 위 [去]霽 于歲切 wèi
[字解] ①거짓 위, 속일 위 허위. '是一言也'《左傳》. ②잠꼬대 위 衞(心部 十六畫)와 同字. 잠잘 때 하는 헛소리. '一, 夢言不慧也'《玉篇》. ③어리석을 위 '訾一之人'《管子》.
[字源] 形聲. 言+衞〔音〕

[讏言 위언] 거짓말.

17 ㉔ [讒] [人名] 참 [平]咸 士咸切 chán [去]陷 士懺切
[字解] ①헐뜯을 참, 하리놀 참 헐어 말함. 또, 참소함. '一說殄行'《書經》. ②헐뜯는말 참, 참소 참 '去一遠色'《中庸》. ③손상할 참 해침. '傷良曰一'《荀子》. ④속일 참, 거짓말할 참 '一, 誕也'《韓詩外傳》. ⑤아첨할 참 아부함. '一, 佞也'《玉篇》. ⑥사특할 참 마음이 비뚤어짐. '一慝勝良'《呂氏春秋》.
[字源] 篆文 形聲. 言+毚〔音〕. '毚참'은 사람의 눈을 속이는 토끼의 뜻으로, 사람의 판단력을 혼란시키다의 뜻을 나타냄. 어떤 인물의 정당한 평가를 혼란시키기 위한 말, '비방·참소'의 뜻을 나타냄.

[讒間 참간] 교우(交友)·군신(君臣) 등의 사이를 헐뜯어 이간질함.
[讒口 참구] 참언(讒言).
[讒構 참구] 허구(虛構)의 사실을 꾸미어 남을 헐뜯음.
[讒佞 참녕] 교묘한 변설로 남을 모함함. 참소하고 아첨함. 또, 그 사람.
[讒誣 참무] 없는 말을 지어 남을 헐뜯음.
[讒謗 참방] 헐뜯음. 비방(誹謗)함.
[讒夫 참부] 남을 헐뜯는 사람. 또, 참소(讒訴)하는 사람.
[讒邪 참사] 마음이 바르지 못하여 남을 헐뜯음.
[讒說 참설] 참언(讒言).
[讒訴 참소] 간악한 말로 남을 헐뜯어 윗사람에게 고(告)해바침.

[讒臣 참신] 참소하는 신하(臣下).
[讒言 참언] 남을 헐뜯는 말. 또, 참소하는 말.
[讒人 참인] 헐뜯는 사람. 참소(讒訴)하는 사람.
[讒者 참자] 참언(讒言)을 하는 사람.
[讒鼎 참정] 노(魯)나라의 국보(國寶)의 하나인 솥의 이름.
[讒嫉 참질] 질투하여 참소함.
[讒諂 참첨] 참소하고 아첨함.
[讒慝 참특] 간특(奸慝)한 마음을 품고 남을 참소함. 또, 그 사람.
[讒陷 참함] 참소(讒訴)하여 남을 죄에 빠뜨림.
[讒毁 참훼] 참소하여 헐뜯음.
◉巧言讒. 口讒. 譏讒. 內讒. 謗讒. 掩鼻讒. 毁讒.

17 ㉔ [讓] 中人 양 ㊀漾 人樣切 ràng 让

筆順 言 訁 譠 譠 譲 譲 讓 讓

字解 ①겸손할 양 제 몸을 낮춤. '謙一'. '遜一'. '允恭克一'《書經》. ②사양할 양 사퇴함. '知死不可一兮'《楚辭》. '治斧鉞者, 不敢一刑'《管子》. ③넘겨줄 양 이양(移讓)함. '一渡'. '一位'. '堯以天下一舜'《呂氏春秋》. ④겸손 양 '一禮之主也'《左傳》. '溫良恭儉一'《論語》. ⑤꾸짖을 양 책망함. '誚一'. '一不貢'《國語》. '公使一之'《左傳》.

字源 篆文 形聲. 言+襄〔音〕. '襄양'은 옷에 이방의 주물(呪物)을 잔뜩 넣어, 사기(邪氣)를 물리치다의 뜻. 말로 책망하다, 꾸짖다의 뜻을 나타냄. 또, 잔뜩 넣다의 뜻에서, '양보하다, 물려주다'의 뜻을 나타냄.

[讓渡 양도] 남에게 넘겨줌.
[讓路 양로] 길을 남에게 사양(辭讓)함.
[讓畔讓居 양반양거] 논두둑을 양보하며 자기 거소(居所)를 양보함. 황제(黃帝)·순(舜)임금·문왕(文王) 때에는 어진 임금의 덕(德)에 감화(感化)를 받아 백성들이 모두 이러하였다 함.
[讓步 양보] 남에게 길을 비켜 주어 먼저 가게 함. 전(轉)하여, 자기의 주장을 굽혀 남의 의견을 좇음. 또, 남을 위하여 자기의 이익을 희생함.
[讓疏 양소] 사표(辭表).
[讓受 양수] 남에게서 넘겨받음.
[讓與 양여] 자기 소유를 남에게 넘겨줌.
[讓位 양위] ㉠자리를 양보함. ㉡임금의 자리를 물려줌.
[讓誚 양초] 꾸짖음.
◉謙讓. 敬讓. 交讓. 卑讓. 辭讓. 禪讓. 遜讓. 飾讓. 廉讓. 禮讓. 溫良恭儉讓. 委讓. 僞讓. 揖讓. 仁讓. 責讓. 誚讓. 推讓. 退讓. 割讓. 虛讓. 互讓. 確讓.

17 ㉔ [讔] 은 ㊤吻 倚謹切 yǐn

字解 ①수수께끼 은 미어(謎語). '荊莊王立三年, 不聽而好一'《呂氏春秋》. ②저주해말할 은 '一, 誹言也'《字彙》.

字源 形聲. 言+隱〔音〕

17 ㉔ [讋] 〔건〕 謇(言部 十畫〈p.2150〉)과 同字

17 ㉔ [讕] 란 ㊥寒 落干切 lán ㊤旱 落旱切 谰

字解 ①헐뜯을 란 허구의 사실을 꾸며 해치려고 헐뜯음. 모함함. '是非之情, 不可以相一已'《春秋繁露》. ②실언할 란 잘못 말함. 실언(失言)을 함. '張亮一辭曰, 囚等畏死見誣耳'《唐書》. ③속일 란, 거짓말할 란 '滿一誣天'《漢書》. ④터무니없는말 란 허무맹랑한 말. '一言兼存'《文心雕龍》. ⑤간할 란 諫(言部 九畫)과 통용. '一言十篇'《漢書》.

字源 金文 篆文 別體 形聲. 言+闌〔音〕. '闌란'은 '가로막다'의 뜻. 상대를 막아 헐뜯다의 뜻을 나타냄.

[讕言 난언] 터무니없는 말.
◉滿讕. 詆讕.

17 ㉔ [讘] 건 ㊤銑 九輦切 jiǎn

字解 ①말더듬을 건 말을 더듬거림. 謇(言部 十畫)과 同字. '一㥄凌誶'《列子》. ②어려울 건 곤란함. '一吾法夫前修兮'《楚辭》. ③곧은말할 건 직언(直言)하는 모양. 바른말을 하는 모양. '一, 其有意些'《楚辭》.

[讘㥄 건극] 말을 더듬음.

17 ㉔ [讖] 人名 참 ①②㊀沁 楚譖切 chèn ③㊀陷 叉鑑切 chàn 谶

字解 ①조짐 참 미래의 길흉화복의 전조(前兆). 또, 그 예언. '光武善一'《後漢書》. ②참서 참 예언의 기록. 미래기. 비결. '一緯'. '臣不讀一'《後漢書》. ③뉘우칠 참 참회함. 懺(心部 十七畫)과 同字.

字源 篆文 形聲. 言+韱〔音〕. '韱섬'은 가늘다, 미세(微細)하다의 뜻. 미세한 일로 미래를 예언(豫言)하다, 도참(圖讖)의 뜻을 나타냄.

[讖記 참기] 미래의 일을 예언한 기록. 미래기(未來記).
[讖步 참보] 미래의 길흉화복을 아는 술법.
[讖書 참서] 참기(讖記).
[讖術 참술] 앞에 올 일을 아는 술법.
[讖語 참어] 참언(讖言).
[讖言 참언] 앞에 올 일을 예언(豫言)하는 말.
[讖緯 참위] 참기(讖記).
◉當讖. 圖讖. 符讖. 祕讖. 詩讖.

18 ㉕ [讙] ㊀ 훤 ㊥元 況袁切 ㊁ 환 ㊥寒 呼官切 huān 讙

字解 ㊀ 시끄러울 훤 떠들썩함. '一譁'. '天下應之如一'《荀子》. ㊁ ①시끄러울 환 ㊀과 뜻이 같음. ②기뻐할 환 '三年不言, 言乃一'《禮記》. ③성 환 성(姓)의 하나.

字源 篆文 形聲. 言+雚〔音〕. '雚'은 '喚환'과 통하여 '부르다'의 뜻. 서로 말을 걸어 시끄럽다의 뜻을 나타냄.

[讙然 환연] 기뻐하는 모양.
[讙敖 훤오] 시끄러움. 시끄럽게 떠듦.
[讙譁 훤화] 시끄러움. 떠들썩함.
[讙囂 훤효] 훤화(讙譁).

[讙讙 훤훤] 시끄러운 모양. 떠들썩한 모양.
◉叫讙. 譟讙. 衆讙.

18 ㉕ [譩] 희 ㊥支 於其切 yī

字解 아 희 탄식하는 소리. 噫(口部 十三畫)와 同字. '一吾與若玩其文也久矣'《列子》.

18 ㉕ [讘] 섭 ㉧葉 質涉切 niè

字解 ①속살거릴 섭 소곤소곤 이야기함. '詀一, 細語'《集韻》. ②말많이할 섭 '一, 多言也'《說文》.

字源 篆文 形聲. 言+聶〔音〕. '聶섭'은 귀와 귀를 맞대고 소곤거리다의 뜻. '속삭이다, 수다'의 뜻을 나타냄.

18 ㉕ [讗] 획 ㉧陌 胡陌切 xié

字解 ①장담할 획 '一, 言壯皃'《說文》. ②성발끈낼 획, 나무랄 획 '一, 一曰, 數相怒也'《說文》. ③말빠를 획 말을 빨리 하는 모양. '一, 疾言皃'《玉篇》.

字源 篆文 形聲. 言+巂〔音〕

18 ㉕ [讒] 〔참〕
讒(言部 十七畫〈p. 2165〉)과 同字

19 ㉖ [讚] 高人 찬 ㊧翰 則旰切 zàn

筆順 言 言 言 言 言 言 讚 讚

字解 ①기릴 찬 칭찬함. '禮一'. '一辭'. '進不黨以一己'《後漢書》. 또, 기리는 말. 찬사. '圖一'. '子婦丁氏作大家一'《後漢書》. ②도울 찬 贊(貝部 十二畫)과 통용. '光一納言'《潘岳》. ③인도할 찬 안내함. '內史一之'《國語》. ④고할 찬 알림. '徧一賓客'《史記》. ⑤밝힐 찬 풀어서 밝힘. 해석하여 명확히 함. '一, 明也'《小爾雅》. '一, 解也'《揚子方言》. ⑥적을 찬 씀. '一, 錄也'《釋名》. ⑦문체이름 찬 한문의 한 체(體). 사람의 공덕을 칭송하는 말. '一之爲體, 促而不曠, 結言於四字之句'《文體明辯》. 또, 불경(佛經) 중의 불덕(佛德)을 찬탄하는 가송(歌頌)의 말. '明一未畢, 滿地現舍利'《寺塔記》.

字源 形聲. 言+贊〔音〕. '贊찬'은 '칭찬하다'의 뜻.

參考 讃(言部 十五畫)은 俗字.

[讚歌 찬가] 찬미하는 노래.
[讚明 찬명] 도와서 분명히 함.
[讚美 찬미] 덕(德) 같은 것을 기림.
[讚辭 찬사] 칭찬하는 말.
[讚賞 찬상] 칭찬하여 기림.
[讚頌 찬송] 덕(德)을 칭송함. 기림.
[讚述 찬술] 찬양하여 진술함. 기리어 저술함.
[讚揚 찬양] 칭찬하여 드러냄.
[讚稱 찬칭] 칭찬(稱讚).
[讚嘆 찬탄] 감탄하여 칭찬함.
[讚歎 찬탄] 찬탄(讚嘆).
◉圖讚. 賞讚. 書讚. 頌讚. 禮讚. 自讚. 自畫自讚. 絕讚. 題讚. 推讚. 稱讚. 畫讚.

19 ㉖ [讛] 〔예〕
囈(口部 十九畫〈p. 414〉)와 同字

19 ㉖ [讀] 〔독·두〕
讀(言部 十五畫〈p. 2162〉)의 本字

20 ㉗ [讜] 당 ①㊤養 多朗切 dǎng ②㊧漾 丁浪切 dàng

字解 ①곧은말 당 직언(直言). 바른말. 옳은 말. '忠一'. '吾久不見班生, 今日復聞一言'《漢書》. ②맞을 당 말이 이치에 맞음. '一, 言中理'《廣韻》.

字源 篆文 形聲. 言+黨〔音〕. '黨당'은 '當당'과 통하여, '아름답다, 바르다, 맞다'의 뜻. 바른말, 이치에 맞는 말의 뜻을 나타냄.

[讜論 당론] 바른 의론(議論).
[讜辭 당사] 당언(讜言).
[讜言 당언] 곧은 말. 바른말. 정언(正言).
[讜獄 당옥] 바른 사람들의 옥(獄). 정의(正義)의 지사(志士)가 잡혀 투옥(投獄)되는 일.
[讜議 당의] 이치에 맞는 바른 의론(議論). 당론(讜論).
[讜正 당정] 바름. 또, 이치에 닿는 바른말. 또, 그 사람.
[讜直 당직] 정직(正直)함.
◉忠讜.

20 ㉗ [讞] ㊀ 언 ㊤銑 魚蹇切 yàn ㊧霰 魚戰切 ㊁ 얼 ㉧屑 魚列切

字解 ㊀ ①평의할 언 일단 결정한 재판을 재심리하여 그 죄의 경중을 평의(評議)함. '於人心不厭者, 輒一之'《漢書》. ②물을 언 의옥(疑獄)을 자문(諮問)함. '欲避請一之煩'《後漢書》. ③아뢸 언 '獄成, 有司一于公'《禮記》. ④정직할 언 마음이 바르고 곧은 모양. '立朝一一'《石介》. ㊁ 평의할 얼, 물을 얼, 아뢸 얼, 정직할 얼 ㊀과 뜻이 같음.

字源 形聲. 言+獻〔音〕

[讞牘 언독] 소송을 심리한 기록.
[讞讞 언언] 정직한 모양.
[讞疑 언의] 죄(罪)의 의심스러운 것을 밝혀 판가름함.
[讞議 언의] 공정한 조사.
[讞篋 언협] 범죄의 취조서를 넣는 상자.

20 ㉗ [讝] 첨 ㊥鹽 之廉切 zhán

字解 헛소리할 첨 병자의 헛소리. '一, 疾而寐語也'《集韻》.

22 ㉙ [讟] 독 ㉧屋 徒谷切 dú

字解 ①원망할 독, 헐뜯을 독 원망하여 비방함. '怨一'. '民無謗一'《左傳》. 또, 그 말. '怨一動於民'《漢書》. ②미워할 독 '一, 惡也'《廣雅》.

字源 篆文 形聲. 誩+賣〔音〕

◉謗讟. 怨讟.

谷 (7획) 部

〔골곡부〕

0 [谷] [中·人] [一] 곡 [入]屋 古祿切 gǔ
⑦ [二] 욕 [入]沃 余蜀切 yù
[三] 록 [入]屋 盧谷切 lù

[筆順] 

[字解] [一] ①골 곡 ㉠산 사이의 우묵 들어간 곳. 골짜기. '曠兮其若一'《老子》. ㉡산 사이의 흐르는 물. 또, 산 사이의 물이 흐르는 길. 시내. '江海所以能爲百一之王'《老子》. ②막힐 곡 궁지에 빠짐. '進退維一'《詩經》. ③기를 곡 키움. '一神不死'《老子》. ④동풍 곡 동쪽에서 부는 바람. '習習一風'《詩經》. ⑤길 곡 경로. 통로. '橫飛一以南征'《楚辭》. ⑥성 곡 성(姓)의 하나. [二] 나라이름 욕 '吐一渾'은 청해 지방(靑海地方) 선비족(鮮卑族)의 국명. [三] 벼슬이름 록 흉노(匈奴)의 관명(官名). '置左右一蠡王'《史記》.

[字源] 甲骨文 金文 篆文 形聲. 仌+口〔音〕. '仌별'은 좌우 양쪽의 골짜기의 象形. '口구'는 어웅하게 깊은 골짜기의 뜻. '골짜기·계곡(溪谷)'의 뜻을 나타냄.

[參考] '谷'을 의부(意符)로 하여, 골짜기나 그 상태를 나타내는 문자를 이룸.

[谷閣 곡각] 골짜기에 놓은 다리.
[谷澗 곡간] 산골짜기에서 흐르는 시내.
[谷口 곡구] 골짜기의 어귀.
[谷氣 곡기] 골짜기의 공기.
[谷量 곡량] 골짜기에 채워 분량을 헤아린다는 뜻으로, 물품이 대단히 많음을 이름.
[谷水 곡수] 골짜기에 흐르는 물.
[谷神 곡신] 도(道)를 형용한 말. 도(道)의 공허(空虛)함을 산골짜기에 비유한 말임. 노자(老子)의 도(道)에서 이름.
[谷王 곡왕] 바다. 해양(海洋).
[谷飮 곡음] 골짜기의 시냇물을 떠 마심. 은자(隱者)가 산골짜기에 숨어서 사는 것을 이름.
[谷泉 곡천] 골짜기에서 나는 샘.
[谷風 곡풍] 동풍(東風).
[谷響 곡향] 골짜기에 울려 퍼지는 메아리. 「號).
[谷蠡 녹려] 흉노(匈奴)의 번왕(藩王)의 봉호(封
◉澗谷. 嵌谷. 谿谷. 空谷. 廣谷. 窮谷. 陵谷. 昧谷. 山谷. 深谷. 巖谷. 暘谷. 幽谷. 進退維谷. 川谷. 壑谷. 解谷. 虛谷. 峽谷.

0 [㕡] 각 [入]藥 其虐切 jué
⑦

[字解] ①입안위쪽굽은데 각 '一, 口上阿也'《說文》. ②웃을 각 또, 웃는 모양. '一, 笑也'《廣雅》.

[字源] 象形. 입 안 위쪽의 굽어 있는 곳. '仌'은 그 금을 나타냄. 웃으면 그 부분이 보이므로, 웃다의 뜻을 나타냄.

[卻] 〔각〕
卩部 七畫(p.318)을 보라.

2 [䜪] 구 [平]尤 渠尤切 qiú
⑨

[字解] 정자이름 구 '䙴, 䙴一, 亭名, 在上艾'《廣韻》.

[郤] 〔극〕
邑部 七畫(p.2337)을 보라.

3 [谸] 천 [平]先 蒼先切 qiān
⑩

[字解] ①푸를 천 산골짜기가 푸른 모양. '一, 望山谷一一靑也'《說文》. ②길 천 '一, 道也'《廣雅》.

[字源] 篆文 形聲. 谷+千〔音〕. '千천'은 '芊천'과 통하여, 풀이 파릇파릇 우거진 모양. 산골짜기가 푸른 모양을 나타냄.

3 [䜫] [一] 강 [平]江 古雙切 jiāng
⑩ [二] 홍 [平]東 胡公切 hóng

[字解] [一] 골짜기이름 강 '一, 谷名, 在南郡'《集韻》. [二] 큰골짜기 홍 '一, 大壑也'《正韻》.

3 [䜬] 谻(次次條)의 訛字
⑩

4 [谹] 횡 [平]庚 乎萌切 hóng
⑪

[字解] ①울릴 횡 골짜기 안에서 울리는 소리의 형용. '非雷非霆, 隱隱一一'《揚子法言》. ②깊을 횡, 넓을 횡 閎(門部 四畫)과 통용. '崇論一議'《漢書》.

[字源] 形聲. 谷+厷〔音〕

[谹議 횡의] 깊이 논의(論議)함. 박대(博大)한 의론.
[谹谹 횡횡] 골짜기 안에서 울리는 소리. 일설(一說)에는, 홍대(洪大)한 소리.

4 [谻] [一] 갹 [入]藥 訖約切 jué
⑪ [二] 극 [入]陌 几劇切 jí

[字解] [一] 다리절 갹 '一, 相踦一也'《說文》. [二] 다리절 극, 지칠 극 몹시 피곤함. '徼一受詘'《漢書》.

[字源] 篆文 形聲. 丮+谷〔音〕

4 [谺] 하 [平]麻 許加切 xiā
⑪

[字解] 휑뎅그렁할 하, 깊을 하 谽(谷部 七畫)을 보라. '通谷豁兮谽一'《漢書》.

[字源] 形聲. 谷+牙〔音〕

[欲] 〔욕〕
欠部 七畫(p.1128)을 보라.

5 [睿] [人名] [一] 준 [去]震 須閏切 jùn
⑫ [二] 예 [去]霽 兪芮切 ruì

[字解] [一] 쳐낼 준 강이나 골짜기를 준설(浚渫)함. '虞書曰, 一畎澮距川'《說文》. [二] 총명할 예 叡(又部 十四畫)의 古字. '叡, 說文, 深明也. 通也. 古作一'《集韻》.

[字源] 篆文 㕡 會意. 𣦵+谷

6 ⑬ **[谼]** 홍 [平]東 戶公切 hóng
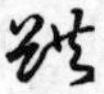
[字解] 골짜기 홍 큰 골짜기.

6 ⑬ **[䜫]** 〔갹·극〕
谻(谷部 四畫〈p.2168〉)의 本字

7 ⑭ **[谽]** 함 [平]覃 火含切 hān / [平]咸 虛咸切
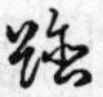
[字解] 휑뎅그렁할 함, 깊을 함 '—谺'는 골짜기가 크고 넓어 공허(空虛)한 모양. 또, 골짜기가 깊은 모양. '越—嗍之洞穴兮'《張衡》.
[字源] 形聲. 谷+含〔音〕

[谽呀 함하] 함하(谽谺).
[谽谺 함하] 골짜기가 깊고 공허(空虛)한 모양.
[谽𧮫 함하] 함하(谽谺).
[谽嗍 함하] 함하(谽谺).

7 ⑭ **[㕡]** 〔학〕
壑(土部 十四畫〈p.470〉)의 本字

8 ⑮ **[谾]** [一] 홍 [平]東 呼東切 hōng / [二] 롱 [平]東 盧東切 lóng
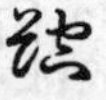
[字解] [一] 휑뎅그렁할 홍 골짜기가 공허(空虛)한 모양. '—壑奧竇'《吳儆》. [二] 골깊을 롱 '——'은 산이 깊숙한 모양. 또, 산골짜기가 깊이 통한 모양. '深山之——兮'《史記》.
[字源] 形聲. 谷+空〔音〕

[谾谾 농롱] 자해(字解)[二]를 보라.
[谾壑 홍학] 골이 텅 빈 모양.

10 ⑰ **[豀]** 혜 [平]齊 弦雞切 xī
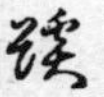
[字解] ①뒵들 혜 '勃—'는 서로 덤벼들어 말다툼하는 모양. '室無空虛, 則婦姑勃—'《莊子》. ②공허할 혜 '—, 空也'《莊子 注》.

10 ⑰ **[谿]** [人名] 계 ①-③[平]齊 苦奚切 xī / ④[平]齊 堅奚切 jī
[字解] ①시내 계 산골짜기에서 흐르는 작은 물. 溪(水部 十畫)와 同字. '—谷'. '—壑'. '澗—沼沚之毛'《左傳》. ②텅빌 계 공허함. '則耳—極'《呂氏春秋》. ③성 계 성(姓)의 하나. ④메뚜기 계 '蠊—'는 송장메뚜기. 토종(土螽).
[字源] 篆文 谿 形聲. 谷+奚〔音〕

[谿澗 계간] 산골짜기에서 흐르는 시내.
[谿谷 계곡] 골짜기.
[谿流 계류] 산골짜기의 시내.
[谿聲 계성] 산골짜기에서 흐르는 시냇물의 소리.
[谿水 계수] 산골짜기를 흐르는 물. 시냇물.
[谿鴨 계압] 비오리.
[谿子 계자] 옛날의 센 쇠뇌의 이름.
[谿壑 계학] ㉠큰 골짜기. 계곡(溪谷). ㉡물릴 줄 모르는 욕심의 비유.
[谿壑欲 계학욕] 만족할 줄을 모르는 욕심. 대단한 탐욕.
◉澗谿.

10 ⑰ **[𧯚]** [一] 교 [平]蕭 牽么切 / [二] 호 [平]豪 呼高切 hāo
[字解] [一] 빈골짜기 교 '鼓—䜨而悲咤颰飅'《張志和》. [二] 깊을 호, 깊은골짜기 호 '—, —䜨, 深也'《集韻》. '—, —䜨, 深谷皃'《集韻》.

10 ⑰ **[豁]** [人名] 활 [入]曷 呼括切 huò
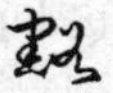
[字解] ①골짜기 활 넓고 내뚫린 골짜기. '—, 通谷也'《說文》. ②빌 활 공허하여 통한 모양. '空—'. '頭童齒—'《韓愈》. ③넓을 활, 클 활 ㉠광활한 모양. '開—'. ㉡마음·도량이 넓은 모양. '—達'. '意—如也'《十八史略》. ④확트일 활, 소통할 활 땅·경치·마음이 탁 트임. 막히지 않고 통함. '—若天開'《郭璞》. '灑沈菑於—瀆兮'《漢書》. ⑤깨달을 활 깨닫는 모양. 환히 아는 모양. '一旦—然貫通焉'《大學章句》. ⑥깊을 활 '—險呑若巨防'《左思》. ⑦용서할 활 면제(免除)함. '—, 猶捐除也'《中華大字典》.
[字源] 篆文 䜪 形聲. 谷+害〔音〕. '害해'는 '가르다'의 뜻. 넓게 갈라진 골짜기의 뜻에서, '열리다, 트이다'의 뜻을 나타냄.

[豁達 활달] ㉠도량이 넓은 모양. ㉡사방이 시원하게 트인 모양.
[豁達大度 활달대도] 도량이 큼.
[豁落 활락] 넓고 큼.
[豁如 활여] 도량이 넓은 모양.
[豁然 활연] ㉠시원하게 트인 모양. ㉡환히 깨달은 모양.
[豁然貫通 활연관통] 도(道)를 환히 깨달음.
[豁悟 활오] 환히 깨달음.
[豁爾 활이] 넓게 트인 모양.
[豁蕩 활탕] 마음이 트이어 사물에 구애되지 않음.
[豁平 활평] 넓고 평평하게 함.
[豁閜 활하] 휑뎅그렁한 모양. 공허(空虛)한 모양.
[豁險 활험] 깊고 험준함.
[豁豁 활활] 넓은 모양.
◉開豁. 空豁. 宏豁. 洞豁. 頭童齒豁. 舒豁. 疏豁. 深豁. 恬豁. 寥豁. 敞豁. 通豁. 軒豁.

10 ⑰ **[䜪]** 豁(前條)의 本字

11 ⑱ **[𧯝]** 〔극〕
隙(阜部 十畫〈p.2473〉)과 同字

11 ⑱ **[𧯠]** [一] 만 [平]寒 母官切 mǎn / [二] 문 [平]元 模元切
[字解] [一] 정자이름 만 '—欿'은 정자(亭子)의 이름. '—, —欿, 亭名. 在上艾'《廣韻》. [二] 정자이름 문 [一]과 뜻이 같음.

12 ⑲ **[豃]** 함 ①②㊤豏 荒檻切 hǎn / ③㊤感 虎覽切

[字解] ①깊숙할 함 골짜기가 깊숙한 모양. '—, 谷深貌'《字彙》. ②트일 함, 트이고험할 함 '—如地裂, 豁若天開'《郭璞》. ③골짜기 함 계곡(溪谷)의 모양. '—, 谿谷皃'《集韻》.

12 ⑲ [瞯] 〔간〕
澗(水部 十二畫〈p. 1294〉)과 同字

12 ⑲ [䜏] 〔교·호〕
谾(谷部 十畫〈p. 2169〉)의 俗字

15 ㉒ [䜔] 〔독〕
隫(阜部 十五畫〈p. 2478〉)의 古字

16 ㉓ [豅] 롱 ㊥東 盧紅切 lóng

字解 ①큰골짜기 롱 크고 긴 골짜기. '一, 大長谷也'《說文》. ②깊을 롱 산이 깊은 모양. '一, 山深貌'《正字通》. ③공허할 롱 '一谾'은 골짜기의 휑뎅그렁한 모양. '一谾谷中虛也'《六書故》.

字源 篆文 形聲. 谷+龍〔音〕. '龍롱'은 구불구불 이어지다의 뜻. 구불구불 이어지는 긴 골짜기의 뜻을 나타냄.

豆 (7획) 部
〔콩두부〕

0 ⑦ [豆] 中人 두 ①-③⑤㊀有 徒候切 dòu ④㊤有 當口切

筆順 一 丅 ㄇ 戸 戸 豆 豆

字解 ①콩 두 콩과에 딸린 식물, 또는 그 열매. 특히, 대두(大豆). 荳(艸部 七畫)와 同字. '壺中實小一'《禮記》. 전(轉)하여, 콩 같은 작은 물건의 형용으로 쓰임. '一蟹'. '大山尺樹, 寸馬一人'《荆浩》. ②제기(祭器) 이름 두 목제(木製)의 식기. 제사 또는 예식(禮式) 때 음식을 담는 데 쓰임. '俎一'. '籩一'. '豚肩不掩一'《十八史略》. ③제물(祭物) 두 제기(祭器)에 담은 음식. '爲一孔庶'《詩經》. ④말 두 斗(部首)와 통용. '食一一肉, 飮一一酒, 中人之食也'《周禮》. ⑤성 두 성(姓)의 하나.

〔豆②〕

字源 甲骨文 金文 篆文 古文 象形. 두부(頭部)가 불룩하고 다리가 긴 식기(食器), 제기(祭器)의 象形. 소금에 절인 육채류(肉菜類)를 담았음.

參考 '豆'를 의부(意符)로 하여, '豆'의 원래의 뜻인 제기(祭器)를 나타내는 문자와 콩이나 그 가공품에 관한 문자를 이룸.

[豆羹 두갱] ㉠제기(祭器)에 담은 국. 전(轉)하여, 소량(少量)의 국. ㉡콩국.
[豆蔻 두구] 육두구(肉荳蔻).
[豆萁 두기] 콩을 털고 남은 줄기와 가지. 콩대.
[豆類 두류] 콩·팥·녹두 등의 총칭.
[豆糜 두미] 콩죽.
[豆籩 두변] 두(豆)와 변(籩). 모두 제례 연향(祭禮宴享)에 쓰는 예기(禮器). 전(轉)하여, 예의(禮儀)의 요구(要具).
[豆腐 두부] 물에 불린 콩을 갈아서 익힌 뒤에 베자루에 걸러서 간수를 치고 익히어 굳힌 음식(飮食).
[豆剖瓜分 두부과분] 콩과 외같이 갈라지고 나누어짐. 곧, 국토(國土)가 손쉽게 분할됨.
[豆分 두분] 콩이 갈라지듯이 국토(國土)가 분할됨. 두부과분(豆剖瓜分).
[豆豉 두시] 메주. 된장.
[豆芽菜 두아채] 콩나물.
[豆肉 두육] 제기(祭器) 두(豆)에 담은 고기.
[豆人 두인] 콩과 같이 작은 사람. 먼 데서 바라본 사람의 형용.
[豆滓 두재] 콩깻묵. 대두박(大豆粕).
[豆粥 두죽] 콩죽.
[豆青 두청] 연한 황색(黃色).
[豆太 두태] 콩과 팥.
[豆泡 두포] 두부(豆腐)의 별칭(別稱).
[豆蟹 두해] 작은 게.
[豆花雨 두화우] 콩노굿이 필 무렵에 오는 비. 곧, 음력 8월의 비.
[豆黃 두황] 콩가루.
◉籩豆. 綠豆. 大豆. 豚肩不掩豆. 登豆. 木豆. 籩豆. 小豆. 粟豆. 菽豆. 野豆. 豔豆. 俎豆. 莝豆. 竹豆. 芻豆.

2 ⑨ [㔹] 豆(前條)와 同字

3 ⑩ [豇] 강 ㊥江 古雙切 jiāng

字解 광저기 강 콩과에 속하는 일년생 만초(蔓草). 깍지가 매우 길. 열매는 먹음. 대각두(大角豆). '一豆蔓生'《本草綱目》.

字源 形聲. 豆+工〔音〕

[豇豆 강두] 광저기.

3 ⑩ [豈] 高人 ㊀ 기 ㊤尾 袪狶切 qǐ ㊁ 개 ㊤賄 可亥切 kǎi

筆順 ' 山 山 屶 岂 岂 岂 豈

字解 ㊀ ①어찌 기 어찌하여서, 왜, 설마 등의 뜻을 나타내는 반어(反語). '一不憚艱險'《魏徵》. '一非士之願與'《史記》. ②그 기 其(八部 六畫)와 뜻이 같음. '將軍一有意乎'《戰國策》. ③바랄 기, 바라건대 기 원함. 원컨대. 覬(見部 十畫)와 뜻이 같음. '君不垂眷, 一云其誠'《曹植》. ④일찍이 기 '一, 曾也'《廣韻》. ㊁ ①개가(凱歌) 개 凱(几部 十畫)와 통용. '一樂飮酒'《詩經》. ②화락할 개 愷(心部 十畫)와 통용. '一弟君子'《詩經》.

字源 篆文 象形. 위에 장식이 붙은 북을 본뜬 모양으로, 전승(戰勝)의 기쁨을 나타낸 음악의 뜻에서, 파생(派生)하여 '즐기다'의 뜻을 나타냄.

[豈樂 개악] 개선(凱旋)할 때 연주하는 음악.
[豈弟 개제] 외모와 심정이 온화하고 단정함. 개제(愷悌).
[豈有此理 기유차리] 그럴 리가 있으랴. 그럴 리는 없음.

4 ⑪ [豉] 시 ㊀寘 是義切 chǐ(shì)

[字解] 메주 시, 된장 시 콩을 쑨 것으로, 간장을 담그는 원료. 또, 간장을 떠내고 남은 건더기. '豆—'.
[字源] 篆文 形聲. 豆+支〔音〕. '支지'는 가지가 갈라지다의 뜻. 발효되어 콩과 콩이 붙어서 가지가 갈라진 것같이 된 '된장·메주'의 뜻을 나타냄.

[豉酒 시주] 된장을 넣은 술.
◉麴豉. 豆豉. 鹽豉.

5 ⑫ [豞] 두 ㊥尤 當侯切 dōu
[字解] ①잘게 찢어질 두 '—, 小裂'《玉篇》. ②작은구멍 두, 나눌 두 '𠛎, 小穿也, 一日, 割也, 或作—'《集韻》.

[短] 〔단〕 矢部 七畫(p. 1559)을 보라.

[登] 〔등〕 癶部 七畫(p. 1498)을 보라.

[壹] 〔일〕 士部 九畫(p. 474)을 보라.

6 ⑬ [豋] 등 ㊥蒸 都騰切 dēng
[字解] 제기이름 등 도제(陶製)의 제기(祭器). '于豆于—'《詩經》.
[字源] 甲骨文 甲骨文 篆文 會意. 又(廾)+豆+月(肉). '豆두'는 '토기(土器)'의 뜻. '廾공'은 '양손'의 뜻. 고기를 담은 제기를 받드는 모양에서, '예기(禮器)·제기'의 뜻을 나타냄.

6 ⑬ [䜵] 권 ㊤霰 居倦切 / ㊤銑 古轉切 juàn / ㊤阮 求晚切
[字解] 흰콩 권 '—, 黃豆'《廣韻》.
[字源] 形聲. 豆+龹〔音〕

6 ⑬ [豊] 中人 〔예〕 禮(示部 十三畫〈p. 1604〉)의 古字
[筆順]
[字源] 甲骨文 金文 篆文 象形. 감주(甘酒)를 담는 굽 달린 그릇의 象形으로, 예(禮)를 집전(執典)할 때의 제기의 뜻을 나타냄.
[參考] 속(俗)에 豐(豆部 十一畫)의 略字로 쓰임.

6 ⑬ [䜶] 강 ㊥江 胡江切 xiáng
[字解] 동부 강 광저기. '—, 博雅, 胡豆, —䜶'《集韻》.

7 ⑭ [䜷] 〔수〕 酥(酉部 五畫〈p. 2354〉)와 同字

8 ⑮ [豌] 人名 완 ㊥寒 一丸切 wān
[字解] ①완두 완 '—豆'는 콩과에 속하는 일년생 만초(蔓草). 또, 그 열매. '—豆種出西胡'《本草綱目》. ②콩엿 완 콩으로 만든 엿. '—, 說文, 豆飴也'《集韻》.
[字源] 形聲. 豆+宛〔音〕

[豌豆 완두] 자해(字解) ❶을 보라.
[豌豆瘡 완두창] 완두 모양으로 허는 종기.

8 ⑮ [䜺] 책 ㊇陌 測窄切 cè
[字解] 콩가루 책 볶은 콩을 매 갈은 데 간 가루. 또, 갈아 짜갠 콩. '日膳裁豆—而已'《新唐書》.

8 ⑮ [䜾] 〔기〕 萁(艸部 八畫〈p. 1935〉)와 同字

8 ⑮ [䜻] 〔등〕 豋(豆部 六畫〈p. 2171〉)의 本字

8 ⑮ [豍] 비 ㊥齊 邊迷切 bī
[字解] 완두(豌豆) 비 '—豆'는 완두콩.

8 ⑮ [豎] 수 ㊤麌 臣庾切 shù
[字解] ①설 수 직립(直立)함. '—毛'. '槐樹自拔倒—'《後漢書》. ②세울 수 서게 함. '野—旌旗'《李華》. ③세로 수 두 끝이 위아래로 놓인 상태. '橫說—說'. '人天本—, 畜生本橫'《楞嚴經》. ④곧을 수 바름. '直—不斜'《晉書》. ⑤아이 수 아직 관례(冠禮)를 치르지 않은 아이. 또, 심부름하는 아이. '童—'. '隣人亡羊, 請楊子之—追之'《列子》. 전(轉)하여, 남을 경멸하여 부르는 말. '—子'. ⑥내시 수 궁중(宮中)에서 심부름하는 얕은 관원. '內—'. '閹—'. '遂使爲—'《左傳》. ⑦짧을 수 단소(短小)함. '衣則—褐不完'《荀子》. ⑧천할 수 비천(卑賤)함. '—儒幾敗乃公事'《史記》. ⑨성 수 성(姓)의 하나.
[字源] 篆文 籒文 形聲. 臤+豆〔音〕. '臤현'은 눈에 손을 대고 자세히 보는 모양에서, 견고(堅固)함의 뜻을 나타냄. '豆두'는 굽 달린 그릇의 象形으로 '세우다'의 뜻. 안정되게 세우다의 뜻을 나타냄. 또, 굽 달린 그릇은 머리 부분이 큰데, 이 모양이 유아(幼兒) 비슷한 데서, '아이'의 뜻으로 쓰임.

[豎褐 수갈] 해진 짧은 베옷. 일설(一說)에는, 천한 사람이 입는 거친 털옷.
[豎童 수동] 심부름하는 더벅머리 아이.
[豎吏 수리] 수신(豎臣).
[豎立 수립] 똑바로 섬. 또, 똑바로 세움.
[豎毛 수모] 머리털이 곤두섬. 놀라 겁이 나서 머리끝이 뻗침.
[豎臣 수신] 얕은 벼슬아치. 하급 관리. 소신(小臣).
[豎儒 수유] 썩은 선비. 부유(腐儒).
[豎子 수자] ㉠아이. 동자. ㉡그 녀석. 남을 업신여겨 부르는 말.
[豎子不足與謀 수자부족여모] 위인이 좀 모자라서 함께 의논할 만한 사람이 못 됨.
[豎宦 수환] 내시. 환관.
◉桀豎. 賈豎. 群豎. 內豎. 奴豎. 倒豎. 牧豎.

僕豎. 斜豎. 森豎. 小豎. 閹豎. 堯豎. 牛豎. 二豎. 孌豎. 橫豎. 凶豎.

8 ⑮ [蹈] 감 [去]勘 苦紺切 kàn

[字解] 된장맛좋을 감 '一, 豉味厚'《集韻》.

9 ⑯ [蕓] 근 [上]吻 居隱切 jǐn

[字解] 술잔 근, 표주박 근 혼례식 때 쓰는 술 담는 그릇. '一, 瓢也'《廣雅》. '巹, 以瓢爲酒器, 婚禮用之也. 一, 上同'《廣韻》.

[字源] 會意. 豆+蒸〈省〉

[頭] 〔두〕 頁部 七畫(p. 2546)을 보라.

10 ⑰ [蹥] 함 [上]蹥 下斬切 xiàn

[字解] 콩반익을 함 콩이 반쯤 성숙(成熟)함. '秋種南山一'《李東陽》.

[字源] 形聲. 豆+兼〔音〕

10 ⑰ [蹬] 등 [平]蒸 他登切 tēng

[字解] 늘일 등 펴서 길게 함. '一, 伸之長也'《字彙補》.

10 ⑰ [豋] 로 [平]豪 魯刀切 láo

[字解] 새콩 로 콩과에 속하는 일년생 만초(蔓草). 구황용(救荒用) 재배 식물임. '擷一荳以食'《唐書》.

[豋豆 노두] 새콩.

10 ⑰ [豎] 〔수〕 豎(豆部 八畫〈p. 2171〉)의 籀文

10 ⑰ [鼕] 동 [平]東 都籠切 dōng

[字解] 북소리 동 북 칠 때 나는 소리. '一, 一一, 鼓聲'《集韻》.

10 ⑰ [豐] 豐(次條)의 本字

11 ⑱ [豐] [中人] 풍 [平]東 敷隆切 fēng 丰

[筆順] 丨 ㅋ ㅕ 丰丰 豐 豐 豐 豐

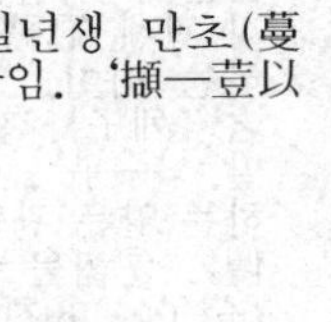

[豐①]

[字解] ①잔대 풍 치(觶) 같은 술잔을 받는 그릇. 두(豆)보다는 얕고 큼. 제기(祭器). '設一'《儀禮》. ②풍년들 풍 곡식이 잘 여묾. '一年'. '三年歲一政平'《說苑》. ③우거질 풍 무성함. '在彼一草'《詩經》. ④성할 풍 성대함. '不爲一約擧'《國語》. ⑤넉넉할 풍 많음. '一饒'. '無一于昵'《書經》. ⑥클 풍 '羽一則遲'《周禮》. ⑦두터울 풍 얇지 아니함. '不量齊德之一否'《國語》. ⑧살질 풍 비대함. '一頰'. '貌一盈以莊姝兮'《宋玉》. ⑨넉넉히할 풍 풍성하게 함. '一兄弟之國'《國語》. ⑩풍괘 풍 육십사괘(六十四卦)의 하나. 곧, ䷶〈이하(離下), 진상(震上)〉. 성대(盛大)한 상(象). ⑪성 풍 성(姓)의 하나.

[字源] 甲骨文 金文 篆文 古文 形聲. 장식이 있는 豆+丰丰〔音〕. '豆두'는 굽 달린 그릇의 象形. '丰丰풍'은 '丰풍'과 통하여, 많이 우거지다의 뜻. 풍성하게 담긴 제기(祭器)의 뜻에서, '넉넉함, 풍부함, 풍요로움'의 뜻을 나타냄.

[豐儉 풍검] 여유가 있음과 검약함.
[豐歉 풍겸] 풍흉(豐凶).
[豐功 풍공] 위대(偉大)한 공(功).
[豐筋多力 풍근다력] 글씨의 획이 굵고 힘참을 이름.
[豐年 풍년] 곡식이 잘 익은 해. 농사(農事)가 잘 된 해.
[豐登 풍등] 풍임(豐稔).
[豐樂 풍락] 재물이 많아 즐거움.
[豐麗 풍려] 풍부하고 미려(美麗)함.
[豐嶺 풍령] 산 이름. 산꼭대기에 아홉 개의 종(鐘)이 있는데 서리가 내릴 때에 저절로 소리가 난다고 함.
[豐隆 풍륭] ㉠뇌성(雷聲). 뇌신(雷神). ㉡비〔雨〕, 또는 구름〔雲〕의 신(神).
[豐滿 풍만] ㉠물건이 넉넉하게 많이 있음. ㉡몸이 비대함.
[豐美 풍미] 풍성하고 미려함.
[豐富 풍부] 넉넉하고 많음.
[豐碑 풍비] ㉠하관(下棺)할 때에 관의 네 모에 세우는 나무 기둥. ㉡공덕(功德)을 찬양한 큰 비(碑).
[豐上銳下 풍상예하] 이마는 살지고 빰은 마름. 낯의 상부는 비만하고 하부는 수척함. 풍상쇄하(豐上殺下).
[豐贍 풍섬] 재물이 넉넉함.
[豐盛 풍성] ㉠많이 담음. 또, 그것. ㉡넉넉하고 많음.
[豐城劍氣 풍성검기] 예장(豫章)의 풍성(豐城) 지방(地方)에 파묻힌 용천(龍泉)·태아(太阿)의 두 명검(名劍)이 자색(紫色)의 광망(光芒)을 발하며 하늘에 나타났다고 하는 고사(故事).
[豐歲 풍세] 풍년(豐年).
[豐熟 풍숙] 열매가 많이 달리고 잘 여묾.
[豐殖 풍식] 잘 번식함.
[豐約 풍약] ㉠넉넉하여 남아도는 일과 줄이어 아끼는 일. 풍부함과 절약함. ㉡빈부(貧富)·성쇠(盛衰)·다과(多寡)의 뜻.
[豐穰 풍양] 풍임(豐稔).
[豐漁 풍어] 물고기가 많이 잡힘.
[豐衍 풍연] 넉넉하여 남음.
[豐艶 풍염] 살이 포동포동 찌고 아리따움. 미인(美人)의 형용.
[豐饒 풍요] 매우 넉넉함.
[豐偉 풍위] 몸이 비만하고 장대함.
[豐潤 풍윤] ㉠풍부하고 윤택함. ㉡단 액즙(液汁)이 많음.
[豐頤 풍이] 살이 찐 턱.
[豐稔 풍임] 결실(結實)이 잘됨. 오곡(五穀)이 많이 잘 여묾.
[豐作 풍작] 풍년이 든 농작(農作).
[豐足 풍족] 부족하지 않고 넉넉함.

[豐草 풍초] 무성한 풀.
[豐悴 풍췌] 성쇠(盛衰).
[豐瘁 풍췌] 풍췌(豐悴).
[豐取刻與 풍취각여] 많이 차지하고 조금 줌. 욕심이 많고 인색함을 이름.
[豐下 풍하] 뺨과 턱이 살짐. 부귀(富貴)의 상(相). 풍하지자(豐下之姿).
[豐頰 풍협] 살찐 뺨.
[豐亨豫大 풍형예대] 풍형은 모두 육십사괘(六十四卦)의 하나. 풍(豐)은 성대(盛大)한 모양, 예(豫)는 화락(和樂)한 모양. 곧, 천하가 태평하여 백성들의 향락이 극도에 이름을 뜻함.
[豐厚 풍후] ㉠넉넉하고 많음. 번창함. ㉡얼굴이 살쪄서 두툼함.
[豐凶 풍흉] 풍년(豐年)과 흉년(凶年).
◉極豐. 歲豐. 新豐. 隆豐. 珍豐. 抽豐. 厚豐. 凶豐.

11 ⑱ [豑] 단 ㊣寒 他官切 tuān

字解 황색 단 '一, 黃色'《字彙》.

12 ⑲ [䝤] 로 ㊣豪 郎刀切 láo

字解 새콩 로 簝(豆部 十畫)와 同字

12 ⑲ [蹬] 등 ㊣蒸 都騰切 dēng

字解 제기(祭器) 등 제사(祭祀)에 쓰이는 그릇. '一, 禮器'《篇海類編》.

12 ⑲ [䵤] 전 ㊣先 亭年切 tián

字解 북소리 전 '一一, 鼓聲'《集韻》.

[䵤䵤 전전] 북소리.

13 ⑳ [蟈] 국 ㊇陌 古獲切 guó

字解 북소리 국 '一, 一蹶, 鼓聲'《集韻》.

13 ⑳ [䝤] 각 ㊇藥 苦角切 què

字解 ①삼갈 각 조심함. '一, 謹也'《字彙補》. ②좋을 각 잘함. '一, 善也'《字彙補》.

14 ㉑ [譚] 담 ㊣覃 徒南切 tán

字解 북소리 담 '一, 鼓聲'《字彙補》.

15 ㉒ [豈]
㊀ 기 ㊣微 渠希切 qí
㊁ 애 ㊣灰 魚開切
㊂ 개 ①㊣灰 公哀切 ②㊍隊 居代切
㊃ 의 ㊣微 魚衣切

字解 ㊀ ①일마칠때아뢰는음악 기 '一, 㲄也. 訖事之樂也'《說文》. ②끝날 기 '一, 汔也'《說文》. ③바랄 기 '一, 欲也'《玉篇》. ④위태로울 기 '一, 危也'《玉篇》. ⑤잠시 기 '一, 且也'《玉篇》. ㊁ 가까울 애 '一, 汔也. (注) 謂相摩近'《爾雅》. ㊂ ①일마칠때아뢰는음악 개 ㊀ ❶과 뜻이 같음. ②가까울 개 ㊁와 뜻이 같음. ㊃ ①가까울 의 ㊁와 뜻이 같음. ②위태로울 의 ㊀ ❹와 뜻이 같음.

字源 形聲. 幾+豈〔音〕

20 ㉗ [豔] 豔(次條)의 本字

21 ㉘ [豓] 〔염〕 艷(色部 十八畫〈p. 1895〉)의 正字

22 ㉙ [豋] 등 ㊣蒸 他登切 tēng

字解 불어날 등 적은 물들이 서로 보태어져 불어나는 모양. '㵪, 小水相添益皃, 一, 上同'《廣韻》.

豕 (7획) 部
〔돼지시부〕

0 ⑦ [豕] 人名 시 ㊤紙 施是切 shǐ

筆順 一 丆 丂 豕 豕 豕 豕

字解 돼지 시 집돼지·멧돼지 등 돼지류(類)의 총칭. '一宜稷'《周禮》.

字源 甲骨文 金文 篆文 古文 象形. 주둥이가 튀어나온 멧돼지를 본뜬 모양.

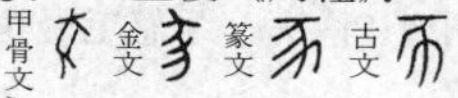

[豕育 시고] 돼지의 기름.
[豕交獸畜 시교수축] 돼지와 같이 사귀고 짐승과 같이 기른다는 뜻으로, 사람을 짐승같이 취급함을 이름.
[豕突 시돌] 돼지같이 앞뒤를 생각하지 아니하고 돌진함. 저돌(猪突).
[豕牢 시뢰] 돼지우리.
[豕腊 시석] 돈육(豚肉)의 포(脯).
[豕心 시심] 돼지 같은 마음. 곧, 염치없고 허욕이 많은 마음.
[豕彘 시체] 돼지.
[豕喙 시훼] 돼지 주둥아리. 전(轉)하여, 사람의 욕심이 많은 상(相).
◉封豕. 肥豕. 蛇豕. 野豕. 魚豕. 遼東豕.

0 ⑥ [豕] 豕(前條)의 古字

1 ⑧ [豖] ㊀ 축 ㊇屋 敕六切 chù ㊁ 촉 ㊇沃 丑玉切

字解 ㊀ 발얽은돼지의걸음 축 '一, 豕絆足, 行一一也'《說文》. ㊁ 발얽은돼지의걸음 촉 ㊀과 뜻이 같음.

字源 指事. '豕시'는 돼지. 점을 덧붙여 거세하다의 뜻. 거세하기 위해 두 발이 묶인 돼지의 걷는 모양을 나타낸 의태어.

[彖] 〔단〕 彐部 六畫(p. 730)을 보라.

3 ⑩ [豗] 회 ㊣灰 呼恢切 huī

字解 ①칠 회 맞부딪침. 서로 싸움. '磊䂿匌而相—'《木華》. ②떠들썩할 회 시끄러움. '嚚—'. '飛湍瀑流爭喧—'《李白》. ③땅팔 회 돼지가 땅을 파헤쳐 뒤짐. '—, 豕掘地也'《正字通》.

[豗呶 회노] 떠들썩함. 시끄러움.
◉驚豗. 轟豗. 排豗. 嚚豗. 喧豗.

4 ⑪ [豝] 파 ㊥麻 伯加切 bā

字解 ①암퇘지 파 돼지의 암컷. 일설(一說)에는, 두 살 난 돼지. '壹發五—'《詩經》. ②큰돼지 파 '漁陽以大豬爲—'《何承天》. ③포 파 말린 고기. '—, 腊屬'《韻會》.

字源 篆文 形聲. 豕+巴〔音〕. '巴파'는 납작하게 펴다의 뜻. 납작하게 편 돼지고기의 포(脯)의 뜻을 나타냄.

4 ⑪ [豣] 〔견〕
豣(豕部 六畫〈p. 2176〉)의 俗字

4 ⑪ [豰] 몰 ㊈月 莫孛切 mò

字解 돼지 몰 '—, 豬別名'《字彙》.

4 ⑪ [豙] 의 ㊨未 魚既切 yì ㊨寘 魚記切

字解 돼지성나털일어날 의 '—, 豕怒毛豎也'《說文》.

字源 會意. 金文은 豕+辛

4 ⑪ [豚] 高人 돈 ①-②④㊥元 徒渾切 tún ③㊤阮 杜本切 dùn

筆順 丿 刀 月 月 肜 豚 豚 豚

字解 ①돼지 돈 가축(家畜)의 하나. 또, 작은 돼지[豕]를 이름. '—犬'. '方言, 豬, 其子或謂之—'《說文 段注》. ②복 돈 복어. 魨(魚部 四畫)과 同字. '河—, 魚名'《康熙字典》. ③지척거릴 돈 발뒤꿈치를 질질 끌고 감. '圈—行不擧足'《禮記》. ④성 돈 성(姓)의 하나.

字源 甲骨文 金文 古文 篆文 會意. 豕+月(肉). '豕시'는 돼지의 象形. 肉(月)을 덧붙여 살찐 돼지의 뜻을 나타냄.

[豚犬 돈견] ㉠돼지와 개. ㉡어리석은 자식. 곧, 자기 자식의 겸칭.
[豚肩不掩豆 돈견불엄두] 제(齊)나라의 안영(晏嬰)이 검소하여 제사를 지내는 데 돼지의 견육(肩肉)이 너무 적어서 제기(祭器)를 다 채우지 못했다는 고사(故事). 전(轉)하여, 아주 간략한 제사를 이름.
[豚犢 돈독] 돼지와 송아지. 전(轉)하여, 돈아(豚兒).
[豚豚 돈돈] 다리를 질질 끌고 가는 모양.
[豚兒 돈아] 돼지처럼 어리석은 자식. 곧, 자기 자식의 겸칭(謙稱).
[豚魚之信 돈어지신] 돼지와 물고기는 감동시키기 어려운 동물인데 신의(信義)가 능히 이것들에게까지 미쳤다는 뜻으로, 지극한 신의를 이름.
[豚蹄穰田 돈제양전] 돼지의 발굽을 신(神)에게 바쳐 풍년을 빎. 변변찮은 작은 것으로 큰 것을 바람의 비유.
[豚柵 돈책] 돼지우리.
[豚皮 돈피] 돼지 가죽.
[豚行 돈행] 발뒤꿈치를 질질 끌고 감.
◉家豚. 豭豚. 江豚. 鷄豚. 養豚. 土豚. 河豚. 海豚.

4 ⑪ [豘] 豚(前條)과 同字

5 ⑫ [豠] 一 조 ㊥虞 叢租切 chú 二 서 ㊥魚 士魚切

字解 一 돼지무리 조 '—, 豕屬'《說文》. 二 돼지무리 서 一과 뜻이 같음.

字源 形聲. 豕+且〔音〕

5 ⑫ [豞] 一 후 ㊨宥 呼漏切 hòu 二 학 ㊈覺 許角切 三 구 ㊥虞 權俱切 ㊤麌 果羽切

字解 一 돼지우는소리 후 '—, 豕聲'《廣韻》. 二 돼지우는소리 학 一과 뜻이 같음. 三 뒷발흰말 구 '—, 爾雅, 馬後足皆白曰—'《集韻》.

5 ⑫ [豛] 一 탁 ㊈覺 竹角切 zhuō 二 독 ㊈屋 都木切 dū

字解 一 ①칠 탁 두드림. 방망이로 때림. '—, 椎毄物也'《說文》. ②던질 탁. 二 치는소리 독 '—, 擊聲'《集韻》.

字源 形聲. 殳+豖〔音〕

5 ⑫ [象] 高人 상 ㊤養 徐兩切 xiàng

筆順 ⺈ 㐫 缶 缶 争 象 象 象

字解 ①코끼리 상 기제류(奇蹄類) 코끼릿과에 속하는 거대한 짐승. 인도·아프리카의 열대에 나는데 코가 유달리 길. '巨—'. '—牙'. '—有齒以焚其身'《左傳》. ②상아 상 코끼리의 입 밖으로 길게 나온 엄니. '—箸'. '笏, 諸侯以—'《禮記》. ③꼴 상, 모양 상 像(人部 十二畫)과 同字. '形法—'. '不可爲—'《傳毅》. '嘗圖裴楷—'《晉書》. ④법 상 법도. '法—'. '設—以爲民紀'《國語》. ⑤길 상 도(道). 도리. '執大—'《老子》. ⑥본뜰 상 본떠 모양을 그림. '—形'. ⑦본받을 상 본보기로 함. '—以典刑'《書經》. '繼世以立諸侯—賢也'《儀禮》. ⑧징후 상, 조짐 상 외면에 나타난 현상. 전조. '氣—'. '星—'. '易—'. '見乃謂之—'《易經》. ⑨통변할 상, 통변 상 통역함. 또, 통역. '—胥'. '通夷狄之言者曰—'《周禮 注》. ⑩비길 상 비교함. 견줌. '火如—之, 不火何爲'《左傳》. ⑪무악(舞樂)이름 상 주(周)나라 무왕(武王)이 지은 무곡(舞曲) 이름. '維清奏—舞也'《詩經 周頌維清小序》. ⑫성 상 성(姓)의 하나.

字源 甲骨文 金文 篆文 象形. 긴 코의 코끼리 모양을 본떠 '코끼리'의 뜻을 나타냄. 또, '相상'과 통하여 '자태·모습'의 뜻도 나타냄.

參考 象(次條)은 俗字.

[象簡 상간] 상아(象牙)로 만든 홀(笏).

[象劍 상검] 나무로 만든 검(劍). 반검(班劍).
[象恭 상공] 용모가 공손함.
[象管 상관] 붓.
[象教 상교] 불교(佛教)의 이칭(異稱). 불상을 만들어 절을 하므로 이름.
[象闕 상궐] 대궐의 문. 상위(象魏).
[象棊 상기] 장기(將棊). 원래는 장기짝을 상아(象牙)로 만들었으므로 이름.
[象膽 상담] 코끼리의 쓸개.
[象隊 상대] 코끼리를 타는 군대.
[象德定水 상덕정수] 용상(龍象)의 덕(德)과 선정(禪定)의 물. 곧, 승려의 높은 인격을 이름.
[象舞 상무] 문왕(文王)·무왕(武王)의 무악. 동자(童子)가 사자탈 같은 가면(假面)을 쓰고 춤을 춤.
[象事 상사] 육서(六書)의 하나. 곧, 지사(指事).
[象山學派 상산학파] 송(宋)나라 육구연(陸九淵)〈호(號)가 상산(象山)〉이 제창한 유학(儒學)의 한 파(派). 주자학(朱子學)에 반대하여 양명학(陽明學)에 크게 영향을 끼쳤음.
[象牀 상상] 상아(象牙)로 꾸민 침대(寢臺).
[象胥 상서] 역관(譯官). 통변(通辯).
[象聲 상성] ㉠육서(六書)의 하나. 곧, 형성(形聲). ㉡한 사람이 동시에 여러 가지 소리를 흉내 내는 일.
[象數 상수] 역(易)의 괘(卦)에 나타난 형상(形狀)과 변화.
[象牙 상아] 코끼리의 앞으로 뻗어 나와 위로 향한 큰 앞니.
[象牙塔 상아탑] 예술 지상주의자(藝術至上主義者)들이 실리(實利) 생활을 떠나서 조용히 관조(觀照)하는 예술만을 즐기는 경지(境地). 지금에는 학자(學者)들이 연구실에 들어앉아 학문 연구(學問研究)에 몰두함을 상아탑(象牙塔) 속에 붙박인다고 함.
[象譯 상역] 통변(通辯). 통역(通譯).
[象王 상왕] 상교(象教)의 왕지. 곧, 석가여래(釋迦如來).
[象外 상외] 형상 밖이라는 뜻으로, 마음이 형상 밖에 초연(超然)함을 이름.
[象魏 상위] 대궐(大闕)의 문. 옛적에는 교령(教令)을 이 문에 게시(揭示)하였으므로, 전(轉)하여, 교령(教令).
[象意 상의] 육서(六書)의 하나. 곧, 회의(會意).
[象人 상인] ㉠허수아비 인형. ㉡동물로 가장(假裝)하여 하는 유희(遊戲). 곧, 사자무(獅子舞) 따위. ㉢코끼리를 부리는 사람.
[象箸 상저] 상아(象牙)로 만든 젓가락.
[象著損上 상저손상] 역경(易經)의 손괘(損卦)의 괘상(卦象). 이 괘는 군주에게는 손해를 주고, 백성에게는 이익을 준다는 뜻이 있음.
[象尊 상준] 코끼리 모양으로 되었거나 코끼리를 새긴 그릇.

[象尊]

[象櫛 상즐] 상아(象牙)로 만든 빗.
[象徵 상징] 직접 보이지 않는 사물을 그것과 어떤 유사성(類似性)을 가진 것에 의하여 연상시킬 때의 그 과정, 또는 그 대용물.
[象徵主義 상징주의] 문예상(文藝上)에서 언어(言語) 문자(文字)는 사상(思想)의 대표가 아니고 직접으로 사상 그것이라고 하여 이것을 음악적으로 배열(排列)하여 독자(讀者)의 감정을 움직이는 주의(主義).
[象齒 상치] 상아(象牙).
[象齒焚身 상치분신] 재산이 많은 사람은 화(禍)를 입기 쉽다는 비유.
[象皮 상피] 코끼리의 가죽.
[象限儀 상한의] 자오선(子午線)을 관측(觀測)하는 데 쓰는 기계(機械).
[象刑 상형] 법. 법률. 국법(國法).
[象形 상형] ㉠형상. 또, 물건의 형상을 시늉함. ㉡육서(六書)의 하나. 물건의 형상을 본떠 이루어진 글자. 곧, '日·月·川·木' 따위.
[象形文字 상형문자] 물건의 형상(形狀)을 본떠 만든 글자. 한자(漢字)의 일부와 애급(埃及) 문자 따위.
[象笏 상홀] 상아(象牙)로 만든 홀(笏).

(日) (月) [象形㉡]

[象戲 상희] 상기(象棊).
◉巨象. 景象. 具象. 氣象. 對象. 萬象. 無象. 物象. 法象. 變象. 事象. 森羅萬象. 想象. 星象. 心象. 易象. 曆象. 龍象. 有象. 印象. 天象. 體象. 抽象. 太平無象. 表象. 現象. 形象. 畫象. 犧象.

5 ⑫ [象] 象(前條)의 俗字

6 ⑬ [豤] 간 ㊤阮 康很切 kěn

字解 ①간절할 간 懇(心部 十三畫)과 통용. '一一數奸死亡之誅'《漢書》. ②깨물 간 ㉠돼지가 깨묾. 씹음. '一, 豕齧也'《說文》. ㉡돼지가 먹는 모양. '一, 豕食皃'《廣韻》. ㉢물어서 이빨이 깊이 파고듦. '一, 齒深入物也'《正字通》. ㉣돼지가 땅을 헤집어 어적어적 깨물어 씹는 모양. '一, 豕齧地'《玉篇》.

字源 篆文 形聲. 豕+艮(皀)〔音〕. '皀간'은 눈 언저리에 창칼로 문신(文身)을 하다의 뜻으로, 찔러 머무르다의 뜻이 있음. 돼지가 물다의 뜻을 나타냄.

[豤豤 간간] 매우 간절한 모양. 지성스러운 모양. 간간(懇懇).

6 ⑬ [豥] 해 ㊥灰 戶來切 gāi / ㊤蟹 下楷切

字解 네굽흰돼지 해 '豕四蹢皆白, 一. (注) 蹢, 蹄也'《爾雅》.

6 ⑬ [豲] 〔원·환〕 貆(豕部 十畫〈p. 2178〉)과 同字

6 ⑬ [豢] 환 ㊦諫 胡慣切 huàn

字解 ①칠 환, 기를 환 곡식을 먹여 동물을 기름. '掌一祭祀之犬'《周禮》. ②가축 환 곡식을 먹여 기르는 가축. 개·돼지 따위. 초식하는 가축은 '芻'라 함. '仲秋案芻一'《禮記》. ③꾈 환 이익으로 남을 유인함. '子胥懼曰, 是一吳也夫'《左傳》.

字源 甲骨文 篆文 形聲. 篆文은 豕+季〔音〕. '季권'은 '圈권'과 통하여, 가축을 기르기 위한 우리의 뜻. 우리 안에서 가축을 기르다의 뜻을 나타냄.

[豢龍 환룡] 고대의 벼슬 이름. 말을 기르는 일을 맡음. 순(舜)임금 때 동씨(董氏)라는 사람이 말을 잘 키우므로, 임금이 명명(命名)하여 그를 환룡씨(豢龍氏)라 하였음.
[豢養 환양] 가축을 기름.
[豢圉 환어] 소·말을 기르는 곳. 외양간이나 마구간.
[豢擾 환요] 길러 길들임.
◉酣豢. 芻豢.

6 ⑬ [豦] 거 ㊥魚 強魚切 jù ㊤語 臼許切 ㊦御 居御切

字解 ①맞붙어떨어지지않을 거 일설(一說)에는, 사나움. '一, 鬭相丮不解也'《說文》. ②큰돼지 거 '一, 封豕之屬'《說文》. ③범양발들고일어설 거 '一, 一曰, 虎兩足擧'《說文》. ④짐승이름 거 '一, 獸名'《廣韻》.
字源 會意. 虎〈省〉+豕

6 ⑬ [豣] 견 ㊥先 古賢切 jiān ㊤銑 吉典切

字解 ①돼지 견 큰 돼지. '一, 大豕也'《廣韻》. 일설(一說)에는, 세 살 난 돼지. '獻一于公'《詩經》. ②노루 견 뛰어나게 힘이 센 노루. '麐之絕有力, 一'《爾雅》.
字源 篆文 形聲. 豕+幵〔音〕. '幵견'은 '어깨'의 뜻. 어깨가 떡 벌어진 큰 멧돼지의 뜻을 나타냄.
參考 豜(豕部 四畫)은 俗字.

[豣豵 견종] 짐승의 새끼.

6 ⑬ [豤] 간 ㊤旱 空旱切 kǎn

字解 돼지 간 '一, 豕也'《字彙》.

7 ⑭ [豩] ㊀ 빈 ㊥眞 悲巾切 bīn ㊁ 환 ㊥刪 呼關切 huān

字解 ㊀ 쌍돼지 빈 돼지 두 마리. ㊁ ①고집셀 환 완고함. '杯前膽不一'《劉禹錫》. ②쌍돼지 환 ㊀과 뜻이 같음.
字源 甲骨文 篆文 會意. 돼지〔豕〕두 마리를 나란히 세워, 두 마리의 돼지의 뜻을 나타냄.

7 ⑭ [豨] 희 ㊤尾 虛豈切 ㊥微 香衣切 xī

字解 ①돼지 희 큰 돼지. '監市履一'《莊子》. ②돼지달릴 희 돼지 또는 멧돼지가 달리는 모양. '一, 豕走一一也'《說文》.
字源 篆文 形聲. 豕+希〔音〕

[豨膏 희고] 돼지기름.
[豨突 희돌] '저돌(豬突)'과 같음.
[豨苓 희령] '저령(豬苓)'과 같음.
[豨勇 희용] 멧돼지처럼 무서운 줄 모르고 덤비는 용기. 또, 그러한 군사. '저돌희용(豬突豨勇)' 참조.

7 ⑭ [豛] 투 ㊦宥 都豆切 dòu

字解 별이름 투 이십팔수(二十八宿)의 하나. 동쪽에 있는 별의 이름. 용미(龍尾). '日月會於龍一'《國語》.

7 ⑭ [豲] 〔간〕 豤(豕部 六畫〈p. 2175〉)의 本字

7 ⑭ [豱] 〔조·서〕 狙(豕部 五畫〈p. 2174〉)와 同字

7 ⑭ [豪] 高·人 호 ㊥豪 胡刀切 háo

筆順 亠 亠 声 声 亭 亭 豪 豪 豪

字解 ①호저 호 호저과에 속하는 짐승. 몸에 가시털이 밀생함. 위험이 닥치면 고슴도치 모양으로 밤송이처럼 몸을 동그랗게 웅숭그림. '其獸多白一'《山海經》. ②뛰어날 호 걸출함. 또, 그 사람. '一雄'. '文一'. '一傑之士'《孟子》. ③호협할 호 기개가 좋고 의협심이 있음. '一爽'. '平原君之遊, 徒一擧耳'《史記》. ④굳셀 호 강맹(強猛)함. 또, 그 사람. '一強'. '一勇'. '一, 彊也. 健也'《韻會》. ⑤호화스러울 호 사치함. '一奢'. '性奢一, 務在華侈'《晉書》. ⑥거느릴 호 통솔함. 또, 그 장(長). '雁門馬邑一聶翁壹'《史記》. ⑦터럭 호 毫(毛部 七畫)와 통용. '若一之末'《墨子》. 전(轉)하여, 근소. 약간. '差若一釐'《禮記》. ⑧업신여길 호, 얕볼 호 깔봄. 또, 강제로. 억지로. '不得一奪吾民矣'《漢書》. ⑨성 호 성(姓)의 하나.
字源 古文 篆文 形聲. 豕+高〔音〕. '高고'는 '稾고'와 통하여 빳빳한 짚의 뜻. 붓대처럼 빳빳한 갈기를 가진 산돼지·호저(豪豬)의 뜻에서, 전(轉)하여 굳세고 호협한 사람의 뜻을 나타냄.

[豪家 호가] 부자. 재산가.
[豪強 호강] 세력이 강함. 또, 그 사람.
[豪彊 호강] 호강(豪強).
[豪芥 호개] 조금. 약간.
[豪客 호객] ㉠도둑. 도적. ㉡호탕(豪宕)하게 노는 사람.
[豪擧 호거] ㉠장한 거사(擧事). ㉡호협(豪俠)한 행위.
[豪健 호건] 기상이 꿋꿋하고 사나움.
[豪傑 호걸] ㉠재덕(才德)이 뛰어난 인물. ㉡무용(武勇)이 절륜(絕倫)한 인물.
[豪傑兒 호걸아] 무용(武勇)이 뛰어난 젊은이.
[豪勁 호경] 굳세고 강함.
[豪氣 호기] 장(壯)한 의기(意氣). 호방(豪放)한 기상(氣像).
[豪奴 호노] 세력이 있는 종. 성질이 만만치 않은 종.
[豪農 호농] 지방에서 재산이 많고 세력이 있는 농가. 부농(富農).
[豪膽 호담] 매우 담대(膽大)함.
[豪黨 호당] 세력을 떨치는 당파.
[豪勒 호륵] 호기롭고 사나움.
[豪邁 호매] 지용(智勇)이 비범함.
[豪民 호민] 재산이 많고 세력이 있는 백성(百姓).

[豪放 호방] 의기(意氣)가 장(壯)하여 작은 일에 구애하지 아니함.
[豪富 호부] 세력이 있는 큰 부자. 거부(巨富).
[豪士 호사] 호방(豪放)한 선비. 또, 무용(武勇)이 뛰어난 사람.
[豪奢 호사] 대단한 사치(奢侈).
[豪爽 호상] 호협(豪俠)하고 쾌활함.
[豪雪 호설] 엄청나게 많이 내린 눈. 큰 눈.
[豪姓 호성] 호족(豪族).
[豪習 호습] 호사한 풍습.
[豪臣 호신] 세력 있는 신하.
[豪語 호어] 큰소리침. 또, 그 말. 대언장담.
[豪言 호언] 호어(豪語).
[豪勇 호용] 호기롭고 용감함.
[豪右 호우] 시골에서 세력을 떨치는 사람.
[豪雨 호우] 줄기차게 많이 오는 비. 큰비.
[豪遊 호유] 호화(豪華)롭게 놂.
[豪飮 호음] 술을 많이 마심. 경음(鯨飮).
[豪毅 호의] 뛰어나게 굳셈. 마음이 굳세어 사물에 굴(屈)하지 않음.
[豪恣 호자] 방자(放恣)함.
[豪壯 호장] 원기가 강성함. 기세가 대단함.
[豪豬 호저] 호저과에 속하는 짐승. 등 위에 각질(角質)의 거친 털이 있음.
[豪族 호족] ㉠그 지방에서 세력이 있는 겨레. 호가(豪家). ㉡본가(本家)를 중심으로 그 가족·친족과 노예·농노(農奴)·소작인이 딸리고 지방에서의 정치적·경제적 실력을 보유(保有)하는 일족(一族).
[豪宗 호종] 호족(豪族).
[豪縱 호종] 호방(豪放).
[豪俊 호준] 재덕(才德)이 뛰어난 인물.
[豪擅 호천] 호횡(豪橫).
[豪侈 호치] 호사(豪奢).
[豪奪 호탈] 폭력으로 빼앗음. 강탈함.
[豪宕 호탕] 호방(豪放).
[豪蕩 호탕] ㉠기상이 호협하고 잘지 아니함. ㉡사상이 거칢.
[豪悍 호한] 매우 사나움.
[豪俠 호협] 호방(豪放)하고 의협심(義俠心)이 있음.
[豪戶 호호] 부자. 자산가(資産家).
[豪華 호화] 사치스럽고 번화함.
[豪猾 호활] 세력이 있고 교활함. 또, 그 사람.
[豪橫 호횡] 세력이 있고 방자함.
◉強豪. 拳豪. 權豪. 文豪. 富豪. 詩豪. 英豪. 人豪. 粗豪. 酒豪. 俊豪. 土豪. 鄉豪. 賢豪.

8 ⑮ [⿰叕豕] [一] 궐 [入]屑 紀劣切 jué
[二] 굴 [入]物 渠勿切 jué
[三] 군 [去]問 俱運切 jùn
[字解] [一] 돼지 궐 '一, 豕也'《玉篇》. [二] 돼지땅뒤질 굴 '一, 豕掘地也'《集韻》. [三] 돼지가먹이를구할 군 '一, 一曰, 豕求食'《集韻》.

8 ⑮ [⿰豕叕] ⿰叕豕(前條)과 同字

8 ⑮ [⿰豕肙] 〔견〕
豣(豕部 六畫〈p. 2176〉)과 同字

8 ⑮ [⿰豕宗] 종 [去]送 作弄切 zòng
[去]宋 子宋切
[字解] ①수퇘지 종 '一, 牡豕'《集韻》. ②돼지새끼 종 나서 여섯 달 된 새끼 돼지. '豕子生六月曰一'《林氏小說》.

8 ⑮ [⿰豕昆] 〔간〕
豤(豕部 六畫〈p. 2175〉)과 同字

8 ⑮ [⿰豕空] 강 [平]江 曲江切 qiāng
[字解] 돼지고기속빌 강 살이 단단하지 못함. '一, 豕肉渾中空者'《六書統》.

9 ⑯ [豬] [一] 저 [平]魚 陟魚切 zhū
[二] 자 [平]麻 照迦切 zhē
[字解] [一] ①돼지 저 한 구멍에 세 가닥의 털이 난 돼지. 또, 돼지〔豕〕의 새끼. 일설(一說)에는, 멧돼지. '野一'. '一突豨勇'. ②방죽 저 瀦(水部 十六畫)와 통용. '大野旣一'《書經》. [二] 암퇘지 자 암내가 난 암퇘지. '旣定爾婁一'《左傳》.
[字源] 篆文 形聲. 豕+者〔音〕. '者자'는 '모이다'의 뜻. 하나의 털구멍에 세 개의 털이 난 돼지의 뜻이라고도, 또 떼를 지은 돼지의 뜻이라고도 함.

[豬突 저돌] 멧돼지같이 앞뒤를 생각하지 않고 돌진(突進)함. 희돌(豨突). 시돌(豕突).
[豬突豨勇 저돌희용] '저돌희용(猪突豨勇)'과 같음.
[豬苓 저령] 버섯의 일종. 모양과 빛이 돼지 비슷하고, 단풍나무 뿌리 부근에 많이 모여남. 약재(藥材)로 씀. 희령(豨苓).
[豬水 저수] 잠겨 있는 물. 방죽으로 막아 놓은 물.
[豬勇 저용] 멧돼지처럼 앞뒤를 가리지 않고 함부로 날뛰는 용기.
[豬肉 저육] 돼지고기. 제육.
[豬貛 저환] 오소리.
◉鷩豬. 東家豬. 牧豬. 墨豬. 伏豬. 山豬. 野豬. 偃豬. 一龍一豬. 箭豬. 蒿豬. 豪豬.

9 ⑯ [⿰豕彦] 〔해〕
豥(豕部 六畫〈p. 2175〉)와 同字

9 ⑯ [豭] 가 [平]麻 古牙切 jiā
[字解] 수퇘지 가 돼지의 수컷. '卒出一'《左傳》.
[字源] 篆文 形聲. 豕+叚〔音〕. '叚가'는 잠재적(潛在的)인 가치가 있는 거친 옥(玉)의 뜻. 정력적인 돼지, '수퇘지'의 뜻을 나타냄.

◉寄豭.

9 ⑯ [⿰豕⿱日艮] 견 [上]銑 去演切 kěn
[字解] 물 견 입에 묾. 씹음. '一, 齧也'《字彙》.

9 ⑯ [⿰豕軍] 군 [去]問 俱運切 jùn
[字解] 작은멧돼지 군 '一, 野豕小者曰一'《集韻》.

9 ⑯ [⿰豕耑] 단 [平]寒 他端切 tuān
[字解] ①멧돼지 단 야생의 돼지. 산돼지. '拳封一'《李白》. ②오소리 단 貒(豸部 九畫)과 同字.

9
⑯ **[貐]** 유 ㊤語 弋主切 yǔ

字解 ①짐승이름 유 사람 눈에 띄면 큰물이 진다는 상상의 짐승. '一, 獸也, 聲如小兒, 見則天下大水'《字彙》. ②호저 유 '豲一'는 호저(豪豬)의 별칭. 뾰족한 가시털이 밀생함. '釋名, 豲一, 時珍曰, 星禽云, 壁水一, 豪豬也'《本草》.

9
⑯ **[豫]** 高人 예 ㊡御 羊洳切 yù

筆順 ㇇ 予 豫 ...

字解 ①기뻐할 예 희열함. '一附'. '夫子若有不一色然'《孟子》. ②놀 예, 즐길 예 즐겁게 놂. '逸一'. '一遊一一, 爲諸侯度'《孟子》. ③싫어할 예 '行婞直而不一兮'《楚辭》. ④미리 예 사전에. '一告'. '君子思患而一防之'《易經》. ⑤미리할 예 미리 대비함. 사전에 함. '凡事一則立'《中庸》. ⑥참여할 예 참가하여 관계함. '亦來一盟'《後漢書》. ⑦땅이름 예 우공(禹貢)의 구주(九州)의 하나. 후베이 성(湖北省)·산둥 성(山東省)의 일부와 허난 성(河南省) 전부에 걸친 지역. '荊河是一州'《書經》. 전(轉)하여, 허난 성의 별칭(別稱). ⑧예괘 예 육십사괘(六十四卦)의 하나. 곤, ䷏〈곤하(坤下), 진상(震上)〉. 인심(人心)이 화락(和樂)한 상(象). '一利建侯行師'《易經》.

字源 篆文 古文 形聲. 象+予〔音〕. '象상'은 몸집이 크고 마음이 너그러운 동물, 코끼리의 象形. '予여'는 심신이 모두 편안하게 즐기다의 뜻을 나타냄. 전(轉)하여 여유를 갖고 대비하다, 미리의 뜻을 나타냄.

[豫覺 예각] 예감(豫感).
[豫感 예감] 사전(事前)에 느낌. 미리 육감(六感)으로 앎.
[豫見 예견] 미리 알고 있음.
[豫告 예고] 미리 알려 줌.
[豫期 예기] 앞으로 당할 일에 대하여 미리 기대「함.
[豫納 예납] 기한 전에 미리 납부(納付)함.
[豫料 예료] 사전에 사료(思料)함.
[豫買 예매] 미리 값을 쳐서 삼.
[豫賣 예매] 미리 값을 쳐서 팖.
[豫防 예방] 미리 방비함.
[豫報 예보] 미리 알림.
[豫附 예부] 기뻐하여 붙좇음. 희열(喜悅)하여 따「름.
[豫備 예비] 미리 준비함.
[豫算 예산] ㉠미리 계산함. ㉡국가 또는 공공 단체(公共團體)가 다음 회계(會計) 연도(年度)의 수입(收入)과 지출(支出)을 미리 계산하는 일.
[豫想 예상] 어떠한 일을 당하기 전(前)에 미리 생각함.
[豫選 예선] 정식으로 뽑기 전(前)에 미리 뽑음.
[豫設 예설] 미리 갖춤. 미리 설비함.
[豫習 예습] 미리 익힘. 미리 학습함.
[豫審 예심] 재판소에서 형사(刑事) 사건(事件)의 조사를 하는 공판(公判) 전의 준비 절차.
[豫約 예약] 미리 약속함.
[豫讓 예양] 전국(戰國) 시대 진(晉)나라 사람. 지백(智伯)을 섬겨 총애를 받던 중, 조양자(趙襄子)가 지백을 쳐서 멸하매, 양(讓)이 원수를 갚고자 몸에 옻칠을 하여 문둥이가 되고, 숯을 삼켜 벙어리가 되어서는, 양자(襄子)를 척살(刺殺)코자 꾀했으나 뜻을 못 이루고 잡히자 자살하였음.
[豫言 예언] 앞일을 미리 말함.
[豫定 예정] 미리 작정(作定)함.
[豫程 예정] 일 따위를 미리 정한 행정(行程).
[豫州 예주] 구주(九州)의 하나. 자해(字解) ❼을 「보라.
[豫知 예지] 미리 앎.
[豫參 예참] 참여함.
[豫測 예측] 미리 헤아림.
[豫度 예탁] 예측(豫測).
[豫探 예탐] 미리 탐지(探知)함.
[豫怠 예태] 노는 데에 팔려서 일을 게을리 함.
[豫行 예행] 미리 행함. 연습으로 행함. 또, 그 일.
[豫後 예후] 의사가 환자를 진찰한 다음 미리 그 병세의 진전을 단정한 예견.
◉暇豫. 不豫. 備豫. 安豫. 悅豫. 游豫. 猶豫. 怡豫. 逸豫. 底豫. 閑豫. 和豫. 懽豫. 戲豫.

10
⑰ **[豳]** 人名 ㊀ 빈 ㊥眞 府巾切 bīn ㊁ 반 ㊥刪 逋閑切 bān

字解 ㊀ ①나라이름 빈 주(周)나라 문왕(文王)의 조상 공류(公劉)가 다스린 나라. 지금의 산시 성(陝西省) 빈주(邠州). 邠(邑部 四畫)과 同字. '于一斯館'《詩經》. ②성 빈 성(姓)의 하나. ㊁ 얼룩 반 얼룩얼룩함. 斒(文部 九畫)과 同字. '斒, 斒爛, 色不純也. 亦作一'《集韻》.

字源 篆文 形聲. 山+豩〔音〕. 일설(一說)에는 會意. 山+豩. 산간(山間)에서 두 마리의 돼지를 치는 모양이라고 함.

[豳人 빈인] 빈(豳)나라 사람. 지금의 산시 성(陝西省) 빈주(邠州) 사람.
[豳風 빈풍] 시경(詩經)의 국풍(國風)의 하나.
[豳風七月篇 빈풍칠월편] 시경(詩經)의 국풍(國風) 중, 주공(周公)이 지은 칠월편(七月篇). 농업 근로(勤勞)에 관해서 읊었음.
◉玢豳.

10
⑰ **[豯]** 혜 ㊥齊 胡雞切 xī

字解 석달된돼지 혜, 돼지새끼 혜 '一, 生三月豚'《說文》. '豬, 其子或謂之一'《揚子方言》.

字源 篆文 形聲. 豕+奚〔音〕

10
⑰ **[豲]** ㊀ 원 ㊥元 愚袁切 yuán ㊁ 환 ㊥寒 胡官切 huán

字解 ㊀ ①돼지 원 '一, 豕屬也'《說文》. ②호저(豪豬) 원 뾰족한 가시털이 밀생한 짐승. '一, 豪豬別名'《正字通》. ③뛰어달아날 원 돼지가 뛰어 달아남. '一, 逸也'《大徐本說文》. ㊁ 돼지 환, 호저 환, 뛰어달아날 환 ㊀과 뜻이 같음.

字源 篆文 形聲. 豕+原〔音〕

10
⑰ **[豱]** 명 ㊥青 忙經切 míng ㊡徑 莫定切

字解 작은돼지 명 '一, 小豕也'《集韻》.

10
⑰ **[豰]** ㊀ 혹 ㊇屋 呼木切 hù ㊁ 박 ㊇覺 蒲角切 bó

字解 ㊀ 짐승이름 혹 범·표범 비슷한 짐승이라 함. 집이(執夷) 또는 황요(黃腰)라고도 함. '一

玃猱挺戯其巓'《張衡》. 二 작은돼지 박 '—, 小豚也'《說文》.

字源 篆文 形聲. 豕+殸〔音〕.

11 ⑱ [豵] 종 ㊥東 子紅切 zōng ㊥冬 卽容切

字解 돼지새끼 종 생후 6개월 되는 돼지. 일설(一說)에는, 작은 돼지. '壹發五—'《詩經》.

字源 篆文 形聲. 豕+從〔音〕.

11 ⑱ [貗] 루 ㊥尤 落侯切 lóu

字解 암퇘지 루 발정한 암퇘지. '既定爾—豬'《左傳》.

11 ⑱ [豯] 괘(괴㊍) ㊥佳 古懷切 ㊤寘 丘愧切 guāi

字解 ①개 괘 '—, 犬'《玉篇》. ②개쫒을 괘 '—, 犬逐也'《字學三正》.

12 ⑲ [豵] 충 ㊥冬 丑凶切 chōng

字解 땅돼지 충 땅돼지. 또는, 돼지를 닮은 땅의 정(精). '—, 土豬'《玉篇》.

12 ⑲ [豶] 증 ㊥蒸 慈陵切 céng

字解 ①돼지우리 증. ②우리 증.

12 ⑲ [豷] 一 희 ㊤寘 許位切 xì 二 예 ㊤霽 於計切 yì

字解 一 ①돼지숨 희 돼지가 쉬는 숨. ②사람이름 희 '浞因羿室, 生澆及—'《左傳》. 二 돼지숨 예, 사람이름 예 一과 뜻이 같음.

字源 篆文 形聲. 豕+壹〔音〕.

13 ⑳ [豦] 거 ㊤御 古去切 jù

字解 돼지이름 거 '—, 豕名'《字彙補》.

13 ⑳ [豶] 분 ㊥支 符分切 fén

字解 ①불깐돼지 분 거세(去勢)한 돼지. '—, 羠豕也, 从豕賁聲'《說文》. ②없앨 분 제거함. '—豕之牙'《易經》.

字源 篆文 形聲. 豕+賁〔音〕.

豸 (7획) 部
〔발없는벌레치부·갖은돼지시부〕

0 ⑦ [豸] 一 치 ㊦紙 池爾切 zhì 二 태 ㊦蟹 宅買切

筆順 ノ ㇒ ㇒ 乡 豸 豸 豸

字解 一 ①벌레 치 발 없는 벌레. '有足謂之蟲, 無足謂之—'《爾雅》. ②풀 치, 풀릴 치 느슨하게 함. 느슨해짐. '庶有—乎'《左傳》. ③웅크려노려볼 치 짐승이 먹이를 덮치려고 몸을 잔뜩 웅크리는 모양. '—, 獸長脊行. ——然, 欲有所司殺形'《說文》. 二 해태 태 '獬—'는 전설상의 짐승으로 신수(神獸)의 하나.

字源 篆文 象形. 고양이 따위의 짐승이 몸을 웅크리고 등을 굽혀 먹이에 덮쳐들려고 노리는 모양.

參考 '豸'를 의부(意符)로 하여, 여러 가지 종류의 짐승의 이름을 나타내는 문자를 이름. '豕시'와 비슷하되, 보다 복잡한 자형이므로 '갖은 돼지시(豕)'로 이름.

[豸冠 치관] 해관(獬冠).
◉無足豸. 蟲豸. 猈豸. 獬豸. 花豸.

3 ⑩ [豹] 人名 표 ㊤效 北敎切 bào

筆順 ノ ㇒ ㇒ 乡 豸 豸 豹 豹

字解 ①표범 표 고양잇과에 속하는 맹수(猛獸). 범 비슷한데, 온몸에 점무늬가 있어 아름다움. '—死留皮'《五代史》. '君子—變'《易經》. ②성 표 성(姓)의 하나.

字源 甲骨文 篆文 會意. 豸+勺. '豸치'는 '짐승'의 뜻. '勺작'은 '또렷하다'의 뜻. 검고 둥근 또렷한 무늬가 온몸에 덮여 있는 표범의 뜻.

[豹脚 표각] 발에 흰 반문(斑文)이 있는 모기.
[豹裘 표구] 표범의 가죽으로 만든 옷.
[豹騎 표기] 강하고 용감한 기병(騎兵). 효기병(驍騎兵).
[豹文 표문] ㉠표범의 모피(毛皮)에 있는 무늬. ㉡표범의 무늬와 같이 아름다운 무늬.
[豹尾 표미] ㉠표범의 꼬리를 단 것을 꽂아 세워 장식한 수레. 천자(天子) 또는 대장(大將)이 탐. ㉡음양가(陰陽家)의 팔장신(八將神)의 하나로서 길흉(吉凶)의 방위를 맡은 신. 그 방위를 향하여 짐승을 구(求)하거나 대소변을 하는 것을 꺼림.
[豹斑 표반] 표범의 얼룩무늬.
[豹變 표변] 표범의 무늬가 뚜렷하고 아름다운 것같이 사람의 성행(性行)이 갑자기 착해져서 면목을 일신함. 지금은 나쁜 뜻으로 오용(誤用)함.
[豹死留皮人死留名 표사유피인사유명] 표범은 죽어서 좋은 가죽을 남기는 것같이 사람은 죽어서 명예를 남겨야 함.
[豹隱 표은] 세상을 피하여 숨어 삶의 비유.
[豹皮 표피] 표범의 가죽.
◉管中窺豹. 文豹. 獅豹. 水豹. 全豹. 虎豹.

3 ⑩ [豺] 人名 시 ㊥佳 士皆切 chái

字解 승냥이 시 갯과에 속하는 이리 비슷한 산짐승. 성질이 잔인하고 흉포함. '—狼'.

字源 篆文 形聲. 豸+才〔音〕. '才재'는 찢다, 뜯다, 물어 떼다의 뜻. 고기를 물어뜯다, '승냥이'의 뜻을 나타냄.

[豺狼 시랑] ㉠승냥이와 이리. ㉡탐욕·잔인하고 무정한 자의 비유. 큰 해독을 끼치는 간악한 자

의 비유.

[豺狼當路 시랑당로] 간악한 대신(大臣)이 요로(要路)를 차지하여 권세를 떨침의 비유.

[豺狼橫道 시랑횡도] 승냥이와 이리가 길을 가로막고 있음. 간악한 자가 요로(要路)에 있어 권력을 부림의 비유.

[豺聲 시성] 승냥이의 울음소리. 또, 그와 같은 흉악한 목소리. 악인(惡人)의 목소리라 함.

[豺虎 시호] 승냥이와 범. 사납고 악독한 사람의 비유.

3 ⑩ [豟] 탁 ㉧陌 陡格切 zhé

字解 튀기 탁 수탕나귀와 암말 사이에서 난 잡종(雜種). 馲(馬部 三畫)과 同字. '馲, 馲駞, 獸名, 驢父牛母, 或作一'《集韻》.

3 ⑩ [豻] ━ 안 ①㊥寒 俄寒切 án ②㊋翰 五旰切 ━ 한 ㊋翰 侯旰切 hàn

字解 ━ ①들개 안 여우 비슷한 야생(野生)의 개. 일설(一說)에는, 너구리 비슷한 짐승. 犴(犬部 三畫)과 同字. '麛裘青一'《禮記》. ②옥 안 향정(鄉亭)의 죄수를 가두는 곳. '獄一不平之所致也'《漢書》. ━ 옥 한 ━❷와 뜻이 같음.

字源 篆文 別體 形聲. 豸+干〔音〕. '干간'은 '건목 침, 조잡함'의 뜻. 여우 비슷한 야성(野性)의 개의 뜻.

[豻侯 안후] 들개의 가죽으로 장식한 과녁.
◉獄豻.

4 ⑪ [豝] 파 ㊥麻 邦加切 bā

字解 짐승의흉한형상 파 '一, 獸醜狀'《集韻》.

4 ⑪ [貀] 눌 ㉧黠 女滑切 nà

字解 원숭이 눌 뿔이 있고 앞발이 없다는 원숭이의 일종. '一, 獸名. 似狸蒼黑, 無前足, 善捕鼠'《廣韻》.

4 ⑪ [豼] 〔비〕
貔(豸部 十畫〈p. 2183〉)와 同字

4 ⑪ [豾] 〔휴〕
貅(豸部 六畫〈p. 2181〉)와 同字

4 ⑪ [豣] 〔견〕
豜(豕部 六畫〈p. 2176〉)과 同字

4 ⑪ [豛] 〔의〕
毅(殳部 十一畫〈p. 1160〉)의 訛字

5 ⑫ [貁] 유 ㊋宥 余救切 yòu

字解 ①긴꼬리원숭이 유 원숭이의 일종. 꼬리가 긺. 일설(一說)에는, 검은원숭이. 狖(犬部 五畫)와 통용. '蝯一擬而不敢下'《漢書》. ②족제비 유 고양이 비슷한 족제비류(類). '一, 似貓搏鼠'《一切經音義》.

字源 篆文 會意. 豸+穴

◉蝯貁.

5 ⑫ [豿] ━ 구 ㉤有 擧后切 gǒu ━ 학 ㉧覺 許角切

字解 ━ 튀기 구 곰과 범 사이에서 난 새끼. 狗(犬部 五畫)와 통용. '狗, 本或作一'《爾雅》. '一, 熊虎子也'《集韻》. ━ 돼지소리 학 '一, 豕聲'《廣韻》.

5 ⑫ [貀] ━ 놜 ㉧黠 女滑切 nà ━ 돌 ㉧月 當沒切 ━ 눌 ㉧質 女律切

字解 ━ 짐승이름 놜 앞발이 없다는 원숭이의 일종. '一, 一獸. 無前足'《說文》. ━ 짐승이름 돌 ━과 뜻이 같음. ━ 짐승이름 눌 ━과 뜻이 같음.

字源 形聲. 豸+出〔音〕

5 ⑫ [貂] 人名 초 ㊥蕭 都聊切 diāo

字解 ①담비 초 족제빗과에 속하는 동물. 모양은 족제비 비슷하고, 털빛은 황갈색임. 가죽이 귀하여, 옛날에 그 꼬리로 시중(侍中) 등의 관(冠)에 달아 장식으로 하였음. '一尾爲飾'《後漢書》. ②성 초 성(姓)의 하나.

字源 篆文 形聲. 豸+召〔音〕

[貂璫 초당] ㉠한(漢)나라 시중 상시(侍中常侍)의 관(冠). 초미(貂尾)와 황금으로 된 구슬이 달려 있음. ㉡환관(宦官). 초시(貂寺).

[貂不足狗尾續 초부족구미속] 진(晉)나라 조왕륜(趙王倫)의 당(黨)이 모두 경상(卿相)이 되어 노졸(奴卒)에 이르기까지 작위를 탔으므로 시중(侍中)·중상시(中常侍) 등의 관(冠)의 장식으로 쓰는 담비의 꼬리가 부족하여 개의 꼬리로 장식한 고사(故事)에서, 관작(官爵)을 함부로 수여하여 군자가 소인과 동석(同席)한다는 뜻. 구미속초(狗尾續貂).

[貂蟬 초선] 담비 꼬리와 매미 날개. 모두 고관(高官)의 관(冠)의 장식으로 썼음. 전(轉)하여, 높은 조관(朝官).

[貂寺 초시] 내시(內侍). 곧, 환관(宦官). 담비 꼬리로 관(冠)을 장식하였으므로 이름.

[貂珥 초이] 고관(高官)을 이름.
◉狗尾續貂. 金貂. 白貂. 續貂. 玉貂. 黑貂.

5 ⑫ [貈] 동 ㊥冬 都宗切 dōng

字解 짐승이름 동 표범 비슷하고 뿔이 있음. '一, 獸如豹有角'《集韻》.

5 ⑫ [貔] 비 ㊥支 攀悲切 pī

字解 ①너구리새끼 비 狉(犬部 五畫)와 同字. '狸子曰一'《集韻》. ②맹수이름 비 貊(豸部 七畫)와 同字. '貊, 貔也, 方言, 北燕朝鮮謂之貊, 或作一'《集韻》.

字源 形聲. 豸+丕〔音〕

5 ⑫ [貈] 〔호〕
狐(犬部 五畫〈p. 1391〉)와 同字

5 ⑫ [貃] 〔맥〕
貊(豸部 六畫〈p. 2181〉)과 同字

5 ⑫ [貄] 거 qú
[字解] 굳세고사나울 거 '一, 猛也'《篇海》.

5 ⑫ [貎] 니 [平]支 女夷切 ní
[字解] 짐승이름 니 '一, 獸名'《廣韻》.

5 ⑫ [貅] 〔휴〕
貅(豸部 四畫〈p. 2180〉)와 同字

6 ⑬ [貅] 휴 [平]尤 許尤切 xiū
[字解] 맹수이름 휴 貔(豸部 十畫)를 보라. '貔一'.
[字源] 形聲. 豸＋休〔音〕

◉貔貅.

6 ⑬ [貆] [一] 훤 [平]元 況袁切
[二] 환 [平]寒 胡官切 huán
[字解] [一] 오소리 훤 오소리의 일종(一種). 일설(一說)에는, 오소리의 새끼. 또 일설에는, 너구리의 일종. 곧, 단(貒)이라 함. '有縣一兮'《詩經》. [二] ①오소리 환 [一]과 뜻이 같음. ②호저(豪豬) 환 고슴도치 비슷한 동물. '譙明之山. …有獸焉. 其狀如一而赤豪'《山海經》.
[字源] 篆文 形聲. 豸＋亘〔音〕

6 ⑬ [貉] [一] 학 [入]藥 下各切 hé
[二] 맥 [入]陌 莫白切 mò
[字解] [一] 오소리 학 너구리 비슷한 짐승. 모피(毛皮)는 방한구로 씀. 狢(犬部 六畫)과 同字. '狐一之厚以居'《論語》. [二] ①오랑캐 맥 貊(豸部 六畫)과 同字. '子之道, 一道也'《孟子》. ②고요할 맥 조용함. '一, 一曰, 靜也'《集韻》. ③정할 맥 '一, 定也'《集韻》. ④나쁠 맥 '一一, 惡皃'《說文》.
[字源] 金文 篆文 形聲. 豸＋各〔音〕

[貉子 학자] 오소리 새끼. 전(轉)하여, 사람을 욕하는 말.
◉睡貉. 狐貉.

6 ⑬ [貋] 貉(前條)의 訛字

6 ⑬ [貈] 학 [入]藥 下各切 hé
[字解] 오소리 학 貉(前前條)과 同字. '一, 似狐, 善睡獸也'《說文》.
[字源] 篆文 形聲. 豸＋舟〔音〕

6 ⑬ [貊] [人名] 맥 [入]陌 莫白切 mò
[字解] ①오랑캐 맥 랴오둥 반도(遼東半島)에서 한반도(韓半島) 북부에 걸쳐 살던 부족. '濊一'. '華夏蠻一'《書經》. ②조용할 맥, 조용히할 맥 '一其德音'《詩經》. ③맹수이름 맥 '哀牢夷出一獸'《後漢書》.
[字源] 形聲. 豸＋百〔音〕

◉羌貊. 九貊. 蠻貊. 濊貊. 戎貊. 胡貊.

6 ⑬ [貏] 동 [平]東 他東切 tōng
[字解] ①짐승이름 동 '狪, 獸名, 山海經, 泰山有獸, 狀如豚而有珠, 其名自呼, 或从豸'《集韻》. ②멧돼지 동 '狪, 野彘, 或从豸'《集韻》.

6 ⑬ [貇] 〔간〕
豤(豕部 六畫〈p. 2175〉)과 同字

6 ⑬ [貑] 〔구〕
狗(犬部 五畫〈p. 1391〉)와 同字

6 ⑬ [貋] 〔치·채〕
豸(部首〈p. 2179〉)와 同字

7 ⑭ [貋] 한 [平]寒 河干切 àn
[字解] 들개 한 '犴, 或作一'《集韻》.

7 ⑭ [貌] 〔해〕
獬(犬部 十三畫〈p. 1406〉)와 同字

7 ⑭ [貌] [高入] [一] 모 [去]效 莫教切 mào
[二] 막 [入]覺 墨角切 mò
[筆順] ノ ㇀ ㇒ 豸 豸 豹 貊 貌
[字解] [一] ①모양 모 皃(白部 二畫)와 同字. ㉠자태. 모습. '姿一'. '堂堂有天人之一'《列仙傳》. ㉡외모. 행동거지. '一思恭'《論語》. ㉢외관. 겉보기. '外一'. 전(轉)하여, 표면. 겉. '一愛'. '禮節者, 仁之一也'《禮記》. ㉣형상. 상태. '千態萬一'《李漢》. '人肖天地之一'《漢書》. ②얼굴 모 용모. 안색. '面一'. '情與一其不變'《楚辭》. ③예모 모 삼가는 태도. '雖褻必以一'《論語》. ④다스릴 모 '一, 治也'《廣雅》. ⑤성 모 성(姓)의 하나. [二] ①모사할 막 인물을 형체 그대로 그림. '命工一妃於別殿'《唐書》. ②멀 막, 아득할 막 邈(辵部 十四畫)·藐(艸部 十四畫)과 통용. '一一上天束'《韓愈》.
[字源] 篆文 別體 籀文 篆文은 象形. '白백'은 사람의 두부(頭部), '儿인'은 사람의 모양을 본떠, 이미 정신적 활동이 없는 사람의 겉모양의 뜻을 나타냄. '貌모'는 豸＋皃〔音〕의 籀文에 따름. '豸치'는 또렷한 무늬가 있는 표범의 象形으로, 모양의 뜻을 분명히 했음. 또, 別體는 豸＋頁의 會意.

[貌敬 모경] 겉으로만의 공경.
[貌短 모단] 키가 작음.
[貌德 모덕] 예모(禮貌)와 덕행(德行).
[貌不揚 모불양] 용모가 미끈하지 못함.
[貌狀 모상] 모양. 모습. 꼴.
[貌色 모색] 얼굴빛.
[貌樣 모양] 꼴. 모습. 상태.

[貌言 모언] 겉치레하는 말.
[貌榮名 모영명] 영명(榮名)을 얼굴의 치레로 삼음. 영명을 자랑으로 여겨 뽐냄.
[貌執 모집] 정중히 사람을 대우함. 예모(禮貌)로써 사람을 대함.
[貌侵 모침] 몸집이 작음. 또, 용모가 추(醜)함.
[貌寢 모침] 모침(貌侵).
[貌形 모형] 모습. 형상.
◉面貌. 美貌. 變貌. 狀貌. 相貌. 色貌. 聲貌. 聲音笑貌. 鬢貌. 顔貌. 言貌. 禮貌. 玉貌. 外貌. 容貌. 異貌. 姿貌. 才貌. 全貌. 體貌. 風貌. 形貌. 花貌.

7 ⑭ [𧳊] 貌(前條)의 古字

7 ⑭ [貍] [一] 리 [平]支 里之切 lí [二] 매 [平]佳 謨皆切 mái
[字解] [一] ①너구리 리 狸(犬部 七畫)와 同字. '熊羆狐—織皮'《書經》. ②살쾡이 리 삵. '—, 似猫'《玉篇》. '捕鼠不如—'《莊子》. ③죽일 리 '徐衍負石, 伐子自—'《文選 注》. ④성 리 성(姓)의 하나. [二] 묻을 매 埋(土部 七畫)와 통용. '凡—物'《周禮》.
[字源] 篆文 貍 形聲. 豸+里〔音〕. 사람이 사는 마을〔里〕에 출몰하는 너구리의 뜻을 나타냄. 또, '매'로 읽을 때에는 '묻다'의 뜻을 나타냄.

[貍沈 매침] 희생을 묻어 산신(山神)을 제사하고 희생을 가라앉혀 강신(江神)을 제사함.
[貍奴 이노] 고양이〔猫〕의 이명(異名).
[貍製 이제] 너구리의 가죽으로 만든 옷.
◉家貍. 猫貍. 文貍. 魚貍. 佩貍. 海貍. 香貍. 虎貍. 狐貍.

7 ⑭ [𧲸] 비 [平]支 貧悲切 péi [上]紙 部鄙切
[字解] 너구리 비 너구리의 이명(異名). 豾(豸部 五畫)·狉(犬部 五畫)와 同字. '貔, 北燕朝鮮之閒謂之—, 關西謂之貍'《揚子方言》.

7 ⑭ [𧳟] 〔모·막〕 貌(豸部 七畫〈p. 2181〉)와 同字

8 ⑮ [𧳜] 조 [去]效 張貌切 zhào
[字解] 발없는벌레 조 '—, 豸也'《玉篇》.

8 ⑮ [貏] 피 [上]紙 補靡切 bǐ
[字解] 평평할 피 '—豸'는 점점 평평하여진 모양. '陂池—豸'《司馬相如》.

[貏豸 피치] 자해(字解)를 보라.

8 ⑮ [貄] [一] 사 [去]寘 息利切 sì [二] 기 [去]寘 渠記切 [三] 이 [去]寘 羊至切 [四] 예 [去]霽 以制切
[字解] [一] 너구리새끼 사 '貍子, —'《爾雅》. [二] 너구리새끼 기 [一]과 뜻이 같음. [三] 너구리새끼 이 [一]과 뜻이 같음. [四] 너구리새끼 예 [一]과 뜻이 같음.

8 ⑮ [𧳅] 〔의〕 猗(犬部 八畫〈p. 1397〉)와 同字

8 ⑮ [貎] 〔예〕 猊(犬部 八畫〈p. 1396〉)·麑(鹿部 八畫〈p. 2691〉)와 同字

9 ⑯ [貒] 단 [平]寒 他端切 tuān
[字解] 오소리 단 족제빗과에 속하는 짐승. 족제비보다 크고 숲 속에 서식함. 토웅(土熊). '—貉兮蟫蟫'《王逸》.
[字源] 篆文 貒 形聲. 豸+耑〔音〕.

9 ⑯ [𧳮] 貒(前條)과 同字

9 ⑯ [貓] 묘 [平]蕭 武瀌切 māo [平]肴 莫交切
[字解] ①고양이 묘 猫(犬部 九畫)의 本字. '迎—, 爲其食田鼠也'《禮記》. ②닻 묘 錨(金部 九畫)와 통용. '鐵——箇'《大明會典》.
[字源] 篆文 貓 形聲. 豸+苗〔音〕. '苗묘'는 고양이의 울음소리를 나타내는 음성 표시. '고양이'의 뜻을 나타냄.

[貓頭 묘두] ㉠대나무의 일종. ㉡죽순(竹筍)의 이명(異名).
[貓眼 묘안] 고양이의 눈.
◉窮鼠嚙貓. 懶貓. 斑貓. 靈貓. 虦貓. 棗貓.

9 ⑯ [貐] 유 [上]麌 以主切 yǔ [上]麌 容朱切
[字解] 짐승이름 유 '𧳯—'는 짐승의 이름. '𧳯—, 从貙, 虎爪. 食人, 迅走'《說文》.
[字源] 篆文 貐 形聲. 豸+兪〔音〕.

9 ⑯ [𧳯] 알(설[俗]) [入]黠 烏黠切 yà
[字解] 짐승이름 알 '—貐'는 짐승 이름. 猰(犬部 九畫)과 同字. '—貐, 獸中最大者, 龍頭馬尾, 虎爪, 長四尺, 善走, 以人爲食, 遇有道君, 隱藏, 無道君, 出食人矣'《物類相感志》.

9 ⑯ [𧳧] 〔저·자〕 豬(豕部 九畫〈p. 2177〉)와 同字

9 ⑯ [𧳬] 〔모·막〕 皃(白部 二畫〈p. 1510〉)·貌(豸部 七畫〈p. 2181〉)와 同字

9 ⑯ [貑] 가 [平]麻 居牙切 jiā
[字解] ①큰곰 가 머리와 다리가 길며, 누르고 흰 무늬가 있는 곰. '似熊而長頭高脚, 猛憨多力, 能拔樹木, 關西呼曰—羆'《爾雅 注》. ②큰원숭이 가 '—, 貜也, 似獼猴而大'《爾雅 注》.

9 ⑯ [𧴀] 노 [上]晧 乃老切 nǎo
[字解] 암담비 노 담비의 암컷. '𧴀, 獸名, 雌豽也, 或作—'《集韻》.

10 ⑰ [貔] 비 [平]支 房脂切 pí

[字解] ①맹수이름 비 범 비슷한 맹수(猛獸)로, 수컷을 '一', 암컷을 '貅'라 함. 옛날에, 길들여 전쟁에 썼다고 하므로, 용맹한 장수 또는 군대의 뜻으로 쓰임. '一貅'. '如虎如一'《書經》. ②너구리 비 너구리의 딴 이름. '一, …北燕朝鮮之閒, 謂之貊, 關西謂之貍'《方言》.

[字源] 篆文 別體 形聲. 豸+毘〔音〕

[貔武 비무] 맹수(猛獸)인 비(貔)처럼 용맹스러운 무위(武威).

[貔虎 비호] ㉠비(貔)와 범. ㉡용감한 장졸(將卒)의 비유.

[貔環 비환] 위사(衛士)가 갖는 무기(武器).

[貔貅 비휴] ㉠맹수(猛獸)의 이름. 비(貔)는 수컷, 휴(貅)는 암컷. ㉡용맹(勇猛)한 군대(軍隊). ㉢비휴(貔貅)를 그린 기(旗).

10 ⑰ [豯] 혜 [平]齊 胡雞切 xī

[字解] 돼지새끼 혜 '豬子, 或謂之豚, 或謂之一'《揚子方言》.

10 ⑰ [貋] 〔견〕 猏(犬部 七畫〈p. 1394〉)과 同字

11 ⑱ [貙] 치 [平]支 抽知切 chī

[字解] 맹수이름 치 离(内部 六畫)의 俗字. '一, 鷙獸'《字彙》.

11 ⑱ [貘] 맥 [入]陌 莫白切 mò

[字解] ①맹수이름 맥 곰 비슷한 맹수. 코가 돌출하여 아랫입술보다 길며, 코끼리의 코처럼 자유로 굴신(屈伸)을 한다 함. 일설(一說)에는, 일종의 영수(靈獸)로, 이가 단단하여 구리·쇠를 먹으며, 또 사람의 꿈을 먹고 사기(邪氣)를 없애 버린다 함. '一, 白豹'《爾雅》. ②표범 맥 표범의 딴 이름. '貘, 中國謂之豹, 越人謂之一'《列子 注》.

[貘]

[字源] 金文 篆文 形聲. 豸+莫〔音〕. '莫막'은 없다, 실재(實在)하지 않다의 뜻. 상상의 동물의 뜻을 나타냄.

11 ⑱ [貙] 추 [平]虞 敕俱切 chū

[字解] ①맹수이름 추 모양이 범 비슷하며, 크기가 개만 한 맹수. 옛날에, 전쟁에 사용하였다 함. '一虎'라고도 함. '一畏虎, 虎畏羆'《柳宗元》. 전(轉)하여, 용감한 군대의 뜻으로 쓰임. ②오랑캐 추 옛날에, 양쯔 강(揚子江)과 한수이(漢水) 강 사이에 살던 만민(蠻民).

[字源] 金文 篆文 形聲. 豸+區〔音〕

[貙劉 추류] 왕자(王者)가 입추(立秋) 날에 종묘(宗廟)에서 제사 지내는 의식(儀式).

[貙虎 추호] ㉠맹수(猛獸)의 이름. ㉡용맹한 군대.

11 ⑱ [貗] 루 [平]虞 龍珠切 jù

[字解] 오소리새끼 루 '貒子, 一'《爾雅》.

11 ⑱ [貘] 〔만〕 獌(犬部 十一畫〈p. 1403〉)과 同字

12 ⑲ [獠] [一] 로 [上]晧 魯晧切 lǎo [二] 료 [平]蕭 憐蕭切 liáo

[字解] [一] 오랑캐이름 로 중국 서남쪽의 오랑캐. 獠(犬部 十二畫)와 同字. '西南夷謂之一'《集韻》. [二] 밤사냥 료 밤에 하는 사냥. 獠(犬部 十二畫)와 同字.

12 ⑲ [貚] [一] 단 [平]寒 徒干切 tán [二] 전 [平]先 徒年切 [三] 탄 [去]翰 徒案切

[字解] [一] 짐승이름 단 '貙구'의 일종. '一, 貙屬也'《說文》. [二] 짐승이름 전 [一]과 뜻이 같음. [三] 짐승이름 탄 [一]과 뜻이 같음.

[字源] 形聲. 豸+單〔音〕

13 ⑳ [獩] 예 wèi

[字解] 오랑캐 예 고대 중국 동부 지방에 살던 부족(部族). 한대(漢代)에는 랴오둥 지방(遼東地方)에 살았음. 濊(水部 十三畫)·穢(禾部 十三畫)와 통용. '一貊'.

[獩貊 예맥] 고대 중국 동부와 한반도(韓半島) 북부에 살던 부족(部族) 이름. 협의(狹意)로는 옛날 강원도(江原道) 지방에 살던 부족.

13 ⑳ [獪] 괴 [去]卦 右快切 guài

[字解] 짐승이름 괴 '一, 獸也'《篇海》.

16 ㉓ [獺] 달 [入]曷 他達切 tǎ

[字解] 수달 달 물가에 사는 족제비 비슷한 동물. 獺(犬部 十六畫)과 同字. '一, 水狗也'《篇海》.

18 ㉕ [貛] 환 [平]寒 呼官切 huān

[字解] ①이리 환 이리의 수컷. 암컷은 '狼'이라 함. '狼, 牡一, 牝狼'《爾雅》. ②오소리 환 족제빗과에 속하는 짐승. 토웅(土熊). 환돈(貛狆). '豬一'.

[字源] 篆文 形聲. 豸+雚〔音〕

20 ㉗ [貜] 확(곽[本]) [入]藥 居縛切 jué

[字解] 원숭이이름 확 원숭이의 일종. 체구가 거대하고 빛이 검푸르며 사람처럼 달림. '一父善顧'《爾雅》.

[字源] 篆文 形聲. 豸+矍〔音〕

貝 (7획) 部
〔조개패부〕

0 ⑦ [貝] 中人 패 ㊀泰 博蓋切 bèi 贝

筆順 丨 冂 冂 冃 目 貝 貝

字解 ①조개 패 연체동물(軟體動物)의 하나. 개각(介殼)이 있으며, 물속에서 삶. ②조가비 패 패각(貝殼). '一冑朱綅'《詩經》. '婦人則多貫蜃一, 以爲耳及頸飾'《周禮》. ③돈 패 고대에 화폐로 쓰던 조개. '龜一'. '貝乃一玉'《書經》. ④소라 패 패각(貝殼)으로 만든 악기. '擊鼓吹角一'《法華經》. ⑤비단이름 패 비단의 한 가지로, 무늬가 있고 고움. '厥篚織一'《書經》. ⑥무늬 패 조개 무늬 비슷한 문양(紋樣). '成是一錦'《詩經》. ⑦성 패 성(姓)의 하나.

字源 甲骨文 金文 篆文 象形. 자패(紫貝)를 본뜬 모양으로, '조개'의 뜻을 나타냄.

參考 '貝'를 의부(意符)로 하여, 금전·재화(財貨) 및 그것들에 관한 행위·상태 등에 관한 문자를 이룸.

[貝殼 패각] 조개의 껍데기. 조가비. 개각(介殼). 패갑(貝甲).
[貝闕 패궐] 아름다운 패각(貝殼)으로 장식한 궁전. 하백(河伯)이 사는 곳. 용궁(龍宮).
[貝錦 패금] 고운 비단.
[貝多葉 패다엽] 인도의 다라수(多羅樹)의 잎. 그 위에 불경(佛經)을 베꼈으므로, 전(轉)하여, 불가(佛家)의 경문(經文).
[貝類 패류] 조개 종류.
[貝勒 패륵] ㉠조가비로 장식한 말굴레. ㉡여진(女眞)에서 관장(官長) 또는 부장(部長)의 칭호. 청조 시대(淸朝時代)에는 친왕(親王)의 아들의 칭호.
[貝母 패모] 백합과(百合科)에 속하는 다년초. 관상용 또는 약용으로 심음.
[貝物 패물] 산호(珊瑚)·호박(琥珀)·수정(水晶)·대모(玳瑁) 등으로 만든 물건.
[貝石 패석] 조가비의 화석(化石).
[貝葉 패엽] 패다엽(貝多葉).
[貝玉 패옥] 돈과 보배.
[貝子 패자] ㉠복족류(腹足類)의 전새류(前鰓類)에 속한 조개. 자패(紫貝). ㉡돈. 화폐. ㉢청조시대(淸朝時代)의 패륵(貝勒)의 아들.
[貝冑 패주] 조가비로 장식한 투구.
[貝塚 패총] 석기(石器) 시대의 사람이 까먹고 버린 조가비가 쌓인 무더기가 있는 유적. 조개무지.
[貝編 패편] 불경. 또, 불서(佛書). 인도에서 원래 패다엽(貝多葉)에 불서를 베낀 데서 나온 말.
[貝貨 패화] 조가비로 유통하던 화폐.
◉龜貝. 螺貝. 梵貝. 紫貝. 珠貝. 齒若編貝.

[則] 〔칙〕 刀部 七畫(p. 256)을 보라.

2 ⑨ [貞] 中人 정 ㊥庚 陟盈切 zhēn (zhēng) 贞

筆順 ⺊ ⺊ 卢 卢 貞 貞 貞 貞

字解 ①곧을 정 ㉠바름. 正(止部 一畫)과 통용. '君子一而不諒'《論語》. ㉡마음을 굳게 지켜 변치 않음. '言行抱一, 謂之一'《新書》. ㉢여자가 절개를 지켜 동하지 아니함. '一操'. '女子一不字'《易經》. '一婉有志節'《晉書》. ②성심 정 진실된 마음. '一信'. '文言曰, 一固足以幹事'《易經》. '慕古人之一節'《張衡》. ③점칠 정 점을 쳐서 알아봄. '一來歲之媺惡'《周禮》. ④내괘 정 역(易)의 내괘(內卦). 외괘(外卦)의 회(悔)의 대(對)로, 괘의 아래의 삼효(三爻)를 이름. '曰一, 曰悔'《書經》. ⑤사덕의하나 정 천지(天地)의 사덕(四德)의 하나로, 만물 성숙(成熟)의 덕임. 사시(四時)로는 겨울에, 도덕으로는 슬기〔智〕에 배당함. '元亨利一'《易經》. ⑥성 정 성(姓)의 하나.

字源 甲骨文 金文 篆文 形聲. 金文은 卜+鼎〔音〕. '鼎정'은 '聽청'과 통하여, 잘 듣다의 뜻. 점을 쳐서 알아내다의 뜻. '正정'과 통하여, '바르다, 곧다'의 뜻도 나타냄. 篆文의 '貞정'은 金文의 省略體.

[貞慤 정각] 마음이 곧고 성실함.
[貞幹 정간] ㉠정(貞)은 정(楨)으로 담을 칠 때의 양 끝의 기둥, 간(幹)은 근간(根幹). 중요한 지위(地位)에 비유함. 정간(楨幹). ㉡건축용(建築用)의 재료. ㉢성실하고 재능이 있음.
[貞槩 정개] 곧은 절개.
[貞堅 정견] 마음이 곧고 절개가 굳음. 또, 그 사람.
[貞潔 정결] 절개가 굳고 결백함.
[貞固 정고] 마음이 곧고 굳음. 정도(正道)를 굳게 지킴.
[貞觀政要 정관정요] 당(唐)나라 오긍(吳兢)이 지은 책. 10권. 태종(太宗)의 가언 선행(嘉言善行)을 기록했음.
[貞吉 정길] 지조(志操)를 변하지 아니하면 좋은 일이 옴.
[貞女 정녀] ㉠정조(貞操)를 지키는 여자. 절개가 굳은 여자. ㉡한 번도 남자와 정교를 맺지 아니한 여자.
[貞女不更二夫 정녀불경이부] 절개가 굳은 여자는 다시 시집가지 아니함.
[貞亮 정량] 마음이 곧고 신의(信義)가 있음.
[貞烈 정렬] 굳게 정조나 절개를 지킴.
[貞木 정목] 상록수(常綠樹).
[貞珉 정민] 단단하고 아름다운 돌. 정석(貞石).
[貞敏 정민] 마음이 곧고 총명함.
[貞方 정방] 마음이 곧고 방정함.
[貞白 정백] 지조가 굳고 결백함. 청백(淸白).
[貞婦 정부] 정조를 굳게 지키는 여자. 정녀(貞女). 절부(節婦).
[貞婦石 정부석] 옛날에 북도(僰道)라는 곳에 한 정부(貞婦)가 있어, 남편이 죽자 자식도 없어서 시어머니에게 효도를 극진히 하더니, 시어머니가 다시 시집가기를 권하여도 끝내 절개를 지키다가 죽었는데, 죽은 후 그가 거처하던 방에 커다란 돌이 솟아 나왔으므로, 후세 사람들이 그 돌을 정부석(貞婦石)이라 불렀음. 지금의 쓰촨 성(四川省) 이빈 현(宜賓縣)에 있음.

[貞士 정사] 지조가 굳은 선비.
[貞松 정송] 가을과 겨울이 되어도 단풍이 들거나 잎이 지지 않고 항상 푸르름을 유지하는 소나무.
[貞粹 정수] 마음이 곧고 순수함.
[貞淑 정숙] 지조가 굳고 마음이 맑음.
[貞純 정순] 정량(貞亮).
[貞醇 정순] 마음이 곧고 순후(醇厚)함.
[貞臣 정신] 마음이 곧은 신하.
[貞信 정신] 정량(貞亮).
[貞實 정실] 마음이 곧고 충실함.
[貞葉 정엽] 늘 푸른 잎. 상록(常綠)의 잎.
[貞婉 정완] 정숙(貞淑).
[貞一 정일] ㉠마음이 곧아 딴마음이 없음. ㉡오의(奧義)의 그윽하기가 무궁무진함.
[貞壯 정장] 곧고 왕성함.
[貞專 정전] 마음이 곧고 전일(專一)함.
[貞節 정절] 정조(貞操).
[貞正 정정] 지조가 곧고 바름.
[貞靜 정정] 정숙(貞淑).
[貞操 정조] ㉠부녀(婦女)의 깨끗한 절개(節槪). ㉡굳은 절개.
[貞志 정지] 곧은 지조(志操).
[貞直 정직] 마음이 바르고 곧음.
[貞眞 정진] 마음이 곧고 진실함.
[貞和 정화] 마음이 곧고 온화함.
[貞晦 정회] 마음이 곧고 자기 재능을 밖에 나타내지 아니함.
◉堅貞. 潔貞. 端貞. 童貞. 不貞. 牝馬之貞. 女貞. 元亨利貞. 淸貞. 忠貞. 孝貞.

2 ⑨ [負] 高人 부 ㊤有 房久切 fù 负 𠂢

筆順 ノ ク 𠂊 𠂊 侞 侞 負 負

字解 ①질 부 ㉠등에 짐. '一戴'. '某有一薪之憂'《禮記》. ㉡책임을 짐. 떠맡음. '一擔'. ㉢빚을 짐. '一債'. '一責數鉅萬'《漢書》. ②질 부 전쟁 등에 짐. '一勝一一'《孫子》. 또, 지는 일. '勝一'. ③입을 부 상처 같은 것을 입음. '一傷'. ④업을 부 사람이나 동물을 등에 붙어 있게 함. '襁一其子而至矣'《論語》. ⑤등질 부 배후에 둠. '虎一嵎'《孟子》. '天子一斧依南鄕而立'《禮記》. ⑥짐 부 ㉠등에 진 물건. '如就重一'《沈約》. ㉡책임. 부담. '苟在於免一'《魏志》. ⑦빚 부 채무. '典一者'《後漢書》. ⑧저버릴 부 ㉠은혜를 잊고 덕에 보답하지 않음. '陵雖孤恩, 漢亦一德'《李陵》. ㉡약속을 지키지 아니함. '盟可一耶'《史記》. ⑨힘입을 부, 믿을 부 의뢰함. 또, 자신함. '一勇'. '一貴而好權'《史記》. '一固不服'《周禮》. '一其衆庶'《左傳》. ⑩근심할 부 우려함. '刺史二千石不爲一'《後漢書》. ⑪부끄러워할 부 '一角'. '一一無可言者'《後漢書》. ⑫할머니 부 노모(老母). '從王媼·武一貰酒'《史記》. ⑬부 부 수학·물리학에서 소극성(消極性)의 수량이나 성질.

字源 篆文 貟 會意. 人+貝. '貝패'는 '조개'의 뜻으로, 재보(財寶)를 나타냄. 사람이 재화(財貨)를 배후의 든든한 힘으로 삼는 데서 '믿다, 의지하다'의 뜻을 나타냄. 또, 등에 지다, 등을 돌리다, 어기다, 저버리다, 지다의 뜻을 나타냄.

[負郭田 부곽전] 성곽을 등진 전지라는 뜻으로, 성 근처의 비옥한 전지.
[負笈 부급] 책궤(冊櫃)를 짊어지고 감. 곧, 유학(遊學)함.
[負笈從師 부급종사] 유학(遊學)함.
[負氣 부기] 기운에 맡김. 기력(氣力)을 믿음.
[負擔 부담] ㉠짐을 등에 지고 어깨에 멤. 또, 그 짐. ㉡책임짐.
[負袋 부대] 포대(包袋).
[負戴 부대] 짐을 지고 임.
[負負 부부] 부끄러워하는 모양.
[負山 부산] 산을 진다는 뜻으로, '과중함'을 비유하여 이르는 말.
[負商 부상] 등짐장수.
[負傷 부상] 몸을 다침. 몸에 상처(傷處)를 입음. 또, 그 상처.
[負析薪 부석신] 아버지가 장작을 패면 아들이 이를 진다는 뜻으로, 부조(父祖)의 유업을 잘 지키어 실수 없음을 이름.
[負俗 부속] 지조(志操)가 고상하여 세속(世俗)을 등짐.
[負數 부수] 영(零)에서 어떤 수를 감한 수. 정수(正數)의 대(對).
[負矢 부시] 화살을 등에 짊어짐. 곧, 병사(兵士)의 무장(武裝)을 뜻함.
[負恃 부시] 의뢰함. 믿음.
[負薪之憂 부신지우] 땔나무를 하여 지고 가다가 지쳐 병이 들었다는 뜻으로, 자기 병의 겸칭(謙稱). 채신지우(採薪之憂).
[負薪之資 부신지자] 땔나무를 지는 자. 곧, 용렬(庸劣)한 자질(資質).
[負約 부약] 약속(約束)을 어김.
[負嵎 부우] 호랑이가 산모퉁이를 의지하여 기세(氣勢)를 부린다는 뜻으로, 영웅이 한곳에 할거(割據)하여 위세를 부림을 이름. 부(負)는 의(依).
[負租 부조] 미납한 조세.
[負重涉遠 부중섭원] 무거운 짐을 지고 먼 곳으로 감.
[負債 부채] 남에게 진 빚.
[負販 부판] 물품을 등에 지고 다니며 팖.
[負荷 부하] ㉠짐을 등에 지고 어깨에 멤. 또, 그 짐. ㉡아들이 부조(父祖)의 업(業)을 이어 능히 견디어 냄.
[負荊 부형] 가시나무를 등에 지고 매질해 주기를 바란다는 뜻으로, 사죄(謝罪)하는 일.
[負號 부호] 부수(負數)를 표시하는 부호.
[負暄 부훤] 양지(陽地)에서 햇볕을 쬐는 일. 송(宋)나라의 가난한 농부가 봄볕을 쬐면서 세상에 이보다 더 따스한 것은 없으리라 생각하고서 임금에게 사뢰었다는 고사(故事).
◉襁負. 孤負. 辜負. 愧負. 矜負. 欺負. 擔負. 蚊負. 鼠負. 宿負. 勝負. 一勝一負. 任負. 自負. 重負. 侘負. 甫負. 抱負. 逋負. 荷負. 欠負.

2 ⑨ [貟] 負(前條)의 俗字

2 ⑨ [負] 〔원〕 員(口部 七畫〈p.374〉)과 同字

[頁] 〔혈〕 部首(p.2539)를 보라.

3 ⑩ [貤] 이 ①②[去]寘 以豉切 yì ③[平]支 余支切 yí 貤

[字解] ①겹칠 이, 더할 이 차차로 겹쳐서 늚. '—, 重次弟物也'《說文》. '—, 益也'《廣雅》. ②뻗을 이 길게 뻗음. '—丘陵'《史記》. ③옮을 이, 옮길 이 '受爵而移賣者, 無所流—'《漢書》.
[字源] 篆文 形聲. 貝+也〔音〕

[貤封 이봉] 청조(淸朝)의 제도(制度)로서 자기에게 수여(授與)될 봉전(封典)을 주청(奏請)하여 그의 원조(遠祖)·외척(外戚) 등에게 수여되도록 하는 일. 부인(夫人)의 경우에는 이증(貤贈)이라 함.
[貤贈 이증] '이봉(貤封)'을 보라.

3 ⑩ [財] [中·人] 재 [平]灰 昨哉切 cái 财

[筆順] 丨 冂 月 目 貝 貝一 貝寸 財

[字解] ①재물 재, 재화 재 물자 또는 금전. '—寶'. '此輕—而重禮之義也'《禮記》. '貪夫徇—, 烈士徇名'《史記》. ②재능 재, 재주 재 才(手部)·材(木部 三畫)와 통용. '有達—者'《孟子》. ③재료 재, 자재 재 材(木部 三畫)와 통용. '設於地—'《禮記》. ④마를 재, 재단할 재 裁(衣部 六畫)와 통용. '—擇'. '—成天地之道'《易經》. ⑤녹봉 재 녹미(祿米). '率部校長官佐各各—足'《管子》. ⑥겨우 재 纔(糸部 十七畫)·才(手部)와 통용. '太僕見馬遺—足'《史記》. ⑦성 재 성(姓)의 하나.
[字源] 篆文 形聲. 貝+才〔音〕. '才재'는 '材재'와 통하여, 질이 좋은 재목의 뜻. 사람이 가치 있는 것으로 치는 물건의 뜻.

[財界 재계] 재화(財貨)의 생산·교환이 행해지는 사회. 곧, 경제 사회. 또는 금융 시장.
[財交 재교] 재물(財物)로 사람을 사귐.
[財囊 재낭] 돈을 넣는 주머니.
[財多命殆 재다명태] 재산이 많으면 도적의 노리는 바가 되어 목숨이 위태로움.
[財團 재단] 일정한 목적을 위하여 조직된 재산의 집합체.
[財團法人 재단법인] 재단을 운영하기 위하여 만들어진 법인.
[財力 재력] 금전의 힘. 재산의 힘.
[財利 재리] 금전상의 이익.
[財務 재무] 재정(財政)에 관한 사무.
[財物 재물] 돈이나 또는 그 밖의 값나가는 물건.
[財閥 재벌] 경제계를 좌우하는 대부호의 일문(一門).
[財寶 재보] 금은(金銀)·주옥(珠玉) 따위의 보배.
[財本 재본] 재원(財源).
[財産 재산] 개인이나 집단이 소유하는 재(財)의 집합. 자산(資産).
[財色 재색] 재물(財物)과 여색(女色).
[財成 재성] 잘 재단하여 만듦.
[財數 재수] 재물(財物)을 얻는 운수.
[財施 재시] 중이나 절에 재물을 바침.
[財欲 재욕] 재물에 대한 욕심.
[財用 재용] ㉠재화(財貨). ㉡재물의 용도(用途).
[財運 재운] 재물을 얻는 운수.
[財源 재원] 재화를 생산하는 근원.
[財資 재자] 재화(財貨).
[財政 재정] ㉠국가 또는 공공 단체의 유지 발전상 필요한 수지(收支)에 관한 경제적 행위. ㉡개인의 금융(金融).
[財政學 재정학] 국가 및 공공 단체의 재정에 관하여 연구하는 학문.
[財取 재취] 재단(裁斷)하여 취함.
[財擇 재택] 재단(裁斷)하여 채택함.
[財幣 재폐] 재화(財貨).
[財貨 재화] 재물(財物).
[財賄 재회] 재물(財物).
◉家財. 公財. 管財. 器財. 多財. 燈花得錢財. 文化財. 阜財. 私財. 散財. 殖財. 餘財. 以身發財. 理財. 自財. 資財. 積財. 淨財. 至富不待財. 借財. 蓄財. 貪夫徇財. 貨財.

3 ⑩ [貣] 특 [入]職 他德切 tè

[字解] ①빌 특, 빌릴 특 물건을 남에게서 빌림. '旦莫乞—蠻夷'《漢書》. ②틀릴 특 어긋남. 忒(心部 三畫)과 통용. '二衍—'《史記》. ③구(求)할 특 '今有人於此, 屑然藏千溢之寶. 雖行—而食, 人謂之富矣'《荀子》.
[字源] 甲骨文 金文 篆文 形聲. 貝+弋〔音〕. '弋익'은 '貸대'와 통하여 '빌리다'의 뜻.

3 ⑩ [貝寸] 〔득·덕〕 得(彳部 八畫〈p. 745〉)의 俗字

3 ⑩ [貢] [高·人] 공 [去]送 古送切 gòng 贡

[筆順] 一 丅 工 工一 貢 貢 貢 貢

[字解] ①공물 공 나라에 바치는 지방의 산물·수공품 등. '進—'. '五官致—'《禮記》. 또, 그것을 바치는 일. '朝—'. ②바칠 공 공물을 바침. '來—'. '肅愼—楛矢'《史記》. 전(轉)하여, 널리 아무것이나 바치는 뜻으로 쓰임. '君使臣自—其能'《說苑》. ③천거할 공 어진 사람을 조정에 천거함. '—士'. '—生'. '爾無以釗冒—于非幾'《書經》. ④고할 공 알림. '六爻之義, 易以—'《易經》. ⑤구실 공 하(夏)나라 때의 세법(稅法). '夏后氏五十而—'《孟子》. ⑥성 공 성(姓)의 하나.
[字源] 篆文 形聲. 貝+工〔音〕. '工공'은 '共공'과 통하여, '바치다'의 뜻. '貝패'는 화재(貨財)의 뜻. 화재(貨財)를 바치다의 뜻에서, 공물 따위를 바치다의 뜻을 나타냄.

[貢擧 공거] 주군(州郡)에서 준수한 자제를 선발하여 추천하는 일.
[貢納 공납] 공물(貢物)을 상납(上納)함.
[貢緞 공단] 바탕이 두껍고 올이 가늘며 무늬가 없고 윤기 있는 고급 비단.
[貢物 공물] 백성이 나라에 바치는 물건.
[貢米 공미] 공물(貢物)로 바치는 쌀.
[貢奉 공봉] 기물(奇物)을 조정(朝廷)에 바침.
[貢賦 공부] 공물(貢物)과 조세.
[貢士 공사] 지방에서 공거(貢擧)한 선비. 공생(貢生).
[貢生 공생] 공사(貢士).
[貢試 공시] 공사(貢士)를 시험함.

[貢御 공어] 공물(貢物). 어(御)는 천자(天子)가 사용하는 물품.
[貢院 공원] 공사(貢士)를 시험하는 관사(官司).
[貢職 공직] 공물(貢物).
[貢獻 공헌] ㉠공물(貢物)을 나라에 바침. 또, 그것. ㉡남을 위하여, 또 사회를 위하여 이바지함.
◉供貢. 九貢. 奇貢. 納貢. 來貢. 奉貢. 賦貢. 賓貢. 歲貢. 輸貢. 時貢. 年貢. 外貢. 禹貢. 雜貢. 租貢. 朝貢. 珍貢. 秋貢. 土貢. 鄕貢.

3 ⑩ [貪] 섬 ㊤琰 失冉切 shǎn

字解 성(姓) 섬 북쪽 오랑캐의 성. '一, 狄姓'《集韻》.

4 ⑪ [販] 高人 판 ㊋願 方願切 fàn 贩

筆順 丨 ㄇ 目 月 貝 貝̄ 貶 販

字解 ①팔 판, 살 판, 장사할 판 물품을 매매하여 이(利)를 봄. '一, 買賤賣貴者, 从貝反聲'《說文》. '睢陽一繒者也'《史記》. '市井勿得一賣'《漢書》. ②장사 판 상업. '子貢好一, 與時轉貨'《孔子家語》.
字源 篆文 形聲. 貝+反〔音〕. '反반'은 '돌려주다'의 뜻. 받은 재화(財貨)에 상당(相當)하는 재화를 돌려주다, 장사하다, 팔다의 뜻을 나타냄.

[販客 판객] 행상인(行商人).
[販路 판로] 상품이 팔리는 방면이나 길.
[販賣 판매] 상품(商品)을 팖.
[販貿 판무] 장사함.
[販夫 판부] 상인(商人). 행상(行商)하는 사람.
[販婦 판부] 행상하는 여자.
[販糴 판적] 매매(賣買).
[販糶 판조] 쌀을 팖.
[販樵 판초] 땔나무를 팖.
◉街販. 沽販. 賈販. 共販. 屠販. 貿販. 負販. 商販. 市販. 營販. 傭販. 直販. 總販. 行販.

[敗] (패) 攴部 七畫(p. 933)을 보라.

4 ⑪ [貧] 中人 빈 ㊥眞 符巾切 pín 贫

筆順 丿 八 今 分 仌 貧 貧 貧

字解 ①가난할 빈 빈한함. '一困'. '家一, 爲友壻富人所辱'《漢書》. ②모자랄 빈 학문·재덕 등이 부족함. '才富而學一'《文心雕龍》. ③가난 빈 빈곤. '韓宣子憂一'《國語》. 또, 가난한 사람. '堋財役一'《漢書》.
字源 篆文 古文 形聲. 貝+分〔音〕. '分분'은 갈라지다의 뜻. 재화(財貨)가 분산(分散)되어 적어지다, 가난하다의 뜻을 나타냄.
參考 貪(貝部 四畫)은 別字.

[貧家 빈가] 가난한 집.
[貧居 빈거] 가난하게 삶. 또, 가난한 살림.
[貧潔 빈결] 가난하지만 결백함.
[貧苦 빈고] 빈곤(貧困).
[貧困 빈곤] 가난하여 고생함.
[貧交行 빈교행] 두보(杜甫)의 유명한 시(詩). 관중(管仲)·포숙(鮑叔)의 가난했을 때의 우정(友情)에 비교하건대 후세의 인정이 썩 박함을 읊은 것.
[貧窶 빈구] 가난하여 초췌함.
[貧國 빈국] 가난한 나라.
[貧窮 빈궁] 가난하여 생활이 곤궁함. 또, 그 사람. 빈곤(貧困).
[貧農 빈농] 가난한 농민. 가난한 농가(農家).
[貧餒 빈뇌] 가난하여 배를 주림.
[貧道 빈도] 중 또는 도사(道士)의 겸칭(謙稱).
[貧到骨 빈도골] 가난이 뼈에 사무침. 적빈(赤貧)의 형용. 빈철골(貧徹骨).
[貧陋 빈루] 가난하고 누추함.
[貧耗 빈모] 빈핍(貧乏).
[貧民 빈민] 가난한 백성.
[貧民窟 빈민굴] 빈민(貧民)만 사는 부락(部落).
[貧薄 빈박] 가난함.
[貧病 빈병] 가난한 자와 병든 자.
[貧富 빈부] 가난한 것과 넉넉한 것. 구차(苟且)한 것과 잘사는 것.
[貧士 빈사] 가난한 사람. 가난한 선비.
[貧相 빈상] 빈궁(貧窮)한 얼굴.
[貧生 빈생] ㉠가난한 사람. ㉡가난한 서생(書生).
[貧素 빈소] 가난하여 아무것도 없음. 또, 그 사람.
[貧僧 빈승] ㉠가난한 중. ㉡빈도(貧道).
[貧弱 빈약] ㉠가난하고 약(弱)함. ㉡내용이 충실하지 못함.
[貧而樂 빈이낙] 가난을 고생으로 여기지 않음. 구차하고 가난한 중에서도 편안한 마음으로 도(道)를 즐김. 안빈낙도(安貧樂道).
[貧人 빈인] 가난한 사람. 빈자(貧者).
[貧者 빈자] 가난한 사람.
[貧者士之常 빈자사지상] 선비는 도의(道義)를 지키고 재리(財利)를 바라지 아니하는 고로 항상 가난함.
[貧者一燈 빈자일등] 가난한 사람이 신불에 바치는 한 등은 부자가 바치는 만 등보다 오히려 불빛이 밝음. 곧, 성의로 바친 물건은 약소할지라도 공덕이 다대함을 이름.
[貧賤 빈천] 빈궁(貧窮)하고 비천(卑賤)함.
[貧賤可以驕人 빈천가이교인] 빈천하면서도 부귀를 바라지 아니하는 사람은 아무 거리낌이 없음.
[貧賤不能移 빈천불능이] 바른길을 걷는 사람은 아무리 가난하더라도 결코 그 지조(志操)를 꺾지 않음.
[貧賤之交 빈천지교] 빈천(貧賤)할 때에 사귄 친구(親舊).
[貧賤之交不可忘 빈천지교불가망] 빈천할 때에 사귄 친구는 잊어서는 아니 됨.
[貧賤親戚離 빈천친척리] 가난하면 일가친척도 멀어진다는 뜻으로, 인정의 경박스러움을 이름.
[貧齒類 빈치류] 포유동물(哺乳動物)에 속하는 한 목(目). 이가 퇴화하였거나 불완전하고 몸은 비늘로 덮였음. 천산갑(穿山甲)·개미핥기 등.
[貧乏 빈핍] 가난하여 아무것도 없음.
[貧寒 빈한] 가난하고 쓸쓸함.
[貧巷 빈항] 가난한 사람들이 사는 거리.
[貧血 빈혈] 신체 안의 혈액의 감소. 또, 그 병.
[貧戶 빈호] 가난한 집.

[貧鰥 빈환] 가난한 늙은 홀아비.
◉甘貧. 窶貧. 樂貧. 奢者心嘗貧. 素貧. 守貧. 力勝貧. 赤貧. 賤貧. 清貧.

4 ⑪ [貨] 中人 화 ㊀箇 呼臥切 huò 货

筆順 亻 亻 化 化 貨 貨 貨 貨 貨

字解 ①재화 화 ㉠재물. 물품. 상품. '奇一'. '聚天之下一, 交易而退'《易經》. ㉡돈. 화폐. '銀一'. '一幣'. '一謂布帛可衣及金刀龜貝, 所以分財布利通有無者也'《漢書》. ②재물로여길 화 사람을 물건 취급함. 돈으로 사람을 자유로이 부림. '無處而餽之, 是一之也'《孟子》. ③뇌물줄 화 뇌물로 재화를 줌. '妻妾遂共一刺客, 伺醉而殺之'《顏氏家訓》. ④팔 화 물건을 매도함. '今遂有一者'《輟耕錄》.

字源 篆文 形聲. 貝+化〔音〕. '化화'는 '바뀌다'의 뜻. 다른 물품과 바뀔 수 있는 재화(財貨), 보배의 뜻을 나타냄.

[貨賂 화뢰] 뇌물.
[貨利 화리] 재화와 이익.
[貨物 화물] ㉠재물. ㉡짐.
[貨寶 화보] 보물. 귀중품.
[貨產 화산] 재산(財產).
[貨色 화색] 재물(財物)과 여색(女色). 재색(財色).
[貨視 화시] 재화와 동일시한다는 뜻으로, 이용하여 이익을 얻으려 하는 일.
[貨殖 화식] 금은 재물을 불림. 재산을 늘림.
[貨財 화재] 재물. 재화.
[貨糴 화적] 매매(賣買).
[貨主 화주] 화물의 임자.
[貨車 화차] 화물 열차(貨物列車).
[貨泉 화천] 왕망(王莽)이 주조(鑄造)한 동전(銅錢). 표면에 전자로 '貨泉' 두 자를 새겼음.

[貨泉]

[貨取勢求 화취세구] 재물로 벼슬을 사고, 세문(勢門)에 빌붙어 관직(官職)을 얻음.
[貨悖而入者亦悖而出 화패이입자역패이출] 부정한 수단으로 얻은 재화는 역시 부정한 수단으로 나가게 된다는 뜻. 곧, 부정한 돈은 오래가지 않는다는 말.
[貨幣 화폐] 돈. 통화(通貨).
[貨布 화포] 왕망(王莽) 때의 화폐(貨幣). 전(轉)하여, 널리 화폐를 이름.
[貨賄 화회] 돈·옥(玉)·포목(布木) 등. 금옥(金玉)과 포백(布帛).
◉硬貨. 金貨. 奇貨. 銅貨. 物貨. 寶貨. 良貨. 銀貨. 雜貨. 贓貨. 財貨. 楮貨. 錢貨. 珍貨. 通貨. 貝貨.

4 ⑪ [貪] 高人 탐 ㊥覃 他含切 tān ㊀勘 他紺切 贪

筆順 𠆢 亼 今 今 含 貪 貪 貪 貪

字解 ①탐할 탐 과도히 욕심을 냄. 탐냄. '一食'. '一人敗類'《詩經》. ②탐 탐 탐욕. '去其一'《禮記》. 또, 탐내는 사람. '激一立懦'《謝朓》. ③탐구할 탐 탐색함. 찾음. 探(手部 八畫)과 통용. '捨狀以一情'《後漢書》.

字源 篆文 會意. 貝+今. '今금'은 '含함'의 일부로서, '포함하다, 품다'의 뜻. 재화(財貨)를 마음속에 품다, 탐하다의 뜻을 나타냄. 음형상(音形上)으로는 '探탐'과 통하여, '탐색하다, 탐구하다'의 뜻을 나타내는 것으로 추측됨.

[貪看 탐간] 넋을 잃고 바라봄.
[貪強 탐강] 욕심이 많고 억셈.
[貪見 탐견]《佛敎》자기의 심정(心情)에 맞는 사물에 집착하여 일어나는 여러 가지 잘못된 생각.
[貪競 탐경] 서로 탐내어 경쟁함.
[貪官 탐관] 욕심이 많은 관원(官員). 백성의 재물을 탐내는 관리.
[貪嗜 탐기] 탐욕스럽게 즐김.
[貪讀 탐독] 욕심내어 읽음.
[貪惏 탐람] 탐람(貪婪).
[貪婪 탐람] 욕심이 많음. 몹시 탐냄.
[貪戾 탐려] 욕심이 많고 포악함.
[貪戀 탐련] 욕심에 마음이 끌림. 사물에 마음이 끌림.
[貪廉 탐렴] 탐욕과 청렴.
[貪吏 탐리] 탐관(貪官).
[貪利 탐리] 이익(利益)을 탐냄.
[貪悋 탐린] 욕심이 많고 인색함.
[貪冒 탐모] 대단히 욕심이 많음.
[貪沒 탐몰] 욕심이 많음. 또, 그 사람.
[貪墨 탐묵] 탐오(貪汚).
[貪放 탐방] 욕심이 많고 방자함.
[貪兵 탐병] 이익을 탐내는 군사.
[貪夫 탐부] 욕심이 많은 사내.
[貪夫徇財 탐부순재] 욕심이 많은 자는 재물 때문에 목숨을 버림.
[貪鄙 탐비] 욕심이 많고 비루함.
[貪色 탐색] 여색(女色)을 탐냄.
[貪生 탐생] 살기를 탐함.
[貪惜 탐석] 욕심이 많아 아낌.
[貪俗 탐속] 탐욕스러운 풍습. 또, 욕심 많은 사람.
[貪食 탐식] 음식(飮食)을 탐냄. 또, 게걸스럽게 먹음.
[貪心 탐심] 사물(事物)을 탐(貪)하는 마음. 탐욕(貪慾)의 마음.
[貪汚 탐오] 욕심이 많아 더러움.
[貪惡 탐오] 욕심이 많고 마음씨가 나쁨.
[貪枉 탐왕] 탐욕스럽고 사악(邪惡)함.
[貪欲 탐욕] 탐욕(貪慾).
[貪慾 탐욕] 사물을 탐내는 욕심.
[貪淫 탐음] 지나치게 탐함.
[貪人 탐인] 욕심 많은 사람. 탐욕스러운 사람.
[貪恣 탐자] 욕심이 많고 방자함.
[貪殘 탐잔] 탐람하고 잔인함.
[貪財 탐재] 재물을 탐(貪)함.
[貪財黷貨 탐재독화] 재화(財貨)를 탐하는 일.
[貪積 탐적] 욕심내어 쌓아 둠.
[貪瞋 탐진] 욕심과 노여움.
[貪濁 탐탁] 욕심이 많아 마음이 흐림.
[貪悖 탐패] 욕심이 많고 패려궂음.
[貪暴 탐포] 탐욕스럽고 포악함.
[貪虐 탐학] 탐욕(貪慾)이 많고 포학함.
[貪好 탐호] 몹시 즐김. 지나치게 좋아함.
[貪酷 탐혹] 탐람하고 잔인함.

[貪花 탐화] 호색(好色)함.
[貪猾 탐활] 탐욕이 많고 교활함.
[貪橫 탐횡] 탐람(貪婪)하고 방자함.
◉慳貪. 強貪. 狼貪. 杳貪. 叨貪. 猛貪. 不貪.

4 ⑪ [貫] [高人] [一] 관 [去]翰 古玩切 guàn [二] 만 [平]刪 烏關切 wān 贯

[筆順] ㄴ 口 毌 毌 毌 貫 貫 貫 貫

[字解] [一] ①돈꿰미 관 엽전을 꿰는 꿰미. '京師之錢, 累百鉅萬, 一朽而不可校'《漢書》. ②조리 관 일의 막히지 않고 통한 경로. '同條共一'《漢書》. '經之條一, 必出於傳'《左傳 序》. ③뀔 관 ㉠뚫음. '一通'. '矢一余手及肘'《左傳》. ㉡맞음. 맞힘. 적중함. '射則一兮'《詩經》. '楛矢一之'《史記》. ㉢통과함. '一流'. '白虹一日'《史記》. ㉣통하게 함. '吾道一以一之'《論語》. ㉤연이음. 계속함. '以次一行'《漢書》. ㉥일관함. 변치 않음. '峻節一秋霜'《顏延之》. ㉦거침. 지남. '一四時, 而不改柯易葉'《禮記》. ㉧이룸. 달성함. '一徹'. '一目的'. ㉨옷 같은 것을 입음. '一鉀跨馬于庭中'《晉書》. ④섬길 관 모시어 받듦. '三歲一女'《詩經》. ⑤거듭할 관 겹침. '一薜荔之落蕊'《楚辭》. ⑥명적 관 이름을 열기(列記)한 문서. '鄕一'. '其實官正職者, 亦列名一'《魏志》. ⑦익숙할 관 慣(心部 十一畫)과 통용. '一瀆'. '我不一與小人乘'《孟子》. ⑧성 관 성(姓)의 하나. [二] 당길 만 彎(弓部 十九畫)과 통용. '一弓執矢'《史記》.

[字源] 篆文 形聲. 貝+毌[音]. '毌관'은 '꿰뚫다'의 뜻. 꿰미에 꿴 돈의 뜻을 나타냄.

[貫弓 관궁] 활시위를 충분히 당김. 만궁(彎弓).
[貫道之器 관도지기] 문장(文章)을 이름.
[貫瀆 관독] 익숙하여서 버릇없이 되어 업신여기고 더럽힘.
[貫流 관류] 꿰뚫어 흐름. 어떤 지역을 흘러 통과함.
[貫屬 관속] 관적(貫籍)의 소속지(所屬地).
[貫首 관수] 우두머리.
[貫蝨 관슬] 관슬지기(貫蝨之技).
[貫蝨之技 관슬지기] 기창(紀昌)이라는 활 잘 쏘는 사람이 이를 매달아 놓고 멀리서 활을 쏘아 이의 가슴을 맞혔다는 고사(故事). 전(轉)하여, 사술(射術)이 입신(入神)함을 이름.
[貫習 관습] 관습(慣習).
[貫魚 관어] 황후(皇后)의 이칭(異稱). 어(魚)는 역(易)에서 음(陰)을 나타내어 부인(婦人)의 상(象)이고, 관(貫)은 궁중의 많은 부녀를 통솔한다는 뜻.
[貫盈 관영] 꿰뚫어 참. 널리 미침. 충만함.
[貫的 관적] 과녁.
[貫籍 관적] 본적(本籍).
[貫珠 관주] ㉠구슬을 실로 꿤. ㉡염주(念珠).
[貫穿 관천] 꿰뚫음. 널리 학문에 통한다는 뜻.
[貫徹 관철] 꿰뚫음. 끝까지 행(行)하여 달성함.
[貫通 관통] ㉠꿰뚫음. ㉡조리가 정연함. 문맥 같은 것의 앞뒤가 통함.
[貫通傷 관통상] 꿰뚫린 상처(傷處).
[貫行 관행] 일을 계속하여 행함.
[貫鄕 관향] 시조(始祖)가 난 땅. 본(本). 본향(本鄕).
[貫革 관혁] 활·총(銃)을 쏠 때에 화살·총(銃)알을 맞히는 목표(目標). 가죽·널·베 들로 만듦. 과녁.
[貫革之射 관혁지사] 예용(禮容)을 무시한, 그저 쏘아 맞히는 실력만을 겨루는 사법(射法). 오로지 적(敵)의 사살(射殺)만을 목적으로 하는 사법.
[貫朽而不可校 관후이불가교] 돈꿰미가 썩어 돈의 수를 셀 수 없음. 전(轉)하여, 창고에 물건이 풍부함을 이름.
◉綱貫. 講貫. 舊貫. 羈貫. 條貫. 突貫. 滿貫. 名貫. 本貫. 斜貫. 世貫. 習貫. 魚貫. 淹貫. 盈貫. 一貫. 錢貫. 絛貫. 縱貫. 淸貫. 洞貫. 通貫. 包貫. 鄕貫. 橫貫. 朽貫.

4 ⑪ [責] [中人] [一] 책 [入]陌 側革切 zé [二] 채 [去]卦 側賣切 zhài 责

[筆順] 一 二 丰 丰 青 青 青 責

[字解] [一] ①꾸짖을 책 ㉠책망함. '叱一'. '詔書切峻, 一臣逋慢'《李密》. ㉡죄를 추궁하여 따짐. '一, 察其罪, 一之以刑罰也'《史記 注》. ②구할 책 요구함. '宋多一賂于鄭'《左傳》. ③권할 책 당연히 하여야 할 일을 하라고 권유함. '一善'. '一難於君, 謂之恭'《孟子》. ④재촉할 책 독촉함. '督一之'《史記》. ⑤헐뜯을 책 헐어 말함. '西隣一言'《左傳》. ⑥책임 책 당연히 하여야 할 임무. '重一'. '塞一'. '任其事而自當其一'《莊子 註》. ⑦책망 책 힐책. '不受當時之一'《仲長統》. ⑧취할 책 가짐. '歸其劍而一之金'《戰國策》. [二] 빚 채 債(人部 十一畫)와 통용. '一主'. '施舍已一'《左傳》.

[字源] 甲骨文 金文 篆文 形聲. 원래 貝+朿[音]. '朿자'는 가시의 象形으로, '꾸짖다, 비난하다'의 뜻. 금품(金品)을 강요하다의 뜻을 나타냄.

[責家 채가] 빚이 있는 집.
[責主 채주] 채권자. 채주(債主).
[責過 책과] 책망함. 또, 잘못을 책(責)함. 독과(督過).
[責課 책과] 세(稅)의 납부를 독촉함.
[責躬 책궁] 자기가 자기를 책망함.
[責難 책난] ㉠곤란한 일을 하도록 권함. ㉡비난하여 나무람. 힐문(詰問)함.
[責怒 책노] 책망하여 노함.
[責望 책망] 하기 어려운 일을 서로 하라고 하며 원망함.
[責罵 책매] 꾸짖어 욕함. 매도(罵倒).
[責務 책무] 책임지고 하여야 할 일.
[責問 책문] 책망하여 물음. 문책함.
[責罰 책벌] 견책(譴責)과 형벌.
[責賦 책부] 구실을 빨리 바치라고 독촉함. 세금 독촉을 함.
[責善 책선] 착한 일을 하도록 서로 권함.
[責善朋友之道也 책선붕우지도야] 서로 착한 일을 하도록 권면(勸勉)하는 것이 친구의 도리임.
[責讓 책양] 꾸짖음. 나무람. 책망함.
[責言 책언] 꾸짖거나 나무라는 말.
[責任 책임] ㉠맡아서 해야 할 임무 또는 의무. ㉡자기가 하는 일, 또는 그 결과에 대해 법률상의 불이익(不利益) 및 제재(制裁)를 받게 되는 일.
[責任內閣 책임내각] 시정(施政)의 성적(成績)에 대하여 책임을 지고 진퇴를 결정하는 내각.

[責誚 책초] 책양(責讓).
[責詬 책후] 꾸짖으며 욕함.
◉刻責. 譴責. 諾責. 督責. 免責. 面責. 默責. 文責. 問責. 薄責. 罰責. 簿責. 償責. 塞責. 收責. 宿責. 言責. 引責. 峻責. 重責. 職責. 叱責. 質責. 稱責. 笞責. 痛責. 貶責. 戱責.

4 ⑪ [贒] 〔현〕 賢(貝部 八畫〈p. 2202〉)의 俗字

4 ⑪ [购] 구 gòu

字解 다스릴 구 '一, 治也'《篇海類編》.

4 ⑪ [貭] 〔질〕 質(貝部 八畫〈p. 2203〉)의 俗字

5 ⑫ [貯] 中人 저 ㊤語 丁呂切 zhù 贮

筆順 丨 冂 目 貝 貝' 貯 貯 貯

字解 ①쌓을 저 ㉠쌓아 둠. 또, 모아 둠. 축적해 둠. '一藏'. 또, 그렇게 해 둔 것. '發一'《漢書》. ㉡넣어 둠. 간수하거나 챙겨 둠. '一水'. '我有衣冠, 而子產一之'《呂氏春秋》. ②둘 저 집에서 데리고 있음. '一妓女, 藏歌舞'《王禹偁》. ③복 저 행복. '一, 福也'《玉篇》. ④멈춰설 저 우두커니 섬. '飾新宮以延一兮'《漢書》.

字源 甲骨文 金文 篆文 形聲. 貝+宁〔音〕. '宁저'는 무엇을 축적해 두기 위한 기구(器具)의 象形. '貝패'를 덧붙여, 화폐를 모으다의 뜻을 나타냄.

[貯金 저금] 돈을 모아 둠. 또, 그 돈.
[貯墨筆 저묵필] 만년필.
[貯米 저미] 쌀을 모아 둠. 또, 그 쌀.
[貯像簿 저상부] 사진 앨범.
[貯水 저수] 상수도(上水道)·관개용(灌漑用)으로 물을 모아 둠.
[貯藏 저장] 쌓아서 간직하여 둠.
[貯積 저적] 저축하여 쌓아 둠.
[貯蓄 저축] 절약(節約)하여 모아 둠.
◉窖貯. 滿貯. 積貯. 糴貯. 苞貯.

5 ⑫ [貶] 人名 폄 ㊤琰 方斂切 biǎn 贬

字解 ①덜 폄 감함. '損一'. '不可一也'《司馬相如》. ②떨어뜨릴 폄 관직을 낮춤. '一降'. '何以不氏, 一也'《公羊傳》. ③물리칠 폄 배척함. '一退'. ④폄할 폄 깎아 말함. '春秋采善一惡'《史記》. 또, 폄하는 일. '以一字爲褒一'《杜預》. ⑤떨어질 폄 관직 같은 것이 떨어짐. '又例一永州司馬'《韓愈》.

字源 篆文 形聲. 貝+乏〔音〕. '乏핍'은 '모자라다, 물리치다'의 뜻. 재화(財貨)가 부족하게 되다, 줄다의 뜻이나 깎아내리다의 뜻을 나타냄.

[貶降 폄강] 벼슬의 등급(等級)을 떨어뜨림.
[貶流 폄류] 관직을 떨어뜨리고 귀양 보냄.
[貶戮 폄륙] 폄좌(貶坐).
[貶辭 폄사] 사람을 깎아 하는 말.
[貶損 폄손] 덞. 떨어뜨림. 내림.
[貶殺 폄쇄] 줄임. 감함.
[貶謫 폄적] 벼슬자리에서 내치고 귀양 보냄.
[貶坐 폄좌] 벼슬자리에서 내치고 죄를 줌.
[貶職 폄직] 벼슬이 떨어짐. 면직(免職)을 당함.
[貶竄 폄찬] 벼슬을 떨어뜨리고 먼 곳에 귀양 보냄. 폄류(貶流).
[貶斥 폄척] 벼슬을 떨어뜨려 물리침.
[貶遷 폄천] 벼슬의 등급(等級)을 떨어뜨리어 다른 곳으로 옮김.
[貶逐 폄축] 벼슬을 떨어뜨리고 멀리 내쫓음.
[貶黜 폄출] 폄척(貶斥).
[貶退 폄퇴] 물리침.
[貶下 폄하] 가치를 깎아내림.
◉損貶. 抑貶. 自貶. 懲貶. 竄貶. 褒貶. 顯貶.

5 ⑫ [貺] 황 ㊇漾 許訪切 kuàng 贶

字解 줄 황, 하사할 황 '君辱一之'《左傳》. 또, 남이 주거나 웃어른이 하사하는 물건. '不敢求一'《左傳》.

字源 篆文 形聲. 貝+兄〔音〕. '兄형'은 '형님', 또, '위'의 뜻. 윗사람이 아랫사람에게 재화(財貨)를 내려 주다의 뜻을 나타냄.

[貺賜 황사] 내려 줌. 하사함. 또, 그 물건.
◉來貺. 大貺. 私貺. 天貺. 惠貺.

5 ⑫ [貼] 人名 첩 ㊇葉 他協切 tiē 贴

字解 ①붙을 첩 ㉠의지하여 닿음. 의부(依附)함. '低茅水上一'《徐渭》. ㉡달라붙음. ②붙일 첩 달라붙게 함. '一付'. '書之屛風, 以時揭一'《宋史》. ③전당잡힐 첩 저당(抵當)함. '身自販一與隣里'《南史》. ④메울 첩 부족을 보충함. '補一'. '一, 增韻, 裨也'《康熙字典》. ⑤편안할 첩 안정함. '妥一'.

字源 篆文 形聲. 貝+占〔音〕. '占점'은 일정한 장소에 놓아두다의 뜻. 재화(財貨)를 전당 잡히다의 뜻을 나타냄.

[貼墨 첩묵] 시험의 한 방법. 경서(經書) 중의 일행(一行)을 보이고, 그 전후를 가려 통독하게 하는 일. 첩시(貼試).
[貼夫 첩부] 간부(姦夫).
[貼付 첩부] 착 들러붙게 붙임.
[貼寫 첩사] 첩서(貼書).
[貼書 첩서] 서리(書吏)의 조수·필생(筆生) 등.
[貼試 첩시] 첩묵(貼墨).
[貼身 첩신] 시녀(侍女)나 잉첩(媵妾) 따위.
[貼用 첩용] 붙여서 씀.
[貼典 첩전] 전당 잡히는 일.
[貼錢 첩전] 거스름돈.
[貼黃 첩황] 당대(唐代)에 조서(詔書)에 고칠 데가 있으면 황지(黃紙)를 첩부하여 정정함을 이름. 후대에는 상소(上疏) 등에 뜻이 미진한 데가 있으면 황지를 끝에 첩부하여 부연(敷衍)함에도 이름.
◉揭貼. 補貼. 熨貼. 裝貼. 典貼. 簽貼. 妥貼. 販貼.

5 ⑫ [貽] 人名 이 ㊥支 與之切 yí 贻

字解 ①줄 이 증여함. '作師說以一之'《韓愈》.

②끼칠 이 후세에 물려줌. 전함. '—禍'. '—謀寶訓明'《蔡襄》.
字源 篆文 形聲. 貝+台〔音〕. '台이'는 '기뻐하다'의 뜻. 기뻐해 하는 재화(財貨), 선물의 뜻을 나타냄.

[貽厥 이궐] ㉠손자(孫子)의 이칭(異稱). ㉡자손을 위하여 함.
[貽惱 이뇌] 남에게 괴로움을 끼침.
[貽謀 이모] 조상(祖上)이 자손(子孫)에게 끼친 계책(計策).
[貽笑 이소] 남에게 비웃음을 당함.
[貽害 이해] 남에게 해를 끼침.
[貽訓 이훈] 조상이 자손에게 끼친 교훈.
◉彤管貽. 相貽.

5 ⑫ [貾] 지 ㉮支 直尼切 chí
字解 누른조개 지 '餘—'는 누른 바탕에 흰 얼룩이 진 조개. '餘—, 黃白文. (注) 以黃爲質, 白文爲點'《爾雅》.

5 ⑫ [貱] 피 ㉲寘 彼義切 bì
字解 ①줄 피 '—, 迻予也'《說文》. ②더할 피 '—, 益也'《廣雅》. ③차례 피 '—貤'는 차례. '—, 一曰, —貤, 次第也'《集韻》.
字源 形聲. 貝+皮〔音〕

5 ⑫ [貾] 소 ㉯語 疎阻切 shǔ
字解 복채놓고점칠 소 '齎財卜問爲—'《說文》.
字源 篆文 形聲. 貝+疋〔音〕

5 ⑫ [贒] 현 ㉲霰 黃練切 xuàn
字解 팔 현 걸어서 이리저리 다니며 물건을 팖.

5 ⑫ [貤] 〔이〕
貤(貝部 三畫〈p. 2186〉)와 同字

5 ⑫ [貹] 생 ㉲敬 所慶切 shèng
字解 ①재물 생 '—, 財也'《玉篇》. ②재산많을 생 가멸. '—, 富也'《集韻》.

5 ⑫ [貳] 人名 이 ㉲寘 而至切 èr 贰
筆順 一 二 三 貢 貢 貢 貢 貳 貳
字解 ①두 이 둘. 二(部首)와 同字. '其爲物不—'《中庸》. 지금은 주로 금전(金錢)의 숫자에 쓰임. ②두마음 이 두 가지 마음. 이심. 또, 두 가지 마음을 품음. '—心'. '從君而—'《國語》. ③거듭할 이 재차 함. 중복함. '不—過'《論語》. ④의심할 이 의혹을 품음. '攜—任'. '賢勿—'《書經》. ⑤어길 이 위반함. '修道而不—'《荀子》. ⑥변할 이 ㉠변심함. '妖壽不—'《孟子》. ㉡변화함. '事成不—'《國語》. ⑦대신할 이 대리함. '其卜—圉也'《左傳》. ⑧내응할 이 내통함. '—於己'《左傳》. ⑨떨어질 이 따로 됨. '子盍蚤自—焉'《國語》. ⑩도울 이 옆에서 보좌함. '副—'. '—公弘化'《書經》. ⑪적수 이 필적(匹敵). '君之—也'《左傳》. ⑫성 이 성(姓)의 하나.
字源 金文 篆文 形聲. 弋+貝+二〔音〕. 창으로 조개를 둘로 가르는 모양에서, '둘, 두 개'의 뜻을 나타냄.

[貳車 이거] 바꿔 타기 위하여 여벌로 따르는 수레. 부거(副車).
[貳公 이공] 삼공(三公)의 부관(副官).
[貳師將軍 이사장군] 한무제(漢武帝) 때 설치한 벼슬 이름. 흉노(匈奴)의 이사성(貳師城)이라는 지방을 정복한 데서 생긴 이름.
[貳臣 이신] 두 마음을 품은 신하.
[貳室 이실] 이궁(離宮).
[貳心 이심] 배반하려는 마음. 두 가지 마음. 이심(二心).
[貳適 이적] 이심(貳心)을 품음.
◉間貳. 介貳. 繼貳. 乖貳. 副貳. 不貳. 挈貳. 猜貳. 違貳. 應貳. 疑貳. 離貳. 儲貳. 參貳. 嫌貳. 攜貳.

5 ⑫ [貰] 人名 세 ㉲霽 舒制切 shì 贳
字解 ①외상으로살 세, 외상으로팔 세 현금을 내지 않고 사거나 팖. '常從王媼武負—酒'《史記》. 지금은 세주고 세내는 뜻으로도 쓰임. ②외상 세 '未作—貸'《漢書》. ③용서할 세, 놓아줄 세 죄를 용서함. 또, 석방함. '得見—赦'《漢書》. '不—不忍'《國語》. '良久迺—之'《漢書》.
字源 篆文 形聲. 貝+世〔音〕. '世세'는 '曳예'와 통하여, '늘이다, 연기하다, 드티다'의 뜻. 금전의 지불을 미루다, 외상으로 사다의 뜻을 나타냄.

[貰家 세가] 셋집.
[貰貸 세대] 대차(貸借).
[貰物 세물] 세(貰)를 주는 물건.
[貰赦 세사] 죄를 용서함.
[貰錢 세전] 셋돈.
[貰冊 세책] 셋돈을 받고 빌려 주는 책.
◉貸貰. 物貰. 賒貰. 朔月貰. 傳貰.

5 ⑫ [貲] 자 ㉮支 卽移切 zī 赀
字解 ①재물 자 재화(財貨). '家—'. '轉貨—'《史記》. ②값 자 '之龜爲無—'《管子》. ③셀 자 계산함. '不—'(셀 수 없이 많음). '不可—計'《後漢書》. ④속(贖)할 자 재화(財貨)로써 죄를 속(贖)함. '—, 小罰㠯財自贖也'《說文》.
字源 篆文 形聲. 貝+此〔音〕

[貲郎 자랑] 돈을 내고 낭관(郎官)이 됨. 또, 그 사람. 전(轉)하여, 널리 돈으로 벼슬을 산 사람을 이름.
[貲簿 자부] 금전 출납부.
[貲產 자산] 재산(財產). 자산(資產).
[貲財 자재] 재보(財寶)와 돈. 재산.
◉家貲. 高貲. 傾貲. 不貲. 先貲. 貨貲.

5 ⑫ [貴] 中人 귀 ㉲未 居胃切 guì 贵

筆順 ㅣ 口 口 中 中 虫 冉 冉 冑 貴

字解 ①귀할 귀 ㉠지위·신분이 높음. '高—'. '富—'. '吾乃今日知爲皇帝之—也'《史記》. ㉡값이 비쌈. '—貨'. '—金屬'. '器苦惡賈—'《漢書》. 또, 귀한 사물. 높은 지위. 높은 사람. '安窮乎, 安—乎'《戰國策》. '以—下人'《史記》. '饋遺朝—以營譽'《世說》. ㉢귀중함. 중요함. '禮之用, 和爲—'《論語》. 전(轉)하여, 존칭의 접두어(接頭語)로 쓰임. '—國'. '—意'. '—宅何所'《錢塘縣志》. ②귀히여길 귀 ㉠존숭함. '—德而尙齒'《禮記》. '—貨易土'《國語》. ㉡바람. 욕구함. '—合於秦以伐齊'《戰國策》. ③뽐낼 귀 '爲府卿—驕'《後漢書》. ④두려워할 귀 '—大患若身'《老子》. ⑤사랑할 귀 '下安則—上'《荀子》. ⑥성 귀 성(姓)의 하나.

字源 篆文 會意. 篆文은 臾+貝. '臾유'는 양손으로 선물을 주는 모양을 나타냄. '貝패'는 '재물(財物)'의 뜻. 선물의 뜻에서, '귀하다'의 뜻을 나타냄.

[貴家 귀가] ㉠지위가 높은 사람의 집. ㉡남의 집의 존칭.
[貴价 귀개] 남의 사환(使喚) 또는 사자(使者)의 존칭.
[貴介公子 귀개공자] 귀한 집의 자제.
[貴介子弟 귀개자제] 귀개공자(貴介公子).
[貴介弟 귀개제] 남의 아우의 존칭.
[貴客 귀객] 존귀(尊貴)한 손님.
[貴鵠賤雞 귀곡천계] 고니를 귀중(貴重)히 여기고 닭을 천(賤)하게 여김. 인정(人情)이란 드물고 먼 것을 귀하게 보고, 흔하고 가깝게 있는 것을 천하게 봄의 비유(比喩).
[貴骨 귀골] 귀(貴)히 자란 사람.
[貴公子 귀공자] 지위(地位)가 높은 집에 태어난 젊은이.
[貴官 귀관] ㉠지위가 높은 사람. ㉡상대자의 관직에 의한 이인칭 대명사.
[貴冠履忘頭足 귀관리망두족] 갓과 신을 귀히 여기고 머리와 발은 업신여긴다는 뜻으로, 근본(根本)을 경시(輕視)하고 지엽적(枝葉的)인 것을 중히 여김을 이름. 또, 상하(上下)·존비(尊卑)의 순서를 그르침의 비유.
[貴驕 귀교] 교만하게 뽐냄. 뽐내어 우쭐거림.
[貴國 귀국] 남의 나라의 존칭.
[貴金屬 귀금속] 황금(黃金)·백금(白金)과 같이 보통 산(酸)에 변화(變化)하지 아니하는 금속(金屬). 값이 비싼 백금·금·은 따위의 금속.
[貴女 귀녀] ㉠지위가 높은 집에 태어난 여자. ㉡부녀(婦女)에 대한 존칭.
[貴達 귀달] 지위가 높음.
[貴大 귀대] ㉠신분이 높고 재산이나 세력이 큼. ㉡뽐내어 우쭐댐.
[貴宅 귀댁] 남의 집의 존칭(尊稱).
[貴老 귀로] ㉠노인을 존대함. ㉡노인의 존칭.
[貴望 귀망] 신분이 높은 집안. 명예로운 일문(一門).
[貴命 귀명] 남의 명령의 존칭.
[貴門 귀문] ㉠존귀(尊貴)한 가문(家門). ㉡남의 가문(家門)의 존칭.
[貴物 귀물] 귀중한 물건. 흔하지 않은 물건. 진귀한 물건.
[貴邦 귀방] 귀국(貴國).
[貴寶 귀보] 귀중한 보배.
[貴富 귀부] 지위가 높고 재보(財寶)가 많음.
[貴婦人 귀부인] 지체가 높은 부인.
[貴妃 귀비] 여관(女官)의 계급. 지위는 상국(相國)과 같음. 귀빈(貴嬪)·귀인(貴人)과 아울러 삼부인(三夫人)이라 일컬음.
[貴賓 귀빈] 존귀(尊貴)한 손님.
[貴嬪 귀빈] 지위가 높은 여관(女官). 황후(皇后)의 다음 자리에 드는 지위.
[貴仕 귀사] 사환(仕宦)하여 출세함. 또, 그 벼슬.
[貴社 귀사] 남의 회사(會社)의 존칭.
[貴書 귀서] 남의 서장(書狀)의 존칭.
[貴盛 귀성] 지위가 높고 세력이 대단함.
[貴息 귀식] 남의 아들의 존칭. 영식(令息).
[貴臣 귀신] 지위가 높은 신하.
[貴紳 귀신] 존귀한 사람.
[貴要 귀요] 지위가 높고 요로(要路)에 있음. 또, 그 사람.
[貴庾 귀유] 물품을 저장하였다가 값이 비쌀 때 팖.
[貴遊 귀유] 상류 사회.
[貴遊子弟 귀유자제] 왕공(王公)·귀족(貴族)의 자제.
[貴意 귀의] 남의 의사(意思)의 존칭.
[貴耳而賤目 귀이이천목] 듣는 일을 귀하게 여기고 보는 일을 천시함. 곧, 생각이 천박함을 이름.
[貴人 귀인] ㉠지위 높은 사람. ㉡한대(漢代)의 여관(女官). 황후의 다음.
[貴糶 귀조] 시세보다 비싸게 쌀을 팖.
[貴族 귀족] ㉠사회(社會)의 윗자리에 있어서 특권(特權)을 가지고 있는 계급(階級). ㉡남의 가족의 존칭.
[貴族政治 귀족정치] 소수의 귀족이 국가의 주권을 장악한 정치.
[貴種 귀종] ㉠고귀한 집안의 태생. ㉡신분이 높은 씨족(氏族).
[貴州 귀주] 중국 서남부에 있는 성(省). 임산(林産)이 이 지방의 큰 자원(資源)이며 여러 종류의 약재(藥材)를 산출함. 성도(省都)는 구이양(貴陽). 검성(黔省).
[貴冑 귀주] 존귀한 집안의 자손.
[貴重 귀중] ㉠소중히 여김. ㉡지위가 높고 권세가 있음.
[貴重顧籍 귀중고적] 자중하여 함부로 나아가지 않음. 적(籍)은 석(惜).
[貴地 귀지] ㉠높은 지위. ㉡남의 거주지의 존칭.
[貴紙 귀지] 상대편의 신문(新聞)의 존칭.
[貴誌 귀지] 상대편의 잡지(雜誌)의 존칭.
[貴徵 귀징] 귀하게 될 조짐.
[貴札 귀찰] 남의 편지의 존칭. 존찰(尊札).
[貴妻 귀처] 아내. 첩(妾)에 대하여 이름.
[貴戚 귀척] ㉠귀인(貴人)의 친척(親戚). ㉡귀족(貴族).
[貴賤 귀천] ㉠부귀(富貴)와 빈천(貧賤). ㉡귀한 사람과 천한 사람.
[貴體 귀체] 남의 몸의 존칭(尊稱).
[貴寵 귀총] 천자가 아끼고 사랑함. 또, 그 사람.
[貴宅 귀택] 귀댁(貴宅).
[貴下 귀하] 남의 존칭.
[貴翰 귀한] 남의 편지의 존칭. 귀서(貴書).
[貴函 귀함] 남의 편지의 존칭.
[貴幸 귀행] 귀총(貴寵).

[貴顯 귀현] 존귀하고 현달함. 또, 그 사람.
◉高貴. 功貴. 窮貴. 權貴. 騰貴. 蒙貴. 富貴. 翔貴. 盛貴. 勝貴. 良貴. 榮貴. 踊貴. 隆貴. 朝貴. 尊貴. 至貴. 寵貴. 暴貴. 顯貴.

5 ⑫ [買] 中人 매 ㊤蟹 莫蟹切 mǎi 买

筆順 丨 冂 罒 罒 罒 買 買 買

字解 ①살 매 ㉠금전을 주고 물건을 구함. '購—'. '請—其方百金'《莊子》. ㉡돈을 써서 쾌락 같은 것을 구함. '猶自經營—笑金'《劉禹錫》. ㉢구하여 얻음. '—名'. '所謂市怨而—禍者也'《戰國策》. 또, 사는 일. '聽賣—'《周禮》. ②세낼 매 '—舟乘興過滄浪'《薩都剌》. ③성 매 성(姓)의 하나.

字源 金文 篆文 會意. '网+貝. '网망'은 '그물'의 뜻. '貝패'는 '재화(財貨)'의 뜻. 그물을 씌워 재화(財貨)를 거두어들이다, 사다의 뜻을 나타냄.

[買價 매가] 사는 값.
[買官 매관] 돈을 내고 벼슬을 함.
[買路錢 매로전] 출관(出棺)할 때 길에 까는 지전(紙錢).
[買隣 매린] ㉠주택(住宅)을 정(定)하려면 먼저 그 근방(近傍)의 분위기(雰圍氣)부터 살핌. 복린(卜隣). ㉡좋은 곳을 가려서 주거(住居)를 옮기는 일.
[買賣 매매] 사는 일과 파는 일. 사고팖.
[買賣城 매매성] 외몽고 고륜(庫倫) 북쪽에 있는 지명(地名). 중국과 러시아 사이의 육로 통상(陸路通商)의 요충지임.
[買名 매명] 명예를 구함.
[買死馬骨 매사마골] 쓸모없는 것을 사 가지고 쓸모 있을 때가 오기를 기다림. 또, 재능이 대단치 않은 자를 우대하여 현자(賢者)가 자연히 모여들기를 기다린다는 뜻.
[買山 매산] ㉠산을 삼. ㉡은퇴(隱退)하기 위하여 산을 삼.
[買笑 매소] ㉠남의 비웃음을 당함. ㉡기생과 친숙하여짐.
[買收 매수] ㉠물건을 사들임. ㉡남의 마음을 사서 자기편으로 삼음.
[買受 매수] 사서 받음.
[買售 매수] 사는 일과 파는 일. 매매.
[買食 매식] 음식(飮食)을 사서 먹음. 사서 먹는 음식.
[買占 매점] 물건을 몰아 사 둠.
[買主 매주] 물건을 사는 사람.
[買春 매춘] 술을 삼.
[買春錢 매춘전] 주식(酒食)의 비용.
[買土 매토] 땅을 삼.
[買婚 매혼] 재화(財貨)를 써서 혼인을 맺음.
◉競買. 估買. 故買. 購買. 貴買. 多買. 賣買. 市買. 零買. 糴買. 賤買. 淸風明月不用一錢買.

5 ⑫ [貸] 高人 ㊀대 ㊁隊 他代切 dài ㊁특 ㊅職 惕得切 tè 贷

筆順 丿 亻 仁 代 代 件 貸 貸

字解 ㊀ ①빌려줄 대 금품을 대여함. 꾸어 줌. '—假'. '盡其家—於公'《左傳》. 또, 빌리는 일. '未作貰—'《史記》. ②줄 대 시여함. '—贍'. '賑—幷州四郡之貧民'《後漢書》. ③용서할 대 관대히 보아줌. '寬—'. '恩—'. '然亦縱舍, 時有大—'《漢書》. ㊁ ①빌릴 특 차용함. 빌려 받음. '凡民之—者'《周禮》. ②틀릴 특 忒(心部三畫)과 통용. '司天日月星辰之行, 宿離不—'《禮記》.

字源 篆文 形聲. 貝+代〔音〕. '代대'는 '갈리다, 바뀌다'의 뜻. 재화(財貨)의 임자가 바뀌다의 뜻에서, '베풀다, 빌려 주다'의 뜻을 나타냄.

[貸假 대가] 빌려 줌.
[貸減 대감] 관대히 하여 죄를 경하게 함.
[貸給 대급] 빌려 줌.
[貸邊 대변] 복식 부기(複式簿記)에서, 장부상(帳簿上)의 계정계좌(計定計座) 오른쪽. 자산(資產)의 감소(減少), 부채(負債), 자본(資本)의 증가(增加) 등을 기입(記入)함.
[貸賦 대부] 체납(滯納)돼 있는 조세(租稅).
[貸費生 대비생] 관(官), 또는 학교로부터 일정한 기간 동안 학자금을 빌려서 수학(修學)하는 학생.
[貸賒 대사] 외상으로 삼.
[貸贍 대섬] 재물을 베풀어 백성의 곤궁을 구함.
[貸施 대시] 베풂. 시여(施與).
[貸與 대여] 빌려 줌.
[貸宥 대유] 형벌 따위를 관대히 함.
[貸借 대차] ㉠꾸어 줌과 꾸어 옴. ㉡용서함.
◉假貸. 寬貸. 赦貸. 賒貸. 貰貸. 容貸. 優貸. 原貸. 恩貸. 賃貸. 轉貸. 賑貸. 稱貸. 逋貸. 稟貸.

5 ⑫ [費] 高人 비 ①-⑤㊂未 芳未切 fèi ⑥㊂未 扶沸切 费

筆順 一 二 弓 弔 弗 弗 費 費

字解 ①쓸 비 ㉠금품을 써서 없앰. '消—'. '浪—'. '君子惠而不—'《論語》. ㉡사용함. '—辭'. '無乃傷于德—于辭乎'《韓愈》. ㉢녹(祿)을 타먹음. '月—俸錢歲糜廩粟'《韓愈》. ㉣과도히 소모함. '—力'. '—神傷魂'《呂氏春秋》. ㉤세월을 보냄. 경과함. '—白日些'《楚辭》. ②소모할 비 써서 없어짐. 결핍함. '中國虛—'《後漢書》. ③비용(費用) 비 '經—'. '國—'. '冗—'. '爲飮食—'《史記》. ④넓을 비 공용(功用)이 넓고 큼. '君子之道—而隱'《中庸》. ⑤재화(財貨) 비 '非愛其—也'《呂氏春秋》. ⑥성 비 성(姓)의 하나.

字源 篆文 形聲. 貝+弗〔音〕. '弗불'은 '뿌리다'의 뜻. 재화(財貨)를 흩어 뿌리다의 뜻을 나타냄.

[費句 비구] 쓸데없는 문구.
[費力 비력] 힘을 소비(消費)함. 또, 인력(人力)을 소모(消耗)함.
[費耗 비모] 써 없앰. 또, 비용.
[費糜 비미] 비용(費用).
[費散 비산] 함부로 써 버림. 모산(耗散).
[費消 비소] 써 없앰. 소비함.
[費損 비손] 써서 없앰. 비소(費消). 소비(消費).
[費心 비심] 근심함. 걱정함.
[費用 비용] 드는 돈. 쓰는 돈. 비발.

[費禕 비위] 삼국 시대 촉(蜀)나라 사람. 자(字)는 문위(文偉). 제갈량(諸葛亮)에게 크게 신임(信任)을 받았으며, 후주(後主) 때 황문시랑(黃門侍郞)을 거쳐 상서령(尙書令)이 되었음.
[費隱 비은] 성인(聖人)의 도(道)는 두루 미침. 공용(功用)의 광대한 것을 비(費)라 하고 지소지세(至小至細)함을 은(隱)이라 함.
[費長房 비장방] 후한(後漢) 때의 여남(汝南) 사람. 호공(壺公)을 따라 산에 들어가서 선술(仙術)을 배웠음.
[費錢 비전] 쓰는 돈. 쓴 돈. 또, 돈을 씀.
◉鉅費. 經費. 經常費. 公費. 空費. 官費. 國費. 給費. 濫費. 浪費. 勞費. 路費. 徒費. 煩費. 邊費. 私費. 奢費. 辭費. 歲費. 消費. 旅費. 宂費. 游費. 淫費. 臨時費. 入費. 匠費. 衆費. 出費. 土費. 學費. 會費. 橫費.

5 ⑫ [貿] 高·人 무 ①-⑤㊄有 莫候切 mào ⑥㊥尤 迷浮切 贸

筆順 貿

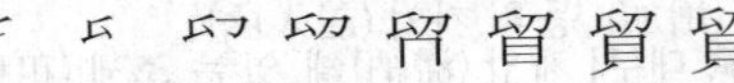

字解 ①무역할 무 교역함. '一易'. '一, 易財也'《說文》. '一, 市賣也'《廣韻》. ②살 무 물건을 삼. '抱布一絲'《詩經》. '杭有賣菓者, 善藏柑云云, 予一得其一'《劉基》. ③바꿀 무 교환함. '男女一功'《呂氏春秋》. ④갈마들 무 번갈아 나옴. '一亂'. '是非相一, 眞僞舛雜'《裴駰》. ⑤성 무 성(姓)의 하나. ⑥눈어두울 무 '一一'는 눈이 어두운 모양.

字源 金文 篆文 形聲. 貝+卯〔音〕. '卯묘'는 등가(等價)의 물건과 바꾸다의 뜻. 재화(財貨)를 바꾸다의 뜻을 나타냄.

[貿亂 무란] 번갈아 어지러워짐.
[貿貿 무무] ㉠눈이 어두운 모양. ㉡사리(事理)에 밝지 않은 모양.
[貿首之讎 무수지수] 자기의 머리가 잘라져 달아나는 한이 있더라도 머리를 베어 죽이고 싶은 불구대천의 원수.
[貿市 무시] 서로 물품을 교환하여 장사함.
[貿易 무역] ㉠팔고 사고 함. 교역함. ㉡외국과 장사 거래를 함.
[貿易風 무역풍] 적도(赤道)의 남북(南北) 30도 이내(以內)의 바다 위에서 부는 풍향이 일정한 바람.
[貿糴 무적] 물자나 식량을 교환 매매(賣買)함.
[貿販 무판] 무시(貿市).
◉交貿. 賦貿. 易貿. 賤貿. 販貿.

5 ⑫ [賀] 中·人 하 ㊄箇 胡箇切 hè 贺

筆順 賀

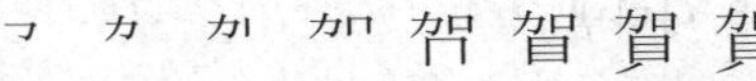

字解 ①하례할 하 ㉠예물(禮物)을 보내어 경사를 축하함. '昏禮不一, 人之序也'《禮記》. ㉡축사(祝辭)를 말하여 경사를 축하함. '羣臣聞見者畢一'《戰國策》. 또, 하례하는 일. 하례할 만한 일. 경축(慶祝). '年一'. '一慶之禮'《周禮》. ②위로할 하 노고(勞苦)에 대하여 치하함. '景公迎而一之'《晏子春秋》. ③가상(嘉尙)할 하 가상히 여김. '一, 嘉也'《廣雅》. ④질 하 등에 짐. '羣臣皆一戟侍'《唐書》. ⑤보탤 하 가(加)함. '一之結于後'《儀禮》. ⑥성 하 성(姓)의 하나.

字源 篆文 形聲. 貝+加〔音〕. '加가'는 '더하다'의 뜻. 재화(財貨)를 남에게 보내어 축하하다의 뜻을 나타냄.

[賀客 하객] 축하(祝賀)하는 손님.
[賀慶 하경] 경사(慶事).
[賀禮 하례] 축하하는 예식(禮式).
[賀私 하사] 사사로이 축하함.
[賀詞 하사] 축하하는 말. 축사.
[賀辭 하사] 하사(賀詞).
[賀召 하소] 서로 초청하여 축하하고, 친목을 두터이 함.
[賀頌 하송] 축하하며 칭송함. 또, 그 말.
[賀壽 하수] 장수(長壽)를 축하함.
[賀宴 하연] 축하의 술잔치. 축하연(祝賀宴).
[賀筵 하연] 축하하는 주연(酒宴). 또, 그 자리. 하연(賀宴).
[賀儀 하의] 하례(賀禮).
[賀狀 하장] ㉠축하의 편지. ㉡연하장(年賀狀).
[賀箋 하전] 하표(賀表).
[賀正 하정] 새해를 축하(祝賀)함.
[賀知章 하지장] 당(唐)나라 초기(初期)의 시인. 자(字)는 계진(季眞). 호(號)는 사명광객(四明狂客). 현종(玄宗) 때 예부시랑(禮部侍郞)이 되었으나, 만년(晩年)에는 벼슬을 버리고 고향에 돌아가 도사(道士)가 되었음. 시문(詩文) 외에 초(草)·예(隷)에도 능하였음. 또, 이태백(李太白)의 재능을 발견하여 현종에게 추천한 것으로도 유명함.
[賀表 하표] 조정 또는 나라에 경사가 있을 때에 신하가 올리는 축하하는 문서.
◉慶賀. 恭賀. 謹賀. 來賀. 大賀. 大廈成燕雀相賀. 拜賀. 上賀. 壽賀. 年賀. 弔賀. 朝賀. 參賀. 祝賀. 陛賀. 表賀.

5 ⑫ [貰] 〔분·비·륙〕 賁(貝部 六畫〈p. 2196〉)의 俗字

5 ⑫ [貼] 감(함㊍) ①㊥覃 呼談切 hān ②㊄勘 呼紺切 hàn

字解 ①구걸할 감 어떤 재주를 부리고 돈이나 곡식을 달라고 함. 歛(欠部 十三畫〈p. 1136〉)과 통용. '一, 戲乞人物'《廣韻》. '一, 戲乞也, 通作歛'《集韻》. ②재물탐낼 감 '一, 賧一, 貪財也'《集韻》.

5 ⑫ [貺] 구 ㊄宥 居侯切 gòu

字解 ①베풀 구 남에게 줌. '一, 稟給也'《集韻》. ②다스릴 구 '一, 治也'《篇海》.

6 ⑬ [賂] 人名 뢰 ㊄遇 洛故切 lù 赂

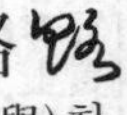

字解 ①줄 뢰 ㉠재화(財貨)를 증여(贈與)함. 물건을 남에게 줌. '國富, 厚一戰士'《史記》. ㉡뇌물을 줌. '貪而忽名, 可貨而一'《吳子》. ②뇌물 뢰 '賄一'. '吏爭納一, 以求美職'《十八史略》.

字源 篆文 形聲. 貝+各〔音〕. '各각'은 '이르다'의 뜻. 재보(財寶)를 가져오다, 보내다의 뜻.

[賂物 뇌물] 자기의 목적을 이루기 위하여 권력 관

계자에게 몰래 주는 재물.
[賂謝 뇌사] 뇌물.
[賂遺 뇌유] 뇌물을 줌. 또, 뇌물.
◉賕賂. 納賂. 寶賂. 緩賂. 重賂. 貨賂. 賄賂. 厚賂.

6 ⑬ [賄] [人名] 회 [上]賄 呼罪切 huì 贿

[字解] ①재물 회 재화(財貨). '財—'. '以爾車來, 以我—遷'《詩經》. ②뇌물 회 이익을 얻기 위하여 몰래 보내는 금품. '—賂'. '收—'. '亮亦尋爲—敗'《世說》. ③예물 회 폐백. 선사. '先事後—禮也'《左傳》. ④선사할 회, 뇌물줄 회 '—用束紡'《儀禮》.

[字源] 篆文 形聲. 貝＋有〔音〕. '有유'는 식사를 남에게 권하다의 뜻. 재화(財貨)를 남에게 보내다의 뜻을 나타냄.

[賄賂 회뢰] 뇌물(賂物).
[賄賂公行 회뢰공행] 뇌물이 아무 거리낌 없이 공공연히 행해짐.
◉方賄. 收賄. 容賄. 資賄. 財賄. 贈賄. 貨賄.

6 ⑬ [賅] 해(개[本]) [平]灰 古哀切 gāi 赅

[字解] ①갖출 해, 겸할 해 該(言部 六畫)와 통용. '百骸九竅六藏, —而存焉'《莊子》. ②족할 해 '—, 又贍也'《廣韻》. ③재화 해 재물. '—, 貨也'《集韻》.

[字源] 形聲. 貝＋亥〔音〕. '該해'와 통하여, '갖춰지다'의 뜻을 나타냄.

6 ⑬ [賊] [高·人] 적 [入]職 昨則切 zéi 贼

[筆順] 目 貝 貝 貝 貝 賊 賊 賊

[字解] ①도둑 적 남의 물건을 훔치는 사람. '盜—'. '天下寧有白頭—乎'《晉書》. ②도둑질할 적 '潛服—器不入宮'《周禮》. ③해칠 적 해를 끼침. '殘—之人, 謂之一夫'《孟子》. ④그르칠 적 그릇된 방향으로 인도함. '—夫人之子'《論語》. ⑤학대할 적 몹시 굶. '—賢害民, 則伐之'《周禮》. ⑥죽일 적 살해함. '世人多不擧女, —行骨肉'《顏氏家訓》. '使鉏麑—之'《國語》. ⑦으를 적 협박함. '—, 劫人也'《玉篇》. ⑧마디충 적 식물의 마디를 갉아 먹는 해충. 명충. '去其螟螣, 及其蟊—'《詩經》. ⑨역적 적 반란을 일으키는 자. 불충불효한 자. '國—'. '誅—臣辟陽侯'《史記》. 또, 외구(外寇)에도 이름. '寇—'. '放殺其主, 天下之—也'《漢書》.

[字源] 金文 篆文 形聲. 戈＋則〔音〕. '戈과'는 큰 도끼의 象形. '則칙'은 솥〔鼎〕에 새겨진 서약(誓約)의 뜻. 서약을 파기하다의 뜻.

[賊魁 적괴] 도적의 괴수.
[賊寇 적구] 나라에 해를 끼치는 자(者). 반도(叛徒). 또, 그 일.
[賊軍 적군] 도적의 군사. 적(賊)의 군사.
[賊窟 적굴] 도적의 소굴.
[賊氣 적기] 사람이나 물건을 해치는 기운.
[賊難 적난] 도둑맞은 재난. 도난(盜難).
[賊黨 적당] 도적의 무리. 적도(賊徒).
[賊徒 적도] 적당(賊黨).
[賊民 적민] 사람을 해치는 백성.
[賊反荷杖 적반하장] 도둑이 도리어 매를 든다는 뜻으로, 굴복해야 할 사람이 도리어 남을 억누르려고 함을 이름.
[賊殺 적살] 해치어 죽임. 죽임.
[賊船 적선] 적국의 배.
[賊星 적성] ㉠요성(妖星). ㉡살별. 혜성(彗星).
[賊巢 적소] 적도(賊徒)의 소굴.
[賊首 적수] ㉠도적의 머리. ㉡적괴(賊魁).
[賊臣 적신] 불충한 신하. 또, 배반한 신하. 반신. 역신.
[賊心 적심] ㉠남을 해치려는 마음. ㉡모반(謀叛)을 꾀하는 마음.
[賊子 적자] ㉠큰 불효자. 부모를 죽인 자. ㉡반역자.
[賊情 적정] 적의 형편.
[賊酋 적추] 적의 우두머리.
[賊出關門 적출관문] 도둑이 나간 뒤에 문을 잠금. 소 잃고 외양간 고치기.
[賊風 적풍] 틈으로 들어오는 바람.
[賊虐 적학] 해치고 학대함. 죽임.
[賊漢 적한] 도적놈.
[賊害 적해] 사람을 해침. 손해를 줌. 잔해(殘害).
[賊穴 적혈] 적굴(賊窟).
[賊患 적환] 도적(盜賊)에 대한 근심.
◉姦賊. 劫賊. 寇賊. 國賊. 老賊. 大賊. 盜賊. 毒賊. 鈍賊. 蟊賊. 馬賊. 木賊. 蝥賊. 民賊. 邦賊. 白波賊. 匪賊. 山賊. 鼠賊. 需事之賊. 水賊. 深賊. 蛾賊. 女賊. 逆賊. 覘賊. 汚賊. 烏賊. 妖賊. 六賊. 陰賊. 義賊. 殘賊. 戕賊. 長髮賊. 讒賊. 諜賊. 討賊. 剽賊. 海賊. 險賊. 紅巾賊. 禍賊. 猾賊. 黃巾賊. 虧賊.

6 ⑬ [賉] 〔휼〕
卹(卩部 六畫〈p.316〉)과 同字

6 ⑬ [賓] 〔과〕
寡(宀部 十一畫〈p.594〉)와 同字

6 ⑬ [䝟] 〔궤·와〕
䞈(貝部 十二畫〈p.2207〉)와 同字

6 ⑬ [賎] 〔천〕
賤(貝部 八畫〈p.2200〉)의 俗字

6 ⑬ [賌] 개 [平]灰 歌開切 gāi

[字解] 이상할 개 '奇—'는 음양기비(陰陽奇祕)의 요(要). '刑德奇—之數. (注) 奇—, 陰陽奇祕之要'《淮南子》.

6 ⑬ [賃] [高·人] 임 [去]沁 乃禁切 lìn 赁

[筆順] 亻 仁 仁 任 任 賃 賃 賃

[字解] ①품살 임 삯을 주고 사람을 부림. '—僦'. '借—公田者, 畝一斗'《通典》. ②품팔 임 삯을 받고 일을 함. '—作'. '徒行負—'《揚雄》. ③품삯 임 품의 보수. '—錢'. '芻米僕—之資是急'《韓愈》. ④품팔이 임, 품팔이꾼 임 '爲人僕—'《史記》. ⑤빌릴 임 사용료를 내고 차용(借用)함. 임차(賃借)함. '—, 借也'《廣雅》.

[字源] 金文 篆文 形聲. 貝+任〔音〕. '任임'은 '짊어지다, 맡다'의 뜻. 재화(財貨)를 주고 일을 맡기다, 고용하다, 사용하다의 뜻을 나타냄.

[賃貸 임대] 삯을 받고 빌려 줌.
[賃書 임서] 삯전을 받고 글씨를 써 줌.
[賃舂 임용] 품삯을 받고 절구질함.
[賃銀 임은] 품삯. 삯전. 임금.
[賃作 임작] 품삯을 받고 일을 함.
[賃錢 임전] 품삯.
[賃借 임차] 삯을 주고 빌림.
[賃僦 임추] 품삯을 주고 사람을 부림. 또, 품삯.
◉僕賃. 負賃. 船賃. 傭賃. 運賃. 租賃. 車賃. 借賃.

6 ⑬ [賋] 교 jiǎo

[字解] 밝을 교 '一, 一然也'《篇韻》.

6 ⑬ [賑] 신 shèn

[字解] 바탕 신 본질(本質). 근본. '一, 質也'《篇韻》.

6 ⑬ [賁] [人名]
[一] 비 ①-④去寘 彼義切 bì
⑤平微 符非切 féi
[二] 분 ①-③平文 符分切 fén
④⑤平元 博昆切 bēn
⑥⑦上吻 父吻切 fèn
⑧去問 方問切 fèn
[三] 륙 入屋 力竹切 lù

[字解] [一] ①꾸밀 비 장식함. 또, 장식. '一其趾'《易經》. ②바뀔 비 변함. '一, 變也'《易經 注》. ③섞일 비 색(色)이 순일(純一)하지 않음. '孔子卜得一'《呂氏春秋》. ④비괘 비 육십사괘(六十四卦)의 하나. 곧, ☶〈이하(離下), 간상(艮上)〉. 강(剛)과 유(柔)가 왕래 교착(交錯)하여 무늬를 이룬 상(象). '一亨, 小利有攸往'《易經》. ⑤성 비 성(姓)의 하나. [二] ①꾸밀 분 장식함. '一, 飾也'《集韻》. ②클 분 '用宏玆一'《書經》. ③큰북 분 '一鼓維鏞'《詩經》. ④날랠 분, 용감할 분 용기 있고 날램. 또, 그 용사. '虎一'. '虎一三千人'《孟子》. '旅一氏, 掌執戈盾夾王車而趨'《周禮》. ⑤성 분 성(姓)의 하나. ⑥결낼 분 憤(心部 十二畫)과 통용. '奮末廣一之音作'《禮記》. ⑦흙솟아오를 분 墳(土部 十二畫)과 통용. '覆酒於地, 而地一'《穀梁傳》. ⑧무찌를 분, 패할 분 격파함. 패함. 僨(人部 十二畫)과 同字. '一軍之將'《禮記》. [三] 땅이름 륙 '一渾'은 지명(地名). '伐一渾之戎'《公羊傳》.

[字源] 篆文 會意. 貝+卉. '卉분'은 '막 달리다'의 뜻. 조개껍데기에 무수한 무늬나 색(色)이 뒤섞여 교착되어 달리고 있는 모양에서, '꾸미다'의 뜻을 나타냄.

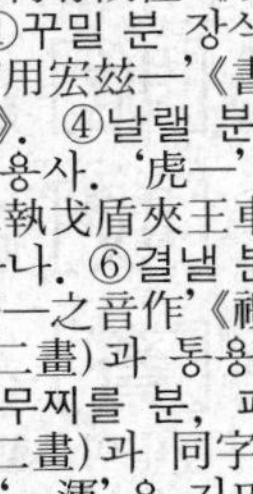
[賁鼓]

[賁鼓 분고] 길이 8척(尺)의 큰 북. 군진(軍陣)에서 씀. 분고(鼖鼓).
[賁軍 분군] 진 군대. 패군(敗軍).
[賁庸 분용] 대궐(大闕)의 담.
[賁育 분육] 맹분(孟賁)과 하육(夏育). 모두 춘추 전국 시대의 용사. 전(轉)하여, 용사의 범칭(汎稱).
[賁來 비래] 남의 내방(來訪)의 존칭.
[賁臨 비림] 비래(賁來).
[賁星 비성] 돌연 나타났다가 곧 사라지는 별. 살별. 혜성(彗星).
[賁飾 비식] 아름답게 꾸밈.
[賁然 비연] 장식(裝飾)한 모양. 무늬가 있는 모양. 광채가 도는 모양.
◉孟賁. 白賁. 寵賁. 褒賁. 顯賁. 虎賁.

6 ⑬ [資] [高] [人] 자 ①-⑮平支 卽夷切 zī 资
⑯去寘 資四切 zì

[筆順] 冫 冫 次 次 咨 資 資 資

[字解] ①재물 자 재화. '一財'. '一産'. '旅卽次, 懷其一'《易經》. ②비발 자 비용. '問歲月之一'《儀禮》. ③노비 자 노자. '一糧'. '黃公亡歿, 孺子往會葬, 無一以自致'《世說》. ④밑천 자 자본. '軍一'. '本一少而末用多'《管子》. ⑤의뢰 자 의지할 곳. '以水爲一'《淮南子》. ⑥도움 자 자조(藉助). '師一'. '不善人者善人之一'《老子》. ⑦도울 자 '堯何以一汝'《莊子》. ⑧바탕 자 재질(材質). '天一'. '又有能致之一'《漢書》. ⑨자리 자 지위. 신분. '一格'. '不得任淸一要官'《舊唐書》. ⑩밑천으로삼을 자 자본으로 삼음. '一章甫, 適諸越'《莊子》. ⑪취(取)할 자, 쓸 자 취하여 씀. '大哉乾元, 萬物一始'《易經》. ⑫보낼 자, 줄 자, 가져올 자 '若一東陽之盜, 使殺之其可乎'《國語》. '今乃棄黔首, 以一敵國'《史記》. ⑬물을 자 咨(口部 六畫)와 통용. '事君先一其言'《禮記》. ⑭줄 자, 줄일 자 '一黍於羊俎兩端'《儀禮》. ⑮성 자 성(姓)의 하나. ⑯방자할 자 멋대로 굶. '恣, 說文, 縱也. 秦刻石文作一'《集韻》.

[字源] 篆文 形聲. 貝+次〔音〕. '次차'는 겉을 꾸미지 않은 편안한 자세의 사람의 象形. 본래에 가지고 있는 재화(財貨), 밑천의 뜻이나 본래의 바탕의 뜻을 나타냄.

[資格 자격] ㉠신분. 지위. ㉡어떤 신분이나 지위를 얻기 위한 필요한 조건.
[資金 자금] 무슨 일에 필요한 돈. 밑천. 자본금.
[資給 자급] 급여(給與).
[資德大夫 자덕대부]《韓》고려 때 종이품(從二品) 문관(文官)의 품계.
[資粮 자량] 급료.
[資糧 자량] 여행에 소용되는 노자와 양식.
[資力 자력] ㉠바탕이 되는 힘. ㉡밑천. 자본.
[資歷 자력] 자격과 이력(履歷). 경력.
[資料 자료] 일의 바탕이 될 재료.
[資望 자망] 뛰어난 자질과 명망. 인품과 명예.
[資辯捷疾 자변첩질] 구변(口辯)이 좋고 빠름.
[資本 자본] ㉠사업의 성립·존속(存續)에 필요한 기본금(基本金). 밑천. ㉡과거(過去)의 저축의 결과로 미래의 생산(生産)에 쓸 재물(財物).
[資本家 자본가] 자본을 제공하는 사람.
[資本主義 자본주의] 모든 재화가 상품화되고 사람의 노동력도 상품이 되어서, 생산 수단을 가진 자본가가 노동자의 노동력을 이용하여 잉여 가치의 생산을 하는 경제 조직.
[資斧 자부] 여행 중에 산이나 들에서 잘 때에 형

극(荊棘)을 베는 데 쓰는 도끼. 전(轉)하여, 여비(旅費).

[資費 자비] 비용.

[資產 자산] 재산(財產).

[資生 자생] 어떠한 사물에 의하여 생장하거나 생활함.

[資性 자성] 자질(資質).

[資送 자송] 혼수 또는 세간을 장만하여 보냄. 또, 그 물건.

[資業 자업] 자산. 재산.

[資用 자용] 소요되는 금품.

[資援 자원] 도움.

[資源 자원] 기술의 발전에 따라 생산에 소용되는 「것.

[資銀 자은] 자금(資金).

[資蔭 자음] 조상의 덕으로 하는 벼슬.

[資藉 자자] 의지함.

[資章甫適越 자장보적월] 장보(章甫)의 관(冠)을 팔려고 관을 쓰지 않는 월(越)나라로 감. 하는 짓이 목적과 상반(相反)됨의 비유.

[資材 자재] ㉠물건을 만드는 데 필요한 재료. ㉡타고난 성질.

[資財 자재] ㉠재화(財貨). ㉡자질(資質).

[資質 자질] 타고난 성질. 천품.

[資蓄 자축] 저축(貯蓄)한 재화. 금전·곡물 등을 이름.

[資治 자치] 정치에 도움이 됨. 또, 도움으로 삼음.

[資治通鑑 자치통감] 송(宋)나라 사마광(司馬光)이 지은 역사책. 294권. 주(周) 위열왕(威烈王)부터 5대(代)까지의 사실(史實)을 기록했음.

[資品 자품] 타고난 성질. 성품(性稟). 천성(天性).

[資稟 자품] 타고난 성품. 천품.

[資貨 자화] 재산.

◉嫁資. 故資. 軍資. 勞資. 馬資. 門資. 物資. 班資. 本資. 負薪之資. 不善人者善人之資. 師資. 山資. 英資. 糲資. 天資. 淸資. 脯資. 學資.

6 ⑬ **[賈]** 人名 ㊀ 고 ㊤麌 公戶切 gǔ ㊁ 가 ①㊤禡 古訝切 jià ②㊤馬 古疋切 jiǎ 贾 𧶠

筆順 一 冂 襾 襾 覀 賈 賈 賈

字解 ㊀ ①살 고 ㉠값을 치르고 물건을 받음. '多錢善—'《韓非子》. ㉡구함. 초래함. 얻어걸림. '—好'. '—禍'. '用此以—害'《左傳》. ②팔 고 ㉠물건을 주고 값을 받음. '—不至千萬'《漢書》. ㉡부정한 수단으로 이득을 봄. '行詐以—國'《漢書》. ③장사 고 상업. '遠服—'《書經》. ④장수 고 상인. 협의(狹義)로는 좌상(坐商)을 '—', 행상을 '商'이라 함. '商—'. '富商大—'《史記》. ⑤상품 고 팔 물건. '—用不售'《詩經》. ㊁ ①값 가 價(人部 十三畫)와 同字. '求善—而沽諸'《論語》. ②성 가 성(姓)의 하나.

字源 篆文 賈 形聲. 貝+襾[音]. '襾아'는 덮어 가리다의 뜻. 재화(財貨)를 넣어 두다, 장사하다의 뜻을 나타냄.

[賈逵 가규] ㉠후한(後漢) 전기(前期)의 유자(儒者). 평릉(平陵) 사람. 자(字)는 경백(景伯). 가의(賈誼)의 구세손(九世孫). 좌씨전(左氏傳)과 오경(五經)에 정통했음. 벼슬이 시중(侍中)에 이르렀으므로 가시중(賈侍中)이라 불리었음. ㉡삼국 시대 위(魏)나라의 정치가. 하동(河東) 양릉(襄陵) 사람. 조조(曹操)에게 중용(重用)되어 예주 자사(豫州刺史)로서 영명(令名)을 떨쳤음.

[賈島 가도] 중당(中唐)의 시인. 범양(范陽) 사람. 자(字)는 낭선(浪仙). 일찍이 중이 되어 무본(無本)이라 했으나, 한유(韓愈)에게 그의 시재(詩才)가 알려져 마침내 환속(還俗)하여 장강(長江)의 주부(主簿)가 되었으며, 인하여 가장강(賈長江)이라 일컬어졌음. 시집으로 〈장강집(長江集)〉이 있음. '퇴고(推敲)'의 고사(故事)로 유명함.

[賈董 가동] 가의(賈誼)와 동중서(董仲舒). 모두 한(漢)나라의 문장가.

[賈似道 가사도] 남송말(南宋末)의 재상(宰相). 태주(台洲) 사람. 누이가 이종(理宗)의 귀비(貴妃)가 되자 좌승상(左丞相) 겸 추밀사(樞密使)가 되어 그 권세가 일세(一世)에 떨쳤으나, 진의중(陳宜中) 등의 탄핵(彈劾)에 걸려 귀양을 가고 거기서 피살되었음.

[賈山 가산] 한(漢)나라 영천(潁川) 사람. 효문제(孝文帝) 때 상주문(上奏文)을 올려 치란(治亂)의 도(道)를 논하되 진(秦)나라의 사실(史實)을 끌어다가 비유(譬喩)하니 이름하여 옥언(玉言)이라 하였음.

[賈生 가생] 한(漢)나라 문제(文帝) 때의 유명한 학자 가의(賈宜)의 별칭(別稱). 연소하여서부터 수재(나이 스무 살에 박사(博士)가 됨)로 유명하였으므로 이름.

[賈誼 가의] 전한(前漢) 문제(文帝) 때의 문신(文臣). 뤄양(洛陽) 사람. 문제(文帝) 때 박사(博士)에서 태중대부(太中大夫)가 되었으며, 뒤에 장사왕(長沙王)의 태부(太傅)로 좌천되었다가 다시 양회왕(梁懷王)의 태부(太傅)가 되었음. 저서(著書)에 〈신서(新書)〉·〈가장사집(賈長沙集)〉이 있는데, 치안책(治安策)·과진론(過秦論) 등의 글이 가장 유명함. 당시 사람들은 그를 가태부(賈太傅), 또 연소(年少)한 수재(秀才)라 하여 가생(賈生)이라 불렀음. 33세에 요절(夭折)하였음.

[賈鼂之儔 가조지주] 한(漢)나라의 가의(賈誼)·조조(鼂錯)의 무리. 경국지재(經國之才)가 있는 사람들이라는 뜻.

[賈彪 가표] 후한말(後漢末) 정릉(定陵) 사람. 자(字)는 위절(偉節). 환제(桓帝) 때엔 신식(新息)〈허난 성(河南省) 식현(息縣) 부근〉의 장으로서 많은 치적(治績)을 올렸음. 뒤에 당고지화(黨錮之禍)가 일어나자 뤄양(洛陽)으로 달려가 그 무실(無實)함을 역설(力說)하여 환제는 마침내 많은 당인(黨人)을 대사(大赦)하였으나, 얼마 후에 그 자신(自身)도 당인(黨人)으로서 금고(禁錮)되어 죽었음.

[賈師 고사] 주(周)나라 때 시장(市場)을 맡은 벼슬 이름. 20 점포마다 한 명씩 배속시켜 물가를 책정하게 했음. 춘추(春秋) 시대에는 가정(賈正)이라 하였음.

[賈船 고선] 상선(商船).

[賈豎 고수] 상인의 천칭(賤稱).

[賈市 고시] 교역. 장사.

[賈勇 고용] ㉠물품을 베풀어 용력(勇力)을 다하게 함. ㉡자기의 용력(勇力)을 과시(誇示)하여 써 주기를 바람.

[賈怨 고원] 원망을 삼.
[賈人 고인] 장사를 하는 사람. 장수.
[賈儈 고쾌] 중개인. 거간꾼. 아쾌(牙儈).
[賈胡 고호] 호지(胡地)의 장수. 곧, 외국의 장수. 외국 상인.
[賈禍 고화] 화를 얻음.
◉待賈. 富賈. 商賈. 善賈. 市賈. 良賈. 行賈. 豪賈.

6 ⑬ [買] 〔매〕
買(貝部 五畫〈p. 2193〉)의 本字

[貲] 〔자〕
貝部 五畫(p. 2191)을 보라.

7 ⑭ [賑] 人名 진 ①㊤軫 章忍切 ②㊍震 章刃切 zhèn 赈

筆順 目 貝 貝 貝 貝 賑 賑 賑

字解 ①넉넉할 진 재화가 충족함. 또, 넉넉하게 또는 푸짐하게 함. '鄕邑殷一'《張衡》. ②구휼할 진 물품을 베풀어 구조함. '一給'. '一恤'. '虛郡國倉廩, 以一貧民'《史記》.

字源 篆文 形聲. 貝+辰〔音〕. '辰진'은 '떨치다'의 뜻. 용기를 떨쳐 남을 구하기 위한 풍부한 재화(財貨)의 뜻에서, 넉넉하게 하다, 베풀어 구제하다, 푸짐하다의 뜻을 나타냄.

[賑救 진구] 진휼(賑恤).
[賑給 진급] 어려운 사람에게 물건을 줌.
[賑貸 진대] 진급(賑給).
[賑賜 진사] 재물을 주어 구휼(救恤)함.
[賑贍 진섬] 어려운 사람에게 물건을 주어 도와 줌.
[賑濟 진제] 진휼(賑恤).
[賑助 진조] 진섬(賑贍).
[賑護 진호] 구휼(救恤)하여 보호함.
[賑恤 진휼] 어려운 사람을 먹여 살림. 구휼(救恤).
◉矜賑. 贍賑. 施賑. 殷賑. 隱賑. 存賑.

7 ⑭ [賗] 관 chuàn

字解 꿰미 관 돈꿰미. '一, 俗字, 貫錢之索也'《中華大字典》.

7 ⑭ [賖] 사 ㊥麻 式車切 shē

字解 ①외상거래할 사 ㉠외상으로 삼. '一買'. ㉡외상으로 팖. '同貨而斂一'《周禮》. ②멀 사 아득함. '一遙'. '爲農去國一'《杜甫》. '寸心懷是夜, 寂寂漏方一'《何遜》. ③더딜 사, 느즈러질 사 지완(遲緩)함. '珠簾久漏一'《梁簡文帝》. ④호사할 사 奢(大部 九畫)와 同字. '楚楚衣服, 戒在窮一'《後漢書》.

字源 篆文 形聲. 貝+余〔音〕. '余여'는 '길어지다'의 뜻. 재화(財貨)의 지불(支拂)이 연기되다의 뜻으로, 외상으로 사다의 뜻을 나타냄.

參考 賒(次條)는 俗字.

[賖貸 사대] 외상으로 거래함. 또, 대여함.
[賖買 사매] 외상으로 삼.
[賖貰 사세] 사대(賖貸).
[賖遙 사요] 멂. 요원함.
◉寬賖. 路賖. 貸賖. 別路賖. 淹賖. 斂賖.

7 ⑭ [賒] 賖(前條)의 俗字

7 ⑭ [賏] ㊀ 영 ㊍敬 於敬切 yīng ㊥庚 於盈切
㊁ 앵 ㊥庚 於莖切 yīng

字解 ㊀ 목치장 영 조개를 이어 만든 목 치장. '一, 頸飾也'《說文》. ㊁ 목치장 앵 ㊀과 뜻이 같음.

字源 會意. 貝+貝

7 ⑭ [賕] 구 ㊥尤 巨鳩切 qiú 赇

字解 ①뇌물 구, 뇌물줄 구 부정한 이득을 얻기 위하여 금품을 주는 일. 또, 그 금품. '一賂'. '恐受一枉法'《史記》. '一客楊明'《漢書》. ②구할 구 담보를 내고 구함. '一, 謂載質而往, 求人偁貣也'《說文 段注》. ③청할 구 '一, 請也'《玉篇》.

字源 篆文 形聲. 貝+求〔音〕. '求구'는 '구하다'의 뜻. 재물을 보내어 비리(非理)의 청구를 하다의 뜻. 또, 저당을 잡히고 구하다의 뜻.

[賕賂 구뢰] 뇌물.

7 ⑭ [貿] ㊀ 개 ㊍隊 古代切 gài
㊁ 해 ㊍卦 何犗切 xiè

字解 ㊀ ①깊고굳을 개 '一, 深堅意也'《廣韻》. ②짝 개 둘이 한 짝. '一, 耦也'《廣雅》. '一, 偶也'《玉篇》. ㊁ 조금 해 겨우. '一, 纔然'《廣韻》.

字源 會意. 𣪊+貝

7 ⑭ [賻] 포 ㊍遇 蒲故切 bù

字解 갚을 포, 재물서로주고받을 포 답례함. '一, 以財相酬'《集韻》.

7 ⑭ [賄] 〔회〕
賄(貝部 六畫〈p. 2195〉)와 同字

7 ⑭ [賓] 高人 빈 ①-⑦㊥眞 必隣切 bīn ⑧㊍震 必刃切 bìn 宾

筆順 宀 宀 宀 宀 宀 宀 賓 賓

字解 ①손 빈 귀빈. '來一'. '貴一'. '主人戒一'《儀禮》. '主人就先生而謀一介'《儀禮》. ②묵을 빈 손님으로서 묵음. '鴻雁來一'《禮記》. ③대접할 빈 손님으로서 환대함. '以一寡人久矣'《莊子》. ④공경할 빈 '以禮禮一之'《周禮》. ⑤좇을 빈, 따를 빈, 따르게할 빈 복종(하게)함. 또, 복종하여 조공(朝貢)하러 옴. '一, 遵也. 服也'《廣韻》. '故遣中郞將往一之'《史記》. ⑥인도할 빈 안내함. '一于四門'《書經》. ⑦성 빈 성(姓)의 하나. ⑧물리칠 빈, 버릴 빈 擯(手部 十四畫)과 통용. '予惟四方, 罔攸一'《書經》.

字源 甲骨文 甲骨文 金文 篆文 古文 會意. 甲骨文은 宀+人.

또, 宀+人+止. 밖에서 집 안으로 발을 들여놓은 사람, 손님의 뜻을 나타냄. 또, 나중에 '貝패'를 덧붙인 것은 재화(財貨)를 써서 대접하다의 뜻을 나타냄. 《說文》에서는 形聲. 貝+寅〔音〕.
參考 賔(次條)은 俗字.

[賓客 빈객] 손. 손님.
[賓貢 빈공] 외국에서 와서 조공(朝貢)함.
[賓待 빈대] ㉠손님 대접. ㉡손님으로서 정중히 대접함.
[賓頭盧 빈두로] 《佛敎》 범어(梵語) pindola의 음역(音譯). 십육나한(十六羅漢)의 제일 위. 백두 장미(白頭長眉)의 모습을 했음.
[賓旅 빈려] 다른 나라에서 온 여행객.
[賓白 빈백] 대사(臺辭).
[賓服 빈복] 작은 나라가 큰 나라에 조공(朝貢)하며 복종함.
[賓師 빈사] 제후(諸侯)에게 빈객으로 대우받는 학자.
[賓辭 빈사] 명제(命題)의 주사(主辭)를 설명(說明)하는 말.
[賓筵 빈연] 손님을 청한 자리.
[賓友 빈우] 빈객과 붕우(朋友). 손님과 친구.
[賓位 빈위] 손님의 좌석. 빈객의 자리.
[賓游 빈유] 빈객과 고누. 손과 벗.
[賓雀 빈작] 참새.
[賓接 빈접] 빈대(賓待) ㉡.
[賓從 빈종] 빈복(賓服).
[賓主 빈주] 손과 주인(主人).
[賓至如歸 빈지여귀] 손님으로 온 사람이 자기 집에 돌아온 것같이 조금도 걱정 없이 안심함.
[賓次 빈차] 손님을 초대하는 곳.
[賓天 빈천] 천자(天子)의 붕어(崩御).
[賓興 빈흥] 주대(周代)에 선비를 채용하는 법. 향음주(鄕飮酒)의 예(禮)로써 빈객(賓客)을 삼아 추천하는 일.
◉嘉賓. 屬賓. 國賓. 群賓. 貴賓. 來賓. 名者實之賓. 凡賓. 上賓. 俗賓. 惡賓. 野賓. 英賓. 迎賓. 外賓. 龍賓. 蕤賓. 入幕之賓. 入室之賓. 雜賓. 主賓. 衆賓.

7 ⑭ [賔] 賓(前條)의 俗字

7 ⑭ [賫] 〔재·자·제〕 齎(齊部 七畫〈p. 2722〉)와 同字

8 ⑮ [賙] 주 ㊤尤 職流切 zhōu 賙

字解 ①진휼(賑恤)할 주 구휼함. '欲令一饁之'《詩經》. ②줄 주 베풂. '一, 給也'《玉篇》. ③보탤 주 금품(金品)을 보태어 채움. '五黨爲州, 使之相一'《周禮》.
字源 形聲. 貝+周〔音〕. '周주'는 두루 미치다의 뜻. 금품이 두루 미치게 하다, 베풀다의 뜻을 나타냄.

[賙窮 주궁] 곤궁한 사람에게 베풂.
[賙贍 주섬] 어려운 사람에게 물건을 주어 도와줌. 진휼(賑恤)함. 진섬(賑贍).
[賙委 주위] 비축해 둔 것을 베풂.
[賙卹 주휼] 진휼(賑恤)함.

◉相賙.

8 ⑮ [賜] 高·人 사 ㊦寘 斯義切 cì 賜

筆順 ㅣ 目 貝 貝ᄀ 貝ᄆ 貝ᄇ 賜ᄀ 賜

字解 ①줄 사 ㉠내리어 줌. 하사함. '一予'. '數 一縑帛'《列仙傳》. '凡一君子與小人, 不同日'《禮記》. ㉡허여함. 들어줌. '詔特一假'('假'는 暇)《晉書》. ②받을 사 하사받음. 주는 것, 내리는 것을 받음. '一死'. ③사여 사, 사물 사 하사받은 것. '賞一'. '報一以力'《國語》. ④은혜 사 은택. '民到于今, 受其一'《論語》. ⑤다할 사 '若循環之無一'《潘岳》. ⑥성 사 성(姓)의 하나.
字源 金文 篆文 形聲. 貝+易〔音〕. '易이'는 '提제'와 통하여, 팔을 내밀다의 뜻. 윗사람이 아랫사람에게 팔을 뻗어 재화(財貨)를 주다의 뜻에서, '내려 주다, 하사하다'의 뜻을 나타냄.

[賜假 사가] 사가(賜暇).
[賜暇 사가] 휴가(休暇)를 내림. 말미를 줌.
[賜劍 사검] 칼을 주어 자인(自刃)하도록 함.
[賜金 사금] 돈을 하사(下賜)함. 또, 그 돈.
[賜給 사급] 물건을 하사(下賜)함.
[賜賚 사뢰] 물건을 하사(下賜)함. 또, 그 물건.
[賜名 사명] 이름을 하사(下賜)함. 또, 그 이름.
[賜物 사물] 하사한 물건.
[賜鈇鉞 사부월] 천자(天子)로부터 부월(鈇鉞)을 하사(下賜)받음. 곧, 일군(一軍)의 대장(大將)이 되어 생사여탈지권(生死與奪之權)을 받음.
[賜不趨 사불추] 조정(朝廷)을 드나들 때에는 허리를 굽히고 추창(趨蹌)하지 않아도 좋다는 허가(許可)를 내려 받음. 공신(功臣)에게 내리는 특별(特別) 우대(優待)임.
[賜死 사사] 군왕(君王)이 신하에게 자살을 명함.
[賜書 사서] 조정(朝廷)에서 하사한 서적(書籍).
[賜送 사송] 하사(下賜)하여 보내 줌.
[賜藥 사약] 임금이 죄인에게 독약을 내림. 또, 그 독약.
[賜予 사여] 하사(下賜)함.
[賜宴 사연] 군주(君主) 또는 귀인(貴人)의 연회에 초대를 받음. 또, 그 연회(宴會).
[賜田 사전] 하사한 전지.
[賜饌 사찬] 임금이 음식을 내림.
[賜酺 사포] 조정에서 백성에게, 모여 술 마시며 즐김을 허가하는 일. 또, 관청에서 음식물을 베풀어 주는 일.
[賜火 사화] 청명(淸明)에 불을 하사함.
◉嘉賜. 顧賜. 眷賜. 給賜. 勞賜. 拜賜. 分賜. 散賜. 賞賜. 受賜. 飫賜. 榮賜. 遺賜. 恩賜. 贈賜. 賑賜. 寵賜. 特賜. 褒賜. 惠賜. 厚賜.

8 ⑮ [賠] 人名 배 ㊤灰 音裵 péi 賠

字解 물어줄 배 보상(補償)함. 변상(辨償)함. '一償'. '照依原價一還'《尺牘雙魚》.
字源 形聲. 貝+咅〔音〕

[賠款 배관] 손실을 배상하는 관항(款項). 전승국의 전비(戰費)를 전패국이 배상하는 따위.

[賠補 배보] 변상함. 보상함.
[賠償 배상] 남에게 끼친 손해를 갚아 줌.
[賠還 배환] 상환(償還)함.

8 ⑮ [賤] 高人 천 去霰 才線切 jiàn 贱

筆順 冂 目 貝 貝 貝 貝 賤 賤

字解 ①천할 천 ㉠지위·신분이 낮음. '貧─'. '人─物亦鄙'《古詩》. ㉡등급 또는 계급이 아래임. '下─'. '不使─者'《儀禮》. '大夫於其臣, 雖─必答拜之'《禮記》. ㉢값이 헐함. '物─無買錢'《李義山雜纂》. ㉣하등임. 저급함. '─業'. '不習─劣事'《李義山雜纂》. 전(轉)하여, 자기의 겸칭(謙稱)의 접두어(接頭語)로 쓰임. '─妾'. '─子歌一言'《鮑照》. 또, 천한 지위. 천한 사람. 천한 것. '貴─'. '以貴下─'《易經》. '貧與─, 是人之所惡也'《論語》. ②천히여길 천 ㉠천하다고 경멸함. '─易'. '恃才矜貴, ─侮朝臣'《北史》. ㉡경시(輕視)함. 귀하게 여기지 아니함. '不貴異物─用物'《書經》. ③미워할 천 증오함. '下危則─上'《荀子》. ④쓰이지않게될 천 버림. '已用則─'《太玄經》.

字源 篆文 形聲. 貝+戔〔音〕. '戔전'은 '작다, 적다'의 뜻. 재화(財貨)가 적다의 뜻에서, 천하다, 값이 헐하다의 뜻으로 쓰임.

[賤家 천가] ㉠천한 사람의 집. ㉡천한 가벌(家閥).
[賤價 천가] ㉠헐한 값. 염가(廉價). ㉡값을 싸게 함.
[賤格 천격] 낮고 천(賤)하게 생긴 품격(品格).
[賤工 천공] 천한 직공. 서투른 직공.
[賤軀 천구] 천한 몸. 자기의 겸칭(謙稱).
[賤躬 천궁] 천한 몸. 자기의 겸칭(謙稱).
[賤技 천기] ㉠천한 기예. ㉡자기의 기예의 겸칭(謙稱).
[賤女 천녀] 천한 여자.
[賤奴 천노] ㉠천한 종. 비천한 사람. ㉡사람을 천히 여겨 이르는 말.
[賤待 천대] 업신여겨 푸대접함. 낮게 보아 예(禮)로써 대우하지 않음.
[賤劣 천렬] 천열(賤劣).
[賤隷 천례] 천예(賤隷).
[賤陋 천루] ㉠천함. 비천함. ㉡재덕(才德)이 모자람.
[賤買 천매] 싸게 삼.
[賤賣 천매] 싸게 팖.
[賤侮 천모] 천히 여겨 업신여김.
[賤民 천민] 천한 백성.
[賤夫 천부] 천한 사람.
[賤俘 천부] 천한 포로(捕虜).
[賤事 천사] 천한 일. 또, 자기 일의 겸칭.
[賤視 천시] 업신여김. 천히 여김.
[賤息 천식] 자기 자식의 겸칭.
[賤臣 천신] ㉠비천한 신하. ㉡임금에 대하여 신하가 자기를 이르는 겸칭.
[賤業 천업] 천한 직업.
[賤業婦 천업부] 매춘부(賣春婦).
[賤役 천역] 천한 일. 또, 그 일에 종사하는 사람.
[賤劣 천열] 천하고 용렬함.
[賤隷 천예] 천한 종.
[賤惡 천오] 천하게 여기어 증오함.
[賤儒 천유] 천한 유생(儒生). 쓸모없는 선비.
[賤易 천이] 업신여김. 모멸함. 경멸(輕蔑).
[賤人 천인] 천한 사람.
[賤子 천자] 저. 자기의 겸칭(謙稱).
[賤丈夫 천장부] 행실이 천한 사람. 비열한 남자.
[賤族 천족] 천한 겨레.
[賤職 천직] 낮은 관직. 또, 천한 직업.
[賤質 천질] 천한 바탕. 천한 천성.
[賤斥 천척] 업신여겨 배척함.
[賤妾 천첩] ㉠기생(妓生) 또는 종으로 남의 첩(妾)이 된 여자. ㉡아내가 남편에 대한 자기의 겸칭(謙稱).
[賤出 천출] 천한 서출(庶出).
[賤稱 천칭] 천대(賤待)하여 일컬음.
[賤鄕 천향] 풍속이 비루한 시골.
◉輕賤. 困賤. 窮賤. 貴賤. 羇賤. 陋賤. 微賤. 卑賤. 貧賤. 安往不得貧賤. 幽賤. 下賤.

8 ⑮ [賦] 高人 부 去遇 方遇切 fù 赋

筆順 目 貝 貝 貝 貝 貝 賦 賦

字解 ①구실 부 ㉠조세. '田─'. '貢─'. '收水泉池澤之─'《呂氏春秋》. ㉡부역(夫役). '以任地事, 而令貢─'《周禮》. ②군사 부 징발한 병사. '弊邑以─與陳蔡從'《左傳》. ③선비 부 공거(貢擧)의 인사(人士). '迺以臣錯充─'《漢書 鼂錯傳》. ④군비 부 군대에서 쓰는 양식 또는 금전. '可使治其─也'《論語》. ⑤매길 부 할당하여 징수함. '─課'. '─於民, 食人二雞子'《十八史略》. ⑥줄 부 수여함. '─與'. '─職任功'《國語》. ⑦받을 부 주는 것을 받음. 또, 타고남. '天─'. '─稟'. '─納以言'《左傳》. '氣以成形, 而理亦─焉'《中庸章句》. ⑧펼 부 널리 미치게 함. 반포함. '明命使─'《詩經》. '─藉藏龜'《管子》. ⑨나눌 부 나누어 줌. '─醫藥'《漢書》. ⑩읊을 부, 지을 부 시(詩)를 음영(吟詠)하거나 지음. '臨淸流而─詩'《陶潛》. ⑪시체이름 부 고대의 시(詩)의 한 체(體). 육의(六義)의 하나. 소감(所感)을 솔직히 진술하는 것. '─比興'. '─者, 敷陳其事而直言之也'《文體明辯》. ⑫문체이름 부 운문(韻文)의 한 체(體). 사구(辭句)를 구사(驅使)하여 감상을 진술하는 미문(美文). '阿房宮─'. '赤壁─'. '─者古詩之流'《班固》.

字源 金文 篆文 形聲. 貝+武〔音〕. '武무'는 '募모'와 통하여, 찾아 구하다의 뜻. 재화(財貨)를 구하여 할당해 거두다의 뜻을 나타냄.

[賦課 부과] 과세(課稅)함. 또, 그 쌀이나 금전.
[賦納 부납] 받음. 받아들임.
[賦斂 부렴] 조세를 부과하여 징수함.
[賦命 부명] 목숨. 생명.
[賦分 부분] 타고난 성질. 또, 운명.
[賦性 부성] 타고난 성질. 천품.
[賦稅 부세] 부조(賦租).
[賦粟 부속] 조세로 거두어들이는 벼.
[賦詩 부시] 시를 지음.
[賦予 부여] 부여(賦與).
[賦與 부여] ㉠나누어 줌. 별러 줌. ㉡타고난 성질. 또, 운명.
[賦役 부역] 세금과 부역(夫役).
[賦役冊 부역책] 호적부(戶籍簿).
[賦詠 부영] 시가(詩歌) 등을 지음. 또, 그 시가.

[賦徭 부요] 부역(賦役).
[賦用 부용] 부조(賦租).
[賦入 부입] 조세(租稅)를 거두어들임.
[賦租 부조] 조세(租稅).
[賦稟 부품] 부성(賦性).
◉更賦. 貢賦. 課賦. 九賦. 口賦. 丘賦. 薄賦. 辭賦. 算賦. 常賦. 稅賦. 詩賦. 田賦. 征賦. 租賦. 天賦. 逋賦. 會賦. 厚賦.

8 ⑮ [⿰貝支] 기 ㊀寘 奇寄切 jì

字解 ①조개이름 기 '一, 貝名'《集韻》. ②그릇 기 '一, 一曰, 器用'《集韻》.

8 ⑮ [賥] 人名 수 ㊀寘 雖遂切 suì

字解 재물 수 재화(財貨). '破家殘一'《韓非子》.

8 ⑮ [⿰貝青] 청 ①㊀敬 疾政切 jìng ②㊥庚 疾盈切 qíng

字解 ①내릴 청 줌. 하사(下賜)함. '一, 賜也'《集韻》. ②받을 청 하사한 것을 받음. '一, 受賜也'《集韻》.

8 ⑮ [賧] 탐 ㊀勘 吐監切 ㊤感 杜覽切 dǎn 赕

字解 속(贖)바칠 탐 재물을 가지고 죄를 대속(代贖)함. '一, 蠻夷人以財贖罪'《集韻》.

8 ⑮ [賝] 침 ㊥侵 丑林切 chēn

字解 보배 침 琛(玉部 八畫)과 同字. '一, 一賮也'《廣韻》.

字源 形聲. 貝+罙〔音〕

8 ⑮ [賬] 장 zhàng

字解 ①《現》㉠대차계정(貸借計定) 장. ㉡치부책 장 금전 재화(金錢財貨)의 출입(出入)을 기재하는 장부. '今俗有一字, 謂一切計數之簿也'《王鳴盛》. ㉢채무(債務) 장 빚. '我不放一, 也沒有我的事'《紅樓夢》. ②帳(巾部 八畫〈p. 675〉)의 俗字.

8 ⑮ [⿱商貝] 상 ㊥陽 式羊切 shāng

字解 장사할 상 행상(行商). 商(口部 八畫)과 同字. '一, 行賈也'《說文》.

字源 金文 篆文 形聲. 貝+商〈省〉〔音〕. '商상'은 '장사'의 뜻. 재화(財貨)를 사용하여 장사하다의 뜻을 나타냄.

8 ⑮ [賚] 人名 ㊀ 뢰 ㊀隊 洛代切 lài ㊁ 래 ㊥灰 郎才切 赉

字解 ㊀①줄 뢰 내림. 하사함. '一與'. '予其大一汝'《書經》. ②사여(賜與) 뢰, 사물(賜物) 뢰 하사한 물건. '承天之一'《李觀》. '周有大一, 善人是富'《論語》. ③위로할 뢰 '勞一爲勑字'《玉篇》. ㊁ 줄 래, 사여 래, 사물 래, 위로할 래 ㊀과 뜻이 같음.

字源 篆文 形聲. 貝+來〔音〕. '來래'는 '오다'의 뜻. 하늘에서 온 것, 내려 준 것의 뜻을 나타냄.

[賚賜 뇌사] 하사함. 줌. 또, 그 물건.
[賚賞 뇌상] 상(賞)을 내림.
[賚錫 뇌석] 뇌사(賚賜).
[賚與 뇌여] 하사함.
◉眷賚. 勞賚. 頒賚. 普賚. 賻賚. 分賚. 賜賚. 祥賚. 賞賚. 錫賚. 恩賚. 振賚. 寵賚. 褒賚. 惠賚. 犒賚.

8 ⑮ [⿰貝來] 賚(前條)와 同字

8 ⑮ [⿱癶貝] 비 fèi

字解 거두어들일 비 징수함. '一, 賦斂也'《篇海》.

8 ⑮ [賞] 中·人 상 ㊤養 書兩切 shǎng 赏

筆順 ' ⺌ 尚 尚 賞 賞 賞 賞

字解 ①칭찬할 상 아름답거나 좋은 것을 기림. '一美'. '嘉一'. '善則一之'《左傳》. '不一而民勸'《中庸》. ②상줄 상 칭찬하여 물품을 줌. '一賜'. '晉侯一從亡者'《左傳》. ③숭상할 상 존중함. 尙(小部 五畫)과 통용. '一賢使能以次之'《荀子》. ④완상할 상, 즐길 상 아름다운 것을 보고 즐김. '一玩'. '吉祥寺一牡丹'《嘉軾》. '奇文共欣一'《陶潛》. ⑤줄 상 물품을 증여함. '于其往也, 一以酒肉'《柳宗元》. ⑥칭찬 상 칭찬하는 일. '一當則賢人勸'《說苑》. ⑦상 상 칭찬하여 주는 물건. '一延于世'《書經》. ⑧성 상 성(姓)의 하나.

字源 金文 篆文 形聲. 貝+尙〔音〕. '尙상'은 '當당'과 통하여, …에 알맞다, 상당하다의 뜻. 공적에 상당하는 재화(財貨), 상(賞), 칭찬하다의 뜻을 나타냄.

[賞鑑 상감] 고금(古今)의 서화·골동품 등을 완상하고 감별함. 감상(鑑賞).
[賞格 상격] 상을 주는 규정.
[賞激 상격] 칭찬하여 격려함.
[賞慶 상경] 칭찬하고 기뻐함. 칭찬하여 물건을 하사함.
[賞官 상관] 금전을 바치고 벼슬을 얻어 하는 일.
[賞勸 상권] 칭찬하여 권함.
[賞金 상금] 상으로 주는 돈.
[賞給 상급] 상으로 줌. 또, 그 물품.
[賞祿 상록] 상으로 주는 녹(祿).
[賞味 상미] 칭찬하여 맛봄. 칭찬하여 완상함.
[賞美 상미] 찬미(讚美)함.
[賞杯 상배] 선행자·공로자에게 상으로 주는 잔 모양의 패.
[賞罰 상벌] 상과 벌. 또, 상 줌과 벌줌.
[賞罰無章 상벌무장] 상과 벌이 일정한 규정이 없이 마음 내키는 대로 함.
[賞不踰時 상불유시] 상(賞)을 즉시 줌. 즉시 행상(行賞)을 함.
[賞詞 상사] 칭찬하는 말. 찬사(讚辭).
[賞賜 상사] 상을 줌. 또, 그 물품.
[賞首 상수] 제일 으뜸의 상을 받는 이.
[賞心 상심] 경치를 완상하는 마음.

[賞與 상여] 상급(賞給)으로 줌.
[賞譽 상예] 칭찬함.
[賞玩 상완] 좋아하여 구경함.
[賞遇 상우] 칭찬하여 후하게 대접함.
[賞逸 상일] 은둔의 생활을 사랑하여 즐김.
[賞一勸百 상일권백] 한 사람의 착한 일을 칭찬하여 뭇사람에게 착한 일을 장려함.
[賞狀 상장] 상으로 주는 증서(證書).
[賞典 상전] 상여의 규정.
[賞讚 상찬] 칭찬함.
[賞擢 상탁] 그 인물을 칭찬하여 발탁해서 씀.
[賞歎 상탄] 칭찬함. 탄상함.
[賞牌 상패] 상으로 주는 패(牌).
[賞品 상품] 상으로 주는 물품.
[賞刑 상형] 상과 형벌. 착한 사람을 칭찬하고, 악한 사람을 벌줌.
[賞勳 상훈] 공훈을 칭찬함. 공훈이 있는 사람에게 상을 줌.
◉嘉賞. 鑑賞. 激賞. 擊賞. 慶賞. 觀賞. 購賞. 軍賞. 濫賞. 論功行賞. 妄賞. 懋賞. 拔賞. 報賞. 上賞. 信賞. 酬賞. 幽賞. 游賞. 恩賞. 爵賞. 旌賞. 誅賞. 重賞. 嗟賞. 讚賞. 稱賞. 擢賞. 歎賞. 探賞. 褒賞. 行賞. 懸賞. 厚賞. 勳賞. 欣賞.

8 ⑮ [賡] 갱 ㊣庚 古行切 gēng ㊧敬 居孟切 赓

字解 ①이을 갱 계속함. 또, 남의 노래에 이어 노래함. '乃一載歌'《書經》. ②갚을 갱 보상함. '愚者有不一本之事'《管子》.
字源 續의古文 形聲. 貝+庚〔音〕. '貝패'는 '금품'의 뜻. '庚경'은 들어 올리다의 뜻. 금품을 사람에게 바치다, 갚다의 뜻을 나타냄. 또, '잇다'의 뜻도 나타냄.

[賡歌 갱가] 남과 같이 노래를 서로 이어 부름.
[賡酬 갱수] 남과 시(詩)의 증답(贈答)을 함.
[賡唱 갱창] 갱가(賡歌).

8 ⑮ [賥] 거 ㊣魚 斤於切 jū

字解 ①팔 거 '一, 賣也'《廣雅》. ②쌓을 거 저장(貯藏)함. '一, 一曰, 貯也'《集韻》. '可以一酒'《元結》.

8 ⑮ [賫] 〔관〕 貫(貝部 四畫〈p. 2189〉)과 同字

8 ⑮ [賦] 군 ㊣眞 區倫切 jùn

字解 조개이름 군 蜠(虫部 八畫〈p. 2016〉)과 同字. '蜠, 貝也, 爾雅, 蜠, 大而險, 或作一'《集韻》.

8 ⑮ [賨] 〔귀〕 貴(貝部 五畫〈p. 2191〉)와 同字

8 ⑮ [賢] 中人 현 ㊣先 胡田切 xián 贤

筆順 一 ㄱ ㅋ 臣 臤 賢 賢 賢

字解 ①어질 현 덕행이 있고 재지(才智)가 많음. '一才'. '一哲'. '可久則一人之德'《易經》. 또, 어진 이에게 어진 이 대우를 함. 존숭함. '一賢易色'《論語》. '一其賢'《大學》. 전(轉)하여, 타인의 경칭(敬稱)의 접두어(接頭語), 또는 직접 경칭으로 쓰임. '一兄'. '此一何獨如此'《魏書》. ②어진이 현 어진 사람. '尙一'. '賢其一'《大學》. '野無遺一'《書經》. ③나을 현 서로 견주어 좋은 점이 더함. '某一於某'《禮記》. '臣死而治, 一於生也'《戰國策》. ④많을 현 재화(財貨)가 많음. 넉넉함. '一於千里之地'《呂氏春秋》. ⑤지칠 현, 애쓸 현 '我從事獨一'《詩經》.
字源 金文 篆文 形聲. 貝+臤〔音〕. '臤견'은 '단단하다'의 뜻. 단단한 재화(財貨)의 뜻에서, '낫다, 어질다'의 뜻을 나타냄.

[賢關 현관] 현인(賢人)이 되기 위하여 통과하는 관문이라는 뜻으로, 높은 경지에 도달함을 이름.
[賢君 현군] 덕행(德行)이 있는 어진 임금.
[賢內助 현내조] 어진 아내. 현처(賢妻).
[賢女 현녀] 현명한 여자. 어진 여자.
[賢能 현능] 덕이 있는 사람과 재능이 있는 사람. 곧, 걸출(傑出)한 사람.
[賢達 현달] 현명하여 사물에 달통(達通)함. 또, 그 사람.
[賢臺 현대] 붕우(朋友) 등에 대한 존칭. 현형(賢兄).
[賢德 현덕] 어질고 덕이 있음. 또, 현명한 덕. 또, 그 사람.
[賢良 현량] ㉠어질고 착함. 또, 그 사람. ㉡한당(漢唐) 이후의 관리 등용 시험의 한 과목.
[賢良祠 현량사] 백성에게 공덕이 있는 관리를 제사 지내는 집. 경향(京鄕) 각 성(省)에 있음.
[賢勞 현로] 재덕이 있기 때문에 도리어 공사(公事)에 분주하여 시달림.
[賢路 현로] 어진 사람을 등용하는 길.
[賢明 현명] 어질고 밝음. 또, 그 사람.
[賢母 현모] 어진 어머니.
[賢髦 현모] 뛰어나게 어진 사람.
[賢輔 현보] 어진 보좌. 또, 그 사람.
[賢婦 현부] ㉠어진 아내. ㉡어진 부인.
[賢不肖 현불초] 현우(賢愚).
[賢妃 현비] ㉠어진 후비(后妃). ㉡여관(女官)의 이름.
[賢士 현사] 어진 선비.
[賢師 현사] 어진 스승. 현명한 스승.
[賢相 현상] 어진 재상(宰相). 현명한 재상.
[賢書 현서] ㉠훌륭한 이의 씨명(氏名)을 기재한 장부. ㉡향시(鄕試)에 입격한 사람.
[賢聖 현성] ㉠현명하고 성스러움. ㉡현인(賢人)과 성인(聖人).
[賢淑 현숙] 여자가 현명하고 숙덕(淑德)이 있음.
[賢臣 현신] 어진 신하.
[賢彦 현언] 현사(賢士).
[賢英 현영] 어질고 뛰어난 사람.
[賢王 현왕] ㉠어진 임금. 현명한 임금. ㉡흉노(匈奴)의 선우(單于)의 다음 지위. 곧, 선우(單于)의 보좌(輔佐).
[賢愚 현우] 현명함과 우매함. 또, 현명한 사람과 우매한 사람.
[賢人 현인] ㉠어진 사람. 현명한 사람. 특히 재덕을 겸비하여 성인(聖人) 다음가는 사람. ㉡탁주(濁酒)의 이칭.
[賢才 현재] 현명한 재능. 또, 그 사람.

[賢宰 현재] 현상(賢相).
[賢弟 현제] ㉠어진 아우. ㉡남의 아우의 존칭.
[賢佐 현좌] 어진 보좌(輔佐). 또, 그 사람.
[賢主 현주] 현군(賢君).
[賢俊 현준] 재능이 뛰어난 사람.
[賢智 현지] 현명하고 슬기가 있음.
[賢察 현찰] 남의 추찰(推察)의 존칭.
[賢妻 현처] 어진 아내. 현명한 아내.
[賢哲 현철] ㉠지혜가 깊고 사리에 밝음. 또, 그 사람. ㉡현인(賢人)과 철인(哲人).
[賢兄 현형] 벗에 대하여 쓰는 존칭.
[賢豪 현호] 현영(賢英).
◉高賢. 群賢. 矜賢. 大賢. 名賢. 上賢. 尙賢. 先賢. 聖賢. 英賢. 往賢. 雄賢. 遺賢. 自賢. 前賢. 諸賢. 竹林七賢. 俊賢. 衆賢. 至賢. 眞賢. 忠賢. 七賢. 濁賢.

8 ⑮ [賣] [中·人] 매 [去]卦 莫懈切 mài 卖

[筆順] 一 士 声 壴 壴 賣 賣 賣

[字解] 팔 매 ㉠값을 받고 물건을 내줌. '一藥'. '貴卽一之, 賤卽買之'《史記》. 또, 파는 일. '聽一買'《周禮》. ㉡속임. 기만함. '自知見一'《史記》. ㉢자기 이익을 위하여 남을 해침. '一國'. '欲秦趙之相一乎'《戰國策》. ㉣널리 퍼뜨림. '一名聲于天下'《莊子》.

[字源] 篆文 形聲. 出+買(買)〔音〕. '買매'는 '장사하다'의 뜻. '買'가 '사다'의 뜻으로 사용되게 되어, 구별하여 '出출'을 덧붙여 '팔다'의 뜻을 나타내었음.

[參考] 賣(貝部 八畫)은 別字.

[賣價 매가] 파는 값.
[賣却 매각] 팔아 버림.
[賣劍買牛 매검매우] 군사(軍事)를 그만두고 경작(耕作)에 종사함. 무(武)를 그만두고 농업에 힘씀.
[賣官 매관] 돈을 받고 벼슬을 시킴.
[賣交 매교] 이욕(利慾)으로 인하여 의(義)를 잊고 친구를 해침.
[賣國 매국] 자기 일신의 이익을 위하여 적국(敵國)과 내통(內通)함.
[賣國奴 매국노] 매국(賣國)하는 행동을 하는 사람. 적국에 이익을 제공한 사람을 욕하는 말.
[賣國賊 매국적] 매국(賣國)한 역적(逆賊).
[賣券 매권] 매도 증서(賣渡證書).
[賣渡 매도] 물건을 팔아넘김.
[賣弄 매롱] 자랑해 보임.
[賣買 매매] 물건을 파는 일과 사는 일.
[賣名 매명] 이름을 세상에 퍼뜨리려고 애씀.
[賣文 매문] 글을 지어 주고 그 사례로 돈을 받는 일.
[賣文爲活 매문위활] 자기 시문(詩文)을 팔아서 생계의 바탕을 삼음.
[賣卜 매복] 남의 길흉(吉凶)을 점쳐 주고 돈을 받음. 점으로 업을 삼음.
[賣笑 매소] 웃음을 팖. 매음(賣淫)을 함.
[賣笑婦 매소부] 매음하는 여자. 매음녀(賣淫女). 매춘부.
[賣僧 매승] ㉠장사하는 중. ㉡승려(僧侶)의 천칭(賤稱).
[賣身 매신] 몸을 팖.
[賣約 매약] 팔 약속.
[賣藥 매약] 약을 팖.
[賣友 매우] 친구를 속여 자기 이익의 희생으로 함.
[賣淫 매음] 여자가 돈을 받고 남자의 색욕(色慾)을 채워 주는 일.
[賣淫女 매음녀] 매음하는 계집.
[賣子 매자] 팔린 빈민(貧民)의 아들.
[賣漿家 매장가] 된장·간장 등을 파는 집.
[賣店 매점] 물건을 파는 가게.
[賣主 매주] 물건을 파는 사람.
[賣盡 매진] 물건이 전부 팔림.
[賣春婦 매춘부] 매음하는 여자.
[賣宅 매택] 가옥(家屋)을 팖.
[賣筆 매필] 글씨를 써 주고 돈을 받음.
[賣婚 매혼] 주는 금품의 다과에 의하여 혼인을 정하는 일.
◉競賣. 沽賣. 故賣. 叫賣. 買賣. 發賣. 商賣. 略賣. 零賣. 佑賣. 鬻賣. 專賣. 轉賣. 斥賣. 販賣. 衒賣.

8 ⑮ [賨] 종 [平]冬 藏宗切 cóng

[字解] 공물 종 남만(南蠻)의 공부(貢賦). '歲令大人輸布一疋, 小口二丈, 謂之一布'《後漢書》.

[字源] 篆文 形聲. 貝+宗〔音〕

[賨布 종포] 공물(貢物)로 바치는 포백(布帛).

8 ⑮ [質] [中·人] [一] 질 [入]質 之日切 [去]寘 陟利切 zhì [二] 지 [去]寘 脂利切 zhì 质

[筆順] 一 厂 斤 斤 斦 斦 質 質

[字解] [一] ①모양 질 물건의 형체. '物一'. '形一'. '原始要終, 以爲一也'《易經》. ②바탕 질 ㉠물건을 이룬 재료, 또는 그 품질. '本一'. '雖曰布類, 其一精好'《急就篇》. 전(轉)하여, 기초·근본의 뜻으로 쓰임. '以鍊銅爲柱一'《戰國策》. '君子義以爲一'《論語》. ㉡타고난 성질이나 재질·체질. '性一'. '增美一'《禮記》. '恐情一之不信兮'《楚辭》. ㉢있는 그대로 꾸밈이 없음. '文一'. '一樸'. '一素'. '遺華反一'《陸雲》. 전(轉)하여, 참·진실·사실 등의 뜻으로 쓰임. '君子有過, 則謝以一, 小人有過, 則謝以文'《史記》. ③맹세 질 맹약. 약속. '與吳王有一'《左傳》. ④어음 질 증권. '大市曰一, 小市曰劑'《周禮》. ⑤과녁 질 표적(標的). '是故一的張, 而弓矢至焉'《荀子》. ⑥정곡 질 과녁의 한가운데 되는 점. '公射出一'《說苑》. ⑦모탕 질 나무를 패는 데 받치는 나무토막. 또, 죄인의 목을 베는 데 받치는 나무토막. '不足以當椹一'《史記》. ⑧바를 질 올바름. '莫不一良'《禮記》. ⑨이룰 질 성취함. '虞芮一厥成'《詩經》. ⑩대답할 질 윗사람의 물음에 대답함. '一君之前'《禮記》. ⑪정할 질 결정함. '不擧人以一士'《孔子家語》. ⑫물을 질 의문되는 점을 물음. '一問'. '爰一所疑'《太玄經》. ⑬성 질 성(姓)의 하나. ⑭저당물 질, 볼모 질 저당 잡힌 물건. 또, 인질(人質). '典一'. '爲一於鄭'《左傳》. ⑮저당잡힐 질, 볼모잡힐 질 '莊襄王爲秦一子於趙'《史記》. [二] 폐백 지 예물(禮物). 贄(貝部 十一畫)와 同字. '出疆必載一'《孟子》.

[字源] 篆文 會意. 所+貝. '所'은 '부절(符節)'의 뜻을 나타내는 것으로 추측됨. 금전(金錢)에 맞먹는 재화(財貨), 곧 전당물(物)의 뜻을 나타냄. 또, '信신'과 통하여 '진실·본바탕'의 뜻을 나타냄.

[質權 질권] 채권자가 채권의 담보로 잡은 물건을 점유(占有)하고 그 물건에 대하여 선취득권(先取得權)을 갖는 권리.
[質訥 질눌] 꾸밈이 없고 입이 무거움. 성실하고 말이 없음. 성실하고 말솜씨가 없음.
[質量 질량] 물체가 지니고 있는 실질적 양(量).
[質明 질명] 밤이 밝으려고 할 때. 여명.
[質問 질문] 모르거나 의심나는 점을 캐어물음.
[質物 질물] 저당물.
[質朴 질박] 질박(質樸).
[質樸 질박] 꾸밈새 없이 순박함.
[質性 질성] 타고남. 또, 꾸밈없는 마음. 성질.
[質素 질소] ㉠꾸밈없이 순박함. ㉡검소함.
[質勝文則野 질승문즉야] 실질 내용이 외부 수식보다 나으면 졸품(拙品)이 됨. 질(質)은 선천적인 본성, 문(文)은 후천적인 수련.
[質野 질야] 꾸밈이 없이 바탕 그대로임.
[質言 질언] 꾸밈없는 말. 성실한 말.
[質義 질의] 뜻을 물음.
[質疑 질의] 의심나는 곳을 질문함. 문의(問疑).
[質子 질자] 볼모. 인질(人質)로 보낸 아들.
[質的 질적] 과녁. 사적(射的).
[質正 질정] 질문하여 구명함.
[質定 질정] 갈피를 잡아서 작정함.
[質劑 질제] 어음.
[質直 질직] 질박하고 정직함.
[質眞 질진] 꾸밈없이 자연 그대로임. 가식이 없고 진실함.
[質責 질책] 책망하여 바로잡음.
[質稟 질품] 상관에게 여쭈어 봄.
[質行 질행] 착실한 행동. 성실한 행위.
[質厚 질후] 꾸밈이 없고 후함.
◉剛質. 交質. 謹質. 奇質. 氣質. 器質. 陋質. 面質. 文質. 物質. 美質. 樸質. 訪質. 變質. 伏鈇質. 本質. 尙質. 瑞質. 纖質. 性質. 聖質. 誠質. 素質. 淑質. 淳質. 實質. 心質. 弱質. 麗質. 廉質. 艶質. 叡質. 玉質. 頑質. 瑤質. 容質. 委質. 遺華反質. 惡質. 良質. 麗質. 異質. 咨質. 資質. 才質. 載質. 柱質. 地質. 直質. 天質. 賤質. 體質. 稚質. 特質. 蒲柳質. 稟質. 形質.

8 ⑮ **[賣]** 육 [入]屋 余六切 yù
[字解] 행상할 육 팔면서 다님. '一, 衙也'.(段注)衙, 行且賣也'《說文》.
[字源] 金文 篆文 會意. 金文은, 貝+直. '直직'은 '직시(直視)하다'의 뜻. 상대방을 직시하여, 눈을 현혹시켜 물건을 팔다 또는 사다의 뜻. 다니면서 물건을 칭찬하여 팔다의 뜻을 나타냄. 篆文은 그 변형(變形)임.
[參考] 賣(貝部 八畫)는 別字.

8 ⑮ **[賛]** [人名] 〔찬〕
贊(貝部 十二畫〈p. 2207〉)의 俗字
[筆順] 二 夫 夫= 扶 替 替 賛 賛

9 ⑯ **[賱]** [人名] 운 [上]吻 委隕切 yǔn
[字解] 부유(富裕)할 운 '一, 一賰, 富也'《集韻》.

9 ⑯ **[賭]** [人名] 도 [上]麌 當古切 dǔ 賭
[字解] ①걸 도 노름판에서 돈·물품 등을 서로 대어 놓음. '方與玄圍棊, 一別墅'《晉書》. ②노름 도 내기. 도박. '一博'. '設宴一射'《魏書》.
[字源] 篆文 形聲. 貝+者[音]. '者자'는 '집중하다, 쏟아 넣다'의 뜻. 금품을 쏟아 부어 노름을 하다의 뜻을 나타냄.

[賭弓 도궁] 도사(賭射).
[賭技 도기] 노름. 도박.
[賭命 도명] 생명을 겖.
[賭博 도박] 돈을 걸고 승부를 다투는 내기. 노름.
[賭坊 도방] 도장(賭場).
[賭射 도사] 금품을 걸고 승부를 다투는 활쏘기. 내기 활쏘기.
[賭賽 도새] 도박(賭博).
[賭場 도장] 도박장.
[賭錢 도전] ㉠돈내기. ㉡돈내기에 건 돈.
◉決賭. 競賭. 交賭. 攤賭.

9 ⑯ **[賵]** 봉 [去]送 撫鳳切 fèng 賵
[字解] 보낼 봉 죽은 사람을 장사 지내는 데 필요한 거마(車馬)를 보냄. 또, 그 거마(車馬). '歸惠公仲子之一'《左傳》.
[字源] 篆文 會意. 貝+冒. '貝패'는 '재물(財物)'. '冒모'는 '덮어씌우다'의 뜻으로, 죽은 자(者)를 덮어 가리는 옷의 뜻. 사자(死者)에 대한 조의(弔意)를 표하기 위하여 상주(喪主)에게 보내는 의복(衣服)·거마(車馬)의 뜻을 나타냄.

[賵賻 봉부] 부의(賻儀)로 보내는 물건. 또, 부의를 보내는 일.
[賵襚 봉수] 죽은 사람을 위하여 거마(車馬)·수의(襚衣) 등을 보냄.
[賵弔 봉조] 부의를 보내어 조상함.
[賵贈 봉증] 부의로 보내는 물건. 또, 부의를 보내는 일.
◉艱賵. 歸賵. 賻賵. 禮賵. 贈賵.

9 ⑯ **[賰]** [人名] 춘 [上]軫 式允切 chǔn
[筆順] 丨 冂 目 貝 貝 賰 賰 賰
[字解] 넉넉할 춘 '賱一'은 부(富).
[字源] 形聲. 貝+春〔音〕.

9 ⑯ **[賝]** 〔침〕
賝(貝部 八畫〈p. 2201〉)의 本字

9 ⑯ **[賴]** [高人] 뢰 [去]泰 落蓋切 lài 赖
[筆順] 一 ㅁ 申 束 束 剌 剌 賴 賴
[字解] ①의뢰할 뢰, 힘입을 뢰 ㉠믿고 의지함. '依一'. '萬世永一'《書經》. ㉡말미암음. 인(因)

함. '於今可見古人爲學次第者獨一此篇之存'《大學章句》. ②의뢰 뢰 의뢰할 데. '百姓暾然, 無生一矣'《晉書》. ③얻을 뢰 손에 넣음. 이익을 봄. '已一氣地'《國語》. ④이득 뢰 이익. '爲秦則無一'《戰國策》. ⑤착할 뢰 선량함. 일설(一說)에는, 게을리 함. '富歲子弟多一'《孟子》. ⑥마침 뢰 때마침 운이 좋아서. '一其徒相與守之, 卒有立於天下'《韓愈》. ⑦성 뢰 성(姓)의 하나.
[字源] 篆文 形聲. 貝＋剌〔音〕. '剌라'는 '柬간'과 통하여, 자루 속에 물건을 담아 넣다의 뜻. 재화(財貨)를 자루에 담아 넣어, 이문을 남기다, 벌다의 뜻을 나타냄.
[參考] 頼(次條)는 俗字.

[賴庇 뇌비] 의뢰.
◉嘉賴. 慶賴. 多賴. 戴賴. 無賴. 附賴. 庇賴. 馮賴. 四海賴. 屬賴. 順賴. 恃賴. 信賴. 安賴. 悅賴. 永賴. 委賴. 依賴. 倚賴. 親賴. 忻賴.

9 ⑯ [頼] 賴(前條)의 俗字

9 ⑯ [賮] 〔신〕 贐(貝部 十四畫〈p.2208〉)과 同字
[字源] 篆文 形聲. 貝＋盡〈省〉〔音〕. '盡진'은 '進진'과 통하여 '권하다'의 뜻. 길 떠나는 사람에게 주는 재화(財貨)의 뜻을 나타냄.

9 ⑯ [𧶠] 〔귀〕 貴(貝部 五畫〈p.2191〉)의 本字

9 ⑯ [賗] [一] 완 [上]旱 戶管切
[二] 단 [上]旱 覩緩切 duǎn
[字解] [一] 재물조금있을 완 '一, 賍一, 小有財'《集韻》. [二] 재물조금있을 단 [一]과 뜻이 같음.

10 ⑰ [賺] [一] 잠 [去]陷 直陷切 zuàn, zhuàn
[二] 렴 [平]鹽 離鹽切 lián
[字解] [一] 속일 잠 기만함. 또, 물건을 속여 비싸게 팖. '俗謂相欺誑曰一'《正字通》. '拐兒一癡人得手'《黃允文雜纂》. [二] 팔 렴 賺(貝部 十三畫)은 本字.
[字源] 篆文 形聲. 貝＋廉〔音〕

10 ⑰ [賻] [人名] 부 [去]遇 符遇切 fù
[字解] ①부의 부 상사(喪事)에 주는 부조. '賵一'. '致一數百萬'《世說》. ②부의할 부 부의를 보냄. '知死者贈, 知生者一'《儀禮》.
[字源] 篆文 形聲. 貝＋専〔音〕. '専부'는 '돕다'의 뜻. 상주(喪主)를 돕기 위해 부조하는 의복·재화(財貨)의 뜻을 나타냄.

[賻絹 부견] 초상집에 부조하는 비단.
[賻賚 부뢰] 귀인(貴人)이 보내는 부의.
[賻賵 부봉] 부의로 보내는 물건.
[賻襚 부수] 부의로 보내는 거마·의복 등.
[賻儀 부의] 초상(初喪)난 집에 돈이나 물건을 보내는 일.
[賻祭 부제] 부의를 보내어 제사 지냄.
[賻助 부조] 부의를 보내어 장사를 도움.
[賻贈 부증] 장례를 돕기 위해 초상집에 부조하는 물건. 향전(香奠).
◉給賻. 薄賻. 法賻. 賵賻. 賞賻. 弔賻. 助賻. 贈賻.

10 ⑰ [購] [人名] 구 [去]宥 古候切 gòu
[平]尤 居侯切
[筆順] 貝 貝⁻ 貝⁺⁺ 貝⁺⁺ 賭 購 購 購
[字解] ①살 구 구매함. '一入'. '將西一於秦'《史記》. ②걸 구 현상을 걸어 구함. '以金一豨將'《漢書》. ③풀릴 구 화의함. 화목함. '北一於單于'《史記》.
[字源] 篆文 形聲. 貝＋冓〔音〕. '冓구'는 얽어 모아 합치다의 뜻. 그 금전(金錢)에 상당하는 것을 사서 가지다의 뜻을 나타냄.

[購告 구고] 현상(懸賞)을 걸어 신고케 함.
[購求 구구] ㉠구하여 삼. ㉡현상을 걸어 찾음.
[購讀 구독] 서적 등을 사서 읽음.
[購買 구매] 물건을 삼.
[購募 구모] 상(賞)을 걸고 모음.
[購問 구문] 현상을 걸어 찾음.
[購書 구서] 서적을 구입함. 책을 삼.
[購入 구입] 물건을 사들임.
[購捕 구포] 현상을 걸어 찾음.
◉開購. 急購. 博購. 希購.

10 ⑰ [賶] 창 [去]漾 七浪切 càng
[字解] 재물모을 창 '一, 積貨也'《字彙》.

10 ⑰ [賸] [一] 잉 [去]徑 以證切
[二] 싱 [去]徑 實證切 shèng
[字解] [一] ①남을 잉 나머지가 있음. 剩(刀部 十畫)과 同字. '一語'. '殘膏一馥'《唐書》. ②더할 잉 불어남. 증가함. '一, 物相增加也'《說文》. [二] 남을 싱, 더할 싱 [一]과 뜻이 같음.
[字源] 金文 篆文 形聲. 貝＋朕(艂)〔音〕. '艂등·승'은 위로 들어 올리다의 뜻. 재물(財物)을 바치다, 보내다의 뜻. 또 파생(派生)되어 상대의 재물을 늘린다는 데서, 일반적으로 '늘다, 불어나다'의 뜻을 나타냄.

[賸馥 잉복·싱복] 뒤에까지 남아 있는 향기. 여향(餘香).
[賸語 잉어·싱어] 쓸데없는 말. 군소리.
◉冗賸. 贅賸.

10 ⑰ [賹] 애 [去]卦 烏懈切 ài, ②yì
[字解] ①기억할 애 사물을 인식함. '一, 一記人物'《廣韻》. '一, 記物也'《集韻》. ②스무냥 애, 스물넉냥 애 鎰(金部 十畫)과 뜻이 같음. '益加貝爲一, 予意當轉釋爲鎰'《秦寶瓚》.

10 ⑰ [賾] 색 [入]陌 士革切 zé
[字解] 깊을 색 심오함. 또, 그 진리. '探一'. '聖人有以見天下之一'《易經》.
[字源] 形聲. 匠＋責〔音〕

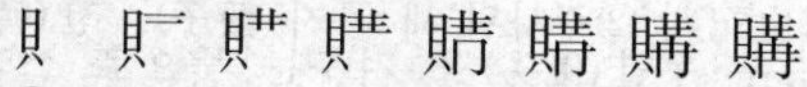

[賾旨 색지] 깊은 뜻.
◉窮賾. 幾賾. 冥賾. 妙賾. 微賾. 祕賾. 淵賾. 奧賾. 幽賾. 精賾. 至賾. 探賾. 玄賾.

10 ⑰ [賽] [人名] 새 去隊 先代切 sài 赛

[字解] ①굿 새, 굿할 새 신불에 올리는 감사의 제사. 또, 그 제사를 지냄. '一神'. '禱一如東方'《史記》. ②주사위 새 투자(骰子). 전(轉)하여, 승부·우열(優劣)을 겨루는 뜻으로 쓰임. '借物一賭'《王君玉雜纂》. ③성 새 성(姓)의 하나.
[字源] 篆文 形聲. 貝+塞〈省〉〔音〕. '塞새'는 '채워 넣다'의 뜻. 그 해의 수확물로서의 재화(財貨)를 잔뜩 제물(祭物)로서 바쳐, 신(神)으로부터의 복(福)에 감사하여 제사 지내다의 뜻을 나타냄. 또, '簺새'와 통하여 바둑돌을 바둑판에 메워 나가서 우열을 겨루다의 뜻도 나타냄.

[賽馬 새마] 돈을 걸고 하는 경마.
[賽社 새사] 오곡(五穀)의 풍작을 신(神)에게 감사하는 굿.
[賽神 새신] 굿·푸닥거리 따위.
[賽錢 새전] 신불에 참배하고 바치는 돈.
◉告賽. 祈賽. 答賽. 禱賽. 報賽. 嗣賽. 秋賽. 春賽.

10 ⑰ [賫] 〔재·자·제〕齎(齊部 七畫〈p. 2722〉)와 同字

11 ⑱ [賝] 삼 上寢 楚錦切 chěn

[字解] 내기할 삼, 내기 삼 '一, 賭也'《字彙》.
[字源] 形聲. 貝+參〔音〕

11 ⑱ [贓] 〔장〕
贓(貝部 十四畫〈p. 2208〉)의 本字

11 ⑱ [贈] 〔증〕
贈(貝部 十二畫〈p. 2206〉)의 俗字

11 ⑱ [贄] [人名] 一 지 去寘 脂利切 zhì 二 얼 入屑 魚列切 niè 贽

[字解] 一 폐백 지 면회(面會)할 때 신분(身分)에 따라 가지고 가는 예물(禮物). 또, 구직(求職)하거나 가르침을 받고자 할 때 가지고 가는 예물. '委一'. '嘉一'. '男一, 大者玉帛, 小者禽鳥'《左傳》. 二 움직이지아니할 얼 慹(心部 十一畫)과 통용. '一, 不動皃'《集韻》.
[字源] 形聲. 貝+執〔音〕. '執집'은 '잡다'의 뜻. 손에 잡고 선물로 보내는 금품, 예물의 뜻을 나타냄.

[贄敬 지경] 사대부(士大夫)가 만날 때 각기 계절에 맞는 예물을 주어 경의(敬意)를 표함. 전(轉)하여, 처음 입문(入門)할 때의 예물.
[贄帛 지백] 예물(禮物). 헌상물(獻上物).
[贄寶 지보] 진상(進上)하는 물품.
[贄然 지연] 직립하여 움직이지 아니하는 모양.
[贄幣 지폐] 폐백(幣帛)·옥백(玉帛) 등의 예물(禮物).
[贄見 지현] 예물(禮物)을 가지고 스승을 뵘. 입문(入門)함.
◉嘉贄. 交贄. 珪贄. 禮贄. 委贄. 執贄. 琛贄.

11 ⑱ [購] 구 去宥 古候切 gòu

[字解] 속죄할 구 죄 갚음을 함. '一, 贖也'《龍龕手鑑》.

11 ⑱ [贅] [人名] 췌 去霽 之芮切 zhuì 赘

[字解] ①군더더기 췌 쓸데없음. '一言'. '餘食一行'《老子》. ②저당잡힐 췌 '民待賣爵一子'《漢書》. ③혹 췌 불룩 나온 군살. '疣一'. '一瘤'. '附一縣疣'《莊子》. ④이을 췌 연속함. 연함. '一路在阼階面'《書經》. ⑤데릴사위 췌 초서(招壻). 또, 데릴사위가 됨. '一壻'. '家貧, 子壯則出一'《漢書》. ⑥모을 췌, 모일 췌 '一其父老'《說苑》. ⑦회유할 췌 물건을 주어 붙좇게 함. '大臣之一下而射人心者必多矣'《管子》. ⑧얻을 췌 '一, 得也'《廣雅》. ⑨책망할 췌, 미워할 췌 '反離羣而一肬'《楚辭》. ⑩붙을 췌 속(屬)함. '一, 屬也'《小爾雅》. '具一卒荒'《詩經》. ⑪갖춰질 췌 구비함. '一, 具也'《廣雅》.
[字源] 篆文 會意. 貝+敖. 멋대로 하다의 뜻. 재화(財貨)를 제멋대로 다루다, 헛되다, 쓸데없다의 뜻을 나타냄.

[贅居 췌거] 처가살이를 함.
[贅句 췌구] 불필요한 글귀.
[贅談 췌담] 췌언(贅言).
[贅論 췌론] 쓸데없는 너저분한 의론.
[贅文 췌문] 쓸데없는 문자·문장.
[贅物 췌물] ㉠쓸데없는 물건. ㉡사치품.
[贅辯 췌변] 췌언(贅言).
[贅壻 췌서] 데릴사위.
[贅述 췌술] 쓸데없는 말을 함.
[贅語 췌어] 쓸데없는 말. 군더더기 말.
[贅言 췌언] 쓸데없는 말. 군소리.
[贅肬 췌우] 췌우(贅疣).
[贅疣 췌우] 혹. 전(轉)하여, 무용지물.
[贅肉 췌육] 궂은살. 군살.
[贅議 췌의] 췌론(贅論).
[贅子 췌자] ㉠데릴사위. ㉡옛날에 빚의 보증으로 채권자의 집에 볼모로 맡긴 아들.
[贅行 췌행] 쓸데없는 행위.
◉句贅. 附贅. 疣贅. 瘤贅. 出贅.

12 ⑲ [贈] [高人] 증 去徑 昨亘切 zèng 赠

[筆順] 貝 貝' 貝'' 貝㐫 貝曽 貝曾 贈 贈

[字解] ①줄 증 ㉠물건을 줌. '一送'. '一以韋袴褶一具'《世說》. ㉡송별 또는 이별할 때 교훈 또는 시문 같은 것을 줌. '一詩'. '故其一行, 不以頌而以規'《韓愈》. '子路去魯, 謂顏淵曰, 何以一我'《禮記》. ㉢사후(死後)에 조정에서 벼슬을 내림. '一位'. '追一'. 또, 그 벼슬. '薄葬不受爵一'《後漢書》. ②선물 증 남에게 선사로 주는 물건. '受一'. '蹌華袞之一'《穀梁傳》. ③선사할 증 '一申侯伯而行之'《說苑》. ④더할 증 물건을 주어 불림. '以一申伯'《詩經》.
[字源] 篆文 形聲. 貝+曾〔音〕. '曾증'은 거듭 보태다의 뜻. 상대에게 재물을 주어 늘

리다, 보내다의 뜻을 나타냄.

[贈答 증답] 선사로 물건을 주고받음.
[贈別 증별] ㉠송별함. ㉡사람이 멀리 떠날 때 시문을 지어 주거나 물품을 보내어 석별의 정을 표함.
[贈賻 증부] 부의(賻儀).
[贈賜 증사] 금품을 내려 줌.
[贈序 증서] 작별할 때 지어 주는 글.
[贈送 증송] 금품을 주어 보냄.
[贈詩 증시] 시를 지어 줌. 또, 그 시.
[贈諡 증시] 제왕이 시호(諡號)를 내림.
[贈與 증여] 물건을 선사로 보냄.
[贈位 증위] 사후에 조정에서 벼슬을 내림. 또, 그 벼슬.
[贈遺 증유] 선사함. 또, 그 물품.
[贈爵 증작] 사후에 작위(爵位)를 내림.
[贈餞 증전] 전별(餞別)할 때 금품을 줌. 또, 그 금품. 전별금(餞別金).
[贈呈 증정] 물건을 드림.
[贈賄 증회] 선사를 함. 또, 선물. 선사품.
[贈恤 증휼] 물건을 주어 은혜를 베풂.
◉奇贈. 寄贈. 賵贈. 分贈. 受贈. 酬贈. 宸贈. 賻贈. 持贈. 追贈. 顯贈. 貺贈. 賄贈.

12 ⑲ [賧] 담 ㊤感 徒感切 ㊦勘 徒紺切 dàn

字解 ①선금 담 선돈. '—, 價物預授直也'《集韻》. ②권수비단 담 책의 권수(卷首)에 붙이는 비단 헝겊. 옥지(玉池). '隋唐藏書, 皆金題錦—'《米芾》.
字源 形聲. 貝+覃〔音〕.

◉錦賧.

12 ⑲ [贊] 高人 찬 ㊦翰 則旰切 zàn 赞

筆順 ⺧ 生 先 先⺧ 兟 兟 贊 贊

字解 ①도울 찬 조력함. 보좌함. '—助'. '—天地之化育'《中庸》. ②고할 찬 알림. 또, 설(說)함. '徧—賓客'《史記》. '伊陟—巫咸'《漢書》. ③기릴 찬 칭찬함. 讚(言部 十九畫)과 同字. '賞—'. '夫子誦此詩而—之曰'《中庸章句》. ④찬사 찬 칭찬하는 말. '學者先讀此—, 而後讀其書'《史記》. ⑤이끌 찬 인도함. '陳百僚而—羣后'《後漢書》. ⑥뵐 찬 만나 뵘. '—, 見也'《說文》. ⑦밝힐 찬 '不可勝—'《宋玉》. ⑧전달할 찬 '宰自主人之左—命'《儀禮》. ⑨문체의하나 찬 ㉠인물을 칭송하고 논평하는 글. '伯夷—'. '孔子—'. ㉡서화의 옆에 쓰는 말. 찬(讚). '自圖宣尼像, 爲之—而書之'《南史》. ㉢역사의 기사(記事)에 첨가하는 의론. '史記論—'. ⑩성 찬 성(姓)의 하나.
字源 篆文 形聲. 貝+兟〔音〕. '兟신'은 '올리다'의 뜻. 신(神)에게 재화(財貨)를 바쳐 알리다, 찬양하다의 뜻을 나타냄.
參考 賛(貝部 八畫)은 俗字.

[贊決 찬결] 도와서 결정함.
[贊導 찬도] 인도함.
[贊同 찬동] 찬성(贊成).
[贊美 찬미] 칭송함. 기림.
[贊普 찬보] 토번(吐蕃)의 군장(君長).
[贊否 찬부] 찬성과 불찬성.
[贊辭 찬사] 칭찬하는 말.
[贊善 찬선] 당(唐)나라의 벼슬 이름. 동궁(東宮)에 설치하는데 시종(侍從)·익찬(翊贊)을 맡음.
[贊成 찬성] 동의(同意)함. 동의하여 도와줌.
[贊述 찬술] 칭찬하여 진술함.
[贊揚 찬양] 칭찬하여 드러냄.
[贊襄 찬양] 임금을 도와 치적(治績)을 올리게 함.
[贊佑 찬우] 찬조(贊助).
[贊翼 찬익] 찬조(贊助).
[贊助 찬조] 찬동하여 도와줌.
[贊佐 찬좌] 찬조(贊助).
[贊嘆 찬탄] 찬탄(贊歎).
[贊歎 찬탄] 감탄하여 칭찬함.
◉光贊. 勸贊. 輔贊. 扶贊. 敷贊. 毗贊. 宣贊. 翊贊. 翼贊. 自贊. 參贊. 天贊. 諷贊. 協贊. 弘贊. 恢贊.

12 ⑲ [贇] 人名 빈(윤本) ㊥眞 於倫切 yūn 赟

字解 예쁠 빈 아름다운 모양. '—, 美好也'《廣韻》.
字源 會意. 貝+斌. '斌빈'은 문무(文武)의 조화가 잡혀 있다의 뜻. 문무와 금품(金品)이 갖춰져 있어 아름답다의 뜻을 나타냄.

12 ⑲ [贋] 〔안〕 贗(貝部 十五畫〈p. 2209〉)의 俗字

12 ⑲ [購] 〔구〕 購(貝部 十畫〈p. 2205〉)와 同字

12 ⑲ [賥] 一 궤 ㊦寘 居僞切 guì 二 와 ㊤馬 五寡切

筆順 Ⅱ 目 貝 貝⺈ 貝⺈ 賥 賥 賥

字解 一 ①재물 궤 '—, 資也'《說文》. ②걸 궤 내기를 함. '—, 賭也'《廣雅》. 二 재물 와, 걸 와 一과 뜻이 같음.
字源 形聲. 貝+爲〔音〕.

12 ⑲ [賮] 귤 ㊇質 巨律切 jú

字解 조개이름 귤 '—, 貝也'《字彙》.

12 ⑲ [賭] 도 ㊥虞 東徒切 dū

字解 내기에이길 도 '—, 賭勝曰—'《集韻》.

13 ⑳ [贍] 人名 섬 ㊦豔 時豔切 shàn 赡

字解 ①넉넉할 섬 ㉠많음. 풍부함. '—富'. '振人不—'《史記》. ㉡충분함. '力不—也'《孟子》. ②진휼할 섬 구휼함. '—賑'. '收—名士'《漢書》. ③성 섬 성(姓)의 하나.
字源 篆文 形聲. 貝+詹〔音〕. '詹섬'은 '그득 차다'의 뜻. 재화(財貨)가 그득 차 있다의 뜻을 나타냄.

[贍給 섬급] 베풀어 줌. 물품을 넉넉하게 댐.

[贍麗 섬려] 섬부(贍富)하고 화려함. 어휘가 풍부하고 문장이 화려함.
[贍敏 섬민] 섬부하고 민속함.
[贍富 섬부] 넉넉함.
[贍逸 섬일] 섬부(贍富)하고 뛰어남. 문장 등이 어휘가 풍부하고 뛰어남.
[贍足 섬족] 섬부(贍富).
[贍智 섬지] 넉넉한 슬기. 많은 슬기.
[贍賑 섬진] 재물을 주어 도와줌.
[贍學 섬학] 섬부한 학문. 박학.
[贍護 섬호] 진휼(賑恤)하여 구호함.
[贍卹 섬휼] 구휼(救恤).
◉供贍. 宏贍. 巧贍. 綺贍. 朗贍. 貸贍. 明贍. 美贍. 敏贍. 博贍. 班贍. 辯贍. 富贍. 分贍. 酬贍. 雅贍. 姸贍. 盈贍. 饒贍. 優贍. 雄贍. 流贍. 雋贍. 精贍. 賙贍. 拯贍. 賑贍. 淸贍. 充贍. 通贍. 豐贍. 該贍. 華贍. 卹贍.

13 ⑳ [賹] [一] 렴 [去]豔 力驗切 liàn [二] 담 [去]勘 徒紺切

[字解] [一] 선금(先金) 렴 선돈. 선금을 줌. '一, 市先入直, 若今𧵍錢'《集韻》. [二] 선금 담 [一]과 뜻이 같음.

13 ⑳ [賺] 렴 [平]鹽 離鹽切 lián

[字解] 팔 렴 賺(貝部 十畫)의 本字. '一, 賣也'《集韻》.
[字源] 形聲. 貝+廉〔音〕

13 ⑳ [贏] 영 [平]庚 以成切 yíng 赢

[字解] ①남을 영 한도 밖에 더 있음. '量入計出, 分所一'《唐書》. ②나머지 영 잔여. '尙有五升之一'《東坡酒經》. ③돈벌 영, 이 영 이익. 이득. '一利'. '賈而欲一, 而惡囂乎'《左傳》. ④지나칠 영 한도를 지남. 과도함. '撟幹欲孰於火而無一'《周禮》. ⑤풀릴 영 해이(解弛)함. '天地始肅, 不可以一'《禮記》. ⑥펴질 영 늘어남. '縮'의 대(對). '孟春始一'《淮南子》. ⑦받을 영 수용함. '以隷人之垣, 以一諸侯'《左傳》. ⑧쌀 영 포장(包裝)함. '一糧而趣之'《莊子》. ⑨질 영 등에 짊어짐. '一三日之糧'《荀子》. ⑩이길 영 전쟁 또는 도박 등에서의 승리. '輸一'. '爭言鬪草一'《陸游》. ⑪넘칠 영 '一, 溢也'《玉篇》. ⑫나아갈 영 '一縮轉化'《國語》.
[字源] 金文 篆文 會意. 貝+嬴. '嬴라'는 달팽이의 象形으로, '늘어나다, 펴지다'의 뜻. 재화(財貨)가 그득 차 있다, 벌다, 남다의 뜻을 나타냄.

[贏金 영금] 나머지 돈.
[贏得 영득] 이득을 봄. 이것만은 이득이라는 뜻으로, 특히 시(詩)에 쓰는 말.
[贏利 영리] 이익(利益). 이득.
[贏副 영부] 나머지. 여분.
[贏財 영재] 재물(財物)을 남김. 또, 남은 재물. 여재(餘財).
[贏縮 영축] 남음과 모자람. 나감과 물러감. 늘어남과 줄어듦.
[贏絀 영출] 영축(贏縮).
◉奇贏. 薄贏. 輸贏. 餘贏. 長贏. 縮贏. 豐贏.

14 ㉑ [贔] 비 [去]寘 平祕切 bì 赑

[字解] ①힘쓸 비 '一屭'는 대단히 힘을 쓰는 모양. '巨靈一屭'《張衡》. ②큰거북 비 '一屭'는 거대한 거북으로, 붉은 거북 따위. '一屭大龜'《本草》. ③성낼 비 노함. '奸回內一'《左思》.
[字源] 會意. 貝+貝+貝

[贔怒 비노] ㉠성냄. ㉡물이 세차게 흐름.
[贔屭 비희] 자해(字解) ❶❷를 보라.

14 ㉑ [贐] 신 [去]震 徐刃切 jìn 赆

[字解] ①전별할 신 여행하는 사람에게 노자 또는 물품을 줌. 또, 그 금품. '行者必以一'《孟子》. ②예물 신 회동(會同)할 때 주는 재화(財貨). '賮, 說文, 會禮也. 或从盡'《集韻》.
[字源] 形聲. 貝+盡〔音〕. '盡진'은 '進진'과 통하여 '권하다'의 뜻. 길 떠나는 사람에게 권하는 재물, 선물의 뜻을 나타냄.

[贐送 신송] 길 떠나는 사람에게 물품을 줌.
[贐儀 신의] 전별할 때 주는 금품.
[贐錢 신전] 신의(贐儀).
[贐行 신행] 전별함. 또, 그때 주는 물품. 또는 물건을 보내는 일.

14 ㉑ [賮] 거 [去]御 居御切 jù

[字解] 전당(典當)잡힐 거 '一, 質錢也'《集韻》.

14 ㉑ [贎] 곤 [去]願 古困切 gùn

[字解] 둥글 곤 '一, 圓也'《字彙補》.

14 ㉑ [贓] [人名] 장 [平]陽 則郎切 zāng 赃

[字解] ①장물 장 부정한 방법으로 물품을 취득함. 또, 그 물품. '一品'. ②뇌물받을 장 '一吏'. '一濫官打罵公人'《李商隱雜纂》. ③감출 장 '一, 藏也'《玉篇》.
[字源] 形聲. 貝+臧〔音〕. '臧장'은 '거두다, 감추다'의 뜻. 금품을 부정하게 감추다의 뜻을 나타냄.
[參考] 贜(貝部 十一畫)은 本字.

[贓官 장관] 부정한 관리. 뇌물을 탐하는 벼슬아치.
[贓蠹 장두] 뇌물을 탐내는 간리(奸吏).
[贓吏 장리] 부정한 수단으로 재물을 취득한 관리. 또, 뇌물을 받은 관리.
[贓物 장물] 범죄(犯罪)에 의하여 얻은 물건.
[贓穢 장예] 부정하여 더러움. 또, 부정한 물건. 더러운 물건.
[贓汚 장오] 부정한 물품을 받는 더러운 행위.
[贓罪 장죄] 뇌물을 받은 죄(罪).
[贓品 장품] 장물(贓物).
[贓貨 장화] 부정 수단에 의하여 재화를 손에 넣음.
◉姦贓. 犯贓. 宿贓.

14 ㉑ [贑] 〔감〕 灨(水部 二十四畫〈p. 1320〉)과 同字

14 [贒] 〔현〕
㉑ 賢(貝部 八畫〈p. 2202〉)의 古字

15 [贖] 속 ⓐ沃 神蜀切 shú
㉒

字解 ①바꿀 속 물물 교환을 함. '解左驂一之'《史記》. ②속바칠 속 속전을 냄. 금품을 내고 죄를 면함. '一罪'. '金作一刑. (傳) 誤而入刑, 出金以一罪'《書經》. ③떠날 속 '一蟄蟲卵萎'《管子》. ④이을 속 續(糸部 十五畫)과 통용. '昔原大夫一桑下絕氣'《後漢書》.

字源 金文 篆文 形聲. 貝+賣〔音〕. '賣육'은 상대의 눈을 현혹시켜서 사다의 뜻. '속바치다'의 뜻을 나타냄.

[贖免 속면] 금품을 바치고 죄(罪)를 면함.
[贖錢 속전] 죄를 면하려고 바치는 돈.
[贖罪 속죄] 속바침. 재물을 내고 죄를 면함.
[贖刑 속형] 속바침. 또, 그 형벌. 벌금형.
◉極贖. 赦贖. 輸贖. 助贖. 重贖. 厚贖.

15 [贕] 독 ⓐ屋 徒谷切 dú
㉒

字解 ①곯을 독 알이 곯아 부화하지 아니함. ②죽을 독 짐승이 태내(胎內)에서 죽음. '獸胎不一'《淮南子》.

15 [贗] 안 ⓒ諫 五晏切 yàn
㉒

字解 ①거짓 안 위조. 또, 위조한 물건. 가짜. '一天子'. '居然見眞一'《韓愈》. ②바르지않을 안 옳지 않음. '一, 不直也'《玉篇》.

字源 形聲. 貝+鴈〔音〕. '鴈안'은 '기러기'의 뜻. 조그만 기러기가 큰 새의 습격에서 몸을 지키기 위해 보다 큰 새로 보이도록 정연하게 대오(隊伍)를 지어 나는 모양에서, '가짜'의 뜻을 나타냄.

參考 贋(貝部 十二畫)은 俗字.

[贗金 안금] 가짜 돈. 위조한 돈.
[贗物 안물] 위조한 물건. 가짜.
[贗本 안본] 위조한 책.
[贗書 안서] 가짜 책.
[贗作 안작] 가짜. 안조(贗造).
[贗鼎 안정] 가짜 솥. 전(轉)하여, 널리 '가짜'의 뜻으로 쓰임.
[贗造 안조] 위조함. 또, 위조품.
[贗札 안찰] 위조지폐.
[贗天子 안천자] 거짓 천자(天子).
◉眞贗.

16 [贘] 돈 dǔn
㉓

字解 보낼 돈 기이(奇異)한 물건을 보냄. '一, 別寄異物也'《篇韻》.

16 [贙] 현 ⓒ霰 黃絢切 xuàn
㉓

字解 ①나눌 현, 나뉠 현 다투어 나눔. '兼葭一, 雚蒻森'《左思》. ②맞겨룰 현 '一, 對爭也'《字彙》.

字源 甲骨文 金文 篆文 會意. 虤+貝. 두 마리의 호랑이가 먹이〔貝〕를 다투어 나누다의 뜻에서, '맞겨루다, 나누다'의 뜻으로 쓰임.

17 [贛] 一 공 ⓒ送 古送切 gòng
㉔ 二 감 ⓑ感 古禫切 gàn

字解 一 ①미련할 공 어리석음. 戇(心部 二十四畫)과 통용. '戇, 悍戇, 愚也. 或省'《集韻》. ②줄 공 내림. 하사(下賜)함. 또, 내려 준 것. '一朝用三千鍾一'《淮南子》. '今一人敖倉'《淮南子》. 二 강이름 감 장시 성(江西省)을 흘러 포양호(鄱陽湖)에 들어가는 강(江).

字源 篆文 籀文 形聲. 貝+贛〈省〉〔音〕.

17 [贑]
㉔ 贛(前條)의 本字

17 [贚]
㉔ 贛(前前條)의 籀文

18 [贓] 〔장〕
㉕ 贓(貝部 十四畫〈p. 2208〉)의 俗字

赤 (7획) 部

〔붉을적부〕

0 [赤] 中人 적 ⓐ陌 昌石切 chì
⑦

筆順 一 十 土 ナ 亣 赤 赤

字解 ①붉은빛 적 적색. '周人尙一'《禮記》. ②붉을 적 ㉠붉은빛임. '一衣'. '持一幟'《史記》. ㉡진심을 가지고 있음. 숨김이 없음. '一誠'. '一心'. '以玆報主寸心一'《杜甫》. ㉢공산주의·공산주의자의 속칭. ③빌 적 아무것도 없음. '一貧'. '蝗蟲大起, 一地數千里'《漢書》. ④벌거벗을 적 알몸임. '一裸'. '一身受凍'《寄園寄所》. ⑤벨 적, 멸할 적 주멸(誅滅)함. '不知一跌將一吾之族'《揚雄》. ⑥염탐할 적 정탐꾼. 척후병. '虜秦將一'《史記》. ⑦없앨 적 쫓아 버림. 捇(手部 七畫)과 同字. '一, 除撥也'《集韻》. ⑧경기 적 기내(畿內). '畿一十九邑'《宋史》. ⑨성 적 성(姓)의 하나.

字源 甲骨文 金文 篆文 古文 會意. 大+火. '大대'는 사람을 본뜬 모양. 불빛을 받는 사람의 모양으로서, '붉다, 빨갛다'의 뜻을 나타냄.

參考 '赤'을 의부(意符)로 하여, 붉은빛이나 물건, 붉어지는 일 등의 뜻을 나타내는 문자를 이룸.

[赤脚 적각] ㉠맨발. ㉡신선(神仙) 이름.
[赤脚大仙 적각대선] 맨발의 신선(神仙). 도교(道教)의 신(神).
[赤褐色 적갈색] 붉은빛을 띤 갈색.
[赤蓋 적개] 서쪽으로 지는 해.
[赤口毒舌 적구독설] 근성(根性)이 나빠 남을 해치는 자를 욕해 이르는 말.
[赤軍 적군] 러시아의 10월 혁명(革命)(1917년)

뒤 징병제(徵兵制)에 의하여 조직(組織)된 정규군(正規軍). 붉은 군대.
[赤鬼 적귀] 지옥 옥졸의 하나로, 살갗이 붉은 귀신.
[赤根菜 적근채] 시금치.
[赤金 적금] 구리.
[赤旗 적기] 붉은 기(旗). 공산주의(共產主義)를 상징(象徵)하는 기(旗).
[赤裸裸 적나라] ㉠발가벗음. ㉡아무 숨김없이 진상(眞相) 그대로 드러냄.
[赤羅刹 적나찰]《佛敎》적귀(赤鬼).
[赤道 적도] 지축(地軸)에 직교(直交)하여 양극(兩極)에서 90도의 거리에 있는 대권(大圈).
[赤道祭 적도제] 함선(艦船)이 적도 아래를 지나갈 때에 지내는 제전(祭典).
[赤凍 적동] 피부가 추위에 빨갛게 얾.
[赤銅 적동] ㉠구리. ㉡구리에 금이 약간 섞인 합금(合金).
[赤豆 적두] 적소두(赤小豆).
[赤倮 적라] 발가벗음.
[赤痢 적리] 대변(大便)에 피가 섞이어 나오는 이질(痢疾).
[赤面 적면] ㉠붉은 얼굴. ㉡얼굴을 붉힘.
[赤眉 적미] 후한(後漢) 초에 산둥(山東) 지방에 일어난 비도(匪徒)의 이름. 모두 눈썹을 빨갛게 물들이었으므로 이름.
[赤壁 적벽] ①후베이 성(湖北省)에 있는 네 개의 산 이름. ㉠자위 현(嘉魚縣) 동북쪽, 양쯔 강(揚子江) 가에 있음. 주유(周瑜)가 조조(曹操)를 격파한 곳. ㉡황강현(黃岡縣) 성밖에 있음. 적비기(赤鼻磯)라 부름. 소식(蘇軾)이 여기를 찾아가 주유(周瑜)가 싸웠던 적벽(赤壁)으로 잘못 알고, 전후 적벽부(前後赤壁賦)를 지었음. ㉢우창 현(武昌縣) 동남 70리에 있음. 적기(赤磯·赤圻)라고도 부름. ㉣한양현(漢陽縣) 돈구(沌口)의 임장산(臨嶂山)에 있는 오림(烏林)의 속칭(俗稱). ②물 이름. 산시 성(山西省) 안택현(安澤縣)의 남부(南部)를 서북(西北)으로 흘러 간수(澗水)와 합류(合流)하는 내.
[赤壁賦 적벽부] 송(宋)나라 소식(蘇軾)이 적벽(赤壁) 아래에서 주유(舟遊)할 때에 지은 유명한 부(賦). 전후(前後) 2편(篇)이 있음. 〈문장궤범(文章軌範)〉·〈고문진보(古文眞寶)〉에 실려 있음.
[赤伏符 적복부] 후한(後漢) 광무제(光武帝)가 즉위(卽位)할 때에 하늘로부터 내려 받았다는 적색(赤色)의 부절(符節).
[赤奮若 적분약] 축(丑)의 해의 이명(異名).
[赤紱之刺 적불지자] 군주(君主)가 군자를 멀리하고 소인을 가까이하거나 재위(在位)한 군주(君主)가 그 덕(德)이 부족하여 군주의 자격이 없음을 기자(譏刺)하는 말. 시경(詩經)의 후인(侯人)이라는 시에서 나온 말임.
[赤貧 적빈] 썩 가난함. 자산이 조금도 없음.
[赤貧如洗 적빈여세] 씻은 듯이 몹시 가난함. 극빈하여 아무것도 없음.
[赤舃 적석] 붉은 신. 석(舃)은 바닥이 두 겹으로 된 신.
[赤誠 적성] 참된 정성. 적심. 성심.

[赤舃]

[赤燒 적소] 저녁놀.
[赤小豆 적소두] 붉은팥.
[赤松 적송] 소나무의 일종(一種). 껍질이 붉고 잎이 가는 것.
[赤松子 적송자] 고대의 신선(神仙) 이름.
[赤手 적수] 맨손.
[赤繩 적승] 붉은 노. 곧, 부부(夫婦)의 인연.
[赤身 적신] 벌거벗은 몸. 알몸.
[赤心 적심] ㉠진심. 성심. ㉡과일 등의 빨간 속.
[赤鴉 적아] 태양(太陽)의 딴 이름. 태양 한가운데에 세 발 달린 까마귀가 있다는 전설에서 나온 이름.
[赤羽 적우] ㉠붉은 깃. ㉡살깃이 붉은 화살을 이름. ㉢태양.
[赤肉團上無位眞人 적육단상무위진인] 마음의 본체(本體)를 이름.
[赤衣 적의] ㉠죄인이 입는 붉은 옷. 또, 그 옷을 입은 죄인. ㉡붉은 녹(綠).
[赤衣使者 적의사자] '고추잠자리'의 별칭(別稱).
[赤子 적자] ㉠갓난아이. 핏덩이. ㉡임금의 치하(治下)에서 그 은택(恩澤)을 받는 백성.
[赤子之心 적자지심] 어린아이의, 세상의 죄악에 물들지 아니한 자연 그대로의 깨끗한 마음.
[赤箭 적전] 난초과에 속하는 기생 초본(寄生草本). 화살 깃 모양의 잎이 줄기의 마디마다 남. 뿌리는 천마(天麻)라 하여 약재(藥材)로 씀. 수자해좃. 정풍초(定風草).
[赤帝 적제] 여름을 맡은 신(神).
[赤帝子 적제자] 한(漢)나라 고조(高祖)를 일컬음. 한(漢)나라는 화덕(火德)으로 적색(赤色)을 숭상(崇尙)하였으므로 이름.
[赤條條 적조조] 적나라(赤裸裸).
[赤族 적족] 멸족(滅族)함.
[赤卒 적졸] '고추잠자리'의 별칭(別稱).
[赤憎 적증] 생각한 바와는 어그러져. 공교롭게도.
[赤地 적지] 초목이 나지 않는 땅.
[赤痣 적지] 피부에 있는 붉은 점(點).
[赤墀 적지] 빨간 칠을 한 궁중(宮中)의 뜰. 전(轉)하여, 대궐·조정의 일컬음.
[赤春 적춘] '봄'의 딴 이름.
[赤仄 적측] 한대(漢代)의 동전.
[赤幟 적치] 붉은 기(旗).
[赤土 적토] ㉠붉은 흙. ㉡초목이 나지 않는 토지.
[赤兔馬 적토마] 옛 준마(駿馬)의 이름. 관우(關羽)가 탔었다는 말.
[赤霞 적하] 저녁놀.
[赤縣神州 적현신주] '중국(中國)'의 이칭.
[赤血 적혈] 붉은 피. 선혈(鮮血).
[赤血球 적혈구] 혈액(血液)의 주성분(主成分). 혈색소(血色素)인 헤모글로빈을 가지고 있어 붉게 보임.
[赤頰 적협] '학(鶴)'의 딴 이름.
[赤化 적화] ㉠붉게 됨. ㉡공산주의(共產主義) 사상(思想)을 가지게 함.
[赤凶 적흉] 심(甚)한 흉년(凶年).
◉緹赤. 赧赤. 丹赤. 面赤. 心赤. 六赤. 紅赤. 纁赤.

4 ⑪ [赦] 人名 사 去禡 始夜切 shè

字解 ①놓을 사, 용서할 사 죄를 용서함. 놓아줌. '一免'. '罔有攸一'《書經》. '君子以一過宥罪'《易經》. ②용서 사, 사 사 사면(赦免). '宜因郊祀作一, 以蕩滌瑕穢'《晉書》. ③성 사 성(姓)의 하나.

字源 篆文 別體 形聲. 攴+赤〔音〕. '赤적'은 '捨사'와 통하여, '놓아주다,

버리다'의 뜻. 특히, 죄를 용서하다의 뜻으로 쓰임.

[赦令 사령] 대사(大赦)의 명령. 사죄(謝罪)의 명령.
[赦例 사례] 죄인을 용서한 전례.
[赦免 사면] 죄를 용서하여 놓아줌.
[赦罰 사벌] 벌 받을 자를 용서함.
[赦貰 사세] 죄를 용서함.
[赦贖 사속] 죄를 속(贖)하게 하여 용서함.
[赦原 사원] 정상을 참작하여 용서함.
[赦宥 사유] 사면(赦免).
[赦狀 사장] 죄를 용서한다는 내용을 적은 서면. 사면(赦免)의 신고서.
[赦詔 사조] 대사(大赦)의 조서(詔書).
◉曲赦. 寬赦. 郊赦. 大赦. 免赦. 放赦. 肆赦. 三赦. 貰赦. 原赦. 恩赦. 裁赦. 誅赦. 擅赦. 特赦.

4 ⑪ [赥] 혁 ㊀錫 許激切 xī

字解 ①붉을 혁 '一, 赤也'《玉篇》. ②웃는소리 혁 謚(言部 十畫)과 뜻이 같음. '言侃侃笑——'《元包經》.
字源 形聲. 欠+赤〔音〕

5 ⑫ [赧] 난 ㊤潸 奴板切 nǎn

字解 ①붉힐 난 부끄러워 얼굴이 홍조가 됨. '一愧'. '五情愧一'《曹植》. ②두려워할 난 '自進則敬, 不則一'《國語》.
字源 篆文 形聲. 赤+𠬝〔音〕. '𠬝년'은 '然연'과 통하여, '불타다, 화끈 달아오르다'의 뜻. 부끄러워서 얼굴이 화끈 달다의 뜻.

[赧愧 난괴] 부끄러워하여 얼굴을 붉힘.
[赧赧 난난] 부끄러워하여 얼굴을 붉히는 모양.
[赧赧然 난난연] 난난(赧赧).
[赧然 난연] 난난(赧赧).
[赧獻 난헌] 주(周)나라의 난왕(赧王)과 후한(後漢)의 헌제(獻帝). 모두 암군(暗君)으로서 권신(權臣)에게 제어당하여 나라를 망쳤음.
◉愧赧. 羞赧. 竇赧. 歎赧.

5 ⑫ [赮] ㊀ 난 ㊤潸 乃版切 nǎn ㊁ 년 ㊤銑 尼展切 niǎn

字解 ㊀ 부끄러워낯붉힐 난 赧(前條)과 同字. ㊁ 피리늘어지게불 년 '竇一'은 피리 소리가 늘어진 모양. '竇一, 笛聲緩也'《集韻》.

5 ⑫ [赨] 赩(次次條)과 同字

6 ⑬ [赩] 혁 ㊀職 許極切 ㊀陌 郝格切 xì

字解 ①새빨갈 혁 ㉠아주 빨감. '丹沙一熾出其坂'《左思》. ㉡산 같은 데 초목이 없어 벌겋게 흙이 드러나 있는 모양. '北有寒山, 逴龍一只'《楚辭》. ②검푸른빛 혁 '靑黑曰一'《一切經音義》. ③노할 혁 성내는 모양. '一, 怒皃'《玉篇》.
字源 篆文 形聲. 赤+色〔音〕. '빨간빛'의 뜻을 나타냄.

[赩熾 혁치] 몹시 붉음. 붉은 모양.
[赩赫 혁혁] 빛이 빨간 모양.
[赩紅 혁홍] 시뻘건 모양.

6 ⑬ [赨] ㊀ 동 ㊥冬 徒冬切 tóng ㊁ 웅 ㊥東 余中切 róng

字解 ㊀ 붉을 동 붉은빛. '一, 赤色也'《說文》. '其種, 大苗·細苗, 一莖, 黑秀, 箭長'《管子》. ㊁ 붉은벌레이름 웅 '一, 赤蟲'《集韻》.
字源 篆文 形聲. 赤+蟲〈省〉〔音〕

[赨莖 동경] 붉은 줄기.

6 ⑬ [赩] 동 ㊤董 杜孔切 dòng

字解 붉을 동 붉은색. '一, 赤色'《集韻》.

7 ⑭ [赫] 人名 ㊀ 혁 ㊀陌 呼格切 hè ㊁ 하 ㊦禡 虛訝切 xià

筆順 一 + 土 ナ 赤 赤 赫 赫 赫

字解 ㊀ ①붉을 혁 빛이 빨간 모양. '一如渥赭'《詩經》. ②빛날 혁 광휘를 발하는 모양. '——之光'《韓愈》. ③성할 혁 성대한 모양. 또는 기세가 대단한 모양. '——師尹民具爾瞻'《詩經》. ④대로할 혁 크게 성을 내는 모양. '王一斯怒'《詩經》. ⑤나타날 혁, 나타낼 혁 드러남. 드러냄. '以一厥靈'《詩經》. ⑥두려워할 혁 겁냄. 무서워함. '——在上'《詩經》. ⑦뿔뿔이떨어져나갈 혁 수족이 잘리어 뿔뿔이 됨. '則一然死人也'《公羊傳》. ⑧성 혁 성(姓)의 하나. ㊁ 꾸짖을 하 嚇(口部 十四畫)와 통용. '反予來一'《詩經》.
字源 甲骨文 篆文 會意. 赤+赤. '赤적'은 불빛을 받은 사람의 象形으로, 그것을 겹쳐서 불이 빨갛게 빛나는 모양을 나타냄.

[赫怒 혁노] 발끈 성냄. 대단히 성냄.
[赫胥氏 혁서씨] 태고(太古)의 제왕(帝王)의 이름.
[赫然 혁연] ㉠발끈 성내는 모양. ㉡성(盛)한 모양. 성대한 모양. 기세가 대단한 모양. ㉢시체(屍體)가 굳은 모양.
[赫灼 혁작] 빛나는 모양.
[赫咤 혁타] 혁노(赫怒).
[赫奕 혁혁] 대단히 아름다운 모양. 빛나는 모양.
[赫赫 혁혁] ㉠빛나는 모양. 환한 모양. ㉡성(盛)한 모양. ㉢더운 김이 대단히 나는 모양.
[赫赫之光 혁혁지광] 명성(名聲)이 세상에 떨치어 빛나는 모양.
[赫赫之名 혁혁지명] 세상에 크게 드러나는 명예(名譽).
[赫喧 혁훤] 매우 성대(盛大)한 모양.
[赫戲 혁희] ㉠빛나는 모양. ㉡성(盛)하게 일어나는 모양.
◉光赫. 貴赫. 暖赫. 彤赫. 丕赫. 扇赫. 炎赫. 榮赫. 隆赫. 電赫. 震赫. 嘆赫. 洪赫. 煥赫. 歊赫. 薰赫. 烜赫. 輝赫.

7 ⑭ [赬] 정 ㊥庚 丑貞切 chēng

字解 붉을 정, 붉은빛 정 적색(赤色). 또, 붉게

함. '一末長終幅'《儀禮》.
字源 篆文 (篆) 別體 (別體) 形聲. 赤+巠〔音〕

9 ⑯ [赮] 하 ㊥麻 胡加切 xiá

字解 ①붉은빛 하 적색. '絕岸萬丈, 壁立一駮'《郭璞》. ②아침놀 하, 저녁놀 하 霞(雨部 九畫)와 통용. '晨一爛爛照熹微'《吳景奎》.
字源 篆文 形聲. 赤+叚〔音〕. '霞하'와 통하여, 벌건 아침놀, 또 저녁놀의 뜻.

◉晨赮.

9 ⑯ [赬] 정 ㊥庚 丑貞切 chēng

字解 붉을 정, 붉은빛 정 두 번 물들인 적색. '魴魚一尾'《詩經》.
字源 形聲. 赤+貞〔音〕

[赬面 정면] 벌건 얼굴.
[赬尾 정미] 물고기의 붉은 꼬리. 고기가 피곤하면 그 꼬리가 붉어진다는 데서, 군자(君子)가 고생함의 비유.
[赬顏 정안] 붉은 얼굴.
[赬霞 정하] 붉은 아침놀 또는 저녁놀.
◉童赬. 微赬. 發赬. 騂赬. 朱赬. 含赬.

9 ⑯ [赭] 자 ㊤馬 章也切 zhě

字解 ①붉은흙 자 적토(赤土). '丹一'. '其土則丹青一堊'《漢書》. ②붉은빛 자, 붉을 자 적색. '赫如渥一'《詩經》. ③벌거벗길 자 민둥산으로 만듦. '伐湘山樹一其山'《史記》. ④다할 자 바닥남. '羣飲源槁, 廻食野一'《柳宗元》.
字源 篆文 形聲. 赤+者〔音〕. '赤적'은 불타는 모양으로, '붉다, 빨갛다'의 뜻. '者자'는 '煮자'의 原字로서, 불을 때다의 뜻. '붉다'의 뜻을 나타냄.

[赭面 자면] 붉은 얼굴.
[赭白馬 자백마] ㉠붉은 털과 흰 털이 섞인 말. ㉡진(晉)나라의 모용외(慕容廆)가 소유한 준마(駿馬)의 이름.
[赭山 자산] 나무가 없는 붉은 산. 민둥산.
[赭堊 자악] 붉은 흙과 흰 흙. 전(轉)하여, 그 벽(壁)의 빛.
[赭衣 자의] 죄수가 입는 붉은 옷. 전(轉)하여, 그 옷을 입은 죄인.
[赭鞭 자편] 붉은 회초리. 신농씨(神農氏)가 붉은 회초리로 풀을 쳐서 그 성질을 알았다는 고사(故事)에서 본초학자(本草學者)를 '一一家'라 함.
◉鉗赭. 丹赭. 代赭. 山赭. 渥赭.

9 ⑯ [赮] 〔련〕
煉(火部 九畫〈p. 1341〉)과 同字

10 ⑰ [赯] 당 ㊥陽 徒郎切 táng

字解 ①붉을 당 붉은빛. '一, 赤色'《廣韻》. ②얼굴검붉을 당 '人面色紫曰一'《肯綮錄》.

10 ⑰ [赲] ㊀ 환 ㊤旱 戶管切 ㊋翰 胡玩切
㊁ 간 ㊋翰 古案切 gàn

字解 ㊀ ①붉을 환 붉은빛. '一, 赤色也'《說文》. ②흐릴 환 탁(濁)함. '一, 一曰, 濁也'《集韻》. ㊁ ①흐릴 간 ㊀❷와 뜻이 같음. ②붉은빛 간 짙은 붉은빛. '一, 大赤也'《集韻》.
字源 形聲. 赤+倝〔音〕

走 (7획) 部

〔달아날주부〕

0 ⑦ [走] 中人 주 ㊋有 子苟切 zǒu ㊋有 則候切

筆順 一 十 土 丰 卡 走 走

字解 ①달릴 주 ㉠빨리 달려감. '疾一'. '飛廉善一'《史記》. ㉡바삐 다님. '一名利'. '駿奔一'《書經》. ㉢빨리 가게 함. '一筆'. '一馬章臺街'《漢書》. ㉣…을 향해 감. '若蟬之一明火也'《呂氏春秋》. '從君而一患'《國語》. ②달아날 주 도망함. 또, 패주함. '逃一'. '棄甲曳兵而一'《孟子》. ③달아나게할 주 쫓음. '死諸葛一生仲達'《十八史略》. ④향할 주 '西一蜀漢中'《史記》. ⑤이를 주 '高門縣薄無不一也'《莊子》. ⑥떠날 주 '三國疾攻楚, 楚必一'《戰國策》. '域內乏食, 百姓咸有一情'《南史》. ⑦짐승 주 지상(地上)을 달리는 것, 곧, 수류(獸類). '飛一'. ⑧종 주 노비. 하인. '太史公牛馬一'《司馬遷》. 또, 자기의 겸칭(謙稱)으로 쓰임. '下一'(주로 편지에 씀). '一亦不任廁技於彼列'《班固》.
字源 金文 篆文 會意. 夭+止. 《說文》에서는 상부(上部)를 '夭요'로 하고, 굽히는 모양으로 보지만, 실은 '夭'와는 달리 달리는 모양의 象形. '止지'는 발자국의 象形. '달리다'의 뜻을 나타냄.
參考 '走'를 의부(意符)로 하여, '걷다, 달리다, 가다' 등의 동작에 관한 문자를 이룸.

[走舸 주가] ㉠빨리 달리는 배. 쾌속정(快速艇). ㉡전쟁에 쓰이는 배. 노〔棹〕를 많이 장치했음. 전함(戰艦).

[走舸㉡]

[走介 주개] 남의 심부름하러 다니는 하인.
[走狗 주구] ㉠개와 경주를 시키는 유희. ㉡사람을 위하여 잘 달리는 사냥개. 전(轉)하여, 남의 앞잡이가 되어 일하는 사람.
[走禽類 주금류] 조류(鳥類)의 한 무리. 날개는 퇴화하거나 불완전하여 날지 못하는 대신에 다리가 강대(強大)하여 빠르게 달릴 수 있음. 타조(駝鳥)·화식조(火食鳥) 따위.
[走浪 주랑] 거센 물결. 세찬 물결.
[走馬 주마] 잘 닫는 말.

[走馬加鞭 주마가편] ㉠달리는 말에 채찍질을 하여 더 빨리 달리게 함. ㉡부지런하고 착실한 사람을 더욱더 편달함.
[走馬看山 주마간산] ㉠달리는 말 위에서 산천(山川)을 구경함. ㉡바쁘고 어수선하여 천천히 살펴볼 여유가 없이 홱홱 지나쳐 봄을 이르는 말.
[走馬看花 주마간화] 달리는 말 위에서 꽃을 본다는 뜻으로, 사물의 외면만을 슬쩍 지나쳐 볼 뿐, 그 깊은 내용을 음미하지 못함의 비유.
[走馬燈 주마등] ㉠돌리는 대로 그림의 장면이 다르게 보이는 등. ㉡사물이 빨리 변함의 비유.
[走百病 주백병] 노(魯)·제(齊)나라 때 사람이 정월 16일 밤에 온갖 병(病)을 떨고 액(厄)을 막기 위하여 갖는 연중행사의 하나. 절에 가서 기도(祈禱)도 드리고 부인네들이 주문(呪文)도 외고 함.
[走奔 주분] 달림. 달아남.
[走散 주산] 뿔뿔이 흩어져 달아남.
[走尸行肉 주시행육] 달리는 시체(屍體)와 다니는 고깃덩이라는 뜻으로, 산 보람이 없는 사람이나 아무 쓸모없는 사람을 이름.
[走心 주심] 달려 달아나려는 마음.
[走肉 주육] 살아 달리는 고기. 쓸모없는 사람. 산 보람이 없는 사람.
[走卒 주졸] 남의 심부름을 하러 다니는 하인.
[走集 주집] 군대가 달려 모인다는 뜻으로, 국경의 성채(城砦).
[走竄 주찬] 달아나 숨음.
[走避 주피] 뛰어 달아남.
[走筆 주필] 붓을 달림. 글씨를 씀.
◉卻走. 輕走. 競走. 驚走. 繼走. 倮走. 狂走. 驅走. 潰走. 逃走. 東奔西走. 遁走. 亡走. 帆走. 步走. 奔走. 飛走. 跣走. 迅走. 遠走. 僞走. 爭走. 疾走. 趨走. 逐走. 馳走. 脫走. 退走. 敗走. 暴走. 下走.

0⑥ [赱] 走(前條)의 略字

1⑧ [𧺆] 走(前前條)의 本字

1⑧ [𧺇] 赳(次條)와 同字

2⑨ [赳] [人名] 규 ㊤有 居黝切 jiū ㊥尤 居虯切
[字解] 헌걸찰 규, 굳셀 규 무예가 있고 용감한 모양. '—武夫, 公侯干城'《詩經》.
[字源] 篆文 形聲. 走+丩〔音〕.

[赳赳 규규] 헌걸찬 모양. 무용(武勇)이 있는 모양.

2⑨ [𧺐] 赳(前條)의 訛字

2⑨ [赴] [高人] 부 ㊦遇 芳遇切 fù
[筆順] 一 十 土 キ 丰 走 赴 赴
[字解] ①갈 부 ㉠…를 향하여 감. 나아감. '—任'. '寧—湘流, 葬於江魚之腹中'《楚辭》. ㉡들어감. '於是—江刺蛟'《呂氏春秋》. ㉢빨리 감. 달려감. '故人之能自直以—禮者, 謂之成人'《左傳》. ②다다를 부 …에 이름. '夢有小飛蟲無數, —著身'《後漢書》. ③알릴 부 ㉠가서 알림. '—曰, 君之臣某死'《儀禮》. ㉡부고(訃告)함. 訃(言部 二畫)와 통용. '—告'. '—以庚戌'《左傳》. ④죽을 부 쓰러져 죽음. 仆(人部 二畫)와 통용. '若不虔恪, 輒—殯'《帝堯碑》.
[字源] 篆文 形聲. 走+卜〔音〕. '走주'는 '달리다'의 뜻. '卜복'은 점(占)에서, 순식간에 갈라진 금이 달리듯이 생기다의 뜻. 빠른 걸음으로 가다의 뜻.

[赴擧 부거] 과거를 보러 감.
[赴告 부고] '부고(訃告)'와 같음.
[赴救 부구] 가서 구함. 구원하러 감.
[赴援 부원] 구원하러 감. 원조하러 감.
[赴任 부임] 임소(任所)에 감.
[赴銓 부전] 선고(選考)에 관여함.
[赴趣 부취] …를 향하여 감.
[赴討 부토] 치러 감. 토벌하러 감.
◉騰赴. 奔赴. 速赴. 迅赴. 掩赴. 往赴. 臨赴. 爭赴. 電赴. 走赴. 臻赴. 馳赴. 嚮赴.

2⑨ [赹] 력 ㊅職 六直切 lì
[字解] 가는모양 력 가는〔行〕 모양. '—, —趧, 行皃'《集韻》.

3⑩ [起] [中人] 기 ㊤紙 墟里切 qǐ
[筆順] 十 土 丰 丰 走 起 起 起
[字解] ①일어설 기 ㉠앉았다가 섬. '—坐'. '見代宗來—立'《指月錄》. ㉡우뚝 솟음. '孤峯秀—'《陳舜俞》. ②일어날 기 ㉠발생함. '—因'. '秋風—兮白雲飛'《漢武帝》. 전(轉)하여, 사물의 시초. '—首'. '—原'. ㉡잠을 깸. '晏—'. '早—'. '鷄鳴而—'《孟子》. ㉢흥(興)함. 성(盛)해짐. '物之興衰, 情之—伏, 理有固然矣'《後漢書》. ㉣분발(奮發)함. '奮—'. '莫不興—'《鹽鐵論》. ㉤입신출세함. '蕭何·曹參, 皆—秦刀筆吏'《漢書》. ㉥살아 활동함. '復不—'(죽음). ③일으킬 기 ㉠세움. '泝然—毫毛'《素問》. '趨而扶—'《舊唐書》. ㉡일을 시작함. '—算'. '—稿'. ㉢건축함. 축조함. '背山—樓'《李義山雜纂》. '武帝—建章宮'《漢書》. ㉣흥성(興盛)하게 함. '—業'. ㉤사람을 등용함. '—用'. '—樗里子于國'《戰國策》. ㉥깨우침. 계발함. '—予者商也'《論語》. ㉦파견(派遣)함. 보냄. '王—師於滑'《左傳》. ㉧되살아나게 함. 소생시킴. '緊—死人而肉白骨也'《國語》. ④병고칠 기 치유(治癒)함. '—癈疾'《後漢書》. ⑤다시 기 거듭. '諫若不入, —敬—孝'《禮記》. ⑥성 기 성(姓)의 하나.
[字源] 篆文 古文 形聲. 走+己〔音〕. '己기'는 '무릎 꿇다'의 뜻. 사람이 조심하여 무릎을 꿇었다 일어섬의 뜻을 나타냄. 篆文의 자형(字形)은 起(走+巳〔音〕)이지만, 음형상(音形上)으로는 '巳사'음은 될 수가 없음.

[起居 기거] ㉠행동거지. 기거동작. ㉡생활. ㉢문

안. ㉣임금의 언행을 기록하는 관직.
[起居動作 기거동작] 사람의 일상생활의 행동.
[起居動靜 기거동정] 기거동작.
[起居萬福 기거만복] 서간문(書簡文)에 쓰이는 말. 상대방의 무사(無事)함을 축하하는 말.
[起居無時 기거무시] 자기 마음대로 일어나고 자고 하는 속박 없는 자유스러운 생활을 이름.
[起居注 기거주] ㉠임금의 나날의 언행을 적은 기록. ㉡벼슬 이름. 천자의 언행(言行)을 기록하는 직책.
[起耕 기경] 논밭을 갈아 일으킴.
[起稿 기고] 원고를 쓰기 시작함.
[起工 기공] 역사(役事)를 시작함.
[起句 기구] 발단(發端)의 구(句).
[起單 기단] 《佛敎》 단(單)은 단위(單位), 곧 좌선(坐禪)하는 상(牀). 좌선하는 자리에서 일어나 물러간다는 뜻으로, 절〔寺〕을 떠남을 이름.
[起動 기동] ㉠움직임. 움직이기 시작함. ㉡기거. 동작. 거동(擧動).
[起聯 기련] 율시(律詩)의 1·2 두 구(句)를 이름. 발구(發句).
[起立 기립] 일어섬.
[起滅 기멸] 흥기함과 쇠멸함. 나타남과 사라짐.
[起兵 기병] 군대를 일으킴.
[起伏 기복] ㉠일어났다 누웠다 함. ㉡나타났다 숨었다 함. ㉢혹은 높고 혹은 낮음. ㉣성했다 쇠했다 함.
[起復 기복] 부모의 거상(居喪) 중에 출사(出仕)함.
[起復出仕 기복출사] 기복(起復).
[起峯 기봉] 여러 산 가운데 우뚝 솟은 봉우리.
[起死 기사] 죽은 사람을 소생시킴. 전(轉)하여, 큰 은혜를 베풂의 비유.
[起死人 기사인] 크게 남에게 은혜를 베풂을 이름.
[起死回生 기사회생] 빈사자를 소생시킴. 전(轉)하여, 큰 행복을 주는 비유.
[起算 기산] 계산하기 시작함.
[起牀 기상] 잠자리에서 일어남.
[起訴 기소] 소송을 법원에 제기함.
[起首 기수] 사물의 시작. 시초.
[起承轉結 기승전결] 한시(漢詩)의 구(句)의 배열의 명칭. 첫머리를 기, 첫머리의 뜻을 이어받는 것을 승, 한 번 뜻을 돌리는 것을 전, 끝맺음을 결(합(合)이라고도 함)이라 함.
[起承轉合 기승전합] 기승전결.
[起身 기신] ㉠발족(發足)함. 출발함. ㉡자리에서 일어나 경의(敬意)를 표함.
[起案 기안] 문안을 기초함.
[起業 기업] 사업을 일으킴.
[起予 기여] 자기가 미처 깨닫지 못한 것을 남에게서 주의(注意)를 받아 깨달음을 이름.
[起獄 기옥] 송사(訟事)를 일으킴.
[起臥 기와] ㉠일어남과 누움. ㉡기거동작.
[起用 기용] ㉠벼슬에 등용함. ㉡면직 또는 휴직한 자를 다시 씀.
[起原 기원] 사물의 처음 기원(起源).
[起因 기인] 일이 일어나는 원인.
[起程 기정] 여행을 떠남.
[起第 기제] 저택(邸宅)을 신축(新築)함.
[起坐 기좌] 일어나 앉음.
[起重機 기중기] 무거운 물건을 들어 움직이는 도르래 장치를 한 기계.
[起刹 기찰] 절을 새로 지음.
[起債 기채] ㉠빚을 냄. ㉡공채(公債)를 모집함.
[起請 기청] ㉠일을 기획(企畫)하여 임금에게 청함. 또 그 문서. ㉡신불(神佛)에게 맹세함. 또, 그 뜻을 적은 문서. ㉢서로 주고받는 약속의 문서.
[起草 기초] 글의 초를 잡음.
[起枕 기침] 일어남. 기상함.
[起爆 기폭] 화약이 압력이나 열 따위의 충동을 받아 폭발 반응을 일으키는 현상.
◉更起. 揭起. 決起. 驚起. 繼起. 橋起. 群起. 屈起. 蹶起. 靈起. 累起. 突起. 猛起. 勃起. 發起. 蜂起. 蠭起. 扶起. 紛起. 奮起. 飛起. 四起. 秀起. 睡起. 晨起. 晏起. 躍起. 緣起. 臥起. 湧起. 蜎起. 隆起. 隱起. 滋起. 再起. 提起. 蚤起. 坐起. 峻起. 重起. 塵起. 迭起. 攢起. 吹起. 七轉八起. 特起. 暴起. 喚起. 曉起. 興起.

3 [赴] 〔도〕
⑩ 徒(彳部 七畫〈p. 744〉)와 同字

3 [趷] 글 ㊀物 其迄切 jí
⑩ ㊀質 極乙切

字解 ①곧갈 글 망설이지 않고 감. ②갈 글 가는 모양. '—, 行皃'《廣韻》.
字源 形聲. 篆文은 走+气〔音〕

3 [赹] 경 qíng
⑩

字解 홀로가는모양 경 혼자 걸어가는 모양. '—, 獨行貌'《篇韻》.

3 [赽] 굴 ㊀物 九勿切 jué
⑩

字解 달리는모양 굴 달려가는 모양. '趉, 走皃, 或作—'《集韻》.

3 [赸] 산 ㊆諫 所晏切 shàn
⑩

字解 ①뛸 산 도약함. ②헤어져갈 산 떠남. '俪也—, 我也—'《西廂記》.

3 [赶] 〔간〕
⑩ 趕(走部 七畫〈p. 2218〉)과 同字

字源 篆文 形聲. 走+干〔音〕. '干간'은 '돌진하다'의 뜻. 기세 좋게 달리다의 뜻을 나타냄.

4 [趏] 투 ㊆宥 他候切 tòu
⑪

字解 ①달릴 투 '—, 走也'《玉篇》. ②몸던질 투 '—, 自投也'《集韻》.

4 [趈] 잡 ㊀合 子答切 zá
⑪

字解 달음박질할 잡 빨리 달리는 모양. '趍—, 走急皃'《集韻》.

4 [赽] 결 ㊀屑 古穴切 jué
⑪

字解 ①밟을 결 '—, 踶也'《說文》. ②달릴 결 '—, 走也'《玉篇》. ③빠를 결 '—, 疾也'《廣

雅》. ④말빨리갈 결 '一, 馬疾行也'《廣韻》.
字源 篆文 形聲. 走+夬〔音〕. '夬결'은 '걸치다'의 뜻. 달리어 밟다의 뜻으로 쓰임.

4 ⑪ [赹] 경 ㊥庚 葵營切 qióng
字解 혼자갈 경 혼자 감. 또, 혼자 가는 모양. '一, 獨行也'《說文》. '一, 獨行皃'《廣韻》.
字源 形聲. 走+勻〔音〕

4 ⑪ [趜] 구 ㊥尤 渠尤切 qiú
字解 발굽을 구 발이 굽음. 발이 펴지지 아니함. '一, 足不伸也'《集韻》.

4 ⑪ [赾] 근 ㊤吻 口謹切 qǐn
字解 ①가기어려울 근 '一, 行難也'《說文》. ②절룩거릴 근 절룩거리는 모양. '一, 跛行皃'《廣韻》. ③삼갈 근 삼가는 모양. '一, 行謹皃'《玉篇》.
字源 形聲. 走+斤〔音〕

4 ⑪ [𧺆] 〔글〕 𧺇(走部 三畫〈p. 2214〉)의 本字

4 ⑪ [赺] ㊀ 음 ㊤寢 魚錦切 yǐn
㊁ 금 ㊤寢 丘甚切 qǐn
字解 ㊀ 고개숙이고빨리달릴 음 고개를 숙이고 빨리 달림. '一, 低首疾趨'《集韻》. ㊁ 고개숙이고빨리달릴 금 ㊀과 뜻이 같음.

4 ⑪ [𧺠] 기 ㊥支 巨支切 qí
㊤紙 墟彼切
㊦寘 去智切
筆順 ⼗ ⼟ ⽊ ⽊ ⽊ 走 赱 𧺠
字解 ①큰나무에오를 기 '一, 緣大木也'《說文》. ②갈 기 가는 모양. '一一'는 감. '一, 一日, 行皃'《說文》. '一, 博雅, 一一, 行也'《集韻》. ③사슴달릴 기 '一一'는 사슴이 달림. '一, 一一, 鹿走也'. ④원숭이나무에오를 기 원숭이가 나무에 오르는 모양. '一, 猱升木皃'《類篇》. ⑤나무에오를 기 이 나무에서 저 나무로 옮겨 감. '一, 一日, 緣木行'《集韻》.
字源 形聲. 走+支〔音〕

4 ⑪ [𧺈] 〔기〕 起(走部 三畫〈p. 2213〉)의 俗字

4 ⑪ [𧺊] 탐 ㊤感 他感切 tǎn
字解 머뭇거릴 탐 떠나지 못하고 망설임. '一, 一踔, 行進退也'《集韻》.

5 ⑫ [趁] 진 ①-④㊦震 丑刃切 chèn
⑤㊥眞 直珍切 chén
字解 ①쫓을 진 쫓아감. '爭奪遞追一'《文同》. ②따를 진 '好一春風入殿衞'《朱熹》. ③갈 진 향하여 감. '綠荷包飯一墟人'《柳宗元》. ④탈 진 틈탐. '一勢'. ⑤떠들 진 '一, 躁也'《玉篇》.
字源 篆文 形聲. 走+㐱〔音〕. '㐱진'은 많은 사람이 모이다의 뜻. 하나의 목적을 향하여 많은 사람이 모여서 가다의 뜻을 나타냄.
參考 𧺼(次條)은 俗字.

[趁來 진래] 뒤쫓아옴. 따라붙음.
[趁船 진선] 배를 탐. 승선(乘船)함.
◉驅趁. 尋趁. 遠趁. 參趁. 追趁.

5 ⑫ [𧺼] 趁(前條)의 俗字

5 ⑫ [𧺤] 발 ㊇曷 蒲撥切 bá
字解 ①바삐갈 발 바삐 감. 또, 가는 모양. '一, 行皃'《廣韻》. ②가뭄 발 가뭄의 신(神). '一, 同魃'《字彙》.

5 ⑫ [趄] 저 ㊥魚 七余切 jū
字解 머뭇거릴 저 앞으로 나아가지 못함. '一, 趑一也'《說文》.
字源 篆文 形聲. 走+且〔音〕. '且저'는 '조금'의 뜻. 좀 나아가다의 뜻으로, 잘 나아가지 못하다의 뜻을 나타냄.
◉趑趄.

5 ⑫ [趋] 〔추·촉〕 趨(走部 十畫〈p. 2221〉)의 略字·簡體字

5 ⑫ [𧺯] 거 ㊤語 苟許切 jǔ
字解 가는모양 거 가는 모양. '一, 行皃'《集韻》.

5 ⑫ [𧺵] 구 ㊦有 丘救切 qiǔ
字解 절뚝거릴 구 절뚝절뚝 절며 걸음. '一, 跛行也'《類篇》.

5 ⑫ [𧺫] 구 ㊤麌 權俱切 qú
字解 달아나며돌아볼 구 달아나며 돌아보는 모양. '一, 說文, 走顧皃'《集韻》.

5 ⑫ [趉] ㊀ 굴 ㊇物 九勿切 jué
㊁ 귤 ㊇質 其律切 jú
㊂ 출 ㊇質 直律切
㊃ 궐 ㊇月 其月切
字解 ㊀ ①달릴 굴 '一, 走也'《說文》. ②찌를 굴 '一, 衝也'《廣雅》. ③별안간일어나달릴 굴 '一, 卒起走也'《字彙》. ㊁ 달릴 귤 달리는 모양. '趨, 走皃. 或从出'《集韻》. ㊂ 달릴 출 ㊀와 뜻이 같음. ㊃ 나아가넘을 궐 '趣, 行越趣也. 或省'《集韻》.
字源 形聲. 走+出〔音〕

5 ⑫ [䞣] 단 ㊤旱 他旱切 tǎn
字解 갈 단 감. 걸어감. '一, 行也'《玉篇》.

5
⑫ [超] [高人] 초 [平]蕭 勅宵切 chāo 

[筆順] 土 キ 未 走 赵 超 超 超

[字解] ①뛰어넘을 초 ㉠몸을 솟구쳐 위로 넘음. '挾泰山以一北海'《孟子》. ㉡순서에 의하지 아니하고 나아감. '一拜'. '一升此位'《後漢書》. ②넘을 초 ㉠정한 데서 지나침. '一過'. ㉡지남. '一略陽而不反'《後漢書》. ㉢밟아 넘음. '一五嶺兮嵯峨'《楚辭》. ㉣건넘. '一, 渡也'《廣雅》. ③뛰어날 초 탁월함. '一凡'. '一然高擧'《楚辭》. ④빠를 초 신속함. '一旣離虖皇波'《漢書》. ⑤나아갈 초 '一, 出前也'《玉篇》. ⑥멀 초 아득함. '釗·一, 遠也'《揚子方言》. ⑦높을 초 '一, 高也'《華嚴經音義》. ⑧근심할 초 '武侯一然不對'《莊子》. ⑨성 초 성(姓)의 하나.

[字源] 篆文  形聲. 走+召[音]. '召소'는 '跳도'와 통하여 '뛰어오르다'의 뜻. '走주'를 덧붙여, '뛰어넘다'의 뜻을 나타냄.

[超距 초거] 뛰어오름. 뛰어넘음.
[超階 초계] 순서를 뛰어넘어 지위가 오름. 초승(超升).
[超過 초과] 일정한 수를 넘음. 또, 예정한 것보다 지나침.
[超群 초군] 초륜(超倫).
[超黨派 초당파] 각 당파 간의 이해를 떠나, 보다 큰 입장에 섬.
[超登 초등] 뛰어오름. 남보다 뛰어나게 앞서 오름.
[超等 초등] 여럿 중에서 뛰어남.
[超倫 초륜] 여럿 중에서 뛰어남. 발군(拔群).
[超邁 초매] 보통보다 뛰어남.
[超拔 초발] 월등히 뛰어남. 걸출함.
[超拜 초배] 관등(官等)을 뛰어올라 임관됨.
[超凡 초범] 보통 사람보다 뛰어남.
[超世 초세] ㉠당세(當世)에 뛰어남. ㉡세속을 초월함.
[超歲 초세] 그해를 지냄. 새해를 맞이함.
[超俗 초속] 초세(超世)㉡.
[超升 초승] 관등을 뛰어오름.
[超昇 초승] ㉠세속(世俗)에서 초월함. 해탈함. ㉡극락왕생(極樂往生)함.
[超乘 초승] ㉠뛰어남. 나음. ㉡차에 뛰어오름. 전(轉)하여, 타고서 딴 수레 따위를 앞질러 감.
[超若 초약] 갑작스러운 모양.
[超然 초연] ㉠높이 빼어난 모양. ㉡세속을 초월한 모양. ㉢실의(失意)한 모양.
[超悟 초오] 뛰어나게 총명함.
[超遙 초요] 먼 모양. 요원한 모양.
[超遠 초원] 떨어져 멂. 아득히 멂.
[超越 초월] ㉠뛰어남. 나음. ㉡세속을 떠남. ㉢뛰어넘음. ㉣넘어서 멀리 감. 일설(一說)에는, 가볍고 빠른 모양.
[超人 초인] 범인보다 훨씬 뛰어난 사람. 비범한 능력을 가지고 세상 사람을 정복하는 강자.
[超軼 초일] 초일(超逸).
[超逸 초일] 뛰어남. 탁월(卓越)함.
[超迹 초적] 뛰어난 행위.
[超絶 초절] ㉠남보다 월등히 뛰어남. ㉡인식·경험의 범위 밖에 존재함.
[超遷 초천] 초승(超升).
[超超玄著 초초현저] 언론(言論)의 묘(妙)가 탁월함.
[超卓 초탁] 뛰어남. 탁월함.
[超擢 초탁] 동료를 뛰어넘어 발탁(拔擢)됨. 초승(超升).
[超脫 초탈] 세속을 벗어남.
[超忽 초홀] ㉠멀어서 아득한 모양. ㉡기상(氣象)이 높은 모양.
◉高超. 騰超. 北海超. 飛超. 風超.

5
⑫ [越] [高人] [一] 월 [入]月 王伐切 yuè
[二] 활 [入]曷 戶括切 huó 

[筆順] 土 キ 走 赱 赱 越 越 越

[字解] [一] ①넘을 월 ㉠높은 곳을 통과함. '一牆'. '關山難一'《王勃》. ㉡건넘. '一, 渡也'《廣雅》. ㉢한정에서 벗어남. 지남. '一俗'. '吾道之所寄, 不一乎言語文字之間'《朱熹》. ㉣앞지름. '油然若將可一而不可及者'《孔子家語》. ㉤경과함. 겪음. '一十七阨'《呂氏春秋》. ㉥뛰어남. '劉孝標目劉訏, 超然一俗, 如半天朱霞'《世說》. ㉦순서를 밟지 않고 나감. '一階'. ㉧도가 넘침. 분수를 넘음. '僭一'. '一躋天祿'《後漢書》. ②지날 월 세월을 경과함. '跨唐一漢'《葉采》. ③떨어질 월 추락함. '恐隕一於下'《左傳》. ④떨어뜨릴 월 잃음. '無一厥命'《書經》. ⑤흩어질 월, 흩뜨릴 월 산일(散逸)함. '風不一而殺'《左傳》. ⑥이에 월 발어사(發語辭). 粵(米部 六畫)·曰(部首)과 통용. '一有雊雉'《書經》. ⑦떨칠 월 발양(發揚)함. '使一于諸侯'《國語》. ⑧멀 월, 멀어질 월 '一在他境'《左傳》. ⑨멀리할 월 가까이하지 아니함. '予曷敢有一厥志'《書經》. ⑩달아날 월 '天子播一'《後漢書》. ⑪떠날 월 '精一裂而衰耄'《楚辭》. ⑫어긋날 월 '率禮不一'《後漢書》. ⑬잃을 월 '而處義不一'《呂氏春秋》. ⑭와 월, 및 월 나란히 보이는 조사(助辭). 與(臼部 七畫)와 통용. '大誥爾多邦一爾御事'《書經》. ⑮미칠 월, 이를 월 '言自旣望一乙未六日也'《經傳釋詞》. ⑯점점 월 '俗謂愈曰一'《中華大字典》. ⑰월나라 월 춘추 전국 시대(春秋戰國時代)의 국명. 저장 성(浙江省)에 있었음. '盟吳一而還'《左傳》. ⑱성 월 성(姓)의 하나. [二] ①부들자리 활 '一席'은 부들로 만든 자리. '大路一席'《左傳》. ②실구멍 활 큰 거문고의 하면(下面)의 구멍. '朱絃而疏一'《左傳》.

[字源] 金文 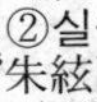 篆文 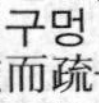 形聲. 走+戉[音]. '戉월'은 '遠원'과 통하여, '멀다'의 뜻을 나타냄. 먼 곳으로 넘어가다의 뜻을 나타냄.

[越價 월가] 값을 넘음.
[越江 월강] 강을 건넘.
[越犬吠雪 월견폐설] 중국 월(越)나라 개가 눈을 보고 짖는다는 뜻으로, 식견이 좁아서 보통 일을 보고도 놀람을 이름. 촉견폐일(蜀犬吠日).
[越勁 월경] 뛰어나게 굳셈. 월등히 강함.
[越境 월경] ㉠국경을 넘음. ㉡관할의 경계(境界)를 넘음.
[越階 월계] 순서를 뛰어넘어 관등(官等)이 뛰어오름. 초계(超階).
[越鷄 월계] 닭의 한 종류. 당닭.
[越瓜 월과] 박과(科)에 속하는 만초(蔓草). 참외의 변종으로 오이보다 큰 열매를 맺음.
[越權 월권] 권한 외의 행위.
[越軌 월궤] 탈선(脫線)함.

[越棘 월극] 월나라에서 만들어 낸 창(槍). 천자가 갖는 무기의하나.
[越騎 월기] ㉠월(越)나라의 기병(騎兵). 일설(一說)에, 뛰어난 기병. ㉡당(唐)나라 때 마술(馬術)·궁술(弓術)에 능하고 용맹하여 장애물을 자유로이 뛰어넘는 군사로써 조직한 기병.
[越幾斯 월기사] 약재나 식물에서 그 정액을 뽑아서 만든 분말이나 액체. 엑스트랙트(extract).
[越女 월녀] 월(越)나라의 미인. 특히 서시(西施)를 이름. 뒤에, 일반적으로 미인을 이름.
[越女齊姬 월녀제희] 미인(美人). 월과 제 두 나라는 미인이 많으므로 이름.
[越年 월년] 해를 넘김. 그해를 지남.
[越度 월도] ㉠도(度)가 넘침. ㉡관문(關門)을 넘을 때, 법을 어기고 가만히 샛길로 빠짐.
[越蹈 월도] 넘어섬.
[越等 월등] 사물(事物)의 정도의 차이가 대단함.
[越畔之思 월반지사] 자기의 직분(職分)을 지킬 뿐, 남의 직권을 범하는 일이 없는 마음가짐.
[越裳氏 월상씨] 교지(交趾)의 남방에 있던 나라. 후세(後世)의 점성(占城).
[越先 월선] 앞지름.
[越城 월성] 성을 넘음.
[越訴 월소] 순서를 거치지 않고 직접 상관(上官)에게 호소함.
[越俗 월속] 시속을 초월함. 세속에서 벗어남.
[越獄 월옥] 옥(獄)에서 도망함. 탈옥(脫獄).
[越月 월월] 달을 넘김. 그달을 지남.
[越踰 월유] 뛰어넘음. 순서를 건너뜀.
[越日 월일] 이튿날. 다음 날. 익일(翌日).
[越牆 월장] 담을 넘음.
[越在 월재] 먼 타향에서 방랑함.
[越絶書 월절서] 책 이름. 15권(卷). 한(漢)나라 원강(袁康)이 지었다 하나 확실치 않음. 원본(原本)은 25편(篇)이었으나 지금은 20편(篇)뿐임. 주(周)나라 때의 월국(越國)의 흥망(興亡)을 기록했음. 〈오월춘추(吳越春秋)〉와 흡사함.
[越俎 월조] 자기의 직분 밖의 일을 하여 남의 간섭을 함. 월권 행동을 함.
[越鳥巢南枝 월조소남지] 남쪽 월(越)나라에서 온 새는 나무의 남쪽 가지에 집을 지음. 고향을 잊지 못함의 비유.
[越職 월직] 자기의 직무 밖의 일에 간섭함. 월권(越權).
[越次 월차] 순서를 뛰어넘음. 차례를 건너뜀.
[越逐 월축] 성채(城砦)를 넘어 추격함.
◉葛越. 隔越. 激越. 汨越. 跨越. 乖越. 貴越. 南越. 凌越. 檀越. 度越. 騰越. 發越. 白越. 飛越. 散越. 消越. 疏越. 秀越. 殊越. 乘越. 於越. 吳越. 于越. 優越. 隕越. 違越. 踰越. 逸越. 溢越. 顚越. 秦越. 僭越. 淸越. 超越. 卓越. 播越. 胡越.

6 ⑬ [趙] 주 ㊥尤 張流切 zhōu

字解 나아가지아니할 주 나아가지 아니함. 머뭇거림. '一, 一趉, 行不進也'《集韻》.

6 ⑬ [趑] 자 ㊥支 取私切 zī

字解 머뭇거릴 자 앞으로 선뜻 나아가지 못하는 모양. 가기 힘든 모양. '一人荷戟, 萬夫一趄'《張載》.

字源 篆文 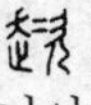 形聲. 走+次〔音〕. '次차'는 편안히 묵다의 뜻. 편안한 나머지 발걸음을 옮겨 나아가려고 하지 않다의 뜻을 나타냄.

[趑趄 자저] 머뭇거리는 모양. 가기 힘든 모양.

6 ⑬ [趎] 추 ㊥虞 直誅切 chú

字解 사람이름 추 '南榮一, 蹴然正坐'《莊子》.

6 ⑬ [趷] 격 ㊇陌 轄格切 hé

字解 ①넘어질 격 넘어짐. 자빠짐. '一, 又一趚, 僵仆'《玉篇》. ②미친듯이달아날 격 미친 듯이 달아남. '一, 狂走也'《玉篇》.

6 ⑬ [趏] ㊀ 활 ㊇曷 戶括切 huó
㊁ 괄 ㊇黠 古滑切 guā

字解 ㊀ ①부들 활 부들. ②거문고구멍 활 거문고의 하면에 있는 구멍. '越, 艸也, 春秋傳, 大路越席, 一曰, 瑟虛, 或从舌'《集韻》. ㊁ 달릴 괄 달림. 또는 달리는 모양. '一, 走皃'《廣韻》.

6 ⑬ [趹] 〔궤〕
跪(足部 六畫〈p. 2231〉)와 同字

6 ⑬ [趤] 후 ㊦有 下溝切 hòu

字解 절 후 줢. 절뚝거리며 걸음. 또, 절뚝발이. '一, 蹇也'《集韻》.

6 ⑬ [趒] ㊀ 조 ㊥蕭 徒聊切 tiáo
㊁ 초 ㊦嘯 他弔切 tiào

字解 ㊀ 뛸 조 깡충깡충 뜀. '一, 雀行也'《說文》. ㊁ 넘을 초 趠(走部 八畫)와 同字. '趠, 越也. 或从兆'《集韻》.

字源 篆文 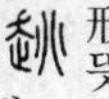 形聲. 走+兆〔音〕. '兆조'는 '뛰다'의 뜻. 뛰어넘다, 뛰어 나아가다의 뜻을 나타냄.

6 ⑬ [趌] 길 ①㊇質 居質切 jí
②㊇質 巨乙切

字解 ①성내어달릴 길 '一趨, 怒走也'《說文》. ②곧장갈 길 똑바로 감. '一, 直行'《廣韻》.

字源 篆文 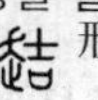 形聲. 走+吉〔音〕

6 ⑬ [趚] 척 ㊇陌 七迹切 qì

字解 모걸음질할 척 모걸음함. 발소리를 죽여 가만가만 걸음. 어려워서 조심조심 발을 떼는 모양. '一, 側行也. …詩曰, 謂地蓋厚, 不敢不一'《說文》.

字源 篆文 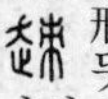 形聲. 走+朿〔音〕. '朿자'는 '꽂다'의 뜻. 땅에 발을 꽂아 넣듯이, 발을 세워 걷다의 뜻을 나타냄.

6 ⑬ [趕] 기 ㊤紙 丘弭切 kuǐ

字解 반걸음 기 한 발 나아감. 또, 그 거리. 두 발 나아감을 '步'라 함. '一, 半步也'《說文》.

字源 篆文 形聲. 走+圭〔音〕. '圭규'는 '모나다, 뾰족하다'의 뜻. 한 발을 내디딜 때,

양쪽 발이 메산(山) 모양으로 모가 나다의 뜻으로, 반걸음 내딛다의 뜻을 나타냄.

6 ⑬ [趍] 〔추·촉〕
趨(走部 十畫〈p.2221〉)의 俗字
字源 篆文 形聲. 走+多〔音〕. '趨추'와 동일어 이체자(同一語異體字)로, '빨리 걷다'의 뜻.

6 ⑬ [趂] 〔병〕
趁(走部 八畫〈p.2221〉)의 俗字

7 ⑭ [趕] 간 ㊤旱 古旱切 gǎn
字解 ①달릴 간 급히 달려감. ②쫓을 간 뒤쫓아감. '—赶'. '—, 追也'《字彙》.
字源 形聲. 走+旱〔音〕
參考 赶(走部 三畫)과 同字.

[趕赶 간간] 뒤쫓음.
[趕緊 간긴] 지급(至急).

7 ⑭ [趙] 人名 조 ㊤篠 治小切 zhào 赵
筆順 土 丰 未 走 走' 赴 趙 趙
字解 ①찌를 조 날카로운 것으로 들이밂. '其鎛斯—'《詩經》. ②미칠 조 '—, 及也'《廣雅》. ③날쌜 조 잼. 민첩함. '—, 輕捷也'《六書故》. ④작을 조 '—, 小也'《揚子方言》. ⑤적을 조 '—, 少也'《廣韻》. ⑥넘을 조 '天子北征—行'《穆天子傳》. ⑦오랠 조 '—, 久也'《廣韻》. ⑧조나라 조 ㉠춘추 전국 시대(春秋戰國時代)에 진(晉)나라의 경(卿) 한(韓)·위(魏)·조(趙)의 세 집이 진나라를 삼분하여 세운 나라. 영역(領域)은 허베이 성(河北省)의 남부 및 산시 성(山西省)의 북부. ㉡동진(東晉) 때 오호 십육국(五胡十六國)의 하나. 유연(劉淵)이 세운 한(漢)나라의 제오대(第五代) 황제 유요(劉曜)가 고친 국호(國號). 역사상, '前—'로 일컬어짐. ㉢오호 십육국의 하나. 석륵(石勒)이 전조(前趙)를 멸(滅)하고 세운 나라. 역사상, '後—'로 일컬어짐. ⑨성(姓) 조 오대(五代)의 다음에 일어난 송(宋)나라 천자(天子)의 성. '—匡胤'.
字源 金文 篆文 形聲. 走+肖〔音〕. '肖초'는 '작게 하다, 오므리다'의 뜻. 나아감이 더딤의 뜻을 나타냄.

[趙簡子 조간자] 춘추 시대의 진(晉)나라 사람인 조앙(趙鞅)을 이름. 간(簡)은 시호(諡號).
[趙高 조고] 진(秦)나라의 환관(宦官). 옥법(獄法)·사서(史書)에 능하고 기운이 강했음. 시황(始皇)이 돌아가자, 승상(丞相) 이사(李斯)와 짜고 조서(詔書)를 고쳐서 장자 부소(扶蘇)를 죽이고, 차자 호해(胡亥)를 이세(二世)로 삼아 자기가 승상(丞相)이 됐으며, 다시 이사(李斯)를 무살(誣殺)하고 이세(二世)마저 시살(弑殺), 자영(子嬰)을 옹립한 후, 또다시 자영을 죽이고자 꾀하다가 자영이 앞질러 고(高)의 삼족(三族)을 멸했음.
[趙匡胤 조광윤] 송(宋)나라 태조(太祖). 처음엔 주(周)나라 세종(世宗)을 섬겨 무공(武功)을 세웠음. 후에 여러 장사(將士)의 추대를 받아 제위(帝位)에 올라 국호(國號)를 송(宋)이라 했음.
[趙廣漢 조광한] 한(漢)나라 때의 유능(有能)한 지방관(地方官). 자(字)는 자도(子都). 선제(宣帝) 때 경조윤(京兆尹)이 됨. 구거(鉤距)의 술(術)에 능하여 사정(事情)을 잘 알고, 발간적복(發奸摘伏)하는 일이 귀신 같았다 함.
[趙岐 조기] 후한(後漢) 때 학자. 자(字)는 빈경(邠卿). 〈맹자장구(孟子章句)〉·〈삼보결록(三輔決錄)〉을 저술했음.
[趙南星 조남성] 명말(明末)의 정치가. 고읍(高邑) 사람. 자(字)는 몽백(夢白). 희종(熹宗) 때 이부상서(吏部尙書)가 되어 정계(政界)의 부패를 숙정(肅正)하고 군현(郡賢)을 등용(登用)하였으나, 반대당의 위충현(魏忠賢)의 탄핵(彈劾)을 받아 폄출(貶黜)되어 졸(卒)함.
[趙李 조리] ㉠한(漢)나라 성제(成帝)의 황후 조비연(趙飛燕)과 한무제(漢武帝)의 이부인(李夫人). ㉡열매가 열리지 않는 자두나무.
[趙孟頫 조맹부] 원(元)나라의 문인(文人). 본래 송(宋)나라 종실(宗室). 자(字)는 자앙(字昂). 호(號)는 송설(松雪). 세조(世祖) 이후 오조(五朝)를 섬겨 신임(信任)이 두터웠으며, 벼슬이 한림학사 승지(翰林學士承旨)·영록대부(榮祿大夫)에 이르렀음. 서(書)·화(畫)·시문(詩文)에 크게 뛰어나 후세(後世)에 미친 영향이 큼. 〈송설재집(松雪齋集)〉 10권이 있음.
[趙璧 조벽] 옛날의 보옥(寶玉)의 이름. 초(楚)나라의 변화(卞和)가 발견한 도리옥으로서 전국 시대(戰國時代)에는 조(趙)나라에 있었다 함. '완벽(完璧)' 참조(參照).
[趙抃 조변] 송(宋)나라 때의 정치가. 서안(西安) 사람. 자(字)는 열도(閱道). 전중시어사(殿中侍御史)·참정지사(參政知事)를 지냈는데, 왕안석(王安石)과 뜻이 맞지 않아 벼슬을 그만두었음.
[趙普 조보] 송(宋)나라 건국(建國) 공신(功臣)·재상(宰相). 자(字)는 칙평(則平). 태조(太祖) 추대(推戴)에 공(功)이 있어 정승(政丞)이 되어 창업기(創業期)의 내외(內外) 정치에 참획(參畫)하였으며, 태종(太宗) 때에도 정승(政丞)과 태사(太師)를 지냈음. 처음에는 학문(學問)이 어두웠으나 태조(太祖)의 권고(勸告)를 받은 뒤부터는 그의 손에서 책이 떠나지 않았다 함.
[趙飛燕 조비연] 한(漢)나라 성제(成帝)의 황후(皇后). 태생이 미천(微賤)하나 가무(歌舞)에 뛰어난 절세(絕世)의 미인으로서 여동생 합덕(合德)과 함께 후궁(後宮)이 되어 임금의 총애(寵愛)를 서로 다투었음. 성제가 죽은 후 동생 합덕은 자살(自殺)하였으며, 비연도 평제(平帝) 때에 서민(庶民)으로 내침을 받고 자살하였음.
[趙衰 조사] 춘추 시대 진(晉)나라 문공(文公)의 신하. 문공을 따라 출망(出亡)하기 19년, 귀국(歸國) 후 문공을 도와 그 패업(霸業)을 이루는 데 크게 이바지하여 경(卿)으로 임명되었음.
[趙良弼 조양필] ㉠금(金)나라 때의 문인(文人). 자(字)는 군경(君卿). 서화(書畫)에 뛰어났음. ㉡원(元)나라 때의 현신(賢臣). 자(字)는 보지(輔之). 여진족(女眞族) 출신으로, 세조(世祖)를 따라 남정(南征)하여 많은 전공(戰功)을 세

웠으며, 송(宋)나라 멸망 후에는 정사(政事)를 잘 보살폈음. 문정(文正)이라 시호(諡號)함.

[趙汝愚 조여우] 남송(南宋)의 재상(宰相). 자(字)는 자직(子直). 이부상서(吏部尙書)·지추밀원사(知樞密院事)를 거쳐 우승상(右丞相)에 올랐다가 한탁주(韓侂胄)의 참소에 걸려 귀양가던 중 병몰(病沒)하였음. 일찍이 학문(學問)을 좋아하여 주희(朱熹)·여조겸(呂祖謙) 등과 사귀었음.

[趙藝祖 조예조] 송태조(宋太祖)의 일컬음. 예조(藝祖)는 태조(太祖)의 통칭(通稱).

[趙禹 조우] ㉠한(漢)나라의 현신(賢臣). 무제(武帝) 때의 어사중대부(御史中大夫). 율령(律令)을 정함. ㉡송대(宋代)의 충신. 인종(仁宗) 때 상서(上書)하여 조원호(趙元昊)의 모반을 예언하다가 건주(建州)로 좌천됨. 후에 서주(徐州)의 추관(推官)이 되었음.

[趙雲 조운] 삼국 시대 촉한(蜀漢)의 무장(武將). 자(字)는 자룡(子龍). 유비(劉備)가 조조(曹操)에게 쫓겨 처자(妻子)를 버리고 남으로 도망할 때에 기장(騎將)이 되어 그들을 보호하여 난을 면하게 하니, 유비가 '子龍一身都是膽'이라 평했음.

[趙元昊 조원호] 서하(西夏)의 초대(初代) 황제. 원래의 성(姓)은 이씨(李氏). 송나라에서 조(趙)라는 성(姓)을 내리고 서평왕(西平王)을 삼았으나, 그에 만족지 않고 국호(國號)를 대하(大夏)라 하고 스스로 제(帝)라 일컫고 송(宋)나라에 반기(叛旗)를 들었다가 나중에 화해하였음. 재위(在位) 16년.

[趙翼 조익] 청(淸)나라 학자. 양호(陽湖) 사람. 자(字)는 운송(耘松). 호(號)는 구북(甌北). 시(詩)에 능했음. 저술에는 이·두·한·백(李杜韓白) 이하 십가(十家)를 평론(評論)한 〈십가시화(十家詩話)〉와 〈이십이사차기(二十二史箚記)〉·〈해여총고(陔餘叢考)〉·〈구북 시집(甌北詩集)〉 등이 있음.

[趙鼎 조정] 남송(南宋) 초기(初期)의 현상(賢相). 자(字)는 원진(元鎭). 고종(高宗) 때 어사중승(御史中丞)이 됐음. 장준(張俊)과 함께 부흥(復興)을 꾀했으나 후에 진회(秦檜)의 화의(和議)에 반대하다가 영남(嶺南)으로 좌천되자 절식(絕食)하여 죽었음.

[趙眞女 조진녀] 고명(高明)이 지은 비파기(琵琶記)의 주인공 조왕랑(趙王娘)을 이름.

[趙執信 조집신] 청초(淸初)의 시인. 호(號)는 추곡(秋谷) 또는 이산 노인(飴山老人). 왕사정(王士禎)의 조카 사위. 벼슬이 우찬선(右贊善)에 이르렀으나 술〔酒〕로 말미암아 면관(免官)된 후로는 평생을 각지(各地)로 유력(遊歷)하여 술과 시(詩)로 세월을 보냈음. 처음에 시에 관하여 사정(士禎)에게 물었으나 순순히 가르쳐 주지 않으므로 악감정을 품고 '담룡록(談龍錄)'을 지어 사정(士禎)의 신운설(神韻說)을 배격(排擊)하였음.

[趙昌 조창] 중국 송(宋)나라 때의 화조 화가(花鳥畫家). 검남(劍南) 사람. 진필(眞筆)은 전(傳)하지 않음.

[趙充國 조충국] 전한(前漢)의 무장(武將). 무제(武帝) 때 흉노(匈奴)를 쳐부순 공으로 중랑장(中郎將)이 되었고, 선제(宣帝) 때 둔전(屯田)의 병제(兵制)를 확립했음.

[趙佗 조타] 남월(南越)의 첫 왕(王). 진정(眞定) 사람. 진(秦)나라가 망한 뒤 자립(自立)하여 남월(南越)의 무왕(武王)이 되었으나, 한(漢) 고조(高祖)가 서자 화친(和親)하여 남월왕(南越王)으로서 신사(臣事)하였음.

◉伯趙. 燕趙. 前趙. 後趙.

7 ⑭ [趏] 〔부〕
仆(人部 二畫〈p. 96〉)와 同字

7 ⑭ [𧼌] 부 [去]遇 芳遇切 fù

[字解] ①빠를 부 빠름. '一, 疾也'《玉篇》. ②실기(失期)함이없이제때에댈 부 '一, 及期也'《玉篇》. ③갈 부 감. '一, 行也'《廣雅, 釋詁一》.

7 ⑭ [趗] 촉 [入]沃 七玉切 cù

[字解] ①좁을 촉 '趢一'. '一, 迫也'《玉篇》. ②빠를 촉 '一, 速也'《玉篇》. ③멈칫거릴 촉 앞으로 선뜻 나아가지 못함. '一, 行步局促也'《字彙》. ④종종걸음칠 촉 '趢一'은 종종걸음 침. ⑤귀뚜라미 촉 '一織'은 귀뚜라미.

◉趢趗.

7 ⑭ [𧼯] 준 [平]眞 七倫切 cūn

[字解] 빨리걸을 준 '一, 行速一一也'《說文》.

[字源] 篆文  形聲. 走+夋〔音〕. '夋준'은 쑥 빠져 나오다의 뜻. 쑥 빠져 나와서 나아가다, 빨리 걷다의 뜻을 나타냄.

7 ⑭ [𧼰] 광 [平]陽 誑王切 guāng

[字解] 황급히갈 광 황급히 감. 허둥지둥 감. '一, 行征伀也'《集韻》.

7 ⑭ [趘] 혁 [入]錫 刑狄切 xí

[字解] 달릴 혁 달림. '一, 走也'《篇海》.

7 ⑭ [𧼑] 구 [平]尤 巨鳩切 qiú

[字解] 어긋날 구 어긋남. 꼭 맞지 않음. '一, 違也'《廣韻》.

7 ⑭ [𧼻] 녈 niè

[字解] 갈 녈 감. 걸어감. '一, 行也'《篇韻》.

7 ⑭ [𧽇] 도 [平]虞 通都切 tū

[字解] 포복할 도 포복함. 땅에 배를 대고 김. '一, 一𧼮, 伏也'《集韻》.

8 ⑮ [趠] [一] 탁 [入]覺 勅角切 chuò
[二] 초 [去]嘯 他弔切 tiào

[字解] [一] ①멀 탁 가깝지 아니함. '一, 遠也'《說文》. ②달릴 탁 ㉠멀리 달림. '游不踐綽約之室, 一不希騄駬之蹤'《晉書》. ㉡놀라 달림. '一, 一曰, 驚走'《廣韻》. ③뛸 탁 '一, 跳也'《一切經音義》. '騰一飛超'《左思》. [二] 넘을 초 超(走部 五畫)·趒(走部 六畫)·踔(足部 八畫)와 同字. '一,

越也'《集韻》.
[字源] [金文] [篆文] 形聲. 走+卓〔音〕. '卓탁'은 '뛰다'의 뜻. 놀라서 달리다의 뜻을 나타냄.

8
⑮ [趢] 록 [入]屋 盧谷切 lù
[入]沃 力玉切
[字解] 좁을 록 좁은 모양. 또, 등을 굽히고 가는 모양. '狹三王之一趗'《張衡》.
[字源] [篆文] 形聲. 走+彔〔音〕

[趢趗 녹촉] 좁은 모양. 또, 등을 굽히고 가는 모양.

8
⑮ [趜] [一] 국 [入]屋 居六切 jú
[二] 구 [平]尤 渠竹切 qiú
[字解] [一] ①궁할 국 괴로운 처지에 빠짐. '一, 窮也'《說文》. ②궁하게할 국 남을 괴롭힘. '一, 困人'《廣韻》. ③웅크릴 국 몸을 펴지 못함. '體不申, 謂之一'《一切經音義》. ④꼽추 국 '一趚'은 꼽추. '一, 一趚, 傴僂也'《集韻》. ⑤발뻗어지지 않을 국 '一趚'은 발이 뻗어지지 않음. '一, 一趚, 足不伸'《類篇》. ⑥삼갈 국 '匔, 博雅, 匔匑, 謹敬也. 或作一'《集韻》. [二] 발뻗어지지않을 구 '趍, 足不伸也. 或作一'《集韻》.
[字源] 形聲. 走+匊〔音〕

8
⑮ [趞] [一] 복 [入]職 蒲北切 bó
[二] 부 [去]宥 匹候切
[去]遇 芳遇切
[字解] [一] ①넘어질 복 '一, 僵也'《說文》. ②곱드러질 복 '一, 頓也'《類篇》. [二] 넘어질 부, 곱드러질 부 [一]과 뜻이 같음.
[字源] 形聲. 走+音〔音〕

8
⑮ [趟] [一] 균 [上]吻 丘粉切 qūn
[二] 군 [去]問 丘運切
[三] 굴 [入]質 其述切
[四] 운 [上]吻 魚吻切 yǔn
[字解] [一] ①달릴 균 '一, 走意'《說文》. ②달리는 모양 균 '一, 走皃'《廣韻》. [二] 달릴 군, 달리는모양 군 [一]과 뜻이 같음. [三] 달릴 굴, 달리는모양 굴 [一]과 뜻이 같음. [四] 달릴 운, 달리는모양 운 [一]과 뜻이 같음.
[字源] 形聲. 走+囷〔音〕

8
⑮ [趣] [高人] [一] 취(추[本]) [去]遇 七句切 qù
[二] 촉 [入]沃 七玉切 cù
[筆順] 土 丰 走 赴 赶 趄 趣 趣
[字解] [一] ①추창할 취 질행(疾行)함. 빨리 달려감. '左右一之'《詩經》. ②향할 취 목적을 정하고 향하여 감. '一走往還'《列子》. '一途遠有期'《謝惠連》. ③뜻 취 ㉠마음이 향하는 바. 뜻하는 바. 행하는 바. '志一'. '汝先觀吾一'《列子》. ㉡의미. 의의. '覽其旨一'《嵇康》. '亦得以曲暢旁通, 而各極其一'《朱熹》. ④풍치 취 멋. 경치. '詩一'. '野一'. '識琴中一'《晉書》. [二] ①재촉할 촉 促(人部 七畫)과 同字. '一織'. '一獄刑, 無留有罪'《呂氏春秋》. ②빨리 촉, 빠를 촉 促(人部 七畫)과 同字. '一令一銷印'《十八史略》. ③서두를 촉 '一使使下令'《史記》.
[字源] [金文] [篆文] 形聲. 走+取〔音〕. '取취'는 '速속'과 통하여 '빠르다'의 뜻. 빨리 달리다의 뜻. 전(轉)하여, 풍취. '멋·취지·의미'의 뜻을 나타냄.

[趣駕 촉가] 급히 탈것의 준비를 시킴.
[趣裝 촉장] 급히 여장(旅裝)을 꾸림.
[趣織 촉직] 귀뚜라미. '실솔(蟋蟀)'의 별칭.
[趣馬 취마] 말을 맡은 벼슬.
[趣味 취미] 감흥을 느끼어 마음이 당기는 멋. 흥취(興趣).
[趣舍 취사] ㉠나아감과 머무름. 진퇴(進退). ㉡취(取)함과 버림. 취사(取捨).
[趣尙 취상] 취미(趣味).
[趣意 취의] 생각. 뜻. 취지(趣旨).
[趣操 취조] 정취(情趣)와 지조(志操).
[趣走 취주] 빨리 달림.
[趣旨 취지] 생각. 의향.
[趣向 취향] ㉠향하여 달림. ㉡의향(意向).
◉佳趣. 嘉趣. 景趣. 鷄趣. 高趣. 巧趣. 舊趣. 歸趣. 琴中趣. 奇趣. 大趣. 同趣. 妙趣. 美趣. 媚趣. 別趣. 本趣. 奔趣. 辭趣. 善趣. 殊趣. 勝趣. 詩趣. 新趣. 深趣. 雅趣. 惡趣. 野趣. 餘趣. 遠趣. 有趣. 幽趣. 義趣. 意趣. 理趣. 異趣. 逸趣. 情趣. 諸趣. 酒中趣. 旨趣. 志趣. 眞趣. 千里趣. 淸趣. 醉趣. 表趣. 風趣. 筆趣. 閒中趣. 閑趣. 迥趣. 懽趣. 興趣.

8
⑮ [趚] 동 [平]東 德紅切 dōng
[字解] 미친듯이달릴 동 미친 듯이 마구 달림. '一, 狂走'《字彙》.

8
⑮ [趡] [一] 추 [上]紙 千水切 cuǐ
[二] 유 [上]紙 愈水切 wěi
[字解] [一] ①움직일 추 '一, 動也'《說文》. ②달릴 추 '一, 走也'《廣韻》. '騰而狂一'《史記》. [二] 달릴 유 달리는 모양.
[字源] [金文] [篆文] 形聲. 走+隹〔音〕. '隹추'는 '새'의 뜻. 새가 휙 날아가듯 달리다의 뜻을 나타냄.

◉狂趡.

8
⑮ [趝] 겸 [去]豔 吉念切 jiàn
[字解] ①머리숙이고빨리갈 겸 머리를 숙이고 빨리 감. '一, 俯首疾行'《集韻》. ②재빨리갈 겸 재빨리 가는 모양. '一, 疾行皃'《廣韻》.

8
⑮ [趉] 〔굴·궤〕
趉(走部 五畫〈p. 2215〉)과 同字

8
⑮ [趣] [一] 근 [上]軫 丘忍切 qǐn
[二] 균 [平]眞 渠人切
[三] 긴 [去]震 去刃切
[字解] [一] 가는모양 근 '一, 行皃'《說文》. [二] 가는 모양 균 [一]과 뜻이 같음. [三] 가는모양 긴, 천천히 가는모양 긴 '一, 行皃'《廣韻》. '一, 行緩皃'《集韻》.

[字源] 形聲. 走+㕡〔音〕

8 ⑮ [趛] 금 ㊤寢 牛錦切 yǐn

[字解] 머리숙이고빨리갈 금 '一, 低頭疾行也'《說文》.

[字源] 形聲. 走+金〔音〕

8 ⑮ [趟] 쟁 ㊥庚 竹盲切 zhēng

[字解] 뛸 쟁 '趟一'은 도약(跳躍)함. '相殘雀豹一'《韓愈》.

[字源] 形聲. 走+尙〔音〕

8 ⑮ [⿺走并] 병 ㊦敬 北諍切 bèng

[字解] 달릴 병 '一, 走也'《集韻》.

[參考] ⿺走并(走部 六畫)은 俗字.

8 ⑮ [⿺走來] 래 ㊥灰 郞才切 lái

[字解] 올 래 옴. '來, 或从走'《集韻》.

9 ⑯ [⿺走曷] 갈 ㊀曷 居葛切 jié / ㊀月 居謁切 jué

[字解] 성내어달릴 갈 '一, 趌一也'《說文》.

[字源] 篆文 形聲. 走+曷〔音〕

9 ⑯ [趥] 추 ㊥尤 七由切 qiū

[字解] ①갈 추, 걸을 추 '一, 行皃'《說文》. '一, 徒行'《集韻》. ②찰 추 발로 참. '一, 蹴也'《字彙》.

[字源] 篆文 形聲. 走+酋〔音〕

9 ⑯ [趦] 〔자〕 趑(走部 六畫〈p.2217〉)의 俗字

10 ⑰ [趨] [人名] 一 추 ㊥虞 七逾切 qū / 二 촉 ㊀沃 趨玉切 cù 趋

[字解] 一 ①추창(趨蹌)할 추 종종걸음으로 빨리 걸음. '一拜'. '過之必一'《論語》. '鯉一而過庭'《論語》. 빨리 감. '一走'. '疾一'. '帷薄之外不一'《禮記》. '一而救之'《公羊傳》. ②향할 추 ㉠마음이 쏠려 향하여 따름. '一利'. '秦人皆一令'《史記》. ㉡감. '一, 行也'《廣雅》. '去本一末'《史記》. 二 ①재촉할 촉 促(人部 七畫)과 통용. '一民收斂'《禮記》. ②빠를 촉 促(人部 七畫)과 통용. '衞音一數煩志'《禮記》.

[字源] 篆文 形聲. 走+芻〔音〕. '芻추'는 벤 풀을 한데 모아 간동그리다의 뜻. 보폭(步幅)을 줄여서 달리다, 종종걸음을 쳐서 가다의 뜻을 나타냄.

[趨數 촉삭] 빠름. 신속함.
[趨食 촉식] 음식 먹기를 재촉함.
[趨織 촉직] '실솔(蟋蟀)'의 별칭(別稱). 귀뚜라미. 촉직(促織).
[趨趨 촉촉] ㉠걸음걸이가 빠른 모양. 위의(威儀)가 적음을 이름. ㉡귀뚜라미.
[趨競 추경] 경쟁(競爭)함.
[趨利 추리] 영리(營利)에 마음을 기울임.
[趨拜 추배] 종종걸음으로 달려가 절을 함.
[趨步 추보] 종종걸음으로 빨리 나아감.
[趨附 추부] 남을 붙좇음.
[趨舍 추사] 나아감과 머무름. 진퇴(進退).
[趨舍有時 추사유시] 진퇴는 때가 있으므로 신중히 생각해서 하여야 함.
[趨翔 추상] 기거동작(起居動作).
[趨勢 추세] ㉠세력이 있는 데를 붙좇음. ㉡세상의 돌아가는 형편.
[趨廝 추시] 심부름꾼. 하인.
[趨時 추시] 시속(時俗)을 따름.
[趨謁 추알] 달려가서 뵘.
[趨炎附熱 추염부열] 권세 있는 사람을 붙좇아 아부함.
[趨迎 추영] 달려가 맞이함.
[趨走 추주] 종종걸음으로 빨리 달림.
[趨進 추진] 빨리 나아감.
[趨參 추참] 남의 집에 찾아감.
[趨蹌 추창] 예도(禮度)에 맞도록 허리를 굽히고 빨리 걸어감.
[趨風 추풍] 귀인(貴人)을 공경하여 그 앞을 바람처럼 달음질쳐 가는 일.
[趨下 추하] ㉠낮은 곳으로 감. 물이 흘러 내려감. ㉡하반신(下半身)이 짧음.
[趨賀 추하] 방문하여 축하함.
[趨行 추행] 달려감. 달려 나아감.
[趨向 추향] ㉠의향. 취향(趣向). ㉡추세(趨勢).
◉徑趨. 競趨. 巧趨. 急趨. 起趨. 騰趨. 拜趨. 竝趨. 赴趨. 賜不趨. 翔趨. 徐趨. 纖趨. 迅趨. 爭趨. 走趨. 進趨. 疾趨.

10 ⑰ [⿱𡨄走] 건 ㊥元 丘言切 / ㊥先 丘虔切 qiān

[字解] ①달리는모양 건 '一, 走皃, 从走寒省聲'《說文》. ②절뚝발이가는모양 건 '越, 說文, 蹇行越越也, 或作一'《集韻》.

10 ⑰ [⿺走虔] 一 건 ㊥先 去乾切 qiān / 二 간 ㊥刪 丘閑切

[字解] 一 ①절름발이가는모양 건 '一, 蹇行一一也'《說文》. ②절뚝발이발꿈치 건 '一, 蹇足跟也'《廣韻》. 二 절름발이가는모양 간, 절뚝발이발꿈치 간 一과 뜻이 같음.

[字源] 形聲. 走+虔〔音〕

10 ⑰ [⿺走欶] 걸 ㊀物 欺訖切 qì

[字解] 달리는모양 걸 달리는 모양. '一, 走貌'《篇海》.

11 ⑱ [⿺走參] 참 ㊥覃 倉含切 cān

[字解] 달릴 참 '一⿺走覃'은 달리는 모양. 질주하는 모양. '一⿺走覃狉猭'《左思》.

[字源] 形聲. 走+參〔音〕

[⿺走參⿺走覃 참담] 자해(字解)를 보라.

11 ⑱ [趬] 표 ㊥蕭 甫遙切 piāo

字解 사뿐사뿐걸을 표 가볍게 걸음. '一, 輕行也'《說文》.

字源 篆文 形聲. 走+票〔音〕. '票표'는 가볍게 오르다의 뜻. 발걸음 가볍게 가다의 뜻을 나타냄.

11 ⑱ [趯] 〔단〕 摶(手部 十一畫〈p. 901〉)과 同字

11 ⑱ [趫] ㊀ 문 ㊥元 莫奔切 ㊥元 模元切 ㊁ 만 ㊥刪 謨還切 mán ㊥寒 母官切

字解 ㊀ 더디걸을 문 천천히 감. '一, 行遲也'《說文》. ㊁ 더디걸을 만 ㊀과 뜻이 같음.

字源 形聲. 走+曼〔音〕

11 ⑱ [趮] 〔필·비〕 蹕(足部 十一畫〈p. 2244〉)과 同字

字源 篆文 形聲. 走+畢〔音〕

12 ⑲ [趭] 황 ㊥陽 胡光切 huáng

字解 헌걸찰 황, 굳셀 황 무용(武勇)이 있는 모양. '洪鐘萬鈞, 猛虡一一'《張衡》.

[趭趭 황황] 무용(武勇)이 있는 모양. 일설(一說)에는, 힘을 다하여 버티는 모양.

12 ⑲ [趫] 교 ㊥蕭 巨嬌切 qiáo

字解 ①재빠를 교 ㉠몸이 재어 잘 달림. '往往跳一騎不得'《元稹》. ㉡몸이 재어 나무를 잘 탐. '非都盧之輕一, 孰能超而究升'〈도로국(都盧國) 사람들은 나무를 잘 탐〉《張衡》. ②굳셀 교 건장함. '捷一夫之敏手'《顏延之》. ③들 교 발을 듦. '亡可一足而待也'(빠름의 비유)《漢書》.

字源 篆文 形聲. 走+喬〔音〕. '喬교'는 '높다'의 뜻. 이 나무에서 저 나무로 가볍게 움직이는 뜻에서, '날쌔다, 잽싸다'의 뜻을 나타냄.

[趫健 교건] 걸음이 빠름.
[趫猛 교맹] 잽싸고 용맹스러움.
[趫才 교재] ㉠재빠른 재주. 또, 그 사람. ㉡경박하고 약삭빠른 소년.
[趫捷 교첩] 몸이 잼. 걸음이 빠름.
[趫悍 교한] 날쌔고 사나움.
◉輕趫. 跳趫. 勇趫.

12 ⑲ [趭] 초 ㊦嘯 子肖切 jiào

字解 ①달릴 초 뛰어감. '騰而狂一'《漢書》. ②떠들며움직일 초 '今躁動亦曰一'《通俗編》.

◉狂趭.

12 ⑲ [趯] 담 ㊥覃 徒含切 tán

字解 달릴 담 趁(走部 十一畫)을 보라.

◉趁趯.

12 ⑲ [趲] 산 ㊥寒 相干切 sān

字解 노는모양 산 물속에서 고기가 유동(游動)하는 모양. '漫漫有鯊, 其游一一'《古史紀年》.

12 ⑲ [趹] ㊀ 궐 ㊇月 居月切 jué ㊁ 귀 ㊦霽 姑衛切 guì

字解 ㊀ ①뛸 궐, 뛰어일어날 궐 '一, 謂跳起皃也'《一切經音義》. ②말앞발헛디딜 궐 '一, 馬失前足'《增補五方元音》. ㊁ 넘어질 귀, 뛸 귀 '蹶, 僵也. 一曰, 跳也. 或从走'《集韻》.

字源 形聲. 走+厥〔音〕

12 ⑲ [趫] ㊀ 귤 ㊇質 居聿切 jú ㊁ 율 ㊇質 允律切

字解 ㊀ ①미쳐뛰어나갈 귤 '一, 狂走也'《說文》. ②달릴 귤 '趜, 走意. 一, 同趜'《廣韻》. ③遹(辵部 十二畫〈p. 2322〉)과 同字. ㊁ ①미쳐뛰어나갈 율 ㊀❶과 뜻이 같음. ②달릴 율 ㊀❷와 뜻이 같음.

字源 形聲. 走+矞〔音〕

12 ⑲ [趬] ㊀ 기 ㊥微 居依切 jī ㊁ 희 ㊦寘 虛器切 xī

字解 ㊀ ①달릴 기 '一, 走也'《說文》. ②달리는 모양 기 '趚, 走皃. 或从幾'《集韻》. ㊁ 달릴 희, 달리는모양 희 ㊀과 뜻이 같음.

字源 形聲. 走+幾〔音〕

12 ⑲ [趭] 료 ㊥蕭 落迢切 liáo

字解 성큼성큼걸을 료 '一, 脚長行皃'《玉篇》.

12 ⑲ [趯] 동 ㊤董 徒孔切 dòng

字解 달릴 동 달림. '一, 走也'《玉篇》.

12 ⑲ [趬] 교 ㊥蕭 去遙切 qiāo

字解 ①사뿐사뿐걸을 교 가볍게 걷는 모양. '或輕訬一悍'《後漢書》. ②발들 교 '一曰, 一, 擧足也'《說文》. ③일어설 교 '一, 起也'《玉篇》. ④높을 교 '一, 高也'《玉篇》.

字源 篆文 形聲. 走+堯〔音〕. '堯요'는 '높다'의 뜻. 발을 높이 들어 사뿐사뿐 걸어가는 모양.

13 ⑳ [趲] 전 ①-⑤㊥先 直連切 zhān ⑥㊤銑 丈善切 zhàn

字解 ①향해갈 전 '一, 趣也'《玉篇》. ②옮길 전 '一, 移也'《玉篇》. ③구를 전 '一, 轉也'《集韻》. ④머뭇거릴 전 邅(辵部 十三畫)과 同字. '邅, 一, 上同, 行難也'《廣韻》. ⑤쫓을 전 '一, 趁也'《說文》. ⑥따를 전 '一, 一曰, 循也'《集韻》.

字源 篆文 形聲. 走+亶〔音〕

13 ⑳ **[趮]** 조 [去]號 則到切 zào 

[字解] ①조급할 조 썩 급함. 躁(足部 十三畫)와 同字. '用兵靜吉, —凶'《漢書》. ②흔들 조 움직임. 요동시킴. '羽殺則—'《周禮》.

[字源] 篆文  形聲. 走+喿〔音〕. '喿소'는 '시끄럽다'의 뜻. 방정맞게 뛰다의 뜻을 나타냄.

13 ⑳ **[趛]** 금 [上]寑 丘甚切 qǐn

[字解] 고개숙이고빨리달릴 금 고개를 숙이고 빨리 달림. '—, 低首疾趨'《集韻》.

13 ⑳ **[⿺走敫]** 교 [去]嘯 吉弔切 jiào

[字解] ①순찰(巡察)할 교 또, 경계(境界). '—, 循也, 一曰, 境也, 或从走'《集韻》. ②오솔길 교 오솔길. 지름길. '—, 小道也'《字彙》. ③누울 교 누움. '—, 偃也'《字彙》.

13 ⑳ **[⿺走豦]** 거 [平]魚 求魚切 qú

[字解] ①범할 거 범함. '—, 犯也'《集韻》. ②종종걸음으로걸을 거 종종걸음으로 걸음. '—, 小步也'《玉篇》. ③작게뛸 거 작게 뜀. '—, 小跳'《集韻》.

14 ㉑ **[⿺走蒦]** 괵 [入]陌 求獲切 guó

[字解] 발긴모양 괵 발이 긴 모양. '—, —越, 足長皃'《集韻》.

14 ㉑ **[趯]** [一] 약 [入]藥 弋灼切 yuè / [二] 적 [入]錫 他歷切 tì 

[字解] [一] 뛸 약 躍(足部 十四畫)과 同字. '南—朱垠'《後漢書》. [二] ①뛸 적 '——阜螽'《詩經》. ②놀랄 적 '—, 驚也'《廣雅》.

[字源] 篆文 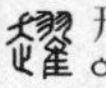 形聲. 走+翟〔音〕. '翟적'은 높이 빼어나다의 뜻. 높이 뛰어나듯이 뛰어 오름의 뜻을 나타냄.

[趯然 적연] 뛰는 모양.
[趯趯 적적] 팔딱팔딱 뛰는 모양. 도약(跳躍)하는 모양.

14 ㉑ **[⿲走走走]** 〔분〕 奔(大部 六畫〈p. 507〉)과 同字

14 ㉑ **[⿺走截]** 〔길·절〕 ⿺走截(走部 十五畫〈p. 2223〉)과 同字

14 ㉑ **[⿺走㕡]** [一] 순 [平]眞 松倫切 xún / [二] 균 [平]眞 規倫切

[字解] [一] 달리는모양 순 '—, 走皃'《說文》. [二] 달리는모양 균 [一]과 뜻이 같음.

15 ㉒ **[⿺走敻]** [一] 귤 [入]質 居聿切 jú / [二] 현 ①[上]銑 香兗切 ②[去]霰 許縣切 / [三] 훼 [去]隊 許穢切

[字解] [一] ①달릴 귤 '—, 走意也'《廣韻》. ②달리는모양 귤 趉(走部 五畫〈p. 2215〉)과 同字. '—, 走皃'《集韻》. [二] 달릴 현, 달리는모양 현 [一]과 뜻이 같음. [三] 달리는모양 훼 '—, 行走之皃'《廣韻》.

[字源] 形聲. 走+敻〔音〕

15 ㉒ **[⿺走截]** [一] 길 [入]質 激質切 jí / [二] 절 [入]屑 昨結切 jié

[字解] [一] ①달릴 길 달림. '—, 走意'《廣韻》. ②달리는모양 길 달리는 모양. [二] 비스듬히나갈 절 비스듬히 나아감. '—, 邪出前也'《集韻》.

15 ㉒ **[⿺走賣]** 독 [入]屋 徒祿切 dú

[字解] 갈 독 가는 모양. '其來——'《石鼓文》.

15 ㉒ **[⿺走樂]** [一] 력 [入]錫 郎擊切 lì / [二] 약 [入]藥 弋灼切 / [三] 삭 [入]藥 書藥切

[字解] [一] ①움직일 력 '—, 動也'《說文》. ②밟을 력 '—, 踐也'《字彙》. [二] ①뛸 약 '騏驥——, 不能千步. (注)—與躍同義'《荀子》. ②밟을 약 '—, 踐也'《篇海類編》. [三] ①달릴 삭 '多庶——'《石鼓文》. ②움직일 삭 [一]❶과 뜻이 같음.

[字源] 形聲. 走+樂〔音〕

15 ㉒ **[趱]** 〔찬〕 趲(走部 十九畫〈p. 2223〉)의 俗字

16 ㉓ **[⿺走歷]** 력 [入]錫 狼狄切 lì

[字解] ①가는모양 력 가는 모양. '—, 行皃'《集韻》. ②몰래갈 력 몰래 감. 살금살금 감. '—, —速盜行'《集韻》.

17 ㉔ **[⿺走薊]** 결 [入]屑 吉屑切 jié

[字解] 달릴 결 달리는 모양. '—, 走意'《說文》.

[字源] 形聲. 走+薊〔音〕

18 ㉕ **[⿺走雚]** [一] 권 [平]先 巨員切 quán / [二] 관 [平]刪 巨班切 · [去]諫 求患切

[字解] [一] 조심조심가는모양 권, 구부리고가는모양 권 '—, 行—趢也, 一曰, 行曲脊皃'《說文》. [二] ①구부리고갈 관 '—, 行傴也'《集韻》. ②구불구불갈 관 곧게 가지 않음. '—, 行曲也'《集韻》.

[字源] 形聲. 走+雚〔音〕

18 ㉕ **[⿺走瞿]** 구 [平]虞 其俱切 qú

[字解] 달리며돌아보는모양 구 '—, 走顧皃'《說文》.

[字源] 形聲. 走+瞿〔音〕

19 ㉖ **[趲]** 찬 [上]旱 藏旱切 zǎn

[字解] ①달아날 찬 흐트러져 달아남. '—, 散走也'《玉篇》. ②내달게할 찬 쫓아 달아나게 함.

'一, 逼使走'《集韻》.
[字源] 形聲. 走+贊〔音〕.

[趲習 찬습] 급히 배움. 서둘러 익힘.
[趲行 찬행] 길을 바삐 감. 급행(急行).

20 ㉗ [趯] 곽(각[本]) [入]藥 居縛切 jué
[字解] 성큼성큼걸을 곽 '一, 大步也'《說文》.
[字源] 篆文 形聲. 走+矍〔音〕. '矍확'은 손에 든 새가 눈을 두리번거리다의 뜻으로, 놀라다, 놀라 당황하다의 뜻. 놀라고 당황하여 큰 걸음으로 껑충껑충 걷다의 뜻을 나타냄.

足(⻊)(7획) 部

〔발족부〕

0 ⑦ [足] [中人] [一] 족 [入]沃 卽玉切 zú [二] 주 [去]遇 子句切 jù

[筆順] 丨 ㄇ 口 ⼝ 早 𧾷 足

[字解] [一] ①발 족 ㉠하지(下肢). '手一'. ㉡복사뼈부터 아래쪽. '漢王傷胸, 乃捫一'《史記》. 전(轉)하여, 보행(步行). '高材疾一者先得之'《十八史略》. ㉢기물(器物)의 발같이 생긴 것. '鼎一'. '鼎折一'《易經》. ㉣근본. '木以根爲一'《釋名》. ②산기슭 족 '吾得歸骨山一'《南史》. ③족할 족 ㉠충분함. '學然後知不一'《禮記》. ㉡분수에 안주함. 만족함. '知一不辱'《老子》. ㉢넉넉히 있음. '財恆一矣'《大學》. ㉣감당함. '恐不一任使'《戰國策》. ㉤그 일이 가(可)하다는 뜻을 나타내는 말. '不一論'. '不吾一也'《國語》. ④족하게할 족 충분하게 함. 모자람을 채움. '一食一兵'《論語》. ⑤이룰 족 '言以一志, 文以一言'《左傳》. ⑥밟을 족 '一壄羊'《司馬相如》. ⑦머무를 족, 멈출 족 '法禮一禮, 謂之有方之士'《荀子》. ⑧성 족 성(姓)의 하나. [二] ①지날 주 정도에 지나침. '巧言令色一恭'《論語》. ②보탤 주 더함. '不待臣音復調而一'《漢書》. ③돋을 주 배토(培土)함. '苗一本'《管子》.

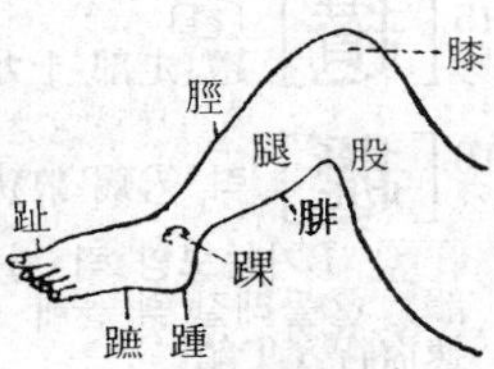

[足[一]①]

[字源] 甲骨文 金文 篆文 指事. '口구'는 사람의 몸통의 象形. '止지'는 발을 본뜬 모양. 몸통 아래에 달린 발의 뜻을 나타냄. 음형상(音形上)으로도 붙다, 딸리다, 이어지다의 뜻인 '屬속'과 통하여, 몸통에 붙은 부분, 발의 뜻을 나타냄. 본체(本體)에 곁들이다의 뜻에서, 보태어 더하다, 채우다의 뜻도 나타냄.
[參考] '足'을 의부(意符)로 하여, 발의 각 부위의 이름, 발에 관한 동작·상태 등을 나타내는 문자를 이룸.

[足枷 족가] 족쇄(足鎖).
[足球 족구] ㉠야구와 비슷한 규칙 아래, 발로 공을 차서 두 팀이 승부를 겨루는 구기(球技). ㉡공을 발로 차 넘겨 배구처럼 하는 구기.
[足反居上 족반거상] 사물(事物)이 거꾸로 된 것을 가리키는 말.
[足趺 족부] 발등.
[足鎖 족쇄] 죄인(罪人)의 발에 채우던 쇠사슬.
[足心 족심] 발바닥의 중앙. 발바닥의 오목하게 들어간 곳.
[足腕 족완] 발회목.
[足音 족음] 발 디디는 소리.
[足衣 족의] 버선.
[足掌 족장] 발바닥.
[足迹 족적] ㉠발자국. ㉡걸어온 자취. 발자취.
[足指 족지] 발가락.
[足趾 족지] 발의 복사뼈 있는 데부터 아래.
[足疾 족질] 발병.
[足尖 족첨] 발부리.
[足下 족하] ㉠발밑. 아주 가까운 데. ㉡대등한 사람에 대한 경칭. 전국 시대에는 제후에게도 썼음.
[足恭 주공] 지나치게 공손함. 아부함. 아첨함.
◉家給人足. 擧足. 蹇足. 輕足. 高材疾足. 高足. 過不足. 踝足. 翹首企足. 具足. 踽足. 貴冠履忘頭足. 禁足. 給足. 跂足. 駑足. 蹈足. 獨足. 頓足. 頭足. 滿足. 忘足. 妙足. 無所措手足. 捫足. 物苦不知足. 發足. 百足. 補足. 不足. 不知足. 不失足. 不一而足. 備足. 蛇足. 山貧已足. 三分鼎足. 上足. 跣足. 雪足. 贍足. 躡足. 洗足. 手足. 首足. 雁足. 駃足. 厭足. 饜足. 饒足. 遠足. 刖足. 維日不足. 殷足. 裏足. 一擧手一投足. 日亦不足. 逸足. 自給自足. 自足. 赭足. 長足. 張足. 赤繩繫足. 趯足. 展驥足. 全足. 纏足. 絕足. 鼎足. 蹄足. 彛足. 駿足. 重足. 止足. 知足. 疾足. 充足. 聚足. 濯足. 跛足. 豐足. 畫蛇添足.

0 ⑥ [𧾷] 足(前條)의 俗字

1 ⑧ [趴] 趵(次條)와 同字

2 ⑨ [趵] 규 [去]有 祁幼切 jiù
[字解] 비스듬히갈 규 비스듬히 감. 가는 것이 바르지 아니함. '一, 一踱, 行不正'《集韻》.

2 ⑨ [趴] [現] 팔 pā
[字解] 《現》 ①엎드릴 팔 배와 가슴을 밑바닥에 대고 엎드림. '她笑着說, 有病是小事, 一一會就好了, 飜身才是大事'《孫犁》. ②기댈 팔 '彩雲一在張夫人椅子背上'《孽海花》. ③기어오를 팔 '濕地里一着'《楊朔》.

2 ⑨ [𧾷] 〔기〕
企(人部 四畫〈p.104〉)의 訛字

3 ⑩ [𧾷] 𧾷(前條)와 同字

3 ⑩ [跱] 〔거〕
居(尸部 五畫〈p.621〉)와 同字

3 ⑩ [趵] [一] 표 [去]效 巴校切 bào
[二] 박 [入]覺 北角切 bō
[三] 작 [入]覺 測角切 chuò

[字解] [一] 뛸 표 도약(跳躍)함. '濟南有一突泉'《齊乘》. [二] 찰 박 발로 참. 또, 그 소리. '旱塊敲牛蹄一一'《元稹》. [三] 발가지런할 작 발이 가지런한 모양. '一, 足齊皃'《集韻》.
[字源] 形聲. 足+豹〈省〉〔音〕

[趵趵 박박] 발로 차는 소리.

3 ⑩ [䟓] 차 [去]禡 楚嫁切 chà

[字解] ①갈림길 차 '一, 岐道也'《集韻》. ②밟을 차 '一, 踏'《玉篇》.

3 ⑩ [趶] [一] 고 [去]遇 苦故切 kù
[二] 우 [去]遇 於故切 wū

[字解] [一] 샅 고 두 다리 사이. 胯(肉部 六畫)와 同字. [二] 쪼그리고앉을 우 웅크림. '一, 踞也'《集韻》.

3 ⑩ [𧿔] 趶(前條)와 同字

3 ⑩ [䟒] 〔월〕
跀(足部 四畫〈p. 2226〉)과 同字

3 ⑩ [𧿒] 간 [去]翰 居案切 gàn

[字解] 정강이뼈 간 정강이뼈. '一, 脛骨也'《玉篇》.

4 ⑪ [趹] [一] 결 [入]屑 古穴切 jué
[二] 계 [去]霽 涓惠切 guì

[字解] [一] ①빠를 결 말이 빨리 가는 모양. '探前一後, 蹄間三尋'《史記》. ②달릴 결 뛰어감. '要一追蹤'《後漢書》. ③향해갈 결 '軼蹻一'《淮南子》. [二] 밟을 계 발로 땅을 디딤. '有蹶者一'《淮南子》.
[字源] [篆文] 形聲. 足+夬〔音〕. '夬결'은 '抉결'과 통하여 '도려내다'의 뜻. 말이 뒷발로 땅을 도려내듯이 걷어차며 달리는 모양을 나타냄.

4 ⑪ [䟛] [一] 발 [入]曷 蒲撥切 bó
[二] 비 [去]未 方味切 fèi
[三] 패 [去]泰 博蓋切 bèi
[四] 불 [入]物 敷勿切 fèi

[字解] [一] ①급히가는모양 발 '一, 急行皃'《玉篇》. ②가는모양 발 '一, 行皃'《廣韻》. ③별안간 발 '一, 猝也'《類篇》. [二] 급히가는모양 비, 가는모양 비, 별안간 비 [一]과 뜻이 같음. [三] 밟을 패 밟고 걸어감. '踑, 說文, 步行躐跋也. 或作一'《集韻》. [四] 뛸 불 '跸, 跳也. 或作一'《類篇》.

4 ⑪ [趺] [人名] 부 [平]虞 甫無切 fū

[字解] ①받침 부 물건의 밑바닥을 받치어 괴는 물건. '螭首龜一'《劉禹錫》. ②발뒤꿈치 부 '歲久雙一隱然'《宋史》. ③발등 부 跗(足部 五畫)와 同字. '一, 足上也'《廣韻》. ④책상다리할 부 한쪽 다리를 다른 쪽 다리에 포개어 놓고 앉음. '結跏一坐'《法華經》.
[字源] 形聲. 足+夫〔音〕

[趺居 부거] 웅크림.
[趺方 부방] 신주(神主) 밑에 까는 네모진 받침.
[趺坐 부좌] 책상다리하고 앉음.
◉跏趺. 絳趺. 龜趺. 金趺. 盧趺. 石趺. 細趺. 僧趺. 重趺. 花趺.

4 ⑪ [趻] 침 [上]寢 丑甚切 chěn

[字解] 앙감질할 침 '一踔'은 앙감질하는 모양. 일설(一說)에는, 절룩거리며 가는 모양. '一踔而行'《莊子》.

[趻踔 침탁] 자해(字解)를 보라.

4 ⑪ [趾] [人名] 지 [上]紙 諸市切 zhǐ

[筆順] 口 𠯁 𠯁 𧾷 𧾷 趴 趾 趾

[字解] ①발 지 복사뼈 이하의 부분. '足一'. '麟之一'《詩經》. ②터 지 址(土部 四畫)와 同字. '城一'. '略其一'《左傳》. ③발자국 지, 발자취 지 '仰頌逸民, 庶追芳一'《高士傳》. ④예절 지 법도. 도덕. '姜本支乎三一'《班固》. ⑤끝 지 '凡有首有一'《莊子》.
[字源] 形聲. 足+止〔音〕. '止지'는 발의 象形. '趾지'의 原字. '止지'가 '멎다'의 뜻으로 쓰이게 되어, 구별하여 '足족'을 붙임.

[趾高氣揚 지고기양] 발을 높이 들어 걸으며 의기양양하여 뽐내는 모양.
[趾骨 지골] 발가락을 이루는 열네 개의 뼈. 관절로 서로 연결되었고, 위 끝의 것은 척골(蹠骨)과 연접(連接)함.
◉擧趾. 翹趾. 基趾. 跂趾. 丹趾. 斷趾. 臺趾. 方趾. 山趾. 城趾. 聖趾. 修趾. 雙趾. 巖趾. 玉趾. 踠趾. 遺趾. 林趾. 爪趾. 足趾.

4 ⑪ [跂] [一] 기 ①②[平]支 巨支切 qí
③-⑥[上]紙 丘弭切 qǐ
[二] 지 [平]支 章移切 zhī

[字解] [一] ①육발 기 발가락이 여섯 개 있는 일. '足一'. '故合者不爲駢, 而枝者不爲一'《莊子》. ②길 기 벌레가 기어감. 蚑(虫部 四畫)와 통용. '一行喙息'《淮南子》. ③발돋움할 기 企(人部 四畫)와 통용. '一望'. '一予望之'《詩經》. ④오를 기, 밟을 기 '一, 登也'《揚子方言》. '一, 履也'《廣雅》. ⑤나아갈 기 '一者不立'《老子》. ⑥어긋날 기 '夫挾依於一躍之術'《淮南子》. [二] 힘쓸 지 踶(足部 九畫)를 보라. '踶一'.
[字源] [篆文] 形聲. 足+支〔音〕. '支지'는 '枝지'로, 줄기에서 잘게 갈라지다의 뜻. 발가락이 보통보다 많다, '육발'의 뜻을 나타냄.

[跂跂 기기] 벌레가 기는 모양.
[跂望 기망] 발돋움하여 바라봄.
[跂想 기상] 우러러보며 생각함.
[跂足 기족] 기망(跂望).
[跂行 기행] 기어감.

[蚑行喙息 기행훼식] 기어다니고 부리로 숨을 쉰다는 뜻으로, 충류(蟲類)·조류(鳥類)를 이름.
◉蹇蚑. 基蚑. 蹄蚑. 踈蚑. 離蚑. 踶蚑. 蹲蚑.

4 ⑪ [跙] 뉵 [入]屋 女六切 nù

[字解] 갈 뉵 감. 걸어감. '一, 行也'《集韻》.

4 ⑪ [跃] 〔약·적〕 躍(足部 十四畫〈p.2250〉)의 簡體字

4 ⑪ [踋] 절 [入]屑 千結切 qiè

[字解] 발뻴 절 발을 삠. '一, 一跌'《廣韻》.

4 ⑪ [跉] 혜 xī

[字解] 발자취 혜 발자취. 종적(踪跡). '一, 跡也'《篇韻》.

4 ⑪ [跁] 파 [上]馬 傍下切 bà

[字解] 걸을 파 '一跒'는 걷는 모양. 보행하는 모양. 일설(一說)에는, 걸음이 더딘 모양. '一跒爲詩一跒書'《李建勳》.

[跁跒 파가] 자해(字解)를 보라.

4 ⑪ [跀] 월 [入]月 魚厥切 yuè

[字解] ①발벨 월 발·발가락을 베어 끊음. 刖(刀部 四畫)과 同字. '爲獄吏一人足'《韓非子》. ②일그러질 월, 찌그러질 월 '一, 謂器不正攲邪者也'《周禮 疏》.

[字源] [篆文] [別體] 形聲. 足+月〔音〕. '月월'은 '도려내다'의 뜻. 발을 베어 끊는 고대(古代)의 형벌의 뜻.

4 ⑪ [趿] 삽 [入]合 蘇合切 tā, sà

[字解] 발로당겨집을 삽 발을 뻗어 발가락으로 집음. '一, 進足有所擷取也'《說文》.

[字源] [篆文] 形聲. 足+及〔音〕. '及급'은 뒤쫓아가서 붙잡다의 뜻. 발가락으로 집다의 뜻을 나타냄.

4 ⑪ [趼] 〔견〕 趼(足部 六畫〈p.2232〉)과 同字

4 ⑪ [跊] 〔주〕 蹰(足部 十五畫〈p.2251〉)와 同字

4 ⑪ [跂] 〔기〕 踑(足部 八畫〈p.2236〉)의 古字

4 ⑪ [䟘] 눌 [入]月 女骨切 nà

[字解] 발상할 눌 발에 상처를 입음. '一, 足傷'《集韻》.

4 ⑪ [䟔] 항 [上]養 下郎切 hàng

[字解] ①정강이펼 항 정강이를 뻗음. '一, 伸脛也'《玉篇》. ②다리뻗을 항 다리를 뻗음. '一, 伸足也'《集韻》. ③복사뼈두들길 항 '一, 一曰擊髁'《集韻》.

4 ⑪ [䟔] 䟔(前條)과 同字

4 ⑪ [趶] 호 [去]遇 胡故切 hù

[字解] 무릎꿇을 호 무릎을 꿇음. '一, 一跪, 雙膝著地'《龍龕手鑑》.

5 ⑫ [跅] 척 ①[入]藥 闥各切 tuò ②[入]陌 昌石切 chì

[字解] ①해이할 척 마음이 풀리어 느즈러짐. '泛駕之馬, 一弛之士'《漢書》. ②물리칠 척 '一, 斥也'《集韻》.

[字源] 形聲. 足+斥〔音〕

[跅落 척락] 척이(跅弛).
[跅弛 척이] 마음이 해이(解弛)하여 실없음. 멋대로 행동하여 찬찬하지 못함.

5 ⑫ [跆] [人名] 태 [平]灰 徒哀切 tái

[字解] ①밟을 태 짓밟음. 유린함. '兵相一藉'《漢書》. ②노래할 태 손에 손을 잡고 노래함. '蹋一, 連手唱歌'《集韻》.

[字源] 形聲. 足+台〔音〕

[跆藉 태적] 짓밟음.

5 ⑫ [跋] [人名] 발 [入]曷 蒲撥切 bá

[字解] ①밟을 발 짓밟음. 癶(癶部 四畫)과 통용. '狼一其胡, 載疐其尾'《詩經》. ②갈 발, 넘을 발 산야(山野)를 지나가는 것을 '一'이라 하고, 물을 건너가는 것을 '涉'이라 함. '大夫一涉'《詩經》. ③비틀거릴 발 발부리가 무엇에 차이거나 하여 넘어지거나 비틀거림. '一, 蹎也'《說文》. ④밑동 발 물건의 맨 밑의 동아리. 또는, 물건의 손잡이. '燭不見一'(초는 끝까지 다 타지 아니함)《禮記》. ⑤거칠 발 사나움. 난폭함. 暴(日部 十一畫)와 통용. ⑥발뒤꿈치 발 '足後爲一'《篇海》. ⑦발문 발 문장의 한 체(體). 책의 끝에 그 내용과 그에 관계되는 사항을 간단하게 적은 글. '序一'. '題一者, 簡編之後語也'《文體明辯》.

[字源] [篆文] 形聲. 足+犮〔音〕. '犮발'은 '없애다'의 뜻. 발을 잡혀 넘어지다의 뜻을 나타내며, 또한, 발을 빼다의 뜻에서, '밟다'의 뜻을 나타냄.

[跋剌 발랄] ㉠물고기가 뛰는 소리. ㉡새가 날개를 활활 치며 나는 소리.
[跋履 발리] 발섭(跋涉).
[跋文 발문] 책의 끝에 그 책에 관하여 적은 글.
[跋辭 발사] 발문(跋文).
[跋涉 발섭] 산을 넘고 물을 건너서 여러 지방을 돌아다님.
[跋語 발어] 발문(跋文).

[跋提河 발제하] 석가(釋迦)가 이 강의 서안(西岸)에서 열반(涅槃)했다 하는 강의 이름.
[跋扈 발호] 제멋대로 날뛴다는 뜻으로, 세력이 강하여 제어(制御)하기 힘듦을 이름.
[跋胡疐尾 발호치미] 늙은 이리가 앞으로 나가려 하면 호(胡)를 밟고 뒤로 물러나려 하면 꼬리를 밟아서 넘어진다는 뜻으로, 진퇴양난(進退兩難)함을 이름. 호(胡)는 턱 밑에 늘어진 살.
◉序跋. 題跋. 草跋. 馳跋.

5 ⑫ [跋] 跋(前條)의 俗字

5 ⑫ [跌] 人名 질 (절本) 入屑 徒結切 diē

字解 ①넘어질 질 발을 헛디디거나 물건에 걸려 넘어짐. '一倒'. '一而不振'《漢書》. ②지나칠 질 정도에 지남. '肆者何. 一也'《公羊傳》. ③잘못할 질, 틀릴 질 '無有差一'《後漢書》. ④달릴 질 질주함. '墨子一蹶而趁千里'《淮南子》. ⑤방종할 질 제멋대로 행동함. '一蕩放言'《後漢書》.

字源 篆文 形聲. 足+失〔音〕. '失실'은 '빗나가다, 벗어나다'의 뜻. 발을 헛디디다, 발부리가 채어 넘어지다의 뜻을 나타냄.

[跌倒 질도] 발을 헛디디어 넘어짐.
[跌失 질실] 실족함.
[跌蹶 질제] 빨리 달림.
[跌墜 질추] 거꾸러져 떨어짐.
[跌宕 질탕] 방종(放縱)함.
[跌蕩 질탕] 질탕(跌宕).
◉傾跌. 踠跌. 顚跌. 蹉跌. 側跌.

5 ⑫ [跍] 고 平虞 空胡切 kū

字解 웅크린모양 고 쭈그리고 앉은 모양. '一, 蹲皃'《集韻》.

5 ⑫ [趏] 과 平麻 姑華切 guā

字解 족문 과 족문(足紋). 발바닥의 살갗에 난 잔무늬의 금. '一, 足理文'《集韻》.

5 ⑫ [跨] 〔과·고〕 跨(足部 六畫〈p. 2230〉)와 同字

5 ⑫ [跈] 一 니 平齊 乃禮切 nǐ 二 년 上銑 在演切 niǎn

字解 一 다리부러질 니 다리가 부러짐. '一, 腳破也'《篇海》. 二 밟을 년 밟음. '一, 同跈'《篇海》.

5 ⑫ [跎] 跎(次條)와 同字

5 ⑫ [跎] 타 平歌 徒河切 tuó

字解 헛디딜 타, 때놓칠 타 '欲自修而年已蹉一'《晉書》.

字源 篆文 形聲. 足+它〔音〕. '它타'는 뱀이 몸을 사리고 있는 모양. 발이 구부러져 휘다, 발을 헛디디어 넘어지다의 뜻을 나타냄.

◉蹉跎.

5 ⑫ [跏] 人名 가 平麻 古牙切 jiā

字解 책상다리할 가 한 다리를 오그리고 다른 한 다리를 그 위에 포개어 앉는 자세. 불교도는 오른발을 위로 가게 함. '結一趺坐'《法華經》.

字源 形聲. 足+加〔音〕

[跏趺 가부] 책상다리하고 앉음. 불교도(佛敎徒)의 좌법(坐法).
◉結跏.

5 ⑫ [跑] 포 平肴 薄交切 páo, ③pǎo

字解 ①허비적거릴 포 발톱으로 땅을 긁어 팜. '二虎一地作穴'《臨安新志》. ②찰 포 발로 걷어참. '一, 蹴也'《集韻》. ③달릴 포 뛰어감. '俗謂趨走曰一'《中華大字典》.

字源 形聲. 足+包〔音〕

5 ⑫ [跊] 말 入曷 莫葛切 mò

字解 지나칠 말 지나침. 지나쳐 감. '一, 行過也'《集韻》.

5 ⑫ [跊] 매 去泰 莫貝切 mèi

字解 밟을 매 밟음. 디딤. '一, 踐也'《集韻》.

5 ⑫ [跐] 〔조〕 阼(阜部 五畫〈p. 2452〉)와 同字

5 ⑫ [跔] 구 ①②平虞 擧朱切 jū ③上麌 顆羽切 qǔ

字解 ①곱을 구 기온이 몹시 차서 발가락이 잘 움직이지 아니함. '一, 寒凍, 手足一不伸也'《玉篇》. ②뛸 구 '踺一'는 뜀. 도약함. 또, 한쪽 발을 듦. 또 일설(一說)에는, 맨발. '踺一科頭'《史記》. ③갈 구 가는 모양. '一, 行皃'《集韻》.

字源 篆文 形聲. 足+句〔音〕. '句구'는 '구부러지다'의 뜻. 발가락이 구부러져 뻗을 수가 없다의 뜻을 나타냄.

◉踺跔.

5 ⑫ [踇] 무 上有 莫厚切 mǔ

字解 ①엄지발가락 무 장지(將指). ②갈 무 가는 모양. '一, 行皃'《廣韻》.

5 ⑫ [跕] 접 ①②入葉 他協切 tiē ③入葉 丁愜切 dié

字解 ①밟을 접 발로 밟음. '鼓鳴瑟一屣'《史記》. ②천천히갈 접 '一, 一曰, 徐行'《集韻》. ③떨어질 접 아래로 낙하함. '雁聞弦而一墮'《何遜》.

字源 形聲. 足+占〔音〕

[跕屣 접사] 신을 꿰어 신음.

[跕鳶 접연] 솔개를 떨어뜨림.
[跕跕 접접] 아래로 떨어지는 모양.
[跕足 접족] 발을 벌리고 힘껏 버팀.
[跕墮 접타] 밑으로 떨어짐.
◉廢跕.

5⑫ [䟆] [一] 폐 [去]霽 蒲計切 bì
[二] 별 [入]屑 蒲結切 bié

[字解] [一] 찰 폐 발로 참. '一, 蹴也'《集韻》. [二] 발길질할 별 '一, 足擊也'《集韻》.

5⑫ [跖] 척 [入]陌 之石切 zhí 

[字解] ①발바닥 척 蹠(足部 十一畫)과 同字. '善學者, 若齊王之食雞, 必食其一'《淮南子》. ②밟을 척, 뛸 척 蹠(足部 十一畫)과 同字. '蹠, 足履踐也. 楚人謂跳躍曰蹠. 一, 上同'《廣韻》. ③사람이름 척 '盜一'은 진(秦)나라의 큰 도둑으로, 장자(莊子)에는 유하혜(柳下惠)의 아우라 하였음. '一蹻'.

[字源] 篆文 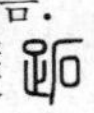 形聲. 足+石〔音〕. 발의 돌을 밟는 곳, 곧 발바닥. 전(轉)하여, '밟다'의 뜻으로 쓰임.

[跖蹻 척교] 도척(盜跖)과 장교(莊蹻). 모두 옛날의 큰 도둑.
[跖之狗吠堯 척지구폐요] 도척(盜跖)이 기르는 개는 요(堯)임금 같은 성인에 대하여도 짖는다는 뜻으로, 사람은 제각기 그 섬기는 주인에게 충성을 다함을 이름. 전(轉)하여, 악당(惡黨)에 끼어 성현을 질투함의 비유.
[跖之徒 척지도] 도척(盜跖) 같은 큰 도둑놈의 무리.
◉巨跖. 桀跖. 蹻跖. 老跖. 盜跖. 顏跖. 夷跖.

5⑫ [跗] 부 [平]虞 甫無切 fū 

[字解] ①발등 부 발의 위쪽. '結于一連絇'《儀禮》. ②받침 부 물건의 밑바닥을 받치어 괴는 물건. 柎(木部 五畫)·趺(足部 四畫)와 통용. ③꽃받침 부 악(萼). '朱一黃實'《管子》. ④껍질 부 열매의 껍질. '家童掃栗一'《庾信》.

[跗骨 부골] 족근부(足根部)에 있는 뼈. 일곱 개의 뼈로 이루어졌음. 족근골(足根骨). 발목뼈.
[跗注 부주] 가죽으로 만든 바지로 그 끝은 발등에 닿는 옛 군복(軍服).
◉栗跗.

5⑫ [⿰足去] [一] 라 [上]馬 力者切 liě
[二] 각 [入]藥 乞約切 què

[字解] [一] 몸매이지않을 라 하는 일이 없는 모양. '一, 身不就皃'《集韻》. [二] 가기어려울 각 나아가지 못해 애먹음. '一, 行不進'《集韻》.

5⑫ [⿰足甲] 갑 [入]洽 古狎切 jiá

[字解] 가는소리 갑 가는 소리. 걸어가는 소리. '一, 行聲'《集韻》.

5⑫ [⿰足丘] 구 [去]宥 丘救切 qiù

[字解] 가는모양 구 가는 모양 '一, 一一, 行皃'《集韻》.

5⑫ [趹] 〔결〕 趹(足部 四畫〈p. 2225〉)의 本字

5⑫ [跘] [一] 반 [平]寒 蒲官切 pán
[上]旱 補滿切
[二] 판 [去]諫 皮莧切 bàn

[字解] [一] 비틀거리며갈 반 '一蹣'은 비틀거리며 가는 모양. '蹣, 蹣蹣, 跛行也. 亦作一'《集韻》. [二] 도사리고앉을 판 '一, 交足坐'《集韻》.

5⑫ [跙] 저 [上]語 慈呂切 jù
[平]魚 千余切 qū 

[字解] 머뭇거릴 저 머뭇거리고 앞으로 잘 가지 아니하는 모양. '四馬一一'《揚雄》.

[字源] 形聲. 足+且〔音〕

[跙跙 저저] 머뭇거리고 잘 가지 아니하는 모양.

5⑫ [跓] 주 [上]麌 直主切 zhù

[字解] 머무를 주 발을 멈춤. 정지함. '將起一竢兮須明'《楚辭》.

5⑫ [跈] [一] 년 [上]銑 乃殄切 niǎn
[二] 전 [上]銑 在演切 jiàn
[三] 진 [平]眞 地鄰切 chén
[四] 천 [上]銑 徒典切 tiàn

[字解] [一] 밟을 년 '趁, 踐也, 或作一'《集韻》. [二] 밟을 전 '一, 履也'《廣雅》. '一, 同踐, 蹋也'《篇海類編》. [三] 머뭇거릴 진 떠났지만 나아가지 않는 모양. '趁, 邅也, 或从足'《集韻》. [四] 그칠 천 '一, 止也'《集韻》.

[字源] 形聲. 足+㐱〔音〕

5⑫ [⿰足尔] 跈(前條)의 俗字

5⑫ [⿰足乏] [一] 봉 [上]腫 方勇切 fěng
[二] 범 [上]豏 峯范切 fǎn

[字解] [一] 뒤집힐 봉 뒤집힘. 번복됨. '一, 說文, 反覆也'《集韻》. [二] ①기다릴 범 기다림. '一, 候也'《集韻》. ②빠를 범 '一, 疾也'《餘文》.

5⑫ [跇] [一] 예 [去]霽 餘制切 yì
[二] 체 [去]霽 丑例切

[字解] [一] ①뛰어넘을 예 '騁容與兮一萬里'《史記》. ②건널 예 '一巒阬'《漢書》. [二] 뛰어넘을 체, 건널 체 [一]과 뜻이 같음.

[字源] 篆文  形聲. 足+世〔音〕. '世세'는 '뻗다'의 뜻. 발을 뻗어 뛰어넘다, 건너다의 뜻을 나타냄.

5⑫ [跚] 跚(次條)과 同字

5⑫ [跚] 산 [平]寒 蘇干切 shān

[字解] 머뭇거릴 산, 절룩거릴 산, 비틀거릴 산 蹣(足部 十一畫)을 보라. '蹣一'.

[字源] 形聲. 足+冊〔音〕

◉蹣跚.

5 ⑫ [跛] [人名] [一] 파 [上]哿 布火切 bǒ [二] 피 [去]寘 彼義切 bì 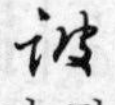

[字解] [一] ①절뚝발이 파 다리 하나가 짧거나 탈이 나서 기우뚱거림. 또, 그 사람. '一蹇'. '眇能視, 一能履'《易經》. ②절룩거릴 파 절며 걸음. '孫良夫一'《穀梁傳》. [二] 기우듬히설 피 한쪽 발로 기우듬히 서서 물체에 의지함. '立毋一'《禮記》.

[字源] [篆文] 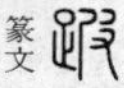 形聲. 足+皮〔音〕. '皮피'는 '波파'와 통하여 '파도'의 뜻. 발이 자유롭지 못하여, 걸을 때 몸이 물결처럼 흔들려 기울어지는 모양에서, '절뚝발이'의 뜻을 나타냄.

[跛蹇 파건] 절뚝발이.
[跛驢之伍 파려지오] 무능한 사람들.
[跛鼈千里 파별천리] 절름거리며 가는 자라도 천리를 간다는 뜻으로, 어리석은 사람도 꾸준히 공부하면 성공한다는 비유.
[跛行 파행] 절룩거리며 감. 전(轉)하여, 균형이 잡히지 아니함.
[跛立 피립] 한쪽 다리로 섬.
[跛倚 피의] 한쪽 발로 기우듬히 서서 딴 물체에 의지함.
◉蹇跛. 眇跛. 笑跛. 羸跛. 偏跛.

5 ⑫ [跉] 령 [平]庚 離貞切 líng

[字解] ①가는모양 령 '一, 一盯, 行皃'《玉篇》. ②절뚝거리며갈 령 절뚝거리며 감 '一, 一盯, 偏行'《集韻》. ③다리가늘고길 령 '盯, 一盯, 細長皃'《龍龕手鑑》. '脚細曰一盯'《肯綮錄》. ④홀로가는모양 령 '一, 一跰, 獨行貌, 別作一盯, 伶仃'《正字通》. '一, 一竮, 行皃'《集韻》.

5 ⑫ [跙] 옥 [入]沃 虞欲切 yù

[字解] 비틀거리는모양 옥 걷는 것이 바르지 못함. '一, 行不正'《集韻》.

5 ⑫ [距] [高·人] 거 [上]語 其呂切 jù 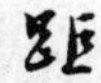

[筆順] 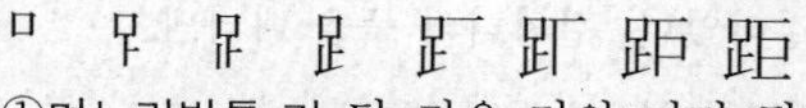

[字解] ①며느리발톱 거 닭 같은 것의 다리 뒤쪽에 있는 발톱. '如一之斯脫'(저항력이 없음의 비유)《宋史》. ②떨어질 거 ㉠서로 공간적으로 떨어져 있음. 또, 그 정도. '一離'. '相一千里'. ㉡서로 시간적으로 떨어져 있음. '一今九日'《國語》. ③이를 거 도달함. '予決九川, 一四海'《書經》. ④멈출 거 歫(止部 五畫)와 통용. '來者鷙一'《管子》. ⑤어길 거 따르지 아니함. '不一朕行'《書經》. ⑥뛸 거 도약함. '一躍三百'《左傳》. ⑦겨룰 거 대항함. '敢一大邦'《詩經》. ⑧막을 거 拒(手部 五畫)와 통용. '一戰'. '一楊墨'《孟子》. ⑨닫을 거 '尤善爲鈎一, 以得事情'《漢書》. ⑩클 거 '蹠一者擧遠'《淮南子》.

[字源] [金文] 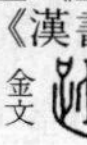 [篆文]  形聲. 足+巨〔音〕. '巨거'는 '去거'와 통하여 '물리치다'의 뜻. 닭의 며느리발톱이나 사이를 떼다, 떨어지다, 격하다의 뜻을 나타냄.

[距擊 거격] 방어하며 침.
[距今 거금] 지금으로부터 지나간 어느 때까지의 상거(相距)를 나타내는 말.
[距跳 거도] 뛰어오름.
[距離 거리] 서로 떨어진 사이.
[距塞 거색] 막음. 차단함.
[距躍 거약] 뛰어넘음.
[距堙 거인] 적의 성에 오르기 위하여 흙을 쌓아서 만든 산.
[距戰 거전] 방어하며 싸움. 거전(拒戰).
[距絶 거절] 거부(拒否)하여 끊음. 거절(拒絶).
[距爪 거조] 며느리발톱.
◉鷄距. 冠距. 鉤距. 金距. 老距. 芒距. 毛距. 拔角脫距. 拔距. 鋒距. 上距. 商距. 鎖距. 心距. 雙距. 牙距. 利距. 長距. 折距. 爪距. 鐵距. 超距. 觜距. 脫距. 畢距. 筆距. 亢距. 黃距.

5 ⑫ [跃] [一] 제 [去]霽 丁計切 dì [二] 지 [平]支 張尼切 zhī

[字解] [一] 밟을 제 '一, 蹋也'《集韻》. [二] ①못 지 손발에 생긴 굳은살. 胝(肉部 五畫)와 同字. '胝, 說文, 腄也, 一曰, 繭也, 或作一'《集韻》. ②헛디뎌비틀거릴 지 헛디디거나 걸려서 비틀거리거나 넘어짐. '一, 跲也, 或作躓'《類篇》.

5 ⑫ [跒] 가 [上]馬 苦下切 qiǎ

[字解] 걸을 가 跁(足部 四畫)를 보라. '跁一'.

◉跁跒.

5 ⑫ [跜] 니 [平]支 女夷切 ní

[字解] 꿈틀거릴 니, 움직일 니 '蹺一'는 짐승이나 용이 꿈틀거리는 모양. '虯龍騰驤以蜿蟺, 頷若動而蹺一'《王延壽》.

5 ⑫ [跼] 국 [入]屋 居六切 jú

[字解] 발 국 발. 다리. '一, 足謂之一'《集韻》.

5 ⑫ [跓] 굴 [入]物 九勿切 jué

[字解] 달릴 굴 달리는 모양. '一, 走皃'《集韻》.

5 ⑫ [跐] 자 [上]紙 ①-③雌氏切 cǐ ④將此切 zǐ

[字解] ①밟을 자 '將抗足而一之'《左思》. ②쌍자, 짝 자 두 개. '必有菅屩一踦'《淮南子》. ③잴 자 측량함. '彼方一黃泉, 而登大皇'《莊子》. ④갈 자 가는 모양. '一, 行貌'《廣韻》.

[字源] 形聲. 足+此〔音〕

[跐踦 자기] 한 쌍의 두 발이 가지런하지 않음.
[跐蹈 자도] 밟음.

5 ⑫ [跸] 불 [入]物 敷勿切 fú

字解 ①급히달릴 불 급히 가는 모양. '—, 急疾皃'《集韻》. ②뛸 불 도약함. '—, 跳也'《說文》.
字源 篆文 形聲. 足＋弗〔音〕. '弗불'은 '물리치다, 털어 버리다'의 뜻. 물리치는 듯한 발 모양을 지어 뛰다의 뜻을 나타냄.

5 ⑫ [踭] 쟁 ㊥庚 直庚切 chēng

字解 ①바로잡을 쟁 바르게 함. '維角—之'《周禮》. ②막을 쟁 撐(手部 十二畫)과 통용. '—, 歫也'《說文》.
字源 篆文 形聲. 止＋尙〔音〕. '尙상'은 '오르다'의 뜻. 오르는 것을 막다의 뜻을 나타냄.

6 ⑬ [跟] 근 ㊥元 古痕切 gēn

字解 ①발꿈치 근 발의 뒤쪽의 땅에 닿는 부분. '—亦謂之踵, —猶根也, 下著於地, 如木根也'《急就篇》. ②뒤따를 근 수행함. '—隨僕隷隨主足踵行'《品字箋》. ③섬길 근 주인을 섬김. '僕屬事主, 亦曰—'《中華大字典》.
字源 篆文 別體 形聲. 足＋艮(㫐)〔音〕. '㫐흔'은 '根근'과 통하여, '밑뿌리'의 뜻. 발의 밑뿌리, 발뒤꿈치의 뜻을 나타냄.

[跟隨 근수] 뒤를 따라다님. 수행함.
[跟肘 근주] 발꿈치와 팔꿈치.
◉脚跟. 肩跟. 排跟. 刖跟. 足跟. 脞跟.

6 ⑬ [跡] 高人 적 ㊣陌 資昔切 jī

筆順 口 𠯑 𠯑 𠯑 𧾷 𧾷 跡 跡

字解 ①자취 적 ㉠발자국. 또, 발자취. '鳥—'. '人—'. '古—'. '將皆必有車轍馬—焉'《左傳》. 迹(辵部 六畫)과 同字. ㉡흔적. '筆—'. '畫空而尋—'《新論》. ②밟을 적 '—, 蹈也'《小爾雅》. ③뒤밟을 적 뒤를 캐어 찾음. 추적함. 미행함. '自然遭—捕'《范成大》. '—衰敝之所由致'《後漢書》.
字源 形聲. 足＋亦〔音〕. '亦역'은 쌓아 겹치다의 뜻. 쌓여 포개진 발자국·발자취의 뜻. '迹적'과 동일어(同一語) 이체자(異體字).

[跡捕 적포] 뒤를 밟아 좇아가 잡음. 미행하여 체포함.
◉刻跡. 去跡. 傑跡. 檢跡. 權跡. 屐跡. 奇跡. 紀跡. 勒跡. 撫跡. 文跡. 斧跡. 聖跡. 垂跡. 蝸跡. 禹跡. 人跡. 潛跡. 杖跡. 掌跡. 藏跡. 鳥跡. 足跡. 蹤跡. 車轍馬跡. 草跡. 萍跡. 筆跡. 弘跡. 痕跡.

6 ⑬ [跣] 人名 선 ①②㊤銑 蘇典切 xiǎn ③㊥先 蕭前切 xiān

字解 ①맨발 선 아무것도 신지 않은 발. '裸—'. '一脚著靴, 一脚—足'《列仙傳》. ②맨발로 다닐 선 '若—弗視地, 厥足用傷'《書經》. ③돌아다닐 선 여기저기 떠돎. 또, 춤추는 모양. '蹁—, 旋行皃. 一曰, 舞容'《集韻》.
字源 篆文 形聲. 足＋先〔音〕. '先선'은 '湔전'과 통하여 맨발을 씻다의 뜻. '足족'을 덧붙여, 맨발의 뜻을 나타냄.

[跣足 선족] 맨발.
[跣走 선주] 맨발로 달림.
[跣行 선행] 맨발로 다님.
◉揭跣. 踝跣. 裸跣. 露跣. 袒跣. 徒跣. 蹁跣.

6 ⑬ [跦] 주 ①②㊥虞 陟輸切 zhū ③㊥虞 重株切 chú

字解 ①뛸 주 깡충깡충 뛰며 걷는 모양. '鸜鵒——'《左傳》. ②갈 주 가는 모양. '—, 行皃'《廣韻》. ③멈칫거릴 주 선뜻 나아가지 못함. '—, 博雅, 蹢躅, 跢—也'《集韻》.
字源 形聲. 足＋朱〔音〕

[跦跦 주주] 깡충깡충 뛰며 걷는 모양.

6 ⑬ [跧] ㊀ 전 ㊥先 從緣切 quán ㊁ 잔 ㊥刪 阻頑切

字解 ㊀ 엎드릴 전 부복함. '—伏'. '如虬如鳳, 若—若動'《白居易》. ㊁ 엎드릴 잔 ㊀과 뜻이 같음.
字源 篆文 形聲. 足＋全〔音〕

[跧伏 전복] 엎드림.

6 ⑬ [跭] 항 ㊥江 胡江切 xiáng

字解 ①우뚝설 항 우뚝 섬. '—, —䠋, 竦立也'《集韻》. ②가기어려울 항 가려 해도 나아가지지 않아 안타까움. '—, 一曰, 行不進'《集韻》.

6 ⑬ [跨] 人名 ㊀ 과 ㊦禡 苦化切 kuà ㊁ 고 ㊦遇 苦故切 kù

字解 ㊀ ①넘을 과 ㉠넘어감. 건넘. '—谷彌皐'《張衡》. ㉡사타구니를 벌려 넘음. '康王—之'《左傳》. ②사타구니 과 두 넓적다리의 사이. 샅. '出—下'《史記》. ③점거할 과 '不—其國'《國語》. ㊁ ①걸터앉을 고 ㉠사타구니를 벌리고 탐. 말을 탐. '—野馬'《史記》. ㉡발밑에 밟고 제어함. 점유함. '—海內, 制諸侯'《李斯》. ②걸칠 고 이쪽에서 저쪽까지 뻗음. '飛梁石磴, 陵—水道'《後漢書》. '去秋以來, 沈雨—年'《晉書》. ③웅크릴 고 쭈그림. '—, 踞也'《廣韻》.
字源 篆文 形聲. 足＋夸〔音〕. '夸과'는 활같이 굽다의 뜻. 두 다리를 활처럼 벌리다, 걸터앉다, 걸치다의 뜻을 나타냄.

[跨據 고거] 점거(占據)함.
[跨年 고년] 이태에 걸침.
[跨躡 고섭] 양쪽에 걸쳐 밟음. 모두 유린함.
[跨有 고유] 자기 소유로 함. 점유함.
[跨越 과월] 나음. 뛰어남.
[跨軼 과일] 과월(跨越).
[跨下 과하] 사타구니 밑.
◉駕跨. 兼跨. 盜跨. 白跨. 飛跨. 陸跨. 出跨. 醉跨.

6 ⑬ [踤] 跨(前條)와 同字

6 ⑬ [跠] 〔롤·려〕 踜(足部 八畫〈p. 2236〉)와 同字

6 ⑬ [跰] 〔변·병〕
跰(足部 八畫〈p. 2236〉)과 同字

6 ⑬ [跪] 궤 ㊤紙 渠委切 guì
[字解] ①꿇어앉을 궤 무릎을 꿇고 앉음. '一坐'. '授立不一'《禮記》. ②무릎꿇고절할 궤 '一禮'. '伸腰再拜一'《古詩》. ③발 궤 주로, 게의 발. '蟹六一而二螯'《荀子》.
[字源] 篆文 形聲. 足+危〔音〕. '危위'는 '무릎 꿇다'의 뜻. '危'가 불안정(不安定)의 뜻으로 전용(專用)하게 되었기 때문에, 뒤에 '足족'을 덧붙였음.

[跪拜 궤배] 무릎을 꿇고 절함.
[跪伏 궤복] 꿇어 엎드림.
[跪捧 궤봉] 무릎을 꿇고 받듦.
[跪謝 궤사] 무릎을 꿇고 사죄함.
[跪謁 궤알] 무릎을 꿇고 뵘.
[跪進 궤진] 무릎을 꿇고 바침.
[跪坐 궤좌] 꿇어앉음.
[跪祝 궤축] 꿇어앉아 빎.
◉擎跪. 拜跪. 長跪. 超跪.

6 ⑬ [跬] [一] 규 ㊤紙 丘弭切 kuǐ
[二] 설 [入]屑 先結切 xiè
[字解] [一] ①반걸음 규 한 걸음의 반. 반보(半步). '故君子一步而不忘孝也'《禮記》. ②가까울 규 '敝一譽無用之言, 非乎'《莊子》. ③조금 규 얼마 안 됨. '故一步不休, 跛鼈千里'《淮南子》. [二] 지칠 설 '敝一'은 지침. '敝一, 疲也'《集韻》.
[字源] 形聲. 足+圭〔音〕

[跬步 규보] 한 걸음의 반(半). 반(半)걸음. 반보(半步).
[跬譽 규예] 일시의 명예.

6 ⑬ [跮] [一] 희(치[本]) [去]寘 丑利切 chì
[二] 질 [入]質 丑栗切 dié
[字解] [一] 일진일퇴할 희 선뜻 나아가지 못함. '一踱'은 일진일퇴함. 조금 나아갔다가 조금 물러감. '一踱輵轄, 容以委麗兮'《史記》. [二] 일진일퇴할 질 [一]과 뜻이 같음.
[字源] 形聲. 足+至〔音〕

[跮踱 희탁] 자해(字解)를 보라.

6 ⑬ [路] [中人] [一] 로 [去]遇 洛故切 lù
[二] 락 [入]藥 歷各切 luò
[筆順] 口 … 路
[字解] [一] ①길 로 ㉠사람이나 수레가 다니는 길. '大一'. '掌達天下之道一'《周禮》. ㉡사람이 마땅히 행하여야 할 길. 도의. 도덕. '義人之正一也'《孟子》. ㉢사물의 조리. '有筆力有筆一'《玉海》. ㉣중요한 자리. 요처. '要一'. '夫子當一於齊'《孟子》. ㉤방도. 방법. '無一請纓'《王勃》. '欲陳之而未有一'《司馬遷》. ㉥방면. '荊湖北一'《宋史》. ㉦거치는 도중. '崎嶇官一多危機'《陸游》. ②클 로 주로 군주(君主)에 관한 사물에 쓰임. '一門'. '厥聲載一'《詩經》. ③바를 로 '雖有義臺一寢'《莊子》. ④고달플 로 동분서주하여 피로함. '是率天下而一也'《孟子》. ⑤드러낼 로, 드러날 로 '一亶者也'《荀子》. ⑥길손 로, 나그넷길 로, 길갈 로 客(宀部 六畫)과 통용. '國家乃一'《管子》. '一室女之方桑兮'《楚辭》. ⑦수레 로 왕자(王者)의 수레. 輅(車部 六畫)와 통용. '鸞一'. '殊異乎公一'《詩經》. ⑧행정구획 이름 로 송대(宋代)의 행정 구역의 이름. 지금의 성(省)에 해당함. [二] 울 락 새끼를 둘러친 울. '迺虎一三嵏, 以爲司馬'《漢書》.
[字源] 金文 篆文 形聲. 足+各〔音〕. '各각'은 '이르다'의 뜻. 사람이 걸어서 다다를 때의 '길'의 뜻.

[路鼓 노고] 사면(四面)을 가죽으로 싼 북. 종묘의 제사 때 씀.
[路衢 노구] 성(城)안의 길.
[路岐 노기] 갈림길. 기로.
[路毒 노독] 길을 걸어서 심신(心身)이 피곤하여 앓는 병(病).
[路頭 노두] 노방(路傍).
[路柳牆花 노류장화] 노는 계집을 가리키는 말.
[路馬 노마] 노차(路車)를 끄는 말.
[路門 노문] 오문(五門) 또는 삼문(三門)에서 가장 내부에 있는 궁문(宮門).

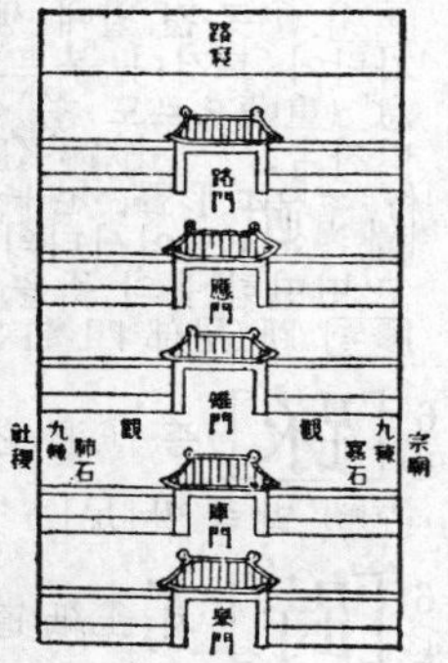

[路門]

[路傍 노방] 길가. 길옆.
[路邊 노변] 노방(路傍).
[路不拾遺 노불습유] 길에 떨어져 있는 물건이 있어도 주워서 내 것으로 하지 않는다는 뜻으로, 나라가 잘 다스려진 상태를 이름.
[路費 노비] 노자(路資).
[路史 노사] ㉠송(宋)나라 나필(羅泌)이 지은 책 이름. 47권(卷). 상고(上古) 시대의 사실(事實)들을 기록했음. 위서(緯書)와 도서(道書)에 의거한 바 많음. ㉡명(明)나라 서위(徐渭)가 쓴 책. 2권(卷).
[路上 노상] 길 위.
[路需 노수] 노자(路資).
[路室 노실] 객사. 여관.
[路用 노용] 노자. 노비(路費).
[路人 노인] 길 가는 사람. 전(轉)하여, 자기와 아무 관계없는 타인.
[路人所知 노인소지] 세상 사람이 다 아는 바.
[路資 노자] 길 갈 때에 드는 돈. 여비.
[路殿 노전] 천자·제후의 정전(正殿).
[路節 노절] 사신(使臣)이 길을 걸을 때 가지고 다니는 부절(符節).
[路程 노정] ㉠길의 이수(里數). ㉡여행의 경로.
[路次 노차] 가는 길. 도중.
[路車 노차] 제후(諸侯)가 타는 수레.
[路寢 노침] 노전(路殿). 정침(正寢).
◉街路. 間路. 澗路. 客路. 兼路. 徑路. 古路. 故路. 谷路. 廣路. 舊路. 衢路. 饋路. 歸路. 逵路. 金路. 汲路. 岐路. 當路. 大路. 塗路. 道路. 磴路. 滿路. 末路. 覓路. 木路. 問路. 薄路. 返路. 妨賢路. 白路. 別路. 分路. 仕路.

邪路. 斜路. 絲路. 山路. 象路. 塞路. 生路.
船路. 世路. 細路. 小路. 水路. 殊路. 修路.
熟路. 新路. 失路. 惡路. 野路. 讓路. 御路.
言路. 驛路. 沿路. 迎路. 盈路. 榮路. 玉路.
王路. 往路. 要路. 迂路. 雲路. 運路. 原路.
遠路. 越路. 危路. 陸路. 戎路. 利路. 異路.
引路. 長路. 載路. 爭路. 磧路. 前路. 正路.
征路. 朱路. 峻路. 中路. 卽路. 直路. 進路.
借路. 遮路. 鑿路. 讒路. 川路. 天路. 捷路.
淸路. 燭路. 村路. 充路. 就路. 通路. 偸路.
坂路. 平路. 蔽路. 避路. 筆路. 篳路. 遐路.
旱路. 海路. 行路. 險路. 革路. 賢路. 血路.
夾路. 狹路. 還路. 皇路. 荒路.

6 ⑬ [跰] 견 [平]先 輕煙切 jiǎn

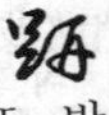

[字解] ①못 견 발에 생기는 딱딱한 군살. 또, 발가락이 트거나 부르트는 일. '百舍重一而不敢息' (重繭으로도 씀)《莊子》. ②자귀 견 짐승의 발자국. '一, 獸跡'《廣韻》.

[字源] [篆文] 形聲. 足+幵〔音〕. '幵견'은 판판하게 늘어서다의 뜻. 발에 생기는 납작하고 딴딴한 못의 뜻을 나타냄.

[參考] 趼(足部 四畫)은 同字.

6 ⑬ [踁] 증 [上]迥 之郢切 zhěng

[字解] 발 증 발〔足〕. '一, 足也'《篇海》.

6 ⑬ [跱] 치 [上]紙 直里切 zhì

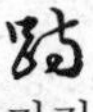

[字解] ①머뭇거릴 치 주저하여 앞으로 잘 가지 아니함. 일설(一說)에는, 머무름. 정지함. '一行不進'《類篇》. ②갖출 치 준비함. 저축함. '所經道上郡縣, 無得設儲一'《後漢書》. ③둘 치, 놓아둘 치 '一遊極於浮柱'《張衡》. ④웅크릴 치 '松喬高一'《後漢書》.

[字源] 形聲. 足+寺〔音〕. '寺시'는 '머무르다'의 뜻.

6 ⑬ [跲] 겁 [入]葉 居怯切 jiá

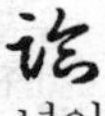

[字解] ①넘어질 겁 헛디디거나 무엇에 걸려 넘어짐. 전(轉)하여, 착오가 생김. '言前定則不一'《中庸》. ②번갈아 겁 번갈아듦. 迨(辵部 六畫)과 통용.

[字源] [篆文] 形聲. 足+合〔音〕. '合합'은 '합쳐지다'의 뜻. 발이 무엇에 끼여 넘어지다의 뜻을 나타냄.

6 ⑬ [跳] [高人] 도(①-③ [平]蕭 徒聊切 tiào
조[本]) [平]豪 徒刀切 táo

[筆順] 口 口 卩 足 趴 趴 跳 跳

[字解] ①뛸 도 뛰어오름. 도약함. 또, 튐. '高一'. '飛一'. '東西一梁'《莊子》. '萬丸一猛雨'《杜牧》. ②솟구칠 도 몸을 솟아오르게 함. '一身遯者'《漢書》. ③넘어질 도 헛디디거나 발부리가 무엇에 걸려 넘어짐. '今謂失足傾墮爲一'《新方言》. ④달아날 도 逃(辵部 六畫)와 통용. '漢王一'《漢書》.

[字源] [篆文] 形聲. 足+兆〔音〕. '兆조'는 점(占)을 칠 때 거북의 등딱지 위에 나타나는 갈라진 금의 象形으로, 터져 갈라지다의 뜻을 나타냄. '足족'을 덧붙여, 뛰어오르다, 실족(失足)해 넘어지다의 뜻을 나타냄.

[跳驅 도구] 급히 말을 달림.
[跳怒 도노] 세차게 뛰어오름.
[跳刀 도도] 칼을 세게 휘두르는 모양.
[跳梁 도량] ㉠뛰어 돌아다님. ㉡나쁜 놈들이 함부로 날뜀. 발호함.
[跳踉 도량] 도량(跳梁) ㉠.
[跳沫 도말] 안개같이 뛰어오르는 물방울. 비말(飛沫).
[跳白 도백] 작은 어선(漁船)의 한 가지.
[跳奔 도분] 달아남.
[跳神 도신] 서장(西藏)·만몽(滿蒙)의 원시적(原始的) 토속 의식(土俗儀式). 각 절〔寺〕에서 나마(喇嘛)들이 울긋불긋한 신장(神裝)의 옷을 입고, 얼굴에는 이상한 탈을 쓰며, 손에는 칼을 들고 춤을 추면서 희생(犧牲)을 바치는데, 법기(法器)를 치고, 용도(踊蹈)·풍경(諷經)함으로써 구사(驅邪)·기복(祈福)함.
[跳躍 도약] 뛰어오름. 뜀.
[跳然 도연] 뛰는 모양.
[跳脫 도탈] ㉠금 또는 옥으로 만든 팔찌. ㉡몸을 출썩거리며 내뺌.
[跳盪 도탕] 접전(接戰)하기 전에 먼저 적진에 쳐들어가 승리함.
[跳行 도행] 글을 쓸 때에 경의(敬意)를 나타내는 구절(句節)을 평두(平頭)보다 한 자(字) 또는 두어 자(字)쯤 높이 올려서 쓰는 일. 대두(擡頭).
[跳丸 도환] ㉠백희(百戲)의 하나. 공을 가지고 놂. ㉡빨리 가는 세월의 비유.
[跳哮 도효] 펄쩍 뛰며 짖음. 뛰어 덤비며 짖음.
◉距跳. 驚跳. 高跳. 白魚跳. 飛跳. 簸跳.

6 ⑬ [跢]
[一] 대 [去]泰 當蓋切 dài
[二] 다 [去]箇 丁佐切 / [平]歌 當何切 duō
[三] 치 [平]支 陳知切 chí
[四] 질 [入]質 陟栗切

[字解] [一] ①넘어질 대 '一, 倒也'《玉篇》. ②발이 걸려넘어질 대 '跌, 蹶也. (注)江東謂一'《揚子方言》. ③어린애가는모양 대 '一, 小兒行皃'《集韻》. [二] ①어린애가는모양 다 [一]❸과 뜻이 같음. ②어린애데리고갈 다 '一, 攜幼行也'《集韻》. [三] 머뭇거릴 치 선뜻 나아가지 못함. '一, 博雅, 蹢躅, 一跦也'《集韻》. [四] 머뭇거릴 질 [三]과 뜻이 같음.

6 ⑬ [跺] 타 [上]哿 都果切 duò

[字解] ①갈 타 가는 모양. '一, 行皃'《集韻》. ②머뭇거릴 타 '一跟'은 머뭇거리고 나아가지 아니하는 모양. ③《現》 밟을 타 밟음. 또, 발을 동동 구름.

[字源] 形聲. 足+朶〔音〕

[跺跟 타근] 머뭇거리고 나아가지 아니하는 모양.

6 ⑬ [跓] 광 [平]陽 曲王切 kuāng

字解 빨리걸을 광 '一躟'은 빨리 걷는 모양.

[跙躟 광양] 빨리 걷는 모양.

6 ⑬ [𧿹] 해 ㊄隊 戶代切 hài

字解 급히갈 해 급히 감. '一, 行急'《集韻》.

6 ⑬ [趼] 함 jiǎn

字解 가는모양 함 가는 모양. '一, 行貌'《篇韻》.

6 ⑬ [跠] 이 ㊏支 以脂切 yí

字解 웅크려앉을 이 웅크리고 앉음. 夷(大部 三畫)와 통용. '一, 踞也'《廣雅》.

6 ⑬ [跤] 교 ㊏肴 口交切 jiāo

字解 ①정강이 교 발회목. 骹(骨部 六畫)와 同字. '一, 脛骨近足細處'《廣韻》. ②공중제비질 교 곤두박질함. '方轉回身要走時, 不防一塊石頭絆了一一'《紅樓夢》.

字源 形聲. 足+交〔音〕

6 ⑬ [践] 〔천〕
踐(足部 八畫〈p. 2235〉)의 俗字

6 ⑬ [跚] 〔산〕
跚(足部 五畫〈p. 2228〉)과 同字

6 ⑬ [跘] 〔반·판〕
跘(足部 五畫〈p. 2228〉)과 同字

6 ⑬ [𧿞] 〔기〕
旡(部首〈p. 967〉)와 同字

6 ⑬ [𧿳] 〔기〕
企(人部 四畫〈p. 104〉)와 同字

6 ⑬ [跫] 공 ㊏冬 許容切 qióng

字解 발자국소리 공 발을 디디는 음향(音響). 또, 인기척이 나는 모양. '空谷一音'. '聞人足音一然而喜矣'《莊子》.

字源 形聲. 足+巩〔音〕

[跫跫 공공] 발을 디디는 소리. 발자국 소리.
[跫然 공연] 발자국 소리의 형용.
[跫音 공음] 발자국 소리.

6 ⑬ [𨀁] 힐 ㊇質 許吉切 xī

字解 갈 힐 감. 걸어감. '一, 行'《玉篇》.

7 ⑭ [跼] 국 ㊇沃 渠玉切 jú

字解 ①구부릴 국 몸을 오그림. '騏驥之一躅'《史記》. '一高天蹐厚地'《後漢書》. ②구부러질 국 구부러져 펴지지 않음. '踡一, 不伸也'《集韻》.

字源 形聲. 足+局〔音〕. '局국'은 등을 구부리다의 뜻. 발이나 등을 굽히다, 구부리다의 뜻을 나타냄.

[跼踡 국권] 몸을 오그림.
[跼頓 국돈] 걸려 넘어짐.
[跼斂 국렴] 몸을 오그리고 손을 거둠. 어찌할 줄 모르는 모양.
[跼步 국보] 몸을 구부리고 걸음.
[跼跧 국전] 몸을 오그림. 엎드림.
[跼足 국족] 발을 오그리고 일이 닥쳐올 것을 기다림.
[跼蹐 국척] 국천척지(跼天蹐地).
[跼天蹐地 국천척지] 머리가 하늘에 닿을까 두려워하여 몸을 구부리고, 땅이 꺼질까 두려워하여 발끝으로 살살 디디어 걷는다는 뜻으로, 두려워하여 몸둘 곳을 모름을 이름.
[跼躅 국촉] 몸을 구부리고 힘들여 걷는 모양.
[跼縮 국축] 국척(跼蹐).
◉高跼. 曲跼. 踡跼. 羇跼. 躑跼.

7 ⑭ [䟶] 좌 ㊄箇 祖臥切 zuò

筆順 口 㔾 𧾷 𧿒 𧿸 𨀍 䟶 䟶

字解 ①거짓절할 좌 거짓으로 절함. '一, 詐拜也'《集韻》. ②헛디딜 좌 헛디딤. 비틀거리는 모양. 층등(蹭蹬). '躍一'. '躍, 躍一. 猶蹭蹬也'《集韻》.

7 ⑭ [𨀣] 질 diē

字解 발 질 발〔足〕. '一, 足也'《字彙補》.

7 ⑭ [䟫] 포 ㊏虞 滂模切 pū

字解 말발자국 포 말의 발자국. '一, 馬蹀跡'《集韻》.

7 ⑭ [跽] 기 ㊤紙 暨几切 jì

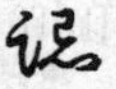

字解 ①꿇어앉을 기 무릎을 꿇고 앉되, 궁둥이를 발에 닿지 않게 몸을 폄. 이를 '長跪'라고도 함. 단순한 '跪'와는 자세가 다름. '項王按劍而一'《史記》. ②굽을 기 구부림. '擎一, 曲拳也'《玉篇》.

字源 甲骨文 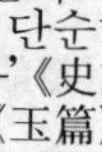 篆文 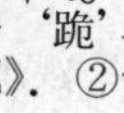 形聲. 甲骨文은 止+己〔音〕. '止지'는 발의 象形. '己기'는 무릎 꿇은 모양과 비슷한 실패의 象形. '꿇어앉다'의 뜻을 나타냄. 篆文은 足+忌(音)의 形聲.

7 ⑭ [𨀦] ━ 도 ㊄遇 徒故切 dù
━ 타 ㊤馬 宅下切 zhà

字解 ━ 맨발 도 맨발. '一, 行不履也'《玉篇》.
━ 머뭇거릴 타 가기 어려움. '一踋'. '一, 一踋, 行不進'《集韻》.

7 ⑭ [䟾] 〔도〕
跳(足部 六畫〈p. 2232〉)와 同字

7 ⑭ [𨀬] ━ 정 ㊏庚 馳貞切 chéng
━ 형 ㊄徑 形定切 jìng

字解 ■ 이수 정 길의 이수(里數). 이정(里程). '一, 行期也'《集韻》. ■ 종아리 형 脛(肉部 七畫〈p. 1849〉)과 뜻이 같음. '脛, 說文, 胻也, 亦作一'《集韻》.

7 ⑭ [踆] 준 ①㊥眞 七倫切 qūn ②㊥元 徂昆切 cún ③㊥元 租昆切 zūn

字解 ①마칠 준, 물러날 준 竣(立部 七畫)과 同字. '已事而一'《張衡》. ②짓밟을 준, 찰 준 발로 차 넘어뜨림. '逆而一之'《公羊傳》. ③쭈그리고 앉을 준 무릎을 세우고 앉음. 蹲(足部 十二畫)의 古字. '一於窽水'《莊子》.
字源 形聲. 足+夋〔音〕

[踆烏 준오] 태양 속에 있다는 세 발 달린 까마귀.
[踆踆 준준] ㉠깡충깡충 뛰어가는 모양. ㉡뒷걸음질하는 모양.
[踆鴟 준치] 토란〔芋〕의 이명(異名). 모양이 올빼미가 웅크리고 있는 것과 같으므로 이름.

7 ⑭ [踉] ■ 량 ①㊥陽 呂張切 liáng ②③㊤漾 力讓切 liàng ■ 랑 ㊤漾 郎宕切 làng

字解 ■ ①뛸 량 도약함. '跳一乎井幹之上'《莊子》. ②비틀거릴 량 '一蹌'·'一蹡'은 비슬비슬 걷는 모양. '一蹡越門限'《韓愈》. ③서행할 량 천천히 감. '一蹡'은 천천히 걷는 모양. '已一蹡而徐來'《潘岳》. ■ 허둥지둥할 랑 狼(犬部 七畫)의 本字. '一踉'.
字源 形聲. 足+良〔音〕

[踉旁 낭방] ㉠가려고 하는 모양. ㉡가는 모양. ㉢부리나케 가는 모양. 허둥지둥 가는 모양.
[踉跟 낭패] '낭패(狼狽)'와 같음.
[踉蹡 양장] ㉠천천히 걷는 모양. ㉡비슬비슬 걷는 모양.
[踉蹌 양창] 비슬비슬 걷는 모양.
◉跳踉. 蹌踉.

7 ⑭ [踦] 기 qì

字解 밟을 기 밟음. 디딤. '一, 蹀也'《篇韻》.

7 ⑭ [踁] ■ 항 ㊥陽 胡郎切 háng ■ 경 ㊥更 居行切 gēng

字解 ■ 짐승발자국 항 迒(辵部 四畫)과 同字. '迒, 獸迹也, 一, 迒或从足更'《說文》. ■ 토끼 다니는길 경 '逕, 兔逕. 或从足'《集韻》.

7 ⑭ [踶] ■ 제 ㊤霽 丑例切 chì ■ 계 ㊤霽 去例切 qì

字解 ■ ①뛸 제 뜀. '踏·踣·踋, 跳也. 楚曰一'《方言》. ②넘을 제 넘음. '一, 踰也'《玉篇》. ■ 절름발이 계 '一, 跛也'《集韻》.

7 ⑭ [踝] 〔과·고〕 跨(足部 六畫〈p. 2230〉)와 同字

7 ⑭ [踂] 〔곤〕 踂(足部 八畫〈p. 2236〉)의 訛字

7 ⑭ [踃] 구 ㊥尤 渠尤切 qiú

字解 밟을 구 밟음. 디딤. '一, 蹋也'《集韻》.

7 ⑭ [踆] 나 ㊥歌 囊何切 nuó

字解 채어서비틀거릴 나 발끝이 채어서 비틀거림. '一, 足跌'《集韻》.

7 ⑭ [踀] 〔단〕 蹦(足部 十四畫〈p. 2250〉)의 略字

7 ⑭ [踄] 두 ㊥尤 當侯切 dōu

字解 채어서비틀거릴 두 채어서 비틀거림. 넘어짐. '一, 跌也'《集韻》.

7 ⑭ [踊] 人名 용 ㊤腫 余隴切 yǒng

筆順 ㅁ 𠯁 𧾷 𧾷 踊 踊 踊

字解 ①뛸 용 도약함. '一躍用兵'《詩經》. 또, 죽음을 슬퍼하여 행하는 도약의 의식(儀式). '哭君成一'《公羊傳》. ②춤출 용 무용을 함. '千人一, 萬人賀'《楊炎》. '霓裳一于河上'《劉禹錫》. ③오를 용 위로 올라감. 湧(水部 九畫)과 통용. ㉠물건 위에 오름. '一于棓而窺客'《公羊傳》. ㉡물가가 오름. '物貨翔一'《唐書》. ④신 용 월형(刖刑)을 당한 사람이 신는 신. '屨賤一貴'《左傳》. ⑤심히 용 대단히. '物一騰躍'《史記》. ⑥미리 용 사전에. 豫(豕部 九畫)와 통용. '晉之不言出入者, 一爲文公諱也'《公羊傳》.
字源 篆文 形聲. 足+甬〔音〕. '甬용'은 '用용'과 통하여, '들어 올리다'의 뜻. 발을 들어 올려 춤추다의 뜻.

[踊貴 용귀] 물건 값이 뛰어오름. 등귀(騰貴).
[踊躍 용약] ㉠뜀. ㉡좋아 날뛰어 기뻐함. ㉢펄쩍 뛰어 기세 좋게 나아감.
[踊溢 용일] 뛰어오름. 도약함.
[踊塔 용탑] 높이 솟은 탑.
[踊現 용현] 높이 나타남.
◉驚踊. 曲踊. 哭踊. 袒踊. 騰踊. 舞踊. 辟踊. 抃踊. 憤踊. 飛踊. 翔踊. 駭踊. 號踊. 喜踊.

7 ⑭ [踇] 도 ㊥虞 同都切 tú

字解 ①맨발 도 아무것도 신지 않은 발. 도족(徒足). ②뛸 도 도약함. '虎賁之士, 一跔科頭'《史記》.
字源 形聲. 足+徒〈省〉〔音〕. '徒도'는 '맨발'의 뜻.

[踇跔 도구] 뜀. 일설(一說)에는, 한쪽 발을 듦. 또 일설에는, 맨발.

7 ⑭ [踆] 잠 ㊥侵 鋤簪切 cén

字解 괸물 잠 괸 물. 일설에는, 짐승의 발자국에 괸 물. '一, 蹠一, 停水也'《集韻》.

7 ⑭ [踈] 패 ①㊤泰 蒲蓋切 pèi ②③㊤泰 博蓋切 bèi

[字解] ①허둥지둥할 패 狽(犬部 七畫)의 本字. '踉—'. ②넘어질 패 헛디디거나 발부리에 무엇이 걸려 넘어짐. '狼—, 顚—也'《一切經音義》. ③밟을 패 밟고 걸어감. '—, 步行獵跋也'《說文》.

[字源] [篆文] 形聲. 足+貝〔音〕. '貝패'는 둘로 쪼개지다, 실패하다의 뜻. 실족(失足)하여 넘어지다의 뜻을 나타냄.

◉踉䟺.

7 ⑭ [䟴] 진 [去]震 之刃切 [平]眞 之人切 zhèn

[字解] 움직일 진 '—, 動也'《說文》.

[字源] 形聲. 足+辰〔音〕

7 ⑭ [踂] 섭(녑[本]) [入]葉 尼輒切 niè

[字解] 두다리꼬일 섭 두 다리가 꼬여 떨어지지 않음. 또, 그 발. '兩足不能相過, 齊謂之綦, 楚謂之—'《穀梁傳》.

7 ⑭ [踃] [一] 소 [平]蕭 蘇彫切 xiāo [二] 초 [去]嘯 七肖切 qiào

[字解] [一] ①뛸 소 도약함. '簡惰跳—'《傅毅》. ②움직일 소 '舞節轉曲, —駊應聲'《揚雄》. [二] 발병 초 발의 근육이 땅기는 병. '—, 足筋急病'《集韻》.

7 ⑭ [踄] [一] 박 [入]藥 白各切 bù [二] 보 [去]遇 蒲故切

[字解] [一] 밟을 박 '—, 蹈也'《說文》. [二] 밟을 보 [一]과 뜻이 같음.

[字源] 形聲. 足+步〔音〕

7 ⑭ [䠗] 규 [平]支 居追切 guī 渠追切 kuí

[字解] ①뛸 규 도약(跳躍)함. '鯪鮭—踻於垠隒'《郭璞》. ②종아리살 규 종아리의 근육. '—, 脛肉也'《說文》. ③휜종아리 규 또, 왼쪽 종아리가 굽음. '—, 一曰, 曲脛也'《說文》. '—, 左脛曲也'《廣韻》. ④넘어질 규 발을 헛디디거나 무엇이 발부리에 걸려 넘어짐. '—, 踤也'《廣雅》. ⑤다리 규 기물(器物)을 받치는 것. '—, 柎也'《廣雅》.

[字源] [篆文] 形聲. 足+癸〔音〕. '癸규'는 붕긋 솟은 살의 뜻. '장딴지'의 뜻을 나타냄.

7 ⑭ [踈] 〔소〕 疎(疋部 七畫〈p. 1476〉)의 訛字

7 ⑭ [踁] 〔경〕 脛(肉部 七畫〈p. 1849〉)과 同字

[字源] 形聲. 足+巠〔音〕.

7 ⑭ [踋] 〔각〕 脚(肉部 七畫〈p. 1848〉)과 同字

7 ⑭ [䟶] 한 [上]旱 下罕切 hàn

[字解] 비스듬히설 한 비스듬히 섭. '—, 偏立'《集韻》.

8 ⑮ [踏] [高人] 답 [入]合 他合切 tà

[筆順] 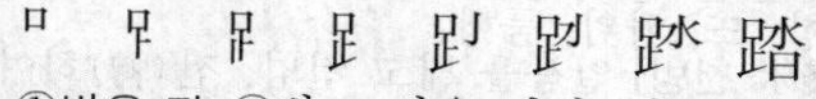

[字解] ①밟을 답 ㉠발로 땅을 디딤. '握臂連—'《誠齋雜記》. ㉡밟고 누름. '以足—其頭'《氿池筆記》. ㉢보행함. 걸음. '一青拾翠'《畫繼》. '忍觸瓏璁縱健—'《何中》. ②발판 답 밟고 올라서는 받침대. '以水晶飾腳—'《宋史》. ③신발 답 '瑤—動芳塵'《溫庭筠》.

[字源] 形聲. 足+沓〔音〕. '蹋답'의 俗字.

[踏歌 답가] 발로 땅을 구르며 장단을 맞추어 노래함.
[踏舞 답무] 제자리걸음을 하며 춤춤.
[踏白 답백] 송대(宋代)의 군대의 이름.
[踏步 답보] 땅을 구르며 걷는걸음.
[踏査 답사] 산이나 들 또는 전답(田畓) 등을 실지로 조사함.
[踏殺 답살] 밟아 죽임.
[踏碎 답쇄] 밟아 부숨.
[踏襲 답습] 뒤를 이어받음. 선인(先人)의 행적을 그대로 따라 행함. 도습(蹈襲).
[踏月 답월] 달밤에 산보함.
[踏靑 답청] ㉠푸른 풀 위를 걷는다는 뜻으로, 봄날의 교외의 산책을 이름. ㉡정월 7일에 남녀가 서로 놀며 즐기는 일. ㉢3월 3일의 곡수(曲水)의 잔치. ㉣2월 2일을 이름.
[踏破 답파] ㉠걸어 다님. 파(破)는 조자(助字). ㉡먼 길이나 험한 길을 끝까지 걸어 나감.
◉檢踏. 高踏. 歐踏. 亂踏. 騰踏. 舞踏. 攀踏. 扶踏. 跗踏. 連踏. 履踏. 人跡未踏. 踐踏. 超踏.

8 ⑮ [踐] [高人] 천 [去]霰 才線切 jiàn [上]銑 慈演切 践

[筆順] 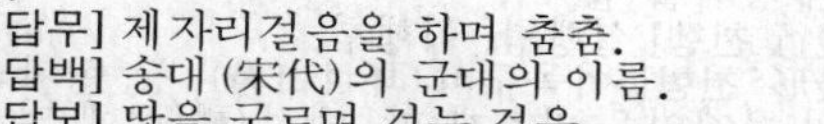

[字解] ①밟을 천 ㉠이행함. '實—'. '修身—言'《禮記》. ㉡발로 디딤. 또, 발로 누름. '蹂—'. '毋—屨'《禮記》. ㉢따름. 좇음. '不—迹'《論語》. ㉣걸음. 보행함. 감. '深—戎馬之地'《漢書》. '經宜陽而東—'《江淹》. ㉤오름. 자리에 나아감. '—祚'. '—其位, 行其禮'《中庸》. ②누를 천 진압함. 물리침. '晉之妖夢是—'《左傳》. ③차려놓을 천 진열·진설한 모양. '籩豆有—'《詩經》. ④해칠 천, 다칠 천 殘(歹部 八畫)과 통용. ⑤벨 천, 죽일 천 翦(羽部 九畫)과 통용. '成王東伐淮夷, 遂—奄'《古文尙書》. ⑥맨발 천, 맨발될 천 跣(足部 六畫)과 통용. '皆無—'《漢書》. ⑦얕을 천 淺(水部 八畫)과 통용. '有—家室'《詩經》.

[字源] [篆文] 形聲. 足+戔〔音〕. '戔전'은 갈기갈기 찢다, 토막을 내다의 뜻. 발로 짓밟아 해치다, 손상시키다의 뜻. 또, 단순히 '밟다'의 뜻도 나타냄.

[踐更 천경] 한대(漢代)의 제도. 병졸로서 징발된 자가 금전으로 사람을 사서 대신 보내는 일.

[踐極 천극] 임금의 자리에 오름. 등극(登極).
[踐年 천년] 해를 경과함.
[踐踏 천답] 짓밟음.
[踐歷 천력] 편력(遍歷)함. 전(轉)하여, 열력(閱歷).
[踐履 천리] ㉠걸음. 다님. ㉡밟음. ㉢행함. 이행함. 또, 행위. 품행.
[踐氷 천빙] 얼음을 밟고 건넘. 전(轉)하여, 위험을 무릅씀의 비유.
[踐勢 천세] 세력 있는 자리에 오름.
[踐修 천수] 실천하며 닦음.
[踐約 천약] 약속을 이행함.
[踐言 천언] 한 말을 실행함.
[踐位 천위] 임금 자리에 앉음. 즉위(卽位)함.
[踐蹂 천유] 짓밟음.
[踐阼 천조] 천극(踐極).
[踐祚 천조] 천극(踐極).
[踐統 천통] 천자의 자리에 오름. 또, 천자가 되어 통치를 함.
[踐行 천행] 실행함. 이행함.
[踐形 천형] 이목구비(耳目口鼻) 등 형체(形體)의 움직임을 바르게 함. 예절(禮節)에 맞게 함.
◉徒踐. 蹈踐. 登踐. 騰踐. 升踐. 實踐. 蹂踐. 履踐. 踵踐. 眞踐. 侵踐.

8 ⑮ [踑] 기 ①[上]紙 巨几切 jì ②[平]支 渠之切 qí 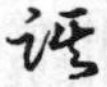

[字解] ①다리뻗고앉을 기 '―踞'는 두 다리를 쭉 뻗고 기대어 앉음. 기거(箕踞). '奮髥―踞'《劉伶》. ②발자국 기 또, 발자국을 따름. '―, 跡也'《集韻》. '―, 馴跡也'《廣韻》.
[字源] 形聲. 足+其〔音〕. '其기'는 키〔箕〕의 象形으로 '키'의 뜻. 다리를 키 모양으로 뻗고 앉다의 뜻을 나타냄.

[踑踞 기거] 자해(字解) ❶을 보라.

8 ⑮ [⿰𧾷尙] [一] 창 [上]養 齒兩切 chǎng [二] 당 [現] tāng
[字解] [一] 웅크릴 창 '―, 踞也'《集韻》. [二]《現》 김맬 당 쟁기·괭이 따위로 땅을 파헤쳐서 제초(除草)함.

8 ⑮ [踔] [一] 초 [去]效 丑教切 chuō [去]嘯 他弔切 tiào [二] 탁(착[本]) [入]覺 敕角切 chuò 

[字解] [一] ①달릴 초 빨리 감. 질주함. '趫―'. '―夭蹻'《漢書》. ②뛸 초 껑충 뜀. 도약함. '―⿺辶夌枝'《後漢書》. ③넘을 초 뛰어넘음. '―宇宙, 而遺俗兮'《後漢書》. [二] ①멀 탁 멀리 떨어짐. '上谷至遼東, 地―遠'《史記》. ②뛰어날 탁 卓(十部 六畫)과 同字. '非有―絶之能, 不相踰越'《漢書》. ③절름거릴 탁 踸(足部 九畫)을 보라. '踸―'.
[字源] 篆文  形聲. 足+卓〔音〕. '卓탁'은 '높다'의 뜻. 한쪽 발로 높이 뛰어오르다의 뜻을 나타냄.

[踔厲風發 탁려풍발] 탁월하고 격렬하여 바람과 같이 세차게 나온다는 뜻으로, 도도(滔滔)하고 힘찬 웅변(雄辯)을 형용하는 말.
[踔然 탁연] 고원(高遠)한 모양. 또, 뛰어난 모양. 탁연(卓然).
[踔遠 탁원] 아득히 멂.
[踔絶 탁절] 훨씬 뛰어남. 탁절(卓絶).
◉趫踔. 躡踔. 略踔. 勇踔. 趻踔. 踸踔. 卓踔.

8 ⑮ [踛] [一] 록 [入]月 勒沒切 lù [二] 려 [去]霽 郎計切 lì
[字解] [一] 못나아갈 록 못 나아감. 앞으로 나아가지 못해 애먹음. '踛―'. '―, 踛―, 不進'《集韻》. [二] 저는발 려 절룩거리며 걷는 발. '―, 跛足'《集韻》.

8 ⑮ [踖] 적 [入]陌 資昔切 jí 秦昔切 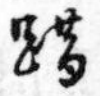

[字解] ①밟을 적 밟고 지나감. '毋―席'《禮記》. ②삼갈 적 공손한 모양. 조심하는 모양. '踧―'. ③재빠를 적 민첩한 모양. '執爨――'《詩經》. ④부끄러워할 적 양심에 가책을 느끼는 모양. '勞――'《太玄經》.
[字源] 篆文 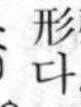 形聲. 足+昔〔音〕. '昔석'은 겹쳐 쌓다, 포개다의 뜻. 발을 포개어 넘어가다의 뜻을 나타냄. 또, 발을 조금씩 떼어 옮기다의 뜻에서, '조심하다'의 뜻을 나타냄.

[踖踖 적적] ㉠조심하여 걷는 모양. ㉡부끄러워하는 모양. ㉢민첩한 모양. 재빠른 모양.
[踖踧 적축] 조심하여 걷는 모양. 또, 공손한 모양.
◉踧踖.

8 ⑮ [踙] [人名] 곤 [上]阮 苦本切 kǔn
[筆順] 
[字解] ①얼어터진발 곤 동상(疼傷) 걸린 발. '―, 瘃足也'《說文》. ②자취 곤 발자국. '―, 一曰, 迹也'《集韻》.
[字源] 形聲. 足+困〔音〕

8 ⑮ [⿰𧾷具] 구 [平]虞 恭于切 jū
[字解] 발곱을 구 추위에 발이 곱음. 추위로 발의 감각이 둔함. '―, 足寒曲也'《集韻》.

8 ⑮ [踿] [一] 철 [入]屑 株劣切 zhuó [二] 궐 [入]屑 紀劣切 juě
[字解] [一] 뛸 철 뜀. 뛰어오름. '―, 跳也'《集韻》. [二] 팔짝팔짝뛸 궐 팔짝팔짝 뜀. 약간 뛰어오름. '―, 小跳也'《集韻》.

8 ⑮ [⿰𧾷幷] [一] 변 [平]先 部田切 pián [二] 병 [去]徑 壁瞑切 bèng
[字解] [一] ①비틀비틀할 변 '―蹮'은 비틀비틀하며 이리저리 쓰러질 듯이 걷는 모양. '―蹮而鑑於井'《莊子》. ②못박일 변 살갗에 박이는 못. 또, 손발의 틈. 胼(肉部 八畫)과 同字. '胼胝, 皮上堅也. ―, 上同'《廣韻》. [二] 내달릴 병 흩어져 달아남. 迸(辵部 八畫)과 同字. '迸, 說文, 散走也. 或从足'《集韻》.
[字源] 形聲. 足+幷〔音〕
[參考] 跰(足部 六畫)은 俗字.

[⿰𧾷幷蹮 변선] 자해(字解) [一] ❶을 보라.

[跰躚 변선] 춤추는 모양. 「름.
[跰踵 변종] 세성(歲星)이 술(戌)에 있을 때의 이

8 ⑮ [踝] 과(화[本])㊤馬 胡瓦切 huái

[字解] ①복사뼈 과 거골(距骨). '膝—'. ②발뒤꿈치 과 '負繩及—以應直'《禮記》. ③외로울 과 홀로 있는 모양. '其形— —然'《釋名》.
[字源] 篆文 形聲. 足+果〔音〕. '果과'는 나무 열매의 뜻. 발에 호두 모양으로 있는 '복사뼈'의 뜻을 나타냄.

[踝踝 과과] 외로운 모양. 혼자 있는 모양.
[踝跣 과선] 맨발.
[踝足 과족] 맨발.
◉膝踝. 兩踝.

8 ⑮ [踛] 돌 [入]月 他骨切 tú

[字解] ①밟을 돌 밟음. 디딤. '—, 一曰, 蹂也'《集韻》. ②앞으로나아가지못할 돌 앞으로 나아가지 못함. 가는 데 불편함. '—踙'. '—,—踙, 前不進也'《集韻》.

8 ⑮ [踞] [人名] 거 [去]御 居御切 jù

[字解] ①웅크릴 거 무릎을 세우고 앉음. '蹲—'. '獨處而—'《大戴禮》. ②걸어앉을 거 걸터앉음. '沛公方—牀'《漢書》. ③발뻗고앉을 거 퍼더버림. '高祖箕—罵詈, 甚慢之'《漢書》. ④오만할 거 '威不信長城, 反賂遺而尙—敖'《鹽鐵論》.
[字源] 篆文 形聲. 足+居〔音〕. '居거'는 '앉다'의 뜻. '足족'을 붙여, 퍼더버리고 앉다의 뜻을 나타냄.

[踞肆 거사] 웅크림. 쭈그림.
[踞傲 거오] 오만함. 교만 방자함.
[踞蹲 거준] 웅크림. 쭈그림.
◉箕踞. 踑踞. 盤踞. 龍蟠虎踞. 夷踞. 蹲踞. 虎踞.

8 ⑮ [踀] 굴 [入]物 九勿切 jué

[字解] 힘 굴 힘〔力〕. 힘이 셈. 발의 힘이 셈. '—, 足多力也'《玉篇》.

8 ⑮ [踩] [一] 규 kuí [二] 렬 liè [三] 채 [現] cǎi

[字解] [一] 뛸 규 '—, 跳也'《篇韻》. [二] 뛸 렬 [一]과 뜻이 같음. [三] 《現》 ①밟을 채, 짓밟을 채 '不防脚底下果—滑了'《紅樓夢》. ②캘 채 채취(採取)함.

8 ⑮ [踗] 녑 [入]葉 諾叶切 niè

[字解] 경쾌하게갈 녑 경쾌하게 감. 사뿐사뿐 걸음. '—, 行輕也'《集韻》.

8 ⑮ [踖] 비 [去]未 扶沸切 fèi ㊤尾 府尾切

[字解] 종지뼈잘라낼 비 '—罰'은 종지뼈를 잘라 내는 형벌. '—罰五百'《書經》.
[字源] 篆文 形聲. 足+非〔音〕. '非비'는 양쪽으로 가르다의 뜻. 종지뼈를 잘라 내는 형벌(刑罰)의 뜻을 나타냄.

[踖罰 비벌] 자해(字解)를 보라.

8 ⑮ [踟] 지 [平]支 直離切 chí

[字解] 머뭇거릴 지 망설이고 떠나지 못함. 떠나기를 주저함. '搔首—蹰'《詩經》. '每逢絕勝卽—躇'《范成大》.
[字源] 形聲. 足+知〔音〕

[踟躇 지저] 망설이고 떠나지 못하는 모양. 떠나기가 어려워 머뭇거리는 모양.
[踟跦 지주] 지주(踟蹰).
[踟蹰 지주] ㉠머뭇거리는 모양. 망설이고 잘 가지 못하는 모양. ㉡연(連)한 모양. 잇닿은 모양.

8 ⑮ [踠] [一] 원 ㊤阮 於阮切 wǎn [二] 와 [去]箇 烏臥切 wò

[字解] [一] 굽을 원, 굽힐 원 발·몸이 구부러짐. 발·몸을 구부림. '馬—餘足'《後漢書》. [二] 넘어질 와 헛디디거나 발부리가 무엇에 걸려 넘어짐. 踒(足部 八畫)와 同字. '踒, 說文, 足跌也. 或作—'《集韻》.
[字源] 形聲. 足+宛〔音〕. '宛완·원'은 '굽히다'의 뜻.

◉馬踠. 攣踠.

8 ⑮ [踋] 붕 [平]蒸 蒲登切 péng

[字解] 달릴 붕 달림. '—, 走也'《集韻》.

8 ⑮ [踕] 호 háo

[字解] 약이름 호 약 이름. 약명. '—, 藥名'《龍龕手鑑》.

8 ⑮ [踡] 권 [平]先 巨員切 quán

[字解] 구부릴 권, 굽을 권 웅크림. 오그라져 펴지지 않음. 또, 마음이 위축(萎縮)되는 모양. '崙菌—嵼'《王延壽》. '—局顧而不行'《楚辭》.
[字源] 形聲. 足+卷〔音〕. '卷권'은 '말다'의 뜻. 다리를 말 듯하다, 구부리다의 뜻을 나타냄.

[踡跼 권국] 몸을 오그림. 또, 몸이 오그라져 펴지지 아니함.
[踡嵼 권산] 굽은 모양. 일설(一說)에는, 홀로 우뚝 솟은 모양.

8 ⑮ [踢] [一] 척 [入]錫 他歷切 tī [二] 착 [入]藥 勑略切 chuò

[字解] [一] 찰 척 발로 물건을 참. '—, 以足蹵物'《正字通》. [二] 허둥지둥할 착 '矍—'은 갑작스러운 모양. 당황하여 허둥거리는 모양. '河靈矍—'《漢書》.
[字源] 形聲. 足+易〔音〕. '易역'은 '提제'와 통하여, 팔을 내밀다의 뜻. 다리를 내밀다, 발로 차다의 뜻을 나타냄.

參考 踼(足部 九畫)은 別字.

◉矍踼.

8 ⑮ [踣] 득 ㊀職 的則切 dé

字解 가는모양 득 가는 모양. '―, ――, 行皃'《集韻》.

8 ⑮ [踣] ━ 복 ㊀職 蒲北切 bó ━ 부 ㊁有 匹候切 pòu ㊁遇 芳遇切

字解 ━ 넘어질 복, 넘어뜨릴 복 '顚―'. '傾―'. '凡殺人者, ―諸市'《周禮》. ━ ①넘어질 부, 넘어뜨릴 부 仆(人部 二畫)와 同字. ②망할 부 '故設用無度, 國家―'《管子》.

字源 篆文 形聲. 足+咅〔音〕. '咅부'는 넘어지는 모양을 나타내는 의성어(擬聲語). '푹 쓰러지다'의 뜻을 나타냄.

[踣斃 복폐] 넘어져 죽음. 자빠져 죽음.

◉僵踣. 傾踣. 困踣. 頓踣. 顚踣. 蹶踣. 竄踣. 斃踣.

8 ⑮ [踛] 록 ㊀沃 龍玉切 lù

字解 ①가는모양 록 가는 모양. 걸어가는 모양. '―, 行皃'《集韻》. ②삼갈 록 삼감. 공손함. '―, 一曰, 恭也'《集韻》.

8 ⑮ [踤] ━ 졸 ㊀月 昨沒切 zú ━ 취 ㊁寘 秦醉切 cuì

字解 ━ ①찰 졸, 밟을 졸 발로 참. '師軍―陆'《漢書》. ②닿을 졸 부딪혀 닿음. '衝―而斷筋骨'《左思》. ③놀랄 졸 경악함. 啐(口部 八畫)과 통용. '―, 一曰, 駭也'《說文》. ④허둥거릴 졸, 급작스러울 졸 猝(犬部 八畫)과 통용. '倉―'. ━ 모일 취 모여듦. '鷩―于林'《太玄經》.

字源 篆文 形聲. 足+卒〔音〕. '卒졸'은 '갑자기'의 뜻. '허둥거리다'의 뜻을 나타냄.

8 ⑮ [踥] 첩 ㊀葉 七接切 qiè

字解 총총걸을 첩 '―蹀'은 총총히 걷는 모양. 또, 바삐 오가는 모양. '衆―蹀而日進兮'《楚辭》.

[踥蹀 첩접] 자해(字解)를 보라.

8 ⑮ [踦] ━ 기 ①-⑥㊁支 去奇切 qī ⑦㊂紙 語綺切 yǐ ━ 의 ㊁寘 於義切 yì

字解 ━ ①절름발이 기 절름거리는 사람. '―跂畢行'《國語》. '兔跛鹿―'《易林》. ②한짝 기 짝이 있는 물건의 한쪽. '亦足以復雁門之―'《漢書》. ③발 기 또, 다리. '男女切―'《淮南子》. ④정강이 기 '―, 脛也'《廣雅》. ⑤모자랄 기 부족함. 畸(田部 八畫)와 통용. '或贏或―'《太玄經》. ⑥험준할 기 崎(山部 八畫)와 同字. '山阜猥積而―嶇'《左思》. ⑦닿을 기 접촉함. '膝之所―'《莊子》. ━ 의지할 의 倚(人部 八畫)와 통용. '強弱相―'《韓非子》.

字源 篆文 形聲. 足+奇〔音〕. '奇기'는 몸을 구부려서 서는 사람의 뜻. '足족'을 덧붙여, '절름발이'의 뜻을 명확히 했음.

[踦距 기거] 산길 따위의 평탄치 않은 모양. 험준한 모양.

[踦嶇 기구] 험준한 모양. 기구(崎嶇).

[踦跂 기기] 절름발이. 전(轉)하여, 불구자(不具者).

[踦隻 기척] 절름발이.

[踦閭 의려] 촌리(村里)의 문(門)에 몸을 기대어 섬. 또, 아들이 돌아오기를 어머니가 마음을 졸여 가며 기다림의 비유.

◉雁門之踦. 禹踦. 跐踦. 長踦.

8 ⑮ [踱] ━ 비 ①②㊂紙 部弭切 bì ③㊁支 篇夷切 bǐ ━ 배 ㊁佳 蘗佳切 bāi ━ 변 ㊁先 蒲眠切

字解 ━ ①넓적다리 비 髀(骨部 八畫)의 古字. ②아랫부분클 비 물건의 아랫부분이 큼. '―, 形下大也'《集韻》. ③밑넓을 비 ━과 뜻이 같음. ━ 왔다갔다할 배 '―, 蹟―, 行襂戾也'《集韻》. ━ 밑넓을 변 종(鐘)의 아랫부분이 넓음. '―, 鐘形下廣也'《集韻》.

8 ⑮ [踧] ━ 척 ㊀錫 徒歷切 dí ━ 축 ㊀屋 子六切 cù

字解 ━ 평평하여가기쉬울 척 길이 평탄한 모양. '―, 行平易也'《說文》. '――周道'《詩經》. ━ ①받들고삼가는모양 축 '―, ―踖, 恭謹不安貌'《正字通》. ②가기어려울 축 '―, 踖, 不進也'《字林》. ③놀라는모양 축 '或人―爾曰'《法言》. ④쪼들릴 축 곤궁에 허덕임. '―, 困迫也'《正字通》.

字源 篆文 形聲. 足+叔〔音〕

[踧踧 척척] 길이 평탄한 모양.

[踧踖 축적] 조심하는 모양. 삼가는 모양. 또, 공손한 모양.

◉驅踧. 窮踧. 蹜踧. 踖踧.

8 ⑮ [踟] 전 ㊂銑 他典切 tiǎn

字解 ①자국 전 자국. 지나간 발자취. '―, 行迹'《廣韻》. ②가는모양 전 가는 모양. '―, 行皃'《集韻》.

8 ⑮ [踪] 人名 종 ㊁冬 卽容切 zōng

字解 발자취 종 蹤(足部 十一畫)과 同字. '―跡深藏'《宋史》.

字源 形聲. 足+宗〔音〕

[踪跡 종적] 발자취. 전(轉)하여 행방.

8 ⑮ [踓] 유 ㊂紙 愈水切 wěi

字解 ①미쳐서달릴 유 '―, 狂走也'《類篇》. ②밟을 유 '―, 蹵也'《玉篇》.

8 ⑮ [踒] 와 ㊁歌 烏禾切 wō ㊁箇 烏臥切

字解 ①실족할 와 발을 헛디디어 엎드러짐. '一, 足跌也'《說文》. ②부러질 와 '一, 一曰, 折也'《集韻》. '猨墮高木, 不一手足'《易林》.
字源 篆文 形聲. 足+委〔音〕. '委위'는 힘없이 늘어지다의 뜻. 발이 힘없이 구부러져 실족하다의 뜻을 나타냄.

[踒肩 와견] 굽은 어깨.

8 ⑮ [踕] 첩 (入)葉 疾葉切 jié

字解 ①발잴 첩 발이 잼. '一, 足疾'《集韻》. ②걸을 첩 걷는 모양. '一, 行皃'《集韻》.

8 ⑮ [踛] 륙 (入)屋 力竹切 lù

字解 ①뛰어갈 륙 발을 번쩍번쩍 들어 올리며 뛰어 달리는 모양. '一, 翹一, 行也'《玉篇》. '一, 翹一, 行貌'《直音篇》. '蘷蚿翹一於夕陽'《郭璞》. ②기어오를 륙 '像猢猻一樹一般'《平妖傳》.

8 ⑮ [踀] ㊀ 촉 (入)沃 丑玉切 chù ㊁ 탁 (入)覺 竹角切 zhuó

字解 ㊀ 달릴 촉 달림. '一, 走也'《集韻》. ㊁ 뛸 탁 뜀. 뛰어오름. '一, 跳也'《集韻》.

8 ⑮ [踘] 〔국·궁〕 鞠(革部 八畫〈p. 2526〉)과 同字

8 ⑮ [⿰足府] 〔부〕 跗(足部 五畫〈p. 2228〉)의 俗字

8 ⑮ [踨] 〔종〕 蹤(足部 十一畫〈p. 2245〉)의 俗字

8 ⑮ [⿰足呈] 〔경〕 脛(肉部 七畫〈p. 1849〉)과 同字

8 ⑮ [⿰足⿱𠂊火] 〔척·저〕 蹠(足部 十一畫〈p. 2244〉)의 古字

8 ⑮ [⿰足匋] 〔도〕 蹈(足部 十畫〈p. 2242〉)의 古字

9 ⑯ [踰] 人名 ㊀ 유 (平)虞 羊朱切 yú ㊁ 요 (平)蕭 餘招切 yáo

字解 ㊀ ①넘을 유 ㉠한정에서 벗어나 지남. '一越'. '吾年一七十'《世說》. '無一我里'《詩經》. ㉡어느 장소를 위로 통과함. 건넘. '一嶺'. '終不能一河而北'《主父偃》. ㉢뛰어넘음. '一獄'. '一垣上屋'《素問》. ㉣초월함. 걸출함. '一於等類'《急就篇》. ㉤경과함. 양쪽에 걸침. '一限'. '一月則其善也'《禮記》. ㉥나아감. 감. '固難一也'《呂氏春秋》. ②이길 유, 나을 유 '子發攻蔡一之'《淮南子》. ③뛸 유 도약함. '超一跳躍'《張衡》. ④더욱 유 한층 더. '亂乃一甚'《淮南子》. ㊁ 멀 요, 아득할 요 遙(辵部 十畫)와 同字. '毋一言'《禮記》.
字源 篆文 形聲. 足+兪〔音〕. '兪유'는 빠져나오다, 벗어나다의 뜻. 어떤 범위의 곳에서 빠져나오다, 넘다의 뜻.

[踰望 요망] 멀리 바라봄.
[踰言 요언] 서로 멀리 떨어져 이야기함.
[踰檢 유검] 몸을 검속(檢束)하지 않고 제멋대로 굶.
[踰年 유년] 해를 넘겨 이듬해에 걸침.
[踰歷 유력] 넘음. 지남.
[踰嶺 유령] 고개를 넘음. 재를 넘음.
[踰輪 유륜] 주목왕(周穆王)의 말의 이름. 팔준마(八駿馬)의 하나.
[踰邁 유매] 세월이 지남.
[踰跗 유부] 고대(古代) 명의(名醫)의 이름. 황제(黃帝)의 신하(臣下)로서 오장(五臟)을 세척(洗滌)했다 함.
[踰獄 유옥] 옥의 담을 넘어 도망함. 탈옥(脫獄).
[踰月 유월] 달을 넘김. 그달이 지남.
[踰越 유월] ㉠넘어감. ㉡자기 분수에 지나침.
[踰佚 유일] 넘어서 딴 곳으로 감.
[踰逸 유일] 일락(逸樂)을 극(極)함.
[踰墻 유장] 담을 뛰어넘음. 남녀가 남몰래 만나 난잡한 짓을 하는 일.
[踰制 유제] 상규(常規)를 벗어남. 제한을 넘음.
[踰僭 유참] 참람(僭濫)함.
[踰侈 유치] 사치가 지나침. 분수에 넘게 사치함.
[踰限 유한] 기한(期限)을 넘김.
◉升踰. 遠踰. 越踰. 竊踰. 穿踰. 超踰.

9 ⑯ [蹃] ㊀ 낙 (入)藥 女略切 nuò ㊁ 나 (去)禡 乃嫁切 nà ㊂ 야 (上)馬 爾者切 rè

字解 ㊀ 밟을 낙 밟음. '一, 踐也'《集韻》. ㊁ 아장거릴 나 아장거림. 어린애가 처음으로 걷기 시작하는 모양. '⿰足尔一'. '一, ⿰足尔一, 小兒始行皃'《集韻》. ㊂ 뻗디딜 야 뻗디딤. 발에 힘을 주고 버티어 디딤. '一, ⿰足尔一, 距地用力也'《集韻》.

9 ⑯ [踳] 준 (上)軫 尺尹切 chǔn

字解 ①실의할 준 뜻을 잃은 모양. 실망한 모양. '容色一一'《盧照鄰》. ②어긋날 준, 어그러질 준, 그르칠 준 어그러져 어지러운 모양. '一駮, 相乖舛也'《廣韻》. '其道一駮'《莊子》. ③뒤섞일 준 舛(部首)·僢(人部 十二畫)과 同字. '一, 雜也'《集韻》.
字源 舛의 別體 形聲. 足+春〔音〕

[踳駮 준박] 그르쳐서 혼란한 모양. 뒤죽박죽이 된 모양.
[踳踳 준준] 실의(失意)한 모양.

9 ⑯ [踵] 人名 종 (上)腫 之隴切 zhǒng

字解 ①발꿈치 종 발의 뒤꿈치. ②뒤밟을 종 가만히 뒤따름. 뒤쫓음. '追一'. '吳一楚'《左傳》. ③이를 종 도달함. '一門而告文公'《孟子》. ④이을 종 ㉠계속함. '一軍後數十萬人'《漢書》. ㉡이어받음. 계승함. '一二皇之遐武'《張衡》. ⑤찾을 종 심방함. '一介旅'《後漢書》. ⑥인할 종 '一秦而置材官於郡國'《漢書》. ⑦자주 종 누차. 거듭. '一見仲尼'《莊子》.

膝
脛
腿
股
腓
趾
踝
蹠 踵
[踵①]

[字源] 篆文 形聲. 足+重〔音〕. '重중'은 뒤를 따르다의 뜻. 뒤를 쫓다의 뜻을 나타냄. 또, '重'은 '무겁다'의 뜻. 무게가 실리는 '발뒤꿈치'의 뜻.

[踵繫 종계] 연달아 포박당함.
[踵古 종고] 옛일을 계승함.
[踵武 종무] 뒤를 이음. 선인(先人)의 사업을 계속함. '武'는 발자국.
[踵門 종문] 친히 그 집에 이름. 방문함.
[踵息 종식] 발꿈치로 한다는 깊은 호흡. 마음을 조용히 하는 양생술(養生術).
[踵接 종접] 발꿈치가 잇닮. 곧, 많은 사람이 연달아 가거나 옴의 비유.
[踵踐 종천] 짓밟음.
◉擧踵. 繼踵. 企踵. 箕踵. 踏踵. 比踵. 接踵. 追踵.

9 ⑯ **[踶]** [一] 제 ①[去]霽 特計切 dì ②[平]齊 田黎切 tí [二] 지 [上]紙 池爾切 zhì [三] 시 [上]紙 上紙切 shì

[字解] [一] ①밟을 제 가볍게 밟음. '怒則分背相―'《莊子》. ②굽 제 蹏(足部 十畫〈p. 2243〉)와 同字. [二] ①힘쓸 지 '―跂'는 심력(心力)을 경주(傾注)하는 모양. '―跂爲義'《莊子》. ②머뭇거릴 지 알짱알짱하고 앞으로 나아가지 못함. '峙, 說文, 躇也, 或作踟·―'《集韻》. [三] 소발뻗을 시 소가 발을 폄. '―, 牛展足, 謂之―'《集韻》.
[字源] 篆文 形聲. 足+是〔音〕. '是시'는 '곧바로'의 뜻으로, 곧바로 나아가다의 뜻을 나타냄.

[踶馬 제마] 차는 버릇이 있는 말.
[踶死 제사] 밟혀 죽음.
[踶跂 제지] 자해(字解)[二]를 보라.
◉奔踶.

9 ⑯ **[蹩]** 밤 [平]咸 皮咸切 pán

[字解] 걸어건널 밤 걸어서 물을 건넘. '―, 步渡水'《廣韻》.

9 ⑯ **[踸]** 침 [上]寢 丑甚切 chěn [平]侵 癡林切

[字解] 절룩거릴 침 '―踔'은 ㉠절룩거리며 가는 모양. 일설(一說)에는, 앙감질하는 모양. ㉡일정하지 아니한 모양. 무상(無常)한 모양. ㉢갑자기 자라는 모양. '何罪而―踔'《劉禹錫》.
[字源] 篆文 形聲. 足+甚〔音〕

[踸踔 침탁] 자해(字解)를 보라.

9 ⑯ **[踽]** 격 [入]錫 苦莫切 [入]陌 弃役切 qù

[字解] ①웅크릴 격 쭈그리고 앉음. '―, 踞也'《集韻》. ②굴신할 격 굴신(屈伸)하는 모양. '―, 踧―, 屈伸皃'《集韻》.

9 ⑯ **[跬]** [一] 규 ①[上]紙 丘弭切 kuǐ ②[平]齊 傾畦切 kuí [二] 위 [上]紙 五委切 wěi

[字解] [一] ①발벌릴 규 '―踵'은 발을 벌리는 모양. '―, ―踵, 開足之皃'《廣韻》. ②칠 규 '―踽, 博物皃'《集韻》. [二] 비틀거릴 위 발을 벌리고 비틀거리며 걷는 모양. '―踽盤桓'《張衡》.

9 ⑯ **[踩]** [一] 계 [去]寘 其季切 jì [二] 규 [平]支 渠龜切 kuí

[字解] [一] 발 계 발〔足〕. '―, 足也'《集韻》. [二] 정강이살 규 정강이의 살. 또는 굽은 정강이. '―, 說文, 脛肉也'《集韻》.

9 ⑯ **[踼]** 탕 [平]陽 徒郎切 táng [平]陽 吐郎切

[字解] ①넘어질 탕 미끄러지거나 걸려 넘어짐. '魂褫氣慴, 而自―跌者'《左思》. ②종적놓칠 탕 '―, 失跡也'《一切經音義》. ③막을 탕 저지함. 堂(止部 八畫)과 통용.
[字源] 篆文 形聲. 足+昜〔音〕. '昜양'은 '오르다'의 뜻. 발이 올라가고 넘어지다의 뜻을 나타냄.
[參考] 踢(足部 八畫)은 別字.

9 ⑯ **[蹈]** [一] 복 [入]屋 方六切 fú [二] 벽 [入]職 筆力切 bì

[字解] [一] 모일 복 '―踧'은 모이는 모양. '―, ―踧, 聚皃'《廣韻》. [二] ①땅밟는소리 벽 '―, 蹋地聲'《廣韻》. ②밟을 벽 '―, 踏也'《集韻》. ③닥칠 벽 '―踧'은 닥치는 모양. '―踧攢仄'《馬融》.

9 ⑯ **[蝦]** 하 [平]麻 何加切 xiā

[字解] ①발자국 하 '―, 足所履也'《說文》. ②발밑 하 발 아래. '―, 腳下'《廣韻》.
[字源] 形聲. 足+叚〔音〕

9 ⑯ **[踽]** 우(구[本]) [上]麌 俱雨切 jǔ

[字解] ①외로울 우 고독한 모양. 혼자 가는 모양. 친한 사람이 없는 모양. '獨行――'《詩經》. ②성기게갈 우 드문드문 가는 모양. '―, 疏行皃'《說文》. ③곱사등이 우 '旁行―僂'《宋玉》.
[字源] 篆文 形聲. 足+禹〔音〕. '禹우'는 '구푸리다'의 뜻. 등을 구푸리고 쓸쓸히 걸어가다의 뜻에서, 혼자 가다의 뜻을 나타냄.

[踽僂 우루] 곱사등이.
[踽踽 우우] 혼자 가는 모양. 외로운 모양.
[踽踽涼涼 우우양량] 우우(踽踽).

9 ⑯ **[蹀]** 접 [入]葉 徒協切 dié

[字解] ①밟을 접 땅을 밟고 감. 또는, 밟아 누름. '足―陽阿之舞'《淮南子》. ②잔걸음할 접 '躡―而容與'《張衡》.
[字源] 形聲. 足+枼〔音〕. '枼엽'은 '겹쳐지다'의 뜻. 발을 거듭 밟다, 제자리걸음을 하다의 뜻을 나타냄.

[蹀躞 접섭] ㉠말이 저벅저벅 걷는 모양. ㉡왕래가 빈번한 모양. ㉢허리띠의 장식.
[蹀蹀 접접] 가는 모양.
[蹀足 접족] 제자리걸음. 제자리걸음을 함.

◉跂蹀. 蹈蹀. 騰蹀. 躞蹀. 躡蹀. 蹂蹀.

9 ⑯ [蹁] 편 [平]先 部田切 pián
[平]先 布玄切

[字解] ①비틀거릴 편 '可聽—轅則駛'《晉書》. ②무릎 편 슬두(膝頭).

[字源] [篆文] 形聲. 足+扁〔音〕. '扁편'은 '치우치다〔偏〕'의 뜻. 발이 한쪽으로 쏠리어, '비틀거리다'의 뜻을 나타냄.

[蹁躚 편선] ㉠빙 돌아서 가는 모양. ㉡빙빙 돌며 춤추는 모양.

9 ⑯ [蹊] 주 [去]有 則候切 zòu

[字解] 밟을 주 밟음. 디딤. '—, 蹋也'《集韻》.

9 ⑯ [蹂] [人名] 유 ㉠[去]有 人又切 rǒu
㉡[平]尤 耳由切 róu

[字解] 밟을 유 ㉠짐승이 발로 짓밟음. '—躪'. '餘騎相—踐'《史記》. ㉡벼를 짓밟아 곡식을 떪. '或簸或—'《詩經》.

[字源] [篆文] 形聲. 足+柔〔音〕. '柔유'는 '부드럽다'의 뜻. 발을 써서 벼 따위를 부드럽게 되도록 밟다의 뜻을 나타냄.

[蹂轔 유린] 유린(蹂躪).
[蹂躙 유린] 유린(蹂躪).
[蹂躪 유린] ㉠짓밟음. ㉡폭력으로 남의 권리를 침해함.
[蹂若 유약] 짓밟음.
[蹂踐 유천] 짓밟음.
◉攻蹂. 芟蹂. 殘蹂. 雜蹂. 踐蹂. 馳蹂.

9 ⑯ [踺] 건 [去]願 渠建切 jiàn

[字解] 가는모양 건 가는 모양. '—, 行皃'《集韻》.

9 ⑯ [踹] [一] 천 [上]銑 市兗切 shuàn
[二] 단 [去]翰 丁貫切 duàn

[字解] [一] ①발꿈치 천 발의 후부. ②발구를 천 대단히 화가 나서 발을 구름. '—足而怒'《淮南子》. [二] 발꿈치 단, 발구를 단 [一]과 뜻이 같음.

[字源] 形聲. 足+耑〔音〕

9 ⑯ [蹄] 제 ①-③[平]齊 杜奚切 tí
④[去]霽 大計切 dì

[字解] ①굽 제 마소 따위의 짐승의 발톱. '馬—'. '四鬋去—'《儀禮》. ②발 제 짐승의 발. '獸—鳥迹之道, 交於中國'《孟子》. 전(轉)하여, 말을 세는 수사(數詞)로 쓰이는데, 네 발을 한 마리로 계산함. '陸地牧馬二百—'(오십 마리)《史記》. ③올무 제 토끼 같은 것을 잡는 올가미. '得兔而忘—'《莊子》. ④찰 제, 밟을 제 발로 차거나 짓밟음. '怒相—齧者'《韓愈》.

[字源] 形聲. 足+帝〔音〕. '帝제'는 하나로 통일하다의 뜻. 발가락이 하나로 뭉쳐진 발굽의 뜻을 나타냄.

[蹄齧 제설] 차고 깨묾.
[蹄窪 제와] 우묵 들어간 마소의 발자국. 전(轉)하여, 협소(狹小)한 땅.
[蹄涔 제잠] 마소의 발자국에 괴어 있는 물. 곧, 조금 괴어 있는 물. 전(轉)하여, 미소(微小)한 사물의 비유.
[蹄筌 제전] 토끼 올무와 고기를 잡는 통발. 모두 동물을 잡는 도구로서 목적을 이루면 소용없이 되는 것. 전(轉)하여, 방편.
[蹄鐵 제철] 말굽에 박는 대접쇠 같은 쇠. 편자.
◉輕蹄. 奇蹄. 單蹄. 豚蹄. 馬蹄. 瘦蹄. 獸蹄. 躍蹄. 牛蹄. 偶蹄. 圓蹄. 輪蹄. 枝蹄. 鐵蹄. 駝蹄. 侯蹄.

9 ⑯ [蹐] 독 [入]沃 徒沃切 dú

[字解] 바르게가지않을 독 바르게 가지 아니함. '—, 行不正'《集韻》.

9 ⑯ [踱] [一] 탁 [入]藥 徒落切 duó
[二] 착 [入]藥 敕略切 chuò

[字解] [一] ①맨발 탁, 맨발로밟을 탁 맨발. 또, 맨발로 땅을 밟음. '—, 跣足蹋地'《廣韻》. ②오락가락할 탁, 머뭇거릴 탁 멈칫거리며 선뜻 가지 못함. '跮—, 乍前乍卻'《玉篇》. ③천천히걸을 탁 느릿느릿 크게 발을 떼어 걸음. '—出山門外'《水滸傳》. [二] 건너뛸 착 허둥지둥 건너뜀. 躇(足部 十三畫)과 同字.

[字源] 形聲. 足+度〔音〕

9 ⑯ [蹅] 추 [平]尤 雌由切 qiū

[字解] ①갈 추 가는 모양. 趥(走部 九畫)와 同字. '—, 說文, 行皃'《集韻》. ②밟을 추 鰌(魚部 九畫)와 통용. '鰌, 李云, 藉也. 本又作—'《莊子 注》.

9 ⑯ [踴] 〔용〕
踊(足部 七畫〈p.2234〉)과 同字

9 ⑯ [踳] 〔돈·둔〕
遯(辵部 十一畫〈p.2320〉)과 同字

9 ⑯ [踕] 〔달〕
躂(足部 十三畫〈p.2249〉)과 同字

9 ⑯ [踤] 踕(前條)과 同字

9 ⑯ [踣] 〔가〕
髂(骨部 九畫〈p.2616〉)의 俗字

9 ⑯ [蹈] 과 [平]麻 姑華切 guā

[字解] 발금 과 발의 금. 발의 살갗에 나 있는 금. '—, 足理文'《集韻》.

9 ⑯ [踼] 체 [去]霽 丑例切 chì

[字解] ①건널 체 '—, 渡也'《玉篇》. ②뛰어날 체 우수(優秀)함이 보통을 넘음. '趩, 說文, 超特也, 或从足'《集韻》.

9 ⑯ [蹖] 총 [平]東 麤叢切 cōng

[字解] 황급히갈 총 황급히 감. 허둥지둥 감. '—,

甕一, 行遽'《集韻》.

9 ⑯ [踕] 탁 [入]藥 闥各切 tuò

[字解] 해이할 탁 해이함. 조심성이 없고 예의에 벗어남. 방종함. '一弛'. '一, 一弛, 亦作跅'《玉篇》.

10 ⑰ [蹈] [人名] 도 [去]號 徒到切 dǎo

[筆順] 𧾷 𧾷 𧾷 𧾷 … 蹈 蹈 蹈

[字解] ①밟을 도 ㉠발을 구르며 땅을 밟음. '不知手之舞之, 足之一之'《禮記》. ㉡짓밟음. '蹂一文錦于泥塗之中'《論衡》. ㉢걸음. 보행함. '使我高一'《左傳》. ㉣이행함. 실천함. '一道則未也'《穀梁傳》. ㉤이어받음. 따름. 옛것대로 함. '不務襲一'《韓詩外傳》. ㉥점유(占有)함. 의거함. '跨一漢南'《魏志》. ②슬퍼할 도 悼(心部 八畫)와 통용. '上帝甚一'《詩經》.

[字源] [篆文] 形聲. 足+舀〔音〕. '舀도'는 '뽑아내다'의 뜻. 발을 위로 뽑아 올리다의 뜻에서, '제자리걸음'의 뜻을 나타냄.

[蹈歌 도가] 발을 구르며 노래 부름. 답가(踏歌).
[蹈厲 도려] 분기(奮起)하여 힘씀.
[蹈履 도리] 이행함.
[蹈舞 도무] 몹시 좋아서 발을 구르며 춤춤.
[蹈水 도수] 헤엄침. 수영함.
[蹈水火 도수화] ㉠위험한 일을 함. ㉡대단히 위험에 빠짐.
[蹈襲 도습] 전에 하던 방식이나 수법을 그대로 따라함. 답습(踏襲).
[蹈于湯火 도우탕화] 위험한 곳으로 들어감.
[蹈節死義 도절사의] 절조를 지키고 의를 위하여 죽음.
[蹈踐 도천] 짓밟음.
[蹈破 도파] ㉠밟음. 파(破)는 조자(助字). ㉡험한 길이나 먼 길을 끝까지 걸어 나감. 답파(踏破).
[蹈海 도해] ㉠절개와 지조를 지키기 위하여 바다에 몸을 던져 죽음. ㉡위험을 무릅쓰고 바다를 항해함.
◉高蹈. 跨蹈. 陵蹈. 舞蹈. 犯蹈. 赴蹈. 不知手之舞足之蹈. 襲蹈. 蹂蹈. 履蹈. 足蹈. 遵蹈. 踐蹈. 築蹈.

10 ⑰ [蹊] [人名] 혜 [平]齊 胡雞切 xī / [上]薺 戶禮切

[字解] ①지름길 혜, 좁은길 혜 소로(小路). '桃李不言, 下自成一'《史記》. ②건널 혜 질러감. 가로지름. '牽牛以一人之田, 奪之牛'《左傳》. ③기다릴 혜 徯(彳部 十畫)와 同字. '一, 待也'《說文》.

[字源] 徯의 別體 形聲. 足+奚〔音〕. '奚해'는 '잇다'의 뜻. 끈을 이은 것과 같은 좁은 길의 뜻을 나타냄.

[蹊徑 혜경] 좁은 길. 지름길.
[蹊路 혜로] 좁은 길. 소로.
[蹊隧 혜수] 산의 좁은 길.
[蹊要 혜요] 요해처인 좁은 길목.
[蹊田奪牛 혜전탈우] 소가 남의 전답(田畓)에 들어가면 벌로 그 소를 빼앗음. 벌(罰)은 죄(罪)보다 무거움.
◉求蹊. 山蹊. 霜蹊. 疏蹊. 餓虎之蹊. 幽蹊. 林蹊. 庭蹊. 荒蹊.

10 ⑰ [蹉] [人名] 차 [平]歌 七何切 cuō

[字解] ①넘어질 차 발을 헛디디거나 물건에 걸려 넘어짐. '一跎'. 전(轉)하여, 실패함. 시기를 놓침. '不敢一跌'《漢書》. ②지날 차 통과함. '賓客不得一'《張華》. ③어긋날 차, 틀릴 차 '宗周罔職, 日月爽一'《揚雄》.

[字源] [篆文] 形聲. 足+差〔音〕. '差차'는 '엇갈리다'의 뜻. 발이 엇갈려 넘어지다의 뜻을 나타냄.

[蹉過 차과] 과오. 실책. 실패.
[蹉跌 차질] ㉠발을 헛디디어 넘어짐. ㉡실패함. 틀어짐.
[蹉跎 차타] ㉠발이 물건에 걸려 넘어짐. ㉡발버둥질 침. ㉢때를 놓침. 시기가 이미 지남. ㉣불운하여 뜻을 얻지 못함.
◉旁蹉. 日蹉.

10 ⑰ [踠] 와 ①[去]禡 烏化切 wà / ②[上]馬 烏瓦切 wǎ

[字解] ①짓밟을 와 짓밟음. 밟아 누름. '一, 一踖, 踏地用力'《廣韻》. ②걸음바르지않을 와 가는 것이 바르지 아니함. '一跨'. '一, 一跨, 行不正'《集韻》.

10 ⑰ [蹋] 답 [入]合 徒盍切 tà

[字解] ①밟을 답 踏(足部 八畫)은 俗字. ②찰 답 공 같은 것을 참. '六博一鞠者'《史記》.

[字源] [篆文] 形聲. 足+㬜〔音〕. '㬜탑'은 깃과 깃을 겹쳐서 덮다의 뜻. 제자리걸음을 하다의 뜻을 나타냄.

[蹋鞠 답국] 공. 또, 공차기. 원래 무술(武術)을 단련하기 위한 것이었음. 후세에는 유희의 하나가 되었음. 축국(蹴鞠).
◉歐蹋. 撞蹋. 常蹋.

10 ⑰ [踳] 용 ①[平]冬 如容切 róng / ②[上]腫 乳勇切 rǒng

[字解] ①가는모양 용 가는 모양. '一, 行皃'《集韻》. ②갈 용 감. 걸어감. '一, 行也'《集韻》.

10 ⑰ [踺] 〔도〕 踺(足部 七畫〈p. 2234〉)와 同字

10 ⑰ [蹌] 창 [平]陽 七羊切 qiāng

[字解] ①추창할 창 달리는 모양. '巧趨一兮'《詩經》. ②움직일 창, 비틀거릴 창 움직이는 모양. 비틀비틀하는 모양. '一踉'. ③춤출 창 춤을 추는 모양. '鳥獸一一'《書經》.

[字源] [篆文] 形聲. 足+倉〔音〕

[蹌踉 창랑] 비틀비틀하는 모양. 비틀거리는 모양.
[蹌蹌 창창] ㉠춤추는 모양. ㉡사대부(士大夫)의

위의(威儀)가 있는 모양. ㉢공구(恐懼)하여 추창(趨蹌)하는 모양. 두려워하여 달리는 모양. ㉣가는 모양.
[蹌蹌踉踉 창창낭랑] 창랑(蹌踉).
◉踉蹌.

10 ⑰ [螣] 등 ㊥蒸 徒登切 téng
字解 가는모양 등 가는 모양. 걸어가는 모양. '一, 踜一, 行皃'《集韻》.

10 ⑰ [踏] 답 ㊀合 託合切 tà
字解 ①밟을 답 '一, 蹋也'《說文》. ②뛸 답 '一, 跳也'《廣雅》.
字源 形聲. 足+荅〔音〕

10 ⑰ [踉] 〔기〕 跽(足部 七畫〈p. 2233〉)의 訛字

10 ⑰ [蹻] 〔교·갹〕 蹻(足部 十二畫〈p. 2247〉)와 同字

10 ⑰ [蹽] 과 ㊥禡 枯化切 kuà
字解 웅크릴 과 '一, 踞也(段注) 按, 此恐又跨字之異體'《說文》.
字源 形聲. 足+夸〔音〕

10 ⑰ [蹺] ㊀ 교 ㊥肴 丘交切 qiāo ㊁ 호 ㊤號 口到切 kào
字解 ㊀ 정강이 교 정강이. '一, 說文, 脛也'《集韻》. ㊁ 발나가지않을 호 발이 나아가지 아니함. '一, 足不前'《集韻》.

10 ⑰ [蹊] ㊀ 규 ㊤有 輕幼切 qiù ㊁ 흉 ㊤送 香仲切 xiòng
字解 ㊀ ①가는모양 규 가는 모양. '䠗一'. '䠗, 䠗一, 行皃'《玉篇》. ②바르게가지아니할 규 바르게 가지 아니함. '一, 䠗一, 行不正也'《集韻》. ③절름거릴 규 절름거림. '一, 跛行'《集韻》. ㊁ 갈 흉, 피로에지쳐갈 흉 피로에 지쳐 감. '一, 說文, 行也, 一曰, 覺趨, 或从足'《集韻》.

10 ⑰ [蹑] 〔섭〕 躡(足部 十八畫〈p. 2252〉)의 俗字·簡體字

10 ⑰ [蹃] 추 ㊥尤 甾尤切 zōu
字解 발 추 발. 짐승의 발. '一, 獸足也'《集韻》.

10 ⑰ [踉] 〔퇴〕 腿(肉部 十畫〈p. 1859〉)와 同字

10 ⑰ [蹍] 전 ㊤銑 知輦切 zhǎn
字解 ①밟을 전 디딤. 밟아 누름. '一市人之足'《莊子》. ②넘어질 전 헛디디거나 발부리가 무엇에 걸려 넘어짐. '一, 蹪也'《集韻》.
字源 形聲. 足+展〔音〕

10 ⑰ [蹎] 전 ㊥先 都年切 diān
字解 넘어질 전 걸리거나 헛디디어 넘어짐. '塼塗而塞江海, 僬僥而戴太山, 一跌碎折, 不待頃矣'《荀子》.
字源 篆文 形聲. 足+眞〔音〕. '眞진'은 '跌질'과 통하여, '넘어지다'의 뜻을 나타냄.

[蹎跌 전질] 걸려 넘어짐. 거꾸러짐.

10 ⑰ [蹏] 제 ㊥齊 杜奚切 tí
字解 ①굽 제, 발 제 蹄(足部 九畫)와 同字. '牧馬二百一'《漢書》. ②올무 제 토끼 잡는 그물, 또는 올가미. 蹄(足部 九畫)와 同字. '罠一連綱'《左思》. ③밟을 제 '一, 一曰, 褢也'《集韻》. ④종이 제 '赫一'는 얇고 작은 종이쪽. '中有裹藥二枚赫一書'《漢書》.
字源 篆文 形聲. 足+虒〔音〕. '蹄제'와 같은 뜻으로, '굽'의 뜻.

◉岐蹏. 罠蹏. 搨蹏. 赫蹏.

10 ⑰ [蹐] 척 ㊀陌 資昔切 jí
字解 살살걸을 척 살금살금 걸음. 발소리를 죽여서 가만가만 걸음. '跼一'. '謂地蓋厚, 不敢不一'《詩經》.
字源 篆文 形聲. 足+脊〔音〕. '脊척'은 척추골(脊椎骨)이 포개져 있는 등뼈의 뜻. 추골(椎骨)처럼 하나하나 포개다의 뜻에서, 발소리를 죽인 '살살 걸음'의 뜻을 나타냄.

[蹐地 척지] 발소리를 죽이고 땅 위를 가만가만 걸음.
◉局蹐. 跼蹐. 俯蹐. 蹙蹐.

10 ⑰ [蹡] 방 ㊥陽 步光切 páng
字解 달음박질할 방 허둥지둥 뛰어가는 모양. '踉一, 行遽皃'《集韻》.

10 ⑰ [蹣] 〔만·반〕 蹣(足部 十一畫〈p. 2245〉)과 同字

10 ⑰ [蹔] 반 ㊥寒 蒲官切 pán
字解 발굽힐 반 '一, 屈足也'《集韻》.

10 ⑰ [蹇] 人名 건 ㊤銑 九輦切 jiǎn ㊤阮 居偃切
字解 ①절뚝발 건 한 발의 병신. '跛一'. '騰駕罷牛, 驂一驢兮'《賈誼》. ②굼뜰 건, 느릴 건 지둔함. '遲一者被退'《孔文仲》. ③고생할 건 어려운 경우를 당하여 애씀. '屯一'. '一步'. '王臣一一'《易經》. ④괘이름 건 육십사괘(六十四卦)의 하나. 곧, ䷦〈간하(艮下), 감상(坎上)〉. 험준한 데서 고생하는 상(象). ⑤뽑을 건 뽑아냄. '毋一華絶芋'《管子》. ⑥걷을 건 옷을 걷어올림. 褰(衣部 十畫)과 통용. '一裳'《莊子》. ⑦노둔한말 건 굼뜬 말. '策一赴前程'《孟浩然》. ⑧교만할 건 오만함. '驕一數不奉法'《漢書》. ⑨멈출 건 멈춰 섬. 정지함. '凝一而爲人'《管子》.

⑩강할 건 단단함. '合兩淖則爲一'《呂氏春秋》. ⑪굽을 건 굴절함. '一產溝瀆'《史記》. ⑫온전할 건 완전함. '與道大一'《莊子》. ⑬아 건 탄식하는 말. '一獨懷此異路'《楚辭》. ⑭성 건 성(姓)의 하나.
[字源] 篆文 形聲. 足+寒〈省〉〔音〕. '寒한'은 추워서 몸을 움츠리다의 뜻. 발이 굽은 절뚝발이, 고생하다, 멈추다의 뜻을 나타냄.

[蹇腳 건각] 절름발이.
[蹇蹇 건건] ㉠고생하는 모양. 애쓰는 모양. ㉡충성을 다하는 모양.
[蹇蹇匪躬 건건비궁] 충성을 다하고 자신의 이익을 돌보지 아니함.
[蹇屯 건둔] 운수가 막힘. 운수가 침체함.
[蹇驢 건려] 절뚝발이 당나귀. 쓸모없는 사람의 비유.
[蹇連 건련] 길 걷기에 고생하는 모양. 고생하는 모양.
[蹇步 건보] 절뚝발이의 걸음. 굼뜬 걸음. 또, 애써 걷는 걸음.
[蹇士 건사] 충직(忠直)한 선비.
[蹇澁 건삽] 건체(蹇滯).
[蹇修 건수] 복희씨(伏羲氏)의 신하로서 중매를 잘하였다는 사람. 전(轉)하여, 중매인.
[蹇滯 건체] 힘들고 잘 진척되지 아니함. 일이 뜻과 같이 되지 아니함.
[蹇兔 건토] 절뚝발이 토끼.
[蹇跛 건파] 절뚝발이.
[蹇吃 건흘] ㉠말을 더듬음. ㉡말이 잘 나오지 아니함.
◉剛蹇. 驕蹇. 窮蹇. 駑蹇. 屯蹇. 眇蹇. 連蹇. 驚蹇. 偃蹇. 遲蹇. 跛蹇.

11 ⑱ [⿰足基] 기 [平]支 居之切 jī
[字解] 근원 기 근원. 바탕. '一, 本也'《篇海》.

11 ⑱ [蹕] [一] 필 [入]質 卑吉切 bì [二] 비 [去]寘 毗至切
[字解] [一] ①벽제 필 존귀한 사람이 출타할 때 도로를 경비하여 통행을 금하는 일. '秦制出警入一'《古今注》. ②벽제할 필 '掌一宮中之事'《周禮》. ③거둥 필 천자(天子)의 행행(行幸). 또, 그 수레. '駐一'. '此人犯一'《史記》. [二] 외발로설 비, 기댈 비 한쪽 발은 들고 다른 한쪽 발만으로 섬. '立不一'《列女傳》.
[字源] 形聲. 足+畢〔音〕. '畢필'은 '끝나다'의 뜻. 천자가 거둥할 때 통행인을 길에서 모조리 쫓아 버리다, '벽제(辟除)'의 뜻을 나타냄.

[蹕路 필로] ㉠벽제(辟除)를 함. ㉡임금이 거둥하는 길.
[蹕御 필어] 천자(天子)가 거둥할 때의 벽제(辟除).
◉警蹕. 歸蹕. 金蹕. 鑾蹕. 犯蹕. 鳳蹕. 仙蹕. 按蹕. 緩蹕. 衛蹕. 入蹕. 掌蹕. 前蹕. 停蹕. 帝蹕. 從蹕. 駐蹕. 止蹕. 天蹕. 扈蹕.

11 ⑱ [蹛] [一] 대 [去]泰 當蓋切 dài [二] 체 [去]霽 直例切 zhì
[字解] [一] ①제사터 대 '一林'은 흉노(匈奴) 땅에서, 임목(林木)으로 둘러싸 하늘을 제사 지내는 곳. 일설에는, 지명(地名). '秋馬肥, 大會一林'《史記》. ②밟을 대 '一, 踶也'《說文》. [二] 쌓을 체 축적함. 저축함. '留一無所食'《史記》.
[字源] 篆文 形聲. 足+帶〔音〕. '踶제'와 동일어 이체자(同一語異體字)로 '밟다'의 뜻.

11 ⑱ [⿰足梁] 량 [平]陽 呂張切 liáng
[字解] 달릴 량 달림. '一, 跳一. 走也'《集韻》.

11 ⑱ [蹞] 규 [上]紙 犬縈切 kuǐ
[字解] 반걸음 규 跬(足部 六畫)와 同字. '不積一步, 無以致千里'《荀子》.
[字源] 形聲. 足+頃〔音〕

[蹞步 규보] 반걸음. 또는 반걸음 정도의 가까운 거리. 규보(跬步). 경보(頃步).

11 ⑱ [蹟] [人名] 적 [入]陌 資昔切 jì
[筆順] 𧾷 𧾷⺊ 𧾷⺹ 𧾷丰 𧾷圭 𧾷青 𧾷責 蹟
[字解] ①자취 적 迹(辵部 六畫)·跡(足部 六畫)과 同字. '偉一'. '史一'. '見微筆一未工'《北齊書》. ②좇을 적 따름. '念彼不一'《詩經》. ③멈출 적 '一, 止也'《廣雅》.
[字源] 迹의 別體 形聲. 足+責〔音〕

[蹟蹈 적도] 밟아 따라감.
[蹟意 적의] 필적(筆蹟)과 문의(文意).
◉奇蹟. 墨蹟. 不蹟. 祕蹟. 史蹟. 書蹟. 偉蹟. 陳蹟. 筆蹟. 畫蹟. 痕蹟.

11 ⑱ [蹦] [現] 붕 bèng
[字解] 《現》뛸 붕 '你二哥一听這句話, 一步一在路當中'《秧歌劇選》.

11 ⑱ [蹬] 등 [上]迥 徒等切 téng
[字解] 가는모양 등 가는 모양. 걸어가는 모양. '一, 一一, 行皃'《集韻》.

11 ⑱ [蹠] [人名] [一] 척 [入]陌 之石切 zhí [二] 저 [去]御 章恕切 zhù
[字解] [一] ①밟을 척 밟아 누름. '被堅甲, 一彊弩'《史記》. ②뛸 척 도약함. '楚人謂跳躍曰一'《說文》. ③발바닥 척 발의 이면. 跖(足部 五畫)과 同字. '一骨'. '一穿膝暴'《戰國策》. ④갈 척, 이를 척 나감. 다다름. '自無一有'《淮南子》. '致其所一'《淮南子》. [二] 뛸 저 도약함. '一, 跳也'《集韻》.
[字源] 篆文 形聲. 足+庶〔音〕

[蹠骨 척골] 부골(跗骨)과 지골(趾骨) 사이에 있는 발의 뼈.
[蹠實 척실] ㉠땅을 밟음. ㉡사실(事實). 진실(眞實).
[蹠之徒 척지도] 도척(盜蹠)(옛날의 큰 도둑)의 동아리의 뜻으로, 제 이익만을 꾀하는 사람을

이름.
◉鷄蹠.

11 ⑱ [踉] 강 kāng

字解 달아날 강 달아남. 뛰어 달아남. '一, 跰也'《篇韻》.

11 ⑱ [踽] 구 ㊥虞 虧于切 qū

字解 다리절 구 다리를 젊. 절름거림. '一, 跛也'《集韻》.

11 ⑱ [踘] 〔국〕
踘(足部 七畫〈p. 2233〉)과 同字

11 ⑱ [躄] 〔궐·궤〕
蹷(足部 十二畫〈p. 2248〉)과 同字

11 ⑱ [蹂] 〔도〕
跳(足部 六畫〈p. 2232〉)와 同字

11 ⑱ [蹉] 최 ㊥灰 倉回切 cuī

字解 몹시심할 최 몹시 심함. 몹시 혹독함. '一, 蹶一, 急甚也'《集韻》.

11 ⑱ [蹜] 축(숙㊍) ㊀屋 所六切 sù

字解 ①종종걸음칠 축 종종걸음으로 걸음. '一, 足迫也'《集韻》. '足一一, 如有循'《論語》. ②오그라들 축 수축(收縮)함. '卷一短黃鬚髮, 凹兜黑墨容顏'《水滸全傳》.
字源 形聲. 足+宿〔音〕. '宿숙'은 '縮축'과 통하여, '줄어들다'의 뜻. 보폭(步幅)을 줄여서 걷다의 뜻을 나타냄.

[蹜蹜 축축] 종종걸음 침. 종종걸음으로 걷는 모양.

11 ⑱ [蹡] 장 ①-③㊤漾 七亮切 qiàng ④㊥陽 七羊切 qiāng

字解 ①모일 장 한군데 모이는 모양. '磬筦一一'《詩經》. ②비틀거릴 장 '踉一'은 비틀비틀하며 걷는 모양. '踉一越門限'《韓愈》. ③달릴 장 蹌(足部 十畫)과 同字. '一, 走也'《集韻》. ④갈 장 가는 모양. '一, 行皃'《廣韻》.
字源 形聲. 足+將〔音〕

[蹡蹡 장장] 모이는 모양.
◉踉蹡.

11 ⑱ [蹢] ㊀ 적 ㊀錫 都歷切 dí ㊁ 척 ㊀陌 直炙切 zhí

字解 ㊀ ①굽 적 마소 따위의 동물의 발톱. '有豕白一'《詩經》. ②던질 적 투척함. 내던짐. '齊人一子於宋者'《莊子》. ㊁ 머뭇거릴 척 躑(足部 十五畫)과 同字. '羸豕孚一躅'《易經》.
字源 篆文 形聲. 篆文은 足+啻〔音〕. '啻시'는 '모으다'의 뜻. 발을 모아 멈추다, 잠시 멈춰 서다의 뜻을 나타냄.

[蹢躅 척촉] ㉠머뭇거리는 모양. 망설이어 가지 않는 모양. 척촉(躑躅). ㉡제자리걸음을 하는 모양.
[蹢躅 척촉] 척촉(蹢躅).
◉白蹢. 四蹢.

11 ⑱ [蹣] ㊀ 반 ㊥寒 薄官切 pán ㊁ 만 ㊥寒 母官切 mán

字解 ㊀ 비틀거릴 반 '一跚'은 ㉠비틀거리는 모양. 또, 절룩거리는 모양. 또, 머뭇거리는 모양. ㉡빙 돌아서 가는 모양. 선행(旋行)하는 모양. '醉步一跚'. '天祿行一跚'《皮日休》. ㊁ 넘을 만 담을 넘음. '一, 踰牆'《廣韻》.
字源 形聲. 足+㒼〔音〕

[蹣連 반련] 비틀거리는 모양.
[蹣跚 반산] 자해(字解)㊀을 보라.

11 ⑱ [蹤] 종 ㊥冬 卽容切 zōng

字解 ①자취 종 발자취. 족적. 전(轉)하여, 행방. 또, 고인의 행적. 사적. '一迹'. '躡三皇之高一'《漢書》. ②뒤쫓을 종 뒤를 밟음. 뒤를 쫓아감. '質非薄而難一'《隋書》. ③놓을 종 縱(糸部 十一畫)과 통용. '發一指示獸處者人也'《史記》.
字源 形聲. 足+從〔音〕. '從종'은 '좇다'의 뜻. 사람의 발자취를 더듬다, '자취'의 뜻을 나타냄.

[蹤迹 종적] ㉠발자취. ㉡고인(古人)의 행적. 사적. ㉢행방. ㉣뒤를 쫓음. 추적함. 미행함. 종적(踪跡).
[蹤跡 종적] 종적(蹤迹).
[蹤蹟 종적] 종적(蹤迹).
◉繼蹤. 故蹤. 高蹤. 舊蹤. 奇蹤. 曩蹤. 墨蹤. 美蹤. 發蹤. 事蹤. 昔蹤. 先蹤. 承蹤. 失蹤. 遺蹤. 異蹤. 履蹤. 人蹤. 停蹤. 追蹤. 逐蹤. 萍蹤. 筆蹤. 遐蹤. 休蹤.

11 ⑱ [蹥] 련 lián

字解 ①발꿈치 련 '一, 跟也'《篇韻》. ②길이험난하여나아가지못할 련 '一蹇不比者, 爲負'《論衡》.

11 ⑱ [蹝] 사 ㊤紙 所綺切 xǐ

字解 ①짚신 사 躧(足部 十九畫)와 同字. '猶棄敝一也'《孟子》. ②밟을 사 '一履起而彷徨'《司馬相如》.
字源 形聲. 足+徙〔音〕

[蹝履 사리] 급히 나서느라고 신을 바로 신지 못하고 질질 끌고 나감.

11 ⑱ [蹫] 용(송㊍) ㊥冬 書容切 chōng

字解 밟을 용 '每勞一地之心'《白居易》.

11 ⑱ [蹮] 조 ㊤號 則到切 zào

字解 성급할 조, 떠들 조 躁(足部 十三畫)와 同

字. '不無一急'《唐宋八大家文 序》.

11⑱ [蹃] 촉 (入)沃 廚玉切 zhú

字解 머뭇거릴 촉 躅(足部 十三畫)과 同字.

11⑱ [蹴] 蹙(次條)과 同字

11⑱ [蹙] 人名 [一] 축 (入)屋 子六切 cù [二] 척 (入)錫 倉歷切 qī

字解 [一] ①줄 축, 줄일 축 축소함. '今也日一國百里'《詩經》. ②닥칠 축 가까이 옴. '兩軍一兮生死決'《李華》. ③고생할 축 가난을 겪음. '窘一', '困一'. '國一賦更重'《李商隱》. ④쫓을 축 구축함. '步騎驅一'《後漢書》. ⑤재촉할 축 독촉함. '待人督責迫一'《柳宗元》. ⑥삼갈 축 근신하는 모양. '容彌一'《儀禮》. ⑦찡그릴 축 얼굴에 주름을 지게 함. '擧疾首一頞而相告'《孟子》. ⑧오므릴 축 '嘯, 一口而出聲'《詩經 箋》. ⑨찰 축 蹴(足部 十二畫)과 통용. '以足一路馬芻有誅'《禮記》. [二] 줄어들 척 줄어 작아지는 모양. '一一靡所騁'《詩經》.

字源 篆文 形聲. 足+戚〔音〕. '戚척'은 '움츠러들다'의 뜻. 무엇에 접근하여 발이 움츠러들다의 뜻에서, '움츠러듦, 닥침, 다가감'의 뜻을 나타냄.

參考 蹴(前條)은 同字.

[蹙蹙 척척] ㉠축소한 모양. ㉡줄어드는 모양.
[蹙金 축금] 금실로 수놓은 오그라든 무늬.
[蹙迫 축박] 오그라짐. 줄어듦. 또, 오므라뜨림. 오그림.
[蹙竦 축송] 두려워하여 안절부절못하는 모양.
[蹙頞 축알] 괴롭고 귀찮아서 콧대를 찡그림. 얼굴을 찡그림.
[蹙然 축연] 근심하는 모양.
[蹙踖 축척] 살살 걸음.
◉困蹙. 驅蹙. 跼蹙. 窘蹙. 窮蹙. 紆蹙. 鬱蹙. 危蹙. 攢蹙. 追蹙.

11⑱ [蹔] 잠 (去)勘 藏濫切 zàn

字解 ①잠깐 잠 暫(日部 十一畫)과 통용. '其法可一行於一國'《列子》. ②빨리나아갈 잠 '一, 疾進也'《集韻》. ③갑자기 잠 '一, 猶卒也'《廣韻》.

字源 形聲. 足+斬〔音〕

11⑱ [蹛] [一] 제 (去)霽 都計切 [二] 대 (去)泰 當蓋切 dài [三] 체 (去)霽 丑例切 chì

字解 [一] 성 제 성(姓)의 하나. '一, 姓也'《集韻》. [二] 성 대 성(姓)의 하나. [三] ①갈 체 떠나감. '一, 去也'《春秋 注》. ②막힐 체, 머무를 체 滯(水部 十一畫)와 통용. ③앙감질할 체 '趩, 一足而行也. 或从帶'《集韻》.

11⑱ [蹡] 장 ①-③(平)陽 千羊切 qiāng ④(去)漾 七亮切

字解 ①갈 장 가는 모양. 蹌(足部 十一畫)과 同字. '管磬一一'《詩經》. ②공경할 장 '一, 敬也'《一切經音義》. ③모일 장 '一一'은 모이는 모양. 將(寸部 八畫)과 통용. '磬筦一一'《詩經》. ④달릴 장 蹌(足部 十一畫)·蹌(足部 十畫)과 同字. '蹌, 走也. 亦書作一'《集韻》.

字源 篆文 形聲. 足+將〔音〕

11⑱ [蹀] 접 (入)葉 徒協切 dié

字解 ①밟을 접 '一, 一足也'《說文》. ②잔걸음할 접 발걸음을 짧게 걸음. '一, 一曰, 小步'《集韻》.

字源 篆文 形聲. 足+執〔音〕. '執집'은 단단히 잡다의 뜻. 발을 땅에 단단히 붙이고 디디다의 뜻을 나타냄.

11⑱ [蹹] [一] 첩 (入)葉 達協切 dié [二] 섭 (入)葉 悉協切 xiè

字解 [一] 밟을 첩 밟음. 또, 종종걸음 침. '一, 說文, 足也'《集韻》. [二] 갈 섭 가는 모양. '一蹀'. '一, 一蹀, 行皃'《集韻》.

12⑲ [蹾] 철 ①(入)屑 直列切 zhé ②(入)屑 敕列切 chè

字解 ①바퀴자국 철 수레바퀴가 지나간 자국. 轍(車部 十二畫)과 同字. ②통할 철 통철함. 徹(彳部 十二畫)과 同字.

字源 形聲. 足+敢〔音〕

12⑲ [蹬] 등 ①(去)徑 徒亘切 dèng ②(去)徑 丁鄧切 ③(平)蒸 都騰切 dēng

字解 ①비틀거릴 등 蹭(次條)을 보라. '一, 蹭一'《廣韻》. ②밟을 등 '一, 履也'《集韻》. ③오를 등 수레에 오름. 登(癶部 七畫)과 同字. '登, 說文, 上車也. 或从足'《集韻》.

字源 篆文 形聲. 足+登〔音〕. '登등'은 위로 올리다의 뜻. 발을 들어 밟다의 뜻을 나타냄.

◉蹭蹬.

12⑲ [蹭] 층 (去)徑 千鄧切 cèng

字解 헛디딜 층, 비틀거릴 층 '一蹬'은 헛디디는 모양. 실족하는 모양. 전(轉)하여, 세력을 잃는 모양. '或乃一蹬窮波'《木華》. '一蹬遭讒毁'《李白》.

字源 篆文 形聲. 足+曾〔音〕

[蹭蹬 층등] 자해(字解)를 보라.

12⑲ [蹮] 〔선〕 躚(足部 十六畫〈p. 2252〉)과 同字

字源 篆文 形聲. 足+䙴〔音〕

12⑲ [蹯] [一] 번 (平)元 附袁切 fán [二] 분 (平)文 符分切

字解 [一] ①발바닥 번 짐승의 발바닥. 또, 그 고기. '食熊一'《左傳》. ②자귀 번 짐승의 발자국. '一, 獸迹'《集韻》. [二] 발바닥 분, 자귀 분 [一]과

뜻이 같음.
字源 形聲. 足+番〔音〕. '番번'은 발톱이 갈라진 짐승의 발자국의 뜻. '足족'을 붙여 뜻을 분명히 함.

◉深蹯. 熊蹯. 柔蹯. 掌蹯.

12 ⑲ [蹲] 준 ①②㊥元 徂尊切 dūn ③④㊥眞 七倫切 cún

字解 ①쭈그릴 준 쭈그리고 앉음. 무릎을 세우고 웅크림. '一乎會稽'《莊子》. ②모을 준 한데 모음. '一, 聚也'《集韻》. '一甲而射之'《左傳》. ③춤출 준 춤을 추는 모양. '一一舞我'《詩經》. ④단정할 준 단정히 걷는 모양. '穆穆肅肅, 一一如也'《漢書》.
字源 篆文 形聲. 足+尊〔音〕. '尊준'은 '술 그릇'의 뜻. 술 그릇처럼 웅크리다의 뜻을 나타냄.

[蹲踞 준거] 쭈그리고 앉음. 무릎을 세우고 앉음.
[蹲循 준순] ㉠순순히 따름. ㉡뒷걸음질 치는 모양. 머뭇거리는 모양. 망설이는 모양.
[蹲坐 준좌] 준거(蹲踞).
[蹲蹲 준준] ㉠단정히 걷는 모양. ㉡춤추는 모양.
[蹲止 준지] 일을 중도에서 그만둠.
[蹲鴟 준치] 토란〔芋〕의 이명(異名). 올빼미가 웅크리고 앉아 있는 모양과 비슷하므로 이름. 치준(鴟蹲).
◉熊蹲. 夷蹲. 鴟蹲. 虎蹲.

12 ⑲ [躇] ㊀ 저 ㊥魚 陳如切 chú ㊁ 지 ㊥支 陳尼切 ㊂ 다 ㊥麻 宅加切

字解 ㊀ 머뭇거릴 저 앞으로 나아가지 않음. '一, 峙一, 不前也'《說文》. ㊁ 머뭇거릴 지 ㊀과 뜻이 같음. ㊂ 머뭇거릴 다 ㊀과 뜻이 같음.
字源 形聲. 足+屠〔音〕

12 ⑲ [蹬] 발 ㉧曷 北末切 bō ㉧曷 蒲撥切

字解 ①밟을 발 밟아 누름. '常一兩兒棄之'《漢書》. ②뛸 발 도약함. '一剌銀盤欲飛去'《李白》. ③넘어질 발 실족(失足)하여 넘어지거나 비틀거림. '一, 足跋物'《集韻》.

[蹬剌 발랄] ㉠물고기가 뛰는 모양. ㉡기운차고 활발한 모양. 발랄(潑剌).

12 ⑲ [蹴] 人名 축 ㉧屋 七宿切 cù

字解 ①찰 축 ㉠발로 차서 뜨게 함. '新鞋袴一踘'《王君玉雜纂》. ㉡발로 차서 내던짐. '一爾而與之'《孟子》. ②밟을 축 '以迫一民'《董仲舒》. ③삼갈 축, 공경할 축 '孔子一然辟席而對曰'《禮記》. ④얼굴빛변할 축 '諸大夫一然曰'《莊子》.
字源 篆文 形聲. 足+就〔音〕. '就취'는 자리·지위에 앉히다의 뜻. 어떤 것에 발을 가까이 가져가다의 뜻에서, '차다, 밟다'의 뜻을 나타냄.

[蹴球 축구] 구기(球技)의 한 가지. 상대편 골에 공을 차 넣어 승부를 겨룸. 풋볼.
[蹴毬 축구] 축국(蹴鞠).
[蹴踘 축국] 축국(蹴鞠).
[蹴鞠 축국] ㉠발로 차는 공. ㉡공을 발로 차는 유희(遊戲).
[蹴起 축기] 차 일으킴. 바다에서 빠른 속도로 내달아 물결을 일으킴.
[蹴踏 축답] 발로 차고 짓밟음.
[蹴殺 축살] 발로 차서 죽임.
[蹴然 축연] 삼가는 모양. 또, 불안한 모양.
[蹴爾 축이] 물건을 차 던지는 모양.
[蹴蹴 축축] 불안한 모양. 안절부절못하는 모양. 초조한 모양.
◉亂蹴. 怒蹴. 追蹴. 排蹴. 一蹴. 顚蹴.

12 ⑲ [蹻] ㊀ 교 ㊥蕭 去遙切 qiāo ㊁ 갹 ㉧藥 居勺切 jué

字解 ㊀ ①들 교 발뒤꿈치를 높이 듦. 발돋움함. '可一足待也'《漢書》. ②교만할 교 '一, 驕也. 慢也'《廣韻》. ③날쌜 교 날래고 민첩함. '爲人一勇'《五代史》. ④강성할 교 힘차고 왕성한 모양. '其馬一一'《詩經》. ㊁ ①짚신 갹 초리(草履). '躡一擔簦'《史記》. ②썰매 갹 설마(雪馬). '乘一'《抱朴子》. ③빠를 갹 가는 것이 빠른 모양. '一然不固'《呂氏春秋》. ④교만할 갹 소인이 득세하여 교만한 모양. '小子一一'《詩經》.
字源 篆文 形聲. 足+喬〔音〕. '喬교'는 '높다'의 뜻. 발을 높이 들고 걷다의 뜻.

[蹻蹻 갹갹] 소인(小人)이 득세(得勢)하여 교만한 모양.
[蹻跌 갹결] 짚신.
[蹻蹻 교교] ㉠날쌘 모양. ㉡강성(強盛)한 모양.
[蹻敧 교기] 도리(道理)를 벗어남.
[蹻騰 교등] 힘차게 달림.
[蹻勇 교용] 날쌔고 굳셈.
[蹻跖 교척] 초(楚)나라의 장교(莊蹻)와 진(秦)나라의 도척(盜跖). 모두 옛날의 대도(大盜). 척교(跖蹻).
[蹻捷 교첩] 빨리 달림. 또, 걸음이 빠름.
◉躡蹻. 履蹻. 跖蹻. 屮蹻. 敝蹻.

12 ⑲ [蹺] 蹻(前條)와 同字

字源 形聲. 足+堯〔音〕. '堯요'는 '높다'의 뜻. 발을 높이 들다의 뜻을 나타냄.

12 ⑲ [蹯] 지 ㊀寘 陟利切 zhì

字解 ①밟을 지 밟음. '一, 蹋也'《篇海》. ②넘어질 지 발끝이 채어 넘어짐. '一, 頓也'《篇海》.

12 ⑲ [蹼] 복 ㉧屋 博木切 pǔ

字解 물갈퀴 복 기러기·오리 따위의 발가락 사이의 얇은 막(膜). 헤엄을 치는 데 편리함. 오리발. '鳧鴈醜, 其足一'《爾雅》.
字源 形聲. 足+菐〔音〕

12 ⑲ [蹶] 人名 ㊀ 궐 ㉧月 居月切 jué ㊁ 궤 ㊀霽 居衛切 guì

字解 ㊀ ①넘어질 궐 ㉠헛디디거나 걸려 넘어짐. '一者趨者'《孟子》. ㉡기진맥진하여 쓰러

짐. '形勞而不休, 則一'《淮南子》. ②엎어질 궐 전복함. 뒤집힘. '國乃一'《荀子》. ③거꾸러뜨릴 궐 죽임. '一上將'《史記》. ④기울 궐 다함. '天下財產, 何得不一'《漢書》. ⑤밟을 궐 발에 힘을 주어 누름. '高一而出於廷'《呂氏春秋》. ⑥찰 궐 발에 힘을 주어 참. '一浮麋'《漢書》. ⑦달릴 궐 질주함. '一而趨之'《國語》. ⑧뺄 궐 빼어 가짐. 탈취함. '一六國, 兼天下'《賈誼》. ⑨뛸 궐 껑충 뛰어오름. 도약함. '一, 跳也'《廣雅》. ⑩일어설 궐 놀라 벌떡 일어남. '廣成子一然而起'《莊子》. ⑪패할 궐 '一, 敗也'《廣雅》. ⑫꺾을 궐 좌절(挫折)시킴. '一, 猶挫也'《史記 注》. ⑬잽쌀 궐 날쌤. '師曠一然起'《逸周書》. ■ ①뛰어일어날 궤 깜짝 놀라 벌떡 뛰어 일어나는 모양. '子夏一然而起'《禮記》. ②움직일 궤 ㉠동(動)함. '天之方一'《詩經》. ㉡감동시킴. '文王一厥生'《詩經》. ③허둥지둥할 궤 당황함. '足毋一'《禮記》.

字源 篆文  篆文 別體 形聲. 足+厥[音]. '厥궐'은 '돌을 파다'의 뜻. 발로 돌을 파는 모양에서, 헛디디어 넘어지다, 발부리에 걸려 넘어지다의 뜻을 나타냄.

[蹶起 궐기] ㉠벌떡 일어남. ㉡기운을 내서 힘차게 일어남. 분기(奮起)함.
[蹶失 궐실] 넘어짐. 거꾸러짐.
[蹶然 궐연] 매우 기운차게 벌떡 일어나는 모양.
[蹶張 궐장] 쇠뇌[弩]를 발로 밟고 당김. 또, 그 군사.
[蹶躓 궐지] 실족(失足)하여 넘어짐.
[蹶蹶 궤궤] ㉠동작이 민첩(敏捷)한 모양. ㉡놀라 당황하는 모양.
◉竭蹶. 僵蹶. 擊蹶. 驚蹶. 搏蹶. 熱蹶. 誤蹶. 顚蹶.

12 ⑲ [蹸] 린 ㊍震 良刃切 lìn

字解 ①짓밟을 린 '蹂一其十二三'《後漢書》. ②수레자국 린 '一, 轢也'. (段注) 轢, 車所踐也'《說文》.

字源 篆文 形聲. 足+粦(粦)[音]. '躙린'과 동일어(同一語) 이체자(異體字)로서, '밟다, 짓밟다'의 뜻.

12 ⑲ [蹺] 교 ㊤篠 巨皎切 qiāo

字解 갈 교 감. '一, 行'《玉篇》.

12 ⑲ [蹫] 귤 ㊇質 訣律切 jú

字解 ①미쳐달릴 귤 미쳐서 달림. '趫, 狂走, 或从足'《集韻》. ②절뚝거릴 귤 절뚝거림. 저는 모양. '一, 跛皃'《玉篇》.

12 ⑲ [蹪] 퇴 ㊥灰 杜回切 tuí

字解 엎드러질 퇴 실족하여 엎드러짐. '人莫一於山, 而一於垤'《淮南子》.

12 ⑲ [蹩] 〔별〕 蹩(足部 十二畫〈p. 2248〉)과 同字

12 ⑲ [蹹] 〔답〕 蹋(足部 十畫〈p. 2242〉)과 同字

12 ⑲ [蹰] 〔주〕 躕(足部 十五畫〈p. 2251〉)의 俗字

12 ⑲ [蹋] 〔답〕 踏(足部 八畫〈p. 2235〉)과 同字

12 ⑲ [踏] 〔답〕 踏(足部 十畫〈p. 2243〉)과 同字

12 ⑲ [蹻] 〔와〕 吪(口部 四畫〈p. 354〉)와 同字

12 ⑲ [蹯] 〔촉〕 躅(足部 二十一畫〈p. 2253〉)의 略字

12 ⑲ [蹼] 〔선〕 䍦(网部 十二畫〈p. 1792〉)과 同字

12 ⑲ [蹽] 〔조〕 躁(足部 十三畫〈p. 2249〉)와 同字

12 ⑲ [蹙] 〔궤〕 跪(足部 六畫〈p. 2231〉)와 同字

12 ⑲ [蹴] 〔축〕 蹴(足部 十二畫〈p. 2247〉)과 同字

12 ⑲ [蹷] 〔궐·궤〕 蹶(足部 十二畫〈p. 2247〉)과 同字

12 ⑲ [蹾] 담 ㊤璉 丑犯切 tǎn

筆順 ⻊ 跙 跙 跙 跙 蹾 蹾 蹾

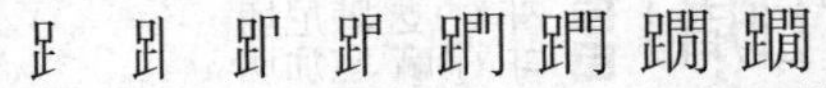

字解 땅을밟아고르면서노래할 담 '一, 凄秋發陽春'《揚雄》. '一, 以足踏地而歌'《古文苑 注》.

12 ⑲ [蹔] ■ 잡 ㊇合 昨合切
■ 잠 ㊥覃 祖含切 cán

字解 ■ 머무를 잡 머무름. 그침. '一, 止也'《廣雅》. ■ 머무를 잠 ■과 뜻이 같음.

12 ⑲ [蹩] 별 ㊇屑 蒲結切 bié

字解 ①절름발이 별 발 하나의 불구. 또, 그 사람. '一躄'. '一, 一日, 跛也'《說文》. ②빙돌아갈 별, 애쓸 별 '一躠'은 빙 돌아서 가는 모양. 또, 심력(心力)을 기울이는 모양. ③밟을 별 '一, 踶也'《說文》.

字源 篆文 形聲. 足+敝[音]. '敝폐'는 '깨어지다'의 뜻. 발의 균형이 깨지다, '절름발이'의 뜻을 나타냄.

[蹩躄 별벽] 절름발이와 앉은뱅이. 쓸모없는 어리석은 사람의 비유.
[蹩躠 별설] ㉠빙 돌아서 가는 모양. ㉡심력(心力)을 기울이는 모양. 애쓰는 모양. ㉢같은 곳으로만 늘 돌아다님.
[蹩躠 별설] 별설(蹩躠).

12 ⑲ [蹶] ■ 각 què
■ 오 áo

字解 ■ 걸을 각 걸음. '一, 步也'《篇韻》. ■ 걸을 오 ■과 뜻이 같음.

13
⑳ [躁] [人名] 조 [去]號 則到切 zào

[字解] ①떠들 조 시끄럽게 지껄거림. '君子齋戒, 處必掩身毋—'《禮記》. ②시끄러울 조 떠들썩함. 또, 마음이 안정(安靜)하지 아니함. '輕—浮薄'. '—者皆化而愨'《荀子》. ③움직일 조 동요함. '人主靜漠而不—'《淮南子》. ④거칠 조 난폭함. 또, 교활함. '—者皆化而愨'《荀子》. ⑤성급할 조 성질이 급함. '—急'. '—進'. '議者惜其人才, 而譏其—競'《北史》. ⑥빠를 조 趮(走部十三畫)와 同字. '—, 疾也'《廣雅》.

[字源] 形聲. 足+喿〔音〕. '喿소'는 '시끄럽다'의 뜻. 발을 연하여 움직여 안정되지 않다의 뜻을 나타냄.

[躁競 조경] 조급히 굴면서 남과 권세(權勢)를 다툼.
[躁狂 조광] 미쳐 날뜀.
[躁急 조급] 침착함이 없이 성급함.
[躁氣 조기] 조급한 성미.
[躁怒 조노] 성급하여 화를 잘 냄.
[躁妄 조망] 조급하고 경망함.
[躁悶 조민] 마음이 초조하여 가슴이 답답하고 괴로움.
[躁卞 조변] 조급(躁急).
[躁忿 조분] 조노(躁怒).
[躁擾 조요] 조급(躁急).
[躁人 조인] 조급한 사람.
[躁靜 조정] 조급함과 안존함.
[躁佻 조조] 조급하고 경박함.
[躁進 조진] ㉠조급히 나감. ㉡조급히 관위(官位) 등의 승진을 바람.
[躁虐 조학] 조급하고 포학(暴虐)함.
◉剛躁. 狷躁. 勁躁. 傾躁. 輕躁. 過躁. 狂躁. 驕躁. 矜躁. 煩躁. 浮躁. 忿躁. 勇躁. 靜躁. 褊躁. 險躁.

13
⑳ [躅] [一] 촉 [入]沃 直錄切 zhú
[二] 탁 [入]覺 直角切 zhuó

[字解] [一] 머뭇거릴 촉 망설이고 앞으로 나아가지 아니함. 또, 제자리걸음을 함. '躑—'. '騏驥之跼—'《史記》. [二] 자취 탁 ㉠발자국. '牛—'. ㉡고인의 행적. 사적(事蹟). '遺—'. '伏孔周之軌—'《漢書》.

[字源] 篆文 形聲. 足+蜀〔音〕. '蜀촉'은 '이어지다, 들러붙다'의 뜻. 발이 땅에 붙어 떨어지지 않다의 뜻으로, 밟다, 머뭇거리고 가지 못하다의 뜻을 나타냄.

◉跼躅. 軌躅. 奇躅. 鸞躅. 芳躅. 巡躅. 牛躅. 遺躅. 躑躅. 躑躅.

13
⑳ [蹬] 등 [平]蒸 徒登切 téng

[字解] 가는모양 등 가는 모양. '—, 踜—, 行皃'《篇海類編》.

13
⑳ [躆] 거 [去]御 居御切 jù

[字解] ①벋디딜 거 양발을 벌려 버팀. 據(手部十三畫)와 同字. '超忽荒而—昊蒼也'《漢書》. ②손으로버틸 거 손으로 땅을 의지하여 버팀. '—, 手據地也'《集韻》. ③움직일 거 '僑—'는 움직임. 동작함. '僑—, 猶動作也'《集韻》.

13
⑳ [⿰𧾷亶] [一] 전 [上]銑 他典切 tiǎn
[二] 언 [上]銑 於殄切 yǎn

[字解] [一] 가는모양 전 가는 모양. '—, 行皃'《集韻》. [二] 발자취 언 발자취. '—, 行跡'《集韻》.

13
⑳ [躇] [人名] [一] 저 [平]魚 直魚切 chú
[二] 착 [入]藥 敕略切 chuò

[字解] [一] ①머뭇거릴 저 가거나 떠나기를 망설임. 전(轉)하여, 널리 망설이는 뜻으로 쓰임. '躊—'. '優游—跱'《嵇康》. '每逢絕勝卽躕—'《范成大》. ②밟을 저 '若—步跐踏'《列子》. [二] 건너뛸 착 뛰어넘음. '—階而走'《公羊傳》.

[字源] 形聲. 足+著〔音〕. '著저·착'은 '달라붙다'의 뜻. 발이 땅에 붙은 듯이 나아가지 않다, 망설이다의 뜻을 나타냄.

[躇階 착계] 계단을 몇 단씩 건너뛰어 내려옴.
◉躊躇. 踟躇.

13
⑳ [躂] 달 [入]曷 他達切 dá 跶

[字解] 발끝챌 달 발끝이 챔. 발끝이 채어 넘어질 뻔함. '—, 足跌'《集韻》.

13
⑳ [⿰𧾷葛] 렵 [入]葉 力涉切 liè

[字解] 밟을 렵, 넘을 렵 躐(足部 十五畫)과 同字. '涉—寥廓'《左思》.

◉涉⿰𧾷葛.

13
⑳ [躙] [一] 첨 [上]琰 丑犯切
[二] 잡 [入]洽 測洽切 chà

[字解] [一] 발돋움할 첨 '—, 跂足'《玉篇》. [二] 발돋움할 잡 [一]과 뜻이 같음.

13
⑳ [躃] 벽 ①[入]陌 必益切 bì
②[入]陌 毗亦切

[字解] ①앉은뱅이 벽 일어나 앉기는 하여도 서지 못하는 장애인. '瘖聾跛—'《禮記》. ②넘어질 벽 쓰러짐. '—, 仆也'《集韻》.

[字源] 形聲. 足+辟〔音〕. '辟벽'은 '치우치다'의 뜻. 발이 치우치다, '앉은뱅이'의 뜻을 나타냄.

[躃躃 벽벽] 애써 가는 모양. 가기 힘든 모양.
[躃者 벽자] 앉은뱅이.
◉屈躃. 老躃. 攣躃. 跛躃.

13
⑳ [⿰𧾷歲] 궤 [去]隊 逵穢切 guì

[字解] ①조금빠질 궤 조금 빠짐. 좀 탐닉함. '—, 小溺也'《集韻》. ②싫증날 궤 싫증남. 물림. '—, 一曰, 倦也'《集韻》.

13
⑳ [⿰𧾷禁] 금 [平]侵 居吟切 jīn
[去]沁 巨禁切

[字解] 앉을 금 앉음. '—, 坐也'《集韻》.

13
⑳ [⿰𧾷頍] 기 [上]紙 丘癸切 kuǐ

[字解] 발들 기 발을 듦. '一, 擧足也'《篇海類編》.

13 [蹾] 효 [去]嘯 詰弔切 qiào
⑳
[字解] 말엉덩이뼈 효 말의 엉덩이뼈. 일설에는, 밑구멍. '馬蹄一千'《史記》.
[字源] 形聲. 足+敫〔音〕

13 [蹮] 첨 [去]豔 昌豔切 chàn
⑳ [平]鹽 處占切
[字解] 말달려갈 첨 '一, 馬急行也'《集韻》.

13 [躉] 돈 [上]阮 東本切 dǔn
⑳
[字解] 거룻배 돈 작은 배. '一船'.
[字源] 會意. 足+萬

[躉船 돈선] 거룻배. 단정(短艇).

13 [蹮] 〔견〕
⑳ 獧(犬部 十三畫〈p.1406〉)과 同字

13 [躄] 〔벽〕
⑳ 躃(足部 十三畫〈p.2249〉)과 同字

13 [蹋] 〔답〕
⑳ 蹋(足部 十畫〈p.2242〉)과 同字

13 [蹥] 〔둔〕
⑳ 鈍(金部 四畫〈p.2379〉)과 同字

14 [躊] [人名] 주 [平]尤 直由切 chóu 踌
㉑
[字解] 머뭇거릴 주 가거나 떠나기를 망설임. 전(轉)하여, 널리 망설이는 뜻으로 쓰임. '一佇'. '哀裴回以一躇'《漢書》.
[字源] 形聲. 足+壽〔音〕

[躊佇 주저] 주저(躊躇).
[躊躇 주저] 머뭇거리고 나아가지 아니함. 또, 망설임.
[躊躊 주주] ㉠머뭇거림. ㉡마음 아파함.

14 [躋] 제 [平]齊 祖稽切 jī 跻
㉑ [去]霽 子計切
[字解] ①오를 제 ㉠높은 곳에 올라감. '一覽'. '道阻且一'《詩經》. ㉡자꾸 진보함. '聖敬日一'《詩經》. ②올릴 제 '大事于大廟, 一僖公'《春秋》. ③떨어질 제 '一, 一日, 墜也'《集韻》.
[字源] 金文 篆文 形聲. 足+齊〔音〕. '齊제'는 '進진'과 통하여, '나아가다'의 뜻. 올라 나아가다의 뜻을 나타냄.

[躋覽 제람] 높은 곳에 올라가 아래를 멀리 내려다봄.
[躋攀 제반] 기어오름. 반제(攀躋).
[躋升 제승] 올라감.
[躋躓 제지] 올라감과 내려감. 승강(昇降).
◉難躋. 登躋. 攀躋. 上躋. 昇躋. 日躋.

14 [躍] [高人] [一] 약 [入]藥 以灼切 yuè 跃
㉑ [二] 적 [入]錫 他歷切 tì

[筆順] 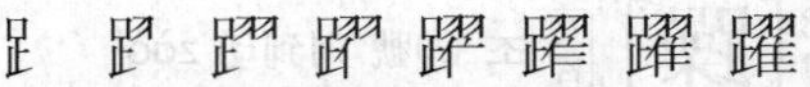
[字解] [一] ①뛸 약 ㉠뛰어오름. '跳一'. '魚一于淵'《詩經》. ㉡뛰어넘음. '距一三百'《左傳》. ㉢뛰며 좋아함. '雀一'. '喜一'. ㉣가슴이 뜀. 격앙(激昂)함. '微心踈一'《梁簡文帝》. ㉤물가가 뜀. '以稽市物, 痛騰一'《漢書》. ②뛰게할 약 '搏而一之'《孟子》. ③나아갈 약 '一, 進也'《廣雅》. [二] 빨리달릴 적 뛰며 잘 달리는 모양. '一一毚兎, 遇犬獲之'《詩經》.
[字源] 篆文 形聲. 足+翟〔音〕. '翟적'은 '꿩'의 뜻. 꿩처럼 높이 뛰어오르다의 뜻.

[躍起 약기] 뛰어 일어남.
[躍動 약동] 생기 있게 움직임. 힘차게 활동함.
[躍升 약승] 뛰어오름.
[躍躍 약약·적적] ㉠뛰며 좋아하는 모양. ㉡마음이 움직이어 안정하지 아니한 모양. ㉢'적적(躍躍)'을 보라.
[躍如 약여] ㉠뛰어오르는 모양. 힘찬 모양. 약연(躍然). ㉡생생한 모양.
[躍然 약연] 생기 있게 뛰어노는 것 같은 모양.
[躍進 약진] 앞으로 뛰어나감. 빠르게 진보(進步)함.
[躍出 약출] 뛰어나옴.
[躍躍 적적] 뛰며 빨리 달아나는 모양. 잘 달리는 모양.
◉距躍. 驚躍. 高躍. 跳躍. 蹈躍. 騰躍. 舞躍. 抃躍. 奮躍. 飛躍. 竦躍. 暗躍. 鳶飛魚躍. 勇躍. 踊躍. 一躍. 雀躍. 疊躍. 馳躍. 駭躍. 活躍. 欣躍.

14 [躍] 躍(前條)의 略字
㉑

14 [躖] 단 [上]旱 吐緩切 duàn
㉑
[字解] ①발자국 단 발의 자취. 족적(足跡). '鹿蹊兮一一'《楚辭》. ②빨리갈 단 '一, 行速'《廣韻》.
[字源] 篆文 形聲. 足+斷〈省〉〔音〕

14 [蹨] 년 [上]銑 奴典切 niǎn
㉑
[字解] 밟을 년 밟음. '一, 踏也'《篇海》.

14 [躌] 무 [上]麌 罔古切 wǔ
㉑
[字解] 밟을 무 밟음. '一, 踐也'《篇海》.

14 [躄] 경 [平]庚 去盈切 qīng
㉑ [去]徑 丘京切
[字解] 앙감질할 경, 절룩거릴 경 한 발로 걸음. 또, 절룩거리며 걸음. '夔猶一足一'《陸龜蒙》.

15 [躐] 렵 [入]葉 良涉切 liè
㉒
[字解] ①밟을 렵 발로 디딤. '登席不由前, 爲一席'《禮記》. ②넘을 렵 순서를 밟지 않고 뛰어넘음. '學不一等'《禮記》. ③쥘 렵 손으로 잡아 쥠. '一纓整襟'《後漢書》.
[字源] 形聲. 足+巤〔音〕. '巤렵'은 '獵렵'과 통하여, '사냥하다'의 뜻. 사냥할 때, 조수(鳥獸)의

움직임에 따라 무질서하게 사냥꾼이 넘어가듯이 '넘다'의 뜻을 나타냄.

[躐等 엽등] 등급을 건너뜀.
[躐登 엽등] 순서를 건너뛰어 올라감.
[躐席 엽석] 차례를 따르지 않고 자리에 앉음.
◉僭躐. 超躐. 風狎躐.

15 ㉒ [躑] 척 ㊀陌 直炙切 zhí

字解 머뭇거릴 척 망설이고 앞으로 나아가지 아니함. 또, 배회함. 또, 제자리걸음을 함. '咏歸歟而一躅'《沈約》. '一躅青驄馬'《古詩》. '一躅, 以足擊地也'《荀子 註》.
字源 形聲. 足+鄭〔音〕

[躑躅 척국] 머뭇거려 앞으로 잘 가지 아니함. 또, 배회함.
[躑躅 척촉] ㉠머뭇거려 나아가지 아니함. 또, 제자리걸음을 함. 또, 배회함. ㉡철쭉. 철쭉나무.
◉跳躑. 躅躑. 虢躑.

15 ㉒ [躒] ㊀ 력 ㊀錫 郞擊切 lì ㊁ 락 ㊀覺 力角切 luò

字解 ㊀ 움직일 력 '騏驥一一, 不能千里'《大戴禮》. ㊁ 넘을 락 뛰어남. 탁월함. '卓一'. '逴一諸夏'《班固》.
字源 形聲. 足+樂〔音〕

◉輔躒. 卓躒. 逴躒.

15 ㉒ [躓] ㊀ 지 ㊀寘 陟利切 zhì ㊁ 질 ㊀質 職日切 zhì

字解 ㊀ ①넘어질 지 ㉠발에 무엇이 걸려 넘어짐. '顚一'. '足一株陷'《列子》. ㉡실패함. '杜牧困一不振'《唐書》. ②차질(蹉跌) 지 전도(顚倒). 실패. '中年遭一'《南史》. ㊁ 넘어질 질, 차질 질 ㊀과 뜻이 같음.
字源 篆文 形聲. 足+質〔音〕. '跌질'과 통하여, 실족(失足)하여 넘어지다의 뜻을 나타냄.

[躓踣 지복·질복] 걸려서 넘어짐.
[躓顚 지전·질전] 걸려 넘어짐.
[躓馬破車惡婦破家 질마파거악부파가] 비틀거리는 말은 수레를 부수고, 성질이 모진 아내는 가정을 파괴함.
◉坎躓. 蹇躓. 困躓. 窮躓. 倒躓. 頓躓. 屯躓. 跋躓. 貧躓. 淪躓. 顚躓. 差躓. 飄躓.

15 ㉒ [躖] 〔단〕 斷(足部 十四畫〈p. 2250〉)의 本字

15 ㉒ [躦] 〔찬〕 躦(足部 十九畫〈p. 2253〉)과 同字

15 ㉒ [躐] 〔철〕 躐(足部 十二畫〈p. 2246〉)과 同字

15 ㉒ [躔] 전 ①-⑦㊥先 直連切 chán ⑧⑨㊤銑 丈善切 zhàn

字解 ①궤도 전 해·달·별이 운행하는 길. '一度' '日運爲一'《揚子方言》. ②자취 전 행적. '蓋以其跡一焉'《路史》. ③밟을 전 ㉠디딤. '一, 踐也'《說文》. ㉡거침. 이행함. '英雄之所一'《左思》. ④돌 전 궤도를 따라 돎. '一, 逡循也'《揚子方言》. '月一二十八宿'《呂氏春秋》. ⑤갈 전 '一, 行也'《廣雅》. ⑥있을 전 있음. 처(處)함. '北陸南一'《謝莊》. ⑦쉴 전 휴식함. '一建木於廣都兮'《張衡》. ⑧자귀 전 큰 사슴의 발자국. '麋, 其跡一'《爾雅》. ⑨따를 전 좇음. '一, 循也'《揚子方言》.
字源 篆文 形聲. 足+廛〔音〕. '廛전'은 '집'의 뜻. 차례로 돌아 머무는 곳·자리의 뜻으로, 전(轉)하여 '돌다, 건너다'의 뜻을 나타냄.

[躔度 전도] 천체 운행의 도수(度數).
[躔次 전차] 별의 자리. 성좌(星座).
◉順躔. 升躔. 踆躔. 初躔.

15 ㉒ [躔] 광 ㊤漾 苦謗切 kuàng

字解 멀 광 멂. 길이 멂. '一, 路曠遠也'《集韻》.

15 ㉒ [躕] 주 ㊥虞 直誅切 chú

字解 머뭇거릴 주 '蹰一'는 멈칫거림. 망설임. 선뜻 가지 못하는 모양. '蹰一, 行不進皃'《廣韻》.
字源 形聲. 足+廚〔音〕
參考 蹰(足部 十四畫)는 俗字.

[躕躇 주저] 머뭇거림. 망설임.
◉蹰躕.

15 ㉒ [躪] 뢰 ㊤泰 落蓋切 lài

字解 절뚝거릴 뢰 '一, 跛一, 行皃'《廣韻》.

15 ㉒ [躗] 〔치〕 疐(足部 九畫〈p. 1478〉)와 同字

16 ㉓ [躘] 려 ㊥魚 凌如切 lú

字解 전갈할 려 전갈함. 아랫사람에게 전하여 알림. '一, 傳也'《集韻》.

16 ㉓ [躙] 린 ㊤震 良刃切 lìn

字解 짓밟을 린 짓밟음. 유린함. 躪(足部 二十畫)과 同字. '馳, 善一人也'《禮記註》.
字源 形聲. 足+閵〔音〕

16 ㉓ [躠] 〔설〕 蹩(足部 十七畫〈p. 2252〉)과 同字

16 ㉓ [躡] 〔등〕 騰(馬部 十畫〈p. 2605〉)과 同字

16 ㉓ [躝] 궤 ㊤霽 姑衛切 guì

字解 ①쓰러질 궤 쓰러짐. 넘어짐. '蹶, 僵也, 或从衞'《集韻》. ②뛸 궤 '蹶, 跳也, 或从衞'《集韻》. ③밟을 궤 '—, 踐也'《龍龕手鑑》. ④서둘러 갈 궤 '—, 行急皃'《直音篇》. ⑤쓴대추 궤 쓴 대추. '—, 爾雅云, 一洩苦棗, 亦作蹶'《廣韻》.

16 ㉓ [躒] 력 ㊀錫 狼狄切 lì

字解 자취 력 자취. 지나온 자취. '—, 足所經踐'《集韻》.

16 ㉓ [蠪] 롱 ㊥冬 力鍾切 lóng / ㊤宋 良用切

字解 ①어린애걸음 롱 어린애의 걷는 모양. '—躘'. '—, —躘, 小兒行皃'《玉篇》. ②나아가지 못할 롱 나아가지 못하는 모양. '—, —躘, 不能行皃'《集韻》. ③힘쓰지아니할 롱 힘쓰지 아니함. '—, —躘, 一曰, 不強擧'《集韻》. ④바르게 갈 롱 '—, 行正也'《集韻》.

16 ㉓ [蹮] 선 ㊥先 相然切 / 蘇前切 xiān

字解 ①빙돌 선 빙 돌아서 가는 모양. 선행(旋行)하는 모양. 또, 춤추는 모양. 또, 일설(一說)에는, 절룩거리며 가는 모양. 또, 비틀거리는 모양. '蹩躠蹁—'《張衡》. ②춤출 선 춤추는 모양. '紆長袖而屢舞, 翩——以裔裔'《左思》.

字源 形聲. 足+遷〔音〕

[蹮蹮 선선] 춤추는 모양.
◉蹁蹮.

16 ㉓ [躗] ㊀ 위 ㊤霽 于歲切 wèi / ㊁ 쾌 ㊤卦 火怪切 wèi

字解 ㊀ ①밟을 위 '—, 蹕也'《辭海》. ②잘못할 위, 속일 위, 거짓 위 '—, 過也'《廣韻》. '是—言也'《左傳》. ㊁ 잘못할 쾌, 속일 쾌, 거짓 쾌 ㊀❷와 뜻이 같음.

字源 篆文 形聲. 足+衞〔音〕

[躗言 위언] 실언(失言). 또, 거짓말.

16 ㉓ [躠] ㊀ 설 ㊀屑 私列切 xiè / ㊁ 살 ㊀曷 桑割切 sǎ

字解 ㊀ 돌아서갈 설 빙 돌아서 가는 모양. '蹩—爲仁'《莊子》. ㊁ 돌아서갈 살 ㊀과 뜻이 같음.

17 ㉔ [躚] 선 ㊥先 相然切 / 蘇前切 xiān

字解 비틀비틀할 선 蹮(足部 十六畫)과 同字. 跰(足部 八畫)을 보라. '跰—'.

◉跰躚.

17 ㉔ [躞] 섭 ㊀葉 蘇協切 xiè

字解 ①축심 섭 권축(卷軸)의 심(心). '隋唐藏書, 皆金題玉—'《米芾》. ②걸을 섭 '—蹀'은 걷는 모양. '—蹀御溝上, 溝水東西流'《卓文君》.

字源 形聲. 足+燮〔音〕

[躞蹀 섭접] 걷는 모양. 접섭(蹀躞).
◉玉躞.

17 ㉔ [躟] 양 ㊥陽 汝陽切 ráng / ㊤養 如兩切

字解 빨리걸을 양 '——'은 바삐 감. 질행(疾行)함. '踂—'. '擾—就駕'《傳毅》.

◉踂躟.

17 ㉔ [躦] ㊀〔규〕跬(足部 六畫〈p. 2231〉)와 同字 / ㊁〔기〕趌(走部 六畫〈p. 2217〉)와 同字

17 ㉔ [躝] 란 ㊥寒 落干切 lán

字解 넘을 란 '—蹌也'《集韻》.

字源 形聲. 足+闌〔音〕

17 ㉔ [躔] 〔전〕 躔(足部 十五畫〈p. 2251〉)의 訛字

17 ㉔ [躢] 〔건〕 蹇(足部 十畫〈p. 2243〉)의 俗字

17 ㉔ [躨] 〔궐·궤〕 蹷(足部 十二畫〈p. 2248〉)과 同字

17 ㉔ [躤] 躠(次條)과 同字

17 ㉔ [躠] ㊀ 설 ㊀屑 私列切 xiè / ㊁ 살 ㊀曷 桑割切 sǎ

字解 ㊀ 빙돌 설 蹩(足部 十二畫)을 보라. '蹩—'. ㊁ 빙돌 살 ㊀과 뜻이 같음.

◉蹩躠.

18 ㉕ [躡] 섭 ㊀葉 尼輒切 niè

字解 ①밟을 섭 ㉠발로 디디어 누름. '張良陳平, —漢王足, 因附耳語'(한왕의 발을 밟고 귓속말을 함)《史記》. ㉡이름. 다다름. '徑—都廣'《淮南子》. ㉢계속하여 뒤를 밟음. 끊이지 아니함. '勞問相—'《唐書》. ②오를 섭 올라감. '登—常著木屐'《宋書》. ③뒤쫓을 섭, 따를 섭 '姜維引退還, 楊欣等追—於彊川口'《魏志》. ④신을 섭 신을 신음. '足下—絲履'《古詩》. ⑤빠를 섭 급속함. '忽—景而輕鶩'《曹植》.

字源 篆文 形聲. 足+聶〔音〕. '聶섭'은 귀를 가지런히 모으다의 뜻. 발자국·신발 따위 위에 발을 가지런히 얹다의 뜻에서, '밟다, 신다, 뒤쫓다' 따위의 뜻을 나타냄.

[躡蹀 섭접] 종종걸음 치는 모양.
[躡足附耳 섭족부이] 발을 밟아 일깨우고 귓속말로 귀띔을 해 줌. 곧, 남몰래 주의(注意)를 줌.
◉跨躡. 踏躡. 登躡. 承躡. 尋躡. 追躡.

18 ㉕ [躤] 적 ㊀陌 秦昔切 jí

字解 밟을 적 디딤. '人民之所蹈一'《史記》.

18 ㉕ [躢] 답 入合 徒盍切 tà

字解 찰 답, 밟을 답 蹋(足部 十畫)과 同字. '尙穿域一鞠也'《漢書》.

字源 形聲. 足+闒〔音〕

18 ㉕ [躣] 〔권〕
跧(足部 八畫〈p. 2237〉)과 同字

18 ㉕ [躝] 〔궐〕
蹶(足部 十二畫〈p. 2247〉)과 同字

18 ㉕ [躖] 〔단〕
躐(足部 十五畫〈p. 2251〉)의 訛字

18 ㉕ [躞] 쌍 平江 所江切 shuāng

字解 우뚝솟을 쌍 우뚝하게 솟음.

18 ㉕ [躣] 구 平虞 其俱切 qú

字解 갈 구 가는 모양. '右蒼龍之一一'《楚辭》.

19 ㉖ [躧] 사 上紙 所綺切 xǐ

字解 ①걸을 사 천천히 행보함. '躑躅一曾阿'《謝朓》. ②짚신 사 蹝(足部 十一畫)와 同字. '吾視去妻子如脫一耳'《史記》. ③춤신 사 춤을 출 때 신는 신. 무리(舞履). '彈弦跕一'《漢書》. ④질질끌 사 급하여 신을 잘 신을 겨를이 없어 발가락에만 걸치고 질질 끌고 나감. '一履起迎'《漢書》.

字源 篆文 形聲. 足+麗〔音〕

[躧步 사보] 춤추는 걸음걸이.
◉芳躧. 釋敝躧. 跕躧.

19 ㉖ [躦] 一 찬 平寒 徂丸切 zuān
二 차 平歌 才何切 cuó

字解 一 발모을 찬 '一, 一跖, 聚足'《集韻》. 二 밟을 차 蹉(足部 十一畫)와 同字.

20 ㉗ [躩] 각 入藥 丘縛切 居縛切 jué

字解 ①뛸 각 도약함. '鳧浴蝯一'《淮南子》. ②빠를 각 속함. '蹇裳一步'《莊子》. ③피할 각 '一如'는 경의(敬意)를 표하느라고 옆으로 피하여 천천히 걷는 모양. '足一如也'《論語》.

字源 篆文 形聲. 足+矍〔音〕. '矍'은 두려워하여 삼가다의 뜻. 조심스러운 걸음의 뜻을 나타냄.

[躩步 각보] 빨리 걸음.
[躩如 각여] 자해(字解)❸을 보라.
◉蹻躩.

20 ㉗ [躪] 린 去震 良刃切 lìn

字解 짓밟을 린 蹸(足部 十六畫)과 同字. '奔走相蹂一'《漢書》.

20 ㉗ [躨] 기 平支 渠追切 kuí

字解 꿈틀거릴 기 '一跜'는 규룡(虯龍)이 꿈틀거리는 모양. '虯龍騰以蜿蟺, 頷若動而一跜'《王延壽》.

21 ㉘ [躅] 〔촉〕
躅(足部 十三畫〈p. 2249〉)과 同字

22 ㉙ [躨] 躞(前前條)와 同字

22 ㉙ [蹀] 첩 入葉 達協切 dié

字解 달리는소리 첩 달리는 소리. '一, 走聲'《集韻》.

身 (7획) 部

〔몸신부〕

0 ⑦ [身] 中人 一 신 平眞 失人切 shēn
二 견 平先 基堅切 juān

筆順 ′ ľ 冂 冃 自 㐆 身

字解 一 ①몸 신 ㉠신체. 체구. '心一'. '一體髮膚'《孝經》. ㉡자기. 자기 몸. '檢一若不及'《書經》. ②몸소 신 친히. 자신이. '一自浣滌'《史記》. ③줄기 신 나무의 줄기. '樅, 松葉柏一'《爾雅》. ④애밸 신 임신함. '大任有一, 生此文王'《詩經》. ⑤해 신, 나이 신 연세. '文王受命, 惟中一'〈중년(中年)〉《書經》. 二 나라이름 견 '一毒'은 천축(天竺). 지금의 인도(印度). '邛西可二千里, 有一毒國'《史記》.

字源 金文 篆文 象形. 사람이 애를 밴 모양을 본떠 '임신하다'의 뜻을 나타내며, 전(轉)하여 '몸'의 뜻을 나타냄.

參考 '身'을 의부(意符)로 하여, '신체'를 뜻하는 문자를 이룸.

[身毒 견독] 자해(字解)二를 보라.
[身計 신계] 자기 일신의 일을 위하여 꾀하는 일. 자기 일신상에 관한 계획.
[身代 신대] ㉠몸. 신체. ㉡제 몸으로 남을 대신함.
[身圖 신도] 신계(身計).
[身命 신명] 몸과 목숨. 일신(一身).
[身貌 신모] 용모(容貌).
[身謀 신모] 신계(身計).
[身薄 신박] ㉠맨손으로 잡아챔. ㉡몸이 얇음. 가자미를 형용한 말.
[身邊 신변] 몸의 주위. 몸.
[身病 신병] 몸의 병(病).
[身分 신분] 개인의 사회적인 지위.
[身上 신상] 자기 일신상의 일.
[身世 신세] ㉠이 몸과 이 세상. ㉡일평생. 생명.
[身手 신수] 무예(武藝)를 이름.
[身數 신수] 한 몸의 운수(運數).

[身若不勝衣 신약불승의] ㉠몸이 옷의 무게에 견디지 못하는 것 같음. 몸이 대단히 허약함의 형용. ㉡공구(恐懼)하여 대단히 조심함의 형용.
[身恙 신양] 신병(身病).
[身言書判 신언서판] 당대(唐代)에 관리 등용의 표준이 된 체모(體貌)·언사(言辭)·서법(書法)·문리(文理)의 네 가지.
[身業 신업]《佛敎》일신상(一身上)에 일어나는 업인(業因).
[身與煙消 신여연소] 사람이 죽어 없어지는 것은 연기가 사라지는 것과 꼭 같음.
[身熱 신열] 병 때문에 나는 몸의 열.
[身丈 신장] 신장(身長).
[身長 신장] 키.
[身章 신장] 몸의 장식. 곧, 의복.
[身在江海之上心居魏闕之下 신재강해지상심거위궐지하] 몸은 비록 은둔하였지만, 마음은 궁궐 속의 영귀(榮貴)를 잊을 수 없다는 말.
[身重 신중] 아이를 뱀. 임신함.
[身體 신체] 사람의 몸.
[身體髮膚 신체발부] 몸과 모발과 피부. 온몸.
[身火 신화]《佛敎》몸을 태우는 불. 사람의 사욕(私慾)의 비유.
[身後 신후] 죽은 뒤. 사후(死後).
[身後計 신후계] 죽은 뒤의 자손을 위한 계책.
[身後名 신후명] 사후의 명예.
[身後之諫 신후지간] 생전에 미리 작정한 죽은 뒤의 간언(諫言). 죽은 뒤의 간(諫). 시간(尸諫).
[身後堆金拄北斗 신후퇴금주북두] 죽은 뒤에 재산을 북두칠성까지 닿을 만큼 높이 쌓아 놓음.
◉潔身. 敬身. 傾身. 輕身. 告身. 屈身. 勸身. 謹身. 寄身. 裸身. 累身. 單身. 端身. 膽大於身. 跳身. 滿身. 免身. 明哲保身. 眇身. 文身. 發身. 藩身. 法身. 保身. 佛身. 庇身. 傷身. 纖身. 守身. 修身. 隨身. 樹身. 失身. 安身. 約身. 厲身. 完身. 外身. 聳身. 危身. 衛身. 潤身. 二首六身. 理身. 頤身. 羸身. 一身. 立身. 自身. 長身. 藏身. 赤身. 全身. 前身. 挺身. 存身. 終身. 竹身. 中身. 出身. 致身. 漆身. 濯身. 脫身. 八尺長身. 便身. 萍身. 獻身. 化身. 黃袍加身. 後身.

3 ⑩ [⿰身几] 〔담〕 軃(身部 十三畫〈p.2256〉)과 同字

3 ⑩ [躬] 人名 궁 ㊥東 居戎切 gōng

筆順 ′ ㇒ 亻 ⺆ 身 身 身 躬

字解 ①몸 궁 ㉠신체. '聖—'. '王—是保'《詩經》. ㉡자기. 나. '不能反—'《禮記》. ②몸소 궁 친히. 손수. 자신이. '—行'. '己—命之'《儀禮》. ③몸소할 궁 자기가 직접 함. '弗—弗親, 庶民弗信'《詩經》. ④성 궁 성(姓)의 하나.

字源 篆文 別體 會意. 篆文은 呂+身. '呂려'는 '등뼈'의 뜻. 음(音)이 '宮궁'과 통하여, 굴곡(屈曲)하여 끝나다의 기본(基本) 뜻을 가짐. '身신'은 아이 밴 배의 뜻. 구부렸다 폈다 할 수 있는 몸의 뜻. '躬궁'은 俗字.

[躬稼 궁가] 직접 자기가 곡식을 심음. 몸소 농사를 지음.
[躬儉 궁검] 몸소 검약(儉約)함.
[躬耕 궁경] ㉠직접 자기가 농사를 지음. 몸소 전지를 경작함. ㉡임금이 몸소 적전(籍田)을 갊.
[躬圭 궁규] 오서(五瑞)의 하나. 사람의 모양을 새겨 장식한 홀〔圭〕. 백작(伯爵)이 가짐.

[躬圭]

[躬桑 궁상] 후비(后妃)가 몸소 누에를 침. 백성에게 양잠(養蠶)을 장려하기 위한 것임.
[躬行 궁행] 몸소 행(行)함. 친(親)히 행(行)함.
[躬化 궁화] 몸소 모범을 보임으로써 사람을 교화(敎化)함.
◉蹇蹇匪躬. 鞠躬. 末躬. 眇躬. 微躬. 薄躬. 反躬. 保躬. 聖躬. 直躬. 責躬. 賤躬. 治躬. 飭躬. 渙躬.

3 ⑩ [⿰身力] 릉 ㊥蒸 力登切 léng
字解 몸 릉 몸. 신체. '—, —身也'《玉篇》.

[射] 〔사〕 寸部 七畫(p.604)을 보라.

4 ⑪ [⿰身比] 비 ㊥支 房脂切 頻脂切 pí
字解 간드러질 비 '骻—'.

4 ⑪ [⿰身亢] 〔강〕 軀(身部 十一畫〈p.2255〉)과 同字

4 ⑪ [⿰身丹] 〔로〕 爐(火部 十六畫〈p.1362〉)와 同字

4 ⑪ [躭] 〔탐〕 耽(耳部 四畫〈p.1823〉)의 俗字

4 ⑪ [⿰身冉] 〔담〕 聃(耳部 四畫〈p.1822〉)과 同字

4 ⑪ [⿰身爻] 〔담〕 膽(肉部 十三畫〈p.1865〉)과 同字

5 ⑫ [⿰身主] 주 ㊤麌 重主切 zhù
字解 몸꿋꿋할 주 몸이 꿋꿋함. 몸이 똑바른 모양. '—, 身直皃'《集韻》.

5 ⑫ [⿰身出] 친 ㊥眞 癡鄰切 chēn
字解 달리는모양 친 달리는 모양. '—, 走皃'《集韻》.

5 ⑫ [⿰身矢] 사 ㊦禡 神夜切 shè
字解 쏠 사 射(寸部 七畫)의 古字.

5 ⑫ [躰] 〔체〕 體(骨部 十三畫〈p.2618〉)의 俗字

5 ⑫ [⿰身匹] 〔구〕 軀(身部 十一畫〈p.2255〉)의 俗字

5 ⑫ [⿰身令] 〔령〕 聆(耳部 五畫〈p. 1823〉)의 訛字

5 ⑫ [⿰身冉] 〔담〕 䎴(身部 四畫〈p. 2254〉)의 俗字

5 ⑫ [⿰身吕] 〔궁〕 躳(身部 七畫〈p. 2255〉)과 同字

6 ⑬ [䠸] 과 [平]麻 枯瓜切 kuā

[字解] 숙부드러울 과 품행이 얌전하고 마음씨가 부드러움. 우아(優雅)함. '—骫'. '—, —骫, 體柔'《集韻》.

6 ⑬ [⿰身夅] 䠸(前條)와 同字

6 ⑬ [⿰身舌] 〔괄〕 聒(耳部 六畫〈p. 1824〉)과 同字

6 ⑬ [⿰身亥] 〔해〕 骸(骨部 六畫〈p. 2615〉)의 俗字

6 ⑬ [躲] 타 [上]哿 丁果切 duǒ

[字解] ①몸 타, 몸소 타 '—, —身也'《玉篇》. ②피할 타 몸을 피함. '—避'.

[字源] 形聲. 身+朵〔音〕.

[躲閃 타섬] 타피(躲避).
[躲熱 타열] 피서(避暑)함.
[躲避 타피] 몸을 피하여 숨음. 책임을 회피함.

6 ⑬ [躱] 躲(前條)와 同字

6 ⑬ [䠷] 조 [上]篠 土了切 tiǎo [去]嘯 他弔切

[字解] 몸긴모양 조 신장이 긴 모양. 키가 큰 모양. '—, 身長皃'《集韻》.

6 ⑬ [⿰身同] 동 [上]董 吐孔切 tǒng

[字解] 단정하지않을 동 단정하지 않음. 몸가짐이 바르지 못함. '⿰身龍—'. '—, ⿰身龍—, 身不端'《集韻》.

7 ⑭ [躳] 〔궁〕 躬(身部 三畫〈p. 2254〉)의 本字

8 ⑮ [躶] 라 [上]哿 郎果切 luǒ

[字解] 발가벗을 라 裸(衣部 八畫)와 同字. '乃解衣, —而佐刺船'《史記》.

[躶身 나신] 발가벗은 알몸. 나체(裸體). 또, 무일물(無一物)의 뜻.

8 ⑮ [躺] 당 tǎng

[字解] ①누울 당 잠깐 눈을 붙임. '—, 假臥以舒體也'《中華大字典》. ②죽음을에둘러이를 당 '他們含笑的—在路上'《殷夫》.

8 ⑮ [⿰身匊] 국 [入]屋 居六切 jú

[字解] 몸구부릴 국 '—, —躬也'《集韻》.

8 ⑮ [⿰身穹] 궁 [去]送 去仲切 qióng

[字解] ①몸구부릴 궁 '—, 曲躬也'《集韻》. ②부릴 궁 일을 시킴. '—, 一日, 使役'《集韻》.

8 ⑮ [⿰身奇] 기 [平]支 居宜切 jī

[字解] ①몸 기 '—, 身也'《類篇》. ②외짝 기 혼자. '—, 字林, 隻也, 謂一身'《集韻》.

9 ⑯ [⿰身皇] 황 [平]陽 胡光切 huáng

[字解] 풍류종소리 황 음악 속에서 나는 소리. '—, 樂鐘聲'《改併四聲篇海》.

9 ⑯ [⿰身面] 〔면〕 面(部首〈p. 2517〉)과 同字

9 ⑯ [躾] [人名] [日] 미

[字解] 《日》 예절가르칠 미.

11 ⑱ [⿰身康] 강 [平]陽 丘岡切 kāng

[字解] 키클 강 키가 큼. '—, 長身謂之—躴'《集韻》.

11 ⑱ [⿰身國] 괵 [入]陌 古獲切 guó

[字解] 알몸 괵 발가숭이. '—, —躚, 倮也'《集韻》.

11 ⑱ [⿰身窮] 〔궁〕 窮(穴部 十畫〈p. 1641〉)과 同字

11 ⑱ [軀] [人名] 구 [平]虞 豈俱切 qū 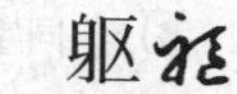

[筆順] 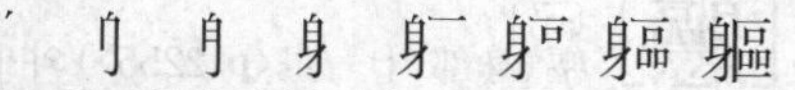

[字解] 몸 구 신체. '體—'. '曷足以美七尺之—哉'《荀子》. '忍之須臾, 乃全汝—'《古詩》.

[字源] [篆文] 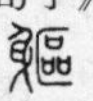 形聲. 身+區〔音〕. '區구'는 '구분 짓다'의 뜻. 잘게 구분이 가능한 부분으로 이루어진 신체(身體)의 뜻.

[軀殼 구각] 몸. 신체. 체구.
[軀幹 구간] ㉠몸의 뼈대. 몸. 신체. 신간(身幹). ㉡동체(胴體). 몸통.
[軀命 구명] 몸과 목숨. 신명(身命).
[軀體 구체] 몸. 신체(身體). 체구(體軀).
[軀骸 구해] 구체(軀體).
◉輕軀. 棄軀. 忘軀. 微軀. 鄙軀. 衰軀. 瘦軀. 神軀. 安軀. 捐軀. 頑軀. 危軀. 賤軀. 體軀. 投軀. 骸軀. 形軀.

12 ⑲ [軃] 타 tuǒ 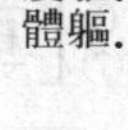

[字解] ①늘어질 타 嚲(口部 十七畫)의 俗字. ②피할 타 躱(身部 六畫)의 俗字. ③게으를 타 '一嬾'는 남이 안 보는 데서 게으름을 피움. '畦丁一嬾欲誰欺'《方岳》.

[軃嬾 타라] 자해(字解) ❸을 보라.

12 ⑲ [軄] 〔직〕 職(耳部 十二畫〈p.1829〉)의 俗字

13 ⑳ [軇] 〔독〕 獨(犬部 十三畫〈p.1405〉)과 同字

13 ⑳ [軆] 〔체〕 體(骨部 十三畫〈p.2618〉)의 俗字

13 ⑳ [軉] 〔녕〕 軉(身部 十四畫〈p.2256〉)과 同字

13 ⑳ [軇] 담 [平]覃 丁含切 dān

[字解] ①즐길 담 무엇을 좋아함. '一, 好也'《篇海》. ②가지고놀 담 즐겨 구경함. '一, 翫也'《篇海》.

14 ㉑ [軉] 軇(前條)과 同字

14 ㉑ [軉] 람 [平]覃 盧甘切 lán

[字解] 키클 람 키가 큼. '一, 一軉, 身長皃'《集韻》.

14 ㉑ [軇] 도 [去]號 大到切 dào

[字解] 키클 도 키가 큼. '一, 軂一, 身長, 或从卓'《集韻》.

14 ㉑ [軉] 녕 ㊤迥 奴頂切 nínɡ

[字解] 때 녕 피부에 낀 더러운 것. 聹(耳部 十四畫)과 同字. '一, 正作聹, 垢也'《篇海》.

15 ㉒ [軀] 〔구〕 軀(身部 十一畫〈p.2255〉)와 同字

16 ㉓ [軉] 력 [入]錫 狼狄切 lì

[字解] 알몸 력 벌거숭이. '一, 軉一, 倮也'《集韻》.

車 (7획) 部

〔수레거부〕

0 ⑦ [車] [中][人] [一] 차 [平]麻 尺遮切 chē [二] 거 [平]魚 九魚切 jū 车 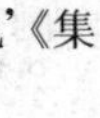

[筆順] 一 丅 冂 冃 百 亘 車

[字解] [一] ①수레 차 바퀴를 달아, 타기도 하고 짐도 싣기도 하는 제구. 사람이 타는 것을 '小一', 짐 싣는 것을 '大一'라 함. '下一', '一馬'. 전(轉)하여, 바퀴를 장치하여 동력(動力)을 일으키는 기계를 이름. '滑一'. '荒村終日水一鳴'《陳與義》. ②수레바퀴 차 차륜(車輪). '山出器一'《禮記》. ③잇몸 차 치은(齒齦). '輔一相依'《左傳》. ④성 차 성(姓)의 하나. [二] 수레 거 [一]❶과 뜻이 같음. '一同軌'《中庸》.

[字源] 甲骨文  金文  篆文 車 籒文  象形. 수레를 본뜬 모양.

[參考] '車'를 의부(意符)로 하여, 여러 가지 종류의 수레, 수레의 각 부위의 이름, 수레를 움직이는 일 등에 관한 문자를 이룸.

[車駕 거가] 임금의 수레.
[車渠 거거] 판새류(瓣鰓類)에 속하는 최대(最大)의 바닷조개. 무게 60관이나 되고, 갈면 백옥(白玉) 같은 광택이 남. 여러 가지 장식품으로 씀. 거거(硨磲).
[車轂 거곡] 수레의 바퀴통. 속 바퀴.
[車騎 거기] ㉠수레와 기마(騎馬). ㉡장군(將軍)의 호(號). 훈공자(勳功者) 또는 총신(寵臣)에게 내려 줌. 한(漢)나라 문제(文帝) 때 설치했다가 당(唐)나라에 이르러 폐지했음.
[車同軌書同文 거동궤서동문] '동문동궤(同文同軌)'와 같음.
[車馬 거마] ㉠수레와 말. 또, 수레에 딸린 말. ㉡사람의 왕래. 손의 출입.
[車馬絡繹 거마낙역] 수레와 말이 끊임없이 잇달아 있는 일. 곧, 왕래가 빈번한 모양.
[車馬有行色 거마유행색] 여행하려고 하는 기미가 있음. 또는 여행으로부터 갓 돌아온 모양에도 쓰임.
[車蓋 차개] 수레 위에 받치는, 비단으로 만든 일산(日傘).
[車庫 차고] 기차(汽車)·전차(電車)·자동차 등을 넣어 두는 곳집.
[車轂 차곡] 수레 바퀴통.
[車軌 차궤] 차철(車轍).
[車道 차도] 거마(車馬)가 다니게 마련한 길.
[車兩 차량] 수레. 수레는 두 개의 바퀴가 있으므로 이름.
[車輛 차량] 차량(車兩). 또, 수레의 수.
[車裂 차렬] 차열(車裂).
[車輪 차륜] 수레바퀴.
[車服 차복] 수레와 의복. 예전에 상(賞)으로 많이 주었음.
[車夫 차부] 차(車)를 부리거나 끄는 사람.
[車府 차부] 옛날의 관명(官名). 왕공(王公)의 수레에 관한 업무를 관장함. 송대(宋代)에 이르러 폐지되었음.
[車不得方軌 차부득방궤] 두 대의 수레가 나란히 갈 수 없음. 곧, 길이 좁음의 형용(形容).
[車費 차비] 차(車)를 타는 비용(費用).
[車士 차사] 수레를 취급하는 사람. 어자(御者).
[車書 차서] ㉠수레와 책. 또는 수레와 문자. ㉡'車書合混同(차서합혼동)'을 보라.
[車書合混同 차서합혼동] 천하(天下)는 통일되게 마련이라는 뜻. 통일된 세상에서는 같은 궤폭(軌幅)의 수레를 사용하고, 같은 문자(文字)를 씀.
[車水馬龍 차수마룡] 거마(車馬)가 많음의 형용. 행렬이 성대한 모양.

[車魚之歎 차어지탄] 제(齊)나라의 맹상군(孟嘗君)의 식객(食客) 풍훤(馮諼)이 칼을 치며 밥상에 생선이 없다고 노래하고, 행사(幸舍)로 옮겨 생선이 밥상에 나오게 된 뒤에는, 또 출입할 때 수레가 없다고 탄식한 고사(故事). 욕심에는 한이 없음을 이름.
[車裂 차열] 죄인의 신체를 두 수레 중간에서 양쪽에 결박하고 좌우로 끌어 찢어 죽이는 혹형(酷刑).
[車右 차우] 옛날에 삼인승(三人乘) 병거(兵車)에서 오른쪽에 타던 무사(武士).
[車胤 차윤] 동진(東晉)의 정치가·학자. 자(字)는 무자(武子). 청빈(淸貧)과 박학(博學)으로 유명하며, 시중(侍中)·국자박사(國子博士)가 됨. 가난하여 반딧불로 글을 읽었다 함.
[車胤盛螢 차윤성형] 동진(東晉)의 차윤(車胤)이 집이 가난하여 기름이 없으므로 명주 주머니 속에 개똥벌레를 많이 잡아넣어 그 반딧불로 면학(勉學)한 고사(故事). 겨울밤 눈을 모아 글을 읽은 손강(孫康)과 함께 형설(螢雪)의 고사(故事)로 유명함.
[車載斗量 차재두량] 수레에 싣고 말로 된다는 뜻으로, 물건이 대단히 많음을 이름.
[車前 차전] ㉠수레 앞. ㉡질경이. 차전초(車前草).
[車戰 차전] 병거(兵車)의 싸움.
[車正 차정] 옛 벼슬 이름. 수레에 관한 일을 맡은 관원(官員)의 우두머리.
[車塵 차진] 수레가 지날 때 나는 먼지.
[車站 차참] 정거장.
[車窓 차창] 수레에 달린 창(窓).
[車轍 차철] 수레바퀴. 또, 그 자국.
[車轍馬跡 차철마적] 수레바퀴의 자국과 말의 발자국. 곧, 거마(車馬)로 천하를 순유(巡遊)한 자취.
[車票 차표] 차(車)를 타기 위하여 일정한 돈을 주고 사는 승차권(乘車券).
[車螢孫雪 차형손설] 차윤(車胤)이 반딧불에 글을 읽고, 손강(孫康)이 눈빛에 글을 읽은 고사(故事). 고학(苦學)의 뜻으로 쓰임.
◉客車. 巾車. 牽車. 堅車. 輕車. 固車. 苦車. 高車. 公車. 空車. 救急車. 柩車. 規車. 機關車. 驥服鹽車. 汽車. 奇車. 棄車. 鸞車. 露車. 鹿車. 綠車. 雷車. 樓車. 單車. 大車. 貸車. 德車. 陶車. 都車. 蹈車. 犢車. 輴車. 動車. 馬車. 輓車. 滿車. 麵車. 武車. 墨車. 米車. 拍車. 攀車. 發車. 紡車. 排車. 配車. 藩車. 兵車. 寶馬高車. 步挽車. 鳳車. 副車. 奔車. 笨車. 飛車. 山車. 洗車. 小車. 素車. 鼠車. 繅車. 水車. 倅車. 脣齒輔車. 乘車. 柴車. 牙車. 安車. 羊車. 糧車. 輦車. 列車. 獵車. 靈柩車. 盈車. 靈車. 王車. 搖車. 龍骨車. 容車. 牛車. 雲車. 輶車. 戎車. 貳車. 輀車. 人力車. 人奔車. 人車. 自動車. 紫車. 翟車. 電動車. 田車. 前車. 電車. 傳車. 戰車. 停車. 操車. 佐車. 舟車. 駐車. 重車. 衆車. 指南車. 脂車. 舐痔得車. 遮車. 祭車. 軺車. 樵車. 椎車. 墜車. 馳車. 輜車. 齒車. 侵車. 筒車. 廢車. 蒲車. 風車. 豐車. 下車. 檻車. 海盤車. 虛車. 火車. 貨車. 還車. 滑車. 後車.

1
⑧ [軋] 人名 알 ㊀黠 烏黠切 yà 轧

字解 ①삐걱거릴 알 수레바퀴가 닿아 쓸려서 소리를 냄. 또, 그 소리. '繅車一伊鸙抽絲'《馬祖常》. 전(轉)하여, 사이가 나빠짐. 반목함. '一轢'. '名也者相一也'《莊子》. ②형벌이름 알 흉노(匈奴)의 형벌의 하나로서, 칼로 죄인의 얼굴을 새기는 일. 일설(一說)에는, 죄인의 골절(骨節)을 수레바퀴로써 가는 일. '有罪, 小者一, 大者死'《漢書》. ③성 알 성(姓)의 하나.
字源 篆文 形聲. 車+乙〔音〕. '乙을'은 갈지자 모양으로 구부러져 있다의 뜻. 수레바퀴가 매끄럽게 움직이지 않고 삐걱거리다의 뜻을 나타냄.

[軋轢 알력] ㉠수레가 삐걱거림. ㉡불화(不和)함. 반목함.
[軋芴 알물] 치밀(緻密)함. 또는 분명(分明)하지 않은 모양.
[軋辭 알사] 자세한 말. 상세한 언사(言辭).
[軋軋 알알] ㉠수레바퀴가 구르는 소리. ㉡어떤 것이 무더기로 나는 모양. ㉢배 젓는 소리. ㉣베 짜는 소리.
[軋字機 알자기] 등사판(謄寫版).
◉嘔軋. 鳴軋. 鴉軋. 咿軋. 侵軋.

2
⑨ [軌] 구 ①㊥尤 居尤切 jiū ②㊦宥 己幼切 jiù

字解 ①수레뒤의긴횡목(橫木) 구 '一, 車長軫也'《集韻》. ②뒤가로대위의기둥 구 차상(車箱)의 뒤쪽에 세운 기둥. '一, 車軫上鉢'《集韻》.

2
⑨ [軌] 高·人 궤 ㊤紙 居洧切 guǐ 轨

筆順 一 冖 冂 百 亘 車 軋 軌

字解 ①바퀴사이 궤 수레의 왼쪽 바퀴와 오른쪽 바퀴와의 사이. 고대(古代)에, 그 나비〔幅〕는 8척(尺)이 표준이었음. '今天下, 車同一'(천하가 통일됨을 이름)《中庸》. '車不得方一'(도로가 좁음)《十八史略》. ②바큇자국 궤 수레바퀴가 지나간 자국. 차철(車轍). '城門之一'《孟子》. ③바퀴굴대 궤 차축(車軸). '車不濡一'《詩經》. ④법 궤 법도. 본보기. '一範'. '兩不失雍熙之一焉'《世說》. ⑤좇을 궤 준수함. '諸侯一道'《漢書》. ⑥간사할 궤 宄(宀部 二畫)와 통용. '亂在外爲姦, 在內爲一'《左傳》. ⑦성 궤 성(姓)의 하나.
字源 篆文 形聲. 車+九〔音〕. '九구'는 구부러져서 끝이 나다의 뜻. 수레바퀴의 자국이 굴곡하면서 뻗다가, 이윽고 지평선에서 없어지는 모양에서, '바큇자국'의 뜻을 나타냄.

[軌度 궤도] 법도(法度). 본보기.
[軌道 궤도] ㉠도(道)를 따라 일을 행함. 정도(正道)를 좇음. ㉡기차·전차 등이 다니는 길. 레일. ㉢천체가 공전(公轉)하는 일정한 길.
[軌模 궤모] 궤범(軌範).
[軌物 궤물] 법. 법도(法度).
[軌範 궤범] 법도(法度). 본보기.
[軌迹 궤적] ㉠수레바퀴 자국. ㉡전인(前人)의 바른 행위의 자취. ㉢어떤 기하학적 요건에 적합한 모든 점을 포함한 선 또는 면.
[軌跡 궤적] 궤적(軌迹).
[軌制 궤제] ㉠법도. 본보기. ㉡본보기로 삼음.

[軌條 궤조] 궤도(軌道)에 깐 철조(鐵條).
[軌轍 궤철] ㉠수레바퀴 자국. ㉡법도. 법칙. ㉢전인(前人)이 한 일.
[軌躅 궤촉] ㉠수레바퀴 자국. ㉡전인(前人)이 남긴 모범.
[軌則 궤칙] 법칙(法則).
[軌憲 궤헌] 궤범(軌範).
◉姦軌. 繼軌. 高軌. 共軌. 廣軌. 同軌. 同文同軌. 物軌. 方軌. 範軌. 不軌. 事不得方軌. 常軌. 徐軌. 先軌. 禦軌. 儀軌. 懿軌. 異軌. 一軌. 日軌. 正軌. 車軌. 遐軌. 狹軌. 洪軌.

2⑨ [軋] 〔범〕
軓(車部 三畫〈p. 2260〉)과 同字

2⑨ [軍] 中人 군 ㊥文 擧云切 jūn 军

筆順 丶 冖 冖 冃 冃 冒 冒 軍

字解 ①군사 군 ㉠군사(軍士). 군인. 군대. '水―'. '全―'. '水上―, 皆殊死戰'《史記》. ㉡군사(軍事). 병사. 전투. '―器'. '無―功'《史記》. ㉢고대의 병제(兵制)로서 군사 12,500명을 이름. '三―'. '五師爲―'《周禮》. ②진칠 군 주둔(駐屯)함. '―於瑕以待之'《左傳》. ③행정구획이름 군 송대(宋代)의 행정상의 구획. 노(路)의 관할(管轄)에 속하였음. ④성 군 성(姓)의 하나.

字源 金文 篆文 會意. 車+包〈省〉. '包포'는 '둘러싸다'의 뜻. '車차'는 '전차'의 뜻. 전차로 포위하는 모양에서, 군사의 집단, 전쟁의 뜻을 나타냄.

[軍歌 군가] 군대(軍隊)의 사기(士氣)를 고취(鼓吹)하기 위하여 부르는 노래.
[軍監 군감] 군사(軍事)를 감독하는 벼슬. 감군(監軍).
[軍檄 군격] 개전(開戰)의 격문(檄文).
[軍警 군경] 군대와 경찰.
[軍功 군공] 전쟁(戰爭)에서 이긴 공로(功勞).
[軍官 군관] 장교(將校).
[軍橋 군교] 군대가 임시로 가설한 다리.
[軍國 군국] ㉠군대의 국가. 전쟁의 일과 나라의 일. ㉡군사(軍事)를 정책의 우선으로 삼는 국가.
[軍國主義 군국주의] 군비를 강화하여 무력으로 국민적·경제적 발전을 꾀하려는 주의.
[軍紀 군기] 군대(軍隊)의 기율(紀律).
[軍氣 군기] 사기(士氣).
[軍記 군기] 싸움하는 것을 적은 책(冊). 전기(戰記).
[軍旗 군기] ㉠전쟁에 쓰는 기. ㉡군대의 표장(表章)이 되는 기.
[軍器 군기] 전쟁에 쓰는 기구. 병기. 병장기.
[軍機 군기] 군사상(軍事上)의 기밀.
[軍機處 군기처] 청조(淸朝)에서 천자(天子)의 최고 고문부(顧問府)로서 행정의 최고 기관인 마을.
[軍荼利 군다리] 《佛敎》 명왕(明王)의 하나. 일면팔비(一面八臂)로, 분노(忿怒)의 상(相)을 하고 있으며, 일체의 악마를 항복시킨다고 함.
[軍團 군단] 군(軍)과 사단(師團) 중간의 전략(戰略) 단위의 병단(兵團). 둘 이상의 사단으로 편성됨.
[軍隊 군대] 군오(軍伍)를 편성(編成)하고 있는 부대(部隊). 병대(兵隊).
[軍刀 군도] 군인이 차는 칼. 전쟁(戰爭)에 쓰는 칼.
[軍亂 군란] 군대가 일으킨 난리.
[軍略 군략] 군사에 관한 계책.
[軍糧 군량] 군대의 양식(糧食).
[軍旅 군려] 군대(軍隊).
[軍令 군령] 군중(軍中)의 명령. 또, 군사상의 법규(法規).
[軍禮 군례] 군사에 관한 예의.
[軍律 군률] 군율(軍律).
[軍吏 군리] ㉠군대 안에 있는 문관. ㉡군대의 대장. ㉢군감(軍監).
[軍馬 군마] 전쟁에 쓰는 말.
[軍帽 군모] 군인의 모자(帽子).
[軍務 군무] 군사상(軍事上)에 관한 사무(事務) 또는 근무(勤務).
[軍門 군문] ㉠진영(陣營)의 문(門). ㉡장군의 존칭. 명대(明代)에 시작함. 청대(淸代)에는 제독(提督)의 존칭.
[軍民 군민] 군인과 일반 백성.
[軍閥 군벌] ㉠전쟁에 세운 공. ㉡군인의 당벌(黨閥).
[軍法 군법] 군대의 법률.
[軍兵 군병] 대오(隊伍)를 편성(編成)하여 전투(戰鬪)에 종사(從事)하는 하급(下級)의 군인.
[軍服 군복] 군인의 제복(制服).
[軍鋒 군봉] 군대의 선봉.
[軍府 군부] ㉠무기를 저장하는 곳. 무기 창고. ㉡군중(軍中)에서 장군이 집무하는 곳.
[軍部 군부] 육해공군(陸海空軍)의 부내(部內).
[軍分 군분] 군사의 봉급.
[軍費 군비] 군사상에 관한 비용(費用). 싸움에 드는 돈.
[軍備 군비] 군사상에 관한 모든 설비(設備). 싸움 준비(準備).
[軍士 군사] ㉠군사(軍師)의 일. ㉡군인.
[軍事 군사] 군비(軍備) 또는 전쟁에 관한 일. 군정(軍政).
[軍師 군사] ㉠군(軍)의 참모. ㉡책략가(策略家).
[軍書 군서] ㉠군사상의 편지. ㉡군사(軍事)의 기록.
[軍聲 군성] 군중(軍中)의 떠들썩한 소리.
[軍勢 군세] ㉠군대의 기세. ㉡병졸의 수(數).
[軍屬 군속] 육해공군 중의 문관과 그 대우자(待遇者).
[軍須 군수] 군사상(軍事上)의 요용(要用).
[軍需 군수] 군사상(軍事上)의 수용(需用). 또, 그 물건.
[軍需品 군수품] 군사상(軍事上)에 드는 모든 물자(物資).
[軍神 군신] 전쟁의 신(神). 군인의 무운(武運)을 수호하는 신. 병가(兵家)에서는 북두성(北斗星)을 이름.
[軍實 군실] ㉠군대에서 쓰는 기구. ㉡군인. 군대. ㉢노획물. 전리품.
[軍樂 군악] 군대에서 쓰는 음악.
[軍案 군안] 군적(軍籍).
[軍約 군약] 군대의 서약(誓約).
[軍役 군역] ㉠전쟁. 병역(兵役). ㉡전시(戰時)의 부역.
[軍營 군영] 진영(陣營). 병영(兵營).
[軍伍 군오] 군대의 대오(隊伍).
[軍擾 군요] 군란(軍亂).

[軍用 군용] ㉠군대의 사용. ㉡군비(軍費).
[軍容 군용] ㉠군대의 장비(裝備). 군대의 몸차림. ㉡군대의 사기(士氣) 또는 상태.
[軍律 군율] ㉠군법(軍法). ㉡군기(軍紀).
[軍醫 군의] 군대에서 의무(醫務)에 종사하는 의관(醫官).
[軍人 군인] 육해공군의 장병의 총칭. 군사. 병사.
[軍資 군자] 군수(軍需). 또, 군비(軍費).
[軍裝 군장] 군대의 장비. 또, 무장(武裝).
[軍籍 군적] 군인(軍人)의 성명(姓名)을 기록한 문서(文書). 또, 그 적.
[軍政 군정] ㉠군사상의 정무(政務). ㉡군사(軍事)에 관한 행정 사무. ㉢전시나 사변 때에 군사령관이 임시로 하는 정치.
[軍情 군정] 군중(軍中)의 사정(事情). 군대의 정상(情狀).
[軍制 군제] 군사상(軍事上)에 관한 제도(制度).
[軍卒 군졸] 군병(軍兵).
[軍中 군중] ㉠군사(軍事)가 진(陣)을 치고 있는 속. 진영(陣營)의 안. ㉡군대의 안.
[軍持 군지] 《佛敎》 천수관음(千手觀音). 또, 중이 가지는 물을 넣는 병(甁).
[軍職 군직] 군사(軍事)를 맡은 벼슬.
[軍陣 군진] 군대의 진영(陣營).
[軍鎭 군진] 변방(邊方)을 수비(守備)하는 군대의 진영(陣營).
[軍學 군학] 전쟁에 관한 학문. 병법.
[軍艦 군함] 전쟁(戰爭)에 쓰는 규모(規模)가 큰 배. 전함(戰艦).
[軍港 군항] 국방상(國防上) 해군(海軍)의 근거지(根據地)로서 특별한 시설(施設)이 있는 항구(港口).
[軍行 군행] ㉠군대의 행진. ㉡군대의 대열.
[軍餉 군향] 군량(軍糧).
[軍號 군호] 군중(軍中)에서 쓰는 암호(暗號).
[軍候 군후] 벼슬 이름. 행군(行軍)할 때 적정(敵情)을 살피는 일을 맡았음.
◉郤軍. 滅軍. 監軍. 建軍. 孤軍. 空軍. 官軍. 救世軍. 禁軍. 旗軍. 娘子軍. 勞軍. 單軍. 大軍. 冬將軍. 撫軍. 反亂軍. 父子軍. 司軍. 三軍. 上軍. 上將軍. 船軍. 水軍. 肅軍. 十字軍. 我軍. 鴉軍. 女軍. 友軍. 羽林軍. 右翼軍. 援軍. 遊軍. 六軍. 陸軍. 義軍. 義兒軍. 義勇軍. 一軍. 將軍. 賊軍. 敵軍. 全軍. 前軍. 殿軍. 制軍. 從軍. 左翼軍. 舟軍. 酒軍. 駐軍. 中軍. 衆軍. 支軍. 進軍. 治軍. 親軍. 敗軍. 下軍. 海軍. 行軍. 懸軍. 護軍. 後軍. 麾軍.

2 ⑨ [⿹勹車] 軍(前條)의 本字

2 ⑨ [叀] 軎(次條)와 同字

3 ⑩ [軎] 〔예〕
轊(車部 十一畫〈p. 2277〉)와 同字
[字源] 金文 篆文 軎 別體 轊 象形. 수레의 굴대 머리의 모양으로, '口구'는 그 구멍의 모양. 일설에는 指事.

3 ⑩ [軏] 월 [入]月 魚厥切 yuè
[字解] 끌채끝 월 끌채 끝의 멍에를 매는 데. '小車無—'《論語》.
[字源] 篆文 軏 形聲. 車+兀〔音〕. '兀올'은 '쐐기'의 뜻. 작은 수레의 끌채의 끝에 멍에를 고정시키는 비녀장의 뜻을 나타냄.

3 ⑩ [軑] 대 [去]霽 特計切 dài
[字解] 바퀴통끝휘갑쇠 대 수레 바퀴통 끝의 휘갑쇠. '齊玉—而竝馳'《楚辭》.
[字源] 篆文 軑 形聲. 車+大〔音〕

3 ⑩ [⿰車工] 〔강〕
釭(金部 三畫〈p. 2378〉)과 同字

3 ⑩ [軞] 〔돈〕
軘(車部 四畫〈p. 2260〉)과 同字

3 ⑩ [輜] ⿰車川(次條)과 同字

3 ⑩ [⿰車川] 춘 [平]眞 敕倫切 chūn
[字解] ①바퀴통치레 춘 바퀴통에 베푸는 장식. '—, 車約—也'《說文》. ②하관차 춘 관(棺)을 무덤 구덩이에 내릴 때에 싣는 수레. '—, 一曰, 下棺車曰—'《說文》.
[字源] 形聲. 車+川〔音〕

3 ⑩ [軒] [高人] 헌 ①-⑨[平]元 虛言切 xuān 轩
⑩[去]願 許建切 xiàn
[筆順] 一 冂 日 亘 車 車 車 軒
[字解] ①초헌 헌 대부(大夫) 이상이 타는 수레. '鶴有乘—者'《左傳》. ②수레 헌 차량. '戎—'. '朱—幷馬'《後漢書》. ③처마 헌 지붕의 도리 밖으로 내민 부분. '高—'. '周—中天'《左思》. ④집 헌 가옥. '我亦——容膝住'《蘇轍》. ⑤난간 헌 층계나 다리 같은 데의 가장자리를 막은 물건. '天子自臨—檻'《漢書》. ⑥높을 헌 수레의 앞부분이 가볍고 높음. 낮은 것을 '輊'라 함. '如輊如—'《詩經》. 전(轉)하여, 우수하다는 뜻으로 쓰임. '居前不能令人輊, 居後不能令人—'《漢書》. ⑦오를 헌 높이 올라감. '—擧'. '翔霧連—'《木華》. ⑧웃을 헌 웃는 모양. '—然仰笑'《天祿外史》. ⑨성 헌 성(姓)의 하나. ⑩크게저민고기 헌 '皆有—'《禮記》.
[字源] 篆文 軒 形聲. 車+干〔音〕. '干간'은 '幹간'과 통하여 긴 나무줄기, 기둥의 뜻. 채가 길게 뻗은 수레의 뜻. 또, 지붕 끝의, 건물 밖으로 길게 뻗은 처마의 뜻, 난간의 뜻, 난간이 있는 긴 복도의 뜻을 나타냄.

[軒駕 헌가] 헌(軒)은 헌원씨(軒轅氏). 천자(天子)의 유행(遊幸)을 뜻함.
[軒蓋 헌개] 수레의 덮개.
[軒渠 헌거] 웃는 모양.
[軒擧 헌거] 높이 올라감. 또, 의기가 당당함.
[軒岐 헌기] 황제(黃帝) 헌원씨(軒轅氏)와 기백(岐伯). 모두 의술(醫術)의 시조(始祖). 전(轉)하여, 의학. 의술.
[軒唐 헌당] 헌원씨(軒轅氏)와 도당씨(陶唐氏).

곧, 황제(黃帝)와 요제(堯帝). 모두 고대의 성인(聖人).
[軒燈 헌등] 처마에 다는 등(燈).
[軒朗 헌랑] 헌활(軒豁).
[軒溜 헌류] 낙숫물.
[軒冕 헌면] 초헌과 면류관. 전(轉)하여, 관직(官職). 관록.
[軒眉 헌미] 눈썹을 듦. 곧, 마음이 명랑하여 눈살을 폄.
[軒帆 헌범] 수레와 배.
[軒序 헌서] 처마와 차양(遮陽).
[軒秀 헌수] 높이 뛰어남.
[軒昂 헌앙] ㉠헌거(軒擧). ㉡기운이 참. 세력이 성함.
[軒然 헌연] 쾌활하게 껄껄 웃는 모양.
[軒頊 헌욱] 황제(黃帝) 헌원씨(軒轅氏)와 전욱(顓頊) 고양씨(高陽氏). 모두 옛날의 성제(聖帝)의 이름.
[軒轅 헌원] 황제(黃帝)의 이름. 그가 헌원(軒轅)의 언덕〈지금의 허난 성(河南省) 신정현(新鄭縣)〉에서 낳았다고 하므로 이름.
[軒輊 헌지] 올라감과 내려감. 높낮이. 전(轉)하여, 우열(優劣).
[軒軺 헌초] 전망용(展望用)의 높은 수레.
[軒檻 헌함] 난간(欄干).
[軒軒 헌헌] ㉠춤추는 모양. ㉡득의(得意)한 모양. ㉢출중한 모양.
[軒軒丈夫 헌헌장부] 외모(外貌)가 준수(俊秀)하고 쾌활(快活)한 남자(男子).
[軒昊 헌호] 황제 헌원씨(黃帝軒轅氏)와 태호 복희씨(太昊伏羲氏). 모두 고대의 성제(聖帝)들임.
[軒豁 헌활] 앞이 탁 트이어 넓게 전개된 모양.
[軒羲 헌희] 헌원씨(軒轅氏)와 복희씨(伏羲氏). 모두 고대의 성인(聖人).
◉瓊軒. 高軒. 曲軒. 蘿軒. 彤軒. 騰軒. 茅軒. 文軒. 飛軒. 山軒. 犀軒. 小軒. 乘軒. 魚軒. 輶軒. 戎軒. 雕軒. 朱軒. 竹軒. 層軒. 皮軒. 皇軒.

3 ⑩ **[軔]** 인 [去]震 而振切 rèn 轫

[字解] ①바퀴굄목 인 바퀴가 구르지 않게 괴는 나무. '動一則泥陷'《詩經箋》. 전(轉)하여, 출발하는 것을 '發一'이라 함. '發一于天津'《楚辭》. ②정지시킬 인 못 가게 막음. '遂以頭一乘輿輪'《後漢書》. ③길 인 8척(尺). 仞(人部 三畫)과 통용. '掘井九一'《孟子》.

[軔①]

[字源] 篆文 形聲. 車+刃[音]. '刃인'은 '막다, 누르다'의 뜻. 바퀴가 도는 것을 막는 '굄목'의 뜻을 나타냄.

◉發軔. 安軔. 車軔.

3 ⑩ **[軓]** 범 [上]豏 防錽切 fàn

[字解] 수레앞턱나무 범 수레 앞의 가로나무로서, 진(軫)과 대(對)하며, 식(軾)의 아래에 있음. '祭一'《周禮》.

[字源] 篆文 形聲. 車+凡[音]

◉祭軓.

4 ⑪ **[軘]** 돈 [平]元 徒渾切 tún

[字解] 병거 돈 전차(戰車)의 일종으로, 수비하는 데 씀. '使一車逆之'《左傳》.

[字源] 篆文 形聲. 車+屯[音]

[軘車 돈거] 전차(戰車)의 일종. 수비하는 데 씀.

4 ⑪ **[軛]** 액 [入]陌 於革切 è 轭

[字解] 멍에 액 수레를 끌 때, 마소의 목에 얹는 가로나무. '兩一之間'《周禮 註》.

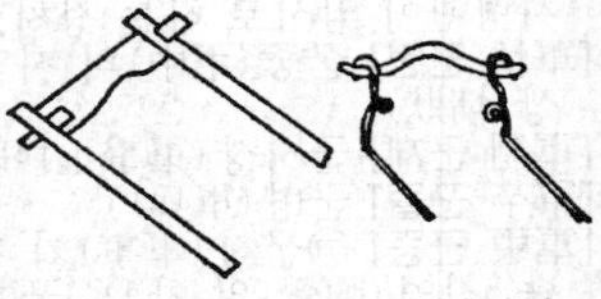
[軛]

[字源] 金文 篆文 形聲. 車+戹[音].
金文인 '戹액'은 멍에의 象形으로 '軶액'의 原字. 뒤에 수레에 관한 것임을 밝히기 위하여 '車차'를 덧붙임. '軶액'은 俗字.

◉兩軛.

4 ⑪ **[軟]** [高人] 연 [上]銑 而兗切 ruǎn 软

[筆順] 一 冂 戸 亘 亘 車 軟 軟

[字解] ①부드러울 연 ㉠물질이 무름. 연함. '柔一'. '車一輪'《後漢書》. ㉡표현이 딱딱하지 아니함. '一文學'. ②약할 연 ㉠몸이 약함. '妻子一弱'《史記》. ㉡지조 같은 것이 굳지 아니함. '一化'.

[字源] 形聲. 車+耎[音]. '耎연'은 '부드럽다'의 뜻. 부드럽게 움직이는 수레의 뜻에서, 일반적으로 '부드럽다'의 뜻을 나타냄. '輭연'은 俗字.

[軟脚病 연각병] 각기(脚氣).
[軟膏 연고] 고약의 일종. 기름을 넣어 부드럽게 만든 고약.
[軟骨 연골] 여린뼈.
[軟肌 연기] 부드러운 살결.
[軟文學 연문학] 부드러운 감정을 나타낸 소설·미문(美文) 등에 관한 문학.
[軟媚 연미] 부드럽고 아리따움.
[軟聲 연성] 부드러운 소리.
[軟水 연수] 광물질이 들어 있지 아니한 순수한 물.
[軟熟 연숙] 부드럽게 익음.
[軟柹 연시] 연감.
[軟弱 연약] 몸이나 의지가 약함.
[軟玉 연옥] 두부(豆腐).
[軟着陸 연착륙] 우주 공간을 비행하는 물체가 지구나 그 밖의 천체에 속도를 늦추어 충격을 줄이며 착륙하는 일.
[軟派 연파] 강경(強硬)하지 아니한 의견을 가진 당파(黨派).
[軟風 연풍] ㉠솔솔 부는 바람. ㉡바닷가에서 밤과 낮의 온도의 차가 높을 때 부는 바람.

[軟化 연화] ㉠단단한 것이 연하게 됨. ㉡강경한 의견을 버리고 굴복 또는 타협(妥協)함.
◉甘軟. 硬軟. 輕軟. 嬌軟. 芳軟. 細軟. 溫軟. 婉軟. 柔軟. 羸軟. 淸軟. 脆軟. 罷軟.

4 ⑪ [軑] 부 [平]虞 奉扶切 fú

[字解] 비녀장 부 굴대 머리 끝에 박아 바퀴가 굴대에서 빠져나오지 않게 하는 쐐기. '一, 車轄'《字彙補》.

4 ⑪ [軜] 납 [入]合 奴荅切 nà 

[字解] 고삐 납 말 셋이 끄는 수레에서, 바깥쪽 말의 안쪽 고삐. '鋈以觼一'《詩經》.
[字源] 篆文 軜 形聲. 車+內〔音〕

◉觼軜.

4 ⑪ [軝] 기 [平]支 巨支切 qí 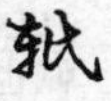

[字解] 바퀴통끝 기 수레 바퀴통 끝의 가죽으로 싼 부분. '約一錯衡'《詩經》.
[字源] 篆文 軝 別體 軝 形聲. 車+氏〔音〕. '氏씨'는 눈멀게 하다의 뜻. 굴대와 바퀴통이 눈과 같은 모양을 하고 있는데, 그 바퀴통 끝에 가죽을 감아 붉은 옻칠을 한 것의 뜻을 나타냄.
[參考] 軧(車部 五畫)는 別字.

4 ⑪ [軞] 파 [平]麻 邦加切 bā

[字解] 병거 파 군용(軍用) 수레. '一, 兵車也'《集韻》.

4 ⑪ [軬] 반 [平]元 孚袁切 fǎn

[字解] 수레휘장 반 수레를 덮는 휘장. '轓謂之一'《廣雅》.
[字源] 篆文 軬 形聲. 車+反〔音〕

4 ⑪ [軿] 계 [平]齊 堅奚切 jī

[字解] 굴대끝 계 차축(車軸)의 양 끝. '一, 車兩轊'《集韻》.

4 ⑪ [軠] 강 [上]養 口朗切 kǎng

[字解] ①가마 강 앞뒤로 사람이 메는 가마. '一一, 輀也'《廣韻》. ②바큇자국 강 수레의 지나간 흔적. '一, 車軌也'《集韻》.

4 ⑪ [軡] 금 [平]侵 渠今切 qián

[字解] 땅이름 금 '一, 地名, 在江南, 通作黔'《集韻》.

4 ⑪ [軖] 뉴 [平]有 女久切 niǔ

[字解] 굴대 뉴 수레의 굴대. '一, 車一也'《字彙補》.

4 ⑪ [軧] 〔저〕
軧(車部 五畫〈p. 2264〉)와 同字

4 ⑪ [軩] 〔태〕
軩(車部 五畫〈p. 2262〉)와 同字

4 ⑪ [軭] 광 [平]陽 巨王切 kuáng

[字解] ①물레 광 실을 자아내는 틀. 방차(紡車). ②외바퀴수레 광 '一, 一曰, 一輪車'《說文》.
[字源] 篆文 軭 形聲. 篆文은 車+㞷〔音〕

4 ⑪ [軯] 굉 [平]蒸 苦肱切 kōng

[字解] 수레앞가로나무 굉 수레의 횡목(橫木).

4 ⑪ [軞] 모 [平]豪 謨袍切 máo

[字解] 수레이름 모 천자나 제후(諸侯)의 병거(兵車)로서, 부거(副車)의 일컬음. 정거(正車)는 원융(元戎). '公路, 主君之一車'《詩經 箋》.

4 ⑪ [較] [一] 각 [入]覺 古岳切 jué
[二] 교 [去]效 居效切 jiào

[字解] [一] 수레양쪽가로나무 각 수레에 서서 탈 때 붙잡는 양쪽의 가로나무. '一, 車輢上曲鉤也'《說文》. [二] 곧을 교, 같지않을 교 곧음. 또는 고르지 못함. '一, 直也, 一曰, 不等'《集韻》.
[字源] 篆文 較 形聲. 車+爻〔音〕
[參考] 較(車部 六畫)와 同字.

4 ⑪ [軲] 〔로〕
轤(車部 十六畫〈p. 2280〉)의 俗字

4 ⑪ [軳] 〔횡〕
輷(車部 九畫〈p. 2272〉)의 訛字

4 ⑪ [軮] 〔대〕
軑(車部 三畫〈p. 2259〉)의 訛字

4 ⑪ [軴] 〔굉〕
轟(車部 十四畫〈p. 2279〉)의 俗字

4 ⑪ [転] 〔전〕
轉(車部 十一畫〈p. 2276〉)의 略字

[斬] 〔참〕
斤部 七畫(p. 952)을 보라.

4 ⑪ [軥] 軥(次條)와 同字

5 ⑫ [軥] 구 [平]虞 其俱切 qú 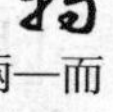

[字解] 멍에 구 아래쪽으로 굽은 멍에. '射兩一而還'《左傳》.
[字源] 篆文 軥 形聲. 車+句〔音〕. '句구'는 구부린 갈고리의 뜻. 갈고리 모양의 멍에의 뜻을 나타냄.

[軥錄 구록] 몸을 조심함.

5 ⑫ [軨] 령 [平]青 郞丁切 líng

[字解] ①사냥수레 령 수렵에 쓰는 수레. 엽차(獵車). '以—獵車, 奉迎曾孫'《漢書》. ②굴대빗장가죽 령 굴대의 빗장에 싼 가죽. '展—效駕'《禮記》. ③격자창 령 수레에 있는 격자창(格子窓). '據—軒而周流兮'《揚雄》.

[字源] 篆文 別體 形聲. 車+令〔音〕. '令령'은 '櫺령'과 통하여 '격자'의 뜻. 수레의 격자창의 뜻을 나타냄.

[軨獵車 영렵차] 사냥에 쓰는 수레.
[軨軒 영헌] 수레에 달린 격자창(格子窓).
◉展軨.

5 ⑫ [軫] [人名] 진 [上]軫 章忍切 zhěn

[筆順] 一 亓 亘 亘 車 軡 軫 軫

[字解] ①수레뒤턱나무 진 수레의 뒤에 있는 가로나무. '車—, 四尺'《周禮》. ②수레 진 차량. '神御出瑤—'《顔延之》. ③돌 진 회전함. '—轉其道'《太玄經》. ④굽을 진 곧지 아니함. '路紆—而多艱'《後漢書》. ⑤슬퍼할 진, 마음아파할 진 '—憂'. '—其寒飢'《韓愈》. ⑥두둑 진, 길 진 '以翔虛無之—'《淮南子》. ⑦별이름 진 이십팔수(二十八宿)의 하나. '—爲車, 主風'《史記》. ⑧거문고줄받침 진 거문고의 하면(下面)에 있어 줄을 굴리는 데 쓰이는 장치(裝置). '須施—如琴'《魏書》. '拂—弄瑤琴'《李白》. ⑨성 진 성(姓)의 하나.

[字源] 金文 篆文 形聲. 車+㐱〔音〕. '㐱진'은 '밀집하다'의 뜻. 수레가 많다의 뜻을 나타냄. 뒤에 '隱은'과 통하여, '슬퍼하다'의 뜻을 나타냄.

[軫念 진념] 임금의 마음. 또, 임금이 아랫사람을 생각하여 근심함.
[軫悼 진도] 임금이 슬퍼함.
[軫星 진성] 이십팔수(二十八宿)의 하나.
[軫宿 진수] 진성(軫星).
[軫憂 진우] 근심함.
[軫轉 진전] 돎. 돌아 옮김.
[軫軫 진진] 사물(事物)이 은성(殷盛)한 모양.
[軫懷 진회] 근심함. 상심함.
[軫恤 진휼] 불쌍히 여김.
◉琴軫. 鸞軫. 發軫. 庇軫. 瑤軫. 紆軫. 殷軫. 翼軫. 接軫. 停軫. 彫軫.

5 ⑫ [⿰車尔] 軫(前條)의 俗字

5 ⑫ [⿰車余] 軫(前前條)과 同字

5 ⑫ [⿰車它] 타 [平]歌 唐何切 tuó

[字解] 수레빨리달릴 타 '—, 車疾馳'《集韻》.

5 ⑫ [軮] [一] 앙 [上]養 烏朗切 yǎng [二] 복 [入]屋 房六切

[字解] [一] 삐걱거릴 앙 '—軋'은 수레바퀴가 물체에 닿아 쓸려서 나는 소리. 또 일설(一說)에는, 광대(廣大)하여 끝이 없는 모양. '忽—軋而無垠'《揚雄》. [二] 고을이름 복 현(縣)의 이름. '封浚儀公主, 適—侯'《後漢書》.

[字源] 形聲. 車+央〔音〕

[軮軋 앙알] 자해(字解)[一]을 보라.

5 ⑫ [⿰車反] [一] 년 [上]銑 niǎn [二] 연 [上]銑 ruǎn

[字解] [一] 칠 년 수레바퀴가 물건을 치어 깔아 부숨. '—, 車轢物'《廣韻》. [二] 부드러울 연 연함. '—, 柔也'《集韻》.

[字源] 形聲. 車+反〔音〕

5 ⑫ [⿰車尼] 니 [平]支 柅夷切 ní

[筆順] 一 亘 車 車 ⺄ 軒 軒 ⿰車尼

[字解] 수레앞턱나무 니 차 앞의 횡목(橫木). '—, 軾也'《玉篇》.

5 ⑫ [軯] 팽 [平]庚 披耕切 pēng

[字解] ①수레소리 팽 수레가 가는 소리. 일설(一說)에는, 종고(鐘鼓)의 소리. '—磕隱訇'《張衡》. ②우렛소리 팽 뇌성. '豐隆—其震霆兮'《張衡》.

[字源] 形聲. 車+平〔音〕

[軯磕 팽개] 수레가 가는 소리. 일설(一說)에는, 종고(鐘鼓)의 소리.

5 ⑫ [軱] 고 [平]虞 古胡切 gū

[字解] 큰뼈 고 거대한 뼈. '技經肯綮之未嘗, 而況大—乎'《莊子》.

[字源] 形聲. 車+瓜〔音〕

5 ⑫ [軵] [一] 용 [上]腫 而隴切 rǒng [二] 부 [上]麌 斐古切 fǔ

[字解] [一] 가벼운수레 용 빨리 달리는 수레. 경차(輕車). '—, 一曰, 輕車'《集韻》. [二] ①밀 부 힘을 주어 앞으로 나가게 함. '—車奉饟'《淮南子》. ②도울 부 '坤大—, 上發乃應. (注)—者, 輔也'《易緯乾坤鑿度》.

[字源] 篆文 會意. 車+付

5 ⑫ [軩] 태 [上]賄 蕩亥切 dài

[字解] 수레기울 태 수레가 반듯이 있지 못하고 한쪽으로 기욺. '—, 博雅, 軩—, 車不平也'《集韻》.

5 ⑫ [軷] 발 [入]曷 蒲撥切 bá

[字解] 길제사 발 도신(道神)에 지내는 제사. 길을 떠날 때, 도중에 무사하기를 빌며 지내는 제사. '取羝以—'《詩經》.

字源 篆文 形聲. 車+犮〔音〕. '犮발'은 '제거하다'의 뜻. '車차'는 차를 타고 가다의 뜻. 길 떠날 때 도신(道神)을 제사 지내어, 여행 중의 재해를 제거하다의 뜻을 나타냄.

[軷壇 발양] 발제(軷祭)를 지내는 제단(祭壇).
[軷祭 발제] 길을 떠날 때 지내는 제사. 길제사.
◉祀軷. 釋軷. 舌軷. 祭軷. 祖軷.

5 ⑫ [軸] 人名 축 入屋 直六切 zhóu 轴

筆順 一 百 亘 車 軻 軻 軸 軸

字解 ①굴대 축 수레바퀴의 한가운데의 구멍에 끼는 긴 나무 또는 쇠. '車—折'《史記》. ②바디 축 베틀에 딸린 제구의 하나. '杼—其空'《詩經》. ③두루마리 축 권축(卷軸)을 박고 표장(表裝)하여 말아 놓은 서화. '見卷—未必多僕'《南史》. ④두루마리로할 축 표장하여 두루마리를 만듦. '—而藏之'《歐陽修》. ⑤축 축 ㉠두루마리를 세는 단위. '插架三萬—'《韓愈》. ㉡돌돌 말게 된 물건의 속에 박게 된 방망이. '卷—'. '並廻乾—'《袁宏》. ⑥자리 축 중요한 지위. '樞—'. '當—處中'《漢書》. ⑦앓을 축 병을 앓음. '碩人之—'《詩經》.
字源 篆文 形聲. 車+由〔音〕. '由유'는 '의거하다'의 뜻. 회전하는 수레의 의지처가 되는 부분, 굴대의 뜻을 나타냄.

◉坤軸. 掛軸. 群輕折軸. 卷軸. 權軸. 棘軸. 機軸. 寶軸. 新機軸. 牙軸. 雨如車軸. 轅軸. 杼軸. 折軸. 座標軸. 主軸. 中軸. 地軸. 車軸. 叢輕折軸. 樞軸. 標軸. 衡軸. 花軸. 厚軸.

5 ⑫ [軠] 〔차·거〕
硨(石部 七畫〈p. 1572〉)와 同字

5 ⑫ [軹] 지 上紙 諸氏切 zhǐ 轵

字解 ①굴대끝 지 차축(車軸)의 말단. 예두(軎頭). ②두갈래 지 분기(分岐). '北方中有—首蛇焉'《爾雅》. ③어조사 지 무의미의 어조사. 只(口部 二畫)와 同字. '許由曰, 而奚來爲—'《莊子》.
字源 篆文 形聲. 車+只〔音〕. '只지'는 끝에서 머무르다의 뜻. 수레 바퀴통의 끝에 있는 구멍의 뜻을 나타냄.

[軹道 지도] 땅 이름. 진왕(秦王) 자영(子嬰)이 패공(沛公)에게 항복한 곳. 지금의 산시 성(陝西省) 셴양 현(咸陽縣) 동북(東北) 쪽임.
[軹首蛇 지수사] 머리가 둘 있는 뱀. 양두사(兩頭蛇).
◉庇軹. 軨軹. 靈軹.

5 ⑫ [軲] 고 平虞 攻乎切 gū 轱

字解 ①수레 고 '—, 車也'《廣韻》. ②산이름 고 '依—'는 산 이름. '—, 依—, 山名'《集韻》. '又東南三十里曰依—之山'《山海經》. ③성 고 성(姓)의 하나.

5 ⑫ [軳] 굉 平蒸 苦肱切 hóng

字解 수레가로나무 굉 鞃(革部 五畫)과 同字. '軳, 說文, 車軾也, 或作—'《集韻》.

5 ⑫ [軺] ㊀ 초 平蕭 丁聊切 diāo ㊁ 요 平蕭 餘昭切 yáo 轺

字解 ㊀ 수레 초 경쾌한 소형의 수레. 또, 사방을 전망하는 수레. '—車'. '駕—封—傳'《漢書》. ㊁ 수레 요 軺(車部 十畫)와 同字.
字源 篆文 形聲. 車+召〔音〕. '召소'는 '搖요'와 통하여 '흔들리다'의 뜻. 흔들흔들 흔들리는 작고 가벼운 수레의 뜻을 나타냄.

[軺傳 초전] 역참(驛站)에 딸린 경쾌한 수레.
[軺車 초차] 말 하나가 끄는 작은 수레. 경거(輕車).
◉使軺. 停軺. 軒軺.

5 ⑫ [軻] 人名 가 平歌 苦何切 kē 轲

字解 ①가기힘들 가 '轗—'는 수레가 전진하기 힘든 모양. 전(轉)하여, 때를 못 만나 뜻을 얻지 못한 모양. 불우한 모양. '轗—, 不遇也'《廣韻》. ②높을 가 '—峨'는 높은 모양. '—峨大艑望如豆'《陸游》. ③성 가 성(姓)의 하나.
字源 篆文 形聲. 車+可〔音〕. '可가'는 갈고리꼴로 굽다의 뜻. 굴대를 갈고리 모양으로 이어 붙인 수레의 뜻을 나타냄. 수레가 나아가기 힘든 모양에서, 사람이 불우한 모양의 뜻도 나타냄.

[軻峨 가아] 높은 모양.
◉轗軻. 丘軻. 走軻.

5 ⑫ [軼] ㊀ 일 入質 夷質切 yì ㊁ 질(절本) 入屑 徒結切 dié ㊂ 철 入屑 直列切 zhé 轶

字解 ㊀ ①앞지를 일 뒤에서 빨리 가서 앞을 차지함. '—迅風于清源'《劉向》. ②지날 일 수레를 타고 달려 통과함. '—范蠡之絕迹'《後漢書》. ③범할 일 침범함. '懼其侵—我也'《左傳》. ④잃을 일 망실하여 전하지 아니함. 逸(辵部 八畫)과 同字. '—事'. '睹—詩可異焉'《史記》. ⑤뛰어날 일 탁월함. 逸(辵部 八畫)과 同字. '—材'. '因奏褒有—材'《漢書》. ㊁ 번갈아 질 갈마들어서. 迭(辵部 五畫)과 同字. '—興—衰'《史記》. ㊂ 수레바퀴 철 轍(車部 十二畫)과 통용. '伏式結—'《史記》.
字源 篆文 形聲. 車+失〔音〕. '失실'은 '빗나가다'의 뜻. 수레가 서로 빗나가려 하다의 뜻을 나타냄. 또, 무리에서 벗어나 뛰어나다의 뜻도 나타냄.

[軼群 일군] 여럿 중에서 뛰어남. 출중(出衆)함.
[軼事 일사] 세상에 널리 알려지지 아니한 일. 일사(逸事).
[軼詩 일시] ㉠없어져서 시경(詩經)에 수록되지 아니한 시. ㉡전해 내려오지 않는 시. 일시(逸詩).
[軼才 일재] 뛰어난 재능을 가진 사람.
[軼態 일태] 뛰어난 자태(姿態).
◉競軼. 跨軼. 冠軼. 貫軼. 樂軼. 突軼. 亡軼. 轟軼. 奔軼. 越軼. 遺軼. 超軼. 銜軼. 馳軼. 侵軼.

5 ⑫ **[輂]** 공 [上]腫 古勇切 gǒng

[字解] ①바퀴테 공 '一, 車輞'《集韻》. ②수레바퀴에치일 공 '一, 一曰, 轢也'《集韻》. ③굽은끌채 공 '一, 曲轅'《集韻》.

5 ⑫ **[軴]** 주 [去]遇 中句切 zhù

[字解] 수레머무를 주 수레가 멈춤. '一, 車止也'《集韻》.

5 ⑫ **[軧]** 저 [上]薺 都禮切 dǐ

[字解] 수레뒤채 저 큰 수레 뒤에 내민 나무 막대로서, 언덕 같은 데를 내려갈 때 속력을 떨어뜨리는 것. '一, 大車後也'《說文》.

[字源] [篆文] 形聲. 車+氐〔音〕. '氐저'는 '낮다'의 뜻. 수레 뒤쪽에 낮게 내밀어 있어, 언덕을 내려갈 때 미끄러지지 않게 하는 나무 막대의 뜻을 나타냄.

[參考] 軝(車部 四畫)는 別字.

5 ⑫ **[軦]** [一] 항 [去]漾 許放切 kuàng
[二] 황 [上]養 詡往切

[字解] [一] 벌레이름 항 '黃一'은 벌레의 이름. '黃一生乎九猷'《莊子》. [二] 벌레이름 황 [一]과 뜻이 같음.

5 ⑫ **[軳]** 류 [上]有 力久切 liǔ

[字解] ①상여차 류 '一, 載柩車也'《玉篇》. ②상여차장식 류 蔞(艸部 十一畫)와 同字.

5 ⑫ **[軶]** 〔액〕 軛(車部 四畫〈p.2260〉)의 本字

5 ⑫ **[軽]** 〔경〕 輕(車部 七畫〈p.2267〉)의 俗字

5 ⑫ **[軬]** [一] 반 [上]阮 扶晚切 fàn
[二] 본 [上]阮 部本切 bèn

[字解] [一] 수레덮개 반 비를 막기 위해 수레 위를 덮는 물건. [二] 수레뜸 본 輽(車部 十畫)과 同字. '一, 車篷也'《集韻》.

5 ⑫ **[輩]** 〔배〕 輩(車部 八畫〈p.2271〉)의 俗字

6 ⑬ **[軾]** [人名] 식 [入]職 賞職切 shì 轼

[筆順] 一 百 亘 車 車一 軒 軾 軾

[字解] 수레앞턱가로나무 식 수레 안에서 절을 할 때에 손으로 쥐는 앞턱의 가로나무. 범(軓)의 위에 있음. '伏一'. '輿' 참조. '憑一下東藩'《魏徵》. 또, 그 나무를 쥐고 몸을 의지하여 절을 함. '過段干木之閭, 必一'《十八史略》.

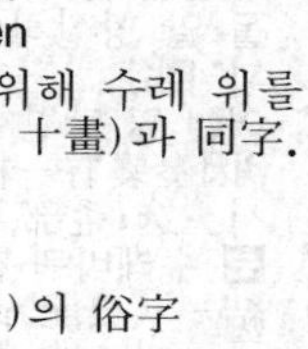
[軾]

[字源] [篆文] 形聲. 車+式〔音〕. '式식'은 '弋익'과 통하여, 두 개의 나무를 교차시킨 말뚝의 뜻. 수레 앞쪽의 가로나무의 뜻을 나타냄.

◉據軾. 撫軾. 伏軾. 拊軾. 憑軾. 前軾. 折軾. 霑軾.

6 ⑬ **[輁]** 공 [平]冬 渠容切 gǒng

[字解] 관괴 공 상여에 실은 관(棺)을 움직이지 않도록 괴어 버티는 물건. '夷牀一軸'《儀禮》.

6 ⑬ **[輆]** 해 [上]賄 苦亥切 kǎi

[字解] ①수레기울어질 해. ②거리낄 해 '一, 一曰, 礙也'《集韻》.

6 ⑬ **[較]** [高人] [一] 각 [入]覺 古岳切 jué
[二] 교 [去]效 古孝切 jiào(jiǎo) 较

[筆順] 一 丆 百 亘 車 軒 軡 較

[字解] [一] ①차이(車耳) 각 차체(車體) 좌우의 널빤지 위에 댄 가로나무의 앞으로 고부라져 나온 부분. 수레 안에서, 서 있을 때 잡는 곳임. '輿' 참조. '倚重一兮'《詩經》. ②차체 각 수레 위의 상자처럼 된 부분. 차상(車箱). '爲輿倚一'《後漢書》. ③겨룰 각, 견줄 각 角(部首)과 통용. '魯人獵一'《孟子》. [二] ①견줄 교 校(木部 六畫)와 통용. '比一'. '琴瑟不一'《史記》. ②대강 교 대략. '斯其大一也'《嵇康》. ③조금 교 좀. '春寒花一遲'《杜甫》. ④환할 교 분명한 모양. '一炳'. '一然甚明'《漢書》.

[字源] [金文] [篆文] 形聲. 較(車部 四畫)의 동일어(同一語) 이체자(異體字). 篆文은 車+爻〔音〕. '爻효'는 '교차하다'의 뜻. 수레의 양옆 판자에 직각으로 교차하는 가로나무의 뜻을 나타냈으나, '皎교', '皦교'와 통하여 '분명하다'의 뜻을, '挍교', '校교'와 통하여 '비교하다'의 뜻을 나타냄. 뒤에 '爻'가 '交교'로 변하여 '較교'가 쓰이게 됨.

[較略 교략] 개략. 대개. 대강의 줄거리.
[較明 교명] 명료함.
[較炳 교병] 뚜렷하고 분명함.
[較覆 교복] 비교하여 조사함.
[較若畫一 교약획일] 한일자를 쓴 것같이 간명함.
[較然 교연] 분명한 모양. 요연(瞭然)한 모양.
[較著 교저] 뚜렷이 드러남. 현저(顯著)함.
[較準 교준] 표준(標準).
◉大較. 比較. 獵較. 詮較. 平較.

6 ⑬ **[輅]** [人名] [一] 로 [去]遇 洛故切 lù
[二] 락 [入]藥 歷各切
[三] 아 [去]禡 魚駕切 yà
[四] 핵 [入]陌 轄格切 hé 辂

[字解] [一] ①수레 로 ㉠천자(天子)가 타는 수레. '乘戎一'《禮記》. ㉡큰 수레. '乘殷之一'《論語》. ②클 로 주로 천자가 사용하는 물품에 쓰임. 路(足部 六畫)와 통용. '一寢'. '禮下公門軾一馬'《後漢書》. [二] ①작은수레 락 인력(人力)으로 끄는 작은 수레. 또, 수레를 끌기 위하여 수레 앞에 댄 가로나무. '脫輓一'《史記》. ②끌 락 수레·말 같은 것을 끎. '輓一'. '服牛一馬'《管子》. [三] 맞이할 아 봉영(奉迎)함. '一秦伯'《左傳》. [四] 수레앞가로나무 핵 사람이 수레를 끌 때 가슴

에 대는 것. '一, 車輅前橫木也'《說文》.
字源 篆文 形聲. 車+各〔音〕

◉鸞輅. 大輅. 輓輅. 軿輅. 副輅. 輦輅. 玉輅. 篆輅. 正輅. 彫輅. 次輅. 車輅. 蒼輅. 綴輅. 翠輅. 革輅.

6 ⑬ [輈] 주 ㊥尤 張流切 zhōu 辀

字解 ①끌채 주 하나로 된 굽은 끌채. 주로, 소차(小車), 곧 사람을 태우는 수레의 중앙에 닮. '梁一'. '文一'. '挾一以走'《左傳》. ②굳셀 주 '一張'은 힘이 센 모양. '汝今一張, 怙汝兄耶'《後漢書》.

[輈①]

字源 篆文 形聲. 車+舟〔音〕. '舟주'는 구불구불 꼬부라지고 길다의 뜻. 작은 수레에 붙이는 끌채의 뜻을 나타냄.

[輈張 주장] ㉠힘이 센 모양. ㉡놀라 두려워하는 모양.
◉鉤輈. 文輈. 雙輈. 梁輈. 停輈. 摧輈. 挾輈. 華輈.

6 ⑬ [輇] 전 ㊥先 市緣切 quán 辁

字解 ①수레 전 살이 없는 바퀴를 단 수레. ②저울질할 전 銓(金部 六畫)과 통용. ③작을 전 '一才諷說之徒'《莊子》.
字源 篆文 形聲. 車+全〔音〕. '全전'은 통째로의 뜻. 판자를 둥글게 잘라 만든, 바퀴살 없는 작은 수레바퀴의 뜻을 나타냄.

[輇才 전재] 작은 재주. 소재(小才).

6 ⑬ [輊] 지 ㊤寘 陟利切 zhì 轾

字解 낮을 지 수레의 앞이 무거워 숙어서 낮음. '軒'의 대(對). '軒一'. '如一如軒'《詩經》.
字源 形聲. 車+至〔音〕

◉上輊. 車輊. 軒輊. 後輊.

6 ⑬ [輆] 항 ㊥江 虛江切 xiāng

字解 칠 항 공격(攻擊)함. '轞, 擊也, 或作一'《集韻》.

6 ⑬ [衖] 견 ㊤霰 古縣切 juàn

字解 수레흔들릴 견 '一, 車搖'《廣韻》.
字源 篆文 會意. 車+行. 수레가 달려 흔들리다의 뜻을 나타냄. 일설에는, 車+衍〈省〉〔音〕의 形聲.

6 ⑬ [輀] 〔이〕
轜(車部 十四畫〈p. 2279〉)와 同字
字源 篆文 形聲. 車+而〔音〕. '而이'는 수염을 본뜬 것. 수염을 늘어뜨린 것 같은 장식이 있는 영구차의 뜻을 나타냄.

6 ⑬ [輧] 〔병〕
軿(車部 八畫〈p. 2269〉)의 俗字

6 ⑬ [輄] 〔광〕
轒(車部 十二畫〈p. 2278〉)과 同字

6 ⑬ [輅] 〔흘〕
吃(口部 三畫〈p. 344〉)과 同字

6 ⑬ [軭] 광 ㊥陽 渠王切 kuāng

字解 수레바퀴뒤틀릴 광 '一, 車戾也. (注)一者, 曲也'《說文》.
字源 形聲. 車+匡〔音〕

6 ⑬ [輷] ■ 굉(횡㊍) ㊥庚 呼宏切 hōng ■ 춘 ㊥眞 敕倫切 chūn

字解 ■ 수레소리 굉 많은 수레의 요란하게 울리는 소리. 轟(車部 十四畫)과 同字. '轟, 說文, 羣車聲也, 或作一'《集韻》. ■ 바퀴통머리 춘 수레의 바퀴통의 바깥쪽으로 튀어나온 부분에 가죽을 입히고 채색으로 장식한 것. 軘(車部 三畫)과 같음. '軘, 說文, 車約軘也, 或从旬'《集韻》.

6 ⑬ [輂] 증 ㊤迥 蒸之上聲 zhěng

字解 뒤로타는수레 증 뒤쪽으로 타게 된 수레. '一, 軺車後登也'《說文》.
字源 篆文 形聲. 車+丞〔音〕. '丞승'은 '오르다'의 뜻. 뒤로 타는 수레의 뜻을 나타냄.

6 ⑬ [輊] 輂(前條)과 同字

6 ⑬ [載] 高人 ■ 재 ㊦隊 昨代切 zài ㊤賄 作亥切 zǎi ■ 대 ㊦隊 丁代切 dài 载

筆順 一 十 亠 亩 車 載 載 載

字解 ■ ①실을 재 ㉠수레에 적재함. '滿一'. '一與俱歸'《十八史略》. ㉡물건 위에 올려놓음. '今天地云云, 一華嶽而不重'《中庸》. ㉢기록함. '記一'. '一在盟府'《左傳》. ②탈 재 수레에 오름. '卽與同一'《史記》. ③오를 재 높은 곳 또는 높은 자리에 오름. '身寵而一高位'《漢書》. ④이을 재 계속함. '乃賡一歌'《書經》. ⑤행할 재 실행함. '一采采'《書經》. ⑥가득할 재 가득히 됨. '厥聲一路'《詩經》. ⑦꾸밀 재 장식함. '一以銀錫'《淮南子》. ⑧알 재 잘 앎. 지혜가 있음. '文王初一'《詩經》. ⑨비로소 재 처음으로. '春日一陽'《詩經》. ⑩비롯할 재 맨 먼저 시작함. '湯始征, 自葛一'《孟子》. ⑪어조사 재 조사(助辭). '一戢干戈'《詩經》. ⑫일 재 事(亅部 七畫)와 뜻이 같음. '上天之一'《中庸》. ⑬책 재 전적. 서책. '一籍極博'《史記》. ⑭문서 재 맹약의 문서. '景伯負一'《左傳》. ⑮성 재 성(姓)의 하나. ⑯해 재 연세. '朕在位七十一'《書經》. ■ 일 대 戴(戈部 十三畫)와 同字. '一弁俅俅'《詩經》.

[字源] 甲骨文 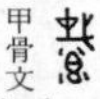 金文  篆文  形聲. 車+𢦏(𢦏)〔音〕. '𢦏재'는 '끊다'의 뜻. 甲骨文은 食+𢦏〔音〕으로, 특히 식사 재료를 가지런히 잘라 식탁에 올리다의 뜻을 나타내었으나, 일반적으로 '싣다'의 뜻을 나타내게 됨에 따라, '車차'의 의부(意符)가 덧붙여짐.

[載記 재기] 사신(史臣)이 열국(列國)에 관한 일을 서술한 기록.
[載路 재로] 길에 가득 참.
[載拜 재배] 다시 절함. 정중히 절함. 재배(再拜).
[載書 재서] 열국(列國)의 맹약(盟約)을 기록한 문서.
[載送 재송] 배나 수레로 물건을 실어 보냄.
[載育 재육] 땅이 만물을 싣고 기르는 일.
[載籍 재적] 책(冊). 서적(書籍).
[載舟 재주] ㉠배를 탐. ㉡배에 실음.
[載筆 재필] ㉠붓을 휴대하고 감. ㉡기록을 적음.
◉刊載. 揭載. 兼載. 具載. 稛載. 記載. 倒載. 登載. 滿載. 盟載. 舶載. 負載. 溥載. 寫載. 船載. 所載. 收載. 述載. 連載. 詒載. 摘載. 積載. 轉載. 舟載. 周載. 重載. 戢載. 持載. 搭載. 偏載. 畢載. 艦載.

6 ⑬ [䡞] 계 [平]薺 遣禮切 qǐ
[字解] ①거리낄 계 방애(妨礙)가 됨. '一, 礙也'《說文》. ②이를 계 도달함. '一, 至也'《廣雅》.
[字源] 形聲. 車+多〔音〕

6 ⑬ [輂] 국 [入]沃 居玉切 jú 
[字解] ①수레 국 말에 끌리는 큰 수레. '正治其徒役與其一輂'《周禮》. ②삼태기 국 흙을 나르는 제구. '陳畚一'《漢書》.
[字源] 篆文  形聲. 車+共〔音〕. '共공'은 '크다'의 뜻. 큰 수레의 뜻을 나타냄.

[輂輦 국련] 말이 끄는 큰 수레와 사람이 끄는 수레.
◉畚輂.

6 ⑬ [輡] 간 [平]寒 苦寒切 kàn
[字解] 볼 간 무엇을 봄. '一, 視也'《龍龕手鑑》.

6 ⑬ [輕] 갱 [去]敬 去孟切 qìng
[字解] 돌움직일 갱 '一, 石動也'《川篇》.

7 ⑭ [輷] 전 [平]先 徒年切 tián
[字解] 수레소리 전 많은 수레가 달리는 소리. '振旅一一'《左思》.

[輷輷 전전] 수레가 달리는 소리.

7 ⑭ [𨊻] 전 [平]先 徒年切 tián
[字解] 기뻐할 전 '天子一一'《呂氏春秋》.

[𨊻𨊻 전전] 기뻐하는 모양.

7 ⑭ [輐] 완 [去]翰 五換切 wàn
[字解] 깎을 완 모난 데를 깎아 둥글게 함. '椎柏一斷'《莊子》.
[字源] 形聲. 車+完〔音〕

[輐斷 완단] 모난 데를 깎아 둥글게 함.

7 ⑭ [輒] [人名] 첩 [入]葉 陟葉切 zhé 
[字解] ①문득 첩 용이하게. 대수롭지 않게. 함부로. '旣一加之, 又一殺之'《歐陽修》. ②번번이 첩 무슨 일이 있을 때마다. '五嫁而夫一死'《漢書》. ③직립할 첩 직립하여 꼼짝 않는 모양. '一然忘吾有四肢形體也'《莊子》. ④성 첩 성(姓)의 하나.
[字源] 篆文  形聲. 車+耴〔音〕. '耴첩'은 양옆에 있는 귀의 뜻. 수레의 좌우에 있는 의지하여 기대는 나무판자의 뜻을 나타냄. 늘 짝을 이루고 있는 데서 假借하여, 무슨 일이 있을 때마다 번번이의 뜻을 나타냄. 하나의 전제에 대하여 짝을 이루듯 결과가 나타난다 할 때 쓰이는 조사(助辭).

[輒然 첩연] ㉠직립 부동한 모양. ㉡갑자기. 홀연(忽然).
◉專輒. 推輒.

7 ⑭ [𨋢] 〔광〕 軖(車部 四畫〈p.2261〉)의 本字

7 ⑭ [𨌪] 𨋢(前條)의 訛字

7 ⑭ [載] 〔재·대〕 載(車部 六畫〈p.2265〉)의 本字

7 ⑭ [𨋍] 〔계〕 䡞(車部 六畫〈p.2266〉)와 同字

7 ⑭ [𨊹] 〔류〕 輈(車部 五畫〈p.2264〉)와 同字

7 ⑭ [𨋘] 〔유〕 輶(車部 九畫〈p.2272〉)와 同字

7 ⑭ [𨋳] 〔축〕 軸(車部 五畫〈p.2263〉)의 俗字

7 ⑭ [𨋬] [一] 량 [平]陽 盧當切 láng
[二] 량 [平]陽 呂張切
[字解] [一] 병거(兵車) 량 '一, 輣一, 兵車'《集韻》. [二] 와거(臥車) 량 輬(車部 八畫)의 俗字. '一, 俗輬字'《正字通》.

7 ⑭ [輓] [人名] 만 [上]阮 無遠切 [去]願 無販切 wǎn 
[字解] ①끌 만 ㉠수레를 앞에서 끎. 또, 배를 앞에서 끎. '一輅'. '或一之, 或推之'《左傳》. ㉡사람을 끌어 씀. 또, 추천함. 천거함. '推一'. ②만사 만 사람의 죽음을 애도(哀悼)하는 말. '一章'.

字源 篆文 輓 形聲. 車+免〔音〕. '免면'은 '빼내다'의 뜻. 수레를 빼내다, 끌어내다의 뜻을 나타냄.

[輓歌 만가] ㉠상여를 메고 갈 때에 하는 노래. ㉡죽은 사람을 애도(哀悼)하는 노래. 만가(挽歌).
[輓近 만근] 요사이. 근래.
[輓輅 만락] 수레를 끎.
[輓詞 만사] 만장(輓章).
[輓送 만송] 수레를 끌어 보냄.
[輓輸 만수] 수레로 운반함.
[輓章 만장] 죽은 사람을 애도(哀悼)하는 글.
[輓推 만추] 앞에서 끌고 뒤에서 밂. 전(轉)하여, 사람을 추천함.
◉漕輓. 推輓.

7 ⑭ [輔] 人名 보 ㊤麌 扶雨切 fǔ 辅

筆順 一 亘 車 車 輌 輎 輔 輔

字解 ①광대뼈 보 협골(頰骨). '牙─'. '咸其─頰舌'《易經》. ②바퀴덧방나무 보 수레에 무거운 짐을 실을 때, 바퀴에 묶어 바퀴를 튼튼하게 하는 나무. '無棄爾─'《詩經》. ③도울 보 거듦. 보좌함. '─弼'. '─翼'. '魯以君子之道─其君'《史記》. ④도움 보 조력. 보좌. 또, 돕는 사람. '范氏之亡也多─而少拂'('拂'은 弼)《說苑》. ⑤재상 보 천자를 돕는 대신. '宰─'. '四─'. '稱爲良─'《後漢書》. ⑥아전 보 속리(屬吏). '置其─'《周禮》. ⑦경기 보 서울에 가까운 땅. '畿─'. '家世宅三─'《鮑照》. ⑧성 보 성(姓)의 하나.

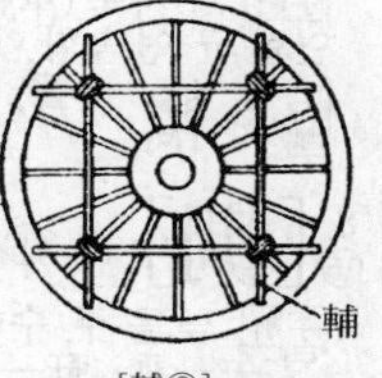

[輔②]

字源 金文 篆文 輔 形聲. 車+甫〔音〕. '甫보'는 '扶부'와 통하여, 힘을 거들다의 뜻. 수레의 덧방나무의 뜻에서, '돕다'의 뜻을 나타냄.

[輔國安民 보국안민] 나라를 돕고 백성(百姓)을 편안하게 함.
[輔臺 보대] 군주(君主)를 보좌함. 전(轉)하여, 삼공(三公)을 이름.
[輔導 보도] 도와 인도함. 또, 그 사람.
[輔相 보상] ㉠도와 바로잡음. ㉡천자(天子)의 보좌, 곧 재상(宰相).
[輔牙 보아] 광대뼈와 어금니. 상호 부조하는 사물의 비유로 쓰임. 보차(輔車).
[輔翊 보익] 임금을 보좌함.
[輔翼 보익] 보익(輔翊).
[輔仁 보인] 벗끼리 서로 격려하고 도와 덕(德)을 닦음.
[輔佐 보좌] 도움.
[輔車 보차] 광대뼈와 잇몸. 상호 부조하는 사물의 비유로 쓰임.
[輔車相依 보차상의] 보(輔)는 광대뼈, 차(車)는 치은(齒齦), 곧 잇몸. 광대뼈는 외골(外骨)이고 치은은 내골(內骨)이어서, 이 두 뼈가 서로 움직여서 작용하는 것이므로, 서로 의지하고 보조하지 아니하면 그 존재를 보전하기 어려운 관계에 비유하여 이름.
[輔贊 보찬] 도움. 익찬(翼贊).
[輔弼 보필] ㉠임금이 정사(政事)를 하는 것을 보좌함. ㉡재상. 대신.
[輔行 보행] ㉠남을 도와서 행함. 또, 그 사람. ㉡부사(副使)로서 따라감. 또, 그 사람.
[輔護 보호] 보좌하고 보호함.
◉諫輔. 卿輔. 鯁輔. 公輔. 匡輔. 口輔. 內輔. 大輔. 藩輔. 四輔. 三輔. 丞輔. 承輔. 牙輔. 良輔. 靨輔. 英輔. 王輔. 龍輔. 元輔. 衞輔. 翼輔. 宰輔. 雋輔. 鼎輔. 戚輔. 台輔. 賢輔. 夾輔. 挾輔. 頰輔. 后輔.

7 ⑭ [輕] 中人 경 ㊥庚 去盈切 qīng ㊦敬 牽正切 qìng 轻

筆順 一 亘 亘 車 車 輕 輕 輕

字解 ①가벼울 경 ㉠무게가 적음. '鴻毛─'. '蟬翼爲重, 千鈞爲─'《楚辭》. ㉡정도가 대단하지 않음. '─罪'. '─寒'. '君權─, 臣勢重'《尹文子》. ㉢가치가 적음. '恩深命轉─'《裴度》. ㉣미천함. '恨君貧─'《南史》. ㉤손쉬움. 간편함. 또, 홀가분함. '─便'. '出入─單'《南齊書》. ㉥빠름. '─捷'. '─車'. ㉦적음. '─少'. ㉧얇음. 모자람. '才─任重'. ㉨침착성이 없음. 천박함. '─率'. '秦師─而無禮'《左傳》. ②가벼이여길 경 ㉠경시함. 경멸함. '─侮'. '陽虎由此益─季氏'《史記》. ㉡낮게 봄. 천하게 여김. '─喬松之永延, 貴一旦之浮爵'《列仙傳》. ③가벼이할 경 경하게 함. 적게 함. '─刑'. ④성 경 성(姓)의 하나. ⑤가벼이 경 손쉽게. 경솔하게. '─諾必寡信'《老子》.

字源 篆文 輕 形聲. 車+巠〔音〕. '巠경'은 '강하다, 곧다'의 뜻. 적진에 강하게 곧장 돌진하는 전차의 뜻에서, '가볍다, 가벼이'의 뜻을 나타냄.

[輕舸 경가] 쾌속정(快速艇).
[輕勘 경감] 죄인을 가볍게 처분함.
[輕減 경감] 형벌이나 세금을 덜어 가볍게 함.
[輕裾 경거] 가벼운 옷자락.
[輕遽 경거] 경솔.
[輕擧 경거] ㉠경솔한 행동. 경솔하게 일함. ㉡가볍게 올라감. ㉢높은 위치에 올라감.
[輕車 경거] ㉠가볍고 빨리 달리는 수레. ㉡옛날의 병거(兵車).
[輕輕 경경] 가벼운 모양. 경박한 모양.
[輕矯 경교] 자유로이 행동함.
[輕裘 경구] 품질이 좋은 가벼운 가죽 옷.
[輕裘緩帶 경구완대] 가벼운 가죽 옷과 느슨한 띠. 군복을 입지 아니한 홀가분한 몸차림.
[輕騎 경기] 경장(輕裝)한 기병(騎兵). 가볍게 차리고 날쌘 말을 탄 군사.
[輕氣球 경기구] 기구(氣球).
[輕諾 경낙] 경솔하게 승낙함.
[輕諾寡信 경낙과신] 신중히 생각하지 아니하고 대번 승낙하는 사람은 진실성이 적어 실행하는 일이 드묾.
[輕煖 경난] 의복이 가볍고 따스함.
[輕動 경동] 행동이 가벼움.
[輕羅 경라] 얇고 가벼운 비단.
[輕攏慢撚 경롱만연] 가볍게 손으로 비파를 누름을 이름.
[輕利 경리] ㉠이익을 가벼이 여김. ㉡병기(兵器)

같은 것이 가볍고 예리함. ㉢가볍고 편리함.
[輕慢 경만] 경모(輕侮).
[輕妄 경망] 언행(言行)이 가볍고 방정맞음. 진중하지 못함.
[輕蔑 경멸] 업신여김.
[輕侮 경모] 업신여김.
[輕妙 경묘] 솜씨가 경쾌하고 교묘함.
[輕微 경미] 가볍고 작음.
[輕薄 경박] ㉠경솔하고 진실성이 적음. ㉡경시(輕視)하여 소원(疏遠)히 함. ㉢가볍고 얇음.
[輕帆 경범] 가벼운 범선.
[輕兵 경병] 홀가분하게 차린 병사(兵士).
[輕寶 경보] 몸에 지니기 편한 보배. 가볍고 값나가는 재물.
[輕服 경복] 가벼운 의복. 간편한 옷차림.
[輕浮 경부] ㉠가볍게 뜸. ㉡경솔하고 침착성이 적음. 까불까불함.
[輕肥 경비] 품질이 좋은 가벼운 가죽 옷과 살진 말. 부귀한 사람의 외출할 때의 차림. 전(轉)하여, 부귀한 사람의 생활.
[輕傷 경상] 조금 다침.
[輕少 경소] 적음. 얼마 안 됨.
[輕速 경속] 가볍고 빠름.
[輕率 경솔] 행동이 진중하지 아니함.
[輕視 경시] 가볍게 봄. 깔봄.
[輕施好奪 경시호탈] 잘 주는 사람은 잘 빼앗음.
[輕迅 경신] 가볍고 빠름.
[輕輭 경연] 가볍고 부드러움.
[輕銳 경예] 날쌘 군사.
[輕銀 경은] 알루미늄.
[輕陰 경음] ㉠약간 흐림. ㉡엷은 그림자.
[輕易 경이] ㉠경모(輕侮). ㉡쉬움. 용이함.
[輕以約 경이약] 남이 모든 일을 다 잘하기를 바라기보다는 한 가지 행실이나 한 가지 학문이라도 잘하면 그것으로 충분하다고 여겨서, 남을 심하게 꾸짖지 아니함.
[輕裝 경장] 몸을 가볍게 차린 복장. 홀가분한 옷차림.
[輕敵 경적] ㉠하찮은 적. ㉡적을 깔봄.
[輕佻 경조] 경솔하고 천박함.
[輕躁 경조] 방정맞고 성미가 급함.
[輕佻詭激 경조궤격] 경솔하여 말이 중정(中正)을 잃음.
[輕卒 경졸] ㉠경장(輕裝)한 군사. ㉡신분이 낮은 군사.
[輕罪 경죄] 가벼운 죄.
[輕舟 경주] 가벼운 배. 쾌속정.
[輕舟已過萬重山 경주이과만중산] 잘 닫는 가벼운 배가 어느덧 첩첩산중(疊疊山中)을 빠져나감. 곧, 작은 배의 살같이 달림을 이름.
[輕重 경중] ㉠가벼움과 무거움. 가벼운 것과 무거운 것. ㉡경시할 것과 중시할 것. 작은 일과 큰 일. ㉢무게. 중량. ㉣돈. 금전.
[輕症 경증] 가벼운 병. 경미한 병증.
[輕車 경차] ㉠병거(兵車). 전차(戰車). ㉡가볍고 빠른 수레.
[輕車熟路 경차숙로] 경쾌한 수레로 익숙한 길을 간다는 뜻으로, 사물에 익숙함을 비유하는 말.
[輕捷 경첩] ㉠날램. 몸이 가볍고 민첩함. ㉡구조가 간단하고 속력이 빠름.
[輕脆 경취] ㉠성질이 경박하고 의지가 약함. ㉡가볍고 무름.
[輕快 경쾌] ㉠빠르고 상쾌함. ㉡병이 조금 나음.
[輕波 경파] 잔물결.
[輕便 경편] ㉠몸이 잼. 날램. ㉡가뜬하고 편리함. 간단함. ㉢홀가분함.
[輕飇 경표] 경풍(輕風).
[輕風 경풍] 솔솔 부는 바람.
[輕霞 경하] 엷은 놀.
[輕汗 경한] 조금 난 땀.
[輕悍 경한] 날래고 사나움.
[輕寒 경한] 조금 추움. 쌀쌀함.
[輕俠 경협] 경박한 협기(俠氣).
[輕刑 경형] 죄를 가볍게 함.
[輕忽 경홀] ㉠경박하고 소홀함. ㉡소홀히 함. 등한시(等閑視)함.
[輕紅 경홍] 연분홍. 담홍(淡紅).
◉群輕. 命緣義輕. 文人相輕. 仙姿玉質體香肌輕. 一寸光陰不可輕. 罪疑惟輕. 淸輕. 叢輕. 僄輕. 剽輕. 飄輕.

7 ⑭ [輑] 균 ㊥眞 去倫切 qūn

字解 ①차축(車軸) 균 '一, 車軸也'《集韻》. ②연할 균 연속함. '隄塍相一'《張衡》.
字源 篆文 形聲. 車+君〔音〕

8 ⑮ [輈] 주 ㊥尤 職流切 zhōu

字解 낮을 주 수레의 앞이 무거워 숙어서 낮음. '志矢一乘, 軒一中'《儀禮》.
字源 篆文 形聲. 車+周〔音〕

8 ⑮ [輗] 예 ㊥齊 五稽切 ní

字解 끌채끝 예 짐 싣는 수레, 곧 대차(大車)의 끌채 끝의 멍에를 매는 데. '大車無一'《論語》.
字源 篆文 形聲. 車+兒〔音〕. '兒아·예'는 '매다'의 뜻. 대차의 끌채와 멍에를 매는 비녀장의 뜻을 나타냄.

[輗軏 예월] 짐 싣는 수레, 곧 대차(大車)의 끌채 끝과 사람이 타는 수레, 곧 소차(小車)의 끌채 끝. 전(轉)하여, 사물의 대소(大小)를 이름. 논어(論語)의 '大車無輗, 小車無軏'에서 나온 말.
◉倚輗. 車輗.

8 ⑮ [輡] 탑 ㊤合 託合切 tà

字解 바퀴통쇠 탑 바퀴통 속에 넣어 마멸을 방지하는 철관(鐵管). '一, 車釭'《集韻》.

8 ⑮ [輤] 〔납〕
軜(車部 四畫〈p. 2261〉)의 訛字

8 ⑮ [輘] 〔록〕
轆(車部 十一畫〈p. 2275〉)과 同字

8 ⑮ [軧] 〔저〕
軝(車部 五畫〈p. 2264〉)와 同字

8 ⑮ [輚] 〔종〕
轞(車部 十一畫〈p. 2276〉)과 同字

8 ⑮ [⿰車隹] 퇴 (平)灰 通回切 tuī

字解 수레많을 퇴 ⿰車白(車部 六畫)와 同字. '一, 車盛皃, 或作⿰車白'《集韻》.

8 ⑮ [輘] 릉 (平)蒸 魯登切 léng

字解 ①삐걱거릴 릉 수레바퀴가 갈림. 전(轉)하여, 서로 충돌함. 침범함. '一轢宗室'《漢書》. ②수레소리 릉 '一軥'은 수레가 지나갈 때 나는 소리. '一軥掉狂車'《韓愈》.

字源 形聲. 車+夌〔音〕. '夌릉'은 '타고 넘다'의 뜻. 수레가 물건을 타고 넘다의 뜻을 나타냄.

[輘轢 능력] 짓밟음. 침범함.
[輘軥 능횡] 수레가 지나갈 때 나는 소리. 차 소리.

8 ⑮ [輚] 잔 (上)潸 士限切 / (去)諫 士諫切 zhàn

字解 수레 잔 轏(車部 十二畫)과 同字. '乘一輅'《後漢書》.

[輚輅 잔로] 누워 잘 수 있는 수레. 와거(臥車). 또, 병거(兵車).

8 ⑮ [輛] 人名 량 (去)漾 力仗切 liàng 辆

字解 수레 량 수레바퀴 둘이란 뜻으로, 수레를 세는 수사(數詞). 승(乘). 또, 속(俗)에 '수레'의 뜻으로도 쓰임. '車一'.

字源 形聲. 車+兩〔音〕. '兩량'은 '둘'의 뜻. 두 바퀴가 있는 수레의 뜻을 나타냄.

◉車輛.

8 ⑮ [輜] 人名 치 ①(平)支 側持切 zī / ②(去)寘 側吏切 zì 辎

字解 ①짐수레 치 하물(荷物) 또는 군량 등을 싣는 수레. 짐차. '一車'. 또, 덮개가 있는 수레. '乘安車一輧'《列女傳》. ②바퀴살끝 치 바퀴살이 바퀴통에 들어가는 부분. '車輻入牙曰一'《集韻》.

字源 篆文 形聲. 車+甾(菑)〔音〕. '菑치'는 '끊다'의 뜻. 또, '載재'와 통하여 '싣다'의 뜻. 덮개를 씌워 실은 짐을 밖으로부터의 시선에서 막는 수레의 뜻을 나타냄.

[輜重 치중] ㉠나그네의 짐. ㉡군대의 짐.
[輜重兵 치중병] 군수품을 나르는 병정.
[輜車 치차] ㉠전시 또는 평시에 쓰는 짐수레. ㉡덮개가 있는 수레.
◉列輜. 盈輜. 雲輜.

8 ⑮ [輞] 人名 망 (上)養 文兩切 wǎng 辋

字解 바퀴테 망 수레바퀴 가의 테. 輪(車部 八畫) 참조(參照). '天子獵車, 重一縵輪'《後漢書》.

字源 形聲. 車+罔〔音〕

[輞川 망천] 당대(唐代)의 시인 왕유(王維)의 별장(別莊)이 있던 산시 성(陝西省) 남전현(藍田縣)에 있는 지명.
◉輪輞. 重輞. 車輞.

8 ⑮ [輟] 人名 철 (入)屑 陟劣切 chuò 辍

字解 ①그칠 철 하던 일을 잠시 중지함. '一朝'. '櫌而不一'《論語》. ②버릴 철 돌보지 아니함. 방치함. '吾不以一日一汝而就也'《韓愈》.

字源 篆文 形聲. 車+叕〔音〕. '叕철'은 '이어 붙이다'의 뜻. 작은 부분들을 이어 붙여서 만든 수레바퀴의 뜻을 나타냄. '絶절'과 통하여, '중단하다, 그만두다'의 뜻으로 쓰임.

[輟耕錄 철경록] 원말(元末)의 문인(文人) 도종의(陶宗儀)의 수필집(隨筆集). 모두 30권. 원대(元代)의 법령·제도를 비롯하여 서화(書畫)·문예(文藝) 등에 관한 고정(考訂)에 볼만한 것이 있음.
[輟朝 철조] 천자(天子)가 병환으로 또는 대신 등의 죽음을 슬퍼하여 조회(朝會)를 폐하는 일.
◉不輟. 作輟. 暫輟. 中輟.

8 ⑮ [輠] [一] 과 (上)哿 古火切 guǒ / [二] 화 (上)馬 胡瓦切 huà / [三] 회 (上)賄 胡罪切 huì

字解 [一] 기름통 과 차축(車軸)에 바르는 기름을 담는 통. [二] 기름통 화 輻(車部 九畫)와 同字. [三] 굴릴 회 바퀴를 회전시킴. '關轂而一輪'《禮記》.

◉炙輠.

8 ⑮ [輤] 천 (去)霰 倉甸切 qiàn

字解 상여뚜껑 천 '諸侯之一'《禮記》.

字源 形聲. 車+青〔音〕

8 ⑮ [輣] 팽 (平)庚 蒲萌切 péng

字解 ①병거 팽 싸움에 쓰는 수레. '作一車鏃矢'《史記》. ②물결소리 팽 격랑(激浪)의 소리. '砏汃一軋'《張衡》.

字源 篆文 形聲. 車+朋〔音〕

[輣軋 팽알] 격렬하게 물결치는 소리.
[輣車 팽차] 병거(兵車). 전차(戰車).
◉輶輣. 雲輣. 衝輣.

8 ⑮ [輥] 곤 (上)阮 古本切 gǔn 辊

字解 빠를 곤 수레바퀴의 회전이 빠름. '望其轂, 欲其一'《周禮》.

字源 篆文 形聲. 車+昆〔音〕. '昆곤'은 둥그렇게 늘어서다의 뜻. 바퀴통이 둥글게 정제되어 있는 모양을 나타내며, 파생하여, 바퀴가 매끄럽게 잘 나아가는 모양을 나타냄.

8 ⑮ [輧] 人名 [一] 병 (平)青 薄經切 píng / [二] 변 (平)先 部田切 píng

筆順 一 亘 亘 車 車 軒 軒 輧

字解 [一] 수레 병 ㉠앞쪽에 덮개를 씌운 수레.

'一, 輜一也'《說文》. ㉡덮개가 있는, 소가 끄는 부인용 수레. '乘紫罽一車'《後漢書》. ■ 수레 변 ⊟과 뜻이 같음.

字源 篆文 形聲. 車+幷〔音〕. '幷병'은 병풍을 벌여 놓다의 뜻. 앞 또는 네 둘레에 덮개를 씌운 수레의 뜻을 나타냄.

參考 軿(車部 六畫)은 俗字.

8 ⑮ [輨] 관 ㊤旱 古滿切 guǎn

字解 바퀴통끝휘갑쇠 관 수레 바퀴통 끝의 휘갑쇠.

字源 篆文 形聲. 車+官〔音〕. '官관'은 '環환'과 통하여 '두르다'의 뜻. 바퀴통의 둘레에 휘감친 쇠의 뜻을 나타냄.

8 ⑮ [輪] 高人 륜 ㊥眞 力迍切 lún 轮

筆順 一 日 亘 車 軡 輪 輪 輪

字解 ①바퀴 륜 수레바퀴. '車一'. '蒲一'. '察車自一始'《周禮》. 전(轉)하여, 원형의 물건. '日一'. '圓一旣照水'《梁簡文帝》. ②수레 륜 바퀴를 장치한 차량. '顧石室而廻一'《張協》. 또, 수레를 세는 수사(數詞). '車至二十一'《南史》. 또, 수레를 만드는 사람. '梓匠一輿'《孟子》. ③둘레 륜 외주(外周). 외곽. '肉好無一廓'《魏志》. ④세로 륜 남북의 길이. '周知九州之地域, 廣一之數'《周禮》. ⑤높을 륜 고대(高大)한 모양. '美哉一焉'《禮記》. ⑥돌 륜 회전함. '一轉'. '一運而輻集'《柳宗元》. ⑦성 륜 성(姓)의 하나.

輻 輞 軸 轂
[輪①]

字源 篆文 形聲. 車+侖〔音〕. '侖륜'은 '조리 있다'의 뜻. 바퀴통이 둥글게 정제되어 있는 모양, 또 바퀴살이 방사상으로 질서 있게 벌여 서 있는 모양을 나타내어, 바퀴가 잘 굴러 나가는 모양, '바퀴'의 뜻을 나타냄.

[輪姦 윤간] 한 여자를 여러 남자(男子)가 돌려 가면서 강간(強姦)함.
[輪感 윤감] 돌림감기. 유행성(流行性) 감기.
[輪講 윤강] 윤번으로 강의를 함.
[輪郭 윤곽] 주위의 선. 외곽.
[輪廓 윤곽] 윤곽(輪郭).
[輪囷離奇 윤균이기] 나무가 꼬불꼬불하고 마디진 모양.
[輪對 윤대] 백관(百官)이 순번으로 시정(時政)의 득실(得失)을 임금에게 아뢰는 일.
[輪讀 윤독] 여러 사람이 차례로 돌려 가며 글을 읽음.
[輪燈 윤등] 불전(佛前)에 매다는 윤상(輪狀)의 등.
[輪文 윤문] 수레바퀴 모양의 무늬.
[輪番 윤번] 차례로 번을 듦.
[輪伐 윤벌] 임목(林木)을 차례로 일부분씩 벰.
[輪輻 윤복] 수레바퀴의 살.
[輪生 윤생] 잎이 줄기에 윤상(輪狀)으로 남.
[輪船 윤선] ㉠바퀴를 달아 그 회전에 의하여 달리는 장치를 한 배. ㉡화륜선(火輪船). 곧, 기선(汽船).
[輪旋 윤선] 돎. 선회함.
[輪輿 윤여] 수레를 만드는 사람.
[輪王 윤왕]《佛敎》'전륜성왕(轉輪聖王)'의 준말.
[輪運 윤운] 바퀴와 같이 돌아감.
[輪人 윤인] 수레바퀴를 만드는 장인(匠人).
[輪作 윤작] ㉠순번으로 일 또는 경작을 함. ㉡일정한 토지에 수종의 작물을 순번으로 재배함.
[輪藏 윤장] 회전(回轉)할 수 있도록 만든 서가(書架). 소장(所藏)의 불경(佛經)을 열람(閱覽)하는데 편리하게 한 장치임.
[輪轉 윤전] 빙빙 돎. 회전함.
[輪轉機 윤전기] 인쇄지의 양면에 동시에 인쇄할 수 있는 회전이 빠른 인쇄 기계.
[輪座 윤좌] 원형(圓形)으로 앉음.
[輪直 윤직] 돌려 가며 하는 당직이나 숙직.
[輪彩 윤채] '태양(太陽)'의 이칭(異稱).
[輪塔 윤탑]《佛敎》오륜탑(五輪塔).
[輪禍 윤화] 차륜(車輪)에 의한 재화(災禍). 곧, 교통사고.
[輪奐 윤환] 건물(建物)이 장대(壯大) 미려(美麗)함. 또, 그 건물.
[輪環 윤환] 돎. 순환(循環)함.
[輪廻 윤회] 수레바퀴가 돌고 돌아 끝이 없는 것과 같이, 중생(衆生)이 멸하지 않고 전전(轉轉)하여 무시무종(無始無終)으로 돈다는 일.
◉徑輪. 輕輪. 廣輪. 九輪. 扣輪. 金輪. 金覆輪. 大輪. 動輪. 半輪. 法輪. 寶輪. 覆輪. 奔輪. 飛輪. 氷輪. 相輪. 夕輪. 安車蒲輪. 兩輪. 御輪. 如意輪. 年輪. 軟輪. 五輪. 玉輪. 臥輪. 月輪. 揉輪. 銀輪. 軔輪. 一輪. 日輪. 前輪. 轉輪. 征輪. 朱輪. 珠輪. 持輪. 車輪. 斲輪. 隻輪. 鐵輪. 摧輪. 漆輪. 偏輪. 蒲輪. 護輪. 火輪. 後輪.

8 ⑮ [輬] 량 ㊥陽 呂張切 liáng

字解 수레 량 轀(車部 十畫)을 보라. '轀一'.

字源 篆文 形聲. 車+京〔音〕

◉轀輬.

8 ⑮ [輓] 운 ㊥文 於云切 yuān

字解 병거 운 轒(車部 十三畫)을 보라. '轒一'.

字源 篆文 形聲. 車+宛〔音〕

◉轒輓.

8 ⑮ [輢] ■의 ㊤紙 於綺切 yǐ ■기 ㊋寘 奇寄切

字解 ■ 수레양옆판자 의 수레의 양옆에 의지하게 만든 판자. '一, 車旁也. (段注) 謂車兩旁, 式之後, 較之下也, 注家謂之一, 按, 一者言人所倚也'《說文》. ■ 의지할 기 '枕一交趾'《左思》.

字源 篆文 形聲. 車+奇〔音〕. '奇기'는 '倚의'와 같은 뜻으로, '의지하다'의 뜻. 수레 양옆에 의지하게 만든 판자의 뜻을 나타냄.

8 ⑮ [輖] 당 ㊥陽 待郎切 táng

字解 ①쇠굴대 당 '一, 鐵軸'《玉篇》. ②병거 당 轄(車部 十畫)과 同字. '轄, 兵車也, 或从堂,

亦省'《集韻》.

8 ⑮ [輷] 〔횡〕
輷(車部 九畫〈p. 2272〉)의 訛字

8 ⑮ [輡] 〔감〕
轞(車部 十三畫〈p. 2278〉)과 同字

字源 形聲. 車+臽〔音〕. '臽함'은 '빠지다'의 뜻. 수레가 도랑 따위에 빠져서 나아가지 못하다의 뜻을 나타냄.

8 ⑮ [輙] 〔첩〕
輒(車部 七畫〈p. 2266〉)의 俗字

8 ⑮ [輹] 복 ㊀屋 房六切 fú

字解 수레주머니 복 수레 상자 좌우의 가로나무에 비치하여 사자(使者)의 옥을 넣어 두는 가죽 주머니. '一, 車笭閒之皮匧也, 古者使奉玉, 所以盛之'《說文》.

字源 篆文 會意. 車+玨. '玨각'은 쌍옥. 수레 상자 좌우의 가로나무에 다는 가죽 주머니의 뜻을 나타냄. 그 주머니에 사자(使者)가 보석을 넣어 두고, 전차(戰車)에서는 큰 활을 넣어 놓음.

8 ⑮ [輤] 갱 ㊥庚 丘耕切 kēng

字解 수레소리 갱 '一, 一輘, 車聲'《集韻》.

8 ⑮ [輂] 권 ㊤阮 居宛切 juān

字解 수레끌 권 수레를 끎. '一, 牽車也'《等韻》.

8 ⑮ [輝] 高人 휘 ㊥微 許歸切 huī 辉

筆順 丨 ⺌ 光 光' 光⺆ 炬 煇 輝

字解 ①빛 휘 찬란한 빛. '光一'. '虹蜺揚一'《後漢書》. ②빛날 휘 광휘를 발함. '昭昭素明月, 一光燭我牀'《古詩》.

字源 形聲. 光+軍〔音〕. '煇휘'의 俗體.

[輝光 휘광] 빛남. 또, 찬란한 빛.
[輝然 휘연] 빛나는 모양.
[輝映 휘영] 뻔쩍뻔쩍 비침.
[輝耀 휘요] 번쩍번쩍 빛남.
[輝燭 휘촉] 환하게 비춤.
[輝赫 휘혁] 휘황(輝煌).
[輝煥 휘환] 휘황(輝煌).
[輝煌 휘황] 광채가 눈부시게 빛남.
[輝煌燦爛 휘황찬란] 휘황(輝煌).
◉慶輝. 瓊輝. 光輝. 明輝. 發輝. 伏輝. 鳳輝. 素輝. 餘輝. 烈輝. 映輝. 玉輝. 潛輝. 爭輝. 澄輝. 淸輝. 吐輝. 洪輝. 紅輝.

8 ⑮ [輦] 人名 련 ㊤銑 力展切 niǎn 辇

字解 ①손수레 련 손으로 끄는 수레. '我任我一'《詩經》. 특히, 천자(天子)가 타는 수레. '玉一'. '帝悟, 方下一禮謝'《列仙傳》. ②끌 련 손수레를 끎. '以乘車, 一其母'《左傳》. ③성 련 성(姓)의 하나.

字源 金文 篆文 會意. 車+㚘. '㚘반'은 손발에 힘을 준 두 사람을 본뜬 것. 둘이 나란히 끄는 수레, '손수레'의 뜻을 나타냄.

[輦轂 연곡] ㉠천자가 타는 수레. ㉡연곡하(輦轂下).
[輦轂下 연곡하] 연하(輦下).
[輦道 연도] ㉠연로(輦路). ㉡궁중(宮中)의 길.
[輦郞 연랑] 관명(官名). 연(輦)을 끄는 것을 맡음.
[輦路 연로] 거둥하는 길.
[輦夫 연부] 손수레를 끄는 사람.
[輦車 연차] 손수레. 손으로 끄는 수레.
[輦下 연하] 임금이 타는 수레의 밑이란 뜻으로, 서울을 이름. 연곡하(輦轂下).
◉肩輦. 京輦. 輕輦. 大輦. 都輦. 同輦. 輓輦. 步輦. 鳳輦. 小輦. 乘輦. 御輦. 輿輦. 驢輦. 玉輦. 搖輦. 停輦. 帝輦. 彫輦. 駐輦. 翠輦. 香輦. 扈輦.

8 ⑮ [輂] 국 ㊀沃 居玉切 jú

字解 ①끌채곧은수레 국 끌채가 곧은 대차(大車). ②들것 국 흙을 나르는 기구. '一, 土轝也'《韻會》.

字源 篆文 形聲. 車+具〔音〕

8 ⑮ [輩] 高人 배 ㊀隊 補妹切 bèi 辈

筆順 丿 ㅋ ㅋ丨 非 非 퇴 輩 輩

字解 ①무리 배 ㉠동등한 사람. '儕一'. '使者十一來'《史記》. ㉡배항(輩行). '後一'. '前一後一'《論語 註》. ㉢동아리. 패(낮추어 이르는 말). '或出倖臣一, 或由帝戚恩'《李商隱》. ②짝 배 상대자. 비류(比類). '當今無一'《吳志》. ③견줄 배 비교하여 동등하다고 여김. '時人以一前世趙張'《後漢書》. ④줄 배 수레의 행렬. '車以列分爲一'《六書故》.

字源 篆文 形聲. 車+非〔音〕. '非비'는 '配배'와 통하여 '벌이다'의 뜻. 전시에 벌여 놓은 수레의 뜻에서 파생하여 '무리, 동아리'의 뜻을 나타냄.

[輩流 배류] 배항(輩行)㉡.
[輩出 배출] 인재(人材)가 쏟아져 나옴.
[輩行 배항] ㉠선배(先輩)·후배(後輩)의 순서. ㉡같은 또래의 친구. 동배(同輩). ㉢항렬(行列). 또, 형제의 서열. 배항(排行).
◉渠輩. 卿輩. 輕輩. 群輩. 奴輩. 老輩. 黨輩. 同輩. 等輩. 末輩. 凡輩. 朋輩. 鼠輩. 先輩. 俗輩. 我輩. 兒輩. 若輩. 弱輩. 汝輩. 年輩. 吾輩. 庸輩. 流輩. 倫輩. 爾輩. 儕輩. 曹輩. 疇輩. 後輩.

8 ⑮ [輤] 갱 ㊥庚 口莖切 kēng

字解 수레의채찍 갱 '一, 車鞭'《玉篇》.

9 ⑯ [輮] 유 ㊤有 人九切 rǒu

字解 ①덧바퀴 유 수레바퀴의 외주(外周)를 싸

는 것. '行澤者反一'《周禮》. ②짓밟을 유 蹂(足部 九畫)와 통용. '一轢沙漠, 南面稱王'《晉書》. ③잡을 유 곧게 함. 揉(手部 九畫)와 통용. '坎爲矯一'《易經》.
字源 篆文 形聲. 車+柔〔音〕

[輮轢 유력] 짓밟음. 유린함.
◉矯輮. 反輮.

9 ⑯ [輯] 人名 집(즙(本)) (入)緝 秦入切 jí 辑
筆順 一 亘 車 軒 軒 輯 輯 輯
字解 ①모을 집, 모일 집 ㉠한데 모음. '一萬國'《漢書》. ㉡거둠. '一五瑞'《書經》. ㉢저술의 재료를 모음. '編一'. '門人相與一而論纂'《漢書》. ②화목할 집 친목함. '和一'. '一寧爾邦家'《書經》. ③화기돌 집 얼굴에 온화한 기색이 돎. '一柔爾顏'《詩經》. ④상냥할 집 말이 부드럽고 애교가 있음. '辭之一矣'《詩經》. ⑤솔솔불 집 바람이 솔솔 부는 모양. '一一和風'《東晳》.
字源 篆文 形聲. 車+咠〔音〕. '咠즙'은 '그러모으다'의 뜻. 사람이나 물건을 모아 싣는 수레의 뜻을 나타내며, '거두다, 모으다'의 뜻도 나타냄.

[輯寧 집녕] ㉠평안히 하여 안심시킴. ㉡무사태평함.
[輯錄 집록] 모아서 기록(記錄)함.
[輯睦 집목] 화목함.
[輯穆 집목] 집목(輯睦).
[輯成 집성] 모아서 이룸. 자료를 모아 책 따위를 이룸.
[輯柔 집유] 안색을 부드럽게 함. 순하게 함.
[輯輯 집집] 바람이 솔솔 부는 모양.
◉撫輯. 補輯. 裒輯. 收輯. 安輯. 寧輯. 完輯. 綴輯. 招輯. 統輯. 編輯. 和輯. 懷輯.

9 ⑯ [䡊] 輯(前條)과 同字

9 ⑯ [輲] 천 (上)銑 豎兗切 chuán
字解 상여 천 관을 싣는 수레. 영구차. '載以一車'《禮記》.

[輲輪 천륜] 살이 없는 수레바퀴.
[輲車 천차] 관을 싣는 수레. 상여.

9 ⑯ [𨍢] 〔광〕
軭(車部 六畫〈p. 2265〉)의 本字

9 ⑯ [輴] 〔경·항〕
聲(車部 十一畫〈p. 2275〉)과 同字

9 ⑯ [輳] 人名 주 (去)宥 倉奏切 còu 辏
字解 모일 주 수레바퀴의 살이 바퀴통에 모임. '如輻之一轂, 水之朝宗'《參同契》. 전(轉)하여, 사물이 한군데에 모임. '四通輻一'《史記》.
字源 形聲. 車+奏〔音〕. '奏주'는 '湊주'와 통하여 '모이다'의 뜻. 수레바퀴의 살이 바퀴통에 모이다의 뜻을 나타냄.

◉載輳. 輻輳. 晝雲輳.

9 ⑯ [輵] ㊀갈 (入)曷 古達切 gé
㊁알 (入)曷 阿葛切 è
字解 ㊀ 수레소리 갈 수레가 달릴 때 나는 소리. '皇車幽一'《揚雄》. ㊁ 구를 알 '一轄'은 수레가 구르며 흔들리는 모양. '跮踱一轄'《史記》.
字源 形聲. 車+曷〔音〕

[輵轄 알할] 자해(字解)㊁를 보라.
◉轟輵. 轇輵. 幽輵.

9 ⑯ [𨍰] 人名 ㊀혼 (平)元 戶昆切 hūn
㊁헌 (平)元 虛言切 xuān
字解 ㊀ ①멍에의굽이 혼 멍에의 양 끝이 구부러져서 우마(牛馬)의 목에 닿는 부분. '一, 軶軥也'《說文》. ②수레서로피할 혼 '一, 還也. 車相避也'《廣韻》. ③가마 혼 탈것의 한 가지. '一, 輀也'《廣雅》. ㊁ 앞이가벼운수레 헌 '一, 車前輕也'《廣韻》.
字源 形聲. 車+軍〔音〕

9 ⑯ [輴] 순 (平)眞 丑倫切 chūn
字解 ①상여 순 관을 싣는 수레. 영구차. '龍一'(용을 그린 영구차)《禮記》. ②썰매 순 진흙 위를 다니는 데 쓰는 키 모양의 썰매. '泥乘一'《書經 註》.
字源 形聲. 車+盾〔音〕

◉龍輴.

9 ⑯ [輱] 감 ①(上)豏 苦感切 kàn
②(去)勘 苦紺切
字解 ①수레소리 감 '一, 車聲'《集韻》. ②轗(車部 十三畫)과 同字. '轗, 轗軻, 車行不平, 一曰, 不得志, 或省'《集韻》.

9 ⑯ [輶] 유 (平)尤 以周切 yóu
字解 ①가벼울 유 무겁지 아니함. '德一如毛'《詩經》. ②수레 유 가뿐한 수레. 경차(輕車). '一車鸞鑣'《詩經》.
字源 篆文 形聲. 車+酋〔音〕

[輶車 유차] 수렵(狩獵) 따위를 할 때 쓰는 가뿐한 수레. 경차(輕車).
[輶軒 유헌] 가뿐한 수레. 칙사(勅使)가 타는 수레.

9 ⑯ [輷] 횡 (平)庚 呼宏切 hōng
字解 수레소리 횡 수레가 지나갈 때 쿵쿵 울리는 소리. '一一殷殷'《史記》.
字源 形聲. 車+訇〔音〕

[輷輷 횡횡] 수레가 지나갈 때 쿵쿵 울리는 소리.
◉輳輷.

9 ⑯ [輸] [高人] 수 ①-⑥[平]虞 式朱切 shū ⑦⑧[去]遇 傷遇切 shù 输

[筆順] 一 亘 車 軟 軟 輸 輸 輸

[字解] ①보낼 수 화물을 운송함. '一送', '一粟於晉'《左傳》. ②알릴 수 사정을 통보(通報)함. '常以國情一楚'《戰國策》. ③다할 수 정성을 다함. '直求一赤誠'《李商隱》. 또, 물품을 다 내놓는 데도 이름. '一積聚以貸'《左傳》. ④깰 수, 부술 수 파손함. '載一爾載'(아래의 '載'는 짐·하물)《詩經》. ⑤질 수 '勝'의 대(對). '一贏'. 전(轉)하여, 승부(勝負). 주로, 내기를 함을 이름. '家無儋石一百萬'《杜甫》. ⑥성 수 성(姓)의 하나. ⑦짐 수 보내는 물품. 화물. '漢有三輔委一官'《韻會》. ⑧경혈(經穴) 수 경맥(經脈)의 구멍. '五藏之一'《史記》.

[字源] [篆文] 輸 形聲. 車+兪〔音〕. '兪유'는 '뽑아내다'의 뜻. 어떤 구역에서 뽑아내어 다른 구역으로 수레로 옮기다의 뜻을 나타냄.

[輸肝 수간] 정성을 다함.
[輸納 수납] 바침.
[輸來 수래] 물건을 운반하여 옴.
[輸掠 수략] 물건을 약탈하여 보내옴.
[輸寫 수사] 숨김없이 심중(心中)을 털어놓음.
[輸送 수송] 물건을 실어 보냄.
[輸實 수실] 정성을 다함.
[輸贏 수영] 짐과 이김. 패배(敗北)와 승리.
[輸運 수운] 물건을 운반(運搬)함.
[輸一籌 수일주] 산가지 한 개를 보낸다는 뜻으로, '승부(勝負)에서 짐'을 이르는 말.
[輸入 수입] ㉠화물을 운반하여 들여옴. ㉡외국의 산물을 들여옴.
[輸將 수장] 수송(輸送).
[輸情 수정] 본국(本國)의 실정을 적에게 알림. 또는 진심을 다함.
[輸卒 수졸] 군대의 하물을 운반하는 병졸.
[輸籌 수주] 수일주(輸一籌).
[輸出 수출] 국내의 산물을 외국에 내보냄.
[輸平 수평] 평화를 깨뜨리는 일. 일설(一說)에는, 불화(不和)하던 사이를 허물고 좋게 지냄.
◉磬輸. 空輸. 交輸. 均輸. 代輸. 輓輸. 密輸. 運輸. 委輸. 流輸. 陸輸. 轉輸.

9 ⑯ [輸] 輸(前條)와 同字

9 ⑯ [輻] [人名] [一]복(폭[俗]) [入]屋 方六切 fú [二]부 [去]宥 方副切 fú 辐

[字解] [一] ①바퀴살 복 바퀴통에서 테를 향하여 방사선 모양으로 뻗은 나무. '輪一蓋軫'《蘇洵》. ②다투어모일 복 한곳으로 다투어서 집중함. '一輳'. [二] 몰려들 부 한곳으로 몰려듦.

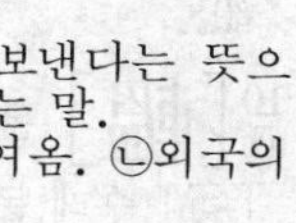

〔輻[一]①〕

[字源] [篆文] 輻 形聲. 車+畐〔音〕

[輻射 복사] ㉠바퀴살 모양으로 한 점에서 둘레로 내쏨. ㉡빛이나 열이 물체에서 사방으로 직사(直射)하는 현상.
[輻輳 복주] 폭주(輻輳).
[輻湊 폭주] 폭주(輻輳).
[輻輳 폭주] 바퀴살이 바퀴통에 모이는 것같이 사물이 한곳으로 많이 모임.
◉員輻. 輪輻. 折輻. 車輻. 脫輻.

9 ⑯ [輹] [人名] 복 [入]屋 方六切 fù

[字解] 당토(當兔) 복 굴대의 중앙에 있어서 차체(車體), 곧 차상(車箱)과 굴대를 연결하는 물건. 좌우에 있는 것은 '轐'으로서, 복토(伏兔)라고도 함. '輿脫一'《易經》.

[字源] [篆文] 輹 形聲. 車+复(复)〔音〕

◉脫輹.

9 ⑯ [輽] 종 [上]董 作孔切 zǒng

[字解] 바퀴 종 수레의 바퀴. '輪, 關西謂之一'《揚子方言》.

9 ⑯ [轃] 탁 [入]藥 達各切 duó

[字解] 구를 탁 돎. '一, 一輅, 轉也'《集韻》.

9 ⑯ [輅] 핵 [入]陌 胡格切 hé

[字解] 수레채앞마구리 핵 사람이 끌 때 가슴이 닿는 손수레 앞의 가로나무. 輅(車部 六畫)과 同字. '一, 車前橫木'《集韻》.

9 ⑯ [輠] 화 [上]哿 戶果切 huǒ

[字解] 기름통 화 수레에 치는 기름을 담는 그릇. 輠(車部 八畫)와 同字.

9 ⑯ [輜] 〔치〕 輜(車部 八畫〈p. 2269〉)의 本字

9 ⑯ [輭] 〔연〕 軟(車部 四畫〈p. 2260〉)의 本字

9 ⑯ [轀] 〔온〕 轀(車部 十畫〈p. 2274〉)의 俗字

10 ⑰ [輿] [高人] 여 ①-⑨[平]魚 以諸切 yú ⑩[去]御 羊茹切 yù 舆

[筆順] 𠂆 ｢ 𦥑 𦥑 輿 輿 輿 輿

[字解] ①차상(車箱) 여 수레 위의 사람이 타거나 물건을 싣는 곳. 차체. '上古, 聖人觀轉蓬始爲輪, 輪行不可載, 因物生智, 後爲之一'《後漢書》. 전(轉)하여, 사물의 기초의 뜻으로도 쓰임. '敬禮之一也'《左傳》. ②수레 여 차량. '車一'. '乘一'. '一脫輹'《易經》. 또, 수레를 만드는 사람. '梓匠輪一'《孟子》. ③실을 여 수레에 실음. '扶傷一死履腸涉血'《呂氏春秋》. ④질 여 등에 짐. '百人一瓢而趨'《戰國策》. ⑤마주들 여 두 사람

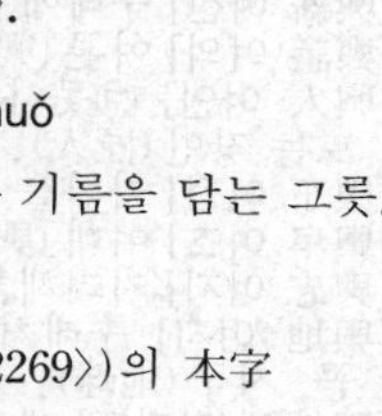

〔輿①〕

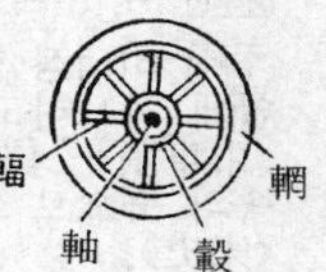

이상이 들거나 멤. '一轎而隃嶺'《漢書》. ⑥종 여 노복. '一臺'. '廝一之卒'《漢書》. ⑦땅 여 대지(大地). '堪一'. '一地'. '一圖'. '坤爲地, 爲大一'《易經》. ⑧많을 여 수가 많음. 사람이 여럿임. '一望'. '無令一師淹於君地'《左傳》. ⑨성 여 성(姓)의 하나. ⑩가마 여 두 사람이 메는 탈것. '肩一'. '乘藍一'《晉書》.

字源 甲骨文  篆文 形聲. 車+舁〔音〕. '舁여'는 양 손으로 들어 올리다의 뜻. 사람이나 물건을 싣는 수레의 바탕의 뜻에서, '수레'의 뜻으로 쓰임 또, 두 사람 이상이 메는 수레, '가마'의 뜻을 나타냄.

[輿歌 여가] 대중(大衆)이 부르는 노래.
[輿駕 여가] 임금이 타는 수레.
[輿臺 여대] 종. 하인(下人).
[輿圖 여도] ㉠천하(天下)·세계(世界)를 이름. 강토(疆土). ㉡'여지도(輿地圖)'의 준말.
[輿梁 여량] 수레나 가마가 통행하는 교량.
[輿輦 여련] 천자(天子)가 타는 손수레. 연(輦).
[輿隷 여례] 하인.
[輿論 여론] 사회(社會) 일반(一般)이 주창(主唱)하는 의론(議論). 천하(天下)의 공론(公論). 뭇사람의 의견.
[輿望 여망] 세상의 인망. 중망(衆望).
[輿服 여복] 차여(車輿)와 관복(冠服).
[輿師 여사] 많은 군대.
[輿誦 여송] 여러 사람의 입에 오르는 말.
[輿臣 여신] 여러 신하.
[輿薪 여신] 수레에 높이 실은 땔나무.
[輿議 여의] 여론(輿論).
[輿人 여인] ㉠뭇사람. 중인(衆人). ㉡수레를 만드는 장인(匠人). ㉢천한 사람. 천민(賤民).
[輿丁 여정] 가마를 메는 사람.
[輿皁 여조] 여대(輿臺).
[輿志 여지] 지리책. 여지지(輿地誌).
[輿地 여지] 수레처럼 만물을 실은 대지(大地). 곧, 지구(地球).
[輿地圖 여지도] 세계 지도.
[輿櫬 여츤] 관(棺)을 가마에 올려놓음. 자기가 죽을죄를 졌다는 뜻을 나타내는 말.

◉堪輿. 肩輿. 坤輿. 權輿. 錦輿. 機輿. 蘭輿. 鸞輿. 籃輿. 方輿. 扶輿. 仙輿. 素木輿. 手輿. 乘輿. 宸輿. 神輿. 連輿. 輦輿. 腰輿. 雲母輿. 輪輿. 梓匠輪輿. 舟輿. 竹輿. 地輿. 車輿. 板輿. 編輿. 篼輿. 檻輿.

10 ⑰ [輾] 人名 ━ 전 ㊤銑 知演切 zhǎn ━ 년 ①㊤銑 尼展切 niǎn ②㊋霰 女箭切 辗

字解 ━ ①돌 전, 구를 전 반 바퀴 돎. 반전(半轉)함. 또, 돌아누움. '一轉反側'. '一轉伏枕'《詩經》. ②성 전 성(姓)의 하나. ③《韓》타작 전 곡식을 떨어서 거둠. ━ ①삐걱거릴 년 수레바퀴가 쓸림. ②연자매 년 碾(石部 十畫)과 同字.

字源 形聲. 車+展〔音〕

[輾轉 전전] 잠이 오지 않아 누워서 엎치락뒤치락함.
[輾轉反側 전전반측] 전전(輾轉).

10 ⑰ [䡻] 경 ㊥庚 葵營切 qióng

字解 외바퀴수레 경, 수레바퀴테를휘어둥글게만드는기구 경 '一, 車輮規也. 一曰, 一輪車'《說文》.

字源 形聲. 車+熒〈省〉〔音〕

10 ⑰ [䡰] 경 ㊥庚 丘耕切 kēng

字解 수레튼튼할 경 䡩(車部 十一畫)과 同字. '䡩, 說文, 車堅也, 或从冥'《集韻》.

10 ⑰ [𨍭] 〔교〕 轎(車部 十二畫〈p. 2277〉)와 同字

10 ⑰ [輵] 극 ㊇陌 竭戟切 jī

字解 복토(伏兔) 극 차여(車輿)와 차축(車軸)을 연결 고정하는 나무. '一, 車軸伏兔'《集韻》.

10 ⑰ [轁] 〔도〕 韜(韋部 十畫〈p. 2534〉)의 訛字

10 ⑰ [𨎌] 〔력〕 轢(車部 十五畫〈p. 2280〉)과 同字

10 ⑰ [𨎵] 류 ㊤有 力九切 liǔ

字解 상여장식 류 '蔞, 喪車飾也, 或作一'《集韻》.

10 ⑰ [轀] 온 ㊥元 烏渾切 wēn

字解 수레 온 '一輬'은 누워 쉴 수 있는 수레. 창이 있어서 닫으면 따뜻해지고 열면 시원해지므로, '溫涼'의 뜻으로 이름 지은 것임. 와거(臥車). 안거(安車). 후세에는 시체를 싣는 수레, 곧 상여·영구차로 쓰이게 되었음. '始皇居一輬車中'《史記》.

字源 篆文 形聲. 車+𥁕〔音〕. '𥁕온'은 '따뜻하다'의 뜻. 주위에 덮개를 씌워서 따뜻하게 한 수레의 뜻을 나타냄.

參考 輼(車部 九畫)은 俗字.

[轀車 온거] 누워 갈 수 있게 된 수레.
[轀輬 온량] 자해(字解)를 보라.

10 ⑰ [轄] 人名 할 ㊇黠 胡瞎切 xiá 辖

筆順 亘 亘 車 車 軒 軒 轄 轄

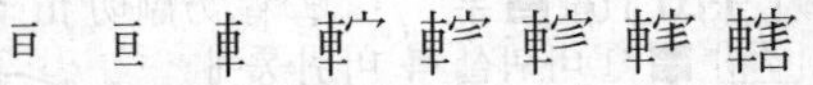

字解 비녀장 할 바퀴를 굴대에 끼고 벗어지지 않게 하느라고 굴대 머리에 내리지르는 큰 못. '巾車脂一'《左傳》. 전(轉)하여, 주관(主管)·단속의 뜻으로 쓰임. '管一'. '統一'. '置兩總一'《宋史》.

字源 篆文 形聲. 車+害〔音〕. '害할'은 '끊다'의 뜻. 수레가 굴대에서 빠지는 것을 막기 위해 지르는 비녀장의 뜻을 나타냄. 굴대 끝에 붙여져서 바퀴의 기능을 다조지는 부분인데서, '주관, 단속'의 뜻으로도 쓰임.

◉管轄. 錧轄. 分轄. 所轄. 輪轄. 直轄. 車轄. 總轄. 樞轄. 統轄. 投轄.

10 ⑰ **[轅]** 人名 원 ㊥元 雨元切 yuán 辕

筆順

字解 ①끌채 원 수레의 앞 양쪽에 대는 긴 채. '一下駒'. '軍行右一'《左傳》. ②성 원 성(姓)의 하나.

字源 篆文 形聲. 車+袁〔音〕. '袁원'은 '멀다'의 뜻. 수레 앞쪽으로 길게 뻗은 끌채의 뜻을 나타냄.

[轅駒 원구] 원하구(轅下駒).
[轅門 원문] 끌채를 세워서 만든 문. 곧, 군문(軍門). 진영(陣營)의 문.
[轅下 원하] 끌채 밑. 전(轉)하여, 남의 부하(部下).
[轅下駒 원하구] 끌채 밑의 망아지. 그 망아지는 힘이 약하여 수레를 잘 끌 수 없으므로, 사람이 힘이 모자라서 망설이고 있는 상태를 이름.
◉丹轅. 斷轅. 攀轅. 方轅. 折轅. 車轅. 摧轅. 軒轅.

10 ⑰ **[䡘]** 당 ㊥陽 徒郎切 táng

字解 병거 당 전차(戰車). 轄(車部 十一畫)·輣(車部 八畫)과 同字. '一, 一粮, 輣軨'《廣韻》. '一, 兵車也, 或从堂, 亦省'《集韻》.

10 ⑰ **[轃]** 一 진 ㊥眞 側詵切 zhēn 二 전 ㊥先 側前切 zhēn

字解 一 ①큰수레대자리 진 큰 수레에 까는 대자리. '一, 大車簣也'《說文》. ②이를 진 닿음. 이름. 臻(至部 十畫)과 同字. '福祿其一'《漢書》. 二 큰수레대자리 전, 이를 전 一과 뜻이 같음.

字源 篆文 形聲. 車+秦〔音〕

10 ⑰ **[轁]** 轃(前條)의 俗字

10 ⑰ **[䡏]** 박 ㊈藥 伯各切 bó

字解 수레밑받줄 박 鞾(革部 十畫)과 同字. '鞾, 說文, 車下索也, 或从車'《集韻》.

10 ⑰ **[輽]** 본 ㊤阮 部本切 bèn

字解 수레뜸 본 부들 같은 것으로 거적처럼 엮어, 수레를 가리는 데 쓰는 덮개.

10 ⑰ **[䡷]** 一 경 ㊥庚 口莖切 kēng 二 간 ㊥刪 丘閑切 三 진 ㊤軫 止忍切 zhěn

字解 一 수레소리 경 '一, 車聲'《廣韻》. 二 수레소리 간 一과 뜻이 같음. 三 수레뒤턱나무 진 '軫, 說文, 車後橫木. 或作一'《集韻》.

字源 形聲. 車+眞〔音〕

10 ⑰ **[暈]** 국 ㊈沃 几足切 jú

字解 멍에끈 국 수레의 두 끌채의 끝과 멍에를 붙들어 매는 가죽끈. 輂(車部 八畫)과 同字. '一, 直轅暈縛也'《玉篇》.

10 ⑰ **[䡴]** 요 ㊥蕭 餘招切 yáo

字解 작은수레 요 軺(車部 五畫)와 同字.

10 ⑰ **[轂]** 곡 ㊈屋 古祿切 gǔ 毂

字解 ①바퀴통 곡 바퀴의 중앙에 있어서, 굴대가 그 가운데를 관통하고 있으며, 바퀴살이 그 주위에 모여 박힌 부분. '車一'. '一以利轉'《周禮》. ②수레 곡 차량. '轉一百數'《漢書》. ③밀곡 천거(薦擧)함. '其推一士'《史記》. ④묶을 곡 꼭 묶음. 바퀴통이 바퀴살을 한군데로 모은 데서 나온 뜻임. '縮一其口'《史記》.

字源 篆文 形聲. 車+㱿〔音〕. '㱿각'은 속이 비어 있다의 뜻. 굴대를 싸고 있고 속이 비어 있으며, 바퀴살이 모여 있는 부분, '바퀴통'의 뜻을 나타냄.

[轂擊 곡격] 수레의 바퀴통끼리 서로 부딪침. 번화하여 수레의 왕래가 많은 형용.
[轂擊肩摩 곡격견마] 수레가 바퀴통끼리 서로 부딪치고 사람이 어깨를 서로 스침. 번화하여 사람과 수레의 왕래가 많은 땅의 형용.
[轂轂 곡곡] 주옥(珠玉)이 땅에 떨어지는 소리.
[轂轉 곡전] 바퀴통처럼 돎.
[轂下 곡하] 천자(天子)가 타는 수레의 밑이라는 뜻으로, 서울을 이름.
◉縮轂. 方轂. 飛轂. 輦轂. 遊轂. 輪轂. 長轂. 轉轂. 接轂. 轃轂. 車轂. 暢轂. 推轂. 華轂.

10 ⑰ **[䡷]** 갑 ㊈合 古盍切 kē

字解 ①수레 갑 '一, 車也'《玉篇》. ②수레소리 갑 '一, 車聲'《集韻》.

11 ⑱ **[轆]** 록 ㊈屋 盧谷切 lù 辘

字解 ①수레소리 록 '白沙漫漫車一一'《元好問》. ②고패 록 활차(滑車). '橫架一轤牽素綆'《張籍》.

字源 形聲. 車+鹿〔音〕

[轆轤 녹로] ㉠고패. 활차. ㉡《韓》 회전하며 둥근 그릇을 만드는 제구.
[轆轤頭 녹로두] 목이 긴 사람.
[轆轆 녹록] 수레가 달리는 소리.
◉孛轆. 賀轆.

11 ⑱ **[䡰]** 一 경 ㊥庚 丘耕切 kēng 二 항 ㊤梗 苦杏切 kěng

字解 一 수레견고할 경 '一, 車堅也'《說文》. 二 수레소리 항 '一, 車聲'《集韻》.

字源 形聲. 車+殸〔音〕

11 ⑱ **[轇]** 교 ㊥肴 古肴切 jiāo

字解 수레소리 교, 아득할 교, 달릴 교 '一輵'은 ㉠거마(車馬)의 시끄러운 소리. ㉡칼과 창이 뒤섞여 혼란한 모양. ㉢광대한 모양. 아득한 모

양. ㉣치구(馳驅)하는 모양. 달리는 모양.
字源 形聲. 車+翏〔音〕

[轇輵 교갈] 자해(字解)를 보라.
[轇轕 교갈] 교갈(轇輵).

11 ⑱ [轗] 만 ㊀願 無販切 màn ㊀翰 莫半切 ㊀諫 莫晏切

字解 ①수레덮개 만 덮개가 있는 수레, 곧 의거(衣車)의 위쪽의 덮개. '一, 衣車蓋也'《說文》. ②병거포장 만 화살을 막는 병거(兵車)의 장막. '一, 戰車以遮矢也'《廣韻》.
字源 形聲. 車+曼〔音〕

11 ⑱ [轋] 〔당〕 轄(車部 十畫〈p. 2275〉)과 同字

11 ⑱ [轗] 〔감〕 轗(車部 十三畫〈p. 2278〉)과 同字

11 ⑱ [轋] 강 ㊥陽 口岡切 kāng

字解 종이바른바구니 강 죽은 사람을 보내는 종이를 바른 채롱. '一, 一車, 送亡者之紙簍也'《正字通》.

11 ⑱ [轈] 소 ㊥肴 鉏交切 cháo

字解 수레 소 망루(望樓)를 설치하여 적(敵)을 망보는 수레. 소차(巢車). '一兵車, 高如巢, 以望敵也'《說文》.
字源 篆文 形聲. 車+巢〔音〕. '巢소'는 나무 위의 새둥주리의 뜻. 새둥주리처럼 보이는 망루를 갖춘 수레의 뜻을 나타냄.

11 ⑱ [轍] 종 ㊥冬 將容切 zōng

字解 바퀴자국 종 수레바퀴의 자국. '一, 迹也'《廣雅》.
字源 形聲. 篆文은 車+從〔音〕

11 ⑱ [轉] 高人 전 ㊤銑 陟兗切 zhuǎn ㊀霰 知戀切 zhuàn 转

筆順 亘 車 車 軒 軻 輔 轉 轉

字解 ①구를 전 ㉠회전함. '運一'. '轂者以爲利一也'《周禮》. ㉡뒹굶. '輾一'. '輾一反側'《詩經》. ②넘어질 전 '一倒'. '將一於溝壑'《國語》. ③나부낄 전 펄럭임. '四角龍子幡, 婀娜隨風一'《古詩》. ④더욱 전 한층 더. '一寂寥'. '老來事業一荒唐'《蘇軾》. ⑤옮길 전 장소나 방향을 바꿈. '一居'. '移一'. '一粟輓輪, 以爲之備'《漢書》. ⑥굴릴 전 굴러 가게 함. '我心匪石, 不可一也'《詩經》. ⑦바꿀 전 변하게 함. '一化'. '一禍爲福'《史記》. ⑧자루 전 수레 위에서 의복을 넣는 자루. '踞一而鼓琴'《左傳》.
字源 金文 篆文 形聲. 車+專〔音〕. '專전'은 실을 실패에 감다의 뜻. 수레가 구르다, 돌다의 뜻을 나타냄.

參考 転(車部 四畫)은 略字.

[轉嫁 전가] ㉠두 번째 시집감. ㉡자기의 허물을 남에게 덤터기 씌움.
[轉居 전거] 집을 옮김.
[轉乾撼坤 전건감곤] 하늘을 돌리고 땅을 움직임. 곧, 대변동(大變動)을 이름. 경천동지(驚天動地). 「句).
[轉結 전결] 한시(漢詩)의 전구(轉句)와 결구(結
[轉轂 전곡] 수레로 물건을 운반함. 또, 그 일로 이익을 얻으려는 사람.
[轉句 전구] 한시(漢詩)의 절구(絶句)의 셋째 구(句).
[轉規 전규] 둥근 물건을 굴린다는 뜻으로, 빠르고 막힘이 없는 비유.
[轉勤 전근] 근무(勤務)하는 곳을 옮김.
[轉機 전기] 돌아가는 기회(機會). 사물(事物)이 바뀌는 때.
[轉達 전달] 전하여 보냄.
[轉貸 전대] 남에게서 빌려 온 물건을 딴 사람에게 또 빌려 줌.
[轉對 전대] 순번(順番)으로 정치의 득실을 임금에게 아룀. 윤대(輪對). 「함.
[轉倒 전도] ㉠넘어짐. ㉡거꾸로 됨. 또, 거꾸로
[轉讀 전독] 경문(經文)을 다 읽지 아니하고 요긴(要緊)한 곳만 중간 중간에서 추려서 읽음. 진독(眞讀)의 대(對).
[轉落 전락] 굴러 떨어짐. 「동안.
[轉漏 전루] 누각(漏刻)의 시각이 움직이는 잠깐
[轉輪經藏 전륜경장] 《佛敎》 일체경장(一切經藏)의 복판에 축(軸)을 세워서 회전하도록 만든 책상.
[轉輪王 전륜왕] 《佛敎》 인도의 신. 그 신이 소유하는 윤보(輪寶)의 선전(旋轉)에 의해서 일체를 항복받는다 함.
[轉輪藏 전륜장] '전륜왕(轉輪王)'과 같음.
[轉賣 전매] 산 물건을 도로 다른 사람에게 팖.
[轉免 전면] 전임(轉任)과 면직(免職).
[轉眄 전면] ㉠한눈을 팖. ㉡전순(轉瞬).
[轉聞 전문] 전하는 말을 들음.
[轉迷解悟 전미해오] 《佛敎》 번뇌의 미망(迷妄)을 벗어나서 열반(涅槃)의 깬 마음에 이름.
[轉法輪 전법륜] 《佛敎》 부처의 정법(正法)을 설교하여 중생(衆生)의 미망(迷妄)을 깨우침.
[轉變 전변] 변천(變遷).
[轉補 전보] 전임(轉任)시켜 딴 관직에 보(補)함.
[轉蓬 전봉] 바람에 나부끼는 쑥. 전(轉)하여, 고향을 멀리 떠나 유랑하는 비유.
[轉徙 전사] 전이(轉移).
[轉寫 전사] 베낀 것을 또 베낌.
[轉旋 전선] ㉠돎. 또, 돌림. ㉡짧은 시간.
[轉送 전송] 옮기어 보냄.
[轉宿 전숙] ㉠숙소를 옮김. ㉡전거(轉居).
[轉瞬 전순] 눈을 깜짝함. 또, 눈 깜짝할 만한 짧은 시간. 순간.
[轉語 전어] 본래의 말에서 변하여 나온 말.
[轉業 전업] 직업(職業)을 옮김.
[轉訛 전와] 언어의 와전(訛傳). 또, 그 말.
[轉用 전용] 딴 곳에 돌려씀.
[轉運 전운] ㉠그치지 아니하고 자꾸 돎. ㉡화물을 운반함.
[轉運使 전운사] 조세(租稅)·양미(糧米) 등의 조운(漕運)을 맡은 벼슬.

[轉音 전음] 변한 음. 본래의 음에서 변하여 나온
[轉義 전의] 본래의 뜻에서 변한 뜻. ⌊말.
[轉移 전이] 장소·지위를 옮김. 또, 장소·지위가 옮겨짐.
[轉任 전임] 벼슬을 옮김. 또, 임지가 바뀜.
[轉載 전재] 어떤 곳에 내었던 글을 옮기어 기재(記載)함.
[轉籍 전적] 본적(本籍)을 옮김.
[轉輾 전전] 돌아누움. 뒹굶. 잠이 안 와서 엎치락뒤치락함.
「굴러 감.
[轉轉 전전] ㉠차차. 점점. ㉡이리저리 옮김. 또,
[轉漕 전조] 수로(水路)로 이리저리 옮겨 운반함.
[轉注 전주] ㉠돌아 흘러 들어감. ㉡육서(六書)의 하나. 한 글자를 딴 뜻으로 전용(轉用)하는 일. 예컨대, 풍류악(樂) 자가 즐길락(樂) 자로 되는 따위로 음악을 들으면 즐겁다는 뜻에서 변한 것임. 일설(一說)에는, 부수(部首)가 같고 그 부수가 가진 뜻을 같이 지니고 있는 일. 예컨대, '老'와 '孝·考' 등은 늙을로(老)의 뜻을 다 지니고 있음.

(老) (孝)
[轉注㉡]

[轉地 전지] ㉠있는 곳을 바꿈. ㉡땅을 뒤집어엎는다는 뜻으로, 대단히 힘이 셈을 형용.
[轉職 전직] 직업이나 직무를 바꾸어 옮김.
[轉借 전차] 남이 빌려 온 것을 다시 빌려 옴.
[轉遷 전천] 전이(轉移). 「편(轉便).
[轉遞 전체] 다음에서 다음으로 전하여 보냄. 전
[轉墜 전추] 굴러 떨어짐.
[轉舵 전타] 배의 진로를 바꿈.
[轉宅 전택] 이사(移徙).
[轉鬪 전투] 여러 곳으로 옮겨 다니며 싸움.
[轉敗爲功 전패위공] 실패를 이용하여 성공함.
[轉下 전하] 굴러 떨어짐. 「공부함.
[轉學 전학] 이 학교(學校)에서 저 학교로 옮기어
[轉銜 전함] 관직을 옮김.
[轉向 전향] 운동·사상·인생관 등의 방향 전환.
[轉餉 전향] 양식을 운반함.
[轉化 전화] 변화함. 또, 변화시킴.
[轉禍爲福 전화위복] 재앙(災殃)이 바뀌어서 복
[轉換 전환] 바뀜. ⌊(福)이 됨.
[轉回 전회] 회전(回轉)함.
[轉廻 전회] 《佛敎》 '윤회(輪廻)'와 같음.
◉公轉. 空轉. 急轉. 氣轉. 機轉. 內轉. 倒轉. 動轉. 反轉. 變轉. 不退轉. 四轉. 旋轉. 循轉. 升轉. 我心匪石不可轉. 暗轉. 戾轉. 逆轉. 榮轉. 宛轉. 運轉. 圓轉. 流轉. 輪轉. 移轉. 一轉. 自轉. 展轉. 輾轉. 漕轉. 軫轉. 遷轉. 退轉. 好轉. 化轉. 環轉. 回轉. 廻轉. 橫轉.

11 ⑱ [輥] 곤 [上]阮 古本切 gǔn

[字解] ①수레굴러갈 곤 '一, 車轉'《集韻》. ②輥(車部 八畫)의 俗字. '一, 俗輥字'《正字通》.

11 ⑱ [轊] 예 [去]霽 于歲切 wèi

[字解] 굴대끝 예 차축(車軸)의 말단. '車挂一'《鮑照》.

[字源] [書의 別體] 形聲. 車+彗〔音〕. '彗예'는 '가늘다'의 뜻. 가늘어진 굴대의 끝의 뜻을 나타냄.

[參考] 軎(車部 三畫)와 同字.

12 ⑲ [轍] [人名] 철 [入]屑 直列切 zhé(chè) 辙

[筆順] 亘 車 軠 軠 輎 輎 輎 轍

[字解] 바퀴자국 철 수레바퀴가 지나간 자국. '車一中有鮒魚焉'《莊子》. 전(轉)하여, 흔적·행적 등의 뜻으로 쓰임. '百行異一'《陸機》. '善行無一迹'《老子》.

[字源] [篆文] 形聲. 車+徹〈省〉〔音〕. '徹철'은 '꿰뚫다, 빠져 지나가다'의 뜻. 수레가 지나간 다음에 남는 수레바퀴 자국의 뜻을 나타냄.

[轍亂旗靡 철란기미] 군사가 패망하는 모양.
[轍鮒 철부] 수레바퀴 자국에 괸 거의 말라 가는 물에서 괴로워하는 붕어. 생활에 몹시 쪼들린 사람이나 위급한 일이 눈앞에 닥친 사람의 비유. 학철부어(涸轍鮒魚).
[轍鮒之急 철부지급] 사람의 눈앞에 다가오는 위급(危急).
[轍迹 철적] ㉠수레바퀴 자국. 전(轉)하여, 사물의 자취. 흔적. ㉡수레바퀴 자국과 말의 발자국.
[轍跡 철적] 철적(轍迹).
[轍環天下 철환천하] 천하를 두루 돌아다님.
◉改轍. 故轍. 軌轍. 螳螂怒臂當車轍. 途轍. 同轍. 明轍. 覆轍. 氷轍. 易轍. 危轍. 異轍. 一轍. 車轍. 涸轍.

12 ⑲ [轎] [人名] 교 [平]蕭 巨嬌切 jiào 轿

[字解] 가마 교 탈것의 한 가지. 작은 가마. '一夫'. '輿一而隃嶺'《漢書》.

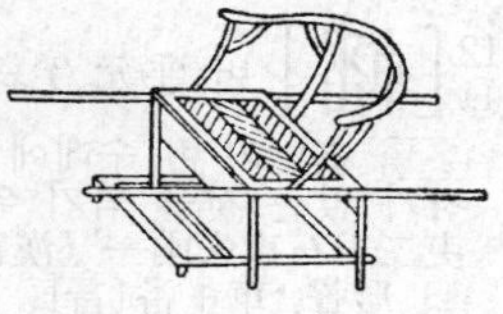
[轎]

[字源] 形聲. 車+喬〔音〕. '喬교'는 '橋교'와 통하여 '다리'의 뜻. 앞뒤 사람에 의해 메어져서, 마치 다리처럼 보이는 가마의 뜻을 나타냄.

[轎夫 교부] 가마를 메는 사람. 교군꾼.
[轎人 교인] 교부(轎夫). 「字).
[轎子 교자] 가마. 견여(肩輿). 자(子)는 조자(助
[轎丁 교정] 교부(轎夫).
[轎車 교차] 중국 북방에서 쓰는 여행용 마차(馬車). 노새 한 필 또는 두 필이 끎. 수레 모양이 교(轎)와 같음.
[轎行 교행] 가마를 타고 감.
◉空轎. 大轎. 兜轎. 山轎. 小轎. 迓轎. 輿轎. 便轎.

12 ⑲ [轒] 〔분〕 轒(車部 十三畫〈p. 2278〉)의 俗字

12 ⑲ [轜] 〔이〕 輀(車部 六畫〈p. 2265〉)와 同字

12 ⑲ [轏] 잔 [上]潸 士限切 zhàn

[字解] 수레 잔 싸움에 쓰는 수레. 병거(兵車).

또, 누워 다닐 수 있는 수레. 와거(臥車). 輚(車部 八畫)과 同字. '逢丑父寢于一車'《左傳》.
字源 篆文 轏 形聲. 車+孱〔音〕

12 ⑲ [轐] 복 ㉧屋 博木切 bú

字解 복토(伏兔) 복 굴대의 좌우 양 끝에 있어서, 차상(車箱)과 굴대를 연결하는 물건. '加軫與一焉'《周禮》.
字源 篆文 轐 形聲. 車+菐〔音〕

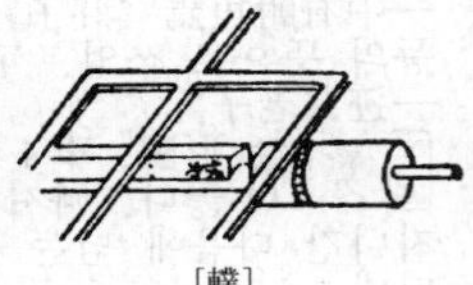
[轐]

12 ⑲ [轑] ㊀로 ①㊥豪 郞刀切 láo ②㊤晧 盧皓切 lǎo ㊁료 ㊤篠 朗鳥切 liǎo

字解 ㊀ ①긁을 로 솥의 밑바닥 같은 것을 긁음. '陽爲羹盡一釜'《漢書》. ②서까래 로 橑(木部 十二畫)와 통용. '得之殿屋重一中'《漢書》. ㊁ 불놓을 료 방화함. 燎(火部 十二畫)와 통용. '熏一天下'《漢書》.
字源 篆文 轑 形聲. 車+尞〔音〕

◉熏轑.

12 ⑲ [轒] 등 ㉰徑 台鄧切 dèng

字解 수레치장 등 수레에 깃 따위로 장식한 것. '一, 車羽'《集韻》.

12 ⑲ [轓] 번 ㊥元 孚袁切 fān

字解 흙받기 번 수레에 흙이 튀어 오르거나 먼지가 앉는 것을 막기 위하여 가리는 것. '令長吏二千石車朱兩一'《漢書》.
字源 形聲. 車+番〔音〕

◉木轓. 皁轓. 車轓.

12 ⑲ [轔] 린 ①②㊥眞 力珍切 lín ③④㉰震 良刃切 lìn

字解 ①삐걱거릴 린 수레바퀴가 쓸려 소리가 남. '乘龍兮一一'《楚辭》. ②문지방 린 문 밑을 받친 하방의 부분. '亡馬不發戶一'《淮南子》. ③성할 린 은성(殷盛)한 모양. '振殷一而軍裝'《揚雄》. ④칠 린 수레에 갈리게 함. '拚兔一鹿'《司馬相如》.
字源 篆文 轔 形聲. 車+粦〔音〕. '粦린'은 '이어지다'의 뜻. 계속해서 들리는 수레바퀴 소리의 뜻을 나타냄.

[轔轢 인력] ㉠수레에 치여 짓눌림. ㉡침범하여 억누름.
[轔轔 인린] 수레바퀴의 삐걱거리는 소리.
◉蹂轔. 殷轔. 戶轔.

12 ⑲ [轙] ㊀나 ㊤哿 乃可切 nuó ㊁내 ㉰箇 乃箇切

字解 ㊀ 수레의굴대끝 나 '一, 轑也'《集韻》. ㊁ 수레의굴대끝 내 ㊀과 뜻이 같음.

12 ⑲ [轒] 충 ㊥冬 尺容切 chōng

字解 진뚫는수레 충 적진을 격파하는 전차(戰車). 衝(行部 九畫)과 통용.
字源 篆文 轒 形聲. 車+童〔音〕. '童동'은 '내뚫다'의 뜻. 적진(敵陣)에 돌입(突入)하는 수레의 뜻을 나타냄.

12 ⑲ [轄] 광 ㊥陽 姑黃切 guāng

字解 수레밑가로나무 광 수레 밑에 댄 가로나무. '一, 車下橫木'《集韻》.

12 ⑲ [轕] 간 ㉰諫 居晏切 jiàn

字解 바퀴통쇠와굴대사이의공간(空間) 간 마찰을 방지하는 공간임. '一, 釋名, 一, 間也, 間釭軸之間, 使不相摩也'《正字通》.

12 ⑲ [轎] 교 ㊥蕭 堅堯切 jiāo

字解 ①수레어지러울 교 수레의 정돈되지 않은 모양. '一, 一轕, 車亂皃'《集韻》. ②轇(車部 十一畫)의 俗字. '一, 俗轇字'《正字通》.

12 ⑲ [轏] 교 ㉰嘯 古弔切 jiào

字解 수레굴대끝 교 수레의 굴대 끝. '車轊, 齊謂之轑, (注)又名一'《方言》. '一, 車轊'《集韻》.

13 ⑳ [轒] 분 ㊥文 符分切 fén

字解 병거 분 전쟁에 쓰는 수레. 전차(戰車). '一輼臨衝'《六韜》.
字源 篆文 轒 形聲. 車+賁〔音〕
參考 轒(車部 十二畫)은 俗字.

[轒櫓 분로] 성(城) 위의 망대(望臺).
[轒轀 분온] 흉노(匈奴)가 쓰는 수레.
[轒輼 분운] 싸움에 쓰는 수레. 병거(兵車).

13 ⑳ [轖] 색 ㉧職 所力切 sè

字解 기운맺힐 색 기(氣)가 울결(鬱結)함. '邪氣襲逆, 中若結一'《枚乘》.
字源 篆文 轖 形聲. 車+嗇〔音〕

13 ⑳ [轗] 거 ㊥魚 求於切 qú

字解 바퀴테 거 수레바퀴의 바깥 둘레에 끼우는 테. '一, 博雅, 一·輮, 輞也'《集韻》.

13 ⑳ [轗] 감 ㊥咸 苦感切 kǎn ㉰勘 苦紺切

字解 가기힘들 감 길이 험하여 수레가 가기 힘든 모양. 전(轉)하여, 때를 만나지 못하여 불우한 모양. '一軻不遇'. '誠一軻而艱難'《韓愈》.
字源 形聲. 車+感〔音〕. '轁감'과 통하여 수레가 가기 힘들다의 뜻을 나타냄.

[轗軻 감가] ㉠수레가 가는 길이 험하여 고생하는 모양. ㉡때를 만나지 못하여 불우한 모양.
[轗軻不遇 감가불우] 감가(轗軻) ㉡.
[轗⿰車稟 감람] 감가(轗軻).

13 ⑳ [⿰車稟] 람 [上]感 盧感切 lǎn

[字解] 가기힘들 람 轗(前條)과 뜻이 같음. '轗—'.

◉轗⿰車稟.

13 ⑳ [⿰車當] 당 [平]陽 都郎切 dāng

[字解] 수레마루 당 수레의 바닥에 깐 마루. 檔(木部 十三畫)과 통용. '—, 車—, 通作檔'《集韻》.

13 ⑳ [轘] 환 [去]諫 胡慣切 huàn / [平]刪 戶關切 huán 轘

[字解] 차열(車裂)할 환 수레 둘로 양쪽에서 끌어당기어 인체(人體)를 찢어 죽임. 또, 그 형벌. '齊人—高渠彌'《左傳》.

[字源] 篆文 形聲. 車+睘(瞏)〔音〕. '瞏경·선'은 '遠원'과 통하여 '멀어지다'의 뜻. 사람을 두 대의 수레에 매달고, 서로 반대 방향으로 달리게 하여 찢어 죽이는 형벌을 뜻함.

[轘裂 환열] 수레 둘로 양쪽에서 끌어당기어 사람을 찢어 죽이는 형벌. 차열(車裂).
[轘轅 환원] 꼬불꼬불하고 험준한 땅.
[轘磔 환책] 환열(轘裂).
[轘刑 환형] 환열(轘裂).
◉車轘.

13 ⑳ [轙] 의 [上]紙 魚倚切 yǐ

[字解] 채비차릴 의 종복(從僕)이 거마(車馬)의 떠날 준비를 함. '象輿—'《漢書》.

[字源] 篆文 形聲. 車+義〔音〕

◉輿轙.

13 ⑳ [轕] 〔갈〕 轇(車部 九畫〈p. 2272〉)과 同字

[字源] 形聲. 車+葛〔音〕

13 ⑳ [轚] [一] 격 [入]錫 古歷切 jí / [二] 계 [去]霽 古詣切 jí

[字解] [一] 부딪칠 격 비녀장끼리 서로 부딪침. [二] 걸릴 계 거리낌. 방해가 됨. '流旁握御—者不得入'《穀梁傳》.

[字源] 篆文 形聲. 車+毄〔音〕. '毄격'은 수레와 수레가 접촉하여, 굴대의 비녀장이 부딪치다의 뜻. 뒤에 '車차'를 덧붙여 뜻을 분명히 함.

[轚互 격호] 배·수레 등이 서로 스쳐 지나가는 협착한 곳.

14 ㉑ [轟] [人名] 굉 (횡[本]) [平]庚 呼宏切 hōng 轰

[字解] ①울릴 굉 여러 수레의 가는 소리가 덜거덕덜거덕하고 요란하게 울리거나, 총·우레 등의 소리가 쿵쿵 또는 우르르 쿵쾅 울리는 형용. 또, 그 소리. '—砲'. '雷—'. ②떠들썩할 굉 명성이 떠들썩한 모양. '要烈烈——做一場'《文天祥》.

[字源] 篆文 會意. 車+車+車. 많은 수레가 가는 소리의 뜻을 나타내며, 일반적으로 요란하게 울리다의 뜻을 나타냄.

[轟轟 굉굉] ㉠굉장히 크게 울리는 소리. 우르르하는 소리. 쿵쾅하는 소리. ㉡떠들썩한 소리. ㉢명성이 자자하여 우레 같은 모양.
[轟笑 굉소] 크게 웃음. 대소(大笑).
[轟然 굉연] 대포나 우레 등의 소리가 우르르 쿵쾅하는 모양.
[轟飮 굉음] 술을 많이 마심.
[轟醉 굉취] 술이 대단히 취함.
[轟沈 굉침] 함선(艦船)을 포격(砲擊)하여 가라앉힘.
[轟破 굉파] 포격하여 파괴함.
◉雷轟. 嘲轟. 車轟. 砰轟. 喧轟.

14 ㉑ [轜] 이 [平]支 人之切 ér

[字解] 상여 이 관을 싣는 수레. 영구차. '以—車挽歌, 爲葬送之法'《資治通鑑》.

[字源] 篆文 形聲. 車+需〔音〕

[參考] 輀(車部 六畫)의 俗字.

[轜車 이차] 관을 싣는 수레. 상여. 영구차(靈柩車).

14 ㉑ [⿰車㥯] 은 [上]吻 倚謹切 yǐn

[字解] ①수레소리 은 '—, 車聲'《集韻》. ②울리는소리 은 '——'은 울려 퍼지는 소리. '——, 聲也. (疏證) 車聲·雷聲·崩聲·羣行聲, 皆謂之——'《廣雅》.

14 ㉑ [轛] 대 [去]隊 都隊切 duì

[字解] ①수레앞격자 대 식(軾)의 아래에, 석 자 세 치 사이를 가로세로로 격자 모양으로 짠 것. '軾間衡植材, 總名爲—'《周禮》. ②수레 대 '—, 一曰, 車也'《集韻》.

[字源] 篆文 形聲. 車+對〔音〕. '對대'는 서로 마주 향하다, 앞쪽의 뜻. 수레의 앞쪽의 격자 모양으로 짠 것의 뜻을 나타냄.

14 ㉑ [轞] 함 [上]豏 胡黤切 jiàn

[字解] ①함거 함 사방을 널빤지로 막은, 죄수를 태우는 수레. '—車膠致, 與王詣長安'《漢書》. ②수레소리 함 수레가 가는 소리. '出車——'《左思》.

[字源] 形聲. 車+監〔音〕. '監감'은 '檻함'과 통하여 '우리'의 뜻. 맹수(猛獸)나 죄인(罪人)을 나르는 수레의 뜻을 나타냄.

[轞車 함거] 사방을 널빤지로 막은, 죄수(罪囚)를 싣는 수레.

[轞轞 함함] 수레가 가는 소리.

14 ㉑ [轞] 轞(前條)과 同字

14 ㉑ [轝] 人名 여 ㉮御 羊洳切 yú

字解 수레 여 輿(車部 十畫)와 同字. '亟呼家人, 設酒勞一隷'《徐禎卿》.

字源 形聲. 車+與〔音〕

[轝駕 여가] 천자(天子)의 수레
[轝隷 여례] 가마를 메는 하인. 여례(輿隷).
[轝馬 여마] 수레와 말.

14 ㉑ [轞] ㊀ 개 ㉮泰 丘蓋切 kài ㊁ 갈 ㉯曷 丘葛切 kě

字解 ㊀ 수레소리 개 수레가 지날 때 울리는 소리. 轄(車部 十畫)과 同字. '轄, 車聲, 或从蓋'《集韻》. ㊁ 수레소리 갈 輵(車部 九畫)과 同字. '一, 輷一, 車聲, 或从曷'《集韻》.

15 ㉒ [轡] 비 ㉮寘 兵媚切 pèi

字解 고삐 비 마소의 재갈에 잡아매어 끄는 줄. '按一'. '執一如組'《詩經》.

字源 金文 篆文 篆文 會意. 絲+軎. 말로 하여금 수레를 끌게 하는 밧줄, '고삐'의 뜻을 나타냄.

[轡勒 비륵] 비함(轡銜).
[轡銜 비함] 고삐와 재갈.
◉金轡. 急轡. 攬轡. 頓轡. 返轡. 方轡. 秉轡. 竝轡. 騁轡. 按轡. 鞍轡. 連轡. 偉轡. 柔轡. 操轡. 策轡. 銜轡.

15 ㉒ [轢] 人名 력 ㉯錫 郎擊切 lì

字解 ①삐걱거릴 력 수레바퀴가 쓸려 소리를 냄. 전(轉)하여, 서로 반목함. '軋一'. '凌一同列'《後漢書》. ②칠 력 수레바퀴 밑에 갈리게 함. '一死'. '徒車之所轔一, 乘騎之所蹂若'《史記》.

字源 篆文 形聲. 車+樂〔音〕. '樂락'은 도토리, 또는 방울의 象形. 수레에 치여서 도토리처럼 동글동글 작게 바수어지는 데서, 수레로 치다의 뜻을 나타냄.

[轢死 역사] 수레바퀴에 치여 죽음.
[轢殺 역살] 수레바퀴로 치어 죽임.
[轢蹙 역축] 침범함.
◉刻轢. 陵轢. 軋轢. 鞣轢. 轔轢. 車轢.

15 ㉒ [轣] ㊀ 락 ㉯藥 歷各切 luò ㊁ 뢰 léi

字解 ㊀ 수레소리 락 '一, 車聲'《集韻》. ㊁ 轠(車部 十五畫)의 俗字. '一, 俗轠字'《正字通》.

15 ㉒ [轠] 뢰 ㉰灰 魯回切 léi

字解 잇닿을 뢰 '一轤'는 왕래가 연락부절한 모양. '繽紛往來, 一轤不絕'《揚雄》.

[轠轤 뇌로] 자해(字解)를 보라.

15 ㉒ [轥] 〔차·거〕 車(部首〈p.2256〉)의 籀文

15 ㉒ [轒] 〔록〕 轆(車部 十一畫〈p.2275〉)과 同字

16 ㉓ [轣] 력 ㉯錫 狼狄切 lì

字解 삐걱거릴 력 수레바퀴가 쓸려 소리를 냄. 또, 그 소리. '松下縱橫餘屐齒, 門前一轆想君車'《蘇軾》.

字源 形聲. 車+歷〔音〕

[轣轆 역록] 수레바퀴가 삐걱거리는 소리.

16 ㉓ [轤] 롱 ㉰東 盧東切 lóng

字解 ①굴대머리 롱 축두(軸頭). '一, 方言, 車轄, 齊謂之一'《集韻》. ②위로굽은끌채 롱 곡주(曲輈). '車轅上者, 謂之一'《小爾雅》.

16 ㉓ [轤] 로 ㉰虞 落胡切 lú

字解 고패 로 활차. '橫架轆一'《張籍》.

字源 形聲. 車+盧〔音〕

◉轆轤. 轠轤.

17 ㉔ [轡] 〔비〕 轡(車部 十五畫〈p.2280〉)와 同字

18 ㉕ [轕] 격 ㉯陌 古伯切 gé

字解 겹칠 격 중복됨. '一, 複也, 重複非一之言也'《釋名》.

18 ㉕ [轔] 휴 ㉰齊 玄圭切 xié

字解 한바퀴돌 휴 차륜(車輪)의 한 회전(回轉). 巂(隹部 十畫)와 통용. '一, 車輪轉一周爲一, 通作巂'《集韻》.

19 ㉖ [轣] 련 ㉰先 閭員切 lián

字解 맬 련 철(綴)함. '一, 一綴也'《字彙》.

19 ㉖ [轤] 찬 ㉰寒 祖官切 zuān

字解 ①끌채 찬 ㉠곧은 끌채. '一, 直轅也'《玉篇》. ㉡굽은 끌채. '一, 車曲轅也'《龍龕手鑑》. ②끌채동이는끈 찬 韊(革部 二九畫)과 同字. '韊, 說文, 車衡三束也, 曲轅韊縛, 直轅暈縛, 或作一'《集韻》.

20 ㉗ [轥] ㊀ 얼 ㉯屑 魚列切 niè ㊁ 알 ㉯曷 五割切

字解 ㊀ 우뚝할 얼 높이 솟은 모양. '四門一一, 隆厦重起'《左思》. ㊁ 수레에높이실을 알 수레에 물건을 높이 싣고 가는 모양. '一一, 車載高貌'

《說文 段注》.
字源 篆文 形聲. 車+獻〔音〕. '獻헌'은 높이 올리다의 뜻. 수레에 물건을 높이 싣다의 뜻을 나타냄.

20 ㉗ [轥] 린 ㊀震 良刃切 lìn

字解 칠 린 轔(車部 十二畫)과 同字. '徒車之所一轢'《司馬相如》.
字源 形聲. 車+藺〔音〕

[轥轢 인력] ㉠수레에 갈림. ㉡뛰어남. 탁월(卓越)함.

20 ㉗ [轇] 각 ㊀藥 厥縛切 jué

字解 수레덧바퀴 각 '一, 轊一, 車輞也'《集韻》.

21 ㉘ [轣] 〔력〕 轣(車部 十六畫〈p. 2280〉)과 同字

辛 (7획) 部
〔매울신부〕

0 ⑦ [辛] 中人 신 ㊀眞 息隣切 xīn

筆順

字解 ①매울 신 혀가 알알한 맛을 가짐. ②독할 신, 괴로울 신, 슬플 신 '一辣'. '一苦'. '悲一'. 또, 매운맛. '葷一不入口者十載'《宋史》. ③새 신 新(斤部 九畫)과 통용. '言萬物之一生'《史記》. ④천간이름 신 십간(十干)의 제팔위(第八位). '一酉'. ⑤성 신 성(姓)의 하나.
字源 甲骨文 金文 篆文 象形. 문신을 하기 위한 바늘을 본뜬 것으로, '괴롭다, 죄'의 뜻을 나타냄.
參考 '辛신'을 의부(意符)로 하여, 죄를 나타내는 문자, 또 맛이 매움을 나타내는 문자를 이룸. 부수 이름은 '매울신'.

[辛艱 신간] 고생. 신고(辛苦).
[辛苦 신고] ㉠매운맛과 쓴맛. ㉡괴로운 일을 견디며 일함. 또, 대단히 괴로움. 고생함. 애씀.
[辛勤 신근] 고된 일을 맡아 부지런히 일함. 또, 고된 근무.
[辛棄疾 신기질] 남송(南宋)의 문신(文臣). 역성(歷城) 사람. 자(字)는 유안(幼安). 호(號)는 가헌(稼軒). 감사(監司), 수신(帥臣)을 역임(歷任)하여 지방의 통치(統治)에 힘을 기울였으며, 남송의 향병(鄕兵)인 비호군(飛虎軍) 창설에 공이 큼. 사(詞)에 능하여 그의 장단구(長短句)는 유명함. 저술로는 〈가헌집(稼軒集)〉이 있음.
[辛毒 신독] 신고(辛苦) ㉡.
[辛辣 신랄] ㉠맛이 몹시 맵고 아림. ㉡가혹하고 매서움.
[辛烈 신렬] 대단히 신랄함.
[辛勞 신로] 신고(辛苦) ㉡.
[辛味 신미] 매운맛.
[辛盤 신반] 오신반(五辛盤)의 준말. 파〔葱〕·마늘〔蒜〕·부추〔韮〕·여뀌 잎〔蓼〕·겨자〔蒿芥〕를 섞어 만든 음식. 원단(元旦)에 이것을 먹으면 오장(五臟)의 기(氣)가 통하여 건강해진다고 함.
[辛酸 신산] ㉠맵고 심. ㉡괴로움과 쓰라림. 고생. 고초(苦楚).
[辛螫 신석] 독충(毒蟲) 같은 것에 쏘인 아픔. 전(轉)하여, 심한 고생.
[辛夷 신이] 목련과(木蓮科)에 속하는 낙엽 교목. 봄에 희고 큰 꽃이 핌. 백목련(白木蓮).
[辛坐乙向 신좌을향] 신방(辛方)에서 을방(乙方)을 향함.
[辛楚 신초] 신산(辛酸) ㉡.
◉艱辛. 季辛. 苦辛. 悲辛. 酸辛. 上辛. 細辛. 少辛. 愁辛. 五辛. 下辛.

0 ⑦ [辛] 〔건〕 愆(心部 九畫〈p. 797〉)과 同字

1 ⑧ [辛] 辛(前前條)의 訛字

4 ⑪ [辛] 개 音介 jiè

字解 섞일 개 '一, 雜也'《川篇》.

5 ⑫ [辝] 〔사〕 辭(辛部 八畫〈p. 2282〉)의 籒文

5 ⑫ [辜] 人名 고 ㊀虞 古胡切 gū

字解 ①허물 고 죄. '無一'. '與其殺不一, 寧失不經'《書經》. ②반드시 고 꼭. '言陽氣洗物, 一絜之也'《漢書》. ③저버릴 고 孤(子部 五畫)와 통용. '猶有一般一負事'《白居易》. ④막을 고 방해함. '豪右一榷'《後漢書》. ⑤찢어발길 고 희생(犧牲)을 죽여 사지를 찢는 일. '以疈一, 祭四方百物'《周禮》. ⑥대강 고 대략. '蓋者, 一較之辭'《孝經 註》. ⑦성 고 성(姓)의 하나.
字源 篆文 古文 形聲. 辛+古〔音〕. '古고'는 '固고'와 통하여 '굳게 닫히다'의 뜻. 죄인에게 자자하여 단단히 가두는 데서 '죄'의 뜻을 나타냄.

[辜榷 고각] 남이 장사하는 것을 방해하여 이익을 독점함.
[辜功 고공] 죄상(罪狀).
[辜較 고교] 대략. 대개.
[辜負 고부] 배반(背反)함. 저버림. 고부(孤負).
[辜月 고월] 음력(陰曆) 11월의 이칭(異稱).
[辜罪 고죄] 허물. 죄.
◉蒙辜. 無辜. 伏辜. 不辜. 非辜. 死有餘辜. 速辜. 深辜. 罪辜. 重辜. 恤辜.

6 ⑬ [辟]
一 벽 ①-⑨㊀陌 必益切 bì
　　⑩-⑰㊀陌 芳辟切 pì
二 피 ㊀寘 毗義切 pì
三 비 ①㊀寘 匹智切 pì
　　②㊀霽 匹計切

字解 一 ①임금 벽 ㉠천자(天子) 또는 제후(諸侯). '復一'. '惟一作福'《張蘊古》. ㉡하늘의

존칭. '蕩蕩上帝, 下民之一'《詩經》. ②임 벽 죽은 남편의 호칭. '妻祭夫曰皇一'《禮記》. ③법 벽 법칙. 법률. '祇一'《書經》. ④밝힐 벽 명확하게 함. '對揚以一之'《禮記》. ⑤부를 벽 군주가 재야(在野)의 현자를 불러오게 함. '徵一'. '卽日一之'《晉書》. ⑥다스릴 벽 죄를 다스림. '一刑獄'《左傳》. ⑦길쌈할 벽 緈(糸部 十三畫)과 同字. '妻一纑'《孟子》. ⑧절름발이 벽 躄(足部 十三畫)과 통용. '又類一'《賈誼》. ⑨성 벽 성(姓)의 하나. ⑩편벽될 벽 僻(人部 十三畫)과 同字. ㉠마음이 한쪽으로 치우쳐 공정하지 아니함. '人之其所親愛而一焉'《大學》. ㉡땅이 궁벽한 곳에 있음. '國小處一'《史記》. ⑪허물 벽 죄. '刑一'. '宮一'. ⑫죄줄 벽 형에 처함. '一以止一'《書經》. ⑬열 벽 闢(門部 十三畫)과 同字. 개간함. '一土地'《孟子》. ⑭물리칠 벽 물러나게 함. '行一人可也'《孟子》. ⑮물러날 벽 놀라서 피함. '人馬俱驚一易數里'《史記》. ⑯가슴칠 벽 擗(手部 十三畫)과 통용. '一踊'《禮記》. '寤一有摽'《詩經》. ⑰천둥 벽, 벼락소리 벽 霹(雨部 十三畫)과 통용. '一歷'. [二] 피할 피 避(辵部 十三畫)와 통용. '師再子一席再拜'《史記》. [三] ①비유할 비, 비유컨대 비 譬(言部 十三畫)와 통용. '一如行遠, 必自邇'《中庸》. ②눈흘길 비 睥(目部 八畫)와 통용. '一睨兩宮閒'《史記》.

[字源] [金文] [篆文] 會意. 辛+卩+口. '辛신'은 바늘의 象形. '卩절'은 웅크린 사람의 象形. '口구'는 바늘로 낸 상처의 象形. 사람에게 형벌을 내리는 모양에서, '죄주다'의 뜻을 나타냄. 또, 형벌권을 가지는 임금의 뜻도 나타냄.

[辟擧 벽거] 벽소(辟召)와 선거(選擧).
[辟穀 벽곡] 화식(火食)은 아니하고 생식(生食)만 하는 일.
[辟公 벽공] 제후(諸侯).
[辟宮 벽궁] 도마뱀붙이. 수궁(守宮).
[辟歷 벽력] 벼락. 벽력(霹靂).
[辟陋 벽루] 토지가 벽촌(僻村)이 되어서 사람이 고루함.
[辟名 벽명] 사실이 아닌 일을 적어 놓음.
[辟聘 벽빙] 재야(在野)의 현사(賢士)를 불러 기용함.
[辟邪 벽사] ㉠사귀(邪鬼)를 몰아내는 일. 재앙을 불제(祓除)하는 일. ㉡상상의 짐승 이름. 불제하는 짐승. 한대(漢代)에 그 형상을 많이 새겼음.

[辟邪㉡]

[辟邪符 벽사부] 재앙(災殃)을 물리치는 부적(符籍).
[辟書 벽서] 호출장(呼出狀).
[辟說 벽설] 편벽된 설.
[辟召 벽소] 임관(任官)시키기 위한 부름.
[辟言 벽언] 편벽(偏僻)된 말.
[辟易 벽역] ㉠두려워하여 물러남. ㉡물러나 피함.

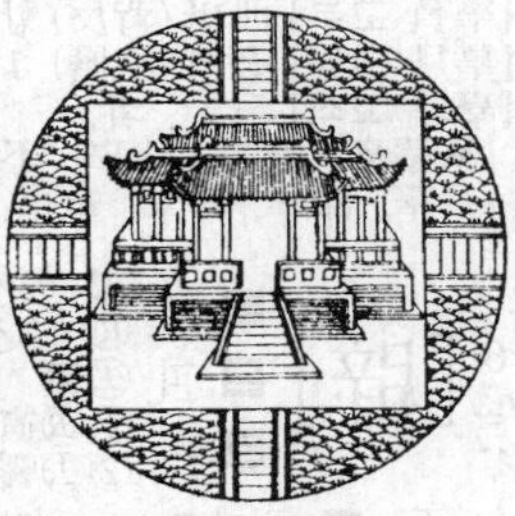
[辟雍]

[辟雍 벽옹] 주대(周代)의 천자(天子)의 도성(都城)에 설립한 대학(大學). 주위의 형상이 벽(璧)과 같이 둥글고 물이 둘려 있음.
[辟雝 벽옹] 벽옹(璧雍).
[辟雍宮 벽옹궁] 북평(北平)에 있는 청조(淸朝) 시대의 대학(大學)이 있던 곳.
[辟王 벽왕] 임금. 군주(君主).
[辟違 벽위] 특사함. 사벽(邪僻).
[辟引 벽인] 벼슬을 시키려고 불러 끎.
[辟除 벽제] ㉠불러내어 관(官)을 제수(除授)함. ㉡깨끗이 치움. ㉢《韓》 귀인(貴人)이 외출할 때에 여러 사람의 통행을 금지하던 일.
[辟火符 벽화부] 불을 물리치는 부적(符籍).
[辟睨 비예] 눈을 흘김.
[辟忌 피기] 꺼리어 피함.
[辟世 피세] 세상을 피해 숨음. 피(辟)는 피(避).
[辟寒丸 피한환] 추위를 없애는 환약.
◉黜辟. 群辟. 宮辟. 斷辟. 大辟. 東辟. 網辟. 放辟. 百辟. 復辟. 荊辟. 邪辟. 常辟. 召辟. 列辟. 英辟. 禮辟. 應辟. 劓辟. 重辟. 徵辟. 招辟. 便辟. 憲辟. 賢辟. 刑辟. 皇辟. 后辟.

6 ⑬ [辞] 〔사〕 辭(辛部 十二畫〈p.2283〉)의 俗字

6 ⑬ [辠] 죄 ㊤賄 徂賄切 zuì

[字解] 허물 죄 罪(网部 八畫)의 古字. 진(秦)나라 시황제(始皇帝)가 이 글자가 황자(皇字)와 비슷하다 하여, '罪'로 고치었음. '秦以一似皇字, 改爲罪'《說文》.

[字源] [篆文] 會意. 辛+自. '辛신'은 형벌로서의 침의 상형으로 '죄'의 뜻. '自자'는 코의 象形. 죄인의 코에 형벌을 가하는 모양에서 '죄'의 뜻을 나타냄.

7 ⑭ [辣] [人名] 랄 [入]曷 盧達切 là

[字解] 매울 랄 ㉠맛이 몹시 매움. '薑辛桂一'《齊民要術》. ㉡언행이 몹시 매움. '辛一'. '一腕'.

[字源] 形聲. 辛+朿(刺)〔音〕. '辛신'은 바늘을 본뜬 것. '刺랄'은 묶은 것에 칼질하다의 뜻. 바늘이나 칼로 찌르듯이 맛이 맵다의 뜻을 나타냄.

[辣手 날수] 날완(辣腕).
[辣腕 날완] 매서운 수완.
◉老辣. 毒辣. 颯辣. 辛辣. 惡辣. 香辣. 馨辣. 酷辣.

7 ⑭ [辢] 辣(前條)과 同字

7 ⑭ [辡] [一] 변 ㊤銑 符蹇切 biàn
[二] 편 ㊤銑 方免切

[字解] [一] 죄인서로송사할 변 '一, 辠人相與訟也'《說文》. [二] 죄인서로송사할 편 [一]과 뜻이 같음.

[字源] 會意. 辛+辛

8 ⑮ [辤] 〔사〕 辭(辛部 十二畫〈p.2283〉)와 同字

[字源] [金文] [篆文] [籒文] 會意. 辛+受. 몸에 받는 괴로움을 사절해야

한다의 뜻에서, '사절, 사양하다'의 뜻을 나타냄. 또, '辭사'와 통하여 '말'의 뜻을 나타냄.
[參考] '辤'는 본디, '사절하다'의 뜻으로, '辭'와는 別字이지만, 뒤에 혼용하게 되었음.

9 ⑯ [辜苦] 고 [去]遇 苦故切 kù
[字解] 수유(茱萸)를빻아가루를낸향신료(香辛料)고 '一, 搗茱萸爲之, 味辛而苦'《集韻》.

9 ⑯ [辦] [人名] 판 [去]諫 蒲莧切 bàn
[字解] ①힘쓸 판 일을 힘써 주선함. '總一'. '項梁嘗爲主一'《史記》. ②갖출 판 물건을 갖춤. '大兄言一飯'《古詩》. 또, 처리함. '臣多多益一'《漢書》.
[字源] 篆文 形聲. 力+辡〔音〕. '辡변'은 두 사람의 죄인이 서로 말다툼하다의 뜻. 힘을 다하여 겨루다, 힘쓰다, 힘써 말다툼을 처리하다의 뜻을 나타냄.

[辦嚴 판엄] 길 떠날 채비. 한명제(漢明帝)의 휘(諱) 장(裝) 자를 피하여 엄(嚴)으로 고친 것.
◉代辦. 咄嗟辦. 買辦. 密辦. 精辦. 整辦. 主辦. 總辦. 趨辦. 會辦.

9 ⑯ [辨] [高·人] [一] 변 [上]銑 符蹇切 biàn [二] 판 [去]諫 蒲莧切 bàn [三] 편 [去]霰 普麵切 piàn
[筆順] 辨
[字解] [一] ①나눌 변 구별함. '一析'. '序爵所以一貴賤也'《中庸》. ②나누일 변 구별됨. '男女以一'《左傳》. ③분별할 변 판별함. 식별함. '一識'. '有弗一, 一之弗明弗措也'《中庸》. ④구별 변, 분별 변 '效門室之一'《荀子》. ⑤밝힐 변 분명하게 함. '一吉凶者'《易經》. ⑥변화 변 고처져 달리 되는 일. '御六氣之一'《莊子》. ⑦쟁론할 변 말다툼함. 辯(辛部 十四畫)과 통용. ⑧성 변 성(姓)의 하나. [二] 갖출 판 辦(前條)과 통용. '以一民器'《周禮》. [三] 두루 편 徧(彳部 九畫)과 통용. '瑞應一至'《史記》.
[字源] 金文 篆文 會意. 刀+辡. 두 개의 바늘과 칼로, 나누다의 뜻을 나타냄. 파생하여, '처리하다, 분별하다'의 뜻을 나타냄.
[參考] 辧(次條)은 本字.

[辨告 변고] 이해시켜 알림. 사리를 따져 타이름.
[辨論 변론] 시비(是非)를 분변(分辨)하여 따짐.
[辨理 변리] 일을 맡아 처리함.
[辨明 변명] 사리를 분변(分辨)하여 명백하게 함.
[辨誣 변무] 원통한 것을 변명함.
[辨駁 변박] 시비를 분변(分辨)하여 논박(論駁)함.
[辨白 변백] 변명.
[辨別 변별] 분별함.
[辨別力 변별력] 사물의 시비선악(是非善惡)을 변별(辨別)하는 힘.
[辨士 변사] 말을 잘하는 사람. 변사(辯士).
[辨似 변사] 자서(字書)에서 비슷하여 혼동하기 쉬운 글자를 모아 그 이동(異同)을 밝힘.
[辨償 변상] 물어 줌. 치러 줌.
[辨析 변석] 명백히 분석함.
[辨釋 변석] 사리를 분명하게 해석함.
[辨說 변설] 시비를 분별하여 설명함.
[辨識 변식] 분별하여 앎.
[辨裝 변장] 길 떠날 채비.
[辨財天 변재천] '변재천(辯才天)'의 잘못.
[辨正 변정] 변명하여 바로잡음.
[辨證 변증] 직각(直覺) 또는 경험에 의하지 아니하고 개념(概念)의 분석에 의하여 사리를 연구함.
[辨察 변찰] 시비를 살펴 분명히 함.
[辨解 변해] 말로 자세히 밝힘.
[辨覈 변핵] 시비를 분별하여 밝힘.
◉強辨. 論辨. 多多益辨. 明辨. 分辨. 思辨. 審辨. 愚智辨. 自辨. 精辨. 澄辨. 治辨. 淄澠辨. 奚鬚髮足辨.

9 ⑯ [辧] 辨(前條)의 本字

9 ⑯ [辥] 설 [入]屑 私列切 xuē
[字解] ①허물 설 죄(罪). ②나라이름 설 薛(艸部 十三畫)과 통용. ③성 설 성(姓)의 하나.
[字源] 甲骨文 金文 篆文 形聲. 辛+岜〔音〕. '辛신'은 끝이 뾰족한 날붙이의 象形. '岜얼'은 '다스리다'의 뜻. 법질서로 다스리다의 뜻을 기본으로 하고, 죄, 사형, 다스리다의 뜻을 나타냄.

10 ⑰ [辬] 겸 [平]鹽 苦兼切 qiān
[字解] 어려울 겸 힘듦. '一, 一苦, 艱也'《集韻》.

11 ⑱ [辬] 빈 [平]眞 悲巾切 bīn
[字解] 얼룩 빈 얼룩짐. '一, 駁也'《集韻》.

12 ⑲ [辭] [高·人] 사 [平]支 似兹切 cí 辞
[筆順] 辭
[字解] ①말 사, 말씀 사 ㉠언어. '言一'. '仲尼應答弟子及時人之一'《何晏》. ㉡문장. 사장(詞章). '文一'. '一, 合於說'《荀子》. ②핑계 사 구실. '因以爲一攻之'《戰國策》. ③알릴 사 고함. '使人一於狐突'《禮記》. ④타이를 사 사리를 말하여 알게 함. '仁者之過易一'《禮記》. ⑤청할 사 요청함. '大夫一而復之'《國語》. ⑥사양할 사 겸손하여 양보함. '溫顏遜一'《漢書》. ⑦사퇴할 사 ㉠응하지 아니함. '孺悲欲見孔子, 孔子一以疾'《論語》. ㉡받지 아니함. '爵祿可一也'《中庸》. ㉢그만둠. '一職'. '一意俱悽姸'《韋應物》. ㉣작별하고 떠남. '一家'. '賈生旣一往'《史記》. ⑧문체의하나 사 한문(漢文)의 한 체(體). 감상(感想)을 문장(文章)에 탁(託)한 것으로, 대개 운(韻)을 닮. '秋風一'. '詩變而爲騷, 騷變而爲一. 皆可歌'《古文眞寶 註》. ⑨성 사 성(姓)의 하나.
[字源] 金文 篆文 籀文 會意. 𤔔+辛. '𤔔란'은 실을 아래위로 손을 대어 헝클어지지 않게 가지런히 정리하는 일의 象形. '辛신'은 '죄'의 뜻. 죄인을 나무라다, 죄

를 다스리다의 뜻에서, 일반적으로 '다스리다, 맡아 관리하다'의 뜻을 나타냄. '詞사'와 통하여 '말'의 뜻으로도 쓰임.
參考 辞(辛部 六畫)는 俗字.

[辭去 사거] 하직하고 감.
[辭決 사결] 하직(下直).
[辭氣 사기] 말씨.
[辭達而已矣 사달이이의] 언어·문장의 목적은 자기의 의사를 충분히 나타내면 그만임.
[辭令 사령] ㉠사람에게 응대하는 말. ㉡왕복 문서. 편지. ㉢관직의 임명서. 사령장.
[辭理 사리] 말의 조리.
[辭林 사림] ㉠사전(辭典). ㉡문사(文士)가 모이는 곳. 문인(文人)들의 사회.
[辭免 사면] 맡아보던 일을 그만둠.
[辭貌 사모] 말과 용모. 언사와 풍모(風貌).
[辭柄 사병] 이야깃거리.
[辭服 사복] 사죄(謝罪)하고 복종함.
[辭賦 사부] 시가(詩歌). 문장(文章).
[辭謝 사사] 사절함. 사퇴함.
[辭色 사색] 말과 얼굴빛.
[辭書 사서] 사전(辭典).
[辭說 사설] 말. 이야기.
[辭世 사세] 세상을 하직함. 죽음.
[辭受 사수] 사양하는 것과 받는 것.
[辭讓 사양] 받을 것을 겸손하여 안 받거나 자리를 남에게 내어 줌.
[辭言 사언] 말. 언사(言辭).
[辭緣 사연] 편지나 말의 내용.
[辭源 사원] ㉠말의 근원. ㉡말. 언사.
[辭意 사의] ㉠사퇴하는 마음. ㉡사직하는 마음. ㉢말의 뜻. 언어와 의미.
[辭任 사임] 사직(辭職).
[辭章 사장] 시부(詩賦)나 문장(文章).
[辭典 사전] 언어(言語)를 일정한 순서로 수록하고 낱낱이 그 언어(言語)·어원(語源)·발음(發音) 등을 해설한 책. 사림(辭林). 사서(辭書).
[辭絶 사절] 사양하여 거절함.
[辭藻 사조] 문장. 시가(詩歌).
[辭宗 사종] 시문(詩文)의 대가(大家). 사장(辭章)의 종사(宗師). 사종(詞宗). 문종(文宗).
[辭旨 사지] 말의 취지. 사지(辭指).
[辭指 사지] 사지(辭旨).
[辭職 사직] 직무를 내놓고 물러남.
[辭趣 사취] 사지(辭旨).
[辭吐 사토] 말. 언사. 담토(談吐).
[辭退 사퇴] ㉠겸양(謙讓)하여 물러남. ㉡사절하고 물러섬.
[辭表 사표] 사직할 뜻을 적어 제출하는 문서.
[辭彙 사휘] 사전(辭典).
◉歌辭. 嘉辭. 甘辭. 謙辭. 告辭. 固辭. 瞽辭. 怪辭. 瑰辭. 交辭. 嬌辭. 舊辭. 詭辭. 勞辭. 多辭. 答辭. 讜辭. 悼辭. 同辭. 遁辭. 曼辭. 蕪辭. 文辭. 美辭. 媚辭. 駁辭. 芳辭. 拜辭. 繁辭. 辯辭. 卜辭. 浮辭. 卑辭. 肥辭. 邪辭. 詐辭. 謝辭. 屬辭. 孫辭. 遜辭. 送辭. 頌辭. 碎辭. 修辭. 式辭. 飾辭. 失辭. 深辭. 兩辭. 言辭. 輿辭. 禮辭. 溫辭. 玩辭. 婉辭. 雄辭. 偉辭. 僞辭. 遊辭. 諛辭. 音辭. 淫辭. 俚辭. 異辭. 離辭. 一辭. 一言半辭. 傳辭. 絶妙好辭. 折辭. 接辭. 正辭. 題辭. 弔辭. 助辭. 措辭. 陳辭. 贊辭. 淺辭. 綴辭. 祝辭. 置辭. 誕辭. 吐辭. 通辭. 片辭. 便辭. 片言隻辭. 褒辭. 詖辭. 賀辭. 虛辭. 華辭. 爻辭. 訓辭. 休辭.

14 ㉑ [辯] 高·人 ㊀ 변 ㊤銑 符蹇切 biàn ㊁ 평 ㊥庚 符兵切 píng ㊂ 편 ㊦霰 卑見切 biàn 辯 𨐨

筆順 亠 立 辛 辛 辛言 辛言辛 辯

字解 ㊀ ①말잘할 변 '言僞而一'《禮記》. ②다툴 변 말다툼함. 또, 논쟁함. '遠鬪一矣'《禮記》. '一難攻擊之文'《文章軌範 小序》. ③효유할 변 가르쳐 깨닫도록 함. '其過失可微一, 而不可面數也'《禮記》. ④나눌 변, 나누일 변 辨(辛部 九畫)과 통용. '君子以一上下, 定民志'《易經》. ⑤바로잡을 변 바르게 함. '有司弗一也'《禮記》. ⑥말 변 잘하는 말. 웅변. '一舌'. '予豈好一哉'《孟子》. ⑦문체 변 한문의 한 체(體). 언행의 시비·진위(眞僞)를 판단하여 설명하는 글. '諱一'. '桐葉封弟一'. '一, 判別也, (中略) 至唐韓柳乃始作焉, 然其原實出於孟莊'《文體明辯》. ㊁ 고를 평 平(干部 二畫)과 통용. '一秩東作'《史記》. ㊂ 두루미칠 편 徧(彳部 九畫)과 통용. '其治一者, 其體具'《禮記》.
字源 篆文 𨐨 會意. 言+辡. '辡변'은 '나누다'의 뜻. 말로 일의 도리를 가려 밝히다의 뜻을 나타냄.

[辯告 변고] 널리 고함. 널리 알림.
[辯口 변구] 잘하는 말.
[辯難 변난] 말다툼함. 언론으로 반대하고 비난함.
[辯佞 변녕] 말도 잘하고 비위도 잘 맞춤. 또, 그 사람.
[辯論 변론] ㉠변명하여 논함. ㉡언쟁함. 또, 그 의론. ㉢말을 잘함.
[辯妄 변망] 남의 망발된 의론을 변박(辯駁)함.
[辯明 변명] 변해(辯解).
[辯辯 변변] 조리 있게 논하는 모양.
[辯士 변사] ㉠말솜씨가 좋은 사람. 변사(辨士). ㉡연설 또는 강연을 하는 사람. ㉢활동사진을 설명하는 사람.
[辯嘗 변상] 음식의 맛을 봄.
[辯析 변석] 이치를 똑똑히 밝힘. 변(辯)은 별(別), 석(析)은 분(分).
[辯釋 변석] 설명함.
[辯舌 변설] 잘하는 말. 또, 말솜씨.
[辯贍 변섬] 말재주가 있고 학식이 풍부함.
[辯疏 변소] 변해(辯解).
[辯囿 변유] 변설이 유창한 사람들의 모임.
[辯才 변재] ㉠말을 잘하는 재주. ㉡변설과 재지(才智).
[辯才天 변재천]《佛教》재지(才智)·재복(財福)·음악을 맡은 여신(女神). 막히지 아니하는 변재가 있고 무한한 이익을 주며 비파를 잘 타 중생(衆生)을 기쁘게 한다고 함.
[辯財天 변재천] 변재천(辯才天).
[辯足以飾非 변족이식비] 변재가 있어 자기의 잘못을 잘 꾸며 대어 변해함.
[辯智 변지] ㉠사리를 분별하는 슬기. ㉡말을 잘하고 슬기가 있음.
[辯天 변천]《佛教》변재천(辯才天).
[辯捷 변첩] 말 잘하고 민첩함.
[辯解 변해] 죄가 없음을 밝힘. 잘못한 것이 없음

을 따져서 밝힘.
[辯慧 변혜] 말을 잘하고 지혜가 있음.
[辯護 변호] 변명하여 비호(庇護)함.
[辯護士 변호사] 당사자 또는 관계되는 사람의 위촉을 받거나 법원의 선임(選任)에 의하여 소송에 관한 행위 및 일반 법률 사무를 행함을 직무(職務)로 하는 사람.
◉剛辯. 強辯. 堅白同異之辯. 堅白之辯. 警辯. 高辯. 曲辯. 宏辯. 閎辯. 巧辯. 口辯. 詭辯. 機辯. 論辯. 訥辯. 能辯. 多辯. 達辯. 談辯. 答辯. 大辯. 代辯. 明辯. 妙辯. 文辯. 敏辯. 博辯. 浮辯. 分辯. 不辯. 飛辯. 邪辯. 辭辯. 善辯. 小辯. 心辯. 熱辯. 佞辯. 英辯. 溫辯. 雄辯. 伊管之辯. 逸辯. 任辯. 才辯. 廷辯. 精辯. 俊辯. 陳辯. 聰辯. 贅辯. 治辯. 馳辯. 駄辯. 通辯. 豐辯. 筆辯. 抗辯. 懸河之辯. 好辯. 弘辯. 華辯.

17 ㉔ [[illegible]] 〔고〕
辜(辛部 五畫〈p.2281〉)와 同字

辰 (7획) 部
〔별진부〕

0 ⑦ [辰] 中人 ㊀ 진(신 (本)) (平)眞 植鄰切 chén
㊁ 신 (平)眞 植鄰切 chén
筆順 一 厂 厂 戶 𠩺 𠩺 辰
字解 ㊀ ①다섯째지지 진 십이지(十二支)의 제오위(第五位). 방위로는 동남, 시각으로는 오전 7시부터 9시까지의 사이, 달로는 음력 3월, 띠로는 용(龍)에 배당함. ②지지 진 십이지의 총칭. '十有二一之號'《周禮》. 또, 자(子)의 날부터 해(亥)의 날까지의 열이틀간. '浹一之間'《左傳》. ③별이름 진 '一星'(수성). '大一'〈대화성(大火星)〉. ㊁ ①일월성 신 해와 달과 별의 총칭. '三一'. 또, 그 교회(交會)하는 곳. '日月星一'《書經》. ②날 신 하루. '吉一'《左傳》. ③때 신 시각. 시절. '時一'. '良一'. '我生不一'《詩經》. ④별이름 신 '北一'(북극성).
字源 甲骨文 金文 篆文 古文 象形. 조개가 껍데기에서 발을 내밀고 있는 모양을 본뜸. 본디 '蜃신'의 原字. 假借하여 지지의 다섯째, '용'의 뜻으로 쓰임.
參考 '辰진'은 조가비를 나타내며, 옛날에 농구로 쓰였던 데서, '辰'을 바탕으로 하여 농사에 관한 문자를 이룸. 부수 이름은 '별진'.

[辰夜 신야] 아침과 밤. 신(辰)은 신(晨).
[辰刻 진각] 시간. 시각(時刻).
[辰方 진방] 동남(東南)쪽.
[辰砂 진사] 수은과 유황(硫黃)과의 화합물. 주사(朱砂).
[辰星 진성] 수성(水星)의 이칭(異稱).
[辰宿 진수] 성수(星宿).
[辰時 진시] 오전 7시부터 9시까지의 시각.
[辰緯 진위] 별. 성신(星辰).
[辰日 진일] 길일(吉日).
◉佳辰. 嘉辰. 甲辰. 剛辰. 考辰. 忌辰. 吉辰. 大辰. 芳辰. 北辰. 司辰. 三辰. 參辰. 上辰. 霜辰. 生辰. 星辰. 聖辰. 時辰. 十二辰. 良辰. 嚴辰. 令辰. 靈辰. 五辰. 儀辰. 日辰. 匝辰. 凄辰. 測辰. 誕辰. 浹辰.

3 ⑩ [辱] 高人 욕 (入)沃 而蜀切 rǔ
筆順 厂 厂 戶 𠩺 𠩺 辰 辱 辱
字解 ①욕보일 욕 수치를 당하게 함. '懼一親'《禮記》. ②욕볼 욕 수치를 당함. '事君數斯一矣'《論語》. ③욕되게할 욕 남에게 분수에 넘치는 호의(好意)를 받아서 이를 욕되게 하였다는 뜻으로, 대단히 죄송한 동시에 영광스럽다는 겸사말. '一知'. '再一手書'《蘇軾》. 또, 이상의 명사. '拜君言之一'《禮記》. ④욕 욕 ㉠수치. '恥一'. ㉡불명예. '屈一'. ㉢모멸. '侮一'. ⑤성 욕 성(姓)의 하나.
字源 篆文 會意. 寸+辰. '寸촌'은 '손'의 뜻. '辰진'은 돌 또는 조개껍데기로 만든 풀 베는 농구를 본뜬 것. 제초구로 풀을 베어 널어 놓다의 뜻에서 파생하여, '싹을 따다, 욕보이다'의 뜻을 나타냄.

[辱交 욕교] 욕지(辱知).
[辱友 욕우] 욕지(辱知).
[辱在 욕재] 영락(零落)하여 부끄러운 처지에 놓임.
[辱知 욕지] 자기 같은 하찮은 사람과 교우(交友)하여 주어서 부끄럽다는 뜻으로, 그 사람의 지우(知遇)를 받아서 영광스럽다는 겸칭(謙稱).
◉訶辱. 譴辱. 困辱. 媿辱. 國辱. 窘辱. 屈辱. 窮辱. 憒辱. 勞辱. 凌辱. 陵辱. 撻辱. 大辱. 罵辱. 侮辱. 榜辱. 雪辱. 小辱. 守辱. 榮辱. 汙辱. 憂辱. 謬辱. 戮辱. 詈辱. 忍辱. 詆辱. 折辱. 點辱. 廷辱. 挫辱. 衆辱. 差辱. 諂辱. 寵辱. 黜辱. 恥辱. 侵辱. 笞辱. 敗辱. 廢辱. 禍辱. 詬辱. 毁辱. 詰辱.

[唇] 〔진〕
口部 七畫(p.377)을 보라.

[脣] 〔순〕
肉部 七畫(p.1851)을 보라.

6 ⑬ [農] 中人 농 (平)冬 奴冬切 nóng
筆順 口 曲 曲 曲 農 農 農 農
字解 ①농사 농 농업. '一耕'. '其庶人力於一穡'《左傳》. ②농부 농 '老一'. '是月也, 一有不收藏積聚者'《呂氏春秋》. 또, 농사를 맡은 벼슬아치. '饗一'《禮記》. ③힘쓸 농 노력을 함. '小人一力, 以事其上'《左傳》. ④성 농 성(姓)의 하나.
字源 甲骨文 金文 篆文 籀文 古文 古文 會意. 甲骨文은 林+辰. '林림'은 '숲'의 뜻. '辰진'은 조개를 본뜬 것. 甲骨文에서는 석기(石器)의 상형처럼도 보임. 돌이나 조가비로 만든 농구로 땅을 갈다의 뜻을 나타냄. '林'의 부분을 甲骨文이나 金文에서는 '艸초'로 만든 것이 있으며, 金文에서는 다시 거기에 '田전'을 덧붙인 것도

있음. 篆文에서는 臼+囟로 변형되고, 다시 뒤에 曲+辰으로 변했음.

[農家 농가] ㉠농정(農政)에 관한 일을 연구하는 학파(學派). ㉡농삿집.
[農稼 농가] 땅을 갈고 곡물(穀物)을 심는 일.
[農耕 농경] 농사를 짓는 일. 농사. 농업.
[農工 농공] ㉠농업과 공업. ㉡농부와 직공.
[農功 농공] 농사.
[農科 농과] 대학의 한 분과. 농업에 관한 전문적인 학술을 연구하는 부분.
[農具 농구] 농사에 쓰는 기구. 농기(農器).
[農軍 농군] 농민.
[農隙 농극] 농사에 바쁘지 아니한 시기. 농한기(農閑期).
[農期 농기] 농사로 바쁜 때. 또, 농사에 적합한 「때.
[農器 농기] 농구(農具).
[農奴 농노] 봉건 사회에서 영주(領主)에게 종처럼 매인 농민.
[農談 농담] 농사에 관한 이야기.
[農糧 농량] 농사 때의 양식(糧食).
[農林 농림] 농업과 임업(林業).
[農末 농말] 농민과 상인. 농사꾼과 장수.
[農務 농무] ㉠농사짓는 일. ㉡농정(農政).
[農民 농민] 농사짓는 사람.
[農繁期 농번기] 농사일이 바쁜 시기.
[農兵 농병] ㉠평상시에는 농업에 종사하고, 유사시에는 소집당하여 군인이 되는 사람. ㉡농부로 조직된 군대.
[農夫 농부] 농민.
[農事 농사] 밭 갈고 씨 뿌리고 김매고 거두는 일. 농부의 일.
[農師 농사] 고대(古代)의 관명(官名). 농사를 맡은 벼슬.
[農産 농산] 농산물.
[農産物 농산물] 농사하여 나는 물건.
[農桑 농상] 농업과 양잠.
[農商 농상] ㉠농업과 상업. ㉡농부와 상인.
[農穡 농색] 작물(作物)을 심고 거두어들이는 일. 경작(耕作)하는 일.
[農時 농시] 농사지을 때. 농사가 바쁜 때. 곧, 봄·여름·가을의 세 절기.
[農業 농업] ㉠농사에 종사하는 직업. ㉡토지를 사용하여 유용한 동식물을 사육하고 재배하여 인간에 필요한 조제품을 생산하는 산업.
[農業時代 농업시대] 인류 진화의 한 단계. 목축(牧畜) 시대가 진보하여 주로 농사를 지어 먹고 사는 시대.
[農藝 농예] 농업과 원예(園藝).
[農謠 농요] 농부들이 부르는 속요(俗謠).
[農牛 농우] 농사에 쓰는 소.
[農園 농원] 주로 원예 작물을 심어 가꾸는 농장.
[農月 농월] 입하(立夏) 후의 농사일이 바쁜 달.
[農爲國本 농위국본] 농업은 건국(建國)의 근본임.
[農人 농인] 농민.
[農資 농자] 농사에 드는 밑천. 농업 자본.
[農作 농작] 농사짓는 일.
[農作物 농작물] 농사를 지어 된 물건.
[農場 농장] 농지(農地)와 농사에 필요한 여러 시설을 갖춘 곳.
[農丁 농정] 농사짓는 장정(壯丁).
[農正 농정] 농사를 맡은 벼슬.
[農政 농정] 농사에 관계되는 정책 또는 정무.
[農村 농촌] 농부들이 사는 마을.
[農土 농토] 농사짓는 땅. 전지(田地).
[農學 농학] 농업상의 원리(原理)와 기술(技術)을 연구하는 학문.
[農閑 농한] 농한기(農閑期).
[農閒期 농한기] 농한기(農閑期).
[農閑期 농한기] 농사일이 한가한 시기.
[農形 농형] 농작물의 형편.
◉耕農. 勸農. 歸農. 酪農. 老農. 勞農. 大農. 篤農. 妨農. 兵農. 富農. 貧農. 司農. 三農. 上農. 傷農. 善農. 小農. 小作農. 良農. 力農. 窳農. 離農. 自作農. 惰農. 豪農.

6 ⑬ [𨑃] 農(前條)의 古字

6 ⑬ [䢉] 農(前前條)의 古字

8 ⑮ [䢇] 용 ㊤腫 而隴切 rǒng

[字解] ①못생길 용 어리석음. '一, 不肖也'《集韻》. ②용렬할 용 '一, 一曰, 傝一, 劣也'《集韻》.

8 ⑮ [辳] 〔농〕
農(辰部 六畫〈p. 2285〉)의 古字

12 ⑲ [辴] 진 ㊤軫 止忍切 zhěn 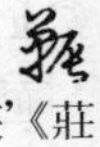

[字解] 웃을 진 웃는 모양. '桓公一然而笑'《莊子》.

[辴然 진연] 웃는 모양.

13 ⑳ [𨑇] 〔농〕
農(辰部 六畫〈p. 2285〉)의 本字

14 ㉑ [𨑈] 〔농〕
農(辰部 六畫〈p. 2285〉)의 籒文

辵(辶)(7획) 部
〔쉬엄쉬엄갈착부·책받침부〕

0 ⑦ [辵] 착 ㊇藥 丑略切 chuò

[筆順] 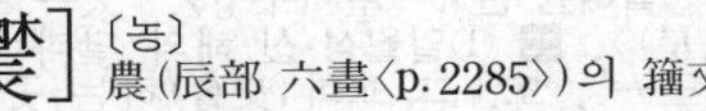

[字解] ①쉬엄쉬엄갈 착 잠시 가고 잠시 머무름. ②달릴 착 질주함. '一階而走'《公羊傳》.

[字源] 甲骨文 篆文  會意. 行〈省〉+止. 甲骨文은 行+止. '行행'은 갈림길을 본뜬 것. '止지'는 '발, 걷다'의 뜻. 길을 가다의 뜻을 나타냄.

[參考] '辵착'을 의부(意符)로 하여, 가는 일이나 원근(遠近) 등에 관한 문자를 이룸. 받침으로 쓰일 때에는 '辶'로 생략되고, 또 '辶'로도 생략됨. 부수 이름은 속칭 '갖은책받침'.

0 ④ [⻌] 辵(前條)이 글자의 받침으로 올 때의 자체(字體). 속칭(俗稱) 책받침.

2 ⑤ [边] 〔변〕
邊(辵部 十五畫〈p. 2327〉)의 簡體字

2 ⑥ [辺] 〔변〕
邊(辵部 十五畫〈p. 2327〉)의 俗字

2 ⑥ [边] 〔변〕
邊(辵部 十五畫〈p. 2327〉)의 俗字

2 ⑥ [辸] 〔궤〕
軌(車部 二畫〈p. 2257〉)의 古字

3 ⑦ [辿] 천 [平]先 丑延切 chán
[字解] 천천히걸을 천 완보(緩步)함.
[字源] 會意. ⻌(辵)+山

3 ⑦ [达] [一] 체 [去]霽 他計切 tì
[二] 달 [入]曷 他達切 tà
[字解] [一] ①매끄러울 체 퉁소 소리의 형용. '順敍卑—'《王褒》. ②미끄러질 체 발이 미끄러짐. '—, 足滑也'《廣韻》. ③통달할 체 '—, 達也'《玉篇》. ④갈마들 체 바뀜. '—, 迭也'《玉篇》. [二] 달아날 달, 엇갈릴 달 '㣵, 博雅, 逃也. 一曰, 行不相遇. 或作—'《集韻》.

3 ⑦ [迂] [人名] 우(오[俗]) [平]虞 羽俱切 yū 迂 迂
[筆順] 一 二 于 于 汙 汙 迂
[字解] ①굽을 우, 굽힐 우 굴곡함. '—曲'《管子註》. '—乃心'《書經》. ②멀 우 ㉠길이 빙 돌아 멂. '—路'. '北渡—兮浚流難'《史記》. ㉡실지와 거리가 멂. 현실에 맞지 아니함. 사정에 어두움. '—闊'. '—遠而闊于事情'《史記》. ③먼길 우 빙 돌아 먼 길. '捨逕而就—'《宋史》. ④잠시 우 잠깐. 良(艮部 一畫)과 뜻이 같음. '—久, 大醉而還'《後漢書》.
[字源] 金文 篆文 形聲. ⻌(辵)+于〔音〕. '于우'는 활꼴로 굽다의 뜻. 빙 돌아가다의 뜻을 나타냄.

[迂路 오로] 우로(迂路).
[迂闊 오활] 우활(迂闊).
[迂曲 우곡] 꼬불꼬불함.
[迂久 우구] 잠시 시간이 경과함. 양구(良久).
[迂鈍 우둔] 세상일에 어둡고 둔함.
[迂路 우로] 멀리 돌아가게 된 길.
[迂生 우생] 자기의 겸칭(謙稱).
[迂疎 우소] 세상일에 어둡고 소홀함.
[迂叟 우수] 세상일에 어두운 늙은이.
[迂愚 우우] 세상일에 어둡고 어리석음.
[迂遠 우원] ㉠세상일에 어두움. 실용에 적합하지 아니함. ㉡길이 돌아 멂.
[迂儒 우유] 세사(世事)에 통하지 아니하는 학자. 쓸모없는 학자.
[迂人 우인] 세상일에 어두운 사람.
[迂拙 우졸] 어리석어 세상일에 서투름.
[迂誕 우탄] 거짓. 허위.
[迂闊 우활] 사정(事情)에 어둡고 실용에 적합하지 아니함.
[迂回 우회] 멀리 돎.
◉怪迂. 疏迂. 逶迂. 惷迂. 廻迂.

3 ⑦ [迃] 迂(前條)와 同字

3 ⑦ [过] 〔과〕
過(辵部 九畫〈p. 2311〉)의 俗字

3 ⑩ [辻] 〔도〕
徒(彳部 七畫〈p. 744〉)의 本字

3 ⑦ [迄] 흘 [入]物 許訖切 qì 迄 迄
[字解] ①이를 흘 도달함. '以—于今'《詩經》. ②까지 흘 …에 이르기까지. '所編百有八十餘家矣—至魏晉, 作者間出'《文心雕龍》. ③마침내 흘 필경. '才疏意廣, —無成功'《後漢書》.
[字源] 篆文 形聲. 篆文은 ⻌(辵)+气〔音〕. '气기·걸'은 '미치다'의 뜻. 어느 곳까지 이르러 미치다의 뜻을 나타냄.

3 ⑦ [迟] 〔기〕
起(走部 三畫〈p. 2213〉)의 古字

3 ⑩ [迉] 〔기〕
起(走部 三畫〈p. 2213〉)의 古字

3 ⑦ [迲] 〔도〕
徒(彳部 七畫〈p. 744〉)의 本字

3 ⑦ [迅] [人名] 신 [去]震 息晉切 xùn 迅 迅
[筆順] 乁 ⺄ 卂 卂 汛 汛 迅
[字解] 빠를 신 신속함. '—急'. '徒以母疾—歸'《列仙傳》.
[字源] 篆文 形聲. ⻌(辵)+卂〔音〕. '卂신'은 '빠르다'의 뜻. '辵착'을 덧붙여 빨리 나아가다의 뜻에서, '빠르다'의 뜻을 나타냄.

[迅晷 신구] 세월이 빨리 감.
[迅急 신급] 신속(迅速).
[迅雷 신뢰] 맹렬한 우레.
[迅瀨 신뢰] 여울.
[迅雷不暇掩耳 신뢰불가엄이] '질뢰불급엄이(疾雷不及掩耳)'를 보라.
[迅雷風烈必變 신뢰풍렬필변] 천둥이 심하고 바람이 매울 때엔 어느 곳에서나 의관을 바로 하여서 하늘의 노염을 사지 않도록 조심함.
[迅速 신속] 썩 빠름. 속(速)함.
[迅羽 신우] '매〔鷹〕'의 이칭(異稱).
[迅雨 신우] 세차게 내리는 비. 소나기.
[迅傳 신전] 속하게 전함.
[迅電不及瞑目 신전불급명목] 번개가 빨라서 미처 눈을 감을 겨를이 없음. 일이 급해서 막을 틈이 없음의 비유.
[迅捷 신첩] 재빠름.
[迅趨 신추] 빨리 달림.
[迅辦 신판] 급하게 처치함.
[迅風 신풍] 질풍(疾風).

◉激迅. 勁迅. 輕迅. 趫迅. 奮迅. 獅子奮迅. 振迅.

3
⑦ [迆] 이 ㊤紙 演爾切 yǐ

字解 ①갈 이 비스듬히 감. '東一北會于匯'《書經》. ②연할 이 비스듬히 연속함. 비스듬히 뻗음. '衆山之邐一'《吳質》. ③기대어세울 이 비스듬히 기대어 놓음. '戈柲六尺有六寸, 旣建而一'《周禮》.
字源 篆文 形聲. 辶(辵)+也〔音〕. '也야'는 구불구불 구부러지다의 뜻. 구불구불 가다, 비스듬히 가다의 뜻을 나타냄.
參考 迤(辵部 五畫)는 同字.

[迆靡 이미] 잇닿은 모양. 연속한 모양.
[迆迆 이이] ㉠잇닿은 모양. 연속한 모양. ㉡비스듬히 뻗은 모양.
◉靡迆. 瀰迆. 演迆. 逶迆. 邐迆.

3
⑦ [迁] 〔천〕 遷(辵部 十二畫〈p. 2321〉)의 俗字

[巡] 〔순〕 巛部 四畫(p. 658)을 보라.

3
⑦ [迀] 간 (平)寒 居寒切 gān

字解 ①구할 간, 나아갈 간 요구함. '一, 進也. (段注)干求之字, 當作一'《說文》. ②막을 간 가로막음. '一, 一曰, 遮也'《集韻》.
字源 形聲. 辶(辵)+干〔音〕

3
⑦ [迈] 기 (去)寘 居吏切 jì

字解 ①바칠 기 옛날에, 시(詩)를 채취(採取)하여 위에 바침. '一, 古之遒人, 目木鐸記詩言'《說文》. ②갈 기 '一, 又行也'《字彙》. ③적을 기 '一, 誌也'《字彙》. ④어조사 기 어세(語勢)를 고르게 하기 위한 어조사(語助辭). 其(八部 六畫)와 통용.
字源 形聲. 辶(辵)+丌〔音〕

4
⑧ [迋] ㊀ 왕 (去)漾 于放切 wàng
㊁ 광 ㊤養 俱往切 guàng

字解 ㊀ 갈 왕 往(彳部 五畫)과 同字. '一勞於東門之外'《左傳》. ㊁ ①속일 광 기만함. '人實一女'《詩經》. ②두려워할 광 공구(恐懼)함. '子無我一'《左傳》.
字源 篆文 形聲. 辶(辵)+王〔音〕. '王왕'은 '㞷광'의 생략체로, 자꾸자꾸 생겨나다의 뜻. 죽죽 나아가다의 뜻을 나타냄. '辵착'을 덧붙여 '가다'의 뜻을 나타냄. 또, '恇광'과 통하여 '속이다'의 뜻도 나타냄.

[迋迋 왕왕] 두려워하여 어찌할 줄 모르는 모양.

4
⑧ [迍] 둔(준(本)) (平)眞 陟綸切 zhūn

字解 머뭇거릴 둔 길이 험하여 머뭇거리고 잘 가지 못함. '賢者獨賤一'《白居易》.
字源 形聲. 辶(辵)+屯〔音〕. '屯둔'은 '頓돈'과 통하여, 실족하여 넘어지다의 뜻. 가려 하여도 가지 못하고 머뭇거리다의 뜻을 나타냄.

[迍邅 둔전] 길이 험하여 가기 힘든 모양. 둔전(屯邅).
◉賤迍.

4
⑧ [迒] 항 (平)陽 胡郎切 háng

字解 자귀 항 짐승의 발자국. 또, 토끼의 발자국. '結罝百里, 一杜蹊塞'《張衡》.
字源 篆文 形聲. 辶(辵)+亢〔音〕. '亢항'은 발을 뻗다의 뜻. 짐승 등이 지나간 발자국의 뜻을 나타냄.

4
⑧ [迎] 中人 영 (平)庚 語京切 yíng

筆順 ´ 𠃊 卬 卬 卬 卬 迎 迎
字解 ①맞이할 영 ㉠오는 이를 맞아들임. '送往一來'《中庸》. ㉡미래를 기다려 맞이함. '一春'. '一日推策'《史記》. ②맞출 영 남의 뜻을 잘 맞추어 줌. '一合'. '群臣一阿'《唐書》. ③마중할 영 출영함. 마중 나감. '親一于渭'《詩經》. ④마중 영 출영(出迎). '送一不出門'《晉書》.
字源 篆文 形聲. 辶(辵)+卬〔音〕. '卬앙'은 '仰앙'의 原字로 우러러보다의 뜻. 길에 나가서 맞다의 뜻을 나타냄.

[迎客 영객] 손을 맞음.
[迎擊 영격] 자기편을 치려고 오는 적군을 나아가 맞아 침.
[迎年 영년] 새해를 맞이함.
[迎勞 영로] 맞이하여 위로함.
[迎立 영립] 임금으로 맞아들임.
[迎梅雨 영매우] 음력 3월에 오는 비.
[迎送 영송] 맞는 일과 보내는 일. 영접함과 배웅함.
[迎阿 영아] 남의 비위를 맞춤. 아첨(阿諂)함.
[迎謁 영알] 마중 나가 뵘.
[迎意 영의] 남의 마음을 살펴서 그 뜻에 맞도록 함.
[迎引 영인] 맞이하여 인도함. 영접(迎接).
[迎接 영접] 손님을 맞아 응접함.
[迎春 영춘] ㉠봄을 맞이함. ㉡물푸레나뭇과에 속하는 낙엽 관목(落葉灌木). 이른 봄에 꽃이 핌. 열매는 연교(連翹)라 하여 한약재로 씀. 개나리.
[迎取 영취] 맞이하여 취함.
[迎合 영합] ㉠남의 비위를 맞춤. 아첨함. ㉡미리 기일을 약속하고 모임.
[迎候 영후] 마중 나감. 출영(出迎).
◉郊迎. 來迎. 倒屣迎. 拜迎. 奉迎. 逢迎. 不將不迎. 屣迎. 送迎. 將迎. 馳迎. 親迎. 歡迎. 候迎.

4
⑧ [近] 中人 ㊀ 근 ㊤吻 其謹切 jìn
(去)問 巨靳切 jìn
㊁ 기 (去)寘 居吏切 jì

筆順 ´ 厂 斤 斤 斤 沂 沂 近
字解 ㊀ ①가까울 근 ㉠시간 또는 거리가 멀지

아니함. '一世'. '一郊'. '爲其一于道也'《禮記》. ㉡통속적임. 천박함. '淺一'. '卑一'. '言語俚一'《唐書》. ㉢알기 쉬움. '言一而旨遠者'《孟子》. ㉣비슷함. 닮음. '好學一乎知'《中庸》. ㉤적절함. 절실함. '撥亂世反諸正, 莫一諸春秋'《公羊傳》. ㉥친함. '親一'. '姻一人懼其威'《唐書》. ②근처 근 가까운 곳. '取側一三十戶'《舊唐書》. ③요사이 근 근시(近時). '一者'. '獻一所爲復志賦已下十首'《韓愈》. ④근친 근 가까운 일가. '外無朞功強一之親'《李密》. ⑤가까이 근 가까운 데서. '一取諸身'《易經》. '能一取譬'《論語》. ⑥성 근 성(姓)의 하나. ⑦가까이할 근 ㉠가까이 감. 또는 가까이 당김. '一之則不厭'《中庸》. ㉡친히 지냄. '一小人'. '民可一'《書經》. ▣ 어조사 기 무의미한 조사. '往一王舅'《詩經》.

字源 篆文 形聲. 辶(辵)+斤〔音〕. '斤근'은 물건을 작게 만들기 위한 칼의 뜻. 거리나 시간을 작게 하다, 가까이하다의 뜻을 나타냄.

[近刊 근간] 최근의 출판. 또, 곧 나올 책.
[近間 근간] 요사이. 요새.
[近坰 근경] 근교(近郊) ㉡.
[近頃 근경] 요사이. 요새.
[近景 근경] 가까이 보이는 경치.
[近境 근경] ㉠가까운 지경. ㉡요즈음의 사정.
[近古 근고] 연대가 과히 멀지 아니한 옛적. 가까운 옛날.
[近郊 근교] ㉠도성(都城) 밖의 가까운 촌. 주대(周代)에 교외(郊外) 50리까지의 땅이었음. ㉡도회에 가까운 들.
[近畿 근기] 서울이 가까운 곳.
[近年 근년] 가까운 해. 지나간 지 얼마 안 되는 해. 최근의 몇 해.
[近代 근대] 가까운 시대.
[近東 근동] 서양(西洋)에 가까운 동양(東洋). 서남아시아.
[近洞 근동] 가까운 동네.
[近來 근래] 요사이. 이마적.
[近理 근리] 이치에 가까움.
[近隣 근린] 이웃. 인근.
[近密 근밀] 임금의 측근(側近).
[近方 근방] 근방(近傍).
[近傍 근방] 가까운 곳.
[近邊 근변] ㉠국경, 즉 변방에 가까이 감. ㉡근방(近傍).
[近似 근사] 비슷함. 거의 같음. 방불(彷彿)함.
[近事 근사] 최근의 사건.
[近思 근사] 몸을 반성함. 가까이 자기 몸에 견주어 생각함.
[近事女 근사녀] 우바이(優婆夷).
[近思錄 근사록] 송(宋)나라 주희(朱熹)·여조겸(呂祖謙)이 편찬한 책. 모두 14권. 주무숙(周茂叔)·정명도(程明道)·정이천(程伊川)·장횡거(張橫渠)의 설(說)에서 일상생활의 수양에 필요한 622조(條)를 추려서 14문(門)으로 분류하였음.
[近狀 근상] 요사이의 형편.
[近世 근세] 근대(近代).
[近歲 근세] 근년(近年).
[近所 근소] 가까운 곳. 근처.
[近水樓臺 근수루대] 부하 관리가 장관(長官)에게 접근하게 됨을 비유하는 말.
[近習 근습] ㉠가까이하여 익숙해짐. ㉡근신(近臣).
[近侍 근시] 임금을 측근에서 모심. 또, 그 신하.
[近時 근시] 요사이.
[近視 근시] 가까운 데는 잘 보나 먼 데 있는 물상을 잘 보지 못하는 눈.
[近視眼 근시안] 근시(近視).
[近臣 근신] 임금의 측근에서 섬기는 신하.
[近信 근신] ㉠가까이하여 신용함. ㉡근래의 음신(音信).
[近憂 근우] 눈앞에 닥쳐온 근심.
[近衛 근위] 궁성(宮城)의 수위.
[近邑 근읍] 가까운 고을.
[近邇 근이] 가까움. 또, 가까워짐.
[近因 근인] 직접의 원인. 가까운 원인.
[近姻 근인] 근족(近族).
[近日 근일] 요사이. 이사이.
[近日點 근일점] 지구가 궤도를 운행하며 태양에 가장 가까울 때의 위치.
[近者 근자] ㉠요사이. 이사이. ㉡가까이 있는 자.
[近者說遠者來 근자열원자래] 이웃에 있는 백성은 은혜에 감복하여 기뻐하고 먼 곳에 있는 백성도 그 소문을 듣고 흠모하여 찾아온다는 뜻으로, 덕택(德澤)이 널리 미침을 이름.
[近作 근작] 최근에 지은 시문(詩文). 최근의 저작.
[近著 근저] 최근의 저술(著述).
[近戰 근전] 적과 접근하여 싸움.
[近接 근접] 가까움. 또, 가까워짐. 접근(接近)함.
[近情 근정] 근상(近狀).
[近族 근족] 혈통이 가까운 일가.
[近衆 근중] 근신(近臣).
[近着 근착] 근래(近來)에 도착(到着)함.
[近處 근처] 가까운 곳.
[近戚 근척] 근족(近族).
[近體 근체] ㉠한시(漢詩)의 율시(律詩)·절구(絶句)를 이름. ㉡근래 유행하는 체재(體裁).
[近體詩 근체시] 근체(近體) ㉠.
[近村 근촌] 가까운 마을. 이웃 마을.
[近就 근취] 가까이하여 친히 사귐.
[近親 근친] 근족(近族).
[近海 근해] 육지에 가까운 바다.
[近幸 근행] ㉠가까이하여 귀여워함. ㉡가까이하여 귀염을 당하는 사람.
[近火 근화] 인근에 일어난 화재.
[近況 근황] 근상(近狀).
◉權近. 貴近. 朞功強近. 晩近. 輓近. 旁近. 傍近. 附近. 卑近. 鄙近. 媟近. 瑣近. 狎近. 遠近. 姻近. 隣近. 昵近. 接近. 至近. 知遠不知近. 戚近. 淺近. 最近. 側近. 親近. 嬖近.

4 ⑧ [迓] 기 ㊤紙 居以切 jì

字解 어조사(語助辭) 기 어세(語勢)를 고르는 조사임. '詩, 往近王舅, 楊愼作迓, 一作一'《九經考異》.

4 ⑧ [迖] 기 ㊎寘 去智切 qì

字解 피할 기 '一, 避也'《廣雅》.

4 ⑧ [迓] 아 ㊎禡 吾駕切 yà 迓

字解 마중할 아 서로 마중 나가 맞음. '郊一'.

'予一續乃命于天'《書經》.
[字源] 訝의 別體 形聲. 辶(辵)+牙〔音〕. '牙아'는 '迎영'과 통하여 '맞다'의 뜻을 나타냄.

[迓勞 아로] 마중 나가 위로함.
◉郊迓. 邀迓.

4 ⑧ [迌] 돌 [入]月 他沒切 tù
[字解] 교활(狡猾)할 돌 '一, 詆誘皃'《玉篇》.

4 ⑧ [返] [高人] 반 [上]阮 府遠切 fǎn
[筆順] 一 厂 万 反 反 反 汳 返
[字解] ①돌아올 반 갔다가 옴. 복귀함. '往一'. '往者不一'《漢書》. ②돌려보낼 반 도로 돌려줌. 복귀시킴. '一還'. '一之於天'《漢書》. ③갚을 반 빚 같은 것을 청산함. '一金'《春渚紀聞》. ④번 반 횟수. '十一'. '伐宛再一'《漢書》.
[字源] 篆文 形聲. 辶(辵)+反〔音〕. '反반'은 '되돌리다'의 뜻. 왔던 길을 되돌아가다의 뜻을 나타냄.

[返却 반각] 돌려보냄.
[返簡 반간] 반서(返書).
[返景 반경] 반조(返照).
[返金 반금] 돈을 갚음.
[返納 반납] 도로 돌려 바침.
[返路 반로] 돌아가는 길. 귀로(歸路).
[返杯 반배] 받은 잔을 돌려보냄.
[返盃 반배] 반배(返杯).
[返璧 반벽] ㉠남의 물건을 갚는다는 존댓말. ㉡남이 선사한 물건을 받지 아니하고 돌려보냄.
[返報 반보] ㉠갚음. ㉡앙갚음.
[返付 반부] 도로 돌려보냄.
[返附 반부] 반부(返付).
[返償 반상] 상환(償還)함.
[返生香 반생향] 향의 이름. 죽은 사람이 이 향기를 맡으면 다시 살아난다 함.
[返書 반서] 편지 답장.
[返送 반송] 반환(返還).
[返信 반신] 편지의 답장 또는 전보의 답신(答信).
[返章 반장] 반서(返書).
[返照 반조] 저녁때의 볕.
[返潮 반조] 썰물.
[返初 반초] 초지(初志)를 관철함.
[返魂丹 반혼단] 죽은 사람이 다시 산다는 영약(靈藥).
[返魂香 반혼향] 향의 이름. 이 향을 태우면 그 연기 속에 죽은 사람의 모습을 볼 수 있다 함.
[返還 반환] 돌려보냄.
◉顧返. 忘返. 復返. 旋返. 往返. 匹馬隻輪無返. 還返.

4 ⑧ [迕] 오 [去]遇 五故切 / [上]麌 阮古切 wǔ
[字解] ①만날 오 상봉함. '王甫時出, 與蕃相一'《後漢書》. ②거스를 오 어그러짐. '旁一'. '好惡乖一'《漢書》. ③섞일 오 뒤섞임. '廻穴錯一'《宋玉》. ④성 오 성(姓)의 하나.
[字源] 形聲. 辶(辵)+午〔音〕. '午오'는 '번갈다'의 뜻. 사람의 왕래가 어지럽게 되다, 만나다의 뜻을 나타냄.
◉乖迕. 旁迕. 錯迕.

4 ⑧ [迚] [韓] 두
[字解] 《韓》무지 두 완전히 한 섬이 못 되는 곡식의 양(量).

4 ⑧ [这] 〔저·자〕 這(辵部 七畫〈p.2299〉)의 俗字

4 ⑧ [达] 〔체·달〕 达(辵部 三畫〈p.2287〉)의 訛字

4 ⑧ [还] 〔환·선〕 還(辵部 十三畫〈p.2326〉)의 俗字

4 ⑧ [运] 운 [上]吻 羽粉切 yǔn
[字解] 달리는모양 운 '一, 走皃'《集韻》.

4 ⑧ [迊] 〔잡〕 帀(巾部 一畫〈p.666〉)과 同字

5 ⑨ [迢] 초 [平]蕭 徒聊切 tiáo
[字解] ①멀 초 먼 모양. 아득한 모양. '平蕪歸路綠一一'《高蟾》. ②높을 초 높은 모양. '一一百尺樓'《陶潛》.
[字源] 篆文 形聲. 辶(辵)+召〔音〕. '召소'는 곡선을 그리다의 뜻. 또 '超초'와 통하여 '넘다'의 뜻. 곡선을 그리며 어느 선을 넘어서 멀리 뻗는 모양, 아득하다의 뜻을 나타냄.

[迢遙 초요] 멀어 아득함.
[迢遞 초체] ㉠먼 모양. ㉡높은 모양.
[迢迢 초초] ㉠높은 모양. ㉡먼 모양.

5 ⑨ [迣] [一] 체 [去]霽 丑制切 chì / [二] 렬 [入]屑 力蘖切 liè
[字解] [一] 넘을 체 뛰어넘음. '體容與, 一萬里'《漢書》. [二] 막을 렬 迾(辵部 六畫)의 古字. '部落鼓鳴, 男女遮一'《漢書》.
[字源] 篆文 形聲. 辶(辵)+世〔音〕
◉遮迣.

5 ⑨ [迤] [一] 이 [上]紙 演爾切 yǐ / [二] 타 [平]歌 唐河切 tuó
[字解] [一] 연할 이 迆(辵部 三畫)와 同字. '一靡乎連屬'《揚雄》. [二] 갈 타 '逶一'는 비스듬히 가는 모양. '路逶一而脩廻兮'《王粲》.
[字源] 篆文 形聲. 篆文은 辶(辵)+也〔音〕. '迤이'는 동일어 이체자(同一語異體字).
[參考] 迆(辵部 三畫)·迱(次條)와 同字.

[迤邐 이리] 잇달아 뻗은 모양.
[迤靡 이미] 비스듬히 길게 연속한 모양.
[迤衍 이연] 지세(地勢)가 비스듬하게 넓고 평탄한 모양.
[迤迤 이이] 잇달아 연한 모양.
◉逶迤. 邐迤.

5 ⑨ [迱] 迤(前條)와 同字

[字源] 形聲. 辶(辵)＋它〔音〕

5 ⑨ [迊] [一] 수 [去]寘 徐醉切 suì
[二] 치 ①[去]寘 追萃切 zhuì
②[去]寘 陟利切 zhì

[字解] [一] 드디어 수 遂(辵部 九畫)의 古字. '一, 說文, 亡也, 一曰, 因也, 達也. 古作一'《集韻》. [二] ①발이나아가지아니할 치 '一, 足不前也'《集韻》. ②곱드러질 치 '一, 前頓也'《集韻》.

5 ⑨ [迥] 형 ㊤迥 戶頂切 jiǒng

[字解] ①멀 형 요원함. '一遠'. '江一月來遠'《杜甫》. ②성 형 성(姓)의 하나.

[字源] [篆文] 形聲. 辶(辵)＋冋〔音〕. '冋형'은 아득한 야외의 뜻. '辵착'을 덧붙여 길이 멀다의 뜻을 나타냄.

[迥空 형공] 높은 하늘.
[迥遼 형료] 형원(迥遠).
[迥拔 형발] 높이 빼어남.
[迥野 형야] 아득한 평야.
[迥然 형연] 멀리.
[迥遠 형원] 멀리 아득함. 요원함.
[迥殘 형잔] 일단 산 물건을 사용하고 후에 값을 낮추어 팖.
[迥眺 형조] 먼 데를 바라봄.
[迥迥 형형] 먼 모양.
◉江迥. 高迥. 修迥. 遼迥. 幽迥. 遐迥.

5 ⑨ [迦] 가 [平]麻 古牙切 jiā
[平]歌 居伽切

[字解] 부처이름 가 '釋一'는 석가모니. 범어(梵語)의 'ka' 음을 표기하는 데 이 자를 씀. '一葉'. '一陵頻一'.

[字源] 形聲. 辶(辵)＋加〔音〕

[迦藍 가람] 《佛教》 불사(佛寺).
[迦陵頻迦 가릉빈가] 《佛教》 불교에 나오는 상상(想像)의 새. 미녀의 얼굴 모습에 새의 몸을 하고 있는데, 소리가 대단히 아름답다 함.
[迦葉 가섭] 《佛教》 석가(釋迦)의 십대 제자(十大弟子)의 한 사람. 또는 십육나한(十六羅漢)의 하나. 석가여래가 죽은 후 왕사성(王舍城)의 제일회 경전 결집(經典結集)의 주임이 되어 이를 대성(大成)하였음.
[迦維 가유] 석가여래의 출생지. 가비라유(迦毘羅維).
◉迦陵頻迦. 釋迦.

5 ⑨ [迟] 격 [入]陌 苦席切 qì

[字解] ①굽게갈 격 '一, 曲行也'《說文》. ②굽을 격 '一, 曲也'《廣雅》.

[字源] 形聲. 辶(辵)＋只〔音〕

5 ⑨ [迨] 태 ㊤賄 徒亥切 dài

[字解] 미칠 태 이름. '求我庶士, 一其今兮'《詩經》.

[字源] 形聲. 辶(辵)＋台〔音〕. '逮태·체'와 통하여 '미치다'의 뜻을 나타냄.

5 ⑨ [迪] [人名] 적 [入]錫 徒歷切 dí

[筆順] 丨 冂 日 由 由 油 油 迪

[字解] ①나아갈 적 앞으로 나아감. '弗求弗一'《詩經》. ②행할 적 이행함. 실천 궁행함. '允一厥德'《書經》. ③이끌 적 교도(敎導)함. '啓一後人'《書經》. ④이를 적 미침. 도달함. '漢一于秦, 有革有因'《漢書》. ⑤길 적 도덕. '惠一吉'('惠'는 順)《書經》.

[字源] [篆文] 形聲. 辶(辵)＋由〔音〕. '由유·적'은 '경유하다'의 뜻. '道도'와 통하여 사람이 지나가는 길의 뜻을 나타냄.

[迪哲 적철] 명지(明智)를 실천함.
◉啓迪. 棐迪. 由迪. 惠迪. 訓迪.

5 ⑨ [迫] [高人] 박 [入]陌 博陌切 pò

[筆順] ′ 亻 白 白 白 泊 泊 迫

[字解] ①닥칠 박 가까이 다다름. '急一'. ②가까이할 박 접근함. '一近'. '望崦嵫而勿一'《楚辭》. ③궁할 박 곤궁함. 고생함. '窮一'. '窘一'. '悲時俗之一阨兮'《楚辭》. ④핍박할 박 몹시 괴롭게 굶. '脅一'. '一害'. ⑤줄어들 박 작아짐. '蹙一'. '陰一而不能蒸'《史記》. ⑥좁을 박, 좁아질 박 협착함. '一脅'. '地勢局一'《後漢書》. ⑦몰릴 박 일이 밀려 여유가 없음. '外一公事'《漢書》.

[字源] [篆文] 形聲. 辶(辵)＋白〔音〕. '白백'은 '薄박'과 통하여 얇게 찰싹 붙다의 뜻. '닥치다'의 뜻을 나타냄.

[迫劫 박겁] 위협(威脅)함. 겁박함.
[迫擊 박격] 덤비어 몰아침.
[迫恐 박공] 박겁(迫劫).
[迫窘 박군] 죄어들며 괴롭힘.
[迫近 박근] 바싹 닥쳐 가까움.
[迫急 박급] 절박함.
[迫頭 박두] 가까이 닥쳐옴. 임박함.
[迫力 박력] 일을 밀고 나가는 힘.
[迫不得已 박부득이] 일이 매우 급박하여 어찌할 수가 없음.
[迫歲 박세] 세밑이 임박(臨迫)함.
[迫促 박촉] 줄어듦.
[迫害 박해] 몹시 굶. 핍박(逼迫)하여 해(害)롭게 굶.
[迫脅 박협] ㉠협박함. ㉡지세(地勢)가 협착함.
◉強迫. 驅迫. 局迫. 窘迫. 窮寇勿迫. 窮迫. 近迫. 急迫. 緊迫. 督迫. 壓迫. 憂迫. 優游不迫. 肉迫. 切迫. 卒迫. 倉迫. 焦迫. 催迫. 促迫. 追迫. 蹙迫. 怵迫. 侵迫. 逼迫. 脅迫. 惶迫.

5 ⑨ [迡] 제 ①②㊤薺 典禮切 dǐ
③-⑤[去]霽 丁計切 dì

[字解] ①성내어나아가지않을 제 '一, 怒不進也'《說文》. ②말질길 제 말이 말을 안 들음. '一,

一曰, 鶩也'《說文》. ③놀랄 제 '一, 驚也. 駭也'《玉篇》. ④놀라나아가지않을 제 '一, 驚不進也'《集韻》. ⑤미치지않을 제 '一, 向不及也'《玉篇》.
[字源] 形聲. 辶(辵)+氏〔音〕

5 ⑨ [迭] [人名] [一] 질(절 [入]屑 徒結切 dié
[二] 일([本]) [入]質 弋質切 yì

[字解] [一] ①갈마들 질 교대함. '更一'. '日居月諸, 胡一而微'《詩經》. ②번갈아 질 교대로. 갈마들어서. '一用柔剛'《易經》. ③성 질 성(姓)의 하나. [二] ①범할 일 침범함. 침노함. 軼(車部 五畫)과 통용. '一我殽地'《左傳》. ②달아날 일 逸(辵部 八畫)과 통용. '其馬將一'《孔子家語》.
[字源] [篆文] 形聲. 辶(辵)+失〔音〕. '失실'은 '벗어나다'의 뜻. 일정한 길을 벗어나서 가다의 뜻에서, 갈마들다의 뜻을 나타냄.

[迭迭 질질] 사물이 질서 있게 갈마드는 모양.
◉更迭. 交迭. 迷迭.

5 ⑨ [⿺辶冗] 용 ㊤腫 乳勇切 rǒng
[字解] 갈 용 다님. 踊(足部 十畫)과 同字. '一, 行也, 或作踊'《集韻》.

5 ⑨ [迮] 책 [入]陌 側伯切 zé
[字解] ①닥칠 책 窄(穴部 五畫)과 同字. '隣舍比里, 共相壓一'《後漢書》. ②성 책 성(姓)의 하나.
[字源] [金文] [篆文] 形聲. 辶(辵)+乍〔音〕. '乍자·작'은 '作작'과 통하여, '일어나다, 시작하다'의 뜻. 갑자기 일어나서 걷기 시작하다의 뜻을 나타냄.

◉排迮. 壓迮.

5 ⑨ [迠] 첩 [入]葉 尺涉切 chè
[字解] 갈 첩 걸어감. '一, 行也'《字彙》.

5 ⑨ [⿺辶戉] [一] 월 [入]月 王伐切 yuè
[二] 훨 [入]月 胡厥切
[字解] [一] ①넘을 월 '一, 踰也'《說文》. ②달아날 월 '一, 散走也'《玉篇》. [二] 넘을 훨, 달아날 훨 [一]과 뜻이 같음.
[字源] 形聲. 辶(辵)+戉〔音〕

5 ⑨ [述] [高人] 술 [入]質 食聿切 shù

[筆順] 一 十 才 术 朮 沭 沭 述

[字解] ①말할 술 ㉠이야기함. '煥然可一'《漢書》. ㉡설명함. '一而不作'《論語》. ㉢의견을 말함. '陳一'. ②이을 술, 좇을 술 이전의 일을 이어받아 따름. '一遵'. '父作之, 子一之'《中庸》. ③지을 술 저작함. '著一'. ④언설 술, 저술 술 이상의 명사. '前人之一備矣'《范仲淹》. ⑤성 술 성(姓)의 하나.
[字源] [金文] [篆文] 形聲. 辶(辵)+朮〔音〕. '朮술'은 찰기장의 이삭을 본뜬 것. 찰수수의 열매가 정연히 죽 이어져 있는 모양에서, 선인(先人)의 언행을 이어받아 가다의 뜻을 나타냄.

[述敍 술서] 차례를 따라 말함. 서술(敍述).
[述語 술어] 체언(體言)에 대하여 그 형태·동작 등을 설명하는 말. 설명어(說明語). 풀이말.
[述作 술작] ㉠전인(前人)의 설(說)을 전술(傳述)하여 밝히는 일과 자기가 참신(斬新)한 설을 제창하는 일. ㉡저작. 저술.
[述載 술재] 서술하여 실음.
[述遵 술준] 좇음. 따름. 준봉(遵奉).
[述職 술직] 제후(諸侯)가 조회(朝會)하여 자기가 맡은 직무에 관하여 천자(天子)에 아뢰는 일.
[述懷 술회] 자기의 소회를 이야기함.
◉繼述. 考述. 供述. 口述. 記述. 論述. 縷述. 覆述. 奉述. 刪述. 詳述. 序述. 敍述. 宣述. 紹述. 頌述. 修述. 略述. 著述. 前述. 傳述. 祖述. 陳述. 撰述. 贊述. 纂述. 纘述. 追述. 稱述. 編述. 後述.

5 ⑨ [迡] [一] 니 [去]霽 乃計切 nì
[二] 지 [平]支 除梨切 chí
[字解] [一] 가까울 니 '一, 近也'《玉篇》. [二] 늦을 지 遲(辵部 十二畫)와 同字.

5 ⑨ [迲] [人名] [韓] 거
[字解] 《韓》 자래 거 단위 명. 나뭇단을 세는 단위.

5 ⑨ [迩] 〔이〕
邇(辵部 十四畫〈p. 2326〉)의 俗字

5 ⑨ [⿺辶且] 〔조〕
徂(彳部 五畫〈p. 739〉)와 同字

5 ⑨ [迯] 〔도〕
逃(辵部 六畫〈p. 2296〉)의 俗字

6 ⑩ [迴] 회 [平]灰 胡隈切 huí
[字解] 돌 회, 돌릴 회 回(口部 三畫)·廻(廴部 六畫)와 同字. '圖一天下於掌上'《荀子》.

[迴鑾 회란] 천자(天子)의 어가(御駕)가 대궐로 돌아옴. 환궁(還宮).
[迴鸞 회란] 고대의 무곡(舞曲) 이름.
[迴文 회문] 한시(漢詩)의 한 체(體). 위에서 내리읽거나 밑에서 치읽거나 다 말이 되고 평측(平仄)·운자(韻字)가 서로 대응(對應)하게 된 것. 회문(廻文).
[迴斡 회알] 회전함.
[迴天之力 회천지력] 임금의 마음을 돌이키게 하는 힘.
[迴風 회풍] 회오리바람.
◉遨迴. 輪迴. 一日腸九迴.

6 ⑩ [迼] 결 [入]屑 居列切 jié
[字解] 뛸 결 뛰어오름. '一, 跳'《玉篇》.

6 ⑩ [⿺辶交] 교 [平]肴 古肴切 jiāo

[字解] 만날 교 '一, 會也'《說文》.
[字源] 形聲. 辶(辵)+交〔音〕

6 ⑩ [迵] 동 [去]送 徒弄切 dòng / [平]東 徒東切

[字解] ①지날 동 통과함. '診其脈, 曰一風'〈풍(風)이 오장(五臟)을 통철(洞徹)함〉《史記》. ②통할 동 통달함. '中冥獨達, 一一不屈'《太玄經》.
[字源] 篆文 形聲. 辶(辵)+同〔音〕. '同동'은 속이 비어 있다의 뜻. 속을 꿰뚫고 가다, 통하다의 뜻을 나타냄.

[迵迵 동동] 통달(通達)하는 모양.

6 ⑩ [迷] [高人] 미 [平]齊 莫兮切 mí

[筆順] 丶 丷 䒑 半 米 米 迷 迷

[字解] ①헤맬 미 ㉠길을 잃어 헤맴. '奔逃山谷, 一路夜入深林'《列仙傳》. ㉡바른길에 들어서지 못하고 방황함. 좇아할 바를 몰라 괴로워함. '俾民不一'《詩經》. '實一途其未遠, 覺今是而昨非'《陶潛》. 또, 그러한 일. '劣奴解識字, 則作一'《李義山》. ㉢정신이 혼란함. '一惑'. '昏一不恭'《書經》. 또, 그러한 일. '一身之一'《列子》. ②헤매게할 미 미혹하게 함. '巧聲一耳'《易林》. '嫣然一笑, 惑陽城, 一下蔡'《宋玉》. ③《現》미칠 미 열중함. 또, 그러한 사람. '電影一'.
[字源] 篆文 形聲. 辶(辵)+米〔音〕. '米미'는 많은 것의 뜻. 길이 너무 많아 헤매다의 뜻을 나타냄.

[迷見 미견] 헷갈리어 어지러운 견해.
[迷界 미계] 《佛教》미망(迷妄)의 세계. 중생계(衆生界).
[迷宮 미궁] ㉠한번 안으로 들어가면 되돌아 나올 수 없도록 복잡하게 지은 궁전. ㉡사건이 복잡하여 갈피를 잡을 수 없음의 비유.
[迷豚 미돈] 자기(自己)의 아들을 겸사(謙辭)하여 일컫는 말. 미아(迷兒).
[迷亂 미란] 정신이 헷갈리어 어지러움. 또, 정신이 헷갈리어 어지럽게 함.
[迷盧 미려] 《佛教》'소미려(蘇迷盧)'의 준말. 수미산(須彌山)을 이름.
[迷路 미로] 방향을 잡을 수 없는 길.
[迷離 미리] 산란한 모양. 일설(一說)에는, 모호한 모양.
[迷妄 미망] 미혹(迷惑)한 망상.
[迷罔 미망] 마음이 어지러워 어두움.
[迷昧 미매] 미암(迷暗).
[迷夢 미몽] 무엇에 미혹하여 흐릿해진 정신.
[迷霧 미무] 방향을 잡을 수 없는 안개. 미혹(迷惑)한 마음의 비유.
[迷迷 미미] 미혹한 모양.
[迷想 미상] 미혹(迷惑)한 생각.
[迷信 미신] 이치에 어긋난 망령된 믿음. 망신(妄信).
[迷兒 미아] 길을 잃은 아이.
[迷暗 미암] 마음이 미혹하여 어두움.
[迷藏 미장] 숨바꼭질.
[迷執 미집] 《佛教》미혹하여 집착(執着)함. 또, 그 마음.
[迷惑 미혹] ㉠길을 잃어 갈 바를 모름. ㉡마음이 흐려서 무엇에 홀림. 정신이 헷갈려 헤맴.
◉當局者迷. 莫三人而迷. 瞀迷. 頑迷. 低迷. 沈迷. 昏迷. 混迷.

6 ⑩ [迸] 〔병〕 迸(辵部 八畫〈p.2304〉)의 俗字

6 ⑩ [迹] [人名] 적 [入]陌 資昔切 jī

[字解] ①자취 적 ㉠발자국. '足一'. '茫茫禹一'《左傳》. ㉡왕래. 내왕. '人一所絕'《漢書》. ㉢행위 또는 사건의 자취. 사적(事蹟). '明乎得失之一'《詩經 序》. ㉣공덕의 자취. 공적(功績). '有治一'《後漢書》. ㉤흔적. '筆一未工'《北齊書》. ㉥선례(先例). 구관(舊慣). '不踐一'《論語》. ②좇을 적 뒤를 따름. '深一其道, 而務修其本'《漢書》. ③상고할 적 나중에 그 사적에 의하여 상고함. '一漢功臣, 亦皆割符世爵'《漢書》.
[字源] 甲骨文 篆文 別體 形聲. 辶(辵)+亦〔音〕. '亦역'은 '겹쳐 쌓다'의 뜻. 겹쳐 쌓인 발자국의 뜻을 나타냄.

◉警迹. 舊迹. 軌迹. 馬迹. 名迹. 茂迹. 墨迹. 發迹. 放迹. 善行無轍迹. 手迹. 垂迹. 勝迹. 心迹. 靈迹. 王迹. 往迹. 禹迹. 遺迹. 人迹. 逸迹. 前迹. 絕迹. 鳥迹. 足迹. 縱迹. 蹤迹. 陳迹. 疾行無善迹. 轍迹. 超迹. 治迹. 萍迹. 風迹. 筆迹. 遐迹. 行迹. 形迹. 勳迹. 休影息迹. 痕迹.

6 ⑩ [迺] 내 [上]賄 奴亥切 nǎi

[字解] ①이에 내 乃(丿部 一畫)와 同字. '一立皐門'《詩經》. ②너 내 乃(丿部 一畫)와 同字. '欲烹一翁'《漢書》. ③비로소 내 '太子一生'《賈誼》. ④성 내 성(姓)의 하나.
[字源] 卤의 篆文 形聲. 卤+乃〔音〕. 《說文》에서는 '卤'로 하여, 乃〈省〉+卤〔音〕으로 봄. '乚(乃내)'가 뒤에 '辶(辵)착'으로 잘못 바뀜. '乃'와 통하여, '이에', '너'의 뜻으로 쓰임.

[迺公 내공] 군주가 신하에 대하여, 또는 부친이 자식에 대하여 말하는 자칭(自稱). 나. 내공(乃公).

6 ⑩ [追] [中人] [一] 추 [平]支 陟隹切 zhuī / [二] 퇴 [平]灰 都回切 duī

[筆順] ′ 亻 𠂊 户 白 自 㠯 追

[字解] [一] ①쫓을 추 ㉠급히 뒤따라감. '國人一之, 敗諸姑蔑'《史記》. ㉡몲. '一兔走, 百人一之'《愼子》. ㉢내쫓음. '一放'. '一戎于濟西'《左傳》. ㉣쫓아가 미침. 아직 늦지 아니함. '來者猶可一'《論語》. ㉤기왕의 일을 거슬러 올라감. 지난 일을 포착함. '一遠'. '一念前勳'《左傳》. ②좇을 추 ㉠따름. 수종(隨從)함. '心慕手一'《晉書》. ㉡전송함. '薄言一之'《詩經》. ③뒤따라 추 뒤를 바로 이어. '一尉遲氏入宮'《周書》. '一趙陳越代滕五王入朝'《周書》. ④성 추 성(姓)의 하나. [二] ①갈 퇴 옥 같은 것을 탁마함. '一琢其章'

《詩經》. ②종(鐘) 거는끈 퇴 '以一蠡' (종을 매단 끈을 벌레가 좀먹는 일)《孟子》.

字源 甲骨文 金文 篆文 會意. 辶(辵)＋自. '自퇴'는 신에게 바치는 고기의 象形. 고기를 바치러 가는 모양에서, '쫓다'의 뜻이나 조상의 영혼을 사모하여 잘 따르고 섬기다의 뜻을 나타냄.

[追加 추가] 나중에 더 넣음. 추후(追後)에 보탬.
[追刊 추간] 뒤좇아 간행함. 추후에 간행함.
[追感 추감] 옛일을 생각하여 느껴워하는 일.
[追擊 추격] 쫓아가며 냅다 침.
[追啓 추계] 편지의 본문에 추가하여 쓸 때 첫머리에 쓰는 말.
[追考 추고] 지나간 일을 상고(詳考)함.
[追求 추구] 뒤쫓아가 요구함.
[追究 추구] 어디까지나 자꾸 캐어 연구함.
[追咎 추구] 이미 지난 일을 책잡음.
[追及 추급] 뒤쫓아서 미침.
[追給 추급] 나중에 더줌.
[追記 추기] 본문에 추가하여 적어 넣음.
[追騎 추기] 추격하는 기병.
[追儺 추나] 역귀(疫鬼)를 몰아내는 행사.
[追納 추납] 모자라는 것을 나중에 더 채워 바침.
[追念 추념] 추사(追思).
[追悼 추도] 죽은 사람을 추상(追想)하여 슬퍼함.
[追戀 추련] 이별하거나 죽은 사람을 못 잊어 그리워함.
[追錄 추록] 추기(追記).
[追論 추론] 지난 일을 추구(追究)하여 논의(論議)함.
[追慕 추모] 이별하거나 죽은 사람을 사모함.
[追尾 추미] 뒤쫓아감. 추적함.
[追美 추미] 사후에 그 사람의 공을 칭송함.
[追迫 추박] 쫓아 육박함.
[追放 추방] 쫓아냄.
[追陪 추배] 배행(陪行)함.
[追兵 추병] 적군(敵軍)을 추격(追擊)한 군사(軍士).
[追福 추복] 추선(追善).
[追思 추사] 지나간 일이나 가 버린 사람을 돌이켜 생각함.
[追削 추삭] 추탈(追奪).
[追殺 추살] 추격하여 죽임.
[追想 추상] 추사(追思).
[追償 추상] 나중에 갚음.
[追敍 추서] 죽은 뒤에 벼슬을 내려 주는 일. 사후(死後)의 서위(敍位).
[追惜 추석] 이미 죽은 사람을 애석하게 여김.
[追善 추선] 죽은 사람의 명복을 빌기 위하여 기일(忌日) 같은 때에 불공을 올리는 일.
[追躡 추섭] 뒤를 밟아 쫓아감.
[追訴 추소] 본소(本訴)에 추가하여 소(訴)를 제기함. 또, 그 소.
[追隨 추수] 뒤따라가 모시고 감.
[追崇 추숭] 추존(追尊).
[追施 추시] 나중에 시행(施行)함.
[追諡 추시] 추증(追贈)한 시호.
[追尋 추심] 뒤쫓아가 찾음.
[追憶 추억] 추사(追思).
[追擾 추요] 뒤쫓아가 떠듦.
[追遠 추원] 조상을 생각하고 제사 지냄.
[追跡 추적] 뒤를 밟아서 쫓음.
[追餞 추전] 떠나간 사람의 뒤를 쫓아가서 송별연을 베푸는 일.
[追弔 추조] 죽은 뒤의 조상(弔喪).
[追尊 추존] 사후(死後)에 존호(尊號)를 올림.
[追從 추종] 뒤따름.
[追蹤 추종] 뒤를 밟아 쫓아감. 전(轉)하여, 옛일을 더듬어 찾음.
[追贈 추증] 죽은 뒤에 관위(官位)를 내림.
[追徵 추징] 추가하여 거두어들임.
[追譖 추참] 죽은 사람을 참소하는 일.
[追薦 추천]《佛敎》죽은 사람을 공양(供養)함.
[追逐 추축] ㉠뒤쫓아다님. ㉡같이 술 같은 것을 마심. ㉢경쟁함. 다툼.
[追稱 추칭] 추미(追美).
[追奪 추탈] 생전의 관작(官爵)을 사후에 삭탈함.
[追討 추토] 쫓아가서 침.
[追貶 추폄] 죽은 사람의 위계를 삭탈(削奪)함. 추증(追贈)의 대(對).
[追捕 추포] 쫓아가서 잡음.
[追褒 추포] 추미(追美).
[追恨 추한] 추후에 알아채고 원한을 품음.
[追行 추행] ㉠뒤를 쫓아서 따라감. ㉡나중에 행함.
[追號 추호] 돌아간 임금에게 시호(諡號)를 올림. 또, 그 시호.
[追還 추환] 나중에 도로 갚음.
[追懷 추회] 나중에 회상함.
[追孝 추효] 죽은 부모의 영혼을 잘 섬김.
[追後 추후] 나중. 뒤. 다음. 후일(後日).
[追琢 퇴탁] 옥을 갈아 다듬음.
◉窮追. 急追. 來者不拒去者不追. 猛追. 訴追. 往者不可諫來者猶可追. 遠追. 逐追.

6 ⑩ [迾] ■一 렬 ㊅屑 力蘗切 liè ■二 례 ㊄霽 力制切 lì

字解 ■一 ①막을 렬 막아 못 가게 함. '張弓帶鞬, 遮一出入'《後漢書》. ②벽제할 렬 존귀한 사람이 길을 나설 때 통행을 금하여 길을 치움. '一卒淸候'《張衡》. ■二 막을 례, 벽제할 례 ㊀과 뜻이 같음.

字源 篆文 形聲. 辶(辵)＋列〔音〕. '列렬'은 '柬련'과 통하여 '가두다'의 뜻. 길을 막아 가두다의 뜻에서, '막다'의 뜻을 나타냄.

[迾卒 열졸] 벽제(辟除)하는 군졸.
◉遮迾.

6 ⑩ [退] 中人 퇴(④ ㊄隊 他內切 tuì 톤㊍) ㊄願 吐困切 退

筆順 ㄱ ㅋ ㅋ 目 艮 艮 㫐 退

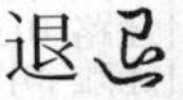

字解 ①물러날 퇴 ㉠물러감. '一却'. '一出'. '有進無一'《禮記》. ㉡되돌아감. '臨淵羨魚, 不如一而結網'《漢書》. ㉢퇴근함. '一食'. '公一之暇'《王禹偁》. ㉣관직을 떠남. '引一'. '功成名遂身一'《老子》. ㉤감소함. 줆. '減一'. ㉥떨어짐. 낮아짐. '是時, 元豐大臣一於散地, 皆銜怨入骨'《十八史略》. ㉦겸손함. 사양함. '謙一'. '恭敬撙節一讓'《禮記》. ㉧마음이 약함. '求也一, 故進之'《論語》. ②물리칠 퇴 ㉠멀리함. 거절함. '辭一'. '見不善而不能一'《大學》. ㉡관직 등을 떨어뜨림. '一人以禮'《禮記》. ③성 퇴 성(姓)의 하나. ④바랠 퇴 褪(衣部 十畫)와 同字. '肉色一紅嬌'《王建》.

字源 篆文 古文 會意. 篆文은 彳+夊+食〈省〉. '彳척'은 길의 象形. '夊쇠'는 발자국이 아래로 향한 모양을 본뜸. 고대의 벼슬아치가 관청에서 물러나서 집에 돌아와 밥을 먹는 모양을 나타내어, '물러나다'의 뜻을 나타냄. '彳'은 나중에 '辵착'이 됨.

[退却 퇴각] 물러감. 또, 물리침.
[退去 퇴거] 물러감. 또, 물러가게 함. 물리침.
[退耕 퇴경] 벼슬을 사양(辭讓)하고 시골로 내려가서 농사(農事)를 지음.
[退官 퇴관] 벼슬을 내놓음.
[退校 퇴교] 퇴학(退學).
[退軍 퇴군] 군대를 거두어 물러남.
[退屈 퇴굴] ㉠기가 꺾여 물러남. 퇴각함. ㉡기가 꺾임.
[退妓 퇴기] 기안(妓案)에서 벗어난 기생(妓生).
[退期 퇴기] 기한(期限)을 물림.
[退老 퇴로] 나이가 많아 벼슬살이를 그만두고 물러남.
[退路 퇴로] 뒤로 물러갈 길.
[退步 퇴보] ㉠뒤로 물러섬. ㉡재주·힘이 점점 줄어감. 진보(進步)의 대(對).
[退社 퇴사] ㉠사원(社員)이 규정(規定)한 시간에 퇴출(退出)함. ㉡사원(社員)이 회사(會社)에서 그만둠.
[退散 퇴산] 흩어져 감.
[退色 퇴색] 빛이 바램. 퇴색(褪色).
[退席 퇴석] 자리에서 물러감.
[退省 퇴성] 물러나서 자기 몸을 반성함.
[退俗 퇴속] 중이 도로 속인(俗人)이 됨. 환속(還俗).
[退損 퇴손] 겸손(謙遜)함.
[退送 퇴송] 물리치어 도로 보냄.
[退守 퇴수] 물러나서 지킴.
[退食 퇴식] 퇴근하여 집에 가서 식사를 함.
[退息 퇴식] 물러가 쉼. 사직함.
[退身 퇴신] 벼슬을 내놓고 물러감.
[退讓 퇴양] 물러나 남에게 사양함. 겸양함.
[退然 퇴연] 겸손하고 유순한 모양.
[退嬰 퇴영] 뒤로 물러남. 소극적이고 진취성이 없음.
[退院 퇴원] ㉠중이 절에서 물러남. ㉡입원(入院)한 병자(病者)가 병원(病院)에서 나옴.
[退隱 퇴은] 벼슬을 그만두고 은거함.
[退引 퇴인] 뒤로 물러남.
[退任 퇴임] 퇴직(退職).
[退場 퇴장] 회장(會場)에서 물러남.
[退藏 퇴장] 물러나 숨음. 퇴은(退隱).
[退轉 퇴전] 부처를 믿는 마음이 시들어지고 딴 일에 마음을 쓰는 것.
[退廷 퇴정] ㉠퇴조(退朝). ㉡법정(法廷)에서 물러남.
[退朝 퇴조] 조정(朝廷)에서 물러남. 조회(朝會)에서 나옴.
[退潮 퇴조] 썰물.
[退卒 퇴졸] 제대(除隊)한 병졸.
[退座 퇴좌] 좌석에서 물러남.
[退走 퇴주] 물러나 달아남.
[退職 퇴직] 벼슬을 내놓음.
[退陣 퇴진] 진(陣)을 뒤로 물림.
[退斥 퇴척] 물리침.
[退廳 퇴청] 관청에서 근무를 마치고 물러남.
[退縮 퇴축] 물러나 움크림. 원기가 쇠약함.
[退出 퇴출] 물러남.
[退治 퇴치] 물리쳐서 없애 버림.
[退避 퇴피] ㉠관직에서 물러남. ㉡물러나서 피함.
[退筆 퇴필] 낡은 붓.
[退學 퇴학] 다니는 학교(學校)를 그만둠.
[退閒 퇴한] 퇴관하고 한가로이 지냄.
[退行 퇴행] 물러감. 퇴거(退去).
[退婚 퇴혼] 정(定)한 혼인(婚姻)을 어느 한편(便)에서 퇴(退)함.
[退紅 퇴홍] 연분홍빛. 담홍색(淡紅色).
[退化 퇴화] ㉠진보 이전의 상태로 되돌아감. ㉡생물의 어떤 기관(器官)이 작용을 하지 않음으로 말미암아 점차로 그 구조가 간단하여지고 작용력이 없어짐.
[退休 퇴휴] 사직(辭職)함.
◉卻退. 減退. 擊退. 謙退. 恭退. 急流勇退. 鈍退. 遁退. 滅退. 排退. 凡退. 屛退. 奔退. 辭退. 衰退. 抑退. 旅進旅退. 廉退. 勇退. 懦退. 隱退. 引退. 一進一退. 早退. 坐作進退. 中退. 知進不知退. 進退. 斥退. 淸退. 寸進尺退. 撤退. 脫退. 罷退. 敗退. 貶退. 廢退. 後退.

6 ⑩ [送] 中人 송 ㊤送 蘇弄切 sòng 送

筆順 丿 八 亼 亼 关 关 送 送

字解 ①보낼 송 ㉠물건을 부쳐 줌. 증여함. '富貴者一人以財'《史記》. ㉡이별함. 전송함. '一別'. '一往迎來'《中庸》. ㉢가게 함. '一舊迎新'. '一夕陽迎新月'《王禹偁》. ②전송 송 송별하는 일. '師友之一'《漢書》.

字源 篆文 會意. 篆文은 辶(辵)+关(灷). '灷잉'은 양손으로 밀어 올린 모양을 본뜬 것. 물건을 바치듯이 보내다의 뜻을 나타냄.

[送敬 송경] 사례를 함. 치사(致謝)함.
[送故迎新 송고영신] 전임자(前任者)를 보내고 신임자(新任者)를 맞음.
[送哭 송곡] 관(棺)을 떠나 보내면서 곡함.
[送舊迎新 송구영신] 옛것을 보내고 새것을 맞이함.
[送窮 송궁] 궁귀(窮鬼)를 내쫓음.
[送金 송금] 돈을 보냄.
[送達 송달] 보내어 줌.
[送料 송료] 물건(物件)을 보내는 데 드는 요금(料金).
[送梅雨 송매우] 5월에 오는 비.
[送別 송별] 사람을 작별(作別)하여 보냄. 배웅.
[送迎 송영] 사람을 보냄과 맞음.
[送往迎來 송왕영래] 떠나가는 사람을 환송(歡送)하고 오는 사람을 영접(迎接)함.
[送葬 송장] 장사 지내는 것을 배웅함. 장송(葬送).
[送電 송전] 전력(電力)을 보냄.
[送還 송환] 도로 돌려보냄.
◉裏送. 郊送. 輓送. 目送. 搬送. 返送. 發送. 放送. 拜送. 配送. 奉送. 輸送. 贐送. 押送. 郵送. 運送. 衛送. 移送. 資送. 葬送. 裝送. 前送. 電送. 傳送. 餞送. 轉送. 祖送. 縱送. 贈送. 直送. 集送. 遞送. 抽送. 追送. 託送.

解送. 護送. 歡送. 回送. 後送.

6 ⑩ [适] [人名] 괄 [入]曷 古活切 kuò

[字解] ①빠를 괄 신속함. ②성 괄 성(姓)의 하나.
[字源] 篆文 形聲. 辶(辵)+舌(𠯑)〔音〕. '𠯑괄'은 물이 세차게 흐르는 소리를 나타냄. 물이 빨리 흐르다, 일반적으로 '빠르다'의 뜻으로 쓰임.

6 ⑩ [逃] [高人] 도 [平]豪 徒刀切 táo

[筆順] 丿 丿 丬 兆 兆 兆 兆 逃
[字解] ①달아날 도 ㉠도망함. '一走'. '齊王一遁走莒'《戰國策》. ㉡벗어남. 탈출함. '項羽圍成皐, 漢王一'《史記》. ②피할 도 회피함. '一禪'. '季札讓一去'《史記》. ③떠날 도 버리고 감. '一嫁'. '一墨必歸於楊'《孟子》. '良才抱璞而一'《後漢書》. ④깜작일 도 눈을 잠깐 감았다가 뜸. 또, 눈동자를 굴림. '不目一'(눈을 끔쩍하지 아니함)《孟子》.
[字源] 篆文 形聲. 辶(辵)+兆〔音〕. '兆조'는 점칠 때 나타나는 갈라진 금을 본뜬 것으로 튀어 갈라지다의 뜻. 나아가다의 뜻인 '辵착'을 덧붙여서, 갈라져 떠나다, 달아나다의 뜻을 나타냄.

[逃嫁 도가] 남편을 버리고 딴 데로 시집감.
[逃去 도거] 달아남.
[逃計 도계] 달아날 꾀.
[逃匿 도닉] 달아나 자취를 감춤.
[逃逃 도도] 놀라 달아남.
[逃遁 도둔] 달아남.
[逃亡 도망] 달아남. 쫓겨 감.
[逃北 도배] 달아남.
[逃背 도배] 도주하여 배반함.
[逃奔 도분] 달아남.
[逃散 도산] 도망하여 뿔뿔이 흩어짐.
[逃暑飮 도서음] 서기(暑氣)를 피하기 위한 주연(酒宴).
[逃禪 도선] 속세(俗世)를 피하여 참선함. 일설(一說)에는, 선(禪)을 떠남. 곧, 계율을 어기는 일.
[逃隱 도은] 달아나 숨음.
[逃走 도주] 달아남.
[逃竄 도찬] 도닉(逃匿).
[逃躱 도타] 도피(逃避).
[逃避 도피] 달아나서 몸을 피(避)함.
◉遁逃. 目逃. 奔逃. 三諫不聽逃. 竄逃. 逋逃.

6 ⑩ [迯] 逃(前條)의 古字

6 ⑩ [逄] 방 [平]江 薄江切 páng

[字解] ①막을 방 '一, 塞也'《集韻》. ②성 방 성(姓)의 하나. '一蒙學射於羿'《孟子》.
[字源] 形聲. 辶(辵)+夆(夅)〔音〕. '夆봉'은 '封봉'과 통하여 '가두다'의 뜻.

6 ⑩ [逅] [人名] 후 [去]宥 胡遘切 hòu

[筆順] 一 厂 𠂆 斤 后 后 诟 逅
[字解] 만날 후 우연히 만남. '邂一相遇'《詩經》.
[字源] 篆文 形聲. 辶(辵)+后〔音〕. '后후'는 '遘구'와 통하여 '만나다'의 뜻.

◉邂逅.

6 ⑩ [逆] [中人] 역 [入]陌 宜戟切 nì

[筆順] 丶 丷 䒑 䒑 屰 屰 䢃 逆
[字解] ①거스를 역 ㉠순조롭지 아니함. '一運'. '一境'. ㉡순종하지 아니함. '順天者存, 一天者亡'《孟子》. ㉢반대함. 대항함. '順人之嗜好而不敢一'《尹文子》. ㉣배반함. '反一'. '一臣'. '未退而一之'《國語》. ㉤도리·이치에 벗어남. '一理'. '言辯而一'《荀子》. ㉥사물에 반대되는 길을 잡음. '一轉'. '水一行氾濫於中國'《孟子》. ㉦기운이 거꾸로 올라옴. 상기함. '大飮則氣一'《素問》. ②허물 역 큰 죄악. 반역·불효 따위. '大一無道'. '從一凶'《書經》. ③거꾸로 역 전도하여. '一數'. '倒行而一施'《史記》. ④맞을 역 ㉠불러오게 함. '一天命'《書經》. ㉡맞이하여 받음. '一命不辭'《儀禮》. ㉢오는 것을 대기하여 막음. '專兵一志, 以一秦'《戰國策》. ㉣미리 헤아림. 추측함. '不一詐'《論語》. ⑤미리 역 사전에. '一睹'. '凡事如是, 難可一見'《諸葛亮》.
[字源] 甲骨文 金文 篆文 形聲. 辶(辵)+屰〔音〕. '屰역'은 거꾸로 선 사람의 象形. '거스르다'의 뜻을 나타냄. 또, '迎영'과 통하여 '맞다'의 뜻도 나타냄.

[逆擊 역격] 역습(逆襲)을 가(加)함. 맞아 침.
[逆境 역경] 모든 일이 뜻대로 되어 가지 아니하는 불행한 경우(境遇).
[逆黨 역당] 역적(逆賊)의 무리. 역도(逆徒).
[逆德 역덕] 도덕에 거슬린 행위.
[逆徒 역도] 역당(逆黨).
[逆睹 역도] 역도(逆覩).
[逆覩 역도] 사전(事前)에 앎. 미리 알아챔.
[逆亂 역란] 도덕을 거스르고 법을 어지럽힘.
[逆浪 역랑] ㉠거센 물결. ㉡물결을 거스름.
[逆旅 역려] 여관(旅館). 객사(客舍).
[逆旅過客 역려과객] 길 가는 손님이라는 뜻으로, 관계(關係)없는 사람을 가리키는 말.
[逆勞 역로] 마중 나가 위로함.
[逆料 역료] 미리 헤아림.
[逆流 역류] ㉠물을 거슬러 올라감. ㉡물이 거슬러 흐름. 또, 그 물.
[逆理 역리] 사리(事理)에 어그러짐.
[逆鱗 역린] 용의 턱 밑에 거슬려 난 비늘이 있어 이것을 건드리면 노하여 건드린 자를 죽인다 함. 전(轉)하여, 제왕(帝王)의 분노(忿怒)의 비유.
[逆名 역명] 모반(謀叛)하였다는 소문.
[逆謀 역모] 반역(反逆)을 꾀함.
[逆產 역산] ㉠해산(解產)할 때에 아이의 다리부터 먼저 나오는 것. 도산(倒產). ㉡역적(逆賊)의 재산(財產).
[逆上 역상] 상기(上氣)함.
[逆說 역설] ㉠주의 또는 의견이 반대인 의론. ㉡모순된 것같이 보이나 실상은 그렇지 아니한

의론.
[逆水 역수] 거슬러 흐르는 물.
[逆修 역수] 《佛教》 ㉠생전에 사후의 명복을 빌어 불사(佛事)를 닦는 일. ㉡산 늙은이가 죽은 젊은이의 명복을 비는 일.
[逆豎 역수] 도덕에 어그러진 일을 하는 고약한 놈.
[逆數 역수] ㉠사시(四時)의 한서(寒暑)가 고르지 않음. ㉡거꾸로 미래를 헤아림.
[逆順 역순] 거역함과 순종함.
[逆襲 역습] 쳐들어오는 적(敵)을 이쪽에서 불의(不意)에 습격(襲擊)함.
[逆施 역시] 거꾸로 시행함. 도리를 거슬러 시행함.
[逆臣 역신] 역적질을 하는 신하. 임금을 해치려고 하는 신하.
[逆心 역심] 반역을 꾀하는 마음.
[逆億 역억] 미리 짐작함. 예측(豫測)함.
[逆閹 역엄] 도덕을 거스르거나 모반을 하는 환관(宦官).
[逆緣 역연] 《佛教》 ㉠나쁜 짓을 한 것이 인연이 되어 불도(佛道)에 들어감. ㉡어버이가 자식보다, 노인이 젊은 사람보다 오래 사는 인연.
[逆用 역용] 반대로 이용(利用)함.
[逆運 역운] 불운(不運).
[逆意 역의] ㉠반역의 의사(意思). 모반하고자 하는 뜻. ㉡뜻에 거슬림.
[逆耳 역이] 귀에 거슬림.
[逆耳之言 역이지언] 귀에 거슬리는 말이라는 뜻으로, 바른말을 이름.
[逆賊 역적] 반역(叛逆)을 하는 사람.
[逆戰 역전] 역습(逆襲)하여 나아가 싸움.
[逆轉 역전] 형세(形勢)가 뒤집힘.
[逆天命 역천명] 천명(天命)을 거스름.
[逆取順守 역취순수] 정도(正道)에 어그러지는 행위로 천하를 빼앗고서 정도를 지킴.
[逆坂 역판] ㉠가파른 고개. ㉡고개를 위로 거슬러 감.
[逆風 역풍] ㉠거슬러 부는 바람. ㉡바람이 부는 쪽을 향하여 감.
[逆行 역행] ㉠거슬러 올라감. ㉡순서(順序)를 바꾸어 행(行)함.
[逆婚 역혼] 형제자매(兄弟姊妹) 중 나이 적은 자가 먼저 혼인(婚姻)을 함. 도혼(倒婚).
◉可逆. 亂逆. 大逆. 莫逆. 目逆. 反逆. 畔逆. 背逆. 犯逆. 復逆. 拂逆. 順逆. 弑逆. 惡逆. 五逆. 忤逆. 違逆. 六逆. 錯逆. 舛逆. 醜逆. 吐逆. 悖逆. 暴逆. 斂逆. 橫逆. 凶逆.

6 ⑩ [迻] 이 [平]支 弋支切 yí

[字解] 옮길 이 移(禾部 六畫)와 통용. '屢懲艾而不一'《楚辭》.
[字源] 篆文 形聲. 辶(辵)+多〔音〕

6 ⑩ [迿] 순 [去]震 私閏切 xùn

[字解] 선손쓸 순 먼저 싸움을 걺. 선수를 씀. '朋友相衞而不相一'《公羊傳》.

6 ⑩ [逹] [人名] 율 [入]質 余述切 yù

[字解] ①흩어져퍼질 율 '一, 分布也'《玉篇》. ②가는모양 율 '一, 行皃'《玉篇》.

6 ⑩ [迨] 합 [入]合 侯閤切 hé

[字解] ①뒤따라미칠 합 '一遝, 行相及'《玉篇》. ②뒤섞일 합 '一, 遝也'《說文》.
[字源] 甲骨文 金文 篆文 形聲. 辶(辵)+合〔音〕. '合합'은 '맞다, 만나다'의 뜻. 뒤섞이어 가다의 뜻을 나타냄.

6 ⑩ [迹] 〔회〕
恢(心部 六畫〈p. 777〉)와 同字

6 ⑩ [迩] 〔자〕
赼(走部 六畫〈p. 2217〉)와 同字

6 ⑩ [迴] 〔형〕
逈(辵部 五畫〈p. 2291〉)의 俗字

7 ⑪ [逋] 포 [平]虞 博古切 bū

[字解] ①달아날 포 도망하여 숨음. '一逃'. '歸而一'《易經》. ②포탈할 포 구실을 바치지 아니함. '一更賦'《漢書》. 또, 미납한 구실. '積一'. '洗雪百年之一負'《後漢書》.
[字源] 篆文 形聲. 辶(辵)+甫〔音〕. '甫보'는 '匍포'와 통하여 '기다'의 뜻. 기어서 몰래 달아나다의 뜻을 나타냄.

[逋客 포객] 은둔(隱遁)한 사람.
[逋貸 포대] 구실을 내지 아니하고 도망함.
[逋逃 포도] 죄를 짓고 달아남. 또, 그 사람.
[逋慢 포만] 회피하여 게을리 함. 책임을 피하고 태만함.
[逋亡 포망] 달아남.
[逋負 포부] 포조(逋租).
[逋租 포조] 바치지 아니한 구실. 미납세(未納稅).
[逋竄 포찬] 달아나 숨음.
[逋播 포파] 도망하여 딴 곳으로 감.
[逋播臣 포파신] 타국으로 달아나 방랑하는 신하.
[逋欠 포흠] 포조(逋租).
◉亡逋. 負逋. 宿逋. 詩逋. 流逋. 酒逋.

7 ⑪ [逌] [人名] 유 [平]尤 以周切 ①yōu, ②yóu

[字解] ①웃을 유 빙그레 웃는 모양. 卣(卜部 五畫)와 同字. '主人一爾而笑'《班固》. ②말미암을 유 由(田部 0畫)의 古字. '栗取弔於一吉兮'《班固》. ③바 유 장소. 攸(攴部 三畫)의 古字. '彝倫一敍'《漢書》.
[字源] 金文 篆文 象形. 접시 위에 놓인 술 그릇 호리병을 본뜬 것. 술기운이 감도는 모양에서, 기분이 편안한 모양을 나타냄. 일설에는, 辶(辵)+卣〔音〕의 形聲. '辵착'은 안정된 접시의 象形의 변형. '卣유'는 술통의 象形.

[逌然 유연] ㉠자득(自得)한 모양. ㉡유이(逌爾).
[逌爾 유이] 빙그레 웃는 모양.

7 ⑪ [逍] [人名] 소 [平]蕭 相邀切 xiāo

[字解] 거닐 소 '一遙'는 이리저리 거닒. '河上乎一遙'《詩經》.
[字源] 篆文 形聲. 辶(辵)+肖〔音〕. '肖초'는 '작다'의 뜻. 좁은 보폭(步幅)으로 슬슬

건다의 뜻을 나타냄.

[逍搖 소요] 소요(逍遙).
[逍遙 소요] ㉠이리저리 거닒. 바람을 쐼. ㉡유유자적(悠悠自適)함.
[逍遙園 소요원] 《佛敎》 동산 이름. 구마라습(鳩摩羅什)이 장안(長安)에 갔을 때 요흥(姚興)이 여러 사문(沙門)과 함께 이곳에서 습(什)의 불경 강화를 들었던 곳. 산시 성(陝西省) 안에 있음.

7 ⑪ [逎] [人名] 〔주〕 遒(辵部 九畫〈p. 2313〉)의 古字
[筆順] 一 丆 冂 丙 西 酉 酒 逎

7 ⑪ [⿺辶更] [一] 갱 [平]庚 居行切 gēng [二] 항 [平]陽 胡郎切 háng
[字解] [一] 토끼다니는길 갱 '一, 兔徑'《集韻》. [二] ①날아내릴 항 '一, 亦作頏. 飛而上曰頡, 飛而下曰一'《篇海類編》. ②자취 항, 긴길〔長道〕 항 迒(辵部 四畫)과 同字. '迒, 迹也, 長道也, 一, 同迒'《玉篇》.

7 ⑪ [透] [高人] 투 [去]有 他候切 tòu 透
[筆順] 一 二 千 禾 乔 秀 诱 透
[字解] ①뛸 투 도약함. '飛泳騁一'《謝靈運》. ②환할 투 환히 비침. '一明'. '表裏忽通一'《韓愈》. ③사무칠 투 통철(通徹)함. 투철함. 꿰뚫음. '此知如何捉摸得, 見得一時便是聖人'《傳習錄》. ④놀랄 투 경악함. '驚一沸亂'《左思》. ⑤던질 투 투신(投身)함. '乃一井死'《南史》.
[字源] 篆文 形聲. 辶(辵)+秀〔音〕. '秀수'는 길게 뻗다의 뜻. 길게 뻗어 나가다, 내뚫다의 뜻을 나타냄.

[透過 투과] 꿰뚫고 지나감.
[透光 투광] 물체를 통과하여 비치는 빛.
[透明 투명] ㉠환히 트임. 환히 트여 속까지 뵘. ㉡물체가 빛을 통과시킴.
[透明體 투명체] 공기·유리(琉璃) 들과 같이 광선이 통하는 물체. 곧, 속까지 환히 보이는 물체.
[透寫 투사] 그림이나 글씨를 다른 얇은 종이 밑에 받쳐 놓고 그대로 그리거나 씀.
[透水層 투수층] 모래땅과 같이 물이 잘 빠지는 지층(地層).
[透視 투시] ㉠속에 있는 물건(物件)을 내뚫어 비추어 봄. ㉡감관(感官)의 매개(媒介)를 받지 않고 생각하는 힘으로써 알아내는 것.
[透映 투영] 환히 속까지 비치어 보임.
[透徹 투철] 사리(事理)가 밝고 뛰어남.
◉驚透. 騰透. 奔透. 騁透. 滲透. 陽氣發處金石亦透. 浸透. 通透.

7 ⑪ [逐] [高人] 축 [入]屋 直六切 zhú 逐
[筆順] 一 丆 丂 豕 豕 豕 逐 逐
[字解] ①쫓을 축 ㉠뒤쫓아감. '追一'. '子都拔棘以一之'《左傳》. ㉡추방함. '一出'. '請一切一客'《史記》. ㉢물리침. 배척함. '三仕三見一於君'《史記》. ㉣몲. '殘片一風廻'《楊發》. ㉤구함. '厭遠一邇'《國語》. ②쫓길 축 '斥乎齊, 一乎宋衛'《史記》. ③달릴 축 질주함. '良馬一'《易經》. ④다툴 축 경쟁함. '角一'. '諸侯一進'《左傳》. ⑤좇을 축 뒤따름. '一隊而趨'《韓愈》. '乘白黿兮一文魚'《楚辭》. ⑥하나하나 축 사물을 하나하나 세는 데 이름. '一一'. '一條'.
[字源] 甲骨文 金文 篆文 會意. 甲骨文은 豕+止〔音〕. '止지'는 뒤에 '辵착'이 됨. '豕시'는 산돼지의 象形. 산돼지를 쫓는 발의 모양에서, '쫓다'의 뜻을 나타냄.

[逐客 축객] 손을 쫓음.
[逐去 축거] 쫓아 보냄.
[逐鬼 축귀] 잡귀(雜鬼)를 쫓음.
[逐年 축년] 해마다.
[逐鹿 축록] 사슴을 국가의 원수(元首)에 비유하여 원수의 지위를 획득하기 위하여 다툼을 이르는 말. 지금은 널리 의원 선거(議員選擧)에 입후보하여 경쟁하는 일에도 이름.
[逐鹿者不見山 축록자불견산] 사슴을 쫓는 자(者)는 산악(山岳)의 험악(險惡)함도 안중(眼中)에 없다는 뜻. 이욕(利慾)에 눈이 어둡거나, 한 일에 열중(熱中)하는 사람은 다른 일을 돌보지 않음의 비유.
[逐鹿者不顧兔 축록자불고토] 사슴을 쫓는 자가 토끼를 돌아보지 않는다는 뜻으로, 큰 것을 구하는 사람은 작은 것을 돌아보지 아니함을 이름.
[逐朔 축삭] 다달이. 달마다.
[逐獸者目不見太山 축수자목불견태산] '축록자불견산(逐鹿者不見山)'을 보라.
[逐臣 축신] 추방당한 신하.
[逐夜 축야] 밤마다. 매일(每日) 밤.
[逐月 축월] 다달이. 달마다.
[逐二兔者不得一兔 축이토자부득일토] 한꺼번에 토끼 두 마리를 잡으려고 쫓으면 한 마리도 못 잡음. 동시에 두 가지 일을 뜻하면 결국 아무것도 안 됨의 비유. 「그리
[逐一 축일] 하나씩 하나씩 빼놓지 아니하고. 깡
[逐日 축일] ㉠날마다. 매일. ㉡태양을 쫓아감. 걸음이 빠름을 이름.
[逐日瘧 축일학] 날마다 앓는 학질. 며느리고금.
[逐電 축전] 번개를 따름. 극히 빠름을 이름.
[逐條 축조] ㉠순차로 조목을 따름. 조목마다. ㉡매 줄마다.
[逐次 축차] 차례차례로.
[逐斥 축척] 쫓아서 물리침.
[逐逐 축축] ㉠빨리 달리는 모양. ㉡독실(篤實)한 모양.
[逐出 축출] 쫓아냄.
[逐捕 축포] 쫓아가 체포함. 추포(追捕).
[逐戶 축호] 한 집도 거르지 않고 집집마다. 매호(每戶).
◉角逐. 競逐. 驅逐. 牡馳牝逐. 放逐. 排逐. 徙逐. 隨逐. 誅逐. 黴逐. 斥逐. 追逐. 馳逐. 討逐.

7 ⑪ [逑] [人名] 구 [平]尤 巨鳩切 qiú 逑
[字解] ①짝 구 배우자. '窈窕淑女, 君子好一'《詩經》. ②모을 구 한데 모이게 함. 또, 일치시킴. '以爲民一'《詩經》.

[字源] 篆文 形聲. 辶(辵)+求〔音〕. '求구'는 흩어져 있던 것이 한 점에 모이다의 뜻. '辵착'은 '나아가다'의 뜻. 합쳐서 '모이다'의 뜻. 또, 서로 구하여 찾는 상대 '짝'의 뜻을 나타냄.

◉民逑. 好逑.

7
⑪ [途] [高人] 도 [平]虞 同都切 tú 途

[筆順] ノ 𠆢 亼 亽 仐 余 涂 途

[字解] 길 도 도로. 塗(土部 十畫)와 同字. '一上'. '遇諸一'《論語》.

[字源] 形聲. 辶(辵)+余〔音〕. '余여'는 '뻗다'의 뜻. 죽 뻗어 있는 길의 뜻을 나타냄.

[途上 도상] 길 위. 노상(路上).
[途程 도정] 노정(路程).
[途中 도중] ㉠길을 걷고 있는 때. 길. 길 가운데. 노중(路中). ㉡일의 중간. 중도.
[途轍 도철] 조리(條理). 도리(道理).

◉官途. 窮途. 歸途. 當途. 道途. 登途. 命途. 冥途. 目途. 半途. 方途. 別途. 費途. 仕途. 使途. 三途. 先途. 世途. 首途. 要途. 用途. 危途. 壯途. 長途. 前途. 征途. 中途. 出途. 坦途.

7
⑪ [逕] [人名] 경 [去]徑 古定切 jìng 迳

[筆順] 一 ㄑ 巛 巠 巠 巠 逕

[字解] ①좁은길 경 소로(小路). 또, 지름길. '門一'. '禪一閑淸'《王融》. ②지날 경 소로를 통과함. '一路'. '東一馬邑縣故城南'《水經注》. ③가까울 경 비근(卑近)함. 또, 곧음. '事略而意一'《文心雕龍》. ④자취 경 발자취. '鼪鼬之一'《莊子》.

[字源] 形聲. 辶(辵)+巠〔音〕. '巠경'은 '곧다'의 뜻. 곧고 거리가 가장 짧은 길, 작은 길의 뜻을 나타냄.

[逕路 경로] 지나는 길.
[逕庭 경정] 큰 차이. 대차. 소로는 좁고 뜰은 넓으므로 이름. 경정(徑庭).

◉門逕. 三逕. 禪逕. 小逕. 野逕. 柳逕. 峭逕.

7
⑪ [逖] 적 [入]錫 他歷切 tì 逖

[字解] ①멀 적 요원함. '一矣, 西土之人'《書經》. ②멀리할 적 '糾一王慝'《左傳》. ③두려워할 적 惕(心部 八畫)과 통용. '渙, 其血, 去一出'《易經》.

[字源] 篆文 古文 形聲. 辶(辵)+狄〔音〕. '狄적'은 먼 데 사는 오랑캐의 뜻. 길이 멀다, 멀리하다의 뜻을 나타냄. 古文도 形聲으로 辶(辵)+易〔音〕. '易역'은 '埸역'과 통하여 '변경'의 뜻.

[逖逖 적적] 이(利)를 바라는 모양.

◉糾逖. 疏逖. 離逖.

7
⑪ [逓] 〔체·대〕 遞(辵部 十畫〈p.2317〉)의 俗字

7
⑪ [递] 〔체〕 遞(辵部 十畫〈p.2317〉)와 同字. 簡體字

7
⑪ [逨] 〔기〕 棄(木部 八畫〈p.1081〉)의 古字

7
⑪ [适] 〔괄〕 适(辵部 六畫〈p.2296〉)의 本字

7
⑪ [逛] 광 ①-③[上]養 具往切 guàng ④[去]漾 古況切 kuáng 逛

[字解] ①달릴 광 또, 달리는 모양. '一, 走也'《字彙》. '一, 走皃'《廣韻》. ②놀 광 빈둥빈둥 놂. '逖, 按, 今北方語, 謂閒遊曰一'《中華大字典》. ③성 광 성(姓)의 하나. ④속일 광 '迋, 欺也. 或从狂'《集韻》.

7
⑪ [逗] [人名] 두 ①②[去]有 徒候切 dòu ③[去]遇 持遇切 zhù 逗

[字解] ①머무를 두 임시로 체류함. '一留'. '一華陰之湍渚'《後漢書》. ②피할 두 회피함. '一撓當斬'《漢書》. ③성 두 성(姓)의 하나.

[字源] 篆文 形聲. 辶(辵)+豆〔音〕. '豆두'는 제기를 본뜬 것으로, 안정되게 놓이다의 뜻. 머물러 움직이지 않다의 뜻을 나타냄.

[逗撓 두뇨] 적(敵)을 보고 두려워하여 피하고 나아가지 아니함.
[逗留 두류] ㉠한 곳에 머무름. ㉡객지에 잠시 묵음.
[逗遛 두류] 두류(逗留).

7
⑪ [這] [人名] 저 (자[本]) [上]馬 止也切 zhè 这

[字解] 이 저 此(止部 二畫)와 뜻이 같음. '一般'. '一賊誤我'《唐書》.

[字源] 形聲. 辶(辵)+言〔音〕. 말을 걸어 맞이하다의 뜻을 나타냄. '저·자'로 읽을 경우는 '適적'의 초서체를 잘못 쓴 것으로, 송(宋)나라 때부터 '이'의 뜻을 나타냄.

[這箇 저개] 이. 이것.
[這麼 저마] 이와 같이.
[這般 저반] 이. 이것.
[這回 저회] 이번.

7
⑪ [通] [中人] 통 [平]東 他紅切 tōng 通

[筆順] フ マ マ 冂 甬 甬 涌 通

[字解] ①통할 통 ㉠꿰뚫음. '貫一'. '亨一'. '一神明之德'《易經》. ㉡두루 미침. '流一'. '徧一'. '知類一達'《禮記》. ㉢지남. '一過'. ㉣왕래함. '舟楫所一'《新書》. ㉤왕래하게 함. '剖符一使'《漢書》. ㉥환히 앎. '一曉'. '博一'. '不一乎兵者之論'《呂氏春秋》. ㉦의사가 상통함. '五方之民, 言語不一'《禮記》. ㉧의사를 전하여 알림. '一譯'. '不能一其意'《韓愈》. ㉨지장 없이 행하여짐. '不出戶庭知一塞'《易經》. ㉩입신출세함. '一則觀其所禮'《呂氏春秋》. 또, 명예·권력의 지위에 있는 일. '窮一'. ㉪사귐. 교제함. '非長者, 勿與一'《漢書》. ㉫간음함. '姦一'. '竊私一呂不韋'《史記》. ②말할 통 진술함. '先

生一正言'《漢書》. ③온통 통 전체. '一國'. '一常'. '夫三年之喪, 天下之一喪也'《論語》. ④통통 편지 또는 서류를 세는 수사(數詞). '書面一一'. 또, 수미(首尾)가 완결한 편장(篇章). '政論一一'《後漢書》. ⑤말똥 통 말의 대변. '以馬一薰之'《後漢書》. ⑥사방십리 통 토지 구획의 명목(名目). 곧, 십 리 사방. '井十爲一'《漢書》. ⑦성 통 성(姓)의 하나.

字源 金文 篆文 形聲. 辶(辵)+甬〔音〕. '甬용·통'은 대롱의 象形. 대롱처럼 장해물 없이 잘 통하다의 뜻을 나타냄.

[通家 통가] ㉠세의(世誼)가 있는 집. ㉡친척(親戚).
[通姦 통간] 남녀가 불의(不義)의 간음(姦淫)을 함. 사통(私通).
[通鑑 통감] '자치통감(資治通鑑)'의 준말.
[通鑑綱目 통감강목] '자치통감 강목(資治通鑑綱目)'의 준말.
[通鑑輯覽 통감집람] 역사서(歷史書). 청(淸)나라 건륭(乾隆) 32년 칙명(勅命)에 의해서 편찬되었는데, 모두 116권. 황제(黃帝)부터 명대(明代)까지의 역사를 기록했음.
[通計 통계] 통산(通算).
[通告 통고] 통지(通知).
[通共 통공] 쌍방에 통함. 서로 통하여 도움. 공통(共通).
[通過 통과] ㉠통(通)하여 지나감. ㉡회의(會議)에서 의안(議案)이 가결(可決)됨. ㉢관부(官府)에 제출(提出)한 원서(願書)가 수리(受理)됨.
[通貫 통관] 꿰뚫음. 관통함.
[通款 통관] ㉠수호(修好)를 맺음. ㉡적과 내통(內通)함.
[通交 통교] 국가 사이의 교제를 틈.
[通衢 통구] 사방으로 통하는 길.
[通國 통국] ㉠온 나라. 전국. ㉡나라를 통과함.
[通券 통권] 통행권.
[通勤 통근] 자택에서 출근하러 다님.
[通氣 통기] 공기를 유통시킴.
[通寄 통기] 통지(通知).
[通達 통달] ㉠막힘이 없이 환히 통함. ㉡사물의 이치를 환히 앎. ㉢통지(通知).
[通都 통도] 길이 사통팔달하는 큰 도회.
[通道 통도] ㉠통로(通路). ㉡일반(一般)이 행할 불변의 도의(道義).
[通讀 통독] 처음부터 끝까지 내리읽음.
[通覽 통람] 첫머리부터 끝까지 죄다 살펴봄.
[通朗 통랑] 사물의 이치에 통하여 환함.
[通力 통력] 《佛敎》 어떠한 사물이라도 자유자재로 할 수 있는 힘.
[通歷 통력] 연대(年代)의 통산(通算).
[通令 통령] 명령을 전달함.
[通例 통례] ㉠일반에 통하는 규칙. ㉡세상의 관습.
[通路 통로] 일반(一般)이 통행(通行)하는 길.
[通論 통론] ㉠사리(事理)에 통(通)하는 의론(議論). ㉡전체를 통한 이론(理論).
[通流 통류] ㉠통하여 흐름. 관류(貫流). ㉡막힘없이 통하게 함.
[通理 통리] ㉠통의(通義). ㉡위아래로 죽 통한 결.
[通明 통명] 사리에 통달하여 밝음.
[通謀 통모] 공모(共謀)함.
[通問 통문] ㉠심방함. 방문함. ㉡서로 물음.
[通敏 통민] 사물에 통달하며 민첩함.
[通發作用 통발작용] 식물체 내의 수분이 수증기가 되어 발산하는 작용.
[通榜 통방] 당대(唐代)의 과거(科擧)에서 추천에 의한 급제.
[通法 통법] 통칙(通則).
[通辯 통변] ㉠서로 말이 달라서 의사가 통하지 못하는 사람 사이에 그 두 말을 다 아는 사람이 말을 서로 옮겨 의사를 통하여 줌. 또, 그 사람. 통역(通譯). ㉡광범위에 걸쳐 자세함.
[通報 통보] 통지(通知).
[通寶 통보] 천하 통용의 보배. 곧, 통화(通貨).
[通訃 통부] 사람의 죽음을 통지(通知)함.
[通分 통분] 분모(分母)가 다른 분수를 동분모(同分母)로 만듦.
[通比 통비] 전체를 모두 통하는 비례.
[通士 통사] 사리에 통달한 선비.
[通史 통사] 역사 기술법(記述法)의 한 양식. 어느 시대에 국한하지 아니하고 고금을 통하여 역사상의 변천(變遷)을 서술하는 것.
[通事 통사] ㉠통변(通辯)하는 사람. ㉡외국(外國)과의 교제(交際). ㉢일에 통달함. 또, 그 사람. ㉣접대(接待)하는 일을 맡은 벼슬.
[通算 통산] 전부를 통틀어 셈함.
[通三 통삼] 사람을 가려 쓰고, 백성의 뜻을 좇으며, 시대의 조류(潮流)에 따르는, 이 세 가지 일에 통함.
[通常 통상] 심상(尋常)함. 보통임. 통례임.
[通商 통상] 외국인(外國人)과 서로 무역함.
[通塞 통색] ㉠통함과 막힘. ㉡행운(幸運)과 불운(不運).
[通夕 통석] 밤새도록. 철야(徹夜).
[通昔 통석] 통석(通夕).
[通說 통설] ㉠널리 통하는 설(說). ㉡환히 통달한 설(說).
[通性 통성] 일반에 공통(共通)으로 갖추고 있는 성질. 통유성(通有性).
[通姓名 통성명] 서로 성명(姓名)을 통함.
[通聲問 통성문] 음신(音信)을 통함. 곧, 소식이 서로 통함.
[通宵 통소] 통석(通夕).
[通俗 통속] ㉠일반 세상. ㉡누구나 알기 쉬움.
[通率 통솔] 되는대로 맡겨 방치(放置)함.
[通身 통신] 온몸. 전신.
[通信 통신] ㉠소식을 전함. ㉡통신 기관(通信機關)을 이용하여 의사(意思)를 서로 통하는 일.
[通信使 통신사] 《韓》 조선조 때 우리나라에서 일본으로 보내던 사신. 고종 때 수신사(修信使)로 고쳤음.
[通雅 통아] ㉠사리에 통하여 바름. ㉡책 이름. 52권. 명(明)나라 방이지(方以智)가 지음. 전체를 25문(門)으로 나누고 명물(名物)·훈고(訓詁)·상수(象數)·음운(音韻) 등을 고증(考證)한 것.
[通謁 통알] 명함(名銜)을 내놓고 면회(面會)를 청함.
[通夜 통야] 통석(通夕).
[通約 통약] 분수의 분모와 분자 속에서 공통되는 인자(因子)를 제거함.
[通譯 통역] 통변(通辯)㉠.
[通用 통용] ㉠일반(一般)이 널리 씀. ㉡서로 넘나들어 쓰임.
[通于一而萬事畢 통우일이만사필] 한 가지 일에 통달하면, 미루어 만사를 알 수 있음.

[通運 통운] 짐을 운반함. 운송(運送).
[通韻 통운] 음운(音韻)이 서로 통함. 또, 그 음운. 한자(漢字)의 양운(兩韻) 또는 그 이상의 운(韻)이 서로 통용됨을 이름. 동(東)·동(冬)·강(江)이 서로 통하고, 어(魚)·우(虞)가 상통(相通)하는 따위.
[通有 통유] 일반적으로 다 같이 갖추고 있음.
[通儒 통유] 박학(博學)하고 실천력이 있는 학자.
[通有性 통유성] 통성(通性).
[通融 통융] 융통성 있게 처리함.
[通邑 통읍] 사방으로 길이 통한 도회.
[通義 통의] 세상 사람이 모두 실천하고 준수하여야 할 도의.
[通誼 통의] 통의(通義).
[通人 통인] ㉠사물에 통효한 사람. 박람 다식한 학자. ㉡통사(通事) ㉣.
[通刺 통자] 명함을 내밀고 면회를 청함. 투자(投刺).
[通莊 통장] 사람이 많이 왕래하는 곳. 장(莊)은 육달(六達)의 길.
[通籍 통적] ㉠궁문(宮門)의 출입 허가를 받은 사람의 성명·연령 등을 적은 명패(名牌). ㉡사환(仕宦)하는 일.
[通典 통전] ㉠고금에 통하는 법칙. 일반에 행해지는 규칙. ㉡책 이름. 당(唐)나라 두우(杜佑)의 찬(撰). 2백 권. 고대로부터 당현종(唐玄宗)까지의 제도를 식화(食貨)·선거(選擧)·직관(職官)·예(禮)·악(樂)·병형(兵刑)·주군(州郡)·변방(邊方)의 팔문(八門)으로 나누어 기록했음.
[通情 통정] ㉠보통 일반의 인정. ㉡마음을 통함. 애정을 통함.
[通濟渠 통제거] 수양제(隋煬帝)가 만든 운하(運河). 지금의 허난 성(河南省) 사수현(汜水縣) 동북쪽의 판저(板渚)를 기점(基點)으로 하여 분류된 황허(黃河) 강이 남동쪽으로 흘러 화이허(淮河) 강으로 흘러들게 한 것. 변거(汴渠).
[通志 통지] 사서(史書). 송(宋)나라 정초(鄭樵)의 찬(撰). 2백 권. 고대로부터 수당(隋唐)에 이르기까지의 기전체(紀傳體)의 통사(通史)임.
[通知 통지] 기별(奇別)하여 알려 줌.
[通志堂經解 통지당경해] 총서(叢書)의 이름. 1,781권. 청(淸)나라의 서건학(徐乾學)이 편집하고, 납란성덕(納蘭成德)이 교간(校刊)한 것. 당송원명(唐宋元明)의 경학(經學)에 관한 해석서를 모아 놓았음.
[通察 통찰] 전체(全體)를 밝혀 살핌.
[通天 통천] ㉠하늘에 통함. 하늘까지 도달함. ㉡통천관(通天冠).
[通天冠 통천관] 천자(天子)의 관(冠)의 이름. 높이 9촌. 거여(車輿)로 거둥할 때 상복(常服)에 씀.

[通天冠]

[通天御帶 통천어대] 통천서(通天犀)〈서각(犀角) 이름〉로 장식한 천자의 띠.
[通天下 통천하] 널리 천하(天下)에 통함.
[通徹 통철] 막힘이 없이 통(通)함.
[通牒 통첩] 관아(官衙)의 통지문(通知文).
[通治 통치] 한 가지 약(藥)으로 여러 병(病)을 고침.
[通則 통칙] 일반에 적용되는 법칙.
[通稱 통칭] 공통으로 쓰이는 이름. 널리 통용되는 이름.
[通脫 통탈] 사물에 구애되지 아니함. 예법을 등한시함. 소탈(疏脫)함.
[通態 통태] 일반에 공통되는 상태.
[通判 통판] ㉠송대(宋代)의 벼슬. 번진(藩鎭)의 권한을 줄이기 위하여 한 주(州)의 정사(政事)를 감독하던 벼슬. ㉡이사(吏事)를 구분하여 정함.
[通弊 통폐] 보통 일반의 폐해.
[通風 통풍] 바람을 소통(疏通)시킴.
[通學 통학] 학교(學校)에 다님. 다니며 배움.
[通航 통항] 배가 다님.
[通解 통해] 전부를 통하여 해석함.
[通行 통행] 통하여 다님. 지나다님.
[通玄 통현] 사물(事物)의 깊은 도리(道理)를 깨달음.
[通顯 통현] 지위와 명망이 높음.
[通婚 통혼] 서로 혼인을 통함.
[通貨 통화] ㉠재화를 서로 융통함. ㉡교환의 매개물로서 일반에 유통되는 화폐.
[通話 통화] 서로 말을 통(通)함.
[通患 통환] 통폐(通弊).
[通曉 통효] ㉠깨달아서 환히 앎. ㉡통석(通夕).
[通侯 통후] 그 공덕이 왕실에 통한다는 뜻으로, 모든 제후. 열후(列侯).
◉姦通. 感通. 開通. 共通. 貫通. 交通. 窮通. 均通. 內通. 多通. 大通. 木通. 默識心通. 文通. 密通. 博通. 旁通. 變通. 普通. 不通. 四通. 私通. 疏通. 神通. 略通. 淹通. 靈犀一點通. 斉通. 流通. 六通. 融通. 全通. 精通. 知通. 直通. 便通. 遐通. 該通. 玄通. 亨通. 瑩通. 曉通.

7 ⑪ [逝] 高·人 서 ㊀霽 時制切 shì 逝

字解 ①갈 서 ㉠세월이 감. '日月一矣, 歲不我與'《論語》. ㉡앞으로 감. 전진함. '騅不一兮可奈何'《史記》. ㉢떠남. 가 버림. '一川'. '今將返神還乎無名, 吾今一矣'《列仙傳》. ㉣죽음. '一長'. '瞑目而一'《王文成公 年譜》. ②이에 서 발어사(發語辭). 시경(詩經)에 많이 쓰임. '一不古處'《詩經》.

字源 篆文 篆文 形聲. 辶(辵)+折(斲)〔音〕. '斲절'은 '깎아 내다'의 뜻. 눈앞에서 떠나다의 뜻을 나타냄.

[逝去 서거] 죽음. 장서(長逝).
[逝世 서세] 세상을 떠남.
[逝水 서수] 서천(逝川).
[逝川 서천] ㉠흘러가는 냇물. ㉡한번 가면 다시 돌아오지 아니함의 비유.
◉高逝. 急逝. 仙逝. 永逝. 夭逝. 遠逝. 流逝. 日月逝. 長逝. 電逝. 徂逝. 遷逝. 騅逝. 遐逝.

7 ⑪ [逞] 人名 령 (정㊍) ㊤梗 丑郢切 chěng 逞

字解 ①왕성할 령 세력이 성대함. 또, 용감함. '其意驕一而不可摧'《蘇軾》. ②쾌할 령 만족을 느껴 상쾌함. '不一于許君'《左傳》. ③쾌하게할 령 마음대로 하여 만족을 얻음. '一意'. '殺人以一'《左傳》. ④다할 령 극진(極盡)함. '不可億一'《左傳》. ⑤풀 령 근심을 풂. '可以一'《左傳》. ⑥늦출 령 부드럽게 함. '一顏色'《論語》. ⑦검속할 령 몸을 단속함. '不一之徒'《宋書》.

字源 金文 [金文] 篆文 [篆文] 形聲. 辶(辵)+呈〔音〕. '呈정'은 '드러내다'의 뜻. 자기의 뜻을 드러내어 일을 진행시키다의 뜻에서, 기운이 왕성하다의 뜻을 나타냄.

◉勁逞. 驕逞. 不逞. 億逞. 橫逞.

7 ⑪ [速] 中人 속 ㊀屋 桑谷切 sù

筆順 一 一 弓 弓 申 束 涑 速

字解 ①빠를 속 신속함. '急一'. '欲一則不達'《論語》. ②빨리할 속 '弟子曰, 可以一矣'《史記》. ③빨리 속 급속히. '王一出令'《孟子》. ④부를 속 ㉠초청함. '不一之客'《易經》. '以一諸父'《詩經》. ㉡초래함. '一禍'. ⑤성 속 성(姓)의 하나.

字源 金文 [金文] 篆文 [篆文] 形聲. 辶(辵)+束〔音〕. '束속'은 '묶다'의 뜻. 길을 가는 데 시간을 줄여 다잡다의 뜻에서, '빠르다'의 뜻을 나타냄.

[速決 속결] 속(速)히 결정(決定)함. 또, 속히 결정됨.
[速記 속기] ㉠글씨를 속(速)하게 씀. 또, 그 기록. ㉡속기법에 의하여 씀. 또, 그 기록.
[速記術 속기술] 간단한 부호(符號)를 써서, 말하는 것을 속(速)하게 받아 적는 기술(技術). 속기법.
[速斷 속단] 속하게 결단(決斷)함.
[速達 속달] 속(速)하게 이름.
[速度 속도] 빨리 가는 정도(程度).
[速力 속력] 속도를 이루는 힘. 빠르게 움직일 수 있는 힘.
[速步 속보] 빠른 걸음.
[速射 속사] 속(速)하게 발사(發射)함.
[速寫 속사] 글씨를 속(速)히 씀.
[速射砲 속사포] 특별한 장치에 의하여 탄환을 신속히 발사하는 화포.
[速成 속성] 속(速)하게 됨. 빨리 됨.
[速速 속속] ㉠친밀하게 가까이하지 않는 모양. ㉡가난하고 초라한 모양. ㉢궁박(窮迫)한 모양.
[速戰 속전] 빨리 싸움.
[速行 속행] 빨리 감.
[速禍 속화] 화를 초래함.
◉加速. 輕速. 高速. 巧遲不如拙速. 球速. 急速. 機速. 等速. 妙速. 敏速. 兵貴神速. 不等速. 瞻速. 時速. 迅速. 神速. 失速. 嚴速. 音速. 早速. 拙速. 駿速. 遲速. 疾速. 捷速. 秒速. 快速. 風速. 火速.

7 ⑪ [造] 中人 조 ①-⑤㊤晧 昨早切 zào ⑥-⑩㊦號 七到切

筆順 ノ 𠂉 牛 生 牛 告 浩 造

字解 ①지을 조 ㉠제작함. '製一'. '創一'. '不得一車馬'《禮記》. ㉡조작함. '一言之刑'《周禮》. ②시작할 조 처음으로 함. '文王一之而未遂'《呂氏春秋》. ③처음 조 맨 먼저. '一攻自鳴條'《書經》. ④때 조 시대. '夏之末一也'《禮記》. ⑤성 조 성(姓)의 하나. ⑥이룰 조 사물을 성취함. '小子有一'《詩經》. ⑦이를 조 ㉠옴. '其有衆咸一'《書經》. ㉡감. '先生王斗, 一門欲見齊宣王'《戰國策》. ㉢깊은 경지에 도달함. '一詣'. '深一之以道'《孟子》. ⑧넣을 조 속에 들어가게 함. '設大盤, 一冰'《禮記》. ⑨벌여놓을 조 나란히 늘어놓음. '一舟爲梁'《詩經》. ⑩갑자기 조 졸지에. '一然失容'《大戴禮》.

字源 金文 [金文] 篆文 [篆文] 形聲. 辶(辵)+告〔音〕. 金文은 宀+舟+告. '宀면'은 '집'의 뜻. '舟주'는 '盤반'의 생략형으로, 큰 접시의 음식이라고도 하고, 배의 象形이라고도 함. '告고'는 '고하다'의 뜻. 집 안에 제물을 놓고 기도하기에 이르다의 뜻으로 풀이되고, 집 안에서 기도하기 위하여 배를 타고 이르다의 뜻이라고도 설명됨. 또, 사물이 목적점에 이르다의 뜻에서, '만들다'의 뜻도 나타냄. 뒤에 사태가 진행되다의 뜻에 관계되는 데서 辶(辵)+告가 됨.

[造構 조구] 만들어 얽음. 지어 얽음.
[造林 조림] 나무를 심어 수풀을 만듦.
[造物 조물] 천지 만물(天地萬物)을 만든 조화(造化).
[造物者 조물자] 조물주(造物主).
[造物主 조물주] 하늘과 땅의 모든 자연(自然)을 주재(主宰) 섭리(攝理)하는 신(神). 조화옹(造化翁).
[造兵 조병] 병장기를 만듦. 무기를 만듦.
[造父 조보] 주목왕(周穆王)의 말을 부리던 어자(御者). 마술(馬術)의 명인.
[造士 조사] ㉠학문을 성취한 선비. '造'는 '就'임. ㉡인재(人材)를 양성(養成)함.
[造船 조선] 배를 지어 만듦.
[造成 조성] 물건을 만들어서 이루어 냄.
[造釀 조양] 술을 빚음. 양조(釀造).
[造語 조어] 새로 말을 만듦. 또, 그 말.
[造言 조언] 무근지설. 날조한 말.
[造營 조영] 가옥 등을 지음.
[造詣 조예] ㉠방문(訪問). ㉡학문(學問)·기술(技術)이 깊은 경지에 다다름.
[造五鳳樓手 조오봉루수] '오봉루'라는 건물을 짓는 사람이라는 뜻으로, 시문(詩文)을 짓는 재주가 뛰어남을 이름.
[造謠生事 조요생사] 유언(流言)을 퍼뜨리어 소동(騷動)을 일으킴.
[造意 조의] ㉠지금까지 없는 일을 새로 생각해 냄. 고안(考案). ㉡범죄의 주모자(主謀者).
[造作 조작] ㉠물건(物件)을 만듦. ㉡무슨 일을 꾸며 냄.
[造次顚沛 조차전패] 창졸간. 별안간. 눈 깜짝할 사이. 발을 헛딛고 아차 넘어지는 사이에.
[造請 조청] 찾아가서 뵘.
[造築 조축] 만들어 쌓음.
[造就 조취] ㉠가서 뵘. 찾아가 뵘. ㉡만들어 이룸. 그 재분(才分)에 따라 인물을 양성함.
[造幣 조폐] 화폐를 만듦.
[造化 조화] ㉠창조 화육(創造化育)하는 일. 또, 조물주. ㉡천지(天地)를 이름. 우주(宇宙).
[造花 조화] 사람이 만든 꽃. 가화(假花).
[造化翁 조화옹] 조물주(造物主).
◉改造. 建造. 構造. 急造. 亂造. 捏造. 濫造. 鍛造. 大造. 登造. 末造. 模造. 木造. 密造. 變造. 不造. 私造. 石造. 繕造. 塑造. 修造. 新造. 深造. 贋造. 兩造. 釀造. 營造. 原被兩造. 僞造. 人造. 再造. 爭造. 制造. 製造. 聖造. 酒造. 鑄造. 俊造. 粉造. 創造. 天造. 築造. 馳造. 虛造. 興造.

7 ⑪ [逡] 준 ①-③㊥眞 七倫切 qūn ④㊤震 須閏切 jùn 逡

字解 ①뒷걸음질칠 준 조금씩 뒤로 물러남. '群臣一'《漢書》. ②머뭇거릴 준 앞으로 나아가기를 주저함. '一遁有恥'《漢書》. ③토끼 준 날쌘 토끼. 㲋(厶部 十三畫)과 통용. '東郭一者, 海內之狡兎也'《戰國策》. ④빠를 준 駿(馬部 七畫)과 통용. '一奔走'《禮記》.

字源 篆文 形聲. 辶(辵)+夋〔音〕. '夋준'은 '蹲준'과 통하여 '웅크리다'의 뜻. 나아가지 않고 웅크리다의 뜻에서, '뒷걸음질 치다'의 뜻을 나타냄.

[逡遁 준둔] 준순(逡巡).
[逡遯 준둔] 준순(逡巡).
[逡巡 준순] ㉠뒷걸음질 침. 후퇴함. ㉡머뭇거림. 망설이고 나가지 아니함.
[逡次 준차] 머뭇거림.

7 ⑪ [逢] 中人 봉 ①-④㊥冬 符容切 féng ⑤㊥東 蒲蒙切 péng 逢

筆順 ノ ク 夂 夅 夆 夆 逢 逢

字解 ①만날 봉 ㉠사람과 만남. '一遇'. '飯顆山頭一杜甫'《李白》. ㉡우연히 만남. '一時不祥'《賈誼》. ㉢…을 당함. '一誅'(주륙을 당함)《後漢書》. ②맞을 봉 영합함. '一君之惡, 其罪大'《孟子》. ③클 봉 '衣一掖之衣'《禮記》. ④꿰맬 봉 縫(糸部 十一畫)과 통용. '深衣一齊倍要'《禮記》. ⑤성 봉 성(姓)의 하나.

字源 甲骨文 篆文 形聲. 辶(辵)+夆〔音〕. '夆봉'은 '逢봉'의 原字로 '만나다'의 뜻. 길을 가다, 우연히 만나다의 뜻을 나타냄. 甲骨文은 辶(辵)+丰〔音〕

[逢年 봉년] 풍년(豐年)을 만남.
[逢蒙 봉몽] 옛날의 활의 명수(名手).
[逢門子 봉문자] 옛날의 활의 명수.
[逢變 봉변] ㉠뜻밖의 변(變)을 당(當)함. ㉡남에게 욕(辱)을 봄.
[逢逢 봉봉] ㉠북소리. ㉡구름이 일거나 연기가 나는 모양.
[逢世 봉세] 세상에 등용되어 입신(立身)함. 때를 만남.
[逢時 봉시] 때를 만남.
[逢掖之衣 봉액지의] 소매가 넓은 유자(儒者)의 옷.
[逢迎 봉영] ㉠사람을 마중하여 접대함. ㉡남의 마음에 들도록 힘씀.
[逢俉 봉오] 만나 놀람.
[逢辱 봉욕] 욕(辱)되는 일을 당(當)함.
[逢原 봉원] 물〔水〕의 근원(根源)을 만남. 도(道)의 근원을 철저(徹底)하게 알아냄을 이름. 원(原)은 원(源).
[逢衣 봉의] 봉액지의(逢掖之衣).
[逢賊 봉적] 도둑을 만남.
[逢着 봉착] 만남. 착(着)은 조자(助字).
[逢敗 봉패] 실패(失敗)를 당(當)함.
[逢禍 봉화] 화를 당함.
◉闕逢. 迎逢. 遭逢. 萍水相逢.

7 ⑪ [連] 中人 련 ①-④㊥先 力延切 lián ⑤㊤銑 力展切 liǎn 连 連

筆順 一 ㄱ 冖 百 亘 車 連 連

字解 ①이을 련, 이어질 련 ㉠연속함. 계속함. '一續'. '淚落一珠子'《古詩》. 또, 연하여. 계속하여. '一戰一勝'. '一徵不至'《後漢書》. ㉡열을 지어 늘어섬. '一樓列埒之門'《淮南子》. ㉢붙음. 잇닿음. '雲一徒州'《國語》. ㉣합침. '一合'. '一諸侯者次之'《孟子》. ②살붙이 련 친척. '及蒼梧秦王有一'《史記》. ③열나라 련 주대(周代)의 제도(制度)로 십국(十國)을 한 구역으로 한 일컬음. '十國以爲一, 一有帥'《禮記》. ④성 련 성(姓)의 하나. ⑤더딜 련 길이 험하여 가는데 시간이 걸림. '往蹇來一'《易經》.

字源 篆文 會意. 辶(辵)+車. '車차'는 사람이 나란히 늘어서서 끄는 수레 '輦련'과 통함. 사람이 늘어서서 수레를 끌고 길을 가는 모양에서 '이어지다'의 뜻을 나타냄.

[連枷 연가] 도리깨.
[連乾 연건] 승마용(乘馬用) 장식의 한 가지.
[連蹇 연건] 길이 험하거나 피로하여 가기 힘든 모양. 전(轉)하여, 불운(不運). 불행.
[連結 연결] ㉠서로 이어서 맺음. ㉡서로 사귀어 결탁함.
[連境 연경] 지경(地境)이 잇닿은 곳. 접경(接境).
[連雞不能俱止於棲 연계불능구지어서] 새끼로 잇대어 잡아맨 닭은 한 홰에 같이 올라가 있을 수 없다는 뜻으로, 군웅(群雄)이 병립(竝立)할 수 없음의 비유.
[連翹 연교] 개나리.
[連句 연구] 두 사람 이상이 모여 한 구(句)씩 지어 이를 연속해서 한 편(編)의 시로 하는 것. 연구(聯句).
[連蜷 연권] ㉠길게 굽은 모양. ㉡가기 힘든 모양.
[連及 연급] 연하여 미침. 연속함.
[連年 연년] ㉠해를 거듭함. ㉡해마다. 매년(每年).
[連弩 연노] 일시에 많은 화살을 쏠 수 있게 된 활. 쇠뇌.
[連帶 연대] ㉠서로 연결(連結)함. ㉡공동(共同)으로 책임(責任)을 짐.
[連絡 연락] 서로 잇닿음. 서로 관련(關聯)을 맺음.
[連連 연련] ㉠연하여 끊이지 아니하는 모양. ㉡조용한 모양.
[連累 연루] 남의 범죄(犯罪)에 연좌(連坐)함.
[連類 연류] 동류(同類). 동지.
[連理 연리] ㉠여러 가지 이치를 논(論)함. ㉡연리지(連理枝).
[連理枝 연리지] ㉠근간(根幹)이 다른 두 나무의 가지가 맞닿아 결이 서로 통한 것. ㉡서로 애정(愛情)이 깊은 부부(夫婦)의 관계. '비익연리(比翼連理)' 참조(參照).

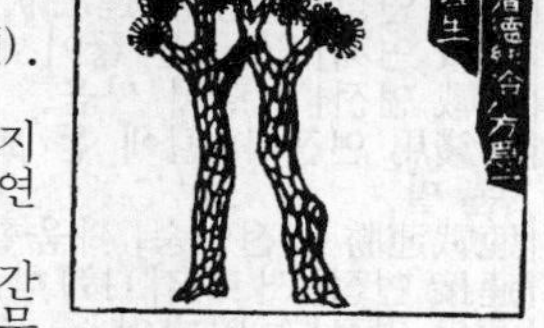
[連理枝㉠]

[連甍 연맹] 기와가 잇닿음. 집이 즐비하게 많음.
[連盟 연맹] 동맹을 맺음. 또, 그 동맹.
[連綿 연면] 연면(連緜).
[連緜 연면] 잇닿아 끊이지 아니함.
[連名 연명] 두 사람 이상(以上)의 이름을 한 곳에

차례로 적음.
[連名狀 연명장] 연명한 서장(書狀). 연판장.
[連袂 연메] ㉠행동을 같이함. ㉡동서 간(同壻間).
[連發 연발] ㉠자꾸 일어남. 계속하여 발생함. ㉡계속해서 쏨.
[連放 연방] 연발(連發)❷.
[連璧 연벽] ㉠한 쌍의 둥근 옥(玉). ㉡재학(才學)이 뛰어난 한 쌍의 벗.
[連峰 연봉] 죽 연(連)한 산봉우리.
[連比 연비] 줄지어 늘어섬. 죽 잇닿아 있음.
[連史紙 연사지] 푸젠(福建)·장시(江西) 양성(兩省)에서 생산되는 종이 이름. 본명은 연사(連四)인데, 연사(連泗)로 불리다가 연사(連史)로 와전됨. 대〔竹〕로 만들며 빛이 흼. 색과 질(質)이 변치 않아 널리 귀하게 쓰임.
[連山 연산] 죽 연(連)한 산(山).
[連署 연서] 연명(連名).
[連城璧 연성벽] 진(秦)나라 소왕(昭王)이 조(趙)나라 혜왕(惠王)에게 성(城) 열다섯과 바꾸자고 한 유명한 화씨벽(和氏璧). 전(轉)하여, 천하에 으뜸가는 둥근 옥(玉).
[連城寶 연성보] '연성벽(連城璧)'과 같음.
[連歲 연세] 연년(連年).
[連宵 연소] 연야(連夜).
[連續 연속] 끊이지 않고 죽 이음.
[連屬 연속] 연속(連續).
[連鎖 연쇄] ㉠쇠사슬. ㉡서로 잇대어 관련을 맺음.
[連帥 연수] 주대(周代)의 제도(制度)로서 십국(十國)을 연(連)이라 하고, 그 우두머리를 수(帥)라 함. 곧, 십국을 지배한 장관.
[連勝 연승] 연달아 이김.
[連夜 연야] 밤마다. 매야.
[連延 연연] 연하여 뻗침.
[連娟 연연] ㉠눈썹이 고부장하여 아름다운 모양. ㉡날씬하여 예쁜 모양.
[連伍之刑 연오지형] 같은 오(伍) 안에 범죄자가 생기면 그 오 안 사람도 걸려드는 형벌.
[連雲 연운] ㉠구름에 가 닿음. ㉡서로 잇닿아 있는 구름.
[連月 연월] ㉠달을 거듭함. ㉡달마다. 매달.
[連尹 연윤] 초(楚)나라의 활을 쏘는 일을 맡아보던 벼슬 이름.
[連引 연인] 관련이 있는 것을 끌어댐.
[連日 연일] 날마다. 매일.
[連作 연작] 해마다 같은 식물을 같은 토지에 재배함.
[連狀 연장] 연명장(連名狀).
[連載 연재] 긴 글을 끊어서 계속하여 실음.
[連戰 연전] 연달아 싸움.
[連錢馬 연전마] 털에 돈 모양의 반점(斑點)이 있는 말.
[連戰連勝 연전연승] 싸움할 때마다 연달아 이김.
[連接 연접] 서로 접(接)함.
[連坐 연좌] ㉠잇대어 죽 벌여 앉음. ㉡한 사람의 죄 때문에 다른 사람까지 범죄에 관련이 됨.
[連珠 연주] ㉠구슬을 꿤. 또, 그 구슬. ㉡한문(漢文)의 한 체. 사구(辭句)를 대비 연속(對比連續)하여 풍유(諷諭)를 주로 함.
[連珠瘡 연주창] 목에 힘줄과 살이 곪기어 좀처럼 낫지 아니하는 병(病). 나력창(瘰癧瘡).
[連中 연중] 연속(連續)하여 맞힘.
[連枝 연지] ㉠연접한 가지. ㉡형제자매(兄弟姉妹).
[連綴 연철] 죽 이음. 죽 연결함.
[連逮 연체] 연좌(連坐)되어 체포당함.
[連筒 연통] 대나무의 홈통.
[連判 연판] 연명하여 날인함.
[連敗 연패] 싸울 때마다 패(敗)함.
[連篇累牘 연편누독] 많은 문장(文章).
[連抱 연포] 여러 아름.
[連豐 연풍] 여러 해를 두고 계속해 드는 풍년(豐年).
[連合 연합] 두 가지 이상의 사물이 서로 합(合)함. 연합(聯合).
[連呼 연호] 연이어 부름.
[連婚 연혼] 혼인(婚姻)으로써 연결 관계(關係)가 생김.
[連和 연화] ㉠둘 이상의 독립한 것이 연합함. ㉡연합하여 화목함.
[連環 연환] 고리를 잇대어 꿴 쇠사슬.
[連環計 연환계] 간첩(間諜)을 놓아 적에게 헌책(獻策)을 시키고 자기는 그 동안에 승리를 얻는 계교.
[連衡 연횡] 연횡(連橫).
[連橫 연횡] 전국 시대(戰國時代)에 동서 제국(諸國)을 연합하여 진(秦)나라에 복종시키려 한 장의(張儀)의 정책(政策). 연횡(連衡).
[連凶 연흉] 흉년(凶年)이 계속함.
◉蹇連. 牽連. 結連. 貫連. 關連. 鉤連. 祁連. 莫連. 綿連. 嬋連. 蟬連. 藕斷絲連. 流連. 留連. 一連. 纏連. 錯連. 參連. 綴連. 下三連. 合連. 黃連.

7 ⑪ [逜] 오 ①㊄遇 五故切 wù ②㊤麌 阮古切 wǔ

字解 ①깨우칠 오 깨움. '一, 寤也'《爾雅》. ②지날 오 '一, 過也'《集韻》.

7 ⑪ [逷] 〔퇴〕 退(辵部 六畫〈p.2294〉)의 古字

7 ⑪ [逽] 흔 ㊤軫 許忍切 xǐn

字解 달릴 흔 달려감. '一, 迎一'《玉篇》.

8 ⑫ [逕] 〔경〕 輕(車部 七畫〈p.2267〉)의 古字

8 ⑫ [迸] 병 ㊄敬 北諍切 bèng 迸

字解 ①솟아나올 병 세차게 겉으로 나와 흐름. '一泉'. '淚橫一而霑衣'《潘岳》. ②흩어질 병, 달아날 병 흩어져 달아남. 궤주함. '一散'. '人庶流一'《後漢書》. 또, 흩어져 달아나게 함. '擊而一之'《五代史》. ③물리칠 병 屛(尸部 六畫)과 同字. '一諸四夷'《大學》.

字源 篆文 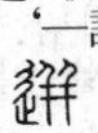 形聲. 辶(辵)+幷〔音〕. '幷병'은 나란히 늘어서다의 뜻. 나란히 서서 일제히 달리다의 뜻을 나타냄.

參考 迸(辵部 六畫)은 俗字.

[迸落 병락] 솟아 나와 떨어짐.
[迸沫 병말] 세차게 튀기는 비말(飛沫). 세차게 흩어지는 물방울.
[迸散 병산] 흩어짐.
[迸水 병수] 솟아 나오는 물.
[迸泉 병천] 솟아 나오는 샘.

[迸涕 병체] 자꾸 흘러나오는 눈물.
◉流迸.

8
⑫ [逭] 환 ㊀翰 胡玩切 huàn 逭

字解 달아날 환 도망함. '自作孼, 不可一'《書經》.
字源 篆文 形聲. 辶(辵)+官〔音〕. '官관'은 '遠원'과 통하여 '멀어지다'의 뜻. 달아나서 멀어지다의 뜻을 나타냄.

8
⑫ [逮] 高人 ━ 태 ㊀隊 徒耐切 dài ═ 체 ㊀霽 特計切 dǎi, dì 逮

字解 ━ ①미칠 태 ㉠이름. 닥쳐옴. '菑必一夫身'《大學》. ㉡따라감. 도달함. '恥躬之不一也'《論語》. ㉢때가 옴. 어느 때에 이름. '一淳熙之初, 元有朱熹之繼作'《葉采》. ②미치게할 태 이르게 함. '旅酬下爲上, 所以一賤也'《中庸》. ═ ①쫓을 체, 잡을 체 쫓아가 잡음. 추포(追捕)함. '一捕'. '一繫長安'《漢書》. ②단아할 체 단정한 모양. '威儀一一'《禮記》.
字源 篆文 形聲. 辶(辵)+隶〔音〕. '隶대'는 '미치다'의 뜻. '辵착'을 덧붙여 뒤에서 길을 가 따라 미치다의 뜻을 분명히 함.

[逮繫 체계] 체포하여 옥에 가둠.
[逮坐 체좌] 체포하여 조사함.
[逮逮 체체] 단아한 모양. 단정한 모양.
[逮捕 체포] 죄인을 쫓아가서 잡음.
[逮夜 태야] ㉠밤이 됨. ㉡《佛敎》 다비(茶毘)의 전날 밤. 또, 기일(忌日)의 전날 밤.
◉及逮. 未逮. 訪逮. 心欲言口不逮. 連逮. 染逮. 咨逮. 傳逮. 津逮. 追逮.

8
⑫ [週] 人名 주 ㊥尤 之由切 zhōu

筆順 丿 冂 冂 冂 冃 周 凋 週

字解 ①두를 주, 둘레 주 周(口部 五畫)와 同字. '一遊八極'《列仙傳》. ②일주 주 칠 일, 특히 칠요일(七曜日)을 '一一'라 함.
字源 形聲. 辶(辵)+周〔音〕. '周주'는 두루 미치다의 뜻. 한 바퀴 돌다의 뜻을 나타냄.

[週刊 주간] 한 주일마다 하는 간행.
[週間 주간] 한 주일(週日) 동안. 이레 동안.
[週期 주기] ㉠한 바퀴를 도는 시기. ㉡일 회의 진동(振動) 시간. ㉢천체의 일 회의 공전(公轉) 시간.
[週年 주년] 돌이 되는 해. 주년(周年).
[週番 주번] 일주일마다 교대하는 근무. 또, 그 당번의 사람.
「등.
[週報 주보] 주간(週間)으로 발행하는 신문·잡지
[週遊 주유] 두루 돌아다니며 놂. 곧, 주유(周遊).
[週日 주일] 한 주일(週日) 동안의 날. 이레.
[週初 주초] 한 주의 첫머리.
◉隔週. 今週. 來週. 每週. 一週. 前週.

8
⑫ [進] 中人 진 ㊀震 卽刃切 jìn 进

筆順 ノ 亻 亻 亻 仹 隹 淮 進

字解 ①나아갈 진 ㉠앞으로 나아감. '前一'. '趨而一'《禮記》. ㉡벼슬살이함. 출사함. '仕一'. '君子一, 則能益上之譽'《荀子》. ㉢선(善)으로 나아감. 차차 좋은 데로 향하여 감. 나아감. '一步'. '漸一也'《公羊傳》. ㉣임금을 뵈러 나아감. '毋或一'《禮記》. ②다가올 진 가까이 옴. 또, 다가오게 함. '引而一之'《禮記》. '古之君子, 一人以禮, 退人以禮'《禮記》. ③오를 진 ㉠위로 올라감. '三揖而一'《禮記》. ㉡지위 같은 것이 올라감. '一級'. ④올릴 진 ㉠끌어올림. 추천함. '一君子退小人'. '推賢而一達之'《禮記》. ㉡윗사람에게 올림. 드림. '一上'. '奉銅盤, 而一之楚王'《史記》. ⑤더할 진 보탬. '一退之'《禮記》. ⑥힘쓸 진 노력함. '一德修業'《易經》. ⑦선물 진 선사. 贐(貝部 十四畫)과 통용. '蕭何爲主吏主一'《史記》. ⑧성 진 성(姓)의 하나.
字源 金文 篆文 會意. 辶(辵)+隹. '辵착'은 길을 가다의 뜻. '隹추'는 새를 본뜬 것. 새가 날아가는 모양에서 '나아가다'의 뜻을 나타냄.

[進甲 진갑] 환갑(還甲) 다음 해의 생일(生日). 곧, 62세 되는 해의 생일.
[進講 진강] 임금 앞에서 글을 강론(講論)함.
[進擊 진격] 진공(進攻).
[進攻 진공] 앞으로 나아가서 침.
[進軍 진군] 군대(軍隊)를 내보냄.
[進級 진급] ㉠학년(學年)이 올라감. ㉡등급(等級)이 올라감.
[進達 진달] ㉠천거하여 올림. ㉡서류 등을 위에 올림.
[進度 진도] 진행되는 정도.
[進旅 진려] ㉠전진하는 군대. ㉡함께 나아감.
[進路 진로] ㉠길을 감. ㉡나아가는 길.
[進物 진물] 선사하는 물품.
[進拔 진발] 인재(人材)를 선발하여 추천함.
[進發 진발] 출발함.
[進步 진보] ㉠발이 앞으로 나아감. ㉡차차 발달하여 나아감.
[進奉 진봉] 진헌(進獻).
[進士 진사] ㉠주대(周代)에 조사(造士)로서 선발되어 관(官)에 임명될 자격이 있는 사람. ㉡과거의 한 과목. 나중에는 과거에 급제하여 임관될 자격이 있는 사람. 우리나라에서는 소과(小科)의 초장(初場)의 시부(詩賦)에 합격한 사람을 이름. ㉢선비를 천거함.
[進仕 진사] 출사(出仕)함.
[進上 진상] 바침. 드림.
[進善之旌 진선지정] 요(堯)임금 때 기(旗)를 네거리에 세우고 진언(進言)하고자 하는 사람을 그 밑에 서게 한 고사(故事).
[進水式 진수식] 새로 만든 함선(艦船)을 처음으로 물에 띄우는 의식.
[進食 진식] 입맛이 나서 식욕(食慾)이 더하여짐.
[進御 진어] ㉠천거하여 씀. ㉡임금의 침석(枕席)에 모심.
[進言 진언] 의견을 아룀. 또, 그 의견.
[進銳退速 진예퇴속] 나아감에 날카롭고, 물러섬에 빠르다는 뜻으로, '진퇴(進退)가 민첩함'을 이름.
[進用 진용] ㉠천거하여 등용(登用)함. ㉡소중하게 쓰이는 재물.
[進入 진입] 나아가 들어감.
[進呈 진정] 남에게 물건을 드림.

[進奏吏 진주리] 진주원(進奏院)의 속리(屬吏).
[進奏院 진주원] 송(宋)나라 때 관청(官廳)의 하나. 급사중(給事中)에 딸리어 조칙(詔勅) 및 제관성(諸官省)의 부첩(符牒) 등을 진국에 반포(頒布)하며, 또 천하의 장주(章奏) 등을 주진(奏進)하는 일을 맡음.
[進止 진지] ㉠나아감과 머무름. 움직임과 움직이지 아니함. ㉡기거동작. 행동. ㉢지휘(指揮).
[進暢 진창] 사물이 차차로 발달함.
[進陟 진척] ㉠벼슬 지위를 올림. ㉡일이 진행되어 나아감.
[進寸退尺 진촌퇴척] 얻는 것은 적고 잃는 것은 많음의 비유. 촌진척퇴(寸進尺退).
[進出 진출] 앞으로 나아감.
[進取 진취] 적극적으로 나아가 일을 함.
[進就 진취] 차차 일을 이루어 나아감.
[進退 진퇴] ㉠나아감과 물러감. ㉡벼슬을 함과 벼슬을 물러남. 거취(去就). ㉢행동거지.
[進退兩難 진퇴양난] 나아가지도 못하고 물러가지도 못함. 곧, 이러지도 저러지도 못하는 난처한 입장에 섬.
[進退韻 진퇴운] 시(詩)의 작법(作法)에서 한 작품 속에 운(韻) 둘을 가지고 짓는 일.
[進退維谷 진퇴유곡] 나아갈 수도 없고 물러갈 수도 없음. 곧, 어찌할 수 없는 궁지에 빠져 할 바를 모름.
[進逼 진핍] 나아가 핍박함.
[進學 진학] ㉠학문에 나아감. 곧, 공부함. ㉡상급(上級) 학교에 들어감.
[進航 진항] 물 위에 배를 띄워 나아감.
[進行 진행] ㉠앞을 향(向)하여 나아감. ㉡일이 되어 감.
[進獻 진헌] 드림. 바침.
[進見 진현] 나아가 뵘.
[進賢 진현] ㉠어진 이를 천거함. ㉡'진현관(進賢冠)'의 준말.
[進賢冠 진현관] 한대(漢代)에 문관(文官) 또는 유자(儒者)가 쓰던 관.

[進賢冠]

[進化 진화] ㉠사물이 발달함에 따라 점차로 변화함. ㉡생물이 세대(世代)를 바꿔 가는 동안에 외계의 영향과 내부의 발전에 의하여 본시 같은 생물이었던 것이 하등에서 고등으로 진전하면서 점차 상호의 상태를 달리함에 이르는 현상.
[進化論 진화론] 생물은 본시 동류(同類)의 조상에서 점차로 진화했다는 학설(學說).
◉強進. 改進. 輕進. 競進. 鼓進. 供進. 勸進. 急進. 累進. 頓進. 突進. 妄進. 邁進. 驀進. 盲進. 猛進. 冒進. 博進. 拔進. 背進. 竝進. 奮進. 仕進. 先進. 升進. 昇進. 陞進. 新進. 躍進. 盈科後進. 盈進. 榮進. 往進. 勇進. 月進. 誘進. 翼進. 引進. 日進. 長進. 奬進. 爭進. 前進. 轉進. 漸進. 挺進. 精進. 躁進. 增進. 疾進. 尺進. 薦進. 遞進. 促進. 寸進. 寵進. 抽進. 推進. 趨進. 逐進. 擢進. 特進. 行進. 懸進. 後進. 彙進.

8 [逪] 답 [入]合 達合切 tá
⑫
[字解] ①가는모양 답 '一, 一一, 行貌'《字彙》. ②遝(辵部 十畫)의 俗字. '一, 俗遝字'《正字通》.

8 [逴] 탁(착[本]) [入]覺 敕角切 chuō 逴
⑫ [入]藥 丑略切
[字解] ①멀 탁 요원함. '一行殊遠'《史記》. ②넘을 탁 초월함. 초과함. '一躒諸夏'《班固》.
[字源] 篆文 形聲. 辶(辵)+卓〔音〕. '卓탁'은 높이 빼어나다의 뜻. 높게 뛰어 넘어가다의 뜻을 나타냄. 일반적으로 '멀다'의 뜻을 나타냄.

[逴躒 탁락] 뛰어남. 탁월함.
[逴逴 탁탁] 먼 모양. 아득한 모양.
[逴行 탁행] 먼 데를 감. 원행함.
◉郭逴. 卓逴.

8 [逵] [人名] 규 [平]支 渠追切 kuí 逵
⑫
[筆順] 一 十 土 夫 赱 坴 逵 逵
[字解] ①한길 규 아홉 군데로 통하는 길. 대로(大路). '九一'. '康一'. '入及大一'《左傳》. ②성 규 성(姓)의 하나.
[字源] 馗의 別體 會意. 辶(辵)+坴. '坴륙'은 죽 이어져 난 버섯의 뜻. 죽 이어져서 나는 버섯처럼 아홉 방향으로 통하는 길의 뜻을 나타냄.

[逵路 규로] 아홉 군데로 통(通)한 길. 큰길. 구달도(九達道).
◉康逵. 九逵. 大逵. 通逵.

8 [遃] [一] 간 [平]刪 丘閑切
⑫ [二] 건 [平]先 丘虔切 qiān
[字解] [一] 지날 간 '一, 過也'《說文》. [二] 허물 건 '愆, 說文, 過也. 亦作一'《集韻》.
[字源] 形聲. 辶(辵)+侃〔音〕

8 [逶] 위 [平]支 於爲切 wēi 逶
⑫
[字解] 구불구불갈 위 사행(蛇行)하는 모양. '一迤而北'《史記》.
[字源] 篆文 形聲. 辶(辵)+委〔音〕. '委위'는 부드럽게 늘어져서 굽다의 뜻. 구불구불 구부러져서 비스듬히 나아가는 모양.

[逶迂 위우] 비스듬하게 꼬부라짐.
[逶迆 위이] 위이(逶迤).
[逶迤 위이] 구불구불 가는 모양. 위이(委蛇). 위이(逶迆).
[逶蛇 위이] 위이(逶迤).
[逶移 위이] 위이(逶迤).

8 [逸] [高人] 일 [入]質 夷質切 yì 逸
⑫
[筆順] ノ ㇇ 各 争 免 免 浼 逸
[字解] ①잃을 일 망실함. '亡一'. '一詩'. '多闕載, 多一文'《皇甫湜》. ②달릴 일, 달아날 일 질주함. 또, 도망함. '奔一'. '一逃'. '馬一不能止'《左傳》. ③즐길 일 안락하게 지냄. '安一'. '君一於上, 臣勞於下'《王禹偁》. ④편안 일 안락. '以一待勞'. '欲一而惡勞'《呂氏春秋》. ⑤놓을 일 놓아줌. 석방함. '乃一楚囚'《左傳》. ⑥

뛰어날 일 우수함. '一品'. '言行超一'《南史》. ⑦숨을 일 은거함. '擧一民'《論語》. ⑧은사 일 은거하는 어진 사람. 은군자. '搜賢採一'《北史》. ⑨그르칠 일 잘못함. '天吏一德'《書經》. ⑩음탕할 일 음란함. '耳不樂一聲'《國語》. ⑪빠를 일 신속함. '良駿一足'《傳毅》. ⑫격할 일 격앙함. '氣雄而一'《高適》.

字源 金文 篆文 會意. 篆文은 辶(辵)+兔. '兔토'는 '토끼'의 뜻. 토끼가 달아나다의 뜻에서, '달리다, 벗어나다'의 뜻을 나타냄. 또 파생하여 멋대로 방자하게 굴다의 뜻도 나타냄.

[逸去 일거] 달아남. 도망함.
[逸居 일거] 안일(安逸)하게 지냄.
[逸景 일경] 지나가는 햇빛이라는 뜻으로, '빠른 세월'을 이르는 말.
[逸口 일구] 지나친 말. 실언(失言).
[逸群 일군] 발군(拔群)함.
[逸氣 일기] ㉠뛰어난 기상(氣象). ㉡세속에서 벗어난 기상.
[逸驥 일기] 걸음이 빠른 준마(駿馬).
[逸德 일덕] 잘못된 행위. 실덕(失德).
[逸樂 일락] 편안(便安)히 놀기를 즐김. 안락하게 지냄.
[逸文 일문] ㉠뛰어난 문장. ㉡세상에 전하여지지 않은 글.
[逸民 일민] 속세를 버리고 은거하는 사람.
[逸史 일사] 정사(正史)에 기록되지 아니한 사실을 기록한 역사.
[逸事 일사] 세상에 전하여지지 않은 사건.
[逸書 일서] ㉠지금의 서경(書經)에 누락된 글. ㉡세상에 전하지 아니하는 책.
[逸聲 일성] 음란한 음악. 음탕한 악곡(樂曲).
[逸詩 일시] ㉠시경(詩經)에 누락된 시. ㉡세상에 전하여지지 않은 시.
[逸言 일언] 일구(逸口).
[逸豫 일예] 일락(逸樂).
[逸羽 일우] 빨리 나는 새.
[逸遊 일유] 즐겨 놂. 실컷 놂.
[逸隱 일은] 세상을 피해 숨음. 또, 그 사람.
[逸逸 일일] 질서정연히 왕래하는 모양.
[逸才 일재] 뛰어난 재주. 또, 그 사람.
[逸材 일재] 일재(逸才).
[逸情 일정] 세속(世俗)을 떠난 마음.
[逸藻 일조] 뛰어난 글재주 또는 시가(詩歌).
[逸足 일족] 걸음이 대단히 빠름. 또, 그 말.
[逸周書 일주서] 책 이름. 10권. 원이름은 주서(周書). 급총주서(汲冢周書)라고도 함. 진(晉)나라 태강(太康) 2년 급군(汲郡)에 사는 사람이 위(魏)나라 안리왕(安釐王)의 고총(古冢)에서 발굴(發掘)한 책. 주대(周代) 제왕(諸王)의 정벌(征伐)에 관한 언행(言行)을 적은 책.
[逸志 일지] ㉠높이 뛰어난 뜻. ㉡세속을 초월한 뜻.
[逸出 일출] ㉠피하여 빠져나옴. ㉡일반보다 뛰어남.
[逸致 일치] 뛰어난 아치(雅致).
[逸宕 일탕] 시원시원하고 작은 일에 구애를 안 받음.
[逸蕩 일탕] 방탕함.
[逸態 일태] 뛰어난 자태.
[逸品 일품] 썩 뛰어난 물품.
[逸話 일화] 세상에 널리 알려지지 아니한 이야기.
[逸荒 일황] 주색(酒色)에 빠져 질탕히 놂.
[逸興 일흥] 세속(世俗)을 떠난 뛰어난 흥취.

◉暇逸. 驚逸. 古逸. 高逸. 狂逸. 矜逸. 奇逸. 樂逸. 勞逸. 逃逸. 遁逸. 遯逸. 亡逸. 無逸. 槃逸. 放逸. 富逸. 奔逸. 焚逸. 邪逸. 散逸. 爽逸. 贍逸. 秀逸. 迅逸. 安逸. 麗逸. 豔逸. 傲逸. 龍蟠鳳逸. 優逸. 越逸. 游逸. 隱逸. 淫逸. 一勞永逸. 恣逸. 縱逸. 遒逸. 竹溪六逸. 俊逸. 儁逸. 駿逸. 天逸. 淸逸. 超逸. 卓逸. 蕩逸. 捕逸. 飄逸. 閒逸. 橫逸.

8 ⑫ [逯] 록 ㊅沃 力玉切 lù 逯

字解 ①하는일없을 록 아무 하는 일이 없는 모양. '渾然而往, 一然而來'《淮南子》. ②성 록 성(姓)의 하나.

字源 篆文 形聲. 辶(辵)+彔[音]. '彔록'은 한 칼 한 칼 나무를 새기는 모양. 한 걸음 한 걸음 신중히 가다의 뜻을 나타냄.

8 ⑫ [逷] 적 ㊅錫 他歷切 tì

字解 멀 적 逖(辵部 七畫)의 古字. '用一蠻方'《詩經》.

字源 逖의 古文 形聲. 辶(辵)+易[音]. '易역'은 '埸역'과 통하여 '변경'의 뜻.

參考 逿(辵部 九畫)은 別字.

8 ⑫ [逪] 착 ㊅藥 倉各切 cuò

字解 ①섞일 착 뒤섞임. ②어지러울 착 '一, 亂也'《玉篇》. ③등질 착 '一, 偝也'《廣雅》.

字源 形聲. 辶(辵)+昔[音]

8 ⑫ [逫] ■ 결 ㊅屑 古穴切 jué ■ 출 ㊅質 竹律切 zhú

字解 ■ 멀 결 '一, 遠也'《玉篇》. ■ 달릴 출 달리는 모양. 또, 달려서 감. '一, 走皃'《廣韻》.

字源 形聲. 辶(辵)+叕[音]

8 ⑫ [逬] 아 ㊄禡 衣駕切 yà

字解 ①차례로갈 아 '一, 次第行也'《集韻》. ②버금 아 亞(二部 六畫)와 同字. '一, 次也, 或作亞'《玉篇》.

8 ⑫ [迋] 〔왕〕 往(彳部 五畫〈p. 737〉)의 古字

8 ⑫ [遊] 〔유〕 遊(辵部 九畫〈p. 2309〉)의 俗字

8 ⑫ [逺] 〔원〕 遠(辵部 十畫〈p. 2317〉)의 俗字

8 ⑫ [遣] 〔견〕 遣(辵部 十畫〈p. 2318〉)의 俗字

8 ⑫ [過] 〔과〕 過(辵部 九畫〈p. 2311〉)의 俗字

8 [逷] 〔귀〕
⑫ 歸(止部 十四畫〈p. 1144〉)와 同字

8 [逃] 〔도〕
⑫ 逃(辵部 六畫〈p. 2296〉)의 俗字

9 [逼] 人名 핍(벽本) 入職 彼側切 bī 逼
⑬

字解 ①닥칠 핍 가까이 다다름. '勢危事一'《梁武帝》. ②가까이할 핍 가까이 감. '不敢一'《南史》. ③핍박할 핍 ㉠침노함. '漸相攻一'《後漢書》. ㉡억지로 시키려고 괴롭게 굶. '自誓不嫁, 其家一之'《古詩》. ④쪼그라들 핍 위축함. '颷畏一以潛身兮'《阮籍》. ⑤몰 핍 구축함. '不得輒有驅一'《隋書》. ⑥좁을 핍, 좁아질 핍 협착함. '岸狹勢一'《山川攷》.

字源 篆文 形聲. ⻌(辵)+畐〔音〕. '迫박'과 거의 같은 뜻으로 '닥치다'의 뜻을 나타냄.

[逼隣 핍린] 가까운 이웃.
[逼迫 핍박] ㉠닥쳐옴. 절박함. ㉡억지로 청함. 또, 억지로 하게 함.
[逼扶 핍부] 가까이 가서 도움.
[逼塞 핍색] 꽉 막힘.
[逼眞 핍진] 실물(實物)과 흡사함.
[逼奪 핍탈] ㉠임금을 침범하여 그 지위를 빼앗음. ㉡협박하여 빼앗음.
◉攻逼. 驅逼. 內逼. 畏逼. 危逼. 進逼. 脅逼.

9 [逾] 人名 유 平虞 羊朱切 yú 逾
⑬

字解 ①넘을 유, 지날 유 ㉠넘어감. 건너감. '一于洛'《書經》. ㉡한도를 넘음. '一越'. ㉢지나감. 경과함. '日月一邁'《書經》. ②더욱 유 한층 더. '亂乃一甚'《淮南子》.

字源 篆文 形聲. ⻌(辵)+兪〔音〕. '兪유'는 빠져나가다의 뜻. 어떤 범위에서 빠져나가다의 뜻에서 '넘다'의 뜻을 나타냄.

[逾邁 유매] 지나감. 경과함.
[逾月 유월] 달을 넘김. 그달이 지남.
[逾越 유월] 어떠한 한도를 넘음.
[逾日 유일] 날을 넘김. 그날이 지남.

9 [逿] 一 탕 去漾 徒浪切 dàng
⑬ 二 당 平陽 徒郎切 táng

字解 一 ①넘어질 탕 쓰러짐. '逿醉一地'《漢書》. ②움직일 탕 동요하게 함. '重逿者一心主'《史記》. 二 찌를 당 충돌함. '藐以迭一'《張衡》.

字源 形聲. ⻌(辵)+昜〔音〕

參考 遏(辵部 八畫)은 別字.

◉迭逿.

9 [遁] 人名 一 둔 去願 徒困切 dùn 遁
⑬ (돈本) 上阮 徒損切
二 준 平眞 七倫切 qūn

筆順 一 厂 𠂆 𠩵 盾 盾 㞉 遁

字解 一 ①달아날 둔 도망함. '一逃'. '曳柴而僞一'《左傳》. ②숨을 둔 ㉠도피하여 숨음. '再一身于梁沛之間, 徒行敝衣, 賣卜于市'《後漢書 范沛傳》. ㉡속세를 피하여 삶. '隱一'. '一世不見知而不悔'《中庸》. ③피할 둔 몸을 피함. 또는 책임을 회피함. '一辭'. '上下相一'《後漢書》. 二 뒷걸음질칠 준 逡(辵部 七畫)과 同字. '一巡而不敢進'《賈誼》.

字源 篆文 形聲. ⻌(辵)+盾〔音〕. '盾순'은 몸을 숨기는 방패의 뜻. 숨어 달아나다의 뜻을 나타냄.

[遁甲 둔갑] 남의 눈을 현혹하게 하여 자기 몸을 감추는 술법(術法).
[遁甲藏身 둔갑장신] 둔갑(遁甲)의 술법(術法)을 써서 몸을 감춤.
[遁逃 둔도] 피하여 달아남. 달아나 숨음.
[遁北 둔배] 도망함.
[遁兵 둔병] 달아나는 군사.
[遁思 둔사] 은둔하고자 하는 생각.
[遁辭 둔사] 빠져나가려고 꾸며 대는 말.
[遁世 둔세] ㉠세상을 피하여 숨음. 둔세(遯世). ㉡불문(佛門)에 들어감.
[遁迹 둔적] 종적(蹤迹)을 감춤.
[遁走 둔주] 도망(逃亡)함.
[遁天之刑 둔천지형] 천리(天理)를 어겨 받는 형벌(刑罰).
[遁避 둔피] 도망하여 피함.
[遁化 둔화] 도사(道士)의 죽음.
[遁巡 준순] 뒷걸음질 침. 망설이고 나가지 아니함.
◉驚遁. 逃遁. 駭遁. 鼠遁. 懾遁. 隱遁. 逡遁. 逐遁. 敗遁. 逋遁.

9 [遂] 高人 수 去寘 徐醉切 suì 遂
⑬

筆順 八 亼 㕣 豸 豸 豕 㒸 遂

字解 ①이룰 수 ㉠성취함. '功成名一'. '百事乃一'《禮記》. ㉡자람. 성장함. 또, 천명대로 삶. '痛萬姓之罹罪, 憂衆生之不一也'《說苑》. ㉢끝냄. 마침. '吾聞, 先生事魏不一'《漢書》. ②나갈 수 전진함. '不能退, 不能一'《易經》. ③올릴 수 끌어올림. 등용함. '顯忠一良'《書經》. ④따를 수 순응함. '以一八風'《國語》. ⑤오로지할 수 전단(專斷)하여 행함. '大夫無一事'《公羊傳》. ⑥망설일 수 주저함. 머뭇거림. '小事殆乎一'《荀子》. ⑦드디어 수 마침내. 그 결과로서. '侵蔡, 蔡潰. 一伐楚'《春秋》. ⑧도랑 수 밭 사이의 작은 수로(水路). '夫間有一, 一上有徑'《周禮》. ⑨행정구획이름 수 주대(周代)의 행정 구획의 하나. 왕성(王城)으로부터 1리에서 3백 리까지의 사이의 땅. 먼 교외(郊外)의 땅. '六鄕六一'. '五縣爲一'《周禮》. ⑩성 수 성(姓)의 하나.

字源 金文 篆文 形聲. ⻌(辵)+㒸〔音〕. '㒸수'는 '따르다'의 뜻. 일정한 길을 따라 일이 진행되어 '성취하다'의 뜻을 나타냄. 金文에서는 '述술'과 동일한 글자임.

[遂古 수고] 상고(上古).
[遂非 수비] 나쁜 줄 알면서도 하고 맒.
[遂事 수사] 이미 이룬 일.
[遂遂 수수] ㉠따라가는 모양. 수행하는 모양. ㉡성(盛)한 모양.
[遂長 수장] 자람. 생장함.

[遂初 수초] 벼슬살이를 그만두고 야인(野人)으로 돌아가고자 하는 숙망(宿望)을 이름.
[遂行 수행] 해냄.
◉甘遂. 功成名遂. 功成事遂. 郊遂. 旣遂. 陶遂. 茂遂. 未遂. 生遂. 成遂. 玉遂. 完遂. 容遂. 六遂. 已遂. 豐遂. 鄕遂.

9 ⑬ [遄] 천 ㊥先 市緣切 chuán

字解 빠를 천 내왕(來往)이 잦고 빠른 모양. '一臻于衞'《詩經》.
字源 金文 篆文 形聲. 辶(辵)+耑〔音〕. '耑단·전'은 '端단'과 통하여 '곧다'의 뜻. 들르지 않고 곧장 가다의 뜻에서 '빠르다'의 뜻을 나타냄.

9 ⑬ [遇] 中人 우 ㊤遇 牛具切 yù

筆順 丨 冂 日 月 禺 禺 禺 遇

字解 ①만날 우 ㉠길에서 만남. '宋公衞公一于垂'《春秋》. ㉡우연히 만남. '遊於匡山, 一處士張孝秀'《南史》. ㉢일을 만남. '今又一難於此'《史記》. ㉣때를 만남. 등용됨. '無所一'《史記》. ㉤…을 당함. '一奪釜鬲於塗'《史記》. '躍躍毚兎, 一犬獲之'《詩經》. ②대접할 우 접대함. '待一'. '厚一'. '一我厚'《漢書》. ③때 우 기회. 계제. '千載一一, 賢智之嘉會'《袁宏》. ④마침 우 그 경우에 걸맞게. '一有以夢得事白上者'《韓愈》. ⑤뜻밖에 우 우연히. '一見讐家'《李義山雜纂》. ⑥조현 우 제후가 겨울에 천자(天子)에게 하는 알현(謁見). '冬見曰一'《周禮》. ⑦성 우 성(姓)의 하나.
字源 金文 篆文 形聲. 辶(辵)+禺〔音〕. '辵착'은 길을 가다의 뜻. '禺우'는 원숭이와 비슷한 나무늘보 종류의 象形으로, 아무 뜻 없이 하다의 뜻. 뜻하지 않게 만나다의 뜻을 나타냄.

[遇待 우대] 대접함.
[遇合 우합] 어진 임금을 만나 쓰임. 군신(君臣)의 조우(遭遇).
[遇害 우해] 살해(殺害)를 당(當)함. 피살됨.
◉感遇. 客遇. 敬遇. 境遇. 顧遇. 遘遇. 眷遇. 詭遇. 奇遇. 器遇. 冷遇. 待遇. 薄遇. 逢遇. 不遇. 賞遇. 善遇. 殊遇. 崇遇. 逆遇. 禮遇. 優遇. 隆遇. 恩遇. 接遇. 際遇. 遭遇. 知遇. 千載一遇. 寵遇. 値遇. 親遇. 會遇. 厚遇.

9 ⑬ [遊] 中人 유 ㊥尤 以周切 yóu

筆順 亠 亍 方 方 斿 斿 游 遊

字解 ①놀 유 ㉠즐겁게 지냄. '逸一'. '一樂'. '盤一無度'《書經》. ㉡일없이 세월을 보냄. '一民'. '息焉一焉'《禮記》. ㉢자적(自適)하고 있음. '一乎塵垢之外'《莊子》. ㉣벼슬을 하지 아니함. '國子存一倅'《禮記》. ㉤흩어짐. 소속한 데가 없음. '一軍'. '一魂爲變'《易經》. ㉥취학함. 배움. '一學'. '一於聖人之門'《孟子》. ㉦사귐. '交一'. '與君子一'《大戴禮》. ㉧밖으로 나감. '出一'. '夜一'. ㉨여행함. 나그네가 됨. '客一'. '王資臣萬金而一'《戰國策》. ②놀게할 유 전항의 타동사. '所以一目騁懷'《王羲之》. ③놀이 유 '爲周道一'《史記》. ④벗 유 사귀는 사람. '交一稱其信也'《禮記》. ⑤여행 유 '幷奔千里一'《謝靈運》. ⑥틈 유 한산(閑散). '貴一子弟'《周禮》. ⑦유세(遊說)할 유 여러 곳에 돌아다니면서 자기 뜻을 말하는 일. '子好一乎'《孟子》.
字源 辶(辵)+斿〔音〕. '游유'의 俗字.

[遊客 유객] 하는 일 없이 노는 사람.
[遊擊 유격] 임기응변(臨機應變)으로 적(敵)을 공격(攻擊)함.
[遊棍 유곤] 노름꾼. 부랑자.
[遊廓 유곽] 창기(娼妓)가 모여 있는 일정(一定)한 구역(區域).
[遊官 유관] 원지(遠地)에 가서 벼슬살이함. 또, 그 사람.
[遊觀 유관] ㉠유람(遊覽). ㉡놀기 위하여 세운 망루(望樓).
[遊軍 유군] 유병(遊兵).
[遊闕 유궐] 보충(補充)한 유병(遊兵).
[遊屐 유극] 놀러 다니는 데 신는 나막신이라는 뜻으로, 놀러 다닌 족적(足跡)을 이름.
[遊氣 유기] ㉠공중에 떠다니는 운기(雲氣). ㉡얼마 남지 아니한 기식(氣息). 여천(餘喘).
[遊女 유녀] 노는계집.
[遊年 유년] 음양가(陰陽家)가 팔괘(八卦)를 배당(配當)하여 사람의 나이에 의하여 꺼리는 방위(方位)를 이름.
[遊談 유담] ㉠유세(遊說). ㉡심심풀이로 하는 쓸데없는 말.
[遊道 유도] 교유(交遊). 교제(交際).
[遊樂 유락] 놀며 즐김. 즐겁게 놂.
[遊覽 유람] 돌아다니며 구경함. 즐거이 놀며 구경함.
[遊歷 유력] 여러 곳으로 놀러 돌아다님.
[遊獵 유렵] 재미로하는 사냥.
[遊離 유리] ㉠떨어져 헤어짐. ㉡어떠한 단체(單體)가 다른 것과 화합(化合)하지 아니함.
[遊牧 유목] 목축(牧畜)을 업(業)으로 삼고 수초(水草)를 따라 주거(住居)를 옮김.
[遊民 유민] 일정한 직업이 없이 놀고 사는 백성.
[遊方僧 유방승] 사방으로 운유(雲遊)하는 중. 행각승(行脚僧).
[遊兵 유병] 유격전(遊擊戰)에 종사하는 군대.
[遊步 유보] ㉠산책(散策)함. ㉡닦아 배움.
[遊絲 유사] 아지랑이.
[遊辭 유사] 진실하지 아니한 말. 쓸데없는 말.
[遊辭費句 유사비구] 쓸데없는 어구(語句).
[遊山 유산] 산(山)에 노닒. 산놀이.
[遊船 유선] 뱃놀이. 또, 놀잇배.
[遊仙窟 유선굴] 당(唐)나라 장문성(張文成)이 지은 소설. 모두 5권. 문성(文成)이 명령을 받들어 하원(河源)으로 가는 도중, 신선이 사는 굴에 들어 십낭(十娘)·오수(五嫂)의 두 선녀로부터 환대(歡待)를 받은 염사(艷事)를 그린 소설.
[遊仙枕 유선침] 베고 자면 선경(仙境)에 가서 노는 꿈을 꾼다는 베개.
[遊涉 유섭] 놀러 다님.
[遊星 유성] 태양의 주위를 주기적(週期的)으로 운행하는 별.
[遊說 유세] 각처(各處)로 돌아다니며 자기의 의견(意見)을 두루 퍼뜨림.

[遊手 유수] 일을 하지 아니하고 놀고 지내는 사람.
[遊僧 유승] 행각(行脚)하는 중.
[遊食 유식] 놀고먹음. 무위도식함.
[遊息 유식] 편안히 쉼.
[遊冶郎 유야랑] 방탕을 일삼는 화류남(花柳男). 탕아(蕩兒).
[遊衍 유연] 실컷 놂.
[遊宴 유연] 잔치를 차리고 재미있게 놂.
[遊燕 유연] 유연(遊宴).
[遊預 유예] 유예(遊豫).
[遊豫 유예] ㉠천자(天子)의 놀이. ㉡즐겁게 놂. 놀며 즐김.
[遊藝 유예] 예술에 취미를 붙여 즐김.
[遊敖 유오] 놂. 놀며 즐김.
[遊雲驚龍 유운경룡] 노는 구름과 놀란 용. 교묘한 초서(草書)의 형용.
[遊園地 유원지] 유람(遊覽)·오락(娛樂)을 위하여 여러 가지 시설을 해 놓은 곳.
[遊意 유의] ㉠마음을 기울임. ㉡놀고자 하는 마음.
[遊衣遊食 유의유식] 아무 하는 일이 없이 놀면서 입고 먹음.
[遊弋 유익] ㉠유렵(遊獵). ㉡군함이 해상(海上)에서 배회함.
[遊刃有餘地 유인유여지] 고기를 저미는 칼을 자유자재로 놀린다는 뜻으로, 일을 처리하는 데 여유가 있는 비유.
[遊逸 유일] 즐겁게 놂.
[遊子 유자] 나그네.
[遊畋 유전] 유렵(遊獵).
[遊兆 유조] 천간(天干) 병(丙)의 별칭.
[遊卒 유졸] 제후(諸侯)·경대부(卿大夫)·사(士)의 서자(庶子)로서 아버지의 일을 도와 이에 종사하는 사람. 유(遊)는 아직 벼슬하지 않은 사람. 졸(卒)은 쉬(倅).
[遊就 유취] 나아가 가르침을 청함. 교제하면서 배우는 것을 뜻함.
[遊惰 유타] 놀기만 하고 게으름.
[遊蕩 유탕] 방탕함.
[遊必有方 유필유방] 부모가 살아 있는 동안에는 유학(遊學)을 하게 되더라도 멀리 가지 말고 반드시 일정한 곳을 정하여 머물러야 한다는 뜻.
[遊學 유학] 타향(他鄕)에 가서 공부함.
[遊閒公子 유한공자] 한가하여 유흥(遊興)에 팔린 부귀한 집 자제.
[遊行 유행] 놀러 다님.
[遊幸 유행] 천자의 놀러 가는 행차.
[遊俠 유협] 협기(俠氣). 협객(俠客).
[遊魂 유혼] ㉠육체에서 떠난 영혼. ㉡정신을 기울임.
[遊興 유흥] 주연 같은 것을 베풀고 재미있게 놂.
[遊戲 유희] ㉠장난을 하며 즐겁게 놂. ㉡일정한 방법에 의하여 하는 아동의 운동.
[遊戲三昧 유희삼매] 《佛教》 ㉠중생을 구제하는 데 전심함. ㉡예술 같은 것이 극진한 경지에 이름을 이름.
◉客遊. 官遊. 觀遊. 交遊. 舊遊. 群遊. 貴遊. 浪遊. 來遊. 同遊. 慢遊. 漫遊. 末遊. 盤遊. 秉燭遊. 父母在不遠遊. 浮遊. 貧遊. 賓遊. 山遊. 西遊. 仙遊. 遡遊. 水遊. 巡遊. 雅遊. 冶遊. 夜遊. 野遊. 歷遊. 宴遊. 燕遊. 敖遊. 遨遊. 臥遊. 外遊. 優遊. 佚遊. 藏脩息遊. 絶遊. 舟遊. 周遊. 曾遊. 天遊. 淸遊. 春遊. 出遊. 快遊. 惰遊. 行遊. 豪遊. 扈遊. 宦遊. 歡遊. 回遊. 嬉遊.

9 ⑬ **[運]** [中][人] 운 [去]問 王問切 yùn 运

[筆順] ' 冖 冖 冐 冐 軍 ˋ軍 運

[字解] ①돌 운 회전함. '一行'. '日月一行'《易經》. ②돌릴 운 회전시킴. '一轉'. '君子欠伸一笏'《禮記》. ③움직일 운 ㉠위치가 변함. '海一則將徙南溟'《莊子》. ㉡부리어 씀. '一筆'. '一用'. ④궁리할 운 궁구함. '一籌策帷幄之中'《史記》. ⑤옮길 운 운반함. '一輸'. '一百甓於齋外'《十八史略》. ⑥운 운 운수. '一命'. '世一'. '漢承堯一'《史記》. ⑦세로 운 토지의 남북을 이름. 동서는 '廣'이라 함. '廣一百里'《國語》. ⑧십이대(十二代) 운 360년의 일컬음. ⑨성 운 성(姓)의 하나.

[字源] 篆文 形聲. 辶(辵)+軍〔音〕. '軍군'은 전차(戰車)를 빙 둘러 배치하다의 뜻. 걸어 돌아다니다의 뜻을 나타냄.

[運柩 운구] 관(棺)을 운반함.
[運斤成風 운근성풍] 도끼를 휘둘러 바람을 일으키어 무엇을 깎아 낸다는 뜻으로, 재주가 훌륭한 공장(工匠)의 솜씨의 형용.
[運氣 운기] 운명(運命).
[運到時來 운도시래] 운수가 닿아서 때가 옴.
[運動 운동] ㉠움직임. ㉡위생을 위하여 몸을 놀려 움직임. ㉢어떤 일의 달성(達成)을 위하여 돌아다니며 도모(圖謀)함. ㉣물체의 위치의 변화.
[運命 운명] 사람에게 닥쳐오는, 인력으로는 어찌할 수 없는 길흉화복.
[運命論 운명론] 세상의 치란(治亂), 인생의 길흉화복 등이 모두 자연의 운수에 의하여 미리 정하여져 있다는 설(說). 숙명론(宿命論).
[運搬 운반] 물건(物件) 또는 사람을 옮겨 나름.
[運甓 운벽] 체력을 강하게 하기 위해 진(晉)나라 도간(陶侃)이 아침마다 벽돌을 운반한 고사(故事).
[運算 운산] 산식(算式)에 의(依)하여 수치(數値)를 구(求)하는 일.
[運勢 운세] 운명(運命).
[運送 운송] 물건을 운반하여 보냄.
[運數 운수] 사람의 몸에 돌아오는 길흉화복(吉凶禍福).
[運輸 운수] 운송(運送).
[運水搬柴 운수반시] 불법(佛法)의 수행은 결코 고상한 이론에 있지 않고 그날그날 물을 긷고 땔나무를 하는 생활 가운데 있다는 뜻.
[運身 운신] 몸을 움직임.
[運用 운용] 부리어 씀. 활용(活用)함.
[運用之妙存乎一心 운용지묘존호일심] 법식(法式)은 사물(事物)이므로 이것을 활용하는 묘술(妙術)은 오로지 마음속에 있음. 곧, 전략(戰略)은 활용하는 것이 중함을 이름.
[運意 운의] 이리저리 생각함.
[運賃 운임] 물건을 운반하는 삯.
[運掌 운장] 손바닥에 놓고 굴림. 곧, 대단히 처리하기 용이함을 이름.
[運轉 운전] ㉠움직이어 돌림. ㉡수레·배 등을 조종하여 달리게 함.
[運轉技士 운전기사] 기차·전동차·자동차·선박·

기계 등을 운전하는 사람.
[運轉手 운전수] 운전기사(運轉技士).
[運租 운조] 조세를 운송함.
[運祚 운조] 하늘로부터 받은 복조. 세상의 운수.
[運漕 운조] 수로(水路)로 화물을 운반함. 수운.
[運籌 운주] 여러모로 방책을 짜냄.
[運籌于帷幄之中 운주우유악지중] 군막(軍幕) 속에서 전략(戰略)을 세움.
[運之掌上 운지장상] 아주 행(行)하기 쉬운 일의 비유.
[運筆 운필] 붓을 놀리는 법(法).
[運河 운하] 배가 다니도록 인력(人力)으로 육지를 파서 낸 수로(水路).
[運行 운행] ㉠돌아감. ㉡운전하여 다님.
[運會 운회] 세상의 운수.
[運休 운휴] 운전이나 운영을 멈추고 쉼.
◉家運. 嘉運. 強運. 開運. 啓運. 廣運. 國運. 魄運. 氣運. 機運. 動運. 命運. 武運. 文運. 薄運. 搬運. 福運. 不運. 否運. 非運. 悲運. 四運. 社運. 盛運. 聖運. 世運. 衰運. 水運. 時運. 惡運. 糧運. 歷運. 五運. 陸運. 輪運. 隆運. 轉運. 征運. 漕運. 進運. 昌運. 天運. 泰運. 通運. 退運. 頹運. 布運. 航運. 海運. 幸運. 餉運. 革運. 亨運. 活運.

9 ⑬ [遻] 악 [入]藥 逆各切 è

[字解] 만날 악 상봉함. 遌(辵部 十二畫)과 同字. '重華不可一兮'《楚辭》.

9 ⑬ [遍] [高人] 편 [去]霰 方見切 biàn (piàn) 遍

[筆順] 一 ㅋ 戶 肙 肙 扁 扁 遍

[字解] ①두루 편, 두루미칠 편 徧(彳部 九畫)과 同字. '十二街中春雪一'《張籍》. ②번 편 횟수. '月常一一'《魏志 註》.
[字源] 形聲. 辶(辵)+扁〔音〕. '扁편'은 얇고 납작하다의 뜻. 얇고 납작하게 두루 미치다의 뜻을 나타냄.

[遍界 편계] 《佛敎》 온 세계. 삼천 세계(三千世界) 전부.
[遍歷 편력] 널리 돌아다님.
[遍散 편산] 널리 흩어져 있음.
[遍身 편신] 온몸. 전신.
[遍在 편재] 널리 퍼져 있음.
[遍陬 편추] 두메. 벽촌.
◉普遍. 用遍. 優遍.

9 ⑬ [過] [中人] 과 ①-⑥[平]歌 古禾切 guō ⑦-⑩[去]箇 古臥切 guò 过

[筆順] ㄇ ㄇ ㄇ 冎 冎 咼 咼 過

[字解] ①지날 과 ㉠한도를 넘음. 남음. '超一'. '一不足'. '一之者, 俯而就之'《禮記》. ㉡나음. 우월함. '無一人智識'《韓愈》. ㉢건너감. 넘어감. '東一洛汭, 北一洚水'《書經》. ㉣거치어 감. '通一'. '三一門而不入'. ㉤때가 감. '時一後學, 則勤苦而難成'《禮記》. ②지낼 과 세월을 보냄. '饋餉多一時'《李商隱》. ③지나칠 과 한도를 벗어남. '一當'. '範圍天地之化而不一'《易經》. 또, 지나친 일. '一猶不及'《論語》. ④들를 과 지나는 길에 잠깐 거침. '一訪'. '不得復一'《戰國策》. ⑤예전 과 지나간 세월. '一現未'. ⑥성 과 성(姓)의 하나. ⑦잘못할 과 ㉠과오를 범함. '一則勿憚改'《論語》. ㉡부주의로 죄를 범함. '一而殺傷人'《呂氏春秋》. ⑧허물 과 ㉠실수. '一誤'. '聖人且有一與'《孟子》. ㉡죄. '諸禁錮及有一者, 得免減罪'《漢書》. ㉢고의가 아닌 범죄. '宥一無大'《書經》. ⑨나무랄 과 견책함. '一不識'《呂氏春秋》. ⑩과괘 과 육십사괘(六十四卦)의 하나. '大一'는 ䷛〈손하(巽下), 태상(兌上)〉으로서, 지나치게 성대(盛大)한 상(象). '小一'는 ䷽〈간하(艮下), 진상(震上)〉으로서, 소사(小事)에 가(可)한 상(象).
[字源] 金文 篆文 形聲. 辶(辵)+咼〔音〕. '咼과'는 '越월'과 통하여 먼 곳을 지나가다의 뜻이나 도를 지나치다의 뜻. '辵착'은 그 뜻을 더욱 분명히 하기 위하여 덧붙여짐.

[過客 과객] 지나가는 손. 나그네.
[過去 과거] ㉠이미 지나간 때. 현재의 이전. ㉡지나감. ㉢전세(前世).
[過擧 과거] 실수(失手). 실책(失策).
[過激 과격] 지나치게 격렬함.
[過更 과경] 한대(漢代)의 법률로서, 백성을 징발하여 국경을 지키게 하는 일. 3일간이 원칙임. 만일 나가지 않을 경우에는 3백 전을 내야만 면제되었음.
[過計 과계] 잘못된 계책. 실책(失策).
[過繼 과계] 양자(養子)를 들여세우는 일.
[過咎 과구] 허물. 과실.
[過眷 과권] 과분한 은고(恩顧).
[過期 과기] 기한(期限)이 지나감.
[過年 과년] 여자의 나이가 혼인(婚姻)할 시기를 지남.
[過念 과념] 너무 걱정함. 과도(過度)하게 염려(念慮)함.
[過多 과다] 너무 많음.
[過當 과당] ㉠균형이 잡히지 아니함. ㉡자기편보다 상대편의 사상자가 많음. ㉢정도에 지나침. 타당치 않음.
[過大 과대] 너무 큼.
[過度 과도] ㉠과도(過渡) ㉠㉡. ㉡정도에 지나침. 도수(度數)가 지남.
[過渡 과도] ㉠물을 건넘. 또, 나루. ㉡문세(文勢)가 변하는 곳. ㉢구시대에서 신시대로 옮아가는 과정.
[過屠門大嚼 과도문대작] 푸주 앞에서 크게 입을 벌리고 씹는 시늉을 한다는 뜻으로, 좋아하는 것을 실현은 못하나 상상하는 것만도 즐겁다는 말.
[過冬 과동] 겨울을 지남.
[過量 과량] 분량(分量)이 과(過)함.
[過慮 과려] 너무 걱정함. 지나치게 염려(念慮)함.
[過勞 과로] ㉠너무 마음을 씀. ㉡지나치게 일함.
[過謬 과류] 과실(過失).
[過勿憚改 과물탄개] 과즉물탄개(過則勿憚改).
[過眉杖 과미장] 길이가 눈썹 높이를 넘을 정도의 지팡이.
[過敏 과민] 신경 또는 감각이 지나치게 예민함.
[過半 과반] 반(半)이 넘음.
[過般 과반] 지난번.
[過房 과방] 양자(養子)를 들이는 일.
[過訪 과방] 지나는 길에 들름.

[過房子 과방자] 양자(養子).
[過法 과법] 과중한 형벌.
[過不足 과부족] 남음과 모자람.
[過分 과분] 분수에 지나침.
[過不及 과불급] 지나침과 미치지 못함. 알맞지 아니함.
[過歲 과세] 묵은해를 보냄. 설을 쇰.
[過所 과소] 관문(關門) 통행의 표.
[過小 과소] 너무 작음.
[過少 과소] 너무 적음.
[過食 과식] 양(量)에 겹게 먹음. 너무 먹음.
[過信 과신] 지나치게 믿음.
[過失 과실] ㉠허물. ㉡부주의로 일으킨 잘못. 과류(過謬).
[過惡 과악] 과실과 죄악.
[過愛 과애] 지나치게 사랑함.
[過言 과언] 실언(失言).
[過午 과오] 오후.
[過誤 과오] 잘못. 과실. 실책.
[過用 과용] 과도(過度)하게 씀.
[過雨 과우] 지나가는 비.
[過猶不及 과유불급] 정도가 지나침은 미치지 못함과 같음. 사물은 중용(中庸)이 중요함.
[過淫 과음] 방사(房事)를 과하게 함.
[過飮 과음] 술을 지나치게 마심.
[過而不改是謂過矣 과이불개시위과의] 잘못한 줄 알고서도 고치지 않으면 결국에는 정말로 잘못이 됨.
[過爾優逸 과이우일] 시간을 헛되이 보내며 일을 게을리 함.
[過人之力 과인지력] 남보다 센 힘.
[過日 과일] 지나간 날.
[過剩 과잉] 적당한 분량보다 많음. 여분(餘分).
[過奬 과장] 과칭(過稱).
[過抵 과저] 지나서 이름. 경과하여 다다름.
[過絶 과절] 남보다 대단히 뛰어남.
[過程 과정] 일이 되어 나가는 경로.
[過存 과존] 지나는 길에 인사 겸 들름. 과방(過訪).
[過重 과중] 너무 무거움.
[過則勿憚改 과즉물탄개] 과실을 범했으면 즉시 고치는 것을 꺼리지 말아야 한다는 뜻.
[過秦論 과진론] 한(漢)나라 가의(賈誼)가 지은 글. 진(秦)나라가 법률을 너무나 엄하게 다스리고 인의(仁義)를 닦지 않아서 겨우 2세(世)에 멸망한 일을 논란(論難)한 글.
[過次 과차] 지나는 길. 지날결.
[過差 과차] ㉠사치. 호사. ㉡허물. 과실.
[過讚 과찬] 과칭(過稱).
[過稱 과칭] 과도한 칭찬.
[過褒 과포] 과칭(過稱).
[過限 과한] 과기(過期).
[過化存神 과화존신] 성인이 지나는 곳에는 그곳 백성이 그 덕(德)에 감화(感化)되고, 성인이 있는 곳에는 신(神)과 같은 감화가 있음.
[過患 과환] 허물. 과실. 근심.
[過釁 과흔] 죄. 죄과(罪過).
◉看過. 改過. 經過. 功過. 空過. 口過. 論大功者不錄小過. 旦過. 大過. 督過. 默過. 微過. 白過. 細過. 小過. 濾過. 愆過. 優過. 隆過. 貳過. 一過. 再過. 傳過. 罪過. 擦過. 遞過. 超過. 通過. 透過. 風過. 閒過. 行過. 好盡言以招人過. 悔過.

9 ⑬ [過] 過(前條)의 俗字

9 ⑬ [動] 〔동〕
動(力部 九畫〈p.279〉)의 古字

9 ⑬ [選] 〔선〕
選(辵部 十二畫〈p.2322〉)의 本字

9 ⑬ [逌] 〔유〕
逌(辵部 七畫〈p.2297〉)의 古字

9 ⑬ [遏] 알 [入]曷 烏葛切 è 遏 

[字解] ①막을 알 ㉠저지함. 못 가게 함. '爰整其旅, 以一徂莒'《孟子》. ㉡금함. 못하게 함. '君子以一惡揚善'《易經》. ②머무를 알 정지함. '纖歌凝而白雲一'《王勃》.
[字源] 篆文 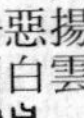 形聲. 辶(辵)+曷〔音〕. '曷갈'은 '割할'과 통하여 '절단하다'의 뜻. 나아가는 것을 막다의 뜻을 나타냄.

[遏劉 알류] 살육(殺戮)을 금함.
[遏密 알밀] 음곡(音曲)을 금하여 조용하게 함.
[遏防 알방] 방어함. 방알(防遏).
[遏塞 알색] 막음. 또, 막힘.
[遏雲 알운] 알행운(遏行雲).
[遏絶 알절] 막아 끊음. 또, 그쳐 없어짐.
[遏行雲 알행운] 노랫소리가 어찌나 아름다운지, 무심(無心)한 구름도 가던 길을 멈춤.
◉檢遏. 禁遏. 斷遏. 防遏. 妨遏. 綏遏. 肅遏. 抑遏. 壅遏. 擁遏. 夭遏. 靜遏. 止遏. 鎭遏. 遮遏.

9 ⑬ [遐] [人名] 하 [平]麻 胡加切 xiá 遐 

[字解] ①멀 하 요원함. 또, 먼 데. '若陟一, 必自邇'《書經》. ②어찌 하 何(人部 五畫)와 통용. '心乎愛矣, 一不謂矣'('謂'는 勤)《詩經》.
[字源] 篆文 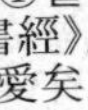 形聲. 辶(辵)+叚〔音〕. '叚가'는 '크다'의 뜻. 크게 떨어져 있다의 뜻으로 '멀다'의 뜻을 나타냄.

[遐擧 하거] ㉠멀리 감. 원행(遠行). ㉡높이 오름. ㉢뛰어난 행위.
[遐慶 하경] 커다란 즐거움.
[遐圻 하기] 먼 나라.
[遐棄 하기] 멀리하여 버림. 원방에 내쳐 버림.
[遐年 하년] 장수(長壽).
[遐齡 하령] 하년(遐年).
[遐邈 하막] 멂. 요원함.
[遐氓 하맹] 먼 지방에 있는 백성.
[遐方 하방] 먼 지방(地方). 먼 시골.
[遐福 하복] 영원한 복. 큰 복. 대복.
[遐想 하상] ㉠멀리 떨어져 있는 사람을 생각함. ㉡원대한 생각.
[遐壽 하수] 하년(遐年).
[遐壤 하양] 먼 땅.
[遐域 하역] 멀리 떨어진 지역.
[遐裔 하예] 아주 먼 외딴 지방.
[遐遠 하원] 멂. 아득함.
[遐邇 하이] 먼 곳과 가까운 곳. 원근(遠近).
[遐迹 하적] 먼 옛적의 자취.

[遐祚 하조] 오래 계속되는 복조(福祚).
[遐冑 하주] 원손(遠孫). 먼 혈연(血緣).
[遐陬 하추] 먼 곳의 땅. 변두리 땅.
[遐土 하토] 하방(遐方).
[遐通 하통] 멀리 통함. 멀리 퍼짐.
[遐統 하통] 먼 혈통.
[遐被 하피] 먼 데까지 미침.
[遐鄕 하향] 먼 외딴 시골.
[遐荒 하황] 먼 오랑캐의 땅.
◉登遐. 邈遐. 升遐. 幽遐. 邇遐. 荒遐.

9 ⑬ [迦] 가 ①㊥歌 居伽切 jiā ㊥麻 古牙切 ②㊦禡 居迓切 jià

字解 ①가지못하게할 가 '一牙'는 통행을 방해함. '一, 一牙, 令不得行也'《說文》. ②가시나무 울타리 가 '一迓'는 가시나무를 엮어 친 방해물. '一, 一迓, 木如蒺蔾, 上下相距'《集韻》.

字源 形聲. 辶(辵)+枷〔音〕

9 ⑬ [遑] 人名 황 ㊥陽 胡光切 huáng

字解 ①한가할 황 마음에 여유가 있는 모양. '莫敢或一'《詩經》. '不一啓處'《詩經》. ②허둥지둥할 황 몹시 급하게 서두는 모양. '墨子一一'《後漢書》.

字源 篆文 形聲. 辶(辵)+皇〔音〕. '皇황'은 크게 퍼지다의 뜻. 정처 없이 널리 걸어 황급하다의 뜻을 나타냄.

[遑急 황급] 허둥지둥하여 서두는 모양.
[遑遑 황황] 마음이 몹시 급하여 허둥지둥하는 모양.
◉未遑. 不遑. 栖遑. 怠遑.

9 ⑬ [遒] 人名 주 ㊥尤 自秋切 qiú

字解 ①닥칠 주 바싹 가까이 감. '一相迫些'《楚辭》. ②다할 주 없어짐. '歲忽忽而一盡兮'《楚辭》. ③굳을 주 견고함. '四國是一'《詩經》. ④모일 주 집합함. 한데 모여듦. '百祿是一'《詩經》. ⑤끝날 주 종결함. '似先公之一兮'《詩經》. ⑥셀 주 강함. 힘이 있음. '一勁'. '獵獵晩風一'《鮑照》.

字源 篆文 別體 形聲. 辶(辵)+酋〔音〕

[遒勁 주경] 필세(筆勢) 또는 문세(文勢)가 굳셈.
[遒緊 주긴] 강하고 엄함. 단단함.
[遒麗 주려] 문장·필적 등이 힘이 있고 아름다움.
[遒美 주미] 필적이 힘이 있고 아름다움.
[遒放 주방] 필세(筆勢)가 자유자재임.
[遒艶 주염] 주려(遒麗).
[遒人 주인] 명령을 전달하는 벼슬아치.
[遒逸 주일] 문필(文筆)이 힘이 있고 뛰어남.
[遒整 주정] 필력(筆力)이 힘차고 정연함.
[遒盡 주진] 다해 없어짐.
◉警遒. 淸遒. 逼遒.

9 ⑬ [道] 中人 도 ①-④㊤晧 徒皓切 dào ⑤-⑨㊦號 大到切 dǎo

筆順 丷 䒑 产 首 首 首 道 道

字解 ①길 도 ㉠통행하는 곳. '一路'. '通一'. ㉡준수하여야 할 덕(德). '一德'. '人一'. '率性之謂一'《中庸》. ㉢시행의 방법. '此危一也'《史記》. '獲乎上有一, 不信乎朋友, 不獲乎上矣'《中庸》. ㉣경로. '假一于虞, 以伐虢'《左傳》. ㉤방향. 방면. '北一諸國'《漢書》. ㉥노정(路程). '倍一赴援'《南史》. ㉦줄. '折爲二一'《宋史》. ②도 도 예악·형정·학문·기예·정치 따위. '王一'. '斯一'. '仙一'. ③순할 도 자연에 따름. '九河旣一'《書經》. ④구역이름 도 행정상의 구획. 당대(唐代)에는 천하를 '十一'로 나누었고, 명청(明淸) 시대에는 한 성(省)을 여러 '一'로 나누었음. 우리나라도 '十四一'로 나누었음. ⑤말할 도 이야기함. '如切如磋者, 一學也'《大學》. ⑥말미암을 도 좇음. 따름. '一問學'《中庸》. ⑦다스릴 도 정치를 함. '一千乘之國'《論語》. ⑧인도할 도 導(寸部 十三畫)와 同字. '一之以政'《論語》. ⑨부터 도 …로부터. 自(部首)와 뜻이 같음. '玄鶴二八, 一南方來'《韓非子》.

字源 金文 篆文 古文 形聲. 金文은 行+首〔音〕. 또, 行+又+首〔音〕. '行행'은 '길'을 본뜬 것. '首수'는 '목'의 象形. 이민족의 목을 묻어 정화된 길의 뜻을 나타냄. 篆文은 金文의 '行' 부분이 '辵착'이 됨. 파생하여 사람이 지키고 실천해야 할 바른길, '도리'의 뜻을 나타냄. 또, 조리 있게 말하다의 뜻도 나타냄.

[道呵 도가] 벽제(辟除).
[道家 도가] 도교(道敎)의 교의(敎義)를 닦는 학파(學派).
[道經 도경] 도교(道敎)의 경전(經典).
[道觀 도관] 도교(道敎)의 절. 도사(道士)가 사는 집.
[道光 도광] ㉠도덕의 빛. ㉡《佛敎》 도(道)의 빛이라는 뜻으로 불교를 이름.
[道交 도교] 도의로써 사귐.
[道敎 도교] 황제(黃帝)·노자(老子)를 교조(敎祖)로 받드는 다신적(多神的) 종교. 노장 철학(老莊哲學)에 음양오행설(陰陽五行說)·신선 사상(神仙思想)을 가미하여 불로장생(不老長生)을 구하고 부주(符呪)·기도 등을 행함. 후한말(後漢末)의 장도릉(張道陵)이 개조(開祖)임.
[道具 도구] 불가(佛家)의 기구(器具). 전(轉)하여, 널리 기구. 제구.
[道君 도군] 도교(道敎)의 신(神)의 존호.
[道宮 도궁] 도사(道士)가 사는 집.
[道揆 도규] 도덕을 표준으로 하여 일의 당부(當否)를 헤아려 가리는 일. 도(道). 도의(道義).
[道揆法守 도규법수] 도리로써 사리(事理)의 옳고 그름을 판단하고, 법으로써 스스로 지켜 나감.
[道殣 도근] 행려(行旅) 사망자.
[道念 도념] 도의를 지키고자 하는 마음.
[道大莫容 도대막용] 공자(孔子)의 도(道)는 지극히 커서 천하에 용납(容納)되지 않음.
[道德 도덕] ㉠사람이 행하여야 할 바른길. ㉡노자(老子)의 교리.
[道德經 도덕경] 책 이름. 곧, 〈노자(老子)〉.
[道德臘 도덕랍] 도가(道家)에서 7월 7일에 지내는 제사.
[道德之符 도덕지부] 도덕을 행한 공과(功果)인 자연의 표적.

[道途 도도] 길.
[道塗 도도] 도도(道途).
[道場 도량] 《佛教》 부처를 공양(供養)하거나, 불교를 수업하는 곳. 곧, 절. 불사(佛寺).
[道路 도로] 사람이 통행(通行)하는 길.
[道路以目 도로이목] 학정(虐政)에 대한 불만이 있으나 벌을 받을 것이 무서워서 공공연히 비난을 못 하고 노상(路上)에서 눈짓으로 의사를 소통함.
[道路之言 도로지언] 세상의 평판.
[道路側目 도로측목] 도로이목(道路以目).
[道流 도류] 도사(道士)의 무리.
[道里 도리] 길의 이정(里程).
[道理 도리] 도덕(道德) ❶.
[道理貫心肝 도리관심간] 도덕이 깊이 마음속에 배어 조금도 사심(私心)이 없음.
[道脈 도맥] 성현(聖賢)의 도를 전한 사람들의 계통.
[道謀 도모] ㉠집을 지으려 하여 그 설계를 길 가는 사람에게 묻는다는 뜻. 즉, 사람마다 의견이 달라 결국은 집을 짓지 못함. ㉡일정한 주견이 없이 남에게 좌우됨의 비유.
[道門 도문] ㉠도덕으로 들어가는 문. ㉡도덕의 범위. ㉢도가(道家).
[道味 도미] 도덕의 의미.
[道畔 도반] 길가. 도방(道傍).
[道傍 도방] 길가.
[道傍苦李 도방고리] 길가에 있는 쓴 자두나무 열매. 사람에게 버림을 받음의 비유.
[道法 도법] ㉠바른 법(法). ㉡도교(道教)의 법.
[道服 도복] 도사(道士)의 옷.
[道不同不相爲謀 도부동불상위모] 하는 일이 서로 다르면 의논해도 무익함.
[道不拾遺 도불습유] 길에 떨어진 물건을 줍는 사람이 없다는 뜻. 곧, 선정(善政)을 베풀어 사람마다 물자가 풍부하고 도의심이 강함을 이름.

[道 服]

[道費 도비] 여비(旅費).
[道士 도사] ㉠도교(道教)를 닦는 사람. ㉡신선의 술법을 닦는 사람. 방사(方士). ㉢도덕을 갖춘 사람. 군자(君子).
[道山 도산] 학자가 동관(東觀)〈궁중(宮中)의 문고(文庫)〉을 도가(道家)의 봉래산(蓬萊山)이라고 한 데서, 전(轉)하여 문인(文人)이 모이는 장소를 이름. 문원(文苑).
[道上 도상] ㉠길 위. 노상(路上). ㉡도중.
[道書 도서] 도교(道教)에 관한 책.
[道釋之教 도석지교] 도교(道教)와 불교(佛教).
[道說 도설] 이야기함. 말함.
[道俗 도속] 도인(道人)과 속인.
[道術 도술] ㉠도가(道家)의 방술(方術). ㉡도덕(道德)과 학술(學術).
[道僧 도승] 도(道)를 깨친 중.
[道心 도심] ㉠도덕의 관념. 본연(本然)의 양심. ㉡《佛教》 보리심(菩提心). ㉢《佛教》 나이 먹어 불문(佛門)에 들어간 사람.
[道藝 도예] 도덕과 학예(學藝).
[道院 도원] 도교(道教)의 사원(寺院).
[道遠知驥 도원지기] 천리마(千里馬)의 능력은 먼 길을 달려 보고서야 비로소 알 수 있음.
[道園學古錄 도원학고록] 원말(元末)의 학자 우집(虞集)의 문집(文集). 50권.
[道義 도의] 사람이 이행하여야 할 바른길. 도덕과 의리.
[道誼 도의] 도의(道義).
[道人 도인] ㉠불법에 귀의한 사람. 중. ㉡도술(道術)을 얻은 사람. ㉢선인(仙人). 신선. ㉣도사(道士). ㉤속사(俗事)를 버린 사람의 자칭(自稱).
[道引 도인] 대기(大氣)를 체내(體內)에 끌어들이는 도가(道家)의 양생법(養生法). 도인(導引).
[道者 도자] 도교를 닦는 사람. 도사(道士).
[道場 도장] 무예(武藝)를 연마하는 곳. 또는 수양(修養)·훈련 등을 하기 위한 장소.
[道裝 도장] 도사(道士)의 차림.
[道藏 도장] 도교에 관한 일체의 전적(典籍).
[道在屎溺 도재시뇨] 도(道)는 똥·오줌에도 있다는 뜻으로, 곧 도는 어디에나 있음을 말함.
[道在邇求諸遠 도재이구제원] 도(道)라는 것은 자기 신변에 가까이 있는데, 학자들은 이를 모르고 헛되이 고원(高遠)한 곳에서 구하므로 마침내 얻지 못함.
[道程 도정] 도리(道里).
[道中 도중] ㉠길 가운데. ㉡여행길.
[道卽性 도즉성] 도(道)는 곧 성(性)임. 성(性) 밖에 도는 존재하지 아니함.
[道地 도지] ㉠밑바탕. ㉡본고장. 본바닥.
[道帙 도질] 도교(道教)의 책.
[道聽塗說 도청도설] ㉠길에서 들은 일을 바로 길에서 이야기한다는 뜻으로, 좋은 말을 듣고도 마음에 깊이 새기지 아니함의 비유('塗'는 途). ㉡거리의 소문을 전함.
[道樞 도추] 도(道)의 추요(樞要)한 곳.
[道泰身否 도태신부] 행실은 바르건만 입신출세를 못함.
[道統 도통] 유학(儒學)의 계통. 성현의 도를 전한 사람들의 계통. 요(堯)·순(舜)·우(禹)·탕(湯)·문(文)·무(武)·주공(周公)·공자(孔子) 같은 사람들.
[道破 도파] 설파함. 논파함.
[道學 도학] ㉠도의와 학문. ㉡도의의 학문. 유가(儒家)의 학문. ㉢도가(道家)의 학문. ㉣정주학(程朱學). 성리학(性理學). 심학(心學).
[道學先生 도학선생] ㉠도학을 닦은 선생. ㉡도덕에 구애하여 인정세태(人情世態)에 어두운 학자를 조롱하여 하는 말.
[道化 도화] 인도하여 가르침.
◉街道. 嘉道. 閣道. 姦道. 間道. 喝道. 講道. 坑道. 乾道. 劍道. 徑道. 古道. 故道. 苦集滅道. 坤道. 孔道. 公道. 貫道. 光道. 教道. 嶠道. 求道. 衢道. 權道. 軌道. 詭道. 鬼道. 汲道. 技道. 奇道. 難行道. 達道. 茶道. 大道. 盜亦有道. 同道. 磴道. 魔道. 明道. 妙道. 無軌道. 武道. 無道. 無上道. 聞道. 倍道. 白道. 兵者詭道. 步道. 報道. 複道. 不道. 父道. 婦道. 夫子自道. 不窺牖見天道. 佛道. 非道. 貧道. 私道. 邪道. 師道. 斯道. 思慮者知之道. 山道. 三惡道. 上道. 常道. 書道. 石牛道. 善道. 成道. 聖道. 誠道. 聖人德非取一道. 世道. 小道. 小慧害道. 水道. 修道. 隧道. 順道. 市道. 食道. 臣道. 神道. 失道. 雅道. 惡道. 陽道. 糧道. 饟道. 御道. 沿道. 藝道. 王道.

枉道. 外道. 要道. 祆道. 龍尾道. 運道. 遠道. 袁彦道. 危道. 違而道. 有道. 柔道. 游道. 儒道. 誘道. 六道. 二河白道. 易行道. 人道. 仁道. 佚道. 入道. 棧道. 赤道. 傳道. 轉道. 正道. 政道. 帝道. 祖道. 鳥道. 左道. 中道. 證道. 至道. 車道. 倡道. 天道. 鐵道. 淸道. 治道. 馳道. 稱道. 彈道. 太平道. 八道. 霸道. 便道. 鋪道. 海道. 險道. 弘道. 黃道. 孝道.

9 ⑬ [道] 道(前條)와 同字

9 ⑬ [達] [中][人] 달 [入]曷 唐割切 dá [入]曷 他達切 tà 达 

[筆順] 一 十 土 圥 坴 幸 渣 達

[字解] ①통할 달 ㉠꿰뚫음. '蹠—膝'《淮南子》. ㉡두루 미침. '通—'. '天下之—道五'《中庸》. ㉢길이 통함. '四通八—'. ㉣깨달음. 앎. '通—'. '俗儒不—時宜'《漢書》. ②달할 달 ㉠영화를 누림. 세상에 알려짐. '窮—'. '榮—'. '—不離道'《孟子》. ㉡목적을 이룸. '—目的'. ③이를 달 ㉠도착함. '到—'. '—于河'《書經》. ㉡그때에 이름. '夜夜—五更'《古詩》. ④보낼 달 전하여 줌. '配—'. '傳—'. '送—'. '—之以旌節'《周禮》. ⑤올릴 달 끌어올려 씀. '推賢而進—之'《禮記》. ⑥방자할 달 방종함. '放—'. '挑兮—兮'《詩經》. ⑦두루 달 빠짐없이. '—觀'. ⑧새끼양 달 어린 양(羊). '先生如—'《詩經》. ⑨어진이 달 군자. 뛰어난 사람. '先—宿德'《晉書》. ⑩성 달 성(姓)의 하나.

[字源] 甲骨文 金文 篆文 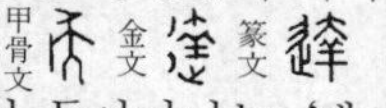 形聲. 篆文은 辶(辵)+羍〔音〕. '羍달'은 활달하게 뛰어 돌아다니는 '새끼 양'의 뜻. 활달하게 나아가다의 뜻을 나타냄.

[達見 달견] 사리에 밝은 식견(識見). 뛰어난 식견.
[達官 달관] 높은 벼슬. 현달한 관직. 또, 그 사람.
[達觀 달관] ㉠널리 봄. 두루 봄. ㉡사물을 넓게 관찰함. ㉢세속을 벗어난 높은 견식(見識).
[達德 달덕] ㉠어떠한 지역이나 어떠한 경우에도 널리 행하여야 하는 덕(德). ㉡덕 있는 사람을 적당한 지위에 거용(擧用)함.
[達道 달도] 어떠한 지역이나 어떠한 경우에도 널리 행하여야 할 도(道).
[達練 달련] 사물에 통달하여 익숙함.
[達魯花赤 달로화적] 원대(元代)의 관명(官名). 몽고어로 관장(官長)의 뜻. 원대(元代)의 성로부주현(省路府州縣) 기타 각 방면에 장관(長官)으로 삼고, 몽고인을 임명했음.
[達賴喇嘛 달뢰라마] 티베트의 라마교의 교주(敎主). 활불(活佛)이라 일컬음. 정권을 장악하고 있음.
[達磨 달마] ㉠범어(梵語)로는 일체 만법(一切萬法)의 뜻. ㉡천축(天竺)의 중. 보리달마(菩提達磨)의 준말. 남인도 향지국(南印度香至國)의 셋째 왕자(王子). 양무제(梁武帝) 때 금릉(金陵)에 갔다가 뒤에 숭산(嵩山)의 소림사(少林寺)에서 9년간 면벽 좌선(面壁坐禪)하고 나서 오도(悟道)하여 선종(禪宗)의 시조(始祖)가 됨. 시호(諡號)는 원각 대사(圓覺大師).
[達辯 달변] 매우 능란한 말솜씨.
[達士 달사] 널리 사리(事理)에 통달한 선비.
[達喪 달상] 위는 천자(天子)에서 아래는 서인(庶人)에 이르기까지 공히 행하여야 하는 상례(喪禮).
[達成 달성] 목적(目的)을 이룸.
[達宵 달소] 달야(達夜).
[達識 달식] 달견(達見).
[達夜 달야] 내처 밤을 새움.
[達言 달언] 사리에 통달한 말.
[達意 달의] 자기의 의사를 잘 드러내어 진술(陳述)함.
[達人 달인] 사물에 널리 통달한 사람.
[達人大觀 달인대관] 사리에 널리 통달한 사람은 전체를 올바르게 관찰함.
[達者 달자] 달인(達人).
[達才 달재] 널리 사물에 통달한 재주. 또, 그 사람.
[達材 달재] 널리 사물에 통달한 사람.
[達政 달정] 정치의 도리(道理)에 통달함. 또, 두루 미친 정치.
[達尊 달존] ㉠천하를 통하여 어떠한 시대에나 존중하여야 할 것. 곧, 관작(官爵)과 나이와 학덕(學德)의 세 가지. ㉡존귀한 지위에 오름.
[達通 달통] 사리(事理)에 정통함.
[達筆 달필] 빠르고도 잘 쓰는 글씨.
[達孝 달효] 부모를 잘 섬겨 세상 사람이 다 인정하는 효도(孝道).

◉高達. 曠達. 闓達. 口達. 窮達. 貴達. 朗達. 到達. 挑達. 道達. 騰達. 晩達. 邁達. 萌達. 明達. 聞達. 文章憎命達. 敏達. 博達. 發達. 放達. 旁達. 配達. 不達. 四達. 死諸葛走生仲達. 四通八達. 上達. 上意下達. 舒達. 先達. 疏達. 速達. 送達. 秀達. 熟達. 識達. 約而達. 亮達. 練達. 英達. 榮達. 睿達. 要而達. 欲速不達. 諭達. 利達. 任達. 專達. 傳達. 早達. 條達. 調達. 綜達. 俊達. 進達. 暢達. 踢達. 薦達. 超達. 推達. 稱達. 洞達. 通達. 特達. 八達. 布達. 下達. 下學上達. 閑達. 顯達. 闊達. 豁達. 恢達.

9 ⑬ [逹] 達(前條)의 本字

9 ⑬ [違] [高][人] 위 [平]微 雨非切 wéi 违 

[筆順] ' 𠂉 吾 吾 韋 韋 湋 違

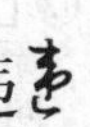

[字解] ①어길 위 법령·약속 등을 위반함. '—約'. '—憲'. '愼勿—吾語'《古詩》. ②어그러질 위 맞지 아니함. '—例'. '各—戾不和'《魏志》. ③다를 위 다름. '相—'. ④떨어질 위 서로 거리를 둠. '天威不—顏咫尺'《國語》. '忠恕—道不遠'《中庸》. ⑤피할 위 회피함. '—齊難也'《左傳》. ⑥달아날 위 도망함. '逋—'. '凡諸侯之大夫—'《左傳》. ⑦멀리할 위 가까이하지 아니함. 소원하게 함. '棄而—之'《論語》. ⑧원망할 위 원한을 품음. '厥心—怨'《書經》. ⑨간사 위 사악(邪惡). '昭德塞—'《左傳》. ⑩허물 위 과실. '有—失, 則劾奏'《後漢書》.

[字源] 金文 篆文 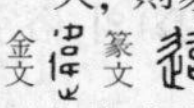 形聲. 辶(辵)+韋〔音〕. '韋위'는 '어기다'의 뜻. 어기어 떨어지다, 어그러지다의 뜻을 나타냄.

[違角 위각] 정상적 상태에서 어긋남.

[違骨 위골] 뼈가 어그러짐. 관절(關節)이 물러남.
[違期 위기] 기한(期限)을 어김.
[違戾 위려] 어기고 어그러짐. 틀림.
[違例 위례] 상례(常例)에 어그러짐.
[違命 위명] 명령을 어김.
[違反 위반] 어김.
[違叛 위반] 위반(違反).
[違背 위배] 위반(違反).
[違犯 위범] 어기고 범함.
[違法 위법] 법(法)을 어김.
[違覆 위복] 일의 의심스러운 데를 소상히 캐어 밝힘.
[違常 위상] 정상(正常)의 관례(慣例)·습관과 다름.
[違失 위실] 과실(過失).
[違約 위약] 약속(約束)을 어김.
[違言 위언] ㉠말다툼. ㉡도리에 어긋나는 말.
[違忤 위오] 거슬러 어김. 반대함.
[違怨 위원] 원망함.
[違貳 위이] 이심(二心)을 품음. 또, 그 사람.
[違而道 위이도] 명령에 어긋나나 도(道)에 맞음.
[違舛 위천] 틀리고 어그러짐. 잘못됨.
[違廢 위폐] 어기어 폐(廢)하고 행하지 아니함.
[違限 위한] 기한(期限)을 어김.
[違憲 위헌] ㉠법을 어김. ㉡헌법(憲法)을 어김.
[違惑 위혹] 미혹(迷惑)하여 도(道)에 어긋남.
[違和 위화] 몸이 편하지 아니하여 기분이 좋지 아니함.
◉乖違. 睽違. 遁違. 背違. 非違. 相違. 先天而天弗違. 心事違. 心與口違. 依違. 猗違. 差違. 避違.

9 ⑬ [遉] 정 ㊄敬 丑鄭切 zhēn(zhēng)
字解 엿볼 정, 정탐할 정 偵(人部 九畫)과 同字.

9 ⑬ [逽] 낙 ㊇藥 女略切 nuò
字解 ①달릴 낙 '一, 走也'《類篇》. ②나아갈 낙 앞섬. '一, 先也'《集韻》.

9 ⑬ [遯] ㊀ 둔(돈㊍) ㊄願 徒困切 dùn
㊁ 돈 ㊤元 徒渾切 tún
字解 ㊀ 옮길 둔, 달아날 둔 遯(辵部 十一畫)과 同字. ㊁ 새끼돼지 돈 돼지의 새끼.

9 ⑬ [遲] 〔지〕
遲(辵部 十二畫〈p. 2321〉)의 俗字

10 ⑭ [遳] 〔급〕
及(又部 二畫〈p. 328〉)의 古字

10 ⑭ [道] 〔도〕
道(辵部 九畫〈p. 2313〉)의 本字

10 ⑰ [䢾] 〔도〕
道(辵部 九畫〈p. 2313〉)의 本字

10 ⑭ [遻] 〔선〕
選(辵部 十二畫〈p. 2322〉)의 俗字

10 ⑭ [遘] 구 ㊄宥 古候切 gòu 遘
字解 만날 구 조우(遭遇)함. '一此雲雷屯'《李商隱》.
字源 甲骨文 金文 篆文 形聲. 辶(辵)+冓〔音〕. '冓구'는 '짜 맞추다'의 뜻. 사람이 길에서 만나다, '만나다'의 뜻을 나타냄.
◉頻遘. 嬰遘. 遠遘. 潛遘.

10 ⑭ [遙] 高人 요 ㊤蕭 餘昭切 yáo 遥
筆順 ク タ 夕 夕 夅 䍃 䍃 遙
字解 ①멀 요, 아득할 요 요원함. '千里而一'《禮記》. ②멀리 요 멀리 떨어져서. 먼 데서. '一青'. '悵然一相望'《古詩》. ③거닐 요 逍(辵部 七畫)를 보라. '逍一'.
字源 篆文 形聲. 辶(辵)+䍃〔音〕. '䍃요'는 흔들흔들 흔들리다의 뜻. 흔들흔들 걷다, 방황하다의 뜻을 나타냄. 또 흔들흔들 목적도 없이 계속 걷는 모양에서 '아득하다'의 뜻을 나타냄.

[遙巒 요만] 멀리 보이는 산봉우리.
[遙望 요망] 멀리서 바라봄.
[遙拜 요배] 멀리 바라보고 절함. 망배(望拜).
[遙碧 요벽] 멀리 보이는 푸른 하늘.
[遙昔 요석] 먼 옛날. 태고(太古).
[遙夜 요야] 긴 밤.
[遙然 요연] 먼 모양. 아득한 모양.
[遙曳 요예] 길게 끎.
[遙遙 요요] ㉠먼 모양. 아득한 모양. ㉡멀리 가는 모양.
[遙遠 요원] 아득히 멂.
[遙岑 요잠] 멀리 보이는 산봉우리.
[遙青 요청] 멀리 보이는 푸른 산.
[遙矚 요촉] 멀리 바라봄. 먼 곳에서 봄.
[遙度 요탁] 먼 곳에서 남의 마음을 헤아림.
◉翹遙. 賒遙. 逍遙. 遼遙. 迢遙. 超遙.

10 ⑭ [遛] 류 ㊤尤 力求切 liù, liú 遛
字解 머무를 류 '逗一'는 머무름. 정지함. '追虜料敵不拘以逗一法'《後漢書》.
字源 形聲. 辶(辵)+留〔音〕. '留류'는 '머무르다'의 뜻.
◉逗遛.

10 ⑭ [遜] 人名 손 ㊄願 蘇困切 xùn 逊
筆順 了 子 孑 孓 孫 孫 遜 遜
字解 ①달아날 손 도망함. '一于荒'《書經》. ②순할 손 순종함. '五品不一'《書經》. ③겸손할 손 자기 몸을 낮춤. '惟學一志'《書經》. ④사양할 손 남에게 양보함. '一讓'. '將一于位'《書經序》. ⑤못할 손 만 것보다 떨어짐. '一色'. ⑥성 손 성(姓)의 하나.
字源 篆文 形聲. 辶(辵)+孫〔音〕. '孫손'은 '遁둔'과 통하여 '달아나다'의 뜻. '달아나다, 사양하다'의 뜻을 나타냄.

[遜辭 손사] 겸손한 말. 겸사(謙辭).

[遜色 손색] 서로 견주어 보아 못한 점. 빠지는 점.
[遜讓 손양] 겸손(謙遜)하여 사양(辭讓)함.
[遜愿 손원] 겸손하고 근신함.
[遜位 손위] 양위(讓位)함.
[遜弟 손제] 웃어른에게 겸손하고 온순함.
[遜志 손지] 겸손한 마음.
[遜志時敏 손지시민] 겸허(謙虛)한 마음을 가지고 학문에 힘씀.
[遜避 손피] 모면(謀免)하여 피(避)함.
◉謙遜. 敬遜. 恭遜. 不遜. 撝遜. 揖遜.

10 ⑭ [遝] 人名 답 (入)合 徒合切 tà

字解 뒤섞일 답, 모일 답 한데 모여 혼잡함. '紛—'. '衆靈雜—'《曹植》.

字源 甲骨文 篆文 形聲. 辶(辵)+眔〔音〕. '眔답'은 '沓답'과 통하여 '겹치다'의 뜻. 길 가는 사람들이 겹치다, 뒤섞이다의 뜻을 나타냄.

[遝至 답지] 한군데로 들이몰려서 옴.
◉紛遝. 颯遝. 雜遝. 迨遝. 合遝.

10 ⑭ [遞] 高人 ㊀ 체 (上)薺 徒禮切 dì ㊁ 대 (去)泰 當蓋切 dài 递

筆順 厂 𠂆 乕 虎 虒 虒 遞 遞

字解 ㊀ ①갈마들 체 번갈아듦. '—三世, 可至萬世而爲君'《杜牧》. ②번갈아 체 교대로. '一興一廢'. '詐術—用'《呂氏春秋》. ③역말 체 역참(驛站). '定賦租立站—'《元史》. 또, 역참에서 발송하는 인마(人馬). '發馬—上之'《宋史》. 전(轉)하여, 문서 또는 물건을 차례차례로 여러 곳을 거쳐서 전하여 보내는 뜻으로 쓰임. '傳—'. '若隣境官司, 囚到稽留, 不卽—送者, 罪亦如之'《明律》. ㊁ 두를 대 둘러쌈. 위요함. '依諸將之—, 據相扶之執'《漢書》.

字源 篆文 形聲. 辶(辵)+虒〔音〕. '虒치·사'는 '易역'과 통하여 '갈마들다'의 뜻. 번갈아 나아가다, 차례로 전하여 보내다의 뜻을 나타냄.

[遞加 체가] 차례로 더함.
[遞減 체감] 차례로 감(減)함.
[遞代 체대] 서로 바꾸어 대신함.
[遞夫 체부] 체전부(遞傳夫).
[遞送 체송] 체전(遞傳).
[遞任 체임] 직무가 갈림.
[遞傳 체전] 차례차례 여러 곳을 거쳐서 전(傳)하여 보냄.
[遞傳夫 체전부] 우편물(郵便物)을 배달하는 사람. 우편집배원.
[遞職 체직] 체임(遞任).
[遞次 체차] 순차(順次).
◉更遞. 急遞. 馬遞. 步遞. 驛遞. 郵遞. 傳遞. 站遞. 迢遞.

10 ⑭ [遠] 中人 원 ①②(上)阮 雲阮切 yuǎn ③④(去)願 于願切 yuàn 远

筆順 土 吉 吉 声 声 袁 袁 遠

字解 ①멀 원 ㉠시간 또는 거리가 길거나 멂. '遼—'. '遙—'. '日暮塗—'《史記》. '音樂之所由來者—矣'《呂氏春秋》. ㉡깊음. 고상함. 알기 어려움. '深—'. '言近而指—者'('指'는 旨)《孟子》. ㉢관계가 가깝지 아니함. 또, 친하지 아니함. '疏—'. '—兄弟終無服也'《禮記》. ㉣큰 차이가 있음. '雖不中不—矣'《大學》. ②먼데 원 먼 곳. '行—必自邇'《中庸》. ③멀리할 원 ㉠가까이하지 아니함. '敬—'. '敬鬼神—之'《論語》. ㉡물리침. 먼 곳으로 쫓음. '—佞人'《論語》. ㉢벗어남. 격리함. '—恥辱也'《論語》. ④멀어질 원 멀리 떨어지게 됨. '女子有行, —兄弟父母'《詩經》.

字源 金文 篆文 古文 形聲. 辶(辵)+袁〔音〕. '袁원'은 '멀어지다'의 뜻. '辵착'을 덧붙여 뜻을 분명히 함.

[遠客 원객] 먼 곳에서 온 손님. 또, 먼 나라에서 온 나그네.
[遠距離 원거리] 먼 거리(距離).
[遠隔 원격] 멀리 떨어짐. 또, 멀리 격리시킴.
[遠景 원경] 먼 경치.
[遠境 원경] 먼 지경.
[遠郊 원교] 도회(都會)에서 좀 멀리 떨어진 곳. 주제(周制)에서는 읍외(邑外) 50리 이상 100리까지의 땅.
[遠交近攻 원교근공] 먼 나라와는 사귀고 가까운 나라는 침.
[遠國 원국] 먼 나라.
[遠郡 원군] 먼 데 있는 군(郡).
[遠近 원근] ㉠멂과 가까움. 거리. ㉡먼 곳과 가까운 곳. 이곳저곳. 여기저기. ㉢먼 곳과 가까운 곳의 사람.
[遠紀 원기] 멀리 떨어진 세기(世紀).
[遠棄 원기] 멀리하여 버림.
[遠大 원대] 뜻이 깊고 큼. 또, 그 일.
[遠到 원도] 멀리 이름. 학문·기예 등이 조예가 깊어짐.
[遠島 원도] 육지에서 멀리 떨어진 섬.
[遠圖 원도] 원모(遠謀).
[遠來 원래] 먼 곳에서 옴.
[遠略 원략] ㉠먼 나라의 경략(經略). ㉡원모(遠謀).
[遠黎 원려] 먼 지방의 백성.
[遠慮 원려] 먼 앞일을 헤아리는 깊은 생각.
[遠路 원로] 먼 길.
[遠雷 원뢰] 먼 데서 들리는 뇌성.
[遠流 원류] 원배(遠配).
[遠巒 원만] 멀리 보이는 산봉우리.
[遠蠻 원만] 먼 데 있는 오랑캐.
[遠望 원망] 멀리 바라봄.
[遠謀 원모] 원대한 꾀. 원주(遠籌).
[遠廟 원묘] 먼 조상의 사당(祠堂).
[遠物 원물] 먼 곳에서 나는 산물.
[遠味 원미] 먼 곳에서 온 맛 좋은 음식.
[遠方 원방] 먼 지방(地方).
[遠邦 원방] 먼 나라.
[遠配 원배] 먼 곳으로 귀양 보냄.
[遠蕃 원번] 원만(遠蠻).
[遠藩 원번] 먼 곳에 있는 번진(藩鎭).
[遠碧 원벽] 먼 산의 푸른빛.
[遠別 원별] 이별하여 멀리 떨어짐.
[遠山 원산] 먼 곳에 있는 산(山).
[遠算 원산] 원모(遠謀).
[遠山黛 원산대] 원산미(遠山眉).
[遠山眉 원산미] 먼 데 있는 산같이 파랗게 그린

눈썹. 미인의 눈썹을 이름.
[遠想 원상] 원대(遠大)한 사상.
[遠塞 원새] 먼 지방의 요새.
[遠色 원색] 여색(女色)을 멀리함.
[遠逝 원서] 먼 데 감. 전(轉)하여, 죽음.
[遠墅 원서] 인적이 드문 곳에 있는 촌집.
[遠歲 원세] 긴 세월.
[遠紹 원소] 먼 선대(先代)의 뒤를 이어받음.
[遠孫 원손] 먼 자손.
[遠水 원수] 먼 곳에 있는 물.
[遠戍 원수] 변경(邊境)의 방위(防衛).
[遠水不救近火 원수불구근화] 먼 곳에 있는 친척은 급할 때 소용이 없음의 비유.
[遠視 원시] ㉠먼 곳을 바라봄. ㉡원시안(遠視眼).
[遠視眼 원시안] 조절근(調節筋)의 신축(伸縮)이 불충분(不充分)하거나 또는 수정체(水晶體)가 편평(扁平)한 까닭으로 가까이 있는 물체를 똑똑히 볼 수 없는 눈. 노인(老人)의 눈은 대개(大概) 이러함.
[遠臣 원신] ㉠임금과 소원한 신하. ㉡먼 나라에서 와서 섬기는 신하.
[遠心力 원심력] 회전하는 물체가 그 중심에서 멀리 가려고 하는 힘. 구심력(求心力)의 반대 작용.
[遠洋 원양] 육지에서 멀리 있는 바다.
[遠域 원역] 먼 지역.
[遠裔 원예] ㉠먼 자손. 원손(遠孫). ㉡오랑캐의 나라.
[遠由 원유] 먼 유래.
[遠猷 원유] 원모(遠謀).
[遠遊 원유] 학문 같은 것을 배우기 위하여 먼 곳에 감.
[遠遊冠 원유관] 제후(諸侯)의 관(冠)의 이름. 위(魏)·진(晉) 이후 원(元)나라 때까지 썼음.
[遠意 원의] ㉠고인(古人)의 뜻. ㉡먼 데 있는 사람의 뜻. ㉢멀리 생각을 달림.

[遠遊冠]

[遠邇 원이] 원근(遠近).
[遠人 원인] 먼 나라의 사람.
[遠因 원인] 간접(間接)의 원인(原因).
[遠日點 원일점] 지구(地球)가 태양(太陽)의 주위를 도는 궤도(軌道) 위에서 태양이 가장 멀어진 점(點).
[遠迹 원적] 옛사람의 자취.
[遠謫 원적] 원배(遠配).
[遠征 원정] ㉠먼 곳을 침. ㉡먼 곳에 감. 원행(遠行).
[遠程 원정] 먼 길.
[遠祖 원조] 먼 조상.
[遠族 원족] 먼 일가.
[遠胄 원주] 먼 자손. 원손(遠孫).
[遠籌 원주] 먼 장래를 위한 계책. 원대한 계책. 원모(遠謀).
[遠地 원지] 멀리 떨어진 땅.
[遠志 원지] ㉠원대(遠大)한 뜻. 먼 장래(將來)를 생각하는 마음. ㉡인정이 소원해지는 마음. ㉢원지과(科)에 속하는 다년초. 뿌리는 약재로 씀. 영신초(靈神草).
[遠竄 원찬] ㉠멀리 달아나 숨음. ㉡원배(遠配).
[遠處 원처] 먼 곳.
[遠戚 원척] 먼 친척.
[遠矚 원촉] 멀리 바라봄. 원망(遠望).
[遠寸 원촌] 먼 촌(寸).
[遠村 원촌] 먼 마을.
[遠親 원친] 먼 친척.
[遠親不如近隣 원친불여근린] 먼 데 있는 일가보다 이웃에 사는 남이 위급한 경우에 의지가 됨. '이웃사촌'과 비슷한 말.
[遠播 원파] 멀리 퍼짐.
[遠抱 원포] 원대한 포부.
[遠航 원항] 원양(遠洋)의 항해(航海).
[遠海 원해] 원양(遠洋).
[遠行 원행] 멀리 여행(旅行)함.
[遠鄕 원향] 먼 지방.
[遠效 원효] 먼 장래에 나타나는 보람.
[遠洽 원흡] 먼 데까지 두루 미침.
◉隔遠. 敬遠. 高遠. 廣遠. 曠遠. 宏遠. 鉤深致遠. 久遠. 極遠. 道在邇求諸遠. 望遠. 明遠. 博遠. 放遠. 僻遠. 邊遠. 鄙遠. 四遠. 性相近習相遠. 疏遠. 疎遠. 雖不中不遠. 脩遠. 綏遠. 邃遠. 崇遠. 愼終追遠. 深遠. 言近旨遠. 淵遠. 永遠. 英遠. 奧遠. 遙遠. 遼遠. 迂遠. 幽遠. 柔遠. 悠遠. 隱遠. 凝遠. 以近知遠. 以遠. 日暮途遠. 任重道遠. 長遠. 絶遠. 淸遠. 迢遠. 超遠. 追遠. 黜遠. 沈遠. 遐遠. 險遠. 玄遠. 迥遠. 弘遠. 闊遠. 荒遠. 恢遠. 懷遠.

10 ⑭ [遡] 人名 소 ㊀遇 桑故切 sù

筆順 丷 䒑 屰 屰 朔 朔 溯 遡

字解 ①거슬러올라갈 소 흐르는 물을 거슬러 올라감. '一洄從之'《詩經》. 전(轉)하여, 과거를 거슬러 올라감. ②따라내려갈 소 흐르는 물을 따라 내려감. '一游從之'《詩經》. ③향할 소 향하여 감. '一其過澗'《詩經》. ④거스를 소 반대되는 길을 취함. '如彼一風'《詩經》. ⑤하소연할 소 愬(心部 十畫)와 통용. '衞君跣行, 告一于魏'《戰國策》.

字源 泝의 別體 形聲. 辶(辵)+朔〔音〕. '朔삭·소'는 '거스르다'의 뜻. 물 흐름에 거슬러 올라가다의 뜻을 나타냄.

[遡及 소급] 지나간 일에까지 거슬러 올라가서 미침.
[遡流 소류] 수류(水流)를 따라 내려감.
[遡源 소원] ㉠수원지(水源地)로 거슬러 올라감. ㉡학술의 근원을 궁구함.
[遡風 소풍] 맞바람.
[遡洄 소회] 물을 거슬러 올라감.
◉告遡.

10 ⑭ [遣] 高人 견 ㊤銑 去演切 qiǎn

筆順 口 中 虫 虫 冉 昔 遣 遣

字解 ①보낼 견 ㉠용무를 띄워 보냄. '派一'. '一使'. ㉡부쳐 줌. '書一于策'《儀禮》. ㉢용서하여 보냄. '平一囚徒'《後漢書》. ㉣쫓아 보냄. '醉而一之'《左傳》. ②시집보낼 견 '謝知其貧潔一女必當率薄'《世說》. ③버릴 견 아내를 버림. 이혼함. '焦仲卿妻劉氏, 爲仲卿母所一'《古詩》. ④풀 견 원한·분노 같은 것을 풀어 없앰. '一悶'. '一憤'. '消一世慮'《王禹偁》. ⑤하여금 견 …으로 하여금 …하게 함. 使(人部 六畫)와 뜻

이 같음. '乃一張良往立信爲齊王'《史記》.

字源 甲骨文 金文 金文 篆文 形聲. 辶(辵)+𠳋〔音〕. '𠳋견'은 양손으로 묶은 고기를 드는 모양을 본떠, 고기를 보존 식량으로 가지고 군대가 원정하러 가다의 뜻을 나타냄. '辵착'을 덧붙여 '보내다'의 뜻을 나타냄. 金文에는 '𠳋', '遣견'의 자형이 있고 甲骨文에는 '𠳋'의 자형이 있음.

[遣歸 견귀] 돌려보냄.
[遣悶 견민] 우울한 기분을 풂.
[遣憤 견분] 분노(憤怒)를 풂. 울분을 씻음.
[遣外 견외] 사람을 외국에 사신 보냄.
[遣車 견차] 신하의 장례(葬禮)에 희생(犧牲)을 싣게 하기 위하여 임금이 하사하는 수레.

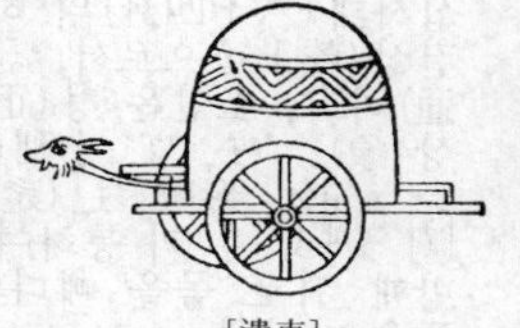
[遣車]

◉勞遣. 發遣. 放遣. 分遣. 謝遣. 先遣. 消遣. 原遣. 殷遣. 裝遣. 調遣. 縱遣. 差遣. 斥遣. 黜遣. 擇遣. 派遣. 罷遣. 休遣.

10 ⑭ [遢] 탑 ㊀合 吐盍切 tà 遢

字解 ①천천히걸을 탑 '一, 穩行皃'《玉篇》. ②급히갈 탑 '一, 急行貌'《正字通》.

字源 形聲. 辶(辵)+𦐇〔音〕

11 ⑮ [遨] 오 ㊥豪 五勞切 áo 遨

字解 놀 오 즐겁게 놂. '從牧兒一'《後漢書》.

字源 形聲. 辶(辵)+敖〔音〕. '敖오'는 '멋대로 하다'의 뜻. 마음대로 돌아다녀 놀다의 뜻을 나타냄.

[遨遊 오유] 놂.
[遨怡 오이] 즐겁게 놂.
[遨嬉 오희] 오이(遨怡).

11 ⑮ [適] 中 人 적 ①-⑦㊀陌 施隻切 shì ⑧-⑪㊀錫 都歷切 dí ⑫㊀陌 陟革切 zhé 适

筆順 亠 产 商 商 商 商 商 適

字解 ①갈 적 ㉠찾아감. '一子之館兮'《詩經》. ㉡돌아갈 데로 감. 마땅히 가야 할 데로 감. '一歸'. '民知所一'《左傳》. ②시집갈 적 출가(出嫁)함. '少喪父母, 一人而所天又殞'《潘岳》. ③고를 적 과부족이 없음. '風雨則不一'《呂氏春秋》. ④맞을 적 ㉠수가 서로 같음. '軍馬不一士'《漢書》. ㉡사리에 알맞음. '一當'. '惟變所一'《傳習錄》. ㉢마음에 듦. '悠悠自一'. '吾與子之所共一'《蘇軾》. ㉣합치함. 일치함. '一我願兮'《詩經》. ⑤마침 적 우연히. '高祖一從旁舍來'《史記》. ⑥다만 적 겨우. '口腹豈一爲尺寸之膚哉'《孟子》. ⑦성 적 성(姓)의 하나. ⑧맏아들 적 嫡(女部 十一畫)과 통용. '天位殷一'《詩經》. ⑨큰마누라 적 본처. '一妾'. ⑩전일할 적 한 일에 열중함. '無一也, 無莫也, 義之與比'(군자의 마음의 공평함을 이름)《論語》. ⑪적 적 敵(攴部 十一畫)과 통용. '後如脫兔, 一不敢拒'《史記》. ⑫꾸짖을 적 謫(言部 十一畫)과 통용. '室人交偏一我'《詩經》.

字源 金文 篆文 形聲. 篆文은 辶(辵)+啻〔音〕. '啻적'은 구심적(求心的)으로 따라가다의 뜻. 일이 목적으로 하는 한 점을 따라가다, 맞다의 뜻을 나타냄.

[適格 적격] 격에 맞음.
[適歸 적귀] 따라가 좇음. 가서 의뢰함. 안정함.
[適期 적기] 알맞은 시기.
[適當 적당] 알맞음.
[適度 적도] 알맞은 정도(程度).
[適量 적량] 알맞은 분량(分量).
[適例 적례] 적당한 전례(前例).
[適莫 적막] ㉠좋아하는 것과 싫어하는 것. ㉡적극적인 것과 소극적인 것.
[適法 적법] 법률 또는 규칙에 적합함.
[適否 적부] 맞음과 안 맞음.
[適士 적사] 주대(周代)에 선비를 상·중·하의 세 계급으로 나눈 중의 최상의 것. 상사(上士).
[適嗣 적사] 뒤를 이을 자손. 적사(嫡嗣).
[適孫 적손] 맏손자. 장손(長孫).
[適戍 적수] 죄를 책(責)하여 원지(遠地)에 수자리 보내는 일. 또, 그 병졸.
[適室 적실] 정침(正寢).
[適藥 적약] 병(病)에 맞는 약(藥).
[適業 적업] 적당(適當)한 직업(職業).
[適然 적연] 마침 공교로움.
[適用 적용] 맞추어 씀.
[適應 적응] 걸맞아서 서로 어울림.
[適宜 적의] 맞추어 하기에 마땅함.
[適意 적의] 뜻에 맞음.
[適人 적인] ㉠적인(敵人). 상대자(相對者). ㉡시집가는 일.
[適任 적임] ㉠어떠한 임무에 적당함. ㉡그 사람의 재능에 적당한 임무.
[適子 적자] 맏아들. 장자(長子).
[適者生存 적자생존] 생물(生物)이 외계(外界)의 형편(形便)에 맞는 것은 살고, 그렇지 못한 것은 절멸하는 자연도태(自然淘汰)의 현상(現象).
[適長公主 적장공주] 한대(漢代)에는 천자(天子)의 장녀(長女), 당대(唐代)에는 천자의 고모(姑母).
[適材 적재] 적당(適當)한 인재(人材).
[適材適所 적재적소] 적당(適當)한 인재(人材)를 적당한 자리에 씀.
[適適 적적] 놀라는 모양.
[適切 적절] 꼭 맞음.
[適正 적정] 알맞고 바름.
[適卒 적졸] 죄로 인하여 변방(邊方)에 수자리 보낸 군사.
[適中 적중] ㉠알맞음. ㉡들어맞음.
[適千里者三月聚糧 적천리자삼월취량] 먼 길을 여행하는 사람은 그만한 양식(糧食)을 준비하여 가지고 감.
[適妾 적첩] 본처와 소실. 적첩(嫡妾).
[適評 적평] 적절한 비평.
[適合 적합] 꼭 합당(合當)함.

◉佳適. 酣適. 曠適. 均適. 妙適. 不適. 嗣適. 舒適. 順適. 榮適. 娛適. 貳適. 自適. 正適. 調適. 縱適. 主一無適. 暢適. 淸適. 快適. 閒適. 閑適. 偕適. 好適. 和適. 禍適. 歡適. 戲適.

11 ⑮ [遬] 속 [入]屋 桑谷切 sù 遬

[字解] ①움츠릴 속 공경하는 뜻으로 몸을 오그림. '見所尊者齊—'《禮記》. ②빠를 속 速(辵部 七畫)과 통용. '疾以—'《淮南子》. ③못날 속 '僕—'은 용렬한 모양. '僕—不足數'《漢書》.

[字源] 速의 籒文 形聲. 辶(辵)+敕〔音〕. '敕속'은 바쁘게 하다의 뜻.

◉僕遬. 齊遬. 剽遬.

11 ⑮ [遭] [人名] 조 [平]豪 作曹切 zāo 遭

[筆順] 一 冂 冃 冊 冊 曹 漕 遭

[字解] ①만날 조 ㉠우연히 만남. '—逢'. '—先生於道'《禮記》. ㉡일을 당함. '—難'. '王安豐—艱'('艱'은 '喪')《世說》. ㉢…을 당함. '—漁者得之'《史記》. ②두를 조 둘러쌈. '山圍故國周—在'《劉禹錫》. ③번 조 횟수를 나타내는 수사(數詞). '一—'.

[字源] 篆文 形聲. 辶(辵)+曹(𣍘)〔音〕. '𣍘조'는 둘이 마주 대하다의 뜻. 길에서 둘이 만나다의 뜻을 나타냄. '𣍘조'가 줄어서 '曲'가 됨.

[遭難 조난] 재액(災厄)을 만남.
[遭逢 조봉] 조우(遭遇).
[遭遇 조우] ㉠우연히 만남. ㉡난세(亂世)를 만남. ㉢높은 자리에 오름. 출세(出世)함.
[遭際 조제] 우연히 만남.
[遭値 조치] 만남.

11 ⑮ [遮] [人名] [一] 차 [平]麻 正奢切 zhē [二] 자 [去]禡 之夜切 遮

[字解] [一] ①막을 차 ㉠가로막음. '—斷'. '—道拜伏'《明史》. ㉡못하게 함. '子不—乎親'《呂氏春秋》. ②가릴 차 ㉠덮음. 엄폐(掩蔽)함. '—蔽'. '—迾出入'《後漢書》. ㉡잘 보이지 않게 막음. '樹陰—景'《李義山雜纂》. ③수다스러울 차 '周—'는 말이 많은 모양. '周—說話長'《白居易》. [二] 이 자 這(辵部 七畫)와 뜻이 같음. '—箇在油鐺'《蘇軾》.

[字源] 篆文 形聲. 辶(辵)+庶〔音〕. '庶서'는 많은 사람이 모이다의 뜻. 길을 가는데 많은 사람이 있어 나아가는 것을 가로막다의 뜻을 나타냄.

[遮箇 자개] 이것. 이.
[遮那教主 자나교주]《佛教》대일여래(大日如來)를 이름. 자나(遮那)는 '비로자나(毘盧遮那)'의 준말.
[遮回 자회] 이번.
[遮渠 차거] 차막(遮莫).
[遮擊 차격] 복병(伏兵)하였다가 침. 요격함.
[遮斷 차단] 막아서 끊음.
[遮道 차도] 차로(遮路).
[遮迾 차렬] 차열(遮迾).
[遮路 차로] 길을 막음.
[遮莫 차막] 그것은 그렇다 치고.
[遮遏 차알] 차지(遮止).
[遮迾 차열] 덮어 가림.
[遮日 차일] 볕을 가림. 또, 그 물건.
[遮絕 차절] 차단(遮斷).
[遮止 차지] 막아 못하게 함.
[遮蔽 차폐] 가려 막고 덮음. 막아 보호함.
[遮扞 차한] 가려 방어함.
◉要遮. 周遮. 重遮. 蔽遮.

11 ⑮ [遯] [人名] 둔 (돈[本]) [去]願 徒困切 dùn [上]阮 徒損切 遯

[字解] ①달아날 둔 遁(辵部 九畫)과 同字. '隱—'. '我不顧行—'《書經》. ②속일 둔 기만함. '審于刑者, 不可—以狀'《淮南子》. ③둔괘 둔 육십사괘(六十四卦)의 하나. 곧, ䷠〈간하(艮下), 건상(乾上)〉으로서, 군자는 은퇴하여 형통(亨通)하고, 소인은 정(正)을 지켜 이(利)를 보는 상(象). '—, 亨. 小利貞'《易經》.

[字源] 篆文 形聲. 辶(辵)+豚〔音〕. '豚돈'은 '盾순'과 통하여 몸을 가리는 방패의 뜻. 방패 뒤로 몸을 빼다의 뜻에서 '달아나다'의 뜻을 나타냄.

[遯世 둔세] 세상을 피해 삶. 둔세(遁世).
[遯世無悶 둔세무민] 은거(隱居)하여, 마음의 번민이 없음.
[遯隱 둔은] 달아나 숨음.
[遯逸 둔일] 세상을 피하여 편안히 삶.
[遯竄 둔찬] 달아나 숨음.
◉嘉遯. 亂遯. 肥遯. 深遯. 隱遯.

11 ⑮ [遦] 관 ①[去]翰 古玩切 guàn ②[去]諫 古患切

[字解] ①갈 관 '—, 行也'《廣韻》. ②익숙할 관, 익힐 관 '—, 習也'《說文》.

[字源] 形聲. 辶(辵)+貫〔音〕

11 ⑮ [遰] [一] 체 [去]霽 特計切 dì [二] 서 [去]霽 征例切 shì 遰

[字解] [一] ①떠날 체 가 버림. '九月—鴻雁'《大戴禮》. ②멀 체 '迢—'는 멀리 떨어져 있는 모양. '迢—白雲天'《揚炯》. [二] ①갈 서 逝(辵部 七畫)와 통용. '鳳漂漂其高—兮'《史記》. ②칼집 서 칼을 꽂는 집. '右佩玦捍管—'《禮記》.

[字源] 篆文 形聲. 辶(辵)+帶〔音〕. '帶대'는 띠 모양으로 이어지다의 뜻. 길게 이어져서 꼬리를 빼고 떠나다, 가다의 뜻을 나타냄.

◉高遰. 管遰. 屈遰. 迢遰.

11 ⑮ [遧] 장 [平]陽 諸良切 zhāng

[字解] 드러낼 장 드러내어 밝힘. '斯庶嬪—. —則事上靜'《大戴禮》.

[字源] 形聲. 辶(辵)+章〔音〕

11 ⑮ [遲] 〔지〕
遲(辵部 十二畫〈p. 2321〉)의 訛字

11 ⑮ [遫] 〔각〕
㲄(殳部 八畫〈p. 1157〉)과 同字

12 ⑯ [遴] 린 ①②[去]震 良刃切 lìn ③④[平]眞 離珍切 lín 遴

字解 ①어려워할 린 어렵게 여겨 주저함. '誠難以忽, 不可以—'《漢書》. ②탐할 린 탐함. 吝(口部 四畫)과 통용. '晩節—, 惟恐不足于財'《漢書》. ③가릴 린 선택함. '—選學術該博, 通曉世務, 骨鯁敢言者'《金史》. ④성 린 성(姓)의 하나.
字源 篆文 形聲. 辶(辵)+粦(粦)〔音〕. '粦린'은 '履리'와 통하여 '밟다'의 뜻. 한 점을 밟고 서서 나아가지 못하다의 뜻을 나타냄. 또 '吝린'과 통하여 '탐하다'의 뜻을 나타냄.

[遴柬 인간] ㉠가림. 선택함. ㉡아껴 작게 함.
[遴嗇 인색] '인색(吝嗇)'과 같음.
[遴選 인선] 인간(遴柬)㉠.
[遴集 인집] 모여듦.
◉亡遴. 貪遴.

12
⑯ [遲] 高人 지 ①-④㊥支 直尼切 chí ⑤-⑦㊤寘 直吏切 zhì 迟

筆順 尸 尸 尸 尸 屖 犀 遲 遲

字解 ①더딜 지 빠르지 아니함. '舒—'. '行道——'《詩經》. ②굼뜰 지 느림. '—鈍'. ③늦을 지 뒤짐. '—刻'. '稽—不進'《南史》. ④성 지 성(姓)의 하나. ⑤무렵 지 그때쯤. '—帝還, 趙王死'《漢書》. ⑥기다릴 지 오기를 바람. '—明'. '朕思—直士'《後漢書》. ⑦이에 지 이리하여. '—令韓魏歸帝重于齊'《史記》.
字源 金文 篆文 籀文 金文은 會意. 辶(辵)+尸+辛. '辛신'은 '바늘'의 뜻. 사람이 길을 가는 것을 바늘로 방해하는 모양에서, '더디다'의 뜻을 나타냄. 篆文은 辶(辵)+犀〔音〕의 形聲. '犀서'는 걸음이 느린 동물로 '코뿔소'의 뜻.
參考 ①遅(辵部 九畫)는 俗字. ②遟(辵部 十一畫)는 訛字.

[遲刻 지각] 정각(定刻)보다 늦음.
[遲久 지구] 더디고 오램. 또, 오래 기다림.
[遲旦 지단] 지명(遲明).
[遲鈍 지둔] 영민(英敏)하지 못하고 몹시 굼뜸. 우둔(愚鈍)함.
[遲頓 지둔] 지둔(遲鈍).
[遲留 지류] 오래 머묾.
[遲慢 지만] 더디고 느림.
[遲明 지명] 날이 밝기를 기다린다는 뜻으로, 날샐 녘.
[遲莫 지모] 점차(漸次) 나이를 먹음. 늙어 감('莫'는 暮).
[遲速 지속] 더딤과 빠름.
[遲淹 지엄] 지체(遲滯).
[遲延 지연] ㉠오래 끎. ㉡시기에 뒤짐.
[遲緩 지완] 더디고 느스러짐.
[遲疑 지의] 의심하여 망설임.
[遲引 지인] 오래 끎.
[遲日 지일] 봄날. 해가 길어지므로 이름.
[遲遲 지지] ㉠침착하고 진중한 모양. ㉡천천히 걷는 모양. ㉢더딘 모양. 해가 긴 모양.
[遲遲澗畔松 지지간반송] 더디게 자라는 계곡(溪谷) 사이의 소나무.
[遲滯 지체] 때를 늦추거나 질질 끎.
[遲徊 지회] 천천한 걸음으로 거닒.
◉稽遲. 工遲. 巧遲. 陵遲. 舒遲. 棲遲. 奄遲. 淹遲. 倭遲. 逶遲. 依遲. 委遲. 縣遲.

12
⑯ [遵] 高人 준 ㊥眞 將倫切 zūn 遵

筆順 八 𠂉 台 쇼 酋 尊 遵 遵

字解 ①따라갈 준 …을 따라서 감. '—彼汝墳'《詩經》. ②좇을 준 따라감. 좇아감. '—守'. '—奉'. '君子—道而行'《中庸》. '墨者儉而難—'《史記》. ③성 준 성(姓)의 하나.
字源 篆文 形聲. 辶(辵)+尊〔音〕. '尊존·준'은 '追추'와 통하여 '따르다'의 뜻. '따라가다'의 뜻을 나타냄.

[遵據 준거] 의거하여 좇음.
[遵法 준법] 법령(法令)을 지킴.
[遵奉 준봉] 준수(遵守).
[遵守 준수] 좇아 지킴.
[遵承 준승] 이어받아 준봉함.
[遵施 준시] 준봉(遵奉)하여 시행함.
[遵養時晦 준양시회] 도(道)를 좇아 덕을 기르고, 때가 오지 아니할 경우에는 언행을 삼가 자기를 나타내지 아니하고 숨음.
[遵用 준용] 좇아 씀.
[遵義 준의] ㉠정도(正道)를 좇는 일. ㉡구이저우성(貴州省)의 현명(縣名).
[遵行 준행] 좇아 행함.
◉奉遵. 述遵. 準遵. 陳遵.

12
⑯ [遶] 요 ㊤篠 而沼切 rǎo

字解 두를 요 繞(糸部 十二畫)와 同字. '—樹三匝'《魏武帝》.
字源 形聲. 辶(辵)+堯〔音〕. '繞요'와 통하여 '두르다'의 뜻을 나타냄.

[遶梁 요량] 아름다운 노랫소리를 이름.
[遶弄 요롱] 둘러싸고 장난함.
[遶縈 요영] 주위에 두름. 또, 두르게 함.

12
⑯ [遷] 高人 천 ㊥先 七然切 qiān 迁

筆順 一 襾 覀 覀 要 罨 䙴 遷

字解 ①옮길 천 ㉠장소를 바꿈. '—移'. '—于喬木'《詩經》. ㉡관직이 바뀜. '左—'. '累—'. '理學人—美官'《黃允文雜纂》. ㉢이것을 버리고 저리로 감. '改過—善'. '見善則—'《易經》. ㉣고침. 변명함. '吾子爲國政, 未改禮而又—之'《左傳》. ㉤교역(交易)함. '—有無'《書經》. ㉥내쫓음. '何—乎有苗'《書經》. ②천도 천 국도(國都)의 이전. '季文子如晉, 賀—也'《左傳》. ③성 천 성(姓)의 하나.
字源 篆文 形聲. 辶(辵)+䙴〔音〕. '䙴천'은 두 사람이 양손으로 사람의 시체를 머리를 안고 옮기는 모양을 본뜸. '옮기다'의 뜻을 나타냄.

[遷改 천개] 달라짐. 또, 달라지게 함. 고침.
[遷客 천객] 좌천(左遷)된 사람. 귀양 간 사람.
[遷固 천고] 사기(史記)의 저자 사마천(司馬遷)과 한서(漢書)의 저자 반고(班固).
[遷喬 천교] 새가 골짜기에서 높은 나무로 올라가 앉음. 전(轉)하여, 관위(官位)의 승진.
[遷都 천도] 도읍(都邑)을 옮김.

[遷墓 천묘] 천장(遷葬).
[遷徙 천사] 옮김.
[遷善 천선] 착하게 됨.
[遷易 천역] 변천함.
[遷延 천연] ㉠물러감. 망설임. ㉡오래 끎. 미룸. ㉢연이음. 잇닮.
[遷訛 천와] 변천함.
[遷移 천이] 천사(遷徙).
[遷葬 천장] 무덤을 다른 곳으로 옮김.
[遷謫 천적] 천적(遷讁).
[遷讁 천적] 죄로 인하여 관직을 떨어뜨려 먼 곳으로 보냄. 좌천(左遷).
[遷轉 천전] 옮김.
[遷職 천직] 벼슬을 옮김.
[遷就 천취] 견강부회(牽強附會)하여 맞추기를 힘씀.
[遷行 천행] 임금의 거둥.
[遷幸 천행] 천자(天子)가 다른 곳으로 옮겨 가는 일.
[遷革 천혁] 천선(遷善)하고 개과(改過)함.
[遷化 천화] ㉠달라짐. 변전함. 또, 변하게 함. ㉡고승(古僧) 등의 죽음.
◉高遷. 喬遷. 國遷. 君遷. 累遷. 孟母三遷. 美遷. 變遷. 三遷. 升遷. 斡遷. 鶯遷. 躐遷. 優遷. 轉遷. 左遷. 超遷. 播遷. 下遷.

12 ⑯ [選] [中人] [一] 선 [上]銑 思兗切 xuǎn / [去]霰 息絹切 [二] 산 [上]旱 思管切 suàn [三] 손 [去]願 蘇困切 xùn 选

[筆順] 巳 巴巴 巴巳 巺 罡 巽 巽 選

[字解] [一] ①가릴 선 ㉠여럿 가운데서 뽑음. '一擇'. '一賢與能'《禮記》. ㉡선택하여 등용함. '詮一'. '命鄉論秀士, 升之司徒, 曰一士'《禮記》. '擧不失一'《左傳》. ②선 선, 선택 선 전항의 명사. '入一'. '古文一'. ③잠깐 선 잠시. '少一'. '一間食熟'《呂氏春秋》. ④성 선 성(姓)의 하나. ⑤춤출 선 환무(環舞)하는 모양. '舞則一兮'《詩經》. [二] 셀 산 算(竹部 八畫)과 통용. '斗筲之人, 何足一'《漢書》. [三] 유순할 손 巽(己部 九畫)과 통용. '一懦之思'《後漢書》.

[字源] 篆文 形聲. 辶(辵)+巽〔音〕. '巽손'은 둘이 나란히 서서 추는 춤의 象形. 정제된 춤의 모양에서 '가지런히 하다, 가리다'의 뜻을 나타냄.

[選間 선간] 잠시 동안.
[選揀 선간] 가림. 선택함.
[選擧 선거] ㉠여러 사람 가운데에서 뽑아 추천함. ㉡많은 사람 가운데에서 적당한 사람을 뽑아냄.
[選官 선관] ㉠선사(選事). ㉡관리를 가려 씀.
[選良 선량] 뛰어난 인물을 가려 뽑음. 또, 그 뽑힌 사람.
[選練 선련] 선발(選拔).
[選拔 선발] 가려 뽑음.
[選兵 선병] 선발한 군사.
[選付 선부] 인재(人材)를 선발하여 일을 맡김.
[選佛場 선불장]《佛敎》법연(法筵)을 열어 계도(戒導)를 행하는 장소.
[選士 선사] ㉠주대(周代)에 수사(秀士) 중에서 사도(司徒)에게 뽑혀 올라가 향리(鄉吏)가 될 자격이 있는 사람. ㉡선발된 인사. ㉢인사를 선발(選拔)함.
[選事 선사] 관리를 선임하는 일을 맡은 벼슬.
[選手 선수] 어떤 기술에 뛰어나 여럿 중에서 대표로 뽑힌 사람.
[選授 선수] 사람을 선발하여 관직을 수여함.
[選侍 선시] 명말(明末)에 궁중(宮中)으로 뽑혀 들어간 시녀(侍女).
[選試 선시] 시험을 통해 선발함.
[選用 선용] 사람을 골라서 씀.
[選人 선인] 향리(鄉里)에서 선발되어 과거를 보러 상경한 사람. 거사(擧士). 공사(貢士).
[選任 선임] 뽑아서 직무(職務)를 맡김.
[選者 선자] 골라 뽑은 사람.
[選定 선정] 골라서 정(定)함.
[選曹 선조] 선사(選事).
[選種 선종] 씨를 골라냄.
[選體 선체] 문선(文選) 중에 있는 시체(詩體). 주로 오언 고시(五言古詩)를 이름.
[選出 선출] 골라냄.
[選擢 선탁] 선발(選拔).
[選擇 선택] 골라서 뽑음.
[選耎 손연] 두려워하여 나아가지 아니하는 모양. 손(選)은 손(巽).
[選懦 손유] 약함. 유약함.
◉嘉選. 簡選. 改選. 更選. 擧選. 公選. 官選. 魁選. 國選. 落選. 掄選. 當選. 募選. 妙選. 美選. 民選. 拔選. 辟選. 本選. 詳選. 少選. 殊選. 搜選. 蒐選. 良選. 嚴選. 豫選. 膺選. 人選. 入選. 再選. 詮選. 精選. 俊選. 徵選. 察選. 淸選. 靑錢萬選. 招選. 特選. 被選. 鄉擧里選. 互選.

12 ⑯ [遹] 휼 (①-③율[本], [入]質 餘律切 yù / ④술[本]) [入]質 食律切

[字解] ①좇을 휼 따름. '祇一乃文考'《書經》. ②이에 휼 발어사(發語辭). '一駿有聲'《詩經》. ③성 휼 성(姓)의 하나. ④간사할 휼 간휼함. '謀猶回一'《詩經》.

[字源] 金文 篆文 形聲. 辶(辵)+矞〔音〕. '矞율·휼'은 받침에 창을 세워 놓은 모양으로 '시위(示威)'의 뜻. 시위하면서 사찰하고 다니다의 뜻을 나타냄.

[遹追 휼추] 뒤따라가 좇음. 이어받아 닦음.
[遹皇 휼황] 왕래하는 모양.

12 ⑯ [遺] [中人] [一] 유 [平]支 以追切 yí / [去]寘 以醉切 wèi [二] 수 [平]支 旬爲切 suí 遗

[筆順] ㇆ 中 史 冑 貴 貴 遺 遺

[字解] [一] ①남을 유 뒤에 처져 있음. '孑一'. '有一音者矣'《禮記》. ②빠질 유 누락함. '一漏'. '無一字一落'《武帝內傳》. 또, 누락한 것. '拾一補過'《史記》. ③남길 유 남아 있게 함. '不一尺寸'《說苑》. ④끼칠 유 후세에 남겨 줌. '一業'. '先帝簡拔, 以一陛下'《諸葛亮》. ⑤버릴 유 ㉠내버림. '一棄'. '不遐一'《易經》. ㉡돌보지 아니함. '今天不一斯民'《蘇軾》. ⑥물릴 유 시들해짐. '歡樂不一'《呂氏春秋》. ⑦잊을 유 망각함. '一忘'. '棄予如一'《詩經》. ⑧잃을 유 떨어뜨림. '一失'. '楚王一弓, 楚人得之'《公孫龍子》. 또, 떨어뜨린 것. '塗不拾一'《史記》. ⑨도

줌 유 소변. '小一殿上'《漢書》. ⑩성 유 성(姓)의 하나. ⑪보낼 유 물건을 보냄. '丈馬三十駟, 一魯君'《史記》. 三 따를 수 隨(阜部 十三畫)와 통용. '莫肯下一'《詩經》.

字源 金文 篆文 形聲. 辶(辵)+貴[音]. '貴귀'는 물건을 보내다의 뜻. 보내 주다의 뜻을 나타냄. 파생하여 '남기다, 끼치다'의 뜻을 나타냄.

[遺憾 유감] 마음에 섭섭함.
[遺戒 유계] 후인(後人)을 위하여 끼친 경계.
[遺計 유계] 실책(失策).
[遺誡 유계] 유계(遺戒).
[遺孤 유고] 선대의 군주(君主)가 돌아간 후에 남은 어린 군주.
[遺稿 유고] 유고(遺藁).
[遺藁 유고] 죽은 뒤에 남은 초고(草稿).
[遺骨 유골] 죽은 사람의 뼈.
[遺功 유공] 살았을 때 이루어 놓은 공적.
[遺敎 유교] 유훈(遺訓).
[遺棄 유기] 내어 버림.
[遺尿 유뇨] 오줌을 쌈. 또, 자다가 싼 오줌.
[遺溺 유뇨] 유뇨(遺尿).
[遺德 유덕] ㉠고인(故人)이 남긴 덕(德). ㉡죽은 뒤에 남겨 놓은 은혜.
[遺落 유락] ㉠탈락. ㉡내버려 둠. ㉢남은 촌락.
[遺黎 유려] 유민(遺民).
[遺老 유로] 아직 생존한 노인.
[遺漏 유루] 사물이 빠지거나 새어 나감.
[遺留 유류] 남겨 둠. 또, 남아 머무름.
[遺類 유류] 살아 남은 무리.
[遺留物 유류물] 유물(遺物).
[遺利 유리] 남은 이익.
[遺忘 유망] 잊음. 망각(忘却).
[遺命 유명] 임종할 때에 하는 분부.
[遺墨 유묵] ㉠죽은 후에 남긴 서화(書畫). ㉡고인의 필적. 유방(遺芳).
[遺文 유문] 죽은 사람이 생전에 써서 남긴 글.
[遺物 유물] ㉠죽은 사람이 남기고 간 물품. ㉡잊은 물건. 유실물. ㉢외물(外物)을 잊고 마음에 두지 아니함.
[遺民 유민] ㉠죽지 않고 남은 백성. ㉡망국(亡國)의 백성. ㉢전조(前朝)의 백성으로 의(義)를 지키고 새 조정을 섬기지 아니하는 사람.
[遺髮 유발] 죽은 사람이 남긴 모발(毛髮).
[遺芳 유방] ㉠사후(死後)의 명예. ㉡유묵(遺墨).
[遺範 유범] 고인(古人)이 남긴 모범.
[遺法 유법] 고인(古人)이 남긴 법칙.
[遺秉 유병] 길에 떨어뜨린 볏단. 전(轉)하여, 전인(前人)의 저술 중에 수록되지 않고 빠진 일.
[遺腹 유복] 유복자.
[遺腹子 유복자] 잉태(孕胎) 중에 아버지가 죽은 자식(子息).
[遺事 유사] 누락(漏落)되었던 사적(事蹟).
[遺嗣 유사] 죽은 후에 남은 후사(後嗣).
[遺産 유산] 죽은 사람이 남긴 재산.
[遺算 유산] 실책. 실수.
[遺像 유상] 죽은 뒤에 남은 상(像).
[遺書 유서] ㉠유언(遺言)을 적은 글. ㉡산일(散佚)한 책. ㉢유저(遺著). ㉣전인(前人)이 간직하던 책.
[遺緖 유서] 유업(遺業).
[遺世 유세] 세상을 버림. 세상일을 잊음.
[遺俗 유속] ㉠지금까지 남아 있는 풍속(風俗). ㉡세속(世俗)에 버려짐. ㉢세속을 잊어버림.
[遺習 유습] 옛날부터 전해 오는 풍습.
[遺矢 유시] ㉠남아 있는 화살. ㉡대소변을 봄.
[遺臣 유신] ㉠선대(先代)에서부터 섬기는 신하. ㉡전조(前朝)의 신하. 망국(亡國)의 신하.
[遺失 유실] ㉠물건을 잃어버림. ㉡실수.
[遺兒 유아] ㉠유자(遺子). ㉡기아(棄兒).
[遺愛 유애] ㉠유아(遺兒). ㉡옛 어른의 인애(仁愛)의 유풍(遺風)이 있는 일. ㉢고인(故人)이 생전에 아끼던 유물.
[遺言 유언] 죽음에 이르러 자손(子孫)들에게 부탁하여 남기는 말.
[遺孼 유얼] 부친이 죽은 뒤 첩에게서 난 아들. 또, 혈통이 천한 아들.
[遺業 유업] 선대(先代)로부터 내려오는 사업(事業).
[遺烈 유열] 전인이 남긴 훌륭한 공적.
[遺詠 유영] 고인(故人)이 읊던 시가.
[遺遺 유유] 비스듬히 가는 모양. 또, 따라가는 모양.
[遺恩 유은] 죽은 사람이 생전에 끼친 은혜.
[遺意 유의] 유지(遺志).
[遺衣 유의] 고인(故人)이 입던 옷.
[遺佚 유일] ㉠임금에게 버림을 받아 쓰이지 아니함. ㉡세상에서 버림을 당함.
[遺子 유자] 부모(父母)가 죽고 남은 아이.
[遺財 유재] 유산(遺産).
[遺著 유저] 죽은 뒤에 남긴 저술.
[遺迹 유적] ㉠옛사람이 남긴 자취. ㉡남은 발자취.
[遺蹟 유적] 남은 사적. 남은 행적.
[遺傳 유전] ㉠끼쳐 내려옴. ㉡조상의 체질 또는 성질이 그 자손에게 전하여지는 일.
[遺精 유정] 잘 때 부지중 정액(精液)을 사출함. 또, 그 정액.
[遺制 유제] ㉠뒤에 남은 제작 또는 형식. ㉡예전부터 전해 내려와 남은 제도.
[遺詔 유조] 임금이 죽을 때 내리는 조서(詔書).
[遺族 유족] 죽은 이의 남아 있는 가족(家族).
[遺存 유존] 남아서 살고 있음. 뒤에 남음.
[遺珠 유주] 줍다 남은 구슬. 전(轉)하여, 세상에서 잊은 준수한 인물. 또는 사람이 아직 모르는 시문의 걸작.
[遺籌 유주] 실수. 실책(失策).
[遺志 유지] 죽은 사람이 생전(生前)에 이루지 못하고 남긴 뜻.
[遺址 유지] 궁전·성채·가옥 등의 허물어진 터.
[遺直 유직] 옛 성현의 풍도(風度)가 있는 정직한 사람.
[遺策 유책] ㉠전인(前人)이 남긴 계책. ㉡실책. 실수.
[遺體 유체] 부모가 남긴 몸. 곧, 아들 된 자의 몸.
[遺草 유초] 고인이 남긴 시문의 초고(草稿).
[遺臭萬載 유취만재] 악명(惡名)을 후세(後世)에 남김.
[遺脫 유탈] 빠짐.
[遺澤 유택] 뒤에 남은 은택.
[遺編 유편] 유저(遺著).
[遺弊 유폐] 예전부터 내려와 남아 있는 폐해.
[遺表 유표] 죽을 즈음에 임금에게 올리는 표문(表文).
[遺風 유풍] ㉠후세(後世)에 끼친 풍속(風俗). ㉡질풍(疾風).

[遺風餘烈 유풍여열] 전인이 남긴 풍도(風度)와 공적.
[遺恨 유한] ㉠원한이 남음. 또, 남은 원한. ㉡섭섭히 생각함. 유감으로 생각함.
[遺翰 유한] 죽은 후에 남은 글.
[遺骸 유해] 유골(遺骨).
[遺行 유행] 실행(失行).
[遺香 유향] 남은 향기.
[遺憲 유헌] 유법(遺法).
[遺賢 유현] 쓰이지 아니하고 민간에 있는 어진 사람.
[遺化 유화] 죽은 후에 남은 덕화(德化).
[遺訓 유훈] 예전 사람이 남긴 훈계.
[遺勳 유훈] 전인(前人)이 남긴 공훈.
[遺薰 유훈] 유향(遺香).
[遺欠 유흠] 떨어져 나가 이지러짐.
◉闕遺. 塗不拾遺. 補遺. 小遺. 拾遺. 如拾遺. 贈遺. 餽遺. 掇遺. 滯遺. 脫遺. 獻遺. 餉遺. 子遺.

12 ⑯ [遻] [一] 오 [去]遇 五古切 wù [二] 악 [入]藥 逆各切 è

[字解] [一] ①만날 오 우연히 만남. '是故—物而不慴'《列子》. ②어길 오 거역함. [二] ①놀랄 악 愕(心部 九畫)과 同字. ②만날 악 만나고 싶지 않은데 만남.
[字源] 篆文 形聲. 辶(辵)+咢[音]. '咢악'은 '놀라다'의 뜻. 불쑥 만나 놀라다의 뜻을 나타냄.
[參考] 遌(辵部 九畫)과 同字.

12 ⑯ [遼] [人名] 료 [平] 蕭 落蕭切 liáo

[字解] ①멀 료 ㉠거리가 멂. '山修遠其— —兮'《楚辭》. ㉡시간이 긺. '前途—遠'. ②강이름 료 만주를 관류(貫流)하여 발해(渤海)로 들어가는 강. '—河'. '度—隳城陷陣'《唐書》. ③땅이름 료 랴오허 강의 동서 랴오양(遼陽) 일대의 지방. '建征—之策'《舊唐書》. ④요나라 료 거란(契丹)의 태종(太宗)이 내외 몽골 및 만주의 땅에 세운 나라. 건국한 지 210년 만에 금(金)나라에게 멸망되었음. (916~1125) ⑤성 료 성(姓)의 하나.
[字源] 篆文 形聲. 辶(辵)+尞[音]. '尞료'는 횃불을 본뜬 것. 옛날에 횃불을 켜서 아득히 먼 하늘에 제사 지냈음. 파생하여 '아득하다, 멀다'의 뜻을 나타냄.

[遼隔 요격] 멀리 떨어져 있음.
[遼廓 요곽] 멀고 넓음.
[遼東 요동] 진대(秦代)의 군명(郡名). 지금의 선양(瀋陽)의 동남경(東南境). 랴오허(遼河) 강의 동쪽에 있으므로 랴오둥(遼東)이라 칭(稱)했으며, 발해(渤海)와 황해(黃海) 사이에 돌출(突出)함. 지금은 랴오둥 반도(遼東半島)라 칭(稱)함.
[遼東帽 요동모] 한말(漢末)에 위(魏)나라의 관녕(管寧)이 절개를 지키려고 요동에 은거하여 항상 검은 모자를 쓰고 조정의 부름에 응하지 아니한 고사(故事).
[遼東豕 요동시] 요동(遼東)의 어느 한 돼지가 머리가 흰 새끼를 낳으매, 이상(異常)히 여겨 임금께 바치고자 하동(河東)으로 갔었는데, 그곳에 있는 돼지는 모두 희므로 이것을 보고 부끄러워서 돌아왔다는 고사(故事)에서, 식견(識見)이 좁아서 저 혼자 잘난 체하나 남이 보기에는 별것 아님의 비유.
[遼東鶴 요동학] 요동 사람인 정영위(丁令威)가 선술(仙術)을 배워 학(鶴)이 되어 승천(昇天)했다는 고사(故事).
[遼落 요락] 요곽(遼廓).
[遼寧省 요령성] 중국 만주 서남부에 있는 성(省) 이름. 랴오허(遼河) 평야를 끼고 무진장한 석탄·철의 생산으로 농공업이 왕성하고 철도망이 가장 발달하여 만주 지방의 심장부가 됨.
[遼遼 요료] 아득한 모양. 먼 모양.
[遼邈 요막] 요원(遼遠).
[遼北省 요북성] 중국 만주 서남부에 있던 옛 성(省) 이름. 랴오허 평야(遼河平野)의 동부(東部)를 차지하여 동·서 랴오허(遼河) 강을 끼고 수수·콩의 막대한 생산(生産) 등 농업(農業)이 발달하였음.
[遼史 요사] 원(元)나라 탁극탁(托克托) 등이 순제(順帝) 때 명을 받들어 지은 사서(史書). 116권. 요(遼)의 역사를 본기(本紀)·지(志)·표(表)·열전(列傳) 등으로 나누어 기록했음.
[遼聖宗 요성종] 요(遼)나라 제육대(第六代) 황제. 경종(景宗)의 장자(長子). 이름은 융서(隆緖). 송(宋)나라를 정벌(征伐)하여 단주(澶州)에서 진종(眞宗)과 화맹(和盟)하고, 내치(內治)에 힘써서 부국강병을 이루었음. 재위(在位) 49년.
[遼豕 요시] 요동시(遼東豕).
[遼遙 요요] 요원(遼遠).
[遼遠 요원] 아득히 멂. 썩 멂.
[遼人 요인] 요(遼)나라 사람.
[遼太祖 요태조] 요(遼)나라의 건국자(建國者). 성(姓)은 야율(耶律), 이름은 아보기(阿保機). 국호를 거란(契丹)이라 하고, 거란 제부족(諸部族)을 통일하여 세력이 점점 강해져 마침내 황제(皇帝)라 일컬었음. 재위(在位) 19년.
[遼太宗 요태종] 요(遼)나라의 제이대(第二代) 황제. 이름은 덕광(德光). 태조(太祖)의 둘째 아들. 임금이 된 후 후진(後晉)의 석경당(石敬塘)을 도와서 당병(唐兵)을 무찌르고, 석경당이 죽은 후, 대거 남벌(南伐)하여 후진의 수도 대량(大梁)으로 들어가 이를 멸망시키고 화북(華北)을 통일하여 국호를 요(遼)라 고쳤음. 재위(在位) 21년.
[遼迥 요형] 요원(遼遠).
◉廣遼. 博遼. 幽遼. 征遼. 阻遼. 迥遼.

12 ⑯ [⿺辶絲] 변 [平]先 布千切 biān

[字解] ①먹줄칠 변 '—, 振繩墨也'《字彙》. ②연이어갈 변 '—, 一曰, 行不絕也'《字彙》.

12 ⑯ [⿺辶⿱自丙] 변

[字解] 성(姓)의 하나.

12 ⑯ [⿺辶畱] 〔류〕
遛(辵部 十畫〈p. 2316〉)의 本字

[暹] 〔섬〕
日部 十二畫(p. 1001)을 보라.

13 ⑰ **[遽]** [人名] 거 [去]御 其據切 jù

[筆順] 广 虍 虏 虜 豦 豦 遽 遽

[字解] ①역말 거 역참(驛站)의 말. '且使一告于鄭'《左傳》. ②급히 거 ㉠급작스럽게. '公一見之'《左傳》. ㉡당황하여. 창졸히. '一數之'《禮記》. ③갑자기 거 뜻밖에. 빨리. '嗚呼誰謂汝一去吾而歿乎'《韓愈》. ④당황할 거 허둥지둥함. '未嘗疾言一色'《後漢書》. ⑤놀랄 거, 두려워할 거 경악하여 당황함. '怖一'. '豈不一止'《左傳》.

[字源] [金文] [篆文] 形聲. 辶(辵)+豦〔音〕. '豦거'는 짐승의 격렬한 격투의 뜻. 사납게 달리다, 갑자기의 뜻을 나타냄.

[遽步 거보] 빨리 걸음.
[遽色 거색] 당황하는 기색.
[遽然 거연] ㉠급한 모양. ㉡허둥지둥하는 모양.
[遽人 거인] ㉠역말의 인부. ㉡명령을 전하는 사령(使令).
[遽卒 거졸] 급함. 바쁨.
◉急遽. 淩遽. 傳遽. 卒遽. 猝遽. 促遽. 悤遽. 怖遽. 駭遽. 怱遽. 惶遽. 遑遽.

13 ⑰ **[避]** [高人] 피 [去]寘 毗義切 bì(bèi)

[筆順] 尸 吊 眉 辟 辟 辟 避 避

[字解] 피할 피 ㉠자리를 옮기어 숨음. '逃一'. '望見廉頗, 相如引車一匿'《史記》. ㉡면함. '一暑'. '一雷針'. ㉢벗어남. 빠져 감. '一亂'. '去親戚家一罪'《蘇子瞻》. ㉣싫어하여 멀리함. '忌一'. '不一風雨'《漢書》. ㉤꺼림. '憚一'. '匈奴號曰飛將軍, 一之'《漢書》. ㉥물러남. '一席再拜'《呂氏春秋》.

[字源] [篆文] 形聲. 辶(辵)+辟〔音〕. '辟벽'은 옆으로 비키다의 뜻. 옆으로 나아가다, 피하다의 뜻을 나타냄.

[避穀 피곡] 선술(仙術)을 닦아 불로장생하기 위하여 곡식을 먹지 아니함.
[避難 피난] 재난(災難)을 피(避)하여 멀리 옮겨 감. 재난을 피함.
[避匿 피닉] 피(避)하여 숨음.
[避逃 피도] 피하여 달아남. 도피(逃避).
[避亂 피란] 난리(亂離)를 피(避)함.
[避雷 피뢰] 낙뢰(落雷)를 피함.
[避病院 피병원] 전염병 환자를 격리하여 수용하는 병원.
[避三舍 피삼사] ㉠삼사(三舍)〈옛날의 군대의 삼일간의 행정(行程), 곧 구십지리(九十支里)〉밖으로 물러남. ㉡상대를 두려워하여 피함.
[避暑 피서] 있는 곳을 옮기어 더위를 피(避)함.
[避世 피세] 세상(世上)을 피해 숨음. 피세(辟世).
[避世金馬門 피세금마문] 세상사의 귀찮은 일을 조정(朝廷)에 있어 피함. 전한(前漢)의 동방삭(東方朔)의 고사(故事)에서 나온 말. 금마문(金馬門)은 한(漢)나라 때 미앙궁(未央宮) 안에 있어 준재(俊才)들이 대조(待詔)하던 곳.
[避身 피신] 몸을 피(避)함.
[避妊 피임] 인위적으로 임신을 피함.
[避脫 피탈] 피하여 벗어남.
[避寒 피한] 있는 곳을 옮기어 추위를 피함.
[避禍 피화] 재화(災禍)를 피함.
[避回 피회] 두려워서 회피함.
◉規避. 忌避. 待避. 逃避. 遁避. 不可避. 辭避. 旋避. 遜避. 畏避. 隱避. 走避. 憚避. 湯避. 退避. 回避. 諱避.

13 ⑰ **[邀]** [人名] 요 [平]蕭 於霄切 yāo

[字解] ①맞이할 요 ㉠중도에서 오기를 기다림. '一擊'. '王弘令潛故人齎酒於半道一之'《晉書陶潛傳》. ㉡부름. 초치(招致)함. '擧杯一明月'《李白》. ㉢부름. 초대(招待)함. '請一'. '酒食相一爲別歲'《蘇軾》. ㉣불러들임. '具朝服出迎, 跪伏一之'《列仙傳》. ②구할 요 부당한 것을 요구하여 받음. '一賞'. '重一之'《舊唐書》.

[字源] 形聲. 辶(辵)+敫〔音〕. '敫격·교'는 '두드리다'의 뜻. 오기를 기다렸다가 치다의 뜻을 나타냄. 또, '要요'와 통하여 '구하다'의 뜻을 나타냄.

[邀喝 요갈] 귀인(貴人)의 행차에 앞장서서 행인들에게 조심시키는 사람. 갈도(喝道).
[邀擊 요격] 맞이하여 침. 요격(要擊).
[邀迓 요아] 불러 맞이함.
[邀請 요청] 부름. 초대(招待)함.
[邀招 요초] 불러 맞이함.
[邀討 요토] 요격(邀擊).
◉固邀. 同邀. 奉邀. 相邀. 遮邀. 招邀.

13 ⑰ **[邁]** [人名] 매 [去]卦 莫話切 mài 迈

[字解] ①갈 매 ㉠멀리 감. '行一靡靡'《詩經》. ㉡떠남. '從公于一'《詩經》. ②돌 매 순행함. '時一其邦'《詩經》. ③지날 매 ㉠통과함. '後予一焉'《詩經》. ㉡세월이 감. '日月逾一'《書經》. ㉢넘음. 초월함. 전(轉)하여, 뛰어남. 걸출함. '英一'. '高一'. '三王可一, 五帝可越'《魏志》. ④늙을 매 연로함. 노쇠함. '老一無能之輩'《三國志演義》. '年齒之不一'《後漢書》. ⑤힘쓸 매 역행함. 勱(力部 十三畫)와 同字. '皐陶一種德'《書經》. ⑥성 매 성(姓)의 하나.

[字源] [金文] [篆文] [別體] 形聲. 辶(辵)+萬〔音〕. '萬만'은 전갈의 象形으로, 그 꼬리가 뻗쳐 있듯이 뻗어 가다의 뜻. '뻗어 가다'의 뜻을 나타냄.

[邁達 매달] 남보다 뛰어남.
[邁德 매덕] 힘써 덕(德)을 닦음.
[邁邁 매매] 돌아보지 아니하는 모양.
[邁進 매진] 씩씩하게 나아감.
[邁勳 매훈] 뛰어난 공훈.
◉剛邁. 傑邁. 高邁. 矜邁. 陵邁. 敏邁. 放邁. 騁邁. 爽邁. 衰邁. 迅邁. 英邁. 傲邁. 遙邁. 運邁. 雄邁. 流邁. 逾邁. 融邁. 俊邁. 儁邁. 超邁. 馳邁. 抗邁. 豪邁. 朽邁.

13 ⑰ **[邂]** [人名] 해 [去]卦 胡懈切 xiè

[字解] 만날 해 우연히 만남. '一逅相遇, 適我願兮'《詩經》.

[字源] [篆文] 形聲. 辶(辵)+解〔音〕

[邂逅 해후] 우연히 서로 만남.

13 ⑰ [還] [高][人] [一] 환 [平]刪 戶關切 huán [二] 선 [平]先 似宣切 xuán 还

[筆順] 罒 罒 罒 睘 睘 睘 睘 還

[字解] [一] ①돌아올 환, 돌아갈 환 ㉠도로 옴. 도로 감. '生一'. '一家'. '一于舊都'《諸葛亮》. ㉡빙 돌아서 옴. '河水之所南一'《穆天子傳》. ②돌아볼 환 뒤로 돌리어 봄. 또, 반성함. '無所一忌'《左傳》. ③물러날 환 뒤로 물러감. '主人答拜一'《儀禮》. ④돌려보낼 환 ㉠도로 가게 함. '帝以中國初定, 未遑外事遒一其侍子'《後漢書》. ㉡도로 보냄. '一返'. '一圭'《周禮》. ⑤갚을 환 빚 같은 것을 도로 돌려줌. '償一'. '一債'《雜纂新續》. ⑥굴릴 환 눈동자를 움직임. '視無一'《國語》. ⑦다시 환 재차. '王業一起'《荀子》. ⑧도리어 환 정반대로. '盡忠竭節, 一被患禍'《魏志》. ⑨두를 환 둘러쌈. 環(玉部 十三畫)과 同字. '一廬樹桑'《漢書》. ⑩이후 환 '以一'. '而一'으로 연용(連用)하여, 이후(以後)의 뜻으로 쓰임. '秦漢而一, 多事四夷'《李華》. ⑪성 환 성(姓)의 하나. [二] ①돌 선 旋(方部 七畫)과 同字. '周一'. '般一'. '五行四時十二月, 一相爲本也'《禮記》. ②재빠를 선 동작이 빠른 모양. '子之一兮'《詩經》. ③곧 선 바로. '可使一至而立有效者也'《漢書》. ④또 선 또다시. '中原一逐鹿'《魏徵》.

[字源] 金文 篆文 形聲. 辶(辵)+睘〔音〕. '睘환'은 '돌다'의 뜻. 한 바퀴 돌아서 오다, 돌아오다의 뜻을 나타냄.

[還却 환각] 주는 물건을 돌려보냄.
[還甲 환갑] 만(滿) 60세. 회갑.
[還去 환거] 돌아감.
[還國 환국] 제 나라로 돌아옴. 귀국(歸國).
[還軍 환군] 군사(軍士)를 돌려 옴.
[還宮 환궁] 임금이 대궐로 돌아옴.
[還給 환급] 물건을 도로 돌려줌.
[還忌 환기] 돌아보아 꺼림.
[還納 환납] 도로 바침.
[還來 환래] 돌아옴. 「돌아감.
[還滅 환멸] 《佛敎》 번뇌를 끊고 깨달음의 세계로
[還本 환본] 근본(根本)으로 돌아감.
[還付 환부] 돌려보냄.
[還附 환부] 환부(還付).
[還世 환세] 소생함.
[還俗 환속] 중이 도로 속인(俗人)이 됨.
[還送 환송] 도로 돌려보냄.
[還元 환원] ㉠근원(根源)으로 다시 돌아감. ㉡산화물이 산소를 잃든가 수소를 얻는 변화.
[還債 환채] 빚을 갚음.
[還鄕 환향] 고향(故鄕)으로 돌아감.
[還魂 환혼] 소생(蘇生)함.
◉凱還. 歸還. 返還. 般還. 賠還. 償還. 生還. 召還. 往還. 已還. 以還. 而還. 長還. 折還. 送還. 周還. 徵還. 招還. 奪還.

13 ⑰ [邆] 등 [平]蒸 徒登切 téng [去]徑 唐瓦切

[字解] 오랑캐왕 등 '一睒'은 당(唐)나라 시대의 남만(南蠻)의 육조(六詔)의 하나. 오랑캐말로 왕(王)을 조(詔)라 이름. 윈난 성(雲南省) 이원현(洱源縣)의 땅.

13 ⑰ [邅] 전 ①[平]先 張連切 zhān ②[去]霰 持碾切 zhàn

[字解] ①머뭇거릴 전 길이 험하여 잘 가지 못하는 모양. '迍一'. '屯如一如'《易經》. ②떠돌아다닐 전 쫓겨서 정처 없이 돌아다니는 모양. '一彼南道兮, 征夫宵行'《劉向》.

[字源] 形聲. 辶(辵)+亶〔音〕

[邅如 전여] 전회(邅回).
[邅回 전회] 가기 힘든 모양. 머뭇거리는 모양.
◉蹇邅. 屯邅. 迍邅. 回邅.

13 ⑰ [遾] 서 [去]霽 時制切 shì

[字解] ①미칠 서 '一, 及也'《正韻》. ②멀 서 '一, 遠也'《廣雅》.

13 ⑰ [𨗴] 착 [入]藥 在各切 záo

[字解] 뚫을 착 鑿(金部 二十畫)과 同字.

13 ⑰ [邉] 〔변〕 邊(辵部 十五畫〈p.2327〉)의 俗字

14 ⑱ [達] 〔달〕 撻(手部 十三畫〈p.909〉)의 古字

14 ⑱ [邃] 수 [去]寘 雖遂切 suì 邃

[字解] ①깊을 수 ㉠깊숙함. 겉에서 속까지 멂. '幽一'. '高堂一宇'《楚辭》. ㉡이치가 오묘하여 알기 어려움. 현묘함. '深一'. '舊學商量加一密'《朱熹》. ㉢학문이 많음. '少一於學'《唐書》. ②멀 수 시간이 긺. '仰一古'《蔡邕》.

[字源] 篆文 形聲. 穴+遂〔音〕. '遂수'는 '나아가다'의 뜻. 구멍 속으로 깊이 뚫고 나아가다의 뜻에서, '깊다, 오묘하다'의 뜻을 나타냄.

[邃閣 수각] 휑뎅그렁한 높은 전각(殿閣).
[邃古 수고] 먼 옛날. 상고(上古). 태고(太古). 수고(遂古).
[邃茂 수무] 깊고 뛰어남.
[邃密 수밀] ㉠심오(深奧)하고 정밀함. ㉡깊숙하고 조용함.
[邃深 수심] 깊숙함.
[邃嚴 수엄] 깊숙하고 삼엄함.
[邃淵 수연] 깊은 못.
[邃宇 수우] 깊숙한 집. 큰 집.
[邃遠 수원] 깊고 멂. 깊숙함.
[邃淸 수청] 깊고 맑음.
[邃曉 수효] 깊이 깨달음. 깊이 앎.
◉高邃. 杳邃. 祕邃. 崇邃. 神邃. 深邃. 透邃. 幽邃. 靜邃. 淸邃. 沖邃. 沈邃. 閑邃. 巘邃.

14 ⑱ [邇] [人名] 이 [上]紙 兒氏切 ěr 迩

[字解] ①가까울 이 ㉠거리가 짧음. '遐一'. '四聰甚一'《王禹偁》. ㉡관계가 밀접함. '父母孔一'《詩經》. ㉢통속적임. '好察一言'《中庸》. 또, 가까운 데. '行遠必自一'《中庸》. 또, 근처의 사람. '柔遠能一'《書經》. ②가까이할 이 '不一聲色'《書經》. '火之燎于原, 不可嚮一'《書經》.

[字源] 篆文 𨘢 古文 迩 形聲. 辶(辵)+爾〔音〕. '爾이'는 '尼니'와 통하여, 친하여 가까이하다의 뜻. '가깝다'의 뜻을 나타냄.

[邇來 이래] ㉠요사이. 근래(近來). ㉡그 후. 이래(以來).
[邇言 이언] 통속적이어서 알기 쉬운 말.
◉密邇. 遠邇. 柔遠能邇. 遐邇. 行遠自邇. 嚮邇.

14 ⑱ [邈] [人名] 막 ㊀覺 莫角切 miǎo 邈

[字解] ①멀 막, 아득할 막 멀리 떨어져 있음. '——'. '—而不可慕'《楚辭》. ②업신여길 막 경멸함. '顧—同列'《陸機》. ③근심할 막 수심에 잠긴 모양. '表安困積雪, —然不可干'《古詩》.
[字源] 篆文 𨘥 形聲. 篆文은 辶(辵)+貇〔音〕. '貇묘·막'은 '渺묘'와 통하여 '희미하다, 아득하다'의 뜻. 멀리 희미하게 흐린 모양을 나타냄.

[邈邈 막막] ㉠번민(煩悶)하는 모양. ㉡먼 모양.
[邈然 막연] ㉠근심하는 모양. ㉡아득한 모양.
[邈猗 막의] 멂. 의(猗)는 조자(助字).
[邈志 막지] 원대(遠大)한 뜻.
[邈乎 막호] ㉠먼 모양. 아득한 모양. ㉡남을 소원(疎遠)하는 모양.
◉高邈. 曠邈. 宏邈. 茫邈. 綿邈. 緬邈. 茗邈. 冥邈. 徐邈. 蕭邈. 崇邈. 淵邈. 寥邈. 遼邈. 悠邈. 隆邈. 絶邈. 澄邈. 淸邈. 沖邈. 飄邈. 遐邈. 玄邈. 懸邈.

15 ⑲ [邊] [高·人] 변 ㊥先 布玄切 biān 边

[筆順] 自 臱 臱 臱 臱 臱 臱 邊

[字解] ①가 변 가장자리. 변두리. '緣—'. '雜色綴其—'.《釋名》. ②변방 변 국경 지대. '—備'. '重兵多在—'《李商隱》. 또, 국경의 방비. '願輸家財半, 助—'《漢書》. 또, 국경의 소요. '不能生—'《潛夫論》. ③두메 변 벽지. '其在—邑'《禮記》. ④곁 변 옆. 근처. '不以—坐'《禮記》. ⑤끝 변 종말. 제한(際限). '無始無—'《齊書》. ⑥물가 변 수애(水涯). '—沙'. '長安水—多麗人'《杜甫》. ⑦이웃할 변 이웃에 있음. '齊—楚'《漢書》. ⑧변 변 ㉠문자(文字)의 좌문(左文). ㉡다각형을 둘러싼 선(線). '等—三角形'. ⑨성 변 성(姓)의 하나.
[字源] 金文 𢔁 篆文 𨘻 形聲. 辶(辵)+臱(魯)〔音〕. '魯'은 自+丙+方이며 '自자'는 코의 象形. '丙병'은 대(臺)의 象形, '方방'은 책형을 당한 사람을 본뜬 것이라고 함. 요사스러운 귀신의 침입을 막기 위하여 경계에 놓인 주술(呪術)의 모양을 나타낸다고 함. 또 일설에는 '魯'은 코의 양옆의 뜻이라고 함. 중심에서 벗어난 부분, '가'의 뜻을 나타냄.
[參考] 辺(辵部 二畫)·邉(辵部 十三畫)은 俗字.

[邊疆 변강] 변경(邊境).
[邊境 변경] 나라의 경계(境界)가 되는 변두리의 땅.
[邊警 변경] 변경(邊境)의 경계(警戒).
[邊界 변계] 변경(邊境).
[邊功 변공] 변방에서 세운 공로.
[邊關 변관] 변경(邊境)의 관(關).
[邊隙 변극] 국경 지대의 분쟁. 국경에서의 싸움.
[邊寄 변기] 변방 수비의 임무.
[邊壘 변루] 국경 지대의 보루(堡壘).
[邊民 변민] 변경에 사는 백성.
[邊方 변방] 변경(邊境).
[邊防 변방] 변경(邊境)의 방비. 변수(邊戍).
[邊備 변비] 국경의 방비.
[邊鄙 변비] 두메. 벽촌.
[邊沙 변사] 물가의 모래땅.
[邊塞 변새] ㉠변경(邊境). ㉡변경의 요새.
[邊城 변성] 국경 지대에 있는 성.
[邊守 변수] 변수(邊戍).
[邊戍 변수] 국경(國境)의 수비(守備).
[邊陲 변수] 변경(邊境).
[邊涯 변애] 끝. 한계.
[邊圉 변어] 변경(邊境).
[邊役 변역] 국경을 지키는 병역(兵役). 수자리.
[邊域 변역] 국경 지역. 변방(邊方).
[邊裔 변예] 변경(邊境).
[邊隅 변우] 변경(邊境).
[邊邑 변읍] 벽촌(僻村).
[邊將 변장] 국경을 지키는 장수.
[邊錢 변전] 이자가 붙는 돈. 변돈.
[邊情 변정] 변경(邊境)의 정세(情勢).
[邊際 변제] 변애(邊涯).
[邊坐 변좌] 곁에 앉음.
[邊地 변지] 변토(邊土).
[邊鎭 변진] 변경(邊境)에 있는 군영(軍營).
[邊陬 변추] 변경(邊境).
[邊土 변토] ㉠변비(邊鄙). ㉡변경(邊境).
[邊患 변환] 외적이 국경을 침범하는 근심.
◉開邊. 界邊. 廣大無邊. 近邊. 那邊. 道邊. 無邊. 四邊. 朔邊. 上邊. 水邊. 綏邊. 身邊. 岸邊. 沿邊. 緣邊. 籬邊. 一邊. 日邊. 周邊. 池邊. 天邊. 下邊. 河邊. 海邊.

15 ⑲ [遺] 독 ㊀屋 徒谷切 dú

[字解] ①더럽힐 독 친압(親狎)하여 더럽힘. ②익힐 독 '—, 遺也'《玉篇》. ③흔하게여길 독 '—, 易也'《玉篇》. ④자주 독 '—, 數也'《玉篇》.
[字源] 形聲. 辶(辵)+賣〔音〕

15 ⑲ [邋] 랍 ㊀葉 良涉切 liè 邋

[字解] 나부낄 랍 기(旗)가 펄렁거리는 모양. '——員斿'《石鼓文》.
[字源] 甲骨文 𢀡 篆文 𨙫 形聲. 辶(辵)+巤〔音〕

[邋邋 납랍] 기(旗)가 나부끼는 모양.

15 ⑲ [邌] 려 ㊥齊 郎奚切 lí

[字解] 천천히걸을 려 '—, 徐行皃'《廣韻》.
[字源] 篆文 𨙨 形聲. 辶(辵)+黎〔音〕. '黎려'는 신에 바르는 풀의 뜻. 땅에 붙어서 떨어지지 않도록 천천히 걷다의 뜻을 나타냄.

16 ⑳ [邍] 원 ㊥元 愚袁切 yuán 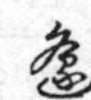

字解 들 원 높고 편편한 땅. 原(厂部 八畫)과 통용. '一隰之名物'《周禮》.
字源 金文 篆文 會意. 辶(辵)+备+彔

16 ⑳ [邈] 〔막〕 邈(辵部 十四畫〈p.2327〉)의 本字

17 ㉑ [邍] 〔원〕 邍(辵部 十六畫〈p.2327〉)의 本字

19 ㉓ [邏] 人名 라 ㊀箇 郎佐切 luó 逻

字解 ①돌 라 순찰함. '巡一'. '宜遠偵一'《晉書》. 또, 순찰하는 사람. '偵一'. '戍一減半分'《晉書》. ②두를 라 위요함. '春山紫一長'《杜甫》.
字源 篆文 形聲. 辶(辵)+羅〔音〕. '羅라'는 그물을 치다, 두르다의 뜻. '순찰하다'의 뜻을 나타냄.

[邏騎 나기] 순라(巡邏) 도는 기병.
[邏吏 나리] 순라 도는 벼슬아치.
[邏子 나자] 나졸(邏卒).
[邏卒 나졸] 순라 도는 병졸(兵卒).
◉街邏. 警邏. 烽邏. 巡邏. 夜邏. 游邏. 紫邏. 覘邏. 偵邏. 候邏.

19 ㉓ [邐] 리 ㊤紙 力紙切 lǐ 逦

字解 연할 리 연속함. '迤一觀鵝翼'《梁簡文帝》.
字源 金文 篆文 形聲. 辶(辵)+麗〔音〕. '麗려·리'는 '이어지다'의 뜻. '辵착'을 덧붙여 '연하다'의 뜻을 나타냄.

[邐倚 이의] 도로가 꼬불꼬불하고 높았다 낮았다 한 모양.
[邐迤 이이] 비스듬히 연한 모양.
◉迤邐.

19 ㉓ [遺] 〔독〕 遺(辵部 十五畫〈p.2327〉)의 本字

邑(阝) (7획) 部
〔고을읍·우부방부〕

0 ⑦ [邑] 中人 ■ 읍 ㊇緝 於汲切 yì / ■ 압 ㊇合 遏合切 è

筆順 ㅣ ㄇ ㅁ 몹 뭅 뭡 邑

字解 ■ ①고을 읍 많은 사람이 모여 사는 곳. 큰 마을. '二年成一, 三年成都'《史記》. ②영지 읍 ㉠천자(天子)가 직할(直轄)하는 영지(領地). 기내(畿內). '商一翼翼'《詩經》. ㉡제후(諸侯)의 영지. 봉토(封土). '作一于豐'《詩經》. ㉢대부(大夫)의 영지. '以家一之田任稍地'《周禮》. ③영유할 읍 영지를 가짐. '武王旣崩, 叔虞一唐'《史記》. ④근심할 읍 悒(心部 七畫)과 同字. '一憐'. '安能一一待數十百年'《史記》. ■ 아첨할 압 아유함. 영합함. '阿一人主'《漢書》.

字源 甲骨文 金文 篆文 會意. 口+卩. '卩절'은 편안히 앉아 쉬는 사람의 象形이 변형된 것. '口구'는 일정한 장소의 뜻. 사람이 무리 지어 편안히 사는 곳, '마을, 고을'의 뜻을 나타냄.
參考 '邑읍'을 의부(意符)로 하여 사람이 사는 지역, 땅 이름을 나타내는 문자를 이룸. 방(旁)으로 쓰일 때에는 자형이 '阝'이 됨. 부수 이름은 '고을읍'.

[邑君 읍군] 여자의 봉호(封號).
[邑落 읍락] 읍리(邑里).
[邑閭 읍려] 읍한(邑閈).
[邑憐 읍련] 근심하여 아낌.
[邑里 읍리] 읍과 촌락.
[邑名勝母曾子不入 읍명승모증자불입] 어머니보다 나으면 불효(不孝)가 되므로, 승모(勝母)라는 이름의 읍(邑)에는 효자(孝子)인 증자(曾子)는 들어가지 아니함.
[邑庠 읍상] 촌락의 학교.
[邑邑 읍읍] ㉠근심하는 모양. 우울한 모양. ㉡미약한 모양. 여러 고을이 연속한 모양.
[邑人 읍인] 읍(邑)에 사는 사람.
[邑入 읍입] 읍의 조세(租稅).
[邑子 읍자] 읍인(邑人).
[邑長 읍장] 읍의 우두머리.
[邑宰 읍재] 읍장(邑長).
[邑誌 읍지] 한 읍(邑)의 역사(歷史)·지지(地誌)를 기록한 책.
[邑閈 읍한] ㉠읍(邑)의 문. ㉡읍(邑). 읍리(邑里).
◉佳邑. 京邑. 公邑. 國邑. 劇邑. 大邑. 都邑. 同邑. 邊邑. 奉邑. 封邑. 富邑. 私邑. 城邑. 小邑. 食邑. 新邑. 十室誌邑. 巖邑. 良邑. 於邑. 鬱邑. 爵邑. 井邑. 朝宿邑. 宗邑. 州邑. 采邑. 村邑. 陬邑. 聚邑. 湯沐邑. 通邑. 偏邑. 敝邑. 弊邑. 下邑. 鄕邑. 縣邑. 皇邑.

0 ③ [阝] 邑(前條)의 글자의 오른편〔旁〕으로 올 때의 자체(字體). 속칭 '우부방(右阜旁)'.

筆順 ㄱ 了 阝

2 ⑤ [邔] 기 ㊤紙 擧履切 jǐ

字解 땅이름 기 '一, 地名'《說文》.
字源 形聲. 阝(邑)+几〔音〕

3 ⑥ [邜] 구 ㊥有 苦后切 kǒu

字解 마을이름 구 산시 성(陝西省) 남전현(藍田縣)의 서쪽. '一, 京兆藍田鄕'《說文》.
字源 形聲. 阝(邑)+口〔音〕

3 ⑩ [邕] 人名 옹 ①㊤腫 委勇切 yǒng ②㊥冬 於容切 yōng ③㊀宋 於用切 邕

字解 ①막을 옹 壅(土部 十三畫)과 同字. '一河水不流'《漢書》. ②화락할 옹 雍(隹部 五畫)과 同字. '閨門一穆'《晉書》. ③성 옹 성(姓)의 하나.

字源 金文 篆文 籀文 會意. 巛+邑. '巛천'은 '물'의 뜻. '邑읍'은 사람이 사는 곳의 뜻. 물로 둘러싸인 주거의 뜻에서 '화락하다'의 뜻을 나타냄.

[邕穆 옹목] 화목(和睦)함.
[邕邕 옹옹] 조화(調和)한 모양.

3 ⑥ [邔] 기 ㉤紙 墟里切 qǐ

字解 고을이름 기 한(漢)나라의 현(縣)의 이름. 지금의 후베이 성(湖北省) 의성현(宜城縣). '一縣, 屬南郡'《後漢書 註》.
字源 篆文 形聲. 阝(邑)+己〔音〕

3 ⑥ [邗] 한 ㉠寒 胡安切 hán

字解 땅이름 한, 운하이름 한 '一江'은 지금의 장쑤 성(江蘇省) 양저우(揚州)의 옛 이름. 또, '一溝'는 옛날의 운하(運河)의 이름. 지금의 장쑤 성의 장두 현(江都縣)에서 시작하여 화이안 현(淮安縣)에 이르렀음. '吳城一, 溝通江淮'《左傳》.
字源 金文 篆文 形聲. 阝(邑)+干〔音〕
參考 邘(次條)와는 別字.

[邗江 한강] 자해(字解)를 보라.
[邗溝 한구] 자해(字解)를 보라.

3 ⑥ [邘] 우 ㉠虞 羽俱切 yú

字解 ①나라이름 우 주(周)나라 무왕(武王)의 아들을 봉(封)한 나라. '明年伐一'《史記》. ②땅이름 우 지금의 허난 성(河南省) 허난 현(河南縣) 안에 있던 지명(地名). '王取鄔劉蔿一之田于鄭'《左傳》. ③성 우 성(姓)의 하나.
字源 篆文 形聲. 阝(邑)+于(亐)〔音〕
參考 邗(前條)과는 別字.

3 ⑥ [邙] 人名 망 ㉠陽 武方切 máng

字解 산이름 망 허난 성(河南省) 뤄양(洛陽)의 북쪽에 있는 산. 귀인·명사(名士)의 무덤이 많음. '千秋萬古北一塵'《劉廷芝》.
字源 篆文 形聲. 阝(邑)+亡〔音〕. '亡망'은 죽어 없어지다의 뜻. 죽은 사람의 무덤이 있는 땅의 뜻을 나타냄.

◉北邙.

3 ⑥ [邛] 공 ㉠冬 渠容切 qióng

字解 ①오랑캐 공 한대(漢代)에 쓰촨 성(四川省) 시창 현(西昌縣) 지방에 살던 서남이(西南夷). '一筰之君長'《史記》. ②언덕 공 구릉(丘陵). '一有旨苕'《詩經》. ③고달플 공, 앓을 공 피로함. 병듦. '維王之一'《詩經》. ④성 공 성(姓)의 하나.
字源 金文 篆文 形聲. 阝(邑)+工〔音〕

[邛都 공도] 지금의 쓰촨 성(四川省) 시창 현(西昌縣)의 동남에 있던 지명(地名).
[邛筰 공작] 공(邛)과 작(筰). 모두 서남이(西南夷)의 이름.

4 ⑦ [邠] 人名 빈 ㉠眞 府中切 bīn

字解 ①땅이름 빈 주대(周代)의 서울로서, 지금의 산시 성(陝西省) 빈현(邠縣). 豳(豕部 十畫)과 同字. '大王居一'《孟子》. ②빛날 빈 彬(彡部 八畫)과 同字. '斐如一如'《太玄經》. ③성 빈 성(姓)의 하나.
字源 篆文 形聲. 阝(邑)+分〔音〕

4 ⑦ [邡] 방 ㉠陽 府良切 fāng / ㉥漾 敷亮切 fàng

字解 ①땅이름 방 쓰촨 성(四川省)에 있는 지명(地名). ②찾을 방 방문함. 訪(言部 四畫)과 통용. '一公也'《穀梁傳》.
字源 篆文 形聲. 阝(邑)+方〔音〕

4 ⑦ [邟] ㊀ 항 ㉥漾 苦浪切 kàng / ㉠陽 胡郎切 ㉡háng ㊁ 경 ㉠庚 居行切 ㊂ 강 ㉠陽 苦岡切 kāng

字解 ㊀ 고을이름 항 ㉠허난 성(河南省) 임여현(臨汝縣). '一, 潁川縣'《說文》. ㉡'餘一'은 한나라 때 두었던 현(縣)으로, 지금의 저장 성(浙江省) 여항현(餘杭縣). '一, 餘一, 縣名. 在吳興'《廣韻》. ㊁ 고을이름 경 ㊀㉠과 뜻이 같음. ㊂ ①고을이름 강 ㊀㉠과 뜻이 같음. ②성(城)이름 강 허난 성(河南省) 우현(禹縣)에 있는 성(城)의 이름. '一, 一城, 在陽翟'《廣韻》.
字源 形聲. 阝(邑)+亢〔音〕

4 ⑦ [郱] 뉴 ㉤有 女久切 niǔ

字解 ①땅이름 뉴 '一, 地名'《說文》. ②구리 뉴 '一陽珍'은 구리의 딴 이름. '是稱一陽之珍'《梁簡文帝》.
字源 形聲. 阝(邑)+丑〔音〕

4 ⑦ [邢] 人名 형 ㉠青 戶經切 xíng

筆順 一 二 于 开 开 邢 邢

字解 ①나라이름 형 주공(周公)의 아들을 봉(封)한 나라. 지금의 허베이 성(河北省) 싱타이 현(邢臺縣)의 서남(西南) 지방. '以鄭人一人伐翼'《左傳》. ②성 형 성(姓)의 하나.
字源 金文 篆文 形聲. 阝(邑)+幵〔音〕

4 ⑦ [那] 高人 ㊀ 나 ㉠歌 諾何切 nā, nuó / ㉤哿 奴可切 nǎ ㊁ 내 ㉥箇 奴箇切 nuò

筆順 ㇆ 刀 刃 尹 尹 那 那

字解 ㊀ ①어찌 나 어찌하여. 何(人部 五畫)와

뜻이 같은데, 시(詩)에 많이 쓰임. '處分適兄意, 一得自任專'《古詩》. ②내하(奈何)오 나 어떠하냐. 여하(如何). '棄甲則一'《左傳》. ③어찌하리오 나 어찌하면 좋으랴. '強欲從君, 無一老'《王維》. ④많을 나 '受福不一'《詩經》. ⑤편안할 나 편안한 모양. '有一其居'《詩經》. ⑥어느 나 어떤. '一事'. '一裏'(어느 곳). '君家阿一邊'《李白》. ⑦저 나 彼(彳部 五畫)와 뜻이 같은데, 시(詩)에 많이 쓰임. '大作家在一邊'《盧氏雜記》. '所以一老人'《禪月》. ㊂ 어조사 내 무의미한 조사(助辭). '公是韓伯休一'《後漢書》.

字源 篆文 會意. 篆文은 阝(邑)+冄(冄). 본디 땅 이름을 나타내었으나, 假借하여 '어찌'의 뜻을 나타냄.

[那間 나간] 언제.
[那箇 나개] 그. 저.
[那羅延 나라연]《佛教》천계(天界)의 역사(力士).
[那落 나락]《佛教》나락가(那落迦).
[那落迦 나락가]《佛教》지옥(地獄).
[那落底 나락저] ㉠지옥의 밑바닥. ㉡영구히 드러나지 않는 곳. ㉢최종. 끝의 끝.
[那裏 나리] ㉠어느 곳. ㉡저곳.
[那邊 나변] 어느 곳.
[那事 나사] 무슨 일.
[那時 나시] 언제. 어느 때.
[那由他 나유타]《佛教》무량(無量)의 수. 나유다(那由多).
[那中 나중] 그곳. 그 속.
[那何 나하] 내하(奈何). 여하(如何).
◉伽那. 落那. 盧舍那. 旦那. 檀那. 毘盧舍那. 禪那. 阿那. 猗那. 維那. 任那. 支那. 刹那. 陀那.

4 ⑦ [𨙻] 那(前條)의 本字

4 ⑦ [䢵] 운 ㊥文 王分切 yún

字解 나라이름 운 鄖(邑部 十畫)과 同字. '若敖娶於一'《左傳》.

4 ⑦ [邥] 심 ㊤寑 式荏切 shěn

字解 땅이름 심 '一垂'는 지금의 허난 성(河南省) 뤄양 현(洛陽縣) 남쪽에 있던 옛날의 지명(地名). '敗戎于一垂'《左傳》.

字源 形聲. 阝(邑)+冘〔音〕

4 ⑦ [邦] 高人 방 ㊥江 博江切 bāng

筆順 一 三 三 丰 丰ʼ 邦 邦

字解 ①나라 방 국가. 국토. '掌一之六典'《周禮》. ②봉할 방 제후를 봉함. 영지(領地)를 줌. '乃命諸王, 一之蔡'《書經》. ③성 방 성(姓)의 하나.

字源 甲骨文 金文 篆文 形聲. 阝(邑)+丰〔音〕. '邑읍'은 사람이 사는 장소의 뜻. '丰봉'은 '封봉'과 통하여 나무 심은 경계의 뜻. 경계가 정해진 영지, '나라'의 뜻을 나타냄.

[邦家 방가] 국토와 왕실. 나라. 국가.
[邦慶 방경] 나라의 경사(慶事).
[邦交 방교] 나라와 나라와의 교제. 국교(國交).
[邦教 방교] 국가의 교육.
[邦國 방국] 나라. 국가(國家).
[邦禁 방금] 국가의 금령(禁令). 국법.
[邦紀 방기] 국가의 기강(紀綱).
[邦畿 방기] 서울을 중심으로 한 지역. 기내(畿內). 경기(京畿).
[邦器 방기] 예악(禮樂)의 기구와 제기(祭器).
[邦良 방량] 나라 안의 선량한 사람.
[邦禮 방례] 국가의 전례(典禮).
[邦伯 방백] 제후(諸侯). 방백(方伯).
[邦本 방본] 국가의 근본.
[邦俗 방속] 나라의 풍속. 국풍(國風).
[邦語 방어] 자기 나라의 말. 그 나라의 말.
[邦彥 방언] 나라 안의 뛰어난 인물.
[邦域 방역] 나라의 경계. 국경(國境).
[邦甸 방전] 천자(天子)의 직할(直轄)의 땅. 기내(畿內).
[邦典 방전] 방헌(邦憲).
[邦政 방정] 나라의 정치. 국정(國政).
[邦治 방치] 방정(邦政).
[邦土 방토] 나라. 국토.
[邦憲 방헌] 국법(國法).
[邦刑 방형] 나라의 형률(刑律).
[邦畫 방화] 우리나라에서 만든 영화.
◉建邦. 舊邦. 亂邦. 萬邦. 盟邦. 本邦. 庶邦. 聯邦. 友邦. 異邦. 隣邦. 他邦.

4 ⑦ [邧] 원 ㊥元 愚袁切 yuán

字解 고을이름 원 지금의 산시 성(陝西省) 징성 현(澄城縣) 안에 있던 진(秦)나라의 읍(邑). '晉侯伐秦, 圍一新城'《左傳》.

字源 篆文 形聲. 阝(邑)+元〔音〕

4 ⑦ [邪] 高人 ㊀ 사 ㊥麻 似嗟切 xié
㊁ 야 ㊥麻 以遮切 yé
㊂ 여 ㊥魚 羊諸切 yú
㊃ 서 ㊥魚 詳余切 xú

筆順 一 匚 于 牙 牙ʼ 牙阝 邪

字解 ㊀ ①간사할 사 ㉠바르지 못함. 정직(正直)하지 못함. 부정(不正). '一道'. '思無一'《論語》. ㉡성질이 간교하고, 행동이 바르지 못함. '妖一'. '佞一'. 또, 그 사람. '誅暴禁一'《史記》. ②기우듬할 사 한쪽으로 기울어짐. '其文敧一'《釋名》. ③열병 사 오열(惡熱)이 나는 병. '有病一者'《南史》. ④사기(邪氣) 사 몸에서 오열을 나게 하는 외기(外氣). '以驅百一'《齊民要術》. ㊁ 그런가 야 의문사(疑問辭). 耶(耳部 三畫)와 同字. '天道是一非一'《史記》. ㊂ 나머지 여 餘(食部 七畫)와 同字. '歸一於終'《史記》. ㊃ ①느릴 서 언행이 조용하고 느린 모양. '其虛其一'《詩經》. ②성 서 성(姓)의 하나.

字源 篆文 形聲. 阝(邑)+牙〔音〕. 본래는 땅 이름을 나타냄. '衺사'와 同字로서 '바르지 않다, 기우듬하다'의 뜻을 나타냄. 또 假借하여 의문의 조사(助辭)를 나타냄.

[邪見 사견] ㉠올바르지 아니한 견해. ㉡《佛教》

인과(因果)의 도리를 무시한 망견(妄見).
[邪徑 사경] 곧지 아니한 길. 부정한 마음 또는 행위의 비유.
[邪計 사계] 간사한 꾀.
[邪曲 사곡] 마음이 바르지 아니함.
[邪巧 사교] 간사하고 교묘함.
[邪教 사교] 부정한 종교(宗教).
[邪鬼 사귀] 요사스러운 귀신.
[邪氣 사기] 부정한 기운. 나쁜 기운.
[邪念 사념] 간악한 생각. 망령된 생각.
[邪佞 사녕] 간사하고 아첨을 잘함. 또, 그 사람.
[邪黨 사당] 간사(奸邪)한 무리.
[邪道 사도] 올바르지 않은 길. 부정한 도(道).
[邪戀 사련] 옳지 아니한 연애(戀愛).
[邪路 사로] 올바르지 않은 길. 부정한 방향.
[邪魔 사마] 《佛教》 불도에 어그러지는 견해를 품어 보리도(菩提道)에 장애가 되는 자.
[邪萌 사맹] 사념(邪念)의 맹아(萌芽). 간사한 생각의 싹.
[邪薄 사박] 마음이 간사하고 덕이 박함.
[邪法 사법] ㉠악법(惡法). ㉡사교(邪教).
[邪辟 사벽] 도리에 어긋나 편벽됨.
[邪僻 사벽] 사벽(邪辟).
[邪不犯正 사불범정] 사(邪)는 정(正)을 이길 수 없음.
[邪辭 사사] 간사한 말.
[邪散 사산] 사벽(邪辟).
[邪說 사설] 부정한 설.
[邪說暴行又作 사설폭행우작] 사설과 폭행이 또 벌어지게 됨. 곧, 세상이 다시금 크게 혼란스러워짐을 이름.
[邪世 사세] 사악한 세상.
[邪術 사술] 요사(妖邪)스러운 방법.
[邪臣 사신] 간사한 신하.
[邪神 사신] 요사(妖邪)한 귀신(鬼神).
[邪心 사심] 간사한 마음.
[邪惡 사악] 간사(奸邪)하고 악독(惡毒)함. 또, 그 사람.
[邪睨 사예] 흘김. 곁눈질하여 봄.
[邪枉 사왕] 사곡(邪曲).
[邪淫 사음] ㉠간사하고 음란함. ㉡사음(邪婬).
[邪婬 사음] 《佛教》 십악(十惡)의 하나. 남의 처첩(妻妾)을 간통함.
[邪音 사음] 부정(不正)한 음악.
[邪意 사의] 사심(邪心).
[邪議 사의] 부정한 의론.
[邪正 사정] 사곡(邪曲)과 정직(正直).
[邪智 사지] 간사한 지혜.
[邪侈 사치] 간사하고 사치함.
[邪慝 사특] 간사(奸邪)하고 못됨.
[邪學 사학] 정도(正道)에 어그러진 학문.
[邪呼 사호] 사호(邪許).
[邪許 사호] 여럿이 무거운 물건을 옮길 때 힘을 내기 위하여 부르는 소리. '어여차' 하고 지르는 소리. 야호(邪許).
[邪滑 사활] 간사하고 교활함.
[邪譎 사휼] 간사하여 남을 속임.
[邪揄 야유] '야유(揶揄)'와 같음.
[邪呼 야호] 사호(邪呼).
[邪許 야호] 사호(邪許).
◉奸邪. 姦邪. 傾邪. 群邪. 歸邪. 奇邪. 莫邪. 辟邪. 僻邪. 氛邪. 思無邪. 胥邪. 昔邪. 濕邪. 若邪. 佞邪. 汚邪. 妖邪. 敧邪. 正邪. 陳善閉邪. 讒邪. 諂邪. 破邪. 風邪. 凶邪.

4 ⑦ [郊] [一] 기 (平)支 巨支切 qí [二] 지 (平)支 章移切 zhī
字解 [一] 땅이름 기 주(周)나라의 고을 이름. 지금의 산시 성(陝西省) 치산 현(岐山縣)의 동북쪽. 岐(山部 四畫)와 同字. [二] 고을이름 지 허난 성(河南省) 신야현(新野縣)의 고을 이름.
字源 篆文 別體 形聲. ⻏(邑)+支〔音〕

4 ⑦ [耶] 〔구〕
邱(邑部 五畫〈p. 2332〉)의 本字

4 ⑦ [邨] 人名 〔촌〕
村(木部 三畫〈p. 1035〉)과 同字
字源 篆文 形聲. ⻏(邑)+屯〔音〕. '屯둔'은 많은 것이 모이다의 뜻. '취락, 마을'의 뜻을 나타냄.

5 ⑧ [㔾] 〔추〕 鄒(邑部 十畫〈p. 2343〉)의 俗字·簡體字

5 ⑧ [郍] 〔나·내〕
那(邑部 四畫〈p. 2329〉)의 訛字

5 ⑧ [邪] 〔사·야〕
邪(邑部 四畫〈p. 2330〉)와 同字

5 ⑧ [䣂] [一] 호 (平)豪 胡刀切 háo [二] 요 (平)蕭 于嬌切
字解 [一] 고을이름 호 허난 성(河南省) 난양 시(南陽市)의 동쪽에 있는 향(鄉)의 이름. '一, 南陽淯陽縣'《說文》. [二] 고을이름 요 [一]과 뜻이 같음.
字源 形聲. ⻏(邑)+号〔音〕

5 ⑧ [邯] [一] 한 (平)寒 胡安切 hán [二] 함 (平)覃 胡甘切 hàn
字解 [一] 조나라서울 한 '一鄲'은 전국 시대(戰國時代)의 조(趙)나라 서울. 지금은 허베이 성(河北省)의 한 현(縣)임. '一鄲之郊'《戰國策》. [二] 사람이름 함 '章一'은 진(秦)나라 이세 황제(二世皇帝)의 장수.
字源 篆文 形聲. ⻏(邑)+甘〔音〕

[邯鄲 한단] 전국 시대(戰國時代)의 조(趙)나라의 서울.
[邯鄲之夢 한단지몽] 노생(盧生)이 한단(邯鄲)에서 도사(道士) 여옹(呂翁)의 베개를 빌려 잠깐 눈을 붙인 사이에 부귀영화의 꿈을 꾼 고사(故事). 전(轉)하여, 부귀공명의 덧없음의 비유.
[邯鄲之步 한단지보] 한단학보(邯鄲學步).
[邯鄲枕 한단침] 한단(邯鄲)에서 노생(盧生)이 베던 베개. 전(轉)하여, 한단지몽(邯鄲之夢).
[邯鄲學步 한단학보] 연(燕)나라의 소년이 조(趙)나라의 서울 한단(邯鄲)에 가서 서울 사람들의 한아(閒雅)한 걸음걸이를 배우다가 아직 익숙하기 전에 고향으로 돌아갔으므로, 서울 사람들의 걸음걸이도 제대로 걷지 못하고 그 전의 걸음걸이도 잊었다는 고사(故事). 전(轉)하여, 자기의 본분을 잊고 남의 흉내를 내서는 안 된다는 비유.

◉章邮.

5
⑧ [邮] 一 유 ㊊尤 以周切 yóu
二 적 ㊈錫 徒歷切
三 독 ㊈沃 徒沃切
四 우

字解 一 정자이름 유, 고을이름 유 산시 성(陝西省) 고릉현(高陵縣)의 서남쪽에 있는 정자(亭子)의 이름. 또, 향(鄕)의 이름. '一, 左馮翊高陵亭'《說文》. '一, 鄕名, 在高陵'《廣韻》. 二 정자이름 적, 고을이름 적 一과 뜻이 같음. 三 정자이름 독, 고을이름 독 一과 뜻이 같음. 四 郵(邑部 八畫)의 簡體字.

5
⑧ [邰] 人名 태 ㊊灰 土來切 tái

筆順 ㄥ ㅿ 亼 台 台 台' 台阝 邰

字解 ①나라이름 태 주(周)나라의 선조(先祖) 후직(后稷)이 처음으로 봉(封)함을 받은 나라. '有一'('有'는 발성(發聲)의 말)라고도 함. 지금의 산시 성(陝西省) 우공 현(武功縣) 내. '卽有一家室'《詩經》. ②성 태 성(姓)의 하나.

字源 篆文 形聲. 阝(邑)+台〔音〕

◉有邰.

5
⑧ [邱] 人名 구 ㊊尤 去鳩切 qiū

筆順 ㇀ 𠂆 𠂇 斤 丘 丘' 丘阝 邱

字解 언덕 구 丘(一部 四畫)와 同字. '一陵隄防'《孫子》.

字源 篆文 形聲. 阝(邑)+丘(北)〔音〕. '北구'는 '언덕'의 뜻.

[邱甲 구갑] 주대(周代)의 법령에서 제정한 전(甸)(576戶)에서 징집하던 군용(軍用)의 조세 및 인부를 고쳐서 구(邱)(144戶)에서 징집하던 세법(稅法). 갑(甲)은 법령(法令).

[邱壻 구서] 딸이 죽은 사위. 딸 없는 사위. 구(邱)는 공(空)의 뜻. 구서(丘壻).

[邱濬 구준] 명(明)나라 중기(中期)의 유학자(儒學者). 자(字)는 중심(仲深). 국가의 전고(典故)에 밝았으며, 벼슬이 예부상서(禮部尙書)에 이르러 대학사(大學士)를 겸했음. 주자학(朱子學)에 정통해 〈문공가례의절(文公家禮義節)〉·〈대학연의보(大學衍義補)〉 등을 지음.

[邱處機 구처기] 금말(金末) 원초(元初)의 도사(道士). 구도교(舊道敎)를 개혁(改革)한 왕중양(王重陽)의 고제(高弟) 칠진인(七眞人)의 한 사람으로 도학(道學)에 정통하여 스스로 호(號)를 장춘자(長春子)라고 했음. 성길사한(成吉思汗)을 알현(謁見)하고 온 대여행기(大旅行記) 〈장춘진인서유록(長春眞人西遊錄)〉은 매우 귀중한 자료이며, 〈반계집(磻溪集)〉·〈대단직지(大丹直指)〉 등의 저서가 있음.

5
⑧ [邲] 필 ㊈質 毗必切 bì

字解 ①땅이름 필 춘추 전국 시대(春秋戰國時代)의 정(鄭)나라의 땅. 지금의 허난 성(河南省) 정센(鄭縣)의 동쪽. '戰于一'(진초(晉楚)의 싸움으로, 춘추(春秋)의 오대전(五大戰)의 하나)《左傳》. ②성 필 성(姓)의 하나.

字源 篆文 形聲. 阝(邑)+必〔音〕

5
⑧ [邳] 비 ㊊支 符悲切 pī, péi

字解 ①땅이름 비 지명(地名). 지금의 산둥 성(山東省) 등현내(滕縣內). '奚仲遷于一'《左傳》. 또, '下一'는 장양(張良)이 황석공(黃石公)을 만난 곳으로서, 지금의 장쑤 성(江蘇省) 비현내(邳縣內). '彭越渡睢水, 戰於下一'《史記》. ②클 비 丕(一部 四畫)와 통용. '檽檻一張'《何晏》. ③성 비 성(姓)의 하나.

字源 篆文 形聲. 阝(邑)+丕〔音〕

◉下邳.

5
⑧ [邭] 구 ㊋遇 九遇切
㊊虞 權俱切 jù

字解 땅이름 구 '一, 地名'《說文》.

字源 形聲. 阝(邑)+句〔音〕

5
⑧ [𨚔] 포 ㊊肴 匹交切
㊊豪 博毛切 bāo

字解 ①땅이름 포 서남방(西南方)의 이민족(異民族)의 땅의 이름. '一, 地名'《說文》. ②성 포 성(姓)의 하나.

字源 形聲. 阝(邑)+包〔音〕

5
⑧ [邴] 병 ㊤梗 兵永切 bǐng
㊋敬 陂病切 bǐng

字解 ①땅이름 병 춘추 시대(春秋時代)의 정(鄭)나라의 땅. '使宛來歸一'《穀梁傳》. ②기뻐할 병 기뻐하는 모양. '一一乎其似喜乎'《莊子》. ③성 병 성(姓)의 하나.

字源 篆文 形聲. 阝(邑)+丙〔音〕

[邴邴 병병] 기뻐하는 모양. 일설(一說)에는, 밝은 모양.

5
⑧ [邵] 人名 소 ㊋嘯 寔照切 shào

筆順 ㇕ 刀 刀 刀 召 召 召' 召阝 邵

字解 ①고을이름 소 '郫一'는 허난 성(河南省)에 있던 진(晉)나라의 읍(邑). ②성 소 성(姓)의 하나. '召公'을 '一公'으로도 씀. '周一呂望之功'《史記》.

字源 篆文 形聲. 阝(邑)+召〔音〕

[邵雍 소옹] 송(宋)나라 때의 학자(學者). 자(字)는 요부(堯夫). 역리(易理)에 정통하였으며, 저서에 〈황극경세(皇極經世)〉·〈이천격양집(伊川擊壤集)〉 등이 있음. 시호(諡號)는 강절(康節).

[邵長蘅 소장형] 청(淸)나라 사람. 자(字)는 자상(子湘), 호(號)는 청문(靑門). 고문(古文)을

잘하였음. 〈청문집(青門集)〉을 지었음.

[邵晉涵 소진함] 청(清)나라 학자. 여요(餘姚) 사람. 자(字)는 여동(與桐). 사학(史學)·경학(經學)에 밝아, 사고전서관(四庫全書館)에서 사부(史部)의 조사(調查)에 종사하였으며, 벼슬이 시독학사(侍讀學士)에 이르렀음. 〈이아정의(爾雅正義)〉·〈한시내전고(韓詩內傳考)〉 등을 지었음.

◉郫邵.

5 ⑧ [邶] 패 [去]隊 蒲昧切 bèi

[字解] 땅이름 패 은(殷)나라 조가(朝歌)의 북반(北半)으로서, 주(周)나라 무왕(武王)이 은(殷)나라 주왕(紂王)의 아들 무경(武庚)을 봉(封)한 땅. 지금의 허난 성(河南省) 위휘부(衛輝府) 지방. '分朝歌而北謂之一'《詩經 序》.

[字源] [金文] [篆文] 形聲. 阝(邑)+北〔音〕. '北북'은 '북쪽'의 뜻.

[邶風 패풍] 시경(詩經) 십오 국풍(十五國風)의 하나.

5 ⑧ [邸] [人名] 저 [上]薺 都禮切 dǐ

[筆順] 一 匚 E 氏 氐 氐' 氐阝 邸

[字解] ①사처 저 내조(來朝)한 제후(諸侯)가 서울에서 머무르는 숙사. '至一而議之'《漢書》. 전(轉)하여, 널리. ②주막 저 숙사. 여관. '因留客一'《宋史》. ③집 저 주택. 주로, 고귀한 이의 집. '一宅'. '官一'. '以北一爲建章宮'《南史》. ④종친 저 황족(皇族). '晉一稱爲二張'《北史》. ⑤밑 저 ㉠밑바닥. '一謂之柢'《爾雅》. ㉡밑동. '四圭有一, 以祀天旅上帝'《周禮》. ⑥병풍 저 방안 같은 데 둘러치는 제구. '張氈案, 設皇一'《周禮》. ⑦다다를 저, 이를 저 抵(手部 五畫)와 통용. '自中山西一瓠口'《史記》. ⑧댈 저 닿게 함. '一華葉而振氣'《宋玉》. ⑨성 저 성(姓)의 하나.

[字源] [篆文] 形聲. 阝(邑)+氐〔音〕. '氐저'는 '충당하다'의 뜻. 제후가 서울에 올라왔을 때 숙소로 충당하는 장소, 사처의 뜻을 나타냄.

[邸閣 저각] 집. 저택(邸宅). 일설(一說)에는 창고(倉庫).

[邸觀 저관] 저택(邸宅)과 누각(樓閣).

[邸報 저보] 경사(京師)에 있는 제후(諸侯)의 저택(邸宅)에 본국(本國)에서 보내는 통보(通報). 조령(詔令)·장주(章奏) 등을 기재한 것으로서 지금의 관보(官報)와 같은 것.

[邸舍 저사] ㉠저택(邸宅). ㉡내조(來朝)한 제후(諸侯)의 사처. ㉢시중(市中)의 상점.

[邸第 저제] ㉠저사(邸舍)❶. ㉡귀인(貴人)의 집.

[邸宅 저택] 집.

[邸下 저하] 왕세자(王世子)의 존칭.

◉甲邸. 客邸. 京邸. 公邸. 官邸. 舊邸. 藩邸. 別邸. 本邸. 私邸. 御邸. 旅邸. 列邸. 外邸. 龍邸. 潛邸. 儲邸. 峻邸. 皇邸.

[祁] 〔기〕 示部 三畫(p. 1590)을 보라.

6 ⑨ [邽] [人名] 규 [平]齊 古攜切 guī

[字解] ①고을이름 규 한대(漢代)의 한 현(縣)으로서, '上一'는 지금의 간쑤 성(甘肅省) 톈수이 현내(天水縣內), '下一'는 산시 성(陝西省) 웨이난 현내(渭南縣內). ②성 규 성(姓)의 하나.

[字源] [篆文] 形聲. 阝(邑)+圭〔音〕. '圭규'와 통하여 '옥'의 뜻으로 쓰임.

◉上邽. 下邽.

6 ⑨ [郒] 년 [平]先 寧顚切 nián

[字解] 고을이름 년 중국 산시 성(陝西省) 예천현(醴泉縣) 동북쪽에 있음.

6 ⑬ [䣆] 郒(前條)과 同字

6 ⑨ [邾] 주 ①[平]虞 陟輸切 zhū ②[平]虞 鍾輸切

[字解] ①나라이름 주 춘추 시대(春秋時代)의 노(魯)나라의 부용국(附庸國). 후에 추(鄒)라 개칭하였음. 지금의 산둥 성(山東省) 추현(鄒縣) 지방. '公及一儀父盟于蔑'《春秋》. ②성 주 성(姓)의 하나.

[字源] [金文] [篆文] 形聲. 阝(邑)+朱〔音〕

6 ⑨ [邿] 시 [平]支 書之切 shī

[字解] ①나라이름 시 춘추 시대(春秋時代)의 노(魯)나라의 부용국(附庸國). 지금의 산둥 성(山東省) 지닝 현(濟寧縣)의 남부 지방. '一亂分爲三, 師救一, 遂取之'《左傳》. ②산이름 시 산둥 성 평음현(平陰縣)의 서쪽에 있는 산이름. '以下軍克一'《左傳》.

[字源] [金文] [篆文] 形聲. 阝(邑)+寺〔音〕

6 ⑨ [郁] [人名] 욱 [入]屋 於六切 yù

[筆順] 丿 ナ 𠂇 冇 有 有' 有阝 郁

[字解] ①땅이름 욱 '一夷'는 지금의 산시 성(陝西省)에 있는 지명. ②성할 욱 ㉠문물(文物)이 융성한 모양. '一一乎文哉'《論語》. ㉡향기가 대단히 나는 모양. '踐椒塗之一烈'《曹植》. ③성 욱 성(姓)의 하나.

[字源] [篆文] 形聲. 阝(邑)+有〔音〕. 본래는 옛 나라 이름을 나타냄. 假借하여, 향기가 대단한 모양을 나타내는 의태어로서 쓰임.

[郁烈 욱렬] 향기가 대단히 나는 모양.

[郁文 욱문] 문물(文物)이 융성한 모양.

[郁馥 욱복] 향기가 높은 모양.

[郁氛 욱분] 향기.

[郁芬 욱분] 욱분(郁氛).

[郁靄 욱애] 구름이 뭉게뭉게 피어오르는 모양.

[郁郁 욱욱] ㉠문물(文物)이 융성한 모양. ㉡향기가 대단히 나는 모양.

[郁郁青青 욱욱청청] 향기가 대단히 나며 무성한

모양.
[郁毓 욱육] 퍽 많은 모양.
[郁伊 욱이] 우울한 모양. 또, 한탄하는 소리.
[郁夷 욱이] 자해(字解) ❶을 보라.
◉蘭郁. 醲郁. 芳郁. 馥郁. 芬郁. 紛郁. 淑郁. 鬱郁.

6 ⑨ [郃] 합 ㊀合 侯閤切 hé

字解 ①고을이름 합 '一陽'은 산시 성(陝西省)의 현명(縣名). ②물이름 합 산시 성(陝西省)에 있던 강. 원은 '洽'이라 하였음. '在一之陽'《詩經》. ③성 합 성(姓)의 하나.
字源 篆文 形聲. 阝(邑)+合〔音〕

[郃陽 합양] 자해(字解) ❶을 보라.

6 ⑨ [郅] ㊀ 질 ㊀質 職日切 zhì ㊁ 길 ㊀質 激質切 jí

字解 ㊀ ①고을이름 질 '郁一'은 지금의 간쑤 성(甘肅省)에 있던 현(縣). ②이를 질 至(部首)와 뜻이 같음. 일설(一說)에는, 융성하여짐. '文王改制, 爰周一隆'《史記》. ③성 질 성(姓)의 하나. ㊁ 깃대 길 '一偈'는 깃대. 기간(旗竿). '夫何旗旐一偈之旃旎也'《揚雄》.
字源 篆文 形聲. 阝(邑)+至〔音〕

[郅偈 길게] 깃대. 기간(旗竿).
[郅都 질도] 전한(前漢) 초기의 관리. 경제(景帝) 때 제남태수(濟南太守)를 거쳐 중위(中尉)가 되어 백관(百官)을 감찰(監察)하였는데, 지나치게 엄혹하였으므로 창응(蒼鷹)이라는 칭호를 받았음. 뒤에 두태후(竇太后)의 미움을 사서 참형(斬刑)을 당하였음.
[郅隆 질륭] 태평(太平)한 시대(時代). 「치.
[郅隆之治 질륭지치] 왕화(王化)가 고루 미친 정
[郅支單于 질지선우] 한대(漢代)의 흉노(匈奴)의 왕. 호한선우(呼韓單于)의 형. 좌현왕(左賢王) 호도오사(呼屠吾斯)가 자립하여 일컬은 칭호.
[郅治 질치] 질륭지치(郅隆之治).

6 ⑨ [郚] 우 ㊤麌 王矩切 yǔ

字解 정자이름 우 허난 성(河南省) 친양 현(沁陽縣)의 북쪽의 무음성(舞陰城). '一, 南陽舞陰亭'《說文》.
字源 形聲. 阝(邑)+羽〔音〕

6 ⑨ [郇] ㊀ 순 ㊥眞 相倫切 xún ㊁ 환 ㊥刪 戶關切 huán

字解 ㊀ ①땅이름 순 춘추 시대(春秋時代)의 진(晉)나라의 땅. 지금의 산시 성(山西省)의 의씨현(猗氏縣)의 지방. '退軍于一'《左傳》. ②성 순 성(姓)의 하나. ㊁ 성 환 성(姓)의 하나.
字源 篆文 形聲. 阝(邑)+旬〔音〕

[郇廚 순주] 맛있는 음식. 진수성찬. 당(唐)나라의 순공 위척(郇公韋陟)이 음식 치레를 굉장하게 한 데서 나온 말.

6 ⑨ [郌] 광 ㊥陽 去王切 kuāng

字解 고을이름 광 향(鄕)의 이름.
字源 形聲. 阝(邑)+匡(匡)〔音〕

6 ⑨ [郋] 궤 ㊤紙 古委切 guǐ

字解 산이름 궤 산 이름. '陸一之山'《山海經》.

6 ⑨ [郈] 후 ㊤有 胡口切 hòu

字解 ①고을이름 후 춘추 시대(春秋時代)의 노(魯)나라의 읍(邑). 지금의 산둥 성(山東省) 동평현내(東平縣內). '叔孫氏墮一'《左傳》. ②성 후 성(姓)의 하나.
字源 篆文 形聲. 阝(邑)+后〔音〕

6 ⑨ [郊] 高人 교 ㊥肴 古肴切 jiāo

筆順 ' 亠 六 ㇒ 交 交' 交阝 郊

字解 ①성밖 교 주대(周代)의 제도(制度)에서는 국도(國都)에서 거리가 50리 이내의 곳을 '近一', 백 리 이내를 '遠一'라 함. '邯鄲之一'《戰國策》. 전(轉)하여, 도회의 부근을 이름. '一外'. ②들 교, 시골 교 인가는 드물고 전야(田野)가 많은 땅. '農一'. '當春一而徑平'《謝朓》. ③교사(郊祀) 교 천지(天地)의 제사. '一祭'. '冬至祀天于南郊, 夏至祀地于北郊, 故謂祀天地爲一'《康熙字典》. ④제사지낼 교 교사(郊祀)를 지냄. '魯今且一'《史記》.
字源 篆文 形聲. 阝(邑)+交〔音〕. '交교'는 '烄교'와 통하여, 엇걸어 놓은 나무에 불을 붙여 하늘에 지내는 제사의 뜻. 교외에서 제사를 지내는 장소, 서울의 변두리 지역, 교외의 뜻을 나타냄.

[郊歌 교가] 교사(郊祀) 때 부르는 노래.
[郊坰 교경] 교외(郊外).
[郊關 교관] 교외(郊外)에 있는 관문(關門).
[郊圻 교기] 성읍(城邑)의 경계.
[郊畿 교기] 교기(郊圻).
[郊壇 교단] 교사(郊祀)를 지내는 터.
[郊勞 교로] 교외까지 마중 나가서 위로함.
[郊里 교리] 마을. 읍리(邑里).
[郊陌 교맥] 시골의 길.
[郊保 교보] 교외의 작은 성.
[郊祀 교사] 교제(郊祭).
[郊社 교사] 천지(天地)의 제사. 사(社)는 지신(地神)에 지내는 제사.
[郊使 교사] 교외까지 마중 나오는 사신(使臣).
[郊射 교사] 교외에서 사례(射禮)를 행함.
[郊祀歌 교사가] 한무제(漢武帝)가 교사(郊祀)의 예(禮)를 정하고, 악부(樂府)를 세워, 이연년(李延年)으로 협률랑(協律郎)을 삼고 만들어 내게 한 19장(章)의 노래.
[郊墅 교서] 시골에 있는 별장.
[郊送 교송] 교외까지 배웅함.
[郊遂 교수] 교외의 땅. 국도(國都) 밖을 '교(郊)'라 하고, 교(郊) 밖을 '수(遂)'라 함.
[郊野 교야] 교외의 들.

[郊驛 교역] 서울 교외에 있는 역참(驛站).
[郊迎 교영] 교외까지 마중 나감.
[郊外 교외] 들 밖. 시가(市街) 밖. 성문(城門) 밖.
[郊原 교원] 들.
[郊囿 교유] 성 밖의 금수(禽獸)를 기르는 동산.
[郊甸 교전] 국도(國都)에 가까운 시골.
[郊戰 교전] 교외에서 싸움. 국도(國都)에 가까운 들에서 싸움.
[郊餞 교전] 교외까지 전송함.
[郊祭 교제] 천지(天地)에의 제사. 동지(冬至)에는 남교(南郊)에서 하늘에 제사 지내고, 하지(夏至)에는 북교(北郊)에서 땅에 제사 지냄. 교사(郊祀).
[郊兆 교조] 교외(郊外)의 하늘을 제사 지내는 곳.
[郊次 교차] ㉠교외에서 숙박함. 또, 교외에서 숙박하며 사람을 기다림. ㉡교외에 있는 숙사(宿舍).
[郊禘 교체] 천자(天子)가 천지를 제사 지내는 교(郊)제사와 조상을 하늘에 배(配)하여 제사 지내는 체(禘)제사.
[郊墟 교허] 들과 언덕. 시골.
[郊寰 교환] 도읍의 외곽(外廓).
◉廓郊. 近郊. 南郊. 農郊. 大郊. 芳郊. 四郊. 遠郊. 戎馬生郊. 帝郊. 地郊. 天郊. 禘郊. 春郊. 荒郊.

6 ⑨ [郆] 길 [入]質 激質切 jí
[字解] ①산이름 길 산 이름. '一成'. '一, 一成山'《玉篇》. ②땅이름 길 땅 이름. '一, 地名'《集韻》.

6 ⑨ [郄] 극 [入]陌 乞逆切 xì
[字解] ①고을이름 극 춘추 시대(春秋時代)의 진(晉)나라의 대부(大夫) 극헌자(郄獻子)의 봉읍(封邑). ②틈 극 郤(邑部 七畫)의 俗字. 隙(阜部 十畫)과 同字. '過一'《莊子》. ③성 극 성(姓)의 하나.
◉過郄.

6 ⑨ [郉] 〔형〕
邢(邑部 四畫〈p. 2329〉)의 本字

6 ⑨ [⿰丠阝] 〔구〕
邱(邑部 五畫〈p. 2332〉)와 同字

6 ⑨ [郱] 〔병〕
郱(邑部 八畫〈p. 2339〉)의 俗字

6 ⑨ [郎] 〔랑〕
郞(邑部 七畫〈p. 2336〉)의 俗字

[耶] 〔야〕
耳部 三畫(p. 1822)을 보라.

7 ⑩ [郔] 연 [平]先 以然切 yán 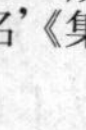
[字解] 땅이름 연 ㉠춘추 시대(春秋時代)에, 지금의 허난 성(河南省) 정셴(鄭縣)에 있던 정(鄭)나라의 지명(地名). '晉侯伐鄭及一'《左傳》. ㉡춘추 시대(春秋時代)에, 지금의 허난 성(河南省) 항성현(項城縣)에 있던 초(楚)나라의 지명(地名). '王待諸一'《左傳》.
[字源] 篆文 形聲. 阝(邑)+延〔音〕

7 ⑩ [郖] 두 [平]尤 [去]宥 當侯切 dòu
[字解] 나루터이름 두 황허(黃河) 강의 나루터로, 허난 성(河南省) 링바오 현(靈寶縣)의 서쪽. '遂詭道從一津渡'《魏志》.
[字源] 形聲. 阝(邑)+豆〔音〕

7 ⑩ [郕] 성 [平]庚 是征切 chéng 
[字解] ①나라이름 성 춘추 시대(春秋時代)에, 주(周)나라 무왕(武王)이 그의 아우 숙무(叔武)를 봉한 나라. 지금의 산둥 성(山東省) 닝양현내(寧陽縣內). '衛師入一'《左傳》. ②땅이름 성 정(鄭)나라에 있던 지명(地名). 지금의 허난 성(河南省) 무척현(武陟縣)의 서남(西南). '與鄭人蘇忿生之田, 溫原絺樊隰一, 云云'《左傳》. ③성 성 성(姓)의 하나.
[字源] 篆文 形聲. 阝(邑)+成〔音〕

7 ⑩ [⿰屒阝] 신 [平]眞 丞眞切 chén
[字解] 나라이름 신 나라 이름. 지금의 허난 성(河南省) 진녕현(進寧縣) 서쪽의 땅. '宛丘西南四十里有一亭'《路史》.

7 ⑩ [郗] 치 [平]支 丑飢切 chī 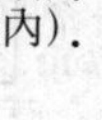
[字解] ①고을이름 치 주(周)나라의 읍명(邑名). 지금의 허난 성(河南省) 허난 현내(河南縣內). ②성 치 성(姓)의 하나.
[字源] 篆文 形聲. 阝(邑)+希〔音〕

[郗超 치초] 동진(東晉) 사람. 자(字)는 경여(景興), 또, 가빈(嘉賓). 모반(謀反)을 꾀하는 마음을 품고 있던 환온(桓溫)의 막하(幕下)가 되어 여러 가지 일을 획책하였음.

7 ⑩ [郚] 오 [平]虞 五乎切 wú 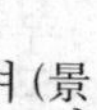
[字解] 고을이름 오 ㉠춘추 시대(春秋時代)에, 지금의 산둥 성(山東省) 안구현(安丘縣)에 있던 기(紀)나라의 읍명(邑名). '齊師遷紀郱鄑一'《春秋》. ㉡춘추 시대에, 지금의 산둥 성 쓰수이현(泗水縣)에 있던 노(魯)나라의 읍명(邑名). '城一'《左傳》.
[字源] 篆文 形聲. 阝(邑)+吾〔音〕
◉城郚.

7 ⑩ [⿰余阝] [一] 도 [平]虞 同都切 tú
[二] 사 [平]麻 詩車切
[三] 서 [平]魚 似魚切
[字解] [一] 땅이름 도 추(鄒)의 하읍(下邑). '一, 郱下邑地. 魯東有一城'《說文》. [二] 땅이름 사 [三]

과 뜻이 같음. 三 땅이름 서 ㊀과 뜻이 같음.
字源 形聲. 阝(邑)+余〔音〕

7 ⑩ [郑] 〔정〕
鄭(邑部 十二畫〈p.2347〉)의 略字

7 ⑩ [郛] 부 ㊥虞 芳無切 fú

字解 발재 부 외성(外城). 곽(郭). '伐宋入其一'《左傳》.
字源 篆文 形聲. 阝(邑)+孚〔音〕. '孚부'는 젖먹이를 안다의 뜻. 성안을 끌어안듯이 만들어진 외성, 외곽의 뜻을 나타냄.

[郛郭 부곽] ㉠성의 외곽(外廓). ㉡방위하여 보전하는 일. 보장(保障).
◉近郛. 說郛.

7 ⑩ [郶] 괴 ㊤卦 苦賣切 kuài

字解 ①고을이름 괴 허난 성(河南省) 정양현(正陽縣)의 안양(安陽)의 고성(故城). '一, 汝南安陽郡'《說文》. ②성 괴 성(姓)의 하나.
字源 形聲. 阝(邑)+㕡〈省〉〔音〕

7 ⑩ [郝] 구 ㊥尤 渠尤切 qiú

字解 ①땅이름 구 '一, 地名'《說文》. ②고을이름 구 향(鄕)의 이름. '一, 一曰, 鄕名. 在陳留'《說文》.
字源 形聲. 阝(邑)+求〔音〕

7 ⑩ [郜] 고 ㊤號 古到切 gào

字解 ①나라이름 고 주(周)나라 문왕(文王)이 아들을 봉(封)한 나라. 지금의 산둥 성(山東省) 무현내(武縣內). '一雍曹滕'《左傳》. ②땅이름 고 동상(同上)의 땅이 춘추 시대(春秋時代)에는 송(宋)나라의 영지(領地)가 되었음. ③성 고 성(姓)의 하나.
字源 篆文 形聲. 阝(邑)+告〔音〕

7 ⑩ [郎] 中人 랑 ㊥陽 魯當切 láng

筆順 ' ⺕ 白 自 良 良ᄀ 良ß 郎

字解 ①땅이름 랑 노(魯)나라의 지명(地名). 지금의 산둥 성(山東省) 비현(費縣)의 서북의 땅. '費伯帥師城一'《左傳》. ②벼슬이름 랑 진한(秦漢) 때, 숙위(宿衛)를 맡은 벼슬. 후세에는, 상서(尙書), 곧 장관(長官)을 보좌하는 차관격(次官格)인 벼슬을 '侍一'이라 하였고, 또 각사(各司)에 '一中'을 두었으며, 그 부관(副官)을 '員外一'이라 하였음. '爲子求一'《後漢書》. ③사내 랑 남자. '僕閱人多矣, 無如此一者'《唐書》. ④아들 랑 자식. '令一'. '命太一次一率衆取'《創業起居 註》. ⑤낭군 랑 아내가 남편을 부르는 호칭. '天壤之中, 乃有王一'《晉書》. ⑥주인 랑 하인이 주인을 부르는 말. '君非其家奴, 何一之云'《唐書》. ⑦행랑 랑 廊(广部 十畫)과 통용. '築一臺'《史記》. ⑧성 랑 성(姓)의 하나.
字源 篆文 形聲. 阝(邑)+良〔音〕. 본래, 땅 이름을 나타내었으나, 假借하여, 좋은 사람의 뜻으로 쓰임.

[郎官 낭관] 낭중(郎中).
[郎君 낭군] ㉠젊은 남자의 존칭. 귀공자. ㉡새로 진사(進士)에 급제한 사람의 존칭. ㉢아내가 남편을 부르는 존칭.
[郎當 낭당] ㉠피로한 모양. 고달픈 모양. ㉡옷이 커서 몸에 맞지 아니함. ㉢큰 쇠사슬. 낭당(琅璫).
[郎署 낭서] 상서랑(尙書郎)이 있는 관서(官署).
[郎扇 낭선] 혼인 때 신랑이 갖는 붉은 부채.
[郎子 낭자] 남의 아들의 존칭.
[郎潛 낭잠] 한(漢)나라 안사(顏駟)가 오랫동안 낭관(郎官)으로 있으면서 등용되지 않았던 데서 침륜 불우(沈淪不遇)의 뜻.
[郎中 낭중] 상서(尙書)를 보좌하여 정무(政務)에 참여하는 벼슬. 본시는 상서랑(尙書郎)이라 하여 천자(天子) 근시(近侍)의 벼슬임.
[郎中令 낭중령] 진대(秦代)의 벼슬 이름. 구경(九卿)의 하나로서 궁중의 문호(門戶)를 관장(管掌)하고 모든 낭관(郎官)을 통솔함. 한대(漢代)에는 광록훈(光祿勳)이라 고쳤음.
◉老郎. 檀郎. 白面郎. 壻郎. 蕭郎. 侍郎. 新郎. 巖郎. 治郎. 夜郎. 漁郎. 女郎. 令郎. 員外郎. 遊冶郎. 賢郎. 黃頭郎.

7 ⑩ [郝] 학 ㊦藥 呵各切 hǎo

字解 ①땅이름 학 한대(漢代)의 향명(鄕名). 지금의 산시 성(陝西省)의 호현(鄠縣)과 주질현(盩厔縣) 사이의 땅. ②성 학 성(姓)의 하나.
字源 篆文 形聲. 阝(邑)+赤〔音〕

[郝懿行 학의행] 청(淸)나라 중기(中期)의 학자. 자(字)는 순구(恂九). 관계(官界)에서의 출세를 단념하고 학문(學問)에 전심(專心)하였는데 주로 자연현상(自然現象)의 관찰·연구에 흥미를 가졌으며, 사학(史學)·지리학(地理學)에도 조예가 깊었음. 〈산해경전소(山海經箋疏)〉·〈이아의소(爾雅義疏)〉·〈연자춘추(燕子春秋)〉·〈역설(易說)〉·〈시설(詩說)〉 등을 지었음.

7 ⑩ [郘] 려 ㊤語 力擧切 lǚ

字解 정자이름 려 '一, 亭名'《廣韻》.

7 ⑩ [郟] 겹 ㊦洽 古洽切 jiá

字解 ①땅이름 겹 '一鄏'은 주(周)나라 성왕(成王)이 보정(寶鼎)을 이곳에 정(定)하여, 장래(將來)를 점(占)친 곳. 지금의 허난 성(河南省) 뤄양 현(洛陽縣)의 서쪽 땅. '成王定鼎于一鄏'《左傳》. ②방 겹 문의 양쪽 옆에 있는 방. '雍人割雞屋下, 當門一室'《大戴禮》. ③성 겹 성(姓)의 하나.
字源 篆文 形聲. 阝(邑)+夾〔音〕

7 ⑩ [郣] 발 ㊅月 蒲沒切 bó

字解 ①땅이름 발 춘추 시대(春秋時代) 제(齊)나라의 땅. '一海'는 한(漢)나라 때의 군(郡)의 이름. 지금의 허베이 성(河北省) 창셴(滄縣)의 동남쪽. '一, 一地'《說文》. ②붕긋한땅 발 '一, 一日, 地之起者曰一'《說文》. ③가루 발 고운 가루. '今俗謂粉之細者曰勃. 皆卽一字'《說文 段注》.

字源 形聲. 阝(邑)+孛〔音〕

7 ⑩ [郠] 경 ㊤梗 古杏切 gěng

字解 땅이름 경 춘추 시대(春秋時代)에, 허난 성(河南省) 이수이 현(沂水縣)에 있던 거(莒)나라의 지명(地名). '季平子伐莒取一'《左傳》.

字源 篆文 形聲. 阝(邑)+更(㪅)〔音〕

7 ⑩ [郡] 中人 군 ㊀問 渠運切 jùn

筆順 ㇕ ㇕ 三 尹 君 君' 君阝 郡

字解 ①고을 군 행정 구획의 하나. 주(周)나라에서는 현(縣)의 아래에 속(屬)하였다가, 진(秦)나라에 이르러 천하(天下)를 36군(郡)으로 나누었을 때 현(縣)은 그 아래에 속하게 하였고, 한(漢)나라 무제(武帝)에 이르러서는 천하를 13주(州)로 나누어 군(郡)은 주(州)에 속하였으며, 당(唐)나라 때에는 주(州)를 폐하여 도(道)를 설치하고 군(郡)을 주(州)로 개칭한 이래, 송원(宋元)을 거쳐 군(郡)의 칭호는 마침내 없어졌음. '夸州兼一'《漢書》. ②성 군 성(姓)의 하나.

字源 篆文 形聲. 阝(邑)+君〔音〕. '君군'은 '群군'과 통하여 무리의 뜻. 마을의 무리, 행정 단위의 하나를 나타냄.

[郡界 군계] 군(郡)과 군과의 경계.
[郡國 군국] 봉건(封建)과 군현(郡縣)을 병용(併用)한 한(漢)나라의 제도. 곧, 조정의 직할지인 군과 제후를 봉한 나라.
[郡國利病書 군국이병서] 청(淸)나라의 고염무(顧炎武)가 명대(明代)의 전국(全國) 제지지(諸地志)의 기사(記事) 가운데 경세(經世)에 유용(有用)한 것을 가려 뽑아 지방별로 배열한 지리서(地理書). 120권(卷). 본 이름은 '천하군국이병서(天下郡國利病書)'.
[郡君 군군] 부인(婦人)의 봉증(封贈). 당대(唐代)의 제도에서는 사품(四品)의 벼슬아치의 아내에게 수여하였고, 송원(宋元) 이후에는 황실(皇室)의 여자에 한하였음.
[郡守 군수] 한 군(郡)의 우두머리. 곧, 군의 태수(太守).
[郡丞 군승] 군(郡)의 태수(太守)의 부관(副官).
[郡王 군왕] 친왕(親王)의 다음가는 지위.
[郡齋 군재] 군청(郡廳).
[郡齋讀書志 군재독서지] 송(宋)나라 조공무(晁公武)가 그의 장서(藏書)의 해제(解題)를 기록한 책. 모두 4권(卷). 후지(後志) 2권.
[郡主 군주] 제왕(諸王)의 딸. 당(唐)나라에서는 태자(太子)의 딸. 명청(明淸)에서는 친왕(親王)의 딸의 칭호.
[郡廳 군청] 한 군을 다스리는 관청.
[郡下 군하] ㉠군청이 있는 곳. ㉡군의 관할하에 있는 땅. 군내(郡內).
[郡縣 군현] 군과 현. 전(轉)하여, 지방.
[郡縣制度 군현제도] 제후(諸侯)를 폐하고 영토를 군과 현으로 나누어 중앙 정부에서 관리를 임명 파견하여 정치상의 일체의 권력을 중앙 정부에 집중시키는 제도.
◉擧郡. 國郡. 僻郡. 邊郡. 三十六郡. 巡郡. 一郡. 絕郡. 州郡. 遐郡. 闔郡. 荒郡.

7 ⑩ [郢] 영 ㊀敬 於正切 yǐng

字解 초나라서울 영 춘추 시대(春秋時代)의 초(楚)나라의 서울. 지금의 후베이 성(湖北省) 장링 현내(江陵縣內). 역사상 음탕한 곳으로 유명함.

字源 金文 篆文 形聲. 阝(邑)+呈〔音〕

[郢客 영객] 영인(郢人).
[郢曲 영곡] 영(郢)의 사람들이 부르는 속곡(俗曲). 전(轉)하여, 비속한 음악. 유행가.
[郢斧 영부] 영착(郢斲).
[郢書燕說 영서연설] 견강부회의 설.
[郢人 영인] 속요(俗謠)를 잘 부르는 사람. 유행가수.
[郢政 영정] 영착(郢斲).
[郢斲 영착] 남에게 시문(詩文)을 첨삭(添削)해 달라고 할 때 쓰는 말.

7 ⑩ [郥] 패 ㊀泰 邦沛切 bèi

字解 땅이름 패 땅 이름. 지금의 산둥 성(山東省)에 있었던 춘추 시대의 땅. '一, 地名'《字彙補》.

7 ⑩ [郤] 극 ㊅陌 綺戟切 xì

字解 ①틈 극 隙(阜部 十畫)과 同字. '諸侯相見於一地曰會'《禮記》. '令將軍與臣有一'《史記》. ②성 극 성(姓)의 하나.

字源 篆文 形聲. 阝(邑)+谷〔音〕. '隙극'과 통하여 '틈'의 뜻을 나타냄.

參考 郄(邑部 六畫)은 俗字.

[郤缺 극결] 춘추(春秋) 시대 진(晉)나라의 대부(大夫). 기주(冀州)에서 아내와 정다이 농사지으며 살던 중 문공(文公)의 대부(大夫)가 되었음. '기결(冀缺)'이라고도 부름.
[郤縠 극곡] 춘추(春秋) 시대 진(晉)나라 사람. 예악(禮樂)을 설(說)하고 시서(詩書)에 조예가 깊어 문공(文公)에게 발탁되어 대장(大將)이 되었음.
[郤芮 극예] 춘추(春秋) 시대 진(晉)나라 사람. 헌공(獻公) 때 대부(大夫)가 되었고, 헌공이 돌아가고 문공(文公)이 즉위하자, 궁성(宮城)에 불을 지르고, 문공을 시살(弑殺)코자 꾀하다가 도리어 진(秦)나라 목공(穆公)에 의해 유살(誘殺)되었음.
[郤地 극지] 빈 터.
[郤獻子 극헌자] 춘추(春秋) 시대 진(晉)나라 사

람. 이름은 극(克). 헌자(獻子)는 그의 시호(諡號). 결(缺)의 아들. 구백(駒伯)이라고도 부름. 성공(成公) 때 대부(大夫)가 되고, 후에는 사회(士會) 대신 정치에 참여했음.
◉內郤. 大郤.

8 ⑪ [部] [中·人] 부 [上]麌 裵古切 bù [上]有 蒲口切 pǒu 

[筆順] ' 亠 立 立 音 音 音⁊ 部

[字解] ①거느릴 부 통솔함. 지배함. 관할함. '一十三州'《漢書》. 또, 통솔하는 일. 관할하는 곳. '行一乘傳'《漢書》. ②마을 부 관청. '吏一'. '內務一'. '還一白府君'《古詩》. ③떼 부 사람들의 무리. '行無一曲'《漢書》. ④분류 부 구분. '一類'. '分其天一'《史記》. ⑤부 부 분류한 것을 세는 수사(數詞). '譯出新經十四一'《魏志》. ⑥언덕 부 '一婁'는 구릉(丘陵). '一婁無松柏'《左傳》. ⑦성 부 성(姓)의 하나.
[字源] 篆文 形聲. 阝(邑)+音〔音〕. 본래 신장 성(新疆省)의 땅 이름. '剖부'와 통하여 '가르다'의 뜻으로 쓰임.

[部曲 부곡] 항오(行伍). 부오(部伍).
[部隊 부대] 전대(全隊)의 한 부분(部分)의 군대(軍隊).
[部落 부락] ㉠동네. 마을. ㉡한 민족이 모여 사는 곳. ㉢야만인의 떼.
[部婁 부루] 작은 언덕.
[部類 부류] 부분(部分)을 따라 가른 종류(種類).
[部勒 부륵] 부대로 나누어 인원수를 갖춤.
[部門 부문] 구별(區別)한 부류(部類).
[部發 부발] 개발(開發).
[部分 부분] 전체 속의 한쪽.
[部署 부서] ㉠여럿으로 나누어 분담시키는 사무의 부문. ㉡각기 할 일을 분담시킴.
[部屬 부속] 부하(部下).
[部首 부수] 한자(漢字)를 구별한 각 부류를 대표하는 글자.
[部伍 부오] 군중(軍中)의 대오(隊伍). 항오(行伍).
[部員 부원] 어느 부서(部署)에 딸린 사람.
[部長 부장] ㉠한 부대(部隊)의 우두머리. ㉡한 부(部)의 우두머리.
[部曹 부조] 육부 상서(六部尙書)의 부랑(部郞)을 이름. 예부(禮部)를 예조(禮曹), 병부(兵部)를 병조라고 하는 따위.
[部陣 부진] 부오(部伍).
[部陳 부진] 여러 갈래로 나누인 진(陣).
[部處 부처] 정부 조직체의 부와 처의 총칭.
[部下 부하] 아랫사람. 배하(配下).
[部彙 부휘] 부류(部類).
◉幹部. 工部. 局部. 軍部. 內部. 大部. 文部. 百部. 兵部. 本部. 分部. 四部. 上部. 細部. 首腦部. 述部. 深部. 鞍部. 兩部. 營部. 外部. 六部. 陰部. 吏部. 一部. 立部. 全部. 坐部. 支部. 八部. 下部. 學部. 刑部. 戶部. 患部. 回部.

8 ⑪ [郪] 처 [平]齊 七稽切 qī

[字解] 땅이름 처 ㉠'一丘'는 지금의 산둥 성(山東省) 동아현(東阿縣)에 있던 제(齊)나라의 땅. '公子遂及齊侯盟于一丘'《春秋》. ㉡'新一'는 지금의 안후이 성(安徽省)에 있던 위(魏)나라의 땅. '大王之地, 南有新一'《史記》.
[字源] 篆文 形聲. 阝(邑)+妻〔音〕.

◉新郪.

8 ⑪ [郫] 비 [平]支 符支切 pí 

[字解] ①고을이름 비 ㉠지금의 쓰촨 성(四川省)에 있던 촉군(蜀郡)의 한 현(縣). '遡江上處, 峴山之陽, 曰一'《漢書》. ㉡'一邵'는 춘추 시대(春秋時代)에, 지금의 허난 성(河南省) 원곡현(垣曲縣)의 동쪽에 있던 진(晉)나라의 읍(邑). '齊伐晉, 戍一邵'《左傳》. ②성 비 성(姓)의 하나.
[字源] 篆文 形聲. 阝(邑)+卑〔音〕.

8 ⑪ [郭] [高·人] 곽 [入]藥 古博切 guō 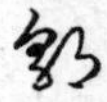

[筆順] 亠 亠 古 亨 亨 享 享⁊ 享阝 郭

[字解] ①밭재 곽 도읍을 둘러싼 성(城). 외성(外城). '城一'. '三里之城, 七里之一'《孟子》. ②둘레 곽 외위(外圍). '外一'. '輪一'. '天地之爲萬物一'《揚子法言》. ③벌릴 곽 개장(開張)함. 廓(广部 十一畫)과 同字. '堅嶠之後, 達夫一之'《韓愈》. ④성 곽 성(姓)의 하나.
[字源] 甲骨文 金文 𩫏의 篆文 形聲. 阝(邑)+享(𩫏)〔音〕. '𩫏곽'은 '亭정'을 대치시킨 성곽을 본뜬 象形. 뒤에 '邑읍'을 붙여, 성곽, 도시의 외곽을 둘러싼 누벽의 뜻을 나타냄. 甲骨文의 변형이 '𩫏'이고, 또 그의 변형이 '享'임.

[郭巨 곽거] 진(晉)나라 융려(隆慮) 사람. 이십사효(二十四孝)의 한 사람. 늙은 홀어머니를 모시고 몹시 가난하게 살 때에 어머니가 매번 밥을 덜어서 그의 아들에게 주는지라, 아들 때문에 어머니가 배곯게 됨을 슬퍼하여 아들을 죽이기로 부인과 작정하고서 구덩이를 팠는데, 난데없이 황금이 일부(一釜;우리나라의 대여섯 말)가 그 속에서 나왔다고 함.
[郭公 곽공] ㉠'뻐꾸기'의 이칭(異稱). 우는 소리의 의성(擬聲)에서 이름. ㉡허수아비. 괴뢰.
[郭伋 곽급] 후한(後漢) 때의 관리(官吏). 무릉(茂陵) 사람. 자(字)는 세후(細侯). 처음 지방관(地方官)이 되어 가는 곳마다 민심을 사서 어린아이들까지도 죽마(竹馬)를 타고 그를 환영하여 맞았다 함. 벼슬이 태중대부(太中大夫)에 이르렀음.
[郭內 곽내] 성곽(城郭)의 안.
[郭璞 곽박] 동진(東晉)의 학자. 복서가(卜筮家). 자(字)는 경순(景純). 원제(元帝) 때 저작좌랑(著作左郞)을 지냄. 박학(博學)하고 시부(詩賦)를 잘했으며, 〈이아주(爾雅註)〉·〈산해경주(山海經註)〉·〈초사주(楚辭註)〉 등을 지었음. 후에 왕돈(王敦)의 기실참군(記室參軍)이 되었는데, 왕돈이 모반(謀反)코자 할 때 그 불가(不可)함을 점(占)쳐서 아뢰었기 때문에 대로(大怒)한 왕돈에게 피살되었음.
[郭汾陽 곽분양] 분양왕(汾陽王)에 피봉(被封)된

곽자의(郭子儀)의 일컬음.
[郭索 곽삭] ㉠게가 가는 모양. ㉡'게〔蟹〕'의 별칭(別稱). ㉢마음이 안정하지 아니한 모양. 또, 발이 많은 모양.
[郭象 곽상] 서진(西晉)의 학자. 허난(河南) 사람. 자(字)는 자현(子玄). 노장(老莊)을 좋아하여 장자(莊子)의 주해(註解)를 지었음.
[郭守敬 곽수경] 원(元)나라 때의 과학자(科學者). 자(字)는 약사(若思). 유병충(劉秉忠)의 제자(弟子)로 오경(五經)에 통하고 역산(曆算)과 수리(水利)에 밝아, 세조(世祖) 때 태사령(太史令)이 되어 천문 의기(天文儀器)의 제작(制作)과 관측(觀測)에 종사하였음.
[郭隗 곽외] 전국(戰國) 시대 연(燕)나라의 현인(賢人). 소왕(昭王)이 국력(國力) 회복을 위하여 외(隗)에게 인재의 등용책을 물었을 때 '외(隗)부터 먼저 시작하시오.' 하였던 바, 왕이 그를 위해 궁(宮)을 짓고 그를 사사(師事)하니 악의(樂毅) 등 제국(諸國)의 명사(名士)들이 많이 모여 이후 국력이 점차 부강하여졌음.
[郭威 곽위] 후주(後周)의 태조(太祖)의 이름. 후한(後漢) 때에는 제위(帝位)에 앉고, 변(汴)에 도읍했음.
[郭子儀 곽자의] 당(唐)나라 명장(名將). 화주(華州) 사람. 현종(玄宗) 때에 삭방절도 우병마사(朔方節度右兵馬使)가 되고, 안사(安史)의 난(亂)을 평정, 또 회흘(回紇)과 손잡고 토번(吐蕃)을 정벌했음. 벼슬이 태위(太尉) 중서령(中書令)에 이르고, 분양군왕(汾陽郡王)에 봉(封)해졌음. 곽영공(郭令公).
[郭田 곽전] 성곽(城郭) 밖의 땅.
[郭忠恕 곽충서] 송(宋)나라 초기(初期)의 문인화가(文人畫家). 뤄양(洛陽) 사람. 자(字)는 서선(恕先). 태종(太宗) 때 국자감주부(國子監主簿)가 되었음. 누각임석(樓閣林石)의 그림을 잘 그리고, 문자학(文字學)에 환하여 전례(篆隸)에도 능했음.
[郭橐駝 곽탁타] 식목(植木)하는 것을 업으로 삼는 사람.
[郭解 곽해] 전한(前漢) 시대의 협객(俠客). 젊어서 건달 노릇을 했으나, 장성함에 따라 덕을 닦아 협기(俠氣)로 민간(民間)의 중망(衆望)을 모았음.
[郭熙 곽희] 송(宋)나라 화가. 허난(河南) 사람. 산수화를 이성(李成)한테서 배워 그 묘(妙)를 얻고 거기에 웅장(雄壯)한 멋을 더했음. '임천고치(林泉高致)'는 그의 산수화론(山水畫論)을 곽사(郭思)가 필록(筆錄) 편집한 책임.
◉匡郭. 規郭. 羅郭. 內郭. 負郭. 郛郭. 廓郭. 山郭. 城郭. 水郭. 水村山郭. 外郭. 遊郭. 輪郭. 一郭. 鄽郭. 周郭. 鐵郭. 恢郭. 朐郭.

8 ⑪ [郯] 담 ㊥覃 徒甘切 tán

字解 ①나라이름 담 춘추 시대(春秋時代)에, 지금의 산둥 성(山東省) 담성현(郯城縣)에 있던 나라. '平莒及—'《春秋》. ②성 담 성(姓)의 하나.
字源 金文 篆文 形聲. 阝(邑)+炎〔音〕

8 ⑪ [郰] 추 ㊥尤 側鳩切 zōu

字解 고을이름 추 노(魯)나라의 읍(邑)으로서, 공자(孔子)의 출생지. 지금의 산둥 성(山東省) 추현(鄒縣)의 서북. '一人紇抉之, 以出門者'《左傳》.
字源 金文 篆文 形聲. 阝(邑)+取〔音〕

8 ⑪ [郩] ㊀ 효 ㊥肴 何交切 xiáo ㊁ 오 ㊤晧 烏皓切 ǎo

字解 ㊀ ①땅이름 효 땅 이름. '—, 地名'《玉篇》. ②산이름 효 산 이름. ㊁ 고을이름 오 고을 이름. '—, 邑名'《廣韻》.

8 ⑪ [郱] 병 ㊥青 薄經切 píng

字解 땅이름 병 춘추 시대(春秋時代)의 지명(地名). 지금의 산둥 성(山東省) 임구현내(臨朐縣內).
字源 篆文 形聲. 阝(邑)+幷〔音〕

8 ⑪ [郜] 〔고〕
郜(邑部 七畫〈p.2336〉)와 同字

8 ⑪ [郶] 〔기〕
攲(支部 八畫〈p.922〉)와 同字

8 ⑪ [都] 〔도〕
都(邑部 九畫〈p.2340〉)의 略字

8 ⑪ [鄉] 〔향〕
鄉(邑部 十畫〈p.2342〉)의 略字

8 ⑪ [郲] 래 ㊥灰 落哀切 lái

字解 ①땅이름 래 지금의 허난 성(河南省) 형택현(滎澤縣)에 있던 정(鄭)나라의 땅. ②성 래 성(姓)의 하나.
字源 形聲. 阝(邑)+來〔音〕

8 ⑪ [郳] 예 ㊥齊 五稽切 ní

字解 ①나라이름 예 지금의 산둥 성(山東省) 등현(滕縣)에 있던 노(魯)나라의 부용국(附庸國). '秋, —犂來來朝'《春秋》. ②성 예 성(姓)의 하나.
字源 金文 篆文 形聲. 阝(邑)+兒〔音〕

8 ⑪ [郴] 침 ㊥侵 丑林切 chēn

字解 ①고을이름 침 한(漢)나라의 계양군(桂陽郡)의 한 현(縣). 지금은 후난 성(湖南省)의 한 현. 항우(項羽)가 의제(義帝)를 옮겨 놓은 곳. '追殺之—縣'《史記》. ②성 침 성(姓)의 하나.
字源 篆文 形聲. 阝(邑)+林〔音〕

8 ⑪ [郮] ㊀ 당 ㊤養 底朗切 dǎng ㊁ 창 ㊤養 齒兩切

字解 ㊀ ①땅이름 당 '—, 地名'《說文》. ②마을 당 5백 호(戶)의 마을. '—, 一曰, 五百家爲—'

《玉篇》. ③머물 당 '一, 居也'《廣雅》. [二] 땅이름 창 '一, 地名'《集韻》.
[字源] 形聲. 阝(邑)＋倘〔音〕

8 ⑮ [⿰倘邑] ⿰倘阝(前條)의 古字

8 ⑪ [郚] [一] 서 [平]魚 傷魚切 shū [二] 사 [去]禡 式夜切 shè
[字解] [一] 땅이름 서 '一, 地名. 在廬江'《廣韻》. [二] 고을이름 사 '一, 邑名'《集韻》.
[字源] 形聲. 阝(邑)＋舍〔音〕

8 ⑪ [郵] [高人] 우 [平]尤 羽求切 yóu 邮
[筆順] 三 㐄 壬 垂 垂 垂' 郵 郵
[字解] ①역말 우 문서·명령을 전달하는 인마(人馬)를 번갈아 발송(發送)하기 위하여 적당한 거리를 두고 베푼 시설. 역참(驛站). 또, 말로 전달하는 것을 '置', 보행으로 전달하는 것을 '一'라 함. '一驛'. '速於置一而傳命'《孟子》. ②오두막집 우 농사를 감독하기 위해 밭 사이에 지은 작은 집. '一表畷'《禮記》. ③탓할 우, 허물 우 尤(尢部 一畫)와 통용. '罪人不一其上'《荀子》. '以顯朕一'《漢書》. ④성 우 성(姓)의 하나.
[字源] 篆文 會意. 阝(邑)＋垂(埀). '埀수'는 땅끝의 뜻. 변경 땅에 설치된 문서 전달을 위한 숙소의 뜻을 나타냄. 음형상(音形上) '丘구'와 통하여, 그것이 대개 행정 구역의 경계인 언덕 등지에 설치되기 때문에, '역참'의 뜻을 나타냄.

[郵館 우관] 역마을의 객사(客舍).
[郵吏 우리] 역참(驛站)에서 일을 보는 하급 관리. 역리(驛吏).
[郵舍 우사] 역참(驛站)의 말을 갈아타는 것을 취급하는 곳.
[郵書 우서] 우편으로 보내는 편지.
[郵送 우송] 우편으로 보냄.
[郵信 우신] 우편으로 오가는 편지.
[郵驛 우역] 우치(郵置).
[郵子 우자] 역졸(驛卒).
[郵傳 우전] 역참(驛站). 또, 역참의 인마(人馬).
[郵政 우정] 통신에 관한 정무(政務).
[郵亭 우정] 우관(郵館).
[郵遞 우체] 우치(郵置).
[郵置 우치] 역참(驛站).
[郵票 우표] 우편 요금(郵便料金)을 내었다는 표시(表示)로 우편물(郵便物)에 붙이는 증표(證標).
◉官郵. 督郵. 邊郵. 傳郵. 亭郵. 置郵. 平原督郵.

8 ⑪ [郾] 엄 [上]琰 衣檢切 yǎn
[字解] 나라이름 엄 산둥 성 취푸 현(曲阜縣) 동쪽의 옛 나라 이름. '周公所誅一國, 在魯'《說文》.
[字源] 篆文 形聲. 阝(邑)＋奄〔音〕

9 ⑫ [郹] 격 [入]錫 古闃切 jú
[字解] 땅이름 격 춘추 시대(春秋時代)에 지금의 허난 성(河南省) 신채현(新蔡縣)에 있던 채(蔡)나라의 지명. '一陽封人之女奔之'《左傳》.
[字源] 篆文 形聲. 阝(邑)＋狊〔音〕

9 ⑫ [都] [中人] 도 [平]虞 當孤切 dū
[筆順] 一 十 土 耂 者 者' 都 都
[字解] ①도읍 도 서울. '遷一'. 주대(周代)에는, 제후(諸侯) 및 경대부(卿大夫)의 봉읍(封邑)에도 이름. '大一'. '一城不過百雉'《禮記》. 또, 큰 고을. '一會'. '一市'. '不如因而賂一名一'《戰國策》. ②도읍할 도 서울을 정함. '一南鄭'《史記》. ③있을 도, 거할 도 점유함. 그 지위에 있음. '身一卿相之位'《漢書》. ④모일 도 군집함. '蟲鳥之所一聚'《釋名》. ⑤모을 도 ㉠모이게 함. '大一授時'《漢書》. ㉡한데 합침. '頃撰遺文, 一爲一集'《魏文帝》. ⑥거느릴 도 통령(統領)함. 총리함. '一督中外諸軍事'《晉書》. ⑦모두 도 모조리. '一是'. '使人名利之心一盡'《世說》. ⑧아름다울 도, 우아할 도 모습이나 거동이 고아(高雅)함. '一雅'. '洵美且一'《詩經》. ⑨아 도 탄미(歎美)하는 소리. '皐陶曰, 一'《書經》. ⑩성 도 성(姓)의 하나.
[字源] 金文 篆文 形聲. 阝(邑)＋者〔音〕. '者자'는 받침대 위에 섶을 모아 쌓은 것을 본떠 '모이다'의 뜻. 많은 사람이 모이는 고을, 도시, 서울의 뜻을 나타냄.

[都家 도가] 주대(周代)의 제후(諸侯)의 자제 및 공경(公卿)·대부(大夫)의 영지(領地).
[都講 도강] ㉠문생(門生)의 장(長). 숙두(塾頭). ㉡강사 또는 선생. ㉢군사(軍事)를 강습함.
[都官 도관] 관명(官名). 한대(漢代)에는 시중(市中)의 경찰의 일을 맡았고, 위대(魏代)에는 상서도관랑(尙書都官郞)이라 고쳐 군사(軍事)·형옥(刑獄)을 감독하였음.
[都君 도군] 순(舜) 임금의 미칭(美稱). 순임금이 사는 곳이 수년마다 도회를 이루었다 하여 붙여진 이름.
[都堂 도당] ㉠당대(唐代)의 상서성(尙書省). ㉡명대(明代)의 도찰원(都察院)의 당상관(堂上官)의 일컬음.
[都督 도독] ㉠통틀어 거느리고 감독함. ㉡일군(一軍)의 총대장.
[都輦 도련] 서울.
[都盧 도로] 서역(西域)의 국명(國名). 그 나라 사람은 몸이 가벼워서 높은 데에 오르기를 잘한다 함.
[都料匠 도료장] 목수의 두목.
[都門 도문] ㉠도읍의 입구의 문. ㉡도하(都下).
[都兵 도병] 벼슬 이름. 위(魏)에서는 도내(都內)의 병사(兵事)를 맡았고, 북제(北齊)에서는 음악을 맡았음.
[都府 도부] 도회(都會).
[都鄙 도비] 도회와 촌락. 서울과 시골.
[都省 도성] 상서(尙書)의 벼슬. 지금의 국무총리.
[都城 도성] 서울. 도읍. 주대(周代)에 제후의 자제 및 경대부(卿大夫)의 영지(領地)에 있는 성.

[都雅 도아] 우아함. 아담함.
[都冶 도야] 우아하고 아름다움. 또, 그러한 여자.
[都養 도양] 학생의 취사(炊事)를 맡아봄.
[都御史 도어사] 도찰원(都察院)의 장관.
[都虞侯 도우후] 관명(官名). 절도사의 속관(屬官). 군대의 풍기를 맡았음.
[都尉 도위] 관명(官名). 진한(秦漢) 때 각 군(郡)에 둔 군사(軍事)·경찰(警察)을 맡은 벼슬. 군수(郡守)의 버금이 됨. 그 뒤에는 경거도위(輕車都尉)·기도위(騎都尉)·부마도위(駙馬都尉) 등 널리 무관(武官)의 훈관(勳官)으로 되었으며, 청(淸)나라 때에는 정삼품(正三品) 내지 종사품(從四品) 무관(武官)의 계급(階級)으로 쓰였음.
[都兪吁咈 도유우불] 도유는 '찬성', 우불은 '반대'의 뜻. 요임금이 군신(群臣)과 정사(政事)를 의논할 때에 쓰인 말. 전(轉)하여, 군신(君臣) 간의 토론·심의의 뜻으로 쓰임.
[都邑 도읍] 도회(都會).
[都肄 도이] 군대를 함께 모아 훈련시킴.
[都人士 도인사] 서울에 사는 인사.
[都點檢 도점검] 벼슬 이름. 천자를 호위하는 사람. '점검(點檢)'은 준말.
[都亭 도정] 군현(郡縣)의 마을이 있는 곳에 지은 나그네가 휴식하는 옥사(屋舍).
[都指揮使 도지휘사] 명대(明代)의 관명. 지방의 군무를 맡음.
[都察院 도찰원] 명대(明代)의 관청. 관리의 비행을 탄핵하고 각 성(省)을 감찰함.
[都合 도합] 합계.
[都護 도호] 군대의 장(長)으로서 한 지방의 진호(鎭護)를 맡은 벼슬.
[都會 도회] 사람이 많이 살고 번화한 곳.
◉江都. 京都. 古都. 故都. 舊都. 國都. 大都. 商都. 成都. 首都. 信都. 麗都. 王都. 雄都. 幽都. 奠都. 定都. 帝都. 遷都. 通都. 嫺都. 玄都. 皇都.

9 ⑫ [郾] 언 ㊤願 於建切 yǎn

字解 땅이름 언 한대(漢代)에 지금의 허난 성(河南省) 언성현(郾城縣)에 있던 지명(地名). '次于—'《柳宗元》.
字源 金文 篆文 形聲. 阝(邑)+匽〔音〕

9 ⑫ [郿] 미 ㊥支 武悲切 méi

字解 고을이름 미 ㉠산시 성(陝西省) 메이 현(郿縣)의 고칭(古稱). 동탁(董卓)이 이곳에 쌓은 작은 성(城)을 '—塢'라 함. '王餞于—'《詩經》. ㉡노(魯)나라의 읍(邑). 지금의 산둥 성(山東省) 수장현(壽張縣)의 서북(西北). '築—'《左傳》.
字源 篆文 形聲. 阝(邑)+眉(𥄉)〔音〕

◉築郿.

9 ⑫ [鄀] 약 ㊇藥 而灼切 ruò

字解 나라이름 약 ㉠춘추 시대(春秋時代)에, 지금의 허난 성(河南省) 내향현(內鄉縣)에 있던 작은 나라. '秦晉伐—'《左傳》. ㉡춘추 시대에, 후베이 성(湖北省) 의성현(宜城縣)에 있던 초(楚)나라의 읍(邑). '楚恐而去郢徙—'《史記》.
字源 形聲. 阝(邑)+若〔音〕

◉伐鄀. 遷鄀.

9 ⑫ [鄂] 人名 악 ㊇藥 五各切 è

字解 ①나라이름 악 은대(殷代)에 있던 나라. '鬼侯—侯文王, 紂之三公也'《戰國策》. ②고을이름 악 춘추 시대(春秋時代)에, 지금의 후베이 성(湖北省) 우창 현(武昌縣)에 있던 초(楚)나라의 읍(邑). '中子紅爲—王'《史記》. ③나타날 악 밖에 나타나는 모양. '—不韡韡'《詩經》. ④한계 악 일정한 범위. '亡—'《揚雄》. ⑤놀랄 악 愕(心部 九畫)과 통용. '群臣皆驚—失色'《漢書》. ⑥곧은말할 악 직언(直言)을 하는 모양. 諤(言部 九畫)과 통용. '諸大夫朝, 徒聞唯唯, 不聞周舍之——'《史記》.
字源 金文 篆文 形聲. 阝(邑)+咢(㖾)〔音〕

[鄂鄂 악악] ㉠바른말을 거리낌 없이 하는 모양. ㉡말이 많은 모양. 시끄러운 모양.
[鄂王墓 악왕묘] 송(宋)나라 충신 악비(岳飛)의 뫼. 서호(西湖) 가에 있음.
◉驚鄂. 沂鄂. 圻鄂. 作鄂. 柞鄂. 題鄂.

9 ⑫ [郻] 유 ㊤麌 羊朱切 shū

字解 고을이름 유 한대(漢代)에, 지금의 산둥 성(山東省) 평원현(平原縣)에 있던 현(縣). '田蚡爲丞相, 其奉邑食—'《史記》.
字源 篆文 形聲. 阝(邑)+兪〔音〕

◉食郻.

9 ⑫ [鄄] 견 ㊥先 稽延切 juàn

字解 땅이름 견 춘추 시대(春秋時代)에, 지금의 산둥 성(山東省) 복현(濮縣)에 있던 위(衞)나라의 지명(地名). '單伯會齊侯宋公衞侯鄭伯于—'《春秋》.
字源 篆文 形聲. 阝(邑)+垔(㢈)〔音〕

9 ⑫ [鄐] 〔갑·합·개〕
鄐(邑部 十畫〈p. 2343〉)의 本字

9 ⑫ [鄉] 〔경〕
卿(卩部 十畫〈p. 318〉)과 同字

9 ⑫ [鄌] 〔광〕
邼(邑部 六畫〈p. 2334〉)의 本字

9 ⑫ [鄅] 우 ㊤麌 王矩切 yǔ

字解 ①나라이름 우 춘추 시대(春秋時代)에 지금의 산둥 성(山東省) 난산현(蘭山縣)에 있던

나라. '郝人入一'《春秋》. ②성 우 성(姓)의 하나.
[字源] 篆文 形聲. 阝(邑)+禹〔音〕

9 ⑫ [鄆] 운 [去]問 王問切 yùn

[字解] ①고을이름 운 ㉠춘추 시대(春秋時代)의 거(莒)나라의 읍(邑). 지금의 산둥 성(山東省) 주청 현내(諸城縣內). '遂入一'《左傳》. ㉡춘추 시대의 노(魯)나라의 읍(邑). 지금의 산둥 성 운성현(鄆城縣)의 동쪽. '待于一'《左傳》. ②성 운 성(姓)의 하나.
[字源] 金文 篆文 形聲. 阝(邑)+軍〔音〕

9 ⑫ [鄇] 후 [去]宥 胡遘切 hòu / [平]尤 戶鉤切

[字解] 땅이름 후 춘추 시대(春秋時代)에 지금의 허난 성(河南省) 무척현(武陟縣)에 있던 진(晉)나라의 지명(地名). '晉郤至與周爭一田'《左傳》.
[字源] 篆文 形聲. 阝(邑)+侯〔音〕

9 ⑫ [⿰契阝] 계 [去]霽 古詣切 jì

[字解] 나라이름 계 주(周)나라가 황제(黃帝)의 후손을 봉한 나라. 지금의 북평(北平)임. 薊(艸部 十三畫)와 통용. '周封黃帝之後於一也'《說文》.
[字源] 篆文 形聲. 阝(邑)+契〔音〕

9 ⑫ [鄈] 규 [平]支 渠追切 kuí

[字解] 땅이름 규 지금의 산시 성 분성현(汾城縣) 남쪽의 임분(臨汾). '一, 河東臨汾地'《說文》.
[字源] 篆文 形聲. 阝(邑)+癸〔音〕

9 ⑫ [⿰厘阝] 전 [平]先 直連切 chán

[字解] 가게 전 鄽(邑部 十五畫)의 俗字.

10 ⑬ [鄉] [中人] 향 ①-⑥[平]陽 許良切 xiāng / ⑦⑧[上]養 許兩切 xiǎng / ⑨⑩[去]漾 許亮切 xiàng

[筆順] 乡 乡 乡 乡 乡 乡 鄉 鄉

[字解] ①마을 향 행정 구획의 하나. 주한(周漢) 때에는 12,500호(戶). 수당(隋唐) 때에는 500호가 사는 구역. '五家爲隣, 五隣爲里, 四里爲族, 五族爲黨, 五黨爲州, 五州爲一'《漢書》. ②시골 향 촌의 마을. '一邑'. '一稱善人'《陳師道》. ③고향 향 자기가 나서 자란 곳. '同一'. '去國懷一'《范仲淹》. ④곳 향 장소. '遊無何有之一'《莊子》. ⑤구역이름 향 주대(周代)에, 왕성(王城)으로부터 백 리까지의 땅. '一遂'. ⑥성 향 성(姓)의 하나. ⑦음향 향 響(音部 十三畫)과 통용. '如影一之應形聲'《漢書》. ⑧대접할 향 饗(食部 十三畫)과 통용. '專一獨美其福'《漢書》. ⑨접때 향 嚮(口部 十六畫)과 통용. '一也吾見於夫子而問知'《論語》. ⑩향할 향 向(口部 三畫)과 통용. '宗屬唯嬰, 賢而喜士, 士一之'《史記》.
[字源] 甲骨文 篆文 象形. 甲骨文은 '卿경'과 같은 꼴로 향하다의 뜻을 나타냄. 또 '畺강'과 통하여 구획된 농경지의 뜻에서, '시골'의 뜻을 나타냄.
[參考] 鄕(次條)은 俗字.

[鄕客 향객] 시골 손.
[鄕擧里選 향거이선] 주제(周制)의 인재 등용법. 향리에서 재덕 있는 사람을 들어 조정에 추천하면 조정에서 그 그릇에 따라 벼슬을 시키던 일.
[鄕曲 향곡] 시골 구석.
[鄕貢 향공] 지방 장관이 천거하는 사람.
[鄕貢進士 향공진사] 향공(鄕貢)으로서 진사 시험을 보는 사람.
[鄕官 향관] ㉠고을의 관리. ㉡시골의 관청.
[鄕貫 향관] ㉠본적. ㉡고향.
[鄕關 향관] 고향. 향리.
[鄕校 향교] 시골의 학교.
[鄕舊 향구] 고향의 옛 벗.
[鄕國 향국] 고향.
[鄕黨 향당] 12,500호의 향(鄕)과 500호의 당(黨). 전(轉)하여, 향리(鄕里).
[鄕黨尙齒 향당상치] 향리에서는 나이 많은 사람을 높이 대접함.
[鄕大夫 향대부] 주대(周代)의 벼슬. 한 향리의 정교 금령(政敎禁令)을 맡음.
[鄕導 향도] 길을 인도함. 또, 그 사람. 향도(嚮導).
[鄕老 향로] ㉠주(周)의 관명(官名). 육향(六鄕)에 세 사람 두고 천자(天子)와 치도(治道)를 상의하는 사람. ㉡시골의 노인. 향리(鄕里)의 선배.
[鄕吏 향리] 향(鄕)의 벼슬아치.
[鄕里 향리] ㉠시골. 촌락. ㉡고향. ㉢시골 사람. 고향 사람. ㉣부부가 서로 부르는 호칭.
[鄕隣 향린] 이웃. 근린.
[鄕夢 향몽] 타향에서 꾸는 고향의 꿈.
[鄕民 향민] 그 시골 사람.
[鄕背 향배] ㉠마주 대함과 등을 보임. 거죽과 안. ㉡좇음과 배반함. 향배(向背).
[鄕士 향사] ㉠육향(六鄕;여섯 마을)의 옥(獄)을 맡은 벼슬. ㉡시골에 사는 인사(人士).
[鄕射 향사] 주대(周代)의 제도로서 향대부(鄕大夫)가 시골의 어진 사람을 선발하기 위해 행하는 활 쏘는 의식.
[鄕絲 향사] 우리나라에서 나는 명주실.
[鄕三物 향삼물] 주대(周代) 향학(鄕學)의 교정(敎程)으로서 육덕(六德)·육행(六行)·육예(六藝)의 세 가지.
[鄕書 향서] 고향에서 온 편지.
[鄕先生 향선생] 치사(致仕)하고 향리에 돌아가 그 향학(鄕學)의 선생이 된 사람.
[鄕俗 향속] 시골의 풍속(風俗).
[鄕愁 향수] 고향을 그리워하는 마음.
[鄕遂 향수] 왕성(王城)에서 백 리까지를 향(鄕), 백 리에서 2백 리까지의 사이를 수(遂)라 함. '왕성(王城)' 참조.
[鄕塾 향숙] 시골에 있는 학교.
[鄕試 향시] 청조(淸朝)의 과거 제도로서 3년마다 한 번씩 수재(秀才) 및 공생(貢生)을 각 성(省)의 성도(省都)에 모아 행하던 시험. 합격자를

거인(擧人)이라 함.
[鄕信 향신] 고향(故鄕)의 소식(消息).
[鄕約 향약] 시골 동네의 규약(規約).
[鄕藥 향약] 시골에서 나는 약재(藥材).
[鄕往 향왕] 마음이 늘 어느 한 사람이나 지역으로 향하여 감.
[鄕友 향우] 고향 친구.
[鄕原 향원] 향원(鄕愿).
[鄕園 향원] 고향.
[鄕愿 향원] 한 시골에서 인정을 살펴 이에 영합하여 군자(君子) 소리를 듣는 위선자(僞善者).
[鄕音 향음] 시골 사투리.
[鄕飮酒 향음주] 주대(周代)에 향교(鄕校)의 우등생을 중앙 정부에 천거할 때 향대부(鄕大夫)가 주인이 되어 송별연을 베풀던 일.
[鄕邑 향읍] 시골. 향리(鄕里).
[鄕人 향인] ㉠마을 사람. ㉡시골 사람. 시골의 평범한 사람.
[鄕長 향장] 향(鄕)의 우두머리. 한 마을의 장(長).
[鄕井 향정] 고향(故鄕).
[鄕弟 향제] 동향인(同鄕人)에 대한 자기의 겸칭(謙稱).
[鄕親 향친] ㉠고향의 부모 또는 친척. ㉡동향 친구.
[鄕土 향토] 고향.
[鄕風 향풍] 향속(鄕俗).
[鄕學 향학] ㉠학문에 뜻을 두고 그 길로 나아감. 향학(向學). ㉡향교(鄕校).
[鄕賢祠 향현사] 청대(淸代)에 한 지방에서 명망이 있는 사람을 죽은 후에 그 고향에서 제사 지내던 일. 또 그 사당.
[鄕戶 향호] 송대(宋代)에 한 시골에서 항산(恆産)이 있던 사람 또는 토착민(土着民)의 일컬음.
[鄕豪 향호] 지방의 호족(豪族).
[鄕黌 향횡] 향교(鄕校).
◉家鄕. 故鄕. 貫鄕. 舊鄕. 君子鄕. 歸鄕. 同鄕. 望鄕. 無何有之鄕. 白雲鄕. 射鄕. 水雲鄕. 水鄕. 殊鄕. 熱鄕. 溫柔鄕. 遠鄕. 衣錦還鄕. 異鄕. 杖鄕. 氈鄕. 帝鄕. 醉鄕. 他鄕. 寒鄕. 狹鄕. 懷鄕. 黑甛鄕.

10 ⑬ **[鄕]** 鄕(前條)의 俗字

10 ⑬ **[鄓]** 〔격〕 郹(邑部 九畫〈p. 2340〉)의 訛字

10 ⑬ **[鄖]** 〔두〕 郖(邑部 七畫〈p. 2335〉)와 同字

10 ⑬ **[鄋]** 수 ㊊尤 疎鳩切 sōu
[字解] 오랑캐 수 '一瞞'은 춘추 시대(春秋時代)의 북적(北狄)의 하나. '一瞞侵齊'《左傳》.
[字源] 篆文 形聲. 阝(邑)+叟(叜)〔音〕

[鄋瞞 수만] 자해(字解)를 보라.

10 ⑬ **[鄍]** 명 ㊊青 莫經切 míng
[字解] 고을이름 명 춘추 시대(春秋時代)의 우(虞)나라의 읍(邑). 지금의 산둥 성(山東省) 평륙현(平陸縣) 내의 땅. '伐一三門'《左傳》.
[字源] 篆文 形聲. 阝(邑)+冥〔音〕

10 ⑬ **[鄎]** 식 ㊇職 相卽切 xì
[字解] ①나라이름 식 주대(周代)에, 지금의 허난 성(河南省)에 있던 나라. ②땅이름 식 주대(周代)에, 지금의 허난 성(河南省)에 있던 제(齊)나라의 땅. '師于一'《春秋》.
[字源] 篆文 形聲. 阝(邑)+息〔音〕

10 ⑬ **[鄏]** 욕 ㊇沃 而蜀切 rǔ
[字解] 땅이름 욕 郟(邑部 七畫)을 보라. '郟一'.
[字源] 篆文 形聲. 阝(邑)+辱〔音〕

10 ⑬ **[鄐]** 축 ㊇屋 丑六切 chù
[字解] ①고을이름 축 춘추 시대(春秋時代)의 진(晉)나라의 형후(邢侯)의 읍(邑). '雍子奔晉, 晉人與之一'《左傳》. ②성 축 성(姓)의 하나.
[字源] 篆文 形聲. 阝(邑)+畜〔音〕

10 ⑬ **[鄑]** ㊀ 자 ㊊支 卽移切 zī
㊁ 진 ㊌震 卽刃切 zī
[字解] ㊀ 고을이름 자 춘추 시대(春秋時代)에, 지금의 산둥 성(山東省) 창읍현(昌邑縣)에 있던 기(紀)나라의 읍(邑). '齊師遷紀郱一郚'《春秋》. ㊁ 땅이름 진 지금의 산둥 성(山東省)에 있던, 춘추 시대(春秋時代)의 송(宋)나라와 노(魯)나라 사이의 땅. '敗宋師于一'《春秋》.
[字源] 篆文 形聲. 阝(邑)+晉(晉)〔音〕

10 ⑬ **[𨛬]** ㊀ 갑 ㊇合 古盍切
㊁ 합 ㊇合 胡臘切 hé
㊂ 개 ㊌泰 苦蓋切
[字解] ㊀ 땅이름 갑 전국 시대(戰國時代)에 제(齊)나라의 읍(邑). 한(漢)나라의 개현(蓋縣). 산둥 성(山東省) 이수이 현(沂水縣)의 서북쪽. '一, 地名'《廣韻》. ㊁ 땅이름 합 ㊀과 뜻이 같음. ㊂ 땅이름 개 ㊀과 뜻이 같음.
[字源] 形聲. 阝(邑)+盇(盍)〔音〕

10 ⑬ **[鄒]** [人名] 추 ㊊尤 側鳩切 zōu 邹
[筆順] 勹 匂 匃 刍 芻 芻' 芻阝 鄒
[字解] ①나라이름 추 邾(邑部 六畫)를 보라. '孟子居一'《孟子》. ②성 추 성(姓)의 하나.
[字源] 篆文 形聲. 阝(邑)+芻〔音〕

[鄒魯 추로] 추(鄒)나라는 맹자의 출생지, 노(魯)나라는 공자의 출생지이므로 공맹(孔孟)의 이칭(異稱). 또, 그들이 제창한 유교(儒敎)의 일컬음.

[鄒魯學 추로학] 공맹(孔孟)의 학문. 곧, 유교.
[鄒馬 추마] 추양(鄒陽)과 사마상여(司馬相如). 모두 한대(漢代)의 문학가.
[鄒枚 추매] 추양(鄒陽)과 매승(枚乘). 모두 한대(漢代)의 문학가로서 양왕(梁王)의 빈객이 되었음.
[鄒查 추사] 소곤거리는 말소리.
[鄒守益 추수익] 명(明)나라 중기(中期)의 유학자(儒學者). 안복(安福) 사람. 자(字)는 겸지(謙之). 왕수인(王守仁)의 제자(弟子)로 양명학(陽明學)에 통달하였으며, 벼슬은 남경(南京) 좨주(祭酒)를 지냈음.
[鄒陽 추양] 서한(西漢)의 임류(臨淄) 사람. 문학에 정통하였음.
[鄒衍 추연] 전국 시대 제(齊)나라의 음양 오행가(陰陽五行家). 연(燕)의 소왕(昭王)이 갈석궁(碣石宮)을 지어 그에게 사사(師事)했음. 종시오덕(終始五德)의 설(說)을 주창했음. 종시 오덕설은 왕조(王朝)의 흥망(興亡)을 그 고유(固有)의 덕(德)인 토(土)·목(木)·금(金)·화(火)·수(水)의 오행(五行)의 순차적(順次的) 극복(克服)으로 설명하려는 것으로, 한대(漢代)의 참위학(讖緯學)의 기초가 되었음. 〈사기(史記)〉에는 '추연(騶衍)'이라 적었음.
[鄒元標 추원표] 명(明)나라 말기(末期)의 정치가. 길수(吉水) 사람. 희종(熹宗) 때 벼슬이 좌도어사(左都御史)에 이르렀음. 만년에는 수선서원(首善書院)을 짓고 동지를 모아 학문을 가르쳤음.

10 ⑬ [鄔] 오 ㊤麌 安古切 wū 邬

字解 ①땅이름 오 ㉠춘추 시대(春秋時代)에, 지금의 허난 성(河南省) 언사현(偃師縣)에 있었던 정(鄭)나라의 지명(地名). '王取一劉蔿邘之田于鄭'《左傳》. ㉡춘추 시대에, 지금의 산시 성(山西省) 개휴현(介休縣) 내에 있었던 진(晉)나라의 지명(地名). '司馬彌牟爲一大夫'《左傳》. ②성 오 성(姓)의 하나.
字源 篆文 形聲. 阝(邑)+烏〔音〕

10 ⑬ [郼] 건 ㊥先 渠焉切 qián ㊤銑 九件切

字解 마을이름 건 산시 성(山西省) 문희현(聞喜縣)의 촌락(村落)의 이름. '一, 河東聞喜縣'《說文》.
字源 形聲. 阝(邑)+虔〔音〕

10 ⑬ [鄖] 운 ㊥文 王分切 yún 郧

字解 ①나라이름 운 춘추 시대(春秋時代)의 한 나라. 지금의 후베이 성(湖北省) 안륙현(安陸縣)의 땅. '一人軍於蒲騷'《左傳》. ②땅이름 운 춘추 시대의 위(衛)나라의 지명(地名). 지금의 장쑤 성(江蘇省) 여고현(如皐縣)의 땅. '殯於一'《左傳》. ③성 운 성(姓)의 하나.
字源 篆文 形聲. 阝(邑)+員〔音〕

10 ⑬ [鄗] 一 호 ㊤晧 胡老切 hào 二 효 ㊥肴 口交切 qiāo

字解 一 ①고을이름 호 춘추 시대(春秋時代)에, 지금의 허베이 성(河北省) 백향현(柏鄉縣)에 있던 진(晉)나라의 읍(邑). 전국 시대(戰國時代)에는 조(趙)나라에 속하였고, 후한(後漢)의 광무제(光武帝)는 이곳에서 즉위(卽位)한 후, 고읍(高邑)이라고 고친 곳임. '伐晉, 取刑任欒一'《左傳》. ②호경 호 주(周)나라의 서울. 鎬(金部 十畫)와 통용. '西顧酆一'《後漢書》. 二 산이름 효 허난 성(河南省) 형양현(滎陽縣)에 있는 산. '晉師在敖一之間'《左傳》.
字源 篆文 形聲. 阝(邑)+高〔音〕

11 ⑭ [鄘] 용 ㊥冬 餘封切 yōng

字解 ①땅이름 용 원은 은(殷)나라 주왕(紂王)의 도성(都城)의 일부인데, 주(周)나라 무왕(武王)이 은나라를 멸한 후, 도성을 이분하여 남쪽 반을 '一'(북쪽은 '邶')이라 고치고, 관숙(管叔)을 그곳의 윤(尹)으로 봉(封)하였음. 지금의 허난 성(河南省) 급현(汲縣)의 동북쪽. ②담 용 성의 담. 성벽. 墉(土部 十一畫)과 同字. '宋城舊一'《左傳》.
字源 金文 篆文 形聲. 阝(邑)+庸〔音〕. '墉용'과 통하여 '토담'의 뜻을 나타냄.

11 ⑭ [鄌] 당 ㊥陽 徒郎切 táng

字解 땅이름 당 지명(地名).
字源 形聲. 篆文은 阝(邑)+臺〔音〕

11 ⑭ [鄙] 人名 비 ㊤紙 方美切 bǐ

字解 ①마을 비 주대(周代)의 행정 구획의 하나. 500호가 사는 소읍(小邑). '縣一'. ②식읍 비 공경대부(公卿大夫)의 식읍(食邑). 채지(采地). '以八則治都一'《周禮》. ③두메 비 서울에서 멀리 떨어진 궁벽한 곳. '邊一'. ④촌스러울 비 촌뜨기 같음. '野一'. 전(轉)하여, 자기의 사물에 관(冠)하는 겸칭(謙稱)으로 쓰임. '一見'. '妾願以一軀, 易父之死'《列女傳》. ⑤더러울 비 마음이 비루함. '一劣'. '在位貪一'《詩經序》. ⑥고집셀 비 완고함. '或仁或一'《漢書》. ⑦천할 비 신분이 낮음. '魯之一家也'《呂氏春秋》. ⑧천하게여길 비 ㉠얕봄. 천대함. '過我而不假我, 一我也'《左傳》. ㉡비천(卑賤)하다고 생각함. '巫醫百工之人, 君子一之'《韓愈》. ㉢수치로 여김. '君子所一'《史記》. ⑨천한이 비 천한 사람. '賞一以招賢'《潛夫論》.
字源 甲骨文 金文 篆文 形聲. 阝(邑)+啚〔音〕. '啚비'는 마을의 쌀 곳집의 象形. 먼 데 있는 마을·시골의 뜻을 나타냄. 변경의 시골의 뜻에서 파생하여 '경박하다, 촌스럽다'의 뜻을 나타냄.

[鄙見 비견] 자기 견해의 겸칭(謙稱).
[鄙軀 비구] 자기 몸의 겸칭(謙稱).
[鄙近 비근] 상스럽고 천박함.
[鄙劣 비렬] 비열(鄙劣).
[鄙老 비로] 노인이 자기를 일컫는 겸칭.
[鄙陋 비루] 마음이 고상(高尙)하지 않고 하는 짓이 더러움.

[鄙俚 비리] 풍속·언어 등이 상스러움. 또, 그 사람.
[鄙吝 비린] 다랍고 인색(吝嗇)함.
[鄙朴 비박] 촌스럽고 소박(素朴)함.
[鄙薄 비박] ㉠비루하고 천박함. ㉡천히 여겨 박대함.
[鄙倍 비배] 비루하고 이치에 어긋남.
[鄙僻 비벽] 성질이 못나고 편벽됨.
[鄙夫 비부] 비루(鄙陋)한 남자.
[鄙事 비사] 천한 일.
[鄙詐 비사] 비열하여 남을 속임.
[鄙笑 비소] 더럽게 여겨 냉소함.
[鄙俗 비속] 촌스러움. 우아(優雅)하지 아니함.
[鄙闇 비암] 비우(鄙愚).
[鄙野 비야] ㉠비리(鄙俚). ㉡시골.
[鄙語 비어] 낮고 속된 말. 상스러운 말.
[鄙言 비언] 비어(鄙語). 「말.
[鄙諺 비언] 항간에 퍼져 쓰이는 이언(俚言). 상
[鄙劣 비열] 마음이 더럽고 용렬함.
[鄙猥 비외] 야비하고 외설함.
[鄙愚 비우] 상스럽고 어리석음.
[鄙遠 비원] 궁벽하고 멂. 또, 그 땅.
[鄙願 비원] 자기 소원의 겸칭(謙稱).
[鄙儒 비유] 식견이 좁고 행동이 상스러운 선비.
[鄙人 비인] ㉠언행이 상스러운 사람. ㉡지위가 낮은 사람. ㉢시골 사람. 촌뜨기. ㉣자기의 겸칭(謙稱).
[鄙淺 비천] 야비하고 천박함.
[鄙賤 비천] ㉠신분이 낮음. 천함. ㉡천하게 여겨 깔봄. 비웃음. 조소함.
[鄙懷 비회] 자기 생각의 겸칭(謙稱).
◉郊鄙. 陋鄙. 都鄙. 昧鄙. 蒙鄙. 微鄙.

11 ⑭ [鄚] 막 ㊀藥 慕各切 mào

字解 ①땅이름 막 허베이 성(河北省)에 있던 지명(地名). '與燕一易'《史記》. ②성 막 성(姓)의 하나.
字源 篆文 形聲. 阝(邑)+莫〔音〕

11 ⑭ [鄛] 소 ㊥肴 鉏交切 cháo

字解 땅이름 소 지금의 허난 성(河南省) 신야현(新野縣)에 있던 지명. 한(漢)나라 화제(和帝)가 환관(宦官) 정중(鄭衆)을 봉(封)한 땅. '念衆功美, 封爲一鄉侯'《後漢書》.
字源 篆文 形聲. 阝(邑)+巢〔音〕

11 ⑭ [鄜] 부 ㊥虞 芳無切 fū

字解 땅이름 부 진대(秦代)의 지명(地名). 문공(文公)이 백제(白帝)를 제사 지낸 곳. 지금의 산시 성(陝西省) 시안 부(西安府)의 북쪽. '初爲一畤'《史記》.
字源 篆文 形聲. 篆文은 阝(邑)+麃〔音〕

11 ⑭ [鄝] 료 ㊤篠 盧鳥切 liǎo

字解 나라이름 료 춘추 시대(春秋時代)에 지금의 안후이 성(安徽省) 서성현(舒城縣)에 있던 나라. '楚人滅舒一'《穀梁傳》.
字源 篆文 形聲. 阝(邑)+翏〔音〕

◉舒鄝.

11 ⑭ [鄞] 은 ㊥眞 語巾切 yín

字解 고을이름 은 한대(漢代)의 회계군(會稽郡)의 한 현(縣). 지금의 저장 성(浙江省) 인 현(鄞縣). '一章安故治'《後漢書》.
字源 篆文 形聲. 阝(邑)+堇〔音〕

11 ⑭ [鄤] 간 ㊥寒 居寒切 gān

字解 땅이름 간 춘추 시대(春秋時代) 진(晉)나라의 읍(邑). 허베이 성(河北省) 성안현(成安縣)의 동남쪽. '一, 地名'《說文》.
字源 形聲. 阝(邑)+乾〔音〕

11 ⑱ [鄪] 鄤(前條)과 同字

11 ⑭ [鄟] 전 ㊥先 職緣切 zhuān

字解 ①고을이름 전 춘추 시대(春秋時代)에, 산둥 성(山東省)에 있던 주(邾)나라의 읍(邑). '取一'《春秋》. ②성 전 성(姓)의 하나.

◉取鄟.

11 ⑭ [鄠] 호 ㊤麌 侯古切 hù

字解 ①고을이름 호 한대(漢代)에, 우부풍(右扶風)에 속한 한 현(縣). 지금은 산시 성(陝西省)의 한 현. ②성 호 성(姓)의 하나.
字源 篆文 形聲. 阝(邑)+雩〔音〕

11 ⑭ [鄡] 교 ㊥蕭 苦幺切 qiāo

字解 ①고을이름 교 한대(漢代)의 한 현(縣). 지금의 허베이 성(河北省) 동록현(東鹿縣). '繫銅馬於一'《後漢書》. ②성 교 성(姓)의 하나.
字源 篆文 形聲. 阝(邑)+梟〔音〕

11 ⑭ [鄥] 鄡(前條)와 同字

11 ⑭ [鄢] 언 ㊤阮 於幰切 yān / ㊋願 於建切

字解 ①땅이름 언 ㉠춘추 시대(春秋時代) 정(鄭)나라의 땅. 지금의 허난 성(河南省) 언릉현(鄢陵縣)의 일부. '一陵'은 춘추(春秋)의 오대전(五大戰)의 하나인 언릉(鄢陵)의 싸움이 있었던 곳으로, 이곳에서 진(晉)나라의 여공(厲公)이 초(楚)나라를 격파하였음. '克段于一'《左傳》. ㉡춘추 시대 초(楚)나라의 땅. 지금의 후베이 성(湖北省) 의성현(宜城縣)의 일부. ②성 언 성(姓)의 하나.

字源 篆文 形聲. 阝(邑)+焉〔音〕

[鄢陵 언릉] 자해(字解) ❶㉠을 보라.

11 ⑭ [鄣] 장 ①㊥陽 諸良切 zhāng ②㊤漾 之亮切 zhàng

字解 ①고을이름 장 ㉠춘추 시대(春秋時代)의 거(莒)나라의 읍(邑). 지금의 장쑤 성(江蘇省) 공유현(贛楡縣)의 일부. ㉡춘추 시대의 기(紀)나라의 읍(邑). 지금의 산둥 성(山東省) 동평현(東平縣)의 일부. ②막을 장 障(阜部 十一畫)과 통용. '鯀一鴻水而殛死'《禮記》.

字源 篆文 形聲. 阝(邑)+章〔音〕

[鄣泥 장니] 말의 흙받기.

11 ⑭ [鄤] 만 ㊤翰 莫半切 màn ㊥寒 謨官切

字解 땅이름 만 춘추 시대(春秋時代)에, 지금의 허난 성(河南省) 사수현(汜水縣)에 있던 정(鄭)나라 땅. '使東鄤覆諸一'《左傳》.

11 ⑭ [鄌] 차 ㊥歌 昨何切 cuó

字解 땅이름 차 한(漢)나라에서 지금의 허난 성 영성현(永城縣)에 둔 현(縣)이름. '一, 沛國縣, 今酇縣'《說文》.

字源 篆文 形聲. 阝(邑)+虘〔音〕

11 ⑭ [鄜] 배 ㊥灰 薄回切 péi

字解 나라이름 배 한(漢)나라 후국(侯國)의 이름. '一, 在今陝西西安府鄠縣'《說文通訓定聲》.

字源 篆文 形聲. 阝(邑)+崩〔音〕

12 ⑮ [鄏] ㊀ 도 ㊥虞 同都切 tú ㊁ 다 ㊥麻 宅加切

字解 ㊀ 정자이름 도, 고을이름 도 산시 성(陝西省) 합양현(郃陽縣)의 땅. '一, 左馮翊郃陽亭'《說文》. '一, 鄉名'《廣韻》. ㊁ 정자이름 다, 고을이름 다 ㊀과 뜻이 같음.

字源 形聲. 阝(邑)+屠〔音〕

12 ⑮ [鄦] 허 ㊤語 虛呂切 xǔ

字解 허나라 허 춘추 시대에, 지금의 허난 성(河南省) 쉬창 현(許昌縣)에 있던 나라. 정(鄭)나라에게 멸망당함. 許(言部 四畫)와 同字. '一公惡鄭於楚'《史記》.

字源 金文 篆文 形聲. 阝(邑)+無(霖)〔音〕

12 ⑮ [鄧] 人名 등 ㊤徑 徒亙切 dèng 邓

筆順 ㇇ ㇇ 癶 咅 登 登 鄧 鄧

字解 ①나라이름 등 춘추 시대(春秋時代)에, 지금의 후베이 성(湖北省) 샹양 현(襄陽縣)에 있던 나라. '一侯吾離來朝'《春秋》. ②성 등 성(姓)의 하나.

字源 甲骨文 金文 篆文 形聲. 阝(邑)+登〔音〕

[鄧林 등림] 초(楚)나라 북경(北境)에 있는 대숲의 이름. 일설(一說)에는, 도림(桃林)을 가리킨다고 함.

[鄧析子 등석자] 춘추(春秋) 시대 정(鄭)나라의 대부(大夫) 등석(鄧析)이 지은 책. 1권. 현존(現存)하는 책에는 법가(法家)·도가(道家)의 학설(學說)이 잡연(雜然)히 섞여 있고, 고서(古書)로부터의 인용(引用)이 많은 것을 보아 진대(晉代)의 위작(僞作)으로 추정됨.

[鄧艾 등애] 삼국 시대 위(魏)나라의 명장(名將). 극양(棘陽) 사람. 자(字)는 사재(士載). 사마의(司馬懿)의 인정(認定)을 받아 상서랑(尙書郞)이 되고, 남안태수(南安太守) 등을 거쳐 진서 장군(鎭西將軍)으로서 촉(蜀)나라를 멸하는 데에 큰 공을 세웠으나, 종회(鍾會)의 참소로 참형(斬刑)당하였음.

[鄧禹 등우] 후한(後漢) 창업기(創業期)의 명신(名臣). 자(字)는 중화(仲華). 광무(光武)를 도와서 천하를 평정하여 벼슬이 대사도(大司徒)에 이름. 운대 이십팔장(雲臺二十八將)의 제일(第一).

[鄧攸 등유] 진(晉)나라 양양(襄陽) 사람. 자(字)는 백도(伯道). 벼슬은 상서좌복야(尙書左僕射)에 이르렀음. 석륵(石勒)의 병란(兵亂)을 당하여 가족을 데리고 피란할 때에 아들을 버리고 조카를 살려 내니 사람들이 슬퍼하여 '天道無知, 使鄧伯道無兒'라 했음.

[鄧芝 등지] 삼국 시대 촉(蜀)나라의 정치가. 제갈량(諸葛亮)의 사후(死後) 대장군(大將軍)으로 20년간 지내면서 상벌을 엄정하게 하고 사졸(士卒)을 사랑했음.

[鄧通 등통] 한(漢)나라의 남안(南安) 사람. 처음에 뱃사공이었으나 우연히 문제(文帝)의 총애를 받아 상대부(上大夫)가 되었고, 촉(蜀)나라 엄도 동산(嚴道銅山)을 하사받아 스스로 돈〔錢〕을 만들어 내니, 이를 등씨전(鄧氏錢)이라 하였음.

12 ⑮ [鄩] 심 ㊥侵 徐林切 xún

字解 ①고을이름 심 지금의 허난 성(河南省) 궁현(鞏縣)에 있던 주(周)나라의 읍(邑). '郊一潰'《左傳》. ②성 심 성(姓)의 하나.

字源 篆文 形聲. 阝(邑)+尋〔音〕

12 ⑮ [鄪] 비 ㊤寘 兵媚切 bì

字解 고을이름 비 지금의 산둥 성(山東省) 비현(費縣)에 있던 노(魯)나라의 읍(邑). '以汶陽一封季友'《史記》.

12 ⑮ [鄫] 증 ㊥蒸 疾陵切 zēng(céng)

字解 ①나라이름 증 춘추 시대(春秋時代)에, 지금의 산둥 성(山東省) 이 현(嶧縣)에 있던 소국(小國). 거(莒)나라에 멸망당함. '一子來朝'《春秋》. ②땅이름 증 춘추 시대에, 지금의 허난

성(河南省)에 있던 정(鄭)나라의 땅. '次于—'《春秋》. ③성 증 성(姓)의 하나.
字源 金文 篆文 形聲. 阝(邑)+曾〔音〕

12 ⑮ [鄲] 담 ㊥覃 徒南切 tán
字解 나라이름 담 주대(周代)의 나라 이름. 영성(嬴姓). 자작(子爵). 춘추 시대(春秋時代)에 제(齊)나라에 망함. 산둥 성(山東省) 리청 현(歷城縣)의 동남쪽.
字源 形聲. 阝(邑)+亶(覃)〔音〕

12 ⑮ [鄬] 위 ㊥支 薳支切 wéi ㊤紙 韋委切
字解 땅이름 위 춘추 시대(春秋時代)에, 지금의 허난 성(河南省) 노산현(魯山縣)에 있던 정(鄭)나라의 지명(地名). '會于—'《春秋》.
字源 篆文 形聲. 阝(邑)+爲〔音〕

12 ⑮ [鄭] 人名 정 ㊦敬 直正切 zhèng 郑
筆順
字解 ①정나라 정 ㉠춘추 전국 시대(春秋戰國時代)의 한 나라. 선왕(宣王)의 서제(庶弟) 환공(桓公) 우(友)를 봉(封)한 곳으로서, 지금의 허난 성(河南省) 신정현(新鄭縣)의 일부. 전국 시대에 한(韓)나라에게 멸망당함. '—伯克段于鄢'《春秋》. ㉡수(隋)나라 말년(末年)에, 왕세충(王世充)이 지금의 허난 성(河南省) 뤄양현(洛陽縣)에 세운 나라. 당(唐)나라에게 병합당함. ②정나라풍류 정 정나라에서 부르는 음악. 정나라에는 음탕한 음악이 많이 유행하였으므로, 전(轉)하여, 음탕한 음악의 뜻으로 쓰임. '雅—異音聲'《曹植》. ③정중할 정 '—重'. '—, —重, 慇懃'《廣韻》. ④성 정 성(姓)의 하나.
字源 甲骨文 金文 篆文 形聲. 阝(邑)+奠〔音〕. '奠전'은 '정하다, 안정시키다'의 뜻. '仍잉'과 통하여 '겹치다, 정중하다'의 뜻을 나타냄.
參考 속(俗)에 글자의 왼쪽 윗부분이 당나귀의 귀와 같다 하여 '당나귀정'이라 이름.

[鄭虔 정건] 당(唐)나라의 문신(文臣). 자(字)는 약재(弱齋). 현종(玄宗) 때 광문박사(廣文博士)가 됨. 서화(書畫)와 시(詩)를 잘하여, 현종으로부터 정건삼절(鄭虔三絶)이라 칭찬을 받았음.
[鄭當時 정당시] 한(漢)나라 때의 관리(官吏). 자(字)는 장(莊), 임협객(任俠客)을 좋아하였으며, 제남태수(濟南太守)·우내사(右內史) 등을 거쳐 무제(武帝) 때 대농령(大農令)에 이르렀음.
[鄭白 정백] 전국 시대(戰國時代) 한(韓)나라의 수공(水工)인 정국(鄭國)이 만든 수로(水路) 정거(鄭渠)와, 한(漢)나라 대부(大夫)인 백공(白公)이 만든 수로 백거(白渠). 둘 다 산시 성(陝西省) 경계(境界)에 있음.
[鄭聲 정성] 정(鄭)나라의 음악. 정나라에 음탕한 음악이 유행하였으므로 전(轉)하여, 음탕한 음악의 뜻으로 쓰임.
[鄭成功 정성공] 명말(明末) 부흥 운동(復興運動)의 중심인물. 정지룡(鄭芝龍)의 아들. 처음 이름은 삼(森). 명(明)나라가 망하자 대만(臺灣)을 근거지로 하여 광복(光復)을 꾀하였음.
[鄭所南 정소남] 송말(宋末) 원초(元初)의 은사(隱士). 롄장(連江) 사람. 일명(一名) 사초(思肖). 송나라가 망하자 숨어서 농사를 지으며 일생을 원조(元朝)에 대한 저항(抵抗)으로 보냈음. 저서에 〈철함심사(鐵函心史)〉가 있음.
[鄭衛桑間 정위상간] 정(鄭)과 위(衛) 두 나라의 음란(淫亂)한 음악. 상간(桑間)은 음란한 망국(亡國)의 음악임.
[鄭音 정음] 정성(鄭聲).
[鄭箋 정전] 후한(後漢)의 경학자(經學者) 정현(鄭玄)이 지은 모시전(毛詩箋).
[鄭重 정중] ㉠은근(慇懃)함. 점잖고 묵직함. ㉡자주. 빈번히.
[鄭衆 정중] ㉠후한(後漢)의 학자. 자(子)는 중사(仲師). 경학(經學)에 정통했음. 장제(章帝) 때 대사농(大司農)이 된 데서 경학가(經學家)는 그를 정사농(鄭司農)이라 일컬었음. ㉡후한(後漢)의 환관(宦官). 자(字)는 계산(季產). 화제(和帝) 때 두헌(竇憲) 형제(兄弟)의 불궤(不軌)를 꺾어 그 일당(一黨)을 몰살(沒殺)한 공(功)으로 대장추(大長秋)로 영진(榮進)하여 국정(國政)에 참여하였음. 후한의 환관이 권세를 잡게 된 것은 정중에 비롯함.
[鄭芝龍 정지룡] 명말(明末) 사람. 당왕(唐王)을 받들어 명(明)나라의 회복(恢復)을 꾀했으나 이루지 못한 채 청(淸)나라에 항복하였음. 정성공(鄭成功)은 그의 아들임.
[鄭樵 정초] 남송(南宋)의 학자. 자(字)는 어중(漁仲). 고증학(考證學)을 좋아하여 통지(通志) 2백 권을 썼음.
[鄭圃 정포] 열자(列子)가 살던 지명.
[鄭玄 정현] 후한(後漢)의 학자. 자(字)는 강성(康成). 모든 경(經)에 널리 정통하여 한대(漢代) 경학(經學)을 통일적으로 집대성(集大成)하였음. 모시전(毛詩箋)·주례(周禮)·의례(儀禮)·예기(禮記) 등의 주(註)를 지었음.
[鄭俠 정협] 송(宋)나라의 정치가. 자(字)는 개부(介夫). 왕안석(王安石)의 신법(新法)에 반대하여 누차(屢次) 신법의 불편(不便)함을 왕안석에게 상언(上言)하여 한때 그 시행을 중지케 하였음.
◉南鄭. 雅鄭. 流鄭.

12 ⑮ [鄮] 무 ㊦宥 莫候切 mào 鄮
字解 ①고을이름 무 한대(漢代)의 현. 지금의 저장 성(浙江省) 인 현(鄞縣) 땅. '—縣屬會稽郡'《漢書》. ②성 무 성(姓)의 하나.
字源 篆文 形聲. 阝(邑)+貿〔音〕

12 ⑮ [鄯] 선 ㊦霰 時戰切 shàn
字解 나라이름 선 '—善'의 약칭. '—善'. '留湟而棄—'《甲申雜記》. '—善國名, 本名樓蘭, 元鳳四年改名'《漢書》.
字源 篆文 形聲. 阝(邑)+善〔音〕

[鄯善 선선] 서역(西域)의 한 나라로 본시 누란(樓蘭)이라 일컬었음. 지금의 신장 성(新疆省) 착강현(婼羌縣) 지방. 청대(清代)의 선선현(鄯善縣)은 그 북방임.

12 ⑮ [鄰] 〔린〕 隣(阜部 十二畫〈p. 2475〉)의 本字

12 ⑮ [郯] 〔담〕 郯(邑部 八畫〈p. 2339〉)의 訛字

12 ⑮ [鄹] 〔려〕 黎(黍部 三畫〈p. 2702〉)와 同字

12 ⑮ [鄱] 파 ㊥歌 薄波切 pó

字解 ①고을이름 파 '一陽'은 예장군(豫章郡)의 한 현(縣). 지금은 장시 성(江西省)의 한 현(縣). ②호수이름 파 '一陽'은 장시 성(江西省)에 있는 호수(湖水). 고대(古代)의 팽려(彭蠡).

字源 篆文 形聲. 阝(邑)+番〔音〕

[鄱陽 파양] 자해(字解)를 보라.

12 ⑮ [鄲] 人名 단 ㊥寒 都寒切 dān

字解 조(趙)나라서울 단 邯(邑部 五畫)을 보라. '邯一'.

字源 金文 篆文 形聲. 阝(邑)+單〔音〕

◉邯鄲.

12 ⑮ [鄗] 교 ㊤篠 擧夭切 jiǎo

字解 나라이름 교 '一, 黃帝後, 姬姓之國'《字彙補》.

13 ⑯ [鄳] 맹 ㊥庚 武庚切 méng

字解 고을이름 맹 한대(漢代)에, 지금의 허난 성(河南省) 나산현(羅山縣) 지방에 있던 현(縣). 고래(古來)로 험준한 요해처로서 유명함. '江夏郡有一縣'《漢書》.

字源 篆文 形聲. 阝(邑)+黽〔音〕

13 ⑯ [鄴] 업 ㊀葉 魚怯切 yè

字解 ①위나라서울 업 한대(漢代)에, 지금의 허난 성(河南省) 임장현(臨漳縣)에 있던 한 현(縣)인데, 후한말(後漢末)에는 문학(文學)의 연수(淵藪)였고, 삼국 시대(三國時代)에는 위(魏)나라의 서울이 되었음. '公之圍一也'《魏志》. ②성 업 성(姓)의 하나.

字源 篆文 形聲. 阝(邑)+業〔音〕

[鄴架 업가] 서가(書架). 또, 다수의 장서. '업후서(鄴侯書)'를 보라.

[鄴下七子 업하칠자] 위대(魏代)의 문사(文士) 일곱 사람. 곧, 공융(孔融)·서간(徐幹)·왕찬(王粲)·진임(陳琳)·완우(阮瑀)·유정(劉楨)·응창(應瑒).

[鄴侯書 업후서] 당(唐)나라의 업후(鄴侯) 이승휴(李承休)가 장서 2만여 권을 가진 고사. 전(轉)하여, 많은 장서(藏書).

13 ⑯ [鄵] 조 ㊦號 七到切 cào

字解 땅이름 조 춘추 시대(春秋時代)에, 지금의 허난 성(河南省)에 있던 정(鄭)나라의 지명(地名). '鄭伯髡頑, …卒于一'《春秋》.

13 ⑯ [鄶] 회(괴㊍) ㊦泰 古外切 kuài

字解 ①나라이름 회 주대(周代)에, 지금의 허난 성(河南省) 밀현(密縣)에 있던 나라. 정(鄭)나라에게 망하였음. '葬之一城之下'《左傳》. ②성 회 성(姓)의 하나.

字源 金文 篆文 形聲. 阝(邑)+會〔音〕

13 ⑯ [鄡] 갈 ㊀曷 居曷切 gé

字解 고을이름 갈 허난 성(河南省) 난양 시(南陽市)의 땅. '一, 南陽陰鄉'《說文》.

字源 形聲. 阝(邑)+葛〔音〕

13 ⑯ [鄭] 〔구〕 斞(斗部 十三畫〈p. 950〉)의 訛字

13 ⑯ [鄷] 〔풍〕 酆(邑部 十八畫〈p. 2349〉)의 俗字

14 ⑰ [鄸] 몽 ㊥東 謨中切 méng
㊦送 莫鳳切

字解 고을이름 몽 춘추 시대(春秋時代)에, 지금의 산둥 성(山東省) 허쩌 현(荷澤縣)에 있던 조(曹)나라의 읍(邑). '曹公孫會自一出奔宋'《春秋》.

14 ⑰ [鄹] 〔추〕 郰(邑部 八畫〈p. 2339〉)와 同字

字源 形聲. 阝(邑)+聚〔音〕

15 ⑱ [鄺] 광 ㊤養 古晃切 kuàng

字解 성 광 성(姓)의 하나. '一露'는 명대(明代)의 사람.

字源 形聲. 阝(邑)+廣〔音〕

15 ⑱ [鄽] 전 ㊥先 直連切 chán

字解 가게 전 廛(广部 十二畫)과 同字. '隘一亦隘衢'《元稹》.

字源 形聲. 阝(邑)+廛〔音〕

◉市鄽. 隘鄽. 通鄽.

15 ⑱ [鄾] 우 ㊥尤 於求切 yōu

[字解] ①땅이름 우 춘추 시대(春秋時代)에, 지금의 후베이 성(湖北省) 샹양 현(襄陽縣) 지방에 있던 등(鄧)나라의 지명(地名). '鄧南鄙一人, 攻而奪之幣'《左傳》. ②성 우 성(姓)의 하나.
[字源] 篆文 形聲. 阝(邑)+憂〔音〕

15 ⑱ [鄻] 련 [上]銑 力展切 liǎn
[字解] 고을이름 련 주(周)나라의 한 읍(邑). '王子趙車入于一以叛'《左傳》.
[字源] 篆文 形聲. 阝(邑)+輦〔音〕

15 ⑱ [鄼] 〔찬〕
酇(邑部 十九畫〈p.2349〉)의 俗字

[嚮] 〔향〕
口部 十六畫(p.411)을 보라.

16 ⑲ [鄿] 기 [平]微 居希切 jī
[字解] 땅이름 기 패군(沛郡)의 지명(地名). 일설(一說)에는, 초(楚)나라의 지명. 蘄(艸部 十六畫)와 同字.

16 ⑲ [𨟎] 〔휴〕
酅(邑部 十八畫〈p.2349〉)의 俗字

16 ⑲ [𩫏] 〔곽〕
郭(邑部 八畫〈p.2338〉)의 本字

16 ⑲ [𨞵] 〔당〕
鄌(邑部 十一畫〈p.2344〉)의 本字

17 ⑳ [酁] 참 [平]咸 士咸切 chán
[字解] 땅이름 참 춘추 시대(春秋時代)의 송(宋)나라의 지명(地名). '宋皇麇奪其兄一般邑以與之'《左傳》.
[字源] 篆文 形聲. 阝(邑)+毚〔音〕

17 ⑳ [酃] 령 [平]靑 郎丁切 líng
[字解] 고을이름 령 한대(漢代)에, 지금의 후난 성(湖南省) 헝양 현(衡陽縣)에 있던 현(縣). '長沙國有一縣'《漢書》.
[字源] 篆文 形聲. 阝(邑)+霝〔音〕

[酃淥 영록] 미주(美酒)의 이름. 후난 성(湖南省) 헝양 현(衡陽縣)에서 영호(酃湖)의 물로 빚은 술.
[酃醁 영록] 영록(酃淥).

18 ㉑ [酅] 휴 [平]齊 戶圭切 xī
[字解] ①고을이름 휴 춘추 시대(春秋時代)에, 산둥 성(山東省) 린쯔 현(臨淄縣)에 있던 기(紀)나라의 읍(邑). '紀季以一入于齊'《春秋》. ②땅이름 휴 춘추 시대에, 지금의 산둥 성(山東省) 동아현(東阿縣)에 있던 제(齊)나라의 지명. '公追齊師至一, 不及'《春秋》.
[字源] 篆文 形聲. 阝(邑)+巂〔音〕

18 ㉑ [酆] 풍 [平]東 敷隆切 fēng
[字解] ①주나라서울 풍 주(周)나라 문왕(文王)이 도읍한 곳. 지금의 산시 성(陝西省) 호현(鄠縣)의 땅. '康有一宮之朝'《左傳》. ②나라이름 풍 주대(周代)의 한 나라. 주(周)나라와 동성(同姓). 문왕(文王)이 도읍한 고지(故地). '畢原一郇, 文之昭也'《左傳》. ③성 풍 성(姓)의 하나.
[字源] 甲骨文 金文 篆文 形聲. 阝(邑)+豐〔音〕

18 ㉑ [𨟔] 각 [入]藥 乞約切 què
[字解] 고을이름 각 고을 이름. 지금의 산시 성(山西省) 문희현(聞喜縣)에 있던 고을. '𨟔, 鄕名, 在河東聞喜縣, 或省'《集韻》.

18 ㉑ [酄] [一] 환 [平]寒 呼官切 huān
[二] 권 [平]先 驅圓切 quān
[字解] [一] 고을이름 환 춘추(春秋) 시대 노(魯)나라의 하읍(下邑). 산둥 성(山東省) 비성현(肥城縣)의 서쪽. '一, 魯下邑'《說文》. [二] 고을이름 권 산시 성(山西省) 문희현(聞喜縣)의 향(鄕)의 이름. '一, 鄕名. 在聞喜縣'《集韻》.
[字源] 形聲. 阝(邑)+雚〔音〕

19 ㉒ [酇] 찬 ①②[上]旱 作管切 zàn
③[去]翰 則旰切
[字解] ①마을 찬 주대(周代)의 행정 구획의 하나. 백 집이 사는 구역. '四里爲一'《周禮》. ②모일 찬 한군데에 모여듦. '位有一列之處'《禮記註》. ③땅이름 찬 한(漢)나라 소하(蕭何)를 봉(封)한 땅. 지금의 후베이 성(湖北省) 광화현(光化縣)의 북쪽. '封爲一侯'《漢書》.
[字源] 篆文 形聲. 阝(邑)+贊〔音〕

[酇白 찬백] 백주(白酒). 빛이 흰 술.

19 ㉒ [酈] [一] 려 [平]支 呂支切 lí
[二] 력 [入]錫 郎擊切 lì
酈
[字解] [一] 땅이름 려 춘추 시대(春秋時代)의 노(魯)나라의 지명(地名). 지금의 산둥 성(山東省) 연주부(兗州府) 부근. '敗莒師于一'《春秋》. [二] ①땅이름 력 한대(漢代)에 지금의 허난 성(河南省) 내향현(內鄕縣)에 있던 지명. '與偕攻析一, 皆降'《漢書》. ②성 력 성(姓)의 하나. '一食其'는 한(漢)나라 고조(高祖)의 공신(功臣).
[字源] 篆文 形聲. 阝(邑)+麗〔音〕

[酈道元 역도원] 북위(北魏)의 지리학자(地理學者). 자(字)는 선장(善長). 어사중위(御史中尉)가 되어 법을 엄혹하게 다스렸는데, 산시(陝西) 방면의 행정 사찰(行政査察)을 나갔을 때 암살(暗殺)당했음. 저서에 〈수경주(水經註)〉 40권

(卷)이 있음.
[酈食其 역이기] 한초(漢初)의 책사(策士). 고양(高陽) 사람. 고조(高祖)를 위해 제(齊)나라에 가서 유세(遊說)하여 70여 성(城)을 항복받았는데, 그 직후(直後)에 한신(韓信)의 대병(大兵)이 제(齊)나라를 공략(攻略)하였으므로 대로(大怒)한 제왕 전광(田廣)한테 죽임을 당했음.

20 ㉓ [酇] 〔당〕 鄧(邑部 八畫〈p.2339〉)과 同字

酉 (7획) 部
〔닭유부〕

0 ⑦ [酉] 中人 유 ㊤有 與久切 yǒu

筆順 一 丆 冂 丙 两 西 酉

字解 ①열째지지 유 십이지(十二支)의 열째 자리. 달로는 8월, 방위로는 서쪽, 시각으로는 오후 5시부터 7시 사이, 띠로는 닭에 해당함. ②익을 유 성숙함. ③성 유 성(姓)의 하나.
字源 甲骨文 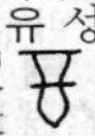 金文  篆文  古文 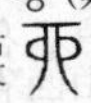 象形. 술 그릇을 본뜬 것으로 '술'의 뜻을 나타냄. '酒주'의 原字. 假借하여 지지의 열째, '닭'의 뜻으로 쓰임.
參考 '酉유'를 의부(意符)로 하여, 술 종류나 그 밖에 발효시켜서 만드는 식품, 술을 빚는 일, 마시는 일 등에 관한 문자를 이룸. 부수 이름은 '닭유'.

[酉聖 유성] '술〔酒〕'의 별칭(別稱).
[酉陽 유양] 후난 성(湖南省) 완릉현(沅陵縣) 서북(西北)쪽에 있는 산 이름. 그 산 밑의 석혈(石穴) 속에는 천 권의 책이 숨겨져 있다 함. 일명(一名) 소유산(小酉山).
[酉陽雜俎 유양잡조] 당(唐)의 단성식(段成式)이 지은 책 이름. 모두 20권(卷). 속집(續集) 10권(卷). 기괴(奇怪)한 이야기를 많이 집록(輯錄)하였음.
◉上酉. 二酉. 日沒酉.

2 ⑨ [酊] 人名 정 ㊤迥 都挺切 dǐng

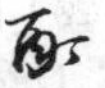

字解 술취할 정 술을 먹어 심하게 취함. '酩—無所知'《晉書》.
字源 篆文 形聲. 酉+丁〔音〕
◉酩酊. 飮酒莫敎成酩酊.

2 ⑨ [酋] 人名 추 ㊥尤 自秋切 qiú

字解 ①오래될 추 오래 경과함. 구원(久遠)함. '昔酒, 今之—久白酒'《周禮 註》. ②술 추 오래된 술. 또, 술을 맡은 벼슬아치. '仲秋之月, 乃命大—'《禮記》. ③끝날 추 종료(終了)함. '似先公—矣'《詩經》. ④뛰어날 추 남보다 우월함. '設難旣—'《漢書》. ⑤우두머리 추 야만인 등의 부락의 수령. '—長'. '蠻—'. '儋耳黑齒之—'《左思》. ⑥창 추 자루의 길이가 스무 자 되는 창. '—矛'《周禮》.
字源 甲骨文  篆文 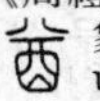 象形. 술 그릇 속의 술이 향기를 내뿜어 주둥이에서 넘쳐 나오는 모양을 본떠, 오래된 술의 뜻을 나타냄. 또, 술 빚는 일을 주관하는 벼슬아치의 뜻을 나타내며, 파생하여 '우두머리'의 뜻도 나타냄.

[酋渠 추거] 추장(酋長)㉠.
[酋領 추령] 추장(酋長)㉠.
[酋矛 추모] 자루의 길이가 스무 자인 창.
[酋帥 추수] 추장(酋長)㉠.
[酋長 추장] ㉠야만인(野蠻人)의 두목. ㉡도적 등의 두목.
◉羌酋. 大酋. 蠻酋. 蕃酋. 氐酋. 諸酋. 悍酋. 豪酋.

3 ⑩ [酌] 高人 작 ㊇藥 之若切 zhuó

筆順 一 丆 冂 丙 两 酉 酌 酌

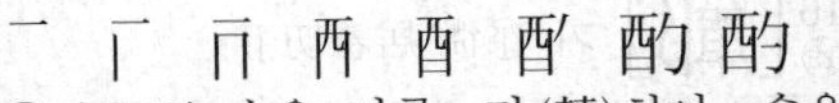

字解 ①따를 작 술을 따름. 전(轉)하여, 술을 마심. '獨—'. '對—'. '引壺觴以自—'《陶潛》. ②퍼낼 작 액체를 떠냄. '—焉而不竭'《莊子》. ③가릴 작 선택함. 분간하여 채택함. '上—民言, 則下天上施'《禮記》. ④참작할 작 참조함. 이것저것 대보아 취사(取捨)함. '斟—'. '子爲大政, 將—於民者也'《左傳》. ⑤잔 작 술잔. '華—旣陳'《宋玉》. ⑥잔치 작 주연. '別酒寒—'《李白》. ⑦술 작 '酒曰淸—'《禮記》.
字源 篆文 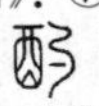 形聲. 酉+勺〔音〕. '酉유'는 술 단지를 본떠 '술'의 뜻. '勺작'은 국자를 본떠 국자의 뜻. 술을 따르다, 뜨다의 뜻을 나타냄.

[酌交 작교] 술잔을 서로 주고받음.
[酌量 작량] 짐작하여 헤아림.
[酌婦 작부] 주점(酒店)에서 손님을 대접하고 술을 따라 주는 여자.
[酌損 작손] 퍼내어 덞. 또, 더하고 덞.
[酌飮 작음] 한 국자의 물. 전(轉)하여, 얼마 안 되는 음료.
[酌定 작정] 일을 짐작하여 결정함.
[酌酒 작주] 술을 술잔(盞)에 붓는 일.
[酌斟 작짐] 술을 따름.
◉佳酌. 傾酌. 孤酌. 對酌. 獨酌. 晩酌. 滿酌. 杯酌. 觴酌. 細酌. 小酌. 酬酌. 數酌. 緩酌. 飮酌. 挹酌. 離酌. 樽酌. 蠡酌. 斟酌. 參酌. 淺酌. 添酌. 淸酌. 品酌. 泂酌.

3 ⑩ [配] 高人 배 ㊋隊 滂佩切 pèi

筆順 一 冂 丙 两 酉 酉 酉 配

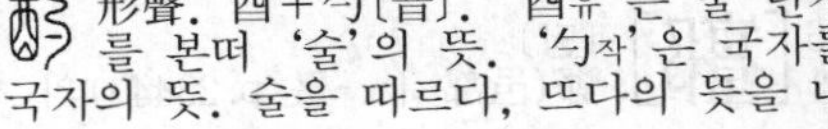

字解 ①짝지을 배 ㉠짝을 이룸. 필적함. '廣大—天地, 變通—四時'《易經》. ㉡부부가 됨. '婦者—己而成德者也'《易經 註》. ②짝지울 배 짝이 되게 함. '關雎樂得淑女, 以—君子'《詩經 周南 關雎 序》. ③짝 배 ㉠필적(匹敵). '匹—'. '推光武以爲—'《張衡》. ㉡부부. '—偶'. '天立厥—'《詩經》. ④종사할 배 부제(祔祭)함. '—享'. '—食縣社'《晉書》. ⑤나눌 배 분배함. '—當'.

'散一鄕村'《舊唐書》. ⑥귀양보낼 배 유형에 처함. '一所'. '刺面一華州'《王溥》. ⑦딸릴 배 예속함. 또, 예속시킴. '一隷'. '一支'. '均爲差一'《金史》.

字源 金文 篆文 會意. 酉+己. '己기'는 사람의 象形의 변형. 사람이 술 단지를 늘어놓는 모양에서, '늘어놓다'의 뜻을 나타냄.

[配軍 배군] 유형(流刑)을 당하여 국경에 가서 지키는 군사.
[配給 배급] 별러서 공급함. 적당히 나누어 줌.
[配達 배달] 돌아다니며 물건을 돌라 줌. 물건을 갖다 줌.
[配當 배당] 적당히 별러서 나눔.
[配島 배도] 섬으로 귀양 보냄.
[配慮 배려] 이리저리 마음을 씀.
[配蘂 배려] 낱낱이 흩어져 떨어지는 모양.
[配隷 배례] 각각 나누어서 속(屬)하게 함.
[配流 배류] 섬으로 귀양 보냄.
[配兵 배병] 군사를 각각 요처에 배치함. 또, 그 군사.
[配本 배본] 책을 배달함. 출판물을 배부함.
[配付 배부] 나누어줌.
[配賦 배부] 세금 등을 배당함. 또, 그 배당한 세금.
[配分 배분] 분배함.
[配備 배비] 따로따로 갈라서 베풂.
[配色 배색] 색의 배합.
[配所 배소] 죄인을 귀양 보내는 곳. 적소(謫所).
[配食 배식] 배향(配享).
[配御 배어] 궁녀가 밤에 군주(君主)를 모심.
[配偶 배우] 짝이 되는 아내나 남편.
[配耦 배우] 배우(配偶).
[配位 배위] 부부(夫婦)가 다 죽었을 때에 그 아내의 존칭.
[配率之科 배율지과] 빈부의 차이에 따라 조세를 매기는 일.
[配謫 배적] 배류(配流).
[配劑 배제] 약을 조제함.
[配車 배차] 기차·전차 등을 여러 곳으로 별러서 보냄.
[配天 배천] ㉠덕이 광대하여 하늘과 짝 지을 만함. 덕의 광대함이 하늘과 필적함. ㉡왕자(王者)가 하늘을 제사 지낼 때 그의 조상을 같이 제사 지냄.
[配置 배치] 갈라서 따로따로 둠.
[配布 배포] 분배함.
[配幅 배폭] 두 폭을 나란히 걸어 놓은 권축(卷軸).
[配匹 배필] 배우(配偶).
[配合 배합] ㉠짝. ㉡알맞게 섞어 합침.
[配行 배항] ㉠한 겨레붙이 안에서 존속(尊屬)·비속(卑屬) 또는 연령(年齡) 관계에 의하여 정하여진 서열(序列). ㉡줄을 지어 섬.
[配享 배향] ㉠종묘(宗廟)에 공신(功臣)을 부제(祔祭)함. ㉡문묘(文廟)에 학덕 있는 사람을 부제(祔祭)함.
◉交配. 勾配. 分配. 四配. 散配. 手配. 年配. 流配. 嫡配. 定配. 支配. 迭配. 集配. 匹配. 合配.

3 ⑩ [酎] 人名 주 ㊎有 直祐切 zhòu

字解 ①전국술 주 세 번 빚은 순주(醇酒). '孟夏之月, 天子飮一'《禮記》. ②주금 주 '一金'은 한대(漢代)의 제도(制度)로서, 천자(天子)가 햇곡식으로 빚은 순주(醇酒)를 종묘(宗廟)에 올릴 때, 제후(諸侯)가 모두 자격에 따라 금(金)을 바치고 그 술을 마시던 일. 바친 금의 분량이 적거나 질이 나쁘면 영토(領土)를 깎이었음. '高廟一'《史記》.

字源 篆文 形聲. 酉+肘〈省〉〔音〕. '肘주'는 '팔꿈치'의 뜻. 세 번 거듭 가공한 좋은 술의 뜻을 나타냄.

[酎金 주금] 자해(字解) ❷를 보라.
◉芳酎. 燒酎. 醇酎. 溫酎. 重酎. 淸酎.

3 ⑩ [酏] 이 ㊥支 弋支切 yí

字解 ①맑은술 이 쌀로 빚은 청주(淸酒). 일설(一說)에는, 찰기장으로 쑨 맑은 죽. 주대(周代)의 사음(四飮)의 하나. '辨四飮之物, 四曰一'《周禮》. ②떡 이 쌀 또는 찰기장으로 만든 떡. '羞豆之實, 一食糝食'《周禮》.

字源 篆文 形聲. 酉+也〔音〕

◉餠酏. 醴酏. 饘酏.

3 ⑩ [酒] 中人 주 ㊤有 子酉切 jiǔ

筆順 丶 氵 氵 氵 汀 沔 洒 酒 酒

字解 ①술 주 누룩과 곡식을 넣어 빚어 만든 음료. '濁一'. '銷憂者莫若一'《漢書》. ②잔치 주 주연(酒宴). '一酣起前'《戰國策》. ③성 주 성(姓)의 하나.

字源 甲骨文 金文 篆文 象形. 甲骨文·金文은 '酉유'와 동일한 글자로, 술 그릇을 본뜬 것. '술'의 뜻을 나타냄. 뒤에, '水수'를 덧붙여, 氵(水)+酉〔音〕의 形聲이 됨.

[酒家 주가] 술집.
[酒榷 주각] 술을 전매(專賣)하여 이익을 독점함.
[酒渴 주갈] ㉠술에 취하여 목이 마름. ㉡술을 매우 마시고 싶어함.
[酒酣耳熱 주감이열] 크게 취한 모양.
[酒客 주객] 술을 잘하는 사람.
[酒戒 주계] 술을 삼가라는 훈계.
[酒庫 주고] 술을 저장하는 곳. 술 창고.
[酒困 주곤] 주광(酒狂).
[酒果 주과] 주과포혜(酒果脯醯).
[酒過 주과] 주실(酒失).
[酒果脯醯 주과포혜] 술과 과실과 포(脯)와 식혜, 곧 간소한 제물(祭物).
[酒狂 주광] 술에 취하여 미쳐 날뜀. 술주정이 심함.
[酒國 주국] 술에 취해 느끼는 별천지.
[酒極亂 주극난] 술을 과도히 마시면 난잡해짐.
[酒禁 주금] 금주(禁酒).
[酒氣 주기] ㉠술 냄새. ㉡술기운. 술을 마셔 취한 기운. ㉢술을 마신 기미.
[酒旗 주기] 술집에 다는 기.

〔酒 旗〕

[酒囊飯袋 주낭반대] 술과 밥을 넣는 포대. 먹고 마실 줄만 아는 무능한 자를 욕하는 말.
[酒談 주담] 술김에 하는 객설(客說).
[酒德 주덕] ㉠음주(飮酒)로 인한 악덕(惡德). ㉡술의 공덕(功德).
[酒徒 주도] 술꾼. 술을 즐기는 무리.
[酒毒 주독] 술의 중독(中毒)으로 얼굴에 생기는 붉은 점.
[酒亂 주란] 주광(酒狂).
[酒量 주량] 술을 마시는 분량(分量).
[酒力 주력] 술의 힘.
[酒令 주령] 술 마실 때 놀기 위하여 만든 규칙. 어기면 벌주를 마심.
[酒醴 주례] 술과 단술.
[酒壚 주로] 술집. 주사(酒肆).
[酒醪 주료] 약주와 탁주.
[酒樓 주루] 술을 파는 집.
[酒妄 주망] 주광(酒狂).
[酒媒 주매] 누룩.
[酒母 주모] ㉠술밑. ㉡술 파는 여자.
[酒無量不及亂 주무량불급란] 술을 마시는 분량을 제한하지는 아니하나, 각자의 주량에 따라서 정신이 흐려지지 아니할 한도 내에서 마심.
[酒味 주미] 술 맛.
[酒杯 주배] 술잔.
[酒百藥之長 주백약지장] 술은 모든 약 중에서 제일임. 술을 찬미하는 말.
[酒癖 주벽] ㉠술을 좋아하여 자주 마시는 버릇. ㉡술을 마신 뒤에 나타나는 버릇.
[酒兵 주병] 술은 수심(愁心)을 없애고 군사는 물건을 파괴하여 없애므로, 전(轉)하여 술〔酒〕을 이름.
[酒甁 주병] 술병.
[酒保 주보] ㉠술집의 심부름꾼. ㉡술을 빚는 사람. 또는 술 파는 사람.
[酒朋 주붕] 같이 술을 마시는 친구.
[酒悲 주비] 술 마시면 슬퍼하는 버릇.
[酒邪 주사] 술 먹은 뒤에 부리는 나쁜 버릇.
[酒社 주사] 술을 마시는 모임. 또는 술을 마시는 무리. 주도(酒徒).
[酒肆 주사] 술집.
[酒商 주상] 술장사.
[酒傷 주상] 음주로 인하여 일어나는 위(胃)의 고장(故障).
[酒色 주색] 술과 여자. 음주(飮酒)와 여색(女色).
[酒席 주석] 술을 마시는 자리.
[酒仙 주선] 술을 많이 마시며 세상일을 돌보지 않는 사람. 모주망태. 대주가.
[酒船 주선] 술을 실은 배.
[酒星 주성] 술을 맡았다는 별.
[酒聖 주성] ㉠맑은술. 약주(藥酒). ㉡주량이 아주 큰 사람. 주호(酒豪).
[酒稅 주세] 술을 양조하는 데 부과하는 세금. 주조세(酒造稅).
[酒數 주수] 술잔의 수량(數量). 주량(酒量).
[酒食 주식] 술과 음식(飮食).
[酒失 주실] 술이 취하여 저지른 과실(過失).
[酒案 주안] 술상.
[酒宴 주연] 술잔치.
[酒翁 주옹] ㉠술 빚는 사내. ㉡술을 좋아하는 노인.
[酒友 주우] 술친구.
[酒暈 주운] 술을 마셔 얼굴이 발개짐.
[酒有別腸 주유별장] 주량의 다소는 몸집의 대소와는 관계없음.
[酒有聖賢 주유성현] 청주(淸酒)는 성인, 탁주는 현인이라 부른 고사(故事).
[酒肉 주육] 술과 고기.
[酒人 주인] ㉠술을 잘 마시는 사람. ㉡술 빚는 일을 맡았던 벼슬 이름.
[酒入舌出 주입설출] 술을 마시면 마음이 들아 쓸데없는 말을 함부로 지껄임.
[酒貲 주자] 술 마실 돈. 술값.
[酒資 주자] 주자(酒貲).
[酒杓 주작] ㉠술을 푸는 구기. ㉡술잔.
[酒漿 주장] 술과 음료(飮料).
[酒材 주재] 술을 만드는 원료.
[酒敵 주적] 주우(酒友).
[酒錢 주전] 주자(酒貲).
[酒戰 주전] 술을 많이 마시는 내기.
[酒顚 주전] 주광(酒狂).
[酒店 주점] 술집.
[酒酲 주정] 숙취(宿醉).
[酒精 주정] 술의 주성분. 알코올.
[酒槽 주조] 술통.
[酒糟 주조] 재강.
[酒罇 주준] 술동이. 준.
[酒中趣 주중취] 술 마시는 재미.
[酒池肉林 주지육림] 술은 못과 같고, 고기는 숲과 같이 많이 있다는 뜻으로, 굉장하게 잘 차린 잔치의 형용.
[酒饌 주찬] 주효(酒肴).
[酒債 주채] 술빚.
[酒泉 주천] ㉠주(周)나라의 고을 이름. 산시 성(陝西省) 대려현(大荔縣). 그곳의 샘물은 술 빚기에 알맞다 함. ㉡한(漢)나라 군(郡) 이름. 지금의 간쑤 성(甘肅省) 주천현(酒泉縣)의 동북(東北). 그곳 샘물은 맛이 술 같다 함. ㉢다량의 술.
[酒天之美祿 주천지미록] 술은 하늘이 주시는 훌륭한 녹봉(祿俸)임. 술을 찬미하는 말.
[酒滯 주체] 음주(飮酒)로 인한 체증.
[酒臭 주취] 술에 취한 냄새. 술내.
[酒卮 주치] 술잔. 주배(酒杯).
[酒呑人 주탄인] 술은 사람을 삼킴. 술을 많이 마시면 사람이 도리어 술에 진다는 뜻.
[酒婆 주파] 술을 파는 노파(老婆).
[酒逋 주포] 주채(酒債).
[酒酺 주포] 큰 잔치를 베풀고 서로 경하(慶賀)함을 이르는 말.
[酒鋪 주포] 주사(酒肆).
[酒缸 주항] 술 항아리.
[酒戶 주호] ㉠주량. 음주의 분량. 주량이 크면 대호(大戶), 작으면 소호(小戶). ㉡술집.
[酒壺 주호] 술병.
[酒豪 주호] 술을 많이 마시는 사람.
[酒禍 주화] 술로 인해 입은 화(禍).
[酒荒 주황] 술에 빠져 마음이 거칢.
[酒肴 주효] 술과 안주.
[酒殽 주효] 주효(酒肴).
[酒後 주후] 술을 마신 뒤.
[酒痕 주흔] 술이 떨어진 자국.
[酒興 주흥] 술에 취하여 일어나는 흥취(興趣).
◉甘酒. 秬酒. 擧酒. 傾酒. 傾海爲酒. 鷄鳴酒. 鷄酒. 古酒. 沽酒. 酤酒. 穀酒. 公酒. 共酒. 國子祭酒. 菊酒. 勸酒. 琴酒. 禁酒. 嗜酒. 樂酒. 藍尾酒. 南州溽暑醉如酒. 冷酒. 綠酒. 漉

酒. 大酒. 桃花酒. 斗酒. 杜酒. 亡酒. 賣酒. 麥酒. 湎酒. 名酒. 銘酒. 茅柴酒. 卯酒. 文酒. 美酒. 薄酒. 杯酒. 柏葉酒. 白酒. 法酒. 罰酒. 別酒. 奉酒. 些子酒. 使酒. 觴酒. 牲酒. 聲酒. 小酒. 醇酒. 侍酒. 詩酒. 新酒. 雙柑斗酒. 惡酒. 藥酒. 羊酒. 洋酒. 釀酒. 御酒. 捐酒. 醴酒. 玉酒. 溫酒. 醞酒. 牛酒. 鬱鬯酒. 猶惡醉而強酒. 淫酒. 飲酒. 離酒. 酌酒. 殘酒. 藏酒. 載酒. 齋酒. 節酒. 祭酒. 縱酒. 佐酒. 樽酒. 中酒. 卽時一杯酒. 旨酒. 珍酒. 秩酒. 斟酒. 澄酒. 鬯酒. 天酒. 薦酒. 甛酒. 淸酒. 椒酒. 秫酒. 醉酒. 巵酒. 置酒. 濁酒. 耽酒. 葡萄酒. 被酒. 幸酒. 獻酒. 賢人酒. 玄酒. 好酒. 荒酒. 葷酒. 黑黍酒.

4 ⑪ [酖] [一] 탐 [平]覃 丁含切 dān [二] 짐 [去]沁 直禁切 zhèn

[字解] [一] 즐길 탐, 빠질 탐 술을 대단히 즐겨함. 술에 탐닉함. '荒一于酒'《漢書》. [二] 짐새 짐 鴆(鳥部 四畫)과 통용. '宴安一毒, 不可懷也'《左傳》.

[字源] 篆文 形聲. 酉+冘〔音〕. '冘음'은 '가라앉다'의 뜻. 심신이 모두 술에 빠지다의 뜻을 나타냄.

[酖毒 짐독] 짐새라는 독조(毒鳥)의 깃을 담근 술의 독기. 이 술을 마시면 사람이 죽음. 전(轉)하여, 해독(害毒).
[酖殺 짐살] 짐독(酖毒)을 먹여 죽임.
[酖酖 탐탐] 즐기는 모양.

4 ⑪ [酗] 후 [去]遇 香句切 xù

[字解] 주정할 후 주사(酒邪)를 피움. '我用沈一于酒'《書經》.

[字源] 形聲. 酉+凶〔音〕. '凶흉'은 '나쁘다'의 뜻. 나쁜 술, 취해서 주정하다의 뜻을 나타냄.

[酗訟 후송] 주정하다가 싸우고 송사하는 일.
[酗醬 후영] 주정. 주사.
◉淫酗. 沈酗. 兇酗.

4 ⑪ [䣑] [一] 순 [平]眞 船倫切 chún [二] 준 [平]眞 重倫切

[字解] [一] ①맛있을 순 '一, 美也'《廣韻》. ②진할 순 술 맛이 농후함. '一, 酒厚也'《集韻》. ③전국술 순 진하고 맛있는 술. '一, 醲美酒也'《字彙》. [二] 미주 준 전국술. 좋은 술. '一, 純美酒也'《廣韻》.

4 ⑪ [酘] 두 [平]尤 徒侯切 tóu [去]宥 徒候切

[字解] 거듭빚을 두 두 번 빚음. 중양(重釀)함. '猶一一之酒, 不可以方九醞之醇耳'《抱朴子》.

[字源] 形聲. 酉+殳〔音〕

4 ⑪ [酕] 모 [平]豪 莫袍切 máo

[字解] 곤드레만드레할 모 '一醄'는 몹시 취한 모양. 곤드레만드레가 된 모양. '遇酒一醄飮'《姚合》.

[酕醄 모도] 자해(字解)를 보라.

4 ⑪ [䣈] 〔강〕 䴚(鹵部 四畫〈p. 2687〉)과 同字

4 ⑪ [酙] 〔짐·침〕 斟(斗部 九畫〈p. 950〉)과 同字

4 ⑪ [䣽] 〔효〕 䤅(酉部 六畫〈p. 2355〉)와 同字

4 ⑪ [酔] 〔취〕 醉(酉部 八畫〈p. 2357〉)의 俗字

4 ⑪ [酓] 염 [上]琰 於琰切 yǎn

[字解] ①산뽕나무 염 檿(木部 十四畫)과 同字. '厭篚一絲'《史記》. ②쓸 염 술 맛이 씀.

[字源] 金文 篆文 形聲. 酉+今〔音〕. '今금'은 '含함'과 통하여 '머금다'의 뜻. 술을 입에 머금다, 마시다의 뜻을 나타냄. '歓음'의 原字. 또, '厭염'과 통하여 물리는 술, 쓰다의 뜻도 나타냄.

5 ⑫ [䣴] 후 [去]遇 吁句切 xù

[字解] 주정할 후 酗(酉部 四畫)와 同字. '數醉一羌人'《漢書》.

[字源] 篆文 形聲. 酉+句〔音〕. '酗후'와 통하여 '주정하다'의 뜻을 나타냄.

5 ⑫ [酡] 타 [平]歌 徒河切 tuó

[字解] 발개질 타 술에 취하여 얼굴이 홍조가 됨. '醉一'. '美人旣醉, 朱顏一些'('些'는 조사(助辭))《楚辭》.

[字源] 形聲. 酉+它〔音〕

◉微酡. 半酡. 醉酡.

5 ⑫ [䤐] 酡(前條)와 同字

5 ⑫ [䤖] 포 [去]效 皮敎切 bào

[字解] 발개질 포 주기가 얼굴에 나타남. '美人醉一, 則面著赤色而鮮好也'《楚辭 註》.

5 ⑫ [酢] [人名] [一] 작 [入]藥 在各切 zuò [二] 초 [去]遇 倉故切 cù

[字解] [一] 잔돌릴 작 손이 주인한테서 받은 술잔을 도로 돌림. 주인이 손에게 술잔을 돌리는 것은 '酬'라 함. '酬一'. '君子有酒, 酌言一之'《詩經》. [二] ①초 초 신 조미료(調味料). '寧飮三升一, 不見崔弘度'《隋書》. ②실 초, 신맛 초 산미(酸味)가 있음. 또, 그 맛. '一梨酸棗'《馬第伯》.

[字源] 金文 篆文 形聲. 酉+乍〔音〕. '乍작'은 '組조'와 통하여 겹쳐 쌓다의 뜻. 손의 주인에 대한 술잔 돌리기의 뜻을 나타냄. 또, 술을 조작하여 만든 식초의 뜻도 나타냄.

[酢漿 작장] 괭이밥과(科)에 속하는 다년초. 줄기

와 잎에서 모두 신맛이 남. 괭이밥. 괴승아.
[酢敗 초패] 술이 시어져 썩음.
◉交酢. 賓酢. 酬酢. 攸酢. 獻酢.

5 ⑫ [䣝] 동 (平)冬 徒冬切 tóng

字解 부패할 동 술·식초 따위가 부패함. '一, 酒醋壤'《集韻》.

5 ⑫ [酣] 감 (平)覃 胡甘切 hān

字解 ①즐길 감 술을 마시며 즐김. '一飮'. '相與飮酒一'《呂氏春秋》. ②한창 감 ㉠술을 거나하게 마셔 주흥이 한창 일어남. 또, 그때. '酒一起前'《史記》. ㉡사물의 힘이 가장 힘차게 되어 올라 아직 쇠하지 아니함. 또, 그때. '戰一日暮'《淮南子》.

字源 篆文 形聲. 酉+甘〔音〕. '甘감'은 맛을 즐기다의 뜻. 술을 즐기다의 뜻을 나타냄.

[酣歌 감가] 주흥이 나서 노래함.
[酣酣 감감] ㉠꽃이 한창 피는 모양. ㉡춘경(春景)이 화창한 모양. ㉢술을 마시고 기분이 좋은 모양.
[酣放 감방] ㉠문장이 자유자재한 모양. ㉡감종(酣縱).
[酣賞 감상] 실컷 놀며 완상(玩賞)함.
[酣觴 감상] 술잔을 자꾸 돌려 실컷 마심.
[酣湑 감서] 술을 실컷 마시며 즐김.
[酣媟 감설] 아무 거리낌 없이 희롱거림. 아주 버릇없이 굶.
[酣睡 감수] 달게 잠. 깊이 잠듦.
[酣飫 감어] 주식(酒食)을 실컷 마시고 먹음.
[酣宴 감연] 성대한 주연.
[酣娛 감오] 술에 취하여 즐거이 놂.
[酣臥 감와] 감수(酣睡).
[酣戰 감전] 양군이 뒤섞여 한창 싸움.
[酣縱 감종] 술을 마시고 방종(放縱)함. 감방(酣放).
[酣中客 감중객] 부귀(富貴)에 탐닉(耽溺)하는 사람.
[酣暢 감창] 술이 거나하게 취하여 마음이 화창함.
[酣春 감춘] 봄이 한창인 때.
[酣醉 감취] 술이 몹시 취함.
[酣謔 감학] 술에 취하여 실없는 농지거리를 함.
[酣豢 감환] 남부럽지 않게 삶. 사치한 생활을 함.
[酣興 감흥] 주흥(酒興).
◉半酣. 善酣. 睡酣. 樂酣. 宴酣. 長酣. 戰酣. 酒酣. 沈酣. 興酣.

5 ⑫ [酤] 고 ①②(平)虞 古胡切 gū
③(去)遇 古暮切

字解 ①단술 고 감주(甘酒). '旣載淸一'《詩經》. ②살 고 술을 삼. '高祖每一留飮酒'《史記》. ③팔 고 술을 팖. '一酒無行'《史記》.

字源 篆文 形聲. 酉+古〔音〕. '古고'는 '賈고'와 통하여 술을 사다의 뜻을 나타냄. 또, '古'는 '糊호'와 통하여 '풀'의 뜻. 풀꼴이 되었을 뿐 덜 발효된 술, '단술'의 뜻을 나타냄.

[酤榷 고각] 정부가 술을 전매하여 이익을 독점함.
[酤鬻 고육] 매매(賣買). 또, 매매를 함.
◉榷酤. 芳酤. 賖酤. 淸酤. 村酤. 香酤.

5 ⑫ [酦] 발 (入)曷 蒲撥切 pò

字解 술기운 발 술기운. 주기(酒氣). '一, 字林, 酒氣也'《集韻》.

5 ⑫ [酥] 수 (平)虞 素姑切 sū

字解 연유 수 우유 또는 양유로 만든 식료품. '酪成一'《本草別錄》.

字源 形聲. 酉+蘇〈省〉〔音〕. '蘇소'는 범어 sudhā의 su의 음역. 술처럼 발효시킨 것이므로 '酉유'를 덧붙임.

[酥燈 수등] 불전(佛前)의 등불.
[酥酪 수락] 우유(牛乳).
◉酪酥.

5 ⑫ [酠] 가 (上)馬 苦下切 qiǎ

字解 쓴술 가 쓴 술. '一, 苦酒也'《五音集韻》.

5 ⑫ [䣇] 〔고〕
觚(角部 五畫〈p. 2097〉)와 同字

5 ⑫ [酟] 첨 (平)鹽 他兼切 tiān

字解 ①고를 첨 고르게 함. 조화(調和)시킴. '一, 和也'《集韻》. ②적실 첨 '一以春梅'《張協》.

5 ⑫ [䣡] 〔제〕
醍(酉部 九畫〈p. 2358〉)와 同字

5 ⑫ [䣿] 〔앙〕
醠(酉部 十畫〈p. 2361〉)과 同字

5 ⑫ [𨠝] 〔거·갹〕
醵(酉部 十三畫〈p. 2363〉)와 同字

6 ⑬ [酩] 人名 명 (上)迥 莫迥切 mǐng

字解 ①술취할 명 술을 먹어 몹시 취함. '一酊無所知'《晉書》. ②단술 명 감주(甘酒). '食肉而飮一'《漢書》.

字源 篆文 形聲. 酉+名〔音〕. '名명'은 '冥명'과 통하여, 눈이 어두워지다의 뜻. 눈이 어두워질 정도로 술에 취하다의 뜻을 나타냄.

[酩酊 명정] 술을 먹어 몹시 취함.
◉飮酩.

6 ⑬ [酪] 人名 락 (入)藥 盧各切 lào

筆順 一 冂 丙 西 酉 酉' 酪 酪

字解 ①타락 락 우유 또는 양유를 끓여 만든 음료. '羊一'. '乳一'. '羶肉一漿'《李陵》. ②죽 락 흰죽. '無鹽一不能食'《禮記》. ③과즙 락 과실을 익혀 짜낸 물. '杏一'. '敎民煮木爲一'《漢書》.

[字源] 篆文 形聲. 酉+各〔音〕. '各각'은 '이르다'의 뜻. 외국에서 들어온 발효유(發酵乳)의 뜻을 나타냄.

[酪奴 낙노] 차(茶)의 별칭(別稱).
[酪母 낙모] 술찌끼.
[酪酥 낙수] 젖으로 정제한 식료품.
[酪漿 낙장] 소나 양의 젖.
◉甘酪. 乾酪. 糖酪. 湩酪. 馬酪. 羊酪. 醴酪. 牛酪. 乳酪. 肉酪. 飮酪. 酒酪. 杏酪.

6 ⑬ [䣸] [一] 염 ㊤琰 而琰切 rǎn
[二] 남 ①㊤感 乃感切 nǎn
②[去]勘 奴紺切 nàn

[字解] [一] ①싱거울 염 맛이 싱거움. '—, 醬—, 味薄'《廣韻》. ②된장 염 '—, 一曰, 醬也'《集韻》. [二] ①된장 남 [一] ❷와 뜻이 같음. ②물릴 남 많이 먹어 먹기 싫음. '—, 餶也'《集韻》.
[字源] 形聲. 酉+任〔音〕

6 ⑬ [䣵] [一] 이 [去]寘 仍吏切 èr
[二] 니 [去]寘 女利切

[字解] [一] 두번빚은술 이 '—, 重釀酒也'《說文》. [二] 두번빚은술 니 [一]과 뜻이 같음.
[字源] 形聲. 酉+耳〔音〕

6 ⑬ [酬] [人名] 수 [平]尤 市流切 chóu

[字解] ①잔돌릴 수 酢(酉部 五畫)을 보라. '—酢'. '主人實觶—賓'《儀禮》. ②보낼 수 손을 대접하고 또 재화(財貨)를 보내 줌. '主人—賓, 束帛儷皮'《儀禮》. ③갚을 수 보답함. 사례함. '—恩'. '—勞'. '可與—酢'《易經》. ④갚음 수 보답. '終期國士—'《周曇》.
[字源] 醻의 別體 形聲. 酉+州(𠷎)〔音〕. '𠷎주·수'는 '이어지다'의 뜻. 주객이 서로 술잔을 주고받기를 잇따라 하는 데서, '갚다'의 뜻을 나타냄.
[參考] 酧(次條)는 俗字.

[酬答 수답] 말 응답.
[酬對 수대] 수답(酬答).
[酬報 수보] 수화(酬和).
[酬悉 수실] 자세히 대답함.
[酬讌 수연] 답례(答禮)로 차린 주연(酒宴).
[酬應 수응] ㉠응대. 응답. ㉡술잔을 도로 내줌.
[酬酢 수작] 주객(主客)이 서로 술잔을 주고받고 함. 전(轉)하여, 응대(應對)함의 뜻.
[酬唱 수창] 시문(詩文)의 증답(贈答)을 함.
[酬和 수화] 시문 등을 지어 응답함.
◉賡酬. 交酬. 貴酬. 答酬. 對酬. 報酬. 旅酬. 侑酬. 應酬. 重酬. 唱酬. 餉酬. 獻酬. 和酬. 厚酬.

6 ⑬ [酧] 酬(前條)의 俗字

6 ⑬ [酭] 유 [去]宥 于救切 yòu

[字解] 권할 유 술을 권함. 잔을 돌림. '惟用贊報—'《韓愈》.
[字源] 形聲. 酉+有〔音〕

6 ⑬ [醛] 철 [入]屑 昌悅切 chuò

[字解] 소금절임 철 소금에 절임. 소금에 절인 것. '—, 鹹葅也'《字彙》.

6 ⑬ [酵] 효 [平]肴 何交切 xiáo

[字解] 술팔 효 술을 팖. '—, 沽也'《集韻》.

6 ⑬ [酮] 동 ①②[平]東 徒東切 tóng
③[平]冬 傳容切 chóng

[字解] ①말젖 동 '—, 埤倉, 馬酪也'《集韻》. ②초 동 '—, 酢也'《廣雅》. ③신술 동 술이 시어짐. '—, 酒欲酢'《集韻》.

6 ⑬ [截] 재 [去]隊 昨代切 zài

[字解] 뜨물 재 미즙(米汁). '醩—灰炭'《漢書》.
[字源] 篆文 形聲. 酉+𢦏(𢦒)〔音〕

7 ⑭ [酲] 정 [平]庚 直貞切 chéng

[字解] 숙취 정 이튿날까지 깨지 아니한 술의 취기. '帶—'. '酒—'. '憂心如—'《詩經》.
[字源] 篆文 形聲. 酉+呈〔音〕. '呈정'은 뚫고 나오다의 뜻. 술기운이 목을 뚫고 나오다, 숙취의 뜻을 나타냄.

◉觸酲. 帶酲. 煩酲. 宿酲. 餘酲. 朝酲. 酒酲. 解酲.

7 ⑭ [酳] 윤 [去]震 羊晉切 yìn

[字解] ①가실 윤 술로 입 안을 가심. '執爵而—'《禮記》. ②드릴 윤 술을 바침. '主人洗角升, 酌—尸'《儀禮》.
[字源] 形聲. 酉+胤〈省〉〔音〕

7 ⑭ [酴] 도 [平]虞 同都切 tú

[字解] ①술밑 도 주모(酒母). ②막걸리 도 탁주. '寒食賜宰臣以下—醾酒'《輦下歲時記》.
[字源] 篆文 形聲. 酉+余〔音〕. '余여·도'는 늘어지다, 퍼지다의 뜻. 진득진득하게 퍼지는 '막걸리'의 뜻을 나타냄.

[酴醾 도미] 거듭 빚은 술. 일설에는, 탁주.
[酴淸 도청] 거듭 빚은 술.

7 ⑭ [酵] [人名] 효 (교[本]) [去]效 古孝切 jiào (xiào)

[字解] ①술밑 효 주모(酒母). '—母'. ②지게미 효 술찌끼. '遂以酒—作湯'《癸辛雜識》. ③술괼 효 발효함. '發—'.
[字源] 形聲. 酉+孝〔音〕

[酵母 효모] 술밑.

◉發酵. 醱酵. 糟酵. 酒酵.

7 ⑭ [䣺] 견 [去]霰 圭玄切 [平]先 扃縣切 juān

[字解] 술거를 견 술을 구멍으로 떨어뜨려서 거름. '一, 以孔下酒也'《玉篇》.

[字源] 形聲. 酉+肙〔音〕

7 ⑭ [酶] 매 [平]灰 謨杯切 méi

[字解] 술밑 매 주모(酒母).

7 ⑭ [酷] [人名] 혹 [入]沃 苦沃切 kù

[字解] ①독할 혹 ㉠술 맛 같은 것이 지나치게 진함. '一烈淑郁'《司馬相如》. ㉡성질이 잔인함. '殘一'. '暴一'. '離秦之一'《史記》. ②괴로울 혹 신고. '幼丁艱一'《晉書》. ③한 혹 원통한 일. '銜一茹恨, 徹於心髓'《顏氏家訓》. ④심할 혹 대단함. 극심함. '是故德不稱, 其禍必一'《潛夫論》. ⑤심히 혹 ㉠대단히. 지극히. '年來一愛香山老'《張養浩》. ㉡매우. 아주. '一似其舅'《晉書》.

[字源] [篆文] 形聲. 酉+告〔音〕. '告고·곡'은 조상의 영혼 등에 바치기 위하여 참혹하게 희생된 소의 뜻. '酉유'를 더하여 술의 맛이 독하다의 뜻을 나타냄. 일반적으로 '심하다, 독하다'의 뜻을 나타냄.

[酷毒 혹독] ㉠대단히 심함. ㉡성질·행위 등이 매우 모짊.
[酷濫 혹람] 사리(事理)에 어긋나게 함부로 하는 일.
[酷烈 혹렬] ㉠대단히 심함. 격렬함. ㉡냄새가 지독하게 남. ㉢아주 혹독함.
[酷類 혹류] 혹사(酷似).
[酷吏 혹리] ㉠혹독한 관리. 무자비한 관리. ㉡혹서(酷暑)의 아칭(雅稱). 더위의 심한 것을 혹리의 심함에 비유한 말.
[酷薄 혹박] 대단히 박정함. 아주 무자비함.
[酷法 혹법] 가혹한 법.
[酷似 혹사] 아주 비슷함.
[酷暑 혹서] 심한 더위. 혹독한 더위.
[酷惡 혹악] 잔인하고 포악함.
[酷愛 혹애] 지극히 사랑함.
[酷炎 혹염] 혹서(酷暑).
[酷慘 혹참] 잔인하고 참혹함.
[酷臭 혹취] 매우 고약한 냄새.
[酷評 혹평] 가혹한 비평.
[酷暴 혹포] 잔인하고 횡포함.
[酷虐 혹학] 몹시 학대함.
[酷寒 혹한] 지독(至毒)한 추위. 혹독(酷毒)한 추위.
[酷刑 혹형] 가혹한 형벌(刑罰).
[酷禍 혹화] 지독한 재화(災禍).
◉苛酷. 冷酷. 嚴酷. 烈酷. 枉酷. 怨酷. 冤酷. 殘酷. 峻酷. 慘酷. 憯酷. 貪酷. 暴酷. 禍酷. 橫酷.

7 ⑭ [酸] [人名] 산 [平]寒 素官切 suān

[筆順] 一 冂 西 酉 酉 酉 酸 酸

[字解] ①초 산 신 조미료. '糅以芳一'《曹植》. ②실 산 산미가 있음. '其味一, 其臭羶'《禮記》. ③신맛 산 산미. '甘一'. ④괴로울 산, 고될 산 힘에 부치어 참기 어려움. '自致力所難, 臨文情辛一'《嵇康》. ⑤가슴아플 산, 슬플 산 비통함. '寒心一鼻'《宋玉》. ⑥가난할 산 빈한함. '寒一'. '豪氣一洗儒生一'《蘇軾》. ⑦(現) 산 산 ㉠산소(酸素)의 생략. ㉡산성 반응을 하는 수소(水素) 화합물의 기체로서, 맛이 시며 물에 잘 녹음. '窒一'. '黃一'.

[字源] [篆文] 會意. 酉+夋. '夋준'은 '험하다, 엄하다'의 뜻. 신맛의 발효품, 시다의 뜻을 나타냄.

[酸梗 산경] 슬퍼하여 가슴이 막힘.
[酸毒 산독] 남을 대단히 괴롭힘. 일설(一說)에는, 슬퍼하고 원망함.
[酸類 산류] 산성(酸性)이 있는 화합물의 총칭.
[酸味 산미] 신맛.
[酸鼻 산비] 코가 찡해서 눈물이 난다는 뜻으로, 매우 비통(悲痛)함을 이르는 말.
[酸性 산성] 산(酸)을 띤 성질.
[酸素 산소] 무색(無色)·무미(無味)·무취(無臭)의 기체 원소. 물건을 태우는 힘이 있고 호흡에 필요함.
[酸辛 산신] 괴로움. 고됨. 신산(辛酸).
[酸然 산연] 상심(傷心)하는 모양.
[酸噎 산열] 산경(酸梗).
[酸漿 산장] 가짓과의 다년초. 꽈리.
[酸棗 산조] 멧대추.
[酸慘 산참] 가슴 아파함. 상심함.
[酸愴 산창] 서러움. 슬픔.
[酸楚 산초] 몹시 슬픔. 비통(悲痛).
[酸痛 산통] 산초(酸楚).
[酸寒 산한] ㉠가난하여 고생스러움. ㉡불쌍함. 가련함.
[酸化 산화] 어떠한 물질의 산소와의 화합.
◉甘酸. 梅酸. 微酸. 芳酸. 別離酸. 悲酸. 辛酸. 哀酸. 餘酸. 鹽酸. 尿酸. 胃酸. 乳酸. 燐酸. 棗酸. 窒酸. 凄酸. 靑酸. 炭酸. 寒酸. 醎酸. 醯酸. 黃酸.

7 ⑭ [酹] 뢰 [去]泰 郞外切 lèi

[字解] 부을 뢰, 강신할 뢰 술을 땅에 붓고 신(神)에게 제사를 지냄. '不以斗酒隻雞過相沃一'《後漢書》.

[字源] [篆文] 形聲. 酉+寽〔音〕. '寽랄'은 손에 잡다의 뜻. 술 그릇을 손에 잡고 땅에 붓다의 뜻을 나타냄.

[酹觴 뇌상] 술을 땅에 붓는 데 쓰는 술잔.
◉沃酹.

7 ⑭ [酺] 포 [平]虞 薄胡切 pú

[字解] ①회음할 포 국가의 경사를 축하하기 위하여, 신민(臣民)이 모여 술을 마시며 즐김. '天下大一'《史記》. ②사찬 포 조정에서 백성에게 주식(酒食)을 하사하는 일. 또, 그 주식. '一宴'. '一五日'《漢書》. ③귀신이름 포 재해를 내리는 귀신. '春秋祭一亦如之'《周禮》.

[字源] [篆文] 形聲. 酉+甫〔音〕. '甫보'는 평평하게 펼쳐지다의 뜻. 술을 모든 사람에게

주는 데서, '술잔치'의 뜻을 나타냄.

[酺宴 포연] 조정에서 백성에게 주식(酒食)을 하사하는 일. 또, 그 주식. 사찬(賜饌).
[酺燕 포연] 포연(酺宴).
◉酣酺. 大酺. 頒酺. 賜酺.

8 ⑮ [醁] 록 [入]沃 力玉切 lù

[字解] 미주 록 맛 좋은 술. '寒泉旨於醽—'《抱朴子》.
[字源] 形聲. 酉+彔〔音〕. '彔록'은 녹색을 띤 맑은 물의 뜻. '酉유'를 더하여 맛 좋은 술의 뜻을 나타냄.

◉芳醁. 杯中醁. 醽醁. 春醁.

8 ⑮ [醂] 림(람[本]) [上]感 盧感切 lǎn

[字解] ①곶감 림 건시. ②우릴 림 떫은 감을 우려냄. 또, 땡감을 저장하여 연감이 되게 함. 장시(藏柹). '藏果實謂之—, 今—柹是也'《楊彥遠》.
[字源] 形聲. 酉+林〔音〕. '林림'은 '立립'과 통하여, 오랜 시간 서 있다의 뜻. 장시간에 걸쳐서 감을 술에 담가 우리다의 뜻을 나타냄.

[醂柹 임시] 연감. 연시(軟柹).

8 ⑮ [醃] 엄 [平]鹽 央炎切 yān

[字解] ①절일 엄 소금에 절임. 또, 절인 생선이나 채소류. ②김치 엄 침채(沈菜).
[字源] 形聲. 酉+奄〔音〕. '奄엄'은 '덮다'의 뜻. 소금이나 술찌끼 등으로 덮어, 채소나 생선을 절인 것의 뜻을 나타냄.

8 ⑮ [醅] 배 [平]灰 芳杯切 pēi

[字解] ①빚을 배 거듭 빚어 진하게 함. '恰似葡萄初醱—'《李白》. ②막걸리 배 탁주. '尊酒家貧只舊—'('尊'은 樽)《杜甫》.
[字源] [篆文] 形聲. 酉+音〔音〕. '音부'는 '부풀다'의 뜻. 발효 중인 술, '막걸리'의 뜻을 나타냄.

◉舊醅. 綠醅. 凍醅. 醱醅. 新醅. 玉醅. 村醅.

8 ⑮ [醆] 잔 [上]潸 阻限切 zhǎn

[字解] ①술잔 잔 盞(皿部 八畫)·琖(玉部 八畫)과 同字. ②막걸리 잔 부유스름한 탁주. 약간 맑은 탁주. '醴—在戶'《禮記》.
[字源] [篆文] 形聲. 酉+戔〔音〕. '戔전'은 '작다'의 뜻. 작은 술잔의 뜻을 나타냄.

◉醴醆.

8 ⑮ [醇] [人名] 순 [平]眞 常倫切 chún

[筆順] 一 冂 西 酉 酉' 酉亠 醇 醇

[字解] ①진할 순 전국술이어서 맛이 농후함. '—酎'. '輒飲以—酒'《漢書》. ②전국술 순 무회주(無灰酒). '嗜學如嗜—'《方岳》. ③순수할 순 섞인 것이 없음. 純(糸部 四畫)과 통용. '—美'. '政事惟—'《書經》. ④도타울 순 온후(溫厚)함. 淳(水部 八畫)과 통용. '—謹'. '黎民—厚'《漢書》.
[字源] [篆文] 形聲. 惟+享(𦎫)〔音〕. '𦎫순'은 '두텁다'의 뜻. 맛이 농후한 술의 뜻을 나타냄.

[醇謹 순근] 돈후(敦厚)하고 신중함.
[醇醲 순농] ㉠맛 좋은 술. 진한 술. ㉡백성의 풍속이 순박하고 근후(謹厚)한 모양.
[醇篤 순독] 순량하고 인정이 두터움.
[醇醴 순례] ㉠진한 술과 단술. ㉡진한 단술.
[醇醪 순료] 맛 좋은 탁주.
[醇醨 순리] ㉠진한 술과 묽은 술. ㉡순후한 풍속과 경박한 풍속.
[醇味 순미] 진한 술의 좋은 맛.
[醇美 순미] 순수(純粹)하고 아름다움. 순미(純美).
[醇朴 순박] 순량하고 소박함. 순박(淳朴).
[醇白 순백] ㉠아주 흼. 희디흼. ㉡마음이 순수하고 깨끗함.
[醇備 순비] 조금도 흠이 없이 다 갖추어 아름다움.
[醇駟 순사] 한 수레를 끄는, 빛이 똑같은 네 마리의 말.
[醇醇 순순] 순박하고 경솔하지 아니한 모양.
[醇儒 순유] 순정(純正)하고 잡박(雜駁)하지 아니한 유학자. 순유(純儒).
[醇壹 순일] 순수하고 전일(專一)함. 성의(誠意)에 참.
[醇酒 순주] 딴것을 섞지 아니한 전국술. 무회주(無灰酒).
[醇乎 순호] 아주 순수함.
[醇化 순화] ㉠자연의 발육. ㉡정성 어린 가르침의 감화. ㉢순화(純化). 이상화(理想化).
[醇厚 순후] ㉠순독(醇篤). ㉡진함.
◉甘醇. 醲醇. 芳醇. 醇乎醇. 雅醇. 貞醇. 淸醇. 化醇.

8 ⑮ [醉] [高人] 취 [去]寘 將遂切 zuì

[筆順] 一 冂 西 酉 酉' 酉ᅕ 醉 醉

[字解] ①취할 취 ㉠술에 취함. '—興'. '旣—旣飽'《詩經》. ㉡사물에 마음이 쏠려 취하다시피 됨. '陶—'. '心若—六經'《文中子》. ㉢제정신을 차리지 못함. '衆人皆—, 我獨醒'《楚辭》. 또, 취하는 일. '宿—'. '酒有千日—'《南史》. ②취하게할 취 전항의 타동사. '饗齊戍, —而弑之'《左傳》.
[字源] [篆文] 形聲. 酉+卒〔音〕. '卒졸·취'는 '온전하다'의 뜻. 주량을 다 채우다의 뜻에서 '취하다'의 뜻을 나타냄.
[參考] 酔(酉部 四畫)는 俗字.

[醉歌 취가] 술에 취하여 노래함.
[醉脚 취각] 술에 취해 비틀거리는 다리.
[醉渴 취갈] 술에 취하여 갈증을 느낌.
[醉客 취객] ㉠술에 취(醉)한 사람. ㉡술이 취한 손님. ㉢목부용(木芙蓉)의 별명(別名).
[醉困 취곤] 술에 취하여 피곤함.
[醉狂 취광] 술에 취하여 광증을 부림.

[醉氣 취기] 술에 취하여 얼근한 기운.
[醉談 취담] 취중(醉中)에 하는 말.
[醉倒 취도] 술에 취하여 넘어짐.
[醉罵 취매] 술에 취하여 꾸짖음.
[醉面 취면] 취안(醉顏).
[醉眠 취면] 술에 취하여 잠.
[醉貌 취모] 취안(醉顏).
[醉夢 취몽] 술에 취하여 꾸는 꿈.
[醉墨 취묵] 취중(醉中)에 그린 그림이나 쓴 글씨.
[醉步 취보] 술에 취하여 비틀비틀 걷는 걸음걸이.
[醉朋 취붕] 술친구. 주붕(酒朋).
[醉士 취사] ㉠술 취한 사람. ㉡당(唐)나라 피일휴(皮日休)의 호.
[醉殺 취살] 술에 취(醉)하게 함. 살(殺)은 조자(助字).
[醉生夢死 취생몽사] 술에 취하여 꿈을 꾸다가 죽음. 곧, 일생(一生)을 의미(意味) 없이 보내는 것을 이름.
[醉石 취석] 진(晉)나라 도연명(陶淵明)이 술 취하여 누워 잤다는 돌.
[醉聖 취성] 술에 만취하고서도 정신이 멀쩡한 것을 칭찬하여 이른 말.
[醉瀋 취심] 취묵(醉墨).
[醉眼 취안] 술 취한 눈.
[醉顏 취안] 술 취한 얼굴.
[醉語 취어] 취중에 하는 말.
[醉憶 취억] 취중에 떠오른 생각.
[醉言 취언] 취어(醉語).
[醉如泥 취여니] 몹시 취하여 몸을 가누지 못함. '泥'는 남해(南海)에서 나는 뼈가 없는 벌레.
[醉翁 취옹] ㉠술에 취한 노인. ㉡구양수(歐陽修)의 별호(別號).
[醉翁亭 취옹정] 안후이 성(安徽省) 저현(滁縣) 서남쪽에 있는 정자(亭子) 이름. 송(宋)나라 구양수(歐陽修)가 추주(滁州) 지사(知事)가 되었을 때 연음(宴飮)하고 기문(記文)을 지은 곳.
[醉臥 취와] 술에 취하여 누움.
[醉吟 취음] 술에 취하여 노래·시 같은 것을 읊조림.
[醉吟先生 취음선생] ㉠당(唐)나라 백거이(白居易)의 호(號). ㉡당나라 피일휴(皮日休)의 호.
[醉人 취인] 술에 취한 사람. 취객(醉客).
[醉中 취중] 술에 취한 동안.
[醉中無天子 취중무천자] 취중(醉中)에는 무서워하는 것이 없음.
[醉趣 취취] 취중의 흥취.
[醉態 취태] 술에 취(醉)한 꼴.
[醉飽 취포] 실컷 마시고 먹음.
[醉筆 취필] 취묵(醉墨).
[醉漢 취한] 술에 취한 자.
[醉鄕 취향] 취중(醉中)의 별천지(別天地).
[醉戶 취호] 술꾼. 당(唐)나라 백거이(白居易)의 자칭(自稱).
[醉虎 취호] 진(晉)나라 사현(謝玄)이 술에 취하였을 때에 남이 부른 이름.
[醉後 취후] 술에 취(醉)한 뒤.
[醉暈 취훈] 술에 취하여 눈이 아물아물함.
[醉興 취흥] 취중(醉中)의 흥미.
◉酣醉. 徑醉. 骨醉. 狂醉. 極醉. 亂醉. 爛醉. 大醉. 陶醉. 獨醉. 痲醉. 微醉. 放醉. 詳醉. 宿醉. 熟醉. 心醉. 僞醉. 飮醉. 泥醉. 張公喫酒李公醉. 長醉. 霑醉.

8 ⑮ [醊] [一] 철 [入]屑 陟劣切 chuò
[二] 체 [去]霽 陟衞切 zhuì

[字解] [一] ①부을 철 술을 땅에 따름. ②제사이름 철 제신(諸神)의 제좌(祭座)를 병설(併設)하고 술을 땅에 부어 지내는 제사. 봉선(封禪). '其下四方地爲一食'《史記》. [二] 부을 체, 제사이름 체 [一]과 뜻이 같음.
[字源] 形聲. 酉+叕〔音〕. '叕철'은 '잇대다'의 뜻. 많은 신을 잇대어 모시고 술을 올려 제사 지내다의 뜻을 나타냄.

8 ⑮ [醋] [人名] [一] 작 [入]藥 疾各切 zuò
[二] 초 [去]遇 倉故切 cù

[字解] [一] 잔돌릴 작 酢(酉部 五畫)과 同字. '祝酌受尸, 尸一主人'《儀禮》. [二] 초 초 신 조미료의 한 가지. '薄一'. '酒一'.
[字源] 篆文 形聲. 酉+昔(㫺)〔音〕. '㫺석'은 날을 거듭하다의 뜻. 술이 몇 날을 지나 시어지다, 식초의 뜻을 나타냄. 또, 주인이 준 술잔에 거듭 술을 따라 되돌리다, 갚다의 뜻을 나타냄.

[醋酸 초산] 자극성의 냄새가 나고 무색투명한 액체. 초의 주성분임.
◉榷醋. 薄醋. 鹽醋. 醬醋. 酒醋.

8 ⑮ [醄] 도 [平]豪 徒刀切 táo

[字解] 크게취할 도 곤드레만드레 술에 취한 모양. '酕一, 醉皃'《集韻》.

8 ⑮ [⿰酉炎] 담 ①[平]覃 徒甘切 tán
②[上]感 杜覽切 dàn

[字解] ①밍밍할 담 술이나 초의 맛이 싱거움. '一, 酒醋薄也'《集韻》. ②박주(薄酒) 담 싱거운 술. '一, 醨也'《集韻》.

8 ⑮ [⿰酉京] 량 ①②[去]漾 力讓切 liáng
③④[平]陽 呂張切

[字解] ①맑은술 량 '淸漿曰一'《集韻》. ②마실것 량 잡(雜)맛이 있는 마실 것의 하나. '一, 卽周禮漿人之涼, 禮記內則之濫也. 涼者, 以糗飯雜水, 濫者, 以桃梅和水. 其事相類'《說文通訓定聲》. ③장(醬) 량 '一, 醬也'《廣雅》. ④미음(米飮) 량 '一, 漿也'《廣雅》.
[字源] 篆文 形聲. 酉+京〔音〕. '京경'은 '涼량'과 통하여 '맑다'의 뜻. 맑은술의 뜻을 나타냄.

8 ⑮ [⿰酉沓] 〔담〕
醓(酉部 九畫〈p. 2359〉)과 同字

9 ⑯ [醍] [人名] 제 ①[上]薺 他禮切 tǐ
②[平]齊 杜奚切 tí

[字解] ①맑은술 제 붉은빛이 도는 약주. '粢一在堂'《禮記》. ②우락더껑이 제 '一醐'는 버터 위에 엉긴 기름 모양의 맛이 썩 좋은 액체. 전(轉)하여, 불성(佛性) 또는 불법(佛法)의 묘리(妙理). 또, 우수한 인물(人物)의 비유.
[字源] 篆文 形聲. 酉+是〔音〕
[參考] ⿰酉氐(酉部 五畫)는 同字.

[醍醐 제호] 자해(字解) ❷를 보라.
[醍醐味 제호미] 《佛敎》 오미(五味)의 다섯째인 제호(醍醐)는 자양(滋養)이 풍부한 것인데, 최상 지극(最上至極)의 정법(正法)이나 불성(佛性)을 비유하는 말.
◉柔醍.

9 ⑯ [醐] 호 ㊥虞 戶吳切 hú

字解 우락더껑이 호 醍(前條)를 보라. '醍—'.
字源 篆文 形聲. 酉+胡〔音〕. '胡호'는 '糊호'와 통하여 '풀'의 뜻. 소·양의 젖을 발효시켜서 만든 풀 모양의 버터 따위를 나타냄.
◉醍醐.

9 ⑯ [醋] 고 ㊤遇 苦故切 kù

字解 부추김치 고 부추김치. 또는 채소 절임. '—, 說文, 韭鬱也, 一曰, 葅也, 或作—'《集韻》.

9 ⑯ [醛] 규 ㊤紙 巨委切 kuí

字解 ①맑은술 규 맑은술. '—, 醥也'《玉篇》. ②묵힌술 규 묵힌 술. '—, 醒也'《字彙》.

9 ⑯ [醎] 남 ㊤感 乃感切 nǎn

字解 ①삶을 남 삶음. '—, 煑也, 亦作腩'《玉篇》. ②국 남 국. 뜨거운 국. '腩, 臛也, 或从酉'《集韻》.

9 ⑯ [醑] 서 ㊤語 私呂切 xǔ

字解 미주(美酒) 서 맛 좋은 술. 또, 거른 술. 맑은술. '中山—淸'《庾信》.
字源 形聲. 酉+胥〔音〕. '胥서'는 초에 절인 맛있는 고기의 뜻. 맛있는 술의 뜻을 나타냄.

[醑醽 서리] 상등(上等) 술과 하등(下等) 술. 수주(首酒)와 미주(尾酒).
◉酣醑. 糗醑. 蘭醑. 美醑. 薄醑. 淸醑. 歡醑.

9 ⑯ [醒] 人名 성 ㊥靑 桑經切 xīng ㊤迥 蘇挺切 xǐng ㊤徑 蘇佞切

筆順 冂 西 酉 酉 酉 酉 醒 醒

字解 ①깰 성 ㉠술이 깸. '明朝酒—還獨來'《蘇軾》. ㉡잠이 깸. '—目常不眠'《梅堯臣》. ②깨달을 성 미혹(迷惑)이 풀림. '覺—'. '衆人皆醉, 我獨—'《楚辭》. ③깨울 성, 깨우칠 성 이상의 타동사. '柳眠鶯喚—'《眞山民》.
字源 篆文 形聲. 酉+星〔音〕. '星성'은 맑은 별처럼 산뜻하다의 뜻. 취기가 깨어서 기분이 맑아지다의 뜻을 나타냄.

[醒覺 성각] 깨달음.
[醒目 성목] 자지 아니함.
[醒然 성연] 잠에서 깬 모양. 꿈에서 깨는 모양.
[醒悟 성오] 깨달음.
[醒寤 성오] 잠이 깸.
[醒日 성일] 술 취하지 아니한 날. 취일(醉日)의 대(對).
[醒酒花 성주화] 모란(牡丹)의 별칭(別稱).
◉覺醒. 警醒. 夢醒. 睡醒. 我獨醒. 鶯喚醒. 酒醒. 醉醒.

9 ⑯ [醓] 담 ㊤感 他感切 tǎn

字解 육장 담 포(脯)를 썰어 누룩 및 소금을 섞어서 술에 담근 음식. '—醢以薦'《詩經》.
字源 形聲. 酉+皿+冘〔音〕. '冘음'은 '가라앉히다'의 뜻. 효모균과 소금에 담근 식품의 뜻을 나타냄.

[醓醢 담해] 육장(肉醬).

9 ⑯ [醔] 一 두 ㊤有 大透切 ㊥尤 度侯切 tú 二 도 ㊥虞 同都切

字解 一 ①느릅나무장 두 느릅나무 열매로 담근 장(醬). '二月楡莢成, 可作醬—'《齊民要術》. ②맛있는맛 두 '醾—'는 맛있는 맛. '—, 梵書, 美味曰醾—'《康熙字典》. ③천주(天酒) 두 '——'는 천주(天酒). 천상계(天上界)의 술. '—, 天酒, 名曰——'《康熙字典》. ④장 두 간장·된장 따위. '—, 醬也'《廣雅》. 二 느릅나무장 도, 맛있는맛 도, 천주 도, 장 도 一과 뜻이 같음.
字源 形聲. 酉+兪〔音〕

9 ⑯ [醏] 도 ㊥虞 東徒切 dū

字解 된장 도 된장. 간장. '醃—'. '—, 醃, 醬也'《廣韻》.

9 ⑯ [醙] 수 ㊥尤 疏鳩切 sōu

字解 백주 수 빛이 흰 술. 일설(一說)에는, 찰기장으로 만든 술. '—黍淸皆兩壺'《儀禮》.

9 ⑯ [醘] 一 음 ㊥侵 餘針切 二 심 ㊥侵 昨淫切 三 침 ㊥侵 持林切 cén

字解 一 ①누룩 음 또, 누룩을 띄움. '—, 孰麴也'《說文》. ②즐길 음, 빠질 음 지나치게 즐김. '—, 一說, 詩和樂且—, 言樂之甚也'《正字通》. 二 누룩 심, 즐길 심, 빠질 심 一과 뜻이 같음. 三 누룩 침, 즐길 침, 빠질 침 一과 뜻이 같음.
字源 形聲. 酉+甚〔音〕

9 ⑯ [醚] 매 ㊥灰 謨杯切 méi

字解 ①초(醋) 매 '—, 醋之別名'《廣韻》. ②술밑 매 효모(酵母). 媒(女部 九畫)와 통용.

9 ⑯ [醞] 면 ㊤銑 彌兗切 miǎn

字解 술에빠질 면 湎(水部 九畫)과 同字. '—, 飮酒失度'《玉篇》.

9 ⑯ [醎] 〔함〕 鹹(鹵部 九畫〈p. 2687〉)의 俗字

9 ⑯ **[醖]** 〔온〕
醞(酉部 十畫〈p. 2360〉)의 俗字

9 ⑯ **[醔]** 〔혜〕
醯(酉部 十二畫〈p. 2362〉)의 俗字

10 ⑰ **[醜]** [高人] 추 ㊤有 昌九切 chǒu 丑

[筆順] 丌 酉 酉′ 酉ᄼ 酉ᄼ 酉由 醜 醜

[字解] ①추할 추 언행이 더러움. '一行'. '行莫一於辱先'《司馬遷》. 또, 그러한 사람. '群一破滅'《晉書》. ②못생길 추 용모가 보기 흉함. '一女'. '老漢嫌妻一'《王君玉雜纂》. 또, 그러한 사람. '里一捧心'《文心雕龍》. ③미워할 추 싫어함. '旣一有夏'《史記》. ④부끄러워할 추 수치로 여김. '於是一之去衛'《史記》. ⑤무리 추 ㉠다수의 사람. '執訊獲一'《詩經》. ㉡같은 무리. 동류. '離群一也'《易經》. ⑥견줄 추 비교함. '比物一類'《禮記》. ⑦같을 추 동등함. '一類'. '地一德齊'《孟子》. ⑧성 추 성(姓)의 하나.

[字源] 篆文 形聲. 鬼＋酉〔音〕. '鬼귀'는 이상한 탈을 쓴 사람의 象形. '酉유'는 '술'의 뜻. 술을 땅에 부으며 괴상한 탈을 쓰고 신을 섬기는 사람의 모양에서, '추하다'의 뜻을 나타냄.

[醜怪 추괴] 용모가 못생기고 괴상함.
[醜女 추녀] 얼굴이 못생긴 부녀자.
[醜談 추담] 음란(淫亂)하고 더러운 말. 추잡(醜雜)한 말.
[醜徒 추도] 추악한 무리. 악당(惡黨).
[醜麗 추려] 추미(醜美).
[醜虜 추로] ㉠추이(醜夷). ㉡많은 오랑캐.
[醜陋 추루] 추잡하고 비루함.
[醜類 추류] ㉠나쁜 놈들의 무리. 악당. ㉡동아리. 부류(部類). ㉢유사한 사물을 비교함.
[醜末 추말] 못생긴 말배(末輩). 자기의 겸칭(謙稱).
[醜面 추면] 못생긴 얼굴.
[醜名 추명] 오명(汚名).
[醜聞 추문] 추잡한 소문(所聞). 품행이 바르지 못하다는 소문.
[醜美 추미] 못생김과 잘생김. 보기 싫음과 아름다움.
[醜婦 추부] 추녀(醜女).
[醜聲 추성] 추문(醜聞).
[醜惡 추악] ㉠보기 흉하거나 못생김. 용모가 흉함. ㉡더러움. 추잡(醜雜)함.
[醜業 추업] 더러운 생업(生業).
[醜業婦 추업부] 매춘부(賣春婦).
[醜穢 추예] 추악(醜惡)하고 더러움.
[醜夷 추이] 많은 동배(同輩).
[醜雜 추잡] 언행(言行)이 추저분함.
[醜詆 추저] 막된 소리로 욕설을 함.
[醜地 추지] 좋지 못한 땅. 척박한 땅.
[醜妻 추처] 못생긴 아내. 자기 아내의 겸칭(謙稱).
[醜醜婦 추추부] 추녀(醜女).
[醜態 추태] 추악한 꼴.
[醜漢 추한] ㉠얼굴이 못생긴 사내. ㉡행실이 더러운 사내.
[醜行 추행] 더러운 행위. 음란한 짓.

◉群醜. 奇醜. 老醜. 虜醜. 短醜. 大醜. 美醜. 俘醜. 比醜. 肥醜. 小醜. 餘醜. 姸醜. 戎醜. 里醜. 殘醜. 壯醜. 麤醜. 廢醜. 獻醜. 好醜. 詬醜. 凶醜. 黑醜.

10 ⑰ **[醝]** 차 ㊥歌 昨何切 cuō

[字解] 백주 차 빛이 흰 술. '蒼梧竹葉淸, 宣城九醞一'《張華》.

10 ⑰ **[醛]** 철 ㊇屑 測劣切 chuò

[字解] ①술맛변할 철 술 맛이 변함. '一, 酒味變也'《集韻》. ②푸성귀절임 철 푸성귀 절임. '一, 鹹葅也'《字彙》.

10 ⑰ **[醞]** 온 ㊦問 於問切 yùn ㊤吻 於粉切 酝

[字解] ①빚을 온 양조(釀造)함. '酒則九一甘醴'《張衡》. ②술 온 빚은 술. '春一時獻斟'《王僧達》. ③온자할 온 溫(水部 十畫)과 同字. '容止一藉'《北史》.

[字源] 篆文 形聲. 酉＋𥁕〔音〕. '𥁕온'은 '따뜻하다'의 뜻. 온도가 올라 발효가 잘되다, 빚어지다의 뜻을 나타냄.

[醞釀 온양] ㉠술을 빚음. 양조(釀造). ㉡무근한 사실을 꾸며 모함함. ㉢점차로 양성(養成)함. ㉣사물을 알맞게 조화(調和)함.
[醞藉 온자] 마음이 넓고 온전함.
[醞戶 온호] 술을 빚는 사람.
◉九醞. 春醞.

10 ⑰ **[醨]** 력 ㊇錫 狼狄切 lì

[字解] 술거를 력 '一, 漉酒也'《玉篇》.

[字源] 形聲. 酉＋鬲〔音〕

10 ⑰ **[醡]** 자 ㊦禡 側駕切 zhà

[字解] ①술주자 자 술을 짜는 틀. '松槽葛囊纔上一'《楊萬里》. ②기름틀 자 기름을 짜는 틀. '一, 打油具'《證俗文》.

[字源] 形聲. 酉＋窄〔音〕. '窄착'은 '搾착'과 통하여 '짜다'의 뜻. 술을 짜는 틀의 뜻을 나타냄.

10 ⑰ **[醢]** 해 ㊦賄 呼改切 hǎi

[字解] ①육장 해 포(脯)를 썰어 누룩 및 소금을 섞어서 술에 담근 음식. '魚一'. '菹一'. '醓一以薦'《詩經》. ②절일 해 소금을 섞어서 절게 함. '衛人一子路'《十八史略》. 또, 인체(人體)를 소금에 절이는 형벌. '殺梅伯, 而遺文王其一'《呂氏春秋》. ③삶을 해 삶아서 죽임. '吾將使秦王烹一梁王'《史記》.

[字源] 篆文 形聲. 酉＋𥁓〔音〕. '𥁓유·회'는 皿＋右〔音〕. '右우'는 '侑유'와 통하여 고기를 손에 들고 사람에게 권하다의 뜻. 고기를 항아리에 넣고 술, 소금 따위로 절인 식해의 뜻을 나타냄.

◉醓醢. 蜃醢. 魚醢. 菹醢. 烹醢. 脯醢. 醯醢.

10 ⑰ [醠] 앙 [去]漾 烏浪切 àng
[上]養 烏朗切
[字解] 막걸리 앙 탁주.
[字源] 篆文 形聲. 酉+盎〔音〕

10 ⑰ [醋] [一] 용 [平]冬 如容切 róng
[二] 니 [去]寘 女利切
[字解] [一] ①술 용 '一, 酒也'《說文》. ②진한술 용 두 번 빚은 술. '一, 字林, 重釀也'《集韻》. [二] 술 니, 진한술 니 [一]과 뜻이 같음.
[字源] 形聲. 酉+茸〔音〕

10 ⑰ [醓] 밀 [入]質 彌畢切 mì
[字解] ①술그릇마를 밀 술을 다 마심. '一, 飮酒俱盡也'《說文》. ②간장 밀 '一, 醬也'《廣雅》.
[字源] 篆文 形聲. 酉+监〔音〕

10 ⑰ [醔] 〔기〕
嗜(口部 十畫〈p. 397〉)와 同字

10 ⑰ [醔] 곡 [入]屋 胡谷切 hú
[字解] 막걸리 곡 탁주.

[醔濁 곡탁] '어리석음'을 꾸짖는 말.

10 ⑰ [醟] 영 [去]敬 爲命切 yòng
[平]庚 于營切
[字解] 주정할 영 술에 취하여 제정신을 잃고 언행을 함부로 함. 주사를 부림. '酗一者'《抱朴子》.
[字源] 篆文 形聲. 酉+熒〈省〉〔音〕. '熒영'은 마음을 빼앗기다, 미치다의 뜻. 술을 마시고 미치다의 뜻을 나타냄.

10 ⑰ [醢] 갑 [入]合 克盍切 kē
[字解] 술잔 갑 술잔. '一, 酒器'《玉篇》.

10 ⑰ [醙] 수 [上]有 所九切 sōu
[字解] 백주 수 백주(白酒). 소주(燒酎). '一, 白酒也'《集韻》.

11 ⑱ [醨] 리 [平]支 呂支切 lí
[字解] 묽은술 리 싱거운 술. 박주(薄酒). '一酪專灌於圓丘'《抱朴子》. 또, 전국을 걸러 내고 남은 술. '何不餔其糟, 而歠其一'《楚辭》.
[字源] 篆文 形聲. 酉+离〔音〕. '漓리'는 '离리'와 통하여 '엷다'의 뜻. '묽은 술'의 뜻을 나타냄.

[醨酒 이주] 묽은 술.
◉薄醨. 醇醨.

11 ⑱ [醪] 료 [平]豪 魯刀切 láo
[字解] 막걸리 료 탁주. '濁一'. '醇一'. '置二石醇一'《史記》.
[字源] 篆文 形聲. 酉+翏〔音〕. '翏료'는 양 날개와 꽁지를 이은 모양으로, '달라붙다, 이어지다'의 뜻. 술찌끼가 함께 녹아 있는 걸쭉한 막걸리의 뜻을 나타냄.

[醪醴 요례] 막걸리와 단술. 탁주와 감주.
[醪糒 요비] 탁주와 건량(乾糧).
◉甘醪. 濃醪. 美醪. 芳醪. 糯醪. 醇醪. 新醪. 若飮醞醪. 積醪. 酒醪. 澄醪. 清醪. 村醪. 濁醪.

11 ⑱ [醥] 표 [上]篠 敷沼切 piǎo
[字解] 맑은술 표 약주. '觴以清一'《左思》.

◉清醥.

11 ⑱ [醩] 〔조〕
糟(米部 十一畫〈p. 1706〉)의 籀文

11 ⑱ [醹] 〔도〕
酴(酉部 七畫〈p. 2355〉)와 同字

11 ⑱ [醫] [中人] 의 [平]支 於其切 yī 医
[筆順] 一 矢 医 医 殹 殹 毉 醫
[字解] ①의원 의 병을 고치는 사람. '名一'. '巫一'. '一不三世, 不服其藥'《禮記》. ②고칠 의 병을 고쳐 사람을 구함. 전(轉)하여, 널리 구하는 뜻으로 쓰임. '一渴'. '上醫一國, 其次一疾人也'《國語》. ③의술 의 병을 고치는 학문·기술. '一者仁術也'《因話錄》.
[字源] 篆文 形聲. 酉+殹〔音〕. '殹예' 중의 '医예'는 '矣의'나 '疑의'의 왼쪽과 같은 종류의 것으로, '殳수'를 덧붙여 주술을 거는 목소리를 나타내는 의성어. 치료하는 데 약초 술 따위를 쓰게 되자 '酉유'를 덧붙임. 병을 고치는 사람의 뜻을 나타냄.
[參考] 医(匸部 五畫)는 略字.

[醫家 의가] ㉠의원의 집. ㉡의원. 의사.
[醫界 의계] 의사들의 사회. 의학계.
[醫科 의과] 대학의 한 분과(分科). 의학(醫學)을 연구함.
[醫官 의관] ㉠의원. 의사. ㉡의무(醫務)를 맡은 관리.
[醫國 의국] 나라의 어지러움을 다스림.
[醫療 의료] 의술로 병을 고침.
[醫務 의무] 의료에 관한 일. 또는, 보건·위생·의학에 관한 사무.
[醫門多疾 의문다질] 의원의 문전(門前)에는 병자(病者)가 많이 모임.
[醫方 의방] 의술(醫術).
[醫方明 의방명] 《佛敎》 오명(五明)의 하나. 곧, 의료(醫療)의 학술.
[醫伯 의백] '의사(醫師)'의 미칭(美稱). 국수(國手).
[醫不三世不服其藥 의불삼세불복기약] 군부(君父)의 병은 아무 의사에게나 함부로 보이지 아니함. 곧, 삼대(三代) 동안 계속하여 의료에 종사한 경험과 문견이 풍부한 의사의 약이 아니

면 복용하지 아니함.
[醫師 의사] ㉠주대(周代)에 의료에 관한 일을 맡은 벼슬의 우두머리. ㉡의료를 업으로 삼는 사람.
[醫生 의생] ㉠관학(官學)에서 의학을 수업하는 학생. ㉡의원. 의사(醫師).
[醫書 의서] 의학(醫學)에 관한 책.
[醫術 의술] 병을 고치는 재주. 의학(醫學)에 관한 기술.
[醫藥 의약] 병을 고치는 데 쓰는 약.
[醫業 의업] 의사(醫師)의 직업(職業).
[醫王 의왕] '약사여래(藥師如來)'의 별칭.
[醫院 의원] 환자를 치료하는 집.
[醫人 의인] 의사(醫師) ㉡.
[醫者 의자] 의원. 의사(醫師).
[醫者意也 의자의야] 의술의 깊은 진리는 마음으로 스스로 깨닫는 것이지 말로는 표현할 수 없음.
[醫劑 의제] 약.
[醫學 의학] 질병과 그 치료에 관한 사항을 연구하는 학문.
◉京醫. 高手醫. 高醫. 巧醫. 校醫. 軍醫. 金瘡醫. 顱顖醫. 盧醫. 大方醫. 大醫. 帶下醫. 馬醫. 名醫. 巫醫. 蛇醫. 三世醫. 三折肱爲良醫. 上醫. 船醫. 善醫. 小兒醫. 俗不可醫. 獸醫. 市醫. 侍醫. 食醫. 良醫. 瘍醫. 女醫. 嬰孺醫. 外科醫. 外醫. 蓐醫. 庸醫. 牛醫. 乳醫. 里醫. 俚醫. 隣醫. 典醫. 諸醫. 拙醫. 主治醫. 衆醫. 疾醫. 草醫. 村醫. 他醫. 護疾忌醫.

11 ⑱ [醬] 人名 장 (去)漾 子亮切 jiàng 酱

字解 장 장 ㉠된장. '醯―處內'《禮記》. ㉡간장. '不得其―, 不食'《論語》.
字源 篆文 古文 籀文 形聲. 肉+酉+爿〔音〕. '爿장'은 조리대의 象形. 고기를 잘게 썰어 소금, 술, 누룩 등에 담근 요리, 식해의 뜻을 나타냄. 일설에, 음부(音符)인 '將장'은 돋우다의 뜻. 요리의 맛을 돋우다, 식해의 뜻을 나타낸다고 함.

[醬瓿 장부] 장을 담은 항아리. 장독.
◉豆醬. 麥醬. 美醬. 覆醬. 菽醬. 魚醬. 肉醬. 脯醬. 鰕醬. 醢醬. 醯醬.

11 ⑱ [醧] ㊀ 어 (去)御 依居切 yù ㊁ 구 (平)尤 烏侯切 ㊂ 우 (去)宥 於候切

字解 ㊀ ①사사로운잔치 어 사연(私宴). '―, 私醼'《廣韻》. ②술적당히마실 어 '愔愔―讌'《左傳》. ③술달고맛있을 어 '―, 酒甘'《廣韻》. ㊁ 사사로운잔치 구, 술적당히마실 구, 술달고맛있을 구 ㊀과 뜻이 같음. ㊂ 술맛순할 우 '―, 酒味和'《集韻》.
字源 形聲. 酉+區〔音〕

12 ⑲ [醭] 복 (入)屋 普木切 bú

字解 ①골마지 복 간장·술 같은 것에 곰팡이같이 생기는 물건. ②곰팡이 복 '梅天筆墨多生―'《楊萬里》.
字源 形聲. 酉+菐〔音〕

12 ⑲ [醮] 人名 초 ①-④(去)嘯 子肖切 jiào ⑤(平)蕭 慈焦切 qiáo

字解 ①제사지낼 초 술을 차려 놓고 신(神)에게 제사함. '可―祭而致'《漢書》. ②빌 초 단(壇)을 만들어 놓고 기도함. '宮設―, 一日親臨之'《貴耳集》. ③술따를 초 관혼(冠婚)의 의식에서 술을 따름. '―於客位'《禮記》. ④다할 초 다 없어짐. '利爵之不―也'《荀子》. ⑤야윌 초 憔(心部十二畫)와 통용. '滿心戚―'《莊子》.
字源 篆文 別體 形聲. 酉+焦〔音〕

◉加醮. 冠醮. 再醮. 秋醮.

12 ⑲ [醯] 人名 혜 (平)齊 呼雞切 xī

字解 ①초 혜 신 조미료. '―醬處內'《禮記》. ②육장 혜 국물이 많은 육장(肉醬). '―醢之品'《歐陽修》.
字源 篆文 會意. 鬻〈省〉+酒〈省〉+皿. '鬻육'은 죽의 뜻. '皿명'은 그릇. 죽에 술을 섞어서 만든 것, '식초'의 뜻을 나타냄.

[醯鷄 혜계] 초·간장·된장·술 따위에 잘 덤벼드는 파리. 초파리.
[醯醲 혜농] ㉠진한 술. 전국술. ㉡순후(醇厚)함. 친절함.
[醯醬 혜장] 초와 장.
[醯醢 혜해] 국물이 많은 육장(肉醬).
◉鹽醯. 注醯.

12 ⑲ [⿰酉矞] ㊀ 귤 (入)質 居聿切 jú ㊁ 귤 (入)質 其述切 jué ㊂ 결 (入)屑 古穴切

字解 ㊀ 간장 귤 '―, 醓醬也'《玉篇》. ㊁ 간장 귤 ㊀과 뜻이 같음. ㊂ 조개젓 결 '―, 蚌醬'《集韻》.
字源 形聲. 酉+矞〔音〕

12 ⑲ [⿰酉蛬] 공 (上)腫 古勇切 gǒng

字解 채소절임 공 채소 절임. '―, 鹹菹'《集韻》.

12 ⑲ [⿰酉𠦪] 〔효〕
酵(酉部 七畫〈p. 2355〉)와 同字

12 ⑲ [醰] 담 (去)勘 徒紺切 tán (平)覃 徒南切

字解 ①쓸 담 술 맛이 씀. ②진할 담 맛이 진함. 맛이 좋음. '良―而有味'《王褒》.
字源 篆文 形聲. 酉+覃(㖡)〔音〕

[醰醰 담담] 맛이 좋음. 맛이 진함.
[醰粹 담수] 진하고 섞인 것이 없음.

12 ⑲ [⿰酉單] 단 (平)寒 都艱切 dān

字解 막걸리 단 탁주(濁酒).

12 ⑲ [醱] 人名 발 (入)曷 普活切 pō

[字解] 빚을 발 ㉠술을 거듭 빚어 진하게 함. '恰似葡萄初一醅'《李白》. ㉡발효(發酵)의 '發'의 뜻으로 씀.
[字源] 形聲. 酉+發〔音〕. '發발'은 '열다'의 뜻. 효소가 열려 퍼져 나가다, 빚다의 뜻을 나타냄.

[醱醅 발배] 술을 거듭 빚어 진하게 함.
[醱酵 발효] 발효(發酵).

12 ⑲ [醷] 기 ①②[去]未 其既切 jì ③[上]尾 擧豈切 jǐ
[字解] ①차조술 기 '一, 秫酒名'《廣韻》. ②목욕한뒤먹는술 기 禨(示部 十二畫)와 통용. '一, 沐酒名'《集韻》. ③술웃국 기 '一, 酒浮也'《集韻》.

12 ⑲ [⿰酉閒] 간 [去]諫 居莧切 jiǎn
[字解] 짤 간 짬. 짠맛. '一, 醎也'《集韻》.

13 ⑳ [醲] 농 [平]冬 女容切 nóng
[字解] ①진한술 농 '醇一'. '甘脆肥一, 命曰腐腸之藥'《枚乘》. ②두터울 농 후함. 濃(水部 十三畫)과 통용. '明主一于用賞, 約于用刑'《後漢書》.
[字源] [篆文] 形聲. 酉+農〔音〕. '農농'은 '濃농'과 통하여 '진하다'의 뜻. 진한 술의 뜻을 나타냄.

◉舊醲. 肥醲. 觴醲. 醇醲. 新醲. 淸醲. 村醲.

13 ⑳ [醳] [一] 역 [入]陌 羊益切 yì [二] 석 [入]陌 施隻切 shì
[字解] [一] ①술 역 좋은 술. 전국술. 순주(醇酒). 일설(一說)에는, 오래 묵은 술. 고주(古酒). 또 일설에는, 맛이 쓴 술. 고주(苦酒). 또 일설에는, 겨울에 빚어 봄에 익은 술. '有一順時'《左思》. ②호궤할 역 군사에게 주식(酒食)을 풀어 먹여 위로함. '一兵'《史記》. [二] 풀 석 석방함. 釋(釆部 十三畫)과 통용. '共執張儀, 掠笞數百, 不服一之'《史記》.
[字源] 形聲. 酉+睪〔音〕. '睪역'은 차례차례 당겨 붙이다의 뜻. 차져서 진한 술의 뜻을 나타냄.

◉舊醳. 觴醳. 新醳. 淸醳. 村醳.

13 ⑳ [醴] [人名] 례 [上]薺 盧啓切 lǐ
[字解] ①단술 례 감주(甘酒). '且以酌一'《詩經》. ②달 례 샘물이 감미가 있음. '地出一泉'《禮記》.
[字源] [甲骨文] [金文] [金文] [篆文] 甲骨文은 제기에 바쳐진 단술의 象形으로, '단술'의 뜻을 나타냄. 뒤에 '酉유'를 덧붙임. 篆文은 酉+豊(豐)〔音〕의 形聲. '豊례'는 '醴례'의 原字.

[醴酪 예락] 감주와 타락(駝酪). 단술과 우유.
[醴漿 예장] 예주(醴酒).
[醴酒 예주] 단술. 감주(甘酒).
[醴酒不設 예주불설] 스승을 대접하는 예의가 차차 박해짐을 이름.
[醴泉 예천] 물이 단 샘.

◉甘醴. 牢醴. 凍醴. 芳醴. 牲醴. 醇醴. 醪醴. 酒醴.

13 ⑳ [醵] [人名] [一] 거 [去]御 其據切 jù [二] 갹 [入]藥 其虐切 jù
[字解] [一] ①추렴내어마실 거 여러 사람이 각기 돈을 내어 함께 술을 마심. 또, 그 비용. 또는, 그 음식. '窮漢一率'(가난한 사람이 술을 마시는데 추렴이 잘 걷히지 아니함)《李義山雜纂》. ②추렴할 거 '隣里一金治具'《輟耕錄》. [二] 추렴내어마실 갹, 추렴할 갹 [一]과 뜻이 같음.
[字源] [篆文] 形聲. 酉+豦〔音〕. '豦거'는 짐승이 엉켜 있다의 뜻. 추렴 내어 술을 마시다의 뜻을 나타냄.

[醵金 거금·갹금] 돈을 추렴함. 또, 그 돈.
[醵飮 거음·갹음] 술추렴.
[醵出 거출·갹출] 돈이나 물건을 한데 서로 냄.

13 ⑳ [醷] [一] 억 [入]職 於力切 yì [二] 의 [上]紙 於擬切 yǐ
[字解] [一] ①매실주(梅實酒) 억 '漿水一濫'《禮記》. ②막걸리 억 '一, 濁漿'《廣韻》. ③단술 억 단술〔醴〕과 맑은술〔酏〕을 섞은 단술. '一, 釀醴酏爲漿也'《集韻》. [二] 단술 의 [一]❸과 뜻이 같음.

13 ⑳ [醫] 곡 [入]屋 胡谷切 hú
[字解] 막걸리 곡 막걸리. '一, 濁酒也'《字彙》. 醫(酉部 十畫〈p. 2361〉)의 訛字.

13 ⑳ [醶] [一] 엄 [去]豔 魚窆切 yàn [二] 람 ①[上]感 盧感切 ②[上]豏 初檻切 [三] 참 [上]豏 力減切 liǎn [四] 함 [平]咸 虛咸切 xiān
[字解] [一] ①초 엄 신 조미료(調味料). '一, 酢也'《廣雅》. ②진할 엄 술이나 초의 맛이 진함. '一, 酒酢味厚也'《字彙》. [二] ①초 람, 진할 람 [一]과 뜻이 같음. ②실 람 맛이 심. '一, 一醶, 酢味'《廣韻》. [三] 초 참, 진할 참 [一]과 뜻이 같음. [四] 짤 함 맛이 짬. '一, 鹵味'《集韻》.
[字源] 形聲. 酉+僉〔音〕.

13 ⑳ [醸] 〔양〕 釀(酉部 十七畫〈p. 2364〉)의 略字

14 ㉑ [醹] 유 [上]麌 而主切 rú
[字解] 진할 유 술이 진함. 술이 독함. '酒醴維一'《詩經》.
[字源] [篆文] 形聲. 酉+需〔音〕. '酉유'는 '술'의 뜻. '需유'는 '부드럽다'의 뜻. 물을 타지 않은 부드러운 술의 뜻을 나타냄.

14 ㉑ [醺] 훈 [平]文 許云切 xūn
[字解] ①취할 훈 술에 취함. '微一卽止'《宋史》. ②취하게할 훈 '但願不爲世所一'《蘇軾》. ③술기운 훈 주기(酒氣). '帶微一'. 또, 술에 취하는 일. '愁多少酒一'《杜甫》.

字源 篆文 形聲. 酉+熏〔音〕. '熏훈'은 '찌다'의 뜻. 술기운이 자욱이 끼다의 뜻에서 술에 취하다, 술기운의 뜻을 나타냄.

[醺然 훈연] 술에 취한 모양.
[醺醺 훈훈] 술이 얼근히 취해 기분이 좋은 모양.
◉微醺. 小醺. 宿醺. 餘醺.

14 ㉑ [醑] 서 ㊤語 徐呂切 xù

字解 ①좋은술 서 '一, 美酒'《字彙》. ②술맛좋을 서 '一, 酒之美也'《廣韻》.

14 ㉑ [醨] 람 ㊤勘 盧瞰切 làn ㊤感 魯敢切

字解 ①잔띄울 람 잔을 물에 띄움. ②막걸리 람. ③단술 람 단술에 물을 탄 마실 것. 또 일설(一說)에는 묽은 술.

字源 篆文 形聲. 酉+監〔音〕

14 ㉑ [醻] 〔수〕 酬(酉部 六畫〈p. 2355〉)와 同字

字源 篆文 別體 形聲. 酉+壽(𠷎)〔音〕. '𠷎수'는 '이어지다'의 뜻. 주객이 서로 술잔 주고받기를 잇대다의 뜻에서 갚다의 뜻을 나타냄. 오늘날에는 別體인 '酬수'가 쓰임.

◉獻醻.

15 ㉒ [醾] 포 ㊤號 薄報切 bào

字解 단술 포 단술. 또, 담근 지 하룻밤 만에 마시는 술. '一, 一宿酒也'《集韻》.

16 ㉓ [醶] 람 ㊤感 盧敢切 lǎn

字解 시큼할 람 시큼함. 시큼한 맛. '一, 醋味也'《五音集韻》.

16 ㉓ [醼] 〔연〕 宴(宀部 七畫〈p. 582〉)과 同字

字源 形聲. 酉+燕〔音〕. '燕연'은 '宴연'과 통하여 술잔치의 뜻을 나타냄.

[醼飮 연음] 주연(酒宴). 연회(宴會).

17 ㉔ [醽] 령 ㊥靑 郎丁切 líng

字解 미주 령 맛 좋은 술. 또, 거른 술. '寒泉旨於一醁'《抱朴子》.

字源 形聲. 酉+霝〔音〕

[醽醁 영록] 맛 좋은 술.

17 ㉔ [醾] 미 ㊥支 忙皮切 mí

字解 막걸리 미 탁주. '寒食賜宰臣以下酴一酒'《輦下歲時記》.

字源 形聲. 酉+靡〔音〕

參考 醾(次條)는 同字.

◉酴醾.

17 ㉔ [醿] 醾(前條)와 同字

17 ㉔ [釀] 人名 양 ㊤漾 女亮切 niàng 酿

字解 ①빚을 양 ㉠술을 빚음. '一造'. '一泉爲酒'《歐陽修》. ㉡자아냄. '一成'. '一禍'. '以相嘔呴醞一, 而成育萬物'《淮南子》. ②술 양 '一佳'. '春一'. '令人欲傾家一'《世說》.

字源 篆文 形聲. 酉+襄〔音〕. '襄양'은 속에 물건을 채우다의 뜻. 술 단지에 원료를 채워 넣어 발효시켜서 술을 만들다의 뜻을 나타냄.

參考 酿(酉部 十三畫)은 略字.

[釀具 양구] 술을 빚는 데 쓰이는 도구.
[釀母 양모] 술밑. 주모(酒母).
[釀費 양비] 술을 담그는 비용.
[釀成 양성] ㉠양조(釀造). ㉡재해·소동 등이 일어나는 원인을 만듦.
[釀甕 양옹] 술을 담그는 항아리.
[釀造 양조] 술·간장 등을 담금.
[釀酒 양주] 술을 빚음.
[釀禍 양화] 재화(災禍)를 자아냄.
◉家釀. 嘉釀. 冬釀. 私釀. 新釀. 野釀. 醞釀. 自釀. 造釀. 重釀. 村釀. 春釀.

17 ㉔ [醰] ㊀ 감 ㊤感 古禫切 gǎn ㊤勘 古暗切 ㊁ 담 ㊤勘 徒紺切

字解 ㊀ ①술맛밸 감 '一, 酒味淫也. (段注) 淫者, 浸淫隨理也. 謂酒味淫液深長'《說文》. ②술맛쓸 감 '一, 酒味苦也'《玉篇》. ㊁ 술맛밸 담, 술맛쓸 담 ㊀과 뜻이 같음.

字源 形聲. 酉+贛〈省〉〔音〕

18 ㉕ [釂] 조 ㊤嘯 子肖切 jiào

字解 마실 조 잔에 있는 술을 다 마심. '長者擧未一, 少者不敢飮'《禮記》.

字源 篆文 形聲. 酉+爵〔音〕. '爵작'은 '술잔'의 뜻. 술잔의 술을 다 마시다의 뜻을 나타냄.

18 ㉕ [釁] 흔 ㊤震 許覲切 xìn

字解 ①피칠할 흔 희생(犧牲)의 피를 그릇에 발라 신(神)에게 제사 지냄. '成廟則一之'《禮記》. ②허물 흔 죄과. '用師觀一而動'《左傳》. ③틈 흔 ㉠간격. '間一'. '一隙'. ㉡약점. 이용할 수 있는 기회. '觀一'. '讎有一不可失也'《左傳》. ㉢불화. '楚子不假道于宋, 以啓一端'《春秋胡傳》. ④바를 흔 향을 몸에 바름. '三一三浴之'《國語》. ⑤움직일 흔 활동함. '夫小人之性, 一於勇'《左傳》. ⑥성 흔 성(姓)의 하나.

字源 篆文 會意. 爨〈省〉+酉+分. '爨찬'은 부뚜막의 제사로, 그때 술〔酉〕을 올리고, 희생의 피를 뿌려서〔分〕 부정을 없애다, 피

를 칠하다의 뜻을 나타냄.

[釁咎 흔구] 재앙.
[釁隙 흔극] 틈. 벌어진 틈. 전(轉)하여, 불화(不和).
[釁端 흔단] 사이가 불화(不和)하게 되는 단서(端緖). 서로 다투는 시초.
[釁鐘 흔종] 희생(犧牲)의 피를 종(鐘)에 발라서 신(神)을 제사(祭祀)함.
◉奸釁. 過釁. 觀釁. 窺釁. 垢釁. 國釁. 待釁. 乘釁. 妖釁. 疵釁. 摘釁. 罪釁. 瑕釁. 閒釁.

19 [釃] 一 시 ㊤紙 所綺切 shī
㉖ 二 소 ㊥魚 所葅切 shāi
三 리 ㊥支 隣知切 lí
酾

字解 一 ①거를 시 술을 거름. '一酒有萸'《詩經》. ②나눌 시 가름. '一二渠, 以引其河'《漢書》. 二 거를 소, 나눌 소 一과 뜻이 같음. 三 묽은술 리 醨(酉部 十一畫)와 同字. '歠其一'《楚辭》.
字源 篆文 會意. 酉+麗. '麗려·시'는 가지런히 벌여 놓다의 뜻. 술을 거르다의 뜻을 나타냄.

19 [醿] 〔미〕
㉖ 醾(酉部 十七畫〈p. 2364〉)와 同字

20 [釅] 엄 ㊦豔 魚欠切 yàn
㉗ 酽

字解 진할 엄 술 또는 차(茶)가 농후함. '一茶三兩椀'《指月錄》.
字源 形聲. 酉+嚴〔音〕

[釅茶 엄차] 진한 차(茶).

20 [醲] 〔농〕
㉗ 醲(酉部 十三畫〈p. 2363〉)의 本字

21 [醾] 一 력 ㊇錫 狼狄切 lì
㉘ 二 려 ㊥齊 憐題切
三 례 ㊤薺 里弟切

字解 一 타락 력 타락(酡酪). 우유. '一醍'. '一, 一醍, 酪也'《集韻》. 二 술재강 려 술의 재강. '一醍'. '一, 醍一, 酒滓, 一曰, 酪毋'《集韻》. 三 젖찌끼 례 젖의 찌끼. '一醍'. '一, 醍一, 酪滓, 或省'《集韻》.

24 [醽] 〔령〕
㉛ 醽(酉部 十七畫〈p. 2364〉)과 同字

釆 (7획) 部
〔분별할변부〕

0 [釆] 변 ㊦諫 蒲莧切 biàn
⑦

筆順 ノ ㇒ ㇒ ㇒ 乎 釆 釆

字解 나눌 변, 분별할 변 辨(辛部 九畫)과 同字.
字源 金文 篆文 古文 象形. 짐승의 발톱이 갈라져 있는 모양을 본떠, '나누다'의 뜻을 나타냄.
參考 ①'釆변'을 의부(意符)로 하여, '나누다'의 뜻을 포함하는 문자를 이룸. 부수 이름은 '분별할변'. ②采(次條)는 別字.

1 [采] 人名 채 ①-⑪㊤賄 倉宰切 cǎi
⑧ ⑫㊦隊 倉代切 cài

筆順 一 ㇒ ㇒ ㇒ 乎 平 采 采

字解 ①캘 채 채취함. 採(手部 八畫)와 同字. '一薪之憂'. '執衽一藥'《司馬光》. ②가릴 채 선택함. 채용함. '一用'. '近一故事'《漢書》. ③채색 채, 무늬 채 彩(彡部 八畫)와 同字. '文一'. '以五一, 彰施于五色'《書經》. ④일 채 할 일. 직무. '展一錯事'《史記》. ⑤벼슬 채 관직. '疇咨若予一'《書經》. ⑥식읍 채 신하의 영지(領地). '邑一'. '大夫有一, 以處其子孫'《禮記》. ⑦풍신 채 풍자(風姿). 모습. '天下想聞其風一'《漢書》. ⑧폐백 채 綵(糸部 八畫)와 同字. '召公奭贊一'《史記》. ⑨참나무 채 棌(木部 八畫)와 同字. '一椽不刮'《史記》. ⑩주사위 채 투자(骰子). '明皇與貴妃一戲'《明皇雜錄》. ⑪성 채 성(姓)의 하나. ⑫나물 채 菜(艸部 八畫)와 통용. '春入學, 舍一合舞'《周禮》.
字源 甲骨文 甲骨文 金文 篆文 會意. 木+爪. '木목'은 甲骨文에서는 '果과'로 되어 있는 것도 있으며 나무 열매의 뜻. '爪조'는 '손'의 뜻. 열매를 따다의 뜻에서, 일반적으로 채취하다의 뜻을 나타냄.
參考 釆(前條)은 別字.

[采菊東籬下 채국동리하] 동편(東便) 울타리 밑에 피어 있는 국화(菊花)를 꺾어 땀. 도잠(陶潛)의 '음주시(飮酒詩)'의 한 구(句).
[采女 채녀] 한대(漢代)의 궁녀(宮女)의 한 계급. 전(轉)하여, 궁녀.
[采毛 채모] 빛이 아름다운 털.
[采薇歌 채미가] 백이(伯夷)와 숙제(叔齊)가 주(周)나라 무왕(武王)을 섬기는 것을 수치로 여겨 서우양 산(首陽山)에 숨어서 고비를 채취하여 먹다가 아사(餓死)할 때 지은 노래.
[采葑采菲無以下體 채봉채비무이하체] 순무와 무는 뿌리와 줄기를 다 먹는데, 그 뿌리에 맛이 나쁜 것도 있고 좋은 것도 있을 것이니, 그 뿌리가 나쁘다고 하여 그 줄기의 좋은 것까지 버려서는 안 된다는 뜻으로, '일부분이 나쁘다고 해서 전부를 내버려서는 아니 됨'을 비유하여 이르는 말.
[采蘋 채빈] 시경(詩經)의 편명(篇名). 대부(大夫)의 아내가 문왕(文王)의 덕화(德化)로 제사(祭祀)를 잘 받들었음을 묘사했음.
[采色 채색] 고운 색. 아름다운 색. 채색(彩色).
[采色不定 채색부정] 희로(喜怒)가 일정하지 아니하여 안색(顔色)이 잘 변함을 이름.
[采石磯 채석기] 안후이 성(安徽省) 당투 현(當塗縣) 서북(西北)쪽에 있는 우저산(牛渚山) 기슭 북부(北部)의 강변(江邊). 송(宋)나라 우윤문(虞允文)이 금(金)나라 군사를 격파한 곳.
[采菽 채숙] 시경(詩經)의 편명(篇名). 유왕(幽王)이 포학하여 제후가 배반한 일을 읊었음.
[采詩之官 채시지관] 주대(周代)에 풍속(風俗)을

살펴 시정(施政)의 참고로 하기 위하여 민간(民間)에서 부르는 시가(詩歌)를 수집(蒐集)하던 벼슬.
[采飾 채식] 채색하여 장식함.
[采薪之憂 채신지우] 자기의 병의 겸칭(謙稱). 몸이 아파서 나무를 못 하는 것이 걱정이란 뜻. 일설에는, 나무를 하는 데 지쳐서 난 병이라 함.
[采椽 채연] 산에서 벌채한 나무를 그대로 쓴 서까래. 일설에는, 대패질하지 아니한 참나무 서까래. 전(轉)하여, 거친 서까래, 또는 막 지은 집.
[采用 채용] 가려 씀. 채용(採用).
[采邑 채읍] 식읍(食邑).
[采緝 채즙] ㉠채집(采集). ㉡삼을 자아 실을 만듦.
[采地 채지] 채읍(采邑).
[采采 채채] ㉠많이 캐는 모양. ㉡많이 나는 모양. 무성한 모양. ㉢많은 모양. 일설(一說)에는, 화려하게 치장하는 모양. ㉣여러 가지 일. 이것 저것.
[采取 채취] 골라서 캐어 냄.
[采畫 채화] 채색을 한 그림.
[采戲 채희] 주사위. 주사위놀이.
◉喝采. 光采. 九采. 納采. 丹采. 大采. 文采. 服采. 丰采. 舍采. 色采. 少采. 神采. 新采. 薪采. 五采. 六采. 異采. 姿采. 爭采. 精采. 晃采. 衆采. 樵采. 七采. 探采. 風采. 筆采. 華采. 畫采.

4 ⑪ [釈] 釋(次次條)의 俗字

5 ⑫ [釉] 人名 유 ㊀宥 余救切 yòu 釉

字解 윤 유 광택. '一藥'.
字源 形聲. 釆+由〔音〕. '釆변'은 '采채'의 변형으로 색깔의 뜻. '由유'는 '油유'와 통하여 '기름'의 뜻. 애벌구이한 도자기 위에 입혀서 기름을 흘려 부은 것 같은 광택을 내다, 유약의 뜻을 나타냄.

[釉藥 유약] 도자기(陶瓷器)의 몸에 덧씌워 광택이 나게 하는 약. 잿물.

13 ⑳ [釋] 高人 석 ㊇陌 施隻切 shì 释 釋

筆順 ㄧ 乎 釆 釈 䆁 釋 釋 釋

字解 ①풀 석 ㉠설명함. '解一'. '一義'. '一明明德'《大學章句》. ㉡변명함. '一明'. '使行人奚斯一言於齊'《國語》. ㉢처리함. 다스림. '太子不肯自一'《呂氏春秋》. ㉣액체에 딴 것을 탐. '稀一'. ②풀릴 석 ㉠의심이나 오해가 사라짐. '惑不一也'《國語》. ㉡녹음. '融一'. '若氷之將一'《老子》. ㉢해이해짐. '心凝形一'《列子》. ③벗을 석 옷을 벗음. '一衣'. '初一服朝見二宮'(상복을 벗음)《顔氏家訓》. ④내놓을 석 석방함. '放一'. '開一無辜'《書經》. ⑤용서할 석 용대함. '若謝我當一罪'《世說》. ⑥놓을 석 ㉠손을 뗌. '手不一卷'. '篤志于學, 雖職務繁雜, 書不一手'《隋書》. ㉡일정한 자리에 둠. '一采'. '一奠于學'《禮記》. ⑦버릴 석 ㉠그만둠. 폐(廢)함. '聞命而一兵'《李覯》. ㉡상관하지 아니함. 떠남. '一虛而攻實'《管子》. ⑧쏠 석 발사함. '往省括于度則一'《書經》. ⑨젖을 석, 축일 석 '一而煎之'《禮記》. ⑩일 석 쌀을 읾. '一之叟叟'《詩經》. ⑪풀이 석 해석. '註一'. '作字一'《魏志》. ⑫석가 석 불교의 교조(敎祖). '一迦'의 약칭(略稱). 전(轉)하여, 널리 불교 또는 중의 뜻으로 쓰임. '一門'. '鑿一像於上'《喬宇》. ⑬성 석 성(姓)의 하나.
字源 篆文 釋 形聲. 釆+睪〔音〕. '釆변'은 낱낱이 분해하다의 뜻. '睪역'은 '斁역'과 통하여 덩어리를 분해하다의 뜻. 합쳐서 '분해하다'의 뜻을 나타냄.
參考 釈(前前條)은 俗字.

[釋家 석가] 불교를 믿는 사람들의 사회.
[釋迦 석가] ㉠인도의 한 종족의 이름. ㉡'석가모니(釋迦牟尼)'의 준말.
[釋迦牟尼 석가모니] 범어(梵語) śākyamuni의 음역(音譯). 불교의 개조(開祖).
[釋迦如來 석가여래] 석가모니.
[釋褐 석갈] 천한 사람이 입는 갈의(褐衣)를 벗는다는 뜻으로, 처음으로 벼슬살이함을 이름.
[釋階而登天 석계이등천] 사다리를 버리고 하늘에 오르려 함. 불가능(不可能)한 일의 비유(比喩).
[釋敎 석교] 불교(佛敎)의 별칭(別稱).
[釋根灌枝 석근관지] 뿌리는 버려두고 가지에 물을 줌. 곧, 근본을 잊고 지엽(枝葉)의 일에 힘을 들임을 이름.
[釋慮 석려] 걱정을 하지 않음.
[釋老 석로] 석가와 노자. 또, 그 교(敎).
[釋名 석명] 후한(後漢)의 유희(劉熙)가 지은 책. 8권. 〈이아(爾雅)〉를 본떠서 석천(釋天)·석지(釋地) 등 27류(類)로 나누어 물명(物名)의 훈고(訓詁)를 싣고 해석한 사전임.
[釋明 석명] ㉠풀어 밝힘. ㉡오해를 산 자기의 언론에 대하여 변명을 함.
[釋門 석문] 불문(佛門). 불도(佛道).
[釋放 석방] 가두었던 사람을 풀어 내보냄.
[釋像 석상] 석가모니의 상(像).
[釋氏 석씨] ㉠석가모니. ㉡불가(佛家).
[釋言 석언] 변해(辯解). 변명.
[釋然 석연] ㉠미심쩍은 것이 확 풀리는 모양. ㉡마음이 풀리는 모양.
[釋義 석의] 글의 뜻을 해석(解釋)함.
[釋子 석자] 중. 사문(沙門). 불자(佛子).
[釋典 석전] 불교(佛敎)의 경전(經典). 불경(佛經).
[釋奠 석전] 선성 선사(先聖先師)의 제사. 한(漢)나라 이후에는 공자(孔子)의 제사만을 이름.
[釋尊 석존] 석가모니(釋迦牟尼)의 존칭(尊稱).
[釋旨 석지] 불교의 교지(敎旨).
[釋菜 석채] 소나 양의 희생 없이 채소만 올리고 지내는 간단한 석전(釋奠).
[釋回增美 석회증미] 사벽(邪僻)을 버리고 아름다움을 더함. '回'는 사벽(邪僻)을 이름.
◉講釋. 開釋. 孔釋. 老釋. 放釋. 辯釋. 保釋. 剖釋. 分釋. 氷釋. 散釋. 舒釋. 消釋. 語釋. 慰釋. 儒釋. 融釋. 箋釋. 詮釋. 注釋. 通釋. 評釋. 解釋. 訓釋. 稀釋.

15 ㉒ [穬] 광 ㊀漾 古曠切 guàng

字解 꾸민빛 광 꾸민 빛깔. 겉치레. '光, 飾色也, 或作一'《集韻》.

里 (7획) 部

〔마을리부〕

0 ⑦ [里] [中·人] 리 [上]紙 良土切 lǐ

[筆順] 丨 冂 冃 日 旦 甲 里

[字解] ①마을 리 ㉠행정 구획의 하나. 주대(周代)에는 스물다섯 집이 사는 구역을 '一一'라 하였음. '五家爲隣, 五隣爲一'《周禮》. ㉡촌락. '村一'. '鄕一'. '無踰我一'《詩經》. ㉢촌. 시골. 벽지. '有一一醫'《本事方》. ②이 리 노정(路程)의 단위. 360보(步)의 길이. '行百一者半于九十'《戰國策》. ③헤아릴 리 이수(里數)를 대중 쳐 봄. '一西土之數'《穆天子傳》. ④근심할 리 悝(心部 七畫)와 통용. '云如何一'《詩經》. ⑤거할 리 있음. '一仁爲美'《孟子》. ⑥이미 리 벌써. '一爲式'《周禮》. ⑦성 리 성(姓)의 하나.

[字源] 金文 篆文 會意. 田+土. '田전'은 정리된 농토의 象形. '土토'는 토지의 신을 모신 사당의 象形. 농토와 토지의 신의 사당이 있는 마을의 뜻을 나타냄.

[參考] '里리'를 의부(意符)로 하여, 교외의 뜻을 포함하는 문자를 이룸. '重중'·'量량' 등 단순히 자형상 이 부수에 포함된 것도 있음. 부수 이름은 '마을리'.

[里居 이거] ㉠벼슬을 그만두고 시골에서 삶. 또, 그 사람. ㉡줄지어 있는 인가(人家).
[里曲 이곡] 마을이 있는 부근.
[里落 이락] 촌락(村落).
[里閭 이려] 이문(里門).
[里門 이문] 이(里)의 어구에 세운 문(門). 전(轉)하여, 향리(鄕里).
[里社 이사] ㉠마을에서 토지의 신을 제사 지내는 당집. ㉡마을의 조합.
[里胥 이서] 촌락의 하급 관리. 마을 아전.
[里所 이소] 이허(里許).
[里俗 이속] 마을의 풍속.
[里數 이수] 길의 거리(距離)의 수.
[里塾 이숙] 마을 안에 있는 사숙(私塾).
[里諺 이언] 마을에서 쓰는 속담(俗談). 마을의 상말.
[里尹 이윤] 이정(里正).
[里醫 이의] 시골 의사.
[里耳 이이] 고상한 음악이나 심원한 이치를 이해하지 못하는 속인(俗人)의 귀.
[里人 이인] 마을 사람.
[里仁 이인] ㉠인후(仁厚)의 미풍(美風)이 있는 마을. 일설(一說)에는, 인자(仁者)가 사는 곳에 산다의 뜻. ㉡〈논어(論語)〉의 편명(篇名).
[里長 이장] 마을의 우두머리.
[里宰 이재] 이정(里正).
[里正 이정] 이장(里長).
[里程 이정] 길의 이수(里數). 노정.
[里中 이중] 마을의 안.
[里布 이포] 주대(周代)에 택지(宅地)에 뽕과 삼을 심지 아니하는 집에 과(課)하던 과료(科料).
[里閈 이한] 이문(里門).
[里巷 이항] 마을의 거리.
[里許 이허] 1리(里)쯤.
[里堠 이후] 이정(里程)을 표시하기 위하여 쌓은 돈대(墩臺).
◉隔千里. 階前萬里. 故里. 高陽里. 冠蓋里. 郊里. 丘里. 舊里. 窮里. 闕里. 道里. 同里. 坊里. 北里. 鵬程萬里. 市里. 野里. 閭里. 沃野千里. 遊里. 邑里. 仁里. 隣里. 一瀉千里. 梓里. 田里. 廛里. 井里. 州里. 志在千里. 戚里. 尺寸千里. 村里. 舳艫千里. 跛鼈千里. 下里. 巷里. 海里. 鄕里. 墟里.

2 ⑨ [重] [中·人] [一] 중 [去]宋 柱用切 zhòng
[上]腫 直隴切
[二] 동 ①[平]冬 直容切 chóng
②[平]東 徒紅切 tóng

[筆順] 丿 二 千 斤 肯 亘 重 重

[字解] [一] ①무거울 중 ㉠무게가 가볍지 아니함. '一荷'. '引一鼎, 不程其力'《禮記》. ㉡성질·언행이 가볍지 아니함. '鎭一'. '君子不一則不威'《論語》. ㉢권력·지위·명망 등이 높음. '一職'. '裴長史名一中朝'《晉書》. ㉣두터움. 공손함. '鄭一'. '帝以其勳舊耆老, 禮之甚一'《晉書》. ㉤많음. '一利'. '祿一則義士輕死'《三略》. ②중할 중 ㉠책임·사업 등이 소중함. 중대함. '一要'. '其爲任亦一矣'《司馬光》. ㉡대단함. 심함. 큼. '刑一'. '病一, 死期有日'《史記》. ③무겁게 할 중 '尊其位, 一其祿'《中庸》. ④무겁게여길 중 '載華嶽而不一'《中庸》. ⑤중히여길 중 ㉠소중히 여김. '一名'. '帝王所一者國體, 所切者人情'《舊唐書》. ㉡인물을 존중함. '張於太學中見文季, 甚一之'《世說》. ⑥더딜 중 느림. 굼뜸. '卑濕一遲'《荀子》. ⑦진할 중 농후함. '烈味一酒'《呂氏春秋》. ⑧심히 중 대단히. '似一有憂者'《禮記》. ⑨무게 중 중량. '輕一'. 또, 무거운 물건. '此擧一勸力之歌也'《淮南子》. ⑩겹칠 중 중첩함. '一複'. ⑪거듭할 중 되풀이함. '勿復一紛紜'《古詩》. ⑫거듭 중 또 한 번. '一立賞格'《南史》. [二] ①늦곡식 동 種(禾部 十二畫)과 同字. '黍稷一穋'《詩經》. ②아이 동 童(立部 七畫)과 同字. '與其隣一汪踦, 往皆死焉'《禮記》.

[字源] 金文 金文 篆文 形聲. 壬+東〔音〕. '壬정'은 사람이 버티고 서 있는 모양을 본뜸. '東동'은 주머니에 넣은 짐의 象形. 사람이 짐을 짊어진 모양에서, '무겁다'의 뜻을 나타냄. 또 '겹치다'의 뜻도 나타냄.

[重價 중가] 비싼 값.
[重刻 중각] 중간(重刊).
[重閣 중각] 2층 이상으로 된 누각.
[重刊 중간] 거듭 발간함. 재간함.
[重甲 중갑] 무거운 갑옷.
[重剛 중강] 역(易)에서, 겹친 강(剛)의 덕(德). 강(剛)의 덕이 지나침을 이름.
[重客 중객] 존귀한 손.
[重趼 중견] 발에 못이 박힘. 중견(重繭)㉠.
[重繭 중견] ㉠발이 자꾸 부르틈. 곧, 먼 길을 신고(辛苦)하여 걸음. ㉡솜옷을 겹쳐 입음.
[重敬 중경] 존경함.
[重慶 중경] ㉠조부모와 부모가 모두 생존함. ㉡쓰촨 성(四川省) 제일의 도시. 중일 전쟁(中日

戰爭) 때 임시 수도(首都)였음.
[重科 중과] 중죄(重罪).
[重光 중광] ㉠십간(十干) 신(辛)의 고갑자(古甲子). ㉡명군(明君)이 계속하여 재위(在位)함.
[重交單拆 중교단탁] 돈을 쳐서 점(占)을 치는 방법의 한 가지.
[重九 중구] 음력 9월 9일. 곧, 중양(重陽).
[重句 중구] 같은 말을 겹친 구.
[重構 중구] 겹친 구조.
[重禁 중금] 엄한 법.
[重金屬 중금속] 비중(比重)이 5 이상 되는 금속(金屬). 곧, 동(銅)·철(鐵)·연(鉛) 따위.
[重寄 중기] 중대한 임무의 위임(委任).
[重器 중기] ㉠중대한 기물. ㉡중대한 것. ㉢기국(器局).
[重大 중대] ㉠중요(重要)하고 큼. ㉡경솔(輕率)히 볼 수 없음. 용이하지 아니함.
[重代 중대] 대대(代代). 누세(累世).
[重德 중덕] 중후(重厚)한 덕행.
[重瞳 중동] 겹으로 된 눈동자.
[重來 중래] 거듭 옴. 다시 옴.
[重量 중량] 무게.
[重戾 중려] 몹시 도리(道理)에 어긋남.
[重力 중력] ㉠큰 힘. ㉡지구(地球)가 지구 위에 있는 물체를 끄는 힘.
[重祿 중록] ㉠많은 녹봉. ㉡녹을 많이 줌.
[重樓 중루] 중각(重閣).
[重利 중리] ㉠많은 이익. ㉡이익을 중히 여김. ㉢복리(複利).
[重離 중리] 역경(易經)의 이괘(離卦)는 해〔日〕둘을 겹친 것을 상징함. 곧, 부자(父子)가 제위(帝位)를 상속(相續)함을 이름.
[重巒 중만] 겹겹이 들어선 산봉우리.
[重名 중명] ㉠매우 두터운 명망(名望). ㉡명망을 중히 여김.
[重明 중명] ㉠해와 달이 하늘에 떠서 광명을 발함. ㉡군신(君臣)이 모두 현명함. ㉢중동(重瞳).
[重溟 중명] 바다.
[重門擊柝 중문격탁] 문을 겹겹이 세워 단속을 엄히 하고 딱따기를 치며 순경을 돌아 경계를 엄중히 함.
[重藩 중번] 권세가 있는 번병(藩屛).
[重罰 중벌] 무거운 벌. 중한 형벌.
[重犯 중범] ㉠큰 범죄. ㉡누범(累犯).
[重辟 중벽] 중죄(重罪).
[重病 중병] 중한 병(病).
[重寶 중보] 귀중한 보배.
[重複 중복] 거듭함. 겹침.
[重負 중부] 무거운 짐. 중하(重荷).
[重聘 중빙] 예를 융숭히 하여 부름.
[重死 중사] 생명을 중히 여김. 헛되이 죽지 아니함.
[重使 중사] 무거운 사명을 띤 사신(使臣).
[重射 중사] 재물을 많이 걸고 승부를 겨룸.
[重三 중삼] 음력 3월 3일. 곧, 삼짇날. 상사(上巳).
[重三譯 중삼역] 세 나라의 통역을 써서 의사를 통함. 곧, 먼 나라에서 몇 번이고 통역을 세워 언어(言語)가 다른 곳을 통과한다는 뜻.
[重喪 중상] 탈상(脫喪) 전에 부모상을 거듭 당함.
[重傷 중상] 심한 부상.
[重賞 중상] 후하게 주는 상.
[重賞下必有勇夫 중상하필유용부] 상을 후히 주면 목숨을 아끼지 아니하고 사력(死力)을 다하여 싸우는 용사가 생기는 법임.
[重世 중세] ㉠여러 대를 거듭함. ㉡여러 대. 누대(累代).
[重稅 중세] ㉠무거운 세금. ㉡세금을 많이 매김.
[重霄 중소] 높은 하늘. 하늘의 높은 곳. 구천(九天).
[重囚 중수] 죄가 무거운 죄수.
[重修 중수] 낡은 것을 다시 고침.
[重襲 중습] ㉠겹침. ㉡몇 겹으로 엄중하게 방위함.
[重視 중시] 중요시함. 소중하게 여김.
[重侍下 중시하] 조부모와 부모를 다 모시고 있음.
[重臣 중신] 벼슬이 높은 신하.
[重愼 중신] 신중함.
[重心 중심] 중력(重力)의 중심.
[重巖 중암] 여러 층으로 겹쳐 쌓인 바위.
[重愛 중애] 중히 여기고 사랑함.
[重陽 중양] ㉠음력 9월 9일의 명절. 구일(九日). ㉡높은 하늘. ㉢깨끗이 쓴 땅. ㉣혈맥의 순환이 너무 성함.
[重言 중언] ㉠같은 뜻의 말을 겹쳐 말함. ㉡같은 자(字)가 겹쳐 뜻을 이루는 말. '孜孜'·'明明白白' 등.
[重役 중역] ㉠중직(重職). ㉡사장·이사(理事) 등과 같이 은행·회사의 중임을 맡은 역원.
[重譯 중역] ㉠이중의 통역. ㉡이중 번역.
[重淵 중연] 아주 깊은 못.
[重然諾 중연낙] 한번 승낙한 일은 중히 여겨 반드시 실행함.
[重午 중오] 5월 5일. 곧, 단오(端午).
[重五 중오] '중오(重午)' 와 같음.
[重屋 중옥] 높은 다락집. 고루(高樓).
[重雍襲熙 중옹습희] 옹희(雍熙)를 중습(重襲)한다는 뜻으로, 태평한 세상이 오래 계속됨을 이름. '雍熙' 는 화락(和樂)을 뜻함.
[重要 중요] 매우 귀중하고 종요로움.
[重用 중용] 종요로운 직책을 맡겨 씀.
[重位 중위] 중요한 지위.
[重威 중위] 진중하고 위엄이 있음.
[重圍 중위] 여러 겹의 포위.
[重闈 중위] ㉠여러 겹으로 세운 궁문(宮門). ㉡깊숙한 궁전. 심궁(深宮). ㉢부녀(婦女)가 거처하는 곳. 규중(閨中).
[重油 중유] 원유(原油)를 증류하여 휘발유·석유 등을 얻은 뒤에 남는 끈끈한 기름.
[重恩 중은] 무거운 은혜. 매우 두터운 은혜.
[重音 중음] ㉠한 자(字)에 두 음이 있는 것. ㉡거듭소리. 복음(複音).
[重衣 중의] 옷을 겹쳐 입음. 또, 겹쳐 입은 옷.
[重耳 중이] 진(晉)나라 문공(文公)의 이름.
[重以周 중이주] 스스로 성현의 도(道)로써 엄중하게 과(課)하며, 일예 일선(一藝一善)일지라도 모두 두루 원만 구족하게 갖추고자 함.
[重因 중인] 중요한 원인.
[重茵 중인] 중인(重裀).
[重裀 중인] 두터운 요.
[重任 중임] ㉠중대한 임무. ㉡중대한 임무를 맡김. ㉢거듭 이전의 임무를 맡음.
[重仍 중잉] 겹침. 거듭함.
[重載 중재] 무거운 짐.
[重積 중적] 겹겹이 쌓음. 또, 겹겹이 쌓임.
[重謫 중적] 무거운 죄. 중죄(重罪).
[重典 중전] ㉠엄한 법률. ㉡장중한 의식(儀式).

[重殿 중전] 앞뒤 채로 된 궁전.
[重點 중점] ㉠지렛대로 움직이려는 물체의 무게가 걸리는 점. ㉡중요한 점.
[重訂 중정] 거듭 정정함.
[重鼎 중정] 무거운 솥.
[重阻 중조] 거듭 막힘.
[重祚 중조] 양위(讓位)한 임금이 다시 즉위함. 복벽(復辟).
[重足仄目 중족측목] 발을 포개고 곁눈질함. 곧, 몹시 무서워하는 모양.
[重踵屛息 중종병식] 발을 포개고 숨을 죽임. 곧, 몹시 무서워하는 모양.
[重罪 중죄] 무거운 죄.
[重酎 중주] 거듭 빚어 정제한 술.
[重重 중중] ㉠겹치는 모양. ㉡물방울 같은 것이 떨어지는 소리.
[重症 중증] 위중한 병.
[重胝 중지] 발에 못이 거푸 박임. 전(轉)하여, 먼 길을 감.
[重職 중직] 중대한 직책. 중요한 직무.
[重鎭 중진] 병권을 잡고 요해처를 지키는 사람. 전(轉)하여, 권리를 잡고 중요한 자리에 있는 사람.
[重疾 중질] 중병(重病).
[重徵 중징] 가중한 조세의 징수.
[重塹 중참] 이중(二重)의 참호(塹壕).
[重創 중창] ㉠상처가 난 데에 또 상처가 남. ㉡중상(重傷).
[重柵 중책] 이중(二重)의 목책(木柵).
[重戚 중척] 지위가 높은 친척.
[重疊 중첩] 거듭됨. 또, 거듭함.
[重聽 중청] 한 번 들은 것을 다시 들음.
[重膇 중추] 다리가 붓는 병. 각기·수종다리 등.
[重出 중출] 먼저 나온 것이 거듭 나옴.
[重治 중치] 엄중히 치죄함.
[重親 중친] ㉠인척간에 다시 인연을 맺음. 겹사돈 따위. ㉡조부모와 부모의 병칭(竝稱).
[重濁 중탁] 무겁고 탁함.
[重態 중태] 병(病)의 위중(危重)한 형세(形勢).
[重砲 중포] 거탄(巨彈)을 발사할 수 있는 위력이 큰 대포.
[重荷 중하] 무거운 짐.
[重恨 중한] 쌓이고 쌓인 원한.
[重閤 중합] 겹으로 된 궁전.
[重憲 중헌] 엄한 법. 중전(重典).
[重險 중험] 여러 겹의 험조(險阻).
[重刑 중형] 중한 형벌.
[重婚 중혼] ㉠사돈 간에 다시 사돈이 됨. 겹사돈. ㉡아내나 또는 남편(男便)이 있는 사람이 또 다른 데로 혼인(婚姻)하는 일.
[重華 중화] ㉠순(舜)임금의 이름. ㉡별 이름.
[重患 중환] 중병(重病).
[重厚 중후] ㉠두터움. ㉡점잖고 너그러움.
[重熙累洽 중희누흡] 밝음이 거듭하여 은혜가 두루 미친다는 뜻으로, '임금이 대대로 현명하여 태평성대가 계속함'을 이르는 말.
◉加重. 苛重. 敬重. 輕重. 功疑惟重. 過重. 寬重. 九重. 貴重. 器重. 內重. 累重. 端重. 鈍重. 萬重. 問鼎輕重. 樸重. 方重. 百重. 數重. 愼重. 深重. 十二重. 十重. 雅重. 兩重. 嚴重. 威重. 陰重. 倚重. 引重. 自重. 莊重. 積重. 鄭重. 尊重. 至重. 志重. 持重. 珍重. 質重. 千萬重. 千重. 疊重. 體重. 推重. 輜重. 沈重. 偏重. 荷重. 顯重. 厚重. 後重.

3 ⑩ [𨤗] 重(前條)의 本字

4 ⑪ [𨤘] 重(前前條)의 本字

4 ⑪ [野] 中人 야 ㊤馬 羊者切 yě

筆順 ㄇ 日 旦 甲 里 野 野 野

字解 ①들 야 ㉠벌판. '平—'. '原—'. ㉡밭. '農夫相與扑於—'《蘇軾》. ㉢민간. '朝—'. '賢人在—'《王禹偁》. ②성밖 야, 문밖 야 ㉠교외. '四—'. '叔適—'《詩經》. ㉡왕성(王城)의 2백 리 밖에서 3백 리까지의 사이. '縣士掌—'《周禮》. ③곳 야 장소. '遊霄霏之—'《淮南子》. ④별자리 야 성수(星宿). '分—'. '七宿晝—'《張衡》. ⑤질박할 야 겉치레를 하지 아니함. 촌스러워 예의범절 등에 익지 아니함. '質勝文則—'《論語》. ⑥야할 야 상스럽고 천함. '—鄙'. '故騷騷爾則—'《禮記》. ⑦미개할 야 지능이 열리지 아니함. '—蠻'. '—哉由也'《論語》. ⑧길들지아니할 야 사람을 따르지 아니하고 해치려 함. '狼子—心'《左傳》.

字源 甲骨文 𣏟 金文 𣏟 篆文 野 古文 壄 形聲. 里+予〔音〕. '予여'는 넓고 활달하다의 뜻. 넓고 활달한 고을, 들, 교외의 뜻을 나타냄. 甲骨文, 金文은 林+土의 會意.

參考 ①埜(土部 八畫)·壄(土部 十二畫)는 古字. ②墅(土部 九畫)는 同字.

[野歌 야가] 야인(野人)이 부르는 노래. 시골 노래.
[野干 야간] 여우와 같다는 요수(妖獸).
[野客 야객] 민간 사람. 벼슬하지 아니한 사람.
[野犬 야견] 주인이 없이 들판으로 돌아다니는 개. 들개.
[野坰 야경] 성밖의 들. 교외(郊外).
[野徑 야경] 들 가운데의 좁은 길.
[野逕 야경] 야경(野徑).
[野鷄 야계] 꿩. 한대(漢代)에 여후(呂后)의 이름을 꺼려 일컬은 말.
[野嫗 야구] 천한 노파. 시골 노파.
[野球 야구] 미국(美國)에서 발달한 9인조 옥외경기(屋外競技). 두 팀이 각각 9회씩 공방(攻防)하여 다투는데, 공격측은 상대편의 투수(投手)가 던진 공을 배트로 치고 내야(內野)를 한 바퀴 돌아 본루(本壘)에 돌아오면 득점을 함. 베이스볼.
[野菊 야국] 들국화.
[野禽 야금] 산이나 들에서 사는 새.
[野衲 야납] 시골의 중. 중이 자기를 이르는 겸칭(謙稱).
[野談 야담] 야사(野史)의 이야기.
[野黨 야당] 정당 정치에서 현 내각이나 행정부에 참여하지 아니한 정당. 재야당(在野黨).
[野渡 야도] 시골의 나루.
[野童 야동] 시골 아이.
[野屯 야둔] 들에 진(陣)을 침.
[野廬 야려] ㉠주대(周代)의 벼슬 이름. ㉡시골

집. 촌가(村家).
[野老 야로] 시골에 사는 노인(老人).
[野錄 야록] 야사(野史).
[野陋 야루] 야비(野鄙).
[野馬 야마] ㉠아지랑이. ㉡들에 방사(放飼)하는 말.
[野蠻 야만] ㉠문화가 열리지 아니함. 미개함. 또, 그 종족. ㉡버릇이 없음. 예의를 모름.
[野梅 야매] 야생의 매화나무.
[野鶩 야목] 물오리.
[野無遺賢 야무유현] 어진 사람은 전부 거용(擧用)하여 민간에 한 사람도 남지 아니함.
[野無靑草 야무청초] 들에 푸른 풀이 하나도 없음. 곧, 기근 또는 난후(亂後)의 황량한 경치를 이름.
[野物不爲犧牲 야물불위희생] 들짐승은 희생으로 쓰지 아니한다는 뜻으로, 속학자(俗學者)는 묘당(廟堂)에 거용(擧用)하지 아니함의 비유.
[野民 야민] 농업을 주로 하는 백성.
[野芳 야방] 들에 피는 꽃.
[野舫 야방] 들 가운데의 강에 떠 있는 거룻배.
[野服 야복] 재야(在野)한 사람이 입는 옷. 시골 사람이 입는 옷.
[野夫 야부] 시골 남자.
[野卑 야비] 야하고 비루함. 속되고 천함.
[野扉 야비] 시골집.
[野鄙 야비] ㉠시골. ㉡야비(野卑).
[野史 야사] 민간의 역사. 관명에 의하지 아니하고 사사로이 기록한 역사.
[野舍 야사] 왕이 여행 중에 묵고 있는 집.
[野色 야색] 들의 경치.
[野生 야생] ㉠동식물이 들에서 자연히 생장함. 또, 그 동식물. ㉡남자의 자기의 겸칭(謙稱).
[野性 야성] ㉠교양이 없는 거친 성질. ㉡길들지 아니하는 성질. ㉢전원생활을 좋아하는 성질.
[野蔬 야소] 야채(野菜).
[野蔌 야속·야수] 들이나 산에서 나는 나물. 고비·고사리·죽순 따위.
[野獸 야수] 들짐승.
[野宿 야숙] 들에서 잠. 한데서 잠.
[野乘 야승] 야사(野史).
[野僧 야승] ㉠시골의 중. ㉡중의 겸칭(謙稱).
[野豕 야시] 멧돼지. 야저(野豬).
[野心 야심] ㉠잘 길들지 아니하고 사람을 해치고자 하는 마음. ㉡민간에 은둔하여 전원생활을 즐기고자 하는 마음. ㉢분수에 넘치는 욕망.
[野蛾 야아] 나비[蝶]의 이칭(異稱).
[野鴨 야압] 들오리.
[野羊 야양] ㉠야생의 양. ㉡몽골·만주의 고원에 야생하는 양.
[野釀 야양] 시골에서 빚은 술.
[野語 야어] 시골말.
[野言 야언] 야어(野語).
[野諺 야언] 속담. 이언(俚諺).
[野煙 야연] 들에서 떠오르는 연기.
[野營 야영] 들에 진(陣)을 침. 또, 그 진영.
[野牛 야우] 야생의 소. 들소.
[野虞 야우] 들을 지키는 벼슬아치.
[野遊 야유] 들에서 놂.
[野吟 야음] ㉠들에서 시를 읊조림. ㉡자기가 읊는 시의 겸칭(謙稱).
[野意 야의] 야취(野趣).
[野人 야인] ㉠순박(淳朴)한 사람. ㉡시골 사람. 천한 사람. ㉢재야(在野)한 사람. 벼슬하지 아니한 사람. ㉣여진(女眞)의 별종(別種). 명(明)의 중세 이후에 지금의 지린 성의 동남부 및 헤이룽 강의 하류에 걸쳐 부락을 이루고 우리나라에 자주 침범하였음.
[野人無曆日 야인무역일] 시골에 묻혀서 세상일을 돌보지 않는 사람은 날짜 가는 것도 모른다는 뜻.
[野人獻芹 야인헌근] 남에게 물품을 보냄의 겸사말.
[野蠶 야잠] 산누에. 산잠(山蠶).
[野豬 야저] 멧돼지. 산돼지.
[野豬而介者 야저이개자] 갑옷을 입은 멧돼지라는 뜻으로, 앞뒤를 가리지 아니하고 돌진하는 용사를 이름.
[野戰 야전] 들에서 싸움.
[野店 야점] 시골에 있는 상점. 시골 가게.
[野亭 야정] ㉠시골의 숙소. ㉡시골의 정자.
[野情 야정] ㉠시골 사람의 마음. ㉡야취(野趣).
[野艇 야정] 야방(野舫).
[野次 야차] 들에서 잠. 한데서 잠.
[野菜 야채] ㉠들이나 산에서 나는 나물. ㉡채소.
[野處 야처] 집을 짓지 아니하고 들에서 삶.
[野彘 야체] 멧돼지. 산돼지. 야저(野豬).
[野草 야초] 야생의 풀.
[野趣 야취] 시골의 정취.
[野致 야치] 야취(野趣).
[野態 야태] 시골티.
[野砲 야포] 야전(野戰)에 쓰는 대포. 야전포(野戰砲).
[野鶴 야학] ㉠들에 사는 학. 사환(仕宦)하지 아니한 한인(閑人)에 비유함. ㉡두루미.
[野合 야합] ㉠정식의 결혼에 의하지 아니하고 부부 관계를 맺음. ㉡야외(野外)에서의 합주(合奏). ㉢야전(野戰).
[野鴿 야합] 들비둘기.
[野航 야항] 시골의 나룻배.

[野航]

[野狐禪 야호선] 선학(禪學)을 닦아 아직 증오(證悟)하지 못하였는데, 이미 증오하였다고 만심(慢心)하는 자를 욕하는 말.
[野火 야화] 들에서 나는 불.
[野花 야화] 들에서 피는 꽃.
[野篁 야황] 들에 있는 대숲.
[野卉 야훼] 들에서 나는 풀.
[野畦 야휴] 들에 있는 밭두둑 길.
◉鉅野. 經野. 枯野. 廣野. 曠野. 郊野. 磽野. 九野. 窮野. 內野. 綠野. 大野. 牧野. 文野. 朴野. 樸野. 分野. 卑野. 鄙野. 四野. 山野. 桑野. 霜野. 疎野. 視野. 略野. 涼野. 淹野. 列野. 沃野. 外野. 燎野. 原野. 匿野. 林野. 在野. 田野. 廛野. 朝野. 粗野. 中野. 質野. 草野. 村野. 平野. 蔽野. 豐野. 下野. 荒野.

4 ⑪ [量] 量(次條)의 古字

5 ⑫ [量] 中人 량 ①-④㊀漾 力讓切 liàng ⑤-⑦㊥陽 呂張切 liáng

筆順

字解 ①양 량 분량. '容—'. '惟酒無—, 不及亂'《論語》. 전(轉)하여, 널리 다소·장단·경중 등의 수. '辨其物之媺惡與其數—'《周禮》. ②되 량 분량을 되는 용기. '同律度—衡'《書經》. 또, 되로 되는 용적. '—者, 龠·合·升·斗·斛也'《漢書》. ③기량 량, 국량 량 사물을 받아들여 담당하는 성격·재능. '度—'. '才—'. '光武之—, 包乎天地之外'《范仲淹》. ④찰 량 하나 가득 됨. '其死者—於澤矣'《呂氏春秋》. ⑤달 량, 잴 량, 될 량 경중·장단·용적 등을 알아봄. '行者當—其淺深而後可渡'《詩經傳》. ⑥헤아릴 량 ㉠상량함. '商—'. '—力而行之'《左傳》. ㉡추측함. '—知'. '其志豈易—哉'《歐陽修》. ⑦성 량 성(姓)의 하나.

字源 金文 篆文 古文 象形. 곡물을 넣는 주머니 위에 깔때기를 댄 모양을 본떠, 분량을 되다의 뜻을 나타냄. 篆文은 그 변형.

[量加 양가] 헤아려 보탬.
[量槩 양개] 평미레. 평목(平木).
[量檢 양검] 헤아리고 조사함.
[量決 양결] 상량(商量)하여 결정함.
[量器 양기] 분량을 되는 그릇. 되·말 따위.
[量粟而舂 양속이용] 조를 세어서 방아를 찧음. 사소(些少)한 일에 골똘함의 비유(譬喩).
[量試 양시] 헤아리고 시험하여 봄.
[量移 양이] 먼 곳에 귀양 간 사람의 형벌을 가볍게 하여 가까운 곳으로 옮김.
[量入爲出 양입위출] 수입액(收入額)을 고려하여 일상(日常)의 비용을 절약함.
[量知 양지] 추측하여 앎.
[量出制入 양출제입] 지출(支出)의 비용을 헤아려 이에 따르는 수입(收入)의 길을 생각함.
[量幣 양폐] 종묘(宗廟)에 제사 지내는 데 올리는 폐백.

◉減量. 車載斗量. 計量. 考量. 公輔量. 過量. 較量. 局量. 權量. 斤量. 技量. 氣量. 器量. 多量. 大量. 德量. 度量. 斗量. 等量. 廟堂量. 無量. 物量. 微量. 本量. 分量. 比量. 思量. 商量. 碩量. 聲量. 少量. 殊量. 數量. 識量. 食牛量. 雅量. 力量. 熱量. 料量. 容量. 宇量. 雨量. 遠量. 偉量. 踰量. 逸群量. 丈量. 才量. 裁量. 宰輔量. 適量. 帝王量. 酒量. 重量. 質量. 斟量. 推量. 測量. 秤量. 稱量. 打量. 狹量. 弘量.

[童] 〔동〕
立部 七畫(p.1649)을 보라.

[裡] 〔리〕
衣部 七畫(p.2065)을 보라.

[裏] 〔리〕
衣部 七畫(p.2065)을 보라.

10 ⑰ **[釐]** 釐(次條)와 同字

11 ⑱ **[釐]** 人名 ㊀리 ㊥支 里之切 lí ㊁희 ㊥支 虛其切 xī ㊂태 ㊥灰 湯來切 tāi ㊃뢰 ㊕泰 落蓋切 lài 厘

字解 ㊀①이 리 ㉠소수(小數)의 하나. 일(一)의 백분의 일. 분(分)의 십분의 일. ㉡척도(尺度)의 단위. 분(分)의 십분의 일. ㉢무게의 단위. 분(分)의 십분의 일. ㉣돈의 단위. 전(錢)의 십분의 일. 전(轉)하여, 극소한 분량. '毫—'. '失之毫—'《漢書》. ②다스릴 리 바르게 고침. '允—百工'《書經》. ③명아주 리 萊(艸部 八畫)와 뜻이 같음. '—, 蔓華也'《爾雅》. ④과부 리 嫠(女部 十一畫)와 통용. '隣之—婦'《詩經傳》. ㊁ ①제육 희 제사 지내는 고기. '上方受—宣室'《漢書》. ②복 희 행복. 禧(示部 十二畫)와 同字. '祝—'《漢書》. ③성 희 성(姓)의 하나. ㊂ 땅이름 태 지명. 邰(邑部 五畫)와 同字. ㊃ 줄 뢰 賚(貝部 八畫)와 통용. '—爾女士'《詩經》.

字源 金文 篆文 形聲. 𠩺+里〔音〕. '𠩺리'는 곡물을 수확하는 모양을 본떠 '다스리다'의 뜻. '里리'는 금을 가지런히 하다의 뜻. 조리를 바로 세워 다스리다의 뜻을 나타냄.

[釐降 이강] 황녀(皇女)가 신하에게 시집감. 강가(降嫁).
[釐改 이개] 개혁(改革)함.
[釐金稅 이금세] 청조(清朝)에서 국내 통항의 화물에 대하여 보통의 관세(關稅) 이외에 과(課)한 세금.
[釐稅 이세] 이금세(釐金稅).
[釐捐 이연] 이금세(釐金稅).
[釐正 이정] 개정(改正)함.
[釐定 이정] 개정(改定)함.
[釐替 이체] 고침.
[釐革 이혁] 이개(釐改).

◉保釐. 福釐. 受釐. 嶏釐. 陟釐. 祝釐. 毫釐. 鴻釐.

金 (8획) 部
〔쇠금부〕

0 ⑧ **[金]** 中人 ㊀금 ①-④㊥侵 居吟切 jīn ⑤㊤寢 渠飮切 jìn ㊁김 韓

筆順 丿 人 𠆢 亼 全 全 金 金

字解 ㊀ ①쇠 금 ㉠쇠붙이의 총칭. '—石'. '其利斷—'《易經》. ㉡쇠붙이로 만든 무기. '—創'. '衽—革, 死而不厭'《中庸》. ㉢쇠붙이로 만든 기물. 종정(鐘鼎) 따위. '功績銘乎—石'《呂氏春秋》. ㉣돈. 화폐. '位高而多—'《戰國策》. ㉤쇠붙이와 같이 견고한 사물의 일컬음. '—城湯池'. ②금 금 ㉠황색의 금속. '黃—'. '—銀琳琅'《左思》. ㉡오행(五行)의 하나. 방위로는 서쪽, 시절로는 가을, 오음(五音)으로는 상(商)에 배당(配當)함. '五行, 四曰—'《書經》. ㉢팔음(八音)의 하나. 쇠붙이로 만든 악기. 또, 그 소리. '—石絲竹'. '—奏起于下'《左傳》. ㉣화폐의 단위. 대개, 당시(當時)의 최고 단위로서, 한대(漢代)에는 금 한 근(斤)을 '一—'이라 하였고, 근대에는 은(銀) 한 냥(兩)을 '一—'이라 하였음. '請買其方百—'《莊子》. ㉤금과 같이 귀

중한 사물의 일컬음. '一言'. '一科玉條'. ㉥금과 같이 아름다운 사물의 일컬음. '一殿玉樓'. ③금빛 금 황금빛. '一波'. '一芝九莖'《漢書》. ④금나라 금 여진족(女眞族)이 세운 나라. 완안부(完顏部)의 아쿠타(阿骨打)가 창건하였음. 서울은 회령(會寧), 후에 연경(燕京)·변경(汴京). 요(遼) 및 북송(北宋)을 멸하고, 만주·몽골 및 중국 북부를 점거(占據)하였다가, 9주(主) 120년 만에 원(元)나라에게 멸망당하였음. (1115~1234) ⑤다물 금 噤(口部 十三畫)과 통용. '一口閉舌'《荀子》. 囯《韓》 성 김 성(姓)의 하나.

字源 金文 篆文 古文 形聲. 土+丷+今〔音〕. '今금'은 '含함'과 통하여 '포함하다'의 뜻. '土토'는 '흙'의 뜻. '土' 속에 좌우로 쓰이는 '丷'는 금속이 땅속에 있는 모양을 본뜸. 흙 속에 포함되어 있는 것, '쇠'의 뜻을 나타냄.

參考 '金금'을 의부(意符)로 하여, 여러 가지 종류의 금속, 금속제의 용구, 그 상태, 그것을 만드는 일 등에 관한 문자를 이룸. 부수 이름은 '쇠금'.

[金閣 금각] ㉠황금으로 장식한 누각. ㉡미려(美麗)한 누각.
[金柑 금감] 밀감(密柑)의 변종(變種).
[金甲 금갑] ㉠황금으로 만든, 또는 황금빛의 갑옷. ㉡금혁(金革).
[金剛 금강] ㉠금속의 단단함. 전(轉)하여, 가을. 또는 서방(西方)의 덕(德). ㉡금강석(金剛石)의 준말. 불가(佛家)에서는 이것을 칠보(七寶)의 하나로 침. 전(轉)하여, 견고하여 깨지지 않는 불과(佛果). 또, 무명(無明)을 비추어 번뇌(煩惱)를 끊는 지혜(智慧)를 이름. ㉢금강사(金剛砂)·금강신(金剛神)·금강저(金剛杵) 등의 준말.
[金剛經 금강경]《佛敎》대일여래(大日如來)의 지덕(智德)을 기린 불경.
[金剛界 금강계] 대일여래(大日如來)의 덕(德)을 지적(智的) 방면에서 해설한 부분.
[金剛橛 금강궐]《佛敎》호마단(護摩壇)의 사방의 기둥.
[金剛童子 금강동자]《佛敎》천마(天魔)를 항복시키는 동형(童形)의 신(神).
[金剛力 금강력] 금강석처럼 굳센 힘.
[金剛不壞 금강불괴] 아주 견고해서 좀처럼 깨지지 아니함. 불신(佛身)을 이름.
[金剛砂 금강사] 석류석(石榴石)의 가루.
[金剛石 금강석] 순수한 탄소로 된 정팔면체(正八面體)의 결정물(結晶物). 다이아몬드.
[金剛神 금강신]《佛敎》불법을 수호하는 신(神). 사문(寺門)의 양쪽에 안치함. 밀적금강(密迹金剛)·나라연금강(那羅延金剛)이 있음. 인왕(仁王). 금강역사(金剛力士).
[金剛心 금강심] 아주 견고(堅固)한 정신. 썩 굳은 마음.

[金剛神]

[金剛夜叉 금강야차]《佛敎》오대 명왕(五大明王)의 하나. 얼굴이 셋이고 팔이 여섯으로 무기를 가지고 북방을 지켜 일체의 악마를 항복시킴.
[金剛力士 금강역사] 금강신(金剛神).
[金剛杵 금강저]《佛敎》번뇌를 타파(打破)하는 보리심(菩提心)을 상징하는, 쇠붙이로 만든 법구(法具). 독고(獨鈷)의 총칭.
[金剛鑽 금강찬] 금강사(金剛砂).

[金剛杵]

[金坑 금갱] 금을 채굴하는 곳. 금광.
[金莖 금경] 승로반(承露盤)을 받치는 동주(銅柱).
[金景 금경] 황금빛.
[金鏡 금경] ㉠금으로 장식한 거울. ㉡'달'의 이칭(異稱). ㉢밝은 도덕.
[金戒 금계] 금반지.
[金鷄 금계] 천상(天上)에 산다는 닭.
[金庫 금고] ㉠금은보화를 저장하는 창고. ㉡화폐·귀중품 등을 넣고 화재·도난을 방지하는 특별 장치를 한 궤.
[金鼓 금고] 군중(軍中)에서 치는 쇠붙이와 북.
[金谷酒數 금곡주수] 진(晉)나라의 석숭(石崇)이 금곡(金谷)에 빈객을 회동하고 잔치를 베풀어 각각 시를 짓게 하여, 시를 짓지 못하면 벌주로 술 서 말을 마시게 한 고사(故事).
[金骨相 금골상] 선인(仙人)이 되는 상.
[金工 금공] ㉠주물(鑄物)하는 직공. ㉡금속에 세공을 가하는 공예. 또, 그 직공.
[金科玉條 금과옥조] 금이나 옥과 같이 귀중한 법칙이나 규정.
[金官 금관] 철(鐵)을 채굴하는 것을 맡은 벼슬.
[金冠 금관] 금으로 만든 관.
[金塊 금괴] 금덩이.
[金口 금구] ㉠귀중한 말. 남의 말의 경칭(敬稱). ㉡입을 다묾. ㉢《佛敎》부처의 말. 또, 그 가르침.
[金丘 금구] 서쪽. 서방(西方). 오행설(五行說)에서 금(金)은 서(西)에 배당하므로 이름.
[金口木舌 금구목설] ㉠옛날에 교령(敎令)을 발포(發布)할 때 치던 목탁(木鐸)의 구조(構造)를 이름. ㉡학자(學者)가 지위(地位)를 얻어 민중(民衆)을 교도(敎導)함을 비유한 말.
[金甌無缺 금구무결] 나라가 한 번도 외모(外侮)를 받지 않음을 이름.
[金甌覆名 금구복명] 새로 재상(宰相)을 임명하는 일. 당(唐)의 현종(玄宗)이 재상을 선정하여 그 이름을 책상 위에 써 놓고 금사발로 가려 신하에게 맞히게 한 고사(故事)에서 나옴.
[金口閉舌 금구폐설] 입을 다물고 혀를 놀리지 않는다는 뜻으로, 침묵(沈默)하고 말하지 않음을 이름.
[金屈卮 금굴치] 구부러진 손잡이가 달린 금제(金製)의 술잔.
[金券 금권] ㉠금으로 만든 패(牌). 천자(天子)가 그 패에 글씨를 써서 신하에게 하사(下賜)함. ㉡금화(金貨)와 태환(兌換)할 수 있는 지폐.
[金權 금권] 재력의 권세. 돈의 힘.
[金券玉冊 금권옥책] 천자(天子)로부터 내려진 조서(詔書).
[金闕 금궐] ㉠도교(道敎)에서 천제(天帝)가 있는 곳. ㉡천자(天子)의 궁궐. ㉢금으로 장식한 문.
[金櫃 금궤] ㉠금으로 만든 궤. ㉡철궤(鐵櫃).
[金匱之計 금궤지계] 금궤 속에 감추어 둘 만한 훌

룽한 계책. 영원한 계획.
[金匱之書 금궤지서] 금궤 속에 비장(祕藏)한 책.
[金龜 금귀] ㉠벼슬아치가 차는 금으로 만든 거북. 현대의 훈장 같은 것. ㉡금인(金印)과 귀뉴(龜紐).
[金閨 금규] ㉠한대(漢代)에 금마문(金馬門)의 이칭(異稱). ㉡침실(寢室)의 미칭(美稱).
[金橘 금귤] 금감(金柑).
[金禽 금금] 닭〔鷄〕의 별칭(別稱).
[金氣 금기] 가을 기운. 추기(秋氣).
[金諾 금낙] 틀림없는 승낙.
[金納 금납] 조세를 현금으로 바침.
[金女 금녀] '서왕모(西王母)'의 별칭(別稱).
[金泥 금니] 금박(金箔)·금가루를 아교에 푼 것.
[金丹 금단] ㉠도사(道士)가 정련(精煉)한 황금의 정(精)으로 만든 환약. 먹으면 장생불사(長生不死)한다 함. ㉡도가(道家)가 행하는 신기 수련(神氣修鍊)의 묘술(妙術).
[金堂 금당] 절의 본당(本堂). 본존(本尊)을 안치(安置)하고 내부를 금빛으로 칠함.
[金璫 금당] 금으로 만든 관(冠)의 장식.
[金德 금덕] 가을〔秋〕을 이름.
[金刀 금도] ㉠한(漢)나라 왕망(王莽)이 주조한 화폐(貨幣)의 이름. 모양이 칼과 비슷함. ㉡금으로 만든 칼.
[金舠 금도] 쇠붙이로 만든 술잔.
[金櫝 금독] 금으로 장식한 함(函).
[金斗 금두] ㉠다리미. ㉡쇠붙이로 만든 술을 푸는 구기.
[金滕 금등] 서경(書經)의 편명(篇名). 금으로 봉인(封印)함의 뜻.
[金蘭 금란] 붕우 간(朋友間)의 극친한 관계의 비유.
[金蘭契 금란계] 극친한 붕우 간의 정의(情誼). 금란지교(金蘭之交).
[金蘭薄 금란부] 벗의 주소·성명 등을 기록하는 장부.
[金蘭之友 금란지우] 극친한 벗.
[金力 금력] 돈의 힘. 금전의 위력.
[金蓮步 금련보] 미인의 정숙한 걸음걸이. 제(齊)의 동혼후(東昏侯)가 그의 총희(寵姬) 반비(潘妃)가 걷는 길에 황금제의 연꽃을 깔고 그 위를 걸어가게 하고 '此步步生蓮華也'라고 한 고사(故事)에서 나옴.
[金蓮燭 금련촉] 금붙이로 연꽃 형상으로 만든 촉대(燭臺).
[金鈴 금령] 금으로 만든 방울.
[金蕾 금뢰] 금빛의 꽃봉오리.
[金罍 금뢰] 금으로 만든 술 그릇. 뇌(罍)는 예기(禮器)로 운뢰(雲雷)의 무늬가 있는 준(尊). 금준(金尊).
[金縷 금루] 금빛의 실.
[金輪際 금륜제]《佛敎》지하(地下) 160만 유순(由旬)되는 곳. 곧, 땅의 밑바닥.
[金陵 금릉] 지금의 난징(南京) 부근 장쑤 성(江蘇省) 안의 지명(地名). 진(晉)나라 때에는 건강(建康)이라 불렀으며, 진(晉)·송(宋)·제(齊)·양(梁)·진(陳)이 모두 이곳에 도읍하였음.
[金利 금리] 돈의 이자.
[金馬門 금마문] 한(漢)의 미앙궁(未央宮)의 문. 문전에 동제(銅製)의 말이 있으므로 이름.
[金馬玉堂 금마옥당] 한대(漢代)의 미앙궁(未央宮) 중의 금마문(金馬門)과 옥당전(玉堂殿). 모두 문학지사(文學之士)가 출사(出仕)하는 곳. 전(轉)하여, 한림원(翰林院)의 이칭(異稱).
[金面 금면] 금빛의 얼굴.
[金毛 금모] 금빛의 털.
[金帽 금모] 금으로 만든 모자.
[金文 금문] ㉠금니(金泥)로 쓴 글자. ㉡금석문(金石文). 종정문(鐘鼎文).
[金門 금문] 금마문(金馬門).
[金箔 금박] 금을 얇은 종이같이 늘인 조각.
[金髮 금발] 노란 머리카락.
[金榜 금방] 과거에 급제한 사람의 이름을 게시하는 방.
[金杯 금배] 금으로 만든 잔.
[金帛 금백] 황금과 비단.
[金魄 금백] '달〔月〕'의 별칭(別稱).
[金法 금법] 시비를 결정하는 법.
[金碧 금벽] 노란빛과 푸른빛. 전(轉)하여, 고운 색채.
[金屛風 금병풍] 금박(金箔)을 올린 병풍.
[金鳳 금봉] 봉선화(鳳仙花).
[金芙蓉 금부용] 햇빛에 비치는 수려한 고산(高山).
[金盆 금분] '달〔月〕'의 별칭.
[金粉 금분] 금가루. 또는 금빛의 가루.
[金不換 금불환] 금전으로 바꿀 수 없는 귀중한 사물. 특히, 명묵(名墨)을 이름.
[金毘羅 금비라] 어신 사형(魚身蛇形)의 영취산(靈鷲山)의 신(神).
[金史 금사] 서명(書名). 125권(卷). 원(元)나라 탁극탁(托克托) 등이 칙명(勅命)을 받들어 금대(金代) 118년의 사실(史實)을 찬(撰)한 기전체(紀傳體)의 사서(史書).
[金砂 금사] 금의 모래.
[金蛇 금사] ㉠뱀의 일종. 전신이 금빛임. ㉡번개. 전광(電光).
[金絲 금사] 금빛의 실.
[金絲雀 금사작] 되새과에 속하는 새. 종달새 비슷한데 털이 노랗고 울음소리가 고움. 카나리아.
[金絲酒 금사주] 달걀을 풀어 넣고 데운 술.
[金山 금산] ㉠장쑤 성(江蘇省) 전장 현(鎭江縣) 서북(西北) 쪽에 있는 산. ㉡서몽고(西蒙古)의 알타이 산. ㉢금이 나는 산. ㉣금속으로 된 것 같은 견고(堅固)한 산.
[金山玉海 금산옥해] 기우(氣宇)가 뛰어나고 거룩하며 지모(智謀)가 깊은 인격을 이름.
[金商 금상] 가을. 또, 가을의 하늘.
[金相玉質 금상옥질] 황금(黃金)의 질(質)과 주옥(珠玉)의 바탕. 형식(形式)과 내용(內容)이 모두 아름다움의 형용(形容).
[金色 금색] ㉠금빛. ㉡《佛敎》부처의 몸빛.
[金色堂 금색당] 금당(金堂).
[金生水 금생수] 오행(五行)의 운행에 금(金)에서 수(水)가 남을 이름.
[金書鐵券 금서철권] 한대(漢代)에 공신(功臣)을 봉(封)하는 데 쓰던 패(牌).
[金石 금석] ㉠쇠와 돌. ㉡단단한 사물의 비유. ㉢종정(鐘鼎)과 비갈(碑碣). ㉣병기(兵器). ㉤종(鐘)과 경(磬). 쇠로 만든 악기. ㉥장생불사(長生不死)의 약(藥). ㉦광물(鑛物).
[金石契 금석계] 금석과 같이 변하지 아니하는 정의(情誼).
[金石交 금석교] 금석과 같이 변하지 아니하는 군

은 교분. 금란지계(金蘭之契). 단금지교(斷金之交).
[金石文 금석문] 종정(鐘鼎)·비갈(碑碣) 등에 새긴 글의 총칭.
[金石絲竹匏土革木 금석사죽포토혁목] 여덟 가지 악기. 금(金)은 종(鐘), 석(石)은 경(磬), 사(絲)는 현(絃), 죽(竹)은 관(管), 포(匏)는 생(笙), 토(土)는 훈(壎), 혁(革)은 고(鼓), 목(木)은 축어(柷敔).
[金石索 금석색] 서명(書名). 12권(卷). 청(淸)나라 풍운붕(馮雲鵬)의 찬(撰). 은(殷)나라에서 원(元)나라에 이르기까지의 금석(金石)의 그림을 게재(揭載)하여 고증(考證)하였음.
[金石聲 금석성] 금석을 치는 것 같은 아름다운 소리가 난다는 뜻으로, 훌륭한 시문을 이름. 금옥지향(金玉之響).
[金石人 금석인] ㉠금석(金石)과 같이 마음이 굳은 사람. ㉡송(宋)나라 김안절(金安節)을 이름. 안절(安節)이 급사중(給事中)이 되어, 직간(直諫)하여 마지 않으매 장준(張浚)이 이르되, 김급사(金給事)는 금석인(金石人)이라 했음.
[金石之樂 금석지악] 종(鐘)과 경(磬)을 쓰는 음악.
[金石之言 금석지언] 교훈이 되는 귀중한 말. 격언(格言). 금언(金言).
[金石之典 금석지전] 변하지 아니하는 법전(法典).
[金石萃編 금석췌편] 금석학(金石學)의 서(書). 청(淸)나라 왕창(王昶)의 찬(撰). 160권(卷). 3대(代)에서 금(金)까지의 금석문(金石文)을 모아 해석(解釋)을 가(加)한 것.
[金石學 금석학] ㉠광물학(鑛物學). ㉡금석문(金石文)을 연구하는 학문.
[金仙 금선] 석가여래(釋迦如來)의 미칭(美稱).
[金線蛙 금선와] 참개구리.
[金蟬脫殼 금선탈각] 허물을 벗음. 몸을 빼쳐 도망함을 이름.
[金舌蔽口 금설폐구] 혀를 다물고 입을 가림. 입을 굳게 다물고 말을 하지 아니함.
[金蟾 금섬] '달〔月〕'의 이칭(異稱). 달 속에 두꺼비가 있다는 데서 나온 말.
[金鑷 금섭] ㉠족집게. ㉡비녀의 종류.
[金星 금성] 태양계(太陽系) 중의 제2 유성(遊星). 저녁에 서쪽 하늘에 보일 때에는 장경성(長庚星), 새벽에 동쪽 하늘에 보일 때에는 계명성(啓明星)이라 일컬음.
[金城 금성] ㉠아주 견고한 성벽(城壁). ㉡아주 견고한 방어. ㉢바깥 성 안에 있는 성. 아성(牙城).
[金聲玉振 금성옥진] ㉠금(金)은 종(鐘)이고 옥(玉)은 경(磬)임. 팔음(八音)을 합주할 때 먼저 종을 쳐 시작하고 마지막에 경을 침. 전(轉)하여, 사물을 집대성(集大成)하는 일. ㉡전자와 후자의 언론 사조(詞藻)가 맥락(脈絡)이 서로 연결되어 모두 일세(一世)의 숭상하는 바 됨을 이름.
[金城鐵壁 금성철벽] ㉠방비가 아주 견고한 성. ㉡아주 견고한 사물의 비유.
[金城湯池 금성탕지] 방비가 아주 견고한 성. 금성철벽(金城鐵壁).
[金素 금소] ㉠'가을'의 별칭. ㉡상품(上品)의 흰 비단.
[金粟 금속] ㉠금전과 곡식. ㉡《佛敎》 유마(維摩)의 이칭(異稱). ㉢월계(月桂)꽃의 딴 이름.
[金屬 금속] 금붙이나 쇠붙이.
[金屬元素 금속원소] 금·은·구리·쇠·우라늄 등의 금속성(金屬性)의 원소.
[金鎖 금쇄] ㉠황금의 사슬. ㉡황금의 자물쇠.
[金綉 금수] 금실로 놓은 수.
[金繡 금수] 금수(金綉).
[金翅鳥 금시조] 불전(佛典)에 있는 괴조(怪鳥). 수미산(須彌山) 북방의 철수(鐵樹)에 살며 입에서 불을 토하여 용(龍)을 잡아먹는다 함. 가루라(迦樓羅).
[金身 금신] 불상(佛像)을 이름.
[金娥 금아] ㉠'달〔月〕'의 별칭(別稱). ㉡음곡(音曲)의 이름.
[金鴉 금아] 금오(金烏).
[金雁 금안] 가을의 기러기.
[金鞍 금안] 금으로 장식한 안장(鞍裝).
[金鴨 금압] 쇠붙이로 만든 향로(香爐). 모양이 오리같이 되었으므로 이름.

[金鴨]

[金魚 금어] ㉠금으로 만든 어대(魚袋). ㉡금빛의 물고기. ㉢물고기의 이름.
[金言 금언] ㉠교훈이 될 만한 귀중한 말. 격언(格言). ㉡언제까지나 변하지 않는 말. 굳은 맹세의 말.
[金蘂 금예] 국화(菊花).
[金吾 금오] 한대(漢代)의 천자(天子)의 호위병. '집금오(執金吾)'의 준말.
[金烏 금오] '태양(太陽)'의 별칭(別稱). 해 속에 세 발 달린 까마귀가 있다는 전설에서 나온 말.
[金五京 금오경] 금대(金代)의 다섯의 서울. 곧, 상경(上京)·북경(北京)·남경(南京)·중경(中京)·서경(西京).
[金烏玉兎 금오옥토] 해와 달.
[金玉 금옥] ㉠금과 옥. 황금과 주옥. ㉡귀중하거나 찬미할 만한 사물의 비유.
[金玉君子 금옥군자] 절개가 굳은 군자.
[金玉滿堂 금옥만당] 보배가 방 안에 가득 참. 전(轉)하여, 어진 신하가 조정에 가득함의 비유.
[金玉聲 금옥성] 금석성(金石聲).
[金玉爾音 금옥이음] 함부로 말하지 아니함.
[金屋藏嬌 금옥장교] 부녀(婦女)를 대단히 총애함을 이름.
[金玉之世 금옥지세] 태평 무사한 세상.
[金屋寵 금옥총] 궁인(宮人)이 임금의 총애를 받는 일. 한무제(漢武帝)의 고사(故事)에서 나옴.
[金旺之節 금왕지절] 가을의 절후.
[金牛 금우] ㉠황금(黃金)으로 만든 소. ㉡산시 성(陝西省) 면현(沔縣)에서 쓰촨 성(四川省) 검각현(劍閣縣) 대검관(大劍關)에 이르는 잔도(棧道)의 이름. ㉢저장 성(浙江省) 해령현(海寧縣) 동(東)쪽의 산 이름.
[金牛宮 금우궁] 황도(黃道) 12궁(宮)의 하나.
[金融 금융] ㉠돈의 융통. ㉡돈의 수요 공급의 경제상 관계.
[金銀 금은] ㉠금과 은. ㉡통용하는 화폐(貨幣).
[金衣公子 금의공자] '꾀꼬리'의 이명(異名).
[金夷 금이] 금이(金痍).
[金珥 금이] 금으로 만든 귀고리.
[金痍 금이] 금창(金瘡).
[金人 금인] 금속으로 만든 사람의 상(像).
[金印 금인] 금으로 만든 인장. 장군(將軍)이 쓰는

도장. 또, 고귀(高貴)한 사람의 도장.
[金子 금자] ㉠금빛의 종자. ㉡돈. 금전(金錢).
[金紫 금자] 금으로 만든 인과 자줏빛의 인끈. 곧, 고관의 인과 인끈. 전(轉)하여, 재상 귀현(宰相貴顯)의 뜻.
[金字牌 금자패] 금니(金泥)로 써서 급사(急使)를 띄워 보내는 조서(詔書).
[金爵 금작] 금으로 만든 술잔.
[金雀兒 금작아] 콩과에 속하는 상록 관목(常綠灌木). 금작지(金雀枝). 금작화(金雀花).
[金雀枝 금작지] 금작아(金雀兒).
[金雀花 금작화] 금작아(金雀兒).
[金盞銀臺 금잔은대] 수선화(水仙花)의 이명(異名).
[金盞花 금잔화] 국화과에 속하는 일년생 관상용 화초. 금송화(金松花).
[金簪 금잠] 금차(金釵).
[金簪草 금잠초] 민들레.
[金張 금장] 김장(金張).
[金裝 금장] ㉠금제(金製). 금으로 만듦. ㉡훌륭한 차림. ㉢갑주(甲胄)의 차림.
[金裝刀 금장도] 금으로 만든 칼.
[金章玉句 금장옥구] 금옥(金玉)처럼 훌륭한 시가(詩歌)·문장(文章). 월장성구(月章星句).
[金漿玉醴 금장옥례] ㉠금장과 옥례. 모두 선약(仙藥) 이름. ㉡미주(美酒)의 비유.
[金張七葉 금장칠엽] 김장칠엽(金張七葉).
[金狄 금적] ㉠동상(銅像)을 이름. ㉡부처를 이름.
[金鈿 금전] 금차(金釵).
[金殿 금전] 금으로 장식한 전각(殿閣).
[金箭 금전] 물시계의 물을 받는 병 속에 꽂아 놓은 금속제(金屬製)의 화살. 눈금이 새겨져 있어 시간의 경과를 나타냄.
[金錢 금전] ㉠돈. ㉡금화(金貨).
[金殿玉樓 금전옥루] 화려한 전각(殿閣).
[金精 금정] ㉠금의정(精). 곧, 달을 이름. ㉡금성(金星)의 별칭.
[金堤 금제] 쇠로 만든 둑. 아주 튼튼한 둑을 이름.
[金齏玉膾 금제옥회] 맛있는 요리.
[金蜩 금조] 금으로 만든 매미의 장식이 있는 관(冠). 환관(宦官)이 씀.
[金鐘兒 금종아] 귀뚜라밋과에 속하는 벌레. 가을에 방울 소리를 내며 욺. 방울벌레.
[金主 금주] 돈 임자. 전주(錢主).
[金州 금주] ㉠관동주(關東州) 금주 반도(金州半島)에 있는 도시(都市). 청일(淸日)·러일 전쟁의 고전장(古戰場). ㉡주명(州名). 산시성(陝西省) 안캉현(安康縣)에 있음. 남송(南宋) 때 금장(金將) 살리갈(撒離曷)이 송군(宋軍)과 싸운 곳.
[金奏 금주] 금속제의 악기. 곧, 종(鐘) 같은 것.
[金竹 금죽] ㉠대의 일종. 황금죽(黃金竹). ㉡쇠붙이로 만든 악기의 소리와 대로 만든 관악기의 소리.
[金尊 금준] 금으로 장식한 술 그릇.

[金尊]

[金樽 금준] 금준(金尊).
[金繒 금증] 금과 비단. 전(轉)하여, 재화(財貨).
[金池 금지] 벼루〔硯〕의 딴 이름.
[金枝玉葉 금지옥엽] ㉠황족(皇族). 왕족(王族).
수목(樹木)에 비유한 말. ㉡아름다운 구름의 형용. 아름다운 초목(草木)에 비유한 말.
[金釵 금차] 금비녀.
[金札 금찰] ㉠금으로 만든 패(牌). ㉡금화(金貨) 대용의 지폐(紙幣).
[金刹 금찰] 절. 사원(寺院).
[金創 금창] 금창(金瘡).
[金瘡 금창] 칼 같은 쇠붙이에 다친 상처.
[金策 금책] ㉠금으로 만든 패(牌). ㉡금으로 만든 지팡이.
[金天 금천] 가을 하늘. 오행설(五行說)에서, 금(金)은 가을에 배당함.
[金鐵 금철] ㉠금과 쇠. 전(轉)하여, 견고한 사물의 비유. ㉡철제(鐵製)의 형구(刑具).
[金貂 금초] 금당(金璫)과 초미(貂尾)로 장식한 관(冠). 후세에 시종하는 사람이 많이 이 관을 썼으므로, 전(轉)하여 지위가 높은 근신(近臣)의 뜻으로 씀.
[金鍼度人 금침도인] 금바늘을 남에게 내어 줌. 곧, 비결을 가르쳐 줌을 이름.
[金柝 금탁] 진중(陣中)에서 경계하기 위하여 치는 징과 딱따기.
[金鐸 금탁] 쇠로 만든 추(錘)를 단 큰 방울. 옛날에 무사(武事)에 관한 명령을 내릴 때 울렸음. '목탁(木鐸)' 참조.
[金鐲 금탁] 금팔찌.
[金湯 금탕] '금성탕지(金城湯池)'의 준말.
[金湯之固非粟不守 금탕지고비속불수] 견고한 성(城)도 양식이 떨어지면 지킬 수 없음.

[金鐸]

[金胎兩部 금태양부] 금강계(金剛界)와 태장계(胎藏界).
[金兔 금토] '달〔月〕'의 별칭(別稱). 달 속에 토끼가 살고 있다는 전설에서 나온 말.
[金波 금파] ㉠달빛. ㉡달빛에 비쳐 금빛으로 빛나는 물결.
[金葩 금파] 금빛의 꽃. 주로 국화꽃을 이름.
[金牌 금패] 금으로 만든 패.
[金幣 금폐] 금화(金貨).
[金鑣 금표] 금으로 만든 재갈.
[金風 금풍] 가을바람. 금(金)은 오행설(五行說)에서 가을임. 추풍(秋風).
[金荷 금하] 촛대. 촉대(燭臺).
[金榼 금합] 금준(金尊).
[金革 금혁] 병기(兵器)와 갑주(甲胄). 전(轉)하여, 전쟁(戰爭).
[金革之世 금혁지세] 전쟁이 끊이지 아니하는 난세. 전란의 세상.
[金穴 금혈] ㉠금갱(金坑). ㉡금을 보관한 곳간. ㉢큰 부자. 재산가.
[金戶 금호] 금으로 만든 집.
[金虎 금호] ㉠'태양(太陽)'의 별칭(別稱). ㉡금성(金星)과 묘성(昴星). 이 두 별이 접근한 때에는 전란(戰亂)이 있다고 함.
[金壺 금호] ㉠물시계. 누각(漏刻). ㉡금속제의 술병.
[金虎符 금호부] 금으로써 범 모양으로 만든 부절(符節).
[金婚式 금혼식] 결혼한 지 만 50년 되는 날을 축하하는 식.
[金貨 금화] 금으로 만든 돈.

[金丸 금환] ㉠'달'의 이명(異名). 금경(金鏡). 금분(金盆). ㉡금속제의 탄환.
[金環 금환] 금반지. 금가락지.
[金環食 금환식] 금환식(金環蝕).
[金環蝕 금환식] 태양이 고리 모양으로 뵈는 일식(日蝕).
[金聖嘆 김성탄] 명말(明末) 청초(淸初)의 문예 비평가. 본디 성명은 장채(張采). 양자(養子)로 가서 개명(改名)하였다 함. 이름은 위(喟) 또는 인서(人瑞). 성탄(聖嘆)은 자(字)임. 장주(長洲) 사람. 수호전(水滸傳)·서상기(西廂記) 등을 개작(改作)했으며, 소설·사곡(詞曲)의 평해(評解)를 잘하였음. 불경죄(不敬罪)로 사형됨.
[金履祥 김이상] 송말(宋末) 원초(元初)의 학자. 난계(蘭谿) 사람. 송학(宋學)에 통하며 '대학소의(大學疏義)'·'상서표주(尙書表注)' 등을 저술(著述)하였음. 인산(仁山) 밑에 있었으므로 인산 선생(仁山先生)이라 일컬어졌음.
[金日磾 김일제] 한무제(漢武帝) 때의 사람. 흉노(匈奴) 휴도왕(休屠王)의 태자(太子)인데 무제(武帝)를 섬겨 시중(侍中)으로서 신애(信愛)를 받았음.
[金張 김장] 한(漢)나라 선제(宣帝) 때에 영화(榮華)를 누린 김일제(金日磾)와 장안세(張安世)의 가족. 전(轉)하여, 권력이 있는 귀족.
[金張七葉 김장칠엽] 김일제(金日磾)와 장안세(張安世)의 자손이 일곱 대 동안 천자를 가까이하여 영화를 누린 고사(故事).
[金弘道 김홍도] 조선 영조(英祖) 때의 서화가. 자(字)는 사능(士能), 호는 단원(檀園). 궁중에 출사(出仕)하여 절묘한 필치로 많은 그림을 그렸음.
◉醵金. 擊金. 兼金. 瓜子金. 掘金. 基金. 南金. 斷金. 代金. 貸金. 淘金. 鍍金. 銅金. 鈍金. 萬金. 亡金. 滅金. 募金. 美金. 璞玉渾金. 返金. 白金. 百兩金. 罰金. 餠金. 賦金. 備金. 私金. 沙金. 砂金. 詐金. 賜金. 謝金. 爍金. 上金. 賞金. 償金. 誠金. 稅金. 屑金. 銷金. 笑靨金. 速金. 碎金. 手金. 受金. 純金. 視金. 惡金. 愛金. 冶金. 陽邁金. 年金. 捐金. 鍊金. 預金. 料金. 燿金. 鬱金. 元金. 僞金. 僞黃金. 柔金. 遺金. 義金. 利金. 泥金. 二人同心其利斷金. 人造金. 一刻千金. 一攫千金. 賃金. 入金. 資金. 紫磨金. 殘金. 齎金. 貯金. 赤金. 積金. 鐫金. 點鐵成金. 雕金. 酎金. 鉒金. 鑄金. 衆口鑠金. 中流失舟一壺千金. 地金. 眞金. 借金. 借墨如金. 斲金. 千金. 靑金. 春宵一刻直千金. 帑金. 汰金. 投金. 陷金. 合金. 獻金. 現金. 懸金. 好金. 渾金. 黃金. 懷金. 黑金.

1 ⑨ [釓] 釚(次條)와 同字

2 ⑩ [釚] 구 ㊥尤 渠尤切 qiú

字解 ①쇠뇌고동 구 쇠뇌를 쏘는 장치. 釞(次條)와 同字. '一, 弩機謂之一, 或从丩'《集韻》. ②끌 구 정. 구멍을 뚫는 연장. 銶(金部 七畫)와 통용. '銶, 鑿屬, 通作一'《集韻》.

2 ⑩ [釞] 釚(前條)와 同字

2 ⑩ [釖] 〔도〕 刀(部首〈p. 239〉)와 同字

2 ⑩ [釠] 〔란〕 亂(乙部 十二畫〈p. 67〉)의 俗字

2 ⑩ [釙] 박 ㊇覺 匹角切 pò 钋

字解 조광(粗鑛) 박 무쇠의 원광(原鑛). '一, 金酬'《集韻》.

2 ⑩ [釟] 팔 ㊇黠 布拔切 bā

字解 불릴 팔 쇠붙이를 야금(冶金)함. '一, 冶金謂之一'《集韻》.

2 ⑩ [釛] 핵 ㊇職 胡刻切 hé

字解 황금 핵, 쇠붙이 핵 '一, 金也'《玉篇》.

2 ⑩ [釕] 조 ㊤篠 都了切 liǎo 钌 釕

字解 재갈 조 '一鐢'는 아름답게 장식한 말의 재갈. '一鐢藻韉'《唐書》.

[釕鐢 조비] 자해(字解)를 보라.

2 ⑩ [釗] 人名 ㊀소(조 ㊥蕭 止遙切 zhāo ㊁교 ㊕) ㊥蕭 古堯切 zhāo ㊂쇠 ㊗ 钊

筆順 ㇒ 𠂉 亼 今 令 金 金 釗 釗

字解 ㊀ ①볼 소 만나 봄. '一我周王'《逸周書》. ②깎을 소 '一, 刓也'《說文》. ③쇠뇌고동 소 '一, 亦弩牙'《廣韻》. ④성 소 성(姓)의 하나. ㊁ 사람이름 교 주(周)나라 강왕(康王)의 이름. '康王一'《史記》. ㊂《韓》쇠 쇠 철(鐵). 금속(金屬). 또, 어린아이나 종의 이름으로 쓰임. '乭一'.

字源 篆文 會意. 金+刂(刀). 금속제의 날붙이로 깎다의 뜻을 나타냄.

2 ⑩ [釘] 정 ①㊥靑 當經切 dīng ②㊦徑 丁定切 dìng 钉 釘

字解 ①못 정 박는 데 쓰는, 쇠·대 같은 것으로 만든 물건. '以所貯竹頭爲一, 裝船'《晉書》. ②박을 정 못 같은 것을 박음. '裝一'. '以棘針一其心'《晉書》.

字源 篆文 形聲. 金+丁〔音〕. '丁정'은 못을 본뜬 것. 뒤에 '金금'을 덧붙임.

[釘頭 정두] 못대가리.
◉撞釘. 銅釘. 拔釘. 浮漚釘. 鏽釘. 眼中釘. 銀釘. 裝釘. 竹頭釘. 竹釘. 閒釘. 朽釘.

2 ⑩ [針] 中·人 침 ①②㊥侵 職深切 zhēn ③㊦沁 之任切 针 針

筆順 ㇒ 𠂉 亼 今 令 金 金 金一 針

字解 ①바늘 침, 침 침 鍼(金部 九畫)과 同字. ㉠현재는 보통 꿰매는 바늘은 '一', 침놓는 바늘, 곧 침은 '鍼'자를 씀. '病結積在內, 一藥所不能及'《魏志》. ㉡바늘 모양을 한 것. '磁一'.

②성 침 성(姓)의 하나. ③바느질할 침 '因命染人與一女'《白居易》.
[字源] 形聲. 金+十〔音〕. '鍼침'의 異體字.

[針工 침공] 바느질.
[針孔 침공] 바늘귀.
[針灸 침구] 침질과 뜸질. 침구(鍼灸).
[針口魚 침구어] 공미리.
[針女 침녀] 바느질하는 여자.
[針路 침로] ㉠자석의 지침이 가리키는 방향. 배가 가는 방향. ㉡방향.
[針母 침모] 남의 바느질을 하여 주고 삯을 받는 여자.
[針線 침선] 바늘과 실. 바느질. 침선(鍼線).
[針小棒大 침소봉대] 《韓》 바늘만 한 작은 것을 몽둥이처럼 크다고 말함. 곧, 작은 일을 크게 허풍 떨어 말함.
[針術 침술] 침을 놓아 병을 고치는 의술. 침술(鍼術).
[針才 침재] 바느질 재주.
[針砭 침폄] 의료에 쓰는 쇠로 만든 침과 돌침. 전(轉)하여, 경계·교훈. 침폄(鍼砭).
◉檢針. 古針. 灸針. 棘針. 短針. 磨針. 綿裏針. 茅針. 方針. 縫針. 細針. 按針. 秧針. 運針. 磁針. 長針. 藏針. 鈿針. 頂門一針. 指針. 秒針. 玄針. 懸針.

2 ⑩ [釜] [人名] 부 ㊤麌 扶雨切 fǔ

[字解] ①가마솥 부 원은 큰 솥의 뜻이었으나, 널리 솥의 뜻으로 쓰임. '鍋一'. '維錡及一'《詩經》. ②용량의단위 부 곡식 같은 것을 되는 단위. 엿 말 넉 되. 우리나라의 대여섯 되에 해당함. '與之一'《論語》.

[釜①]

[字源] 鬴의 別體 形聲. 金+父〔音〕. '鬴부'의 別體.

[釜鬲 부력] 가마솥과 다리 굽은 솥.
[釜庾 부유] 부(釜)는 중국 되로 엿 말 넉 되, 유(庾)는 중국 되로 열여섯 말. 얼마 안 되는 벼라는 뜻.
[釜竈 부조] 솥과 부엌.
[釜中生魚 부중생어] 오래 밥을 하지 못하여 솥 안에 물고기가 생김. 극빈(極貧)의 형용. 후한(後漢)의 범염(范冉)이 가난하여 이따금 끼니를 굶은 고사(故事).
[釜中魚 부중어] 솥 안에서 노는 물고기. 생명이 오래 남지 않은 사람, 또는 동물의 비유.
[釜甑 부증] 솥과 시루.
◉鍋釜.

2 ⑩ [釡] 釜(前條)와 同字

3 ⑪ [釣] [人名] 조 [去]嘯 多嘯切 diào 钓

[筆順] 𠆢 亼 仐 仒 金 釒 釣 釣

[字解] ①낚시 조 고기를 낚는 굽은 바늘 모양의 물건. '還有魚兒上一來'《戴表元詩》. ②낚시질 조 고기를 낚는 일. '屠一卑事也'《宋書》. ③낚을 조 ㉠고기를 낚시로 잡음. 낚시질함. '一千世之鯉'《淮南子》. ㉡유혹함. 꾐. '以利一人'. '虞君好寶, 而晉獻以璧馬, 一之'《淮南子》. ㉢탐내어 구함. '一名'. ④성 조 성(姓)의 하나.
[字源] 篆文 形聲. 金+勺〔音〕. '金금'은 '금속'의 뜻. '勺작'은 물건을 떠내는 국자의 象形으로 '떠내다'의 뜻. 물고기를 낚아 올리는 '낚시'의 뜻을 나타냄.

[釣竿 조간] 낚싯대.
[釣鉤 조구] 낚싯바늘.
[釣臺 조대] 낚시터.
[釣徒 조도] 낚시질하는 무리.
[釣名 조명] 명예를 구함.
[釣緡 조민] 낚싯줄.
[釣船 조선] 고기를 낚는 배.
[釣叟 조수] 낚시질하는 노인.
[釣詩鉤 조시구] 주흥(酒興)을 빌려 시사(詩思)를 낚는 뜻. 곧, '술〔酒〕'의 이칭(異稱).
[釣魚 조어] 물고기를 낚음. 낚시질함.
[釣遊 조유] 낚시질하며 놂. 속(俗)에 고향을 조유구지(釣遊舊地)라 함.
[釣艇 조정] 조선(釣船).
[釣舟 조주] 조선(釣船).
[釣戶 조호] 낚시질을 업으로 하는 사람. 또, 그의 집.
◉耕釣. 屠釣. 獨釣. 晩釣. 上釣. 垂釣. 魚釣. 漁釣. 弋釣. 沈釣. 投釣. 下釣. 閒釣.

3 ⑪ [釤] 삼 ①[去]陷 所鑑切 shàn ②[平]咸 師咸切 shān 钐

[字解] ①낫 삼 풀을 베는 큰 낫. '鎛一鉏劚'《韓愈》. ②성 삼 성(姓)의 하나.
[字源] 形聲. 金+彡〔音〕

[釤利 삼리] 선명(鮮明)함.

3 ⑪ [鈔] 초 ㊤篠 親小切 qiǎo

[字解] 아름다울 초 미호(美好)함.
[字源] 形聲. 金+小〔音〕

3 ⑪ [釩] 범 ①②㊤豏 峰范切 fǎn ③④[去]陷 孚梵切 fàn, ④fán 钒

[字解] ①떨 범 떨어냄. '一, 拂也'《玉篇》. ②그릇 범 기물(器物). '一, 器也'《集韻》. ③술잔 범 盌(皿部 五畫)과 同字. '盌, 博雅, 盞盌, 杯也, 或作一'《集韻》. ④화학원소의이름 범 바나듐(Vanadium)을 이름. '一, 化學元質之一, 金屬, 或譯錳'《中華大字典》.

3 ⑪ [釦] 구 ㊤有 苦后切 kòu

[字解] ①금테두리할 구 금은으로 기명(器皿)의 가장자리를 장식함. '其蜀漢一器'《後漢書》. ②아로새길 구 교묘하게 새기고 거기에 금은 주옥 등을 박음. '玄墀一砌'《班固》. ③떠들 구 종 같은 것을 치며 환호함. '三軍皆譁一'《國語》. ④단추 구, 옷고름 구 '俗謂衣紐曰一'《正字通》.
[字源] 篆文 形聲. 金+口〔音〕. '口구'는 '입'의 뜻. 쇠붙이 기물(器物)의 주둥이나 가장

자리를 장식하다의 뜻을 나타냄.

[釦器 구기] 금은(金銀)으로 테를 둘러 장식한 그릇.
[釦鈕 구뉴] 단추.
[釦鼻子 구비자] 단춧구멍.
[釦砌 구체] 옥(玉)을 박아 꾸민 섬돌.
◉金釦. 鈕釦. 銀釦. 譁釦.

3 ⑪ [釧] [人名] 천 [去]霰 尺絹切 chuàn 钏 釧
[字解] ①팔가락지 천 팔목에 끼는 고리 같은 장식품. 비환(臂環). 팔찌. '玉―'. '珍玉名―'《何偃》. ②성 천 성(姓)의 하나.
[字源] 篆文 形聲. 金+川〔音〕. '川천'은 '돌다'의 뜻. 팔이나 목에 두르는 금속 고리의 뜻을 나타냄.

[釧臂 천비] 팔찌를 낀 팔.
◉金釧. 名釧. 寶釧. 玉釧. 腕釧. 銀釧. 釵釧. 鐶釧.

3 ⑪ [釪] [人名] 우 [平]虞 雲俱切 yú 釪
[筆順] 𠆢 今 今 全 余 金 釪 釪
[字解] ①창고달 우 창(槍) 같은 것의 자루 끝을 싼, 쇠붙이로 만든 원추형(圓錘形)의 물건. '鐏謂之―'《揚子方言》. ②바리때 우 중의 밥그릇. '自是鉢―後王何人也'《世說》.
[字源] 形聲. 金+于〔音〕

3 ⑪ [釲] 시 [上]紙 象齒切 sì
[字解] ①거친쇠 시 원광(原鑛). 鋸(金部 五畫)와 同字. '鋸, 博雅, 鋸鉛, 鋌也, 或作―'《集韻》. ②금덩이 시 금의 작은 덩이. '―, 金子'《玉篇》.

3 ⑪ [釫] 호 [平]虞 洪孤切 wū 釫
[字解] 흙손 호 흙을 바르는 연장.
[字源] 篆文 形聲. 金+亏〔音〕

3 ⑪ [釬] 한(②간[本]) [去]翰 侯旰切 hàn 釬
[字解] ①팔찌 한 활 쏠 때에 왼쪽 팔뚝에 대어, 활시위에 맞지 않게 막는 제구. '弛弓脫―'《管子》. ②급할 한, 켕길 한 촉급함. '有緩而―'《莊子》.
[字源] 篆文 形聲. 金+干〔音〕. '干간'은 '막다, 지키다'의 뜻. 싸울 때 착용하는 팔찌의 뜻을 나타냄.

◉脫釬.

3 ⑪ [釭] [一] 강 [平]江 古雙切 gāng [二] 공 [平]東 古紅切 gōng 釭
[字解] [一] ①등잔 강 등불을 켜는 그릇. ②등불 강 등잔불. '金―'. '蘭―當夜明'《謝朓》. ③바퀴통쇠 강 바퀴통의 구멍에 끼는 철관(鐵管). '車―'. [二] 화살촉 공 전촉(箭鏃).
[字源] 篆文 形聲. 金+工〔音〕. '工공'은 '꿰뚫다'의 뜻. 바퀴통에 끼워 마멸을 막는 철관의 뜻을 나타냄.

◉金釭. 冬釭. 晨釭. 銀釭. 殘釭. 車釭. 寒釭. 曉釭.

3 ⑪ [釱] [一] 체 [去]霽 特計切 dì [二] 대 [去]泰 徒蓋切 dài 釱
[字解] [一] 차꼬 체 죄인의 발목을 채우는 형구(刑具). '敢私鑄鐵器煮鹽者, 一左趾'《史記》. [二] 비녀장 대 수레의 굴대 머리에 지르는 물건. '肆玉―而下馳'《漢書》.
[字源] 金文 釱 篆文 釱 形聲. 金+大〔音〕

◉鉗釱. 玉釱.

3 ⑪ [釵] [一] 채 [平]佳 楚佳切 chāi [二] 차 [平]麻 初加切 chā 钗 釵
[字解] [一] 비녀 채 두 갈래로 된 비녀. '金―'. '荊―'. '玉―挂臣冠'《司馬相如》. [二] 비녀 차 [一]과 뜻이 같음.
[字源] 篆文 形聲. 金+叉〔音〕. '叉차'는 '두 갈래'의 뜻. 두 갈래 진 비녀의 뜻을 나타냄.

[釵梳 차소] 비녀와 빗.
[釵釧 차천] 비녀와 팔찌.
◉裙釵. 金鳳釵. 金釵. 寶釵. 松釵. 玉釵. 銀釵. 雀釵. 翠釵. 荊釵. 花釵. 攫釵.

3 ⑪ [釳] 흘 [入]物 許訖切 xì
[字解] 말머리장식 흘 천자의 수레를 끄는 말의 머리의 장식. 방흘(防釳). '方―左纛'《張衡》.
[字源] 篆文 形聲. 篆文은 金+气〔音〕

3 ⑪ [釨] 걸 [入]屑 吉列切 jié
[字解] 창 걸 날이 없는 창. '凡戟而無刃, 秦晉之間謂之―'《揚子方言》.
[參考] 釨(次條)는 別字.

3 ⑪ [釨] 자 [上]紙 祖似切 zǐ
[字解] 강할 자 쇠가 단단함. '―, 剛也'《集韻》.
[參考] 釨(前條)은 別字.

3 ⑪ [釰] 일 [入]質 入質切 rì
[字解] ①무딜 일 날카롭지 못함. 둔함. '―, 鈍也'《集韻》. ②화학원소의이름 일 크세논(Xenon)을 이름.

3 ⑪ [釴] 익 [入]職 與職切 yì
[字解] 솥귀 익 솥 곁에 달린 귀. '鼎附耳外, 謂之―'《爾雅》.

3 ⑪ [釶] 〔시〕
鍦(金部 九畫〈p. 2406〉)와 同字

3
⑪ [釷] 〔둔〕
鈍(金部 四畫〈p. 2379〉)과 同字

3
⑪ [釯] 〔망〕
鋩(金部 七畫〈p. 2396〉)의 俗字

4
⑫ [釡] 〔부〕
釜(金部 二畫〈p. 2377〉)의 本字

4
⑫ [鈓] 〔임〕
銋(金部 六畫〈p. 2391〉)과 同字

4
⑫ [鈲] [一] 벽 ㊀錫 匹歷切 pī
[二] 백 ㊀陌 匹麥切

[字解] [一] 갈이그릇 벽 나무를 파서 만든 그릇. '一搬兼呈'《左思》. [二] 깰 백 부숨. '鉤一析亂而已'《漢書》.

[字源] 篆文 鈲 會意. 金+爪. '爪조'는 '손톱'의 뜻. 손톱으로 째듯이 칼로 베다의 뜻을 나타냄. 本字는 '鈲'으로 金+𠂢〔音〕의 形聲. '𠂢파'는 '갈라지다'의 뜻. 쇠붙이로 된 날붙이로 가르다, 째다의 뜻을 나타냄.

◉鉤鈲.

4
⑫ [釿] [一] 근 ㊥文 擧欣切 jīn
[二] 은 ㊥文 魚斤切 yín

[字解] [一] 자귀 근 斤(部首)과 同字. '一鋸制焉, 繩墨殺焉, 椎鑿決焉'《莊子》. [二] ①대패 은 나무를 밀어 깎는 연장. ②밀 은 대패로 밀어 깎음. '用此一之'《釋名》.

[字源] 篆文 釿 形聲. 金+斤〔音〕. '斤근'은 잘게 쪼개는 자귀의 象形. '金금'을 더하여 '자귀'의 뜻을 나타냄.

[釿鋸 근거] 자귀와 톱.
[釿鍔 근악] 기물(器物)의 들쭉날쭉한 가장자리.

4
⑫ [鈀] 파 ㊥麻 伯加切 bā, ②pá 钯

[字解] ①병거 파 전쟁에 쓰는 수레. '晨夜內一車'《司馬法》. ②쇠스랑 파 耙(耒部 四畫)와 同字.

[字源] 篆文 鈀 形聲. 金+巴〔音〕

4
⑫ [鈇] 부 ㊥虞 甫無切 fū

[字解] 도끼 부 형구(刑具)로 쓰이는 큰 도끼. '民威于一鉞'《中庸》.

[字源] 篆文 鈇 形聲. 金+夫〔音〕. '夫부'는 '斧부'와 통하여 '도끼'의 뜻. '金금'을 더하여 '도끼'의 뜻을 나타냄.

[鈇鉞 부월] 작은 도끼와 큰 도끼. 모두 형구(刑具).
[鈇質 부질] 부질(鈇鑕).
[鈇鑕 부질] 도끼로 허리를 베는 형벌. 또, 그 형구(刑具).

4
⑫ [鈍] [高人] 둔 ㊤願 徒困切 dùn 钝

[筆順] 𠆢 仒 仐 金 金 金 鈍 鈍

[字解] ①무딜 둔 끝이나 날이 날카롭지 아니함. '利一'. '莫邪爲一兮, 鉛刀爲銛'('銛'은 '銳')《漢書》. ②무디어질 둔, 무디게할 둔 '兵不一鋒'《陳琳》. ③굼뜰 둔 행동이 느림. '遲一'. '吶一於辭'《漢書》. ④우둔할 둔 미련함. '愚一'. '頑一嗜利無恥者'《史記》.

[字源] 篆文 鈍 形聲. 金+屯〔音〕. '屯둔'은 '頓돈'과 통하여, 실족하여 넘어지다의 뜻. 실족하여 넘어지듯이 잘 들지 않는 날붙이의 뜻에서, '둔하다'의 뜻을 나타냄.

[鈍角 둔각] 직각(直角)보다 큰 각.
[鈍感 둔감] 감각이 무딤. 또는 무딘 감각.
[鈍根 둔근] 둔한 재주.
[鈍金 둔금] 무딘 연장.
[鈍器 둔기] ㉠무딘 연장. ㉡둔재(鈍才).
[鈍刀 둔도] 무딘 칼. 잘 들지 아니하는 칼. 연도(鉛刀).
[鈍馬 둔마] 굼뜬 말.
[鈍冥 둔명] 굼뜨고 흐림. 우둔하고 혼명(昏冥)함.
[鈍悶 둔민] 감정이 둔하여 인정(人情)이 없음.
[鈍兵 둔병] ㉠무딘 병기. ㉡굼뜬 병사. ㉢병사를 굼뜨게 함.
[鈍步 둔보] 굼뜬 걸음. 더딘 걸음걸이.
[鈍頑 둔완] 우둔하고 완고함. 어리석고 고집이 셈.
[鈍才 둔재] 둔한 재주. 또, 그 사람.
[鈍賊 둔적] 미련한 도둑. 남의 시구(詩句)를 표절(剽竊)하는 자를 욕하는 말.
[鈍質 둔질] 둔근(鈍根).
[鈍磔 둔책] 자획(字畫)의 오른쪽이 처지게 쓰는 필법(筆法).
[鈍濁 둔탁] 성질이 둔하고 흐리터분함.
[鈍敝 둔폐] 병기(兵器)가 무디고 낡음.
[鈍弊 둔폐] 둔폐(鈍敝).
[鈍筆 둔필] 재치 없는 글씨.
[鈍漢 둔한] 아둔한 사람. 미련한 사람.
[鈍惛 둔혼] 우둔함. 어리석음.
◉老鈍. 駑鈍. 魯鈍. 磨鈍. 蒙鈍. 樸鈍. 鄙鈍. 銛鈍. 闇鈍. 鉛鈍. 頑鈍. 愚鈍. 利鈍. 遲鈍. 椎鈍. 癡鈍. 朽鈍.

4
⑫ [鈐] [人名] [一] 검 ㊥鹽 巨淹切 qián
[二] 근 ㊥眞 巨巾切 qín 钤

[字解] [一] ① 비녀장 검 굴대 머리에 지르는 못같이 생긴 물건. ②자물쇠 검 여닫는 물건을 잠그는 쇠. '六藝之一鍵'《爾雅 序》. ③찍을 검 도장을 찍음. '一印'. '一璽'. [二] 창자루 근 矜(矛部 四畫)과 同字. '矛其柄謂之一'《揚子方言》.

[字源] 篆文 鈐 形聲. 金+今〔音〕. '今금'은 '누르다'의 뜻. 수레의 굴대를 누르는 금속제의 '비녀장'의 뜻을 나타냄.

[鈐鍵 검건] ㉠자물쇠와 열쇠. ㉡사물의 가장 중요한 곳. 관건(關鍵).
[鈐韜 검도] 자물쇠를 장치한 포대. 전(轉)하여, 비밀히 하여 남에게 알리지 않는 무술(武術)·병법(兵法).
[鈐印 검인] 도장을 찍음.
[鈐制 검제] 자유로이 제어(制御)함.
◉鉤鈐. 韜鈐. 兵鈐. 玉鈐. 樞鈐.

4
⑫ [鈅] 월 ㊀月 魚厥切 yuè

[字解] 무기(武器) 월 병기(兵器). '一, 兵器'《集韻》.

4 ⑫ **[鈑]** [人名] 판 [上]潸 布綰切 bǎn 钣

[字解] ①금화 판 떡 모양으로 된 금의 화폐. '祭五帝, 供金一'《周禮》. ②널조각 판 板(木部 四畫)과 통용. '金一六弢'《莊子》.
[字源] 形聲. 金+反〔音〕

◉金鈑.

4 ⑫ **[鈊]** [一] 침 [平]侵 思林切 xīn
[二] 심 [去]沁 七鴆切 qìn

[字解] [一] ①금속(金屬)의이름 침 '一, 金名'《玉篇》. ②화학원소의이름 침 가돌리늄(Gadolinium)을 이름. '一, 化學原質之一, 金屬'《中華大字典》. [二] 날카로울 심 '一, 利也'《集韻》.

4 ⑫ **[鈒]** 삽 [入]合 蘇合切 sà

[字解] ①창 삽 무기의 한 가지. '一戟'. '擧一成雲, 下一成雨'《陸雲》. ②아로새길 삽 누각(鏤刻)함. '一鏤'.
[字源] [篆文] 鈒 形聲. 金+及〔音〕

[鈒鏤 삽루] 아로새김. 누각(鏤刻).
◉擧鈒. 下鈒.

4 ⑫ **[鈔]** 초 ①-④[平]肴 楚交切 chāo
⑤[去]效 初教切 chào
⑥[上]篠 齒紹切 chǎo
钞

[字解] ①노략질할 초 약탈함. '一略'. '攻一郡縣'《後漢書》. ②베낄 초 ㉠그대로 옮겨 씀. '好讀書, 或手自一寫'《晉書》. ㉡필요한 대목만 베낌. '拔一'. '溫公自一纂通鑑之要'《郡齋讀書志》. ③초 초 초록. 발록(拔錄). '天文集要一二卷'《隋書》. ④성 초 성(姓)의 하나. ⑤지전 초 지폐. '交一'. 또, 정부가 발행하는 영수증·증서·수표 따위. 관부(官符). ⑥끝 초 杪(木部 四畫)와 통용. '教行於一'《管子》.
[字源] [篆文] 鈔 形聲. 金+少〔音〕. '少소'는 '깎다, 조금'의 뜻. 조금 노략질하다, 손가락으로 집다의 뜻을 나타냄. 파생하여 뽑아서 베끼다의 뜻을 나타냄.

[鈔劫 초겁] 약탈함. 노략질함.
[鈔關 초관] 명대(明代)에 배에 실은 화물을 취체하고 과세하던 관아(官衙). 세관(稅關).
[鈔校 초교] 책을 베끼며 틀린 곳을 고침.
[鈔盜 초도] 협박하여 빼앗음. 겁도(劫盜).
[鈔略 초략] 노략질함.
[鈔錄 초록] ㉠베껴 씀. ㉡필요한 부분만을 뽑아서 적음.
[鈔本 초본] 초(抄)한 책. 초본(抄本).
[鈔寫 초사] 책을 베낌. 초사(抄寫).
[鈔引 초인] ㉠송대(宋代)의 지폐(紙幣)의 한 가지. ㉡발췌(拔萃)함. 또, 그것.
[鈔暴 초포] 약탈함. 폭행을 함.
◉劫鈔. 交鈔. 寇鈔. 盜鈔. 手鈔. 銀鈔. 造鈔. 暴鈔. 昏鈔.

4 ⑫ **[鈂]** [一] 침 ①-④[平]侵 直深切 chén
⑤[平]沁 知鴆切 zhèn
[二] 심 [平]侵 昨淫切 qín

[字解] [一] ①가래 침 농구(農具)의 하나. '一, 臿屬也'《說文》. ②쇠공이 침 '一, 鐵杵也'《六書統》. ③쇠바늘 침 '一, 鐵鍼'《六書故》. ④팔 침 땅을 팜. '歁, 掘也. 一, 上同'《廣韻》. ⑤무거울 침 '一, 重也'《集韻》. [二] 가래 심, 쇠공이 심, 쇠바늘 심, 팔 심 [一]❶-❹와 뜻이 같음.
[字源] 形聲. 金+冘〔音〕

4 ⑫ **[鈕]** [人名] 뉴 [上]有 女久切 niǔ 钮

[筆順] 𠆢 𠆤 金 金 釗 釦 鈕 鈕

[字解] ①꼭지 뉴, 손잡이 뉴 기물(器物)의 손으로 쥐게 된 부분. '印一'. '遺失兮一樞'《王逸》. ②성 뉴 성(姓)의 하나.
[字源] [篆文] 鈕 形聲. 金+丑〔音〕. '丑추'는 손가락으로 꼭 쥐는 모양을 본뜸. 도장 꼭지의 뜻을 나타냄.

◉扣鈕. 龜鈕. 鼻鈕. 印鈕. 虎鈕.

4 ⑫ **[鈜]** 횡 [平]庚 戶萌切 hóng

[字解] 소리 횡 쇠 또는 종·북 같은 것의 소리. '一然'. '鏗一'.
[字源] 形聲. 金+厷〔音〕

[鈜鏗 횡갱] 종소리나 북소리.
◉鏗鈜.

4 ⑫ **[鈠]** 역 [入]陌 營隻切 yì

[字解] ①그릇 역 기물(器物). '一, 器也'《玉篇》. ②작은창(槍) 역 鍛(金部 七畫)과 同字. '一, 小矛, 或从役'《集韻》.

4 ⑫ **[鈚]** 비 [平]支 房脂切 pī

[字解] 화살 비 화살의 이름. 일설(一說)에는, 화살의 한 가지. '長一逐狡兔'《杜甫》.

◉長鈚.

4 ⑫ **[鈉]** 납 [入]合 諾荅切 nà 钠

[字解] 마치 납 못을 박는 연장.
[字源] 形聲. 金+內〔音〕

4 ⑫ **[鈲]** 공 [平]冬 求龍切 yìng

[字解] 팔찌 공 팔에 끼는 장신구(裝身具). '一, 釧也'《字彙》.

4 ⑫ **[鈞]** [人名] 균 [平]眞 居匀切 jūn 钧

[字解] ①서른근 균 무게 30근의 일컬음. '千一'. '正一石'('石'은 120근)《呂氏春秋》. ②녹로 균

오지그릇을 만드는 데 쓰이는 바퀴 모양의 연장. '猶泥在一之上'《漢書》. 이 바퀴를 회전시켜 갖가지 오지그릇을 자유로이 만들 수 있으므로, 전(轉)하여 만물의 조화(造化)의 뜻으로 쓰이며, 하늘 곧 조물주를 '大一' 혹은 '洪一'이라 함. 또, 사물의 추기(樞機)의 뜻으로도 쓰임. '如何秉國一'《白居易》. ③고를 균, 고르게할 균 均(土部 四畫)과 통용. '多鼓一聲'《左傳》. ④고루 균 같이. 한 가지로. '一是人也'《孟子》. ⑤존경 균 존경의 뜻을 나타내는 말로서, 서한문에 많이 쓰임. '一安'. '一啓'. '一鑒'. ⑥성 균 성(姓)의 하나.

[字源] 金文 篆文 古文 形聲. 金+匀〔音〕. '匀균'은 '같다, 고르다'의 뜻. 균질한 금속의 뜻에서, 저울추, 무게의 단위 등의 뜻을 나타냄.

[鈞鑒 균감] 상관(上官) 또는 대관(大官)에게 제출하는 서면의 첫머리에 쓰는 경칭(敬稱).
[鈞陶 균도] 녹로(轆轤)로 질그릇을 만듦. 전(轉)하여, 인물을 양성함.
[鈞駟 균사] 수레 하나를 끄는, 털빛이 같은 네 마리의 말. 순사(醇駟).
[鈞石 균석] 저울추. 균(鈞)은 서른 근. 석(石)은 120근.
[鈞旋轂轉 균선곡전] 녹로(轆轤)가 돌고 수레의 속바퀴가 구른다는 뜻으로, 사물이 변천함을 이름.
[鈞敵 균적] 힘이 비슷하여 우열(優劣)이 없음.
[鈞旨 균지] 천자(天子)의 뜻. 천자의 명령.
[鈞天 균천] ㉠균천 광악(鈞天廣樂). ㉡구천(九天)의 하나. 중앙의 하늘.
[鈞天廣樂 균천광악] 아주 미묘(微妙)한 천상(天上)의 음악.
[鈞樞 균추] 균축(鈞軸). 추(樞)는 문지도리.
[鈞軸 균축] 저울추와 굴대. 모두 저울과 수레에 아주 긴요(緊要)한 물건이므로 요로(要路)의 대신(大臣)의 비유로 쓰임.
[鈞衡 균형] ㉠국정을 잡아 공평히 해 나간다는 뜻으로, 재상(宰相)을 이름. ㉡인재(人材)를 저울질하여 뽑음. 전형(銓衡). ㉢어느 한편에 기울어 치우치지 아니함. 평균(平均).
◉國鈞. 大鈞. 陶鈞. 萬鈞. 秉鈞. 韶鈞. 淳鈞. 運鈞. 千鈞. 天鈞. 衡鈞. 洪鈞.

4 ⑫ **[鈄]** 두 [上]有 徒口切 dǒu

[字解] ①성 두 성(姓)의 하나. ②鋀(金部 十畫)의 俗字.

4 ⑫ **[鈁]** 방 [平]陽 府良切 fāng 钫

[字解] 되그릇 방 양기(量器)의 하나. 종(鍾)과 모양이 같은데 네모짐. '一, 方鍾也'《辭海》.

[字源] 篆文 形聲. 金+方〔音〕. '方방'은 '네모'의 뜻.

4 ⑫ **[鈗]** [人名] 윤 [上]軫 庾準切 yǔn

[筆順] ㇒ 𠆢 亼 今 全 金 金' 鈗

[字解] 창 윤 시신(侍臣)이 잡는 창. '一, 侍臣所執兵也. 云云, 周書曰, 一人冕執一'《說文》.

[字源] 篆文 金+允〔音〕

4 ⑫ **[鈂]** 鈗(前條)의 訛字

4 ⑫ **[鈏]** 인 [上]軫 余忍切 yǐn [去]震 羊晉切

[字解] ①주석 인 '一, 錫也'《說文》. ②쇠 인 철(鐵). '一, 鐵一'《廣韻》.

[字源] 篆文 形聲. 金+引〔音〕. '引인'은 '잡아 늘이다'의 뜻. 쉽게 늘일 수 있는 금속, '주석'의 뜻을 나타냄.

4 ⑫ **[鈌]** [一] 열 [入]屑 於決切 [二] 결 [入]屑 古穴切 jué [三] 계 [去]霽 涓惠切

[字解] [一] ①찌를 열 '一, 本作鍥, 刺也'《康熙字典》. ②천문 열 '列一'은 천문(天門). '貫列一之倒景兮'《史記》. [二] 찌를 결, 천문 결 [一]과 뜻이 같음. [三] 찌를 계, 천문 계 [一]과 뜻이 같음.

[字源] 形聲. 金+夬〔音〕

4 ⑫ **[鈙]** 금 [平]侵 渠金切 qín [去]沁 巨禁切

[字解] 움켜쥘 금 '一, 持也'《說文》.

[字源] 形聲. 攴+金〔音〕

4 ⑫ **[鈋]** 와 [平]歌 五禾切 é

[字解] 깎을 와, 둥글릴 와 모를 깎아 둥글게 함. '其音沉濁而一鈍, 得其質直'《顔氏家訓》.

[字源] 篆文 形聲. 金+化〔音〕

[鈋鈍 와둔] 모가 죽어서 둔함.

4 ⑫ **[釾]** 야 [平]麻 以遮切 yé 铘

[字解] 칼이름 야 '鏌一'는 오(吳)나라의 칼 이름. 鋣(金部 七畫)·鎁(金部 九畫)와 통용. '一, 鏌一也'《說文》.

[字源] 篆文 形聲. 金+牙〔音〕

4 ⑫ **[鈛]** 〔과〕
鍋(金部 九畫〈p. 2404〉)와 同字

4 ⑫ **[鈆]** 〔연〕
鉛(金部 五畫〈p. 2384〉)의 俗字

4 ⑫ **[鈎]** 〔구〕
鉤(金部 五畫〈p. 2385〉)의 俗字

4 ⑫ **[鈈]** 〔비〕
鉟(金部 五畫〈p. 2385〉)와 同字

4 ⑫ **[鈘]** 〔치·이〕
鉹(金部 六畫〈p. 2390〉)와 同字

4 ⑫ **[鈟]** 〔조〕
釣(金部 三畫〈p. 2377〉)와 同字

4 ⑫ [釱] 人名 〔체〕
釱(金部 三畫〈p. 2378〉)와 同字

4 ⑫ [鈡] 〔종〕
鐘(金部 十二畫〈p. 2417〉)과 同字

4 ⑫ [鉇] 〔흘〕
釳(金部 三畫〈p. 2378〉)의 本字

4 ⑫ [鈃] 〔견〕
鈃(金部 六畫〈p. 2391〉)의 俗字

[欽] 〔흠〕
欠部 八畫(p. 1130)을 보라.

5 ⑬ [鈯] 돌 ㊀月 陁沒切 tú

字解 ①둔할 돌. ②창칼 돌. ③팔 돌 掘(手部 八畫)과 통용. '一人之墓'《荀子》.
字源 形聲. 金+出〔音〕

5 ⑬ [鈰] 제 ㊥齊 徂奚切 qí

字解 날카로울 제 '一, 利也'《說文》.
字源 形聲. 金+朿〔音〕

5 ⑬ [鈴] 人名 령 ㊥靑 郎丁切 líng 铃

筆順 ㇒ 𠆢 亼 全 金 金 鈴 鈴

字解 방울 령 흔들면 소리가 나는, 쇠붙이로 만든 둥근 물건. '一鐸'. '錫鸞和一'《左傳》.
字源 金文 篆文 形聲. 金+令〔音〕. '令령'은 '冷랭'과 통하여 '서늘하다'의 뜻. 서늘한 소리가 나는 방울의 뜻을 나타냄.

[鈴鈴 영령] 방울 또는 물건이 울리는 소리.
[鈴鈸 영발] 방울과 동발(銅鈸).
[鈴語 영어] 방울 소리. 영성(鈴聲).
[鈴鐸 영탁] 방울. 탁령(鐸鈴).
[鈴下 영하] 장수(將帥)에 대한 경칭(敬稱).
[鈴閤 영합] 장수(將帥)가 있는 곳.
◉撼鈴. 金鈴. 鸞鈴. 絢鈴. 鳴鈴. 門鈴. 說鈴. 掩耳盜鈴. 驛鈴. 搖鈴. 電鈴. 津鈴. 鐸鈴. 風鈴. 懸鈴. 和鈴.

5 ⑬ [鉛] 사 ㊥支 詳慈切 cí

字解 자루 사 낫의 자루. '懷鉛一'《管子》.
字源 梠의 別體 形聲. 金+台〔音〕

◉鉛鉛.

5 ⑬ [鉖] 동 ㊥冬 徒冬切 tóng

字解 낚싯바늘 동 '一, 釣一'《玉篇》.

5 ⑬ [鈷] 고 ㊤麌 公戶切 gǔ 钴

字解 ①다리미 고 다림질을 하는 제구. '一鉧潭記'《柳宗元》. ②금강저(金剛杵) 고 불구(佛具)의 한 가지. 고대(古代) 인도(印度)의 호신용 무기(護身用武器). 전(轉)하여, 번뇌를 타파하는 뜻으로 쓰임. 손잡이의 양쪽 끝에 달린 손톱수(數)에 따라, '獨一'·'三一'·'五一'라 함.
字源 形聲. 金+古〔音〕

[鈷鏻 고망] 다리미.
[鈷鉧 고무] 다리미.

5 ⑬ [鈸] 발 ㊀曷 蒲撥切 bó 钹

字解 동발 발 악기의 한 가지. '鐃一'. '一亦謂之銅盤'《正字通》.
字源 形聲. 金+犮〔音〕

◉螺鈸. 銅鈸. 鈴鈸. 鐃鈸. 鋪鈸.

5 ⑬ [鈹] 피 ㊥支 敷羈切 pī 铍

字解 ①바늘 피 큰 바늘. '一鍼'. '一, 大針也'《說文》. ②칼 피 무기로 쓰는 칼. 검(劍). '以一殺諸盧門'《左傳》. ③흩어질 피 披(手部 五畫)와 同字. '吏謹將之, 無一滑'《荀子》.
字源 篆文 形聲. 金+皮〔音〕. '皮피'는 '破파'와 통하여 '찢다'의 뜻. 종기를 따는 데 쓰는 큰 바늘의 뜻을 나타냄.

[鈹滑 피골] 흩어져 어지러움. 분란(紛亂)함.

5 ⑬ [鉕] 파 ㊥歌 滂禾切 pō 钷

字解 구리그릇 파 '一, 一鏍, 銅器'《集韻》.

5 ⑬ [鈿] 人名 전 ①㊥先 徒年切 tián ②㊤霰 堂練切 diàn 钿

字解 ①비녀 전 화잠(花簪). '誰忍去金一'《庾肩吾》. ②나전세공 전 '一螺椅子象牙牀'《尹廷高》.
字源 篆文 形聲. 金+田〔音〕. '田전'은 논밭처럼 평평하다의 뜻. 황금을 평평하게 펴서 세공한 장식품의 뜻을 나타냄.

[鈿箜篌 전공후] 나전(螺鈿)으로 꾸민 공후.
[鈿帶 전대] 금을 박아 장식한 띠.
[鈿螺 전라] 나전(螺鈿) 세공.
[鈿蜱 전비] 비녀.
[鈿瓔 전영] 나전(螺鈿) 세공을 한 목걸이.
[鈿針 전침] 비녀.
[鈿合 전합] 나전(螺鈿) 세공을 한 작은 상자.
◉金鈿. 螺鈿. 芳鈿. 碎鈿. 翠鈿. 花鈿.

5 ⑬ [鉄] 〔열〕
鈌(金部 四畫〈p. 2381〉)의 本字

5 ⑬ [鉘] 발 ㊀黠 百轄切 bā

字解 쇠붙이 발 금속(金屬). '一, 金類'《五音集韻》.

5 ⑬ [鉀] 人名 갑 ㊀洽 古狎切 jiǎ 钾

筆順 ⺈ 亼 𠆢 金 金 釒 鉀 鉀

字解 갑옷 갑 甲(田部 0畫)과 同字. '貫一上馬' 《晉書》.

字源 形聲. 金+甲〔音〕

◉貫鉀.

5 ⑬ [鉩] 녑 ㊀入葉 諾叶切 niè

字解 ①바를 녑 올바름. 鑷(金部 十六畫)과 同字. '鑷, 博雅, 正也, 或省'《集韻》. ②작은상자 녑 '一, 小箱'《五音集韻》.

5 ⑬ [鈮] 녜 ㊀上薺 乃禮切 nǐ, ②ní 铌

字解 ①실패자루 녜 실패의 손잡이. '檷, 說文, 絡絲檷, 亦作一'《集韻》. ②화학원소의이름 녜 니오븀(Niobium)의 일컬음. '一, 化學原質之一, 金屬'《中華大字典》.

5 ⑬ [鉨] 鈮(前條)와 同字

5 ⑬ [鉽] ■ 〔맘〕 鋄(金部 七畫〈p. 2396〉)과 同字 ■ 〔범〕 盌(皿部 五畫〈p. 1520〉)과 同字

5 ⑬ [鉜] 부 ㊀平尤 房尤切 fú

字解 ①대못 부 굵고 긴 못. 錇(金部 八畫)와 同字. '一, 一鏂, 大釘, 或作錇'《集韻》. ②경대(鏡臺)상자의장식 부 '一, 一鏂, 奩飾也'《玉篇》.

5 ⑬ [鉅] 人名 거 ㊤語 其呂切 jù 钜 鉅

筆順 ⺈ 𠆢 金 金 釒 釒 鉅 鉅

字解 ①클 거 巨(工部 二畫)와 통용. '一萬'. '一魚'. '宜一者一, 宜小者小'《史記》. ②강할 거 단단함. '宛之一鐵'《史記》. ③어찌 거 詎(言部 五畫)와 통용. '臣以爲, 王一速忘矣'《戰國策》. ④갑자기 거 遽(辵部 十三畫)와 통용. '是豈一知見侮之爲不辱哉'《荀子》. ⑤낚시 거 '弛靑鯤於網一'《潘岳》.

字源 篆文 鉅 形聲. 金+巨〔音〕. '金금'은 단단한 금속의 뜻. '巨거'는 크다, 크게의 뜻. 대단히 단단하다, 크다의 뜻.

[鉅公 거공] ㉠천자(天子)의 존칭. ㉡존귀한 사람. 또, 한 방면에 조예(造詣)가 깊은 사람.
[鉅橋 거교] 은(殷)나라 주왕(紂王)의 미창(米倉) 이름. 그 유적(遺跡)이 허베이 성(河北省) 곡주현(曲周縣)에 있음. 주무왕(周武王)이 은나라를 멸망(滅亡)시키고 그 미창을 열어 좁쌀〔粟〕을 백성에게 나누어 주었음.
[鉅鹿 거록] 지명(地名). 춘추 전국 시대의 조(趙)나라의 도읍(都邑). 허베이 성(河北省) 평향현(平鄕縣)에 있음. 진말(秦末)에 항우(項羽)가 진군(秦軍)을 크게 파(破)한 곳.
[鉅萬 거만] 수(數)가 썩 많음.
[鉅藩 거번] 큰 제후(諸侯)의 나라. 대번(大藩). 웅번(雄藩).
[鉅費 거비] 많은 비용. 거비(巨費).
[鉅商 거상] 장사를 크게 하는 사람. 대상(大商).
[鉅黍 거서] 옛날의 명궁(名弓)의 이름.
[鉅纖 거섬] 큼과 작음. 거대(巨大)와 세미(細微).
[鉅魚 거어] 큰 고기.
[鉅儒 거유] 큰 학자(學者). 석학(碩學). 홍유(鴻儒).
[鉅材 거재] 큰 재목. 거재(巨材).
[鉅鐵 거철] 단단한 쇠.
[鉅鑊 거확] 발이 없는 큰 가마솥.
◉剛鉅. 纖鉅. 細鉅. 卬鉅. 呂鉅. 最鉅.

5 ⑬ [鉆] ■ 점 ㊀平鹽 敕淹切 chān ■ 겸 ㊀平鹽 巨淹切 qián ■ 첩 ㊀入葉 他協切 tiē 鉆

字解 ■ 집게 점 족집게 따위. 쇠 집게. '一, 鐵銸也'《說文》. ■ ①경첩 겸, 거멀못 겸 '一, 凡器兩頭交合, 用鐵片錮之'《正字通》. ②집게 겸 부젓가락 따위. 鉗(金部 五畫)과 同字. ■ 집을 첩, 붙일 첩 '一, 一著物'《廣韻》.

字源 篆文 鉆 形聲. 金+占〔音〕. '占점'은 붙다, 들러붙다의 뜻. '쇠 집게'의 뜻을 나타냄.

[鉆鑽 겸찬] 살갗에 고통(苦痛)을 주는 형구(刑具)의 이름.
◉髡鉆. 筆不鉆.

5 ⑬ [鉣] 겁 ㊀入葉 訖業切 jié

字解 띠매는쇠 겁 '一, 組帶鐵也'《說文》.

字源 形聲. 金+劫〈省〉〔音〕

5 ⑬ [鉈] 사 ㊀平麻 視遮切 shé 铊 鉈

字解 창 사 짧은 창(槍).

字源 金文 鉈 篆文 鉈 形聲. 金+它〔音〕

5 ⑬ [鉇] 鉈(前條)의 俗字

5 ⑬ [鉴] 〔공〕 銎(金部 六畫〈p. 2392〉)의 訛字

5 ⑬ [鉉] 人名 현 ①㊤銑 胡畎切 xuàn ②㊀平先 行前切 xuán 鉉

筆順 ⺈ 𠆢 金 金 釒 釒 鉉 鉉

字解 ①솥귀고리 현 솥귀의 구멍에 끼워 손으로 들게 한 고리. 구멍이 있어서, 꿰어 들게 되었음. '鼎一'. '鼎黃耳金一'《易經》. 또, 발이 셋 있는 솥, 곧 정(鼎)을 제위(帝位)에 비유하여 쓰므로, '三公'을 '三一'이라고도 함. '秩踰三一'《徐陵》. ②활시위 현 弦(弓部 五畫)과 통용. '矛戟折, 鐶一絕'《戰國策》.

字源 篆文 鉉 形聲. 金+玄〔音〕. '玄현'은 '絃현'과 통하여 시위, 손잡이의 뜻. 세발솥의 솥귀에 꿰어 손으로 들게 된 고리의 뜻을 나타냄.

[鉉席 현석] 삼공(三公)의 지위.

[鉉台 현태] 삼공(三公).
◉槐鉉. 金鉉. 三鉉. 玉鉉. 鼎鉉. 台鉉.

5 ⑬ [鈱] [人名] 민 [平]眞 眉貧切 mín

[字解] ①돈꿰미 민 엽전(葉錢)을 꿰는 끈. 鍲(金部 九畫)과 同字. '一, 說文, 業也, 賈人占鍲, 博雅, 稅也, 或从民'《集韻》. ②쇠 민 철(鐵)을 이름. '一, 鐵也'《集韻》.

5 ⑬ [鉃] [一] 시 [上]紙 善旨切 shǐ [二] 족 [入]屋 昨木切 zú

[字解] [一] 화살촉 시 '一, 箭鏃'《集韻》. [二] 날카로울 족 '鏃, 說文, 利也. 亦作一'《集韻》.

5 ⑬ [鉊] 초 [平]蕭 止遙切 zhāo

[字解] 낫 초 풀을 베는 큰 낫.
[字源] [篆文] 形聲. 金+召〔音〕

[鉊鉤 초사] 낫자루.

5 ⑬ [鉋] 포 [去]效 防敎切 bào

[字解] 대패 포 나무를 밀어 깎는 연장.
[字源] 形聲. 金+包〔音〕. '包포'는 '싸다'의 뜻. 날을 속에 싸서 간직하고 있는 대패의 뜻을 나타냄.

5 ⑬ [鉏] 서 ①-④[平]魚 士魚切 chú ⑤[上]語 牀呂切 jǔ

[字解] ①호미 서 김매는 농구. '一, 去艸之具也, 一名兹基'《急就篇》. ②김맬 서 제초함. '非其種者, 一而去之'《漢書》. ③벨 서 주륙하여 악인을 제거함. '衆之所誅一'《韓詩外傳》. ④성 서 성(姓)의 하나. ⑤어긋날 서 '一鋙'는 서로 어긋나 맞지 아니함. '圓鑿而方枘兮, 吾固知其一鋙難入'《楚辭》.

[鉏①]

[字源] [篆文] 形聲. 金+且〔音〕. '且차'는 '겹쳐 쌓다'의 뜻. 흙을 겹쳐 쌓듯 김매는 '호미'의 뜻을 나타냄.

[鉏鉤 서구] 호미와 낫.
[鉏鍤 서삽] 호미.
[鉏鋙 서어] 어긋남.
[鉏耘 서운] ㉠전답을 갈고 김맴. ㉡악인을 제거함.
◉舂鉏. 耰鉏. 誅鉏.

5 ⑬ [鈽] 포 [平]虞 方乎切 bū 钸

[字解] 철판(鐵板) 포 '一, 金版'《玉篇》.

5 ⑬ [鉑] [人名] 박 [入]藥 白各切 bó 铂

[筆順] 𠆢 亼 亽 牟 金 金 金' 釒 鉑 鉑

[字解] 박 박 금속을 얇은 종이같이 만든 조각. 箔(竹部 八畫)과 통용.
[字源] 形聲. 金+白〔音〕

5 ⑬ [鉒] 주 [去]遇 中句切 zhù

[字解] 쇳돌 주 광석(鑛石). '一銅'. '其下有一銀'《管子》.
[字源] 形聲. 金+主〔音〕

5 ⑬ [鉐] 시 [上]紙 象齒切 sì

[字解] 거친쇠 시 원광(原鑛). '一, 鋌也'《廣雅》.

5 ⑬ [鉔] 잡 [入]合 作答切 zā

[字解] 향로 잡 빙빙 돌려도 기울지 않게 장치를 한 향로(香爐). '金一熏香'《司馬相如》.
◉金鉔.

5 ⑬ [鉗] 겸 [平]鹽 巨淹切 qián 钳

[字解] ①칼 겸 죄인의 목에 씌우는 형구. '自髡一, 爲王家奴'《漢書》. ②젓가락 겸 물건을 끼워 집는 물건. 부젓가락 따위. '如一之能銸物'《後漢書 註》. ③꺼릴 겸, 시기할 겸 남을 꺼려 해치려 함. 질투심이 많음. '妻孫壽性一忌'《後漢書》. ④다물 겸 箝(竹部 八畫)과 통용. '口一而不敢言'《莊子》.
[字源] [篆文] 形聲. 金+甘〔音〕. '甘감'은 입에 물건을 끼우다의 뜻. 죄인의 목을 끼우는 칼의 뜻을 나타냄.

[鉗鉗 겸겸] 함부로 행동하여 성실하지 아니한 모양.
[鉗梏 겸곡] 칼과 수갑. 전(轉)하여, 구속함. 속박함.
[鉗口 겸구] 입을 다묾. 말하지 않음.
[鉗噤 겸금] 겸구(鉗口).
[鉗忌 겸기] 질투심이 많음.
[鉗奴 겸노] 겸자(鉗子)[ㄱ].
[鉗徒 겸도] 겸자(鉗子)[ㄱ].
[鉗子 겸자] ㉠칼을 씌운 죄인. 죄수. ㉡못뽑이.
[鉗赭 겸자] 죄수(罪囚). 자(赭)는 죄수가 입는 붉은 옷.
[鉗制 겸제] 남을 억제하여 자유를 구속함.
[鉗夾 겸협] 의론이 교묘하여 쉽게 논파할 수 없음.
◉髡鉗. 口鉗.

5 ⑬ [鉚] 류 [上]有 力九切 liǔ 铆

[字解] 금 류 아름다운 금. 미금(美金).
[字源] 形聲. 金+卯(丣)〔音〕

5 ⑬ [鉛] [高人] 연 [平]先 與專切 qiān 铅

[筆順] 𠆢 亼 亽 牟 金 金 釒 鉛 鉛

[字解] ①납 연 광물의 한 가지. '一板'. '一毒'. '一松怪石'《書經》. ②분 연 산화(酸化)한 납으

로 만든 화장품의 한 가지. '一華'. '粧一點黛拂輕紅'《林下詩談》. ③따를 연 沿(水部 五畫)과 통용. '一之重之'《荀子》.

[字源] 篆文 形聲. 金+㕣〔音〕. '㕣연'은 '穿천'과 통하여 '뚫다'의 뜻. 부드럽고 연해서 구멍을 뚫기 쉬운 쇠붙이, '납'의 뜻을 나타냄.

[鉛管 연관] 납으로 만든 관.
[鉛鑛 연광] 납을 파내는 광(鑛).
[鉛駑 연노] 무딘 칼과 굼뜬 말. 저능(低能)의 비유.
[鉛黛 연대] 분과 눈썹을 그리는 먹. 전(轉)하여, 화장.
[鉛刀 연도] 무딘 칼. 둔도(鈍刀).
[鉛刀割 연도할] ㉠무딘 칼로 벤다는 뜻으로, 자기의 미력(微力)을 겸손하여 이르는 말. ㉡무딘 칼로 힘을 다하여 한 번 베고는 다시 벨 수 없다는 뜻으로, 두 번 다시 바랄 수 없는 공(功).
[鉛毒 연독] 납의 중독. 또, 분의 독.
[鉛鈍 연둔] ㉠연도(鉛刀). ㉡재지(才智)가 둔함을 이름.
[鉛白 연백] 분. 백분(白粉).
[鉛粉 연분] ㉠그림을 그리는 데 쓰는 백색 안료(顔料). ㉡연백(鉛白).
[鉛不可以爲刀 연불가이위도] 납으로는 칼을 만들지 못함. 사물은 각각 그 쓰이는 곳이 다르다는 말.
[鉛素 연소] 연필(鉛筆)과 깁〔絹〕. 지필(紙筆).
[鉛槧 연참] 연분(鉛粉)과 서판(書版). 전(轉)하여, 문필(文筆).
[鉛版 연판] 활자(活字)로 식자(植字)하여 지형(紙型)으로 뜬 뒤에 납을 부어 만든 인쇄판(印刷版).
[鉛筆 연필] ㉠연분(鉛粉)을 쓰는 붓. ㉡가는 나무의 속에 흑연(黑鉛)으로 심(心)을 넣어 만든 필구(筆具).
[鉛汞 연홍] 납과 수은(水銀). 도가(道家)가 이것을 이겨 불로장생(不老長生)의 영약(靈藥)을 만든다 함.
[鉛華 연화] 연백(鉛白).
[鉛黃 연황] 연분(鉛粉)과 자황(雌黃). 연분은 글을 쓰는 데 쓰며, 자황은 오자(誤字)를 지우는 데 쓰므로 문자를 교정하는 뜻으로 쓰임.
◉金鉛. 駑鉛. 丹鉛. 亞鉛. 銀鉛. 粧鉛. 朱鉛. 蒼鉛. 黑鉛.

5 ⑬ [鉞] [人名] 월 [入]月 王伐切 yuè 钺

[字解] 도끼 월 큰 도끼. 옛날에 장군이 출정할 때, 그의 위신(威信)을 세워 주기 위하여 천자(天子)가 하사하던 것. '鈇一'. '王左杖黃一'《書經》.

[字源] 篆文 形聲. 金+戉〔音〕. '戉월'은 큰 도끼의 모양.

[鉞鉞 월월] 천자(天子)가 타는 수레의 방울 소리. 월월(戉戉).
[鉞下 월하] 부월(鈇鉞)의 아래. 곧, 장군의 지휘(指揮) 또는 진영(陣營)을 이름.
◉戈鉞. 弓鉞. 金鉞. 大鉞. 旄鉞. 兵鉞. 秉鉞. 斧鉞. 鈇鉞. 小鉞. 杖鉞. 將鉞. 節鉞. 旌鉞. 朱鉞. 執鉞. 天鉞. 鐵鉞. 把鉞. 玄鉞. 黃鉞.

5 ⑬ [鉟] 비 [平]支 敷羈切 pī

[字解] 창 비 날이 있는 창(槍).

5 ⑬ [鉠] 앙 [平]陽 於良切 yāng

[字解] 방울소리 앙 방울이 울리는 소리. '和鈴一一'《張衡》.

[字源] 形聲. 金+央〔音〕

[鉠鉠 앙앙] 방울 소리.

5 ⑬ [鉢] [人名] 발 [入]曷 北末切 bō 钵

[筆順] ㇒ 亼 金 金 金 針 鉢 鉢

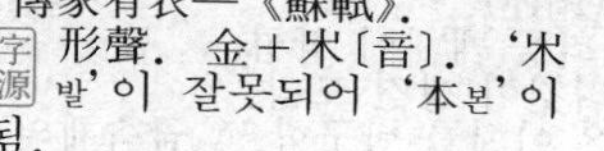

[字解] 바리때 발 ㉠중의 밥그릇. 범어(梵語) 발다라(鉢多羅, pātra)의 약(略). '托一'. '食此一非法'《蘇軾》. ㉡중노릇. 또는 불도(佛道). '傳家有衣一'《蘇軾》.

[字源] 形聲. 金+犮〔音〕. '犮발'이 잘못되어 '本본'이 됨.

[鉢㉠]

[鉢器 발기] 비구(比丘)의 바리때.
[鉢囊 발낭] 길 가는 중이 지고 다니는, 바리때를 넣는 자루 같은 큰 주머니. 바리때.
◉金鉢. 銅鉢. 飯鉢. 甁鉢. 棒鉢. 佛鉢. 食鉢. 玉鉢. 瓦鉢. 優曇鉢. 盂鉢. 乳鉢. 銀鉢. 衣鉢. 磁鉢. 杖鉢. 擲鉢. 鐵鉢. 托鉢. 瓠鉢.

5 ⑬ [鉧] 무 mǔ

[字解] 다리미 무 '鈷一'.

[字源] 形聲. 金+母〔音〕

◉鈷鉧.

5 ⑬ [鉤] [人名] 구 ①-⑩[平]尤 古侯切 gōu / ⑪[去]有 居候切 gòu 钩

[字解] ①띠쇠 구 띠를 매는 쇠. 대구(帶鉤). '管仲射小白, 中帶一'《十八史略》. ②갈고리 구 물건을 갉아 당기는, 끝이 꼬부라진 물건. 갈고랑이. '一爪'. '以銀爲幔一'《隋書》. ③칼 구 끝이 꼬부장하여 적(敵)을 갉아 당겨 죽이는 데 쓰는 칼. '吳一'. '鑄作刀劍一鐔'《漢書》. ④갉아당길 구 갉아서 앞으로 끎. '或以戟一之'《左傳》. 전(轉)하여, 숨은 이치·사정을 캐냄. '一深致遠'《易經》. ⑤끌어당길 구 서로 잡아당김. 끌어 넣음. '皆爲一黨下獄'《後漢書》. ⑥낚시 구 고기를 낚는 갈고리 같은 물건. '一餌'. '任公子爲大一巨緇'《莊子》. ⑦낫 구 풀을 베는 연장. '賊棄弓弩而持鉏一'《漢書》. ⑧그림쇠 구 원을 그리는 기구. '帶一矩'《漢書》. ⑨굽을 구 고부라짐. '弓撥矢一'《戰國策》. ⑩성 구 성(姓)의 하나. ⑪사닥다리 구 끝에 갈고리가 달린 사닥다리. 갈고리를 높은 곳에 걸치고, 성(城)을 타

올라가는 데 씀. '以爾一援'《詩經》.
字源 篆文 形聲. 金+句〔音〕. '句구'는 갈고리의 象形. 금속제의 갈고리의 뜻을 나타냄.

[鉤距 구거] 미늘이 있는 낚시. 이 낚시는 삼키기는 쉬우나 뱉기는 어려우므로, 남을 얽어 넣어 빠져나가지 못하게 하고 일의 은밀(隱密)한 정형(情形)을 탐지함을 이름.
[鉤鎌 구겸] 낫.
[鉤稽 구계] 구척(鉤摭).
[鉤曲 구곡] 갈고리처럼 고부라짐.
[鉤掛 구괘] 갈고리로 걸어 당김.
[鉤校 구교] 살펴 조사(調査)함. 검교(檢校).
[鉤矩 구구] 그림쇠와 곡척. 전(轉)하여, 사물의 법칙.
[鉤戟 구극] 끝이 갈고리처럼 굽은 창. 적을 걸어 당겨 죽이는 무기.
[鉤金 구금] 띠를 매는 쇠. 대구(帶矩).
[鉤斷 구단] 갈고리로 갉아 당겨 절단함.
[鉤黨 구당] 끌어들여 한동아리가 됨.
[鉤刀 구도] 긴 자루에 갈고리가 달린 무기(武器). 말 탄 사람을 찍어 끌어내리는 데 쓰임.
[鉤連 구련] 잇닿음. 연속함.
[鉤聯 구련] 구련(鉤連).
[鉤剝 구박] 숨은 죄를 캐내어 밝힘.
[鉤狀 구상] 갈고리같이 생긴 모양.
[鉤索 구색] ㉠깊은 이치를 탐구함. ㉡금속제의 갈고리.
[鉤繩 구승] 곱자와 먹줄. 전(轉)하여, 표준. 법칙. 규구준승(規矩準繩).
[鉤心 구심] 수레의 굴대. 또는 지붕의 중심(中心).
[鉤染 구염] 끌어들여 자기편으로 만듦.
[鉤楹 구영] 궁전(宮殿)의 동쪽 처마.
[鉤援 구원] 끝에 갈고리가 달린 사닥다리. 공성(攻城)의 전구(戰具).
[鉤餌 구이] 낚시에 꿴 미끼. 낚싯밥.
[鉤章棘句 구장극구] 대단히 읽기 어려운 문장.
[鉤梯 구제] 운제(雲梯).
[鉤爪 구조] 손톱이 안으로 고부라져 갈고리처럼 된 것. 구조(句爪).
[鉤輈 구주] 자고(鷓鴣)새의 우는 소리.
[鉤止 구지] 억류(抑留)함.
[鉤枝 구지] 굽은 나뭇가지.
[鉤陳 구진] 성좌(星座)의 이름. 후궁(後宮)을 상징함. 전(轉)하여, 후궁.
[鉤摭 구척] 갈고리로 찍어서 주움. 주워서 자세히 조사함.
[鉤取 구취] 갈고리로 갉아 당겨 취함.
[鉤揣 구타] 찾아 헤아림.
[鉤玄 구현] 현묘한 이치를 밝혀냄.
◉交鉤. 金鉤. 籠鉤. 大鉤. 帶鉤. 芒鉤. 鉏鉤. 銛鉤. 垂鉤. 純鉤. 鑰鉤. 簾鉤. 刈鉤. 吳鉤. 銀鉤. 長鉤. 藏鉤. 釣鉤. 中鉤. 沈鉤. 吞鉤. 香鉤. 懸鉤. 絜鉤.

5 ⑬ [鉥] 人名 술 ㉰質 食聿切 shù

字解 ①바늘 술 긴 바늘. '一女必有一鍼一鉥'《管子》. ②인도할 술 안내함. '吾請爲子鉥'《國語》.
字源 篆文 形聲. 金+朮〔音〕

5 ⑬ [鉦] 人名 정 ㉮庚 諸盈切 zhēng 钲

筆順 ㇒ 𠆢 今 金 釒 釘 鉦 鉦

字解 징 정 악기의 한 가지. 행군(行軍)할 때 이 징을 치면 군사는 정지함. '一人伐鼓'《詩經》.
字源 金文 篆文 形聲. 金+正〔音〕. '正정'은 종소리, 징 소리의 의성어.

[鉦]

[鉦鼓 정고] 징과 북. 행군할 때 징은 군사를 정지시키고 북은 군사를 움직임. 전(轉)하여, 병사(兵事)의 뜻으로 쓰임.
[鉦鼙 정비] 징과 북.
[鉦人 정인] 징을 치는 사람.
[鉦鐸 정탁] 징과 요령(鐃鈴).
◉擊鉦. 鼓鉦. 叩鉦. 銅鉦. 小鉦. 神鉦. 曉鉦.

5 ⑬ [鈺] 人名 옥 ㉰沃 魚欲切 yù 钰

筆順 ㇒ 𠆢 今 金 釒 釪 鈺 鈺

字解 ①보배 옥 보화(寶貨). ②쇠 옥 단단한 쇠.
字源 形聲. 金+玉〔音〕

5 ⑬ [鉍] 人名 필 ㉰質 壁吉切 bì 铋

筆順 ㇒ 𠆢 金 金 釒 釒 鉍 鉍

字解 창자루 필 柲(木部 五畫)와 뜻이 같음.
字源 形聲. 金+必〔音〕

5 ⑬ [鉶] 산 ㉯諫 所諫切 shàn

字解 쇠그릇 산 쇠로 만든 그릇. '一, 鐵器'《康熙字典》.

5 ⑬ [鉌] 화 ㉮歌 胡戈切 hé

字解 방울 화 和(口部 五畫)와 통용. '一鑾, 鈴也'《集韻》.

5 ⑬ [鉎] 생 ㉮庚 師庚切 shēng

字解 녹 생 쇠에 스는 녹. '一, 鐵衣'《集韻》.
字源 形聲. 金+生〔音〕

5 ⑬ [鉙] 재 ㉱蟹 知駭切 zhǎi

字解 금(金) 재 황금(黃金). '一, 金也'《玉篇》.

5 ⑬ [鉐] 人名 석 ㉰陌 常隻切 shí

筆順 ㇒ 𠆢 今 金 金 釒 釦 鉐

字解 ①놋쇠 석 '鍮一'은 놋쇠. '鍮一, 以石藥治銅'《集韻》. ②성 석 성(姓)의 하나.

[字源] 形聲. 金+石〔音〕

◉鍮鉐.

5 ⑬ [鈼] 작 [入]藥 疾各切 zuó
[字解] ①가마 작 가마솥. '—, 釜也'《玉篇》. ②시루 작 김을 올려 음식을 찌는 기구. '—, 甑也'《集韻》.

5 ⑬ [鉴] 〔감〕
鑒(金部 十四畫〈p. 2423〉)의 訛字

5 ⑬ [鉄] 紩(糸部 五畫〈p. 1722〉)의 古字. 속(俗)에 鐵(金部 十三畫〈p. 2419〉)의 略字로 씀.
[參考] '鐵'의 古文 '銕철'이 잘못 속용(俗用)되어, '鐵'의 略字로 쓰이는 것임.

5 ⑬ [鉁] 〔진〕
珍(玉部 五畫〈p. 1421〉)과 同字

5 ⑬ [鉱] 〔광〕
鑛(金部 十五畫〈p. 2423〉)의 略字

6 ⑭ [鉶] 형 [平]靑 戶經切 xíng
[字解] 제기 형 국을 담는, 귀가 둘, 발이 셋이 있는 제기(祭器). '宰夫設—'《儀禮》.
[字源] 篆文 形聲. 金+刑(荆)〔音〕. '荆형'은 테두리 안에 가두다의 뜻. 국을 담는 솥의 뜻을 나타냄.

[鉶羹 형갱] 형(鉶)에 담은 오미(五味)를 섞어 끓인 국.

6 ⑭ [鉸] 교 [上]巧 古巧切 jiǎo / [平]肴 古肴切 铰
[字解] ①가위 교 전도(翦刀). '細束龍髥—刀翦'《李賀》. ②장식 교, 장식할 교 금(金)의 장식.
[字源] 形聲. 金+交〔音〕. '交교'는 '교차시키다'의 뜻. 두 개의 날을 교차시켜서 물건을 자르는 가위의 뜻을 나타냄.

[鉸刀 교도] 가위. 전도(翦刀).
◉寶鉸.

6 ⑭ [銂] 주 [平]尤 職流切 zhōu
[字解] 금장도(金裝刀) 주 '—, 金刀'《五音集韻》.

6 ⑭ [鉻] 락 [入]藥 盧各切 luò 铬
[字解] 깎을 락 체발(剃髮)함.
[字源] 篆文 形聲. 金+各〔音〕

6 ⑭ [鉺] 이 [去]寘 如志切 èr 铒
[字解] 갈고리 이 갈고랑이. '脩箭裊金—'《韓愈》.

◉金鉺.

6 ⑭ [銀] [中人] 은 [平]眞 語巾切 yín 银
[筆順] 𠆢 仒 𠆢 金 金ヨ 鈤 鉏 銀
[字解] ①은 은 금속(金屬)의 한 가지. '它——流直千'《漢書》. ②은기 은 은으로 만든 그릇. '—黃'. '懷—紆紫'《論衡》. ③은빛 은 은색. '—河'. '—世界'. '雪鷺—鷗左右來'《李紳》. ④돈 은 금전. '貨—'. '路—'. '賦—日急家日貧'《貢師泰》. ⑤지경 은 垠(土部 六畫)과 통용. '守其—'《荀子》. ⑥날카로울 은 서슬이 있음. '—手如斷'《大戴禮》. ⑦성 은 성(姓)의 하나.
[字源] 篆文 形聲. 金+艮(𥃩)〔音〕. '𥃩흔'은 그대로 머무르다의 뜻. 황금이 되지 못하고 은으로 머무르고 있는 금속, '은'의 뜻을 나타냄. '銀은'은 '金𥃩은'의 변형.

[銀甲 은갑] ㉠은으로 만든 갑옷. ㉡비파(琵琶)를 탈 때 손가락에 끼우는 은으로 만든 골무.
[銀釭 은강] 밝은 등불.
[銀礦 은광] 은광(銀鑛).
[銀鑛 은광] ㉠은을 함유한 광석(鑛石). ㉡은의 광석을 매장하고 있는 광산. 은광(銀礦).
[銀塊 은괴] 은덩이. 은의 지금(地金).
[銀觥 은굉] 은배(銀杯).
[銀鉤 은구] ㉠은으로 만든 갈고리. ㉡아주 잘 쓴 초서(草書)의 형용. 또는 잘 쓰는 글씨.
[銀鷗 은구] 흰 갈매기. 백구(白鷗).
[銀器 은기] 은으로 만든 기명(器皿).
[銀泥 은니] 은을 금니(金泥)처럼 만든 것.
[銀臺 은대] ㉠신선(神仙)이 사는 곳. ㉡송대(宋代)의 주장(奏狀)을 접수하던 마을.
[銀刀 은도] ㉠은으로 만든 칼. ㉡빛은 희고 모양은 칼 같은 조그만 물고기.
[銀絛 은도] 은실로 땋은 끈.
[銀濤 은도] 은파(銀波).
[銀鐙 은등] 은으로 만든 등자(鐙子).
[銀浪 은랑] 은파(銀波).
[銀鈴 은령] 은으로 만든 방울.
[銀露 은로] 달빛에 비치는 흰 이슬.
[銀幕 은막] ㉠영사막(映寫幕). ㉡영화계(映畫界).
[銀灣 은만] 은하(銀河) ㉠.
[銀箔 은박] 은을 종이같이 얇게 만든 조각.
[銀盤 은반] ㉠은으로 만든 쟁반. ㉡'달〔月〕'의 이칭(異稱). ㉢얼음판.
[銀髮 은발] 은백색의 머리털.
[銀房 은방] 금·은으로 물건을 만들어 파는 가게.
[銀杯 은배] 은잔(銀盞).
[銀甁 은병] ㉠은으로 만든 병. ㉡물을 푸는 아름다운 두레박. ㉢악비(岳飛)의 어린 딸의 일컬음. 아버지가 참소로 죽었다는 말을 듣자, 은병을 안은 채 우물에 빠져 죽었다 함.
[銀沙 은사] 은빛을 띤 흰모래.
[銀絲 은사] 은빛의 실.
[銀山 은산] ㉠은이 나는 광산. 은갱(銀坑). ㉡높이 솟은 흰 물결. ㉢신선(神仙)이 사는 산.
[銀色 은색] 은빛.
[銀蟾 은섬] '달'의 이칭(異稱). 달 속에 두꺼비가 있다는 전설에서 나온 말.
[銀世界 은세계] 눈이 쌓인 경치. 또, 매림(梅林)의 매화꽃이 만발한 경치.
[銀鞍 은안] 은으로 장식한 안장.
[銀鴨 은압] 은(銀)으로 만든 집오리 모양의 향로

(香爐).

[銀艾 은애] 은인(銀印)과 녹수(綠綬). 한대(漢代)에 고관(高官)이 찼음. 애(艾)는 애수(艾綬). 쑥으로 녹색 물을 들이기 때문임.

[銀魚 은어] ㉠뱅어〔白魚〕. 면조어(麵條魚). ㉡은으로 만든 어대(魚袋). 당대(唐代) 오품관(五品官) 이상이 패용했음. ㉢바다빙엇과에 속하는 물고기. ㉣도루묵.

[銀髥 은염] 흰 수염.

[銀葉 은엽] 분향(焚香)할 때 불 위에 까는 운모(雲母)의 얇은 조각.

[銀子 은자] 은화(銀貨). 전(轉)하여, 돈. 금전(金錢).

[銀字 은자] ㉠고대 악기(樂器) 이름. 피리의 한 가지. ㉡은니(銀泥)로 쓴 글자.

[銀字兒 은자아] 송대 소설(宋代小說)의 별칭(別稱). 설화(說話)의 일종.

[銀盞 은잔] 은으로 만든 술잔. 은배(銀杯). 은굉(銀觥).

[銀匠 은장] 금·은·구리들로 그릇을 만드는 장색(匠色). 은장색(銀匠色).

[銀裝刀 은장도] 은으로 만든 칼.

[銀渚 은저] 은하(銀河)㉠.

[銀箭 은전] 물시계의 눈금이 새겨 있는, 은으로 만든 누전(漏箭).

[銀錢 은전] 은으로 만든 돈. 은화(銀貨).

[銀竹 은죽] 소나기.

[銀釵 은차] 은비녀.

[銀釧 은천] 은팔찌.

[銀靑 은청] '은인청수(銀印靑綬)'의 준말. 한대(漢代)에 고관(高官)들이 패용(佩用)했음. 금자(金紫)의 대(對).

[銀燭 은촉] 빛이 희고 밝은 촛불.

[銀鍼 은침] 은으로 만든 침.

[銀兎 은토] ㉠'달'의 이칭(異稱). 달 속에 토끼가 있다는 전설에서 나온 말. ㉡한대(漢代)에 지방관(地方官)에게 주던 부절(符節).

[銀波 은파] 흰 달빛. 또, 달빛이 비친 바다.

[銀牌 은패] 은제의 패(牌).

[銀河 은하] ㉠청명(淸明)한 날 밤에 공중에 흰구름같이 남북으로 길게 보이는 별의 무리. 천하(天河). 천한(天漢). 운한(雲漢). 하한(河漢). 은한(銀漢). 은황(銀潢). 은만(銀灣). ㉡도가(道家)에서 눈〔目〕의 일컬음. 술을 따르는 그릇의 한 가지. 은해(銀海).

[銀河落九天 은하낙구천] 은하(銀河)가 하늘에서 떨어짐. 폭포가 쏜살같이 떨어지는 형용.

[銀河沙漲三千界 은하사창삼천계] 대설(大雪)의 형용(形容). 백거이(白居易)의 시(詩)의 한 구절.

[銀河水 은하수] 은하(銀河)㉠.

[銀漢 은한] 은하(銀河)㉠.

[銀海 은해] ㉠은빛으로 번쩍이는 바다. ㉡도가(道家)에서 눈〔目〕을 이름.

[銀行 은행] 신용(信用)을 이용하여 자기 자본 및 여러 사람의 예금(預金)을 가지고 자본의 수요(需要)와 공급(供給)의 매개(媒介)를 하는 금융 기관.

[銀杏 은행] 은행나무.

[銀婚式 은혼식] 서양의 예식으로서, 결혼 후 25년 만에 올리는 부부의 축하식.

[銀花 은화] ㉠밝은 등불. 또는 촛불을 이름. ㉡눈〔雪〕을 이름.

[銀貨 은화] 은전(銀錢).

[銀環 은환] 은으로 만든 고리.

[銀黃 은황] ㉠은과 금. ㉡은빛과 금빛. 흰빛과 누른빛. ㉢은으로 만든 인(印)과 금으로 만든 인. 모두 고관이 띠는 것.

[銀潢 은황] 은하(銀河)㉠.

◉假銀. 金銀. 路銀. 白銀. 賦銀. 善銀. 碎銀. 水銀. 熟銀. 純銀. 冶銀. 洋銀. 烏銀. 鎔銀. 僞銀. 凝鉛爲銀. 賃銀. 采銀. 黃銀.

6 ⑭ [銅] 高·人 동 ㊥東 徒紅切 tóng 铜

筆順 ㅅ 스 仝 숲 金 釦 銅 銅

字解 ①구리 동 금속의 한 가지. '赤一'. '靑一'. '凡律度量用一者'《漢書》. ②동기 동 구리로 만든 그릇. '五兩之綸, 半通之一'《揚子法言》. ③동화 동 구리로 만든 돈. 전(轉)하여, 널리 돈의 뜻으로 쓰임. '將錢買官, 謂之一臭'《釋常談》.

字源 金文 篆文 形聲. 金+同〔音〕. '同동'은 원기둥꼴의 기구를 본뜬 것. '同'이라는 기구를 만들기 위한 금속, '구리'의 뜻을 나타냄.

[銅坑 동갱] 동산(銅山).

[銅磬 동경] 동(銅)으로 만든 경(磬)쇠.

〔銅磬〕

[銅鼓 동고] 꽹과리. 동(銅)으로 주조하였음.

[銅骨胎 동골태] 황갈색의 구릿빛이 나는 도자기.

[銅礦 동광] 구리를 함유한 광석.

[銅鑛 동광] 동광(銅礦).

[銅券 동권] 동으로 만든 병부(兵符).

[銅觔鐵肋 동근철륵] 동으로 된 근육과 철로 된 늑골(肋骨). 강건(強健)한 신체의 형용. 근(觔)은 근(筋).

[銅金 동금] 구리. 동(銅).

[銅鑼 동라] 정(鉦).

[銅綠 동록] 구리에 생긴 녹.

[銅馬之賊 동마지적] 후한(後漢) 초기에 일어난 적도(賊徒)의 이름.

[銅面具 동면구] 동제(銅製)의 가면(假面).

[銅墨 동묵] 동인(銅印)과 묵수(墨綬). 구리로 만든 관인(官印)과 빛이 검은 인끈.

[銅盤 동반] 구리로 만든 쟁반.

[銅鉢 동발] 《佛敎》 중이 근행(勤行)할 때 치는 구리로 만든 주발 모양의 악기.

〔銅鉢〕

[銅鈸 동발] 동(銅)으로 만든 원반(圓盤) 비슷한 두 개의 짝을 마주 쳐서 소리를 내는 악기(樂器). 요발(鐃鈸).

[銅佛 동불] 구리로 만든 불상(佛像).

[銅山 동산] 구리를 채굴하는 산. 동갱(銅坑).

[銅像 동상] 구리로 그 사람의 형체(形體)와 같이 만든 형상(形像).

[銅色 동색] 구릿빛.

[銅屑 동설] 구리의 가루.

[銅印 동인] 구리로 만든 관인(官印).

[銅爵臺 동작대] 위(魏)의 조조(曹操)가 업(鄴)에 쌓은 대(臺)의 이름. 구리로 만든 봉황새를 옥상에 안치하였음. 동작대(銅雀臺).
[銅匠 동장] 구리 그릇을 만드는 직공.
[銅錢 동전] 구리로 만든 돈.
[銅鉦 동정] ㉠동라(銅鑼). ㉡해[日]의 비유.
[銅柱 동주] ㉠구리로 만든 기둥. ㉡구리로 만든 표주(標柱).
[銅池 동지] 구리로 만든 홈통.
[銅靑 동청] 동록(銅綠).
[銅臭 동취] 돈 냄새. 돈으로 벼슬을 산 사람을 조소하는 말. 전(轉)하여, 돈을 탐내는 일.
[銅駝街 동타가] 낙양(洛陽)의 거리 이름. 동제(銅製)의 낙타(駱駝)가 그곳에 있었음. 동가(銅街).
[銅版 동판] 구리 조각에 새긴 인쇄 원판.
[銅牌 동패] 구리로 만든 패(牌), 또는 상패(賞牌).
[銅標 동표] 구리로 만든 표(標).
[銅壺 동호] 구리로 만든 누각(漏刻).
[銅虎符 동호부] 구리로 범 형상으로 만든 병부(兵符). 군사를 징발하는 데 씀. 호부(虎符).
[銅渾 동혼] 구리로 만든 혼천의(渾天儀). 옛날에 천체(天體)의 위치·운동 등을 나타내기 위하여 만든 구면(球面). 동의(銅儀).

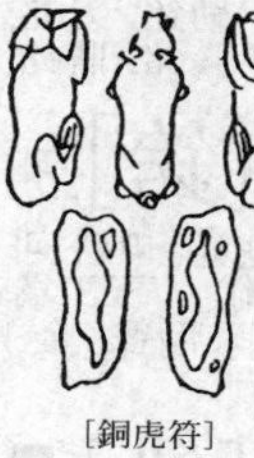
[銅虎符]

[銅貨 동화] 동전(銅錢).
◉金銅. 白銅. 分銅. 鍊銅. 紫銅. 赤銅. 精銅. 鑄銅. 採銅. 靑銅. 廢銅. 黃銅.

6 ⑭ [銉] 율 [入]質 允律切 yù
[字解] 바늘 율 '一, 針也'《集韻》.

6 ⑭ [銍] 질 [入]質 陟栗切 zhì
[字解] ①낫 질 벼를 베는 데 쓰는 짧은 낫. '一, 穫禾鐵也'《釋名》. ②벨 질 베어 거둠. '奄觀一艾'《詩經》. ③벼이삭 질 낫으로 벤 벼의 이삭. '二百里納一'《書經》.
[字源] [篆文] 形聲. 金+至[音].

[銍艾 질예] 낫으로 벰. 베어 거둠.
[銍刈 질예] 질예(銍艾).

6 ⑭ [鉿] [一] 협 [入]洽 古洽切 jiā
[二] 합 [入]合 古沓切 gē, ③hā 铪
[字解] [一] 빠지는소리 협, 구멍뚫리는소리 협 '陽氣扶物而鑽乎堅, 一然有穿'《太玄經》. [二] ①소리의모양 합 '一, 聲也'《玉篇》. ②광석(鑛石) 합 '一, 鋌也'《廣雅》. ③원소이름 합 화학 원소(化學元素) 하프늄(Hafnium)의 역어(譯語).

6 ⑭ [銑] [人名] 선 [上]銑 蘇典切 xiǎn 铣
[筆順] 銑
[字解] ①끌 선 나무에 구멍을 파는 연장. '一, 一曰, 小鑿也'《說文》. ②뿌릴 선 물을 뿌림. '一者寒甚矣'《國語》. ③꾸밀 선 금으로 활고자를 장식함. '弓以金者, 謂之一'《爾雅》. ④금 선 황금 중에서 가장 광택이 나는 것. '絕澤謂之一'《爾雅》. ⑤무쇠 선 주철(鑄鐵). '一鐵'.
[字源] [篆文] 形聲. 金+先[音]. '先선'은 '洗세'와 통하여 '씻다'의 뜻. 씻긴 듯이 윤이 나는 금속의 뜻을 나타냄.

[銑錢 선전] 무쇠로 만든 돈.
[銑鐵 선철] 무쇠.
[銑鋧 선현] 먼 데서 던져서 사람을 살상하는 데 쓰는 푼끌.

6 ⑭ [銓] [人名] 전 [平]先 此緣切 quán 铨
[筆順] 銓
[字解] ①저울 전 무게를 다는 제구. '考量以一'《漢書》. ②저울질할 전 무게를 닮. '量丈尺寸斤兩一'《急就篇》. ③가릴 전 인물의 재능을 저울질하여 뽑음. '一衡'. '吏部有三一法'《唐六典》. ④성 전 성(姓)의 하나.
[字源] [篆文] 形聲. 金+全[音]. '全전'은 '算산'과 통하여 '세다'의 뜻. 무게를 재기 위한 금속제의 도구, '저울'의 뜻을 나타냄.

[銓簡 전간] 전선(銓選).
[銓考 전고] 인물을 전형(銓衡)하고 고찰(考察)함.
[銓管 전관] 전선(銓選)하고 관리(管理)함.
[銓校 전교] 전고(銓考).
[銓別 전별] 전판(銓判).
[銓補 전보] 전형하여 보충함.
[銓部 전부] '이부성(吏部省)'의 이칭(異稱).
[銓敍 전서] 인재를 가려 서임(敍任)함.
[銓選 전선] 전형하여 선발함.
[銓掌 전장] 인물을 전형하는 것을 관장함.
[銓綜 전종] 전총(銓總).
[銓次 전차] 재능을 조사하여 우열의 차서를 매김.
[銓總 전총] 전형하고 총리(總理)함.
[銓擢 전탁] 전형하여 발탁함.
[銓汰 전태] 선악을 가려냄.
[銓擇 전택] 전선(銓選).
[銓判 전판] 선악을 판단하여 가림.
[銓衡 전형] ㉠저울. ㉡인재를 가려 등용함. 또, 그 벼슬.
◉末銓. 分銓. 釘銓. 執銓. 判銓.

6 ⑭ [⿰金冊] [一] 산 [去]諫 所諫切 shàn
[二] 책 [入]陌 測革切
[字解] [一] 정금 산 정련(精鍊)한 황금. '一, 精金'《字彙》. [二] 쇠그릇 책 철제(鐵製)의 그릇. '一, 鐵器'《集韻》.

6 ⑭ [銔] [一] 피 [平]支 攀悲切 pī
[二] 비 [平]支 貧悲切
[字解] [一] 기이름 피 '靈姑一'는 기명(旗名). '公卜使王黑以靈姑一率, 吉'《左傳》. [二] 기이름 비 [一]과 뜻이 같음.

◉靈姑銔.

6 ⑭ [銖] [人名] 수 [平]虞 市朱切 zhū 铢

[筆順] ㅅ 스 仒 金 釒 釺 銖 銖

[字解] ①중량이름 수 무게의 단위. 양(兩)의 24분의 1. '一而稱之, 至石必過'《說苑》. 전(轉)하여, 근소(僅少). 극소량. '分一'. '雖分國如錙一'《禮記》. ②무딜 수 끝이나 날이 날카롭지 아니함. '其兵戈一, 而無刃'《淮南子》. ③성 수 성(姓)의 하나.

[字源] 篆文 形聲. 金+朱〔音〕

[銖鈍 수둔] 둔함. 무딤.
[銖兩 수량] ㉠수(銖)와 양(兩). 곧, 무게가 얼마 안 나가는 저울눈. ㉡약간. 근소(僅少).
[銖兩之姦 수량지간] 사소한 악사(惡事).
[銖分 수분] 세밀히 분별함.
[銖積寸累 수적촌루] 티끌 모아 태산과 같은 뜻. 진합태산(塵合泰山).
[銖寸 수촌] 조금. 극히 적음.
[銖稱差 수칭차] 조금씩 나누어서 달아 합친 무게는 함께 합쳐 단 것과 약간의 차이가 남을 이름.
◉毛銖. 分銖. 五銖. 一銖. 錙銖.

6 ⑭ [銀] 은 [平]文 宜斤切 yín

[字解] 말치장 은 말을 치장(治裝)하는 기구. '一, 馬飾器'《篇海》.

6 ⑭ [銗] 후 [平]尤 戶鉤切 xiàng

[字解] 항통(銗筒) 후 투서함(投書函)의 한 가지. 缿(缶部 六畫)과 뜻이 같음. '投一購告言姦'《漢書》.

[字源] 形聲. 金+后〔音〕

[銗鏤 후루] 옛 솥의 한 가지.

6 ⑭ [銡] 길 [入]物 古乞切 jí

[字解] 삐걱거릴 길 '機械軋一'《錢氏桑海遺錄序》.

6 ⑭ [銘] [高人] 명 [平]青 莫經切 míng

[筆順] ㅅ 스 仒 金 金 釸 銘 銘

[字解] ①새길 명 ㉠각(刻)함. '一金石'. '故一其栝, 曰肅愼氏之貢矢'《國語》. ㉡마음속에 깊이 기억하여 둠. '一佩'. '一肌鏤骨'《顏氏家訓》. ②명 명 ㉠금석(金石)에 새긴 글. '刀一'. '鼎一'. '爲之一志'《南史》. ㉡문체의 이름. 곧, 한문의 한 체(體)로서, 혹은 그릇에 새겨 스스로 경계하고, 혹은 묘비(墓碑) 등에 새겨 그 사람의 공덕을 찬양하는 글. '墓誌一'. '一名也, 述其功美, 使可稱名也'《釋名》. ㉢장례(葬禮) 때, 기(旗)에 적은 죽은 사람의 관직·성명 등. '一旌'. '設熬置一'《周禮》.

[字源] 金文 篆文 形聲. 金+名〔音〕. '名명'은 이름을 대다의 뜻. 금속에 이름을 새기다의 뜻을 나타냄.

[銘刻 명각] ㉠금석(金石)에 문자를 새김. 또, 그 문자. ㉡명심(銘心).
[銘肝 명간] 명심(銘心).
[銘戒 명계] 깊이 마음에 새겨 두고 경계함.
[銘旗 명기] 명정(銘旌).
[銘肌鏤骨 명기누골] 명심불망(銘心不忘).
[銘戴 명대] 마음에 깊이 느끼어 받듦.
[銘誄 명뢰] 죽은 사람의 공덕(功德)을 적은 글.
[銘心 명심] 마음에 새겨 둠. 간명(肝銘).
[銘心鏤骨 명심누골] 명심불망(銘心不忘).
[銘心不忘 명심불망] 마음속에 깊이 새기어 잊지 아니함.
[銘意 명의] 명심(銘心).
[銘旌 명정] 장사 때 쓰는, 죽은 사람의 관직·성명 등을 적은 기. 명정(明旌). 명기(銘旗).
[銘志 명지] 비석·종 등에 새기는 글.
[銘誌 명지] 명지(銘志).
[銘佩 명패] 마음속에 깊이 간직함.
◉刻銘. 刊銘. 肝銘. 感銘. 鑑銘. 鏡銘. 勒銘. 刀銘. 銅銘. 墓誌銘. 盤銘. 碑銘. 箴銘. 篆銘. 鼎銘. 鐘銘. 座右銘. 座左銘.

[銘旌]

6 ⑭ [銙] 과 [上]馬 苦瓦切 kuǎ

[字解] 띠쇠 과 띠를 매는 데 달린 쇠. 대구(帶鉤). '玉工爲帝作帶, 誤毁一一'《唐書》.

[字源] 形聲. 金+夸〔音〕

6 ⑭ [銚] [一] 요 [平]蕭 餘昭切 yáo [二] 조 [平]蕭 田聊切 tiáo

[字解] [一] ①냄비 요 자루와 귀때가 달린 냄비. '當以銀一煮'《遵生八牋》. ②성 요 성(姓)의 하나. [二] ①가래 조 큰 가래. '一耒一耜一一'《管子》. ②창 조 긴 창. '長一利兵'《呂氏春秋》. ③깎을 조, 벨 조 '一鎒於是乎始修'《莊子》.

[字源] 篆文 形聲. 金+兆〔音〕. '兆조'는 점칠 때 나타나는 갈라진 금의 象形, 논밭에 갈라진 금을 내기 위한 농구, '가래'의 뜻을 나타냄. 또 '兆조'는 '跳도'와 통해 '튀어 오르다'의 뜻. 물을 튀어 오르게 하여 끓게 만드는 그릇, '냄비'의 뜻을 나타냄.

[銚鎒 조누] 가래와 호미.
◉茶銚. 銅銚. 瓦銚. 銀銚. 湯銚. 把銚.

6 ⑭ [鉹] [一] 치 [上]紙 敞尒切 chǐ [二] 이 [平]支 余支切 yī

[字解] [一] ①시루 치 쌀 따위를 찌는 그릇으로, 바닥에 작은 구멍이 있는 것. '一, 方言云, 涼州呼甑'《廣韻》. ②찬칼 치 작은 칼. '一, 一曰, 小刀'《集韻》. [二] 시루 이, 찬칼 이 [一]과 뜻이 같음.

[字源] 形聲. 金+多〔音〕

6 ⑭ [銛] 섬 [平]鹽 息廉切 xiān

[字解] ①쟁기 섬 밭을 가는 농구. ②작살 섬 물고기를 찔러 잡는 연장. ③날카로울 섬 예리함. '莫邪爲鈍兮, 鉛刀爲一'《漢書》.

[字源] 篆文 會意. 金+舌. 끝이 혀 모양인 쟁기, 작살 등의 쇠붙이 기구의 뜻을 나타냄.

[銛鋼 섬강] 예리한 강철.
[銛戈 섬과] 예리한 창. 섬극(銛戟). 섬모(銛矛).
[銛鉤 섬구] 날카로운 낚시.
[銛戟 섬극] 섬과(銛戈).
[銛刀 섬도] 잘 드는 칼. 이도(利刀).
[銛鈍 섬둔] 잘 듦과 무딤. 예둔(銳鈍). 이둔(利鈍).
[銛利 섬리] 칼이 잘 듦. 예리(銳利).
[銛矛 섬모] 섬과(銛戈).
[銛鍔 섬악] 섬도(銛刀).
[銛銳 섬예] 예리함.
[銛錐 섬추] 날카로운 송곳.
◉內銛. 鉎銛. 鋒銛.

6
⑭ [銬] ㊍ 고 kào

字解 《現》 ①쇠고랑 고 '一子·手一子'는 쇠고랑. 수갑(手甲). ②쇠고랑채울 고.

6
⑭ [鉈] 타 chá

字解 띠끝 타 '一尾'는 예장(禮裝)할 때 띠는 띠의 늘어진 끝. 어미(魚尾). '腰帶者, 揞垂頭以下, 名曰一尾'《唐書》.

[鉈尾 타미] 자해(字解)를 보라.

6
⑭ [銷] 〔현〕
銷(金部 七畫〈p. 2395〉)과 同字

6
⑭ [銢] 〔벽·백〕
鈲(金部 四畫〈p. 2379〉)의 本字

6
⑭ [鉷] 人名 홍 ㊥東 胡公切 hóng

筆順 ⺈ 𠆢 钅 金 金一 鉷 鉷 鉷

字解 쇠뇌고동 홍 쇠뇌의 살을 발사하는 부분. '一, 埤倉, 弩牙辟致也'《集韻》.
字源 形聲. 金+共〔音〕

6
⑭ [銃] 高人 총 ㊦送 充仲切 chòng 铳 銃

筆順 ⺈ 亼 钅 金 金 金亠 金𠫓 銃

字解 ①도끼구멍 총 도끼 자루를 박는 구멍. ②총 총 무기의 한 가지. '小一'. '每一隊一手'《紀效新書》.
字源 形聲. 金+充〔音〕. '充총'은 '채우다'의 뜻. 화약과 탄알을 재어서 쏘는 '총'의 뜻을 나타냄.

[銃架 총가] 총을 걸쳐 두는 받침.
[銃劍 총검] ㉠총(銃)과 칼. ㉡총열 끝에 꽂은 칼.
[銃擊 총격] 총으로 쏨.
[銃口 총구] 총부리.
[銃器 총기] 여러 가지 총의 총칭.
[銃獵 총렵] 총을 가지고 하는 사냥.
[銃殺 총살] 총으로 쏘아 죽임.
[銃床 총상] 총대.
[銃牀 총상] 총상(銃床).
[銃傷 총상] 총에 맞아 다친 상처.
[銃聲 총성] 총을 쏘는 소리.
[銃手 총수] 총을 쏘는 사람.
[銃身 총신] 총열.
[銃眼 총안] 성벽(城壁) 등에 뚫어 놓은 총을 내쏘는 구멍.
[銃創 총창] 총상(銃傷).
[銃鎗 총창] ㉠총과 창. ㉡총 끝에 꽂는 창.
[銃帚 총추] 총을 소제하는 용구.
[銃彈 총탄] 총알.
[銃筒 총통] 탄환을 넣어 쏘던 옛날의 총.
[銃炮 총포] 총. 총포(銃砲).
[銃砲 총포] ㉠총. ㉡총과 대포(大砲).
[銃刑 총형] 총살하는 형벌.
[銃火 총화] 총부리에서 번쩍이는 불.
[銃丸 총환] 총알.
◉拳銃. 機關銃. 機銃. 多發銃. 短銃. 木銃. 小銃. 獵銃. 長銃. 鳥銃. 火繩銃.

6
⑭ [鋺] 人名 귀 ㊤紙 過委切 guǐ

字解 가래 귀 가래의 쇠 부분. '一, 臿金也'《說文》.
字源 篆文 形聲. 金+危〔音〕

6
⑭ [鉵] 동 ㊥冬 徒冬切 tóng

字解 ①가래 동 농기구의 하나. '一, 枱屬也'《說文》. ②큰가래 동 큰가래. 또, 가래가 큰 모양. '一, 大鉏'《廣韻》. '一, 鉏大皃'《玉篇》.
字源 形聲. 金+蟲〈省〉〔音〕

6
⑭ [銄] 〔향〕
餉(食部 六畫〈p. 2573〉)의 訛字

6
⑭ [銋] 임 ㊥侵 如林切 rén

字解 ①젖을 임 '一, 字林, 濡也'《集韻》. ②구부릴 임, 구부러질 임 '翻缺卷一'《淮南子》.

6
⑭ [鈃] ▣ 형 ㊥青 戶經切 xíng
▣ 견 ㊥先 經天切 jiān

字解 ▣ 술그릇 형 주기(酒器)의 한 가지. ▣ 사람이름 견 인명(人名). '宋一'. '是墨翟宋一也'《荀子》.
字源 金文 篆文 形聲. 金+幵〔音〕
參考 鈃(金部 四畫)은 俗字.

6
⑭ [銗] ▣ 겸 ㊥鹽 丘廉切 qiān
▣ 검 ㊥咸 丘凡切

字解 ▣ 머리가구부러진끌 겸 '一, 曲頭鑿'《集韻》. ▣ 머리가구부러진끌 검 ▣과 뜻이 같음.

6
⑭ [銕] 〔철〕
鐵(金部 十三畫〈p. 2419〉)의 古字

6
⑭ [鋆] 〔균〕
鈞(金部 四畫〈p. 2380〉)과 同字

6
⑭ [鉤] 〔균〕
鈞(金部 四畫〈p. 2380〉)의 古字

6
⑭ **[鉾]** 〔모·무〕
矛(部首〈p.1555〉)의 古字

字源 形聲. 金+牟〔音〕. '牟모'는 '矛모'와 통하여 '창'의 뜻. 금속제의 창의 뜻을 나타냄.

6
⑭ **[鉑]** 맥 ㊀陌 莫白切 mò

字解 맥도 맥 병기(兵器)의 이름. '一, 一刀, 兵器'《集韻》.

6
⑭ **[鋷]** 〔쇄〕
鎩(金部 十一畫〈p.2412〉)와 同字

6
⑭ **[鍋]** 타 ①㊤朶 都果切 duǒ
②㊦箇 都唾切 duò

字解 ①이지러질 타 '一, 缺也'《集韻》. ②자를 타 썲. 剁(刀部 六畫)와 同字. '一, 剉也, 或从刀'《集韻》.

6
⑭ **[鉼]** 人名 〔병〕
鉼(金部 八畫〈p.2403〉)의 俗字

筆順 𠆢 亼 牟 金 金 金´ 鉼 鉼

6
⑭ **[銭]** 〔전〕
錢(金部 八畫〈p.2400〉)의 俗字

6
⑭ **[銜]** 人名 함 ㊥咸 戶監切 xián 衔

字解 ①재갈 함 말의 입에 물리는, 쇠로 만든 물건. '馬一' '鑣一' '利其一策'《漢書》. ②물 함 입에 묾. '一枚' '吾欲一汝去, 口噤不能開'《古詩》. ③받들 함 명령을 받아 일을 행함. '一君命而使'《禮記》. ④원망할 함 함혐함. '后不遜, 壽皇有怒語, 后一之'《十八史略》. ⑤품을 함 ㉠마음속에 지님. '一怨入骨'《十八史略》. ㉡싸서 가짐. 포유(包有)함. '一遠山呑長江'《范仲淹》. ⑥직함 함 관리의 위계(位階). '十年不改舊官一'《白居易》.

字源 篆文 會意. 行+金. 말을 가게 하기 위하여 말의 입에 물리는 '재갈'의 뜻을 나타냄. '金금'은 재갈이 금속제이기 때문에 쓰임.

[銜塊 함괴] 입에 흙을 머금음. 옛날에 죄를 청하여 죽기를 결심한 뜻을 보이는 예(禮).
[銜橛之變 함궐지변] 말이 성을 내어 재갈이 벗겨지고 굴대가 부러져 수레가 전복하는 변고(變故).
[銜勒 함륵] 재갈.
[銜枚 함매] 옛날에 진군할 때에 군졸이나 말이 소리를 내지 못하게 하기 위하여 입에다 나무를 물리던 일. 매(枚)는 젓가락같이 생긴 나무. 입에 물리고 양쪽 끝에 끈을 달아 목 뒤로 매게 되었음.
[銜命 함명] 명령을 받들어 타인에게 전함.
[銜尾相隨 함미상수] 뒤따르는 말의 재갈이 앞 말의 꼬리를 따른다는 뜻. 길이 험하여 나란히 가지 못하고 기마(騎馬)가 종렬(縱列)로 바싹 붙어 감을 이름.
[銜杯 함배] 술을 마심.
[銜璧輿櫬 함벽여츤] 옛날에 항복(降服)할 때의 예(禮). 손을 묶였으므로 옥(玉)을 입에 물고 관(棺)을 등에 진다는 뜻.
[銜冤 함원] 억울한 죄를 쓰고 하소연할 곳이 없음.
[銜泣 함읍] 소리를 내지 않고 욺.
[銜字 함자] 남의 이름의 존칭(尊稱).
[銜荷 함하] 남에게서 입은 은혜를 고맙게 여김.
[銜華佩實 함화패실] 꽃이 피고 열매를 맺음. 곧, 문(文)과 질(質)이 겸비(兼備)됨을 이름.
◉羈銜. 馬銜. 密銜. 轡銜. 新銜. 深銜. 鞍銜. 列銜. 弛銜. 人銜. 紫鸞銜. 轉銜. 縱銜. 駘銜. 鑣銜.

6
⑭ **[銐]** ■ 체 ㊦霽 尺制切 chì
■ 례 ㊦霽 力制切 lì

字解 ■ 낫 체 풀을 베는 기구. 鏍(金部 八畫)와 同字. '鏍, 除艸器, 或作一'《集韻》. ■ 날카로울 례 예리(銳利)함. '一, 利也'《集韻》.

6
⑭ **[鋓]** 銐(前條)와 同字

6
⑭ **[銎]** 공 ㊥冬 曲恭切 qióng

字解 도끼구멍 공 도끼의 자루를 박는 구멍. '大柯斧一長八寸'《六韜》.

字源 篆文 形聲. 金+巩(玐)〔音〕. '玐공'은 구멍을 뚫다의 뜻. 날붙이에 뚫어 놓은 구멍의 뜻을 나타냄.

[銎銎 공공] 물건을 때려 치는 모양.

6
⑭ **[銮]** 〔란〕
鑾(金部 十九畫〈p.2426〉)의 俗字

6
⑭ **[銝]** 휴 ㊥尤 虛尤切 xiū

字解 긴바늘 휴 '一, 長針也'《字彙》.

7
⑮ **[銳]** 高人 ■ 예 ㊦霽 以芮切 ruì 锐
■ 태 ㊦泰 杜外切 duì

筆順 𠆢 亼 牟 金 金 金丷 鉛 銳

字解 ■ ①날카로울 예 ㉠끝이 뾰족하거나 날이 서 있음. '一利' '尖一' '淸徑皓刃, 苗山一鋒'《陳琳》. 또, 날카로운 끝. 봉망(鋒芒). '挫其一'《老子》. 또, 날카로운 무기. '被堅執一'. ㉡민첩함. 재치가 있음. '聰一' '子羽一敏'《左傳》. ②날랠 예 나는 듯이 기운차고 빠름. '一騎' '我以一師, 宵加於鄭'《左傳》. 또, 날랜 군사. '精一' '盡一攻之'《漢書》. ③날카롭게할 예, 날래게할 예 '習於兵, 一意攻取'《十八史略》. '魏其一身爲救灌夫'《史記》. ④작을 예 세소(細小)함. '不亦一乎'《左傳》. ⑤성 예 성(姓)의 하나. ■ 창 태 창(槍)의 일종. '一人冕執一'《書經》.

字源 篆文 形聲. 金+兌〔音〕. '兌태'는 맺힌 것이 분해되다의 뜻. 물건을 분해하는 금속의 뜻에서 '날카롭다'의 뜻을 나타냄.

[銳角 예각] 직각(直角)보다 작은 각.
[銳口 예구] 변설(辯說)이 능란함.
[銳氣 예기] 성질이 군세어 남에게 지지 아니하는 날카로운 기운.

[銳騎 예기] 날랜 기병.
[銳鈍 예둔] 날카로움과 둔(鈍)함.
[銳鋃 예랑] 연찬(硏鑽)함.
[銳利 예리] 두뇌나 칼날이 날카로움.
[銳敏 예민] 날쌔고 민첩(敏捷)함.
[銳兵 예병] ㉠예리한 무기. ㉡예졸(銳卒).
[銳鋒 예봉] 날카로운 창끝.
[銳士 예사] 날랜 군사.
[銳師 예사] 날랜 군대. 이사(羸師)의 대(對).
[銳上 예상] 이마가 좁고 뾰족함.
[銳意 예의] 마음을 단단히 차려 힘써 함. 예지(銳志). 예정(銳精).
[銳將 예장] 날랜 장수.
[銳精 예정] 예의(銳意).
[銳爪 예조] 날카로운 발톱.
[銳卒 예졸] 날랜 병졸. 강한 군대.
[銳志 예지] 예의(銳意).
[銳進 예진] 용기(勇氣) 있게 나아감.
[銳悍 예한] 날래고 사나움. 효용(驍勇)함. 경한(勁悍). 효한(驍悍).
[銳喙 예훼] 뾰족한 부리.
◉剛銳. 勁銳. 輕銳. 果銳. 極銳. 氣銳. 芒銳. 猛銳. 明銳. 敏銳. 鋒銳. 銛銳. 纖銳. 盛銳. 細銳. 新銳. 養銳. 練銳. 完銳. 勇銳. 圓銳. 意銳. 利銳. 長銳. 折銳. 精銳. 進銳. 尖銳. 聰銳. 蓄銳. 被堅執銳. 悍銳. 陷銳. 豪銳. 驍銳.

7 ⑮ [鋔] 만 [上]阮 亡返切 wǎn
[字解] 끌 만 끌어당김. '一, 引也'《字彙》.

7 ⑮ [鋍] 발 [入]月 蒲沒切 bó
[字解] 솥에서끓어넘칠 발 '䰯, 說文, 吹沸溢也, 或从金'《集韻》.

7 ⑮ [鋤] 사 [平]歌 素何切 / [平]麻 師加切 shā
[字解] 징 사 '一鑼'는 정(鉦)의 일종. 일설에는, 술동이.

[鋤鑼 사라] 자해(字解)를 보라.

7 ⑮ [銶] [人名] 구 [平]尤 巨鳩切 qiú 𫓯
[筆順] 𠆢 亼 仐 金 釒 釒 釒 銶
[字解] 끌 구 나무에 구멍을 파는 연장. 착(鑿)의 일종. '又缺我一'《詩經》.
[字源] 形聲. 金+求〔音〕

7 ⑮ [鋇] 패 [去]泰 博蓋切 bèi 钡
[字解] ①거친쇠 패 제련(製鍊)하지 않은 원광(原鑛). '一, 鋌也'《廣雅》. ②칼끝 패 칼·창 등의 뾰족한 끝. '一, 鋒也'《字彙》.

7 ⑮ [銷] [人名] 소 [平]蕭 相邀切 xiāo 销
[字解] ①녹을 소, 녹일 소 용해함. 용해시킴. '一金'. '收天下之兵, 聚之咸陽, 一鋒鑄鐻, 以爲金人十二'《史記》. ②사라질 소, 꺼질 소 없어짐. '魂一'. '燈一'. '虹一雨霽'《王勃》. ③사라지게할 소, 꺼지게할 소 '一夏'. ④쇠할 소, 쇠하게할 소 쇠약함. 쇠약하게 함. '其勢一弱'《史記》. ⑤작을 소 크지 아니함. '其聲一'《莊子》. ⑥무쇠 소 생철(生鐵). '羊頭之一'《淮南子》. ⑦성 소 성(姓)의 하나.
[字源] [篆文] 形聲. 金+肖〔音〕. '肖소·초'는 '작아지다'의 뜻. 금속이 작아지다, 녹다의 뜻을 나타냄.

[銷刻 소각] 깎여 없어짐. 깎아 없앰. 소마(銷磨).
[銷距 소거] 며느리발톱을 없앤다는 뜻으로, 용병(用兵)치 아니함을 이름.
[銷骨 소골] 단단한 뼈도 녹인다는 뜻으로, 참소(讒訴)의 피해가 대단히 큼을 이름.
[銷金 소금] ㉠녹인 금. 또, 금을 녹임. ㉡돈을 물 쓰듯 헤프게 씀. ㉢금박(金箔)을 입힘.
[銷金鍋 소금과] 금을 녹이는 냄비라는 뜻으로, 금전(金錢)을 낭비하는 곳. 유락지(遊樂地) 등을 이름.
[銷金帳 소금장] 금박(金箔)으로 장식한 휘장.
[銷落 소락] 소실(銷失).
[銷磨 소마] 닳아 없어짐. 또, 닳아 없어지게 함.
[銷鋒灌燧 소봉관수] 병기(兵器)를 녹이고 봉화(烽火)에 물을 끼얹는다는 뜻으로, 전란(戰亂)이 가라앉음을 이름.
[銷鑠 소삭] 쇠붙이가 녹아서 없어짐.
[銷暑 소서] 더위를 없앰. 소하(銷夏).
[銷損 소손] 손상(損傷)함. 지워 없앰.
[銷衰 소쇠] 쇠약해짐.
[銷息 소식] 사라져 없어짐.
[銷失 소실] 삭아 없어짐. 녹아 없어짐. 사라져 없어짐. 소락(銷落).
[銷弱 소약] 쇠약함.
[銷愞 소연] 소약(銷弱).
[銷憂 소우] 근심을 없앰.
[銷殘 소잔] 삭아 없어짐.
[銷沈 소침] ㉠기세(氣勢)가 쇠퇴함. ㉡없어짐.
[銷夏 소하] 여름의 더위를 없앰.
[銷魂 소혼] 넋이 빠짐. 혼소(魂銷).
[銷毁 소훼] 녹여 없앰. 소멸시킴.
◉燈銷. 兵銷. 廢銷. 魂銷. 虹銷.

7 ⑮ [銼] [一] 좌 [平]歌 昨禾切 cuò / [二] 좌 [去]箇 麤臥切 cuò 锉
[字解] [一] 가마솥 좌 통통하고 작은 솥. '土一烹熬雨露香'《洪希文》. [二] 꺾을 좌 挫(手部 七畫)와 同字. '兵一藍田'《史記》.
[字源] [篆文] 形聲. 金+坐〔音〕. '坐좌'는 '앉다'의 뜻. 통통하고 키가 낮은 가마솥의 뜻을 나타냄.

◉土銼.

7 ⑮ [銽] 괄 [入]黠 古刹切 guā
[字解] 끊을 괄 베어 끊음. '一, 斷也'《說文》.
[字源] 形聲. 金+昏〔音〕

7 ⑮ [鋂] 매 [平]灰 莫杯切 méi

[字解] 사슬고리 매 한 큰 고리에 작은 두 고리를 끼운 사슬. 자모환(子母環). '盧重一'《詩經》.
[字源] [篆文] 形聲. 金+每〔音〕. '每매'는 '어머니'의 뜻. 큰 고리에 두 개의 작은 고리를 끼운 사슬의 뜻을 나타냄. 그 모양이 어머니가 아기를 안고 있는 것과 같으므로 일컬음.

7 ⑮ [鋑] [一] 찬 ㊥寒 七丸切 cuān [二] 첨 ㊥鹽 將廉切 cuān [三] 전 ㊥先 子泉切 juān
[字解] [一] 칼 찬 '一, 刀也'《集韻》. [二] 송곳 첨 '一, 錐也, 或作殺·鑴'《集韻》. [三] 끌 전, 뚫을 전 끌은 단단한 것을 쪼아 내는 연장. 鐫(金部 十三畫)과 同字. '鐫, 一, 說文, 穿木鐫也, 一曰, 琢石也'《集韻》.

7 ⑮ [鋃] 랑 ㊥陽 魯當切 láng 锒
[字解] 쇠사슬 랑 '一鐺'은 쇠사슬. 전(轉)하여, 곤란(困難)의 비유로 쓰임. '一鐺之爲物, 連牽而重, 故俗以困重不擧, 爲一鐺'《六書故》.
[字源] [篆文] 形聲. 金+良〔音〕

[鋃鐺 낭당] 쇠사슬. 쇠사슬은 무거워 들기 어려운 물건이므로, 전(轉)하여 '곤란(困難)'의 비유로 쓰임.

7 ⑮ [鋊] 욕 ㊀沃 余蜀切 yù
[字解] 구리가루 욕 구리를 갈아 만든 가루. 동설(銅屑). '或盜摩錢質, 以取一'《漢書》.
[字源] [篆文] 形聲. 金+谷〔音〕

7 ⑮ [銻] 제 ㊥齊 杜奚切 tí, ②tī 锑
[字解] ①구슬이름 제 '鎕一'는 구슬의 이름. '一, 鎕一, 火齊'《廣韻》. ②원소이름 제 화학 원소(化學元素) 안티몬의 역어(譯語).
[字源] 形聲. 金+弟〔音〕

7 ⑮ [鋋] [一] 연 ㊥先 以然切 yán [二] 선 ㊥先 市連切 chán
[字解] [一] ①창 연 쇠 자루가 달린 짧은 창(槍). '此矛一之地'《漢書》. ②찌를 연 창으로 찌름. '一猛氏'《漢書》. [二] 창 선, 찌를 선 [一]과 뜻이 같음.
[字源] [篆文] 形聲. 金+延〔音〕. '延연'은 '늘이다'의 뜻. 금속을 얇게 편 날붙이의 뜻을 나타냄.

◉鎧鋋. 戈鋋. 矛鋋. 殳鋋.

7 ⑮ [鋌] [人名] 정 ㊤迥 徒鼎切 dìng, ④tǐng 铤
[筆順] 𠆢 牟 金 金二 釬 鋌 鋌 鋌
[字解] ①광석 정 동(銅)·철(鐵)의 광석(鑛石). '耶谿之一'《張協》. ②동철 정 구리와 쇠의 총칭. '至內庫, 閱珍物, 見金一'《南史》. ③없어질 정, 빌 정 '物空盡者曰一'《揚子方言》. ④달릴 정 빨리 달리는 모양. '一而走險'《左傳》.
[字源] [篆文] 形聲. 金+廷〔音〕. '廷정'은 곧게 튀어나오다의 뜻. 곧게 튀어나온 금속, 동이나 철의 광석의 뜻을 나타냄.

[鋌鑰 정약] 열쇠.
◉金鋌.

7 ⑮ [鋏] 협 ㊀葉 古協切 jiá 铗
[字解] ①부젓가락 협 부젓가락. '鐵一染浮煙'《庾信》. ②칼 협 도검(刀劍). '長一歸來乎'《十八史略》. ③칼코등이 협 검비(劍鼻). '周宋爲鐔, 韓魏爲一'《莊子》.
[字源] [篆文] 形聲. 金+夾〔音〕. '夾협'은 '끼다'의 뜻. 대장간에서 달군 금속을 단련할 때 끼우는 도구, 부젓가락의 뜻을 나타냄.

◉劍鋏. 擊鋏. 短鋏. 矛鋏. 長鋏. 鐵鋏. 彈鋏.

7 ⑮ [鋐] 굉 ㊥庚 戶萌切 hóng
[字解] 그릇 굉 기물(器物). '一, 器也'《玉篇》.

7 ⑮ [⿰金冏] 난 ㊤感 奴敢切 nǎn
[字解] 은(銀)을두들기는기구(器具) 난 '一, 一鐵, 打銀具'《篇海》.

7 ⑮ [鋒] [人名] 봉 ㊥冬 敷容切 fēng 锋
[筆順] 𠆢 亼 金 金 釒 鉖 鋒 鋒
[字解] ①봉망(鋒芒) 봉 무기의 첨단. '以智勇之士爲一'《莊子》. 전(轉)하여, 날카로운 기세. 예기(銳氣). '機警有一'《晉書》. ②끝 봉 사물의 첨단. '筆一'. '抽一擢穎'《晉書》. ③앞장 봉 군대의 앞줄. '先一'. '布爲前一'《漢書 黥布傳》. ④병기 봉 날이 있는 무기. '天下精銳持一'《史記》.
[字源] [篆文] 形聲. 篆文은 金+逢〔音〕. '逢봉'은 '峰봉'과 통하여 뾰족한 끝의 뜻. '봉망(鋒芒)'의 뜻을 나타냄. '鋒봉'은 俗字.

[鋒戈 봉과] 창. 병과(兵戈). 모극(矛戟).
[鋒起 봉기] 창이 불쑥 나오는 것처럼 성하게 일어남.
[鋒旗 봉기] 진중(陣中)에서 쓰는 기(旗)의 한 가지.
[鋒端 봉단] 봉망(鋒鋩) ㉠.
[鋒利 봉리] 날카로움. 예리함.
[鋒芒 봉망] ㉠봉망(鋒鋩). ㉡약간. 근소.
[鋒鋩 봉망] ㉠날이 있는 무기의 첨단. 창 같은 것의 끝. 봉망(鋒芒). ㉡날카로운 기세 또는 날카로운 기상의 비유.
[鋒發韻流 봉발운류] 문장이 유창함을 이름.
[鋒銛 봉섬] 창끝.
[鋒銳 봉예] 성질이 예민(銳敏)함.
[鋒蝟 봉위] 고슴도치.
[鋒刃 봉인] 창·칼 따위의 날.
[鋒鏑 봉적] 창(槍)끝과 살촉.
[鋒尖 봉첨] 창끝.
[鋒出 봉출] 봉기(鋒起).

[鋒俠 봉협] 창끝처럼 날카로움. 협(俠)은 이(利).
[鋒毫 봉호] 붓끝. 필봉(筆鋒).
◉姦鋒. 劍鋒. 戈鋒. 交鋒. 軍鋒. 機警有鋒. 機鋒. 論鋒. 談鋒. 不露鋒. 詞鋒. 先鋒. 舌鋒. 銳鋒. 利鋒. 藏鋒. 爭鋒. 敵鋒. 前鋒. 戰鋒. 折鋒. 挫鋒. 攢鋒. 槍鋒. 鍼鋒. 筆鋒.

7
⑮ [鋗] [一] 현 [平]先 火玄切 xuān
[二] 견 [平]先 古玄切 juān

[鋗[一]①]

[字解] [一] ①노구솥 현 발이 안 달린 솥. '刁斗如一鍋'《古器評》. ②옥소리 현 옥(玉)이 울리는 소리. '展詩應律一玉鳴'《漢書》. [二] 쓸 견 청소함. 涓(水部 七畫)과 同字. '王行遇其故一人'《史記》.
[字源] 篆文 形聲. 金+肙〔音〕. '肙연'은 둥글게 굽다의 뜻. '노구솥'의 뜻을 나타냄.

[鋗人 견인] 대궐의 청소부.
[鋗鍋 현과] 발이 안 달린 솥. 노구솥.

7
⑮ [鋀] [一] 투 [平]尤 他侯切 tōu
[二] 두 [上]有 徒口切 dòu
[字解] [一] 유석(鍮石) 투 품질이 좋은 자연동(自然銅)임. '鍮, 鍮石, 似金也, 一, 同鍮'《玉篇》. [二] 술그릇 두 '鋀, 酒器也, 从金䀁, 象器形, 或从豆'《說文》.

7
⑮ [鋘] [一] 화 [平]麻 戶花切 huá
[二] 오 [平]虞 五乎切 wú
[字解] [一] 가래 화 쌍날의 가래. '燒一斧'《後漢書》. [二] 산이름 오 錕(金部 八畫)을 보라. '錕一'.
[字源] 形聲. 金+吳〔音〕

◉錕鋘.

7
⑮ [鋎] 환 [上]潸 戶版切 hàn
[字解] 칼 환 '一, 刃也'《集韻》.

7
⑮ [鋃] 〔은〕
銀(金部 六畫〈p. 2387〉)의 本字

7
⑮ [鋤] 〔겁〕
鉣(金部 五畫〈p. 2383〉)과 同字

7
⑮ [銾] 홍 [上]董 戶孔切 hòng, ②gǒng
[字解] ①종소리 홍 '一, 鐘聲'《集韻》. ②화학원소이름 홍 수은(水銀)을 이름. 汞(水部 三畫)과 同字. '汞, 化學金屬元表之一, 舊亦作一, 通稱水銀'《辭海》.

7
⑮ [鋝] 렬 [入]屑 力輟切 lüè
[字解] 엿냥쭝 렬 중량의 단위. 무게 여섯 냥(兩)의 일컬음. '戈戟皆重三一'《周禮》.
[字源] 金文 篆文 形聲. 金+寽〔音〕

7
⑮ [鋙] [一] 어 [上]語 魚巨切 yǔ
[二] 오 [平]虞 訛胡切 wú
[字解] [一] 어긋날 어 鉏(金部 五畫)를 보라. '鉏一'. [二] 산이름 오 錕(金部 八畫)을 보라. '錕一'.
[字源] 篆文 金+吾〔音〕
◉錕鋙. 鉏鋙.

7
⑮ [鋟] [一] 첨 [平]鹽 子廉切 qiān
[二] 침 [上]寢 七稔切 qǐn
[字解] [一] 새길 첨 손톱으로 자국을 냄. '一其板'《公羊傳》. 전(轉)하여, 서적을 출판함. [二] 새길 침 [一]과 뜻이 같음.
[字源] 形聲. 金+侵〈省〉〔音〕. '侵침'은 '침입하다'의 뜻.

7
⑮ [鋡] 함 [平]覃 胡南切 hán
[字解] ①받을 함 '넣다, 담다'의 뜻도 있음. '一, 受也, 齊楚曰一, 猶秦晉言容盛也'《方言》. ②쟁기 함 '一鏞, 謂之鑲'《廣雅》.

7
⑮ [鋥] [人名] 정 [去]敬 除更切 zèng
[筆順] 𠆢 亼 𠇍 金 釦 鋥 鋥 鋥
[字解] 칼날세울 정 '一, 磨一, 出劍光'《廣韻》.
[字源] 形聲. 金+呈〔音〕

7
⑮ [鋜] 착 [入]覺 士角切 zhuó
[字解] ①차꼬 착 발을 쇠사슬로 묶음. '黃鶴足仍一'《韓愈》. ②호미 착 김매는 농구.
[字源] 形聲. 金+足〔音〕. '足족'은 '발'의 뜻. 쇠사슬로 발목을 잡아매다의 뜻을 나타냄.

7
⑮ [鋣] 야 [平]麻 余遮切 yé
[字解] 칼이름 야 '鏌一'는 오(吳)나라 명검(名劍)의 이름. '莫邪'로도 씀. '干將鏌一'. '求鏌一於明智'《後漢書》.
[字源] 形聲. 金+邪〔音〕
[參考] 釾(金部 四畫)는 同字.

◉鏌鋣.

7
⑮ [鋤] [人名] 서 [平]魚 士魚切 chú

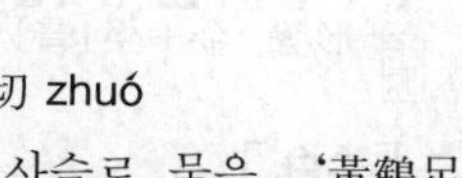
[鋤①]

[字解] ①호미 서 김매는 농구. ②김맬 서 호미로 잡풀을 뽑음. '一禾日當午, 汗滴禾下土'《李紳》. ③없애버릴 서 제거함. 근절함. '誅一醜厲'《子華子》.
[字源] 形聲. 金+助〔音〕. '助조'는 '돕다'의 뜻. 모의 성장을 돕는 기구, '호미'의 뜻을 나타냄.

[鋤骨 서골] 척추동물(脊椎動物)의 두개상(頭蓋

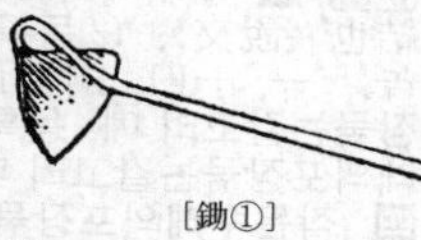

床)을 이루는 뼈.
[鋤覽斬斷 서궐참단] 근절(根絕)함. 뿌리째 뽑아 버림.
[鋤犂 서려] 호미와 쟁기.
[鋤理 서리] 갈고 김매어 밭을 다스림.
[鋤拔 서발] 김을 맴.
[鋤耰 서우] 호미. 우서(耰鋤).
[鋤除 서제] 김맴. 잡초를 뽑아 버림. 전(轉)하여, 악인(惡人)을 제거함.
[鋤禾 서화] 논의 김을 맴.
◉耕鋤. 耨鋤. 短鋤. 負鋤. 芟鋤. 春鋤. 耰鋤. 耘鋤. 犂鋤. 誅鋤. 荷鋤.

7 ⑮ [鋧] 현 [上]銑 胡典切 xiàn
[字解] 푼끌 현 먼 데서 던져 사람을 살상하는 데 쓰는 작은 끌. '銑─'.
[字源] 形聲. 金+見〔音〕
◉銑鋧.

7 ⑮ [鋞] [一] 형 ①[平]青 戶經切 xíng / ②[上]迥 胡頂切 xìng / [去]徑 形定切
[二] 행 [上]梗 下梗切
[三] 경 [平]庚 何耕切 jīng
[字解] [一] ①냄비 형 둥글고 깊은 냄비. '─, 盟器也. 圜以直上'《說文》. ②종 형 긴 모양의 종(鐘). '─, 長鍾也'《集韻》. [二] 냄비 행 [一]❶과 뜻이 같음. [三] 쇠사슬 경 '─, 鏁幹'《集韻》.
[字源] 形聲. 金+巠〔音〕

7 ⑮ [鋥] 경 [平]庚 丘耕切 kēng
[字解] ①칠 경 종 같은 것을 때림. '─, 撞也'《廣雅》. ②소리 경 금석(金石) 같은 것의 울리는 소리. '─鎗, 聲也'《廣韻》.

7 ⑮ [鋦] 국 [入]沃 拘玉切 jū 锔
[字解] ①쇠로쥘 국 쇠로 동임. '─, 以鐵縛物'《廣韻》. ②거멀못 국 양 끝이 구부러진 큰 쇠못. 물건 이은 데를 동이는 데 쓰임. '─, 按, 俗亦謂鐵釘之兩端屈曲者爲─'《中華大字典》.

7 ⑮ [鏊] [一] 세 [去]霽 時制切 shì
[二] 예 [去]霽 以芮切
[三] 폐 [去]霽 蒲計切
[四] 체 [去]霽 直例切 zhì
[字解] [一] ①수레의포장묶는갈고리 세 '─, 車樘結也'《說文》. ②동록(銅綠) 세 구리에 생기는 녹. '─, 一曰, 銅生五色也'《說文》. [二] 수레의포장묶는갈고리 예, 동록 예 [一]과 뜻이 같음. [三] 수레의포장묶는갈고리 폐, 동록 폐 [一]과 뜻이 같음. [四] 작은수레의포장묶는갈고리 체 '─, 小車耳鉤'《集韻》.
[字源] 形聲. 金+斷(折)〔音〕

7 ⑮ [鋬] 鏊(前條)와 同字

7 ⑮ [鋩] 망 [平]陽 武方切 máng 铓
[字解] 봉망 망 창·칼 따위의 뾰족한 끝. '劍─'. '刃─'. '雄戟耀─'《左思》.
[字源] 形聲. 金+芒〔音〕. '芒망'은 '풀의 끝'의 뜻. 풀 끝이 가늘어지듯 날카로운 봉망(鋒鋩)의 뜻을 나타냄.
[參考] 鋩(次條)은 本字.
◉劍鋩. 戟鋩. 鋒鋩. 刃鋩. 寒鋩.

7 ⑮ [鋩] 鋩(前條)의 本字

7 ⑮ [鋪] [人名] 포 ①-⑤[平]虞 芳無切 pū / ⑥[去]遇 普故切 pù 铺
[字解] ①문고리 포 문을 여닫는 데 쓰는 쇠고리. '排玉戶而颺金─兮'《漢書》. ②펼 포 늘어놓음. 깖. '─筵席'《禮記》. ③퍼질 포 늘어서 있음. '江花─淺水, 山木暗殘春'《李嘉祐》. ④앓을 포 痡(疒部 七畫)와 통용. '淮夷來─'《詩經》. ⑤두루미칠 포 빠짐없이 미침. 徧(彳部 九畫)과 뜻이 같음. '淪胥以─'《詩經》. ⑥가게 포 전방. 상점. '店─'. '老─'.
[字源] [金文] [篆文] 形聲. 金+甫〔音〕. '甫보'는 '哺포'와 통하여 입에 머금다의 뜻. 문 위에 베풀어 문고리를 간직하기 위한 쇠 장식의 뜻을 나타냄. 또 '敷부'와 통하여 펴서 늘어놓다의 뜻을 나타내며, 물건을 늘어놓는 가게의 뜻을 나타내게 됨.
[參考] 舖(舌部 九畫)는 俗字.

[鋪道 포도] 포장(鋪裝)한 길.
[鋪敦 포돈] 포진(鋪陳).
[鋪張 포장] 펴 넓힘.
[鋪裝 포장] 길에 돌이나 아스팔트를 깖.
[鋪張揚厲 포장양려] 대단히 칭찬함.
[鋪陳 포진] 펴 베풂. 포진(布陳).
[鋪遞 포체] 역말. 역참(驛站).
[鋪置 포치] 벌여 놓음. 배치(排置).
[鋪攤 포탄] 펴서 넓힘.
◉金鋪. 錦鋪. 老鋪. 豆鋪. 門鋪. 密鋪. 本鋪. 商鋪. 雲鋪. 銀鋪. 店鋪. 酒鋪. 花鋪.

7 ⑮ [鋄] 맘 [上]豏 亡范切 wàn
[字解] ①당노 맘 말 머리에 다는 쇠붙이 치레. '─, 馬首飾'《廣韻》. '金─鏤鍚'《張衡》. ②도금 맘 '─匠'은 도금 장인(匠人).

7 ⑮ [鋪] [一] 종 [平]冬 諸容切 zhōng
[二] 용 [平]冬 餘封切 yōng
[字解] [一] 종 종 鐘(金部 十二畫)과 同字. '鐘, 樂鐘也. ─, 鐘或从甬'《說文》. [二] 종 용 큰 종(鐘). '鏞, 大鐘. ─, 上同'《廣韻》.

7 ⑮ [鋕] [人名] 지 [去]寘 職吏切 zhì
[筆順] 𠆢 亼 𠂉 金 釒 鉽 鋕 鋕
[字解] 새길 지 '─, 銘也'《集韻》.
[字源] 形聲. 金+志〔音〕. '志지'는 '적다'의 뜻. 금속에 새기어 적다의 뜻을 나타냄.

7 ⑮ [鉾] 로 [平]豪 郎刀切 láo

[字解] ①화살촉의하나 로 '一, 一鑪, 錍也'《玉篇》. ②구리그릇 로 '一, 一日, 鏍一, 銅器'《集韻》.

7 ⑮ [鉺] 섭 [入]葉 諾叶切 niè

[字解] 족집게 섭 鑷(金部 十八畫)과 同字.
[字源] 篆文 形聲. 金+耴〔音〕. '耴첩'은 양옆으로 늘어지다의 뜻. '가위'의 뜻을 나타냄.

7 ⑮ [銹] [人名] 수 [去]宥 息救切 xiù 锈

[字解] 녹 수, 녹슬 수 鏽(金部 十三畫)와 同字.
[字源] 形聲. 金+秀〔音〕

7 ⑮ [鉚] 〔류〕
鏐(金部 十一畫〈p. 2412〉)와 同字

7 ⑮ [鋁] 〔려〕
鑢(金部 十五畫〈p. 2423〉)와 同字
[字源] 形聲. 金+呂〔音〕

7 ⑮ [銲] 〔한〕
釬(金部 三畫〈p. 2378〉)과 同字
[字源] 形聲. 金+旱〔音〕

7 ⑮ [鋳] 〔주〕
鑄(金部 十四畫〈p. 2422〉)의 略字

7 ⑮ [鋈] 급 [入]緝 訖立切 jí

[字解] 호미 급 호미 등속(等屬). '一, 鋤屬'《集韻》.

7 ⑮ [鋈] 옥 [入]沃 烏酷切 wù

[字解] ①도금 옥 쇠붙이를 얇게 딴 쇠붙이에 올리는 일. '陰靷一續'《詩經》. ②백금 옥 '一, 白金也'《說文》.
[字源] 篆文 形聲. 金+沃〔音〕. '沃옥'은 물로 축이다의 뜻. 물로 축인 것처럼 광택이 있는 금속, '백금'의 뜻을 나타냄.

[鋈器 옥기] 금은을 도금(鍍金)한 그릇.

7 ⑮ [鋆] 〔공〕
銎(金部 六畫〈p. 2392〉)의 本字

7 ⑮ [銛] 첨 [平]鹽 癡廉切 chān

[字解] 날카로울 첨 첨예(尖銳)함. '一, 銳也'《集韻》.

8 ⑯ [錎] 함 ①[平]覃 胡男切 hán
②③[平]咸 胡讒切

[字解] ①갑옷 함 函(凵部 六畫)과 통용. '一, 鎧也'《廣雅》. ②궤 함, 상자 함 函(凵部 六畫)과 同字. ③잔 함 술잔.
[字源] 形聲. 金+函〔音〕

8 ⑯ [鋸] [人名] 거 [去]御 居御切 jù 锯

[字解] ①톱 거 나무를 자르거나 켜는 데 쓰는 도구. '一屑'. '用刀一'《國語》. 또, 톱으로 발을 자르는 형벌. 월형(刖刑). '刀一不加'《韓愈》. ②켤 거, 자를 거 톱 같은 것으로 켜거나 자름. '綆一木斷, 水滴石穿'《鶴林玉露》.
[字源] 金文 篆文 形聲. 金+居〔音〕. '居거'는 '앉히다, 고정시키다'의 뜻. 물건을 고정시켜 놓고 자르는 '톱'의 뜻을 나타냄.

[鋸木屑 거목설] 거설(鋸屑).
[鋸屑 거설] ㉠톱밥. ㉡언어 문장이 막힘없이 줄줄 나오는 것을, 톱질할 때 톱밥이 솔솔 쏟아지는 것에 비유하여, '유창(流暢)한 말'을 이름.
[鋸牙 거아] 거치(鋸齒).
[鋸匠 거장] 톱으로 나무를 켜는 것을 업으로 하는 사람. 톱장이.
[鋸鑿 거착] 톱과 끌.
[鋸齒 거치] 톱니. 거아(鋸牙).
[鋸解秤錘 거해칭추] 톱으로 저울추를 끊음. 대단히 어려운 일을 이름. 곤란한 문제의 형용.
◉新鋸. 刀鋸. 削鋸. 細齒鋸. 鐵鋸.

8 ⑯ [鋜] 탁(착[本]) [入]覺 竹角切 zhuó

[字解] 칠 탁 때림. '一, 擊也'《字彙》.

8 ⑯ [錔] [一] 원 [平]元 於遠切 yuān
[二] 완 wǎn

[字解] [一] 호미목 원 '錔, 鉏頭曲鐵, 或从宛'《集韻》. [二] 주발 완 碗(石部 八畫)과 同字. '充後乘車入市賣一'《搜神記 卷十六》.

8 ⑯ [鋼] [高人] 강 [平]陽 古郎切 gāng 钢

[筆順] 丿 𠆢 亼 牟 金 釗 鈏 鋼 鋼

[字解] 강철 강 강도(剛度)를 높게 한 쇠. '一鐵'. '鍊一赤刃'《列子》.
[字源] 形聲. 金+岡〔音〕. '岡강'은 '強강'과 통하여 '강하다'의 뜻. 강한 금속, '강철'의 뜻을 나타냄.

[鋼線砲 강선포] 포강(砲腔) 안에 생기는 가스의 압력에 충분히 저항할 수 있도록 만든 대포.
[鋼玉 강옥] 대리석·화강석 등의 속에 든 광석. 경도(硬度)가 큰 보석임.
[鋼鐵 강철] 철(鐵) 중에 가장 내열(耐熱)과 인성(靭性)이 강한 것. 각종 기계·차량·함선 등의 재료로 쓰임.
◉銛鋼. 純鋼. 鍊鋼. 精鋼. 製鋼. 眞鋼. 鐵鋼.

8 ⑯ [錄] [高人] [一] 록 ①-⑥[入]沃 力玉切 lù
⑦[入]屋 盧谷切 lù
[二] 려 [去]御 良據切 lǜ 录

[筆順] 𠆢 牟 金 釒 釕 鈅 錄 錄

[字解] [一] ①적을 록 ㉠기재함. '登一'. '記一'.

'一其所述'《王羲之》. 또, 기록한 것. 문서·서적 따위. '目一'. '奠其一'《周禮》. ㉡마음속에 적어 둠. 잊지 아니함. '君旣若見一, 不久望君來'《古詩》. ②나타낼 록 표명(表明)함. '愛之斯一之矣'《禮記》. ③취할 록 취(取)하여 씀. '一用'. '一伯姬也'《公羊傳》. ④맡을 록 취급함. 관할함. '一大將軍事'. ⑤단속할 록 검속(檢束)함. '程役而不一'《荀子》. ⑥성 록 성(姓)의 하나. ⑦변변치못할 록 碌(石部 八畫)과 同字. '公等一一, 所謂因人成事者也'《史記》. [三] 사실할 려 조사함. 정상을 살핌. '一囚徒'《漢書》.

[字源] 篆文 形聲. 金+彔〔音〕. '彔록'은 물을 퍼 올리다, 중요한 일을 퍼 올려서 금속에 적다의 뜻을 나타냄.

[錄錄 녹록] 변변치 못한 모양. 녹록(碌碌).
[錄問 녹문] 죄상을 기록하며 물음.
[錄事 녹사] 사건을 기록하는 관직(官職). 곧, 서기(書記).
[錄寫 녹사] 베낌. 기록함.
[錄囚 녹수] 죄인을 신문(訊問)함.
[錄用 녹용] 채용함. 채취(采取).
[錄藏 녹장] 기록하여 보관함.
[錄牒 녹첩] 성명을 기록한 문부.
[錄奏 여주] 조사해서 임금에게 아룀.
◉軥錄. 鬼錄. 記錄. 納錄. 大錄. 圖錄. 登錄. 膽錄. 漫錄. 目錄. 防錄. 附錄. 簿錄. 祕錄. 備忘錄. 詳錄. 世錄. 收錄. 識錄. 實錄. 語錄. 言行錄. 餘錄. 歷錄. 領錄. 要錄. 日錄. 雜錄. 再錄. 著錄. 迹錄. 摘錄. 詮錄. 旌錄. 存錄. 輯錄. 纂錄. 採錄. 撰錄. 天錄. 抄錄. 總錄. 褒錄. 筆錄.

8 ⑯ [録] 錄(前條)의 略字

8 ⑯ [錆] 창 [平]陽 千羊切 qiāng 锖

[字解] 정(精)할 창 자세함. 정밀함.

[字源] 形聲. 金+靑〔音〕

8 ⑯ [錏] 아 [平]麻 於加切 yà

[字解] 경개(頸鎧) 아 투구의 뒤에 늘어져 목을 가리게 된 부분. '明光細甲照一鍜'《韓翃》.

[字源] 篆文 形聲. 金+亞〔音〕

8 ⑯ [錬] [一] 동 [平]東 都籠切 dōng [二] 련

[字解] [一] ①휘갑쇠 동 '一鏅'는 휘갑쇠. 수레 굴대의 끝 바퀴통에 씌우는 휘갑쇠. '一, 方言, 輨軑, 趙魏之閒曰一鏅'《集韻》. ②쐐기 동 수레 굴대 끝의 바퀴통이 빠지지 않게 박는 쐐기. '一, 錧也'《廣雅》. [二] 鍊(金部 九畫)의 訛字.

8 ⑯ [錐] [人名] 추 [平]支 職追切 zhuī 锥

[筆順] 𠆢 亼 소 金 釒 鉡 錐 錐

[字解] 송곳 추 조그마한 구멍을 뚫는 연장. '一刀之末'. '賢士之處世也, 譬若一之處於囊中'《史記》. 또, '毛一'는 붓의 별칭.

[字源] 篆文 形聲. 金+隹〔音〕. '隹추'는 '出출'과 통하여 '나오다'의 뜻. 끝이 날카로워 삐져나오는 '송곳'의 뜻을 나타냄.

[錐股 추고] 소진(蘇秦)이 자기 다리를 송곳으로 찔러 졸음을 물리치고 공부한 고사(故事).
[錐臺 추대] 수학에서, 원추(圓錐)를 그 밑바닥에 평행된 면으로 잘랐을 때의 그 밑동.
[錐刀 추도] 끝이 뾰족한 칼.
[錐刀之末 추도지말] 뾰족한 송곳의 끝. 전(轉)하여, 아주 작은 일.
[錐矢 추시] 쇠로 만든 살촉을 박은, 깃이 달린 화살. 일설(一說)에는, 작은 화살.
[錐指 추지] '용추지지(用錐指地)'의 준말로, 송곳으로 대지(大地)를 가리키며, 그 깊이를 잰다는 뜻으로 '견식(見識)이 좁음'의 비유.
[錐處囊中 추처낭중] 송곳을 주머니 속에 넣으면 끝이 주머니 밖에 꿰져 나온다는 뜻으로, 재주와 슬기가 있는 사람이 그 재주를 발휘할 만한 지위에 앉음의 비유.
◉囊中之錐. 蘆錐. 磨錐. 三稜錐. 銛錐. 利錐. 立錐. 置錐. 鍼錐. 脫穎錐.

8 ⑯ [錑] 래 [去]隊 盧隊切 lèi

[字解] 대패 래 나무를 밀어 깎는 연장.

[字源] 形聲. 金+戾〔音〕

8 ⑯ [鋻] 견 ①[去]霰 經電切 jiàn ②-⑤[平]先 經天切 jiān

[字解] ①날 견 칼이나 검(劍)의 날. '一, 剛也. (段注) 剛, 刀劍刃也'《說文》. ②강철 견 '一, 剛鐵也'《集韻》. ③굳셀 견 강함. '一, 剛也'《廣韻》. ④곧을 견 굽지 아니함. '妻一之喆. (注)行之直也'《元包經》. ⑤불릴 견 담금질함. '一, 淬刀劍使堅也'《六書故》.

[字源] 形聲. 金+臤〔音〕

8 ⑯ [錁] 과 ①[上]馬 苦瓦切 kuǎ ②③[上]哿 古火切 guǒ, ③kè

[字解] ①띠쇠 과 '銙, 帶具. 或作一'《集韻》. ②기름통 과 '輠, 車膏器曰輠. 或从金'《集韻》. ③콩알화폐 과 작은 덩이꼴로 사용하는 금이나 은의 화폐. 과자(錁子). '一, 俗謂金銀鑄成小錠曰一'《中華大字典》.

8 ⑯ [⿰金屈] 굴 [入]物 曲勿切 qū

[筆順] 𠆢 亼 金 金 鈩 鈱 鈱 ⿰金屈

[字解] ①작은도끼 굴 '一, 小鈯也'《字彙》. ②배목 굴 문고리를 거는 쇠. '一, 一戌, 鎖鈕也'《集韻》.

8 ⑯ [⿱陛金] 피 [平]支 班糜切 pī

[字解] 호미 피 ⿱次金(次條)와 同字. '一, 埤倉, 鑼一, 鉏也, 或作⿱次金'《集韻》.

8 ⑯ [⿱次金] ⿱陛金(前條)와 同字

8 ⑯ [錕] [人名] 곤 [平]元 古渾切 kūn 锟

[筆順] 𠆢 𠂉 亽 金 鈤 鉬 錕

[字解] 산이름 곤 '一鋙'는 명검(名劍)을 만드는 쇠가 난다는 산. '一鋘', 또는 '昆吾'라고도 함. '一鋙之劍'《列子》.
[字源] 形聲. 金+昆〔音〕

[錕刀 곤도] 곤오(錕鋙)의 칼. 명검(名劍)을 이름.
[錕鋙 곤오] 좋은 칼을 만드는 쇠가 산출되는 산.
[錕鋘 곤오] 곤오(錕鋙).

8 ⑯ [錔] 탑 [入]合 他合切 tà

[字解] 쌀 탑 금(金)으로 물건의 표면을 쌈. '以金一距'《史記 註》.
[字源] 篆文 形聲. 金+沓〔音〕. '沓답'은 겹쳐 합치다의 뜻. 금속으로 표면을 싸다, 표면을 싸는 쇠붙이의 뜻을 나타냄.

8 ⑯ [錘] [人名] [一] 추 [平]支 直垂切 chuí / [去]寘 之瑞切 [二] 수 [平]支 息委切 锤

[筆順] 𠆢 亽 金 鈓 鉟 錘 錘

[字解] [一] ①중량이름 추 무게의 단위. 여덟 수(銖)의 일컬음. '割國之錙一'《淮南子》. ②저울추 추 저울대에 거는 쇠. '權謂之一'《博雅》. ③도가니 추 쇠붙이를 녹이는 그릇. 감과(坩堝). '在爐一之間耳'《莊子》. [二] 드리울 수 垂(土部五畫)와 同字. '一以玉環'《太玄經》.
[字源] 篆文 形聲. 金+垂(𠂹)〔音〕. '𠂹수'는 '드리우다'의 뜻. 저울대에 늘어져 있는 '추'의 뜻을 나타냄.

[錘鐘 추종] 추가 달린 괘종(掛鐘).
◉爐錘. 紡錘. 鉛錘. 玉錘. 錙錘.

8 ⑯ [錊] [一] 쵀 [去]隊 祖對切 zuì [二] 족 [入]沃 租毒切 zū

[字解] [一] 쇠불릴 쵀, 단련할 쵀 '一, 鍊也'《集韻》. [二] 성 족 성(姓)의 하나. '一, 姓也'《集韻》.

8 ⑯ [錙] 치 [平]支 側持切 zī 锱

[字解] 중량이름 치 여섯 수(銖)의 무게. '割國之一錘'《淮南子》. 전(轉)하여, 약소. 근소. 소량. '雖分國如一銖'《禮記》. 또, 대단치 않은 이해(利害). '計校一銖'《顏氏家訓》.
[字源] 篆文 形聲. 篆文은 金+甾〔音〕

[錙銖 치수] 치(錙)와 수(銖). 모두 무게가 얼마 안 나가는 저울눈. 전(轉)하여, 약소. 근소. 극소량. 또, 하찮은 득실(得失).

8 ⑯ [錚] [人名] 쟁 [平]庚 楚耕切 zhēng 铮

[筆順] 𠆢 亽 金 鈩 錚 錚 錚 錚

[字解] ①쇳소리 쟁 쇠의 울리는 소리. '衝牙一鎗'《潘岳》. ②징 쟁 악기의 한 가지. '鼓吹一鐸'《東觀漢記》.
[字源] 篆文 形聲. 金+爭〔音〕. 금속이 서로 부딪치는 소리의 의성어.

[錚錚 쟁쟁] ㉠좋은 쇠의 소리가 맑게 쟁그랑 울리는 형용. ㉡인물이 뛰어난 모양. ㉢투호(投壺)의 화살 소리.
[錚鎗 쟁쟁] 쟁쟁(錚錚) ㉠.
[錚鏦 쟁창] 쟁쟁(錚錚) ㉠.
◉鏗錚. 鏦錚. 鐵中錚錚.

8 ⑯ [錖] 독 [入]沃 都毒切 dú

[字解] 고삐고리 독 말고삐의 고리. '一, 艛舌'《集韻》.

8 ⑯ [錝] 종 [平]東 葅聾切 zòng

[字解] 금빛털 종 '一, 金毛也'《玉篇》.

8 ⑯ [錠] [人名] 정 [去]徑 丁定切 dìng 锭

[筆順] 𠆢 亽 金 鉒 錠 錠 錠

[錠①]

[字解] ①제기이름 정 제기(祭器)의 한 가지. 발이 셋 있으며, 익은 음식을 담음. '漢虹燭一'《博古圖》. ②은화 정 통화(通貨)의 은편(銀片). '銀一'. '一幅梅價, 不下百十一'《洞天清錄》. ③《韓》정제 정 납작하게 굳힌 알약. '一劑'.
[字源] 篆文 形聲. 金+定〔音〕. '定정'은 '안정하다'의 뜻. 안정감이 있는 금속제 제기의 뜻을 나타냄.

◉糖衣錠. 銀錠. 硃錠. 虹燭錠.

8 ⑯ [錗] [一] 예 [去]寘 女恚切 nèi [二] 추 [去]寘 竹瑞切 zhuì [三] 위 [去]寘 弋睡切 wèi

[字解] [一] 기울 예 '一, 側意'《說文》. [二] 저울추 추 '一, 同錘'《五音集韻》. [三] 걸 위 매닮. '一, 懸也'《集韻》.
[字源] 形聲. 金+委〔音〕

8 ⑯ [錞] [人名] [一] 순 [平]眞 常倫切 chún [二] 대 [去]隊 徒對切 duì

[筆順] 𠆢 亽 金 釒 鋅 錞 錞 錞

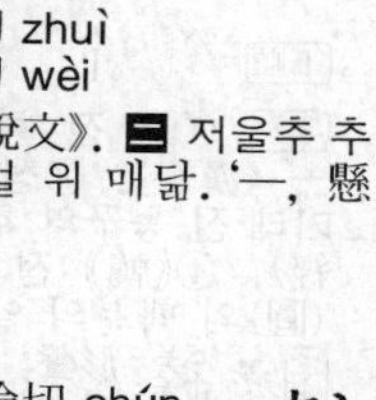
[錞一]

[字解] [一] 악기이름 순 북에 맞추어 울리는 금속제(金屬製)의 악기. '以金一和鼓'《禮記》. [二] 창고달 대 창의 자루 끝을 싼 쇠붙이로 만든 원추형(圓錐形)의 물건. '厹矛鋈一'《詩經》.
[字源] 金文 篆文 形聲. 金+享(亯)〔音〕. '亯순'은 '敦돈'과 같은 뜻으

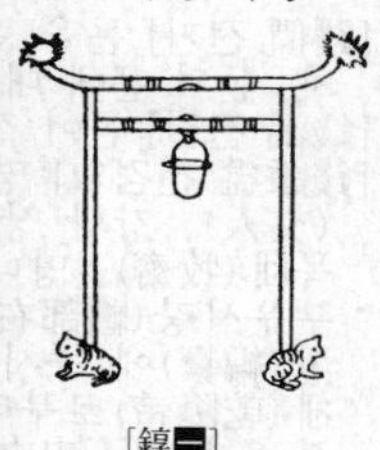

로 '묵직하다'의 뜻. 묵직한 창고달의 뜻을 나타냄.

[錞于 순우] 북에 맞추어 울리는 쇠붙이로 만든 악기.
◉錏錞.

8 ⑯ [錟] [人名] [一] 담 [平]覃 徒甘切 tán [二] 섬 [平]鹽 思廉切 xiān [三] 염 [上]琰 以冉切 yǎn 锬

[字解] [一] 창 담 긴 창(槍). '一謂之鈹'《揚雄》. [二] 날카로울 섬 銛(金部 六畫)과 同字. '非一於句戟長鎩也'《史記》. [三] 서슬 염 날카로운 칼날. 이인(利刃). '一戈在後'《史記》.
[字源] [篆文] 錟 形聲. 金+炎〔音〕

[錟戈 염과] 예리한 창.

8 ⑯ [錡] [人名] [一] 기 [平]支 渠綺切 qí [二] 의 [上]紙 魚倚切 yǐ 锜

[筆順] ⺅ 乍 金 金 釒 錡 錡 錡

[字解] [一] ①가마솥 기 발이 셋 달린 가마솥. '維一及釜'《詩經》. ②성 기 성(姓)의 하나. [二] ①쇠뇌틀 의 쇠뇌를 걸어 놓는 틀. '武庫禁兵, 設在蘭一'《張衡》. ②끌 의 나무에 구멍을 파는 연장. 착(鑿)의 일종. '又缺我一'《詩經》.

[錡[一]①]

[字源] [篆文] 錡 形聲. 金+奇〔音〕. '奇기'는 비스듬하다, 기울다의 뜻. 어슷하게 베는 톱의 뜻을 나타냄.

[錡釜 기부] 발이 달린 솥과 발이 달리지 않은 가마.
◉崎錡. 蘭錡. 木錡. 甗錡.

8 ⑯ [錢] [中][人] 전 ①②[平]先 昨仙切 qián ③[上]銑 卽淺切 jiǎn 钱

[筆順] ⺅ 乍 金 金' 金^ 錢 錢 錢

[字解] ①돈 전 화폐. '金一'. '銅一'. '不直一一'《漢書》. ②성 전 성(姓)의 하나. ③가래 전 농구의 한 가지. '庤乃一鎛'《詩經》. ④《韓》 전 전 화폐의 단위로, 원(圓)의 백분의 일.
[字源] [篆文] 錢 形聲. 金+戔〔音〕. '戔전'은 얇게 베다의 뜻. 금속제의 얇은 날의 가래의 뜻을 나타냄. 파생하여 '돈'의 뜻으로도 쓰임.

[錢③]

[錢價 전가] 돈을 은(銀)으로 환산한 가치. 돈의 은에 대한 비가(比價).
[錢渴 전갈] 돈이 잘 돌지 아니함.
[錢謙益 전겸익] 명말(明末) 청초(淸初)의 문인(文人). 강남 상숙(江南常熟) 사람. 호(號)는 목재(牧齋). 명나라가 망하자 청조(淸朝)의 예부우시랑(禮部右侍郞)이 되어 명사(明史)의 편찬(編纂)에 종사하였음. 그의 사후(死後) 건륭제(乾隆帝)로부터 명청(明淸) 2조(朝)를 섬긴 불충지신(不忠之臣)으로 비난(非難)되어 그의 저서의 판목(板木)은 모두 불태워졌음. 시(詩)에 능하며, 저서에 〈초학집(初學集)〉·〈유학집(有學集)〉 등이 있음.
[錢穀 전곡] 돈과 곡식(穀食). 전(轉)하여, 재정(財政).
[錢貫 전관] 돈꿰미.
[錢起 전기] 중당(中唐)의 시인(詩人). 벼슬이 고공낭중(考功郎中)에 이르렀음. 청신 수려(淸新秀麗)한 가구(佳句)가 많아 낭사원(郎士元)과 함께 전랑(錢郎)으로 병칭되었음.
[錢塘江 전당강] 강(江)의 이름. 저장 성(浙江省)에 있는 저장 하류(下流)로서 항저우 만(杭州灣)으로 흐름.
[錢大昕 전대흔] 청조(淸朝)의 학자. 호(號)는 죽정(竹汀). 혜동문하(惠棟門下)의 이재(異才)로서 사학(史學)에 능하여 〈이십이사고이(二十二史考異)〉·〈십가재양신록(十駕齋養新錄)〉·〈잠연당문집(潛硏堂文集)〉, 그 밖에 많은 저서(著書)가 있음.
[錢刀 전도] 돈. 금전.
[錢糧 전량] 전곡(錢穀).
[錢路 전로] 금전(金錢)이 융통(融通)되는 길.
[錢龍 전룡] ㉠용(龍)의 한 가지. ㉡돈을 꿰어 만든 용.
[錢鏐 전류] 오대십국(五代十國) 오월(吳越)의 초대 국왕. 임안(臨安) 사람. 당말(唐末) 동란기(動亂期)를 틈타 진해(鎭海)·진동(鎭東) 양군(兩軍) 절도사(節度使)를 겸(兼)하더니 당(唐)나라가 망(亡)하자 자립(自立)하여 오월(吳越)의 시조(始祖)가 되었음.
[錢文 전문] 돈의 표면에 새긴 글자.
[錢緡 전민] 전관(錢貫).
[錢癖 전벽] 돈을 탐내는 버릇.
[錢樹子 전수자] 돈이 열리는 나무. 한 집안이 의지하여 사는 여자. 특히 기녀(妓女)를 이름.

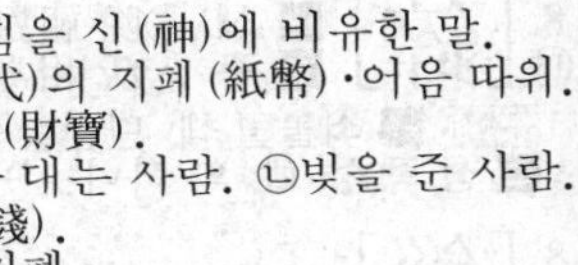

[錢文]

[錢神 전신] 금전의 힘을 신(神)에 비유한 말.
[錢引 전인] 송대(宋代)의 지폐(紙幣)·어음 따위.
[錢財 전재] 돈. 재보(財寶).
[錢主 전주] ㉠밑천을 대는 사람. ㉡빚을 준 사람.
[錢幣 전폐] 금전(金錢).
[錢布 전포] 엽전과 지폐.
[錢貨 전화] 돈. 금전. 전도(錢刀). 전폐(錢幣).
◉姦錢. 慳錢. 更錢. 醵錢. 縑錢. 輕錢. 古錢. 庫錢. 口錢. 舊錢. 軍錢. 金錢. 禁錢. 給錢. 男錢. 濫錢. 綠錢. 賚錢. 多錢. 大錢. 刀錢. 銅錢. 買山錢. 母錢. 無錢. 緡錢. 半兩錢. 壁錢. 本錢. 俸錢. 不直一錢. 一紙半錢. 散錢. 三銖錢. 錫錢. 善錢. 小錢. 銷錢. 市錢. 息錢. 新錢. 惡錢. 女錢. 餘錢. 連錢. 斂錢. 用錢. 鎔錢. 僞錢. 楡錢. 遺錢. 銀錢. 意錢. 異錢. 子錢. 藏錢. 齎錢. 儲錢. 積錢. 酒錢. 鑄錢. 紙錢. 餐錢. 靑苗錢. 靑錢. 攤錢. 苔錢. 破錢. 荷錢. 香錢. 莢錢. 昏寓錢. 貨錢.

8 ⑯ [錭] [一] 도 [平]豪 徒刀切 táo [二] 조 [平]蕭 丁聊切 diāo

[字解] [一] 무딜 도 둔(鈍)함. '一, 鈍也'《說文》. [二] 새길 조 조각함. '必將一琢刻鏤'《荀子》.

字源 形聲. 金＋周〔音〕

8 ⑯ [錣] 철 入黠 丁刮切 zhuì

字解 바늘 철 채찍 끝에 박은 쇠 바늘. '白公倒杖策, 一上貫頤血流'《淮南子》.

字源 形聲. 金＋叕〔音〕

8 ⑯ [鋭] ㊀ 예 去霽 儒稅切 ruì ㊁ 철 入屑 株劣切 zhuì

字解 ㊀ 날카로울 예 '一, 銳也'《集韻》. ㊁ 채찍 끝에붙인쇠 철 錣(金部 八畫)과 同字. '錣, 策耑有鐵, 或作一'《集韻》.

8 ⑯ [錶] 표 biǎo

字解 시계 표 '手一'는 손목시계, '懷一'는 회중시계(懷中時計).

8 ⑯ [錥] 육 入屋 余六切 yù

字解 작은솥 육 '鎢一'은 옹솥. '鎢一, 小釜也'《玉篇》.

字源 形聲. 金＋育〔音〕

8 ⑯ [錦] 高人 금 上寢 居飮切 jǐn 锦

筆順 ㇒ 亼 全 金 金' 釒 鉑 錦

字解 ①비단 금 ㉠여러 빛깔을 섞어 짠 무늬 있는 비단. '文一'. '子有美一'《左傳》. ㉡비단의 무늬처럼 아름다운 것. '一鱗'. '祠堂列一楓'《馬汝驥》. ㉢탄미(歎美)하는 뜻을 나타내는 관형사. '一地'. '璧房一殿相玲瓏'《王勃》. ②비단옷 금 '衣一尙絅'《中庸》. ③성 금 성(姓)의 하나.

字源 篆文 形聲. 帛＋金〔音〕. '金'은 '황금'의 뜻. 황금빛으로 빛나는 비단의 뜻을 나타냄.

[錦鷄 금계] 꿩과(科)에 속하는 새. 꿩과 비슷한데 수컷은 더욱 아름답고 황금색 관우(冠羽)가 있음.
[錦官城 금관성] 삼국(三國)의 촉한(蜀漢)의 도읍, 서도(西都)의 성(城)의 일컬음. 비단을 관장(管掌)하는 관아(官衙)를 두었던 까닭에 이름. 지금의 쓰촨 성(四川省) 청두 현(成都縣)에 있음. 금성(錦城).
[錦歸 금귀] 금환(錦還).
[錦葵 금규] 아욱과에 속하는 월년생(越年生)의 화초.
[錦衾 금금] 비단 이불.
[錦旗 금기] 비단의 천으로 만든 기.
[錦綺 금기] 비단. 전(轉)하여, 화려한 옷. 고운 옷.
[錦囊 금낭] ㉠비단 주머니. ㉡시(詩)의 원고를 넣어 두는 주머니. 당(唐)의 이하(李賀)가 좋은 시(詩)를 지었을 때마다 주머니에 넣어 둔 고사(故事)에서 나온 말. 시낭(詩囊).
[錦帶 금대] ㉠비단 띠. ㉡'순채(蓴菜)'의 별칭.
[錦纜牙檣 금람아장] 비단의 닻줄과 상아의 돛대. 곧, 수양제(隋煬帝)의 호화스러운 선유(船遊).
[錦鱗 금린] 아름다운 비늘. 아름다운 물고기.
[錦鱗魚 금린어] 쏘가리.
[錦伯 금백] 충청도(忠淸道) 관찰사(觀察使)의 이칭(異稱).
[錦帆 금범] 비단으로 만든 돛.
[錦步障 금보장] 비단으로 만든 휘장. 금장(錦帳).
[錦上添花 금상첨화] 비단 위에 꽃을 더 얹는다는 뜻으로, 아름다운 데에 아름다운 것을 더함을 이르는 말.
[錦城 금성] 금관성(錦官城).
[錦繡 금수] 비단과 수(繡). 또는 비단에 놓은 수. 화려한 옷.
[錦繡江山 금수강산] 비단에 수를 놓은 듯이, 경치가 좋은 산천(山川). 우리나라의 강산을 기리는 말.
[錦繡段 금수단] 무늬가 있는 고운 견직물.
[錦繡萬花谷 금수만화곡] 서명(書名). 찬자 불명(撰者不明). 전집(前集)·후집(後集)·속집(續集) 각각 40권. 주로 송대(宋代)의 일사일시(軼事逸詩)를 모았음.
[錦繡腸 금수장] 시문(詩文)에 뛰어난 재주가 있어 지은 글이 비단같이 고움. 금심수장(錦心繡腸).
[錦心繡口 금심수구] 아름다운 사상(思想)과 아름다운 언어(言語). 문재(文才)가 뛰어난 사람을 칭찬하여 이르는 말.
[錦心繡腸 금심수장] 금심수구(錦心繡口).
[錦輿 금여] 비단을 바른 화려한 가마.
[錦筵 금연] 비단의 자리. 화려한 좌석을 이름.
[錦衣 금의] ㉠비단옷. ㉡'금의위(錦衣衛)'의 준말.
[錦衣玉食 금의옥식] 비단옷과 옥(玉) 같은 밥. 전(轉)하여, 호화로운 생활.
[錦衣衛 금의위] 명대(明代)에 천자를 호위하고 궁성을 수비하던 군대.
[錦衣還鄕 금의환향] 출세하여 고향에 돌아감. 의금환향(衣錦還鄕).
[錦字 금자] ㉠비단에 짜 넣은 글자. '회문금자(廻文錦字)'를 보라. ㉡아내가 남편을 그리워하여 보내는 글. ㉢가려(佳麗)한 시구.
[錦帳 금장] 비단의 장막. 비단의 모기장.
[錦殿 금전] 화려한 궁전.
[錦纏頭 금전두] 가무(歌舞)한 기녀(妓女)에게 주는 놀음차.
[錦地 금지] 상대편을 높이어 그의 거주지를 이르는 말. 귀지(貴地).
[錦旆 금패] 금기(錦旗).
[錦袍 금포] 비단의 도포.
[錦楓 금풍] 가을에 붉게 물든 단풍.
[錦被 금피] 비단 이불.
[錦虹 금홍] 비단같이 아름다운 무지개.
[錦還 금환] 의금환향(衣錦還鄕).
◉縑錦. 古錦. 綾錦. 燈籠錦. 文錦. 美錦. 反錦. 蕃錦. 舒錦. 素錦. 紫錦. 晝錦. 晝如錦. 重錦. 萋斐貝錦. 蜀江錦. 翠錦. 奪錦. 貝錦. 鋪錦. 匹錦. 紅錦. 廻文錦.

8 ⑯ [錫] 人名 석 入錫 先擊切 xī 锡

筆順 ㇒ 亼 全 金 釒 鈤 鉔 錫

字解 ①주석 석 금속의 하나. 은백색 광택이 나며 녹이 슬지 아니함. '如金如一'《詩經》. ②줄 석 하사함. '賞一'. '一賚甚厚'《舊唐書》. 또, 하사한 물건. '茅土之一'《魏書》. ③석장 석 도사(道士)나 중이 짚는 지팡이. '巡一'. '杖一東顧'《柳宗元》. ④가는베 석 부드럽고 고운 베. '被阿一'《史記》. ⑤성 석 성(姓)의 하나.

字源 甲骨文 金文 篆文 形聲. 金+易〔音〕. '易역'은 평평하게 펴다의 뜻. 평평하게 늘여 펼 수 있는 금속의 뜻을 나타냄.

[錫鑛 석광] 주석을 파내는 광산.
[錫奴 석노] 각로(脚爐). 탕파(湯婆).
[錫賚 석뢰] 하사(下賜)한 물품.
[錫類 석류] 착한 동기(同氣)를 내리심. 자손에 선량한 자가 많게 하여 줌. '類'는 착한 것〔善〕을 이름.
[錫杖 석장] 중 또는 도사(道士)가 짚는 지팡이. 위에 여러 개의 쇠고리를 달아 소리가 나게 되었음. 선장(禪杖).

[錫杖]

[錫錢 석전] 주석으로 만든 돈.
[錫響 석향] 석장(錫杖)을 짚는 소리
◉挂錫. 九錫. 賚錫. 銅錫. 瓶錫. 飛錫. 賞錫. 巡錫. 阿錫. 優錫. 恩錫. 銀錫. 杖錫. 赤錫. 珍錫. 天錫. 寵錫. 追錫. 褒錫. 犒錫.

8 ⑯ [錮] 人名 고 ㊀遇 古暮切 gù 锢

字解 ①막을 고 틈을 막음. '雖一南山猶有隙'《漢書》. ②맬 고 잡아매어 자유를 속박함. '子反請以重幣一之'《左傳》. 전(轉)하여, 죄인을 가둠. 또, 벼슬을 못하게 함. 공권을 박탈함. '禁一終身'《十八史略》. ③고질 고 痼(疒部 八畫)와 통용. '身有一疾'《禮記》.

字源 篆文 形聲. 金+固〔音〕. '固고'는 '굳다'의 뜻. 금속을 녹여 구멍을 단단히 막다의 뜻을 나타냄.

[錮鏴著生鐵 고로착생철] 고(錮)는 땜질, 노(鏴)는 솥붙이. 솥을 땜질하는 데에는 무쇠로는 안 된다는 뜻으로, 효과(效果) 없는 노력(努力)을 비유함.
[錮送 고송] 구속하여 보냄.
[錮疾 고질] 고치기 어려운 병(病). 고질(痼疾). 숙아(宿痾). 숙아(宿疴).
◉久錮. 禁錮. 黨錮. 廢錮.

8 ⑯ [錯] 高人 ㊀ 착 ㊁藥 倉各切 cuò ㊁ 조 ㊀遇 倉故切 cù 错

筆順 ㅅ 亼 金 金一 釒卄 錯 錯 錯

字解 ㊀ ①꾸밀 착 ㉠금속(金屬)을 입혀 장식함. '以黃金一其文'《漢書》. ㉡아로새김. 그림. '簟笰一衡'《詩經》. ②줄 착 쇠붙이를 깎는 연장. '錫貢磬一'《書經》. ③숫돌 착 거친 숫돌. '佗山之石, 可以爲一'《詩經》. ④번갈아 착 순차(順次)로. '一擧'. '如四時之一行'《中庸》. ⑤어긋날 착 맞지 아니함. '舛一'. '乖一'. '與仲舒一'《漢書》. ⑥그릇할 착 잘못함. '一誤'. '其事詞一出, 不雅馴'《王世貞》. ⑦섞일 착 섞을 착 뒤섞임. 뒤섞음. '一雜'. '一綜其數'《易經》. ⑧틀 착 피부가 틈. '手爲一, 足下無非'《古詩》. ⑨삼갈 착 경신(敬愼)하는 모양. '履一然'《易經》. ⑩성 착 성(姓)의 하나. ㊁ ①둘 조 措(手部 八畫)와 同字. '一之牢筴之中'《莊子》. ②허둥지둥할 조 당황함. '二人一愕不能對'《後漢書》. ③성 조 성(姓)의 하나.

字源 篆文 形聲. 金+昔(䜴)〔音〕. '䜴석'은 겹쳐 쌓다의 뜻. 금속을 거듭 칠하여 도금(鍍金)하다의 뜻을 나타냄. 파생하여 여러 가지 금속이 섞이다의 뜻을 나타내고, 또 假借하여 '措조'와 통하여, '두다'의 뜻도 나타냄.

[錯事 조사] 사업(事業)을 처리함.
[錯辭 조사] 조사(措辭).
[錯愕 조악] 허둥지둥함.
[錯憚 조탄] 당황함.
[錯覺 착각] 지각(知覺)이 외계(外界)의 대상을 어긋나게 깨닫는 현상.
[錯簡 착간] 뒤섞인 죽간(竹簡). 곧, 서책의 내용에 자구(字句) 또는 지면(紙面)의 전후가 뒤바뀐 것.
[錯擧 착거] 번갈아듦.
[錯過 착과] 착오(錯誤).
[錯刀 착도] ㉠한(漢)나라 왕망(王莽) 시대의 화폐(貨幣) 이름. 형상이 칼 비슷함. ㉡금으로 만든 칼.
[錯落 착락] ㉠뒤섞임. ㉡술 그릇.

[錯刀㉠]

[錯亂 착란] 뒤섞여서 어수선함.
[錯戾 착려] 어긋남.
[錯慮 착려] 틀린 생각.
[錯連 착련] 교차(交叉)하여 연속함.
[錯列 착렬] 뒤섞여 늘어섬. 또, 뒤섞어 늘어놓음. 착진(錯陳).
[錯繆 착류] ㉠착류(錯謬). ㉡뒤섞임.
[錯謬 착류] 착오(錯誤).
[錯臂 착비] 팔에 입묵(入墨)함.
[錯繡 착수] ㉠여러 빛깔을 섞어 수를 놓음. ㉡경계(境界)가 들쭉날쭉함의 형용.
[錯視 착시] 잘못 봄.
[錯薪 착신] 여러 가지 나무가 뒤섞인 섶나무.
[錯然 착연] 공경하고 삼가는 모양.
[錯午 착오] 섞임. 뒤섞임.
[錯迕 착오] 착오(錯午).
[錯誤 착오] 착각으로 인한 오류(誤謬).
[錯認 착인] 오인(誤認)함.
[錯雜 착잡] 뒤섞여서 순서가 없음.
[錯節 착절] 엉클어진 나무 마디. 전(轉)하여, 엉클어진 곤란한 사건.
[錯綜 착종] 서로 섞여 엉클어짐. 또, 복잡하게 섞음.
[錯陳 착진] 착렬(錯列).
[錯舛 착천] 문란함. 위배(違背)함.
[錯崔 착최] 험준(險峻)한 모양.
[錯峙 착치] 뒤섞여 대치(對峙)함.
[錯合 착합] 섞임.
[錯行 착행] 번갈아 감. 번갈아 돎.
[錯衡 착형] 아로새겨 장식한 멍에.
◉擧錯. 綺錯. 磬錯. 乖錯. 交錯. 糾錯. 大錯. 倒錯. 忙裡錯. 迷錯. 駁錯. 盤錯. 煩錯. 紛錯. 星錯. 失錯. 搖錯. 謬錯. 疑錯. 雜錯. 注錯. 差錯. 參錯. 舛錯. 璀錯. 合錯. 溷錯.

8 ⑯ **[銱]** 조 (去)嘯 徒弔切 diào

字解 ①불리지않은쇠 조 '一, 鐵未煉'《集韻》. ②물건을태우는그릇 조 '一, 燒器也'《玉篇》.

8 ⑯ **[錧]** 人名 관 (上)旱 古滿切 guǎn

筆順 ノ 亼 ⺈ 金 錧 錧 錧 錧

字解 비녀장 관 輨(車部 八畫)과 同字. '論語者五經之一錧, 六藝之喉衿也'《趙岐》.

字源 形聲. 金+官〔音〕

[錧鎋 관할] 수레의 비녀장. 수레의 운전에 필요한 중요한 것이므로, 사물의 가장 중요한 부분의 뜻으로 쓰임.

8 ⑯ **[錤]** 人名 기 (平)支 居之切 jī

筆順 ノ 亼 ⺈ 金 金一 錤 錤 錤

字解 호미 기 김을 매는 농구. '鎡一, 鉏名'《集韻》.

字源 形聲. 金+其〔音〕

8 ⑯ **[錍]** 비 ①②(平)支 府移切 bēi
③(平)齊 匹迷切 pī

字解 ①도끼 비 짧은 도끼. ②쟁기 비, 보습 비 '一, 謂之銛'《廣雅》. ③살촉 비 鈚(金部 四畫)와 同字. '一, 鏑也'《廣雅》.

字源 篆文 形聲. 金+卑〔音〕. '卑비'는 '낮다, 짧다'의 뜻. 짧은 도끼의 뜻을 나타냄.

8 ⑯ **[鋹]** 창 (上)養 丑兩切 chǎng

字解 날카로울 창 '一, 利也'《集韻》.

字源 形聲. 金+長〔音〕

8 ⑯ **[錭]** 도 (平)豪 徒刀切 táo

字解 ①무딜 도 날카롭지 못함. '錭, 說文, 鈍也, 或作一'《集韻》. ②주조(鑄造)할 도 '錭, 或作一, 一曰, 一, 鑄也'《集韻》.

8 ⑯ **[錎]** 一 함 (去)陷 戶韽切 xiàn
二 감 (去)勘 古暫切 gàn

字解 一 ①쇠사슬 함 '一, 連環也'《集韻》. ②빠질 함 陷(阜部 八畫)과 통용. '一沒而下'《莊子》. 二 화로 감 '一, 鑪屬'《集韻》.

8 ⑯ **[錜]** 녑 (入)葉 奴協切 niè

字解 ①작은비녀 녑 '雜華一之葳蕤'《王粲》. ②못 녑 대가리가 작은 못. '一, 一曰, 小頭釘'《集韻》.

字源 形聲. 金+念〔音〕

8 ⑯ **[錉]** 민 (平)眞 眉貧切 mín

字解 업 민, 구실 민, 돈꿰미 민 '一, 業也. 賈人占一'《說文》. '一, 博雅, 稅也'《集韻》.

字源 形聲. 金+昏〔音〕

8 ⑯ **[錍]** 비 ①(上)尾 父尾切 fèi
②(平)微 匹依切 pī

字解 ①작은못 비. ②침 비 바늘. 침(鍼). '砭石今以一鍼代之'《素問 注》.

8 ⑯ **[鍈]** 야 (去)禡 夤謝切 yè

字解 거울 야 '一, 鏡也'《集韻》.

8 ⑯ **[錊]** 최 (去)寘 將遂切 zuì

字解 송곳 최 '一, 錐屬'《篇海》.

8 ⑯ **[錇]** 부 (平)尤 蒲侯切 póu

字解 큰못 부 커다란 못의 이름.

8 ⑯ **[錈]** 권 (上)阮 窘遠切 juǎn

字解 쇠굽을 권 쇠가 말림. 또, 구부러진 쇠. '柔則一, 堅則折. 劍折且一, 焉得爲利劍'《呂氏春秋》.

字源 形聲. 金+卷〔音〕

8 ⑯ **[錀]** 人名 一 륜 (平)眞 龍春切 lún
二 분 (平)文 府文切 fēn

字解 一 금속(金屬)이름 륜 '一, 金也'《字彙》. 二 토끼그물의장식 분 '一, 埤蒼云, 兔罨一'《廣韻》.

8 ⑯ **[錔]** 〔탕〕
鐋(金部 十二畫〈p. 2417〉)과 同字

8 ⑯ **[鉼]** 人名 병 (上)梗 必郢切 bǐng

筆順 ノ 亼 ⺈ 金 鉼 鉼 鉼 鉼

字解 금화 병, 은화 병 금 또는 은을 떡 모양으로 만든 화폐. '賜與金一一'《王暉》.

字源 形聲. 金+并〔音〕

參考 鉼(金部 六畫)은 俗字.

8 ⑯ **[鉶]** 〔형〕
鉶(金部 六畫〈p. 2387〉)의 本字

8 ⑯ **[鏍]** 〔라〕
鑼(金部 十九畫〈p. 2425〉)의 俗字

8 ⑯ **[錋]** 팽 (平)庚 浦庚切 péng

字解 무기(武器) 팽 '一, 兵器'《集韻》.

9 ⑰ **[錨]** 人名 묘 (平)蕭 眉鑣切 máo 锚

筆順 ノ ⺈ 金 釒 釒 錨 錨 錨

字解 닻 묘 배를 멈추게 하기 위하여 밧줄에 매어 물속에 넣는 철제(鐵製)의 기구. '投—'. '拔—'. '船上鐵貓曰—'《焦竑》.
字源 形聲. 金+苗〔音〕

◉拔錨. 投錨. 下錨.

9 ⑰ [鍇] 개 ㊤蟹 苦駭切 kǎi 锴

字解 쇠 개 상등의 쇠. 정철(精鐵). '銅—之垠'《左思》.
字源 篆文 形聲. 金+皆〔音〕

◉銅鍇.

9 ⑰ [鍫] 주 ㊀有 千侯切 còu

字解 창(槍) 주 창의 일종(一種). '—, 槍屬'《集韻》.

9 ⑰ [鍉] ㊀ 시 ㊥支 常支切 chí ㊁ 적 ㊇錫 丁歷切 dí

字解 ㊀ ①숟가락 시 맹세할 때 피를 입 언저리에 바르는 데 쓰는 숟가락. '牽馬操刀, 奉盤錯—'《後漢書》. ②열쇠 시 자물쇠를 여는 쇠. '鑰—'. '—, 所以啓鑰'《正字通》. ㊁ 살촉 적 鏑(金部 十一畫)과 同字. '銷鋒—'《漢書》.
字源 形聲. 金+是〔音〕

◉鋒鍉. 鑰鍉.

9 ⑰ [鍊] 高人 련 ㊀霰 郎甸切 liàn 铢

筆順 ノ 亼 金 金 鈩 鉮 鍊 鍊

字解 ①불릴 련 쇠붙이를 불에 달굼. '鍛—'. '金百—然後精, 人亦如此'《皇極經世書》. ②불린쇠 련 달구어 질이 좋아진 금속. 정금(精金). '精—藏於鑛璞'《王褒》. ③이길 련 물을 붓고 반죽하여 만듦. '—丹'. '安期—五石'《郭璞》. ④익힐 련 사물에 익숙하게 함. '—習'. '鑽—其性'《新論》. ⑤익을 련 익숙함. 또, 정숙(精熟)함. '—土生木, —木生火'《淮南子》. ⑥얽을 련 교묘하게 죄안(罪案)을 얽어 만듦. '鍛—而周內之'《漢書》.
字源 篆文 形聲. 金+柬〔音〕. '柬간·련'은 '練련'과 통하여 '누이다, 이기다'의 뜻. 금속을 녹여서 불리다의 뜻을 나타냄.

[鍊鋼 연강] 단련(鍛鍊)한 강한 쇠. 강철(鋼鐵).
[鍊句 연구] 머리를 짜내어 좋은 어구(語句)를 생각함. 어구를 퇴고(推敲)함.
[鍊金 연금] 쇠를 단련(鍛鍊)함.
[鍊金術 연금술] 고대 이집트에서 일어나 아라비아를 거쳐 유럽에 전한 원시적 화학 기술. 비금속(卑金屬)으로 황금을 만들며, 불로불사(不老不死)의 영약(靈藥)을 만들려고 한 것. 연금술 그 자체는 실패하였으나 갖가지 화학 물질을 다루는 기술이 발달하였음.
[鍊丹 연단] 도가(道家)에서 단약(丹藥), 곧 장생불사약(長生不死藥)을 만듦. 또, 그 약. 연단(煉丹).
[鍊達 연달] 숙련(熟練)하고 통달(通達)함.
[鍊磨 연마] 깊이 연구함. 학문을 정성 들여 닦음. 연마(練磨).
[鍊武 연무] 무예(武藝)를 단련함.
[鍊師 연사] 덕(德)이 있고 마음이 깨끗한 도사(道士)를 일컫는 말.
[鍊石補天 연석보천] 옛날에 하늘의 서북(西北)쪽이 없는 것을 보고, 여왜씨(女媧氏)가 오색(五色)의 돌을 불려서 하늘을 보완(補完)한 일.
[鍊熟 연숙] 단련(鍛鍊)하여 익숙함.
[鍊習 연습] 단련(鍛鍊)하여 익힘. 연습(練習).
[鍊藥 연약] 연단(鍊丹).
[鍊鐵 연철] 단련한 쇠. 정련(精鍊)한 철. 단철(鍛鐵).
[鍊形 연형] 도가(道家)에서 몸을 단련하여 무병장수하게 하는 일.
◉鍛鍊. 陶鍊. 百鍊. 修鍊. 冶鍊. 研鍊. 煮鍊. 精鍊. 製鍊. 鑄鍊. 砥鍊. 鑽鍊. 採鍊. 烹鍊.

9 ⑰ [鍋] 人名 과 ㊥歌 古禾切 guō 锅

字解 ①노구솥 과, 냄비 과 음식을 익히거나 데우는 데 쓰는, 얄팍한 금속제의 그릇. '茶—'. '銀—'. '冶人—釜'《王君玉雜纂》. ②기름통 과 기계유(機械油) 따위를 담는 그릇. '車轂—'.
字源 形聲. 金+咼〔音〕

[鍋戶 과호] 소금을 굽는 백성.
◉茶鍋. 新鍋. 銀鍋. 鋗鍋.

9 ⑰ [鍍] 人名 도 ㊀遇 徒故切 dù 镀

筆順 ノ 亼 金 金 鈩 鈩 鉪 鍍

字解 올릴 도 도금함. '—銀'. '假金方用眞金—, 若是眞金不—金'《李紳》.
字源 形聲. 金+度〔音〕. '度도'는 '건네다'의 뜻. 얇은 금·은 따위를 다른 금속에 씌워 건네다, 도금의 뜻을 나타냄.

[鍍金 도금] 금·은·니켈 등의 얇은 금속막을 다른 금속의 표면에 올리는 일.
◉金鍍. 眞金不鍍.

9 ⑰ [鎀] 수 ㊥尤 宿由切 xiū

字解 쇳덩이 수 불리지 않은 조광(粗鑛). '—, 鋌也'《玉篇》.

9 ⑰ [鍐] 종 ㊥東 祖叢切 zōng

字解 말굴레 종 말 대가리에 씌우는 물건. '金—者, 馬冠也'《蔡邕》.
字源 形聲. 金+嵏〔音〕

9 ⑰ [鍑] 人名 복 ㊇屋 方六切 fù

筆順 ノ 亼 金 金 鈩 鉑 鍑 鍑

[字解] 솥 복 아가리가 큰 솥. 일설(一說)에는, 아가리가 오므라진 솥. '多齎鬴—薪炭'《漢書》.
[字源] 篆文 形聲. 金+复(夏)〔音〕

◉鬴鍑.

9 ⑰ [鍴] 단 [平]寒 多官切 duān

[字解] ①송곳 단 '鑽謂之—'《方言》. ②고기(古器)의이름 단 '—, 古器名, 又作耑, 似觶而稍高'《辭海》.

9 ⑰ [鎪] 수 [平]尤 所鳩切 sōu

[字解] 새길 수, 아로새길 수 누각(鏤刻)함. '雕—'. '刻鏤物爲—'《爾雅 註》.
[字源] 形聲. 金+叜〔音〕

◉雕鎪.

9 ⑰ [鍔] [人名] 악 [入]藥 五各切 è

[字解] ①칼날 악 칼의 물건을 베는 부분. '底厲鋒—'《漢書》. ②가 악 가장자리. 堮(土部 九畫)과 통용. '前後無有垠—'《張衡》.
[字源] 形聲. 金+咢〔音〕

[鍔鍔 악악] 높이 솟은 모양.
◉劍鍔. 露鍔. 鋩鍔. 寶鍔. 鋒鍔. 氷鍔. 銛鍔. 礪鍔. 垠鍔. 皓鍔.

9 ⑰ [⿰金匽] 〔언〕
⿰矛匽(矛部 九畫〈p. 1556〉)과 同字

9 ⑰ [鍩] 〔견〕
鈃(金部 四畫〈p. 2382〉)과 同字

9 ⑰ [⿺毛金] 견 [去]霰 古電切 jiàn

[字解] 격구(擊毬) 견 '—, 踢毛毬'《字彙補》.

9 ⑰ [鍯] 〔종〕
鏓(金部 十一畫〈p. 2415〉)의 俗字

9 ⑰ [鍚] 양 [平]陽 與章切 yáng

[字解] ①당로(當盧) 양 말의 이마에 대는 금속제의 장식물. '鉤膺鏤—'《詩經》. ②방패장식 양 방패의 이면(裏面)의 금식(金飾). '朱干設—'《禮記》.
[字源] 形聲. 金+昜〔音〕

◉鏤鍚.

9 ⑰ [鍛] [人名] 단 [去]翰 丁貫切 duàn

[筆順] 𠆢 𠆢 今 金 金' 釒 鉀 鍛

[字解] ①두드릴 단 쇠붙이를 불에 달구어 두드림. '—鍊'. '—乃戈矛'《書經》. ②대장일 단 쇠붙이를 달구어 두드리는 일. '康性絕巧而好—'《晉書 嵇康傳》. ③익힐 단 익숙하게 함. '—而勿灰'《儀禮》. ④얽을 단 죄안(罪案)을 교묘하게 꾸밈. '爲奔走椎—詔獄'《唐書》. ⑤때릴 단 침. '取石來—之'《莊子》. ⑥숫돌 단 거친 숫돌. '取厲取—'《詩經》. ⑦포 단 腶(肉部 九畫)과 통용. '棗栗—脩'《穀梁傳》.
[字源] 篆文 形聲. 金+段〔音〕. '段단'은 철저하게 가공(加工)을 거듭하다의 뜻. 금속을 단련하기 위해 불에 달구어 두드리다의 뜻을 나타냄.
[參考] 鍜(次條)는 別字.

[鍛工 단공] 대장장이.
[鍛金 단금] 쇠붙이를 불림.
[鍛鍊 단련] ㉠쇠붙이를 불에 달구어 두드림. ㉡없는 죄를 교묘하게 꾸며 냄. ㉢혹리(酷吏)가 남을 억지로 죄에 빠뜨림. ㉣몸과 마음을 닦아 기름. ㉤사물을 연마(硏磨)함.
[鍛石 단석] ㉠숫돌. ㉡석회(石灰).
[鍛矢 단시] 예리한 화살.
[鍛冶 단야] 쇠를 달구어 기물을 만듦. 또, 그 사람. 대장장이.
[鍛鐵 단철] 쇠를 달굼. 또, 그 쇠. 연철(鍊鐵).
◉百鍛. 鑄鍛. 千鍛. 椎鍛. 好鍛.

9 ⑰ [鍜] 하 [平]麻 胡加切 xiá

[字解] 경개(頸鎧) 하 투구에 늘어져 목을 가리게 된 부분. '明光細甲照錏—'《韓翃》.
[字源] 篆文 形聲. 金+叚〔音〕
[參考] 鍛(前條)은 別字.

◉錏鍜.

9 ⑰ [鍠] 굉(횡[本]) [平]庚 戶盲切 huáng

[字解] ①도끼 굉 부월(鈇鉞). '秦改鐵鉞爲—'《古今注》. ②종고소리 굉 종 또는 북의 소리. '——鎗鎗'《後漢書》.
[字源] 篆文 形聲. 金+皇(皇)〔音〕. '皇황'은 크게 넓혀지다의 뜻. 크게 퍼져 가는 종소리의 뜻을 나타냄.

[鍠鍠 굉굉] 종고(鐘鼓)의 소리.
◉鏗鍠. 儀鍠. 鎗鍠. 渾鍠.

9 ⑰ [鍤] 삽 [入]洽 楚洽切 chā

[字解] 가래 삽 농구(農具)의 한 가지. 臿(臼部 三畫)과 同字. '擧—如雲'《史記》.
[字源] 篆文 形聲. 金+臿〔音〕. '臿삽'은 '꽂다'의 뜻. 흙에 꽂아 넣어 땅을 가는 '가래'의 뜻을 나타냄.

◉耒鍤. 負鍤. 畚鍤. 鉏鍤. 利鍤. 杖鍤. 縱鍤. 抱鍤. 荷鍤. 揮鍤.

9 ⑰ [鍞] 경 [平]庚 丘耕切 kēng

[字解] 금석(金石)의소리 경 鏗(金部 十一畫)과

同字. '一, 一鏘, 金石聲, 同鏗'《篇海》.

9 ⑰ **[鍥]** 계 [去]霽 詰計切 qiè 锲

[字解] ①새길 계 조각함. '一而不舍, 金石可鏤'《荀子》. ②끊을 계, 자를 계 절단함. '一朝涉之脛'《戰國策》. ③모질 계 잔인함. '道德之旨未弘, 而一薄之風先搖'《唐書》.

[字源] 篆文 形聲. 金+契〔音〕. '契계'는 잘게 썰다, 새기다의 뜻. 풀 따위를 잘게 썰기 위한 금속제의 기구, 낫의 뜻을 나타냄. 또, '새기다'의 뜻도 나타냄.

[鍥薄 계박] ㉠돈을 깎아 얇게 함. ㉡잔인하고 각박함.
[鍥而舍之 계이사지] 새기다가 중도에 버려둠.

9 ⑰ **[鍦]** 시 [平]支 式支切 shī

[字解] 창 시 무기의 한 가지. '矛, 吳揚江淮南楚五湖之閒, 謂之一'《揚子方言》.

[字源] 形聲. 金+施〔音〕

9 ⑰ **[鍧]** 굉 [平]庚 呼宏切 hōng

[字解] 종고소리 굉 '鏗一'은 종과 북의 뒤섞인 소리. '鐘鼓鏗一'《班固》.

[字源] 形聲. 金+訇〔音〕. '訇굉'은 큰 소리의 의성어.

9 ⑰ **[鍭]** 후 [平]尤 戶鉤切 hóu / [去]宥 胡遘切

[字解] ①화살 후 쇠 살촉이 달린 화살. '四一既鈞'《詩經》. ②살촉 후 화살촉. '善射者, 能令後一中前括'《列子》.

[字源] 篆文 形聲. 金+侯〔音〕. '侯후'는 과녁을 살펴보고 화살을 쏘는 모양. 금속제의 살촉이 있는 화살의 뜻을 나타냄.

[鍭矢 후시] 쇠 살촉이 달린 화살.
◉後鍭.

9 ⑰ **[鍨]** 돌 [入]月 陁沒切 tú

[字解] 창(槍) 돌 鍎(次條)과 同字. '鍎, 槍也, 惑从突'《集韻》.

9 ⑰ **[鍎]** 鍨(前條)과 同字

9 ⑰ **[鍮]** [人名] 유(투[本]) [平]尤 託侯切 tōu 输

[字解] ①자연동 유 금빛이 나는 자연동(自然銅). 자연동 중에서 가장 품질이 좋은 것. '水銀墮地, 一石可引上'《本草》. ②놋쇠 유 '眞一'는 구리와 아연과의 합금. 황동(黃銅). ③성 유 성(姓)의 하나.

[字源] 形聲. 金+兪〔音〕

[鍮器 유기] 놋그릇.
[鍮刀 유도] 놋쇠로 만든 칼.
◉眞鍮.

9 ⑰ **[鍰]** 환 [平]刪 戶關切 huán / [去]諫 胡慣切

[字解] ①엿냥쭝 환 주대(周代)의 화폐(貨幣)의 무게. 여섯 냥(兩)의 일컬음. '其罰百一'《書經》. ②고리 환 環(玉部 十三畫)과 통용. '宮門銅一'《漢書》.

[字源] 甲骨文 篆文 形聲. 金+爰〔音〕

◉銅鍰. 百鍰.

9 ⑰ **[鍱]** 섭 [入]葉 實協切 shè

[字解] 쇠붙이조각 섭 구리 또는 쇠 따위를 두드려 편 박편(薄片). '鍱謂之一'《博雅》.

[字源] 篆文 形聲. 金+葉〔音〕. '葉엽'은 나뭇잎의 象形으로 얇고 판판하다의 뜻. 금속을 얇고 판판하게 편 쇠붙이 조각의 뜻을 나타냄.

9 ⑰ **[鍵]** [人名] 건 [上]阮 其偃切 jiàn 键

[筆順] 𠆢 仺 金 金ㄱ 金ㅋ 金ᆿ 金聿 鍵

[字解] 열쇠 건 자물쇠를 여는 쇠. '管一'. '修一閉'《禮記》.

[字源] 篆文 形聲. 金+建〔音〕. '建건'은 길게 뻗어 서다의 뜻. 수레의 굴대나 문에 붙인 긴 열쇠의 뜻을 나타냄.

[鍵關 건관] 열쇠와 빗장. 전(轉)하여, 문단속.
[鍵盤 건반] 풍금·피아노 따위의 건(鍵)이 늘어놓인 바닥.
[鍵閉 건폐] 열쇠와 자물쇠. 전(轉)하여, 문단속.
◉鈐鍵. 扃鍵. 管鍵. 關鍵.

9 ⑰ **[鍼]** [人名] 침 [平]侵 職深切 zhēn

[字解] ①바늘 침, 침 침 ㉠꿰매는 바늘. '一線'. '執斲執一織紝'《左傳》. ㉡침놓는 바늘. '一砭'. '一寸之一, 一丸之艾'《論衡》. 원래는 '針'과 '一'이 중문(重文;같은 글자)인데, 현재는 보통 꿰매는 바늘은 '針', 침놓는 바늘, 곧 침은 '一'을 씀. ②찌를 침, 침놓을 침 바늘이나 침으로 찌름. '以鐵鍼一之'《漢書》.

[字源] 篆文 形聲. 金+咸〔音〕. '咸함'은 완전히 봉하다의 뜻. 봉하기 위한 바늘의 뜻을 나타냄.

[鍼工 침공] 바느질. 재봉(裁縫). 또, 그것을 하는 사람.
[鍼孔 침공] 침을 맞는 구멍.
[鍼灸 침구] 침질과 뜸질.
[鍼路 침로] 자침(磁針)이 가리키는 방향. 진행하는 길. 침로(針路).
[鍼縷 침루] 바늘과 실.
[鍼末 침말] 침망(鍼芒).
[鍼芒 침망] 바늘 끝. 전(轉)하여, 극히 미세(微細)한 것을 이름.
[鍼盤 침반] 나침반(羅針盤).
[鍼鋒 침봉] 침망(針芒).

[鍼線 침선] ㉠바늘과 실. 전(轉)하여, 바느질. ㉡사물의 조리(條理).
[鍼術 침술] 침을 놓아 병을 고치는 의술.
[鍼艾 침애] 병을 치료하는 침과 쑥. 전(轉)하여, 경계(警戒). 잠계(箴戒).
[鍼藥 침약] ㉠침과 약. ㉡병의 치료.
[鍼醫 침의] 침술로 병을 고치는 의원.
[鍼錐 침추] 바늘과 송곳.
[鍼筒 침통] 침을 넣는 통.
[鍼砭 침폄] 쇠침과 돌침. 전(轉)하여, 경계. 훈계. 침폄(針砭).
◉曲鍼. 金鍼. 短鍼. 縫鍼. 三鍼. 旋鍼. 良鍼. 五鍼. 一寸鍼. 直鍼. 穿鍼. 鐵鍼. 青鍼. 砭鍼.

9 ⑰ [鍾] 人名 종 ㊥冬 職容切 zhōng 钟

筆順 ^ 午 金 金一 鉑 鉑 鍾 鍾

字解 ①술병 종, 술잔 종 술을 담는 병. 속(俗)에, 술을 따르는 잔. '堯舜千一'《孔叢子》. ②되 이름 종 용량의 단위로, 육곡 사두(六斛四斗). 일설(一說)에는, 팔곡(八斛), 또 일설에는, 십곡(十斛). '餼國人粟戶一一'《左傳》. ③모을 종 한데 모이게 함. '一愛'. '天一美於是'《左傳》. ④모일 종 '情之所一'《晉書》. ⑤쇠북 종, 종 종 鐘(金部 十二畫)과 통용. ⑥성 종 성(姓)의 하나.

[鍾①]

字源 金文 篆文 形聲. 金+重〔音〕. '重종'은 '무겁다'의 뜻. 금속제의 무거운 술잔의 뜻을 나타냄. 또 '重'은 '겹치다'의 뜻. 겹쳐서 오다, 모이다의 뜻도 나타냄.

[鍾官 종관] 돈을 주조하는 것을 맡은 벼슬.
[鍾馗 종규] 역귀(疫鬼)를 잡아먹는 귀신. 당(唐)나라 현종(玄宗)이 꿈에 본 것을 오자도(吳子道)로 하여금 그림으로 나타내어 그리게 한 데서 비롯한다 함.
[鍾念 종념] 사랑을 모음. 곧, 지극히 사랑함.
[鍾憐 종련] 종애(鍾愛).
[鍾美 종미] 미(美)를 모음.
[鍾惺 종성] 명(明)나라의 시인(詩人). 경릉(竟陵) 사람. 자(字)는 백경(伯敬). 만력(萬曆)의 진사(進士). 동향(同鄉)인 담원춘(譚元春)과 함께 시(詩)에 있어 감정(感情)의 솔직한 유로(流露)를 주장하였으며, 그 시체(詩體)를 종담체(鍾譚體), 그 시파(詩派)를 경릉파(竟陵派)라 함.
[鍾愛 종애] 사랑을 한쪽으로 모음. 지극히 사랑함. 종련(鍾憐).
[鍾王 종왕] 위(魏)나라의 종요(鍾繇)와 진(晉)나라의 왕희지(王羲之). 모두 서예(書藝)의 대가임.
[鍾繇 종요] 삼국(三國) 시대 위(魏)나라의 서예가·정치가. 자(字)는 원상(元常). 처음에 후한(後漢)의 상서복야(尙書僕射)였으나, 위태조(魏太祖) 조조(曹操)를 좇아 공로가 컸으므로 위나라 건국(建國) 후 태위(太尉)를 거쳐 태부(太傅)에 이르렀음. 글씨를 유덕승(劉德昇)에게 배워 특히 팔분(八分)에 능하였음.
[鍾庾 종유] 종(鍾)은 육곡 사두(六斛四斗). 유(庾)는 일곡 육두(一斛六斗). 전(轉)하여, 얼마 안 되는 벼.
[鍾乳洞 종유동] 석회암(石灰巖)이 지하수(地下水) 때문에 용해되어 이루어진 굴.
[鍾乳石 종유석] 돌고드름.
[鍾離權 종이권] 옛 선인(仙人)의 이름. 셴양(咸陽) 사람. 호(號)는 화곡자(和谷子) 또는 정양자(正陽子)·운방(雲房). 한(漢)·위(魏)·진(晉)에 역사(歷仕)하였다고도 하고, 당대(唐代)의 사람이라고도 함.
[鍾子期 종자기] 춘추 시대(春秋時代)의 초(楚)나라 사람. 백아(伯牙)가 타는 거문고를 들으면 반드시 그가 갖는 심정(心情)을 찰지(察知)하였다 함. 자기(子期)의 사후(死後) 백아(伯牙)는 자기의 거문고를 알아주는 사람이 없음을 개탄(慨歎)하여 다시는 거문고에 손을 대지 않았다 함.
[鍾張 종장] 위(魏)나라의 종요(鍾繇)와 한(漢)나라의 장지(張芝). 모두 서예가(書藝家)임.
[鍾情 종정] 종애(鍾愛).
[鍾會 종회] 삼국 시대 위(魏)나라 사람. 요(繇)의 아들. 위말(魏末)에 진서 장군(鎭西將軍)이 되어 등애(鄧艾)와 함께 촉(蜀)나라를 멸(滅)하는 데 공(功)이 커서 사도(司徒)가 되었으나, 등애(鄧艾)를 모함하여 가둔 다음 촉(蜀)나라에서 반란(叛亂)을 일으켰다가 부하(部下)의 손에 죽었음.
◉萬鍾. 釜鍾. 瑤鍾. 龍鍾. 千鍾. 靑鍾. 特鍾. 琥珀鍾.

9 ⑰ [鍲] 민 ㊥眞 武巾切 mín

字解 ①업 민 생업(生業). '一, 說文, 業也, 賈人占一'《集韻》. ②구실 민 조세(租稅). '一, 博雅, 稅也'《集韻》. ③돈꿰미 민 緡(糸部 九畫)과 同字.

9 ⑰ [鍒] 유 ㊥尤 耳由切 róu

字解 무른쇠 유 단단하지 않은 쇠. '一, 鐵之耎也'《說文》.
字源 篆文 形聲. 金+柔〔音〕. '柔유'는 '연하다'의 뜻.

9 ⑰ [鍺] 타 ㊤哿 徒果切 duò

字解 ①비녀장 타 '一, 車轄'《廣韻》. ②보습 타 쟁기의 날. '一, 犂錧'《廣韻》.

9 ⑰ [鍖] 침 ㊥侵 知林切 zhēn

字解 모탕 침 椹(木部 九畫)과 同字.
字源 形聲. 金+甚〔音〕

9 ⑰ [鍉] 지 ㊥支 陳知切 chí

字解 군지 지 '鍕一'는 천수관음(千手觀音)이 손에 들고 있는 병.

9 ⑰ [鍕] 군 ㊥文 居云切 jūn

字解 군지 군 '一鍉'는 천수관음(千手觀音)이

손에 들고 있는 병.
[字源] 形聲. 金+軍〔音〕

9 [17] [鍬] 초 [平]蕭 千遙切 qiāo
[字解] 가래 초 농구의 하나. '大衆各備一钁鍬草'《指月錄》.
[字源] 形聲. 金+秋〔音〕
[參考] 鍫(金部 九畫)는 同字.

9 [17] [鎝] 답 [入]合 德盍切 dā
[字解] 갈고리 답 '剔, 鉤也, 或作一'《集韻》.

9 [17] [鍈] [人名] 영 [平]庚 於驚切 yīng
[筆順] 𠆢 亼 金 釒 釒艹 鍈
[字解] 방울소리 영 '一, 鈴聲'《集韻》.
[字源] 形聲. 金+英〔音〕

9 [17] [鎁] 〔야〕
鋣(金部 七畫〈p. 2395〉)와 同字

9 [17] [鎵] 〔총·창〕
鏦(金部 十一畫〈p. 2414〉)과 同字

9 [17] [鍿] 〔치〕
錙(金部 八畫〈p. 2399〉)의 本字

[顉] 〔암〕
頁部 八畫(p. 2550)을 보라.

9 [17] [鍪] 무 [平]尤 莫浮切 móu
[字解] 투구 무 군인이 전쟁 때 쓰는, 쇠로 만든 모자. '兜一', '甲盾鞮一'《戰國策》.
[字源] 篆文 形聲. 金+敄〔音〕. '敄무'는 '冃모'와 통하여 '덮다'의 뜻. 머리를 덮는 '투구'의 뜻을 나타냄.

◉兜鍪. 鞮鍪.

9 [17] [鍻] 갈 [入]月 居謁切 jié
[字解] 금속으로장식한북 갈 '一, 金飾鼓名, 大駕鼓吹有金一'《集韻》.

9 [17] [鐰] 교 [平]蕭 堅堯切 jiāo
[字解] 창 교 창(槍) 따위. '一, 戟屬'《集韻》.

9 [17] [鍨] 규 [平]支 渠龜切 kuí
[字解] 날붙이무기(武器) 규 칼·창 등의 무기. 戣(戈部 九畫)와 同字. '戣, 字林, 兵也, 或从金'《集韻》.

9 [17] [鍷] 규 [平]齊 傾畦切 kuí
[字解] 깎을 규 대패·자귀 등으로 깎아 냄. '一, 鐫也'《集韻》.

9 [17] [鍁] [一] 근 [平]眞 居銀切 jīn [二] 은 [上]吻 語謹切 yǐn
[字解] [一] 도끼 근 장작을 패는 연장. '一, 斫木器'《字彙》. [二] ①잘라서가지런히할 은 '一, 齊也'《字彙》. ②자를 은 끊음. '一, 斷也'《字彙》.

9 [17] [鎏] 〔류〕
鎏(金部 十畫〈p. 2411〉)의 本字

9 [17] [鍫] 〔초〕
鍬(金部 九畫〈p. 2408〉)와 同字

9 [17] [鍳] 〔감〕
鑑(金部 十四畫〈p. 2422〉)과 同字

10 [18] [鎊] 방 [平]陽 普郞切 pāng
[字解] 깎을 방 얇게 벰. '一, 削也'《玉篇》.
[字源] 形聲. 金+旁〔音〕

10 [18] [鎠] 두 [上]有 徒口切 dòu
[字解] 술그릇 두 '一, 酒器也'《說文》.
[字源] 會意. 金+𧯠

10 [18] [鎋] 할 [入]黠 胡瞎切 xiá
[字解] 비녀장 할 수레바퀴의 굴대머리에 지르는 물건. 전(轉)하여, 사물의 총괄(總括). 轄(車部 十畫)과 同字. '孝道者, 萬世之桎一'《孝經》.
[字源] 形聲. 金+害〔音〕. '害해·할'은 '割할'과 통하여 '쪼개다'의 뜻. 틈에 끼우는 쇠, '비녀장'의 뜻을 나타냄.

◉桎鎋.

10 [18] [鎌] [人名] 겸(렴[本]) [平]鹽 力鹽切 lián
[筆順] 𠆢 亼 金 釒 鎌
[字解] 낫 겸 풀을 베는 연장. '腰一刈葵藿'《鮑照》.
[字源] 篆文 形聲. 金+兼〔音〕. '兼겸'은 벼 따위를 모아 손에 쥐다의 會意 문자. 벼 따위를 베어 손에 잡는 '낫'의 뜻을 나타냄.

[鎌利 겸리] 낫같이 예리함.
[鎌刃 겸인] 낫의 날.
◉鉤鎌. 短鎌. 磨鎌. 山鎌. 腰鎌. 利鎌. 火鎌.

10 [18] [鎑] [一] 엽 [入]葉 弋涉切 yè [二] 탑 [入]合 他盍切 tà [三] 갑 [入]葉 谷盍切 gé
[字解] [一] ①쇠그릇 엽 '一, 鐵器'《字彙》. ②쇠단단할 엽 '一, 金堅'《字彙》. ③언치모양 엽 '一, 鞍韉皃'《五音集韻》. [二] 난로 탑 화덕. '一, 一鑪'《五音集韻》. [三] 냄비 갑 '一, 一鎍, 溫器'《集韻》.

10
⑱ **[鎕]** 당 [平]陽 徒郎切 táng

[字解] 화제구슬 당 '一鎕'는 화제(火齊) 구슬. '一, 一鎕, 火齊也'《說文》.

[字源] 形聲. 金+唐〔音〕

10
⑱ **[鎒]** [一] 누 [去]宥 奴豆切 nòu
[二] 호 [平]豪 呼高切 hāo

[字解] [一] 김맬 누 耨(耒部 十畫)와 同字. '治國者, 若一田, 去害苗者而已'《淮南子》. [二] 호미 호 김매는 농구. '操銚一, 與農人居壠畝之中'《戰國策》.

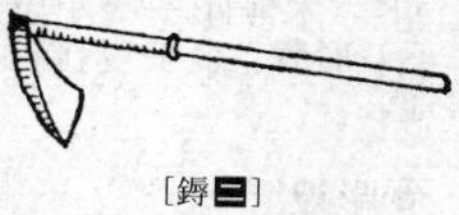
[鎒 二]

[字源] 篆文 形聲. 金+辱〔音〕

◉銚鎒.

10
⑱ **[鎔]** [人名] 용 [平]冬 餘封切 róng 镕

[筆順] 𠆢 亼 亽 金 鈩 鈫 鋊 鎔

[字解] ①거푸집 용 주물(鑄物)의 모형(模型). '冶一, 炊炭'《漢書》. ②녹일 용, 녹을 용 금속을 용해함. 금속이 용해됨. '一鑠'. '金膏未一'《徐陵》.

[字源] 篆文 形聲. 金+容〔音〕. '容용'은 물건을 거두어들이다의 뜻. 금속을 녹여서 부어 넣는 거푸집의 뜻을 나타냄. 파생하여 '녹이다'의 뜻을 나타냄.

[參考] 熔(火部 十畫)은 俗字.

[鎔鑛爐 용광로] 광석 또는 금속 등에 가열(加熱)하여 녹여 내는 화로.
[鎔鑠 용삭] 녹임. 또, 녹음.
[鎔銀 용은] 은을 녹임. 또, 녹인 은.
[鎔錢 용전] 금속으로 만든 화폐를 녹여 지금(地金)을 만듦.
[鎔鑄 용주] 쇠를 불려 주형(鑄型)에 넣음. 전(轉)하여, 사물(事物)을 만들어 냄을 이름.
[鎔解 용해] 금속(金屬)을 녹임. 또, 금속이 녹음.
[鎔化 용화] 고체가 녹아 액체 상태로 됨.
[鎔和 용화] 고체를 녹여 한데 섞음.
◉陶鎔. 范鎔. 冶鎔. 鑄鎔.

10
⑱ **[鎉]** 답 [入]合 都合切 dá

[字解] 갈고랑이 답 '一, 一鉤也'《五音集韻》.

10
⑱ **[鎦]** 도 [平]豪 他刀切 tāo

[字解] 함(函) 도 '一, 函也'《字彙》.

10
⑱ **[鎖]** [高人] 쇄 [上]哿 蘇果切 suǒ 锁

[筆順] 𠆢 亼 金 金' 釒" 鈔 鎖 鎖

[字解] ①자물쇠 쇄 여닫는 물건을 잠그는 쇠. '一鑰'. '扃一甚固'《酉陽雜俎》. ②쇠사슬 쇄 쇠고리를 이은 줄. '連一'. '以鐵一橫截之'《晉書》. ③맬 쇄 쇠사슬로 잡아맴. '法無拘一之條'《宋史》. ④수갑 쇄 죄인의 두 손목을 채우는 자물쇠. '去枷脫一'《淨住子》. '鐵匠被一'(대장장이가 만든 수갑을 대장장이가 참)《王君玉》. ⑤봉할 쇄, 잠글 쇄 '封一'. '緘一甚謹'《宋史》.

[字源] 篆文 形聲. 金+貨〔音〕. '貨쇄'는 '잘다'의 뜻. 잔 금속, 쇠사슬의 뜻을 나타냄.

[參考] 鎻(次次條)는 俗字.

[鎖甲 쇄갑] 쇠사슬로 만든 갑옷.
[鎖鎧 쇄개] 쇄갑(鎖甲).
[鎖骨 쇄골] 앞쪽은 흉골(胸骨)에, 뒤쪽은 견갑골(肩胛骨)에 잇대어 어깨를 형성하는 뼈.
[鎖國 쇄국] 나라의 문호(門戶)를 굳게 닫고 외국과 통상·교통을 아니 함.
[鎖金 쇄금] 자물쇠.
[鎖門 쇄문] 문을 잠금.
[鎖鑰 쇄약] ㉠자물쇠와 열쇠. 전(轉)하여, 문단속. ㉡요처. 요해지. 목.
[鎖子甲 쇄자갑] 쇄개(鎖鎧).
[鎖窓 쇄창] 사슬 무늬를 새긴 창.
[鎖港 쇄항] 항만을 차단·봉쇄하여 배가 드나들지 못함. 또, 그 항만.
[鎖鐶 쇄환] 쇠사슬.
◉枷鎖. 扃鎖. 關鎖. 拘鎖. 金鎖. 羈鎖. 縻鎖. 封鎖. 細鎖. 魚鎖. 連鎖. 長鎖. 鐵鎖. 閉鎖. 緘鎖. 解鎖.

10
⑱ **[鎖]** 鎖(前條)와 同字

10
⑱ **[鎻]** 鎖(前前條)의 俗字

10
⑱ **[鎛]** 단 [去]翰 丁貫切 duàn

[字解] ①쇠불릴 단 단련(鍛鍊). '一, 打鐵, 又小冶也'《字彙》. ②마치 단 망치. '一, 鎚也'《字彙》.

10
⑱ **[鎗]** [一] 쟁 [平]庚 楚庚切 chēng
[二] 창 [平]陽 千洋切 qiāng

[字解] [一] ①금석소리 쟁 鏘(金部 十一畫)과 통용. '君子之聽音, 非聽其鏗一而已也'《史記》. ②술그릇 쟁 주기(酒器). '酒一'. [二] 창 창 槍(木部 十畫)과 통용.

[字源] 金文 篆文 形聲. 金+倉〔音〕

[鎗鍠 쟁굉] 종고(鐘鼓)의 소리.
[鎗鎗 쟁쟁] 종소리.
◉鏗鎗. 茶鎗. 藥鎗. 銀酒鎗. 長腰鎗. 錚鎗. 酒鎗.

10
⑱ **[鐢]** 〔금〕
琴(玉部 八畫〈p. 1428〉)의 古字

10
⑱ **[鎠]** 〔강〕
剛(刀部 八畫〈p. 260〉)과 同字

10
⑱ **[鎎]** [一] 희 [去]未 許旣切
[二] 개 [去]隊 口漑切 kài

[字解] [一] 성낼 희 성내어 싸움. '一, 怒戰也'《說

文》. [二] 성낼 개 [一]과 뜻이 같음.
[字源] 形聲. 金+氣〈省〉〔音〕

10 ⑱ [鎚] [人名] [一] 추 [平]支 直追切 chuí [二] 퇴 [平]灰 都回切 duī 锤
[字解] [一] ①철추 추 쇠몽둥이. '以鐵一鍛, 其頭數千下'《抱朴子》. ②칠 추 쇠몽둥이로 침. ③저울추 추 錘(金部 八畫)와 同字. [二] 옥다듬을 퇴 '一, 治玉也'《康熙字典》.
[字源] 形聲. 金+追〔音〕. '追추'는 '椎추'와 통하여 '메'의 뜻. '철추'의 뜻을 나타냄.

◉鉗鎚. 金鎚. 鍛鎚. 鐵鎚. 秤鎚.

10 ⑱ [鎞] 비 [平]齊 邊兮切 bī
[字解] ①빗 비 참빗. '髮短不勝一'《杜甫》. ②창칼 비 풀 같은 것을 칠하거나 껍질 같은 것을 벗기는 뭉뚝한 칼. '金一刮眼膜'《杜甫》. ③살 비 살촉이 넓고 얇으며 뾰족한 살.
[字源] 形聲. 金+毘〔音〕

◉金鎞. 玉鎞. 鈿鎞.

10 ⑱ [鎛] 박 [入]藥 補各切 bó 镈
[字解] ①종 박 작은 종(鐘). '及其一磬'《左傳》. ②호미 박 농구의 하나. '庤乃錢一'《詩經》.

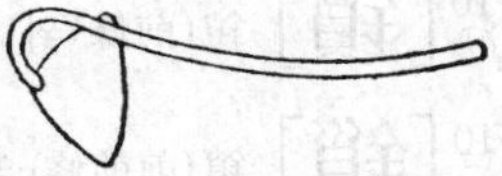
[鎛②]

[字源] 金文 鎛 篆文 鎛 形聲. 金+尃〔音〕. '尃박'은 얇고 판판하다의 뜻. 금속을 얇고 판판하게 하여 만든 '호미'의 뜻을 나타냄.

[鎛磬 박경] 종(鐘)과 경쇠.
[鎛鮮 박선] 황금 술 그릇. 일설에는, 황금으로 아름답게 꾸미는 일.
◉鼓鎛. 耨鎛. 錢鎛. 銚鎛. 鐘鎛.

10 ⑱ [鎡] 자 [平]支 子之切 zī
[字解] 호미 자 '一基'는 김을 매는 농구. 괭이. '雖有一基, 不如待時'《孟子》.
[字源] 鎡의 俗體 鎡 形聲. 金+玆〔音〕

[鎡基 자기] 자해(字解)를 보라.

10 ⑱ [鎧] [人名] 개 [上]賄 苦亥切 kǎi [去]隊 苦蓋切 铠
[字解] ①갑옷 개 갑의(甲衣). '甲一'. '爲劍一'《管子》. ②갑옷입을 개 갑옷을 입음. 무장함. '一馬二百五十匹'《晉書》.
[字源] 篆文 鎧 形聲. 金+豈〔音〕. '豈개'는 전쟁에 이긴 기쁨을 나타내는 음악의 뜻. 싸움이 좋은 결과를 맺도록 입는 '갑옷'의 뜻을 나타냄.

[鎧甲 개갑] 갑옷.
[鎧馬 개마] 무장(武裝)한 말.
[鎧仗 개장] 갑옷과 병장기.
[鎧胄 개주] 갑옷과 투구. 갑주(甲胄).
◉甲鎧. 弩鎧. 頭鎧. 馬鎧. 犀鎧. 繕鎧. 鎖鎧. 首鎧. 御鎧. 玉鎧. 忍辱鎧. 重鎧. 紙鎧. 鐵鎧. 弊鎧. 玄鎧.

10 ⑱ [鎪] 수 [平]尤 先侯切 sōu 锼
[字解] 새길 수, 아로새길 수 조각함. 누각(鎪刻)함. '木無彫一'《左思》.
[字源] 形聲. 金+叟〔音〕

◉彫鎪.

10 ⑱ [鎬] [人名] 호 [上]晧 胡老切 hào 镐
[筆順] 𠂉 𠂉 钅 金 鈩 鈩 鎬 鎬
[字解] ①냄비 호 음식을 데우는 그릇. ②호경 호 주(周)나라 무왕(武王)이 도읍한 서울. 지금의 산시 성(陝西省) 서안부(西安府)의 일부. '一京辟雍'《詩經》. ③빛날 호 광채를 발하는 모양. '故其華表, 則一一鑠鑠'《何晏》. ④《韓》 성 호 성(姓)의 하나.
[字源] 金文 鎬 篆文 鎬 形聲. 金+高〔音〕

[鎬鎬 호호] 빛나는 모양. 환한 모양.

10 ⑱ [鎭] [高人] [一] 진 [去]震 陟刃切 zhèn [二] 전 [平]先 亭年切 tián 镇
[筆順] 𠂉 𠂉 金 釒 釒 鋇 鎭 鎭
[字解] [一] ①누를 진 무거운 물건으로 위에서 누름. '以白玉一坐席'《楚辭 註》. 또, 누르는 물건. '文一'. '白玉兮爲一'《楚辭》. ②진정(鎭定)할 진 ㉠어루만져 눌러서 편안하게 함. '一撫'. '一國家'. 또, 지덕(地德)으로써 한 지방을 진정하는 명산 대악(名山大嶽). '其山一曰會稽'《周禮》. ㉡한 지방 또는 한 사회를 진정시킬 만한 권위·덕망. '公一州一'《魏志》. ③진영 진 한 지방을 진정하는 둔영(屯營). '藩一'. '雄一'. '旣至一'《晉書》. ④고을 진 인구 5만 이상의 도시. '漢口一'. '景德一'. ⑤진정(鎭靜)할 진 소란하던 것이 가라앉아 조용함. '一息'. '覽民尤以自一'《楚辭》. ⑥오래 진 길이길이. 주로, 시(詩)에 씀. '此心一懸懸'《賈島》. ⑦성 진 성(姓)의 하나. [二] 메울 전, 멜 전 塡(土部 十畫)과 통용. '譬之如室, 旣一其甍兮'《國語》.
[字源] 篆文 鎭 形聲. 金+眞〔音〕. '眞진'은 가득 채워 넣다의 뜻. 가득 채워 넣어진 금속, 누름단추의 뜻을 나타냄. 또 누름단추를 눌러놓다, 진정시키다의 뜻을 나타냄.

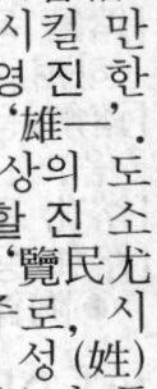
[鎭圭]

[鎭據 진거] 진정(鎭定)하여 웅거(雄據)함.
[鎭圭 진규] 천자(天子)가 갖는 홀(笏)의 한 가지. 사진(四鎭)의 산(山) 모양을 본떠 새긴 것으로, 사방(四方)을 진정(鎭定)하는 뜻을 나타냄.
[鎭撫 진무] 난리를 평정하고 백성을 편안하게 함.

민심(民心)을 진정시켜 안무(按撫)함.
[鎭邊 진변] 변경(邊境)을 진압(鎭壓)하여 다스림.
[鎭星 진성] '토성(土星)'의 별칭(別稱).
[鎭守 진수] ㉠군대를 주둔시켜 요처(要處)를 엄중히 지킴. ㉡《佛敎》사원(寺院) 수호의 가람신(伽藍神).
[鎭戍 진수] 진수(鎭守) ㉠.
[鎭綏 진수] 진안(鎭安).
[鎭息 진식] 진정(鎭定)하여 그치게 함. 또, 진정(鎭靜)하여 그침.
[鎭安 진안] 진정(鎭定)하여 편안히 함. 또, 진정(鎭定)되어 가라앉음.
[鎭遏 진알] 진정(鎭定)하여 막음.
[鎭壓 진압] 진정(鎭定)시키고 위압함.
[鎭禦 진어] 백성을 진정시키고 적군을 방어함.
[鎭厭 진엽] 진압(鎭壓).
[鎭慰 진위] 진정(鎭定)하여 위무함.
[鎭日 진일] 진종일. 종일(終日). 긴 하루.
[鎭子 진자] 문진(文鎭).
[鎭定 진정] 진압하여 평정함.
[鎭靜 진정] 왁자하거나 요란하던 것을 가라앉게 함. 또는 가라앉음.
[鎭重 진중] 점잖고 무게가 있음.
[鎭宅符 진택부] 집안을 안전하게 하는 부적.
[鎭討 진토] 쳐 진압(鎭壓)함.
[鎭痛 진통] 아픈 것을 진정시킴.
[鎭扞 진한] 진수(鎭守) ㉠.
[鎭護 진호] 난리를 진압하여 나라를 수호함.
[鎭火 진화] 화재를 꺼서 잡음.
◉國鎭. 軍鎭. 撫鎭. 文鎭. 藩鎭. 邊鎭. 四鎭. 山鎭. 書鎭. 外鎭. 要鎭. 雄鎭. 留鎭. 節鎭. 州鎭. 重鎭. 至鎭. 八鎭. 風鎭.

10 ⑱ **[鎰]** [人名] 일 [入]質 夷質切 yì 镒

[筆順] 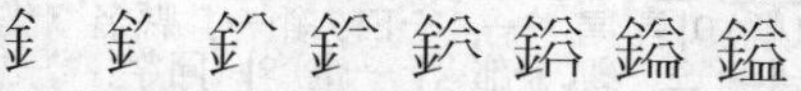

[字解] 중량이름 일 무게의 단위. 스물넉 냥(兩). 일설(一說)에는, 스무 냥, 또는 서른 냥이라 함. '雖萬一, 必使玉人雕琢之'《孟子》.
[字源] 形聲. 金+益〔音〕

◉萬鎰.

10 ⑱ **[鎈]** 차 ①[平]麻 初加切 chā ②[上]哿 相可切 suǒ

[字解] ①돈 차 '一, 錢異名'《廣韻》. ②금빛 차 금의 빛깔. '一, 金光'《玉篇》.
[字源] 形聲. 金+差〔音〕

10 ⑱ **[鎢]** 오 [平]虞 哀都切 wū 钨

[字解] 옹솥 오 작은 솥. '釜鍑銚槃一錪, 皆民閒之急用也'《杜預》.
[字源] 形聲. 金+烏〔音〕

10 ⑱ **[鎝]** 구 [平]尤 居侯切 gōu

[字解] ①쟁기 구 밭이랑을 만드는 경구(耕具). '一, 溝也, 旣割去壟上草, 又辟其土以壅苗根, 使壟下爲溝受, 水潦也'《釋名》. ②굽을 구 鉤(金部 五畫)와 同字. '鉤, 說文, 曲也, 或作一'《集韻》.

10 ⑱ **[鍺]** 기 [平]支 渠伊切 qí

[字解] 굴대덧방쇠 기 수레의 굴대 끝을 휘감아 싸는 쇠. '一, 軸耑鐵'《集韻》.

10 ⑱ **[鎶]** 관 [平]刪 姑頑切 guān

[字解] 쟁기날 관 쟁기·삽·호미의 날. '一, 犂釪也'《集韻》.

10 ⑱ **[鍥]** 결 [入]屑 詰結切 qiè

[字解] ①새길 결 '一, 刻也'《字彙》. '鐫山石, 一金玉'《淮南子》. ②낫 결.

10 ⑱ **[鎍]** 삭 ①[入]藥 昔各切 suǒ ②[入]陌 色窄切 sè

[字解] ①쇠줄 삭 쇠로 만든 줄. '一, 鐵繩也'《集韻》. ②석쇠 삭 고기·떡 등을 굽는 기구. '一, 鐵弗'《集韻》.
[字源] 形聲. 金+索〔音〕

10 ⑱ **[鎑]** 질 [入]質 昨悉切 jí

[字解] 쇠회초리 질.

10 ⑱ **[鎲]** 당 [上]養 朵榜切 tǎng 镋

[字解] 당파창 당 '一鈀'는 끝이 세 갈래 진 창.

10 ⑱ **[鏸]** 〔함〕
鋡(金部 八畫〈p. 2397〉)의 本字

10 ⑱ **[鎘]** 〔력〕
鬲(部首〈p. 2632〉)과 同字

10 ⑱ **[鎦]** 〔류〕
劉(刀部 十三畫〈p. 268〉)와 同字

10 ⑱ **[鎮]** 〔진〕
鎭(金部 十畫〈p. 2410〉)의 俗字

10 ⑱ **[鎩]** 〔쇄〕
鎩(金部 十一畫〈p. 2412〉)의 俗字

10 ⑱ **[鎏]** 류 [平]尤 力求切 liú

[字解] 금 류 질이 좋은 금. 미금(美金).
[字源] 形聲. 金+流〔音〕

10 ⑱ **[鎣]** [人名] 형 [去]徑 烏定切 yíng 蓥

[字解] ①줄 형 쇠붙이를 갈아 광택이 나게 하는 연장. ②꾸밀 형 장식함.
[字源] [篆文] 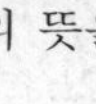 形聲. 金+熒〈省〉〔音〕. '熒형'은 '빛나다'의 뜻. 금속을 갈아 윤을 내는 연장의 뜻을 나타냄.

11 ⑲ **[鏁]** 쇄 [上]哿 蘇果切 suǒ

[字解] 자물쇠 쇄, 쇠사슬 쇄 鎖(金部 十畫)와 同字. '一閉'. '冐以鐵一'《潘岳》.

[鏁廳 쇄청] 과거에 응하는 자.
[鏁閉 쇄폐] 자물쇠를 채움.
◉鐵鏁.

11 ⑲ **[鏃]** [人名] 족(촉[俗]) [入]屋 作木切 zú 镞

[字解] 살촉 족 화살촉. '鋒一'. '石一'. '秦無亡矢遺一之費'《賈誼》.
[字源] 篆文 形聲. 金+族〔音〕. '族족'은 '모이다'의 뜻. 예리한 날 부분이 모여 뾰족해진 화살촉의 뜻을 나타냄.

[鏃矢 족시] 살촉이 있는 화살.
◉剛鏃. 勁鏃. 弓鏃. 金鏃. 磨鏃. 亡鏃. 沒鏃. 石鏃. 矢鏃. 礪鏃. 利鏃. 箭鏃. 鐵鏃. 虛鏃.

11 ⑲ **[鏇]** 선 [去]霰 辭戀切 xuàn 镟

[字解] ①갈이틀 선 굴대를 돌려서 물건을 자르거나 깎는 기계. '一盤'. ②술데우는그릇 선 '一, 溫器也. 旋之湯中, 以溫酒'《六書故》.
[字源] 篆文 形聲. 金+旋〔音〕. '旋선'은 빙글빙글 돌다의 뜻. 빙글빙글 돌려서 둥근 그릇을 만드는 갈이틀의 뜻을 나타냄.

[鏇盤 선반] 갈이틀. 선반(旋盤).

11 ⑲ **[鏄]** 단 [平]寒 徒官切 tuán

[字解] 쇳덩어리 단 '一, 塊鐵'《集韻》.

11 ⑲ **[鏈]** 련 [平]先 力延切 liàn 链

[字解] ①쇠사슬 련 쇠고리를 이은 것. '一鎖'. '今人以鋃鐺之類相連續者爲一'《六書故》. ②《現》케이블 련 거리의 단위. 케이블(cable)의 음역. 10분의 1해리(海里).
[字源] 篆文 形聲. 金+連〔音〕. '連련'은 '이어지다'의 뜻. 길게 이어진 '쇠사슬'의 뜻을 나타냄.

[鏈繫 연계] 쇠사슬로 맴.
[鏈鎖 연쇄] 쇠사슬.
◉鐵鏈.

11 ⑲ **[鏌]** 막 [入]藥 慕各切 mò

[字解] 칼이름 막 '一鋣'는 간장(干將)과 병칭(竝稱)되는 오(吳)나라의 명검(名劍). '一邪'·'莫邪'로도 씀. '求一鋣於明智'《後漢書》.
[字源] 篆文 形聲. 金+莫〔音〕

[鏌干 막간] 막야(鏌鋣)와 간장(干將). 모두 상고(上古)의 명검(名劍).
[鏌邪 막야] 막야(鏌鋣).
[鏌鋣 막야] 고대(古代)의 오(吳)나라의 명검(名劍).

11 ⑲ **[鏐]** 류 [平]尤 力求切 liú 镠

[字解] 금 류 질이 좋은 금. 미금(美金). '鐐琫而一珌'《詩經 箋》.
[字源] 金文 篆文 形聲. 金+翏〔音〕

◉精鏐.

11 ⑲ **[鏅]** 수 ①[平]尤 思留切 xiū ②[去]宥 息救切 xiù

[字解] ①쇳덩이 수 조광(粗鑛). '一鉏, 鋌也'《廣雅》. ②쇠불릴 수 단련(鍛鍊)함. '一, 鍛也'《集韻》.

11 ⑲ **[鎩]** [一] 쇄 [去]卦 所拜切 shài [二] 살 [入]黠 所八切 shā 铩

[字解] [一] ①창 쇄 긴 창(槍). '非鎩於句戟長一也'《史記》. ②자를 쇄 절단함. '鳥一翮'《左思》. [二] 창 살, 자를 살 [一]과 뜻이 같음.
[字源] 篆文 形聲. 金+殺〔音〕. '殺살·쇄'는 뾰족하게 자르다, 가늘게 베어 내다의 뜻. 끝의 양쪽이 가늘게 베어 내어진 창의 뜻을 나타냄.

[鎩羽 살우] 날개가 부러져 날지 못한다는 뜻으로, 뜻을 잃음을 비유하여 이르는 말.
[鎩翼 살익] 날개를 폄.
◉長鎩.

11 ⑲ **[鏕]** [一] 록 [入]屋 盧谷切 lù [二] 오 [平]豪 於刀切 áo

[筆順] 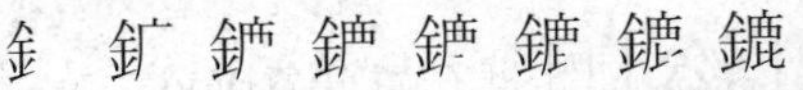

[字解] [一] ①솥이름 록 '一, 釜名'《集韻》. ②현(縣)이름 록 '一, 一曰, 鉅一, 縣名'《集韻》. [二] 냄비 오 鏖(金部 十一畫)와 同字. '一, 同鏖'《龍龕手鑑》.

11 ⑲ **[鏑]** [人名] 적 [入]錫 都歷切 dí 镝

[字解] ①살촉 적 화살촉. '銷鋒一'《史記》. ②우는살 적 쏘아 나갈 때 소리가 나는 화살. 명전(鳴箭). '飛一'. '作爲鳴一'《史記》.
[字源] 篆文 形聲. 金+啇〔音〕. '啇적'은 '가다'의 뜻. 적을 향해 날아가는 화살촉, '우는살'의 뜻을 나타냄.

◉鳴鏑. 鋒鏑. 飛鏑. 鎖鏑. 矢鏑. 流鏑. 箭鏑. 响鏑.

11 ⑲ **[鏗]** 갱 [平]庚 口莖切 kēng 铿

[字解] ①금석소리 갱 쇠나 돌 따위의 울리는 소리. 종이나 경쇠가 울리는 소리. '鍾聲一'《禮記》. ②거문고소리 갱 거문고를 타는 소리. '鼓瑟希, 一爾舍瑟'《論語》. ③칠 갱 종 같은 것을 침. '一鐘搖簴'《楚辭》.
[字源] 會意. 金+堅. 굳은 금석에서 나는 소리의 형용을 나타냄.

[鏗鏗 갱갱] ㉠금석(金石) 또는 거문고의 소리. ㉡언어가 명확한 모양.

[鏗鍠 갱굉] 종고(鐘鼓)의 소리.
[鏗戛 갱알] 갱연(鏗然).
[鏗然 갱연] 금석(金石) 또는 거문고의 소리.
[鏗爾 갱이] 갱연(鏗然).
[鏗鏘 갱장] 금옥(金玉)의 소리. 악기의 소리.
[鏗錚 갱쟁] 금옥(金玉)의 소리.
[鏗鎗 갱쟁] 금석(金石)의 소리.

11 ⑲ [鏤] 루 [去]宥 郎豆切 lòu

[字解] 쇠의녹 루 산화철(酸化鐵). '一, 鏉一, 鐵生衣'《集韻》.

11 ⑲ [鏘] 장 [平]陽 七羊切 qiāng 锵

[字解] ①울리는소리 장 옥(玉) 또는 방울 같은 것이 울리는 소리. '一然而韶鈞鳴'《李漢》. ②높을장 높은 모양. '踰高閣之一一'《後漢書》.
[字源] 形聲. 金+將〔音〕. '將장'은 금속이 서로 부딪치는 소리의 의성어.

[鏘然 장연] 옥(玉) 또는 방울 같은 것이 울리는 소리.
[鏘鏘 장장] ㉠옥(玉) 또는 방울이 울리는 소리. ㉡음악 소리. ㉢높은 모양.
◉鏗鏘. 凄鏘.

11 ⑲ [鏚] 척 [入]錫 倉歷切 qī

[字解] 도끼 척 戚(戈部 七畫)과 同字. '君王命剝圭以爲一柲'(柲는 자루)《左傳》.
[字源] 形聲. 金+戚〔音〕. '戚척'은 '도끼'의 原字. 친척 등의 딴 의미로 많이 쓰이었기 때문에, '金금'을 덧붙여 '도끼'의 뜻을 분명히 함.

[鏚鉞 척월] 도끼.

11 ⑲ [鏪] 조 [平]豪 財勞切 cáo

[字解] 뚫을 조 '一, 穿也'《集韻》.

11 ⑲ [鏜] 당(탕[本]) [平]陽 吐郎切 tāng 镗

[字解] 종고소리 당 종이나 북의 소리. '擊鼓其一'《詩經》.
[字源] [篆文] 形聲. 金+堂〔音〕. 종이나 북소리의 의성어.

[鏜鏜 당당] ㉠종고(鐘鼓)의 소리. 당연(鏜然). ㉡큰 소리의 형용.
[鏜然 당연] 북 치는 소리의 형용.
[鏜鞳 당탑] ㉠파도·폭포·종고 등의 모든 큰 소리의 형용. 당당(鞺鞳). ㉡종고(鐘鼓)의 큰 소리.

11 ⑲ [鏝] 만 [平]寒 母官切 màn 镘

[字解] 흙손 만 흙 바르는 연장. '手一'. '泥一'.
[字源] [篆文] 形聲. 金+曼〔音〕. '曼만'은 길게 늘이다의 뜻. 벽토를 길게 늘여 펴기 위한 쇠흙손의 뜻을 나타냄.

[鏝胡 만호] 날이 없고 큰 창.
◉手鏝. 泥鏝. 操鏝. 畫鏝.

11 ⑲ [鏞] [人名] 용 [平]冬 餘封切 yōng 镛

[筆順] 釒 釒 釿 鈩 鉑 鏞 鏞 鏞

[字解] 종 용. 쇠북 용 큰 종. '笙一以閒'《書經》.
[字源] [篆文] 形聲. 金+庸〔音〕. 原字는 '甬용'이었으나, '甬'의 뜻이 다양하게 파생 분화하였으므로, 이 글자가 쓰이게 됨. '庸용'은 '들어 올리다'의 뜻. 들어 올려서 매다는 큰 종의 뜻을 나타냄.

[鏞]

◉金鏞. 大鏞. 笙鏞.

11 ⑲ [鏟] 산 [上]潸 初限切 chǎn 铲

[字解] ①대패 산 나무를 밀어 깎는 연장. ②깎을 산 剷(刀部 八畫)과 同字. '意欲一疊障'《杜甫》.
[字源] [篆文] 形聲. 金+產〔音〕. '產산'은 뚜렷하게 잘리어 떨어지다의 뜻. 뚜렷하게 깎아 내는 대패의 뜻을 나타냄.

[鏟幣]

[鏟幣 산폐] 대팻날 모양의 옛날 돈. 춘추(春秋) 시대 이전의 유물(遺物)로 생각됨.

11 ⑲ [鏠] 봉 [平]冬 敷容切 fēng

[字解] 봉망 봉 鋒(金部 七畫)의 本字.
[字源] 鋒(金部 七畫)의 字源을 보라.

[鏠旗 봉기] 대 끝에 창을 단 기.
[鏠出 봉출] 칼날 끝이 돌출함.

11 ⑲ [鏡] [高人] 경 [去]敬 居慶切 jìng 镜

[筆順] 釒 鈩 鈽 鏡 鏡 鏡 鏡 鏡

[字解] ①거울 경 ㉠물체의 형상을 비추어 보는 물건. '銅一'. '淸水明一, 不可以形逃'《漢書》. ㉡모범·경계가 될 만한 것. '以前人爲一戒'《後漢書》. ②비출 경 빛을 발사함. '金光一野'《班固》. ③비추어볼 경 조감(照鑑)함. 대조하여 봄. '孰當可而一'《呂氏春秋》. ④살필 경 '深說經義, 明一聖法'《漢書》. ⑤안경 경 시력을 보충 또는 조절하는 기구. '望遠一'. '初始名之爲千里一'《乾隆帝》. ⑥성 경 성(姓)의 하나.
[字源] [篆文] 形聲. 金+竟〔音〕. '竟경'은 '景경'과 통하여 '빛'의 뜻. 모습을 비추어 내는 구리 거울의 뜻을 나타냄.

[鏡鑑 경감] ㉠거울. ㉡본보기.
[鏡匣 경갑] 거울을 넣은 상자.
[鏡戒 경계] 경계(警戒). 감계(鑑戒).
[鏡誡 경계] 경계(鏡戒).
[鏡考 경고] 거울삼아 생각함. 살펴 생각함.
[鏡臺 경대] 거울을 달아 세운 화장대.

[鏡奩 경렴] 경갑(鏡匣).
[鏡匳 경렴] 경갑(鏡匣).
[鏡匲 경렴] 경갑(鏡匣).
[鏡裏 경리] 거울 속. 경중(鏡中).
[鏡面 경면] 거울이 비치는 면.
[鏡餠 경병] 보리와 쌀을 빻아 섞어서 거울 모양으로 만든 떡.
[鏡水 경수] 거울과 같이 맑고 잔잔한 물.
[鏡影 경영] 거울에 비치는 형상.
[鏡淨 경정] 경청(鏡淸).
[鏡彩 경채] 거울과 같이 맑은 빛.
[鏡淸 경청] 거울과 같이 맑고 깨끗함.
[鏡花水月 경화수월] 거울에 비친 꽃과 물에 비친 달. 눈으로는 보나 손으로는 쥘 수 없는 것과 같이, 시문(詩文) 등의 언어(言語)를 초월한 묘취(妙趣)를 이름.
[鏡花緣 경화연] 소설 이름. 청(淸)나라 이여진(李汝珍)의 작(作). 전편(全篇) 1백 회(回). 당(唐)나라 측천무후(則天武后) 때 득죄(得罪)한 화신(花神)이 하늘에서 쫓겨 백(百) 사람의 여자로 태어나 다 과거(科擧)에 급제(及第)하고 홍문연(紅文宴)에 초대됨을 그린 것.
◉古鏡. 掛鏡. 皎鏡. 龜鏡. 金鏡. 鸞鏡. 銅鏡. 磨鏡. 萬華鏡. 望遠鏡. 明鏡. 撲鏡. 反鏡. 反射鏡. 方鏡. 寶鏡. 氷鏡. 水鏡. 神鏡. 心鏡. 雙眼鏡. 鬖髿鏡. 眼鏡. 瑩鏡. 玉鏡. 凹面鏡. 圓鏡. 人鏡. 粧鏡. 照鏡. 地鏡. 塵鏡. 天鏡. 千里鏡. 天眼鏡. 鐵鏡. 凸面鏡. 淸鏡. 破鏡. 合鏡. 海鏡. 向鏡. 懸鏡. 顯微鏡.

11 ⑲ [鋺] 원 ㊥元 於袁切 yuān
字解 호미목의구부러진쇠 원 鋺(金部 八畫)과 同字. '一, 鉏頭曲鐵, 或从宛'《集韻》.

11 ⑲ [鏢] 표 ㊥蕭 撫招切 biāo 镖
字解 ①칼집끝장식 표 칼집의 끝에 있는 장식. ②칼끝 표 칼의 뾰족한 끝. 도봉(刀鋒). ③푠끌 표 먼 데서 던져 사람을 살상하는 데 쓰는 작은 끌.
字源 篆文 形聲. 金+票(㶾)〔音〕. '㶾표'는 가볍게 떠오르는 끝의 뜻. 칼의 뾰족한 끝, 또 칼집의 끝의 뜻을 나타냄.

11 ⑲ [鏤] 人名 루 ①-④㊦有 盧候切 lòu ⑤㊥虞 力朱切 lú 镂
字解 ①강철 루 단단한 쇠. '璆鐵銀一'《書經》. ②새길 루, 아로새길 루 쇠에 여러 가지 무늬를 새김. '刻一'. '器不彫一'《左傳》. 전(轉)하여, 널리 나무를 새기는 데도 이름. '一板'. ③뚫을 루 개통함. '一山'. '一靈山'《漢書》. ④성 루 성(姓)의 하나. ⑤칼이름 루 '屬一'는 검(劍)의 이름. '賜子胥屬一之劍'《史記》.
字源 篆文 形聲. 金+婁〔音〕. '婁루'는 가공한 위에 또 가공하다의 뜻. 아로새기기 위한 금속, 강철의 뜻이나, 칼로 아로새기다의 뜻을 나타냄.

[鏤刻 누각] 새김. 조각함. 전(轉)하여, 문장·사구(辭句) 등을 꾸밈.
[鏤句 누구] 구(句)를 교묘하게 지음. 또, 그 구.
[鏤膚 누부] 누신(鏤身).
[鏤氷雕朽 누빙조후] 얼음 덩어리나 썩은 나무에 조각한다는 뜻으로, 애쓴 보람이 없음을 이름.
[鏤山 누산] 산을 뚫어 길을 개통함.
[鏤身 누신] 문신(文身)함.
[鏤月裁雲 누월재운] 달을 아로새기고 구름을 마름. 세공(細工)의 교묘(巧妙)함을 비유한 말.
[鏤梓 누자] ㉠판(板)에 새김. ㉡서적을 출판함.
[鏤塵 누진] 티끌에 새김질을 한다는 뜻. 불가능한 일, 도로무공(徒勞無功)의 비유로 쓰임.
[鏤彩 누채] 아로새기고 색칠을 함.
[鏤板 누판] 목판(木板)을 새김.
◉刻鏤. 丹鏤. 彤鏤. 鈒鏤. 鐫鏤. 雕鏤. 錯鏤. 靑鏤.

11 ⑲ [鏦] ㊀ 종 ㊥冬 七恭切 cōng ㊁ 창 ㊥江 楚江切 cōng
字解 ㊀ ①창 종 작은 창(槍). ②찌를 종. ㊁ ①찌를 창 창 같은 것으로 찌름. '一特肩'《後漢書》. ②울리는소리 창 쇠붙이가 울리는 소리. '一一錚錚, 金鐵皆鳴'《歐陽修》.
字源 篆文 形聲. 金+從〔音〕. '從종'은 길게 세로로 뻗다의 뜻. 가늘고 긴 창의 뜻을 나타냄.

[鏦殺 창살] 창으로 찔러 죽임.
[鏦鏦 창창] 금속이 울리는 소리.

11 ⑲ [鏆] 관 ㊦翰 古玩切 guàn
筆順 钅 金 釒 釦 鈿 鈿 鏆 鏆
字解 ①팔찌 관 '一, 鐶手謂之一'《集韻》. ②뚫을 관 꿰뚫음. '一, 穿也'《玉篇》.

11 ⑲ [鏹] 강 ㊤養 居兩切 qiǎng 镪
字解 돈꿰미 강 繈(糸部 十一畫)과 同字. '藏一巨萬'《左思》.
字源 形聲. 金+強〔音〕

11 ⑲ [鏌] 무(모㊍) ㊤麌 滿補切 mǔ
字解 다리미 무 '鈷一'는 다림질하는 제구. 다리미. 고무(鈷鉧).
◉鈷鏌.

11 ⑲ [鏉] 수 ①②㊦宥 所祐切 shòu ③㊥尤 速侯切 sōu
字解 ①날카로울 수 '一, 利也'《說文》. ②녹 수 쇠에 스는 녹. '一, 一日, 一鏽, 鐵上衣'《集韻》. ③새길 수, 아로새길 수 鎪(金部 十畫)와 同字. '一, 彫也'《集韻》.
字源 篆文 形聲. 金+敕〔音〕

11 ⑲ [鏏] ㊀ 위 ㊦霽 于歲切 wèi ㊁ 혜 ㊦霽 胡桂切 ㊂ 세 ㊦霽 祥歲切
字解 ㊀ 솥 위 ㉠작은 솥. 또, 귀 없는 솥. '一, 小鼎. 又曰, 鼎無耳爲一'《說文 段注》. ㉡귀 있는 솥. '一, 銅器. 三足有耳也'《玉篇》. ㊁ 솥 혜

[一]과 뜻이 같음. [三] 솥 세 큰 솥. '一, 大鼎'《廣韻》.
[字源] 形聲. 金+彗〔音〕

11 ⑲ [鏎] 필 [入]質 壁吉切 bì
[字解] 간찰(簡札) 필 畢(田部 六畫)·篳(竹部 十一畫)과 통용. '一, 簡也, 通作畢·篳'《集韻》.

11 ⑲ [鏒] [一] 삼 [上]感 桑感切 sǎn
[二] 초 [平]蕭 千遙切 qiāo
[三] 참 [去]勘 七紺切 càn
[字解] [一] ①쇠 삼 금속(金屬). '一, 玉篇, 金一'《字彙》. ②철기(鐵器)의모양 삼 '一, 鐵器貌'《五音集韻》. [二] 꿰맬 초 바늘로 옷을 기움. '一, 以箴紩衣, 通作繰'《集韻》. [三] 호미 참 '一, 鋤也'《集韻》.

11 ⑲ [鏋] [人名] 만 [上]旱 母伴切 mǎn
[筆順] 金 金一 金卄 金卄 鏋 鏋 鏋 鏋
[字解] 금 만 '一, 金也'《玉篇》.
[字源] 形聲. 金+㒼〔音〕

11 ⑲ [鏂] [一] 우 [平]尤 烏侯切 ōu
[二] 후 [平]尤 墟侯切 kōu
[三] 구 [平]虞 丘于切 ōu
[字解] [一] ①우후(鏂銗) 우 ㉠'一銗'는 문고리를 다는 쇠 장식. '一, 門鋪謂之一銗'《集韻》. ㉡'一銗'는 투구 드림. 투구의 뒤와 좌우에 드리워 목을 보호하는 드림. '鍉鍜謂之一銗'《廣雅》. ②부우(鉜鏂) 우 ㉠'鉜一'는 거울 상자의 장식. '鉜, 鉜一, 籢飾也'《玉篇》. ㉡'鉜一'는 큰못. '鉜, 鉜一, 大釘'《集韻》. [二] 깎을 후 '剾, 剜也. 或作一'《集韻》. [三] 용량단위 구 2되 8홉. '百泉則 一二十也. (注) 二升八合曰一'《管子》.

11 ⑲ [鏍] 〔라〕 鑹(金部 十九畫〈p. 2425〉)와 同字

11 ⑲ [鏫] 〔려·리〕 鑗(金部 十五畫〈p. 2423〉)와 同字

11 ⑲ [鏸] 〔환〕 鐶(金部 十三畫〈p. 2420〉)의 俗字

11 ⑲ [鏥] 〔수〕 銹(金部 七畫〈p. 2397〉)와 同字

11 ⑲ [鏩] 〔참〕 鏨(金部 十一畫〈p. 2415〉)과 同字

11 ⑲ [鏊] 오 [去]號 五到切 ào
[去]嘯 牛召切
[字解] 번철 오 지짐질하는 데 쓰는, 솥뚜껑을 젖힌 모양의 쇠 그릇.
[字源] 形聲. 金+敖〔音〕

11 ⑲ [鏉] 鏊(前條)와 同字

11 ⑲ [鏖] 오 [平]豪 於刀切 áo
[字解] ①오살할 오 모조리 죽임. 많이 죽임. '一殺'. '秦以山西, 一六國'《李覯》. ②시끄러울 오 훤조(喧噪)함. '市聲一午枕'《黃庭堅》.
[字源] 形聲. 金+鹿〈省〉〔音〕

[鏖殺 오살] 한 사람도 남기지 않고 모두 무찔러 죽임.
[鏖戰 오전] 힘을 다하여 적이 다 죽든지 자기편이 다 죽든지 간에 최후까지 싸움.
[鏖糟 오조] ㉠오살(鏖殺). ㉡불결하고 난잡함. ㉢끈질기어 남을 불쾌하게 함.

11 ⑲ [鏨] [一] 참 [平]覃 昨甘切 zàn
[上]感 才敢切
[二] 잠 [去]勘 藏濫切 zàn
[字解] [一] ①새길 참 돌에 글자 같은 것을 새김. ②끌 참 돌에 글자 같은 것을 새기는 작은 끌. [二] 새길 잠, 끌 잠 [一]과 뜻이 같음.
[字源] 篆文 鏨 形聲. 金+斬〔音〕. '斬참'은 '베다'의 뜻. 작은 끌의 뜻을 나타냄.
[參考] 鏩(金部 十一畫)은 同字.

[鏨字 참자] 글자를 새김.

11 ⑲ [鏊] 〔무〕 鍪(金部 九畫〈p. 2408〉)와 同字

11 ⑲ [鏂] 구 [平]尤 墟侯切 kōu
[字解] 깎을 구 깎아 냄. 鏂(金部 十一畫)와 同字. '剾, 剜也, 或作鏂·斸·一·剅'《集韻》.

11 ⑲ [鏓] [一] 총 [平]東 倉紅切 zǒng
[二] 송 [上]董 損動切
[三] 몽 [平]東 謨蓬切
[字解] [一] ①종소리 총 '一, 鎗一也'《說文》. ②뚫을 총 큰 끌로 나무에 구멍을 뚫음. '一, 一曰, 大鑿中木也'《說文》. ③끌 총 큰 끌. '一, 大鑿平木器'《廣韻》. [二] 종소리 송, 뚫을 송, 끌 송 [一]과 뜻이 같음. [三] 뚫을 몽 [一]❷와 뜻이 같음.
[字源] 形聲. 金+悤〔音〕

11 ⑲ [鏦] 鏓(前條)과 同字

12 ⑳ [鐃] 뇨 ①-③[平]肴 女交切 náo
④[去]效 女教切 nào
[字解] ①징 뇨 악기의 한 가지. 군중(軍中)에서 쓰는 작은 징. '以金一止鼓'《周禮》. ②동발 뇨 자바라 종류의 악기. '一鈸' '一聲爲陰'《禮記 註》. ③시끄러울 뇨 譊(言部 十二畫)와 통용. '今年尙可, 後年一'《後漢書》. ④휠 뇨 撓(手部 十二畫)와 통용. '萬物無足以一心者'《莊子》.
[字源] 篆文 鐃 形聲. 金+堯〔音〕. '堯요'는 '높다'의 뜻. 청동으로 만든 높은 음이 나는 타악기, '징'의

[鐃①]

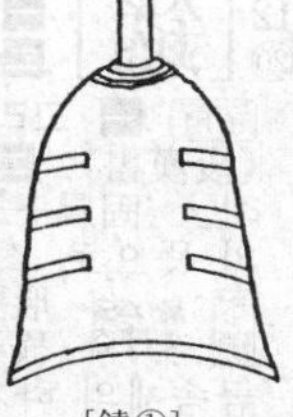

뜻을 나타냄.

[鐃歌 요가] 징을 두드리며 부르는 노래. 곧, 군악(軍樂)의 하나.
[鐃鈸 요발]《佛教》 자바라 종류의 악기. 마주쳐 울림. 동발(銅鈸).

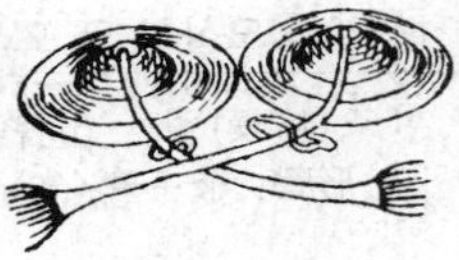
[鐃鈸]

[鐃吹 요취] 요가(鐃歌).
◉金鐃.

12 ⑳ **[鏷]** 박(복[本]) [入]沃 蒲沃切 pú

[字解] 무쇠 박 정련(精鍊)하지 아니한 쇠. '一越鍛成'《張協》.
[字源] 形聲. 金+菐〔音〕

12 ⑳ **[鏸]** [人名] 혜 [去]霽 胡桂切 huì

[字解] 세모창 혜 세모진 창.
[字源] 形聲. 金+惠〔音〕

12 ⑳ **[鏺]** 발 [入]曷 普活切 pō

[字解] ①낫 발 쌍날로 된 낫. ②벨 발 낫으로 풀을 깎음. '一廣濟'《韓愈》.
[字源] 篆文 形聲. 金+發〔音〕. '發발'은 '튕겨 내다'의 뜻. 쌍날의 낫으로 풀을 베어 내다의 뜻을 나타냄.

12 ⑳ **[鐄]** [人名] 횡 [平]庚 戶盲切 huáng

[筆順] 金 釒 鈕 鉗 鉗 錯 鐪 鐄

[字解] ①종 횡, 쇠북 횡 큰 종. ②소리 횡 물건의 소리의 형용. '鎗一警嗃'《馬融》.
[字源] 形聲. 金+黃〔音〕

◉錚鐄.

12 ⑳ **[鐇]** 번 [平]元 附袁切 fán

[字解] ①도끼 번 날이 넓은 도끼. ②벨 번, 깎을 번 벌채함. '一钁株林'《後漢書》.
[字源] 形聲. 金+番〔音〕

[鐇钁 번곽] 벌채함.

12 ⑳ **[鐍]** [一] 결 [入]屑 古穴切 jué
[二] 휼(결[本]) [入]屑 古穴切 jué

[字解] [一] 고리 결 잠그게 된 고리. '施玉鐶一'《後漢書》. [二] 자물쇠 휼 여닫는 물건을 잠그는 쇠. '固扃一'《莊子》. 전(轉)하여, 추요(樞要)의 뜻으로 쓰임. '扣二儀之一鑰'《李嶠》.
[字源] 篆文 形聲. 金+矞〔音〕. '矞결·휼'은 구멍을 뚫는 송곳의 뜻. 고리 속에 송곳 같은 금속제의 혀가 있는 자물쇠의 뜻을 나타냄.

[鐍固 휼고] 자물쇠로 잠금.
[鐍閉 휼폐] 자물쇠로 잠금.
◉扃鐍. 鐶鐍.

12 ⑳ **[鐎]** 초 [平]蕭 即消切 jiāo

[字解] 조두(刁斗) 초 '一斗'는 군대에서 쓰는 냄비 비슷한 그릇. 발이 셋이고 자루가 달림. 낮에는 음식을 데우고, 밤에는 두드려 야경(夜警)을 함. '銅一'. '煮之一中, 停于祭前'《周禮 註》.

[鐎斗]

[字源] 篆文 形聲. 金+焦〔音〕. '焦초'는 불에 눋게 하다의 뜻. 냄비 종류의 뜻을 나타냄.

[鐎斗 초두] 자해(字解)를 보라.
◉銅鐎.

12 ⑳ **[鐏]** 준 [去]願 祖寸切 zūn

[字解] 창물미 준 창(槍)의 자루 끝을 싼, 쇠붙이로 만든 원추형(圓錐形)의 물건. '進戈者前其一'《禮記》.
[字源] 篆文 形聲. 金+尊〔音〕. '尊준'은 통통한 술통의 뜻. 창자루 따위의 끝에 끼우는, 작은 술통 모양의 물미의 뜻을 나타냄.

12 ⑳ **[鐓]** 로 [去]遇 魯故切 lù

[字解] 금으로장식한수레 로 '一, 金路'《字彙》.

12 ⑳ **[鐒]** 〔로〕
鉾(金部 七畫〈p. 2397〉)와 同字

12 ⑳ **[鐐]** 료 [平]蕭 落蕭切 liáo

[字解] 은 료 질이 좋은 미은(美銀). '南一'. '一質輪菌'《何晏》.
[字源] 篆文 形聲. 金+寮(尞)〔音〕. '尞료'는 '밝다, 희다'의 뜻. 하얗게 빛나는 금속, '은'의 뜻을 나타냄.

◉南鐐.

12 ⑳ **[鐓]** [一] 대 [去]隊 徒對切 duì
[二] 돈 [平]元 都昆切 dūn

[字解] [一] 창고달 대 창(槍)의 자루 끝을 싼, 쇠붙이로 만든 납작한 물건. 원추형의 것은 '鐏'이라 함. '進矛戟者前其一'《禮記》. [二] 창고달 돈 [一]과 뜻이 같음.
[字源] 篆文 形聲. 金+敦(𣪌)〔音〕. '𣪌돈'은 '묵직하다'의 뜻. 묵직한 물미의 뜻을 나타냄.

12 ⑳ **[鐔]** [一] 심 [平]侵 徐林切 xín
[二] 담 [平]覃 徒含切 tán

[字解] [一] ①날밑 심 칼날과 칼 자루와의 사이에 끼우는 테. '周宋爲一'《莊子》. ②칼코등이 심 칼자루의 하단(下端). 검수(劍首). 검비(劍鼻). ③칼 심 작은 검(劍). '鑄作刀劍鉤一'《漢書》. [二] 날밑 담, 칼코등이 담, 칼 담 [一]과 뜻이

같음.

字源 篆文 鐔 形聲. 金+覃(𠧟)〔音〕. '𠧟담'은 깊게 파고 들어가다의 뜻. 칼에 깊숙이 끼우는 날밑의 뜻을 나타냄.

◉劍鐔. 戈鐔.

12 ⑳ [鐖] 기 ㊥微 渠希切 qí

字解 낫 기 큰 낫. '非直適戍之衆, 一鑿棘矜也'《史記》.

字源 形聲. 金+幾〔音〕

12 ⑳ [鐘] 中人 종 ㊥冬 職容切 zhōng

筆順 金 鈡 鈡 鈡 鐘 鐘 鐘 鐘

字解 ①종 종, 쇠북 종 쇠로 만든 악기. '一鼓樂之'《詩經》. ②성 종 성(姓)의 하나.

字源 金文 篆文 鐘 形聲. 金+童〔音〕. '童동'은 '重중'과 통하여 '무겁다'의 뜻. 무거운 금속의 뜻에서 파생하여 '종'의 뜻을 나타냄.

[鐘閣 종각] 큰 종(鐘)을 달아 놓은 집.
[鐘磬 종경] 종과 경. 전(轉)하여, 악기(樂器).
[鐘鼓 종고] 종과 북.
[鐘樓 종루] 종을 달아 놓은 누각.
[鐘銘 종명] 종에 새긴 명(銘).
[鐘鳴漏盡 종명누진] 때를 알리는 종이 울리고 물시계의 물이 다 샌다는 뜻으로, 밤이 자꾸 깊어 감을 이름. 전(轉)하여, 노쇠(老衰)하여 여명(餘命)이 얼마 남지 아니함을 이름.

[鐘①]

[鐘鳴鼎食 종명정식] 종을 쳐서 집 안 사람을 모아 솥을 늘어놓고 먹음. 곧, 가족이 많은 부귀(富貴)한 사람의 살림을 이름. 격종 정식(擊鐘鼎食).
[鐘鎛 종박] 큰 종과 작은 종. 종.
[鐘笙 종생] 종소리와 생황(笙簧) 소리.
[鐘聲 종성] 종소리.
[鐘鼎 종정] 종과 가마솥.
[鐘鼎文 종정문] 은주 시대(殷周時代)의 종정(鐘鼎)의 명(銘)에 쓰인 고문(古文)·대전(大篆)·주문(籒文).

◉鏗鐘. 巨鐘. 擊鐘. 警鐘. 古鐘. 撾鐘. 掛鐘. 亂鐘. 撞鐘. 晩鐘. 鳴鐘. 暮鐘. 半鐘. 飯後之鐘. 梵鐘. 山鐘. 曙鐘. 小鐘. 時鐘. 晨鐘. 夜鐘. 掩耳盜鐘. 午鐘. 五鐘. 遠鐘. 應鐘. 林鐘. 自鳴鐘. 鼎鐘. 弔鐘. 朝鐘. 坐鐘. 編鐘. 夾鐘. 昏鐘. 洪鐘. 鴻鐘. 曉鐘. 釁鐘.

12 ⑳ [鐙] 등 ①㊤徑 都鄧切 dèng ②-④㊥蒸 都騰切 dēng 镫

字解 ①등자 등 말을 탈 때 디디고 올라가는 제구. '和裙穿玉一'《韓偓》. ②제기 등 금속제의 제기(祭器). 익힌 음식(飮食)을 올리는 데 쓰임. 와두(瓦豆). '實于一'《儀禮》. ③등잔 등 제구. 모양이 두(豆) 비슷함. ④등불 등 등화. '華一錯些'《楚辭》.

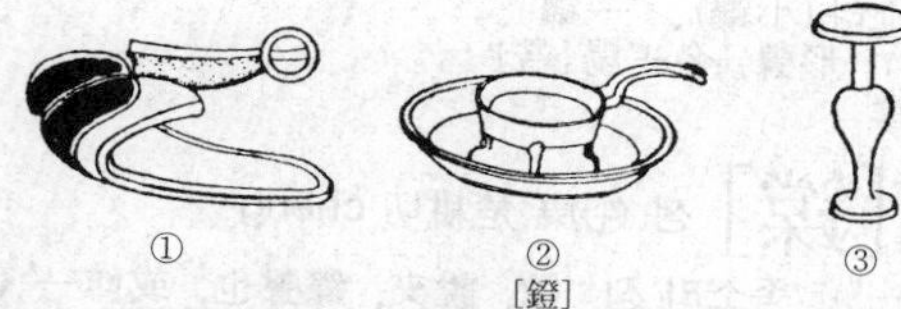
① ② ③
[鐙]

字源 篆文 鐙 形聲. 金+登〔音〕. '登등'은 물건을 올리기 위한 제기의 뜻. 금속제의 제기의 뜻을 나타냄.

[鐙骨 등골] 귀의 고막(鼓膜)에서 더 들어간 곳에 있는 뼈. 모양이 등자(鐙子) 비슷하므로 이름. 마등골(馬鐙骨).

◉跨鐙. 金鐙. 馬鐙. 木鐙. 玉鐙. 銀鐙. 雕鐙. 鐵鐙. 銜鐙.

12 ⑳ [鐕] 잠 ㊥覃 作含切 zān

字解 ①못 잠 대가리가 없는 못. '用雜金一'《禮記》. ②꿰맬 잠 옷을 지음. '一, 一曰, 綴衣也'《集韻》. 撍(手部 十二畫)과 통용.

字源 篆文 鐕 形聲. 金+朁〔音〕. '朁잠'은 '숨다'의 뜻. 두드려 박으면 숨어 버리는 못의 뜻을 나타냄.

12 ⑳ [鏵] 화 ㊥麻 戶花切 huá 铧

字解 가래 화 농구의 하나.

12 ⑳ [鐉] ▬ 전 ㊥先 逡緣切 quān ▬ 천 ㊥先 逡緣切

字解 ▬ 문동개쇠 전 문장부를 끼우는 반구형(半球形)의 쇠. '一, 所目鉤門戶樞也'《說文》. ▬ 문동개쇠 천 ▬과 뜻이 같음.

字源 形聲. 金+巽〔音〕

12 ⑳ [鐁] ▬ 산 ㊤翰 先旰切 sǎn ▬ 선 ㊤霰 私箭切 xiàn

字解 ▬ 쇠뇌 산 여러 개의 화살을 한꺼번에 쏘는 활. ▬ 불깔 선 수탉을 거세함.

12 ⑳ [鐥] 人名 韓 선

字解 《韓》 복자 선 술·기름 따위를 담는 작은 접시 모양의 쇠 그릇. 귀때가 달려 있음.

12 ⑳ [鐗] 간 ㊤諫 古晏切 jiàn, ②jiǎn

字解 ①수레굴대쇠 간 수레의 굴대의 바퀴통에 들어가는 부분을 싼 쇠. '一, 車軸鐵也'《說文》. ②창 간 날이 없는 모가 넷 있는 창.

字源 篆文 鐗 形聲. 金+閒〔音〕. '閒간'은 사이에 끼이다의 뜻. 바퀴통쇠〔釭〕와 굴대의 사이에 있는, 마찰을 적게 하기 위한 쇠의 뜻을 나타냄.

12 ⑳ [鐊] 탕 ㊤漾 他浪切 tàng, ②tāng 铴

字解 ①대패 탕 도끼로 깎은 뒤에 다듬는 연장. '一, 平木器'《字彙》. ②소라 탕 청(淸)나라 때에 요가(鐃歌)의 음악에 쓰이던, 구리로 만든

소라(小鑼). '一鑼'.
字源 形聲. 金+湯〔音〕

12 ⑳ [鐣] 쟁 ㊥庚 楚耕切 chēng

字解 종소리 쟁 '鎗, 說文, 鐘聲也, 或作一'《集韻》.

12 ⑳ [鐼] 관 ㊦翰 苦喚切 kuǎn

字解 ①쇠를달구어지질 관 '一, 燒鐵炙也'《廣韻》. ②낙인(烙印) 관 쇠를 달구어 간찰(簡札)의 차례를 표시함. '一, 埤蒼日, 燒鐵炙也, 一日, 灼鐵以識簡次'《集韻》. ③봉인(封印)할 관 '一, 一縫'《廣韻》. '今于紙縫上署記, 謂之一刻'《字林》.

12 ⑳ [鐈] 교 ㊥蕭 巨嬌切 ㊤篠 擧夭切 qiáo ㊦嘯 渠廟切

字解 ①냄비 교 솥 비슷하고 발이 긴 냄비. '一, 侶鼎而長足'《說文》. ②가마 교 가마솥. '一, 釜也'《廣雅》.
字源 形聲. 金+喬〔音〕

12 ⑳ [鐝] ㊌ 궐 jué

字解 《現》괭이 궐, 가래 궐 땅을 파는 연장.

12 ⑳ [鏶] 人名 집 ㊧緝 秦入切 jí

筆順 金 釒 釒 鉒 鉎 鏶 鏶 鏶

字解 쇳조각 집 쇠를 두드려 편 판금(板金). '一, 謂之鍱'《博雅》.
字源 篆文 鏶 形聲. 金+集〔音〕

12 ⑳ [鑑] 람 ㊥覃 盧含切 lán

字解 말재갈 람 '一驂'은 재갈. '一驂, 馬口中鐵'《字彙》.

12 ⑳ [鐯] 타 ㊤哿 杜果切 duò

字解 ①보습 타 '鈐一'는 큰 보습. '一, 鈐一也'《說文》. ②바퀴통끝휘갑쇠 타 '鍊一'는 바퀴통 끝에 물리는 휘갑쇠. '輨軑鍊一, 關之東西曰輨, 南楚日軑, 趙魏之間日鍊一'《揚子方言》.
字源 篆文 鐯 形聲. 金+隋〔音〕. '隋타'는 무너져 내리다의 뜻. 흙을 무너뜨리는 보습의 뜻을 나타냄.

12 ⑳ [鐫] 고 ㊥虞 攻乎切 gū

字解 화살 고 '鍱一'는 화살 이름. '鍱一, 矢名'《集韻》.

12 ⑳ [鐑] 결 ㊧屑 吉屑切 qiè

字解 낫 결.

12 ⑳ [鐀] 〔궤〕 匱(匚部 十二畫〈p. 294〉)와 同字

12 ⑳ [鐂] 〔류〕 鎦(金部 十畫〈p. 2411〉)의 本字
字源 篆文 鐂 形聲. 金+畱〔音〕. '畱류'는 '劉류'와 통하여 '죽이다'의 뜻.

12 ⑳ [鐚] 〔아〕 錏(金部 八畫〈p. 2398〉)와 同字

12 ⑳ [鐛] 〔강〕 鏹(金部 十一畫〈p. 2414〉)의 俗字

[鏽] 〔수〕 金部 十三畫(p. 2421)을 보라.

12 ⑳ [鏻] 人名 린 ㊥眞 離珍切 lín

字解 굳셀 린 건강한 모양. '一, 健皃'《廣韻》.

12 ⑳ [鐅] 별 ㊧屑 普蔑切 piě

字解 ①보습날 별 '一, 江南呼鐅刃'《廣韻》. ②소금가마 별 소금 굽는 가마솥.
字源 篆文 鐅 形聲. 金+敝〔音〕. '敝폐·별'은 '갈라 나누다'의 뜻. 흙을 갈라 나누는 쇠붙이의 뜻으로, '보습의 날'의 뜻을 나타냄.

12 ⑳ [鐝] 궐 ㊧月 其月切 jué

字解 갈 궐 '一, 磨也'《集韻》.
字源 形聲. 金+厥〔音〕

13 ㉑ [鐩] 수 ㊦寘 徐醉切 suì

字解 화경 수 햇빛을 비추어서 불을 일으키는 렌즈. '陽一'.

◉陽鐩.

13 ㉑ [鐰] 一 초 ㊥蕭 千遙切 qiāo 二 소 ㊦號 先到切 sào 三 조 ㊥豪 財勞切 cáo

字解 一 가래 초 삽. '鍬, 爾雅, 鍬謂之鍾, 惑作一'《集韻》. 二 ①쇠단단할 소 '一, 金鐵大剛曰一'《集韻》. ②마를 소 건조함. '一, 乾也'《廣雅》. 三 쇠가단단하여부러질 조 '一, 剛, 折謂之一'《集韻》.

13 ㉑ [鐫] 人名 전 ㊥先 子泉切 juān 镌 鐫

字解 ①새길 전 조각함. '一琢', '彫一'. '可一廣之'《漢書》. ②물리칠 전 관위(官位)를 강등함. 좌천함. '一級'. '有犯則一黜'《宋史》.
字源 篆文 鐫 形聲. 金+雋〔音〕. '雋전'은 '穿천'과 통하여 '뚫다'의 뜻. 구멍을 뚫기 위한 쇠 연장, 끌의 뜻을 나타냄.

[鐫級 전급] 등급을 내림. 강급(降級)함.
[鐫鏤 전루] 새김. 조각함.
[鐫勒 전륵] 돌 같은 데에 새김.

[鐫罰 전벌] 전출(鐫黜).
[鐫說 전설] 전유(鐫喩).
[鐫喩 전유] 타일러 깊이 깨우침.
[鐫切 전절] ㉠파서 새김. ㉡책선(責善)함.
[鐫鑱 전참] 새김.
[鐫黜 전출] 관리가 죄를 입어 강등(降等)당함.
[鐫琢 전탁] 조탁(彫琢)함.
[鐫汰 전태] 용관(宂官)을 도태함.
◉彫鐫.

13 ㉑ [鏖] 오 (平)豪 於刀切 āo

字解 솥 오 음식을 끓이는 그릇. '一, 釜也'《廣雅》.
字源 篆文 形聲. 金+麀〔音〕. '麀오'는 '熬오'와 통하여 '볶다, 끓이다'의 뜻. 음식을 끓이거나 볶는 냄비의 뜻을 나타냄.

13 ㉑ [鐴] ■ 벽 (入)陌 必益切 bì ■ 폐 (去)霽 蒲計切 bèi

字解 ■ 보습귀 벽 보습 날의 양쪽 어깨 부분. '一, 犁耳也'《集韻》. ■ 칼갈 폐 칼을 갈아 잘 들게 함. '一, 治刀使利'《康熙字典》.

13 ㉑ [鐪] 로 (上)麌 郎古切 lǔ

字解 부레끓이는그릇 로 아교를 끓이는 그릇.
字源 篆文 形聲. 金+虜〔音〕.

13 ㉑ [鐲] 탁 (入)覺 直角切 zhuó 镯

字解 징 탁 군중(軍中)에서 북소리를 조절하기 위하여 치는 징. '以金一節鼓'《周禮》.
字源 篆文 形聲. 金+蜀〔音〕.

13 ㉑ [鐱] ■ 첨 (平)鹽 千廉切 qiān ■ 검 (去)豔 渠驗切 jiàn

字解 ■ 삽 첨 가래. '一, 臿也'《集韻》. ■ ①쇠 검 '一, 金也'《玉篇》. ②칼〔劍〕 검 '三軍之士握一者'《馬王堆漢墓帛書》.

13 ㉑ [鐬] 괵 (入)陌 古獲切 guó

筆順 金 鈼 鈴 鈴 鈴 鈴 鈴 鐬
字解 쇠그릇 괵 '一, 鐵器'《集韻》.

13 ㉑ [鐓] 교 (上)篠 吉了切 jiǎo

字解 손잡이 교 기물(器物)의 손잡이. '一, 一耳'《字彙》.

13 ㉑ [鐵] 中人 철 (入)屑 他結切 tiě 铁

筆順 金 鉒 鍏 鍏 鐟 鐟 鐵 鐵
字解 ①쇠 철 금속의 한 가지. '一石'. '鹽一'. '厥貢璆一銀鏤砮磬'《書經》. 또, 쇠는 단단한 것이므로, 견고 또는 부동의 뜻의 관형사로 쓰임. '一心石腸'. '其一腸與石心'《皮日休》. ②철물 철 쇠로 만든 기물. 특히, 무기. '寸一'. '人無尺一'《李陵》. ③흑색 철 쇠 같은 검은빛. '天子駕一驪'《禮記》. ④성 철 성(姓)의 하나.
字源 篆文 別體 古文 形聲. 金+戴〔音〕. '戴질'은 큰 창의 뜻. 큰 창의 소재가 되는 '쇠'의 뜻을 나타냄.
參考 鉄(金部 五畫)은 딴 글자인데, 古文의 '銕철'이 잘못되어 속(俗)에 略字로 쓰임.

[鐵幹 철간] 고목(古木)이 된 매화나무 따위의 줄기.
[鐵甲 철갑] ㉠쇠로 만든 갑옷. 철개(鐵鎧). 융의(戎衣). ㉡철면(鐵面).
[鐵甲船 철갑선] 쇠로 거죽을 싼 병선(兵船).
[鐵鎧 철개] 철갑(鐵甲).
[鐵鋸 철거] 톱.
[鐵劍 철검] 쇠로 만든 칼.
[鐵堅 철견] 쇠와 같이 단단함.
[鐵賈 철고] 철물 장수.
[鐵骨 철골] ㉠굳센 골격(骨格). ㉡철근(鐵筋).
[鐵工 철공] 쇠를 다루어서 온갖 기구(器具)를 만드는 사람.
[鐵檛 철과] 철편(鐵鞭).
[鐵管 철관] 쇠로 만든 관(管).
[鐵鑛 철광] 쇠를 파내는 광산(鑛山).
[鐵橋 철교] 철재(鐵材)로 놓은 다리.
[鐵券 철권] 임금이 공신(功臣)에게 주던 쇠로 만든 패(牌). 금니(金泥)로 그 사람의 공적을 기록하였음.
[鐵拳 철권] 굳센 주먹.
[鐵櫃 철궤] 쇠로 만든 궤(櫃).
[鐵琴銅劍樓 철금동검루] 청(淸)나라 구소기(瞿紹基)의 장서루(藏書樓)의 이름.
[鐵器 철기] 쇠로 만든 기구.
[鐵騎 철기] ㉠무장한 기병. ㉡정예(精銳)한 기병.
[鐵道 철도] 땅 위에 궤도(軌道)를 깔고 그 위로 기차(汽車) 또는 전차가 다니게 하는 설비(設備).
[鐵刀木 철도목] 열대산의 교목. 빛이 흑갈색이고 견고하여 귀중한 기구를 만드는 데 쓰임.
[鐵路 철로] 철도(鐵道).
[鐵牢 철뢰] 철로 만든 감옥.
[鐵驪 철리] 검은 말.
[鐵馬 철마] ㉠철갑(鐵甲)을 입힌 기마(騎馬). ㉡풍경(風磬). ㉢기차(汽車).
[鐵幕 철막] 장막처럼 늘어세운 쇠로 만든 방패.
[鐵網 철망] 철사(鐵絲)로 그물같이 얽은 물건.
[鐵面 철면] ㉠쇠로 만든 탈. ㉡강직하여 권세를 두려워하는 빛이 없음. ㉢철면피(鐵面皮).
[鐵冕 철면] 쇠로 만든 관(冠).
[鐵面尙書 철면상서] 벼루〔硯〕의 별칭(別稱).
[鐵面皮 철면피] 염치(廉恥)를 모르는 낯가죽. 또, 그 사람.
[鐵牟 철모] 철갑(鐵甲).
[鐵門 철문] 쇠로 만든 문(門).
[鐵物 철물] 쇠로 만든 물건.
[鐵鉢 철발] 쇠로 만든 사발. 중의 밥그릇.
[鐵壁 철벽] 쇠로 만든 성벽(城壁). 아주 견고한 성벽.
[鐵甁 철병] 쇠로 만든 동이.
[鐵棒 철봉] ㉠쇠몽둥이. ㉡좌우(左右) 쪽에 나무 또는 쇠기둥을 세우고, 그 위에 쇠몽둥이를 건너질러 체조(體操)에 쓰는 기구(器具).
[鐵浮圖 철부도] 쇠 부처. 금(金)나라 태조(太祖)

의 차자(次子) 올출(兀朮)의 군대의 일컬음. 무거운 갑옷을 입었으므로 이름.
[鐵粉 철분] 쇳가루.
[鐵扉 철비] 쇠로 만든 문짝.
[鐵貧 철빈] 썩 가난함.
[鐵絲 철사] 쇠로 가늘고 길게 만든 줄.
[鐵索 철삭] 철색(鐵索).
[鐵山 철산] 철광(鐵鑛)을 파내는 산.
[鐵像 철상] 쇠로 주조한 상(像).
[鐵色 철색] 검푸르죽죽한 빛깔.
[鐵索 철색] 쇠로 만든 노. 또, 쇠사슬.
[鐵石 철석] 쇠와 돌. 전(轉)하여, 매우 견고함을 이름.
[鐵石心腸 철석심장] 철심석장(鐵心石腸).
[鐵石人 철석인] 철석같이 의지가 견고하거나 신체가 건장한 사람.
[鐵船 철선] 철판으로 표면을 덮은 배.
[鐵線 철선] 철사(鐵絲).
[鐵城 철성] 견고(堅固)한 성(城).
[鐵聲 철성] ㉠쇳소리. ㉡강한 음성.
[鐵鎖 철쇄] 쇠사슬.
[鐵鎖沈江 철쇄침강] 삼국(三國)의 싸움에 오(吳)나라의 대군이 쇠사슬을 양쯔 강(揚子江) 속에 쳐서 진군(晉軍)이 건너는 것을 막은 고사(故事).
[鐵樹開花 철수개화] 쇠의 나무에 꽃이 핀다는 뜻으로, 일이 이루어지기 어려움을 비유하는 말.
[鐵心 철심] 쇠같이 굳은 마음.
[鐵心石腸 철심석장] 철석같이 견고한 마음. 철석심장(鐵石心腸). 철장석심(鐵腸石心).
[鐵十字 철십자] 닻.
[鐵案 철안] 움직일 수 없는 의견. 또, 규칙. 확고한 단안(斷案).
[鐵眼銅睛 철안동정] 쇠 눈에 구리 눈동자. 시력(視力)이 썩 강함을 이름.
[鐵冶 철야] 철광(鐵鑛)에서 철을 분석하여 가려냄.
[鐵如意 철여의] 쇠로 만든 여의(如意).
[鐵硯未穿 철연미천] 의지를 굳게 하여 종래의 업(業)을, 특히 문필의 업을 고치지 아니함을 이름.
[鐵葉 철엽] 철판(鐵板). 전(轉)하여, 양철.
[鐵牛 철우] ㉠쇠로 만든 소. 수환(水患)을 막을 수 있다 하여 우(禹)임금이 만들어 강물에 집어넣었다 함. ㉡쇠뭉치처럼 사납고 힘센 소. ㉢무거워서 움직일 수 없는 것. 또는 단단해서 뚫을 수 없는 것의 비유.
[鐵衣 철의] ㉠갑옷. ㉡쇠의 녹.
[鐵杖 철장] 쇠로 만든 지팡이.
[鐵漿 철장] 검게 물들인 이. 옛날 이를 까맣게 물들이는 데에 쓰인 액체. 무쇠를 오랫동안 물에 담가 산화(酸化)시켜 만든 검은 염료(染料).
[鐵腸石心 철장석심] 철심석장(鐵心石腸).
[鐵筯 철저] 부젓가락.
[鐵箸 철저] 철저(鐵筯).
[鐵錢 철전] 쇠로 만든 돈.
[鐵釘 철정] 쇠못.
[鐵製 철제] 쇠로 만듦. 또, 그 물건.
[鐵蹄 철제] ㉠준마(駿馬)의 발굽. ㉡마소의 발바닥에 대는 쇠.
[鐵條 철조] 굵은 철사(鐵絲).
[鐵條網 철조망] 철망.
[鐵柱 철주] 쇠로 만든 기둥.
[鐵柱宮 철주궁] 장시 성(江西省) 난창 현(南昌縣) 내에 있는 궁전(宮殿) 이름. 궁전 안에 철(鐵) 기둥이 있는데, 진(晉)나라 때 교룡(蛟龍)의 해(害)를 막고자 만들어 세웠다 함.
[鐵中錚錚 철중쟁쟁] 쇠 중에 좋은 소리가 나는 것. 보통 사람보다 좀 나은 사람의 비유.
[鐵鑕 철질] ㉠머리를 자르는 데 쓰는 쇠 모탕. ㉡별[星] 이름.
[鐵蒺藜 철질려] 마름쇠. 지상에 세워 적의 침입을 막는 것.

[鐵蒺藜]

[鐵窓 철창] 감옥의 쇠창살의 창. 전(轉)하여, 감옥.
[鐵槍 철창] 자루가 쇠로 된 창.
[鐵柵 철책] 쇠로 만든 울짱.
[鐵鏃 철촉] 쇠의 화살촉.
[鐵椎 철추] 철퇴(鐵槌).
[鐵則 철칙] 변경(變更) 또는 위반(違反)할 수 없는 규칙.
[鐵搭 철탑] 땅을 파서 흙을 고르는 농구의 하나. 쇠스랑.
[鐵槌 철퇴] 쇠몽둥이.
[鐵把 철파] 쇠스랑. 철탑(鐵搭).
[鐵片 철편] 쇳조각. 쇠의 부스러기.
[鐵鞭 철편] 쇠 채찍.
[鐵砲 철포] 대포와 소총.
[鐵筆 철필] ㉠각도(刻刀). ㉡조각. ㉢힘 있는 필세(筆勢). ㉣펜.
[鐵漢 철한] 아주 강직한 사람. 송태조(宋太祖)가 이준의(李遵懿)를 칭찬(稱讚)하여 이른 말.

[鐵搭]

[鐵血 철혈] ㉠쇠와 피. 곧, 병장기(兵仗器)와 사람의 피. ㉡병기와 병사. 전(轉)하여, 병력과 군비.
[鐵血政略 철혈정략] 군비를 확장하고 병력을 양성하여 국위(國威)를 신장(伸張)하고자 하는 정책.
[鐵火 철화] ㉠쇠가 붉게 단 것. ㉡탄환의 불. 총화(銃火). 포화. ㉢도검(刀劍)과 포화.
[鐵鑊 철확] 쇠로 만든 발이 없는 큰 솥. 확(鑊)은 옛날에 고기를 삶거나 죄인을 삶아 죽이는 데 썼음.
[鐵畫 철획] 필력(筆力)이 강(強)한 글씨의 획(畫).
◉鋼鐵. 古鐵. 金鐵. 劣鐵. 鍛鐵. 碧鐵. 砂鐵. 索鐵. 鑠鐵. 生鐵. 銑鐵. 鎔鐵. 消鐵. 蘇鐵. 熟鐵. 冶鐵. 良鐵. 鹽鐵. 王三鐵. 柔鐵. 磁石取鐵. 磁鐵. 精鐵. 製鐵. 蹄鐵. 鑄鐵. 尺鐵. 寸鐵. 敗鐵. 廢鐵. 布衾如鐵. 混鐵. 黑鐵.

13 ㉑ [鐳] 뢰 ㊥灰 魯回切 léi 镭

字解 병 뢰 중턱이 불룩한 병. '賓壺一瓶甒以偵之'《潘岳》.
字源 形聲. 金+雷〔音〕

[鐳柚 뇌유] 귤(橘)의 별칭(別稱).

13 ㉑ [鐶] 人名 환 ㊥刪 戶關切 huán 镮

筆順 金 鈿 鈿 鋰 鍔 鐶 鐶 鐶

字解 고리 환 기름한 물건을 둥글게 휘어서 맞붙여 만든 물건. '金─'. '指─'. '鍾以玉─'《太玄經》.
字源 形聲. 金+睘〔音〕. '睘선·환'은 '고리'의 뜻. 금속제의 고리의 뜻을 나타냄.

[鐶鈕 환뉴] 손잡이.
◉金鐶. 銅鐶. 鎖鐶. 指鐶.

13 ㉑ [鐭] 오 ㉥屋 烏倒切 yù
字解 냄비 오, 솥 오 '─, 溫器, 或作鏖'《集韻》.

13 ㉑ [鐸] 人名 탁 ㉥藥 徒落切 duó 铎
筆順
字解 ①방울 탁 옛날에, 교령(教令)을 선고할 때 흔들어 울리던 큰 방울. 목탁(木鐸)·금탁(金鐸)의 두 종류가 있는데, 목탁은 나무 추(錘)가 달린 것으로서 문사(文事)에 쓰며, 금탁은 쇠 추(錘)가 달린 것으로서 무사(武事)에 씀. '─鈴'. '以木─徇于路'《書經》. ②성 탁 성(姓)의 하나.
字源 金文 篆文 形聲. 金+睪〔音〕. '睪택'은 차례로 당겨 붙이다의 뜻. 음계(音階)를 표현하기 위하여 차례로 크기를 바꾸어 늘어놓은 방울의 뜻을 나타냄.

[鐸鐃 탁뇨] 방울과 동라(銅鑼).
[鐸鈴 탁령] 방울.
◉鼓鐸. 金鐸. 大鐸. 銅鐸. 鳴鐸. 木鐸. 辨鐸. 鈴鐸. 鉦鐸. 鐘鐸. 振鐸. 執鐸. 風鐸.

13 ㉑ [鏽] 수 ㉤宥 息救切 xiù 锈
字解 녹 수 쇠붙이의 산화 작용으로 변한 빛. '鏡─卽鏡上綠也'《本草》.
字源 形聲. 金+肅〔音〕

[鏽澁 수삽] 녹이 슬어 깔깔함.
◉鏡鏽.

13 ㉑ [鐹] 과 ①㉤箇 古火切 guǒ ②㊥歌 古禾切 guō
字解 ①낫 과 풀 베는 연장. '─, 鎌也'《廣韻》. ②바퀴통쇠 과 '─, 釭也'《廣雅》.

13 ㉑ [鐺] 人名 ㊀ 당 ㊥陽 都郎切 dāng ㊁ 쟁 ㊥庚 楚庚切 chēng 铛
筆順
字解 ㊀ ①종고소리 당 鏜(金部 十一畫)과 통용. '鏗鎗─鞳'《史記》. ②쇠사슬 당 鋃(金部 七畫)을 보라. '鋃─'. ㊁ 솥 쟁 세 발 달린 솥. '母好食─底焦飯'《世說》.
字源 篆文 形聲. 金+當〔音〕. '當당'은 '맞다'의 뜻. 맞아서 나는 소리의 뜻으로, 종소리 등의 뜻을 나타냄.

[鐺鞳 당답] 북소리.
[鐺戶 당호] 소금을 굽는 집.
[鐺鬲 쟁력] 발이 있는 솥.
◉空鐺. 銀鐺. 茶鐺. 藥鐺. 折脚鐺. 鼎鐺. 鐵鐺. 土鐺. 破鐺. 平底鐺.

13 ㉑ [鐻] 거 ①㊤語 其呂切 jù ②㉤御 居御切 ③㊥魚 強魚切 qú
字解 ①악기틀 거 簴(竹部 十四畫)와 同字. '銷以爲鐘─'《史記》. ②악기이름 거 악기의 한 가지. 나무를 깎아 만듦. '削木爲─'《莊子》. ③귀고리 거 귀에 거는 고리의 한 가지. '─耳之傑'《左思》.
字源 篆文 形聲. 金+豦〔音〕

◉金鐻. 鑄鐻.

13 ㉑ [鐯] ㊀ 작 ㉥藥 職略切 zhuó ㊁ 착 ㉥藥 張略切
字解 ㊀ 가래 작 큰 가래. '斫謂之─. (注)钁也. (疏)說文云, 钁, 大鋤也'《爾雅》. ㊁ 가래 착 ㊀과 뜻이 같음.

13 ㉑ [鑣] 표 ㊥蕭 卑遙切 biāo
字解 칼끝 표 鏢(金部 十一畫)와 同字. '皆以白珠鮫爲─口之飾. (注)通俗文曰, 刀鋒曰─'《後漢書》.
字源 形聲. 金+劚〔音〕

13 ㉑ [鐼] ㊀ 훈 ㉤問 許運切 fén ㊁ 분 ㊥元 逋昆切 bēn
字解 ㊀ 쇠 훈 '─, 鐵屬'《說文》. ㊁ 자귀 분, 대패 분 '─, 平木器'《集韻》.
字源 篆文 形聲. 金+賁〔音〕

13 ㉑ [鐽] 〔건〕 鍵(金部 九畫〈p. 2406〉)의 俗字

13 ㉑ [鐷] 〔섭〕 鍱(金部 九畫〈p. 2406〉)과 同字

13 ㉑ [鐮] 〔겸〕 鎌(金部 十畫〈p. 2408〉)과 同字

13 ㉑ [鑉] 〔랍〕 鑞(金部 十五畫〈p. 2423〉)과 同字

13 ㉑ [鏋] 〔만〕 鏝(金部 十一畫〈p. 2413〉)의 俗字

13 ㉑ [鑑] 〔승·민〕 繩(糸部 十三畫〈p. 1774〉)과 同字

13 ㉑ [鸁] 〔라〕 鑹(金部 十九畫〈p. 2425〉)와 同字

14 ㉒ [鑂] 人名 훈 ㉤問 吁運切 xùn
筆順
字解 금빛투색할 훈 '─, 金色渝也'《集韻》.

[字源] 形聲. 金＋熏〔音〕

14 ㉒ [鑏] 녕 ①②[平]庚 尼耕切 níng ③[上]迥 乃挺切 nǐng

[字解] ①쇠 녕 '一, 鐵一'《廣韻》. ②칼자루 녕 '一, 刀柄'《集韻》. ③슴베 녕 칼의 자루 속에 박히는 부분. '一, 吳俗謂刀柄入處爲一'《集韻》.

14 ㉒ [鏷] 〔박·복〕 鏷(金部 十二畫〈p. 2416〉)과 同字

14 ㉒ [鑅] 횡 [平]庚 胡盲切 héng

[字解] 종소리 횡 '一, 鐘聲'《集韻》.

14 ㉒ [鑄] [高人] 주 [去]遇 之戍切 zhù [去]宥 昭秀切 铸

[筆順] 鑄

[字解] ①부어만들 주 금속을 녹여 거푸집에 넣어서 기물을 만듦. '一錢'. '一鼎象物'《左傳》. 전(轉)하여, 인재를 양성하는 뜻으로 쓰임. '孔子一顔回矣'《揚子法言》. ②성 주 성(姓)의 하나.

[字源] 金文 篆文 金文은 會意로 鬲＋火＋皿. 불을 가해 금속을 녹여 거푸집에 부어서 기물을 만드는 모양을 나타내어, 부어 만들다의 뜻을 나타냄. 篆文은 金＋壽〔音〕의 形聲. '壽수'는 잇대다의 뜻. 금속을 녹여서 뜻하는 모양으로 잇대다, 부어 만들다의 뜻을 나타냄.

[參考] 铸(金部 七畫)는 略字.

[鑄工 주공] 쇠를 다루는 장인(匠人). 야인(冶人).
[鑄耜 주사] 쇠로 보습을 만듦.
[鑄山煮海 주산자해] 산에서는 구리를 캐내어 돈을 만들고, 바다에서는 해수를 끓여 소금을 만듦. 나라의 산물(產物)이 극히 많음을 이름.
[鑄顔 주안] 공자(孔子)가 제자 안회(顔回)를 훌륭한 인물로 만든 일.
[鑄鎔 주용] 쇠를 녹임. 용주(鎔鑄).
[鑄人 주인] 인재를 양성함. 도주 인재(陶鑄人才).
[鑄錢 주전] 쇠를 녹여 돈을 만듦.
[鑄造 주조] 쇠를 녹여 물건을 만듦.
[鑄鐵 주철] 갓 파낸 철광(鐵鑛)에서 잡것을 분리(分離)시킨 쇠. 선철(銑鐵). 시우쇠.
[鑄型 주형] 물건을 주조(鑄造)하는 데 쓰는 골.
◉姦鑄. 改鑄. 更鑄. 鼓鑄. 陶鑄. 盜鑄. 私鑄. 新鑄. 冶鑄. 鎔鑄. 造鑄. 雕鑄.

14 ㉒ [鑊] 확 [入]藥 胡郭切 huò 镬

[字解] 가마솥 확 발이 없는 큰 솥. 옛날에, 고기를 삶거나 죄수를 삶아 죽이는 데 썼음. '鼎一'. '一亨之刑'《漢書》.

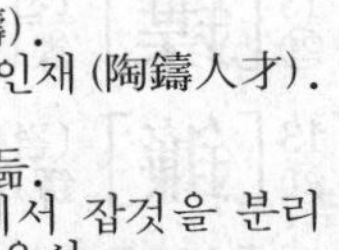

[鑊]

[字源] 甲骨文 篆文 形聲. 甲骨文은 鬲＋隻〔音〕. '鬲력·격'은 솥의 象形. '隻척'은 새를 잡다의 뜻. 새나 물고기를 붙잡아서 끓이는 솥의 뜻을 나타냄. 篆文은 金＋蒦〔音〕. '蒦확'은 새를 잡다의 뜻.

[鑊亨 확팽] 가마에 삶아 죽이는 형벌(刑罰).
◉鉅鑊. 大爨鑊. 大鐵鑊. 大鑊. 斧鑊. 沸鑊. 銀鑊. 鼎鑊. 鐵鑊. 湯鑊.

14 ㉒ [鑐] 수 [平]虞 相俞切 xū

[字解] 자물쇠 수 문을 잠그는 쇠.

14 ㉒ [鑆] 주 [去]寘 直類切 zhuì

[字解] 녹기시작한구리 주 '一, 銅半熟也'《五音集韻》.

14 ㉒ [鑌] [人名] 빈 [平]眞 必隣切 bīn

[字解] 강철 빈 강하고 좋은 쇠. '三尺一刀耀雪光'《長生殿》.

[字源] 形聲. 金＋賓〔音〕

14 ㉒ [鑑] [高人] 감 [去]陷 格懺切 jiàn 鉴

[筆順] 鑑

[字解] ①거울 감 ㉠물체의 형상을 비추어 보는 물건. '王以后之鞶一與之'《左傳》. ㉡본보기. 경계. '殷一不遠'《詩經》. ㉢안식(眼識). '靈一'. '有知人之一'《梁書》. ②볼 감 ㉠거울 같은 것에 비추어 봄. '無一于水'《國語》. ㉡살펴봄. 고찰함. '魏不審一'《諸葛亮》. ㉢식별함. '一識'. '一別'. '其獎拔人士, 皆如所一'《後漢書》. ③거울삼을 감 본보기로 함. 또는 경계로 삼음. '以自一戒'《後漢書》. ④성 감 성(姓)의 하나.

[字源] 金文 篆文 形聲. 金＋監〔音〕. '監감'은 비추어 보다의 뜻. '金금'을 덧붙여 구리거울의 뜻을 나타냄.

[參考] 鑒(金部 十四畫)은 同字.

[鑑戒 감계] ㉠거울삼아 경계(警戒)함. ㉡본보기. 모범. 경계(鏡戒).
[鑑念 감념] 거울삼아 생각함.
[鑑昧 감매] 감매(鑑寐).
[鑑寐 감매] 낮잠. 가수(假睡).
[鑑銘 감명] 거울에 새긴 명(銘).
[鑑別 감별] 감정(鑑定)하여 분별(分別)하여 냄.
[鑑賞 감상] 예술 작품을 음미함.
[鑑識 감식] ㉠감정하여 식별함. 또, 그 식별하는 학식과 견문. ㉡사물의 취미(趣味)를 이해하는 지력(知力).
[鑑悟 감오] 총명(聰明)함.
[鑑定 감정] 사물(事物)의 선악·우열 등을 분별하여 작정(作定)함.
[鑑止 감지] 환히 봄.
◉鏡鑑. 古鑑. 窮鑑. 龜鑑. 金鑑. 圖鑑. 明鑑. 武鑑. 寶鑑. 氷壺玉鑑. 商鑑. 賞鑑. 省鑑. 聖鑑. 識鑑. 神鑑. 宸鑑. 深鑑. 年鑑. 靈鑑. 睿鑑. 殷鑑. 以人爲鑑. 印鑑. 臨鑑. 才鑑. 寂鑑. 前鑑. 精鑑. 藻鑑. 智鑑. 淸鑑. 總鑑. 卓鑑. 通鑑. 品鑑. 風鑑. 虛鑑. 玄鑑. 皇鑑.

14 ㉒ [鑯] 〔철〕 鐵(金部 十三畫〈p. 2419〉)의 古字

14 ㉒ [鑦] 현 [上]銑 呼典切 xiǎn

[字解] 깎을 현 깎아 냄. '劗, 削也, 或从金'《集韻》.

14 ㉒ [鑎] 〔궤〕
匱(匚部 十二畫〈p.294〉)와 同字

14 ㉒ [鑃] 〔요·조〕
銚(金部 六畫〈p.2390〉)와 同字

14 ㉒ [鑋] 경 [去]徑 苦定切 / [去]敬 牽正切 qìng

[字解] 앙감질할 경 한 발은 들고 한 발로만 뛰어가는 것. '一而乘於他車以歸'《左傳》.

[字源] [篆文] 形聲. 金+輕〔音〕

14 ㉒ [鑒] [人名] 〔감〕
鑑(金部 十四畫〈p.2422〉)과 同字

[筆順]

14 ㉒ [鑈] [一] 녑 [入]葉 諾叶切 niè
[二] 녜 [上]薺 乃禮切 nǐ

[字解] [一] ①바를 녑 '一, 說文, 正也'《集韻》. ②족집게 녑 '籋, 說文, 箝也. 亦作鑷·一'《集韻》. [二] ①실패 녜 실을 감아 두는 것. '檷, 絡絲趺, 或作一'《集韻》. ②수레를멈추게하는나무 녜 柅(木部 五畫)와 통함. '一, 柅·鈮通, 易姤初六, 繫于金柅, 子夏傳作一'《正字通》.

15 ㉓ [鑟] 독 [入]屋 徒谷切 dú

[字解] 인궤(印櫃) 독 도장을 넣는 상자. '一, 印之匱'《集韻》.

15 ㉓ [鑕] 질 [入]質 之日切 zhì 锧

[字解] ①도끼 질 부월(鈇鉞). '執鈇一'《公羊傳》. ②모루 질 쇠로 만든 모탕. 質(貝部 八畫)과 同字. '斧一'.

[字源] 形聲. 金+質〔音〕

◉斧鑕. 鈇鑕. 鐵鑕. 砧鑕.

15 ㉓ [金罷] 파 [平]支 班糜切 bēi

[字解] ①쟁기 파 농구의 한 가지. ②갈 파 경작함.

[字源] [篆文] 形聲. 金+罷〔音〕. '罷파'는 물리쳐 제거하다의 뜻. 잡초 등을 제거하기 위한 농구, '쟁기'의 뜻을 나타냄.

15 ㉓ [鑛] [高人] 광 [上]梗 古猛切 kuàng

[筆順] 金 鈩 鈩 鉱 鑛 鑛 鑛 鑛

[字解] 쇳돌 광 광석. 礦(石部 十五畫)과 同字. '精鍊藏於一朴'《王褒》.

[字源] 形聲. 金+廣〔音〕

[鑛毒 광독] 광산의 채굴 또는 제련 등의 결과로 생기는 해독.
[鑛脈 광맥] 광물의 맥. 쇳줄.
[鑛物 광물] 암석·토양 중에 함유된 천연의 무기물.
[鑛璞 광박] 아직 제련하지 아니한 광석과 아직 다듬지 아니한 옥.
[鑛夫 광부] 광물(鑛物)을 파내는 인부(人夫).
[鑛山 광산] 광물(鑛物)을 파내는 산(山).
[鑛產 광산] 광물(鑛物)의 산출(產出).
[鑛石 광석] 금속(金屬)을 포함한 광물(鑛物). 쇳돌.
[鑛泉 광천] 광물질을 다량으로 함유한 샘이나 온천.
[鑛穴 광혈] 광물(鑛物)을 파내기 위하여 뚫은 구덩이.
◉金鑛. 銅鑛. 選鑛. 銀鑛. 採鑛. 鐵鑛. 炭鑛. 廢鑛.

15 ㉓ [鑞] 랍 [入]合 盧盍切 là 镴

[字解] 땜납 랍 납과 주석(朱錫)과의 합금. '白一'이라고도 함.

[字源] 形聲. 金+巤〔音〕

◉白鑞. 錫鑞.

15 ㉓ [鑗] [一] 려 [平]齊 憐題切
[二] 리 [平]支 良脂切 lí

[字解] [一] ①쇠 려 금속(金屬). '一, 金屬也'《說文》. ②벗길 려 '一, 一日, 剝也'《說文》. [二] 쇠리 검은 금속(金屬). '一, 金屬'《廣韻》. '一, 黑金也'《集韻》.

[字源] 形聲. 金+黎〔音〕

15 ㉓ [鑠] 삭 [入]藥 書藥切 shuò 铄

[字解] ①녹일 삭 쇠를 용해함. '衆口一金'《國語》. 전(轉)하여, 소산(銷散)케 함. 흩뜨림. '非由外一我也'《孟子》. ②녹을 삭 용해함. '金一'《史記 註》. 전(轉)하여, 소산함. 흩어짐. '韓氏一'《戰國策》. ③아름다울 삭 '一金'. '於一王師'《詩經》. ④정정할 삭 늙어서 기력이 좋은 모양. 노익장(老益壯)한 모양. '矍一'.

[字源] [篆文] 形聲. 金+樂〔音〕. '樂악'은 '銷소'와 통하여 금속을 녹이다의 뜻. 또, '爍삭'과 통하여 '아름답다, 좋다'의 뜻도 나타냄.

[鑠金 삭금] ㉠쇠를 녹임. 중언(衆言)이 무서움의 비유. ㉡아름다운 황금. 일설(一說)에는, 녹은 황금.
[鑠鑠 삭삭] 빛나는 모양. 번쩍번쩍하는 모양.
[鑠石流金 삭석유금] 더위가 대단함의 비유.
◉景鑠. 瑰鑠. 鍛鑠. 陶鑠. 謗鑠. 閃鑠. 銷鑠. 燒鑠. 鍊鑠. 鎔鑠. 懿鑠. 燋鑠. 矍鑠.

15 ㉓ [鑢] 려 [去]御 良倨切 lǜ

[字解] ①줄 려 쇠붙이를 갈아 닳게 하는 연장. ②갈 려 줄로 갊. '尙可磨一而平'《詩經箋》. ③다스릴 려 '躬自一'《太玄經》. ④성 려 성(姓)의

하나.
[字源] 篆文 形聲. 金+慮〔音〕

◉磨鑢.

15 ㉓ [鑇] 계 ㊥齊 堅奚切 jī
㊤薺 遣禮切
[字解] 단단할 계 굳음. '一, 堅也, 吳揚江淮之閒曰一'《方言》.

15 ㉓ [鑣] 표 ㊥蕭 甫嬌切 biāo 镳
[字解] ①재갈 표 말의 입에 물리는 물건. '揚一漂沫'《曹植》. 전(轉)하여, 기마(騎馬)의 뜻으로 쓰임. '連一'. ②성(盛)할 표 '朱幩一一'《詩經》. ③픈끌 표 鏢(金部 十一畫)와 同字.
[字源] 篆文 形聲. 金+麃〔音〕

[鑣轡 표비] 재갈과 고삐.
[鑣鑣 표표] 성(盛)한 모양.
◉驅鑣. 金鑣. 連鑣. 玉鑣. 龍鑣. 停鑣. 朱鑣. 華鑣.

15 ㉓ [鑤] 포 ㊀效 皮教切 bào
[筆順] 金 鉬 鉬 鍡 鑤 鑤 鑤 鑤
[字解] ①대패 포, 대패질할 포 '今人謂以鐵器刮木爲暴, 其器曰暴子, 俗字作一'《新方言》. ②대팻밥 포 '一花'는 대팻밥. '一, 俗謂鉋木之屑曰一花'《中華大字典》.

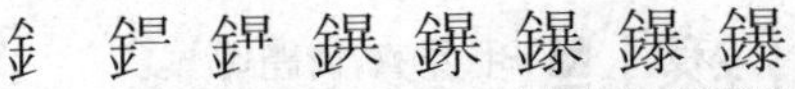

15 ㉓ [鑥] 려 ㊀御 良據切 lǜ
[字解] 줄 려 쇠붙이를 깎거나 쓰는 데 쓰이는 연장. 鋁(金部 七畫)·鑢(金部 十五畫)와 同字. '秦無廬. (注) 廬, 或曰, 摩一之器'《周禮》.
[字源] 形聲. 金+閭〔音〕

15 ㉓ [鑚] 〔찬〕
鑽(金部 十九畫〈p.2425〉)의 俗字

15 ㉓ [鑜] 〔향·상〕
銄(金部 六畫〈p.2391〉)과 同字

16 ㉔ [鐜] 〔순·대〕
錞(金部 八畫〈p.2399〉)의 本字

16 ㉔ [鑈] 〔녑·녜〕
鑈(金部 十四畫〈p.2423〉)의 本字

16 ㉔ [鑪] 로 ㊥虞 落胡切 lú
[字解] ①화로 로 爐(火部 十六畫)와 同字. '郲莊公廢于一炭'《左傳》. ②향로 로 爐(火部 十六畫)와 同字. '金一颺薰'《陶弘景》. ③목로 로 술집에서 술병을 놓고 술을 파는 데. '文君當一'《史記》. ④성 로 성(姓)의 하나.
[字源] 金文 篆文 形聲. 金+盧〔音〕. '盧로'는 '밥통'의 뜻. 밥통 비슷한 금속제의 화로의 뜻을 나타냄.

[鑪冶 노야] 쇠를 불려 물건을 만드는 공장.
[鑪橐 노탁] 풍구.
[鑪炭 노탄] 화로에 피운 숯.
[鑪火 노화] 화로의 불.
◉金鑪. 當鑪. 大鑪. 冶鑪. 洪鑪.

16 ㉔ [鑨] 롱 ㊥東 盧東切 lóng
[字解] 그릇 롱 '一, 器也'《集韻》.

16 ㉔ [鑬] 〔감〕
鑑(金部 十四畫〈p.2422〉)과 同字

16 ㉔ [鑲] 강 ㊤養 巨兩切 jiàng
[字解] 납붙이 강 납〔鉛〕 비슷한 무리. '一, 鉛屬'《集韻》.

16 ㉔ [鑫] [一] 흠 ㊥侵 許金切 xīn
[二] 훈 xùn
[字解] [一] ①돈불을 흠 돈이 많이 들어옴. '一, 金長'《篇海》. ②인명 또는 옥호(屋號)로 쓰이는 글자. '宋子虛名友五子, 以一·森·淼·焱·垚立名'《正字通》. [二] 주발 훈, 공기 훈 '一, 盂器'《篇海》.

16 ㉔ [鑩] 력 ㊇錫 郎擊切 lì
[字解] 솥 력 鬲(部首)과 同字. '見兩一蒸而不炊'《吳越春秋》.

17 ㉕ [鑮] 박 ㊇藥 補各切 bó
[字解] ①종 박, 쇠북 박 큰 종. '其南一'《儀禮》. ②호미 박 鎛(金部 十畫)과 同字. '一, 亦鋤類也'《釋名》.
[字源] 金文 篆文 形聲. 金+薄〔音〕

◉鼓鑮. 鐘鑮.

17 ㉕ [鑯] 첨 ㊥鹽 子廉切 jiān
[字解] 칼 첨 양쪽 끝에 자루가 있어, 두 손으로 잡아당겨 물건을 깎아 판판하게 하는 칼.
[字源] 篆文 形聲. 金+韱〔音〕. '韱첨'은 '가늘다'의 뜻. 가늘고 날카로운 칼의 뜻을 나타냄.

17 ㉕ [鑭] 란 ㊀翰 郎旰切 làn 镧
[字解] ①금의빛나는모양 란 '一, 金光皃'《玉篇》. ②금색(金色) 란 '一, 金采也'《集韻》.

17 ㉕ [鑰] 약 ㊇藥 以灼切 yào 钥
[字解] ①자물쇠 약 여닫는 물건을 잠그는 쇠. '扃一'. '管一'. '堅玉一於命門'《抱朴子》. 전(轉)하여, 추요(樞要). '扣二儀之鑰一'《李嶠》. ②닫을 약 폐쇄함. '生平所緘一者'《唐書》. ③들어갈 약 '一天門'《淮南子》.

字源 形聲. 金+侖〔音〕. '侖약'은 '잡도리하다'의 뜻. 문단속을 하는 '자물쇠'의 뜻을 나타냄.

[鑰鉤 약구] 약모(鑰牡).
[鑰牡 약모] 자물쇠와 열쇠.
[鑰匙 약시] 약모(鑰牡).
◉扃鑰. 庫鑰. 管鑰. 關鑰. 宮鑰. 金鑰. 禁鑰. 牧鑰. 門鑰. 鎖鑰. 魚鑰. 玉鑰. 衆鑰. 下鑰. 緘鑰.

17 ㉕ [鑱] 참 ㊥咸 鋤銜切 chán 馋

字解 ①침 참 치료용의 돌 바늘. '一石撟引'《史記》. ②보습 참 쟁기술 바닥에 맞추는 쇳조각. '長一長一白木柄'《杜甫》. ③약솥 참 약을 달이는 솥. '何須乎一鼎哉'《抱朴子》. ④침놓을 참, 찌를 참 침으로 찌름. '九疑一天荒是非'《韓愈》. ⑤새길 참 조각함. '鐫一物象危'《宋郊》.
字源 篆文 形聲. 金+毚〔音〕. '毚참'은 '斬참'과 통하여 '베다'의 뜻. 물건을 베는 날카로운 금속의 뜻을 나타냄.

◉藥鑱. 長鑱. 鐫鑱. 天鑱. 鐵鑱.

17 ㉕ [鑲] 양 ㊥陽 汝陽切 ráng 镶

字解 ①거푸집속 양 거푸집을 만드는 데, 부어 넣는 곳을 공허하게 하기 위하여 처넣은 것. ② 처넣을 양 채워 넣음.
字源 篆文 形聲. 金+襄〔音〕. '襄양'은 속에 물건을 채워 넣다의 뜻. 거푸집에 부어 넣은 내용물의 뜻을 나타냄.

[鑲牙 양아] 의치(義齒).
◉鉤鑲.

18 ㉖ [鑯] 간 ㊤銑 古典切 jiǎn

字解 무기(武器) 간 '一, 兵器也'《字彙補》.

18 ㉖ [鑺] 구 ㊥虞 權俱切 qú

字解 창(槍) 구 '戵, 戟屬. 一, 上同'《廣韻》.
字源 形聲. 金+瞿〔音〕

18 ㉖ [鑴] 휴 ㊥齊 戶圭切 xī

字解 ①솥 휴 솥, 곧 정(鼎)의 일종. ②햇무리 휴 해 둘레에 생기는 둥근 운기(雲氣). '一曰祲, 二曰象, 三曰一'《周禮》.
字源 篆文 形聲. 金+巂〔音〕

18 ㉖ [鑷] 섭(녑㊍) ㊣葉 泥輒切 niè 镊

字解 ①못뽑이 섭, 족집게 섭 물건을 끼워 뽑는 기구. '金一'. '左右進銅一'《雲仙雜記》. ②뽑을 섭 끼워서 빼냄. '朝朝一又生'《韋莊》. ③비녀 섭 여자의 수식(首飾). '一髮鑽瑩'《崔瑗》.
字源 形聲. 金+聶〔音〕. '聶섭·녑'은 귀를 대다의 뜻. 가위의 귀 모양의 손잡이 부분을 당겨 대어, 끼워 잡다, 뽑다의 뜻을 나타냄.

◉釘鑷. 金鑷. 刀鑷. 銅鑷. 休鑷.

18 ㉖ [鑵] 관 ㊦翰 古玩切 guàn

字解 두레박 관 긷는 그릇.
字源 形聲. 金+雚〔音〕. '雚관'은 황새의 象形. 황새처럼 배가 부른 원통 모양의 두레박의 뜻을 나타냄.

18 ㉖ [鑶] 〔동〕
鉵(金部 六畫〈p. 2391〉)과 同字

18 ㉖ [鑹] 찬 ㊦翰 七亂切 cuàn 镩

字解 작은창 찬 穳(矛部 十九畫)과 同字. '一, 小矟也'《集韻》.

18 ㉖ [鑹] 〔라〕
鑹(金部 十三畫〈p. 2421〉)의 訛字

18 ㉖ [鑱] 〔참〕
鑱(金部 十七畫〈p. 2425〉)의 本字

19 ㉗ [鑼] 라 ㊥歌 魯何切 luó 锣

字解 징 라 악기의 한 가지. '銅一'. '鳴一擊鼓'《元史》.
字源 形聲. 金+羅〔音〕

◉銅鑼. 小鑼.

19 ㉗ [鑹] 라 ㊥歌 落戈切 luó

字解 작은솥 라 옹솥. 큰 냄비. '一, 銼一, 小釜也'《廣韻》.
字源 篆文 形聲. 金+贏〔音〕. '贏리'는 축 처지다의 뜻. 삶아서 축 처지게 만드는 냄비나 솥의 뜻을 나타냄.

19 ㉗ [鑽] 人名 찬 ㊥寒 借官切 zuān ㊦翰 子筭切 zuàn 钻

筆順 (stroke order)

字解 ①끌 찬 나무에 구멍을 파는 연장. '用之穿物曰一'《六書故》. ②빈형(臏刑) 찬 발을 끊는 형벌. '一笮'. '其次用一鑿'《漢書》. ③끊을 찬 베어 단절함. '一去其臏骨'《漢書 註》. ④뚫을 찬 ㉠송곳으로 나무를 뚫음. '一燧改火'《論語》. ㉡꿰뚫음. 사물을 깊이 연구함. '研一'. '仰之彌高, 一之彌堅'《論語》. ㉢깊이 뚫고 들어가 인연을 맺음. 자기 손아귀에 넣음. '商鞅挾三術, 以一孝公'《漢書》. ⑤모을 찬 한데 모음. '列刃一鍭'《班固》. ⑥날 찬 봉인(鋒刃). '施一如蠭蠆'《史記》. ⑦송곳 찬 세모진 송곳.
字源 篆文 形聲. 金+贊〔音〕. '贊찬'은 '穿천'과 통하여 '뚫다'의 뜻. 구멍을 뚫기 위한 연장, 끌이나 송곳의 뜻을 나타냄.

[鑽堅 찬견] 단단한 물건을 뚫음. 전(轉)하여, 깊

이 연구함.
[鑽空 찬공] 송곳으로 뚫은 구멍.
[鑽具 찬구] ㉠구멍을 뚫는 연장. 송곳. ㉡술책(術策)을 써서 상관에게 인정받기를 바라는 사람을 이르는 말.
[鑽厲 찬려] 부지런히 힘씀.
[鑽礪 찬려] 쪼거나 새기는 일.
[鑽木 찬목] 옛날, 나무에 구멍을 뚫고 비비어 불을 일으키던 일.
[鑽味 찬미] 깊이 완미(玩味)함.
[鑽石 찬석] 질(質)이 떨어지는 금강석. 옥석(玉石)·유리·금붙이 등을 갈거나 끊는 데 쓰임.
[鑽燧 찬수] 나무를 송곳으로 뚫어 그 마찰하는 힘으로 불을 일으킴.
[鑽燧改火 찬수개화] 철이 바뀔 때마다 그 계절의 나무를 비벼대어 새로이 불을 얻음.
[鑽仰 찬앙] 성인(聖人)의 학덕(學德)을 숭앙함.
[鑽研 찬연] 깊이 연구(研究)함. 연찬(研鑽).
[鑽灼 찬작] 귀갑(龜甲)을 불에 그슬려 그 튼 금을 보고 점을 침. 전(轉)하여, 연구(研究)함.
[鑽笮 찬작] 빈형(臏刑)과 경형(黥刑).
[鑽鑿 찬착] 찬작(鑽笮).
[鑽穴隙 찬혈극] 울타리나 담장에 구멍을 내어 남녀가 서로 만남. 남녀 간의 불의(不義)의 뜻으로 씀.
◉金剛鑽. 研鑽. 雕鑽.

19 ㉗ [鑾] [一] 란 ㊥寒 落官切 luán [二] 거 ㊕ 䜌 (篆)

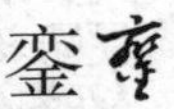

字解 [一] 방울 란 천자(天子)가 타는 수레를 끄는 말의 고삐에 다는 방울. '鳴靑一于東郊'《齊書》. 전(轉)하여, 천자가 타는 수레. '隨一憾玉珂'《李賀》. [二] 《韓》 보습 거 犂(牛部 八畫)와 뜻이 같음.
字源 金文 (金文) 篆文 鑾 形聲. 金+䜌〔音〕. '䜌란'은 방울 소리를 나타내는 의성어. 금속제의 방울의 뜻을 나타냄.

[鑾駕 난가] 난여(鑾輿).
[鑾鈴 난령] 천자(天子)의 수레의 방울.
[鑾輅 난로] 난여(鑾輿).
[鑾輿 난여] 천자(天子)가 타는 마차(馬車). 난가(鑾駕). 난로(鑾輅).
[鑾旆 난패] 난령(鑾鈴)이 달린 기(旗). 난기(鑾旗).
[鑾和 난화] 난여(鑾輿)에 달린 방울.
◉金鑾. 鳴鑾. 陪鑾. 保鑾. 停鑾. 駐鑾. 淸鑾. 華鑾. 廻鑾. 迴鑾. 後鑾.

20 ㉘ [钂] 당 tǎng

字解 당파창 당 무기의 이름. 창(槍) 모양의 자루가 있고, 칼날은 반달 모양임. '一, 兵器. 形如半月, 有柄'《中華大字典》.

20 ㉘ [钀] 알 ㊅月 語訐切 niè (篆)

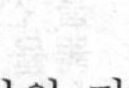

字解 재갈 알 말의 입에 물리는 물건. '鑣謂之一'《爾雅》.

20 ㉘ [钁] 곽 ㊅藥 居縛切 jué 钁 (篆)

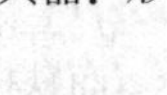

字解 괭이 곽 큰 괭이. '揭一臿'《淮南子》.
字源 篆文 钁 形聲. 金+矍〔音〕. '矍확·곽'은 '움켜잡다'의 뜻. 흙을 움켜잡듯 하는 큰 괭이의 뜻을 나타냄.

[钁臿 곽삽] 큰 괭이.
◉犁钁. 鍬钁. 荷钁.

20 ㉘ [鐓] 〔대·돈〕 鐓(金部 十二畫〈p. 2416〉)의 本字

20 ㉘ [鑿] 鐓(前條)와 同字

20 ㉘ [鑿] 〔대·돈〕 鐓(金部 十二畫〈p. 2416〉)의 本字

20 ㉘ [鑿] 人名 [一] 착 ㊅藥 在各切 záo ㊅藥 則落切 zuò [二] 조 ㊄號 在到切 zào 凿 (草書)

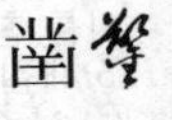

字解 [一] ①끌 착 나무에 구멍을 파는 연장. '枘一'. '孟莊子作一'《古史考》. ②팔 착 우물이나 못 따위를 팜. '一斯池也, 築斯城也'《孟子》. ③뚫을 착 ㉠구멍을 뚫음. '一冰沖沖'《詩經》. ㉡개통함. '開一'. '然騫一空'《漢書》. ㉢끝까지 캐냄. 또, 함부로 억측함. '穿一'. '爲其一也'《孟子》. ④경형(黥刑) 착 자자(刺字)하는 형벌. '其次用鑽一'《漢書》. ⑤생각 착 정념(情念). '六一相攘'《莊子》. ⑥대낄 착 곡식을 깨끗이 찧음. '粢食不一'《左傳》. [二] 구멍 조 뚫은 구멍. '羊入其一'《漢書》.
字源 篆文 鑿 形聲. 金+𣫞〔音〕. '𣫞착'은 나무를 깎아서 구멍을 뚫는 끌의 뜻. 금속제의 끌의 뜻을 나타냄.

[鑿開 착개] 파 넓힘.
[鑿溉 착개] 땅을 뚫어 물을 통함.
[鑿空 착공] ㉠도로를 개통함. ㉡구멍을 뚫음. ㉢억지 이유를 끌어 냄.
[鑿掘 착굴] 구멍을 뚫어 파냄.
[鑿絡 착락] 착락(鑿落).
[鑿落 착락] 술잔. 또, 술의 이름.
[鑿飮耕食 착음경식] 우물을 파서 마시고 밭을 갈아 먹음. 요(堯)임금 때의 천하가 태평한 모양.
[鑿井 착정] 우물을 팜.
[鑿鑿 착착] ㉠선명한 모양. ㉡의론이 정확한 모양. 조리가 닿는 모양.
[鑿八 착팔] 이할감(二割減).
◉刻鑿. 貇鑿. 開鑿. 巨鑿. 鋸鑿. 耕鑿. 刳鑿. 孔鑿. 空鑿. 掘鑿. 洞鑿. 方枘圓鑿. 斧鑿. 石鑿. 疏鑿. 六鑿. 翦鑿. 精鑿. 鑽鑿. 穿鑿. 樵鑿.

21 ㉙ [钃] 촉 ㊅沃 陟玉切 zhú (篆)

字解 ①괭이 촉, 호미 촉 괭이 또는 호미. ②버릴 촉 내버림. 제거함. '以狐父之戈, 一牛矢也'《荀子》.
字源 形聲. 金+屬〔音〕

21 ㉙ [鑑] 〔감〕 鑑(金部 十四畫〈p. 2422〉)과 同字

長(镸) (8획) 部

〔길장부〕

0 ⑧ [長] 中人 장 ①-⑤㊥陽 直良切 cháng ⑥-⑳㊤養 知丈切 zhǎng ㉑㊦漾 直亮切 zhàng

筆順 丨 𠃊 𠄌 𠄎 镸 長

字解 ①길 장 ㉠짧지 아니함. '一尾'. '尺有所短, 寸有所一'《楚辭》. ㉡거리가 멂. '一途'. '道阻且一'《詩經》. ㉢오램. '一壽'. '天地所以能一且久者'《老子》. ②클 장 ㉠거대함. '願乘一風破萬里浪'《南史》. ㉡키가 큼. '一大'. '皆謂之一人'《史記》. ③늘 장 항상. '門雖設而一關'《陶潛》. ④키 장, 길이 장 '身一'. '布帛一短'《孟子》. ⑤성 장 성(姓)의 하나. ⑥처음 장 시초. 근원. '元者善之一也'《易經》. ⑦앞 장 선두. '吳晉爭一'《國語》. ⑧맏 장 첫째. '一子'. ⑨우두머리 장 수령. '家一'. '一官'. ⑩어른 장 ㉠성인(成人). '一而卑'《公羊傳》. ㉡손윗사람. '一上'. '弟者所以事一也'《大學》. ⑪어른될 장 성인이 됨. '及一爲委吏'《史記》. ⑫나이먹을 장 늙음. '年一身多病'《張籍》. ⑬나이많을 장 나이가 위임. '鄕人一於伯兄一歲'《孟子》. ⑭나아갈 장 전진함. 진보함. '君子道一'《易經》. ⑮더할 장 늶. '不月一'《國語》. ⑯쌓을 장 축적함. '唯一舊怨'《國語》. ⑰자랄 장 생육함. '生一'. '苟得其養, 無物不一'《孟子》. ⑱기를 장 양육함. '以生育養一爲事'《漢書》. ⑲가르칠 장 교도함. '克一克君'《詩經》. ⑳나을 장 남보다 우수함. '一點'. '論人必先稱其所一'《晉書》. 또, 나은 일. '一短'. '誦足下之一'《戰國策》. ㉑남을 장, 많을 장 '冗一'. '無取乎冗一'《陸機》.

字源 甲骨文 金文 篆文 篆文 古文 古文 象形. 사람의 긴 머리를 본떠 '길다'의 뜻을 나타냄.

參考 ①'長장'을 의부(意符)로 하여, '길다'의 뜻을 포함하는 문자를 이루지만 예는 적음. 부수 이름은 '길장'. ②镸(次條)은 古字.

[長假 장가] ㉠우대(優待). ㉡벼슬을 그만둠. 치사(致仕).
[長歌 장가] 말이 긴 노래.
[長駕 장가] 말을 타고 먼 데를 감.
[長竿 장간] 긴 장대.
[長簡竹 장간죽]《韓》 긴 담배설대.
[長江 장강] '양쯔 강(揚子江)'의 별칭(別稱). 대강(大江)이라고도 함.
[長江天塹 장강천참] 양쯔 강(揚子江)은 천연(天然)의 요해(要害)라는 뜻.
[長距 장거] 긴 며느리발톱.
[長距離 장거리] 긴 거리(距離). 먼 거리(距離).
[長劍 장검] 긴 칼.
[長庚 장경] 저녁에 서쪽 하늘에 보이는 큰 별. 태백성. 장경성(長庚星).
[長鯨 장경] ㉠큰 고래. ㉡대단히 탐욕이 많은 악인(惡人).
[長庚星 장경성] 장경(長庚).
[長頸烏喙 장경오훼] 긴 목과 까마귀 같은 뾰족한 입. 이런 인상을 가진 사람은 슬기가 있고 참을성이 있어서 간난(艱難)한 경우에는 고생을 이겨 낼 수 있으나 탐람하고 시기가 많으므로 안락을 누리기 어려움.
[長慶子 장경자] 아악(雅樂)의 곡명(曲名). 무악(舞樂)의 끝머리에 연주함.
[長慶集 장경집] 당(唐)나라 때의 시문집(詩文集). 백거이찬(白居易撰)과 원진찬(元稹撰)의 두 가지가 있음. 장경(長慶)은 그 책을 편집한 해의 연호(年號). 앞의 것은 71권, 뒤의 것은 66권.
[長鯨吸百川 장경흡백천] 대주가가 큰 잔의 술을 단숨에 들이켬을 이름.
[長計 장계] ㉠원대한 계책. ㉡뛰어난 계책. 좋은 계책. 양책(良策).
[長公主 장공주] 천자(天子)의 자매.
[長官 장관] 한 관청의 으뜸 벼슬.
[長廣 장광] 길이와 넓이.
[長廣舌 장광설] 광장설(廣長舌).
[長久 장구] 오램. 영구(永久)히 변하지 아니함.
[長句 장구] ㉠자수(字數)가 많은 구. ㉡칠언 고시(七言古詩)의 일컬음.
[長驅 장구] ㉠말을 타고 오랫동안 멀리 달림. ㉡멀리 적을 몰아 쫓음.
[長君 장군] 남의 장형(長兄)을 이름.
[長裙 장군] 긴 치마.
[長跪 장궤] 몸을 펴서 무릎을 꿇고 하는 예(禮).
[長技 장기] 능(能)한 재주.
[長期 장기] 오랜 기간.
[長男 장남] 맏아들. 장자(長子).
[長女 장녀] 맏딸.
[長年 장년] ㉠오랜 해. ㉡노년(老年). 노인. ㉢장수(長壽). ㉣뱃사공.
[長年三老 장년삼로] 뱃사공.
[長腦 장뇌] 사람이 심은 산삼(山蔘).
[長短 장단] ㉠길과 짧음. ㉡길이. ㉢나음과 못함. 우열. ㉣장처와 단처. 잘함과 못함. ㉤임기응변하여 혹은 길게 설명하고 혹은 짧게 설명함.
[長短句 장단구] 자수가 많은 긴 구와 자수가 적은 짧은 구. 또, 그것이 섞인 사곡(詞曲).
[長短說 장단설] 임기응변하여 혹은 길게 혹은 짧게 자유자재로 설명함.
[長短自在 장단자재] 장처와 단처가 자연히 갖추어져 있음.
[長大 장대] ㉠키가 큼. ㉡재주가 뛰어남. ㉢어른이 됨. 성장함.
[長刀 장도] 긴 칼. 또, 언월도(偃月刀).
[長途 장도] 먼 길. 또, 오랜 여행.
[長曆 장력] 만세력(萬歲曆).
[長齡 장령] 장수(長壽).
[長老 장로] ㉠나이 많은 사람. 노인. ㉡나이가 많고 덕(德)이 높은 사람. 특히, 나이가 많은 고승(高僧). ㉢선가(禪家)에서 주지(住持)·선배(先輩)의 승려에 대한 높임말. ㉣기독교(基督教)에서 신자(信者)를 교도(教導)하고 자기가 맡은 교회를 감독하는 교직(教職).
[長流 장류] ㉠긴 흐름. 강의 흐름. ㉡길게 흐름.
[長律 장률] ㉠한시(漢詩)의 배율(排律). ㉡칠언율시(七言律詩)의 일컬음.
[長吏 장리] 현(縣)의 벼슬아치의 우두머리. 현리(縣吏)의 장관.
[長利 장리] 영구의 이익.

[長林 장림] 우거진 수풀.
[長眠 장면] 죽음. 영면(永眠).
[長命 장명] 장수(長壽).
[長鳴 장명] ㉠군중(軍中)에서 불어 호령(號令)을 전달하는 악기. 호통(號筒). ㉡소리를 길게 내어 욺.
[長明燈 장명등] 대문(大門) 밖 처마 끝에 달아두고 밤새도록 켜 놓는 등.
[長命富貴 장명부귀] 오래 살며 부귀(富貴)를 누림.
[長目飛耳 장목비이] 서적을 이름. 고금(古今)이나 원근(遠近)의 일들을 듣고 볼 수가 있음에서 이름.
[長木之斃無不摽 장목지폐무불표] 긴 나무가 넘어질 때엔 무엇이든 마구 침. 강포(強暴)한 대국(大國)이 망할 때엔 상대가 누구이든 공벌(攻伐)한다는 말. 표(摽)는 격(擊).
[長文 장문] 글자의 수(數)가 많은 긴 글.
[長物 장물] 쓸데없는 물건. 남는 물건. 용물(冗物).
[長尾雞 장미계] 꼬리가 길고 아름다운 닭.
[長髮 장발] 머리를 길게 기름. 또, 그 머리.
[長髮賊 장발적] 청(淸)나라 도광제(道光帝)의 30년에 일어나 홍수전(洪秀全)을 수령으로 하고 난징(南京)에 웅거하여 전후 15년간 중국을 소란케 한 비적(匪賊).
[長方形 장방형] 길이가 넓이보다 긴 방형(方形).
[長別離 장별리] 영구의 이별. 사별(死別).
[長病 장병] 오래된 병(病).
[長服 장복] 같은 약(藥) 또는 음식(飮食)을 오래 계속해서 먹음.
[長婦 장부] ㉠형수. ㉡키가 큰 며느리.
[長史 장사] 한(漢)나라 때 승상(丞相) 또는 삼공(三公)의 속관(屬官). 위진(魏晉) 이후엔 왕공부(王公府)의 속관. 후세(後世)엔 자사(刺史)의 부관(副官).
[長沙 장사] ㉠옛 고을 이름. 지금의 후난 성(湖南省) 창사 현(長沙縣). 샹장 하류(湘江下流)에 위치(位置)함. ㉡현(現) 후난 성(湖南省)의 주부(主府). 개항장(開港場)으로 군사·교통상의 요지(要地)임. ㉢별 이름.
[長蛇 장사] ㉠긴 뱀. 전(轉)하여, 잔인하고 탐란한 구적(寇賊). ㉡뱀의 일종. ㉢호걸에 견주어 이름. ㉣'장사진(長蛇陣)'의 준말.
[長史司馬 장사사마] 당대(唐代)의 관명(官名). 주(州)의 자사(刺史)의 부관(副官)으로, 한 사람씩 둠.
[長蛇陣 장사진] ㉠긴 뱀과 같이 길게 줄지은 군진(軍陣). ㉡많은 사람이 늘어선 긴 줄.
[長上 장상] ㉠윗사람. ㉡쉬지 않고 근무함.
[長殤 장상] 요사(夭死).
[長生 장생] 오래 삶. 장수.
[長生久視 장생구시] 오래 삶.
[長生不死 장생불사] 오래 살고 죽지 아니함.
[長生殿 장생전] ㉠당(唐)나라 때 화청궁(華淸宮) 안의 궁전(宮殿) 이름. 신(神)을 모시었음. ㉡청대(淸代)의 희곡(戲曲) 이름. 홍승(洪昇)의 작(作). 당(唐)나라 현종(玄宗)과 양귀비(楊貴妃)와의 관계를 그린 것으로, 도화선(桃花扇)과 병칭(竝稱)함. ㉢관(棺)의 속어(俗語).
[長書 장서] ㉠긴 글. ㉡긴 편지.
[長逝 장서] ㉠멀리 감. ㉡죽음. 영면.
[長舌 장설] 말이 많음. 잘 지껄임. 다변임.
[長成 장성] 자람. 큼.
[長星 장성] 살별. 혜성(彗星).
[長城 장성] ㉠긴 성. ㉡'만리장성(萬里長城)'의 준말. ㉢한 나라의 중진(重鎭)이 되는 인물.
[長城線 장성선] 만리장성(萬里長城)에 연(沿)한 지역(地域)의 일컬음. 곧, 허베이(河北)·산시(山西)·산시(陝西)·간쑤 성(甘肅省)과, 만주(滿洲)·찰합이성(察哈爾省)·쑤이위안 성(綏遠省)·닝샤 성(寧夏省) 등의 경역(境域)임.
[長所 장소] 장점.
[長嘯 장소] 소리를 길게 빼어 읊음.
[長孫 장손] 맏손자.
[長松 장송] 큰 소나무.
[長袖 장수] ㉠긴 소매. 밑천이 많음의 비유. ㉡소매 긴 옷을 입은 기녀(妓女)나 무희(舞姬).
[長嫂 장수] 맏형수.
[長壽 장수] 수명이 길. 오래 삶.
[長鬚 장수] ㉠긴 수염. ㉡'노복(奴僕)'의 별칭(別稱).
[長袖善舞 장수선무] 소매가 길면 춤을 잘 춘다는 뜻으로, 재물(財物)이 많은 자는 일을 하기가 쉬움을 이름.
[長嘶 장시] 소리를 길게 빼어 욺.
[長時間 장시간] 오랜 시간(時間).
[長時日 장시일] 오랜 시일(時日).
[長息 장식] 긴 한숨. 장태식(長太息).
[長身 장신] 큰 키.
[長安 장안] 주(周)·진(秦) 이래, 전한(前漢)·수(隋)·당(唐) 등의 국도(國都)의 소재지(所在地)였던 지명(地名). 지금의 산시 성(陝西省) 장안현(長安縣) 서북(西北)쪽에 있음.
[長安居大不易 장안거대불이] 도회(都會)는 물가가 비싸서 살기가 어려움. 당(唐)나라의 문인(文人) 고황(顧況)이 찾아온 백거이(白居易)를 보고 그의 이름 거이(居易)에 걸어서 놀린 말.
[長安似奕棊 장안사혁기] 왕자 흥망(王者興亡)의 빈번함을 바둑·장기의 승패가 무상(無常)함에 비유한 말.
[長夜 장야] ㉠겨울의 긴 밤. ㉡매장(埋葬)을 이름. ㉢'장야지음(長夜之飮)'의 준말.
[長夜眠 장야면] 일생을 꿈속에서 삶.
[長夜室 장야실] 무덤.
[長夜之飮 장야지음] 밤이 새어도 문을 닫고 초를 켜 놓고 술을 마심. 밤새도록 술을 마심.
[長魚 장어] 뱀장어.
[長髥 장염] 긴 구레나룻.
[長髥主簿 장염주부] '양(羊)'의 이칭(異稱). 양의 수염은 길고, 털로는 붓을 만들므로 이름. 주부(主簿)는 서기(書記).
[長榮 장영] 길이 번영함.
[長嬴 장영] '여름〔夏〕'의 별칭(別稱).
[長臥 장와] 오래 잠. 곧, 죽음을 이름.
[長吁 장우] 길게 한숨을 쉼. 장탄식함.
[長遠 장원] 길고 멂. 장구(長久).
[長圍之策 장위지책] 오래 둘러싸서 적군의 병량(兵粮)이 끊어지게 하는 계책(計策).
[長幼 장유] 어른과 어린이.
[長幼之序 장유지서] 연장자와 연소자의 사회적 지위의 순서.
[長音 장음] 길게 나는 음.
[長揖 장읍] 두 손을 잡아 높이 들고 허리를 굽히는 예.
[長人 장인] 키가 큰 사람.

[長日 장일] ㉠해가 긴 여름날. ㉡동지(冬至)의 철. 동지가 지나면 하루하루 해가 길어지므로 이름. ㉢긴 시일.
[長子 장자] ㉠장남(長男). 총자(冢子). 적자(嫡子). ㉡장녀(長女).
[長姊 장자] 맏누이.
[長者 장자] ㉠연장자. 나이 먹은 사람. ㉡윗사람. ㉢덕망이 있는 사람. 또, 관대한 사람. ㉣신분이 높은 사람. ㉤부호(富豪). 부자(富者).
[長者萬燈 장자만등] 부자가 등화를 만(萬)이나 신불(神佛)에 바쳐도 그 공덕은 가난한 여자가 등 하나 바치는 것만 못함. 형식보다 정성을 중히 여김의 비유.
[長者之言 장자지언] 군자(君子)의 말.
[長斫 장작] 통나무를 쪼갠 땔나무.
[長棧 장잔] 긴 잔도(棧道).
[長齋 장재] 오랫동안 재계함. 일 년 내내 채식(菜食)하는 일.
[長嫡 장적] 적장자(嫡長子).
[長錢 장전] 전화(錢貨)의 이름. 족전(足錢).
[長點 장점] 다른 것과 비교하여 특히 좋은 점.
[長汀 장정] 길게 뻗은 물가.
[長征 장정] ㉠멀리 감. ㉡'원정(遠征)'과 같음.
[長亭 장정] 십 리마다 있는 역참의 여관(旅館).
[長程 장정] 거리가 먼 노정.
[長弟 장제] ㉠제일 나이가 많은 동생. ㉡선후(先後). 우열(優劣).
[長悌 장제] 형제간에 우애가 있음.
[長堤 장제] 긴 방축.
[長調 장조] 장음계(長音階)로 된 곡조.
[長足 장족] ㉠빠른 걸음. ㉡진보가 빠름.
[長存 장존] 장생(長生).
[長洲 장주] 긴 사주(砂洲).
[長竹 장죽] 긴 담뱃대. 긴 대.
[長至 장지] 밤이 가장 긴 동지(冬至)와 낮이 가장 긴 하지(夏至).
[長指 장지] 가운뎃손가락.
[長姪 장질] 장조카.
[長嗟 장차] 장탄(張歎).
[長鑱 장참] 긴 보습.
[長槍 장창] 긴 창(槍).
[長槍大劍 장창대검] 긴 창과 큰 칼. 곧, 정예(精銳)한 무기.
[長策 장책] ㉠긴 채찍. ㉡원대한 계책. 양책(良策).
[長處 장처] ㉠가장 잘하는 점(點). ㉡그중에 나은 점(點).
[長天 장천] 높고 멀고 넓은 하늘.
[長秋 장추] 한대(漢代)의 관명(官名). 황후의 궁(宮)의 일을 맡음.
[長秋宮 장추궁] 황후가 거처(居處)하는 궁전(宮殿). 전(轉)하여, '황후'의 이칭(異稱).
[長春花 장춘화] '장미(薔薇)'의 별칭(別稱).
[長醉 장취] 술에 늘 취(醉)해 있음.
[長針 장침] 긴 바늘.
[長枕大衾 장침대금] 긴 베개와 큰 이불. 형제가 함께 자기에 편리하므로, 전(轉)하여 형제 친애(兄弟親愛)의 뜻으로 쓰임.
[長歎 장탄] 길게 한숨을 쉼. 대단히 탄식함.
[長太息 장태식] 소리를 길게 내는 한숨. 전(轉)하여, 대단히 탄식함.
[長篇 장편] ㉠긴 시문. ㉡긴 소설.
[長鞭不及馬腹 장편불급마복] 채찍이 길어도 말의 배까지는 닿지 아니함. 힘이 강대해도 오히려 미치지 못하는 곳이 있음의 비유.
[長風 장풍] 먼 데서 불어오는 거센 바람.
[長夏 장하] 해가 긴 여름. 또, '음력 6월'의 별칭(別稱).
[長旱 장한] 오랜 가뭄. 긴 가뭄.
[長恨歌 장한가] 당(唐)나라 백낙천(白樂天)이 지은 시(詩). 현종 황제(玄宗皇帝)와 양귀비(楊貴妃)와의 정사(情事)를 읊음.
[長鋏歸來乎 장협귀래호] 맹상군(孟嘗君)의 식객(食客) 풍훤(馮諼)이 대우(待遇)가 나쁨을 불만스럽게 여겨 '長鋏歸來乎, 食無魚'라고 노래했더니, 맹상군이 알아듣고 고기 대접을 해 주었는데, 얼마 안 되어, 풍훤이 또 '長鋏歸來乎, 出無車'라 노래하므로 수레를 내어 주었던 바, 또다시 '長鋏歸來乎, 無以爲家'라 노래하는 것을 맹상군이 듣고서 풍훤의 노모(老母)에게 급량(給糧)해 주었다는 고사(故事). 인(因)하여, 식객(食客) 등이 영달(榮達)을 구하는 뜻으로 쓰임. 협(鋏)은 칼자루.
[長兄 장형] ㉠맏형. 백형(伯兄). ㉡연장자의 존칭.
[長號 장호] 오래 통곡함.
[長虹 장홍] ㉠긴 무지개. ㉡긴 다리.
[長話 장화] 긴 이야기.
[長靴 장화] 목이 긴 구두.
[長皇 장황] ㉠번거롭고 깊. ㉡지루함.
[長喙 장훼] 쓸데없는 말을 길게 지껄임.
[長休告 장휴고] 사직(辭職).

◉家長. 街長. 渠長. 系長. 課長. 官長. 館長. 光焰萬丈長. 魁長. 宏長. 舊家長. 久長. 耆長. 局長. 君長. 郡長. 機長. 短長. 團長. 隊長. 萬物長. 牧長. 無短長. 茂長. 博長. 班長. 坊長. 百事長. 百藥之長. 兵長. 部長. 副長. 溥長. 賓長. 師團長. 舍短取長. 社長. 師長. 肆長. 山高水長. 山靜日長. 上長. 生長. 恕長. 庶長. 船長. 成長. 細長. 少長. 消長. 首長. 帥長. 修長. 遂長. 瘦長. 市長. 身長. 伸長. 深長. 什長. 養長. 讓長. 驛長. 年長. 延長. 永長. 靈長. 五穀之長. 五長. 伍長. 冗長. 優長. 鬱長. 雄長. 院長. 園長. 悠長. 邑長. 意味深長. 議長. 里長. 翼長. 一日之長. 日長. 任長. 滋長. 才學識三長. 亭長. 艇長. 助長. 宗長. 增長. 次長. 參謀長. 尺有所短寸有所長. 天長. 觸類長. 寸長. 村長. 總長. 酋長. 取長. 侈長. 齒長. 太長. 統長. 偸長. 特長. 廢長. 學長. 賢長. 狹長. 會長. 訓長.

0 ⑦ [镸] 長(前條)의 古字

2 ⑨ [镺] 곤 ㊥元 丘敦切 kūn

字解 ①추한소 곤 지저분한 소. '一屯犂牛, 旣𤚩以犪, 決鼻而羈, 生子而犧'《淮南子》. ②추악할 곤 '一屯, 醜惡也'《駢雅》.

3 ⑩ [镹] 구 ㊤有 己有切 jiǔ

字解 길 구 오래됨. '一, 長也, 通作久'《集韻》.

[套] 〔투〕 大部 七畫(p. 508)을 보라.

4 ⑪ [镺] 오 [上]晧 烏晧切 ǎo [去]號 烏到切
[字解] 길 오 짧지 아니함. '卉木一蔓'《左思》.

[镺蔓 오만] 길게 뻗음. 무성함.

4 ⑪ [⿰镸殳] 단 [去]翰 杜亂切 duàn
[字解] 던질 단 물건을 던짐. '一, 投物'《字彙》.

5 ⑫ [镻] 절 [入]屑 徒結切 dié
[字解] 독사 절 살무사의 일종. '一, 蝁. (注) 蝮屬, 大眼, 最有毒, 今淮南人呼蝁子'《爾雅》.
[字源] 篆文  形聲. 長＋失〔音〕

5 ⑫ [⿰镸出] 도 [去]號 都到切 dào
[筆順] 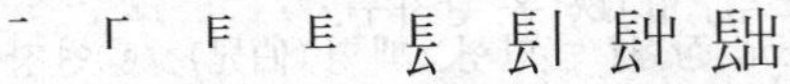
[字解] 긴모양 도 짧지 않은 모양. '一, 長貌'《字彙》.

6 ⑬ [⿰镸尗] 뇨 [上]篠 乃了切 niǎo
[字解] 가죽신 뇨 모래 위를 걷는 데 신는 신. '一, 淮南子, 水行用舟, 沙行用一'《字彙補》.

6 ⑬ [⿰镸兆] 노 [去]號 杜皓切 nǎo
[字解] 긴모양 노 '一, 一镺, 長也'《集韻》.

6 ⑬ [⿰镸犮] 〔발〕 髮(髟部 五畫〈p. 2625〉)과 同字

[肆] 〔사〕 聿部 七畫(p. 1832)을 보라.

7 ⑭ [⿰镸赤] 〔뇨〕 ⿰镸尗(長部 六畫〈p. 2430〉)의 俗字

8 ⑮ [镼] 굴 [入]物 渠勿切 jué
[字解] 짧은옷 굴 '服婦人衣, 諸于·繡一'《後漢書》.

10 ⑰ [⿰镸差] 차 [平]麻 咨邪切 jiē
[字解] ①한탄할 차, 슬퍼할 차 嗟(口部 十畫)의 古字. '一, 長歎'《廣韻》. ②산이름 차 차악산(⿰镸差岳山). '一, 又山名. 山海經有一岳山'《字彙》.

12 ⑲ [⿰镸喬] 교 [上]篠 巨夭切 jiào
[字解] 길 교 기다란 모양. '一, 镽一, 長也'《集韻》.

12 ⑲ [⿰镸勞] 로 [平]豪 郎刀切 láo
[字解] 길 로 긴 모양. '一, 一⿰镸敖, 長皃'《集韻》.

13 ⑳ [⿰镸農] 농 [平]冬 女容切 nóng
[字解] 많을 농 '一, 多也'《廣韻》.

14 ㉑ [⿰镸寧] 녕 [平]庚 女耕切 níng
[字解] ①머리흐트러질 녕 '一, 鬇一'《字彙》. ②鬡(髟部 十四畫)의 俗字. '一, 俗鬡字'《正字通》.

16 ㉓ [⿰镸褭] 뇨 [去]嘯 奴弔切 niào
[字解] 부드럽고길 뇨 '一, 柔長也'《集韻》.

門 (8획) 部
〔문문부〕

0 ⑧ [門] [中人] 문 [平]元 莫奔切 mén 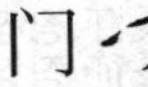
[筆順] 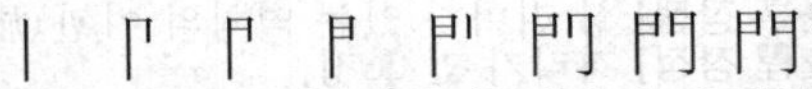
[字解] ①문 문 ㉠집의 외부에 설치한 출입하는 곳. 대문. '一內'. '一外可設雀羅'《漢書》. ㉡사물의 출입에 경유하는 곳. '道義之一'《易經》. '衆妙之一'《老子》. ㉢문 앞. 집 앞. '有荷蕢而過一者'《史記》. ㉣동류. '同一'. '孔一'(공자의 교를 신봉하는 사람들). ㉤관리가 자기를 추천한 사람에게 대하여 일컫는 말. '天下桃李, 悉在公一'《十八史略》. ㉥분류상의 구별. '部一'. 또, 학술의 한 종류. '專一'. ㉦대포를 세는 수사(數詞). '砲十一'. ②집 문 가정. 집안. '孝子之一'. '是兒亦將興我一'《宋書》. ③지체 문 벌열. '名一'. '一閥'. ④문칠 문 문을 공격함. '一於東閭'《左傳》. ⑤성 문 성(姓)의 하나.
[字源] 甲骨文 金文 篆文 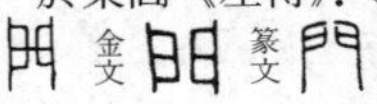 象形. 좌우 두 개의 문짝을 본떠 '문'의 뜻을 나타냄.
[參考] '門문'을 의부(意符)로 하여, 여러 가지 문, 문에 부속된 것에 관한 문자를 이룸. '問문'·'悶민'·'聞문' 등의 문자는 각각 '口구'·'心심'·'耳이'가 의부(意符)이고, '門'은 음부(音符)이므로, 그 의부에 따라 부수가 분류되고 있음. 부수 이름은 '문문'.

[門間 문간] 대문 또는 중문(重門)이 있는 곳.
[門鑑 문감] 문의 출입을 허가하는 감찰(鑑札).
[門客 문객] ㉠식객(食客). ㉡글방의 선생(송인(宋人)의 말).
[門逕 문경] ㉠문 앞의 좁은 길. ㉡문으로 통하는 길. 전(轉)하여, 실마리. 단서(端緖).
[門閫 문곤] 문지방.
[門功 문공] 부조(父祖)의 공으로 벼슬을 하는 일. 남행(南行).
[門框 문광] 문(門) 얼굴.
[門衢 문구] 문 앞의 도로.
[門闕 문궐] 대궐의 문.
[門內 문내] 대문(大門) 안.
[門闥 문달] 궁중의 크고 작은 문.
[門徒 문도] ㉠제자. ㉡문지기. ㉢불가 또는 도가

의 신도(信徒).
[門到戶說 문도호설] 호별 방문하여 설명함.
[門閭 문려] 집의 문과 마을 입구의 문.
[門聯 문련] 문첩(門帖).
[門隷 문례] 문위(門衛).
[門樓 문루] 문 위의 다락집.
[門望 문망] 가문의 명망. 문벌.
[門無雜賓 문무잡빈] 속인(俗人)의 내방(來訪)이 없다는 뜻으로, 사람을 가리어 사귐을 이름.
[門楣 문미] ㉠문 위에 가로 댄 나무. ㉡가문(家門). ㉢여자(女子).
[門閥 문벌] 가문(家門)의 대대로 내려오는 지위. 벌열(閥閱).
[門不停賓 문부정빈] 손님을 기다리게 하지 않고 즉시 응접(應接)함.
[門不夜關 문불야관] 세상이 태평하여 도둑 따위의 우환(憂患)이 없음.
[門庇 문비] 문공(門功).
[門扉 문비] 문짝.
[門士 문사] 문지기.
[門生 문생] ㉠문하(門下)의 서생. 문인(門人). ㉡당대(唐代)에 과거의 시험관을 선생이라고 하는 데 대하여 수험자의 자칭.
[門生天子 문생천자] 당말(唐末)에 환관(宦官)이 정권(政權)을 전횡(專橫)하여 천자를 문생(門生)처럼 생각했던 일.
[門扇 문선] 문(門)짝.
[門素 문소] 문벌(門閥).
[門塾 문숙] ㉠대문의 양쪽에 있는 방. ㉡'가숙(家塾)'과 같음.
[門鑰 문약] 문의 자물쇠.
[門業 문업] 집안에 대대로 내려오는 직업. 가업(家業).
[門如市心如水 문여시심여수] 청을 하러 오는 사람이 문이 메어지도록 많으나, 그들을 대하는 마음은 물같이 맑아 조금도 사심이 없음.
[門閱 문열] 문벌(門閥).
[門外 문외] 문 밖.
[門外可設雀羅 문외가설작라] 문 밖에 참새 그물을 칠 수 있음. 곧, 찾아오는 사람이 없어 한적함을 이름.
[門外多有長者車轍 문외다유장자거철] 귀한 사람이 많이 내방함을 이름.
[門外漢 문외한] 직접(直接)으로 그 일에 관계(關係)하지 아니하는 사람. 테 밖의 사람. 장외한(牆外漢).
[門衛 문위] 문지기.
[門尹 문윤] 수위(守衛)의 장(長).
[門蔭 문음] 문공(門功).
[門義 문의] 문하(門下)의 의도(義徒). 의로써 섬기는 제자.
[門人 문인] ㉠제자. 문하인(門下人). ㉡문지기. ㉢식객(食客). 문객(門客).
[門子 문자] ㉠옛날에 경대부(卿大夫)의 적자(嫡子). ㉡문지기. ㉢급사(給仕).
[門者 문자] ㉠문지기. ㉡문 안에 있는 사람.
[門資 문자] 문벌(門閥).
[門牆 문장] ㉠문과 담. 또, 가문(家門). ㉡스승 집의 문.
[門前 문전] 대문(大門) 앞.
[門前乞食 문전걸식] 집집이 돌아다니며 먹을 것을 구걸(求乞)함.
[門前成市 문전성시] 문정여시(門庭如市).
[門前雀羅 문전작라] 아무도 찾는 사람이 없어 문 앞에 참새를 잡는 그물을 칠 수 있을 정도로 쓸쓸하다는 뜻. 문외가설작라(門外可設雀羅).
[門庭 문정] ㉠대문 안의 뜰. ㉡집 안.
[門庭如市 문정여시] 사람이 많이 찾아옴의 형용. 문전성시(門前成市).
[門弟 문제] 제자(弟子).
[門弟子 문제자] 제자(弟子).
[門祚 문조] 집안의 복조. 가운(家運).
[門冑 문주] 집안의 혈통.
[門誅 문주] 일문일족(一門一族)이 모두 주벌(誅伐)당하는 일.
[門中 문중] 동성동본(同姓同本)의 가까운 친척.
[門地 문지] 문벌(門閥).
[門帖 문첩] 문에 거는 주련(柱聯).
[門樞 문추] 문지도리. 전(轉)하여, 문호(門戶).
[門牌 문패] 문에 다는 주소 성명(住所姓名)을 적은 패(牌). 문찰(門札).
[門表 문표] 가문의 명성. 집안의 명예.
[門標 문표] 문패(門牌).
[門風 문풍] 한 집안의 풍습. 가풍.
[門下 문하] ㉠집 안. ㉡식객. 또, 하인. ㉢제자(弟子). ㉣스승의 밑.
[門下生 문하생] 제자(弟子).
[門下省 문하성] 진대(晉代)에 비롯한 관서명(官署名). 삼성(三省)의 하나로 중서성(中書省)에서 내려온 조칙(詔勅)을 심사하던 곳. 문(門)은 황문(黃門)의 뜻.
[門限 문한] 문지방.
[門巷 문항] 문호(門戶)와 문으로 들어가는 좁은 길.
[門衡 문형] 문의 가로 댄 나무.
[門戶 문호] ㉠집 안에 드나드는 곳. ㉡문벌(門閥). ㉢자기에게 찬동(讚同)하는 파(派).
[門火 문화] ㉠문의 화재. ㉡장사 따위를 지낼 때에 죽은 사람의 혼을 보내기 위하여 문 앞에서 때는 불.
[門會 문회] 문중(門中)의 모임.
[門候 문후] 문지기.
◉家門. 閣門. 姦門. 開門. 凱旋門. 叩門. 庫門. 高門. 皐門. 公門. 孔門. 款門. 關門. 校門. 求忠臣必于孝子之門. 國門. 軍門. 權門. 鬼門. 貴門. 閨門. 棘門. 金馬門. 金門. 及門. 期門. 南門. 路門. 樓門. 壘門. 大門. 到門. 道門. 突門. 同門. 杜門. 登龍門. 名門. 廟門. 武門. 梵門. 法門. 蓬門. 部門. 北門. 不老門. 佛門. 比門. 毘沙門. 四門. 私門. 沙門. 師門. 山門. 三門. 相門. 桑門. 禪門. 城門. 盛門. 聖門. 小門. 素門. 巢門. 衰門. 水門. 守門. 市門. 柴門. 晨門. 牙門. 阿門. 掖門. 迎門. 營門. 詣門. 玉門. 獄門. 王門. 外門. 堯母門. 雲門. 轅門. 衛門. 幽門. 儒門. 邑門. 應門. 倚門. 里門. 一門. 入門. 子門. 將門. 專門. 正門. 旌門. 除門. 造門. 宗門. 朱門. 竹門. 中門. 陣門. 柵門. 千門. 天門. 鐵門. 淸門. 譙門. 出門. 雉門. 奪門. 台門. 通德門. 通用門. 破門. 閉門. 風門. 蓽門. 寒門. 闔門. 闔門. 肛門. 夾門. 荊門. 衡門. 豪門. 和門. 禍福同門. 禍福無門. 黃門. 候門. 勳門. 興門.

1 ⑨ [閂] 산 ㊥刪 數還切 shuān

字解 문빗장 산 문을 잠그는 나무때기.

[字源] 象形. 문을 잠가 두는 가로나무를 본떠 빗장의 뜻을 나타냄.

2 ⑩ [閃] [人名] 섬 [上]琰 失冉切 shǎn [去]豔 舒贍切 闪

[字解] ①엿볼 섬 틈 사이로 봄. '嘗自于牆壁門闚—'《魏略》. ②언뜻보일 섬 잠시 보임. '—影'. '蜩像暫曉而—屍'《木華》. ③번득일 섬, 나부낄 섬 '颭—才人袖'《元稹》. ④번득이게할 섬, 나부끼게할 섬 '風—雁行疎又密'《李咸用》. ⑤번쩍할 섬 '—火'. ⑥성 섬 성(姓)의 하나.
[字源] 篆文 會意. 人+門. 문 안을 사람이 퍼뜩 통과하는 것을 보는 모양에서, '번득이다'의 뜻을 나타냄.

[閃光 섬광] 번쩍하는 빛.
[閃刀紙 섬도지] 도련칠 때에 귀가 접힌 채로 베어진 종이.
[閃爍 섬삭] 섬삭(閃鑠).
[閃鑠 섬삭] 번쩍번쩍 빛나는 모양.
[閃閃 섬섬] ㉠빛나는 모양. 비치는 모양. ㉡나부끼는 모양. 번득이는 모양.
[閃屍 섬시] 언뜻 보이는 모양.
[閃影 섬영] 언뜻 보이는 그림자.
[閃楡 섬유] 마음을 기울여 아첨함.
[閃電 섬전] 번쩍하는 번개. 신속함의 비유.
[閃燦 섬찬] 번쩍번쩍 빛나는 모양.
[閃忽 섬홀] 번쩍함. 번쩍하는 모양.
[閃火 섬화] 번쩍이는 불빛.
◉闚閃. 騰閃. 倏閃. 電閃. 颭閃. 躲閃. 廻閃.

2 ⑩ [閁] 진 [去]震 直刃切 zhèn

[字解] 오를 진 '—, 登也'《說文》.
[字源] 會意. 門+二

2 ⑩ [閄] 구 [平]尤 居尤切 jiū

[字解] 송사(訟事)할 구 소송(訴訟)함. '—, 訟也'《字彙》.

3 ⑪ [閆] 염 [平]鹽 余廉切 yán 闫

[字解] 성 염 성(姓)의 하나. '—, 見姓苑'《萬姓系譜》.

3 ⑪ [閔] [一] 올 [入]月 五忽切 wù [二] 골 [入]月 胡骨切 wù

[字解] [一] ①묶을 올 '—, 括也'《廣韻》. ②어그러질 올 도리에 맞지 않음. '—, 一曰, 婞很也'《集韻》. [二] 묶을 골, 어그러질 골 [一]과 뜻이 같음.

3 ⑪ [閈] 한 [去]翰 侯旰切 hàn 闬

[字解] ①이문 한 동네의 어귀에 세운 문. '高其—閎'《左傳》. ②마을 한 동네. '陳亡歸鄉—'《唐書》. ③담 한 담장. '—庭詭異'《張衡》.
[字源] 金文 篆文 形聲. 門+干〔音〕. '干간'은 '막다'의 뜻. 적의 침입을 막기 위한 '문'의 뜻을 나타냄.

[閈閎 한굉] 이문(里門). 일설(一說)에는, 마을을 둘러싼 담.
[閈庭 한정] 담과 뜰. 저택 안.
◉開閈. 闕閈. 同閈. 城閈. 閭閈. 邑閈. 廛閈. 鄉閈.

3 ⑪ [閇] 정 [上]迥 他頂切 tǐng

[字解] 빗장 정 문빗장. '—, 門上關也'《字彙補》.

3 ⑪ [閉] [中·人] 폐 [去]霽 博計切 bì 闭

[筆順] 丨 ｢ ｢ 門 門 門 閂 閉

[字解] ①닫을 폐 열린 것을 막음. '—門'. '—鎖'. '至日—關'《易經》. 전(轉)하여, 마침. 끝냄. 그만둠. '—會'. '—店'. '—肆下簾, 而授老子'《漢書》. ②막을 폐, 막힐 폐 통하지 못하게 함. 통하지 아니함. '—塞'. '天地否—'《易經疏》. ③가릴 폐 엄폐함. '予不敢—于天降威用'《書經》. ④감출 폐 수장(收藏)함. '助天地之—藏也'《禮記 註》. ⑤자물쇠 폐 여닫는 물건을 잠그는 쇠. '修鍵—'《禮記》. ⑥도지개 폐 트집 난 활을 바로잡는 틀. '竹—緄縢'《詩經》. ⑦입추 폐, 입동 폐 입추(立秋) 또는 입동(立冬)을 이름. '分至啓—'《左傳》.
[字源] 金文 篆文 會意. 門+才. '才재'는 '목재'의 뜻. 문을 나무 빗장으로 닫아건 모양에서, '닫다'의 뜻을 나타냄.

[閉講 폐강] 강의나 강습 등을 폐지함.
[閉居 폐거] 집 안에 들어박혀 있음. 칩거(蟄居)함.
[閉關 폐관] ㉠관문(關門)을 닫음. ㉡문을 닫고 사람을 만나지 아니함. 몸을 감춤.
[閉關却掃 폐관각소] 문(門)을 닫고 딴 사람과의 상종(相從)을 끊음.
[閉口 폐구] ㉠입을 다묾. ㉡함구불언(緘口不言)함. 침묵(沈默).
[閉凍 폐동] 얼어 막힘.
[閉幕 폐막] 연극(演劇)을 마치고 막(幕)을 닫음.
[閉門 폐문] 문(門)을 닫음.
[閉塞 폐색] ㉠막힘. 막음. ㉡추위에 생기가 막힘.
[閉鎖 폐쇄] 문(門)을 닫고 자물쇠를 채움.
[閉囚 폐수] 갇힘. 또, 그 사람.
[閉市 폐시] 시장(市場)의 가게를 닫음.
[閉息 폐식] 숨을 죽임.
[閉戹 폐액] 막혀 고생함.
[閉藏 폐장] ㉠닫아 숨음. ㉡물건(物件)을 감추어 둠.
[閉店 폐점] 가게를 닫음. 가게를 그만둠.
[閉廷 폐정] 법정(法廷)을 닫음.
[閉蟄 폐칩] 동면(冬眠)함.
[閉戶 폐호] 폐문(閉門).
[閉戶先生 폐호선생] 집 안에 들어박혀 독서(讀書)만 하는 사람.
[閉會 폐회] 회를 마침.
◉開閉. 鍵閉. 啓閉. 噤閉. 凍閉. 杜閉. 密閉. 封閉. 否閉. 偃閉. 掩閉. 壅閉. 鬱閉. 幽閉. 隱閉. 凝閉. 潛閉. 藏閉. 竹閉. 中扃外閉. 重閉.

[問] 〔문〕 口部 八畫(p.385)을 보라.

4 ⑫ [開] 中·人 개 ㊥灰 苦哀切 kāi 开 𰃫

筆順 丨 𠃌 𠁣 門 門 閂 開 開

字解 ①열 개 ㉠닫힌 것을 틈. '一門'. '善閉無關鍵, 而不可一'《老子》. ㉡시작함. '一會'. '一校'. ㉢입을 열어 말을 함. '一陳'. ㉣통함. '一通'. ㉤새로 전답을 만듦. '一墾'. '一拓'. '秦一阡陌'《戰國策》. ㉥수학에서 승근(乘根)을 구함. '一立'. '一平'. ②열릴 개 ㉠열어짐. ㉡문화가 개발됨. '一明'. '一化'. ㉢길이 트임. '一通'. ③벌릴 개 오므라진 것을 펴 엶. '一口而笑者'《莊子》. ④펼 개 ㉠개킨 것을 젖히어 놓음. '一卷'. '視歷一書'《古詩》. ㉡넓게 깖. '一瓊筵'《李白》. ⑤필 개 꽃이 핌. '一花'. '桃花含雨一'《梁簡文帝》. ⑥깨우칠 개 계발함. 깨닫게 함. '一悟'. '或一予'《禮記》. ⑦풀 개 놓아줌. '一放無罪之人'《書經》. ⑧성 개 성(姓)의 하나.

字源 金文 篆文 古文 會意. 門+开(幵). '幵견'은 양손의 象形. 문에 양손을 대어서 열다의 뜻을 나타냄. 古文은 門+廾의 會意. '閂산'은 '빗장'의 뜻. '廾공'은 '양손'의 뜻.

[開可 개가] 허가(許可).
[開刊 개간] 책(冊)을 처음 간행(刊行)함.
[開墾 개간] 황무지(荒蕪地)를 개척(開拓)하여 논밭을 만듦.
[開講 개강] 강의를 시작함.
[開缺 개결] 관리가 직(職)을 떠남. 사임(辭任). 퇴직(退職).
[開棺 개관] 매장(埋葬)할 때에 관(棺)을 엶.
[開館 개관] 회관(會館)·공관(公館) 따위의 사무(事務)를 개시(開始)함.
[開光 개광] 개안(開眼) ㉡㉢.
[開曠 개광] 앞이 환히 트임.
[開鑛 개광] 광산(鑛山)의 채굴(採掘)을 시작함.
[開校 개교] 학교에서 공부를 시작함.
[開口 개구] ㉠입을 열어 말을 함. ㉡입을 벌려 먹음. ㉢입을 벌려 웃음.
[開國 개국] ㉠새로 나라를 세움. 건국(建國). ㉡외국과 국교를 맺음. 쇄국(鎖國)의 대(對).
[開國伯 개국백] 당송 시대(唐宋時代)의 명예(名譽)의 봉작(封爵).
[開掘 개굴] 파서 헤치어 냄.
[開卷 개권] ㉠책을 폄. ㉡엶과 맒.
[開卷有益 개권유익] 책을 펴고 읽으면 반드시 유익함.
[開金 개금] 열쇠.
[開襟 개금] ㉠옷섶을 폄. ㉡흉금을 터놓음.
[開基 개기] ㉠기초를 닦음. 사물을 제일 먼저 시작함. ㉡개산(開山) ㉠.
[開年 개년] 그해의 처음. 세시(歲始).
[開導 개도] 가르쳐 인도함.
[開冬 개동] 초겨울. 초동(初冬).
[開東 개동] ㉠밝을 녘. 새벽. ㉡동이 틈.
[開落 개락] 꽃이 피고 떨어짐.
[開朗 개랑] ㉠탁 터져 환함. ㉡현명(賢明)함.
[開立 개립] 입방근(立方根)을 계산하여 구함.
[開幕 개막] 연극(演劇)을 상연(上演)할 때에 막(幕)을 엶.
[開明 개명] 지(智)가 열리고 문물(文物)이 발달함.
[開門 개문] 문을 엶.
[開門納賊 개문납적] 제 스스로 재화(災禍)를 초래함을 이름.
[開門而揖盜 개문이읍도] 문을 열어 도둑을 절하고 맞이함. 스스로 즐겨서 재화(災禍)를 초치(招致)함의 비유(比喩).
[開物成務 개물성무] 사람이 아직 알지 못하는 도리를 깨달아 이것을 실지로 시행하여 성공함.
[開發 개발] ㉠엶. 봉한 것을 뜯음. ㉡지식을 계발함. ㉢개척(開拓).
[開發主義 개발주의] 아동으로 하여금 자발적으로 공부하도록 인도하는 주의. 주입주의(注入主義)의 대(對).
[開方 개방] 개평(開平)·개립(開立)의 총칭(總稱).
[開放 개방] ㉠죄를 용서하여 방면함. ㉡열어 터놓음. ㉢경계(警戒)하지 아니함.
[開帆 개범] 돛을 달고 출발함.
[開闢 개벽] 천지가 생긴 맨 처음.
[開復 개복] ㉠회복(恢復). ㉡휴직 중(休職中)의 관리가 복직(復職)됨. ㉢처분(處分) 등을 취소하는 일.
[開腹 개복] 수술(手術)하기 위하여 배를 쨈.
[開封 개봉] 봉(封)한 것을 엶. 봉지(封紙)를 뗌.
[開府 개부] ㉠관아(官衙)를 베풀어 속관(屬官)을 둠. 한(漢)나라의 제도(制度)로서 삼공(三公)에게 윤허(允許)되었음. 후세(後世)에는 장군(將軍)도 이에 준(準)하여 '一一儀同三司'라 하였음. ㉡순무(巡撫)·총독(總督) 등의 존칭.
[開扉 개비] ㉠사립짝을 엶. ㉡《佛敎》개장(開帳).
[開嚬 개빈] 찌푸렸던 양미간(兩眉間)을 폄. 걱정을 풂.
[開士 개사] 《佛敎》'보살(菩薩)'의 이칭(異稱).
[開謝 개사] 꽃이 핌과 짐.
[開山 개산] ㉠처음으로 산을 개척(開拓)하여 절을 세우는 일. 또, 그 사람. ㉡일종 일파(一宗一派)를 창시한 사람. ㉢어느 사업을 처음으로 함. 또, 그 사람.
[開生路 개생로] 활로(活路)를 개척(開拓)함.
[開曙 개서] ㉠날이 샘. ㉡새벽.
[開析 개석] 개탁(開坼).
[開釋 개석] 개방(開放) ㉠.
[開設 개설] 새로 설치(設置)함. 처음으로 엶.
[開說 개설] 설명하기 시작함.
[開成 개성] 개물성무(開物成務).
[開城 개성] ㉠성문을 엶. ㉡항복함.
[開歲 개세] 개년(開年).
[開市 개시] 장(場)이나 가게를 엶.
[開示 개시] 열어 보임. 또, 숨김없이 알림. 설명하여 보임.
[開始 개시] 시작함. 처음으로 함.
[開眼 개안] ㉠눈을 떠 바라봄. ㉡《佛敎》새로 된 부처를 공양하여 눈을 넣고 그 영(靈)을 맞는 의식. ㉢《佛敎》본래 갖춘 불성(佛性)을 열어 진리를 달관함.
[開顔 개안] 파안대소(破顔大笑)함. 해안(解顔). 파안(破顔).
[開業 개업] ㉠사업을 시작함. ㉡영업(營業)을 시작(始作)함.
[開筵 개연] 자리를 폄. 좌석을 베풂.
[開悟 개오] 깨달음. 또, 깨닫게 함.
[開運 개운] 운(運)이 열림.
[開元 개원] 개국(開國).
[開元天寶遺事 개원천보유사] 개원(開元)·천보간(天寶間)의 유사(遺事)를 기술(記述)한 책.

오대(五代)의 왕인유(王仁裕)의 찬(撰)으로, 4권. '개천유사(開天遺事)'라고 약칭(略稱)함.
[開誘 개유] 가르쳐 인도함. 훈유(訓誘).
[開諭 개유] 타이름. 알아듣도록 말함.
[開允 개윤] 윤허(允許)함.
[開帳 개장]《佛敎》불감(佛龕)을 열어 공중(公衆)으로 하여금 비불(祕佛)에게 배례(拜禮)시킴.
[開張 개장] ㉠전개(展開). ㉡저자를 열어 장사를 「함.
[開場 개장] 그 장소를 개방하여 입장(入場)을 하게 함.
[開展 개전] 폄. 전개(展開).
[開戰 개전] 싸움을 시작(始作)함.
[開店 개점] 가게를 열어 영업(營業)을 개시(開始)함.
[開廷 개정] 소송 사건(訴訟事件)을 재판하기 위하여 법정(法廷)을 엶.
[開濟 개제] ㉠개물성무(開物成務). ㉡임금의 마음을 계발하여 도움.
[開霽 개제] 하늘이 갬.
[開祖 개조] ㉠교(敎)를 처음으로 시작(始作)한 사람. ㉡처음으로 사업(事業)을 일으킨 사람.
[開宗明義 개종명의] ㉠〈효경(孝經)〉의 제일장(第一章). 이 책의 본의(本義)를 명시(明示)하고, 효도(孝道)의 대강(大綱)을 서술한 편(篇)임. ㉡사물의 강요(綱要)를 서술함을 이름.
[開罪 개죄] 스스로 죄를 지음.
[開陳 개진] 진술함.
[開鑿 개착] 산(山)을 뚫어 길을 내거나 막힌 내를 파 넓힘.
[開札 개찰] 입찰한 상자 또는 투표함을 열어 조사함.
[開拓 개척] 토지(土地)를 개간(開墾)하여 경지(耕地)를 넓힘.
[開闡 개천] 열어 넓힘.
[開秋 개추] 초가을. 초추(初秋).
[開春 개춘] 이른 봄. 초춘(初春).
[開坼 개탁] 엶. 또, 열림.
[開湯網 개탕망] 은(殷)나라의 탕왕(湯王)이 금수(禽獸)를 잡는데 그물의 삼면(三面)을 풀어 놓고 도망갈 길을 터 주었다는 고사(故事)에서, 관대(寬大)하게 처사함을 이름. 탕망(湯網).
[開土 개토] 땅을 파기 시작함.
[開通 개통] 열어 통함. 또, 열림. 길이 트임.
[開平 개평] 제곱근을 계산하여 구함.
[開閉 개폐] 열고 닫고 함. 여닫음.
[開票 개표] 투표함(投票函)을 열고 투표의 결과를 조사(調査)함.
[開學 개학] 학교(學校)의 수업을 시작함.
[開緘 개함] 봉(封)을 엶. 곧, 속을 봄.
[開闔 개합] 개폐(開閉).
[開港 개항] ㉠항구를 개설함. ㉡항구(港口)를 개방(開放)하여 외국(外國) 선박(船舶)의 출입과 무역(貿易)을 허락하여 통상(通商)을 하게 함.
[開化 개화] ㉠위에서 아랫사람을 교도하여 선량하게 함. ㉡사물(事物)이 진보하고 인지(人智)가 발달함.
[開豁 개활] ㉠마음이 탁 트여 넓음. ㉡앞이 탁 트여 조망(眺望)이 넓음.
[開曉 개효] 개유(開諭).
◉公開. 廣開. 爛開. 滿開. 未開. 半開. 散開. 新開. 運開. 再開. 全開. 展開. 切開. 打開. 洞開. 闢開. 廓開.

4 ⑫ **[閌]** 항(강㊍) ㊔漾 苦浪切 kàng ㊊陽 丘岡切 闶

字解 높을 항 문이 높은 모양. '高門有一'《左思》.

字源 篆文 形聲. 門+亢[音]. '亢항'은 똑바로 서다의 뜻. 똑바로 높이 서 있는 문의 뜻을 나타냄.

[閌閬 항랑] 솟을대문의 모양.

4 ⑫ **[閎]** 굉(횡㊍) ㊊庚 戶萌切 hóng 闳

字解 ①문 굉 ㉠작은 길이나 거리의 문. '乘輦而入于一'《左傳》. ㉡천상(天上)의 문. '騰九一'《漢書》. ㉢보통의 문. '高其閈一'《左傳》. ②넓을 굉 중턱이 불룩하여 넓음. '其器圜以一'《禮記》. ③빌 굉 공허함. '彷徨乎馮一'《莊子》. ④클 굉 광대함. '曾一以迫身'《楚辭》. ⑤넓게할 굉, 크게할 굉 '一其中而肆其外'《韓愈》. ⑥성 굉 성(姓)의 하나.

字源 篆文 形聲. 門+厷[音]. '厷굉'은 '펼쳐지다'의 뜻. 거기서부터 마을이 펼쳐지는 '문'의 뜻을 나타냄.

[閎閎 굉굉] ㉠큰 소리의 형용. ㉡광대하고 아름다운 모양.
[閎達 굉달] 마음이 넓고 편협(偏狹)하지 아니함. 활달함.
[閎覽 굉람] 널리 사물을 보아 앎. 박람함.
[閎辯 굉변] 웅대한 변론. 웅변(雄辯).
[閎衍 굉연] 문사(文辭)가 풍부하고 아름다움.
[閎中肆外 굉중사외] 문장(文章)의 내용(內容)이 풍부하고 필치(筆致)가 변화무쌍(變化無雙)함.
[閎誕 굉탄] 허황됨.
[閎廓 굉확] 넓고 큼.
◉高閎. 魁閎. 九閎. 深閎. 曾閎. 閈閎.

4 ⑫ **[閏]** 高人 윤 ㊔震 如順切 rùn 闰

筆順 丨 「 門 門 門 門 閂 閏

字解 ①윤 윤 윤달이 드는 일. '一月'. '一年'. 전(轉)하여, 정수(正數)가 아닌 잉여(剩餘). 또는 정통(正統)이 아닌 위조(僞朝). '正一'. '餘分一位'《漢書》. '謂秦爲一'《司馬光》. ②윤달들 윤 윤달이 듦. '五歲再一'《易經》. ③성 윤 성(姓)의 하나.

字源 篆文 會意. 門+王. '王왕'은 실은 '玉'으로 재화의 뜻. 문 안에 재화가 넘쳐서 집안이 윤택해진다는 뜻을 나타냄. 나중에 '閏윤'이 주로 윤달의 뜻을 나타내게 되자, 윤택하다의 뜻으로는 '水수'를 더하여 '潤윤'을 만듦. 《說文》에서는, 고삭(告朔)의 예식을 보통 달에는 종묘(宗廟)에서 거행하지만, 윤달에는 문중(門中)에서 지내므로, 왕이 문 안에 있는 모양에서 윤달의 뜻을 나타낸다고 설명함.

[閏年 윤년] 윤달이 든 해.
[閏朔 윤삭] 윤월(閏月).
[閏餘 윤여] 윤월(閏月).
[閏月 윤월] 윤달.

[閏位 윤위] ㉠달에 차지 않는 역수상(曆數上)의 여분. ㉡정통(正統)이 아닌 임금의 자리.
◉歷閏. 榮閏. 立閏. 再閏. 正閏.

4 ⑫ [閑] 中人 한 ㊥刪 戶間切 xián 闲

筆順 丨 ｢ ｢ 門 門 閂 閑 閑

字解 ①마구간 한 말이 거처하는 곳. '天子十有二—'《周禮》. ②막을 한 ㉠방어함. '遠備—之'《國語》. ㉡가까이 못하게 함. '—邪存其誠'《易經》. ③닫을 한 폐쇄함. '日—輿衛也'《易經》. ④법 한 법도. '大德不踰—'《論語》. ⑤클 한 '旅楹有—'《詩經》. ⑥익을 한 숙습(熟習)함. '四馬既—'《詩經》. ⑦틈 한, 한가할 한 閒(門部 四畫)과 혼용함. '九日驅馳—日—'《韋應物》. ⑧등한히할 한 무심히 버려둠. '—却'. '—他不得'《朱子語類》.

字源 金文 [glyph] 篆文 [glyph] 會意. 門+木. 문 사이에 나무를 놓고 다른 데서부터의 침입을 막는 칸막이의 뜻을 나타냄. 또 '閒한'과 통하여 한가한 틈, 한가하다의 뜻을 나타냄.

[閑却 한각] 무심히 버려둠.
[閑客 한객] ㉠한가한 손. ㉡흰 꿩.
[閑居 한거] ㉠일이 없이 집에 한가히 있음. ㉡한적한 땅에서 삶. 또, 그 집.
[閑官 한관] 한직(閑職).
[閑達 한달] 익숙함. 숙달함.
[閑談 한담] 한화(閑話).
[閑談屑話 한담설화] 심심풀이로 하는 쓸데없는 잔말.
[閑放 한방] 근심·걱정 없이 방심함.
[閑肆 한사] 한방(閑放).
[閑散 한산] ㉠조용하고 한가함. ㉡일이 없이 놀고 있음.
[閑書 한서] 소설(小說)·시화(詩話)처럼 한가한 때 힘 안 들이고 읽는 책.
[閑素 한소] 조용하고 소박함.
[閑習 한습] 익숙함. 숙달함.
[閑雅 한아] ㉠얌전하고 우아(優雅)함. ㉡한적하고 아취(雅趣)가 있음.
[閑夜 한야] 조용한 밤.
[閑言語 한언어] 쓸데없는 말.
[閑緩 한완] 느림.
[閑雲野鶴 한운야학] 한가로이 떠도는 구름과 들녘의 두루미. 유유자적하면서 속세 밖에 초연(超然)한 모양.
[閑人 한인] 한가한 사람. 일 없는 사람. 산인(散人). 한인(閒人).
[閑日月 한일월] ㉠한가한 세월. ㉡여유작작함. 한세월(閑歲月).
[閑適 한적] 한가하게 살며 마음 편히 지냄.
[閑靜 한정] 한가(閑暇)하고 고요함.
[閑地 한지] ㉠조용한 땅. ㉡한가한 지위.
[閑職 한직] 한가한 벼슬자리.
[閑筆 한필] 한가한 마음으로 쓴 글씨나 글.
[閑閑 한한] ㉠남녀의 구별 없이 왕래하는 모양. ㉡동요하는 모양. ㉢넓고 큰 모양. ㉣조용하고 침착한 모양.
[閑話 한화] ㉠조용히 이야기함. 또, 그 이야기. ㉡쓸데없는 말.
[閑華 한화] 한아(閑雅)하고 화려함.
[閑話休題 한화휴제] 쓸데없는 말은 그만두고, 화제를 돌릴 때 쓰는 말.
◉寬閑. 廏閑. 給閑. 佶閑. 農閑. 等閑. 忙裏偸閑. 繁閑. 森閑. 小閑. 少閑. 消閑. 安閑. 餘閑. 優閑. 悠悠閑閑. 有閑. 幽閑. 自閑. 靜閑. 帝閑. 淸閑. 投閑. 偸閑.

4 ⑫ [間] 中人 간 ①-⑩㊥刪 古閑切 jiān ⑪-⑲㊦諫 古莧切 jiàn 间

筆順 丨 ｢ ｢ 門 門 門 間 間 間

字解 ①사이 간 ㉠양자의 사이. 중간. 가운데. '伯仲之—'. ㉡동안. '時—'. '三年—'. ㉢떨어진 정도. 거리. '—隔'. '賢不肖之相去, 其—不能以寸'《孟子》. ㉣두 물건의 중간의 장소. '天地之—'. ㉤장소. 곳. '行—'. '田—'. ㉥무렵. '七八月之—, 雨集溝澮皆盈'《孟子》. ㉦근처. '嫣然一笑竹籬—'《蘇軾》. ㉧안. '民—'. '坊—'. '攘臂于其—'《莊子》. ②틈 간 ㉠벌어져 사이가 뜬 곳. '—隙'. ㉡불화. '君臣多—'《左傳》. ㉢기회. '乘—'. ㉣결함. 실수. '以謹愼周密自著, 外內無—'《漢書》. ③들어갈 간 '—三席'(세 자리가 들어갈 정도로 비어 있음). ④요마적 간 요사이. '—者'로 연용(連用)하기도 함. '—蒙甲冑'《左傳》. ⑤염탐꾼 간 세작(細作). '—諜'. '用—有五'《孫子》. ⑥엿볼 간 기회를 노림. '齊人—晉之禍'《國語》. ⑦번갈아들 간 교대함. '皇以—之'《詩經》. ⑧헐뜯을 간 헐어 말함. '人不—於其父母昆弟之言'《論語》. ⑨이간할 간 사이를 멀어지게 함. '反—'. '後妻—之'《顔氏家訓》. ⑩성 간 성(姓)의 하나. ⑪거를 간 사이를 둠. '—歲而祫'《漢書》. ⑫막을 간 가로막음. '道里悠遠, 山川—之'《列仙傳》. ⑬섞일 간 뒤섞임. '—色'. '遠—親, 新—舊'《左傳》. ⑭간여할 간 참여함. '又何—焉'《左傳》. ⑮나을 간 병이 없어짐. '旬有二日乃—'《禮記》. ⑯잠시 간 잠깐. '立有—'《列子》. ⑰칸 간 집의 방. '安得廣廈千萬—'《杜甫》. ⑱간간이 간 ㉠드문드문. '—有闕文'《葉采》. ㉡때때로. '高辛時爲雨師, —遊人間'《列仙傳》. ⑲몰래 간 비밀히. '—行'.

字源 會意. 門+日. 閒(門部 四畫)의 字源을 보라. '間간'은 '閒간·한'의 俗字.

[間架 간가] 칸살의 얽이. 전(轉)하여, 글의 짜임새.
[間刻 간각] 칸살. 간격(間隔).
[間間 간간] 꼼꼼히 살피는 모양.
[間介 간개] 좁은 길. 소로(小路).
[間隔 간격] 물건과 물건의 거리(距離). 사이. 틈.
[間見層出 간견층출] 살며시 드러나 겹치어 나옴. 시(詩)의 묘(妙)를 형용(形容)하는 말.
[間關 간관] ㉠길이 험하여 걷기에 힘든 모양. ㉡수레의 굴러 가는 소리. ㉢새가 지저귀는 소리.
[間隙 간극] 틈.
[間氣豪傑 간기호걸] 세상에 어쩌다가 나타나는 호걸. 곧, 불세출(不世出)의 영웅(英雄).
[間斷 간단] 중간(中間)이 끊김.
[間道 간도] 샛길.
[間路 간로] ㉠샛길. 간도(間道). ㉡지름길.
[間方 간방] 네 방위의 각 사이의 방위. 곧, 건(乾)·곤(坤)·간(艮)·손(巽)의 방위.
[間步 간보] 간행(間行).

[間不容髮 간불용발] 털 하나 들어갈 틈이 없음. 일이 대단히 급박함을 이름. 간불용식(間不容息).
[間不容息 간불용식] 숨 한 번 쉴 사이도 없음. 일이 몹시 급박함을 이름.
[間色 간색] 두 가지 이상(以上)의 원색(原色)이 섞이어 되는 빛. 잡색.
[間稅 간세] 간접세(間接稅).
[間歲 간세] 한 해 거름.
[間食 간식] ㉠군음식. ㉡곁두리.
[間於齊楚 간어제초] 약자(弱者)가 강자(強者) 틈에 끼여 괴로움을 받음을 이름.
[間言 간언] 남을 이간(離間) 시키는 말.
[間然 간연] 결점을 지적하여 비난함.
[間人 간인] 간첩(間諜).
[間日 간일] 하루 거름. 격일(隔日).
[間者 간자] ㉠간첩(間諜). ㉡요사이. 근자(近者).
[間作 간작] 한 작물 사이에 딴 작물을 재배함. 사이짓기.
[間接 간접] 중간(中間)에 매개(媒介)를 두고 연락(連絡)하는 관계(關係).
[間接稅 간접세] 소비자가 간접으로 부담하는 세금. 곧, 술·담배 등의 세금.
[間執 간집] 막음. 못하게 함.
[間諜 간첩] 적진(敵陣) 또는 적지(敵地)에 들어가서 사정(事情)을 정탐(偵探)하는 사람. 염탐(廉探)꾼. 세작(細作). 스파이.
[間出 간출] 몰래 나감. 미행(微行).
[間廁 간치] 뒤섞임. 낌.
[間投詞 간투사] 감탄사.
[間行 간행] 몰래 감. 숨어 감.
[間歇 간헐] 일정(一定)한 시간을 격(隔)하여 쉬었다 일어났다 함.
[間或 간혹] 이따금. 드물게. 어쩌다가.
[間婚 간혼] 남의 혼인(婚姻)을 중간(中間)에서 이간질함.
◉居間. 股間. 空間. 期間. 朞間. 無間. 眉間. 民間. 反間. 坊間. 幇間. 伯仲之間. 兵間. 病間. 伺間. 山間. 舒間. 世間. 少間. 俗間. 俗世間. 瞬間. 瞬息之間. 承間. 時間. 食間. 心間. 顏間. 腋間. 夜間. 兩間. 年間. 嬴劉之間. 用間. 雲間. 爲間. 游間. 離間. 人間. 林間. 入無間. 田間. 貞間. 鄭衛桑間. 晝間. 週間. 中間. 讒間. 艙間. 破屋數間. 巷間. 行間. 峽間. 花落訟庭間.

4 ⑫ [閐] ㊀ 분 ㊥文 敷文切 fēn
㊁ 계 ㊦霽 胡計切 xiè
字解 ㊀ 싸움이뒤엉킬 분 '鬩, 說文, 鬭連結闠紛相牽也, 或作—'《集韻》. ㊁ 문짝 계 '—, 門扇'《字彙》.

4 ⑫ [閇] ㊀ 閐(前條)과 同字
㊁ 閉(門部 四畫〈p. 2437〉)의 訛字

4 ⑫ [閞] 관 ㊤旱 古滿切 guǎn
字解 관(管) 관 쇠사슬을 뽑아내는 관. 管(竹部 八畫)과 통용. '—, 所以出鏈也, 通作管'《五音集韻》.

4 ⑫ [𨳮] 뉴 ㊤有 女九切 niǔ
字解 빗장 뉴 문빗장. '—, 門關也'《集韻》.

4 ⑫ [閒] 人名 ㊀ 한 ㊥刪 古閑切 jiān
㊁ 간 ㊦諫 古莧切 jiàn 间

筆順 丨 𠃍 ㇉ 門 門 閂 閒 閒

字解 ㊀ ①틈 한 겨를. '連得—矣'《孟子》. ②한가할 한 ㉠무사함. 일이 없음. '—居'. '—而以師討焉'《左傳》. ㉡놀고 있음. 직업이 없음. '九曰, —民'《禮記》. ③쉴 한 휴식함. '可以少—'《國語》. ④조용할 한 안정함. '幽—'. '—雅'. '問余何意栖碧山, 笑而不答心自—'《李白》. ㊁ 사이 간 間(門部 四畫)의 本字.
字源 金文 金文 篆文 古文 會意. 門+月. 문을 닫아도 달빛이 새어 드는 모양에서 '틈, 사이'의 뜻을 나타냄. 일설에는, '月월'은 '살'의 뜻. 살에 칼로 칼집을 내어서, 문 안에 두어 막다의 뜻을 나타낸다고 함.
參考 間(門部 四畫)은 俗字.

[閒暇 한가] ㉠할 일이 없음. 틈이 있음. ㉡나라가 태평하여 조용함. ㉢의용(儀容)이 점잖음.
[閒居 한거] ㉠손을 피하고 마음대로 기거(起居)함. ㉡일이 없어 한가히 있음. ㉢조용한 집. 유거(幽居).
[閒隙 한극] 한가(閒暇)한 틈. 겨를.
[閒談 한담] 쓸데없는 이야기.
[閒談屑話 한담설화] 쓸데없는 잡담(雜談).
[閒民 한민] 직업 없는 백성.
[閒步 한보] 한가(閒暇)히 산보(散步)함.
[閒事 한사] 쓸데없는 일.
[閒散 한산] 일이 없이 한가함.
[閒雅 한아] 점잖고 품위가 있음.
[閒語 한어] 조용히 이야기함.
[閒雲 한운] 한가(閒暇)히 오락가락하는 구름.
[閒月 한월] 1년 중 농사를 안 짓는 한가한 달. 망월(忙月)의 대(對).
[閒遊 한유] 한가히 놂.
[閒人 한인] 한가(閒暇)한 사람. 일 없는 사람.
[閒日 한일] 한가한 날. 가일(暇日).
[閒寂 한적] 한가(閒暇)하고 고요함.
[閒田 한전] 주인 없는 전지.
[閒靜 한정] 한가(閒暇)하고 고요함.
[閒中趣 한중취] 조용한 때의 흥취.
[閒話 한화] ㉠조용한 이야기. ㉡쓸데없는 이야기.
[閒話休題 한화휴제] 한화휴제(閑話休題).
[閒況 한황] 한가한 형편. 한산(閑散)한 신분(身分).
◉窺閒. 農閒. 多閒. 等閒. 安閒. 餘閒. 優閒. 有閒. 幽閒. 請閒. 退閒.

4 ⑫ [𨳿] 閒(前條)의 古字

4 ⑫ [閔] 人名 민 ①㊥眞 眉貧切 mín
②-⑤㊤軫 眉殞切 mǐn 闵

筆順 丨 𠃍 ㇉ 門 門 門 閔 閔

字解 ①근심할 민 걱정함. '鬻子之—斯'《詩經》. ②우환 민 질병·사망 등의 걱정. '—凶'. '覯—既多'《詩經》. ③가엾게여길 민 애처롭게 여김. '祖母劉—臣孤弱, 躬親撫養'《李密》. ④힘쓸 민

'予惟用一于天越民'《書經》. ⑤성 민 성(姓)의 하나.
[字源] 篆文 古文 形聲. 門+文〔音〕. '文문'은 '愍민'과 통하여 가엾게 여기다의 뜻. 불행한 사람을 조문하여 가엾게 여기다, 근심하다의 뜻을 나타냄.

[閔急 민급] 우환(憂患)과 병(病).
[閔免 민면] 힘씀.
[閔閔 민민] 근심하는 모양.
[閔傷 민상] 가엾게 여겨 마음 아파함.
[閔然 민연] 가련한 모양. 또, 불쌍히 여기는 모양.
[閔慰 민위] 가엾게 여겨 위로함.
[閔子騫 민자건] 춘추(春秋) 시대 노(魯)나라 사람. 이름은 손(損). 자건(子騫)은 자(字). 공자(孔子)의 제자. 효(孝)로써 공문십철(孔門十哲)의 한 사람으로 꼽힘.
[閔悔 민회] 마음 아프게 후회함.
[閔凶 민흉] 부모의 상(喪).
◉覯閔. 遘閔. 顔閔. 憐閔. 憂閔. 曾閔. 偕閔.

4 ⑫ [𨳐] 돈 [上]元 徒渾切 tún
[字解] 문에가득찰 돈 흔히 빈객(賓客)이 많음을 이름. '一, 闐門也'《集韻》.

4 ⑫ [閍] 팽 [平]庚 甫盲切 bēng
[字解] ①대궐문 팽 궁중의 문. '一, 宮中門'《集韻》. ②사당문이름 팽 묘문(廟門)의 이름. '一謂之門. (疏) 一, 廟門名'《爾雅》.
[字源] 形聲. 門+方〔音〕

4 ⑫ [閄] 계 [去]卦 下介切 xiè
[去]霽 胡計切
[字解] 문짝 계 '一, 門扉也'《說文》.
[字源] 形聲. 門+介〔音〕

4 ⑫ [閅] [一] 변 [去]霰 皮變切 biàn
[二] 별 [入]屑 必結切
[三] 폐 必計切 bì
[字解] [一] 칠 변 때림. '一, 搏也'《篇海類篇》. [二] 닫을 별 '荆扉晝常一'《陶潛》. [三] 閉(門部 三畫)와 同字.

4 ⑫ [閕] 하 [去]禡 魚駕切 xiǎ
[字解] ①빌 하 공허함. ②갈라질 하 '豁一'.

[悶] 〔민〕
心部 八畫(p.784)을 보라.

5 ⑬ [閘] [人名] 갑 [入]合 古盍切 zhá 闸
[字解] ①물문 갑 수문(水門). ②닫을 갑 폐문함.
[字源] 篆文 形聲. 門+甲〔音〕. '甲갑'은 봉하다, 덮어 싸다의 뜻. 물을 덮어 싸서 가두다, 봉하다, 또 그 수문의 뜻을 나타냄.

[閘頭 갑두] 때때로 개폐(開閉)하는 수문(水門).

5 ⑬ [閝] 령 [平]青 郎丁切 líng
[字解] 들창 령 문 위에 낸 창. '一, 門上窗謂之一, 或从霝'《集韻》. 원래 櫺(木部 十七畫)이었음. '一, 本作櫺'《正字通》.

5 ⑬ [𨴃] 변 [去]霰 皮變切 biàn
[字解] 대접받침 변 문·기둥의 주두(柱枓).
[字源] 篆文 形聲. 門+弁〔音〕. '弁변'은 '씌우다'의 뜻. 문기둥의 대접받침의 뜻을 나타냄.

5 ⑬ [閟] 비 [去]寘 兵媚切 bì 闷
[字解] ①닫을 비, 닫힐 비 숨어서 나타나지 아니함. '永一'. '幽一'. '我思不一'《詩經》. ②깊을 비, 으슥할 비 유심(幽深)함. '一宮有侐'《詩經》. ③삼갈 비 근신함. '天一毖我成功所'《書經》. ④마칠 비 끝냄. '一其事也'《左傳》.
[字源] 篆文 形聲. 門+必〔音〕. '必필'은 '閉폐'와 통하여 문을 닫다의 뜻. 닫다, 문이 닫혀진 사당의 뜻을 나타냄.

[閟宮 비궁] 종묘(宗廟).
[閟匿 비닉] 깊숙이 숨김.
[閟毖 비비] 삼감. 근신함.
[閟寢 비침] 비궁(閟宮).
◉深閟. 永閟. 幽閟. 隱閟. 潛閟. 淸閟.

5 ⑬ [𨳹] 녜 [上]薺 奴禮切 nǐ
[字解] 뒤떨어질 녜 능력이 뒤짐. '一, 智小力劣'《集韻》.

5 ⑬ [閜] 하 [上]馬 許可切 xiǎ
[字解] 휑뎅그렁할 하 넓고 공허함. '谽呀豁一'《史記》.
[字源] 篆文 形聲. 門+可〔音〕

[閜砢 하가] 서로 도움.
[閜口 하구] 큰 잔. 대배(大杯).

5 ⑬ [閛] 팽 [平]庚 普耕切 pēng
[字解] 닫을 팽 폐문함. '閉之一然不覩牆之裏'《揚子法言》.

5 ⑬ [閚] [一] 첨 [平]鹽 癡廉切 chān
[二] 참 [平]咸 側銜切 zhān
[字解] [一] 엿볼 첨 문을 빼끔히 열고 엿봄. '一, 小開門以候望也'《集韻》. [二] 서서기다릴 참 '一, 立待也'《玉篇》.

5 ⑬ [𨴀] [一] 계 [去]霽 呼計切 xì
[二] 간
[字解] [一] 문짝 계 '一, 門閞'《篇海》. [二] 閒(門部 四畫)의 古字.

5 ⑬ [閞] 〔개〕
開(門部 四畫〈p.2433〉)의 古字

5 ⑬ [閱] 계 jī

[字解] 문동개 계 지도리를 받치는 문둔테의 구멍. '一, 門臼'《篇海》.

5 ⑬ [閞] 〔관〕
關(門部 十一畫〈p. 2446〉)과 同字

5 ⑬ [閳] 단 [上]旱 黨旱切 dǎn, tǎn

[字解] ①빗장 단 '一, 扊扅也'《集韻》. '一, 關也'《集韻》. ②문옆에세워문짝을멎게하는말뚝 단 '一, 闑也, 門傍橛, 所以止扉也'《玉篇》.

5 ⑬ [閰] 당 [去]漾 大浪切 dàng

[字解] 문열리지않을 당 '一, 門不開'《集韻》.

5 ⑬ [閙] 〔뇨〕
鬧(鬥部 五畫〈p. 2630〉)의 訛字

6 ⑭ [閡] [一] 애 [去]隊 五漑切 ài
[二] 해 [上]賄 下改切 hài
[三] 핵 [入]職 紇則切 hé
阂

[字解] [一] 닫을 애 밖에서 닫음. '寒暑隔一於邃宇'《左思》. [二] 막을 해 안에 넣고 막음. '該藏萬物, 而雜陽一種'《漢書》. [三] 거리낄 핵 방해가 됨. '勿令有所拘一而已'《後漢書》.

[字源] [篆文] 形聲. 門+亥〔音〕. '亥해'는 '굳어지다'의 뜻. 문을 굳게 닫다의 뜻을 나타냄.

6 ⑭ [閣] [高人] 각 [入]藥 古落切 gé
阁

[筆順] 丨 𠃍 冂 門 門 閃 閃 閣

[字解] ①다락집 각 층집. '樓一'. '高樓重一'《晉書》. ②대궐 각 궁전. '圖畫其人于麒麟一'《漢書》. ③마을 각 관성(官省). '內一'. '取宿衛之臣留祕一之吏'《魏志》. ④복도 각 낭하(廊下). '周馳爲一道'《史記》. ⑤잔교 각 계곡에 높이 걸쳐 놓은 다리. '棧一絕敗'《後漢書》. ⑥찬장 각 식기·음식 등을 넣어 두는 장. '大夫七十而有一'《禮記》. ⑦선반 각 물건을 올려놓는 데. '束之高一'《晉書》. ⑧놓을 각 擱(手部 十四畫)과 同字. '朕一筆思之久矣'《說苑》. ⑨성 각 성(姓)의 하나.

[閣①]

[字源] [篆文] 形聲. 門+各〔音〕. '各각'은 '외부로 튀어나오다'의 뜻. 문 있는 데에 내밀고 있는, 문짝을 고정시키기 위한 말뚝의 뜻을 나타냄. 또, 지상에 높이 솟은 다락집의 뜻을 나타냄.

[閣閣 각각] ㉠곧은 모양. 단직(端直). ㉡개구리가 우는 소리. 합합(閤閤).
[閣道 각도] ㉠복도(複道). ㉡잔도(棧道). ㉢북두칠성(北斗七星) 중의 한 별.
[閣老 각로] ㉠당대(唐代)에는 중서사인(中書舍人)의 연공자(年功者). ㉡명대(明代)에는 재상.
[閣僚 각료] 내각의 장관 자리에 있는 관료.
[閣免 각면] 과거의 잘못을 용서하고 묻지 아니함.
[閣手 각수] 팔짱을 낀다는 뜻으로, 아무 일도 하지 아니하는 모양을 이르는 말.
[閣臣 각신] 국무 대신(國務大臣).
[閣議 각의] 내각(內閣)의 회의(會議).
[閣正 각정] 남의 아내를 이름.
[閣筆 각필] 붓을 놓음. 쓰던 것을 그만둠. 각필(擱筆).
[閣下 각하] ㉠전각(殿閣)의 아래. ㉡고위 고관(高位高官)의 존칭.
[閣學 각학] 송대(宋代)의 내각학사(內閣學士)를 이름.
◉傑閣. 劍閣. 階閣. 高閣. 曲閣. 谷閣. 空中樓閣. 觀閣. 橋閣. 闕閣. 几閣. 庋閣. 綺閣. 煖閣. 內閣. 樓閣. 臺閣. 倒閣. 梵閣. 複閣. 佛閣. 飛閣. 祕閣. 山閣. 上閣. 禪閣. 城閣. 束之高閣. 阿閣. 連閣. 芸閣. 雲閣. 危閣. 麟閣. 入閣. 邸閣. 殿閣. 組閣. 朱閣. 峻閣. 重閣. 池閣. 椒閣. 層閣. 香閣. 畫閣. 廓閣.

6 ⑭ [閤] [人名] 합 [入]合 古沓切 gé
阁

[字解] ①협문 합 대문 옆에 있는 작은 문. '宮一'. '出入閨一'《漢書》. ②대궐 합 궁전. 일설(一說)에는, 침방. 침실. '國王居重一'《齊書》. ③마을 합 관성(官省). '率諫官伏一'《唐書》.

[字源] [篆文] 形聲. 門+合〔音〕. '合합'은 '합치다, 포함하다'의 뜻. 큰 문의 일부로서 포함되어 있는 협문의 뜻을 나타냄.

[閤閭 합려] 이물. 선수(船首).
[閤門 합문] 편전(便殿)의 앞문(門).
[閤下 합하] '각하(閣下)'와 같음. 옛날에 삼공대신(三公大臣)은 모두 대문에 합(閤)을 설비해 놓은 데서 이름.
[閤閤 합합] 개구리가 우는 소리. 각각(閣閣).
◉開閤. 宮閤. 閨閤. 內閤. 大閤. 房閤. 迎閤. 幽閤. 中閤. 重閤. 閉閤. 後閤.

6 ⑭ [閥] [人名] 벌 [入]月 房越切 fá
阀

[筆順] 丨 𠃍 門 門 閂 閃 閥 閥

[字解] ①공로 벌 공적. '功一'. '明其等曰一'《史記》. ②지체 벌 가문. '門一'. '一閱'. '實爲名一'《唐書》. ③문지방 벌 '不踰一'《孔子家語》.

[字源] [篆文] 形聲. 門+伐〔音〕. '伐벌'은 적을 치다, 공적의 뜻. 공적이 있는 집의 문에 세운 기둥의 뜻을 나타내며, 파생하여 지체 있는 가문의 뜻을 나타냄.

[閥閱 벌열] ㉠공적을 써서 문에 거는 방(榜). 문(門)의 왼쪽의 것이 벌(閥), 오른쪽의 것이 열(閱). 벌(閥)은 공적(功績), 열(閱)은 경력(經歷). 전(轉)하여, 공적. ㉡문벌(門閥).
[閥族 벌족] 문벌이 좋은 집안.
◉家閥. 功閥. 官閥. 軍閥. 閨閥. 黨閥. 名閥. 門閥. 財閥. 積閥. 族閥. 派閥. 學閥. 勳閥.

6 ⑭ [閨] [人名] 규 [平]齊 古攜切 guī
闺

[筆順] 丨 𠃍 門 門 門 閂 閆 閨

[字解] ①협문 규 궁중(宮中)의 작은 문. '一閤'. '金一'〈금마문(金馬門)을 이렇게도 썼음〉. '每夜刺一'《南史》. 또, 벽을 뚫어, 위는 원형, 아래는 방형(方形)인 홀(笏)과 같은 모양으로 만든 초라한 출입구를 이름. '蓽門一竇之人'《左傳》. ②도장방 규 부녀자가 거처하는 방. 침방. 침실. '一房'. '安得念春一'《李白》. 전(轉)하여, 남녀의 관계를 이름. '一怨'. 전하여, 부녀자, 또는 부녀자에 관한 일을 이름. '一秀'. '一範'. '一人識字'《黃允文雜纂》.

[字源] 篆文  形聲. 門+圭〔音〕. '圭규'는 위가 둥그스름하고 밑이 네모진 옥의 뜻. 규(圭) 모양의 문, 궁중의 작은 문의 뜻을 나타냄.

[閨內 규내] 규중(閨中).
[閨闥 규달] ㉠궁녀(宮女)의 방. ㉡부인의 침실.
[閨竇 규두] 쪽창문. 전(轉)하여, 가난한 사람의 집.
[閨裏 규리] 침실 안.
[閨門 규문] ㉠침실의 입구. 전(轉)하여, 침실 안. ㉡가정 안.
[閨房 규방] 안방. 침실. 내실(內室).
[閨範 규범] 여자가 지켜야 할 도덕.
[閨秀 규수] 재학(才學)이 뛰어난 부인. 재원(才媛). 현부인(賢婦人).
[閨心 규심] 남녀가 서로 연모하는 정. 춘정(春情).
[閨愛 규애] 딸.
[閨艶 규염] 소녀(少女).
[閨怨 규원] 사랑하는 사람에게 버림을 받은 여자의 원한(怨恨). 또, 그 원한을 읊은 시.
[閨牖 규유] 침실의 창문.
[閨人 규인] 여자. 부인(婦人).
[閨庭 규정] 침실 안. 집안.
[閨中 규중] 부녀(婦女)가 거처(居處)하는 방 안. 침방(寢房). 침실.
[閨中力 규중력] 부녀자의 힘. 아내의 힘.
[閨閤 규합] ㉠궁중(宮中)의 작은 문. 전(轉)하여, 내전(內殿). ㉡규방(閨房). ㉢여자.
[閨閤之臣 규합지신] 궁중에서 섬기는 신하.
[閨戶 규호] 침실의 문.
◉孤閨. 空閨. 金閨. 蘭閨. 深閨. 令閨. 幽閨. 天閨. 秋閨. 春閨. 寒閨. 香閨. 紅閨.

6 ⑭ [⿵門㓞] 결 [入]屑 苦穴切 què

[字解] ①빌 결 공허함. '一, 空也'《廣雅》. ②문없을 결 闋(門部 九畫)과 同字. '一, 一闋, 無門戶也. 或不省'《集韻》.

6 ⑭ [⿵門匡] [一] 광 [平]陽 曲王切 / [二] 곽 [入]沃 丘玉切 kuāng

[字解] [一] 문얼굴 광 문광(門框). '一, 門一也'《玉篇》. '一, 門周木也'《集韻》. [二] 문얼굴 곽 [一]과 뜻이 같음.

6 ⑭ [⿵門危] [一] 위 [平]支 魚爲切 / [二] 궤 [上]紙 古委切 wéi

[字解] [一] 문높을 위 '一, 門危也'《字彙》. [二] 문높을 궤 [一]과 뜻이 같음.

6 ⑭ [⿵門男] 남 nán

[字解] 문지기 남 '一, 門人'《篇海》.

6 ⑭ [閩] 민 [平]眞 武巾切 mǐn 闽 

[字解] ①오랑캐이름 민 중국 동남 지방의 인종의 이름. 또, 그 인종이 살던 땅. 현재의 푸젠 성(福建省) 지방의 일컬음. 동월(東越). '四夷八蠻七一九貉五戎六狄'《周禮》. ②나라이름 민 국명. 오대(五代) 십국(十國)의 하나. 왕조(王潮)·왕심지(王審知) 형제가 세운 나라로서, 칠주(七主) 55년 만에 남당(南唐)에게 멸망당하였음. (892~946) ③성 민 성(姓)의 하나.

[字源] 篆文  形聲. 蟲〈省〉+門〔音〕

[閩廣 민광] 지금의 푸젠 성(福建省)과 광둥 성(廣東省)·광시 성(廣西省)을 총괄(總括)한 지방.
[閩粵 민월] 지명(地名). 지금의 푸젠 성(福建省). 주(周)나라 때에 칠민(七閩)의 땅이고, 뒤에 월인(越人)이 이곳에 살았으므로 이름. 월(粵)은 월(越).
[閩中 민중] 진(秦)나라 때의 군(郡) 이름. 지금의 푸젠 성(福建省).
◉南閩. 東閩. 七閩.

6 ⑭ [⿵門寺] 시 [去]寘 時吏切 shì

[字解] 내시 시 환관(宦官). 寺(寸部 三畫)와 同字.

6 ⑭ [⿵門艮] 한 [上]潸 胡簡切 xiàn

[字解] 문지방 한 '一, 閾也'《集韻》.

6 ⑭ [閦] 축 [入]屋 初六切 chù

[字解] ①많을 축 '一, 衆也'《玉篇》. ②무리 축 문안에 사람이 많이 모여 있음. '一, 衆在門中'《集韻》. ③부처이름 축 아축불(阿閦佛). '東方, 有阿一鞞佛'《華嚴經》.

[字源] 形聲. 門+众〔音〕. '众중'은 '많다'의 뜻. 문 안에 사람이 많다의 뜻을 나타냄.

6 ⑭ [⿵門并] 평 [平]庚 披耕切 pēng

[字解] 문짝닫는소리 평 '閛, 闔扉聲, 或从并'《集韻》.

6 ⑭ [⿵門至] 질 [入]質 職日切 dié

[字解] 문닫칠 질 '門闔謂之一'《集韻》.

6 ⑭ [閞] 〔개〕 開(門部 四畫〈p. 2433〉)의 本字

6 ⑭ [閪] [韓] 서

[字解] 《韓》잃을 서 '一失'.

[閪失 서실] 《韓》잃어버림. 유실(遺失).

6 ⑭ [⿵門舌] [一] 괄 [入]黠 苦滑切 kuà / [二] 활 [入]曷 呼括切

[字解] [一] 문활짝열 괄 '一, 大開門皃'《集韻》. [二] 문활짝열 활 [一]과 뜻이 같음.

6
⑭ [関] 〔관〕 關(門部 十一畫〈p.2446〉)의 俗字

6
⑭ [閧] 〔홍〕 鬨(鬥部 六畫〈p.2630〉)의 訛字

[聞] 〔문〕 耳部 八畫(p.1826)을 보라.

7
⑮ [閫] 곤 ㊤阮 苦本切 kǔn 阃

[字解] ①문지방 곤 문 밑을 받친 하방의 부분. 전(轉)하여, 호내(戶內)·호외(戶外)의 한계. '內言不出於一, 外言不入於一'《禮記》. ②성문 곤 성곽(城郭)의 문. '一以內者, 寡人制之, 一以外者, 將軍制之'《史記》. ③성 곤 성(姓)의 하나.
[字源] 形聲. 門+困〔音〕. '困곤'은 '가두다'의 뜻. 사람을 문 안에 가두다, 문지방의 뜻을 나타냄.

[閫寄 곤기] 곤외(閫外)의 기탁(寄託)이란 뜻으로, 장군(將軍)의 임무.
[閫內 곤내] ㉠문지방 안. ㉡성 안. 지경 안.
[閫德 곤덕] 곤범(閫範).
[閫範 곤범] 부녀자가 가정에서 지켜야 할 범절. 규범(閨範). 곤칙(閫則).
[閫席 곤석] ㉠문지방과 자리. ㉡남녀의 구별.
[閫奧 곤오] ㉠깊숙한 곳. 마음속. ㉡깊은 뜻. 학술·기예 등의 오의(奧義).
[閫外 곤외] ㉠문지방 밖. ㉡성 밖. 지경 밖.
[閫外之任 곤외지임] 장군(將軍)의 직임(職任).
[閫正 곤정] 규문(閨門) 가운데의 바름이란 뜻으로, 부녀의 도(道)가 바름을 이르는 말.
[閫則 곤칙] 곤범(閫範).
◉桂閫. 閨閫. 門閫. 天閫. 出閫.

7
⑮ [閬] 랑 ㊦漾 來宕切 làng ㊥陽 魯當切 láng 阆

[字解] ①휑뎅그렁할 랑 광대하고 공허함. '胞有重一, 心有天遊'《莊子》. ②높을 랑 문이 크고 높음. 전(轉)하여, 고대(高大)함. '集太微之一一'《後漢書》. ③성 랑 성(姓)의 하나. ④《韓》 불알 랑 음낭(陰囊).
[字源] [篆文] 形聲. 門+良〔音〕. '良량'은 '朗랑'과 통하여 '높다랗다'의 뜻. 높다란 문의 뜻을 나타냄.

[閬閬 낭랑] 고대(高大)한 모양. 또, 휑뎅그렁한 모양.
[閬苑 낭원] 신선(神仙)이 산다는 곳.
[閬風 낭풍] 산명(山名). 곤륜산(崑崙山) 위에 있는 신선이 사는 곳.
[閬風瑤池 낭풍요지] 낭원(閬苑).
◉崑閬. 閎閬. 土閬.

7
⑮ [閴] 〔격〕 闃(門部 九畫〈p.2442〉)의 俗字

7
⑮ [閭] [人名] 려 ㊥魚 力居切 lǘ 闾

[筆順] 丨 ㇕ 尸 門 門 門 閆 閭

[字解] ①이문 려 마을의 문. 주대(周代)의 제도(制度)에, 스물다섯 집을 이(里)라 하고, 그 문을 '一'라 함. '倚一'. '旌一'. '門一毋閉'《淮南子》. ②마을 려 스물다섯 집이 사는 구역. '與其得罪於鄕黨州一'《禮記》. 전하여, 널리 촌락의 뜻으로 쓰임. '鬱葱佳氣夜充一'《蘇軾》. ③성 려 성(姓)의 하나.
[字源] [金文] [篆文] 形聲. 門+呂〔音〕. '呂려'는 모여서 이어지다의 뜻. 집들이 모여서 이어진 마을의 문의 뜻을 나타냄.

[閭家 여가] 여염집.
[閭里 여리] 마을. 또는 마을 사람.
[閭門 여문] 마을의 입구의 문. 이문(里門).
[閭胥 여서] 주대(周代)의 관명(官名). 마을의 징세(徵稅) 등을 맡은 아전.
[閭市 여시] 마을의 거리.
[閭閻 여염] ㉠여문(閭門). ㉡민간 사람.
[閭伍 여오] 마을의 반(班). 전(轉)하여, 민간 사람.
[閭井 여정] 마을. 촌락.
[閭左 여좌] 진대(秦代)에 부역 등을 면제하고 이문(里門)의 왼편에 살게 한 빈민. 오른쪽엔 부자가 삶.
[閭娵 여추] 옛날의 미녀(美女)의 이름.
[閭閈 여한] ㉠여문(閭門). ㉡여리(閭里).
[閭巷 여항] 마을. 전(轉)하여, 민간(民間).
[閭巷人 여항인] 민간 사람.
◉衢閭. 門閭. 尾閭. 民閭. 坊閭. 辟閭. 幷閭. 不過勝母之閭. 比閭. 飛閭. 石閭. 式閭. 奄閭. 女閭. 邑閭. 倚閭. 踦閭. 醫無閭. 里閭. 異閭. 田閭. 井閭. 旌閭. 州閭. 村閭. 表閭. 閤閭. 闔閭. 鄕閭.

7
⑮ [閰] 국 ㊇屋 居六切 jú

[字解] ①막을 국 가로막음. '一, 閑也'《集韻》. ②문닫을 국 '一, 閉也'《類篇》. ③두손으로물건을 받들어올릴 국 '一, 兩手捧物也'《篇海》.

7
⑮ [闋] 굴 ㊇屑 苦穴切 què

[字解] 문없을 굴 '一, 無門戶也'《篇海》.

7
⑮ [閠] 〔윤〕 閏(門部 四畫〈p.2434〉)과 同字

7
⑮ [闕] 〔궐〕 闕(門部 十畫〈p.2445〉)과 同字

7
⑮ [閱] [高人] 열 ㊇屑 弋雪切 yuè 阅

[筆順] 丨 ㇕ 尸 門 門 門 閲 閱

[字解] ①점고할 열 수효를 일일이 세며 조사함. '商人一其禍敗之釁'《左傳》. 전(轉)하여, 자세히 살핌. 검사함. '檢一'. '一兵'. ②가릴 열 간택함. '簡一'. '克一乃邑謀介'《書經》. ③읽을 열 독서함. '一書'. '可以調素琴, 一金經'《劉禹錫》. ④지낼 열, 겪을 열 경력함. '一月'. '一天下之義理多矣'《漢書》. ⑤모을 열 모음. 합함. '夫川一水以成川'《陸機》. ⑥공로 열 공적 또는

근무의 경력. '積日曰—'《史記》. ⑦지체 열 문벌. '閥—'. ⑧들어갈 열 속으로 들어감. '我躬不—'《詩經》. ⑨거느릴 열 통솔함. '以—衆甫'《老子》.

[字源] 篆文 閱 形聲. 門+兌〔音〕. '兌태'는 '算산'과 통하여 '헤아리다'의 뜻. '脫탈'과 통하여 '벗기다'의 뜻. 문 안에서 일일이 벗겨서 헤아리고 조사하다의 뜻을 나타냄.

[閱見 열견] 열람(閱覽).
[閱年 열년] 1년 이상이 걸림.
[閱讀 열독] 열람(閱覽).
[閱覽 열람] 내리 훑어봄. 조사하여 봄.
[閱歷 열력] 겪어 지내 옴. 또, 그 일.
[閱武 열무] 군대를 검열함.
[閱兵 열병] 군사(軍士)를 검열(檢閱)함.
[閱世 열세] 시세(時世)를 경력(經歷)함.
[閱歲 열세] 한 해 이상이 지남.
[閱視 열시] 조사함.
[閱試 열시] 조사하여 시험해 봄.
[閱實 열실] 실지를 조사함. 죄(罪)를 조사하여 실정을 밝힘.
[閱月 열월] 한 달 이상이 지남.
[閱人 열인] 사람을 많이 겪어 봄.
[閱人成世 열인성세] 모든 사람을 총합(總合)하여 세상(世上)을 이룬다는 뜻으로, 세월이 자꾸 흘러가는 모양을 이름.
◉簡閱. 檢閱. 考閱. 校閱. 鳩閱. 內閱. 大閱. 敦閱. 貌閱. 門閱. 繙閱. 伐閱. 閥閱. 查閱. 省閱. 熟閱. 折閱. 精閱. 靜閱. 陳閱. 鑽閱. 探閱. 披閱.

[誾] 〔은〕
言部 八畫(p.2139)을 보라.

8 ⑯ [閵] 린 [去]震 良刃切 lìn

[字解] ①새이름 린 조명(鳥名). ②밟을 린 짓밟음. '所—轢'《漢書》.
[字源] 篆文 閵 籀文 藺 形聲. 篆文은 隹+冏〈省〉〔音〕. 籀文은 隹+冏〔音〕.

8 ⑯ [閶] 창 [平]陽 尺良切 chāng 阊

[字解] 문 창 '—闔'은 천상(天上)의 문. 전(轉)하여, 대궐 문. 궁문(宮門). '游—闔'《漢書》.
[字源] 篆文 閶 形聲. 門+昌〔音〕. '昌창'은 굉장하다, 햇빛의 뜻. 굉장한 문, 햇빛으로 향하는 문. 하늘로 올라가는 천상계(天上界)의 문의 뜻을 나타냄.

[閶風 창풍] ㉠서풍(西風). ㉡추풍(秋風).
[閶闔 창합] 자해(字解)를 보라.

8 ⑯ [閹] 엄 [平]鹽 央炎切 yān 阉

[字解] ①고자 엄, 환관 엄 거세(去勢)당하여 후궁(後宮)에서 일하는 남자. 주로, 궁문(宮門)의 개폐(開閉)를 맡았는데, 또 잡일도 하며, 혹은 군주의 옆에서 시중들기도 함. '—尹之呰'《漢書》. ②성할 엄 양기(陽氣)가 왕성함. '行夏政—'《管子》. ③숨길 엄 나타내지 않는 모양. '—然媚於世'《孟子》.

[字源] 篆文 閹 形聲. 門+奄〔音〕. '奄엄'은 '덮다'의 뜻. 궁중의 문을 여닫는 문지기의 뜻을 나타냄.

[閹奴 엄노] 엄인(閹人).
[閹茂 엄무] 십이지(十二支) 중의 술(戌). 엄무(淹茂).
[閹然 엄연] 자기의 의사나 포부(抱負)를 숨기고 세상에 아첨(阿諂)하는 모양. 자기 의사를 절대로 나타내지 않는 모양.
[閹尹 엄윤] 환관(宦官)의 우두머리.
[閹人 엄인] 궁형(宮刑)을 당한 사람. 전(轉)하여, 환관(宦官).
[閹宦 엄환] 환관(宦官).
◉小閹.

8 ⑯ [閻] [人名] 염 ①-③[平]鹽 余廉切 yán 阎
④[去]豔 以贍切 yàn

[字解] ①이문 염 마을의 문. '閭—且千'《後漢書》. ②마을 염 촌락. '莊生雖居窮—'《史記》. ③성 염 성(姓)의 하나. ④아리따울 염 예쁨. '—妻驕扇'《漢書》.
[字源] 篆文 閻 形聲. 門+臽〔音〕. '臽함·감'은 '두려빠지다'의 뜻. 무너져 가는 문의 뜻에서, 마을의 문의 뜻을 나타냄.

[閻羅 염라]《佛敎》죽은 사람의 죄를 경중에 따라 처리하는 지옥의 임금.
[閻羅國 염라국]《佛敎》저승.
[閻羅大王 염라대왕] 염라(閻羅).
[閻羅人 염라인]《佛敎》지옥의 옥졸(獄卒).
[閻羅廳 염라청]《佛敎》염라대왕(閻羅大王)이 죄인을 문초하는 법정.
[閻魔 염마] 염라(閻羅).
[閻扶 염부]《佛敎》인도에 있는 나무 이름.
[閻浮 염부]《佛敎》㉠염부(閻扶). ㉡'염부단금(閻浮檀金)'의 준말.
[閻浮檀金 염부단금]《佛敎》염부수(閻浮樹)의 삼림(森林) 속을 흐르는 강에서 나는 사금(沙金).
[閻浮提 염부제]《佛敎》사대주(四大洲)의 하나. 수미산(須彌山)의 남쪽에 있는 인도를 이름. 또, 인간 세계.
[閻若璩 염약거] 청초(淸初)의 경학자(經學者). 산시(山西) 태원(太原) 사람. 자(字)는 백시(百詩). 박학하고 고증(考證)에 뛰어남. 〈고문상서소증(古文尙書疏證)〉·〈사서석지(四書釋地)〉등을 저작함.
[閻易 염이] 옷이 긴 모양.
[閻妻 염처] 아리따운 아내.
◉窮閻. 食閻. 閭閻. 衡閻.

8 ⑯ [閽] ㊀ 희 [平]支 虛宜切 qí
㊁ 기 [平]支 渠羈切 qí

[字解] ㊀ 벽틈 희 벽(壁)에 생긴 틈. '—, —墟, 壁隙也'《集韻》. ㊁ ①이길 기 극복함. '—, 克也'《五音集韻》. ②신표(信票) 기 '—, 信也'《五音集韻》. ③쪼갤 기 잘라 나눔. '—, 割截也'《五音集韻》.

8 ⑯ [闊] 괄 [入]曷 苦活切 kuò

[字解] ①멀 괄 '—, 遠也'《篇海》. ②넓을 괄 '—, 廣也'《篇海》. ③闊(門部 九畫)의 訛字. '—, 闊

字之譌'《正字通》.

8 ⑯ [⿵門㓞] 〔궐〕
闕(門部 十畫〈p. 2445〉)과 同字

8 ⑯ [⿵門金] 〔금〕
琴(玉部 八畫〈p. 1428〉)과 同字

8 ⑯ [闌] 〔란〕
闌(門部 九畫〈p. 2443〉)의 俗字

8 ⑯ [閼] [人名] [一] 알 [入]曷 烏葛切 è
[二] 어 [去]御 依據切 yù
[三] 연 [平]先 烏前切 yān 阏

[字解] [一] 막을 알 틀어막음. '勿壅勿—'《列子》. [二] 한가할 어 한아(閒雅)한 모양. '窮亢—與'《漢書》. [三] 흉노왕비 연 '—氏'는 흉노(匈奴)의 왕비(王妃)의 호(號).

[字源] 篆文 會意. 門+於. '於어·오'는 '嗚오'와 통하여 목이 메다의 뜻. '門문'을 더하여 문이 막히다, 막다의 뜻을 나타냄.

[閼伽 알가] ㉠《佛敎》부처에 바치는 정수(淨水). 또, 그 물을 따르는 그릇. ㉡선저(船底)에 괴는 물.
[閼逢 알봉] 고갑자(古甲子)의 갑(甲).
[閼塞 알색] 막힘. 옹색(壅塞).
[閼與 알여] 유장(悠長)한 모양.
[閼氏 연씨] 흉노(匈奴)의 왕비(王妃)의 호(號).
◉單閼. 淤閼. 抑閼. 擁閼. 夭閼. 塡閼. 提閼.

8 ⑯ [⿵門豖] [一] 독 [入]屋 都木切 dū
[二] 시 [上]紙 式旨切

[字解] [一] 강물이름 독 '—, 水名'《集韻》. [二] 문 시 '—, —門也'《玉篇》.

8 ⑯ [閞] 〔평〕
開(門部 六畫〈p. 2439〉)의 本字

8 ⑯ [閽] 혼 [平]元 呼昆切 hūn 阍

[字解] ①문지기 혼 문 특히 대궐 문을 지키는 사람. '—人'. '—者, 守門之賤者也'《禮記》. ②문 혼 대궐의 문. '詣闕自愬者, 曰叩—'《正字通》. ③성 혼 성(姓)의 하나.

[字源] 篆文 形聲. 門+昏〔音〕. '昏혼'은 '황혼'의 뜻. 저녁때 문을 닫는 '문지기'의 뜻을 나타냄.

[閽吏 혼리] 궁문(宮門)의 문지기.
[閽豎 혼수] 문지기 아이. 수(竪)는 수(豎).
[閽寺 혼시] 내정(內廷)에서 문지기 노릇 하는 환관(宦官).
[閽侍 혼시] 혼시(閽寺).
[閽人 혼인] ㉠문지기. ㉡궁문(宮門)의 문지기. 혼리(閽吏).
[閽者 혼자] 혼인(閽人).
◉內閽. 守閽. 帝閽. 天閽.

8 ⑯ [閫] 곤 [上]阮 苦本切 kǔn

[字解] 궁중(宮中)의문 곤 궁 안에 있는 여러 문. '—, 宮中門'《字彙》.

8 ⑯ [閾] 역 [入]職 越逼切 yù 阈

[字解] 문지방 역 문 밑을 받친 하방의 부분. 전(轉)하여, 내외의 한계. '行不履—'《論語》.

[字源] 篆文 形聲. 門+或〔音〕. '或역·혹'은 '域역'과 통하여 경계를 친 구역의 뜻. 집의 안팎의 경계가 되는 '문지방'의 뜻을 나타냄.

◉閫閾. 闈閾. 堂閾. 門閾. 藩閾. 城閾. 闌閾. 踰閾. 履閾. 踐閾. 闔閾. 戶閾.

8 ⑯ [閿] 문 [平]文 無分切 wén 阌

[字解] 땅이름 문 '—鄕'은 허난 성(河南省)의 현명(縣名).

8 ⑯ [⿵門巷] 항 [去]絳 胡降切 xiàng

[字解] 거리 항 '—, 陌也'《字彙》.

8 ⑯ [⿰杀門] 〔살〕
閷(門部 九畫〈p. 2444〉)의 訛字

8 ⑯ [閴] 〔혁·격〕
鬩(鬥部 八畫〈p. 2630〉)의 俗字

9 ⑰ [闃] 격 [入]陌 求獲切 qù 阒

[字解] 고요할 격 사람이 없어 아주 적막한 모양. '—其无人'《易經》.

[字源] 篆文 形聲. 門+狊〔音〕

[闃然 격연] 고요한 모양.
[闃寂 격적] 고요함. 쓸쓸함.
◉空闃. 寥闃. 幽闃. 虛闃.

9 ⑰ [闇] [人名] 암 ①②[去]勘 烏紺切 àn
③[上]感 鄔感切 ǎn
④[平]覃 烏含切 ān

[字解] ①어두울 암 ㉠밝지 아니함. '—夜'. ㉡우매함. '—主'. '朝無忠臣者, 政—'《鹽鐵論》. ②밤 암 어두운 밤. 암야(暗夜). '祭其—'《禮記》. ③어둡게할 암 '蔽—之'《詩經 箋》. '陰—其主'《韓非子》. ④여막 암 상제가 거처하는 움집. '諒—'.

[字源] 篆文 形聲. 門+音〔音〕. '音음'은 '暗암'과 통하여 '어둡다'의 뜻. 문을 닫아 어둡게 하다의 뜻을 나타냄.

[闇干 암간] 남몰래 훔침. 도둑질함.
[闇跳 암도] 달리는 모양. 빨리 가는 모양.
[闇同 암동] 암합(闇合).
[闇鈍 암둔] 어리석고 둔(鈍)함.
[闇練 암련] 될 수 있을 때까지 익힘. 암(闇)은 암(諳).
[闇劣 암렬] 사리에 어둡고 용렬함.
[闇莫 암막] 어두운 모양.
[闇昧 암매] ㉠사리에 어둡고 미련함. ㉡어두워 환하지 아니함.
[闇冥 암명] 암흑(暗黑).
[闇書 암서] 어둠 속에서도 능히 글자를 씀.

[闇室 암실] ㉠어두운 방. ㉡《佛敎》 암(闇)을 번뇌(煩惱)에 비유하고, 지혜(智慧)를 등명(燈明)에 비유하여, 지혜의 광명이 번뇌의 어둠을 깨뜨려 진리(眞理)의 경지에 들었다는 뜻으로 쓰임.
[闇夜 암야] 어두운 밤.
[闇弱 암약] 어리석고 약함.
[闇然 암연] 어두운 모양. 숨은 모양.
[闇主 암주] 어둡고 어리석은 임금.
[闇淺 암천] 사리에 어둡고 천박함.
[闇蔽 암폐] 어둡게 가리워짐. 미련함.
[闇合 암합] 우연히 일치함.
[闇虛 암허] 월식(月蝕) 때 지구의 그림자가 가려 어두운 곳.
◉狂闇. 懦闇. 駑闇. 微闇. 鄙闇. 昭闇. 諒闇. 頑闇. 疧闇. 愚闇. 幽闇. 至闇. 淺闇. 黮闇. 退闇. 昏闇.

9 ⑰ [闆] 반 ㊤潸 匹限切 bǎn
[字解] ①문안에서볼 반 문 안에서 엿봄. '一, 門中視'《玉篇》. ②가게주인 반, 자본가(資本家) 반 '老一'은 상점(商店)의 주인. 또, 자본가.

9 ⑰ [闈] 위 ㊥微 雨非切 wéi 闱
[字解] ①문 위 궁중(宮中)의 작은 문. '攻一與大門'《史記》. ②대궐 위 궁중. 주로, 후궁(後宮)을 이름. '正位宮一'《後漢書》. ③안방 위 내실(內室). '眷戀庭一'《束晳》. ④과장 위 과거를 보이는 곳. 회시(會試)를 '春一', 향시(鄕試)를 '秋一', 과거를 보는 것을 '入一'라 함.
[字源] 篆文 形聲. 門+韋〔音〕. '韋위'는 '에워싸다'의 뜻. 궁중의 통로에 만든 작은 문, 또 대문 곁에 있는 통용문의 뜻을 나타냄.

[闈闥 위달] 궁중(宮中)의 작은 문. 또, 왕궁 안.
[闈墨 위묵] 과거에 응시한 답안.
[闈門 위문] 궁중(宮中) 왕래의 문. 협문. 쪽문.
◉宮闈. 禁闈. 彤闈. 東闈. 門闈. 掖闈. 儲闈. 庭闈. 重闈. 秋闈. 春闈. 壼闈. 皇闈.

9 ⑰ [⿵門契] 〔결〕
闕(門部 六畫〈p.2439〉)과 同字

9 ⑰ [⿵門咼] 과 ㊥佳 空媧切 kuā
[字解] 문이바르게열리지않을 과 '一, 門不正開'《集韻》.

9 ⑰ [⿵門若] 낙 ㊇藥 女略切 nüè
[字解] 끌 낙 잡아당김. '一, 牽引也'《集韻》.

9 ⑰ [闉] 인 ㊥眞 於眞切 yīn
[字解] ①성문 인 성(城) 안의 이중(二重)의 문. 또는 성 밖의 부성(副城). '出其一闍'《詩經》. ②막을 인 통하지 못하게 함. '以共一城之㕓'《周禮》. ③굽을 인 고부라짐. '一扼鷙曼'《莊子》. ④성 인 성(姓)의 하나.
[字源] 篆文 形聲. 門+垔(𠧪)〔音〕. '𠧪인'은 '막히다'의 뜻.

[闉闍 인도] 성문(城門).
[闉厄 인액] 운(運)이 막혀 고생함.
◉郊闉. 登闉. 城闉. 乘闉. 帝闉. 重闉. 荒闉.

9 ⑰ [闊] [人名] 활 ㊇曷 苦栝切 kuò 阔
[筆順] 丨 𠃍 門 門 閅 閅 閅 闊
[字解] ①넓을 활 ㉠면적이 큼. '廣一'. '地一天長'《李華》. ㉡마음이 큼. '一達多大節'《後漢書》. ②멀 활 거리가 멂. '緩步一視'《列子》. ③성길 활 정분이 멂. 오래 만나지 아니함. 소원함. '一別'. '于嗟一兮'《詩經》. ④거칠 활 소략함. '方略疏一'《漢書》. ⑤간략할 활 간편함. '文體簡一'《後漢書》. ⑥오활할 활 세사(世事)에 통하지 아니함. 경우에 적절하지 아니함. '一疎'. '迂一不審'《後漢書》. ⑦근고할 활 고생함. '死生契一'《詩經》. ⑧너그러이할 활 관대하게 함. '一其租賦'《漢書》.
[字源] 篆文 形聲. 篆文은 門+活〔音〕. '活활'은 '活활'의 古字로, 물이 둑을 뚫고 멋대로 흐르다의 뜻. 왕래가 자유로운 넓은 문의 뜻에서, '넓다'의 뜻을 나타냄.
[參考] 濶(水部 十四畫)은 俗字.

[闊達 활달] 도량(度量)이 넓음.
[闊落 활락] 거칠고 세밀하지 못함.
[闊略 활략] ㉠소홀함. ㉡관서(寬恕)함. 눈감아 「줌.
[闊漫 활만] 끝없이 넓은 모양. 아득한 모양.
[闊別 활별] 서로 떨어져 있어서 오랫동안 만나지 못함.
[闊步 활보] ㉠큰 걸음으로 걸음. ㉡거리낌 없이 행동함.
[闊疏 활소] ㉠사정에 어두움. 오활함. ㉡거칢. 정밀하지 아니함.
[闊疎 활소] 사정에 어두움. 오활(迂闊)함. 활소(闊疏).
[闊袖 활수] 폭이 넓은 소매.
[闊然 활연] 넓은 모양. 활연(豁然).
[闊狹 활협] 넓음과 좁음.
◉簡闊. 契闊. 空闊. 寬闊. 廣闊. 久闊. 疎闊. 迂闊. 離闊. 天空海闊. 快闊. 平闊.

9 ⑰ [闋] 결 ㊇屑 苦穴切 què 阕
[字解] ①끝날 결, 마칠 결 종료함. '不一時月'《後漢書》. 특히 음악의 한 곡(曲)이 끝남을 이름. '有司告以樂一'《禮記》. ②쉴 결 휴식함. '俾民心一'《詩經》. ③다할 결 다 없어짐. '日一亡儲'《漢書》. ④빌 결 아무것도 없음. 공허함. '瞻彼一者, 虛室生白'《莊子》.
[字源] 篆文 形聲. 門+癸〔音〕. '癸계'는 '돌다'의 뜻. 한 바퀴를 다 돌고 문을 닫다의 뜻을 나타냄.

◉歌闋. 服闋. 樂闋. 宴闋. 雨闋.

9 ⑰ [闌] 란 ㊥寒 落干切 lán 阑
[字解] ①막을 란 차단함. '有河山以一之'《戰國策》. ②난간 란 欄(木部 十七畫)과 同字. '一干'. '門一之廝'《史記》. ③병가 란 창·칼 따위를 걸어 두는 틀. '車上兵一'《左傳》. ④늦을 란

반이 지남. 고비를 넘음. '一暑'. '白露凝兮歲將一'《宋孝武帝》. 또, 고비를 넘은 때. 반을 훨씬 지난 때. '歲一'. '醒時夜向一'《蘇軾》. ⑤한창 란 절정. 고비. '宴一'. '酒一'《史記》. ⑥드물 란 희소함. '拭眼瞻星一'《古詩》. ⑦함부로 란 무단히. 승인 없이. '一入'. '一出財物於邊關'《史記》.

[字源] 金文 篆文 形聲. 門+柬〔音〕. '柬간'은 주머니에 물건을 가둬 넣는 모양을 본뜸. 문으로 막아 가두다의 뜻을 나타냄. 또 '爛란'과 통하여 한창 절정이다의 뜻도 나타냄.

[闌駕上書 난가상서] 임금의 어가(御駕)를 가로막고 직소(直訴)함. 난교(闌轎).
[闌干 난간] ㉠난간(欄干). ㉡눈물이 많이 나오는 모양. ㉢빛이 고운 모양. 고운 빛이 번쩍번쩍하는 모양. ㉣어지럽게 흩어지는 모양. ㉤눈자위. 안광(眼框).
[闌單 난단] ㉠피로한 모양. ㉡정돈되지 아니한 모양.
[闌斑 난반] 얼룩얼룩한 모양.
[闌珊 난산] ㉠한창을 지나 쇠하여 가는 모양. ㉡어지럽게 흩어지는 모양.
[闌暑 난서] 늦더위. 잔서(殘暑).
[闌夕 난석] 깊은 밤. 심야(深夜).
[闌楯 난순] 난간(闌干) ㉠.
[闌入 난입] 함부로 들어감.
[闌殘 난잔] 난산(闌珊).
[闌天 난천] '남천촉(南天燭)'의 별칭(別稱).
[闌出 난출] ㉠함부로 나감. ㉡함부로 내놓음.
◉勾闌. 門闌. 兵闌. 歲闌. 夜闌. 宴闌. 腕闌. 興未闌.

9 ⑰ [闍] [一] 도 [平]虞 當孤切 dū [二] 사 [平]麻 視遮切 shé 闍

[字解] [一] 망대 도, 성문 도 성문의 멀리 바라보는 대(臺). 또, 성 위의 겹문. '出其闉一'《詩經》. [二] 범어(梵語) '사'의 음의 음역(音譯)에 쓰임. '一利'.

[字源] 篆文 形聲. 門+者〔音〕. '者자'는 '쌓아 올리다'의 뜻. 흙을 다져 쌓아 올린 '망대'의 뜻을 나타냄.

[闍利 사리] 《佛教》 ㉠사범(師範)되는 승려(僧侶). 아사리(阿闍梨). ㉡승려(僧侶)의 칭호.
◉城闍. 闉闍.

9 ⑰ [闟] 유 [平]虞 羊朱切 yú

[字解] 엿볼 유 '距遠闟以闚一'《左思》.

◉闚闟.

9 ⑰ [闠] [韓] 팽

[字解] 《韓》 문바람 팽 외풍(外風).

9 ⑰ [閼] 알 [入]黠 乙鎋切 yà

[字解] ①문여닫는소리 알 '一, 門扉聲'《廣韻》. ②문열릴 알 '爇堞熇歊熺, 抉門呀拗一'《韓愈》.

[字源] 篆文 形聲. 門+曷〔音〕. 문을 여닫을 때 나는 문짝의 소리의 의성어.

9 ⑰ [闅] 문 [平]文 無分切 wén

[字解] 눈내리깔고볼 문 눈을 내리깔고서 봄. '一, 氏目視也'《說文》.

[字源] 篆文 形聲. 旻+門〔音〕. '旻혈'은 눈짓으로 사람을 부리다의 뜻. '門문'은 가려 막다의 뜻. 눈을 내리깔고 보다의 뜻을 나타냄.

[參考] 閺(門部 八畫)은 俗字.

9 ⑰ [䦆] 살 [入]黠 山戛切 shài

[字解] 깎을 살 깎아 가늘게 함. '相角秋一者厚, 春一者薄'《正字通》.

10 ⑱ [闛] 당 [平]陽 徒郎切 táng

[字解] 높은문 당 閬(門部 七畫)과 뜻이 같음. '一, 高門, 謂之一, 或从良'《集韻》.

10 ⑱ [闐] 전 ①[平]先 徒年切 tián ②[去]霰 堂練切 闐

[字解] ①찰 전 가득함. 충만함. '賓客一門'《史記》. ②오랑캐이름 전 '于一'은 신장 성(新疆省)에 있던 서이(西夷)의 일종.

[字源] 篆文 形聲. 門+眞〔音〕. '眞진'은 가득 메워지다의 뜻. 사람이 문 안에 가득 차다의 뜻을 나타냄.

[闐門 전문] 문에 가득 참.
[闐噎 전열] 전일(闐溢).
[闐溢 전일] 넘침. 충만함.
[闐闐 전전] ㉠성(盛)한 모양. ㉡북소리. ㉢여럿이 가는 소리. ㉣거마(車馬)의 소리. ㉤우렛소리. ㉥뇌우(雷雨)가 성하게 일어나는 모양.
◉于闐. 囂闐. 喧闐.

10 ⑱ [闒] 탑 [入]洽 託甲切 tǎ

[字解] 종고소리 탑 '一, 闒一, 鐘鼓聲'《字彙》.

10 ⑱ [闑] 얼 [入]屑 魚列切 niè

[字解] 문지방 얼 문(門) 밑을 받친 하방의 부분(部分). 전(轉)하여, 내외(內外)의 한계(限界). '一以內, 寡人制之'《漢書》.

[字源] 篆文 形聲. 門+臬〔音〕

[闑內 얼내] 문의 안쪽.
◉閫闑. 門闑. 拂闑. 棖闑.

10 ⑱ [闒] [一] 답 [入]合 徒盍切 tà [二] 탑 [入]合 徒盍切 tà 闒

[字解] [一] 문루지붕 답 문루(門樓)의 지붕. '不過一'《司馬法》. [二] 천할 탑, 용렬할 탑 '在一茸之中'《漢書》.

[字源] 篆文 形聲. 門+搨〔音〕

[闒鞠 탑국] 공.
[闒戟車 탑극차] 진대(晉代)에 천자(天子)의 사냥하는 수레. 네 마리의 말을 매었음.
[闒颯 탑삽] 서투름. 졸렬함.

[闒茸 탑용] ㉠둔함. 용렬함. 또, 그 사람. ㉡천한 사람.

10 ⑱ [闓] 개 ①②㊤賄 苦亥切 kǎi ③㊥灰 丘哀切 kāi

字解 ①열 개 닫힌 것을 엶. '今欲與漢一大關'《漢書》. ②기뻐할 개 凱(几部 十畫)와 통용. '昆蟲一懌'《漢書》. ③깍지 개 활 쏠 때 엄지손가락에 끼는 기구. '決, 猶一也'《儀禮 註》.

字源 篆文 形聲. 門+豈〔音〕. '開개'와 통하여 '열다'의 뜻을 나타냄.

[闓懌 개역] 기뻐함. 즐거워함.

10 ⑱ [闋] 결 ㊤屑 苦穴切 què

字解 ①그칠 결 '一, 止也'《篇海》. ②끝날 결 마침. '一, 終也'《篇海》.

10 ⑱ [闗] 〔관〕 關(門部 十一畫〈p. 2446〉)의 本字

10 ⑱ [闚] 〔관·완〕 關(門部 十一畫〈p. 2446〉)의 俗字

10 ⑱ [闔] 人名 합 ㊤合 胡臘切 hé

字解 ①문짝 합 문의 한 짝. 문비(門扉). '修一扇'《禮記》. ②닫을 합 문을 닫음. '一戶謂之坤, 闢戶謂之乾'《易經》. ③뜸 합 띠·부들 따위의 풀로 거적 비슷이 엮어 만든 물건. '茨牆則翦一'《周禮》. ④온 합 전부의. '一國'. '今或至一郡而不存一人'《漢書》. ⑤하늘문 합 천상(天上)의 문. '游閶一'《漢書》. ⑥어찌아니할 합 어찌 … 하지 않느냐. 盍(皿部 五畫)과 통용. '一不起爲寡人壽乎'《管子》. ⑦성 합 성(姓)의 하나.

字源 篆文 形聲. 門+盍(盇)〔音〕. '盇합'은 '덮다'의 뜻. 내부를 덮어 가리는 '문짝'의 뜻을 나타냄.

[闔家 합가] 온 집안.
[闔境 합경] 온 지경 안.
[闔國 합국] 온 나라. 나라 전체.
[闔郡 합군] 온 군. 군 전체.
[闔閭 합려] 합려(闔廬).
[闔廬 합려] ㉠오두막집. 집. ㉡춘추 시대(春秋時代)의 오왕(吳王)의 이름. 월왕(越王) 구천(勾踐)과 싸우다가 다쳐 죽음.
[闔門 합문] 문을 닫음.
[闔門之士 합문지사] 문의 여닫이를 맡은 병사.
[闔闢 합벽] 닫음과 엶.
[闔眼 합안] 남의 허물을 보고 모르는 체함. 눈감아 줌.
[闔邑 합읍] 온 읍. 읍 전체.
◉開闔. 門闔. 排闔. 闢闔. 城闔. 閭闔. 閶闔. 天門開闔. 披闔. 戶闔.

10 ⑱ [闕] 人名 궐 ㊤月 去月切 què

筆順 丨 𠃌 門 門 閂 閼 闕 闕

字解 ①대궐문 궐 궁성의 문. 금문(禁門). '北一向曙, 東方未明'《王禹偁》. ②대궐 궐 궁성. '宮一'. ③궐할 궐 ㉠적게 함. '欲一剪我公室, 傾覆社稷'《左傳》. ㉡잃음. 잘못함. '袞職有一'《詩經》. ㉢모자람. '一乏'. '其所以知識甚一'《呂氏春秋》. ㉣빠뜨림. 뺌. '正其誤謬, 疑者一之'《曾鞏》. ④이지러질 궐, 이지러뜨릴 궐 한 귀퉁이가 떨어짐. '子不敢一'《呂氏春秋》. ⑤팔 궐, 뚫을 궐 '一地及泉'《左傳》. ⑥흠 궐 물건이 이지러지거나 깨어진 곳. 또, 과실. 결점. '謀事補一'《左傳》. ⑦성 궐 성(姓)의 하나.

[闕①]

字源 篆文 形聲. 門+欮〔音〕. '欮궐'은 큰 입이 열리다의 뜻. 중앙에 큰 입이 열려 있는 성문의 뜻을 나타냄.

[闕閣 궐각] 대궐 문 위의 누각(樓閣).
[闕勤 궐근] 그날의 근무에 빠짐.
[闕內 궐내] 대궐(大闕) 안.
[闕略 궐략] 뺌. 덜어서 줄임.
[闕漏 궐루] ㉠빠짐. 빠뜨림. ㉡틈. 사이.
[闕里 궐리] 공자(孔子)가 탄생한 산둥 성(山東省) 취푸 현(曲阜縣)의 땅.
[闕文 궐문] 빠진 글. 결문(缺文).
[闕門 궐문] 대궐(大闕)의 문(門).
[闕本 궐본] 한 질(帙)에서 권수가 모자라는 일. 또 그 빠진 책(冊).
[闕狀 궐상] 갖추어지지 아니한 상태. 불비한 상황.
[闕席 궐석] 출석하지 아니함. 결석(缺席).
[闕損 궐손] '결손(缺損)'과 같음.
[闕食 궐식] 끼니를 거름.
[闕失 궐실] 빠뜨림. 잃어버림.
[闕掖 궐액] 대궐. 금액(禁掖).
[闕如 궐여] 빠뜨림. 제쳐 놓음.
[闕然 궐연] 모자라 완전치 아니한 모양.
[闕誤 궐오] 빠지고 잘못이 있음.
[闕員 궐원] 결원(缺員).
[闕遺 궐유] 빠져 남음.
[闕疑 궐의] 의심스러운 것은 잠시 제쳐 놓음.
[闕字 궐자] ㉠문장 중에 임금 또는 귀인의 이름을 쓸 때에 경의를 표하기 위하여 한두 자 가량 간격을 두고 씀. ㉡문장 중의 탈자(脫字).
[闕典 궐전] 규정 또는 문서의 부족.
[闕政 궐정] 잘못된 정사(政事).
[闕中 궐중] 궐내.
[闕炊 궐취] 가난하여 아침·저녁의 밥 짓는 것을 거름.
[闕殆 궐태] 위험한 일을 피함. 마음 놓이지 않을 일은 미뤄 둠.
[闕下 궐하] 대궐의 문 아래. 전(轉)하여, 천자(天子)·조정(朝廷)의 존칭.
[闕畫 궐획] 임금 또는 귀인의 이름을 쓸 때에 경의를 표하기 위하여 그 글자의 한두 획을 생략하고 씀. 현(玄)을 (𤣥)으로 쓰는 따위.
◉絳闕. 鉅闕. 京闕. 袞職有闕. 觀闕. 宮闕. 睽闕. 金闕. 禁闕. 冀闕. 丹闕. 亡闕. 門闕. 犯闕. 鳳闕. 赴闕. 北闕. 城闕. 崇闕. 拾遺補闕. 宸闕. 雙闕. 詣闕. 玉闕. 嶢闕. 魏闕. 游闕. 銀闕. 塡闕. 帝闕. 朝闕. 朱闕. 天闕. 趨闕. 墮闕. 頹闕. 荒闕.

10 [闖] [人名] 틈 (츰[本]) [去]沁 丑禁切 chèn 闯
⑱

[字解] ①엿볼 틈 틈을 노림. '奸首不敢一'《韓愈》. ②쑥내밀 틈 느닷없이 머리를 쑥 내미는 모양. '開之則一然, 公子陽生也'《公羊傳》. 또 속(俗)에 느닷없이 불쑥 들어가다의 뜻으로 쓰임. '一入'.

[字源] 篆文 會意. 門+馬. 말이 문에서 나오는 모양의 뜻을 나타냄.

[闖發 틈발] 기회를 타서 일어남.
[闖肆 틈사] 기회를 타서 마음대로 함.
[闖然 틈연] 느닷없이 머리를 내미는 모양. 불쑥 머리를 내미는 모양.
[闖王 틈왕] 명말(明末)의 유적(流賊) 이자성(李自成)의 칭호(稱號).
[闖入 틈입] 느닷없이 불쑥 들어감. 돌입(突入)함. 난입(亂入).
[闖闖 틈틈] 엿보는 모양.

10 [闘] 〔투〕
⑱ 鬪(鬥部 十畫〈p. 2630〉)의 訛字

11 [闚] 규 [平]支 去隨切 kuī
⑲

[字解] 엿볼 규 窺(穴部 十一畫)와 同字. '一其戶'《易經》.

[字源] 篆文 形聲. 門+規[音]. '規규'는 '헤아리다'의 뜻. 문틈으로 엿보아 헤아려 알다, 엿보다의 뜻을 나타냄.

[闚觀 규관] 엿봄.
[闚望 규망] 엿봄.
[闚伺 규사] 몰래 틈을 엿봄.
[闚覦 규유] 엿봄. 아랫사람이 분외의 소망을 품고 기회를 엿봄.
[闚窬 규유] 규유(闚覦).
[闚以重利 규이중리] 이익을 많이 준다고 하여 꾐.

11 [關] [中人] [一] 관 [平]刪 古還切 guān 关
⑲ [二] 완 [平]刪 烏關切 wān

[筆順] 「 尸 門 門 閂 閞 關 關

[字解] [一] ①문빗장 관 문을 가로질러 잠그는 나무때기. '門一'. '一鑰'. '善閉無一楗, 而不可開'《老子》. ②잠글 관 빗장을 걸어 닫음. '門雖設而常一'《陶潛》. ③관문 관, 관 관 국경 기타 요해처에 설치하여, 출입하는 사람을 조사하는 문. 또, 그 문을 설치한 곳. '至日閉一'《易經》. '守邊城一塞'《墨子》. 전(轉)하여, 출입하는 곳. 출입을 맡은 곳. '海一'. '腎者胃之一也'《素問》. ④묘문 관 묘지 앞으로 들어가는 문. '及墓, 嘑啓一, 陳車'《周禮》. ⑤기관 관 기계를 활동시키게 하는 장치. '施一發機'《後漢書》. ⑥꿸 관 ㉠가운데를 뚫어 이쪽에서 저쪽으로 내밀게 함. '括髮一械'《漢書》. ㉡신을 신음. '履雖新必一於足'《史記》. ⑦참여할 관 간여함. '一與婚事'《穀梁傳 註》. ⑧관계할 관 관련을 가짐. '不一六二之義'《易經 註》. ⑨들어갈 관 안으로 들어감. '盡一於律'《書經 傳》. ⑩거칠 관, 겪을 관 여러 가지를 겪음. 두루 미침. '涉獵'의 '涉'과 뜻이 같음. '少好學, 多一覽'《後漢書》. ⑪말미암을 관 由(田部)와 뜻이 같음. '太學者, 賢士之所一也'《漢書》. ⑫찾을 관 얻으려고 찾음. '巫爲主人一飮食'《史記》. ⑬아뢸 관 고백함. '進退得一其忠'《漢書》. ⑭성 관 성(姓)의 하나. [二] 당길 완 활을 당김. '越人一弓而射之'《孟子》.

[字源] 金文 篆文 形聲. 門+䜌[音]. '䜌관'은 '會회'와 통하여 '만나다'의 뜻. 문짝을 맞춰서 닫다의 뜻을 나타냄.

[參考] 関(門部 六畫)은 俗字.

[關楗 관건] 빗장.
[關鍵 관건] ㉠문의 빗장과 열쇠. 전(轉)하여, 문단속. ㉡사물의 중요한 곳.
[關係 관계] 서로 관련이 있음.
[關關 관관] 새들이 화목(和睦)하게 우는 소리.
[關給 관급] 관(官)에서 직접 군인에게 병기 또는 기타 필요한 물자를 지급하는 일.
[關內 관내] 관문(關門)의 안. 한구 관(函谷關) 이서(以西)의 지방을 이름.
[關內侯 관내후] ㉠휘하(麾下)의 군사. ㉡육국 시대(六國時代)부터 한대(漢代)까지 있었던 작위(爵位)의 이름. 제후(諸侯)와는 달라 경기(京畿)에 살며 봉토(封土)는 없고 그 대신 녹(祿)을 탔음.
[關同 관동] 오대(五代), 양(梁)의 산수화가(山水畫家). 스승 형호(荊浩)와 함께 형관(荊關)으로 병칭(竝稱)됨.
[關東 관동] ㉠한구 관(函谷關) 이동(以東)의 땅. ㉡요동(遼東) 일대.
[關覽 관람] 널리 봄. 섭렵(涉獵)함.
[關梁 관량] 관문(關門)과 교량(橋梁).
[關棙子 관려자] 문의 빗장. 전(轉)하여, 가장 중요한 점.
[關連 관련] 서로 관계(關係)가 됨.
[關聯 관련] 관련(關連).
[關令 관령] 관문(關門)의 벼슬아치의 장(長).
[關樓 관루] 성(城) 위의 망루(望樓).
[關吏 관리] 관문(關門)의 벼슬아치.
[關牡 관모] 문빗장.
[關門 관문] ㉠문(門)을 닫음. ㉡국경의 관(關). 또, 그 문.
[關防 관방] ㉠관(關). ㉡'관방인(關防印)'의 준말.
[關防印 관방인] ㉠관부(官府)의 공문서의 위조를 방지하기 위하여 찍는 도장. ㉡서화폭(書畫幅)의 바른쪽 위에 찍는 장방형의 도장.
[關白 관백] 관계(關係)하여 의견(意見)을 사룀.
[關山 관산] ㉠관문(關門)과 산. ㉡고향에 있는 산. ㉢고향. 향리(鄕里).
[關山月 관산월] 악곡(樂曲)의 이름.
[關塞 관새] 국경에 있는 관문(關門)과 요새.

[關塞]

[關西 관서] 한구 관(函谷關) 이서(以西)의 지방.
[關西出將, 關東出相 관서출장, 관동출상] 한(漢)나라의 속담(俗談). 진(秦)나라의 백기(白起)·왕전(王翦)과 한(漢)나라의 이광(李廣)·조충국(趙充國) 등의 명장(名將)은 관서에서 나왔고, 한(漢)나라의 소하(蕭何)·조삼(曹參)·위상(魏相)·병길(丙吉) 등의 명상(名相)은 관동에서 나온 데서 이름.
[關說 관설] 사람을 중간에 내세워 이야기함.

[關涉 관섭] 관계함. 간섭함.
[關稅 관세] 세관(稅關)에서 수출입품(輸出入品)에 부과(賦課)하는 세금.
[關鎖 관쇄] 문단속.
[關燧 관수] 관(關)에 비치한 봉화(烽火).
[關市 관시] 관(關)과 저자. 사람이 많이 모이는 곳.
[關心 관심] 마음에 거리낌. 근심이 됨.
[關礙 관애] 저지(沮止)함.
[關籥 관약] 관약(關鑰).
[關鑰 관약] ㉠문의 빗장과 자물쇠. 전(轉)하여, 문단속. ㉡사물의 중요한 곳.
[關與 관여] 관계함. 참여함.
[關豫 관예] 관여(關與).
[關徼 관요] 국경(國境)에 있는 관문(關門).
[關龍逢 관용봉] 하(夏)나라의 현신(賢臣). 걸왕(桀王)을 간(諫)하다 피살(被殺)됨.
[關右 관우] 한구 관(函谷關) 이서(以西)의 지방. 관서(關西).
[關羽 관우] 삼국 시대(三國時代) 촉한(蜀漢)의 용장(勇將). 자(字)는 운장(雲長). 용모가 괴위(魁偉)하고 긴 수염이 났음. 장비(張飛)와 함께 유비(劉備)를 도와서 공(功)이 큼. 뒷날 형주(荊州)를 지키다가 여몽(呂蒙)의 장(將) 마충(馬忠)에게 피살(被殺)됨. 민간(民間)에 신앙(信仰)이 두터워 각처에 관왕묘(關王廟)가 있음.
[關尹 관윤] 관문(關門)을 맡은 벼슬.
[關尹子 관윤자] 1권 9편(九篇). 주(周)나라 윤희(尹喜)의 찬(撰)이라 하나, 실은 후인(後人)의 위찬(僞撰)임. 불설(佛說) 및 신선설(神仙說)에 의거(依據)해서 유가(儒家)의 말을 빌려 기술함.
[關人 관인] 관문(關門)을 지키는 벼슬아치.
[關張 관장] 관우(關羽)와 장비(張飛). 모두 촉한(蜀漢)의 유비(劉備)의 용장(勇將).
[關楮 관저] 정부(政府)가 발행하는 영수증.
[關雎之化 관저지화] 시경(詩經)의 관저편(關雎篇)은 문왕(文王)과 그 후비(后妃)의 성덕(盛德)을 읊은 시이므로, 임금의 부부금실이 좋아 그 덕이 자연히 아랫사람에게 미침을 이름.
[關節 관절] ㉠뼈와 뼈가 서로 맞닿은 부분. ㉡세력이 있는 당로자(當路者)에게 붙음.
[關征 관정] 관문(關門)에서 징수(徵收)하는 세금.
[關帝 관제] 신(神)으로 모신 촉(蜀)나라 관우(關羽)의 존칭.
[關左 관좌] 관동(關東). 한구 관(函谷關) 이동(以東)의 지방.
[關中 관중] 지금의 산시 성(陝西省) 지방.
[關知 관지] 관계하여 앎. 참여하여 앎.
[關津 관진] 관(關)과 나루.
[關穿 관천] 꿰뚫음.
[關柝 관탁] 문빗장과 딱따기.
[關託 관탁] 남을 통하여 부탁함.
[關河 관하] 한구 관(函谷關)과 황허(黃河) 강.
◉距關. 鍵關. 扃關. 輕關. 古關. 款關. 麴關. 機關. 難關. 內關. 潼關. 武關. 門關. 四關. 司關. 三關. 相關. 塞關. 攝關. 稅關. 陽關. 聯關. 五關. 玉門關. 嶢關. 榆關. 儒關. 天關. 出關. 通關. 抱關. 閉關. 海關. 鄉關. 玄關. 荊關. 荒關.

11 ⑲ [闘] [一] 투 [去]宥 都豆切 dòu
[二] 두 ①[上]有 當口切 dǒu
②[去]宥 大透切

[字解] [一] 싸울 투 鬭(門部 十四畫)의 俗字. '鬭, 鬭競. …—, 俗'《廣韻》. [二] ①성 두 성(姓)의 하나. ②부를 두 '—, 呼也'《字彙》.

11 ⑲ [闞] 〔감〕
闞(門部 十二畫〈p. 2447〉)의 本字

11 ⑲ [闛] 탕 [平]陽 徒郞切 tāng

[字解] 북소리 탕 북을 치는 소리. '鏗鎗—鞈'《司馬相如》.
[字源] [篆文] 形聲. 門+堂〔音〕. '堂당'은 크게 성하다의 뜻.

11 ⑲ [闙] 계 [上]薺 遣禮切 qǐ

[字解] ①문을열 계 문을 엶. '—, 開門也'《集韻》. ②啓(口部 八畫)와 통용. '—, 通作啓'《集韻》.

11 ⑲ [闝] 〔숙〕
塾(土部 十一畫〈p. 462〉)과 同字

12 ⑳ [闏] 위 [上]紙 韋委切 wěi

[字解] 열 위 문을 반쯤 엶. '—門而與之言, 皆不踰閾'《國語》.
[字源] [篆文] 形聲. 門+爲〔音〕. '爲위'는 작위(作爲)를 가하다의 뜻. 문을 열다의 뜻을 나타냄.

12 ⑳ [闞] [一] 감 [去]勘 苦濫切 kàn
[二] 함 [上]豏 火斬切 hǎn
阚

[字解] [一] ①바라볼 감, 내려다볼 감 瞰(目部 十二畫)과 同字. '俯—海湄'《嵇康》. ②성 감 성(姓)의 하나. [二] 으르렁거릴 함 범이 성내어 우는 소리의 형용. '—如虓虎'《詩經》.
[字源] [篆文] 形聲. 篆文은 門+敢〔音〕. '敢감'은 '敢감'의 古字. 또 '監감'과 통하여 '보다'의 뜻. 문에 기대어 출타한 사람이 돌아오는 것을 바라보다의 뜻을 나타냄. 또 의성어로서 개나 호랑이의 짖는 소리의 뜻으로도 假借됨.

[闞闞 함함] ㉠굳센 모양. 용감한 모양. ㉡범이 성내어 우는 소리의 형용(形容).
[闞虓 함효] 성내어 외침.
◉窺闞. 哮闞. 虓闞.

12 ⑳ [闣] 광 [平]陽 故黃切 guāng

[字解] 빗장 광 문빗장. '—, 門關也'《集韻》.

12 ⑳ [闟] [一] 흡 [入]緝 許及切 xì
[二] 탑 [入]合 敵盍切 tà
阘

[字解] [一] 창 흡 수레를 호위할 때 쓰는 작은 창. '操—戟者'《史記》. [二] 천(賤)할 탑 闒(門部 十畫)과 통용. '爲埽除之吏, 在—茸之中'《司馬遷》.
[字源] 形聲. 門+翕〔音〕

[闟茸 탑용] 탑용(闒茸).

[闖戟 흡극] 작은 창.
[闖然 흡연] ㉠정지하는 모양. ㉡안정(安定)한 모양.

12 ⑳ [闙] 〔궐〕
闕(門部 十畫〈p.2445〉)의 俗字

12 ⑳ [闚] 규 [平]齊 口圭切 kuī
[字解] ①엿볼 규 '一, 小視也'《篇海》. ②闕(門部 十一畫)의 訛字. '一, 闕字之譌'《康熙字典》.

12 ⑳ [闠] 궤(회[本]) [去]隊 胡對切 huì 阓
[字解] ①저자문 궤 저자의 경계에 세운 문. ②저자 궤 인가가 즐비하고 물건의 매매가 흥성한 곳. '通闤帶一'《張衡》.
[字源] [篆文] 形聲. 門+貴〔音〕

12 ⑳ [闡] [人名] 천 [上]銑 昌善切 chǎn / [平]先 稱延切 阐
[字解] ①열 천 닫힌 것을 엶. '厥有氏號, 紹天一繹者'《後漢書》. ②밝힐 천, 밝혀질 천 겉으로 드러내어 밝힘. 명확하게 됨. '一明'. '微顯一幽'《易經》. '洎于梁世, 玆風復一'《顔氏家訓》. ③넓힐 천, 넓어질 천 '開一'. '一幷天下'《史記》.
[字源] [篆文] 形聲. 門+單〔音〕. '單단'은 '튕기다'의 뜻. 시야를 가리고 있던 문을 튕겨 열어서 밝게 하다의 뜻을 나타냄.

[闡校 천교] 잘못된 곳을 밝혀 교정함.
[闡究 천구] 구명(究明)함.
[闡明 천명] 열어서 밝힘.
[闡士 천사] 고승(高僧)의 존칭.
[闡揚 천양] 널리 떨치게 함. 선양(宣揚).
[闡幽 천유] 알리지 아니한 이치(理致)를 밝힘.
[闡提 천제] 《佛敎》 인과(因果)의 이치(理致)를 믿지 않고 불법을 비방하는 자. 일천저가(一闡底迦)의 준말.
[闡濟 천제] 열어 인도하여 성취시킴.
◉開闡. 光闡. 丕闡. 昭闡. 翼闡. 禎闡. 遐闡. 恢闡.

13 ㉑ [闢] [人名] 벽 [入]陌 房益切 pì 辟
[筆順] 𠃌 戶 門 門 門 閗 闢 闢
[字解] ①열 벽 ㉠문을 엶. '金門未一'《王禹偁》. ㉡새로 전답을 만듦. '一墾'. '田疇多蕪, 何以一之'《王禹偁》. ②열릴 벽 나누임. 부판(剖判)함. '天地開一'. ③피할 벽 회피함. 옆으로 물러섬. '凡外內命夫命婦出入, 則爲之一'《周禮》.
[字源] [金文] [篆文] [古文] 形聲. 門+辟〔音〕. '辟벽'은 옆으로 비키다의 뜻. 문짝을 문의 양옆으로 밀어붙여서 열다의 뜻을 나타냄.

[闢墾 벽간] 개간(開墾)함.
[闢土 벽토] 토지를 개간함.
[闢闔 벽합] 엶과 닫음.
[闢戶 벽호] 문을 엶.
◉墾闢. 開闢. 廣闢. 排闢. 疏闢. 翦闢. 洞闢. 判闢. 闔闢. 軒闢. 翕闢.

13 ㉑ [闤] 환 [平]刪 戶關切 huán 阛
[字解] ①저자문 환 저자의 경계에 세운 문. 일설(一說)에는, 저자의 담. ②저자 환 인가가 즐비하고 물건의 매매가 흥성한 곳. '通一帶闠'《張衡》.
[字源] [篆文] 形聲. 門+睘(瞏)〔音〕. '瞏선'은 빙 둘러싸다의 뜻. 도시를 둘러싼 울타리, 또 저자의 문의 뜻을 나타냄.

[闤闠 환궤] 저자의 문. 전(轉)하여, 저자.
◉市闤. 鄽闤. 通闤.

13 ㉑ [闣] 당 [去]漾 丁浪切 dàng / [上]養 他郞切 tāng
[字解] ①엿볼 당 '一, 小視也'《篇海》. ②성(盛)한모양 당 '一, 盛貌'《五音集韻》. ③북소리 당 鼞(鼓部 十一畫)과 同字. '鼞, 說文, 鼓聲也, 或作一'《集韻》. ④鏜(金部 十一畫)과 통용. '一, 按, 詩邶風, 今作鏜'《康熙字典》.

13 ㉑ [闥] [一] 달 [入]曷 他達切 tà [二] 건 [上]阮 巨偃切 闼
[字解] [一] ①뜰 달 대문 안의 마당. '在我一兮'《詩經》. ②문 달 궁중의 작은 문. 전(轉)하여, 궁중. '禁一'. '紫一'. '排一直入'《漢書》. ③빠를 달 신속한 모양. '一爾奮逸'《嵇康》. [二] 문빗장 건 문을 가로질러 잠그는 나무때기. '上飛一而仰眺'《張衡》.
[字源] [篆文] 形聲. 門+達〔音〕. '達달'은 빠져 지나가다의 뜻. 작은 문, 궁중의 작은 문의 뜻을 나타냄.

◉階闥. 宮闥. 閨闥. 禁闥. 門闥. 闈闥. 紫闥. 殿闥. 帝闥. 重闥. 側闥. 閤闥. 皇闥. 黃闥.

13 ㉑ [闎] [一] 염 [平]鹽 余廉切 yán [二] 검 [上]琰 丘檢切 qiàn
[字解] [一] 사당집문 염 묘문(廟門). '大夫向一而立'《語林》. [二] ①문지붕 검 문(門)의 지붕. '一, 門屋'《集韻》. ②문조금열 검 '一, 小開戶也'《集韻》.
[字源] [篆文] 形聲. 門+詹〔音〕

14 ㉒ [𨷻] 〔녜〕
闑(門部 十四畫〈p.2631〉)의 訛字

14 ㉒ [𨸁] 〔달·건〕
闥(門部 十三畫〈p.2448〉)의 本字

16 ㉔ [𨸎] 〔궤〕
闠(門部 十二畫〈p.2448〉)의 本字

16 ㉔ [𨸏] 력 [入]錫 狼狄切 lì
[字解] 열 력 닫혀진 것을 엶. '一, 開也'《集韻》.

19 ㉗ [䦨] 란 [平]寒 郞干切 lán
[字解] 함부로 란, 함부로들어갈 란 문감(門鑑) 없

이 함부로 궁문(宮門)을 드나듦. '一, 妄入宮亦也'《說文》.
[字源] 形聲. 門+䜌〔音〕

阜(阝) (8획) 部

〔언덕부·좌부방부〕

0
⑧ [阜] [人名] 부 [上]有 房久切 fù

[筆順] ˊ ｢ 𠂤 户 白 自 𠂤 阜

[字解] ①언덕 부 나지막한 산. 토산(土山). '如山如一, 如岡如陵'《詩經》. ②클 부 '一成兆民'〈백성의 행복을 대성(大成)함〉《書經》. ③살찔 부 비대함. '駟驖孔一'《詩經》. ④성할 부 왕성함. '火烈具一'《詩經》. ⑤많을 부 '爾殺旣一'《詩經》. ⑥자랄 부 성장함. '助生一也'《國語》. ⑦크게할 부, 성하게할 부 '可以一我民之財兮'《史記》. ⑧성 부 성(姓)의 하나.

[字源] 甲骨文 篆文 古文 象形. 층이 진 흙산의 모양을 본떠 '언덕'의 뜻을 나타냄. 파생하여 '크다, 성하다, 많다'의 뜻을 나타냄.

[參考] '阜부'를 의부(意符)로 하여 언덕이나 언덕 모양으로 봉긋한 것 등, 언덕에 관련된 지형·상태를 나타내는 문자를 이룸. '阜'가 변으로 될 때에는 '阝'의 자형이 됨. 부수 이름은 '언덕부', 변의 이름으로는 속(俗)에 '좌부방(左阜傍)'이라 함.

[阜康 부강] 풍족하고 편안함.
[阜老 부로] 마을에서 중심이 되는 노인.
[阜陵恩 부릉은] 높은 언덕에 견줄 만한 큰 은혜.
[阜蕃 부번] 가축(家畜)을 번성시킴.
[阜繁 부번] 번성함.
[阜成 부성] 크게 이룸. 또, 크게 이루어짐.
[阜螽 부종] 메뚜기.
[阜垤 부질] 낮은 언덕.
[阜通 부통] 성하게 통용시킴.
◉岡阜. 高阜. 曲阜. 丘阜. 大阜. 蕃阜. 繁阜. 山阜. 殷阜. 長阜. 昌阜. 堆阜. 香阜.

0
③ [阝] '阜'가 글자의 왼편으로 올 때의 자체(字體). 이름은 좌부방(左阜傍).

[筆順] ７ ３ 阝

2
⑤ [队] 〔대·추〕
隊(阜部 九畫〈p. 2470〉)의 簡體字

2
⑤ [阞] 륵 [入]職 盧則切 lè

[字解] ①지맥 륵 토맥(土脈). '溝逆地一'《周禮》. ②셈나머지 륵 여수(餘數). '以其圍之一, 捎其藪'《周禮》.

[字源] 篆文 形聲. 阝(自)+力〔音〕. '力력'은 '理리'와 통하여 '줄기, 조리'의 뜻. 토지의 맥, 지맥의 뜻을 나타냄.

3
⑥ [阡] [人名] 천 [平]先 蒼先切 qiān / [去]霰 倉甸切

[筆順] ７ ３ 阝 阝ˊ 阝ˉ 阡

[字解] ①길 천 ㉠남북으로 통하는 밭 사이의 길. 동서로 통하는 밭둑길은 '陌'이라 함. ㉡무덤으로 가는 길. 묘도(墓道). '新一絳水遙'《杜甫》. ②무성할 천 芊(艸部 三畫)과 통용. '遠樹曖一一'《謝朓》. ③일천 천 千(十部 一畫)과 통용. ④성 천 성(姓)의 하나.

[字源] 篆文 形聲. 阝(自)+千〔音〕. '千천'은 '많다'의 뜻. 경작지 안을 남북으로 통하는 많은 작은 길의 뜻을 나타냄.

[阡陌 천맥] 밭 사이의 길. 천맥(仟佰). 자해(字解) ❶ 참조(參照).
[阡眠 천면] 천천(阡阡).
[阡阡 천천] 초목이 무성한 모양.
◉陌阡.

3
⑥ [阣] [一] 흘 [入]物 魚乙切 yì
[二] 개 [去]隊 居代切 gài

[字解] [一] 산우뚝솟을 흘 屹(山部 三畫)과 同字. '屹, 屹崒, 山皃, 或从阜'《集韻》. [二] 험준할 개 '一, 陵也'《集韻》.

3
⑥ [阢] [一] 올 [入]月 五忽切 wù
[二] 외 [平]微 語韋切
[三] 의 [平]灰 吾回切
[四] 굴 [入]物 魚屈切

[字解] [一] 흙을인돌산 올 '一, 石山戴土也'《說文》. [二] 흙을인돌산 외 [一]과 뜻이 같음. [三] 높을 의, 험할 의, 위태로울 의. '一, 高也'《廣雅》. '一, 崔也'《玉篇》. [四] 높은모양 굴 '一, 高皃'《集韻》.

[字源] 形聲. 阝(自)+兀〔音〕

3
⑥ [阤] [一] 치 [上]紙 池爾切 zhì
[二] 시 [上]紙 施是切
[三] 타 [平]歌 唐何切 tuó

[字解] [一] ①무너질 치 붕괴함. '聚不一崩'《國語》. ②비탈 치 경사진 곳. '古登一也'《周禮》. [二] 허물어질 시 기강이 퇴폐함. '綱紀頹一'《後漢書》. [三] 비탈질 타 陂(阜部 五畫)를 보라. '陂一'.

[字源] 篆文 形聲. 阝(自)+也〔音〕. '也야'는 구불구불 뻗다, 뻗어서 무너지다의 뜻. 언덕 따위가 조금씩 무너지다, 구불구불 이어지는 언덕의 뜻을 나타냄.

[阤陊 시치] 허물어짐. 퇴락(頹落)함.
[阤崩 치붕] 무너짐.
[阤靡 타미] 산이 경사진 모양.
◉頹阤. 陂阤.

4
⑦ [阨] [一] 애 [去]卦 烏懈切 ài
[二] 액 [入]陌 乙革切 è

[字解] [一] ①험할 애 험준함. '所遇又一'《左傳》. 또, 험준한 곳, 또는 좁은 길목. '閉關據一'《史記》. ②좁을 애 隘(阜部 十畫)와 同字. '邦有湫一而踡跼'《左思》. [二] ①막힐 액 ㉠통로가 막힘. ㉡운수가 막힘. 불운함. '一窮而不憫'《孟子》. ②고난 액 ㉠고생. '百姓仍遭凶一'《漢書》. ㉡위급한 처지. 위난(危難). '是時孔子當一'

《孟子》.
[字源] 形聲. 阝(自)+厄〔音〕. '厄액'은 '좁다'의 뜻. '自부'를 붙여 좁은 곳의 뜻을 나타냄.

[阨僻 애벽] 협소하고 편벽됨.
[阨塞 애새] 견고한 요새(要塞).
[阨狹 애협] 길 따위가 좁음. 협착함.
[阨困 액곤] 액궁(阨窮).
[阨窮 액궁] 운수가 비색하여 고생함.
[阨塞 액색] ㉠통로가 막힘. ㉡운수(運數)가 막힘. 궁(窮)하게 지냄.
◉困阨. 窮阨. 迫阨. 災阨. 阻阨. 褊阨. 險阨. 嶮阨. 狹阨. 凶阨.

4 ⑦ [阶] 〔계〕 階(阜部 九畫〈p. 2471〉)의 簡體字.

4 ⑦ [阪] [人名] 판 ㊤阮 府遠切 bǎn
[筆順] ㄱ 了 阝 阝 阝厂 阪 阪
[字解] ①비탈 판 경사진 곳. 坂(土部 四畫)과 同字. '一上走丸'《漢書》. ②둑 판 제방. '相丘陵一險原隰'《呂氏春秋》. ③비탈질 판 평탄하지 아니함. '瞻彼一田, 有菀其特'《詩經》.
[字源] [篆文] 形聲. 阝(自)+反〔音〕. '反반'은 뒤로 젖혀지다의 뜻. 사람이 뒤로 젖혀질 듯한 비탈의 뜻을 나타냄.

[阪路 판로] 고개. 비탈진 길.
[阪上走丸 판상주환] 비탈 위에서 공을 굴림. 기회를 탐의 비유. 또, 형세가 급전함의 비유.
[阪田 판전] 돌이 많은 비탈 밭.
[阪險 판험] 험하고 가파름.
◉山阪. 上阪. 升阪. 長阪. 峻阪. 峭阪.

4 ⑦ [陝] [一] 벽 [入]職 芳逼切 pì [二] 결 [入]屑 古穴切 jué
[字解] [一] 땅벌어질 벽 땅이 갈라짐. '一, 地裂也'《廣韻》. [二] 언덕의구멍 결 '一, 陵阜突也'《集韻》.

4 ⑦ [阪] 급 [入]緝 訖立切 jí
[字解] 사다리층계 급 사다리 층계. 級(糸部 四畫)과 통용. '一, 階等也, 通作級'《集韻》.

4 ⑦ [阭] [人名] [一] 윤 ㊤軫 庾準切 yǔn [二] 연 ㊤銑 以轉切 yǎn
[筆順] ㄱ 了 阝 阝 阝 阝 阭
[字解] [一] ①높을 윤 높음. '一, 高也'《說文》. ②돌 윤 돌. 암석. '一, 石也'《說文》. [二] ①높을 연 높고 위험함. '一, 高也'《集韻》. '一, 高危也'《集韻》. ②땅이름 연 지명. '一, 一曰, 地名'《集韻》.
[字源] [篆文] 形聲. 阝(自)+允〔音〕. '允윤'은 '튀어 나오다, 높다'의 뜻을 나타냄.

4 ⑦ [阬] [一] 갱 [平]庚 客庚切 kēng [二] 강 [平]陽 居郞切 gāng
[字解] [一] ①구덩이 갱 坑(土部 四畫)과 同字. ②묻을 갱 구덩이를 파고 묻음. '焚書一儒'. '皆一之'《史記》. ③성 갱 성(姓)의 하나. [二] 언덕 강 작은 산. 토산. 일설(一說)에는, 바다. '陳衆車於東一'《揚雄》.
[字源] [篆文] 形聲. 阝(自)+亢〔音〕. '亢항'은 반원꼴로 높다의 뜻. 언덕에 굴 모양으로 판 구덩이의 뜻. 또 그와 같은 문(門)이 높은 모양을 나타냄.

[阬儒 갱유] 유학자·유생(儒生)을 구덩이에 파묻어 죽임.
[阬穽 갱정] 함정(陷穽).
◉溝阬. 金阬. 焚阬. 火阬.

4 ⑦ [阮] [人名] 완(원[本]) ㊤阮 虞遠切 ruǎn
[字解] ①나라이름 완 주대(周代)의 국명(國名). 지금의 간쑤 성(甘肅省) 경주(涇州)에 있었음. ②악기이름 완 '一咸'은 월금(月琴)의 고칭(古稱). 진(晉)나라의 완함(阮咸)이 창제(創製)하였다 함. '笙一箏筑'《宋史》. ③성 완 성(姓)의 하나. '一籍'·'一咸'은 모두 죽림칠현(竹林七賢)의 한 사람. '諸一皆飮'《晉書》.
[字源] [篆文] 形聲. 阝(自)+元〔音〕

[阮大鋮 완대성] 명말(明末)의 정치가·희곡 작가(戲曲作家). 회령(懷寧) 사람. 자(字)는 집지(集之). 호(號)는 원해(圓海)·석소(石巢). 역신(逆臣) 위충현(魏忠賢)에게 아부(阿附)하다가 뒤에 마사영(馬士英)과 친(親)하여 복왕(福王) 옹립(擁立) 후에 사영(士英)의 추천으로 병부상서(兵部尙書)가 되었는데, 청병(淸兵)이 남하(南下)하자 항복하였음. 〈연자전(燕子箋)〉·〈쌍금방(雙金榜)〉 등의 명작(名作) 희곡을 남겼음.
[阮元 완원] 청대(淸代)의 학자(學者). 자(字)는 백원(伯元). 호(號)는 운대(芸臺). 한림원편수(翰林院編修)를 비롯하여 저장(浙江)·장시(江西)의 순무(巡撫), 량광(兩廣)·윈구이(雲貴) 등의 총독(總督)을 거쳐 체인각대학사(體仁閣大學士) 겸 태부(太傅)가 되었는데, 대관(大官)으로서 학술(學術)의 장려(獎勵)에 기여한 바 큼. 십삼경주소(十三經注疏)를 교간(校刊)하고, 학해당경해(學海堂經解) 등의 서(書)를 휘각(彙刻)함.
[阮籍 완적] 삼국 시대 위(魏)나라의 죽림칠현(竹林七賢)의 으뜸. 노장(老莊)을 좋아하였으며, 호주가(好酒家)로서 거문고를 잘 탔음. 벼슬이 보병교위(步兵校尉)에 이르렀으므로 완보병(阮步兵)이라 일컬었음.
[阮咸 완함] ㉠진대(晉代)의 죽림칠현(竹林七賢)의 한 사람. 완적(阮籍)의 형의 아들. 음률(音律)에 능하여 비파(琵琶)를 잘 탔으며, 악기(樂器)를 창제(創製)하였음. 벼슬이 산기시랑(散騎侍郞)에 이르렀다가 시평태수(始平太守)로서 일생을 마쳤음. ㉡월금(月琴)의 고칭(古稱). 완함(阮咸)의 창제(創製)라고 하는 사현(四絃)의 비파(琵琶). 원형(圓形)의 것과 방형(方形)의 것이 있음.

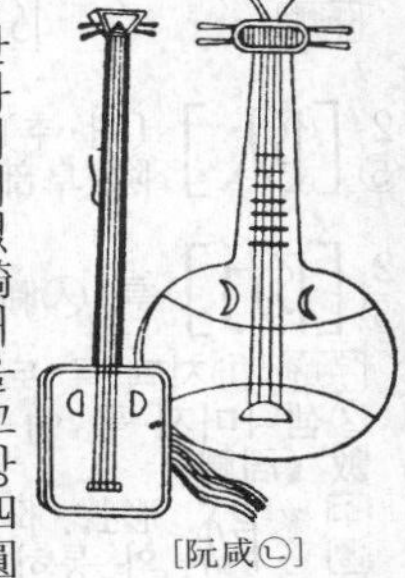

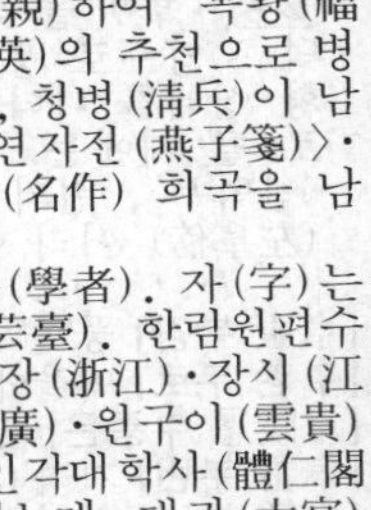
[阮咸㉡]

4
⑦ [阯] 지 ㊤紙 諸市切 zhǐ

字解 ①터 지 터전. 기초. '頗立產業基—'《漢書》. ②기슭 지 산의 기슭. '太山下—'《史記》. ③주춧돌 지 초석(礎石). '得穎—于榛荒'《朱熹》. ④물가 지 沚(水部 四畫)와 통용. '黑水玄—'《張衡》. ⑤발 지 趾(足部 四畫)와 통용. '合浦交—'《漢書》.

字源 篆文 別體 形聲. 阝(自)+止〔音〕. '止지'는 '발'의 뜻. 언덕의 밑 부분, '기슭'의 뜻을 나타냄.

4
⑦ [防] 中人 방 ㊥陽 符方切 fáng

筆順 ㇀ ㇋ 阝 阝' 阝亠 阝方 防

字解 ①둑 방 제방. '堤—'. '無曲—'《孟子》. ②막을 방 ㉠가로막음. 못 가게 함. '—止'. '—遏'. '不—川'《國語》. ㉡대비함. '豫—之'《易經》. ㉢가림. '—露'《楚辭》. 또, 막는 일. 막는 설비. '海—'. '邊—'. '長城鉅—'《戰國策》. ③당(當)할 방 '百夫之—'《詩經》. ④방 방 房(戶部 四畫)과 통용. '生殿—內中'《漢書》. ⑤성 방 성(姓)의 하나.

字源 篆文 形聲. 阝(自)+方〔音〕. '方방'은 '내밀다'의 뜻. 내민 언덕, 둑의 뜻. 또 둑으로 막다의 뜻을 나타냄.

[防奸 방간] 간사(奸邪)한 것을 막음.
[防拒 방거] 막음. 방어함.
[防穀 방곡] 곡식의 수출(輸出)을 막음.
[防穀令 방곡령] 곡식의 수출 또는 수입을 금지하는 법령.
[防空 방공] 항공기에 의한 공격을 방비함.
[防毒 방독] 독기(毒氣)를 막아냄.
[防腐 방부] 썩지 못하게 함.
[防腐劑 방부제] 썩지 못하게 하는 약제(藥劑).
[防備 방비] 방어(防禦)하는 설비(設備). 또, 그 설비를 함.
[防山 방산] 공자(孔子)의 부모(父母)를 합장(合葬)한 산 이름. 산둥 성(山東省) 취푸 현(曲阜縣)의 동쪽에 있음.
[防塞 방새·방색] ㉠방비. 요새(要塞). ㉡막음.
[防水 방수] 물을 막음. 방천(防川).
[防守 방수] 막아서 지킴. 파수(把守).
[防水布 방수포] 방수제를 바른 베.
[防身刀 방신도] 호신도(護身刀).
[防遏 방알] 막음.
[防禦 방어] 침입을 막아냄. 또, 그 설비(設備).
[防衛 방위] 방어(防禦)하여 호위(護衛)함.
[防意 방의] 사욕(私慾)이 생겨남을 막음.
[防材 방재] 쇠사슬로 묶어 적함(敵艦)의 출입을 막는 큰 재목.
[防戰 방전] 방어하여 싸움.
[防止 방지] 막아서 그치게 함.
[防秋 방추] 북적(北狄)의 침노를 방어함. 북적은 항상 가을에 침노하므로 이름.
[防蟲網 방충망] 파리·모기 등의 해충이 날아들지 못하게 창문 같은 곳에 치는 망.
[防臭劑 방취제] 악취를 없애는 약제.
[防波堤 방파제] 거센 파도를 막기 위하여 쌓은 둑.
[防風 방풍] ㉠바람을 막음. ㉡미나릿과에 속하는 풀. 뿌리는 풍증을 고치는 데 씀.
[防風林 방풍림] 방풍하기 위하여 심은 산림.
[防寒 방한] 추위를 막음.
[防寒具 방한구] 방한용의 기구.
[防護 방호] 방위(防衛).
[防荒 방황] 흉년을 예방함. 기근을 예방함.
◉警防. 攻防. 關防. 國防. 漏防. 屯防. 法防. 邊防. 備防. 砂防. 消防. 水防. 猜防. 遏防. 豫防. 壅防. 堤防. 隄防. 重防. 鎭防. 捍防. 海防.

4
⑦ [阱] 정 ㊮敬 疾正切 ㊤梗 疾郢切 jǐng

字解 함정 정 穽(穴部 四畫)과 同字. '塞—杜擭'《周禮》.

字源 甲骨文 篆文 別體 形聲. 阝(自)+井〔音〕. '井정'은 '우물'의 뜻. 언덕에 판, 우물과 같은 '함정'의 뜻을 나타냄.

[阱擭 정확] 짐승을 잡는 함정과 덫.
◉坎阱. 陷阱.

4
⑦ [阩] 승 ㊥蒸 書蒸切 shēng

字解 오를 승 陞(阜部 七畫)과 同字. '—, 登也'《字彙》.

4
⑦ [阧] 人名 두 ㊤有 當口切 dǒu

字解 가파를 두 陡(阜部 七畫)와 同字.

字源 形聲. 阝(自)+斗〔音〕

4
⑦ [阺] 시 ㊤紙 上紙切 shì

字解 무너져가는벼랑 시 돌출(突出)하여 무너지려고 하는 벼랑.

參考 阺(阜部 五畫)는 別字.

4
⑦ [阳] 〔양〕陽(阜部 九畫〈p. 2468〉)과 同字·簡體字

4
⑦ [阴] 〔음·암〕陰(阜部 八畫〈p. 2460〉)과 同字·簡體字

4
⑦ [队] 〔양〕 陽(阜部 九畫〈p. 2468〉)의 俗字

4
⑦ [阥] 〔음·암〕 陰(阜部 八畫〈p. 2460〉)의 俗字

4
⑦ [阰] 비 ㊥支 房脂切 pí

字解 산이름 비 '朝搴—之木蘭. (注)—, 山名'《楚辭》.

字源 形聲. 阝(自)+比〔音〕

4
⑦ [阫] 배 ㊥灰 蒲枚切 pēi

字解 담 배 담장. 坏(土部 四畫)와 同字. '民之於利甚勤, 子有殺父, 臣有殺君, 正晝爲盜, 日中穴—'《莊子》.

[字源] 形聲. 阝(自)+不〔音〕

5 ⑧ [阹] 거 [平]魚 去魚切 qū

[字解] 울 거 산곡(山谷)에 짐승이 빠져나가지 못하게 설치한 우리. '江河爲一'《司馬相如》.
[字源] [篆文] 形聲. 阝(自)+去〔音〕.

5 ⑧ [阺] 저 [上]薺 典禮切 dǐ

[字解] ①비탈 저, 언덕 저 산비탈, 또는 구릉. '拒隴一'《後漢書》. ②무너질 저 산비탈의 흙이 무너져 내려오는 모양. '嚮若一隤'《漢書》.
[字源] [篆文] 形聲. 阝(自)+氐〔音〕. '氐저'는 '梯제'와 통하여 '사다리'의 뜻. 사다리를 오르내리는 듯한 가파른 '비탈'의 뜻을 나타냄.
[參考] 阺(阜部 四畫)는 別字.

●隴阺.

5 ⑧ [阾] [一] 후 [上]麌 火羽切 xǔ
[二] 구 [平]虞 權俱切

[字解] [一] ①떨어질 후 떨어짐. 갈라져 따로 됨. '一, 博雅, 離也'《集韻》. ②고을이름 후 고을 이름. 안읍(安邑)에 있음. '一, 一曰, 鄕名'《集韻》. [二] ①땅이름 구 땅 이름. 하동(河東)에 있음. '一, 地名'《廣韻》. ②고을이름 구 고을 이름.

5 ⑧ [阻] [人名] 조 [上]語 側呂切 zǔ

[字解] ①험할 조 험준함. '險一'. '道一且長'《詩經》. 또, 험준한 곳. '周知其山林川澤之一'《周禮》. ②떨어질 조 멀리 떨어져 있음. '一隔'. '怨故鄕之一遼'《傅亮》. ③허덕거릴 조 괴로워함. '黎民一饑'《書經》. ④저상할 조 기가 꺾임. '氣一而志奪'《子華子》. ⑤막을 조 저지함. '一之以兵'《禮記》. ⑥의심할 조 의아하게 여김. '狂夫一之'《左傳》. ⑦의거할 조 의지함. '一邱而保威'《呂氏春秋》. ⑧믿을 조 남의 힘을 입어 든든함. '一兵而安忍'《左傳》. ⑨고난 조 고생. 고초. '弱冠逢世一'《陶潛》.
[字源] [篆文] 形聲. 阝(自)+且〔音〕. '且차·저·조'는 겹쳐 쌓이다의 뜻. 겹쳐 쌓인 언덕의 뜻에서 험하다, 떨어져 있다의 뜻을 나타냄.

[阻澗 조간] ㉠험준한 곳에 있는 시내. ㉡깊은 시내를 격(隔)함.
[阻艱 조간] 험준하여 허덕거림. 조난(阻難).
[阻隔 조격] 거리가 서로 떨어져 있음. 또, 격리함.
[阻固 조고] 견고한 방어 시설.
[阻難 조난] 험준하여 통행하기 곤란함.
[阻遼 조료] 멀리 떨어져 있음.
[阻脩 조수] 길이 멂.
[阻深 조심] 산이 험준하고 강이 깊음.
[阻阨 조애] 험하고 좁음. 또, 그 땅.
[阻礙 조애] 지장. 장애.
[阻折 조절] 험준하고 꼬불꼬불함.
[阻峻 조준] 험준(險峻)함.
[阻止 조지] 막음. 방해함.
[阻峭 조초] ㉠험준하게 하여 남이 가까이하지 못하게 함. ㉡험준함. 또, 그러한 곳.
[阻限 조한] 막혀 한계에 이름.
[阻害 조해] 방해함.
[阻險 조험] ㉠지세가 험준하여 방비하기에 든든함. ㉡지세가 험함. 또, 그곳.
●艱阻. 難阻. 妨阻. 崇阻. 猜阻. 深阻. 惡阻. 巖阻. 峻阻. 重阻. 天阻. 險阻. 廻阻.

5 ⑧ [阼] 조 [去]遇 昨誤切 zuò

[字解] ①섬돌 조 제사 등을 지낼 때에, 주인이 당(堂)에 올라가는 동편 층계. 중국의 당(堂)은 동서 양쪽에 각기 층계가 있어서, 손은 서쪽에서, 주인은 동쪽에서 올라감. '朝服而立於一階'《論語》. '踐一臨祭祀'《禮記》. ②보위 조 천자가 즉위하여 제사를 지내는데 동쪽 층계에서 올라가므로, 전(轉)하여 천자의 자리의 뜻이 되었음. 보조(寶祚). 지금은 '祚' 자를 많이 씀. '踐一而治'《禮記》. ③제육 조 胙(肉部 五畫)와 통용. '一俎, 羊肺一'《儀禮》.
[字源] [篆文] 形聲. 阝(自)+乍〔音〕. '乍자·작'은 작위(作爲), 만들다의 뜻. 작위를 가한 언덕의 뜻에서, 주인이 빈객을 접할 때 쓰는 '섬돌'의 뜻을 나타냄.

[阼階 조계] 동편 섬돌.
[阼俎 조조] 주인(主人)에 속(屬)하는 제육(祭肉).
●涖阼. 踐阼.

5 ⑧ [阽] 점(①염[本]) ①[平]鹽 余廉切 yán
②[去]豔 都念切 diàn

[字解] ①위태할 점 위험함. '爲天下一危'《漢書》. ②떨어뜨릴 점, 떨어질 점 위에서 밑의 위험한 곳으로 떨어지게 함. '一余身而危死兮'《楚辭》.
[字源] [篆文] 形聲. 阝(自)+占〔音〕. '占점'은 '點점'과 통하여 물방울이 똑똑 떨어지다의 뜻. 벽이 삭아서 무너져 내리려 하다의 뜻을 나타냄.

[阽危 점위] 대단히 위험함.

5 ⑧ [阿] [人名] [一] 아 [平]歌 烏何切 ē
[二] 옥 [入]屋 烏谷切 ā

[筆順] ㇇ 了 阝 阝一 阝丆 阝可 阝可 阿

[字解] [一] ①언덕 아 구릉. '順一而下'《司馬相如》. ②물가 아 수변(水邊). '天子飮于河水之一'《穆天子傳》. ③모퉁이 아 길모퉁이. '陽之一'《楚辭》. ④기슭 아 산기슭. '流目眺夫衡一兮'《張衡》. ⑤의지할 아 의뢰함. '一衡'. ⑥마룻대 아 마룻도리. '當一東面致命'《儀禮》. ⑦아름다울 아 미려한 모양. '隰桑有一'《詩經》. ⑧아첨할 아 아유함. '察一上亂法者'《呂氏春秋》. ⑨대답하는소리 아 건성으로 대답하는 소리. '唯之與一, 相去幾何'《老子》. ⑩성 아 성(姓)의 하나. [二] 호칭 옥 남을 부를 때 친근한 뜻을 나타내기 위하여 위에 붙이는 말. '一妹'. '一兄'. '家中有一誰'《古詩》.
[字源] [金文] [篆文] 形聲. 阝(自)+可〔音〕. '可가'는 갈고리 모양으로 굽다의 뜻. 언덕이 굽혀 들어간 곳의 뜻을 나타냄. 파생하여 자기의 기분을 굽혀서 따르다의 뜻을 나타냄.

[阿伽 아가] 《佛教》 부처에 올리는 정수(淨水). 알

가(閼伽).
[阿家 아가] 며느리가 시어머니를 부르는 말. 시어머님.
[阿伽陀 아가타]《佛敎》㉠진언 비밀(眞言祕密)의 영약(靈藥). 모든 독기(毒氣)를 없애 준다 함. ㉡술〔酒〕의 별칭.
[阿監 아감] 궁녀(宮女)를 단속하는 여관(女官).
[阿公 아공] ㉠며느리가 시아버지를 부르는 말. ㉡조부(祖父).
[阿嬌 아교] ㉠계집애. ㉡한무제(漢武帝)가 반한 미인(美人)의 이름. 전(轉)하여, 미인.
[阿膠 아교] 동물의 가죽·뼈 등을 고아 굳힌 황갈색의 접착제(接着劑).
[阿膠珠 아교주] 보제(補劑)·지혈제(止血劑) 따위로 쓰이는 갖풀.
[阿丘 아구] 한쪽이 높은 언덕.
[阿那 아나] ㉠유약(柔弱)한 모양. ㉡아리따운 모양.
[阿娜 아나] 아나(阿那).
[阿難 아난] 석가(釋迦)의 제자(弟子)로, 석가의 종형제(從兄弟). 석가 입멸(入滅) 후 경문 찬집(經文撰集)에 참여(參與)하고, 가섭(迦葉)에 이어 장로(長老)가 되었음.
[阿嬭 아내] 유모(乳母).
[阿女 아녀] 딸.
[阿耨多羅三藐三菩提 아누다라삼먁삼보리]《佛敎》㉠무상정편지(無上正遍智)·절대지자(絶對智者)의 뜻. ㉡부처의 최상(最上)의 지혜(智慧). ㉢부처의 지덕(智德)을 칭송하는 칭호.
[阿爹 아다] 아버지.
[阿黨 아당] 서로 아부하여 결합된 당여(黨與).
[阿堵 아도] ㉠이. 이것. ㉡눈동자. 안정(眼睛).
[阿堵物 아도물] 돈. 진(晉)나라 왕연(王衍)이 돈〔錢〕이라는 말을 입 밖에 낸 일이 없으므로, 그의 아내가 시험 삼아 돈을 상 옆에 놓아 두었던바, 연(衍)이 '阿堵物(저것의 뜻)'을 가져가라고 한 고사(故事)에서 나온 말.
[阿羅漢 아라한] ㉠소승 불교(小乘佛敎)의 수행자(修行者)가 오료 도달(悟了到達)하는 최고(最高)의 지위(地位). 또, 그러한 각자(覺者). 나한(羅漢). 진인(眞人). ㉡생사를 초월한 경지의 부처.
[阿蘭若 아란야]《佛敎》절. 사원.
[阿濫堆 아람퇴] 당(唐)나라의 현종(玄宗)이 지은 피리 곡명(曲名).
[阿媽 아마] 어머니. 또는 유모(乳母).
[阿摩 아마]《佛敎》여자 또는 어머니의 일컬음.
[阿媽港 아마항] 아오먼(澳門). 마카오.
[阿瞞 아만] ㉠위(魏)나라 조조(曹操)의 소자(小字). ㉡당(唐)나라의 현종(玄宗)의 유명(幼名).
[阿妹 아매] 여동생.
[阿母 아모] ㉠유모(乳母). ㉡어머니를 친근히 부르는 말.
[阿蒙 아몽] 아이를 이름.
[阿媚 아미] 아첨(阿諂).
[阿彌陀 아미타] 서방정토(西方淨土)의 부처의 이름.
[阿房宮 아방궁] 진시황(秦始皇) 35년 조궁(朝宮)을 위남(渭南)의 상림원(上林苑) 안에 지을 계획을 세우고, 그 전전(前殿)으로서 아방(阿房)에 지었던 궁전 이름. 산시 성(陝西省) 장안현(長安縣)에 그 유적이 있음.
[阿保 아보] 보호하여 기름. 또, 그 사람.
[阿父 아부] ㉠백숙부(伯叔父)를 친근하게 부르는 칭호. 또, 백숙부의 자칭(自稱). ㉡아버지를 친근하게 부르는 칭호.
[阿附 아부] 아첨하고 좇음.
[阿鼻 아비] 팔대 지옥(八大地獄)의 하나. 무간지옥(無間地獄)의 일컬음.
[阿鼻叫喚 아비규환] 아비지옥(阿鼻地獄)과 규환지옥(叫喚地獄). 전(轉)하여, 쉴 새 없이 고통을 받아 울부짖는 일.
[阿鼻地獄 아비지옥] 아비(阿鼻).
[阿奢 아사] 유모(乳母)의 남편의 일컬음.
[阿闍梨 아사리]《佛敎》㉠화상(和尙) 다음가는 중. ㉡스승이 되는 중. ㉢모범이 될 만한 사람.
[阿世 아세] 세인(世人)에 아첨함.
[阿誰 아수] 누구.
[阿修羅 아수라]《佛敎》싸움을 일삼는 인도(印度)의 귀신.
[阿僧祇 아승기]《佛敎》이루 헤아릴 수 없는 많은 수. 무수(無數).
[阿匼 아암] 아첨(阿諂).
[阿爺 아야] 아버지.
[阿翁 아옹] ㉠조부. ㉡며느리가 시아버지를 이르는 말.
[阿婉 아완] 아리따운 여자. 미녀.
[阿枉 아왕] 아첨하여 굽힘.
[阿吽 아운]《佛敎》㉠입을 열고 내는 소리와 입을 닫고 내는 소리. ㉡기식(氣息)의 출입(出入). ㉢밀교(密敎)에서, 일체 만법(一切萬法)의 시종(始終).
[阿魏 아위] 미나릿과에 속하는 다년생 약초. 또, 그 뿌리에서 나오는 진액으로 만든 약제.
[阿諛 아유] 아첨(阿諂).
[阿戎 아융] ㉠종제(從弟). ㉡남의 아들을 이름.
[阿邑 아읍] 아첨(阿諂).
[阿姨 아이] ㉠어머니의 자매. 이모(姨母). ㉡아내의 자매.
[阿姊 아자] 누이.
[阿字觀 아자관]《佛敎》범어(梵語)에서 모든 말은 '아' 음(音)에서 나오는 까닭에 아자(阿字)를 좌선(坐禪)하여 달관(達觀)하면 일체 제법(一切諸法)의 근본의(根本義)를 깨닫게 된다는 교의(敎義). 아자본불생(阿字本不生)의 관법(觀法).
[阿字本不生 아자본불생] 일체의 법(法)은 본래 무성(無性)이어서 종멸(終滅)하지 아니함.
[阿弟 아제] 아우. 동생.
[阿諂 아첨] 남의 환심(歡心)을 사기 위(爲)하여 알랑거림.
[阿婆 아파] 나이 먹은 부인(婦人)의 일컬음.
[阿片 아편] 익지 아니한 양귀비 열매의 진액을 말린 것. 마취제(痲醉劑) 또는 설사(泄瀉)·이질(痢疾) 등에 약으로 씀. 아편(鴉片).
[阿呀 아하] 놀라서 지르는 소리. 아이고머니.
[阿含 아함]《佛敎》석가(釋迦)가 설파한 교법(敎法). 곧, 소승교(小乘敎). 무비법(無比法).
[阿香車 아향차] 우레. 뇌신(雷神). 진(晉)나라의 아향(阿香)이라는 여자가 뇌차(雷車)를 밀었다는 고사(故事)에서 나온 말.
[阿兄 아형] 형. 가형(家兄).
[阿衡 아형] ㉠은(殷)나라의 이윤(伊尹)이 한 벼슬. 지금의 국무총리 같은 것. 아(阿)는 의뢰함, 형(衡)은 저울대로서 물건을 달 때 평평하게 되는 것. 천하 백성이 그에게 의뢰하여 공평·태평을 얻는다는 뜻. ㉡재상(宰相). ㉢이윤(伊尹)의 칭호.

[阿縞 아호] 산둥 성(山東省) 동아현(東阿縣)에 나는 고운 깁.
◉曲阿. 陪阿. 四阿. 山阿. 纖阿. 水阿. 顺阿. 崇阿. 巖阿. 迎阿. 中阿. 太阿. 偏阿.

5 ⑧ [陂] 人名 ━ 피 ①-③㊤支 彼爲切 bēi ④⑤㊣寘 彼義切 bì ━ 파 ㊤歌 滂禾切 pō

字解 ━ ①못 피 저수지. '毋漉一池'《禮記》. ②방죽 피, 둑 피 제방. '九澤旣一'《書經》. ③곁 피 옆. '騰雨師, 洒路一'《漢書》. ④기울어질 피 한쪽으로 쏠림. '無平不一'《易經》. ⑤간사할 피 바르지 아니함. '險一之衆'《漢書》. ━ ①비탈 파 산비탈. '山旁曰一'《釋名》. ②비탈질 파 경사진 모양. '登一陁之長阪兮'《司馬相如》. ③치우침 파 편파(偏頗). '無偏無一'《書經》.

字源 篆文 形聲. 阝(自)+皮[音]. '皮피'는 '波파'와 통하여 '물결'의 뜻. 물결이 밀어닥치는 '둑'의 뜻을 나타냄. 또 물결치는 언덕의 모양에서 '비탈'의 뜻을 나타냄.

[陂陁 파타] 비탈이 진 모양.
[陂陀 파타] 파타(陂陁).
[陂隤 파퇴] 무너짐. 퇴락함.
[陂曲 피곡] 편벽됨. 바르지 아니함.
[陂池 피지] 못. 방죽.
◉山陂. 長陂. 澤陂. 偏陂. 險陂.

5 ⑧ [附] 高人 부 ㊣遇 符遇切 fù

筆順 ㇇ 了 阝 阝' 阝⺊ 阝仁 附 附

字解 ①붙을 부 ㉠달라붙음. '一着'. '山一於地'《易經》. ㉡귀신이 붙음. '爲巫者, 鬼必一之'《譚子》. ㉢한편이 됨. 친밀히 함. '一於楚則晉怒, 一於晉則楚來伐'《史記》. ㉣좇아 따름. 종속(從屬)함. '一屬'. '百姓一'《淮南子》. '四夷未一'《王禹偁》. ㉤의탁함. 의지함. '一於諸侯'《孟子》. ②붙일 부 ㉠가까이 댐. '一耳之言, 聞於千里'《淮南子》. ㉡첨가함. '一錄'. '一加'. '別爲或問以一其後'《朱熹》. ㉢더함. 보탬. '益'. '一之以韓魏之家'《孟子》. ㉣줌. '一與'. '寄一'. '一書與六親'《杜甫》. ③합사할 부 祔(示部 五畫)와 통용. '大夫一于士'《禮記》. ④창자 부 腑(肉部 八畫)와 통용. '臣得幸託肺一'《漢書》. ⑤성 부 성(姓)의 하나.

字源 篆文 形聲. 阝(自)+付[音]. '付부'는 '封봉'과 통하여 흙을 쌓아 돋우다의 뜻. 흙을 쌓아 돋운 작은 산의 뜻을 나타냄. 또 '付부'와 통하여 '붙다'의 뜻을 나타냄.

[附加 부가] 덧붙임. 보탬.
[附加稅 부가세] 지방세(地方稅)의 한 가지.
[附加刑 부가형] 주형(主刑)에 덧붙여 과하는 형벌.
[附款 부관] 종속(從屬)하여 정의(情誼)를 통함.
[附近 부근] ㉠가까운 곳. 언저리. ㉡가까이 감.
[附記 부기] 본문에서 뜻이 다하지 아니한 때 거기에 붙이어 적음.
[附驥 부기] 부기미(附驥尾).
[附驥尾 부기미] 파리가 준마(駿馬) 꼬리에 붙어 천 리(千里)를 갈 수 있음과 같이, 후진(後進)이 선배(先輩)의 덕택으로 입신양명(立身揚名)함을 이름.
[附帶 부대] 덧붙어 따름.
[附錄 부록] ㉠본문에 덧붙인 기록(記錄). ㉡신문·잡지 등의 규정된 지면 외에 부가한 지면 또는 책자.
[附鳳翼 부봉익] 봉황(鳳凰)의 날개에 달라붙는다는 뜻으로, 영웅(英雄)을 따라서 공을 세움을 이름. 반용린(攀龍鱗).
[附比 부비] 붙어 따름.
[附設 부설] 부속(附屬)시켜 설치함.
[附屬 부속] 좇아 따름. 딸려 붙음. 주(主)된 사물에 소속되어 있음.
[附屬品 부속품] 어떤 물건에 딸린 물품.
[附隨 부수] 따름.
[附順 부순] 붙좇아 따름.
[附言 부언] 덧붙여서 말함. 또, 그 말.
[附與 부여] 줌. 부여(付與).
[附炎棄寒 부염기한] 권세를 떨칠 때에는 붙좇고 권세가 쇠하면 버리고 떠남. 인정의 경박(輕薄)함을 이름.
[附庸 부용] 천자(天子)에 직속(直屬)하지 못한 제후(諸侯)에 부속한 작은 나라.
[附疣 부우] 혹.
[附耳之言 부이지언] 귀에 대고 하는 말.
[附益 부익] ㉠더함. 보탬. ㉡봉토(封土)의 정한(定限)을 넘음.
[附子 부자] '오두(烏頭)'의 이칭(異稱). 바꽃.
[附葬 부장] 합장(合葬)함. 「쪽지.
[附箋 부전] 무엇을 표하거나 덧붙여 적어 넣은
[附着 부착] 딱 붙어서 떨어지지 아니함.
[附贅 부췌] 부췌 현우(附贅懸疣).
[附贅懸疣 부췌현우] 혹. 전(轉)하여, 무용지물.
[附託 부탁] 당부함.
[附合 부합] 서로 마주 대어 붙임.
[附化 부화] 귀화(歸化)함.
[附和 부화] 주견(主見)이 없이 경솔히 남의 설(說)에 찬성함.
[附和雷同 부화뇌동] 일정한 견식(見識)이 없이 남의 말에 찬성해 같이 행동함.
[附會 부회] ㉠관련이 없는 일을 합쳐 하나로 함. ㉡억지로 이치를 붙임.
◉降附. 景附. 高附. 歸附. 寄附. 內附. 來附. 毒附. 媚附. 攀附. 藩附. 朋附. 比附. 疏附. 送附. 承附. 新附. 阿附. 畏附. 依附. 倚附. 蟻附. 貼附. 添附. 招附. 親附. 便附. 肺附. 下附. 闔附. 和附. 還附. 驩附. 懷附.

5 ⑧ [阸] ━ 국 ㊀屋 居六切 jú ━ 외 ㊤灰 烏回切 jú

字解 ━ 물가언덕 국 물가 언덕의 바깥쪽. '曲岸水外曰一'《廣韻》. ━ 물굽이 외 물가의 굽어 들어간 곳. 隈(阜部 九畫)와 同字.

5 ⑧ [陀] 人名 타 ㊤歌 徒河切 tuó

字解 비탈질 타 '陂一'.

字源 形聲. 阝(自)+它[音]

參考 범어(梵語) ta, dha를 음역(音譯)하는 데 쓰이었음. '一羅尼'. '頭一'.

[陀羅經被 다라경피] 청조 시대(清朝時代)에 왕(王)이나 대신(大臣)이 죽었을 때 그 유해(遺

骸)를 장문(藏文)의 불경(佛經)을 박은 흰 비단으로 감은 일.
[陀羅尼 다라니]《佛教》 ㉠중덕(衆德)을 구비(具備)함의 일컬음. ㉡주문(呪文).
[陀羅尼呪 다라니주]《佛教》 경문(經文)의 제목 주문(題目呪文).
◉伽陀. 頭陀. 曼陀. 彌陀. 槃陀. 佛陀. 沙陀. 薛延陀. 首陀. 阿彌陀. 韋陀. 逶陀. 圍陀. 陂陀.

5 ⑧ [陁] 陀(前條)의 俗字

5 ⑧ [阸] 〔애·액〕
阨(阜部 四畫〈p. 2449〉)와 同字
[字源] 篆文 形聲. 阝(自)+戹〔音〕. '戹액'은 '좁다'의 뜻. 언덕과 언덕이 바싹 붙어 있어, 막히다, 좁다의 뜻을 나타냄.

5 ⑧ [陆] 〔륙〕
陸(阜部 八畫〈p. 2466〉)의 簡體字

5 ⑧ [际] 〔제〕
際(阜部 十一畫〈p. 2473〉)의 簡體字

5 ⑧ [阾] 령 [上]梗 里郢切 lǐng
[平]青 郞丁切 líng
[字解] ①고개 령 고개. '嶺, 阪也'《集韻》. ②고개 이름 령 고개 이름. '一, 巓一, 阪名'《集韻》.

6 ⑨ [陋] [人名] 루 [去]宥 盧候切 lòu
[字解] ①좁을 루 ㉠장소가 넓지 아니함. 협소함. '在一巷'《論語》. ㉡견문이 좁음. 도량이 작음. '固一'. '獨學而無友, 則孤一而寡聞'《禮記》. ②못생길 루 보기 흉함. '醜一'. '寢一'. '貌一心險'《唐書》. ③작을 루 키가 작음. '常自耻短一'《後漢書》. ④추할 루 더러움. '鄙一'. ⑤거칠 루 조악(粗惡)함. '衣裘器服, 皆擇其一'《宋書》. ⑥낮을 루 비천함. '寒一'. '今臣亡國賤俘, 至微至一'《李密》. ⑦성 루 성(姓)의 하나.
[字源] 篆文 形聲. 阝(自)+㔷〔音〕. '㔷루'는 '좁다'의 뜻. 산속에 있는 좁은 곳의 뜻을 나타냄.

[陋街 누가] 좁고 지저분한 거리.
[陋見 누견] ㉠좁은 견해. 천한 생각. ㉡자기 소견의 겸칭(謙稱).
[陋館 누관] 좁은 집. 자기 집의 겸칭(謙稱).
[陋短 누단] 키가 작음.
[陋劣 누렬] 누열(陋劣).
[陋薄 누박] 더럽고 옹색함.
[陋鄙 누비] 더러움. 천함.
[陋小 누소] 얼굴이 못생기고 키가 작음.
[陋俗 누속] 더러운 풍속(風俗). 천한 풍속.
[陋習 누습] 더러운 습관(習慣). 천한 풍습.
[陋識 누식] 좁은 식견(識見).
[陋室 누실] ㉠좁은 집 또는 방. ㉡누추한 집 또는 방.
[陋心 누심] 좁은 생각. 비루한 생각.
[陋劣 누열] 비열함.
[陋屋 누옥] ㉠좁은 집. 또는 누추한 집. ㉡자기 집의 겸칭(謙稱).
[陋愚 누우] 비루하고 어리석음.
[陋儒 누유] 식견이 좁은 유학자.
[陋族 누족] 신분이 비천한 집안. 천족(賤族).
[陋拙 누졸] 보기 흉하고 서투름.
[陋地 누지] 자기(自己)가 사는 곳의 겸칭(謙稱).
[陋質 누질] 비루한 성질.
[陋淺 누천] 비루하고 천박함. 견문이 좁고 생각이 얕음.
[陋賤 누천] 신분이 천함. 지위가 낮음.
[陋醜 누추] 더럽고 추악(醜惡)함.
[陋忠 누충] 천한 충성(忠誠). 곧 자기 충의(忠義)의 겸칭(謙稱).
[陋態 누태] 보기 흉한 꼴. 추태(醜態).
[陋風 누풍] 누속(陋俗).
[陋巷 누항] 누추하고 좁은 거리.
[陋巷井 누항정] 노(魯)나라 곡부 성내(曲阜城內)에 있는 안회(顏回)의 고지(故址).
◉固陋. 孤陋. 短陋. 單陋. 朴陋. 薄陋. 凡陋. 僻陋. 卑陋. 鄙陋. 貧陋. 褻陋. 俗陋. 闒陋. 阸陋. 隘陋. 野陋. 頑陋. 伧陋. 矮陋. 愚陋. 幽陋. 淺陋. 賤陋. 蕞陋. 醜陋. 側陋. 寢陋. 褊陋. 寒陋. 狹陋.

6 ⑨ [陌] [人名] [一] 맥 [入]陌 莫白切 mò
[二] 백
[字解] [一] ①길 맥 ㉠동서로 통하는 밭두둑 길. 남북으로 통하는 것은 '阡'이라 함. '始爲田開阡一'《史記》. ㉡가로(街路). 거리. '塡塞街一'《後漢書》. ②성 맥 성(姓)의 하나. [二] 일백 백 百(白部 一畫)과 통용. '今之數錢, 百錢謂之一者, 借一字用之'《夢溪筆談》.
[字源] 形聲. 阝(自)+百〔音〕. '百백'은 수가 많다의 뜻. 농토 사이에 통하는 많은 길의 뜻을 나타냄.

[陌刀 맥도] 큰 칼.
[陌頭 맥두] 길가. 길거리.
[陌上桑 맥상상] 악부(樂府)의 곡명(曲名). 초왕(楚王)이 진씨(秦氏)의 딸 나부(羅敷)의 아름다움을 탐내어 그녀를 빼앗으려다 그가 맥상상(陌上桑)의 노래를 지어 이를 거절한 데서, 여자의 굳은 정조(貞操)의 뜻으로 쓰임.
[陌上塵 맥상진] 거리의 먼지. 정착하지 아니하고 떠돌아다님의 비유.
[陌上花 맥상화] 길거리에 피는 꽃. 아름다운 것이 버림을 받음의 비유.
[陌阡 맥천] 천맥(阡陌).
◉街陌. 畎陌. 郊陌. 綺陌. 省陌. 繡陌. 御陌. 連陌. 紫陌. 畛陌. 阡陌. 青雲紫陌. 巷陌.

6 ⑨ [降] [中人] [一] 항 [平]江 下江切 xiáng
[二] 강 [去]絳 古巷切 jiàng
[筆順] 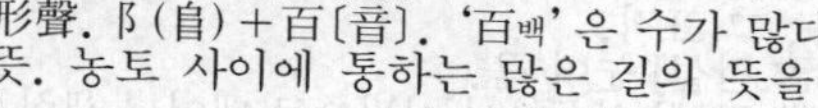
[字解] [一] ①항복할 항 적에게 굴복함. '一將'. '成一于齊師'《左傳》. 전(轉)하여, 자기 몸을 굽힘. 굴복함. '終不一屈'《後漢書》. ②항복받을 항 '一之者何. 取之也'《公羊傳》. ③떨어질 항 나는 새가 떨어져 죽음. '羽鳥曰一'《禮記》. ④가라앉을 항 마음이 침착하여짐. '我心則一'《詩經》. ⑤성 항 성(姓)의 하나. [二] 내릴 강 ㉠높은 곳이나 자리에서 낮은 데로 옮음. '一丘宅土'《書經》. '出一一等'《論語》. ㉡공중에서 떨어짐. '一雪'. '如時雨一. 民大悅'《孟子》. ㉢위에서 옴. 내려옴. '祥瑞之一, 以應有德'《後漢書》. ㉣

시간이 가서 후세에 이름. '秦漢以一'《韓愈》. '一及開元中姦邪撓經綸'《李商隱》. ⓜ이상의 타동사. '一等'. '天一淫雨'《說苑》. ⓗ하사(下賜)함. '一衷'. '一福'. '釐一二女于嬀汭'《書經》.

字源 甲骨文 金文 篆文 夅의 篆文 形聲. 阝(自)+夅〔音〕. '夅항'은 아래로 향한 발 두 발짝으로 '내려가다'의 뜻. 사다리를 내려가는 모양에서 '내려가다'의 뜻을 나타냄. 《說文》에서는 '내려가다'의 뜻으로 '降'을, '항복'의 뜻으로는 '夅'을 쓰고 있지만, 甲骨文, 金文에서는 모두 '降'을 씀.

[降嫁 강가] 황족(皇族)으로서 신하(臣下)에게로 시집감.
[降鑒 강감] 신령(神靈)이 하늘에서 인간계(人間界)의 일을 내려다봄.
[降格 강격] 신령이 하늘에서 내려옴.
[降旗 강기] 기를 내림.
[降年 강년] 신령에게서 받은 목숨. 품명(稟命).
[降等 강등] 등급(等級)을 내림.
[降臨 강림] 신(神)이 하늘에서 내려옴.
[降服 강복] 자기에게 해당하는 상복(喪服)에서 한 등 내림. 또, 그 상복.
[降福 강복] 하늘이 행복을 내려 줌. 또, 그 내려 주는 행복.
[降霜 강상] 서리가 내림. 또, 내린 서리.
[降生 강생] 성현(聖賢)·영웅(英雄) 들이 탄생함.
[降恕 강서] 강유(降宥).
[降瑞 강서] 하늘이 상서로운 표적을 내려 주는 일. 또, 그 표적.
[降雪 강설] 눈이 옴.
[降世 강세] 신(神)이 사람으로 태어나 세상(世上)에 내려옴.
[降損 강손] 떨어뜨려 덞.
[降殺 강쇄] 등급(等級)을 따라 내리 깎음.
[降衰 강쇠] 차차 쇠약(衰弱)하여짐.
[降神 강신] ㉠신(神)이 내림. ㉡신(神)의 내림(來臨)을 빎.
[降雨 강우] 비가 내림.
[降宥 강유] 형벌의 등급을 내려 용서함.
[降挹 강읍] 겸손함.
[降意 강의] ㉠향의(向意)함. 좋아함. ㉡겸손함.
[降陟 강척] 내림과 오름. 또, 내림과 올림.
[降黜 강출] 관등(官等)을 내려 물리침.
[降衷 강충] ㉠하늘이 사람에게 중정(中正)의 덕을 부여함. ㉡하늘이 좋은 일을 내려 줌.
[降誕 강탄] 귀현(貴顯) 또는 비범(非凡)한 인물이 탄생함.
[降下 강하] 아래로 내림.
[降婚 강혼] 문벌(門閥)이 높은 사람이 낮은 사람과 혼인(婚姻)함.
[降屈 항굴] 자기 몸을 낮추어 절개를 굽힘.
[降旗 항기] 항복하는 표시로서 드는 기.
[降虜 항로] 항복한 포로. 항복한 적.
[降魔劍 항마검] 《佛教》 부동명왕(不動明王)이 가진 악마를 항복시키는 칼.
[降北 항배] 전쟁에 져서 항복하거나 달아남.
[降旛 항번] 항기(降旗).
[降兵 항병] 항복(降服)한 군사(軍士).
[降伏 항복] ㉠적에게 굴복함. ㉡《佛教》 악마 등을 제어함. ㉢《佛教》 상대방의 자신을 꺾어 신복(信服)시킴.
[降服 항복] ㉠옷을 벗고 사죄함. ㉡항복(降伏).
[降附 항부] 항복하여 굴종(屈從)함.
[降三世 항삼세] 《佛教》 탐(貪)·진(瞋)·치(癡)의 삼독(三毒)을 항복받아 동방(東方)을 지키는 명왕(明王). 분노(忿怒)의 상(相)을 한 삼면 팔수(三面八手)의 불신(佛神)임.
[降書 항서] 항복(降服)하는 뜻을 기록하여 적(敵)에게 보내는 글.
[降意 항의] 항복하고자 함.
[降人 항인] 항복한 사람.
[降將 항장] 항복(降服)한 장수(將帥).
[降卒 항졸] 항병(降兵).
[降表 항표] 항복하고 올리는 표문(表文).
[降戶 항호] 항복한 적(敵)의 집. 또, 그 가족.
◉減降. 躅降. 歸降. 內降. 登降. 譬降. 霜降. 昇降. 乘降. 嶽降. 以降. 釐降. 左降. 陟降. 招降. 沈降. 投降. 貶降. 下降. 脅降. 滑降.

6 ⑨ [限] 中人 한 ㊤濟 胡簡切 xiàn

筆順 ㇇ 了 阝 阝᠆ 阝ヨ 阳 限 限

字解 ①지경 한 경계. '一界'. '使不得出疆一'《釋名》. ②문지방 한 문 밑을 받친 하방의 부분. '都人踏破鐵門一'《蘇軾》. ③한정 한 정도. '無一'. '無一度'《史記》. ④기한 한 한정한 때. '年一'. '日一'. ⑤지경지을 한 경계를 이룸. '天一內外'《郭璞》.

字源 金文 篆文 形聲. 阝(自)+艮(𥃩)〔音〕. '𥃩흔·안'은 어떤 범위 안에 머무르다의 뜻. 언덕 등에서 어떤 범위를 한정하다, 또 그 한계의 뜻을 나타냄.

[限界 한계] ㉠땅의 경계. ㉡사물의 정해 놓은 범위.
[限局 한국] 범위를 제한함.
[限期 한기] 한정(限定)한 기한(期限).
[限內 한내] 기한(期限) 안. 한정(限定)한 그 안.
[限度 한도] ㉠한정함. ㉡일정(一定)한 정도(程度).
[限量 한량] 일정한 분량(分量).
[限命 한명] 하늘이 정(定)한 목숨.
[限死 한사] 죽기까지 한정(限定)함.
[限礙 한애] 한계를 지어 막음.
[限列 한열] 조령(條令)을 만들어 한금(限禁)을 정함.
[限外 한외] 기한(期限) 밖. 한정(限定) 밖.
[限前 한전] 기한전(期限前).
[限定 한정] 한(限)하여 정함.
[限定版 한정판] 서적(書籍)을 몇 부(部) 제한(制限)하여 내는 출판(出版).
[限制 한제] 제한(制限)함.
◉刻限. 疆限. 界限. 局限. 權限. 極限. 期限. 無限. 門限. 分限. 上限. 壽限. 時限. 涯限. 量限. 年限. 有限. 日限. 節限. 定限. 程限. 制限. 際限. 齊限. 阻限. 準限. 品限. 下限. 戶限.

6 ⑨ [陒] 희 ㊥支 虛宜切 guǐ

字解 험할 희 평탄하지 아니함. '業因勢而抵一'《漢書》.

字源 垝의 別體 形聲. 阝(自)+危〔音〕

◉抵陒.

6 ⑨ [陡] ㊀ 홍 ㊥東 胡公切 hóng
㊁ 공 ㊤送 古送切
字解 ㊀ 산이름 홍 산 이름. '一, 從一, 山名'《集韻》. ㊁ 산이름 공 ㊀과 뜻이 같음.

6 ⑨ [陔] 해 ㊥灰 古哀切 gāi
字解 ①층계 해 계단. '一壇三一'《漢書》. ②층해 천상 세계의 계층(階層). '九一'(구천(九天)). ③풍류이름 해 연음(燕飮)의 끝에 아뢰는 음악. '賓出奏一'《儀禮》.
字源 篆文 形聲. 阝(自)+亥〔音〕

◉九陔. 奏陔.

6 ⑨ [陶] 〔도〕
陶(阜部 八畫〈p. 2465〉)와 同字

6 ⑨ [陏] 타 ㊤哿 徒火切 duò
字解 풀열매 타 만생(蔓生)의 열매. 오이. '果一'《史記》.

◉果陏.

6 ⑨ [陕] 홍 ㊥東 胡公切 hóng
字解 구덩이 홍 구덩이. 땅 구멍. '一, 博雅, 一坑也'《集韻》.

6 ⑨ [陑] 이 ㊥支 如之切 ér
字解 땅이름 이 산시 성(山西省) 융지 현(永濟縣) 남쪽에 있는 땅 이름. '伊尹相湯伐桀, 升自一'《書經 序》.
字源 形聲. 阝(自)+而〔音〕

6 ⑨ [陝] 이 ㊥支 延知切 yí
字解 ①험할 이 험(險)함. ②땅이름 이 '一, 地名'《玉篇》.
字源 形聲. 阝(自)+夷〔音〕

6 ⑨ [陎] 〔타〕
垛(土部 六畫〈p. 443〉)와 同字

6 ⑨ [陎] 陎(前條)와 同字

6 ⑨ [陊] ㊀ 치 ㊤紙 池爾切 duò
㊁ 타 ㊤哿 徒可切 duò
字解 ㊀ ①무너질 치 조금 무너짐. 阤(阜部 三畫)와 同字. '一, 壞也'《廣韻》. ②언덕 치 물가의 언덕. ㊁ ①떨어질 타 '一, 落也'《說文》. ②무너질 타 조금 무너짐. ③비탈내려올 타 비탈을 내려가는 모양. '一, 下坂皃'《廣韻》.
字源 篆文 形聲. 阝(自)+多〔音〕. '墮타'와 통하여 '떨어지다, 깨지다'의 뜻을 나타냄.

6 ⑨ [陖] 〔양〕
陽(阜部 九畫〈p. 2468〉)과 同字

6 ⑨ [除] 〔음〕
陰(阜部 八畫〈p. 2460〉)과 同字

6 ⑨ [陜] ㊀ 陜(阜部 七畫〈p. 2458〉)의 俗字·簡體字
㊁ 陜(阜部 七畫〈p. 2458〉)의 古字

6 ⑨ [陊] 각 ㊇藥 剛鶴切 gè
㊇陌 各額切
字解 사람이름 각 사람 이름. '一, 闕, 人名'《集韻》.

6 ⑨ [陔] 〔광〕
垙(土部 六畫〈p. 444〉)과 同字

7 ⑩ [陖] 준 ㊦震 私閏切 jùn
字解 가파를 준 峻(山部 七畫)과 同字. '徑一赴險'《司馬相如》.
字源 篆文 形聲. 阝(自)+夋〔音〕. '峻준'과 통하여 '가파르다'의 뜻을 나타냄.

7 ⑩ [陗] 초 ㊦嘯 七肖切 qiào
字解 가파를 초, 급할 초 峭(山部 七畫)와 同字. '爲人一直刻深'《漢書》.
字源 篆文 形聲. 阝(自)+肖〔音〕. '肖초'는 잘게 깎다의 뜻. 깎아 낸 듯이 험하고 높은 곳의 뜻을 나타냄.

[陗直 초직] 성급하여 남을 용납하지 아니함. 초직(峭直).

7 ⑩ [陪] ㊀ 곡 ㊇沃 古沃切 kū
㊇屋 空谷切
㊁ 고 ㊦號 古到切
字解 ㊀ 큰언덕 곡, 언덕이름 곡 '一, 大自也. 一曰, 右扶風郿有一自'《說文》. ㊁ 큰언덕 고, 언덕이름 고 ㊀과 뜻이 같음.
字源 形聲. 阝(自)+告〔音〕

7 ⑩ [陘] 〔한〕
限(阜部 六畫〈p. 2456〉)의 本字

7 ⑩ [陘] 형 ㊥青 戶經切 xíng 陉
字解 ①지레목 형 산줄기가 끊어진 곳. '山絶一'《爾雅》. ②비탈 형 산비탈. '華山窮絶一'《韓愈》. ③부뚜막 형 아궁이 위에 솥이 걸린 주위. '東面設主於竈一'《禮記 註》. ④성 형 성(姓)의 하나.
字源 篆文 形聲. 阝(自)+巠〔音〕. '巠경'은 '곧다'의 뜻. 산맥(山脈)이 곧게 끊어진 곳의 뜻을 나타냄.

◉井陘. 竈陘.

7 ⑩ [陛] 人名 폐 ㊤薺 傍禮切 bì
筆順 ㇇ 了 阝 阝 阝' 阝ᅡ 阝比 陛
字解 섬돌 폐, 층계 폐 ㉠궁전에 올라가는 돌층

계. '以次進至一'《史記》. ㉡높은 곳으로 올라가는 계단. '擧傑壓一'《楚辭》.
[字源] [篆文] 形聲. 阝(自)+坒〔音〕. '坒비·폐'는 쌓아 놓은 흙이 연하여 있다의 뜻. '自부'는 '층계'의 뜻. 나란히 연하여 있는 섬돌의 뜻을 나타내며, 특히 궁전의 층계의 뜻을 나타냄.

[陛戟 폐극] 창을 가지고 섬돌 밑에서 지킴. 또 그 군사.
[陛覲 폐근] 폐현(陛見).
[陛對 폐대] 폐현(陛見).
[陛楯 폐순] 방패를 가지고 섬돌 밑에서 지킴. 또 그 군사.
[陛列 폐열] 섬돌 아래에 늘어섬.
[陛衛 폐위] 궁중의 섬돌 밑을 지키는 군사.
[陛坐 폐좌] 천자의 좌석의 곁.
[陛陛 폐폐] 많이 겹쳐 늘어선 모양.
[陛下 폐하] ㉠섬돌 아래. ㉡원은 제후(諸侯)의 존칭. 진시황(秦始皇) 이후에는 오로지 천자(天子)의 존칭. 직접 천자를 지칭함을 피하고 섬돌 밑에 선 호위병을 부르는 뜻.
[陛賀 폐하] 섬돌 밑에서 하례(賀禮)함.
[陛見 폐현] 폐하에게 알현(謁見)함.
◉階陛. 宮陛. 禁陛. 納陛. 丹陛. 飛陛. 玉陛. 殿陛. 天陛.

7 ⑩ **[陜]** 협 [入]洽 侯夾切 xiá

[字解] 좁을 협 狹(犬部 七畫)과 同字. '陒一且百里'《漢書》.
[字源] [篆文] 形聲. 阝(自)+夾〔音〕. '夾협'은 '끼다'의 뜻. 산과 산 사이에 끼인 좁은 곳의 뜻을 나타냄.
[參考] 陝(次條)은 別字.

[陜隘 협애] 좁음. 협애(狹隘).
◉陒陜.

7 ⑩ **[陝]** [人名] 섬 [上]琰 失冉切 shǎn

[字解] ①땅이름 섬 괵(虢)나라의 고지(故地). 지금의 허난 성(河南省) 섬현(陝縣). '自一而東者周公主之, 自一而西者召公主之'《公羊傳》. ②성 섬 성(姓)의 하나.
[字源] [篆文] 形聲. 阝(自)+夾〔音〕
[參考] 陜(前條)은 別字.

[陝府鐵牛 섬부철우] 섬주(陝州)에 있는 철제(鐵製)의 거대한 소. 부동(不動)의 예(例)로 쓰임.
[陝西 섬서] 중국 서북부의 성(省). 성도(省都)는 시안(西安). 황토 지대(黃土地帶)이며 대체로 고원과 산악임. 기후가 온화하고 우량이 적음.
[陝輸 섬수] 침착하지 아니한 모양.

7 ⑩ **[陞]** [人名] 승 [平]蒸 識蒸切 shēng

[筆順] ㇇ 了 阝 阝 阝⁻ 阡 阩 陞
[字解] ①오를 승, 올릴 승 升(十部 二畫)과 同字. '一龍'《爾雅》. ②성 승 성(姓)의 하나.
[字源] 形聲. 阝(自)+土+升〔音〕. '升승'은 '오르다'의 뜻. 흙으로 쌓인 언덕을 오르다의 뜻을 나타냄.

[陞降石 승강석] 섬돌.
[陞官圖 승관도] 쌍륙(雙六) 비슷한 유희(遊戲) 제구의 하나. 대소(大小)의 관위(官位)를 지상(紙上)에 써 벌이고 주사위를 던져서 위(位)의 승강(升降)을 헤아려 승부를 결정함. 당(唐)나라 이합(李郃)의 고안(考案)임.
[陞級 승급] 등급(等級)이 오름.
[陞敍 승서] 벼슬을 올림.
[陞任 승임] 승직(陞職).
[陞職 승직] 벼슬이 오름.
[陞進 승진] 지위가 오름.
[陞獻 승헌] 올림. 바침.

7 ⑩ **[陟]** [人名] 척 [入]職 竹力切 zhì

[筆順] ㇇ 了 阝 阝' 阝⁺ 阝止 阝步 陟
[字解] ①오를 척 ㉠높은 곳으로 올라감. '登一'. '鬱紆一高岫'《魏徵》. ㉡높은 자리에 나아감. '汝一帝位'《書經》. ②올릴 척 관작을 올림. '黜一'. '姦人附勢, 我將一之, 直士抗言, 我將黜之'《王禹偁》.
[字源] [甲骨文] [金文] [篆文] [古文] 會意. 阝(自)+步. '自부'는 단(段)을 이루고 있는 고지의 象形. '步보'는 '걷다'의 뜻. 언덕을 오르다의 뜻을 나타냄.

[陟降 척강] ㉠오름과 내림. 또, 올림과 내림. ㉡혹은 하늘에 올라가고 혹은 인간계로 내려옴.
[陟降晦明 척강회명] 높은 데에 오르면 사방이 환하게 보이고, 낮은 곳으로 내려가면 음회(陰晦)해서 어두움. 척명 강회(陟明降晦).
[陟屺 척기] 시경(詩經) 척호편(陟岵篇)의 '陟彼岵兮, 瞻望父兮, 陟彼屺兮, 瞻望母兮'에서 나온 말로 뜻이 '척호(陟岵)'와 같음.
[陟方 척방] 하늘에 오른다는 뜻으로, 천자(天子)의 죽음. 승하(昇遐).
[陟罰 척벌] 관위를 올려 상 줌과 관위를 내려 벌 줌.
[陟升 척승] 높은 데 올라감.
[陟岵 척호] 시경(詩經)의 척호편(陟岵篇)은 효자가 먼 곳으로 부역을 가서 산에 올라 부모를 사모하는 정을 읊은 시(詩)이므로, 고향의 부모를 그리워함을 이름. '척기(陟屺)' 참조(參照).
[陟岵思 척호사] 고향의 부모를 그리워하는 마음.
◉降陟. 濫陟. 登陟. 攀陟. 昇陟. 仰陟. 優陟. 進陟. 絀陟. 黜陟.

7 ⑩ **[陚]** [一] 부 [去]遇 方遇切 fù
[二] 무 [上]麌 罔甫切 wǔ

[字解] [一] ①언덕이름 부 '一, 丘名'《說文》. ②작은언덕 부 '一, 小阜'《玉篇》. [二] 들 무 평원(平原). '一, 平原'《集韻》.
[字源] 形聲. 阝(自)+武〔音〕

7 ⑩ **[陡]** 두 [上]有 當口切 dǒu

[字解] ①가파를 두 경사가 깎아지른 듯이 급함. '一上捩孤影'《杜甫》. ②갑자기 두 돌연(突然). '一然'.

字源 會意. 阝(自)＋走

[陡然 두연] 갑자기. 돌연.

7 ⑩ [院] 高人 원 去霰 王眷切 yuàn

筆順 ㇇ 阝 阝' 阝' 阝宀 阝完 院

字解 ①담 원 담장. '一內奚奴調馬'《黃允文》. ②집 원 ㉠주위에 담을 두른 저택. '作丘王一'《唐書》. ㉡도사(道士)의 거소. '道一'. '看一祇留雙白鶴'《白居易》. ㉢유학자의 거소. '白鹿書一在廬山'《方隅勝略》. 전(轉)하여, 학교. '書一'. '大學一'. ③절 원 승려의 거소. '寺一'. '僧一'. '老僧分半一, 與汝同住'《傳燈錄》. ④마을 원 관성(官省). 관청. '翰林一'. '以金蓮花炬送歸一'《唐書》.

字源 篆文 形聲. 阝(自)＋完〔音〕. '完완'은 '垣원'과 통하여 집 둘레의 토담의 뜻. 견고한 담의 뜻을 나타냄.

[院公 원공] 중국 소설에서 하인·종의 일컬음.
[院落 원락] 울을 두른 집.
[院本 원본] 각본(脚本).
[院主 원주] 주지(住持).
[院畫 원화] 송(宋)나라의 선화 연간(宣和年間)에 조정의 화원(畫院)에서 그린 그림.
◉諫院. 監査院. 孤兒院. 貴族院. 禁院. 棋院. 臺院. 大學院. 道院. 登院. 法院. 別院. 病院. 本院. 分院. 寺院. 山院. 産院. 上院. 書院. 禪院. 小院. 僧院. 審計院. 養老院. 幽院. 醫院. 議院. 尼院. 入院. 庭院. 竹院. 樞密院. 退院. 下院. 學院. 翰林院. 抗訴院. 香火院. 畫院. 後院.

7 ⑩ [陣] 高人 진 去震 直刃切 zhèn

筆順 ㇇ 阝 阝 阝一 阝𠀆 阝百 阝亘 陣

字解 ①진 진 ㉠군대의 대를 지어 늘어선 줄. '前一'. '未整一'《左傳》. 전(轉)하여, 사물의 늘어선 줄. '雁一'. ㉡군사가 머물러 둔(屯)을 친 곳. 둔영(屯營). '一營'. '攻其前垣陷兩一'《漢書》. ②진칠 진 진을 베풂. '使萬人先行出, 背水一'《史記》. ③싸움 진 전쟁. '親臨一督戰'《南史》. ④한바탕 진 한 번 일이 벌어진 판. '一一淸風'. '一一涼從雨後生'《李獻甫》.

字源 形聲. 본디 '敶진'으로 攴(攵)＋陳〔音〕. '陳진'은 阝(自)＋木＋申〔音〕. '申신'은 '뻗다'의 뜻. 똑바로 뻗은 대열(隊列)의 뜻을 나타냄. 뒤에 '攴복'이 생략되고 木＋申이 '車차'로 변형되어 '陣'의 자형이 됨.

[陣刀 진도] 진중(陣中)에서 쓰는 칼. 군도(軍刀).
[陣纛 진도·진독] 전쟁 때 쓰는 기(旗).
[陣頭 진두] 진(陣)의 맨 앞.
[陣壘 진루] 진(陣)을 친 곳.
[陣亡 진망] 전쟁터에서 죽음. 전사(戰死)함.
[陣沒 진몰] 진망(陣亡).
[陣歿 진몰] 진망(陣亡).
[陣門 진문] 진영(陣營)의 문. 군문(軍門).
[陣法 진법] 진을 치는 법(法).
[陣上 진상] 진중(陣中).
[陣勢 진세] ㉠진(陣)의 세력. ㉡진 친 형세.
[陣首 진수] 진두(陣頭).
[陣營 진영] 진을 친 곳. 진(陣).
[陣伍 진오] 군대의 대오(隊伍).
[陣雲 진운] ㉠구름이 뭉게뭉게 올라 진(陣)의 형상을 한 것. ㉡싸움터에 뜬 구름.
[陣場 진장] 싸움터. 전장(戰場).
[陣中 진중] ㉠진 가운데. ㉡싸우는 사이.
[陣地 진지] 진을 친 터.
[陣陣 진진] ㉠자꾸 불거나 풍겨 오는 모양. ㉡여러 떼.
[陣哨 진초] 진에서 보초를 서는 사람. 보초병.
[陣痛 진통] 어린애를 낳을 때 주기적으로 오는 아픈 증세.
[陣行 진항] 군대의 항오(行伍).
[陣後 진후] 진(陣)의 뒤. 군대의 뒤.
◉強陣. 凱陣. 堅陣. 軍陣. 奇陣. 論陣. 對陣. 文陣. 方陣. 背水陣. 兵陣. 報道陣. 先陣. 鵶陣. 雁陣. 魚麗陣. 魚鱗陣. 完陣. 圓陣. 戎陣. 一陣. 敵陣. 戰陣. 正正之旗堂堂之陣. 着鎧入之陣. 出陣. 八陣. 布陣. 筆陣. 鶴陣. 香圍粉陣. 蝴蝶陣. 圜陣. 後陣.

7 ⑩ [除] 中人 ㊀ 제 平魚 直魚切 chú ㊁ 여 平魚 羊諸切 shū

筆順 ㇇ 阝 阝 阝人 阝亼 阝今 阝余 除

字解 ㊀ ①섬돌 제, 층계 제 궁전의 계단. '玉一形庭'《班固》. ②뜰 제 문 안의 마당. '庭一'. '扶輦下一'《漢書》. ③덜 제 ㉠없애 버림. '一去'. '一惡務本'《書經》. ㉡베거나 죽여 없앰. '蔓草猶不可一'《左傳》. ㉢폐기함. '一挾書之禁'《十八史略》. ㉣깨끗이 하여 먼지 따위가 없게 함. '掃一'. '請得一宮'《史記》. ④다스릴 제 손질함. '以一戎器, 戒不虞'《易經》. ⑤벼슬줄 제 임관함. '一授'. '一任'. '卿一吏盡未'《十八史略》. ⑥나눌 제 제함. '法一之'《漢書》. ⑦나눗셈 제 '一算'. '加減乘一'. ㊁ 사월(四月) 여 '日月方一'《詩經》.

字源 篆文 形聲. 阝(自)＋余〔音〕. '自부'는 층이 있는 고지 '계단'의 뜻. '余여'는 '뻗다'의 뜻 궁전에 뻗어 있는 섬돌의 뜻을 나타냄. 또 '余'는 자유롭게 뻗어 가는 제초구(除草具)의 象形으로, '제거하다'의 뜻을 나타냄.

[除月 여월] 음력 4월의 별칭(別稱).
[除却 제각] 제거(除去).
[除減 제감] 수효(數爻)를 덜어 냄.
[除去 제거] 덜어 버림. 없애 버림.
[除官 제관] 새로운 관(官)에 임명함.
[除隊 제대] 현역병의 복무 면제.
[除禮 제례] 식례(式禮)를 덜어 버림.
[除幕式 제막식] 동상 또는 비석 등을 세울 때 둘러쳤던 막을 걷고 거행하는 낙성식.
[除陌 제맥] 당대(唐代)에 물품을 매매하는 경우에 쌍방에 1백분의 5씩 도합 1할(割)을 부과하던 세법.
[除陌錢 제맥전] 제맥(除陌).
[除免 제면] 벼슬을 면(免)함. 면관(免官).
[除滅 제멸] 멸하여 없애 버림. 근절(根絕)함.
[除名 제명] 명부에서 성명(姓名)을 빼어 버림. 어

떤 사람을 그가 속하는 어떤 단체에서 내쫓음.
[除目 제목] 관리 임면(任免)의 조서(詔書).
[除拜 제배] 제수(除授).
[除百事 제백사] 다른 일을 다 제쳐 놓음.
[除煩 제번] 편지(便紙)의 첫머리에 쓰는 말. 여러 가지 번거로운 것을 덜어 버리고 할 말만 적는다는 뜻.
[除番 제번] 번차례를 면하여 그만둠.
[除伐 제벌] 숲을 가꾸기 위하여 필요하지 않은 나무나 나뭇가지를 베어 버림.
[除法 제법] 나눗셈.
[除服 제복] 거상(居喪)을 벗음. 탈복(脫服).
[除喪 제상] 제복(除服).
[除夕 제석] ㉠섣달 그믐날 밤. ㉡동지(冬至)의 전날 밤.
[除召 제소] 임관(任官)하기 위해서 부름을 받음.
[除授 제수] 관직을 줌. 임관함.
[除夜 제야] 제석(除夕).
[除外 제외] 범위(範圍) 밖에 두어 빼어 놓음.
[除月 제월·여월] ㉠음력 12월의 별칭(別稱). ㉡'여월(除月)'을 보라.
[除日 제일] 섣달 그믐날.
[除殘 제잔] ㉠악을 제거함. ㉡집 안의 먼지를 떪.
[除籍 제적] 호적·학적 등에서 제명함.
[除翦 제전] 베어 제거함.
[除此以外 제차이외] 이 외에. 그 밖에.
[除蟲 제충] 해충(害蟲)을 없애 버림.
[除蟲菊 제충국] 국화과에 속하는 다년초. 꽃을 말려서 해충(害蟲)을 죽이는 약(藥)으로 씀.
◉建除. 蠲除. 階除. 禊除. 控除. 驅除. 免除. 反除. 防除. 拜除. 排除. 辟除. 復除. 糞除. 祓除. 削除. 芟除. 洗除. 歲除. 消除. 掃除. 修除. 乘除. 刈除. 攘除. 瘞除. 剗除. 剪除. 切除. 庭除. 振除. 剔除. 滌除. 淸除. 盪除. 解除.

7 ⑩ [陋] 〔루〕
陋(阜部 六畫〈p.2455〉)의 本字

7 ⑩ [陵] 〔릉〕
陵(阜部 八畫〈p.2464〉)의 略字

7 ⑩ [陥] 〔극〕
隙(阜部 十畫〈p.2473〉)과 同字

7 ⑩ [陷] 〔함〕
陷(阜部 八畫〈p.2466〉)의 略字

8 ⑪ [陪] 人名 배 ㊥灰 薄回切 péi

筆順 ㇇ 了 阝 阝' 阝ᅩ 阝立 陪 陪

字解 ①모실 배 시종(侍從)함. '一乘'. '一嘉宴於秋夕'《顧野王》. 또, 시종하는 사람. '以無一無卿'《詩經》. ②도울 배 보좌함. '秉德以一朕'《史記》. ③더할 배 보탬. '一鼎'. '分之土田一敦'《左傳》. ④배신 배 신하의 신하. 천자(天子)에 대한 제후(諸侯)의 신하 따위. '一臣執國命'《論語》.

字源 篆文 形聲. 阝(自)+音〔音〕. '音부'는 '倍배'와 통하여 갑절이 되다의 뜻. 이중의 언덕의 뜻에서 더하다, 겹치다의 뜻을 나타냄.

[陪客 배객] 배빈(陪賓).
[陪京 배경] 배도(陪都).
[陪哭 배곡] 남을 따라 곡(哭)을 함.
[陪觀 배관] 웃어른을 모시고 한자리에서 구경함.
[陪堂 배당] ㉠《佛敎》 승당(僧堂)의 외당(外堂)에서 배식(陪食)하는 객승(客僧). ㉡거지.
[陪臺 배대] 배복(陪僕).
[陪都 배도] 국도(國都) 외에 따로 정한 서울. 명(明)나라의 금릉(金陵), 청(淸)나라의 심양(瀋陽) 따위.
[陪敦 배돈] 더 주어 한층 후하게 함.
[陪鑾 배란] 천자의 수레에 붙어 따라감. 수란(隨鑾).
[陪隷 배례] 배복(陪僕).
[陪僚 배료] 배복(陪僕).
[陪拜 배배] 귀인을 따라 절함. 또는 주객(主客)이 함께 나란히 절함.
[陪僕 배복] 하인. 종.
[陪賓 배빈] 귀인(貴人)을 모시고 한자리에 참여하는 손. 배객(陪客).
[陪席 배석] 어른과 자리를 같이함.
[陪承 배승] 곁에 모심.
[陪乘 배승] 웃어른을 모시고 수레에 같이 탐.
[陪侍 배시] 임금의 옆에 모심. 또, 그 사람.
[陪食 배식] 웃어른을 모시고 식사를 같이 함.
[陪臣 배신] ㉠신하의 신하. 곧, 천자의 신하인 제후의 신하. ㉡제후의 대부(大夫)가 천자에 대하여 일컫는 자칭(自稱).
[陪審 배심] 민간에서 선출되어 소송의 심리에 참가함.
[陪遊 배유] 웃어른을 모시고 같이 놂.
[陪貳 배이] 덧붙이기로 따라감. 부이(副貳).
[陪接 배접] 웃어른을 가까이 모시고 접대함.
[陪鼎 배정] 찬을 더 많이 차려 우대(優待)함.
[陪從 배종] 웃어른을 따라감.
[陪行 배행] 웃어른을 모시고 감.
◉奉陪. 追陪. 趨陪.

8 ⑪ [陬] 추 ①②㊥尤 子侯切
추 ③㊥尤 側鳩切 zōu

字解 ①구석 추 한 모퉁이. '僻一'. '邊一'. '奔壁東南一'《史記》. ②정월 추 1월의 별칭(別稱). '正月爲一'《爾雅》. ③땅이름 추 鄹(邑部 十畫)와 통용. '孔子生魯昌平鄕一邑'《史記》.

字源 篆文 形聲. 阝(自)+取〔音〕. '取취'는 '줄어들다'의 뜻. 비탈의 한 모퉁이의 뜻에서, 일반적으로 '구석, 모퉁이'의 뜻을 나타냄.

[陬落 추락] 울. 울타리.
[陬僻 추벽] 추원(陬遠).
[陬遠 추원] 벽촌(僻村).
[陬月 추월] '정월(正月)'의 별칭(別稱).
[陬邑 추읍] ㉠벽지에 있는 고을. ㉡공자(孔子)가 탄생한 고을이름.
◉窮陬. 蠻陬. 孟陬. 僻陬. 邊陬. 卑陬. 山陬. 遠陬. 遐陬. 海陬. 荒陬.

8 ⑪ [陰] 中人 ■ 음 ㊥侵 於金切 yīn 阴
■ 암 ㊥覃 烏含切 ān

筆順 ㇇ 了 阝 阝' 阝ᄉ 阝今 陰 陰

字解 ■ ①음기 음 역학상(易學上)의 용어. '陽'

의 대(對)로, 정(靜)·폐(閉)·하(下)·복(伏)·장(藏)·유(柔)·후(後)·지(地)·여(女)·신(臣)·야(夜)·월(月) 등 소극성(消極性) 또는 여성의 의미를 가진 것. '觀天地變化, 一陽消長'《十八史略》. ②어둠 음 암흑. '審堂下之一'《呂氏春秋》. ③그늘 음 해가 비치지 않는 곳. '樹一'. '鳴鶴在一'《易經》. ④그림자 음 ㉠해의 그림자. 전(轉)하여, 시간. '寸一'. '光一'. ㉡비쳐 나타난 물체의 모양. '月一'. ⑤뒤 음 배후. 이면(裏面). '碑一'. ⑥북쪽 음 산의 북쪽. '岱一'(대산(岱山)의 북쪽). ⑦남쪽 음 하천의 남쪽. '淮一'(회수(淮水)의 남쪽). ⑧흐릴 음 구름이 낌. '以一以雨'《詩經》. ⑨몰래 음 남이 모르게. '其王湯立, 悉內附入朝, 然一附吐蕃'《唐書》. ⑩생식기 음 남녀의 음부. '一莖'. '呂不韋求大一人'《史記》. ⑪성 음 성(姓)의 하나. 二 여막 암 闇(門部 九畫)과 同字. '諒一三年不言'《論語》.

字源 金文 金文 篆文 形聲. 金文은 阝(自)+今〔音〕. '今금'은 '含함'과 통하여 '머금다'의 뜻. 구름이 태양을 덮어 삼키다의 뜻에서 흐림, 그늘의 뜻을 나타냄. 뒤에 篆文은 '云운'을 덧붙여 구름에 싸이다의 뜻을 분명히 함.

[陰刻 음각] 움푹하게 파내어 새김.
[陰姦 음간] 숨어서 하는 비밀한 악사(惡事).
[陰岡 음강] 볕이 안 드는 산등성이.
[陰乾 음건] 응달에서 말림.
[陰譴 음견] 겉으로 드러나지 않는 벌(罰). 천벌(天罰).
[陰莖 음경] ㉠남자의 외부 생식기. 자지. ㉡산의 북쪽에서 자라는 나무.
[陰計 음계] 음모(陰謀).
[陰界 음계] ㉠귀신(鬼神)의 세계. ㉡《佛敎》 인간 색신(色身)의 총칭. 음(陰)은 색수상행식(色受相行識)의 오음(五陰), 계(界)는 육근(六根)·육경(六境)·육식(六識)의 십팔계(十八界).
[陰谿 음계] 그늘진 계곡.
[陰功 음공] 뒤에서 돕는 공(功).
[陰官 음관] ㉠비〔雨〕를 맡은 신(神). ㉡저승의 신(神). ㉢궁중의 여관(女官).
[陰敎 음교] 음훈(陰訓).
[陰溝 음구] 지하(地下)의 도랑.
[陰鬼 음귀] 죽은 사람의 넋.
[陰忮 음기] 음험하고 포악함.
[陰記 음기] 비갈(碑碣)의 등 뒤에 새긴 글.
[陰氣 음기] ㉠음험(陰險)한 기분(氣分). ㉡음랭(陰冷)한 기운. ㉢음(陰)의 기(氣).
[陰囊 음낭] 불알을 싸고 있는 주머니.
[陰談悖說 음담패설] 음탕(淫蕩)한 이야기.
[陰堂 음당] 깊숙한 안방.
[陰德 음덕] ㉠땅〔地〕의 덕. 전(轉)하여, 부인의 도(道). 신하의 도(道). 곤덕(坤德). ㉡세상에 알려지지 아니한 덕행(德行).
[陰德其猶耳鳴 음덕기유이명] 귀울음〔耳鳴〕은 자기 혼자만 알고 남은 모르는 것처럼, 음덕도 단지 자기만이 알고 남은 모름을 이름.
[陰德陽報 음덕양보] 남몰래 행한 덕에 공공연한 선보(善報)가 있음.
[陰道 음도] ㉠음(陰)의 원리(原理). 군부(君父)를 양(陽)으로 하였을 때의 신자(臣子)의 도. ㉡후방의 도로. 뒷길. ㉢방사(房事)의 기술.
[陰沴 음려] 재앙(災殃).
[陰曆 음력] 달의 차고 이지러짐을 표준으로 하고, 한 달을 29일 혹은 30일로 하여 약 360 일을 1년으로 한 책력(冊曆). 구력(舊曆). '태음력(太陰曆)'의 준말.
[陰令 음령] 후궁(後宮) 규방(閨房)에 관한 명령. 방사(房事)에 관한 명령.
[陰禮 음례] ㉠부인(婦人)의 예(禮). ㉡주대(周代)의 남녀 혼례(男女婚禮).
[陰霾 음매] 하늘이 흐려지고 흙비가 내림.
[陰毛 음모] 거웃.
[陰謀 음모] ㉠남이 모르게 일을 꾸미는 꾀. 음계(陰計). ㉡범죄(犯罪) 행위를 의논함.
[陰木 음목] 겨울에 잎이 떨어지지 않는 나무. 상록수(常綠樹). 일설(一說)에는, 산의 북쪽에 자라는 나무.
[陰門 음문] 여자의 외부 생식기. 보지.
[陰密 음밀] ㉠숨어 나타나지 아니함. 또, 숨겨 내놓지 아니함. ㉡으슥하게 그늘짐.
[陰房 음방] ㉠어둠침침한 방. ㉡감옥.
[陰報 음보] 남이 알지 못하게 갚음. 겉으로 드러나지 않게 갚음.
[陰伏 음복] 세상에 드러나지 아니한 행실. 비밀. 음사(陰私).
[陰府 음부] 저승.
[陰部 음부] 남녀의 생식기(生殖器)가 있는 신체 부분.
[陰符 음부] ㉠병서(兵書)의 이름. 천기(天機)가 시기(時機)와 암합(暗合)한다는 뜻. ㉡비계(祕計).
[陰庇 음비] 비호(庇護)함.
[陰私 음사] 비밀.
[陰祀 음사] 음(陰)에 속하는 신(神). 양사(陽祀)의 대(對).
[陰事 음사] ㉠비밀한 일. 비사(祕事). ㉡잠자리하는 일. 방사(房事).
[陰朔 음삭] 북방의 오랑캐의 땅.
[陰散 음산] 《韓》 날씨가 조금 흐릿하고 쓸쓸하게 추움.
[陰森 음삼] ㉠음침하고 쓸쓸한 모양. ㉡나무가 우거져 어둠침침한 모양.
[陰生蟲 음생충] 하루살이.
[陰聲 음성] 음(陰)에 속하는 소리로서 대려(大呂)·응종(應鍾)·남려(南呂)·함종(函鍾)·소려(小呂)·협종(夾鍾)을 이름. 양성(陽聲)의 대(對).
[陰訟 음송] 남녀의 관계로 일어난 송사(訟事).
[陰蝨 음슬] 음부의 털에 붙어사는 벌레. 사면발니.
[陰濕 음습] 그늘지고 축축함.
[陰臣 음신] 사사로이 부리는 신하. 일설(一說)에는, 부인(婦人).
[陰室 음실] ㉠요사(夭死)한 아들을 제사 지내는 방. ㉡사사로이 쓰는 방. 사실(私室). ㉢북쪽에 있는 방.
[陰惡 음악] 드러나지 아니한 나쁜 행위. 나타나지 않은 죄악.
[陰崖 음애] 햇빛이 비치지 아니하는 낭떠러지.
[陰噎 음애] 흐느끼어 가슴이 막힘.
[陰液 음액] 정액(精液).
[陰約 음약] 몰래 약속함.
[陰陽 음양] ㉠태극(太極)이 나누인 두 가지 기운으로 성질이 상반된 것. 곧, 음과 양. 예컨대, 해·봄·여름·불·남자 등은 양이고, 달·가을·겨

울·물·여자 등은 음임. ㉡전기(電氣) 또는 자기(磁氣)의 음극과 양극.
[陰陽家 음양가] 천문(天文)·역수(曆數)·복서(卜筮)·지상(地相)을 상고(詳考)하여 길흉(吉凶)을 점(占)하고 화복(禍福)을 예언(豫言)하는 학파, 또는 사람.
[陰陽文 음양문] 음각한 글자와 양각한 글자.
[陰陽爲炭兮萬物爲銅 음양위탄혜만물위동] 천지가 만물을 만들어 냄을 대장장이가 구리〔銅〕로 물건을 제조해 냄에 비유한 말.
[陰陽之交 음양지교] 음양의 이기(二氣)가 교합(交合)하는 일.
[陰煙 음연] 구름이 낌. 흐림.
[陰影 음영] ㉠그림자. ㉡그늘.
[陰霓 음예] 무지개.
[陰翳 음예] ㉠구름이 끼어 하늘을 가림. ㉡그늘짐. ㉢초목의 그늘. ㉣하늘에 구름이 끼고 바람이 붊.
[陰慾 음욕] 음탕한 욕심. 호색(好色).
[陰羽 음우] 학(鶴)의 별칭(別稱).
[陰雨 음우] 구름이 끼어 비가 옴.
[陰雲 음운] 검은 구름.
[陰蔚 음울] 나무가 우거진 모양.
[陰鬱 음울] 날이 흐리고 무더움.
[陰月 음월] 음력 4월의 이명(異名).
[陰痿 음위] 남자의 생식기가 위축되는 병. 성교불능증임. 양위(陽痿).
[陰柔 음유] 겉은 유순하나 실상은 음험함.
[陰陰 음음] ㉠하늘이 흐린 모양. ㉡무성하여 어둠침침한 모양. ㉢온통 덮은 모양.
[陰岑 음잠] 깊숙하고 조용함.
[陰賊 음적] 음험하게 남을 해침.
[陰井 음정] ㉠그늘의 우물. ㉡실내(室內)의 우물.
[陰政 음정] 후궁(後宮)의 정사(政事).
[陰助 음조] ㉠겉으로 나타나지 아니하고 뒤에서 도움. ㉡은연중에 신불(神佛)이 가호함.
[陰宗 음종] '달〔月〕'의 별칭(別稱).
[陰竹 음죽] 산의 북쪽에 난 대나무.
[陰中 음중] ㉠가을의 계절. 양중(陽中)의 대(對). ㉡음험한 수단으로 남을 중상함.
[陰重 음중] ㉠사람이 묵직하여 비밀을 누설하지 아니함. ㉡남몰래 소중히 여김.
[陰騭 음즐] ㉠하늘이 명명(冥冥) 중에 백성을 안정시킴. ㉡하늘이 은연중에 사람의 행위를 보고 화복(禍福)을 내림.
[陰症 음증] ㉠겉에 나타나지 아니하는 병. ㉡성질(性質)이 내숭스러움. 또는 그 사람.
[陰地 음지] 응달.
[陰慘 음참] 음울(陰鬱)하여 슬퍼함. 또는 그 사람.
[陰晴 음청] 하늘의 흐림과 맑음.
[陰蟲 음충] ㉠가을철에 우는 벌레. ㉡두꺼비.
[陰測 음측] 넌지시 측량(測量)함. 남모르게 헤아려 봄.
[陰沈 음침] 흐리고 밝지 않음.
[陰宅 음택] 죽어서 묻히는 곳. 무덤.
[陰兎 음토] '달〔月〕'의 별칭(別稱).
[陰通 음통] 남녀가 처음으로 색정(色情)을 알게 됨.
[陰慝 음특] ㉠음악(陰惡). ㉡사물을 해치는 천지의 음기(陰氣).
[陰蔽 음폐] 가려 덮음.
[陰風 음풍] 음랭(陰冷)한 바람. 겨울바람.
[陰何 음하] 양(梁)나라의 음갱(陰鏗)과 하손(何遜). 모두 시인(詩人)임.
[陰夏 음하] 북향(北向)한 궁전(宮殿).
[陰寒 음한] ㉠음기(陰氣)와 한기(寒氣). ㉡하늘에 구름이 끼고 으스스함.
[陰黠 음할] 음험하고 교활함.
[陰害 음해] 넌지시 남을 해함.
[陰核 음핵] 보지에 감 씨같이 내민 살.
[陰行 음행] 숨은 선행(善行).
[陰險 음험] 내흉(內凶)함. 내숭함.
[陰血 음혈] 나쁜 피. 독혈(毒血).
[陰刑 음형] 음부에 가하는 육형(肉刑). 궁형(宮刑). 부형(腐刑).
[陰惠 음혜] 음덕(陰德).
[陰火 음화] ㉠도깨비불. 귀화(鬼火). ㉡어두운 밤에 바닷물 중의 염기(鹽氣)가 빛을 발사하는 것. ㉢유황(硫黃)의 이칭(異稱).
[陰畫 음화] 사진의 건판(乾板)에 영사된 상(像).
[陰禍 음화] 드러나지 아니한 재앙.
[陰黃 음황] 피부(皮膚)가 누렇게 되고 몸이 느른하며 오슬오슬 춥고 먹은 것이 소화가 되지 않고 땀과 오줌이 많이 나오는 병(病).
[陰晦 음회] 날이 흐리고 어두움.
[陰訓 음훈] 여자에 대한 교훈. 음교(陰教).
[陰譎 음휼] 음흉(陰凶).
[陰凶 음흉] 마음이 음험하고 흉악(凶惡)함.
[陰黑 음흑] 어둠침침함.
◉勁陰. 輕陰. 涸陰. 光陰. 嵐陰. 綠陰. 大陰. 暮陰. 茂陰. 薄陰. 碧陰. 分陰. 碑陰. 山陰. 夕陰. 惜陰. 歲陰. 樹陰. 夜陰. 涼陰. 諒陰. 女陰. 午陰. 柳陰. 積陰. 朝暉夕陰. 中陰. 簷陰. 晴陰. 淸陰. 滯陰. 寸陰. 秋陰. 春陰. 翠陰. 太陰. 沍陰. 好陰. 華陰. 淮陰.

8 ⑪ [陲] 수 ㊥支 是爲切 chuí

字解 변방 수 국경 지방. '連兵於邊—'《史記》.
字源 金文 篆文 形聲. 阝(阜)+垂(埀)〔音〕. '埀수'는 아래로 늘어지다의 뜻. 땅끝에 늘어진 위험한 곳의 뜻을 나타냄.

◉南陲. 東陲. 邊陲. 北陲. 西陲.

8 ⑪ [陳] 高·人 진 ①-⑧㊥眞 直珍切 chén ⑨㊦震 直刃切 zhèn 陈

筆順 ㇇ 了 阝 阝一 阝冖 陌 陣 陳

字解 ①늘어놓을 진 ㉠벌여 놓음. '—列'. '—其宗器'《中庸》. ㉡여러 방면으로 벌여 말함. '上書—八事'《後漢書》. ②늘어설 진 나란히 섬. '—列'. '雜然而前—者'《歐陽修》. ③말할 진 말하여 밝힘. '—情'. '歡樂難具—'《古詩》. ④묵을 진 오래됨. 또, 그 물건. '—腐'. '新—代謝'. ⑤줄 진 늘어선 줄. '充下—'《史記》. ⑥길 진 당하(堂下)에서 문까지 가는 길. '胡逝我—'《詩經》. ⑦나라이름 진 ㉠주대(周代)의 제후의 나라. 지금의 허난 성(河南省)과 안후이 성(安徽省)의 일부. ㉡남조(南朝)의 하나. 진패선(陳霸先)이 양(梁)나라의 선위(禪位)를 받아 지금의 창장(長江) 강과 웨장(粵江) 강 유역에 세운 나라. 서울은 건강(建康). 5주(主) 33년 만에 수(隋)나라에 망하였음. (557～589) ⑧성 진 성(姓)의 하나. ⑨진 진 陣(阜部 七畫)과 同字. '—上帶甲馬'《王君玉雜纂》.

字源 金文 [金文] 篆文 [篆文] 古文 [古文] 金文은 形聲으로 攴+陳〔音〕. '陳진'은 또 阝(自)+東의 會意. '東동'은 주머니를 막대에 맨 象形. 그것을 쳐서 넓게 늘여 펴다의 뜻을 나타냄. '陳'은 '自부'가 있는 것으로도 알 수 있듯이 본래 땅 이름을 나타내었으나, '펴서 넓히다, 늘어놓아 묵히다'의 뜻도 나타냄. 篆文도 形聲으로 阝(自)+木+申〔音〕.

[陳啓 진계] 사뢺. 아뢺.
[陳告 진고] 죽 이야기하여 사룀.
[陳穀 진곡] 묵은 곡식. 구곡(舊穀).
[陳久 진구] 오래 묵음.
[陳摶 진단] 오대(五代) 송초(宋初)의 도사(道士). 자(字)는 도남(圖南). 호는 부요자(扶搖子). 화산(華山)에 숨어 평생 벼슬하지 않았음. 송태조(宋太祖)의 용흥(龍興)을 예언하였다 함.
[陳摶高臥 진단고와] 원(元)나라 마치원(馬致遠)의 잡극(雜劇). 송(宋)나라의 은사(隱士) 진단(陳摶)이 화산(華山)에 숨어 벼슬하지 아니한 일을 묘사(描寫)한 것.
[陳東 진동] 북송(北宋) 말기(末期)의 정치가. 단양(丹陽) 사람. 자(字)는 소양(少陽). 고종(高宗) 때, 황잠선(黃潛善)·왕백언(汪伯彦) 등을 탄핵(彈劾)하고 도리어 두 사람에게 참소(讒訴)당하여 피살(被殺)됨.
[陳登 진등] 후한말(後漢末) 때 조조(曹操)의 부장(部將). 하비(下邳) 사람. 자(字)는 원룡(元龍). 여포(呂布)를 죽이는 데 공로가 커서 복파 장군(伏波將軍)이 됨.
[陳亮 진량] 남송(南宋)의 학자. 영강(永康) 사람. 자(字)는 동보(同甫). 호(號)는 용천(龍川). 주희(朱熹)의 친구. 그의 학문은 사공(事功)에 중점을 두었으므로 후세(後世)에 사공파(事功派)로 불림. 저서에 〈용천문집(龍川文集)〉 30권이 있음.
[陳露 진로] 털어놓고 이야기함. 토로함.
[陳論 진론] 진술하여 의논함.
[陳雷 진뢰] 후한(後漢)의 진중(陳重)과 뇌의(雷義). 우정(友情)이 두터워 이름 높음.
[陳琳 진림] 건안 칠자(建安七子)의 한 사람. 장쑤(江蘇) 광릉(廣陵) 사람. 자(字)는 공장(孔璋). 문재(文才)가 뛰어나 원소(袁紹) 밑에 있을 때 쓴 조조(曹操)를 공격하는 격문(檄文)이 그의 대표작(代表作)으로 일컬어짐. 뒤에는 조조(曹操)에게 항복하여 그 밑에서 격문의 기초(起草)를 담당했음.
[陳武帝 진무제] 남조(南朝) 진(陳)나라의 초대(初代) 황제. 이름은 진패선(陳霸先). 처음에 양(梁)나라를 섬겨 힘이 강대해지자 경제(敬帝)를 폐(廢)하고 스스로 제위(帝位)에 올랐음. 재위(在位) 2년 남짓.
[陳米 진미] 묵은쌀.
[陳蕃下榻 진번하탑] 빈객(賓客)을 공경함을 이름. 후한말(後漢末)의 정치가 진번(陳蕃)이 특별히 교의(交椅) 하나를 걸어 두었다가 서치(徐穉)가 내방하면 이를 내려서 우대(優待)한 고사(故事)에 유래(由來)함.
[陳辯 진변] 진소(陳疏).
[陳腐 진부] ㉠오래되어 썩음. ㉡낡아서 새롭지 못함. 케케묵음.
[陳謝 진사] ㉠이유를 말하고 사죄함. ㉡사례(謝禮)함.
[陳師道 진사도] 북송(北宋)의 시인(詩人). 팽성(彭城) 사람. 자(字)는 이도(履道). 호(號)는 후산거사(後山居士). 증공(曾鞏)의 문제(門弟). 경학(經學) 특히 시례(詩禮)에 밝았으며, 그의 문장은 정심아오(精深雅奧)하였음. 저서에 〈후산집(後山集)〉 24권이 있음.
[陳狀 진상] 상황을 진술함.
[陳書 진서] 당(唐)나라 요사렴(姚思廉)이 칙명(勅命)을 받들어 찬(撰)한 사서(史書). 본기(本紀) 6권, 열전(列傳) 30권. 남진(南陳)의 사실(史實)을 기록하였음.
[陳設 진설] 음식을 상(床)에 차려 놓음.
[陳說 진설] 진술(陳述).
[陳疏 진소] 변명함.
[陳壽 진수] 서진(西晉)의 역사가(歷史家). 안한(安漢) 사람. 사필(史筆)이 뛰어나 삼국지(三國志)를 저술(著述)하였음.
[陳淳 진순] 송(宋)나라의 유학자(儒學者). 자(字)는 안경(安卿). 북계 선생(北溪先生)이라 일컬어짐. 주희(朱熹)에게 배움. 저서에 〈북계대전집(北溪大全集)〉 등이 있음.
[陳述 진술] ㉠자세히 말함. ㉡구두로 의견을 말함.
[陳勝吳廣 진승오광] '진오(陳吳)'를 보라.
[陳詩 진시] 시를 모아 살피는 일.
[陳寔 진식] 후한말(後漢末)의 지방관(地方官). 영천(潁川) 사람. 자(字)는 중궁(仲弓). 환제(桓帝) 때 태구현장(太丘縣長)이 되었는데, 송사(訟事)를 판정(判定)함에 지극히 공정하였음. 양상군자(梁上君子)를 훈계한 고사(故事)로써 유명함.
[陳悉 진실] 빠짐없이 모두 진술함.
[陳言 진언] 진부(陳腐)한 말.
[陳餘 진여] 진말(秦末)의 군웅(群雄)의 한 사람. 위(魏)나라 서울 대량(大梁) 사람. 처음에 장이(張耳)와 문경지교(刎頸之交)를 맺어 같이 조왕(趙王)을 섬겼으나, 진군(秦軍)에게 포위된 장이의 청원(請援)을 거절하여 두 사람 사이에 틈이 벌어져, 상산왕(常山王)으로 피봉(被封)된 장이를 습격(襲擊)하더니 한(漢)나라로 투항(投降)한 장이와 한신(韓信)의 군(軍)에게 패하여 지수(泜水) 가에서 죽음을 당하였음.
[陳列 진열] 죽 벌여 놓음. 또, 죽 늘어섬.
[陳吳 진오] 진승(陳勝)과 오광(吳廣). 진말(秦末)의 난리(亂離)의 주창자(主唱者). 진승은 '연작안지홍곡지지(燕雀安知鴻鵠之志)', '왕후장상영유종호(王侯將相寧有種乎)' 등의 명구(名句)로 유명함. 전(轉)하여, 사물의 주창자(主唱者).
[陳友諒 진우량] 원말(元末)의 군웅(群雄)의 한 사람. 면양(沔陽) 사람. 어부(漁父)의 아들로 태어나 간적(奸賊) 서수휘(徐壽輝)의 부장(副將)이 되었다가 그를 죽이고 거병(擧兵), 양자강 상류 지역에 웅거(雄據)하여 대한국(大漢國) 황제를 칭(稱)하더니 오(吳)나라 주원장(朱元璋)과 포양 호(鄱陽湖) 가에서 결전 끝에 화살에 맞아 죽었음.
[陳維崧 진유숭] 청초(淸初)의 문인(文人). 의흥(宜興) 사람. 자(字)는 기년(其年). 호(號)는 가릉(迦陵). 사(詞)와 변문(騈文)을 잘하였으며 저서에 〈호해루시집(湖海樓詩集)〉 등이 있음. 만년에는 한림원(翰林院) 검토(檢討)로서 명사(明史) 편수(編修)에 종사하였음.

[陳人 진인] 시대에 뒤떨어진 쓸모없는 사람. 또, 자기의 겸칭(謙稱).
[陳子昻 진자앙] 당나라의 시인(詩人). 사홍(射洪) 사람. 자(字)는 백옥(伯玉). 당시의 형식(形式)에 치우친 귀족(貴族) 문학에 의식적 비판을 가하고 한위(漢魏)에의 복고(復古)를 주창(主唱)하여 정아(正雅)한 시로써 성당(盛唐) 시인의 선구(先驅)가 됨. 그의 작품은 〈진백옥문집(陳伯玉文集)〉 10권에 집록되어 있음.
[陳迹 진적] 묵은 일의 자취. 기왕의 사적(事迹).
[陳田 진전] 묵정밭.
[陳情 진정] 사정을 진술(陳述)함.
[陳慥 진조] 송(宋)나라 영가(永嘉) 사람. 그의 처 유씨(柳氏)가 질투심이 강하여 남편이 연석에 성기(聲妓)를 부르면 지팡이를 휘둘러 벽을 치며 야단을 쳐서 객을 물러가게 하였음.
[陳奏 진주] 사정을 진술하여 상주(上奏)함.
[陳遵 진준] 전한말(前漢末)의 두릉(杜陵) 사람. 자(字)는 맹공(孟公). 애제(哀帝) 때 교위(校尉)가 되어 적(賊)을 무찌른 공(功)으로 가분후(嘉奮侯)가 되었으며, 왕망(王莽) 밑에서 대사마호군(大司馬護軍)으로 있다가 적도(賊徒)의 손에 죽었음. 객(客)을 좋아하여 회음(會飮)할 때마다 객의 수레바퀴를 빼어서 죽림(竹林)에 던져 자리를 뜨지 못하게 하였다 함.
[陳陳 진진] ㉠케케묵은 모양. 또, 쌓인 모양. ㉡오래된 모양. 오래 계속하는 모양.
[陳陳相因 진진상인] ㉠묵은쌀이 쌓임. 시화연풍(時和年豐) 한 모양. ㉡케케묵어 새로운 맛이 없는 모양.
[陳陳相仍 진진상잉] 진진상인(陳陳相因).
[陳蔡之厄 진채지액] 공자(孔子)가 진과 채 사이에서 당한 봉변.
[陳湯 진탕] 한(漢)나라의 무장(武將). 산양(山陽) 사람. 원제(元帝) 때 서역부교위(西域副校尉)로서 질지선우(郅支單于)를 참(斬)하고 관내후(關內侯)가 되었음.
[陳套 진투] 진부(陳腐).
[陳篇 진편] 고서(古書).
[陳編 진편] 진편(陳篇).
[陳平 진평] 전한(前漢)의 공신(功臣). 양무(陽武) 사람. 지모(智謀)가 뛰어나 고조(高祖)를 도와 천하(天下)를 평정(平定)하고 혜제(惠帝) 때 좌승상(左丞相)이 되었으며, 여공(呂公)이 죽은 후 주발(周勃)과 함께 여씨(呂氏) 일가를 죽이고 한실(漢室)을 편안케 하였음.
[陳平宰肉 진평재육] 전한(前漢)의 진평(陳平)이 향리(鄕里)의 연회(宴會)에서 요리사가 되어 고기〔肉〕를 손에게 골고루 나누어 주며 내가 천하의 재상이 되면 이처럼 국가를 공평하게 다스리겠다고 한 고사(故事).
[陳皮 진피] 말린 귤껍질. 한약재임.
[陳獻章 진헌장] 명(明)나라의 유학자(儒學者). 자(字)는 공보(公甫). 호(號)는 석재(石齋). 그의 학풍(學風)은 정좌(靜座)로써 마음을 깨끗하게 하여 이치(理致)를 직관(直觀)하는 일이었음. 백사(白沙)에 거(居)하였기에 백사 선생(白沙先生)이라 일컬어짐.
[陳玄 진현] 먹〔墨〕의 이명(異名).
[陳話 진화] 진부한 이야기.
[陳荒地 진황지] 거친 상태로 버려두고 매만지지 아니한 땅.
[陳後主 진후주] 남조(南朝) 진(陳)의 마지막 황제. 선제(宣帝)의 아들. 유락(遊樂)에 빠져 정사를 태만히 하고 임춘(臨春)·결기(結綺)·망선(望仙)의 삼각(三閣)을 지어 비빈(妃嬪)과 밤낮을 즐기다가 수군(隋軍)에게 멸망당하였음.
◉開陳. 堅陳. 汨陳. 具陳. 羅陳. 縷陳. 面陳. 部陳. 敷陳. 肆陳. 疎陳. 疏陳. 列陳. 營陳. 前陳. 條陳. 奏陳. 指陳. 錯陳. 出陳. 布陳. 鋪陳. 披陳. 行陳. 圓陳. 橫陳.

8 ⑪ [陳] 래 ㊥灰 郞才切 lái

字解 ①섬돌 래 섬돌. 층계. '―, 階也'《集韻》. ②긴모양 래 긴 모양. '―, ―隑, 長皃'《集韻》.

8 ⑯ [䧟] ㊀ 부 ㊤有 房九切 fù / ㊁ 수 ㊦宥 扶缶切 / ㊦宥 扶富切

字解 ㊀ ①언덕과언덕사이 부 '―, 兩阜之閒也'《說文》. ②성할 부 '―, 盛也'《康熙字典》. ㊁ 언덕과언덕사이 수, 성할 수 ㊀과 뜻이 같음.
字源 會意. 自+自

8 ⑪ [陴] 비 ㊥支 符支切 pí

字解 성가퀴 비 성 위에 낮게 쌓은 담. 성첩(城堞). '―堞'. '閉門登―'《左傳》.
字源 甲骨文 篆文 形聲. 阝(自)+卑〔音〕. '卑비'는 '낮다'의 뜻. 낮은 언덕, '성가퀴'를 뜻함.

[陴堞 비첩] 성가퀴.
[陴隍 비황] 성가퀴와 해자(垓字).
◉登陴.

8 ⑪ [陵] 高人 릉 ㊥蒸 力膺切 líng

筆順 ㇇ ㇌ 阝 阝 阝 阝 陵 陵

字解 ①언덕 릉 큰 언덕. '―丘'. '懷山襄―'《書經》. ②무덤 릉 묘. '―爲之終'《國語》. ③능 릉 임금의 무덤. '山―'. '秦名天子冢曰山, 漢曰―'《水經注》. ④가벼이여길 릉 대수롭지 않게 여김. '以蕩―德'《書經》. ⑤업신여길 릉 모멸함. '―侮'. '在上位不―下'《中庸》. ⑥범할 릉 침범함. '―犯'. '不相侵―'《禮記》. ⑦넘을 릉 한도를 지나침. '不―節'《禮記》. ⑧오를 릉 높은 데를 올라감. '齊侯親鼓士―城'《左傳》. ⑨불릴 릉 쇠붙이를 불에 달구었다가 물에 담금. '兵刃不待―而勁'《荀子》. ⑩험할 릉 험준함. '凡節奏欲―而生民欲寬'《荀子》. ⑪능이(陵夷)할 릉 차차로 쇠하여 감. '―替'. '至於戰國, 漸至頹―'《漢書》. ⑫짓밟을 릉 輘(車部 八畫)과 통용. '―轢中國'《史記》. ⑬성 릉 성(姓)의 하나.
字源 甲骨文 金文 篆文 形聲. 阝(自)+夌〔音〕. '夌릉'은 높은 땅을 넘다의 뜻. 넘어가야 하는 언덕의 뜻을 나타냄.《說文》은 큰 언덕의 뜻이라고 풀이함. 甲骨文은 阝(自)+光+夊의 會意로, 사람이 언덕에 오르다의 뜻. 또 언덕이 점점 낮아지듯이 쇠하다의 뜻도 나타냄.

[陵駕 능가] 훨씬 뛰어남. 능가(凌駕).

[陵京 능경] 높고 큰 언덕.

[陵谷 능곡] ㉠언덕과 골짜기. 상하(上下)·고저(高低) 등의 비유로 쓰임. ㉡'능곡지변(陵谷之變)'의 준말.

[陵谷易處 능곡역처] 언덕이 변하여 골짜기가 되고, 골짜기가 변하여 언덕이 됨. 군신 상하의 위치가 전도(顚倒)됨의 비유.

[陵谷之變 능곡지변] 언덕이 변하여 골짜기가 되고, 골짜기가 변하여 언덕이 됨. 세사(世事)의 변천이 격심함의 형용. 능곡(陵谷). 상창지변(桑滄之變).

[陵汨 능골] 경멸하여 어지럽힘. 대수롭지 않게 여김.

[陵丘 능구] 언덕.

[陵畓 능답] 능(陵)에 딸려 있는 논.

[陵突 능돌] 능월(陵越).

[陵轢 능력] 유린함.

[陵慢 능만] 능모(陵侮).

[陵罵 능매] 업신여겨 욕함.

[陵蔑 능멸] 능모(陵侮).

[陵冒 능모] 능범(陵犯).

[陵侮 능모] 업신여김.

[陵墓 능묘] 능.

[陵犯 능범] 침범함.

[陵所 능소] 능(陵)이 있는 곳.

[陵霄花 능소화] 능소화(凌霄花).

[陵域 능역] 능의 지역 안.

[陵辱 능욕] 업신여기어 욕을 보임.

[陵雨 능우] 폭우(暴雨).

[陵雲之志 능운지지] ㉠세속의 밖에 초연한 뜻. ㉡높은 지위에 올라가고자 하는 뜻. 청운지지(靑雲之志).

[陵園 능원] 능묘(陵墓).

[陵越 능월] 침범하여 넘음.

[陵夷 능이] 언덕이 점점 평평하여진다는 뜻으로, 사물이 차차 쇠퇴해짐을 이름.

[陵遲 능지] ㉠능이(陵夷). ㉡팔·다리·머리 등을 토막 치는 형벌.

[陵遲處斬 능지처참] 능지(陵遲)의 형벌로 베어 죽임.

[陵斥 능척] 업신여겨 배척함.

[陵替 능체] ㉠아랫사람이 윗사람을 능멸하여 윗사람의 권위가 떨어짐. ㉡차차로 쇠퇴함.

[陵苕 능초] 능소화(凌霄花)의 이명(異名).

[陵聚 능취] 언덕과 같이 많이 모임.

[陵寢 능침] 능.

[陵暴 능포] 능멸(陵蔑)하여 포악한 짓을 함.

[陵虐 능학] 능멸하고 학대함.

[陵幸 능행] 임금이 능(陵)에 참배(參拜)함.

[陵戶 능호] 능지기의 집.

[陵忽 능홀] 깔보고 소홀히 함.

◉江陵. 岡陵. 京陵. 古陵. 高陵. 魁陵. 丘陵. 金陵. 馬陵. 秣陵. 武陵. 馮陵. 憑陵. 山陵. 崇陵. 王陵. 春陵. 園陵. 堙陵. 侵陵. 頹陵. 巴陵. 懷山襄陵.

8 ⑪ [陶] 高·人 ㊀ 도 ㊥豪 徒刀切 táo
㊁ 요 ㊥蕭 餘昭切 yáo

筆順 ㇇ 了 阝 阝勹 阝勹 陶 陶 陶

字解 ㊀ ①질그릇 도 진흙만으로 구워 만든 그릇. '一器'. '一窯'. '一復一穴'《詩經》. ②구울 도 질그릇을 구움. '一于河濱'《呂氏春秋》. ③만들 도 제조함. 양성함. '猶將一鑄堯舜者也'《莊子》. 또, 질그릇을 만들듯이 사람을 교화(敎化)함. '薰一'. '譚禮樂, 以一吾民'《李覯》. ④기뻐할 도 기쁜 생각이 마음속에 움직임. '一斯咏'《禮記》. ⑤근심할 도 우울한 마음이 아직 풀리지 아니함. '鬱一乎予心'《書經》. ⑥성 도 성(姓)의 하나. ㊁ ①사람이름 요 '皐一'는 순(舜)임금의 신하. ②따라갈 요 수행하는 모양. 일설(一說)에는, 줄지어 가는 모양. '一一遂遂'《禮記》.

字源 金文 篆文 金文은 象形으로 계단이 있는 가마터에서 사람이 질그릇을 손에 들고 늘어놓고 있는 모양을 본떠, 질그릇의 뜻을 나타냄. 篆文은 形聲으로 阝(阜)+匋〔音〕. '匋도'는 도자기를 굽다의 뜻. 계단이 있는 가마터에서 질그릇을 굽다의 뜻을 나타냄.

[陶侃 도간] 동진(東晉)의 명장(名將). 심양(潯陽) 사람. 자(字)는 사행(士行). 원제(元帝) 때 광주자사(廣州刺史)가 되고 명제(明帝) 때 정서대장군(征西大將軍)이 되어 소준(蘇峻)을 평정한 공으로 태위(太尉)가 되고 장사군공(長沙郡公)에 피봉(被封)되었음. 근면 역행(勤勉力行)으로써 유명하였고, 동진(東晉)의 주석(柱石)으로 지목(指目)되었음.

[陶甄 도견] 도균(陶鈞).

[陶犬瓦雞 도견와계] 질그릇의 개와 기와의 닭. 무용지물의 비유.

[陶工 도공] 옹기장이.

[陶均 도균] 도균(陶鈞).

[陶鈞 도균] 도공(陶工)의 녹로(轆轤). 도공이 녹로로 여러 가지 그릇을 만들므로, 천하를 잘 다스림의 비유. 또 인물을 양성함의 비유.

[陶器 도기] 질그릇. 오지그릇.

[陶唐 도당] 요(堯)임금. 처음에 도(陶)라는 땅에 살다가 당(唐)이란 땅으로 이사하였으므로 이렇게 이름.

[陶陶 도도] ㉠말을 달리는 모양. ㉡흐뭇이 즐기는 모양. ㉢밤이 긴 모양.

[陶鍊 도련] 단련함. 정제(精製)함.

[陶遂 도수] 자라는 모양.

[陶冶 도야] ㉠도공(陶工)과 주물사(鑄物師). ㉡스승이 제자의 재능을 길러 줌을 이름.

[陶然 도연] 취하여 흥이 돋는 모양.

[陶淵明 도연명] '도잠(陶潛)'을 보라.

[陶染 도염] 질그릇을 만들고 옷에 물을 들임. 전(轉)하여, 사람을 감화(感化)함.

[陶兀 도올] 취(醉)하여 비틀비틀하는 모양. 올오(兀傲).

[陶瓦 도와] 질그릇.

[陶鬱 도울] 우울(憂鬱)함.

[陶猗 도의] 도주(陶朱)와 의돈(猗頓). 모두 옛날의 부호. 전(轉)하여, 부호(富豪).

[陶人 도인] 도공(陶工).

[陶潛 도잠] 동진(東晉)의 자연 시인(自然詩人). 심양(潯陽) 사람. 자(字)는 연명(淵明). 명장(名將) 간(侃)의 증손(曾孫). 주 좨주(州祭酒)로 시작하여 뒤에 팽택(彭澤)의 영(令)이 되었으나, 80여 일 만에 '귀거래사(歸去來辭)'를 읊고 벼슬을 떠나 전원(田園)생활을 즐겼음. 그의 시는 기품(氣品)이 높고, 생(生)에 대한 애정(愛情)이 넘쳐 있는 것이 특색임.

[陶鑄 도주] 도야(陶冶).

[陶朱公 도주공] ㉠월왕(越王) 구천(句踐)의 신하

범여(范蠡)의 변명(變名). 축재(蓄財)의 재주가 있어 19년 동안에 세 차례 천금의 치부(致富)를 하였음. ㉡부자(富者).

[陶朱猗頓之富 도주의돈지부] 도의(陶猗).

[陶眞 도진] 송대(宋代)에 비파(琵琶)를 타면서 소설(小說)을 낭독하는 자(者)의 일컬음. 도진(淘眞).

[陶醉 도취] ㉠흥치가 있게 술이 취(醉)함. ㉡무엇에 열중(熱中)함.

[陶誕 도탄] 완고하고 도리(道理)에 어두움.

[陶汰 도태] 많은 것 가운데 필요하지 않는 부분을 줄여 버림.

[陶土 도토] 질그릇을 만들 원료로 쓰는 점토(粘土).

[陶泓 도홍] 도기제의 벼루. 또, 널리 벼루.

[陶弘景 도홍경] 남북조(南北朝) 시대의 본초가(本草家). 남제(南齊)의 고조(高祖) 때 제왕(諸王)의 시독(侍讀)이 되었다가 구용 구곡산(句容句曲山)에 숨어 스스로 화양 도은거(華陽陶隱居)라 일컬었음. 널리 음양오행(陰陽五行)·풍각성산(風角星算)·산천지리(山川地理)·의술본초(醫術本草)에 환하고 유불도(儒佛道)에 통했음. 저서에 〈학원(學苑)〉·〈본초경집주(本草經集注)〉 등이 있음.

[陶化 도화] ㉠만들어 육성함. ㉡선도(善導)하여 교화함.

[陶陶 요요] ㉠양기(陽氣)가 왕성한 모양. ㉡화락(和樂)한 모양. ㉢따라가는 모양.

◉甄陶. 皐陶. 鈞陶. 復陶. 鬱陶. 作陶. 蒲陶. 薰陶. 黑陶.

8 ⑪ [陶] 陶(前條)와 同字

8 ⑪ [陷] 高人 함 ㊤陷 戶籍切 xiàn

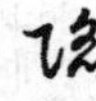

筆順 ㇇ 了 阝 阝' 阝ᄼ 阝⺈ 陷 陷

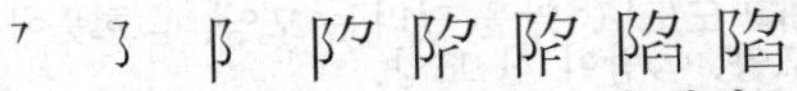

字解 ①빠질 함 ㉠구멍·함정 같은 데 빠짐. '毋使其首一焉'《禮記》. ㉡가라앉음. '蹈流而不一'《符子》. ㉢우묵 들어감. '地一'. ㉣죄 또는 모략 따위에 걸림. '自一重刑'《後漢書》. ㉤성(城) 같은 것이 적의 수중에 떨어짐. '城一'《魏志》. ②빠뜨릴 함 ㉠함정에 빠뜨림. '設穽而一之'《孔子家語》. ㉡모략에 걸리게 함. '欲一之'《史記》. ㉢성을 떨어뜨림. '戰常一城'《史記》. ③함정 함 허방다리. '汙壑穽一'《淮南子》.

字源 篆文 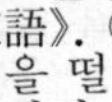 形聲. 阝(自)+臽〔音〕. '臽함'은 '빠지다'의 뜻. 언덕이 두려빠지다의 뜻을 나타냄.

參考 陥(阜部 七畫)은 略字.

[陷假 함가] 남에게 모해(謀害)를 당하여 승진한 지위를 떠남. 가(假)는 승(升).

[陷溺 함닉] ㉠함정이나 물에 빠짐. ㉡주색 등에 빠짐. ㉢괴롭힘.

[陷落 함락] ㉠땅이 무너져 떨어짐. ㉡성 따위가 공격을 받아 떨어짐.

[陷壘 함루] 진루(陣壘)가 함락(陷落)됨. 또, 진루를 함락시킴.

[陷沒 함몰] 성 따위가 떨어짐. 재난(災難)을 당하여 멸망함.

[陷城 함성] 성(城)이 함락(陷落)됨. 또, 성을 함락시킴.

[陷銳 함예] 정예한 적을 격파함.

[陷入 함입] 빠져 들어감.

[陷阱 함정] 짐승 또는 적군(敵軍)을 잡기 위하여 파 놓은 구덩이.

[陷穽 함정] 함정(陷阱).

[陷地 함지] 빠져 들어간 땅.

[陷之亡地然後存 함지망지연후존] 사졸(士卒)들을 일단 멸망의 지경에 빠지도록 한 연후에 각자로 하여금 분발하여 생(生)을 얻게 함.

[陷害 함해] 남을 재해(災害)에 빠뜨림.

◉坑陷. 缺陷. 傾陷. 攻陷. 構陷. 潰陷. 機陷. 陵陷. 誣陷. 排陷. 失陷. 枉陷. 寃陷. 圍陷. 淪陷. 擠陷. 讒陷. 摧陷. 墜陷. 隤陷. 破陷. 險陷.

8 ⑪ [陸] 中人 륙 ㊅屋 力竹切 lù, ④liù (lù)

筆順 ㇇ 了 阝 阝⁺ 阝土 阝圥 陸 陸

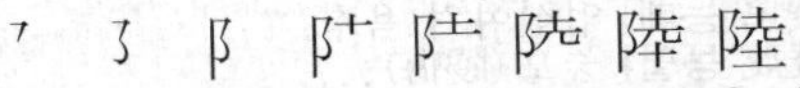

字解 ①뭍 륙 물에 덮이지 아니한 넓은 땅. '一地'. '水一'. '作車以行一'《周禮》. ②언덕 륙 높고 평평한 땅. '高平曰一, 大一曰阜, 大阜曰陵'《詩經 毛傳》. ③뛸 륙 도약함. '翹足而一'《莊子》. ④여섯 륙 숫자의 '六'의 대용(代用)으로 쓰임. ⑤성 륙 성(姓)의 하나.

字源 金文 篆文 籀文 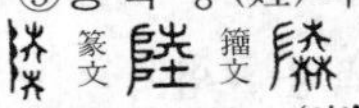 形聲. 阝(自)+坴〔音〕. '坴륙'은 圥+圥이며, '圥륙'은 또 屮+六〔音〕. '圥'은 '버섯'의 뜻. '坴'은 다닥다닥 붙은 버섯의 뜻을 나타냄. 이어진 고지(高地), '육지'의 뜻을 나타냄.

[陸賈 육가] 한초(漢初)의 학자(學者). 초(楚)나라 사람. 고조(高祖)의 세객(說客)으로서 천하통일에 공(功)이 커 벼슬이 태중대부(太中大夫)에 이름. 칙명(勅命)을 받들어 신어(新語) 12편을 지었음.

[陸橋 육교] 구름다리.

[陸龜蒙 육구몽] 당(唐)나라 시인(詩人)·농학자(農學者). 자(字)는 노망(魯望). 스스로 강호산인(江湖散人)이라 호(號)하고 천수자(天隨子)라고도 함. 손수 농사를 지어 농업(農業)을 개량(改良)하고 다원(茶園)을 경영하였음. 저서에 벗 피일휴(皮日休)와 창화한 시(詩)를 모은 〈송릉창화시집(松陵唱和詩集)〉을 비롯하여 농서(農書) 〈뇌사경(耒耜經)〉 1권, 〈오흥실록(吳興實錄)〉 40권, 〈입택총서(笠澤叢書)〉 3권 등이 있음.

[陸九淵 육구연] 남송(南宋)의 유학자(儒學者). 강서(江西) 금계(金谿) 사람. 자(字)는 자정(子靜), 호(號)는 상산(象山). 주희(朱熹)와 동시대인(同時代人)으로 덕성(德性)을 존중하며 인성선(人性善)의 일원설(一元說)로서 주희(朱熹)와 대치(對峙)함. 벼슬은 지형문군(知荊門軍)에 이르렀음. 〈육상산전집(陸象山全集)〉 36권이 있음.

[陸軍 육군] 육상의 전투 및 방어를 맡은 군대.

[陸機 육기] 서진(西晉) 시대의 문인(文人). 오(吳)나라 사람. 자(字)는 사형(士衡). 아우 운(雲)과 더불어 시문(詩文)을 잘하여 이륙(二陸)이라 일컬어짐. 참소(讒訴)를 당하여 죽음. 〈육사형집(陸士衡集)〉 10권이 있음.

[陸隴其 육농기] 청(淸)나라 학자(學者). 저장 평

호(浙江平湖) 사람. 자(字)는 가서(稼書). 벼슬이 강남 가정(江南嘉定)·직례 영수(直隷靈壽)의 지현(知縣)을 거쳐 사천도 감찰어사(四川道監察御史)에 이르렀음. 그의 학(學)은 거경궁리(居敬窮理)를 주(主)로 하여 정주(程朱)를 숭상하며 왕수인(王守仁)을 배척하였음. 저서에 〈학술변(學術辨)〉·〈삼어당문집(三魚堂文集)〉 등이 있음.
[陸德明 육덕명] 당초(唐初)의 유학자(儒學者). 이름은 원랑(元朗). 고조(高祖) 때 국자박사(國子博士)가 되어 태자중윤(太子中允)을 겸함. 〈경전석문(經典釋文)〉 30권을 저술함.
[陸稻 육도] 밭에 심는 벼.
[陸落 육락] 영락(零落)함.
[陸梁 육량] ㉠어지럽게 달아나는 모양. 뛰어다니는 모양. ㉡제멋대로 구는 모양.
[陸路 육로] 육지(陸地)의 길.
[陸陸 육륙] 하는 것 없이 꿈지럭꿈지럭하는 모양. 녹록(碌碌)한 모양.
[陸離 육리] ㉠빛이 눈부시게 아름다운 모양. ㉡고르지 않아서 가지런하지 않은 모양. ㉢뒤섞여 흩어진 모양.
[陸味 육미] 토지에서 나는 식물(食物). 해미(海味)의 대(對).
[陸產 육산] 뭍에서 나는 물건.
[陸上 육상] 뭍 위.
[陸上競技 육상경기] 육지에서 하는 운동 경기.
[陸象山 육상산] 육구연(陸九淵).
[陸棲 육서] 육지에 삶.
[陸船 육선] 배 모양으로 만든 꽃수레.
[陸世儀 육세의] 청초(淸初)의 유학자(儒學者). 자(字)는 도위(道威). 호(號)는 부정(桴亭). 육농기(陸隴其)와 함께 이륙(二陸)이라 병칭(竝稱)됨. 실학(實學)을 주창(主唱)하고 〈사변록(思辨錄)〉 35권을 씀.
[陸續 육속] 이어서 끊어지지 아니하는 모양.
[陸松 육송] 솔. 소나무.
[陸輸 육수] 육로(陸路)로 수송함.
[陸秀夫 육수부] 남송말(南宋末)의 충신. 자(字)는 군실(君實). 이부시랑(吏部侍郞) 때 몽고군(蒙古軍)에게 쫓겨 복주(福州)로 가서 장세걸(張世傑)과 함께 단종(端宗)을 옹립(擁立)하여 정권(政權)을 잡았으며 임금이 죽은 후 다시 후위왕(後衞王) 조병(趙昺)을 황제로 세웠으나 애산(崖山)에서 원군(元軍)에게 패하매 임금을 업고 바다에 몸을 던져 죽었음.
[陸王之學 육왕지학] 송(宋)나라의 육구연(陸九淵)과 명(明)나라의 왕수인(王守仁)이 주창한 유학(儒學). 종지(宗旨)가 서로 비슷함.
[陸羽 육우] 당(唐)나라의 은사(隱士). 자(字)는 홍점(鴻漸). 호(號)는 상저옹(桑苧翁). 차(茶)를 즐겨, 후세(後世) 사람들로부터 다신(茶神)으로서 숭앙(崇仰)됨. 저서에 〈다경(茶經)〉 3권이 있음.
[陸雲 육운] 서진(西晉)의 문인(文人). 오(吳)나라 사람. 자(字)는 사룡(士龍). 시문(詩文)에 능(能)하여 형인 기(機)와 더불어 이륙(二陸)이라 일컬어짐. 팔왕(八王)의 난(亂) 때 형과 함께 형사(刑死)하였음.
[陸運 육운] 육로에 의한 운반.
[陸游 육유] 남송(南宋)의 대표적 시인(詩人). 자(字)는 무관(務觀). 호(號)는 방옹(放翁). 범성대(范成大)의 참의(參議)로 있었으며, 뒤에 대중대부(大中大夫)·보모각대제(寶謨閣待制)로서 치사(致仕)하였음. 청신한 시(詩)로 일가(一家)를 이루었는데, 특히 촉중(蜀中) 풍토(風土)를 사랑하여 시집의 제목을 '검남시고(劍南詩稿)'라 하였으므로 검남파(劍南派)로 일컬어짐. 〈입촉기(入蜀記)〉·〈노학암필기(老學庵筆記)〉 등을 저술(著述)함.
[陸田 육전] 밭. 수전(水田)의 대(對).
[陸戰 육전] 육지에서 싸우는 전쟁(戰爭).
[陸地 육지] 뭍.
[陸贄 육지] 당(唐)나라 사람. 자(字)는 경여(敬輿). 덕종(德宗) 때 한림학사(翰林學士)가 되어 신임이 두터웠으며, 중서시랑(中書侍郞)·동평장사(同平章事)에 이르렀음. 그 주의(奏議)는 후세에까지 존중됨.
[陸處 육처] 뭍 위에 있음. 육상(陸上)에 있음.
[陸沈 육침] ㉠세상을 피하여 숨지 못하고 본의 아니면서도 속세에서 삶. ㉡나라가 외적에게 침입당하여 망함. ㉢옛것은 아나 지금의 것은 모름. 시대의 추이를 모름.
[陸駄 육태] ㉠뭍에서 마소로 실어 나르는 짐. ㉡배에서 육지로 옮겨 놓는 짐.
[陸風 육풍] 밤에 육지에서 바다로 향하여 부는 바람.
[陸海 육해] 뭍과 바다. 또, 물산(物產)이 풍성한 「땅.
[陸海軍 육해군] 육군과 해군.
[陸行 육행] 육로(陸路)로 감.
◉空陸. 魁陸. 內陸. 大陸. 博陸. 阜陸. 北陸. 上陸. 商陸. 西陸. 水陸. 雙陸. 揚陸. 離陸. 著陸. 推舟於陸. 平陸. 海陸. 覓陸. 薰陸.

8 ⑪ **[陱]** 국 ㊀屋 居六切 jū

字解 ①기를 국 기름. 양육함. '一, 養也'《集韻》. ②찰 국 참. 가득함. '一, 盈也'《集韻》.

8 ⑪ **[隆]** 권 ㊤阮 窘遠切 / ㊤銑 居轉切 juǎn / ㊦霰 古倦切

字解 마을이름 권 지금의 산시 성(山西省) 윈청 현(運城縣) 안읍성(安邑城)에 있던 마을의 이름. '一, 河東安邑陬也'《說文》.
字源 形聲. 阝(自)+卷〔音〕

8 ⑪ **[险]** 념 ㊦豔 奴店切 niàn

字解 언덕위에서만날 념 언덕 위에서 만남. '一, 遇在岸上'《字彙》.

8 ⑪ **[陫]** 비 ①㊤尾 浮鬼切 fèi / ②㊦未 父沸切 fèi

字解 ①좁은두메 비 외딴 시골. '一, 陋也'《集韻》. ②측은할 비 '隱思君兮一側'《楚辭》.
字源 形聲. 阝(自)+非〔音〕

8 ⑪ **[陭]** ㊀ 기 ㊦寘 奇寄切 / ㊁ 의 ㊥支 於離切 yì

字解 ㊀ 험할 기 崎(山部 八畫)와 同字. ㊁ 험할 의 ㊀과 뜻이 같음.
字源 金文 篆文 形聲. 阝(自)+奇〔音〕. '崎'와 동음 이체자로 '험하다'의 뜻

을 나타냄.

[陭嶇 기구] ㉠험준(險峻)한 모양. ㉡생존에 고난(苦難)이 많은 모양.

8 ⑪ [隆] 〔륭〕 隆(阜部 九畫〈p.2469〉)의 俗字

8 ⑪ [㒱] 〔강〕 岡(山部 五畫〈p.637〉)의 俗字

8 ⑪ [陓] 〔곽〕 崞(山部 八畫〈p.645〉)과 同字

8 ⑪ [隍] 부 ①②㊤有 扶缶切 fù ②㊦有 扶富切

字解 ①성할 부 '一, 盛也'《廣韻》. ②두언덕사이 부 䏗(阜部 八畫)와 同字. '䏗, 說文, 兩阜之閒也. 隸作一'《集韻》.

8 ⑪ [隁] 〔언〕 隁(阜部 十一畫〈p.2474〉)과 同字

8 ⑪ [険] 〔험〕 險(阜部 十三畫〈p.2476〉)의 略字

9 ⑫ [陻] 인 ㊥眞 於眞切 yīn

字解 막을 인, 막힐 인 堙(土部 九畫)과 同字. '鯀一洪水'《書經》.

9 ⑫ [陽] 中·人 양 ㊥陽 與章切 yáng 阳

筆順 ㇇ 了 阝 阝⺋ 阝旦 阝昜 陽 陽

字解 ①양기 양 역학상(易學上)의 용어. '陰'의 대(對)로, 동(動)·개(開)·상(上)·현(顯)·강(剛)·전(前)·천(天)·남(男)·군(君)·주(晝)·일(日) 등 적극성(積極性) 또는 남성의 의미를 가진 것. '乾一物也, 坤陰物也, 陰一合德, 而剛柔有體'《易經》. ②해 양 태양. '夕一'. '匪一不晞'《詩經》. ③양지 양 볕이 쪼이는 곳. '日之所照, 曰之一'《穀梁傳》. ④낮 양 주간. '殷人祭其一'《禮記》. ⑤남쪽 양 산의 남쪽. '岳一'. '耕牧河山之一'《史記》. ⑥북쪽 양 하천의 북쪽. '漢一'(한수(漢水)의 북쪽). '在洽之一'《詩經》. ⑦맑을 양, 밝을 양 깨끗함. 또, 환함. '一聲'. '我朱孔一'《詩經》. ⑧따뜻할 양 온난함. '春日載一'《詩經》. ⑨거짓 양 佯(人部 六畫)과 同字. '一狂'. '一死'. '一若善之'《禮記》. ⑩자지 양 남자의 생식기. '一莖'. '一道'. ⑪시월 양 음력 시월(十月)의 이칭(異稱). '歲亦一止'《詩經》. ⑫성 양 성(姓)의 하나.

字源 甲骨文 金文 篆文 陽 形聲. 阝(自)+昜〔音〕. '昜양'은 해가 떠오르다의 뜻. 언덕의 양지쪽의 뜻을 나타냄.

[陽刻 양각] 철형(凸形)으로 새김. 돋을새김.
[陽乾 양건] 볕에 쬐어서 말림.
[陽莖 양경] 자지. 음경(陰莖).
[陽驚 양경] 거짓 놀람. 놀란 체함.
[陽界 양계] 이 세상(世上).
[陽關曲 양관곡] ㉠원이(元二)가 안서(安西) 지방의 사신(使臣)이 되어 떠날 때, 왕유(王維)가 지어서 부른 시(詩). '渭城朝雨浥輕塵, 客舍靑靑柳色新, 勸君更盡一杯酒, 西出陽關無故人'. ㉡송별의 시(詩).
[陽光 양광] 태양의 광선. 햇빛. 천자(天子)의 덕(德)의 비유.
[陽狂 양광] 거짓으로 미친 체함. 양광(佯狂).
[陽九 양구] 재화(災禍)를 이름. 음양가(陰陽家)가 오행(五行)의 수리(數理)에서 풀어낸 말. 양액(陽厄) 다섯과 음액(陰厄) 넷을 합하여 아홉으로 한 것임.
[陽氣 양기] ㉠양(陽)의 기운. 만물의 발생을 돕는 기운. ㉡남자의 정기(精氣)와 성욕(性慾).
[陽氣發處金石亦透 양기발처금석역투] 양기가 발하는 곳에는 금석도 뚫음. 곧, 결심을 단단히 하면 어떠한 난관도 돌파할 수 있음의 비유.
[陽怒 양노] ㉠성난 체함. ㉡겉으로 나타난 분노.
[陽德 양덕] 양의 덕. 곧, 만물(萬物)을 생장 발육시키는 덕.
[陽道 양도] ㉠하늘의 강건한 도. ㉡군주 또는 남자의 도. ㉢남자의 생식력. ㉣남자의 음경(陰莖). ㉤태양이 운행하는 궤도.
[陽曆 양력] 지구가 태양의 주위를 공전(公轉)하는 시간을 약 365일로 하여 만든 달력. 태양력(太陽曆).
[陽靈 양령] ㉠'태양(太陽)'의 별칭(別稱). ㉡하늘을 제사 지내는 궁전(宮殿).
[陽禮 양례] 주대(周代)의 예(禮)의 하나. 향사(鄕射)·향음주(鄕飮酒) 등의 공공 행사의 예.
[陽六 양륙] 십이율(十二律) 중에서 양(陽)에 속하는 여섯 율(律). 곧, 황종(黃鍾)·태주(太蔟)·고선(姑洗)·유빈(蕤賓)·이칙(夷則)·무역(無射).
[陽明 양명] ㉠해. 태양. ㉡양기(陽氣)의 밝음을 이름. ㉢한의학에서, 몸의 경맥(經脈)의 이름.
[陽明洞 양명동] 구이저우 성내(貴州省內)의 동명(洞名). 명(明)나라 왕양명(王陽明)의 구적(舊蹟).
[陽明四句訣 양명사구결] 왕양명(王陽明)의 도(道)를 배우는 입문(入門)으로서 그 문인(門人)들에게 준 가르침. 사언교(四言敎).
[陽明學 양명학] 명(明)나라의 왕양명(王陽明)이 주창(主唱)한 지행합일(知行合一)을 주로 하는 유학.
[陽木 양목] 봄과 여름에 잘 자라는 나무. 오동(梧桐) 따위. 일설(一說)에는, 산의 남쪽에 자라는 나무.
[陽門 양문] 별 이름. 천고성(天庫星)의 동북에 있는 두 별.
[陽物 양물] ㉠양(陽)에 속하는 물건. ㉡음경(陰莖).
[陽報 양보] 나타난 보답(報答).
[陽死 양사] 죽은 시늉을 함.
[陽事 양사] ㉠양기(陽氣)가 이루는 일. ㉡남녀의 방사(房事).
[陽祀 양사] 봄과 여름의 제사.
[陽性 양성] 적극적으로 나아가는 성질(性質).
[陽聲 양성] ㉠양(陽)에 속하는 소리. 곧, 양륙(陽六). ㉡우렛소리. ㉢맑은 소리.
[陽燧 양수] 화경(火鏡).
[陽陽 양양] ㉠무늬가 찬란한 모양. ㉡득의(得意)한 모양. 일설(一說)에는, 개의치 아니하는 모양. ㉢흐르는 모양.
[陽言 양언] 거짓으로 풍을 떪.

[陽炎 양염] 아지랑이.
[陽焰 양염] 양염(陽炎).
[陽燄 양염] 양염(陽炎).
[陽烏 양오] '태양(太陽)'의 별칭. 해 속에 세 발 달린 까마귀가 있다는 전설에서 나온 말.
[陽曜 양요] '태양(太陽)'의 별칭(別稱).
[陽旭 양욱] 아침 해. 욱일(旭日).
[陽月 양월] 음력 시월(十月)의 이칭(異稱). 시월(十月)은 음(陰)이 매우 성한 달로, 음이 매우 성하면 양(陽)이 생긴다는 뜻임.
[陽日 양일] 해. 태양(太陽).
[陽鳥 양조] ㉠태양을 따르는 새. 곧, 홍안(鴻雁) 따위. ㉡학의 이명(異名).
[陽尊 양존] 존경하는 체함.
[陽宗 양종] '태양(太陽)'의 별칭(別稱).
[陽中 양중] '봄〔春〕'의 별칭(別稱).
[陽地 양지] 남쪽으로 향한 땅. 볕이 바로 드는 땅. 양지쪽.
[陽天 양천] 구천(九天)의 하나. 동남의 하늘을 이름.
[陽秋 양추] 공자(孔子)의 저서 〈춘추(春秋)〉의 별칭.
[陽春 양춘] ㉠따뜻한 봄. ㉡은택·은혜 등의 비유. ㉢고상한 가곡(歌曲). ㉣음력 정월의 이칭(異稱).
[陽春白雪 양춘백설] 초(楚)나라의 가곡(歌曲). 전(轉)하여, 고상한 가곡.
[陽宅 양택] 사람이 사는 집.
[陽夏 양하] 여름. 양기(陽氣)가 왕성하므로 이렇게 이름.
[陽和 양화] ㉠화창한 춘절(春節). 춘화(春和). ㉡인정(仁政)에 비유함.
[陽侯 양후] 바다의 신(神). 전(轉)하여, 파도·물결.
[陽煦山立 양후산립] 태양이 따사롭고 산이 우뚝 솟았다는 뜻으로, 인품(人品)이 온화(溫和)하고 단정(端正)함을 이름.
[陽侯之波 양후지파] 진(晉)나라의 양릉국후(陽陵國侯)가 익사(溺死)하여 해신(海神)이 되어서는 풍파를 일으켜 배를 뒤집어엎었다는 데서 바다의 큰 물결의 뜻으로 쓰임.
[陽卉 양훼] 봄과 여름에 무성해지는 초목.
◉翺陽. 昆陽. 九陽. 洛陽. 落陽. 端陽. 孟陽. 明陽. 補陽. 斜陽. 山陽. 上陽. 夕陽. 歲陽. 昭陽. 水陽. 首陽. 睢陽. 新陽. 漁陽. 炎陽. 豔陽. 迎陽. 龍陽. 陰陽. 一陽. 殘陽. 正陽. 精陽. 朝陽. 仲陽. 重陽. 靑陽. 淸陽. 初陽. 秋陽. 春陽. 太陽. 頹陽. 咸陽. 亢陽. 滎陽.

9 ⑫ [陾] 잉 ㊥蒸 如乘切 réng

字解 담쌓는소리 잉 '捄之——'《詩經》.

字源 篆文 形聲. 阝(自)+耎〔音〕. '耎연'은 부드럽고 끈적끈적하다의 뜻. 끈적끈적한 흙으로 토담을 쌓다의 뜻을 나타냄.

9 ⑫ [⿰阝建] 〔건〕 乾(乙部 十畫〈p. 65〉)과 同字

9 ⑫ [陿] 협 ㊅洽 侯夾切 xiá

字解 좁을 협 狹(犬部 七畫)·陜(阜部 七畫)과 同字. '遠逮秦地之—隘'《史記》.

[陿隘 협애] 좁음.

9 ⑫ [隃] 一 유 ㊥虞 羊朱切 yú 二 요 ㊥蕭 餘招切 yáo

字解 一 넘을 유 逾(辵部 九畫)와 통용. '—隱而待之'《左傳》. 二 멀 요 遙(辵部 十畫)와 통용. '—謂布, 何苦而反'《漢書 英布傳》.

字源 篆文 形聲. 阝(自)+兪〔音〕. '兪유'는 빼내다, 중간에 있는 방해물을 제거하다의 뜻. 험한 곳을 넘다의 뜻을 나타냄.

[隃麋 유미] 산시 성(陝西省)에 있는 현명(縣名). 먹의 산지(産地)로서 유명함. 전(轉)하여, 먹〔墨〕의 이명(異名).

9 ⑫ [⿰阝界] 계(개㊍) ㊤卦 居拜切 jiè

字解 경계 계 경계. 한계. '畍, 說文, 境也, 或作—'《集韻》.

9 ⑫ [隅] 人名 우 ㊥虞 偶俱切 yú

筆順 ㇇ 了 阝 阝 阳 隅 隅 隅 隅

字解 ①구석 우 모퉁이의 안쪽. '—奧'. '摳衣趨—'《禮記》. ②모퉁이 우 구부러지거나 꺾어져 돌아간 자리. '—曲'. '止于丘—'《詩經》. ③귀우 네모진 것의 모퉁이의 끝. '擧——, 不以三—反'《論語》. ④절개 우 절조. '維德之—'《詩經》.

字源 篆文 形聲. 阝(自)+禺〔音〕. '禺우'는 '愚우'와 통하여 둔하다, 똑똑하지 않다의 뜻, 언덕의 똑똑히 보이지 않는 구석의 뜻을 나타냄.

[隅曲 우곡] 모퉁이.
[隅目 우목] 맹수(猛獸)가 성내어 눈을 부릅뜸.
[隅反 우반] 유추(類推)함. 사물의 사우(四隅) 가운데 일우(一隅)를 들어서 다른 삼우(三隅)를 안다는 뜻.
[隅淵 우연] 옛날에 해가 지는 곳이라고 상상했던 곳.
[隅奧 우오] 방의 구석. 방의 서남쪽 구석을 오(奧)라 함.
[隅中 우중] 정오(正午)가 될 무렵. 우중(禺中).
◉曲隅. 端隅. 僻隅. 邊隅. 四隅. 山隅. 三隅. 城隅. 廉隅. 一隅. 坐隅. 天隅. 海隅.

9 ⑫ [隆] 高人 륭 ㊥東 力中切 lóng

筆順 ㇇ 了 阝 阝 阝 陉 降 降 隆 隆

字解 ①성할 륭 성대함. '—盛'. '漢室之—, 可計日而待也'《諸葛亮》. 또, 성대하게 함. '—禮'《禮記》. ②높을 륭 ㉠땅 같은 것이 높음. 주로, 중앙이 높음을 이름. '—波'. '宛中—'《爾雅》. ㉡존귀함. '方—貴用事'《史記》. ③높일 륭 ㉠높게 함. '—薛之城'《戰國策》. ㉡존숭함. '—師'. ④두터울 륭 후함. '—寵'. '使後世不見—薄進退之際'《後漢書》. ⑤성 륭 성(姓)의 하나.

字源 篆文 形聲. 生+降〔音〕. '降강'은 붕긋 돋아 오르는 모양을 나타내는 의태어. 융성하게 커지다, 높다, 융성하다의 뜻을 나타냄.

[隆慶 융경] 대단히 경사스러움.

[隆古 융고] 옛날의 융성한 시대.
[隆眷 융권] 융은(隆恩).
[隆貴 융귀] 존귀함.
[隆極 융극] 지극히 높은 지위.
[隆起 융기] 평면보다 높아 불룩함.
[隆冬 융동] 추위가 대단히 심한 겨울. 한겨울. 엄동(嚴冬).
[隆禮 융례] ㉠예(禮)를 성대하게 함. ㉡융숭한 대접. ㉢예(禮)를 존숭함.
[隆老 융로] 일흔 또는 여든 살 이상의 노인(老人).
[隆隆 융륭] ㉠소리가 큰 모양. ㉡세력이 융성한 모양.
[隆名 융명] 높은 명성(名聲).
[隆富 융부] 대단히 부유(富裕)함.
[隆鼻 융비] 우뚝한 코.
[隆顙 융상] 불룩 나온 이마.
[隆暑 융서] 대단한 더위.
[隆盛 융성] 성함. 번창함.
[隆崇 융숭] 매우 높음.
[隆渥 융악] 군주(君主)의 두터운 은혜.
[隆顏 융안] 천자(天子)의 얼굴.
[隆然 융연] 높은 모양.
[隆永 융영] 융성하고 장구함.
[隆遇 융우] 융숭(隆崇)한 대우.
[隆運 융운] 성운(盛運).
[隆窳 융유] 융체(隆替).
[隆恩 융은] 높은 은혜. 큰 은혜.
[隆陰 융음] 왕성한 음기(陰氣).
[隆情 융정] 두터운 정(情).
[隆準 융준] 우뚝한 콧마루. 우뚝한 코.
[隆中 융중] 후베이 성(湖北省) 샹양 현(襄陽縣) 서쪽에 있는 산 이름. 한말(漢末)에 제갈량(諸葛亮)이 이 산에 숨어 초려(草廬)를 짓고 살았음.
[隆車 융차] 큰 수레. 높은 수레.
[隆昌 융창] ㉠융성(隆盛). ㉡남북조(南北朝) 때 제(齊)나라 울림왕(鬱林王)의 연호(年號).
[隆替 융체] 성쇠(盛衰).
[隆寵 융총] 두터운 총애.
[隆就 융취] 기름. 양육함.
[隆熾 융치] 왕성(旺盛)함.
[隆頹 융퇴] 울룩불룩한 모양.
[隆波 융파] 높은물결. 큰 물결.
[隆寒 융한] 대단한 추위. 엄한(嚴寒).
[隆顯 융현] 지위가 높고 명성이 세상에 나타남.
[隆刑 융형] 형벌을 무겁게 함. 또, 무거운 형벌. 엄형(嚴刑).
[隆洽 융흡] 성하게 전파(傳播)됨.
[隆興 융흥] 성하게 일어남. 성함.
[隆熙 융희] 조선조 순종(純宗) 때의 연호.
◉高隆. 穹隆. 汙隆. 洿隆. 蘊隆. 優隆. 夷隆. 豐隆. 熙隆. 興隆.

9 ⑫ [隈] 외 [平]灰 烏恢切 wēi

[字解] ①굽이 외 ㉠물가의 굽어 들어간 곳. '因復指河曲之淫一'《列子》. ㉡산의 굽어 들어간 곳. '大山之一'《管子》. ②후미진곳 외 쑥 들어가서 으슥한 곳. '過析一'《左傳》. ③사타구니 외 두 다리의 사이. '奎蹏曲一'《莊子》.
[字源] 篆文 形聲. 阝(自)+畏〔音〕. '畏외'는 '屈굴'과 통하여 '구부리다'의 뜻. 산이나 물 따위의 구부러져 휘어진 곳, '굽이'의 뜻을 나타냄.

[隈曲 외곡] 굽이.
[隈澳 외욱] 후미.
◉澗隈. 江隈. 界隈. 曲隈. 瀾隈. 四隈. 山隈. 城隈. 水隈. 岸隈. 巖隈. 林隈.

9 ⑫ [隉] 얼 [入]屑 五結切 niè

[字解] 위태할 얼 '杌一'은 위태로운 모양. '邦之阢一'《書經》.
[字源] 篆文 會意. 阝(自)+毁〈省〉. '毁훼'는 '부서지다'의 뜻. 무너지고 있는 벼랑의 뜻에서 '위태하다'의 뜻을 나타냄.

◉杌隉.

9 ⑫ [隊] [高·人] [一] 대 [去]隊 徒對切 duì [二] 추 [去]寘 直類切 zhuì [三] 수 [去]寘 徐醉切 suì 队

[筆順] ㇕ ㇋ 阝 阝⺈ 阝⺈ 隊 隊 隊

[字解] [一] ①대 대 편제(編制)된 군대(軍隊). 여러 사람이 열을 지은 떼. '樂一'. '探險一'. '隨行而入逐一而趨'《韓愈》. ②대오 대 군대의 항오(行伍). '會師於臨品, 分爲二一'《左傳》. [二] 떨어질 추, 떨어뜨릴 추 墜(土部 十二畫)와 통용. '退人若將一諸淵'《禮記》. [三] 길 수 隧(阜部 十三畫)와 통용. '鈃山之一'《穆天子傳》.
[字源] 甲骨文 金文 篆文 甲骨文은 會意로 自+人의 거꿀꼴. '自부'는 계단을 본뜬 것. 계단에서 사람이 거꾸로 떨어지는 모양에서 '떨어지다'의 뜻을 나타냄. 假借하여 '屯둔'과 통하여 무리의 뜻으로도 쓰임. 篆文은 形聲으로 阝(自)+㒸〔音〕. '㒸수'는 '떨어지다'의 뜻.

[隊列 대렬] 대열(隊列).
[隊商 대상] 단체를 짜고 사막을 왕래하는 상인.
[隊帥 대수] 대장(隊長).
[隊率 대수] 대장(隊長).
[隊列 대열] 대를 지어 늘어선 행렬.
[隊伍 대오] 군대(軍隊)의 항오(行伍). 대열(隊列).
[隊長 대장] ㉠군대의 장(長). 대오(隊伍)의 장. ㉡단체의 장.
[隊主 대주] 대장(隊長).
◉啓蒙隊. 鼓笛隊. 軍隊. 旗隊. 大隊. 馬隊. 兵隊. 步隊. 本隊. 部隊. 分隊. 小隊. 樂隊. 聯隊. 一隊. 入隊. 全隊. 前隊. 除隊. 縱隊. 中隊. 支隊. 陣隊. 編隊. 艦隊. 橫隊. 後隊.

9 ⑫ [隋] [人名] [一] 타 [上]哿 他果切 duò [二] 수 [平]支 旬爲切 suí

[筆順] ㇕ ㇋ 阝 阝一 阝𠂇 阝左 隋 隋

[字解] [一] ①둥글길쭉할 타 橢(木部 十二畫)와 통용. '一圓'. ②떨어질 타 墮(土部 十二畫)와 통용. '有一星五'《史記》. ③게으를 타 惰(心部 九畫)와 통용. '一游之士也'《禮記》. [二] ①수나라 수 문제(文帝) 양견(楊堅)이 북주(北周)의 선위(禪位)를 받아 세운 왕조(王朝). 서울은 장안(長安). 진(陳)나라를 멸하여 남북조(南北朝)를 통일하였으나, 삼주(三主) 38년 만에 당(唐)나

라에 망하였음. (581～617) ②성 수 성(姓)의 하나.

字源 篆文 形聲. 阝(自)＋隓〈省〉〔音〕. '隓타·휴'는 무너져 내린 성벽의 뜻. 잘게 째어 부드러워진 제수용 고기의 나머지의 뜻을 나타냄.

[隋文帝 수문제] 수(隋)나라의 첫 황제. 성(姓)은 양(楊), 이름은 견(堅). 처음에는 북주(北周)에 사관(仕官)하다가 정제(靜帝)의 선위(禪位)를 받아 제위(帝位)에 오르고 국호(國號)를 수(隋)라 하였으며, 진(陳)나라를 멸(滅)하여 남북(南北)을 통일하였음.
[隋書 수서] 24사(史)의 하나. 당(唐)나라 위징(魏徵) 등이 칙명(勅命)을 받들어 찬(撰)하였음. 85권. 수대(隋代)의 역사를 기록하였음.
[隋煬艶史 수양염사] 수(隋)나라 양제(煬帝)에 관하여 쓴 소설(小說).
[隋煬帝 수양제] 수(隋)나라의 제이대(第二代) 황제. 이름은 광(廣). 문제(文帝)의 둘째 아들. 사치(奢侈)를 일삼았으며 토목(土木) 공사를 크게 일으키고 대운하(大運河)를 만들고 장성(長城)을 쌓았음. 재위 12년. 우문화급(宇文化及)에게 시살(弑殺)되었음.
[隋苑 수원] 수(隋)나라 양제(煬帝)가 만든 정원(庭園). 장쑤 성(江蘇省) 장두 현(江都縣)의 서북(西北)쪽에 있음. 상림원(上林苑) 또는 서원(西苑)이라고도 함.
[隋隄 수제] 수양제(隋煬帝)가 쌓은 운하(運河)의 제방.
[隋珠 수주] 수후지주(隋侯之珠).
[隋和 수화] 수후지주(隋侯之珠)와 화씨지벽(和氏之璧). 모두 천하의 지보(至寶)이므로, 인재(人才)의 훌륭함을 비유하는 말로 쓰임.
[隋侯之珠 수후지주] 수후(隋侯)가 뱀을 도와준 덕(德)으로 얻었다는 보배로운 구슬. 명월지주(明月之珠). 야광지주(夜光之珠).
[隋游 타유] 게으르고 놀기를 좋아함.

9 ⑫ [隊] 一 전 ㊤銑 柱兗切 zhuàn 二 단 ㊎翰 徒玩切

字解 一 담 전 '一, 垣也'《廣雅》. ㉠길가의 낮은 담. '一, 道邊庳垣也'《說文》. ㉡건물 주위의 담. '一, 院也'《廣雅》. 二 담 단 一과 뜻이 같음.
字源 形聲. 阝(自)＋彖〔音〕

9 ⑫ [隍] 人名 황 ㊥陽 胡光切 huáng

字解 해자 황 성 밖에 둘러 판 물 없는 못. 물 있는 못은 '壕'라 함. '深一'. '城復于一'《易經》.
字源 篆文 形聲. 阝(自)＋皇〔音〕. '皇황'은 '廣광'과 통하여 넓고 비다의 뜻. 물이 없는 '해자'의 뜻을 나타냄.

[隍塹 황참] 물이 없는 해자(垓子).
◉陴隍. 城復于隍. 城隍. 深隍. 池隍. 濠隍.

9 ⑫ [階] 高入 계 ㊥佳 古諧切 jiē 阶

筆順 ㇇ 了 阝 阝⁻ 阝ㄴ 阝比 階 階

字解 ①섬돌 계, 층계 계 계단. '陛一'. '一段'. '舞干羽于兩一'《書經》. ②사닥다리 계 높은 데를 디디고 오르는 기구. '狄人設一'《禮記》. 또, 사닥다리를 놓음. '猶天之不可一而升也'《論語》. 전(轉)하여, 일을 하는 데 차례로 밟아 올라가는 경로의 뜻으로 쓰임. '四子六經之一梯, 近思錄四子之一梯'《葉采》. ③층 계 한 계단. 또는, 한 겹. '三一'. '壁岸無一'《水經注》. ④벼슬차례 계 벼슬의 등급. '一級'. '位一'. '有勳有一'《唐書》.
字源 篆文 形聲. 阝(自)＋皆〔音〕. '皆개'는 나란히 늘어서다의 뜻. 나란히 늘어선 층층대의 뜻을 나타냄.

[階級 계급] ㉠등급. ㉡층계. 계단(階段). ㉢신분 또는 재산·직업에 의하여 갈린 사회적 지위.
[階級鬪爭 계급투쟁] 사회적(社會的) 지위(地位)가 서로 다른 유산자(有產者)와 무산자(無產者) 사이에 일어나는 정치적(政治的) 다툼.
[階段 계단] 층계. 전(轉)하여, 일을 하는 데 밟아야 할 순서.
[階闥 계달] 섬돌과 궁중(宮中)의 작은 문. 전(轉)하여, 궁중.
[階序 계서] 층계. 계단(階段).
[階承 계승] 순차(順次)로 이어받음.
[階緣 계연] ㉠층계. 계단(階段). ㉡연(緣)줄을 탐.
[階前 계전] 섬돌 앞. 뜰.
[階前萬里 계전만리] 만 리나 떨어진 먼 곳도 발밑에 있는 계단 앞과 같이 환히 내다본다는 뜻으로, 지방 행정의 득실을 임금이 모두 듣고 알아 신하들이 결코 속일 수 없다는 말.
[階前盈尺之地 계전영척지지] 섬돌 앞의 한 자 사방의 공지. 곧 대관·귀인 앞에 있는 조그마한 좌석.
[階前千里門外萬里 계전천리문외만리] 섬돌 앞은 천 리를 보고 문밖은 만 리를 본다는 뜻으로, 아무리 먼 곳이라도 섬돌 앞이나 문밖에 있는 것처럼 환하게 다 안다는 말.
[階除 계제] 층계. 계단(階段).
[階梯 계제] 사닥다리. 전(轉)하여, 일을 하는 데 차례로 밟아 올라가는 경로.
[階次 계차] 계급(階級)의 차례. 지위의 고하.
[階陛 계폐] 궁전(宮殿)의 섬돌.
[階下 계하] 층계(層階) 아래. 섬돌 아래.
[階閤 계합] 섬돌이 있는 궁전(宮殿)의 작은 문.
◉貴階. 金階. 亂階. 段階. 得階. 武階. 文階. 石階. 歷階. 玉階. 瑤階. 越階. 位階. 音階. 二階. 寅階. 殿階. 庭階. 阼階. 芝蘭玉樹生庭階. 職階. 天階. 淸階. 超階. 苔階. 土階.

9 ⑫ [隄] 제 ㊥齊 都奚切 dī

字解 ①둑 제, 방죽 제 堤(土部 九畫)와 同字. '修利一防'《禮記》. ②성 제 성(姓)의 하나.
字源 篆文 形聲. 阝(自)＋是〔音〕. '是시·제'는 '곧다'의 뜻. 곧게 벋어 있는 둑의 뜻을 나타냄.

[隄溝 제구] 둑과 도랑.
[隄塘 제당] 둑.
[隄防 제방] 둑.
[隄扞 제한] 둑.
◉金隄. 沙隄. 御隄. 堰隄. 柳長隄. 柳隄. 障隄. 千丈隄.

9 ⑫ [陏] 〔수〕
隨(阜部 十三畫〈p.2475〉)의 略字

9 ⑫ [隔] 〔벽·결〕
陝(阜部 四畫〈p.2450〉)과 同字

9 ⑫ [隁] 단 [去]翰 都玩切 duàn
[字解] 험할 단 험함. 가파름. '一, 險也'《集韻》.

9 ⑫ [陼] 저 [上]語 章與切 zhǔ
[字解] 물가 저 渚(水部 九畫)와 同字. '朝發枉一兮夕宿辰陽'《楚辭》.
[字源] 篆文 形聲. 阝(自)+者〔音〕. '者자'는 '모이다'의 뜻. 토사가 모여서 생긴 물속의 섬의 뜻을 나타내며, '渚저'와 통하여 '물가'의 뜻을 나타냄.

9 ⑫ [隁] 〔언〕
堰(土部 九畫〈p.455〉)과 同字
[字源] 形聲. 阝(自)+匽〔音〕

9 ⑫ [隂] 〔음〕
陰(阜部 八畫〈p.2460〉)의 俗字

10 ⑬ [隒] 엄 [上]琰 魚檢切 yǎn
[字解] 언덕 엄, 낭떠러지 엄 땅이 조금 높은 곳. 또는 깎아지른 듯한 언덕.
[字源] 篆文 形聲. 阝(自)+兼〔音〕. '兼겸'은 날카롭게 모가 나다의 뜻. 험한 벼랑의 뜻을 나타냄.

10 ⑬ [隔] [高·入] 격 [入]陌 古核切 gé
[筆順] ㇇ 了 阝 阝 阝一 陌 隔 隔
[字解] ①막을 격 ㉠물건을 중간에 놓아 가로막음. '築牆一山'《李義山雜纂》. '防一內外'《史記》. ㉡통하지 못하게 함. '欲一絕漢'《漢書》. ②뜰 격 시간이나 공간에 사이가 뜸. '一遠'. '縣一'. '日一之遠'《韓愈》. ③막이 격 ㉠칸막이. 경계. '秦無韓魏之一'《戰國策》. ㉡사이가 막힘, 또는 뜨임. '間一'. '吾兵少而臨賊營門, 所恃一水一耳'《五代史》. ④이미 격 이왕에. '一是身如蒙'《元稹》.
[字源] 篆文 形聲. 阝(自)+鬲〔音〕. '鬲격'은 다리가 높아 바닥에서 멀리 떨어져 있는 세발솥을 본뜬 것. 떨어져 있다의 뜻을 분명히 하기 위하여 사다리를 본뜬 '自부'를 덧붙임.

[隔近 격근] 사이가 가까움.
[隔年 격년] ㉠해를 거름. 한 해를 건너뜀. ㉡나이가 다름. 나이가 서로 떠 있음.
[隔斷 격단] 사이를 막음.
[隔離 격리] ㉠사이를 떼어 놓음. 또 떨어져 있음. ㉡전염병 환자를 딴 곳에 옮겨 전염을 방지함.
[隔面 격면] 절교(絕交).
[隔壁 격벽] 벽 하나를 사이에 둠. 곧 아주 가까운 이웃.
[隔世 격세] ㉠세대(世代)를 거름. ㉡심(甚)한 변천을 지낸 딴 세대.
[隔歲 격세] 격년(隔年).
[隔世之感 격세지감] 딴 세대(世代)와 같이 달라진 느낌.
[隔心 격심] 격의(隔意).
[隔夜 격야] 하룻밤씩 거름.
[隔遠 격원] 동떨어지게 멂.
[隔月 격월] 한 달씩 거름.
[隔越 격월] 멀리 떨어짐.
[隔意 격의] 서로 터놓지 아니하는 속마음.
[隔異 격이] 떼어 놓아 나눔. 또 떨어져 나누임.
[隔日 격일] 하루씩 거름.
[隔牆 격장] 담 하나를 사이에 둠.
[隔牆有耳 격장유이] 벽에도 귀가 있다는 뜻으로, 비밀은 없으므로 경솔히 말하지 말 것을 비유적으로 이르는 말.
[隔絕 격절] 막아 끊음.
[隔阻 격조] 오랫동안 소식(消息)이 막힘.
[隔轍雨 격철우] 음력(陰曆) 5월에 내리는 비. 소의 등 하나를 사이하여 비가 오고 아니 오고 하는 여름의 소낙비.
[隔靴搔痒 격화소양] 신 신고 발바닥 긁기와 같다는 뜻. 곧, 일이 철저하지 못하여 성에 차지 않는다는 말.
◉間隔. 關隔. 乖隔. 杜隔. 防隔. 分隔. 疏隔. 雍隔. 遼隔. 遠隔. 離隔. 阻隔. 限隔. 懸隔.

10 ⑬ [隕] [人名] [一] 운 [上]軫 于敏切 yǔn [二] 원 [平]先 于權切 yuán 陨
[字解] [一] ①떨어질 운, 떨어뜨릴 운 낙하함. '一石'. '夜中星一如雨'《漢書》. ②잃을 운 상실함. '失一'. '洒一其身'《賈誼》. ③무너질 운 허물어짐. '一潰'. '景公臺一'《淮南子》. ④사로잡힐 운 포로가 됨. '子國卿也, 一子辱矣'《左傳》. ⑤죽을 운, 죽일 운 殞(歹部 十畫)과 同字. '巢一諸樊'《左傳》. [二] 둘레 원 주위. 員(貝部 三畫)과 통용. '幅一旣長'《詩經》.
[字源] 篆文 形聲. 阝(自)+員〔音〕. '員원'은 '毀훼'와 통하여 '찌부러지다'의 뜻. 언덕이 무너져 내리다의 뜻에서, '떨어지다'의 뜻을 나타냄.

[隕潰 운궤] 무너짐.
[隕淚 운루] 눈물을 떨어뜨림. 낙루함.
[隕泗 운사] 운루(隕淚).
[隕石 운석] 큰 유성(流星)이 공중에서 다 타지 못하고 지상에 떨어진 물체.
[隕星 운성] 하늘에서 떨어지는 유성(流星).
[隕越 운월] ㉠굴러 떨어짐. ㉡실패함.
[隕顚 운전] 떨어져 넘어짐.
[隕絕 운절] 쇠(衰)하여 끊어짐.
[隕鐵 운철] 운석(隕石)에서 나온 쇠.
[隕涕 운체] 운루(隕淚).
[隕隊 운추] 운추(隕墜). 추(隊)는 추(墜).
[隕墜 운추] 떨어짐.
[隕蘀 운택] 초목(草木)의 잎이 시들어 떨어짐.
[隕穫 운확] 곤궁하여 뜻을 잃는 모양.
◉飛隕. 失隕. 沈隕. 幅隕. 隍隕.

10 ⑬ [隖] 오 [上]麌 安古切 wù
[字解] ①토성 오 마을 안에 흙으로 쌓은 작은 성. 벽루(壁壘). '築一於郿, 高厚七尺, 號曰萬歲一'《後漢書》. ②둑 오 작은 제방. 塢(土部 十畫)와 同字. '送春經野一'《杜牧》.

[字源] 篆文 形聲. 阝(自)＋烏〔音〕. '烏오'는 '歍오'와 통하여 가슴이 막혀 구역질이 나다의 뜻. 구역질 날 오수(汚水)를 채운 마을의 보루로서의 '둑'의 뜻을 나타냄.

◉壁隖. 山隖. 城隖. 竹隖. 築隖. 春隖. 候隖.

10 ⑬ [隗] 외 ㊤賄 五罪切 wěi [平]灰 吾回切

[字解] ①높을 외 산이 높고 험함. '崯嵔—虖其相嬰'《揚雄》. ②성 외 성(姓)의 하나.
[字源] 篆文 形聲. 阝(自)＋鬼〔音〕. '鬼귀'는 '이상하다'의 뜻. 야릇한 언덕, 험하다의 뜻을 나타냄.

[隗囂 외효] 후한(後漢) 초기(初期)의 군웅(群雄)의 한 사람. 자(字)는 계맹(季孟). 왕망(王莽)의 말기(末期)에 농서(隴西)를 본거지(本據地)로 삼고 서주상장군(西州上將軍)이라 일컬었으나, 광무제(光武帝)에게 멸망당함.

10 ⑬ [隘] [人名] [一] 애 [去]卦 烏懈切 ài [二] 액 [入]陌 乙革切 è

[字解] [一] ①좁을 애 ㉠협착함. '一狹'. '道一不容車'《古詩》. ㉡소견이 좁음. '伯夷一'《孟子》. ②더러울 애 비루함. '君子以爲一矣'《禮記》. ③험할 애 지세가 험준함. 또, 그 땅. '險一'. '不恃一害'《張衡》. [二] 막을 액 못하게 함. 방해함. 阸(阜部 四畫)과 同字. '齊王一之'《戰國策》.
[字源] 籒文 篆文 形聲. 阝(自)＋益〔音〕. '益익'은 '戹액'과 통하여 '좁다'의 뜻. 좁은 땅의 뜻을 나타냄. 籒文은 양쪽으로 언덕이 바싹 붙어 있고, 가운데에 목의 자(字)를 두어, 산이 붙어 있고 목처럼 좁은 곳의 뜻을 나타냄.

[隘勇 애용] 대만(臺灣)에서 생번(生蕃)을 막기 위하여 토인(土人)에게서 모집한 군대.
[隘廛 애전] ㉠협소한 점방. ㉡저자들로 가로막힘.
[隘巷 애항] 좁고 더러운 거리. 누항(陋巷).
[隘害 애해] 지세가 험하여 수비하기 좋은 요해지.
[隘險 애험] 좁고 험준함.
[隘狹 애협] 좁음.
[隘陿 애협] 애협(隘狹).
◉狷隘. 困隘. 關隘. 陋隘. 貧隘. 危隘. 塡隘. 埶隘. 阻隘. 峻隘. 湫隘. 褊隘. 險隘. 嶮隘. 陝隘. 陿隘.

10 ⑬ [隙] [人名] 극 [入]陌 綺戟切 xì

[筆順] ㇇ 阝 阝 阝⺌ 阝⺌ 陷 陷 隙

[字解] 틈 극 ㉠벌어져 사이가 난 자리. '空一'. '間一'. '若駟之過一'《禮記》. ㉡겨를. '皆於農一以講事也'《左傳》. ㉢불화. 원한. '與沛公有一'《史記》. ㉣싸움. 다툼. '開邊一'《漢書》. ㉤기회. '一會'. '窺間伺一'《漢書》.
[字源] 篆文 形聲. 阝(自)＋𡭴〔音〕. '𡭴극'은 벽의 틈의 뜻. 뒤에 '自부'를 더하여 뜻을 분명히 함.
[參考] 隟(阜部 十一畫)은 俗字.

[隙孔 극공] 극혈(隙穴).
[隙壞 극괴] 틈이 생겨 무너짐.
[隙駒 극구] 세월이 빨리 가는 것이 문틈에서 백구(白駒)가 빨리 닫는 것을 잠시 보는 것 같다는 뜻으로, 빨리 가는 세월. 광음(光陰).
[隙大牆壞 극대장회] 담에 틈이 크게 생기면 무너지는 것처럼, 인심이 화합하지 아니하면 국가가 망한다는 말.
[隙駟 극사] 극구(隙駒).
[隙地 극지] 공지(空地).
[隙罅 극하] 벌어져 사이가 난 자리. 틈.
[隙穴 극혈] 틈에 생긴 구멍. 극공(隙孔).
[隙穴之臣 극혈지신] 안에 있으면서 은밀히 적에게 내통(內通)하는 자(者). 배반자(背反者).
[隙會 극회] 좋은 기회.
◉間隙. 孔隙. 空隙. 過隙. 仇隙. 駒隙. 農隙. 門隙. 白駒過隙. 邊隙. 駟過隙. 尤隙. 怨隙. 牆隙. 鑽穴隙. 鐵穴隙. 寸隙. 罅隙. 穴隙. 嫌隙. 荒隙.

10 ⑬ [隑] [一] 개 [去]隊 巨代切 gài [二] 기 [平]微 渠希切 qí

[字解] [一] 사닥다리 개 사다리. '江南人呼梯爲一'《揚子方言 註》. [二] 굽은언덕 기 '埼, 曲岸也. 亦作一'《集韻》.
[字源] 形聲. 阝(自)＋豈〔音〕

10 ⑬ [⿰阝毘] 〔비〕 阰(阜部 四畫〈p. 2451〉)와 同字

10 ⑬ [隚] 〔당〕 塘(土部 十畫〈p. 458〉)과 同字

10 ⑬ [陥] 〔함〕 陷(阜部 八畫〈p. 2466〉)의 訛字

10 ⑬ [陘] 〔습〕 隰(阜部 十四畫〈p. 2477〉)과 同字

10 ⑬ [随] 〔수〕 隨(阜部 十三畫〈p. 2475〉)의 俗字

11 ⑭ [隠] 〔은〕 隱(阜部 十四畫〈p. 2477〉)의 俗字

11 ⑭ [際] [高人] 제 [去]霽 子例切 jì 际

[筆順] ㇇ 阝 阝 阝⺈ 阝⺈ 際 際 際

[字解] ①사이 제 ㉠두 사물의 중간. '天地一也'《易經》. ㉡이 때에서 저 때로 옮길 무렵. '春夏之一'. '唐虞之一'《史記》. ②때 제 ㉠…을 하는 때. 그 경우. '其授受之一, 丁寧告戒'《朱熹》. ㉡기회. 시기. '一會'. '因事一, 以逞其志'《晉書》. ③사귈 제 교제함. 또, 그 일. '交一'. '仁義之士貴一'《莊子》. ④가 제 변두리. 끝. '天一'. '一限'. '端一不可得見'《晉書》. ⑤닿을 제 접속함. '一天接地'《漢書》. ⑥만날 제 사람 또는 때를 만남. '一會'. '一太平之世'.
[字源] 篆文 形聲. 阝(自)＋祭〔音〕. '祭제'는 '叉차'와 통하여 손가락 사이에 무엇을 끼워 섞이게 하다의 뜻. 언덕과 언덕이 만나는 경계, 하늘과 땅이 만나는 끝 등의 뜻을 나타냄.

[際可 제가] 예의를 갖추어 대접함.
[際可之仕 제가지사] 임금이 예로써 대우하므로 하는 벼슬.
[際畔 제반] 제애(際涯).
[際涯 제애] 끝. 한.
[際遇 제우] 제회(際會)㉡.
[際之不際 제지부제] 제한이 있으면서 제한이 없음.
[際限 제한] 끝 닿는 곳.
[際會 제회] ㉠시기. 기회. ㉡좋은 때를 만남. 어진 신하가 어진 임금을 만남.
◉空際. 交際. 國際. 極際. 金輪際. 端際. 邊際. 縫際. 分際. 實際. 涯際. 天際. 八際.

11 ⑭ [障] 高人 장 ㊎漾 之亮切 zhàng

筆順 ' 了 阝 阝 阝 陪 陪 障 障

字解 ①막을 장, 막힐 장 ㉠통하지 못하게 함. '一百川, 而東之'《韓愈》. ㉡방해함. '聞見日益, 一道日深耳'《王文成公年譜節略》. ②밭두둑길 장, 둑 장 밭 사이의 길. 또, 제방. '堤一'. '陂一卑下'《漢書》. ③보루 장 변방의 요새. '保一'. '築亭一'《史記》. ④병풍 장, 장지 장, 울 장 집에서 가려 막는 물건. '屛一'. '金雞大一'《唐書》. ⑤지경 장, 칸막이 장 경계·한계 또는 차폐(遮蔽)하는 물건. '陵海越一'《後漢書》. ⑥장애 장 거치적거리는 것. '故一'. '吾有慾一'《晉書》.

字源 篆文 形聲. 阝(自)+章〔音〕. '章장'은 '倉창'과 통하여 보이지 않게 하다의 뜻. 가려서 막다, 지장이 있다의 뜻을 나타냄.

[障拒 장거] 막음.
[障距 장거] 가로막아 사이를 떼어 놓음.
[障惱 장뇌] 고민. 고뇌.
[障泥 장니] 말다래. 마구(馬具)의 하나.
[障壁 장벽] ㉠칸막이 벽. 둘러싼 벽. ㉡보루(堡壘). 요새(要塞).
[障塞 장새·장색] ㉠요새. 성채. ㉡막음. 또, 막힘.
[障碍 장애] 장애(障礙).
[障礙 장애] ㉠가로막아 거치적거리는 것. ㉡신체 기관이 제 기능을 하지 못하거나 결함이 있음.
[障蔽 장폐] 가림. 또, 가리는 물건.
[障扞 장한] 막음. 방어함.
◉故障. 魔障. 萬障. 茅障. 藩障. 邊障. 屛障. 保障. 紗障. 事障. 五障. 肉障. 理障. 亭障. 堤障. 隄障. 罪障. 支障. 蔽障. 陂障. 行障.

11 ⑭ [隔] 구 ㊥虞 豈俱切 qū

字解 편치못할 구 불안한 모양.

字源 篆文 形聲. 阝(自)+區〔音〕. '區구'는 '구분하다'의 뜻. 다른 산과 구별되어 돌출한 불안정한 산의 뜻을 나타냄.

11 ⑭ [陛] 폐 ㊥齊 邊兮切 bī

字解 옥 폐 감옥. '一牢謂之獄, 所以拘非也'《說文》.

字源 篆文 形聲. 非+陛〈省〉〔音〕. '非비'는 사람 축에 못 드는 비인(非人), 곧 '죄인'의 뜻. '陛폐'는 '층층대'의 뜻. 죄인을 가둬 두는 '옥'의 뜻을 나타냄.

11 ⑭ [隺] 최 ㊥灰 倉回切 cuī

字解 ①무너질 최 '一隤'는 무너짐. '一隤, 崩也'《集韻》. ②높을 최 崔(山部 八畫)와 同字.

11 ⑭ [隝] 도 ㊤晧 覩老切 dǎo

字解 섬 도 물속에 솟은 섬 같은 산. 島(山部 十一畫)와 同字. '阜陵別一'《司馬相如》.

11 ⑭ [隚] 당 ㊥陽 徒郎切 táng

字解 초석 당 초석(礎石). 주춧돌. '一, 殿基謂之一'《集韻》.

11 ⑭ [隞] 오 ㊥豪 牛刀切 áo

字解 땅이름 오 은(殷)나라 때의 땅 이름. 지금의 허난 성(河南省) 형양현(滎陽縣) 북쪽 오산(隞山)의 남쪽.

11 ⑭ [隟] 〔극〕
隙(阜部 十畫〈p. 2473〉)의 古字

11 ⑭ [隠] 〔언〕 隁(阜部 九畫〈p. 2472〉)·堰(土部 九畫〈p. 455〉)과 同字

11 ⑭ [隙] 〔극〕
隙(阜部 十畫〈p. 2473〉)의 俗字

11 ⑭ [隐] 〔은〕
隱(阜部 十四畫〈p. 2477〉)의 略字

11 ⑭ [隗] 강 ㊥陽 丘岡切 kāng

字解 공허할 강 공허함. '一, 虛也'《集韻》.

12 ⑮ [隤] 퇴 ㊥灰 杜回切 tuí

字解 ①무너질 퇴, 무너뜨릴 퇴 頹(頁部 七畫)와 통용. '一牆塡塹'《司馬相如》. ②내릴 퇴 강하함. 강하시킴. '發祥一祉'《揚雄》. ③순할 퇴 유순한 모양. '夫坤一然示人簡矣'《易經》. ④고달플 퇴 피로함. '我馬虺一'《詩經》.

字源 篆文 形聲. 阝(自)+貴〔音〕. '貴귀'는 '찌부러지다'의 뜻. 언덕 따위가 무너지다의 뜻을 나타냄.

[隤舍 퇴사] 헌 집. 허물어진 집.
[隤然 퇴연] 부드러운 모양.
[隤垣 퇴원] 퇴장(隤牆).
[隤牆 퇴장] 무너진 담. 퇴락한 담. 또, 담을 헒.
[隤陷 퇴함] 함정 같은 데에 빠짐.
◉傾隤. 壞隤. 隆隤. 崔隤. 陂隤. 虺隤.

12 ⑮ [隭] 이 ㊥支 如之切 ér

字解 ①땅이름 이 땅 이름. '一, 地名'《廣韻》. ②험할 이 험함.

12 ⑮ [隥] 등 ㊎徑 都鄧切 dèng

字解 ①비탈 등 된비탈. '升於長松之一'《穆天

子傳》. ②층계 등 계단(階段). '玄武疏遙―'《李百藥》.
[字源] [篆文] 形聲. 阝(自)+登〔音〕. '登등'은 '오르다'의 뜻. 언덕에 오르다, 비탈의 뜻을 나타냄.

◉遙隥.

12 ⑮ [隝] 위 ㊤紙 韋委切 wéi
[字解] 고개이름 위 춘추 시대 정(鄭)나라의 고개 이름.
[字源] [篆文] 形聲. 阝(自)+爲〔音〕

12 ⑮ [隣] [高人] 린 ㊥眞 力珍切 lín 邻隣
[筆順] 阝 阝 阝 阝 阝 隣 隣 隣
[字解] ①이웃 린 ㉠서로 연접하여 있는 집. '疑―人之父'《韓非子》. ㉡서로 연접하여 있는 지역 또는 나라. '近―'. '善―'. '睦乃四―'《書經》. ㉢이웃하여 서로 도움이 될 만한 사람, 또는 사물. 동류. '德不孤, 必有―'《論語》. ②이웃할 린 이웃에 있음. 연접함. '比―'. '―於善, 民之望也'《左傳》. ③보필 린 좌우에서 임금을 돕는 신하. '臣哉―哉'《書經》. ④수레소리 린 轔(車部 十二畫)과 통용. '有車――'《詩經》. ⑤행정구획이름 린 주대(周代)의 행정 구획의 하나. 다섯 집이 사는 구역. '―里'. '五家爲―, 五―爲里'《周禮》. ⑥성 린 성(姓)의 하나.
[字源] [篆文] 形聲. 阝(阜)+粦(粦)〔音〕. '粦린'은 '黎려'와 통하여 '서민'의 뜻. 서민이 사는 마을, 이웃의 뜻을 나타냄.
[參考] 鄰(邑部 十二畫)은 本字.

[隣家 인가] 이웃집.
[隣境 인경] 이웃. 인근. 또, 이웃 나라.
[隣交 인교] 이웃 사람과의 교제.
[隣國 인국] 이웃 나라.
[隣近 인근] 이웃. 또, 이웃함.
[隣里 인리] 5가(家)의 반(班)과 25가의 반(班). 전(轉)하여, 이웃 사람. 인근에 사는 주민.
[隣里鄕黨 인리향당] 주(周)나라의 제도로서 인리 근향(隣里近鄕)의 뜻. 5가(五家)를 인(隣), 5인(五隣)을 이(里), 12,500가를 향(鄕), 500가를 당(黨)이라 함.
[隣隣 인린] ㉠수레바퀴가 삐걱거리는 소리. 인린(轔轔). ㉡잇단 모양. 연속한 모양.
[隣睦 인목] 이웃과 화목하게 지냄. 이웃하여 친목함.
[隣邦 인방] 인국(隣國).
[隣保 인보] 같은 반(班)에 있는 집. 곧, 이웃집. 또, 그 사람들.
[隣比 인비] 이웃.
[隣舍 인사] 이웃집.
[隣熟 인숙] 잘 익음. 충분히 여묾.
[隣伍 인오] 이웃. 주대(周代)의 제도에서 다섯 집을 '隣'이라 하였으므로 이렇게 이름.
[隣屋 인옥] 인가(人家).
[隣人 인인] 이웃 사람. 근처에 사는 사람.
[隣敵 인적] 서로 이웃하고 있는 적. 또, 근린(近隣)의 적국.
[隣接 인접] 이웃함.
[隣好 인호] 인교(隣交).
◉近隣. 萬里比隣. 買隣. 白圭壑隣. 騈隣. 卜隣. 比隣. 四隣. 生亡爲隣. 善隣. 淵隣. 天涯比隣. 擇隣. 鄕隣.

12 ⑳ [䦢] ㊀결 ㊅屑 古穴切 jué ㊁열 ㊅屑 一決切
[字解] ㊀ 언덕구멍 결 阦(阜部 四畫)의 古字. '阦, 陵阜突也. 古作―'《集韻》. ㊁ 언덕구멍 열 ㊀과 뜻이 같음.
[字源] 形聲. 𨸏+夬〔音〕

13 ⑯ [隧] [人名] ㊀수 ㊄寘 徐醉切 suì ㊁추 ㊄寘 直類切 zhuì 隧
[字解] ㊀ ①굴 수 산이나 땅 밑을 뚫고 만든 길. 또, 평지에서 광혈(壙穴)까지 비스듬히 파서 통하게 한 길. '―道'. '闕地及泉, ―而相見'《左傳》. ②길 수 ㉠경로. '大風有―'《詩經》. ㉡좁은 길. 소로. '起亭―'《漢書》. ③돌 수 회전함. '若磨石之―'《莊子》. ㊁ 떨어질 추, 떨어뜨릴 추 墜(土部 十二畫)와 통용. '不―如髮'《漢書》.
[字源] 形聲. 阝(自)+遂〔音〕. '遂수'는 지나가는 길의 뜻. 언덕으로 통하는 길, 묘도(墓道), 굴의 뜻을 나타냄.

[隧渠 수거] 암거(暗渠).
[隧道 수도] ㉠묘도(墓道). ㉡산복(山腹)·하저(河底) 또는 땅속을 파낸 길. 굴. 터널. ㉢지하도(地下道).
[隧埏 수연] 묘도(墓道). 지중(地中)을 수(隧), 지상(地上)을 연(埏)이라 함. 굴.
[隧正 수정] 춘추 시대(春秋時代)의 관명(官名). 역도(役徒). 곧, 인부(人夫)를 감독함.
◉徑隧. 古隧. 郊隧. 丘隧. 大隧. 墓隧. 門隧. 邪隧. 埏隧. 障隧. 亭隧. 陬隧. 出隧. 蹊隧.

13 ⑯ [隨] [高人] 수 ㊥支 旬爲切 suí 随随
[筆順] 阝 阝 阝 阝 阝 隋 隋 隨
[字解] ①따를 수 ㉠따라감. 수행함. '―從'. '―兄播遷韶嶺'《李漢》. ㉡함께 감. 동도(同道)함. '―伴'. '妻卒被病, 行不能相―'《古詩》. ㉢떨어지지 아니함. 붙어 다님. '印似嬰兒, 常―身'《李義山雜纂》. ㉣뒤따름. 뒤를 따라 계속함. '公亦―手亡矣'《史記》. ㉤나중에 함. 다음에 함. '主唱而臣和, 主先而臣―'《史記》. ㉥연(沿)함. '―山刊木'《書經》. ㉦마음대로 움직임. '兩脚不―'《馬第伯》. ㉧본뜸. '水―方圓之器'. ②따라서 수 그대로 좇아서. '一亂一失'《韓愈》. ③발 수 족부(足部). '艮其腓, 不拯其―'《易經》. ④수괘 수 육십사괘(六十四卦)의 하나. 곧, ䷐〈진하(震下), 태상(兌上)〉으로서, 물건과 물건이 서로 따르는 상(象). '―元亨利貞'《易經》. ⑤성 수 성(姓)의 하나.
[字源] [篆文] 形聲. 辵+隋〔音〕. '隋수'는 '무너져 내리다'의 뜻. 긴장이 풀어진 채로 가다의 뜻에서 따라 하다, 따르다의 뜻을 나타냄.

[隨駕 수가] 어가(御駕)를 뒤따름. 호종(扈從)함.
[隨駕隱士 수가은사] 어가(御駕)를 따르는 은사

(隱士). 고상한 체하면서 마음속으로는 벼슬을 하고자 하는 욕심을 버리지 못하는 은사(隱士)를 조롱하는 말.
[隨感 수감] 마음에 느낀 그대로.
[隨機應變 수기응변] 임기응변(臨機應變).
[隨鑾 수란] 난여(鑾輿)를 뒤따름. 수가(隨駕).
[隨力 수력] 힘에 따라 함. 힘대로 함.
[隨陸無武 수륙무무] 전한(前漢)의 수하(隨何)와 육가(陸賈)는 문학(文學)은 있으나 무공(武功)이 없다는 말.
[隨伴 수반] 함께 감. 동반함.
[隨分 수분] ㉠분수에 넘치지 않음. 신분에 알맞음. ㉡당연히 그러함. 물론.
[隨說隨忘 수설수망] 이야기를 한 뒤 바로 잊어버림.
[隨聲附和 수성부화] '부화뇌동(附和雷同)'과 같음.
[隨勢 수세] 시세(時勢)를 따름.
[隨俗 수속] 세상(世上)의 풍속(風俗)을 따름.
[隨手 수수] ㉠닥치는 대로. 손이 가는 대로. ㉡뒤쫓아. 뒤이어. 즉시.
[隨兕 수시] 사나운 짐승의 이름. 이 짐승을 죽이면, 석 달이 지나지 않아 죽는다고 함.
[隨侍 수시] 높은 이를 뒤따라 다니며 시중듦.
[隨時 수시] ㉠때를 따름. ㉡때때로.
[隨身 수신] ㉠뒤따르는 하인. 호위하는 사람. ㉡호신용으로 가지고 다니는 물건.
[隨緣赴感 수연부감]《佛敎》불신(佛身)은 인연(因緣)이 있는 곳, 마음이 있는 곳이면 어디에나 그 모습을 나타낸다는 말.
[隨緣眞如 수연진여]《佛敎》진여(眞如), 곧 만물의 본체는 하나이나 인연에 따라서 각기 차별상(差別相)을 나타내는 일. 불변진여(不變眞如)의 대(對).
[隨員 수원] 외국에 가는 사신(使臣)을 따라가는 관원.
[隨意 수의] 마음 내키는 대로. 뜻대로.
[隨夷 수이] 하대(夏代)의 변수(卞隨)와 주대(周代)의 백이(伯夷). 모두 청렴 정의(淸廉正義)의 선비임.
[隨從 수종] 수행(隨行).
[隨坐 수좌] 연좌(連坐)함.
[隨珠 수주] 수후지주(隨侯之珠).
[隨處 수처] 도처(倒處).
[隨逐 수축] 뒤따라 다님.
[隨筆 수필] 붓 가는 대로 생각나는 대로 쓰는 글. 만필(漫筆). 만록(漫錄).
[隨行而入 수항이입] 사람의 행렬 속에 끼어듦. 뭇 사람과 행동을 같이함.
[隨行 수행] 따라감. 또, 그 사람.
[隨鄕入鄕 수향입향] 다른 지방에 가서는 그 지방의 풍속·예절을 따라야 함.
[隨和 수화] ㉠옛날에 수후(隨侯)가 가졌던 구슬과 화씨(和氏)가 발견한 구슬. 모두 천하(天下)의 귀중한 보배. 수화(隋和). ㉡뛰어난 재덕(才德). ㉢부화뇌동(附和雷同)함.
[隨後婁藪 수후누수] 누수(婁藪)는 머리 위에 짐을 얹는 도구. 곧, 똬리. 머리 위에 있으면서 사람이 가는 대로 추종함. 곧, 부화뇌동(附和雷同)함의 뜻.
[隨侯之珠 수후지주] 수후(隨侯)가 부상당한 뱀을 구해 주고 그 보답으로 받은 구슬. 수후지주(隋侯之珠).
[隨喜 수희]《佛敎》㉠교법(敎法)을 듣고 기뻐함. ㉡남이 한 선근 공덕(善根功德)을 보고 같이 기뻐함. ㉢사찰(寺刹) 등에 참예(參詣)하는 일.
◉肩隨. 詭隨. 跟隨. 伴隨. 半身不隨. 附隨. 夫唱婦隨. 成吉毁隨. 續隨. 與燕雀相隨. 迎隨. 委隨. 意到筆隨. 倡隨. 追隨. 銜尾相隨.

13 ⑯ [隊] 거 ㊥魚 求於切 qú

字解 섬돌 거 섬돌. 층계. '一, 階也'《集韻》.

13 ⑯ [隩] ㊀ 오 ㊤號 烏到切 ào ㊁ 욱 ㊣屋 於六切 yù

字解 ㊀ ①물굽이 오 만곡(灣曲)하여 물이 육지까지 들어온 곳. '一, 水隈厓也'《說文》. ②숨길 오, 숨을 오 은닉함. '一愛太子'《國語》. ㊁ ①거처 욱 사는 곳. '回一既宅'《書經》. ②따뜻할 욱 燠(火部 十三畫)과 同字. '厥民一'《書經》.

字源 篆文 形聲. 阝(自)+奧〔音〕. '奧오'는 깊숙한 속의 뜻. 물이 뭍의 안쪽까지 들어온 곳, 후미, 굽이의 뜻을 나타냄.

[隩室 욱실] 따스한 방.

13 ⑯ [𨼆] 초 ㊤語 刱所切 chǔ

字解 비탈 초 비탈. 산비탈. '一, 阪也'《集韻》.

13 ⑯ [隝] 건 ㊤阮 其偃切 jiǎn

字解 거만할 건 거만함. 교만을 떪. '一, 本作僆, 倨也'《五音集韻》.

13 ⑯ [險] 高人 험 ㊤琰 虛檢切 xiǎn 险

筆順 ⁷ 阝 阝⁺ 阝⁺ 险 險 險 險

字解 ①험할 험 ㉠험준함. '一道'. '阻一'. '國一而多馬'《左傳》. 또, 험준한 것. 또는, 요해처. '在德不在一'《十八史略》. '王公設一, 以守其國'《易經》. ㉡위태로움. '危一'. 또, 위태로운 일. '小人行一'《中庸》. ②음흉할 험 마음이 검음. '陰一'. '內一而外仁'《阮籍》. ③높을 험 '天一不可升也'《易經》. ④어려울 험 힘이 듦. '一句'. '以知一'《易經》.

字源 篆文 形聲. 阝(自)+僉〔音〕. '僉첨'은 '檢검'과 통하여 엄하게 잡도리하다의 뜻. 사람에게 엄한 긴장을 주는 산, '험하다'의 뜻을 나타냄.

[險艱 험간] 험난(險難).
[險客 험객] 성질(性質)이 험악한 사람.
[險固 험고] 지세(地勢)가 험준한 요해처(要害處)를 이름.
[險口 험구] 늘 남의 단처(短處)를 찾아내기를 좋아함. 또, 그 사람.
[險句 험구] 어려운 구(句). 난구(難句).
[險棘 험극] 위험함.
[險難 험난] 위험(危險)하여 어려움. 고생이 됨.
[險談 험담] 남의 흠을 찾아내어 하는 말.
[險道 험도] 험로(險路).
[險路 험로] 험한 길.
[險壘 험루] 험새(險塞).

[險魄 험백] 화(禍)를 내리는 혼(魂).
[險峰 험봉] 험한 산봉우리.
[險膚 험부] 세상인심이 거칠고 야박함.
[險山 험산] 험(險)한 산.
[險澁 험삽] 험조(險阻).
[險狀 험상] 험악(險惡)한 상태(狀態).
[險相 험상] 험상스러운 인상(人相).
[險塞 험새] 험한 요새(要塞). 험루(險壘).
[險惡 험악] 험하고 나쁨.
[險謁 험알] 여자가 사사로운 친분을 가지고 고위 고관에게 남몰래 청탁하는 일.
[險阨 험애] 험준(險峻)하고 좁음.
[險隘 험애] 험애(險阨).
[險隘 험애] 험애(險阨).
[險語 험어] 어려운 말. 난어(難語).
[險言 험언] 험담(險談).
[險要 험요] 험하고 중요한 곳.
[險韻 험운] 시를 짓기 어려운 운자.
[險夷 험이] 험이(險易).
[險易 험이] ㉠지세(地勢)의 험준함과 평탄함. ㉡뜻의 어려움과 쉬움.
[險賊 험적] 험해(險害).
[險絶 험절] 대단히 험준함.
[險程 험정] 험한 길.
[險阻 험조] ㉠험함. 또, 그 땅. ㉡인심이 험함.
[險躁 험조] 음흉하고 조급함.
[險屯 험준] 근심. 걱정.
[險峻 험준] 험하고 높음.
[險地 험지] 험한 땅.
[險窄 험착] 험준하고 협착함.
[險灘 험탄] 위험(危險)한 여울.
[險陂 험피] 마음이 음흉함.
[險詖 험피] 험피(險陂).
[險害 험해] 음흉하여 남을 해침.
[險滑 험활] 길이 험준하여 미끄러지기 쉬움.
[險猾 험활] 음흉하고 교활함.
[險譎 험휼] 음흉하고 간사함.
[險釁 험흔] 운수가 좋지 아니함. 불행.
[險戲 험희] 험희(險巇).
[險巇 험희] 험난(險難)한 모양. 전(轉)하여, '세상살이의 어려움'의 비유.
◉姦險. 艱險. 輕險. 窮險. 詭險. 奇險. 難險. 冒險. 保險. 浮險. 猜險. 巖險. 隘險. 歷險. 佞險. 要險. 危險. 陰險. 夷險. 在德不在險. 絶險. 阻險. 佻險. 屯險. 峻險. 重險. 至險. 天險. 巉險. 偏險. 行險. 兇險.

13 ⑯ [隁] 간 [上]阮 口很切 kěn

[字解] 느릴 간 느림. 더딤. '一, 遲也'《玉篇》.

14 ⑰ [隮] 제 [平]齊 祖稽切 jī

[字解] ①오를 제 높은 데 올라감. 躋(足部 十四畫)와 통용. '由賓階一'《書經》. ②무지개 제 홍예(虹霓). '十煇, 九曰, 一'《周禮》. ③떨어질 제, 떨어뜨릴 제 추락함. '我乃顚一'《書經》.
[字源] 形聲. 阝(自)+齊〔音〕. '齊제'는 앞으로 나아가 건너다의 뜻. 언덕을 오르다의 뜻을 나타냄.

[隮墜 제추] 떨어뜨림. 떨어짐.
◉階隮. 顚隮.

14 ⑰ [隰] 습 [入]緝 似入切 xí

[字解] ①진펄 습 지세가 낮고 습한 땅. '原一'. '下一'. '山有榛, 一有苓'《詩經》. ②따비밭 습 새로 개간한 밭. '徂一徂畛'《詩經》. ③물가 습 수애(水涯). '逐翼侯于一汾'《左傳》. ④성 습 성(姓)의 하나.
[字源] 篆文 形聲. 阝(自)+㬎〔音〕. '㬎습'은 '溼습'의 생략체로 '축축하다'의 뜻. 언덕 밑의 습한 곳, 늪의 뜻을 나타냄.

[隰皐 습고] 땅이 낮고 습한 물가의 땅.
◉卑隰. 原隰. 平隰. 下隰.

14 ⑰ [隱] [高·人] 은 ①-⑩[上]吻 於謹切 yǐn ⑪⑫[去]問 於靳切 yìn 隐

[筆順] 了 阝 隱

[字解] ①숨을 은 ㉠자취를 감춤. '一身'. '伏一'. '將身一'《左傳》. ㉡달아남. '逃一'. '龍德而一者也'《易經》. ㉢보이지 아니함. 나타나지 아니함. '一而顯'《禮記》. ㉣나타나지 않은 깊은 이치. '探賾索一'《易經》. ㉤명예나 부귀를 버리고 속세를 멀리함. 속세를 버림. '一居'. '一遁'. 또, 그 사람. '三一'. '大一一朝市'《王康琚》. ②숨길 은 ㉠보이지 않게 함. '日月一曜'《范仲淹》. ㉡남이 알지 못하게 함. 비밀에 붙임. '父爲子一, 子爲父一'《論語》. ㉢또, 비밀에 붙인 일. 음사. '莫見於一'《中庸》. ㉣알리지 아니함. 발설하지 아니함. '進不一賢'《孟子》. ㉤외부에 나타내지 아니함. '一情'《禮記》. ③점칠 은 길흉을 알아봄. '一, 占也'《爾雅》. ④가엾어할 은 불쌍하게 여김. '惻一'. '王若一其無罪而就死地'《孟子》. ⑤근심할 은 우려함. '一君身'《左傳》. ⑥음흉할 은 속이 검음. '外溫仁謙遜而乃一'《漢書》. ⑦담 은 얕은 담. '踰一而待之'《左傳》. ⑧수수께끼 은 미어(謎語). '一語'. '臣非敢詆之, 廼與爲一耳'《漢書》. ⑨무게있을 은 위엄이 있는 모양. '一若一敵國'《十八史略》. ⑩성 은 성(姓)의 하나. ⑪기댈 은 의지함. '一几而臥'《孟子》. ⑫쌓을 은 축조(築造)함. '一以金椎'《漢書》.
[字源] 篆文 形聲. 阝(自)+㥯〔音〕. '㥯은'은 '㒚은'과 통하여 휩싸서 숨기다의 뜻. 언덕에서 숨다, 숨겨진 지점의 뜻을 나타냄. 또 '慇은'과 통하여 가엾이 여기다의 뜻도 나타냄.

[隱客 은객] '창포(菖蒲)'의 별칭(別稱).
[隱居 은거] 세상을 피하여 삶. 벼슬하지 않고 집에 묻혀 삶.
[隱鵠 은곡] '세상의 표준(標準)이 됨'의 뜻. 육운(陸雲)의 자칭(自稱)임.
[隱溝 은구] 땅속에 묻은 수채.
[隱君子 은군자] ㉠세상을 피하여 숨어 사는 덕이 높은 사람. ㉡은일화(隱逸花).
[隱宮 은궁] 궁형(宮刑). 궁형에 처한 뒤 백일(百日) 동안 은실(隱室)에 가둬 두었기 때문에 생긴 말.
[隱囊 은낭] 수레 안에서 몸을 기대는 커다란 자루.
[隱匿 은닉] 숨기어 감춤.
[隱德 은덕] 남이 알지 못하는 숨은 덕행(德行).
[隱遁 은둔] 세상(世上)을 피(避)하여 숨음.

[隱遯 은둔] 은둔(隱遁).
[隱淪 은륜] ㉠영락(零落)함. ㉡은사(隱士)를 이름. ㉢선인(仙人)을 이름.
[隱謀 은모] 음모(陰謀).
[隱沒 은몰] 없어짐. 산실(散失)함.
[隱微 은미] ㉠작아서 보기 어려움. ㉡속이 깊어서 알기 어려움.
[隱民 은민] 은거(隱居)한 백성. 일설(一說)에는, 곤궁하여 고생하는 백성.
[隱憫 은민] 가엾이 여김.
[隱密 은밀] 숨겨 비밀히 함.
[隱發 은발] 비밀을 적발함.
[隱辟 은벽] 몸을 숨기고 조용히 물러감.
[隱僻 은벽] 궁벽(窮僻)하여 사람의 왕래(往來)가 드묾.
[隱伏 은복] 숨어 엎드림.
[隱不違親 은불위친] 속세를 떠나 산림(山林)에 숨어 살아도 어버이 섬기기를 잘함.
[隱庇 은비] 덮어 줌. 비호(庇護)함.
[隱祕 은비] ㉠숨겨 비밀로 함. ㉡미묘하여 알기 어려운 진리. 숨은 진리.
[隱士 은사] ㉠입신출세를 바라지 아니하고 숨어 사는 선비. ㉡은어(隱語)를 잘하는 사람.
[隱事 은사] 숨은 일.
[隱栖 은서] 세상(世上)을 피(避)하여 숨어 삶.
[隱書 은서] 수수께끼를 쓴 책.
[隱棲 은서] 은서(隱栖).
[隱鼠 은서] '전서(田鼠)'의 별칭(別稱).
[隱惜 은석] 아껴 숨김.
[隱身 은신] 몸을 감춤.
[隱惡 은악] 나타나지 아니한 악한 일.
[隱藹 은애] 나무가 무성한 모양.
[隱約 은약] ㉠말은 간단하나 뜻이 깊음. ㉡고생함. ㉢숨음. ㉣확실히 보이지 아니하는 모양.
[隱若一敵國 은약일적국] 그 위엄의 대단함이, 한 적국을 함부로 움직일 수 없음과 같다는 말.
[隱語 은어] 사물(事物)을 바로 말하지 않고 은연중(隱然中)에 그 뜻을 깨닫게 하는 말.
[隱掩 은엄] 숨겨 가림.
[隱然 은연] 겉으로 뚜렷이 나타나지는 않으나, 무게가 있어 보이는 모양. 위엄이 있는 모양.
[隱映 은영] 겉으로 환히 드러나지 않게 비침.
[隱耀 은요] 빛을 숨겨 나타내지 아니함. 곧, 자기의 재덕(才德)을 감춤.
[隱憂 은우] ㉠불쌍히 여겨 걱정함. ㉡남이 알지 못하는 근심.
[隱喩 은유] 겉으로는 비유 형식을 갖추지 않고, 비유하는 것과 비유되는 것을 합치시켜 표현하는 수사법(修辭法)으로, 비유법(譬喩法)의 한 가지. '시간은 금이다.' 따위. 암유(暗喩).
[隱隱 은은] ㉠근심하는 모양. 슬퍼하는 모양. ㉡많고 성(盛)한 모양. ㉢아득한 모양. 분명하지 아니한 모양. ㉣큰 소리의 모양. ㉤우렛소리.
[隱忍 은인] 겉에 나타내지 않고 견디며 참음.
[隱逸 은일] 세상을 피하여 숨음. 또, 그 사람.
[隱逸花 은일화] 국화(菊花)의 아칭(雅稱).
[隱者 은자] 세상을 피하여 숨은 사람.
[隱藏 은장] 숨음. 또, 숨김.
[隱才 은재] 밖에 나타나지 않고 속에 숨어 있는 재주.
[隱田 은전] 은지(隱地)㉠.
[隱地 은지] ㉠관부(官府)의 장부에 적히지 아니한 땅. 탈세(脫稅)의 토지. ㉡은서(隱栖)에 적당한 장소.
[隱帙 은질] 깊이 감추어 둔 책.
[隱疾 은질] 의복에 가리어 남에게 보이지 아니하는 병.
[隱竄 은찬] 달아나 숨음.
[隱處 은처] ㉠은거(隱居). ㉡숨은 장소.
[隱親 은친] ㉠스스로 숨음. ㉡스스로 자기를 가엾이 여김.
[隱宅 은택] 은사(隱士)의 집.
[隱退 은퇴] ㉠세상을 피하여 야(野)에 숨음. ㉡벼슬을 물러나 한가히 삶.
[隱慝 은특] 나타나지 아니한 악한 일. 은악(隱惡).
[隱蔽 은폐] 덮어 감춤. 가리어 숨김. 또, 가리어 덮임.
[隱避 은피] 숨어서 피(避)함.
[隱學 은학] 은둔하여 학문을 함. 은둔한 학자. 이해하는 사람이 없는 학문.
[隱害 은해] 남몰래 사람을 해침.
[隱行 은행] 사람이 모르는 선행(善行).
[隱見 은현] 보였다 안 보였다 함.
[隱現 은현] 은현(隱見).
[隱顯 은현] ㉠세상을 피하여 숨음과 세상에 나타남. ㉡은현(隱見).
[隱虹 은홍] 큰 무지개.
[隱化 은화] 죽음의 경칭(敬稱).
[隱花植物 은화식물] 포자(胞子)로 번식하는 식물.
[隱晦 은회] 숨음. 또, 숨김.
[隱諱 은휘] 꺼리어 숨김.
[隱恤 은휼] 딱하게 여겨 은혜를 베풂.
◉角隱. 姦隱. 大隱. 逃隱. 韜隱. 遯隱. 民隱. 屛隱. 父爲子隱子爲父隱. 祕隱. 索隱. 棲隱. 雪隱. 小隱. 市隱. 深隱. 抑隱. 幽隱. 逸隱. 朝隱. 招隱. 惻隱. 痛隱. 退隱. 蔽隱. 回隱. 諱隱. 衈隱.

15
⑱ [隫] [一] 독 [入]屋 徒谷切 dú
[二] 동 [去]送 徒弄切

[字解] [一] 도랑 독 '一, 通溝, 目防水者'《說文》. [二] 통할 동 洞(水部 六畫)과 同字.
[字源] 形聲. 阝(自)+賣〔音〕

15
⑱ [隳] 휴 [平]支 許規切 huī 

[字解] 무너질 휴, 무너뜨릴 휴 '政柄于是乎一哉'《王禹偁》.
[參考] 墮(土部 十二畫)와 同字.

[隳壞 휴괴] 무너짐.
[隳脞 휴좌] 일이 잘 마물러지지 않고, 번잡스러운 모양.
[隳惰 휴타] 게으름. 나태함.

15
⑱ [隴] 〔곽〕
郭(邑部 八畫〈p.2338〉)과 同字

16
⑲ [隴] 롱 [上]腫 力踵切 lǒng 陇 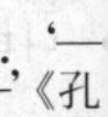

[字解] ①밭두둑 롱 壟(土部 十六畫)과 통용. '一畝'. ②언덕 롱 구릉. '鳴騶入谷, 鶴書赴一'《孔稚珪》. ③땅이름 롱 지금의 간쑤 성(甘肅省) 공창부(鞏昌府). '得一望蜀'. ④성 롱 성(姓)의

하나.

字源 篆文 (篆文) 形聲. 阝(自)＋龍〔音〕. '龍룡'은 꿈틀거리는 긴 뱀의 뜻. 용처럼 꿈틀거리는 언덕, 밭두둑의 뜻을 나타냄.

[隴客 농객] 농금(隴禽).
[隴耕井汲 농경정급] 밭 갈아 농사지어 먹고 우물 물을 길어 마심. 소박한 전원생활을 이름.
[隴禽 농금] '앵무(鸚鵡)'의 별칭(別稱). 앵무새. 농서(隴西)에서 많이 산출되므로 이렇게 이름.
[隴廉 농렴] 옛날의 추녀(醜女)의 이름.
[隴畝 농묘] 밭. 밭이랑. 전(轉)하여, 민간(民間). 시골.
[隴山 농산] 산시 성(陝西省) 룽 현(隴縣) 서북(西北)쪽에 있는 산 이름. 관중(關中)의 서면(西面)의 요해처(要害處)임. 농저(隴坻). 농판(隴坂). 농수(隴首).
[隴西 농서] ㉠간쑤 성(甘肅省)의 별칭(別稱). ㉡옛 군(郡) 이름. 지금의 간쑤 성 농서현(隴西縣) 서남(西南)쪽에 있었음.
[隴樹 농수] ㉠작은 언덕 위의 나무. ㉡묘지(墓地)의 나무.
[隴坻 농저] 농산(隴山)을 이름.
[隴鳥 농조] 농금(隴禽).
[隴種 농종] 쇠퇴(衰頹)한 모양. 또는 부서져 허물어지는 모양.
[隴海鐵道 농해철도] 장쑤 성(江蘇省) 동해현(東海縣)에서 간쑤 성(甘肅省) 란저우 시(蘭州市)에 이르는 철도. 해란(海蘭) 철도.
◉丘隴. 麥隴. 赴隴.

16 ⑲ [隫]
뇨 ㊤篠 乃了切 niǎo

字解 엎어질 뇨 엎어짐. '一, 偃低皃'《集韻》.

[騭]
〔즐〕
馬部 十畫(p.2606)을 보라.

18 ㉑ [隴]
〔환·권〕
酄(邑部 十八畫〈p.2349〉)과 同字

18 ㉑ [隰]
닙 ㉧緝 昵立切 nì

字解 좁을 닙 '隉'은 좁은 모양. '一, 隉一, 陜皃'《集韻》.

隶 (8획) 部
〔미칠이부〕

0 ⑧ [隶]
㊀ 이 ㊤寘 羊至切 yì
㊁ 대 ㊤隊 徒耐切 dài

筆順 ㇇ ㇋ ㇋ 尹 𦘒 隶 隶 隶

字解 ㊀ 미칠 이 추급(追及)함. ㊁ 미칠 대 ㊀과 뜻이 같음.

字源 金文 篆文 會意. 又＋尾(尾)〈省〉. 꼬리를 잡으려는 손이 뒤에서 미치는 모양에서 '미치다'의 뜻을 나타냄.

參考 '隶이'를 의부(意符)로 하여 붙잡아서 복종시키는 노예의 '隷례' 따위의 글자를 이룸. 부수 이름은 '미칠이'.

8 ⑯ [隷]
高校 隷(次條)와 同字

9 ⑰ [隸]
례 ㊤霽 郎計切 lì

字解 ①종 례 천역에 종사하는 사람. '奴一'. '臣一'. '各有配一'《後漢書》. ②죄인 례 죄수. '罪一'. '一人涅廁'《儀禮》. ③붙을 례 종속함. '一屬'. '割此三郡, 配一益州'《晉書》. ④살필 례 조사함. '關東吏一郡國出入關者'《史記》. ⑤서체이름 례 서체의 하나. 진(秦)나라의 정막(程邈)이 소전(小篆)을 간략히 하여 만든것으로, 지금의 해서체(楷書體)인데, 한(漢)나라 이후에 널리 쓰이게 되었음. 구양수(歐陽修)의 집고록(集古錄)에 팔분(八分)을 잘못 말하여 '一書'라고 한 후로 팔분을 지칭하게 되었고, '一書'는 해서(楷書)라고 일컫게 되었음. '一書者, 篆之捷也'《晉書》. ⑥성 례 성(姓)의 하나.

字源 篆文 隸 古文 𨽻 會意. 隶＋柰. '隶이'는 '붙잡다'의 뜻. '柰내'는 古文에서는 '祟수'인데 그 뜻을 알 수 없음. 죄인이나 이민족을 붙잡아서 종으로 삼다, 복종시키다의 뜻을 나타냄.

[隸僕 예복] ㉠주대(周代)의 관명(官名). 궁중(宮中)의 청소를 담당했음. ㉡예인(隸人)㉡.
[隸事 예사] 고사(故事)를 나열하고 분류(分類)하는 일.
[隸書 예서] 한문 서체(書體)의 이름. 전서(篆書)의 자획(字畫)을 간략하게 고친 것임. 진시황(秦始皇) 때 정막(程邈)이 만들었다고 함. 한(漢)나라 때는 다시 고쳐 팔분(八分)이라 했으나, 송(宋)나라의 구양수(歐陽修)가 그의 집고록(集古錄)에서 이를 예서라고 적었음. 진서(眞書).

〔隸書〕

[隸釋 예석] 송(宋)나라 홍괄(洪适)이 지은 책. 27권. 한례(漢隸) 189종(種)을 들어 논증했음. 괄(适)은 또한 예속(隸續) 21권을 지었음.
[隸屬 예속] 남의 지휘 아래 매임. 지배하에 있음. 또, 부하(部下).
[隸臣 예신] 신하(臣下).
[隸也不力 예야불력] 종이 힘쓰지 아니한다는 뜻으로, 신하가 충성을 다하지 아니함을 이름.
[隸圉 예어] 노복(奴僕)과 마부(馬夫). 천(賤)한 사람을 이름.
[隸御 예어] 종. 노복(奴僕).
[隸役 예역] 종. 노복(奴僕).
[隸人 예인] ㉠죄인(罪人). ㉡종. 노복(奴僕).
[隸篆 예전] 예서(隸書)와 전자(篆字).
◉奴隸. 臺隸. 徒隸. 僮隸. 氓隸. 陪隸. 僕隸. 俘隸. 私隸. 廝隸. 女隸. 輿隸. 篆隸. 族隸. 罪隸. 直隸. 秦隸. 賤隸. 庖隸. 奚隸.

9 ⑰ [隸]
태 ㊤賄 徒亥切 dài

字解 미칠 태 미침. '一天之未陰雨'《詩經》.

[字][源] 篆文 形聲. 隶+枲〔音〕

隹 (8획) 部
〔새추부〕

0 ⑧ [隹] [一] 추 [平]支 職追切 zhuī
[二] 최 [上]賄 祖猥切 cuǐ

[筆順] ㇒ 亻 亻 𠂊 仹 仹 隹 隹

[字解] [一] 새 추 꽁지가 짧은 새의 총칭. [二] 높을 최 崔(山部 八畫)와 통용. '山林之畏一'《莊子》.

[字][源] 甲骨文 金文 篆文 象形. 꼬리가 짧고 똥똥한 새를 본떠 작은 새의 뜻을 나타냄.

[參考] '隹추'를 의부(意符)로 하여 새에 관한 문자를 이룸.

2 ⑩ [隻] [人名] 척 [入]陌 之石切 zhī 只

[字解] ①하나 척 단지 하나. 단일(單一). '形單影一'《韓愈》. ②짝 척 한 쌍의 한쪽. 외짝. 한짝. '一眼'. '得一一鳥'《漢書》. ③척 척 배·수레 등을 세는 수사(數詞). '一一船'.

[字][源] 甲骨文 金文 篆文 會意. 又+隹. 손으로 한 마리의 새를 잡는다는 뜻에서 새 한 마리. 파생하여 한쪽 또는 하나의 뜻으로 쓰임.

[隻劍 척검] 한 자루의 칼.
[隻雞絮酒 척계서주] 후한(後漢)의 서치(徐穉)가 친구인 황경(黃瓊)이 죽었을 때 닭 한 마리를 볶고, 솜을 술에 담갔다가 말려서 그 솜으로 닭을 싸 가지고 무덤 근처에 이르러 솜을 물에 담가서 술기운이 우러나게 한 다음 띠를 깔고 닭을 놓아 제사(祭祀)를 지내고는 상주(喪主)를 만나지 않은 채 돌아간 고사(故事). 후세(後世)에 조제문(弔祭文)에 이 말을 많이 인용(引用)함.
[隻句 척구] 짧은 문구(文句).
[隻騎 척기] 단지 한 사람의 기병(騎兵). 단기(單騎).
[隻履西歸 척리서귀] 달마(達磨)가 외짝의 짚신을 갖고 서쪽 나라로 떠났다는 고사(故事).
[隻立 척립] 원호(援護)하는 사람 없이 혼자 해 나감.
[隻手 척수] 한쪽 손.
[隻身 척신] 홀몸. 단신.
[隻眼 척안] ㉠애꾸눈. ㉡남다른 견식(見識). 일가견(一家見).
[隻愛 척애] 짝사랑.
[隻語 척어] 한 마디의 말. 짤막한 말.
[隻言 척언] 척어(隻語).
[隻影 척영] 외따로 떨어져 있는 물건의 그림자. 그림자 하나.
[隻日 척일] 기수(奇數)의 날. 쌍일(雙日)의 대(對).
[隻字 척자] 한 글자.
[隻窓 척창] 외짝 창. 쪽창.

2 ⑩ [雂] 〔구〕 鳩(鳥部 二畫〈p. 2659〉)와 同字

2 ⑩ [隼] [人名] 준 (순[本]) [上]軫 思尹切 sǔn

[筆順] ㇒ 亻 亻 𠂊 仹 隹 隼 隼

[字解] 송골매 준 매의 일종으로서 매보다 좀 작음. '鴥彼飛一, 其飛戾天'《詩經》.

[字][源] 鵻의 別體 指事. '隹추'의 다리 밑에 '一일'을 더하여, 사람이 팔에 앉게 하여 매사냥에 쓰는 새의 모양을 나타내어, '송골매'의 뜻을 나타냄. '鵻추'의 別體.

◉飛隼. 射隼. 翔隼. 旗隼. 鷹隼. 鵰隼. 蒼隼. 鷙隼.

2 ⑩ [难] 〔난·나〕 難(隹部 十一畫〈p. 2491〉)의 俗字

[准] 〔준〕 冫部 八畫(p. 231)을 보라.

2 ⑩ [隺] 〔학〕 鶴(鳥部 十畫〈p. 2675〉)의 俗字

[字][源] 篆文 會意. 冂+隹. 새가 경계〔冂〕를 나와 높이 날아오르려 하다의 뜻을 나타냄.

3 ⑪ [雀] [人名] 작 [入]藥 卽略切 què

[筆順] 亅 小 少 少 尐 雀 雀 雀

[字解] ①참새 작 새의 하나. '誰謂一無角'《詩經》. ②다갈색 작 참새의 털 같은 빛. '一弁'. ③뛸 작 도약함. '一躍'. '一立不轉'《戰國策》.

[字][源] 甲骨文 篆文 形聲. 隹+小〔音〕. 작은 새의 뜻에서 '참새'의 뜻을 나타냄.

[雀角鼠牙之爭 작각서아지쟁] 송사(訟事)를 제기(提起)하고 곡직(曲直)을 법정(法廷)에서 다툼.
[雀羅 작라] 새그물.
[雀卵斑 작란반] 작반(雀斑).
[雀立 작립] 작약(雀躍).
[雀麥 작맥] 귀리.
[雀盲 작맹] 밤눈이 어두움. 야맹증(夜盲症). 작목(雀目).
[雀目 작목] 작맹(雀盲).
[雀瞀 작무] 작맹(雀盲).
[雀斑 작반] 주근깨.
[雀弁 작변] 다갈색의 갓. 일설(一說)에는 모양이 참새 비슷한 갓이라 함.
[雀舌 작설] 차나무의 어린 싹으로 만든 차. 잎이 참새 혀 크기만 할 때 따서 만든다는 데서 생긴 이름.
[雀息 작식] 입을 다물고 말하지 않는 일.
[雀躍 작약] 뛰며 좋아함.
[雀鷂 작요] 새매.
[雀釵 작차] 참새의 모양을 아로새긴 비녀.
◉鷄雀. 孔雀. 鸛雀. 鳩雀. 群雀. 金雀. 羅雀. 桃雀. 痲雀. 負雀. 鷃雀. 小雀. 鶉雀. 鷃雀. 燕雀. 雲雀. 乳雀. 鳥雀. 朱雀. 簷雀. 靑雀. 楚雀. 黃雀.

3 ⑪ [雃] 간 [平]寒 居寒切 gān

[字解] 까치 간 까치. '一, 一鵲, 鵲也'《集韻》.

4 ⑫ **[集]** 中人 집 ㊀緝 秦入切 jí

筆順 亻 亻' 亻' 隹 隹 隹 集 集

字解 ①모일 집, 모을 집 한데 모임. '群—'. '—合'. '收—降卒'《後漢書》. 또, 시문 등을 모은 책. '文—'. '詩—五十卷'《隋書》. ②이룰 집, 이루어질 집 성취함. '大統未—'《書經》. ③편안히할 집 편안하게 함. '安—百姓'《史記》. ④이를 집 至(部首)와 뜻이 같음. '不其—亡'《左傳》. ⑤가지런할 집 균제함. '動靜不—'《漢書》. ⑥보루 집 국경의 요새. '險其走—'《左傳》. ⑦장 집 시장. '宜率當部東乘趄—'《續文獻通考》. ⑧성 집 성(姓)의 하나.

字源 甲骨文 金文 篆文 別體 會意. 隹+木. 새가 나무에 모여 앉는 모양에서 모이다의 뜻을 나타냄. 篆文은 形聲으로 木+雧〔音〕. '雧잡'은 새가 모이다의 뜻.

[集結 집결] 한곳에 모임. 또는 뭉침.
[集古 집고] 옛것을 모음.
[集古錄 집고록] 서명(書名). 송(宋)나라 구양수(歐陽修)의 찬(撰). 모두 10권. 400여 편(篇). 금석문(金石文)을 집록(集錄)하여 해설한 것.
[集句 집구] 한시(漢詩)의 한 체(體). 고인(古人)의 성구(成句)를 모아서 한 편(篇)의 시를 만듦. 또, 그 시(詩).
[集權 집권] 권력을 한군데에 집중함.
[集團 집단] 모여서 이룬 떼.
[集大成 집대성] 여럿을 모아 하나로 크게 완성함. 또, 그 완성된 것.
[集服 집복] 모여 와서 따름. 함께 귀순함.
[集部 집부] 책들을 사대 분류(四大分類)한 것의 하나. 문집(文集)·시집(詩集) 등이 이에 듦. 정부(丁部).
[集散 집산] 모임과 헤침. 또, 모음과 헤뜨림.
[集成 집성] 집대성(集大成).
[集小成多 집소성다] '티끌 모아 태산'과 같은 뜻.
[集腋 집액] 뭇사람의 힘을 모아 성사(成事)함의 비유.
[集英 집영] ㉠영재(英才)를 모음. ㉡궁전(宮殿)의 이름.
[集往 집왕] 여럿이 모여서 감.
[集韻 집운] 음운서(音韻書). 송(宋)나라 정도(丁度) 등의 봉칙찬(奉勅撰). 10권.
[集義 집의] 도의(道義)·선행(善行)이 쌓인 것. 적선(積善).
[集議 집의] 함께 모여 상의함.
[集字 집자] ㉠문장(文章)을 쓰는 등의 목적으로, 선인(先人)의 비첩(碑帖) 중의 글씨를 모으는 일. ㉡시부(詩賦)를 짓는 등의 목적으로, 선인(先人)의 시부 속에 사용된 문자(文字)를 모으는 일.
[集注 집주] ㉠집중(集中) ❶. ㉡제가(諸家)의 주석을 모음. 또, 그 책.
[集註 집주] 집주(集注) ❷.
[集中 집중] ㉠한군데로 모임. 또, 한군데로 모음. ㉡시문집(詩文集)의 속.
[集輯 집집] 시문(詩文) 또는 여러 가지 재료를 수집함.
[集綴 집철] 사실을 모아서 글로 지음.
[集抄 집초] 여러 가지 책에서 모은 초록(抄錄). 여러 책을 모아 초록함.
[集聚 집취] 모임. 또, 모음.
[集合 집합] 한군데로 모임. 또, 한군데로 모음.
[集解 집해] 집주(集注) ❷.
[集賢殿 집현전] 당(唐)나라 때 관아(官衙)의 이름. 경적(經籍)을 간행(刊行)하고 일서(佚書)를 수집하는 일을 관장(管掌)함.
[集會 집회] 여러 사람을 모음. 또, 여러 사람이 모임.

◉家集. 歌集. 結集. 經史子集. 鳩集. 驅集. 群集. 論集. 募集. 撫集. 文集. 密集. 別集. 補集. 私集. 翔集. 選集. 召集. 收集. 綏集. 蒐集. 拾集. 詩集. 安集. 烏集. 外集. 雨集. 雲集. 雲合霧集. 蝟集. 凝集. 蟻集. 鱗集. 全集. 前集. 走集. 徵集. 撰集. 纂集. 參集. 採集. 招集. 總集. 叢集. 聚集. 驟集. 特集. 呼集. 和集. 畫集. 會集. 懷集. 後集.

[焦] 〔초〕 火部 八畫(p.1339)을 보라.

4 ⑫ **[雅]** 高人 아 ㊤馬 五下切 yǎ

筆順 一 ㄷ 于 牙 邪 雅 雅 雅

字解 ①바를 아 올바름. 정당하여 법도에 맞음. '—正'. '—道今復存'《盧照隣》. ②악기이름 아 칠통(漆筩) 모양의 길쭉한 옛 악기. '訊疾以—'《禮記》. ③아 아 시(詩)의 육의(六義)의 하나. 정악(正樂)의 노래. '大—'. '小—'. '—頌各得其所'《論語》. ④평상 아 평소. '—故'. '—意'. '子所—言'《論語》. ⑤우아할 아 고상함. '典—'. '—致'. '雍容閒—甚都'《史記》. 전(轉)하여, 남의 시문 또는 언행에 대한 경칭(敬稱). '—囑'. '—鑑'. ⑥성 아 성(姓)의 하나.

[雅②]

字源 篆文 形聲. 隹+牙〔音〕. '牙아'는 까마귀의 울음소리를 나타내는 의성어. 초(楚) 지방의 까마귀의 뜻을 나타냄. 우아한 여름 축제의 춤의 뜻인 '夏하'와 통하여 '우아하다'의 뜻을 나타냄.

[雅歌 아가] ㉠바른 노래. 바른 노래를 함. ㉡아악(雅樂). ㉢구약 성서(舊約聖書) 중의 일서(一書).
[雅鑒 아감] 뵈어 드림.
[雅客 아객] ㉠마음이 바르고 품위가 있는 사람. ㉡수선(水仙)의 아칭(雅稱).
[雅健 아건] 필력(筆力)이 고상(高尙)하고 기운참.
[雅潔 아결] 마음이 고상하고 깨끗함.
[雅故 아고] ㉠바른 뜻. 바른 훈고(訓詁). ㉡옛 친구. 구우. ㉢평소(平素). 평상.
[雅誥 아고] 바른 훈계(訓戒).
[雅曲 아곡] 아악(雅樂). 속곡(俗曲)의 대(對).
[雅教 아교] 남의 교시(教示)의 경칭(敬稱).
[雅談 아담] 고상한 담론.
[雅澹 아담] 고상하고 담백함.
[雅道 아도] 바른길.
[雅量 아량] 너그러운 도량(度量). 관대(寬大)한 기상(氣像).

[雅麗 아려] 우아하고 화려함.
[雅望 아망] 바르고 깨끗한 인망(人望).
[雅文 아문] 바른 학문. 또, 문장.
[雅美 아미] 우아하고 미려함. 아려(雅麗).
[雅步 아보] 우아한 걸음걸이. 고상한 보조(步調).
[雅士 아사] ㉠바르고 훌륭한 선비. 아담한 선비. ㉡풍류(風流)를 아는 선비. 운치(韻致)가 있는 선비.
[雅思 아사] ㉠바른 생각. ㉡고상한 생각. 풍류적(風流的)인 생각.
[雅詞 아사] 바른말. 아언(雅言).
[雅素 아소] 평소(平素).
[雅俗 아속] ㉠아담함과 속됨. 고상함과 비속(鄙俗)함. ㉡아악(雅樂)과 속악(俗樂).
[雅頌 아송] 시경(詩經) 중의 아(雅)와 송(頌). 아(雅)는 정악(正樂)의 노래, 송(頌)은 조상의 공덕을 찬미(讚美)하는 노래.
[雅秀 아수] 고상하고 준수함. 기품(氣品)이 높음.
[雅馴 아순] 문사(文辭)가 바르고 숙련(熟練)됨.
[雅勝 아승] 고상하고 뛰어남.
[雅樂 아악] 바른 음악. 속악(俗樂)의 대(對).
[雅愛 아애] 평소에 사랑함. 원래 사랑함.
[雅言 아언] ㉠항상 하는 말. 평소에 하는 말. ㉡바른말. 정언(正言).
[雅宴 아연] 풍류스러운 잔치. 고아(高雅)한 주연(酒宴).
[雅詠 아영] 고상한 시가(詩歌). 또 고상한 시나 노래를 읊거나 부름.
[雅玩 아완] 고상한 놀이. 시문을 짓거나 그림을 그리는 일 따위.
[雅韻 아운] ㉠아치(雅致). ㉡바른 악곡(樂曲). 고상한 노래.
[雅裕 아유] 고상하고 관대함. 성품이 바르고 마음이 너그러움.
[雅遊 아유] ㉠고상한 놀이. 시문·서화·음악 등의 품위 있는 놀이. ㉡평소의 교제.
[雅儒 아유] 바른 도(道)를 행하는 유학자(儒學者).
[雅音 아음] 바른 소리. 바른말.
[雅意 아의] ㉠평소의 뜻. 본래의 뜻. ㉡고상한 뜻.
[雅人深致 아인심치] 고상한 뜻을 품고 있는 사람의 심원(深遠)한 의취(意趣).
[雅章 아장] 올바른 시가(詩歌). 올바른 음악의 편장(篇章).
[雅材 아재] 우아(優雅)한 재능.
[雅典 아전] 고상하고 바른 규범(規範). 모범.
[雅節 아절] 바른 절개. 곧은 지조.
[雅正 아정] 고상하고 바름.
[雅鄭 아정] 아악(雅樂)과 정성(鄭聲). 바른 음악과 음란한 노래.
[雅調 아조] 고상한 음악의 가락.
[雅操 아조] 바른 지조.
[雅拙 아졸] 조촐하고 고지식함.
[雅奏 아주] 고상한 음악의 연주.
[雅贈 아증] 남의 선물에 대한 경칭.
[雅旨 아지] 바른 생각. 훌륭한 취지.
[雅志 아지] ㉠평소의 뜻. 본래의 뜻. ㉡고상한 뜻.
[雅集 아집] 아회(雅會).
[雅體 아체] 바른 문체(文體). 시가 문장(詩歌文章)의 올바른 체제를 이름.
[雅趣 아취] ㉠아담한 정취(情趣). ㉡고상한 취미.
[雅致 아치] 아담한 운치. 고상한 운치.
[雅飭 아칙] ㉠문장 같은 것이 우아하고 정제(整齊)됨. ㉡바르게 갖추어짐.
[雅行 아행] 바른 행위. 훌륭한 행실.
[雅兄 아형] 벗의 존칭.
[雅號 아호] 문인·화가·학자 등의 호(號).
[雅會 아회] 시문 등을 짓는 고상한 모임.
[雅誨 아회] 바른 가르침. 바른 교훈.
[雅懷 아회] ㉠평소부터 품은 생각. ㉡풍아(風雅)스러운 생각.
◉間雅. 古雅. 高雅. 寬雅. 端雅. 淡雅. 大雅. 都雅. 敦雅. 文雅. 博雅. 素雅. 醇雅. 麗雅. 姸雅. 溫雅. 優雅. 儒雅. 典雅. 正雅. 藻雅. 淸雅. 通雅. 風雅. 閑雅.

4 ⑫ **[雃]** 〔견〕 雈(隹部 六畫〈p. 2486〉)의 俗字

4 ⑫ **[雄]** 〔결〕 鴂(鳥部 四畫〈p. 2662〉)과 同字

4 ⑫ **[雄]** 中人 웅 ㊤東 羽弓切 xióng

筆順 一 ナ 𠃌 厷 厷 𰀁 雄 雄

字解 ①수컷 웅 동물의 남성. 주로 조류에 대해 이름. '雌一'. '飛曰一雌, 走曰牝牡'〈'飛'는 조류, '走'는 수류(獸類)〉《急就篇》. ②굳셀 웅 무용(武勇)이 있음. '心一萬夫'《李白》. 또, 그 사람. '是寡人之一也'《左傳》. ③뛰어날 웅 걸출함. '秦一天下'《戰國策》. 또, 그 사람. '英一'. '韓信是一'《人物志》. ④두목 웅 우두머리. '七一虓闞'《班固》. ⑤성 웅 성(姓)의 하나.

字源 篆文 形聲. 隹+厷〔音〕. '厷굉'은 '넓혀지다, 넓다'의 뜻. 날개가 넓은 새, 수새의 뜻을 나타냄. 파생하여 '수컷'의 뜻을 나타냄.

[雄強 웅강] ㉠굳셈. 강함. ㉡필력(筆力)이 힘참.
[雄彊 웅강] 웅강(雄強).
[雄據 웅거] 땅을 차지하고 막아 지킴.
[雄健 웅건] ㉠굳셈. 강함. ㉡시문·서화 등의 필력이 뛰어나고 힘이 있음.
[雄桀 웅걸] 웅걸(雄傑).
[雄傑 웅걸] 슬기와 용맹이 뛰어남. 또 그 사람.
[雄劍 웅검] ㉠잘 드는 칼. ㉡옛날에 간장(干將)이 주조(鑄造)하였다는 자웅 한 쌍의 칼 중의 수칼.
[雄勁 웅경] 웅강(雄強).
[雄雞自斷其尾 웅계자단기미] 수탉은 희생이 되기를 두려워하여 제가 제 꼬리를 자른다는 뜻으로, '현철한 선비는 화(禍)를 피하여 미천한 곳에 숨어 있음'의 비유.
[雄狡 웅교] 강하고 교활함.
[雄國 웅국] 강성한 나라.
[雄氣 웅기] 씩씩한 기력.
[雄氣堂堂貫斗牛 웅기당당관두우] 씩씩하고 뛰어난 기상(氣像)의 왕성함이 하늘의 북두(北斗)·견우(牽牛) 두 별까지도 관통(貫通)함.
[雄斷 웅단] 씩씩한 결단.
[雄談 웅담] 뛰어난 변설(辯舌).
[雄略 웅략] 웅대(雄大)한 계략.
[雄力 웅력] 뛰어난 힘. 강한 힘.
[雄劣 웅렬] 뛰어나서 강함과 못나서 약함. 우수함과 용렬함.

[雄烈 웅렬] 굳세고 맹렬함.
[雄邁 웅매] 성질이 씩씩하고 뛰어남. 호매(豪邁)함.
[雄猛 웅맹] 굳세고 사나움.
[雄謀 웅모] 웅략(雄略).
[雄武 웅무] 씩씩하고 강함.
[雄文 웅문] 웅장(雄壯)한 글.
[雄民 웅민] 씩씩한 백성. 활달한 사람.
[雄拔 웅발] 웅대(雄大)하고 발군(拔群)함.
[雄伯 웅백·웅패] ㉠잡귀(雜鬼)를 잡아먹는다는 신(神). ㉡'웅패(雄伯)'를 보라.
[雄藩 웅번] 웅진(雄鎭).
[雄辯 웅변] 힘 있고 유창한 변설(辯舌). 뛰어난 변론(辯論).
[雄辯彊據 웅변강거] 말을 유창하게 잘할 뿐만 아니라 조리가 닿고 근거가 확실함.
[雄蜂 웅봉] 수벌.
[雄富 웅부] 뛰어나고 많음.
[雄飛 웅비] 씩씩하게 분기함. 용감하게 나아가 활동함.
[雄爽 웅상] 뛰어나고 상쾌함.
[雄贍 웅섬] 웅대하고 섬부(贍富)함.
[雄性 웅성] 수컷이 가진 성질.
[雄勝 웅승] 지세(地勢)가 뛰어나게 좋음. 또, 그 곳.
[雄視 웅시] 세력(勢力)이 있어서 위세 당당(威勢堂堂)하게 남을 내려다봄.
[雄心 웅심] 웅대한 마음. 씩씩한 마음.
[雄深 웅심] 문장의 뜻이 크고 깊음.
[雄兒 웅아] 뛰어난 남아(男兒). 걸출한 인물.
[雄蕊 웅예] 화사(花絲) 상부의 약(葯) 속에 화분(花粉)이 있어 자예(雌蕊)에 수분(受粉) 작용을 하는 꽃의 생식 기관. 수꽃술. 수술.
[雄蘂 웅예] 웅예(雄蕊).
[雄完 웅완] 강하고 결점이 없음.
[雄勇 웅용] 빼어나게 용감함.
[雄雄 웅웅] 위세(威勢)가 강성한 모양.
[雄偉 웅위] 씩씩하고 뛰어남.
[雄毅 웅의] 씩씩하고 굳셈.
[雄姿 웅자] 씩씩한 모습. 용감한 자태. 용자(勇姿).
[雄壯 웅장] 씩씩하고 기운 참. 용감하고 굳셈.
[雄長 웅장] ㉠씩씩하여 으뜸감. ㉡일방(一方)에 웅거(雄據)하여 두목이 됨.
[雄將 웅장] 뛰어난 장수.
[雄材大略 웅재대략] 뛰어난 재주와 대단한 꾀.
[雄州 웅주] 정무(政務)가 바쁜 주.
[雄俊 웅준] 웅걸(雄傑).
[雄志 웅지] 웅대한 뜻. 장한 포부. 장지(壯志).
[雄鎭 웅진] 강성한 번진(藩鎭).
[雄唱雌和 웅창자화] ㉠수컷이 노래하면 암컷도 따라 의좋게 노래함. ㉡서로 손이 맞아서 일을 잘하는 것을 이름.
[雄伯 웅패] 웅패(雄霸).
[雄霸 웅패] 뛰어난 패자(霸者).
[雄篇 웅편] 뛰어난 시문(詩文). 웅대한 시문.
[雄風 웅풍] ㉠시원한 바람. ㉡씩씩한 기풍.
[雄筆 웅필] 뛰어나게 잘 쓴 글씨.
[雄悍 웅한] 굳세고 사나움.
[雄豪 웅호] 영웅호걸(英雄豪傑).
[雄渾 웅혼] 힘이 있고 원숙(圓熟)함.
[雄紅 웅홍] '모란(牡丹)'의 별칭(別稱).
[雄花 웅화] 단성화(單性花)로 웅예(雄蕊)만 있는 꽃. 수꽃.
[雄黃 웅황] 천연적(天然的)으로 계관석(鷄冠石)이 분해(分解)하여 되는 광물(鑛物). 석웅황(石雄黃).
◉奸雄. 姦雄. 决雌雄. 群雄. 亂世英雄. 老雄. 萬夫之雄. 文雄. 詞雄. 誰知烏之雌雄. 兩雄. 英雄. 饒雄. 六雄. 一世之雄. 雌雄. 才雄. 戰國七雄. 俊雄. 豪雄. 梟雄.

4 ⑫ [雉] ㊀ 규 ㊥支 均窺切 guī ㊁ 부 ㊥虞 風無切 fū

字解 ㊀ 두견새 규 '子—'는 두견이. 자규(子雉). '—, 子—, 鳥名'《集韻》. ㊁ 산비둘기 부 '—䳕'는 산비둘기. 鴀(鳥部 四畫)와 同字.

4 ⑫ [雉] 지 ㊥支 章移切 zhī

字解 ①새이름 지 鳷(鳥部 四畫)와 同字. '過—鵲'《司馬相如》. ②지출할 지 돈을 치름. 支(部首)와 통용. '—, 一日, 一度, 猶今言度支也'《韻會》.
字源 篆文 形聲. 隹+支〔音〕

4 ⑫ [雖] ㊀ 치 ㊤紙 昌止切 chǐ ㊁ 지 ㊥支 翹移切 qí

字解 ㊀ 암컷 치 암컷. 새의 암컷. '—, 鳥之雌也'《字彙》. ㊁ 닭 지 닭. '鸊—'. 鴟(鳥部 四畫)와 同字.

4 ⑫ [雂] ㊀ 겸 ㊥鹽 其淹切 ㊁ 금 ㊥侵 渠金切 qín ㊂ 감 ㊥覃 枯含切

字解 ㊀ ①도요 겸 물가에 사는 새로 부리와 다리가 길고, 날개도 길며, 나는 힘이 강함. '—, —鳥也'《說文》. ②사람이름 겸 '—, …春秋傳有公子若—'《說文》. ㊁ 도요 금, 사람이름 금 ㊀과 뜻이 같음. ㊂ 도요 감, 사람이름 감 ㊀과 뜻이 같음.
字源 形聲. 隹+今〔音〕

4 ⑫ [雋] 구 ㊥支 渠追切 kuí

字解 되돌아보는모양 구 되돌아보는 모양. '—, 顧貌'《字彙補》.

4 ⑫ [雁] 高人 안 ㊦諫 五晏切 yàn

筆順 一 厂 厂 𠂇 𠂉 雁 雁 雁

字解 기러기 안 오릿과에 속하는 물새. '—飛'. '—陣驚寒'《王勃》.
字源 篆文 形聲. 隹+人+厂〔音〕. 본뜻은 '기러기'. 그 때를 알고 행렬을 이루는 것이 예(禮)를 아는 것과 같아, 사람이 예물로써 쓰는 데서 '人인'을 붙임. '厂한'은 기러기가 나란히 나는 모양을 나타냄.

[雁奴 안노] 기러기가 떼 지어 잘 때 자지 않고 경계(警戒)하는 한 마리의 기러기.
[雁堂 안당] 불상(佛像)을 안치(安置)하는 당(堂). 불당(佛堂). 당(堂)이 안자형(雁字形)이므로 이름.

[雁來客 안래객] 나그네. 유랑하는 사람.
[雁來紅 안래홍] 비름과에 속하는 일년생의 관상용 풀. 색비름. 당비름.
[雁門 안문] ㉠산시 성(山西省) 다이 현(代縣) 내의 옛 군(郡) 이름. 관문(關門)이 있던 방비(防備)의 요충지(要衝地). ㉡산시 성 다이 현(代縣) 서북(西北)쪽 산 이름. 일명 구주산(句注山), 또는 서경산(西陘山).
[雁帛 안백] 안서(雁書).
[雁報 안보] 안서(雁書).
[雁使 안사] 안서(雁書).
[雁序 안서] ㉠기러기가 순서 있게 줄을 지어 나는 일. ㉡형제.
[雁書 안서] 편지. 한(漢)나라의 소무(蘇武)가 비단에 쓴 편지를 기러기의 발에 매어 무제(武帝)에게 보냈다는 고사(故事)에서 나옴.
[雁素 안소] 안서(雁書).
[雁信 안신] 안서(雁書).
[雁語 안어] 기러기가 우는 소리.
[雁影 안영] 기러기가 나는 그림자.
[雁字 안자] 기러기가 줄지어 나는 것을 이름. 그 모양이 글자를 한 줄로 죽 써 놓은 것과 비슷하므로 이렇게 이름.
[雁字鶯梭 안자앵사] 기러기가 줄지어 나는 것을 글자에 비유하고 꾀꼬리가 나무 사이를 나는 것을 베틀의 북이 왔다 갔다 하는 데 비유한 말. 시문(詩文)의 자구의 수식(修飾)을 이름.
[雁奠 안전] 약혼할 때 주는 예물.
[雁鼎 안정] 위조(僞造)한 솥. 안(雁)은 안(贋).
[雁柱 안주] 기러기발. 금주(琴柱). 옆으로 비스듬히 줄지은 모양이 기러기 떼의 줄지어 날아가는 모양 같으므로 이렇게 이름.
[雁陣 안진] 줄지어 날아가는 기러기의 행렬(行列)을 군진(軍陣)에 비유한 말. 안행(雁行).
[雁齒 안치] 다리 위에 사다리꼴로 가로 댄 나무. 기러기의 행렬이나 사람의 치아 모양 같으므로 이렇게 이름.
[雁塔 안탑] ㉠'탑(塔)'의 아칭(雅稱). 서역기(西域記)에, 떨어져 죽은 기러기를 묻고 그 위에 탑을 세웠다는 기사에서 나옴. ㉡산시 성(陝西省) 시안 시(西安市)에 있는 두 탑의 이름. 하나는 자은사(慈恩寺)의 대안탑(大雁塔)으로 당(唐)나라의 고승 현장(玄奘)이 세웠는데, 성교서비(聖教序碑)가 이 탑 아래에 있음. 당대(唐代)에 진사(進士)가 자기 이름을 써 넣던 탑임. 또 하나는 천복사(薦福寺)의 소안탑(小雁塔).
[雁塔題名 안탑제명] 당대(唐代)에 진사(進士)에 급제한 사람들이 자은사(慈恩寺)의 탑에 이름을 적는 것이 습속이 되었으므로 진사에 급제함을 이름.
[雁幣 안폐] 안전(雁奠).
[雁皮 안피] 노란 작은 꽃이 피는 낙엽 관목. 껍질은 제지(製紙) 원료임.
[雁行失序 안항실서] 형제간의 의(誼)가 좋지 못함을 이르는 말.
[雁行 안행] ㉠기러기가 줄지어 낢. 안진(雁陣). ㉡차례를 지어 날아가는 기러기처럼 비스듬히 조금 뒤떨어져 감. ㉢선두(先頭)에 서서 감. 앞장서 감. ㉣기러기처럼 줄을 지음. ㉤[안항] 남의 형제를 높여 이르는 말.
[雁戶 안호] 한때 기류(寄留)하는 민가(民家). 또, 유랑(流浪)하는 백성.
[雁鴻 안홍] 기러기.

◉江雁. 鵠雁. 過雁. 歸雁. 落雁. 蘆雁. 茶雁. 鳴雁. 皃雁. 飛雁. 賓雁. 舒雁. 野雁. 魚雁. 旅雁. 遊雁. 殘雁. 征雁. 早雁. 地雁. 秋雁. 春雁. 胡雁. 鴻雁. 候雁.

4 ⑫ [雇] 人名 ㊀ 호 ㊤麌 侯古切 hù ㊁ 고 ㊎遇 古慕切 gù

字解 ㊀ 새이름 호 새의 일종. '九一, 農桑候鳥'《說文》. ㊁ 품살 고 품삯을 주고 남을 부림. '一用'.

字源 甲骨文 篆文 籒文 形聲. 隹+戶[音]. '戶호'는 문을 본뜬 것으로 '입구'의 뜻. 계절 따라 깃의 빛이 변하여 계절의 입구를 보여 주는 새, 세가락메추라기의 뜻을 나타냄. 또 '賈고'와 통하여 임금을 지불하고 고용하다의 뜻을 나타냄.

[雇兵 고병] 용병(傭兵).
[雇聘 고빙] 예를 갖추어 초빙함.
[雇役 고역] 부역을 가지 아니하는 자에게 금전을 상납시켜 사람을 대신 사 보내는 일.
[雇用 고용] 삯을 주고 사람을 부림.
[雇傭 고용] 삯을 받고 일을 함.
[雇員 고원] 관아에서 정원(定員) 외에 임시로 부리는 직원.
[雇直 고직] 인부를 고용하는 품삯.
◉用雇. 日雇. 解雇.

5 ⑬ [雉] 人名 치 ㊤紙 直几切 zhì

筆順 丿 𠂉 矢 矢 矢 矢 雉

字解 ①꿩 치 야금(野禽)의 하나. 야계(野雞). '山一'. '土執一'《周禮》. ②담 치 ㉠성(城)의 담. '欲藉於臺一'《管子》. ㉡성의 담의 척도(尺度)의 단위로서, 높이 열 자, 길이 서른 자를 이름. '都城過百一'《左傳》. ③성 치 성(姓)의 하나.

字源 甲骨文 篆文 形聲. 隹+矢[音]. '矢시'는 甲骨文에서는 '夷이'로 주살을 본뜬 것. 주살로 새를 잡는 모양에서 다치게 하여 죽이다의 뜻을 나타냈으나 그런 식으로 잡는 새, '꿩'의 뜻도 나타냄.

[雉腒 치거] 말린 꿩고기.
[雉經 치경] 목매어 죽음. 의사(縊死)함. 치(雉)는 노[繩], 경(經)은 숨 쉬는 길. 곧 숨길을 노로 졸라맨다는 뜻.
[雉頭裘 치두구] 꿩의 머리의 예쁜 털로 장식한 털옷.
[雉媒 치매] 꿩을 호리어 꾀어들이는, 사람이 길들인 꿩. 보통 새끼 꿩을 길들여 씀.
[雉門 치문] 천자(天子)의 오문(五門)의 하나. 왕성(王城)의 남문(南門).

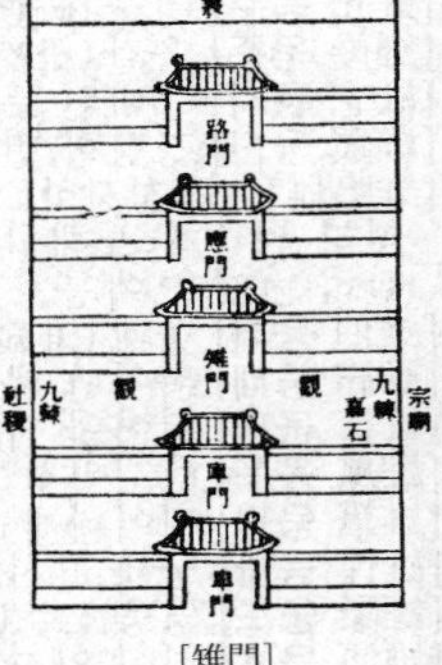

[雉門]

[雉雉 치치] 뒤섞인 모양. 착잡(錯雜)한 모양.
[雉兔者 치토자] 꿩·토끼 따위를 잡는 사냥꾼.
◉白雉. 飛雉. 山雉. 桑中雉. 城雉. 馴雉. 新雉.

野雉. 厭家雞愛野雉. 雄雉.

5 ⑬ [雊] 구 ㊀宥 古候切 gòu

字解 울 구 장끼가 욺. 또 그 소리. '雉—雞乳'《禮記》.

字源 篆文 形聲. 隹+句〔音〕. '句구'는 '굽히다'의 뜻. 수꿩이 목을 구부리고 울다의 뜻을 나타냄.

[雊雉 구치] 울고 있는 수꿩.

5 ⑬ [雋] 人名 ■ 전 ㊤銑 徂兗切 juàn ■ 준 ㊀震 即慎切 jùn

筆順 亻 仹 隹 隹 隹 隽 雋 雋

字解 ■ ①살진고기 전 기름지게 살져 맛이 좋은 고기. '號曰—永'《漢書》. ②성 전 성(姓)의 하나. ■ 영특할 준, 준걸 준 儁(人部 十三畫)과 통용. '進用英—'《漢書》.

字源 篆文 會意. 隹+弓. '隹추'는 작은 새의 뜻. '弓궁'은 활의 뜻. 활로 쏘아 떨어뜨리고 싶을 만큼 맛있는 새의 뜻에서 '뛰어나다, 살찌다'의 뜻을 나타냄.

[雋永 전영] 살져 맛이 좋은 고기.
[雋永之論 전영지론] 감미(甘美)롭고 심장(深長)한 언론(言論). '雋'은 살지고 맛좋은 고기.
[雋器 준기] 뛰어난 그릇. 뛰어난 인물.
[雋髦 준모] 출중한 사람.
[雋武 준무] 훌륭하고 강함.
[雋茂 준무] 재학(才學)이 뛰어남. 또, 그 사람. 준무(俊茂).
[雋敏 준민] 영특하고 민첩함.
[雋輔 준보] 뛰어난 재상(宰相).
[雋不疑 준불의] 한(漢)나라 발해(渤海) 사람. 자(字)는 만천(曼倩). 춘추(春秋)에 정통함. 소제(昭帝) 때 경조윤(京兆尹)이 되었음.
[雋贍 준섬] 재학(才學)이 매우 뛰어남. 재지 학문(才智學問)이 두루 갖추어져 있음.
[雋譽 준예] 뛰어난 명예.
[雋異 준이] 재주가 뛰어나 범인(凡人)과 다름. 또, 그러한 사람. 준이(俊異).
[雋哲 준철] 영특하고 현명함. 또, 그 사람.
◉英雋.

5 ⑬ [雌] 人名 자 ㊥支 此移切 cí

筆順 ⺊ 止 止 此 此 此 雌 雌

字解 암컷 자 동물의 여성. 주로, 조류에 이름. '誰知烏之—雄'《詩經》. 전(轉)하여, 약한 것, 둔한 것, 못생긴 것의 뜻. '—伏'. '挑戰決—雄'《史記》.

字源 篆文 形聲. 隹+此〔音〕. '此차'는 조금 열다의 뜻. 생식기가 조금 열린 암컷의 뜻을 나타냄.

[雌伏 자복] ㉠남의 뒤를 따름. 남에게 굴복함. 웅비(雄飛)의 대(對). ㉡세상에서 물러나 숨음.
[雌蜂 자봉] 암벌. 곧, 벌의 여왕.
[雌性 자성] 암컷의 성질.
[雌聲 자성] 힘이 약한 소리. 가냘픈 소리.
[雌蕊 자예] 주두(柱頭)·화주(花柱)·화방(花房)이 있는 꽃의 생식 기관. 암술. 암꽃술.
[雌蘂 자예] 자예(雌蕊).
[雌雄 자웅] ㉠암컷과 수컷. 암수. ㉡강약. 우열. ㉢승패(勝敗).
[雌節 자절] 남에게 복종하는 도(道). 유순(柔順)한 절의(節義).
[雌風 자풍] 습하여 기분이 나쁜 바람. 웅풍(雄風)의 대(對).
[雌花 자화] 암꽃.
[雌黃 자황] ㉠비소(砒素)와 유황(硫黃)과의 화합물인 황색의 결정체. 약용 또는 안료(顔料)로 씀. ㉡시문(詩文)의 첨삭(添削)에 자황을 썼으므로, 전(轉)하여, 자구(字句)의 첨삭(添削).

5 ⑬ [雎] 저 ㊥魚 七余切 jū

字解 물수리 저 '—鳩'는 물가에 살며 고기를 잡아먹는 새. 징경이. 고래로 자웅(雌雄)의 구별이 엄정하다 하여 아름다운 부부(夫婦) 관계의 비유로 쓰임. '關關—鳩, 在河之洲, 窈窕淑女, 君子好逑'《詩經》.

字源 形聲. 隹+且〔音〕

參考 睢(目部 八畫)는 別字.

[雎鳩 저구] 자해(字解)를 보라.
◉關雎.

5 ⑬ [翟] 〔교〕 鴭(鳥部 五畫〈p. 2663〉)와 同字

5 ⑬ [雏] 〔추〕 雛(隹部 十畫〈p. 2488〉)의 俗字

5 ⑬ [雄] 〔웅〕 雄(隹部 四畫〈p. 2482〉)의 俗字

[稚] 〔치〕 禾部 八畫(p. 1620)을 보라.

[碓] 〔대〕 石部 八畫(p. 1576)을 보라.

5 ⑬ [堆] 〔두〕 鴭(鳥部 五畫)와 同字

5 ⑬ [雍] 人名 옹 ①-③㊥冬 於容切 yōng ④㊤腫 委勇切 ⑤⑥㊀宋 於用切 wèng

筆順 亠 亠 亣 亣 亣 雍 雍 雍

字解 ①화락할 옹, 화목할 옹 '—睦'. '黎民於變時—'《書經》. ②학교 옹 '辟—'은 천자(天子)의 학교 이름. ③모을 옹 한데 모음. '—神休'《漢書》. ④막을 옹 壅(土部 十三畫)과 同字. '—閼'. '不—不塞'《荀子》. ⑤땅이름 옹 구주(九州)의 하나. 지금의 산시 성(陝西省)·간쑤 성(甘肅省) 지방. ⑥성 옹 성(姓)의 하나.

字源 形聲. 본디 隹+邕〔音〕. '邕옹'은 물에 둘러싸인 집의 뜻에서, '화락하다'의 뜻을 나타냄.

參考 雝(隹部 十畫)은 本字.

[雍渠 옹거] ㉠할미새. ㉡환관(宦官).
[雍丘 옹구] 허난 성(河南省) 기현(杞縣)의 한 지명(地名). 춘추 시대 기(杞)나라의 도읍이었음.
[雍睦 옹목] 화목(和睦)함.
[雍穆 옹목] 옹목(雍睦).
[雍門鼓琴 옹문고금] 옹문주(雍門周)가 거문고로써 제(齊)나라 맹상군(孟嘗君)을 감탄(感歎)케 하였다는 고사(故事).
[雍防 옹방] 막음. 하천을 막아 물을 내려가지 못하게 함.
[雍閼 옹알] 막음.
[雍雍 옹옹] 음악이 부드러워 듣기 좋은 모양.
[雍容 옹용] 온화한 용모.
[雍州 옹주] 옛 구주(九州)의 하나. 지금의 산시 성(陝西省) 북부(北部)와 간쑤 성(甘肅省) 서북부(西北部) 지방임.
[雍徹 옹철] 옹(雍)은 시경 주송(詩經周頌)의 편명(篇名), 철(徹)은 철(撤). 주(周)나라 때 천자(天子)가 종묘(宗廟)에 바친 제물을 물릴 때 옹(雍)의 시(詩)를 읊게 하는데, 이를 신하로서 할 때는 참월(僭越)하다는 뜻. 옹철(雝撤).
[雍畤 옹치] 제사 지내는 터. 오제(五帝)를 제사 지내는 곳을 이름.
[雍齒封侯 옹치봉후] 한고조(漢高祖)가 장량(張良)의 계략을 써서 먼저 그가 미워하는 옹치(雍齒)를 제후에 봉하여 다른 여러 장수들을 진무(鎭撫)한 고사(故事).
[雍蔽 옹폐] 막아 가림.
[雍和 옹화] 화목함. 온화함.
[雍和宮 옹화궁] 베이징(北京) 동북부(東北部)에 있는 나마교(喇嘛教)의 대사(大寺). 본래 청(淸)나라 세종(世宗)의 잠저(潛邸)임.
[雍熙 옹희] 화락함.
◉鷄雍. 辟雍. 玉在雍. 著雍. 咸雍. 熙雍.

6 ⑭ [翟] 규 ㊥齊 古攜切 guī

字解 골짜기이름 규 골짜기 이름. 산시 성(陝西省) 면현(沔縣)에 있는 골짜기. '一, 谷名'《玉篇》.

6 ⑭ [雃] 견 ㊥先 苦堅切 qiān

字解 사람이름 견 '秦伯使士一乞師于楚'《左傳》.
字源 篆文 形聲. 隹+幵〔音〕
參考 雃(隹部 四畫)은 俗字.

6 ⑭ [雒] 락 ㊤藥 盧各切 luò

字解 ①가리온 락 몸은 검고 갈기는 흰 말. '有駱有一'《詩經》. ②물이름 락, 땅이름 락 洛(水部 六畫)과 통용. 한(漢)나라는 화덕(火德)으로 천하를 다스렸으므로, '洛'의 '氵'를 꺼려 이 자로 대용하였음. '一陽'. '豫州其水滎一'《周禮》. ③성 락 성(姓)의 하나.
字源 金文 篆文 形聲. 隹+各〔音〕

6 ⑭ [雔] 〔궤〕
鵤(鳥部 六畫〈p. 2666〉)와 同字

6 ⑭ [雑] 〔잡〕
雜(隹部 十畫〈p. 2489〉)의 俗字

6 ⑭ [难] 〔난·나〕
難(隹部 十一畫〈p. 2491〉)의 略字

[維] 〔유〕
糸部 八畫(p. 1746)을 보라.

[截] 〔절〕
戈部 十畫(p. 836)을 보라.

7 ⑮ [賗] 〔격〕
鶪(鳥部 九畫〈p. 2675〉)의 俗字

7 ⑮ [雔] 〔견〕
鵑(鳥部 七畫〈p. 2669〉)과 同字

7 ⑮ [雊] 〔곡〕
鵠(鳥部 七畫〈p. 2670〉)과 同字

7 ⑮ [雈] 〔광〕
鵟(鳥部 七畫〈p. 2670〉)과 同字

7 ⑮ [雉] 〔독〕
鵚(鳥部 七畫〈p. 2671〉)과 同字

8 ⑯ [雋] 〔휴·수〕
巂(隹部 十畫〈p. 2488〉)와 同字

8 ⑯ [雕] 人名 조 ㊥蕭 都聊切 diāo

字解 ①수리 조 맹조. 수리의 일종으로, '鷲' 보다 큼. '匈奴射一者也'《史記》. ②새길 조 彫(彡部 八畫)와 통용. '必使玉人一琢之'《孟子》. ③시들 조 凋(冫部 八畫)와 통용. '民力一盡'《國語》. ④성 조 성(姓)의 하나.
字源 篆文 籀文 形聲. 隹+周〔音〕. '수리'의 뜻을 나타냈으나, '彫조'와 통하여 '새기다'의 뜻으로, '凋조'와 통하여 '시들다'의 뜻으로 쓰임.

[雕刻 조각] 글씨·그림 또는 물건의 형태들을 새김. 조각(彫刻).
[雕肝刻腎 조간각신] 간담(肝膽)과 신장(腎臟)에 깊이 새김. 마음속 깊이 맺힘.
[雕戈 조과] 아로새겨 주옥(珠玉)을 박은 창.
[雕巧 조교] 교묘하게 아로새김.
[雕琴 조금] 아로새겨 아름답게 꾸민 거문고.
[雕梁 조량] 조각하여 아름답게 꾸민 대들보.
[雕輦 조련] 조각을 하여 꾸민 아름다운 연(輦).
[雕輅 조로] 황후(皇后)가 타는 수레.
[雕龍 조룡] ㉠조각한 용. ㉡용을 새기는 것처럼 미사여구(美辭麗句)를 써서 문장을 아름답게 꾸밈.
[雕鏤 조루] 아로새김.
[雕文刻鏤 조문각루] 교묘(巧妙)하게 문장(文章)을 꾸밈.
[雕削 조삭] 새기고 깎음. 전(轉)하여, 일부러 꾸밈.
[雕俗 조속] 경조부박한 습속(習俗).
[雕飾 조식] 조각하여 장식함.
[雕楹 조영] 조각한 큰 기둥.
[雕人 조인] 뼈·뿔 따위를 조각하는 사람.
[雕章 조장] 아름답게 꾸민 문장. 또, 문장을 아름

답게 꾸밈.
[雕題 조제] ㉠이마에 그림 같은 것을 새김. 남방의 만인(蠻人)의 풍속. ㉡서적의 두주(頭註). 책의 상란(上欄)에 기술하는 해석(解釋).
[雕雕 조조] 명백한 모양. 환한 모양.
[雕柱 조주] 조각한 기둥.
[雕蟲小技 조충소기] 벌레 모양이나 전서(篆書)를 조각하듯이, 미사여구(美辭麗句)로 문장을 꾸미는 조그마한 기교.
[雕蟲篆刻 조충전각] 조충소기(雕蟲小技).
[雕琢 조탁] ㉠옥(玉)을 새기고 쪼. ㉡시문(詩文)에 퇴고를 가함.
[雕悍 조한] 강하고 사나움.
[雕朽 조후] 썩은 나무에 조각함. 아무 소용이 없음의 비유.
◉刻雕. 鏤雕. 玉雕. 篆雕. 漆雕. 琢雕.

8 ⑯ [䧿] 〔작〕
鵲(鳥部 八畫〈p. 2672〉)과 同字
字源 篆文 形聲. 隹+昔〔音〕. '鳥작'의 篆文.

8 ⑯ [雔] 수 ㊥尤 時流切 chóu
字解 ①새한쌍 수 두 마리의 새. '一, 雙鳥也'《說文》. ②가죽나무누에 수 '一由'는 가죽나무의 잎을 먹는 누에의 일종. '一由, 樗繭. (注) 食樗葉'《爾雅》.
字源 會意. 隹+隹. '隹추'는 새의 象形. 두 마리의 새의 뜻을 나타냄.

8 ⑯ [䧼] 〔순·단〕
鶉(鳥部 八畫〈p. 2673〉)과 同字

8 ⑯ [䧸] 〔기〕
鵙(鳥部 八畫〈p. 2671〉)와 同字

8 ⑯ [䧶] 〔곤〕
鵾(鳥部 八畫〈p. 2673〉)의 俗字

8 ⑯ [䧳] 〔국〕
鶪(鳥部 十六畫〈p. 2685〉)·鵴(鳥部 八畫〈p. 2671〉)과 同字

8 ⑯ [雓] 雖(次次條)의 俗字

[錐] 〔추〕
金部 八畫(p. 2398)을 보라.

9 ⑰ [雖] 中人 수 ㊥支 息遺切 suī 虽
筆順 口 吕 吊 虽 虽 踓 雖 雖
字解 ①비록 수 아무리 …하여도. 암만 …하여도. '一聖人亦有所不知焉'《中庸》. '一即死無憾'《宋濂》. ②밀 수 推(手部 八畫)와 뜻이 같음. '吾一之不能, 去之不忍'《國語》. ③오직 수 惟(心部 八畫)와 뜻이 같음. '一有明君能決之, 又能塞之'《管子》.
字源 金文 篆文 形聲. 虫+唯〔音〕. '唯유'는 '堆퇴'와 통하여 수북하게 높다의 뜻. 등이 봉긋 솟은 큰 도마뱀의 뜻을 나타냄. 假借하여 '비록'의 뜻으로 쓰임.
參考 雖(前前條)는 俗字.

[雖不中不遠矣 수부중불원의] 비록 적중(的中)하지는 못했어도 과히 틀리지는 않음. 적중에 가까움.
[雖有絲麻無棄菅蒯 수유사마무기관괴] 사마(絲麻)와 관괴(菅蒯)는 신을 삼는 데 쓰는 섬유. 신을 삼을 때엔 상품(上品)의 사마가 있더라도 하품(下品)의 관괴를 버려서는 안 된다는 뜻으로, 정세(精細)한 것이 있더라도 천한 것, 거친 것을 버려서는 안 됨을 이름.
[雖有智慧不如乘勢 수유지혜불여승세] 지혜 있는 자도 시세(時勢)를 따라 일하지 않으면 공(功)을 이룰 수 없음.
[雖千萬人吾往 수천만인오왕] 스스로 돌아보아 자기 행위가 올바르면 천만인(千萬人)의 대세(大勢)라도 이를 두려워하지 않고 물리쳐 나아간다는 뜻.
[雖鞭之長不及馬腹 수편지장불급마복] 채찍이 길다 하여도 타고 있는 말의 배 밑에는 닿지를 않음. 세력(勢力)이 강대(強大)할지라도 오히려 미치지 못하는 데가 있음. 일설(一說)에는, 세력이 넘쳐도 함부로 휘두르지 말라는 비유(比喩).

9 ⑰ [䨐] 〔개〕
鶛(鳥部 九畫〈p. 2674〉)와 同字

9 ⑰ [䨈] 〔격〕
鶪(鳥部 九畫〈p. 2675〉)과 同字

9 ⑰ [䨊] 〔규〕
鸈(鳥部 十三畫〈p. 2684〉)와 同字

9 ⑰ [雗] 〔전·단〕
鶨(鳥部 九畫〈p. 2674〉)과 同字

9 ⑰ [䨏] 〔돌〕
鶟(鳥部 九畫〈p. 2674〉)과 同字

10 ⑱ [雙] 高人 쌍 ㊥江 所江切 shuāng 双
筆順 亻 亻' 亻隹 隹 隹 雔 雙 雙
字解 ①쌍 쌍 둘씩 짝을 이룸. '一璧'. '中有一飛鳥, 自名爲鴛鴦'《古詩》. 또, 짝을 이룬 것을 세는 수사(數詞). '屛風一一'. '奉白璧一一, 再拜獻將軍足下'《十八史略》. ②견줄 쌍 '精妙世無一'《古詩》. ③성 쌍 성(姓)의 하나.
字源 篆文 會意. 雔+又. '雔수'는 두 마리의 새의 뜻. 두 마리 새를 손에 쥔 모양에서 '둘, 쌍'의 뜻을 나타냄.
參考 双(又部 二畫)은 俗字.

[雙柑斗酒 쌍감두주] 두 개의 밀감과 한 말의 술. 송(宋)나라 대옹(戴顒)이 이것을 가지고 꾀꼬리 소리를 들으러 간 고사(故事).
[雙劍 쌍검] 두 손으로 쓰는 큰 칼.
[雙肩 쌍견] ㉠두 어깨. 전(轉)하여, 자기의 부담. 책임. ㉡두 마리의 짐승. 견(肩)은 세 살 된 짐승.
[雙關法 쌍관법] 문장 구조법의 하나. 상대되는 문

구를 늘어놓아 일편(一篇)의 골자로 삼는 것. 한유(韓愈)의 원훼(原毁) 따위. 쌍선법(雙扇法).
[雙句 쌍구] 쌍구(雙鉤).
[雙鉤 쌍구] ㉠운필법(運筆法)의 하나. 엄지손가락·집게손가락·가운뎃손가락으로 붓대를 걸쳐 잡고 약손가락으로 받쳐 쥐는 방법. 단구(單鉤)의 대(對). ㉡서화(書畫) 등을 사생(寫生)할 때 그림이나 글씨의 가장자리만을 선을 그어 베껴 내는 일.

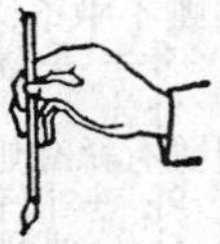
[雙鉤㉠]

[雙弓米 쌍궁미] '죽(粥)'의 이명(異名).
[雙闕 쌍궐] 망루(望樓)가 있는 대궐(大闕)의 좌우의 문.
[雙南 쌍남] 금(金)을 이름. 쌍(雙)은 겸금(兼金), 남(南)은 남금(南金).
[雙女 쌍녀] 한 태(胎)에서 나온 두 딸. 쌍동딸.
[雙童 쌍동] 한 태에서 나온 두 아이. 쌍둥이.
[雙瞳 쌍동] 두 눈동자가 있는 눈. 중동(重瞳).
[雙麗 쌍려] 둘이 나란히 걸림.
[雙淚 쌍루] 두 눈에서 흐르는 눈물.
[雙六 쌍륙] 쌍륙(雙陸).
[雙陸 쌍륙] 주사위를 써서 말이 먼저 궁에 들어가기를 겨루는 놀이.
[雙鯉 쌍리] 편지. 멀리서 보내 온 두 마리의 잉어 배 속에 편지가 들어 있었다는 고사(故事)에서 나온 말. 이소(鯉素).
[雙鯉魚出 쌍리어출] 후한(後漢)의 강시(姜詩)와 진왕상(晉王祥)의 고사(故事). 효심(孝心)이 지극한 탓으로 두 마리의 잉어를 낚았다고 함.
[雙林 쌍림] 사라쌍수(沙羅雙樹)의 숲.
[雙眸 쌍모] 두 눈동자.
[雙目 쌍목] 두 눈. 좌우의 눈.
[雙廟 쌍묘] 두 사람을 합사(合祀)하는 사당(祠堂).
[雙眉 쌍미] 두 눈썹.
[雙美 쌍미] ㉠둘 다 아름답거나 뛰어남. ㉡두 명의 미인.
[雙方 쌍방] 두 편. 두 쪽.
[雙璧 쌍벽] 한 쌍의 구슬. 전(轉)하여, 양쪽이 모두 우열(優劣)을 다툴 수 없을 만큼 똑같이 뛰어남의 비유.
[雙峯 쌍봉] 가지런히 선 두 산봉우리.
[雙斧伐孤樹 쌍부벌고수] 좌우 양쪽에서 도끼로 나무 하나를 벰. 곧, 주색(酒色)으로 수명을 줄임의 비유.
[雙墳 쌍분] 합장하지 않고 나란히 매장한 부부의 무덤.
[雙飛 쌍비] ㉠짝지어 낢. ㉡부부의 사이가 떨어지지 않음의 비유.
[雙鬢 쌍빈] 좌우의 구레나룻.
[雙生 쌍생] 쌍둥이. 쌍생아(雙生兒).
[雙棲 쌍서] ㉠짝지어 삶. ㉡부부가 같이 삶.
[雙星 쌍성] 나란히 보이는 두 별. 견우(牽牛)·직녀(織女) 따위.
[雙聲 쌍성] 두 자로 된 숙어(熟語)의 상하(上下)의 첫 자음(子音)이 같은 일. '股肱'·'名望' 따위.
[雙手 쌍수] 두 손.
[雙袖 쌍수] 좌우 양쪽 소매.
[雙樹 쌍수] ㉠한 쌍의 나무. ㉡'사라쌍수(沙羅雙樹)'의 준말.
[雙翅類 쌍시류] 곤충(昆蟲)의 한 목(目). 한 쌍의 얇은 날개와 복안(複眼)이 있음. 파리·모기 따위.
[雙雙 쌍쌍] 한 쌍. 또, 쌍을 지어.
[雙蛾 쌍아] ㉠좌우의 아미(蛾眉). 눈썹. ㉡미인(美人).
[雙眼 쌍안] 좌우 양쪽 눈. 두 눈.
[雙眼鏡 쌍안경] 망원경(望遠鏡).
[雙魚 쌍어] 쌍리(雙鯉).
[雙曜 쌍요] 해와 달. 일월(日月).
[雙月 쌍월] 열두 달 중 큰달. 단월(單月)의 대(對).
[雙翼 쌍익] 좌우 두 날개.
[雙日 쌍일] 우수(偶數)의 날. 척일(隻日)의 대(對).
[雙子葉 쌍자엽] 한 개의 배(胚)에서 나오는 두 개의 자엽.
[雙全 쌍전] 두 가지가 다 완전함.
[雙窓 쌍창] 문짝이 두 짝으로 된 창.
[雙親 쌍친] 양친(兩親).
[雙胎 쌍태] 한 태(胎)에 두 아이를 뱀.
[雙斃 쌍폐] ㉠양쪽이 모두 엎드러짐. ㉡남녀의 정사(情死).
[雙行 쌍행] 두 줄.
◉無等雙. 無雙. 白鷗雙. 少雙. 一雙.

10 ⑱ **[雚]** [一] 관 [去]翰 古玩切 guàn [平]寒 古丸切 [二] 환 [平]寒 胡官切

[字解] [一] 황새 관 황샛과의 물새. '一, 水鳥. 今作鸛'《玉篇》. [二] ①박주가리 환 박주가릿과의 다년생 덩굴풀. '一, 芄蘭'《爾雅》. ②물억새 환 물가에 나는 풀의 이름.
[字源] 象形. 두 개의 도가머리와 두 눈이 강조(強調)된 물새의 象形으로, 물새의 일종인 황새의 뜻을 나타냄.

10 ⑱ **[巂]** [一] 휴 [平]齊 戶圭切 guī [二] 수 [上]紙 息委切 xī

[字解] [一] ①소쩍새 휴 '一周'는 두견(杜鵑)의 이칭(異稱). 일설에, 제비. '一周, 子規也'《康熙字典》. '一周, 燕也'《說文》. ②한바퀴 휴 수레바퀴의 1회전. '立視五一'《禮記》. [二] 고을이름 수 '越一'는 한대(漢代)의 군명(郡名)으로, 지금의 쓰촨 성(四川省) 영원부(寧遠府).
[字源] 篆文 形聲. 隹+屮+冏〔音〕. 본뜻은 '소쩍새'. '屮좌'는 그 갓의 象形.
[參考] 巂(隹部 八畫)는 同字.

[巂周 휴주] '두견(杜鵑)'의 별칭(別稱). 소쩍새. 일설에 제비.

10 ⑱ **[臒]** [一] 확 [入]藥 烏郭切 wò [二] 호 [去]遇 胡故切

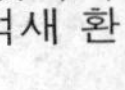

[字解] [一] 진사(辰砂) 확 수은과 유황과의 화합물. 채색(彩色)감을 만들기도 하고, 약으로도 씀. '雞山, 其下多丹一'《山海經》. [二] 붉을 호, 붉은빛 호 적색.
[字源] 篆文 形聲. 丹+蒦〔音〕

◉丹臒. 靑臒.

10 ⑱ **[雛]** [人名] 추 [平]虞 仕于切 chú

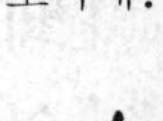

[字解] ①병아리 추 '力不能勝一匹一'《孟子》. 전(轉)하여, 널리. ②새새끼 추 '鳳凰鳴啾啾, 一母將九一'《古詩》. ③아이 추 어린아이. 소아.

'衆一爛漫睡'《杜甫》. 또, 아직 어린 것. '一僧'. '一孫'.

字源 篆文 [篆] 籀文 [籀] 形聲. 隹+芻〔音〕. '芻추'는 '走주'와 통하여 종종걸음으로 걷다의 뜻. 종종걸음 치는 새, '병아리'의 뜻을 나타냄.

[雛鷇 추구] 새 새끼.
[雛禽 추금] 새 새끼.
[雛鳳 추봉] 봉(鳳)새의 새끼. 훌륭한 제자(弟子)의 비유.
[雛孫 추손] 어린 손자.
[雛僧 추승] 나이 어린 중.
[雛形 추형] ㉠건축(建築)의 도형(圖形), 서적의 축본(縮本) 등과 같이 물건의 원 모양을 줄여서 만든 본. ㉡서식(書式).
◉鸞雛. 伏龍鳳雛. 鳳雛. 鵬雛. 僧雛. 鶯雛. 龍雛. 鵷雛. 哺雛. 匹雛.

10 ⑱ [雜] 高人 잡 ㊀合 徂合切 zá 杂 [草]

筆順 亠 亣 卒 卒 新 新 雜 雜

字解 ①섞일 잡 ㉠뒤섞임. '紛一'. '混一'. '上下僭一'《後漢書》. ㉡딴것이 혼입함. '茶話略無塵土一'《方岳》. ②섞을 잡 전항의 타동사. '一古今人物, 小畫共一卷'《韓愈》. ③어수선할 잡 가지런하지 않고 산란함. '亂一'. ④번거로울 잡 어수선하고 복잡함. '煩一'. '性不堪一'《宋書》. ⑤잗달 잡 자디잚. 세쇄(細瑣)함. '其稱名也, 一而不越'《易經》. ⑥다 잡 함께. 모두. '一受其刑'《國語》.

字源 篆文 [篆] 形聲. 衣+集〔音〕. '集집'은 '모이다'의 뜻. 옷 빛깔 등의 다양한 모임, 섞임의 뜻을 나타냄.

參考 雑(隹部 六畫)은 俗字.

[雜家 잡가] 고대 학파의 하나. 여러 학설을 취사선택하여 일가(一家)의 설을 세운 학자들을 이름.
[雜歌 잡가] 속된 노래. 잡스러운 노래.
[雜感 잡감] 여러 가지 감상.
[雜居 잡거] ㉠섞여 있음. ㉡내외국의 사람이 섞여 삶.
[雜件 잡건] 중요하지 아니한 여러 가지 일.
[雜考 잡고] 일정한 체계 없이 다방면에 걸친 연구 또는 고증. 또, 그 책.
[雜穀 잡곡] 쌀 밖의 모든 곡식.
[雜貢 잡공] 여러 가지 잡다(雜多)한 공물.
[雜鬼 잡귀] 정체를 모를 못된 귀신.
[雜劇 잡극] 각종 연극 또는 각본. 송대(宋代)에 궁정 연회(宴會)의 여흥(餘興)으로 행한, 골계(滑稽)를 주로 한 간단한 풍자극(諷刺劇)이었는데, 남송(南宋) 때에 이르러 민간에서도 행해져 창곡(唱曲)과 각색(脚色)이 가미되었음. 원대(元代)에는 창곡(唱曲)·대사(臺辭)·동작(動作)이 갖춰지고, 한 편이 네 절(折)이며, 일인독창 희극(一人獨唱戲劇)의 체제를 완전히 갖추었음. 명대(明代)에는 여러 규칙이 무너져 단편(短篇)의 희곡(戲曲)이 됨.
[雜技 잡기] 여러 가지 기예. 각종 노름. 보잘것없는 기예.
[雜記 잡기] 여러 가지 일을 적음. 또, 그것.
[雜囊 잡낭] 여러 가지 물건을 넣는 주머니.
[雜念 잡념] 쓸데없는 여러 가지 생각.
[雜多 잡다] 각양각색(各樣各色).
[雜談 잡담] 이것저것 생각나는 대로 지껄이는 말.
[雜沓 잡답] 매우 분잡(紛雜)함.
[雜遝 잡답] 잡답(雜沓).
[雜亂 잡란] 뒤섞여 어지러움.
[雜慮 잡려] 잡념(雜念).
[雜錄 잡록] 여러 가지 일을 기록함. 또, 그것. 잡기(雜記).
[雜料 잡료] 여러 가지 명목(名目)의 급료(給料).
[雜流 잡류] ㉠구품관(九品官)에 들어가지 않는 등외 벼슬아치. ㉡보잘것없는 잡다(雜多)한 유파.
[雜類 잡류] ㉠잡것들. ㉡일정한 직업이 없는 사람. 부질없는 것들.
[雜木 잡목] 여러 가지 뒤섞인 수목. 또, 중요하지 아니한 온갖 나무.
[雜夢 잡몽] 여러 가지 쓸데없는 꿈.
[雜務 잡무] 여러 가지의 허드렛일. 갖가지 잗다란 일.
[雜文 잡문] 논문(論文) 따위처럼 체계 있게 짜인 글이 아니고, 여러 가지 내용을 뒤섞어 기록한 글.
[雜物 잡물] 중요하지 아니한 여러 가지 물건.
[雜博 잡박] 여러 가지 잡다(雜多)한 일에 널리 통함.
[雜駁 잡박] 뒤섞여 통일이 없음.
[雜輩 잡배] 잡것들. 잡류(雜類).
[雜報 잡보] 각종 사건의 보도(報道).
[雜費 잡비] 자질구레하게 쓰이는 돈.
[雜史 잡사] 정사(正史) 이외의 각종 통사(通史), 또는 개인 사전(史傳) 따위.
[雜事 잡사] 여러 가지 잗다란 일.
[雜事祕辛 잡사비신] 후한(後漢)의 환제(桓帝)가 대장군(大將軍) 승고(乘高)의 딸을 후(后)로 삼은 것을 서술(敍述)한 소설. 한(漢)나라 사람이 지었다고 전함.
[雜色 잡색] ㉠여러 가지 뒤섞인 빛. ㉡종. 노예.
[雜書 잡서] 잡다(雜多)한 사실을 기록한 책. 잡박(雜駁)해서 분류하기 어려운 책.
[雜說 잡설] 잡다한 일을 설명함. 잡다한 논설. 또, 그 문장.
[雜稅 잡세] 각종 세금(稅金).
[雜碎 잡쇄] 번거롭고 잗닮.
[雜收入 잡수입] 일정한 수입 밖에 때 없이 들어오는 수입.
[雜術 잡술] 사람을 속이는 요사한 술법.
[雜襲 잡습] 여러 사람이 떼 지어 옴. 마구 뒤섞여서 몰려옴.
[雜施 잡시] 어지럽게 순서와 절도(節度)가 없음.
[雜神 잡신] 못된 귀신. 잡귀(雜鬼).
[雜心 잡심] 여러 가지 잡된 마음.
[雜魚 잡어] 여러 가지 종류가 섞인 작은 물고기.
[雜言 잡언] ㉠여러 가지 이야기. ㉡각 구(句)의 자수가 일정하지 아니한 한시(漢詩)의 한 체(體).
[雜業 잡업] 일정하지 아니한 하찮은 일.
[雜役 잡역] 여러 가지 자질구레한 일. 또, 그 일을 맡아 하는 사람.
[雜然 잡연] ㉠많은 모양. ㉡뒤섞인 모양.
[雜然賦流形 잡연부유형] 천지간의 만물이 각기 뒤섞여 그 형체와 기능을 하늘에서 받음.

[雜英 잡영] ㉠여러 가지가 섞여서 아름다움. ㉡여러 가지 꽃.
[雜詠 잡영] 여러 가지 사물을 읊은 시가(詩歌).
[雜藝 잡예] 여러 가지 기예(技藝).
[雜玩 잡완] 여러 가지 장난감. 또, 주변에 있는 잡살뱅이.
[雜徭 잡요] 여러 가지 부역(賦役).
[雜擾 잡요] 뒤섞여 혼란함.
[雜用 잡용] ㉠여러 가지 자질구레한 씀씀이. ㉡잡비(雜費).
[雜僞 잡위] 부정한 물건을 섞음.
[雜糅 잡유] 뒤섞여 어지러움.
[雜音 잡음] 뒤섞인 여러 가지의 소리.
[雜議 잡의] 여러 가지 일을 상의함.
[雜人 잡인] 그곳에 관계가 없는 테 밖의 사람.
[雜著 잡저] 잡문(雜文)을 모은 책.
[雜俎 잡조] 각종의 사항을 써 모음. 또, 그 기록. 조(俎)는 조(組).
[雜調 잡조] 잡공(雜貢).
[雜卒 잡졸] 신분이 낮은 병사(兵士).
[雜種 잡종] ㉠잡다한 종류. ㉡잡다한 것이 뒤섞인 것. ㉢여러 종족(種族). 또는 민족. ㉣인간성이 나쁜 사람을 욕할 때 쓰는 말.
[雜坐 잡좌] 섞여 앉음.
[雜誌 잡지] 여러 가지 사항을 함께 실은 책자. 호를 바꾸어 정기(定期)로 발행하는 책자.
[雜厝 잡착] 잡착(雜錯).
[雜錯 잡착] 뒤섞임.
[雜纂 잡찬] 여러 가지 사물에 관하여 써서 모음. 또, 그 책. 「장식.
[雜綵 잡채] ㉠여러 가지 비단. ㉡오색(五色)의
[雜處 잡처] 잡거(雜居).
[雜體 잡체] 한시(漢詩)에서 각 구(句)의 자수(字數)가 일정하지 아니한 시체(詩體).
[雜抄 잡초] 여러 가지 것을 초록(抄錄)함. 또, 그것.
[雜草 잡초] 잡풀. 「됨.
[雜出 잡출] 여러 군데서 나옴. 여러 군데에 게재
[雜就 잡취] 섞어서 성취(成就)함.
[雜厠 잡치] 뒤섞음. 뒤섞임.
[雜佩 잡패] 여러 가지 패옥(佩玉).
[雜品 잡품] ㉠여러 가지 잡다란 물품. ㉡잡다란 일을 기록한 문체(文體)의 하나.
[雜筆 잡필] 잡기(雜記).
[雜學 잡학] 여러 학설이 섞여 계통(系統)이 없고, 통일이 안 된 학문.
[雜學不爲通儒 잡학불위통유] 잡박(雜駁)한 학문을 하는 사람은 정통한 학자 또는 활용하는 학자가 될 수 없음.
[雜漢 잡한] 잡놈.
[雜行 잡행] 《佛敎》 여러 가지 잡다한 수행(修行). 잡수(雜修).
[雜胡 잡호] 잡종의 호인(胡人).
[雜婚 잡혼] 원시 시대에 동물적으로 난잡하게 행하였다고 상상되는 결혼. 난혼(亂婚).
[雜花 잡화] 잡풀의 꽃.
[雜貨 잡화] 여러 가지 상품.
[雜話 잡화] 잡담(雜談).
[雜戲 잡희] 여러 가지 놀이.
◉亂雜. 濫雜. 沓雜. 蕪雜. 駁雜. 駮雜. 龐雜. 煩雜. 繁雜. 複雜. 紛雜. 襲雜. 猥雜. 擾雜. 糅雜. 粗雜. 稠雜. 重雜. 塵雜. 錯雜. 參雜. 舛雜. 醜雜. 龎雜. 夾雜. 挾雜. 混雜. 淆雜. 殽雜. 囂雜.

10 ⑱ [⿰眔隹] 〔답〕
⿰眔鳥(鳥部 十畫〈p.2677〉)과 同字

10 ⑱ [雝] 옹 ㊥冬 於容切 yōng

字解 ①화락할 옹 雍(隹部 五畫)과 통용. '曷不肅—'《詩經》. ②할미새 옹 '—渠'는 척령(鶺鴒)의 이명(異名).
字源 甲骨文 金文 篆文 形聲. 隹＋邕〔音〕. '邕옹'은 물로 둘러싸인 집의 뜻. 못으로 둘린 궁전에 오는 새, '할미새'의 뜻을 나타냄. 假借하여 '화락하다'의 뜻을 나타냄. 또 고대의 천자가 세운 대학인 벽옹(辟廱)의 '廱옹'의 原字. '雍옹'은 隷書.

[雝渠 옹거] 자해(字解)❷를 보라.
[雝雝 옹옹] ㉠기러기의 화락한 울음소리. ㉡화락한 모양.
◉辟雝. 肅雝.

10 ⑱ [⿰𦰩隹] 〔난·나〕
難(隹部 十一畫〈p.2491〉)의 略字

10 ⑱ [⿰⿱𠂤豆隹] 〔난·나〕
難(隹部 十一畫〈p.2491〉)의 古字

10 ⑱ [⿰豈隹] 〔난·나〕
難(隹部 十一畫〈p.2491〉)과 同字

10 ⑱ [⿰唐隹] 〔당〕
鶶(鳥部 十畫〈p.2677〉)과 同字

10 ⑱ [雞] 〔계〕
鷄(鳥部 十畫〈p.2672〉)의 本字

11 ⑲ [離] 高·人 리 ①-⑩㊥支 呂支切 lí ⑪㊦寘 力智切 离

筆順 亠 文 卤 宮 离 离 離 離

字解 ①떠날 리 다른 곳으로 옮김. '—別'. 또, 그 일. 결별. '何以敍—思'《潘岳》. ②떨어질 리 ㉠갈라짐. '分—'. ㉡배반함. '—叛'. '—心'. ③흩어질 리 분산함. '—散'. ④가를 리 분할함. '—肺'《儀禮》. ⑤만날 리 조우함. '—騷'. '循法度而—殃'《張衡》. ⑥붙을 리 부착함. '不—于裏'《詩經》. ⑦늘어놓을 리 벌여 놓음. '設服—衛'《左傳》. ⑧지날 리 통행함. 통과함. '我—兩周'《戰國策》. ⑨이괘 리 ㉠팔괘(八卦)의 하나. 곧, ☲. 양(陽) 중에 음(陰)이 있어 환한 상(象). '—者明也, 萬物皆相見, 南方之卦也'《易經》. ㉡육십사괘(六十四卦)의 하나. 곧, ䷝〈이하(離下), 이상(離上)〉. 사물이 모두 형통(亨通)하는 상(象). ⑩성 리 성(姓)의 하나. ⑪자리뜰 리 '畔官—次'《書經》.
字源 篆文 形聲. 隹＋离〔音〕. 본디 '꾀꼬리'의 뜻을 나타냈으나 '列렬', '刺자'와 통하여 '칼집을 내어 떼다'의 뜻을 나타냄. 또 '罹리'와 통하여 '걸리다'의 뜻도 나타냄.

[離歌 이가] 이별할 때 부르는 노래.
[離間 이간] 두 사람 사이를 서로 떨어지게 만듦.

[離居 이거] 떨어져 있음. 떨어져 삶.
[離隔 이격] 격리(隔離)함.
[離經 이경] ㉠경서(經書)에 구두점(句讀點)을 찍고, 그 뜻을 해석함. ㉡경서를 해설하고도 정의(正義)에 배치되는 행위를 함.
[離苦 이고]《佛教》㉠이별하는 괴로움. ㉡고난을 떠남.
[離群索居 이군색거] 동료(同僚)들과 떨어져 외로이 삶.
[離宮 이궁] 임금의 유행(遊幸)을 위하여 궁성에서 떨어진 데 지은 궁전.
[離襟 이금] 이별(離別)하여 그리워하는 마음.
[離奇 이기] 꼬부라지고 비틀어진 모양.
[離棄 이기] 내버려둠. 버리고 돌보지 아니함.
[離落 이락] 이반(離叛).
[離亂 이란] 사방으로 흩어져 혼란함.
[離淚 이루] 이별의 눈물.
[離婁 이루] ㉠황제(黃帝) 때의 사람. 눈이 비상히 밝았다 함. ㉡무늬 같은 것이 선명함.
[離樓 이루] 많은 재목이 쌓인 모양.
[離陸 이륙] 육지를 떠남.
[離離 이리] ㉠흩어지는 모양. ㉡곡식·과일 등이 익어서 늘어진 모양. 축 처진 모양. ㉢정이 떨어져 친숙하지 아니한 모양. ㉣구름이 길게 뻗은 모양.
[離立 이립] ㉠늘어섬. ㉡봉(鳳)이 서 있는 것.
[離靡 이미] 연속하여 끊이지 아니하는 모양.
[離叛 이반] 떨어져 나와 배반(背反)함.
[離杯 이배] 이별의 술잔.
[離背 이배] 이반(離叛).
[離別 이별] 서로 따로 떨어짐.
[離思 이사] 이별의 쓰라린 생각.
[離詞 이사] 딴 것과 다른 말. 이사(異詞).
[離山 이산] ㉠고립해 있는 산. 외떨어진 산. ㉡절에서 떠남. 절에서 나옴.
[離散 이산] 떨어져 흩어짐. 뿔뿔이 헤어짐.
[離析 이석] 떨어져 나감. 분열함.
[離石卿侯 이석경후] '벼루〔硯〕'의 이칭.
[離騷 이소] 초사(楚辭)의 편명(篇名). 이(離)는 이(罹), 소(騷)는 우(憂). '근심을 만남'의 뜻. 초(楚)나라의 굴원(屈原)이 지은 부(賦)의 이름. 참소(讒訴)를 당하여 궁정(宮廷)에서 쫓겨난 몸으로 충신(忠臣)의 격정을 읊은 것으로, 초사(楚辭)의 기원이 됨.
[離俗 이속] 세상일에 관계하지 않음.
[離愁 이수] 이별의 수심.
[離心 이심] 떨어져 배반하고자 하는 마음.
[離宴 이연] 송별연(送別宴).
[離筵 이연] 이연(離宴).
[離緣 이연] ㉠부부 사이의 이혼. ㉡양친 양자(養親養子) 관계를 끊음.
[離讌 이연] 이연(離宴).
[離憂 이우] 근심을 만남. 걱정거리를 만남.
[離違 이위] 불화(不和)함.
[離貳 이이] 이반(離叛).
[離酌 이작] 이연(離宴).
[離逖 이적] 멀어짐. 또, 멀리함.
[離籍 이적] 가족의 어떤 사람을 호적에서 떼어 냄.
[離絶 이절] 서로 관계를 끊음. 절연(絶緣)함.
[離亭 이정] 길을 떠나는 사람을 보내는 자리. 전별(餞別)의 좌석.
[離坐 이좌] 나란히 앉음.
[離朱 이주] 이루(離婁).
[離磔 이책] 몸을 찢어 발김.
[離礁 이초] 암초에 걸린 함선이 떨어져 뜨는 일.
[離脫 이탈] 떨어져 벗어남. 관계를 끊음.
[離披 이피] 꽃이 활짝 핌.
[離恨 이한] 이별의 서러움.
[離合 이합] ㉠떨어짐과 합함. 또, 분리시킴과 합침. ㉡헤어짐과 만남.
[離婚 이혼] 부부 관계를 끊고 서로 갈라섬.
[離魂 이혼] ㉠나그네의 꿈속의 혼. ㉡육체를 떠난 혼.
[離魂記 이혼기] 당대(唐代)의 전기 소설(傳奇小說). 진원우(陳元祐)가 지음. 천랑(倩娘)과 약혼한 남자인 왕주(王宙)와의 정사(情事)를 묘사했음. 원곡(元曲) 〈천녀이혼(倩女離魂)〉은 이 소설을 각색(脚色)한 것임.
[離魂病 이혼병] 몽유병(夢遊病).
[離鴻 이홍] 외로이 혼자 떨어져 있는 기러기. 고안(孤雁).
[離闊 이활] 서로 떨어져 살아 오래 격조(隔阻)함.
◉距離. 隔離. 光彩陸離. 乖離. 久離. 睽離. 羈離. 亂離. 迷離. 剝離. 背離. 別離. 不卽不離. 分離. 茀離. 不忍離. 仳離. 散離. 纖離. 厭離. 遠離. 違離. 流離. 遊離. 陸離. 淋離. 長距離. 侏離. 支離. 出離. 披離. 合離. 解離. 會者定離.

11 ⑲ [難] 中人 一 난 ㊥寒 那干切 nán / ㊦翰 奴案切 nàn 二 나 ㊥歌 囊何切 nuó 难

筆順 一 廿 苫 莫 𦰩 𦽁 難 難

字解 一 ①어려울 난 쉽지 아니함. '爲政不一'《孟子》. 또, 어려운 일. '責一於君'《孟子》. ②어려워할 난 어렵게 여김. '惟帝其一之'《書經》. ③괴로워할 난, 근심할 난 재난 또는 난처한 처지를 당하여 속을 썩임. '華歆王朗, 俱乘船避難, 有一人, 欲依附, 歆輒一之'《世說》. ④근심 난, 재앙 난, 난리 난 '患一'. '困一'. '災一'. '避一'. '吾昔從夫子, 遇一於匡'《史記》. ⑤나무랄 난 책망함. 힐난함. '非一'. '一攻中山之事'《呂氏春秋》. 또, 힐난할 만한 결점. '遂發八一'《十八史略》. ⑥막을 난, 물리칠 난 못 하게 함. 거절함. '一任人'(간사하고 아첨 잘하는 사람을 물리침)《書經》. ⑦원수 난, 적 난 구적(仇敵). '與秦爲一'《戰國策》. 二 ①추나(追儺) 나 儺(人部 十九畫)와 통용. '季春命國一'《禮記》. ②우거질 나 무성한 모양. '其葉有一'《詩經》.

字源 金文 篆文 別體 古文 形聲. 隹+莫(堇)〔音〕. '堇근'은 화재 따위의 재앙을 만나서 양손을 교차하고 머리 위에 축문을 얹어 비는 무당의 象形으로, '어렵다, 근심'의 뜻을 나타냄. '隹추'는 새를 본뜬 것으로, 그 기도 때에 새를 희생으로 바치는 것을 나타냄. 재난을 당해 새를 바치고 비는 모양에서, '어렵다, 재앙'의 뜻을 나타냄.

[難堪 난감] 견디기 어려움.
[難境 난경] 어려운 처지. 곤란한 상황.
[難困 난곤] 곤란(困難).
[難攻 난공] 치기 어려움.
[難關 난관] ㉠통과하기 어려운 문, 또는 관문(關門). ㉡수월하게 넘기기 어려운 장소, 또는 일

의 어려운 고비.
[難句 난구] 의미를 해득하기 어려운 글귀.
[難局 난국] 어려운 판국. 간난(艱難)한 시국.
[難當 난당] 당하기 어려움. 대적할 수 없음.
[難得 난득] 얻기 어려움.
[難忘 난망] 잊기 어려움.
[難免 난면] 면하기 어려움.
[難問 난문] ㉠힐문함. ㉡어려운 문제. 난제(難題).
[難駁 난박] 비난하고 반박함.
[難保 난보] 지탱하기 어려움.
[難事 난사] 어려운 일.
[難事必作易 난사필작이] 어려운 일은 반드시 쉬운 일에서 생김. 곧, 쉬운 일을 조심해서 하면 어려운 일은 일어나지 아니한다는 말.
[難産 난산] ㉠해산(解産)이 순조롭지 못하여 고생함. ㉡일이 어려워 잘 이루어지지 아니함.
[難色 난색] 난처한 기색.
[難素 난소] 난경(難經)과 소문(素問). 모두 고대의 의서(醫書)임.
[難言之地 난언지지] 말하고자 하나 말하기 어려운 경우.
[難月 난월] 산월(産月). 임월(臨月).
[難爲兄難爲弟 난위형난위제] 양자(兩者)의 낫고 못함이 없음. 우열(優劣)이 없음.
[難有 난유] 있기 어려움. 진귀(珍貴)함.
[難義 난의] 어려운 뜻.
[難疑 난의] 결점을 비난하고 의문되는 곳을 질문함.
[難易 난이] 어려움과 쉬움.
[難字 난자] 어려운 글자.
[難戰 난전] 곤란한 싸움. 괴로운 싸움. 고전(苦戰).
[難題 난제] 어려운 문제. 난문제.
[難中之難 난중지난] 어려운 중에도 유달리 어려움.
[難陳 난진] 서로 의론하고 비난하면서 자기의 할 말을 진술하는 일.
[難盡筆紙 난진필지] 붓과 종이, 곧 글월로는 이루 다 표현(表現)할 수 없음.
[難處 난처] ㉠험준한 곳. ㉡처치하기 어려움.
[難測 난측] 측량하기 어려움.
[難治 난치] ㉠다스리기 어려움. ㉡병을 고치기 어려움.
[難陀 난타] 《佛敎》 ㉠팔대용왕(八大龍王)의 하나. 난타발난(難陀跋難). ㉡석가(釋迦)의 이모제(異母弟). 석가를 따라서 득도(得道)함. 난타존자(難陀尊者).
[難風 난풍] 배의 진행을 방해하는 바람.
[難航 난항] 항행(航行)하기 어려움.
[難解 난해] 해석하기 어려움. 이해하기 어려움.
[難解難入 난해난입] 법화경(法華經)의 뜻이 심오(深奧)하여 깨치기 어렵다는 말.
[難行 난행] 《佛敎》 심신을 괴롭히며 하는 수행(修行).
[難行苦行 난행고행] 《佛敎》 심신을 괴롭혀 견디어 가며 하는 수행(修行).
[難行道 난행도] 《佛敎》 자기의 힘으로 불과(佛果)를 얻는 도. 자력 법문(自力法門). 자력 본원(自力本願). 이행도(易行道)의 대(對).
[難詰 난힐] 힐난(詰難)함.
◉家難. 艱難. 戡難. 劍難. 苦難. 困難. 關山難. 匡難. 救難. 寇難. 國難. 急難. 奇難. 難中之難. 內難. 論難. 多難. 大難. 逃難. 盜難. 屯難. 萬難. 木難. 無難. 問難. 法難. 辯難. 兵難. 非難. 批難. 死難. 釋難. 說難. 水難. 受難. 殉難. 厄難. 女難. 外難. 憂難. 危難. 益難. 臨難. 災難. 賊難. 定難. 靖難. 濟難. 阻難. 遭難. 嘲難. 至難. 責難. 天步艱難. 七難. 脫難. 八難. 避難. 海難. 行路難. 險難. 火難. 禍難. 患難. 後難.

11 ⑲ [𩀨] 難(前條)의 俗字

11 ⑲ [䨂] 〔금〕 鵭(鳥部 十一畫〈p.2680〉)과 同字

12 ⑳ [𨽍] 규 ㊥齊 翾畦切 huī
字解 새나는모양 규 새 나는 모양. '一, 鳥飛皃'《集韻》.

12 ⑳ [䧹] 〔궐〕 鷢(鳥部 十二畫〈p.2682〉)과 同字

12 ⑳ [䳛] 〔요〕 鷯(鳥部 十二畫〈p.2681〉)와 同字

13 ㉑ [䶏] 〔거〕 鶋(鳥部 十二畫〈p.2682〉)와 同字

13 ㉑ [𩁏] 〔촉·독〕 鸀(鳥部 十三畫〈p.2683〉)과 同字

14 ㉒ [䨄] 〔난〕 難(隹部 十一畫〈p.2491〉)의 本字

14 ㉒ [䳫] 〔녕〕 鸋(鳥部 十四畫〈p.2684〉)과 同字

14 ㉒ [𩁠] 〔순·단〕 鶉(鳥部 八畫〈p.2673〉)과 同字

[讎] 〔수〕 言部 十六畫(p.2165)을 보라.

16 ㉔ [𩁵] 〔난〕 難(隹部 十一畫〈p.2491〉)의 古字

16 ㉔ [𩁶] 〔순·단〕 鶉(鳥部 八畫〈p.2673〉)의 本字

20 ㉘ [雧] 〔집〕 集(隹部 四畫〈p.2481〉)의 古字

22 ㉚ [𩁿] 〔난〕 難(隹部 十一畫〈p.2491〉)의 古字

雨 (8획) 部
[비우부]

0 ⑧ [雨] 中人 우 ①㊤麌 王矩切 yǔ ②-④㊍遇 王遇切 yù

筆順 一 冂 冂 币 币 雨 雨 雨

字解 ①비 우 구름에서 떨어지는 물방울. '一雪'. '雲行一施'《易經》. ②비올 우 비가 내림. '一我公田'《詩經》. ③올 우 눈·우박 등이 하늘에서 내림. '秋七月, 冬, 大一雪'《春秋》. ④오게할 우 전항과 전전항의 타동사. '使天而一玉, 飢者不得爲粟'《蘇軾》.

字源 甲骨文 金文 篆文 古文 象形. 하늘의 구름에서 물방울이 뚝뚝 떨어지는 모양을 본떠 '비'의 뜻을 나타냄.

參考 '雨우'를 의부(意符)로 하여 '雪설', '電전', '雷뢰' 등 기상 현상에 관한 문자를 이룸.

[雨脚 우각] 빗발.
[雨降 우강] 비가 옴. 또는 비 오는 날.
[雨景 우경] 빗속의 경치.
[雨傾盆 우경분] 비가 억수같이 내림의 형용.
[雨季 우계] 우기(雨期).
[雨具 우구] 비 맞지 않게 하는 데 쓰는 제구.
[雨祇 우기] 우사(雨師).
[雨氣 우기] 비가 올 것 같은 모양.
[雨期 우기] 1년 중에 비가 가장 많이 오는 시기.
[雨奇晴好 우기청호] 비가 올 때나 날이 개었을 때나 언제 보아도 경치가 좋음.
[雨量 우량] 비가 온 분량(分量). 강우량(降雨量).
[雨露 우로] ㉠비와 이슬. ㉡비와 이슬이 만물을 화육(化育)하는 것 같은 은택. 큰 은혜. 우로지택(雨露之澤).
[雨露恩 우로은] 우로(雨露) ❷.
[雨露之澤 우로지택] 우로(雨露) ❷.
[雨潦 우료] 비가 와서 길바닥 같은 데 괸 물.
[雨淚 우루] 우읍(雨泣).
[雨裏 우리] 우중(雨中).
[雨淋鈴 우림령] 악곡명(樂曲名). 당현종(唐玄宗)이 안녹산(安祿山)의 난(亂)을 피하여 촉(蜀)으로 갈 때, 도중에서 총희(寵姬) 양귀비(楊貴妃)를 의사(縊死)케 한 후 촉(蜀)의 잔도(棧道)에서 빗소리와 말방울 소리가 어울려 들림에, 양귀비를 추념(追念)하여 지은 곡(曲)임. 우림령곡(雨霖鈴曲)이라고도 함.
[雨笠煙簑 우립연사] 어부나 농민 등의 우중(雨中)의 간단한 몸차림.
[雨沐 우목] ㉠비를 맞음. 비에 젖음. ㉡비로 머리를 감음. 우중(雨中)에 분주하게 근고(勤苦)함을 이름.
[雨雹 우박] 봄 또는 여름에 오는 싸라기눈보다 굵고 딴딴한 덩이.
[雨翻盆 우번분] 비가 억수같이 내림의 형용. 우경분(雨傾盆).
[雨不破塊 우불파괴] 비가 곱게 와서 흙덩이를 부수지 않는다는 뜻으로, 태평(太平)의 상(象).
[雨備 우비] 비 맞지 않게 하는 준비. 또, 비를 가리는 제구.
[雨師 우사] 비를 맡은 신(神). 우기(雨祇).
[雨絲風片 우사풍편] 가랑비가 오고 바람이 솔솔 붊.
[雨傘 우산] 비 올 때 손에 들고 머리 위를 가리는 우구(雨具).
[雨雪 우설] ㉠비와 눈. ㉡내리는 눈. 또, 눈이 내림.
[雨聲 우성] 빗소리.
[雨勢 우세] 비 오는 형세.
[雨水 우수] ㉠빗물. ㉡이십사절기의 하나. 입춘(立春)과 경칩(驚蟄) 사이에 드는데, 양력 2월 18일경임.
[雨順風調 우순풍조] 비와 바람이 때를 어기지 아니하고 순조로움.
[雨矢 우시] 빗발같이 내려오는 화살.
[雨施 우시] ㉠비가 와서 만물을 적심. ㉡비처럼 구석구석까지 고루 베풂.
[雨暘 우양] 우천(雨天)과 청천(晴天).
[雨暘時若 우양시약] 비가 내려야 할 때 내리고, 볕이 나야 할 때 남. 기후가 철에 맞게 조화됨을 이름.
[雨暘晦明 우양회명] 우천(雨天)과 청천(晴天)과 주야(晝夜).
[雨餘 우여] 우후(雨後).
[雨如車軸 우여차축] 비가 수레의 굴대와 같이 굵음. 큰비가 내림의 형용.
[雨月 우월] 음력 5월의 이칭(異稱).
[雨泣 우읍] 눈물이 비 오듯이 흐름.
[雨衣 우의] 비가 올 때 입는 옷. 비옷.
[雨意 우의] 우기(雨氣).
[雨一犁 우일리] 전답을 갈기에 알맞은 비.
[雨裝 우장] 비가 올 때 비를 맞지 않게 입는 옷이나 쓰는 제구. 삿갓·우산·도롱이 따위.
[雨滴 우적] 빗방울.
[雨點 우점] 우적(雨滴).
[雨注 우주] 비처럼 쏟아짐.
[雨中 우중] 비가 오는 중.
[雨集 우집] ㉠빗물이 모임. ㉡빗물처럼 많이 모임.
[雨天 우천] 비가 내리는 하늘.
[雨澤 우택] 비의 혜택. 천자(天子)의 은택의 비유.
[雨下 우하] ㉠비가 옴. ㉡우주(雨注).
[雨虐風饕 우학풍도] 비가 학대하고 바람이 탐낸다는 뜻으로, 비바람에 괴로움을 받음을 형용하는 말. 설학풍도(雪虐風饕).
[雨花臺 우화대] 난징 시(南京市) 남쪽 취보산(聚寶山) 위에 있는 대(臺) 이름. 양무제(梁武帝) 때 운광법사(雲光法師)가 이곳에서 강경(講經)하니 하늘이 감동(感動)하여 천화(天花)가 내렸다고 함.
[雨後 우후] 비가 온 뒤.
[雨後竹筍 우후죽순] 비 온 뒤에 여기저기 무럭무럭 솟는 죽순. 곧, 어떠한 일이 한때에 많이 일어남의 형용.

◉渴雨. 甘雨. 江雨. 降雨. 苦雨. 膏雨. 穀雨. 過雨. 蛟龍得雲雨. 敎雨. 久雨. 舊雨. 劇雨. 急雨. 綠雨. 雷雨. 大雨. 凍雨. 梅雨. 麥雨. 猛雨. 冒雨. 暮雨. 沐雨. 濛雨. 微雨. 密雨. 密雲不雨. 白雨. 翻雲覆雨. 法雨. 飛雨. 氷雨. 斜雨. 絲雨. 山雨. 暑雨. 細雨. 小雨. 疏雨. 宿雨. 時雨. 嶽雨. 暗雨. 夜雨. 涼雨. 煙雨. 五風十雨. 雲雨. 淫雨. 陰雨. 淋雨. 霖雨. 慈雨. 殘雨. 長雨. 瘴雨. 積雨. 朝雨. 朝雲暮雨. 櫛風沐雨. 陣雨. 疾雨. 凄雨. 天雨. 檐雨. 簷雨. 靑雨. 晴雨. 催花雨. 秋雨. 春雨. 翠雨. 驟雨. 澤雨. 砲煙彈雨. 暴雨. 暴風雨. 風雨. 夏雨. 汗雨. 寒雨. 香雨. 峽雨. 好雨. 豪雨. 紅雨. 喜雨. 黑雨.

3 ⑪ [雩] 人名 우 ㊥虞 羽俱切 yú 雩

字解 기우제 우, 기우제지낼 우 비가 오기를 비는 제사. 또, 그 제사를 지냄. '仲夏大—'《禮記》. '龍見而—'('龍'은 별 이름)《左傳》.

字源 甲骨文 金文 篆文  形聲. 雨+亏〔音〕. '亏우'는 '華(雩)화'와 통하여 '화려하다'의 뜻. 화려한 춤을 추어 신을 놀라게 하여 비를 비는 제사의 뜻을 나타냄.

參考 雩(次條)와 同字.

[雩祭 우제] 기우제(祈雨祭).

3 ⑪ [雩] 雩(前條)와 同字

3 ⑪ [雫] 놔 ㊤馬 奴寡切 nǎ

字解 놔 뜻은 불명(不明).

3 ⑪ [雬] 령 ㊥青 力丁切 líng

字解 여자의자 령 여자의 자(字). '—, 女字'《篇海》.

3 ⑪ [雪] 中人 설 ㊇屑 相絶切 xuě

筆順 一 一 戸 币 雨 雪 雪 雪

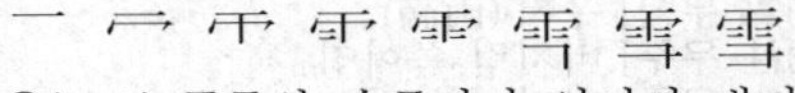

字解 ①눈 설 공중의 수증기가 얼어서 내리는 것. 육화(六花). '—景'. '冬大雨—'《春秋》. ②눈올 설 눈이 내림. '于時始—'《世說》. ③흴 설 빛이 흼. '—羽'. '星星愁鬢—'《白居易》. ④씻을 설 ㉠더러운 것을 없앰. '澡—而精神'《莊子》. ㉡누명·치욕을 벗음. 원한을 풂. '—怨'. '—其先君之恥'《史記》. ⑤성 설 성(姓)의 하나.

字源 甲骨文 篆文 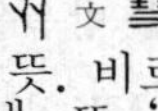 篆文은 形聲. 雨+彗〔音〕. '彗혜·수·세'는 비로 쓸어서 깨끗이 하다의 뜻. 비로 씻어 깨끗이 하다, 풀다의 뜻을 나타냄. 또 '毳취'와 통하여 잘고 가늘다의 뜻. 잘고 가벼운 눈의 뜻을 나타냄. 甲骨文은 깃털과 같은 눈송이의 象形.

[雪客 설객] ㉠해오라기. 곧, '백로(白鷺)'의 별칭(別稱). ㉡설중(雪中)의 내객(來客).
[雪見羞 설견수] 결백함이 눈보다 더 흼을 비유하여 이르는 말.
[雪景 설경] 눈이 온 경치.
[雪姑 설고] 할미새. 곧, '척령(鶺鴒)'의 별칭(別稱).
[雪光 설광] 눈의 빛.
[雪宮 설궁] 전국(戰國) 시대 제왕(齊王)의 이궁(離宮) 이름.
[雪肌 설기] 희고 고운 살결.
[雪氣 설기] 설의(雪意).
[雪泥 설니] 눈이 녹은 진창.
[雪泥鴻爪 설니홍조] 녹기 시작한 눈 위에 남긴 기러기의 발자국. 그 발자국이 바로 사라지는 것같이, 인생이 덧없이 이 세상에 나왔다가 아무 자취도 남기지 아니하고 사라짐의 비유.
[雪堂 설당] 후베이 성(湖北省) 황강(黃岡)에 송(宋)나라 소동파(蘇東坡)가 축조(築造)한 당(堂). 큰 눈이 올 무렵에 지었고, 사벽(四壁)에 설경(雪景)을 그려 놓았음.
[雪洞 설동] 풍로(風爐)의 덮개.
[雪嶺 설령] 눈이 쌓인 산봉우리.
[雪裏 설리] 설중(雪中).
[雪裏淸香 설리청향] '매화나무〔梅〕'의 별칭.
[雪馬 설마] 썰매.
[雪面 설면] 눈같이 흰 얼굴.
[雪綿子 설면자] 풀솜.
[雪毛 설모] 눈같이 흰 털.
[雪眉 설미] ㉠흰 눈썹. ㉡노인.
[雪白 설백] ㉠눈과 같이 몹시 흼. ㉡마음과 행실이 결백함의 비유.
[雪魄 설백] '매화나무〔梅〕'의 별칭.
[雪魄氷姿 설백빙자] 꽃의 깨끗함을 비유하는 말.
[雪峯 설봉] 눈이 오는 산봉우리. 또, 눈이 쌓인 산봉우리.
[雪膚 설부] 눈같이 흰 살결.
[雪膚花容 설부화용] 눈처럼 흰 살과 꽃처럼 아름다운 얼굴.
[雪憤 설분] 분(憤)한 것을 풂. 분풀이.
[雪崩 설붕] 쌓인 눈이 무너져 내려옴.
[雪似鵝毛 설사아모] 눈이 거위 털빛 같음. 눈이 내림의 형용.
[雪山 설산] ㉠사시(四時)에 눈이 있는 높은 산(山). ㉡산 같은 흰 물결. ㉢쓰촨 성(四川省) 쑹판 현(松潘縣) 남쪽에 있는 산. ㉣서역(西域)에 있는 산.
[雪上 설상] 눈 위.
[雪上加霜 설상가상] 눈 위에 서리가 내림. 무용(無用)한 일의 비유. 또, 불행(不幸)한 일이 거듭되는 것을 이름. 엎친 데 덮치기.
[雪色 설색] ㉠눈의 빛. ㉡눈의 경치. 설경(雪景).
[雪線 설선] 1년 동안 눈이 녹지 아니하는 높은 지대의 계선(界線).
[雪水 설수] 눈이 녹은 물.
[雪兒 설아] 가무(歌舞)를 잘하던, 이밀(李密)의 애희(愛姬). 전(轉)하여, 가희(歌姬). 기생.
[雪萼霜葩 설악상파] '매화나무〔梅〕'의 별칭(別稱).
[雪案 설안] 눈 올 때 놓인 책상. 고학(苦學)의 뜻으로 쓰임. 진(晉)나라의 손강(孫康)이 눈빛으로 독서한 고사(故事)에서 이름.
[雪夜 설야] 눈이 오는 밤.
[雪餘 설여] 설후(雪後).
[雪然 설연] 눈이 내리듯이 해오라기가 날아 내림의 형용.
[雪髥 설염] 눈같이 흰 수염.
[雪蕊 설예] 흰 꽃술.
[雪辱 설욕] 부끄러움을 씻음. 설치(雪恥).
[雪冤 설원] 원통(冤痛)함을 풂. 억울한 죄의 누명을 벗음. 청천백일의 몸이 됨.
[雪月 설월] 눈과 달.
[雪月花 설월화] 눈과 달과 꽃. 천지사시(天地四時)의 아름다운 경치.
[雪隱 설은] 뒷간. 변소. 설봉 선사(雪峯禪師)가 항상 변소 청소를 하다가 대오(大悟)했다는 고사(故事)에서 이름. 일설(一說)에는, 저장 성(浙江省) 설두산(雪竇山)의 명각 선사(明覺禪師)가 영은사(靈隱寺)에서 변소 청소를 담당했던 때문이라고도 함.
[雪意 설의] 눈이 올 듯한 기색.
[雪衣娘 설의랑] 흰 앵무새의 이명(異名).
[雪衣兒 설의아] '백로(白鷺)'의 이명(異名).
[雪戰 설전] 눈싸움.
[雪爪 설조] ㉠눈같이 흰 손톱. ㉡'설니홍조(雪泥

鴻爪)'의 준말.
[雪中 설중] ㉠눈이 오는 중. ㉡눈이 쌓인 속.
[雪中君子 설중군자] '매화나무〔梅〕'의 별칭(別稱).
[雪中騎驢孟浩然 설중기려맹호연] 당(唐)나라 시인 맹호연(猛浩然)이 눈을 맞으며 당나귀 타고 시를 읊은 일.
[雪中梅 설중매] 눈 속에 핀 매화.
[雪中四友 설중사우] 옥매(玉梅)·납매(臘梅)·수선(水仙)·산다(山茶)의 일컬음.
[雪中松柏 설중송백] 눈 속에서도 잎의 빛이 변하지 않는 송백. 굳은 절개·지조(志操)의 비유.
[雪肢 설지] 눈같이 흰 수족(手足).
[雪滌 설척] 깨끗이 씻음.
[雪天 설천] 눈 오는 하늘.
[雪千莖 설천경] 흰 머리털이 많음의 형용.
[雪恥 설치] 부끄럽고 분한 것을 씻음. 명예를 회복함.
[雪糖 설탕] 사탕가루.
[雪片 설편] 눈송이.
[雪豐年之兆 설풍년지조] 눈이 많이 내리는 해는 풍년이 들 전조(前兆)임.
[雪寒風 설한풍] 눈이 올 때에 부는 추운 바람.
[雪香氷豔 설향빙염] '매화나무〔梅〕'의 별칭(別稱).
[雪花 설화] ㉠눈송이. 눈을 꽃에 비유한 말. ㉡눈같이 흰 꽃.
[雪後 설후] 눈이 온 뒤.
[雪輝 설휘] ㉠눈빛. ㉡피부가 흼을 이름.
◉江雪. 降雪. 暖雪. 大雪. 凍雪. 冒雪. 暮雪. 舞雪. 眉雪. 微雪. 防雪. 白雪. 飛雪. 鬢雪氷雪. 朔雪. 霜雪. 瑞雪. 洗雪. 小雪. 宿雪. 伸雪. 新雪. 深雪. 夜雪. 陽春白雪. 玉雪. 浣雪. 雨雪. 殘雪. 積雪. 除雪. 澡雪. 初雪. 春雪. 吹雪. 暴雪. 風雪. 含雪. 香雪. 螢雪. 皓雪. 豪雪. 紅爐上一點雪. 紅雪. 黃雪. 回雪.

3 ⑪ **[雭]** 삼 ㊥咸 師咸切 shān ㊤感 所感切

字解 가랑비 삼 가늘게 오는 비. '一, 小雨也'《玉篇》.

4 ⑫ **[雯]** 人名 문 ㊥文 無分切 wén

字解 무늬 문 구름이 이룬 아름다운 무늬. '日雲赤曇, 月雲素一'《古三墳》.
字源 形聲. 雨+文〔音〕. '文문'은 '문채'의 뜻. 구름의 무늬의 뜻을 나타냄.

◉月雲素雯.

4 ⑫ **[雬]** ㊀ 첨 ㊥鹽 將廉切 jiān ㊁ 삼 ㊥咸 師咸切 shān

字解 ㊀ 부슬비 첨 부슬비. 가랑비. '一, 小雨貌'《字彙》. ㊁ 부슬비 삼 ㊀과 뜻이 같음.

4 ⑫ **[雮]** 돈 ㊥元 徒渾切 tún

字解 큰비 돈 큰비. 큰비가 오는 모양. '一, 大雨皃'《集韻》.

4 ⑫ **[雰]** 人名 분 ㊥文 敷文切 fēn

字解 ①안개 분 땅 위에 가깝게 떠 있는 미세한 물방울. '降一于宮榭'《宋書》. ②눈날릴 분 눈이 펄펄 날리는 모양. '雨雪一一'《詩經》.
字源 氛의 別體 形聲. 雨+分〔音〕. '分분'은 '분산되다'의 뜻. 비가 날려 흩어지다, 안개의 뜻을 나타냄.

[雰雰 분분] 눈이 펄펄 날리는 모양.
[雰圍氣 분위기] ㉠지구(地球)를 둘러싸고 있는 대기(大氣). ㉡그 사람의 주위의 상황이나 환경. 또는 기분.
[雰虹 분홍] 무지개.
◉降雰. 濃雰. 霧雰. 碧雰. 霜雰. 朱雰.

4 ⑫ **[雱]** 부 ①㊥尤 房尤切 fǒu ②㊤遇 芳遇切 fù

字解 ①안개 부 안개. '一, 霧也'《集韻》. ②비그치지아니할 부 비가 그치지 아니함. '一, 雨不止也'《字彙》.

4 ⑫ **[雴]** 雱(前條)의 訛字

4 ⑫ **[雵]** 〔수·연〕 需(雨部 六畫〈p. 2500〉)와 同字

4 ⑫ **[雱]** 방 ㊥陽 普郎切 pāng

字解 눈내릴 방 눈이 많이 내리는 모양. '雨雪其一'《詩經》.
字源 旁의 籀文 形聲. 雨+方〔音〕

4 ⑫ **[雲]** 中·人 운 ㊥文 王分切 yún 云

筆順 一 冖 冂 雨 雨 雲 雲 雲

字解 ①구름 운 ㉠수증기가 모여 대기의 상층에 떠서 보이는 현상. 또, 그 수증기. '一雨'. '白一'. '一行雨施'《易經》. ㉡구름이 높이 떠 있으므로, 높은 것을 형용하여 이름. '一車十餘丈, 瞰臨城中'《後漢書》. ㉢구름과 같이 많이 모인 것을 형용하여 이름. '勝友如一'《王勃》. ㉣구름같이 보이는 것. '星一'. '天末稻一黃'《范成大》. ②하늘 운 상천(上天). '靑一'. ③성 운 성(姓)의 하나.
字源 篆文 古文 古文 形聲. 雨+云〔音〕. '云운'은 구름이 회전하는 모양을 본뜸. '구름'의 뜻을 나타냄.

[雲架 운가] 높은 지붕.
[雲脚 운각] ㉠구름의 다리. 곧, 구름이 흘러가는 모양. ㉡'차(茶)'의 별칭(別稱). 운유(雲腴).
[雲間 운간] 구름 사이.
[雲間鶴 운간학] 구름 사이를 날아가는 학의 뜻으로, 뛰어난 인물의 비유.
[雲開見日 운개견일] 오랫동안 폐색(閉塞)되었던 것이 점차 걷힘을 이름.
[雲客 운객] 구름 속의 사람. 곧, 신선. 또는 은자(隱者).
[雲車 운거] ㉠높은 망루(望樓)가 있는 수레. 누거(樓車). ㉡구름을 그린 수레.
[雲居羅漢 운거나한] 오백나한(五百羅漢)의 상

(像). 장시 성(江西省) 운거산(雲居山)에 안치(安置)된 이 상(像)은 지세가 험하고 높아, 오고 가는 사람을 눈 아래 내려다봄. 그런 까닭에 오만 존대(傲慢尊大)한 사람을 말함.
[雲階 운계] 높은 층계(層階).
[雲髻 운계] 높게 짠 상투.
[雲溪友議 운계우의] 당(唐)나라 범터(范攄)가 지은 시화집(詩話集). 모두 3권. 범터가 오운계(五雲溪)에서 살면서, 스스로 호(號)를 오운계인(五雲溪人)이라고 한 데서 이름 지었음.
[雲衢 운구] 구름이 다니는 길.
[雲捲天晴 운권천청] 병(病)·근심 등이 씻은 듯 부신 듯 없어지는것을 이름.
[雲根 운근] ㉠구름이 일어나는 근본. ㉡'산(山)'의 이명(異名). 구름은 산중에서 생긴다 하여 일컬음. ㉢'돌[石]'의 이명(異名). 구름은 돌에 닿아서 생긴다 하여 일컬음.
[雲錦裳 운금상] ㉠아름다운 옷. ㉡화려한 문장.
[雲笈七籤 운급칠첨] 도가(道家)의 설(說)을 집록(輯錄)한 책. 송(宋)나라 장군방(張君房)의 찬(撰). 122권.
[雲氣 운기] 공중(空中)으로 떠오르는 기운.
[雲南 운남] ㉠윈난 성의 주도(主都)인 쿤밍(昆明). ㉡중국 서남 변경(邊境)에 있는 성명(省名). 묘(苗)·태(泰)·나라(儸儸)·회(回)의 제족(諸族)이 6할을 차지하고 있음. 교통은 불편함. 성도(省都)는 쿤밍(昆明).
[雲泥 운니] 구름과 진흙. 전(轉)하여, 현격하게 차이가 남을 이름.
[雲堂 운당] 《佛敎》 선가(禪家)에서 승당(僧堂)의 일컬음. 참선(參禪)하기 위하여 운수승(雲水僧)들이 사방에서 참당(參堂)하므로 이름.
[雲臺 운대] 후한(後漢)의 명제(明帝) 때 추념하기 위한 공신(功臣) 스물여덟 사람의 초상을 건 곳.
[雲屯 운둔] 구름같이 모임. 많이 모임.
[雲路 운로] 구름이 왕래하는 길.
[雲林 운림] ㉠구름이 걸친 숲. ㉡은서(隱棲)하는 땅.
[雲母 운모] 돌비늘.
[雲夢 운몽] 초(楚)의 칠택(七澤)의 하나. 9백 리 사방의 큰 늪. 지금의 후베이 성(湖北省) 샤오간 현(孝感縣) 서북쪽이라 함.
[雲霧 운무] 구름과 안개.
[雲紋 운문] 구름 같은 무늬. 운문(雲文).
[雲門山 운문산] 광둥 성(廣東省) 유원현(乳源縣) 북쪽에 있는 산 이름. 오대(五代) 때 문언 선사(文偃禪師)가 있던 곳임.
[雲門宗 운문종] 《佛敎》 선종(禪宗)의 한 파. 개조(開祖)인 후한(後漢)의 문언 선사(文偃禪師)가 광둥 성(廣東省) 윈먼 산(雲門山)에 살았으므로 이름.
[雲物 운물] ㉠운기(雲氣)의 길흉. ㉡경치. 경물(景物).
[雲半 운반] 음력 11월의 이칭(異稱).
[雲峯 운봉] 여름날 산봉우리같이 피어오르는 구름.
[雲鬢 운빈] 운환(雲鬟) ❶.
[雲榭 운사] 높은 정자(亭子).
[雲山 운산] 구름같이 보이는 먼 곳의 산. 또, 구름이 걸린 산.
[雲散鳥沒 운산조몰] 구름처럼 흩어지고 새처럼 사라짐. 운소무산(雲消霧散).
[雲上 운상] 구름 위.
[雲翔 운상] ㉠헤어져 흩어짐. ㉡줄달음질 치는 구름처럼 빨리 달림.
[雲棲澗飮 운서간음] 구름 위에서 살고 시냇물을 마심. 곧, 세속을 벗어나 산중에서 사는 담박한 생활.
[雲旓 운소] 구름처럼 흘러가는 기(旗). 기(旗)가 많이 있음의 형용. 일설(一說)에는, 구름을 그린 기.
[雲霄 운소] ㉠하늘. ㉡높은 지위.
[雲消霧散 운소무산] 구름처럼 사라지고 안개처럼 꺼짐. 형체(形體)도 없이 사라짐을 형용하는 말. 운산무소(雲散霧消).
[雲孫 운손] 자기의 팔대(八代)째가 되는 후손(後孫). 곧, 자(子)·손(孫)·증손(曾孫)·현손(玄孫)·내손(來孫)·곤손(昆孫)·잉손(仍孫)의 다음인 후손.
[雲水 운수] ㉠구름과 물. ㉡사방으로 정처 없이 돌아다니는 행각승(行脚僧). 운수승(雲水僧).
[雲岫 운수] 구름이 떠오르는 산에 있는 굴.
[雲樹 운수] 구름이 걸릴 만한 높은 나무.
[雲水飛動 운수비동] 구름이 날고 물이 움직이는 것처럼, 산수화(山水畫)가 아주 묘하여 핍진(逼眞)함을 이름.
[雲水僧 운수승] 운수(雲水) ❷.
[雲心月性 운심월성] 담박 무욕(淡泊無慾)한 모양.
[雲娥 운아] 구름 위의 미인(美人). 곧, 천녀(天女).
[雲液 운액] '술[酒]'의 이명(異名).
[雲耶山耶 운야산야] 먼 곳에 바라보이는 것이 구름인지 산인지 분간이 안 됨을 이르는 말.
[雲壤 운양] 하늘과 땅.
[雲烟 운연] 운연(雲煙).
[雲煙 운연] 구름과 연기(煙氣). 곧, 필적(筆跡)이 약동(躍動)함의 형용.
[雲煙過眼 운연과안] 구름이나 연기가 지나가는 것처럼, 조금도 기억에 남지 아니함을 이름.
[雲英 운영] ㉠옛날의 명기(名妓)의 이름. ㉡'운모(雲母)'의 별칭(別稱).
[雲影 운영] 구름의 그림자.
[雲影濤聲 운영도성] 구름의 그림자와 파도의 소리. 곧, 소나무의 그림자와 소나무에 부는 바람의 소리.
[雲蜺 운예] 운예(雲霓).
[雲霓 운예] 구름과 무지개. 곧, 비가 올 징조.
[雲翳 운예] 운영(雲影).
[雲霓望 운예망] 가물 때 구름과 무지개를 바라는 것처럼, 소원(所願)의 절실(切實)함을 이름.
[雲臥 운와] 구름과 잠. 곧, 세상을 피하여 산중에 삶의 뜻.
[雲外 운외] 운표(雲表).
[雲擾 운요] 구름이 어지러운 것처럼 세상이 어지러움.
[雲雨 운우] ㉠구름과 비. ㉡남녀의 교정(交情). '무산(巫山)' 참조. ㉢은택. 우로(雨露). ㉣입신출세할 기회의 비유.
[雲雨之情 운우지정] 운우(雲雨) ❷.
[雲遊 운유] ㉠구름이 하늘에 뜸. ㉡구름 속에서 놂. ㉢구름과 같이 자유로이 생활함.
[雲腴 운유] '차(茶)'의 별칭(別稱).
[雲仍 운잉] 먼 자손. 원손(遠孫). '운손(雲孫)' 참조.
[雲雀 운작] 종달새.
[雲棧 운잔] 산중에 높이 놓은 잔교(棧橋).

[雲將 운장] 구름의 대장(大將).
[雲章 운장] 군주(君主)의 어서필적(御書筆跡).
[雲箋 운전] 운한(雲翰).
[雲程 운정] 양양(洋洋)한 전도(前途).
[雲精 운정] '운모(雲母)'의 별칭(別稱).

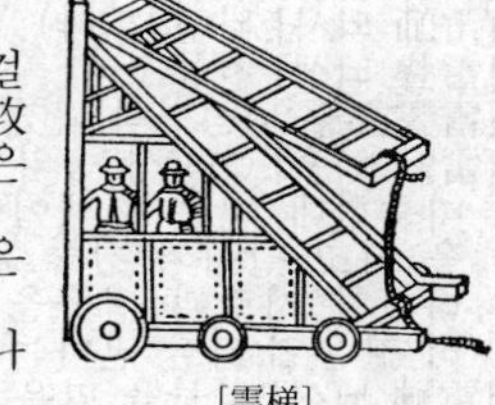
[雲梯]

[雲梯 운제] 높은 곳에 걸쳐 올라가는 공성용(攻城用)의 사닥다리. 높은 사다리.
[雲際 운제] 먼 하늘. 높은 하늘. 또, 높은 산.
[雲鳥 운조] 하늘 높이 나는 새.
[雲從龍風從虎 운종룡풍종호] 용이 토하면 구름이 생기고, 범이 울면 바람이 생기는 것처럼, 성군(聖君)이 나오면 현신(賢臣)이 반드시 나와 도움을 비유하는 말.
[雲樽 운준] 운뢰(雲雷)의 무늬를 새긴 술 그릇.
[雲中白鶴 운중백학] 구름 속의 학이란 뜻으로, 고상한 인품의 비유.
[雲中之吠犬 운중지폐견] 회남왕(淮南王)이 신선(神仙)이 되어 하늘에 오를 때, 닭·개 따위 짐승까지도 함께 승천(昇天)했다는 말.
[雲蒸龍變 운증용변] 뱀이 찌는 구름을 타고 용이 되어 하늘로 올라감. 곧, 영웅호걸이 때를 만나 대활동을 함의 형용.
[雲蒸礎潤 운증초윤] 구름이 일어 비가 오려 할 때는, 집의 주초(柱礎)가 먼저 축축해짐. 전조(前兆).
[雲脂 운지] 비듬.
[雲智海懷 운지해회] 구름이 뭉게뭉게 떠오르는 것 같은 무한한 슬기와 바다와 같은 넓은 도량.
[雲集 운집] 구름같이 모임. 많이 모임.
[雲集霧散 운집무산] 구름같이 모이고 안개같이 헤어짐. 곧, 일시에 모였다가 일시에 헤어짐의 형용.
[雲車 운차] 운거(雲車).
[雲天 운천] 구름이 떠 있는 하늘.
[雲矗 운촉] 높이 구름 속에 우뚝 솟음.
[雲聚 운취] 운집(雲集).
[雲輜 운치] 많은 병거(兵車).
[雲破月來 운파월래] 구름이 흩어지고 달빛이 새어 나옴.
[雲陛 운폐] 높은 섬돌. 궁중의 석계(石階).
[雲布霧散 운포무산] 구름과 같이 퍼지고 안개같이 헤어짐. 곧, 널리 퍼짐을 이름.
[雲表 운표] 구름 위.
[雲標 운표] 운표(雲表).
[雲罅 운하] 운간(雲間).
[雲霞 운하] 구름과 놀.
[雲壑 운학] 구름이 걸친 깊은 구렁.
[雲漢 운한] ㉠은하(銀河). ㉡하늘.
[雲翰 운한] 아름다운 편지. 남의 편지(便紙)의 경칭(敬稱).
[雲合霧集 운합무집] 구름같이 모임.
[雲海 운해] ㉠구름이 덮인 바다. 또, 구름과 맞닿은 것같이 보이는 먼 바다. ㉡산이 구름에 덮여 꼭대기만 섬같이 보임의 형용.
[雲行 운행] 구름이 떠다님.
[雲行雨施 운행우시] 구름이 하늘에 퍼져 비가 되어 만물을 기름.
[雲鬟 운환] ㉠미인(美人)의 머리털을 푸른 구름에 비유하여 이른 말. ㉡먼 산의 푸른빛.
◉絳雲. 卿雲. 景雲. 慶雲. 孤雲. 卷雲. 卷層雲. 奇雲. 綺雲. 亂雲. 綠雲. 雷雲. 凌雲. 斷雲. 暮雲. 密雲. 白雲. 碧雲. 浮雲. 山雲. 祥雲. 瑞雲. 鮮雲. 星雲. 水雲. 垂天雲. 宿雲. 暗雲. 煙雲. 嶺雲. 烏雲. 妖雲. 流雲. 陰雲. 紫雲. 殘雲. 棧雲. 積亂雲. 積雲. 戰雲. 停雲. 陣雲. 彩雲. 綵雲. 天雲. 靑雲. 叢雲. 春水暮雲. 翠雲. 層雲. 沈雲. 朶雲. 頹雲. 片雲. 風雲. 夏雲. 旱雲. 寒雲. 行雲. 香雲. 紅雲. 火雲. 黃雲. 黑雲.

5 ⑬ [零] 高·人 령 ㊥靑 郎丁切 líng

筆順 一 ㄏ 币 雨 雫 雫 零 零

字解 ①비올 령 비가 내림. '靈雨旣—'《詩經》. ②떨어질 령 낙하함. '草木—落'《禮記》. ③나머지 령 ㉠잔여. 잉여. '—碎'. ㉡잔여의 소수(小數). '奇—'. ④성 령 성(姓)의 하나. ⑤《現》 영령 수가 존재하지 아니함. 부호는 0. 제로.

字源 篆文 形聲. 雨+令〔音〕. '令령'은 신의 뜻을 듣다의 뜻. 신의 뜻에 맞아서 비가 서서히 내리다, 떨어지다의 뜻을 나타냄.

[零絹 영견] 한 조각의 명주. 소편(小片)의 서화(書畫).
[零度 영도] 도수(度數)를 계산하는 기점(起點)의 자리.
[零落 영락] ㉠초목의 잎이 말라서 떨어짐. ㉡죽음. ㉢눈비 따위가 옴. ㉣쇠퇴함. ㉤쓸쓸해짐. ㉥가난하게 됨.
[零零碎碎 영령쇄쇄] 잔단 모양. 자질구레한 모양.
[零露 영로] 방울져 떨어지는 이슬.
[零淚 영루] 떨어지는 눈물.
[零買 영매] 조금씩 삼.
[零賣 영매] 조금씩 팖. 나누어 팖.
[零墨 영묵] 단편(斷片)의 필적(筆跡).
[零散 영산] 영락(零落)하여 산지사방으로 흩어짐.
[零星 영성] ㉠조금. 정수(整數)에 차지 아니하는 수. ㉡영락(零落). ㉢별 이름. 가색(稼穡)을 맡음. 영성(靈星).
[零細 영세] 지극히 잚. 몹시 적음.
[零碎 영쇄] ㉠떨어져 부수어짐. ㉡잔닮. ㉢자질구레함. ㉣나머지. 허섭스레기. ㉤조금. 약간.
[零時 영시] 자정(子正).
[零餘 영여] 나머지. 허섭스레기.
[零雨 영우] 가랑비. 보슬비.
[零殘 영잔] 떨어져 손상(損傷)함.
[零錢 영전] 잔돈. 우수리.
[零點 영점] ㉠득점이 없음. ㉡온도계의 빙점(氷點).
[零丁 영정] ㉠외롭고 낙탁(落魄)한 모양. 영정(伶仃). ㉡미아(迷兒)를 찾을 때에 종이에 그 아이의 이름을 적어 대막대기에 달아 세우는 표지.
[零丁洋 영정양] 광둥 성(廣東省) 주장(珠江) 강 어귀에 있는 여울 이름. 영정양(伶仃洋).
[零凋 영조] 꽃이 시들어 떨어짐.
[零糶 영조] 쌀의 소매(小賣).
[零替 영체] 가난하게 됨. 구차(苟且)하게 됨.
[零墜 영추] 떨어짐. 추락함.
[零縮 영축] 수효가 줄어서 모자람.

[零唾 영타] 떨어지는 침. 버려 아깝지 아니한 물건의 비유.
[零歇 영헐] 쇠(衰)함.
◉奇零. 蜚零. 先零. 隕零. 實零. 凋零. 墮零. 飄零.

5 ⑬ [雷] [高人] 뢰(③ 루[本]) ①②[平]灰 魯回切 léi ③[上]紙 魯水切

[筆順] 一 ⼍ 币 雨 雨 雷 雷 雷

[字解] ①천둥 뢰 ㉠공중에서 음(陰)·양(陽)의 두 전극(電極)이 만나 방전(放電)하여 울리는 현상. '一雨'. '一火'. '一乃發聲'《禮記》. ㉡우렛소리. 큰 음향의 비유. '一鳴'. '衆呼成一'《淮南子》. ㉢남에 덩달아 소리를 지름. 한통이 되어 떠듦. '毋一同'《禮記》. ㉣거친 성미의 비유. '性行暴如一'《古詩》. ②성 뢰 성(姓)의 하나. ③칠 뢰 북을 침. 擂(手部 十三畫)와 통용. '官家出游一大鼓'《古樂府》.

[字源] [金文] [篆文] [籀文] [古文] 形聲. 篆文은 雨+畾[音]. '畾뢰'는 '겹치다'의 뜻. 번득이는 번개가 직선을 꺾어 겹친 모양인 '천둥'의 뜻을 나타냄.

[雷車 뇌거] 천둥.
[雷巾 뇌건] 도사(道士)의 관(冠). 유건(儒巾)과 모양이 비슷한데 뒤쪽에 띠가 둘 달렸음.
[雷擊牆壓 뇌격장압] 형벌을 엄하게 하여 조금도 가차없음의 비유.
[雷鼓 뇌고] ㉠천둥소리. ㉡팔면(八面)으로 된 북. ㉢북을 침.
[雷公 뇌공] 천둥을 맡은 신(神). 뇌신(雷神).

[雷巾]

[雷管 뇌관] 탄환의 화약에 불이 붙도록 방아쇠가 마주칠 자리에 끼인 물건.
[雷光 뇌광] 번갯불.
[雷轟 뇌굉] ㉠천둥소리가 남. ㉡낙뢰(落雷)함. 벼락이 침.
[雷雊電激 뇌구전격] 천둥소리가 나고, 번개가 침.
[雷同 뇌동] 아무 생각 없이 남의 의견(意見)을 따름. 덩달아 함. 천둥소리가 나면 만물이 동시에 이에 응한다는 뜻에서 나온 말. 부화(附和).

[雷鼓㉡]

[雷動 뇌동] 천둥처럼 격동(激動)함. 진동(震動)함.
[雷硠 뇌랑] 산악(山嶽)이 무너지는 소리.
[雷名 뇌명] ㉠세상에 들날리는 명성. ㉡남의 성명(姓名). 또는 명성의 존칭.
[雷鳴 뇌명] ㉠천둥소리가 울림. ㉡우렛소리처럼 굉장한 소리가 남. ㉢요란하게 코 고는 소리.
[雷文 뇌문] 번개와 같은 굴절(屈折)한 선(線)으로 구성된 무늬.
[雷紋 뇌문] 뇌문(雷文).
[雷門鼓 뇌문고] 뇌문(雷門)은 회계 성문(會稽城門)의 이름. 대고(大鼓)가 있었는데, 그 소리가 백 리 밖에서도 들렸다 함.
[雷封 뇌봉] '현령(縣令)'의 이칭(異稱).
[雷逢電別 뇌봉전별] 천둥같이 만나고 번개같이 작별(作別)한다는 뜻으로, 홀연(忽然) 상봉(相逢)하였다가 홀연 이별하는 일.
[雷斧 뇌부] ㉠돌로 만든 도끼. 석기 시대(石器時代)의 유물. ㉡번개가 도끼로 치듯이 잘랐다는 뜻으로, 괴석(怪石) 따위를 형용하는 말. 귀부(鬼斧).
[雷奔 뇌분] 우렛소리처럼 큰 소리를 내며 달림.
[雷師 뇌사] 뇌신(雷神).
[雷聲 뇌성] 천둥소리.
[雷聲霹靂 뇌성벽력] 천둥소리와 벼락.
[雷獸 뇌수] ㉠상상 속의 괴수(怪獸)로서, 강아지 비슷한데 빛은 회색이며, 비바람이 치면 구름을 타고 날아와 천둥소리가 날 때에 마을에 나타나서 사람과 짐승을 해친다고 함. ㉡우렛소리 같은 소리를 낸다는 괴수(怪獸).
[雷神 뇌신] 천둥을 맡은 신(神). 뇌공(雷公).
[雷雨 뇌우] 천둥이 치고 비가 옴.
[雷電 뇌전] 천둥과 번개.
[雷霆 뇌정] 격렬(激烈)한 천둥.
[雷霆霹靂 뇌정벽력] 격렬한 천둥과 벼락.
[雷鳥 뇌조] 들꿩과(科)에 속하는 새. 꿩 비슷하며 다리는 발가락 끝까지 털이 나고 높은 산에 삶.
[雷尊 뇌준] 운뢰(雲雷)의 무늬를 새긴 술 그릇.
[雷芝 뇌지] '연(蓮)'의 이칭(異稱).
[雷陳 뇌진] 우정(友情)이 대단히 두터움을 이름. 후한(後漢)의 뇌의(雷義)와 진중(陳重) 사이의 고사(故事)에서 나온 말.
[雷震 뇌진] 천둥. 또, 천둥소리가 떨침.
[雷掣 뇌철] 천둥과 같이 세게 당김. 활 같은 것을 세게 당김을 이름.
[雷槌 뇌퇴] 천둥소리를 북을 치는 소리에 비유하여 이른 말.
[雷響 뇌향] ㉠천둥소리. 뇌성(雷聲). ㉡우렛소리와 같은 음향(音響).
[雷火 뇌화] 벼락으로 말미암아 일어나는 화재.
[雷丸 뇌환] 대 뿌리에 기생(寄生)하는 균류(菌類)의 하나. 모양은 밤 같은데 단단하고 무거우며 거죽은 흑색, 속은 백색임. 깎아서 약제(藥劑)로 씀. 죽령(竹苓).
[雷煥 뇌환] 진(晉)나라 사람. 천문(天文)에 정통했음. 무제(武帝) 때 북두칠성(北斗七星)과 견우성(牽牛星) 사이에 자기(紫氣)가 서린 것을 보고 풍성(豐城)에 보검(寶劍)이 묻힌 줄 알아, 그 지방으로 부임하자 옥(獄)을 파고서 용천(龍泉)·태아(太阿)의 두 칼을 찾아냈다 함.
[雷吼 뇌후] ㉠천둥소리가 요란하게 남. ㉡폭포 같은 것의 쏜살같이 내려오는 물소리가 우렛소리처럼 요란하게 남.
◉輕雷. 驚雷. 轟雷. 黔雷. 機雷. 餞雷. 落雷. 大忽雷. 濤雷. 晩雷. 萬雷. 蚊雷. 百雷. 小忽雷. 水雷. 迅雷. 魚雷. 厭雷. 遠雷. 殷雷. 霆雷. 地雷. 疾雷. 疾風迅雷. 春雷. 聚蚊成雷. 蟄雷. 爆雷. 避雷. 寒雷. 鼾雷.

5 ⑬ [雹] [人名] 박 [入]覺 蒲角切 báo

[字解] 누리 박 우박. '一霰'. '一凍傷穀'《禮記》.

[字源] [甲骨文] [篆文] [古文] 形聲. 雨+包[音]. 甲骨文은 번개를 수반한 싸라기눈의 象形으로 싸라기, 우박의 뜻을 나타냄. 뒤에 雨+包[音]의 形聲이 됨. '包포'와 통하여 천둥이 싸고 있는 '우박'의 뜻.

[雹凍 박동] 우박과 얼음.

[雹霰 박산] 우박. 누리.
[雹凸 박철] 돌출한 모양.
◉霜雹. 雨雹.

5 ⑬ [霚] 몽 ㊥東 莫紅切 méng

字解 안개 몽 땅 위에 가까이 낀 미세한 물방울. '天氣下, 地氣不應曰一'《爾雅》.

字源 霧의 籀文 形聲. 雨+矛〔音〕

5 ⑬ [電] 中人 전 ㊤霰 堂練切 diàn 电

筆順 一 ㄧ 雨 雨 雷 雷 雷 電

字解 ①번개 전 ㉠공중에서 음양의 두 전극(電極)이 만나 방전(放電)할 때 발하는 섬광. 번갯불. '雷一'. '一光'. '大雪震一'《春秋》. ㉡번개가 빠르므로, 빠른 비유로 쓰임. '一光石火'. '風馳一掣'. ㉢번개와 같이 환히 비친다는 뜻으로, 남에 대하여 경의를 표하는 말로 쓰임. '一覽'. '呈一'. ②번쩍일 전 번개가 섬광을 발함. '雷乃發聲始一'《禮記》. ③전기 전 우주 간에 있는 음양 두 종류의 세력. '一熱'. '一力'

字源 金文 篆文 古文 形聲. 雨+申(申)〔音〕. '申신'은 번개를 본뜬 것. '雨우'를 덧붙여 '번개'의 뜻을 나타냄.

[電激 전격] 번개와 같이 격렬하게 일어남.
[電擊 전격] 번개같이 단숨에 몹시 침.
[電頃 전경] 번갯불이 번쩍이는 동안. 곧, 지극히 짧은 시간.
[電光 전광] ㉠번개. 번개가 번쩍이는 빛. ㉡대단히 빠름.
[電光石火 전광석화] 번개와 돌을 쳐서 나는 불. 대단히 빠름의 비유.
[電光朝露 전광조로] 번갯불과 아침 이슬. 극히 짧은 시간. 또는 덧없는 인생의 비유.
[電球 전구] 전깃불이 켜지는 데를 유리로 만든 진공관.
[電戟 전극] 번갯불과 같이 번쩍이는 창(槍).
[電極 전극] 전류(電流)의 양극(陽極) 및 음극(陰極).
[電氣 전기] 우주에 존재하는 음양 두 가지의 세력. 곧, 전자(電子)의 이동으로 생기는 에너지의 한 형태. 동종(同種)의 전기끼리는 서로 배척하며, 이종(異種)의 전기끼리는 서로 끌어당김.
[電機 전기] 전력(電力)를 사용하는 기계.
[電氣學 전기학] 전기(電氣)의 물리적(物理的) 현상을 연구하는 학문.
[電鍍 전도] 전기 작용으로 하는 도금.
[電動機 전동기] 전류로 회전 운동을 일으키는 기계.
[電燈 전등] 전기의 열작용을 이용한 등.
[電覽 전람] 남의 관람(觀覽)에 대한 존칭.
[電力 전력] 전기의 힘.
[電鈴 전령] 전화기·초인종 따위와 같이 전기나 전지(電池)를 이용하여 소리가 울리게 된 장치.
[電路 전로] 전류의 통로.
[電流 전류] 전기가 도체(導體) 안에서 흐르는 현상(現象).
[電沫 전말] 번개와 거품. 무상(無常)·덧없음의 비유.
[電滅 전멸] 번갯불과 같이 홀연히 멸망함.
[電命 전명] 전보(電報)로 하는 명령.
[電母 전모] 번개를 맡은 신(神).
[電騖 전무] 전치(電馳).
[電文 전문] 전보(電報)의 글귀.
[電報 전보] 전신기(電信機)에 의하여 원거리 사이에 송달(送達)하는 통보(通報).
[電赴 전부] 전광(電光)처럼 재빨리 다다름.
[電扇 전선] 선풍기(扇風機).
[電線 전선] 전류(電流)가 통하는 철선.
[電閃 전섬] ㉠번갯불과 같이 번쩍임. ㉡번개. 번갯불.
[電送 전송] 전류(電流)에 의하여 보냄.
[電信 전신] 전신기(電信機)에 의하여 원거리 사이에 송달(送達)하는 통신.
[電信機 전신기] 전류(電流)를 응용(應用)하여 통신(通信)하는 기계.
[電繞樞 전요추] 전광(電光)이 북두(北斗)의 추성(樞星)을 감돎. 상서(祥瑞)로운 상징(象徵)임.
[電子 전자] 자연에서 발견되는 최소량의 음전기량(陰電氣量)을 가지고 있는 미소한 입자(粒子).
[電磁石 전자석] 연철(軟鐵)로 속을 박고 그 주위에 절연(絕緣)한 도선(導線)을 감아서 전류(電流)를 통하여 그 연철(軟鐵)이 자석(磁石)의 성질을 가지게 한 것.
[電子說 전자설] 물질(物質)의 원자(原子)는 음양(陰陽)의 두 전자(電子)로 구성하는 것이라고 가상(假想)하는 물리학(物理學)의 학설.
[電柱 전주] 전선(電線)을 걸쳐 매기 위하여 세운 기둥. 전봇대.
[電池 전지] 화학 작용(化學作用)으로 전류(電流)를 일으키는 장치.
[電車 전차] ㉠아주 빨리 달리는 수레. ㉡전력(電力)을 이용하여 궤도(軌道) 위를 달리는 차량.
[電掣 전철] ㉠번갯불이 공중에서 번쩍함. ㉡번갯불같이 번쩍함. ㉢번갯불같이 빨리 움직임. ㉣번개처럼 급격히 잡아당김. ㉤몹시 짧은 시간.
[電燭 전촉] 번갯불과 같이 번쩍임.
[電矚 전촉] 전람(電覽).
[電馳 전치] 아주 빨리 달림.
[電波 전파] 전기(電氣)의 파동(波動).
[電鞭 전편] 번개.
[電解 전해] 전류를 통할 때 일어나는 물질 분해. 전기 분해(電氣分解).
[電赫 전혁] 번갯불처럼 매우 빛남.
[電話 전화] 전화기(電話機)를 이용하여 떨어져 있는 사람과 말을 통함.
◉家電. 感電. 急電. 露電. 雷電. 漏電. 無電. 返電. 發電. 放電. 配電. 奔電. 飛電. 瑞電. 閃電. 送電. 迅電. 弱電. 如電. 外電. 耀電. 流電. 紫電. 赤電. 節電. 呈電. 停電. 霆電. 弔電. 終電. 祝電. 逐電. 蓄電. 充電. 打電. 荷電. 回電. 訓電.

5 ⑬ [霻] 동 ㊥冬 都宗切 dōng

字解 비뚝뚝떨어질 동 비가 내리는 모양. '一, 雨皃'《集韻》.

5 ⑬ [霙] 앙 ㊤養 倚朗切 yǎng ㊥陽 於良切

[字解] 흰구름피어오를 앙 흰 구름이 뭉게뭉게 피어오르는 모양. ‘一一, 白雲貌’《玉篇》.
[字源] 形聲. 雨+央〔音〕

5 ⑬ [雴] [一] 립 [入]緝 力入切 lì
[二] 칩 [入]緝 敕立切 chì

[字解] [一] 큰비 립 ‘一霫’은 큰비. ‘一霫, 大雨’《集韻》. [二] 큰비 칩 [一]과 뜻이 같음.

5 ⑬ [雸] 감 [平]覃 五甘切 án

[字解] 서리 감 서리〔霜〕. ‘一, 霜也’《集韻》.

6 ⑭ [䨒] [人名] 우 [上]麌 王矩切
[去]遇 王遇切 yù

[筆順] 一 戸 币 雨 雫 雫 雫 䨒

[字解] ①물소리 우 물이 흐르는 소리. ‘一, 水音也’《說文》. ②오음(五音) 우 오음의 하나. ‘一, 羽之俗字’《集韻》.
[字源] 篆文 形聲. 雨+羽〔音〕

6 ⑭ [需] [高人] [一] 수 [平]虞 相俞切 xū
[二] 연 [上]銑 乳兗切 ruǎn

[筆順] 一 戸 币 雨 雫 雫 雬 需

[字解] [一] ①구할 수 바람. 요구함. ‘一用’. ②요구 수 청구. ‘以待子不時之一’《蘇軾》. 또, 소용되는 물품. 필수의 물자. ‘軍一’. ‘以供轉一’《十六國春秋》. ③기다릴 수 오기를 바람. ‘一于郊’《易經》. ④머뭇거릴 수 주저함. 또, 주저하는 일. ‘一, 事之賊也’《左傳》. ⑤수괘 수 육십사괘(六十四卦)의 하나. 곧, ☰〈건하(乾下), 감상(坎上)〉. 험조(險阻)를 만나도 때를 기다리면 통하는 상(象). ‘一有孚光亨’《易經》. ⑥성 수 성(姓)의 하나. [二] 연할 연 軟(車部 四畫)과 통용. ‘一弱’.
[字源] 篆文 會意. 雨+而. ‘而이’는 머리털을 밀고 수염을 기른 무당의 象形. 비 오기를 비는 무당의 뜻에서 기다려 구하다의 뜻을 나타냄. ‘須수’와 통하여 쓰임. 또 파생하여 비를 만나 부드럽고 연해지다의 뜻도 나타냄.

[需頭 수두] 한대(漢代)에 장주(章奏)할 때, 맨 첫머리의 상단(上端)을 공백(空白)으로 비워 두고 내놓은 서식(書式). 그 빈 곳에는 조지(詔旨)·비답(批答)을 기록함. 운장(雲章).
[需事之賊 수사지적] 의심하여 머뭇거리면 일을 망침.
[需要 수요] ㉠소용됨. ㉡구매력(購買力)에 따라 시장에 나타나는 상품 구매의 희망이나 분량.
[需用 수용] 구하여 씀. 또, 그 물품.
[需弱 연약] ‘연약(軟弱)’과 같음.
◉供需. 軍需. 貴需. 內需. 民需. 百需. 不之時需. 外需. 應需. 特需. 必需. 婚需.

6 ⑭ [雽] 우 [平]虞 邕俱切 yū

[字解] ①소낙비 우 소나기. 취우(驟雨). ②비쏟아질 우 비가 쏟아지는 모양. ‘一, 注雨皃’《廣韻》.

6 ⑭ [雿] 조 [去]嘯 徒弔切 diào

[字解] 어두울 조 ‘睄一’는 어두움. ‘睄一, 幽冥也’《字彙》.

7 ⑮ [霊] 〔령〕
靈(雨部 十六畫〈p. 2510〉)의 略字

7 ⑮ [霂] 목 [入]屋 莫卜切 mù

[字解] 가랑비 목 霡(雨部 十畫)을 보라. ‘霡一’.
[字源] 篆文 形聲. 雨+沐〔音〕. ‘沐목’은 머리를 늘어뜨려 감다의 뜻에서 ‘덮다’의 뜻을 나타냄. 주위를 온통 뒤덮듯이 내리는 가랑비의 뜻을 나타냄.

◉霡霂.

7 ⑮ [霄] 소 [平]蕭 相邀切 xiāo

[字解] ①하늘 소 천상(天上). ‘雲一’. ‘一壤’. ‘上出重一’《王勃》. ②구름기 소 태양(太陽) 곁에 나타나는 운기(雲氣). ‘騰淸一而軼浮景兮’《漢書》. ③성 소 성(姓)의 하나.
[字源] 篆文 形聲. 雨+肖〔音〕. ‘肖소·초’는 ‘梢소·초’와 통하여 고층(高層)의 하늘의 뜻. 높은 데서 내리는 비, 진눈깨비의 뜻을 나타내며, 높은 하늘의 뜻도 나타냄.

[霄構 소구] 천자(天子)의 지위.
[霄嶺 소령] 하늘에 높이 솟은 산.
[霄半 소반] 하늘의 한복판. 중천.
[霄壤 소양] ㉠하늘과 땅. 천양(天壤). ㉡엄청난 차이(差異).
[霄元 소원] 소한(霄漢).
[霄月 소월] 하늘에 걸린 달.
[霄雿 소조] 높고 험준한 모양. 고준(高峻).
[霄峙 소치] 하늘 높이 우뚝 솟음.
[霄漢 소한] 하늘. 창천(蒼天).
◉絳霄. 九霄. 凌霄. 陵霄. 丹霄. 半霄. 碧霄. 鵬霄. 雲霄. 元霄. 遠霄. 紫霄. 絕霄. 澄霄. 靑霄. 晴霄. 層霄. 逼空霄. 遐霄. 寒霄.

7 ⑮ [霅] [一] 삽 [入]合 蘇合切 sà
[二] 잡 [入]洽 丈甲切 zhà
[三] 합 [入]洽 胡甲切 xiá

[字解] [一] 비올 삽 비가 내림. ‘一爾雹落’《馬融》. [二] ①천둥번개칠 잡 천둥하면서 번개가 번쩍이는 모양. ‘一一’. ②성 잡 성(姓)의 하나. [三] 빛날 합 광채를 발하는 모양. ‘煜一其間’《班固》.
[字源] 篆文 形聲. 雨+譶〈省〉〔音〕. ‘雨우’는 번개, ‘譶답·칩’은 음성이 겹쳐 시끄럽다의 뜻.

[霅溪 삽계] 저장 성(浙江省) 우싱 현(吳興縣) 남쪽에 있는 강(江) 이름.
[霅霅 잡잡] 천둥이 치면서 번갯불이 번쩍이는 모양.
◉煜霅.

7 ⑮ [霆] [人名] 정 [平]青 特丁切 tíng

[字解] ①천둥소리 정 오래 끄는 뇌성(雷聲). 일설(一說)에는, 요란한 천둥. ‘如一如雷’《詩經》.

②번개 정 전광(電光). '電, 一也'《穀梁傳》.
字源 篆文 形聲. 雨+廷〔音〕. '雨우'는 번개, '廷정'은 곧추 돌출하다의 뜻. 뚫고 나오는 듯한 천둥, 번개의 뜻을 나타냄.

[霆激 정격] 번갯불처럼 격심하게 일어남.
[霆擊 정격] 번갯불이 번쩍이듯이 느닷없이 침.
[霆奮 정분] 번개처럼 격렬하게 떨침.
◉驚霆. 雷霆. 奔霆. 威霆. 震霆. 疾霆.

7 ⑮ [震] 高人 ■ 진 ㊀震 章刃切 zhèn
■ 신 ㊥眞 升人切 shēn

筆順

字解 ■ ①천둥소리 진 일설(一說)에는, 요란한 천둥. '爗爗一電'《詩經》. ②진괘 진 ㉠팔괘(八卦)의 하나. 곧, ☳. 동(動)·봄〔春〕을 상징(象徵)하며, 방위로는 동(東)에 배당함. ㉡육십사괘(六十四卦)의 하나. 곧, ䷲〈진하(震下), 진상(震上)〉. 만물이 발동하는 상(象). ③벼락칠 진 낙뢰함. '一夷伯之廟'《春秋》. ④흔들릴 진 진동함. '地一'《春秋》. ⑤흔들 진, 움직일 진 '一天動地'. '功烈一主者'《李覯》. ⑥떨 진 두려워 떪. '一驚'. '斬首八萬, 諸侯一恐'《史記》. ⑦놀랄 진, 놀랠 진 경악함. 놀라게 함. '可一而走'《吳子》. ⑧떨칠 진 위세가 널리 퍼짐. '泉浦之捷威一滄溟'《宋書》. ⑨위엄 진 위광(威光). '畏君之一'《左傳》. ⑩지동 진 지진(地震). '一災'. ■ 애밸 신 娠(女部 七畫)과 통용. '后緡方一'《左傳》.
字源 篆文 形聲. 雨+辰〔音〕. '辰진'은 떨리는 입술의 뜻. 뇌우(雷雨)가 사람을 놀라고 떨게 하는 모양에서 '떨리다'의 뜻을 나타냄.

[震撼 진감] 흔들어 움직임. 또, 흔들려 움직임.
[震強 진강] 두려워 떪.
[震驚 진경] 두려워 놀람. 또, 두려워 놀라게 함.
[震悸 진계] 진공(震恐).
[震恐 진공] 두려워 떪.
[震懼 진구] 진공(震恐).
[震宮 진궁] 황태자의 궁전. 동궁(東宮). 역(易)에서 진괘(震卦)는 동방에 배당하며 장남(長男)의 상(象).
[震怒 진노] ㉠하늘이 성내는 일. ㉡임금의 격노(激怒).
[震旦 진단] 인도에서 중국(中國)을 일컫는 말. 범어(梵語)의 음역(音譯). 일설(一說)에는, 진(震)은 진(秦), 단(旦)은 사단(斯坦)(땅의 뜻). 또, 동방(東方)의 나라라는 뜻. '지나(支那)' 참조(參照).
[震檀 진단] 우리나라의 별칭(別稱). '진단(震旦)' 참조.
[震怛 진달] 놀라 떪. 또, 놀라 떨게 함.
[震悼 진도] ㉠신하의 죽음을 임금이 몹시 슬퍼함. ㉡몹시 슬퍼함.
[震動 진동] 흔들어 움직임. 또, 흔들려 움직임.
[震雷 진뢰] 천둥.
[震雷無暇掩聰 진뢰무가엄총] 신속하여 막을 여유가 없음.
[震慄 진률] 진율(震慄).
[震方 진방] 묘방(卯方).
[震服 진복] 두려워 복종함.
[震憤 진분] 몸을 떨며 분해함.
[震死 진사] 벼락을 맞아 죽음.
[震慴 진섭] ㉠위협함. ㉡두려워하여 기절함. 몹시 두려워함.
[震騷 진소] 놀라 떨며 떠듦.
[震悚 진송] 진공(震恐).
[震慴 진습] 진공(震恐).
[震蝕 진식] 지진(地震)과 일식(日蝕) 또는 월식.
[震揚 진양] 떨쳐 들날림.
[震恚 진에] 대단히 성냄.
[震域 진역] ㉠지진에 지반(地盤)의 진동을 느낄 수 있는 지역. ㉡진단(震檀).
[震畏 진외] 두려워 떪.
[震搖 진요] 흔들려 움직임.
[震源 진원] 지진(地震)의 원동지.
[震慄 진율] 무서워서 몸을 떪.
[震災 진재] 지진(地震)의 재앙.
[震電 진전] 천둥소리가 나고 번개가 번쩍임.
[震霆 진정] 번개.
[震主 진주] 위광(威光)이 있어 군주(君主)로 하여금 두려워하게 함.
[震震 진진] ㉠진동하는 모양. 천둥하는 모양. ㉡광명한 모양. ㉢성(盛)한 모양.
[震天動地 진천동지] 진천해지(震天駭地).
[震川文集 진천문집] 명(明)나라 가정(嘉靖)의 삼대가(三大家)의 한 사람인 귀유광(歸有光)의 문집(文集). 30권. 진천(震川)은 귀유광의 호(號).
[震天駭地 진천해지] 하늘을 진동시키고 땅을 놀라게 한다는 뜻. 곧, 세력이 대단히 크거나 음향이 굉장함의 형용.
[震疊 진첩] 진공(震恐).
[震蕩 진탕] 흔들어 움직임. 또, 흔들려 움직임.
[震盪 진탕] 흔들려 움직임.
[震怖 진포] 진공(震恐).
[震汗 진한] 몹시 두려워 땀이 남.
[震害 진해] 지진(地震)의 피해.
[震駭 진해] 놀람. 놀램.
[震赫 진혁] 위세가 떨쳐 빛남.
[震眩 진현] 놀라 눈이 아찔함.
[震惶 진황] 진공(震恐).
◉強震. 激震. 輕震. 驚震. 懼震. 劇震. 耐震. 雷震. 大震. 微震. 竦震. 弱震. 餘震. 烈震. 影駭響震. 遠震. 威震. 中震. 地震. 響震.

7 ⑮ [⿱雨延] 연 ㊀霰 延面切 yàn

字解 구름일 연 구름이 잚. '一, 一一, 雲皃'《集韻》.
參考 霆(雨部 七畫〈p.2500〉)은 別字.

7 ⑮ [霈] 패 ㊀泰 普蓋切 pèi

字解 ①비쏟아질 패 비가 억수같이 오는 모양. '滂一'. '大雨澧一'《風俗通》. ②흐를 패 물이 세차게 흐르는 모양. '雲雨流一'《獨孤及》.
字源 形聲. 雨+沛〔音〕. '沛패'는 넓은 폭으로 물이 풍성하게 흐르다의 뜻. '雨우'를 더하여 비가 억수같이 오는 모양을 나타냄.

[霈霈 패패] 물이 세차게 흐르는 소리.
◉甘霈. 滂霈. 流霈. 恩霈. 澧霈.

7 ⑮ [霉] 매 ㊥灰 莫裴切 méi

字解 매우(梅雨) 매 6월경의 장마. '一雨善汙衣服'《正字通》.
字源 形聲. 雨+每〔音〕. '每매'는 '梅雨매우'의 '梅'와 통하여 '장마'의 뜻.

[霉跡 매적] 종적을 감춤.

7 ⑮ [霙] 갱 ㊤梗 古杏切 gěng

字解 구름피어오를 갱 구름이 피어오름. 구름이 피어오르는 모양. '一, 雲皃'《集韻》.

7 ⑮ [霃] 침 ㊥侵 直深切 chén

字解 음산할 침 오랫동안 날씨가 흐림. '一, 久黔也'《說文》.
字源 篆文 形聲. 雨+沈〔音〕. '沈침'은 '오래다'의 뜻. 비 오는 날씨가 오래 계속됨을 뜻함.

7 ⑮ [霓] 〔산〕 霰(雨部 十二畫〈p.2506〉)과 同字

8 ⑯ [霍] 곽 ㊇藥 虛郭切 huò

字解 ①빠를 곽 신속함. '一然病已'《枚乘》. ②흩어질 곽, 사라질 곽 소산(消散)하는 모양. '一焉離耳'《荀子》. ③나라이름 곽 주(周)나라 무왕(武王)의 아우 곽숙(霍叔)의 영지(領地). 지금의 산시 성(山西省) 곽주(霍州). '滅一'《左傳》. ④콩잎 곽 藿(艸部 十六畫)과 통용. '漿酒一肉'《漢書》. ⑤성 곽 성(姓)의 하나.
字源 會意. 雨+隹. '隹추'는 새를 본뜬 것. 비가 와서 새들이 황급히 나는 모양에서 '빠르다'의 뜻을 나타냄.

[霍去病 곽거병] 전한(前漢)의 장군. 무제(武帝) 때 외삼촌인 장군 위청(衛靑)과 함께 흉노(匈奴)를 정벌하기 여섯 차례, 크게 용명을 날림. 표기 장군(驃騎將軍)이 되었으므로 곽표요(霍驃姚)라고도 일컬음. 스물네 살에 죽음.
[霍霍 곽곽] 칼날이 번쩍이는 모양. 일설(一說)에는, 빠른 모양.
[霍光 곽광] 전한(前漢) 사람. 거병(去病)의 이모제(異母弟). 무제(武帝)의 유조(遺詔)를 받들어 대사마대장군(大司馬大將軍)으로서 소제(昭帝)를 도왔으며, 다음 창읍왕(昌邑王)이 음란하므로 그를 폐위시켜 중기(中期)의 정치 실력자(政治實力者) 선제(宣帝)를 세웠음. 금중(禁中) 출입 20여 년에 기린각 공신(麒麟閣功臣)의 으뜸으로 꼽힘.
[霍亂 곽란] 더위에 음식이 체하여 별안간 토사가 심한 급성 위장병.
[霍山 곽산] ㉠산시 성(山西省) 곽현(霍縣) 동남쪽에 있는 산 이름. 옛 이름은 태악(太岳). ㉡안후이 성(安徽省) 곽산현(霍山縣) 남쪽에 있는 산. 본명은 천주산(天柱山). ㉢안후이 성(安徽省)에 있는 현명(縣名).
[霍閃 곽섬] 번개.
[霍焉 곽언] 소산(消散)하는 모양.
[霍然 곽연] 급한 모양. 갑자기.
[霍澤紛泊 곽택분박] 짐승이 비주(飛走)하는 모양.
[霍奕 곽혁] 빨리 달리는 모양.
[霍濩 곽확] 성(盛)한 모양.
◉雷霍. 伊霍. 昒霍. 揮霍.

8 ⑯ [霎] 삽 ㊇洽 山洽切 shà

字解 ①가랑비 삽 이슬비. 세우(細雨). ②빗소리 삽 비 오는 소리. '一一高林簇雨聲'《韓偓》. ③잠시 삽 '一一'은 한바탕 오는 비이므로, 전(轉)하여, 잠시(暫時)의 뜻으로 쓰임. '一時'. '萬頃銀濤半一間'《楊萬里》.
字源 篆文 形聲. 雨+妾〔音〕

[霎霎 삽삽] ㉠비 오는 소리. ㉡바람 부는 소리.
[霎時 삽시] 잠시(暫時).
[霎雨 삽우] 가랑비.
◉半霎. 瞬霎. 一霎.

8 ⑯ [霏] 비 ㊥微 芳非切 fēi

字解 ①올 비 비나 눈 같은 것이 오는 모양. '雨雪其一'《詩經》. ②안개 비 땅 위 가까이 낀 미세한 물방울. '日出而林一開'《歐陽修》. ③올라갈 비 연기 같은 것이 뭉게뭉게 올라가는 모양. '煙一霧結'《晉書》.
字源 篆文 形聲. 雨+非〔音〕. '雨우'는 '눈', '非비'는 나뉘어 열리다의 뜻. 눈이 어지럽게 흩어져서 펄펄 내리는 모양을 나타냄.

[霏微 비미] 가랑비 또는 가랑눈이 오는 모양.
[霏霏 비비] ㉠비나 눈이 부슬부슬 오는 모양. ㉡미세한 것이 날아 흩어지는 모양. ㉢구름이 이는 모양. ㉣서리가 많이 내리는 모양. ㉤풀이 우거진 모양. ㉥번갯불이 번쩍이는 모양.
◉霧霏. 紛霏. 霽霏. 夕霏. 水霏. 晨霏. 連霏. 煙霏. 陰霏. 林霏. 飄霏.

8 ⑯ [霑] ❶삼 ㊥咸 所咸切 ❷첨 ㊥鹽 子廉切 jiān

字解 ❶ ①이슬비 삼 보슬비. '一, 微雨也'《說文》. ②비내리는모양 삼 '一, 雨皃'《廣韻》. ❷ ①담글 첨 적심. '一, 漬也'《廣韻》. ②이슬비 첨 ❶과 뜻이 같음.
字源 形聲. 雨+戔〔音〕

8 ⑯ [霑] 人名 점 ㊥鹽 張廉切 zhān

字解 젖을 점, 적실 점 '雨一服'《禮記》. 전(轉)하여, 은혜를 입음. 은혜를 베풂. '白骨始一恩'《李商隱》.
字源 篆文 形聲. 雨+沾〔音〕. '沾첨'은 '點점'과 통하여 '점'의 뜻. 비가 점점이 떨어져 내려서 촉촉이 적시다의 뜻을 나타냄.

[霑灑 점쇄] 뿌려 적심.
[霑汚 점오] 적시어 더럽힘.
[霑潤 점윤] ㉠흐뭇하게 젖음. ㉡은혜를 입음.
[霑漬 점지] 젖음. 또, 적심.
[霑醉 점취] 대단히 취함.
[霑被 점피] ㉠젖음. 또, 적심. ㉡은혜를 입음. 또, 은혜를 베풂.
[霑汗 점한] 땀이 뱀.

◉均霑. 露霑. 涙霑. 普霑. 潤霑.

8
⑯ [霓] 人名 예 ㊥齊 五稽切 ní

字解 ①무지개 예 蜺(虫部 八畫)와 同字. '若大旱之望雲一'《孟子》. ②성 예 성(姓)의 하나.

字源 篆文 形聲. 雨+兒〔音〕. '兒아'는 '어린이'의 뜻. 비의 아들, '무지개'의 뜻을 나타냄.

[霓裳羽衣曲 예상우의곡] 월궁(月宮)의 음악(音樂)을 모방(模倣)하여 만든 악곡(樂曲) 이름.
[霓衣 예의] 천인(天人)이 입는 무지개 옷.
[霓旌 예정] 무지개같이 아름다운 기(旗). 우모(羽毛)로 만든 오색기(五色旗).
◉潤霓. 絳霓. 斷霓. 白霓. 素霓. 雲霓. 陰霓. 墦霓. 紅霓.

8
⑯ [霕] 둔 ㊥元 徒昆切 tún

字解 구름클 둔 구름이 큼. 구름이 큰 모양. '一, 雲大貌'《字彙》.

8
⑯ [霖] 人名 림 ㊥侵 力尋切 lín

筆順

字解 장마 림 사흘 이상 계속하여 내리는 비. '梅一'. '雨自三日以往爲一'《左傳》.

字源 甲骨文 篆文 形聲. 雨+林〔音〕. '林림'은 '立립'과 통하여 어떤 위치를 차지하고 서다의 뜻. 비가 사흘 이상 장기간에 걸쳐서 눌러앉아 내리다, 장맛비의 뜻을 나타냄.

[霖淖 임뇨] 장마가 져서 쑥쑥 빠짐.
[霖瀝 임력] 장마 짐. 또, 장마.
[霖潦 임료] 장마가 져서 흙탕물이 가득히 내려감.
[霖霖 임림] 장마가 지는 모양.
[霖濕 임습] 장마 때의 습기(濕氣).
[霖餘 임여] 비가 막 갠 뒤.
[霖雨 임우] ㉠장마. ㉡가뭄을 푸는, 사흘 이상 오는 비. ㉢은택(恩澤)의 뜻으로 쓰임.
[霖霪 임음] 장마. 임우(霖雨).
[霖澍 임주] 장마가 퍼부음.
◉甘霖. 膏霖. 梅霖. 霢霖. 愁霖. 連霖. 靈霖. 沃霖. 幽霖. 陰霖. 霪霖. 秋霖. 春霖. 夏霖. 洪霖.

8
⑯ [霴] 대 ㊦隊 徒奈切 dài

字解 구름의형상 대 구름의 형상. '一, 雲狀也'《字彙補》.

8
⑯ [霔] 주 ㊦遇 朱戍切 zhù

字解 ①장마 주 임우(霖雨). '一, 霖一'《廣韻》. ②시우(時雨) 주, 적실 주 때맞추어 오는 비. 澍(水部 十二畫)와 同字.

8
⑯ [霋] 처 ㊥齊 七稽切 qī

字解 ①갤 처 날씨가 청명하고 맑음. '霽謂之一'《說文》. ②구름뭉게뭉게갈 처 구름이 떠가는 모양. '一, 雲行皃'《玉篇》.

字源 篆文 形聲. 雨+妻〔音〕

8
⑯ [霙] 굉 ㊥庚 姑横切 gōng

字解 사람이름 굉 사람 이름. '一, 吳王孫休子名'《集韻》.

8
⑯ [霒] 음 ㊥侵 於金切 yīn

字解 흐릴 음 구름이 끼어 날씨가 흐림. '五曰生民有一陽'《大戴禮》.

字源 篆文 古文 形聲. 雲+今〔音〕. '今금'은 위에서 덮다의 뜻. 하늘을 덮은 구름, '흐리다'의 뜻을 나타냄. 古文은 云+今〔音〕. '云운'은 '雲운'의 古字.

8
⑯ [霌] 단 ㊥寒 徒官切 tuán

字解 이슬많을 단 이슬이 많은 모양. '溥, 溥溥, 露多皃, 或作霌, 或省'《集韻》.

9
⑰ [霙] 人名 영 ㊥庚 於驚切 yīng

字解 진눈깨비 영 비가 섞여 오는 눈. '晚雨纖纖變玉一'《蘇軾》.

字源 形聲. 雨+英〔音〕. '英영'은 '꽃'의 뜻. 꽃처럼 내리는 눈, '진눈깨비'의 뜻을 나타냄.

◉飛霙. 垂霙. 玉霙. 珠霙. 飄霙.

9
⑰ [霮] 담 ㊤感 徒感切 dàn

字解 구름피어날 담 구름이 피어남. 구름의 모양. '一, 一䨴, 雲皃'《廣韻》.

9
⑰ [霯] 담 ㊤感 徒感切 dàn

字解 구름모양 담 구름의 모양. '一, 一䨴, 雲貌'《搜眞玉鏡》.

9
⑰ [霜] 中人 상 ㊥陽 色莊切 shuāng ㊦漾 色壯切

筆順

字解 ①서리 상 이슬이 언 것. '白露爲一'《詩經》. ②흴 상, 백발 상 수염이나 머리가 세어 흼. 또, 그 수염이나 머리. '一髮'. '何處得秋一'《李白》. ③해 상 지나온 세월. 햇수. '星一'. '陛下之壽三千一'《李白》. ④엄할 상 서리를 맞으면 초목의 잎이 고사(枯死)하므로, 엄(嚴)함의 형용으로 쓰임. '秋一烈日'. '風行一烈'《後漢書》. ⑤성 상 성(姓)의 하나.

字源 篆文 形聲. 雨+相〔音〕. '相상'은 '喪상'과 통하여 '잃다'의 뜻. 만물을 시들게 하여 보지 못하게 만드는 '서리'의 뜻을 나타냄.

[霜柯 상가] 서리를 맞은 나뭇가지.
[霜降 상강] 이십사절기(二十四節氣)의 하나. 한

로(寒露)와 입동(立冬) 사이에 있는 절기(節氣). 양력 10월 23일경.
[霜劍 상검] 상도(霜刀).
[霜空 상공] 상천(霜天).
[霜戈 상과] 번쩍번쩍하는 예리한 창.
[霜禽 상금] 서리가 내릴 때의 새. 겨울새를 이름. 「운.
[霜氣 상기] 찬 기운. 또, 서리와 같은 엄숙한 기
[霜氣黃秋 상기황추] 추상(秋霜) 같은 엄숙한 기상이 나타남을 이름.
[霜臺 상대] '어사대(御史臺)'의 아칭(雅稱). 어사대는 법률을 관장하므로, 추관(秋官)에 배당하여 상(霜)이라 함.
[霜刀 상도] 날이 시퍼레서 희게 번득이는 칼.
[霜橙 상등] 서리를 맞아 잘 익은 등자(橙子).
[霜羅 상라] 서리와 같이 희고 고운 깁.
[霜烈 상렬] 서리와 같이 엄함. 추상(秋霜) 같이 엄함.
[霜露 상로] 서리와 이슬.
[霜露之疾 상로지질] 찬 기운이 침범하여 일어나는 병. 곧, 감기(感氣)를 이름.
[霜毛 상모] 서리같이 흰 털.
[霜矛 상모] 상과(霜戈).
[霜眉 상미] 서리같이 흰 눈썹.
[霜雹 상박] 서리와 우박.
[霜髮 상발] 서리같이 흰 머리.
[霜蓬 상봉] ㉠서리를 맞아 마른 쑥. ㉡서리같이 센 백발을 이르는 말.
[霜鋒 상봉] 번쩍번쩍하는 예리한 봉망(鋒鋩).
[霜鬢 상빈] 서리같이 흰 구레나룻.
[霜霰 상산] 서리와 싸라기눈.
[霜署 상서] 상대(霜臺).
[霜雪 상설] 서리와 눈. 마음이 결백하고 엄함의 비유.
[霜鬚 상수] 서리와 같이 흰 수염.
[霜信 상신] '기러기〔雁〕'의 별칭(別稱).
[霜晨 상신] 서리가 내린 새벽.
[霜夜 상야] 서리가 내린 밤.
[霜野 상야] 서리 맞은 들. 서리가 내린 들.
[霜髥 상염] 서리와 같이 흰 구레나룻.
[霜葉 상엽] 서리를 맞아 단풍 든 잎.
[霜螯 상오] 상해(霜蟹).
[霜月 상월] ㉠서리가 내린 밤의 달. ㉡음력 7월의 이칭(異稱).
[霜威 상위] ㉠초목을 고사(枯死)하게 하는 서리의 맹위(猛威). ㉡엄한 위광(威光).
[霜刃 상인] 상도(霜刀).
[霜髭 상자] 서리와 같이 흰 코밑수염. 흰 수염.
[霜災 상재] 서리가 와서 곡식이 해(害)를 입음.
[霜蹄 상제] ㉠준마(駿馬)의 발굽. ㉡준마(駿馬).
[霜操 상조] 서리와 같이 늠렬(凜烈)한 지조(志操).
[霜鐘 상종] 서리 내린 밤의 종소리.
[霜洲 상주] 서리가 내린 사주(砂洲).
[霜天 상천] 서리가 내리는 밤의 하늘.
[霜草 상초] 서리 맞은 풀.
[霜砧 상침] 서리가 내린 밤의 다듬이질.
[霜楓 상풍] 서리 맞은 단풍잎.
[霜下傑 상하걸] '국화(菊花)'의 별칭(別稱).
[霜蟹 상해] 서리가 내릴 무렵의 게. 맛이 가장 좋음. 상오(霜螯).
[霜憲 상헌] 상대(霜臺).
[霜蹊 상혜] 서리가 내린 소로(小路).
[霜毫 상호] 서리와 같이 흰 털. 상모(霜毛).
[霜花 상화] 서리를 꽃에 견주어 이른 말.
[霜華 상화] 상화(霜花).
[霜紈 상환] 서리같이 흰 고운 깁.
[霜曉 상효] 상신(霜晨).
[霜畦 상휴] 서리가 내린 밭.
◉降霜. 琨玉秋霜. 露霜. 晩霜. 微霜. 薄霜. 半成霜. 繁霜. 鬢霜. 氷霜. 雪霜. 星霜. 愁霜. 肅霜. 身似浮雲鬢似霜. 晨霜. 新霜. 嚴霜. 零霜. 傲霜. 流霜. 字挾風霜. 朝霜. 秋霜. 淸霜. 板橋霜. 風霜. 寒霜. 皓霜. 曉霜.

9 ⑰ [靮] [一] 적 [入]錫 亭歷切 dí [二] 독 [入]沃 徒沃切

[字解] [一] 비올 적 비가 옴. '一, 博雅, 一一, 雨也'《集韻》. [二] 비오는모양 독 비가 오는 모양. '一, 雨皃'《集韻》.

9 ⑰ [靈] 령 [平]靑 郞丁切 líng

[字解] ①내릴 령, 비내릴 령 '一, 雨零也. 詩曰, 一雨其濛'《說文》. ②떨어질 령 '一, 落也. 墮也'《廣韻》. ③좋을 령 '一, 令也'《廣雅》. ④빌 령 공허함. '一, 空也'《廣雅》.
[字源] 會意. 雨+㗊

9 ⑰ [霞] [人名] 하 [平]麻 胡加切 xiá

[筆順] 一 … 霞

[字解] ①놀 하 공중의 수증기에 해가 비치어 붉게 보이는 기운. '夕一'. '遠而望之, 皎若太陽升朝一'《曹植》. ②멀 하 遐(辵部 九畫)와 통용. '載營魄而登一'《楚辭》. ③새우 하 鰕(魚部 九畫)와 통용. '啄一矯翮兮雲間'《吳越春秋》. ④성 하 성(姓)의 하나.
[字源] 篆文 形聲. 雨+叚〔音〕. '叚하'는 '붉다'의 뜻. 미처 비가 되지 않은 수증기가 햇빛을 받아 붉게 보이는 아침노을 등의 뜻을 나타냄.

[霞徑 하경] 놀이 낀 소로(小路).
[霞光 하광] 놀.
[霞洞 하동] 신선이 사는 곳.
[霞氛 하분] 동방(東方)의 붉은 운기(雲氣).
[霞觴 하상] 신선(神仙) 등이 쓰는 술잔.
[霞舒雲卷 하서운권] 놀같이 펴고 구름같이 말린다는 뜻으로, 그림의 필법(筆法)과 착색(着色) 등이 아주 묘함을 이름.
[霞彩 하채] 놀의 아름다운 빛.
[霞帔 하피] ㉠무의(舞衣)의 우아한 모양. ㉡도사(道士)의 옷. ㉢송명대(宋明代)의 부인(婦人)의 예복. 배자(褙子).

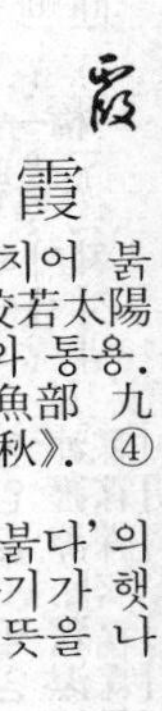
[霞帔㉢]

◉絳霞. 落霞. 丹霞. 晩霞. 暮霞. 夕霞. 燒霞. 晨霞. 煙霞. 雲霞. 流霞. 紫霞. 殘霞. 赤霞. 赬霞. 朝霞. 餐霞. 彩霞. 春霞. 形霞. 紅霞. 曉霞.

9 ⑰ [霩] [一] 박 [入]藥 匹各切 [二] 격 [入]陌 古核切 gé

字解 ▣ 비에젖은가죽 박 '一, 雨濡革也'《說文》. ▣ 비 격 '一, 雨也'《廣韻》.
字源 會意. 雨＋革

9 ⑰ [霕] 대 ㊀隊 度柰切 dài
字解 구름낀모양 대 구름이 낀 모양. '一, 雲貌'《字彙》.

9 ⑰ [霒] 음 ㊥侵 於金切 yīn
字解 흐릴 음 구름이 낌. '忠昭昭而願見兮, 然一曀而莫達'《楚辭》.

[霒曀 음예] 바람이 불어 하늘에 구름이 낌.

9 ⑰ [霔] 와 ㊥麻 烏瓜切 wā
字解 괸물 와 마소의 발자국에 괸 물. '一, 蹄涔, 馬牛跡中水'《正字通》.

9 ⑰ [霛] 〔령〕 靈(雨部 十六畫〈p. 2510〉)의 古字

9 ⑰ [霭] 〔애〕 靄(雨部 十六畫〈p. 2510〉)와 同字

10 ⑱ [霢] 맥 ㊇陌 莫獲切 mài
字解 가랑비 맥 '一霂'은 가랑비. 세우(細雨). '益之以一霂'《詩經》.
字源 篆文 形聲. 雨＋脈〔音〕. '脈맥'은 실처럼 가늘게 이어지다의 뜻.
參考 霡(次條)은 同字.

[霢霂 맥목] 가랑비. 또, 가랑비가 부슬부슬 오는 모양.

10 ⑱ [霡] 霢(前條)과 同字

10 ⑱ [霣] ▣ 운 ㊤軫 羽敏切 yǔn ▣ 곤 ㊥元 公渾切
字解 ▣ ①떨어질 운 隕(阜部 十畫)과 통용. '夜中星一如雨'《公羊傳》. ②죽을 운 殞(歹部 十畫)과 통용. '惠之早一'《史記》. ③천둥 운 '齊人謂雷爲一'《說文》. ▣ 떨어질 곤, 천둥 곤 ▣❶❸과 뜻이 같음.
字源 篆文 古文 形聲. 雨＋員〔音〕. '員원'은 동글동글하게 뭉쳐서 떨어지다의 뜻. 떨어지다의 뜻이나 떨어져 내려오는 천둥의 뜻을 나타냄. 古文은 雨＋鼏〔音〕.

◉星霣.

10 ⑱ [霚] 구 ㊀宥 居候切 gòu
字解 큰비 구 큰비. 대우(大雨). '一, 大雨也'《集韻》.

10 ⑱ [霤] 류 ㊀宥 力救切 liù
字解 ①낙숫물 류 처마 끝에서 떨어지는 물. '聽長一之涔涔'《潘尼》. ②낙숫물그릇 류 낙숫물을 받는 그릇. '玉堂對一'《左思》. ③물방울 류 듣는 물방울. 溜(水部 十畫)와 통용. '泰山之一穿石'《漢書》. ④방 류 집 안의 빈방. '其祀中一'《禮記》.
字源 篆文 形聲. 雨＋留(畱)〔音〕. '畱류'는 '流류'와 통하여 '흐르다'의 뜻. 지붕에서 흘러 떨어지는 비, '낙숫물'의 뜻을 나타냄.

[霤水足以溢壺榼 유수족이일호합] 작은 물방울도 많이 괴면 항아리나 통에 가득 참.
[霤槽 유조] 낙숫물을 받는 통.
◉甘霤. 階霤. 修霤. 屋霤. 長霤. 中霤.

10 ⑱ [雱] 방 ㊥陽 普郎切 pāng
字解 ①눈내릴 방 눈이 많이 내리는 모양. 雱(雨部 四畫)과 同字. ②죽죽퍼부을 방 비가 세차게 퍼붓는 모양. 滂(水部 十畫)과 同字.

10 ⑱ [霖] 력 ㊇錫 狼狄切 lì
字解 비긋지아니할 력 비가 긋지 아니함. '一一, 雨不止'《篇海》.

10 ⑱ [䨕] 렴 ㊥鹽 力鹽切 lián
字解 장마 렴 '一, 久雨也'《說文》.
字源 篆文 形聲. 雨＋兼〔音〕. '兼겸'은 '겸하다'의 뜻.

10 ⑱ [霠] 〔애〕 皚(白部 十畫〈p. 1513〉)와 同字

11 ⑲ [霧] 高人 무 ㊀遇 亡遇切 wù
筆順 一 ⼁ 雨 雫 雰 霚 霧 霧
字解 안개 무 ㉠땅 위에 가까이 끼는 미세한 물방울. '雲一'. ㉡안개와 같이 밀집(密集) 또는 비산(飛散)하는 것을 형용하여 이름. '一集'. '雄州一'《王勃》.
字源 篆文 籒文 篆文은 形聲. 雨＋務〔音〕. '務무'는 '冒모'와 통하여 '덮다'의 뜻. 천지간에 낀 '안개'의 뜻을 나타냄. '霧무'는 '雺'의 동일어 이체자임.

[霧縠 무곡] 고운 비단. 비단이 안개와 같이 가볍다는 뜻으로 이름.
[霧光 무광] 안개의 빛.
[霧氣 무기] 안개.
[霧亂 무란] 안개가 흩어짐.
[霧露 무로] 병(病)을 이름.
[霧裏 무리] 안개 속.
[霧杳 무묘] 안개가 잔뜩 끼어 앞을 볼 수 없음.
[霧鬢風鬟 무빈풍환] 무환(霧鬟).
[霧散 무산] ㉠안개가 흩어짐. 안개가 갬. ㉡안개가 개듯이 흩어짐.
[霧塞 무색] 안개가 짙게 끼어 막힘.
[霧消 무소] 안개처럼 사라짐.
[霧袖 무수] 고운 비단으로 만든 소매.
[霧市 무시] 후한(後漢)의 장해(張楷)가 도술(道

術)로써 오리무(五里霧)를 만들어 홍농 산중(弘農山中)에 은거(隱居)하였는데, 그를 따르는 학자(學者)들이 운집(雲集)하여 저자를 이룬 것을 일컬은 말.
[霧瘴 무장] 안개의 독기(毒氣).
[霧笛 무적] 선박이 짙은 안개 속에서 충돌을 피하기 위하여 울리는 기적.
[霧朝 무조] 안개 낀 아침.
[霧集 무집] 안개처럼 많이 모임.
[霧綃 무초] 무곡(霧縠).
[霧萃 무췌] 무집(霧集).
[霧聚 무취] 무집(霧集).
[霧壑 무학] 안개가 낀 구렁.
[霧合 무합] 무집(霧集).
[霧鬟 무환] 윤이 나는 아름다운 머리.
[霧會 무회] 무집(霧集).
[霧曉 무효] 안개가 낀 새벽.
◉輕霧. 濃霧. 醲霧. 斷霧. 大霧. 毒霧. 密霧. 薄霧. 白霧. 氛霧. 噴霧. 三里霧. 祥霧. 瑞霧. 夕霧. 細霧. 宿霧. 晨霧. 深霧. 埃霧. 煙霧. 烟霧. 五里霧. 妖霧. 雨霧. 雲霧. 鬱霧. 陰霧. 瘴霧. 貯雲含霧. 朝霧. 塵霧. 秋霧. 海霧. 香霧. 紅霧. 花庭霧. 黃霧. 曉霧. 曛霧. 黑霧.

11 ⑲ [霪] 음 ㊉侵 餘針切 yín

字解 장마 음 열흘 이상 오는 비. '禹沐浴—雨'《淮南子》.
字源 形聲. 雨+淫〔音〕. '淫음'은 너무 많이 내린 비의 뜻.

[霪霖 음림] 음우(霪雨).
[霪雨 음우] 장마. 음우(淫雨).
◉陰霪. 霖霪.

11 ⑲ [䨮] 〔설〕
雪(雨部 三畫〈p. 2494〉)의 本字

11 ⑲ [霫] 습 ㊁緝 先立切 xí

字解 나라이름 습 '白—'은 흉노(匈奴)의 별종이 세운 나라. '白—居鮮卑故地, 其部有三'《唐書》.
字源 形聲. 雨+習〔音〕

◉白霫.

11 ⑲ [霩] 확 ㊁藥 虛郭切 kuò

字解 휑할 확 廓(广部 十一畫)과 통용. '道始于虛—, 虛—生宇宙'《淮南子》.
字源 篆文 形聲. 雨+郭(郭)〔音〕. '郭곽'은 '廓곽'과 통하여 '열다'의 뜻.

◉虛霩.

11 ⑲ [霨] 위 ㊂未 紆胃切 wèi

字解 구름피어오를 위 구름이 피어오르는 모양. '—, 雲起皃'《集韻》.
字源 形聲. 雨+尉〔音〕

11 ⑲ [𩅰] ㊀ 단 ㊉寒 徒官切 tuán
㊁ 천 ㊤銑 豎兗切

字解 ㊀ 이슬많이내린모양 단 이슬이 많이 내린 모양. 漙(水部 十一畫)과 同字. '漙, 漙漙, 露多皃, 或作—'《集韻》. ㊁ 이슬많이내린모양 천 ㊀과 뜻이 같음.

11 ⑲ [𩅦] 루 ㊤麌 隴主切 lǚ

字解 비오는모양 루 비가 오는 모양. '—, 雨皃'《集韻》.

11 ⑲ [𩆂] 중 ㊉東 職戎切 zhōng
㊂送 之仲切

字解 ①가랑비 중 가늘게 오는 비. '—, 小雨也'《說文》. ②장맛비 중 오래 오는 비.
字源 篆文 形聲. 雨+眾〔音〕

11 ⑲ [霦] 人名 빈 ㊉眞 府巾切 bīn

字解 ①옥광채 빈 옥(玉)의 광채(光彩). '—, 玉光色'《玉篇》. ②옥빛 빈 '璘—'은 옥의 빛나는 색(色). '璘—, 玉光色也'《廣韻》.

12 ⑳ [霰] 人名 산(선㊍) ㊂霰 蘇佃切 xiàn

字解 싸라기눈 산 빗방울이 내리다가 얼어서 싸라기같이 된 눈. '如彼雨雪, 先集維—'《詩經》.
字源 金文 篆文 形聲. 雨+散(𢿱)〔音〕. '𢿱산'은 뿔뿔이 흩어지다의 뜻. 뿔뿔이 흩어진 꼴로 내려오는 비, '싸라기눈'의 뜻을 나타냄.

[霰雹 산박] 싸라기눈.
[霰散 산산] 싸라기눈처럼 흩어짐.
[霰雪 산설] 싸라기눈. 또는 진눈깨비.
[霰彈 산탄] 많은 탄환이 한꺼번에 터져 나오게 된 탄환.
◉輕霰. 驚霰. 急霰. 微霰. 雹霰. 飛霰. 霜霰. 雪霰. 雨霰. 流霰. 霖霰. 滋霰. 馳霰. 漂霰. 風霰. 曉霰.

12 ⑳ [露] 中人 로 ㊂遇 洛故切 lù, lòu

筆順 ⼀ 雫 雫 雫 雫 露 露

字解 ①이슬 로 ㉠물기가 얼어서 물방울이 되어 풀잎 같은 데 붙어 있는 것. '玉—'. '孟秋白—降'《禮記》. ㉡덧없음의 비유로 쓰임. '—命'. '朝—'. ㉢한데에서 자면 이슬을 맞으므로, 한데 또는 위를 가리지 아니한 뜻으로 쓰임. '—宿'. '—臺'. 전(轉)하여, 한데에서 재움. 들에서 있게 함. '暴兵—師十有餘年'《主父偃》. ②적실 로, 젖을 로 이슬로 적심. '—彼菅茅'《詩經》. 전(轉)하여, 은혜를 베풂. 은혜를 입음. '覆—萬民'《漢書》. ③드러날 로, 나타날 로 ㉠숨긴 일이 알려짐. '—顯'. '謀—被誅'. ㉡밖에서 보임. '—出'. ④드러낼 로, 나타낼 로 전항의 타동사. '暴—'. ⑤고달플 로, 고달프게할 로 '以—其體'《左傳》. ⑥성 로 성(姓)의 하나. ⑦《韓》 러시아 로 러시아의 음역(音譯) '노서아(露西亞)'의 생략. '—人'.

[字源] 篆文 形聲. 雨+路〔音〕. '路로'는 '落낙'과 통하여 '떨어지다'의 뜻. 떨어져 내린 빗방울, '이슬'의 뜻을 나타냄. 또 떨어져서 모습을 드러내다, 나타나다의 뜻도 나타냄.

[露檄 노격] 봉하지 아니한 격문(檄文).
[露鷄 노계] 야생(野生)의 닭.
[露骨 노골] ㉠뼈를 땅 위에 드러냄. ㉡조금도 숨김없이 드러냄.
[露光 노광] 이슬의 빛.
[露槐風棘 노괴풍극] 삼공구경(三公九卿)을 이름. 노(露)와 풍(風)은 형용의 문사(文詞). '괴극(槐棘)'을 보라.
[露國 노국] 노서아(露西亞).
[露葵 노규] 아욱. 순채(蓴菜).
[露根 노근] 땅 위로 드러난 뿌리.
[露氣 노기] 이슬 기운.
[露堂堂 노당당] 조금도 은폐함이 없이 공명정대한 모양.
[露臺 노대] ㉠지붕 없는 정자. ㉡옥상의 운동장. 발코니.
[露頭 노두] ㉠쓴 것이 없는 맨머리. ㉡광맥(鑛脈) 등이 지면에 드러난 것.
[露馬脚 노마각] 마각(馬脚)을 드러냄. 숨기고 있던 간사(奸邪)한 꾀가 부지중(不知中)에 드러남.
[露眠 노면] 한데서 잠.
[露命 노명] 이슬의 목숨. 곧, 덧없는 생명. '조로(朝露)' 참조.
[露盤 노반] ㉠'승로반(承露盤)'의 준말. 한무제(漢武帝)가 이슬을 받기 위해 건장궁(建章宮)에 세운 동반(銅盤)임. ㉡《佛教》 탑(塔)의 구륜(九輪)의 최하부에 있는 방형(方形)의 동반(銅盤). 노반(露盤). '상륜탑(相輪塔)' 참조.
[露佛 노불] 지붕이 없는 곳에 안치한 불상(佛像).
[露索 노색] 옷을 벗기고 조사함.
[露生 노생] 나타남. 드러남.
[露西亞 노서아] 러시아(Russia)의 음역(音譯).
[露跣 노선] 맨발.
[露首 노수] 맨머리. 머리에 아무것도 쓰지 않은 일.
[露宿 노숙] 한데서 잠. 집 밖에서 잠.
[露芽 노아] '차(茶)'의 별칭(別稱).
[露眼 노안] 불쑥 나온 눈. 퉁방울눈.
[露營 노영] 산이나 들에 벌인 진영(陣營). 야영(野營).
[露臥 노와] 노숙(露宿).
[露雨 노우] 이슬과 비. 은택(恩澤)의 비유.
[露人 노인] 노서아 사람.
[露刃 노인] 칼집에서 뺀 칼.
[露積 노적] 옥외(屋外)에 쌓음.
[露電 노전] 이슬과 번개. 곧, 인생의 덧없음의 비유.
[露店 노점] 한데에 내는 가게.
[露點 노점] 수증기가 대기(大氣) 중에서 냉각되어 응결을 시작할 때의 온도.
[露井 노정] 지붕이 없는 우물.
[露呈 노정] 나타냄. 또, 나타남.
[露坐 노좌] 한데에 앉음.
[露柱 노주] ㉠《佛教》 당(堂) 밖의 정면에 세운 두 기둥. ㉡무정(無情) 또는 비상(非常)의 뜻으로 쓰임.
[露珠 노주] 이슬방울.
[露竹 노죽] 이슬이 내린 대나무.
[露地 노지] ㉠지면(地面). 지상(地上). ㉡건물 사이의 좁은 길. ㉢문 안 또는 정원(庭園)의 길. ㉣법화경(法華經)에서, 번뇌를 초탈한 경지에 비유함. 넓은 평지(平地)의 뜻.
[露次 노차] 노숙(露宿).
[露車 노차] 뚜껑이 없는 차. 무개차(無蓋車).
[露處 노처] 한데서 삶.
[露天 노천] 한데.
[露體 노체] 몸을 드러냄.
[露草 노초] 이슬이 앉은 풀.
[露出 노출] 거죽으로 드러남. 또, 거죽으로 드러냄.
[露寢 노침] 노숙(露宿).
[露板 노판] 노포(露布).
[露版 노판] 노포(露布).
[露布 노포] ㉠봉하지 아니한 문서. ㉡문체(文體)의 이름. 전승(戰勝)한 보도를 널리 알리기 위하여 포백(布帛)에 써서 장대 위에 걸어 누구나 볼 수 있게 한 것. 노판(露板).
[露表 노표] 조금도 숨김없이 드러냄.
[露見 노현] 노현(露顯).
[露顯 노현] ㉠나타내어 보임. ㉡나타나 알려짐.
[露花 노화] 이슬에 젖은 꽃.
[露華 노화] 이슬이 빛남. 또, 이슬의 빛. 또, 빛나는 이슬. 노광(露光).
◉甘露. 結露. 罄露. 庫露. 膏露. 矜露. 冷露. 濃露. 漏露. 沐露. 霧露. 發露. 白露. 繁露. 祥露. 霜露. 瑞露. 泄露. 承露. 渥露. 夜露. 如露. 零露. 玉露. 溽露. 雨露. 月露. 流露. 銀露. 人生如朝露. 滴露. 電光朝露. 呈露. 朝露. 珠露. 陳露. 塵露. 淸露. 草露. 墜露. 翠露. 湛露. 吐露. 暴露. 曝露. 表露. 風露. 風雲月露. 披露. 華露. 寒露. 薤露. 泫露. 顯露. 浩露. 華露. 花上露. 曉露.

12 ⑳ [霳] 륭 [平]東 力中切 lóng

[字解] 뇌신(雷神) 륭 '豐—'은 우레를 맡은 신. 뇌공(雷公). '豐—, 雷師'《集韻》.
[字源] 形聲. 雨+隆〔音〕.

12 ⑳ [霯] 등 [去]徑 台隥切 tèng

[字解] 큰비 등 큰비. 대우(大雨). '—, 大雨'《集韻》.

12 ⑳ [霮] 담 [去]勘 徒濫切 dàn [上]感 徒感切

[字解] ①구름많을 담 '—霸'는 구름이 많은 모양. '雲覆—霸'《王延壽》. ②구름피어오를 담 구름이 뭉게뭉게 피어오르는 모양. '—, 雲皃, 霴謂之—霸'《集韻》.

12 ⑳ [霱] 남 [去]陷 尼賺切 nàn

[字解] ①진흙 남 진흙. '—, 泥'《玉篇》. ②진창 남 진창. '—, 雨淖也'《集韻》.

12 ⑳ [霱] 율 [入]質 餘律切 yù

[字解] ①상서로운구름 율 경운(景雲). 서운(瑞雲). 矞(矛部 七畫)과 통용. '卿雲謂之—'《集韻》. ②삼색(三色)구름 율 세 가지 빛깔의 구름. '雲則五色而爲慶, 三色而爲—'《西京雜記》.

字源 形聲. 雨+畱〔音〕

12 ⑳ [霤] 〔류〕
霤(雨部 十畫〈p. 2505〉)의 本字

12 ⑳ [霴] 〔대〕
霼(雨部 十四畫〈p. 2509〉)와 同字

12 ⑳ [霼] 〔대〕
靆(雨部 二十八畫〈p. 2512〉)와 同字

12 ⑳ [霳] 〔력〕
靂(雨部 十九畫〈p. 2512〉)과 同字

12 ⑳ [黭] 〔암〕
黤(黑部 八畫〈p. 2707〉)의 通字

12 ⑳ [霻] 〔중〕
霥(雨部 十一畫〈p. 2506〉)의 訛字

13 ㉑ [霸] 패(파本) 去禡 必駕切 bà

字解 ①두목 패 무력(武力)·권도(權道)로써 정치를 하는 제후(諸侯)의 우두머리. 춘추 시대(春秋時代)의 제환공(齊桓公)·진문공(晉文公)·송양공(宋襄公)·진목공(秦穆公)·초장왕(楚莊王)을 '五一'라 함. '以力假仁者一'《孟子》. 전(轉)하여, 널리 두목·우두머리의 뜻으로 쓰임. '文采必一'《文心雕龍》. ②으뜸갈 패 우두머리가 됨. '孔子爲政必一'《史記》. ③성 패 성(姓)의 하나.
字源 金文 篆文 形聲. 月+䨣〔音〕. '䨣박'은 '白백'과 통하여 '희다'의 뜻. 초승달의 흰빛의 뜻. '伯백'과 통하여 제후의 우두머리의 뜻으로 쓰임.
參考 覇(襾部 十三畫)는 俗字.

[霸功 패공] 패자(霸者)가 되는 공.
[霸橋 패교] 산시 성(陝西省) 패수(霸水), 곧 지금의 파수(灞水)에 놓인 다리 이름. 당대(唐代)에 도읍 장안(長安)에서 떠나는 사람의 송별은 대개 여기에서 하였으므로, 소혼교(銷魂橋)라고도 일컬어짐.
[霸國 패국] 패자(霸者)가 일어난 나라.
[霸國之餘業 패국지여업] 패자(霸者)였던 나라의 남은 공업(功業).
[霸權 패권] 한 지방 또는 한 부류(部類) 중의 우두머리가 가진 권력.
[霸氣 패기] ㉠패자(霸者)가 되려고 하는 기상(氣象). ㉡모험(冒險)을 행하고 또는 자웅을 다투어 공명을 구하고자 하는 마음.
[霸道 패도] 패자(霸者)가 취하는 도. 인의(仁義)를 가볍게 여기고, 무력과 권모(權謀)로 천하를 다스리는 방법. 왕도(王道)의 대(對).
[霸圖 패도] 패략(霸略).
[霸略 패략] 패자(霸者)의 계략.
[霸陵舊將軍 패릉구장군] ㉠전한(前漢)의 이광(李廣)이 장군직(將軍職)을 그만둔 후에 술에 취한 패릉(霸陵)의 위관(尉官)으로부터 고장군(故將軍)이라 경모(輕侮)를 받은 고사(故事). ㉡몽당붓의 비유.
[霸夫 패부] 지략이 뛰어난 패기가 있는 남자.
[霸府 패부] 패자(霸者)가 정치를 하는 곳. 막부(幕府). 번부(藩府).
[霸業 패업] 제후(諸侯)의 두목이 될 사업.
[霸王 패왕] ㉠패자(霸者)와 왕자(王者). ㉡패자의 힘과 왕자의 덕을 겸한 사람.
[霸王樹 패왕수] 선인장(仙人掌).
[霸王之補 패왕지보] 패자나 왕자를 도와 보필함. 또, 그 사람.
[霸王之資 패왕지자] 패자나 왕자가 될 자격.
[霸者 패자] ㉠제후(諸侯)의 두목. 패주(伯主). ㉡패도(霸道)로 천하를 다스리는 자.
[霸迹 패적] 패자(霸者)의 공업(功業)의 자취.
[霸朝 패조] 패자(霸者)의 조정.
◉彊霸. 連霸. 英霸. 五霸. 王霸. 雄霸. 爭霸. 定霸. 制霸. 偏霸.

13 ㉑ [霝] 一 곤 平元 公渾切 tíng
二 정 平靑 唐丁切

字解 一 번개 곤 우레. 霣(雨部 十畫)의 籀文. '霣, 齊人謂雷曰霣. 籀作一'《集韻》. 二 번개소리 정 霆(雨部 七畫)과 同字. '霆, 雷餘聲. 或从鼎一'《集韻》.

13 ㉑ [霹] 人名 벽 入錫 普擊切 pī

字解 천둥 벽, 벼락 벽 '一靂'은 천둥 또는 벼락이 침. 또, 천둥이나 벼락. '雷霆一靂'. '一靂破所倚柱'《世說》.
字源 形聲. 雨+辟〔音〕

[霹靂 벽력] ㉠천둥소리가 급격히 요란하게 남. 또, 그 천둥. ㉡벼락. 벼락이 침.
[霹靂車 벽력거] 옛날에 돌을 튀겨 내쏘는 장치를 한 병거(兵車).
[霹靂手 벽력수] 민첩함. 또, 그 사람.

13 ㉑ [震] 농 平冬 奴冬切 nóng

字解 ①이슬흠치르르할 농 이슬이 많이 내림. '一, 博雅, 露多也'《集韻》. ②이슬많을 농 '一一'은 이슬이 많은 모양. '一一, 露也'《廣雅》.

13 ㉑ [霷] 양 平陽 余章切 yáng

字解 시월 양 10월의 일컬음. 陽(阜部 九畫)과 통용. '十月爲一'《集韻》.

13 ㉑ [霑] 一 첨 平鹽 子廉切 jiān
二 렴 去豔 力驗切
三 점 去豔 子豔切
四 잠 去陷 子鑑切
平咸 鋤咸切

字解 一 ①가랑비 첨 '一, 小雨也'《說文》. ②젖을 첨 '一, 又霑也'《廣韻》. 二 가랑비 렴, 젖을 렴 一과 뜻이 같음. 三 가랑비 점, 젖을 점 一과 뜻이 같음. 四 ①가랑비 잠 一❶과 뜻이 같음. ②담글 잠 물건을 물속에 넣음. '一, 以物內水中'《廣韻》.
字源 形聲. 雨+僉〔音〕

13 ㉑ [霶] 〔방〕
滂(水部 十畫〈p. 1274〉)과 同字

13 [䨵] 〔담〕
㉑ 霮(雨部 十二畫〈p. 2507〉)과 同字

14 [霽] [人名] 제 [去]霽 子計切 jì
㉒
[字解] ①갤 제 비나 눈이 그침. 안개나 구름이 사라짐. '虹銷雨一'《王勃》. ②풀릴 제 화나 불쾌감 같은 것이 풀림. 기분이 좋아짐. '怒容未一'《輟耕錄》. ③풀 제 전항의 타동사. '心善其言, 爲一威嚴'《漢書》.
[字源] 篆文 形聲. 雨＋齊(亝)〔音〕. '亝제'는 '濟제'와 통하여 '건너다'의 뜻. 비가 하늘을 끝까지 다 건너다, 비가 개다의 뜻을 나타냄.

[霽氛 제분] 맑게 갠 기(氣).
[霽月 제월] 갠 날의 달.
[霽月光風 제월광풍] 도량(度量)이 넓고 시원함.
[霽威 제위] 화가 풀림.
[霽朝 제조] 비가 갠 맑은 아침.
[霽後 제후] 비가 갠 뒤. 우후(雨後).
◉開霽. 暖霽. 晚霽. 明霽. 夕霽. 晨霽. 新霽. 雲霽. 林霽. 澄霽. 天霽. 淸霽. 秋死霽. 秋霽. 曉霽.

14 [霾] 매 [平]佳 莫皆切 mái
㉒
[字解] 흙비올 매 바람이 거세어 토우(土雨)가 내림. '終風且一'《詩經》.
[字源] 甲骨文 篆文 形聲. 雨＋貍〔音〕. '貍매'는 '묻다'의 뜻. 큰 바람이 불어서 떨어뜨리는 흙먼지가 주위를 뒤덮다, 흙비가 내리다의 뜻을 나타냄.

[霾曀 매예] 흙비로 인하여 하늘이 흐림.
[霾翳 매예] 매예(霾曀).
[霾風 매풍] 흙비를 오게 하는 바람.
[霾晦 매회] 매예(霾曀).
◉氛霾. 翳霾. 雲霾. 陰霾. 積霾. 風霾.

14 [霿] 몽 [去]送 莫弄切 mèng
㉒
[字解] 아낄 몽 인색함. 비린(鄙吝)함. '一恒風若'《漢書》.
[字源] 篆文 形聲. 雨＋瞀〔音〕

14 [䨴] 대 [去]隊 徒對切 duì
㉒
[字解] 검은구름 대 '黮一'는 구름의 검은 모양. '黮一, 雲黑皃'《說文》.
[字源] 篆文 形聲. 雨＋對〔音〕. '雨우'는 구름, '對대'는 '薱대'와 통하여 풀이 무성하다의 뜻. 검은 구름이 끼는 모양을 나타냄.

14 [䨘] 산 [平]寒 素官切 suān
㉒
[字解] 가랑비 산 가는 비. '一, 小雨也'《說文》.
[字源] 篆文 形聲. 雨＋酸〔音〕

14 [䨻] 만 ①[平]寒 謨官切 mán
㉒ ②[去]翰 莫半切 màn
[字解] ①비이슬될 만 비나 이슬이 짙게 내린 모양. '一, 雨露濃皃'《集韻》. ②구름낄 만 구름이 끼는 모양. '一, 雲貌'《類篇》.
[字源] 形聲. 雨＋漫〔音〕

14 [𩆂] [一] 희 ①[去]寘 虛器切 xì
㉒ ②[平]微 香依切 xī
[二] 간 [平]刪 丘閑切
[字解] [一] ①비만나급히피하여숨찰 희 일설(一說)에 숨이 막힘. '一, 見雨而比息. (段注)比, 密也. 密息者, 謂鼻息數速也. 道途遇雨急行, 則息必頻喘矣'《說文》. ②비그칠 희 비가 그치는 모양. '一, 雨止皃'《集韻》. [二] 비만나급히피하여숨찰 간 [一]❶과 뜻이 같음.
[字源] 會意. 雨＋覞

14 [霼] 희 [上]尾 虛豈切
㉒ [去]未 許旣切 xì
[字解] 구름낄 희, 흐릴 희 靉(雨部 十七畫)를 보라. '靉一'.

◉靉霼.

14 [䨲] [一] 누 [平]尤 奴鉤切 nóu
㉒ [二] 만 [去]願 無販切 wàn
[字解] [一] 토끼새끼 누 '明眎八世孫一'(의인(擬人)한 것)《韓愈》. [二] 성 만 성(姓)의 하나.

15 [靁] 뢰 [平]灰 盧回切 léi
㉓
[字解] ①천둥 뢰 ㉠雷(雨部 五畫)의 本字. '殷其一, 在南山之陽'《詩經》. ㉡우렛소리. 큰 소리의 비유. '聚蟁成一'《漢書》. ②성 뢰 성(姓)의 하나.

15 [𩇓] 담 [去]勘 徒紺切 dàn
㉓
[字解] 장마 담 장마. '一, 久雨也'《集韻》.

16 [靂] [人名] 력 [入]錫 郞擊切 lì
㉔
[字解] 천둥 력, 벼락 력 霹(雨部 十三畫)을 보라. '霹一'.
[字源] 形聲. 雨＋歷〔音〕

◉雷霆霹靂. 靑天霹靂.

16 [靃] [一] 확 [入]藥 虛郭切 huò
㉔ [二] 수 [上]紙 息委切 suǐ
[字解] [一] 나는소리 확 새 같은 것이 날아다니는 소리. '雨而雔飛者, 其聲一然'《說文》. [二] 쇠잔할 수 '一靡'는 풀이 쇠잔한 모양. 일설(一說)에는 풀이 바람에 나부끼는 모양. '薠草一靡'《楚辭》.
[字源] 甲骨文 篆文 會意. 雨＋雔. '雔수'는 한 쌍의 새. 비 오는데 함께 날아가는 새의 날갯소리의 뜻을 나타냄. [二]는 雨＋雔〔音〕의 形聲.

[靃靡 수미] ㉠풀이 쇠잔한 모양. ㉡풀이 바람에 나부끼는 모양.

16 ㉔ [靄] 人名 애 ㊄泰 於蓋切 ㊤賄 依亥切 ǎi 霭

字解 ①놀 애 공중의 수증기에 해가 비치어 붉게 보이는 기운. '朝—'. '夕—'. '連氛累—'《謝靈運》. ②피어오를 애 구름이 뭉게뭉게 피어 오르는 모양. '停雲——, 時雨濛濛'《陶潛》.

字源 篆文 形聲. 雨+藹〈省〉〔音〕. '雨우'는 구름. '藹애'는 수목이 무성하여 덮이는 모양. 구름이 피어오르는 모양을 나타냄.

[靄乃 애내] 노를 저으며 부르는 노랫소리. 뱃노래를 부르는 소리.
[靄散 애산] 연무가 흩어짐.
[靄靄 애애] 구름이 피어오르는 모양. 구름이 끼는 모양.
[靄然 애연] 애애(靄靄).
◉江靄. 嵐靄. 茶靄. 淡靄. 晚靄. 暮靄. 芳靄. 山靄. 夕靄. 宿靄. 晻靄. 黯靄. 埃靄. 野靄. 烟靄. 窅靄. 遙靄. 遠靄. 林靄. 朝靄. 蒼靄. 彩靄. 川靄. 淺靄. 靑靄. 春靄. 香靄. 曉靄.

16 ㉔ [靇] 롱 ㊥東 盧東切 lóng

字解 천둥소리 롱 우렛소리. '——'

[靇靇 농롱] 천둥소리. 우렛소리.

16 ㉔ [靈] 高·人 령 ㊥靑 郞丁切 líng 灵

筆順

字解 ①신령 령 신명(神明). '—皇皇兮旣降'《楚辭》. ②신령할 령 신기하여 인지(人智)로써 알 수 없음. 또, 그러한 사물. '—妙'. '蓋人心之—, 莫不有知'《大學章句》. ③영 령, 영혼 령 ㉠만유(萬有)의 정기(精氣). '惟人萬物之—'《書經》. ㉡인체의 정기(精氣). '不可入於—府'《莊子》. ㉢죽은 사람의 혼백. '告先帝之—'《諸葛亮》. ㉣천(天)·지(地)·인(人) 삼재(三才)의 일컬음. '荅三—之蕃祉'《班固》. ㉤일(日)·월(月)·성(星)의 일컬음. '獵三—之流'《揚雄》. ㉥생명·명수(命數). '竊國—'《揚子法言》. ④정성 령 진심. '橫大江兮揚—'《楚辭》. ⑤존엄 령 존귀하여 범할 수 없음. '若以君之—'《國語》. ⑥행복 령, 은총 령 '寵—顯赫'《後漢書》. ⑦좋을 령 令(人部 三畫)과 통용. '—雨旣零'《詩經》. ⑧성 령 성(姓)의 하나.

字源 金文 篆文 別體 形聲. 篆文은 王+霝〔音〕. '霝령'은 기도하는 말을 늘어놓아 비 내리기를 빌다의 뜻. '王옥'은 '옥'의 뜻. 신을 섬길 때 옥을 쓰므로 덧붙였음. 別體는 '巫무'를 곁들여 '무당'의 뜻. 기우제를 올리는 사람, 무당의 뜻을 나타내고, 파생하여 넋, 신령하다의 뜻을 나타냄.

[靈駕 영가]《佛敎》영혼(靈魂).
[靈感 영감] 신불의 영묘한 감응.
[靈鑑 영감] ㉠뛰어난 감식(鑑識). ㉡신불(神佛)이 봄.
[靈境 영경] 영지(靈地).
[靈契 영계] 자연의 이수(理數)의 회합.
[靈界 영계] 영혼의 세계. 정신세계.
[靈鼓 영고] 육면(六面)으로 된 북. 지기(地祇)를 제사 지낼 때 썼음.
[靈光 영광] 신령한 빛. 이상한 빛. 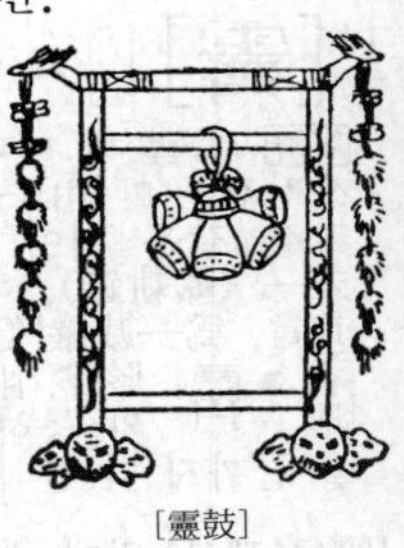
[靈怪 영괴] 이상함. 또, 그 물건.
[靈柩 영구] 시체(屍體)를 넣는 관.
[靈窟 영굴] 신령한 굴. 신불(神佛)이 있는 굴.
[靈鬼 영귀] 신령한 귀신.
[靈龜 영귀] 신령스러운 거북. 만년(萬年)의 수명(壽命)을 갖는다는 거북.
[靈均 영균] 굴원(屈原)의 자(字).

[靈鼓]

[靈禽 영금] 영조(靈鳥).
[靈氣 영기] 영묘(靈妙)한 심기(心氣).
[靈囊 영낭] 영묘(靈妙)한 주머니. 전(轉)하여, 존위(尊位)에 있어 사방을 포유(包有)하는 일.
[靈丹 영단] 이상한 효능이 있는 환약.
[靈壇 영단] 신선이 사는 곳.
[靈堂 영당] ㉠영검스러운 신불(神佛)이 있는 당(堂). ㉡사당(祠堂).
[靈臺 영대] ㉠마음. 정신. ㉡주문왕(周文王)의 지붕이 없는 대(臺). ㉢천문대(天文臺).
[靈德 영덕] 영묘(靈妙)한 덕(德).
[靈媒 영매] 신령(神靈)이나 사자(死者)의 혼령(魂靈)과 의사(意思)를 득통(得通)한 매개자(媒介者). 무당·판수 따위.
[靈命 영명] '명령(命令)'의 경칭(敬稱).
[靈木 영목] 신령한 나무.
[靈夢 영몽] 신령한 꿈.
[靈妙 영묘] 신령하고 기묘(奇妙)함.
[靈苗 영묘] 훌륭하고 좋은 묘목(苗木).
[靈廟 영묘] 사당(祠堂).
[靈武 영무] ㉠인간으로서는 상상할 수 없는 뛰어난 무용(武勇). ㉡간쑤 성(甘肅省)의 옛 현명(縣名). 안녹산(安祿山)의 난(亂)에 현종(玄宗)이 촉(蜀)으로 피난하였을 때 당(唐)나라 숙종(肅宗)이 이곳에서 즉위했음.
[靈物 영물] 신령한 물건.
[靈魄 영백] 영혼(靈魂).
[靈保 영보] 무당. 판수.
[靈寶 영보] 뛰어나게 훌륭한 보배.
[靈峰 영봉] 영산(靈山).
[靈府 영부] 영혼이 있는 곳. 곧, 마음. 정신.
[靈符 영부] 영검이 있는 부적(符籍).
[靈芬 영분] 썩 좋은 향기.
[靈氛 영분] 옛날에 점을 잘 친 사람의 이름.
[靈祕 영비] 신비(神祕)스러움.
[靈砂 영사] 수은(水銀)을 고아서 결정체(結晶體)로 만든 약재(藥材). 홍령사(紅靈砂)와 백령사(白靈砂)가 있음.
[靈祠 영사] 신령스러운 사당. 영검 있는 사당.
[靈山 영산] ㉠신불(神佛) 등을 제사 지내는 산. 신령한 산. ㉡도가(道家)에서, '봉래산(蓬萊山)'의 별명(別名). ㉢《佛敎》'영취산(靈鷲山)'의 준말.
[靈爽 영상] ㉠아주 신묘(神妙)한 일. ㉡영혼(靈魂) ❶.
[靈璽 영새] 천자의 인장(印章)의 존칭(尊稱). 옥새(玉璽).
[靈胥 영서] 수신(水神) 이름. 오자서(伍子胥)를 제사 지낸 자라 함.

[靈犀 영서] ㉠영검이 있는 무소. ㉡영서일점통(靈犀一點通).
[靈瑞 영서] 신령한 상서(祥瑞).
[靈犀一點通 영서일점통] 영검이 있는 무소의 뿔은 한 가닥의 흰 줄이 밑에서부터 끝에까지 통하고 있다는 말에서, 피차의 마음과 마음이 암묵(暗默) 중에서도 통함을 이름. 영서(靈犀).
[靈星 영성] 별 이름. 곡식 농사를 맡은 별.
[靈沼 영소] ㉠주(周)나라 문왕(文王)의 이궁(離宮)에 있는 못. ㉡영묘(靈妙)한 못.
[靈秀 영수] 뛰어남. 빼어남. 신수(神秀).
[靈脩 영수] 신명(神明)이 멀리 나타나는 일.
[靈獸 영수] 신령한 짐승. 기린(麒麟) 따위.
[靈辰 영신] 길한 날. 곧, 음력 정월 칠일. 인일(人日).
[靈液 영액] ㉠영묘(靈妙)한 물. ㉡'이슬[露]'의 별칭(別稱).
[靈藥 영약] 영묘(靈妙)한 약. 효험이 신기하게 나는 약.
[靈羊 영양] 영양(羚羊).
[靈圉 영어] 신선(神仙)의 이름.
[靈輿 영여] 상여(喪輿).
[靈域 영역] 영지(靈地).
[靈然 영연] ㉠영묘(靈妙)한 못. ㉡마음[心]을 이름.
[靈烏 영오] 신묘(神妙)한 까마귀.
[靈屋 영옥] 사당(祠堂).
[靈曜 영요] ㉠'태양(太陽)'의 별칭(別稱). ㉡하늘.
[靈耀 영요] ㉠이상한 빛. ㉡영요(靈曜)❶㉠.
[靈雨 영우] 때맞추어 오는 비. 감우(甘雨).
[靈運 영운] 하늘의 도움을 받은 운명.
[靈運子孫俱得鳳 영운자손구득봉] 진(晉)나라 사영운(謝靈運)의 자손은 모두 봉황(鳳凰) 같은 현인(賢人)이라는 말.
[靈源 영원] 영묘한 근원. 곧, 마음[心]을 이름.
[靈位 영위] 신주(神主). 위패(位牌).
[靈威 영위] 신묘(神妙)한 위광(威光).
[靈囿 영유] 문왕(文王)의 영묘한 덕을 기리어 백성들이 그의 대(臺)를 영대(靈臺)라 하고, 대하(臺下)의 동산을 영유(靈囿)라 했음.
[靈肉 영육] 영혼과 육체(肉體).
[靈隱 영은] 저장성(浙江省) 항저우 시(杭州市) 서호(西湖) 가에 있는 산 이름. 고대의 허유(許由)·갈홍(葛洪) 등이 은거한 곳임.
[靈應 영응] 영묘(靈妙)한 감응(感應).
[靈衣 영의] ㉠영묘한 옷. ㉡죽은 사람이 평소에 입던 옷.
[靈異 영이] 영묘하고 이상함.
[靈輀 영이] 영차(靈車).
[靈人 영인] 신선(神仙).
[靈長 영장] ㉠영묘(靈妙)하고 오래감. ㉡영묘한 힘을 가진 것 중에서 첫째가는 것.
[靈場 영장] 신불을 봉사한 신성한 곳.
[靈迹 영적] 신령한 내력이 있는 고적(古迹). 신불(神佛)에 관한 고적.
[靈蹟 영적] 영적(靈迹).
[靈前 영전] ㉠신령(神靈)의 앞. ㉡혼령(魂靈)의 앞.
[靈祭 영제] 법사(法事)·추선공양(追善供養) 등의 제자.
[靈祚 영조] 큰 복조(福祚).
[靈祖 영조] 덕이 뛰어난 조상.
[靈鳥 영조] 영묘(靈妙)한 새. 봉황새 따위.
[靈座 영좌] 영위(靈位).
[靈地 영지] 신성한 토지. 또, 그 사찰(寺刹) 등의 경내. 영역(靈域). 영경(靈境).
[靈芝 영지] 모균류(帽菌類)에 속하는 버섯의 일종. 균산(菌傘)은 신장형(腎臟形)으로 윤이 나고 몹시 딱딱함. 말려서 약용 또는 장식용·애완용으로 함. 복초(福草)라고도 하며, 상서로운 것으로 여김.
[靈知 영지] 마음.
[靈祉 영지] 영조(靈祚).
[靈智 영지] 영묘한 지혜.
[靈車 영차] 관(棺)을 실은 수레. 영구차.
[靈刹 영찰] 절이 있는 영지(靈地).
[靈泉 영천] ㉠영묘한 샘. 약효가 뛰어난 샘. ㉡영검이 있는 온천.
[靈草 영초] 영묘(靈妙)한 풀. 불사(不死)의 약초(藥草).
[靈寵 영총] 신불(神佛) 등의 은총.
[靈樞經 영추경] 고의서(古醫書)의 이름. 침구(鍼灸)를 논함. 12권. 저자 불명임.
[靈鷲山 영취산]《佛教》중인도(中印度)에 있는 산 이름. 석가여래가 설법(說法)한 곳. 산 모양이 독수리 같다는 데서, 또 일설(一說)에는 독수리가 많이 산다는 데서 지은 이름이라 함.
[靈櫬 영츤] 영혼을 편안하게 하는 널.
[靈畤 영치] 신성한 제사 터.
[靈鼉之鼓 영타지고] 자라 껍데기로 메운 훌륭한 북. 타고(鼉鼓).
[靈通 영통] ㉠감초(甘草)의 별칭(別稱). ㉡상호간에 감통(感通)하는 일. ㉢민첩함.
[靈品 영품] 진귀한 물품.
[靈墟 영허] 사당·불각 등이 있는 신령한 고적(古迹).
[靈驗 영험] 신불(神佛)의 영묘(靈妙)한 감응(感應).
[靈慧 영혜] 뛰어나고 지혜가 있음.
[靈魂 영혼] ㉠넋. 정신. 영백(靈魄). ㉡사람의 육체를 지배하는 정신 현상(精神現象)의 본원(本源).
[靈魂不滅說 영혼불멸설] 육체(肉體)는 죽음과 함께 없어지나, 영혼(靈魂)은 육체를 떠나서 영원(永遠)히 생존한다고 하는 학설.
[靈煦 영후] 신기하게 따뜻함.
◉乾靈. 坤靈. 光靈. 群靈. 穹靈. 萬靈. 萬物之靈. 亡靈. 明靈. 冥靈. 廟靈. 民靈. 百靈. 炳靈. 伏靈. 不靈. 四靈. 死靈. 山靈. 上靈. 祥靈. 生靈. 仙靈. 性靈. 粹靈. 淑靈. 神靈. 心靈. 惡靈. 陽靈. 嚴靈. 英靈. 五靈. 曜靈. 怨靈. 月靈. 威靈. 慰靈. 幽靈. 人傑地靈. 人靈. 人萬物之靈. 資靈. 情靈. 精靈. 帝靈. 祖靈. 尊靈. 衆靈. 至靈. 地靈. 淸靈. 葱靈. 芻靈. 忠靈. 河靈. 含靈. 海靈. 皇靈.

16 ㉔ [靆] 체 ㊤隊 徒耐切 dài ㊤賄 蕩亥切 靆

字解 구름낄 체 구름이 끼는 모양. '一, 靉一, 雲皃'《集韻》.

字源 形聲. 雲+逮[音]

◉靉靆.

16 ㉔ [霰] 〔산〕 霰(雨部 十二畫〈p. 2506〉)의 本字

17 ㉕ [𩆵] 〔기〕
羈(网部 十七畫〈p.1794〉)의 俗字

17 ㉕ [䨤] [一] 사 ㊥支 息移切 sī
[二] 선 ㊀霰 蘇佃切 xiàn

[字解] [一] 비뚝뚝들을 사 비가 뚝뚝 오기 시작함. [二] 싸라기 선 빗방울이 얼어 내리는 것. 霰(雨部 十二畫)과 同字.

[字源] 篆文 形聲. 雨+鮮〔音〕. '鮮선'은 적다, 성기다의 뜻.

17 ㉕ [䨮] 섬 ㊥鹽 子廉切 jiān

[字解] ①이슬비 섬 가랑비보다 가는 비. '細雨謂之—'《集韻》. ②비부슬부슬올 섬 비가 오는 모양. ③담글 섬 물에 담금. '—, 漬也'《康熙字典》.

[字源] 形聲. 雨+韱〔音〕

17 ㉕ [靉] 애 ㊀隊 烏代切 ài 靉

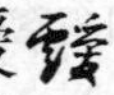

[字解] ①구름낄 애 구름이 많이 끼는 모양. 또, 구름이 뭉게뭉게 피어오르는 모양. '—靆'. '—霼'. '高堂梧與竹, ——排空靑'《顧瑛》. ②모호할 애 흐릿한 모양. 자세하지 않은 모양. '仿像其色, —霼其形'《木華》.

[字源] 形聲. 雲+愛〔音〕. '愛애'는 휘감겨 붙다의 뜻. 구름이 끼는 모양을 나타냄.

[靉靉 애애] 구름이 많이 끼는 모양. 일설(一說)에는, 수목이 무성한 모양.
[靉靆 애체] ㉠구름이 많이 모이는 모양. ㉡'안경(眼鏡)'의 이명(異名).
[靉霼 애희] 구름이 낀 모양. 또, 모호한 모양. 자세하지 아니한 모양.

18 ㉖ [靊] 풍 ㊥東 敷馮切 fēng

[字解] 뇌신(雷神) 풍 '—霳'은 우레를 맡은 신. 뇌사(雷師). '—霳, 雷師'《集韻》.

[字源] 形聲. 雨+豐〔音〕

19 ㉗ [靋] 력 ㊇錫 郎狄切 lì

[字解] 비그치지않을 력 '霖—'은 비가 그치지 않는 모양. '—, 霖—, 雨不止皃'《集韻》.

28 ㊱ [𩇓] 대 ㊀隊 徒罪切 duì

[字解] 구름모양 대 구름의 모양. '—, 雲貌'《篇海》.

靑 (8획) 部

〔푸를청부〕

0 ⑧ [靑] [中人] 청 ㊥靑 倉經切 qīng 靑

[筆順] 一 二 丰 丰 青 青 青 靑

[字解] ①푸른빛 청, 푸를 청 ㉠청색. 푸름. '—出於藍, 而—於藍'《荀子》. ㉡봄·동쪽·젊음 등의 뜻으로 쓰임. '—春'. '—年'. '祭—帝'《史記》. ②땅이름 청 옛날의 구주(九州)의 하나. 지금의 산둥 성(山東省) 지방. ③대껍질 청 대나무의 외피(外皮). '殺—簡以寫經書'《後漢書》. ④성 청 성(姓)의 하나.

[字源] 金文 篆文 古文 形聲. 丹+生〔音〕. '生생'은 푸른 풀이 나다의 뜻. '丹단'은 우물 난간 속의 물감의 뜻. 푸른 풀빛의 물감의 뜻에서, '푸르다'의 뜻을 나타냄.

[參考] ①'靑청'을 의부(意符)로 하는 문자의 예는 적으나 자형(字形) 분류상 부수로 설정됨. ②青(次條)은 俗字.

[靑簡 청간] 서적(書籍)의 일컬음. 옛날에 종이가 없을 때에 푸른 대껍질을 불에 쬐어 기름기를 빼고 글씨를 썼으므로 이름.
[靑剛石 청강석] 단단하고 빛이 푸른 옥돌.
[靑剛水 청강수] '염산(鹽酸)'의 속칭.
[靑蓋車 청개차] 천자(天子) 또는 황태자가 타는 덮개가 푸른 수레.
[靑溪 청계] 푸른 시내.
[靑空 청공] 푸른 하늘. 창궁(蒼穹).
[靑丘 청구] ㉠신선이 산다는 땅. ㉡별 이름. 진수(軫宿) 동남쪽에 있는 일곱 별. ㉢《韓》㉡의 별이 우리나라를 맡고 있다는 신앙에서, 우리나라의 별칭(別稱)으로 쓰임. 또, 동방(東方)의 나라라는 뜻이 있음.
[靑穹 청궁] 푸른 하늘. 창궁(蒼穹).
[靑宮 청궁] 동궁(東宮). 오행설(五行說)에서 청(靑)은 동(東)·봄〔春〕에 배당했으므로 이름.
[靑橘 청귤] 빛이 푸른 귤(橘).
[靑衿 청금] ㉠깃이 푸른 옷. 학생이 입던 것. ㉡학생의 일컬음.
[靑襟 청금] 청금(靑衿).
[靑氣 청기] 푸른 기운.
[靑旗 청기] 주점(酒店)에 세우는 기. 청렴(靑帘).
[靑囊 청낭] ㉠옛날에 진(晉)나라 곽박(郭璞)이 곽공(郭公)에게서 청색(靑色) 주머니에 넣은 책을 받아서 천문(天文)·복서(卜筮)·의술(醫術)에 정통하였다는 고사(故事). ㉡약주머니. ㉢천문(天文)·복서(卜筮)·의술(醫術)에 관한 책을 이름. ㉣도장을 넣는 주머니.
[靑女 청녀] ㉠서리와 눈을 맡은 신(神). ㉡'서리〔霜〕'의 이명(異名).
[靑年 청년] 나이가 젊은 사람. 청(靑)은 젊음의 뜻.
[靑寧 청녕] 대나무 뿌리에 생기는 벌레.
[靑奴 청노] 대오리로 길고 둥글게 만든 제구. 여름밤에 끼고 누워 서늘한 기운을 취함. 죽부인(竹夫人).
[靑棠 청당] 자귀나무, 곧 '합환(合歡)'의 별칭(別稱).
[靑黛 청대] ㉠쪽으로 만든 검푸른 물감. ㉡눈썹을 그리는 푸른 먹.
[靑桐 청동] 벽오동(碧梧桐).
[靑銅 청동] ㉠구리와 주석을 주성분(主成分)으로 한 합금(合金). ㉡청동으로 만든 돈. ㉢거울.
[靑瞳 청동] 푸른 눈동자.
[靑童君 청동군] 신선(神仙).
[靑燈 청등] 푸른 등불. 청사등롱(靑紗燈籠).

[靑藤 청등] 푸른 등나무.
[靑螺 청라] ㉠껍데기가 푸른 소라. ㉡멀리 보이는 푸른 산을 소라에 비유하여 이름.
[靑嵐 청람] 푸른 산의 기(氣). 이내. 남기(嵐氣).
[靑琅玕 청랑간] 빛이 푸른 보석(寶石).
[靑娘子 청랑자] 잠자리.
[靑廬 청려] 혼례(婚禮) 때 신부(新婦)가 일시 들어가 있기 위하여 시집의 문 옆에 푸른 막을 쳐 만든 곳.
[靑蓮 청련] ㉠푸른 연(蓮). ㉡당(唐)나라 이백(李白)의 호.
[靑帘 청렴] 주점(酒店)에 거는 기(旗). 주기(酒旗).
[靑龍 청룡] ㉠푸른 용. 창룡(蒼龍). ㉡이십팔수(二十八宿) 중에서 동방(東方)에 있는 각(角)·항(亢)·저(氐)·방(房)·심(心)·미(尾)·기(箕)의 일곱 성수의 총칭. ㉢사신(四神)의 하나. 동쪽 하늘을 맡은 신(神)으로, 푸른 용(龍)의 형상으로 상징함. ㉣가재의 일종. 갯가재.
[靑龍刀 청룡도] 보병(步兵)이나 기병이 가지고 싸움에 쓰는 청룡을 새긴 언월도(偃月刀).
[靑樓 청루] ㉠푸르게 칠한 누각. ㉡귀인(貴人)의 여자 또는 미인(美人)이 사는 집. ㉢노는계집의 집. 기생집. 기루(妓樓).
[靑蔓 청만] 푸른 만초(蔓草).
[靑梅 청매] 푸른 열매를 맺는 매화나무. 열매를 꿀에 담갔다가 먹음. 소금에 담갔다가 말린 것을 백매(白梅)라 함.
[靑盲 청맹] 청맹과니.
[靑冥 청명] ㉠푸른 하늘. ㉡검(劍)의 이름.
[靑木香 청목향] 목향(木香).
[靑苗 청묘] ㉠국용(國用)이 급하여 벼가 익기 전에 세금을 과하는 일. ㉡송(宋)나라의 왕안석(王安石)의 신법(新法)의 한 가지. 싹이 파랄 때에 관(官)에서 돈 100문(文)을 대여하고 추수한 뒤에 이자 20문을 붙여 상환하게 하였음.
[靑苗法 청묘법] 청묘(靑苗).
[靑蕪 청무] ㉠푸르게 자란 풀. ㉡풀이 무성하게 자란 초원(草原).
[靑門 청문] ㉠한(漢)나라 장안성(長安城)의 동남문의 이름. 그 빛이 푸른 까닭임. 패성문(霸城門). ㉡악곡(樂曲) 이름.
[靑盼 청반] 청안(靑眼).
[靑蕃 청번] 무성하여 푸름.
[靑碧 청벽] 옥(玉)의 푸른빛.
[靑蚨 청부] ㉠부유(蜉蝣)의 일종. ㉡'돈〔錢〕'의 별칭(別稱).
[靑士 청사] '대나무〔竹〕'의 별칭(別稱).
[靑史 청사] 역사(歷史). 사서(史書). 옛날 종이가 없을 때에 푸른 대껍질을 불에 쬐어 기름기를 빼고 글씨를 썼으므로 이름.
[靑蛇 청사] 빛이 푸르고 머리가 큰 뱀. 오래되면 귀가 생긴다고 함.
[靑絲 청사] 푸른 실.
[靑詞 청사] 도가(道家)에서 제사에 쓰는 문체(文體). 또는 그 문장. 청등지(靑藤紙)에 붉은 글씨로 씀.
[靑絲穿 청사천] 빛이 푸른 돈꿰미.
[靑山 청산] ㉠나무가 무성한 푸른 산. ㉡묘지(墓地). '청산가매골(靑山可埋骨)' 참조. ㉢안후이성(安徽省) 당도현(當塗縣) 동남쪽에 있는 산 이름. 일명(一名) 청림산(靑林山). 남제(南齊)의 사조(謝朓)가 이곳에 집을 지었으므로 사공산(謝公山)이라고도 함.
[靑山可埋骨 청산가매골] 도처에 청산이 있어서 뼈를 묻을 수 있음. 남자는 반드시 고향에서 묻혀야 한다는 법은 없다는 말.
[靑山白雲人 청산백운인] 높은 산의 흰 구름이 끼는 곳에 은거한 사람.
[靑山流水 청산유수] 말을 잘하는 것을 이름.
[靑山一髮 청산일발] 넓은 바다 위에 멀리 푸른 산이 한 가닥의 실처럼 보임의 형용.
[靑山在屋上 청산재옥상] 푸른 산이 지붕 위에 높이 솟아 있음.
[靑山只麽靑 청산지마청] 푸른 산이 그 모습을 언제나 변하지 않음을 이름.
[靑珊瑚 청산호] 청랑간(靑琅玕).
[靑衫 청삼] ㉠푸른 옷. ㉡청년(靑年).
[靑孀 청상] 청상과부(靑孀寡婦).
[靑孀寡婦 청상과부] 나이가 젊은 과부(寡婦).
[靑葙子 청상자] 개맨드라미의 씨. 약제(藥劑)로 씀. 강남조.
[靑色 청색] 푸른빛. 퍼렁.
[靑鼠 청서] 설치류(齧齒類)에 속하는 동물. 다람쥐 비슷한데 조금 크며 깊은 산의 나무 굴 속에 삶.
[靑石 청석] 빛이 푸른 돌.
[靑蔬 청소] 푸성귀.
[靑霄 청소] 푸른 하늘.
[靑少年 청소년] 청년과 소년.
[靑松 청송] 푸른 소나무.
[靑松白沙 청송백사] 푸른 소나무와 흰 모래. 해안(海岸)의 아름다운 경치.
[靑瑣 청쇄] 대궐의 문. 궁문. 한(漢)나라 때 궁문에 쇠사슬 같은 모양을 새기고 푸른 칠을 했으므로 이름.
[靑蠅 청승] ㉠쉬파리. ㉡미운 소인(小人)의 비유.
[靑蠅染白 청승염백] 쉬파리가 희고 깨끗한 물건을 더럽힌다는 뜻으로, 소인이 군자(君子)를 해침의 비유.
[靑蠅點素 청승점소] 청승염백(靑蠅染白).
[靑娥 청아] 소녀(少女). 젊은 미인(美人).
[靑蛾 청아] ㉠아름다운 눈썹. ㉡미인(美人).
[靑眼 청안] 기뻐하는 눈. 귀여워하는 눈. 백안(白眼)의 대(對).
[靑靄 청애] 푸른빛을 띤 놀.
[靑陽 청양] ㉠'봄〔春〕'의 별칭(別稱). ㉡천자(天子)의 동당(東堂). 맹춘(孟春)에 거처하는 전당.
[靑魚 청어] ㉠청어과에 속하는 바닷물고기. 비웃. 비어(鯡魚). ㉡빛이 푸른 물고기.
[靑玉 청옥] ㉠푸른 옥(玉). ㉡'대나무〔竹〕'의 별칭(別稱).
[靑蛙 청와] 청개구리.
[靑要 청요] ㉠서리와 눈을 맡은 신(神). ㉡눈〔雪〕을 이름.
[靑雨 청우] 댓잎에 떨어지는 비.
[靑牛車 청우거] 노자(老子)가 푸른빛의 소가 끄는 수레를 타고 함곡관(函谷關)을 지나 서역(西域)으로 들어간 고사(故事).
[靑雲 청운] ㉠푸른 하늘. 청천(靑天). ㉡고관(高官)의 지위를 이름. ㉢속세를 떠난 은일(隱逸), 또 고상한 지조(志操)의 비유. ㉣미덕 영예(美德令譽)를 비유하는 말. ㉤입신출세(立身出世)를 이르는 말.
[靑雲客 청운객] ㉠청운(靑雲)의 뜻을 품은 사람.

㉡높은 벼슬에 오른 사람.
[青雲紫陌 청운자맥] 의기상투(意氣相投)하지 않음을 이름.
[青雲志 청운지] ㉠은거하고자 하는 마음. 세속(世俗)에 초연한 지조(志操). ㉡출세하고자 하는 마음.
[青雲之交 청운지교] 같이 벼슬한 동료의 교분.
[青雲之士 청운지사] ㉠학덕(學德)이 높은 사람. ㉡고관(高官) 자리에 오른 사람.
[青衣 청의] ㉠푸른 옷. ㉡천한 사람이 입는 옷. ㉢하인(下人).
[青一髮 청일발] 물 위로 멀리 머리카락 한 올을 잡아 늘인 것같이 보이는 육지(陸地)의 경치.
[青子 청자] ㉠'감람(橄欖)'의 별칭(別稱). ㉡'매실(梅實)'의 별칭.
[青瓷 청자] 푸른 빛깔의 자기.
[青紫 청자] 한대(漢代)에 구경(九卿)은 푸른 인끈을, 공후(公侯)는 자주 인끈을 썼으므로, 공경(公卿)의 지위를 이름.
[青磁 청자] 청자(青瓷).
[青雀 청작] ㉠콩새, 곧 '상호(桑扈)'의 이칭(異稱). ㉡'익(鷁)새'의 이칭. 옛날에 이 새의 형상을 뱃머리에 그렸으므로, 전(轉)하여 '배'의 뜻으로 쓰임. ㉢한무제(漢武帝)의 대(臺) 이름.
[青錢 청전] ㉠청동으로 만든 돈. 푸른 돈. ㉡연(蓮)의 잎을 형용하는 말.
[青錢萬選 청전만선] 청동 만전(青銅萬錢)만 있으면 과거(科擧)에 만 번도 급제(及第)할 수 있다는 뜻으로, 돈의 위력이 큼을 말함.
[青帝 청제] 봄을 맡은 동쪽의 신(神). 오행설(五行說)에서 청색은 봄[春]·동(東)에 배당됨.
[青鳥 청조] ㉠푸른 빛깔의 새. 파랑새. ㉡사자(使者). 또, 편지. 동방삭(東方朔)이 푸른 새가 온 것을 보고 서왕모(西王母)의 사자라고 한 고사에서 나온 말.
[青珠 청주] '낭간(琅玕)'의 별칭(別稱).
[青州從事 청주종사] 좋은 술[酒]의 이칭(異稱).
[青天 청천] 푸른 하늘. 청운(青雲).
[青天白日 청천백일] ㉠맑게 갠 날. ㉡심사가 명백하여 조금도 은폐하거나 의혹하는 것이 없음. ㉢혐의 또는 원죄(冤罪)가 풀림.
[青天霹靂 청천벽력] 청천의 뇌명(雷鳴)이라는 뜻으로, 필세(筆勢)의 비동(飛動)함의 형용. 또, 뜻밖에 생기는 일. 변.
[青青 청청] ㉠푸릇푸릇한 모양. ㉡초목이 무성한 모양.
[青塚 청총] ㉠푸른 이끼가 낀 무덤. ㉡왕소군(王昭君)의 무덤. 청총(青冢).
[青春 청춘] ㉠봄의 절기(節氣). 초목이 무성하고 푸르러서 이름. 또는 봄[春]은 동방(東方), 동방은 청색(青色)이므로 이름. ㉡젊은 나이. 청년(青年). 청(青)은 젊음의 뜻.
[青出於藍而青於藍 청출어람이청어람] 쪽에서 뽑아낸 푸른 물감이 쪽보다 더 푸르다는 말로, 제자(弟子)가 스승보다 나음의 비유.
[青苔 청태] ㉠푸른 이끼. ㉡갈파래.
[青萍 청평] ㉠푸른 부평초. ㉡고대의 명검(名劍) 이름.
[青萍結綠 청평결록] 청평은 명검(名劍), 결록은 미옥(美玉)의 이름.
[青蒲 청포] 푸른 부들로 엮은 천자(天子)가 까는 자리.
[青漢 청한] 푸른 하늘. 청천(青天).
[青翰 청한] 새 모양을 새기고 푸른색을 칠한 배.
[青海 청해] ㉠푸른 바다. ㉡칭하이 성(青海省) 북동부에 있는 중국 최대의 함수호(鹹水湖). ㉢중국 북서부의 성(省). 지세(地勢)가 험준한 대고원 지대로 황허·양쯔 강 등의 발원을 이룸. 옛날에는 서융(西戎)의 지역(地域)으로 한(漢)나라 때까지는 서강(西羌), 동진(東晉)에서 당(唐)나라 때까지는 토욕혼(吐谷渾)의 근거지였으며, 명(明)나라 때엔 몽고(蒙古)에 편입되었었음. 성도(省都)는 시닝(西寧).
[青血 청혈] 푸른 피. 생피. 선혈(鮮血).
[青熒 청형] ㉠푸르게 빛나는 모양. 옥(玉)의 광택을 이름. ㉡등불의 푸른빛.
[青花 청화] ㉠벼루[硯]의 꽃무늬. ㉡자기(瓷器)의 한 가지.
[青黃 청황] ㉠푸른빛과 누른빛. ㉡봄의 푸른 잎과 가을의 누런 잎. 사철의 즐거운 풍경. ㉢칼의 빛. ㉣장식. 색채.
[青黃不接之候 청황부접지후] '青'은 햇곡식, '黃'은 묵은 곡식. 묵은 곡식이 떨어지고, 아직 햇곡식은 나지 않은 때. 보릿고개. 또, 한때 생활고를 겪음의 비유.
◉紺青. 空青. 群青. 男青. 碌青. 丹青. 淡青. 踏青. 黛青. 冬青. 萬年青. 白青. 碧青. 殺青. 石青. 水青. 純青. 深青. 女青. 瀝青. 遙青. 刺青. 田青. 曾青. 葱青. 翠青. 扁青. 縹青. 汗青.

0 ⑧ [青] 青(前條)의 俗字

3 ⑪ [啨] 정 (平)庚 玆盈切 qíng
字解 뜻 정 情(心部 八畫)의 古字. '一文俱盡'《史記》.

5 ⑬ [靖] 人名 정 (上)梗 疾郢切 jìng (去)敬 疾正切
筆順 亠 立 立 竏 竫 靖 靖 靖
字解 ①꾀할 정 좋은 계책을 생각함. '自作弗一'《書經》. ②다스릴 정 처리함. '俾予一之'《詩經》. ③편안히할 정 잘 다스리어 안락하게 함. '吾以一國'《左傳》. ④편안할 정 안온 무사하여 조용함. '一譖庸回'《左傳》. ⑤조용할 정 靜(青部 八畫)과 同字. '天性怡一'《宋書》. ⑥성 정 성(姓)의 하나.
字源 篆文 形聲. 立+青[音]. '青청'은 '靜정'과 통하여 '조용하다'의 뜻. 조용히 서다, 편안하다의 뜻을 나타냄.

[靖嘉 정가] 편안하고 화락함.
[靖共 정공] 삼가 힘씀. 공(共)은 공(恭).
[靖匡 정광] 천하를 잘 다스리어 바로잡음.
[靖國 정국] 나라를 태평하게 다스림.
[靖難 정난] ㉠국가의 위난(危難)을 평정함. ㉡정난사(靖難師).
[靖難師 정난사] 명(明)나라의 연왕(燕王) 체(棣)가 군측(君側)의 간신을 제거한다는 명의로 일으킨 군사(軍士)의 칭호.
[靖邊 정변] 변방을 다스려 편안히 함.
[靖綏 정수] 안온함. 또, 안온하게 함.
[靖節 정절] 깨끗한 절개.

[靖獻 정헌] 선왕(先王)의 영(靈)에 성의를 다하는 일.
◉嘉靖. 簡靖. 綏靖. 安靖. 恬靖. 寧靖. 底靖. 淸靖. 祝靖. 閑靖.

6 ⑭ [靘] 정 ①㊀徑 千定切 qìng ②㊀敬 疾正切 jìng

字解 ①감색 정, 청흑색 정 검푸른 빛. '玄猿啼深—'《李華》. ②안존할 정 靚(次次條)과 同字. '桃李晨粧—'《韓愈》.
字源 形聲. 色+靑〔音〕.

◉深靘. 粧靘.

6 ⑭ [静] 靜(次次條)의 略字

7 ⑮ [靚] 人名 정 ㊀敬 疾政切 jìng ㊤梗 疾郢切

筆順 ⼆ ⺦ ⺼ 青 青 青 靚 靚

字解 ①단장할 정 화장함. '昭君豐容—飾, 光明漢宮'《後漢書》. ②단장 정 화장. '—糚刻飾'《司馬相如》. ③안존할 정 여자가 얌전하고 조용한 모양. '意態閒且—'《貢師泰》. ④조용할 정 靜(次條)과 同字. '若深淵之—'《賈誼》. ⑤부를 정 '—, 召也'《說文》.
字源 篆文 形聲. 見+靑〔音〕. '靑청'은 '請청'과 통하여 접견(接見), 초청의 뜻. 불러서 만나 주다, 부르다의 뜻을 나타냄.

[靚飾 정식] 정장(靚妝).
[靚衣 정의] 아름답게 꾸민 옷.
[靚妝 정장] 화장함. 또, 화장.
[靚莊 정장] 정장(靚妝).
[靚粧 정장] 정장(靚妝).
◉深靚. 妝靚. 華靚.

8 ⑯ [靜] 中人 정 ㊤梗 疾郢切 jìng ㊀敬 疾正切

筆順 ⼆ ⺦ ⺼ 青 青 靑 靜 靜

字解 ①조용할 정 ㉠움직이지 아니함. '—水'. '壽夭數也, 非鈍銳動—所制'《唐子西集》. ㉡얌전함. 안존함. '—女'. '—壽躁夭'. ㉢말이 없음. '吾其—也'《國語》. ㉣소리가 없음. 고요함. '—寂'. '—閒安些'《楚辭》. ②조용히 정 전항의 부사. '—觀'. '無言無思, —以待時'《申子》. ③조용히할 정 조용하게 함. '綏—諸侯'《左傳》. ④깨끗할 정 청결함. '籩豆—嘉'《詩經》. ⑤깨끗이할 정 청결하게 함. '—其巾羃'《國語》. ⑥쉴 정 휴식함. '百官—事毋刑'《禮記》.
字源 金文 篆文 形聲. 爭+靑〔音〕. '爭쟁'은 '다툼'의 뜻. '靑청'은 아주 맑다의 뜻. 다툼이 맑게 끝나다, 조용해지다의 뜻을 나타냄.
參考 静(前前條)은 略字.

[靜嘉 정가] 깨끗하고 아름다움.
[靜客 정객] 연꽃을 이르는 말.
[靜居 정거] 조용히 삶.
[靜憩 정게] 조용히 쉼.
[靜境 정경] 조용한 장소.
[靜鏡 정경] 고요한 거울. 물이 맑고 고요함의 형용.
[靜觀 정관] 마음을 조용히 가라앉히고 사물을 「봄.
[靜氣 정기] ㉠고요한 기운. ㉡기운을 가라앉힘.
[靜女 정녀] 얌전한 여자. 또, 절개가 굳은 여자.
[靜寧 정녕] 조용하고 평온함. 세상이 평온함.
[靜樂 정락] 조용히 즐김.
[靜慮 정려] 정사(靜思).
[靜脈 정맥] 노폐(老廢)한 피를 심장으로 돌려보내는 핏줄.
[靜默 정묵] 조용하고 말이 없음.
[靜謐 정밀] 세상이 잘 다스려져 조용함.
[靜僻 정벽] 조용한 두메.
[靜步 정보] 조용히 걸음. 한보(閑步).
[靜舍 정사] 절. 사찰.
[靜思 정사] 고요히 생각함.
[靜攝 정섭] 정양(靜養).
[靜水 정수] 흐르지 않는 물. 지수(止水).
[靜修 정수] 마음을 안존히 하고 몸을 닦음.
[靜邃 정수] 조용하고 그윽함.
[靜壽躁夭 정수조요] 마음을 안존히 하는 사람은 수(壽)하고, 조급히 구는 사람은 일찍 죽음.
[靜淑 정숙] 거동이 안존하고 마음이 착함.
[靜肅 정숙] ㉠고요하고 엄숙(嚴肅)함. ㉡여관(女官) 이름.
[靜勝熱 정승열] 심신을 조용히 하면 번열(煩熱)을 이김.
[靜息 정식] 조용해져 그침.
[靜室 정실] ㉠방을 깨끗이 함. ㉡조용한 방.
[靜心 정심] 고요한 마음. 또는 마음을 고요히 가라앉힘.
[靜深 정심] 조용하고 깊숙함.
[靜晏 정안] 정태(靜泰).
[靜遏 정알] 조용히 막음.
[靜養 정양] 심신을 조용히 하여 양생함.
[靜語 정어] 조용히 이야기함. 조용한 이야기. 정화(靜話).
[靜言 정언] ㉠조용히 말함. ㉡교묘하게 이야기함. 교언(巧言).
[靜嚴 정엄] 조용하고 엄숙함.
[靜域 정역] 조용한 장소.
[靜然 정연] 조용한 모양. 고요한 모양.
[靜淵 정연] 마음이 조용하고 깊음.
[靜影沈璧 정영침벽] 달 그림자가 고요한 물결에 비침의 형용.
[靜穩 정온] 고요하고 평온함.
[靜意 정의] 마음을 안정시킴.
[靜寂 정적] 고요함.
[靜躁 정조] ㉠고요함과 시끄러움. ㉡안존함과 조급함.
[靜坐 정좌] 심신을 조용히 하고 단정히 앉음. 가라앉힘.
[靜坐法 정좌법] 고요히 앉아 호흡을 조정하고 마음을 가라앉혀 정신 수양과 신체의 건강을 꾀하는 방법.
[靜止 정지] 고요하고 움직이지 아니함.
[靜聽 정청] 조용히 들음.
[靜治 정치] 조용히 다스려짐.
[靜泰 정태] 조용하고 태평함.
[靜閒 정한] 조용하고 한가함.
[靜閑 정한] 정한(靜閒).
[靜虛 정허] 마음이 조용하고 공허함.

[靜好 정호] 조용하고 좋음.
[靜和 정화] 마음이 조용하고 온화함.
[靜話 정화] 정어(靜語).
◉簡靜. 空靜. 寬靜. 謹靜. 冷靜. 端靜. 澹靜. 動靜. 密靜. 綏靜. 肅靜. 愼靜. 安靜. 養靜. 淵靜. 恬靜. 寧靜. 幽靜. 隱靜. 寂靜. 貞靜. 躁靜. 主靜. 至靜. 鎭靜. 淸靜. 沖靜. 沈靜. 湛靜. 退靜. 平靜. 風波靜. 閒靜. 和靜. 虛靜. 玄靜.

8⑯ [靛] 전 ㊔霰 堂練切 diàn

字解 청대(靑黛) 전 쪽으로 만든 검푸른 물감. 또, 그 물감으로 물을 들임. '藍質浮水面者爲一花'《本草》.
字源 形聲. 靑＋定〔音〕

[靛子 전자] 보석의 이름. 푸른 것.
◉水靛. 莊靛. 吐靛. 開靛.

8⑯ [瀞] 청 ㊔徑 千定切 qìng

字解 찰 청 瀞(水部 十五畫)과 同字. '瀞, 說文, 冷寒也. 或从仌'《集韻》.

非 (8획) 部
〔아닐비부〕

0⑧ [非] 中人 비 ㊥微 甫微切 fēi, ⑤fěi

筆順 丿 ⺈ ⺕ ⺕ 㐀 非 非 非

字解 ①아닐 비 그렇지 아니함. '城一不高也'《孟子》. ②어긋날 비 위배됨. '一禮'. ③그를 비 옳지 아니함. '覺今是而昨一'《陶潛》. ④그르다 할 비 옳지 않다고 함. '俗儒不達時宜, 好是古一今'《漢書》. ⑤헐뜯을 비 비방함. 誹(言部 八畫)와 통용. '一聖人者無法'《孝經》. ⑥나무랄 비 책망함. '責人一我'《漢書》. ⑦성 비 성(姓)의 하나.
字源 金文 篆文 象形. 서로 등을 지고 좌우로 벌리는 모양을 본떠 등지다, 어긋나다의 뜻을 나타냄. 파생하여 부정(否定)의 조사로 쓰임.
參考 '非비'를 의부(意符)로 하여, '어긋나다, 헤어지다'의 뜻을 포함하는 문자를 이룸.

[非據 비거] 있어서는 안 될 곳에 있다는 뜻으로, 재능이 없이 높은 지위에 있음을 이름.
[非計 비계] 나쁜 계책.
[非公式 비공식] 공식이 아님.
[非金屬 비금속] 금속이 아닌 물질.
[非幾 비기] 나쁜 조짐(兆朕).
[非冀 비기] 비망(非望).
[非其鬼而祭之諂也 비기귀이제지첨야] 제사 지낼 조상이 아닌데 제사 지냄은 신(神)에게 아첨하는 짓임.
[非難 비난] 남의 결점(缺點)을 초들어 말함.
[非但 비단] '다만'의 뜻. 부정의 경우에 씀.
[非短 비단] ㉠결점(缺點). 흠. ㉡헐뜯음.
[非道 비도] 도리(道理)에 어긋남.
[非禮 비례] 예의에 어긋남.
[非禮之禮 비례지례] 예의에 맞는 것 같으면서도 실제로는 맞지 않는 예의.
[非類 비류] 동류(同類)가 아닌 것.
[非理 비리] 도리가 아님.
[非望 비망] ㉠신분(身分)에 넘치는 소망(所望). ㉡예기하지 아니함. 생각하지도 아니함. ㉢바라지 아니함. 소망이 아님.
[非賣品 비매품] 팔지 않는 물건.
[非命 비명] 천명(天命)이 아님. 천명이 아닌 불시의 변사. 횡사(橫死). 정명(正命)의 대(對).
[非命橫死 비명횡사] 비명(非命).
[非謀 비모] ㉠나쁜 일을 꾀함. ㉡옳은 꾀가 아님.
[非夢似夢間 비몽사몽간] 잠이 들락 말락 한 때. 깰락 말락 한 때.
[非凡 비범] 평범하지 아니함. 뛰어남.
[非法 비법] 불법(不法).
[非夫 비부] 대장부가 아님. 사내답지 않음.
[非分 비분] 신분에 지나침.
[非非 비비] 잘못을 잘못이라고 함.
[非事 비사] 일이 아님.
[非常 비상] ㉠보통(普通)이 아님. 심상(尋常)하지 아니함. ㉡소동. 사변(事變). ㉢《佛教》무상(無常).
[非常線 비상선] 화재 또는 범죄 사건이 일어났을 때 경찰관이 일정한 범위를 한정하여 치는 경계선.
[非常時 비상시] 심상(尋常)치 아니한 때. 사변(事變) 등이 발생하였을 때.
[非常之人 비상지인] 비범(非凡)한 사람.
[非想天 비상천]《佛教》무색계(無色界)의 사천(四天)의 최상천(最上天). 무위 무상(無爲無想)의 경지.
[非笑 비소] 비방하여 웃음.
[非俗 비속] 속인(俗人)이 아닌 사람. 곧 승려(僧侶)를 이름.
[非時 비시]《佛教》㉠일중(日中)부터 후야(後夜)까지. ㉡오후의 식사(食事).
[非心 비심] 좋지 아니한 마음. 사심(邪心).
[非訐 비알] 남의 잘못을 비방하고 들추어냄.
[非業 비업] ㉠하지 않아도 좋은 일. 좋지 않은 일. 부당한 사업. ㉡《佛教》정당한 죄가 아님. 전세의 업인(業因)이 아니고 현세의 재난에 의한 죽음.
[非吾徒 비오도] ㉠내 제자(弟子)가 아니라는 뜻으로, 가르침을 배반하는 자를 말함. ㉡우리 편이 아님. 동료의 주의(主義)에 어긋남을 이름.
[非爲 비위] 정도(正道)에 어긋난 행위. 불량한 행위.
[非有非空 비유비공]《佛教》제법(諸法)의 실상(實相)은 유(有)와 공(空)에 치우치지 아니한 중도(中道)임.
[非義 비의] 도의에 어그러짐.
[非意 비의] 뜻밖임.
[非議 비의] 논의(論議)하여 비난함.
[非人 비인] ㉠인간(人間)이 아님. ㉡폐질(癈疾)에 걸린 사람. 불구자. 폐인(廢人).
[非認 비인] 승인하지 아니함.
[非訾 비자] 헐뜯음. 비방함.
[非戰員 비전원] 군대에 소속되었으나 직접 전쟁

에 참가하지 아니하는 사람.
[非情 비정]《佛敎》정(情)을 갖추지 않은 것. 곧, 초목 토석(草木土石) 따위.
[非朝則夕 비조즉석] 아침이 아니면 저녁이라는 뜻으로, 기한(期限)이 임박한 것을 이름.
[非族 비족] 같은 겨레붙이가 아닌 사람.
[非池中物 비지중물] 못 속의 용(龍)은 언젠가는 때를 만나 하늘에 오름. 곧, 영웅(英雄)은 세상에 묻혀 있어도 때를 만나면 반드시 공명(功名)을 이룬다는 말.
[非次 비차] 순서에 맞지 아니함.
[非行 비행] 그른 행실(行實). 좋지 못한 행동(行動).
[非毁 비훼] 헐뜯음. 비방함.
◉嫁非. 覺非. 姦非. 格非. 禁非. 今是昨非. 百非. 辯足以飾非. 負非. 似而非. 先非. 世情非. 是非. 是是非非. 心非. 養非. 悟非. 浮非. 理非. 匿非. 昨非. 前非. 節非.

[韭] 〔구〕 部首(p. 2536)를 보라.

3 ⑪ [啡] 배 ㊥灰 鋪枚切 pēi, ②fēi
字解 ①숨소리 배 잘 때의 호흡 소리. ②《現》커피 배 '咖─'는 커피의 음역(音譯).
字源 形聲. 口+非〔音〕

[斐] 〔비〕 文部 八畫(p. 947)을 보라.

[蜚] 〔비〕 虫部 八畫(p. 2019)을 보라.

[裴] 〔배〕 衣部 八畫(p. 2068)을 보라.

[翡] 〔비〕 羽部 八畫(p. 1809)을 보라.

[輩] 〔배〕 車部 八畫(p. 2271)을 보라.

5 ⑬ [䩇] 〔고〕 苦(艸部 五畫〈p. 1908〉)와 同字

7 ⑮ [靠] 고 ㊤號 苦到切 kào 靠
字解 기댈 고 의지함. 속문(俗文)에 쓰임. '依─'.
字源 篆文 形聲. 非+告〔音〕

7 ⑮ [靠] 靠(前條)와 同字

11 ⑲ [靡] 人名 ━ 미 ㊤紙 文彼切 mǐ ㊥支 忙皮切 mí ━ 마 ㊥歌 眉波切 mó 靡
字解 ━ ①쓰러질 미, 쏠릴 미 초목(草木) 또는 기(旗) 따위가 센 바람에 쓰러지거나 쏠림. '望其旗─'《左傳》. 전(轉)하여, 따름. 복종함. '風─'. '燕從風而─'《史記》. ②쓰러뜨릴 미, 쏠리게할 미 전항의 타동사. '夫上化下, 猶風─草'《說苑》. ③호사할 미 사치함. '奢─'. '以政令禁物─而均市'《周禮》. ④화려할 미 화미(華美)함. '華─'. '─麗'. 또, 그러한 일. '有任俠之─'《左思》. ⑤다할 미 없어짐. '百姓─於外'《戰國策》. ⑥없을 미 無(火部 八畫)와 뜻이 같음. '命─常'《書經》. ⑦말 미 금지의 말. 勿(勹部 二畫)과 뜻이 같음. '─有所穩'《漢書》. ⑧물가 미 수애(水涯). '玓瓅江─'《史記》. ⑨나눌 미 분할함. 나누어 가짐. '我有好爵, 吾與爾─之'《易經》. ⑩멸할 미, 멸망할 미 糜(米部 十一畫)와 통용. '─爛其民'《孟子》. ⑪써없앨 미 금전 등을 낭비함. 糜(米部 十一畫)와 통용. '無─費之用'《荀子》. ━ 갈 마 摩(手部 十一畫)와 同字. '與物相刃相─'(마음과 외물(外物)이 서로 다툼)《莊子》.
字源 篆文 形聲. 非+麻〔音〕. '非비'는 '분리하다'의 뜻. '麻마'는 물에 담근 삼의 뜻. 섬유를 빼내기 위하여 물에 불린 삼 껍질이 힘없이 쓰러지는 모양에서, '쓰러지다, 문드러지다'의 뜻을 나타냄.

[靡傾 미경] 쏠려 기울어짐.
[靡勸 미권] 쏠려 권함. 붙좇아 권함.
[靡徒 미도] ㉠올바르지 못한 모양. ㉡준순(逡巡).
[靡爛 미란] 썩어 문드러짐. 또, 썩어 문드러지게 함.
[靡拉 미랍] 쓰러져 꺾임.
[靡麗 미려] 화려함.
[靡寧 미령] 병(病)이 있어 몸이 편하지 못함.
[靡曼 미만] ㉠보드랍고 고운 살결. 미색(美色)을 이름. ㉡문장(文章)의 아름다움을 비유하여 이름.
[靡靡 미미] ㉠쓰러지는 모양. ㉡천천히 걷는 모양. 느릿느릿한 모양. ㉢다해 없어지는 모양. ㉣순풍(順風)이 부는 모양. ㉤서로 의지하는 모양. ㉥소리가 곱고 아름다운 모양. ㉦정숙한 모양.
[靡薄 미박] 경박하여 독실하지 않음.
[靡徙 미사] ㉠정도(正道)를 잃은 모양. ㉡자제(自制)하는 모양.
[靡然 미연] 붙좇는 모양. 따라오는 모양.
[靡衣媮食 미의투식] 고운 옷을 입고 맛있는 음식을 탐내며 장래를 생각하지 아니함.
[靡盡 미진] 멸하여 없어짐. 또, 멸하여 없앰.
[靡草 미초] 지엽이 가는 풀.
[靡他 미타] 무타(無他)❶.
[靡敝 미폐] 재물이 없어지고 백성이 피폐함.
◉江靡. 綺靡. 妙靡. 封靡. 浮靡. 奢靡. 胥靡. 麗靡. 妖靡. 委靡. 淫靡. 猗靡. 迤靡. 離靡. 雕靡. 纖靡. 草靡. 摧靡. 侈靡. 波流弟靡. 風靡. 披靡. 華靡.

面 (9획) 部
〔낯면부〕

0 ⑨ [面] 中 人 면 ㊤霰 彌箭切 miàn 
筆順 一 丆 丅 丙 而 而 面 面 面

字解 ①낯 면 얼굴. 얼굴의 바닥. '顔—'. '—貌'. '—無作色'《世說》. ②면 면 ㉠겉. '外—'. '西湖水—, 唯務深闊'《宋史》. ㉡수학에서 평면을 이름. '多—形'. ③쪽 면 방향. '方—'. '——'. ④탈 면 종이·나무 따위로 만든 얼굴의 모양. '用鐵—自衛'《晉書》. ⑤만날 면 대면함. '—會'. '帝每—稱之曰, 此黠兒也, 當有所成'《顏氏家訓》. ⑥뵐 면 웃어른을 대하여 보고 절을 함. '出必告, 反必—'《禮記》. ⑦향할 면 얼굴을 그쪽으로 돌리어 대함. '不學牆—'《書經》. ⑧면전 면 그 사람 앞에서. 눈앞에서. '—責'. '汝無—從, 退有後言'《書經》. ⑨등질 면 반대 방향으로 향함. '馬童—之'('馬童'은 사람 이름)《史記》.

字源 篆文 象形. 篆文은 '𡇢'. 사람의 머리 부분의 象形인 '百수'에 얼굴의 윤곽을 나타내는 '口위'를 붙여 사람의 얼굴의 뜻을 나타냄.

參考 ①'面면'을 의부(意符)로 하여 안면에 관한 문자를 이룸. 부수의 이름은 '낯면부'. ②靣(次條)은 俗字.

[面見 면견] 눈앞에서 봄.
[面決 면결] 눈앞에서 결정함.
[面結 면결] ㉠대면하여 직접 약속을 맺음. ㉡겉으로는 번드르르하게 하는 교제.
[面鏡 면경] 작은 거울.
[面交 면교] 겉만 차리는 교우(交友). 교제.
[面具 면구] 탈. 가면(假面).
[面欺 면기] 눈앞에서 속임.
[面談 면담] 서로 만나서 이야기함.
[面對 면대] 서로 얼굴을 대(對)함.
[面刀 면도] 면도칼.
[面謾 면만] 눈앞에서 거짓말을 함.
[面面 면면] 각 방면(方面).
[面命 면명] 눈앞에서 명령하거나 가르침.
[面命提耳 면명제이] 면전에서 가르치고 귀를 당겨 일러 줌. 곧 아주 친절히 일러 줌.
[面貌 면모] 얼굴의 모양.
[面目 면목] ㉠얼굴의 생긴 모양. ㉡남을 대(對)하는 체면. ㉢모양. 상태.
[面門 면문] 입[口]을 이름.
[面駁 면박] 대면하여 논박(論駁)함.
[面縛 면박] 손을 뒤로 하여 묶음.
[面壁 면벽] ㉠달마(達磨)가 소림사(小林寺)에서 아홉 해 동안 벽을 향하여 좌선한 고사(故事). ㉡좌선(坐禪)하는 일.
[面壁九年 면벽구년] 면벽(面壁)㉠.
[面部 면부] 안면의 부분. 얼굴.
[面分 면분] 사이가 가깝지 않고 얼굴만 알 만한 교분(交分).
[面朋 면붕] 면우(面友).
[面謝 면사] 대면하여 사죄함.
[面上 면상] 얼굴. 얼굴 위.
[面相 면상] 면모(面貌).
[面像 면상] 면모(面貌).
[面色 면색] 얼굴빛.
[面首 면수] 얼굴과 머리털이 아름다운 남자.
[面數 면수] 면책(面責).
[面熟 면숙] 얼굴을 잘 알게 됨. 낯이 익음.
[面試 면시] 면전에서 시험함.
[面飾 면식] 얼굴의 치장. 단장. 화장.
[面識 면식] 얼굴을 서로 앎.
[面藥 면약] 얼굴에 발라 한열(寒熱)을 막는 약.
[面禳 면양] 사면(四面)의 신(神)에게 제사 지내어 역려(疫癘)를 예방함.
[面語 면어] 만나 이야기함.
[面如土 면여토] 몹시 놀라 얼굴이 흙빛이 됨.
[面譽 면예] 마주 대하고 칭찬함.
[面晤 면오] 서로 만나 봄.
[面辱 면욕] 면전(面前)에서 욕(辱)을 함.
[面友 면우] 거탈로만 사귄 친구.
[面諛 면유] 마주 대하고 아첨함.
[面衣 면의] 얼굴을 가리는 옷.
[面引 면인] 대면하여 그 사람의 허물을 들어 책망함.
[面子 면자] 체면. 면목.
[面長 면장] 한 면(面)의 우두머리.
[面牆 면장] 담을 면(面)한다는 뜻으로, 식견(識見)이 좁음을 이름.
[面爭廷論 면쟁정론] 면절정쟁(面折廷爭).
[面詆 면저] 직접 대면하고 꾸짖음.
[面積 면적] 물건의 평면(平面)의 넓이. 지면(地面)의 넓이.
[面前 면전] 면대(面對)한 앞. 그 사람 앞. 눈앞.
[面折 면절] 마주 대고 과실을 힐책함.
[面折廷爭 면절정쟁] 조정에서 마주 대하여 나무라고 다툼. 곧 장소를 가리지 않고 아무 거리낌없이 다툼.
[面接 면접] 서로 대면하여 만나 봄. 면대(面對).
[面從 면종] 그 사람이 보는 데서만 복종(服從)함.
[面從後言 면종후언] 보는 데서는 복종하고, 안 보는 데서는 비난함.
[面奏 면주] 배알(拜謁)하고 상주(上奏)함.
[面陳 면진] 대면하고 이야기함.
[面叱 면질] 대면(對面)하여 꾸짖음.
[面質 면질] 대질(對質)함. 무릎맞춤.
[面責 면책] 대면(對面)하여 책망(責望)함.
[面稱 면칭] 직접 대면하고 칭찬함.
[面歎 면탄] 마주 대하고 찬탄함.
[面皰 면포] 여드름.
[面皮 면피] 낯가죽. 전하여, 남을 대하는 면목.
[面皮厚 면피후] 낯가죽이 두꺼움. 염치가 없음. 후안무치함.
[面汗 면한] 부끄러워하여 얼굴에 땀이 남.
[面話 면화] 면담(面談).
[面會 면회] 만남. 대면함. 면접(面接).
[面詰 면힐] 마주 대하고 힐문함.

◉假面. 鏡面. 鯨面. 刮面. 廣面. 嬌面. 垢面. 球面. 局面. 鬼面. 南面. 藍面. 內面. 路面. 露面. 多面. 斷面. 當面. 對面. 黛面. 韜面. 東面. 馬面. 磨面. 滿面. 文面. 反面. 半面. 方面. 背面. 白面. 屛面. 譜面. 覆面. 北面. 粉面. 四面. 私面. 斜面. 上面. 西面. 書面. 晳面. 扇面. 雪面. 洗面. 沼面. 素面. 笑面. 小人革面. 水面. 羞面. 瘦面. 繡面. 鬢面. 識面. 顏面. 仰面. 額面. 髥面. 玉面. 外面. 凹面. 圓面. 月面. 梨面. 裏面. 人面. 人心如面. 一面. 立面. 字面. 赭面. 粧面. 場面. 牆面. 全面. 前面. 正面. 照面. 池面. 紙面. 地面. 直面. 塵面. 千里猶對面. 凸面. 鐵面. 剃面. 體面. 皺面. 醜面. 醉面. 側面. 他面. 唾面. 土面. 八面. 便面. 平面. 表面. 皮面. 下面. 海面. 湖面. 花面. 畫面. 黃面. 會面. 後面. 毁面.

0 ⑧ [靣] 面(前條)의 俗字

3 ⑫ [䩉] 〔뉵〕
䩌(面部 四畫〈p.2519〉)과 同字

3 ⑫ [靬] 〔간〕
皯(皮部 三畫〈p.1516〉)과 同字

3 ⑫ [耐] 〔내·능〕
耐(而部 三畫〈p.1818〉)의 訛字

4 ⑬ [䩊] 담 [去]勘 丁紺切 dàn
[字解] 완고할 담 완고함. 완고하고 졸렬함. '—䩞'. '—, 頑劣皃'《集韻》.

4 ⑬ [䩋] 䩊(前條)과 同字

4 ⑬ [䩌] 뉵 [入]屋 女六切 niǔ
[字解] 부끄러울 뉵 부끄러움. '—, 慙也, 亦作䩉'《篇海》.

4 ⑬ [䩍] 방 [去]絳 匹降切 pàng
[字解] 면종날 방 얼굴에 종기가 남. '—, 面腫'《集韻》.

5 ⑭ [靤] 포 [去]效 防教切 pào
[字解] 면종 포 얼굴에 나는 부스럼.
[字源] 形聲. 面+包〔音〕

6 ⑮ [䩐] 〔난〕
䩘(面部 九畫〈p.2519〉)과 同字

7 ⑯ [靦] 전 [上]銑 他典切 tiǎn
[字解] ①부끄러워할 전 무안해함. '慙—'. '愧—'. ②볼 전 ㉠사람을 면대하고 보는 모양. '有—面目'《詩經》. ㉡면목이 있어 사람을 보는 모양. '余雖—然而人面哉. 吾猶禽獸也'《國語》.
[字源] 篆文 別體 形聲. 面+見〔音〕. '見견'은 '보다'의 뜻. 맞대 놓고 상대의 얼굴을 보다의 뜻을 나타냄. 別體는 面+旦〔音〕. '旦단'은 위로 분명히 나타나다의 뜻. 빤히 상대의 얼굴을 보는 모양.

[靦愧 전괴] 부끄러워함. 무안해함.
[靦懼 전구] 부끄러워하고 두려워함.
[靦顏 전안] 부끄러워하는 얼굴.
[靦然 전연] 면목이 있어 사람을 보는 모양.
[靦怍 전작] 전괴(靦愧).
[靦慙 전참] 전괴(靦愧).
[靦汗 전한] 부끄러워하여 땀이 남.
◉愧靦. 負靦. 增靦. 慙靦.

7 ⑯ [䩒] 보 [上]麌 扶雨切 fǔ
[字解] 광대뼈 보 輔(車部 七畫)와 同字. '靨—在頰則好, 在顙則醜'《淮南子》.
[字源] 篆文 形聲. 面+甫〔音〕. '甫보'는 '輔보'와 통하여 '위턱'의 뜻. 얼굴의 양 볼의 뜻을 나타냄.
◉靨䩒.

7 ⑯ [䩞] 닉 nì
[字解] 수심띤얼굴 닉 수심 띤 얼굴. '—, 愁面'《玉篇》.

9 ⑱ [䩘] 난 [上]潸 乃版切 nǎn
[字解] 부끄러워얼굴붉힐 난 '—, 䩐—, 色赧'《集韻》.

9 ⑱ [䩙] 산 [去]翰 蘇貫切 suàn
[字解] 얼굴넓을 산 얼굴이 넓음. '—, 面博也'《篇海》.

10 ⑲ [䩚] 면 [去]霰 莫甸切 miàn
[字解] 피땀 면 '—炫'은 피와 같은 땀. '—炫, 汗血'《集韻》.

10 ⑲ [䩛] 구 [上]有 去久切 qiǔ
[字解] 얼굴못생길 구 얼굴이 못생김. '—, 䩉—, 面醜'《集韻》.

12 ㉑ [靧] 회 [去]隊 荒內切 huì
[字解] 세수할 회 낯을 씻음. '面垢, 燂潘, 請—'《禮記》.
[字源] 形聲. 面+貴〔音〕

[靧面 회면] 낯을 씻음. 세수함.

12 ㉑ [䩜] 년 [上]銑 乃殄切 niǎn
[字解] 앳된얼굴빛 년 앳된 얼굴빛. 젊어 보이는 안색(顏色). '—, 靦—, 少色'《集韻》.

12 ㉑ [䩝] [一] 선 [平]先 荀緣切 xuān
[二] 단 [去]翰 徒玩切
[字解] [一] 둥근얼굴 선 둥근 얼굴. '䪜, 圓面也, 或作—'《集韻》. [二] 둥근얼굴 단 [一]과 뜻이 같음.

12 ㉑ [䩞] 초 ①②[平]蕭 慈消切 qiáo
③[去]嘯 子肖切
[字解] ①얼굴야윌 초 얼굴이 파리함. '—, 面焦枯小也'《說文》. ②근심할 초 걱정함. '—, 憂也'《廣雅》. ③얼굴에윤기없을 초 '—, 面不澤也'《集韻》.
[字源] 形聲. 面+焦〔音〕

14 ㉓ [靨] 엽 [入]葉 於葉切 yè
[字解] 보조개 엽 웃을 때에 양쪽 볼에 오목하게

우물지는 자국. '笑—'. '嬌—'. '—輔奇牙'《楚辭》.
[字源] [篆文] 形聲. 面+厭〔音〕. '厭염'은 누르다, 오목하게 패다의 뜻. 볼의 오목하게 들어간 부분, '보조개'의 뜻을 나타냄.

[靨輔 엽보] 보조개.
[靨笑 엽소] 보조개를 짓고 웃음.
[靨飾 엽식] 엽전(靨鈿).
[靨鈿 엽전] 여자의 보조개 근처의 장식(裝飾).
◉嬌靨. 斤靨. 媚靨. 寶靨. 笑靨. 兩靨. 淺靨. 歡靨.

19 ㉘ [䩙] 〔라〕 儸(心部 十九畫〈p. 829〉)와 同字

革(9획)部
〔가죽혁부〕

0 ⑨ [革] [中][入] [一] 혁(격[本]) [入]陌 古核切 gé
[二] 극 [入]職 訖力切 jí

[筆順] 一 十 廾 廿 廿 苫 苫 莒 革

[字解] [一] ①가죽 혁 털을 벗긴 수피(獸皮). '날가죽. '羔羊之—'《詩經》. ②갑옷투구 혁 가죽으로 만든 갑주(甲冑). '衽金—'《中庸》. ③팔음의하나 혁 가죽을 팽팽하게 댄 악기. 곧, 북 따위. '皆播之以八音, 金石土—絲木匏竹'《周禮》. ④혁괘 혁 육십사괘(六十四卦)의 하나. 곧, ䷰〈이하(離下), 태상(兌上)〉. 옛것을 개혁하는 상(象). ⑤고칠 혁 변개함. '變—'. '改—'. '請—心易行'《晏子春秋》. ⑥털갈 혁 새 털이 남. '鳥獸希—'《書經》. ⑦펼 혁 날개를 벌림. '如鳥斯—'《詩經》. ⑧성 혁 성(姓)의 하나. [二] 중해질 극 위독하여짐. '夫子之病—矣'《禮記》.
[字源] [金文] [篆文] [古文] 象形. 金文은 머리부터 꼬리까지 벗긴 짐승 가죽을 본뜬 것으로 '가죽'의 뜻을 나타냄. 또 '改개'와 통하여 '고치다'의 뜻도 나타냄.
[參考] '革혁'을 의부(意符)로 하여 여러 가지 종류의 가죽 제품을 나타내는 문자를 이룸.

[革甲 혁갑] 갑옷.
[革改 혁개] 개혁(改革).
[革去 혁거] ㉠구법(舊法)의 폐해를 개혁함. ㉡직책을 박탈함. 파면함.
[革更 혁경] 고침. 또, 고쳐짐.
[革故 혁고] 옛것을 고침.
[革囊 혁낭] 가죽으로 만든 주머니.
[革帶 혁대] 가죽으로 만든 띠.
[革留 혁류] 청조(淸朝)의 제도(制度). '혁직유임(革職留任)'의 준말. 일단 면직당한 자가 그대로 유임하여 직무를 보는 일.
[革履 혁리] 가죽신.
[革面 혁면] 면모만 고치고 본심은 고치지 아니함.
[革命 혁명] ㉠이전의 통치자가 망하고 새 통치자가 대신함. 곧 왕조(王朝)가 바뀜. ㉡목적이 국가 사회의 기초에 관계되고, 행동이 헌법의 범위를 넘은 급격한 개혁.
[革船 혁선] 가죽을 꿰매어 만든 배.
[革新 혁신] 묵은 것을 고쳐서 새롭게 함.
[革音 혁음] 북소리.
[革正 혁정] ㉠고쳐 바로잡음. 바르게 고침. 개정함. ㉡태세(太歲)의 지지(地支)가 묘(卯)나 유(酉)로 된 해.
[革職 혁직] 청조(淸朝)의 제도로, 관직을 면함.
[革橐 혁탁] 가죽으로 만든 주머니. 혁낭(革囊).
[革罷 혁파] 폐지(廢止)함.
[革鞭 혁편] 가죽으로 만든 채찍.
[革弊 혁폐] 폐해(弊害)를 고침.
◉甲革. 改革. 檢革. 堅革. 矯革. 金革. 變革. 兵革. 刪革. 三革. 修革. 偃革. 沿革. 韋革. 鼇革. 鼎革. 鞗革. 剏革. 皮革. 希革.

2 ⑪ [靪] 정 [平]青 當經切 dīng
[字解] 기울 정, 신창받을 정 신창을 기워 꿰맴. '—, 補履下也. (段注) 今俗謂補綴曰打補—'《說文》.
[字源] [篆文] 形聲. 革+丁〔音〕. '革혁'은 '가죽신'의 뜻. '丁정'은 '치다'의 뜻. 가죽신의 바닥을 쳐서 수선하다의 뜻을 나타냄.

[勒] 〔륵〕 力部 九畫(p. 278)을 보라.

3 ⑫ [靫] [一] 채 [平]佳 楚佳切 chāi
[二] 차 [平]麻 初牙切 chā
[字解] [一] 전동 채 화살을 넣어 두는 통. '千—鳴鏑發胡弓'《元稹》. [二] 전동 차 [一]과 뜻이 같음.
[字源] 形聲. 革+叉〔音〕. '叉차'는 끼워 집다의 뜻. 화살을 끼워 넣어 두는 가죽제의 화살집, 전동의 뜻을 나타냄.

◉鞴靫. 箭靫.

3 ⑫ [靰] [一] 흘(홀[本]) [入]月 呼骨切 hū
[二] 격 [入]陌 紀彳切 jí
[字解] [一] 졸라맬 흘 졸라맴. 묶음. '—, 急擷'《玉篇》. [二] 쇠다리맬 격 소의 정강이를 맴. '靰, 說文, 繫牛脛, 或从乞'《集韻》.

3 ⑫ [靬] 규 [去]寘 居僞切 guì
[字解] 가죽 규 가죽. 무두질한 가죽. '—, 革也'《篇海》.

3 ⑫ [靬] 간 ①[平]寒 苦寒切 kān
②[平]刪 古閑切 jiān
[字解] ①가죽 간 마른 가죽. ②나라이름 간 '黎—'은 한대(漢代)의 서역(西域)에 있던 나라. 곧, 고대 로마 제국. '以大鳥卵及黎—眩人獻于漢'《漢書》.
[字源] [篆文] 形聲. 革+干〔音〕. '干간'은 '마르다'의 뜻. 말린 가죽의 뜻을 나타냄.

◉黎靬.

3 ⑫ [靬] [一] 우 [平]虞 雲俱切 yú
[二] 후 [平]虞 匈于切
[字解] [一] ①관(鞼)안쪽에두른가죽 우 수레의 가죽 마구(馬具)인 관(鞼)의 안쪽을 두른 가죽.

'一, 車環靼也'《廣韻》. ②뱃대끈 우 말의 뱃대끈. '一, 鞶革'《廣韻》. 【二】 관안쪽에두른가죽 후, 뱃대끈 후 【一】과 뜻이 같음.
[字源] 形聲. 革＋亏(于)〔音〕

3 ⑫ [靬] 靬(前條)의 本字

3 ⑫ [靮] 적 (入)錫 都歷切 dí

[字解] 고삐 적 한끝을 말의 재갈에 잡아매어 끄는 줄. '執羈一而從'《禮記》.
[字源] 篆文 形聲. 革＋勺〔音〕

◉羈靮. 執靮.

3 ⑫ [靯] 【一】 두 (上)麌 動五切 dù 【二】 토 (上)麌 秃五切

[字解] 【一】 전동 두 화살을 넣는 통. 전동. 살통. '一, 韉韔也'《集韻》. 【二】 수레깔개 토 수레 속의 깔개. '一, 韉, 鞰'《玉篇》.

3 ⑫ [靭] [人名] 인 (去)震 而振切 rèn

[字解] 질길 인 韌(韋部 三畫)과 同字.
[字源] 形聲. 革＋刃〔音〕. '刃인'은 '忍인'과 통하여 부드럽고 강하다의 뜻.

[靭帶 인대] 관절(關節)의 뼈를 잇는 탄력 있는 힘줄.
[靭皮 인피] 쌍자엽(雙子葉)식물, 나자(裸子)식물 따위의 줄기 형성층에서 세포의 분열에 의하여 바깥쪽에 이루어진 사관부(篩管部).
◉強靭. 堅靭.

4 ⑬ [鞁] 【一】 필 (入)質 簿必切 bì 【二】 비 (去)寘 部比切

[字解] 【一】 수레밧줄 필 수레 밧줄. '鞁, 車束也, 或从比'《集韻》. 【二】 짚신 비 짚신. '一, 鞋也'《字彙》.

4 ⑬ [靳] 근 (去)問 居焮切 jìn

[字解] ①가슴걸이 근 말 가슴에 걸어 안장에 매는 가죽끈. '如驂之有一'《左傳》. ②욕보일 근 수치를 당하게 함. '宋公一之'《左傳》. ③아낄 근 함부로 하지 아니함. '悔不少一'《後漢書》. ④성 근 성(姓)의 하나.
[字源] 篆文 形聲. 革＋斤〔音〕. 말의 가슴 부위를 걸어 죄는 가죽끈, 가슴걸이의 뜻을 나타냄.

[靳固 근고] 아껴 숨김.
[靳辱 근욕] 욕보임.
[靳靷 근인] 가슴걸이.
◉淩靳. 嗤靳. 笞靳.

4 ⑬ [靰] 앙 (平)陽 五剛切 áng (上)養 語兩切

[字解] ①가죽깐나막신 앙 '一角'은 가죽을 깐 나막신. '一角, 鞮履也'《廣雅》. ②실로짠신 앙 '一, 絲履也'《玉篇》. ③신코 앙 신의 앞머리. '一, 履頭'《廣韻》.
[字源] 形聲. 革＋卬〔音〕

4 ⑬ [靴] [人名] 화 (平)歌 許肥切 xuē

[字解] 신 화 가죽신. '一脚着一, 一脚跣足'《列仙傳》.
[字源] 形聲. 革＋化〔音〕

[靴笏 화홀] 가죽신과 홀. 모두 관복을 입을 때 쓰임.
◉軍靴. 短靴. 洋靴. 長靴. 着靴.

4 ⑬ [鞖] 【一】 타 (上)哿 徒果切 duò 【二】 삼 (平)咸 師銜切 shān 【三】 반 (平)寒 蒲官切 pán

[字解] 【一】 신뒤축 타 신 뒤축. '一, 履跟緣也'《玉篇》. 【二】 밀치끈드리워질 삼 밀치끈이 드리워진 모양. '鞶, 馬鞘垂皃, 或作一'《集韻》. 【三】 깃발 반 깃발. '一, 旒也'《字彙》.

4 ⑬ [靶] 파 (去)禡 必駕切 bà

[字解] ①고삐 파 말을 재갈에 잡아매어 끄는 줄. '王良執一'《漢書》. ②과녁 파 사적(射的). '山靈捧一'《闔寬》.
[字源] 篆文 形聲. 革＋巴〔音〕. '巴파'는 '把파'와 통하여 '잡다'의 뜻. 손에 쥐는 가죽제의 고삐의 뜻을 나타냄.

◉捧靶.

4 ⑬ [鞂] 갈 (入)黠 古八切 jiá

[字解] 언치 갈 언치. 안장 밑의 깔개. '一, 皮韉也'《篇海》.

4 ⑬ [靹] 기 (平)支 巨支切 qí

[字解] 바퀴통장식 기 바퀴통 장식. '一, 轂飾'《篇海》.

4 ⑬ [靷] [人名] 인 (去)震 羊晉切 yǐn (上)軫 余忍切

[字解] 가슴걸이 인 마소의 가슴에 걸어, 말은 안장에, 소는 멍에에 매는 끈. '鞍' 참조. '陰一鋈續'《詩經》.
[字源] 篆文 形聲. 革＋引〔音〕. '引인'은 '끌다'의 뜻. 마소에게 수레를 끌게 하기 위한 가죽끈의 뜻을 나타냄.

◉靳靷. 車靷. 皮靷. 韅靷.

4 ⑬ [靸] 【一】 삽 (入)合 蘇合切 sǎ 【二】 급 (韓)

[字解] 【一】 신 삽 어린아이가 신는 신. '草一'. '履一'. 【二】《韓》 제사신 급 제사(祭祀) 지낼 때 신는 신.
[字源] 篆文 形聲. 革＋及〔音〕. '及급'은 '따라붙다'의 뜻. 사람의 뒤에 따라붙어 떨

어지지 않는, 가죽신의 뜻을 나타냄.

[靸霅 삽잡] 빨리 달리는 모양.
[靸鞋 삽혜] 짚신.
[靸鞻 삽혜] 삽혜(靸鞋).
◉履靸. 草靸.

4 ⑬ [鞃] 〔굉〕
鞃(革部 五畫〈p. 2522〉)과 同字

4 ⑬ [靰] 〔면〕
緬(革部 九畫〈p. 2528〉)과 同字

4 ⑬ [靳] 지 (平)支 常支切 chí

字解 밀치끈 지 꼬리 밑에 걸어, 안장이나 길마에 매는 가죽끈. 껑거리끈. '一, 紂餘靼也'《集韻》.

4 ⑬ [靲] 【一】금 (平)侵 巨金切 qín
【一】금 (去)沁 巨禁切
【二】겸 (平)鹽 其淹切
【三】감 (去)勘 其闇切

字解 【一】①가죽신 금 '一, 鞮也'《說文》. ②오랑캐음악 금 '一鞻'는 사이(四夷)의 음악. '一, 一鞻, 四夷樂也'《廣韻》. ③가죽신끈 금 '一, 鞮帶也'《集韻》. ④가죽끈 금 '一, 束物韋也'《集韻》. 【二】 가죽신 겸 【一】❶과 뜻이 같음. 【三】 대껍질 새끼 감 '冪用疏布, 久之繫用一. (注)一, 竹篾也'《儀禮》.
字源 形聲. 革+今〔音〕

4 ⑬ [鞅] 【一】극 (入)陌 居逆切 jǐ
【二】군 (平)眞 區倫切

字解 【一】안장 극 안장(鞍裝). '一, 鞍也'《篇海》. 【二】 안장 군 【一】과 뜻이 같음.

4 ⑬ [靵] 〔뉴〕
紐(糸部 四畫〈p. 1715〉)의 俗字

4 ⑬ [靸] 사 (平)麻 師加切 shā
(平)歌 桑何切 suā

字解 ①가죽신 사 가죽신. 갖신. '一, 博雅, 鞜一, 韡也'《集韻》. ②악기이름 사 악기 이름. '一, 一鞄, 樂器'《類篇》.

5 ⑭ [靺] 人名 말 (入)曷 莫撥切 mò

字解 오랑캐이름 말 '一鞨'은 우리나라 함경도 이북 헤이룽 강(黑龍江) 일대에 살던 북적(北狄)의 별종(別種). '其先一鞨酋長'《唐書》.
字源 形聲. 革+末〔音〕

[靺鞨 말갈] 북적(北狄)의 별종(別種). 우리나라 함경도 이북으로부터 헤이룽 강(黑龍江) 일대에 걸쳐 살던 민족. 읍루(挹婁). 물길(勿吉).

5 ⑭ [靼] 단 (上)旱 儻旱切 dá

字解 ①다룬가죽 단. ②오랑캐이름 단 韃(革部 十三畫)을 보라. '韃一'.

字源 篆文 形聲. 革+旦〔音〕. '旦단'은 '평평하다'의 뜻. 털가죽의 털을 뽑고 지방을 제거하여 평평하게 만든 다룬 가죽의 뜻을 나타냄.

◉韃靼.

5 ⑭ [鞢] 설 (入)屑 私列切 xiè

字解 고삐 설 말의 재갈에 잡아매어 끄는 줄. '干笮革一'《儀禮》.
字源 形聲. 革+世〔音〕

◉革鞢.

5 ⑭ [靿] 요 (去)效 於敎切 yào

字解 신 요 가죽신. '長一靴, 畋獵豫遊則服之'《隋書》.
字源 形聲. 革+幼〔音〕

5 ⑭ [鞂] 거 (上)語 臼呂切 jù

字解 안갑 거 '一, 鞁也, 鞍也'《篇海》.

5 ⑭ [鞠] 구 (平)虞 權俱切 qú

字解 ①안장 구 안장. '一, 韉也'《廣雅》. ②병기 구 병기. 무기. '一, 兵器'《玉篇》. ③사나운말에지우는안장 구 사나운 말에 지우는 안장. '一鞴, 騬韉也'《博雅》.

5 ⑭ [鞀] 도 (平)豪 徒刀切 táo

字解 땡땡이 도 鼗(鼓部 六畫)와 同字. '命樂師, 修一鞞鼓'《禮記》.
字源 篆文 形聲. 革+召〔音〕. '召소'는 소리를 내어 가까이 부르다의 뜻. 사람을 부르는 데 신호로 쓰는, 가죽제의 '땡땡이'의 뜻을 나타냄.

5 ⑭ [鞁] 비 (去)寘 平義切 bèi

字解 ①가슴걸이 비 마소의 가슴에 걸어, 말은 안장에, 소는 멍에에 매는 끈. '吾兩一將絶, 吾能止之'《國語》. ②안갑 비 안장 위를 덮는 가죽. '一, 韉上被'《玉篇》.
字源 篆文 形聲. 革+皮〔音〕. '皮피'는 '被피'와 통하여 '덮어씌우다'의 뜻. 가죽제의 마구(馬具)의 뜻을 나타냄.

5 ⑭ [鞃] 굉 (平)蒸 胡肱切 hóng

字解 수레앞가로나무 굉 차체(車體)의 앞쪽에 댄 횡목(橫木). 곧 식(軾)으로서 차 위에서 절을 할 때 이 나무를 잡고 절을 함. 또 이 나무의 중앙을 감은 가죽. '鞹一淺幭'《詩經》.
字源 篆文 形聲. 革+弘〔音〕

◉鞹鞃.

5 ⑭ [鞂] 갈 [入]黠 古黠切 jiē

[字解] 볏짚 갈 벼의 알을 떨어낸 줄기. '莞簟之安, 而藁—之設'《禮記》.

[字源] 形聲. 革＋秸〈省〉〔音〕. '秸갈' 은 '짚'의 뜻.

◉藁鞂.

5 ⑭ [⿰革尼] 니 [上]薺 乃禮切 nǐ

[字解] ①고삐늘어진모양 니 고삐가 늘어진 모양. '—, 轡垂皃'《玉篇》. ②나긋나긋할 니 나긋나긋함. 유연함. '—, 輭也'《集韻》.

5 ⑭ [⿰革令] 령 [平]青 郎丁切 líng

[字解] 양새끼 령 양(羊)의 새끼. '—, 羊子'《篇海》.

5 ⑭ [鞄] 포 [平]肴 薄交切 páo, bāo

[字解] 혁공 포 날가죽을 무두질하는 장인(匠人).

[字源] 金文 篆文 形聲. 革＋包〔音〕. '包포' 는 '싸다'의 뜻. 물건을 싸는 데 쓰는 가죽, 다룬 가죽, 또 그 장인의 뜻을 나타냄.

5 ⑭ [⿰革氐] 제 [去]霽 丁計切 dì

[字解] ①신창받이할 제 신 창받이를 함. 기움. '—, 靪, 補履下也, 或从氐'《集韻》. ②가죽신 제 '—, 革履也'《說文》.

5 ⑭ [鞅] 앙 [上]養 於兩切 yǎng

[字解] ①가슴걸이 앙 마소의 가슴에 걸어 매는 끈. '羈—'. '抽劍斷—'《左傳》. 전(轉)하여, 자유를 속박하는 사물. 기반(羈絆). '世—'. '塵—'. '野逸所以就—'《晉書》. ②질 앙 물건을 등에 짐. '王事—掌'《詩經》. ③원망할 앙 怏(心部 五畫)과 통용. '居常——'《史記》.

[字源] 篆文 形聲. 革＋央〔音〕. '央앙'은 칼을 쓴 사람의 象形. 마소의 목에 댄 가죽끈, 가슴걸이의 뜻을 나타냄.

[鞅勒 앙륵] 말의 가슴걸이와 재갈.
[鞅靽 앙반] 말의 가슴걸이와 고삐.
[鞅鞅 앙앙] 불평을 품은 모양. 원망하는 모양.
[鞅掌 앙장] ㉠물건을 등에 지고, 또 손에도 든다는 뜻으로, 바쁘게 힘써 일하는 모양. ㉡자득(自得)한 모양. ㉢많은 모양.

◉歸鞅. 羈鞅. 掉鞅. 馬鞅. 世鞅. 轡鞅. 輪鞅. 掌鞅. 朱鞅. 塵鞅. 抽劍斷鞅. 解鞅.

5 ⑭ [⿰革玄] 현 [上]銑 胡畎切 xuàn

[字解] 칼집 현 칼을 넣어 두는 집. '—, 刀—也'《玉篇》.

5 ⑭ [靽] 반 [去]翰 博漫切 bàn

[字解] 줄 반 소나 말의 발을 매어 못 가게 하는 끈. 또 일설에는 밀치. 絆(糸部 五畫)과 同字. '韅靷鞅—'《左傳》.

[字源] 形聲. 革＋半〔音〕. '半반' 은 '攀반'과 통하여 끌어다 매다의 뜻. 마소의 발을 매는 가죽끈, 고삐의 뜻을 나타냄.

5 ⑭ [⿰革必] [一] 필 [入]質 毗必切 bì
[二] 비 [去]寘 兵媚切 pèi

[字解] [一] 차묶는가죽 필 '—, 車束也'《說文》. [二] ①차묶는가죽 비 [一]과 뜻이 같음. ②고삐 비 '轡, 說文, 馬轡也. 或作—'《集韻》.

[字源] 形聲. 革＋必〔音〕

5 ⑭ [⿰革它] 타 [平]歌 徒何切 tuó

[字解] 밀치끈 타 마소의 꼬리에 걸어, 안장이나 길마에 매는 끈. '—, 馬尾—也'《說文》.

[字源] 篆文 形聲. 革＋它〔音〕. '它타' 는 웅크리고 꼬리를 늘어뜨린 모양을 나타냄. 말의 꼬리에 거는 가죽끈의 뜻을 나타냄.

5 ⑭ [⿰革占] 첩 [入]葉 他協切 tié

[字解] ①안장장식 첩 안장의 장식(裝飾). '—, 鞌飾'《說文》. ②언치 첩 '—鞢' 은 말의 등에 덮어 주는 담요 따위. '—鞢, 馬被具'《集韻》. '—, —鞢, 鞌具也'《玉篇》.

[字源] 篆文 形聲. 革＋占〔音〕

5 ⑭ [靻] 조 [上]麌 則古切 zǔ

[字解] 굴레 조 말의 굴레. '—, —勒名'《廣韻》.

[字源] 形聲. 革＋且〔音〕

5 ⑭ [⿰革由] 〔주〕
冑(冂部 七畫〈p.223〉)와 同字

6 ⑮ [⿰革羊] 양 [上]養 爲兩切 yǎng

[字解] 가죽다룰 양 가죽을 다룸. 무두질함. '—, 治皮'《玉篇》.

6 ⑮ [鞇] 인 [平]眞 於眞切 yīn

[字解] 자리 인 수레 안에 까는 자리. '齊君重—而坐'《韓詩外傳》.

◉重鞇.

6 ⑮ [鞊] 길 [入]質 激質切 jí

[字解] ①가슴걸이 길 가슴걸이. '—, 鞅也'《集韻》. ②가죽 길 가죽. ③안장 길 안장. '—, 鞍也'《字彙》. ④구부릴 길 구부림. '—, 屈也'《字彙》.

6 ⑮ [鞈] [一] 협 [入]洽 古洽切 gé
[二] 탑 [入]合 託合切 tà

[字解] [一] ①굳을 협 견고한 모양. '—如金石'《荀子》. ②흉갑(胸甲) 협 전쟁 때 가슴에 대어 몸을 보호하는 가죽으로 만든 갑옷의 일종. '蘭盾

—革'《管子》. [二] 북소리 탑 鞳(革部 十畫)과 同字. '若聲之如響, 若鏜之與—'《淮南子》.
[字源] 篆文 形聲. 革+合〔音〕. '合합'은 '합치다'의 뜻. 가죽을 겹쳐서 만든 화살막이를 뜻함.

6 ⑮ [鞉] 도 [平]豪 徒刀切 táo
[字解] 땡땡이 도 鼗(鼓部 六畫)와 同字. '—磬柷圉'《詩經》.
[字源] 鞀의 別體 形聲. 革+兆〔音〕. '兆조'는 소리쳐 부르다, 또는 둘로 쪼개지다의 뜻. 북의 양 끝에 작은 구슬이 달린 끈을 붙이고, 흔들어서 울리는 악기, '땡땡이'의 뜻을 나타냄.

6 ⑮ [⿰革夸] [一] 과 [上]馬 苦瓦切 kuǎ
[二] 고 [去]遇 苦故切 kù
[筆順] 一 艹 廿 廿 革 ⿰革大 ⿰革夲 ⿰革夸
[字解] [一] 띠장식 과 띠쇠. 대구(帶鉤). '銙, 帶具, 或作—'《集韻》. [二] 바지 고 바지. 잠방이. '絝, 說文, 脛衣也, 或从革'《集韻》.

6 ⑮ [⿰革交] 교 [去]效 居校切 jiào
[字解] 주머니 교 주머니. '—, 囊也'《字彙》.

6 ⑮ [⿰革危] 궤 [上]紙 古委切 guǐ
[字解] ①언치 궤 언치. 안장이나 길마 밑에 까는 물건. '—, 韉也'《集韻》. ②뿔가지런하지아니할 궤 뿔이 가지런하지 아니함. '—, 角不齊'《玉篇》.

6 ⑮ [⿰革同] 〔동〕
韃(革部 十二畫〈p. 2530〉)과 同字

6 ⑮ [⿰革各] 락 [入]藥 盧各切 luò
[字解] 가죽띠 락 혁대(革帶).
[字源] 篆文 形聲. 革+各〔音〕. '各각'은 '絡락'과 통하여 '동여매다, 묶다'의 뜻. 물건을 묶는 데 쓰는 생가죽 끈의 뜻을 나타냄.

6 ⑮ [鞋] [人名] 혜 [平]佳 戶佳切 xié
[字解] 신 혜 구두처럼 위를 졸라매어 잘 벗어지지 않게 만든 신. '麻—'. '草—'. '着—臥床上'《李義山雜纂》.
[字源] 形聲. 革+圭〔音〕

[鞋韈 혜말] 신과 버선.
[鞋痕 혜흔] 신 자국. 발자국.
◉麻鞋. 絲鞋. 僧鞋. 鐵鞋. 靑鞋. 草鞋.

6 ⑮ [⿰革伏] [一] 복 [入]屋 房六切 fú
[二] 피 [去]寘 皮祕切
[字解] [一] 수레깔개 복 수레의 깔개. '—, 伏也'《釋名》. [二] 수레깔개 피 [一]과 뜻이 같음.

6 ⑮ [鞎] 흔 [平]元 戶恩切 hén
[字解] 장식가죽 흔 수레의 앞에 장식으로 댄 가죽. '輿革前謂之—'《爾雅》.
[字源] 篆文 形聲. 革+艮(艮)〔音〕

6 ⑮ [⿰革朵] 타 [上]哿 杜果切 duò
[字解] 신뒤축 타 신 뒤축. '⿰革殳, 履跟緣也, —, 同⿰革殳'《玉篇》.

6 ⑮ [鞍] [人名] 안 [平]寒 烏寒切 ān
[字解] ①안장 안 마구(馬具)의 한 가지. '金—'. '下馬解—'《漢書》. 전(轉)하여, 말의 뜻으로 쓰임. '二子舊不識, 欣然肯聯—'《蘇軾》. ②안장(鞍裝) 지울 안 안장을 말의 등에 얹음. '—馬擁劍'《南唐近事》. '皆下馬解—'《漢書》.

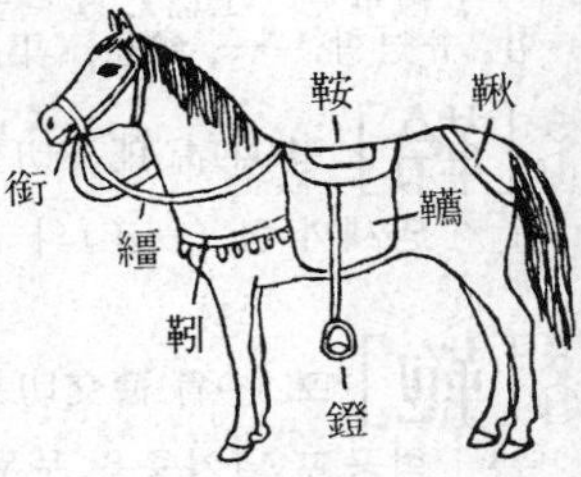

[鞍①]

[字源] 篆文 形聲. 革+安〔音〕. '安안'은 눌러서 안정되게 하다의 뜻. 위에 얹어 놓아 몸을 편안하게 하는 가죽제의 마구, 안장의 뜻을 나타냄.

[鞍橋 안교] 안장. 모양이 다리 비슷하므로 이름.
[鞍馬 안마] ㉠안장을 지운 말. ㉡말에 안장을 지움.
[鞍轡 안비] 안장과 고삐.
[鞍上 안상] 안장 위.
[鞍上無人鞍下無馬 안상무인안하무마] 말 부림이 익숙하여 사람과 말이 한 몸이 된 것 같음을 형용하는 말.
[鞍裝 안장] 말·나귀 들의 등에 얹는 가죽으로 만든 물건. 사람이 탈 때 깔고 앉음.
[鞍鑣 안표] 안함(鞍銜).
[鞍銜 안함] 안장과 재갈.
◉金鞍. 乘鞍. 玉鞍. 銀鞍. 征鞍. 馱鞍. 荷鞍. 解鞍.

6 ⑮ [鞌] 안 [平]寒 烏寒切 ān
[字解] ①안장 안 鞍(前條)과 同字. ②땅이름 안 지명. '戰於—'《左傳》.
[字源] 鞍(前條)의 字源을 보라.

6 ⑮ [⿰革旨] 지 [去]寘 脂利切 zhì
[上]紙 軫視切
[字解] 일산끈 지 비단 일산(日傘)에 자루를 동여매는 끈. '—, 蓋杠系也'《說文》.
[字源] 形聲. 革+旨〔音〕

6 ⑮ [⿰革至] ⿰革旨(前條)와 同字

6 ⑮ [鞏] [人名] 공 [上]腫 居悚切 gǒng

字解 ①묶을 공 다룬 가죽으로 꼭 묶음. '一用黃牛之革'《易經》. ②굳을 공 견고함. '一固'. '藐藐昊天, 無不克一'《詩經》. ③성 공 성(姓)의 하나.

字源 金文 篆文 形聲. 革+巩〔音〕. '巩공'은 연장을 조심스럽게 꼭 쥐는 모양을 본뜸. 다룬 가죽으로 꼭 묶다, 굳다의 뜻을 나타냄.

[鞏固 공고] 단단하고 튼튼함. 확고(確固)하여 움직이지 않음.
[鞏膜 공막] 안구(眼球)의 외부를 싸는 흰 막.
[鞏昌 공창] 간쑤 성(甘肅省) 내의 옛 부명(府名).

7 ⑯ [鞓] 정 ㊊青 唐丁切 tīng

字解 가죽띠 정 혁대(革帶).

[鞓紅 정홍] '모란(牡丹)'의 이칭(異稱).

7 ⑯ [鞔] ㊀ 만 ㊊寒 母官切 mán ㊁ 문 ㊤阮 母本切 mèn

字解 ㊀ ①신 만 '南家工人也, 爲一者也'《呂氏春秋》. ②맬 만 가죽을 팽팽하게 맴. '揮汗一鼓'《西陽雜俎》. ㊁ 답답할 문 懣(心部 十四畫)과 통용. '胃充則中大一'《呂氏春秋》.

字源 篆文 形聲. 革+免〔音〕

7 ⑯ [鞖] 두 ㊦有 徒候切 dòu

字解 수레의가죽치레 두 '一, 車鞁具也'《說文》.

字源 形聲. 革+豆〔音〕

7 ⑯ [鞘] 초(소本) ①㊊肴 所交切 shāo ②㊦嘯 私妙切 qiào

字解 ①채찍끝장식 초 마편(馬鞭)의 두식(頭飾). '長一馬鞭擊左股'《晉書》. ②칼집 초 칼의 몸을 꽂아 두는 물건. '古之言鞞, 猶今之言'《詩經 疏》.

字源 篆文 形聲. 革+肖〔音〕. '肖초'는 위가 가늘고 뾰족하다의 뜻.

[鞘翅類 초시류] 곤충류의 하나. 성충의 외피는 혁질(革質)임. 입은 물기에 적당함. 개똥벌레·딱정벌레·풍뎅이 따위. 갑충(甲蟲).
◉劍鞘. 刀鞘. 鳴鞘. 長鞘. 鞭鞘.

7 ⑯ [鞙] 현 ㊤銑 胡畎切 xuàn

字解 ①멍에끈 현 멍에를 동여매는 가죽끈. ②아름다울 현 허리에 찬 옥(玉)이 아름다운 모양. '一一佩璲'《詩經》.

字源 篆文 形聲. 革+肙〔音〕. '肙연'은 '동여매다'의 뜻. 멍에에 감아 매는 가죽끈의 뜻을 나타냄.

[鞙鞙 현현] 허리에 찬 옥(玉)이 아름다운 모양.

7 ⑯ [鞜] 도 ㊊虞 通都切 tú

字解 짚신 도 '一, 鞲一, 履也'《廣韻》.

7 ⑯ [鞙] ㊀ 혈 ㊇屑 虎結切 xié ㊁ 격 ㊇陌 紀彳切 ㊂ 극 ㊇職 記力切

字解 ㊀ ①소정강이매는가죽끈 혈 '一, 繫牛脛也'《說文》. ②단단히맬 혈 '一, 急繫'《廣韻》. ③심할 혈 지독함. '一, 一日, 急也'《集韻》. ㊁ 소정강이매는가죽끈 격, 단단히맬 격, 심할 격 ㊀과 뜻이 같음. ㊂ 소정강이매는가죽끈 극, 단단히맬 극, 심할 극 ㊀과 뜻이 같음.

字源 形聲. 革+見〔音〕

7 ⑯ [鞏] 〔공〕 鞏(革部 六畫〈p. 2524〉)의 本字

7 ⑯ [鞚] 사 ㊊麻 桑何切 suā, shā

字解 ①악기이름 사 악기 이름. '一, 一鞄, 樂器'《集韻》. ②말꼬리 사 말의 꼬리. '一, 一鞄, 亦謂馬尾'《廣韻》. ③가죽신 사 가죽신. '一, 博雅, 鞈鞚, 鞾也'《集韻》.

7 ⑯ [鞙] 태 ㊦泰 徒外切 duì

字解 기울 태 보선(補繕)함. '一, 補也'《廣雅》.

7 ⑯ [鞕] 영 ㊦敬 魚孟切 yìng

字解 단단할 영 硬(石部 七畫)과 뜻이 같음. '一, 堅也'《玉篇》.

字源 形聲. 革+更〔音〕

7 ⑯ [鞗] 조 ㊊蕭 徒聊切 tiáo

字解 고삐 조 말의 재갈에 잡아매어 끄는 줄. '一革沖沖'《詩經》.

字源 形聲. 革+攸〔音〕

[鞗革 조혁] 가죽으로 만든 고삐.

8 ⑰ [鞚] 공 ㊦送 苦貢切 kòng

字解 재갈 공 마함(馬銜). '固止不得. 因捉馬一'《隋書》.

字源 形聲. 革+空〔音〕. '空공'은 '控공'과 통하여 잡아당겨 못 나가게 하다의 뜻. 말을 어거하기 위한 가죽제의 재갈의 뜻을 나타냄.

◉羈鞚. 放鞚. 飛鞚. 釋鞚. 施鞚. 引鞚. 馳鞚.

8 ⑰ [鞝] 뇌 ㊦號 奴報切 nào

字解 좋은가죽 뇌 좋은 가죽. '一, 優皮也'《字彙》.

8 ⑰ [鞝] 철 ㊇屑 陟劣切 zhuó

字解 수레의가죽제구(諸具) 철 '一, 車具也'《說文》.

字源 形聲. 革+叕〔音〕

8 ⑰ [鞳] 탑 ㉤合 他合切 tà

字解 신 탑 가죽신. '革一不穿'《漢書》.
字源 形聲. 革+沓〔音〕

◉革鞳.

8 ⑰ [鞞] 一 병 ㊤迴 補鼎切 bǐng / 二 비 ㊥齊 部迷切 pí

字解 一 칼집 병 칼을 꽂아 두는 물건. '一琫有珌'《詩經》. 二 마상북 비 鼙(鼓部 八畫)와 同字. '命樂師, 修鞀一鼓'《禮記》.
字源 金文 篆文 形聲. 革+卑〔音〕. '卑비'는 얇고 납작하다의 뜻. 가죽으로 만든 칼집의 뜻을 나타냄.

[鞞琫 병봉] 칼집.
[鞞鼓之聲 비고지성] 군중(軍中)에서 공격을 알리는 신호(信號)로 치는 북소리.
[鞞沙門 비사문]《佛敎》사천왕(四天王)의 하나. 다문천(多聞天)이라고도 함. 수미산(須彌山)의 사층(四層)에 있어 북방을 수호하며, 야차(夜叉)·나찰(羅刹)을 통어함. 비사문(毘沙門).
[鞞婆 비파] '비파(琵琶)'와 같음.

8 ⑰ [韔] 창 ㉡漾 丑亮切 chàng, zhāng

字解 활집 창 활집. '韔, 說文, 弓衣也, 或从革'《集韻》.

8 ⑰ [鞇] 추 ㊤有 楚九切 chǒu

字解 단으로묶을 추 단으로 묶음. 다발 지음. '一, 束也'《集韻》.

8 ⑰ [韛] 패 ㉡卦 薄賣切 bài

字解 풀무 패 풀무. '一, 吹火具'《字彙》.

8 ⑰ [鞠] 人名 一 국 ㉤屋 渠竹切 jū / 二 궁 ㊥東 丘弓切 qiōng

筆順 艹 苜 苩 革 靮 靮 鞫 鞠

字解 一 ①공 국 던지거나 차며 노는 구형(球形)의 물건. '蹴一'. '穿城蹋一'《史記》. ②기를 국 양육함. '一養'. '母兮一我'《詩經》. ③고할 국 알림. 주의함. '陳師一旅'《詩經》. ④굽힐 국 몸을 굽힘. '入公門, 一躬如也'《論語》. ⑤국문할 국 鞫(革部 九畫)과 同字. '一罪'. ⑥궁할 국 곤궁함. '自一自苦'《書經》. ⑦찰 국 충분함. 많음. '降此一訩'《詩經》. ⑧국화 국 菊(艸部 八畫)과 同字. '一有黃華'《禮記》. ⑨누룩 국 麴(麥部 八畫)과 同字. '一衣'. ⑩성 국 성(姓)의 하나. 二 궁궁이 궁 芎(艸部 三畫)과 통용. '一藭'.
字源 篆文 形聲. 革+匊〔音〕. '匊국'은 양손으로 쌀을 뜨다의 뜻. '球구'와 통하여 가죽으로 만든 공의 뜻을 나타냄. '기르다, 국문하다'의 뜻도 나타냄.

[鞠決 국결] 국문하여 판결함.
[鞠躬 국궁] 존경하는 뜻으로 몸을 굽힘.
[鞠躬盡瘁 국궁진췌] 온갖 정성을 다하여 진력함. 국사를 위하여 몸을 바침.
[鞠斷 국단] 국결(鞠決).
[鞠旅 국려] 병사(兵士)에게 맹세하여 알림.
[鞠問 국문] 죄를 신문함.
[鞠訊 국신] 국문(鞠問).
[鞠室 국실] 공을 차는 방.
[鞠按 국안] 죄인을 국문하여 조사함.
[鞠養 국양] 국육(鞠育).
[鞠域 국역] 국장(鞠場).
[鞠獄 국옥] 죄를 처단함. 죄인을 다스림.
[鞠育 국육] 기름. 양육함.
[鞠子 국자] 어린아이.
[鞠場 국장] 공을 차는 장소.
[鞠正 국정] 조사하여 바로잡음.
[鞠塵 국진] '국진(麴塵)'과 같음.
[鞠治 국치] 죄인을 신문하여 다스림.
[鞠劾 국핵] 죄를 취조(取調)함. 또, 그 취조서.
[鞠訩 국흉] 소송이 많음.
[鞠戲 국희] 공 치는 놀이.
[鞠藭 궁궁] '궁궁(芎藭)'과 같음.
◉曲鞠. 蹋鞠. 蹜鞠. 撫鞠. 訊鞠. 育鞠. 蹴鞠.

8 ⑰ [鞿] 기 ㊥微 居宜切 jī

字解 굴레 기 마소의 머리에 매는 굴레.
字源 形聲. 革+奇〔音〕

8 ⑰ [䩪] 관 ㊤旱 古緩切 guǎn

字解 수레의가죽제구(諸具) 관 '一, 車鞁具也'《說文》.
字源 形聲. 革+官〔音〕

8 ⑰ [鞤] 〔굴〕 倔(人部 八畫〈p.151〉)과 同字

8 ⑰ [䪌] 〔달〕 撻(手部 十三畫〈p.909〉)의 俗字

8 ⑰ [鞡] 〔량〕 緉(糸部 八畫〈p.1752〉)과 同字

8 ⑰ [鞰] 〔운〕 輓(車部 八畫〈p.2270〉)과 同字

8 ⑰ [鞫] 도 ㊥豪 徒刀切 táo

字解 북통 도 북의 몸통. '一, 鼓木也'《集韻》.

8 ⑰ [韍] 〔천〕 韉(革部 十七畫〈p.2531〉)과 同字

8 ⑰ [鞛] 〔봉〕 琫(玉部 八畫〈p.1430〉)과 同字
字源 形聲. 革+奉〔音〕

8 ⑰ [韟] 鞛(前條)과 同字

8 ⑰ [鞟] 〔곽〕 鞹(革部 十一畫〈p.2529〉)의 略字

8 ⑰ [鞨] 역 ㊀陌 夷益切 yì

字解 흰신 역 흰 신. '一, 素一履也'《集韻》.

8 ⑰ [鞥] 녑 ㊀葉 諾叶切 niè

字解 대발 녑 대발. 대오리를 결어 만든 발. '一, 字林, 鞍一, 薄也'《集韻》.

8 ⑰ [鞬] 간 ㊥刪 丘閒切 qiān

字解 ①굳을 간 굳음. 단단함. '一, 博雅, 固確, 堅也'《集韻》. ②깨지는소리 간 단단한 것이 깨지는 소리. '一, 堅破聲'《廣韻》.

9 ⑱ [鞡] 극 ㊀職 訖力切 jí

字解 ①빠를 극, 급할 극 '一, 疾也'《廣雅》. ②가죽단단할 극 가죽이 단단한 모양. '一, 皮鞕皃'《廣韻》. ③다룬가죽단단할 극 '一, 韋堅也'《廣韻》.

字源 形聲. 革+亟〔音〕

9 ⑱ [鞣] 유 ㊥尤 耳由切 róu

字解 ①가죽 유 다룬 가죽. 무두질한 가죽. ②무두질할 유 날가죽을 다루어 부드럽게 함.

字源 篆文 形聲. 革+柔〔音〕. '柔유'는 '부드럽다'의 뜻. 동물의 가죽을 부드럽게 하다, 무두질하다의 뜻을 나타냄.

9 ⑱ [鞨] 人名 갈(할㊍) ㊀曷 胡葛切 hé

字解 오랑캐이름 갈 靺(革部 五畫)을 보라. '靺一'.

字源 形聲. 革+曷〔音〕

◉靺鞨.

9 ⑱ [鞦] 추 ㊥尤 七由切 qiū

字解 ①밀치 추 마소의 꼬리에 거는 끈. '鞍' 참조. 緧(糸部 九畫)·緧(糸部 九畫)와 同字. '馬一'. '結斷緶而作一'《束晳》. ②그네 추 '一韆'. '一韆者千秋也, 漢武帝祈千秋之壽, 故後宮多一韆之樂'《高無際》. '一韆北方戲, 以習輕趫者, 本作秋千'《康熙字典》.

字源 形聲. 革+秋〔音〕

[鞦韆 추천] 그네. 한무제(漢武帝) 때 후궁(後宮)에서 시작한 유희. 원래 축사(祝詞)의 뜻으로 천추(千秋)라고 하던 것이 뒤바뀌어 추천(秋千)으로 되고, 다시 '一一'으로 쓰게 된것임. 일설(一說)에는 산융(山戎)에게서 전래하였다고 함.

〔鞦韆〕

◉馬鞦. 轡鞦. 玉鞦. 紫金鞦.

9 ⑱ [鞧] 鞦(前條)와 同字

9 ⑱ [鞨] 〔하〕
韕(韋部 九畫〈p. 2534〉)와 同字

9 ⑱ [鞫] 人名 국 ㊀屋 居六切 jū

字解 ①국문할 국 죄인을 문초함. '一獄'. '訊一論報'《史記》. ②궁할 국 곤궁함. '昔育恐育一'(예전에 양육할 때 갖은 수단을 다 써서 길렀음)《詩經》. ③물가 국 수애(水涯). '芮一之卽'《詩經》. ④성 국 성(姓)의 하나.

字源 會意. 革+勹+言. '革혁'은 가죽 채찍의 뜻. '勹포'는 사람의 象形. 잡힌 사람에 대하여 가죽 채찍이나 말로 죄를 추궁하다의 뜻을 나타냄.

[鞫勘 국감] 국정(鞫正).
[鞫斷 국단] 죄를 조사하여 결정함.
[鞫問 국문] 죄를 신문함.
[鞫訊 국신] 국문(鞫問).
[鞫實 국실] 문초.
[鞫正 국정] 문초하여 바로잡음.
◉考鞫. 窮鞫. 訊鞫. 案鞫. 育鞫. 逮鞫. 推鞫. 親鞫.

9 ⑱ [鞙] 훤 ㊤願 呼願切 xuàn

字解 ①가죽신 훤 가죽신. '一, 履一也'《玉篇》. ②북만드는사람 훤 북을 만드는 사람. '鞾, 治鼓工也, 或作一'《集韻》.

9 ⑱ [鞬] 건 ㊥元 居言切 jiān

字解 ①동개 건 활과 화살을 넣는 용기. '左執鞭弭, 右屬櫜一'《左傳》. ②맬 건 동여맴. '拑勒一輈'(마차의 출발 준비를 함).

字源 篆文 形聲. 革+建〔音〕. '建건'은 곧게 뻗어 선 붓의 뜻. 활과 화살을 추려서 세워 놓기 위한 활집, 동개의 뜻을 나타냄.

◉櫜鞬. 弓鞬. 腰鞬. 佩鞬.

9 ⑱ [鞭] 人名 편 ㊥先 卑連切 biān

字解 ①채찍 편 ㉠마소를 모는 데 쓰는 채. '左執一弭'《左傳》. ㉡형벌 또는 독려하는 데 쓰는 채. '胥吏執一度守門'《周禮》. ②채찍질할 편 ㉠채찍으로 침. '以赤鞭一草木'《史記》. ㉡쳐서 몲. '驅一復悤悤'《史記》. ㉢벌로 침. '請雨不驗, 遂一像一百'《北史》. ㉣격려함. '一撻'. '古心雖自一'《韓愈》.

字源 篆文 形聲. 革+便(㑺). '㑺편'은 '편리하다'의 뜻. 마소에 채찍질을 가하여 사람에게 편리하도록 부리다의 뜻. '가죽 채찍, 채찍질하다'의 뜻을 나타냄.

[鞭擊 편격] 채찍질함.
[鞭撻 편달] ㉠채찍으로 때림. ㉡격려(激勵)함.
[鞭鸞笞鳳 편란태봉] 길을 재촉하는 신선(神仙)이 난봉(鸞鳳)에 채찍질하며 타고 달림을 말함.
[鞭罰 편벌] 종아리를 쳐 벌함. 또, 그 형벌.
[鞭扑 편복] ㉠채찍. 회초리. 편(鞭)은 관리를 벌주는 채찍, 복(扑)은 학생을 벌주는 채찍. ㉡태형(笞刑).

[鞭絲 편사] 채찍.
[鞭死屍 편사시] ㉠송장을 회초리로 쳐서 생전의 원한을 갚음. ㉡죽은 사람의 언론(言論)·행위(行爲)를 공격함.
[鞭殺 편살] 채찍질하여 죽임.
[鞭聲 편성] 채찍질하는 소리.
[鞭筍 편순] 대의 뿌리.
[鞭尸 편시] 시체를 매질하여 깊은 원한을 풂.
[鞭影 편영] 채찍의 그림자.
[鞭杖 편장] 채찍. 또, 채찍질함.
[鞭策 편책] ㉠채찍. ㉡채찍질함.
[鞭草 편초] 신농씨(神農氏)를 이름.
[鞭鞘 편초] 채찍.
[鞭捶 편추] 채찍질함.
[鞭箠 편추] 채찍. 또, 채찍질함.
[鞭杻 편축] 채찍과 수갑. 볼기채와 고랑. 형벌의 뜻으로 쓰임.
[鞭笞 편태] ㉠채찍. ㉡편달(鞭撻).
◉擧鞭. 教鞭. 驅鞭. 掉鞭. 馬鞭. 先鞭. 揚鞭. 赭鞭. 長鞭. 停鞭. 執鞭. 着先鞭. 着鞭. 投鞭. 蒲鞭. 揮鞭.

9 ⑱ [鞙] 즙 [入]緝 卽入切 juān

[字解] 멍에맬 즙 멍에를 맴. 멍에에 묶음. '一, 博雅, 一謂之鞶, 一曰, 車一'《集韻》.

9 ⑱ [鞮] 제 [平]齊 都溪切 dī

[字解] ①신 제 가죽신. '一屨'《禮記》. ②성 제 성(姓)의 하나.
[字源] 篆文 形聲. 革+是〔音〕. 가죽신의 뜻을 나타냄.

[鞮鞻氏 제루씨] 주대(周代)의 관명(官名). 사방(四方)의 음악을 맡음. 누(鞻)는 춤추는 사람이 신는 신.
[鞮鍪 제무] ㉠투구. ㉡가죽신과 투구.
◉絡鞮. 銅鞮. 狄鞮. 革鞮.

9 ⑱ [鞢] 섭 [入]葉 蘇協切 xiè

[字解] 언치 섭 '鞊一'은 말의 등을 덮어 주는 언치. '鞊一, 鞍具'《廣韻》.
[字源] 形聲. 革+枼〔音〕

9 ⑱ [鞨] 운 [平]文 王問切 yùn

[字解] 북장이 운 가죽을 다루어 북을 메는 장인(匠人). '一, 攻皮治鼓工也'《說文》.
[字源] 篆文 形聲. 革+軍〔音〕. '軍군'은 '두르다'의 뜻. 가죽을 둘러 대어 북을 만드는 장인의 뜻을 나타냄.

9 ⑱ [鞩] 면 [上]銑 彌兗切 miǎn
[去]霰 彌箭切

[字解] 굴레 면 '一, 勒靼也'《說文》.
[字源] 形聲. 革+面〔音〕

9 ⑱ [鞜] 개 ①[平]佳 戶皆切 xié
②[去]卦 口戒切 kài

[字解] ①신 개 신발. '一, 履也'《玉篇》. ②북이름 개 북의 일종. '一, 鼓名, 通作揩'《集韻》.

9 ⑱ [鞡] 〔영〕
鞕(革部 七畫〈p. 2525〉)과 同字

9 ⑱ [鞣] 〔단〕
韏(韋部 九畫〈p. 2534〉)과 同字

9 ⑱ [鞪] 무 [平]尤 莫浮切 móu

[字解] 투구 무 鍪(金部 九畫)와 同字. '被甲鞮一, 居馬上'《漢書》.
[字源] 篆文 形聲. 革+敄〔音〕. '敄무'는 '힘껏 죄다'의 뜻.

◉鞮鞪.

9 ⑱ [鞤] 방 [平]陽 博旁切 bāng

[字解] ①신가죽 방 신을 만드는 가죽. '一, 鞋革皮'《玉篇》. ②신가꾸밀 방 신의 가장자리를 손질함. 幫(巾部 十四畫)과 同字.

9 ⑱ [鞬] 니 [上]薺 乃禮切 nǐ

[字解] ①부드러울 니 부드러움. 홀보들함. '鞬, 軟也, 或作一'《集韻》. ②말고삐늘어질 니 말고삐가 늘어짐. '鞴, 轡垂也通作一'《集韻》.

9 ⑱ [鞥] 〔복〕
箙(竹部 八畫〈p. 1670〉)과 同字

10 ⑲ [鞲] 구 [平]尤 恪侯切 gōu

[字解] ①팔찌 구 활을 쏠 때 활 쥐는 소매를 걷어 매는 가죽으로 만든 띠. '射一'. ②풀무 구 불을 피우는 데 바람을 일으키는 제구.
[參考] 韝(韋部 十畫)와 同字.

[鞲鞴 구비] 피스톤(piston).
◉射鞲.

10 ⑲ [鞳] 탑 [入]合 吐盍切 tà

[字解] 종고소리 탑 鞺(革部 十一畫)을 보라. '鞺一'.
[字源] 形聲. 革+荅〔音〕

◉鞺鞳.

10 ⑲ [鞵] 추 [上]有 楚九切 chǒu
[平]尤 甾尤切 zhōu

[字解] ①단으로묶을 추 단으로 묶음. 다발을 지음. '鞭, 束也, 或从芻'《集韻》. ②가죽주름 추 가죽의 주름. 가죽의 구김살. '一, 革文蹙也《集韻》.

10 ⑲ [鞴] 비 [去]寘 平祕切 bèi

[字解] 풀무 비 불을 피우는 데 바람을 일으키는 제구. 옛날에는 가죽 부대에서 바람을 내게 하

였음.
[字源] 𩋙의 別體 鞴 形聲. 革＋莆〔音〕. '莆비'는 화살집을 갖추다의 뜻. 가죽제의 전동의 뜻을 나타냄. 또 전동과 같은 풀무의 뜻도 나타냄.

10 ⑲ [⿰革𧴪] 쇄 [上]哿 損果切 suǒ

[字解] 가죽고리줄 쇄 가죽을 고리 지어 만든 줄. 가죽을 쇠사슬처럼 만든 줄. '一, 革鎖也'《集韻》.

10 ⑲ [鞵] 혜 [平]佳 戶佳切 xié

[字解] 신 혜 鞋(革部 六畫)와 同字. '一韤'.
[字源] 篆文 鞵 形聲. 革＋奚〔音〕

[鞵韤 혜말] 가죽신과 버선.
◉芒鞵. 皺鞵. 箏鞵. 草鞵.

10 ⑲ [鞷] 액 ①②[入]陌 逆革切 é
③[入]陌 下革切

[字解] ①신코 액 신의 앞머리. '履首爲之一'《集韻》. ②신기울 액 신을 수리함. '一, 補履'《廣韻》. ③기울 액 '一, 補也'《廣雅》.

10 ⑲ [⿰革盍] 합(갑[本]) [入]洽 訖洽切 jiǎ
[入]合 克盍切

[字解] 가죽신 합 가죽신. '一, 一鞈, 革履'《集韻》.

10 ⑲ [⿰革貢] 공 [上]董 古孔切 gǒng

[字解] 날가죽 공 날가죽. 생피(生皮). '一, 生皮也'《玉篇》.

10 ⑲ [⿰革鬼] [一] 회 [平]灰 戶恢切 huái
[二] 궤 [去]寘 求位切 guì

[字解] [一] 거친베 회 거친 베. '一, 鬼布'《玉篇》. [二] 고삐 궤 고삐. '一, 馬韁也'《集韻》.

10 ⑲ [⿰革邕] 〔옹〕
韉(革部 十三畫〈p. 2530〉)과 同字

10 ⑲ [鞱] 〔도〕
韜(韋部 十畫〈p. 2534〉)와 同字

10 ⑲ [⿱𦥯革] 학 [入]覺 黑角切 xuè

[字解] 바싹묶을 학 졸라맴. '枷研楔一'《舊唐書》.

10 ⑲ [鞶] 반 [平]寒 薄官切 pán

[字解] ①띠 반 가죽으로 만든 큰 띠. 조정에서 하사함. '或錫之一帶'《易經》. ②주머니 반 수건 따위를 넣는 작은 가죽 주머니. '王以后之一鑑與之'《左傳》.
[字源] 篆文 鞶 形聲. 革＋般〔音〕. '般반'은 '크다'의 뜻. 큰 가죽띠의 뜻을 나타냄.

[鞶鑑 반감] 거울을 장식으로 매단 큰 띠.
[鞶囊 반낭] 큰 띠에 짐승의 머리를 장식한 것.
[鞶帶 반대] 가죽으로 만든 큰 띠. 조정에서 하사(下賜)함.
[鞶帨 반세] 띠와 수건.
◉矜鞶. 錫鞶. 施鞶. 羊鞶.

11 ⑳ [⿰革參] 삼 [平]咸 師銜切 shān

[字解] ①밀치끈드리워질 삼 밀치끈이 드리워짐. 밀치끈은 안장이나 길마와 밀치를 이어 매는 끈. '一, 馬鞘垂皃'《集韻》. ②깃발 삼 깃발. '一, 旌旗旒也'《玉篇》.

11 ⑳ [⿰革逢] 봉 [平]冬 符容切 féng

[字解] ①북소리 봉 북소리. '一, 一曰, 鼓聲'《集韻》. ②덮어서꿰맬 봉 덮어서 꿰맴. '一, 字林, 被縫也'《集韻》. ③풀이름 봉 풀 이름. '一, 一曰, 皺一, 艸名'《集韻》.

11 ⑳ [鞹] 곽 [入]藥 苦郭切 kuò

[字解] 가죽 곽 털만 벗긴 날가죽. '虎豹之一'《論語》.
[字源] 篆文 鞹 形聲. 革＋郭(郭)〔音〕. '郭곽'은 도시의 바깥 울의 뜻. 짐승의 몸을 싸고 있는 가죽의 뜻을 나타냄.
[參考] 鞟(革部 八畫)은 略字.

◉騂鞹. 朱鞹. 皮鞹. 韠鞹.

11 ⑳ [鞺] 당 [平]陽 他郎切 tāng

[字解] 종고소리 당 '一鞜'은 종 또는 북의 소리.

[鞺鞜 당탑] 종 또는 북의 소리.

11 ⑳ [鞻] 루 [平]尤 落侯切 lóu

[字解] 신 루 '鞮一'는 춤을 출 때 신는 신. '鞮一氏'.

11 ⑳ [⿰革徙] 사 [上]紙 所綺切 xǐ

[字解] 가죽신 사 가죽으로 만든 신. 갖신. '一, 鞮屬'《說文》.
[字源] 篆文 ⿰革徙 形聲. 革＋徙〔音〕. '徙사'는 좌우의 발을 번갈아 움직여서 가다의 뜻.

11 ⑳ [⿰革㪅] 〔편〕
鞭(革部 九畫〈p. 2527〉)의 本字

11 ⑳ [鞸] 〔필〕
韠(韋部 十一畫〈p. 2535〉)과 同字
[字源] 形聲. 革＋畢〔音〕

12 ㉑ [⿰革敦] 돈 [平]元 都昆切 dūn

[字解] 오랑캐술그릇 돈 오랑캐의 술 그릇. '一, 胡人酒器'《篇海》.

12 ㉑ [鞼] 궤 [去]寘 求位切 guì

[字解] ①방패끈 궤 방패에 매단, 수를 놓은 가죽

끈. '輕罪贖以一盾一戟'《國語》. ②꺾을 궤, 꺾일 궤 '堅強而不一'《淮南子》.
字源 篆文 形聲. 革+貴〔音〕. '貴귀'는 문채가 있다의 뜻. 방패 따위를 꾸미는 수놓은 가죽끈의 뜻을 나타냄.

[韉盾 궤순] 수를 놓은 가죽끈을 매단 방패.

12 ㉑ [韉] 기 ㊥微 居依切 jī

字解 고삐 기 말의 고삐의 입 언저리에 있는 부분. '是猶以一而御駻突'《漢書》. 전(轉)하여 속박·제어를 당하는 일. 굴레. 기반(羈絆). '脫一'. '絆一'. '以一羈兮'《楚辭》.
字源 形聲. 革+幾〔音〕. '幾기'는 '近근'과 통하여 가까이 오게 하다의 뜻. 말을 마부 곁에 가까이 있게 하기 위한 가죽 고삐, 굴레의 뜻을 나타냄.

[韉羈 기기] 고삐.
◉絆韉. 轉韉. 脫韉.

12 ㉑ [韊] ㊀ 격 ㊀陌 各核切 gé ㊁ 극 ㊀職 訖力切

字解 ㊀ ①고삐 격 고삐. 말고삐. ②재갈 격 재갈. '韊, 靶也, 一, 同韊'《玉篇》. ㊁ 고삐 극, 재갈 극 ㊀과 뜻이 같음.

12 ㉑ [韡] 화 ㊥歌 許肥切 xuē

字解 신 화 가죽신. 靴(革部 四畫)와 同字. '著一騎驢'《晉書》.
字源 篆文 形聲. 革+華〔音〕

◉短韡. 弗韡. 素韡. 繡韡. 皂韡. 靑韡. 皮韡.

12 ㉑ [韢] ㊀ 橇(木部 十二畫〈p. 1108〉)와 同字 ㊁ 屩(尸部 十五畫〈p. 627〉)과 同字

12 ㉑ [韣] 동 ㊥東 徒東切 tóng

字解 수레가죽꾸밈 동 수레의 가죽 꾸밈. 거가(車駕)의 가죽 꾸밈. '一, 車被具飾'《集韻》.

13 ㉒ [韁] 강 ㊥陽 居良切 jiāng

字解 고삐 강 말의 재갈에 매는 줄. '貫仁義之羈絆, 繫名聲之一鎖'《漢書》.
字源 形聲. 革+畺〔音〕

[韁鎖 강쇄] 고삐와 쇠사슬. 전(轉)하여, 속박. 구속.
◉飛韁. 紅韁.

13 ㉒ [韃] 달 ㊀曷 他達切 dá

字解 ①칠 달 撻(手部 十三畫)과 통용. ②오랑캐이름 달 '一靼'은 옛날에, 몽골(Mongol) 지방에 살던 민족.
字源 形聲. 革+達〔音〕

[韃靼 달단] ㉠몽골 족(Mongol族)의 한 갈래. 원(元)나라가 망한 뒤 몽골 족의 일부가 흥안령(興安嶺) 서남 지방으로 북진(北進)하여 북원국(北元國)을 수립하였는데 '一一'이라 불리어졌음. 후일(後日) 몽골 전체의 이름이 되었음. ㉡백정(白丁). 그 종족이 달단으로부터 들어왔다고 함.

13 ㉒ [韄] ㊀ 촉(속㊍) ㊀沃 市玉切 dú ㊁ 독 ㊀屋 徒谷切 dú

字解 ㊀ 활집 촉 궁의(弓衣). '因罷兵倒一而去'《戰國策》. ㊁ 활집 독 ㊀과 뜻이 같음.

◉倒韄.

13 ㉒ [韅] 〔단〕 靼(革部 五畫〈p. 2522〉)의 古字

13 ㉒ [韆] 옹 ㊥冬 於容切 yōng

字解 가죽신 옹 가죽으로 만든 신. 鞰(革部 十畫)과 同字. '一, 鞾鞠'《集韻》.
字源 形聲. 革+雍〔音〕

13 ㉒ [韇] 첨 ㊦豔 昌豔切 chàn

字解 말다래 첨 말의 복부(腹部)에 늘이어 진흙 같은 것이 튀어오르는 것을 막는 것. 장니(障泥). '一, 馬障泥也'《集韻》.

13 ㉒ [韈] ㊀ 籟(竹部 十六畫〈p. 1692〉)과 同字 ㊁ 鞠(革部 八畫〈p. 2526〉)과 同字

13 ㉒ [韉] 〔갈〕 鞨(革部 九畫〈p. 2527〉)과 同字

14 ㉓ [韊] 획 ㊀陌 胡陌切 hù

字解 ①칼끈 획 패도(佩刀)에 매달린 끈. ②묶을 획 동여맴. 속박함. '夫外一者, 不可繁而捉' 〈외(外)는 이목(耳目)의 욕(欲)〉《莊子》.
字源 篆文 形聲. 革+蒦〔音〕. '蒦확'은 손으로 잡다의 뜻. 가죽제의 칼 끈의 뜻을 나타냄.

14 ㉓ [韋] 니(녜㊍) ㊤薺 乃禮切 nǐ

字解 고삐드리워질 니 고삐가 드리워짐. '一, 轡垂也'《集韻》.

14 ㉓ [韌] 견 ㊦霰 詰戰切 qiàn

字解 허리띠 견 허리띠. 가죽 띠. '一, 罥帶一'《玉篇》.

14 ㉓ [韍] 〔궤〕 韉(革部 十二畫〈p. 2529〉)와 同字

14 ㉓ [韉] 락 ㊀覺 力角切 luò

字解 질긴가죽 락 질긴 가죽. '一, 一㲛, 皮堅也'《集韻》.

14 [𩏄] 추 [去]宥 側救切 zhòu
㉓
[字解] 마구(馬具)아울러이를 추 안장·고삐 등의 총칭. '一, 鞁也'《集韻》.

14 [韅] 현 [上]銑 呼典切 xiǎn
㉓ [去]霰 馨甸切
[字解] 뱃대끈 현 마소의 배에 걸쳐 안장이나 길마를 졸라매는 줄.
[字源] 篆文 形聲. 革+㬎〔音〕. 篆文은 革+顯〔音〕

[韅靷 현인] 뱃대끈과 가슴걸이.

15 [韆] [人名] 천 [平]先 七然切 qiān 千
㉔
[字解] 그네 천 '鞦一'.
[字源] 形聲. 革+遷〔音〕

◉鞦韆.

15 [韇] 독 [入]屋 徒谷切 dú
㉔
[字解] ①점대통 독 서죽(筮竹)을 넣는 통. '筮人執筴, 抽上一'《儀禮》. ②동개 독 궁시(弓矢)를 넣는 제구. '一丸'.
[字源] 篆文 形聲. 革+賣〔音〕. '賣육'은 '통, 궤짝'의 뜻. 가죽으로 만든 동개의 뜻을 나타냄.

[韇丸 독환] 동개.

15 [韈] 말 [入]月 望發切 wà
㉔
[字解] 버선 말 발에 꿰어 신는 물건. 韤(韋部 十五畫)과 同字. '文王一繫解, 因自結'《韓非子》.

[韈繫 말계] 대님.

16 [𩏠] 〔국〕
㉕ 鞠(革部 八畫〈p. 2526〉)과 同字

16 [𩏫] 〔궤〕
㉕ 鞼(革部 十二畫〈p. 2529〉)의 本字

16 [𩏪] 롱 [平]東 盧東切 lóng
㉕
[字解] 굴레 롱, 재갈에매어진가죽끈 롱 '一, 一頭也'《玉篇》.

17 [𩐋] 참 [去]陷 仕懺切 zhàn
㉖
[字解] 언치 참 말의 등을 덮는 담요 따위. '一, 鞍一'《玉篇》. '一, 馬韉也'《集韻》.

17 [韉] 천 [平]先 則前切 jiān
㉖
[字解] 언치 천 말의 등을 덮어 주는 방석이나 담요 따위. 그 위에 안장을 얹음. '虎一'. '鞍一'. '織草爲一'《北史》.
[字源] 篆文 形聲. 革+薦〔音〕. '薦천'은 '깔개'의 뜻. 가죽제의 언치의 뜻을 나타냄.

◉錦韉. 馬韉. 繡韉. 鞍韉. 破韉. 蒲韉. 皮韉. 虎韉.

17 [𩐌] 〔건〕
㉖ 鞬(革部 九畫〈p. 2527〉)과 同字

18 [韢] [一] 쇠 [平]灰 素回切 suī
㉗ [二] 수 [平]支 山垂切 suī
[字解] [一] 안장끈 쇠 안장에 딸린 끈. '一, 鞌邊帶'《集韻》. [二] ①수레끈 수 수레에 딸린 끈. '一, 綏也'《說文》. ②늘어질 수 '一, 一曰, 垂皃'《廣韻》.
[字源] 篆文 形聲. 革+巂〔音〕

19 [𩏿] 〔사〕
㉘ 躧(足部 十九畫〈p. 2253〉)와 同字

21 [韊] 란 [平]刪 離閑切 lán
㉚
[字解] 동개 란 큰 동개. '平原君負一矢'《史記》.
[字源] 形聲. 革+蘭〔音〕

[韊矢 난시] 동개에 넣은 화살.

24 [𩐓] 〔곽〕
㉝ 鞹(革部 十一畫〈p. 2529〉)의 本字

24 [𩐈] 〔격·극〕
㉝ 鞿(革部 十二畫〈p. 2530〉)과 同字

韋 (9획) 部
〔다룸가죽위부〕

0 [韋] [人名] 위 [平]微 雨非切 wéi 韦
⑨
[筆順] 韋
[字解] ①가죽 위 ㉠무두질하여 부드러워진 가죽. '一帶'. '佩一'. ㉡부드러운 것의 비유로 쓰임. '如脂如一'《屈原》. 전(轉)하여, 아첨을 '脂一'라 함. ②에울 위, 아름 위 圍(囗部 九畫)와 통용. '大木十一以上'《漢書》. ③어길 위, 틀릴 위 違(辵部 九畫)와 통용. '五音六律不相依一'《漢書》. ④성 위 성(姓)의 하나.
[字源] 甲骨文 金文 篆文 古文 會意. 舛+囗. '舛천'은 내디딘 방향이 다른 발을 본뜬 것. '囗위'는 '장소'의 뜻. 어떤 장소에서 다른 방향으로 발걸음을 내디디는 모양에서 '어기다'의 뜻을 나타냄. 또 '어기다, 떨어뜨리다'의 뜻에서 假借하여 무두질한 가죽의 뜻도 나타냄.
[參考] '韋위'를 의부(意符)로 하여 여러 가지 종류의 가죽 제품을 나타내는 문자를 이룸. 부수 이름으로 '皮피'·'革혁'과 구별하여, 특히 '다룸가죽위'라 이름.

[韋皐 위고] 당(唐)나라의 절도사(節度使). 만년

(萬年) 사람. 덕종(德宗) 때 검남서천 절도사(劍南西川節度使)가 되어 전남(滇南)을 경영(經營)하기를 21년, 토번(吐蕃)의 병력 48만을 격파하여 그 공(功)으로 남강군왕(南康郡王)에 피봉(被封)되었음.

[韋袴布被 위고포피] 가죽 바지와 베옷. 곧, 빈사(貧士)의 차림.

[韋韝 위구] 부드러운 가죽으로 만든 팔찌.

[韋帶 위대] 가죽 띠. 곧, 빈천한 사람이 띠는 띠.

[韋杜 위두] 위씨(韋氏)와 두씨(杜氏). 모두 당(唐)나라의 명족(名族).

[韋輪 위륜] 흔들림을 막기 위해 가죽으로 바퀴를 싼 수레.

[韋柔 위유] 다룬 가죽처럼 부드러움.

[韋應物 위응물] 당(唐)나라의 시인(詩人). 소주자사(蘇州刺史)를 지냈으므로 위소주(韋蘇州)라고도 함. 성품이 고결(高潔)하고 시(詩) 또한 담박(淡泊)함. 왕유(王維)·맹호연(孟浩然)·유자후(柳子厚)와 함께 왕맹위류(王孟韋柳)라 일컬어짐. 시집 〈위소주집(韋蘇州集)〉 10권이 있음.

[韋衣 위의] 부드러운 가죽으로 만든, 사냥할 때 입는 옷.

[韋莊 위장] 당(唐)나라 말기의 시인(詩人). 자(字)는 단기(端己). 건녕(乾寧) 원년의 진사(進士). 중원(中原)이 어지러운 때 전촉(前蜀)의 왕건(王建) 밑에서 재상(宰相)이 됨. 사(詞)에 뛰어나, 온정균(溫庭筠)과 병칭(竝稱)되는 당시의 대표적 작가(作家). 장편시(長篇詩) '진부음(秦婦吟)'이 유명함.

[韋馱天 위태천] 《佛敎》 불법(佛法) 수호(守護)의 신(神). 팔대 장군(八大將軍)의 하나. 마왕(魔王)이 불사리(佛舍利)를 훔쳐 도망갔을 때 그를 좇아가서 도로 빼앗아 온, 달음질 잘하는 신으로 유명함.

[韋編 위편] 책을 꿰맨 가죽끈.

[韋編三絕 위편삼절] 공자(孔子)가 만년에 주역(周易)을 좋아하여 자꾸 숙독하였기 때문에 맨 가죽끈이 세 번이나 끊어졌다는 고사(故事).

[韋布 위포] 위대(韋帶)와 포의(布衣). 곧 빈천한 사람의 의복.

[韋革 위혁] ㉠무두질한 부드러운 가죽과 날가죽. ㉡무두질한 부드러운 가죽.

[韋玄成 위현성] 한(漢)나라 사람. 경서(經書)에 달통함. 아버지의 벼슬을 이어 원제(元帝) 때 승상(丞相)이 됨.

◉韎韋. 依韋. 脂韋. 佩韋. 布韋.

3 ⑫ [韌] 인 ㊄震 而振切 rèn

字解 질길 인 탄력성이 있어 잘 끊어지지 아니함. '蔓—時縈'《皇甫崧》.

字源 篆文 形聲. 韋+刃〔音〕. '刃인'은 '忍인'과 통하여 부드럽고 강하다의 뜻. 부드럽고 질긴 다룬 가죽의 뜻을 나타냄.

[韌帶 인대] '인대(靭帶)'와 같음.

◉蔓韌.

4 ⑬ [韐] 교 ㊉看 古肴切 jiāo

字解 주머니 교 가죽으로 만든 주머니·자루·전대 따위. '—, 囊—'《玉篇》.

4 ⑬ [韐] 삽 ㊅合 悉合切 sǎ

字解 신 삽 ㉠아이들의 신. 꺽두기. '—, 說文, 小兒履也. 或作—'《集韻》. ㉡짚신. '韐, 履也. 亦作—'《玉篇》.

4 ⑬ [韍] 납 ㊅合 諾答切 nà

字解 ①약할 납 '—, 弱也'《廣雅》. ②연할 납 연함. '—, 博雅, 軟也'《集韻》. ③부드러울 납 부드러운 모양. '—, 腝皃'《廣韻》.

5 ⑭ [韍] 비 ㊄寘 兵媚切 bì

字解 도지개 비 활을 바로잡는 틀. 궁경(弓檠).

5 ⑭ [韎] 매 ㊄卦 莫拜切 mèi

字解 가죽 매 꼭두서니 빛의 가죽. '—韋之跗注'《左傳》.

字源 篆文 形聲. 韋+末〔音〕. 꼭두서니로 물들인, 연붉은 다룬 가죽의 뜻을 나타냄.

[韎韐 매겹] 가죽의 슬갑(膝甲).

[韎樂 매악] 동이(東夷)의 음악의 명칭.

[韎韋 매위] 꼭두서니 빛의 가죽으로 만든 군복(軍服).

5 ⑭ [韍] 불 ㊅物 分勿切 fú

[韍①]

字解 ①슬갑 불 옛 제복(祭服)의 하나. 바지 위에 껴입는, 무릎까지 닿는 가죽 옷. '一命縕—'《禮記》. ②끈 불 땋아서 만든 끈. 인끈 따위. '奉上璽—'《漢書》.

字源 金文 篆文 篆文은 會意. 韋+犮. '犮발'은 '祓불'과 통하여 떨어 없애다의 뜻. 먼지 등을 떨 수 있는 가죽제의 슬갑의 뜻을 나타냄. 金文은 슬갑의 象形.

[韍佩 불패] 슬갑(膝甲)과 패옥(佩玉).

◉璽韍. 縕韍.

5 ⑭ [韍] 주 ㊄遇 朱戍切 zhù

字解 ①가죽바지 주 가죽으로 만든 바지. '—, 一曰, 韋袴'《集韻》. ②슬갑 주 무릎까지 내려오게 걸쳐 입는 군복(軍服)의 하나. '—, 戎服蔽膝也'《集韻》.

6 ⑮ [韗] 훤 ㊄願 虛願切 yùn

字解 북짓는직공 훤 북 장인(匠人). 북을 만드는 사람. '—, 作鼓工'《篇海》.

6 ⑮ [韏] 권 ㊄願 去願切 quàn / ㊄霰 渠卷切 juàn / ㊤銑 居轉切 quàn / ㊤阮 九遠切

字解 ①가죽주름 권 가죽에 주름이 짐. ②가죽갈라질 권 가죽이 꺾어진 곳에서 째짐. '革中絕謂

之辨, 革中辨謂之一'《爾雅》. ③굽을 권 '一, 詘也. 曲也'《玉篇》. ④수레위에쓰이는가죽 권 '一, 車上所用皮也'《廣韻》. ⑤가죽신솔기 권 '⿰韋卷, 緣鞾縫也. 一, 上同'《廣韻》.
[字源] 形聲. 篆文은 韋+龹〔音〕

6 ⑮ [⿰韋交] 〔교〕
⿰韋爻(韋部 四畫〈p. 2532〉)와 同字

6 ⑮ [⿰韋各] 〔구〕
韝(韋部 十畫〈p. 2535〉)와 同字

6 ⑮ [⿰韋艮] 근 [平]元 口恩切 kēn
[字解] 묶을 근 묶음〔束〕. '一, 束也'《玉篇》.

6 ⑮ [韐] 겹 [入]洽 古洽切 gé
[字解] 슬갑 겹 '韎一'은 꼭두서니 빛의 가죽으로 만든 슬갑(膝甲). '韎一有奭'《詩經》.
[字源] 篆文 別體 形聲. 篆文은 市+合〔音〕. '市불'은 슬갑. 別體도 形聲. 韋+合〔音〕. '韋위'는 다룬 가죽. '合합'은 다룬 가죽을 합쳐서 만들다의 뜻.

◉韎韐.

7 ⑯ [韒] 〔초〕
鞘(革部 七畫〈p. 2525〉)와 同字

7 ⑯ [⿰韋夾] 韐(前前條)과 同字

7 ⑯ [⿰韋殳] 〔단〕
⿰韋段(韋部 九畫〈p. 2534〉)과 同字

8 ⑰ [韔] 창 [去]漾 丑亮切 chàng
[字解] 활집 창 궁의(弓衣). '虎一鏤膺'《詩經》.
[字源] 篆文 形聲. 韋+長〔音〕. '韋위'는 '다룬 가죽'의 뜻. '長장'은 '길다'의 뜻. 가죽제의 기다란 활집의 뜻을 나타냄.

◉弓韔. 櫜韔.

8 ⑰ [⿰韋匊] 국 [入]屋 巨竹切 jú
[字解] ①쌀 국 쌈. 바깥을 둘러쌈. '一, 裹也'《玉篇》. ②공 국 공. '一, 同鞠'《五字通》.

8 ⑰ [⿰韋卷] 권 [去]願 去願切 quàn, juàn
[去]霰 逵眷切
[字解] ①굽을 권 굽음. '一, 曲也'《篇海》. ②갖신솔기 권 갖신의 솔기. '一, 緣鞾縫也'《字彙》.

8 ⑰ [⿰韋非] 패 [去]卦 步拜切 baì
[字解] 허풍선 패 숯불을 피우는 손풀무의 한 가지. '一, 吹火韋囊也'《集韻》.

8 ⑰ [⿰韋沓] [一] 답 [入]合 託合切 tà
[二] 배 [去]卦 蒲拜切
[字解] [一] 깍지 답 활 쏠 때 끼는 가죽 장갑. '一, 指衣'《集韻》. [二] 풀무 배 韛(韋部 十一畫)의 俗字. '一, 韛俗字. 韋囊, 吹火具也'《龍龕手鑑》.

8 ⑰ [韓] [中人] 한 [平]寒 胡安切 hán 韩
[筆順] 十 古 卓 卓' 卓' 韓 韓 韓
[字解] ①나라이름 한 ㉠주대(周代)의 제후(諸侯)의 나라. 지금의 허난(河南) 및 산시(山西) 두 성(省)의 일부에 웅거하여 신정(新鄭)에 도읍하였는데, 후에 진(秦)나라에게 망함. '爲一報仇'《史記》. ㉡상고(上古) 시대에, 우리나라 남쪽에 있던 세 나라. '馬一'·'辰一'·'弁一'을 '三一'이라 함. 또, 조선(朝鮮)이 고종(高宗) 34년에 중국의 기반(羈絆)을 벗어났을 때 '大一帝國'이라 일컬었으며, 1945년 8·15 해방 후 독립하였을 때 '大一民國'이라 칭하여 현재에 이름. '一有三種'《後漢書》. ②우물난간 한 우물의 정간(井幹). ③성 한 성(姓)의 하나.
[字源] 金文 篆文 形聲. 韋+倝〔音〕. '韋위'는 '에우다'의 뜻. '倝간'은 '마르다'의 뜻. 우물 난간의 뜻을 나타냄.

[韓康 한강] 후한(後漢)의 패릉(霸陵) 사람. 자(字)는 백휴(伯休). 장안(長安)의 저자에서 30여 년 약(藥)을 팔았는데 결코 에누리하는 일이 없어 이름이 나자, 이를 한탄하여 패릉 산중으로 은둔(隱遁)하였음.
[韓翃 한굉] 당(唐)나라 중기의 시인(詩人). 자(字)는 군평(君平). 벼슬이 중서사인(中書舍人)에 이르렀음.
[韓國 한국] ㉠대한 제국(大韓帝國). ㉡대한민국(大韓民國).
[韓琦 한기] 범중엄(范仲淹)과 병칭(竝稱)되는 송(宋)나라의 현상(賢相). 자(字)는 치규(稚圭). 인종조(仁宗朝)에 재상이 되어 위국공(魏國公)에 피봉(被封)됨. 시호(諡號)는 충헌(忠獻).
[韓盧 한로] 전국 시대(戰國時代)에 한(韓)나라에서 난 명견(名犬) 이름.
[韓盧逐塊 한로축괴] 한로(韓盧)가 흙덩이를 쫓아간다는 뜻으로, 무용한 사물에 시간과 정력을 소비함의 비유.
[韓柳李杜 한류이두] 당대(唐代)의 문호 한유(韓愈)·유종원(柳宗元)과 시백(詩伯) 이백(李白)·두보(杜甫).
[韓陵 한릉] 허난 성(河南省) 안양현(安陽縣) 동북(東北)쪽의 산 이름.
[韓文 한문] 한유(韓愈)의 문장.
[韓范歐富 한범구부] 한기(韓琦)와 범중엄(范仲淹)과 구양수(歐陽修)와 부필(富弼). 모두 북송(北宋)의 명신(名臣).
[韓非 한비] 전국 시대(戰國時代) 말기의 법가(法家)의 대성자(大成者). 한(韓)나라의 공자(公子)임. 형명법술(刑名法術)의 학(學)을 좋아하여 이사(李斯)와 더불어 순자(荀子)에게 배움. 진(秦)나라에 사신(使臣)으로 갔다가 갇혀 이사(李斯) 때문에 독살(毒殺)당하였음. 한비자(韓非子)라고도 함. 저서에 〈한비자(韓非子)〉 20권이 있음.
[韓非子 한비자] ㉠한비(韓非)의 찬(撰), 20권임. 원이름은 한자(韓子)이나 후세에 당(唐)나라의

한유(韓愈)를 한자(韓子)라 부르는 것과 구별하기 위하여 한비자(韓非子)로 일컫게 된 것임. 소론(所論)은 형명 사상(刑名思想)의 제창(提唱)임. ㉡한비(韓非).

[韓世忠 한세충] 남송(南宋) 건국초(建國初)의 무장(武將). 연안(延安) 사람. 자(字)는 양신(良臣). 북송(北宋)이 망하자 부하를 거느리고 고종(高宗)에게 달려가 남쪽의 묘부(苗傅)·유정언(劉正彦)의 난(亂)을 평정하고 올출(兀朮)을 격파하여 자못 권세(權勢)를 떨쳤으나, 진회(秦檜)의 책략(策略)으로 병권(兵權)을 빼앗긴 후 서호(西湖)에 은거(隱居)하여 스스로 청량 거사(淸涼居士)라 일컬었음.

[韓信 한신] 한(漢)나라 고조(高祖)의 공신(功臣). 소하(蕭何)·장량(張良)과 함께 삼걸(三傑)이라 일컬어짐. 고조(高祖)의 대장(大將)으로서 조(趙)·연(燕)·제(齊) 등의 나라를 차례로 공략(攻略)하여 천하 통일의 기초를 확립, 제왕(齊王)으로 피봉(被封)되었으나, 뒤에 초왕(楚王)·회음후(淮陰侯)로 폄봉(貶封)되고 마침내 여후(呂后)와 소하(蕭何)의 모계(謀計)로 잡혀 모반죄(謀叛罪)로써 삼족(三族)이 모두 멸족(滅族)되었음. 「이름.

[韓娥 한아] 옛날의 한(韓)나라의 가기(歌妓)의

[韓偓 한악] 당말(唐末)의 시인. 경조(京兆) 사람. 자(字)는 치요(致堯). 그의 시풍(詩風)을 향렴체(香奩體)라 일컬음. 벼슬이 병부시랑(兵部侍郞)·한림 학사(翰林學士)에 이름. 시집(詩集)에 〈옥산초인집(玉山樵人集)〉과 〈향렴집(香奩集)〉이 각각 한 권씩 있음.

[韓原 한원] 옛 지명(地名). 지금의 산시 성(山西省)에 있었다고도 하고, 산시 성(陝西省)에 있었다고도 함.

[韓魏 한위] ㉠한씨(韓氏)와 위씨(魏氏). 모두 진(晉)나라 육경(六卿) 중의 부호. ㉡부귀한 집.

[韓愈 한유] 당(唐) 중기(中期)의 유자(儒者)·문장가(文章家). 당송 팔대가(唐宋八大家)의 한 사람. 자(字)는 퇴지(退之). 등주 남양(鄧州南陽) 사람. 벼슬은 국자감 사문박사(國子監四門博士)·국자박사(國子博士) 등을 거쳐 이부시랑(吏部侍郞)에 이르렀음. 그의 문장은 고문(古文)을 모범(模範)으로 삼아 웅위굉심(雄偉宏深)하여 후세의 종(宗)이 됨. 〈한창려집(韓昌黎集)〉 50권이 있음.

[韓子 한자] ㉠당대(唐代)의 문호(文豪) 한유(韓愈)의 경칭(敬稱). ㉡한비(韓非)의 저서인 〈한비자(韓非子)〉의 본이름.

[韓侂胄 한탁주] 송(宋)나라의 정치가. 기(琦)의 증손(曾孫). 영종(寧宗) 때 태사(太師)·평원군왕(平原郡王)·평장 군국사(平章軍國事)가 되어 전횡(專橫)을 극(極)하였음. 뒤에 중원(中原)을 회복하여 자기의 지위를 강화하고자 금(金)나라와 전단(戰端)을 벌이어 패하고 송인(宋人)에게 피살되었음.

[韓海蘇潮 한해소조] 한유(韓愈)의 글은 왕양(汪洋)하여 바다 같고 소식(蘇軾)의 글은 파란(波瀾)이 있어서 조수 같음.

[韓休 한휴] 당(唐)나라 경조(京兆) 사람. 현종(玄宗) 때의 재상(宰相). 성품이 강직(剛直)하여 현종에게 조그마한 허물이 있어도 반드시 이를 간(諫)하였음.

◉大韓. 來韓. 馬韓. 訪韓. 弁韓. 三韓. 離韓. 辰韓. 着韓.

9 ⑱ [韗] 운 [去]問 王問切 yùn

[字解] 혁공 운 가죽을 만드는 장인. '一人爲皐陶'《周禮》.

[字源] 篆文 形聲. 韋+軍〔音〕

9 ⑱ [韞] 韗(前條)과 同字

9 ⑱ [韟] 韗(前前條)과 同字

9 ⑱ [韘] 섭 [入]葉 書涉切 shè

[字解] 깍지 섭 활 쏠 때 시위를 잡아당기는 엄지손가락에 끼는 기구. 決(水部 四畫) 참조. '童子佩一'《詩經》.

[字源] 篆文 別體 形聲. 韋+枼〔音〕. '枼엽'은 '얇다'의 뜻. 다른 얇은 가죽으로 만든 깍지의 뜻을 나타냄.

◉佩韘.

9 ⑱ [韜] 〔도〕 韜(韋部 十畫〈p. 2534〉)와 同字

9 ⑱ [韝] 〔극〕 鞼(革部 九畫〈p. 2527〉)과 同字

9 ⑱ [韣] 단 [去]翰 徒玩切 duàn / [上]旱 徒營切

[字解] 신뒤축가죽 단 신 뒤축을 싼 가죽. '一, 履後帖也'《說文》.

[字源] 形聲. 韋+段〔音〕

9 ⑱ [韞] 하 [平]麻 何加切 xiá

[字解] 신뒤축가죽 하 신 뒤축을 싼 가죽. '一, 履跟後帖'《廣韻》.

[字源] 形聲. 韋+叚〔音〕

9 ⑱ [韫] 〔온〕 韞(韋部 十畫〈p. 2535〉)의 俗字

9 ⑱ [韙] 위 [上]尾 于鬼切 wěi

[字解] 옳을 위 바름. 또, 좋음. '犯五不一'《左傳》.

[字源] 篆文 籀文 形聲. 是+韋〔音〕. '是시'는 '바르다, 좋다'의 뜻. '韋위'는 '부드럽다, 순수하다'의 뜻. 籀文은 心+韋〔音〕

◉不韙. 昭韙.

9 ⑱ [韪] 韙(前條)와 同字

10 ⑲ [韜] [人名] 도 [平]豪 土刀切 tāo

[字解] ①활집 도 활을 넣어 두는 자루. 전(轉)하여, 널리 물건을 넣어 두는 자루. '劍一'. '囊

一'. ②쌀 도, 감출 도 싸서 깊이 둠. 전(轉)하여, 감추어 보이지 아니함. '一弓'. '一晦'. '故一光侯奮耳'《晉書》. ③비결 도 병법의 비결. '六一三略'. '侍戎一于武帳'《庾信》.
[字源] 篆文 形聲. 韋+舀〔音〕. '舀도'는 절구에서 뽑아내다의 뜻. 활이나 칼을 뽑아내는 주머니, 활집의 뜻을 나타냄. 또 파생하여 주머니에 넣어 버리다의 뜻도 나타냄.

[韜鈐 도검] 병법(兵法).
[韜光 도광] ㉠빛을 감추고 밖에 나타내지 아니함. ㉡도회(韜晦)㉠.
[韜弓 도궁] ㉠활을 자루에 넣어 두고 쓰지 아니함. ㉡활집.
[韜略 도략] 육도(六韜)와 삼략(三略). 전(轉)하여, 병법(兵法).
[韜隱 도은] 싸서 감춤.
[韜潛 도잠] 숨음. 자취를 감춤.
[韜藏 도장] 도회(韜晦)㉠.
[韜含 도함] ㉠포함(包含)함. ㉡욈. 암기함.
[韜涵 도함] 싸서 감춤.
[韜晦 도회] ㉠재덕(才德)을 숨기어 감춤. ㉡어둠침침함.
◉鈐韜. 劍韜. 囊韜. 兵韜. 龍韜. 六韜. 戎韜.

10⑲ [韞] [一] 운 [上]吻 於粉切 yùn
[二] 온 [平]元 烏渾切 wēn

[字解] [一] 넣을 운, 감출 운 깊이 넣어 둠. '有美玉於斯, 一匵而藏諸'《論語》. [二] 넣을 온, 감출 온 [一]과 뜻이 같음.
[字源] 形聲. 韋+𥁕〔音〕. '韋위'는 '에우다'의 뜻. '온'은 따뜻하게 하다의 뜻. 물건을 에워싸서 따뜻하게 하다, 싸다, 감추다의 뜻을 나타냄.
[參考] 韞(韋部 九畫)은 俗字.

[韞價 운가] 재주가 있으면서 세상에 알려지지 아니함.
[韞匵 운독] 운독(韞櫝).
[韞櫝 운독] 함에 넣어 깊이 둠. 재주가 있으면서 쓰이지 않음의 비유.
[韞玉 운옥] 옥(玉)을 싸서 감춤.

10⑲ [韚] 답 [入]合 都合切 dá

[字解] 깍지 답 깍지. 활을 쏠 때 손가락에 끼는 기구. '一, 皮指'《字彙》.

10⑲ [韝] 구 [平]尤 恪侯切 gōu

[字解] ①깍지 구 활 쏠 때 오른손 엄지손가락에 끼는 기구. ②팔찌 구 활 쏠 때 왼팔 소매를 걷어 매는 띠.
[字源] 篆文 形聲. 韋+冓〔音〕

10⑲ [韛] 배 [去]卦 蒲拜切 bài

[字解] 풀무 배 불을 일으키는 데 바람을 내는 제구. '入鍋鼓之二千一'《雲笈七籤》.
[字源] 形聲. 韋+𤰈〔音〕. '𤰈비'는 전동을 몸에 착용하다의 뜻. 전동과 비슷한 가죽제의 풀무의 뜻을 나타냄.

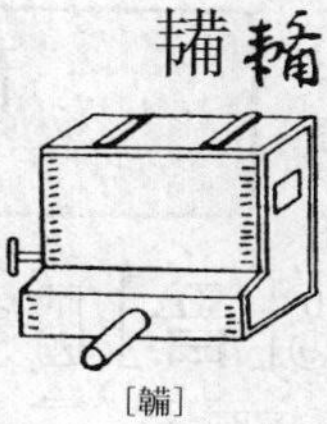
[韛]

◉錦韛. 臂韛. 射韛. 韋韛. 靑韛.

10⑲ [⿰韋葡] 韛(前條)와 同字

10⑲ [韏] 〔권〕
韏(韋部 六畫〈p. 2532〉)의 本字

11⑳ [韠] 필 [入]質 卑吉切 bì

[字解] 슬갑 필 바지에 껴 입는, 무릎까지 내려오는 가죽 옷. 鞸(革部 十一畫)과 同字. '庶見素一兮'《詩經》.
[字源] 篆文 形聲. 韋+畢〔音〕

◉素韠. 爵韠. 緇韠.

12㉑ [韡] 위 [上]尾 于鬼切 wěi

[字解] 활짝필 위 꽃이 활짝 많이 핀 모양. 또, 환한 모양. 빛나는 모양. 선명한 모양. '棠棣之華, 鄂不一一'《詩經》.
[字源] 篆文 形聲. 華(𠌶)+韋〔音〕. '韋위'는 '유다르다'의 뜻. 두드러지게 곱고 성하다의 뜻을 나타냄.

[韡萼 위악] 꽃이 떨기로 피어 화려한 모양.
[韡曄 위엽] 빛나는 모양.
[韡煒 위위] 환한 모양.
[韡韡 위위] 꽃이 활짝 많이 핀 모양. 또, 환한 모양.
◉斐韡. 暐韡. 風韡.

12㉑ [韟] 고 [平]豪 居勞切 gāo

[字解] ①활집 고 '一, 韜也'《字彙》. ②큰자루 고 '櫜, 說文, 車上大櫜. 或作一'《集韻》.

12㉑ [韢] [一] 귀 [去]未 巨貴切 guì
[二] 궤 [去]隊 胡對切

[字解] [一] 길쌈할 귀 길쌈함. 실을 자음. '一, 一緝也'《玉篇》. [二] 수놓은다룸가죽 궤 수놓은 다룸가죽. 鞼(革部 十二畫)와 同字. '鞼, 說文, 韋繡也. 或从韋'《集韻》.

13㉒ [韣] [一] 독 [入]屋 徒谷切 dú
[二] 촉(속[本]) [入]沃 市玉切 dú

[字解] [一] 활집 독 韣(革部 十三畫)과 同字. '帶以弓一'《禮記》. [二] 활집 촉.
[字源] 篆文 形聲. 韋+蜀〔音〕

◉弓韣.

13㉒ [韂] 첨 ①[平]鹽 處占切 chān
②③[去]豔 昌豔切 chàn

[字解] ①가리개 첨 칸막이로 세우는 가리개. '一, 屛也'《廣韻》. ②슬갑 첨 무릎까지 덮어 걸치는 옷. ③말다래 첨 진흙이 튀어 오르지 않도록 말의 배 양쪽에 늘어뜨린 물건. 韂(革部 十三畫)과 同字.

15㉔ [韤] 말 [入]月 望發切 wà

字解 버선 말 발에 꿰어 신는 물건. '韈(革部 十五畫)·襪(衣部 十五畫)과 同字. '褚師聲子, 一而登席'《左傳》.

字源 篆文 形聲. 韋+蔑〔音〕. '蔑멸'은 '얕보다'의 뜻. 인체의 가장 비천한 부분에 쓰는 가죽, '버선'의 뜻을 나타냄.

〔韈〕

[韈線 말선] 재주가 짧음의 비유.
◉羅韈. 履韈. 布韈. 解韈.

15 ㉔ [韇] 〔독〕 韣(韋部 十三畫〈p. 2535〉)과 同字

19 ㉘ [韉] 권 ㊀願 居願切 juàn

字解 다룸가죽 권 다룸가죽. '一, 柔韋也'《字彙》.

20 ㉙ [韄] 곽 ㊀藥 厥縛切 jué

字解 ①칼자루가죽 곽 칼자루를 감은 가죽. '一, 韠一, 刀靶韋'《集韻》. ②칼치장 곽 칼치장. 韄(韋部 十四畫)의 訛字.

韭 (9획) 部
〔부추구부〕

0 ⑨ [韭] 구 ㊤有 擧有切 jiǔ

筆順 丨 丨 丬 ヨ 非 非 韭 韭

字解 부추 구 훈채(葷菜)의 하나. '一菹'《儀禮》.

字源 篆文 象形. 땅 위에 무리 지어 나 있는 부추의 象形으로 '부추'의 뜻을 나타냄.

參考 ① '韭구'를 의부(意符)로 하여 부추 등의 야채나 그것을 써서 만든 요리에 관한 문자를 이룸. ②韮(次條)는 同字.

[韭菹 구저] 훈채(葷菜)의 하나. 부추.
[韭黃 구황] 부추 뿌리의 노란 부분. 가장 맛이 있음.
◉鹿韭. 山韭. 禹韭.

4 ⑬ [韮] 韭(前條)와 同字

4 ⑬ [韯] 잡 ㊀合 才盍切 zá

字解 나쁠 잡 나쁨. 약함. '一, 惡也'《廣韻》.

4 ⑬ [韰] 구 ㊤有 擧有切 xiè

字解 성 구 성(姓)의 하나. '一, 姓也'《字彙》.

6 ⑮ [韱] 〔섬〕 鑯(韭部 八畫〈p. 2536〉)과 同字

7 ⑯ [韲] 〔계〕 季(子部 五畫〈p. 562〉)의 古字

7 ⑯ [韰] 해 ㊀卦 下介切 xiè

字解 ①마음좁고사나울 해 '一惈'는 마음이 좁고 성질이 사나움. '風俗以一惈爲嫿'《左思》. ②좁을 해, 빠를 해 '韰, 博雅, 陜也. 一曰, 速也. 或省'《集韻》.

8 ⑰ [韱] 섬 ㊥鹽 息廉切 xiān

字解 ①산부추 섬 달래과에 속하는 다년초. 식용함. '一, 山韭也'《說文》. ②가늘 섬 섬세함. 纖(糸部 十七畫)과 同字.

字源 篆文 形聲. 韭+𢦔〔音〕. '𢦔첨'은 잘게 썰다의 뜻. 가냘픈 '산부추'의 뜻을 나타냄.

10 ⑲ [韲] 제 ㊥齊 祖稽切 jī

字解 ①나물 제 야채 따위를 잘게 썰어 양념을 하여 무친 음식. '懲熱羹而吹一兮'《楚辭》. ②섞을 제 혼화(混和)함. '以是非相一也'《莊子》. ③어지럽힐 제 '一其所患'《莊子》.

字源 篆文 別體 形聲. 韭+次〔音〕+朿〔音〕. '韭구'는 '부추'의 뜻. '次차'는 차례 따라 하다의 뜻. 別體는 韭+齊(齊). '齊제'는 맛을 조절하다의 뜻.

[韲落 제락] 떨어져서 산산이 부서짐. 떨어져 박살이 남.

10 ⑲ [齏] 〔제〕 齏(齊部 九畫〈p. 2722〉)와 同字

12 ㉑ [韰] 대 ㊀隊 徒對切 duì

字解 나물 대 잘게 썬 야채를 초나 간장 또는 매운 것에 무쳐 조리한 것. '一, 齏菹'《玉篇》.

字源 形聲. 韭+隊〔音〕. '韭구'는 부추.

14 ㉓ [韲] 해 ㊀卦 胡介切 xiè

字解 ①염교 해 백합과에 속하는 다년초. 인경(鱗莖)은 식용함. ②좁을 해 '何文肆而質一'《揚雄》.

字源 篆文 形聲. 韭+叡〔音〕

音 (9획) 部
〔소리음부〕

0 ⑨ [音] 中人 음 ①-④㊥侵 於金切 yīn ⑤㊀沁 於禁切 yìn

筆順 亠 亠 立 立 立 产 音 音

字解 ①소리 음 ㉠귀에 울려 들리는 자극. '淸

水一小, 濁水一大'《淮南子》. ㉡음악, 성악. '八一'. '治世之一'《禮記》. ㉢말. '金玉爾一'《詩經》. ②음 음 ㉠자음(字音). '一訓'. '此字何一'《顏氏家訓》. ㉡음조(音調). '審聲以知一'《禮記》. ③소식 음 음신. 전언(傳言). '一訊'. '歸雲難寄一'《陸機》. ④성 음 성(姓)의 하나. ⑤그늘 음 蔭(艸部 十一畫)과 통용. '鹿死不擇一'《左傳》.

字源 金文 篆文 篆文 指事. 金文은 '言언'의 '口구' 부분에 점을 하나 덧붙인 꼴로, 현악기·관악기나 쇠·돌·풀·나무에서 나는 소리의 뜻을 나타냄.

參考 '音음'을 의부(意符)로 하여 음향에 관한 문자를 이룸.

[音階 음계] 일정한 음정(音程)의 순서로 배열한 음(音)의 연쇄(連鎖)로서 선율(旋律)·화성(和聲)의 기초가 되는 계단. 곧, 서양 음악의 도·레·미·파·솔·라·시, 동양 음악의 십이율(十二律) 따위.
[音曲 음곡] ㉠음악의 곡조(曲調). 가락. ㉡음악.
[音官 음관] 음악을 맡은 벼슬아치.
[音讀 음독] 한문을 음으로 읽음.
[音律 음률] ㉠음악의 곡조. 가락. ㉡음악.
[音耗 음모] 음신(音信).
[音問 음문] 음신(音信).
[音物 음물] 선물. 선사. 예물.
[音盤 음반] 축음기의 레코드판.
[音譜 음보] 곡보(曲譜).
[音符 음부] 음악(音樂)에서 음(音)의 장단(長短)·고저(高低)를 표(表)하는 기호(記號). 음표(音標).
[音符文字 음부문자] 음자(音字).
[音辭 음사] 말. 언사(言辭).
[音色 음색] 발음체(發音體)의 종류(種類)를 분별할 만한 소리의 성질.
[音書 음서] 소식을 전하는 편지.
[音聲 음성] 목소리.
[音聲學 음성학] 언어(言語)의 성음(聲音)에 대(對)하여 조직적(組織的)으로 연구(研究)하는 학문(學問).
[音信 음신] 소식(消息). 편지(便紙).
[音訊 음신] 음신(音信).
[音樂 음악] 음향(音響)을 아름다운 형식(形式)으로 조화(調和)시키어 미감(美感)을 일으키는 예술(藝術)의 일종. 육성(肉聲)을 사용(使用)하는 것을 성악(聲樂), 악기(樂器)를 사용(使用)하는 것을 기악(器樂)이라 함.
[音與政通 음여정통] 음악(音樂)과 정치(政治)는 상통(相通)함이 있음.
[音容 음용] 목소리와 모습.
[音韻 음운] ㉠소리. ㉡음과 운.
[音韻學 음운학] 한문자(漢文字)의 음운을 연구하는 학문.
[音義 음의] 글자의 음과 뜻.
[音字 음자] ㉠반절자(反切字)의 상하 2자에서, 밑의 자를 운자(韻字)라고 하는 데 대하여, 위에 있는 글자를 이름. ㉡뜻은 없고 음만 있는 글자. 음부 문자(音符文字).
[音節 음절] ㉠소리와 가락. ㉡말소리가 잇달아 날 때에 하나의 모음이나 또는 모음과 자음이 어울려서 나는 소리의 한 단위. ㉢말이 꺾이는 마디.
[音程 음정] 두 소리의 진동수(振動數)의 비(比).
[音調 음조] 음률(音律)의 곡조. 가락.
[音旨 음지] 말. 음사(音辭).
[音塵 음진] 음신(音信).
[音叉 음차] 음의 진동수를 측정하는 기구.
[音吐 음토] 말하는 소리. 음성.
[音波 음파] 발음체(發音體)에 접촉(接觸)한 공기(空氣)가 발음체(發音體)의 진동(振動)을 받아서 그 음향(音響)이 물결처럼 전(傳)하는 상태(狀態).
[音標文字 음표문자] 음자(音字).
[音響 음향] ㉠울려 들리는 소리. ㉡소리.
[音訓 음훈] 글자의 음과 새김.
◉佳音. 嘉音. 瓊音. 鯨音. 孤音. 高音. 空谷足音. 空音. 觀世音. 管音. 觀音. 轟音. 金玉爾音. 琴音. 鹿死不擇音. 錄音. 單音. 德音. 同音. 蠻音. 亡國之音. 母音. 妙音. 無音. 美音. 微音. 半音. 發音. 方音. 防音. 梵音. 法音. 福音. 複音. 訃音. 北音. 鼻音. 邪音. 石音. 聲音. 昭音. 騷音. 殊音. 愁音. 新音. 樂音. 哀音. 弱音. 語音. 言音. 餘音. 五音. 玉音. 訛音. 原音. 遺音. 擬音. 異口同音. 溺音. 子音. 字音. 雜音. 長音. 低音. 全音. 轉音. 鄭音. 噪音. 潮音. 足音. 至音. 知音. 車音. 淸音. 促音. 七音. 濁音. 土音. 八音. 爆音. 表音. 翰音. 鄕音. 革音. 惠音. 好音. 和音. 花音. 徽音. 凶音. 吃音. 吸音.

[章] 〔장〕
立部 六畫(p. 1648)을 보라.

3 ⑫ [訌] 홍 ㊥東 胡公切 hóng

字解 큰소리 홍 크게 지르는 소리. '一, 大聲'《集韻》.

[意] 〔의〕
心部 九畫(p. 798)을 보라.

4 ⑬ [韵] 〔운〕
韻(音部 十畫〈p. 2538〉)과 同字

[歆] 〔흠〕
欠部 九畫(p. 1132)을 보라.

4 ⑬ [韷] 〔음·금〕
吟(口部 四畫〈p. 353〉)과 同字

5 ⑭ [韶] 人名 소 ㊥蕭 市昭切 sháo

筆順 亠 立 立 音 音 韶 韶 韶 韶

字解 ①풍류이름 소 순(舜)임금이 지은 음악 이름. '子謂一'《論語》. ②아름다울 소 훌륭함. 또, 화창함. '一光開令序, 淑氣動芳年'《唐太宗》. ③이을 소 紹(糸部 五畫)와 통용. ④성 소 성(姓)의 하나.

字源 篆文 形聲. 音+召[音]. '召소'는 '부르다'의 뜻. 신을 부르는 음악의 뜻을 나타냄.

[韶景 소경] 소광(韶光)㉠.
[韶警 소경] 총명함.
[韶光 소광] ㉠화창한 봄 경치. 춘광(春光). ㉡아

飛 食

름다운 빛.
[韶氣 소기] 소광(韶光) ㉠.
[韶腦 소뇌] 장뇌(樟腦).
[韶代 소대] 태평한 세대.
[韶麗 소려] 화창하고 아름다움.
[韶舞 소무] 순(舜) 임금이 지은 소(韶)의 음악을 연주하며 춤을 춤.
[韶箾 소소] 순(舜) 임금이 지은 음악.
[韶顏 소안] ㉠아름다운 얼굴. 젊은이의 용모. ㉡나이가 들었는데도 젊어 보이는 얼굴.
[韶容 소용] 소안(韶顏).
[韶運 소운] 태평한 시대의 운수(運數).
[韶音 소음] 순(舜) 임금의 음악.
[韶和 소화] 아름답고 고름.
[韶華 소화] ㉠소광(韶光). ㉡청년 시대.
[韶暉 소휘] 밝은 빛. 또, 환히 빛남.
◉大韶. 聞韶. 鳳韶. 虞韶. 儀韶.

7 ⑯ [韸] 봉 (平)東 蒲蒙切 péng

字解 ①북소리 봉 북을 울리는 소리. '一, 鼓聲'《集韻》. ②화할 봉 화합(和合)함. '一, 和也'《玉篇》.

字源 形聲. 音+夆〔音〕

7 ⑯ [韷] 경(형(本)) (平)庚 何耕切 jīng

字解 ①형 경 형벌(刑罰). '一, 刑也'《廣雅》. ②풍류 경 '六一'은 풍악의 이름. '一, 博雅, 六一, 顓頊樂'《集韻》.

8 ⑰ [韽] 녑 (入)葉 諾叶切 niè

字解 소리그칠 녑 소리가 그침. '一, 聲止也'《集韻》.

9 ⑱ [韺] 영 (平)庚 於驚切 yīng

字解 풍류이름 영 '五一'은 제곡(帝嚳)의 음악 이름. '五英'으로도 씀. '歲律及郊至, 古音命五一'《韓愈》.

字源 形聲. 音+英〔音〕

10 ⑲ [韻] 高人 운 (去)問 王問切 yùn

筆順 亠 立 音 音 音' 韻 韻 韻

字解 ①울림 운 음(音)의 말미(末尾)의 울림. '餘一'. '同聲相應謂之一'《文心雕龍》. ②운 운 한자를 그 발음의 유사(類似)에 의하여 백여섯으로 구별한 것. '將平上去入四聲, 以此制一'《南史》. 전(轉)하여, 시부·가곡·문묵(文墨)에 관한 일. '風流一事'. '或託言於短一'《陸機》. ③운치 운 풍치. 풍도. '氣一'. '但以器一自高'《唐書》. ④성 운 성(姓)의 하나.

字源 篆文 形聲. 音+員〔音〕. '員원'은 '圓원'과 통하여 '둥글다'의 뜻. 둥글둥글한 음, '울림'의 뜻을 나타냄.

[韻脚 운각] 시부(詩賦)의 구말(句末)에 쓰는 운자.
[韻度 운도] 운우(韻宇).
[韻目 운목] 같은 운자(韻字)를 끝 자(字)로 한 두 자(字) 또는 석 자(字)로 된 어구.
[韻文 운문] 시부와 같이 구말(句末)에 운을 다는 글.
[韻府 운부] 운목(韻目)을 모아 놓은 책(冊).
[韻士 운사] 시가 서화(詩歌書畫) 등에 취미가 있는 사람. 운치(韻致)가 있는 사람.
[韻事 운사] 시가 서화(詩歌書畫) 등에 관한 일. 운치(韻致)가 있는 일.
[韻書 운서] 음운(音韻)에 관한 책. 운자(韻字)에 의하여 분류한 자서(字書).
[韻語 운어] 압운(押韻)의 어구.
[韻宇 운우] 인품. 풍도(風度).
[韻律 운율] 시의 음악적 형식. 리듬.
[韻人 운인] 운사(韻士).
[韻字 운자] 운각(韻脚)에 쓰이는 문자.
[韻致 운치] 풍치(風致). 흥치(興致).
[韻學 운학] 음운(音韻)을 연구하는 학문. 음운학(音韻學).
[韻響 운향] ㉠울리는 소리. ㉡시의 신비스러운 운치와 음조(音調).
◉脚韻. 強韻. 賡韻. 罄韻. 高韻. 琴韻. 襟韻. 氣韻. 器韻. 勒韻. 詞韻. 性韻. 聲韻. 俗韻. 松韻. 詩韻. 神韻. 雙聲疊韻. 雅韻. 押韻. 哀韻. 鶯韻. 餘韻. 遠韻. 幽韻. 遺韻. 音韻. 逸韻. 操韻. 竹韻. 次韻. 天韻. 泉韻. 疊韻. 淸韻. 秋韻. 仄韻. 探韻. 通韻. 平韻. 風韻. 險韻. 和韻. 曉韻.

10 ⑲ [韼] 동 (去)送 徒弄切 dòng

字解 종소리 동 종소리. '一, 鐘聲'《集韻》.

11 ⑳ [韾] 韼(前條)과 同字

11 ⑳ [韽] 암 (平)覃 烏含切 ān

字解 작을 암 소리가 작음. 소리가 낮음. '微聲一'《周禮》.

字源 篆文 形聲. 音+酓〔音〕. '酓염'은 '머금다'의 뜻. 입 안에서 우물거리는 목소리, 낮지만 잘 울리는 목소리의 뜻을 나타냄.

[韽韽 암암] 소리가 작은 모양.

13 ㉒ [響] 高人 향 (上)養 許兩切 xiǎng 响

筆順 乡 乡' 绐 绾 绾' 鄉 響 響

字解 ①울림 향 진동하는 소리. '叩門一冬冬'《白居易》. 전(轉)하여 여파(餘波). '影一'. '反一'. ②울릴 향 소리가 진동함. '震一山谷'《南史》. '放爆竹不一'《雜纂新續》.

字源 篆文 形聲. 音+鄉〔音〕. '鄉향'은 서로 마주 보다의 뜻. 마주 대하는 소리의 뜻에서 '울림'의 뜻을 나타냄.

[響叫 향규] 울려 퍼지는 부르짖는 소리.
[響卜 향복] ㉠물건이 울리는 소리로 길흉을 점치는 일. ㉡섣달 그믐날에 그 사람의 말을 듣고 길흉을 점치는 일.

[響應 향응] 지른 소리에 울리는 소리가 따라 일어나듯이, 남의 주창(主唱)에 따라 다른 사람이 그와 같은 행동을 마주 취함.
[響箭 향전] 우는살. 명적(鳴鏑).
◉歌響. 澗響. 鼓響. 谷響. 管響. 交響. 嬌響. 弓響. 屐響. 奇響. 暖響. 簸響. 妙響. 美響. 反響. 沸響. 悲響. 錫響. 聲響. 細響. 睡響. 樹響. 新響. 餘響. 影響. 遺響. 吟響. 音響. 鉫響. 震響. 釧響. 篷響. 淸響. 騶響. 灘響.

13 ㉒ [贛] 〔공〕 贛(貝部 十七畫〈p. 2209〉)의 訛字

14 ㉓ [護] 人名 호 ㊄遇 胡誤切 hù

筆順 ⼗ 立 音 音艹 音艹 音崔 護

字解 풍류이름 호 '大一'는 은(殷)나라 탕왕(湯王)이 지은 음악. '大濩'로도 씀.
字源 形聲. 音+蒦〔音〕

◉大護.

15 ㉔ [讃] 광 ㊄漾 古曠切 guàng

字解 소리 광 소리. '一, 聲也'《奚韻》.

頁 (9획) 部
〔머리혈부〕

0 ⑨ [頁] 人名 ㊀ 혈 ㊇屑 胡結切 xié ㊁ 엽 yè 页 頁

筆順 一 丆 丅 丆 百 百 頁 頁

字解 ㊀ 머리 혈 두부(頭部). ㊁ 쪽 엽 서책의 지면의 한 면. 또, 그것을 세는 말. 페이지. '一, 俗以書冊一翻爲一, 讀與葉同'《中華大字典》.
字源 金文 篆文 象形. 사람의 머리를 강조한 모양을 본뜸. 머리의 뜻을 나타냄. 篆文의 '頁혈'이 '頁혈'로 변형됨.
參考 '頁혈'을 의부(意符)로 하여 머리나 머리에 관한 명칭, 상태 등을 나타내는 문자를 이룸. 부수 이름은 '머리혈'.

2 ⑪ [頂] 中人 정 ㊤迥 都挺切 dǐng 顶 頂

筆順 丁 丁 丁' 丁ㄏ 丁ㄏ 頂 頂

字解 ①쥐독 정 머리의 최상부. '圓一黑衣'. '過涉滅一'《易經》. ②꼭대기 정 물건의 가장 높은 데. '山一'. '一上'. ③일 정 머리 위에 놓음. '一戴奉持'《梁武帝》.
字源 篆文 形聲. 頁+丁〔音〕. '丁정'은 못으로 고정시키다의 뜻. 인체의 윗부분으로 안정되어 있는 머리의 뜻을 나타냄.

[頂角 정각] 삼각형의 밑변에 대하는 각.
[頂光 정광] 《佛敎》 부처의 머리 뒤에서 비추는 광명.
[頂戴 정대] ㉠머리 위에 임. ㉡청대(淸代)에 관리의 계급을 표시하기 위하여 관(冠)의 꼭대기에 단 주옥(珠玉)의 휘장(徽章).
[頂禮 정례] 《佛敎》 부처의 앞에 엎드려 이마를 땅에 대고 하는 절.
[頂門 정문] 정수리.
[頂門金椎 정문금추] 정수리에 철추를 내린다는 뜻으로, '정문일침(頂門一鍼)'과 같은 말.
[頂門有眼 정문유안] 머리 위에 눈이 있음. 시비·선악을 가리는 식견이 비상함을 이름.
[頂門一鍼 정문일침] 정수리에 침(鍼)을 한 대 놓는다는 뜻으로, 남의 급소를 찔러 통절히 경계하는 일.
[頂拜 정배] 머리를 숙이고 예배함.
[頂上 정상] 꼭대기.
[頂顚 정전] 꼭대기.
[頂點 정점] ㉠꼭대기. 맨 위. ㉡각을 이룬 두 직선이 모인 점. 또, 다면각(多面角)을 이룬 여러 면이 모이는 점. 꼭짓점.
◉高頂. 灌頂. 丹頂. 露頂. 登頂. 摩頂. 峰頂. 山頂. 嶽頂. 巖頂. 嶺頂. 銳頂. 屋頂. 圓頂. 絕頂. 朱頂. 天頂. 尖頂. 峭頂. 塔頂.

2 ⑪ [頃] 高人 ㊀ 경 ㊤梗 去潁切 qǐng ㊥庚 去營切 qīng ㊁ 규 ㊤紙 尤窺切 kuǐ 顷 頃

筆順 丿 匕 匕一 匕丆 匕丆 匕丙 匕百 頃

字解 ㊀ ①백이랑 경 밭 백묘(百畝)의 지적(地積). '一碧萬一'《范仲淹》. ②잠깐 경 잠시. '食一'. '一刻'. '天下之悖亂而相亡不待一矣'《荀子》. ③이마적 경 근자에. '一者'. '一日'로 연용(連用)하기도 함. '一積雪凝寒'《王羲之》. '一與諸老論及此學'《傳習錄》. ④기울 경 傾(人部 十一畫)과 同字. '不盈一筐'《詩經》. ⑤성 경 성(姓)의 하나. ㊁ 반걸음 규 跬(足部 六畫)와 통용. '君子一步而弗敢忘孝也'《禮記》.
字源 篆文 會意. 匕+頁. '匕비'는 한쪽으로 쏠리는 사람의 象形. 머리를 한쪽으로 기울이다의 뜻을 나타냄. 일반적으로 기울다의 뜻을 나타냄. 假借하여 '이마적'의 뜻을 나타냄.

[頃刻 경각] 잠시. 잠깐 동안.
[頃刻花 경각화] '눈〔雪〕'의 별칭(別稱).
[頃間 경간] 요사이. 요즈음.
[頃聞 경문] 근자에 들으니.
[頃歲 경세] 이마적. 근래.
[頃焉 경언] 잠시.
[頃日 경일] 경자(頃者).
[頃者 경자] 이마적. 근래에.
[頃之 경지] 잠시 후에.
[頃步 규보] 반걸음. 규보(跬步).
◉過頃. 洞庭四萬八千頃. 萬頃. 半頃. 西頃. 少頃. 食頃. 俄頃. 有頃. 一碧萬頃.

2 ⑪ [頄] ㊀ 구 ㊥尤 巨鳩切 qiú ㊁ 규 ㊥支 渠追切 kuí 頄

字解 ㊀ 광대뼈 구 관골(顴骨). '壯于一'《易經》. ㊁ 광대뼈 규 ㊀과 뜻이 같음.
字源 形聲. 頁+九〔音〕

3 ⑫ **[項]** 高·人 항 ㊤講 胡講切 xiàng 项

筆順 一 丅 工 ⋯ 項

字解 ①목덜미 항 목의 뒤쪽. '其一類皐陶'《史記》. 또, 관(冠)의 뒤쪽. '賓右手執一'《儀禮》. ②클 항 '四牡一領'《詩經》. ③항 항 문장 등의 구분. ④성 항 성(姓)의 하나.

字源 篆文 項 形聲. 頁+工〔音〕. '頁혈'은 머리를 꾸민 사람을 본뜬 것. '工공'은 '後후'와 통하여 뒤의 뜻. 머리의 뒤쪽, '목덜미'의 뜻을 나타냄.

[項領 항령] ㉠큰 목. ㉡목. 목덜미. ㉢요해처. 목. ㉣두목. 장(長).
[項目 항목] 조목(條目).
[項背相望 항배상망] 서로 목덜미와 등을 본다는 뜻으로, 남이 하는 일을 보고 진퇴를 결정함을 이름.
[項羽 항우] 항적(項籍). 우(羽)는 자(字).
[項籍 항적] 진말(秦末)의 하상(下相) 사람. 자(字)는 우(羽). 진말(秦末)에 진승(陳勝)과 오광(吳廣)이 거병(擧兵)하자 숙부(叔父) 양(梁)과 오중(吳中)에서 병(兵)을 일으켜 진군(秦軍)을 격파(擊破)하고 스스로 서초(西楚)의 패왕(霸王)이라 일컬음. 한고조(漢高祖)와 천하(天下)를 다투다가 해하(垓下)에서 패사(敗死)하였음.
◉各項. 強項. 曲項. 款項. 內項. 短項. 黨項. 同類項. 別項. 逢人說項. 事項. 修項. 嬴項. 外項. 要項. 劉項. 移項. 條項. 縮項.

3 ⑫ **[⿰幺頁]** 요 (平)蕭 於宵切 yāo

字解 머리작을 요 머리가 작은 모양. '一, 頭小貌'《字彙》.

3 ⑫ **[⿰乡頁]** ⿰幺頁(前條)의 訛字

3 ⑫ **[頇]** 한 (平)寒 河干切 hān 顸

字解 얼굴클 한 顢(頁部 十一畫)을 보라. '顢一'.

字源 形聲. 頁+干〔音〕

◉顢頇.

3 ⑫ **[順]** 中·人 순 (去)震 食閏切 shùn 顺

筆順 丿 川 ⋯ 順

字解 ①순할 순 온순함. '柔一'. ②좇을 순 ㉠들음. 청종(聽從)함. '祇一德意'《李覯》. ㉡도리(道理)에 따름. '耳一'. '一理則裕'《程頤》. ㉢복종함. 따름. '歸一'. '四國一之'《詩經》. 또, 따르는 사람. '去暴擧一'《王粲》. ③즐길 순, 기뻐할 순 '父母其一矣乎'《中庸》. ④차례 순 차서. '一次'. '陰陽一序'《王勃》. ⑤성 순 성(姓)의 하나.

字源 篆文 順 形聲. 頁+川〔音〕. '川천'은 한 줄기를 이루어 흐르는 내의 뜻. '頁혈'은 '얼굴'의 뜻. 얼굴을 순하게 하여 사태가 흘러가는 대로 맡겨 두다, 따르다, 좇다의 뜻을 나타냄.

[順境 순경] 만사(萬事)가 뜻대로 순조로이 되어 가는 경우(境遇).
[順氣 순기] ㉠순조로운 기후. ㉡순하고 바른 기상(氣象). ㉢기후에 순응(順應)함.
[順德 순덕] 온순하여 거역하지 않는 덕.
[順良 순량] 성질(性質)이 유순(柔順)하고 선량(善良)함.
[順禮 순례] 예법을 따름.
[順路 순로] ㉠순조로운 길. ㉡평탄한 길. 또는 두르지 않고 곧장 가는 바른 길.
[順賴 순뢰] 좇아 의뢰함.
[順流 순류] ㉠막힘없이 순조로이 내려감. ㉡물이 흐르는 쪽으로 따름. ㉢물이 아래로 흐름. ㉣《佛敎》 우레〔雷〕.
[順理 순리] 도리(道理)에 순종(順從)함.
[順娩 순만] 순산(順産).
[順民 순민] ㉠민심을 따름. 백성의 소망을 좇음. ㉡천명(天命)을 따르는 백성. ㉢법을 잘 지키는 순한 백성.
[順番 순번] 차례대로 갈마드는 번.
[順服 순복] 순순히 복종(服從)함.
[順奉 순봉] 준수(遵守)함. 준봉(遵奉)함.
[順産 순산] 아무 탈 없이 아이를 낳음. 순만(順娩).
[順序 순서] 차례. 차서(次序).
[順成 순성] 아무 거침없이 잘 이룸.
[順孫 순손] 순종하여 잘 섬기는 손자.
[順守 순수] 도리에 순응하여 지킴.
[順數 순수] 차례(次例)로 수효(數爻)를 셈.
[順順 순순] 차례차례로.
[順逆 순역] 도리를 순종하여 따름과, 도리에 거슬러 부정함. 순리(順理)와 역리(逆理).
[順延 순연] 순차(順次)로 연기(延期)함.
[順緣 순연] ㉠나이가 많은 사람부터 차례로 죽음. ㉡《佛敎》 불도(佛道)에 자진하여 들어가는 인연.
[順應 순응] ㉠순(順)하게 대응(對應)함. ㉡외계에 적응(適應)하여 변화함.
[順義 순의] 의를 좇음.
[順易 순이] 순조로움. 평온함.
[順適 순적] 순종(順從)하여 거스르지 아니함.
[順正 순정] 도리에 순종하여 올바름.
[順調 순조] 어떤 일이 아무 탈 없이 예정(豫定)대로 잘되어 감.
[順從 순종] 순순히 복종함.
[順職 순직] 자기 직무상 마땅히 해야 할 일을 함.
[順次 순차] ㉠차례. ㉡차례를 따름.
[順天 순천] 천명을 따름.
[順便 순편] 거침새가 없이 편함.
[順平 순평] 성질(性質)이 유순(柔順)하고 화평(和平)함.
[順風 순풍] ㉠뒤에서 불어오는 바람. ㉡바람이 부는 방향을 따름.
[順風耳 순풍이] ㉠보통 사람이 듣지 못하는 비밀까지 잘 듣는 귀. ㉡음성을 원방에 전하는 기계. 확성기 따위.
[順行 순행] ㉠차례대로 감. ㉡따라감. ㉢당연한 행동. ㉣유성(流星)이 서쪽에서 동쪽으로 향하는 운동.
[順和 순화] 순탄하고 평화로움.
[順孝 순효] 부모에게 순종하여 효도를 다함.

◉健順. 謙順. 敬順. 恭順. 歸順. 大順. 奉順. 附順. 婦順. 不順. 卑順. 席順. 遜順. 手順. 隨順. 順順. 承順. 信順. 阿順. 女順. 逆順. 溫順. 婉順. 委順. 柔順. 六順. 耳順. 將順. 奬順. 從順. 聽順. 忠順. 打順. 筆順. 和順. 孝順.

3 ⑫ [須] 中人 수 ㊥虞 相兪切 xū 须

筆順 ノ 彡 彡 須 須 須 須 須

字解 ①수염 수 턱 밑 수염. 鬚(髟部 十二畫)와 통용. '賁其—'《易經》. ②기다릴 수 오기를 바람. '卬—我友'《詩經》. ③바랄 수 구함. 원함. '自識不足補吾子所—也'《韓愈》. ④잠깐 수 잠시. '—臾'. '不待—'《荀子》. ⑤쓸 수 사용함. '—此兩人, 而後從政'《史記》. ⑥모름지기 수 모름지기 …하여야 함. 명령 또는 결정의 말. '適有事務, —自經營'《應璩》. ⑦성 수 성(姓)의 하나.

字源 金文 篆文 象形. 얼굴에 수염이 난 사람의 모양을 본떠 '수염'의 뜻을 나타냄. '需수'와 통하여 '기다리다, 바라다'의 뜻도 나타냄. 篆文은 頁+彡의 會意.

[須留 수류] 머물러 기다림.
[須眉 수미] 수염과 눈썹.
[須彌 수미] 수미산(須彌山).
[須彌內芥中 수미내개중] 큰 수미산을 조그마한 겨자 속에 넣음. 곧, 우주의 진리는 대소(大小)를 초월함을 이름.
[須彌壇 수미단] 절의 중당(中堂)에 불상 또는 불감(佛龕)을 안치한 단.
[須彌山 수미산]《佛教》불교의 세계설(世界說)에서 세계의 중심에 솟아 있다고 하는 산. 주위에는 사주(四洲)가 있고 높이 8만 4천 유순(由旬)이라 함. 묘고산(妙高山).
[須搖 수요] 잠시. 수유(須臾).
[須臾 수유] ㉠잠시. ㉡종용(從容)한 모양.
◉軍須. 急須. 密須. 兵須. 夫須. 斯須. 要須. 資須. 必須.

3 ⑫ [頊] ㊀ 독 ㊇屋 徒谷切 duó
㊁ 탁 ㊇藥 徒落切
㊂ 척 ㊇陌 丑格切

字解 ㊀ 해골 독 머리의 뼈. '—顱謂之髑髏'《廣雅》. ㊁ 해골 탁 ㊀과 뜻이 같음. ㊂ 해골 척 ㊀과 뜻이 같음.

字源 形聲. 頁+乇〔音〕

3 ⑫ [頌] ㊀ 굴 ㊇月 丘謁切 kū
㊁ 곤 ㊤阮 苦本切 kū

字解 ㊀ ①대머리 굴 벗어진 머리. 독두(禿頭). ②광대뼈나올 굴 광대뼈가 나온 모양. ㊁ 대머리 곤, 광대뼈나올 곤 ㊀과 뜻이 같음.

字源 篆文 形聲. 篆文은 頁+气〔音〕

3 ⑫ [頉] ㊀ 이 ㊥支 與之切 yí
㊁ 탈 韓

字解 ㊀ 기를 이 기름. '—, 養也'《字彙補》. ㊁《韓》탈날 탈 뜻밖에 생긴 사고(事故)나 병(病).

3 ⑫ [頦] ㊀ 개 ㊤賄 己亥切 gǎi
㊁ 해 ㊥灰 戶來切 hái

字解 ㊀ 볼 개 볼. 볼의 아래쪽. '—, 頰下曰—'《集韻》. ㊁ 어린아이 해 어린아이. '—, 俗孩字'《五音集韻》.

3 ⑫ [頙] 궁 ㊥東 渠公切 qióng

字解 ①얼굴 궁 얼굴. 낯. '—, 面上也'《五音集韻》. ②표면 궁 표면. 겉.

4 ⑬ [項] 人名 욱 ㊇沃 許玉切 xū 顼

筆順 一 二 千 王 王 玎 珥 項

字解 멍할 욱 정신이 빠진 것 같은 모양. '——然不自得'《莊子》.

字源 金文 篆文 形聲. 頁+玉〔音〕. '玉옥'은 옥으로 보고 소중히 하다의 뜻.

[項項 욱욱] 정신이 멍한 모양. 정신을 잃어 어리둥절한 모양.

4 ⑬ [頌] 高人 ㊀ 송 ㊦宋 似用切 sòng 颂
㊁ 용 ㊥冬 餘封切 róng

筆順 八 公 公 公 頌 頌 頌 頌

字解 ㊀ ①기릴 송 칭송함. '—德'. '—而無諂'《禮記》. ②송 송 문체의 하나. 칭찬하는 글. '伯夷—'. '酒德—'. '爲聖主得賢臣—'《漢書》. 시(詩)의 육의(六義)의 하나. 성덕(盛德)을 칭송하여 신명(神明)에게 고하는 것. '周—'. '魯—'. '詩有六義, 六曰—'《詩經 序》. ③점사 송 점조(占兆)의 말. '其—皆千有二百'《周禮》. ④성 송 성(姓)의 하나. ㊁ ①얼굴 용 容(宀部 七畫)과 통용. '魯徐生善爲—'《漢書》. ②용서할 용 容(宀部 七畫)과 통용. '當鞠繫者—繫之'《漢書》.

字源 金文 篆文 形聲. 頁+公〔音〕. '頁혈'은 머리 부분을 꾸민 제사 담당자의 모양을 본뜸. '公공'은 제사터인 광장의 뜻. 무악(舞樂)을 벌여서 제사 지내다의 뜻에서 '칭송하다'의 뜻을 나타냄.

[頌歌 송가] ㉠칭송하여 노래함. ㉡덕을 칭송하는 노래.
[頌琴 송금] 거문고의 한 가지.
[頌德 송덕] 공덕(功德)을 칭송함.
[頌德碑 송덕비] 공덕(功德)을 칭송(稱頌)하여 세운 비(碑).
[頌德表 송덕표] 공덕을 칭송한 상주문. 또는 그 문장.
[頌美 송미] 칭송함.
[頌辭 송사] 공덕을 찬미하는 언사.
[頌聲 송성] 공덕을 칭송하는 소리. 또, 태평을 노래하는 음악.
[頌述 송술] 칭송하여 진술함.
[頌瑟 송슬] 거문고의 일종.
[頌祝 송축] 경사(慶事)를 축하함.
◉歌頌. 偈頌. 謳頌. 廟頌. 善頌. 詩頌. 咏頌. 從頌. 追頌. 推頌. 稱頌. 褒頌.

4 ⑬ [頏] 담 ㊤感 都感切 dàn

字解 ①머리 담 머리〔頭〕. ②頕(頁部 四畫)의 訛字. '一, 顱一也'《字彙》.

4 ⑬ [頕] ㊀ 침 ㊤寢 章荏切 zhěn
㊁ 담 ①㊤感 都感切 dǎn ②㊦勘 丁紺切 dàn

字解 ㊀ ①목뼈 침 베개에 닿는 뼈. '一, 頭骨後'《廣韻》. ②머리숙일 침 고개를 숙이는 모양. '一, 垂頭皃'《玉篇》. ㊁ ①추할 담 '顲一'은 추(醜)한 모양. '一, 顲一, 醜也'《廣韻》. ②어리석을 담 '一顩'은 어리석은 모양. '一, 一顩', 癡皃'《集韻》.
字源 形聲. 頁+冘〔音〕

4 ⑬ [頍] 규 ㊤紙 丘弭切 kuǐ

字解 들 규 머리를 듦. '有一者弁'《詩經》.
字源 篆文 形聲. 頁+支〔音〕. '支지'는 '지탱하다'의 뜻. 머리를 똑바로 들다의 뜻을 나타냄.

4 ⑬ [頎] ㊀ 기 ㊥微 渠希切 qí ㊁ 간 ㊤阮 口很切 kěn 颀

字解 ㊀ 헌걸찰 기 키가 크고 풍채가 좋은 모양. '碩人其一'《詩經》. ㊁ 가엾을 간 측은한 모양. '稽顙而后拜, 一乎其至也'《禮記》.
字源 篆文 形聲. 頁+斤〔音〕. '斤근'은 자루가 긴 도끼의 象形. 자귀처럼 늘씬하게 뻗은 끝에 머리가 있듯이 키가 훤칠하게 큰 모양을 나타냄.

[頎乎 간호] 측은한 모양.
[頎頎 기기] ㉠헌걸찬 모양. 키가 크고 품위가 있는 모양. ㉡성장(成長)하는 모양.

4 ⑬ [⿰午頁] 오 ㊤晧 五老切 ǎo

字解 큰머리 오 큰 머리. '一, 顤一, 大頭'《廣韻》.

4 ⑬ [頏] 항 ①㊥陽 胡郎切 háng ②㊤養 戶朗切 hàng 颃

字解 ①내려갈 항 새가 아래로 향하여 낢. '頡一'. '燕燕于飛, 頡之一之'《詩經》. ②목구멍 항 吭(口部 四畫)과 同字.
字源 亢의 別體 形聲. 頁+亢〔音〕. '亢항'은 결후(結喉), '頁혈'은 사람의 머리의 뜻. '목구멍'의 뜻을 나타냄.

◉頡頏.

4 ⑬ [⿰今頁] ㊀ 감 ㊥覃 枯含切 kān ㊁ 검 ㊥咸 丘凡切 qiān

字解 ㊀ 추한모양 감 추한 모양. ㊁ 추한모양 검 ㊀과 뜻이 같음.

4 ⑬ [⿰乞頁] 〔굴·곤〕
⿰乙頁(頁部 三畫〈p. 2541〉)의 本字

4 ⑬ [⿰不頁] 배 ㊥灰 蒲回切 péi ㊥佳 步皆切 bāi

字解 ①주걱턱 배 '一, 曲頤也'《說文》. ②주걱턱의모양 배 '一, 曲頤皃'《廣韻》.
字源 形聲. 頁+不〔音〕

4 ⑬ [預] 人名 예 ㊦御 羊洳切 yù 预

筆順 ㇇ 𠃌 予 予 預 預 預 預

字解 ①미리 예 사전에. '一想'. '禍不可以一度'《晉書》. ②즐길 예. 놀 예 즐거워함. 즐거이 놂. '虎丘時游一'《白居易》. ③참여할 예 간여함. '干一'. '仲容已一之'《世說》. ④관계할 예 관계를 가짐. 관련함. '一知'. '公榮者無一焉'《世說》. ⑤《韓》맡길 예 금품을 맡김. '一金'.
字源 篆文 形聲. 頁+予〔音〕. '予예'는 편안한 모양. 얼굴이 편안해지다, 즐기다의 뜻을 나타냄. 파생하여 여유를 가지고 미리 하다의 뜻을 나타냄.

[預金 예금] 은행(銀行) 같은 곳에 돈을 맡겨 두는 일. 또, 그 돈.
[預慮 예려] 미리 앞일을 생각함.
[預買 예매] 미리 사 둠.
[預買法 예매법] 민간에서 잘 팔리지 아니하는 물건을 정부에서 사 두었다가 그 물자가 부족해졌을 때 상당한 가격으로 파는 법률. 송(宋)나라 왕안석(王安石)의 신법(新法)의 하나.
[預備 예비] 미리 준비함. 예비(豫備).
[預想 예상] 미리 생각함. 예상(豫想).
[預知 예지] 관계하여 앎.
[預度 예탁] 미리 헤아림.
◉干預. 不預. 參預.

4 ⑬ [頑] 人名 완 ㊥刪 五還切 wán 顽

字解 ①완고할 완 고루하여 고집이 셈. 미련하여 도덕을 모름. '一陋'. '一鈍'. '父一母嚚'《書經》. 또, 완고함. '擧一用嚚'《左傳》. ②탐할 완 욕심이 많음. '聞伯夷之風者, 一夫廉, 懦夫有志'《孟子》.
字源 篆文 形聲. 頁+元〔音〕. '元원'은 '圓원'과 통하여 '돌다'의 뜻. 생각이 오직 한 가지 일에만 돌아 구애되어서 발전이 없다, 완고하다의 뜻을 나타냄.

[頑強 완강] 태도가 검질기고 굳셈.
[頑健 완건] ㉠매우 건강함. ㉡자기의 건강의 겸칭.
[頑固 완고] ㉠성질이 검질기게 굳고 고집이 셈. ㉡고루하여 도리를 모름.
[頑空 완공] 겉은 단단하나 속은 비어 있는 것.
[頑狡 완교] 완악(頑惡)하고 교활함.
[頑軀 완구] 미련한 몸. 또, 자신의 겸칭(謙稱).
[頑頓 완돈] 완둔(頑鈍).
[頑童 완동] 의리를 모르는 완악한 아이.
[頑鈍 완둔] 고루하고 둔함.
[頑廉懦立 완렴나립] 욕심이 많은 자도 청렴해지고 나약한 사람도 분기함.
[頑魯 완로] 완둔(頑鈍).
[頑陋 완루] 완고하고 고루함.
[頑慢 완만] 완악(頑惡)하고 거만함.
[頑昧 완매] 완명(頑冥).
[頑命 완명] 죽지 않고 모질게 살아 있는 목숨.
[頑冥 완명] 어리석어 사리에 어두움.

[頑迷 완미] 완명(頑冥).
[頑民 완민] 의리를 모르는 완악한 백성. 조정의 덕화를 받지 아니한 백성.
[頑朴 완박] 완고하고 소박(素朴)함.
[頑夫 완부] 욕심 많은 사람.
[頑碑 완비] 견고한 비(碑).
[頑鄙 완비] 완고하고 비루함.
[頑石點頭 완석점두] 감각이 없는 돌도 감격하여 머리를 숙인다는 뜻으로, 감화가 깊음을 비유하는 말.
[頑癬 완선] 헌데가 둥글고 불그스름하며 가려운 피부병.
[頑守 완수] 완강하게 고수함.
[頑習 완습] 완악(頑惡)한 습관(習慣).
[頑兒 완아] 자기 아들의 겸칭(謙稱).
[頑惡 완악] 완만(頑慢)하고 불량(不良)함. 성질(性質)이 흉악(凶惡)함.
[頑闇 완암] 완명(頑冥).
[頑然 완연] 완고한 모양.
[頑愚 완우] 완고하고 미련함.
[頑嚚 완은] 완악하고 어리석음.
[頑敵 완적] 완강(頑強)한 적(敵).
[頑癡 완치] 완우(頑愚).
[頑愎 완퍅] 완고하고 퍅함.
[頑悍 완한] 완고하고 사나움.
◉強頑. 堅頑. 驚頑. 驕頑. 懦頑. 頓頑. 冥頑. 石頑. 疏頑. 傲頑. 訂頑. 癡頑. 昏頑.

4 ⑬ [頒] [人名] [一] 반 [平]刪 布還切 bān [二] 분 [平]文 符分切 fén 颁

[筆順] 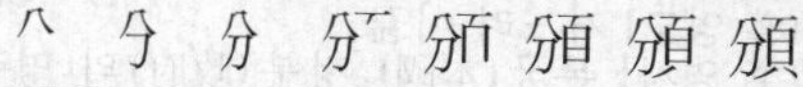

[字解] [一] ①나눌 반 ㉠나누어 줌. '一賜'. '一度量而天下大服'《禮記》. ㉡널리 퍼뜨림. '一布'. ㉢구분함. '乃惟孺子, 一朕不暇'《書經》. ②반쯤셀 반 머리나 수염이 반쯤 희. 斑(文部 九畫)과 통용. '一白者, 不負戴於道路矣'《孟子》. [二] 머리클 분 물고기의 머리가 큰 모양. '有一其首'《詩經》.

[字源] 篆文 形聲. 頁+分〔音〕. '分분'은 '墳분'과 통하여 흙을 돋우어 올린 무덤의 뜻, 무덤처럼 큰 머리의 뜻을 나타냄. 또 '分'은 '나뉘다'의 뜻으로 흑백으로 나뉜 머리털, '백발'의 뜻을 나타내며, 단순히 '나누다'의 뜻으로도 쓰임.

[頒給 반급] 임금이 봉록(俸祿)·물품(物品) 등을 나누어 줌.
[頒祿 반록] 임금이 녹봉을 반급(頒給)함.
[頒賚 반뢰] 반사(頒賜).
[頒白 반백] 머리털이 반쯤 흼. 반백(斑白·半白).
[頒斌 반빈] 뒤섞인 모양.
[頒賜 반사] 줌. 수여함.
[頒布 반포] 널리 펴서 알게 함.
[頒行 반행] 널리 펴 행함.
[頒犒 반호] 군사(軍士)를 위로하여 나누어 주는 물품.
◉戴頒. 散頒. 時頒. 平頒.

4 ⑬ [頓] [人名] [一] 돈 [去]願 都困切 dùn [二] 둔 [去]願 徒困切 dùn [三] 돌 [入]月 當沒切 dú 顿

[筆順] 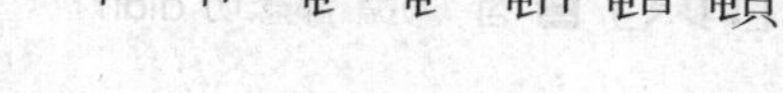

[字解] [一] ①조아릴 돈 머리를 숙여, 땅에 대고 절을 함. '一首'. ②넘어질 돈 발이 걸려 자빠짐. '一躓'. ③꺾일 돈 좌절함. '一挫'. ④머무를 돈 정지함. '三日三夜, 不一舍'《史記》. ⑤패할 돈, 무너질 돈 '甲兵不一'《左傳》. ⑥가지런히할 돈 '整一'. '一網探淵'《陸機》. ⑦갑자기 돈 급작스럽게. '一悟'. '一死'. '精神一生'《世說》. ⑧숙사 돈 숙박하는 집. '數道置一'《隋書》. ⑨끼니 돈 한 끼니. '欲乞一一食耳'《世說》. ⑩성 돈 성(姓)의 하나. [二] 둔할 둔 鈍(金部 四畫)과 통용. '芒刃不一'《漢書》. [三] 흉노왕이름 돌 '冒一(묵돌)'은 흉노(匈奴)의 왕(王)의 이름.

[字源] 篆文 形聲. 頁+屯〔音〕. '屯돈'은 많은 것이 모이다의 뜻. 머리를 땅에 대고 하는 절로, 내려뜨려진 기세가 땅바닥에서 일단 중단되어, 힘이 집중되는 데서, '조아리다'의 뜻을 나타내고 '넘어지다'의 뜻도 나타냄.

[頓綱 돈강] 강기(綱紀)를 정돈함.
[頓儉 돈검] 갑자기 검소하여짐.
[頓敎 돈교] 장기의 수행을 겪지 아니하고 문득 깨달아서 불과(佛果)를 얻는 교. 화엄(華嚴)·천태(天台)·정토(淨土) 등의 교(敎).
[頓宮 돈궁] 행궁(行宮).
[頓窮 돈궁] 몹시 곤궁함.
[頓棄 돈기] 파손(破損)하여 버림.
[頓喫 돈끽] 한번에 많이 먹음.
[頓飯 돈반] 밥을 한번에 많이 먹음.
[頓病 돈병] 급환(急患).
[頓服 돈복] 한번에 먹음.
[頓仆 돈부] 넘어짐. 쓰러짐.
[頓踣 돈부] 돈부(頓仆).
[頓憊 돈비] 좌절(挫折)하여 피로함.
[頓死 돈사] 급사(急死). 폭사(暴死).
[頓舍 돈사] 머물러 묵음. 군대가 진 치고 머무름.
[頓顙 돈상] 돈수(頓首).
[頓設 돈설] 갑자기 설치함.
[頓首 돈수] ㉠머리가 땅에 닿도록 굽혀 절함. ㉡편지 끝에 써서 경의(敬意)를 표(表)하는 말. ㉢피아(彼我)를 구별하기 위하여 표를 붙인 투구.
[頓然 돈연] 별안간. 갑자기.
[頓悟 돈오] 별안간 깨달음.
[頓才 돈재] 돈지(頓智).
[頓絕 돈절] 별안간 끊어짐. 갑자기 격조(隔阻)함.
[頓漸 돈점] 돈교(頓敎)와 점교(漸敎).
[頓足 돈족] 발을 구름.
[頓挫 돈좌] 갑자기 세력이 꺾임.
[頓證菩提 돈증보리] 《佛敎》 어느 기회에 갑자기 불도(佛道)를 깨달음.
[頓之 돈지] 잠시 후에.
[頓智 돈지] 임기응변의 슬기.
[頓躓 돈지] ㉠발끝에 걸려 넘어짐. ㉡곤경(困境)에 처함의 비유.
[頓進 돈진] 갑자기 나아감.
[頓着 돈착] ㉠안치(安置)함. ㉡《佛敎》 탐착(貪着)의 전와(轉訛). 탐내어 집착(執着)함.
[頓弊 돈폐] 피폐함.
[頓廢 돈폐] 쇠퇴함.
◉撼頓. 困頓. 踢頓. 倒頓. 登頓. 冒頓. 仆頓. 踣頓. 上頓. 營頓. 頑頓. 愚頓. 圓頓. 委頓. 猗頓. 一頓. 顚頓. 停頓. 整頓. 挫頓. 止頓. 遲頓. 掣頓. 摧頓. 沈頓. 寢頓. 廢頓. 乏頓.

虛頓. 號頓. 荒頓. 毁頓.

[傾] 〔경〕
人部 十一畫(p. 172)을 보라.

[煩] 〔번〕
火部 九畫(p. 1344)을 보라.

5 ⑭ [頔] 적 ⓐ錫 徒歷切 dí

字解 사람이름 적 '于—'은 당(唐)나라 사람.
字源 形聲. 頁+由〔音〕

5 ⑭ [頞] 말 ⓐ曷 莫葛切 mò

字解 ①튼튼할 말 튼튼함. 건장함. '—, 一顒, 健也'《集韻》. ②굴곡없이밋밋한얼굴 말 굴곡이 없이 밋밋한 얼굴. '—, 一顒, 一曰, 面平'《集韻》.

5 ⑭ [頖] 반 ⓔ翰 普半切 pàn

字解 학교이름 반 泮(水部 五畫)과 同字. '諸侯曰一宮'《禮記》.
字源 形聲. 頁+半〔音〕

[頖宮 반궁] 주대(周代)에 제후의 서울에 설립한 대학.

5 ⑭ [頝] 겸 ⓢ琰 丘檢切 qiǎn

字解 평평하지않을 겸 평평하지 아니함. 顩(頁部 十六畫)과 同字. '頝, 頝顩, 面不平也, 或作—'《集韻》.

5 ⑭ [頗] 염 ⓟ鹽 汝鹽切 rán

字解 구레나룻 염 髯(髟部 四畫)과 同字. '黑色而—'《莊子》.
字源 形聲. 頁+冉〔音〕. '冉염'은 수염을 본뜬 것. '頁혈'을 더하여, '구레나룻'의 뜻을 나타냄.

5 ⑭ [頣] 민 ⓟ眞 眉貧切 mín

字解 ①강할 민 강함. 굳셈. '—, 強也'《廣韻》. ②단단한머리 민 단단한 머리. '—, 彊頭也'《集韻》.

5 ⑭ [頗] 高人 파 ①ⓟ歌 滂禾切 pō ②③ⓢ哿 普火切 pǒ 颇

筆順 丿 厂 广 皮 皮 頗 頗 頗

字解 ①치우칠 파 공평하지 아니함. '偏—'. '無偏無—'《書經》. ②자못 파 ㉠약간. '—采古禮'《史記》. ㉡매우 많이. '國人—有知者'《戰國策》. ③성 파 성(姓)의 하나.
字源 篆文 形聲. 頁+皮〔音〕. '皮피'는 '波파'와 통하여 파도처럼 흔들려 기울다의 뜻. 머리가 기우는 모양에서 '치우치다'의 뜻을 나타냄.

[頗牧 파목] 염파(廉頗)와 이목(李牧). 전국 시대의 조(趙)나라의 명장(名將). 전(轉)하여, 명장.
[頗僻 파벽] 치우치고 그름.
[頗偏 파편] 한편에 치우쳐 공정하지 못함.
◉兩頗. 偏頗. 險頗.

5 ⑭ [領] 中人 령 ⓢ梗 良郢切 lǐng 领

筆順 ㅅ 亽 今 令 令 令 領 領

字解 ①목 령 경항(頸項). '天下之民, 引—而望之矣'《孟子》. ②옷깃 령 의복의 목을 싸는 부분. '若挈裘—'《荀子》. 전(轉)하여, 중요한 부분. 요긴한 점. '要—'. '紘—不振'《晉書》. ③벌 령 옷의 한 벌. '衣衾三—'《荀子》. ④다스릴 령 처리함. '—父子君臣之節'《禮記》. ⑤거느릴 령 통솔함. '統—'. '總—衆職'《漢書》. ⑥깨달을 령 알아차림. '—解'. '接要心已—'《杜甫》. ⑦받을 령 '—受'. '實—懸悟'《深雪偶談》. ⑧재 령 嶺(山部 十四畫)과 통용. '輿轎而踰—'《漢書》.
字源 篆文 形聲. 頁+令〔音〕. '令령'은 고개를 숙이어 신의 뜻을 듣다의 뜻. '頁혈'을 더하여 '목'의 뜻을 나타냄.

[領去 영거] 거느리고 감. 데리고 감.
[領巾 영건] 부인의 머리에 얹어 장식하는 헝겊.
[領揆 영규] '영의정(領議政)'의 별칭.
[領內 영내] 영토 안.
[領膩 영니] 옷깃의 때.
[領導 영도] 거느려 이끎.
[領事 영사] 본국(本國) 정부(政府)의 명령을 받아 외국(外國)에 주재(駐在)하여 거류민(居留民)의 보호(保護) 및 항해(航海)·통상(通商) 등에 관한 사무를 감독하는 벼슬.
[領相 영상]《韓》'영의정(領議政)'의 별칭(別稱).
[領率 영솔] 부하(部下)를 거느림.
[領收 영수] 받아들임.
[領受 영수] 영수(領收).
[領袖 영수] ㉠옷깃과 소매. ㉡옷깃과 소매는 사람의 눈에 잘 띄는 곳이므로 여러 사람 중에서 의표(儀表)가 되는 사람, 또는 두목을 이름.
[領如蝤蠐 영여추제] 미인(美人)의 목의 맑고 흰의 비유(比喩). 추제(蝤蠐)는 나무 속에 사는 맑고 희게 생긴 굼벵이.
[領悟 영오] 깨달음.
[領有 영유] 점령하여 소유함.
[領地 영지] 소유하는 토지. 영토.
[領土 영토] 한 나라의 주권(主權)을 행사(行使)할 수 있는 지역(地域).
[領海 영해] 그 연안에 있는 나라의 통치권 밑에 있는 바다. 공해(公海)의 대(對).
[領解 영해] ㉠깨달음. 이해가 감. ㉡당대(唐代)의 제도. 향시(鄕試) 급제의 일컬음.
[領會 영회] 깨달음. 이해가 감.
◉監領. 綱領. 頸領. 管領. 交領. 裘領. 舊領. 頭領. 拜領. 本領. 不得要領. 簿領. 所領. 屬領. 受領. 首領. 押領. 要領. 衣領. 引領. 咽領. 將領. 宰領. 占領. 正領. 主領. 天領. 總領. 督領. 統領. 項領. 橫領.

5 ⑭ [頕] ㊀담 ⓟ覃 都甘切 dān ㊁점 ⓔ豔 都念切 diàn

字解 ━ 볼처질 담 볼이 처짐. 볼이 느슨하게 처짐. '一, 頰緩'《廣韻》. ━ 떨어뜨린머리 점 수그린 머리. '一, 垂首也'《集韻》.

5 ⑭ [⿰叵頁] 파 ㊥歌 滂禾切 ㊤哿 普火切 pō

字解 머리기울 파 머리가 기욺. 頗(頁部 五畫)와 同字. '頗, 說文, 頭偏也, 或从叵'《集韻》.

5 ⑭ [⿰丕頁] ━ 비 ㊥支 攀悲切 pī ━ 배 ㊥佳 蘗皆切 bāi

字解 ━ 큰얼굴 비 '一, 大面'《玉篇》. ━ ①큰얼굴 배 '一, 大面皃'《集韻》. ②주걱턱 배 굽은 턱의 모양. '一, 曲頤皃'《廣韻》.

5 ⑭ [⿰弁頁] 변 ㊤霰 皮變切 biàn

字解 ①관(冠)이름 변 '一, 冠名'《玉篇》. ②관(冠)클 변 관의 큰 모양. '一, 冠碩皃'《集韻》. ③얼굴 변 '粉其題一'《太玄經》.

5 ⑭ [⿰句頁] ━ 구 ㊤宥 居候切 gòu ━ 후 ㊤宥 許候切 hòu

字解 ━ 힘쓸 구 힘씀. 노력함. '一, 勤也'《玉篇》. ━ 노인 후 노인. 늙은이. '一, 一說, 一顫, 老稱'《集韻》.

5 ⑭ [⿰出頁] 절 ㊇屑 職悅切 zhuō

字解 광대뼈 절 관골(顴骨). '一, 面骨. 博雅, 顴頄, 一也'《集韻》.

字源 篆文 形聲. 頁+出〔音〕. '出출'은 위로 튀어나오다의 뜻.

5 ⑭ [頋] 〔고〕 顧(頁部 十二畫〈p. 2556〉)의 俗字

5 ⑭ [頚] 〔경〕 頸(頁部 七畫〈p. 2548〉)의 略字

[碩] 〔석〕 石部 九畫(p. 1577)을 보라.

5 ⑭ [⿰戊頁] 감 ㊤感 苦感切 kǎn

字解 볼병 감 볼의 병. 빰에 생기는 종기 따위. '一, 頰疾'《字彙補》.

5 ⑭ [⿰古頁] ━ 호 ㊥虞 洪孤切 hú ━ 고 ㊥虞 空胡切 kū

字解 ━ 소의처진턱살 호 소의 처진 턱살. 胡(肉部 五畫)와 同字. '胡, 說文, 牛頷垂也, 或作一'《集韻》. ━ 아래턱뼈 고 아래턱뼈.

6 ⑮ [頝] 교 ㊥肴 丘交切 ㊤巧 苦絞切 qiāo

字解 ①아양부리지않을 교 아양 부리지 아니함. '一, 一贅, 不媚也'《集韻》. ②조금아양떨 교 조금 아양을 떪. 박미(薄媚). '一, 薄媚'《集韻》.

6 ⑮ [頜] 합(갑㊍) ㊇合 古沓切 hé

字解 턱 합 턱의 뼈. '稽顙樹一'《揚雄》.

字源 篆文 形聲. 頁+合〔音〕. '合합'은 '합쳐지다'의 뜻. 아래위 두 개가 합쳐져서 물건을 씹는 데 쓰는 기관, '턱'의 뜻을 나타냄.

◉稽顙樹頜.

6 ⑮ [頞] 알 ㊇曷 烏葛切 è

字解 콧대 알 콧등의 우뚝한 줄기. 비경(鼻莖). '蹙一'(콧대를 찡그림)《孟子》.

字源 篆文 形聲. 頁+安〔音〕. '頁혈'은 '얼굴'의 뜻. '安안'은 '안정되다'의 뜻. 얼굴의 한가운데에 안정되어 있는 콧등의 뜻을 나타냄.

◉幽頞. 縮頞. 蹙頞.

6 ⑮ [頟] 액 ㊇陌 五陌切 é

字解 ①이마 액 額(頁部 九畫)과 同字. '髮下眉上謂一'《六書故》. ②쉬지않을 액 휴식하지 않는 모양. '罔晝夜一一'《書經》.

字源 篆文 形聲. 頁+各〔音〕. '各각'은 '格격'과 통하여 튀어나오게 하다의 뜻. 인체의 머리 부위에서 튀어나온 부분, '이마'의 뜻을 나타냄.

[頟頟 액액] 쉬지 않는 모양.

6 ⑮ [頠] 위 ㊤紙 魚毁切 wěi

字解 ①조용할 위 한정(閒靜)함. ②익힐 위 연습함.

字源 篆文 形聲. 頁+危〔音〕. '危위'는 높은 데에 있어 몸을 굽히다의 뜻. 머리를 쳐들거나 숙이는 모습이 얌전하다의 뜻을 나타냄.

6 ⑮ [頡] ━ 힐(혈㊍) ㊇屑 胡結切 xié ━ 갈 ㊇黠 古黠切 jiá 颉

字解 ━ ①날아올라갈 힐 위쪽으로 향하여 낢. '燕燕于飛, 一之頏之'《詩經》. ②성 힐 성(姓)의 하나. ━ 겁략할 갈 폭력으로 빼앗음. '盜一資糧'《唐書》.

字源 金文 篆文 形聲. 頁+吉〔音〕. '吉길'은 똑바로 서서 바르다의 뜻. 목줄기가 곧추서다의 뜻을 나타냄. 또 새가 목줄기의 근육을 긴장시켜서 날아오르다의 뜻을 나타냄.

[頡頏 힐항] ㉠새가 오르락내리락 나는 모양. ㉡대항하여 굴하지 아니하는 모양.

[頡滑 힐활] ㉠착란(錯亂)함. ㉡바르지 아니한 말.

6 ⑮ [頦] 해 ㊥灰 戶來切 kē 颏

字解 아래턱 해 하악골(下顎骨)이 있는 부분. '我手承一時拄坐'《韓愈》.

字源 篆文 形聲. 頁+亥〔音〕. '頁혈'은 얼굴, '亥해'는 뼈대가 단단하다의 뜻.

6 ⑮ [⿰屰頁] ━ 박 ㊇藥 匹各切 pò ━ 악 ㊇藥 逆各切 è

字解 ━ 추할 박 얼굴이 크고 추한 모양. ━ 엄숙할 악 엄숙함. 근엄함. 顎(頁部 九畫)과 同字.

'頫, 恭嚴也, 或作一'《集韻》.

6 ⑮ **[頫]** [一] 부 [平]虞 方矩切 fǔ
[二] 조 [去]嘯 他弔切 tiào

[字解] [一] 숙일 부. 굽힐 부 고개를 숙임. 몸을 아래로 굽힘. 俯(人部 八畫)와 同字. '一首係頸'《賈誼》. [二] ①뵐 조 알현함. '一聘'. ②찾을 조 천자의 사절(使節)이 제후(諸侯)를 방문함. '存一省聘問臣之禮'《周禮 疏》. ③볼 조 살펴봄. 자세히 봄. '流目一乎衡阿'《張衡》.
[字源] 篆文 形聲. 頁+逃〈省〉[音]. 사람의 눈을 피하여 고개를 숙이다의 뜻을 나타냄.

[頫仰 부앙] 구부려 보고 쳐다봄.
[頫視 부시] 내려다봄.
[頫聘 조빙] 제후(諸侯)의 대부(大夫)가 조정에 와서 천자(天子)에게 알현함. 여럿이 와서 알현함을 '頫', 적은 인원이 와서 알현함을 '聘'이라 함.

6 ⑮ **[頩]** 〔병〕
頩(頁部 八畫〈p. 2549〉)의 俗字

6 ⑮ **[頨]** [一] 편 ①②[平]先 紕延切 biàn
③[去]霰 卑見切
[二] 현 [平]先 許緣切
[三] 우 [上]麌 王矩切 yǔ

[字解] [一] ①머리고울 편 '一, 一姸, 美頭'《廣韻》. ②우묵들어간공자의머리 편 '一, 孔子頭也'《廣韻》. ③고울 편 '一一'은 아름다움. '一, 一一狡也'《集韻》. [二] 머리고울 현, 우묵들어간공자의 머리 현 [一]❶❷와 뜻이 같음. [三] 머리고울 우, 우묵들어간공자의머리 우 [一]❶❷와 뜻이 같음.
[字源] 形聲. 頁+翩〈省〉[音]

6 ⑮ **[頤]** [人名] 이 [平]支 與之切 yí

[筆順] 一 丅 丙 丙 𦣝 𦣞 頣 頤

[字解] ①턱 이 상악골(上顎骨) 및 하악골(下顎骨)이 있는 부분. '一使'. '一霤垂拱'《禮記》. ②기를 이 의식을 공급함. '一養'. '觀一, 觀其所養也'《易經》. ③어조사 이 무의미한 조사. '夥一, 涉之爲王, 沈沈者'《史記》. ④이괘 이 육십사괘(六十四卦)의 하나. 곧, ䷚〈진하(震下), 간상(艮上)〉으로서, 음식을 씹어 사람을 기르는 상(象). '一, 貞吉'《易經》. ⑤성 이 성(姓)의 하나.
[字源] 金文 古文 篆文 古文의 '𦣞이'는 턱의 象形으로 '턱'의 뜻을 나타냄. 뒤에 '頁혈'을 덧붙임. 篆文은 頁+𦣞[音]의 形聲. 金文에서는 젖을 먹일 수 있는 두 개의 큰 유방의 象形으로 여겨짐. 젖에 가까이 대는 머리의 모양에서 '기르다, 턱'의 뜻을 나타냄.
[參考] 頣(次條)은 別字.

[頤令 이령] 이사(頤使).
[頤使 이사] 턱으로 부린다는 뜻으로, 남을 마음대로 부림을 이름.
[頤神 이신] 정신을 수양함.
[頤神養性 이신양성] 마음을 가다듬어 정신(精神)을 수양(修養)함.
[頤養 이양] 기름. 수양함.
[頤指 이지] 이사(頤使).
[頤和園 이화원] 북평(北平)의 서북(西北) 만수산(萬壽山) 기슭에 있는 정원(庭園) 이름. 청(淸)나라 광서 연간(光緖年間)에 개축(改築)하여 서태후(西太后)가 피서하던 곳.
◉廣頤. 期頤. 方頤. 垂頤. 拄頤. 朶頤. 脫頤. 解頤.

6 ⑮ **[頣]** 신 [上]軫 式忍切 shěn

[字解] 눈썹들고볼 신 눈썹을 들고 사람을 봄.
[字源] 篆文 形聲. 頁+臣[音]. '頁혈'은 얼굴, '臣신'은 몸을 눕히다의 뜻. 숙인 머리를 들고 상대를 보다의 뜻을 나타냄.
[參考] 頤(前條)는 別字.

6 ⑮ **[頧]** 퇴 [平]灰 都回切 duī

[字解] 관(冠)이름 퇴 '毋一'는 하(夏)나라의 관명(冠名). '毋一, 夏冠名'《集韻》.

6 ⑮ **[頣]** [一] 간 [上]阮 古很切 gěn
[去]願 古恨切
[二] 전 [上]銑 多殄切
[三] 견 [上]銑 古典切

[字解] [一] ①뺨의뒤쪽 간 '一, 頰後'《廣韻》. ②뺨높을 간 '一, 頰高也'《集韻》. [二] 뺨의뒤쪽 전 [一]❶과 뜻이 같음. [三] 뺨의뒤쪽 견 [一]❶과 뜻이 같음.
[字源] 形聲. 頁+艮[音]

6 ⑮ **[頢]** [一] 괄 [入]曷 古活切 kuò
[二] 활 [入]黠 下刮切

[字解] [一] ①짧은얼굴 괄 '一, 短面皃也'《廣韻》. ②머리작을 괄 머리가 작은 모양. '一, 小頭皃'《廣韻》. [二] 짧은얼굴 활, 머리작을 활 [一]과 뜻이 같음.
[字源] 形聲. 篆文은 頁+昏[音]

6 ⑮ **[頣]** 〔광〕
眶(目部 六畫〈p. 1539〉)과 同字

6 ⑮ **[頮]** 회 [去]隊 呼內切 huì

[字解] 큰머리 회 큰 머리. '一, 大首也'《集韻》.

6 ⑮ **[顖]** 〔신〕
囟(口部 三畫〈p. 422〉)의 古字

[潁] 〔영〕
水部 十一畫(p. 1278)을 보라.

[熲] 〔경〕
火部 十一畫(p. 1350)을 보라.

7 ⑯ **[頭]** [中][人] 두 [平]尤 度侯切 tóu

[筆順] 一 ㅁ 𠮛 豆 豆 頭 頭 頭

[字解] ①머리 두 ㉠몸의 목 이상의 부분. '一腦'.

'—容直'《禮記》. ㉡머리털. '蓬—亂髮'. '穩婆梳—'《雜纂新續》. ②우두머리 두 ㉠장(長). '—目'. '—領'. '以彊幹者爲番—'《唐書》. ㉡첫째. '—等'. ③첫머리 두 사물의 시작. '年—月尾'《唐書》. ④꼭대기 두 '樓—'. '果乘白鶴駐山—'《列仙傳》. ⑤끝 두 선단. '舌—'. '以百錢挂杖—'《晉書》. ⑥가 두, 옆 두 근처. 곁. '店—'. '珮聲歸向鳳池—'《王維》. ⑦마리 두 마소를 세는 수사(數詞). '牛十—'. 또, 사람의 수효. '人—稅'.

[字源] 篆文 形聲. 頁+豆〔音〕. '頁혈'은 '머리'의 뜻. '豆두'는 윗부분이 큰 제기의 象形. '머리, 우두머리'의 뜻을 나타냄.

[頭角 두각] ㉠머리 끝. 전(轉)하여, 우뚝 뛰어남. ㉡처음. 단서.
[頭蓋骨 두개골] 뇌(腦)를 싸고 있는 뇌개골과 안면을 이루고 있는 안면 두개골의 총칭.
[頭巾 두건] 머리에 쓰는 베로 만든 물건.
[頭頸 두경] 목.
[頭骨 두골] 머리를 이룬 뼈.
[頭腦 두뇌] ㉠머릿골. ㉡사물(事物)을 판단하는 힘. ㉢조리(條理). ㉣우두머리. 두목. ㉤사물의 중요 부분.
[頭童齒豁 두동치활] 머리가 벗겨지고 이가 빠짐. 노인이 됨.
[頭頭 두두] 각각. 제각기(各其).
[頭等 두등] 일등. 최상급.
[頭領 두령] 여러 사람을 거느리는 사람. 두목(頭目).
[頭顱 두로] 머리.
[頭面 두면] 머리와 얼굴.
[頭目 두목] ㉠머리와 눈. ㉡여러 사람의 우두머리. ㉢원대(元代)의 군중(軍中)의 장관(長官).
[頭尾 두미] ㉠머리와 꼬리. ㉡처음과 끝. 전말(顚末).
[頭髮 두발] 머리털.
[頭髮上指 두발상지] 머리털이 곤추선다는 뜻으로, 용사가 격분함의 형용.
[頭上 두상] 머리. 머리 위.
[頭上安頭 두상안두] 머리 위에 또 머리를 놓는다는 뜻으로, 쓸데없는 것이 중복함의 비유.
[頭狀花 두상화] 화축(花軸) 끝에 많은 꽃이 밀착(密着)하여 사람의 머리 모양으로 피는 꽃. 국화 따위.
[頭緖 두서] ㉠일의 단서(端緖). ㉡조리(條理).
[頭鬚 두수] 머리털과 수염.
[頭人 두인] 우두머리. 수령.
[頭足異處 두족이처] 몸이 베이어 두 동강이 남.
[頭註 두주] 서책(書冊)의 위쪽에 기록(記錄)한 주해(註解).
[頭瘡 두창] 머리에 나는 부스럼.
[頭陀 두타] 중의 수행(修行). 전(轉)하여, 중의 칭호.
[頭陀袋 두타대] 행각승(行脚僧)이 물건을 넣기 위하여 목에 거는 포대.
[頭痛 두통] 머리가 아픔. 또, 그 병.
[頭風 두풍] ㉠두통(頭痛). ㉡머리 위로 부는 바람.
[頭寒足熱 두한족열] 머리가 차고 발이 더움. 몸이 건강한 표시임.
[頭會箕斂 두회기렴] 사람의 머릿수로 곡식을 내게 하여 키로 이것을 거두어들임. 곧, 가혹하게 세금을 징수함을 이름.

◉街頭. 竿頭. 江頭. 劍頭. 鷄頭. 叩頭. 科頭. 寡頭. 魁頭. 橋頭. 口頭. 卷頭. 龜頭. 亂頭. 路頭. 露頭. 轆轤頭. 樓頭. 單頭. 擡頭. 到頭. 渡頭. 禿頭. 等頭. 馬頭. 碼頭. 饅頭. 毛頭. 冒頭. 沒頭. 白頭. 百頭. 劈頭. 蓬頭. 埠頭. 社頭. 山頭. 先頭. 船頭. 舌頭. 城頭. 搔頭. 蠅頭. 心頭. 丫頭. 岳頭. 岸頭. 案頭. 鴨頭. 夜叉頭. 語頭. 驛頭. 年頭. 燕頷虎頭. 念頭. 烏頭. 鼇頭. 甕頭. 原頭. 龍頭. 乳頭. 入頭. 作頭. 杖頭. 檣頭. 低頭. 點頭. 枝頭. 竹頭. 地頭. 津頭. 陣頭. 蒼頭. 初頭. 焦頭. 出頭. 鴟頭. 枕頭. 塔頭. 平頭. 筆頭. 解頭. 軒頭. 話頭. 初頭. 黃頭. 回頭. 黑頭.

7 ⑯ [頮] 회 [去]隊 荒內切 huì 颒

[字解] 세수할 회 낯을 씻음. '王乃洮—水'《書經》.
[字源] 沬의古字 會意. 頁+廾+水. '廾공'은 양손으로 받들다의 뜻. 양손으로 물을 떠올려 얼굴을 씻다의 뜻을 나타냄.

7 ⑯ [⿰困頁] 곤 [平]元 苦昆切 / [上]阮 苦本切 kūn / [去]願 苦慁切

[字解] ①대머리 곤 '—, —頼'《廣韻》. ②귓구멍 곤 '—, 耳門'《廣韻》.
[字源] 形聲. 篆文은 頁+困〔音〕.

7 ⑯ [⿰求頁] 구 [平]尤 渠尤切 qiú

[字解] ①일 구 머리에 임. '—, 戴也'《廣韻》. ②공손히따르는모양 구 공손히 따르는 모양. 또, 관(冠) 꾸미개의 모양. '—, 詩戴弁俅俅, 鄭玄云, 恭順皃, 或作—'《玉篇》.

7 ⑯ [頯] [一] 규 [平]支 渠追切 kuí / [二] 괴 [去]隊 苦會切

[字解] [一] 광대뼈 규 관골(顴骨). [二] 쑥내밀 괴 이마가 보기 좋게 쑥 내민 모양. '其容寂, 其頯—然'《莊子》.
[字源] 篆文 形聲. 頁+夰〔音〕. '夰규'는 솟아오른 살의 뜻. 솟아오른 광대뼈의 뜻을 나타냄.

7 ⑯ [頲] 정 [上]迥 他鼎切 tǐng

[字解] 곧을 정, 바를 정 '梏梗較—'《爾雅》.
[字源] 篆文 形聲. 頁+廷〔音〕. '廷정'은 가늘고 곧게 뛰어나오다의 뜻.

7 ⑯ [頰] [人名] 협 [入]葉 古協切 jiá 颊

[字解] ①뺨 협 얼굴의 양옆. '紅—'. ②성 협 성(姓)의 하나.
[字源] 篆文 籀文 形聲. 頁+夾〔音〕. '夾협'은 '끼다'의 뜻. 안면을 양쪽에서 끼고 있는 부분, '뺨'의 뜻을 나타냄.

[頰顴 협관] 광대뼈.
[頰輔 협보] 뺨.
[頰適 협적] 좋은 얼굴을 함. 남의 비위를 맞춤.

[頰車 협차] ㉠하악골(下顎骨). ㉡뺨의 이칭.
◉口頰. 曼頰. 方頰. 批頰. 鬚頰. 牙頰. 兩頰. 緩頰. 赤頰. 拄頰. 豐頰. 紅頰.

7 ⑯ [赬] 정 ㊥庚 丑盈切 chēng

字解 붉을 정 적색. '魴魚─尾'《詩經》.
參考 赬(赤部 九畫)의 俗字.

[赬文 정문] 빨간 무늬.
[赬尾 정미] 물고기의 빨간 꼬리.
[赬楣 정미] 빨간 문미(門楣).
[赬膚 정부] 빨간 피부.
[赬脣 정순] 붉은 입술. 주순(朱脣). 단순(丹脣).
[赬液 정액] 붉은 액체(液體).
[赬羽 정우] 새의 빨간 깃.
◉微赬. 辟赬. 深赬. 含赬.

7 ⑯ [顊] ㊀ 심 ㊦沁 時鴆切
㊁ 잠 ㊤寑 士荏切 zèn

字解 ㊀ 머리숙일 심 '─, 㰏─, 俯首'《集韻》. ㊁ 추할 잠 頳(頁部 七畫)과 同字. '─, 醜皃, 或作頳'《集韻》.

7 ⑯ [頷] ㊀ 함 ㊤感 胡感切 hàn
㊁ 암 ㊤感 五感切 hàn 颔

字解 ㊀ 턱 함 하악골(下顎骨)이 있는 부분. '虎頭燕─'《漢書》. ㊁ 끄덕일 암 승낙 또는 알았다는 뜻으로 고개를 앞뒤로 움직임. '衛公入, 逆于門者, ─之而已'《左傳》.
字源 金文 篆文 形聲. 金文은 頁+今〔音〕. 篆文은 頁+含〔音〕. '今금', '含함'은 '머금다'의 뜻. 입에 물건을 머금을 때 중요한 구실을 하는 '턱'의 뜻을 나타냄.

[頷可 암가] 머리를 끄덕여 승낙함.
[頷首 암수] 머리를 끄덕여 허락하는 뜻을 보임.
[頷聯 함련] 오칠언 율시(五七言律詩)의 앞의 연구. 제3·제4의 양 구. 전련(前聯).
◉滿頷. 探龍頷. 豐頷. 虎頭燕頷.

7 ⑯ [頸] 人名 경 ㊤梗 居郢切 jǐng
㊥庚 巨成切 颈

字解 목 경 ㉠머리와 몸을 잇는 부분. '長─'. '刎─'. '思漢之士, 延─鶴望'《漢書》. ㉡물건의 목 모양으로 된 부분. '韠, 其─五寸'《禮記》.
字源 篆文 形聲. 頁+巠〔音〕. '巠경'은 '곧다'의 뜻. 머리로 연결되는 곧은 부분, '목'의 뜻을 나타냄.
參考 頚(頁部 五畫)은 略字.

[頸骨 경골] 목뼈.
[頸聯 경련] 오칠언 율시(五七言律詩)의 제5·제6의 두 구(句). 후련(後聯).
[頸領 경령] 목.
[頸椎 경추] 경부(頸部)의 척추골(脊椎骨).
[頸血 경혈] 목에서 흐르는 피.
◉交頸. 短頸. 頭頸. 刎頸. 駢頸. 伸頸. 延頸. 咽頸. 長頸. 鶴頸.

7 ⑯ [頳] 차 ㊥麻 昌遮切 chē

字解 잇몸 차 잇몸. 치은(齒齦). '─, 牙車'《集韻》.

7 ⑯ [頹] 人名 퇴 ㊥灰 杜回切 tuí 颓

字解 ①질풍 퇴 거센 바람. '維風及─'《詩經》. ②떨어질 퇴, 떨어뜨릴 퇴 낙하함. '星辰隕兮日月─'《阮籍》. ③무너질 퇴, 무너뜨릴 퇴 떨어져 흩어짐. '泰山其─乎'《禮記》. '─其土'《漢書》. ④쇠할 퇴 쇠퇴하여 떨치지 못함. '廢─'. '─運'. '蕪穢積─齡'《謝靈運》. ⑤쓰러질 퇴 넘어짐. '蒼顏白髮, ─乎其中者太守也'《歐陽修》. ⑥좇을 퇴 순종하는 모양. '─乎其順也'《禮記》. ⑦흐를 퇴 물이 아래로 내려감. '水─以絕商顏'《史記》. ⑧성 퇴 성(姓)의 하나.
字源 會意. 頁+禿. '禿독'은 머리가 벗어지다의 뜻. 머리가 벗어지다의 뜻에서 파생하여, '무너지다'의 뜻을 나타냄.
參考 頽(次條)는 訛字.

[頹缺 퇴결] 무너져 이지러짐.
[頹敎 퇴교] 쇠퇴한 가르침.
[頹闕 퇴궐] 퇴결(頹缺).
[頹唐 퇴당] 무너져 떨어짐.
[頹落 퇴락] 무너지고 떨어짐.
[頹齡 퇴령] 나이 먹음. 또, 노쇠한 나이.
[頹壟 퇴롱] ㉠무너진 무덤. ㉡무너진 두둑.
[頹漏 퇴루] 퇴락하여 샘.
[頹淪 퇴륜] 무너져 가라앉음.
[頹圮 퇴비] 쇠퇴하여 무너짐. 퇴패(頹敗).
[頹思 퇴사] 생각에 잠김.
[頹雪 퇴설] 무너져 떨어지는 눈.
[頹勢 퇴세] 쇠퇴하는 형세(形勢).
[頹俗 퇴속] 나빠진 풍속. 퇴폐한 풍속.
[頹岸 퇴안] 무너진 언덕.
[頹顏 퇴안] 야윈 얼굴.
[頹巖 퇴암] 무너져 떨어진 바위.
[頹陽 퇴양] 석양(夕陽).
[頹然 퇴연] ㉠유순(柔順)한 모양. ㉡힘이 없는 모양. ㉢술에 취해 몸을 가누지 못하는 모양.
[頹雲 퇴운] 무너지려고 하는 구름.
[頹運 퇴운] 쇠퇴한 운.
[頹絕 퇴절] 쇠퇴하여 뒤가 끊어짐.
[頹挫 퇴좌] 무너져 꺾임.
[頹替 퇴체] 쇠퇴함.
[頹墜 퇴추] 무너져 떨어짐.
[頹惰 퇴타] 쇠약하고 나태함.
[頹墮委靡 퇴타위미] 기력이나 정신이 차차로 쇠퇴함.
[頹波 퇴파] ㉠무너지는 물결. ㉡쇠(衰)하는 사물의 비유.
[頹敗 퇴패] 퇴비(頹圮).
[頹廢 퇴폐] 헐어 무너짐. 또, 쇠하여 전보다 못하여 감.
[頹風 퇴풍] ㉠폭풍. 질풍(疾風). ㉡퇴속(頹俗).
[頹乎 퇴호] ㉠예의(禮儀)가 올바른 모양. ㉡취하여 몸을 가누지 못하는 모양.
[頹朽 퇴후] 무너져 썩음.
[頹毁 퇴훼] 무너져 파손됨.
[頹虧 퇴휴] 퇴결(頹缺).
◉傾頹. 救頹. 老頹. 衰頹. 玉山將頹. 顚頹. 崔頹. 敗頹. 廢頹.

7 ⑯ [頽] 頹(前條)의 訛字

7 ⑯ [頻] [高·人] 빈 ㊉眞 符眞切 pín, ④bīn 频

[筆順] ⺊ 𠔉 止 𣥂 步 頻 頻 頻

[字解] ①급할 빈 위급함. '國步斯一'《詩經》. ②늘어설 빈 나란히 섬. '群臣一行'《國語》. ③자주 빈 여러 번 잇달아. '三顧一煩天下計'《杜甫》. 또, 잦음. 잦은 모양. '汝何去來之一'《列子》. ④물가 빈 濱(水部 十四畫)·瀕(水部 十六畫)과 同字. '池之竭矣, 不云自一'《詩經》. ⑤찡그릴 빈 顰(頁部 十五畫)과 통용. '一復厲無咎'《易經》. ⑥성 빈 성(姓)의 하나.

[字源] 會意. 본디 涉+頁. '涉섭'은 물을 건너다의 뜻. '頁혈'은 '얼굴'의 뜻. 강을 건널 때의 물결처럼 얼굴에 주름을 짓다, 찡그리다의 뜻을 나타냄. 또 주름 지듯 파도가 몰려오는 물가의 뜻도 나타냄. 파생하여 '자주'의 뜻을 나타냄.

[頻伽 빈가]《佛敎》'가릉빈가(迦陵頻伽)'의 준말. 극락정토(極樂淨土)에 산다는 새 이름. 묘음조(妙音鳥). 호성조(好聲鳥).
[頻度 빈도] 잦은 도수.
[頻發 빈발] 자주 생겨남.
[頻煩 빈번] ㉠자주. 여러 번. ㉡자꾸 귀찮게 함.
[頻繁 빈번] 바쁨. 잦음.
[頻頻 빈빈] 잦은 모양.
[頻數 빈삭] 잦음. 빈번함.
[頻蹙 빈축] 얼굴을 찡그림.
[頻出 빈출] 자주 나옴. 자주 외출함.
[頻行 빈행] 나란히 서서 감.
◉國步斯頻.

7 ⑯ [頵] [一] 윤 ㊉眞 於倫切 yūn
[二] 균 ㊉眞 居筠切 jūn

[字解] [一] 머리통클 윤 머리가 큼. '一, 頭一大也'《說文》. [二] 머리클 균 머리가 큰 모양. '一, 頭大皃'《集韻》.

[字源] [金文] [篆文] 形聲. 頁+君〔音〕. '君군'은 '크다'의 뜻.

7 ⑯ [䫇] 염 ㊉鹽 汝鹽切 rán

[字解] 구레나룻 염 뺨에 난 수염. '髥(髟部 四畫)과 통용. '一, 頰須也'《說文》.

[字源] 形聲. 須+冄〔音〕. '冄염'은 구레나룻의 象形. 뒤에 '頁혈'을 덧붙임.

7 ⑯ [䫉] 〔모〕
貌(豸部 七畫〈p.2181〉)와 同字

7 ⑯ [頥] 〔이〕
頤(頁部 六畫〈p.2546〉)의 俗字

7 ⑯ [頶] 곡 ㊇沃 胡沃切 hú

[字解] 코우뚝할 곡 코가 우뚝함. 우뚝 솟은 코. '一, 高鼻'《集韻》.

7 ⑯ [頣] 〔간〕
頤(頁部 六畫〈p.2546〉)의 本字

7 ⑯ [䫆] [一] 성 ㊉庚 時征切 chéng
[二] 경 ㊉庚 渠京切

[字解] [一] ①목 성 목. '一, 頸也'《玉篇》. ②목덜미 성 목덜미. [二] 목 경, 목덜미 경 [一]과 뜻이 같음.

7 ⑯ [頣] [一] 頣(頁部 六畫〈p.2546〉)의 本字
[二] 竅(穴部 十一畫〈p.1643〉)과 同字

7 ⑯ [䫎] 〔배〕
䫜(頁部 四畫〈p.2542〉)와 同字

7 ⑯ [頴] 〔영〕
穎(禾部 十一畫〈p.1629〉)의 俗字

[穎] 〔영〕
禾部 十一畫(p.1629)을 보라.

8 ⑰ [頾] 자 ㊉支 卽移切 zī

[字解] 윗수염 자 髭(髟部 五畫)와 同字. '生而有一'《左傳》.

8 ⑰ [頿] 頾(前條)와 同字

[字源] [篆文] 形聲. 須+此〔音〕. '此차'는 '觜자'와 통하여 '부리'의 뜻. 입 위의 '수염'의 뜻을 나타냄.

8 ⑰ [頲] 정 ㊄徑 丁定切 dìng

[字解] 이마 정 눈썹 위로부터 머리털이 난 아래까지의 부분. '一, 題也'《爾雅》.

8 ⑰ [䫂] [一] 두 ㊉尤 當侯切
[二] 오 ㊤虞 於五切 wù

[字解] [一] 얼굴비뚤 두 '一, 顱一, 面折'《康熙字典》. [二] 머리쓰개 오 두건(頭巾). '幧, 首巾謂之幧. 或作一'《集韻》.

8 ⑰ [顄] 함 ㊤感 胡感切 hàn
㊉覃 胡男切

[字解] ①턱 함 頷(頁部 七畫)과 同字. '王莽爲人侈口蹷一'《漢書》. ②바닷물출렁일 함 '一淡滂流'《馬融》.

[字源] 形聲. 頁+函〔音〕. '函함'은 '휩싸 넣다'의 뜻. 음식을 머금어 넣는 부분, '아래턱'의 뜻을 나타냄.

[顄淡 함담] 넓은 바다의 물결이 출렁이는 모양.
◉侈口蹷顄.

8 ⑰ [頩] 병 ㊉靑 普丁切 pīng

[字解] 성낼 병 얼굴에 화낸 기색이 보이는 모양. '一薄怒以自持兮'《宋玉》.

[字源] 形聲. 頁+幷〔音〕

[參考] 頩(頁部 六畫)은 俗字.

8 ⑰ [顆] [人名] 과 ㊤哿 苦果切 kē, ②kě 颗

[字解] ①낟알 과 작고 둥근 물건의 낱개. 또, 그것을 세는 수사(數詞). '一粒'. '一一'. '圓物以一計'《六書故》. ②흙덩이 과 堁(土部 八畫)와

同字. '使其後世曾不得蓬一, 蔽冢而托葬焉'《漢書》.

字源 篆文 形聲. 頁+果〔音〕. '頁혈'은 둥근 머리의 뜻. '果과'는 나무 열매의 뜻. 열매처럼 둥근 작은 알의 뜻을 나타냄.

[顆粒 과립] 둥글고 자잘한 낟알 모양의 것의 총칭. 알. 낟알.
◉幾顆. 飯顆. 蓬顆. 熟顆. 玉顆.

8 ⑰ **[⿰枝頁]** ㊀ 규 (平)支 居隋切 guī / (去)寘 居悸切 ㊁ 주 (平)支 津垂切

字解 ㊀ ①작은머리 규 ⿰頁枝(頁部 八畫〈次條〉)와 同字. '⿰頁枝, 小頭⿰頁枝⿰頁枝也. (段注) 亦作一'《說文》. ②그릴 규 '一, 畫也'《廣雅》. ㊁ 머리작을 주 '槻, 小頭皃. 或書作一'《集韻》.

字源 形聲. 頁+枝〔音〕.

8 ⑰ **[⿰頁枝]** ⿰枝頁(前條)와 同字

8 ⑰ **[⿱敄頁]** ㊀ 隤(阜部 十二畫〈p.2474〉)와 同字 ㊁ 頹(頁部 七畫〈p.2548〉)의 俗字

8 ⑰ **[⿰昏頁]** 문 (平)元 莫奔切 mén

字解 어리석을 문 무지(無知)한 모양. '一, 不曉'《玉篇》.

字源 篆文 形聲. 頁+昏〔音〕. '昏혼'은 어둡다, 어리석다의 뜻.

8 ⑰ **[顇]** 췌(취(本)) (去)寘 秦醉切 cuì

字解 야윌 췌, 병들 췌 悴(心部 八畫)·瘁(疒部 八畫)와 同字. '羸馬一奴僅充而已'《顏氏家訓》.

字源 篆文 形聲. 頁+卒〔音〕. '卒졸·취'는 '다하다'의 뜻. 한도에 달할 때까지 머리를 썩이다, 야위다의 뜻을 나타냄.

[顇奴 췌노] 쇠약한 사내종. 병든 노복(奴僕).
◉顦顇.

8 ⑰ **[⿰絅頁]** 경 (上)迥 犬迥切 jiǒng / (平)青 涓熒切

字解 풀이름 경 모시풀 비슷한 식물로서, 껍질은 짜서 갈포의 대용품으로 함. '旣一其練祥皆行'《禮記》.

8 ⑰ **[顉]** ㊀ 암 (上)感 五感切 hàn ㊁ 금 (平)侵 去金切 qīn

字解 ㊀ 끄덕일 암 頷(頁部 七畫)과 同字. '一頤折頞'《漢書》. ㊁ 주걱턱 금 顩(頁部 十三畫)과 同字.

字源 篆文 形聲. 頁+金〔音〕

8 ⑰ **[⿰靜頁]** 人名 정 (去)敬 疾政切 jìng / (上)梗 疾郢切

字解 ①목위고울 정 목부터 위가 아름다운 모양. '一, 一首. 說文, 好皃'《廣韻》. ②광대 정 연예인(演藝人). '一, 樂工倡優弄人, 一曰一'《正字通》.

字源 形聲. 頁+爭〔音〕

8 ⑰ **[頼]** ㊀ 뢰 (去)泰 力載切 lài ㊁ 래 (平)灰 郎才切 lái

字解 ㊀ 힘입을 뢰 힘입음. 賴(貝部 九畫)의 譌字. '一, 一蒙也'《玉篇》. ㊁ 머리길 래 머리통이 긴 모양. '一, 一體, 頭長皃'《集韻》.

8 ⑰ **[⿰其頁]** 기 (平)支 去其切 qī

字解 못날 기 '一醜'은 보기 싫은 모양. '視毛嬙西施, 猶一醜也'《淮南子》.

字源 篆文 形聲. 頁+其〔音〕

[⿰其頁醜 기추] 못난 모양. 보기 흉한 모양.

8 ⑰ **[顅]** ㊀ 간 (平)刪 苦閑切 qiān ㊁ 견 (平)先 經天切

字解 ㊀ 길 간 목이 긴 모양. '數目一脰'《周禮》. ㊁ 길 견 [一]과 뜻이 같음.

字源 篆文 形聲. 頁+肩〔音〕

8 ⑰ **[⿰臽頁]** 감 (平)咸 口咸切 kǎn / (上)感 口感切

字解 ①낮굽을 감 낮이 굽음. 얼굴이 오목함. '一, 面窊也'《龍龕手鑑》. ②얼굴길 감 얼굴이 길. '一, 顋一'《玉篇》.

8 ⑰ **[⿰杲頁]** 고 (上)晧 古老切 gǎo

字解 머리 고 머리〔頭〕. '一, 頭也'《字彙》.

8 ⑰ **[⿰囷頁]** 〔곤〕
⿰困頁(頁部 七畫〈p.2547〉)의 本字

8 ⑰ **[⿰屈頁]** 굴 (入)物 魚屈切 wù

字解 얼굴짧을 굴 얼굴이 짧음. '一, 一頞, 面短'《集韻》.

8 ⑰ **[⿰卷頁]** 권 (平)先 逵員切 quán

字解 굽은뿔 권 굽은 뿔. 觠(角部 六畫)과 同字.

8 ⑰ **[⿰阜頁]** 이 (平)支 余其切 yí

字解 턱 이 頥(頁部 六畫)와 同字. '策銳貫一'《韓非子》.

字源 形聲. 阜+頥〈省〉〔音〕. '頥이'는 '턱'의 뜻.

8 ⑰ **[⿰⿱彡立頁]** 〔수〕
鬚(髟部 十二畫〈p.2629〉)와 同字

9 ⑱ **[顋]** 시(새(本)) (平)灰 蘇來切 sāi

字解 ①뺨 시 얼굴의 양옆. ②아가미 시 물고기의 숨 쉬는 기관. '曝一之魚'《南史》.

[字源] 形聲. 頁+思〔音〕

9 ⑱ [題] [中人] 제 ①-⑩[平]齊 杜溪切 tí ⑪[去]霽 特計切 dì 题

[筆順] 日 旦 早 무 是 是 題 題

[字解] ①이마 제 눈썹 위로부터 머리털이 난 데까지의 부분. '雕—交趾'《禮記》. ②끝 제 선단. '榱—數尺'《孟子》. ③표 제 표지(表識). '欲墾荒田, 先立表—'《晉書》. ④표제 제 책의 이름. '—目'. ⑤글제 제 시문의 제목. '文—'. '詩—'. '分—賦詩'《然藜餘筆》. ⑥물음 제 시문(詩問). '問—'. '某年試—'《唐國史補》. ⑦품평 제 평정(評定). '—評'. '一經品—, 便作佳士'《李白》. ⑧문체이름 제 한문의 한 체(體). 서책의 권두(卷頭)에 씀. '—跋'. '—辭'. ⑨적을 제, 쓸 제 기록함. '名山壁上—詩'《黃允文》. ⑩성 제 성(姓)의 하나. ⑪볼 제 자세히 봄. '—彼脊令'《詩經》.

[字源] [篆文] 形聲. 頁+是〔音〕. '是시·제'는 튀어나와 있다의 뜻. 얼굴 중에서 튀어나온 '이마'의 뜻을 나타냄. 파생하여 물건의 안표의 뜻을 나타냄.

[題名 제명] ㉠성명을 사람의 눈에 잘 띄는 데 적음. ㉡'안탑 제명(雁塔題名)'과 같음. 진사(進士)에 급제하는 일. ㉢한문의 한 체(體). 명승 또는 사원 등을 등람(登覽) 심방한 날짜와 같이 간 이의 이름을 적음.
[題名記 제명기] 관서의 벽에 퇴관한 자의 성명·경력 등을 기록한 것. 당대(唐代)에는 벽기(壁記)라 일렀음.
[題目 제목] ㉠책의 표제(標題). ㉡품평(品評). ㉢명호. 명칭. ㉣문제. 물음. ㉤글제.
[題跋 제발] ㉠책의 제(題)와 발(跋). ㉡발(跋). 발문(跋文).
[題鳳 제봉] '봉자(鳳字)'를 보라.
[題詞 제사] 책머리에 기록하는 글.
[題寫 제사] 베낌.
[題辭 제사] 책머리 또는 빗돌 위 같은 데에 쓰는 말.
[題額 제액] 편액(扁額)에 글씨를 씀.
[題詠 제영] 제목을 내고 시를 지음.
[題字 제자] ㉠책머리 또는 빗돌 위 같은 데에 쓰는 글자. ㉡사람의 눈에 잘 띄는 데에 글씨를 쓰는 일. 또는 그 글자.
[題材 제재] 문예 작품의 제목과 재료.
[題奏 제주] 명대(明代)의 제본(題本), 곧 공사(公事)의 상서(上書)와, 주본(奏本), 곧 사사(私事)의 상서.
[題評 제평] 품평(品評).
[題品 제품] 고하 우열(高下優劣)의 판정.
[題號 제호] 제목(題目).
[題畫 제화] 그림에 시문을 씀.
◉改題. 兼題. 課題. 難題. 內題. 論題. 名題. 命題. 問題. 本題. 封題. 書題. 旋題. 設題. 省題. 宿題. 失題. 御題. 演題. 例題. 玉題. 外題. 議題. 離題. 主題. 榱題. 出題. 探題. 破題. 平題. 評題. 表題. 標題. 品題. 閑話休題. 解題. 話題.

9 ⑱ [額] [高人] 액 [入]陌 五陌切 é 额

[筆順] 宀 ク 安 客 客 額 額 額

[字解] ①이마 액 눈썹 위로부터 머리털이 난 데까지의 부분. '被創中—'《後漢書》. ②머릿수 액 일정한 분량. '定—'. '—數'. '所收日—'《宋史》. ③편액 액 문 위 또는 방 안에 걸어 놓는 현판. '題—'. '前世牌—'《捫蝨新話》.

[字源] 形聲. 頁+客〔音〕. '客객'은 '恪각'과 통하여 '내밀다'의 뜻. 인체의 머리 부분의 내민 부분, '이마'의 뜻을 나타냄.

[額面 액면] 유가 증권(有價證券) 등에 적힌 일정한 돈의 액수.
[額畔 액반] 이마의 가장자리.
[額手 액수] 이마에 손을 댄다는 뜻으로 존경하여 우러러보는 모양.
[額數 액수] 돈 같은 것의 머릿수.
[額字 액자] 현판에 쓴 큰 글자.
[額黃 액황] 육조(六朝) 시대에 부녀자가 이마에 누런빛으로 화장하던 일.
◉價額. 減額. 巨額. 高額. 廣額. 金額. 爛額. 同額. 馬額. 方額. 兵額. 稅額. 少額. 手額. 龍門點額. 月額. 殘額. 低額. 篆額. 點額. 定額. 題額. 租額. 差額. 焦額. 總額. 勅額. 扁額. 豐額.

9 ⑱ [顎] [人名] 악 [入]藥 五各切 è

[字解] 턱 악 구강(口腔)의 상하에 있는 뼈 및 그 위의 부분. '上—'. '下—'.

[字源] 形聲. 頁+咢〔音〕

◉上顎. 下顎.

9 ⑱ [契頁] [一] 계 [去]霽 苦計切 qì [二] 알 [入]黠 乙轄切 yà [三] 결 [入]屑 苦結切 qiè

[字解] [一] 상황을살필 계, 두려워할 계 '—, 司人也. 一曰, 恐也'《說文》. [二] 성낼 알 성내는 모양. '—, 怒皃'《集韻》. [三] 짧을 결 '顀—'은 짧은 모양. '—, 顀—, 短皃'《廣韻》.

[字源] 形聲. 頁+契〔音〕

9 ⑱ [癸頁] 계 [去]寘 其季切 guì

[字解] 큰입 계 '—, 大口'《集韻》.

9 ⑱ [顔] [中人] 안 [平]刪 五姦切 yán 颜

[筆順] 亠 文 文 产 彦 彦 顏 顔

[字解] ①얼굴 안 ㉠머리의 전면. '—面'. '揚且之—也'《詩經》. ㉡안색(顔色). '怡—'. '必和—溫語待之'《名臣言行錄》. ㉢면목. '我何—謝桓公'《世說》. ㉣낯가죽. '巧言如簧, —之厚矣'《詩經》. ②이마 안 얼굴의 눈썹 위의 부분. '隆準而龍—'《史記》. ③편액 안 현판(懸板). 또, 현판의 제자(題字). '—曰大成殿'. ④성 안 성(姓)의 하나.

[字源] [篆文] [籀文] [籀文] 形聲. 頁+彦〔音〕. '彦언'은 광물성 안료(顔料)의

뜻. 화장하는 머리 부위, '얼굴'의 뜻을 나타냄.
[顏甲 안갑] 뻔뻔스럽고 염치를 모름. 후안(厚顏). 철면피.
[顏杲卿 안고경] 당(唐)나라 현종(玄宗) 때의 충신(忠臣). 린이(臨沂) 사람. 자(字)는 흔(昕). 북제(北齊)의 학자 안지추(顏之推)의 오대손(五代孫)이며, 안진경(顏眞卿)과는 족형제(族兄弟)임. 상산(常山)의 태수(太守)로 있을 때 근왕(勤王)의 병(兵)을 일으켜 안녹산(安祿山)을 쳤으나, 안녹산에게 잡히어 죽임을 당하였음.
[顏筋柳骨 안근유골] 당(唐)나라의 안진경(顏眞卿)과 유공권(柳公權)의 필법을 터득했다는 뜻으로, 글씨가 훌륭함을 이름.
[顏料 안료] ㉠화장품. ㉡도료. 물감.
[顏面 안면] 얼굴.
[顏貌 안모] 얼굴의 생김새.
[顏謝 안사] 남조(南朝)의 문장가 안연지(顏延之)와 사영운(謝靈運).
[顏師古 안사고] 당초(唐初)의 학자. 이름은 주(籀). 사고(師古)는 자(字). 안지추(顏之推)의 손자. 태종(太宗) 때 중서시랑(中書侍郎)이 됨. 훈고학(訓詁學)에 자세하며 문장에 능하여 오경(五經)을 고정(考定)하였으며, 또 오례(五禮) 찬정(撰定)에 참여하여 〈대당의례(大唐儀禮)〉 100권을 찬(撰)하였고, 한서(漢書)를 주(註)함.
[顏狀 안상] 얼굴의 생김새. 얼굴 모양.
[顏常山舌 안상산설] 당(唐)나라의 상산 태수(常山太守) 안고경(顏杲卿)이 안녹산(安祿山)을 꾸짖다가 혀를 잘리고 학살당한 고사(故事).
[顏色 안색] ㉠얼굴에 나타나는 기색. 얼굴빛. ㉡빛. 색채.
[顏氏家訓 안씨가훈] 서명(書名). 안지추(顏之推)의 찬(撰). 2권. 자손(子孫)에게 주는 훈계(訓戒)의 책으로서 입신 치가(立身治家)의 법을 논술하고, 또 자획(字畫)·자훈(字訓)·전고(典故)·문예(文藝) 등에 논급(論及)하였음.
[顏氏之子 안씨지자] 안회(顏回). 회(回)의 부친 안노(顏路)가 생존하였었기 때문에 이른 말.
[顏如渥丹 안여악단] 얼굴빛이 불그레하여 혈색이 좋고 아름다움을 이름.
[顏淵 안연] '안회(顏回)'를 보라.
[顏延之 안연지] 남조(南朝) 송(宋)나라의 문장가(文章家). 린이(臨沂) 사람. 자(字)는 연년(延年). 벼슬이 어사중승(御史中丞)·비서감(祕書監) 등을 거쳐 금자광록대부(金紫光祿大夫)에 이르렀음. 시재(詩才)로써 사영운(謝靈運)과 함께 병칭(竝稱)됨.
[顏冉 안염] 공자(孔子)의 문인(門人) 안연(顏淵)과 염백우(冉伯牛). 두 사람은 덕행(德行)으로 이름이 높았음.
[顏容 안용] 안모(顏貌).
[顏元 안원] 청초(淸初)의 학자. 자(字)는 이직(易直). 호(號)는 습재(習齋). 평생을 의사(醫師)·숙사(塾師)·농경(農耕) 등에 종사하면서 육왕학(陸王學)·주자학(朱子學)을 연구하였으나 이에 만족하지 않고, 마침내 독자적인 복고적 실천주의(實踐主義)에 도달했음. 저서(著書)에 〈안리총서(顏李叢書)〉가 있음.
[顏曾 안증] 안회(顏回)와 증삼(曾參). 모두 공자(孔子)의 문인(門人)으로서 덕행이 뛰어난 사람임.
[顏之徒 안지도] 안회(顏回)의 무리. 안회는 공자(孔子)의 수제자.
[顏之推 안지추] 남북조(南北朝)의 문신(文臣)·학자(學者). 린이(臨沂) 사람. 자(字)는 개(介). 박학(博學)으로 술을 좋아함. 양(梁)나라의 산기시랑(散騎侍郞), 북제(北齊)의 중서사인(中書舍人)·황문시랑(黃門侍郞), 주(周)나라의 어사상사(御史上士), 수(隋)나라의 학사(學士)가 됨. 문집(文集) 30권은 망실되고, 〈안씨가훈(顏氏家訓)〉 20편이 전해짐.
[顏眞卿 안진경] 당(唐)나라의 충신(忠臣)이며 서예가(書藝家). 자(字)는 청신(淸臣). 현종(玄宗) 때 평원(平原)의 태수(太守)가 되었는데, 안사(安史)의 난(亂)에는 족형(族兄) 안고경(顏杲卿)과 더불어 의병(義兵)을 일으켜 저항(抵抗)하였음. 덕종(德宗) 때 적장(賊將) 이희열(李希烈)을 설유(說諭)하러 갔다가 그대로 잡혀 의살(縊殺)되었음. 서예가(書藝家)로서 해서(楷書)·초서(草書)를 잘 썼음. 노국공(魯國公)에 피봉(被封)되었으므로 안노공(顏魯公)이라고 일컬어짐.
[顏巷 안항] 안회(顏回)가 살던 거리라는 뜻. 청빈한 사람들이 사는 거리.
[顏行 안행] 앞줄. 선봉. 선발대.
[顏回 안회] 춘추 시대(春秋時代) 말기의 학자. 노(魯)나라 사람. 자(字)는 자연(子淵). 공자(孔子)의 제자로서 십철(十哲)의 으뜸으로 꼽힘. 안빈낙도(安貧樂道)하여 덕행(德行)으로 이름이 높았음.
[顏厚 안후] 안갑(顏甲).
◉彊顏. 開顏. 苦顏. 孔顏. 嬌顏. 權顏. 那顏. 奴顏. 童顏. 美顏. 拜顏. 犯顏. 別顏. 聖顏. 洗顏. 素顏. 笑顏. 衰顏. 秀顏. 愁顏. 承顏. 麗顏. 溫顏. 王顏. 瑤顏. 容顏. 龍顏. 憂顏. 隆顏. 二顏. 怡顏. 慈顏. 赭顏. 孱顏. 赤顏. 靦顏. 正顏. 頳顏. 尊顏. 朱顏. 塵顏. 蒼顏. 戚顏. 天顏. 淸顏. 悴顏. 醉顏. 稚顏. 酡顏. 頹顏. 破顏. 汗顏. 亢顏. 抗顏. 解顏. 紅顏. 和顏. 花顏. 華顏. 厚顏.

9 ⑱ [顐] 돈 ㊂願 徒困切 dùn

字解 대머리 돈 '一, 一頓, 禿也'《集韻》.

9 ⑱ [顒] 옹 ㊀冬 魚容切 yóng 颙

字解 ①엄숙할 옹 엄격하고 근신하는 모양. '有孚一若'《易經》. ②클 옹, 힘셀 옹 짐승이 크고 힘이 센 모양. '四牡修廣, 其大有一'《詩經》. ③성 옹 성(姓)의 하나.

字源 篆文 形聲. 頁+禺〔音〕. '頁혈'은 '머리'의 뜻. '禺옹'은 머리가 큰 원숭이의 象形. 큰 머리의 뜻을 나타냄.

[顒若 옹약] 엄숙한 모양. 엄정(嚴正)한 모양.
[顒顒 옹옹] 엄정한 모양. 엄숙한 모양. 일설(一說)에는, 온화한 모양. 온공한 모양. 또 일설에는 공경하는 모양. 숭앙하는 모양.

9 ⑱ [顓] 전 ㊀先 職緣切 zhuān 颛

字解 ①오로지 전 專(寸部 八畫)과 통용. '客愚無知, 一妄言輕威'《史記》. ②어리석을 전 우매함. '性一而嗜古'《歐陽修》. ③성 전 성(姓)의 하나.

字源 篆文 形聲. 頁+耑〔音〕. '耑단·전'은 사물을 처음 시작할 때 먹는 곧은 마음의 뜻. '頁혈'은 '얼굴'의 뜻. 경건한 얼굴이 되다의 뜻을 나타냄. 또 '專전'과 통하여 '오로지'의 뜻을 나타냄.

[顓家 전가] 전가(專家). 곧, 전문의 학자.
[顓蒙 전몽] 미련함. 몽매함.
[顓門 전문] 경서(經書) 중에서 오직 한 가지만 연구하는 일. 전문(專門).
[顓民 전민] 선량한 백성. 양민(良民).
[顓房 전방] 여관(女官)이 임금의 총애를 독차지함. 전방(專房).
[顓辭 전사] 자기가 제 자랑만 하는 말.
[顓頊 전욱] 고대(古代) 제왕(帝王)의 이름.
[顓臾 전유] 춘추 시대 노(魯)나라의 부용국(附庸國)의 이름. 지금의 산둥 성(山東省) 비현(費縣)의 서북(西北)쪽임.
[顓顓 전전] 협착한 모양. 작은 모양.
[顓政 전정] 제 마음대로 정치를 함.
[顓制 전제] 전제(專制).

9 ⑱ [⿰曷頁] 一 할 ㊀曷 何葛切 hé
二 갈 ㊀曷 丘葛切 kě

字解 一 ①튼튼할 할 '—, 一曰, 頹—, 健也'《集韻》. ②큰소리칠 할 과장(誇張)함. '—, 傾—, 揚言也'《集韻》. ③밋밋한얼굴 할 '—, 一曰, 頹—, 鼻面平也'《集韻》. 二 살쩍빠질 갈 살쩍이 탈락(脫落)한 모습. '鬝, 鬜禿, 或作—'《集韻》.

9 ⑱ [顑] 함 ㊤感 苦感切 kǎn

字解 부황들 함 주려서 얼굴이 누렇게 뜬 모양. '長—頷亦何傷'《楚辭》.
字源 篆文 形聲. 頁+咸〔音〕. '頁혈'은 얼굴, '咸함'은 '덜다, 감하다'의 뜻. 음식 부족으로 얼굴이 야위다, 누렇게 뜨다의 뜻을 나타냄.

[顑頷 함함] 부황(浮黃)이 든 모양.

9 ⑱ [⿰頁頁] 一 찬 ㊤潸 雛睆切 zhuàn
㊤銑 士免切
二 선 ㊄霰 雛戀切
三 손 ㊄願 蘇困切

字解 一 ①갖출 찬 골라서 갖춤. '—, 選具也'《說文》. ②볼 찬 '—, 見也'《廣韻》. 二 갖출 선, 볼 선 一과 뜻이 같음. 三 갖출 손, 볼 손 一과 뜻이 같음.
字源 會意. 頁+頁. 두 개의 '頁혈(머리)'을 합쳐서 두 사람이 나란히 장단에 맞춰 스텝을 밟다의 뜻을 나타내며, 파생(派生)하여 '갖추다, 고르다'의 뜻으로 쓰임.

9 ⑱ [顐] 원 ㊄願 五困切 hùn

字解 농담 원 諢(言部 九畫)과 同字. '諧臣—官, 怡愉天顏'《唐書》.

[顐官 원관] 익살을 부리는 벼슬아치.

9 ⑱ [⿰昬頁] 人名 一 민 ㊀眞 眉貧切 mín
二 혼 ㊀元 呼昆切 hūn
三 문 ㊀元 謨奔切 mén

字解 一 단단한머리 민 顧(頁部 五畫)과 同字. '顧, 彊頭也, 或从—'《集韻》. 二 어두울 혼 신지(神志)가 깨끗하지 못함. 어리석음. 殙(歹部 九畫)과 同字. '殙, 說文, 瞀也, 或作—'《集韻》. 三 ①어두울 문, 어리석을 문 '—, 說文, 繫頭殟也, 謂頭被繫無知也, 或从昏'《集韻》. ②가을하늘 문 旻(日部 四畫)과 통용. '旻, 通作—'《集韻》.

9 ⑱ [⿰桒頁] 〔상〕
顙(頁部 十畫〈p. 2554〉)의 俗字

9 ⑱ [顕] 〔현〕
顯(頁部 十四畫〈p. 2557〉)의 俗字

9 ⑱ [顔] 〔안〕
顏(頁部 九畫〈p. 2551〉)의 俗字

9 ⑱ [類] 〔류〕
類(頁部 十畫〈p. 2554〉)와 同字

10 ⑲ [顗] 의 ㊤尾 魚豈切 yǐ

字解 ①조용할 의 고요함. ②즐길 의 즐거워함. ③근엄할 의 엄격하고 점잖음.
字源 篆文 形聲. 頁+豈〔音〕. '頁혈'은 '얼굴', '豈기·개'는 '희다'의 뜻. 긴장해서 낯빛이 희어지다의 뜻을 나타냄.

10 ⑲ [願] 中人 원 ㊄願 魚怨切 yuàn 愿

筆順 厂 厂 盾 原 原 原丆 願 願

字解 ①바랄 원 ㉠하고자 함. '敬修其可—'《書經》. ㉡남이 해 주기를 원함. '不—于大家'《禮記》. ②빌 원 기원함. '賽—'. '祈—'. '憶得少年長乞巧, 竹竿頭上—絲多'《白居易》. ③부러워할 원, 사모할 원 선모(羨慕)함. '國人稱—'《禮記》. ④소망 원 소원. '豈非士之—哉'《史記》. ⑤바라건대 원 바라노니. '—陛下親之信之'《諸葛亮》. ⑥매양 원 항상. '—言思子'('言'은 '我')《詩經》.
字源 篆文 形聲. 頁+原〔音〕. '原원'과 '愿원'은 통하여 '삼가다, 고지식하다'의 뜻. 융통성이 없는 머리의 뜻에서, 외곬으로 한 가지 일을 바라다의 뜻이 파생됨.

[願乞 원걸] 바라 구함. 원함.
[願力 원력] ㉠바라 하고자 하는 힘. ㉡《佛敎》 신불에 기도를 드려 목적을 관철하고자 하는 욕망.
[願望 원망] 원함. 바람.
[願絲 원사] 칠석날에 바느질이나 뜨개질을 잘하기를 빌어 장대에 실을 매어 견우·직녀 두 별에 기도를 드리는 행사.
[願書 원서] 청원(請願)하는 취지를 기록한 서류.
[願意 원의] 바라는 취의(趣意).
[願海 원해] 소원이 큼을 바다에 비유한 말.
◉嘉願. 懇願. 巨願. 群願. 歸願. 祈願. 冀願. 大願. 冥願. 微願. 發願. 福願. 本願. 悲願. 鄙願. 私願. 三願. 上願. 常願. 誓願. 誠願. 所願. 素願. 訴願. 宿願. 心願. 哀願. 良願. 念願. 禮願. 了子平之願. 遠願. 飮河之願. 依願. 立願. 情願. 至願. 志願. 直願. 請願. 出

願. 稱願. 歎願. 弘願.

10 ⑲ [顙] 상 [上]養 蘇朗切 sǎng [平]陽 蘇郎切 颡

[字解] 이마 상 얼굴의 눈썹 위의 부분. '稽―'. '東門有人, 其―似堯'《史記》. 또, '稽―'의 준말로 쓰임. '再拜―者何, 曰, ―者猶叩頭矣'《公羊傳》.

[字源] 篆文 形聲. 頁+桑〔音〕

[顙汗 상한] 이마의 땀.

◉稽顙. 高顙. 廣顙. 頭顙. 博顙. 方顙. 龍顙. 潤顙. 隆顙.

10 ⑲ [頭] 두 [平]尤 當侯切 dōu

[字解] 얼굴일그러질 두 '顱, 顱―, 面折'《集韻》.

10 ⑲ [頌] 〔송·용〕 頌(頁部 四畫〈p. 2541〉)의 籀文

10 ⑲ [顜] [一] 강 [上]講 古項切 jiǎng [二] 각 [入]覺 訖岳切 jiào

[字解] [一] 밝을 강 환한 모양. 명확한 모양. '蕭何爲法, ―若畫一'《史記》. [二] 밝을 각 [一]과 뜻이 같음.

[字源] 形聲. 頁+冓〔音〕

10 ⑲ [類] [高人] [一] 류 [去]寘 力遂切 lèi [二] 뢰 [去]隊 盧對切 lèi 类

[筆順] 丷 丬 米 类 类 類 類 類

[字解] [一] ①무리 류 ㉠동아리. '同―'. '引―呼朋'《歐陽修》. ㉡서로 비슷한 것. 동종. '種―'. '絕―離倫'《韓愈》. ②같을 류, 비슷할 류 상사함. '孔子狀―陽虎'《史記》. ③나눌 류 사물을 비슷한 종별(種別)에 따라 나눔. 유별(類別)함. '晉君―能而使之'《左傳》. ④착할 류, 좋을 류 악(惡)의 대(對). '克明克―'《詩經》. 또, 착한 일. 좋은 일. 행복. '孝子不匱, 永錫爾―'《左傳》. ⑤대개 류 대략. '―名湮沒而不彰'《史記》. ⑥제사이름 류 군대가 주둔한 곳에서 행하는 실내(室內)의 제사. '是―是禡'《詩經》. ⑦성 류 성(姓)의 하나. [二] 치우칠 뢰 불공평함. 편파적임. '刑之頗―'《左傳》.

[字源] 篆文 會意. 犬+米+頁. '犬견'은 '개'의 뜻. '米미'는 '쌀알'의 뜻. '頁혈'은 '머리', '머리통'의 뜻. '米'나 '頁'이나 모두 둥근 것이고, '犬'도 그 얼굴을 쉽게 구별할 수 없는 데서, 비슷하다, 둘 이상의 같은 질의 것을 겸쳐 갖추다, 비교하다의 뜻을 나타냄.

[類句 유구] 서로 비슷한 어구. 또, 그 어구를 모은 책.
[類同 유동] 닮음. 비슷함.
[類例 유례] 같은 사례. 비슷한 전례(前例).
[類別 유별] 종류에 따라 구별함.
[類病 유병] 증세가 같은 병.
[類本 유본] ㉠유사한 책. ㉡같은 종류의 책.
[類似 유사] 서로 비슷함.
[類書 유서] ㉠여러 책 중의 사항(事項)을 종류에 따라 분류한 총서. ㉡《韓》같은 종류의 책.
[類語 유어] 비슷한 뜻을 가진 말.
[類類相從 유유상종] 같은 동아리끼리 서로 왕래하며 상종함.
[類次 유차] 종류에 따라 차례를 매김.
[類抄 유초] 같은 종류의 것을 초하여 모음.
[類推 유추] 서로 비슷한 점으로부터 그 밖의 일을 미루어 짐작하는 일.
[類聚 유취] 같은 부류의 사물을 모음. 또, 같은 부류끼리 모임.
[類篇 유편] 자서(字書). 송(宋)나라 왕수(王洙)·호숙(胡宿) 등의 찬(撰). 45권(卷). 〈집운(集韻)〉과 내용이 비슷함.
[類編 유편] 분류하여 편찬함. 또, 분류하여 편찬한 책.
[類化 유화] 동화(同化).

◉穀類. 群類. 氣類. 黨類. 同類. 等類. 萬類. 名類. 毛類. 無類. 物類. 法類. 部類. 分類. 不類. 朋類. 比類. 非類. 譬類. 似類. 事類. 生類. 書類. 庶類. 善類. 殊類. 獸類. 植類. 神不歆非類. 魚類. 與類. 連類. 緣類. 遺類. 倫類. 異類. 人類. 姻類. 一類. 絕類. 儕類. 鳥類. 族類. 種類. 儔類. 噍類. 醜類. 畜類. 出類. 親類. 頗類. 品類. 酷類. 動類. 凶類.

10 ⑲ [顉] [一] 개 [去]泰 丘蓋切 kài [二] 합 [入]合 谷盍切 gé

[字解] [一] 머리뼈모양 개 顪(頁部 十四畫)와 同字. '―, 頭骨皃, 或从盍'《集韻》. [二] 턱뼈 합 '―, 頷車骨'《玉篇》.

10 ⑲ [顝] [一] 외 [上]賄 五罪切 [二] 괴 [上]賄 口猥切 kuǐ [三] 기 [平]支 去其切

[字解] [一] ①머리기울 외 '―, 頭不正也'《說文》. ②클 외 '―, 大也'《廣雅》. ③큰머리 외 '―, 大頭'《廣韻》. ④추(醜)할 외 '頄, 說文, 醜也. 通作―'《集韻》. [二] 머리기울 괴, 클 괴, 큰머리 괴, 추할 괴 [一]과 뜻이 같음. [三] 머리기울 기, 클 기, 큰머리 기, 추할 기 [一]과 뜻이 같음.

[字源] 形聲. 頁+鬼〔音〕

10 ⑲ [顉] 금 [去]沁 丘禁切 qìn

[字解] 머리움직일 금 머리를 끄떡임. '―, ―頤, 首動'《集韻》.

10 ⑲ [顅] 금 [上]寢 丘甚切 qǐn

[字解] 추한모양 금 顉(頁部 七畫)과 뜻이 같음. '顉, 顉顉, 醜皃, 或从金'《集韻》.

10 ⑲ [顛] [人名] 전 [平]先 都年切 diān 颠

[字解] ①머리 전 두상(頭上). 정수리. '班序―毛, 以爲民紀統'《國語》. ②이마 전 얼굴의 눈썹 위의 부분. '有馬白―'《詩經》. ③꼭대기 전 최상부. 최고처. '山―'. '樹―'. '山有時而童―'《蘇軾》. ④밑 전 근본. '―末'. '操末以續―'《陸機》. ⑤미칠 전 정신이 이상함. 또 미친 사람. '―狂'. '世號張―'《唐書》. ⑥넘어질 전, 넘어뜨릴 전 蹎(足部 十畫)과 통용. '―墜'. '―沛'.

'一而不扶'《論語》. ⑦뒤집힐 전, 뒤집을 전 안이 밖으로, 밖이 안으로 됨. '一覆'. '表裏一倒'. ⑧거꾸로할 전 반대로 함. '一裳以爲衣'《楚辭》. ⑨찰 전, 채울 전 闐(門部 十畫)과 통용. '一實搨休'《禮記》. ⑩성 전 성(姓)의 하나.
[字源] 篆文  形聲. 頁+眞〔音〕. '眞진'은 '天천'과 통하여 '꼭대기'의 뜻. '頁혈'은 '머리'의 뜻. 머리 꼭대기의 뜻을 나타냄. 또 '跌질'과 통하여 실족하여 넘어지다의 뜻도 나타냄.
[參考] 顛(次條)은 俗字.

[顚僵 전강] 넘어짐. 또 넘어뜨림.
[顚狂 전광] 미침.
[顚蹶 전궐] 전질(顚跌).
[顚倒 전도] ㉠거꾸로 됨. 또, 거꾸로 함. ㉡엎어져서 넘어짐. 또 엎어 넘어뜨림. ㉢어지러움.
[顚倒衣裳 전도의상] ㉠저고리와 바지를 서로 뒤바꾸어 입음. ㉡당황(唐慌)함. 낭패(狼狽)함.
[顚頓 전돈] 넘어짐. 뒤집힘.
[顚落 전락] 전추(顚墜).
[顚連 전련] 어려움을 겪음. 소란(騷亂)에 시달림.
[顚末 전말] 일의 처음부터 끄트머리까지의 경과.
[顚毛 전모] 머리털.
[顚木 전목] 쓰러진 나무.
[顚覆 전복] 뒤집어엎어짐. 또 뒤집어엎음.
[顚仆 전부] 엎드러짐. 또 엎드러뜨림.
[顚踣 전부] 전부(顚仆).
[顚不剌的 전부자적] 원대(元代)의 북방어(北方語). 말괄량이.
[顚實 전실] 기력(氣力)을 체내(體內)에 채움.
[顚越不恭 전월불공] 타락하여 윗사람의 명령을 받들지 아니함.
[顚委 전위] 하천(河川)의 상류와 하류.
[顚飮 전음] 술을 함부로 많이 마심.
[顚顚 전전] ㉠전일(專一)한 모양. ㉡근심하는 모양. ㉢어리석은 모양.
[顚跌 전질] 거꾸러짐. 실족함. 전(轉)하여 실패함.
[顚躓 전질] 전질(顚跌).
[顚墜 전추] 추락함. 추락시킴.
[顚頹 전퇴] 무너짐.
[顚沛 전패] ㉠엎드러지고 자빠지고 함. ㉡꺾임. 좌절(挫折)함. ㉢짧은 시간.
◉傾顚. 狂顚. 倒顚. 動顚. 山顚. 樹顚. 詩顚. 隕顚. 張顚. 酒顚. 躓顚. 華顚.

10 ⑲ [顛] 顚(前條)의 俗字

10 ⑲ [顐] [一] 운 [上]吻 云粉切 yǔn
[二] 혼 [上]阮 胡本切 hùn
[字解] [一] 얼굴굳을 운 낯빛이 긴장된 모양. '一, 面色一一兒'《說文》. '一一, 面急也'《集韻》. [二] 머리얼굴둥글 혼 '面首俱圓謂之一'《集韻》.
[字源] 篆文 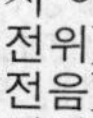 形聲. 頁+員〔音〕. '頁혈'은 '얼굴'. '員원'은 '隕운'과 통하여 '떨어뜨리다, 잃다'의 뜻. 놀라 실색하여 낯빛이 변하다의 뜻을 나타냄.

10 ⑲ [⿰羔頁] [一] 교 [平]蕭 去遙切 qiāo
[二] 효 [去]嘯 許幺切
[三] 분 [平]文 符分切 fén
[字解] [一] ①큰머리 교 '一, 大頭也'《說文》. ②큰이마 교 '一, 大額'《廣韻》. ③클 교 '一, 大也'《廣雅》. [二] 머리클 효 큰 머리의 모양. '一, 大頭兒'《集韻》. [三] 머리클 분 큰 머리의 모양. 또 많은 모양. '頒, 大首兒. 一曰, 衆兒. 亦作一'《集韻》.
[字源] 形聲. 頁+羔〔音〕

10 ⑲ [顝] [一] 골 [入]月 苦骨切 kuī
[二] 회 [平]灰 苦回切
[字解] [一] ①큰머리 골 대형의 머리. '一, 大頭也'《說文》. ②클 골 '一, 大也'《廣雅》. ③외로울 골 혼자 있는 모양. '一羈旅而無友兮'《後漢書》. ④추할 골 보기 흉함. '一, 醜也'《集韻》. [二] ①추할 회 보기 흉함. '一, 醜也'《廣雅》. ②다닥칠 회 서로 마주쳐 닿음. '一, 倉頡篇, 相抵觸也'《集韻》. ③큰머리 회.
[字源] 篆文  形聲. 頁+骨〔音〕. '骨골'은 '뼈대'의 뜻. 뼈대가 큰 머리의 뜻을 나타냄.

10 ⑲ [顄] 함 [平]覃 胡男切 hàn
[字解] 턱 함 아래턱. 膕(肉部 十畫)과 同字. '莽爲人侈口蹷一'《後漢書 王莽傳》.
[字源] 篆文  形聲. 頁+函〔音〕. '函함'은 '머금다'의 뜻. 입에 음식을 머금을 때 크게 움직이는 작용을 하는 턱의 뜻을 나타냄.

11 ⑳ [顢] 만 [平]寒 謨官切 mán 
[字解] 얼굴클 만 '一頇'은 얼굴이 큰 모양.
[字源] 形聲. 頁+㒼〔音〕

[顢頇 만한] 얼굴이 큰 모양. 속(俗)에 사리(事理)에 통하지 아니한 자를 이름.

11 ⑳ [⿰責頁] 책 [入]陌 側革切 zé
[字解] 머리바르지못할 책 머리가 기욺. '一, 一頗, 頭不正兒'《廣韻》.

11 ⑳ [顣] [一] 축 [入]屋 子六切 cù 
[二] 척 [入]錫 倉歷切
[字解] [一] 찡그릴 축 '一頞'은 콧대를 찡그림. '己頻一曰'《孟子》. [二] 찌푸릴 척 눈살을 찌푸림. '一, 嚬也'《集韻》.
[字源] 形聲. 頁+戚〔音〕. '戚축·척'은 '줄다'의 뜻. 얼굴을 찡그리다의 뜻을 나타냄.

◉頻顣.

11 ⑳ [⿰區頁] 구(우[本]) [平]尤 烏侯切 ōu
[字解] 핀잔줄 구 '一, 一顒, 面折'《集韻》.

11 ⑳ [顠] 표 [上]篠 苻少切 piǎo
[字解] ①헝클어질 표 머리가 헝클어지는 모양. '鬚髮薴顚兮一鬢白'《楚辭》. ②머리흴 표 '一, 髮白'《廣韻》.

12 ㉑ [⿰番頁] [一] 파 [平]歌 逋禾切 pó
[二] 번 [平]元 符遠切 fán

筆順 一 釆 番 番 番 顢 顤

字解 ■ ①머리흴 파 노인(老人)의 머리가 흰 모양. '皤, 老人白也. 一, 皤或从頁'《說文》. ②기운차게춤출 파 '一一'는 기운이 솟아 춤추는 모양. '一, 一一, 勇舞皃'《廣韻》. ■ 흰부리 번 '一, 白喙'《集韻》.

12 ㉑ [顥] 人名 호 ㊤皓 胡老切 hào 颢

筆順 日 旦 昌 景 景 顥 顥 顥

字解 ①클 호, 넓을 호 광대(廣大)함. '鮮一氣之淸英'《班固》. ②빛날 호, 흴 호 빛나며 흰 모양. 또, 밝은 모양. '天白一一'《楚辭》. 전(轉)하여, 서쪽 또는 가을을 이름. '西一沆碭'《漢書》. ③성 호 성(姓)의 하나.

字源 篆文 會意. 頁+景. '景경'은 '밝고 희다'의 뜻. 머리가 흰 모양을 나타냄.

[顥穹 호궁] 푸른 하늘. 창천(蒼天).
[顥氣 호기] 하늘의 흰 기운. 하늘에 뜬 광대한 기운.
[顥蒼 호창] 호궁(顥穹).
[顥天 호천] 서쪽 하늘.
[顥顥 호호] ㉠하늘이 희게 빛나는 모양. ㉡원기가 넓고 큰 모양.

12 ㉑ [顦] 초 ㊥蕭 昨焦切 qiáo

字解 야윌 초 파리함. 憔(心部 十二畫)와 同字. '容色一顇, 服膳減損'《顏氏家訓》.

字源 篆文 形聲. 頁+焦〔音〕. '頁혈'은 '얼굴', '焦초'는 눌어서 검게 되다의 뜻. 마음이 눌어서 얼굴이 야위다의 뜻을 나타냄.

[顦顇 초췌] 파리함. 초췌(憔悴).

12 ㉑ [顟] 료 ㊦嘯 力弔切 liào

筆順 一 大 夵 夵 尞 尞 顟 顟

字解 긴머리 료 '一, 一顤, 長頭'《集韻》.

12 ㉑ [顢] 〔녕〕 顬(頁部 十四畫〈p. 2558〉)과 同字

12 ㉑ [顠] ■ 고 ㊤皓 古老切 gǎo ■ 호 ㊥豪 乎刀切 háo

字解 ■ 넓고큰모양 고 '一, 廣大皃'《集韻》. ■ 큰얼굴 호 '一, 顤一, 面大'《集韻》.

12 ㉑ [顤] ■ 요 ㊦嘯 五弔切 yáo ㊥蕭 五聊切 ■ 교 ㊦嘯 丘召切 qiào ■ 효 ㊥肴 許交切

字解 ■ ①높고긴머리 요 '一, 高長頭'《說文》. ②높을 요 '一, 高也'《廣雅》. ③머리길 요 '顟一'는 머리가 긺. '一, 顟一, 頭長'《集韻》. ■ 머리들 교 '一, 擧首'《集韻》. ■ ①머리크고눈오목할 효 '顱一顟'는 머리가 크고 눈이 오목한 모양. '顱一顟面睽睢'《王延壽》. ②오랑캐얼굴 효 '顱一'는 오랑캐의 얼굴. '一, 顱一, 胡人面也'《廣韻》.

字源 形聲. 頁+堯〔音〕

12 ㉑ [顧] 高人 고 ㊦遇 古暮切 gù 顾

筆順 ㇇ 戶 戶 扈 雇 顧 顧 顧

字解 ①돌아볼 고 ㉠머리를 돌려 뒤를 돌아다봄. '一視'. '徘徊一樹下'《古詩》. ㉡둘러봄. 좌우를 봄. '王一左右, 而言他'《孟子》. ㉢지난 일 또는 뒤쪽을 생각하여 봄. '回一'. '內一'. ㉣반성함. '一乃德'《書經》. ㉤유의함. 마음을 씀. '一慮'. '不一父母之養, 一不孝也'《孟子》. ㉥눈여겨봄. 사랑함. '眷一爾僕'《詩經》. ㉦찾음. 방문함. '三一臣於草廬之中'《諸葛亮》. ②돌아갈 고 먼저 있던 데로 되돌아감. '子以死爲一'《呂氏春秋》. ③도리어 고 반대로. '一反'으로 연용(連用)하기도 함. '一不易耶'《史記》. '一反居臣等上何也'《十八史略》. ④다만 고 단지. '上有大澤, 則惠必及下, 一上先下後耳'《禮記》. ⑤생각건대 고 생각해 보니. '一安所得酒乎'《蘇軾》. ⑥당길 고 인도함. 또, 인도하는 사람. '郭林宗·范滂等爲八一. 一者, 言能以德行引人者也'《後漢書》. ⑦품살 고 雇(隹部 四畫)와 통용. '斂民財, 以一其功'《漢書》. ⑧성 고 성(姓)의 하나.

字源 篆文 形聲. 頁+雇〔音〕. '雇고'는 '古고'와 통하여 '오래되다'의 뜻. 머리를 지나간 쪽, 뒤쪽으로 돌려서 보다의 뜻을 나타냄.

[顧愷之 고개지] 동진(東晉)의 문인 화가(文人畫家). 우시(無錫) 사람. 자(字)는 장강(長康). 박학(博學)하고 재기(才氣)가 있었으며, 특히 인물화(人物畫)에 뛰어남. 환온(桓溫), 만년에는 은중감(殷仲堪)의 애고(愛顧)를 받았음.
[顧客 고객] 단골손님.
[顧見 고견] ㉠뒤를 돌아봄. ㉡고호(顧護).
[顧忌 고기] 돌아보아 꺼림. 반성하여 삼감.
[顧念 고념] ㉠돌아보아 생각함. ㉡뒷일을 염려함.
[顧棟高 고동고] 청(淸)나라의 경학자(經學者). 우시(無錫) 사람. 자(字)는 진창(震滄). 춘추(春秋)에 통하였으며, 〈춘추대사표(春秋大事表)〉·〈대유수어(大儒粹語)〉를 저술(著述)하였음.
[顧慮 고려] 고념(顧念)㉡.
[顧望 고망] ㉠고기(顧忌). ㉡형세를 관망하고 거취를 결정하지 아니함. ㉢둘러봄. ㉣뒤돌아봄.
[顧眄 고면] 뒤돌아봄.
[顧命 고명] 임금이 임종 때에 후사를 부탁하는 유언.
[顧慕 고모] 사모(思慕)함.
[顧問 고문] ㉠뒤돌아보아 물음. ㉡찾음. 심방함. ㉢의견을 물음. 상담함. ㉣의견의 물음을 받는 사람.
[顧反 고반] 도리어. 반대로.
[顧訪 고방] 상의함. 의논함.
[顧報 고보] 사모하여 은혜를 갚음.
[顧復 고복] 부모가 자식을 보살펴 기름.
[顧惜 고석] 자중(自重)함.
[顧視 고시] 뒤돌아봄.
[顧哀 고애] 보살피며 가엾이 여김.
[顧野王 고야왕] 남조(南朝) 양(梁)·진(陳)의 학자. 자(字)는 희빙(希馮). 양(梁)나라에서 태학박사(太學博士)가 되고, 진(陳)나라에서 황문

시랑(黃門侍郎)이 됨. 〈옥편(玉篇)〉·〈여지지(輿地誌)〉를 저술(著述)함.
[顧炎武 고염무] 명말(明末) 청초(淸初)의 고증학자(考證學者). 장쑤(江蘇) 곤산(崑山) 사람. 자(字)는 영인(寧人), 호(號)는 정림(亭林). 독창심득(獨創心得)을 존중하고 실증(實證)과 치용(致用)을 중시(重視)하는 학계(學界)의 신기풍(新氣風)을 일으켰음. 저서에 〈일지록(日知錄)〉·〈천하군국이병서(天下郡國利病書)〉·〈좌전두해보정(左傳杜解補正)〉 등이 있음.
[顧遇 고우] 두터운 대우.
[顧而言他 고이언타] 대답할 말이 없어 딴 데를 보고 화제를 돌림.
[顧眺 고조] 뒤돌아 바라봄.
[顧祖禹 고조우] 명말(明末) 청초(淸初)의 지리학자(地理學者). 우시(無錫) 사람. 자(字)는 경범(景范). 호(號)는 낭하(廊下) 또는 완계(宛溪). 20년 걸려서 〈독사방여기요(讀史方輿紀要)〉를 지었음. 만년에는 서건학(徐乾學)의 객(客)이 되어 청일통지(淸一統志)의 편집에 종사하였음.
[顧指 고지] 돌아보며 손가락질함. 용이한 일의 비유.
[顧瞻 고첨] 고시(顧視).
[顧託 고탁] 후사의 부탁.
[顧嘆 고탄] 돌아보고 탄식함.
[顧憲成 고헌성] 명말(明末) 동림당(東林黨)의 지도자. 우시(無錫) 사람. 자(字)는 숙시(叔時). 호(號)는 경양(涇陽). 만력(萬曆) 때 진사(進士)·정주학자(程朱學者)로서 동림 서원(東林書院)의 수령(首領)이 됨.
[顧護 고호] 돌보아 줌.
[顧懷 고회] 마음에 끌려 생각함.
[顧後 고후] 뒤를 돌아봄.
[顧恤 고휼] 불쌍히 여기어 돌보아 줌.
◉眷顧. 睠顧. 狼顧. 內顧. 反顧. 返顧. 盼顧. 伯樂一顧. 四顧. 思顧. 三顧. 仰顧. 愛顧. 枉顧. 恩顧. 一顧. 左顧. 指顧. 瞻顧. 寵顧. 墮甑不顧. 八顧. 回顧. 懷顧. 後顧.

13 ㉒ [顫] 촉(독㊍) ㊆屋 徒谷切 dú
字解 머리뼈 촉 해골. 髑(骨部 十三畫)과 同字. '髑, 說文, 髑髏, 頂也, 或从頁'《集韻》.

13 ㉒ [顩] ㊀ 엄 ㊤琰 魚檢切 yǎn ㊁ 금 ㊤寢 丘甚切 qǐn
字解 ㊀ 하관빨 엄 하관이 매우 좁음. 턱이 뾰족함. '一頤'《揚雄》. ㊁ 주걱턱 금 턱이 위로 굽음. '頤曲上曰一'《集韻》.
字源 篆文 形聲. 頁+僉〔音〕. '頁혈'은 '얼굴', '僉첨'은 좁아지고 째이다의 뜻. 얼굴이 좁고 갸름하다의 뜻을 나타냄.

13 ㉒ [顪] 훼 ㊋隊 許穢切 huì
字解 ①아랫수염 훼 턱에 난 수염. '接其鬢, 壓其一'《莊子》. ②뺨 훼 얼굴의 양옆.
字源 形聲. 頁+歲〔音〕

13 ㉒ [顲] 담 ㊋勘 丁紺切 dàn
字解 머리의모양 담 '一, 一䫲, 頭皃'《集韻》.

13 ㉒ [顫] 人名 전 ①㊋霰 之膳切 chàn ②㊥先 尸連切 shān 颤
字解 ①떨릴 전 수족이 추위 따위로 떨림. '勢若一動'《宣和畫譜》. ②냄새잘맡을 전 '鼻徹爲一'《莊子》.
字源 篆文 形聲. 頁+亶〔音〕. '亶전'은 '戰전'과 통하여 '떨리다'의 뜻. 머리가 고정되어 있지 않고 떨리는 모양에서, 일반적으로 '떨리다'의 뜻을 나타냄.

[顫恐 전공] 놀라고 두려워함.
[顫動 전동] 떨림.
[顫聲 전성] 떨며 내는 목소리.
[顫筆 전필] 떨면서 쓰는 필법.

13 ㉒ [顄] ㊀ 함 ㊋勘 胡紺切 hàn ㊁ 감 ㊤感 苦感切 kǎn
字解 ㊀ ①부황들 함 굶주려서 얼굴이 누렇게 뜸. 顑(頁部 九畫)과 同字. '顑, 不飽而面黃也, 或作一'《集韻》. ②머리와얼굴이평평하지않을 함 '一, 顤一, 頭面不平'《集韻》. ㊁ ①머리를움직일 감 顑(頁部 九畫)과 同字. '一, 首動也, 或省'《集韻》. ②마를 감 살이 빠짐. '一, 瘦也'《集韻》. ③넉넉히먹지못할 감 '一, 食不飽'《廣韻》.

13 ㉒ [顬] 금 ㊤寢 渠飮切 jǐn
字解 ①성낼 금 분노함. '一, 怒也'《方言》. ②약하고용렬할 금 '一, 一曰, 顚一, 儒劣'《集韻》.

14 ㉓ [顬] 유 ㊥虞 人朱切 rú 颥
字解 관자놀이 유 '顳一'.
字源 形聲. 頁+需〔音〕

◉顳顬.

14 ㉓ [顯] 高·人 현 ㊤銑 呼典切 xiǎn 显
筆順 日 㫕 㬎 㬎 㬎 顯 顯 顯
字解 ①밝을 현 환함. 명백함. '天有一道'《書經》. ②나타날 현 ㉠환하게 됨. 알려짐. '名一諸侯'《史記》. ㉡영달함. 지위가 높아짐. '尊一'. '未嘗有一者來'《孟子》. ③나타낼 현 전항의 타동사. '以一父母'《孝經》. ④드러날 현 숨긴 것이 나타남. '露一'. ⑤드러낼 현 숨김없이 모두 알도록 함. '一罰有過'《新論》. ⑥경칭 현 자손이 죽은 부모를 존경하여 이르는 말. '一考'. '一妣'. ⑦성 현 성(姓)의 하나.
字源 金文 篆文 形聲. 金文은 㬎+見〔音〕. '㬎현'은 태양 밑에서의 실의 뜻. 낮에 실을 보다의 뜻에서 '밝다, 명백하다'의 뜻을 나타냄. '見견'이 '頁혈'로 변형되자《說文》에서는 頁+㬎(㬎)〔音〕으로 보아, 산뜻한 머리꾸미개의 뜻으로 풀이함.

[顯考 현고] ㉠옛날에 고조(高祖)의 존칭. ㉡원(元) 이후에는 돌아간 아버지의 존칭.
[顯功 현공] 현저한 공. 두드러진 공로.

[顯官 현관] 높은 벼슬. 또, 그 사람.
[顯教 현교] 《佛教》 석가여래가 알기 쉽게 설명한 교. 곧, 천태종·화엄종 등. 밀교(密敎)의 대(對).
[顯貴 현귀] 지위가 높고 귀함. 또, 그 사람.
[顯達 현달] 높은 지위에 오름. 입신출세함.
[顯道 현도] 환한 길. 명백한 도덕.
[顯麗 현려] 뛰어나게 아름다움.
[顯戮 현륙] 죄인을 죽여 그 시체를 공중(公衆)에게 보이는 형벌.
[顯名 현명] 세상에 나타난 명성.
[顯沒 현몰] 나타남과 숨음.
[顯微鏡 현미경] 썩 작은 물체를 확대하여 보는 장치가 있는 기계(器械).
[顯微無間 현미무간] 현상계와 본체계(本體界) 사이에 불리(不離)의 관계가 있는 일.
[顯密 현밀] 《佛教》 현교와 밀교.
[顯罰 현벌] 나타내어 벌을 줌.
[顯報 현보] 나타난 보답.
[顯父 현부] 덕(德)이 뛰어난 사람.
[顯否 현부] 세상에 나타남과 나타나지 않음. 출세함과 출세하지 않음.
[顯妣 현비] 돌아간 어머니의 존칭.
[顯士 현사] 이름이 나타난 사람. 명사(名士).
[顯仕 현사] 높은 벼슬.
[顯賞 현상] 드러내어 칭찬함.
[顯示 현시] 나타내 보임.
[顯揚 현양] 명예 같은 것을 세상에 나타냄. 또, 명예 같은 것이 세상에 나타남.
[顯然 현연] 환히 나타난 모양. 드러난 모양.
[顯榮 현영] 입신하여 번영함.
[顯譽 현예] 세상에 나타난 명예.
[顯要 현요] 높고 중요한 지위. 또, 그 지위에 있는 사람.
[顯用 현용] 높은 지위에 임용(任用)함.
[顯位 현위] 높은 지위. 명예스러운 지위.
[顯允 현윤] 덕(德)이 밝고 성의가 있음.
[顯懿 현의] 환하고 아름다움.
[顯異 현이] 높이어 특별히 대우함.
[顯者 현자] 부귀(富貴)한 사람.
[顯爵 현작] 높은 작위.
[顯章 현장] 현창(顯彰).
[顯著 현저] 환히 나타남. 뚜렷하게 드러남.
[顯迹 현적] 나타난 자취.
[顯正 현정] 《佛教》 바른 법리(法理)를 나타내어 보임.
[顯祖 현조] 이름이 높이 드러난 조상.
[顯朝 현조] 당시의 조정(朝廷)의 경칭(敬稱).
[顯奏 현주] 군주에게 드러내어 아룀.
[顯職 현직] 높은 벼슬.
[顯敞 현창] 토지·가옥 등이 밝고 넓고 큼.
[顯彰 현창] 환히 나타냄. 또, 환히 나타남.
[顯貶 현폄] 관위(官位)를 썩 아래로 떨어뜨림.
[顯學 현학] ㉠유명한 학문. ㉡유명한 학자.
[顯赫 현혁] 환히 드러나 빛남.
[顯顯 현현] 환한 모양. 명백한 모양.
[顯號 현호] ㉠나타난 명호(名號). ㉡세상에 뚜렷이 나타난 명예.
[顯花植物 현화식물] 꽃이 피어서 열매가 열리고 씨가 생기는 식물. 은화식물(隱花植物)의 대(對).
[顯宦 현환] 현관(顯官).
[顯晦 현회] 세상에 나타남과 나타나지 아니함. 세상 사람에게 알려짐과 알려지지 아니함.
[顯效 현효] 현저한 효과. 뚜렷한 효험.
◉高顯. 貴顯. 露顯. 明顯. 富顯. 否顯. 昭顯. 榮顯. 隆顯. 隱顯. 旌顯. 尊顯. 彰顯. 天顯. 淸顯. 通顯. 褒顯. 表顯. 標顯. 赫顯. 晦顯.

14 ㉓ [顬] 도 ㊥豪 都勞切 dāo

字解 큰얼굴의모양 도 '一, 一顊, 大面皃'《廣韻》.

14 ㉓ [顲] 녕 ㊤迥 乃梃切 nǐng

字解 꼭대기 녕 가장 높은 부분. '一, 頂顚也'《玉篇》.

14 ㉓ [顭] 〔개〕 顡(頁部 十畫〈p. 2554〉)와 同字

15 ㉔ [顰] 빈 ㊥眞 符眞切 pín 颦 𩕾

字解 찡그릴 빈 찌푸림. '一蹙'. '愁眉柳葉一'《駱賓王》. 또, 찡그리는 일. '映鏡學嬌一'《梁簡文帝》.

字源 篆文 形聲. 篆文은 卑+頻〔音〕. '頻빈'은 주름이 지다의 뜻. '卑비'는 '작다'의 뜻. 잔주름이 지다의 뜻에서 얼굴을 찡그리다의 뜻을 나타냄.

[顰眉 빈미] 근심·혐오(嫌惡) 등으로 눈살을 찌푸림.
[顰蹙 빈축] 눈살을 찌푸림.
◉可憐顰. 嬌顰. 慕顰. 效顰.

16 ㉕ [顱] 로 ㊥虞 落胡切 lú 颅 𩕢

字解 ①두개골 로 머리뼈. '淳于能解一'《抱朴子》. ②머리 로 두부(頭部). '禿一'. '方趾圓一'《南史》.

字源 篆文 形聲. 頁+盧〔音〕. '盧로'는 '밥통'의 뜻. 밥통 비슷한 '머리뼈'의 뜻을 나타냄.

[顱頂骨 노정골] 두개골(頭蓋骨) 위쪽의 좌우(左右) 한 쌍으로 된 뼈. 천령개(天靈蓋).
◉禿顱. 頭顱. 雪盆顱. 圓顱. 的顱. 好禿顱.

16 ㉕ [顲] 림 ㊤寑 力稔切 lǐn

字解 낯빛바꿀 림 '一然'은 불끈하여 낯빛을 바꾸는 모양.

字源 篆文 形聲. 頁+畬〔音〕. '畬림'은 불이 타오르다의 뜻. 안색이 적황색이 되다의 뜻을 나타냄.

16 ㉕ [顩] ㊀ 감 ㊥咸 丘廉切 qiān ㊁ 엄 ㊤琰 魚檢切 yǎn

字解 ㊀ 추한모양 감. ㊁ 얼굴반반하지않을 엄 '一, 顩一, 面不平'《集韻》.

17 ㉖ [癭] 영 ㊤梗 於郢切 yǐng

字解 목의혹 영 목에 난 혹. 癭(疒部 十七畫)과 同字.

[龥] 〔유〕 龠部 九畫(p. 2734)을 보라.

18 ㉗ [顳] 섭 ㉰葉 而涉切 niè 颞

字解 관자놀이 섭 '一顬'.
字源 形聲. 頁+聶〔音〕. '聶섭'은 '속삭이다'의 뜻. 사람이 속삭일 때 쓰는 머리의 부분, '관자놀이'의 뜻을 나타냄.

[顳顬 섭유] 귀와 눈 사이의 맥박이 뛰는 곳으로, 얼굴의 살쩍이 난 태양혈(太陽穴)이 있는 부분. 관자놀이.

18 ㉗ [贔] 비 ㉮寘 皮媚切 bì

字解 ①눈썹 비 '一, 眉也'《字彙補》. ②贔(貝部 十四畫)의 俗字. '一, 俗贔字'《龍龕手鑑》.

18 ㉗ [顴] 관(권㊍) ㉲先 巨員切 quán 颧

字解 광대뼈 관 관자놀이 아래에 있는 뼈. '長顴高一'《齊書》.
字源 形聲. 頁+雚〔音〕

[顴骨 관골] 광대뼈.
◉高顴. 煩顴.

風 (9획) 部
〔바람풍부〕

0 ⑨ [風] 中人 풍 ㉲東 方戎切 fēng ㉰送 方鳳切 fèng 风

筆順 丿 几 凡 凨 凬 凮 風 風

字解 ①바람 풍 대기(大氣)의 움직임. '一雨'. '大塊噫氣, 其名爲一'《莊子》. ②바람불 풍 바람이 일어남. '終一且暴'《詩經》. ③바람쐴 풍 바람을 받음. 외기(外氣)에 닿음. '有寒疾不可以一'《孟子》. ④바람날 풍 마음이 들뜸. 방일함. '馬牛其一'《書經》. ⑤빠를 풍 바람과 같이 신속함. '免胄而趨一'《左傳》. ⑥가르침 풍 교화. '一教'. '時乃一'《書經》. ⑦습속 풍 관습. '一俗'. '移一易俗'《禮記》. ⑧기세 풍 세력. '威一遠暢'《後漢書》. ⑨위엄 풍 위광(威光). '王公貴人, 望一憚之'《晉書》. ⑩모습 풍 용모. 태도. '一采'. '有國士之一'《史記》. ⑪경치 풍 조망. '一景'. '一致'. ⑫노래 풍 가요. 고대에, 조정(朝廷)에서 습속의 양부(良否), 정치의 선악을 보기 위하여 각지의 노래를 수집한 것을 '國一'이라 하였는데, 시경(詩經)에 수록되었음. ⑬풍병 풍 중풍. '一淫末疾'《左傳》. ⑭감기 풍 고뿔. '一邪'. ⑮성 풍 성(姓)의 하나. ⑯풍자할 풍 諷(言部 九畫)과 통용. '一刺'. '下以一刺上'《詩經》.

字源 甲骨文 甲骨文 篆文 古文 甲骨文에는 돛의 象形과 봉황의 象形의 두 가지가 있음. 바람을 받는 돛에서, 또 바람처럼 자유로운 봉황새에서, '바람'의 뜻을 나타냄. 뒤에 形聲의 虫+凡〔音〕으로 바뀌는데, '虫훼'는 풍운을 탄 용의 뜻을 나타냄.

參考 '風풍'을 의부(意符)로 하여, 여러 가지 바람의 명칭이나 바람을 형용하는 문자를 이룸.

[風角 풍각] ㉠각적(角笛)을 부는 소리. ㉡사방 사우(四方四隅)의 바람을 보아 길흉을 점치는 술법.
[風諫 풍간] 넌지시 간함. 완곡하게 충고함.
[風鑑 풍감] 사람의 용모·풍채로 그 사람의 성질을 감별하는 일.
[風槪 풍개] ㉠고상(高尙)한 인품. 거룩한 인격. ㉡절개(節槪). 지조(志操).
[風客 풍객] 바람만 피우고 다니는 사람. 바람둥이.
[風擧雲搖 풍거운요] 바람이 불고 구름이 떠도는 것처럼 마음이 내키는 대로 이리저리 돌아다님.
[風格 풍격] ㉠인품. 인격. ㉡풍도(風度).
[風景 풍경] ㉠경치. ㉡좋은 경치. ㉢모습. 풍채.
[風磬 풍경] 처마 끝에 달아 바람에 흔들려서 소리가 나게 하는 작은 종. 풍령(風鈴). 풍금(風琴). 풍탁(風鐸).
[風鷄 풍계] 두꺼비.
[風告 풍고] 넌지시 알아듣도록 말함.

〔風磬〕

[風骨 풍골] ㉠풍채와 골격. ㉡모습. 상태.
[風光 풍광] ㉠경치. 풍경(風景). ㉡모습. ㉢인품. 품격.
[風狂夫 풍광부] 미친 사람. 광인.
[風教 풍교] 덕행으로 사람을 가르치고 인도하는 일.
[風規 풍규] 풍교(風教).
[風琴 풍금] ㉠양악기의 하나. 오르간. ㉡손풍금. ㉢거문고의 한 가지. ㉣풍경(風磬).
[風紀 풍기] 풍속상의 규율.
[風氣 풍기] ㉠바람과 공기. ㉡기후. 천후. ㉢인생계에 미치는 자연계의 영향. ㉣풍속에 나타난 민정(民情). 기풍. ㉤인품. 인격. ㉥풍치(風致). ㉦풍각(風角). ㉧중풍.
[風暖 풍난] 바람이 따뜻함.
[風度 풍도] 풍채와 태도. 또, 거룩한 인격(人格).
[風濤 풍도] ㉠바람과 물결. 또, 바람이 불고 물결이 읾. ㉡세상살이의 어려움의 비유.
[風動 풍동] ㉠바람에 나부끼는 것처럼 따름. 감화됨. ㉡바람이 붊.
[風燈 풍등] ㉠바람에 흔들리는 등불. ㉡풍중촉(風中燭).
[風浪 풍랑] 바람과 물결. 또, 바람이 불고 물결이 읾.
[風來 풍래] 바람이 불어옴.
[風厲 풍려] ㉠바람이 세참. ㉡가르치고 장려함.
[風力 풍력] ㉠감화시키는 힘. 복종시키는 힘. ㉡풍채와 뼈대. 풍채와 골력(骨力). ㉢풍세(風勢).
[風烈 풍렬] 바람이 거세게 붊.
[風鈴 풍령] 풍경(風磬).
[風爐 풍로] 아래에 구멍이 있어서 바람이 통하는 작은 화로의 일종.

〔風爐〕

[風籟 풍뢰] 바람 소리.
[風流 풍류] ㉠유풍(遺風). ㉡풍아(風雅). ㉢인

품. 품격.
[風流人 풍류인] 범속을 초탈한 사람. 풍아(風雅)를 좋아하는 사람.
[風流場 풍류장] 풍류랑(風流郎)이 모이는 사회. 화류계(花柳界).
[風流罪過 풍류죄과] 법률상의 허물이 되지 아니하는 풍아(風雅)한 죄.
[風馬牛不相及 풍마우불상급] 구애(求愛)하는 소나 말의 암컷과 수컷이 서로 찾아도 이를 수 없다는 뜻으로, 서로 멀리 떨어져 있음을 이름.
[風磨雨洗 풍마우세] 비와 바람에 씻기고 갈림.
[風望 풍망] 풍채와 인망(人望).
[風霾 풍매] 바람이 불고 흙비가 옴.
[風媒花 풍매화] 바람에 의해 수분(受粉)을 하는 꽃.
[風貌 풍모] 모습. 용모.
[風木 풍목] ㉠바람에 불리는 나무. ㉡'풍목지비(風木之悲)'의 준말.
[風木之悲 풍목지비] 풍수지탄(風樹之歎).
[風聞 풍문] ㉠소문. ㉡소문에 들음. ㉢관리의 비행을 탄핵하여 어사에게 상신하는 문서.
[風物 풍물] ㉠풍경(風景). ㉡농악(農樂)의 악기.
[風味 풍미] ㉠음식의 좋은 맛. ㉡풍류적(風流的) 성격.
[風靡 풍미] 바람에 풀이 나부끼듯 저절로 쏠려 따름.
[風發 풍발] 바람이 이는 것처럼 기운차게 일어남.
[風伯 풍백] ㉠바람의 신(神). ㉡'기자(箕子)'의 딴 이름.
[風旛 풍번] ㉠바람에 나부끼는 깃발. ㉡사물이 움직여 일정하지 아니함의 비유. ㉢마음이 외물(外物)에 끌려 동하는 일.
[風旛之論 풍번지론] 기(旗)가 바람에 움직이는 것 같은 일정하지 않은 언론(言論).
[風帆 풍범] 바람을 받은 돛.
[風病 풍병] ㉠감기. ㉡정신병. ㉢중풍(中風).
[風丰 풍봉] 살지고 아름다운 풍채.
[風不鳴枝 풍불명지] 세상이 태평한 상태.
[風痱 풍비] 반신불수(半身不隨)가 됨.
[風痺 풍비] 중풍. 풍증.
[風飛雹散 풍비박산] 사방으로 날아 흩어짐.
[風沙 풍사] 폭풍으로 날리는 모래.
[風邪 풍사] 감기.
[風師 풍사] 풍백(風伯) ❶.
[風散 풍산] 풍비박산(風飛雹散).
[風尙 풍상] ㉠높은 절개. ㉡세상 사람이 좋아하는 것.
[風霜 풍상] ㉠바람과 서리. ㉡세월. 성상(星霜). ㉢엄숙하고 맹렬함. ㉣많이 겪는 세상의 간난(艱難).
[風霜之氣 풍상지기] 풍상(風霜) ❸.
[風霜之任 풍상지임] 엄숙하고 사정(私情) 없는 임무. 곧, 어사(御史)·사법관을 이름.
[風色 풍색] ㉠천기. 날씨. ㉡경치. ㉢안색(顏色).
[風生 풍생] ㉠바람이 잃. ㉡의론이 격렬한 모양.
[風扇 풍선] 바람을 일으키는 선풍기.
[風船 풍선] 가벼운 기체를 넣어 공중으로 높이 올라가게 하는 둥근 주머니. 기구(氣球).
[風雪 풍설] ㉠바람과 눈. ㉡바람이 불고 눈이 옴.
[風說 풍설] 소문. 풍문(風聞).
[風聲 풍성] ㉠바람 소리. ㉡교훈. 가르침. ㉢풍문. ㉣인품.
[風聲鶴唳 풍성학려] 겁을 집어먹은 사람이 당치 아니한 사물에도 놀라는 것을 이름. 중국 동진(東晉) 때 진왕(秦王) 부견(苻堅)이 비수(淝水)에서 대패하고 바람 소리와 학의 소리를 듣고도 진(晉)나라의 추병(追兵)인가 하고 놀랐다는 고사(故事)에서 온 말.
[風勢 풍세] 바람의 세력. 바람의 힘.
[風騷 풍소] 풍아(風雅)와 이소(離騷). 전(轉)하여, 시부(詩賦).
[風俗 풍속] ㉠옛적부터 사회에 행하여 온 의식주(衣食住) 등의 습관. ㉡유행가. ㉢옷차림. 복장.
[風損 풍손] 풍재(風災).
[風刷雨淋 풍쇄우림] 여러 해 동안 비바람을 맞음.
[風水 풍수] ㉠바람과 물. ㉡지술(地術).
[風樹 풍수] 풍수지탄(風樹之歎).
[風樹之感 풍수지감] 풍수지탄(風樹之歎).
[風樹之歎 풍수지탄] 이미 돌아간 부모에게 효도를 다하지 못한 한탄.
[風習 풍습] 풍기와 습관.
[風濕 풍습] 습(濕)한 곳에 살아서 뼈마디가 저리고 아픈 병.
[風示 풍시] 넌지시 알림.
[風蝕 풍식] 바람에 의하여 암석 등의 표면에 일어나는 침식 작용.
[風信 풍신] ㉠소식. ㉡바람의 방향.
[風神 풍신] ㉠바람의 신. 풍백(風伯). ㉡풍채(風采).
[風晨月夕 풍신월석] 시원한 바람이 부는 새벽과 달이 환한 밤.
[風雅 풍아] ㉠시경(詩經)의 국풍(國風)과 대소아(大小雅). ㉡고상하고 바른 시가(詩歌). ㉢고상한 오락.
[風樂 풍악] 음악(音樂).
[風岸 풍안] ㉠모가 져서 친하기 어려움. ㉡바람이 부는 강 언덕.
[風眼 풍안] 눈시울과 결막(結膜)이 빨갛게 붓고 고름이 나오는 병.
[風埃 풍애] ㉠바람과 먼지. ㉡사람이 사는 이 세상. 속세(俗世).
[風煙 풍연] ㉠바람과 연기. 또, 바람이 일고 연기가 남. ㉡세상 안.
[風鳶 풍연] 연. 지연(紙鳶).
[風謠 풍요] ㉠유행가. ㉡시경(詩經)의 국풍(國風)의 시.
[風容 풍용] 풍모(風貌).
[風雨 풍우] 바람과 비. 또, 바람이 불고 비가 옴.
[風雨對牀 풍우대상] 비바람 치는 밤에 형제가 오래간만에 서로 만나 이야기하는 다정스러운 정경.
[風雲 풍운] ㉠바람과 구름. ㉡지세(地勢)의 고원(高遠)한 비유. ㉢고위(高位)의 비유. ㉣용이 비바람을 얻어 하늘에 올라가는 것같이 영웅이 때를 만나 세상에 나오는 비유. ㉤성(盛)한 모양. ㉥변화가 헤아릴 수 없는 모양. ㉦진(陣)의 이름. ㉧일의 경과.
[風韻 풍운] ㉠풍도(風度)와 운치(韻致). ㉡고상한 인품. ㉢바람이 부는 소리.
[風雲兒 풍운아] 풍운을 타서 활동하는 남자.
[風雲月露 풍운월로] 세도인심(世道人心)에 조금도 유익하지 않은 화조월석(花鳥月夕)만을 읊은 부화(浮華)한 시문(詩文).
[風雲之會 풍운지회] ㉠용호(龍虎)가 풍운을 만나 득세하는 것처럼 명군(明君)과 현신(賢臣)이 제회(際會)함을 이름. ㉡영웅이 때를 만나 뜻을

이룸을 이름. ㉢전란(戰亂) 때를 이름.
[風雲會 풍운회] 용이 풍운을 만나 세력을 얻듯이 영웅이 명군을 만나 쓰이거나, 또는 좋은 기회를 타서 재능을 발휘하여 공명을 이루는 일.
[風月 풍월] 청풍(淸風)과 명월(明月). 곧, 자연의 좋은 경치.
[風月主人 풍월주인] 좋은 경치를 관상하는 주인공.
[風位 풍위] 바람이 부는 방향.
[風儀 풍의] ㉠훌륭한 풍채. ㉡모습. ㉢기거동작(起居動作).
[風日 풍일] ㉠바람과 햇빛. ㉡날씨. 천후(天候).
[風刺 풍자] '풍자(諷刺)'와 같음.
[風姿 풍자] 모습.
[風檣陣馬 풍장진마] 배가 돛에 순풍을 받아 쏜살같이 가며 무사가 준마를 타고 늠름히 진두에 선다는 뜻으로, 문장이 웅건하거나 필적이 주경(遒勁)함을 이름.
[風災 풍재] 농작물(農作物) 등이 받는 바람의 재해(災害).
[風裁 풍재] 스스로 굳게 지키는 위의(威儀).
[風箏 풍쟁] ㉠풍경(風磬). ㉡연. 지연(紙鳶).
[風迹 풍적] 교화(敎化)의 업적.
[風前 풍전] 바람이 불어오는 앞. 바람받이.
[風前燈 풍전등] 풍중촉(風中燭).
[風情 풍정] ㉠풍치(風致). ㉡모습.
[風鳥 풍조] 극락조(極樂鳥).
[風潮 풍조] ㉠바람의 방향과 조수의 간만. ㉡시대에 따라 변하는 세태. 세상의 경향. 시세의 변천.
[風調 풍조] ㉠모습. ㉡시가(詩歌) 등의 가락. ㉢관습. 행습(行習). ㉣풍조우순(風調雨順).
[風調雨順 풍조우순] 비바람이 순조로움.
[風中燭 풍중촉] 인생이 덧없음의 비유.
[風櫛雨沐 풍즐우목] 바람에 머리를 빗고 비에 머리를 씻는다는 뜻으로, 풍진(風塵) 속에서 분주히 돌아다니며 고생함을 이름.
[風指 풍지] 넌지시 타이름. 풍지(諷指).
[風塵 풍진] ㉠바람과 티끌. ㉡병란(兵亂). ㉢사람이 사는 이 세상. 속세(俗世). ㉣속사(俗事). ㉤벼슬길. ㉥지방관. 경관(京官)의 대(對).
[風鎭 풍진] 족자 같은 것이 바람에 흔들거리지 아니하도록 축(軸)의 양 끝에 다는 수정(水晶)·구슬 같은 것을 꿴 추.
[風塵世上 풍진세상] 난리가 난 세상.
[風塵之警 풍진지경] 병란(兵亂)이 일어났다고 알리는 보도. 또, 병란.
[風塵之變 풍진지변] 병란(兵亂).
[風塵之會 풍진지회] 병란(兵亂).
[風塵表物 풍진표물] 속세를 벗어난 사람.
[風疾 풍질] ㉠미치는 병. ㉡중풍. ㉢부는 바람같이 빠름.
[風車 풍차] ㉠풍력(風力)을 이용하여 바퀴를 회전시켜 양수(揚水) 등에 쓰는 장치. ㉡풀무.
[風餐露宿 풍찬노숙] 한데서 바람과 이슬을 피하지 아니하고 먹고 자고 함. 곧, 옥외(屋外)에서 일에 분주하여 한둔함.
[風窓破壁 풍창파벽] 뚫어진 창짝과 헐어진 담벼락의 허술한 집.
[風采 풍채] ㉠모습. 인품. ㉡풍속과 일. ㉢풍문(風聞).
[風檐 풍첨] 바람이 부는 처마 밑.
[風簷 풍첨] 풍첨(風檐).
[風聽 풍청] 어렴풋이 들음. 풍문에 들음.
[風體 풍체] 모습. 용모.
[風草德 풍초덕] 군자의 덕을 바람에 비유하고 소인의 덕을 풀이 바람에 나부껴 따르는 데 비유한 말.
[風燭 풍촉] 바람에 흔들리는 촛불. 덧없는 인생.
[風趣 풍취] 풍치(風致)❶.
[風致 풍치] ㉠풍모(風貌). 인품(人品). ㉡시원스럽게 격(格)에 맞는 멋.
[風馳電掣 풍치전체] 바람이 쏜살같이 불고 번개가 순식간에 번쩍인다는 뜻으로, 대단히 신속함을 이름.
[風打 풍타] 바람이 침.
[風鐸 풍탁] 풍경(風磬).
[風態 풍태] 자태(姿態).
[風土 풍토] 기후와 토지. 기후와 토지와의 관계.
[風妒雨憎 풍투우증] 비바람 때문에 일이 방해가 되거나 흥이 깨짐을 이름.
[風波 풍파] ㉠바람과 물결. 풍랑(風浪). 또, 바람이 불고 물결이 읾. ㉡동요하기 쉬움. ㉢분란(紛亂). 분요. ㉣속세의 귀찮은 일.
[風波之民 풍파지민] 마음이 동요하기 쉬운 백성.
[風評 풍평] 풍설(風說).
[風標 풍표] ㉠풍채(風采). ㉡풍취(風趣)의 표지(標識).
[風飆 풍표] 회오리바람.
[風漢 풍한] 미친 사람.
[風害 풍해] 풍재(風災).
[風憲 풍헌] ㉠풍기를 단속하는 법규. ㉡풍기를 단속하는 벼슬아치.
[風眩 풍현] 간질(癎疾).
[風穴 풍혈] 바람이 나오는 구멍.
[風化 풍화] ㉠풍속과 교화. ㉡결정체(結晶體)가 결정수(結晶水)를 잃어 가루가 되는 현상. ㉢바위가 대기의 작용을 받아 부스러지는 현상.
[風花雪月 풍화설월] 사철의 뛰어난 경치.
[風候 풍후] ㉠바람이 부는 방향. ㉡바람개비. 풍향계(風向計). ㉢날씨. 기후(氣候).
◉家風. 強風. 剛風. 凱風. 愷風. 巨風. 結繩風. 勁風. 景風. 輕風. 驚風. 古風. 高風. 谷風. 觀風. 廣莫風. 光風. 狂風. 矯風. 校風. 颶風. 舊風. 國風. 君子之德風. 金風. 暖風. 南風. 冷風. 綠風. 大風. 德風. 道風. 突風. 同風. 東風. 馬牛風. 馬耳東風. 萬里同風. 滿面春風. 晩風. 蠻風. 霾風. 盲風. 猛風. 面面風. 明庶風. 穆如清風. 沐雨櫛風. 門風. 美風. 微風. 民風. 防風. 背風. 培風. 排風. 屛風. 扶搖風. 不周風. 扶風. 北風. 悲風. 四面風. 士風. 師風. 朔風. 上雨旁風. 上風. 相風. 祥風. 商風. 西風. 書風. 瑞風. 曙風. 石犬風. 旋風. 細風. 小男風. 小女風. 松風. 送風. 修風. 淳風. 順風. 習風. 濕風. 迅風. 信風. 神風. 晨風. 握月擔風. 惡風. 暗風. 埃風. 野風. 羊角風. 良風. 洋風. 涼風. 閶風. 颶風. 御風. 嚴風. 厲風. 餘風. 麗風. 逆風. 軟風. 煙風. 鍊風. 烈風. 炎風. 英風. 曀風. 溫風. 龍門扶風. 運斤成風. 雄風. 威風. 流風. 遺風. 肉屛風. 淫風. 陰風. 義風. 二十四番花信風. 鯉魚風. 懿風. 仁風. 作風. 長風. 終風. 中風. 眞風. 秦風. 疾風. 且風. 閶風. 閶闔風. 凄風. 千里同風. 清明風. 清風. 秋風. 趨風. 春風. 颱風. 土風. 通風. 痛風. 頹風. 鬪風. 八風. 弊風. 暴風. 爆風. 飈風. 飄風. 被風. 下風. 學風. 寒風. 恒風. 惠風. 胡馬依北風. 好風. 花信風. 和風. 畫風. 黃雀風. 廻風. 懷風. 橫風.

曉風. 薰風. 暄風.

2 ⑪ **[颾]** [一] 초 [平]肴 丑交切 chāo
[二] 뇨 [平]肴 尼交切

[字解] [一] ①뜨거운바람 초 '一, 炎風謂之一'《集韻》. ②바람부는모양 초 '一, 一飀, 吹皃'《玉篇》. [二] 뜨거운바람 뇨 '一, 熱風'《集韻》.

3 ⑫ **[颮]** [一] 표 巴收切 biāo
[二] 두 diū

[字解] [一] ①던져버릴 표 '一了僧伽帽, 袒下我這偏衫'《西厢記》. ②휘둘러때릴 표 '差人去一了白士中首級'《望江亭》. ③양사(量詞) 표 군대에서 인마(人馬)에 대하여 썼는데, '彪'로도 표기했음. '不許當不許攔, 一一軍沒揣的撞入長安'《鴈門關存孝打虎》. [二] ①던질 두 '八下裏磚一'《般涉調》. ②결눈질할 두 '打訛的, 將納老胡一'《般涉調》. ③잡아당길 두 '粧旦不抹一, 蠢身軀似水牛'《般涉調》.

4 ⑬ **[颬]** 하 [平]麻 許加切 xiā

[字解] 불 하 입을 벌리고 숨기운을 내어 보내는 모양. '舍利一一, 化爲仙車'《張衡》.

4 ⑬ **[颴]** 감 [平]覃 姑南切 gān

[字解] 바람 감 '一, 風也'《集韻》.

4 ⑬ **[颵]** 颯(次條)와 同字

4 ⑬ **[颫]** 부 [平]虞 馮無切 fú

[字解] ①큰바람 부 '一, 大風也'《集韻》. ②扶(手部 四畫)와 통용. '一, 通作扶'《集韻》.

4 ⑬ **[颶]** 율 [入]質 于筆切 yù

[字解] 큰바람 율 몹시 부는 바람. '廻一泱漭, 聳散穹窿'《庾闡》.

[字源] 篆文 形聲. 風+日〔音〕. '日왈'은 큰 소리로 부르다의 뜻.

4 ⑬ **[颮]** 돈 [平]元 徒渾切 tún

[字解] 바람 돈 '一, 風也'《集韻》.

5 ⑭ **[颭]** 점 [上]琰 占琰切 zhǎn

[字解] ①물결일 점 바람이 불어 파도가 일어남. '驚風亂一芙蓉水'《柳宗元》. ②흔들릴 점 바람에 요동하는 모양. '廻一一, 其泠泠《柳歆》.

[字源] 篆文 形聲. 風+占〔音〕

[颭閃 점섬] 바람에 번득임
[颭颭 점점] ㉠바람에 흔들리는 모양. ㉡물결이 일어 흔들리는 모양.
◉亂颭.

5 ⑭ **[颮]** [一] 표 [平]肴 薄交切 biāo
[二] 박 [入]覺 匹角切 páo

[字解] [一] 폭풍 표 거센 바람. '游說之徒, 風一雷激'《班固》. [二] 많을 박 많은 모양. 많이 나는 모양. '一一紛紛, 矰繳相纏'《班固》.

[字源] 飆의 古文 形聲. 風+包〔音〕

[颮颮 박박] 많은 모양.
◉風颮.

5 ⑭ **[颱]** [人名] 태 tái 台

[字解] 태풍 태 여름에서 가을에 걸쳐 북태평양 남서부 열대 지방, 중국 남해 상에 일어나는 폭풍.

[字源] 形聲. 風+台〔音〕

5 ⑭ **[颰]** 굴 [入]物 曲勿切 qū

[字解] 바람 굴 '一, 風也'《集韻》.

5 ⑭ **[颲]** 류 [上]有 力久切 liǔ

[字解] ①바람소리 류 '一, 風聲也'《龍龕手鑑》. ②바람불 류 바람이 부는 모양.

5 ⑭ **[颰]** 불 [入]物 分勿切 fú

[字解] ①바람 불 '一, 風也'《玉篇》. ②솔솔부는 바람 불 부드럽게 부는 바람. '小風謂之一'《集韻》. ③센바람 불 몹시 빠르게 부는 바람. '一, 一曰, 疾風'《集韻》.

5 ⑭ **[颯]** 령 [平]青 郎丁切 líng

[字解] 찬바람 령 '一, 寒風'《集韻》.

5 ⑭ **[颳]** 월 [入]月 許月切 xuè

[字解] ①바람 월 '一, 風也'《廣雅》. ②솔솔부는 바람 월 부드럽게 부는 바람. '小風謂之一'《集韻》.

5 ⑭ **[颯]** [人名] 삽 [入]合 蘇合切 sà 飒

[字解] ①바람소리 삽 바람이 부는 소리의 형용. '有風一然而至'《宋玉》. ②성할 삽 많고 성(盛)한 모양. '賓御紛一沓'《鮑照》. ③쇠할 삽 쇠잔한 모양. '鬢毛一已蒼'《岑參》.

[字源] 篆文 形聲. 風+立〔音〕. '立립'은 바람 소리의 형용.

[颯沓 삽답] ㉠중첩한 모양. ㉡많고 성(盛)한 모양.
[颯遝 삽답] 솟아 나오는 소리가 요란한 모양.
[颯辣 삽랄] 용감하고 강한 모양.
[颯戾 삽려] 시원한 모양. 청량(淸涼)한 모양.
[颯纚 삽사] 소매가 긴 모양.
[颯颯 삽삽] ㉠바람이 쌀쌀하게 부는 소리. ㉡비가 쏟아지는 소리.
[颯爽 삽상] ㉠바람이 시원하여 마음이 상쾌함. ㉡모습이 씩씩하고 성품이 좋음.
[颯灑 삽쇄] 바람이 불어 흩음.

[颯然 삽연] 바람이 시원하게 부는 모양.
[颯𩖺 삽이] 삽연(颯然).
◉翛颯. 蕭颯. 衰颯.

6 ⑮ [𩗗] 一 협 ㊅葉 檄頰切 xié
二 렵 ㊅葉 力協切 liè

字解 一 풍조(風調)할 협 바람이 때에 맞추어 순조롭게 붊. 劦(力部 四畫)과 통용. '一, 風調也, 通作劦'《集韻》. 二 바람 렵 '一, 風也'《集韻》.

6 ⑮ [颳] 괄 ㊅黠 古滑切 guā

字解 ①모진바람 괄 '一, 惡風'《篇海》. ②바람 불 괄 '北風一, 大雲飄'《賀敬之》.

6 ⑮ [𩗂] 힐 ㊅質 闃吉切 xī

字解 바람의모양 힐 바람이 부는 모양. '一, 風皃'《集韻》.

6 ⑮ [颲] 렬 ㊅屑 良辥切 liè

字解 질풍 렬 대단히 거센 바람. '猛風曰一風'《纂要》.

字源 篆文 形聲. 風+列(𠛱)〔音〕. '𠛱렬'은 '烈렬'과 통하여 '사납다'의 뜻.

[颲風 열풍] 대단히 거센 바람.

6 ⑮ [𩗬] 려 ㊈霽 郎計切 lì

字解 센바람 려 몹시 빠른 바람. '廣莫一而氣整'《郭璞》.

7 ⑯ [𩗭] 량 ㊉陽 呂張切 liáng

字解 북풍 량 䬂(風部 八畫)과 同字. '䬂, 說文, 北風謂之䬂, 或从良'《集韻》.

7 ⑯ [颵] 소 ㊉肴 所交切 shāo
㊉蕭 思邀切 xiāo

字解 바람소리 소 '一一'는 바람이 부는 소리. '一一, 風聲'《集韻》.

7 ⑯ [𩗴] 구 ㊉尤 渠尤切 qiú

字解 산들바람 구 실바람. 미풍. '一, 小風'《集韻》.

7 ⑯ [䫻] 뇌 ㊤賄 弩罪切 něi

字解 바람이움직일 뇌 '一, 風動謂之一'《集韻》.

7 ⑯ [颲] 一 률 ㊅質 力質切 lì
二 리 ㊈寘 力至切 lì

字解 一 ①왜풍 률, 비바람 률 '一颲'은 사납게 비바람 섞여 치는 비. '一颲, 風雨暴疾也'《說文》. ②폭풍 률 '一一'은 폭풍. '一一, 暴風'《廣韻》. 二 열풍(烈風) 리 맹렬히 부는 바람. '一, 烈風'《廣韻》.

字源 篆文 形聲. 風+利〔音〕. '利리'는 '栗률'과 통하여 '엄하다'의 뜻.

[颲颲 율률] 폭풍우(暴風雨).

7 ⑯ [䬄] 颶(次條)의 訛字

8 ⑰ [颶] 구 ㊈遇 衢遇切 jù 颶

字解 구풍 구 여름에서 가을철로 옮기는 환절기에, 중국의 남방 해상에서 일어나 회오리 치면서 북상하는 급격한 바람. '嶺南諸郡皆有一風'《投荒雜錄》.

字源 形聲. 風+具〔音〕

[颶氣 구기] 구풍(颶風).
[颶母 구모] 구풍(颶風).
[颶風 구풍] ㉠바다에서 일어나는 회오리바람. ㉡여름에서 가을철로 옮기는 환절기에 남양(南洋)에서 불어오는 센 바람.

8 ⑰ [𩘋] 려 ㊈霽 郎計切 lì

字解 바람소리 려 '䬆一'는 바람이 부는 소리. '䬆一, 風聲'《集韻》.

8 ⑰ [䬂] 량 ㊉陽 呂張切 liáng
㊈漾 力讓切

字解 ①북새 량 북풍(北風). 삭풍(朔風). ②바람 량 '一, 風也'《廣韻》.

字源 篆文 形聲. 風+京〔音〕. '京경'은 '涼량'과 통하여 '으스스하다'의 뜻. '북풍'의 뜻을 나타냄.

8 ⑰ [𩘍] 一 괵 ㊅陌 古獲切 guó
二 혹 ㊅職 忽域切 xù

字解 一 붉은기운뜨거운바람의변괴 괵 '一, 䬊一, 赤氣熱風之怪也'《集韻》. 二 바람의모양 혹 바람 부는 모양. '一, 風皃'《集韻》.

8 ⑰ [䬍] 홀 ㊅月 呼骨切 hū

字解 ①센바람 홀 몹시 빠른 바람. '一, 疾風也'《說文》. ②바람셀 홀 바람이 세게 부는 모양. '一, 疾風貌'《玉篇》.

字源 篆文  形聲. 風+忽〔音〕. '忽홀'은 빠르다, 홀연의 뜻.

8 ⑰ [𩘐] 〔렬〕
颲(風部 六畫〈p. 2563〉)의 本字

8 ⑰ [䬀] 〔표〕
飆(風部 十二畫〈p. 2565〉)의 俗字

9 ⑱ [颸] 시 ㊉支 楚持切 sī

字解 양풍 시 서늘한 바람. '涼一'. '晨裝博曾一'《謝靈運》.

字源 篆文 形聲. 風+思〔音〕

[颸颸 시시] ㉠비바람의 소리. ㉡바람이 한바탕 부는 모양.
[颸然 시연] 바람이 한바탕 부는 모양.

[颸風 시풍] 서늘한 바람. 일설(一說)에는 질풍(疾風).
◉輕颸. 金颸. 南颸. 微颸. 薄颸. 細颸. 涼颸. 寒颸.

9 ⑱ [颵] 강 ①[平]江 許江切 xiāng ②[去]絳 可降切 shǎng

[字解] ①바람소리 강 '—, 風聲'《字彙》. ②어지러운바람 강 '—, 亂風'《篇海類編》.

9 ⑱ [颺] 양 [平]陽 與章切 yáng [上]養 餘亮切 飏

[字解] ①날 양 새가 날아 올라감. '饑則爲用, 飽則—去'《魏志》. ②날릴 양 바람이 불어 물건을 날려 올라가게 함. '春多—幕風'《白居易》. ③느리게갈 양 배가 천천히 가는 모양. '舟遙遙以輕—'《陶潛》. ④높일 양 언성을 높임. '—言'. '聲—不還'《文心雕龍》. ⑤까부를 양 키를 위아래로 부침. '簸之—之, 糠粃在前'《晉書》. ⑥나타날 양 용모·풍채가 좋아 남의 눈에 뜨임. '子少不—'《左傳》.

[字源] 篆文 形聲. 風+昜〔音〕. '昜양'은 '오르다'의 뜻. 바람에 날려 올라가다의 뜻을 나타냄.

[颺去 양거] 날아감.
[颺幕 양막] 바람이 불어 막(幕)을 날림.
[颺颺 양양] ㉠바람에 날려 올라가는 모양. ㉡번득이는 모양.
[颺言 양언] ㉠소리를 높여 이야기함. 큰 소리로 이야기함. ㉡과장하여 이야기함. ㉢공공연히 말함. 양언(揚言).
◉激颺. 輕颺. 高颺. 騰颺. 飛颺. 簸颺. 飄颺.

9 ⑱ [颲] 랄 [入]曷 郎達切 là

[字解] 바람부는모양 랄 '—, 風皃'《集韻》.

9 ⑱ [颼] 수 [平]尤 所鳩切 sōu

[字解] ①바람소리 수 '——'는 바람이 솔솔 부는 소리. '啾啾——'《趙壹》. ②불 수 '—飀'는 바람이 솔솔 부는 모양. '—飀凄清'《張正元》.

[字源] 篆文 形聲. 風+叜〔音〕.

[颼飀 수류] 바람이 솔솔 부는 모양.
[颼颯 수삽] 바람이 솔솔 부는 소리.
[颼颼 수수] 바람이 솔솔 부는 소리.
[颼飋 수슬] 바람 소리.
[颼風 수풍] 솔솔 부는 바람.

9 ⑱ [䬈] 개 [平]佳 居諧切 jiē

[字解] 센바람 개 질풍(疾風). '—, 疾風也'《集韻》.

9 ⑱ [䬑] [一] 위 [去]未 于貴切 wèi [二] 율 [入]質 于筆切 yù

[字解] [一] ①큰바람 위 세게 부는 바람. 많이 부는 바람. '—, 大風也'《說文》. ②바람소리 위 '—, 風聲'《廣韻》. [二] 큰바람 율 颶(風部 四畫)과 同字.

[字源] 篆文 形聲. 風+胃〔音〕. '胃위'는 밥통으로 속에 물건을 싸서 둥글게 둘러싸다의 뜻. 빙글빙글 도는 큰바람의 뜻을 나타냄.

10 ⑲ [飀] 류 [平]尤 力求切 liú

[字解] 바람소리 류 솔솔 부는 바람 소리. '——微扇, 亹亹淸舒'《湛方生》.

[字源] 形聲. 風+留(畱)〔音〕

[飀飀 유류] 솔솔 부는 바람 소리.

10 ⑲ [䬅] 당 [平]陽 徒郎切 táng

[字解] 바람부는모양 당 '—, 風皃'《集韻》.

10 ⑲ [䬆] 률 [入]質 力質切 lì

[字解] ①바람 률 '—, 風也'《集韻》. ②왜풍 률 颲(風部 七畫)과 同字.

10 ⑲ [颾] 소 [平]豪 蘇遭切 sāo

[字解] 바람소리 소 바람 소리의 형용. '—, 風聲'《廣韻》.

[字源] 形聲. 風+蚤〔音〕

10 ⑲ [颽] 개 [上]賄 可亥切 kǎi

[字解] 마파람 개 남풍(南風). '—, 南風'《廣韻》.

10 ⑲ [䫾] 颽(前條)와 同字

10 ⑲ [𩗰] 〔수〕 颼(風部 九畫〈p. 2564〉)와 同字

[字源] 形聲. 風+叟〔音〕

10 ⑲ [颿] 범 [平]鹽 扶嚴切 fān [去]陷 扶泛切

[字解] ①돛 범 帆(巾部 三畫)과 同字. '樓船擧—而過肆'《左思》. ②달릴 범 말이 질주함. 또, 배가 바람에 불려 빨리 감. '——獨兮西往, 孰知返兮何年'《吳越春秋》.

[字源] 篆文 形聲. 馬+風〔音〕. '風풍'은 바람처럼 빠르다의 뜻. 말이 바람처럼 빨리 달리다의 뜻을 나타냄.

[颿颿 범범] 말이 빨리 달리는 모양.
[颿然 범연] 빨리 달리는 모양.
◉擧颿. 警颿.

10 ⑲ [颻] 요 [平]蕭 餘昭切 yáo

[字解] ①날아오를 요 바람에 불려 날아 올라감. '與風—颺'《左思》. ②흔들릴 요 바람에 불려 흔들림. '飄飄——'《崔立之》.

[字源] 形聲. 風+䍃〔音〕. '䍃요'는 '흔들리다'의 뜻. 바람에 흔들리다의 뜻을 나타냄.

[颻颺 요양] 바람에 불려 날아 올라감.
[颻颻 요요] 바람에 흔들리는 모양.
◉飂颻.

11 ⑳ [𩙆] 단 [平]寒 徒官切 tuán

[字解] 회오리바람 단 '一, 摶風也'《集韻》.

11 ⑳ [飂] [一] 류 [平]尤 力求切 liú [二] 료 [平]蕭 憐蕭切 liáo

[字解] [一] ①높은바람 류 높이 부는 바람. 또, 그 모양. '至陰一一'《淮南子》. ②성 류 성(姓)의 하나. [二] 바람소리 료 '一戾'는 바람 소리의 형용. '吐淸風之一戾'《潘岳》.
[字源] 篆文 形聲. 風+翏〔音〕. '翏료'는 새가 높이 날아오르다의 뜻. 높이 부는 바람의 뜻을 나타냄.

[飂戾 요려] 바람 소리의 형용.
[飂颻 요요] 바람이 높이 부는 모양.
[飂颼 유수] 바람이 부는 모양. 또, 바람이 부는 소리.

11 ⑳ [䬘] 飂(前條)와 同字

11 ⑳ [飄] [人名] 표 [平]蕭 符霄切 piāo

[字解] ①회오리바람 표 선풍(旋風). '匪風一兮'《詩經》. ②질풍 표 거센 바람. '一至風起'《漢書》. ③빠를 표 신속함. '不可以一矣'《呂氏春秋》. ④나부낄 표 날리어 흔들림. '微風吹閨闥, 羅帷自一颺'《古詩》. ⑤떨어질 표 바람이 불어 떨어짐. 낙하함. '雖有忮心者, 不怨一瓦'《莊子》. ⑥방랑할 표 유랑(流浪)함. '孤一坎壈'《北史》.
[字源] 篆文 形聲. 風+票(㶾)〔音〕. '㶾표'는 불똥이 날아오르다의 뜻. 날아오르는 바람, 회오리바람의 뜻을 나타냄.

[飄客 표객] 오입쟁이.
[飄擊 표격] 빨리 침. 느닷없이 침.
[飄起 표기] 바람이 잃.
[飄登 표등] 나부껴 올라감. 표양(飄揚).
[飄落 표락] 표령(飄零) ㉠.
[飄零 표령] ㉠나뭇잎 같은 것이 바람에 나부끼어 떨어짐. ㉡영락(零落)함.
[飄眇 표묘] 소리가 맑고 긴 모양.
[飄泊 표박] 정처 없이 떠돌아다님. 표박(漂泊).
[飄泛 표범] 이리저리 떠다님.
[飄霏 표비] 번득이며 낢.
[飄散 표산] 펄펄 날다가 흩어져 떨어짐.
[飄旋 표선] 방랑하며 빙빙 돎.
[飄蕭 표소] 바람이 쓸쓸히 부는 모양.
[飄揚 표양] 나부낌. 또, 나부끼게 함.
[飄颺 표양] 표양(飄揚).
[飄然 표연] ㉠바람에 가볍게 날리는 모양. ㉡정처 없이 떠돌아다니는 모양.
[飄瓦 표와] 지붕에서 뜻밖에 떨어지는 기와. 곧, 불우(不虞)의 재난. 예기치 않은 천재(天災).
[飄搖 표요] 나부낌. 번득임.
[飄颻 표요] 표요(飄搖).
[飄寓 표우] 표박(飄泊).
[飄爾 표이] 표연(飄然).
[飄逸 표일] 뛰어남.
[飄疾 표질] 빠름. 신속함.
[飄墜 표추] 표령(飄零) ㉠.
[飄墮 표타] 표령(飄零) ㉠.
[飄蕩 표탕] ㉠흔들림. ㉡방랑함.
[飄簸 표파] 나부낌.
[飄飄 표표] ㉠바람에 가볍게 나부끼는 모양. ㉡뛰어오르는 모양. ㉢방랑하는 모양.
[飄風 표풍] 회오리바람.
[飄風不終朝 표풍부종조] 폭풍은 아침이 지나기 전에 그침. 곧, 세력이 강대한 것은 빨리 쇠(衰)함.
[飄翾 표현] 펄펄 낢.
[飄忽 표홀] ㉠신속한 모양. ㉡바람이 센 모양.
[飄欻 표훌] 나부낌.
◉孤飄. 急飄. 蓬飄. 流飄. 淪飄. 一葉飄. 縹飄.

11 ⑳ [飁] 습 [入]緝 似入切 xí

[字解] ①바람 습 '一, 風也'《玉篇》. ②큰바람 습 '一一'은 큰바람. '一一, 大風'《集韻》.

12 ㉑ [䫺] 황 [平]庚 戶盲切 héng

[字解] ①왜풍 황 폭풍(暴風). '一, 暴風'《集韻》. ②바람소리 황 바람이 부는 소리.
[字源] 形聲. 風+黃〔音〕

12 ㉑ [飉] 료 [平]蕭 落蕭切 liáo

[字解] ①바람 료 '一, 風也'《廣雅》. ②솔솔부는 바람 료 부드러운 바람. '一, 小風也'《集韻》. ③바람소리 료 세게 부는 바람 소리. '一, 疾風聲'《正字通》.
[字源] 形聲. 風+尞〔音〕

12 ㉑ [飅] 〔류〕 飀(風部 十畫〈p. 2564〉)의 本字

12 ㉑ [飈] [人名] 飆(次條)와 同字

12 ㉑ [飆] 표 [平]蕭 甫遙切 biāo

[字解] ①폭풍 표 몹시 세게 부는 바람. 또, 회오리바람. '盲一忽號怒'《陳子昂》. ②바람 표 '落葉俟微一以隕'《晉書》.
[字源] 篆文 古文 形聲. 風+猋〔音〕. '猋표'는 개의 떼가 달리다의 뜻. 또 '票표'와 통하여 날아오르다의 뜻. 날아오르는 바람, 회오리바람의 뜻을 나타냄.

[飆斿 표유] 바람에 깃발이 펄펄 날림.
[飆塵 표진] 바람에 날리는 먼지.
[飆風 표풍] 폭풍. 또, 회오리바람.
◉輕飆. 驚飆. 狂飆. 盲飆. 猛飆. 微飆. 朔飆. 商飆. 曙飆. 旋飆. 迅飆. 晨飆. 涼飆. 炎飆. 朱飆. 天飆. 淸飆. 秋飆. 寒飆. 駭飆. 洪飆. 回飆.

13 ㉒ [飋] 슬 [入]質 所櫛切 sè

字解 ①가을바람 슬 '一, 秋風也'《玉篇》. ②서늘할 슬 맑고 시원한 모양. '一蕭條而淸冷'《王延壽》.

14 ㉓ [飀] 一 주 ㊥尤 陳留切 táo
二 도 ㊥豪 徒刀切 táo

字解 一 ①바람 주 '一, 風也'《集韻》. ②바람시원할 주 바람이 서늘함. '一, 風飋'《廣韻》. 二 ①큰바람 도 '一, 大風'《廣韻》. ②바람소리 도 '一, 風聲也'《韻會》.

15 ㉔ [飅] 렵 ㊀葉 力涉切 liè

字解 바람소리 렵 '一, 風聲'《集韻》.

16 ㉕ [飉] 력 ㊀錫 狼狄切 lì

字解 바람소리 력 '一, 颵一, 風聲'《集韻》.

17 ㉖ [飃] 소 ㊥蕭 先彫切 xiāo

字解 ①북새 소 삭풍(朔風). '一, 北風也'《玉篇》. ②선들바람 소 서늘한 바람. '涼風謂之一'《集韻》.

18 ㉗ [飍] 一 휴 ㊥尤 香幽切 xiū
甫烋切
二 표 ㊥尤 風幽切

字解 一 ①허둥댈 휴 허둥대는 모양을 경풍(驚風)에 비유한 것. '一, 驚風'《廣韻》. '一, 疾病形擬奔走之狀'《正字通》. ②바람 휴 '一, 風也'《集韻》. ③큰바람일 휴 큰바람이 이는 모양. '一, 大風起貌'《字彙》. ④놀라달릴 휴 놀라서 달려가는 모양. '一, 驚走貌'《玉篇》. 二 허둥댈 표, 바람 표, 큰바람일 표, 놀라달릴 표 一과 뜻이 같음.

18 ㉗ [飌] 풍 ㊥東 方戎切 fēng

字解 바람 풍 風(部首)의 古字. '祀一師'《周禮》.

[飌師 풍사] 바람의 신(神). 풍사(風師).

飛 (9획) 部
〔날비부〕

0 ⑨ [飛] 中人 비 ㊥微 甫微切 fēi

筆順 ㇈ ㇈ ㇈ ㇈ 飛 飛 飛 飛

字解 ①날 비 ㉠공중에 떠서 감. '一來'. '鳶一戾天'《詩經》. 또, 나는 새. 나는 곤충. '高步退輕一'《何承天》. ㉡빨리 감. '輕一'. '一箭雨集'《晉書》. 또, 빨리 달리는 말. '聘六一'《漢書》. ㉢튐. '一沫'. ㉣무근한 말이 전함. '一語'. ②날릴 비 전항의 타동사. '一檄三輔'《晉書》. ③높을 비 '一棟'. '一軒'. '一宇承霓'《何晏》. ④성 비 성(姓)의 하나.

字源 篆文 篆文 象形. 새가 날개를 치고 나는 모양을 본떠 '날다'의 뜻을 나타냄.

參考 '飛비'를 의부(意符)로 하여 나는 것을 나타내는 문자를 이룸.

[飛舸 비가] 빠른 배.
[飛價 비가] 값을 올림.
[飛閣 비각] ㉠높은 전각(殿閣). ㉡이 층으로 된 잔교(棧橋).
[飛檄 비격] 격문(檄文)을 빨리 보냄. 격문을 사방으로 퍼뜨림. 또, 그 격문.
[飛谷 비곡] 해가 통하는 길. 태양의 궤도(軌道).
[飛觀 비관] 높은 누각. 고루(高樓).
[飛橋 비교] 높은 다리.
[飛禽 비금] 날짐승. 비조(飛鳥).
[飛禽走獸 비금주수] 나는 새와 달리는 짐승.
[飛騎 비기] 질주하는 기병.
[飛奴 비노] '비둘기〔鴿〕'의 이칭(異稱). 통신(通信)에 썼으므로 이름.
[飛湍 비단] 여울. 급류.
[飛渡 비도] 뛰어 건넘. 뛰어넘음.
[飛動 비동] 날아 움직임.
[飛棟 비동] 높은 용마루.
[飛騰 비등] 날아 올라감.
[飛浪 비랑] 높은 물결.
[飛來 비래] 날아옴.
[飛礫 비력] 돌팔매질함. 또, 그 돌.
[飛廉 비렴] ㉠바람을 맡은 신(神). ㉡신령스러운 새의 이름. ㉢괴상스러운 짐승의 이름. ㉣은(殷)의 주왕(紂王)을 섬긴 간신.
[飛龍在天 비룡재천] 성인(聖人)이 재위(在位)함의 비유.
[飛樓 비루] ㉠높은 누각(樓閣). ㉡망루(望樓)가 있는 전차(戰車). ㉢신기루(蜃氣樓).
[飛流 비류] 폭포(瀑布).
[飛溜 비류] 급히 떨어지는 낙숫물.
[飛輪 비륜] 해. 태양.
[飛沫 비말] 튀어오르는 물방울.
[飛文 비문] ㉠출처를 모르는 글. 익명(匿名)의 투서 따위. ㉡뛰어난 문장.
[飛雹 비박] 세차게 쏟아지는 우박(雨雹).
[飛白 비백] 팔서체(八書體)의 하나. 팔분(八分)과 비슷한데 필세(筆勢)가 나는 듯하고, 붓 자국이 비로 쓴 자리같이 보이는 서체(書體)임. 후한(後漢)의 채옹(蔡邕)이 시작했음.

[飛白]

[飛變 비변] 급히 일어난 사변.
[飛步 비보] 날 듯이 빨리 걸음.
[飛報 비보] 급한 통지(通知). 급보(急報).
[飛蓬 비봉] ㉠산란한 쑥. 쑥대강이 같은 머리의 비유. 봉두(蓬頭). ㉡바람에 나는 쑥. 동요하여 안정(安定)하지 못함의 비유.
[飛散 비산] 날아 흩어짐.
[飛翔 비상] 훨훨 하늘을 낢.
[飛書 비서] ㉠비찰(飛札). ㉡익명(匿名)의 글. ㉢글을 써 보냄.
[飛絮 비서] 바람에 날리는 버들개지.
[飛鼠 비서] 박쥐.
[飛錫 비석] 석장(錫杖)을 날린다는 뜻으로, 중이 각지를 돌아다니는 일.

[飛仙 비선] 공중을 나는 신선.
[飛灑 비쇄] 튀어 흩어짐.
[飛蛾 비아] 여름에 등불에 날아와 모이는 벌레. 불나방 따위.
[飛蛾赴火 비아부화] 벌레가 등불에 날아들어 타 죽듯이, 위험한 일을 자진해서 저지름을 이름.
[飛躍 비약] 높이 뛰어오름.
[飛揚 비양] ㉠날아오름. ㉡제멋대로 굶.
[飛颺 비양] 비양(飛揚) ㉠.
[飛揚跋扈 비양발호] 날랜 새가 비양하고 큰 고기가 발호하듯이, 신하가 멋대로 굴어 법을 좇지 아니하는 일. 또는 모반(謀叛)하는 일.
[飛語 비어] 무근한 말. 유언(流言).
[飛魚 비어] 날치.
[飛言 비언] 비어(飛語).
[飛燄 비염] 튀어나오는 불꽃.
[飛宇 비우] 비헌(飛軒).
[飛雨 비우] 바람에 불려 날리는 비.
[飛肉 비육] 새. 곧, '조류(鳥類)'의 별칭(別稱).
[飛耳長目 비이장목] 먼 곳의 일을 잘 보고 듣는 이목(耳目).
[飛棧 비잔] 높이 걸린 잔교(棧橋).
[飛章 비장] 지급히 전하는 편지.
[飛將 비장] 행동이 재빠른 장군.
[飛將軍 비장군] 비장(飛將).
[飛電 비전] ㉠번쩍이는 번개. ㉡급한 전보.
[飛傳 비전] 역참(驛站)의 급히 달리는 말.
[飛箭 비전] 날아오는 화살.
[飛錢 비전] 당(唐)나라 헌종(憲宗) 때 돈의 대용으로 쓰이던 수표.
[飛征 비정] 나는 것과 달리는 것. 날짐승과 길짐승. 금수(禽獸).
[飛梯 비제] 높은 사닥다리.
[飛鳥 비조] 날아다니는 새.
[飛鳥盡而良弓藏 비조진이양궁장] 나는 새를 다 잡으면 좋은 활도 소용없어 방치하듯이, 신하도 소용이 있으면 쓰고 소용이 없으면 버림을 받는다는 말.
[飛淙 비종] 폭포(瀑布).
[飛走 비주] 비금주수(飛禽走獸).
[飛注 비주] 쏜살같이 빨리 흐름.
[飛塵 비진] 공중에 뜬 먼지.
[飛車 비차] 바람의 힘으로 공중을 난다는 수레.
[飛札 비찰] 편지를 급히 보냄. 또, 그 편지.
[飛泉 비천] ㉠솟아오르는 샘. ㉡폭포.
[飛檐 비첨] 비첨(飛簷).
[飛簷 비첨] 높은 처마.
[飛蟲 비충] ㉠새. 조류(鳥類). ㉡잘 나는 벌레. 모기 같은 것.
[飛馳 비치] 날아 달림. 달리어 낢.
[飛彈 비탄] 나는 탄알.
[飛塔 비탑] 높은 탑.
[飛兔龍文 비토용문] 비토(飛兔)와 용문(龍文)이 모두 옛날 준마(駿馬)의 이름. 뛰어난 자제(子弟)의 비유.
[飛陛 비폐] 높은 섬돌. 높은 석계(石階).
[飛瀑 비폭] 폭포(瀑布).
[飛行 비행] 공중으로 날아다님.
[飛行機 비행기] 발동기를 장치하여 공중을 나는 기계.
[飛行船 비행선] 경기구(輕氣球)에 기관을 장치하여 나는 기계.
[飛行殿 비행전] '연(輦)'의 별칭(別稱).
[飛軒 비헌] 높은 처마. 또, 높은 집.
[飛虎 비호] ㉠나는 듯이 닫는 범. ㉡동작(動作)이 용맹(勇猛)스럽고 날쌘 것을 이름.
[飛華 비화] 지는 꽃.
[飛禍 비화] 뜻밖의 재화.
[飛丸 비환] 나는 탄알. 전(轉)하여, 빨리 경과함.
[飛黃 비황] ㉠신마(神馬)의 이름. 등에 뿔이 있으며, 천 년을 산다고 함. ㉡준마(駿馬).
[飛蝗 비황] 누리. 황충(蝗蟲).
◉輕飛. 孤飛. 高飛. 群飛. 突飛. 奮飛. 桑飛. 雙飛. 聯飛. 燕雁代飛. 龍飛. 雨飛. 雄飛. 六飛. 翰飛. 鴻飛. 翾飛. 翬飛.

10 ⑲ [⿰倝飛] 〔한〕
翰(羽部 十畫〈p. 1810〉)과 同字

12 ㉑ [飜] [高人] 번 [平]元 孚袁切 fān 

[筆順] 𠂊 釆 香 番 番ㄟ 番ㅣ 飜ㄱ 飜

[字解] ①날 번, 나부낄 번 翻(羽部 十二畫)과 同字. '孰能飛—'《王粲》. ②옮길 번 한 나라 말을 다른 나라 말로 옮김. '—譯'.
[字源] 形聲. 飛+番〔音〕. '番번'은 씨를 흩뿌리다의 뜻. 새가 하늘을 날아 나부끼다의 뜻을 나타냄.

[飜倒 번도] 거꾸로 됨. 거꾸로 함.
[飜流 번류] 아래로 흐르던 물이 거슬러 흐름.
[飜翔 번상] 낢.
[飜焉 번언] 나는 모양.
[飜譯 번역] 한 나라의 말이나 글을 딴 나라의 말이나 글로 옮김. 번역(翻譯).
[飜雲覆雨 번운복우] 손바닥을 뒤집듯이 인정이 변하기 쉬움을 비유하여 이르는 말.
[飜潮 번조] 거슬러 밀려오는 조수.
[飜車 번차] 용골차(龍骨車).
◉踏飜. 騰飜. 覆飜. 翩飜.

13 ㉒ [⿰睘飛] 환 [平]刪 胡關切 huán

[字解] 빙돌아날 환 새가 빙빙 돌며 낢. '—, 禽遶飛也'《集韻》.

食(飠) (9획) 部

〔밥식부〕

0 ⑨ [食] [中人] [一] 식 [入]職 乘力切 shí
[二] 사 [去]寘 祥吏切 sì
[三] 이 [去]寘 羊吏切 yì 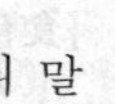

[筆順] 人 亼 今 今 舎 食 食 食

[字解] [一] ①먹을 식 ㉠음식을 삼킴. '雖有嘉肴, 弗—不知其旨也'《禮記》. ㉡식사를 함. '願東家—而西家宿'《事文類聚》. ㉢놀고먹음. '遊—者衆'《後漢書》. ㉣마심. '—酒, 至數石不亂'《漢書》. ㉤젖을 먹음. '適見㹠子—於其死母'《莊子》. ㉥죽어 제사를 받음. '死當廟—'《後漢書》. ㉦녹을 탐. '—祿'. '彼君子兮不素—兮'《詩經》.

ⓞ거짓말함. '朕不—言'《書經》. ②먹이 식 먹을 거리. 먹는 물건. '糧—'. '美—'. 또, 먹는 일. 먹기. '佳—往'. '發憤忘—'《論語》. ③제사 식 제향. '薦其時—'《中庸》. ④녹 식 녹봉. '—俸'. '君子謀道不謀—'《論語》. ⑤벌이 식 생활. 생계. '趨末—'《漢書》. ⑥현혹게할 식 미혹(迷惑)하게 함. '明君在上, 便嬖不能—其意'《管子》. ⑦지울 식 없앰. '後雖悔之, 不可—已'《左傳》. ⑧개먹을 식 蝕(虫部 九畫)과 통용. '日有—之'《春秋》. ⑨성 식 성(姓)의 하나. ㊁ ①밥 사 곡식을 익힌 주식. '—居人之左'《禮記》. ②기를 사 ㉠양육함. '穀也—子'('穀'은 사람 이름)《左傳》. ㉡동물을 사육함. '—牛以要秦穆公'《孟子》. ③먹일 사 ㉠먹여 줌. '飮之—之'《詩經》. ㉡먹여 살림. '吾業賴之以—吾軀'《劉基》. ㊂ 사람이름 이 인명. '酈—其'. '審—其'.

字源 甲骨文 金文 篆文 象形. 식기에 음식을 담고 뚜껑을 덮은 모양을 본떠 '음식, 먹다'의 뜻을 나타냄.

參考 '食식'을 의부(意符)로 하여, 여러 가지 종류의 음식물이나 먹는 행위에 관한 문자를 이룸. 부수 이름은 '밥식', 변으로 쓰일 때에는 '飠'의 자형이 됨.

[食氣 사기] 밥. 밥의 기(氣).
[食客 식객] 문하(門下)에서 기식(寄食)하는 선비. 문객(門客).
[食頃 식경] 식사를 할 만한 시간. 조금 긴 시간.
[食口 식구] 한집에 살고 있는 사람 수. 또, 인구(人口)㉡.
[食舊德 식구덕] 선조(先祖)의 공로(功勞)로 자손(子孫)이 작위(爵位)를 받음.
[食氣 식기] ㉠음식을 먹고 싶어하는 마음. ㉡귀신이 흠향(歆饗)을 함. ㉢도가(道家)의 양생법으로서 심호흡 비슷한 방법으로 공기를 마시는 일. ㉣밥. 밥의 기(氣).
[食器 식기] 음식(飮食)을 담는 그릇.
[食啖 식담] 음식을 먹음.
[食堂 식당] ㉠음식(飮食)을 먹는 방. ㉡주식(酒食)을 파는 음식점(飮食店).
[食刀 식도] 식칼.
[食道 식도] ㉠양식을 운반하는 길. ㉡목구멍에서 위(胃)에 이르는 소화기(消化器) 계통의 처음 부분.
[食量 식량] 음식을 먹는 분량.
[食糧 식량] 먹을 양식(糧食).
[食力 식력] ㉠백성의 조세(租稅)로 먹고삶. ㉡자기 힘으로 생계를 세움. 일하여 먹고삶. 또, 그 사람.
[食祿 식록] ㉠녹. 녹봉(祿俸). ㉡녹을 타 생활함.
[食料 식료] ㉠음식을 만드는 재료. ㉡음식 값.
[食母 식모] ㉠유모(乳母). ㉡《韓》고용되어 밥 짓는 여자.
[食物 식물] 먹는 물건.
[食補 식보] 음식을 먹어서 원기(元氣)를 도움.
[食福 식복] 먹을 복(福).
[食封 식봉] 식읍(食邑).
[食俸 식봉] 녹. 녹봉(祿俸).
[食不重肉 식부중육] 한 번 하는 식사에 고기를 두 가지 이상 놓고 먹지 아니함. 제(齊)나라의 안영(晏嬰)의 생활이 검소했던 고사(故事).
[食不知其味 식부지기미] 마음을 딴 데 두면 밥을 먹어도 그 맛을 모름.
[食不二味 식불이미] 일상 먹는 식사에 딴 음식을 더 보태지 아니함. 곧, 음식을 잘 차려 먹지 아니함.
[食匕 식비] 숟가락. 수저.
[食費 식비] 밥값.
[食事 식사] 밥을 먹는 일.
[食傷 식상] 먹은 음식이 소화되지 않고 복통·토사(吐瀉)가 나는 병.
[食色 식색] 식욕(食慾)과 색욕(色慾).
[食色性也 식색성야] 식욕과 성욕은 선천적으로 가지고있는 사람의 고유한 성(性)임.
[食膳 식선] ㉠음식. ㉡상에 차린 음식.
[食性 식성] 음식에 대하여 좋아하고 싫어하는 성질.
[食少事煩 식소사번] 먹을 것은 적고 일만 많음.
[食率 식솔] 한 집안에 딸린 식구.
[食數 식수] 먹을 운수. 식복(食福).
[食案 식안] 밥상.
[食言 식언] 거짓말을 함. 한 말을 실행하지 아니함. 남과 약속한 것을 지키지 아니함.
[食熱 식열] 어린애의 과식(過食)으로 나는 신열(身熱).
[食鹽 식염] 식용(食用)의 소금.
[食玉炊桂 식옥취계] 옥(玉)을 먹고 계수(桂樹)나무로 밥을 지음. 곧, 물가(物價)가 비쌈의 비유.
[食慾 식욕] 음식을 먹고자 하는 마음.
[食用 식용] 먹을 것에 씀. 또, 식료.
[食牛之氣 식우지기] 소를 삼킬 만한 큰 기상. 어려서부터 비범한 기상이 있음을 이름. 탄우지기(呑牛之氣).
[食肉類 식육류] 포유류(哺乳類) 중의 한 무리. 주로 육식을 하는 짐승. 대개가 사나운 짐승임. 개·고양이·족제비 따위.
[食飮 식음] 먹고 마심.
[食飮全廢 식음전폐] 음식(飮食)을 전혀 먹지 아니함.
[食邑 식읍] 공신(功臣)에게 논공행상(論功行賞)으로 주는 영지(領地). 그 조세를 받아 먹게 함. 채읍(采邑).
[食醫 식의] 주대(周代)의 벼슬 이름. 음식을 관장함.
[食餌 식이] 먹을 것. 식물(食物).
[食而不知其味 식이부지기미] 식부지기미(食不知其味).
[食者民之本 식자민지본] 음식은 백성을 보존하는 근본임.
[食田 식전] ㉠전지의 수입으로 삶. ㉡식읍(食邑).
[食前 식전] 밥을 먹기 전(前).
[食前方丈 식전방장] 자기 자리 앞에 진수성찬을 열 자 사방가량 늘어놓음. 아주 음식에 호사함을 이름.
[食鼎 식정] 밥솥.
[食駿馬之肉 식준마지육] 야인(野人)들이 진(秦)나라 목공(穆公)의 준마(駿馬)를 잡아먹었을 때 공(公)은 이를 벌(罰)하지 않고 도리어 술로 대접(待接)을 했더니, 야인들이 그 은혜(恩惠)에 감복(感服)하여 진(晉)과의 싸움에 역전(力戰)해 주었기 때문에, 목공이 대승(大勝)했다는 고사(故事).
[食地 식지] 곡식을 심는 땅. 경지(耕地). 「락.
[食指 식지] 집게손가락. 일설(一說)에는 약손가
[食指動 식지동] 집게손가락이 자연히 움직임. 맛

있는 음식을 먹을 조짐이라 함. 전(轉)하여, 욕심이 생김을 이름.
[食次冊 식차책] 요리의 목록. 메뉴.
[食饌 식찬] 반찬.
[食滯 식체] 먹은 음식(飮食)이 소화(消化)가 아니 되는 병(病).
[食醋 식초] 조미료로 쓰이는 초(醋).
[食蟲類 식충류] 주로 벌레를 잡아먹고 사는 동물(動物)의 한 목(目). 몸은 작고 구멍 속이나 나무 위에 살며, 입이 길고 눈이 작음. 두더지 따위.
[食蟲植物 식충식물] 잎의 섬모(纖毛)·점액(粘液)·소화액(消化液) 등의 포충 기관(捕蟲器官)으로 벌레를 잡아먹는 식물. 파리지옥풀·끈끈이주걱 따위.
[食卓 식탁] 음식을 차려 놓는 탁자.
[食品 식품] 식료품.
[食稟 식품] 음식(飮食)을 먹는 분량(分量). 먹음새.
[食醯 식혜] 밥에 엿기름가루 우린 물을 부어서 담근 음식(飮食).
[食貨 식화] 음식물과 재화.
[食後 식후] 밥을 먹은 뒤.
◉旰食. 間食. 甘食. 減食. 強食. 丐食. 乞食. 缺食. 過食. 饋食. 錦衣玉食. 金環食. 給食. 寄食. 飢者易爲食. 難食. 暖衣飽食. 祿食. 廩食. 多食. 簞食. 斷食. 大食. 徒食. 斗食. 馬食. 末食. 眠食. 目食. 廟食. 美食. 飯食. 伴食. 配食. 陪食. 邊食. 副食. 粉食. 菲食. 三食. 尙食. 羨食. 鮮食. 少食. 素食. 疎食. 疏食. 蔬食. 宵食. 熟食. 侍食. 惡食. 約食. 弱肉強食. 洋食. 糧食. 御食. 漁食. 旅食. 易衣竝食. 噉食. 五鼎食. 玉食. 蓐食. 冗食. 傭食. 寓食. 牛飮馬食. 月食. 侑食. 遊食. 肉食. 飮食. 衣食. 耳食. 因噎廢食. 日食. 日中則昃月滿則食. 訾食. 蠶食. 財食. 爭食. 傳食. 絶食. 節食. 井渫不食. 定食. 鼎食. 粗食. 朝食. 坐食. 主食. 酒食. 中食. 嗟來之食. 餐食. 菜食. 稍食. 寢食. 呑食. 貪食. 退食. 嬒食. 偏食. 貶食. 飽食. 暴食. 寒食. 行食. 血食. 火食. 會食. 虧食.

1
⑩ [⿰飠乚] 〔의·애〕
饐(食部 十二畫〈p. 2583〉)와 同字

2
⑪ [飢] [高人] 기 [平]支 居夷切 jī 饥 飢

[筆順] 𠆢 亽 今 今 刍 㑒 飠 飣 飢

[字解] ①주릴 기 굶주림. '一者易爲食'《孟子》. ②굶길 기 굶주리게 함. '稷思天下有飢者, 由己一之也'《孟子》. ③흉년들 기 오곡이 잘 여물지 아니함. '歲且荐一'《蘇軾》. ④굶주림 기 기아. '黎民阻一'《書經》. ⑤성 기 성(姓)의 하나.
[字源] 篆文 形聲. 倉(食)+几〔音〕. '几궤'는 '稽계'와 통하여 '머무르다'의 뜻. 음식물이 바닥나다, 주리다의 뜻을 나타냄.

[飢渴 기갈] 배고프고 목마름. 굶주림.
[飢困 기곤] 굶주려 고생함.
[飢饉 기근] 흉년(凶年)으로 인하여 곡식이 부족하여 먹지 못하고 굶주림. 기근(饑饉).
[飢色 기색] 굶주린 얼굴빛. 기색(饑色).
[飢歲 기세] 흉년.
[飢餓 기아] 굶주림. 기아(饑餓).
[飢穰 기양] 풍년과 흉년.
[飢疫 기역] 기근과 전염병.
[飢者易爲食 기자이위식] 주린 사람은 무엇이든지 먹음. 곤궁한 백성은 조금만 은혜를 베풀어도 감격함의 비유.
[飢寒 기한] 배고프고 추위에 떪. 전(轉)하여, 의식(衣食)의 결핍.
[飢寒發善心 기한발선심] 의식(衣食)이 결핍하면 분투노력하여야겠다는 마음이 저절로 생김.
◉凍飢. 餓飢. 療飢. 泣飢. 朝飢. 調飢.

2
⑪ [飣] 정 [去]徑 丁定切 dìng 饤 飣

[字解] ①쌓아둘 정 저장함. '一而不食者'《玉海》. ②늘어놓을 정 '一餖'는 음식을 죽 늘어놓고 먹지 아니함. 전(轉)하여, 의미 없는 문사(文詞)를 죽 늘어놓음. '看核分一餖'《韓愈》.
[字源] 形聲. 倉(食)+丁〔音〕. '丁정'은 못 박아 두다의 뜻. 음식을 못 박아 두듯 저장하다의 뜻을 나타냄.

[飣餖 정두] 자해(字解)❷를 보라.

2
⑪ [飤] 사 [去]寘 祥吏切 sì

[字解] 먹일 사 먹게 함. '子推自割而一君兮, 德日忘而怨深'《楚辭》.
[字源] 金文 篆文 形聲. 人+倉(食)〔音〕. 사람에게 음식을 주어 먹이다의 뜻을 나타냄.

2
⑪ [飡] 〔손〕
飧(食部 三畫〈p. 2570〉)의 俗字

2
⑪ [⿰飠刀] 〔도〕
饕(食部 十三畫〈p. 2585〉)와 同字

3
⑫ [飥] 탁 [入]藥 他各切 tuō

[字解] 떡 탁 음식의 한 가지. '餺一'. '麥麨堪作飯及餅一'《齊民要術》.
[字源] 形聲. 倉(食)+乇〔音〕

◉餺飥. 餅飥.

3
⑫ [⿱叨食] 〔도〕
饕(食部 十三畫〈p. 2585〉)의 俗字

3
⑫ [⿰飠乞] [一] 기 gē
[二] 흘 [入]物 許訖切 xì

[字解] [一] 수제비 기 '一餎'은 수제비. '吃南瓜面一餎'《丁玲》. [二] 배부를 흘 만족함. '一, 飽也'《字彙》.

3
⑫ [⿰飠乞]
⿰飠乞(前條)와 同字

3
⑫ [⿰飠丑] 뉴 [去]有 女救切 niù

[字解] ①비빔밥 뉴 '一, 雜飯也'《五音篇海》. ②

飷(食部 四畫)의 俗字. '一, 飷俗字'《龍龕手鑑》.

3 ⑫ **[飦]** 전 ㉥先 諸延切 zhān

字解 죽 전 饘(食部 十三畫)과 同字. '一粥之食'《孟子》.

字源 篆文 形聲. 倉(食)+干〔音〕.

3 ⑫ **[飧]** 손 ㉥元 思渾切 sūn

字解 ①저녁밥 손 석식. 만찬. '一饔'. ②지을 손 저녁밥을 지음. '饔一而治'《孟子》. ③말 손 밥을 물이나 국물 같은 데에 넣어 픎. '不敢一'《禮記》. ④먹을 손 '子夜一瓊液'《列仙傳》.

字源 篆文 會意. 夕+食. 저녁에 먹는 밥의 뜻을 나타냄.

參考 飱(食部 四畫)·飡(食部 二畫)은 俗字.

[飧饔 손옹] 저녁밥과 아침밥. 조석의 식사.
◉盤飧. 腐儒飧. 素飧. 晨飧. 饔飧. 朝飧. 壺飧.

4 ⑬ **[飩]** 돈 ㉥元 徒渾切 tún 饨

字解 만두 돈, 빵 돈 餛(食部 八畫)을 보라. '餛一'.

字源 形聲. 倉(食)+屯〔音〕. '屯돈'은 물건이 모여 섞여서 분간을 할 수 없다의 뜻. 모여 섞여 있는 음식의 뜻을 나타냄.

◉餛飩. 餺飩.

4 ⑬ **[飮]** 용 ㉤腫 而勇切 rǒng

字解 먹을 용 '一, 食也'《玉篇》.

4 ⑬ **[飪]** 임 ㉤寢 如甚切 rèn 饪

字解 익힐 임 불에 익게 함. 또 익힌 음식. '失一, 不食'(너무 익혀 먹을 수 없음)《論語》.

字源 篆文 形聲. 倉(食)+壬〔音〕. '壬임'은 장시간에 걸쳐 꼼꼼히 하다의 뜻. 꼼꼼하게 한 조리의 뜻을 나타냄.

參考 餁(食部 六畫)은 同字.

◉饔飪. 烹飪.

4 ⑬ **[飫]** 어 ㉦御 依倨切 yù 饫

字解 ①실컷먹을 어 먹기 싫도록 많이 먹음. '一肥鮮'《劉基》. ②잔치 어 서서 먹는 연회. '武王克殷, 作一歌'《國語》.

字源 篆文 形聲. 倉(食)+夭〔音〕. '夭요'는 젊고 정력적이다의 뜻. 정력적으로 먹다, 술잔치, 물리다의 뜻을 나타냄.

[飫歌 어가] 서서 먹는 연회(宴會)에서 부르는 노래.
[飫聞 어문] 하도 들어 듣기 싫음.
[飫賜 어사] 실컷 먹도록 주식을 많이 하사함.
[飫宴 어연] 주연(酒宴).
◉酣飫. 厭飫. 饜飫. 飮飫. 飽飫.

4 ⑬ **[飷]** 뉴 ㉦宥 女救切 niù / ㉤有 女九切

字解 비빔밥 뉴 '一, 雜飯也'《說文》.

字源 形聲. 倉(食)+丑〔音〕

4 ⑬ **[飭]** 人名 칙 ㉧職 恥力切 chì 饬

字解 ①신칙할 칙 타일러 훈계함. '一其子弟'《國語》. ②갖출 칙 정비함. '戎車既一'《詩經》. ③삼갈 칙 조신(操身)함. '一躬齋戒'《漢書》. ④힘쓸 칙 부지런히 일함. '百工一化八材'《周禮》.

字源 篆文 形聲. 人+力+倉(食)〔音〕. '食식'은 '直직'과 통하여 '곧다'의 뜻. 노력하여 바르게 하다의 뜻을 나타냄.

[飭勵 칙려] 신칙(申飭)하고 격려함.
[飭愿 칙원] 삼가고 조심함.
[飭正 칙정] ㉠삼가고 바름. ㉡몸을 닦아 바르게 함.
◉謙飭. 敬飭. 警飭. 戒飭. 誡飭. 匡飭. 具飭. 規飭. 謹飭. 誓飭. 修飭. 約飭. 嚴飭. 整飭.

4 ⑬ **[餇]** 구 ㉦宥 居又切 jiù

字解 물릴 구, 포식할 구 匓(勹部 十二畫)와 同字. '匓, 說文, 飽也, 祭祀曰厭匓, 或作一'《集韻》.

4 ⑬ **[飼]** 〔구〕 餉(食部 五畫〈p. 2573〉)와 同字

4 ⑬ **[飬]** 〔액〕 餩(食部 五畫〈p. 2573〉)과 同字

4 ⑬ **[飮]** 中人 음 ①-⑤㉤寢 於錦切 yǐn / ⑥㉦沁 於禁切 yìn 饮

筆順 ノ 𠆢 今 今 𩙿 飠 飮 飮

字解 ①마실 음 ㉠물·차 등을 마심. '一茶'. '一用六清'《周禮》. ㉡술을 마심. '一豪'. '酣一'. '太守與客來, 一于此'《歐陽修》. ②마실것 음 물·술 등의 음료. '一瓢一'. 또, 물·술 등을 마시는 일. '僧解一則犯戒律'(중이 술 맛을 알면 타락함)《李義山雜纂》. ③머금을 음 참음. 품음. '一恨'. ④숨길 음 감춤. '一章'. '一其德'《漢書》. ⑤잔치 음 주연. '張樂設一'《戰國策》. ⑥마시게할 음 ㉠음료를 주어 마시도록 함. '酌而一寡人'《禮記》. ㉡마소에게 물을 마시게 함. '一馬于囒'《左傳》.

字源 甲骨文 金文 篆文 形聲. 篆文은 酉+欠+今〔音〕. '今금'은 '含함'과 통하여 '머금다'의 뜻. 입에 술을 머금다의 뜻에서 '마시다'의 뜻을 나타냄. 뒤에 '㱃염'을 '食식'으로 고쳐서 '飮음'이 됨.

[飮噱 음각] 술을 마시고 즐거워 껄껄 웃음.
[飮器 음기] ㉠술잔. ㉡요강.
[飮啗 음담] 마시고 먹음.
[飮德 음덕] 덕을 숨기고 나타내지 않음.
[飮徒 음도] 술친구.
[飮毒 음독] 독약(毒藥)을 먹음.
[飮樂 음락] 술을 마시며 즐김.
[飮量 음량] 술을 마시는 분량. 주량.

[飲料 음료] 마시는 액체의 총칭.
[飲料水 음료수] 먹는물.
[飲暑 음서] 더위를 먹음.
[飲膳 음선] 음식(飮食).
[飲水思源 음수사원] 물을 마시며 수원(水源)을 생각함. 근본을 잊지 않음을 이름.
[飲食 음식] 먹고 마심. 또, 그 물건.
[飲食人 음식인] 구복(口腹)의 욕심만 채울 줄 아는 사람.
[飲飫 음어] 주연(酒宴).
[飲羽 음우] 센 활로 쏘아 화살에 낀 깃까지 깊이 들어감.
[飲泣 음읍] ㉠눈물이 흘러 입으로 들어감. ㉡소리를 내지 않고 욺.
[飲章 음장] 익명서(匿名書).
[飲漿 음장] 물·술·간장 등의 음료.
[飲酒 음주] 술을 마심.
[飲中八仙歌 음중팔선가] 당(唐)나라의 두보(杜甫)가 당시의 유명한 주호(酒豪) 여덟 사람, 곧 하지장(賀知章)·왕진(王璡)·이적지(李適之)·최종지(崔宗之)·소진(蘇晉)·이백(李白)·장욱(張旭)·초수(焦遂)의 일을 읊은 칠언 고시(七言古詩).
[飲至策勳 음지책훈] 개선하여 종묘에 이르러 술을 마시고 전공을 기록함.
[飲茶 음차] 차를 마심.
[飲啜 음철] 훅 들이마심. 음식을 먹음.
[飲歠 음철] 음철(飲啜).
[飲醉 음취] 술을 마시고 취(醉)함.
[飲啄 음탁] ㉠새가 물을 마시고 먹이를 쫌. ㉡사람이 음식을 먹고 삶.
[飲河滿腹 음하만복] 시궁쥐는 작은 동물이므로 황허 강의 물을 마셔도 배만 부르면 만족히 여김. 사람도 모두 자기 분수에 만족하여야 한다는 비유.
[飲恨 음한] 원한을 깊이 품고 참음.
[飲豪 음호] 술을 잘 마시는 사람. 주호.
[飲禍 음화] 술을 마시고 받은 화(禍).
[飲戲 음희] 술을 마시며 즐김.
◉渴飲. 酣飲. 訣飲. 鯨飲. 谷飲. 狂飲. 劇飲. 爛飲. 簞食瓢飲. 對飲. 逃暑飲. 茗飲. 文字飲. 抔飲. 陪飲. 肆飲. 侍飲. 夜飲. 宴飲. 燕飲. 讌飲. 牛飲. 溜飲. 一簞食一瓢飲. 酌飲. 長夜之飲. 帳飲. 適飲. 縱飲. 淺飲. 痛飲. 暴飲. 瓢飲. 浩飲. 豪飲. 洪飲.

4 ⑬ [飯] [中·人] 반 ①③④㊮願 符萬切 fàn 饭
②㊤阮 扶晚切

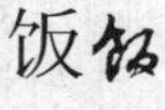

[筆順] 𠆢 亼 今 今 ⻞ 食 飠 飯

[字解] ①밥 반 ㉠곡식을 익힌 주식(主食). '毋摶一'《禮記》. ㉡식사(食事). '日中忘一'《世說》. ②먹을 반 ㉠밥을 먹음. '君祭先一'《論語》. ㉡식사를 함. '一一三吐哺'《十八史略》. ㉢밥을 말아 먹음. '一飲而俟'《禮記》. ③먹일 반 밥을 먹게 함. '見信飢一信'《史記》. ④기를 반 마소를 사육함. '甯戚一牛居車下'《呂氏春秋》.
[字源] 篆文 形聲. 倉(食)+反〔音〕. '反반'은 '되돌아가다'의 뜻. 곡식을 끓여서 만든 밥의 뜻을 나타냄.
[參考] 飰(次條)은 同字.

[飯監 반감]《韓》궁중에서 음식물이나 물품의 진상(進上)을 맡아보던 관원.
[飯羹 반갱] 밥과 국.
[飯磬 반경] 절에서 식사 시간에 중을 부르기 위하여 치는 경(磬).
[飯鷄 반계] 닭의 일종(一種). 몸이 작고 다리가 짧음.
[飯顆 반과] 반립(飯粒).
[飯器 반기] 밥그릇.
[飯囊 반낭] 밥주머니. 곧, 무능하여 놀고먹는 사람을 조롱하는 말.
[飯袋 반대] 반낭(飯囊).
[飯粒 반립] 밥알.
[飯米 반미] 밥쌀.
[飯鉢 반발] 밥그릇.
[飯噴 반분] 식사 중에 저절로 웃음이 나와 입 안의 밥을 뱉는 일. 전(轉)하여, 폭소(爆笑). 분반(噴飯).
[飯食 반사] 밥.
[飯匙 반시] 밥숟가락. 밥주걱.
[飯盂 반우] 밥그릇.
[飯牛歌 반우가] 제(齊)나라의 영척(甯戚)이 세상에 쓰이지 않아 소를 기르고 있을 때 지은 노래. 환공(桓公)이 이 노래를 듣고 그를 불러 대부(大夫)로 발탁하였다고 함.
[飯飮 반음] 밥과 음료.
[飯店 반점] 음식점. 요리점(料理店).
[飯酒 반주] 밥을 먹을 때에 곁들이어 마시는 술.
[飯饌 반찬] 밥에 곁들여 먹는 어육(魚肉)·채소 등으로 만든 여러 음식.
[飯後之鐘 반후지종] 목란원(木蘭院)의 중이 식객 왕파(王播)가 싫어 식사 후에 종을 쳐서 식사를 알렸다는 고사(故事)에서, 기한에 뒤짐을 이름.
◉家常飯. 強飯. 羹飯. 乾飯. 骨董飯. 餘飯. 糗飯. 喫飯. 冷飯. 多飯. 茶飯. 噉飯. 晚飯. 麥飯. 米飯. 美飯. 密飯. 放飯. 噴飯. 蔬飯. 粱飯. 糲飯. 一宿一飯. 殘飯. 粗茶淡飯. 粗飯. 餐飯. 菜飯. 炊飯. 攤飯. 脫粟飯. 飽飯. 胡麻飯. 晓飯.

4 ⑬ [飰] 飯(前條)과 同字

4 ⑬ [餖] 【一】 투 ㊮宥 都豆切 dòu
【二】 설 ㊇屑 式列切 shè

[字解] 【一】 ①저장할 투 음식을 모아 둠. ②만두 투 소를 넣어 찌거나 삶은 음식. 【二】 음식차려놓을 설 음식을 진설(陳設)함. '一, 陳飮食也'《集韻》.

4 ⑬ [餉] 납 ㊇合 諾盍切 nà

[字解] 먹는모양 납 '一, 食皃'《玉篇》.

4 ⑬ [飧] 〔손〕
飱(食部 三畫〈p. 2570〉)의 俗字

5 ⑭ [飴] [人名] 【一】 이 ㊥支 與之切 yí 饴
【二】 사 ㊮寘 祥吏切 sì

[字解] 【一】 ①엿 이 단 음식의 하나. '堇荼如一'《詩經》. ②단맛 이 감미. '王之膳羞, 共一鹽'《周禮》. 【二】 먹일 사 먹게 함. '以私米作饘粥, 以一餓者'《晉書》.

[字源] 篆文 形聲. 倉(食)＋台〔音〕. '台이'는 연하다, 느긋하다의 뜻. 연한 음식, 엿의 뜻을 나타냄.

[飴蜜 이밀] 엿과 꿀.
[飴鹽 이염] 서방 오랑캐 땅에서 나오는 맛이 단 소금.

5 ⑭ [𩚵] 본 [上]阮 部本切 bèn

[字解] 변변치못한음식 본 '一, 粗食'《集韻》.

5 ⑭ [飻] [一] 철 [入]屑 他結切 tiè [二] 전 [上]銑 徒典切

[字解] [一] 탐할 철 탐식함 '一, 食也'《說文》. [二] 탐할 전 [一]과 뜻이 같음.
[字源] 形聲. 倉(食)＋㐱〔音〕

5 ⑭ [飶] 필 [入]質 毗必切 bì

[字解] 구수할 필 음식의 식욕을 돋우는 냄새가 나는 모양. '有一其香'《詩經》.
[字源] 篆文 形聲. 倉(食)＋必〔音〕. '必필'은 '蜜밀'과 통하여 '은밀하다'의 뜻. 은은한 음식의 향기의 뜻을 나타냄.

5 ⑭ [𩛆] 반 [上]旱 博管切 bǎn

[字解] 싸라기떡 반 싸라기로 만든 떡. '鈞所生母病, 便加慘悴, 左右依常以五色一飴之, 不肯食'《南史》.

◉五色𩛆.

5 ⑭ [𩚬] 니 [平]支 女夷切 ní

[字解] 떡 니 '一, 餌也'《集韻》.

5 ⑭ [飼] [人名] 사 [去]寘 祥吏切 sì

[字解] 기를 사, 칠 사 가축을 사양(飼養)함. '一育'. '付民養一'《南齊書》.
[字源] 形聲. 倉(食)＋司〔音〕. '司사'는 '담당하다'의 뜻. 동물의 먹이를 담당하다, 기르다의 뜻을 나타냄.

[飼料 사료] 가축(家畜)의 먹이.
[飼養 사양] 사육(飼育).
[飼育 사육] 짐승을 기름.
◉放飼. 養飼.

5 ⑬ [飼] 飼(前條)와 同字

5 ⑭ [𩛂] 감 [平]覃 沽三切 gān

[字解] 떡 감 '一, 餌也'《集韻》.

5 ⑭ [飽] [高·人] 포 [上]巧 博巧切 bǎo 饱

[筆順] 人 亽 今 今 食 飣 飽 飽

[字解] ①배부를 포 충분히 먹음. '食無求一'《論語》. ②배불리 포 배가 부르게. '一食煖衣'《孟子》. ③만족할 포 마음에 흡족함. '耳一從諛之說'《陸機》.
[字源] 篆文 形聲. 倉(食)＋包〔音〕. '包포'는 싸안아 부풀다의 뜻. 먹어서 배가 부르다의 뜻을 나타냄.

[飽看 포간] 싫도록 봄.
[飽喫 포끽] 포식(飽食).
[飽暖 포난] 포식난의(飽食暖衣).
[飽煖 포난] 포난(飽暖).
[飽煖生淫欲 포난생음욕] 안일한 생활을 하면 자연히 음욕이 생김.
[飽德 포덕] 은덕을 많이 받음.
[飽滿 포만] 배가 차도록 실컷 먹음.
[飽聞 포문] 싫증이 나도록 들음. 세상에 널리 알려짐.
[飽飯 포반] 포식(飽食).
[飽腹 포복] 포식(飽食).
[飽食 포식] 배부르게 먹음.
[飽食暖衣 포식난의] 배부르게 먹고 따뜻이 입음. 전(轉)하여, 살아가는 데에 부족함이 없음.
[飽飫 포어] 포식(飽食).
[飽和 포화] 정한(定限)의 극도에 이름. 공기 중의 수증기가 일정한 한도를 지나면 빗방울이 되는 현상 따위.
◉饑飽. 宿飽. 軟飽. 厭飽. 盈飽. 溫飽. 饒飽. 糟糠不飽. 醉飽.

5 ⑭ [飾] [高·人] 식 [入]職 賞職切 shì 饰

[筆順] 人 亽 今 今 食 飣 飭 飾

[字解] ①꾸밀 식 ㉠장식을 함. '以珠玉一之'《史記》. ㉡참이 아닌 것을 그럴듯하게 만듦. 겉만 번드르르하게 함. '一言'. '情者不一'《呂氏春秋》. ㉢복장을 차림. '盛一入朝'. '婦人不一, 不敢見舅姑'《禮記》. ㉣더러운 것을 깨끗이 씻음. '一其牛牲'《周禮》. ㉤인위(人爲)를 가함. '其事素而不一'《淮南子》. ㉥끝마무리를 함. '行人子羽修一之'《論語》. ②꾸밈 식 전항의 명사. '裝一'. '文一'. '文采節奏聲之一也'《禮記》. ③가선 식 의복의 가장자리를 딴 감으로 가늘게 두른 선. '羔裘豹一'《詩經》.
[字源] 篆文 形聲. 巾＋人＋倉(食)〔音〕. '食식'은 먹다의 뜻. 사람이 헝겊이나 솔로 바탕이 되는 부분을 마치 먹어 들어가듯 꾸며 나가다의 뜻을 나타냄.

[飾賈 식가] 값을 비싸게 부름. 물건 값을 속여서 비싸게 부름.
[飾車 식거] 장식을 한 수레. 대부(大夫) 이상이 타는 수레. 대거(大車).
[飾巧 식교] 교묘하게 꾸며 속임.
[飾口 식구] 식사(飾辭).
[飾非 식비] 자신의 나쁜 점(點)을 감쌈. 자기의 비위(非違)를 분식(粉飾)함.
[飾詐 식사] 거짓 꾸밈.
[飾辭 식사] 겉만 꾸미어 하는 말.
[飾緖 식서] 피륙의 가장자리를 올이 풀리지 않도록 짠 부분.
[飾說 식설] 겉을 번드르르하게 꾸민 말.

[飾讓 식양] 겉으로 사양하는 체함.
[飾言 식언] 말을 번드르르하게 함.
[飾僞 식위] 거짓을 꾸며 속임.
[飾裝 식장] 치장(治裝)함.
[飾擢 식탁] 재능(才能)을 장려하여 발탁함.
[飾表 식표] 겉을 꾸밈.
[飾喜 식희] 부모를 위해 잔치를 함.
◉矯飾. 落飾. 滿飾. 滿艦飾. 面飾. 文飾. 美飾. 服飾. 扮飾. 粉飾. 鮮飾. 繕飾. 盛飾. 修飾. 厲飾. 麗飾. 緣飾. 豫飾. 外飾. 容飾. 潤飾. 粧飾. 裝飾. 靚飾. 整飾. 彫飾. 雕飾. 藻飾. 侈飾. 豹飾. 虛飾. 絢飾. 華飾.

5 ⑭ [餇] 경 ㊤迥 畎迥切 jiǒng

字解 배불리먹을 경 만족하게 먹음. '—, 飽也'《集韻》.

5 ⑭ [餉] 구 ㊥尤 居侯切 gōu

字解 소가배불리먹을 구 '—, 牛飽'《集韻》.

5 ⑭ [飺] ㊀ 기 ㊥支 居狋切 jī
㊁ 녁 ㊇錫 乃歷切 nì

字解 ㊀ 굶주릴 기 飢(食部 二畫)·饑(食部 十二畫)와 同字. '飢, 說文, 餓也, 或从乏, 从幾'《集韻》. ㊁ 굶주림 녁 惄(心部 八畫)과 同字. '惄, 說文, 飢餓也, 或作—'《集韻》.

5 ⑭ [飴] ㊀ 념 ㊥鹽 女廉切 nián
㊁ 염 ㊥鹽 奴兼切
㊂ 남 ㊥覃 如占切 汝甘切

字解 ㊀ ①보리밥먹을 념 '—, 相謁食麥也'《說文》. ②먹을 념 '—, 食也'《廣雅》. ㊁ 보리밥먹을 염, 먹을 염 ㊀과 뜻이 같음. ㊂ 보리밥먹을 남, 먹을 남 ㊀과 뜻이 같음.
字源 形聲. 倉(食)+占〔音〕

5 ⑭ [飷] 자 ㊤馬 子野切 jiě

字解 맛없을 자 음식물이 맛이 없음. '—, 食無味'《集韻》.

5 ⑭ [飵] ㊀ 작 ㊇藥 在各切 zuò
㊁ 조 ㊦遇 昨誤切 zuò

字解 ㊀ 보리밥먹을 작 '楚人相謁食麥曰—'《說文》. ㊁ ①먹을 조 음식을 먹음. '—, 食也'《廣雅》. ②말릴 조 불에 쬐어 말림. '—, 㸑也'《廣雅》.
字源 篆文 形聲. 倉(食)+乍〔音〕

5 ⑭ [鞅] 앙 ㊤養 倚兩切 yǐng

字解 ①배부를 앙 실컷 먹음. '—, 飽也'《玉篇》. ②가득할 앙 충만함. '—, 滿也'《韻會》.

5 ⑭ [餘] 말 ㊇曷 莫撥切 mò

字解 말먹이 말, 말먹이먹일 말 말의 건초(乾草)나 곡식. 또, 그것을 먹임. 秣(禾部 五畫)과 통용. '—, 食馬穀也'《說文》.
字源 篆文 形聲. 倉(食)+末〔音〕. '末말'은 잘게 만든 끝의 뜻. 잘게 썬 마소의 먹이의 뜻을 나타냄.

5 ⑭ [飳] 〔호〕
餬(食部 九畫〈p. 2580〉)와 同字

5 ⑭ [飸] 〔도〕
饕(食部 十三畫〈p. 2585〉)와 同字

5 ⑭ [鈴] 령 ㊥青 郎丁切 líng

字解 경단(瓊團) 령 '餌, 謂之餻, 或謂之—'《方言》. '—, 餌也'《玉篇》.

5 ⑭ [餢] 부 ㊥尤 蒲侯切 póu

字解 ①먹을 부 '—, —飳, 曰食'《廣韻》. ②배불리먹을 부 '—, —飳, 飽食也'《字彙》.

5 ⑭ [飳] ㊀ 주 ㊦遇 朱戍切 zhù
㊁ 투 ㊤有 他口切 tǒu

字解 ㊀ 경단(瓊團) 주 '—, 餌也'《集韻》. ㊁ 떡투 麮(麥部 五畫)와 同字. '麮, 麮麮, 餠屬, 或作—'《集韻》.

5 ⑭ [餩] 액 ㊇陌 烏格切 è

字解 주릴 액 굶주림. 굶주리는 모양. '—, 飢也'《說文》. '—, 飢皃也'《玉篇》.
字源 篆文 形聲. 倉(食)+戹〔音〕. '戹액'은 '고민하다, 부족하다'의 뜻.

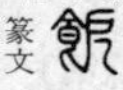

5 ⑭ [飿] 돌 ㊇月 當沒切 duò

字解 밀가루음식 돌 '餶—'은 밀가루에 여러 가지 식품을 섞어 만든 음식. '—, 餶—, 麪果也'《字彙補》.

5 ⑭ [餈] 자 ㊤紙 蔣氏切 cí

字解 나쁠 자 음식이 나쁨. '—食則不肥'《管子》.

[餈食 자식] 악식(惡食).

6 ⑮ [餂] 첨 ㊤琰 他點切 tiǎn

字解 낚을 첨 낚시·갈고랑이 같은 것으로 갉아 당기어 잡음. 전(轉)하여, 꾀어냄. '以言—之'《孟子》.
字源 形聲. 倉(食)+甜〈省〉〔音〕. '甜첨'은 달다, 혀로 핥다의 뜻.

6 ⑮ [餅] 〔병〕餠(食部 八畫〈p. 2578〉)의 俗字 饼

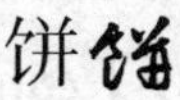

6 ⑮ [餉] 향 (상㊍) ㊦漾 式亮切 xiǎng 饷

字解 ①건량 향 말린 음식. 주로, 군용·여행용으로 쓰임. ②군량 향, 군비 향 군대에서 쓰는 양식. 또, 군자금. '給餽—'《十八史略》. ③보낼

향 밥 기타 음식을 보냄. '以黍肉—'《孟子》. 또, 널리 물건을 보내는 데도 쓰임. ④식사시간 향 식사하는 시간. 전(轉)하여, 짧은 시간을 이름. 일식경(一食頃). '劇談——'《輟耕錄》.

字源 篆文 形聲. 食(食)+向〔音〕. '向향'은 상대를 향하다, 대좌(對座)하다의 뜻. 상대에게 음식을 보내다의 뜻을 나타냄.

[餉餽 향궤] 향궤(餉饋).
[餉饋 향궤] 군량(軍糧).
[餉給 향급] 군량(軍糧)을 공급함.
[餉臺 향대] 밥상. 식탁.
[餉道 향도] 군량을 운반하는 길.
[餉酬 향수] 금전·주식 등을 답례로 줌.
[餉億 향억] 선물.
[餉遺 향유] 선사.
◉軍餉. 餽餉. 饋餉. 晩餉. 糧餉. 午餉. 一餉. 轉餉. 朝餉.

6 ⑮ [餇] 동 ㊥東 徒紅切 tóng

字解 먹을것 동 '—, 食也'《玉篇》.

6 ⑮ [餌] 이 ㊤紙 忍止切 ěr ㊦寘 仍吏切 饵

字解 ①먹이 이 동물의 사료. ②음식 이 먹을 것. '藥—不自給'《唐書》. ③먹을 이 ㉠음식을 먹음. 풀칠함. '無以—其口'《戰國策》. ㉡약으로서 먹음. '常—薏苡以輕身'《十八史略》. ④미끼 이 ㉠낚싯밥. '五十犗以爲—'《莊子》. ㉡사람을 꾀어내기 위하여 주는 물건. 이익 따위. '五—三表'《漢書》. ⑤낚을 이 이익을 미끼로 하여 사람을 낚음. 유혹함. '我以宜陽—王'《戰國策》. ⑥경단 이 떡의 한 가지. '粔籹蜜—'《楚辭》. ⑦심줄 이 수육(獸肉)의 심줄. '去其—'《禮記》.

字源 篆文 別體 形聲. 篆文은 鬲+耳〔音〕. '鬲력'은 솥에서 김이 나는 모양을 본뜸. '耳이'는 '귀'의 뜻. 귓불처럼 탄력성 있고 연한 경단의 뜻을 나타냄. '餌이'는 別體로 食(食)+耳〔音〕. '耳'는 '胹이'와 통하여 부드럽게 푹 찌다의 뜻.

[餌口 이구] 호구(糊口).
[餌啗 이담] 먹이를 먹임. 전(轉)하여, 이(利)를 미끼로 하여 사람을 낚음.
◉餃餌. 鉤餌. 粮餌. 餅餌. 食餌. 藥餌. 香餌. 好餌.

6 ⑮ [銍] 질 ㊇質 陟栗切 zhì

字解 벼베는사람 질 '臣常遊, 困于齊, 乞食—人'《史記》.

6 ⑮ [飪] 〔임〕 飪(食部 四畫〈p. 2570〉)과 同字

[蝕] 〔식〕 虫部 九畫(p. 2024)을 보라.

6 ⑮ [餀] 人名 ㊀ 개 ㊥灰 柯開切 gāi ㊁ 애 ㊦卦 乙界切 ài

筆順 𠆢 今 食 食 飠 餀 餀 餀

字解 ㊀ 엿 개 '飴, 謂之—'《方言》. ㊁ ①트림 애 欬(欠部 六畫)와 同字. '—, 通食氣也, 欬, 上同'《廣韻》. ②밥쉴 애 음식이 상하여 맛이 변함. 餲(食部 九畫)와 同字. '餲, 食饐謂之餲, 或从亥'《集韻》.

6 ⑮ [餃] 교 ㊦效 居效切 jiǎo 饺

字解 ①엿 교 '—, 飴也'《集韻》. ②경단 교 '—餌'는 싸라기 가루를 엿에 섞어 만든 떡. '—, 今俗—餌, 屑米麵和餌爲之'《正字通》. ③만두 교 '—子'는 중국식 만두.

6 ⑮ [餡] 노 ㊤晧 奴倒切 nǎo

字解 익힌음식 노 '—, 熟食'《玉篇》.

6 ⑮ [養] 中人 양 ①-⑤㊤養 餘兩切 yǎng ⑥㊦漾 餘亮切 yàng 养

筆順 丷 兰 羊 关 养 養 養 養

字解 ①기를 양 ㉠양육함. 성장시킴. '—育'. '未有學—子而后嫁者也'《大學》. 또, 양육을 당함. '臣朔少失父母, 長—兄嫂'《列仙傳 東方朔》. ㉡짐승을 침. 사양함. '馴—大鳥'《魏書》. ㉢육성함. '我善—吾浩然之氣'《孟子》. ㉣생활을 계속하게 함. '—生'. '聞西伯昌善—老'《史記》. ㉤가르침. '敎—'. '立太傅小傅以—之'《禮記》. ㉥이상의 일. 또, 기르는 데 소용이 되는 일 또는 물건. '滋—'. '夫鳥獸固人之—也'《晏氏春秋》. ②다스릴 양 병을 고침. '療—'. '—其病'《周禮》. ③가려울 양 癢(疒部 十五畫)과 통용. '疾—'《荀子》. ④숨길 양 감춤. '兄之行若不中道, 則—之'《大戴禮》. ⑤성 양 성(姓)의 하나. ⑥봉양 양 아랫사람이 윗사람을 받들어서 기름. 또, 그 일. '供—'. '不顧父母之—'《孟子》.

字源 金文 篆文 形聲. 食+羊〔音〕. '羊양'은 '양'의 뜻. 양을 식기에 담다, 올리다의 뜻에서 파생하여, '기르다'의 뜻을 나타냄.

[養家 양가] 양자(養子)로 들어간 집.
[養鷄 양계] 닭을 기름.
[養高 양고] 고상한 뜻을 길러 보전함.
[養氣 양기] ㉠원기(元氣)를 기름. ㉡호연지기(浩然之氣)를 기름.
[養女 양녀] 데려다 기른 딸. 수양딸.
[養豚 양돈] 돼지를 기름.
[養略 양략] 의식(衣食)이 모자람.
[養廉 양렴] 청렴한 마음을 길러 지님.
[養老 양로] 노인(老人)을 위로하여 안락하게 지내게 함.
[養望 양망] 명망을 얻기 위하여 스스로 마음을 고상하게 함.
[養母 양모] ㉠자기를 낳지는 아니하였으나, 자기를 자식처럼 기른 부인. ㉡양가(養家)의 어머니. ㉢어머니를 봉양(奉養)함.
[養目 양목] 눈을 즐겁게 함.
[養牧 양목] 기름. 사육(飼育)함.
[養兵 양병] 병정을 양성함.
[養病 양병] 병을 조섭(調攝)하여 다스림. 병을 치료(治療)함.
[養病坊 양병방] 병원.
[養蜂 양봉] 꿀벌을 기름.

[養父 양부] ㉠자기를 낳지는 아니하였으나, 자기를 자식처럼 기른 남자. ㉡양가(養家)의 아버지. ㉢아버지를 봉양함.
[養父母 양부모] 양부와 양모.
[養分 양분] 영양(榮養)이 되는 성분(成分). 자양분.
[養嗣 양사] 양자(養子)함.
[養生 양생] ㉠병(病)에 걸리지 않도록 섭생(攝生)함. ㉡부모 생존 시에 잘 봉양함.
[養生喪死 양생상사] 살아 있는 사람을 잘 부양(扶養)하고 죽은 사람을 공손히 장사 지냄.
[養成 양성] 길러서 이루게 함.
[養性 양성] 자기의 성품을 육성하여 완전하게 함. 심신을 안정히 함.
[養孫 양손] 아들의 양자(養子).
[養羞 양수] 먹을 것을 저장하여 둠.
[養視 양시] 기르고 돌봄.
[養息 양식] 양자(養子).
[養心 양심] 심성(心性)을 좋게 기름.
[養痾 양아] 병을 고침. 양병(養病).
[養艾 양애] 노인을 봉양함.
[養夜 양야] 긴 밤. 동지(冬至).
[養養 양양] 근심 때문에 불안한 모양.
[養魚 양어] 물고기를 기름.
[養銳 양예] 예기(銳氣)를 기름.
[養由基 양유기] 춘추 시대(春秋時代)의 궁술(弓術)의 명인(名人).
[養育 양육] 길러 자라게 함.
[養毓 양육] 양육(養育).
[養子 양자] ㉠데려다 기른 아들. 수양아들. ㉡대를 잇기 위하여 동성동본(同姓同本)의 계통의 남자를 자기가 거두어 기른 아들. 양아들.
[養蠶 양잠] 누에를 기름.
[養材 양재] ㉠곡식·수목 따위를 재배함. ㉡인재를 양성함.
[養靜 양정] 조용한 마음을 육성함.
[養拙 양졸] 타고난 소박(素朴)한 덕(德)을 길러 보존함.
[養地 양지] 식읍(食邑).
[養志 양지] ㉠양친의 뜻을 받들어 그 마음을 즐겁게 함. ㉡뜻을 고상하게 함. 정신을 수양함.
[養眞 양진] 천진한 마음을 기름. 천부(天賦)의 본성을 육성함.
[養治 양치] 길러 다스림.
[養齒 양치] 이를 닦고 물로 입 안을 씻어 냄.
[養親 양친] 부모를 봉양(奉養)함.
[養兎 양토] 토끼를 기름.
[養形 양형] 몸을 기름.
[養護 양호] 길러서 거둠. 양육하고 보호함.
[養虎遺患 양호유환] 화근(禍根)을 길러 근심을 사는 것을 이름.
[養和 양화] ㉠화합(和合)하도록 노력함. ㉡화순(和順)의 정신(精神)을 기름. ㉢등을 기대는 기구.
[養花天 양화천] 봄에 꽃이 한창 필 무렵.
[養活 양활] 길러 살림.
[養晦 양회] 은거(隱居)하여 덕(德)을 기름.
◉供養. 敎養. 鞠養. 歸養. 寵養. 都養. 圂養. 牧養. 撫養. 培養. 保養. 奉養. 扶養. 負養. 飼養. 色養. 生養. 收養. 修養. 素養. 馴養. 侍養. 視養. 廝養. 愛養. 藥養. 女子與小人難養. 燕養. 榮養. 療養. 容養. 優養. 乳養. 育養. 恩養. 頤養. 字養. 滋養. 長養. 將養. 靜養. 存養. 廚養. 遵養. 畜養. 抱養. 哺養. 涵養. 惠養. 孝養. 休養. 卹養.

6 ⑮ [餈] 자 (平)支 疾資切 cí
[字解] 인절미 자 떡의 한 가지. '糗餌粉—'《周禮》.
[字源] 篆文 形聲. 食+次〔音〕. '次차'는 차례로 마련하다의 뜻.
◉粉餈.

6 ⑮ [餋] 권 (去)願 倶願切 juàn
[字解] ①제사(祭祀) 권 桊(示部 六畫)과 同字. '—, 常山謂祭爲—, 或从示'《集韻》. ②제사이름 권 '—, 祭名'《廣韻》.

6 ⑮ [餆] 요 (平)蕭 餘招切 yáo
[字解] 떡 요 '—, 餌也'《集韻》.

6 ⑮ [餐] 〔찬〕
餐(食部 七畫〈p. 2578〉)의 俗字

7 ⑯ [餑] 불 (入)月 蒲沒切 bō
[字解] 보리떡 불 맥병(麥餠). '麪—'.
[字源] 形聲. 食(食)+孛〔音〕.

7 ⑯ [餒] 뇌 (上)賄 奴罪切 něi
[字解] ①주릴 뇌 굶주림. '吾有—而已'《左傳》. ②굶길 뇌 굶주리게 함. '凍—其妻子'《孟子》. ③썩어문드러질 뇌 부란(腐爛)함. '魚—而肉敗不食'《論語》.
[字源] 篆文 形聲. 食(食)+妥〔音〕. '妥타'는 '떨어지다'의 뜻. 식료품이 떨어지다, 주리다, 썩다의 뜻을 나타냄.

[餒饉 뇌근] 주림. 굶주림.
[餒棄 뇌기] 굶주려 투신자살함.
[餒病 뇌병] 굶주려 병듦. 굶주려 힘이 빠짐.
[餒士 뇌사] 굶주린 군사.
[餒死 뇌사] 굶주려 죽음. 굶어 죽음.
[餒餓 뇌아] 굶주림.
[餒而 뇌이] 굶주림. 이(而)는 조자(助子).
[餒斃 뇌폐] 굶주려 쓰러져 죽음.
◉困餒. 窮餒. 鬼餒. 飢餒. 饑餒. 凍餒. 貧餒. 萎餒. 羸餒. 豊餒. 乏餒. 寒餒. 懸餒.

7 ⑯ [餓] 高人 아 (去)箇 五个切 è
[筆順] 𠆢 今 今 今 今 飠 飠 餓 餓
[字解] ①주릴 아 대단히 굶주림. '凍—'. '夫子爲粥, 與國之—者'《禮記》. ②굶길 아 굶주리게 함. '—其體膚'《孟子》. ③굶주림 아 기아. '伯夷守—'《後漢書》.
[字源] 篆文 形聲. 食(食)+我〔音〕. '我아'는 깔쭉깔쭉한 날의 도끼의 象形. 먹을 것이 없어져 야위어서 뼈의 깔쭉깔쭉한 부분이 드러

나다, 주리다의 뜻을 나타냄.

[餓鬼 아귀] ㉠《佛敎》 항상 굶주려서 얻어먹지 못하는 귀신. ㉡탐욕이 많고 사나운 자의 비유.
[餓鬼道 아귀도]《佛敎》 삼도(三途) 또는 육취(六趣)의 하나. 이곳에 있는 자는 늘 주리고 매를 맞아 운다 함.
[餓狼 아랑] 굶주린 이리.
[餓狼之口 아랑지구] 굶주린 이리의 입. 곧, 위험(危險)한 장소.
[餓死 아사] 굶어 죽음.
[餓殺 아살] 굶겨 죽임.
[餓則爲用飽則颺去 아즉위용포즉양거] 궁할 때에는 복종하여 섬기나 궁하지 아니할 때는 모반하여 가 버리어 조금도 방심할 수 없음을 이름.
[餓鴟叫 아치규] 주린 솔개의 울음소리.
[餓莩 아표] 굶어 죽은 송장.
[餓殍 아표] 아표(餓莩).
◉困餓. 窮餓. 飢餓. 饑餓. 凍餓. 流餓. 殍餓. 寒餓.

7 ⑯ [餔] 포 ①②㊥虞 博孤切 bū ③㊤遇 薄故切 bù 铺

字解 ①저녁밥 포 신시(申時), 곧 오후 네 시경에 먹는 밥. '昳至—'《呂氏春秋》. ②먹을 포 哺(口部 七畫)와 同字. '何不—其糟而歠其醨'《楚辭》. ③먹일 포 먹게 함. '有老父過, 請歠, 呂后因—之'《漢書》.
字源 篆文 形聲. 倉(食)+甫〔音〕. '甫보'는 '저녁 때'의 뜻. '저녁밥'의 뜻을 나타냄.

[餔時 포시] 저녁 먹을 때. 신시(申時).
[餔啜 포철] 먹고 마심. 음식을 먹음.
[餔歠 포철] 포철(餔啜).
◉玉餔. 饌餔. 下餔. 含餔.

7 ⑯ [餟] 人名 정 ㊤敬 丑正切 chèng

筆順 𠆢 亼 𠆩 食 飠 飠 餟 餟

字解 먹을것보낼 정 '—, 饋也'《集韻》.

7 ⑯ [餕] 준 ㊤震 子峻切 jùn 馂

字解 ①대궁 준 먹다 남은 밥. '旣食恆—'《禮記》. ②먹을 준 대궁을 먹음. '日中而—' (아침에 남긴 밥을 점심에 먹음)《禮記》.
字源 篆文 形聲. 倉(食)+夋〔音〕

[餕餘 준여] 먹던 찌끼. 대궁.
◉御餕. 餘餕. 飮餕.

7 ⑯ [餖] 두 ㊤有 徒候切 dòu 饾

字解 늘어놓을 두 飣(食部 二畫)을 보라. '飣—'.
字源 形聲. 倉(食)+豆〔音〕

7 ⑯ [餢] 용 ㊤腫 尹竦切 yǒng

字解 먹을 용, 먹을것 용 餰(食部 九畫)과 同字. '餰, 食也, 或省'《集韻》.

7 ⑯ [餗] 속 ㊤屋 桑谷切 sù

字解 솥안음식 속 솥 안에 든 음식. '鼎折足, 覆公—' (직무를 충실히 이행하지 못한 비유)《易經》. 전(轉)하여, 재상의 직책을 '鼎—'이라 함. '安能任鼎—'《傳咸》.
字源 甲骨文 篆文 形聲. 倉(食)+束〔音〕

◉折足覆餗. 鼎餗.

7 ⑯ [餘] 中人 여 ㊥魚 以諸切 yú 余

筆順 𠆢 亼 𠆩 食 飠 飠 餘 餘

字解 ①나머지 여 ㉠여분. '亦無使有—'《呂氏春秋》. '有—不敢盡'《中庸》. ㉡잉여. '殘—'. '日計無算, 歲計有—'《淮南子》. ㉢그 밖의 것. '—皆釋放'《吳志》. ㉣딴 일. '唯酒是務, 焉知其—'《劉伶》. ②잉여 여 그 이상. '月—'. '食客三千—'《張華》. ③남을 여, 남길 여 여분이 있음. 또, 여분이 있게 함. '—棄粱肉'《史記》. ④성 여 성(姓)의 하나.
字源 篆文 形聲. 倉(食)+余〔音〕. '余여'는 '펴지다'의 뜻. 음식이 남다, 넉넉하다의 뜻을 나타냄.
參考 余(人部 五畫)는 俗字.

[餘價 여가] 후세에까지 남아 있는 가치.
[餘暇 여가] 겨를. 틈.
[餘角 여각] 두 각을 합친 것이 직각을 이룰 때 그 한 각을 다른 쪽의 각에 대하여 일컫는 말.
[餘皆倣此 여개방차] 나머지는 모두 이와 같음.
[餘慶 여경] 적선(積善)의 갚음으로 앞으로 받을 경사(慶事).
[餘光 여광] ㉠남은 빛. ㉡은혜.
[餘敎 여교] 예전부터 전해 내려오는 교훈.
[餘年 여년] ㉠여생(餘生). ㉡딴 해. 다른 해.
[餘念 여념] 다른 생각. 딴생각.
[餘怒 여노] 아직 남아 있는 분노. 아직 다 풀리지 아니한 분노.
[餘談 여담] 나머지 말. 남은 말.
[餘黨 여당] 나머지의 무리. 잔당(殘黨).
[餘德 여덕] 나중까지 남아 있는 은덕.
[餘桃啗君 여도담군] 위(衛)나라의 미자하(彌子瑕)가 임금의 총애를 받아 자기가 먹다 남은 복숭아를 임금에게 먹게 했다고 해서 칭찬을 들었는데, 그 총애가 식자 먹던 복숭아를 임금에게 먹였다 해서 벌을 받았다는 고사(故事). '애증(愛憎)의 변화가 심함'의 비유.
[餘毒 여독] 나머지 독기. 남은 독기.
[餘糧 여량] 남은 식량. 여분의 식량.
[餘力 여력] 남은 힘.
[餘瀝 여력] 마시다 남은 술찌끼.
[餘烈 여렬] 여열(餘烈).
[餘齡 여령] 여생(餘生).
[餘錄 여록] 남은 사실의 기록.
[餘論 여론] 남은 의론(議論).
[餘流 여류] 지류(支流).
[餘類 여류] 여당(餘黨).
[餘沫 여말] 남은 거품.

[餘望 여망] 남아 있는 희망.
[餘命 여명] 여생(餘生).
[餘物 여물] 나머지 물건. 남은 물건.
[餘芳 여방] ㉠죽은 뒤에 남은 명예. ㉡아직 남아 있는 향기. ㉢남은 필적.
[餘白 여백] 글씨를 쓰고 남은 빈자리.
[餘帛 여백] 남은 비단.
[餘病 여병] 다른 병(病). 딴 병.
[餘福 여복] 조상이 적선(積善)한 덕택으로 자손이 받는 복.
[餘夫 여부] 아직 스물이 되지 아니한 남자.
[餘分 여분] 나머지.
[餘憤 여분] 아직 남아 있는 분노.
[餘事 여사] 그 밖의 일.
[餘師 여사] ㉠딴 스승. 일설(一說)에는, 많은 스승. ㉡나머지 군대(軍隊).
[餘色 여색] 보색(補色).
[餘生 여생] 아직 붙어 있는 목숨. 이제부터 앞으로 남아 있는 목숨.
[餘胥 여서] 하인(下人).
[餘暑 여서] 가을까지 남은 더위.
[餘習 여습] 예전부터 남아 내려온 습관.
[餘燼 여신] ㉠타다 남은 불. ㉡죽지 않고 살아남은 사람. 곧, 패잔병(敗殘兵) 등의 비유.
[餘殃 여앙] 나쁜 일을 한 갚음으로 받는 재앙. 여경(餘慶)의 대(對).
[餘哀 여애] 다 가시지 아니한 슬픔.
[餘厄 여액] 뒤에 다시 당할 재액.
[餘額 여액] 나머지 돈. 남은 돈.
[餘孽 여얼] 멸망하다시피 한 집의 남은 자손.
[餘業 여업] ㉠전인(前人)이 남긴 사업. ㉡본업 이외의 일.
[餘烈 여열] ㉠전인(前人)이 남긴 공훈이나 공덕(功德). ㉡전인이 남긴 부덕(不德). 여독(餘毒).
[餘熱 여열] 여서(餘暑).
[餘炎 여염] 여서(餘暑).
[餘榮 여영] ㉠죽은 뒤의 영광. ㉡조상의 여광(餘光).
[餘贏 여영] 나머지. 잉여.
[餘裔 여예] ㉠말류(末流). ㉡자손. 후예.
[餘蘊 여온] 남은 저축. 또는 나머지.
[餘姚之學 여요지학] 양명학(陽明學). 왕양명(王陽明)이 저장(浙江)의 위야오(餘姚) 사람이라서 이르는 말.
[餘勇 여용] 넘쳐 남은 용기. 십이분(十二分)의 용기.
[餘運 여운] 남은 운수(運數). 아직 더 흥왕(興旺)할 운기(運氣).
[餘韻 여운] ㉠아직 가시지 않고 남아 있는 운치. ㉡여음(餘音).
[餘威 여위] 남아 있는 위력.
[餘裕 여유] ㉠물건 같은 것이 넉넉하고 남음이 있음. ㉡성급하지 않고 사리를 찬찬히 판단하는 마음이 있음.
[餘音 여음] 소리가 그친 뒤에 여파(餘波)로 남아 있는 음향.
[餘蔭 여음] 조상(祖上)의 공덕(功德)으로 받는 행복(幸福).
[餘意 여의] 언어나 문자로는 다 표현하지 못하는 뜻. 언외(言外)의 뜻.
[餘日 여일] ㉠남아 있는 날. ㉡한가.
[餘剩 여잉] 나머지. 잉여(剩餘).
[餘子 여자] ㉠적자의 동모제(同母弟). ㉡장남 이외의 아들. ㉢대부의 서자. ㉣어느 일정한 사람 이외의 사람. 기타의 사람.
[餘積 여자] 여분(餘分)의 저축(貯蓄).
[餘貲 여자] 여재(餘財).
[餘財 여재] 남은 재산. 또, 남은 재물.
[餘滴 여적] 남은 물방울. 잔적(殘滴).
[餘積 여적] 여자(餘積).
[餘錢 여전] 쓰고 남은 돈.
[餘情 여정] 가시지 않고 남아 있는 정취.
[餘胙 여조] 남은 제육(祭肉).
[餘祚 여조] 남은 복조(福祚).
[餘罪 여죄] 다른 죄(罪). 그 밖의 죄.
[餘症 여증] 합병증(合併症).
[餘地 여지] ㉠남은 땅. ㉡여유(餘裕).
[餘址 여지] 남은 터. 유지(遺址).
[餘祉 여지] 여조(餘祚).
[餘塵 여진] 고인(古人)이 남겨 놓은 자취.
[餘震 여진] 대지진(大地震)이 난 뒤에 이어 일어나는 작은 지진.
[餘喘 여천] 겨우 부지해 있는 숨. 죽음에 가까운 생명.
[餘醜 여추] 토벌한 뒤에 남아 있는 악당.
[餘蓄 여축] 여분(餘分)의 저축(貯蓄).
[餘臭 여취] 사라지지 아니하고 남아 있는 냄새.
[餘澤 여택] 선인(先人)이 남긴 덕택.
[餘波 여파] 나머지의 물결. 전(轉)하여, 남은 영향(影響).
[餘弊 여폐] 남은 폐단(弊端).
[餘風 여풍] 남아 있는 풍습(風習).
[餘恨 여한] 나중까지 풀리지 아니하는 원한.
[餘閒 여한] 여가(餘暇).
[餘寒 여한] 남은 추위. 늦추위.
[餘香 여향] 사라지지 않고 남은 향기.
[餘響 여향] 남아 있는 음향.
[餘血 여혈] 해산(解產) 뒤에 나오는 악혈(惡血).
[餘嫌 여혐] 남아 있는 혐의(嫌疑).
[餘悔 여회] 남아 가시지 않는 후회.
[餘煦 여후] 남아 있는 온기(溫氣).
[餘薰 여훈] 여향(餘香).
[餘醺 여훈] 아직 남아 있는 취기.
[餘暉 여휘] 석양(夕陽).
[餘煇 여휘] 여휘(餘暉).
[餘痕 여흔] 남아 있는 흔적.
[餘興 여흥] ㉠남은 흥취(興趣). ㉡모임 뒤에 흥취를 돋기 위해 하는 놀이.
◉暇餘. 公餘. 狗豬不食其餘. 窮餘. 刀鋸之餘. 俸餘. 夫餘. 三餘. 緒餘. 羨餘. 歲餘. 睡餘. 旬餘. 詩餘. 盈餘. 王餘. 雨餘. 紆餘. 月餘. 有餘. 遺餘. 閏餘. 日計不足歲計有餘. 剩餘. 自餘. 殘餘. 餕餘. 祝餘. 春餘. 醉餘. 豐餘. 行餘. 刑餘.

7 ⑯ [⿰飠肙] 연 [去]霰 烏縣切 yuàn

[字解] 물릴 연 많이 먹어 먹기 싫음. '一, 猒也'《說文》. '一, 飫也, 賈思勰曰, 飽食不一'《集韻》.

[字源] 篆文 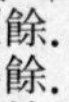 形聲. 食(食)+肙[音]. '肙연'은 똥똥하게 살찐 개고기의 뜻. 그것을 많이 먹어 물리다의 뜻을 나타냄.

7 ⑯ [⿰飠邑] 읍 [入]緝 乙及切 yì

[字解] ①냄새날 읍 나쁜 냄새가 남. '一, 臭也'《廣雅》. ②밥쉰내날 읍 밥이 쉬어 냄새가 남.

'—, 食—'《廣韻》. ③누질 읍 습기가 참. '—, —濕也'《玉篇》.

7 [餆] ㊀ 원 ㊉元 於袁切 yuān
⑯ ㊁ 만 ㊉元 模元切 mán

字解 ㊀ 탐낼 원 음식 같은 것을 먹고 싶어 함. ㊁ 게걸스럽게먹을 만 탐하여 많이 먹음. '—, 貪食'《集韻》.

7 [餏] ㊀ 세 ㊍霽 舒芮切 shuì
⑯ ㊁ 유 ㊉支 儒垂切
㊂ 휴 ㊉支 翾規切
㊃ 서 ㊍寘 式瑞切
㊄ 뢰 ㊍泰 郞外切

字解 ㊀ 제사이름 세 '—, 小餟也'《說文》. ㊁ 제사이름 유 ㊀과 뜻이 같음. ㊂ 제사이름 휴 ㊀과 뜻이 같음. ㊃ 제사이름 서 ㊀과 뜻이 같음. ㊄ ①제사이름 뢰 ㊀과 뜻이 같음. ②떡 뢰 '湯—'는 얇은 떡. '—, 湯—, 薄餠. 以湯沃之, 宜冬食'《正字通》.

字源 形聲. 食(食)+兌〔音〕.

7 [餐] 人名 ㊀ 찬 ㊉寒 七安切 cān
⑯ ㊁ 손 ㊉元 蘇昆切 sūn

字解 ㊀ ①먹을 찬 음식을 먹음. '使我不能—兮'《詩經》. ②음식 찬 식물(食物). '佳—'. '賜—錢'《漢書》. ③샛밥 찬 간식. '令其裨將傳—'《漢書》. ④거둘 찬 채취함. 수집함. '—輿誦於丘里'《王儉》. ㊁ ①저녁밥 손 飧(食部 三畫)과 통용. ②물말이할 손 밥에 물을 부음. '見而下壺, —以餔之'《列子》.

字源 篆文 形聲. 食(食)+奴〔音〕. '奴찬'은 뼈를 손에 든 모양을 본뜬 것. 뼈를 바른 음식의 뜻이나 먹다의 뜻을 나타냄.

[餐饕 찬도] 음식 또는 재물을 탐냄. 또, 그 사람.
[餐飯 찬반] 밥을 먹음.
[餐食 찬식] 먹음.
[餐錢 찬전] 임금이 신하에게 하사하는 돈.
[餐車 찬차] 식당차(食堂車).
[餐啄 찬탁] 쪼아 먹음.
◉加餐. 佳餐. 晩餐. 常餐. 聖餐. 素餐. 尸位素餐. 晨餐. 一餐.

8 [饢] 낭 ㊤養 乃網切 nǎng
⑰

字解 ①가까울 낭 '—, 近也'《五音集韻》. ②갑자기 낭 홀연. '—, 忽也'《五音集韻》. ③아주가까이에서볼 낭 지척에서 봄. '—, 咫尺見也'《五音集韻》.

8 [𩚵] 녀 ㊇陌 尼戹切 nè
⑰

字解 ①게으름피울 녀 어린아이가 게으름을 피움. '—, 楚人謂小兒嬾曰—'《說文》. ②구운떡 녀 '—, 炙餠餌也'《玉篇》.

字源 會意. '臥와'와 '食식'을 합쳐서, 자고 이어 먹다의 뜻. 어린아이가 게으름 피우다의 뜻을 나타냄.

8 [餛] 혼 ㊉元 戶昆切 hún
⑰

字解 만두 혼, 빵 혼 '—飩'은 밀가루 반죽에 고기 따위의 소를 넣어 삶거나 찐 음식.

字源 形聲. 食(食)+昆〔音〕

[餛飩 혼돈] 자해(字解)를 보라.

8 [餞] 人名 전 ㊤銑 慈演切 jiàn
⑰ ㊍霰 才線切

字解 ①전송할 전 떠나는 사람에게 주식을 베풀거나 선물을 주어 송별함. '—別'. 또, 그 잔치. 전별연. 또, 그 선물. '飮—于禰'《詩經》. '賜—東堂'《詩書》. ②보낼 전 지나가게 함. '—春'. '寅—納日'《書經》.

字源 篆文 形聲. 食(食)+戔〔音〕. '戔전'은 '踐천'과 통하여 여행길의 첫발을 내딛다의 뜻. 사람이 여행에 앞서 나그넷길의 신(神)에 제사 지내고 잔치를 벌여 보낼 때의 음식, 전별 선물의 뜻을 나타냄.

[餞杯 전배] 전별(餞別)의 술잔.
[餞別 전별] 잔치를 베풀거나 선물을 주고 송별(送別)함.
[餞席 전석] 송별의 연회석.
[餞送 전송] 전별(餞別).
[餞筵 전연] 송별연(送別宴).
[餞春 전춘] 봄을 보냄. 봄이 가는 것을 서운하게 여겨 주식을 차려 놓고 즐거이 놂.
◉供餞. 郊餞. 代餞. 盛餞. 送餞. 勝餞. 宴餞. 豫餞. 偉餞. 飮餞. 臨餞. 祖餞. 贈餞. 追餞. 親餞.

8 [餟] ㊀ 체 ㊍霽 陟衛切 zhuì
⑰ ㊁ 철 ㊇屑 陟劣切 chuò

字解 ㊀ 제사이름 체 여러 신(神)의 신위(神位)를 늘어놓고 술을 뿌려 지내는 제사. '其下四方地爲—食'《史記》. ㊁ 제사이름 철 ㊀과 뜻이 같음.

字源 篆文 形聲. 食(食)+叕〔音〕. '叕철'은 물건이 이어지는 모양. 여러 신의 자리를 이어 놓고 주식을 올리어 제사 지내다의 뜻을 나타냄.

8 [𩛷] 록 ㊇屋 力谷切 lù
⑰

字解 먹을것 록 음식물. '—, 食也'《玉篇》.

8 [餣] 업 ㊇葉 乙業切 yè
⑰

字解 ①떡 업 '—, 餌也, 粢也'《廣韻》. ②사육(飼育)할 업 '—, 博雅, 餘—, 飼也'《集韻》.

8 [餠] 人名 병 ㊤梗 必郢切 bǐng
⑰

字解 떡 병 음식의 한 가지. '畫—'. '硬—'. '太祖好水引—'《齊書》. 또, 떡 모양을 한 물건을 형용하는 말. '—銀'. '—金'.

字源 篆文 形聲. 食(食)+幷〔音〕. '幷병'은 '합치다'의 뜻. 곡물 가루를 이겨 붙이고, 쪄서 만드는 식품의 뜻을 나타냄.

參考 餅(食部 六畫)은 俗字.

[餠金 병금] 떡같이 둥근 금덩이.

[餅銀 병은] 떡같이 둥근 은덩이.
[餅餌 병이] 떡.
◉硬餅. 籠餅. 麥餅. 一餅. 煎餅. 湯餅. 畫餅.

8 ⑰ [餡] 함 [去]陷 乎鑑切 xiàn

[字解] 소 함 떡소.
[字源] 形聲. 食(食)+臽〔音〕. '臽함'은 구덩이에 빠지다의 뜻. 떡 속에 넣어 채우는 소의 뜻을 나타냄.

8 ⑰ [餤] 담 ①[平]覃 徒甘切 tán ②[上]感 杜覽切 dàn ③[去]勘 徒濫切

[字解] ①나아갈 담, 더할 담 증가함. '亂是用一'《詩經》. ②먹을 담 啖(口部 八畫)과 同字. ③먹일 담, 낚을 담 미끼를 주어 꾐. '故以齊一天下'《史記》.
[字源] 形聲. 食(食)+炎〔音〕

8 ⑰ [餬] [一] 호 [平]虞 洪孤切 hú [二] 고 [去]遇 古慕切

[字解] [一] ①떡 호 '一, 餅也'《玉篇》. ②죽 호 鬻(鬲部 十一畫)와 同字. '鬻, 說文, 饘也. 或作一'《集韻》. [二] 죽 고 '一, 饘也'《集韻》.

8 ⑰ [餵] 구 [去]遇 衢遇切 jù

[字解] 한구(寒餵) 구 산자의 일종. '寒一, 也作寒具, 古代饊子之類的食品'《漢語大字典》. '一, 寒一, 餅屬, 不知一, 本作具'《正字通》.

8 ⑰ [餦] 장 [平]陽 陟良切 zhāng

[字解] 엿 장 '一餭'은 엿. 단 음식의 한 가지. '粔籹蜜餌, 有一餭些'《楚辭》.
[字源] 形聲. 食(食)+長〔音〕

[餦餭 장황] 엿.

8 ⑰ [餧] [一] 위 [去]寘 於僞切 wèi [二] 뇌 [上]賄 奴罪切 něi

[字解] [一] ①먹일 위, 기를 위 먹게 함. 또, 사양함. '一獸之藥'《禮記》. ②음식 위, 먹이 위 식물(食物). 또, 사료(飼料). '貪一而妄食'《楚辭》. [二] 주릴 뇌 餒(食部 七畫)와 同字. '振乏一'('振'은 '賑')《漢書》.
[字源] [篆文] 形聲. 食(食)+委〔音〕. '委위'는 '여위다, 앓다'의 뜻.

◉窮餧. 萎餧. 羸餧.

8 ⑰ [醋] 조 [去]遇 昨悟切 zuò

[字解] 만나보고더불어음식들 조 '一, 相謁食也'《字彙》.

8 ⑰ [館] [高·人] 관 [去]翰 古玩切 guǎn [上]旱 古緩切

[筆順] 𠆢 今 𩙿 食 飠宀 飠宁 飠官 館

[字解] ①객사 관 임시로 머무르는 집. 숙사. 여관. '客一'. '旅一'. '舍一'. '適子之一兮'《詩經》. ②묵을 관, 묵힐 관 숙박함. '帝一甥於貳室'《孟子》. ③마을 관, 학교 관 관청·학교. 또, 그 건물. '公一'. '學一'. '府署第一, 碁列於都鄙'《後漢書》. ④가게 관 상점. '商一'. ⑤별관 관 정원 안에 휴식하기 위하여 세운 건물. '離宮別一'.
[字源] [篆文] 形聲. 食(食)+官〔音〕. '官관'은 군관(軍官)이 장기간 체재하는 장소의 뜻. 장기 체재자에게 식사를 제공하는 장소, '숙박소, 저택'의 뜻을 나타냄.
[參考] 舘(舌部 十畫)은 俗字.

[館閣 관각] 송대(宋代)부터의 한림원(翰林院)의 별칭. 관(館)은 소문관(昭文館)·사관(史館)·집현원(集賢院), 각(閣)은 비각(祕閣)·용도(龍圖)·천장(天章)의 제각(諸閣). 모두 경적·도서 등을 장치(藏置)함. 그 벼슬을 하는 이는 모두 문학시종(文學侍從)의 신하임.
[館閣氣 관각기] 글이 너무 화려하여 좀 속된 것.
[館閣體 관각체] 한림원(翰林院)의 학사(學士)가 칙명(勅命)에 의하여 짓는 문장(文章)의 체(體). 장중(莊重)·전아(典雅)를 주로 함. 서법(書法)에도 이 이름의 체(體)가 있음.
[館宇 관우] 객사(客舍).
[館人 관인] 객사를 지키고 빈객을 접대하는 사람.
[館職 관직] 관각(館閣)의 관직.
◉開館. 客館. 居館. 繭館. 瓊館. 高館. 孤館. 公館. 空館. 公使館. 閎館. 舊館. 宮館. 貴賓館. 記念館. 陋館. 大館. 大使館. 圖書館. 美術館. 博館. 博物館. 別館. 本館. 分館. 賓館. 舍館. 商館. 書館. 僧館. 新館. 旅館. 麗館. 驛館. 捐館. 領事館. 燠館. 蠶館. 第館. 茱館. 閉館. 學館. 華館. 會館.

8 ⑯ [舘] 館(前條)과 同字

8 ⑰ [餺] 추 [去]寘 竹恚切 zhuì

[字解] 주릴 추 굶주림. '一, 飢也'《集韻》.

8 ⑰ [餜] 과 [上]哿 古火切 guǒ

[字解] ①떡 과 '一, 餅子也'《玉篇》. ②《現》 밀가루를 반죽하여 갸름하게 만들어 기름에 튀긴 식품(食品). 과자(餜子).

8 ⑰ [鞠] 국 [入]屋 居六切 jú

[字解] 죽 국 '一, 廣雅, 飦一, 饘也'《集韻》.

8 ⑰ [餾] 도 [平]豪 徒刀切 táo

[字解] ①경단 도 가루를 반죽하여 둥글게 빚어 익힌 떡. '一, 餌也'《玉篇》. ②땅이름 도 '一陰'은 지명(地名). '一陰, 地名, 在齊'《集韻》.

8 ⑰ [餯] [一] 임 [上]寢 如甚切 rěn [二] 녑 [入]葉 諾叶切 niè

[字解] [一] ①배부를 임 많이 먹음. '一, 飽也'《玉篇》. ②익힌음식 임 飪(食部 四畫)과 同字. [二]

떡 녑 '一, 餅也'《集韻》.

8 ⑰ [饡] 권 [去]霰 古倦切 juàn

[字解] 반찬 권 '一, 饌也'《集韻》.

8 ⑰ [餴] 〔분〕 餴(食部 九畫〈p. 2580〉)의 俗字

8 ⑰ [餚] 〔효〕肴(肉部 四畫〈p. 1839〉)·殽(殳部 八畫〈p. 1158〉)와 同字

[字源] 形聲. 食(食)+肴〔音〕. '肴효'는 '요리'의 뜻.

8 ⑰ [餝] 〔식〕 飾(食部 五畫〈p. 2572〉)과 同字

8 ⑰ [飫] 〔어〕 飫(食部 四畫〈p. 2570〉)와 同字

8 ⑰ [餉] 〔향〕 餉(食部 六畫〈p. 2573〉)의 古字

8 ⑰ [餳] 〔당〕 餳(食部 九畫〈p. 2580〉)의 訛字

9 ⑱ [餫] [一] 운 [去]問 王問切 yùn [二] 혼 [平]元 戶昆切 hún

[字解] [一] 보낼 운 식량을 보냄. '宣伯一諸穀'《左傳》. [二] 만두 혼, 빵 혼 餛(食部 八畫)과 통용.

[字源] 篆文 形聲. 食(食)+軍〔音〕. '軍군'은 '運운'과 통하여 '나르다'의 뜻. 음식을 날라서 보내다의 뜻을 나타냄.

9 ⑱ [餬] 호 [平]虞 戶吳切 hú

[字解] ①죽 호 음식의 한 가지. '一, 饘也'《爾雅》. ②풀칠할 호 입에 풀칠을 함. 가난한 살림을 함. '以一余口'《十八史略》. ③붙이어살 호 기식(寄食)함. '使一其口於四方'《左傳》.

[字源] 篆文 形聲. 食(食)+胡〔音〕. '胡호'는 살 따위가 밑으로 늘어지다, 또는 분명하지 않고 모호하다의 뜻. 남에게 붙어서 술을 마시다, 겨우 죽이나 얻어먹는 식객, 또 걸쭉하게 늘어져 떨어지는 밥, 쌀알이 풀어져서 똑똑히 보이지 않는 죽의 뜻을 나타냄.

[餬口 호구] ㉠입에 풀칠함. 가난한 살림을 함. ㉡기식(寄食)함.
[餬口之策 호구지책] 겨우 먹고 살아가는 방도.
[餬帛 호백] 비단에 풀을 먹임.
[餬饘 호전] 죽.

9 ⑱ [餱] 후 [平]尤 戶鉤切 hóu

[字解] 건량(乾糧) 후 말린 밥. '迺裹一糧'《詩經》.

[字源] 篆文 形聲. 食(食)+侯〔音〕. '侯후'는 '候후'와 통하여 '기다리다'의 뜻. 식량이 떨어진 상태를 기다렸다가 소용이 되는 건량의 뜻을 나타냄.

[餱糧 후량] 먼 길을 떠나는 사람이 가지고 가는 양식. 말린 밥.

9 ⑱ [餻] 감 [上]感 口敢切 kǎn

[字解] 주릴 감 굶주림. '一, 飢也'《集韻》.

9 ⑱ [餜] 과 [平]歌 苦禾切 kē

[字解] 올챙이모양떡 과 麧(麥部 九畫)와 同字. '麧, 麧斗, 餌也, 象蟲形, 或从食'《集韻》.

9 ⑱ [餸] [一] 유 [去]宥 如又切 yòu [二] 뉴 [去]宥 女救切 niù

[字解] [一] 지에밥 유 찐 밥. '一, 餾也'《集韻》. [二] 비빔밥 뉴 飪(食部 四畫)와 同字. '飪, 雜飯也, 或从柔'《集韻》.

9 ⑱ [餲] [一] 애 [去]卦 於犗切 ài [二] 알 [入]曷 烏葛切

[字解] [一] 쉴 애 음식 같은 것이 상하여 맛이 변함. '食饐而一'《論語》. [二] 쉴 알 [一]과 뜻이 같음.

[字源] 篆文 形聲. 食(食)+曷〔音〕. '曷갈'은 목이 긁히듯 하게 숨이 나오다, 구역질이 나다의 뜻. 구역질이 나게 하는 쉰 음식, '쉬다'의 뜻을 나타냄.

9 ⑱ [餳] 당 [平]陽 徒郎切 táng

[字解] 엿 당 굳힌 엿. '膠飴乾枯者曰一'《本草》.

[字源] 篆文 形聲. 食(食)+昜〔音〕. '昜양'은 뻗어 오르다의 뜻. 숟가락으로 뜨면 끈끈해서 따라 올라오는, 엿기름으로 만든 '엿'의 뜻을 나타냄.

[參考] 餳(食部 八畫)은 訛字.

[餳簫 당소] 엿장수가 부는 퉁소.
[餳粥 당죽] 엿죽.

9 ⑱ [餴] 분 [平]文 府文切 fēn

[字解] 다시끓일 분 쌀을 어느 정도 끓인 뒤에, 다시 물을 부어 푹 끓임. 또, 그 밥. '挹彼注茲, 可以一饎'《詩經》.

[字源] 金文 篆文 別體 形聲. 食(食)+奔〔音〕. '奔분'은 마구 달리다의 뜻. 뜨거운 김을 마구 뿜어내어 찌다의 뜻을 나타냄.

[餴饎 분치] 서직(黍稷)을 쪄서 다시 끓임.

9 ⑱ [餭] 황 [平]陽 胡光切 huáng

[字解] 엿 황 餦(食部 八畫)을 보라. '餦一'.

◉餦餭.

9 ⑱ [餿] 수 [平]尤 所鳩切 sōu

[字解] 쉴 수 음식 같은 것이 부패하여 맛이 변함.

9 ⑱ [餪] 난 ①[去]翰 奴亂切 nuàn ②[上]旱 乃管切 nuǎn

字解 ①풀보기잔치 난 혼인한 지 3일 만에 베푸는 잔치. '婚三日而宴, 謂之一'《集韻》. ②음식 보낼 난 시집간 딸에게 음식을 보냄. '一, 餽女也'《玉篇》.

9 ⑱ [餯] 회 ㊀隊 許濊切 huì

字解 고약한냄새날 회 밥이 상해서 냄새가 고약함. '一, 飯臭'《廣韻》.

9 ⑱ [餴] 〔자〕 餈(食部 六畫〈p. 2575〉)와 同字

9 ⑱ [𩟔] ■ 건 ㊉元 居言切 jiān ■ 천 ㊉先 諸延切 zhān

字解 ■ 죽 건 '一, 粥也'《廣韻》. ■ 죽 천 '饘, 說文, 粥也. 或作一'《集韻》.

9 ⑱ [𩟗] ㊆ 편

字解 《韓》 떡 편 餅(食部 八畫)과 뜻이 같음.

9 ⑱ [餵] 〔위·뇌〕 餧(食部 八畫〈p. 2579〉)와 同字

9 ⑱ [餶] 단 ㊉寒 徒端切 tuán

字解 경단(瓊團) 단 떡의 일종. 團(囗部 十一畫〈p. 430〉)과 통용. '一, 米一'《字彙》. '一, 通作團'《正字通》.

9 ⑱ [餰] 餰(次條)과 同字

9 ⑱ [餰] 전 ㊉先 諸延切 zhān

字解 된죽 전 되게 쑨 죽. '一餌馨香, 蔬果交羅'《柳宗元》.

9 ⑱ [餮] 철 ㊇屑 他結切 tiè

字解 탐할 철 탐식함. '縉雲氏有不才子, 貪於飮食, 冒於貨賄, 天下謂之饕一'《左傳》.

字源 形聲. 食+殄〔音〕. '殄진'은 '다하다'의 뜻. 다 먹다, 탐식하다의 뜻을 나타냄.

◉饕餮.

10 ⑲ [餺] 박 ㊇藥 補各切 bó

字解 떡 박 '一飥'은 떡의 한 가지.

字源 形聲. 食(食)+尃〔音〕

[餺飥 박탁] 떡의 한 가지.

10 ⑲ [餰] 견 ㊤銑 去演切 qiǎn

字解 ①차질 견 곡식이 메지지 않고 차짐. 饘(食部 十四畫)과 同字. '一, 黏也'《廣韻》. ②손으로 만져뭉칠 견 주먹밥을 만든다든지 하는 것. '饘, 博雅, 饘糗, 摶也, 或省'《集韻》. ③말린보리떡 견 '饘, 一曰, 乾餌, 或省'《集韻》. ④餡(食部 六畫)의 訛字. '一, 餡字之譌'《正字通》.

10 ⑲ [餻] 고 ㊉豪 古勞切 gāo

字解 떡 고 떡의 한 가지. '華筵食賜一'《高啓》.

字源 篆文 形聲. 食(食)+羔〔音〕. '羔고'는 새끼 양의 불고기의 뜻. 불고기같이 맛이 있는 떡, 죽의 뜻을 나타냄.

◉艾餻. 絲餻.

10 ⑲ [餶] 골 ㊇月 古忽切 gǔ

字解 밀가루음식 골 '一飿'은 밀가루에 갖가지 식품을 섞어 만든 음식. '一, 一飿, 麪果也'《字彙補》.

10 ⑲ [餼] 희 ㊀未 許旣切 xì

字解 ①보낼 희 음식을 보냄. '一之以其禮'《儀禮》. ②쌀 희 벼의 알맹이. '廩人獻一'《周禮》. ③꼴 희 마소의 먹이. '馬一不過稂莠'《國語》. ④희생 희 희생으로 쓰는 산 소·양 따위. '告朔之一羊'《論語》.

字源 氣의 別體 形聲. 食(食)+氣〔音〕. 본디 米+气〔音〕. '氣기'가 '气기'의 뜻으로 쓰이게 되자, '食식'을 더하여 '餼희'가 됨. '气'는 생기 있는 것의 뜻. 살아 있는 쌀, 벼의 뜻을 나타냈으나, 그것이 선물로 쓰이게 되어 선물의 뜻을 나타내게 됨.

[餼牽 희견] 날고기.
[餼牢 희뢰] 희생(犧牲).
[餼羊 희양] 희생으로 쓰는 양.
[餼獻 희헌] 희생을 바침.
◉軍餼. 饋餼. 牢餼. 常餼. 生餼. 饔餼.

10 ⑲ [餜] 라 ㊤哿 來可切 luǒ

字解 소가먹이에물릴 라 실컷 먹어서 물림. '一, 一飽也'《字彙》. '一, 飽也'《異字苑》.

10 ⑲ [餽] 궤 ㊀寘 求位切 kuì

字解 ①보낼 궤 ㉠음식을 보내 줌. '亟一鼎肉'《孟子》. ㉡물품을 보내 줌. '王一兼金一百'《孟子》. ㉢운송함. '千里負擔一饟'《漢書》. ②성 궤 성(姓)의 하나.

字源 篆文 形聲. 食(食)+鬼〔音〕. '鬼귀'는 죽은 사람의 영혼의 뜻. 죽은 이를 제사 지내기 위한 음식의 뜻을 나타냄.

[餽歲 궤세] 연말(年末)에 친척·친구 등에게 음식을 보냄.
[餽贐 궤신] 전별(餞別)로 예물(禮物)을 보냄.
[餽遺 궤유] 음식이나 물품을 보냄.
[餽餉 궤향] 먹을 것을 보냄. 또, 그 물건.
[餽饟 궤향] 궤향(餽餉).
[餽恤 궤휼] 양식을 주어 구휼(救恤)함.
◉恭餽. 輸餽. 贈餽. 餉餽.

10 ⑲ [餾] 답 ㊇合 德盍切 dā

字解 먹는모양 답 '一, 一餉, 食皃'《集韻》.

10 ⑲ [餾] 류 (去)有 力救切 liù
(平)尤 力求切

字解 뜸들 류 밥이 잘 익음. 또, 그 밥.
字源 篆文 形聲. 食(食)+留(畱)〔音〕. '畱류'는 '流류'와 통하여 '흐르다'의 뜻. 증기를 흐르게 하여 밥의 뜸을 들이다의 뜻을 나타냄.

10 ⑲ [饁] 엽 (入)葉 域輒切 yè

字解 ①들밥 엽 들에서 농부가 먹는 밥. ②들밥 내갈 엽 밥을 들에 내감. '一彼南畝'《詩經》.
字源 篆文 形聲. 食(食)+盍(盇)〔音〕. '盇합'은 '匣갑'과 통하여 작은 상자의 뜻. 상자에 담은 밥, '도시락'의 뜻을 나타냄.

10 ⑲ [⿰飠茲] 자 (平)支 疾資切 cí

字解 경단 자 '一團'은 떡의 한 가지. 경단.

[⿰飠茲團 자단] 자해(字解)를 보라.

10 ⑲ [⿰飠兼] 一 렴 (上)琰 良冉切 lián
(平)鹽 離鹽切
二 함 (去)陷 乎韽切 xiàn
三 겸 (上)琰 苦簟切 qiàn

字解 一 ①간식 렴 곁두리. '一, 嘰也'《說文》. ②청렴할 렴 '一, 一曰廉絜也'《說文》. 二 소 함 떡 속의 고기소. '鎌, 餅中肉. 或从食'《集韻》. 三 뜻에차지않을 겸 '歉, 食不飽也. 一曰, 不足皃. 或作一'《集韻》. 또, 그 모양.
字源 形聲. 食(食)+兼〔音〕

10 ⑲ [⿰飠花] 一 화 (平)佳 火媧切 huā
二 과 (平)麻 果騧切

字解 一 음식소화될 화 소화(消化)시킴. 소화됨. '一, 食銷也'《集韻》. 二 음식소화될 과 一과 뜻이 같음.

10 ⑲ [䭔] 퇴 (平)灰 都回切 duī

字解 떡 퇴 찐 떡. '拈一舐指不知休'《李尋》.
字源 形聲. 食(食)+追〔音〕

◉拈䭔.

10 ⑲ [⿰飠高] 호(고(本)) (去)號 苦到切 kào
(平)豪 居勞切 gāo

字解 ①호궤(犒餽)할 호 군대(軍隊)에 음식을 보냄. '一, 餉軍'《廣韻》. ②위로할 호 노고(勞苦)를 치사함. '一, 勞也'《玉篇》.

10 ⑲ [⿰飠臭] 구 (上)有 去久切 qiǔ

字解 음식쉴 구 음식이 상함. '一, 食物爛也'《集韻》.

10 ⑲ [饀] 도 (平)豪 他刀切 táo

字解 ①경단 도 '⿰麥匋, 餌也. 或作一'《集韻》. ②탐할 도 '饕, 說文, 貪也. 一曰, 貪財爲饕. 或作一'《集韻》.

10 ⑲ [⿰飠害] 할 (入)黠 下瞎切 xiá

字解 실컷먹어서물릴 할 '一, 食飽'《廣雅》. '一, 飫也'《集韻》.

10 ⑲ [餹] 〔당〕
餳(食部 九畫〈p.2580〉)과 同字

10 ⑲ [⿰飠耆] 〔기〕
嗜(口部 十畫〈p.397〉)의 俗字

11 ⑳ [饅] 人名 만 (平)寒 母管切 mán

字解 만두 만 '一頭'. '諸葛亮南征, 將渡瀘水, 土俗殺人, 首以祭神, 亮令以羊豕代, 取麪畫人頭祭之, 一頭名始此'《事物紀原》. '三春之初, 陰陽交至, 于時享宴, 則一頭宜設'《束晳》.
字源 形聲. 食(食)+曼〔音〕. '曼만'은 '늘이다'의 뜻. 밀가루를 발효시켜서 늘인 만두의 뜻을 나타냄.

[饅頭 만두] 밀가루를 반죽하여 소를 넣고 빚어서 삶거나 찐 음식.

11 ⑳ [⿰飠⿱𠂉昜] 상 (上)養 書兩切 shǎng
(去)漾 式亮切
(平)陽 尸羊切 xiǎng

字解 ①점심 상 낮에 먹는 밥. '⿰飠象, 晝食也. … 一, ⿰飠象或从⿱𠂉昜'《說文》. ②보낼 상 음식을 보냄. '餉, 說文, 饟也. 或作一'《集韻》.

11 ⑳ [饇] 어 (去)御 依據切 yù

字解 배부를 어 飫(食部 四畫)와 同字. '如食宜一'《詩經》.
字源 形聲. 食(食)+區〔音〕

11 ⑳ [饉] 근 (去)震 渠遴切 jǐn

字解 흉년들 근, 흉년 근 채소가 흉년이 듦. 또, 채소의 흉년. '饑一'. '餓一流隸'《班固》.
字源 金文 篆文 形聲. 食(食)+堇〔音〕. '堇근'은 '僅근'과 통하여 '적다'의 뜻. 식량이 조금밖에 없는 흉년의 뜻을 나타냄.

◉歉饉. 飢饉. 饑饉. 餒饉. 餓饉. 疲饉. 荒饉. 凶饉.

11 ⑳ [饄] 〔당〕
餹(食部 十畫〈p.2582〉)과 同字

11 ⑳ [⿰飠虎] 〔도〕
饕(食部 十三畫〈p.2585〉)의 籀文

11 ⑳ [饆] 필 (入)質 卑吉切 bì

字解 떡 필 '一饠'는 보릿가루로 빚어 소를 넣고 찐 떡의 일종. 보리떡. '一饠, 餅屬'《玉篇》.

'蕃中畢氏·羅氏, 好食此味, 因名畢羅, 後人加食旁爲一饠'《資暇集》.
字源 形聲. 𠊊(食)＋畢〔音〕.

11 ⑳ [𩝐] 적 ⓐ陌 陟革切 zhāi
字解 일월식 적 일식(日蝕)과 월식(月蝕). '一, 日月一蝕'《集韻》.

11 ⑳ [饚] 강 ⓤ養 巨兩切 jiàng
字解 된밥 강 '一, 硬食'《篇海》.

11 ⑳ [𩞁] 기 ㊀未 居氣切 jì
字解 날음식보낼 기 조리하지 않은 음식을 보냄. '一, 饋食生也'《集韻》.

11 ⑳ [𩞳] 종 ㊥江 鉏江切 chuáng
字解 게걸들릴 종 음식을 탐냄. '一, 欲食也'《集韻》.

11 ⑳ [𩞄] 잠 ①ⓤ感 子敢切 zǎn
②③ⓤ琰 子冉切 jiǎn
字解 ①맛없을 잠 음식의 맛이 없음. '㵄一, 無味也'《集韻》. ②맛볼 잠 '一, 嘗食也'《集韻》. ③싱거울 잠 음식의 맛이 담담함.

11 ⑳ [𩞃] ㊀ 마 ㊥歌 眉波切 mó
㊁ 미 ㊥支 忙皮切 mí
字解 ㊀ ①먹을 마, 먹을것 마 '一, 食也'《集韻》. ②어린애입에먹여줄 마 양육함. '一, 一曰, 哺小兒'《集韻》. ㊁ 죽 미 糜(米部 十一畫)와 同字. '糜, 說文, 糝也, 或作一·麋'《集韻》.

12 ㉑ [饋] 人名 궤 ㊀寘 求位切 kuì 馈
字解 ①보낼 궤 ㉠음식을 보내 줌. '老弱一食'《孟子》. ㉡물건을 보내 줌. '有一其兄生鵝者'《孟子》. ②권할 궤 식사를 권함. '主人親一, 則拜而食'《禮記》. ③식사 궤 밥을 먹는 일. '一一而十起'《淮南子》. ④선물 궤 보내 준 음식이나 물품. '厚一'. '朋友之一'《論語》.
字源 篆文 形聲. 𠊊(食)＋貴(𧶠)〔音〕. '𧶠궤'는 금품을 보내다의 뜻. 보내는 음식의 뜻을 나타냄.

[饋給 궤급] 급여함.
[饋糧 궤량] 양식을 보냄. 또, 양식.
[饋路 궤로] 양식을 운반하는 길.
[饋歲 궤세] 연말(年末)의 선사.
[饋食 궤식] ㉠제사 때 익힌 음식을 바치는 일. ㉡음식물을 보냄.
[饋遺 궤유] 물건을 보냄. 궤송(饋送).
[饋人 궤인] 군주(君主)의 식사를 맡은 사람.
[饋奠 궤전] 제수(祭需). 또, 제수를 차려 놓고 제사 지냄.
[饋饌 궤찬] 존장에게 드리는 음식. 진지.
[饋恤 궤휼] 가난한 사람에게 물건을 주어 도움.
[饋餼 궤희] 보낸 음식물.
◉薄饋. 野饋. 羊饋. 糧饋. 中饋. 饌饋. 餉饋. 獻饋. 犒饋. 厚饋.

12 ㉑ [𩞯] 돈 ㊥元 都昆切 dūn
字解 음식탐할 돈 '一, 貪食'《集韻》.

12 ㉑ [饌] 人名 찬 ⓤ潸 雛鯇切 zhuàn 馔
字解 ①차려낼 찬 음식을 차려 내어 먹게 함. '有酒食, 先生一'《論語》. ②음식 찬 상 같은 데 차린 음식. '具官一于寢東'《儀禮》.
字源 籑의 別體 篆文 形聲. 𠊊(食)＋巽〔音〕. '巽손·찬'은 '갖추다'의 뜻. 갖추어 차려진 음식의 모양에서 '제물'의 뜻을 나타냄.

[饌具 찬구] 식사 그릇. 또, 식사를 차림.
[饌饋 찬궤] 식사를 권함.
[饌母 찬모] 남의 집에서 반찬을 만들어 주는 여자.
[饌房 찬방] 반찬거리 같은 것을 넣어 두는 방.
[饌需 찬수] 반찬감.
[饌用 찬용] 반찬에 드는 비용(費用).
[饌肉 찬육] 반찬을 만드는 데 쓰는 쇠고기.
[饌欌 찬장] 반찬을 넣어 두는 장.
[饌餔 찬포] 식사를 함. 또, 식사. 밥.
[饌庖 찬포] ㉠푸줏간. ㉡옛날 그 지방의 권세가에게 쇠고기를 대던 푸줏간.
[饌品 찬품] 반찬감. 찬수(饌需).
◉佳饌. 嘉饌. 甘饌. 具饌. 饋饌. 奇饌. 美饌. 飯饌. 盛饌. 羞饌. 午饌. 玉饌. 異饌. 酒饌. 珍饌. 淸饌. 饎饌. 豐饌. 華饌.

12 ㉑ [𩟌] 당 ㊥江 傳江切 chuáng
字解 탐하여먹을 당 음식을 염치없이 욕심껏 먹음. 噇(口部 十二畫)과 同字. '一, 食無廉也, 或从口'《集韻》.

12 ㉑ [饎] 치 ㊀寘 昌志切 chì 饎
字解 ①주식 치 술과 밥. 주효와 음식. '吉蠲爲一'(몸을 깨끗이 하고 음식을 조리함)《詩經》. ②기장 치 서직(黍稷). ③기장찔 치 기장을 찜.
字源 甲骨文 篆文 形聲. 𠊊(食)＋喜〔音〕. '喜희'는 음식을 조리할 때 뿜어 나오는 김, 화기의 소리를 나타내는 의성어(擬聲語). '食식'을 더하여 조리한 음식의 뜻을 나타냄.

[饎人 치인] 취사(炊事)를 맡은 벼슬. 또, 그 벼슬아치.

12 ㉑ [𩟑] 담 ⓤ感 杜覽切 dàn
字解 맛없을 담 '一, 無味也'《集韻》.

12 ㉑ [𩟊] 𩟑(前條)과 同字

12 ㉑ [饐] ㊀ 의 ㊀寘 乙冀切 yì
㊁ 애 ㊀霽 御例切 yì
字解 ㊀ 쉴 의 음식이 상하여 맛이 변함. '食一而餲'《論語》. ㊁ 쉴 애 ㊀과 뜻이 같음.
字源 篆文 形聲. 𠊊(食)＋壹〔音〕. '壹일'은 단지를 밀폐하는 모양을 본뜸. 단지 속에

서 음식이 발효하여 '쉬다'의 뜻을 나타냄.

12 ㉑ [饜] 력 ㊀陌 令益切 lì

字解 젓가락으로먹을 력 '一, 一鏑, 食相箸'《集韻》.

12 ㉑ [饑] 人名 기 ㊥微 居依切 jī 饥

字解 ①흉년들 기, 흉년 기 오곡이 잘 여물지 아니함. 또, 그 해. '一饉'. '荒一'. ②주릴 기 飢(食部 二畫)와 同字. '一渴'. '寧一月一'《淮南子》.

字源 篆文 形聲. 食(食)+幾〔音〕. '幾기'는 '미미하다'의 뜻. 음식이 거의 없다, 주리다의 뜻을 나타냄.

[饑渴 기갈] 배가 고프고 목이 마름. 굶주림과 목마름.
[饑嗛 기겸] 먹을 것이 적어 굶주림.
[饑歉 기겸] ㉠기겸(饑嗛). ㉡흉년(凶年)이 듦.
[饑窮 기궁] 굶주려 고생함.
[饑倦 기권] 굶주리고 피로함.
[饑匱 기궤] 기겸(饑嗛).
[饑饉 기근] 흉년(凶年).
[饑凍 기동] 기한(饑寒).
[饑雷 기뢰] 배가 고파 배 속이 쪼르륵쪼르륵함.
[饑民 기민] 굶주린 백성.
[饑死 기사] 굶어 죽음.
[饑色 기색] 굶주린 얼굴빛.
[饑歲 기세] 흉년(凶年).
[饑餓 기아] 배가 고픔. 주림.
[饑戹 기액] 굶주려 고생함.
[饑而求黍稷 기이구서직] 굶주린 후에 곡식을 구함. 소 잃고 외양간 고치기.
[饑者甘糟糠 기자감조강] 배고픈 사람은 술지게미나 쌀겨도 달게 먹음.
[饑弊 기폐] 굶주려 피로함.
[饑飽 기포] 굶주림과 배부름.
[饑寒 기한] 배고프고 추위에 떪. 전(轉)하여, 의식(衣食)이 모자라 고생함.
[饑寒起盜心 기한기도심] 춥고 배고프면 도적질할 생각이 일어남.
[饑戶 기호] 흉년의 가난한 집. 굶는 집.
[饑荒 기황] 기근(饑饉).
◉大饑. 兵饑. 荒饑.

12 ㉑ [饒] 人名 요 ㊥蕭 如招切 ráo ㊦嘯 人要切 饶

筆順 𠆢 ⺈ 𩙿 食 飠 餀 饒 饒

字解 ①넉넉할 요 ㉠충분히 있음. 많음. '豐一'. '富一'. '資用益一'《漢書》. ㉡남음이 있음. '子弟衣食, 自有餘一'《蜀志》. ②넉넉히할 요 전항의 타동사. '大王能一人以爵邑'《漢書》. ③두터울 요 후함. '情一'. ④기름질 요 비옥함. '一沃'. '地肥一'《史記》. ⑤너그러울 요 관대함. '一恕'. '寬一之道'《書經 疏》. ⑥용서할 요 용대(容貸)함. 내버려 둠. 너그러이 보아줌. '公道世間惟白髮, 貴人頭上不曾一'(백발(白髮)은 귀인(貴人)의 머리에서도 가차없이 생김)《許渾》. ⑦성 요 성(姓)의 하나.

字源 篆文 形聲. 食(食)+堯〔音〕. '堯요'는 높고 뛰어나다, 풍성하다의 뜻. 충분히 먹어서 물리다, 음식이 좋은 상태에 있다, 넉넉하다의 뜻을 나타냄.

[饒居 요거] 넉넉하게 삶.
[饒過 요과] 잘못을 용서함.
[饒給 요급] 요족(饒足).
[饒多 요다] 풍족함. 많음.
[饒貸 요대] 용서(容恕)함.
[饒利 요리] 넉넉한 이익.
[饒民 요민] 생활이 넉넉한 백성.
[饒培 요배] 충분히 거름을 줌.
[饒富 요부] 넉넉함.
[饒恕 요서] 용서함. 사면함.
[饒舌 요설] 잘 지껄임. 다변(多辯).
[饒贍 요섬] 요족(饒足).
[饒衍 요연] 쓰고 남도록 풍족함.
[饒益 요익] 재물이 넉넉함.
[饒足 요족] 넉넉함. 풍족함.
[饒侈 요치] 요연(饒衍).
[饒飽 요포] 곡식이 먹고 남게 넉넉함.
[饒幸 요행] '요행(僥倖)'과 같음.
[饒戶 요호] 살림이 넉넉한 집.
◉佳饒. 寬饒. 廣饒. 富饒. 肥饒. 上饒. 餘饒. 沃饒. 優饒. 苕饒. 豐饒. 洪饒.

12 ㉑ [饎] 韓 료

字解 《韓》 요기할 료 '一飢'는 시장기를 면할 정도로 조금 먹음.

12 ㉑ [餴] 등 ㊥蒸 都騰切 dèng

字解 제사(祭祀)음식 등 '一, 祭食謂之一'《集韻》.

12 ㉑ [饊] 산 ㊤旱 蘇旱切 sǎn 馓

字解 산자 산 쌀가루 반죽에 튀밥을 붙인 음식.

字源 篆文 形聲. 食(食)+散(㪔)〔音〕. '㪔산'은 발산(發散), 부풀리다의 뜻. 쌀에 열을 가하여 부풀게 한 음식, '산자'의 뜻을 나타냄.

12 ㉑ [餾] 〔류〕
餾(食部 十畫〈p. 2582〉)의 本字

12 ㉑ [饍] 〔선〕
膳(肉部 十二畫〈p. 1864〉)과 同字

字源 形聲. 食(食)+善〔音〕

12 ㉑ [饆] 쟁 ㊥庚 丑庚切 chēng

字解 잔뜩먹어물릴 쟁 '一, 一餝, 飽也'《字彙》.

12 ㉑ [饑] 쟁 ㊥庚 丑庚切 chēng

字解 상한음식 쟁 부패한 음식물. '一, 痛食曰一'《字彙補》.

13 ㉒ [饘] 전 ㊥先 諸延切 zhān ㊤銑 旨善切

字解 ①죽 전 된죽. '厚曰一, 希曰粥'《禮記》.

②죽먹을 전 죽을 먹음. '一于是, 鬻于是, 以餬余口'《左傳》.

字源 篆文 形聲. 食(食)+亶〔音〕. '亶전'은 '두껍다'의 뜻.

[饘酏 전이] 전죽(饘粥).
[饘粥 전죽] 된죽과 묽은 죽. 죽.
◉羹饘. 麥饘. 粱饘. 餬饘.

13 ㉒ [饏] 당 ㊥陽 都郞切 dāng

字解 밥줄 당 남에게 먹을 것을 베풀어 줌. '一, 與食也'《字彙》.

13 ㉒ [饖] ■ 예 ㊀隊 於廢切 wèi
■ 의 ㊀寘 乙冀切 wèi

字解 ■ 쉴 예 음식이 부패하여 맛이 변함. ■ 쉴 의 ■과 뜻이 같음.

字源 篆文 形聲. 食(食)+歲〔音〕. '歲세'는 정도를 넘다의 뜻. 지나치게 열을 가하여, 쉬어서 상한 밥의 뜻을 나타냄.

13 ㉒ [饊] 겸 ㊤琰 兼忝切 jiǎn

字解 ①빌 겸 기원(祈願)함. '一, 博雅, 祈也'《集韻》. ②饊(食部 十畫)의 訛字. '一, 饊字之譌'《正字通》.

13 ㉒ [餶] 과 ㊀箇 古臥切 guò

字解 먹을 과 '一, 食也'《玉篇》.

13 ㉒ [饐] 농 ㊥江 濃江切 nóng

字解 억지로먹을 농 '一, 餺一, 強食也'《集韻》. '一, 食無廉'《集韻》.

13 ㉒ [饏] 독 ㊁屋 徒谷切 dú

字解 죽 독 '一, 粥也'《集韻》.

13 ㉒ [斂] 렴 ㊀豔 力驗切 liǎn

字解 맛없을 렴 음식이 맛이 없음. '一, 食無味'《字彙》.

13 ㉒ [饛] 령 ㊥青 郞丁切 líng

字解 배불리먹을 령 물리도록 먹음. '一, 食飽也'《集韻》.

13 ㉒ [饌] 역 ㊁陌 夷益切 yì

字解 ①제사다음날또제사 역 정제(正祭) 다음날에 지내는 제사. '一, 祭之明日又祭也, 或作繹'《正字通》. ②밥쉴 역 밥이 상함. '一, 飯壞曰一'《集韻》.

13 ㉒ [饋] 회(괴㊍) ㊀泰 古外切 kuài

字解 ①먹을 회, 먹을것 회 '一, 食也'《集韻》. ②회(膾) 회 膾(肉部 十三畫)·鱠(魚部 十三畫)의 俗字. '一, 一說, 膾, 集韻作鱠, 俗作一'《正字通》.

13 ㉒ [饏] 오 ㊀號 烏到切 ào

字解 게염내먹을 오 음식에 게염을 냄. '一, 妬食'《集韻》.

13 ㉒ [鑾] 함 ㊀勘 呼紺切 hàn

字解 나쁠 함 음식이 양에 차지 않음. '一, 食不飽也'《集韻》.

13 ㉒ [饎] 〔치〕
饎(食部 十二畫〈p. 2583〉)와 同字

13 ㉒ [饙] 분 ㊥文 府文切 fēn

字解 ①잦히는밥 분 잦히기 위하여 다시 물을 부은 밥. '餴, 脩飯也. 从食奉聲. 一, 餴或从賁'《說文》. ②찔 분 쪄서 익힘. '或如火熺焰, 或若氣一餾'《韓愈》.

字源 餴의 別體 形聲. 食(食)+賁〔音〕. '賁분'은 맹렬히 뿜어내다의 뜻.

參考 餴(食部 九畫)과 同字.

13 ㉒ [饔] 人名 옹 ㊥冬 於容切 yōng
㊀宋 於用切

字解 ①아침밥 옹 조반. 또, 조반을 지음. '一飧而治'(조석으로 부엌일을 하면서 정사(政事)를 함)《孟子》. ②익은음식 옹 익힌 음식. '有母之尸一'《詩經》. ③요리할 옹 '佐一者得嘗'《國語》. ④희생 옹 죽인 희생. '君使卿韋弁歸一餼五牢'《儀禮》.

字源 金文 篆文 形聲. 食+雍(雝)〔音〕. '雝옹'은 '부드러워지다'의 뜻. 열을 가하여 부드럽게 만든 음식의 뜻을 나타냄.

[饔膳 옹선] 잘 차린 맛 좋은 음식.
[饔飧 옹손] 아침밥과 저녁밥. 또, 조석의 밥을 지음.
[饔餼 옹희] 죽인 희생과 산 희생.
◉飧饔. 佐饔. 餕饔.

13 ㉒ [饕] 도 ㊥豪 土刀切 tāo

字解 탐할 도 재화 또는 음식을 탐냄. 전(轉)하여, 악수(惡獸) 또는 악인의 뜻으로 쓰임. '縉雲氏有不才子, 貪於飮食, 冒於貨賄, 天下謂之一餮'《左傳》.

字源 篆文 形聲. 食+號〔音〕. '號호'는 큰 소리로 외치다의 뜻. 소리치면서 먹는 모양에서 '탐하다'의 뜻을 나타냄.

[饕據 도거] 지위를 탐내어 그 자리에 앉음.
[饕餮 도철] ㉠재물과 음식을 탐냄. ㉡악수(惡獸)의 이름. 탐욕이 많고 사람을 잡아먹는다 함. 전(轉)하여, 탐욕이 많은 흉악한 사람.
◉老饕. 吏饕. 餮饕.

13 ㉒ [饗] 人名 향 ㊤養 許兩切 xiǎng 飨

字解 ①대접할 향 주식(酒食)을 차려 대접함. '一應'. '一朝一之'《詩經》. ②제사지낼 향 주식을 차려 놓고 제사함. '大一, 其王事與'《禮記》.

③드릴 향 올림. '王乃淳濯一醴'《國語》. ④마실 향, 먹을 향 주식을 먹음. '先祭而後一'《淮南子》. ⑤흠향할 향 신명(神明)이 제사 음식을 받음. 운감함. '宗廟一之'《中庸》. ⑥누릴 향 향유(享有)함. 받음. '一大利'《左傳》. ⑦주식 향 차려 올리는 주식(酒食). '以共皇天上帝社稷之一'《禮記》. ⑧잔치 향 연회. '祭祀一食'《荀子》. ⑨제사 향 '嘗禘烝一'《國語》.
[字源] 甲骨文 金文 篆文 形聲. 食+鄕〔音〕. '鄕향'은 음식을 사이에 두고 두 사람이 마주 보는 모양을 본뜸. '잔치, 대접하다'의 뜻을 나타냄. 甲骨文·金文은 '卿경'과 똑같음.

[饗告 향고] 제수를 차려 놓고 조상에게 제사를 지냄.
[饗報 향보] 잘 대접해 공덕을 갚음.
[饗宴 향연] 향응하는 잔치.
[饗應 향응] 주식을 차려 사람을 대접(待接)함.
◉降饗. 大饗. 祠饗. 宴饗. 燕饗. 禮饗. 祭饗. 尊饗. 贊饗.

14 ㉓ [饓] 녕 [平]庚 尼耕切 níng
[字解] ①찰 녕 속이 꽉 참. 배가 부름. '一, 內充實'《玉篇》. ②먹을 녕 '一, 食也'《集韻》. ③억지로먹을 녕 '一, 一饛, 強食也'《玉篇》.

14 ㉓ [饛] 몽 [平]東 莫紅切 méng
[字解] 수북이담을 몽 음식을 고봉으로 담은 모양. '有一簋飧'《詩經》.
[字源] 篆文 形聲. 倉(食)+蒙〔音〕. '蒙몽'은 '덮다'의 뜻. 음식이 그릇을 덮어 가릴 정도로 있는 모양의 뜻을 나타냄.

14 ㉓ [𩟍] 확 [入]藥 黃郭切 wò
[字解] ①맛없을 확 음식 맛이 없음. '一, 食無味'《集韻》. ②싱거울 확 음식 맛이 담담함. '一, 味薄'《廣韻》.

14 ㉓ [饜] 염 [去]豔 於豔切 yàn / [平]鹽 一鹽切
[字解] ①포식할 염 배불리 먹음. '一酒肉'《孟子》. ②흐뭇할 염 만족함. '不奪不一'《孟子》.
[字源] 形聲. 食+厭〔音〕. '厭염'은 '물리다'의 뜻. '食식'을 더하여 '포식하다'의 뜻을 나타냄.

[饜忿 염분] 짐짓 성내는 체함.
[饜事 염사] 일이 많음을 이름.
[饜飫 염어] 포식함.
[饜足 염족] 주식에 물림. 실컷 마시고 먹음. 염포(饜飽).
[饜飽 염포] 염족(饜足).
◉不奪不饜.

14 ㉓ [𩟄] 견 [上]銑 去演切 qiǎn
[字解] ①씹어먹을 견 '一, 噍也'《玉篇》. ②말린 보리떡 견 '一, 乾麫餠'《玉篇》. ③뭉쳐둥글게만들 견 주먹밥을 만듦. '一, 摶也'《廣雅》. ④차질 견 곡식이 끈기가 있음. '一, 一曰, 粘也'《集韻》. ⑤饍(食部 十畫)과 同字. '一, 或省'《集韻》.

14 ㉓ [籑] 〔찬〕
饌(食部 十二畫〈p. 2583〉)의 本字
[字源] 篆文 別體 形聲. 倉(食)+算〔音〕. '算산'은 가지런히 갖추다의 뜻. 차려 놓은 음식의 뜻을 나타냄. 別體는 食+巽〔音〕의 形聲.

16 ㉕ [饚] 롱 [平]東 盧東切 lóng
[字解] 떡 롱 떡의 한 가지. '一, 餠屬'《集韻》.

16 ㉕ [𩟔] 〔궤〕
饋(食部 十二畫〈p. 2583〉)의 本字

17 ㉖ [饞] 참 [平]咸 士咸切 chán
[字解] 탐할 참 탐냄. '舌一於腹'《易林》.
[字源] 形聲. 倉(食)+毚〔音〕. '毚참'은 '탐하다'의 뜻. 음식이나 이익을 탐하다의 뜻을 나타냄.

[饞吻 참문] 굶주려서 먹고자 하는 입.
[饞涎 참연] 먹고 싶어서 침을 흘림. 또, 그 침.
◉老饞. 舌饞. 貪饞.

17 ㉖ [饟] 향(상[本]) [去]漾 式亮切 xiǎng / [上]養 書兩切
[字解] 건량 향 餉(食部 六畫)과 同字. '其一伊黍'《詩經》.
[字源] 篆文 形聲. 倉(食)+襄〔音〕. '襄양'은 옷을 벗고 논밭을 갈다의 뜻. 들에서 일하고 있는 사람에게 보내는 식사, '도시락'의 뜻을 나타냄.

[饟道 향도] 군량을 운반하는 길.
◉餽饟. 糧饟. 漕饟.

19 ㉘ [饡] 찬 [去]翰 則旰切 zàn
[字解] 국말이 찬 국에 만 밥. '時混混兮澆一'《楚辭》.
[字源] 篆文 形聲. 倉(食)+贊〔音〕

◉澆饡.

19 ㉘ [饠] 라 [平]歌 良何切 luó
[字解] ①떡 라 '饆一'는 보리떡의 한 가지. ②음식이름 라 음식의 한 가지. '一, 食名'《正韻》.
[字源] 形聲. 倉(食)+羅〔音〕

首 (9획) 部

〔머리수부〕

0 ⑨ [首] [中][人] 수 ①-⑧[上]有 書九切 shǒu / ⑨-⑪[去]宥 舒救切

筆順 丶 丷 丷 䒑 䒑 产 产 首 首 首

字解 ①머리 수 ㉠두부(頭部). '頓—'. '乾爲—'《易經》. ㉡머리털. '白—'. '皓—而歸'《李陵》. ②우두머리 수 ㉠장(長). '元—'. '—領'. '毋爲戎—'《禮記》. ㉡첫째. '—席'. '慮爲功—'《魏武帝》. ③첫머리 수 ㉠사물의 시작. '年—'. '—時過則書'《公羊傳》. ㉡앞. '—尾'. '謬取老子居列傳—'《史記 註》. ④칼자루 수 칼의 손잡이. '進劍者左—'《禮記》. ⑤나타낼 수 겉으로 보이게 함. '—其內'《禮記》. ⑥근거할 수 근거를 둠. '不—其義'《禮記》. ⑦수 수 시문(詩文)을 세는 수사(數詞). 편수(篇數). '唐詩三百—'. '謹獻舊所爲文, 八十——'《韓愈》. ⑧성 수 성(姓)의 하나. ⑨자백할 수 자현(自現)함. '自—'. '驕嫚不—'《漢書》. ⑩좇을 수 복종함. 항복함. '雖有降—, 曾莫懲革'《後漢書》. ⑪향할 수 머리를 그쪽으로 돌림. '寢恆東—'《禮記》.

字源 金文 篆文 象形. 눈과 머리털을 강조하여 머리 모양을 본떠 '머리'의 뜻을 나타냄.

參考 '首수'를 의부(意符)로 하여, 머리 부분에 관한 문자를 이룸. 부수 이름은 '머리수'.

[首甲 수갑] ㉠투구. ㉡으뜸. 첫째.
[首鎧 수개] 투구.
[首功 수공] 적군(敵軍)의 목을 벤 공.
[首科 수과] 과거(科擧)에서 장원(壯元)에 급제하는 일.
[首魁 수괴] 괴수(魁首).
[首丘 수구] ㉠근본을 잊지 아니함. 여우가 죽을 때에 제 살던 굴이 있는 언덕 쪽으로 머리를 두고 죽는다는 데서 나온 말. ㉡고향을 생각함.
[首卷 수권] 한 질(帙)로 된 책의 첫째 권.
[首級 수급] 싸움터에서 벤 적군(敵軍)의 목.
[首肯 수긍] 그렇다고 고개를 끄덕임. 옳다고 승낙함.
[首腦 수뇌] 중요(重要)한 자리에 있는 사람. 우두머리.
[首途 수도] 여행을 떠남.
[首都 수도] 서울. 수부(首府).
[首頭 수두] 수모자(首謀者).
[首領 수령] ㉠머리. ㉡두목(頭目). 우두머리.
[首虜 수로] 수급(首級)과 포로(捕虜).
[首路 수로] 수도(首途).
[首謀 수모] 주장(主張)이 되어 일을 꾀함. 또, 그 사람.
[首尾 수미] ㉠머리와 꼬리. ㉡처음과 끝. 본말(本末). ㉢사물의 앞과 뒤. ㉣사물의 시말(始末). ㉤결말(結末)을 지음.
[首尾相衛 수미상위] 머리와 꼬리가 서로 호응하여 방위함.
[首尾相應 수미상응] 서로서로 끊이지 아니함.
[首尾相接 수미상접] 서로 이어서 끊이지 아니함.
[首尾吟 수미음] 같은 구(句)를 머리와 끝에 쓰는 한시(漢詩)의 잡체(雜體).
[首班 수반] 수석(首席).
[首犯 수범] 범인(犯人)의 우두머리.
[首伏 수복] 수복(首服)❶.
[首服 수복] ㉠자수(自首)함. ㉡머리의 장식. 관(冠)을 이름.
[首府 수부] 수도(首都).
[首富 수부] 첫째가는 부자(富者).
[首相 수상] 수석(首席)의 대신(大臣). 또는, 장관(長官).
[首鼠兩端 수서양단] 쥐가 의심이 많아서 머리를 내놓고 관망하는 것처럼 양편 중에서 어느 편을 택하여야 좋을지 몰라서 망설임을 이름.
[首席 수석] 맨 윗자리. 또, 그 자격을 가진 사람.
[首善 수선] 천하(天下)의 모범을 세우는 일.
[首善之地 수선지지] 천자(天子)의 서울. 경사(京師).
[首選 수선] 장원(壯元) 급제 한 사람.
[首歲 수세] 음력 정월의 별칭(別稱).
[首時 수시] 봄·여름·가을·겨울의 사시(四時)의 처음.
[首飾 수식] 부녀(婦女)의 머리에 꽂는 장식품.
[首身 수신] 머리와 몸.
[首實 수실] 사실을 자백함.
[首惡 수악] 악인의 두목. 수학(首虐).
[首陽山 수양산] 산 이름. 산시 성(山西省) 융지현(永濟縣) 남쪽에 있음. 백이(伯夷)·숙제(叔齊)의 형제가 절의(節義)를 지키고 아사(餓死)한 산이라 함. 수산(首山). 뇌수산(雷首山).
[首位 수위] 첫째 자리.
[首子 수자] 처음 난 아이. 첫아이.
[首章 수장] 첫째 장. 제일장.
[首祚 수조] 새해의 처음. 세수(歲首).
[首足異處 수족이처] 몸이 두 동강 남.
[首種 수종] '메기장[稷]'의 별칭. 백곡(百穀) 중에서 맨 먼저 심는 데서 이르는 말.
[首座 수좌] ㉠좌중의 제일 위. 상좌. ㉡《佛教》 상좌에 앉는 중. 또, 중의 직명(職名).
[首罪 수죄] ㉠많은 범죄 중에서 제일 중(重)한 죄(罪). ㉡수범(首犯).
[首唱 수창] ㉠제일 먼저 주창함. ㉡좌중에서 제일 먼저 시를 지음.
[首秋 수추] 음력 7월의 별칭(別稱).
[首陀 수타] 인도 사성(四姓) 중에서 최하급인 노예 계급. 수드라.
[首夏 수하] 초여름. 맹하(孟夏). 초하.
[首虐 수학] 악당(惡黨)의 두목. 수악(首惡).
◉甲首. 劍首. 黔首. 黥首. 稽首. 功首. 空首. 冠首. 貫首. 冠雖弊心加於首. 魁首. 馘首. 翹首. 絞首. 矯首. 丘首. 鳩首. 屈首. 卷首. 歸首. 肯首. 落首. 亂首. 黨首. 頓首. 頭首. 盟首. 俛首. 貿首. 反首. 頒首. 白首. 蓬首. 部首. 北首. 匕首. 相首. 賞首. 犀首. 歲首. 搔首. 碎首. 豕首. 仰首. 抑首. 年首. 龍頭鷁首. 元首. 濡首. 戎首. 縊首. 尼首. 貍首. 自首. 陣首. 斬首. 倡首. 靑首. 稱首. 篇首. 鋪首. 鶴首. 頷首. 抗首. 咳首. 皓首. 化首. 華首. 回首. 廻首. 梟首.

0 ⑩ [𩠐] 首(前條)의 古字

2 ⑪ [馗] ㊀ 규 ㊥支 渠追切 kuí ㊁ 구 ㊥尤 巨鳩切

字解 ㊀ ①거리 규 구방(九方)으로 통하는 길. '士女滿莊—'《王粲》. ②광대뼈 규 협골(頰骨). ㊁ 거리 구, 광대뼈 구 ㊀과 뜻이 같음.

字源 篆文 形聲. 道〈省〉+九〔音〕. '九구'는 '아홉'의 뜻. 아홉 방향으로 통하는 '길'의 뜻을 나타냄.

◉野馗. 鍾馗.

8 [馘] [一] 괵 [入]陌 古獲切 guó
⑰ [二] 혁 [入]錫 況壁切 xù

[字解] [一] 벨 괵 전쟁에서 적의 귀 또는 머리를 벰. '一耳'. '一首'. 또, 그 벤 귀나 머리. '俘一'. '以訊一告'《禮記》. [二] 낯 혁 안면. '槁項黃一'《莊子》.

[字源] 馘의 別體 聝 形聲. 首+或[音]. '或혹'은 '구획 짓다'의 뜻. 적을 죽이고 왼쪽 귀를 베어서, 죽인 목의 수의 증거로 삼는 데서, 귀를 베다, 목을 베다의 뜻을 나타냄.

[參考] 𩠠(首部 十一畫)은 俗字.

[馘首 괵수] 목을 벰. 또, 그 벤 목.
[馘耳 괵이] 귀를 벰. 또, 그 벤 귀.
[馘截 괵절] 괵수(馘首).
◉俘馘. 罍馘. 劓馘. 斬馘. 黃馘.

9 [䭫] 〔수〕
⑱ 首(部首〈p. 2586〉)와 同字

10 [𩠒] 불 [入]物 分物切 fú
⑲

[字解] ①머리꾸미개 불 부인(婦人)의 머리 장식. 髴(髟部 五畫)과 同字. '一, 婦人首飾也'《玉篇》. ②이마드림 불 이마의 장식. '一, 額前飾也'《廣韻》.

11 [𩠠] 〔괵·혁〕
⑳ 馘(首部 八畫〈p. 2588〉)의 俗字

18 [𩡀] [一] 전 [上]銑 主袞切 / [平]先 職緣切
㉗ [二] 단 [平]寒 徒官切 tuán
[三] 천 [平]元 止元切

[字解] [一] 끊을 전 목을 벰. 剸(刀部 十一畫)과 同字. '一, 截首也'《說文》. [二] 끊을 단 [一]과 뜻이 같음. [三] 끊을 천 [一]과 뜻이 같음.

[字源] 會意. '斲(斷)단'과 '𩠐수'를 합쳐 목을 끊다의 뜻을 나타냄.

香 (9획) 部
[향기향부]

0 [香] [中人] 향 [平]陽 許良切 xiāng
⑨

[筆順] 一 二 千 禾 禾 禾 香 香

[字解] ①향기 향 향내. '芳一'. '芬一'. '有飶其一'《詩經》. ②향기로울 향 향기가 있음. '泉一而酒冽'《歐陽修》. ③향 향 불에 태워서 좋은 냄새가 나게 하는 물건. '燒一'. '薰一'. '焚一默坐'《王禹偁》. ④성 향 성(姓)의 하나.

[字源] 篆文 會意. 黍+甘. '黍서'는 '기장'의 뜻. '甘감'은 '달다, 맛있다'의 뜻. '向향'과 통하여 신령을 향해 가다, 기장이나 술 따위 제물에서 나는 향기의 뜻을 나타냄. '香향'은 생략체.

[參考] '香향'을 의부(意符)로 하여 향기에 관한 문자를 이룸.

[香徑 향경] 서시(西施)가 난초(蘭草)를 찾아다녔다는 길. 탐향경(探香徑).
[香界 향계] 절. 사찰.
[香冠 향관] 아름다운 관(冠).
[香篝 향구] 안에 향을 넣어 태우고 위에 의복을 덮어 향이 옷에 배게 하는 농. 훈롱(薰籠).
[香國 향국] 《佛教》 극락세계(極樂世界).
[香氣 향기] 향내.
[香囊 향낭] 향을 넣어 차는 주머니.
[香袋 향대] 향낭(香囊).
[香奩 향렴] 향렴(香匳).
[香匳 향렴] 향을 담는 상자. 향합(香盒).
[香匳體 향렴체] 오로지 미인(美人)에 관한 일을 읊는 시의 한 체. 당(唐)나라 시인 한악(韓偓)의 시집〈향렴집(香匳集)〉에 유래함.
[香爐 향로] 향을 피우는 데 쓰는 그릇.

[香爐]

[香爐峰 향로봉] 장시 성(江西省) 주장 현(九江縣) 서남(西南)쪽에 있는 산 이름. 여산(廬山)의 북쪽 봉우리.
[香料 향료] 향을 만드는 원료.
[香袂 향메] 향내가 나는 소매. 미인의 옷의 소매를 이름.
[香夢 향몽] 봄철의 꽃필 때 꾸는 꿈.
[香阜 향부] 향계(香界).
[香粉 향분] 향기가 나는 가루.
[香山居士 향산거사] 당(唐)나라 백낙천(白樂天)의 별호(別號).
[香象 향상] 몸에서 향기가 나며 깊은 강이나 바다도 건너갈 수 있다는 상상의 코끼리.
[香雪 향설] 향기가 나는 흰 꽃을 눈에 견주는 말.
[香水 향수] ㉠향내가 나는 물. ㉡향료(香料)를 섞어 만든 화장품의 한 가지. ㉢불전(佛前)에 바치는 물.
[香案 향안] 향로를 받치는 상.
[香魚 향어] 은어(銀魚).
[香煙 향연] 향(香)이 타는 연기.
[香猊 향예] 사자(獅子) 모양을 한 향로.
[香雨 향우] 비. 좋은 비의 형용.
[香雲 향운] 향기 있는 구름이라는 뜻으로, 꽃이 많이 필 때의 형용.
[香圍粉陣 향위분진] 미인(美人)에게 둘러싸인 형용.

[香猊]

[香油 향유] 향내가 나는 기름.
[香餌 향이] 냄새 좋은 먹이. 전(轉)하여, 사람을 꾀는 이익.
[香餌之下必有死魚 향이지하필유사어] 고기가 냄새 좋은 미끼에 낚여 죽음. 허욕이 나서 몸을 파멸시키는 비유.
[香積寺 향적사] 당(唐)나라의 절 이름. 산시 성(陝西省)에 있음.
[香奠 향전] 향전(香錢).
[香錢 향전] 죽은 사람의 영전, 혹은 불사(佛事)에 올리는 돈.
[香車 향차] 아름다운 수레.
[香草 향초] 향내가 나는 풀.
[香燭 향촉] 제사에 쓰는 향과 초.

[香臭 향취] 향내.
[香苞 향포] 꽃봉오리.
[香蒲 향포] 부들.
[香盒 향합] 향을 담는 합.
[香港 향항] 광둥 성(廣東省) 남쪽에 있는 중국 특별행정구. 홍콩.
[香魂 향혼] 꽃의 정령(精靈). 또, 미인(美人)의 혼.
[香火 향화] ㉠향을 피우는 불. 제사 때 올리는 향불. ㉡'제사(祭祀)'의 별칭(別稱).
[香花 향화] ㉠향기로운 꽃. ㉡신불(神佛)에 바치는 향과 꽃.
[香華 향화] 향화(香花).
[香火社 향화사] 불도(佛道) 수행의 단체.
[香火院 향화원] 자기가 귀의하는 절.
[香火情 향화정] 부처 앞에서 서약한 마음. 옛날에 서약할 때에 향을 피웠기 때문에 이름.
[香火兄弟 향화형제] 서로 마음이 맞는 기녀(妓女)들끼리 맺은 의형제.
[香薰 향훈] ㉠좋은 향기. ㉡미인(美人)의 비유.
◉裾香. 桂香. 古香. 嬌香. 九里香. 國色天香. 國香. 奇香. 暖香. 檀香. 名香. 茗香. 銘香. 聞香. 密香. 反魂香. 芳香. 辟寒香. 芬香. 粉香. 焚香. 麝香. 書香. 蘇合香. 燒香. 神香. 安息香. 暗香. 闇香. 餘香. 拈香. 王者香. 芸香. 鬱金香. 幽香. 遺香. 衣香. 異香. 一瓣香. 殘香. 傳香. 羶香. 丁香. 酒香. 天香. 清香. 七里香. 沈香. 偸香. 荷香. 行香. 馨香. 花香. 茴香. 熏陸香.

5 ⑭ [馜] 니 ㊤紙 乃倚切 nǐ
字解 ①진한향기 니 짙은 향기. '一, 香氣濃厚也'《正字通》. ②향기로울 니 '一, 䭯一, 香也'《集韻》.

5 ⑭ [馝] 人名 필 ㊇質 毗必切 bì
筆順
字解 향기로울 필 좋은 향내가 남. '一, 香也'《廣雅》.
字源 形聲. 香+必〔音〕

7 ⑯ [馞] 발 ㊇月 普沒切 bó
字解 향기로울 발 향내가 강하게 남. '一一, 香也'《廣雅》.

7 ⑯ [馟] 도 ㊥虞 陀胡切 tú
字解 ①향기로울 도 '一, 香也'《字彙》. ②馞(前條)의 訛字. '一, 馞字之譌'《正字通》.

8 ⑰ [馢] 전 ㊥先 將先切 jiān
字解 향나무이름 전 향나무의 일종. '一香沈香同類'《香譜》.

8 ⑰ [馡] 비 ㊥微 甫微切 fēi
字解 향기로울 비 향내가 많이 남. '一, 香也'《廣韻》.

8 ⑰ [馣] ㊀ 암 ㊥覃 烏含切 ān ㊁ 엄 ㊤琰 衣檢切
字解 ㊀ 향기로울 암 향내가 많이 남. '一一, 香也'《廣雅》. ㊁ 향내 엄 향기. '一一, 香氣'《集韻》.

9 ⑱ [馥] 人名 복 ㊇屋 房六切 fù 
筆順
字解 ①향기 복 향내. '流香吐一'《洛陽伽藍記》. 전(轉)하여, 덕화(德化) 또는 명성. '凝華重一, 良在關西之彥'《江淹》. ②향기로울 복 향기가 있음. 향기를 발산함. '一郁'. '桂一蘭芳'《梁元帝》. 전(轉)하여, 덕화 또는 명성이 전함. '譽一區中'《江淹》.
字源 篆文 形聲. 香+复〔音〕. '复복'은 또 夊+畐〈省〉〔音〕으로 '풍부하다'의 뜻. 향기가 풍성하다의 뜻을 나타냄.

[馥氣 복기] 향기(香氣).
[馥馥 복복] 복욱(馥郁).
[馥郁 복욱] 향기가 많이 나는 모양.
◉芳馥. 膾馥. 郁馥. 香馥.

9 ⑱ [馤] 애 ㊦泰 於蓋切 ài
字解 향기 애 향기로운 냄새. '逕蘭銷晩一'《韓愈》.

10 ⑲ [馧] ㊀ 온 ㊥文 於云切 yūn ㊁ 올 ㊇月 烏沒切 wò
字解 ㊀ 향기로울 온 향내가 남. ㊁ 향기짙을 올 향기가 대단함. '一, 香氣盛也'《正字通》.

11 ⑳ [馨] 人名 형 ㊥青 呼刑切 xīn ㊦敬 虛映切
筆順
字解 ①향내날 형, 향기로울 형 향기가 멀리 미침. '爾殽既一'《詩經》. 전(轉)하여, 덕화(德化) 또는 명성이 멀리 미침. '明德惟一'《書經》. ②향기 형 향내. '無一無臭'《嵇康》. '垂一千祀'《晉書》. ③어조사 형 진송(晉宋) 시대의 속어(俗語)로, 어세(語勢)를 강하게 하는 조사(助詞). '何物老嫗, 生此寧一兒'《晉書》. '冷如鬼手一, 強來捉人臂'《世說》.
字源 篆文 形聲. 香+殸〔音〕. '殸경'은 높은음을 내는 악기 경(磬)의 象形. 경쇠 소리가 멀리까지 울리듯이, 향기가 멀리까지 진동하여 미치다의 뜻을 나타냄.

[馨氣 형기] 향기(香氣).
[馨逸 형일] 향기가 보통 때와 달라 유달리 좋음.
[馨香 형향] 향기 좋은 냄새.
◉潔馨. 芬馨. 餘馨. 寧馨. 椒馨.

12 ㉑ [馩] 담 ㊥覃 徒南切 tán
字解 향기 담 '一, 馣一, 香氣'《集韻》.

18 ㉗ [馫] 흥 ㊥蒸 虛陵切 xīn

字解 향기 흥 향내. '一, 香氣也'《字彙補》.

馬 (10획) 部

〔말마부〕

0
⑩ [馬] 中人 마 ㊤馬 莫下切 mǎ 马

筆順 丨 𠃊 𠃍 ... 馬

字解 ①말 마 가축의 하나. '牛一'. '千里一'. ②산가지 마 투호(投壺)를 할 때 득점(得點)을 세는 물건. '籌一'. '請爲勝者立一'《禮記》. ③성 마 성(姓)의 하나.

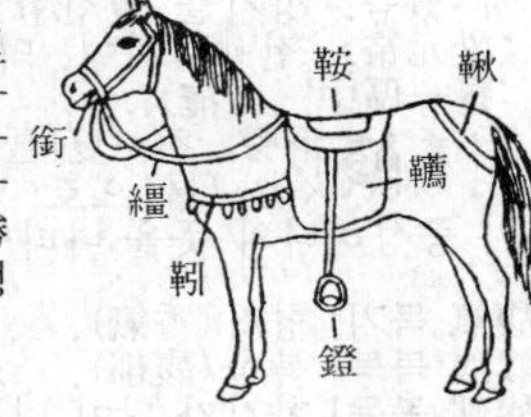

〔馬①〕

字源 甲骨文 金文 篆文 象形. 말 모양을 본떠 '말'의 뜻을 나타냄.

參考 '馬마'를 의부(意符)로 하여, 여러 가지 종류의 말이나 말과 비슷한 동물의 명칭, 말의 상태, 말 다루기 등에 관한 문자를 이룸. 부수 이름은 '말마부'.

[馬脚 마각] ㉠말의 다리. ㉡가식(假飾)하여 숨긴 본성(本性)이나 진상(眞相).
[馬肝 마간] 말의 간. 유독(有毒)하여 먹으면 죽는다 함.
[馬韁 마강] 말고삐.
[馬檛 마과] 말의 채찍.
[馬鮫 마교] 삼치.
[馬具 마구] 말을 타는 데 쓰는 기구.
[馬廏 마구] 마구간.
[馬口錢 마구전] 말에 과하는 세금.
[馬伎 마기] 말을 부리는 기술. 곡마(曲馬) 따위.
[馬技 마기] 마기(馬伎).
[馬腦 마뇌] 마노(瑪瑙).
[馬端臨 마단림] 송말(宋末) 원초(元初)의 학자. 낙평(樂平) 사람. 자(字)는 귀여(貴與). 벼슬은 승사랑(承事郞). 널리 연학(硏學)하여 〈대학집전(大學集傳)〉·〈문헌통고(文獻通考)〉 등을 지었음.
[馬刀 마도] 마합(馬蛤).
[馬圖 마도] '하도(河圖)'와 같음.
[馬頭 마두] ㉠말의 머리. ㉡말 위. ㉢부두. 나루터.
[馬頭娘 마두랑] 누에[蠶]의 신(神).
[馬兜鈴 마두령] 쥐방울과의 다년생 만초(蔓草). 거담약(袪痰藥)으로 씀.
[馬鐙 마등] 등자(鐙子).
[馬來 마래] 말레이(Malay)의 음역(音譯). 아시아 대륙 최남단의 반도(半島).
[馬力 마력] 동력(動力)의 단위. 말 한 필의 힘이라는 뜻으로, 1초 동안에 75kg의 물체를 1m 움직이는 힘, 또는 746와트의 전력(電力)에 상당함. 약호는 HP. 「土).
[馬鬣封 마렵봉] 말의 목덜미같이 생긴 봉토(封
[馬齡 마령] 자기 나이의 겸사말.
[馬鈴薯 마령서] 감자.
[馬寮 마료] 옛날에 궁중의 말을 맡던 관아.
[馬陸 마륙] 노래기.
[馬勒 마륵] 말의 굴레.
[馬陵 마릉] 춘추(春秋) 시대 위(衛)나라의 땅 이름. 그 옛 성(城)터가 전국(戰國) 시대 위(魏)나라의 장수 방연(龐涓)이 제(齊)나라의 장수 전기(田忌)·손빈(孫臏)에게 패하여 자살한 곳임. 지금의 허베이 성(河北省) 대명현(大名縣) 동남(東南)쪽에 있음.
[馬面 마면] 말같이 긴 얼굴. 말상.
[馬鳴馬應牛鳴牛應 마명마응우명우응] 동류끼리는 자연히 통하는 데가 있음을 이름.
[馬舞災 마무재] 화재(火災).
[馬尾 마미] 말의 꼬리.
[馬尾蜂 마미봉] 고치벌과에 속하는 벌의 일종. 온몸이 적갈색이며 암컷의 꽁무니에 길쭉한 산란기(産卵器)가 있음. 말총벌.
[馬尾藻 마미조] 바다에서 나는 조류(藻類)의 한 가지. 모자반.
[馬班 마반] ㉠사마천(司馬遷)과 반고(班固). 모두 한대(漢代)의 사가(史家). ㉡마원(馬援)과 반초(班超). 모두 한대(漢代)에 국외에 진출하여 큰 공을 세운 사람들임.
[馬勃 마발] ㉠말의 똥. ㉡말불버섯.
[馬坊 마방] 말의 사육(飼育)을 맡은 곳.
[馬背 마배] 말 등.
[馬癖 마벽] 말을 좋아하는 버릇.
[馬步 마보] 말에게 재해(災害)를 가한다는 신(神).
[馬蜂 마봉] 말벌.
[馬夫 마부] 말구종.
[馬糞紙 마분지] 짚으로 만든 질이 낮은 종이.
[馬脾風 마비풍] 전염병의 한 가지. 흔히 심장 마비를 일으킴. 디프테리아.
[馬史 마사] 사기(史記)의 이명(異名). 사마천(司馬遷)이 찬(撰)하였으므로 이름.
[馬上客 마상객] 말을 탄 사람.
[馬上得之 마상득지] 마상득천하(馬上得天下).
[馬上得天下 마상득천하] 말을 타고 싸우며 동분서주하여 천하를 얻음.
[馬上續殘夢 마상속잔몽] 꾸던 꿈을 말 위에서 계속해서 꿈. 곧, 아침 일찍 말을 타고 졸면서 길을 감을 이름.
[馬生角 마생각] 결코 있을 수 없음의 비유.
[馬癬 마선] 말버짐.
[馬謖 마속] 촉한(蜀漢)의 장수. 자(字)는 유상(幼常). 뛰어난 재략(才略)으로 제갈량(諸葛亮)에게 중용(重用)되었으나, 가정(街亭)의 싸움에서 위(魏)에게 패하여 처형되었음.
[馬手 마수] 말 탈 때 고삐를 잡는 손.
[馬首 마수] 말 머리. 전(轉)하여, 말이 향하는 방향.
[馬術 마술] 말을 타는 재주.
[馬乘 마승] 네 마리의 말. 승(乘)은 사(四).
[馬矢 마시] 말똥. 시(矢)는 시(屎).
[馬食 마식] ㉠말처럼 입을 그릇에다 대고 먹음. ㉡말먹이. ㉢말처럼 많이 먹음.
[馬鞍 마안] 말의 안장.
[馬鞅 마앙] 뱃대끈.
[馬圉 마어] ㉠마구간. ㉡말을 기르는 사람.
[馬語 마어] 말 우는 소리.

[馬驛 마역] 역말. 역참(驛站).
[馬纓 마영] 말의 가슴걸이.
[馬屋 마옥] 마구간.
[馬牛襟裾 마우금거] 말이나 소가 옷을 입었다는 뜻으로, 무식한 사람을 조롱하는 말.
[馬援 마원] 후한(後漢)의 정치가. 처음에는 외효(隗囂)를 따르다가 광무제(光武帝)에게 사관(仕官)하여 복파 장군(伏波將軍)이 됨. 세상에서 마복파(馬伏波)라 일컬음. 오수전(五銖錢)의 주조(鑄造)를 실현했음.
[馬乳 마유] '포도(葡萄)'의 별칭(別稱).
[馬融 마융] 후한(後漢)의 유학자(儒學者). 무릉(茂陵) 사람. 안제(安帝) 때 교서랑(校書郞)이 되었음. 그 제자(弟子)에 정현(鄭玄) 등 천여 명이 있음.
[馬邑 마읍] 산시 성(山西省) 삭현(朔縣)의 옛 고을 이름.
[馬醫 마의] 말의 병을 보는 수의.
[馬蟻 마의] 왕개미.
[馬耳東風 마이동풍] 동풍, 곧 봄바람이 말의 귀에 스쳐도 아무 감각이 없듯이, 남의 말을 귀담아듣지 아니함. 쇠귀에 경 읽기. 우이독경(牛耳讀經).
[馬人 마인] 말레이 사람.
[馬印 마인] 말의 산지의 표로서 다리에 찍는 낙인(烙印).
[馬場 마장] 말을 놓아 먹이는 곳. 목장.
[馬迹 마적] 마적(馬跡).
[馬跡 마적] 말발굽의 자취.
[馬賊 마적] 말을 탄 도적의 떼.
[馬蹟山 마적산] 장쑤 성(江蘇省) 무진현(武進縣)의 동쪽 태호(太湖) 가운데 있는 산 이름.
[馬前 마전] 임금 또는 귀인(貴人)의 말 탄 앞.
[馬丁 마정] ㉠말을 끄는 사람. ㉡말구종.
[馬政 마정] 말에 관한 행정 사무, 또는 법령.
[馬蹄 마제] 말굽.
[馬蹄銀 마제은] 청대(淸代)에 화폐로 사용된 말굽 모양의 은덩이.
[馬蹄鐵 마제철] ㉠대접쇠. ㉡말편자.
[馬祖 마조] 별 이름. 방성(房星).
[馬鬃 마종] 말갈기.
[馬車 마차] 말에게 끌리는 수레.
[馬鐵 마철] 말편자.
[馬草 마초] 말에 먹이는 풀.
[馬箠 마추] 마편(馬鞭).
[馬鰍 마추] 말의 밀치.
[馬醉木 마취목] 철쭉과에 속하는 상록수. 잎은 살충제로 씀. 마소가 먹으면 중독(中毒)을 일으킴.
[馬齒莧 마치현] 쇠비름.
[馬馱 마태] 말에 짐을 싣는 짐바리.
[馬通 마통] 말똥. 마분(馬糞).
[馬牌 마패] 《韓》 말을 새긴 동패(銅牌). 상서원(尙瑞院)에서 역마(驛馬) 징발의 표로 관원에 주었음.
[馬鞭 마편] 말의 채찍.
[馬鞭草 마편초] 마편초과에 속하는 다년초. 잎은 우상 분열(羽狀分裂)하고 자줏빛 꽃이 가늘고 긴 이삭 모양으로 핌.
[馬幣 마폐] ㉠말의 모양을 새긴 화폐. ㉡말과 폐백(幣帛).
[馬皮 마피] 말 가죽.
[馬匹 마필] 말.
[馬汗之力 마한지력] 전쟁에서 치구(馳驅)하는 힘.
[馬銜 마함] ㉠재갈. ㉡해신(海神)의 이름.
[馬蛤 마합] 민물조개 중 최대형의 이패류(二貝類). 식용함. 말씹조개.
[馬革 마혁] 말의 가죽.
[馬革裹屍 마혁과시] 말의 가죽으로 시체를 쌈. 옛날에는 전사한 장수의 시체는 말 가죽으로 쌌음. 곧, 전사(戰死)함을 이름.
[馬餼 마희] 말의 사료.
◉介馬. 鎧馬. 車馬. 健馬. 犬馬. 輕裘肥馬. 競馬. 曲馬. 貢馬. 款段馬. 狂馬. 狗馬. 駒馬. 驅馬. 軍馬. 弓馬. 擒奔馬. 騎馬. 裸馬. 騾馬. 落馬. 南船北馬. 老馬. 怒馬. 路馬. 駑馬. 驢馬. 戴星馬. 桃花馬. 童馬. 鈍馬. 猛馬. 名馬. 髦馬. 木馬. 木牛流馬. 巫馬. 文馬. 樸馬. 斑馬. 方馬. 凡馬. 兵馬. 寶馬. 泛駕之馬. 副馬. 駙馬. 奔馬. 肥馬. 牝馬. 司馬. 駟馬. 射人先射馬. 塞翁之馬. 善馬. 騂馬. 洗馬. 素車白馬. 水馬. 乘馬. 迅馬. 心猿意馬. 惡馬. 鞍馬. 野馬. 野生馬. 良馬. 陽馬. 麗馬. 役馬. 櫪馬. 驛馬. 連錢馬. 劣馬. 五花馬. 騸馬. 庸馬. 龍馬. 六馬. 戎馬. 羸馬. 人馬. 立仗之馬. 赭白馬. 赤馬. 傳馬. 戰馬. 征馬. 調馬. 竈馬. 種馬. 走馬. 籌馬. 竹馬. 俊馬. 駿馬. 指鹿爲馬. 車馬. 斬馬. 瘠馬. 千軍萬馬. 千里馬. 天馬. 千兵萬馬. 鐵馬. 鐵浮圖拐子馬. 簷馬. 靑馬. 驄馬. 出馬. 趣馬. 快馬. 打馬. 駝馬. 馱馬. 八駿馬. 疲馬. 匹馬. 下馬. 汗馬. 汗血馬. 悍馬. 騂馬. 海馬. 行馬. 胡馬. 呼牛呼馬.

1 ⑪ [⿻馬一] [一] 현 [平]先 戶田切
[二] 환 [平]刪 戶關切 huán
[字解] [一] 망아지 현 한 살 된 망아지. '一, 馬一歲也'《說文》. [二] 망아지 환 [一]과 뜻이 같음.
[字源] 會意. 馬+一. 한 살 된 말의 뜻.

2 ⑫ [馭] [人名] 어 [去]御 牛倨切 yù 驭 馭
[字解] 부릴 어 ㉠말을 어거함. '善一'. ㉡사람을 어거함. '統一'. '一群臣'《周禮》.
[字源] 御의 古文 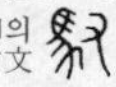 會意. 馬+又. '又우'는 '손'. 말을 손으로 다루다, 부리다의 뜻을 나타냄.

[馭馬 어마] 말을 어거함.
[馭邊 어변] 국경을 진수(鎭戍)함.
[馭夫 어부] 거마(車馬)를 취급하는 사람.
[馭狎 어압] 말을 길들임.
[馭風之客 어풍지객] 신선(神仙).
◉駕馭. 經馭. 控馭. 騎馭. 撫馭. 服馭. 善馭. 失馭. 龍馭. 弛馭. 臨馭. 接馭. 總馭. 統馭.

2 ⑫ [馸] 팔 [入]黠 布拔切 bā
[字解] 여덟살된말 팔 '一, 馬八歲也'《說文》.
[字源] 形聲. 馬+八[音].

2 ⑫ [⿱馬十] 환 [平]刪 戶關切 huán
[字解] 한살된말 환 '一, 說文, 馬一歲也'《集韻》.

2 ⑫ [馮] [一] 빙 [平]蒸 扶冰切 píng
[二] 풍 [平]東 房戎切 féng 冯 馮

[字解] [一] ①업신여길 빙 능모(陵侮)함. '小人伐其技, 以—君子'《左傳》. ②기댈 빙 의지함. '—軾而下齊七十餘城'《漢書》. ③성낼 빙 대단히 화를 내는 모양. '今君奮焉, 震電—怒'《左傳》. ④힘입을 빙 남의 도움을 받음. 의뢰함. '衆庶—生'《史記》. ⑤서운할 빙 불만족함. '心猶—'《張衡》. ⑥뽐낼 빙 자랑함. '侅溺於—氣'《莊子》. ⑦도섭(徒涉)할 빙 내나 강을 도보로 건넘. '暴虎—河'《論語》. [二] 성 풍 성(姓)의 하나. '—異'는 후한(後漢) 사람. '晉人有—婦者'《孟子》.

[字源] 篆文 形聲. 馬+冫(仌)〔音〕. '仌빙'은 얼음의 象形으로 얼음이 금이 가 깨지다의 뜻. 말이 얼음에 금이 가듯이 빨리 달리다의 뜻을 나타냄.

[馮閎 빙굉] 광대 허무(廣大虛無)의 세계를 이름.
[馮氣 빙기] 뽐내는 마음.
[馮怒 빙노] 대단히 성냄.
[馮隆 빙륭] 높은 모양.
[馮陵 빙릉] 침범함.
[馮馮 빙빙] ㉠말이 빨리 달리는 모양. ㉡담을 쌓을 때 단단하게 하느라고 치는 소리. ㉢성(盛)한 모양. ㉣많은 모양.
[馮河 빙하] 황하(黃河)를 걸어 건넘. 전(轉)하여, 무모한 용기를 냄.
[馮夢龍 풍몽룡] 명말(明末)의 문사(文士). 오현(吳縣) 사람. 자(字)는 유룡(猶龍). 호(號)는 향월거고곡산인(香月居顧曲散人). 나이 예순이 넘어서 잠시 관도(官途)에 있었던 외에는 평생을 민가(民歌)·민간 설화·소설·희곡의 수집 정리 및 창작(創作)에 몰두하였으며, 민가집(民歌集) 〈산가(山歌)〉, 일화집 〈고금담개(古今譚槪)〉·〈정사(情史)〉·〈소설 삼언(三言)〉등을 편찬하였음.
[馮異 풍이] 후한(後漢) 광무제(光武帝)의 공신(功臣). 부성(父城) 사람. 자(字)는 공손(公孫). 맹진 장군(孟津將軍)이 되어 양하후(陽夏侯)로 추봉(推封)됨. 언제나 홀로 수하(樹下)로 물러나 공(功)을 논하지 않기 때문에 대수 장군(大樹將軍)이라 일컬었음.
[馮夷 풍이] 하백(河伯).

3 ⑬ [馵] 주 [去]遇 之戍切 zhù

[字解] ①발흰말 주 왼쪽 뒷발이 흰 말. '駕我騏—'《詩經》. ②맬 주 말의 발을 맴. '震爲—足'《易經 傳》.

[字源] 篆文 篆文은 會意로, 馬+二. 말의 발에 선을 둘〔二〕 가해서, 왼쪽 뒷발이 흰 말의 뜻을 나타냄. '馵주'는 隷體로 馬+廾의 會意.

[馵足 주족] 뒷발이 흰 말.

3 ⑬ [馯] [一] 한 [平]寒 河干切 hán
[二] 간 [平]刪 丘姦切 qián

[字解] [一] ①한이(馯夷) 한 동이(東夷)의 별종(別種)의 하나. ②성 한 '—臂'는 복성(複姓)의 하나. '江東—臂子弓'《漢書》. [二] ①종이말 간 청흑색(靑黑色)의 털의 말. ②성 간 성(姓)의 하나.

[字源] 形聲. 馬+干〔音〕

[馯臂 간비] 성(姓)의 하나.

3 ⑬ [馱] [人名] [一] 태(타[本]) [去]箇 唐佐切 duò 驮
[二] 타 [平]歌 唐何切 tuó

[字解] [一] 실을 태, 태울 태 말 같은 짐승의 등에 짐 또는 사람을 실음. '吳姬十五細馬—'《李白》. [二] 짐 타 말 같은 짐승의 등에 실은 짐. '疲馬解鞍—'《蘇軾》.

[字源] 篆文 形聲. 馬+大〔音〕. '大대'는 속(俗)에 '擔담'과 통하여 '짊어지다'의 뜻. 말에 짐을 지우다의 뜻을 나타냄.

[參考] 馱(馬部 四畫)는 俗字.

[馱價 태가] 짐을 실어다 준 삯. 태임(馱賃).
[馱馬 태마] ㉠짐 싣는 말. ㉡열등(劣等)한 말.
[馱背 태배] 등에 짐. 짊어짐.
[馱賃 태임] 태가(馱價).

3 ⑬ [馳] [人名] 치 [平]支 直離切 chí 驰

[筆順] 丨 ⺁ 𠂇 馬 馬 馬⁻ 馳 馳

[字解] ①달릴 치 ㉠질주함. '—走'. '—從儳道歸營'《後漢書》. ㉡수레나 말 등을 빨리 몲. '—馬'. '載—載驅'《詩經》. ㉢빨리 전달함. '中人—詔'《陸游》. ㉣마음을 그 방면으로 빨리 돌림. '—志於伊吾之北'《十八史略》. ㉤달리는 것처럼 빨리 경과함. 빨리 감. '年與時—'《諸葛亮》. ㉥널리 일을 급히 함을 이름. '—辯'. '—檄'. ②전할 치 빨리 전달됨. '英名日四—'《孟郊》. ③성 치 성(姓)의 하나.

[字源] 篆文 形聲. 馬+也〔音〕. '也야'는 넘실거리게 하다의 뜻. 말이 등을 넘실거리게 하면서 빨리 달리다의 뜻을 나타냄.

[馳結 치결] 정(情)을 달려 상(想)을 맺는다는 뜻으로, 먼 곳에 있는 벗을 생각하는 마음이 간절함을 이름.
[馳競 치경] 뒤떨어지지 않으려고 치열하게 경쟁함.
[馳驅 치구] 달림.
[馳驥 치기] 빨리 달리는 준마(駿馬).
[馳湍 치단] 여울.
[馳到 치도] 달음질하여 이름.
[馳道 치도] 천자가 거둥하는 길.
[馳突 치돌] 말을 달려 적진(敵陣)에 돌입함.
[馳獵 치렵] 말을 달려 사냥함.
[馳馬 치마] 말을 빨리 몲.
[馳騖 치무] ㉠말을 빨리 몲. ㉡분주히 돌아다니며 일함.
[馳辯 치변] 말을 거침없이 교묘히 함.
[馳步 치보] 달리기도 하고 걷기도 함.
[馳報 치보] 급(急)히 달려가서 알림. 급보(急報).
[馳騁 치빙] ㉠말을 빨리 몲. ㉡사냥함.
[馳射 치사] 말, 수레를 달리며 활을 쏨.
[馳驛 치역] 급히 달리는 역말.
[馳詣 치예] 어른 앞으로 달려옴.
[馳蹂 치유] 말을 달려 짓밟음.
[馳傳 치전] 빨리 달리는 파발(擺撥)꾼.
[馳走 치주] 달림. 달음박질함.
[馳進 치진] 치예(馳詣).
[馳車 치차] ㉠달리는 수레. ㉡수레를 달림.
[馳逐 치축] ㉠달려가서 쫓음. ㉡경마(競馬).

[馳驟 치취] ㉠말을 달림. ㉡달음박질함.
[馳魂 치혼] 마음을 씀. 혼(魂)은 심중(心中).
[馳暉 치휘] 해. 태양.
◉競馳. 高馳. 驅馳. 鶩馳. 背馳. 奔馳. 飛馳. 騁馳. 星馳. 爭馳. 電馳. 箭馳. 周馳. 外馳. 飆馳. 匹馳.

3 ⑬ [馴] [人名] [一] 순 [平]眞 詳遵切 xún [二] 훈 [去]問 吁運切 xùn 驯

[字解] [一] ①길들 순 새나 짐승이 사람을 따름. '一獸'. ②길들일 순 전항의 타동사. '擾一鳥獸'《孔子家語》. ③익숙할 순 숙련함. '其文不雅一'《史記》. ④순할 순 유순함. '無不柔一者'《列子》. ⑤좇을 순 그대로 함. '一幽推曆'《太玄經》. [二] 가르칠 훈 訓(言部 三畫)과 통용. '列侯亦無由敎一其民'《史記》.
[字源] 篆文 形聲. 馬+川〔音〕. '川천'은 '내'의 뜻. 내가 일정한 길을 따라 흐르듯, 말이 사람의 뜻에 따르다, 길들다의 뜻을 나타냄.

[馴良 순량] 짐승이 길이 들어서 양순(良順)함.
[馴鹿 순록] 시베리아산의 사슴의 일종.
[馴伏 순복] 순복(馴服).
[馴服 순복] 길이 들어서 잘 복종함.
[馴性 순성] 짐승의 길이 잘 드는 성질.
[馴獸 순수] 길든 짐승.
[馴養 순양] 길들여 기름.
[馴擾 순요] 유순함.
[馴育 순육] 길들여 기름.
[馴制 순제] 길들여 제어함.
[馴致 순치] 점차로 변화함. 자연히 그렇게 됨.
[馴行 순행] 착한 행위.
◉敎馴. 識馴. 雅馴. 擾馴. 柔馴. 調馴. 風馴.

3 ⑬ [馰] 적 [入]錫 都歷切 dí

[字解] 별박이 적 '一顙'은 이마에 흰 점이 박힌 말. 별박이. 대성마(戴星馬). '一顙白顚'《爾雅》.
[字源] 篆文 形聲. 馬+勺〔音〕. '勺작'은 '的적'과 통하여 '이마'의 뜻. 이마가 흰 말의 뜻을 나타냄.

3 ⑬ [⿰馬凡] 범 [平]咸 符咸切 fán

[字解] 말빨리갈 범, 말저벅저벅걸을 범 '一, 馬行皃'《玉篇》.

3 ⑬ [馲] [一] 탁 [入]藥 盧各切 tuō [二] 책 [入]陌 陟格切 zhé

[字解] [一] 낙타 탁 '一駝'는 낙타. '一駞, 畜名'《集韻》. [二] 노새 책 수나귀와 암말 사이의 짐승. '一駋, 獸名'《集韻》.
[字源] 形聲. 馬+乇〔音〕

3 ⑬ [⿰馬刃] 馹(次次條)과 同字

4 ⑭ [馽] 〔집〕
縶(糸部 十一畫〈p. 1770〉)과 同字
[字源] 篆文 別體 會意. 馬+中. '中중'은 물건을 속에 넣다의 뜻. 말의 발을 매어 우리 안에 넣다의 뜻을 나타내며, 파생하여 말의 다리를 얽어매는 줄, 고삐의 뜻으로 쓰임. 篆文은 馬+口(○)의 會意로 말의 발을 매다의 뜻을 나타냄. 일설에는 말의 발을 끈으로 맨 모양을 본뜬 象形으로 봄.

4 ⑭ [馹] [人名] 일 [入]質 人質切 rì 驲

[筆順] 丨 ㄏ 𠂇 ⺁ 馬 馬 馬 馹 馹
[字解] 역말 일 역참(驛站)에 비치한 말. 역마(驛馬). '楚子乘一, 會師於臨品'《左傳》.
[字源] 篆文 形聲. 馬+日〔音〕. '日일'은 태양처럼 가는 것이 씩씩하다의 뜻. 귀인(貴人)의 역말의 뜻을 나타냄.

◉乘馹.

4 ⑭ [⿰馬父] 부 [上]麌 扶雨切 fù

[字解] 수말 부 '一, 牡馬'《集韻》.

4 ⑭ [⿰馬毛] [一] 모 [平]豪 謨袍切 máo [二] 렵 [入]葉 力涉切

[字解] [一] ①털긴말 모 '一, 一曰, 馬長毛'《集韻》. ②수레덮개 모 '一, 車翣以禦風塵'《集韻》. [二] 수레덮개 렵 [一] ❷와 뜻이 같음.

4 ⑭ [駁] [人名] 박 [入]覺 北角切 bó 驳

[字解] ①얼룩얼룩할 박 털에 여러 가지 빛깔이 섞이어 있음. '皇一其馬'《詩經》. ②섞일 박 사물이 순일(純一)하지 아니하고 잡것이 섞임. '雜一'. '一雜之譏, 前書盡之'《韓愈》. ③칠 박, 논박할 박 남의 의견·의론 등을 비난 공격함. '攻一'. '一論'. '彈一公卿'《魏書》.
[字源] 甲骨文 篆文 會意. 馬+爻. '爻효'는 '엇갈리다'의 뜻. 말의 털빛이 얼룩얼룩한 모양을 나타냄. 또 '暴폭'과 통하여 사나운 말의 뜻에서, 책하고 따지다의 뜻도 나타냄.

[駁擊 박격] 논박 공격함.
[駁論 박론] 반박하는 의론.
[駁辭 박사] 순정(純正)하지 않은 말.
[駁羽 박우] 얼룩얼룩한 깃.
[駁議 박의] 반박하는 의견을 진술함.
[駁雜 박잡] 뒤섞여 순정하지 아니함.
[駁正 박정] 논평하여 바로잡음.
[駁錯 박착] 박잡(駁雜).
◉甲論乙駁. 詭駁. 難駁. 論駁. 反駁. 斑駁. 辯駁. 駢駁. 雜駁. 彈駁. 評駁.

4 ⑭ [馾] 담 [去]勘 丁紺切 dàn, ③dǎn

[字解] ①말이걸어서나아갈 담 '一, 一曰, 馬步近前'《廣韻》. ②말조는모양 담 '一, 馬睡皃'《集韻》. ③말이름 담 '一, 馬名'《集韻》.

4 ⑭ [駃] [一] 결 [入]屑 古穴切 jué [二] 쾌 [去]卦 苦夬切 kuài 𫘝

[字解] [一] 준마 결 '一騠'는 빨리 달리는 준마. 생후 이레 만에 어미 말보다 빨리 달린다 함. '駿馬一騠, 不實外廄'《李斯》. [二] 빠를 쾌 快(心部 四畫)와 통용. '河水色渾一流'《酉陽雜俎》.

字源 篆文 形聲. 馬+夬〔音〕.

[駃騠 결제] 잘 달리는 말. 일설(一說)에는 버새.
[駃流 쾌류] 급류(急流).

4 ⑭ [駉] 앙 ㊥陽 五剛切 áng

字解 ①말성낼 앙 '一一'은 말이 성내는 모양. '一一, 馬怒皃'《說文》. ②천리마 앙 '一, 千里駒'《廣韻》.
字源 篆文 形聲. 馬+卬〔音〕. '卬앙'은 '흥분하다'의 뜻. 말이 흥분하여 성내다의 뜻을 나타냄.

4 ⑭ [駃] 개 ㊀卦 居拜切 jiè

字解 말꼬리잡아맬 개 또 그 매듭. '一, 結馬尾如人之髤'《說文通訓定聲》.

4 ⑭ [駈] ■ 흔 ㊀震 許覲切 xìn ■ 근 ㊀問 居焮切 jìn

字解 ■ 말무게 흔 '一, 馬重也'《五音集韻》. ■ 수레안의말 근 '一, 車中馬'《集韻》.

4 ⑭ [駊] ■ 기 ㊥支 巨支切 ㊀寘 居企切 ■ 지 ㊥支 章移切 zhì ■ 시 ㊀寘 施智切 shì

字解 ■ ①말강할 기 '一, 馬彊也'《說文》. ②강할 기, 굳셀 기 '一, 強也'《廣雅》. ■ 말강할 지, 강할 지, 굳셀 지 ■과 뜻이 같음. ■ 말강할 시 ■❶과 뜻이 같음.
字源 形聲. 馬+支〔音〕

4 ⑭ [駁] 삽 ㊀合 蘇合切 sà 𫘝

字解 달릴 삽 말이 빨리 달리는 모양. '一娑'. '輕先疾雷而一遺風'《揚雄》.
字源 篆文 形聲. 馬+及〔音〕. '及급'은 '미치다, 따라붙다'의 뜻.

[駁沓 삽답] 널리 퍼짐. 또 성(盛)한 모양.
[駁遝 삽답] 삽답(駁沓).
[駁娑 삽사] ㉠말이 빨리 달리는 모양. ㉡한(漢)나라의 궁전(宮殿) 이름.

4 ⑭ [駍] 패 ㊀泰 普蓋切 pèi

字解 말의기세가장한모양 패 '一, 馬壯皃'《字彙》.

4 ⑭ [駏] 문 ㊥文 無分切 wén

字解 얼룩말 문 갈기가 붉고 눈이 황금색(黃金色)인 얼룩말. 원래 '馼(次條)'으로 썼음. '一, 一馬赤鬣縞身, 目如黃金. 文王以獻紂'《廣韻》.
字源 形聲. 馬+文〔音〕

4 ⑭ [馼] 駏(前條)의 本字

4 ⑭ [駆] 〔구〕 驅(馬部 十一畫〈p.2606〉)의 俗字

4 ⑭ [駄] 〔태〕 駃(馬部 三畫〈p.2592〉)의 俗字

4 ⑭ [駅] 〔려〕 驢(馬部 十六畫〈p.2611〉)의 俗字

4 ⑭ [駅] 〔역〕 驛(馬部 十三畫〈p.2609〉)의 俗字

4 ⑭ [駄] 〔요〕 驃(馬部 九畫〈p.2602〉)와 同字

4 ⑭ [駂] 보 ㊤晧 博抱切 bǎo 鸨

字解 오총이 보 검은 털과 흰 털이 섞인 말. '驪白雜毛, 一'《爾雅》.

5 ⑮ [駉] 경 ㊥青 古螢切 jiōng

字解 살질 경, 굳셀 경 말이 비대하고 건장한 모양. '一一牡馬, 在坰之野'《詩經》.
字源 篆文 形聲. 馬+冋〔音〕. '冋경'은 먼 야외의 뜻. 야외에 있는 말 목장의 뜻을 나타냄.

[駉駉 경경] 말이 살지고 씩씩한 모양.
[駉那 경나] 시경(詩經)의 노송(魯頌)의 경(駉)의 시(詩)와 상송(商頌)의 나(那)의 시.

5 ⑮ [駏] 거 ㊤語 其呂切 jù

字解 버새 거 '一驉'는 수말과 암나귀 사이에서 난 짐승. 버새. '從小奚奴騎一驉'《唐書》.

[駏蛩 거공] 거허(駏驉)와 공공(蛩蛩). 두 짐승의 이름. 항상 같이 따라다닌다고 함.
[駏驉 거허] 버새. 수말과 암나귀 사이에서 난 짐승.

5 ⑮ [駐] 人名 주 ㊀遇 中句切 zhù 驻

筆順 丨 𠃊 ㇇ 馬 馬 馬 駐 駐

字解 ①머무를 주 ㉠말·수레 따위가 정지함. '早駕, 久一'《漢書》. ㉡체재함. '一在'. '所在屯一'《宋史》. ②머무르게할 주 전향의 타동사. '行人一足聽'《古詩》.
字源 篆文 形聲. 馬+主〔音〕. '主주'는 일정 기간 머무르다의 뜻. 말이 선 채로 있다, 머무르다의 뜻을 나타냄.

[駐駕 주가] 임금이 어가(御駕)를 세워 머묾.
[駐軍 주군] 군사(軍士)를 주둔시킴.
[駐屯 주둔] 군대가 진영을 짓고 머무름.
[駐鑾 주란] 주필(駐蹕).
[駐輦 주련] 주필(駐蹕).
[駐留 주류] 머무름. 또, 머무르게 함.
[駐泊 주박] 배가 항구에 머묾. 정박(碇泊)함.
[駐兵 주병] 군사를 어떤 곳에 머물게 함. 또, 머물러 있는 군사.
[駐步 주보] 걸음을 멈춤.

[駐錫 주석] 석장(錫杖)을 멈춘다는 뜻으로, 승려(僧侶)의 체류.
[駐在 주재] ㉠머물러 있음. ㉡머물러 근무함.
[駐車 주차] 차(車)를 세움.
[駐箚 주차] 관리가 임지에 머물러 근무함.
[駐紮 주찰] 주차(駐箚).
[駐蹕 주필] 임금이 거둥하는 중간에 어가를 세워 머무름.
◉屯駐. 常駐. 留駐. 暫駐. 停駐. 進駐. 偸駐.

5
⑮ [駒] 人名 구 ㊥虞 擧朱切 jū 驹

字解 ①망아지 구 두 살 난 말. 또, 5척(尺) 이상 6척 이하의 작은 말. '犢—'《急就篇》. ②말 구 '寧昂昂若千里之—乎'《楚辭》. ③성 구 성(姓)의 하나.
字源 金文 篆文 形聲. 馬+句〔音〕. '句구'는 '굽다'의 뜻. 빙글빙글 뛰어 돌아다니는 망아지의 뜻을 나타냄.

[駒光 구광] '광음(光陰)'을 이름.
[駒隙 구극] 망아지가 벽의 틈을 지난다는 뜻으로, 세월이 빨리 지나 인생의 덧없음의 비유.
[駒馬 구마] 망아지와 말.
[駒影 구영] 햇빛.
[駒齒 구치] ㉠젖니. 유치(乳齒). ㉡어린아이.
◉隙駒. 犢駒. 白駒. 伏櫪駒. 龍駒. 元駒. 轅駒. 轅下駒. 驊駒. 異駒. 驪駒. 龍駒. 株駒. 千里駒. 草駒. 春駒. 玄駒.

5
⑮ [駃] ㊀ 일 ㉧質 夷質切 yì
㊁ 절 ㉧屑 徒結切

字解 ㊀ 말빨리달릴 일 '—, 馬有疾足也'《說文》. ㊁ 징표 절 '—, 徵也'《玉篇》.
字源 形聲. 馬+失〔音〕

5
⑮ [駓] 비 ㊥支 敷悲切 pī

字解 ①황부루 비 누른빛과 흰빛이 섞인 말. 토황마(土黃馬). '有騅有—'《詩經》. ②달릴 비 질주하는 모양. '逐人——些'《楚辭》.
字源 篆文 形聲. 馬+丕〔音〕

[駓駓 비비] 닫는 모양.
[駓騃 비애] 짐승이 가는 모양. 또, 말이 씩씩하게 전진하는 모양.

5
⑮ [䮃] 돌 ㉧月 當沒切 duō

字解 짐승이름 돌 골돌(騜䮃)은 북해(北海)에서 나는 짐승. '—, 騜—, 獸名, 出北海'《集韻》.

5
⑮ [駠] 〔류〕
騮(馬部 七畫〈p. 2599〉)와 同字

5
⑮ [駘] 태 ㊥灰 徒哀切 tái 骀

字解 ①둔마 태 느린 말. 전(轉)하여, 미련한 사람. '竭駑—'《晉書》. ②벗을 태, 벗겨질 태 말이 재갈을 벗음. 또, 재갈이 벗겨짐. '馬—其銜'《崔寔》. ③편할 태 아득하게 넓은 모양. 또, 봄이 화창한 모양. '春物方—蕩'《謝朓》. ④추할 태 모습이 보기 흉한 모양. 못생긴 모양. '哀—它'《莊子》. ⑤밟을 태 짓밟음. 跆(足部 五畫)와 同字. '兵相—藉'《史記》.
字源 篆文 形聲. 馬+台〔音〕. '台태'는 쟁기로 땅을 부드럽게 하다의 뜻. 일반적으로 부드럽게 하다의 뜻을 나타냄. 말의 재갈을 벗기다, 편하게 하다의 뜻을 나타냄.

[駘蕩 태탕] ㉠넓은 모양. ㉡봄의 화창한 모양.
[駘銜 태함] 말의 재갈을 벗김.
◉駑駘. 哀駘. 弱駘. 羸駘. 蕩駘. 鞭駘.

5
⑮ [駵] 류 ㊥尤 力由切 liú

字解 배가흰말 류 복부(腹部)가 흰 말. '—, 馬白腹也'《字彙補》.

5
⑮ [駗] ㊀ 진 ㊤軫 止忍切 zhěn
㊁ 린 ㊥眞 力珍切

字解 ㊀ ①말짐무거워걷지못할 진 '—, —驙, 馬載重難也'《說文》. ②말이름 진 얼룩말. '—, 馬色也'《廣韻》. ㊁ 말짐무거워걷지못할 린, 말이름 린 ㊀과 뜻이 같음.
字源 形聲. 馬+㐱〔音〕

5
⑮ [駔] ㊀ 장 ㊤養 子朗切 zǎng
㊁ 조 ㊤麌 徂古切 zù 驵

字解 ㊀ ①준마 장 잘 달리는 말. '冀馬塡廏而—駿'《左思》. ②중도위 장 교활한 거간꾼. '段干木, 晉國之大—也'《呂氏春秋》. ③서투를 장 '—工'. ㊁ 끈끈 조, 끈꼴 조 組(糸部 五畫)와 통용. '—圭璋璧琮琥璜之渠眉'《周禮》.
字源 篆文 形聲. 馬+且〔音〕. '且저·조'는 '徂조'와 통하여 '가다'의 뜻. 잘 달리는 원기 왕성한 말의 뜻을 나타냄.

[駔工 장공] 서투른 공장(工匠).
[駔會 장괴] 장쾌(駔儈).
[駔駿 장준] 잘 달리는 말. 준마(駿馬).
[駔儈 장쾌] 중개인. 중도위.
[駔琮 조종] 끈 끈을 단 옥(玉). 천자(天子)·종후(宗后)가 저울의 추(錘)로 씀.

〔駔琮〕

5
⑮ [駍] 반 ㊦翰 博漫切 bàn

字解 말가는모양 반 '—, —騂, 馬行皃'《集韻》.

5
⑮ [駙] 人名 부 ㊦遇 符遇切 fù 驸

字解 ①곁말 부 예비의 말. 부마(副馬). '車之左—'《史記》. ②가까울 부. ③빠를 부.
字源 篆文 形聲. 馬+付〔音〕. '付부'는 '곁따르다'의 뜻. '곁말'의 뜻을 나타냄.

[駙馬 부마] ㉠'부마도위(駙馬都尉)'의 준말. ㉡또는 위(魏)·진(晉) 이후에 임금의 사위는 반드시 부마도위(駙馬都尉)가 되었으므로, 천자(天子) 또는 왕(王)의 사위의 뜻으로 쓰임.
[駙馬都尉 부마도위] 한(漢)나라 무제(武帝) 때

승여(乘輿)의 부마(副馬)를 맡은 벼슬.
◉左駙.

5
⑮ [駛] 사 [去]寘 疎吏切 shǐ 驶
[上]紙 疎士切

[字解] ①달릴 사 말이 빨리 감. '疾如坂馬—'《袁桷》. ②빠를 사 가는 것이 빠름. '君帆一何—'《蘇轍》.
[字源] 形聲. 馬+史〔音〕

[駛急 사급] 빠름. 신속함.
[駛力 사력] 배 같은 것이 달리는 힘. 속력(速力).
[駛馬 사마] 말을 빨리 몲. 또는 질주하는 말.
[駛雨 사우] 소나기.
[駛足 사족] ㉠빠른 걸음. ㉡파발꾼.
[駛走 사주] 빨리 달림. 질주함.
[駛河 사하] 물결이 센 강.
◉急駛. 奔駛. 迅駛. 淸駛.

5
⑮ [駊] 발 [入]曷 蒲撥切 bó

[字解] 오랑캐말 발 '—韈'은 오랑캐의 말. '紅旗影動—韈歸'《白居易》.

5
⑮ [駜] 필 [入]質 毗必切 bì

[字解] 살질 필, 굳셀 필 말이 비대하고 건강한 모양. '—彼乘黃'《詩經》.
[字源] 篆文 形聲. 馬+必〔音〕. '必필'은 복부가 팽팽하다의 뜻. 말의 배가 팽팽하게 살지다의 뜻을 나타냄.

5
⑮ [駖] 령 ①[平]靑 郞丁切 líng
②[平]庚 力耕切

[字解] ①차마(車馬)소리 령 수레와 말이 가는 소리. '—, —蓋, 車騎聲'《集韻》. ②말많은소리 령 '—, 馬衆聲'《集韻》.

5
⑮ [駟] [人名] 사 [去]寘 息利切 sì 驷

[字解] ①사마 사 네 필의 말. 고대(古代)의 마차(馬車)는 네 필의 말이 끄는데, 바깥쪽 좌우의 말은 '驂' 또는 '騑'라 하고, 안쪽의 두 말은 '服'이라 함. '齊景公有馬千—'《論語》. ②사마수레 사 말 넷이 끄는 비상히 빠른 수레. '—馬' '若—過隙'《禮記》. ③성 사 성(姓)의 하나.
[字源] 金文 篆文 形聲. 馬+四〔音〕. '四사'는 '넷'의 뜻. 네 필이 짝이 된 말의 뜻을 나타냄.

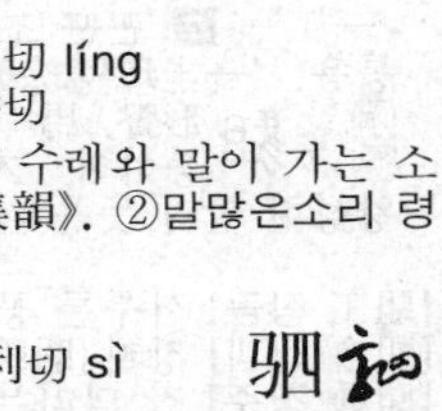
[駟②]

[駟介 사개] 수레 하나에 말 넷과 갑옷 입은 군사 셋이 딸린 것을 이름.
[駟過隙 사과극] 사마(駟馬)로 빨리 벽의 틈을 지난다는 뜻. 세월이 매우 빠름의 비유.
[駟馬 사마] 네 말이 끄는 수레. 또, 그 말.
[駟不及舌 사불급설] 한번 입 밖에 낸 말은 사마(駟馬)로 쫓아도 붙들지 못함. 말〔言〕을 조심하라는 비유.
◉介駟. 文駟. 房駟. 飛駟. 騂駟. 瘦駟. 良駟. 羸駟. 逸駟. 天駟. 倦駟. 華駟.

5
⑮ [駒] 갈 [入]曷 居曷切 gé

[字解] 말빨리달릴 갈 '—, 馬疾走也'《說文》.
[字源] 形聲. 馬+匃〔音〕

5
⑮ [駓] 파 [上]哿 布火切 pǒ

[字解] 머리내두를 파 '—騀'는 말이 머리를 내두르는 모양. '庭空四馬入, —騀揚旆旌'《杜甫》.
[字源] 篆文 形聲. 馬+皮〔音〕

[駓騀 파아] ㉠말이 머리를 내두르는 모양. ㉡말이 광분(狂奔)하는 모양. ㉢높고 큰 모양.

5
⑮ [駝] [人名] 타 [平]歌 徒河切 tuó 驼

[字解] ①곱사등이 타 등뼈가 고부라진 병신. '—女淺步腰半—'《薩都剌》. ②실을 타, 태울 타 짐승의 등에 짐·사람을 실음. '吳姬十五細馬—'《李白》. ③낙타 타 '駱—'의 약칭(略稱). '好馬—騾'《魏志》.
[字源] 形聲. 馬+它〔音〕. '它타'는 동류가 아닌 것의 뜻. 다른 종류의 말, '낙타'의 뜻을 나타냄.
[參考] 駞(次條)는 同字.

[駝雞 타계] 타조(駝鳥).
[駝峯 타봉] 낙타(駱駝)의 육봉(肉峯).
[駝鳥 타조] 새의 이름. 열대 지방(熱帶地方)에 사는 잘 닫는 큰 새.
◉郭橐駝. 駱駝. 獨峯駝. 明駝. 一封駝. 橐駝.

5
⑮ [駞] 駝(前條)와 同字

5
⑮ [駇] 말 [入]曷 莫葛切 mò

[字解] 말달리는모양 말 '—, 馬走皃'《集韻》.

5
⑮ [駈] 과 [平]麻 姑華切 guā

[字解] 공골말 과 입 가장자리가 검은 공골말. 騧(馬部 九畫)와 同字.

5
⑮ [駈] 〔구〕
驅(馬部 十一畫〈p. 2606〉)의 俗字

5
⑮ [駑] [人名] 노 [平]虞 乃都切 nú 驽

[字解] 둔할 노 ㉠느림. '將隨—馬之迹乎'《楚辭》. ㉡무딤. 미련함. '相如雖—, 獨畏廉將軍哉'《十八史略》. 또, 둔한 말. 미련한 사람. '—驥同轅'《孔叢子》.
[字源] 形聲. 馬+奴〔音〕. '奴노'는 '노예'의 뜻. 질이 떨어지는 둔한 말의 뜻을 나타냄.

[駑蹇 노건] 말이 느리고 절룩절룩함.

[駑怯 노겁] 미련하고 겁이 많음.
[駑犬 노견] 둔하고 느린 개.
[駑驥 노기] 둔한 말과 준마(駿馬).
[駑鈍 노둔] 재주가 없음. 아둔함.
[駑良 노량] 노마(駑馬)와 양마(良馬). 둔한 말과 좋은 말.
[駑力 노력] 무딘 힘. 자기의 재능의 겸칭(謙稱).
[駑馬 노마] 둔한 말. 노태(駑駘).
[駑馬十駕 노마십가] 둔한 말이라도 열흘에 준마가 하루 가는 길은 갈 수 있다는 뜻으로, 둔재(鈍才)도 힘쓰면 재주 있는 사람을 따를 수 있다는 말.
[駑馬鉛刀 노마연도] 둔한 말과 납으로 만든 무딘 칼. 곧, 아무 소용없는 군비(軍備).
[駑散 노산] 노마(駑馬)와 산재(散材). 둔재. 쓸모없는 사람의 비유.
[駑闇 노암] 둔하고 흐림.
[駑弱 노약] 미련하고 약함. 「유.
[駑鉛 노연] 느린 말과 무딘 칼. 둔재(鈍才)의 비
[駑劣 노열] 우둔하고 용렬함.
[駑頑 노완] 미련하고 완고함.
[駑駿 노준] 노마(駑馬)와 준마(駿馬). 현철한 사람과 우둔한 사람의 비유.
[駑駘 노태] ㉠느린 말. 굼뜬 말. 노마(駑馬). ㉡용렬함. 또, 그 사람.
[駑下 노하] ㉠말이 둔함. 또, 둔한 말. ㉡사람이 둔함. 또, 둔한 사람. 또, 자기를 낮추어 일컫는 말.
◉愚駑. 羸駑. 策駑. 罷駑.

5 ⑮ [駕] [人名] 가 [去]禡 古訝切 jià 驾

[筆順] フ カ 加 加 駕 駕 駕 駕

[字解] ①탈것 가 거마(車馬). '車—'. '不俟—行矣'《論語》. ②탈 가 탈것에 올라감. '始知—鶴乘雲外'《白居易》. ③부릴 가 ㉠수레에 타고 말을 부림. '君車將—'《禮記》. ㉡사람을 어거함. '—御英雄, 驅使群賢'《吳志》. ④능가할 가 훨씬 뛰어남. '猶詐晉而—焉'《左傳》. ⑤더할 가 더하여지게 함. 보탬. '胥猶飮藥以—病也'《莊子》. ⑥성 가 성(姓)의 하나.
[字源] [篆文] 形聲. 馬+加〔音〕. '加가'는 '더하다'의 뜻. 수레를 말에 붙이다, 더하다의 뜻을 나타냄.

[駕輕就熟 가경취숙] 가벼운 수레를 타고 여러 번 다니던 익숙한 길을 간다는 뜻으로, 그 일에 아주 익숙함을 이름.
[駕跨 가과] 말을 탐.
[駕六 가륙] 천자(天子)가 타는 수레. 어가(御駕).
[駕士 가사] 어가(御駕)를 끄는 사람.
[駕說 가세] ㉠수레나 말을 타고 사방으로 다니며 유세(遊說)함. 분주히 유세하러 다님. ㉡선왕(先王)의 도(道), 또는 상고(上古)의 뜻으로 쓰임.
[駕御 가어] ㉠말을 길들여 마음대로 부림. ㉡사람을 마음대로 부림.
[駕馭 가어] 가어(駕御).
◉車駕. 驅駕. 宮車晏駕. 鑾駕. 鸞駕. 來駕. 駑馬十駕. 凌駕. 陵駕. 大駕. 騰駕. 晩駕. 法駕. 別駕. 鳳駕. 仙駕. 聖駕. 小駕. 宸駕. 晏駕. 輿駕. 枉駕. 龍駕. 長駕. 儲駕. 停駕. 從駕. 駐駕. 千里命駕. 秋駕. 鶴駕.

6 ⑯ [駠] [一] 렬 [入]屑 良薛切 liè
[二] 례 [去]霽 力制切
[字解] [一] ①늘어서달릴 렬 말을 늘어서서 달리게 함. '—, 次第馳馬'《廣韻》. ②말이름 렬 '—, 馬名'《玉篇》. ③길들 렬, 길들일 렬 '—, 一曰, 馴也'《集韻》. [二] 늘어서달릴 례, 말이름 례, 길들 례, 길들일 례 [一]과 뜻이 같음.
[字源] 形聲. 馬+列〔音〕

6 ⑯ [駠] 駠(前條)과 同字

6 ⑯ [駘] 〔치〕
馳(馬部 三畫〈p. 2592〉)와 同字

6 ⑯ [駞] 휴 [平]尤 許尤切 xiū
[字解] ①말이름 휴 '—, 馬名'《說文》. ②좋은말 휴 준마(駿馬). '—, 駿也'《玉篇》.
[字源] 形聲. 馬+休〔音〕

6 ⑯ [駜] 駞(前條)와 同字

6 ⑯ [駢] 〔변〕
駢(馬部 八畫〈p. 2601〉)의 俗字

6 ⑯ [駣] 조 [上]篠 治小切 táo
[字解] 말 조 네 살 된 말. 일설(一說)에는, 세 살이 된 말. '敎—攻駒'《周禮》.

6 ⑯ [駪] 신 [平]眞 所臻切 shēn
[字解] 많을 신 말〔馬〕이 많은 모양. 또, 사람이 많이 모인 모양. '萬馬肅——'《杜甫》. '——征夫'《詩經》.
[字源] [篆文] 形聲. 馬+先〔音〕. '先선'은 '앞서다'의 뜻. 많은 말이 앞다투어 나아가다의 뜻을 나타냄.

[駪駪 신신] 수효가 많은 모양.

6 ⑯ [駬] 이 [上]紙 而止切 ěr
[字解] 말이름 이 騄(馬部 八畫)을 보라. '騄—'.
[字源] 形聲. 馬+耳〔音〕

◉騄駬.

6 ⑯ [駭] [人名] 해 [上]蟹 侯楷切 hài 骇
[字解] ①놀랄 해 ㉠경악함. '驚—'. '皆色然而—'《公羊傳》. ㉡놀라 떠듦. 놀라 혼란을 일으킴. '國人大—'《戰國策》. ②놀랠 해 놀라게 함. '鳴將—人'《呂氏春秋》.
[字源] [篆文] 形聲. 馬+亥〔音〕. '亥해'는 '愾해'와 통하여 '놀라다'의 뜻. 한 살 먹은

말 따위의 놀라기 쉬운 동물이 딱딱하게 몸이 굳어지며 놀라다의 뜻을 나타냄.

[駭擧 해거] 해괴한 짓.
[駭怪 해괴] 매우 괴이함.
[駭懼 해구] 놀라고 두려워함.
[駭怛 해달] 해구(駭懼).
[駭突 해돌] 놀라 달아나다가 부딪침.
[駭遁 해둔] 놀라 달아남.
[駭浪 해랑] 거센 물결.
[駭服 해복] 놀라 복종함. 대단히 감복(感服)함.
[駭俗 해속] 세상 사람이 놀랄 만큼 해괴한 풍속(風俗).
[駭視 해시] 깜짝 놀라며 봄.
[駭愕 해악] 깜짝 놀람.
[駭然 해연] 몹시 이상스러워서 놀라는 모양.
[駭惋 해완] 해탄(駭歎).
[駭擾 해요] 놀라 떠듦.
[駭慄 해율] 해구(駭懼).
[駭異 해이] 놀라 괴이하게 여김. 또는 놀라는 일이 드묾.
[駭人耳目 해인이목] 남의 이목(耳目)을 놀래는 일.
[駭歎 해탄] 놀랍게 여겨서 탄식함.
[駭殫 해탄] 놀라 두려워함.
[駭悖 해패] 몹시 패악(悖惡)함.
[駭飆 해표] 대단한 회오리바람. 또, 거센 바람. 대풍(大風).
[駭汗 해한] 몹시 놀라 식은땀이 남.
[駭惶 해황] 해구(駭懼).
◉傾駭. 驚駭. 恇駭. 驅駭. 奔駭. 色駭. 慴駭. 雲驤雷駭. 危駭. 栗駭. 沮駭. 振駭. 震駭. 眙駭. 嘆駭. 怖駭. 暴駭. 歡駭. 惶駭.

6 ⑯ **[駧]** 동 [去]送 徒弄切 dòng

[字解] ①말빨리달릴 동 '一, 馬疾走'《玉篇》. ②움직일 동 '一, 動也'《康熙字典》.
[字源] 形聲. 馬＋同〔音〕

6 ⑯ **[駮]** 박 [入]覺 北角切 bó

[字解] ①짐승이름 박 맹수(猛獸)의 이름. 말 비슷하며, 범을 잡아먹는다 함. ②참빗살나무 박 노박덩굴과의 낙엽 관목(灌木). 껍질이 청백색(青白色)이어서 얼룩말 비슷함. '隰有六一'《詩經》. ③논박할 박 駁(馬部 四畫)과 同字. '論解經傳, 多所一正'《後漢書》. ④얼룩얼룩할 박 駁(馬部 四畫)과 同字. '一牛'
[字源] 篆文 形聲. 馬＋交〔音〕. '駁박'의 이체자(異體字)로 쓰임.

[駮牛 박우] 얼룩소.
[駮糅 박유] 섞임.
[駮議 박의] 타인의 의론을 비난 공격함. 그 의론.
[駮正 박정] 논평하여 바로잡음.
◉馴駮. 六駮. 朱駮. 青駮.

6 ⑯ **[⿰馬匡]** 광 [平]陽 去王切 kuāng

[字解] 말귀굽을 광 '一, 馬耳曲'《字彙》.

6 ⑯ **[⿰馬臼]** 구 [上]有 巨九切 jiù

[字解] 여덟살난말 구 ⿰齒八(齒部 六畫〈p. 2725〉)와 통용. '馬八歲謂之一, 通作⿰齒八'《集韻》.

6 ⑯ **[⿰羽馬]** 구 [平]虞 權俱切 qú

[字解] 뒷발이모두흰말 구 翑(羽部 五畫)와 同字. '翑, 爾雅, 馬後足皆白曰翑, 或作一'《集韻》.

6 ⑯ **[駰]** 인 [平]眞 於巾切 yīn

[字解] 이총마(泥驄馬) 인 흰 털이 섞인 거무스름한 말. '我馬維一'《詩經》.
[字源] 篆文 形聲. 馬＋因〔音〕

6 ⑯ **[駱]** [人名] 락 [入]藥 盧各切 luò 骆

[字解] ①가리온 락 몸은 희고 갈기는 검은 말. '嘽嘽一馬'《詩經》. ②낙타 락 '一駝'.
[字源] 金文 篆文 形聲. 馬＋各〔音〕. '各각·락'은 '이르다'의 뜻. 외국에서 온 말, '낙타'의 뜻을 나타냄.

[駱駱 낙락] 말의 우는 소리.
[駱馬 낙마] 몸은 희고 갈기는 검은 말. 가리온.
[駱漠 낙막] 달리는 모양.
[駱賓王 낙빈왕] 당(唐)나라의 시인(詩人). 왕발(王勃)·양형(楊炯)·노조린(盧照隣)과 함께 초당(初唐)의 사걸(四傑)이라 일컬음. 측천무후(則天武后) 때 불만(不滿)을 품고 벼슬을 버리고 서경업(徐敬業)과 함께 양주(揚州)에서 반란을 일으키더니 끝내 행방불명(行方不明)이 되었음.
[駱丞 낙승] 당대(唐代)의 시인 낙빈왕(駱賓王)의 별칭(別稱). 임해승(臨海丞)을 지낸 일이 있으므로 이름.
[駱驛 낙역] 왕래가 빈번하여 끊이지 않는 모양. 낙역(絡繹).
[駱越 낙월] 옛날의 종족(種族)의 이름. 백월(百越)의 하나.
[駱駝 낙타] 우제류(偶蹄類)에 속하는 열대 지방의 동물. 등에 하나 또는 두 개의 육봉(肉峯)이 있음. 가축으로 기름. 약대.

6 ⑯ **[⿰馬吉]** 길 [入]質 喫吉切 jié

[字解] ①말이름 길 '一, 馬名'《玉篇》. '賜御馬一匹, 名師子一'《隋書》. ②말색깔 길 '一, 馬色'《集韻》. ③건장(健壯)한모습 길 佶(人部 六畫)과 同字. '一, 佶同'《正字通》.

6 ⑯ **[駥]** 융 [平]東 如融切 róng

[字解] ①키큰말 융 키가 8척(尺) 되는 큰 말. ②준마 융 뛰어난 말. '絶有力, 一'《爾雅》.
[字源] 篆文 形聲. 馬＋戎(戙)〔音〕. '戙융'은 '크다'의 뜻.

6 ⑯ **[駤]** 치 [去]寘 陟利切 zhì

[字解] ①말무르춤할 치 말이 서서 가지 않음. '一, 止也'《廣雅》. ②성불끈낼 치 성을 불끈 내어 토라짐. '胡人有知利者, 而人謂之一'《淮南

子》. ③큰말 치 키가 큰 말. '一, 一曰, 馬高大'《集韻》.

6 ⑯ **[駩]** 전 (平)先 從緣切 quān

字解 입술검은흰말 전 입술이 검은 백마(白馬).

6 ⑯ **[⿰馬吏]** 시 (去)寘 疎吏切 shǐ
(上)紙 師止切

字解 빠를 시 말이 빨리 감. '一, 疾也, 一曰, 馬行疾'《說文新附》.

字源 篆文 形聲. 馬+吏〔音〕

參考 駛(馬部 五畫)와 同字.

6 ⑯ **[⿰馬百]** 맥 (入)陌 莫白切 mò

字解 노새 맥 수나귀와 암말 사이에서 난 짐승. '一, 獸名, 說文, 馲一'《集韻》.

7 ⑰ **[駴]** 해 (上)蟹 侯楷切 hài

字解 ①칠 해 북을 침. '鼓皆一, 車徒皆譟'《周禮》. ②놀랄 해, 놀랠 해 駭(馬部 六畫)와 통용. '聖人之所以一天下'《莊子》.

字源 形聲. 馬+戒〔音〕. '駭해'와 통하여 '놀라다'의 뜻을 나타냄.

7 ⑰ **[駵]** 류 (平)尤 力求切 liú

字解 월따말 류 몸은 붉고 갈기는 검은 말. '騏一是中'《詩經》.

字源 篆文 形聲. 馬+丣〔音〕. '丣류'는 '畱류'의 생략. '畱'는 '瑠류'와 통하여 '유릿빛'의 뜻.

參考 騮(馬部 十畫)와 同字.

[駵駒 유구] 몸은 붉고 갈기는 검은 말. 월따말.
◉騏駵. 華駵. 驊駵. 黃駵.

7 ⑰ **[駷]** 송 (上)腫 息拱切 sǒng

字解 재갈채쳐달릴 송 말의 재갈에 채찍을 쳐 달림. '陽越下取策, 臨南一馬, 而由乎孟氏'《公羊傳》.

7 ⑰ **[駸]** 침 (平)侵 七林切 qīn

字解 ①달릴 침 말이 질주하는 모양. '載驟一一'《詩經》. ②빠를 침 진행이 빠른 모양. '斜日晚一一'《梁簡文帝》.

字源 篆文 形聲. 馬+侵〈省〉〔音〕. '侵침'은 어기어 나아가다의 뜻. 말이 어기어 달리다의 뜻을 나타냄.

[駸駸 침침] ㉠말이 달리는 모양. ㉡진행이 빠른 모양.

7 ⑰ **[駹]** 방(망本) (平)江 莫江切 máng

字解 ①얼룩말 방, 찬간자 방 검은 털과 흰 털이 섞인 말. 일설(一說)에는 푸른 말. 또 일설에는 얼굴과 이마가 흰 말. '匈奴騎, 其西方盡白, 東方盡一'《漢書》. ②얼룩진희생 방 잡색(雜色)의 희생(犧牲). '用一可也'《周禮》.

字源 篆文 形聲. 馬+尨〔音〕. '尨방'은 털이 많고 잡색의 뜻.

7 ⑰ **[⿰馬耴]** 一 녑 (入)葉 尼輒切 niè
二 영 (上)梗 如穎切

字解 一 말빨리걸을 녑 '一, 馬步疾也'《說文》. 二 말빨리걸을 영 一과 뜻이 같음.

字源 形聲. 馬+耴〔音〕

7 ⑰ **[駻]** 한 (去)翰 侯旰切 hàn

字解 한마(駻馬) 한 사나운 말. 일설(一說)에는, 키가 6척(尺) 되는 말. '無轡策而御一馬'《韓非子》.

字源 篆文 形聲. 馬+旱〔音〕. '旱한'은 '거칠다'의 뜻. 거친 말의 뜻을 나타냄.

[駻突 한돌] 사나운 말.
[駻馬 한마] 사나운 말.

7 ⑰ **[駼]** 도 (平)虞 同都切 tú

字解 말이름 도 騊(馬部 八畫)를 보라. '騊一'.

字源 篆文 形聲. 馬+余〔音〕

◉騊駼.

7 ⑰ **[⿰馬忝]** 담 (去)勘 丁紺切 dàn

字解 관(冠)이앞으로숙을 담 '一, 冠幘近前也'《字彙補》.

7 ⑰ **[駽]** 현 (平)先 火玄切 xuān
(上)銑 胡犬切

字解 돗총이 현 검푸른 말. '駜彼乘一'《詩經》.

字源 篆文 形聲. 馬+肙〔音〕. '肙연'은 '旬순'과 통하고, '旬'은 '絢현'과 통하여, 문채가 아름답다의 뜻. 윤기 나는 검푸른 털의 말의 뜻을 나타냄.

7 ⑰ **[駾]** 태 (去)泰 他外切 tuì

字解 ①부딪칠 태 달려가 충돌함. '混夷一矣'《詩經》. ②달릴 태 말이 달리는 모양.

字源 篆文 形聲. 馬+兌〔音〕. '兌태'는 '빠지다'의 뜻. 말이 위험한 곳에서 재빨리 빠져나오다의 뜻을 나타냄.

7 ⑰ **[駶]** 국 (入)沃 衢六切 jú

字解 말앞발내저을 국 말이 몸부림침. '故一跳而遠去'《楚辭》.

7 ⑰ **[駿]** 人名 준 (去)震 子峻切 jùn 骏

筆順 丨 ⺁ 馬 馬 馬 馬 駿 駿

字解 ①준마 준 잘 달리는 좋은 말. '一馬'. '周穆王欲驅八一周行天下'《博物志》. ②클 준 '爲

下國―厖'《詩經》. ③빠를 준 신속함. '―奔走在廟'《詩經》. ④준걸 준 俊(人部 七畫)과 통용. '誹―疑桀'《史記》. ⑤높을 준, 험할 준 峻(山部 七畫)과 통용. '崧高維嶽, ―極于天'《詩經》.
[字源] 篆文 形聲. 馬+夋〔音〕. '夋준'은 '出출'과 통하여 '나다'의 뜻. 뛰어난 말의 뜻을 나타냄.

[駿桀 준걸] 천만(千萬) 사람 중에서 뛰어난 재주.
[駿犬 준견] 빨리 달리는 개.
[駿骨 준골] 준마의 뼈.
[駿驥 준기] 준마(駿馬).
[駿良 준량] 뛰어나게 좋음.
[駿馬 준마] 잘 달리는 좋은 말.
[駿命 준명] 하늘의 큰 명령.
[駿敏 준민] 걸출하고 민첩함.
[駿厖 준방] 매우 두터움. 뛰어나게 큼.
[駿奔 준분] 빨리 달음질침.
[駿爽 준상] 뛰어나고 상쾌함.
[駿逸 준일] ㉠뛰어나고 빠름. 또, 기세가 왕성함. ㉡뛰어난 인재. 준재(駿才).
[駿足 준족] ㉠걸음이 대단히 빠름. ㉡준마(駿馬).
[駿足思長阪 준족사장판] 잘 닫는 말은 긴 고개에서 달려 보고 싶어함. 곧, 영웅호걸이 때를 만나 자기 재능을 충분히 발휘하고자 함의 비유.
[駿惠 준혜] 큰 은혜. 대은(大恩).
◉桀駿. 勁駿. 奇駿. 駑駿. 奔駿. 秀駿. 神駿. 良駿. 英駿. 龍駿. 逸駿. 精駿.

7 ⑰ [騁] [人名] 빙 (칭[本]) [上]梗 丑郢切 chěng 骋
[字解] ①달릴 빙 질주함. '馳―'. '時―而要其宿'《莊子》. ②펼 빙 신장함. 발전시킴. '―能'. '―志'. '游目―懷'《王羲之》.
[字源] 篆文 形聲. 馬+甹〔音〕. '甹병'은 굽은 것을 펴다, 곧다, 또 재빠르다의 뜻. 말을 곧장 재빨리 달리게 하다의 뜻을 나타냄.

[騁觀 빙관] 빙망(騁望).
[騁能 빙능] 재능을 발전시킴.
[騁望 빙망] 실컷 봄.
[騁邁 빙매] 빨리 달림.
[騁騖 빙무] 치구(馳驅)함.
[騁步 빙보] 달림.
[騁志 빙지] 뜻을 폄.
◉驅騁. 縱騁. 馳騁.

7 ⑰ [騂] 성 [平]庚 息營切 xīng 骍
[字解] ①절따말 성 적황색의 말. '有―有騏'《詩經》. ②붉을 성 ㉠적색. '―犢'. '凡糞種, ―剛用牛'《周禮》. ㉡희생(犧牲)의 털빛이 붉음. 또, 그 희생. '―且角'《論語》. ③붉힐 성 부끄러워 얼굴을 붉힘. '內愧面汗―'《孫覿》.
[字源] 甲骨文 篆文 形聲. 馬+觲〈省〉〔音〕

[騂剛 성강] ㉠붉은빛의 단단한 토질. ㉡붉은빛의 소.
[騂犢 성독] 털이 붉은 송아지.
[騂馬 성마] 털이 붉은 말. 절따말.
[騂牡 성모] 털이 붉은 수소.
[騂牲 성생] 털이 붉은 희생.
[騂騂 성성] 활이 부드러워 쏘기 좋은 모양.

7 ⑰ [驛] [一] 발 [入]月 蒲沒切 bó [二] 박 [入]覺 蒲角切
[字解] [一] 짐승이름 발 쇠꼬리에 뿔이 하나 있는 말. '―, 獸名, 馬形牛尾一角'《集韻》. [二] 짐승이름 박 [一]과 뜻이 같음.

7 ⑰ [騃] 애 [上]蟹 五駭切 ái 骙
[字解] ①어리석을 애 미련함. '愚―'. '內實―, 不曉政事'《漢書》. ②나아갈 애 말이 씩씩하게 전진함.
[字源] 篆文 形聲. 馬+矣〔音〕. '矣의'는 과단성 있는 호흡의 모양. 말이 과감하게 나아가다의 뜻을 나타냄.

[騃女 애녀] 어리석은 여자.
[騃子 애자] 어리석은 사람.
[騃惷 애준] 굼뜨고 어리석음.
[騃態 애태] 어리석은 태도.
◉朴騃. 鄙騃. 愚騃. 拙騃. 癡騃. 貪騃.

7 ⑰ [駿] 단 [上]旱 徙亶切 dàn
[字解] 예비(豫備)말 단 '―, 散馬, 即誕馬, 亦曰但馬, 或作駿馬'《正字通》.

7 ⑰ [騀] 아 [上]哿 五可切 ě
[字解] 머리내두를 아, 높을 아 駊(馬部 五畫)를 보라. '駊―'.
[字源] 篆文 形聲. 馬+我〔音〕. '我아'는 톱날처럼 깔쭉깔쭉하다의 뜻. 말이 머리를 흔들어 움직이는 모양을 나타냄.
[參考] 鵝(次次條)는 別字.

◉駊騀.

7 ⑰ [駁] 보 [去]遇 蒲故切 bù
[字解] 말걸음익힐 보 말에게 보행(步行)을 익힘. '―, 習馬也'《集韻》.

7 ⑰ [鵝] 아 [平]歌 五何切 ě
[字解] 나아갈 아 말이 나아감.
[參考] 騀(前前條)는 別字.

7 ⑰ [騍] [一] 뢰 [去]泰 魯外切 lèi [二] 라 [去]箇 盧臥切 luò
[字解] [一] 얼룩말 뢰 '―, 馬毛斑白'《集韻》. [二] 곡식이름 라 '―, 一歲, 穀名, 賈思勰說'《集韻》.

7 ⑰ [騱] 희 [去]未 許旣切 xì
[字解] 말달리는모양 희 '―, 馬走皃'《集韻》.

8 ⑱ [騄] 록 [入]沃 力玉切 lù 騄
[字解] 말이름 록 '―耳'는 목왕(穆王)의 팔준마(八駿馬)의 하나. '華騮―耳, 一日千里'《淮南子》.
[字源] 形聲. 馬+彔〔音〕

[騄耳 녹이] 준마의 이름. 주(周)나라의 목왕(穆王)이 천하를 주유(周遊)할 때 타던 팔준마(八駿馬)의 하나. 녹이(綠耳).
[騄駬 녹이] 녹이(騄耳).

8 ⑱ [騅] 추 ㊥支 職追切 zhuī 骓

字解 ①오추마 추 검푸른 털에 흰 털이 섞인 말. '有一有駓'《詩經》. ②성 추 성(姓)의 하나.
字源 篆文 形聲. 馬+隹〔音〕

[騅不逝 추불서] 초(楚)나라의 항우(項羽)의 사랑하는 준마 오추마(烏騅馬)가 전진하지 못한다는 뜻으로, 세궁역진(勢窮力盡)한 경우를 이름.
[騅駓 추비] 오추마(烏騅馬).
◉神騅. 烏騅. 駿騅. 黃騅.

8 ⑱ [騲] ■ 탁 ㊀覺 竹角切 zhuō ■ 초 ㊀效 敕敎切 chào

字解 ■ 말나아가지않을 탁 '一, 一騺, 馬行不前皃'《集韻》. ■ 말달릴 초 '一, 馬馳也'《集韻》.

8 ⑱ [騹] ■ 주 ㊥支 子垂切 zuī ■ 취 ㊤紙 醉綏切

字解 ■ ①말작을 주 말이 작은 모양. ②망아지 주 '一, 馬駒謂之一'《集韻》. ■ 말작을 취, 망아지 취 ■과 뜻이 같음.
字源 形聲. 馬+埀(垂)〔音〕

8 ⑱ [騬] 취 ㊀寘 七醉切 cuì

字解 ①마부(馬夫) 취 '一, 馬卒'《集韻》. ②騬(馬部 七畫〈p. 2600〉)의 訛字.

8 ⑱ [騊] 도 ㊥豪 徒刀切 táo

字解 말이름 도 '一駼'는 북국(北國)에서 나는 준마(駿馬)의 이름. '一駼監'《漢書》.
字源 篆文 形聲. 馬+匋〔音〕

[騊駼 도도] 자해(字解)를 보라.

8 ⑱ [騈] 人名 ■ 변 ㊥先 部田切 pián ■ 병 ㊥青 旁經切 pián 骈

字解 ■ ①나란히할 변 수레에 두 필의 말을 나란히 세워 매고 멍에를 메움. 곧, 두 필의 말로 수레를 끌게 함. '乘飾車一馬'《書經》. ②늘어설 변, 늘어놓을 변 나열(羅列)함. '井邑一列'《遼史》. ③줄 변 열(列). '以一隣從'《史記》. ■ 땅이름 병 제(齊)나라의 지명(地名). '一邑三百'《論語》.
字源 篆文 形聲. 馬+幷〔音〕. '幷병'은 나란히 늘어놓다의 뜻. 말을 두 마리 나란히 수레에 매다의 뜻을 나타냄.

[騈羅 변라] 변열(騈列).
[騈麗 변려] 변려(騈儷).
[騈儷 변려] 사자구(四字句)와 육자구(六字句)의 대구(對句)를 써서 지은 화려한 문장. 육조(六朝) 시대에 많이 행한 문체. 사륙(四六)이라고도 함.
[騈儷體 변려체] 변려(騈儷)의 문체. 사륙문(四六文).
[騈拇 변무] 발가락 다섯 중 엄지발가락과 둘째발가락이 붙어서 네 발가락이 된 것.
[騈拇枝指 변무지지] 네 발가락과 여섯 손가락. 무용지물의 비유.
[騈比 변비] 변열(騈列).
[騈坒 변비] 변비(騈比).
[騈死 변사] 나란히 죽음. 죽은 사람이 많은 것.
[騈四儷六 변사여륙] 변려(騈儷).
[騈植 변식] 늘어섬.
[騈列 변열] 늘어섬. 또, 늘어놓음.
[騈偶 변우] 변려(騈儷).
[騈字類編 변자유편] 유서(類書). 청조(清朝) 강희(康熙) 58년의 칙찬(勅撰). 240권. 천지(天地)·시령(時令) 등의 12목(目)으로 나누어 그 숙어(熟語)를 두자(頭字)가 같은 것의 순서(順序)로 편집(編輯)하였음.
[騈田 변전] 늘어섬.
[騈闐 변전] 늘어섬.
[騈指 변지] 변무기지(騈拇枝指).
[騈植 변치] 나란히 섬.
[騈脅 변협] 갈빗대가 나란히 붙어서 통뼈로 이루어진 것처럼 보이는 늑골(肋骨). 통갈비.

8 ⑱ [騋] 래 ㊥灰 落哀切 lái ㊀隊 洛代切

字解 큰말 래 키가 7척(尺) 이상의 말. '一牝三千'《詩經》.
字源 篆文 形聲. 馬+來〔音〕

[騋馬 내마] 키가 7척(尺) 이상 되는 말.
[騋牝 내빈] 큰 말과 암말.

8 ⑱ [騎] 高人 기 ㊥支 渠羈切 qí ㊀寘 奇寄切 jì 骑

筆順 丨 𠂇 𠂉 馬 馬 駘 騎 騎

字解 ①말탈 기 말을 탐. '坐高堂, 一大馬'《劉基》. 전(轉)하여, 널리 짐승을 탐. '公昔一龍白雲鄉'《蘇軾》. ②기마 기 타기 위한 말. '車六百乘, 一五千匹'《史記》. ③기병 기, 기사 기 말 탄 군사. 또, 말 탄 사람. '驍一'. '前有車一'《禮記》. ④성 기 성(姓)의 하나.
字源 篆文 形聲. 馬+奇〔音〕. '奇기'는 갈고리 모양으로 구부리다의 뜻. 양다리를 구부려 말에 올라타다의 뜻을 나타냄.

[騎鼓 기고] 전진(戰陣)에서 쓰는 북.
[騎隊 기대] 기병(騎兵)의 대(隊).
[騎驢覓驢 기려멱려] 나귀를 타고서 나귀를 찾는다는 뜻으로, 근본(根本)을 잊고서 딴 곳에서 구하는 어리석음의 비유(比喩). 기우멱우(騎牛覓牛).
[騎馬 기마] 말을 탐. 또, 그 탄 사람.
[騎兵 기병] 말 탄 군사(軍士).
[騎士 기사] ㉠기병(騎兵). ㉡중세(中世) 유럽의 말 탄 무사(武士).
[騎射 기사] 말을 타고 활을 쏨.
[騎省 기성] '산기성(散騎省)'과 같음.
[騎乘 기승] ㉠말을 탐. ㉡말을 타는 일과 수레에

오르는 일.
[騎月雨 기월우] 다음 달까지 계속하여 내리는 비.
[騎將 기장] 기병을 지휘하는 장수.
[騎卒 기졸] 기병(騎兵). 「(侍從).
[騎從 기종] ㉠말을 타고 따라감. ㉡기마의 시종
[騎芻 기추] 말을 타고 달리면서 활을 쏨.
[騎鶴上揚州 기학상양주] ㉠학을 타고 양주에 오름. 많은 복락(福樂)을 한몸에 다 갖추려고 함을 말함. ㉡실행(實行)하기 어려운 망상(妄想)의 비유.
[騎虎之勢 기호지세] 범을 타고 달리는 형세. 곧, 중도에서 하던 일을 중지하기 어려움을 이름.
◉甲騎. 健騎. 勁騎. 輕騎. 羅騎. 邏騎. 單騎. 獨騎. 突騎. 屯騎. 萬騎. 步騎. 善騎. 兩騎. 驛騎. 獵騎. 龍騎. 羽騎. 越騎. 游騎. 誘騎. 壯騎. 前騎. 殿騎. 偵騎. 精騎. 卒騎. 從騎. 車騎. 斥騎. 隻騎. 鐵騎. 追騎. 探騎. 豹騎. 驃騎. 虎騎. 胡騎. 彍騎. 梟騎. 驍騎. 後騎. 候騎.

8 ⑱ [騏] [人名] 기 [平]支 渠之切 qí 骐

[筆順] 丨 ⺁ 馬 馬 馬一 馯 騏 騏
[字解] ①검푸른말 기 청흑색의 말. '駕我一馵'《詩經》. ②준마 기 잘 달리는 말. 하루에 천 리를 달린다는 말. '一驥一躍不能十步, 駑馬十駕, 功在不舍'《荀子》. ③성 기 성(姓)의 하나.
[字源] 篆文 形聲. 馬+其〔音〕

[騏驥 기기] 하루에 천 리를 달린다는 준마(駿馬).
[騏驎 기린] ㉠준마. ㉡'기린(麒麟)'과 같음.
[騏麟 기린] 기린(麒麟).
[騏驎之衰也駑馬先之 기린지쇠야노마선지] 영웅이 늙으면 보통 사람만도 못한 비유.
[騏馵 기주] 왼쪽 뒷발이 흰 검푸른 말.
◉驥騏. 四騏. 素騏. 秀騏. 龍騏. 朱騏. 蒼騏.

8 ⑱ [騑] 비 [平]微 芳非切 fēi
[字解] 곁말 비 사마(駟馬)의 바깥쪽 좌우의 말. '一驂'. 駟(馬部 五畫)를 보라. '兩馬夾轅名服馬, 兩邊名一馬'《禮記 註》. 전(轉)하여, 널리 말〔馬〕을 이름. '天路下征一'《柳宗元》.
[字源] 篆文 形聲. 馬+非〔音〕. '非비'는 '配배'와 통하여 나란히 곁에 따르다의 뜻. '곁말'의 뜻을 나타냄.

[騑騑 비비] 말이 쉬지 않고 달리는 모양. 「말.
[騑驂 비참] 사마(駟馬) 중의 바깥쪽에 있는 두
◉右騑. 征騑. 左騑. 驂騑. 馳騑.

8 ⑱ [騉] 곤 [平]元 古渾切 kūn
[字解] 말이름 곤 '一蹄'는 말 이름. '一蹄, 趼, 善陞甗'《爾雅》.

[騉蹄 곤제] 말 이름.

8 ⑱ [⿰馬去] 겁 [入]葉 苦劫切 qiè
[字解] 말이바위를무서워하여나아가지못할 겁 '一, 馬怕石不能行'《字彙》.

8 ⑱ [⿰馬沓] 답 [入]合 徒合切 dá
[字解] 말걸을 답, 말빨리걸을 답 '馺一'은 말이 걸어가는 모양. 또, 빠른 모양. '馺一, 馬行皃'《玉篇》. '馺一, 馬行疾也'《集韻》.

8 ⑱ [⿰馬叕] 철 [入]屑 株劣切 zhuó
[字解] 별박이 철 이마에 흰 점이 박인 말. '一, 白額馬'《玉篇》.

8 ⑱ [騘] 〔총〕 驄(馬部 十一畫(〈p. 2606〉)의 俗字

8 ⑱ [騌] 〔종〕 騣(馬部 九畫(〈p. 2603〉)의 俗字

8 ⑱ [騐] 〔험〕 驗(馬部 十三畫(〈p. 2609〉)의 俗字

8 ⑱ [験] 〔험·엄〕 驗(馬部 十三畫(〈p. 2609〉)의 略字

8 ⑱ [⿰馬空] 강 [平]江 枯江切 qiāng
[字解] 말나아가는모양 강 '一, 馬行皃'《集韻》.

8 ⑱ [騍] 과 [平]箇 苦臥切 kè
[字解] 암말 과 '一, 俗呼牝馬, 即草馬'《正字通》.

8 ⑱ [⿰屈馬] 굴 [入]物 曲物切 qū
[字解] 양마(良馬)이름 굴 屈(尸部 五畫)과 통용. '一, 一產, 良馬, 通作屈'《集韻》.

8 ⑱ [⿰馬屈] ⿰屈馬(前條)과 同字

9 ⑲ [騕] 요 [上]篠 烏皎切 yǎo

[字解] 말이름 요 '一褭'는 준마(駿馬)의 이름. 하루에 1만 8천 리를 달린다 함. '罥一褭'《司馬相如》.

[騕褭 요뇨] 자해(字解)를 보라.

9 ⑲ [騙] [人名] 편 [去]霰 匹羨切 piàn 骗
[字解] ①뛰어오를 편 말에 뛰어올라 탐. ②속일 편 기만함. '欺一'.

◉拐騙. 欺騙. 詐騙.

9 ⑲ [騞] 획 [入]陌 霍虢切 huō
[字解] 가르는소리 획 칼로 물건을 베어 가르는 소리. '奏刀一然'(소 같은 것을 해부하는 소리의 형용)《莊子》.
[字源] 形聲. 馬+砉〔音〕. '砉획'은 칼로 뼈를 베어 가르는 소리의 의성어.

[騞然 획연] 획획(騞砉).
[騞砉 획획] 칼로 소 같은 것을 베어 가르는 소리의 형용.

9 ⑲ [騠] 제 (平)齊 杜奚切 tí
字解 준마 제 駃(馬部 四畫)을 보라. '駃—'.
字源 篆文 形聲. 馬+是〔音〕

●駃騠.

9 ⑲ [⿰馬軍] 혼 (平)元 胡昆切 hún
字解 ①짐승이름 혼 옛 전설 속의 한 짐승. '歸山有獸焉, 其狀如麢羊而四角, 馬尾, 而有距, 其名曰—'《山海經》. ②들말 혼 야생마(野生馬)의 일종. '—, —駮, 野馬'《廣韻》.

9 ⑲ [騢] 하 (平)麻 胡加切 xiá
字解 워라말 하 붉은빛과 흰빛이 섞여 얼룩얼룩한 말. '有駰有—'《詩經》.
字源 篆文 形聲. 馬+叚〔音〕. '叚하'는 '붉다'의 뜻.

9 ⑲ [騣] 종 (平)東 子紅切 zōng 骔
字解 갈기 종 말의 목덜미에 난 긴 털. '隅目青熒夾鏡懸, 肉—碨礧連錢動'《杜甫》.
字源 篆文 形聲. 馬+㚇〔音〕
參考 騌(馬部 八畫)은 俗字.

9 ⑲ [⿰馬段] 단 (去)翰 徒玩切 duàn
字解 말천천히갈 단 '—, 欵—, 馬行緩'《集韻》.

9 ⑲ [騤] 규 (平)支 渠追切 kuí
字解 ①달릴 규 말이 달리는 모양. '—瞿奔觸'《張衡》. ②건장할 규 말이 건장한 모양. '四牡——'《詩經》.
字源 篆文 形聲. 馬+癸〔音〕. '癸계·규'의 篆文은 '※'로, 삼지창을 네 개 모은 모양이며, 사방이 모지다, 위의(威儀)가 있다의 뜻. 말이 위엄 있게 나아가다의 뜻을 나타냄.

[騤瞿 규구] 말이 달리는 모양.
[騤騤 규규] 말이 건장한 모양.

9 ⑲ [[illegible]] 간 (平)刪 諸閒切 xián
字解 말에보행(步行)을연습시킬 간 閑(門部 四畫)과 통용. '—, 今作閑'《玉篇》. '—, 馬步習也'《六書統》.

9 ⑲ [⿰馬𡿺] 뇌 (上)晧 乃老切 nǎo
字解 말이름 뇌 '—, 褭—, 馬名'《集韻》.

9 ⑲ [騧] [一] 왜(괘本) (平)佳 古蛙切
[二] 과 (平)麻 古華切 guā
字解 [一] 공골말 왜 입 가장자리가 검은 공골말. '—驪是驂'《詩經》. [二] 공골말 과 [一]과 뜻이 같음.
字源 篆文 形聲. 馬+咼〔音〕

●驕騧. 騮騧. 駿騧.

9 ⑲ [騑] 비 (平)微 甫微切 fēi
字解 ①빠른말 비 빨리 잘 달리는 말. 준마(駿馬). '—, 馬逸足者也'《說文》. ②말빠를 비 말이 빠름. '—, 馬逸也'《字彙》.
字源 篆文 形聲. 馬+飛〔音〕. '飛비'는 '날다'의 뜻. 날아가듯이 달리다의 뜻을 나타냄.

9 ⑲ [⿰馬春] 준 (上)軫 尺尹切 chǔn
字解 ①워라말 준 얼룩무늬가 있는 말. '—, 駮也'《集韻》. '—, 馬文'《篇海》. ②느린말 준 걸음이 느린 말. '—, 鈍馬也'《篇海》.

9 ⑲ [⿰馬复] [一] 필 (入)質 簿必切 bì
[二] 박 (入)覺 北角切 bó
字解 [一] 신마(神馬)이름 필 '驂—騔而俠窮奇'《黃香》. [二] 얼룩얼룩할 박 말의 털빛이 얼룩진 모양. 駁(馬部 四畫)과 同字.

9 ⑲ [騝] 건 (平)先 渠焉切 qián
(平)元 居言切
字解 등누른월따말 건 등마루는 누렇고 갈기가 검붉은 말. '—, 爾雅, 騮馬黃脊—'《集韻》.

9 ⑲ [騟] 유 (平)虞 羊朱切 yú
字解 ①구렁말 유 밤빛의 말. 자류마(紫騮馬). '—, 紫馬'《玉篇》. ②잡색말 유 여러 가지 털빛이 섞인 말. '—, 馬雜色'《集韻》.

9 ⑲ [騥] 유 (平)尤 耳由切 róu
字解 갈기탐스러운청가라 유 '青驪繁鬣, —'《爾雅》.

9 ⑲ [⿰馬皆] 해 (平)佳 戶皆切 xié
字解 말얌전할 해 '—, 馬和也'《說文》.
字源 形聲. 馬+皆〔音〕

9 ⑲ [騜] 황 (平)陽 胡光切 huáng
字解 황부루 황 황백색의 말. '—駁其馬'《詩經》.

9 ⑲ [⿰馬亭] 쟁 (平)庚 除庚切 chéng
字解 말우뚝설 쟁 말이 걷다가 서는 모양. '—, 馬住皃'《集韻》.

9 ⑲ [騘] 〔총〕 驄(馬部 十一畫〈p. 2606〉)과 同字

9 ⑲ [騎] 〔기〕
騎(馬部 八畫〈p. 2601〉)의 俗字

9 ⑲ [騖] 무 ㊀遇 亡遇切 wù 骛

[字解] 달릴 무 질주함. '馬咸—矣'《韓非子》.
[字源] [篆文] 形聲. 馬+敄〔音〕. '敄무'는 '힘쓰다'의 뜻. 말이 힘껏 달리다의 뜻을 나타냄.

[騖馳 무치] 거마(車馬)를 달림.
[騖置 무치] 역참(驛站)에 갖추어 둔 말. 역말.
◉競騖. 馺騖. 騰騖. 犇騖. 騁騖. 星騖. 迅騖. 電騖. 馳騖.

10 ⑳ [騪] 수 ㊥尤 疎鳩切 sōu

[字解] ①큰말 수 새외(塞外)의 대마(大馬). ②찾을 수 수색함. '—粟都尉'《漢書》.

10 ⑳ [騳] 독 ㊇屋 徒鹿切 dú

[字解] ①말달릴 독 '—, 馬走也'《玉篇》. ②두말이나란히달리는소리 독 '—, 兩馬竝馳, 聲——也'《六書故》.

10 ⑳ [⿱馬馬] 騳(前條)과 同字

10 ⑳ [騯] 팽 ㊥庚 薄庚切 péng

[字解] 갈 팽 말이 가는 모양. '四牡——'《詩經》.
[字源] [篆文] 形聲. 馬+旁(㫄)〔音〕. '㫄방'은 왕성한 모양.

[騯騯 팽팽] 말이 가는 모양.

10 ⑳ [騮] 류 ㊥尤 力求切 liú 骝

[字解] ①준마 류 '驊—'는 목왕(穆王)의 팔준마(八駿馬)의 하나. ②월따말 류 꼬리가 검은 절따말. 駵(馬部 七畫)와 同字. '靑海異種多—騧'《高啓》.

[騮馬 유마] 꼬리가 검은 절따말.
[騮騧 유왜] 꼬리가 검은 절따말.
◉金騮. 騂騮. 紫騮. 華騮. 驊騮. 黃騮.

10 ⑳ [騵] 원 ㊥元 愚袁切 yuán

[字解] 절따말 원 갈기가 검고 배가 흰 절따말. '駟—彭'《詩經》.
[字源] 形聲. 馬+原〔音〕

10 ⑳ [騶] [人名] 추 ㊥尤 側鳩切 zōu 驺

[字解] ①마부 추, 거덜 추 말을 기르는 하인. '命僕及七—咸駕'《禮記》. ②기수 추 말 타는 사람. '名爲左—'《後漢書》. ③화살 추 좋은 화살. '材官—發'《漢書》. ④추종 추 뒤따라다니는 하인. '吾恨不得爲—僕'《唐書》. ⑤달릴 추 趨(走部 十畫)와 同字. '步中武象, —中韶護'《荀子》. ⑥성 추 성(姓)의 하나.
[字源] [篆文] 形聲. 馬+芻〔音〕. '芻추'는 '여물'의 뜻. 말에 여물을 주는 사람, '마부'의 뜻을 나타냄.

[騶駕 추가] 탈것.
[騶發 추발] 좋은 화살을 쏨.
[騶僕 추복] 추종(騶從).
[騶附 추부] 남을 따름. 붙좇음.
[騶使 추사] 수행하는 호위.
[騶牙 추아] 추우(騶虞).
[騶御 추어] 어자(御者).
[騶吾 추오] 추우(騶虞).
[騶虞 추우] 성인의 덕화(德化)에 감격하여 나타난다는 영수(靈獸).
[騶卒 추졸] 천(賤)한 사람.
[騶從 추종] 상전을 따라다니는 하인.
[騶走 추주] 달려감.
◉絳騶. 殿騶. 群騶. 彤騶. 列騶. 前騶. 停騶. 驂騶.

10 ⑳ [騷] [高人] 소 ①-⑦㊥豪 蘇遭切 sāo ⑧㊀號 先到切 sǎo 骚

[筆順] 丨 ｢ 馬 馬 馬ㄡ 馬ㄡ 騷 騷

[字解] ①떠들 소 야단법석을 떪. '—動'. '徐方繹—'《詩經》. ②소동 소 큰 변. '頻有—警'《孫逖》. ③근심할 소 수심에 잠김. '邇者—離'《國語》. ④근심 소 '離—者猶離憂也'《史記》. ⑤시체이름 소 한시의 한 체(體). 초(楚)나라 굴원(屈原)이 비분강개하여 지은 이소부(離騷賦) 및 기타의 시부(詩賦)를 비롯하여, 후세에 굴원에 동정한 송옥(宋玉) 등이 지은 시부 및 그 시체. '雖奴僕命—可也'《杜牧》. ⑥시부(詩賦) 소 은둔한 시인의 뜻으로도 쓰임. '—人墨客'. ⑦급할 소 서두르는 모양. '——爾則野'《禮記》. ⑧쓸 소 掃(手部 八畫)와 통용. '大王宜—淮南之兵'《史記》.
[字源] [篆文] 形聲. 馬+蚤〔音〕. '蚤소'는 튀는 벼룩의 뜻. 튀어오르는 말의 뜻에서, 떠들다의 뜻을 나타냄. '慅수'와 통하여 '근심'의 뜻도 나타냄.

[騷客 소객] 시(詩)를 짓는 사람. 시인.
[騷警 소경] 소란하다는 경보. 전(轉)하여, 난리.
[騷國 소국] 문학이 흥성한 나라.
[騷氣 소기] 풍아(風雅)한 기질(氣質).
[騷動 소동] ㉠마음이 산란함. ㉡시끄럽고 어수선함.
[騷亂 소란] 소동(騷動)㉡.
[騷離 소리] 근심하여 떠나 버림.
[騷屑 소설] 선선한 바람이 부는 모양.
[騷騷 소소] ㉠서두르는 모양. ㉡바람이 센 모양. 바람이 부는 모양.
[騷然 소연] 시끄러운 모양. 떠들썩한 모양.
[騷擾 소요] 소동(騷動)㉡.
[騷人 소인] ㉠시인(詩人). 문사. ㉡근심을 품은 사람. ㉢굴원(屈原) 일파의 문사.
[騷人墨客 소인묵객] 시문(詩文)·서화(書畫) 등을 일삼는 사람.
[騷除 소제] 쓺. 소제(掃除).
[騷體 소체] 굴원(屈原)의 이소(離騷) 및 이를 모방하여 지은 시부(詩賦)의 체(體). 어미(語尾)에 모두 '兮'자를 씀.

◉驚騷. 狂騷. 牢騷. 變騷. 賦騷. 紛騷. 蕭騷. 詩騷. 譯騷. 離騷. 莊騷. 震騷. 楚騷. 風騷. 喧騷.

10 ⑳ [騊] 도 [平]豪 他刀切 tāo
[字解] 말나아갈 도 말이 앞으로 나아가는 모양. '一, 馬行皃'《說文》.
[字源] 形聲. 馬+舀〔音〕

10 ⑳ [騸] 선 [去]霰 式戰切 shàn 骟
[字解] ①불깔 선 말을 거세함. 또, 거세한 말. '一馬, 宦牛'《肘後經》. ②접붙일 선 접목을 함. '一樹法'《月令廣義》.
[字源] 形聲. 馬+扇〔音〕

10 ⑳ [騬] 승(층[本]) [平]蒸 倉陵切 chéng
[字解] 불깔 승 말을 거세함. '攻特, 謂一之'《周禮 註》.
[字源] 篆文 形聲. 馬+乘〔音〕. '乘승'은 나무 위에 올려놓고 책형(磔刑)에 처하다의 뜻. 말을 거세하다의 뜻을 나타냄.

10 ⑳ [䮴] 당 [平]陽 徒郎切 táng
[字解] 말빛깔 당 말의 털빛. '一, 馬色'《集韻》.

10 ⑳ [騩] 괴 [去]寘 俱位切 guī
[字解] 가라말 괴 담흑색(淡黑色)의 가라말. '乘一馬自府歸'《漢官儀》.
[字源] 篆文 形聲. 馬+鬼〔音〕

10 ⑳ [騲] 초 [上]晧 采早切 cǎo
[字解] 암말 초 '一, 牝馬曰一'《廣韻》.

10 ⑳ [驒] 전 [平]先 多年切 diān
[字解] 별박이 전 이마에 흰 점이 박힌 말. 대성마(戴星馬). '馬顙戴星謂之一'《集韻》.

10 ⑳ [驏] 전 [去]霰 陟扇切 zhàn
[字解] 말땅에구를 전 말이 땅에 굴러 토욕(土浴)함. '一, 馬土浴'《廣韻》.
[字源] 篆文 形聲. 馬+展〔音〕. '展전'은 '구르다'의 뜻. 말이 땅에 굴러 토욕(土浴)을 하다의 뜻을 나타냄.

10 ⑳ [䳽] [一] 학 [入]藥 下各切 hé
[二] 각 [入]覺 古岳切
[三] 확 [入]藥 五郭切
[字解] [一] ①정원이름 학 한(漢)나라 때의 정원(庭園)의 이름. '一, 苑名也. (段注) 一苑, 葢漢苑'《說文》. ②이마흰말 학 '一, 一曰, 馬白頟'《說文》. [二] 이마흰말 각 [一]❷와 뜻이 같음. [三] 말이름 확 '一, 馬名'《集韻》.
[字源] 形聲. 馬+隺〔音〕

10 ⑳ [䯀] 골 [入]月 吉忽切 gú
[字解] 짐승이름 골 '一, 一䮩, 獸名, 出北海'《集韻》.

10 ⑳ [騗] 교 [平]蕭 居喬切 jiāo
[字解] ①키가육척인말 교 '一, 馬高六尺'《字彙》. ②驕(馬部 十二畫)의 俗字. '一, 驕的俗字'《龍龕手鑑》.

10 ⑳ [䮼] 기 [去]寘 几利切 jì
[字解] ①천리마 기 '驥, 千里馬一, 同驥'《玉篇》. ②바랄 기 '一, 冀及也'《集韻》.

10 ⑳ [䯆] 기 [平]支 渠宜切 qí
[字解] 갈기 기 말갈기. 鬐(髟部 十畫)와 同字. '一, 馬頂上一, 通作鬐'《正字通》.

10 ⑳ [䭻] 䯆(前條)와 同字

10 ⑳ [䮥] 〔력〕
驝(馬部 十五畫〈p. 2611〉)과 同字

10 ⑳ [騱] 해 [平]齊 胡雞切 xī
[字解] 들말 해 야마(野馬)의 일종. '一, 驒一也'《說文》.
[字源] 篆文 形聲. 馬+奚〔音〕

10 ⑳ [騰] [高人] 등 [平]蒸 徒登切 téng 腾
[筆順] 月 月' 月" 胅 胅 胅 騰 騰
[字解] ①오를 등 ㉠높은 데로 올라감. '地氣上一'《禮記》. ㉡물가가 올라감. '一貴'. '暴一'. '轂暴一踊'《漢書》. ②날 등 비양(飛揚)함. '亢鳥一而一止'《史記》. ③탈 등 수레·말 같은 것을 탐. '一驢贏以馳逐'《劉向》. ④뛸 등 도약함. '馬一于槽'《韓愈》. ⑤성 등 성(姓)의 하나.
[字源] 篆文 形聲. 馬+朕〔音〕. '朕등'은 위를 향해 밀어 올리다의 뜻. 말이 뛰어오르다의 뜻에서, 일반적으로 '오르다'의 뜻을 나타냄.

[騰駕 등가] 수레를 탐.
[騰降 등강] 오름과 내림.
[騰空 등공] 하늘 높이 날아오름.
[騰矯 등교] 올라감.
[騰蛟起鳳 등교기봉] 올라가는 교룡과 나는 봉새. 문장이 화려하여 재기(才氣)가 환발(渙發)함의 비유.
[騰貴 등귀] 물가가 오름. 값이 비싸짐.
[騰極 등극] 즉위(卽位)함. 등극(登極).
[騰達 등달] ㉠올라감. ㉡입신함. 출세함.
[騰馬 등마] 발정(發情)하여 뛰어오르는 말.

[騰翻 등번] 높이 날며 펄럭임.
[騰沸 등비] 끓음. 비등함.
[騰躍 등약] ㉠등귀(騰貴). ㉡뛰어오름.
[騰驤 등양] 날아 올라가 넘음.
[騰踊 등용] ㉠뛰어 솟음. ㉡등귀(騰貴).
[騰藉 등적] 등천(騰踐).
[騰蹀 등접] 뛰어감.
[騰踐 등천] 밟아 넘어감. 서로 밟고 밟히며 감.
[騰捷 등첩] 날렵하게 뜀.
[騰超 등초] 올라감. 날아 올라감.
[騰盪 등탕] 올라가 움직임.
[騰呼 등호] 시끄럽게 큰 소리로 부름.
◉騫騰. 高騰. 蹻騰. 翹騰. 急騰. 滔騰. 踔騰. 奔騰. 噴騰. 沸騰. 飛騰. 蜚騰. 上騰. 升騰. 昂騰. 龍騰. 威騰. 蒸騰. 振騰. 超騰. 波騰. 暴騰. 歡騰. 驍騰. 喧騰. 掀騰.

10 ⑳ [騰] 騰(前條)과 同字

10 ⑳ [騫] [人名] 건 ①-⑤[平]先 去乾切 qiān ⑥[上]銑 九件切 jiǎn 骞
[字解] ①이지러질 건 한 귀퉁이가 떨어짐. '如南山之壽, 不—不崩'《詩經》. ②들 건 고개를 듦. '王虺—只'《楚辭》. ③뺄 건 搴(手部 十畫)과 통용. '斬將—旗'《漢書》. ④허물 건 愆(心部 九畫)과 통용. '永思—兮'《荀子》. ⑤성 건 성(姓)의 하나. ⑥둔할 건 느림. '乘—馬之野'《論衡》.
[字源] [篆文] 形聲. 馬+寒〈省〉〔音〕. '寒한'은 추워서 몸이 움츠러들다의 뜻. 몸이 움츠러진 말의 뜻에서 '해치다'의 뜻도 나타냄.

[騫騫 건건] ㉠경박한 모양. ㉡뛰어오르는 모양.
[騫騰 건등] 뛰어오름.
[騫馬 건마] 둔한 말. 노마(駑馬).
[騫崩 건붕] 한 귀퉁이가 떨어져 무너짐.
[騫污 건오] 흠이 생겨 더러워짐.
◉騰騫. 遐騫.

10 ⑳ [騔] 갈 [入]黠 丘瞎切 qià
[字解] 얼룩말 갈 '—, 馬駁色'《集韻》.

10 ⑳ [騭] 즐 [入]質 職日切 zhì 骘
[字解] ①수말 즐 말의 수컷. '牡曰—'《爾雅》. ②오를 즐, 올릴 즐 '—, 陞也'《爾雅》. ③정할 즐 작정함. '天陰—下民'(길흉화복은 하늘이 정한 바임)《書經》.
[字源] [篆文] 會意. 馬+陟

11 ㉑ [騾] 라 [平]歌 落戈切 luó 骡
[字解] 노새 라 수나귀와 암말 사이의 혼혈종. '—驢'
[字源] 形聲. 馬+累〔音〕

[騾綱 나강] 떼 지어 가는 노새. 행상들이 떼 지어 연속하여 감을 이름.
[騾驢 나려] 노새와 나귀.
[騾子軍 나자군] 노새를 탄 군대.
◉駮騾. 白騾. 素騾. 青騾. 駝騾.

11 ㉑ [驂] 참 [平]覃 倉含切 cān 骖
[字解] ①곁말 참 駟(馬部 五畫)를 보라. '以左—出'《儀禮》. ②곁말로세울 참 곁말로 씀. '騰駕罷牛, —蹇驢兮'《賈誼》. ③성 참 성(姓)의 하나.
[字源] [篆文] 形聲. 馬+參〔音〕. '參참'은 '섞이다'의 뜻. 주체가 되는 말에 곁들여서 참가한 말, '곁말'의 뜻을 나타냄.

[驂乘 참승] 후위(後衛)로서 높은 사람 옆에 모시고 탐. 또, 그 사람. 옛날에 수레를 탈 때 높은 이는 왼쪽에 앉고 어자(御者)는 가운데에 있으며, 호위(護衛)하는 사람은 오른쪽에 타 수레가 기울어지지 않게 하였음. 배승(陪乘).
◉去驂. 劇驂. 騑驂. 兩驂. 龍驂. 戎驂. 贏驂. 征驂. 疲驂.

11 ㉑ [驃] [人名] 표 [去]嘯 毗召切 piào 骠
[筆順]
[字解] ①황부루 표 흰 털이 섞인 황색의 말. ②빠를 표 말이 빨리 달리는 모양. ③굳셀 표, 날랠 표 효용(驍勇)함. '—騎'.
[字源] [篆文] 形聲. 馬+票(㶾)〔音〕. '㶾표'는 불똥이 튀어 날아오르다의 뜻. 흰 털이 섞인 말, 황부루의 뜻을 나타냄.

[驃騎 표기] 장군의 명호(名號). 한무제(漢武帝)가 곽거병(霍去病)을 '驃騎將軍'으로 삼은 데서 시작됨. 녹봉은 대장군(大將軍)과 같음.

11 ㉑ [驄] 총 [平]東 麤叢切 cōng 骢
[字解] 총이말 총 푸른빛을 띤 흰말. 청총마(青驄馬). '—馬'.
[字源] [篆文] 形聲. 馬+悤〔音〕. '悤총'은 '蔥총'과 통하여 '청백색'의 뜻.

[驄馬 총마] 푸른빛을 띤 흰말. 총이말. 청총마(青驄馬).
◉五花驄. 黃驄.

11 ㉑ [驅] [高人] 구 [平]虞 豈俱切 qū [去]遇 區遇切 驱
[筆順]
[字解] ①몰 구 ㉠말을 타고 달리게 함. '—聘'. '—馬出關門'《魏徵》. ㉡쫓음. 몰아냄. '—逐'. '—飛廉於海隅而戮之'《孟子》. ㉢내보냄. 내침. '—遣'. '我自不—卿, 逼迫有阿母, 卿但暫還家'《古詩》. ②대열 구 군대의 열. '前—'. '先—'. '中—'.
[字源] [甲骨文] [篆文] 形聲. 馬+區〔音〕. '區구'는 '구획, 구분하다'의 뜻. 또 '毆구'와 통하여 '치다'의 뜻. 말을 구분하기 위하여 채찍으로 때려서 몰아내다, 몰다의 뜻을 나타냄.

[驅駕 구가] ㉠말을 몰아 달림. ㉡사람을 몰아쳐 부림.
[驅劫 구겁] 몰아세우며 위협함.

[驅遣 구견] 내쫓음. 내보냄.
[驅群羊攻猛虎 구군양공맹호] 뭇 양(羊)을 몰아서 사나운 범을 침. 많은 약국(弱國)이 연합(聯合)하여 일대 강국(一大強國)을 공격한다는 뜻.
[驅儺 구나] 세모(歲暮)에 역귀(疫鬼)를 몰아내는 의식. 추나(追儺).
[驅掠 구략] 협박하여 재물을 약탈함.
[驅迫 구박] 못 견디게 괴롭힘. 학대(虐待)함.
[驅步 구보] 달음질로 걸음.
[驅騁 구빙] 말을 몰아 달림.
[驅使 구사] 사람을 몰아쳐 부림.
[驅煽 구선] 선동(煽動)함.
[驅市人而戰 구시인이전] 시장 사람을 몰아서 전쟁을 함. 곧, 훈련(訓練)을 받지 않은 사람을 집합시켜 싸움.
[驅羊向狼 구양향랑] 양을 몰고 이리를 향함.
[驅役 구역] 구사(驅使).
[驅除 구제] 없애 버림. 몰아냄.
[驅從 구종] 관원(官員)을 모시고 다니는 하인.
[驅叱 구질] 내몰며 꾸짖음.
[驅集 구집] 몰아 모음.
[驅策 구책] 채찍질을 당하며 몰림. 말처럼 구사(驅使)당함.
[驅逐 구축] 쫓아 버림. 쫓아 내침.
[驅逐艦 구축함] 어뢰(魚雷)를 중요 병기로 하여 적의 주력함(主力艦)·잠수함(潛水艦) 등을 격파하는, 속력이 빠른 소형의 군함.
[驅馳 구치] ㉠말을 몰아 달림. 치구(馳驅)함. ㉡남의 일로 분주히 돌아다님. 남에게 고용당하여 쏘다님.
[驅嚇 구하] 구축하며 위협함. 내몰며 으름.
[驅脅 구협] 위협하며 구사함. 으르며 부림.
◉競驅. 跳驅. 三驅. 徐驅. 先驅. 星驅. 迅驅. 長驅. 前驅. 中驅. 疾驅. 馳驅. 風驅.

11 ㉑ [驝] [一] 루 [平]尤 郎侯切 lóu
[二] 려 [平]魚 淩如切 lǘ
[字解] [一] 큰노새 루, 말의한종류 루 '一, 馬類, 一日, 大騾'《集韻》. [二] 당나귀 려 驢(馬部 十六畫)와 同字. '驢, 獸名, 說文, 似馬長耳, 或从婁'《集韻》.

11 ㉑ [騶] 용 [平]冬 書容切 chōng
[字解] 둔마 용 둔한 말. '一, 駑馬'《集韻》.

11 ㉑ [驢] 록 [入]屋 盧谷切 lù
[字解] 들말 록 '駛一'은 말의 일종. 또 들말. '駛一, 馬屬, 一日, 野馬'《廣雅》.

11 ㉑ [驤] 〔상〕
驦(馬部 十七畫〈p. 2612〉)과 同字

11 ㉑ [驨] 〔려〕
驪(馬部 十九畫〈p. 2612〉)와 同字

11 ㉑ [驁] 驁(次條)의 本字

11 ㉑ [驁] 오 [平]豪 五勞切 áo
[去]號 五到切 ào 骜
[字解] ①준마 오 잘 달리는 말. '良馬期乎千里, 不期乎驥一'《呂氏春秋》. ②뻣뻣할 오 말이 유순하지 아니함. '悍一'. ③거만할 오 오만함. '諸公稍自引而怠一'《漢書》. ④깔볼 오 대수롭지 않게 여김. 경시함. '一萬世之患'《莊子》.
[字源] 篆文 形聲. 馬+敖〔音〕. '敖오'는 장대한 모양, 또 방자하고 거만하다의 뜻.

[驁蹇 오건] 오방(驁放).
[驁放 오방] 교만하고 방자함.
◉桀驁. 驕驁. 雄驁. 駿驁. 怠驁. 悍驁.

11 ㉑ [驇] 지 [去]寘 陟利切 zhì
[字解] 빠질 지 말의 발이 진흙 속에 빠지는 모양. '惠公馬一不行'《史記》.
[字源] 篆文 形聲. 馬+執〔音〕

11 ㉑ [驀] 맥 [入]陌 莫白切 mò 蓦
[字解] ①넘을 맥 뛰어넘음. 초월함. '煙底一波乘一葉'《李賀》. ②곧장 맥 줄곧. 쉬지 않고. 똑바로. '一地'. '一直'.
[字源] 篆文 形聲. 馬+莫〔音〕. '莫막'은 덮어 감추다의 뜻. 말에 덮어씌우듯이 올라타다의 뜻을 나타냄.

[驀然 맥연] 맥지(驀地).
[驀地 맥지] 한눈팔지 않고 곧장.
[驀直 맥직] 맥지(驀地).
[驀進 맥진] 똑바로 힘차게 나아감.

12 ㉒ [驈] 율 [入]質 餘律切 yù 骕
[字解] 다리흰말 율 몸은 검고 다리만 흰 말. '有一有騜'《詩經》.
[字源] 篆文 形聲. 馬+矞〔音〕

12 ㉒ [驊] 화 [平]麻 戶花切 huá 骅
[字解] 준마 화 '一騮'는 목왕(穆王)의 팔준마(八駿馬)의 하나. '騏驥一騮, 一日而馳千里'《莊子》.
[字源] 形聲. 馬+華〔音〕

[驊騮 화류] ㉠천리마. 준마. ㉡준마의 이름. 주목왕(周穆王)이 천하를 두루 돌아다닐 때 타던 팔준마(八駿馬)의 하나.

12 ㉒ [驍] [人名] 효 [平]蕭 古堯切 xiāo 骁
[筆順] ㄏ 𠃑 馬 馬 馬 驍 驍 驍 驍
[字解] 굳셀 효, 날랠 효 힘이 세고 용감함. '一勇'. '王彥章一將也'《五代史》.
[字源] 篆文 形聲. 馬+堯〔音〕. '堯요'는 '높다'의 뜻. 키가 크고 좋은 말의 뜻을 나타냄.

[驍健 효건] 효용하고 강건함.
[驍果 효과] 효용(驍勇)하고 과단성이 있음.
[驍騎 효기] ㉠효용(驍勇)한 기병(騎兵). ㉡벼슬

이름. 장군의 명호.
[驍騰 효등] 효의(驍毅).
[驍猛 효맹] 효한(驍悍).
[驍名 효명] 효용(驍勇)하다는 평판. 용명(勇名).
[驍武 효무] 효용(驍勇).
[驍烈 효열] 굳세고 용감함.
[驍銳 효예] 굳세고 날램.
[驍勇 효용] 사납고 용맹(勇猛)스러움.
[驍雄 효웅] 굳세고 용맹함. 또, 그 사람.
[驍毅 효의] 굳셈.
[驍將 효장] 효용(驍勇)한 장수(將帥).
[驍悍 효한] 날래고 사나움.
[驍驍 효효] 용감하게 나아가는 모양.

12 ㉒ [驎] 린 ㊎震 良刃切 ㊏眞 力珍切 lín

字解 ①얼룩말 린 털빛이 얼룩얼룩한 말. ②준마 린 잘 달리는 말. '騏—'.
字源 形聲. 馬＋粦〔音〕

◉騏驎.

12 ㉒ [驓] 등 ㊎徑 唐亙切 dèng ㊏蒸 他登切 tēng

筆順 馬 馬' 馬⺈ 馬癶 馬癶 馬癶 驓 驓

字解 ①비틀거릴 등 '—, 行欲倒也'《廣韻》. ②말의병 등 '—, 駿—, 馬傷穀病'《集韻》.

12 ㉒ [驏] 잔 ㊤潸 鉏版切 zhàn 驏

字解 ①안장없는말 잔 안장을 얹지 않은 말. '乃乘—馬, 以十八騎遁出'《明史》. ②안장없이 탈 잔 안장을 얹지 않고 그냥 살등에 탐. '—騎番馬射黃羊'《令狐楚》.

12 ㉒ [驒] 탄 ㊏寒 徒干切 tuó

字解 연전총 탄, 가리온 탄 둥글고 어룽어룽한 돈 같은 점이 박힌 말. 일설(一說)에는 갈기가 검은 흰 말. '有—有駱'《詩經》.
字源 篆文 形聲. 馬＋單〔音〕

12 ㉒ [䮘] 기 ㊏微 巨希切 qí

字解 말 기 '—, 馬也'《玉篇》.

12 ㉒ [驔] 담 ㊏覃 徒南切 diàn

字解 정강이흰말 담 정강이가 흰 말. 일설(一說)에는 등은 누렇고 몸은 검은 말. '有—有魚'《詩經》.
字源 篆文 形聲. 馬＋覃〔音〕

12 ㉒ [驡] 동 ㊏東 徒東切 tóng

字解 말이름 동 '—, 馬名'《集韻》.

12 ㉒ [驕] 人名 교 ㊏蕭 擧喬切 jiāo 骄

字解 ①씩씩할 교 기운찬 모양. '四牡有—'《詩經》. ②뻣뻣할 교 말이 말을 잘 듣지 아니함. '白馬—不行'《崔國輔》. ③교만할 교 거만함. '勝而不—'《戰國策》. ④귀애할 교 총애함. '—張儀以五國'《戰國策》.
字源 篆文 形聲. 馬＋喬〔音〕. '喬교'는 '높다'의 뜻. 높이 6척의 말의 뜻을 나타냄. 파생하여 사람을 따르지 않는 키 큰 말의 뜻에서 '거만하다'의 뜻을 나타냄.

[驕客 교객] 남의 사위를 일컫는 말.
[驕倨 교거] 교만(驕慢).
[驕蹇 교건] 교만(驕慢).
[驕驕 교교] 무성한 모양.
[驕矜 교긍] 교만하고 자부심이 많음.
[驕氣 교기] 남을 업신여기고 저만 잘난 체하는 마음. 교만한 태도.
[驕沓 교답] 교만하고 허욕이 많음.
[驕代 교대] 부화(浮華)한 것을 좋아하는 시대.
[驕慢 교만] 겸손하지 아니하고 뽐내어 방자함.
[驕滿 교만] 교만하여 자만(自滿)함.
[驕兵 교병] 교만하여 적에게 위엄을 보이려는 병정.
[驕婦 교부] 남편을 업신여기는 아내.
[驕奢 교사] 교만하고 사치함.
[驕肆 교사] 교만(驕慢)하고 방자함.
[驕尙 교상] 교만(驕慢).
[驕嘶 교시] 말이 세차게 욺.
[驕兒 교아] 버릇없는 아이.
[驕訐 교알] 교만하여 남의 사사(私事)를 꺼리지 않고 들춤.
[驕狎 교압] 거만하여 남을 업신여김.
[驕揚 교양] 뽐냄.
[驕陽 교양] 강하게 내리쬐는 태양. 여름의 햇볕.
[驕傲 교오] 교만(驕慢).
[驕驁 교오] 교자(驕恣).
[驕頑 교완] 교만하고 완고함.
[驕易 교이] 교만하여 남을 업신여김.
[驕人 교인] 지위를 믿고 교만한 사람.
[驕溢 교일] 교만하여 신분에 맞지 아니하는 일을 함.
[驕子 교자] 교아(驕兒).
[驕恣 교자] 교만하고 방자함.
[驕戰 교전] 강한 것을 자랑하며 싸움.
[驕疾 교질] 마음이 교만한 병.
[驕僭 교참] 교만(驕慢)하여 분수에 넘는 짓을 함.
[驕癡 교치] 교만하고 어리석음.
[驕惰 교타] 교만하고 나태함.
[驕宕 교탕] 교자(驕恣).
[驕怠 교태] 교타(驕惰).
[驕泰 교태] 교만(驕慢).
[驕悖 교패] 교만하여 도(道)에 어그러진 일을 함.
[驕誖 교패] 교패(驕悖).
[驕暴 교포] 교만하고 포악함.
[驕亢 교항] 자존심이 강하고 교만(驕慢)함.
[驕橫 교횡] 교자(驕恣).
◉矜驕. 狼驕. 淫驕. 寵驕. 悍驕. 胡馬驕.

12 ㉒ [驉] 허 ㊏魚 休居切 xū

字解 버새 허 '駏—'는 수말과 암나귀 사이에서 난 짐승. '蛩蛩駏—, 必負而走'《淮南子》.

12 ㉒ [驐] 돈 ㊏元 都昆切 dūn

字解 가축거세할 돈 기르는 짐승의 불을 깜. '一, 字林, 去畜勢也'《集韻》.

12 ㉒ [驏] 한 ㊥刪 戶閒切 xián

字解 한눈흰말 한 한 눈이 흰 말. '馬一目白曰一, 二目白曰魚'《說文》.

字源 篆文 形聲. 馬+閒〔音〕. '閒한'은 '瞯한'과 통하여 '흰 눈'의 뜻. 한 눈이 흰 말의 뜻을 나타냄.

12 ㉒ [驜] 〔황〕 騜(馬部 九畫〈p.2603〉)과 同字

12 ㉒ [騊] 〔도〕 禂(示部 八畫〈p.1599〉)와 同字

12 ㉒ [驜] 한 ㊥寒 河干切 hán

字解 말이많이있는모양 한 '一, 馬多皃'《集韻》.

12 ㉒ [驑] 〔류〕 騮(馬部 十畫〈p.2604〉)의 本字

[驌] 〔숙〕 馬部 十三畫(p.2609)을 보라.

13 ㉓ [驖] 철 ㊇屑 他結切 tiě

字解 검붉은말 철 적흑색의 말. '駟一孔阜'《詩經》.

字源 篆文 形聲. 馬+戴〔音〕. '戴철'은 '큰 창'의 뜻. 큰 창과 같은 빛깔의 말, '검붉은 말'의 뜻을 나타냄.

13 ㉓ [驗] 高人 험 (엄㊍) ㊤豔 魚窆切 yàn 验

筆順 匚 匡 馬 馰 駖 騐 驗

字解 ①증좌 험 증거. '左一'. '符一'. '何以爲一'《史記》. ②보람 험 효능. '效一'. '有一'. '一在近, 而求之遠'《淮南子》. ③조짐 험 징조. '太平之萌, 昭一已著'《蔡邕》. ④증험할 험 실지로 시험하여 봄. '一之果然'. '爪其膚, 以一其生枯'《柳宗元》. ⑤시험 험 '考一'. '趙高欲爲亂, 恐群臣不聽, 乃先設一'《史記》.

字源 篆文 形聲. 馬+僉〔音〕. '僉첨'은 많은 사람이 같은 진실을 말하다의 뜻. 증거의 뜻이나, 조사, 시험하다의 뜻을 나타냄. 본래는 말의 종류를 나타내는 말이었으나, 그런 뜻으로 쓰이는 일은 거의 없음.

[驗問 험문] 조사하여 물음.
[驗覆 험복] 거듭 조사하여 밝힘.
[驗訊 험신] 험문(驗問).
[驗者 험자] 가지기도(加持祈禱)하는 사람. 수험자(修驗者).
[驗左 험좌] 증거. 증좌.
[驗證 험증] 증거를 조사함.
[驗治 험치] 조사하여 다스림.
[驗效 험효] 효험.
◉簡驗. 勘驗. 檢驗. 經驗. 考驗. 奇驗. 明驗. 夢驗. 辨驗. 覆驗. 符驗. 查驗. 筮驗. 受驗. 修驗. 試驗. 神驗. 實驗. 按驗. 案驗. 靈驗. 應驗. 左驗. 證驗. 徵驗. 察驗. 參驗. 體驗. 測驗. 該驗. 効驗. 顯驗. 效驗.

13 ㉓ [驛] 高人 역 ㊇陌 羊益切 yì 驿

筆順 E 罒 馬 馵 駉 騂 驛 驛

字解 ①역말 역 항상 주차(舟車)·인마(人馬) 등을 갖추어 놓고 교통·통신 등의 편리를 도모하는 곳. 역참(驛站). '宿一'. '津一'. '百官迎於長樂一'《唐書》. 또, 그 주차·인마. '給一省家'《唐書》. ②자랄 역 싹이 뾰족뾰족 나와 자라는 모양. '一一其達'《詩經》. ③성 역 성(姓)의 하나. ④《韓》 역 역 기차·전차 등이 발착하는 곳. 정거장.

字源 篆文 形聲. 馬+睪〔音〕. '睪역'은 차례로 가까이 당기다의 뜻. 말을 차례로 당기어 오듯이 하여 갈아타기 위하여 마련된 곳, '역참'의 뜻을 나타냄.

[驛館 역관] 역참(驛站)의 객사.
[驛券 역권] 역참(驛站)에서 인마(人馬)를 징발할 수 있는 문권.
[驛奴 역노] 역참(驛站)에 딸린 종.
[驛道 역도] 역로(驛路).
[驛路 역로] 역참(驛站)으로 통하는 길. 전(轉)하여, 여행하는 길.
[驛路鈴聲 역로영성] 역사(驛使)의 허리에 띤 방울의 소리.
[驛吏 역리] 역참(驛站)의 관리.
[驛馬 역마] 역참에서 쓰는 말.
[驛夫 역부] 정거장에서 부리는 사람.
[驛舍 역사] 역관(驛館).
[驛使 역사] 옛날의 우편배달부.
[驛騷 역소] 역참(驛站)의 시끄러움.
[驛驛 역역] 싹이 자라는 모양.
[驛長 역장] ㉠역참(驛站)의 장. ㉡정거장의 장.
[驛傳 역전] ㉠역마(驛馬). ㉡역체(驛遞).
[驛亭 역정] 역참(驛站).
[驛程 역정] 역로(驛路)의 이수(里數).
[驛卒 역졸] 역참(驛站)을 지키는 군사.
[驛站 역참] 역마(驛馬)를 교대하던 곳. 참(站).
[驛遞 역체] 역참(驛站)에서 공문(公文)을 전체(傳遞)하는 일.
◉館驛. 古驛. 駱驛. 馬驛. 飛驛. 水驛. 宿驛. 傳驛. 亭驛. 終着驛. 津驛. 置驛. 通過驛. 破驛. 荒驛.

13 ㉓ [騷] 독 ㊇屋 徒谷切 dú

字解 ①말가는모양 독 '一, 一曰, 馬行皃'《集韻》. ②들말의이름 독 '一, 驪一, 野馬'《集韻》.

13 ㉓ [驌] 숙 ㊇屋 息逐切 sù 骕

字解 말이름 숙 '一驦'은 준마(駿馬)의 이름. '仍殘老一驦'《杜甫》.

字源 形聲. 馬+肅〔音〕

[驌驦 숙상] 준마(駿馬)의 이름. '一騻', 또는 '肅爽'으로도 씀.

13 ㉓ [驙] 단 [平]寒 徒干切 zhān

[字解] ①등검은흰말 단 등이 검은 흰 말. '一, 博雅, 白馬黑脊, 一'《集韻》. ②말짐무겁게실을 단 말이 짐을 너무 무겁게 실어 걸음을 잘 걷지 못함. '一, 一日, 馬載重難行'《集韻》. ③기린 단 '騏驎謂之一'《集韻》.

[字源] [篆文] 形聲. 馬＋亶〔音〕. '亶단'은 '邅단'과 통하여, 앞으로 잘 나아가지 못하다의 뜻. 말이 짐이 무거워 앞으로 나아가지 못하다의 뜻을 나타냄.

13 ㉓ [驘] 라 [平]歌 落戈切 luó

[字解] 노새 라 騾(馬部 十一畫)와 同字. '遂乘六一'《漢書》.

[字源] [篆文] [別體] 形聲. 馬＋羸〔音〕

◉白驘. 驢驘. 疲驘.

13 ㉓ [驚] [中人] 경 [平]庚 擧卿切 jīng 惊

[筆順] 艹 艿 苟 敬 擎 擎 驚 驚

[字解] ①놀랄 경 ㉠말이 겁내어 소리침. '襄子至橋而馬一'《戰國策》. ㉡뜻밖의 일을 만나 겁을 내어 떠듦. '一軍皆一'《史記》. ㉢갑자기 소리침. '波瀾不一'《范仲淹》. ②놀랠 경 놀라게 함. '震一徐方'《詩經》.

[字源] [篆文] 形聲. 馬＋敬〔音〕. '敬경'은 '삼가다'의 뜻. 말이 몸을 긴장시켜 놀라다의 뜻을 나타냄.

[驚覺 경각] 놀라 잠을 깸. 놀라 깨달음.
[驚悸 경계] 놀라 가슴이 뜀.
[驚恐 경공] 경포(驚怖).
[驚怪 경괴] 놀랄 만한 일. 괴이한 일.
[驚懼 경구] 경포(驚怖).
[驚潰 경궤] 놀라 궤주(潰走)함.
[驚氣 경기] 경풍(驚風).
[驚湍 경단] 물결이 대단히 센 여울.
[驚倒 경도] 놀라 넘어짐.
[驚悼 경도] 놀라고 슬퍼함.
[驚濤 경도] 무섭게 밀려오는 큰 물결. 노도(怒濤).
[驚動 경동] 놀라 동요함. 또, 놀라 동요하게 함.
[驚遁 경둔] 놀라 달아남.
[驚瀾 경란] 경도(驚濤).
[驚浪 경랑] 경도(驚濤).
[驚瀧 경랑] 경단(驚湍).
[驚雷 경뢰] 격심한 천둥.
[驚龍 경룡] 놀란 용. 교묘한 초서(草書)의 형용.
[驚鱗 경린] 놀라 펄펄 뛰는 물고기.
[驚白 경백] 놀라 아룀.
[驚服 경복] 놀라 아룀.
[驚奔 경분] 놀라 달아남.
[驚沙 경사] 바람에 불리어 날리는 모래.
[驚蛇入草 경사입초] 놀란 뱀이 풀 속으로 들어감. 초서(草書)의 필세가 대단히 교묘함을 형용한 말.
[驚殺 경살] 대단히 놀람. 살(殺)은 조자(助字).
[驚翔 경상] 놀라 낢.
[驚騷 경소] 놀라 떠듦.
[驚俗 경속] 세상 사람을 깜짝 놀라게 함.
[驚猜 경시] 놀라며 의심함.
[驚心動魄 경심동백] 대단히 남을 놀라게 함을 이름.
[驚訝 경아] 놀라고 의심(疑心)함.
[驚愕 경악] 깜짝 놀람.
[驚悟 경오] ㉠놀라 눈을 뜸. 놀라 잠을 깸. ㉡총명함.
[驚惋 경완] 놀라 탄식함.
[驚搖 경요] 놀라 움직임.
[驚擾 경요] 놀라 소요(騷擾)함. 또, 놀라 소요하도록 함.
[驚遠 경원] 먼 곳에 있는 사람을 놀라게 함.
[驚異 경이] 놀라 이상(異常)하게 여김.
[驚逸 경일] 놀라 달아남.
[驚霆 경정] 요란하게 울리는 천둥.
[驚譟 경조] 놀라 떠듦.
[驚嗟 경차] 경탄(驚歎).
[驚慙 경참] 놀라며 부끄러워함.
[驚惕 경척] 놀라며 두려워함.
[驚天動地 경천동지] 하늘을 놀래고 땅을 움직인다는 뜻으로, 곧 세인(世人)을 대단히 놀라게 함을 이름.
[驚捷 경첩] 놀랄 만큼 빠름.
[驚怵 경출] 경척(驚惕).
[驚浸 경침] 세차게 들이닥치는 침수.
[驚蟄 경칩] 이십사절기(二十四節氣)의 하나. 우수(雨水)와 춘분(春分) 사이에 있는 절기(節氣). 음력 3월 5일경.
[驚嘆 경탄] 경탄(驚歎).
[驚歎 경탄] ㉠놀라 탄식(歎息)함. ㉡몹시 감탄함.
[驚憚 경탄] 놀라며 꺼림.
[驚怕 경파] 경포(驚怖).
[驚波 경파] 경도(驚濤).
[驚破 경파] 놀람. 또, 놀램. 파(破)는 조자(助字).
[驚怖 경포] 놀라 두려워함.
[驚飆 경표] 격렬한 회오리바람.
[驚風 경풍] ㉠어린아이들의 경련을 일으키는 병. ㉡거센 바람. 대풍(大風).
[驚駭 경해] 놀람.
[驚號 경호] 놀라 부르짖음.
[驚惑 경혹] 놀라 의혹함. 또, 놀라 의혹하게 함.
[驚魂 경혼] 깜짝 놀람.
[驚鴻 경홍] ㉠놀라 나는 기러기. 미인의 몸의 날씬함의 비유. ㉡미인.
[驚徨 경황] 경포(驚怖).
[驚喜 경희] 놀라 기뻐함. 몹시 기뻐함.

◉喫驚. 大驚. 奔驚. 石破天驚. 夜猿驚. 陽驚. 憂驚. 一驚. 震驚. 魂驚. 吃驚.

13 ㉓ [⿱𦥯馬] [一] 악 [入]覺 於角切 wò
[二] 옥 [入]沃 烏酷切
[三] 각 [入]覺 古岳切

[字解] [一] ①말배끓을 악 '一, 馬腹下聲'《說文》. ②말빨리갈 악 말이 서서(徐徐)히 그러면서 빨리 감. '一, 馬行徐而疾也'《說文》. [二] 말배끓을 옥, 말빨리갈 옥 [一]과 뜻이 같음. [三] 말배끓을 각, 말빨리갈 각 [一]과 뜻이 같음.

[字源] 形聲. 馬＋學〈省〉〔音〕

13 ㉓ [⿰馬𠙹] 〔왜·과〕
騧(馬部 九畫〈p.2603〉)의 籒文

13 ㉓ [驖] ㊀ 예 ㊄隊 烏廢切 wèi ㊁ 궤 ㊄霽 姑衞切 guì

字解 ㊀ 말성낼 예 '—, —驗, 馬怒'《集韻》. ㊁ 거친말 궤 말의 성미가 나쁨. '—, 馬性惡'《集韻》.

14 ㉔ [驟] 人名 취 ㊄有 鋤祐切 zhòu 骤

字解 ①달릴 취 질주함. '載—駸駸'《詩經》. ②몰 취 달리게 함. '馳之—之'《莊子》. ③갑작스러울 취 돌연함. 의외로 급함. '—雨'. '—暑消雨餘'《貢奎》. ④자주 취 여러 번. '—戰而—勝'《呂氏春秋》.

字源 篆文 形聲. 馬+聚〔音〕. '聚취'는 '速속'과 통하여 '빠르다'의 뜻. 말이 빨리 달리다의 뜻을 나타냄.

[驟暑 취서] 갑자기 온 더위.
[驟雨 취우] 소나기. 소낙비.
[驟雨不終日 취우부종일] 소나기는 하루 종일 오는 일이 없음. 급히 서두르는 일이 오래 계속되지 아니함의 비유.
◉決驟. 驚驟. 急驟. 馳驟.

14 ㉔ [驝] 몽 ㊥東 莫紅切 méng

字解 당나귀새끼 몽 당나귀의 새끼.

14 ㉔ [驣] 〔도〕 禂(示部 八畫〈p. 1599〉)와 同字

14 ㉔ [䮰] 〔등〕 䲢(虍部 二十二畫〈p. 2001〉)과 同字

14 ㉔ [驞] 빈 ㊥眞 紕民切 pīn

字解 떠들썩할 빈 다수가 떠들썩하는 소리.

14 ㉔ [驝] 탁 ㊇藥 他各切 tuō

字解 낙타 탁 馲(馬部 三畫)과 同字.

15 ㉕ [驃] 표 ㊥蕭 悲嬌切 biāo

字解 재갈 표 鑣(金部 十五畫)와 同字. '燭龍導輕—'《王融》.

◉輕驃.

15 ㉕ [驝] 력 ㊇錫 郎笛切 lì

字解 말빛 력 '—, 馬色'《字彙》.

15 ㉕ [驜] 광 ㊥陽 姑黃切 guāng

字解 등에가마가있는말 광 廣(广部 十二畫〈p. 708〉)과 同字. '—, 馬回毛在背曰闋—, 或作廣'《集韻》.

15 ㉕ [驝] 경 ㊄敬 呼正切 xiòng

字解 말성낼 경 말이 먹이를 못 얻어 성을 냄. '—, 馬怒, 言馬求芻不得而怒也'《五音集韻》.

16 ㉖ [驨] 각 ㊇覺 古岳切 jué

字解 이마가흰말 각 별박이. 대성마(戴星馬). '—, 馬白額'《字彙》.

16 ㉖ [騰] 등 ㊥蒸 徒登切 téng

字解 말뛸 등 '—, 馬躍也'《海篇》.

16 ㉖ [驡] ㊀ 봉 ㊥東 蒲蒙切 lóng ㊁ 롱 ㊄宋 良用切 lòng

字解 ㊀ 가득찰 봉 충만(充滿)함. 충실(充實)함. '—, 充實皃'《集韻》. ㊁ 겹쳐탈 롱 두 사람이 한 말에 탐. '—, 重騎'《集韻》.

16 ㉖ [驢] 人名 려 ㊥魚 力居切 lǘ 驴

字解 당나귀 려 말의 일종. 몸이 작고 귀가 긺. '面長似—'《吳志》.

字源 篆文 形聲. 馬+盧〔音〕. '盧로'는 고리버들로 결은 밥그릇으로, 작고 둥글다의 뜻.

[驢車 여거] 당나귀가 끄는 수레.
[驢年 여년] 십이지(十二支) 가운데, 당나귀 해라는 것이 없으므로, 미래 영구(未來永久)하다는 비유(比喩)로 쓰이는 말.
[驢輦 여련] 당나귀가 끄는 수레.
[驢馬 여마] 당나귀.
[驢鳴犬吠 여명견폐] 당나귀가 울고 개가 짖는다는 뜻으로, 졸렬한 문장의 비유(譬喩).
[驢上 여상] 당나귀의 등위.
[驢前馬後 여전마후] 당나귀의 앞이고 말의 뒤라는 뜻으로, 우둔하여 하찮것없는 사람을 이름.
[驢車 여차] 당나귀가 끄는 수레.
[驢駝藥 여타약] 당나귀나 낙타에 실어야 할 만큼 많은 약.
◉蹇驢. 騾驢. 墜驢. 跛驢. 罷驢. 海驢.

17 ㉗ [騫] 〔건〕 騫(馬部 十畫〈p. 2606〉)과 同字

17 ㉗ [驤] 양 (상本) ㊥陽 息良切 xiāng 骧

字解 ①들 양 고개를 듦. '龍—虎視'《蜀志》. ②달릴 양, 뛸 양 뛰며 달림. '奮翅而騰—'《張衡》.

字源 篆文 形聲. 馬+襄〔音〕. '襄양'은 속에 부적을 넣어 요사스러운 기운을 떨어 없애다의 뜻. 말이 무엇을 떨쳐 내듯 고개를 흔들어 올리다의 뜻을 나타냄.

◉高驤. 騰驤. 馬驤. 奮驤. 上驤. 神驤. 雲驤. 電驤. 超驤. 風驤. 虎視龍驤.

17 ㉗ [驥] 人名 기 ㊄寘 几利切 jì 骥

筆順 𠃌 馬 馬 馬 馬 驥 驥 驥

字解 천리마 기, 준마 기 하루에 천 리를 달릴 수 있다는 좋은 말. '—垂兩耳, 服鹽車兮'(인재를 적소에 배치하지 아니함)《賈誼》. 전(轉)하여 준재(俊才). '劉正兄弟二人, 時號兩—'《白帖》.

[字源] 篆文 形聲. 馬+冀〔音〕. '冀기'는 옛 구주(九州)의 하나로, 북방의 이민족의 뜻. 북쪽에서 나는 좋은 말의 뜻을 나타냄.

[驥尾 기미] 준마의 꼬리. 전(轉)하여 뛰어난 사람의 뒤.
[驥服鹽車 기복염차] 준마가 소금을 실은 수레를 끈다는 뜻으로, 뛰어난 사람이 천역에 종사하여 그 재능을 발휘하지 못함을 이름.
[驥子龍文 기자용문] 두 어진 아들의 일컬음.
[驥足 기족] 준마의 발. 전(轉)하여 뛰어난 재능을 가진 사람의 비유.
◉渴驥. 騏驥. 老驥. 駑驥. 白驥. 病驥. 附驥. 奔驥. 船驥. 按圖求驥. 良驥. 牛驥. 人中騏驥. 逸驥. 展驥. 駿驥. 天驥. 馳驥.

17 ㉗ [驣] 등 [平]蒸 徒登切 téng
[字解] ①달리고뛸 등 '一, 奔馳躍也'《海篇》. ②공허할 등 '一, 虛也'《海篇》. ③건널 등 '一, 度也'《海篇》.

17 ㉗ [驦] 상 [平]陽 師莊切 shuāng / ㊤養 所兩切 骦
[字解] 말이름 상 驌(馬部 十三畫〈p. 2609〉)을 보라. '驌一'.

◉驌驦.

17 ㉗ [驧] 국 [入]屋 渠竹切 jú
[字解] ①새우등말 국 새우처럼 등이 굽은 말. '一, 馬曲脊也'《說文》. ②말뛸 국 말이 펄쩍 뜀. '一, 馬跳躍也'《集韻》.
[字源] 篆文 形聲. 馬+鞠〔音〕. '鞠국'은 웅크려 구부러지다의 뜻. 등이 굽은 말의 뜻을 나타냄.

18 ㉘ [驨] 구 [平]虞 權俱切 qú
[字解] 말갈 구 '一, 馬行也'《集韻》.

18 ㉘ [驩] [人名] 환 [平]寒 呼官切 huān 驩
[筆順] 馬 馬 驩
[字解] 기뻐할 환, 기쁨 환 歡(欠部 十八畫)과 통용. '交一'. '霸者之民, 一虞如也'《孟子》.
[字源] 篆文 形聲. 馬+雚〔音〕

[驩兜 환두] 요순 시대(堯舜時代)의 사람. 공공(共工)과 결탁하여 나쁜 짓을 하였으므로 순(舜)임금이 그를 숭산(崇山)에 내쫓았다 함.
[驩附 환부] 기뻐하여 붙좇음.
[驩然 환연] 기뻐하는 모양.
[驩迎 환영] 기뻐하여 맞이함. 환영(歡迎).
[驩虞 환우] 즐거함. 기뻐함.
[驩洽 환흡] 기뻐하여 화합함.
◉交驩. 舊驩. 悲驩. 至驩. 合驩.

18 ㉘ [驫] 섭(녑[本]) [入]葉 尼輒切 niè
[字解] 달릴 섭 말이 빨리 달림.

19 ㉙ [驪] [人名] 려 [平]齊 郎奚切 lí 骊
[字解] ①가라말 려 검은 말. '四一濟濟'《詩經》. ②검을 려 흑색. '有一色之馬'《公孫龍子》. ③나란히할 려 수레에 두 필의 말을 나란히 세워 매고 멍에를 메움. '輦車一駕'《後漢書》. ④성 려 성(姓)의 하나.
[字源] 甲骨文 篆文 形聲. 馬+麗〔音〕. '麗려'는 '黧려'·'黎려'와 통하여 '검다'의 뜻. 윤기가 흐르는 검은 말의 뜻을 나타냄.

[驪歌 여가] 송별의 노래.
[驪駕 여가] 두 필의 말이 끌게 하는 수레. 자해(字解) ❸.
[驪駒 여구] 가라말.
[驪龍之珠 여룡지주] 검은 용의 턱 밑에 있는 귀중한 구슬.
[驪山 여산] 산시 성(陝西省) 임동현(臨潼縣)의 동남(東南)인 옛날의 장안(長安) 부근에 있는 산 이름. 당(唐)나라 현종(玄宗)이 이곳에 화청궁(華淸宮)이라는 온천궁(溫泉宮)을 세웠음. 곧, 양귀비(楊貴妃)가 목욕하던 곳이며, 진시황(秦始皇)의 묘지(墓地)가 있음. 여산(麗山)·여융지산(驪戎之山)이라고도 함.
[驪戎 여융] 주(周)나라 때 산시 성(陝西省)에 있던 국명(國名).
[驪珠 여주] 여룡지주(驪龍之珠).
[驪姬 여희] 여융(驪戎)의 계집. 진(晉)나라 헌공(獻公)의 비(妃)로서, 태자(太子) 신생(申生)을 참살(慘殺)하였음.
◉駕驪. 四驪. 騂驪. 烏驪. 溫驪. 驖驪. 漢驪.

20 ㉚ [驫] [一] 표 [平]尤 甫烋切 biāo / [平]蕭 甫遙切 piāo
[二] 습 [入]緝 仕戢切
[三] 휴 [平]尤 香幽切
[字解] [一] ①많은말 표 '一, 衆馬也'《說文》. ②말몰려달아날 표 말이 무리를 지어 달리는 모양. '一, 衆馬走皃'《廣韻》. ③물이름 표 '泌水, 南歷猗氏闕, 與一水合'《水經注》. [二] 많은말 습, 말몰려달아날 습, 물이름 습 [一]과 뜻이 같음. [三] 말몰려달아날 휴 [一] ❷와 뜻이 같음.
[字源] 會意. 馬+馬+馬. 많은 말의 뜻.

20 ㉚ [驫] 〔빙〕
騁(馬部 七畫〈p. 2600〉)의 古字

20 ㉚ [驔] 〔담〕
驔(馬部 十二畫〈p. 2608〉)의 本字

骨 (10획) 部
〔뼈골부〕

0 ⑩ [骨] [中人] 골 [入]月 古忽切 gǔ 骨

筆順 丨 ㄇ 冂 冎 冎 冎 咼 骨

字解 ①뼈 골 ㉠근육 속에 싸여 몸을 지탱하는 물질. '筋一'. '一肉'. '以酸養一'《周禮》. ㉡모든 물건 속의 단단히 굳어 있는 부분. '石爲之一'《博物志》. 또, 사물의 중추. '蓬萊文章建安一'《李白》. ㉢몸. 시체. '流血積一'《晉書》. 또, 죽은 사람. '下無怨一, 上無怨人'《晉書》. ㉣깊은 속. 골수. '銜怨入一'《十八史略》. ②뼈대 골 골격. '仙一'. '一相'. '有封侯一'《漢書》. 전(轉)하여, 인격. 풍도. '氣一'. '俠一'. '讀之凜然, 如見其道一'《石門題跋》. ③성 골 성(姓)의 하나.

字源 篆文 會意. 冎+月(肉). '冎과'는 뼈의 象形. 몸의 핵을 이루는 '뼈'의 뜻을 나타냄.

參考 '骨골'을 의부(意符)로 하여, 몸의 각 부위의 뼈의 명칭, 뼈로 만든 물건 등을 나타내는 문자를 이룸. 부수 이름은 '뼈골변'.

[骨角 골각] 뼈와 뿔.
[骨幹 골간] 골격(骨格).
[骨格 골격] ㉠뼈대. ㉡고등 동물의 체격(體格)을 형성하고 몸을 지탱하며 근육이 붙어 있는 기관. 사람에게는 200여 개가 있음.
[骨骼 골격] 골격(骨格).
[骨鯁 골경] ㉠물고기의 뼈. ㉡모든 말을 꺼리지 아니하고 함. 강직함. 또, 그 사람.
[骨鯁 골경] 골경(骨鯁).
[骨鯁之臣 골경지신] 강직(剛直)한 신하(臣下).
[骨堂 골당] 화장한 유골을 넣어 두는 당집.
[骨董 골동] ㉠오래되어 희귀한 세간이나 미술품(美術品). 골동품. ㉡여러 가지 자질구레한 것이 한데 섞인 것.
[骨董羹 골동갱] 곤죽. 또, 어육(魚肉)을 곤죽처럼 범벅이 되게 끓인 국.
[骨董飯 골동반] 비빔밥.
[骨騰肉飛 골등육비] 용사(勇士)의 활약하는 상태를 이름.
[骨力 골력] 서화(書畫) 등의 필력(筆力).
[骨立 골립] 몸이 수척하여 뼈만 남음.
[骨立憊伏 골립비복] ㉠몸이 수척하고 뼈만 남아 지쳐서 넘어짐. ㉡근심과 걱정으로 식음(食飮)을 전폐한 모양.
[骨膜 골막] 뼈를 싸고 있는 막(膜).
[骨盤 골반] 구간(軀幹)과 하지(下肢)를 연결하는 부분의 뼈. 관골(髖骨)·선골(仙骨)·미저골(尾骶骨)의 세 부분으로 구분됨.
[骨法 골법] ㉠골격(骨格). ㉡골력(骨力).
[骨相 골상] 뼈대에 나타난 성격이나 운명의 상(相).
[骨相學 골상학] 골상(骨相)을 보고 그 사람의 지능·성격·빈부(貧富)·길흉(吉凶)·화복·수명 등을 판단하는 학문.
[骨生員 골생원] 《韓》 ㉠사람됨이 옹졸하고 고루한 사람. ㉡몸이 약하여 잔병치레로 골골하는 사람.
[骨髓 골수] ㉠뼈와 그 골. 또, 골. ㉡마음속. 심중. 충심(衷心). ㉢요점(要點). 안목(眼目).
[骨肉 골육] ㉠뼈와 살. ㉡골육지친(骨肉之親).
[骨肉相殘 골육상잔] 부모(父母)·형제(兄弟) 사이에 서로 해침. 「이.
[骨肉之親 골육지친] 부모(父母)·형제(兄弟)의 사
[骨子 골자] ㉠뼈. ㉡요긴한 부분. 요점(要點).
[骨折 골절] 뼈가 부러짐.
[骨節 골절] 뼈의 마디. 뼈가 꺾이는 곳.
[骨醉 골취] ㉠뼈까지 취하게 함. ㉡깊이 취함.
[骨朵 골타] 옛 병기(兵器)의 하나. 막대기 끝에 마늘 모양의 대가리가 달려 있으며, 쇠나 단단한 나무로 만듦.
[骨炭 골탄] 동물의 뼈로 만든 숯.
[骨痛 골통] 과도(過度)한 노력(勞力)으로 인하여 뼈가 쑤시는 것같이 아프고 신열(身熱)이 오르내리는 병.
[骨牌 골패] 뼈로 만들어 장난 또는 노름하는 데 쓰는 물건.

[骨朵]

[骨筆 골필] 복사(複寫)할 때 쓰는 뼈로 만든 붓.
◉乞骸骨. 肩胛骨. 硬骨. 鯁骨. 苦骨. 枯骨. 窮到骨. 龜甲獸骨. 筋骨. 金骨. 肌骨. 奇骨. 氣骨. 納骨. 老骨. 露骨. 鏤骨. 肋骨. 頭蓋骨. 萬骨. 買骨. 買死馬骨. 銘肌鏤骨. 沒骨. 武骨. 無骨. 反骨. 叛骨. 白骨. 凡骨. 病骨. 腐骨. 粉骨. 佛骨. 氷肌玉骨. 山骨. 顙骨. 生死肉骨. 仙骨. 俗骨. 鎖骨. 瘦骨. 獸骨. 尸骨. 心骨. 弱骨. 軟骨. 英骨. 傲骨. 玉骨. 龍骨. 柳骨. 異骨. 人骨. 積毁銷骨. 接骨. 整骨. 駿骨. 鐵骨. 靑山可埋骨. 冢中枯骨. 恥骨. 透骨. 暴骨. 風骨. 解骨. 骸骨. 俠骨. 換骨. 朽骨. 後骨. 喉骨. 胸骨.

2 ⑫ [骪] ■ 골(굴㊍) ㉤月 苦骨切 kū
■ 괄 ㉤黠 口滑切

字解 ■ 힘쓸 골 힘써 일함. '一, 勤也'《廣雅》. ■ 힘쓸 괄 ■과 뜻이 같음.

2 ⑫ [骪] 기 ㉠支 居狋切 jī

字解 살 기 肌(肉部 二畫)와 同字. '一骨無礙'《列子》.

3 ⑬ [骫] 위 ㉯紙 於詭切 wěi

字解 ①굽을 위 우회함. '其文一骳'《漢書》. ②굽힐 위 굽게 함. '一天下正法'《漢書》. ③모일 위 '禍所一也'《太玄經》. ④성 위 성(姓)의 하나.

字源 篆文 會意. 骨+凡. '凡환'은 뼈가 구부러진 사람의 象形으로 둥글게 구부러지다의 뜻. 뼈가 굽다의 뜻을 나타냄.

[骫麗 위리] 좌우(左右)로 잇달아 연해 있는 것.
[骫骳 위피] 문세(文勢)가 우회(迂回)하여 뜻을 해득하기 어려운 모양.
◉茂骫. 盤骫. 發骫. 橈骫.

3 ⑬ [骩] 骫(前條)의 俗字

3 ⑬ [骭] 한 ㉰翰 古案切 gàn
㉰諫 下晏切

字解 ①정강이뼈 한 경골(脛骨). '短布單衣適至一'《甯戚》. ②갈비 한 늑골(肋骨). '顳項駢一'《新論》.

字源 篆文 形聲. 骨+干〔音〕. '干한'은 '줄기'의 뜻. 줄기와 같은 뼈, '정강이뼈'의 뜻을 나타냄.

參考 骬(次條)는 別字.

◉露骬. 骿骬. 衣至骬.

3 ⑬ [骬] 우 ㊥虞 雲俱切 yú

字解 빗장뼈 우 '䯏—'는 가슴 위쪽에 있는 긴 뼈. 쇄골(鎖骨). 결분골(缺盆骨). '䯏—以下至天樞, 心岐骨也'《靈樞經》.

字源 形聲. 骨+于〔音〕.

參考 骬(前條)은 別字.

4 ⑭ [骯] 항 ㊤養 胡朗切 āng 肮

字解 살찔 항, 꿋꿋할 항 '—髒'은 몸이 비대한 모양. 일설(一說)에는, 태도가 강직한 모양. '—髒倚門邊'《後漢書》.

字源 形聲. 骨+亢〔音〕.

[骯髒 항장] 자해(字解)를 보라.

4 ⑭ [骱] 一 갈 ㊀黠 古黠切 jiá 二 할 ㊀曷 胡葛切 三 해 ㊦卦 下介切 xiè

字解 一 작은뼈 갈 '䯣—'은 작은 뼈. '—, 䯣—, 小骨'《廣韻》. 二 뼈굳을 할 뼈가 단단함. '—, 骨堅'《廣韻》. 三 굳은뼈 해 '—, 堅骨'《集韻》.

4 ⑭ [骫] 〔기〕 跂(足部 四畫〈p. 2225〉)와 同字

4 ⑭ [骰] 투 ㊥尤 度侯切 tóu 骰

字解 주사위 투 '—子'는 주사위. '玲瓏—子安紅豆'《溫庭筠》.

字源 形聲. 骨+殳〔音〕. '殳수'는 '던지다'의 뜻. 던지다, 뼈로 만든 '주사위'의 뜻을 나타냄.

[骰子 투자] 정방형의 육면체로 된 장난감. 주사위.

[骰戱 투희] 노름. 도박.

5 ⑮ [骲] 박 ㊀覺 蒲角切 bào

字解 살촉 박 뼈로 만든 살촉. '—箭'. '乃更以—箭射其臍'《資治通鑑》.

字源 形聲. 骨+包〔音〕.

[骲箭 박전] 뼈로 만든 살촉을 붙인 화살.

◉骨骲.

5 ⑮ [骷] 고 ㊥虞 空胡切 kū

字解 ①종지뼈 고 슬골(膝骨). '—, 廣雅, —髏, 䯉也'《集韻》. ②해골 고 죽은 사람의 뼈. '謂枯骨爲—'《通雅》.

5 ⑮ [骳] 피 ㊦寘 平義切 bèi ㊤紙 部靡切

字解 굽을 피 우회함. '骫—'.

5 ⑮ [骶] 저 ㊦霽 都計切 dǐ ㊤薺 典禮切 骶

字解 꽁무니 저 등골뼈의 끝진 곳. '尾—骨'.

字源 形聲. 骨+氐〔音〕. '氐저'는 '낮다'의 뜻. 낮은 쪽의 뼈, '꽁무니뼈, 꼬리뼈'의 뜻을 나타냄.

5 ⑮ [骺] 고 ㊥豪 丘刀切 kāo

字解 ①미골(尾骨) 고 '—, 尻骨也, 尻, 脊梁盡處'《正字通》. ②뼈 고 '—, 骨也'《集韻》.

5 ⑮ [骼] 곤 ㊤阮 古本切 gǔn

字解 ①가는뼈 곤 '—, 細骨'《集韻》. ②䯉(骨部 七畫)과 同字. '䯉, 鯀, 人名, 禹父也, 通作—'《集韻》.

5 ⑮ [骻] 과 ㊥歌 丘靴切 quē

字解 ①수족이병든모양 과 骸(次條)와 同字. '骸, 手足病皃, —, 上同'《廣韻》. ②수족이굽는 병 과 '—, 䏶—, 手足曲病'《字彙》.

5 ⑮ [骸] 骻(前條)와 同字

5 ⑮ [骹] 궁 ㊥東 巨狨切 qióng

字解 맥(脈) 궁 핏줄. '—, 脉也'《篇海》.

5 ⑮ [骽] 〔자〕 胔(肉部 五畫〈p. 1839〉)와 同字

字源 篆文 形聲. 骨+此〔音〕. '此차'는 '柴시'와 통하여 '섶'의 뜻. 섶처럼 된 새나 짐승의 뼈의 뜻을 나타냄.

5 ⑮ [骾] 〔체〕 體(骨部 十三畫〈p. 2618〉)의 俗字

5 ⑮ [髀] 굴 ㊀月 苦骨切 kū

字解 굴 굴 窟(穴部 八畫)의 古字. '月—'은 달 뜨는 곳. '西厭月—'《漢書》.

5 ⑮ [骿] 髀(前條)과 同字

5 ⑮ [髁] 령 ㊥青 郎丁切 líng

字解 ①허리뼈 령 '—, 髖骨'《廣韻》. ②뼈모양 령 髎(骨部 十三畫)과 同字. '髎, 髎髝, 骨皃, 或省'《集韻》.

6 ⑯ [髂] 一 후 ㊥尤 戶鉤切 hóu 二 구 ㊦宥 居候切

字解 一 ①뼈끝 후 '骺—'는 뼈의 끝. '—, 骺—也'《玉篇》. ②살촉 후 '骺—'는 뼈로 만든 화살촉. '—, 一曰, 骨鏃'《集韻》. ③骺(次條)의 訛字. 二 뼈끝 구, 살촉 구 一과 뜻이 같음.

6 ⑯ [髺] 一 괄 ㊀曷 古活切 guā
二 활 ㊀黠 戶八切 huá

字解 一 ①뼈끝 괄 '一, 骨端'《廣韻》. ②무릎관절 괄. ③종지뼈 괄 무릎뼈. '一, 骬也'《廣雅》. 二 장애 활 '骪一'은 지장(支障). '一, 骪一, 所以礙也'《集韻》.
字源 形聲. 篆文은 骨+昏〔音〕

6 ⑯ [骲] 광 ㊥陽 枯光切 kuāng

字解 ①허리뼈 광 '一, 骬也'《廣韻》. ②넓적다리뼈 광 '一, 一髖, 股骨也'《玉篇》.

6 ⑯ [骸] 人名 해 ㊥佳 戶皆切 hái

字解 ①뼈 해 골(骨). '析一而炊爨'《左傳》. ②몸 해 신체. '衰一'. '形一'. '逸身煖一'《呂氏春秋》. ③정강이뼈 해 경골(脛骨). '治其一關'《素問》.
字源 篆文 形聲. 骨+亥〔音〕. '亥해'는 머리·몸통·사지 등 돼지의 뼈대의 모양을 본뜬 것으로, '核핵'과 통하여 열매 중심의 단단한 부분의 뜻. 몸의 중심이 되는 단단한 부분, '뼈'의 뜻을 나타냄.

[骸骼 해격] 시체.
[骸骨 해골] ㉠몸. 신체. ㉡시체. 또 살이 죄다 썩고 남은 뼈.
[骸軀 해구] 몸. 신체.
[骸筋 해근] 뼈와 심줄. 심줄. 몸.
[骸炭 해탄] 가스를 빼낸 석탄. 코크스.
◉乞骸. 骨骸. 軀骸. 窮骸. 筋骸. 煖骸. 死骸. 衰骸. 易子析骸. 遺骸. 羸骸. 殘骸. 土木形骸. 形骸.

6 ⑯ [骹] 교 ㊥肴 口交切 qiāo

字解 발회목뼈 교 경골(脛骨) 중의 발회목에 있는 부분. '去一以爲一圍'《周禮》.
字源 篆文 形聲. 骨+交〔音〕. '交교'는 정강이를 꼰 모양으로 '교차하다'의 뜻. '骨골'을 더하여 그 '정강이'의 뜻을 나타냄.

6 ⑯ [骼] 격 ㊀陌 古伯切 gé

字解 백골 격 고골(枯骨). '骨一'. '掩一埋胔'《禮記》.
字源 篆文 形聲. 骨+各〔音〕. '各각'은 '格격'·'格격'과 통하여 나뭇가지가 내밀다의 뜻. 나뭇가지처럼 내민 백골의 뜻을 나타냄.

◉骨骼. 筋骼. 掩骼. 龍骼. 胔骼. 骸骼.

6 ⑯ [骻] 과 ㊋禡 枯化切 kuà

字解 ①허리뼈 과 요골(腰骨). ②사타구니 과 胯(肉部 六畫)와 同字. '缺一之服'《唐書》.
字源 形聲. 骨+夸〔音〕

6 ⑯ [髃] 〔뇌〕
腦(肉部 九畫〈p. 1855〉)와 同字

6 ⑯ [骿] 〔변〕
骿(骨部 八畫〈p. 2616〉)의 俗字

7 ⑰ [髇] 효 ㊥肴 許交切 xiāo

字解 우는살 효 명적(鳴鏑). '貫一矢'《唐書》.

7 ⑰ [髀] 폐 ㊤薺 傍禮切 bì

字解 넓적다리 폐 무릎 관절 위의 다리. '柔其肉皮通一臀'《韓愈》.

7 ⑰ [骾] 경 ㊤梗 古杏切 gěng

字解 걸릴 경 먹은 가시가 목구멍에 걸림. 전(轉)하여, 사람의 성질이 모져서 시속을 따르지 아니함. '骨一不動於物'《晉書》.
字源 篆文 形聲. 骨+更(㪅)〔音〕. '㪅경'은 '단단하다'의 뜻. 뼈대 있고 굳다의 뜻을 나타냄.

[骾訐 경알] 직언(直言)하여 남의 악(惡)을 폭로(暴露)함.
[骾朴 경박] 강직(剛直)하며 소박함.
◉剛骾. 骨骾.

7 ⑰ [髆] 요 ㊤篠 以紹切 yǎo

字解 갈비 요 협골(脅骨). 일설(一說)에는 견갑골(肩胛骨). '左髀達於右一爲下射'《唐書》.

7 ⑰ [骾] 경 ㊥青 乎經切 xíng, ②jìng

字解 ①뼈 경 '一, 骨也'《集韻》. ②脛(肉部 七畫)과 同字. '一, 同脛'《正字通》.

7 ⑰ [髺] 〔괄〕
髺(骨部 六畫〈p. 2615〉)과 同字

7 ⑰ [骽] 〔퇴〕
腿(肉部 十畫〈p. 1859〉)의 俗字

7 ⑰ [鯀] 〔곤〕
鯀(魚部 七畫〈p. 2647〉)과 同字

8 ⑱ [髀] 비 ㊤紙 幷弭切 bì

字解 넓적다리 비 무릎 관절 위의 다리. '一肉之歎'《蜀志》. '帶下毋厭一'《禮記》.
字源 篆文 形聲. 骨+卑〔音〕. '卑비'는 '낮다'의 뜻. 골격 가운데 낮은 쪽에 있는 '넓적다리뼈'의 뜻을 나타냄.
參考 髀(次條)는 俗字.

[髀骨 비골] 넓적다리의 뼈.
[髀膂 비려] 넓적다리와 등뼈. 전(轉)하여 몸.
[髀裏肉生 비리육생] 넓적다리의 살이 찐다는 뜻으로, 오래 말을 타지 않아서 살이 빠졌던 넓적다리에 다시 살이 찜을 이름.
[髀肉皆消 비육개소] 넓적다리의 살이 닳아 없어진다는 뜻으로, 항상 말을 탐을 이름.
[髀肉之歎 비육지탄] 말 타고 전장에 나가지 않은 지가 오래되어 넓적다리에 살만 찜을 탄식함.

곧 영웅이 공을 세우지 못하고 헛되이 날만 보냄을 탄식함을 이름.
◉肩髀. 撫髀. 拍髀. 搏髀. 拊髀. 肫髀. 腰髀.

8 [髀]
⑱ 髀(前條)의 俗字

8 [餟]
⑱ 철 [入]屑 株劣切 chuò
[字解] 뼈이을 철 뼈를 붙임. '一, 續骨也'《玉篇》.

8 [髁]
⑱ [一] 과 [去]箇 苦臥切 kuà
[二] 화 [上]馬 苦瓦切 kē
[字解] [一] 종지뼈 과 슬골(膝骨). [二] 부정할 화 바르지 않은 모양. '謑一無任'《莊子》.
[字源] 篆文 形聲. 骨+果〔音〕. '果과'는 '둥글다'의 뜻. 둥근 모양의 '종지뼈'의 뜻을 나타냄.
◉謑髁.

8 [腔]
⑱ 강 [平]江 枯江切 qiāng
[字解] ①궁둥이뼈 강 '一, 尻骨'《集韻》. ②궁둥이뼈이름 강 '髓, 髓一, 尻骨名'《集韻》.

8 [骑]
⑱ 기 [上]紙 巨綺切 jì
[字解] 잔뼈 기 작은 뼈. '一, 小骨也'《集韻》.

8 [腕]
⑱ 완 [去]翰 烏貫切 wàn
[字解] 무릎뼈 완 슬골(膝骨). '張進昭截在一廬于墓'《唐書》.

8 [骿]
⑱ 변 [平]先 部田切 pián
[字解] 통갈비 변 갈빗대가 나란히 바싹 붙어서 통뼈로 이루어진 것처럼 보이는 갈비. '聞其一脅, 欲觀其狀'《國語》.
[字源] 篆文 形聲. 骨+并〔音〕. '并병'은 나란히 늘어서 있다의 뜻. 나란히 이어져 있는 '갈비뼈'의 뜻을 나타냄.
[參考] 骿(骨部 六畫)은 俗字.

[骿胝 변지] 살가죽이 스쳐 딴딴하게 된 자리. 못. 변지(胼胝).
[骿骭 변한] 변협(骿脅).
[骿脅 변협] 갈빗대가 나란히 바싹 붙어서 통뼈로 이루어진 것처럼 보이는 갈비. 통 갈비.
[骿脇 변협] 변협(骿脅).

9 [髂]
⑲ 가 [去]禡 枯駕切 qià
[字解] 허리뼈 가 요골(腰骨). '折骨拉一'《漢書》.

9 [骸]
⑲ 도 [上]麌 動五切 dù
[字解] 두개골(頭蓋骨) 도 머리뼈. '一, 顱也'《集韻》.

9 [髓]
⑲ 〔수〕
髓(骨部 十三畫〈p. 2618〉)의 略字

9 [髄]
⑲ 〔수〕
髓(骨部 十三畫〈p. 2618〉)와 同字

9 [骸]
⑲ 대 [去]隊 徒對切 duì
[字解] ①어리석은모양 대 '一, 魄一, 愚皃'《集韻》. ②어리석은사람 대 '一, 魄一, 愚人'《廣韻》. ③뼈 대 '一, 骨也'《字彙》.

9 [骸]
⑲ 〔후〕
骺(骨部 六畫〈p. 2614〉)와 同字

9 [骸]
⑲ 骸(前條)와 同字

9 [髗]
⑲ 과 [平]麻 枯瓜切 kuā
[字解] ①이마위의뼈 과 '一, 額上骨也'《廣韻》. ②허리뼈 과 '一, 一骱, 骼上骨'《玉篇》.

9 [髖]
⑲ 〔경〕
骾(骨部 七畫〈p. 2615〉)의 本字

9 [髑]
⑲ 갈(할㊍) [入]曷 何葛切 hé
[字解] ①어깨뼈 갈 '一, 一骭, 肩骨'《玉篇》. ②가슴앞뼈 갈 '一, 一骭, 胷前骨'《集韻》.

9 [髋]
⑲ 〔개〕
腊(肉部 九畫〈p. 1856〉)와 同字

9 [髑]
⑲ 우 [平]虞 偶俱切 yú
[字解] 어깻죽지 우 腢(肉部 九畫)와 同字. '髆前骨謂之一'《集韻》.
[字源] 篆文 形聲. 骨+禺〔音〕. '禺우'는 '隅우'와 통하여 '구석'의 뜻. 어깨의 끝, 또 어깻죽지의 뜻을 나타냄.

10 [髋]
⑳ 겸 [去]豔 吉念切 jiàn
[字解] 여윈모양 겸 몸이 마름. '一, 瘦皃'《集韻》.

10 [髆]
⑳ 박 [入]藥 補各切 bó
[字解] 어깨뼈 박 견갑골(肩胛骨). '擊一拊髀'《夢遊錄》.
[字源] 篆文 形聲. 骨+尃〔音〕. '尃부·박'은 넓혀지다의 뜻. 뼈 가운데 가장 편편하게 퍼진 부분, 견갑골의 뜻을 나타냄.

[髆骨 박골] 어깨뼈. 견갑골(肩胛骨).

10 [髉]
⑳ [一] 박 [入]覺 北角切 bó
[二] 각 [入]覺 訖岳切 jué
[字解] [一] ①뼈끝 박 '一, 骨耑也'《玉篇》. ②뼈 박 '一, 骨也'《玉篇》. [二] 뼈단단하고흴 각 '一, 骨堅白'《集韻》.

10 [魄]
⑳ 괴 [去]泰 古對切 / [去]隊 苦外切 guì
[字解] 어리석은모양 괴 '一, 愚皃也'《玉篇》. '一, 一骸, 愚皃'《集韻》.

10 ⑳ [髈] 방 [上]養 匹朗切 pǎng / [上]養 步光切 páng / [平]陽 蒲光切 bǎng

[字解] ①넓적다리 방 '一, 股也'《玉篇》. ②옆구리 방 옆구리의 근육. '一, 脅肉也'《集韻》. ③어깨 방 '兩箇肩一擡着箇口'《三國志通俗演義》.
[字源] 形聲. 骨+旁〔音〕

10 ⑳ [髇] 오 [上]晧 烏浩切 ǎo

[字解] ①뼈갈무리할 오 '一, 藏骨'《廣韻》. ②허리뼈 오 䐿(肉部 十三畫)와 同字. '一, 膂骨, 或作䐿'《集韻》.

10 ⑳ [髊] [一]차 [平]歌 倉何切 cuō / [二]자 [去]寘 疾智切 cī

[字解] [一] 뼈갈 차 엄니나 뼈를 갊. 磋(石部 十畫)와 통용. '一, 治牙骨也'《集韻》. [二] ①삭은 뼈 자 '一, 腐骨也'《玉篇》. ②살붙은뼈 자 살이 붙어 있는 뼈. '骼'의 대(對). '揜骼霾一'《呂氏春秋》.

10 ⑳ [髇] 〔효〕
骹(骨部 七畫〈p.2615〉)와 同字

11 ㉑ [髏] 루 [平]尤 落侯切 lóu 髅 

[字解] 해골 루 髑(骨部 十三畫)을 보라. '髑一'.
[字源] [篆文]  形聲. 骨+婁〔音〕. '婁루'는 끊어지지 않고 이어지다의 뜻. 살은 다 빠지고, 뼈만 이어져 있는 '해골'의 뜻을 나타냄.

11 ㉑ [軀] 〔구〕
軀(身部 十一畫〈p.2255〉)와 同字

11 ㉑ [髄] 〔괵〕
膕(肉部 十一畫〈p.1861〉)과 同字

[鶻] 〔골〕
鳥部 十畫(p.2676)을 보라.

11 ㉑ [䯉] 오 [平]豪 牛刀切 áo

[字解] 집게발 오 게의 집게발. 螯(虫部 十一畫)와 同字. '一, 蟹大足者'《集韻》.

11 ㉑ [髍] 마 ①[上]哿 母果切 mǒ / ②[平]歌 莫婆切 mó

[字解] ①잘 마, 작을 마 '又況幺一尙不及數子'《漢書》. ②중풍(中風) 마 반신불수가 되는 병.

12 ㉒ [臀] 〔둔〕
屍(尸部 五畫〈p.622〉)과 同字

12 ㉒ [髆] 당 [平]江 傳江切 chuáng

[字解] 꽁무니뼈 당 膧(肉部 十二畫)과 同字. '一, 一䯏, 尻骨, 或从肉'《集韻》.

12 ㉒ [䯊] 궐 [入]月 居月切 jué

[字解] ①꽁무니뼈 궐 미저골(尾骶骨). '一, 屁骨也'《說文》. ②꽁무니살 궐 '一, 尾肉亦曰一'《通訓》.
[字源] 形聲. 骨+厥〔音〕

12 ㉒ [䯁] 궐 [入]月 居月切 jué

[字解] 엉덩뼈 궐 일설(一說)에는, 꼬리가 붙은 뿌리. '一, 博雅, 脾, 髁, 一也, 一曰, 尾本'《集韻》.

12 ㉒ [䯊] [一]괴 [去]寘 丘愧切 kuì / [二]궤 [去]隊 古對切 guì

[字解] [一] ①종지뼈 괴 슬개골(膝蓋骨). ②무릎꿇을 괴 '一, 膝加地也'《廣韻》. [二] 머리뼈모양 궤 '一, 頭骨皃'《集韻》.
[字源] 形聲. 骨+賮(貴)〔音〕

12 ㉒ [髐] 효 [平]肴 虛交切 xiāo / [平]蕭 馨幺切 

[字解] 백골모양 효 백골이 땅 위에 있는 모양. '莊子之楚, 見空髑髏. 一然有形'《莊子》.
[字源] 形聲. 骨+堯〔音〕

[髐骨 효골] ㉠백골(白骨). ㉡백골(白骨)처럼 말라 빠짐.

13 ㉓ [䯏] 감 [平]咸 丘銜切 qiān

[字解] 뼈높은모양 감 뼈가 불거진 모양. '一, 一䯊, 骨高皃'《集韻》.

13 ㉓ [髒] 괴 [平]泰 古外切 kuài

[筆順] 冂 凩 骨 骨^ 骨亼 骨會 骨會 髒

[字解] 동곳 괴 상투가 풀어지지 않게 꽂는 물건. '一, 骨擿之可會髮者'《說文》.
[字源] 形聲. 骨+會〔音〕

13 ㉓ [髑] 촉 [入]屋 徒谷切 dú 

[字解] 해골 촉 '一髏'는 뼈만 앙상하게 남은 죽은 사람의 머리뼈. '見空一髏. 髐然有形'《莊子》.
[字源] [篆文] 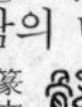 形聲. 骨+蜀〔音〕. '蜀촉'은 '獨독'과 통하여 단 하나 고립하다의 뜻. 비바람에 씻기어 살이 없어지고 허옇게 된 머리뼈의 뜻을 나타냄.

[髑髏 촉루] 해골.

13 ㉓ [髒] 장 [上]養 子朗切 zāng 

[字解] 살질 장, 꼿꼿할 장 骯(骨部 四畫)을 보라. '骯一'.
[字源] 形聲. 骨+葬〔音〕

13 ㉓ [髀] [一]비 [去]寘 卑義切 bì / [二]벽 [入]陌 必益切

字解 ㊀ 활고자 비 활 양 끝의 시위를 거는 부분. '一, 弓弭'《集韻》. ㊁ 활고자 벽 ㊀과 뜻이 같음.

13 ㉓ [䯢] 억 ㊀職 乙力切 yì

字解 ①가슴뼈 억 '肊, 說文, 胷骨也, 或作臆·—'《集韻》. ②뼈 억 '一,骨'《玉篇》.

13 ㉓ [髓] 人名 수 ㊤紙 息委切 suǐ 髓

筆順

字解 골 수 뼈의 속에 차 있는 누른빛의 기름 같은 물질. '骨—'. '腦—'. 전(轉)하여, 마음속. '德淪于骨—'《史記》. 또, 사물의 중심이 되는 중요한 부분. 요점. '精—'. '筆下滴滴文章—'《李咸用》.

字源 篆文 形聲. 骨+遀(隓)〔音〕. '隓휴'는 긴장이 풀어져 무너지다의 뜻. 동물의 뼈의 중심에 있는 연한 부분, '골'의 뜻을 나타냄.

[髓腦 수뇌] 머릿골. 뇌수. 전(轉)하여 요처(要處). 요점(要點).
◉骨髓. 肌髓. 腦髓. 得髓. 白獺髓. 神髓. 心髓. 怨入骨髓. 精髓. 芝髓. 眞髓. 脊髓.

13 ㉓ [體] 中人 체 ㊤薺 他禮切 tǐ 体

筆順

字解 ①몸 체 육체. '身—'. '父母之遺—'《禮記》. ②사지 체 팔다리. '四—不勤'《論語》. ③바탕 체 사물의 토대. '本—'. '—要'. ④모양 체 ㉠모습. 용모. '姿—'. ㉡체재. '字—'. '國—'. ⑤점상(占象) 체 거북점 같은 데에 나타난 종횡의 균열. 점에 나타난 형상. 점조(占兆). '君占—'《周禮》. ⑥물건 체 '物—'. '液—'. ⑦자체 체 물건 그 자체. '用'의 대(對)로서, 움직이지 않는 것. '禮之—主於敬, 而其用以和爲貴'《論語集註》. ⑧나눌 체 구획함. '—國經野'《周禮》. ⑨형성할 체 형체를 이룸. '方苞方—'《詩經》. ⑩친할 체 친근히 함. '就賢—遠'《禮記》. ⑪본받을 체 본뜸. '汝等—此旨'. '—太一'《淮南子》. ⑫행할 체 실행함. '—驗'. '以身—之'《淮南子》. ⑬성 체 성(姓)의 하나.

字源 篆文 形聲. 骨+豊(豐)〔音〕. '豊례'는 '参진'과 통하여 많은 것이 모이다의 뜻. 많은 뼈의 모임의 뜻에서 '몸'의 뜻을 나타냄.

參考 体(人部 五畫)·躰(骨部 五畫)는 俗字.

[體幹 체간] 몸.
[體腔 체강] 동물(動物)의 몸속의 빈 곳.
[體格 체격] ㉠몸의 생긴 골격(骨格). ㉡시문(詩文)의 체재.
[體鏡 체경] 전신(全身)을 비추는 큰 거울.
[體系 체계] 낱낱을 계통(系統)이 서게 한 조직.
[體軀 체구] 몸. 몸집.
[體國經野 체국경야] 도시(都市)를 정하고 읍리(邑里)를 구획(區劃)함. 체(體)는 나눔. 국(國)은 성중(城中). 경(經)은 이수(里數)를 정함.
[體內 체내] 몸의 안. 신체의 내부.
[體念 체념] 깊이 생각함.
[體大 체대] 몸이 큼.
[體道 체도] 도의(道義)를 본뜸.
[體得 체득] ㉠몸소 체험하여 얻음. ㉡충분히 납득하여 자기의 것을 만듦.
[體量 체량] 체중(體重).
[體諒 체량] 깊이 헤아림.
[體力 체력] 몸의 힘.
[體面 체면] 남을 대(對)하는 면목과 체재.
[體貌 체모] ㉠모습. 형체와 상모. ㉡예로써 대접함. 예우(禮遇)함.
[體魄 체백] 죽은 지 오래된 송장. 땅속에 묻은 송장.
[體罰 체벌] 체형(體刑).
[體法 체법] ㉠체식(體式). ㉡법규를 좇음.
[體膚 체부] 몸과 살갗. 신체와 피부. 육체를 이름.
[體相 체상] 체격과 상모.
[體性 체성] 몸과 마음. 신체 성정(身體性情).
[體式 체식] 체재와 방식.
[體語 체어] 반절(反切)로 말하는 은어(隱語). 문(門)을 막분(莫奔)이라 하는 따위.
[體言 체언] 명사·대명사·수사로서 문장의 주어가 될 수 있는 단어. 용언(用言)의 대(對).
[體溫 체온] 동물(動物)의 몸의 온도.
[體要 체요] ㉠사물의 중요한 곳. 요점. ㉡대체와 강요(綱要).
[體用 체용] 본체(本體)와 작용(作用).
[體容 체용] 몸의 형상(形狀).
[體用一原 체용일원] 마음의 본체와 작용은 같다는 말.
[體元 체원] 군주(君主)가 새로 즉위하여 연호(年號)를 고치는 것. 곧, 군주로서 천하(天下)에 임(臨)함을 이름.
[體育 체육] 신체의 발달을 도와 건강하게 하는 교육.
[體認 체인] 말뿐이 아니고 마음속으로 깊이 납득(納得)하고 실천궁행(實踐躬行)함.
[體長 체장] 몸의 길이.
[體裁 체재] ㉠이루어진 형식(形式). 또는 됨됨이. ㉡문장의 격식.
[體積 체적] 입방체(立方體)가 가지고 있는 공간(空間)의 분량(分量).
[體制 체제] 체재(體裁).
[體製 체제] ㉠뼈대. ㉡시문의 격식.
[體操 체조] 몸의 모든 기관(器官)의 발육(發育)을 돕고, 또 신체(身體)의 운동(運動)을 민첩(敏捷)하게 하기 위하여 행(行)하는 체육술(體育術).
[體重 체중] ㉠몸의 무게. 체량(體量). ㉡지위(地位)가 높고 중(重)함.
[體肢 체지] 몸과 팔다리.
[體質 체질] ㉠몸의 바탕. ㉡성질.
[體測 체측] 자기 처지에 견주어 추측함.
[體統 체통] ㉠체면(體面). 품위. ㉡합법적(合法的).
[體解 체해] ㉠팔다리를 찢어 죽이는 형벌. ㉡한 덩어리가 된 것을 분해함.
[體憲 체헌] 본보기. 모범. 또, 본보기로 함. 모범으로 삼음.
[體驗 체험] 자기(自己)의 실제(實際)의 경험(經驗).
[體現 체현] 형체를 나타냄. 구체적(具體的)으로 표현(表現)함.
[體刑 체형] 직접(直接) 사람의 몸에 주는 형벌

(刑罰).
[體形 체형] 몸의 형상(形狀).
[體候 체후] 남의 안부(安否)를 묻는 데 쓰는 기거(起居)의 존칭.
◉客體. 繼體. 古體. 固體. 倮體. 具體. 軀體. 國體. 君以人爲體. 菌體. 近體. 根體. 今體. 企業體. 氣體. 機體. 裸體. 來體. 老體. 大體. 道體. 導體. 同心一體. 同字異體. 同體. 胴體. 得體. 萬體. 媒體. 文體. 物體. 柏梁體. 騈儷體. 變體. 本體. 不良導體. 佛體. 肥體. 卑體. 備體. 四體. 死體. 肆體. 溢體. 常體. 西崑體. 書體. 船體. 小體. 尸體. 屍體. 詩體. 身體. 雅體. 安體. 愛體. 液體. 良導體. 業體. 染色體. 五雲體. 五體. 玉體. 往體. 拗體. 容體. 偉體. 流動體. 遺體. 六體. 肉體. 儀體. 異體. 人體. 一心同體. 一體. 字體. 姿體. 雜體. 適體. 全體. 正體. 政體. 主體. 支體. 肢體. 眞體. 車體. 采葑采菲無以下體. 天體. 治體. 八體. 編年體. 風體. 下體. 解體. 香奩體. 形體.

13 ㉓ [髎] 〔둔〕 尻(尸部 五畫〈p. 622〉)·臀(肉部 十三畫〈p. 1865〉)과 同字

14 ㉔ [髕] 빈 [去]震 毗忍切 bìn 髌

[字解] ①종지뼈 빈 슬개골. 臏(肉部 十四畫)과 同字. ②종지뼈벨 빈 형벌로서 종지뼈를 베어 냄. '一罰之屬五百'《漢書》.
[字源] 篆文 形聲. 骨＋賓〔音〕. '賓빈'은 객으로서 묵다의 뜻. 무릎 관절을 앞면에서 덮어 가리는 '종지뼈'의 뜻을 나타냄.

[髕脚 빈각] 빈벌(髕罰).
[髕罰 빈벌] 종지뼈를 베어 내는 형벌.

15 ㉕ [髖] 관 [平]寒 苦官切 kuān 髋

[字解] ①허리뼈 관 요골(腰骨). ②사타구니 관 고간(股間). '至一髀之所'《新書》.
[字源] 篆文 形聲. 骨＋寬〔音〕. '寬관'은 '넓다'의 뜻. 넓고 큰 뼈, '허리뼈'의 뜻을 나타냄.

16 ㉖ [髕] 〔괴·궤〕
髖(骨部 十二畫〈p. 2617〉)의 本字

16 ㉖ [髍] 력 [入]錫 狼狄切 lì

[字解] 뼈의병 력 뼈에 든 병. '一, 骨病'《集韻》.

18 ㉘ [髗] 〔관〕
顴(頁部 十八畫〈p. 2559〉)과 同字

高 (10획) 部

〔높을고부〕

0 ⑩ [高] [中人] 고 ①-⑤[平]豪 古勞切 gāo
⑥[去]號 居号切 gào

[筆順] 丶 亠 亠 亠 亡 古 古 高 高 高

[字解] ①높을 고 ㉠얕지 아니함. '一低'. '山一月小'《蘇軾》. ㉡존귀함. '位一而多金'《戰國策》. ㉢속되지 아니함. 무사함. '一潔'. '一尙'. '其曲彌一'《宋玉》. ㉣값이 비쌈. '少室山人索價一'《韓愈》. ㉤나이가 많음. '一齡'. '年又最一'《歐陽修》. ㉥뛰어남. '一行'. '功一如此'《史記》. ㉦소리가 큼. '一唱'. '一歌放言'《舊唐書》. ②높일 고 존숭함. '天下逾一之'《呂氏春秋》. ③뽐낼 고 스스로 높은 체함. '以勳力相一'《唐書》. ④높은곳 고, 높은자리 고 '登一作賦'《王勃》. 또, 높은 것. '豈能遂先生之一哉'《范仲淹》. ⑤성 고 성(姓)의 하나. ⑥높이 고 높은 정도. '一雉之牆, 長三丈, 一一丈'《左傳》.
[字源] 甲骨文 金文 篆文 象形. 높고 큰 문 위의 높은 누다락의 모양을 본떠, '높다'의 뜻을 나타냄.
[參考] ①'高고'의 생략체인 '亠'를 의부(意符)로 하여, '亭정' 등 건물을 나타내는 문자를 이룸. 단, '亭'·'亮' 등은 부수로서는 '亠' 부에 분류되고 있음. ②髙(次條)는 俗字.

[高架 고가] 높이 건너 걸침.
[高歌 고가] 큰 소리로 노래함. 「판.
[高價 고가] ㉠비싼 값. 또, 값이 비쌈. ㉡좋은 평
[高脚 고각] ㉠긴 다리. ㉡죽마(竹馬).
[高閣 고각] ㉠높은 누각(樓閣). ㉡높은 시렁.
[高簡 고간] 고상하고 간솔(簡率)함.
[高強 고강] 뛰어남. 나음.
[高蓋 고개] 수레 위에 높이 세우는, 대가 긴 일산(日傘).
[高槪 고개] 뛰어난 절개(節槪). 고절(高節).
[高擧 고거] ㉠세상을 피하여 은거함. ㉡먼 곳에 감.
[高傑 고걸] 고상하고 걸출한 인물.
[高見 고견] ㉠뛰어난 생각. 투철한 의견. ㉡남의 의견의 존칭(尊稱).
[高肩 고견] 분량이 많음.
[高狷 고견] 뜻이 높고 고집 셈.
[高潔 고결] 고상하고 깨끗함. 이욕에 끌리지 아니하고 청백함.
[高冏 고경] 높고 밝음.
[高勁 고경] 품위가 높고 힘이 있음.
[高鯁 고경] 고상하고 정직함. 또, 그 사람.
[高啓 고계] 명(明)나라의 시인(詩人). 장주(長洲) 사람. 자(字)는 계적(季迪). 처음 장사성(張士誠)의 난(亂)을 피하여 송강(松江)의 청구(靑邱)에 살며 청구자(靑邱子)라 호(號)하였음. 홍무(洪武) 초에 소명(召命)을 받아 원사(元史)를 찬수(纂修)하고 호부시랑(戶部侍郎)이 되었으나 이내 귀향(歸鄕)하여 있던 중 친구인 소주부지부(蘇州府知府) 위관(魏觀)이 죄(罪)를 얻어 죽음을 당할 때에 연좌(連座)되어 요참(腰斬)의 형을 받았음. 고전(古典)의 교양(敎養)이 깊은 시인으로 〈고청구전집(高靑邱全集)〉을 냄.
[高髻 고계] 높은 상투. 높게 짠 상투.
[高季興 고계흥] 오대(五代) 십국(十國) 형남(荊南)의 시조(始祖). 섬주(陝州) 사람. 본명은 계창(季昌). 자는 이손(貽孫). 시호(諡號)는 무신(武信). 후량(後梁)의 태조(太祖) 주전충(朱全忠)의 아장(牙將)으로 공을 세웠으며, 태조

몰후(沒後)에 발해왕(渤海王)에 봉(封)함을 받았으며, 후당(後唐)이 서자 입조(入朝)하여 남평왕(南平王)이 되었으나 오(吳)나라와 결탁하여 후당에 대항하다가 죽었음.
[高古 고고] 고상하고 옛 풍취가 있음.
[高空 고공] 높은 하늘.
[高拱 고공] 높은 곳에서 팔짱을 끼고 있음. 전(轉)하여, 관계하지 아니하고 방관함.
[高科 고과] 과거의 성적이 우등임.
[高官 고관] 지위가 높은 벼슬.
[高館 고관] 높은 집. 큰 건물. 또, 남의 집의 존칭.
[高觀 고관] 높은 망루(望樓). 「슬.
[高官大爵 고관대작] 지위(地位)가 높고 귀한 벼
[高曠 고광] 높고 광활(廣闊)함.
[高挂 고괘] ㉠돛이 높이 걸림. ㉡높이 건 돛.
[高丘 고구] 높은 언덕.
[高矩 고구] 훌륭한 본보기.
[高構 고구] ㉠높이 얽음. ㉡높은 구조(構造).
[高衢 고구] 큰 길. 한길. 대도(大道).
[高句麗 고구려] 우리나라 고대의 삼국 시대의 한 나라. 북부여(北扶餘)의 주몽(朱蒙) 동명왕(東明王)을 시조로 하여 7백여 년 동안 만주 남부에서 한반도(韓半島)에 이르는 넓은 영토를 갖고 신라(新羅)·백제(百濟)와 정립(鼎立)하였음. 도읍은 평양(平壤). 나당(羅唐)의 연합군에게 망하였음. (B.C. 37～A.D. 668)
[高穹 고궁] 높은 하늘. 고공(高空).
[高卷 고권] 높이 만다는 뜻으로, 자기의 재지(才智)를 숨기고 세상을 피함을 이름.
[高權 고권] 고권(高顴).
[高顴 고권] 불쑥 나온 광대뼈.
[高軌 고궤] 고상한 도(道).
[高貴 고귀] 지위가 높고 귀함.
[高屐 고극] 굽이 높은 나막신.
[高級 고급] 높은 등급, 또는 계급.
[高絚 고긍] 동아줄.
[高緪 고긍] 고긍(高絚).
[高奇 고기] 고상하고 뛰어남.
[高氣 고기] 고상한 마음.
[高寄 고기] 기품(氣品) 있게 처신함.
[高棊 고기] 잘 두는 바둑.
[高氣壓 고기압] 주위보다 높은 기압. 이 지점에서 바람이 일어나 사방을 향하여 붊. 저기압(低氣壓)의 대(對).
[高其佩 고기패] 청조(淸朝)의 화가(畫家). 요양(遼陽) 사람. 자(字)는 위지(韋之). 호는 차원(且園)·남촌(南村). 특히 지화(指畫)에 독창적(獨創的)이었음.
[高年 고년] 늙은 나이. 또, 늙은이.
[高能 고능] 뛰어난 재능. 또, 그 사람.
[高達 고달] 사물에 깊이 통달함. 「칭.
[高談 고담] 고상한 이야기. 또, 남의 이야기의 존
[高談峻論 고담준론] 고상하고 준엄한 말.
[高踏的 고답적] ㉠형식을 존중하고 범속(凡俗)에 뇌동(雷同) 않는 귀족적 사상을 가짐. ㉡실사회(實社會)와 동떨어진 태도(態度).
[高唐 고당] ㉠춘추 시대 제(齊)나라의 지명(地名). 지금의 산둥 성(山東省) 우성현(禹城縣) 서남쪽에 그 고성(故城)이 있음. ㉡초(楚)나라 때 운몽택(雲夢澤) 가운데 있던 누대(樓臺)의 이름. 신녀(神女)가 출유(出遊)하였다는 곳임.
[高堂 고당] ㉠높은 집. 훌륭한 집. 전(轉)하여, 남의 집의 존칭. ㉡부모의 슬하.
[高大 고대] 높고 큼.
[高臺 고대] ㉠높은 대사(臺榭). ㉡높고 평평한 지면.
[高德 고덕] 덕이 높음. 또, 그 사람.
[高度 고도] ㉠높이의 정도. ㉡지평에서 천체(天體)까지의 각(角)거리.
[高跳 고도] 높이 뜀.
[高蹈 고도] ㉠먼 곳으로 감. ㉡은거(隱居)함.
[高斗 고두] 하늘 높이 걸려 빛나는 북두칠성(北斗七星).
[高等 고등] 높은 등급.
[高磴 고등] 높은 돌층계. 높은 석계(石階).
[高騰 고등] 높이 오름.
[高欄 고란] 고루(高樓)의 난간. 높은 난간.
[高朗 고랑] 고상하고 명랑함.
[高廊 고랑] 높은 낭하(廊下).
[高亮 고량] 높고 밝음. 높고 맑음.
[高粱 고량] 수수.
[高厲 고려] 고상(高尙)함. 거룩함.
[高麗 고려] ㉠우리나라 왕조의 하나. 궁예(弓裔)의 부장(部將)이던 왕건(王建)이 제장에게 추거(推擧)되어 개성(開城)에 도읍하고 세운 나라. 후백제(後百濟)를 없애고 신라(新羅)를 항복시켜 한반도(韓半島)를 통일함. 34대 475년 만에 이성계(李成桂)에게 망하였음. (918～1392) ㉡고구려(高句麗). ㉢태봉(泰封)의 처음 이름.
[高齡 고령] 나이가 많음. 노령(老齡).
[高祿 고록] 많은 녹봉.
[高論 고론] 탁월한 의론. 전(轉)하여 남의 의론의 존칭.
[高樓 고루] 높은 누각.
[高樓巨閣 고루거각] 높고 큰 누각.
[高隆 고륭] 높고 융성(隆盛)함.
[高廩 고름] 큰 미곡 창고.
[高陵 고릉] 높은 언덕. 고구(高丘).
[高利 고리] ㉠비싼 변리. ㉡큰 이익.
[高邈 고막] 고상하고 심오함.
[高慢 고만] 자만. 교만.
[高望 고망] ㉠숭고한 소망. ㉡높은 곳에서 하는 조망(眺望).
[高莽 고망] 무성하여 키가 큰 풀.
[高禖 고매] 아들을 낳게 한다는 신(神). 또, 그 신을 제사 지내는 일.
[高邁 고매] 뛰어나게 품위가 높음.
[高眠 고면] 고와(高臥). 「칭.
[高名 고명] ㉠이름이 널리 남. ㉡남의 이름의 존
[高明 고명] ㉠높고 탁 트임. ㉡식견이 높고 명석함. ㉢뜻이 고상하고 사리에 밝음. ㉣부귀(富貴)함. ㉤누각(樓閣). ㉥남에 대한 존칭. ㉦원말(元末) 명초(明初)의 극작가(劇作家). 온주(溫州) 영가(永嘉) 사람. 자는 칙성(則誠). 〈비파기(琵琶記)〉의 작가. 어려서부터 총명하고 학문을 좋아하여 진사(進士) 급제 후 관도(官途)에 들어서도 학자 기질을 잃지 않았으며, 실무에도 수완을 보였음. 만년(晩年)에 홍무제(洪武帝)의 소명(召命)에도 응하지 않고 시작(詩作)으로 소일하였음.
[高冥 고명] 높은 하늘.
[高明之家鬼瞰其室 고명지가귀감기실] 부귀한 집에는 귀신이 재앙을 내리려고 항상 엿봄. 사물은 정도에 지나치면 재앙이 오는 법이라는 말.
[高貌 고모] 고상한 모습.

[高謀 고모] 뛰어난 꾀.
[高妙 고묘] 뛰어나고 묘함.
[高廟 고묘] 고조(高祖)의 사당.
[高文 고문] 식견이 높은 문장. 고상한 논문.
[高門 고문] ㉠한(漢)나라의 미앙궁(未央宮) 안에 있던 궁전. ㉡높은 문. ㉢부귀한 집.
[高文典冊 고문전책] 국가 또는 임금의 명령에 의하여 간행된 귀중한 저술.
[高味 고미] 뛰어난 취미.
[高旻 고민] 가을의 높은 하늘.
[高攀龍 고반룡] 명(明)나라 말기의 학자. 무석(無錫) 사람. 처음 고헌성(顧憲成)과 함께 동림서원(東林書院)에서 주자학(朱子學)을 강(講)하여 유자(儒者)의 종(宗)이라 일컬어졌음. 희종(熹宗) 때 좌도어사(左都御史)가 되어 정계(政界) 쇄신을 꾀하다가 권신(權臣)이던 환관(宦官) 위충현(魏忠賢)에게 미움을 받아 자살하고 말았음. 저서(著書)에 〈고자유서(高子遺書)〉 12권, 〈무림유기(武林遊記)〉 1권 등이 있음.
[高拔 고발] 높이 빼어남.
[高放 고방] 기상(氣象)이 높아 자유로이 행동함.
[高榜 고방] 높이 세운 패.
[高步 고보] 높은 지위를 차지하고 세력을 떨침.
[高峯 고봉] 높은 산봉우리.
[高峯絶頂 고봉절정] 높은 산의 맨 꼭대기.
[高峯峻嶺 고봉준령] 높이 솟은 산봉우리와 험준한 재.
[高阜 고부] 높은 언덕.
[高庇 고비] ㉠높은 나무. ㉡집의 그늘. ㉢남의 비호(庇護)의 존칭.
[高批 고비] 남한테 받는 비평의 존칭.
[高卑 고비] ㉠높음과 낮음. 높낮이. 고저(高低). ㉡귀함과 천함.
[高飛 고비] 하늘 높이 날.
[高飛遠走 고비원주] 멀리 달아나 종적을 감춤.
[高士 고사] 덕이 높은 선비.
[高榭 고사] 높은 고대(高臺). 높이 지은 정자.
[高士奇 고사기] 청(淸)나라 때의 관료·문인. 전당(錢塘) 사람. 자(字)는 담인(澹人). 호(號)는 강촌(江村). 과거에는 급제치 못하였으나 글을 잘하고 서예(書藝)에 능하였음. 우연히 강희제(康熙帝)의 눈에 들어 대청일통지부총재관(大淸一統志副總裁官)이 되었으며, 사임 후 다시 예부시랑(禮部侍郞)에 임명되었으나 부임하지 않았음. 청조(淸朝) 제일의 감상가(鑑賞家)로 저서에는 〈청음당전집(淸吟堂全集)〉·〈호종일록(扈從日錄)〉 등이 있음.
[高射砲 고사포] 항공기를 쏘는 대포.
[高山 고산] 높은 산.
[高山景行 고산경행] 높은 산과 큰길. 산은 사람이 우러러보고 길은 사람이 많이 다니므로, 천하 만인에게 존경을 받는 사람의 비유로 쓰임.

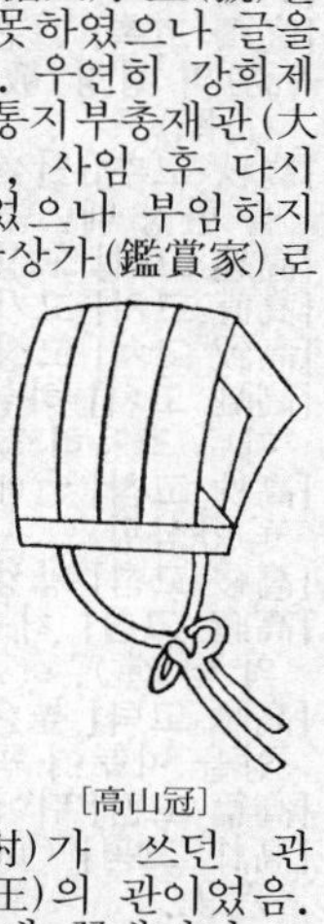

[高山冠]

[高山冠 고산관] 한(漢)나라 때 외관(外官) 알자복야(謁者僕射)가 쓰던 관(冠). 본시 전국 시대 제왕(齊王)의 관이었음. 모양이 통천관(通天冠) 비슷한데 꼭대기가 모졌음.
[高山流水 고산유수] 미묘한 음악의 형용. 백아(伯牙)와 종자기(鍾子期)의 고사(故事)에서 나온 말.
[高山族 고산족] 대만(臺灣)의 원주민. 인도네시아계(系)의 혼혈족(混血族).
[高山之巓無美木 고산지전무미목] 높은 산 위에는 잘 자란 나무가 없다는 뜻으로, 높은 지위에 있는 사람은 남의 시기를 사기 쉬우므로 미명을 보전하기가 어렵다는 말.
[高尙 고상] ㉠속되지 아니함. 거룩함. ㉡정도가 높음.
[高商 고상] 가을. 상(商)은 오음(五音)의 하나로서 사계(四季)에 배당하면 가을에 해당하므로 이름.
[高翔 고상] 하늘 높이 낢.
[高棲 고서] 속세(俗世)를 떠나 조용히 삶.
[高仙芝 고선지] 당(唐)나라 현종조(玄宗朝)의 무장(武將). 고구려(高句麗) 사람. 유격장군(游擊將軍)·사진도지병마사(四鎭都知兵馬使)로서 토번(吐蕃)을 치는 데 공이 커서 안서사진절도사(安西四鎭節度使)·우림대장군(右林大將軍)에까지 이르렀으나, 안사(安史)의 난(亂)에 현종의 노염을 사서 죽음을 당하였음.
[高說 고설] 탁월한 설. 전(轉)하여, 남의 설(說)의 존칭.
[高聲 고성] 높은 목소리. 큰 소리.
[高聲大叫 고성대규] 높은 목소리로 크게 부르짖음.
[高城深池 고성심지] 높은 성과 그 둘레에 파 놓은 깊은 못. 곧, 방비가 견고한 성지(城池).
[高世 고세] ㉠세속에서 뛰어남. 초속(超俗)함. ㉡세상에서 높이 뛰어남.
[高世之主 고세지주] 세상에서 높이 뛰어난 어진 임금.
[高世之智 고세지지] 세상에서 높이 뛰어난 슬기.
[高率 고솔] 고상하고 솔직함.
[高竦 고송] 높이 솟음. 우뚝 솟음.
[高灑 고쇄] 고상하고 쇄락(灑落)함.
[高手 고수] 기예가 뛰어남. 또, 그 사람.
[高愁 고수] 깊은 근심.
[高壽 고수] 장수(長壽). 고령(高齡).
[高邃 고수] 고상하고 유수(幽邃)함.
[高僧 고승] 도덕·학식이 높은 중.
[高識 고식] 뛰어난 식견(識見).
[高紳 고신] 지위(地位)가 높은 사람. 귀인(貴人).
[高深 고심] 높고 깊음. 또, 높이와 깊이.
[高雅 고아] 고상하고 우아함.
[高牙大纛 고아대독] 장군의 본진(本陣)에 세우는 높은 아기(牙旗)와 큰 독기(纛旗). 전(轉)하여, 일군(一軍)을 통솔하는 장군의 지위.
[高岸 고안] 높은 언덕.
[高岸深谷 고안심곡] 높은 언덕도 함몰(陷沒)하여서는 골짜기가 되고 골짜기도 흙이 쌓이면 언덕이 된다는 뜻으로, 세상이 변천(變遷)함의 비유로 쓰임.
[高壓 고압] ㉠큰 압력. ㉡높은 전압(電壓).
[高仰 고앙] ㉠높이 우러러봄. 대단히 경앙(景仰)함. ㉡얼굴을 쳐들고 뽐내는 모양.
[高颺 고양] 날아 높이 올라감.
[高陽酒徒 고양주도] 고양(高陽)의 술꾼이라는 뜻으로, 한대(漢代) 초기의 사람 역이기(酈食其)를 이름.
[高言 고언] ㉠고상한 말. ㉡호언장담(豪言壯談).
[高業 고업] 학문을 많이 닦음.

[高力士 고역사] 당(唐)나라의 환관(宦官). 어릴 때 고자가 되고 위씨(韋氏)의 난(亂)의 평정에 활약하여 현종(玄宗)의 총애(寵愛)를 받게 되었음. 그 영화(榮華)는 왕후(王侯)에 못지 않았으며, 당대(唐代) 환관의 발호는 그에 비롯함.
[高衍 고연] 높은 사주(沙洲).
[高宴 고연] 성대한 잔치.
[高詠 고영] ㉠소리 높이 읊음. ㉡고상한 시가(詩歌). ㉢남의 시가의 경칭(敬稱).
[高悟 고오] 뛰어난 도통(道通).
[高屋建瓴 고옥건령] 높은 지붕 위에서 항아리의 물을 쏟으면 그 떨어지는 힘을 막을 수 없다는 뜻으로, 기세가 대단하여 아무도 막을 수 없음을 이름.
[高臥 고와] 세속의 누(累)를 벗어나서 마음 내키는 대로 삶.
[高舂 고용] 오후 네 시경.
[高韻 고운] 고상한 운치.
[高原 고원] 지형이 높고 넓은 벌판. 주위의 평지보다 높은 벌판.
[高圓 고원] 높은 하늘. 하늘.
[高遠 고원] ㉠높고 멂. ㉡뜻이 높고 생각이 멀리 미침.
[高位 고위] 높은 지위.
[高猷 고유] 고모(高謀).
[高諭 고유] 뛰어난 효유(曉諭). 또, 남의 효유의 존칭.
[高恩 고은] 높은 은혜.
[高吟 고음] 고영(高詠).
[高音 고음] 높은 소리. 진동수가 많은 음.
[高宜 고의] 뛰어난 덕행(德行).
[高意 고의] ㉠높은 마음. 뛰어난 마음. ㉡남의 의견의 존칭.
[高義 고의] ㉠거룩한 덕의(德義). ㉡두터운 은혜. 후은(厚恩).
[高誼 고의] ㉠고의(高義). ㉡높은 절개. ㉢두터운 우정(友情). 후정(厚情). ㉣남의 우정의 존칭.
[高醫 고의] 의술이 뛰어난 의원. 명의(名醫).
[高議 고의] 고론(高論).
[高任 고임] ㉠높은 지위. ㉡중용(重用)됨.
[高姿 고자] 고상한 모습.
[高爵 고작] 높은 작위(爵位). 영작(榮爵).
[高棧 고잔] 높이 가설(架設)한 잔교(棧橋).
[高才 고재] 뛰어난 재주.
[高材 고재] ㉠고재(高才). ㉡키가 큰 사람.
[高材疾足 고재질족] 키가 크고 걸음이 빠르다는 뜻으로, 지용(智勇)이 겸비한 사람을 이름.
[高低 고저] 높낮이.
[高著 고저] 남의 저서(著書)의 경칭(敬稱).
[高適 고적] 당(唐)나라 성기(盛期)의 시인(詩人). 자(字)는 달부(達夫) 또는 중무(仲武). 숙종(肅宗) 때 좌산기상시(左散騎常侍)가 됨. 쉰 살경부터 시작(詩作)하였으나, 그의 시는 침통(沈痛)하고 기골(氣骨)이 있었으며, 특히 칠언고시(七言古詩)에 뛰어났는데, 왕유(王維)·맹호연(孟浩然)·잠참(岑參)과 아울러 일컬어짐. 저서에 〈고상시집(高常詩集)〉이 있음.
[高絶 고절] 인품(人品) 등이 아주 높고 뛰어남.
[高節 고절] 뛰어난 절개(節概).
[高漸離 고점리] 전국(戰國) 시대의 연(燕)나라 사람. 축(筑 ; 비파와 비슷한 현악기)의 명수(名手). 형가(荊軻)의 친구로서 그의 유지(遺志)를 계승하여 진시황(秦始皇)을 시해(弑害)하려 하다가 이루지 못하고 주살(誅殺)됨.
[高接 고접] 고상한 교제(交際).
[高情 고정] ㉠고상한 마음씨. ㉡남이 자기에게 베푼 정(情)의 존칭.
[高亭大榭 고정대사] 높은 정자와 큰 대사(臺榭).
[高弟 고제] 뛰어난 제자. 고족제자(高足弟子).
[高第 고제] 고과(高科).
[高製 고제] 남이 지은 시문(詩文)의 경칭(敬稱).
[高祖 고조] ㉠조부의 조부. ㉡창업(創業)한 천자(天子).
[高鳥 고조] 하늘 높이 나는 새.
[高潮 고조] ㉠만조(滿潮)의 극점(極點). ㉡시세 또는 감정이 가장 격하여진 시기.
[高調 고조] ㉠음률이 높은 곡조. ㉡고조(高潮)❷.
[高祖母 고조모] 조부의 조모.
[高祖父 고조부] 조부의 조부.
[高足 고족] 뛰어난 제자.
[高族 고족] 문벌이 높은 겨레.
[高蹤 고종] 고상한 행적(行蹟).
[高座 고좌] 높은 곳에 설치한 좌석.
[高胄 고주] 지체가 좋은 집안. 또, 그 자제.
[高峻 고준] ㉠고상함. ㉡높고 험한 곳. 험준한 곳.
[高旨 고지] ㉠거룩한 뜻. 고상한 마음. ㉡남의 의견의 경칭(敬稱).
[高志 고지] ㉠고상한 의지. 거룩한 뜻. ㉡남의 의지의 경칭(敬稱).
[高秩 고질] ㉠많은 녹(祿). 후록(厚祿). ㉡높은 관직.
[高車 고차] 덮개가 덮여 서서 탈 수 있는 수레.
[高車駟馬 고차사마] 말 네 마리로 끄는 귀인(貴人)이 타는 고급의 수레.
[高唱 고창] ㉠큰 소리로 노래함. ㉡고상한 노래.
[高敞 고창] 땅이 높고 앞이 탁 트임.
[高策 고책] 뛰어난 계책(計策).
[高簷 고첨] 높은 처마.
[高遰 고체] 하늘 높이 날아 피함.
[高超 고초] 고상하여 속세에서 초탈(超脫)함.
[高躅 고촉] ㉠존귀한 족적(足跡). 남의 내방(來訪)의 경칭(敬稱). ㉡뛰어난 행위. 고상한 행적(行蹟).
[高秋 고추] 날씨가 맑아서 하늘이 높은 가을. 가을 한창 때. 중추(仲秋).
[高趣 고취] 고상한 운치(韻致). 고치(高致).
[高直 고치] 고가(高價).
[高致 고치] 고상한 운치(韻致). 고상한 품성.
[高馳 고치] 하늘 높이 달린다는 뜻으로, 세속을 떠나 조용히 삶을 이름.
[高枕 고침] ㉠베개를 높이 베고 마음 편하게 잠. ㉡안심함.
[高祲 고침] 왕성한 요기(妖氣).
[高寢 고침] 처음으로 봉후(封侯)된 제후(諸侯)의 당(堂).
[高啄 고탁] 높은 건물의 처마가 새 부리 같은 모양을 이루어 공중에 돌출함.
[高篇 고편] 뛰어난 시문(詩文).
[高評 고평] ㉠좋은 평판. ㉡남의 평론(評論)의 존칭.
[高平之寇 고평지구] 후주(後周)의 세종(世宗) 때 북한(北漢)의 유숭(劉崇)이 지금의 산시 성(山西省) 고평(高平)에 쳐들어온 난리.

[高抱 고포] 고상한 포부(抱負).
[高標 고표] ㉠높은 가지. ㉡세속(世俗)을 높이 초월함.
[高風 고풍] ㉠거룩한 풍도. ㉡하늘 높이 부는 바람.
[高下 고하] ㉠위아래. 상하(上下). ㉡높낮이. 고저(高低). ㉢낫고 못함. 우열(優劣). ㉣귀하고 천함. 귀천(貴賤). ㉤값이 많고 적음. 비쌈과 헐함.
[高廈 고하] 높고 큰 집.
[高下在心 고하재심] ㉠높이 하는 것도 낮게 하는 것도 모두 자기 마음에 달림. 곧, 때의 변함에 따라 그때에 맞도록 함을 이름. ㉡상벌 진퇴(賞罰進退)의 권리를 장악함.
[高學 고학] ㉠고상한 학문. 훌륭한 학문. ㉡고상한 학자. 훌륭한 학자.
[高抗 고항] 뜻을 고상하게 가져 남에게 굴하지 아니함.
[高行 고행] 고상한 행위. 뛰어난 행위.
[高虛 고허] 지위는 높고 실제(實際) 직임(職任)은 없음.
[高軒 고헌] ㉠높은 처마. ㉡높은 헌차(軒車)라는 뜻으로, 남의 수레의 존칭.
[高賢 고현] 덕(德)이 높고 현명한 사람.
[高華 고화] 높은 명망.
[高話 고화] ㉠훌륭한 이야기. ㉡남의 담화의 경칭(敬稱).
[高宦 고환] 벼슬을 하여 지위가 높음. 또, 그 사람.
[高晦 고회] 뜻을 고상하게 가져 자기의 재능을 나타내지 아니함.
[高會 고회] 성대한 모임.
[高誨 고회] ㉠고상한 교회(敎誨). 높은 가르침. ㉡남의 가르침의 경칭(敬稱).
[高懷 고회] 거룩한 생각.
[高后 고후] 황후(皇后)의 존칭.
[高訓 고훈] 거룩한 교훈. 또, 남의 교훈(教訓)의 존칭.
[高興 고흥] 고상한 흥취.
◉孤高. 矜高. 登高. 等高. 崇高. 崧高. 嵩高. 養高. 隆高. 義高. 殘高. 尊高. 坐高. 澄高. 至高. 淸高. 最高. 秋高. 春秋高. 特高. 標高.

0 ⑪ [髙] 高(前條)의 俗字

2 ⑫ [㝋] 경 [上]梗 犬穎切 qǐng
[字解] ①자그마한집 경 廎(广部 十一畫)과 同字. '一, 小堂也, 或作廎'《集韻》. ②원두막 경 '一, 瓜屋也, 或作廎'《集韻》.

3 ⑬ [䯧] 개 [去]泰 苦蓋切 kài
[字解] 칠 개 '一, 擊也'《廣韻》.

3 ⑬ [䯨] [一] 학 [入]藥 黑各切 hè
[二] 교 [平]肴 兵交切 qiāo
[字解] [一] 클 학 '一, 大也'《類篇》. [二] 두드릴 교 '一, 擊也, 今作敲'《玉篇》.

[鄗] 〔호〕
邑部 十畫(p. 2344)을 보라.

4 ⑭ [髚] 규 [平]簫 苦弔切 qiào
[字解] 높을 규 '一, 高也'《篇海》.

[槀] 〔고〕
木部 十畫(p. 1098)을 보라.

[膏] 〔고〕
肉部 十畫(p. 1860)을 보라.

6 ⑯ [亭] 〔곽〕
郭(邑部 八畫〈p. 2338〉)의 本字

7 ⑰ [䯭] [一] 곽 [入]藥 光鑊切 guō
[二] 용
[字解] [一] ①잴 곽 백성이 각자의 구역(區域)을 재어 취(取)함. '一, 度也. 民所度居也'《說文》. ②郭(邑部 八畫)과 同字. [二] 墉(土部 十一畫)의 古字.

8 ⑱ [䯨] 교 [上]篠 經皎切 qiǎo
[字解] 높을 교 '一, 高也'《集韻》.

9 ⑲ [䯭] 고 [上]晧 苦浩切 kǎo
[去]號 口到切
[字解] 큰머리 고 '一, 一䫹, 大頭'《集韻》.

15 ㉕ [䯯] 〔도〕
堵(土部 九畫〈p. 456〉)의 籒文

髟 (10획) 部
〔터럭발밑부〕

0 ⑩ [髟] 표 [平]蕭 甫遙切 biāo 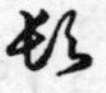
[筆順] 丨 厂 F 巨 镸 長 長′ 髟
[字解] 머리털늘어질 표 긴 머리털이 늘어진 모양. '斑鬢一'《潘岳》.
[字源] 篆文  會意. 長+彡. '長장'은 긴 머리의 象形으로 '길다'의 뜻. '彡삼'은 길게 늘어뜨린 머리털의 象形. 머리가 길게 늘어지는 모양을 나타냄.
[參考] '髟표'를 의부(意符)로 하여 머리털이나 수염, 그 상태를 나타내는 문자를 이룸. 부수 이름으로는 속(俗)에 '터럭발(髮)밑'이라 이름.

2 ⑫ [髠] 〔곤〕
髡(髟部 五畫〈p. 2625〉)과 同字

2 ⑫ [髢] 내 [平]灰 囊來切 nái
[字解] 털흐트러질 내 털이 엉클어진 모양. '一, 鬖一, 毛亂皃'《集韻》.

2 ⑫ [髡] 髡(次條)의 俗字

3
⑬ **[髡]** 곤 ㊥元 苦昆切 kūn

字解 ①머리깎을 곤 ㉠체발(剃髮)함. '見己氏之妻髮美, 使—之以爲呂姜髢'《左傳》. ㉡형벌로서 머리를 깎음. 또, 그 형벌. '—鉗季布'《史記》. ②가지칠 곤 전지(剪枝)함. '種柳千樹足紫, 歲可—二百樹'《齊民要術》.

字源 篆文 形聲. 髟+兀〔音〕. '髟표'는 머리털, '兀올'은 '벗어지다'의 뜻. 머리를 밀다의 뜻을 나타냄.

參考 髨(前條)은 俗字.

[髡鉗 곤겸] 머리를 깎고 목에 항쇄(項鎖)를 채움.
[髡頭 곤두] 머리털을 깎음.
[髡者 곤자] 머리가 깎인 사람.

3
⑬ **[髢]** 체 ㊦霽 特計切 dí

字解 ①다리 체 월자(月子). '珍—'. '爲呂姜—'《左傳》. ②다리드릴 체 다리를 드리어 땀. '斂髮毋—'《禮記》.

字源 別體 形聲. 髟+也〔音〕. '也야'는 '匜야'와 통하여 '주전자'의 뜻. 주전자의 귀때에서 물을 흘러내리게 한 것같이 늘어진 다리의 뜻을 나타냄.

◉施髢. 珍髢.

4
⑭ **[⿱髟介]** 개 ㊦卦 古拜切 jiè

字解 상투 개 머리털을 머리 위에 모아 묶은 것. '男女皆露—'《南史》.

字源 篆文 形聲. 髟+介〔音〕. '髟표'는 '머리털', '介개'는 똑똑히 가르다의 뜻. 머리털을 갈라 매어 비녀를 꽂다의 뜻을 나타냄.

◉露⿱髟介.

4
⑭ **[髣]** 방 ㊤養 妃兩切 fǎng

字解 비슷할 방 '—髴'은 ㉠서로 비슷하여 구별하기 어려운 모양. '—髴其若夢'《揚雄》. ㉡봐서 잘 알 수 없는 모양. '似至人之—髴'《後漢書》.

字源 形聲. 髟+方〔音〕

[髣髴 방불] 자해(字解)를 보라.

4
⑭ **[髤]** 휴 ㊥尤 許尤切 xiū

字解 ①검붉은빛 휴 거무스름한 붉은빛. '—飾'《周禮》. ②옻칠할 휴 옻칠을 바름. '殿上—漆'《漢書》.

字源 篆文 形聲. 髟+休〈省〉〔音〕. 篆文은 會意로 桼+髟.

參考 髹(髟部 六畫)와 同字.

[髤漆 휴칠] 옻칠함. 또, 옻칠.

4
⑭ **[髯]** 人名 염 ㊥鹽 汝鹽切 rán ㊦豔 而豔切 髯

字解 구레나룻 염 귀밑에서 턱까지 난 수염. '美鬚—'《漢書》.

字源 形聲. 髟+冄〔音〕. '冄염'은 수염의 象形.

參考 髥(髟部 五畫)은 俗字.

[髯蘇 염소] 소식(蘇軾)의 별명.
[髯閹 염엄] 명(明)나라의 양존중(楊存中)의 일컬음. 수염이 많고 사람들과 잘 영합(迎合)함이 마치 환관(宦官)과 같다 하여 사람들이 조롱(嘲弄)하여 일컬은 말. 엄(閹)은 내시(內侍).
[髯主簿 염주부] '양(羊)'의 이칭(異稱).
[髯參軍 염참군] 진(晉)나라 극초(郄超)의 일컬음. 수염이 많고 환온(桓溫)의 참군(參軍)이었으므로 이름.

◉虯髯. 綠髯. 美髯. 霜髯. 雪髯. 素髯. 衰髯. 鬚髯. 龍髯. 銀髯. 赤髯. 胡髯. 皓髯.

4
⑭ **[髦]** 一 모 ㊥豪 莫袍切 máo 二 무 ㊥尤 迷浮切 máo

字解 一 ①다팔머리 모 아이의 눈썹까지 늘어진 앞머리. '—者, 髮至眉. 子事父母之飾也'《詩經傳》. ②긴머리 모 머리털 중에서 유달리 긴 머리. '士中之俊, 如毛中之—'《爾雅 註》. ③뛰어날 모 준수함. 또, 그 사람. '俊—'. '時—允集'《後漢書》. ④갈기 모 말의 갈기. '馬不齊—'《儀禮》. ⑤성 모 성(姓)의 하나. 二 오랑캐 무 髳(髟部 五畫)와 同字. '如蠻如—'《詩經》.

字源 篆文 形聲. 髟+毛〔音〕. '髟표'는 머리털이 가지런히 아래로 늘어져 있다의 뜻. '毛모'를 더하여 '긴 머리털'의 뜻을 나타냄.

[髦士 모사] 준수한 선비. 뛰어난 선비.
[髦彥 모언] 모사(髦士).
[髦俊 모준] 모사(髦士).
[髦儁 모준] 모준(髦俊).
[髦髫 모초] 머리를 뒤로 늘어뜨린 아이.

◉群髦. 馬髦. 弁髦. 鬌髦. 時髦. 兩髦. 英髦. 才髦. 朱髦. 俊髦. 雋髦. 賢髦.

4
⑭ **[⿱髟乃]** 내 ㊦隊 奴對切 nèi

字解 머리털헝클어진모양 내 '—, 髼—, 毛亂皃'《集韻》.

4
⑭ **[髧]** 담 ㊤感 徒感切 dàn

字解 늘어질 담 머리털이 늘어진 모양. '—彼兩髦'《詩經》.

字源 形聲. 髟+冘〔音〕

4
⑭ **[髨]** 〔곤〕
髡(髟部 三畫〈p. 2624〉)과 同字

4
⑭ **[髪]** 〔발〕
髮(髟部 五畫〈p. 2625〉)의 略字

4
⑭ **[髩]** 〔빈〕
鬢(髟部 十四畫〈p. 2629〉)의 俗字

5
⑮ **[髫]** 초 ㊥蕭 徒聊切 tiáo

字解 늘어뜨린머리 초 어린아이의 뒤로 늘어뜨

린 머리털. 전(轉)하여 유년 시대, 또는 어린아이. '一髮厲志'《後漢書》.
[字源] 篆文  形聲. 髟+召〔音〕

[髫年 초년] 다박머리의 어린 나이.
[髫髮 초발] 어린아이의 뒤로 늘어뜨린 머리. 전(轉)하여, 어린아이.
[髫辮 초변] 땋아 내린 머리. 전(轉)하여, 유년(幼年).
[髫歲 초세] 유년(幼年).
[髫齔 초츤] 머리를 뒤로 늘어뜨리고 이를 갈 무렵의 어린아이. 칠팔 세의 아이.
[髫齒 초치] 초세(髫歲).
[髫稺 초치] 머리를 뒤로 늘어뜨린 아이. 어린아이.
◉髦髫. 垂髫. 雙髫. 蝸髫. 齔髫.

5 ⑮ [髨] 공 [平]冬 渠匈切 qióng
[字解] 머리카락흐트러질 공 '一, 髮亂'《玉篇》.

5 ⑮ [髭] 자 [平]支 將支切 zī
[字解] 윗수염 자 코밑의 수염. '霜一'. '一鬚'.
[字源] 形聲. 髟+此〔音〕

[髭眉 자미] 윗수염과 눈썹.
[髭髮 자발] 윗수염과 머리.
[髭鬚 자수] 윗수염과 턱에 난 수염.
◉美髭. 白髭. 霜髭. 雪髭. 素髭. 愁髭. 撚髭.

5 ⑮ [髮] [高人] 발 [入]月 方伐切 fà 发 
[筆順] 丨 𠂉 𠀍 镸 髟 髟 髮 髮
[字解] ①머리 발 머리털. '頭一'. '毛一'. '一沐三捉一'《史記》. ②초목 발 지상의 초목은 사람의 머리와 같으므로 이름. '窮一之北'(북극의 불모(不毛)의 땅)《莊子》. ③성 발 성(姓)의 하나.
[字源] 金文 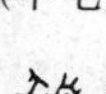 篆文  形聲. 髟+犮〔音〕. '犮발'은 '제거하다'의 뜻. 지나치게 길게 자라면 가위로 베어 버려야 하는 머리털의 뜻을 나타냄.

[髮短心長 발단심장] 머리털은 빠져 짧으나 마음은 길. 곧, 나이는 먹었으나 슬기는 많음을 이름.
[髮禿 발독] 머리가 빠져 벗어짐. 대머리 짐.
[髮末 발말] 머리털의 끝.
[髮膚 발부] 머리털과 살. 모발(毛髮)과 피부(皮膚).
[髮匪 발비] 장발적(長髮賊). 곧, 청조(淸朝)에 반항한 홍수전(洪秀全)이 거느린 비적.
[髮逆 발역] 발비(髮匪).
[髮指 발지] 대단히 성낸 모양.
[髮蒼蒼 발창창] 나이 먹어 흰 털이 늚. 창창(蒼蒼)은 검은 머리가 흰머리가 되려고 다갈색으로 변한 모양.
[髮妻 발처] 해로(偕老)한 아내.
[髮衝冠 발충관] 머리가 곤두서서 관을 찔러 올림. 대단히 성냄을 이름.
[髮漂 발표] 조금. 근소(僅少).
◉間不容髮. 間一髮. 結髮. 窮髮. 卷髮. 金髮. 落髮. 亂髮. 怒髮. 綠髮. 短髮. 斷髮. 禿髮. 童髮. 頭髮. 毛髮. 沐髮. 美髮. 龐眉皓髮. 白髮. 辮髮. 蓬髮. 鬢髮. 削髮. 散髮. 雪髮. 星髮. 洗髮. 素髮. 梳髮. 疎髮. 束髮. 垂髮. 髮髮. 握髮. 年髮. 染髮. 烏髮. 危機一髮. 有髮. 遺髮. 銀髮. 理髮. 一髮. 長髮. 電髮. 翦髮. 整髮. 調髮. 捉髮. 斬髮. 靑髮. 剃髮. 髫髮. 齠髮. 祝髮. 蓄髮. 翠髮. 緇髮. 吐哺握髮. 編髮. 披髮. 被髮. 鶴髮. 皓髮. 毫髮. 華髮. 黃髮. 曉髮.

5 ⑮ [髱] 포 [去]效 皮敎切 bào 
[字解] 수염많을 포 수염이 많이 난 모양.
[字源] 形聲. 髟+包〔音〕

5 ⑮ [髫] 요 [上]篠 伊鳥切 yǎo
[字解] 길고부드러운머리털 요 '一, 一髟, 長而不勁'《篇海》.

5 ⑮ [髲] 피 [去]寘 平義切 bì
[字解] 다리 피 월자(月子). '陶侃時倉卒, 無以待賓, 其母乃截髮得雙一, 易酒肴'《晉書》.
[字源] 篆文  形聲. 髟+皮〔音〕. '皮피'는 '가죽'의 뜻. 가죽처럼 머리 표면에 겹쳐 넣는 '다리'의 뜻을 나타냄.

◉雙髲.

5 ⑮ [髳] 무 [平]尤 迷浮切 máo 
[字解] ①다팔머리 무 아이 때의 다팔머리를 본떠 만든 머리꾸미개로, 부모를 섬길 때 머리에 다는 것. ②오랑캐 무 서방(西方) 만족(蠻族)의 하나. 지금의 윈난 성(雲南省) 남부에 거주하였음. '庸蜀羌一微盧彭濮人'《書經》.
[字源] 篆文  形聲. 髟+矛〔音〕. '矛모'는 '冃모'와 통하여 '덮다'의 뜻. 이마를 가리게 늘어뜨린 '머리'의 뜻을 나타냄.

◉羌髳.

5 ⑮ [髶] [一] 겸 [平]鹽 其淹切 qián
[二] 감 [去]勘 古暗切 gàn
[字解] [一] 삭발(削髮)할 겸 옛날 중국의 형법(刑法)의 하나. '一, 去髮著鉗之刑'《集韻》. [二] 검은머리 감 '一, 髮靑紺色'《集韻》.

5 ⑮ [髶] 국 [入]屋 居六切 jú
[字解] 흐트러진머리카락 국 髟(髟部 二畫)과 同字. '一, 亂髮也, 或省'《集韻》.

5 ⑮ [髴] 불 [入]物 敷勿切 fú 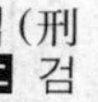
[字解] ①비슷할 불 髣(髟部 四畫)을 보라. '髣一'. ②머리꾸미개 불 부인(婦人)의 수식(首飾). '蓬首不加一'《歐陽修》.

[字源] 篆文  形聲. 髟+弗〔音〕. '髟표'는 머리털, '弗불'은 어긋나다, 흐트러지다의 뜻. 머리가 엉켜서 가를 수 없다의 뜻에서, 파생하여 구별할 수 없다의 뜻을 나타냄.

◉髣髴.

5 ⑮ [𩬊] 점 [上]琰 丁兼切 diān

[字解] ①튼머리 점 상투를 틀거나 쪽을 찐 머리. '一, 髻也'《篇海》. ②살쩍듬성듬성날 점 '一鬑, 鬢髮疎薄貌'《玉篇》.

5 ⑮ [髥] 〔염〕
髯(髟部 四畫〈p. 2624〉)의 俗字

6 ⑯ [𩭴] 곡 [入]沃 區玉切 qū 

[字解] 고수머리 곡 곱슬곱슬한 머리. 또, 머리가 곱슬곱슬한 모양.
[字源] 形聲. 髟+曲〔音〕. '曲곡'은 '구부리다'의 뜻.

6 ⑯ [𩬮] 도 [去]號 大到切 dào
[上]晧 杜晧切

[字解] ①길 도 긺. 오램. '一, 長也'《集韻》. ②머리카락길 도 머리카락이 긺. '一, 髮長'《集韻》.

6 ⑯ [髻] [一] 계 [去]霽 古詣切 jì 
[二] 결 [入]屑 奚結切 jié

[字解] [一] 상투 계 머리털을 위로 끌어올리어 짠 것. '一子'. '城中好高一'《後漢書》. [二] 부엌귀신 결 부엌을 맡은 신. '竈有一'《莊子》.
[字源] 篆文  形聲. 髟+吉〔音〕. '髟표'는 '머리털', '吉길'은 단단히 묶다의 뜻. 머리털을 머리 위에 묶어 상투를 틀다의 뜻을 나타냄.

[髻根 계근] 상투 밑.
[髻梳 계소] 상투를 빗질함.
[髻子 계자] 상투. 자(子)는 조자(助字).
◉假髻. 高髻. 螺髻. 羸髻. 芙蓉髻. 兩髻. 義髻. 髽髻. 椎髻. 翠髻. 解髻. 花髻. 丸髻.

6 ⑯ [䯳] 공 [平]冬 渠容切 qióng

[字解] 머리헝클어질 공 머리가 헝클어짐. 머리카락이 흐트러짐. '一, 一鬆, 髮亂'《集韻》.

6 ⑯ [髸] 공 [平]冬 古容切 gōng

[字解] 머리흐트러질 공 머리가 흐트러짐. '一, 一鬆, 髮亂'《集韻》.

6 ⑯ [𩭝] 광 [平]陽 曲王切 kuāng

[字解] 머리흐트러질 광 머리가 흐트러짐. '一, 一囊, 髮亂'《集韻》.

6 ⑯ [𩭹] 노 [上]晧 乃老切 nǎo

[字解] 머리카락모양 노 머리카락의 모양. '一, 髮皃'《集韻》.

6 ⑯ [髺] 괄 [入]曷 古活切 kuò

[字解] 결발할 괄 상투를 틀거나 쪽을 찜. '主人一髮袒'《儀禮》.
[字源] 篆文  形聲. 篆文은 髟+昏〔音〕. '昏괄'은 '會회'와 통하여 '합치다'의 뜻. 머리털을 합쳐서 묶다의 뜻을 나타냄.

6 ⑯ [髹] 〔휴〕
髤(髟部 四畫〈p. 2624〉)와 同字

7 ⑰ [髿] 사 [平]麻 所加切 suō

[字解] ①머리흩치르르할 사 머리가 깨끗하고 윤이 번들번들하게 남. ②머리풀어헤칠 사 머리를 풀어 헤침.
[字源] 形聲. 髟+沙〔音〕

◉鬖髿.

7 ⑰ [髽] 좌 [平]麻 莊華切 zhuā 

[字解] 복머리 좌 부인(婦人)이 상중(喪中)에 하는 결발(結髮). 또 그 결발을 함. '婦人一於室'《儀禮》.
[字源] 篆文 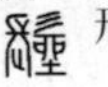 形聲. 髟+坐(㘴)〔音〕

[髽髻 좌계] 상투를 짬.

7 ⑰ [髾] 소 [平]肴 所交切 shāo 

[字解] ①터럭끝 소 모발의 끝. '蜚襳垂一'《漢書》. ②저고리 소 부인의 웃옷. ③기드림털 소 정기(旌旗)에 늘어뜨린 우모(羽毛). '曳長庚之飛一'《後漢書》.
[字源] 形聲. 髟+肖〔音〕. '肖초·소'는 가느다란 끝의 뜻.

◉飛髾. 垂髾.

7 ⑰ [髼] 봉 [平]東 薄紅切 péng

[字解] 머리털헝클어질 봉 머리털이 더부룩하게 헝클어진 모양.
[字源] 形聲. 髟+夆〔音〕

7 ⑰ [𩭿] 뇨 [上]篠 奴了切 niǎo

[字解] 길 뇨 긺. '一, 𩬮一, 長也'《篇海》.

7 ⑰ [䯾] 국 [入]沃 渠玉切 jú

[字解] 고수머리 국 고수머리. 머리털이 곱슬곱슬한 모양. '𩭴一'. '一, 𩭴一, 髮皃'《集韻》.

7 ⑰ [鬀] 체 [去]霽 他計切 tì

[字解] 머리깎을 체 머리를 깎음. 또는 어린아이의 머리를 깎음. 剃(刀部 七畫)와 同字. '一, 鬄髮也, 大人曰髡, 小兒曰一, 盡及身毛曰鬄'

《說文》.

字源 篆文 形聲. 髟+弟〔音〕. '弟제'는 '점차'의 뜻. 조금씩 머리를 깎다의 뜻을 나타냄. '剃체'와 동일어 이체자(同一語異體字).

7 ⑰ [鬂] 〔빈〕
鬢(髟部 十四畫〈p. 2629〉)의 俗字

7 ⑰ [髺] 〔괄〕
髻(髟部 六畫〈p. 2626〉)의 本字

8 ⑱ [鬃] 종 ㊥冬 藏宗切 zōng

字解 ①상투 종 높은 상투. 고계(高髻). ②갈기 종 말갈기. '欲將一鬣重裁剪'《曹唐》.

字源 形聲. 髟+宗〔音〕

[鬃鬣 종렵] 말갈기.
[鬃尾 종미] 갈기와 꼬리.

8 ⑱ [鬅] 붕 ㊥蒸 步崩切 péng

字解 헝클어질 붕 '一鬙'은 머리가 흩어진 모양. 또, 모발이 짧은 모양. '傍架討尋書散亂, 倚屛吟嘯髮一鬙'《陸游》.

字源 形聲. 髟+朋〔音〕. '朋붕'은 '崩붕'과 통하여 뿔뿔이 흩어지다의 뜻. 머리털이 헝클어지다의 뜻을 나타냄.

[鬅鬙 붕승] 자해(字解)를 보라.

8 ⑱ [鬠] 답 ㊀合 達合切 dá

字解 머리털 답 머리털. 머리카락. '一, 髮也'《集韻》.

8 ⑱ [鬄] 一 체 ㊦霽 他計切 tì
二 척 ㊀錫 他歷切 tì

字解 一 ①다리 체 髢(髟部 三畫)와 同字. '因名髮一'《儀禮 註》. ②깎을 체 체발(剃髮)함. '其次一毛髮'《漢書》. 二 뼈바를 척 剔(刀部 八畫)과 同字. '其實特豚, 四一去蹄'《儀禮》.

字源 篆文 別體 形聲. 髟+易〔音〕

◉髮鬄.

8 ⑱ [鬆] 송 ㊥冬 息恭切 sōng
㊥東 蘇叢切 sòng

松

字解 ①헝클어질 송 머리가 산란한 모양. ②거칠 송 곱지 아니함. '粗一'. '須求一土淺耕下秧'《黃省曾》.

字源 形聲. 髟+松〔音〕

[鬆土 송토] 거친 땅.
◉粗鬆.

8 ⑱ [鬉] 동 ㊦送 多貢切 dòng

字解 머리헝클어질 동 머리털이 헝클어진 모양. '一鬆'. '一, 一鬆, 髮亂皃'《集韻》.

8 ⑱ [鬜] 간 ㊥刪 丘顏切 qiān

字解 성긴머리털 간 성긴 머리털. 머리숱이 적음. '一, 寡髮也'《集韻》.

8 ⑱ [鬈] 권 ㊥先 巨員切 quán

字解 ①머리털아름다울 권 머리털이 아름다움. '一, 髮好'《篇海》. ②호인의머리털 권 호인(胡人)의 머리털. '一, 又胡人髮'《篇海》.

8 ⑱ [鬈] 권 ㊥先 巨員切 quán

字解 ①고울 권 머리털이 고움. '其人美且一'《詩經》. ②갈라빗을 권 머리를 갈라서 빗음. '燕則一首'《禮記》.

字源 篆文 形聲. 髟+卷〔音〕. '卷권'은 '말다'의 뜻. 머리털을 둘로 갈라서 마는 머리형의 뜻을 나타냄.

[鬈首 권수] 머리를 갈라 빗음.

8 ⑱ [鬠] 굴 ㊀物 渠物切 jué

字解 깃옷 굴 반소매의 우의(羽衣). '更始諸將軍皆幘而衣婦人衣繡擁一'《後漢書》.

◉繡鬠.

8 ⑱ [鬗] 채 ①㊤賄 此宰切 cài
②㊦隊 倉代切

字解 ①상투 채 틀어 올린 머리. '髻謂之一'《集韻》. ②머리쓰개 채 머리를 싸매는 헝겊. '一, 一曰, 覆巾'《集韻》.

8 ⑱ [鬇] 쟁 ㊥庚 助庚切 zhēng

字解 머리더부룩할 쟁 '怒鬚猶一鬡'《韓愈》.

字源 形聲. 髟+爭〔音〕

9 ⑲ [鬋] 전 ①㊥先 子仙切 jiǎn
②㊦霰 子賤切

字解 ①귀밑머리늘어질 전 여자의 귀밑머리가 늘어진 모양. '盛一不同制'《楚辭》. ②깎을 전, 벨 전 '一茅作堂'《漢書》.

字源 篆文 形聲. 髟+前(歬)〔音〕. '髟표'는 머리털, '歬전'은 '莿전'·'剪전'과 통하여, 가지런히 베다의 뜻. 가지런히 잘라서 늘어뜨리는 여자의 귀밑머리의 뜻을 나타냄.

◉盛鬋.

9 ⑲ [鬌] 타 ㊤哿 徒果切 duǒ

字解 황새머리 타 어린아이의 머리 깎을 때 조금 남겨 놓는 머리. '翦髮爲一'《禮記》.

字源 篆文 形聲. 髟+隋〈省〉〔音〕. '隋타'는 '떨어지다'의 뜻. 머리털이 빠지다의 뜻을 나타냄.

9 ⑲ [鬍] 호 hú

[字解] 수염 호 '─子'는 수염의 속칭(俗稱).
[字源] 形聲. 髟+胡〔音〕

[鬍子 호자] 수염의 속칭(俗稱). 본시 '胡子'라 하였음.

9 ⑲ [鬊] 순 (去)震 舒閏切 shùn
[字解] 난발 순 헝클어진 머리. '有黑雲, 狀如猋風亂─'《漢書》.
[字源] 篆文 形聲. 髟+春(萶)〔音〕. '萶춘'은 밀어 내다의 뜻. 밀어 내어져서 빠진 머리털의 뜻을 나타냄.

◉亂鬊.

9 ⑲ [鬜] 〔간〕
鬝(髟部 十二畫〈p.2629〉)과 同字

9 ⑲ [𩭗] 객 (入)陌 乞格切 kè
[字解] 머리털길 객 머리털이 긺. 머리카락이 몹시 긺. '─, 髮長'《篇海》.

9 ⑲ [鬕] 나 (去)禡 乃亞切 nà
[字解] 머리흐트러진모양 나 머리 흐트러진 모양. '鬇─', '─, 鬇─, 髮亂貌'《五音集韻》.

9 ⑲ [鬉] [一] 종 (平)東 祖叢切 zōng
[二] 송 (平)冬 蘇宗切 sōng
[字解] [一] ①말갈기 종 '─, 馬鬣'《集韻》. ②댕기 종 '頭─'은 머리를 묶는 비단 헝겊. '繫髮繒曰頭─'《集韻》. [二] 머리더부룩할 송 鬆(髟部 八畫)과 同字.

9 ⑲ [鬷] 종 (平)東 子紅切 zōng
[字解] ①머리흩어질 종 '─, 髮亂'《集韻》. ②말갈기 종 '滑州刺史李邕獻馬, 肉─麟臆'《唐書》. ③갈기억센말 종 '─, 馬鬣之勁者'《六書故》.
[字源] 形聲. 髟+㚇〔音〕

9 ⑲ [𩭹] 새 (平)灰 桑才切 sāi
[字解] ①텁석부리 새 수염이 많음. ②머리적을 새 '─, 小髮'《玉篇》.

[𩠺] 〔불〕
首部 十畫(p.2588)을 보라.

10 ⑳ [鬒] 진 (上)軫 章忍切 zhěn
(去)震 之刃切
[字解] 숱많고검을 진 머리가 숱이 많고 검어 아름다움. '─髮如雲'《詩經》.
[字源] 篆文 形聲. 髟+眞〔音〕. '眞진'은 가득 메워지다의 뜻. 머리숱이 많아 검다의 뜻을 나타냄.

[鬒髮 진발] 숱이 많고 검어 아름다운 머리.
[鬒黑 진흑] 머리가 검고 아름다움.

10 ⑳ [鬐] 기 (平)支 渠脂切 qí
[字解] ①갈기 기 말의 갈기. '揚而奮─'《莊子》. ②등지느러미 기 물고기의 등에 있는 지느러미. '魚進─'《儀禮》.
[字源] 篆文 形聲. 髟+耆〔音〕

◉奮鬐.

10 ⑳ [𩮀] 반 (平)寒 薄官切 pán
[字解] 북상투 반 낮게 올려 튼 머리. '─頭, 曲髮爲之, 又臥髻也'《廣韻》.
[字源] 篆文 形聲. 髟+般〔音〕. '般반'은 '槃반'과 통하여 '대야'의 뜻. 낮게 올려 튼 머리의 뜻을 나타냄.

10 ⑳ [鬄] 척 (入)錫 他歷切 tì
[字解] ①머리깎을 척 '─, 鬀髮也'《說文》. ②다리 척 숱을 많게 하려고 겹쳐 넣었던 딴머리.
[字源] 篆文 形聲. 髟+剔〔音〕. '髟표'는 '머리털'의 뜻, '剔척'은 '깎다'의 뜻.

11 ㉑ [鬘] 만 (平)刪 莫還切 mán
[字解] ①다리 만 월자(月子). ②가발 만 머리털로 여러 가지 머리 모양을 만들어 차례로 쓰는 물건. ③머리꾸미개 만 수식(首飾). '貫雹爲華─'《白居易》. ④아름다울 만 머리가 아름다운 모양.
[字源] 形聲. 髟+曼〔音〕. '曼만'은 모양을 내어 아름답다의 뜻.

◉華鬘.

11 ㉑ [鬖] 삼 (平)覃 蘇甘切 sān
(平)侵 疏簪切
[字解] 헝클어질 삼 머리가 헝클어져 내려온 모양. '下復數層紅羽, ─ ─然如夜合花'《東觀餘論》.
[字源] 形聲. 髟+參〔音〕. '參참'은 어지럽게 뒤섞이다의 뜻. 머리털이 헝클어져 내려오다의 뜻을 나타냄.

[鬖髿 삼사] 머리가 헝클어진 모양.
[鬖鬖 삼삼] 머리가 헝클어져 내려온 모양.
[鬖鬖然 삼삼연] 날개 따위가 흐트러져 드리워진 모양.

11 ㉑ [𩮴] 두 (平)尤 當侯切 dōu
[字解] 머리카락흐트러질 두 머리카락이 흐트러짐. '─, ─鬏, 髮亂'《集韻》.

11 ㉑ [𩯣] [一] 종 (平)冬 七恭切 cōng
[二] 총 (上)董 祖動切 zǒng
[字解] [一] 머리털헝클어질 종 머리털이 헝클어진 모양. '─, 鬞─, 髮亂'《集韻》. [二] 갈기 총 갈기. 말갈기.

11 ㉑ [鬗] 만 (去)願 無販切 mán
(平)寒 母官切
[字解] 길 만 긴 모양. '掩回轅, ─長馳'《漢書》.

字源 篆文 形聲. 髟＋㒼〔音〕. '髟표'는 머리털, '㒼만'은 '蔓만'과 통하여 길게 이어지다의 뜻.

12 ㉒ 〔鬙〕 승 ㊥蒸 蘇增切 sēng

字解 헝클어질 승 鬅(髟部 八畫)을 보라. '鬅—'.

字源 形聲. 髟＋曾〔音〕

參考 鬠(髟部 十三畫)은 別字.

◉鬅鬙.

12 ㉒ 〔䰎〕 괴 ㊦寘 丘媿切 ㊥去 丘畏切 kuì

字解 ①상투 괴 '—, 髻也'《廣雅》. ②상투끈 괴 '紐, 謂結之—也'《急就篇》.

字源 形聲. 髟＋賷(貴)〔音〕

12 ㉒ 〔鬚〕 人名 수 ㊥虞 相俞切 xū

字解 수염 수 ㉠아랫수염. 턱 밑의 수염. '多—'. '—髯'. '積雪沒脛, 堅冰在—'《李華》. ㉡동물의 입 언저리에 난 뻣뻣한 긴 털. '鼠—'. '虎—'. ㉢수염 모양을 한 것. '—根'.

字源 形聲. 髟＋須〔音〕. '須수'는 '수염'의 뜻.

[鬚根 수근] 벼 같은 것의 줄기 밑에서 많이 나는 실 같은 뿌리.
[鬚面 수면] 수염이 많은 얼굴.
[鬚貌 수모] 수면(鬚面).
[鬚目 수목] 수염과 눈.
[鬚眉 수미] 수염과 눈썹. 전(轉)하여, 남자.
[鬚髮 수발] 아랫수염과 머리털.
[鬚髯 수염] 아랫수염과 구레나룻.
[鬚髭 수자] 아랫수염과 콧수염.
[鬚頰 수협] 수염 있는 뺨.
◉鯨鬚. 鷲鬚. 頭鬚. 美鬚. 白鬚. 拂鬚. 霜鬚. 魚鬚. 髯鬚. 饒鬚. 龍鬚. 髭鬚. 笞鬚. 好鬚. 虎鬚.

12 ㉒ 〔鬛〕 극 ㊀陌 訖逆切 jǐ

字解 코밑수염의모양 극 코밑수염의 모양. '—, 髭皃'《集韻》.

12 ㉒ 〔鬧〕 뇨 ㊦效 女教切 nào

字解 수염많은모양 뇨 수염이 많은 모양. '—, 多須皃'《集韻》.

12 ㉒ 〔鬜〕 간 ㊥刪 可顔切 qiān

字解 두창 간 머리에 나는 부스럼. '或赤若禿—'《韓愈》.

字源 篆文 形聲. 髟＋閒〔音〕. '髟표'는 '머리털', '閒간'은 '틈', 또 틈이 벌어져 있다의 뜻. 머리털이 벗어지다의 뜻을 나타냄.

◉禿鬜.

12 ㉒ 〔鬣〕 〔렵〕 鬣(髟部 十五畫〈p. 2630〉)의 略字

12 ㉒ 〔鬠〕 등 ㊥蒸 都騰切 dēng

字解 머리털흐트러진모양 등 머리털이 흐트러진 모양. '—, —髮, 毛亂皃'《集韻》.

13 ㉓ 〔鬟〕 환 ㊥刪 戶關切 huán

字解 ①쪽 환 부인(婦人)의 결발(結髮). '窈窕雙—女'《白居易》. ②계집종 환 비자(婢子). '丫—'. '—小—迎先生'《列仙傳》. ③산색(山色) 환 머리털의 빛깔이 먼 산의 검푸른 빛과 비슷하므로 이름. '窓中遠黛曉千—'《虞集》.

字源 篆文 形聲. 髟＋睘〔音〕. '髟표'는 '머리털', '睘환'은 구부려서 고리를 만들다의 뜻.

◉嬌鬟. 黛鬟. 小鬟. 垂鬟. 雙鬟. 丫鬟. 鴉鬟. 娃鬟. 雲鬟. 翠鬟. 花鬟. 曉鬟.

13 ㉓ 〔鬞〕 농 ㊥冬 尼容切 náng

字解 ①털많을 농 털이 많음. '—, 毛多'《玉篇》. ②머리털길 농 머리털이 긺. '—, 髮長'《類篇》. ③머리털헝클어진모양 농 머리털이 헝클어진 모양. '—, 埤倉, ——, 髮亂'《集韻》.

13 ㉓ 〔鬠〕 괄 ㊀曷 戶括切 kuò

字解 결발할 괄 髻(髟部 六畫)과 통용. '—笄用桑'《儀禮》.

字源 形聲. 髟＋會〔音〕. '會회'는 '합치다'의 뜻. 끈으로 머리털을 합쳐 묶다의 뜻을 나타냄.

參考 鬙(髟部 十二畫)은 別字.

14 ㉔ 〔鬢〕 빈 ㊦震 必刃切 bìn

字解 살쩍 빈 관자놀이와 귀 사이에 난 머리털. '—雪'. '美—長大則賢'《國語》.

字源 篆文 形聲. 髟＋賓〔音〕. '髟표'는 '머리털', '賓빈'은 '濱빈'과 통하여, '물가'의 뜻. 양 볼 곁의 털, '살쩍'의 뜻을 나타냄.

參考 髩(髟部 四畫)·鬂(髟部 七畫)은 俗字.

[鬢禿 빈독] 살쩍이 빠짐.
[鬢毛 빈모] 살쩍.
[鬢髮 빈발] 살쩍과 머리털. 또는 머리털.
[鬢絲 빈사] 관자놀이와 귀 사이에 난 흰 머리털.
[鬢絲茶煙 빈사다연] 노후(老後)의 조용한 생활.
[鬢霜 빈상] 빈설(鬢雪).
[鬢雪 빈설] 살쩍이 힘.
[鬢鴉 빈아] 살쩍이 검음.
◉老鬢. 綠鬢. 禿鬢. 霧鬢. 霜鬢. 雪鬢. 疎鬢. 衰鬢. 鬚鬢. 雙鬢. 鴉鬢. 兩鬢. 雲鬢. 翠鬢.

14 ㉔ 〔鬤〕 람 ㊥覃 魯甘切 lán

字解 많을 람, 길 람 머리털이 많음. 또, 머리털이 긺. '白龍垂鬚正—鬖'《韓維》.

字源 篆文 形聲. 髟＋監〔音〕. '髟표'는 '머리털', '監감'은 엎드려서 위에서 아래를 보

다의 뜻. 위에서 아래로 길게 늘어진 머리털의 뜻을 나타냄.

14 ㉔ [⿱髟爾] 녜 [平]薺 乃禮切 nǐ

[字解] 머리털모양 녜 '—, 髮皃'《說文》.
[字源] 形聲. 髟+爾〔音〕

14 ㉔ [鬡] 녕 [平]庚 女耕切 níng

[字解] 머리흩어질 녕 머리가 흩어진 모양. '鬡—, 髮亂皃'《集韻》.

14 ㉔ [⿱髟賔] 〔빈〕
鬢(髟部 十四畫〈p.2629〉)의 俗字

15 ㉕ [鬣] 렵 [入]葉 良涉切 liè

[字解] ①갈기 렵 말갈기. '夏后氏駱馬黑—'《禮記》. ②수염 렵 긴 수염. '使長—者相'《左傳》. ③지느러미 렵 물고기 등의 헤엄치는 기관. '洞庭紫—之魚'《吳均》. ④솔잎 렵 송엽(松葉). '五—松'. ⑤비끝 렵 비〔帚〕의 말단. '拚席不以—'《禮記》.
[字源] [篆文] 形聲. 髟+巤〔音〕. '巤렵'은 긴 갈기의 象形. '髟표'를 더하여 '갈기'의 뜻을 나타냄.

◉剛鬣. 棘鬣. 馬鬣. 美鬣. 蕃鬣. 奮鬣. 長鬣. 豬鬣. 赤鬣. 鬃鬣. 振鬣. 黑鬣.

16 ㉖ [[illegible]] 〔괴〕
⿱髟貴(髟部 十二畫〈p.2629〉)의 本字

17 ㉗ [鬤] [一] 양 [平]陽 汝陽切 / ㊤養 汝兩切 ráng
[二] 녕 [平]庚 乃庚切 níng

[字解] [一] ①엉킨머리 양 '—, 亂髮'《玉篇》. ②머리털엉킬 양 머리털이 엉키는 모양. '—, 髮亂皃'《集韻》. [二] 머리털엉킬 녕 '鬡—'은 머리털이 엉키는 모양. 鬡(髟部 十四畫)과 同字. '鬡, 鬡—, 髮亂皃或从襄'《集韻》.

鬥 (10획) 部

〔싸울투부〕

0 ⑩ [鬥] [一] 투 [去]宥 都豆切 dòu
[二] 각 [入]覺 克角切

[筆順] 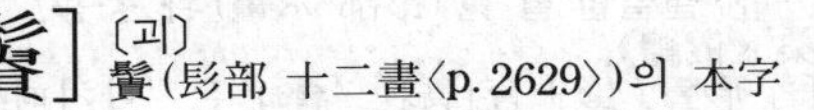

[字解] [一] 싸울 투 완력 또는 무기로써 서로 겨룸. 鬭(鬥部 十四畫)와 同字. [二] 싸울 각 [一]과 뜻이 같음.
[字源] [甲骨文] [篆文] 象形. 두 사람이 마주 대하여 싸우고 있는 모양을 본떠, '싸우다'의 뜻을 나타냄. '鬪투'의 原字.
[參考] ①'鬥투'를 의부(意符)로 하여, '싸우다, 다투다'의 뜻을 포함하는 문자를 이룸. 부수 이름은 '싸울투'. ②門(部首)은 別字.

4 ⑭ [鬦] 〔투〕
鬪(鬥部 十畫〈p.2630〉)의 俗字

5 ⑮ [鬧] [人名] 뇨 [去]效 奴教切 nào 闹

[字解] 시끄러울 뇨, 들렐 뇨 소란함. 또, 소란. '喧—'. '以召—取怒乎'《柳宗元》.
[字源] [篆文] 會意. 鬥+市. '市시'는 많은 사람이 모이다, '鬥투'는 다투고 싸우다의 뜻.

[鬧歌 요가] 시끄럽게 노래 부름. 또, 그 노래.
[鬧事 요사] 함부로 일으키는 풍파(風波).
[鬧熱 요열] 혼잡하여 시끄럽고 귀찮음.
[鬧裝 요장] 여러 가지 보석(寶石)으로 화려하게 장식함.
◉奴鬧. 蜂鬧. 紛鬧. 熱鬧. 雜鬧. 衆鬧. 浩鬧. 喧鬧.

6 ⑯ [鬨] [一] 홍 [去]送 胡貢切 hòng
[二] 항 [去]絳 胡絳切 xiàng

[字解] [一] ①싸울 홍 전투함. '鄒與魯—'《孟子》. 또, 싸우는 소리. 전쟁할 때 지르는 소리. '屯—'. '高言喧—'《朱熹》. ②떠들 홍 시끄럽게 지껄임. '笑—'. [二] 싸울 항, 떠들 항 [一]과 뜻이 같음.
[字源] [篆文] 形聲. 鬥+共〔音〕. '鬥투'는 두 사람이 손을 내밀어 싸우는 모양. '共공'은 '크다'의 뜻. 큰 외침 소리, 함성 소리, 싸우다의 뜻을 나타냄.

◉屯鬨. 笑鬨. 市鬨. 喧鬨.

8 ⑱ [鬩] [一] 혁 [入]錫 許激切 xì 阋
[二] 격 [入]陌 郝格切 hè

[字解] [一] 다툴 혁 서로 시비를 함. '兄弟—于牆, 外禦其務'《詩經》. [二] 고요할 격 闃(門部 九畫)과 통용. '—其無人'《易經》.
[字源] [篆文] 形聲. 鬥+兒〔音〕. '兒예'는 '擊격'과 통하여 원망하고 다투다의 뜻. '다투다'의 뜻을 나타냄.

[鬩牆 혁장] 울타리 안에서 싸움. 형제끼리 다툼.
[鬩鬪 혁투] 싸움. 다툼.
◉忿鬩. 訟鬩. 離鬩. 譏鬩. 鬪鬩. 脅鬩.

10 ⑳ [鬪] [高人] 투 [去]宥 都豆切 dòu 斗

[筆順] 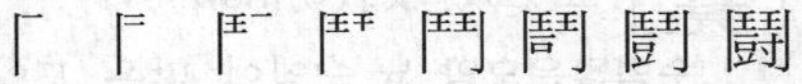

[字解] ①싸움 투 ㉠연장 또는 완력으로 겨루는 일. '決—'. '爭—'. ㉡전쟁. '戰—'. ②싸울 투 전항의 동사. '寧—而死'《史記》. ③싸우게할 투 전항의 타동사. '季平子與郈昭伯, 以—雞故得罪魯昭公'《史記》. ④다툴 투 교졸·우열 등을 겨룸. '—詩'. '吾寧—智, 不—力'《十八史略》. ⑤성 투 성(姓)의 하나.
[字源] [篆文] 形聲. 鬥+鬥(斲)〔音〕. '斲착·주'는 '깎다'의 뜻. '鬥투'는 사람이 싸우는 모양의 象形. 다투어 싸우다의 뜻을 나타냄. '鬪투'는 俗字.

[鬪舸 투가] 배를 젓는 경쟁.
[鬪角 투각] 지붕의 모서리가 모여 합치는 것.
[鬪擊 투격] 서로 치며 싸움.
[鬪鷄 투계] ㉠닭끼리 싸움 붙임. ㉡싸움닭.
[鬪技 투기] 재주를 서로 겨룸.
[鬪士 투사] 전장(戰場)에서나 경기장에서 싸우려 고 나선 사람.
[鬪死 투사] 싸우다 죽음.
[鬪射 투사] 궁술(弓術)의 우열을 겨룸.
[鬪船 투선] 싸움에 쓰이는 배. 전선(戰船).
[鬪詩 투시] 서로 시를 지어 우열을 다툼.
[鬪壤 투양] 전쟁 장소.
[鬪牛 투우] ㉠소끼리 싸움 붙임. ㉡싸움 잘하는 소.
[鬪爭 투쟁] 싸워서 다툼.
[鬪戰 투전] 싸움. 전투(戰鬪).
[鬪志 투지] 싸울 마음.
[鬪智 투지] 지혜를 겨룸.
[鬪草 투초] 풀의 우열(優劣)을 다투는 놀이. 음력 5월 5일에 행하였음. 풀싸움.
[鬪風 투풍] 앞바람. 역풍(逆風).
[鬪艦 투함] 싸움에 쓰이는 큰 배. 전함(戰艦).
[鬪香 투향] 여러 사람이 한곳에 모여서 제각기 준비한 향(香)을 태워서 그 우열(優劣)을 다투는 일.
[鬪鬩 투혁] 형제가 서로 다툼.
[鬪花 투화] 꽃의 우열을 겨루는 놀이. 투초(鬪草) 비슷한 놀이.

[鬪艦]

[鬪很 투흔] 서로 다투고 싸움.
◉敢鬪. 酣鬪. 健鬪. 挌鬪. 格鬪. 決鬪. 結鬪. 苦鬪. 拳鬪. 亂鬪. 武鬪. 搏鬪. 奮鬪. 死鬪. 私鬪. 善鬪. 殊鬪. 惡戰苦鬪. 暗鬪. 力鬪. 鏖鬪. 遠鬪. 爭鬪. 觝鬪. 戰鬪. 轉鬪. 衆鬪.

11 ㉑ [⿵鬥翏] ㊀ 류 ㊥尤 力求切 liú ㊁ 력 ㊇錫 狼狄切 ㊂ 교 ㊤篠 古了切 jiǎo

[字解] ㊀ ①목매어죽일 류 목 졸라 죽임. '一, 經繆殺也'《說文》. ②죽일 류 '一, 絞也'《廣雅》. ㊁ 죽일 력 '一, 殺也'《集韻》. ㊂ ①목매어죽일 교 ㊀❶과 뜻이 같음. ②강복(降服) 교 상복(喪服)의 등급(等級)을 내림. '一, 喪之降殺'《廣韻》.
[字源] 形聲. 鬥+翏〔音〕

12 ㉒ [鬫] 함 ㊤豏 虎檻切 hǎn

[字解] ①고함지를 함 성내어 큰 소리로 외침. 또, 그 모양. 그 소리. '哮一'. '七雄虓一'《漢書》. ②울 함 짐승, 특히 범 같은 것이 욺. '一如虓虎'《詩經》.
[字源] 形聲. 鬥+敢〔音〕. '鬥투'는 '싸우다'의 뜻. '敢감'은 짐승이 성나서 큰 소리로 우는 소리의 의성어.

[鬫鬫 함함] ㉠범 같은 것이 우는 소리. ㉡무섭게 화내는 모양.
◉虓鬫. 哮鬫.

14 ㉔ [⿵鬥爾] ㊀ 녜 ㊤薺 奴禮切 nǐ ㊁ 미 ㊤紙 綿婢切

[字解] ㊀ ①어리석을 녜 지력(知力)이 못남. '一, 智少力劣也'《說文》. ②어리석어다툴 녜 '一, 一曰, 智力劣而爭'《集韻》. ③편협할 녜 마음이 좁음. '一, 褊狹也'《集韻》. ㊁ 어리석을 미, 어리석어다툴 미, 편협할 미 ㊀과 뜻이 같음.
[字源] 形聲. 鬥+爾〔音〕

14 ㉔ [鬭] 〔투〕
鬪(鬥部 十畫〈p.2630〉)의 本字

17 ㉗ [鬮] ㊀ 구 ㊥尤 居求切 jiū ㊁ 규 ㊤有 居黝切 jiū

[字解] ㊀ 제비 구 심지. '拈一'. '探一'. ㊁ 제비 규 ㊀과 뜻이 같음.
[字源] 篆文 形聲. 鬥+龜〔音〕. '龜귀'는 '糾규'와 통하여 '달라붙다'의 뜻. 달라붙어 싸우다의 뜻을 나타냄. 또 '龜'는 점치는 데 쓰는 거북의 뜻. '鬥투'를 더하여 '제비'의 뜻을 나타냄.
◉拈鬮. 探鬮.

鬯 (10획) 部
〔술창부〕

0 ⑩ [鬯] 창 ㊦漾 丑亮切 chàng

[筆順] ㇓ ㇓ ㇓ ㇓ ㇓ 鬯 鬯 鬯

[字解] ①술이름 창 울기장으로 빚은 술. '一酒'. '秬一一卣'《詩經》. ②자랄 창 성장함. 暢(日部 十畫)과 同字. '草木一茂'《漢書》. ③활집 창 활을 넣어 두는 자루. 韔(韋部 八畫)과 통용.
[字源] 甲骨文 金文 篆文 會意. 凵+米+匕. 그릇인 '凵감'에 쌀을 넣고, 숟갈 '匕비'를 곁들여서, 울기장 등으로 빚은 창술의 뜻을 나타냄.
[參考] '鬯창'을 의부(意符)로 하여 술 향기, 술의 원료 등에 관한 문자를 이룸. 부수 이름은 '술창'.

[鬯茂 창무] 초목이 자라서 무성함.
[鬯人 창인] 벼슬 이름. 창주(鬯酒)를 종묘에 올리는 일을 맡음.
[鬯酒 창주] 울기장으로 빚은 술. 강신제(降神祭)에 씀. '울창주(鬱鬯酒)' 참조.
◉介鬯. 秬鬯. 祼鬯. 明鬯. 鬱鬯. 條鬯.

10 ⑳ [⿱矩鬯] 거 ㊤晧 臼許切 jù

[字解] 검은기장 거 秬(禾部 五畫)와 同字. '一, 黑黍也'《說文》.
[字源] 形聲. 鬯+矩〔音〕

18 ㉘ [鬱] 울 ㊇物 紆物切 yù

字解 울금향 울 향초(香草)의 하나. '一鬯, 百艸之華, 遠方鬱人所貢芳艸, 合釀之以降神'《說文》.

字源 篆文 會意. 臼+缶+冖+鬯+彡. '鬱'의 異體字.

19 ㉙ [鬱] 人名 울 入物 紆物切 yù

字解 ①산앵두나무 울 장미과에 속하는 낙엽 관목(落葉灌木). 앵두나무 비슷한 과수(果樹)임. 산이스랏나무. '六月食一及薁'《詩經》. ②심황 울 생강과에 속하는 다년초. 지하경(地下莖)은 가루로 만들어 황색의 염료(染料)로 씀. 울금(鬱金). '和一鬯以實彝而陳之'《周禮》. ③우거질 울 초목이 무성함. '一茂'. '一彼北林'《詩經》. ④막을 울 통하지 못하게 함. '一令而不出者, 幽其君者也'《管子》. ⑤막힐 울 통하지 아니함. '一結'. '水一則爲汚'《呂氏春秋》. ⑥답답할 울 '一一氣蒸'. ⑦성할 울 사물이 왕성한 모양. '一勃'. '玄靈泱一'《漢書》. ⑧향기로울 울 향기가 좋음. '言一郁於蘭茝'《劉峻》. ⑨성 울 성(姓)의 하나.

字源 金文 篆文 金文은 象形으로 사람이 기둥과 기둥 사이에 있어서, 향초를 디딜방아에 찧고 있는 모양을 본뜸. 篆文에서는 거기에 독의 象形인 '缶부'와 향초 넣은 술단지를 본뜬 '鬯창' 등이 더해졌는데, 자욱한 향기의 뜻에서 '찌다, 막히다, 답답하다'의 뜻도 나타내게 됨. 《說文》은 林+鬱〈省〉〔音〕의 形聲으로 봄. '林림'은 '두 기둥'의 뜻, '鬱울'은 '향초'의 뜻.

[鬱結 울결] 가슴이 막혀 답답함.
[鬱屈 울굴] ㉠울결(鬱結). ㉡산길이 꼬불꼬불한 모양. 울우(鬱紆).
[鬱崛 울굴] 울창하고 높은 모양.
[鬱金 울금] 생강과에 속하는 다년초. 지하경(地下莖)의 분말(粉末)은 황색의 물감으로 씀. 심황.
[鬱金香 울금향] ㉠백합과에 속하는 다년초. 튤립. ㉡미주(美酒)의 한 가지.
[鬱氣 울기] 우울한 기분.
[鬱怒 울노] 쌓여 풀리지 않는 분노.
[鬱陶 울도] ㉠마음이 답답함. ㉡날씨가 무더움.
[鬱律 울률] ㉠연기가 올라가는 모양. ㉡깊숙하고 험준(險峻)한 모양. ㉢소리가 작은 모양. ㉣자체(字體)가 바르지 못하고 뒤틀린 모양.
[鬱隆 울륭] 성하게 일어나는 모양.
[鬱林 울림] 무성한 숲.
[鬱冒 울모] 무덥고 구름이 많이 낌.
[鬱茂 울무] 초목이 무성한 모양.
[鬱悶 울민] 번민하여 가슴이 답답함.
[鬱勃 울발] ㉠왕성(旺盛)한 모양. ㉡초목이 무성한 모양.
[鬱憤 울분] 쌓여 풀리지 않는 분노.
[鬱岪 울불] 산이 험준(險峻)한 모양.
[鬱怫 울불] 가슴이 답답함. 마음이 침울함.
[鬱森 울삼] 초목이 무성한 모양.
[鬱塞 울색] 기운이 막힘. 마음이 답답함.
[鬱述 울술] 비 같은 것이 하늘 자옥이 내리는 모양.
[鬱怏 울앙] 마음이 답답하여 우울함.
[鬱鞅 울앙] 성(盛)한 모양.
[鬱焉 울언] 성(盛)한 모양. 울연(鬱然).
[鬱然 울연] ㉠초목이 무성한 모양. ㉡사물(事物)이 성(盛)한 모양. ㉢울적한 모양.
[鬱懊 울오] 무더움.
[鬱蓊 울옹] ㉠초목이 무성한 모양. ㉡구름이 뭉게뭉게 이는 모양.
[鬱紆 울우] ㉠울읍(鬱悒). ㉡산길이 꼬불꼬불한 모양.
[鬱郁 울욱] ㉠문채(文彩)가 아름다운 모양. ㉡좋은 향기가 물씬 나는 모양.
[鬱燠 울욱] 무더운 모양.
[鬱鬱 울울] ㉠기분이 언짢은 모양. 우울한 모양. ㉡기(氣)가 성(盛)한 모양. ㉢수목이 울창한 모양.
[鬱潤 울윤] 초목이 무성하고 윤기가 있음.
[鬱邑 울읍] 울읍(鬱悒).
[鬱悒 울읍] 근심하는 모양. 수심에 찬 모양.
[鬱猗 울의] 초목이 무성하여 아름다운 모양.
[鬱伊 울이] 침울한 모양.
[鬱積 울적] 울색(鬱塞).
[鬱蒸 울증] 무더움.
[鬱蒼 울창] 나무가 빽빽이 들어서 무성하여 푸릇푸릇한 모양.
[鬱鬯酒 울창주] 울금초(鬱金草)를 쪄서 창주(鬯酒)에 섞은 술. 옛날에 강신(降神)할 때 썼음.
[鬱滯 울체] 울색(鬱塞).
[鬱葱 울총] ㉠나무가 빽빽이 들어서 울창한 모양. ㉡기운이 왕성한 모양.
[鬱閉 울폐] 막혀서 흐르지 않는 모양.
[鬱血 울혈] 충혈(充血).
[鬱乎 울호] ㉠초목이 무성한 모양. ㉡성(盛)한 모양.
[鬱懷 울회] 울적한 회포. 우울한 심사.
◉泱鬱. 氣鬱. 陶鬱. 勃鬱. 煩鬱. 芬鬱. 弗鬱. 怫鬱. 暑鬱. 衰鬱. 深鬱. 哀鬱. 抑鬱. 炎鬱. 翳鬱. 蓊鬱. 窈鬱. 紆鬱. 憂鬱. 幽鬱. 隆鬱. 陰鬱. 蔭鬱. 悒鬱. 伊鬱. 堙鬱. 壹鬱. 積鬱. 蒸鬱. 蒼鬱. 沈鬱. 薈鬱.

鬲(10획)部

〔솥력부〕

0 ⑩ [鬲] ㊀ 력 入錫 郞擊切 lì ㊁ 격 入陌 古核切 gé

筆順 一 丆 冂 冃 鬲 鬲 鬲 鬲

字解 ㊀ 솥 력 발이 굽은 솥. 또 발 사이가 넓은 솥. 또 발의 속이 빈 솥. '一實五觳'《周禮》. ㊁ ①막을 격 隔(阜部 十畫)과 통용. '一閉門戶'《漢書》. ②성 격 성(姓)의 하나.

〔鬲㊀〕

字源 金文 篆文 象形. 다리가 셋 있는 솥을 본떠 '솥'의 뜻을 나타냄.

參考 '鬲력'을 의부(意符)로 하여, 솥이나 솥으로 찌는 일 등에 관한 문자를 이룸. 부수 이름은 '솥력'.

[鬲塞 격색] 가로막힘.

[鬲如 격여] 분묘(墳墓)의 높은 모양.
[鬲絶 격절] 사이를 떼어 끊음. 막아 끊음.
[鬲閉 격폐] 격리하여 잠금.
◉鐺鬲. 寶鬲. 釜鬲. 瓦鬲. 有鬲. 鼎鬲. 周鬲.

0 ⑩ [鬲] 鬲(前條)과 同字

3 ⑬ [鬲斗] 一 과 ㊥歌 古禾切 guō 二 라 ㊥歌 盧戈切

字解 一 흙가마 과 토제(土製)의 가마. 토부(土釜). '一, 秦名土鬴曰一'《說文》. 二 흙가마 라 一과 뜻이 같음.

字源 形聲. 鬲+斗〔音〕

參考 鍋(金部 九畫〈p. 2404〉)는 俗字.

4 ⑭ [鬲斗] 斛(前條)의 訛字

4 ⑭ [鬲支] 一 의 ㊤紙 魚綺切 yǐ 二 기 ㊤紙 巨綺切

字解 一 세발가마솥 의, 쌀이는그릇 의 주둥이가 큰 세 발 달린 가마. '一, 三足鍑也'《說文》. 또 쌀을 이는 그릇. 이남박. '一, 一日, 滫米器也'《說文》. 二 세발가마솥 기, 쌀이는그릇 기 一과 뜻이 같음.

字源 形聲. 鬲+支〔音〕

4 ⑭ [鬲戈] 〔과〕 鍋(金部 九畫〈p. 2404〉)와 同字

5 ⑮ [鬲瓦] 〔력〕 鬲(部首〈p. 2632〉)과 同字

[融] 〔융〕 虫部 十畫(p. 2026)을 보라.

[翮] 〔핵〕 羽部 十畫(p. 1810)을 보라.

6 ⑯ [鬳] 권 ㊦願 俱願切 yàn

字解 솥 권 가마솥의 일종.

字源 金文 篆文 形聲. 鬲+虎〈省〉〔音〕

6 ⑯ [䰜] 一 鬻(次條)의 本字 二 鬲(部首)의 古字

6 ⑯ [䰛] 一 력 ㊅錫 狼狄切 lì 二 비 ㊦未 父沸切 fèi

字解 一 솥 력 鬲(部首)의 古字. 二 김오를 비 '一, 上烝氣也'《集韻》.

字源 象形. '鬲(部首)'의 字源을 보라.

6 ⑯ [鬲亥] 해 ㊥灰 何開切 hái

字解 ①새알심 해 새알심. 샐심. 죽 속에 넣는 곡식 가루로 만든 동글동글한 덩이〔糜中塊〕. '一, 一日, 糜中塊'《集韻》. ②보리싸라기 해 보리 싸라기. '一, 麩也'《集韻》.

7 ⑰ [鬲巠] 경 ㊦徑 古定切 jìng

字解 가로막을 경 가로막음. 가림. '一, 隔也'《廣雅》.

7 ⑰ [鬴] 부 ㊤麌 扶雨切 fǔ

字解 ①가마솥 부 釜(金部 二畫)와 同字. '多齎一鍑薪炭'《漢書》. ②되 부 엿 말 넉 되들이의 되. 안은 네모지고 밖은 둥긂. '四一上也'《周禮》. ③성 부 성(姓)의 하나.

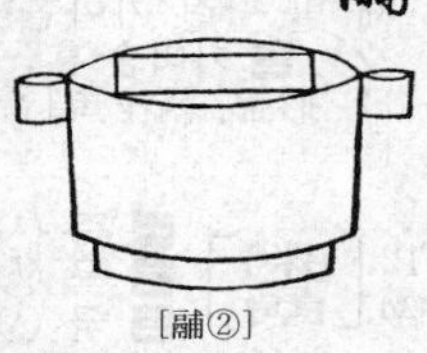
[鬴②]

字源 金文 篆文 別體 形聲. 鬲+甫〔音〕. '甫보'는 '크다'의 뜻. 別體 '釜부'는 金+父〔音〕. '父부'는 '크다'의 뜻.

◉錡鬴. 銅鬴. 覆鬴. 瓦鬴. 縣鬴.

8 ⑱ [鬵] 심 ㊥侵 徐林切 xín

字解 ①용가마 심 큰 가마솥. '溉之釜一'《詩經》. ②시루 심 떡을 찌는 데 쓰는 그릇. '甑, 自關而東謂之甗, 或謂之一'《揚子方言》.

字源 篆文 形聲. 鬲+兓〔音〕. '兓침'은 '숨다'의 뜻. 아랫부분이 작아서 큰 윗부분이 그것을 숨기는 꼴의 큰 가마솥, '시루'의 뜻을 나타냄.

◉釜鬵.

9 ⑲ [鬲兒] 一 이 ㊥齊 人移切 ní 二 내 ㊥灰 汝來切

筆順

字解 一 젓갈 이 젓갈. 뼈를 바르지 아니하고 담은 젓갈. '一, 說文, 有骨醢也'《集韻》. 二 젓갈 내 一과 뜻이 같음.

9 ⑲ [鬷] 종 ㊥東 子紅切 zōng

字解 ①가마솥 종. ②많을 종 중다(衆多)함. '越以一邁'《詩經》. ③아뢸 종 사룀. '一假無言'(중용(中庸)에는 '奏假'로 됨)《詩經》. ④성 종 성(姓)의 하나.

字源 篆文 形聲. 鬲+㚇〔音〕

10 ⑳ [鬲鬲] 력 ㊅錫 郞狄切 lì

字解 ①거를 력 거름. 찌꺼기를 걸러 냄. '一, 去滓也'《字彙》. ②鬲(部首)의 俗字.

10 ⑳ [鬺] 一 羹(羊部 十三畫〈p. 1803〉)과 同字 二 烹(火部 七畫〈p. 1333〉)의 古字

11 ㉑ [鬺] 상 ㊥陽 尸羊切 shāng

字解 삶을 상 음식을 삶음. '皆嘗烹一上帝鬼神'《史記》.

字源 形聲. 鬲+煬〈省〉〔音〕. '煬양'은 불에 쬐다의 뜻. 가마솥에 삶다의 뜻을 나타냄.

◉烹鬺.

11 [鬹] ㊀ 규 ㊥支 均窺切 guī
㉑ ㊁ 휴 ㊥齊 玄圭切

字解 ㊀ 세발가마솥 규 자루와 주둥이가 있는 세 발 달린 가마솥. '一, 三足鬴也. 有柄喙'《說文》. ㊁ 가마솥 휴 '一, 鑊也'《集韻》.

字源 形聲. 鬲+規〔音〕

12 [鬻] ㊀ 죽 ㊇屋 之六切 zhōu
㉒ ㊁ 육 ㊇屋 余六切 yù
㊂ 국 ㊇屋 居六切 jū

字解 ㊀ 죽 죽 묽은 죽. 粥(米部 六畫)과 同字. 또, 죽을 먹음. '饘於是, 一於是'《左傳》. ㊁ ① 팔 육 ㉠물건을 팖. '畫其像, 印一之, 畫工有致富者'《十八史略》. ㉡노력 등에 대하여 보수를 얻음. '一文'. '一色'. ㉢기만함. '一五國'《戰國策》. ②성 육 성(姓)의 하나. ㊂ 어릴 국 나이가 어림. 일설(一說)에는 기름. 양육함. '一子之閔斯'《詩經》.

字源 篆文 會意. 鬻+米. '鬻력·비'는 가마솥에서 김이 나오는 모양을 본뜸. 푹 삶은 쌀, '죽'의 뜻을 나타냄. 또 '賣육'과 통하여 '팔다'의 뜻도 나타냄.

[鬻子 국자] ㉠어린아이. ㉡[육자] 책 이름. 주(周)나라 문왕(文王)의 스승인 육웅(鬻熊)의 찬(撰). 1권. 현존(現存)하는 것은 당인(唐人)의 위작(僞作)일 것이라 함.
[鬻賣 육매] 팖.
[鬻爵 육작] 조정(朝廷)에서 관작(官爵)을 팖.
◉酤鬻. 嫗伏孕鬻. 賣鬻. 私鬻. 深鬻. 自鬻. 轉鬻. 販鬻. 衒鬻.

13 [鬷] ㊀ 객 ㊇陌 克革切 kè
㉓ ㊁ 격 ㊇錫 吉歷切

字解 ㊀ ①갖옷안 객 가죽 옷의 안집. 裓(衣部 十畫)과 同字. '一, 裘裏, 與皮相隔'《正字通》. ②얇을 객 '一, 一曰, 薄也'《集韻》. ㊁ 갖옷안 격, 얇을 격 ㊀과 뜻이 같음.

字源 形聲. 裘+鬲〔音〕

13 [鬷]
㉓ 鬷(前條)의 本字

13 [鬷] 〔종〕
㉓ 鬷(鬲部 九畫〈p. 2633〉)과 同字

14 [鬻] ㊀ 건 ㊥元 居言切 jiān
㉔ ㊁ 전 ㊥先 諸延切 zhān

字解 ㊀ 죽 건 '一, 鬻也'《說文》. ㊁ 죽 전 ㊀과 뜻이 같음.

字源 形聲. 䰜+侃〔音〕

15 [鬻] 자(저㊍) ㊤語 章與切 zhǔ
㉕

字解 삶을 자, 구울 자 煮(火部 九畫)와 同字. '一鹽以待戒令'《周禮》.

字源 篆文 別體 形聲. 䰜+者〔音〕. '䰜력·비'는 가마에서 김이 피어오르는 모양을 본뜸. '者자'는 많은 것을 모으다의 뜻. 많은 것을 한데 삶다, '삶다'의 뜻을 나타냄. '煮자'는 別體.

16 [鬻] 〔갱〕
㉖ 羹(羊部 十三畫〈p. 1803〉)과 同字

20 [鬻] 약 ㊇藥 弋灼切 yuè
㉚

字解 데칠 약 고기나 야채를 끓는 물에 데침. '一, 內肉及菜湯中薄出之'《說文》.

字源 形聲. 䰜+翟〔音〕

20 [鬻] ㊀ 육 ㊇屋 余六切 yù
㉚ ㊁ 축 ㊇屋 之六切

字解 ㊀ 죽 육 '一, 鬻也'《說文》. ㊁ 죽 축 ㊀과 뜻이 같음.

字源 形聲. 䰜+毓〔音〕

鬼 (10획) 部

〔귀신귀부〕

0 [鬼] 高人 귀 ㊤尾 居偉切 guǐ
⑩

筆順 ′ ｒ 白 白 甶 甶 鬼 鬼

字解 ①귀신 귀 ㉠음(陰)의 신령. 양(陽)의 신령은 '神'이라 함. '子曰, 一神之爲德, 其盛矣乎'《中庸》. ㉡죽은 사람의 혼. '知一神之情狀'《易經》. ㉢신(神)으로서 제사 지내는 망령(亡靈). '天神'·'地祇'에 다음가는 것. '列於一神'《禮記》. ㉣명명(冥冥)한 가운데에서 사람에게 앙화를 내린다는 요귀. '惡一'. '貧一守門'《易林》. ②도깨비 귀 나쁜 음기(陰氣)의 화신(化身). 또는, 상상의 괴물. '爲一爲蜮'《詩經》. '阮德如嘗於厠見一, 長丈餘, 色黑而眼大'《世說》. ③별이름 귀 이십팔수(二十八宿)의 하나. 주작(朱雀) 칠수(七宿)의 제이성(第二星). ④성 귀 성(姓)의 하나.

字源 甲骨文 金文 篆文 古文 象形. 무시무시한 머리를 한 사람의 象形으로 죽은 사람의 혼의 뜻을 나타냄.

參考 '鬼귀'를 의부(意符)로 하여 영혼이나 초자연적인 것, 그 작용 등에 관한 문자를 이룸. 부수 이름은 '귀신귀'.

[鬼瞰 귀감] 귀신이 내려다봄. 귀신이 엿봄.
[鬼臉嚇人 귀검하인] 귀신의 얼굴을 하고 남을 으른다는 뜻으로, 허세를 부려 으름의 비유.
[鬼谷 귀곡] ㉠허난 성(河南省) 덩펑 현(登封縣) 동남에 있는 산골짜기의 이름. 귀곡자(鬼谷子)가 살던 곳. ㉡별의 이름. 귀신이 모이는 곳. 북극성(北極星) 아래 있다고 함.
[鬼哭 귀곡] ㉠귀신이 욺. 또 그 우는 소리. ㉡귀

신마저도 통곡함.
[鬼谷子 귀곡자] ㉠전국(戰國) 시대 종횡가(縱橫家)의 조(祖). 허난 성(河南省) 귀곡(鬼谷)에 숨어서 소진(蘇秦)·장의(張儀)를 가르쳤다 함. ㉡종횡가(縱橫家)의 서(書). 1권, 12편. 귀곡자(鬼谷子)가 쓴 것이라고 전하나, 한(漢)나라 이후의 것이라고도 함.
[鬼哭鳥 귀곡조] 밤중에 공중(空中)으로 날아다니며 구슬프게 우는 새. 부엉이의 일종. 귀곡새.
[鬼工 귀공] 귀신의 제작. 사람의 솜씨로는 하기 어려운 교묘한 세공.
[鬼怪 귀괴] ㉠이상함. 괴이함. ㉡도깨비.
[鬼區 귀구] ㉠멀리 떨어진 지방. ㉡먼 구이저우(貴州)의 지방.
[鬼氣 귀기] 소름이 끼치는 분위기.
[鬼道 귀도] ㉠귀신이 다니는 길. ㉡혹세무민(惑世誣民)하는 술법.
[鬼董狐 귀동호] 귀신(鬼神)·괴물(怪物)에 관한 것을 쓴 훌륭한 역사가(歷史家). 동호(董狐)는 춘추(春秋) 때 직필(直筆)로써 이름 높은 사가(史家)임.
[鬼錄 귀록] 죽은 사람의 이름을 적는 장부.
[鬼燐 귀린] 귀화(鬼火).
[鬼魅 귀매] 도깨비. 두억시니.
[鬼面 귀면] 귀신의 얼굴. 도깨비의 탈.
[鬼貌 귀모] 유령과 같은 얼굴.
[鬼貌藍色 귀모남색] 귀신 같은 얼굴이고 빛도 검푸름.
[鬼門 귀문] ㉠도깨비가 모이는 곳. ㉡귀수(鬼宿)가 있는 방향. 간방(艮方), 곧 동북간. ㉢배우(俳優)가 드나드는 무대(舞臺)의 출입구.
[鬼門關 귀문관] 광시 성(廣西省) 북류현(北流縣) 남쪽에 있는 관(關) 이름. 관(關)의 남쪽은 장려(瘴癘)병이 심하여 천적(遷謫)되어 이곳에 오는 사람은 생환(生還)함이 드물다고 함.
[鬼物 귀물] 도깨비.
[鬼方 귀방] 먼 지방.
[鬼伯 귀백] 백귀(百鬼)의 우두머리.
[鬼斧 귀부] 귀신이 도끼로 깎은 것처럼 교묘하게 이루어진 세공(細工).
[鬼設 귀설] 귀신이 만든 것 같은 교묘한 설비.
[鬼宿 귀수] 이십팔수(二十八宿)의 하나. 남방 주작(朱雀)의 제이성(第二星).
[鬼神 귀신] ㉠죽은 사람의 혼령(魂靈). ㉡명명(冥冥)한 가운데에 있어서 인류(人類)에게 화복(禍福)을 내려 주는 정령(精靈).
[鬼薪 귀신] 진한(秦漢) 시대의 형벌. 땔나무를 하는 고역(苦役).
[鬼神避之 귀신피지] 귀신이 피한다는 뜻으로, 과단성 있게 행하면 귀신도 피하고 방해하지 아니한다는 말.
[鬼眼睛 귀안정]《佛敎》귀신의 눈동자. 사견(邪見)을 말함.
[鬼雨 귀우] 큰비. 호우(豪雨).
[鬼子母神 귀자모신]《佛敎》출산·양육을 수호하는 여신(女神).
[鬼才 귀재] ㉠세상에 드물게 뛰어난 시문(詩文)의 재주. ㉡세상에 드문 재주. 또, 그 사람.
[鬼籍 귀적] 죽은 사람의 사망 연월일 등을 기재하는 장부. 과거장.
[鬼誅 귀주] 귀신이 내리는 벌.
[鬼畜 귀축] 아귀(餓鬼)와 축생(畜生). 곧, 잔인무도한 자.
[鬼出電入 귀출전입] 귀신처럼 나가고, 번개처럼 들어온다는 뜻으로, '언제 어디서 나타날지 모름'의 비유. 신출귀몰(神出鬼沒).
[鬼胎 귀태] 심중에 품은 두려워하는 마음.
[鬼享 귀향] 종묘(宗廟)의 제사(祭祀).
[鬼形 귀형] 귀신의 형상.
[鬼化 귀화] 귀신이 됨.
[鬼火 귀화] 도깨비불.
[鬼禍 귀화] 재화(災禍). 불행(不幸).
[鬼話 귀화] ㉠엉터리 이야기. 거짓말. ㉡도깨비에 관한 이야기.
◉強鬼. 怪鬼. 舊鬼. 窮鬼. 狼鬼. 魔鬼. 冥鬼. 百鬼. 邪鬼. 山鬼. 水鬼. 施餓鬼. 新鬼. 餓鬼. 惡鬼. 暗鬼. 野鬼. 厲鬼. 輿鬼. 疫鬼. 靈鬼. 愚鬼. 冤鬼. 幽鬼. 陰鬼. 疑心生暗鬼. 異域鬼. 人鬼. 赤鬼. 債鬼. 忠義鬼. 打鬼. 敝鬼. 瘧鬼. 恨鬼.

2 ⑫ [魀] 〔리〕
魑(鬼部 十一畫〈p. 2638〉)와 同字

3 ⑬ [鬽] 매(미[本]) [去]寘 明祕切 mèi
[字解] 도깨비 매 늙은 정물(精物). '以夏日至致地示物—'《周禮》.
[字源] 甲骨文  金文  別體  會意. 鬼+彡. '彡삼'은 귀신의 털. 늙은 도깨비의 뜻을 나타냄. '魅매'는 別體로 鬼+未〔音〕의 形聲. '未미'는 똑똑하지 않다의 뜻.

4 ⑭ [魀] 개 gà
[字解] 보행이바르지않을 개 보행(步行)이 바르지 아니함. '—, 同尬, 尲尬, 行不正也'《篇海》.

4 ⑭ [魁] [人名] 괴 [平]灰 苦回切 kuí
[字解] ①우두머리 괴 수령. '首—'. '殲厥渠—'《書經》. ②으뜸 괴 최초. 제일. '原涉爲—'《漢書》. ③클 괴 위대함. 웅대함. '始以薛公爲—然也'《史記》. ④편안할 괴 마음이 편안함. '猶之—然'《莊子》. ⑤별이름 괴 북두칠성의 첫째 별. 문운(文運)을 맡은 별로서, 과거에 응시하는 자는 이 별에 기도를 드렸다 함. 일설(一說)에는 북두칠성의 첫째에서 넷째까지의 네 별을 일컬음. 다섯째에서 일곱째까지의 세 별은 '杓'. '—星'. '—方杓'《後漢書》. ⑥언덕 괴 작은 구릉. '以爲—陵糞土'《國語》. ⑦흙덩이 괴 塊(土部 十畫)와 통용. '—然無徒, 廓然獨居'《漢書》. ⑧성 괴 성(姓)의 하나.
[字源] 篆文 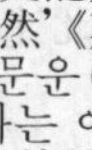 形聲. 斗+鬼〔音〕. '鬼귀'는 '유다르다'의 뜻. 커다란 국자의 뜻을 나타냄.

[魁甲 괴갑] 장원 급제(壯元及第)한 사람.
[魁健 괴건] 건장하고 기운이 셈.
[魁傑 괴걸] 걸출한 사람.
[魁閎 괴굉] 뛰어나고 큼.
[魁奇 괴기] 걸출(傑出)하여 보통 사람과 다름.
[魁黨 괴당] 악당(惡黨)의 괴수들.
[魁頭 괴두] 맨머리. 아무것도 쓰지 아니한 머리. 과두(科頭).
[魁壘 괴루] 괴안(魁岸).
[魁纍 괴루] 재촉하여 괴롭힘.

[魁陸 괴륙] 꼬막.
[魁陵 괴릉] 작은 구릉(丘陵). 언덕.
[魁柄 괴병] 국자의 자루. '권병(權柄)'의 비유.
[魁士 괴사] 걸출(傑出)한 선비.
[魁選 괴선] 과거에 장원으로 급제함.
[魁星 괴성] ㉠북두칠성(北斗七星)의 첫째 별. ㉡북두칠성의 첫째부터 넷째까지의 네 별.
[魁秀 괴수] 뛰어남. 빼어남.
[魁首 괴수] ㉠명대(明代)에 과거에 장원 급제 한 사람. ㉡악인(惡人)의 두목(頭目). 무뢰배(無賴輩)의 우두머리.
[魁帥 괴수] 두목.
[魁宿 괴숙] ㉠전부터 잘 아는 사이. ㉡노숙(老熟)한 사람.
[魁岸 괴안] 체격이 장대하고 풍채가 훌륭함.
[魁然 괴연] ㉠장대(壯大)한 모양. ㉡마음이 편안한 모양. ㉢고독하게 혼자 서 있는 모양.
[魁梧 괴오] 괴위(魁偉).
[魁偉 괴위] 장대(壯大)한 모양.
[魁壯 괴장] 모습이 건장하고 뛰어남.
[魁堆 괴퇴] 높은 모양.
[魁蛤 괴합] 살조개. 안다미조개.
[魁形 괴형] 큰 몸집.
◉巨魁. 渠魁. 怪魁. 黨魁. 大魁. 瑞草魁. 首魁. 芋魁. 雄魁. 元魁. 里魁. 賊魁. 酒魁. 八魁. 花魁. 俠魁.

4 ⑭ [鬾] 기 (平)支 渠羈切 jì
(上)紙 巨綺切
(去)寘 奇寄切

字解 ①수의 기 시신(屍身)에 입히는 옷. '—, 鬼服也'《說文》. ②아이귀신 기 전욱(顓頊)의 세 아들이 어려서 죽어 귀신이 되었는데, 그 가운데 방(房) 안에 있어 사람을 놀라게 하는 것을 아이 귀신이라 함. '—, 一曰, 小兒鬼'《說文》.
字源 形聲. 鬼+支〔音〕

4 ⑭ [鬿] 기 (平)微 渠希切 qí

字解 별이름 기 '九—'는 북두칠성(北斗七星). '訊九—與六神'《楚辭》.

4 ⑭ [魂] 高人 혼 (平)元 戶昆切 hún

筆順 一 二 云 云' 云白 云由 魂 魂

字解 ①넋 혼 ㉠사람의 정신. '靈—'. '我命絕今日, —去尸長留'《古詩》. ㉡영혼의 양(陽)에 속하는 부분. 음(陰)에 속하는 것은 '魄'이라 함. '人生始化曰魄, 旣生魄, 陽曰—'《左傳》. ㉢물건의 정신. '花—'. ②마음 혼 심정. '旅—'. '斷—'. '馳—魏闕'《許敬宗》. '費神傷—'《呂氏春秋》.
字源 篆文 篆文 形聲. 鬼+云〔音〕. '鬼귀'·'云운' 모두 비일상적(非日常的)인 것의 뜻. 사후의 영혼의 뜻을 나타냄. 또 '云'은 '돌다'의 뜻. 하늘 위를 뛰어 돌아다니는 넋의 뜻으로도 생각할 수 있음.

[魂氣 혼기] 정신. 영혼(靈魂).
[魂膽 혼담] 영혼. 마음.
[魂魄 혼백] 넋.
[魂飛魄散 혼비백산] 혼이 날아가고 백(魄)이 흩어진다는 뜻으로 몹시 놀람을 이름.
[魂爽 혼상] 영혼. 정령(精靈).
[魂殿 혼전] 임금이나 왕비의 국상 뒤에 3년 동안 신위를 모시는 궁전.
[魂魂 혼혼] ㉠많은 모양. ㉡찬란하게 빛나는 모양.
◉客魂. 怯魂. 驚魂. 孤魂. 九折魂. 羈魂. 斷魂. 亡魂. 夢魂. 反魂. 芳魂. 別魂. 商魂. 傷魂. 銷魂. 詩魂. 神魂. 心魂. 旅魂. 英魂. 靈魂. 冤魂. 雄魂. 幽魂. 遊魂. 遺魂. 吟魂. 離魂. 人魂. 入魂. 殘魂. 精魂. 鎭魂. 淸魂. 招魂. 蜀魂. 忠魂. 鬪魂. 香魂. 花魂.

4 ⑭ [䰟] 魂(前條)과 同字

5 ⑮ [魃] 人名 발 (入)曷 蒲撥切 bá

字解 ①가물귀신 발 가물을 맡은 신(神). '旱—爲虐'《詩經》. ②가물 발 가뭄. 오래 비가 안 오는 날씨.
字源 篆文 形聲. 鬼+犮〔音〕. '犮발'은 '제거하다'의 뜻. 지상의 생물을 제거하는 신, '가뭄의 신'의 뜻을 나타냄.

◉驕魃. 老魃. 暑魃. 炎魃. 妖魃. 旱魃.

5 ⑮ [魅] 人名 매(미本) (去)寘 明祕切 mèi

字解 ①도깨비 매 요괴(妖怪). '魑—'. '死老—'《後漢書》. ②호릴 매 남의 정신을 호리게 함. '—惑'. '容媚諂—'《孔叢子》.
字源 鬽의 別體 形聲. 鬼+未〔音〕

[魅力 매력] 마음을 호리어 끄는 힘.
[魅了 매료] 완전히 매혹(魅惑)함.
[魅虛 매허] 도깨비.
[魅狐 매호] 사람을 호리는 여우.
[魅惑 매혹] 남을 호리어 현혹하게 함.
◉蠱魅. 鬼魅. 魔魅. 魍魅. 木魅. 物魅. 射魅. 山魅. 魈魅. 野魅. 妖魅. 陰魅. 魑魅. 精魅. 衆魅. 諂魅. 狐魅.

5 ⑮ [魆] 휼 (入)物 許屈切 xū

字解 ①속일 휼 '—, 譎也'《字彙補》. ②갑자기 휼 '—, 猝然也'《字彙補》.

5 ⑮ [魄] 人名 ㊀ 백 (入)陌 普伯切 pò
㊁ 박 (入)藥 白各切 bó
㊂ 탁 (入)藥 他各切 tuò

字解 ㊀ ①넋 백 사람의 정신의 음(陰)에 속하는 부분. 양(陽)에 속하는 것은 '魂'이라 함. ②몸 백, 모양 백 형체. '其—兆乎民矣'《國語》. ③달 백, 달빛 백 월영(月影). '露巖淪曉—'《駱賓王》. 또 달의 윤곽의 빛이 없는 부분. '惟一月壬辰旁死—'('死—'은 달빛이 아주 소멸한 때, 곧 초하루이고, '旁死—'은 초이틀날)《書經》. ㊁ ①재강 박, 찌끼 박 '古人之糟—'《莊子》. ②넓을 박 薄(艸部 十三畫)과 통용. '旁—四塞'

《史記》. ㊂ 영락할 탁 영체(零替)함. '家貧落一'《史記》.

字源 篆文 形聲. 鬼+白〔音〕. '鬼귀'는 '영혼'의 뜻, '白백'은 생기를 잃다의 뜻. 육체에 깃들여 있다가, 죽으면 그 육체를 떠나서 땅으로 돌아가는 '넋'의 뜻을 나타냄.

◉驚魂動魄. 桂魄. 古人糟魄. 氣魄. 羈魄. 落魄. 杜魄. 亡魄. 旁魄. 死魄. 生魄. 蟾魄. 纖魄. 素魄. 心魄. 夜魄. 厲魄. 艷魄. 營魄. 靈魄. 玉魄. 妖魄. 圓魄. 月魄. 毅魄. 精魄. 地魄. 體魄. 蜀魄. 兎魄. 險魄. 形魄. 虎魄. 皓魄. 魂魄. 曉魄.

5 ⑮ [魅] ㊀ 치 ㊄寘 丑吏切 chì / ㊁支 抽知切 ㊁ 질 ㊅質 敕栗切

字解 ㊀ ①역신(疫神) 치 계춘(季春), 맹추(孟秋), 추동(秋冬)의 세 철에 음양(陰陽)의 기(氣)가 시체(屍體)의 기(氣)와 만나서, 사람에게 재앙과 역병(疫病)을 갖다 주는 귀신. '一, 厲鬼也'《說文》. ②도깨비 치 '一, 魑魅之類也'《玉篇》. ㊁ 역신 질, 도깨비 질 ㊀과 뜻이 같음.

字源 形聲. 鬼+失〔音〕

5 ⑮ [魌] 魅(前條)와 同字

5 ⑮ [䰟] 〔귀〕 鬼(部首〈p. 2634〉)의 古字

5 ⑮ [䰢] 갑 ㊅洽 古洽切 jiǎ

字解 숨어있는귀신 갑 숨어 있는 귀신. '一, 竊鬼'《字彙》.

6 ⑯ [䰠] 괴 ㊁灰 枯灰切 chì

字解 도깨비 괴 도깨비. 요괴. '剛山是多神一'《山海經》.

6 ⑯ [䰤] 귀 ㊄寘 俱位切 kuì

字解 크게볼 귀 크게 봄. 또, 그 모양. '一, 大視貌'《篇海》.

7 ⑰ [魈] 소 ㊁蕭 相邀切 xiāo

字解 도깨비 소 산의 요괴(妖怪). 또 목석(木石)의 요괴. 발이 하나이며 밤에 나와 사람을 침범한다 함. '山精, 形如小兒, 獨足向後, 夜喜犯人. 名曰一. 呼其名, 則不能犯'《抱朴子》.

字源 形聲. 鬼+肖〔音〕

[魈魅 소매] 발이 하나이며 밤에 나와 사람을 침범한다는 도깨비.

7 ⑰ [魓] 리 ㊃紙 良以切 lǐ

字解 악귀 리 악귀(惡鬼). 악한 귀신. '一, 惡鬼'《篇海》.

[醜] 〔추〕 酉部 十畫(p. 2360)을 보라.

8 ⑱ [魌] 동 ㊁東 都籠切 dōng

字解 ①추한모양 동 추한 모양. 보기 흉한 모양. '一, 一曰, 醜皃'《集韻》. ②귀신이사람죽일 동 귀신이 사람을 죽임. '一, 鬼殺人也'《玉篇》. ③귀신이름 동 귀신의 이름. '一, 鬼名'《集韻》.

8 ⑱ [魋] ㊀ 추 ㊁支 傳追切 chuí ㊁ 퇴 ㊁灰 杜回切 tuí

字解 ㊀ 몽치머리 추 머리를 뒤로 늘여 땋은 몽치 모양의 머리. 椎(木部 八畫)와 통용. '尉佗一結箕踞'《漢書》. ㊁ ①퇴(魋)곰 퇴 붉은 곰. 또, 곰 비슷한 신수(神獸). ②사람이름 퇴 인명(人名). '桓一'《論語》. ③성 퇴 성(姓)의 하나.

字源 篆文 形聲. 鬼+隹〔音〕. '隹추'는 꽁지 짧은 새의 뜻으로, 작고 통통하다의 뜻을 나타냄. 퇴(魋)곰을 이름.

[魋結 추결] 몽치 모양의 상투. 북상투.
[魋顏 퇴안] 장대한 얼굴.
[魋翕 퇴흡] 이마가 튀어나온 모양.
◉桓魋.

8 ⑱ [魍] 망 ㊃養 文兩切 wǎng

字解 도깨비 망 '一魎'은 산수(山水)·목석(木石)의 요괴(妖怪). '山林民可入, 一魎莫逢旃'《韓愈》.

字源 形聲. 鬼+罔〔音〕. '罔망'은 덮여 가려져서 보이지 않다의 뜻.

[魍魎 망량] 도깨비. 두억시니. 산수·목석의 요괴.
[魍魅 망매] 물속의 요괴.

8 ⑱ [魎] 량 ㊃養 良獎切 liǎng

字解 도깨비 량 魍(前條)을 보라. '魍一'.

字源 形聲. 鬼+兩〔音〕. '魍魎망량'은 '朦朧몽롱'과 마찬가지로 흐려서 똑똑하지 않음을 나타내는 의성어. 산천에 산다는 상상의 괴물의 뜻을 나타냄.

◉魍魎.

8 ⑱ [䰩] 격 ㊅錫 古歷切 guǐ

字解 비를맡은귀신 격 비를 맡은 귀신. '一, 雨鬼'《五音集韻》.

8 ⑱ [䰮] 기 ㊁支 渠羈切 qí

字解 아이귀신 기 아이 귀신. '一, 或从支'《集韻》.

8 ⑱ [魌] 기 ㊁支 去其切 qī

字解 ①못날 기 頍(頁部 八畫)와 同字. ②방상시 기 구나(驅儺)할 때 쓰는 탈의 하나. '一頭'. '冒熊皮者. 以驚毆疫癘之鬼, 如今一頭也'《周禮注》.

字源 形聲. 鬼+其〔音〕

8 ⑱ [䰩] 독 ㊀屋 丁木切 zhú

字解 추한머리 독 추한 머리. 보기 흉한 머리. '一, 醜頭'《字彙》.

8 ⑱ [魏] 人名 위 ㊁未 魚貴切 wèi

筆順 ㄷ 禾 委 委 委 委 魏 魏

字解 ①높을 위 巍(山部 十八畫)와 통용. '一闕之高'《淮南子》. ②나라이름 위 ㉠전국 시대(戰國時代)의 한 나라. 진(晉)나라의 대부(大夫) 위사(魏斯)가 진나라를 삼분하여 그중의 허난 성(河南省) 북부, 산시 성(山西省)의 서남부를 차지하여 창건하였는데, 후에 진(秦)나라에 멸망당하였음. ㉡삼국(三國)의 하나. 조조(曹操)의 아들 조비(曹丕)가 후한(後漢)에 대신하여 화북(華北)에 세운 왕조(王朝). 5주(主) 46년 만에 사마염(司馬炎)에게 양위(讓位)하여 망하였음. 이를 '曹一'라 함. (220~265) ㉢탁발규(拓跋珪)가 화북(華北)에 세운 왕조. 이를 '後一'라 함. 후에 '東一'·'西一'로 나뉘었는데, '東一'는 북제(北齊)에, '西一'는 북주(北周)에 멸망당하였음. (386~534) ③성 위 성(姓)의 하나.

字源 形聲. 鬼+委〔音〕

[魏闕 위궐] 높이 큰 문이란 뜻으로, 대궐의 정문. 전(轉)하여 조정.

[魏了翁 위료옹] 남송말(南宋末)의 유가(儒家)·정치가. 포강(蒲江) 사람. 자(字)는 화보(華父). 주자(朱子)의 문인(門人) 보광(輔廣)과 벗하여 경학(經學)에 통함. 각지의 지방관(地方官)을 역임(歷任)하면서 한편 서원(書院)을 세워 강의(講義)를 하였음. 〈학산전집(鶴山全集)〉 109권을 저술(著述)하였음.

[魏柳 위류] 버들잎과 같은 눈썹.

[魏武帝 위무제] 위(魏)나라의 무제(武帝). 곧 조조(曹操).

[魏文帝 위문제] 삼국(三國) 위(魏)나라의 초대(初代) 황제. 조조(曹操)의 장자. 이름은 비(丕). 후한(後漢) 헌제(獻帝)의 선위(禪位)를 받아 즉위(卽位)하여 뤄양(洛陽)에 도읍하였음. 아우 조식(曹植)과 함께 문학에 뛰어났음.

[魏相 위상] 한(漢)나라 선제(宣帝) 때의 재상. 자(字)는 약옹(弱翁). 곽광(霍光) 일족(一族)이 멸족(滅族)되고 친정(親政)이 행하여진 후 병길(丙吉)과 더불어 합심하여 정사(政事)를 도와 고평후(高平侯)에 피봉(被封)되었음.

[魏書 위서] 중국의 정사(正史)의 하나. 북제(北齊)의 위수(魏收)의 찬(撰). 130권. 위(魏)나라의 사실(史實)을 기술함. 논술(論述)이 불공평(不公平)하다 하여 예사(穢史)라 불리었음.

[魏舒 위서] 진(晉)나라 임성(任城) 사람. 무제(武帝) 때 사도(司徒)가 되어 위품(威品)과 덕망(德望)이 있었음.

[魏收 위수] 남북조(南北朝) 시대의 학자. 자(字)는 백기(伯起). 기경능문(機警能文)하여 북위말(北魏末)에 온자승(溫子昇)·형소(邢邵)와 더불어 북위 삼재(三才)라 일컬어지고 사관(史官)으로서 중용(重用)되었음. 북제(北齊)가 성립되자 칙명(勅命)으로 위서(魏書)를 찬(撰)하고 율령(律令)의 수개(修改), 예전 제정(禮典制定)에 공(功)이 많아서 벼슬이 상서우복야(尙書右僕射)에 이르렀음.

[魏魏 위위] 고대(高大)한 모양. 큰 모양.

[魏紫姚黃 위자요황] 목단(牧丹)의 딴 이름. 본시 위씨(魏氏)와 요씨(姚氏) 두 집에서 심었다는 데서 나온 말.

[魏徵 위징] 당(唐)나라 태종(太宗)의 명신(名臣). 자(字)는 현성(玄成). 간의대부(諫議大夫)·비서감(祕書監)이 되고 누진(累進)하여 간신(諫臣)으로서 태종을 잘 섬겼으며, 또 주서(周書)·수서(隋書)·북제서(北齊書)·양서(梁書)·진서(陳書)의 편찬에 관여하였음.

[魏忠賢 위충현] 명말(明末)의 환관(宦官). 희종(熹宗) 때 무뢰한(無賴漢) 출신으로 자궁(自宮)하여 환관이 되었는데, 유모(乳母) 봉성 부인(奉聖夫人) 객씨(客氏)와 사통(私通)하고 정사(政事)를 마음대로 하다가 다음 의종(毅宗) 때 탄핵(彈劾)을 받아 스스로 목매어 죽었음.

[魏孝文帝 위효문제] 북위(北魏)의 6대 황제. 탁발씨(拓跋氏). 이름은 굉(宏). 경학(經學)은 물론, 노불(老佛)에도 정통하고 문사(文詞)에도 능한 교양(敎養) 높은 군주로서, 즉위(卽位)한 뒤 문치(文治)를 크게 일으키고 북족(北族)의 한화(漢化) 정책을 강행(強行), 뤄양(洛陽)으로 도읍을 옮겼음.

◉東魏. 房魏. 三魏. 象魏. 西魏. 阿魏. 曹魏. 黃魏. 後魏.

9 ⑲ [䰬] 격 ㊀陌 古役切 jú

字解 고요할 격 고요함. 조용함. '一, 靜也'《篇海》.

9 ⑲ [䰫] ㊀ 차 ㊤馬 齒者切 chě
㊁ 도 ㊥虞 東徒切 dū

字解 ㊀ 추악할 차 나쁨. ㊁ 산귀(山鬼) 도 산에 사는 귀신. '一, 山鬼'《集韻》.

10 ⑳ [魕] 〔기〕
魕(鬼部 十二畫〈p. 2639〉)와 同字

11 ㉑ [魑] 리(치㊍) ㊥支 丑知切 chī 魑

字解 도깨비 리 산의 요괴. '一魅罔兩, 莫能逢之'《左傳》.

字源 篆文 形聲. 鬼+离〔音〕. '离치·리'는 짐승 모양을 한 산신(山神)의 뜻.

[魑魅 이매] 산의 요괴. 도깨비.

[魑魅魍魎 이매망량] 도깨비. 두억시니.

11 ㉑ [䰐] ㊀ 나 ㊥歌 諸何切 nuó
㊁ 나 ㊁箇 乃箇切
㊂ 뇨 ㊥肴 尼交切
㊃ 난 ㊁翰 乃旦切

字解 ㊀ ①도깨비보고놀라는소리 나 '一, 纂文云, 人値鬼驚聲'《廣韻》. ②구나(驅儺) 나 儺(人部 十九畫)와 同字. '一, 驚毆疫癘之鬼也'《玉篇》. ㊂ 도깨비보고놀라는소리 뇨, 구나 뇨 ㊀과

뜻이 같음. 二 도깨비보고놀라는소리 난, 구나 난 一과 뜻이 같음.
字源 形聲. 鬼＋難〈省〉〔音〕

11 ㉑ [魔] 人名 마 ㊥歌 莫婆切 mó

字解 ①마귀 마 악귀. '惡一'. '病一'. '我墮疑網, 故謂是一所爲'《法華經》. ②마술 마 요술. '一術'. '一法'. '師巫一嫗'《南史》. ③인 마 몸에 밴 좋아하는 버릇. '酒一'. '詩一'.
字源 篆文 形聲. 鬼＋麻〔音〕. '麻마'는 범어 māra의 음역. 사람을 호리는 마귀의 뜻에서 '鬼귀'를 더함.

[魔境 마경] 마계(魔界).
[魔界 마계] 마귀(魔鬼)의 세계. 악마가 사는 곳.
[魔魁 마괴] 악마의 수괴(首魁).
[魔軍 마군] 마귀의 떼.
[魔窟 마굴] ㉠마계(魔界). ㉡악(惡)한 자(者)들이 모인 곳. 또, 매음녀(賣淫女)가 있는 데.
[魔鬼 마귀] 못된 잡귀. 악귀(惡鬼).
[魔力 마력] 마술의 힘. 또 사람을 호리는 이상한 힘.
[魔魅 마매] 도깨비.
[魔法 마법] 요술(妖術).
[魔法師 마법사] 요술(妖術) 쟁이.
[魔術 마술] 요술(妖術).
[魔王 마왕] 악마(惡魔)의 왕(王). 마귀(魔鬼)의 우두머리.
[魔障 마장] 수행 득도(修行得道)하는 데 장애가 되는 것.
◉斷末魔. 夢魔. 百魔. 病魔. 伏魔. 死魔. 邪魔. 色魔. 睡魔. 詩魔. 心魔. 惡魔. 業魔. 閻魔. 妖魔. 諸魔. 酒魔. 衆魔. 天魔. 降魔.

12 ㉒ [蘉] 기 ㊥微 渠希切 qí / ㊤尾 擧豈切

字解 ①귀신을제사하여복을구하는풍습 기 '一, 鬼俗也. …淮南傳曰, 吳人鬼, 越人一'《說文》. ②남쪽귀신 기 '一, 南方之鬼曰一'《集韻》.
字源 形聲. 鬼＋幾〔音〕

12 ㉒ [魕] 蘉(前條)와 同字

12 ㉒ [鐙] 등 ㊥蒸 徒登切 téng

字解 공중의귀신 등 공중(空中)의 귀신. '一, 空中鬼'《篇海》.

12 ㉒ [魊] 율 ㊀質 其律切 jú

字解 ①머리없는귀신 율 머리 없는 귀신. '一, 無頭鬼'《玉篇》. ②미친귀신 율 미친 귀신. 僪(人部 十二畫)과 同字.

12 ㉒ [鬽] 魊(前條)과 同字

12 ㉒ [魖] 허 ㊥魚 朽居切 xū

字解 역귀 허 유행병을 맡은 귀신. '梢夔一而抶獝狂'《漢書》.
字源 篆文 形聲. 鬼＋虛〔音〕. '鬼귀'는 '귀신', '虛허'는 '헛되다'의 뜻. '역귀'의 뜻을 나타냄.

13 ㉓ [魕] 거 ㊧寘 魚記切 jù

字解 두려워할 거 두려워함. 무서워함. '一, 恐也'《龍龕手鑑》.

14 ㉔ [醜] 一 유 ㊥虞 人朱切 rú / 二 누 ㊥尤 奴鉤切 rú

字解 一 귀신울음소리 유 '一, 鬼魌聲'《說文》. 二 귀신울음소리 누 一과 뜻이 같음.
字源 形聲. 鬼＋需〔音〕

14 ㉔ [魗] 一 추 ㊤有 昌九切 chǒu / 二 수 ㊥尤 市流切 chóu

字解 一 미워할 추 醜(酉部 十畫)와 통용. '無我一兮'《詩經》. 二 미워할 수 一과 뜻이 같음.
字源 形聲. 鬼＋壽〔音〕

14 ㉔ [魑] 〔나·난〕 魋(鬼部 十一畫〈p.2638〉)의 本字

14 ㉔ [魘] 一 염 ㊤琰 於琰切 yǎn / 二 엽(압俗) ㊀葉 於葉切 yǎn

字解 一 잠꼬대할 염. 二 가위눌릴 엽 꿈에 무서운 것을 보고 놀람. '夜深忽驚一'《梅堯臣》.
字源 篆文 形聲. 鬼＋厭〔音〕. '厭염'은 '누르다'의 뜻. 정체 모를 것에 눌리다, 가위눌리다의 뜻을 나타냄.

◉驚魘. 夢魘. 昏魘.

18 ㉘ [鬻] 구 qú

字解 버금갈 구 버금감. 다음감. '一, 亞也'《篇海》.

22 ㉜ [夔] 기 ㊥支 渠追切 kuí

字解 물속도깨비 기 '罔兩·罔象·山魈·水一之怪, 來遊人間者, 皆非所謂神也'《王廷相》.

魚 (11획) 部
〔물고기어부〕

0 ⑪ [魚] 中人 一 어 ㊥魚 語居切 yú / 二 오 ㊥虞 訛胡切

筆順 ノ ク 𠂊 𠂊 角 角 角 魚 魚

字解 一 ①고기 어 물고기. '一類'. '一躍于淵'《詩經》. 또 그 가죽. '象弭一服'《詩經》. ②어대(魚袋) 어 관리가 차는, 고기 모양을 한 패물(佩物). '緋衣銀一'《遼史》. ③말 어 두 눈이 흰

말. '有驔有一'《詩經》. ④고기잡을 어 漁(水部 十一畫)와 통용. '觀一者'《左傳》. 또, 고기를 잡는 사람. 어부. 또는, 그 직업. '膠鬲擧一鹽之中'《孟子》. ⑤성 어 성(姓)의 하나. 二 나 오 吾(口部 四畫)와 통용. '姬, 一語汝'(姬는 居)《列子》.

字源 甲骨文 金文 篆文 象形. 물고기를 본떠 '물고기'의 뜻을 나타냄.

參考 ①'魚어'를 의부(意符)로 하여, 물고기의 명칭이나 물고기를 가공한 것 등을 나타내는 문자를 이룸. 부수 이름은 '고기어변'. ②奐(次條)는 略字.

[魚竿 어간] 낚싯대.
[魚肝油 어간유] 신선(新鮮)한 생선의 간장(肝臟)에서 짜낸 기름.
[魚介 어개] 어류(魚類)와 패류(貝類).
[魚繭 어견] 어전(魚箋)과 견전(繭箋). 둘 다 종이의 이름.
[魚貫 어관] 물고기를 꼬치에 꿴 것처럼 죽 늘어섬.
[魚狗 어구] '물총새'의 별칭(別稱).
[魚潰鳥散 어궤조산] 물고기나 새처럼 산지사방으로 도망함.
[魚袋 어대] 당대(唐代)에 오품(五品) 이상의 관리가 어부(魚符)를 넣어 차는 주머니. 송대(宋代)에 이르러서는 다만 장식으로만 쓰였음.
[魚隊 어대] 고기 떼.
[魚毒 어독] 어육(魚肉) 중에 있는 독.
[魚頭鳳尾 어두봉미] 맛이 썩 좋은 음식(飮食).
[魚頭肉尾 어두육미] 생선은 대가리, 짐승은 꼬리가 맛있다는 말.
[魚燈 어등] 어유(魚油)를 쓰는 등잔.
[魚卵 어란] 민어·숭어 등의 생선의 알.

[魚袋]

[魚爛 어란] 물고기가 썩어 문드러짐. 국가 내부에서부터 부패하여 망해 들어감의 비유.
[魚爛土崩 어란토붕] 고기는 썩어 문드러지고 쌓인 흙은 무너진다는 뜻으로, 백성이 이산(離散)하고 강기(綱紀)가 해이(解弛)해짐을 이름.
[魚梁 어량] 물이 한 군데로만 흐르도록 물살을 막고 그곳에 통발을 놓아 고기를 잡는 장치.
[魚儷 어려] 비늘처럼 차례로 늘어섬.
[魚魯不辨 어로불변] 어(魚) 자와 노(魯) 자를 분변(分辨)하지 못한다는 뜻으로, 곧 무식(無識)함을 이름.
[魚籠 어롱] 물고기를 잡아서 담는 종다래끼.
[魚類 어류] 척추동물(脊椎動物)에 속하는 한 강(綱). 아가미로 호흡하고 대개 지느러미와 부레가 있어서 물속을 헤엄쳐 다님.
[魚鱗 어린] ㉠물고기의 비늘. ㉡비늘처럼 죽 늘어섬. ㉢진형(陣形)의 하나. 물고기의 비늘을 늘어놓은 것 같은 진(陣)으로, 적(敵)을 향하여 '∧' 형임.

[魚鱗㉢]

[魚鱗冊 어린책] 토지 측량의 원부(原簿).
[魚鱗鶴翼 어린학익] 어린(魚鱗)의 진(陣)과 학의 날개를 편 것 같은 진.
[魚網鴻離 어망홍리] 물고기를 잡으려고 친 그물에 기러기가 걸림. 구하는 물건은 얻지 못하고 엉뚱한 물건을 얻음의 비유. '離'는 걸림의 뜻.
[魚物 어물] ㉠잡은 물고기의 총칭. ㉡생선을 말린 것.
[魚米 어미] ㉠물고기와 쌀. ㉡생선으로 쌀을 바꾸어 먹음.
[魚白 어백] 생선의 배 속에 있는 이리.
[魚變成龍 어변성룡] 곤궁(困窮)하던 사람이 부귀(富貴)하게 된 것을 이름.
[魚鼈 어별] ㉠물고기와 자라. ㉡수산(水産)의 생물.
[魚服 어복] 어복(魚箙).
[魚腹 어복] 물고기의 배.
[魚箙 어복] 물고기의 껍질을 입힌 전동(箭筒).

[魚箙]

[魚符 어부] 당(唐)나라 때 발병(發兵)·징발(徵發)·주부(州府) 장관(長官) 교체(交替) 등의 신표(信標)로 혹은 귀천(貴賤)을 분별하고 소명(召命)에 응(應)할 때의 표로서 내어 주는 부신(符信). 물고기 모양으로 관등(官等)에 따라 옥(玉)·금(金)·동(銅)으로 만드는데 어대(魚袋)에 넣어 몸에 지님.
[魚肥 어비] 어류를 말려 만든 거름.
[魚山 어산] 불경(佛經)의 게송(偈頌)에 곡을 붙인 노래. 범패(梵唄)의 하나임.
[魚蔬 어소] 생선과 채소. 물고기와 푸성귀.
[魚屬 어속] 어류(魚類).
[魚水 어수] 물고기와 물과의 관계처럼, 군신이나 부부간의 친밀한 관계를 이름.
[魚須 어수] 상어의 수염. 옛날에 홀(笏)의 장식으로 썼음.
[魚水契 어수계] 부부(夫婦) 또는 군신(君臣)간의 서로 믿고 의지하는 깊은 정분.
[魚水親 어수친] 서로 떨어질 수 없는 친한 사이.
[魚菽之祭 어숙지제] 물고기와 콩을 차려 놓고 지내는 제사. 제수(祭需)가 변변치 못한 제사.
[魚豕 어시] 노(魯)를 어(魚)로 잘못 씀과 같이 해(亥)를 시(豕)로 잘못 보는 일. 곧 문자(文字)의 틀림.
[魚失水 어실수] 물고기가 물을 잃었다는 뜻으로, 곤궁한 사람의 의지할 데 없음의 비유.
[魚牙 어아] ㉠생선의 중매인(仲買人). ㉡비단의 이름.
[魚眼 어안] ㉠고기의 눈. ㉡물이 끓어 거품이 이는 형용.
[魚鹽 어염] 어류와 소금.
[魚鹽柴水 어염시수] 생선·소금·땔나무·물, 곧 생활에 필요한 물건의 총칭.
[魚鹽之利 어염지리] 생선을 잡고 소금을 구워 버는 해변의 이익.
[魚鹽之中 어염지중] 생선과 소금을 파는 곳.
[魚鹽之地 어염지지] 바닷가의 어류가 많고 제염(製鹽)하기 좋은 땅.
[魚油 어유] 물고기에서 짜낸 기름.
[魚游釜中 어유부중] 솥 안에서 물고기가 논다는 뜻으로, 사람이 죽음이 임박한 줄도 모르고 삶의 비유.
[魚肉 어육] ㉠생선의 고기와 짐승의 고기. ㉡생선의 고기. 전(轉)하여 참살(斬殺)당함의 비유.
[魚衣 어의] 물고기의 가죽으로 장식한 옷.
[魚子 어자] 물고기의 알. 어란(魚卵).
[魚醬 어장] 절인 고기. 어해(魚醢).
[魚莊蟹舍 어장해사] 물고기나 게를 잡는 어부(漁夫)의 집. 어호(魚戶).

[魚釣 어조] 낚시질. 조어(釣魚).
[魚朝恩 어조은] 당(唐)나라의 환관(宦官). 대종(代宗) 때 천하 관군용선위처치사(天下觀軍容宣慰處置使)가 되고 금군(禁軍)을 통어(統御)하여, 그 세력은 조야(朝野)를 흔들었음. 대종(代宗)은 그 발호(跋扈)를 미워하여 이를 액살(縊殺)하였음.
[魚族 어족] 물고기의 종족. 어류(魚類).
[魚質龍文 어질용문] 외모는 용 같으나 실질은 물고기라는 뜻으로, 외양과 내용이 대단히 틀림을 이름.
[魚饌 어찬] 생선으로 만든 음식.
[魚脯 어포] 생선의 살을 얇게 저미어 말린 것.
[魚鰾膠 어표교] 부레풀.
[魚蝦 어하] 물고기와 새우.
[魚鰕 어하] 어하(魚蝦).
[魚缸 어항] ㉠물고기를 기르는 데 쓰는 유리로 만든 항아리. ㉡물고기를 잡는 데 쓰이는, 유리로 만든 통발 모양의 기구.
[魚醢 어해] 절인 물고기.
[魚軒 어헌] 물고기나 짐승의 가죽으로 장식한 제후(諸侯)의 부인의 수레.
[魚戶 어호] 어부의 집.
[魚虎 어호] ㉠악어(鰐魚)와 범. ㉡물총새·비취(翡翠)의 딴 이름. ㉢복어의 일종(一種).
[魚膾 어회] 도미·민어·병어 등의 생선의 살을 잘게 썰어 초고추장에 찍어 먹는 음식. 생선회.
◉嘉魚. 乾魚. 京魚. 鯨魚. 枯魚. 棘鬣魚. 金魚. 魯魚. 鱸魚. 獺祭魚. 淡水魚. 大魚. 蠹魚. 木魚. 文魚. 魴魚. 白魚. 鰒魚. 釜魚. 釜中生魚. 釜中魚. 鮒魚. 生魚. 鮮魚. 小魚. 松魚. 水魚. 水至淸則無魚. 信及豚魚. 新魚. 雙魚. 雙鯉魚. 鰐魚. 殃及池魚. 養魚. 緣木求魚. 熱帶魚. 鼇魚. 烏賊魚. 爲淵毆魚. 游魚. 衣魚. 人魚. 雜魚. 鳥魚. 釣魚. 池魚. 蟲魚. 稚魚. 打魚. 呑舟魚. 鮑魚. 河魚. 鹹水魚. 海魚. 香魚. 懸魚. 鰈魚. 活魚.

0 ⑩ [臭] 魚(前條)의 略字

0 ⑧ [鱼] 魚(前前條)의 簡體字

1 ⑫ [魞] 알 ㉧黠 乙黠切 yà
字解 자가사리 알 자가사리. 앙알(鰊魞). 퉁가릿과의 민물고기. '一, 鰊一, 魚名'《集韻》.

2 ⑬ [魝] ■ 결 ㉧屑 古屑切 jié
■ 계 ㉸霽 吉詣切 jì
■ 수 ㉬虞 雙雛切
字解 ■ ①물고기썰 결 물고기를 요리함. '一, 楚人謂治魚也'《說文》. ②가를 결, 벨 결 '一, 劊也'《廣雅》. ■ 풀 계 '一, 解也'《集韻》. ■ 가를 수 쨈. '一, 劊也'《集韻》.
字源 會意. 魚+刂(刀)

2 ⑬ [魜] 인 ㉬眞 而眞切 rén
字解 ①물고기이름 인 '一, 魚也'《玉篇》. ②인어(人魚) 인 인어. '一, 按鯢魚, 卽海中人魚'《正字通》.

2 ⑬ [魛] 도 ㉬豪 都牢切 dāo 魛
字解 웅어 도 멸칫과에 속하는 물고기의 하나. 모양이 긴 칼 비슷함. 제어(鮆魚). 위어(葦魚).
字源 形聲. 魚+刀〔音〕. '刀도'는 '칼'의 뜻.

[魛魚 도어] 웅어.

3 ⑭ [魟] ■ 공 ㉬東 古紅切 gōng
■ 홍 ㉬東 呼東切 hóng
■ 강 ㉬江 古雙切
字解 ■ ①물고기이름 공 ㉠자라 비슷한 민물고기. '一, 河魚. 似鼈'《廣韻》. ㉡박쥐 비슷하고 비늘이 없는 물고기. '一, 海魚·無鱗, 狀如蝙蝠, 大者如車輪'《六書故》. ㉢'白一'은 피라미. '一, 一白魚'《廣韻》. ㉣참게 비슷한 물고기. '一, 鰤一, 江蟲. 形似蟹可食'《廣韻》. ②물고기살찔 공 '一, 一日, 魚肥'《集韻》. ■ 물고기이름 홍, 물고기살찔 홍 ■과 뜻이 같음. ■ 물고기이름 강 '一鰤'은 참게 비슷한 물고기의 이름. '一, 一鰤, 水蟲名'《集韻》.

3 ⑭ [魢] 글 ㉧物 居乞切 qì
字解 ①물고기헤엄칠 글 '一, 魚游也'《集韻》. ②물고기벨 글 '一, 斷魚'《玉篇》. ③물고기이름 글 '一, 一日, 魚名'《集韻》.

3 ⑭ [魠] 탁 ㉧藥 他各切 tuō
字解 자가사리 탁 황협어(黃頰魚). '鰅鰫鰬一'《司馬相如》.
字源 篆文 形聲. 魚+乇〔音〕

3 ⑭ [魡] ■ 적 ㉧錫 都歷切 dí
■ 조 ㉸嘯 多嘯切 diào
字解 ■ 고기그물에걸 적 '一, 繫魚也'《集韻》. ■ 낚을 조 釣(金部 三畫)와 同字. '一魚閒處'《莊子》.
字源 形聲. 魚+勺〔音〕

4 ⑮ [魯] 人名 로 ㉤襄 郎古切 lǔ 魯
筆順 ノ 𠂊 𠂊 角 鱼 魚 魚 魯 魯
字解 ①미련할 로 둔하고 어리석음. '一鈍'. '參也一'《論語》. ②노나라 로 주대(周代)의 국명(國名). 주(周)나라 무왕(武王)의 아우 주공(周公) 단(旦)이 봉함을 받은 나라. 지금의 산동성(山東省) 연주부(兗州府) 지방. ③성 로 성(姓)의 하나.
字源 甲骨文 金文 篆文 形聲. 日(白)+魚〔音〕. '魚어'는 '鹵로'와 통하여 쓸모없는 미련퉁이의 뜻. '白백'은 입을 본뜬 것. '白'은 甲骨文에서는 '口구'. 말씨가 둔하다, 미련하다의 뜻을 나타냄.

[魯男子 노남자] 여색(女色)을 좋아하지 아니하

는 사람의 일컬음.
[魯鈍 노둔] 재주가 둔(鈍)함. 미련함.
[魯論 노론] 한대(漢代)에 노(魯)나라에 전(傳)한 논어(論語). 현존하는 논어는 이 계통의 책이라 함.
[魯朴 노박] 어리석고 소박함.
[魯般雲梯 노반운제] 노반(魯般)은 주대(周代)에 기계(器械)를 잘 만든 사람. 초왕(楚王)의 명을 받아 송(宋)나라를 칠 때 운제(雲梯)를 만들어서 성 위에 올라간 것을 묵자(墨子)가 방어했다는 고사(故事).
[魯桑 노상] 중국 원산(原產)의 뽕나무의 한 가지.
[魯叟 노수] 공자(孔子)를 이름. 공자는 노(魯)나라 사람, 수(叟)는 장로(長老)의 일컬음.
[魯迅 노신] 민국(民國)의 문호(文豪). 신문예(新文藝) 발흥(勃興)에 크게 진력하여 후진 작가(後進作家)에게 큰 영향을 줌. 창작·사회 비평·해외 문학 소개 등으로 널리 활약하였으며, 〈아큐정전(阿Q正傳)〉·〈중국소설사략(中國小說史略)〉 등 많은 저서가 있음.
[魯陽之戈 노양지과] 노양공(魯陽公)이 창으로 해를 불러오게 한 고사(故事). 세력이 성함을 이름.
[魯魚之誤 노어지오] 글자의 오사(誤寫). 노(魯)자와 어(魚)자가 비슷하므로 이름.
[魯酒 노주] 맛이 없는 술. 싱거운 술. '차조(次條)' 참조.
[魯酒薄而邯鄲圍 노주박이한단위] 전국 시대에 노(魯)·조(趙) 두 나라가 술을 초(楚)나라에게 바칠 때 노나라의 술은 싱겁고 조나라의 술은 독하므로 노나라의 사자(使者)가 술을 바꾸어 놓은 것을 초왕(楚王)이 알지 못하고 조나라의 술이 싱겁다 하여 조나라의 서울 한단(邯鄲)을 포위한 고사(故事). 전(轉)하여, 남 때문에 뜻밖의 재난을 당함을 이름.
[魯仲連 노중련] 전국(戰國) 시대 제(齊)나라의 변사(辯士). 고절(高節)의 선비로서 조(趙)나라 평원군(平原君)을 설복(說伏)하여 진(秦)나라를 황제(皇帝)로 섬기지 못하게 하였음.
[魯直 노직] 지나치게 정직함. 고지식함.
[魯縞 노호] 노(魯)나라에서 나는 고운 명주.
◉東魯. 朴魯. 淳魯. 魚魯. 頑魯. 愚魯. 椎魯.

4 ⑮ [魥] 겁 [入]葉 去劫切 qiè

[字解] 말린고기 겁 댓가지에 꿰어 말린 물고기.
[字源] 形聲. 魚+及〔音〕

4 ⑮ [魬] 반 [上]潸 扶板切 bǎn

[字解] 가자미 반 가자밋과에 속하는 바닷물고기. 모양은 넓적하고 긴 타원형임. 접어(鰈魚). 일설(一說)에는 넙치. 비목어(比目魚).
[字源] 形聲. 魚+反〔音〕

4 ⑮ [魪] 개 [去]卦 古拜切 jiè

[字解] 넙치 개 '兩—'는 가자밋과에 속하는 바닷물고기. 모양은 넓적하고 긴 타원형임. 넙치. 비목어(比目魚). 일설(一說)에는 가자미. 접어(鰈魚). '罩兩—'《左思》.
[字源] 形聲. 魚+介〔音〕

◉兩魪.

4 ⑮ [䰳] 魪(前條)의 訛字

4 ⑮ [魭] [一] 원 [平]元 愚袁切 yuán
[上]旱 五管切 wǎn
[二] 완 [去]翰 五換切

[字解] [一] 자라 원 黿(黽部 四畫)과 同字. [二] 규각없을 완 '—斷'은 규각(圭角)이 없는 모양. 모지지 않은 모양. '不免於—斷'《莊子》.
[字源] 形聲. 魚+元〔音〕

[魭斷 완단] 자해(字解)[二]를 보라.

4 ⑮ [䰼] [一] 심 [平]侵 昨淫切 qín
[上]寢 式荏切
[二] 잠 [上]感 徂感切
[上]寢 牛錦切 yín
[三] 음 [平]侵 魚音切
[四] 건 [平]眞 渠巾切

[字解] [一] 젓 심 작은 물고기를 절인 것. '—, 鲝也'《說文》. [二] 젓 잠 [一]과 뜻이 같음. [三] ①젓 음 [一]과 뜻이 같음. ②물고기이름 음 자라 비슷한 물고기의 이름. '—, 魚名, 似鼈'《集韻》. [四] 벌레이름 건 '—, 蟲連行紆行者'《集韻》.
[字源] 形聲. 魚+今〔音〕

4 ⑮ [䰲] 공 [平]東 沽紅切 gōng

[字解] ①홍어 공 홍어(魟魚). '—, 或从工'《集韻》. ②물고기이름 공 물고기 이름. 게 비슷한 물고기. '—, —鰤, 魚名, 似鱟'《集韻》.

4 ⑮ [魨] 돈 [平]元 徒渾切 tún

[字解] 복 돈 참복과에 속하는 바닷물고기의 총칭. 하돈(河豚). '河—狀如科斗, 大者尺餘, 背色青白, 有黃縷'《本草集解》.
[字源] 形聲. 魚+屯〔音〕

4 ⑮ [魴] 방 [平]陽 符方切 fáng

[字解] ①방어 방 전갱잇과에 속하는 바닷물고기. ②성 방 성(姓)의 하나.
[字源] 篆文 魴 籀文 鰟 形聲. 魚+方〔音〕. 籀文은 魚+旁〔音〕

[魴魚 방어] 전갱잇과의 바닷물고기.
[魴魚赬尾 방어정미] 방어의 꼬리는 본시 희나 피로하면 꼬리가 붉어지므로, 사람이 너무 피로하여 초췌해짐을 이름.

4 ⑮ [魶] 납 [入]合 奴荅切 nà

[字解] 도롱뇽 납 양서류(兩棲類)에 속하는 동물

의 한 가지. 도마뱀 비슷함. 산초어(山椒魚). '禹禺鱸—'《史記》.
字源 形聲. 魚+內〔音〕

4 ⑮ [魰] 어 ㊥魚 牛居切 yú
字解 물고기잡을 어 漁(水部 十一畫)와 同字. '逞欲畋—'《張衡》.

4 ⑮ [魰] 문 ㊥文 無分切 wén
字解 가물치 문, 날치 문 '—, 魚名'《集韻》.

4 ⑮ [魧] ━ 강 ㊥陽 古郎切 ═ 항 ㊥陽 寒剛切 ㊤養 下朗切 háng
字解 ━ ①큰조개 강 '—, 大貝也'《說文》. ②물고기기름 강 '—, 一日, 魚膏'《說文》. ③자가사리 강 '—, 魠也'《廣雅》. ④물고기뼈 강 '—, 一日魚骨'《集韻》. ═ 큰조개 항, 물고기기름 항, 자가사리 항, 물고기뼈 항 ━과 뜻이 같음.
字源 形聲. 魚+亢〔音〕

4 ⑮ [魧] 魧(前條)의 訛字

4 ⑮ [魩] 부 ㊥虞 風無切 fū
字解 물고기이름 부 '—, 鯕魚. 出東萊'《說文》.
字源 形聲. 魚+夫〔音〕

4 ⑮ [魫] ━ 심 ㊤寢 式荏切 shěn ═ 침 ㊥侵 持林切
字解 ━ ①물고기알 심 '—, 魚子'《廣韻》. ②물고기머리뼈 심 침골(枕骨). '—, 魚腦骨曰枕'《正字通》. ═ 물고기알 침, 물고기머리뼈 침 ━과 뜻이 같음.

4 ⑮ [魦] 〔사〕 鯊(魚部 七畫〈p. 2648〉)와 同字
字源 篆文 形聲. 魚+沙〈省〉〔音〕. '沙사'는 '모래'. 모래를 불어 뿜는 작은 물고기의 뜻을 나타냄.

4 ⑮ [鯊] 魦(前條)와 同字

4 ⑮ [魳] 〔사〕 鰤(魚部 十畫〈p. 2653〉)와 同字

4 ⑮ [魲] 〔로〕 鱸(魚部 十六畫〈p. 2657〉)의 俗字

5 ⑯ [魼] 거 ㊥魚 去魚切 qū
字解 가자미 거 가자밋과에 속하는 바닷물고기. 접어(鰈魚). 일설(一說)에는 넙치. 비목어(比目魚). '禺禺—鰨'《漢書》.
字源 篆文 形聲. 魚+去〔音〕

5 ⑯ [鮀] 타 ㊥歌 徒河切 tuó
字解 ①모래무지 타 잉엇과에 속하는 민물고기. 사어(鯊魚). '—魚生湖畔土窟中'《本草圖經》. ②메기 타 '—, 鮎也'《說文》.
字源 篆文 形聲. 魚+它〔音〕. '它타'는 '뱀'으로, 뱀과 비슷한 모양을 나타냄.

5 ⑯ [鮃] 평 ㊥庚 符兵切 píng
字解 넙치 평 가자밋과에 속하는 바닷물고기. 몸은 넓적하고, 두 눈은 몸의 왼쪽에 있음. 비목어(比目魚).
字源 形聲. 魚+平〔音〕. '平평'은 '평평하다'의 뜻. 눈이 있는 쪽을 위로 향하고 납작하게 누워 있는 '넙치'의 뜻을 나타냄.

5 ⑯ [鮋] ━ 유 ㊥尤 於虯切 yǒu ㊤有 於柳切 ═ 요 ㊥蕭 於堯切 yǒu
字解 ━ 노랑횟대 유 둑중갯과(科)에 속하는 횟대의 일종. 얕은 물의 바위틈에 살며, 다섯 줄의 가로줄이 있음. 두부(杜父). 황유어(黃鮋魚). ═ 연어(鰱魚) 요 '—, 鰱魚也'《玉篇》.
字源 篆文 形聲. 魚+幼〔音〕

5 ⑯ [魾] 비 ①㊥支 貧悲切 pí ②㊥支 頻脂切 pí
字解 ①큰메기 비 '—, 大鱯也'《說文》. ②방어 비 '魴, —'《爾雅》.
字源 形聲. 魚+丕〔音〕

5 ⑯ [鮇] 미 ㊦未 無沸切 wèi
字解 곤들매기 미 연어과에 속하는 민물고기. 송어 비슷한데 몸은 작고 암황갈색임. 가어(嘉魚).
字源 形聲. 魚+未〔音〕

5 ⑯ [鮎] 점 ㊥鹽 奴兼切 nián
字解 메기 점 메깃과에 속하는 민물고기. 입이 몹시 크고, 네 개의 긴 수염이 있음. 언어(鰋魚).
字源 篆文 形聲. 魚+占〔音〕

5 ⑯ [鮔] 거 jù
字解 물고기이름 거 물고기 이름. '—, 魚名'《篇海類編》.

5 ⑯ [鮈] 구 ㊥虞 恭于切 jū
字解 ①물고기이름 구 물고기 이름. '—鱴—, 魚名'《集韻》. ②사람이름 구 사람 이름. '子鮒—立'《史記》.

5 ⑯ [鮏] 성 ㊥青 桑經切 xīng

[字解] 비릴 성 물고기의 냄새가 남.
[字源] 篆文 形聲. 魚+生〔音〕. '生생'은 '날것'의 뜻. 날생선의 냄새, '비리다'의 뜻을 나타냄.
[參考] 鯹(魚部 九畫)은 同字.

5 ⑯ [鮐] 태 [平]灰 土來切 tái

[字解] 복 태 참복과에 속하는 바닷물고기의 총칭. 내장에 맹독(猛毒)이 있음. 하돈(河豚).
[字源] 篆文 形聲. 魚+台〔音〕

[鮐背 태배] 늙은이. 노인(老人). 노인의 등은 복생선과 같은 점(點)이 생기기 때문에 이름.

5 ⑯ [鮒] 함 [平]覃 胡甘切 hán

[字解] 새꼬막 함 새꼬막. 꼬마피안다미조개. '一, 蛤也'《集韻》.

5 ⑯ [鮑] [人名] 포 [上]巧 薄巧切 bào

[字解] ①절인어물 포 소금에 절인 물고기. '以一石一魚亂其臭'《十八史略》. ②혁공(革工) 포 鞄(革部 五畫)와 통용. '攻皮之工, 函一'《周禮》. ③전복 포 '一, 若今俗所呼一魚. 讀若砲. 卽屬腹足類之石決明也'《中華大字典》. ④성 포 성(姓)의 하나.
[字源] 金文 篆文 形聲. 魚+包〔音〕

[鮑肆 포사] '포어지사(鮑魚之肆)'의 준말.
[鮑叔 포숙] '포숙아(鮑叔牙)'의 약(略).
[鮑叔牙 포숙아] 춘추(春秋) 시대 제(齊)나라의 대부(大夫). 양공(襄公)의 아들 소백(小白)을 보좌(輔佐)하여 소백이 제왕(齊王)이 된 뒤 그 지우(知友) 관중(管仲)을 재상(宰相)으로 천거(薦擧)함. '관포지교(管鮑之交)'를 보라.
[鮑魚 포어] ㉠절인 어물. ㉡전복.
[鮑魚之肆 포어지사] ㉠건어물(乾魚物)을 파는 가게. ㉡소인배(小人輩)들이 모이는 곳의 비유.
[鮑照 포조] 남조(南朝) 송(宋)나라의 시인. 임해왕(臨海王)의 아들 진(瑱)이 형주(荊州)를 다스릴 때 그 참군(參軍)이 되었으므로 포참군(鮑參軍)이라 일컬어짐. 시(詩)는 사영운(謝靈運)과 함께 포사(鮑謝)로 병칭(竝稱)됨.

5 ⑯ [鮓] 압 [入]洽 轄甲切 xiá

[字解] ①물고기이름 압 '一, 魚名'《集韻》. ②겹칠 압 '一鰈'은 장식(裝飾)이 많이 겹쳐진 모양. '一鰈參差'《潘岳》.

5 ⑯ [罬] 〔환〕
鰥(魚部 十畫〈p.2652〉)의 古字

5 ⑯ [鮍] [一] 하 [平]歌 寒歌切 hé
[二] 가 [上]哿 賈我切 gě

[字解] [一] 복 하 복. 하돈(河豚). '河豚善怒, 故謂之鮭, 又謂之一, 鮭之言恚, 一之言訶'《廣雅·疏證》. [二] 젓 가 젓. 소금에 절인 생선. '一, 鮓也, 南超曰一'《集韻》.

5 ⑯ [觚] 〔개〕
魪(魚部 四畫〈p.2642〉)의 訛字

5 ⑯ [鯵] [一] 령 [平]靑 郞丁切 líng
[平]庚 離貞切
[二] 린 [平]眞 離珍切 lín
[三] 건 [平]眞 巨巾切

[字解] [一] ①꿈틀거리며기는벌레·물고기 령 뱀장어·뱀 따위와 같이 발이 없어 꿈틀꿈틀 기는 벌레나 물고기. '一, 蟲連行紆行者'《說文》. ②물고기이름 령 '一, 一曰, 魚名'《集韻》. [二] ①비늘 린 鱗(魚部 十二畫)과 同字. '一, 說文, 魚甲也'《集韻》. ②성 린 성(姓)의 하나. [三] 꿈틀거리며기는벌레·물고기 건 [一] ❶과 뜻이 같음.
[字源] 形聲. 魚+令〔音〕

5 ⑯ [鮋] [一] 유 [平]尤 以周切 yóu
[二] 수 [平]尤 市流切 chóu
[三] 주 [平]尤 直由切

[字解] [一] ①피라미 유 '鮒, 魚也. 或作一'《玉篇》. ②나무에있는물고기 유 '范蜀公言, 蜀中實有一種魚在樹上, 聲如女兒啼. 名曰一魚'《通雅》. [二] 물고기이름 수 '一, 魚名'《廣韻》. [三] 물고기이름 주 [二]와 뜻이 같음.

5 ⑯ [鮒] 부 [去]遇 符遇切 fù

[字解] 붕어 부 잉엇과에 속하는 민물고기. 즉어(鯽魚). '魚用一'《儀禮》.
[字源] 篆文 形聲. 魚+付〔音〕

◉井鮒. 轍鮒. 涸鮒.

5 ⑯ [鮍] 피 [平]支 攀糜切 pí

[字解] 물고기이름 피 '一, 一魚也'《說文》.
[字源] 形聲. 魚+皮〔音〕

5 ⑯ [鮓] 자 [上]馬 側下切 zhǎ

[字解] 젓 자 새우·조기·멸치 같은 것을 짜게 절인 것.
[字源] 形聲. 魚+酢〈省〉〔音〕. '酢작·초'는 '식초'의 뜻.

5 ⑯ [鮫] 교 [平]蕭 祈姚切 qiáo

[字解] ①피라미 교 잉엇과의 민물고기. 흑조어(黑條魚). '鯈一, 魚名, 浮陽, 謂此魚好浮於水上, 就陽也'《荀子 注》. ②강준치 교 잉엇과의 민물고기. '一, 魚名, 一名陽鱎'《字彙》.

5 ⑯ [鮊] 백 [入]陌 傍陌切 bó

[字解] ①바닷물고기이름 백 비늘이 없고 꼬리는 갈라진 바닷물고기의 하나. 맛은 없음. '一, 海魚也'《說文》. ②강준치 백 잉엇과의 민물고기. '一, 鱎也'《廣雅》.
[字源] 篆文 形聲. 魚+白〔音〕

5 [鮌] 〔곤〕
⑯ 鯀(魚部 七畫〈p. 2647〉)과 同字

5 [鮰] 〔회〕
⑯ 回(口部 三畫〈p. 420〉)와 同字

5 [魯] 〔로〕
⑯ 魯(魚部 四畫〈p. 2641〉)의 本字

5 [⿰魚出] 〔즐〕
⑯ 齣(齒部 五畫〈p. 2724〉)의 訛字

5 [⿰魚且] 〔선〕
⑯ 鱓(魚部 十二畫〈p. 2655〉)과 同字

5 [⿰魚此]
⑯ 鮆(次條)와 同字

5 [鮆] 제 [上]薺 在禮切 jì
⑯
[字解] 갈치 제 바닷물고기의 한 가지. 도어(刀魚). 일설(一說)에는, 웅어. 제어(鱭魚).
[字源] [篆文] 形聲. 魚+此〔音〕

6 [鮤] [一] 렬 [入]屑 良薛切 liè
⑰ [二] 례 [去]霽 力制切 liè
[字解] [一] 웅어 렬 제어(鮆魚). '一, 鱴刀'《爾雅》. [二] 웅어 례 [一]과 뜻이 같음.

6 [⿰魚列]
⑰ 鮤(前條)과 同字

6 [鮚] 길 [入]質 巨乙切 jié 鮚
⑰
[字解] 대합 길 참조갯과에 속하는 조개의 한 가지. 무명조개. 문합(文蛤). 일설(一說)에는 섭조개〔蚌〕.
[字源] [篆文] 形聲. 魚+吉〔音〕

6 [鮞] 이 [平]支 如之切 ér 鮞
⑰
[字解] ①곤이 이 물고기의 배 속의 알. '魚禁鯤一'《國語》. ②고기이름 이 어명(魚名). '魚之美者, 洞庭之鱄, 東海之一'《呂氏春秋》.
[字源] [篆文] 形聲. 魚+而〔音〕

◉鯤鮞.

6 [鮠] 외 [平]灰 五灰切 wéi
⑰
[字解] 고기이름 외 메기 비슷한 큰 민물고기.
[字源] 形聲. 魚+危〔音〕

6 [⿰魚臼] 구 [上]有 巨九切 jiù
⑰
[字解] ①물고기이름 구 '一, 魚名'《集韻》. ②鯦(魚部 八畫)의 俗字.

6 [⿰魚虫] [一] 위 [上]尾 吁鬼切 huǐ
⑰ [二] 홍 hóng
[字解] [一] 뱅어 위 꼬리가 붉은 뱅어. 또는 뱅어의 수컷. '白魚赤尾者曰一'《古今注》. [二] 뱅어 홍 [一]과 뜻이 같음.

6 [⿰魚舟] 주 [平]尤 之由切 zhōu
⑰
[字解] ①물고기이름 주 물고기의 이름. '一, 魚名'《集韻》. ②도미 주 도미. 鯛(魚部 八畫)의 俗字.

6 [鮰] 회 [平]灰 戶恢切 huí
⑰
[字解] 민어 회 민어(民魚). 회어(鮰魚). '一, 一魚不鱗, 狀似鮠, 生大江中'《六書故》.

6 [鮨] [一] 지 [平]支 蒸夷切 zhī
⑰ [二] 예 [去]霽 研計切 yì
[字解] [一] 젓 지 새우 따위를 소금에 짜게 절인 것. [二] 능성어 예 농엇과(科)에 속하는 바닷물고기. 몸빛은 담자회색임.
[字源] [篆文] 形聲. 魚+旨〔音〕. '旨지'는 '맛있다'의 뜻. 물고기로 만든 맛있는 것, '젓'의 뜻을 나타냄.

6 [鮩] 병 [上]梗 蒲猛切 bìng
⑰
[字解] 뱅어 병 뱅엇과에 속하는 바닷물고기. 백어(白魚).
[字源] 形聲. 魚+幷〔音〕

6 [鮥] [一] 락 [入]藥 盧各切 luò
⑰ [二] 괴 [上]賄 戶賄切
[三] 각 [入]藥 剛鶴切 gé
[字解] [一] 다랑어 락 작은 다랑어. '一, 叔鮪也'《說文》. [二] 다랑어 괴 [一]과 뜻이 같음. [三] 거북 각 거북의 종류. '一, 魚名. 如鼉. 喙長三尺, 利齒'《集韻》.
[字源] 形聲. 魚+各〔音〕

6 [⿰魚共] [一] 공 [上]腫 古勇切 gǒng
⑰ [二] 홍 [平]東 呼公切
[字解] [一] 곤이 공 곤이(鯤鮞). 물고기의 배 속 알. '一, 鯤也'《廣雅》. [二] 물고기이름 홍 물고기 이름.

6 [鮪] 유 [上]有 云九切 wěi 鮪
⑰
[字解] 다랑어 유 고등엇과에 속하는 바닷물고기. '鱣一發發'《詩經》.
[字源] [篆文] 形聲. 魚+有〔音〕. '有유'는 '侑유'와 통하여 식사를 권하다의 뜻. 조상을 제사 지낼 때 올리는 물고기의 뜻을 나타냄.

6 [鮫] 교 [平]肴 古肴切 jiāo 鮫
⑰
[字解] 상어 교 횡구류(橫口類) 중 교류(鮫類)에 속하는 바닷물고기의 총칭. 고래상어·수염상어·철갑상어 등이 있는데, 대개 횡포하고 민활함. 사어(鯊魚). '楚人一革犀兕以爲甲'《荀子》.
[字源] [篆文] 形聲. 魚+交〔音〕. '交교'는 '교차하다'의 뜻. 아래위의 엄니를 교차하여

드러내는 물고기, '상어'의 뜻을 나타냄.

[鮫魚 교어] 상어.
[鮫人 교인] 물속에 산다는 괴상한 사람.
[鮫函 교함] 상어 가죽의 갑옷.
◉大鮫. 馬鮫. 鱷鮫. 魚鮫. 頳鮫. 舟鮫.

6 ⑰ [鮭] 一 규 ㊥齊 苦圭切 guī 二 해 ㊥佳 戶佳切 xié

字解 一 ①복 규 참복과에 속하는 바닷물고기. 하돈(河豚). '一肝死人'《論衡》. ②연어 규 연어과에 속하는 바닷물고기. 二 어채 해 음식의 한 가지. '一菜常有二十七種'《世說》.
字源 形聲. 魚＋圭〔音〕

[鮭菜 해채] 어채(魚菜).
◉乾鮭. 生鮭. 鹽鮭.

6 ⑰ [鮬] 보 ㊤遇 薄故切 bù

字解 물고기이름 보 붕어 비슷한 민물고기의 일종.
字源 形聲. 魚＋夸〔音〕

6 ⑰ [鮮] 中人 선 ①-⑤㊥先 相然切 xiān ⑥㊤銑 息淺切 xiǎn ⑦㊤霰 私箭切 xiàn

筆順 〃 ⺈ 角 角 魚 魚˘ 魚⺷ 鮮

字解 ①고울 선 선명함. '一美'. '澄一'. '上天無光彩, 五色一何一'《魏文帝》. ②새 선 새로움. 새것임. '新一'. '衣服常一於我'《漢書》. ③날 선 익히지 아니함. '一膾'. ④생선 선, 날것 선 익히지 아니한 어육 또는 수육. '肥一'. '唯君用一'《左傳》. ⑤좋을 선, 아름다울 선 보기 좋음. '籧篨不一'《詩經》. ⑥적을 선 '惡而知其美者天下一矣'《大學》. ⑦성 선 '一于'는 복성(複姓).
字源 金文 篆文 會意. 魚＋羊. 신선함을 존중하는 물고기나 양을 들어, '곱다, 선명하다'의 뜻을 나타냄. 또 '尟선'과 통하여 '적다'의 뜻도 나타냄.

[鮮可食 선가식] 신선하여 먹을 만함.
[鮮潔 선결] 곱고 산뜻함.
[鮮穠 선농] 곱고 무성함.
[鮮度 선도] 어육(魚肉)이나 채소 등의 신선도.
[鮮麗 선려] 대단히 고움.
[鮮明 선명] 산뜻하고 분명함.
[鮮毛 선모] 고운 털. 아름다운 모피(毛皮).
[鮮文 선문] 고운 무늬.
[鮮美 선미] 곱고 아름다움.
[鮮媚 선미] ㉠필력(筆力)이 곱고 부드러움. ㉡경치가 곱고 조용함.
[鮮民 선민] 빈한하고 부모가 없는 고독한 사람.
[鮮白 선백] 곱고 흼.
[鮮服 선복] 고운 의복.
[鮮肥 선비] 신선하고 살찐 고기.
[鮮卑 선비] ㉠동호(東胡)의 부족(部族). 동호의 묵돌선우(冒頓單于)에게 격파당하였을 때 몽고의 선비산(鮮卑山)으로 달아난 여중(餘衆). ㉡위진(魏晉) 때에 오호(五胡)의 하나로서 자못 위세를 떨쳤으며, 후위(後魏)의 탁발씨(拓跋氏)도 이 부족에서 나왔음.
[鮮殺 선살] 신선한 희생(犧牲).
[鮮色 선색] 고운 빛.
[鮮腥 선성] 신선하고 비린내가 남.
[鮮少 선소] 드묾. 얼마 안 됨.
[鮮食 선식] ㉠갓 잡은 짐승의 고기. 또는 그 고기를 먹음. ㉡음식을 적게 먹음.
[鮮飾 선식] 곱게 몸치장을 함. 또, 고운 꾸밈.
[鮮新 선신] 새로움. 신선(新鮮).
[鮮魚 선어] 신선한 물고기. 생선.
[鮮艷 선염] 아름답고 요염함.
[鮮耀 선요] 선명하게 빛남.
[鮮原 선원] 비옥(肥沃)한 들.
[鮮肉 선육] 신선한 고기.
[鮮衣 선의] 고운 옷.
[鮮妝 선장] 고운 단장(丹裝).
[鮮腆 선전] 잘난 체함. 뽐냄.
[鮮淨 선정] 곱고 깨끗함.
[鮮車怒馬 선차노마] 좋은 수레와 살진 말. 임금의 호사(豪奢)함의 형용.
[鮮彩 선채] 고운 채색.
[鮮血 선혈] 신선(新鮮)한 피. 선지피.
[鮮好 선호] 곱고 아름다움.
[鮮花 선화] 고운 꽃.
[鮮華 선화] 곱고 화려함.
[鮮膾 선회] 신선한 회.
[鮮肴 선효] 신선한 안주.
[鮮暉 선휘] 고운 햇빛.
[鮮希 선희] 드묾.
◉嘉鮮. 群鮮. 明鮮. 芳鮮. 百花鮮. 碧鮮. 肥鮮. 生鮮. 纖鮮. 小鮮. 新鮮. 精鮮. 朝鮮. 珍鮮. 澄鮮. 淺鮮. 治大國若烹小鮮. 烹鮮.

6 ⑰ [鮔] 긍 ㊥蒸 居曾切 gèng

字解 다랑어 긍 고등엇과에 속하는 바닷물고기. '一鱕漸離'《司馬相如》.
字源 形聲. 魚＋亘〔音〕

6 ⑰ [鮧] 一 이 ㊥支 以脂切 yí 二 제 ㊥齊 杜奚切 tí

字解 一 메기 이 메깃과에 속하는 민물고기. 二 메기 제 一과 뜻이 같음.
字源 形聲. 魚＋夷〔音〕

6 ⑰ [鮟] 人名 안 ㊤翰 於旰切 ān

字解 아귀 안 '一鱇'은 아귓과에 속하는 바닷물고기.
字源 形聲. 魚＋安〔音〕

[鮟鱇 안강] 자해(字解)를 보라.

6 ⑰ [鮡] 一 조 ㊤篠 治小切 zhào 二 초 ㊥蕭 徒聊切 三 요 ㊥蕭 餘招切 四 도 ㊤晧 杜晧切

字解 一 물고기이름 조 메기 비슷하되 큰 물고

기. '一, 魚名, 似鮎而大'《廣韻》. [三] 물고기이름 초 [一]과 뜻이 같음. [三] 물고기이름 요 [一]과 뜻이 같음. [四] 물고기이름 도 [一]과 뜻이 같음.
[字源] 形聲. 魚＋兆〔音〕

6 ⑰ [鮦] [一] 동 [平]東 徒紅切 tóng [二] 종 [上]腫 直隴切
[字解] [一] 가물치 동 '一魚, 一曰, 鱶也'《說文》. [二] 가물치 종 [一]과 뜻이 같음.
[字源] 篆文 形聲. 魚＋同〔音〕

6 ⑰ [鮖] 〔시〕
鰣(魚部 十畫〈p. 2652〉)와 同字

6 ⑰ [鮇] 미 [上]薺 母禮切 mǐ
[字解] ①물고기알 미 어란(魚卵). '一, 魚子'《廣韻》. ②물고기이름 미 '一, 魚名'《集韻》.

6 ⑰ [鮔] 〔긍〕
鰃(魚部 九畫〈p. 2652〉)과 同字

6 ⑰ [鮯] 합 [入]合 葛合切 gé
[字解] 고기이름 합 고기 이름. '一, 博雅, 東方有魚, 如鯉六足鳥尾, 名曰一'《集韻》.

6 ⑰ [鮝] 〔상〕
鯗(魚部 八畫〈p. 2650〉)의 俗字

7 ⑱ [鯁] 경 [平]庚 巨成切 qíng
[字解] 방어 경 전갱잇과에 속하는 바닷물고기. 맛이 좋음.
[字源] 篆文 形聲. 魚＋巠〔音〕

7 ⑱ [鮸] 면 [上]銑 亡辨切 miǎn
[字解] 민어 면 민어과에 속하는 바닷물고기. 면어(鮸魚). 일설(一說)에는 조기. 석수어(石首魚). 종어(鯼魚).
[字源] 篆文 形聲. 魚＋免〔音〕

7 ⑱ [鮶] 군 [平]文 拘云切 jūn
[字解] 벌레이름 군 벌레 이름. 수군(水鮶). '一, 水一, 蟲名'《集韻》.

7 ⑱ [鮹] 초(소[本]) [平]肴 所交切 shāo [平]蕭 相邀切
[字解] 물고기이름 초 말채찍 비슷하고 꼬리가 두 갈래 진 민물고기.
[字源] 形聲. 魚＋肖〔音〕

7 ⑱ [鮄] 부 [平]虞 芳無切 fū
[字解] 돌고래 부 강(江)으로 거슬러 올라온 돌고래. 강돈(江豚).

7 ⑱ [鮿] 첩 [入]葉 陟葉切 zhé
[字解] ①건어 첩 말린 물고기. 일설(一說)에는 소금에 절인 물고기. '一鮑千鈞'《漢書》. ②망성어 첩 양망성엇과에 속하는 바닷물고기.
[字源] 形聲. 魚＋耴〔音〕

7 ⑱ [鮔] 두 [上]有 天口切 [去]宥 大透切 tǒu [平]尤 他侯切
[字解] 물고기이름 두 '一, 一魚也'《說文》.
[字源] 形聲. 魚＋豆〔音〕

7 ⑱ [鯀] 곤 [上]阮 古本切 gǔn
[字解] ①곤어 곤 일종의 큰 물고기. ②사람이름 곤 우왕(禹王)의 아버지의 이름.
[字源] 金文 篆文 形聲. 魚＋系〔音〕
[參考] 鮌(魚部 五畫)은 同字.

7 ⑱ [鮪] [一] 모 [平]尤 迷浮切 móu [二] 매 [平]灰 謨杯切 méi
[字解] [一] 황화어 모 황화어(黃花魚). 조기 비슷한데 작음. '一, 魚名, 或省'《集韻》. [二] 물고기 가는모양 매 물고기가 떼 지어 가는 모양. '一, 魚行貌'《集韻》.

7 ⑱ [鯁] 경 [上]梗 古杏切 gěng
[字解] ①뼈 경 물고기의 뼈. '乾魚近腴多骨一'《儀禮 註》. ②가시걸릴 경 먹은 가시가 목구멍에 걸림. '祝一在後'《漢書》. ③바를 경 사람이 곧아, 남에게 아유구용(阿諛苟容)하지 아니함. '骨一可任'《後漢書》. ④막힐 경 梗(木部 七畫)과 통용. '至今爲一'《後漢書》.
[字源] 篆文 形聲. 魚＋更(㪅)〔音〕. '㪅경'은 '굳다'의 뜻. 물고기의 단단한 뼈의 뜻을 나타냄.

[鯁固 경고] 대단히 굳음.
[鯁骨 경골] 강직(剛直)함. 또, 그 사람.
[鯁烈 경렬] 강직하고 과격함.
[鯁論 경론] 강직(剛直)한 의론(議論).
[鯁輔 경보] 강직한 보좌인.
[鯁諤 경악] 조금도 꺼리지 아니하고 당당히 의론(議論)함.
[鯁言 경언] 강직하여 굽히지 아니하는 말.
[鯁切 경절] 강직하고 성실함.
[鯁正 경정] 경직(鯁直).
[鯁直 경직] 뜻이 굳고 곧음.
[鯁涕 경체] 흐느껴 욺.
◉強鯁. 剛鯁. 高鯁. 骨鯁. 端鯁. 誠鯁. 直言骨鯁. 峭鯁. 蟲鯁.

7 ⑱ [鯈] 광 [平]陽 渠王切 kuáng
[字解] 큰물고기 광 큰 물고기. '一, 大魚'《集韻》.

7 ⑱ [鯗] 鯈(前條)과 同字

7 ⑱ [鯆] 포 ㊥虞 普胡切 pū

字解 돌고래 포 강(江)으로 거슬러 올라온 돌고래. 강돈(江豚).
字源 形聲. 魚+甫〔音〕

7 ⑱ [鯇] 혼 ㊤阮 戶袞切 huàn

字解 혼어(鯇魚) 혼 연어과에 속하는 민물고기.
字源 篆文 形聲. 魚+完〔音〕

7 ⑱ [鯉] 人名 리 ㊤紙 良士切 lǐ

字解 ①잉어 리 잉엇과에 속하는 민물고기. '一魚'. '豈其食魚, 必河之一'《詩經》. ②편지 리 서찰. '一素'. '雙一迢迢一紙書'《李商隱》.
字源 篆文 形聲. 魚+里〔音〕. '里리'는 '금'의 뜻. 비늘의 선이 뚜렷이 보이는 '잉어'의 뜻을 나타냄.

[鯉素 이소] 편지. 서찰(書札). 흰 비단에 쓴 편지가 잉어의 배 속에 있었다는 고사(故事)에서 유래함.
[鯉魚 이어] 잉어.
[鯉魚風 이어풍] 음력 9월에 부는 바람. 가을바람.
[鯉庭 이정] 아들이 아버지의 교훈을 받는 곳. 공자(孔子)가 아들 이(鯉)가 추창(趨蹌)하여 뜰을 지나갈 때, 그를 불러 세우고 시(詩)와 예(禮)를 배워야 한다고 훈계한 고사(故事)에서 온 말.
◉江鯉. 健鯉. 錦鯉. 緋鯉. 氷鯉. 鮮鯉. 雙鯉. 赤鯉. 赬鯉. 紅鯉. 黑鯉.

7 ⑱ [鯑] 제 ㊥齊 杜奚切 tí ㊦霽 大計切

字解 메기 제 메깃과에 속하는 민물고기.
字源 篆文 形聲. 魚+弟〔音〕

7 ⑱ [鯙] 〔심·잠·음·건〕 魿(魚部 四畫〈p.2642〉)과 同字

7 ⑱ [鯋] 鯊(次條)와 同字

7 ⑱ [鯊] 사 ㊥麻 所加切 shā

字解 ①모래무지 사 잉엇과에 속하는 민물고기. 타어(鮀魚). '魚麗于罶, 鱨一'《詩經》. ②상어 사 속(俗)에 사어(沙魚) 두 글자를 합쳐서 '상어'의 뜻을 나타냄.
字源 形聲. 魚+沙〔音〕. '沙사'는 '모래'의 뜻. 모래를 뿜는 물고기의 뜻을 나타냄.

◉海鯊.

7 ⑱ [鯈] 조 ㊥蕭 田聊切 tiáo

字解 피라미 조 잉엇과에 속하는 민물고기. 뒷지느러미가 특별히 크며, 하천(河川) 상류의 맑은 물에 서식함. 흑조어(黑鯈魚). '一魚出游'《莊子》.
字源 篆文 形聲. 魚+攸〔音〕
參考 鰷(魚部 十一畫)는 同字.

8 ⑲ [鯠] 래 ㊥灰 郎才切 lái

字解 큰메기 래 '一, 魚名'《廣韻》. '鯬·一, 鮃也'《爾雅》.

8 ⑲ [鯔] 치 ㊥支 側持切 zī

字解 숭어 치 숭엇과에 속하는 물고기. 바닷물·민물에 널리 분포함. '一魚似鯉'《本草》.
字源 形聲. 魚+甾〔音〕

[鯔魚 치어] 숭어.

8 ⑲ [鯖] 人名 ㊀ 청 ㊥青 倉經切 qīng ㊁ 정 ㊥庚 諸盈切 zhēng

字解 ㊀ 청어 청 청어과에 속하는 바닷물고기. ㊁ 오후정(五侯鯖) 정 물고기·새 또는 수육 등을 섞어 끓인 음식. 열구자탕 비슷함. '世稱五侯一, 以爲奇味焉'《西京雜記》.
字源 形聲. 魚+青〔音〕

◉腥鯖. 五侯鯖.

8 ⑲ [鯛] 조 ㊥蕭 都聊切 diāo

字解 도미 조 감성돔과에 속하는 바닷물고기.
字源 篆文 形聲. 魚+周〔音〕

8 ⑲ [鯝] ㊀ 함 ㊦陷 乎韽切 xiàn ㊁ 겸 ㊦豔 吉念切

字解 ㊀ 물고기이름 함 '一, 鱤魚別名'《正字通》. ㊁ 물고기이름 겸 ㊀과 뜻이 같음.
字源 形聲. 魚+臽〔音〕

8 ⑲ [鯏] 과 ㊤馬 戶瓦切 huà

字解 물고기이름 과 메기 비슷한 물고기. '一, 魚似鮎也'《廣韻》.
字源 形聲. 魚+果〔音〕

8 ⑲ [鯨] 내 ㊦嘯 乃帶切 nài

字解 전어 내 전어. 제내(鰶鯨). '一, 鰶一, 魚名'《集韻》.

8 ⑲ [鯭] 〔맹〕 蜢(虫部 八畫〈p.2015〉)과 同字

8 ⑲ [鯝] 고 ㊦遇 古慕切 qù

字解 창자 고 물고기의 창자. 어장(魚腸).
字源 形聲. 魚+固〔音〕

8 ⑲ **[鯡]** 비 [去]未 方味切 fēi 鯡

[字解] ①곤이 비 물고기의 배 속의 알. ②청어 비 청어과에 속하는 바닷물고기.
[字源] 形聲. 魚＋非〔音〕

8 ⑲ **[鯢]** 예 [平]齊 五稽切 ní 鯢

[字解] ①도롱뇽 예 양서류(兩棲類)에 속하는 동물. 머리는 납작하고 꼬리는 긺. 산초어(山椒魚). '一魚一名王鮪, 在山溪中'《本草》. ②암고래 예 고래의 암컷. '取其鯨一而封之'《左傳》. ③잔고기 예 소어(小魚). '守一鮒'《莊子》.
[字源] 篆文 形聲. 魚＋兒〔音〕. '兒아'는 '아이'의 뜻. 아이가 나무에 올라가 노는 것처럼 나무에 오르는 '도롱뇽'의 뜻을 나타냄.

[鯢鮒 예부] 잔고기. 소어(小魚).
[鯢齒 예치] 어린아이의 이. 전(轉)하여 어린아이.
◉鯨鯢.

8 ⑲ **[鯤]** [人名] 곤 [平]元 古渾切 kūn 鯤

[字解] ①곤이 곤 물고기의 배 속의 알. '魚禁一鮞'《國語》. ②곤어 곤 상상(想像)의 큰 물고기. '北冥有魚, 其名爲一'《莊子》.
[字源] 形聲. 魚＋昆〔音〕

[鯤鵬 곤붕] 곤어와 붕새. 장자(莊子)에 나오는 상상(想像)의 큰 물고기와 큰 새. 아주 큰 물건의 비유.
[鯤鮞 곤이] 물고기의 배 속의 알.

8 ⑲ **[鯥]** 륙 [入]屋 力竹切 lù

[字解] ①괴어(怪魚)이름 륙 모양은 소 비슷하고, 꼬리는 뱀 꼬리 같으며, 날개가 있다는 동물. '鯪一踦踞於垠壒'《郭璞》. ②게르치 륙 게르칫과에 속하는 바닷물고기.
[字源] 形聲. 魚＋坴〔音〕. '坴륙'은 '陸륙'과 통하여, '魚어'를 붙여 육지에 사는 괴상한 물고기의 뜻을 나타냄.

8 ⑲ **[鯣]** 역 [入]陌 夷益切 yì

[字解] 뱀장어 역 '一, 鱺一'《篇海》.

8 ⑲ **[鯨]** [人名] 경 [平]庚 渠京切 jīng 鯨

[筆順] ⺈ 𠂊 角 角 魚 魠 魣 鯨

[字解] 고래 경 바다에서 사는 포유동물(哺乳動物)의 한 가지. 또 암컷인 '鯢'에 대하여 수컷을 가리켜 이르기도 함. '一鯢'. '取其一鯢而封之'《左傳》.
[字源] 鱷의 別體 形聲. 魚＋京〔音〕. '京경'은 높은 언덕의 뜻. 언덕처럼 큰 물고기, '고래'의 뜻을 나타냄.

[鯨鯤 경곤] 고래와 곤어. 둘 다 바닷속에 사는 큰 동물임.
[鯨浪 경랑] 큰 물결. 경파(鯨波).
[鯨鱷 경악] 고래와 악어.
[鯨魚 경어] ㉠고래. ㉡당목(撞木). 곧, 종(鐘). 경쇠 따위를 치는 정자형(丁字形)의 방망이.
[鯨鯢 경예] ㉠수고래와 암고래. 작은 고기를 삼켜 먹으므로 의롭지 못한 악인의 거괴(巨魁)의 비유. ㉡살육당하는 것의 뜻으로 쓰임.
[鯨油 경유] 고래의 지방(脂肪). 고래 기름.
[鯨音 경음] 범종(梵鐘)의 소리.
[鯨飮 경음] 고래가 물을 들이켜듯이 술을 썩 많이 마심을 이름.
[鯨呑 경탄] 고래가 고기를 삼키듯이 세력이 강성하여 약자를 병탄(倂呑)함.
[鯨波 경파] ㉠큰 물결. ㉡납함(吶喊). 함성.
[鯨吼 경후] ㉠고래가 큰 소리로 욺. ㉡경음(鯨音).
◉巨鯨. 蛟鯨. 抹香鯨. 奔鯨. 修鯨. 鯢鯨. 雄鯨. 雌鯨. 長鯨. 捕鯨. 海鯨. 吼鯨.

8 ⑲ **[鯟]** 동 [平]東 都籠切 dōng

[字解] 물고기이름 동 물고기 이름. 잉어 비슷한 물고기. '一, 魚名, 似鯉'《集韻》.

8 ⑲ **[鯚]** 졸 [入]質 卽聿切 zú

[字解] 피라미 졸 피라미. 또 다랑어. '一, 魚名, 鯈也'《集韻》.

8 ⑲ **[鯪]** 릉 [平]蒸 力膺切 líng 鯪

[字解] 천산갑 릉 '一鯉'는 천산갑(穿山甲).
[字源] 形聲. 魚＋夌〔音〕

[鯪鯉 능리] 유린류(有鱗類)에 속하는 동물. 동남아 지방에 분포함. 온몸이 각질(角質)의 인갑(鱗甲)으로 덮였음. 천산갑(穿山甲).
[鯪魚 능어] 천산갑(穿山甲).

8 ⑲ **[鯫]** 추 ①[平]尤 鉏鉤切 zōu ②③[上]有 士九切 鯫

[字解] ①돌잉어 추 잉엇과에 속하는 민물고기. 일설(一說)에는 잔 물고기. '一千石'《史記》. ②소견좁을 추 소견이 좁은 모양. 소인의 모양. '沛公曰, 一生說我'《史記》. 전(轉)하여 자기의 겸칭. '一生小技眞榮遇'《趙孟頫》. ③성 추 성(姓)의 하나.
[字源] 篆文 形聲. 魚＋取〔音〕

[鯫生 추생] 소인. 소견이 좁은 사람. 전(轉)하여 자기의 겸칭(謙稱).

8 ⑲ **[鯩]** 륜 [平]眞 力迍切 lún

[字解] 고기이름 륜 모양은 붕어 비슷하여, 검은 무늬가 있는 물고기. '鯪鰩一鯥'《郭璞》.
[字源] 形聲. 魚＋侖〔音〕

8 ⑲ **[鯶]** 아 [平]麻 於加切 yā

[字解] 자가사리 아 자가사리. 작은 자가사리. '一, 犹人以小鹹魚, 爲一鮍'《字彙補》.

8 ⑲ [鮡] 〔조·도〕 鮡(魚部 六畫〈p.2646〉)와 同字

8 ⑲ [鯚] 계 (去)寘 吉器切 jì

[字解] 물고기이름 계 물고기 이름. 부리는 날카롭고 비늘은 작은 물고기. '一, 魚名'《字彙》.

8 ⑲ [鯦] ㊀ 구 (上)有 巨九切 jiù (去)宥 巨救切 ㊁ 수 (平)尤 徐由切 ㊂ 애 (上)賄 倚亥切 ǎi

[字解] ㊀ 준치 구 '一, 當魱'《爾雅》. ㊁ 준치 수 ㊀과 뜻이 같음. ㊂ 다랑어 애 '一, 魚名. 叔鮪也'《集韻》.
[字源] 形聲. 魚+咎〔音〕

8 ⑲ [鯏] ㊀ 국 (入)屋 居六切 jú ㊁ 곡 (入)沃 丘玉切

[字解] ㊀ 돌고래 국 '一, 魚名, 鱄也'《集韻》. ㊁ 돌고래 곡 ㊀과 뜻이 같음.
[字源] 形聲. 魚+匊〔音〕

8 ⑲ [鯕] 기 (平)支 渠之切 qí

[字解] ①물고기이름 기 '一, 魚名'《說文》. ②방어 기 '一, 鯿魚'《廣韻》.
[字源] 形聲. 魚+其〔音〕

8 ⑲ [鯘] 뇌 (上)賄 奴罪切 něi

[字解] 생선썩을 뇌 '一, 魚敗也'《集韻》.
[字源] 會意. 魚+委. '委위'는 '시들다'의 뜻.

8 ⑲ [鯌] 작 (入)藥 七雀切 cuò

[字解] 상어 작 대개는 태생(胎生)이고, 흉포·민활한 바닷물고기. '一, 魚名, 鼻前有骨如斧斤, 一說, 生子在腹'《集韻》.

8 ⑲ [鯯] 제 (去)霽 征例切 zhì

[字解] ①물고기이름 제 식해(食醢)를 만드는 데 적합한 물고기의 일종. '一, 魚名'《集韻》. ②전어(錢魚) 제 鰶(魚部 十一畫)와 同字.
[字源] 形聲. 魚+制〔音〕

8 ⑲ [鯺] 거 (去)御 居御切 jù

[字解] 암조기 거 암조기. 조기의 암컷. 일설에는 동갈민어의 한 가지. '一, 魚名'《廣韻》.

8 ⑲ [鯗] 상 (上)養 息兩切 xiǎng

[字解] 건어 상 말린 물고기. '索食之甚美, 因書美下魚一字'《吳地記》.
[字源] 形聲. 魚+養〈省〉〔音〕

9 ⑳ [鯷] 제 (平)齊 杜奚切 tí (去)霽 特計切

[字解] 메기 제 큰 메기〔鮎〕의 일종. 그 가죽으로 관(冠)을 만든다 함. '一冠秫縫'《戰國策》.
[字源] 形聲. 魚+是〔音〕

9 ⑳ [鯑] 제 ①-③(平)齊 杜奚切 tí ④(去)霽 丁計切 dì

[字解] ①도롱뇽 제 '一, 魚四足者'《廣韻》. ②검은물고기 제 '一, 魚黑色'《廣韻》. ③메기 제 '一, 鮎別名'《正字通》. ④큰가물치 제 '一, 魚名. 大鱧也'《集韻》.

9 ⑳ [鯼] 종 (平)東 子紅切 zōng

[字解] 조기 종 석수어(石首魚). 종어(鯼魚). 일설(一說)에는 민어. 면어(鮸魚). '一鯊順時而往還'《郭璞》.
[字源] 形聲. 魚+嵏〔音〕

9 ⑳ [鰆] 춘 (平)眞 樞倫切 chūn

[字解] 삼치 춘 동갈삼칫과 삼치속(屬)의 바닷물고기.
[字源] 形聲. 魚+春〔音〕. 봄에 많이 잡히는 '삼치'의 뜻을 나타냄.

9 ⑳ [鯶] 〔동〕 鮦(魚部 六畫〈p.2647〉)과 同字

9 ⑳ [鯸] 후 (平)尤 戶鉤切 hóu

[字解] 복 후 참복과에 속하는 바닷물고기. 하돈(河豚).
[字源] 篆文 形聲. 魚+侯〔音〕

9 ⑳ [鯽] 즉 (①적本) ①(入)陌 資昔切 jì (入)職 子力切 ②(入)職 疾則切 zéi

[字解] ①붕어 즉 잉엇과에 속하는 민물고기. 붕어(鮒魚). '一魚'. '鮮一銀絲膾'《杜甫》. ②오징어 즉 鰂(魚部 九畫)과 同字.
[字源] 鯽의 別體 形聲. 魚+即〔音〕

9 ⑳ [鰎] 건 (上)阮 紀偃切 jiǎn

[字解] ①약간절인고기 건 약간 절인 물고기. '一, 鯤魚微用鹽曰一'《正字通》. ②물고기이름 건 물고기 이름.

9 ⑳ [鯁] 〔경〕 鯁(魚部 七畫〈p.2647〉)의 本字

9 ⑳ [鰖] 서 (平)魚 相居切 xū

[字解] 물고기이름 서 '—, —魚也'《說文》.
[字源] 形聲. 魚＋胥〔音〕

9 ⑳ [鯿] 편 [平]先 卑連切 biān 鯿

[字解] 방어 편 전갱잇과에 속하는 바닷물고기. '思不出乎鮒—'《宋玉》.
[字源] 篆文 形聲. 魚＋扁〔音〕

9 ⑳ [鰈] 접 [入]葉 達協切 dié 鰈

[字解] 가자미 접 가자밋과에 속하는 바닷물고기. 몸은 넙치보다 작고, 두 눈이 모두 오른편에 있음. '—魚'.
[字源] 篆文 形聲. 魚＋葉〔音〕. '葉엽'은 얇고 납작하다의 뜻. 얇고 납작한 물고기 '가자미'의 뜻을 나타냄.

[鰈域 접역] '한국(韓國)'의 별칭(別稱). 동해(東海)에서 가자미를 산출하므로 이름. 일설에는 그 지형이 가자미 같아서 이르는 말이라고도 함.

[鰈海 접해] 한국(韓國)의 근해(近海).

9 ⑳ [鯺] 저 [平]魚 專於切 zhū

[字解] ①복 저 복. 큰 복. '鯡—, 卽河豚之大者'《臨海記》. ②벌레이름 저 벌레 이름. 누에와 비슷한데 꼬리가 갈라졌으며, 두 발이 있음. '鯤—'.

9 ⑳ [鰉] 황 [平]陽 胡光切 huáng 鰉

[字解] 철갑상어 황 철갑상엇과에 속하는 바닷물고기. 전어(鱣魚). 황어(黃魚).
[字源] 形聲. 魚＋皇〔音〕

9 ⑳ [鰊] 련 [去]霰 郎甸切 liàn

[字解] 물고기이름 련 작은 물고기의 한 가지. '鮹—鰷鮋'《郭璞》.
[字源] 形聲. 魚＋柬〔音〕

9 ⑳ [鰅] [一] 옹 [平]冬 魚容切 yú
[二] 우 [平]虞 遇俱切

[字解] [一] ①자가사리 옹 반어(班魚). ②물여우 옹. [二] 자가사리 우, 물여우 우 [一]과 뜻이 같음.
[字源] 篆文 形聲. 魚＋禺〔音〕

9 ⑳ [鰔] [一] 감 [上]感 古禫切 gǎn
[二] 함 [平]咸 胡讒切 xián

[字解] [一] 대구 감 '—, 魚名. 魠也. 一曰, 黃頰'《集韻》. [二] 가자미 함 '鰜, 魚名. 或从咸'《集韻》.

9 ⑳ [鰐] 액 [入]陌 鄂格切 é

[字解] 물고기이름 액 물고기 이름. 호액(鰝鰐). '—, 鰝—, 魚名'《集韻》.

9 ⑳ [鮥] 鰐(前條)과 同字

9 ⑳ [鰥] 〔환〕
鰥(魚部 十畫〈p. 2652〉)의 訛字

9 ⑳ [鮤] 〔렬〕
鮤(魚部 六畫〈p. 2645〉)과 同字

9 ⑳ [鰋] 언 [上]阮 於幰切 yǎn

[字解] 메기 언 메깃과에 속하는 민물고기. 입이 몹시 크고, 네 개의 긴 수염이 있음. 점어(鮎魚). '魚麗于罶—鯉'《詩經》.
[字源] 篆文 形聲. 魚＋匽〔音〕

[鰋魚 언어] 메기.

9 ⑳ [鰌] 추 [平]尤 自秋切 qiū

[字解] ①미꾸라지 추 기름종갯과에 속하는 민물고기. 이추(泥鰌). '—然乎哉'《莊子》. ②밟을 추 蹜(足部 九畫)와 同字. '大燕—吾後'《荀子》.
[字源] 篆文 形聲. 魚＋酋〔音〕

9 ⑳ [鰍] [人名] 추 [平]尤 七由切 qiū 鰍

[字解] 미꾸라지 추 鰌(前條)와 同字.
[字源] 形聲. 魚＋秋〔音〕. '秋추'는 '추' 하고 우는 미꾸라지 소리의 의성어.

9 ⑳ [鰒] [人名] 복 [入]屋 房六切 fù 鰒

[字解] 전복 복 패류(貝類)의 한 가지. 조가비는 세공용(細工用)·약재로 씀. 전포(全鮑). '詣闕上言獻—魚'《後漢書》.
[字源] 篆文 形聲. 魚＋复〔音〕

[鰒魚 복어] 전복.

9 ⑳ [鰇] 유 [平]尤 而由切 róu

[字解] 오징어 유 오징어의 일종. '—, 柔魚, 似烏鰂, 無骨, 生海中'《正字通》.

9 ⑳ [鯾] 편 [平]先 卑連切 biān

[字解] 방어 편 鯿(魚部 九畫)과 同字.
[字源] 篆文 別體 形聲. 魚＋便〔音〕

9 ⑳ [鰖] 타 [上]哿 徒果切 tuǒ

[字解] 물고기알 타 슬어 놓은 물고기의 알.
[參考] 鰖(魚部 十二畫)는 本字.

9 ⑳ [鰓] 새 [平]灰 蘇來切 sāi 鰓

[字解] ①아가미 새 어류(魚類)나 갑각류(甲殼類)의 호흡기. '裝鏤魚一中骨, 號魚媚子'《宋史》. ②두려워할 새 무서워하는 모양. '一一常恐'《漢書》.
[字源] 形聲. 魚+思〔音〕

[鰓骨 새골] 아가미뼈.
[鰓鰓 새새] 두려워하는 모양.

9 ⑳ [鰂] 즉 [入]職 昨則切 zéi 鰂
[字解] 오징어 즉 '一, 烏一魚也'《說文》.
[字源] 篆文 別體 形聲. 魚+則〔音〕. 別體는 魚+卽〔音〕

9 ⑳ [鯹] 〔성〕
鮏(魚部 五畫〈p. 2643〉)과 同字

9 ⑳ [鰚] 〔혼〕
鯇(魚部 七畫〈p. 2648〉)과 同字

9 ⑳ [鰐] 〔악〕
鱷(魚部 十六畫〈p. 2657〉)과 同字
[字源] 形聲. 魚+咢〔音〕

9 ⑳ [鰕] [人名] 〔하〕 蝦(虫部 九畫〈p. 2022〉)와 同字
[字源] 篆文 形聲. 魚+叚〔音〕. '叚하'는 '붉은 빛'의 뜻. 붉은빛의 물고기, '새우'의 뜻을 나타냄.

◉魚鰕.

9 ⑳ [鰚] 〔긍〕
鮔(魚部 六畫〈p. 2646〉)과 同字
[字源] 篆文 形聲. 魚+恆〔音〕

10 ㉑ [鰜] 겸 [平]鹽 古甜切 jiān 鰜
[字解] 가자미 겸 가자밋과에 속하는 바닷물고기. 접어(鰈魚).
[字源] 篆文 形聲. 魚+兼〔音〕. '兼겸'은 두 그루의 벼를 손에 쥔 모양으로, 가늘고 길다의 뜻.

10 ㉑ [鰣] 시 [平]支 市之切 shí 鰣
[字解] 준치 시 준칫과에 속하는 바닷물고기. 시어(鰣魚). 전어(箭魚).
[字源] 形聲. 魚+時〔音〕
[參考] 鰣(魚部 六畫)는 同字.

10 ㉑ [鰥] [人名] 환 (관[本]) [平]刪 古頑切 guān 鰥
[字解] ①고기이름 환 일종의 큰 민물고기의 이름. 이 물고기는 근심으로 밤잠을 자지 못한다 함. '愁似一魚夜不眠'《陸游》. ②홀아비 환 늙어서 아내가 없는 남자. '老而無妻曰一'《孟子》. ③앓을 환 瘝(疒部 十畫)과 통용. '一, 病也'《爾雅》.
[字源] 金文 篆文 形聲. 魚+罘〔音〕. '罘관'은 눈에서 눈물이 떨어지는 모양을 본뜸. 물고기의 눈처럼 눈에 눈물이 글썽거리고 있는 '홀아비'의 뜻을 나타냄.

[鰥居 환거] 늙어서 홀아비로 삶.
[鰥寡孤獨 환과고독] 늙고 아내가 없는 사람, 늙어서 남편이 없는 사람, 어리며 부모(父母)가 없는 사람 및 늙고 자식이 없는 사람. 맹자(孟子)는 이를 천하(天下)의 궁민(窮民)이라 하였음.
[鰥嫠 환리] 홀아비와 홀어미. 늙어서 아내가 없는 남자와 남편 없는 여자.
[鰥民 환민] 늙어서 아내가 없는 백성.
[鰥夫 환부] 홀아비.
[鰥魚 환어] 근심 때문에 밤에 자지 못한다는 전설상(傳說上)의 물고기.
[鰥處 환처] 환거(鰥居).
[鰥鰥 환환] 눈이 말똥말똥하여 잠이 안 오는 모양.
◉惸鰥. 窮鰥. 貧鰥. 孀鰥. 早鰥.

10 ㉑ [鰭] 기 [平]支 渠脂切 qí 鰭
[字解] 지느러미 기 물고기의 헤엄치는 기관. '脊一'. '尾一'. '揵一擢尾'《史記》.
[字源] 形聲. 魚+耆〔音〕

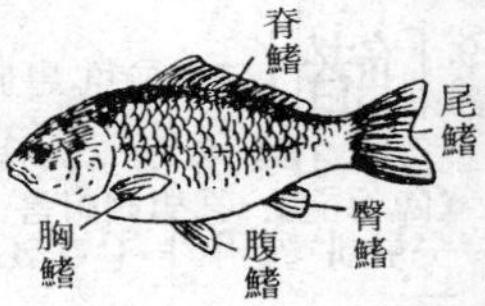

[鰭]

◉硬鰭. 鼓鰭. 尾鰭. 修鰭. 鱗鰭. 振鰭. 脊鰭. 揵鰭. 軒鰭.

10 ㉑ [鰨] [一] 탑 [入]合 吐蓋切 tǎ [二] 첩 [入]葉 達協切 dié 鰨
[字解] [一] 도롱뇽 탑 양서류(兩棲類)에 속하는 동물. 산초어(山椒魚). '禺禺魼一'《漢書》. [二] 가자미 첩 가자밋과(科)에 속하는 바닷물고기. 접어(鰈魚).
[字源] 篆文 形聲. 魚+翕〔音〕. '翕탑'은 얇고 납작하다의 뜻.

10 ㉑ [鰨] 납 [入]合 諾答切 nà
[字解] 물고기이름 납 자라 비슷한데, 등딱지가 없고, 꼬리가 있되 발이 없으며, 입은 배 밑에 있음. '一, 一魚'《說文》.
[字源] 形聲. 魚+納〔音〕

10 ㉑ [鰬] 건 [平]先 渠焉切 qián
[字解] ①바다뱀 건 '大鰥謂之一'《廣雅》. ②큰물고기이름 건 '一, 似鯉而大'《漢書 音義》.

10 ㉑ [鰩] 요 [平]蕭 餘昭切 yáo 鰩
[字解] 날치 요 날칫과에 속하는 바닷물고기. 공중을 날 수 있음. 비어(飛魚). '文一魚'.
[字源] 篆文 形聲. 魚+䍃〔音〕

10 ㉑ [鰤] 사 [平]支 疏夷切 shī

[字解] ①방어 사 전갱잇과에 속하는 바닷물고기. ②노어(老魚) 사 일설에는 독(毒) 있는 물고기.

[字源] 形聲. 魚+師〔音〕

10 ㉑ [鰏] [一] 격 [入]陌 各核切 gé
[二] 력 [入]錫 狼狄切 lì

[字解] [一] 물고기이름 격 물고기 이름. '一, 魚名'《集韻》. [二] 자가사리 력 자가사리. '一, 鮂也'《廣雅》.

10 ㉑ [鰐] [一] 활 [入]黠 戶八切 huá
[二] 골 [入]月 吉忽切

[字解] [一] 물고기이름 활 날치의 일종. 날개가 있고, 드나들 때 빛을 발함. '一, 魚名. 鳥翼, 出入有光'《廣韻》. [二] 물고기이름 골 뱀 비슷하고 발이 넷 있음. '一, 魚名'《集韻》.

10 ㉑ [鰝] 〔교〕
鱎(魚部 十二畫〈p. 2656〉)와 同字

10 ㉑ [鰧] 당 [平]陽 徒郎切 táng

[字解] 자가사리 당 자가사리. '一, 鮂也'《廣雅》.

10 ㉑ [鰪] [一] 합 [入]合 谷盍切 gé
[二] 압 [入]合 乙盍切 é

[字解] [一] 병어 합 '一, 魚名. 似鯖而小'《集韻》. [二] 병어 압 [一]과 뜻이 같음.

10 ㉑ [鰶] 〔내〕
鯠(魚部 八畫〈p. 2648〉)와 同字

10 ㉑ [鰻] 〔언〕
鰋(魚部 九畫〈p. 2651〉)과 同字

10 ㉑ [鰝] [一] 호 [上]晧 胡老切 hào
[二] 확 [入]藥 呵各切

[字解] [一] 큰새우 호 '一, 大鰕也'《說文》. [二] 큰새우 확 [一]과 뜻이 같음.

[字源] 形聲. 魚+高〔音〕

10 ㉑ [鰞] 오 [平]虞 汪胡切 wū

[字解] 오징어 오 '一鰂'은 오징어. 烏(火部 六畫)와 통용. '一鰂, 魚名, 九月寒烏入水化爲之'《集韻》.

[字源] 形聲. 魚+烏〔音〕

10 ㉑ [敷] 어 [平]魚 牛居切 yú

[字解] 고기잡을 어 漁(水部 十一畫)와 同字. '掌以時一爲梁'《周禮》.

10 ㉑ [鰧] 등 [平]蒸 徒登切 téng

[字解] 쑤기미 등 양볼락과에 속하는 바닷물고기. 등지느러미에 독이 있는 가시가 있어 찔리면 아픔.

[字源] 形聲. 魚+朕〔音〕

10 ㉑ [鰫] 용 [平]冬 餘封切 yóng

[字解] ①물고기이름 용 독 있는 가시가 있는 물고기의 이름. ②괴어이름 용 '一, 魚名. 似牛'《字彙》. ③전어 용 '鰅一鰬魠'《漢書》.

[字源] 篆文 形聲. 魚+容〔音〕

10 ㉑ [鰟] 〔방〕
魴(魚部 四畫〈p. 2642〉)과 同字

11 ㉒ [鰥] 〔곤〕
鯤(魚部 八畫〈p. 2649〉)과 同字

11 ㉒ [鰱] 련 [平]先 力延切 lián 鰱

[字解] 연어(鰱魚) 련 붕어 비슷한 민물고기. '鮻鯉鰫一'《郭璞》.

[字源] 篆文 形聲. 魚+連〔音〕. '連련'은 '이어지다'의 뜻. 같이 다니기를 좋아하는 물고기, '연어'의 뜻을 나타냄.

11 ㉒ [鰶] 제 [去]霽 子例切 jì

[字解] 전어(錢魚) 제 전어과에 속하는 바닷물고기. 등쪽에 갈색의 점무늬가 줄지어 있음.

[字源] 形聲. 魚+祭〔音〕

11 ㉒ [鰹] 견 [平]先 古賢切 jiān 鰹

[字解] ①가물치 견 큰 가물치. 일설(一說)에는 칠성장어. ②가다랑어 견 고등엇과에 속하는 바닷물고기.

[字源] 形聲. 魚+堅〔音〕

11 ㉒ [鱻] [一] 어 [平]魚 語居切 yú
[二] 오 [平]虞 訛胡切 wú

[字解] [一] 물고기늘어서갈 어 '一, 二魚也'《說文》. '一, 蓋連行之貌'《通訓》. [二] 큰물고기 오 '一, 魚之大者'《集韻》.

[字源] 會意. 두 개의 '魚어'를 위아래에 합쳐, 물고기가 늘어서 가다의 뜻을 나타냄.

11 ㉒ [鰻] 만 [平]寒 母官切 mán 鰻

[字解] 뱀장어 만 참장어과에 속하는 바닷물고기. 만리(鰻鱺). 백선(白鱓).

[字源] 篆文 形聲. 魚+曼〔音〕. '曼만'은 길게 뻗다의 뜻. 길게 뻗은 물고기, '뱀장어'의 뜻을 나타냄.

[鰻鱺 만리] 뱀장어.

11 ㉒ [鰾] 표 [上]篠 苻少切 biào 鰾

[字解] 부레 표 물고기의 배 속에 있는 공기주머니. 이것을 벌렸다 오므렸다 하여 물에 뜨기도

하고 잠기기도 함.
字源 形聲. 魚+票〔音〕. '票표'는 '떠오르다'의 뜻. 물고기의 '부레'의 뜻을 나타냄.

[鰾膠 표교] 부레풀.

11 ㉒ [鱁] 축 ㊀屋 直六切 zhú
字解 창난젓 축 '—鮧'는 창난젓.
字源 形聲. 魚+逐〔音〕

[鱁鮧 축이] 생선의 창자로 만든 젓.

11 ㉒ [鰸] ㊀ 구 ㊥虞 豈俱切 qū ㊤麌 邕俱切 ㊁ 우 ㊥尤 烏侯切 ㊥虞 委羽切
字解 ㊀ 물고기이름 구 새우 비슷하며 발이 없음. '—, —魚也. 狀似鰕無足'《說文》. ㊁ 물고기이름 우 ㊀과 뜻이 같음.
字源 形聲. 魚+區〔音〕

11 ㉒ [鱀] 기 ㊦寘 其旣切 jì
字解 ①상어 기 '—, 魚名. 鼻在額上'《廣韻》. ②돌고래 기 '—, 郭璞賦海豨·江豚, 是也'《正字通》.

11 ㉒ [鱂] 鱀(前條)와 同字

11 ㉒ [鱳] 〔락〕 鱳(魚部 十五畫〈p. 2657〉)과 同字

11 ㉒ [鱋] 〔합〕 鰪(魚部 十畫〈p. 2653〉)의 俗字

11 ㉒ [鱄] 전 ㊥先 職緣切 zhuān
字解 ①물고기이름 전 둥팅 호(洞庭湖)에서 나는 물고기의 한 가지. '魚之美者, 洞庭之—'《呂氏春秋》. ②성 전 성(姓)의 하나.
字源 篆文 形聲. 魚+專〔音〕

11 ㉒ [鰿] 적 ㊀陌 資昔切 jí
字解 붕어 적 잉엇과에 속하는 민물고기. '煎—臛雀'《楚辭》.

11 ㉒ [鰧] 등 ㊥蒸 徒登切 téng
字解 쑤기미 등 騰(魚部 十畫)과 同字.

11 ㉒ [鱁] 규 ㊥虞 均規切 guī
字解 복 규 하돈(河豚). '鯸鮔亦謂之—'《六書故》.

11 ㉒ [鱇] ㊐ 강
字解 《日》 아귀 강 鮟(魚部 六畫)을 보라. '鮟—'.
字源 形聲. 魚+康〔音〕

11 ㉒ [鱅] 용 ㊥冬 餘封切 yōng
字解 전어 용 근해에 서식하는 바닷물고기. '—魚, 似鰱而色黑, 其頭至大, 味亞於鰱. 鰱之美在腹, —之美在頭'《本草》.
字源 篆文 形聲. 魚+庸〔音〕

11 ㉒ [鱄] 신 ㊥眞 疏臻切 shēn
字解 꼬리길 신 물고기의 꼬리가 긴 모양. '—, 魚長尾皃'《集韻》.
字源 形聲. 魚+莘〔音〕

11 ㉒ [鰷] 〔조〕 鯈(魚部 七畫〈p. 2648〉)와 同字
字源 形聲. 魚+條〔音〕

11 ㉒ [鰺] 〔소〕 鱢(魚部 十三畫〈p. 2656〉)의 訛字
字源 形聲. 본디 '鱢소'로 魚+喿〔音〕. '喿소'가 변형되어 '參삼'이 됨.

11 ㉒ [鱁] 루 ㊥尤 落侯切 lóu ㊥虞 力朱切
字解 ①청어 루 '—, —魚也'《說文》. ②잉어 루 '—, 一名鯉'《說文》.
字源 形聲. 魚+婁〔音〕

11 ㉒ [鰲] 〔오〕 鼇(黽部 十一畫〈p. 2712〉)의 俗字
字源 形聲. 魚+敖〔音〕

12 ㉓ [鱏] ㊀ 잠 ㊥侵 子心切 jīn ㊁ 침 ㊥侵 鋤針切 cén
字解 ㊀ 물고기이름 잠 '—, —魚也'《說文》. ㊁ 자반 침 소금에 절인 물고기. '—, 一說, 南方謂蕭曰—'《集韻》.
字源 形聲. 魚+朁〔音〕

12 ㉓ [鰭] 鱏(前條)의 俗字

12 ㉓ [鱒] 준 ㊤阮 才本切 zūn
字解 송어 준 연어과에 속하는 바닷물고기. '九罭之魚—魴'《詩經》.
字源 篆文 形聲. 魚+尊〔音〕

12 ㉓ [鱏] 심 ㊥侵 徐林切 xín
字解 ①철갑상어 심 철갑상엇과에 속하는 물고기의 총칭. 심어(鱘魚). ②가오리 심 바닷물고기

기의 한 가지. 특히 시끈가오리, 곧 '電一'의 뜻으로 많이 쓰임.
[字源] 篆文 形聲. 魚+覃(㽎)〔音〕. '㽎담·심'은 '潭담'과 통하여 물이 깊은 곳의 뜻. 깊은 물에 사는 물고기의 뜻을 나타냄.

12 ㉓ [⿰魚童] 〔동·종〕
鮦(魚部 六畫〈p.2647〉)과 同字

12 ㉓ [鱓] 선 [上]銑 常演切 shàn
[字解] 드렁허리 선 드렁허릿과에 속하는 민물고기. '蛇一着泥'《淮南子》.
[字源] 篆文 形聲. 魚+單〔音〕. '單단·선'은 다만 그것뿐 복잡성이 없다의 뜻. '드렁허리'의 뜻을 나타냄.
[參考] 鱔(次條)은 俗字.
◉蛇鱓.

12 ㉓ [鱔] 鱓(前條)의 俗字

12 ㉓ [⿰魚健] 〔건〕
鰎(魚部 九畫〈p.2650〉)과 同字

12 ㉓ [⿰魚巢] 과 guǒ
[字解] 물고기이름 과 물고기 이름. '鯱魞一鮹'《南齊書》.

12 ㉓ [鱖] [一] 궐 [入]月 居月切 jué
[二] 궤 [去]霽 居衛切 guì
[字解] [一] 쏘가리 궐 농엇과에 속하는 민물고기. 입이 크고 아래턱이 좀 깊. '桃花流水一魚肥'《張志和》. [二] 쏘가리 궤 [一]과 뜻이 같음.
[字源] 篆文 形聲. 魚+厥〔音〕

12 ㉓ [鱍] 발 [入]曷 北末切 bō
[字解] ①물고기꼬리길 발 '一, 尾長皃'《玉篇》. ②물고기꼬리칠 발 '一, 魚掉尾也'《廣韻》.
[字源] 形聲. 魚+發〔音〕

12 ㉓ [⿰魚孱] 잔 [上]潸 仕限切 zhàn
[字解] 물고기이름 잔.

12 ㉓ [鱊] [一] 율 [入]質 餘律切 yù
[二] 술 [入]質 食聿切
[三] 괄 [入]黠 古滑切
[四] 결 [入]屑 古穴切
[字解] [一] ①작은물고기이름 율 '一魚'는 작은 물고기의 이름. '一, 小魚名'《廣韻》. ②납자루 율 '一鮬'는 납자루. '一鮬, 鱖鯞'《爾雅》. [二] 작은물고기이름 술, 납자루 술 [一]과 뜻이 같음. [三] 작은물고기이름 괄, 납자루 괄 [一]과 뜻이 같음. [四] 작은물고기이름 결, 납자루 결 [一]과 뜻이 같음.

12 ㉓ [鱗] [人名] 린 [平]眞 力珍切 lín
[字解] 비늘 린 물고기·뱀 같은 것의 껍질을 보호하는 각질(角質)의 작은 조각. '宜一物'《周禮》. 전(轉)하여, 비늘을 가진 동물. 특히, 어류. '一毛'. '錦一游泳'《范仲淹》.
[字源] 篆文 形聲. 魚+粦(粦)〔音〕. '粦린'은 '도깨비불'의 뜻. 도깨비불처럼 이어져서 희미하게 빛나는 '비늘'의 뜻을 나타냄.

[鱗甲 인갑] ㉠비늘과 껍데기. ㉡어패류(魚貝類). ㉢비늘 모양의 굳은 껍질. ㉣마음속에 규각(圭角)이 있음.
[鱗介 인개] 어류(魚類)와 패류(貝類).
[鱗莖 인경] 비늘 모양의 지하경(地下莖).
[鱗構 인구] 인비(鱗比).
[鱗羅 인라] 인비(鱗比).
[鱗淪 인륜] 비늘같이 보이는 잔물결.
[鱗鱗 인린] ㉠비늘 같은 물결의 형용. ㉡비늘같이 산뜻하고 고운 모양.
[鱗毛 인모] ㉠어류(魚類)와 수류(獸類). ㉡충어조수(蟲魚鳥獸)를 이름. 화훼(花卉)의 대(對).
[鱗物 인물] 비늘이 있는 동물.
[鱗比 인비] 비늘처럼 죽 늘어섬.
[鱗眴 인순] 궁전(宮殿)의 계단(階段)이 가파른 모양.
[鱗羽 인우] 어류(魚類)와 조류(鳥類).
[鱗接 인접] 비늘처럼 잇닿음.
[鱗族 인족] 어류(魚類).
[鱗集 인집] 비늘이 죽 붙은 것처럼 많이 모임.
[鱗次 인차] 인비(鱗比).
[鱗砌 인체] 비늘 같은 섬돌.
[鱗蟲 인충] 인물(鱗物).
[鱗萃 인췌] 인집(鱗集).
[鱗布 인포] 비늘처럼 산포(散布)함.
[鱗鴻 인홍] 편지. 서찰(書札).
[鱗彙 인휘] 어류(魚類).
◉介鱗. 巨鱗. 驚鱗. 枯鱗. 窮鱗. 錦鱗. 文鱗. 凡鱗. 伏鱗. 批鱗. 三十六鱗. 常鱗. 細鱗. 魚鱗. 逆鱗. 龍鱗. 羽鱗. 游鱗. 六六鱗. 銀鱗. 潛鱗. 呑舟鱗. 片鱗. 活鱗. 橫海鱗.

12 ㉓ [鱘] 심 [平]侵 徐心切 xún
[字解] ①철갑상어 심 철갑상엇과에 속하는 바닷물고기의 총칭. 심어(鱘魚). ②다랑어 심 고등엇과에 속하는 바닷물고기.
[字源] 形聲. 魚+尋〔音〕

12 ㉓ [⿰魚款] 관 [上]旱 苦緩切 kuǎn
[去]翰 苦玩切
[字解] ①물고기이름 관 물고기의 이름. '一, 魚名'《集韻》. ②물고기그물에걸릴 관 물고기가 그물에 걸림. '一, 魚觸罔也'《集韻》.

12 ㉓ [鰖] 타 ①②[上]哿 徒果切 duò
③[去]箇 吐臥切 tuò
[字解] ①물고기새끼 타 알에서 갓 깐 물고기 새끼. '一, 魚子已生者也'《說文》. ②게새끼 타 '一, 蟹子'《廣韻》. ③비늘벗길 타 물고기의 비늘을 뗌. '魚去鱗曰一'《集韻》.
[字源] 篆文 籒文 形聲. 魚+隋〔音〕. '隋타'는 아래로 늘어지다의 뜻. 아랫배에서 늘어져 내리는 알에서 태어난 물고기의 뜻

을 나타냄.
[參考] 鰖(魚部 九畫)는 俗字.

12 ㉓ **[鱎]** 교 [上]篠 居夭切 jiǎo [平]蕭 居妖切
[字解] 강준치 교 잉엇과의 민물고기. '一, 白魚'《集韻》.
[字源] 形聲. 魚+喬〔音〕

12 ㉓ **[鱋]** 〔거〕 魼(魚部 五畫〈p.2643〉)와 同字

[鱐] 〔숙〕 魚部 十三畫(p.2656)을 보라.

12 ㉓ **[鰵]** 〔뇌〕 鯘(魚部 八畫〈p.2650〉)의 訛字

12 ㉓ **[鱉]** 〔별〕 鼈(黽部 十二畫〈p.2712〉)과 同字

13 ㉔ **[鱢]** 소 [平]豪 蘇遭切 sāo
[字解] 비릴 소 비린내가 남. '膏一'.
[字源] 篆文 形聲. 魚+喿〔音〕. '喿소'는 '臊조'와 통하여 '비리다'의 뜻. 물고기가 비리다의 뜻을 나타냄.
[參考] 鰺(魚部 十一畫)는 訛字.

◉膏鱢.

13 ㉔ **[䲛]** 의 [平]支 魚羈切 yí
[字解] 물고기새끼 의 물고기의 새끼. '一, 魚子'《集韻》.

13 ㉔ **[鱧]** 례 [上]薺 盧啓切 lǐ
[字解] 가물치 례 가물칫과에 속하는 민물고기. 일설(一說)에는 칠성장어. '魚麗于罶魴一'《詩經》.
[字源] 篆文 形聲. 魚+豊(豐)〔音〕. '豐례'는 제기 두(豆)에 제물을 담은 모양을 본뜬 것. 그 모양 비슷한 물고기, '가물치'의 뜻을 나타냄.

13 ㉔ **[鱣]** [一] 전 [平]先 張連切 zhān [二] 선 [上]銑 上演切 shàn
[字解] [一] ①잉어 전 잉어의 일종. ②철갑상어 전 철갑상엇과에 속하는 바닷물고기. 황어(鰉魚). '橫江湖之一鯨'《漢書》. [二] 드렁허리 선 鱓(魚部 十二畫)과 同字. '一似蛇, 蠶似蠋'《韓非子》.
[字源] 篆文 籒文 形聲. 魚+亶〔音〕. '亶단·선'은 '邅전'과 통하여 '돌다'의 뜻. 뱅글뱅글 돌기를 잘하는 물고기, '잉어'의 뜻을 나타냄. 籒文은 魚+𩞈〔音〕. '𩞈선'도 '돌다'의 뜻.

[鱣堂 전당] 강당(講堂). 후한서(後漢書) 양진전(楊震傳)의 '有冠雀啣三鱣魚, 飛集講堂前, 都講取魚進曰, 蛇鱣者, 卿大夫服之象也, 數三者, 法三台也, 先生自此升矣'라는 고사(故事)에서 나온 말.
[鱣序 전서] 전당(鱣堂).

13 ㉔ **[䲕]** 보 [上]麌 普姑反 pū
[字解] 돌고래 보 강(江)으로 거슬러 올라간 돌고래. 강돈(江豚). '一魚, 一名江豚, 欲風則湧也'《顧野王》.

13 ㉔ **[鱐]** [一] 숙 [入]屋 息逐切 sù [二] 수 [平]尤 思留切
[字解] [一] 말린고기 숙 건어(乾魚). '夏宜腒一'《禮記》. [二] 말린고기 수 [一]과 뜻이 같음.
[字源] 形聲. 魚+肅〔音〕

◉腒鱐.

13 ㉔ **[鱠]** 회 [去]泰 古外切 kuài 鲙
[字解] 회 회 膾(肉部 十三畫)와 同字. '食魚一'《博物志》.
[字源] 形聲. 魚+會〔音〕

◉魚鱠.

13 ㉔ **[䲔]** 경 [平]庚 渠京切 jīng
[字解] 고래 경 鯨(魚部 八畫)과 同字. '一, 海大魚也'《說文》.
[字源] 篆文 別體 形聲. 魚+畺〔音〕

13 ㉔ **[鱦]** 승 [去]徑 實證切 shéng
[字解] ①물고기새끼 승 '一, 小魚'《爾雅》. ②복승 복의 일종. '一, 鮭屬'《廣韻》.

13 ㉔ **[鱡]** 〔즉〕 鰂(魚部 九畫〈p.2652〉)과 同字

13 ㉔ **[鱞]** 〔환〕 鰥(魚部 十畫〈p.2652〉)과 同字
[字源] 形聲. 魚+睘〔音〕

13 ㉔ **[鱟]** 후 [去]宥 胡遘切 hòu 鲎
[字解] ①참게 후 바위겟과에 속하는 게의 일종. ②무지개 후 속(俗)에 무지개를 이름. '東一晴, 西一雨'《農政全書》.
[字源] 形聲. 魚+學〈省〉〔音〕

13 ㉔ **[鱤]** 감 [上]感 古禫切 gǎn
[字解] 자가사리 감 자가사리. 황협어(黃頰魚). '姑兒之水出焉, 其中有一'《山海經》.

14 ㉕ **[鱨]** 상 [平]陽 辰羊切 cháng
[字解] 자가사리 상 동자갯과에 속하는 민물고

기. 황협어(黃頰魚). 황상어(黃鱨魚). '魚麗于罶一鯊'《詩經》.
[字源] 篆文 形聲. 魚+嘗〔音〕

14 ㉕ [鱮] 서 [上]語 徐呂切 xù
[字解] 연어(鰱魚) 서 붕어 비슷한 민물고기. 鰱(魚部 十一畫)과 같은 뜻. 서어(鱮魚). '其魚魴一'《詩經》.
[字源] 篆文 形聲. 魚+與〔音〕. '與여'는 함께 하다, 떼 지어 가다의 뜻. 떼 지어 다니기를 좋아하는 물고기 '연어'의 뜻을 나타냄.

14 ㉕ [鱯] [一] 호 [去]遇 胡誤切 hù
[二] 화 [去]禡 胡化切
[字解] [一] 큰메기 호 메기의 일종. '一, 似鮎而大, 白色'《爾雅 注》. [二] 큰메기 화 [一]과 뜻이 같음.
[字源] 篆文 形聲. 魚+蒦〔音〕

14 ㉕ [鱭] 〔제〕
鮆(魚部 五畫〈p. 2645〉)와 同字

15 ㉖ [鱬] 절 [入]屑 子結切 jié
[字解] 연어(鰱魚) 절 붕어 비슷한 민물고기.
[字源] 形聲. 魚+節〔音〕

15 ㉖ [鱲] 렵 [入]葉 良涉切 liè
[字解] 물고기이름 렵 물고기의 한 가지.
[字源] 形聲. 魚+巤〔音〕

15 ㉖ [鱳] [一] 락 [入]藥 歷各切 luò
[二] 록 [入]屋 盧谷切 lù
[三] 력 [入]錫 狼狄切 lì
[字解] [一] 물고기이름 락 '一, 一魚也'《說文》. [二] 물고기이름 록 [一]과 뜻이 같음. [三] 자가사리 력 '鰯, 魚名. 博雅, 魟也. 或从樂'《集韻》.
[字源] 形聲. 魚+樂〔音〕

15 ㉖ [鱴] 멸 [入]屑 莫結切 miè
[字解] 웅어 멸 '一魛, 今鮆魚也'《廣韻》.
[字源] 形聲. 魚+蔑〔音〕

15 ㉖ [鱵] 침 [平]侵 職深切 zhēn
[字解] 학꽁치 침 학꽁칫과에 속하는 바닷물고기. 아래턱이 바늘처럼 길게 돌출하였음. 침어(針魚). 공미리.
[字源] 形聲. 魚+箴〔音〕. '箴침'은 '바늘'의 뜻. 가늘고 길며 빛나는 바늘과 같은 물고기, '학꽁치'의 뜻을 나타냄.

15 ㉖ [鱶] 〔상〕
鯗(魚部 八畫〈p. 2650〉)과 同字

[字源] 形聲. 魚+養〔音〕

16 ㉗ [鱷] 악 [入]藥 五各切 è
[字解] 악어 악 '一魚'는 파충류(爬蟲類)의 하나. 악어(鰐魚). '惡溪有一魚'《唐書》.

[鱷溪 악계] 광둥 성(廣東省) 차오안 현성(潮安縣城)의 동북에 있는 한장 강(韓江)의 일컬음. 당나라 때 악어가 있어 해(害)를 끼쳤으나 한유(韓愈)가 글을 지어서 쫓아 버렸다고 함.
[鱷魚 악어] 파충류(爬蟲類)에 속하는 동물. 열대 지방의 물가에 사는데, 도마뱀 비슷하고 경린(硬鱗) 예치(銳齒)가 있으며, 성질이 사나워 인축(人畜)을 해침.

16 ㉗ [鱺] 력 [入]錫 狼狄切 lì
[字解] 자가사리 력 자가사리. 鰯(魚部 十畫)과 同字. '鰯, 或从歷'《集韻》.

16 ㉗ [鱹] [一] 달 [入]曷 他達切
[二] 뢰 [去]泰 落蓋切 lài
[字解] [一] 물고기이름 달 [二]와 뜻이 같음. [二] 물고기이름 뢰 '一, 賴魚也'《說文》.
[字源] 形聲. 魚+賴〔音〕

16 ㉗ [鱸] 로 [平]虞 落胡切 lú
[字解] 농어 로 '一魚'는 농어. '松江之一魚'《後漢書》.
[字源] 形聲. 魚+盧〔音〕

[鱸魚 노어] 농엇과에 속하는 바닷물고기. 농어.
[鱸魚膾 노어회] 농어의 회.
[鱸膾 노회] 노어회(鱸魚膾).
◉江鱸. 碧鱸. 思蓴鱸. 松江鱸. 新鱸. 銀鱸. 鱠鱸.

18 ㉙ [鱻] 구 [平]虞 權俱切
[上]麌 果羽切 qú
[去]遇 俱遇切
[字解] 물고기이름 구 '一, 魚名'《說文》.
[字源] 形聲. 魚+瞿〔音〕

18 ㉙ [鱹] 관 [去]翰 古玩切 guàn
[字解] 사람이름 관 인명(人名). '鱗一爲司徒'《左傳》.

19 ㉚ [鱺] [一] 리 [平]支 鄰知切 lí
[二] 례 [上]薺 盧啓切 lǐ
[字解] [一] 뱀장어 리 갯장어과에 속하는 바닷물고기. '鰻一'. [二] 가물치 례 鱧(魚部 十三畫)와 同字.
[字源] 篆文 形聲. 魚+麗〔音〕

◉鰻鱺.

20 ㉛ [鱨] 당 dǎng

字解 물고기이름 당 물고기 이름. '一魚似鯸鯉'《南越志》.

21 ㉜ [鱺] 례 ㊤薺 里弟切 lǐ

字解 가물치 례 鱧(魚部 十三畫)와 同字. '一, 鮦也'《說文》.

22 ㉝ [鱻] 선 ①㊥先 相然切 xiān ②㊤銑 息淺切 xiǎn

字解 ①생선 선 물고기의 날것. '凡其死生一薨之物, 以共王之膳'《周禮》. ②적을 선 鮮(魚部 六畫)과 同字.

字源 金文 篆文 會意. 세 개의 '魚어'를 합쳐 '생선'의 뜻을 나타냄.

鳥 (11획) 部

[새조부]

0 ⑪ [鳥] 中人 조 ㊤篠 都了切 niǎo 鸟

筆順 ノ 丨 冂 戶 戶 鳥 鳥 鳥 鳥

字解 ①새 조 조류(鳥類). 꽁지가 짧은 새를 '隹'라 하는데 대하여, 꽁지가 긴 것을 이름. '一獸孳尾'《書經》. ②성 조 성(姓)의 하나.

字源 甲骨文 金文 篆文 象形. 새를 본떠 '새'의 뜻을 나타냄.

參考 '鳥조'를 의부(意符)로 하여, 여러 가지 조류의 명칭 등을 나타내는 문자를 이룸. 부수 이름은 '새조변'.

[鳥瞰圖 조감도] 높은 곳에서 아래로 내려다본 상태의 도면.
[鳥罟 조고] 새그물.
[鳥過目 조과목] 새가 눈앞을 날아가는 것같이 지극히 짧은 시간.
[鳥倦飛而知還 조권비이지환] 새는 날아다니다가 피로하면 보금자리로 돌아온다는 뜻으로, 사람의 출처 진퇴(出處進退)도 새와 같이 자연스러워야 한다는 말.
[鳥起者伏 조기자복] 하늘을 나는 새가 느닷없이 놀라 높이 날 때는 그 밑에 복병(伏兵)이 있다는 말.
[鳥道 조도] 새가 아니면 통과할 수 없을 만큼 험한 또는 좁은길.
[鳥羅 조라] 새그물.
[鳥路 조로] 새가 나는 길. 또, 일직선의 길.
[鳥籠 조롱] 새장.
[鳥類 조류] 척추동물(脊椎動物)에 속하는 한 강(綱). 파충류에서 진화(進化)된 것으로, 온혈(溫血)·난생(卵生)이고 몸의 겉에는 우모(羽毛)가 났고 한 쌍의 날개가 있음.
[鳥縭 조리] 새를 잡는 끈끈이.
[鳥網 조망] 새를 잡는 그물.
[鳥面鵠形 조면곡형] 굶어서 무척 야윈 형용(形容).
[鳥飛 조비] 새가 낢.
[鳥散魚潰 조산어궤] 새가 날아가고 물고기가 달아나듯이, 군중이 사방으로 흩어짐.
[鳥鼠 조서] 간쑤 성(甘肅省) 위원현(渭源縣) 서쪽에 있는 산 이름.
[鳥獸 조수] 새와 짐승.
[鳥語 조어] ㉠새소리. 금어(禽語). ㉡만이(蠻夷)의 말.
[鳥雀 조작] 참새 같은 작은 새.
[鳥葬 조장] 시체를 들에 버려 새가 쪼아먹도록 하는 장사(葬事).
[鳥迹 조적] ㉠새 발자국. ㉡창힐(蒼頡)이 새 발자국을 보고 처음으로 문자를 만들었다는 고사(故事)에서 문자의 일컬음.
[鳥跡 조적] 조적(鳥迹).
[鳥篆 조전] ㉠전자(篆字). 모양이 새의 발자국 비슷하므로 이름. ㉡새의 발자국.
[鳥籒 조주] 조전(鳥篆) ㉠.
[鳥中之曾參 조중지증삼] 까마귀를 말함. 증삼(曾參)은 공자(孔子)의 제자로, 효자(孝子)로서 유명함. 까마귀는 반포지효(反哺之孝)가 있는 까닭에 말함.
[鳥之將死其鳴也悲, 人之將死其言也善 조지장사기명야비, 인지장사기언야선] 새가 죽을 때에는 그 울음소리가 슬픈 것같이, 사람이 죽을 때에는 자연히 그 본성으로 돌아가서 그 하는 말이 착함.
[鳥盡弓藏 조진궁장] 나는 새가 없어지면 활이 소용없어 벽장 같은 데 넣어 둔다는 뜻으로, 천하(天下)가 평정되면 공신(功臣)은 소용이 없어 버림을 받음의 비유.
[鳥集 조집] 새처럼 많이 모여듦.
[鳥竄 조찬] 새가 날아가듯이 도망함.
[鳥銃 조총] 소총. 엽총.
[鳥革翬飛 조혁휘비] 새가 날개를 펴는 것 같고, 꿩이 나는 것 같다는 뜻으로, 훌륭한 집의 구조를 이름(혁(革)은 익(翼), 휘(翬)는 치(雉)).

[鳥銃]

[鳥喙 조훼] ㉠새의 부리. ㉡새의 부리같이 뾰족한 입. 탐욕 많은 상(相)임.
◉介鳥. 高鳥. 怪鳥. 巧婦鳥. 九華鳥. 窮鳥. 禽鳥. 羈鳥. 籠鳥. 丹鳥. 猛鳥. 鳴鳥. 妙音鳥. 文鳥. 反舌鳥. 百舌鳥. 白鳥. 凡鳥. 報春鳥. 保護鳥. 鳳鳥. 不死鳥. 飛鳥. 蜚鳥. 山鳥. 傷弓之鳥. 翔鳥. 棲鳥. 瑞鳥. 夕鳥. 小鳥. 水鳥. 宿鳥. 時鳥. 信鳥. 野鳥. 陽鳥. 魚鳥. 烏鳥. 越鳥. 幽鳥. 乙鳥. 益鳥. 一石二鳥. 子雋鳥. 雀鳥. 征鳥. 啼鳥. 朱鳥. 池魚籠鳥. 鷙鳥. 蜀鳥. 翠鳥. 駝鳥. 寒鳥. 海鳥. 害鳥. 玄鳥. 好婦鳥. 好鳥. 花鳥. 黃鳥. 孝鳥. 候鳥.

1 ⑫ [鳦] ㊀을 ㊅質 於筆切 yǐ ㊁알 ㊅黠 乙黠切

字解 ㊀제비 을 참새류에 속하는 새의 한 가지. 현조(玄鳥). '燕一'. ㊁제비 알 ㊀과 뜻이 같음.

字源 乙의 別體 形聲. 鳥+乙〔音〕. '乙을'은 제비가 갈지자(之字)로 나는 모양을 본뜸. '鳥조'를 더하여 '제비'의 뜻을 나타냄.

◉燕鳦.

2 ⑬ [鳧] 人名 부 ㊥虞 防無切 fú 凫

[字解] 물오리 부 오릿과에 속하는 야생의 오리. '一鴨'. '弋一與雁'《詩經》.
[字源] [金文] [篆文] 形聲. 鳥+几〔音〕. '几수'는 깃이 짧은 새가 나는 것을 본뜬 것. 물오리의 뜻을 나타냄. 또 '几'는 뻗는 발의 象形. 물갈퀴 발이 있는 물오리의 뜻을 나타낸다고도 함.

[鳧脛 부경] 물오리의 다리. 짧은 다리.
[鳧脛雖短續之則憂 부경수단속지즉우] 물오리의 발이 짧다고 이어 대면 걱정이 된다는 뜻으로, 사물의 특성을 인위적으로 손익 가감하여서는 안 된다는 말.
[鳧鷗 부구] 물오리와 갈매기.
[鳧葵 부규] 순채(蓴菜)의 일종.
[鳧氏 부씨] 주대(周代)의 관명(官名). 종을 만드는 벼슬.
[鳧雁 부안] 물오리와 기러기.
[鳧鴨 부압] 물오리와 집오리. 전(轉)하여 오리.
[鳧影 부영] 물오리가 나는 그림자.
[鳧鷖 부예] 부구(鳧鷗).
[鳧翁 부옹] ㉠물오리의 목털. ㉡물오리.
[鳧渚 부저] 물오리가 내려와 노는 물가.
[鳧藻 부조] 기뻐함. 물오리는 조류(藻類)를 보면 기뻐하므로 이름.
[鳧舟 부주] 모양이 물오리 같은 배.
[鳧趨雀躍 부추작약] 뛰며 좋아함.
◉家鳧. 輕鳧. 驚鳧. 飛鳧. 水鳧. 睡鳧. 信鳧. 野鳧. 魚鳧. 游鳧. 弋鳧. 渚鳧. 春鳧.

2 ⑬ [鳩] 구 [平]尤 居求切 jiū

[字解] ①메추라기 구 메추라기. '一, 鶉也'《字彙補》. ②鳩(次條)의 俗字.

2 ⑬ [鳩] [人名] 구 [平]尤 居求切 jiū 鸠

[筆順] 丿 九 九' 九㇒ 九卢 九自 鳩 鳩

[字解] ①비둘기 구 새의 한 가지. '維鵲有巢, 維一居之'《詩經》. ②모일 구, 모을 구 '一首'. '一合同志'《陸機》. ③편안할 구, 편안히할 구 '敢使魯無一乎'《左傳》. ④성 구 성(姓)의 하나.
[字源] [篆文] 形聲. 鳥+九〔音〕. '九구'는 비둘기의 우는 소리의 의성어.

[鳩居鵲巢 구거작소] 비둘기는 집을 짓지 못하고 까치집에서 살므로, 아내가 남편의 집을 자기 집으로 삼는 데 비유하며, 또 남의 집을 빌려 사는데도 이름.
[鳩斂 구렴] 사방에 흩어져 있는 백성을 모아 한군데 안주(安住)시키고 구실을 거둠.
[鳩摩羅什 구마라습] 후진(後秦)의 고승(高僧). 서역(西域) 구자국(龜玆國) 태생. 후진(後秦)의 국왕 요흥(姚興)의 신임을 받아 군승(群僧)과 함께 경론(經論) 300권을 번역함. 삼론종(三論宗)의 개조(開祖)임.
[鳩尾 구미] 가슴과 배의 경계인 한가운데 우묵하게 들어간 곳. 명치.
[鳩槃茶 구반다] 《佛敎》 형체가 보기 흉한 일종의 악신(惡神)의 이름. 후세(後世)에는 못생긴 추부(醜婦)를 일컬음.
[鳩婦 구부] 암비둘기.
[鳩率 구솔] 규합(糾合)하여 거느림.
[鳩首 구수] 서로 머리를 맞대고 의논(議論)함.
[鳩杖 구장] ㉠지팡이 머리에 비둘기를 새긴 노인장(老人杖). ㉡비둘기를 새긴 노인의 젓가락.
[鳩集 구집] 구합(鳩合).
[鳩車 구차] 비둘기 모양을 만들어 실은 작은 수레. 어린아이의 장난감의 한 가지.

[鳩杖㉠]

[鳩聚 구취] 구합(鳩合).
[鳩合 구합] 한데 모아 합침. 또, 한데 모여 합함.
[鳩形鵠面 구형곡면] 오래 주려 수척한 형용. 조면곡형(鳥面鵠形).

[鳩車]

◉鶻鳩. 鶉鳩. 隴上鳩. 鳴鳩. 蒙鳩. 班鳩. 爽鳩. 鳲鳩. 雎鳩. 傳書鳩. 蒼鳩. 鷽鳩. 荊鳩.

2 ⑬ [鳨] 력 [入]職 六直切 lì

[字解] ①상오리 력 상오리. 오릿과에 딸린 물새. '一, 鳥名, 少鳧也'《集韻》. ②짐새의딴이름 력 짐새〔鴆〕의 딴 이름. '一, 鴆別名'《類篇》. ③비둘기의딴이름 력 비둘기의 딴 이름. '一, 一曰, 鳩別名'《集韻》.

2 ⑬ [⿱力鳥] 鳨(前條)과 同字

2 ⑬ [鳮] 〔계〕 鷄(鳥部 十畫〈p. 2677〉)의 俗字

2 ⑬ [⿰鳥了] 효 [平]蕭 虛嬌切 xiāo

[字解] 올빼미 효 梟(木部 七畫)의 俗字. '一, 不孝鳥, 食父母也'《篇海》.

2 ⑬ [⿰鳥卩] ⿰鳥了(前條)와 同字

2 ⑬ [鳯] 〔봉〕 鳳(鳥部 三畫〈p. 2660〉)의 俗字

3 ⑭ [鳲] 시 [平]支 式脂切 shī

[字解] 뻐꾸기 시 '一鳩'는 뻐꾸기. '一鳩在桑'《詩經》.
[字源] 形聲. 鳥+尸〔音〕

[鳲鳩 시구] 두견잇과에 속하는 새. 뻐꾸기. 곽공(郭公). 포곡(布穀).

3 ⑭ [鳴] [中人] 명 ①-③[平]庚 武兵切 míng ④[去]敬 眉病切 鸣

[筆順] 丨 口 口' 口卢 口自 口鳥 鳴 鳴

[字解] ①울 명 새가 소리를 냄. '鳳凰一矣'《詩經》. 전(轉)하여 널리 생물 등이 소리를 내는 뜻으로 쓰임. '其於馬也, 爲善一'《易經》. ②울릴 명 ㉠음향이 남. '叩之以大者則大一'《禮記》.

㉡명성이 들날림. '以文章一江東'《元史》. ㉢말을 함. '孟軻荀卿, 以道一者也'《韓愈》. ㉣소리를 나게 함. '不一其善鳴者'《韓愈》. ③성 명 성(姓)의 하나. ④부를 명 새가 서로 부름. '一儔嘯匹侶'《曹植》.

字源 甲骨文 金文 篆文 會意. 鳥+口. 수탉이 홰치며 울다, '울다'의 뜻을 나타냄.

[鳴珂里 명가리] ㉠가(珂)는 귀인(貴人)이 쓰는 마구(馬具)의 구슬 장식(裝飾). 가(珂)를 울리는 마을이란 뜻으로, 귀인이 사는 마을을 이름. ㉡남의 고향(故鄉)을 높여서 가리(珂里)·가향(珂鄉)이라 함.
[鳴謙 명겸] 겸손한 태도가 언사와 용모에 드러남.
[鳴鼓 명고] 북을 침.
[鳴鼓而攻之 명고이공지] 죄상(罪狀)을 하나하나 들어서 공박(攻駁)함.
[鳴管 명관] 조류(鳥類)의 발성(發聲)하는 기관. 울대.
[鳴鳩 명구] 산비둘기.
[鳴琴 명금] ㉠거문고. ㉡거문고를 탐. ㉢폭포(瀑布)의 소리의 비유.
[鳴禽 명금] ㉠듣기 좋게 잘 우는 새. ㉡명금류(鳴禽類)에 속(屬)한 새.
[鳴禽類 명금류] 조류를 생태(生態)나 습성상(習性上)으로 구분한 유(類). 울대를 가지고 대개 잘 욺. 할미새·꾀꼬리·제비 따위. 연작류(燕雀類).
[鳴器 명기] 매미 따위의 소리 내는 기관.
[鳴動 명동] 울리어 진동함.
[鳴鑾 명란] 천자의 수레에 다는 방울.
[鳴絲 명사] 거문고.
[鳴謝 명사] 사례(謝禮)함.
[鳴鴉 명아] 우는 까마귀.
[鳴雁 명안] 우는 기러기.
[鳴雁之期 명안지기] 혼기(婚期).
[鳴軋 명알] 삐걱삐걱 울림.
[鳴嚶 명앵] 새가 욺.
[鳴籥 명약] 피리.
[鳴蛙 명와] 우는 개구리.
[鳴竽 명우] 피리.
[鳴笛 명적] ㉠피리를 붊. ㉡피리.
[鳴鏑 명적] 쏘면 공기에 부딪쳐 소리가 나게 만든 화살. 우는살.
[鳴條 명조] 은(殷)나라 탕왕(湯王)이 하(夏)나라 걸왕(桀王)을 격파(擊破)한 곳. 지금의 산시 성(山西省) 안이 현(安邑縣)의 북쪽.
[鳴蜩 명조] 우는 매미.
[鳴鐘 명종] 종소리.
[鳴砌 명체] ㉠섬돌을 울리게 함. 섬돌을 때려 소리가 나게 함. ㉡'구인(蚯蚓)'의 별칭(別稱). 지렁이.
[鳴騶 명추] 종자(從者)가 탄 말이 욺. 귀인의 거마(車馬)의 출행(出行) 소리를 이름.
[鳴鞭 명편] 옛날 의장중(儀仗中)에 쓰는 제구의 하나. 이를 흔들어 소리를 내어서 사람들로 하여금 정숙(靜肅)하게 함. 정편(靜鞭).
[鳴吠 명폐] ㉠닭이 울고 개가 짖음. ㉡하찮은 기능을 이름.
[鳴鶴在陰其子和之 명학재음기자화지] 학이 그늘에서 울어도 새끼가 따라 욺. 덕(德)이 있는 자는 세상에 자연히 알려짐의 비유(比喩).
[鳴弦 명현] 우는 활시위.
[鳴呼 명호] ㉠차탄(嗟歎)하는 소리. ㉡탄미하는 소리.
[鳴號 명호] 울부짖음. 규호(叫號).
[鳴吼 명후] 새와 짐승이 욺.
◉鷄鳴. 孤掌豈能鳴. 共鳴. 群鳴. 鹿鳴. 雷鳴. 馬鳴. 百家爭鳴. 飛鳴. 悲鳴. 哀鳴. 嚶鳴. 鸎鳴. 蛙鳴. 瓦釜雷鳴. 牛鳴. 猿鳴. 陰德猶耳鳴. 耳鳴. 一鳴. 自鳴. 長鳴. 鶴鳴. 和鳴.

3 ⑭ [鴃] ㊀ 제 ㉮霽 大計切 ㊁ 대 ㉮泰 徒蓋切 dài

字解 ㊀ 새이름 제 새의 이름. '首山, 其陰有谷曰机谷, 多一鳥, 其狀如梟, 而三目有耳, 其音如錄, 食之已墊'《山海經》. ㊁ 새이름 대 ㊀과 뜻이 같음.

3 ⑭ [鳸] 두 ㉯麌 動五切 dù

字解 두견새 두 두견이. '一, 一鵑鳥名, 通作杜'《集韻》.

3 ⑭ [鳱] ㊀ 간 ㉰寒 古寒切 gān ㊁ 안 ㉮諫 魚澗切 yàn

字解 ㊀ 까치 간 '一鵲'은 까치. '一鵲, 鵲也'《廣雅》. ㊁ 기러기 안 雁(隹部 三畫)과 同字.

3 ⑭ [鳻] 鳱(前條)과 同字

3 ⑭ [鳹] 〔구〕 鳩(鳥部 二畫〈p. 2659〉)의 訛字

3 ⑭ [鳺] 〔도·주〕 擣(手部 十四畫〈p. 913〉)와 同字

3 ⑭ [鳳] 高人 봉 ㉮送 馮貢切 fèng 凤

筆順 ⺈ 几 凡 凤 凮 鳯 鳳

字解 ①봉새 봉 봉황의 수컷. 봉황은 상상(想像)의 서조(瑞鳥). 성인(聖人)이 세상에 나오면 이에 응하여 나타난다고 함. 수컷은 '一', 암컷은 '凰'이라 함. '麟一龜龍, 謂之四靈'《禮記》. ②성 봉 성(姓)의 하나.

字源 甲骨文 篆文 形聲. 鳥+凡〔音〕. '凡범'은 바람에 펄럭이는 돛의 뜻. 바람에 날개를 펄럭이는 '봉새'의 뜻을 나타냄.

[鳳駕 봉가] ㉠천자(天子)가 타는 수레. ㉡신선(神仙)이 타는 수레.
[鳳閣 봉각] '중서성(中書省)'의 별칭(別稱).
[鳳蓋 봉개] 천자(天子)가 타는 수레의 덮개.
[鳳擧 봉거] ㉠사신(使臣)이 사명을 띠고 봉새처럼 멀리 감. ㉡몸을 깨끗이 하고 은퇴함. ㉢올라감.
[鳳闕 봉궐] 천자(天子)의 대궐(大闕).
[鳳起 봉기] 봉황처럼 날아오름.
[鳳團 봉단] 상등(上等)의 차(茶)의 이름.
[鳳德 봉덕] 성인군자의 덕.
[鳳頭鞋 봉두혜] 썩 좋은 여자의 신.
[鳳鸞 봉란] 봉새와 난새. 난새는 봉새를 돕는 신

조(神鳥)라 함.
[鳳曆 봉력] 달력. 봉황은 천시(天時)를 안다 하므로 이름.
[鳳輦 봉련] ㉠천자(天子)가 타는 연(輦). ㉡신선(神仙)이 타는 연.
[鳳樓 봉루] 누각(樓閣)의 지붕의 모퉁이. 봉새 모양의 장식이 있으므로 이름.
[鳳梨 봉리] 열대 지방에 나는 상록 초본(常綠草本). 열매는 파인애플이라 함. 아나나스.
[鳳麟洲 봉린주] 봉새와 기린이 많이 있으며 신선이 산다는 곳. 서해(西海) 중앙에 있는 사주(砂洲)라 함.
[鳳鳴朝陽 봉명조양] 봉새가 산의 동편에서 욺. 천하가 태평할 길조(吉兆)라 함.
[鳳毛 봉모] 뛰어난 풍채. 또 재사(才士)를 칭찬하여 이르는 말.
[鳳門 봉문] 대궐(大闕)의 문.
[鳳尾草 봉미초] 은화식물(隱花植物)의 하나. 풀고사리.
[鳳尾蕉 봉미초] 소철(蘇鐵).
[鳳翔 봉상] ㉠봉새가 하늘 높이 낢. ㉡당대(唐代) 및 금대(金代)의 부(府)의 이름. 지금의 산시 성(陝西省) 서남의 땅.
[鳳仙花 봉선화] 봉숭아.
[鳳城 봉성] 궁성(宮城). 대궐.
[鳳聲 봉성] 편지에 쓰는 말로, 남에게 부탁하는 전언(傳言)의 존칭.
[鳳沼 봉소] 대궐(大闕) 안에 있는 못.
[鳳韶 봉소] 순(舜)임금이 지었다는 음악.
[鳳兒 봉아] 뛰어난 아이. 대단히 영리한 아이.
[鳳掖 봉액] 태자(太子)의 궁정(宮庭). 액(掖)은 대궐(大闕)의 좌우의 협문(夾門).
[鳳輿 봉여] 봉련(鳳輦).
[鳳友 봉우] '공작(孔雀)'의 별칭(別稱).
[鳳苑 봉원] 대궐(大闕) 안에 있는 동산. 비원(祕苑). 금원(禁苑).
[鳳吟 봉음] 대나무가 울리는 소리를 봉새가 우는 소리에 견주어 이른 말.
[鳳子 봉자] 호랑나비. 범나비.
[鳳字 봉자] ㉠조칙(詔勅) 등의 문자의 존칭. ㉡'鳳'이란 글자를 파자(破字)하면 범조(凡鳥)가 되므로, 범용(凡庸)한 사람을 냉소(冷笑)하는 말.
[鳳姿 봉자] 봉새의 모습. 봉새와 같은 거룩한 풍채.
[鳳簪 봉잠] 봉황의 모양을 새긴 비녀.
[鳳邸 봉저] 천자(天子)의 즉위하기 전의 구거(舊居). 잠저(潛邸).
[鳳蝶 봉접] 호랑나비. 범나비.
[鳳詔 봉조] '조서(詔書)'의 존칭.
[鳳藻 봉조] 아름다운 문장(文章).
[鳳鳥 봉조] 봉황(鳳凰).
[鳳鳥不至 봉조부지] 성군(聖君)이 나타나지 아니하여 인도(人道)가 쇠미한 것을 개탄하는 말.
[鳳池 봉지] 봉황지(鳳凰池).
[鳳紙 봉지] 천자(天子)가 사용하는 종이. 조서(詔書)를 쓰는 종이.
[鳳車 봉차] ㉠봉가(鳳駕). ㉡봉자(鳳子).
[鳳釵 봉채] 봉잠(鳳簪).
[鳳雛 봉추] ㉠봉의 새끼. ㉡봉아(鳳兒). ㉢아직 세상에 두각(頭角)을 나타내지 아니한 영재(英才).
[鳳吹 봉취] 생황(笙篁)·퉁소 등을 이름.
[鳳峙 봉치] ㉠봉새와 같이 아름답게 우뚝 솟음. ㉡거룩하게 한 지방에 웅거(雄據)하는 모양.
[鳳胎龍肝 봉태용간] 봉의 태(胎)와 용의 간(肝). 맛보기 어려운 진미(珍味)를 이름.
[鳳匏 봉포] 일종의 악기(樂器)의 이름.
[鳳穴 봉혈] 문채(文采)가 모이는 곳. 곧 훌륭한 사람들이 모이는 곳의 뜻.
[鳳兮歌 봉혜가] 초(楚)나라 사람 접여(接輿)가 봉새를 공자(孔子)에게 견주어 부른 노래로서, 공자가 난세(亂世)에 은둔하지 않는 것을 풍자(諷刺)함.
[鳳皇 봉황] 봉황(鳳凰).
[鳳凰 봉황] 상상(想像)의 서조(瑞鳥). 성인(聖人)이 세상에 나오면 이에 응하여 나타난다고 함. 수컷은 봉(鳳), 암컷은 황(凰)이라 함.
[鳳凰來儀 봉황내의] 봉황이 와서 춤춘다는 뜻. 태평의 길조(吉兆).
[鳳凰臺 봉황대] 난징 시(南京市)의 남쪽에 있는 대(臺)의 이름.
[鳳凰兒 봉황아] 봉아(鳳兒).
[鳳凰子 봉황자] 산둥 성(山東省) 치천현(淄川縣)에서 나는 벼룻돌. 돌의 생김새가 난형(卵形)인 데서 이르는 말. 홍사석(紅絲石).
[鳳凰在笯 봉황재노] 봉황이 새장에 갇혀 있다는 뜻. 성현(聖賢)·군자(君子)가 그 지위를 잃음을 이름.
[鳳凰池 봉황지] 당(唐)나라의 중서성(中書省)에 있는 못. 전(轉)하여 중서성의 별칭(別稱).
[鳳凰銜書 봉황함서] 천자(天子)의 사신(使臣)이 칙서(勅書)를 받들고 옴의 비유(比喩).
◉龜鳳. 夔鳳. 鸞鳳. 丹鳳. 丹山鳳. 飛鳳. 祥鳳. 瑞鳳. 神鳳. 靈鳳. 幺鳳. 龍鳳. 麟鳳. 綵鳳. 雛鳳. 翠鳳.

3 ⑭ [鳶] [人名] 연 [平]先 與專切 yuān 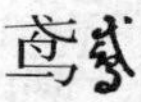

[字解] ①솔개 연 수릿과(科)에 속하는 새. 공중에 떠 있다가 땅 위의 작은 동물을 잡아먹음. '一飛戾天'《詩經》. ②연 연 종잇조각에 가는 대쪽을 엇걸리게 대고 실로 벌이줄을 매어 날리는 것. 지연(紙鳶).
[字源] 會意. 鳥+弋

[鳶肩 연견] 위로 올라간 어깨.
[鳶目兎耳 연목토이] 잘 보이는 눈과 잘 들리는 귀. 비이조목(飛耳鳥目).
[鳶飛魚躍 연비어약] 솔개는 날고 물고기는 뜀. 곧 천지조화의 묘용(妙用)을 이름.
[鳶色 연색] 다갈색(茶褐色).
◉鳴鳶. 木鳶. 飛鳶. 魚鳶. 鷹鳶. 鵰鳶. 紙鳶. 風鳶.

3 ⑭ [鳨] 표 [去]效 布效切 bào

[字解] 새이름 표 새의 이름. '一, 鳥名'《篇海》.

3 ⑭ [鳦] 〔골〕
鶻(鳥部 十畫〈p. 2676〉)과 同字

4 ⑮ [鴃] 격 [入]錫 扃闃切 jué 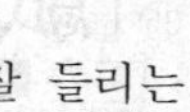

[字解] 때까치 격 때까칫과에 속하는 새. 잡은 물

고기 같은 것을 나무에 꿰어 말리는 습성(習性)이 있음. 개고마리. 박로(博勞). 백로(伯勞).
[字源] 形聲. 鳥＋夬〔音〕

[鴃舌 격설] 알아들을 수 없는 야만인의 언어.
◉羈鴃. 鳴鴃. 啼鴃. 春鴃.

4 ⑮ [鳷] 지 [平]支 章移切 zhī
[字解] ①새매 지 수릿과(科)에 속하는 맹금(猛禽). ②새이름 지 '一鵲'은 한(漢)나라 장제(章帝) 때 조지국(條支國)에서 조공(朝貢)한 새. 키가 7척(尺)이며 사람의 말을 알아들었다 함.
[字源] 形聲. 鳥＋支〔音〕

[鳷鵲 지작] 자해(字解)❷를 보라.
[鳷鵲觀 지작관] 한(漢)나라 무제(武帝)가 쌓은 감천궁(甘泉宮) 안에 있던 누대(樓臺).

4 ⑮ [䲲] 공 [平]東 沽紅切 gōng
[字解] 새매 공 새매. 수릿과에 딸린 새. '一, 似鷹而小, 能捕雀'《字彙》.

4 ⑮ [鵁] 교 [平]肴 居肴切 jiāo
[字解] 해오라기 교 해오라기. 교청(鵁鶄). '一, 鶋一, 似鳧'《廣韻》.

4 ⑮ [䲰] 균 [平]眞 呼鄰切 xīn
[字解] 작은새 균 작은 새. 작은 새의 이름. '一, 一鷱, 小鳥'《集韻》.

4 ⑮ [鳮] 급 [入]緝 極入切 jié
[字解] 검정때까치 급 검정때까치. 鵖(鳥部 十一畫〈p. 2680〉)과 同字. '鵖, 鵖鴔, 小黑鳥, 或从及'《集韻》.

4 ⑮ [鴟] [一] 기 [平]支 翹移切 qí
[二] 지 [平]支 章移切
[字解] [一] ①꿩 기 꿩의 딴 이름. '一, 雉別名'《玉篇》. ②기러기 기 기러기. [二] 닭 지 닭. 雖(隹部 四畫〈p. 2483〉)와 同字. '鷵一'. '一, 方言, 雞'《集韻》.

4 ⑮ [鴂] [一] 결 [入]屑 古穴切 jué
[二] 계 [去]霽 涓惠切 guī
[字解] [一] ①올빼미 결 올빼미〔鴞〕의 일종. ②뱁새 결 '鸋一'은 뱁새. [二] 두견이 계 鷤(鳥部 九畫)를 보라. '鷤一'.
[字源] 篆文 形聲. 鳥＋夬〔音〕

◉鸋鴂. 鷤鴂. 鶗鴂.

4 ⑮ [鴆] 짐 [去]沁 直禁切 zhèn
[字解] 짐새 짐 광둥 성(廣東省)에서 사는 독조(毒鳥). 그 깃을 담근 술을 마시면 죽는다 함. '吾令一爲媒'《楚辭》. 또 이 새의 깃을 담근 술. 또 그 술을 마시게 하여 죽임. '一殺'. '使醫一之'《國語》.
[字源] 篆文 形聲. 鳥＋冘〔音〕. '冘음'은 '가라앉히다'의 뜻. 사람을 물속에 가라앉히듯 숨통을 끊어 버리는 새, 독조(毒鳥)의 뜻을 나타냄.

[鴆毒 짐독] ㉠짐새의 깃을 술에 담근 독. ㉡짐주(鴆酒)를 마시게 하여 죽임. ㉢해독이 심한 자의 비유.
[鴆殺 짐살] 짐주(鴆酒)를 마시게 하여 죽임.
[鴆肉 짐육] 짐새의 고기. 독조(毒鳥)의 고기.
[鴆酒 짐주] 짐독(鴆毒)을 섞은 독(毒)한 술.
◉仰鴆. 飮鴆.

4 ⑮ [鴇] 보 [上]晧 博抱切 bǎo
[字解] ①능에 보 새의 한 가지. 모양이 기러기와 같으나 훨씬 큼. 너새. 야안(野雁). '肅肅一羽'《詩經》. 또 능에는 음란하다 하여, 전(轉)하여 창부(娼婦) 등의 뜻으로 쓰임. '一母'. '一性最淫, 逢鳥則與之交'《庶物異名 疏》. ②오총이 보 흰 털이 섞인 검은 말. '叔于田, 乘乘一'《詩經》.
[字源] 篆文 形聲. 鳥＋우〔音〕. '우보'는 '갖추어지다'의 뜻. 깃이 가지런히 잘 갖추어진 새, '능에'의 뜻을 나타냄.

[鴇母 보모] 기루(妓樓)에서 기생의 뒤를 보는 여자. 기생 어미.
[鴇羽之嗟 보우지차] 신민(臣民)이 전역(戰役)에 종사하여 부모(父母)를 봉양(奉養)하지 못하는 한탄.

4 ⑮ [鴉] [人名] 아 [平]麻 於加切 yā
[字解] ①큰부리까마귀 아 까마귓과(科)에 속하는 새. 성질이 고약하여 반포(反哺)를 하지 않는다 함. '純黑反哺者, 謂之烏, 小而腹下白, 不反哺者, 謂之一烏'《廣雅》. ②검을 아 까마귀 털빛처럼 새까맘. '一鬢靑雛色'《古詩》.
[字源] 形聲. 鳥＋牙〔音〕. '牙아'는 깍깍 우는 까마귀 울음소리의 의성어.
[參考] 鵶(鳥部 八畫)는 同字.

[鴉舅 아구] ㉠옻나뭇과에 속하는 낙엽 교목. 거망옻나무. ㉡새의 이름. 일명(一名), 아긍(鴉鵮).
[鴉群 아군] ㉠까마귀 떼. ㉡질서가 문란한 약한 군대를 이름.
[鴉背 아배] 까마귀의 등.
[鴉軋 아알] 부딪쳐 나는 소리.
[鴉陣 아진] 나는 까마귀 떼. 줄지어 날므로 이름.
[鴉靑 아청] 검푸른 빛깔. 야청.
[鴉片 아편] 아편(阿片).
[鴉鬟 아환] ㉠검은 머리. ㉡비녀(婢女). 계집종.
[鴉黃 아황] 부인이 쓰는 분으로 주로 눈썹을 그리는 것.
◉群鴉. 歸鴉. 金鴉. 亂鴉. 晩鴉. 鳴鴉. 暮鴉. 鬢鴉. 山鴉. 栖鴉. 曙鴉. 赤鴉. 村鴉. 雛鴉. 寒鴉. 昏鴉. 曉鴉.

4 **[鳻]** ㊀ 분 ㊥文 敷文切 fén
⑮ ㊁ 반 ㊥刪 布還切 bān

字解 ㊀ 세가락메추라기 분 '一鶥'은 메추라기의 일종. '春鳸, 一鶥'《爾雅》. ㊁ 산비둘기 반 '一鳩'는 산비둘기. '鳩, 自關而西, 秦漢之閒, 其大者謂之一鳩'《揚子方言》.

4 **[⿰毛鳥]** 모 ㊦號 莫報切 mào
⑮

字解 솜털 모 새의 솜털. '一, 輕毛'《集韻》.
字源 形聲. 鳥+毛〔音〕

4 **[鳺]** ㊀ 부 ㊥虞 甫無切 fū
⑮ ㊁ 규 ㊥支 均窺切 guī

字解 ㊀ 산비둘기 부 '一鴀'는 산비둘기. ㊁ 두견새 규 자규(子規).

4 **[鳹]** ㊀ 겸 ㊥鹽 巨淹切
⑮ ㊁ 금 ㊥侵 渠金切 qín
㊂ 감 ㊥覃 姑南切

字解 ㊀ ①새이름 겸 부리가 굽은 새. 또 흰 부리의 새. '一, 句喙鳥'《爾雅》. '一, 白喙鳥'《廣韻》. ②쪼을 겸 새가 모이를 쪼아 먹음. '一, 鳥啄食'《玉篇》. ㊁ 새이름 금, 쪼을 금 ㊀과 뜻이 같음. ㊂ 새이름 감 '䳺, 鳥名. 或作一'《集韻》.

4 **[⿰介鳥]** 개 ㊦卦 居拜切 jiè
⑮

字解 새이름 개 '一, 一雀也. 佀鷃而靑, 出羌中'《說文》.
字源 形聲. 鳥+介〔音〕

4 **[鴌]** ㊀ 봉 ㊦送 馮貢切 fèng
⑮ ㊁ 궉 韓

字解 ㊀ 봉새 봉 봉새. 鳳(鳥部 三畫)의 古字. ㊁《韓》성 궉 성(姓)의 하나.

4 **[鴀]** 부 ㊥尤 甫鳩切
⑮ ㊤有 方久切 fǒu

字解 산비둘기 부 산비둘기의 일종. '一, 鳥名, 鵓鳩也'《集韻》.

4 **[鴎]** 〔구〕
⑮ 鷗(鳥部 十一畫〈p. 2679〉)의 略字

4 **[鳸]** 호 ㊤麌 侯古切 hù
⑮

字解 세가락메추라기 호 메추라기의 일종. '春一, 鳻鶥'《爾雅》.

4 **[鴈]** 高人 안 ㊦諫 五晏切 yàn
⑮

筆順 一 厂 厂 厂 厂 厂 鴈 鴈

字解 ①기러기 안 雁(隹部 四畫)과 同字. '鴻一來'《禮記》. ②오리 안. ③가짜 안 贋(貝部 十五畫)과 통용. '齊伐魯, 索讒鼎, 魯以其一往'《韓非子》. ④성 안 성(姓)의 하나.
字源 篆文 形聲. 鳥+人+厂〔音〕. '厂한'은 벼랑 밑의 집의 뜻. 사람의 집에서 기르는 새, 오리의 뜻을 나타냄.

◉歸鴈. 來鴈. 鳴鴈. 鳧鴈. 舒鴈. 數行鴈. 旅鴈. 赤鴈. 地鴈. 天鴈.

4 **[⿰开鳥]** 〔견·역·연〕
⑮ 鳽(鳥部 六畫〈p. 2667〉)의 俗字

5 **[鴕]** 타 ㊥歌 唐何切 tuó 鴕
⑯

字解 타조 타 '一鳥'. '一鳥如駝生西戎'《本草》.
字源 形聲. 鳥+它〔音〕. '它타'는 동류(同類)가 아닌 것의 뜻. 타국 원산(原產)의 새, '타조'의 뜻을 나타냄.

[鴕鳥 타조] 타조과에 속하는 열대산의 큰 새. 키가 8~9척이나 되어 현생 조류 중 가장 큼. 날지는 못하나 다리는 썩 발달(發達)되어 달아날 때는 한 걸음이 20여 척(尺)이나 된다고 함.

5 **[鴤]** 종 ㊥冬 之戎切 zhōng
⑯

筆順 丨 ⺈ 鳥 鳥 鳥 鴤 鴤 鴤

字解 새이름 종 새 이름. 청둥오리 비슷하나 작은 물새. '一, 鳥名'《集韻》.

5 **[鴪]** 율 ㊇質 餘律切 yù
⑯

字解 훨날 율 송골매 같은 것이 빨리 나는 모양. '彼飛隼'《詩經》.
字源 篆文 篆文 形聲. 鳥+穴〔音〕. '穴혈'은 날개를 접고 홱 빠져 날아가다의 뜻을 나타냄.

5 **[鴥]** 鴪(前條)과 同字
⑯

5 **[鴚]** 가 ㊥歌 古俄切 gē
⑯ ㊥麻 居牙切

字解 ①거위 가 오릿과의 새. ②기러기 가 기러기의 일종.
字源 篆文 形聲. 鳥+可〔音〕

5 **[⿱巧鳥]** 교 ㊤巧 苦絞切 qiǎo
⑯

字解 뱁새 교 뱁새. 교부조(⿱巧鳥婦鳥). '一, 鷦鷯, 鳥名, 巧婦也'《集韻》.

5 **[鴓]** ⿱巧鳥(前條)와 同字
⑯

5 **[⿰主鳥]** 두 ㊤有 他口切 tǒu
⑯

字解 검은오리 두 오리 비슷하고 검은 물새. '一, 水鳥, 黑色'《廣韻》.
字源 形聲. 鳥+主〔音〕

5 **[⿰鳥句]** 〔구〕
⑯ 鴝(鳥部 五畫〈p. 2664〉)와 同字

5 **[鴒]** 령 ㊥靑 郎丁切 líng 鸰
⑯

[字解] 할미새 령 鶺(鳥部 十畫)을 보라. '鶺—'.
[字源] 形聲. 鳥+令〔音〕

◉柴鶺鴒. 鶺鴒. 鶺鴒.

5 ⑯ [鴊] 정 [去]敬 之盛切 zhèng

[字解] ①매 정 맷과의 맹조. '—, 鳥名, 鶅鷹也'《集韻》. ②닭 정 '—, 雞也'《廣韻》.
[字源] 形聲. 鳥+正〔音〕

5 ⑯ [鴓] [一] 멸 [入]屑 莫結切 miè [二] 필 [入]質 薄宓切 bì

[字解] [一] 동박새 멸 동박새. 백안작(白眼雀). '—, 鳥名, 繼英也'《集韻》. [二] 새이름 필 새 이름. 까치 비슷한 새의 이름. '—, 鵲—, 鳥名'《集韻》.

5 ⑯ [鴟] 치 [平]支 處脂切 chī 鸱

[字解] ①올빼미 치 올빼밋과에 속하는 새. 부엉이와 비슷한데, 모각(毛角)이 없음. 밤에 나와서 닭이나 새 새끼를 잡아먹는 악조(惡鳥)임. 전(轉)하여, 흉악한 사람의 뜻으로 쓰임. '—梟'. '鸞鳥伏竄兮—鳥翱翔'《史記》. ②단지 치 술단지. '金錢百萬酒千—'《蘇軾》. ③소리개 치 雖(隹部 五畫)와 同字. '—, 鳶屬'《玉篇》.
[字源] 篆文 籒文 形聲. 篆文은 隹+氏〔音〕. '隹추'는 꽁지 짧은 새, '氏지'는 목이 낮다의 뜻. 목이 짧은 새, '올빼미'의 뜻을 나타냄. 籒文은 鳥+氏〔音〕. 일설에는 '氏'는 실명(失明)한 눈의 象形. 낮에는 눈이 보이지 않는 '올빼미'의 뜻을 나타냄.

[鴟顧 치고] 올빼미처럼 몸은 움직이지 아니하고 모가지만 돌려 뒤를 돌아다봄.
[鴟目虎吻 치목호문] 올빼미의 눈과 범의 입술. 탐욕(貪慾)이 많은 상(相).
[鴟靡 치미] 방자하고 교만함.
[鴟義 치의] 올빼미처럼 사납게 방자함이 의(義)라고 생각하는 사람을 이름.
[鴟夷 치이] ㉠말가죽으로 만든 부대. 술을 담는 데 씀. ㉡술 항아리.
[鴟張 치장] 올빼미가 날개를 편 것처럼 폭위(暴威)를 떨침.
[鴟梟 치효] ㉠올빼미. ㉡간악한 사람.
[鴟鴞 치효] 치효(鴟梟).
[鴟鵂 치휴] 수리부엉이. 수알치새.
◉茅鴟. 伏鴟. 餓鴟. 蹲鴟. 寒鴟. 梟鴟.

5 ⑯ [鴝] 구 ①[平]虞 其俱切 qú ②[平]尤 古侯切 gōu 鸲

[字解] ①구욕(鴝鵒)새 구 鸜(鳥部 十八畫)와 同字. ②수리부엉이 구 올빼밋과에 속하는 맹금(猛禽). 부엉이 비슷함. 수알치새. 치휴(鴟鵂).
[字源] 篆文 形聲. 鳥+句〔音〕
[參考] 鴝(鳥部 五畫)는 同字.

[鴝鵒 구욕] 구욕새. 구욕(鸜鵒).

5 ⑯ [鴠] 단 [上]旱 黨翰切 dàn [去]翰 得按切

[字解] 산박쥐 단 鶡(鳥部 九畫)을 보라. '鶡—'.
[字源] 篆文 形聲. 鳥+旦〔音〕. '旦단'은 해가 돋다의 뜻. 울어서 새벽을 맞는 새의 뜻을 나타냄.
[參考] 鴡(鳥部 五畫)는 別字.

◉鶡鴠.

5 ⑯ [鴄] 비 [平]支 貧悲切 pí

[字解] ①물수리 비 물수리. 징경이. 저구(雎鳩). '—, 鶚也'《廣韻》. ②귀신이름 비 귀신 이름. 흠비(欽鴄). '欽—化爲大鶚, 其狀如鵰而黑文'《山海經》.

5 ⑯ [駓] 鴄(前條)와 同字

5 ⑯ [鴣] 고 [平]虞 古胡切 gū 鸪

[字解] 자고 고 鷓(鳥部 十一畫)를 보라. '鷓—'.
[字源] 篆文 形聲. 鳥+古〔音〕. '古고'는 그 울음소리의 형용.

◉鵓鴣. 鷓鴣.

5 ⑯ [鴨] [人名] 압 [入]洽 烏甲切 yā 鸭

[筆順] 冂 日 甲 甲' 鸭 鸭 鴨 鴨

[字解] 오리 압 안압류(雁鴨類)에 속하는 새의 일종. 물오리는 '鳧', 집오리는 '鶩'로 구분함. '家—'. '野—'.
[字源] 篆文 形聲. 鳥+甲〔音〕. '甲갑'은 그 울음소리의 형용.

[鴨脚樹 압각수] 은행나무. 곧 '공손수(公孫樹)'의 별칭(別稱).
[鴨頭 압두] 오리의 머리. 빛이 푸르므로 물의 푸른빛의 비유로 쓰임.
[鴨爐 압로] 오리 모양을 한 향로(香爐).
[鴨舌草 압설초] 물달개비.
[鴨兒芹 압아근] 미나리아재빗과에 속하는 다년초(多年草). 파드득나물. 야촉규(野蜀葵).
[鴨跖草 압척초] 닭의장풀과에 속하는 일년초(一年草). 닭의장풀.
[鴨黃 압황] 오리 새끼. 털빛이 노라므로 이름.
◉家鴨. 綠頭鴨. 放鴨. 鳧鴨. 水鴨. 野鴨. 雛鴨. 土鴨. 黃鴨.

5 ⑯ [鴤] 동 [平]冬 都宗切 dōng

[字解] 논병아리 동 논병아리. 논병아릿과의 물새. '—, 鳥好入水食'《集韻》.

5 ⑯ [鴞] 효 [平]蕭 于嬌切 xiāo 鸮

[字解] 올빼미 효 梟(木部 七畫)와 同字. '有—萃止'《詩經》.
[字源] 篆文 形聲. 鳥+号〔音〕. '号호'는 '울부짖다'의 뜻.

[鴞炙 효적] 올빼미 구이. 대단히 맛이 좋음을 이름.
◉鷄鴞. 鳩鴞. 飢鴞. 飛鴞. 鴟鴞. 寒鴞.

5 ⑯ [鴘] 변 [上]銑 方免切 biǎn
[字解] ①초지니 변 두 살이 된 매. '鷙色黃, 一變爲靑一, 又一變爲白一'《酉陽雜俎》. ②성 변 성(姓)의 하나.
[字源] 形聲. 鳥+弁〔音〕
◉白鴘. 靑鴘.

5 ⑯ [鴙] 치 [上]紙 直几切 zhì
[字解] 꿩 치 雉(隹部 五畫)와 同字. '野鷄, 一也'《廣雅》.

5 ⑯ [鴖] [一] 민 [平]眞 彌隣切 mín
[二] 문 [平]文 無分切 wén
[字解] [一] 새이름 민 새 이름. '符禺之山, 其鳥多一, 其狀如翠而赤喙, 可以禦火'《山海經》. [二] 쏙독새 문 쏙독새.

5 ⑯ [鴡] 저 [平]魚 千余切 jū 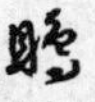
[字解] 물수리 저 징경이. 雎(隹部 五畫)와 同字. '一鳩'.
[字源] 篆文  形聲. 鳥+且〔音〕
[參考] 鴠(鳥部 五畫)은 別字.

5 ⑯ [鴄] 〔무〕
䳇(鳥部 七畫〈p. 2670〉)와 同字 
[字源] 篆文  形聲. 鳥+母〔音〕

5 ⑯ [鴭] 거 [上]語 臼許切 jù
[筆順] 「 F F 白 臼' 臼鸟 臼鸟 鴭
[字解] 새이름 거 새의 이름. '一, 鳥名'《集韻》.

5 ⑯ [鴔] [一] 핍 [入]緝 匐急切 fú
[二] 급 [入]緝 訖立切
[三] 복 [入]屋 房六切
[字解] [一] 오디새 핍 '鵖一·一鵖'은 오디새, 후투티. '鵖一, 戴鵀'《爾雅》. [二] 오디새 급 [一]과 뜻이 같음. [三] 오디새 복 [一]과 뜻이 같음.
[字源] 形聲. 鳥+乏〔音〕

5 ⑯ [𩿧] 鴔(前條)의 本字

5 ⑯ [鴩] [一] 일 [入]質 夷質切 yì
[二] 절 [入]屑 徒結切 dié
[字解] [一] ①새이름 일 '一, 鋪豉也'《說文》. ②물새이름 일 '一, 水鳥名'《集韻》. [二] 새이름 절, 물새이름 절 [一]과 뜻이 같음.
[字源] 形聲. 鳥+失〔音〕

5 ⑯ [鴩] 鴩(前條)과 同字

5 ⑯ [鴲] [一] 지 [上]紙 掌氏切 zhǐ
[二] 치 [去]寘 支義切 zhì
[字解] [一] 새이름 지 새 이름. 지도(鴲鵌). '一, 一鵌, 鳥名'《集韻》. [二] 새소리 치 새의 소리. '一, 鳥聲'《集韻》.

5 ⑯ [𪀁] 鴲(前條)와 同字

5 ⑯ [䳤] 척 [入]陌 昌石切 chì
[字解] 새이름 척 새 이름. 메추라기의 한 가지. '一, 小雀, 或省作斥'《正字通》.

5 ⑯ [鴛] [人名] 원 [平]元 於袁切 yuān 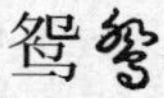
[字解] ①원앙 원 원앙의 수컷. '一鴦'. ②성 원 성(姓)의 하나.
[字源] 篆文  形聲. 鳥+夗〔音〕. '夗원'은 둥글게 굽다의 뜻. 등이 둥글게 굽은 새, '원앙새'의 뜻을 나타냄.

[鴛綺 원기] 아름다운 직물(織物).
[鴛機 원기] 수(繡)놓는 데 쓰는 제구.
[鴛侶 원려] ㉠동관(同官). 동료(同僚). ㉡원앙의 자웅(雌雄). 부부(夫婦)의 뜻으로 쓰임.
[鴛鷺 원로] 관리(官吏)의 지위의 순서를 이름. '원로(鵷鷺)' 참조.
[鴛鴦 원앙] ㉠오릿과에 속하는 물새. 물오리보다 작고 자웅(雌雄)이 서로 떨어지지 않고 늘 같이 삶. ㉡화목하게 지내는 부부(夫婦)의 비유로 쓰임.
[鴛鴦契 원앙계] 금실이 좋은 부부(夫婦)의 사이.
[鴛鴦菊 원앙국] 미나리아재빗과에 속하는 다년초. 괴근(塊根)은 약재로 씀.
[鴛鴦衾 원앙금] 원앙(鴛鴦)을 수(繡)놓은 이불.
[鴛鴦瓦 원앙와] 암키와와 수키와가 짝을 이룬 것. 또, 모양이 원앙 비슷한 기와.
[鴛鴦偶 원앙우] 원앙의 쌍. 전(轉)하여 화목한 부부(夫婦).
[鴛鴦枕 원앙침] 원앙(鴛鴦)을 수(繡)놓은 베개.
[鴛鴦被 원앙피] 짝을 이룬 이불. 남녀가 같이 덮는 이불.
[鴛列 원열] 조정(朝廷)에서의 백관(百官)의 석차(席次).
[鴛瓦 원와] 원앙와(鴛鴦瓦).
[鴛行 원행] 원열(鴛列).

5 ⑯ [鴐] 가 [平]麻 古牙切 jiā
[字解] 거위 가 鵝(鳥部 七畫)와 뜻이 같음. '一鵝鶬鴰'《司馬相如》.
[字源] 形聲. 鳥+加〔音〕

5 ⑯ [鴚] 鴐(前條)와 同字

5 ⑯ [𪀗] 鴐(前前條)와 同字

5 ⑯ [鴦] 人名 앙 ㊥陽 於良切 yāng

筆順 ...

字解 원앙 앙 원앙의 암컷. 수컷은 '鴛'이라 함.

字源 篆文 形聲. 鳥+央〔音〕

[鴦錦 앙금] 아름다운 비단.
◉鴛鴦. 紫鴛鴦. 青鴦. 紅鴦. 黃鴦.

5 ⑯ [鴑] 노 ㊥虞 農都切 rú

字解 새이름 노 '一, 鳥名'《玉篇》.

5 ⑯ [鴘] 감 ㊤勘 古暗切 gàn

字解 새소리 감 새소리. '一, 鳥聲'《集韻》.

5 ⑯ [鴬] 〔앵〕
鶯(鳥部 十畫〈p.2679〉)의 略字

6 ⑰ [䳋] 숭 ㊥東 思融切 sōng

字解 새매 숭 수릿과의 새. 鷲(鳥部 八畫)과 同字. '鸖一, 隼屬'《集韻》.

6 ⑰ [鴲] 치 ㊥支 處脂切 chī

字解 ①올빼미 치 鴟(鳥部 五畫)와 同字. ②솔개 치 수릿과(科)에 속하는 새.

字源 形聲. 鳥+至〔音〕

6 ⑰ [鷘] 칙 ㊇職 恥力切 chì

字解 원앙새 칙 자줏빛의 큰 원앙새. '谿一, 水鳥'《說文新附》.

字源 篆文 形聲. 鳥+式〔音〕. '式식'은 움직임이 법도가 있다의 뜻.

6 ⑰ [鵴] 국 ㊇屋 渠竹切 jú

字解 뻐꾸기 국 뻐꾸기. 시구(鳲鳩). 포곡조(布穀鳥). '鵴, 鵠鵴, 鳲鳩, 一, 鵴同'《廣韻》.

6 ⑰ [䳇] ■ 동 ㊥冬 徒冬切 tóng
■ 뇨 ㊥蕭 堅堯切 xiāo

字解 ■ 새이름 동 새 이름. 동거(䳇渠). '一, 或从隹'《集韻》. ■ 수달 뇨 수달(水獺)의 일종. '蟂, 獺屬, 害魚, 或作一'《集韻》.

6 ⑰ [鴯] 이 ㊥支 如之切 ér

字解 제비 이 鷾(鳥部 十三畫)를 보라. '鷾一'.

字源 形聲. 鳥+而〔音〕

◉鷾鴯.

6 ⑰ [鴹] ■ 양 ㊥陽 與章切 yáng
■ 상 ㊥陽 徐羊切 xiáng

字解 ■ 외발새 양 발이 하나라는 새. '一, 家語作商羊, 字統云, 一足鳥, 本草綱目, 一名山蕭鳥'《正字通》. ■ 날 상 하늘을 낢. 翔(羽部 六畫)과 同字. '聲氣遠條, 鳳鳥一'《漢書》.

6 ⑰ [䳋] 동 tóng

字解 새이름 동 '一, 鳥名'《字彙補》.

6 ⑰ [鴴] 행 ㊥庚 戶庚切 héng
㊤敬 戶孟切

字解 참새 행 작은 새의 일종.

字源 形聲. 鳥+行〔音〕

6 ⑰ [鴵] 교 ㊥蕭 古幺切 xiāo

字解 올빼미 교 올빼미. '一, 同梟'《字彙》.

6 ⑰ [鴭] 구 ㊤有 巨九切 jiù

字解 비둘기비슷한새 구 비둘기 비슷한 새. 비둘기 비슷하나 벼슬이 있는 새. '鳥名, 似鳩, 有冠'《廣韻》.

6 ⑰ [䳢] ■ 구 ㊥虞 權俱切 qú
■ 후 ㊥尤 胡溝切 hóu

字解 ■ 왼발이흰새 구 왼발이 흰 새. '一, 鳥左足白'《集韻》. ■ 깃촉 후 깃촉. 또는 깃이 처음 나는 모양.

6 ⑰ [䳙] 궤 ㊤紙 古委切 guǐ

字解 ①두견이 궤 두견이. 자규(子規). '鷶一'. '鷶一, 子鳺也'《廣雅》. ②뻐꾸기 궤 뻐꾸기. 포곡조(布穀鳥). 시구(鳲鳩).

6 ⑰ [鴺] ■ 제 ㊥齊 杜奚切 tí
■ 이 ㊥支 以脂切 yí

字解 ■ ①산계(山鷄) 제 꿩과에 속하는 새. 꿩의 일종. '鶩一山棲'《左思》. ②사다새 제 鵜(鳥部 七畫)와 同字. '一胡'는 사다새. ■ 날다람쥐 이 '一鼬'는 날다람쥐. '一鼬, 一名飛生'《廣韻》.

字源 篆文 別體 形聲. 鳥+夷〔音〕. '夷이'는 납작하게 웅크리다의 뜻. '사다새'의 뜻을 나타냄. 別體는 鳥+弟〔音〕. '弟제'는 '夷이'와 통함.

[鴺鼬 이유] 다람쥣과에 속하는 동물. 숲 속에서 날아다니며 곤충을 잡아먹음. 날다람쥐.
[鴺胡 제호] 물새의 한 가지. 사다새. 가람조(伽藍鳥). 오택(洿澤·鴮鸅).

6 ⑰ [鴼] 로 ㊤遇 魯故切 lù

字解 해오라기 로 해오라기. 백로. '有皎者一'《穆天子傳》.

6 ⑰ [鴮] 오 ㊥虞 哀都切 wū

字解 사다새 오 '一鸅'.

[鴮鸅 오택] 물새의 한 가지. 사다새. 제호(鴺胡).

6 ⑰ [鴻] [高人] 홍 [平]東 戶公切 hóng 鸿

[筆順] 氵 江 江 江 江 江 鴻 鴻

[字解] ①큰기러기 홍 물새의 한 가지. 기러기 비슷한데 큼. '王立於沼上, 顧—雁麋鹿'《孟子》. ②클 홍 洪(水部 六畫)과 통용. '—圖'. '禹抑—水'《史記》. ③굳셀 홍 강함. '—殺之稱'《周禮》. ④성 홍 성(姓)의 하나.

[字源] [篆文] 形聲. 鳥+氵(水)+工〔音〕. '工공'은 '크다'의 뜻. 큰 물새, 큰기러기의 뜻을 나타냄.

[鴻經 홍경] 위대한 경서(經書).
[鴻鵠之志 홍곡지지] 큰 뜻. 위대한 뜻. 원대한 포부(抱負).
[鴻敎 홍교] 큰 가르침. 훌륭한 가르침.
[鴻溝 홍구] 변수(汴水)〈지금의 고로하(賈魯河)〉의 고칭. 초(楚)나라의 항우(項羽)와 한고조(漢高祖)가 상약(相約)하여 이 강으로 경계를 삼아 천하를 양분(兩分)하였으므로, 전(轉)하여, 양자(兩者)의 경계(境界)를 이름.
[鴻均 홍균] 세상이 잘 다스려짐. 천하가 태평함.
[鴻基 홍기] 큰 사업의 기초.
[鴻大 홍대] 큼. 거대함. 홍대(洪大).
[鴻都 홍도] 한대(漢代)에 장서(藏書)한 곳.
[鴻圖 홍도] ㉠큰 계획. 홍유(鴻猷). ㉡큰 판도(版圖). 광대한 영토.
[鴻洞 홍동] ㉠깊고 먼 모양. ㉡잇닿은 모양. 연속「한 모양.
[鴻臚 홍려] 외국의 빈객(賓客)을 접대하는 벼슬.
[鴻臚寺 홍려사] 당대(唐代)의 관아(官衙) 이름. 외국에 관한 사무, 조공(朝貢)·내빙(來聘)에 관한 일을 취급함.
[鴻烈 홍렬] 큰 공. 대공(大功). 위훈(偉勳).
[鴻釐 홍리] 홍희(鴻禧).
[鴻名 홍명] 큰 명예(名譽).
[鴻毛 홍모] 기러기의 털. 전(轉)하여, 아주 가벼「운 것.
[鴻謨 홍모] 홍도(鴻圖) ㉠.
[鴻蒙 홍몽] 홍몽(鴻濛).
[鴻濛 홍몽] 천지자연의 원기.
[鴻門玉斗 홍문옥두] 산시 성(陝西省) 린퉁 현(臨潼縣)의 홍문(鴻門)에서 한고조(漢高祖) 유방(劉邦)이 초(楚)나라의 항우(項羽)와 회견하였을 때 한고조가 항우의 신하 범증(范增)에게 옥(玉)으로 만든 구기〔斗〕한 쌍을 선사하였는데, 범증이 칼을 빼어 이것을 깨뜨린 고사(故事).
[鴻門之會 홍문지회] 산시 성(陝西省) 린퉁 현(臨潼縣)의 홍문(鴻門)에서 한고조(漢高祖) 유방(劉邦)과 초왕(楚王) 항우(項羽)가 베푼 잔치. 항우가 범증(范增)의 권유로 유방을 죽이고자 하였으나, 장량(張良)이 계책(計策)을 잘 써서 유방이 번쾌(樊噲)를 데리고 무사히 도망한 역사상 유명한 회합(會合)임. 「함.
[鴻博 홍박] 학식이 넓음. 박람 다식(博覽多識)
[鴻範 홍범] ㉠큰 규모(規模). ㉡서경(書經)의 편명(篇名).
[鴻寶 홍보] ㉠큰 보배. 귀중한 보배. ㉡비장(祕藏)한 책.
[鴻飛 홍비] 속세(俗世)에서 초연(超然)함. 세속(世俗)에서 멀리 떠남.
[鴻生 홍생] 대선생(大先生). 대학자.
[鴻瑞 홍서] 큰 상서(祥瑞). 큰 서징(瑞徵).
[鴻緖 홍서] ㉠임금이 국가를 통치하는 대업(大業). ㉡제왕(帝王)의 혈통.
[鴻水 홍수] 큰물. 홍수(洪水).
[鴻雁 홍안] 큰 기러기와 작은 기러기.
[鴻業 홍업] 나라를 세우거나 다스리는 큰 사업. 홍업(洪業).
[鴻猷 홍유] 홍도(鴻圖) ㉠.
[鴻儒 홍유] 대학자(大學者). 대유(大儒).
[鴻恩 홍은] 넓고 큰 은혜.
[鴻益 홍익] 큰 이익.
[鴻漸之翼 홍점지익] 큰 기러기의 날개는 커서 천리의 먼 길도 날아갈 수 있으므로, 당세(當世)의 의표(儀表)가 될 만한 기국(器局)의 비유.
[鴻爪 홍조] 돌아가는 기러기가 다시 올 때의 목표로 눈 위에 남기어 둔 발자국이 다시 돌아올 때에는 형적이 없어 찾을 길이 없다는 뜻. 곧, 과거의 사적(事跡)이 흔적도 남지 않고 없어짐의 비유.
[鴻藻 홍조] 아름다운 문장. 대문장(大文章).
[鴻鐘 홍종] 큰 종(鐘).
[鴻志 홍지] 큰 뜻. 대지(大志).
[鴻澤 홍택] 큰 혜택. 큰 은혜.
[鴻筆 홍필] 대문장(大文章). 또, 대문장을 씀.
[鴻號 홍호] 큰 명호(名號). 제왕(帝王)의 명예.
[鴻荒 홍황] 태고. 홍황(洪荒).
[鴻徽 홍휘] 큰 선(善). 또, 큰 덕(德).
[鴻禧 홍희] 큰 복(福). 경복(景福).
◉驚鴻. 高鴻. 九鴻. 歸鴻. 亂鴻. 來鴻. 飛鴻. 蜚鴻. 賓鴻. 社燕秋鴻. 霜鴻. 小鴻. 嘶鴻. 哀鴻. 鵷鴻. 鱗鴻. 征鴻. 寒鴻. 戲鴻.

6 ⑰ [鴼] [一] 락 [入]藥 盧各切 luò
[二] 격 [入]陌 古伯切 gé

[字解] [一] 물새이름 락 '—, 烏鸔也'《說文》. [二] 수리부엉이 격 '鴾—'은 수리부엉이. '—, 鵋鵙. (注)今江東呼鵂鶹爲鵋鵙, 亦謂之鴾—'《爾雅》.

[字源] 形聲. 鳥+各〔音〕

6 ⑰ [鴾] 모 [平]尤 莫浮切 móu

[字解] 세가락메추라기 모 꿩과(科)에 속하는 새의 일종.

[字源] 形聲. 鳥+牟〔音〕

6 ⑰ [鳽] [一] 견 [平]先 古賢切 jiān
[二] 연 [平]先 五堅切
[三] 역 [入]陌 五革切
[四] 경 [平]庚 口莖切 qiān
[五] 전 [平]先 諸延切 zhān

[字解] [一] ①푸른백로 견 '—, 鵁鶄也'《說文》. ②할미새 견 '鳽, 說文, 石鳥. 一名雝鶏. 一曰, 精列. 或从鳥'《集韻》. [二] 푸른백로 연, 할미새 연 [一]과 뜻이 같음. [三] 푸른백로 역 [一]❶과 뜻이 같음. [四] 새이름 경 '—, 鳥名'《集韻》. [五] 송골매 전 '鸇, 鳥名. 說文, 鸇風也. 古作—'《集韻》.

[字源] 形聲. 鳥+幵〔音〕

6 ⑰ [鴱] [一] 애 [去]泰 五蓋切 ài
[二] 예 [去]隊 魚刈切

[字解] [一] 굴뚝새 애 '—, 巧婦別名'《廣韻》. [二] 굴뚝새 예 [一]과 뜻이 같음.

6 ⑰ [鴿] 합 [入]合 古沓切 gē

[字解] 비둘기 합 비둘기〔鳩〕의 총칭. '野―'. '家―'.
[字源] 篆文 形聲. 鳥+合〔音〕. '合합'은 우는 소리의 형용.

[鴿炭 합탄] 비둘기의 깃 같은 암흑색의 숯.
◉家鴿. 鳩鴿. 馴鴿. 野鴿. 蒼鴿. 怖鴿. 蒲鴿. 風鴿.

6 ⑰ [鵁] 교 [平]肴 古肴切 jiāo

[字解] 푸른백로 교 '―鶄'. '―鶄鸀目'《司馬相如》.
[字源] 篆文 形聲. 鳥+交〔音〕. '交교'는 정강이를 꼬다의 뜻.

[鵁鶄 교청] 왜가릿과에 속하는 새. 백로보다 좀 크며 연못가에 서식함. 푸른백로.

6 ⑰ [鵂] 휴 [平]尤 許尤切 xiū

[字解] 수리부엉이 휴 수알치새. '―鶹'. '鵋―'. '鵋―夜撮蚤'《莊子》.
[字源] 舊의 別體 形聲. 鳥+休〔音〕. '休휴'는 '쉬다'의 뜻. 낮에는 나무 위에서 쉬고 밤에 활동하는 '수리부엉이'의 뜻을 나타냄.

[鵂鶹 휴류] 올빼밋과에 속하는 새. 부엉이 비슷하고 괴상한 소리로 욺. 수리부엉이. 수알치새. 각치(角鵋).
◉鵋鵂.

6 ⑰ [鵃] 주 [平]尤 張流切 zhōu

[字解] 고지새 주 '鶻―'는 고지새. 밀화부리. '鶻―, 似山鵲而小, 短尾, 至春多聲'《廣韻》.
[字源] 篆文 形聲. 鳥+舟〔音〕

[參考] 鵃(舟部 十一畫)과 자형(字形)은 같지만 뜻은 다름.

6 ⑰ [鵄] 공 [平]冬 渠容切 qióng

[字解] 물새 공 물새의 이름. '―, 水鳥名'《集韻》.

6 ⑰ [鵊] 공 [平]冬 居容切 gōng

[字解] 꿩비슷한새 공 꿩 비슷한 새. '―, 鳥名, 似雉'《集韻》.

6 ⑰ [鵋] 렬 [入]屑 力蘖切 liè

[字解] 딱따구리 렬 '―, 喙木鳥'《廣韻》.

6 ⑰ [鴰] 괄 [入]曷 古活切 guā

[字解] 재두루미 괄 '鶬―'은 두루밋과에 속하는 새. 재두루미. 창계(鶬鷄).
[字源] 篆文 形聲. 篆文은 鳥+昏〔音〕. '昏괄'은 과녁의 좌우의 내민 부분의 뜻. 목에서 빰에 걸쳐 양쪽이 나출(裸出)돼 있다의 뜻을 나타냄.

[鴰捋 괄랄] 재두루미. 곧, '창괄(鶬鴰)'의 별칭(別稱).
[鴰鹿 괄록] 재두루미. 곧, '창괄(鶬鴰)'의 별칭.
◉鶬鴰.

6 ⑰ [鴳] 〔안〕 鷃(鳥部 十畫〈p. 2677〉)과 同字
[字源] 篆文 形聲. 鳥+安〔音〕. '安안'은 풀 그늘 등에서 편안히 쉬다의 뜻.

6 ⑰ [鵑] 〔견〕 鵑(鳥部 七畫〈p. 2669〉)의 俗字

6 ⑰ [鴽] 여 [平]魚 人諸切 rú

[字解] 세가락메추라기 여 꿩과에 속하는 새의 일종. '田鼠化爲―'《禮記》.
[字源] 形聲. 鳥+如〔音〕

6 ⑰ [鵀] 임 [平]侵 如林切 rén

[字解] 후투티 임 개똥지빠귀 비슷한 새. 오디새. 대승(戴勝). '戴―'.
[字源] 形聲. 鳥+任〔音〕

◉戴鵀.

6 ⑰ [鴶] [一] 알 [入]黠 訖黠切 jiá
[二] 길 [入]質 激質切

[字解] [一] 뻐꾸기 알 '―鵴'은 뻐꾹새. '鳲鳩, ―鵴'《爾雅》. [二] 뻐꾸기 길 [一]과 뜻이 같음.

6 ⑰ [鴂] [一] 귀 [去]霽 古惠切 guì
[二] 견 [上]銑 古典切
[三] 계 [去]寘 居悸切
[四] 결 [入]屑 古穴切 jué

[字解] [一] 두견이 귀 '鷤―·鶗―'는 두견새. '―, 鶗―, 卽杜鵑也'《廣韻》. [二] 두견이 견 [一]과 뜻이 같음. [三] 두견이 계 [一]과 뜻이 같음. [四] 때까치 결 '鴃, 鳥名. 伯勞也. 孟子, 南蠻鴃舌. 或作―'《集韻》.

6 ⑰ [鳶] 연 [平]先 余專切 yuān

[字解] 솔개 연 鳶(鳥部 三畫)과 同字. '鳶, 字亦作―'《爾雅》. '泰山山桑谷有―'《漢書》.

6 ⑰ [鵅] [一] 연 [平]先 余專切 yuān
[二] 악 [入]藥 逆各切 è

[字解] [一] 솔개 연 鳶(鳥部 三畫)과 同字. '―, 說文, 鷙鳥也'《集韻》. [二] 물수리 악 鶚(鳥部 九畫)과 同字.
[字源] 金文 篆文 形聲. 鳥+屰〔音〕. '屰역'은 '逆역'의 原字로, 거꾸로 박혀 급강하하다의 뜻.

6 ⑰ [鵓] 회 huī

[字解] 새이름 회 새 이름. '—, 鳥名'《篇海》.

6 ⑰ [鵉] 〔란〕
鸞(鳥部 十九畫〈p. 2686〉)의 俗字

7 ⑱ [⿰鳥邑] 〔압〕
鴨(鳥部 五畫〈p. 2664〉)과 同字

7 ⑱ [⿰鳥夋] 〔준〕
鵔(鳥部 七畫〈p. 2669)과 同字

7 ⑱ [鵊] 겹 [入]洽 古洽切 jiá

[字解] ①두견이 겹 두견이〔鵑〕의 일종. ②최명조(催明鳥) 겹 '鶻—'은 새의 일종. 최명조(催明鳥).
[字源] 形聲. 鳥＋夾〔音〕

◉鶻鵊.

7 ⑱ [鵑] [人名] 견 [平]先 古玄切 juān 鹃

[筆順] ㅁ 月 月 月' 月ᐩ 鵑 鵑 鵑

[字解] 두견이 견 '杜—'은 두견잇과에 속하는 새. 뻐꾸기 비슷하며, 여름에 밤낮 처량하게 욺. 촉(蜀)나라 망제(望帝)의 넋이 화(化)하여 된 새라고 전함. 접동새. 두백(杜魄). 두우(杜宇). 망제혼(望帝魂). 불여귀(不如歸). 자규(子規). 제계(鶗鴂). 촉백(蜀魄). 촉조(蜀鳥). 촉혼(蜀魂). '杜—苦啼, 啼血不止'《埤雅》.
[字源] 形聲. 鳥＋肙〔音〕
[參考] 鵑(鳥部 六畫)은 俗字.

[鵑血滿胸 견혈만흉] 두견이가 피를 토하여 가슴에 가득하다는 뜻으로, 사모(思慕)하는 마음이 간절함을 이르는 말.
[鵑花 견화] 두견화(杜鵑花).
◉杜鵑.

7 ⑱ [鵒] 욕 [入]沃 余蜀切 yù 鹆

[字解] 구욕새 욕 鸜(鳥部 十八畫)를 보라. '鸜—'.
[字源] 篆文 形聲. 鳥＋谷〔音〕

7 ⑱ [鵓] 발 [入]月 蒲沒切 bó 鹁

[字解] 집비둘기 발 '—鴣'는 집비둘기.
[字源] 形聲. 鳥＋孛〔音〕. '孛발'은 비둘기 울음소리를 나타내는 의성어.

[鵓鴣 발고] 비둘기의 일종. 집비둘기. 축구(祝鳩).

7 ⑱ [⿱鳥臼] [一] 국 [入]沃 拘玉切 jú
[入]屋 居六切
[二] 구 [上]有 居九切 jiù

[字解] [一] 새이름 국 '—, —鳥也'《說文》. [二] ①때까치 구 백설조(百舌鳥). '—, 鳥名. 百舌鳥'《集韻》. ②새이름 구 '鳥—'는 새의 이름. '—, 一曰, 鳥—, 鳥名'《集韻》.
[字源] 形聲. 鳥＋臼〔音〕

7 ⑱ [鵖] [一] 업 [入]緝 彼及切 bī
[二] 겁 [入]葉 居輒切 jié

[字解] [一] 오디새 업 '—, 鴔—也'《說文》. [二] 오디새 겁 [一]과 뜻이 같음.
[字源] 形聲. 鳥＋皀〔音〕

7 ⑱ [鵍] 관 [平]寒 古丸切 guàn

[字解] ①새이름 관 새 이름. '—, 鶇—, 鳥名'《集韻》. ②鸛(鳥部 十八畫)과 同字.

7 ⑱ [⿰皃鳥] 鵍(前條)의 訛字

7 ⑱ [⿰𠯑鳥] 〔괄〕
鴰(鳥部 六畫〈p. 2668〉)의 本字

7 ⑱ [鵘] 군 [去]問 具運切 jùn
[上]軫 巨隕切

[字解] 꼬리없는닭 군 꼬리 없는 닭. '—, 雞無尾'《集韻》.

7 ⑱ [鵇] 녑 [入]葉 昵輒切 niè

[字解] ①새날 녑 새가 낢. 또는 그 모양. '—, 鳥飛皃'《集韻》. ②새이름 녑 새 이름. '—, 一曰, 鳥名'《集韻》.

7 ⑱ [⿰鳥余] [一] 도 [平]虞 同都切 tú
[二] 여 [平]魚 以諸切

[字解] [一] 새이름 도 쥐와 같은 구멍에서 함께 삶. '—, 鳥名. 與鼠同穴'《廣韻》. [二] 새이름 여 ㉠'鵌—'는 새의 이름. '—, 鵌—, 鳥名'《集韻》. ㉡[一]과 뜻이 같음.

7 ⑱ [鵌] ⿰鳥余(前條)와 同字

7 ⑱ [鵔] 준 [去]震 私閏切 jùn

[字解] ①금계(錦鷄) 준 '—鸃'는 꿩 비슷한 새. ②관(冠)이름 준 '孝惠時, 郎侍中, 皆冠—鸃'《漢書》.
[字源] 篆文 形聲. 鳥＋夋〔音〕. '夋준'은 가늘고 길다의 뜻.
[參考] ⿰鳥夋(鳥部 七畫)은 同字.

[鵔鸃 준의] ㉠꿩과에 속하는 꿩 비슷한 새. 수컷의 관우(冠羽)는 황금색임. 금계(錦鷄). 적치(赤雉). ㉡관(冠)의 이름.

7 ⑱ [鵜] 제 [平]齊 杜奚切 tí 鹈

[字解] ①사다새 제 '—鶘'. ②두견이 제 두견새. '鶗(鳥部 九畫)와 통용. '—鴂'.
[字源] 鵜의 別體 形聲. 鳥＋弟〔音〕

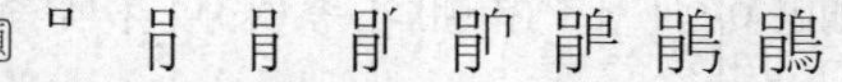

參考 鵜(鳥部 六畫)는 同字.

[鵜鴂 제계] 두견이. 소쩍새. 제계(䳏鴂).
[鵜鶘 제호] 사다샛과에 속하는 큰 물새. 사다새. 가람조(伽藍鳥). 오택(鴮鸅).

7 ⑱ [鵠] 人名 곡(① ①入沃 胡沃切 hú 혹本) ②③入沃 姑沃切 gǔ

字解 ①고니 곡 물새의 한 가지. 기러기 비슷한데 모양이 큼. 백조(白鳥). '黃一一擧'《漢書》. ②정곡 곡 과녁의 한가운데 되는 부분. 포제(布製)의 과녁의 한가운데를 '正', 혁제(革製)의 한가운데를 '一'이라 함. '失諸正一'《中庸》. ③성 곡 성(姓)의 하나.

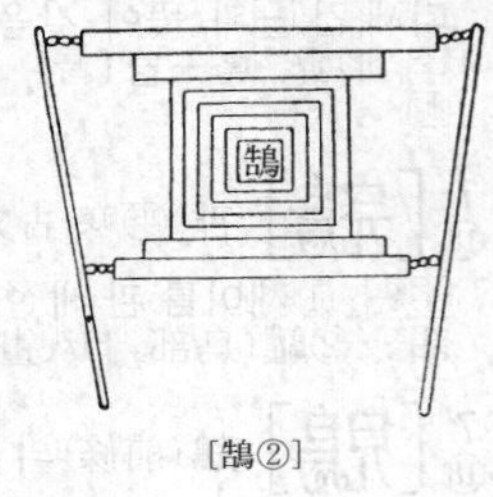
[鵠②]

字源 篆文 形聲. 鳥+告〔音〕

[鵠鵠 곡곡] 고니가 우는 소리.
[鵠企 곡기] 고니와 같이 고개를 쳐들고 발돋움하여 바라봄.
[鵠卵 곡란] 고니의 알. 큰 것의 비유.
[鵠立 곡립] 곡기(鵠企).
[鵠望 곡망] 고니와 같이 목을 빼고 발돋움하여 바라봄. 몹시 바람을 이름. 곡기(鵠企).
[鵠面 곡면] 대단히 주려서 고니 비슷하게 된 얼굴.
[鵠髮 곡발] 백발(白髮).
[鵠不浴而白 곡불욕이백] 고니는 멱을 감지 않아도 희다는 뜻으로, 바탕이 아름다운 것은 꾸미지 않아도 아름답다는 말.
[鵠侍 곡시] 고니처럼 직립(直立)하여 곁에서 모심.
[鵠的 곡적] 과녁. 정곡(正鵠).
[鵠鼎 곡정] 이윤(伊尹)이 고니의 요리인(料理人)으로서 탕왕(湯王)을 섬겨 차차 출세하여 재상이 되었다는 고사(故事). 대신(大臣)이 되어 임금을 섬김을 이름.
[鵠志 곡지] 큰 뜻. 대지(大志). 홍곡지지(鴻鵠之志).
◉丹鵠. 白鵠. 翔鵠. 正鵠. 海鵠. 鴻鵠. 黃鵠. 侯鵠.

7 ⑱ [鵡] 人名 무 上麌 文甫切 wǔ 鹉

字解 앵무새 무 '鸚一'.
字源 形聲. 鳥+武〔音〕

◉鸚鵡.

7 ⑱ [鵐] 人名 무 平虞 微夫切 wú

字解 세가락메추라기 무 세가락메추라기. 메추라기의 한 가지. '鵐, 鴾鵐, 鳥名, 鴽也, 或作一'《集韻》.

7 ⑱ [鵙] 격 入錫 扃闃切 jú

字解 때까치 격 백로(伯勞). '仲夏之月一始鳴'《禮記》.

7 ⑱ [鵈] 로 平豪 郎刀切 láo

字解 깃에비단무늬있는새 로 깃에 비단 무늬가 있는 새. '一, 鴾一, 鳥名, 綿文'《集韻》.

7 ⑱ [鵝] 人名 아 平歌 五何切 é 鹅

字解 ①거위 아 오릿과에 속하는 가금(家禽)의 하나. 가안(家雁). '雪似一毛飛散亂'《白居易》. ②진이름 아 군진(軍陣)의 한 가지. '其御願爲一'《左傳》. ③성 아 성(姓)의 하나.
字源 篆文 形聲. 鳥+我〔音〕. '我아'는 그 울음소리의 형용.
參考 鵞(鳥部 七畫)는 同字.

[鵝鸛 아관] 관아(鸛鵝).
[鵝口瘡 아구창] 유아(幼兒)의 입 속이 희게 헐고 젖먹기에 애를 쓰게 되는 병(病).
[鵝翎 아령] 거위의 깃.
[鵝毛雪 아모설] 거위털같이 흰 눈.
[鵝眼 아안] 남조(南朝)의 송(宋)나라 때 주조한, 구멍이 있는 돈.
[鵝湖 아호] 장시 성(江西省) 연산현(鉛山縣)에 있는 산 이름. 주자(朱子)가 여조겸(呂祖謙)·육구연(陸九淵) 형제와 함께 강학(講學)하던 곳임.
[鵝黃 아황] ㉠거위의 새끼. ㉡거위의 새끼는 빛이 노랗고 아름다우므로, 노랗고 아름다운 물건의 비유로 쓰임.
[鵝黃酒 아황주] 빛이 노란 좋은 술.
◉駕鵝. 鸛鵝. 白鵝. 雪裏鵝. 野鵝. 銀鵝. 鬪鵝. 換鵝.

7 ⑱ [鵞] 鵝(前條)와 同字

7 ⑱ [鵋] 기 去寘 渠記切 jì

字解 수리부엉이 기 '一鶀, 鵂鶹鳥'《韻會》.
字源 形聲. 鳥+忌〔音〕

7 ⑱ [鵛] 경 平青 堅靈切 jīng 䴖

字解 새이름 경 새 이름. 쥐와 함께 산다는 괴조(怪鳥). '一雀, 怪鳥屬也'《廣雅》.

7 ⑱ [鵗] 희 平微 香衣切 xī

字解 ①꿩 희 '雉, 北方曰一'《爾雅》. ②가죽다루는장인 희 옛 관명(官名)의 하나. '五雉爲五工正. (疏) 賈逵云, 北方曰一雉. 攻皮之工也'《左傳》.

7 ⑱ [鵟] 광 平陽 巨王切 kuáng

字解 ①쏙독새 광 쏙독샛과에 속하는 새. 몸빛은 회색에 갈색·회색 등의 복잡한 무늬가 있음. 삼림 속에 서식함. 바람개비. ②말똥가리 광 독수릿과(科)에 속하는 새.

[字源] 形聲. 鳥＋狂〔音〕.

7
⑱ [鵚] 독 [入]屋 他谷切 tū

[字解] 무수리 독 황새과에 속하는 물새. 부로(扶老). ‘—鶖, 鳥名’《集韻》.

7
⑱ [鵞] 〔아〕
鵝(鳥部 七畫〈p. 2670〉)와 同字

8
⑲ [鵻] 추 [平]支 職追切 zhuī

[字解] 비둘기 추 비둘기〔鳩〕의 일종. 소구(小鳩). 백구(白鳩). 축구(祝鳩). ‘靑—’. ‘翩翩者—’《詩經》.

[字源] [篆文] [別體] 形聲. 鳥＋隹〔音〕. ‘隹추’는 꽁지 짧은 새의 뜻.

◉靑雖.

8
⑲ [鶀] 기 [平]支 渠之切 qí

[字解] 기러기 기 작은 기러기. ‘射—雁’《史記》.

8
⑲ [鵸] 기 [平]支 渠羈切 qí

[字解] 새이름 기 새 이름. ‘—鵌’. ‘—, —鵌, 鳥名’《集韻》.

8
⑲ [鶂] [一] 예 [平]齊 研奚切
[二] 역 [入]錫 五歷切 yì

[字解] [一] 거위소리 예 거위가 우는 소리. ‘是——者’《孟子》. [二] 새이름 역 鷁(鳥部 十畫)과 同字. ‘六—退飛, 過宋都’《公羊傳》.

[字源] [篆文] 形聲. 鳥＋兒〔音〕. ‘兒예·아’는 우는 소리를 나타냄.

8
⑲ [鶃] 鶂(前條)와 同字

8
⑲ [鵋] 기 ①[平]支 丘其切 qí
②[平]支 渠之切

[字解] ①수리부엉이 기 ‘今江東呼鵂鶹爲鵋—’《爾雅注》. ②기러기 기 작은 기러기. 鶀(鳥部 八畫)와 同字.

8
⑲ [鶋] 거 [平]魚 九魚切 jū

[字解] 큰부리까마귀 거 ‘鶢—’는 큰부리까마귀. ‘鷽斯, 鶢—. (注) 雅烏也, 小而多群, 腹下白’《爾雅》.

8
⑲ [鵵] 토 [去]遇 湯故切 tù
[平]虞 大胡切

[字解] 부엉이 토 ‘老—. (注) 木兔也, 似鴟鵂而小, 兔頭有角, 毛腳. 夜飛, 好食雞’《爾雅》.

8
⑲ [鵮] [一] 감 [平]咸 苦咸切 qiān
[二] 잠 [平]咸 竹咸切

[筆順] ⺈ 臽 臽 臽 臽 鵮 鵮 鵮

[字解] [一] 쫄 감 새가 부리로 쫌. ‘—, 鳥啄物也’《廣韻》. [二] 쫄 잠 [一]과 뜻이 같음.

8
⑲ [鶁] 경 [平]庚 擧卿切 jīng

[字解] 새이름 경 ‘彈鸞—’《左思》.

8
⑲ [鶌] 굴 [入]物 九勿切 jué

[字解] 고지새 굴 ‘—鳩’는 고지새. 밀화부리. ‘—, —鳩, 鶻鵃也’《說文》.

[字源] 形聲. 鳥＋屈〔音〕

8
⑲ [鵭] 금 [平]侵 渠金切 qín

[字解] 도요새 금 도요새. 휼조(鷸鳥).

8
⑲ [鵨] 〔서〕
鷽(鳥部 十二畫〈p. 2682〉)와 同字

8
⑲ [鵳] 견 [平]先 經天切 jiān

[字解] 새매 견 ‘鷂—, 鴘也’《廣雅》.

8
⑲ [䳟] [人名] 명 [平]庚 眉兵切 mǐng

[字解] 초명(鷦䳟)새 명 ‘鷦—’은 봉황 비슷한 남방의 신조(神鳥). ‘—, 博雅, 鷦—, 鳳也’《集韻》.

[字源] 形聲. 鳥＋明〔音〕

8
⑲ [鵪] [一] 암 [平]覃 烏含切 ān
[二] 압 [入]洽 乙甲切 yā

鹌

[字解] [一] 세가락메추라기 암 메추라기의 일종. ‘三月田鼠化爲鴽, 鴽, —也’《大戴禮》. [二] 오리 압 鴨(鳥部 五畫)과 同字.

[鵪鶉 암순] 메추리.

8
⑲ [鵴] 국 [入]屋 居六切 jú

[字解] ①뻐꾸기 국 뻐꾹새. 포곡(布穀). ②비둘기 국 ‘—鳩’는 비둘기. ‘鳩, 自關而西, 秦漢之間謂之—鳩’《揚子方言》.

8
⑲ [鶅] 치 [平]支 側持切 zī
[去]寘 側吏切

[字解] 꿩 치 ‘雉, 東方曰—’《爾雅》.

[字源] 形聲. 鳥＋甾〔音〕

8
⑲ [鵩] 복 [入]屋 房六切 fú

[字解] ①올빼미 복 올빼미〔鴞〕의 일종. 악성(惡聲)을 발하는 불길한 새. 그 소리를 듣는 자는 수명(壽命)이 줄어든다 함. ②수리부엉이 복 올빼밋과에 속하는 새. 수알치새. 각치(角鴟). 산치(山鴟). ‘賈誼在長沙, —鳥集其承塵, 長沙俗, 以—鳥至人家, 主人死, 誼作—鳥賦, 齊死生, 等榮辱, 以遣憂累焉’《西京雜記》. ‘楚鄕卑濕歎殊方, —賦人非宅口荒’《戴叔倫》.

[字源] 形聲. 鳥＋服〔音〕

8
⑲ **[鵬]** [人名] 붕 [平]蒸 步崩切 péng 鵬

[筆順] 丿 月 朋 朋 朋⺈ 朋⺈ 鵬 鵬

[字解] 붕새 붕 상상(想像)의 큰 새. 한 번에 9만 리를 난다 함. '有鳥焉, 其名爲一, 背若泰山, 翼若垂天之雲'《莊子》.

[字源] 鳳의 古文 形聲. 鳥+朋〔音〕. '朋붕'은 '鳳봉'의 古字로 알 수 있듯이 봉황새의 象形. '鳥조'를 더하여 '붕새'의 뜻을 나타냄.

[鵬擧 붕거] 붕새와 같이 높이 날아 올라감.
[鵬鯤 붕곤] 붕새와 곤어(鯤魚). 모두 상상의 큰 새와 큰 물고기. 장자(莊子)에 나옴. 전(轉)하여 영웅(英雄). 인걸(人傑).
[鵬圖 붕도] 붕새가 북쪽에서 남쪽으로 일거에 9만 리를 날고자 하는 계획. 곧 큰 계획.
[鵬力 붕력] 붕새같이 큰 힘.
[鵬飛 붕비] 붕새처럼 높이 낢.
[鵬霄 붕소] 높은 하늘. 하늘.
[鵬鷃 붕안] 붕새와 메추리. 곧 대소의 현격한 차이. 안붕(鷃鵬).
[鵬翼 붕익] ㉠붕새의 날개. ㉡넓은 구름. 또는 먼 바다. ㉢위대한 계획.
[鵬程 붕정] 붕새가 날아가는 길. 곧 먼 도정(道程).
[鵬際 붕제] 붕새가 나는 하늘의 먼 끝.
◉鯤鵬. 九萬鵬. 大鵬. 圖南鵬. 搏鵬. 垂天鵬.

8
⑲ **[鵯]** [一] 비 [平]支 府移切 bēi
[二] 필 [入]質 譬吉切 bēi 鵯

[字解] [一] 직박구리 비 직박구릿과에 속하는 새. 지빠귀 비슷한데, 머리는 회색, 꽁지는 갈색임. 후루룩비쭉새. [二] 직박구리 필.

[字源] 形聲. 鳥+卑〔音〕

[鵯鶋 비겁] 새의 일종. 최명조(催明鳥).

8
⑲ **[鴖]** 민 [平]眞 眉貧切 mín

[字解] 새이름 민 물총새를 닮고 부리가 붉은 새. '一, 一鳥也. (段注) 廣韻, 鳥似翠而赤喙'《說文》.

[字源] 形聲. 鳥+昏〔音〕

8
⑲ **[鵰]** 조 [平]蕭 都聊切 diāo

[字解] 수리 조 수리〔鷲〕의 별칭(別稱).

[字源] 雕의 籀文 形聲. 鳥+周〔音〕

[鵰鶏 조계] 물수릿과에 속하는 새. 부리는 길고 발가락도 커서 물고기를 잘 잡아먹음. 물수리.
[鵰鶚 조악] 수리와 물수리. 모두 사나운 새. 전(轉)하여 사람의 재력(才力)이 웅건(雄健)함의 비유.
[鵰悍 조한] 수리같이 한독(悍毒)함.

8
⑲ **[鵲]** [人名] 작 [入]藥 七雀切 què 鵲

[筆順] 一 艹 龷 昔 昔⺈ 昔⺈ 鵲 鵲

[字解] 까치 작 까마귓과에 속하는 새. 습(濕)한 것을 싫어하므로 '乾一'이라고도 하며, 또 기쁜 일을 알리는 새라 하여 '喜一'이라고도 함. '一之疆疆'《詩經》.

[字源] 形聲. 鳥+昔〔音〕

[鵲鏡 작경] 거울. 옛날에 한 부부가 이별할 때 거울을 깨어 반씩 가졌었는데, 아내가 딴 남자와 간통하니 그 거울이 까치로 변하였다는 〈신이기(神異記)〉에 나오는 고사(故事)에 의하여, 거울의 배면(背面)에 까치의 모양을 넣어 주조(鑄造)한 것이 많음.
[鵲橋 작교] 음력 7월 칠석(七夕)에 견우(牽牛)와 직녀(織女)의 두 별을 건네어 서로 만나게 하기 위하여 까치가 모이어 은하(銀河)에 놓는다고 하는 다리. 오작교(烏鵲橋).
[鵲報 작보] 기쁜 소식. 까치가 우는 소리는 길조(吉兆)라 하므로 이름.
[鵲聲 작성] 작어(鵲語).
[鵲巢 작소] 남편의 집 또는 지위(地位). 또 세를 들거나 빌려 사는 집.
[鵲巢鳩居 작소구거] 남의 지위를 빼앗음의 비유.
[鵲語 작어] 까치가 우는 소리. 길조(吉兆)라 함.
[鵲王 작왕] 춘추 시대(春秋時代)의 명의(名醫) 편작(扁鵲)을 이름.
[鵲噪 작조] 까치가 떠들썩하게 지저귐. 길조(吉兆)라 함.
◉乾鵲. 孤鵲. 鵲鵲. 鸛鵲. 群鵲. 山鵲. 宋鵲. 馴鵲. 鴉鵲. 烏鵲. 月下鵲. 乳鵲. 朱鵲. 鳺鵲. 扁鵲. 喜鵲.

8
⑲ **[鶇]** 동 [平]東 都籠切 dōng 鶇

[字解] ①원추새 동 원조(鵷鳥). '一, 鵷名'《玉篇》. ②새이름 동 '一鶍'은 새의 이름. '一, 一鶍, 鳥名. 美形'《廣韻》.

8
⑲ **[鶏]** 〔계〕
鷄(鳥部 十畫〈p. 2677〉)의 略字

8
⑲ **[鳽]** 계 [上]薺 古禮切 jǐ

[字解] 오리 계 오리. '一, 鳥名, 鳧也'《集韻》.

8
⑲ **[鵷]** 원 [平]元 於袁切 yuān 鵷

[字解] 원추새 원 '一雛'는 봉황의 일종. '南方有鳥, 其名一鶵'《莊子》.

[字源] 形聲. 鳥+宛〔音〕

[鵷鷺 원로] 원추새와 백로. 이 두 새의 의용(儀容)이 한아(閑雅)하다 하여 조정에 늘어선 백관(百官)의 질서정연함을 이름.
[鵷雛 원추] 봉황(鳳凰)의 일종. 원추새.
[鵷閣 원합] '중서성(中書省)'의 별칭(別稱).
[鵷行 원행] 조정(朝廷)에 늘어선 관리의 행렬.

8
⑲ **[鵦]** 록 [入]屋 盧谷切 lù

[字解] ①새이름 록 새 이름. '一, 鳥名'《玉篇》. ②잡털섞인새 록 잡털이 섞인 새.

8 ⑲ [鶄] 청 ㊥庚 子盈切 jīng

字解 푸른백로 청 '鵁—'.

字源 篆文 形聲. 鳥+青〔音〕

◉鵁鶄.

8 ⑲ [鶄] 鶄(前條)의 本字

8 ⑲ [䳒] 야 ㊤禡 羊謝切 yè

字解 새이름 야 꿩 비슷한 새. '單張之山, …有鳥焉, 其狀如雉, 而文首白翼黃足, 名曰白—'《山海經》.

字源 形聲. 鳥+夜〔音〕

◉白䳒.

8 ⑲ [鶅] 人名 수 ㊥支 樹僞切 shuì

字解 솔개 수 솔개. 수릿과에 딸린 맹조(猛鳥). '—, 鳥名, 說文, 鴟也'《集韻》.

8 ⑲ [鶆] 래 ㊥灰 郎才切 lái

字解 매 래 '—鳩'는 매. 鶆(鳥部 十一畫)의 訛字. '鷹, —鳩. (注)—, 當爲鶆. 字之誤耳'《爾雅》.

8 ⑲ [鵼] 공 ㊥東 苦紅切 kōng

字解 새이름 공 일종의 괴조(怪鳥).

字源 形聲. 鳥+空〔音〕

8 ⑲ [鶤] 곤 ㊥元 古渾切 kūn

字解 곤계 곤 '—雞'는 애완용의 닭의 일종. '—雞啁哳而悲鳴'《楚辭》.

字源 形聲. 鳥+昆〔音〕

[鶤雞 곤계] 닭의 일종. 보통 닭보다 큰데 애완용으로 기름.

[鶤絃 곤현] 거문고 줄. 곤계(鶤雞)의 우는 소리는 애처로우므로, 거문고의 줄을 타서 나는 애처로운 소리를 형용한 것임.

8 ⑲ [鶉] ■ 순 ㊥眞 常倫切 chún ■ 단 ㊥寒 徒官切 tuán 鶉

字解 ■ ①메추라기 순 꿩과(科)에 속하는 새. 중요한 엽조(獵鳥)의 하나. '田鼠化爲—'《淮南子》. 이 새의 꽁지가 잘 문드러지고 털빛도 얼룩덜룩하므로, 해진 의복의 형용으로 쓰임. '—衣'. '衣若懸—'《荀子》. ②별이름 순 성수(星宿)의 이름. '—尾'. '—火'. '自—及駟, 七列也'《國語》. ■ 수리 단 수리〔鷲〕의 일종. '匪—匪鳶'《詩經》.

字源 形聲. 鳥+享(𦎫)〔音〕. '𦎫순'은 '두껍다'의 뜻. 머리가 작고 꽁지가 짧으며 똥똥한 새, '메추라기'의 뜻을 나타냄.

[鶉居 순거] 메추라기가 집이 없는 것처럼 거소(居所)가 일정치 않음.

[鶉尾 순미] 남방에 있는 성수(星宿)의 이름. '분야(分野)' 참조.

[鶉服 순복] 순의(鶉衣).

[鶉奔 순분] 메추라기의 자웅이 나란히 낢. 음분(淫奔)함을 욕하는 말.

[鶉首 순수] 남방에 있는 성수(星宿)의 이름. '분야(分野)' 참조.

[鶉衣 순의] 군데군데 기운 해진 옷.

[鶉火 순화] 남방에 있는 성수(星宿)의 이름. '분야(分野)' 참조.

◉丹鶉. 鳴鶉. 百鶉. 飛鶉. 懸鶉. 化鶉.

8 ⑲ [鶊] 人名 경 ㊥庚 古行切 gēng 鶊

字解 꾀꼬리 경 鶬(鳥部 十畫)을 보라. '鶬—'.

字源 形聲. 鳥+庚〔音〕

◉鶬鶊.

8 ⑲ [鶁] 鶉(前前條)과 同字

8 ⑲ [鵶] 〔아〕 鴉(鳥部 四畫〈p. 2662〉)와 同字

8 ⑲ [鶈] 숭 ㊥東 思融切 sōng

字解 새매 숭 수릿과의 새. 鵔(鳥部 六畫)과 同字.

8 ⑲ [鵹] ■ 리 ㊥支 呂支切 lí ■ 례 ㊥齊 憐題切

字解 ■ 꾀꼬리 리 '—黃, 楚雀'《爾雅》. ■ 사다새 례 '—鶘'는 사다새.

字源 形聲. 鳥+秎(利)〔音〕

9 ⑳ [鶘] 호 ㊥虞 戶吳切 hú 鶘

字解 사다새 호 '鵜—'.

字源 形聲. 鳥+胡〔音〕

◉鵜鶘.

9 ⑳ [鸇] ■ 전 ㊥先 諸延切 zhān ■ 견 ㊥先 稽延切 jiān

字解 ■ ①산이름 전 '—鳥'는 산의 이름. '爰有—鳥之山'《穆天子傳》. ②나라이름 전 '—韓'은 나라의 이름. '丙午, 至于—韓氏'《穆天子傳》. ③송골매 전 '鸇, 鷂屬. —, 同上'《玉篇》. ■ 산이름 견 ■ ❶과 뜻이 같음.

9 ⑳ [鶗] 제 ㊥齊 杜奚切 tí ㊤霽 特計切

字解 두견이 제 '—鴂'.

字源 形聲. 鳥+是〔音〕

[鶗鴂 제계] 두견이. 여름철 밤낮으로 구슬피 욺. 소쩍새. 두우(杜宇). 자규(子規). 불여귀(不如歸). 제계(鶗鴂).

9 ⑳ [鶔] 유 [平]尤 耳由切 róu

[字解] 새이름 유 '鶹—'는 새의 이름. 까치 비슷하고 꽁지가 짧은 새. '鸛鶔, 鶹—. 如鵲短尾'《爾雅》.

9 ⑳ [鶚] 악 [入]藥 五各切 è 鹗 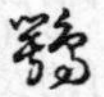

[字解] 물수리 악 물수릿과에 속하는 매 비슷한 새. 물가에 살며 물고기를 잡아먹음. 징경이. 저구(雎鳩). 어응(魚鷹).

[字源] 形聲. 鳥+咢〔音〕

[鶚鷇 악구] 물수리의 새끼.
[鶚書 악서] 사람을 천거하는 글. 저구(雎鳩). '악천(鶚薦)' 참조.
[鶚視 악시] 눈매가 물수리처럼 위엄이 있어 무서움.
[鶚薦 악천] 사람을 벼슬길에 천거(薦擧)함.
[鶚眙 악치] 놀라 두려워하는 모양. 악치(愕眙).
[鶚表 악표] 사람을 천거(薦擧)하는 상소(上疏).

9 ⑳ [鶪] [一] 계 [上]薺 古禮切 [二] 결 [入]屑 古屑切 jié

[字解] [一] 물오리 계 물오리. 우리나라에서 겨울을 지내는 철새. 鶏(鳥部 八畫)와 同字. '鶪, 鳥名, 鳧也, 或从㚖'《集韻》. [二] 물오리 결 [一]과 뜻이 같음.

9 ⑳ [鶡] 할 [入]曷 胡葛切 hé 鹖 

[字解] ①산새이름 할 꿩과에 속하는 새의 하나. 모양이 꿩 비슷한데 좀 크고 성질이 용감하여 싸우면 죽을 때까지 그치지 않는다 하므로, 그 꽁지깃을 옛날 무관(武官)의 관(冠)의 장식으로 썼음. ②산박쥐 할 '—鴠'은 박쥐의 일종.

[字源] [篆文] 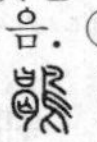 形聲. 鳥+曷〔音〕. '曷갈'은 '褐갈'과 통하여 '다갈색'의 뜻.

[鶡冠 할관] 할(鶡)새의 꽁지깃으로 장식한 관(冠). 옛날에 무인(武人)이나 은사(隱士)가 썼음.
[鶡冠子 할관자] 책 이름. 19편(篇). 작자 미상(作者未詳). 황로(黃老)의 설(說)에다가 형명(刑名)의 학(學)을 섞은 책.
[鶡旦 할단] 할단(鶡鴠).
[鶡鴠 할단] 산박쥐.

9 ⑳ [鵌] 돌 [入]月 陁沒切 tú

[字解] 새이름 돌 꿩을 닮고, 몸은 푸르며 머리는 흰 새의 이름. '—, —鵬, 鳥名. 似雉, 青身白首'《廣韻》.

9 ⑳ [鶤] 곤 [平]元 古渾切 kūn 

[字解] 곤계 곤 '—雞'는 ㉠닭의 일종. '—雞朝飛'《太玄經》. ㉡봉황(鳳凰)의 별칭.

[字源] [篆文]  形聲. 鳥+軍〔音〕. '軍군'은 '둥글다'의 뜻.

[鶤雞 곤계] ㉠닭의 일종. 보통 닭보다 큼. 곤계(鵾雞). ㉡'봉황(鳳凰)'의 별칭(別稱).

9 ⑳ [鶒] 칙 [入]陌 昌石切 chì

[字解] 원앙 칙 '鸂—'은 원앙(鴛鴦).

[字源] 形聲. 鳥+勅〔音〕

◉鸂鶒.

9 ⑳ [鶛] [一] 결 [入]屑 古屑切 jié [二] 갈 [入]黠 訖黠切

[字解] [一] 오리 결 오리의 일종. '—, —鸊, 鳧屬'《說文》. [二] 오리 갈 [一]과 뜻이 같음.

[字源] 形聲. 鳥+契〔音〕

9 ⑳ [鶢] 원 [平]元 雨元切 yuán 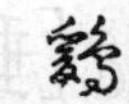

[字解] 바닷새이름 원 '—居'는 봉황(鳳凰) 비슷한 일종의 바닷새. '—鶋避風, 候雁造江'《左思》.

[鶢居 원거] 노(魯)나라 장무중(臧武仲)이 제사 지낸 일종의 해조(海鳥). 모양이 봉새 비슷하다 함. 원거(爰居).
[鶢鶋 원거] 원거(鶢居).

9 ⑳ [鶨] [一] 전 [去]霰 丑戀切 chuàn [二] 둔 [去]願 徒困切 [三] 단 [去]翰 通貫切 [四] 치 [上]紙 直几切

[字解] [一] 신천옹(信天翁) 전 '—, 癡鳥'《廣韻》. [二] 신천옹 둔 [一]과 뜻이 같음. [三] 신천옹 단 [一]과 뜻이 같음. [四] 꿩 치 '雉, 鳥名, 或作—'《集韻》.

[字源] 形聲. 鳥+彖〔音〕

9 ⑳ [鶞] 춘 [平]眞 丑倫切 chūn

[字解] 세가락메추라기 춘 '鳼—'은 봄철의 세가락메추라기. '春鳸, 鳼—'《爾雅》.

9 ⑳ [鶠] 언 [上]阮 於幰切 yǎn

[字解] ①봉새 언 봉(鳳)새의 별명. '—, 鳳, 其雌皇'《爾雅》. ②성 언 성(姓)의 하나.

[字源] [篆文] 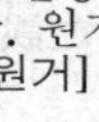 形聲. 鳥+匽〔音〕. '匽언'은 '엎드리다'의 뜻. 뭇 새가 복종(服從)하는 새의 뜻을 나타냄.

9 ⑳ [鶛] 개 ①[平]佳 古諧切 jiē ②[去]卦 居拜切 jiè

[字解] ①수메추라기 개 메추라기의 수컷. '鶉鶉, 其雄—, 牝痺'《爾雅》. ②새이름 개 '—, 劉疾'《爾雅》.

9 ⑳ [鶟] 〔과〕 鷎(鳥部 十三畫〈p. 2684〉)와 同字

9 ⑳ [鶟] 규 ㊥支 渠惟切 kuí

字解 작은비둘기 규 작은 비둘기. '鶟, 或作一'《集韻》.

9 ⑳ [鷀] 〔로〕
駱(鳥部 六畫〈p. 2666〉)와 同字

9 ⑳ [鶙] 제 ㊥齊 田黎切 tí

字解 새매 제 '一鷉'은 새매. '一鷉, 鷂也'《廣雅》.

9 ⑳ [鶪] 〔격〕
鵙(鳥部 七畫〈p. 2670〉)의 本字

字源 篆文 形聲. 鳥+狊〔音〕. '狊격'은 양 날개를 펴서 몸을 움직이다의 뜻.

9 ⑳ [鶬] 〔황〕
凰(几部 九畫〈p. 234〉)과 同字

9 ⑳ [鶖] 추 ㊥尤 七由切 qiū 鹙

字解 무수리 추 황샛과에 속하는 물새. 목에 흰 털이 목도리 모양으로 났음. 부로(扶老). 독추(禿秋). 독추(禿鶖). '有一在梁'《詩經》.

字源 篆文 別體 形聲. 篆文은 鳥+朿〔音〕. '鶖추'는 別體로 鳥+秋〔音〕.

◉鵚鶖.

9 ⑳ [鶩] 人名 목 ㊀屋 莫卜切 mù 骛

字解 ①집오리 목 오릿과에 속하는 가금(家禽). '刻鵠不成, 尙類一'《後漢書》. ②달릴 목 치빙(馳騁)함. 騖(馬部 九畫)과 同字. '馳一'. '騁一兮江皐'《楚辭》.

字源 篆文 形聲. 鳥+敄〔音〕. '敄무'는 몽둥이를 들고 가볍게 치다, 힘쓰게 하다의 뜻.

[鶩櫂 목도] 목령(鶩舲).
[鶩列 목렬] 집오리처럼 백관(百官)이 조용히 늘어섬.
[鶩舲 목령] 거룻배.
◉家鷄野鶩. 刻鵠類鶩. 江鶩. 鷄鶩. 孤鶩. 煩鶩. 鳧鶩. 夜鶩. 野鶩. 寒鶩.

9 ⑳ [鶱] ■ 훤 ㊥元 許元切 xuān
■ 선 ㊥先 荀緣切

字解 ■ 뱁새 훤 뱁새. 교부조(巧婦鳥). 초료(鷦鷯). '鴝一'. '一, 鴝一. 鷦鷯別名'《正字通》.
■ 뱁새 선 ■과 뜻이 같음.

9 ⑳ [鶣] 鶱(前條)과 同字

10 ㉑ [鷈] 〔체〕
鷉(鳥部 十畫〈p. 2677〉)와 同字

字源 篆文 形聲. 鳥+虒〔音〕

10 ㉑ [鶬] 창 ㊥陽 七岡切 cāng 鸧

字解 ①재두루미 창 두루밋과에 속하는 새. 온몸이 거의 잿빛임. '一鴰'. ②꾀꼬리 창 '一鶊'은 꾀꼬리. '草蟲哀鳴, 一鶊振羽'《阮籍》.

字源 篆文 別體 形聲. 鳥+倉〔音〕. '倉창'은 '蒼창'과 통하여 '푸르다'의 뜻. 푸른빛을 띤 재두루미의 뜻을 나타냄. 別體는 隹+倉〔音〕. '隹추'는 꽁지 짧은 새의 뜻.

[鶬鶊 창경] 꾀꼬리. 금의공자(金衣公子). 황조(黃鳥).
[鶬鷄 창계] 재두루미.
[鶬鴰 창괄] 재두루미.

10 ㉑ [鶴] 高人 학 ㊀藥 下各切 hè 鹤

筆順 亻 隺 鶴

字解 ①두루미 학 섭금류(涉禽類)에 속하는 큰 새. 몸이 희고 정수리는 붉음. 예부터 서조(瑞鳥)라 일컬으며 천 년 산다고 하나, 실제는 사오십 년에 불과함. 선금(仙禽). ②흴 학 깃털이 흰 모양. '白鳥一一'《孟子》. 또, 널리 빛이 흰 모양. '一髮'. '一裳'. ③성 학 성(姓)의 하나.

字源 篆文 形聲. 鳥+隺〔音〕. '隺학'은 높게 이르다의 뜻. 그 우는 소리나 나는 모양이 하늘까지도 이르는 새, '학'의 뜻을 나타냄.

[鶴駕 학가] ㉠태자(太子)가 타는 수레. ㉡신선이 타는 수레.
[鶴脛雖長斷之則悲 학경수장단지즉비] 학의 다리가 길다 하여 짧게 자르면 학은 슬퍼할 것임. 사물은 각각 천부의 특성이 있으니, 함부로 가감(加減)하여서는 안 된다는 비유.
[鶴宮 학궁] ㉠황태자(皇太子)의 궁정. ㉡황태자의 존칭. 동궁(東宮).
[鶴禁 학금] 학궁(鶴宮).
[鶴企 학기] 학처럼 목을 길게 빼고 발돋움하여 기다림. 학수(鶴首).
[鶴頭書 학두서] 학서(鶴書).
[鶴唳 학려] 학이 우는 소리.
[鶴列 학렬] 학이 좌우의 날개를 펼친 것처럼, 좌우로 벌인 진형(陣形).
[鶴林 학림] ㉠인도(印度) 구시라(拘尸羅)의 북쪽 발제하(跋提河)의 서안(西岸)의 사라쌍수림(沙羅雙樹林)의 일컬음. 여기서 석가(釋迦)가 입적(入寂)하자, 그 사방의 나무가 희게 말랐다고 하여 이름 지음. ㉡절. 사원(寺院).
[鶴林玉露 학림옥로] 수필서(隨筆書). 송(宋)나라 나대경(羅大經)의 찬(撰). 16권. 이름 있는 학자·문인의 시문(詩文)·어록(語錄)에 고평(考評)을 가한 것임.
[鶴立鷄群 학립계군] 많은 닭 무리 중에 한 마리 학이 우뚝 서 있다는 뜻으로, 호걸이 뭇사람 가운데에서 뚜렷이 두각을 나타냄의 비유. '계군일학(鷄群一鶴)' 참조.
[鶴立企佇 학립기저] 발돋움하고 바라봄.
[鶴望 학망] 학처럼 목을 길게 빼고 발돋움하여 봄. 간절히 기다림.
[鶴鳴九皐聲聞于天 학명구고성문우천] 학이 깊숙한 못가에서 울어도 그 소리는 하늘에까지 들린다는 뜻으로, 군자는 깊숙이 숨어 있어도 명성이 자연 세상에 높이 드러남을 이름.
[鶴鳴山 학명산] 쓰촨 성(四川省)에 있는 산 이

름. 도교(道敎)의 시조(始祖) 장도릉(張道陵)이 승천(昇天)한 곳임. 곡명산(鵠鳴山).

[鶴舞 학무] 학춤.

[鶴髮 학발] 노인(老人)의 백발(白髮).

[鶴俸 학봉] 당대(唐代) 관리의 녹봉(祿俸)을 이름.

[鶴山 학산] 쓰촨 성(四川省) 공래현(邛崍縣) 서쪽에 있는 산 이름. 송(宋)나라 위요옹(魏了翁)의 형제가 공부하던 곳임.

[鶴書 학서] 조정(朝廷)에서 부르는 문서. 그 글씨가 학의 머리 비슷하므로 이름. 한대(漢代)에는 척일간(尺一簡)이라고 하였음. 학두서(鶴頭書).

[鶴首 학수] ㉠학처럼 목을 길게 빼고 기다림. 학기(鶴企). ㉡흰머리. 백수(白首).

[鶴壽 학수] 학은 천 년 동안 산다 하여, 사람의 장수(長壽)를 이름.

[鶴膝 학슬] ㉠작시상(作詩上)의 팔병(八病)의 하나. 오언시(五言詩)의 제일구(第一句)의 다섯째 자(字)와 제삼구(第三句)의 다섯째 자(字)에 동성(同聲)의 글자를 씀을 이름. ㉡창[矛]. 창날이 두루미의 정강이와 비슷하다 하여 일컬음.

[鶴膝風 학슬풍] 무릎이 붓고 아프며 정강이가 마르는 병(病).

[鶴乘軒 학승헌] 학은 선금(仙禽)이므로 산중에 있어야 할 것임에도 불구하고 대부(大夫)의 수레에 탐은 마땅치 않다는 말. 헌(軒)은 대부(大夫)의 수레.

[鶴馭 학어] ㉠신선(神仙)의 수레. ㉡상여(喪輿). 영구차.

[鶴翼 학익] 학이 날개를 펴듯 좌우익(左右翼)으로 벌인 진(陣). 적(敵)을 포위하는 형임. '어린(魚鱗)' 참조.

[鶴鼎 학정] 대신(大臣)의 직위(職位)를 이름. 곡정(鵠鼎).

[鶴汀鳧渚 학정부저] 학과 물오리가 노는 물가. 곧, 유정(幽靜)한 물가.

[鶴氅 학창] 학의 털로 만든 옷.

[鶴板 학판] 조정(朝廷)에서 부르는 문서. 학서(鶴書).

[鶴鶴 학학] 우모(羽毛)가 흰 모양.

◉鷄群一鶴. 孤鶴. 龜鶴. 琴鶴. 舞鶴. 白鶴. 飛鶴. 翔鶴. 瑞鶴. 素鶴. 乘鶴. 夜鶴. 野鶴. 唳鶴. 一琴一鶴. 田鶴. 丁零威化鶴. 閒雲孤鶴. 閑雲野鶴. 玄鶴. 皓鶴. 黃鶴.

10 ㉑ [鶸] 약 [入]藥 而灼切 ruò

[字解] 곤계(鶤鶸) 약 닭의 일종. 보통 닭보다 몸집이 큼.

[字源] 形聲. 鳥＋弱〔音〕

10 ㉑ [鶹] 류 [平]尤 力求切 liú

[字解] 수리부엉이 류 '鵂—'.

[字源] 篆文 形聲. 鳥＋留(畱)〔音〕

10 ㉑ [鶷] 할 [入]黠 胡瞎切 xiá / [入]曷 何葛切

[字解] 개똥지빠귀 할 '—鶡'은 티티새. 백설조(百舌鳥). '字林云, —鶡, 似伯勞而小'《爾雅釋文》.

10 ㉑ [鶺] 척 [入]陌 資昔切 jí

[字解] 할미새 척 '—鴒'. '—鴒在原, 兄弟急難'《詩經》.

[字源] 形聲. 鳥＋脊〔音〕

[鶺鴒 척령] 할미새. 걸어다닐 때 항상 꽁지를 아래위로 흔들어 화급(火急)한 일을 고하는 것 같으므로, 위급(危急)·곤란(困難)의 비유로 쓰임. 옹거(鸜渠). 척령(脊令).

[鶺鴒在原 척령재원] 형제가 급한 일이나 어려운 일을 당하여 서로 돕는 비유로 쓰임.

10 ㉑ [鶻] 골(②③홀[本]) [入]月 古忽切 gǔ / [入]月 戶骨切 hú

[字解] ①산비둘기 골 '—鳩'. ②송골매 골 매의 일종. '犬馬鷹—'《唐書》. ③오랑캐 골 '回—'은 북방의 오랑캐 이름. '回紇'이라고도 함.

[字源] 篆文 形聲. 鳥＋骨〔音〕. '骨골'은 '滑활'과 통하여 우는 소리가 매끄럽다의 뜻.

[鶻鳩 골구] 비둘깃과에 속하는 새. 아름답게 욺. 산비둘기. 반구(斑鳩).

[鶻突 골돌] 분명하지 아니한 모양. 또, 일을 깨닫지 못함.

[鶻圇 골륜] 분명하지 아니한 모양. 혼돈한 모양.

[鶻入鴉羣 골입아군] 아주 용맹한 자가 약한 사람들의 떼를 쳐 흩어 버림의 비유.

[鶻隼 골준] 매의 한 가지. 새매.

◉霜鶻. 栖鶻. 義鶻. 蒼鶻. 秋鶻. 海鶻. 回鶻.

10 ㉑ [鸜] 구 [平]虞 權俱切 qú

[字解] 왼발흰새 구 왼발이 흰 새. 鴝(鳥部 六畫)와 同字. '鴝, 鳥左足白, 或从䀠'《集韻》.

10 ㉑ [鶼] 겸 [平]鹽 古甜切 jiān

[字解] 비익조(比翼鳥) 겸 '——'은 자웅이 짝을 짓지 않으면 날 수 없다는 상상(想像)의 새. 부부(夫婦)의 비유로 쓰임. '南方有比翼鳥焉, 不比不飛. 其名謂之——'《爾雅》.

[字源] 形聲. 鳥＋兼〔音〕

[鶼鶼 겸겸] 비익조(比翼鳥).

10 ㉑ [鷂] 요 [去]嘯 弋照切 yào

[字解] 새매 요 매의 일종. '久復爲—'《列子》.

[字源] 篆文 形聲. 鳥＋䍃〔音〕. '䍃요'는 '遙요'와 통하여 멀리 날아다니다의 뜻.

10 ㉑ [鷁] 익(역[本]) [入]錫 五歷切 yì

[字解] 새이름 익 백로 비슷한 큰 새. 풍파에 잘 견디어 내므로 뱃머리에 이 새의 모양을 그리는 일이 있는데, 주로 천자(天子)가 타는 배에 그림. '龍頭—首'. '龍舟—首, 浮吹以娛'《淮南子》. 또 이 새의 모양을 뱃머리에 그린 배.

'泛一兮遊蘭池'《謝靈運》.
[字源] 形聲. 鳥+益〔音〕

[鷁首]

[鷁舸 익가] 큰 익수(鷁首).
[鷁首 익수] 익(鷁)이라는 물새의 형상을 선수(船首)에 그리거나 새긴 배. 풍파를 잘 견디어 내므로 이 새를 장식한다 함.
◉輕鷁. 文鷁. 浮鷁. 飛鷁. 修鷁. 繡鷁. 龍鷁. 戰鷁. 舟鷁. 彩鷁. 花鷁. 畫鷁.

10 ㉑ [鷃] 안 ㊄諫 烏澗切 yàn
[字解] 세가락메추라기 안 '雉兔鶉一'《禮記》.
[字源] 形聲. 鳥+晏〔音〕

[鷃鵬 안붕] 세가락메추라기와 붕새. 메추라기는 작고 붕새는 아주 크므로, 사람의 식견(識見)이나 도량(度量)의 광협 대소(廣狹大小)가 같지 않거나 큰 차이가 있음의 비유로 쓰임. 붕안(鵬鷃).
◉幽鷃. 斥鷃.

10 ㉑ [鷈] 체 ㊉齊 土雞切 tī
[字解] 논병아리 체 '鷿一'.
[字源] 鷉(鳥部 十畫)의 字源을 보라.

10 ㉑ [鷊] 역 ㊅錫 倪歷切 yì
[字解] 칠면조 역 칠면조과(科)에 속하는 새. 닭 비슷한데, 머리와 목에 털이 없음. 수조(綬鳥). 진주계(眞珠鷄). '綬鳥, 一名一'《埤雅》.
[字源] 鶂의 別體 形聲. 鳥+鬲〔音〕

10 ㉑ [鷀] 자 ㊉支 疾之切 cí 鹚
[字解] 가마우지 자 '鸕一'.
[字源] 金文 篆文 形聲. 鳥+茲〔音〕
◉鸕鷀.

10 ㉑ [鷎] 고 ㊉豪 居勞切 ㊤晧 古老切 gāo
[字解] ①비둘기 고 비둘기. '鶻一'. ②호도애 고 호도애. 염주비둘기. '鸊一'.

10 ㉑ [𪇆] 교 ㊉蕭 古幺切 xiāo
[字解] 올빼미 교 올빼미. '一, 不孝鳥'《字彙補》.

10 ㉑ [鶮] [一] 고 ㊉豪 居勞切 [二] 혹 ㊅沃 胡沃切 hú [三] 학 ㊅藥 曷各切 hè
[字解] [一] 땅이름 고 전국 시대 한(韓)나라의 고을 이름. '一, 邑名. 在韓'《集韻》. [二] 땅이름 혹 [一]과 뜻이 같음. [三] 두루미 학 鶴(鳥部 十畫)과 同字. '鶴, 鳥名. 或作一'《集韻》.
[字源] 形聲. 鳥+高〔音〕

10 ㉑ [鶲] 옹 ㊉東 烏紅切 wēng
[字解] 새이름 옹 '一, 鳥也'《玉篇》.
[字源] 形聲. 鳥+翁〔音〕

10 ㉑ [𪄯] 공 ㊄送 古送切 gòng
[字解] 새모이사양할 공 '一, 鳥讓食'《集韻》.
[字源] 形聲. 鳥+貢〔音〕

10 ㉑ [𪆐] 답 ㊅合 達合切 tà
[字解] ①새이름 답 '一, 鳥名'《玉篇》. ②날 답 새가 낢.

10 ㉑ [鷅] 률 ㊅質 力質切 lì
[字解] 수리부엉이 률 '鶹一, 梟也'《洪武正韻》.
[字源] 形聲. 鳥+栗〔音〕

10 ㉑ [鶶] 당 ㊉陽 徒郎切 táng
[字解] 새이름 당 새 이름. 까마귀 비슷하며, 털빛이 흰 매의 한 가지. '一鷵'. '鷩, 一鷵'《爾雅》.

10 ㉑ [鶵] 추 ㊉虞 仕于切 chú
[字解] ①난새 추 난봉(鸞鳳)의 일종. '南方有鳥, 其名爲鵷一'《莊子》. ②새새끼 추 雛(隹部 十畫)의 籒文.
[字源] 雛의 籒文 形聲. 鳥+芻〔音〕

10 ㉑ [鷄] [中人] 계 ㊉齊 古奚切 jī 鸡
[筆順]
[字解] ①닭 계 '牝一莫晨'《書經》. ②성 계 성(姓)의 하나.
[字源] 甲骨文 篆文 籒文 形聲. 鳥+奚〔音〕. '奚혜'는 '매다'의 뜻. 가축으로서 매어 두는 새, '닭'의 뜻을 나타냄.
[參考] 雞(隹部 十畫)는 本字.

[鷄姦 계간] 비역. 남색(男色). 용양(龍陽).
[鷄犬 계견] 닭과 개.
[鷄犬相聞 계견상문] 인가에서 기르는 닭과 개의 우는 소리가 이곳저곳에서 들림. 곧 인가가 죽 늘어선 형용.
[鷄膏 계고] 닭을 고아서 만든 국. 닭곰.
[鷄冠 계관] ㉠닭·꿩·칠면조 등의 머리 위에 있는 맨드라미 꽃 같은 살 조각. 볏. ㉡맨드라미. ㉢닭 털로 장식한 관(冠).
[鷄冠石 계관석] 붉은 비소(砒素)와 유황(硫黃)의 화합물로 된 돌. 불놀이 딱총의 재료와 채색

에도 쓰임.
[鷄冠花 계관화] 맨드라미의 꽃.
[鷄口 계구] 닭의 입이란 뜻으로, 하류 계급 또는 작은 단체의 수령의 비유.
[鷄狗馬之血 계구마지혈] 옛날에 맹세를 할 때에 그 신분에 따라 천자(天子)는 소와 말, 제후(諸侯)는 개와 돼지, 대부(大夫) 이하는 닭의 피를 마셨음.
[鷄口牛後 계구우후] 작아도 남의 윗자리에 앉을 일이지, 크다 하여 남의 밑에 있지 말라는 말. '위계구무위우후(爲鷄口無爲牛後)'와 같음.
[鷄群一鶴 계군일학] 다수의 평범한 사람 중에서 뛰어난 한 사람. 계군고학(鷄群孤鶴). 군계일학(群鷄一鶴).
[鷄毒 계독] ㉠바꽃의 뿌리. 독(毒)이 있음. 부자(附子). 오두(烏頭). ㉡천축(天竺). 인도(印度)를 이름.
[鷄頭 계두] 계관(鷄冠).
[鷄頭肉 계두육] 미인의 유방(乳房)을 이름.
[鷄卵 계란] 달걀.
[鷄龍山 계룡산] 장쑤 성(江蘇省)의 남경(南京) 서북(西北)쪽에 있는 산 이름. 계명산(鷄鳴山).
[鷄肋 계륵] ㉠닭의 갈비는 먹을 것은 없으나 그냥 버리기는 아깝다는 말로, 그리 소용은 없으나 버리기는 아까운 사물을 이름. ㉡닭갈비처럼 몸이 작고 약함의 비유.
[鷄肋集 계륵집] 송(宋)나라 조보지(晁補之)의 시문집(詩文集). 모두 17권.
[鷄林 계림]《韓》'신라(新羅)'의 이칭(異稱). 신라 탈해왕(脫解王) 때 시림(始林)에서 닭 우는 소리가 있어 가 보니 금궤(金櫃)가 있는데, 그 안에서 남아(男兒)가 나왔다는 고사(故事). 후세에는 우리나라 전체를 일컬음.
[鷄盲 계맹] 밤에는 잘 보이지 아니하는 눈. 밤눈이 어두운 눈. 야맹증(夜盲症).
[鷄鳴 계명] ㉠닭의 울음. ㉡첫닭이 울 무렵. 새벽.
[鷄鳴狗盜 계명구도] 맹상군(孟嘗君)이 닭 우는 흉내를 내는 자의 힘으로 함곡관(函谷關)을 빠져나오고, 개의 흉내를 내는 자로 하여금 도둑질하게 한 고사(故事). 전(轉)하여, 사대부(士大夫)가 취하지 아니하는 천한 기예(技藝)를 가진 사람을 비유함.
[鷄鳴狗吠 계명구폐] 닭의 울음소리와 개 짖는 소리가 여기저기서 들린다는 뜻으로, 인가(人家)가 많이 상접하여 있음을 이름. 계견상문(鷄犬相聞).
[鷄鳴酒 계명주] 하룻밤 새에 빚은 술. 곧, 단술.
[鷄鳴之助 계명지조] 군주(君主)에 대한 현비(賢妃)의 내조(內助)를 이름.
[鷄鳴天上 계명천상] 회남왕(淮南王) 유안(劉安)이 신선(神仙)이 되어 간 뒤 남겨 놓았던 약그릇을 닭과 개가 핥고 다 하늘로 올라갔다는 고사(故事).
[鷄鶩 계목] ㉠닭과 집오리. ㉡평범한 사람의 비유.
[鷄卜 계복] 닭을 죽여 그 뼈 또는 눈을 보고 일의 선악·길흉 등을 알아보는 점.
[鷄栖 계서] 계서(鷄棲).
[鷄黍 계서] 한 노인이 공자의 문인 자로(子路)를 집에 묵게 하고 닭을 잡아 기장밥을 지어 대접한 고사(故事). 손님의 대접을 이름.
[鷄棲 계서] 닭이 자는 홰.
[鷄栖鳳凰食 계서봉황식] 봉황이 닭의 홰에서 살며, 모이를 함께 먹음. 충신(忠臣)이 천한 죄인(罪人)과 함께 먹음의 비유.
[鷄舌香 계설향] 향(香)의 이름.
[鷄尸牛從 계시우종] 계구우후(鷄口牛後). 시(尸)는 주(主)임.
[鷄兒腸 계아장] 국화과에 속하는 다년초. 꽃은 자줏빛이며 관모(冠毛)가 없음. 가는쑥부쟁이.
[鷄眼 계안] 티눈.
[鷄五德 계오덕] 닭이 가진 다섯 가지 덕. 곧, 머리의 볏은 문(文), 발에 난 며느리발톱은 무(武), 싸울 때 분전 감투함은 용(勇), 먹이를 보면 서로 불러 함께 먹음은 인(仁), 밤새워 날 밝을 녘에 울어서 때를 알림은 신(信)의 다섯 가지로, 전요(田饒)가 노애공(魯哀公)에게 한 말.
[鷄彝 계이] 강신제(降神祭) 지낼 때 쓰는 제기(祭器)의 하나. 닭을 새긴 술 그릇.

[鷄彝]

[鷄人 계인] 궁중에서 날이 밝은 것을 알려 잠을 깨우는 일을 맡은 사람.
[鷄日 계일] 정월 초하루. 원단(元旦).
[鷄子 계자] ㉠달걀. ㉡병아리.
[鷄子白 계자백] 달걀의 흰자위.
[鷄子淸 계자청] 달걀의 흰자위.
[鷄子黃 계자황] 달걀의 노른자위.
[鷄腸草 계장초] 닭의장풀과에 속하는 일년초. 달기씨깨비. 닭의장풀.
[鷄窓 계창] 독서실(讀書室). 서재. 진(晉)나라의 송처종(宋處宗)이 닭 한 마리를 사다가 창가에 매어 두었더니 말을 잘하기에 더불어 종일토록 담론(談論)했던 바 그 뜻이 매우 깊어 하루 종일 그치지 않았다는 고사(故事)에서 나온 말임.
[鷄蹠 계척] 제왕(齊王)이 닭고기를 먹을 때 닭의 발바닥 살만을 주로 먹어, 그 수가 천 마리에 이르렀다는 고사(故事)에서, 학문(學問)도 이와 같이 박람 다식(博覽多識)하여야 비로소 좋은 지위에 다다를 수 있음을 이름.
[鷄蟲得失 계충득실] 닭이 벌레를 쪼아 먹고, 또 사람이 그 닭을 잡아먹는 일. 모두가 큰 득실(得失)은 아니라는 뜻. 작은 이해·득실을 이름.
[鷄皮鶴髮 계피학발] 닭의 살가죽과 같이 주름이 잡힌 피부와 학의 털같이 흰 머리. 곧, 노인(老人)의 모습.
◉家鷄. 群鷄. 鶤鷄. 金鷄. 錦鷄. 魯鷄. 陶太瓦鷄. 辟鷄. 伏鷄. 臯鷄. 牝鷄. 莎鷄. 梭鷄. 酸鷄. 水鷄. 樹鷄. 晨鷄. 秧鷄. 野鷄. 養鷄. 軟鷄. 甕裏醯鷄. 矮鷄. 長尾鷄. 椁鷄. 天鷄. 蜀鷄. 雛鷄. 吐綬鷄. 鬪鷄. 醯鷄. 火鷄. 黃鷄.

10 ㉑ [鷇] 구 ㊁宥 苦候切 kòu ㊁遇 苦慕切

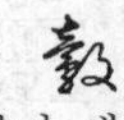

字解 ①새새끼 구 연작류(燕雀類)처럼 어미 새가 먹이를 갖다 먹여 주는 새끼. 계치류(鷄雉類)와 같이 스스로 먹이를 찾아 먹는 새끼는 '雛'라 함. '鳥翼一卵'《國語》. ②먹일 구 먹이를 먹여 주어 기름. '風胎雨一'《揚雄》.
字源 篆文 形聲. 鳥+㱿[音]. '㱿각'은 '殼각'과 같아 '알껍데기'의 뜻. 껍데기에서 나온 새, '새 새끼'의 뜻을 나타냄.

[鷇卵 구란] 새 새끼와 알.
[鷇食 구식] 새 새끼가 어미 새의 포육(哺育)을

받듯이, 혜택(惠澤)을 받아서 만족(滿足)함을 이름.
[鷇音 구음] 새 새끼의 울음소리라는 뜻으로, 남의 말의 옳고 그름을 판단하기 어려움의 비유.

10 ㉑ [鶯] 人名 앵 ㊥庚 烏莖切 yīng 莺

筆順 ⺌ ⺍ 𤇾 ⺍ 鶯 鶯 鶯

字解 ①꾀꼬리 앵 새의 한 가지. 금의공자(金衣公子). 황조(黃鳥). 창경(鶬鶊). ②휘파람새 앵 휘파람샛과(科)에 속하는 작은 새. 봄에 곱게 욺. ③무늬 앵 새의 깃의 무늬. '有一其羽'《詩經》.

字源 篆文 形聲. 鳥+熒〈省〉〔音〕. '熒영'은 문채나 무늬가 선명하고 곱다의 뜻.

[鶯歌 앵가] 꾀꼬리 소리를 노래에 비유하여 이른 말.
[鶯谷 앵곡] 꾀꼬리가 골짜기에 있다는 뜻으로, 아직 현직(顯職)에 오르지 못함을 이름. '앵천(鶯遷)'을 보라.
[鶯哢 앵롱] 꾀꼬리가 우는 소리.
[鶯梭 앵사] 꾀꼬리가 이 가지에서 저 가지로 자꾸 날아 옮겨 앉는 것을, 베를 짤 때 북이 이리저리 왔다 갔다 하는 데 비유한 말.
[鶯舌 앵설] 꾀꼬리의 혀라는 뜻으로, 꾀꼬리가 우는 소리.
[鶯聲 앵성] 앵어(鶯語).
[鶯粟 앵속] 양귀비. 앵속(罌粟).
[鶯脣 앵순] 꾀꼬리의 입술이라는 뜻으로, 꾀꼬리가 우는 소리. 앵설(鶯舌).
[鶯兒 앵아] 앵추(鶯雛).
[鶯語 앵어] 꾀꼬리 소리. 앵성(鶯聲).
[鶯燕 앵연] ㉠꾀꼬리와 제비. ㉡꾀꼬리와 제비가 모두 꽃과 버들에 인연이 있으므로, 화류계(花柳界) 또는 기녀(妓女)·창녀(娼女) 등의 비유로 쓰임.
[鶯韻 앵운] 앵가(鶯歌).
[鶯吟 앵음] 앵가(鶯歌).
[鶯衣 앵의] 꾀꼬리의 털.
[鶯囀 앵전] 꾀꼬리가 지저귐.
[鶯啼 앵제] 꾀꼬리가 욺.
[鶯遷 앵천] 꾀꼬리가 골짜기에서 나와 교목(喬木)에 앉는다는 뜻으로, 과거(科擧)에 급제하는 일. 또, 승진(昇進)·이사(移徙) 등을 축하할 때에도 이름.
[鶯雛 앵추] 꾀꼬리 새끼.
[鶯吭 앵항] 앵후(鶯喉).
[鶯花海 앵화해] 꾀꼬리가 울고 꽃이 만발하여 봄 경치가 한창인 때.
[鶯簧 앵황] 아름다운 꾀꼬리 소리를 생황(笙簧)의 소리에 비유한 말.
[鶯喉 앵후] 꾀꼬리의 목구멍이라는 뜻으로, 꾀꼬리 소리를 이름.
◉老鶯. 籠鶯. 晩鶯. 曙鶯. 新鶯. 流鶯. 殘鶯. 啼鶯. 遷鶯. 春鶯. 黃鶯. 曉鶯.

10 ㉑ [鶱] 헌 ㊥元 虛言切 xiān

字解 날 헌 나는 모양. '將一復斂翮'《沈約》.

字源 篆文 形聲. 鳥+寒〈省〉〔音〕

[鶱騰 헌등] 높이 낢.
[鶱翥 헌저] 날아 올라감.

10 ㉑ [鶡] 〔가〕 鴚(鳥部 五畫〈p. 2663〉)와 同字

10 ㉑ [鶿] 〔자〕 鷀(鳥部 十畫〈p. 2677〉)와 同字

11 ㉒ [鷓] 자 ㊦禡 之夜切 zhè 鹧

字解 자고 자 '一鴣'. '宮女如花滿春殿, 只今惟有一鴣飛'《李白》.

字源 篆文 形聲. 鳥+庶〔音〕

[鷓鴣 자고] 꿩과(科)에 속하는 새. 메추라기 비슷하며, 맛이 좋은 엽조(獵鳥)임.

11 ㉒ [鷗] 鷗(次條)의 本字

11 ㉒ [鷗] 人名 구 ㊥尤 烏侯切 ōu 鸥

筆順 㔾 品 區 區 鷗 鷗 鷗

字解 ①갈매기 구 갈매깃과에 속하는 물새. 백구(白鷗). '一者浮水上'《李時珍》. ②성 구 성(姓)의 하나.

字源 篆文 形聲. 鳥+區〔音〕. '區구'는 '구분하다, 구획하다'의 뜻. 전체가 희기 때문에 푸른 바다에서 두드러지게 눈에 잘 띄는 새, '갈매기'의 뜻을 나타냄.

參考 鸥(鳥部 四畫)는 略字.

[鷗鷺 구로] 갈매기와 백로.
[鷗鷺忘機 구로망기] 금곡(琴曲)의 이름. 은거하여 스스로 즐기며 세상의 치란 성쇠(治亂盛衰)를 잊어버리는 것을 노래한 것.
[鷗盟 구맹] 속세에서 초연한 풍류(風流)의 사귐.
[鷗汀 구정] 갈매기가 있는 물가.
[鷗洲 구주] 갈매기가 있는 사주(砂洲).
[鷗波 구파] ㉠갈매기가 물속에서 놀며 유유자적(悠悠自適)함. ㉡퇴은(退隱)한 땅의 비유.
[鷗鶴 구학] 갈매기와 학.
◉輕鷗. 鷺鷗. 盟鷗. 眠鷗. 白鷗. 浮鷗. 鳧鷗. 飛鷗. 沙鷗. 翔鷗. 水鷗. 馴鷗. 信鷗. 夜鷗. 銀鷗. 渚鷗. 閒鷗. 海鷗. 浩蕩鷗.

11 ㉒ [鷞] 상 ①㊥陽 色莊切 shuāng ②㊤養 疎兩切 shuǎng

字解 ①신조 상 '鷫一'은 서방(西方)을 지키는 신조(神鳥). ②매 상 '一鳩'는 매〔鷹〕의 일종.

字源 篆文 形聲. 鳥+爽〔音〕

[鷞鳩 상구] 매〔鷹〕의 일종. 상구(爽鳩).

11 ㉒ [鷬] ㊀ 난 ㊥寒 那干切 nán ㊦翰 乃旦切 ㊁ 간 ㊤旱 許旱切

字解 ㊀ ①새이름 난. ②어려울 난, 괴로워할 난 '一, 一日, 艱也'《集韻》. ③성 난 성(姓)의 하

나. ④막을 난 難(隹部 十一畫)의 古字. '難, 阻也. 古作—'《集韻》. [二] 새이름 간 [一]❶과 뜻이 같음.

11 ㉒ **[鷞]** 송 [平]冬 書容切 chōng

[字解] 뻐꾸기 송 포곡(布穀).

11 ㉒ **[鷐]** 신 [平]眞 植隣切 chén

[字解] 새매 신 '—風'은 소형의 매. '—, —風也'《說文》.

[字源] 篆文 形聲. 鳥+晨〔音〕. '晨신'은 해가 뜨듯이 기세 좋게 춤추며 날아오르다의 뜻.

11 ㉒ **[鷑]** [一] 급 [入]緝 極入切 jí [二] 립 [入]緝 力入切

[字解] [一] 검은때까치 급 '—鳩, 鵧—'《爾雅》. [二] 검은때까치 립 [一]과 뜻이 같음.

11 ㉒ **[鷒]** [一] 호 [上]麌 侯古切 hù [二] 고 [去]遇 古慕切

[字解] [一] 세가락메추라기 호 '雇, 九雇, 農桑候鳥. —, 雇或从雩'《說文》. [二] 돌아볼 고 顧(頁部 十二畫)의 古字. '顧, 說文, 還視也. 古作—'《集韻》.

11 ㉒ **[鷇]** 구 [去]宥 丘侯切 kòu

[字解] ①사막꿩 구 사막꿩. 사막꿩과에 딸린 꿩 모양의 비둘기 비슷한 새. 중국 북쪽의 사막 지대에 서식함. '—, 爾雅, 寇雉, 卽鷄鳩, 本作寇, 俗作—'《正字通》. ②물오리 구 물오리의 한 가지.

11 ㉒ **[鷎]** 〔구〕 鷇(鳥部 十三畫〈p. 2684〉)의 訛字

11 ㉒ **[鷒]** [一] 단 [平]寒 徒官切 tuán [二] 전 [平]先 朱遄切

[字解] [一] 새이름 단 '鸛—'은 까치와 비슷하며 꼬리가 짧은 새. '鸛—, 鶝鶔. 如鵲短尾'《爾雅》. [二] 새이름 전 [一]과 뜻이 같음.

11 ㉒ **[鷓]** 상 [平]陽 式羊切 shāng

[字解] ①외발이새 상 '—羊'은 발이 하나인 새. '—羊, 鳥名'《集韻》. ②꾀꼬리 상 '—鶊'은 꾀꼬리. '—鶊, 鵹黃'《集韻》.

[字源] 形聲. 鳥+商〔音〕

11 ㉒ **[鷂]** 암 [平]覃 烏含切 ān

[字解] 세가락메추라기 암 메추라기의 일종.
[參考] 雒(隹部 十一畫)의 籒文.

11 ㉒ **[鶴]** 〔학〕 鶴(鳥部 十畫〈p. 2675〉)의 俗字

11 ㉒ **[鷕]** 요 [上]篠 以沼切 yǎo

[字解] 울 요 까투리가 욺. 또 그 모양. '有—雉鳴'《詩經》.

[字源] 篆文 篆文 形聲. 鳥+唯〔音〕

11 ㉒ **[鷖]** 예 ①②[平]齊 烏奚切 yī ③[去]霽 壹計切 yì

[字解] ①갈매기 예 물새의 일종. 백구(白鷗). '鳧—在涇'《詩經》. ②봉황 예 봉황(鳳凰)의 별칭. '駟玉虬以乘—兮'《楚辭》. ③감색 예 검푸른 빛. 청흑색. '彫面—總'《周禮》.

[字源] 篆文 形聲. 鳥+殹〔音〕. '殹예'는 '덮다'의 뜻. 일대를 온통 덮고 나는 새의 뜻을 나타냄.

[鷖總 예총] 검푸른 빛. 비단의 청흑색.
◉浮鷖. 鳧鷖. 夕鷖. 秋鷖.

11 ㉒ **[鷚]** [一] 류 [去]宥 力救切 [平]尤 力求切 liù [二] 모 [平]尤 武彪切 [三] 무 [平]尤 莫浮切 [四] 규 [平]尤 渠幽切

[字解] [一] ①종다리 류 종달새. ②꿩새끼 류 꿩 새끼. 또 병아리. '雉之暮子爲—'《爾雅》. '—, 雞子'《廣韻》. [二] 종다리 모 '—, 天鸙'《爾雅》. [三] 종다리 무 [二]와 뜻이 같음. [四] 종다리 규 [二]와 뜻이 같음.

11 ㉒ **[鷚]** 鷚(前條)의 本字

11 ㉒ **[鷢]** 규 [平]支 古隨切 guī

[字解] 자규 규 자규(子規). 두견새. '—, 按子規俗作—'《正字通》.

11 ㉒ **[鷙]** [一] 지 [去]寘 脂利切 zhì [二] 질 [入]質 敕栗切 zhì

[字解] [一] ①맹금 지 매·수리와 같은 사나운 새. '—鳥之不群兮'《楚辭》. ②칠 지 맹금이 작은 새를 쳐 죽임. '鷹隼早—'《呂氏春秋》. ③굳셀 지, 사나울 지 '喬詰卓—'《莊子》. [二] 의심할 질 '下愈覆—, 而不聽從'《管子》.

[字源] 篆文 形聲. 鳥+執〔音〕. '執집'은 '잡다'의 뜻. 다른 생물을 잡아먹는 맹조의 뜻을 나타냄.

[鷙強 지강] 사납고 강함.
[鷙距 지거] 의심하여 정지함. 거(距)는 지(止).
[鷙禽 지금] 지조(鷙鳥).
[鷙戾 지려] 억세고 사나워 도리에 어긋남.
[鷙曼 지만] 말〔馬〕이 주인의 뜻을 거역하고 날뛰는 것. 지(鷙)는 저(抵), 만(曼)은 돌(突).
[鷙勇 지용] 사납고 용감함.
[鷙忍 지인] 굳세고 잔인함.
[鷙鳥 지조] 매·수리 같은 사나운 새.
[鷙鳥累百不如一鶚 지조누백불여일악] 사나운 새〔鷙〕 백 마리가 물수리〔鶚〕 한 마리만 못함. 곧, 무능한 자 백 인이 모여도 유능한 인사 한 사람을 당하지 못한다는 비유.
[鷙鳥將擊卑飛斂翼 지조장격비비염익] 적을 치려는 자는 우선 그 예봉을 숨긴다는 비유.
[鷙蟲 지충] 사나운 새와 짐승. 맹조(猛鳥)와 맹

수(猛獸).
[鷙悍 지한] 강하고 사나움.
◉剛鷙. 擊鷙. 趫鷙. 猛鷙. 搏鷙. 猜鷙. 勇鷙. 忍鷙. 殘鷙. 鵰鷙. 沈鷙. 卓鷙. 虎鷙.

11 ㉒ [鷟] 작 ㊀覺 士角切 zhuó

字解 봉황 작 鸑(鳥部 十四畫)을 보라. '鸑—'.
字源 篆文 形聲. 鳥+族〔音〕

◉鸑鷟. 鸑鷟.

11 ㉒ [鵌] 도 ㊥虞 同都切 tú

字解 ①비둘기 도 '—, —鳩'《玉篇》. ②새이름 도 '輿鵌, —'《爾雅》.

11 ㉒ [鷘] 〔칙〕
鶒(鳥部 九畫〈p. 2674〉)과 同字

12 ㉓ [鷣] ■ 음 ㊥侵 餘針切 yín
■ 요 ㊤嘯 弋照切 yín

字解 ■ 새매 음 매〔鷹〕의 일종. ■ 새매 요 ㊀과 뜻이 같음.
字源 形聲. 鳥+覃〔音〕. 또 覃+鳥〔音〕

12 ㉓ [鷦] 초 ㊥蕭 即消切 jiāo

字解 ①굴뚝새 초 '—鷯'는 굴뚝샛과(科)에 속하는 작은 새. 숲 속이나 굴뚝 부근에서 서식함. ②뱁새 초 휘파람샛과(科)의 작은 새. 집을 교묘히 지음. 교부조(巧婦鳥). '—鷯巢林'《莊子》.
字源 篆文 形聲. 鳥+焦〔音〕. '焦초'는 고동색의 털빛의 뜻.

[鷦鷯 초료] 휘파람샛과에 속하는 새. 모양이 굴뚝새 비슷함. 뱁새. 교부조(巧婦鳥).
[鷦鷯巢林不過一枝 초료소림불과일지] 뱁새가 숲에 보금자리를 만드는 데 필요한 것은 나무 한 가지에 불과함. 사람은 각각 자기 분수에 만족하여야 한다는 비유.
[鷦明 초명] 봉황(鳳凰) 비슷하며 남방에 산다는 신조(神鳥). 초명(焦明).

12 ㉓ [鷨] 동 ㊥東 徒東切 tóng

字解 새이름 동 새 이름. 교지(交趾) 지방에 서식하는 물새의 일종. '鷨—'. '—, 鷨—, 水鳥, 黃喙, 長尺餘, 南人以爲酒器'《集韻》.

12 ㉓ [鷯] 료 ㊥蕭 落蕭切 liáo

字解 ①굴뚝새 료. ②뱁새 료 '鷦—'.
字源 篆文 形聲. 鳥+尞〔音〕. '尞료'는 들을 태우다의 뜻으로 '고동색'의 뜻. '굴뚝새'의 뜻을 나타냄.

12 ㉓ [鷭] 번 ㊥元 附袁切 fán

字解 쇠물닭 번 뜸부깃과에 속하는 물새.
字源 形聲. 鳥+番〔音〕

12 ㉓ [鷯] 요(뇨本) ㊥肴 尼交切 náo

字解 꾀꼬리 요 꾀꼬리. 또 꾀꼬리의 우는 소리. '—, 鴉—, 黃鳥'《玉篇》.

12 ㉓ [鷮] 교 ㊥蕭 擧喬切 jiāo

字解 꿩 교 꿩과(科)에 속하는 새의 일종. '女几之山, 其鳥多白—'《山海經》.
字源 篆文 形聲. 鳥+喬〔音〕. '喬교'는 키가 크다의 뜻.

[鷮息 교식] 도사(道士)의 도인(導引)의 법. 도사가 행하는 일종의 양생법(養生法).
[鷮雉 교치] 새 이름. 꽁지가 긴 꿩.

12 ㉓ [鷤] ■ 제 ㊥齊 杜奚切 tí
■ 단 ㊥寒 徒干切 tán

字解 ■ 두견이 제 鶗(鳥部 九畫)와 同字. ■ 꿩새끼 단.

12 ㉓ [鷻] ■ 퇴 ㊥灰 徒回切
■ 단 ㊥寒 徒官切 tuán

字解 ■ 독수리 퇴 '—, 雕也'《說文》. ■ 독수리 단 ㊀과 뜻이 같음.
字源 形聲. 鳥+敦〔音〕

12 ㉓ [鷸] 人名 휼 (율本) ㊀質 餘律切 yù

字解 ①도요새 휼 도욧과(科)에 속하는 새의 일종. 떼새 비슷한데 좀 큼. 수찰아(水札兒). '—蚌相持'《戰國策》. ②물총새 휼 물새의 일종. 쇠새. 비취(翡翠). '鄭子臧好聚—冠'《左傳》.
字源 篆文 形聲. 鳥+矞〔音〕. '矞율·휼'은 '遹율·휼'과 통하여 재빨리 피해 달아나다의 뜻.

[鷸冠 휼관] 물총새의 깃으로 만든 관.
[鷸蚌之爭 휼방지쟁] 도요새와 섭조개의 다툼. 곧, 양자가 서로 다투다가 방관자인 제삼자(第三者)에게 이익을 빼앗김을 이름. 방휼지쟁(蚌鷸之爭). '어부지리(漁父之利)' 참조.

12 ㉓ [鷱] 고 ㊥豪 古勞切 gāo
㊤晧 古老切

字解 비둘기 고 '鵖—'는 비둘기의 일종. '—, 鵖—, 鳥名. 鳩類'《集韻》.

12 ㉓ [鷇] 구 ㊤宥 古候切 kòu

字解 병아리 구 병아리. 날짐승의 새끼. '—, 雛也'《廣雅》.

12 ㉓ [鷺] 등 ㊥蒸 都騰切 dēng

字解 ①부엉이 등 부엉이. 휴류(鵂鶹). '—, 鳥名, 鵂鶹也'《集韻》. ②뜸부기 등 뜸부기. 등계(登雞). 뜸부깃과의 여름새. 아침저녁으로 "뜸북뜸북" 하고 우는 데서 온 이름.

12 ㉓ [鷳] 한 [平]刪 戶閒切 xián

[字解] 백한(白鷳) 한 꿩과에 속하는 새. 온몸이 거의 다 희고 꽁지가 길. 숲 속에 삶. '自起開籠放白一'《雍陶》.

[字源] 篆文 形聲. 鳥+閒〔音〕. '閒한'은 '閑한'과 통하여 '한가롭다'의 뜻. 유유히 하늘을 나는 새의 뜻을 나타냄.

[參考] 鷴(鳥部 十二畫)은 同字.

12 ㉓ [⿰斯鳥] 사 [平]支 相支切 sī

[字解] 갈까마귀 사 '鸒一'는 까마귀와 비슷하나 약간 작고 배 아래가 흰 새. 떼를 지어 다님. '鸒一, 雅烏也'《集韻》.

12 ㉓ [⿰欺鳥] 기 [平]支 去其切 gī

[字解] 부엉이 기 '鵋一'는 부엉이. 鵋(鳥部 八畫)와 同字. '一, 鳥名, 今江東呼鵂鶹, 爲鵋一'《集韻》.

12 ㉓ [鷧] [一] 의 [去]寘 乙冀切 yì
[二] 예 [去]霽 壹計切

[字解] [一] 가마우지 의 '一, 一鸕, 鷀鳥'《廣韻》. [二] 가마우지 예 [一]과 뜻이 같음.

[字源] 形聲. 鳥+壹〔音〕

12 ㉓ [⿰鳥壹] 鷧(前條)의 本字

12 ㉓ [⿱渠鳥] 거 [平]魚 強魚切 qú

[字解] 할미새 거 '䳼一'는 할미새. '一, 鳥名, 說文, 䳼一也, 飛則鳴, 行則搖'《集韻》.

[字源] 篆文 形聲. 鳥+渠〔音〕. '渠거'는 '도랑'의 뜻. 물가를 좋아하는 새, '할미새'의 뜻을 나타냄.

12 ㉓ [鷵] 도 [平]虞 同都切 tú

[字解] 어린매 도 '鶟一'는 어린 매. '鷲, 鶟一'《爾雅》.

12 ㉓ [鷷] [一] 준 [平]眞 將倫切 zūn
[二] 존 [平]元 徂昆切

[字解] [一] 꿩 준 '雉, 西方曰一'《爾雅》. [二] 꿩 존 [一]과 뜻이 같음.

12 ㉓ [鷴] 〔한〕
鷳(鳥部 十二畫〈p. 2682〉)과 同字

12 ㉓ [⿰畱鳥] 〔류〕
鶹(鳥部 十畫〈p. 2676〉)의 本字

[鷫] 〔숙〕
鳥部 十三畫(p. 2683)을 보라.

12 ㉓ [⿸厤鳥] 력 [入]錫 狼狄切 lì

[字解] 매비슷한새 력 매 비슷한 새. 매보다 큼. '一, 鳥名, 似鷹而大也'《集韻》.

12 ㉓ [鷩] 별 [入]屑 幷列切 biē

[字解] 금계(錦鷄) 별 꿩 비슷한 새. 적치(赤雉).

[字源] 篆文 形聲. 鳥+敝〔音〕. '敝폐'는 '찢어지다'의 뜻. 꿩처럼 균일한 빛이 아니고, 녹색, 적색, 황색 등 고운 깃털을 가진 금계(錦鷄)의 뜻을 나타냄.

12 ㉓ [鷢] 궐 [入]月 其月切 jué

[字解] 물수리 궐 징경이. 저구(雎鳩). '飄然逐鷹一'《韓愈》.

[字源] 篆文 形聲. 鳥+厥〔音〕

12 ㉓ [鷲] [人名] 취 [去]有 疾僦切 jiù

[字解] 수리 취 독수릿과(科)에 속하는 맹금의 일종. '鷲悍多力, 盤旋空中, 無細不見, 皀鵰, 卽一也'《本草》.

[字源] 篆文 形聲. 鳥+就〔音〕

[鷲嶺 취령] 석가(釋迦)가 설법한 인도의 영취산(靈鷲山).
[鷲山 취산] 취령(鷲嶺).

12 ㉓ [鷺] [人名] 로 [去]遇 洛故切 lù

[筆順] 口 𧾷 足 跂 路 鷺 鷺 鷺

[字解] ①백로 로 백로과에 속하는 물새. 온몸이 희고 부리와 다리는 검음. 해오라기. 백조. 설객(雪客). ②노우(鷺羽) 로, 무적(舞翟) 로 옛날에 춤을 추는 자가 가지고 지휘하던 백로의 깃으로 만든 물건. '振振一'《詩經》.

[字源] 篆文 形聲. 鳥+路〔音〕. '路로'는 '露로'와 통하여 '희다'의 뜻. 온몸이 흰 '해오라기'의 뜻을 나타냄.

[鷺鷗 노구] 백로와 갈매기.
[鷺序 노서] 조정(朝廷)에서의 벼슬아치의 석차. 백로가 순서 있게 날므로 이름.
[鷺約 노약] 세속(世俗)을 떠난 교우(交友). 풍류의 사귐.
[鷺羽 노우] ㉠백로의 깃. ㉡자해(字解) ❷를 보라.
[鷺吟 노음] 백로의 우는 소리.
[鷺鷥 노자] 백로(白鷺).
◉鷗鷺. 鸞鷺. 眠鷺. 白鷺. 鳧鷺. 飛鷺. 沙鷺. 翔鷺. 霜雪之鷺. 鴉鷺. 烏鷺. 鵷鷺. 汀鷺. 振鷺.

12 ㉓ [鷥] 사 [平]支 新茲切 sī

[字解] 해오라기 사 백로(白鷺). '一, 舊注, 鷺一, 按, 鷺頭有白毛似絲, 故呼爲鷺絲, 贅作一'《正字通》.

[字源] 形聲. 鳥+絲〔音〕. '絲사'는 '실'의 뜻. 머리에 실 같은 흰 털이 있는 새의 뜻을 나타냄.

12 ㉓ [⿱舒鳥] 서 [平]魚 商居切 shū

[字解] 오리 서 '一, 鳥名, 似鳧'《集韻》.

12 ㉓ [鷻] 단 [平]寒 徒官切 tuán

[字解] ①수리 단 '一, 鵰也'《廣雅》. ②솔개 단 '一, 鳶之別名'《廣韻》.

12 ㉓ [鷰] 연 [去]霰 於甸切 yàn

[字解] 제비 연 燕(火部 十二畫)과 同字.
[字源] 形聲. 鳥+燕〈省〉〔音〕. '燕연'은 제비를 본뜬 것.

12 ㉓ [鷩] 창 [上]養 齒兩切 chǎng

[字解] 무수리털 창 氅(毛部 十二畫)과 同字.

13 ㉔ [鸀] [一] 환 [平]刪 胡關切 huán
[二] 선 [平]先 旬宣切

[字解] [一] 물새이름 환 '一, 水鳥名. 紅白深目, 目傍毛長'《集韻》. [二] 물새이름 선 [一]과 뜻이 같음.

13 ㉔ [鸃] 의 [平]支 魚羈切 yí 

[字解] 금계(錦雞)의 '鵕一'.
[字源] 篆文  形聲. 鳥+義〔音〕. '義의'는 뛰어나고 훌륭하다의 뜻.

◉鵕鸃.

13 ㉔ [鷾] 의 [去]寘 於記切 yì 

[字解] 제비 의 '一鴯'는 제비. '鳥莫知於一鴯'《莊子》.
[字源] 形聲. 鳥+意〔音〕

[鷾鴯 의이] 제비. 현조(玄鳥).

13 ㉔ [鸆] 〔녕〕
鸋(鳥部 十四畫〈p. 2684〉)의 訛字

13 ㉔ [鸈] 〔거〕
鶋(鳥部 十二畫〈p. 2682〉)와 同字

13 ㉔ [鸉] 〔골〕
鶻(鳥部 十畫〈p. 2676〉)과 同字

13 ㉔ [鸊] 규 [平]支 居爲切 guī

[字解] 두견이 규 '子一'는 두견새. '一, 子規鳥也'《字彙》. '貙貘糖蛦, 子一呼焉'《揚雄》.

13 ㉔ [鸂] 계 [平]齊 苦奚切 xī, qī 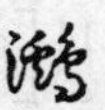

[字解] 자원앙 계 '一鶒'은 자원앙(紫鴛鴦). '覽水禽之萬類, 信莫麗於一鶒'《謝靈運》.
[字源] 形聲. 鳥+溪〔音〕. '溪계'는 '계곡, 계류'의 뜻. 골짜기를 흐르는 내에 살며, 물여우 등을 잡아먹다의 뜻을 나타냄.

[鸂鶒 계칙] 원앙보다 크고 자줏빛이 도는 물새. 자원앙(紫鴛鴦).

[鸂鷘 계칙] 계칙(鸂鶒).

13 ㉔ [鸄] 농 [平]冬 女冬切 nóng

[字解] 기러기 농 기러기. 큰기러기. '一, 鴻也'《集韻》.

13 ㉔ [鸋] 령 [平]青 郎丁切 líng

[字解] ①할미새 령 척령(鶺鴒)의 별칭. ②두루미 령 학(鶴)의 별칭(別稱).

13 ㉔ [鸀] [一] 촉 ①-③[入]沃 殊玉切 shǔ
④[入]沃 之欲切 zhú
[二] 탁 [入]覺 直角切 zhuó
[三] 독 [入]屋 徒谷切

[字解] [一] ①새이름 촉 '海外互人之國有青鳥, 身黃赤足六首, 名曰一'《山海經》. ②집오리닮은새 촉 '一鳴'은 집오리를 닮되 크고, 눈이 붉으며, 부리가 감색(紺色)인 새. '一, 一鳴, 鳥名. 似鴨而大, 赤目紺觜'《集韻》. ③산까마귀 촉 까마귀를 닮되 작은 새. '一, 鳥名, 山鳥也. 似烏而小, 穴乳, 出西方'《集韻》. ④오리닮은새 촉 '一瑪'은 오리를 닮되 큰 새. '鴐鵝一瑪'《史記》. [二] 산까마귀 탁 [一]❸과 뜻이 같음. [三] 뻐꾸기 독 '一, 一鵒, 鳥也'《廣韻》.

13 ㉔ [鸇] 전 [平]先 諸延切 zhān 

[字解] 송골매 전 매〔鷹〕의 일종. 신풍(晨風). '爲叢敺爵者一也'('爵'은 '雀')《孟子》.
[字源] 篆文  形聲. 鳥+亶〔音〕. '亶단·선'은 같은 장소를 빙글빙글 돌다의 뜻.

◉飢鸇. 老鸇. 霜鸇. 鷹鸇. 蒼鸇.

13 ㉔ [鸅] 택 [入]陌 場伯切 zhé

[字解] 사다새 택 '鵜一'.

◉鵜鸅.

13 ㉔ [鸆] 가 jiǎ

[字解] 새이름 가 새 이름. 매의 한 가지. '一, 鳥名'《玉篇》.

13 ㉔ [鷫] 숙 [入]屋 息逐切 sù 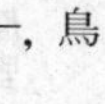

[字解] 신조 숙 '一鷞'은 서방(西方)을 지킨다는 신조(神鳥). '家貧以一鷞裘貰酒'《史記》.
[字源] 篆文  形聲. 鳥+肅〔音〕

[鷫鷞 숙상] 서방(西方)을 지키는 신조(神鳥). 목이 길고 털빛이 초록색이며 가죽으로는 갖옷을 만든다고 함.

13 ㉔ [鸇] [一] 현 [平]先 隳緣切 huán
[二] 선 [平]先 旬宣切 xuán

[字解] [一] 돌며날 현 돌며 훨훨 낢. 翾(羽部 十三畫)과 통용. '一, 繞飛也'《正字通》. [二] 물새이름 선 '一目'은 물새의 이름. 旋(方部 七畫)과

통용. '一目, 水鳥'《集韻》.

13 [鶡] 一 알 入黠 乙轄切 yà
㉔ 二 갈 入曷 居曷切

字解 一 개똥지빠귀 알 '字林云, 鶡一, 似伯勞而小'《爾雅 釋林》. 二 개똥지빠귀 갈 一과 뜻이 같음.

13 [鷇] 구 去宥 丘候切 kòu
㉔

字解 새새끼 구 새 새끼. '一, 鳥子生哺者'《集韻》.

13 [鵜] 〔규〕
㉔ 鵜(鳥部 九畫〈p. 2675〉)와 同字

13 [鷹] 人名 응 平蒸 於陵切 yīng
㉔

筆順 广 广 户 府 府 府 鹰 鷹

字解 매 응 맹금(猛禽)의 일종. 정조(征鳥). '蒼一'. '一犬'. '時維一揚'《詩經》.

字源 金文 篆文 籒文 形聲. 鳥+應〈省〉〔音〕. '雁응'의 籒文. 본래는 '雁'이었으며, '雁'은 金文에서는 사람의 가슴 옆과 '隹추'의 會意. 곧 매사냥하는 '매'의 뜻을 나타냄.

[鷹擊毛摯 응격모지] 매가 새를 잡고 맹수가 작은 짐승을 채듯이, 엄혹하여 조금도 빈틈이 없음.
[鷹犬 응견] ㉠매와 개. ㉡매와 개로 사냥함. ㉢부하가 되어 분주히 돌아다니는 자의 비유. ㉣쓸 만한 재능이 있는 자의 비유.
[鷹師 응사] 매를 놓아 새를 잡는 사람.
[鷹視 응시] 매처럼 노려봄.
[鷹揚 응양] ㉠매같이 날아 올라가는 뜻. 곧, 세력을 신장함을 이름. ㉡명성을 들날림을 이름.
[鷹鸇之志 응전지지] 매나 새매가 새를 잡듯이 맹위를 떨치고자 하는 뜻.
[鷹鸇逐鳥雀 응전축조작] 간사한 자를 주륙(誅戮)하는 데 엄함의 비유.
[鷹爪 응조] ㉠매의 발톱. ㉡매 발톱같이 생긴 상품의 차(茶).
◉角鷹. 勁鷹. 奇鷹. 饑鷹. 籠鷹. 萬雀不能抵一鷹. 名鷹. 放鷹. 白鷹. 鵜鷹. 飛鷹. 眼如鷹. 野鷹. 良鷹. 魚鷹. 如養鷹. 雀鷹. 鸇鷹. 鵰鷹. 準鷹. 蒼鷹. 秋鷹. 虎鷹. 黃鷹. 黑鷹.

13 [鷩] 一 격 入錫 古歷切 jī
㉔ 二 규 去嘯 古弔切
三 교 上篠 吉了切
四 효 平蕭 堅堯切

字解 一 새이름 격 까마귀를 닮되, 창백색(蒼白色)인 새. '一, 鳥似烏, 蒼白色'《廣韻》. 二 새이름 규 一과 뜻이 같음. 三 새이름 교 一과 뜻이 같음. 四 새이름 효 一과 뜻이 같음.

13 [鷿] 벽 入錫 扶歷切 pì
㉔

字解 논병아리 벽 '一鷉'. '鷺雁一鷉'《馬融》.

字源 篆文 形聲. 鳥+辟〔音〕. '辟벽'은 '澼벽'과 통하여 물에 떴다 가라앉았다 하다의 뜻을 나타냄.

[鷿鷉 벽체] 논병아리과에 속하는 물새. 호수나 물가에 사는데 크기는 비둘기만 함. 논병아리. 되강오리. 영정(鸊鳲). 유압(油鴨).

13 [鷽] 학 入覺 胡覺切 xué
㉔

字解 ①비둘기 학 작은 비둘기. '蜩與一鳩笑鵬'《莊子》. ②피리새 학 참샛과에 속하는 새. 피리를 부는 듯이 곱게 욺. '一, 山鵲'《爾雅》.

字源 篆文 別體 形聲. 鳥+學〈省〉〔音〕

[鷽鳩笑鵬 학구소붕] 조그만 비둘기가 큰 붕새를 비웃는다는 뜻으로, 소인(小人)이 위인(偉人)의 훌륭한 언행을 이해하지 못하고 도리어 비웃음을 이름.

13 [鵽] 과 平歌 古禾切 guō
㉔

字解 뱁새 과 뱁새. '一鸁, 工雀也'《廣雅》.

14 [鸎] 앵 平庚 烏莖切 yīng
㉕

字解 휘파람새 앵, 꾀꼬리 앵 鶯(鳥部 十畫)과 同字. '一鳴嚶嚶'《禽經》.

[鸎鳴 앵명] 꾀꼬리의 울음소리.
[鸎鳥 앵조] 꾀꼬리.

14 [鸍] 一 시 平支 式支切 shī
㉕ 二 미 平支 武移切

字解 一 ①상오리 시 오리를 닮되, 꼬리가 길고 등에 무늬가 있는 새. '一, 沈凫'《爾雅》. ②짐(鴆)새 시 독조(毒鳥)의 이름. '一, 鴆鳥名'《廣韻》. 二 상오리 미, 짐새 미 一과 뜻이 같음.

14 [鸕] 람 平覃 盧甘切 lán
㉕

字解 뻐꾸기 람 뻐꾸기. 곽공(郭公). '一鶵'. '一, 一鶵, 鳥名, 郭公也'《集韻》.

14 [鸐] 一 주 平尤 直由切 chóu
㉕ 二 도 平豪 徒刀切 táo

字解 一 꿩이름 주 남방(南方)의 꿩의 이름. '趙武靈王, 貝帶鵕一而朝, 趙國化之'《淮南子》. 二 사다새 도 '一河'는 사다새. '一, 一河, 鳥名. 通作淘'《集韻》.

14 [鸋] 녕 平青 奴丁切 níng
㉕ 去徑 乃定切

字解 ①메추라기새끼 녕 '鶉子鳼, 鴽子一'《爾雅》. ②올빼미 녕 '鴟鴞, 一鴂'《爾雅》.

14 [鸑] 악 入覺 五角切 yuè
㉕

字解 ①봉황 악 '一鷟'은 봉황(鳳凰)의 별칭(別稱). '周之興也, 一鷟鳴於岐山'《國語》. ②물새이름 악 '一鷟'은 오리 비슷하되 더 크고 눈이 붉은 물새의 일종.

字源 篆文 形聲. 鳥+獄〔音〕

[鸑鷟 악작] 자해(字解) ❶❷를 보라.

14 ㉕ [鸒] 여 ㊥魚 以諸切 yù

字解 큰부리까마귀 여 '鴉'의 별칭. '弁彼一斯'《詩經》.

字源 篆文 形聲. 鳥＋與〔音〕. '與여'는 함께 가다의 뜻. 떼를 지어 사는 새, '큰부리까마귀'의 뜻을 나타냄.

14 ㉕ [鷬] 〔난〕 鷬(鳥部 十一畫〈p. 2679〉)의 本字

15 ㉖ [鸁] 랍 ㊀合 力盍切 là

字解 푸르르날 랍 '一鶡'은 앉았다가 날아가는 모양. '一鶡, 飛起皃'《玉篇》.

15 ㉖ [鸌] 광 ㊤養 古晃切 guǎng

字解 봉황새 광 봉황새. 봉황새의 유(類). '一一鶡, 鳳類'《集韻》.

15 ㉖ [鷇] 곡 ㊀屋 古祿切 gǔ

字解 뻐꾸기 곡 뻐꾸기. 포곡조(布穀鳥). '一, 布一鳥'《字彙》.

15 ㉖ [鸈] 락 ㊀藥 歷各切 luò

字解 목붉은매 락 매의 한 가지. '一, 鳥名, 一曰, 鷹赤首曰一'《集韻》.

15 ㉖ [鸔] 鸔(次條)과 同字

15 ㉖ [鸔]
一 복 ㊀屋 步木切 bǔ
㊀沃 逋沃切
二 박 ㊀藥 伯各切
㊀覺 北角切
三 포 ㊦號 薄報切

字解 一 물새이름 복 '鵅, 鳥一'《爾雅》. 二 물새이름 박 一과 뜻이 같음. 三 물새이름 포 一과 뜻이 같음.

字源 形聲. 鳥＋暴(㬥)〔音〕

16 ㉗ [鷎] 곽 ㊀藥 光鑊切 guō

字解 뻐꾸기 곽 뻐꾸기. 곽공(郭公). '一, 一公, 鳥名'《集韻》.

16 ㉗ [鸏]
一 얼 ㊀屑 魚列切
二 갈 ㊀黠 居轄切 jiá
三 알 ㊀黠 牛轄切

字解 一 오리 얼 '鷞一'은 오리의 종류. '一, 鷞一也'《說文》. 二 오리 갈 一과 뜻이 같음. 三 오리 알 一과 뜻이 같음.

字源 形聲. 鳥＋辥〔音〕

16 ㉗ [鸕] 로 ㊥虞 落胡切 lú

字解 바다가마우지 로 '一鷀'는 가마우짓과(科)에 속하는 물새.

字源 篆文 形聲. 鳥＋盧〔音〕. '盧로'는 '黸로'와 통하여 '검다'의 뜻.

[鸕鷀 노자] 가마우짓과에 속하는 물새. 물고기를 잡아먹음. 바다가마우지.
[鸕鷀杓 노자작] 술 그릇의 이름.

16 ㉗ [鸖] 학 ㊀藥 下各切 hè

字解 두루미 학 鶴(鳥部 十畫)과 同字. '懿公好一'《史記》.

16 ㉗ [鵴] 국 ㊀屋 居六切 jú

字解 뻐꾸기 국 鵴(鳥部 八畫)과 同字. '一, 爾雅, 作鵠一. 郭璞云, 今之布穀也'《廣韻》.

字源 形聲. 鳥＋匊(𥬐)〔音〕

16 ㉗ [鵴] 鵴(前條)의 本字

16 ㉗ [鷰] 〔연〕 鷰(鳥部 十二畫〈p. 2683〉)과 同字

16 ㉗ [鸗] 롱 ㊥東 盧紅切 lóng

字解 ①오리 롱 '一, 鳧也'《廣雅》. ②들새 롱, 작은새 롱 야조(野鳥). '小臣之好射鶀雁羅一'《史記》.

字源 形聲. 鳥＋龍〔音〕

17 ㉘ [鸚] 人名 앵 ㊥庚 烏莖切 yīng

字解 ①앵무새 앵 '一鵡'는 앵무새. '一鵡能言, 不離飛鳥'《禮記》. ②앵무조개 앵 '一螺'.

字源 篆文 形聲. 鳥＋嬰〔音〕. '嬰영'은 목에 장식을 두르다의 뜻.

[鸚哥 앵가] 열대 지방에 나는 앵무새의 일종. 잉꼬.
[鸚螺 앵라] 앵무패(鸚鵡貝).
[鸚母 앵모] 앵무(鸚鵡).
[鸚鴞 앵무] 앵무(鸚鵡).
[鸚鵡 앵무] 앵무샛과에 속하는 새. 부리는 갈고리같이 굽고 털빛이 아름다우며 사람의 말을 잘 흉내 냄. 앵무새.
[鸚鵡螺 앵무라] 앵무패(鸚鵡貝).
[鸚鵡杯 앵무배] 앵무조개의 조가비로 만든 잔.
[鸚鵡石 앵무석] 공작석(孔雀石)의 한 가지.
[鸚鵡貝 앵무패] 앵무조갯과에 속하는 바닷조개. 물을 뿜어 이동함. 앵무조개. 앵무라(鸚鵡螺).
[鸚猩 앵성] 앵무새와 성성이. 모두 사람의 말을 잘 흉내 낸다 함.

17 ㉘ [鸘] 〔상〕 鷞(鳥部 十一畫〈p. 2679〉)과 同字

18 ㉙ [鸛] 鸛(次條)과 同字

字源 形聲. 鳥＋雚〔音〕

18 ㉙ [鸛] 관 ㊀翰 古玩切 guàn 鹳

字解 황새 관 황샛과에 속하는 새. 모양이 백로 비슷한데 훨씬 크고 날개의 끝 부분은 검음. 관조(鸛鳥).

[鸛鵝 관아] 진형(陣形)의 이름. 곧, 관진(鸛陣)과 아진(鵝陣). 아관(鵝鸛).

18 ㉙ [鸜] 구 ㊥虞 其俱切 qú

字解 구욕새 구 '一鵒'은 때까치 비슷한 새. 구욕새.

字源 形聲. 鳥+瞿〔音〕

[鸜鵒 구욕] 새의 일종. 모양이 때까치 비슷함. 구욕새.

[鸜鵒眼 구욕안] 구욕새의 눈 같은 무늬가 있는 최상품의 연적(硯滴).

19 ㉚ [鸝] 一 리 ㊥支 呂支切 lí 二 려 ㊥齊 隣題切 鹂

字解 一 꾀꼬리 리 '黃一'는 꾀꼬리. 창경(鶬鶊). '兩個黃一鳴翠柳'《杜甫》. 二 꾀꼬리 려 一과 뜻이 같음.

字源 形聲. 鳥+麗〔音〕. '麗려'는 '화려하다'의 뜻.

◉黃鸝.

19 ㉚ [鸞] 人名 란 ㊥寒 落官切 luán 鸾

字解 ①난새 란 영조(靈鳥)의 이름. 봉황(鳳凰)의 일종. 털은 오채(五彩)를 갖추었고, 소리는 오음(五音)에 맞는다 함. 일설(一說)에는, 털에 푸른빛이 많은 봉(鳳)새라 함. '一鳥'. '銅鏡立青一'《李賀》. ②방울 란 천자(天子)가 타는 마차(馬車)의 말에 단 방울. '一駕'. '一車'. '和一雝雝'《詩經》. ③성 란 성(姓)의 하나.

字源 篆文 形聲. 鳥+䜌〔音〕. '䜌란'은 '鑾란'과 통하여 방울 소리를 나타내는 의성어로, 천자의 수레에 다는 방울의 뜻. '鳥조'를 더하여 천하태평한 때에 나타나는 영조의 뜻을 나타냄.

參考 鳶(鳥部 六畫)은 俗字.

[鸞駕 난가] 천자(天子)가 타는 수레.
[鸞閣 난각] 누각(樓閣). 누각의 지붕 위에 난새의 형상을 세우므로 이름.
[鸞車 난거] ㉠순(舜)임금의 수레. ㉡난가(鸞駕).
[鸞鏡 난경] 난새를 뒷면에 새긴 거울. 또, 널리 거울을 이름.
[鸞旗 난기] 천자의 기.
[鸞幢 난당] 난새의 모양을 그린 기(旗). 천자의 의위(儀衛)에 쓰임.
[鸞臺 난대] 당대(唐代)의 문하성(門下省)의 별칭(別稱).
[鸞刀 난도] 자루에 난새 모양의 방울을 단 칼. 예전에 희생(犧牲)을 가르는 데 썼음.

[鸞刀]

[鸞纛 난도] 천자의 기. '도(纛)' 참조.
[鸞鈴 난령] 천자의 수레에 단 방울.
[鸞路 난로] 난대(鸞臺).
[鸞輅 난로] 난가(鸞駕).
[鸞鷺 난로] 귀현(貴顯)의 위의(威儀)를 난새와 백로의 아름답고 고상한 모습에 비유하여 이른 말.
[鸞門 난문] 난새의 형상을 지붕 위에 세운 문.
[鸞鳳 난봉] ㉠난조(鸞鳥)와 봉황(鳳凰). ㉡영준(英俊)한 선비의 비유. ㉢유덕(有德)한 군자(君子)의 비유. ㉣부부(夫婦)의 인연.
[鸞鳳沖霄必假羽翼 난봉충소필가우익] 대업을 성취하는 데는 반드시 보좌하는 사람의 힘을 빌려야 한다는 말.
[鸞翔鳳翥 난상봉저] 서법(書法)이 묘(妙)한 것을 형용한 말.
[鸞掖 난액] 난대(鸞臺).
[鸞輿 난여] 난가(鸞駕).
[鸞殿 난전] 천자(天子)의 궁전(宮殿).
[鸞鳥 난조] 봉황의 일종인 영조(靈鳥). 난새.
[鸞軫 난진] 난가(鸞駕).
[鸞車 난차] 난거(鸞車).
[鸞躅 난촉] 천자(天子)가 거둥한 길. 행행(行幸)의 길.
[鸞飄鳳泊 난표봉박] 난상봉저(鸞翔鳳翥).
[鸞鶴 난학] 난새와 학. 모두 신선이 타고 다닌다는 새.
[鸞和 난화] 천자의 수레에 다는 황금으로 만든 방울.

◉鳴鸞. 文鸞. 鳳鸞. 飛鸞. 祥鸞. 錫鸞. 繡鸞. 神鸞. 紫鸞. 彩鸞.

22 ㉝ [鸛] 권 ㊥先 逵員切 quán

字解 구관조 권 구관조(九官鳥). '一鴿'. '一, 一鴿, 鳥名'《集韻》.

24 ㉟ [靈鳥] 〔령〕 鴒(鳥部 五畫〈p. 2663〉)과 同字

25 ㊱ [蠻鳥] 만 ㊥刪 謨還切 mán

字解 새이름 만 '一一'은 오리 비슷한 새의 이름. 날개와 눈이 하나씩이라 함. '山海經, 有鳥, 如鳧, 一翼一目, 相得乃飛, 名曰一一'《集韻》.

鹵 (11획) 部

〔소금밭로·짠땅로부〕

0 ⑪ [鹵] 人名 로 ㊤麌 郎古切 lǔ 卤

筆順 ㅏ 卢 卤 卤 卤 卤 卤 鹵

字解 ①염밭 로 소금기가 있어 경작에 부적당한 땅. '澤一'. '一田'. '厥田斥一'《史記》. 전(轉)하여, 척박한 땅. 불모의 땅. '遠在荒一'《唐書》. 또, 땅에 초목이 나지 아니함. 불모임. '寒地瘠一'《唐書》. ②소금 로 천연의 소금. 인조의 소금은 '鹽'이라 함. '山西食鹽一'《史記》. ③방패 로 큰 방패. 櫓(木部 十五畫)와 통용. '流

血漂一'《戰國策》. ④노둔할 로 魯(魚部 四畫)와 통용. '小臣信頑一'《劉楨》. ⑤노략질할 로 擄(手部 十三畫)와 통용. '毋得一掠'《漢書》. ⑥성 로 성(姓)의 하나.

字源 金文 [金文] 篆文 [篆文] 象形. 주머니에 싼 암염(巖鹽)을 본떠 소금, 소금을 머금은 서방(西方)의 황무지의 뜻을 나타냄.

參考 '鹵로'를 의부(意符)로 하여, 소금, 소금기에 관한 문자를 이룸. 부수 이름은 '소금밭로'.

[鹵掠 노략] 약탈(掠奪)함.
[鹵莽 노망] 소홀함. 거칢.
[鹵莽滅裂 노망멸렬] 소홀하고 지리멸렬(支離滅裂)함.
[鹵簿 노부] 천자가 거둥할 때의 행렬.
[鹵鹽 노염] 천연산(天然產)의 소금.
[鹵田 노전] 소금기가 있는 땅. 염밭.
[鹵地 노지] 소금이 나는 땅.
[鹵獲 노획] 적의 군용품 등을 탈취함.
◉剛鹵. 大鹵. 莽鹵. 沙鹵. 舄鹵. 淳鹵. 鹽鹵. 頑鹵. 流血漂鹵. 磧鹵. 瘠鹵. 斥鹵. 澤鹵. 土鹵. 鹹鹵. 荒鹵.

4 ⑮ [⿱覀鹵] 〔담〕 覃(襾部 六畫〈p. 2085〉)의 古字

4 ⑮ [⿰鹵今] 긍 ㊥蒸 居陵切 jīn

字解 ①불쌍히여길 긍 불쌍히 여김. 애긍(哀矜)함. '一, 哀也'《廣雅》. ②쓸 긍 씀〔苦〕. 쓴맛. '一, 苦也'《集韻》.

4 ⑮ [⿰鹵亢] 강 ㊤養 擧朗切 gǎng

字解 염전 강 염밭. '一, 鹽澤'《集韻》.

4 ⑮ [⿰鹵冗] ⿰鹵亢(前條)과 同字

5 ⑯ [⿰鹵兂] ⿰鹵亢(前前條)과 同字

5 ⑯ [⿰鹵令] 령 ㊥青 郎丁切 líng

字解 소금 령 소금. '一, 鹽也'《集韻》.

5 ⑯ [⿰矛鹵] 긍 ㊥蒸 居陵切 jīn

字解 클 긍 큼. '一, 大也'《廣雅》.

8 ⑲ [⿰鹵炎] 담 ㊤勘 吐濫切 tàn

字解 싱거울 담 맛이 없음.

8 ⑲ [⿱⿰土鹵皿] 〔염〕 鹽(鹵部 十三畫〈p. 2688〉)의 略字

8 ⑲ [鹸] 〔험〕 鹼(鹵部 十三畫〈p. 2688〉)의 略字

8 ⑲ [⿰鹵臽] 감 ㊤陷 公陷切 jiàn

字解 ①짠맛 감 짠맛. '一, 鹹味'《廣韻》. ②맛없을 감 맛이 없음. '一鑑'.

9 ⑳ [⿰鹵甚] 감 ㊤勘 苦紺切 kàn

字解 몹시짤 감 몹시 짬. 소금기가 과함. '一, 鹹味厚'《廣韻》.

9 ⑳ [⿳覀鹵早] 〔담〕 覃(襾部 六畫〈p. 2085〉)의 籀文

9 ⑳ [鹹] 人名 함 ㊥咸 胡讒切 xián 咸 [草書]

字解 ①소금기 함 염분. '以一養脈'《周禮》. ②짤 함 소금기가 있음. 또, 소금기가 많음. '鹽之味一者'《素問》.

字源 篆文 [篆文] 形聲. 鹵+咸〔音〕. '咸함'은 큰 목소리를 한껏 지르다의 뜻. 고함을 지르고 싶게 몹시 짜다의 뜻을 나타냄.

[鹹苦 함고] 짜고 씀.
[鹹度 함도] 바닷물 1,000g 중에 함유되어 있는 소금의 양을 그램으로 표시한 정도. 보통의 바닷물에는 약 35g 포함되어 있음.
[鹹鹵 함로] 염밭. 염전(鹽田).
[鹹潟 함석] 소금기가 있어 경작(耕作)에 적합하지 않은 개펄. 염밭.
[鹹水 함수] 짠물. 바닷물.
[鹹水之魚 함수지어] 바닷물고기. 해어(海魚).
[鹹地 함지] 함토(鹹土).
[鹹鹺 함차] 제사에 쓰는 소금.
[鹹泉 함천] 염분이 섞인 샘.
[鹹土 함토] 염분이 많이 섞인 땅.
◉甘鹹. 大鹹. 酸鹹. 辛鹹. 海鹹.

10 ㉑ [鹺] 차 ㊥歌 昨何切 cuó 鹺 [草書]

字解 짤 차 소금기가 많음. '大鹹曰一'《禮記註》.

字源 篆文 [篆文] 形聲. 鹵+差(𠂹)〔音〕

[鹺使 차사] '염운사(鹽運使)'의 별칭(別稱).

10 ㉑ [⿱⿰鹵古皿] 고 ㊤麌 公土切 gǔ

字解 소금 고 소금. '一, 東人呼鹽'《字彙》.

10 ㉑ [鹻] 감 ㊥豏 古斬切 jiǎn

字解 소금버캐 감 '一, 鹵之凝著者也'《六書故》.

字源 形聲. 鹵+兼〔音〕

[鹻土 감토] 염분이 많은 땅. 염밭.

12 ㉓ [⿰鹵喬] 〔귤〕 ⿰酉喬(酉部 十二畫〈p. 2362〉)과 同字

12 ㉓ [⿰鹵敢] 감 ㊤感 口敢切 gàn ㊤勘 古暫切

字解 ①쓸 감 씀. 쓴맛. '一酫'. '一, 一酫, 苦

味'《集韻》. ②몹시짤 감 몹시 짬. '一, 味過鹹'《集韻》.

13 **[鹼]** [一] 험 ㊤豏 古斬切 jiǎn
㉔ [二] 감 [平]鹽 七廉切 jiǎn

[字解] [一] 소금기 험 지질(地質) 안에 포함된 염분. '一, 鹵也'《說文》. [二] 잿물 감 재를 넣어서 우려낸 물. 세탁에 쓰임. '石一'. '一, 俗以竈灰淋汁曰一水, 去垢穢'《正字通》.

[字源] 篆文 形聲. 鹵+僉〔音〕. '僉첨'은 '심하다'의 뜻. 혀에 자극이 심한 '소금기'의 뜻을 나타냄.

[參考] 鹸(鹵部 八畫)은 略字.

◉石鹼.

13 **[⿰鹵感]** 감 ①㊤感 古禫切 gǎn
㉔ ②③[去]勘 古蹔切 gàn

[字解] ①소금기 감 염분. '一, 鹹味'《集韻》. ②싱거울 감 맛이 없음. '一, 無味'《字彙》. ③너무짤 감 지나치게 짬. '鹹, 味過鹹, 或从感'《集韻》.

13 **[鹽]** [高人] 염 [平]鹽 余廉切 yán
㉔ [去]豔 以贍切 yàn

[筆順] 臣 … 鹽

[字解] ①소금 염 색이 희고 짠맛을 띤 결정물. '一田'. '米一'. '掌一之政令'《周禮》. ②노래이름 염 가곡(歌曲)의 이름. '昔昔一'. '阿鵲一'. ③성 염 성(姓)의 하나. ④절일 염 소금물에 담금. '一藿'. '以灑諸上而一之'《禮記》.

[字源] 篆文 形聲. 鹵+監〔音〕. '監감'은 '嚴엄'과 통하여 '엄하다'의 뜻. 혀에 심한 자극을 주며, 또 농경에 적합하지 않은 소금기 있는 땅의 뜻을 나타냄.

[參考] 塩(土部 十畫)은 俗字.

[鹽車 염거] 소금을 실은 수레.
[鹽車憾 염거감] 준마(駿馬)가 둔마와 같이 염차를 끄는 것을 유감으로 생각한다는 뜻으로, 재능이 있는 사람이 불우함을 한탄함의 비유.
[鹽官 염관] 한대(漢代)에 소금이 많이 산출되는 군현(郡縣)에 두어 염세(鹽稅)를 징수하게 한 벼슬.
[鹽基 염기] 산(酸)을 중화하여 염이 생기게 하는 수산화물(水酸化物).
[鹽鹵 염로] ㉠암염(巖鹽). ㉡소금기.
[鹽梅 염매] ㉠음식의 간을 맞춤. ㉡임금을 보좌(輔佐)하여 선정(善政)을 베풀게 함.
[鹽飯 염반] 소금엣밥.
[鹽賦 염부] 소금에 과(課)하는 세금. 염세(鹽稅).
[鹽分 염분] 소금의 기운.
[鹽酸 염산] 염화수소(鹽化水素)가 물에 녹은 것.
[鹽商 염상] 소금 장사. 또, 소금 장수.
[鹽稅 염세] 소금에 과(課)하는 세금.
[鹽素 염소] 원소(元素)의 하나. 공기보다 무겁고 특이하고 강한 냄새가 있는 녹황색(綠黃色)의 기체(氣體).
[鹽水 염수] 소금을 타서 녹인 물. 소금물.
[鹽豉 염시] 메주·된장 따위.
[鹽冶 염야] 바닷물에서 소금을 만들고 광산을 채굴하여 야금(冶金)함.
[鹽田 염전] 염밭.
[鹽廛 염전] 소금을 파는 가게.
[鹽井 염정] 짠물이 솟는 샘물을 길어 소금을 제조함.
[鹽虀 염제] 소금에 절인 채소. 겉절이 같은 것.
[鹽竈 염조] 소금을 만드는 가마솥을 건 부엌.
[鹽池 염지] 소금을 만들기 위하여 만든 못.
[鹽車 염차] 염거(鹽車).
[鹽菜 염채] 소금과 채소.
[鹽泉 염천] 염분이 섞인 샘.
[鹽鐵 염철] 소금과 쇠.
[鹽鐵論 염철론] 경제서(經濟書). 한(漢)나라 환관(桓寬)의 찬(撰). 10권(卷) 60편(篇). 소제(昭帝) 때 염철(鹽鐵)의 전매(專賣) 제도의 존속(存續) 여부에 관하여 승상(丞相) 차천추(車千秋) 및 어사대부(御史大夫) 상홍양(桑弘羊) 등과 전국에서 소집(召集)된 현량(賢良) 60여 명이 조정(朝廷)에서 토론한 것을 환관(桓寬)이 편집한 것.
[鹽鐵利 염철리] 소금과 쇠를 전매(專賣)하는 이익.
[鹽湯 염탕] 소금을 끓는 물에 탄 것.
[鹽澤 염택] 신장 성(新疆省) 야강현(婼羌縣)에 있는 못의 옛 이름. 지금 이름은 나포박(羅布泊).
[鹽汗 염한] 땀. 땀이 짜므로 이름.
[鹽醯 염혜] 소금과 초.
[鹽戶 염호] 제염(製鹽)을 업으로 하는 사람.
[鹽化 염화] 어떠한 물질이 염소(鹽素)와 화합(和合)함.

◉苦鹽. 鹽鹽. 顆鹽. 米鹽. 白鹽. 山鹽. 散鹽. 惜惜鹽. 石鹽. 食鹽. 阿鵲鹽. 巖鹽. 陽鹽. 魚鹽. 漁鹽. 戎鹽. 飴鹽. 煮鹽. 井鹽. 製鹽. 藻鹽. 海鹽. 醢鹽. 形鹽.

14 **[⿰鹵監]** [一] 감 [去]勘 工暫切 gàn
㉕ [二] 탐 [去]勘 吐濫切 tàn

[字解] [一] 짤 감 짬. '一, 鹹也'《玉篇》. [二] 맛없을 탐 맛이 없음. 무미(無味)함. '一, 䤈一, 無味也'《集韻》.

鹿 (11획) 部
〔사슴록부〕

0 **[鹿]** [高人] 록 [入]屋 盧谷切 lù
⑪

[筆順] 亠 广 户 户 庐 庐 鹿 鹿

[字解] ①사슴 록 ㉠우제류(偶蹄類)에 속하는 산짐승. '呦呦一鳴'《詩經》. ㉡사슴은 여러 사냥꾼들이 다투어 쫓아가 잡는 짐승이므로, 여러 사람들이 경쟁하여 얻으려고 하는 목적물. 특히 제위(帝位)를 이름. '中原之一'. '秦失其一, 天下共逐'《十八史略》. '人希逐一之圖'《晉書》. ②곳집 록 방형(方形)의 미창(米倉). '囷一空虛'《國語》. ③산기슭 록 麓(鹿部 八畫)과 통용. '瞻彼旱一'《詩經》. ④성 록 성(姓)의 하나.

[字源] 甲骨文 金文 篆文 象形. 뿔이 있는 수사슴의 모양을 본떠 '사슴'의 뜻을 나타냄.

參考 '鹿록'을 의부(意符)로 하여 사슴의 종류나 사슴과 비슷한 동물의 명칭 등을 나타내는 문자를 이룸. 부수 이름은 '사슴록'.

[鹿角 녹각] ㉠수사슴의 뿔. ㉡녹채(鹿砦). ㉢물건을 거는 갈고리. ㉣홍조류(紅藻類)의 해초. 청각채.
[鹿角膠 녹각교] 녹각(鹿角)을 고아서 풀처럼 만든 보약(補藥).
[鹿角霜 녹각상] 녹각(鹿角)을 고아서 말린 가루로 된 보약(補藥).
[鹿角菜 녹각채] 홍조류(紅藻類)에 속하는 해초(海草). 청각채(靑角菜).
[鹿車 녹거] 겨우 사슴 한 마리를 실을 만한 수레. 작은 수레.
[鹿巾 녹건] 사슴의 가죽으로 만든 두건(頭巾).
[鹿骨 녹골] 사슴의 뼈.
[鹿韭 녹구] '모란(牡丹)'의 이명(異名).
[鹿裘 녹구] 사슴의 가죽으로 만든 옷.
[鹿臺 녹대] 은(殷)나라 주왕(紂王)이 재화와 보물을 보관하여 둔 곳.
[鹿洞 녹동] 주자(朱子)가 그의 학문을 강의한 백록동서원(白鹿洞書院).
[鹿獵 녹렵] 사슴 사냥.
[鹿盧 녹로] ㉠'녹로(轆轤)'와 같음. ㉡녹로 모양의 옥의 장식이 있는 검(劍).
[鹿鹿 녹록] '녹록(錄錄)'과 같음.
[鹿梨 녹리] 배나무의 일종. 산돌배.
[鹿鳴 녹명] 시경(詩經) 소아(小雅) 가운데의 일편(一篇). 천자(天子)가 군신(群臣)을 거느릴 때의 시(詩). 당(唐)나라에서는 주현(州縣)의 장리(長吏)가 그곳의 시험에 급제한 거인(擧人)을 초치(招致)한 때에 그 시(詩)를 읊어서 전도(前途)를 축복하였음.
[鹿鳴之宴 녹명지연] ㉠군신(群臣)·가빈(嘉賓)을 위하여 여는 주연. ㉡거인(擧人)을 그 주현(州縣)의 장리(長吏)가 환대하는 주연.
[鹿毛 녹모] 사슴의 털.
[鹿麛 녹미] 사슴. 미(麛)는 작은 사슴.
[鹿尾菜 녹미채] 갈조류(褐藻類)에 속하는 바닷말의 한 가지. 바닷가의 바윗돌에 붙어서 자람.
[鹿死誰手 녹사수수] 사슴은 누구의 손에 죽을 것이냐. 온 천하가 누구의 손에 돌아갈 것이냐는 뜻의 비유.
[鹿豕 녹시] 사슴과 돼지. 전(轉)하여, 미련하고 천한 사람.
[鹿腎 녹신] 사슴의 자지. 강장제(強壯劑)로 씀.
[鹿野苑 녹야원] 《佛敎》 중인도(中印度)에 있는 임원(林苑). 석존(釋尊)이 성도(成道) 후 처음으로 설법(說法)을 한 곳. 녹원(鹿苑).
[鹿茸 녹용] 사슴의 뿔이 새로 나서 아직 가지가 돋지 아니한 것. 보제(補劑)로 씀.
[鹿苑 녹원] ㉠사슴을 기르는 동산. 녹유(鹿囿). ㉡《佛敎》 녹야원(鹿野苑).
[鹿中 녹중] 투호(投壺)할 때 산가지로 쓰이는 화살을 담는 사슴 형상의 그릇.
[鹿砦 녹채] 대나무를 세워서 사슴 뿔처럼 만들어 적이 침입(侵入)하지 못하게 하는 울. 녹각(鹿角).

[鹿中]

[鹿蜀 녹촉] 얼룩말.
[鹿葱 녹총] 원추리.
[鹿脯 녹포] 사슴의 고기를 말려 만든 포.
[鹿皮 녹피] 사슴의 가죽. 녹비.
[鹿血 녹혈] 사슴의 피.
◉鉅鹿. 驚鹿. 困鹿. 馬鹿. 麋鹿. 奔鹿. 不能分馬鹿. 牝鹿. 射鹿. 山鹿. 馴鹿. 神鹿. 失鹿. 野鹿. 麑鹿. 麀鹿. 中原之鹿. 蕉鹿. 逐鹿. 涿鹿. 衡鹿.

2 ⑬ [麀] 우 ㊥尤 於求切 yōu 麀

字解 암사슴 우 사슴의 암컷. '一鹿濯濯'《孟子》.
字源 篆文 會意. 鹿＋牝〈省〉. '牝빈'은 '암컷'의 뜻. 암사슴의 뜻을 나타냄.

[麀鹿 우록] 암사슴.
[麀牡 우모] 사슴의 자웅(雌雄).
[麀麌 우우] 사슴의 자웅. 암사슴과 수사슴.

2 ⑬ [麂] 궤 ㊤紙 居履切 jǐ 麂

字解 노루 궤 노루〔麞〕의 일종.
字源 篆文 形聲. 鹿＋几〔音〕

[麂眼 궤안] 노루의 눈은 사방형(斜方形)이므로 바자의 격자(格子)로 엮은 꼴의 비유로 쓰임.
[麂鞾 궤화] 노루 가죽으로 만든 신.

2 ⑬ [䴟] 麂(前條)와 同字

2 ⑬ [麁] 〔추〕
麤(鹿部 二十二畫〈p. 2693〉)의 俗字

[塵] 〔진〕
土部 十一畫(p. 462)을 보라.

4 ⑮ [麅] 오 ㊤晧 烏晧切 ǎo

字解 순록새끼 오 순록(馴鹿)의 새끼. '獸長麑一'《國語》.

4 ⑮ [麃] ㊀ 포 ㊥肴 蒲交切 páo
㊁ 표 ①②㊥蕭 悲嬌切 biāo
③㊤篠 滂表切

字解 ㊀ 고라니 포 사슴과에 속하는 동물. 뿔은 녹용(鹿茸)이라 하여 약재로 씀. '郊獲一角獸, 若一然'《史記》. ㊁ ①굳셀 표 강한 모양. '駟介一一'('駟介'는 네 필의 무장한 말)《詩經》. ②풀깎을 표 풀을 벰. '緜緜其一'《詩經》. ③변할 표 새의 털빛이 변함. '鳥一色而沙鳴'《禮記》.
字源 篆文 形聲. 鹿＋票〈省〉〔音〕. '票표'는 오늘날의 '票표'자로 불똥이 튀다의 뜻. 튀는 듯이 빠른 사슴의 뜻을 나타냄.

[麃搖 표요] 힘차게 나는 모양.

4 ⑮ [麉] 〔견〕
麉(鹿部 六畫〈p. 2690〉)의 俗字

4 ⑮ [⿸鹿斤] 〔기〕
麒(鹿部 八畫〈p. 2691〉)의 俗字

4 ⑮ [⿸鹿丽] 〔려〕
麗(鹿部 八畫〈p. 2691〉)의 俗字

5 ⑯ [麇] ㊀ 균 ㊥眞 居筠切 jūn
㊁ 군 ㊥文 衢云切 qún
㊤吻 丘粉切 kǔn

字解 ㊀ 노루 균 사슴과에 속하는 짐승. '有介一焉'《左傳》. ㊁ ①떼질 군 군집함. '求諸侯而一至'《左傳》. ②묶을 군 속박함. '羅無勇一之'('羅'는 사람 이름)《左傳》.

字源 金文 篆文 籒文 形聲. 鹿＋囷〈省〉〔音〕. '囷균'은 통통하다의 뜻. 籒文은 鹿＋囷〔音〕.

[麇至 군지] 떼 지어 옴. 또, 많이 모임.
[麇集 군집] 떼를 지어 모임.

5 ⑯ [麈] 주 ㊤麌 之庾切 zhǔ

字解 고라니 주 사슴과에 속하는 짐승. 큰 사슴. '沈牛一麈'《司馬相如》.

字源 篆文 形聲. 鹿＋主〔音〕. '主주'는 우두머리, 지배자의 뜻.

[麈尾 주미] 먼지떨이. 고라니의 꼬리는 먼지가 잘 떨린다 하여, 이 고라니의 꼬리털로 만든 먼지떨이는 청담(淸談)을 하던 사람들이 많이 가졌으며, 후에는 불도(佛徒)들도 많이 가지고 다녔음.
◉談麈. 僧麈. 玉麈. 揮麈.

5 ⑯ [麅] 포 ㊥肴 蒲交切 páo

字解 고라니 포 麃(鹿部 四畫)와 同字.

字源 形聲. 鹿＋包〔音〕

5 ⑯ [⿸鹿加] 〔가〕
麚(鹿部 九畫〈p. 2692〉)와 同字

6 ⑰ [⿸鹿圭] 규 ㊥齊 古攜切 guī

字解 사슴 규 사슴의 일종. '一, 鹿屬'《說文》.

字源 形聲. 鹿＋圭〔音〕

6 ⑰ [麉] ㊀ 견 ㊥先 苦堅切 jiān
㊁ 연 ㊥先 倪堅切

字解 ㊀ 힘센사슴 견 힘이 뛰어나게 센 사슴. '鹿, 其跡速, 絕有力, 一'《爾雅》. ㊁ 힘센사슴 연 ㊀과 뜻이 같음.

字源 篆文 形聲. 鹿＋幵〔音〕

參考 麉(鹿部 四畫)은 俗字.

6 ⑰ [⿱幵鹿] 麉(前條)과 同字

6 ⑰ [⿸鹿旨] 궤 ㊤紙 居履切 jǐ

字解 큰노루 궤 '一, 大麇也'《說文》.

字源 形聲. 鹿＋旨〔音〕

6 ⑰ [麋] 미 ㊥支 武悲切 mí

字解 ①고라니 미 사슴과에 속하는 짐승. 암수 모두 뿔이 남. ②물가 미 湄(水部 九畫)와 통용. '居河之一'《詩經》. ③눈썹 미 眉(目部 四畫)와 통용. '面無須一'《荀子》. ④궁궁이 미 蘪(艸部 十七畫)와 통용. '秋蘭兮一蕪'《楚辭》. ⑤성 미 성(姓)의 하나.

字源 甲骨文 甲骨文 篆文 形聲. 鹿＋米〔音〕

[麋角 미각] 순록(馴鹿)의 뿔.
[麋鹿 미록] ㉠순록(馴鹿). ㉡천한 사람. ㉢궁전(宮殿)의 터.
[麋沸 미비] 소란함. 요란함.
[麋散 미산] 흩어져 없어짐. 소멸함.
[麋麑 미예] 순록(馴鹿)과 사슴의 새끼. 일설(一說)에는, 사슴의 새끼.
◉巨麋. 射麋. 山麋. 鬚麋. 野麋. 秋麋.

7 ⑱ [麌] 우 ㊤麌 虞矩切 yǔ
㊥虞 元俱切

字解 ①수사슴 우 사슴의 수컷. '麀一顧其子, 燕雀各相隨'《陳師道》. ②떼질 우 떼 지어 모이는 모양. '麀鹿一一'《詩經》.

字源 形聲. 鹿＋吳〔音〕

[麌麌 우우] 떼 지어 모이는 모양.
◉麀麌.

7 ⑱ [⿸鹿余] 〔도〕
駼(馬部 七畫〈p. 2599〉)와 同字

7 ⑱ [麏] 균 ㊥眞 居筠切 jūn

字解 노루 균 麇(鹿部 五畫)과 同字.

7 ⑱ [麎] 신 ㊥眞 植隣切 chén
㊤軫 是忍切

字解 암순록 신 순록(馴鹿)의 암컷. '麎, 牡麔, 牝一'《爾雅》.

字源 篆文 形聲. 鹿＋辰〔音〕

7 ⑱ [麐] 린 ①㊥眞 力珍切 lín
②㊦震 良刃切

字解 ①암기린 린 기린의 암컷. 麟(鹿部 十二畫)과 통용. '一, 牝麒也'《說文》. ②수사슴 린 '一, 牡鹿'《集韻》.

字源 甲骨文 篆文 形聲. 鹿＋吝〔音〕

8 ⑲ [麕] ㊀ 균 ㊥眞 居筠切 jūn
㊁ 군 ㊥文 衢云切 qún

字解 ㊀ 노루 균 사슴 비슷한 짐승. 대단히 겁이 많아 물을 마시다가 제 그림자만 보아도 깜짝 놀라 달아난다 함. '野有死一'《詩經》. ㊁ 떼질 군 많이 모임. 麇(鹿部 五畫)과 同字. '一至'.

[字源] 麇의 籀文 形聲. 鹿＋囷〔音〕. '囷균'은 '통통하다'의 뜻.

[麕至 군지] 떼 지어 옴.

8 ⑲ [麑] 예 [平]齊 五稽切 ní

[字解] ①사자 예 猊(犬部 八畫)와 同字. '狻—, 如虦猫'《爾雅》. ②사슴새끼 예 '素衣—裘'《論語》.
[字源] 甲骨文 篆文 形聲. 鹿＋兒〔音〕. '兒아'는 '어린이'의 뜻. 사슴 새끼의 뜻을 나타냄.

[麑裘 예구] 사슴의 가죽으로 만든 옷.
[麑鷇 예구] 사슴 새끼와 새 새끼.
[麑鹿 예록] 사슴 새끼. 예전에 폐백으로 썼음.
◉狻麑.

8 ⑲ [麔] 구 [上]有 其九切 jiù

[字解] 수사슴 구 사슴의 수컷. '—麌短脰'《爾雅》.
[字源] 篆文 形聲. 鹿＋咎〔音〕

8 ⑲ [麕] 곤 [平]元 公渾切 kūn

[字解] 사슴 곤 사슴. 사슴의 한 가지. '—, 鹿屬'《集韻》.

8 ⑲ [麖] 경 [平]庚 擧卿切 jīng

[字解] 큰사슴 경 뿔이 하나 있는 큰 사슴의 하나. '履游麖兔, 蹈踐—鹿'《枚乘》.
[字源] 篆文 形聲. 鹿＋京〔音〕. '京경'은 '크다'의 뜻.

[鏖] 〔오〕
金部 十一畫(p. 2415)을 보라.

8 ⑲ [麒] [人名] 기 [平]支 渠之切 qí

[筆順] 广 声 声 唐 鹿 麒 麒 麒
[字解] 기린 기 '—麟'은 상상(想像)의 영수(靈獸). '鳳凰—麟'《禮記》. 또, 아프리카산(產)의 기린과(科)의 동물의 속칭. 목과 다리가 모두 김.
[字源] 篆文 形聲. 鹿＋其〔音〕

[麒閣 기각] '기린각(麒麟閣)'의 준말.
[麒麟 기린] ㉠상상(想像)의 영수(靈獸). 성군(聖君)이 나서 왕도(王道)가 행하여지면 나타나며 생초(生草)를 밟지 않고 생물을 먹지 아니하며, 모양은 사슴 같고 이마는 이리, 꼬리는 소, 굽은 말과 같고 머리 위에 뿔 한 개가 있다 함. 수컷을 기(麒), 암컷을 린(麟)이라 함. ㉡기린과에 속하는 동물. 모양은 사슴 같고 목이 길어 육지의 포유동물 중 키가 가장 큼. 아프리카의 특산(特產)임.

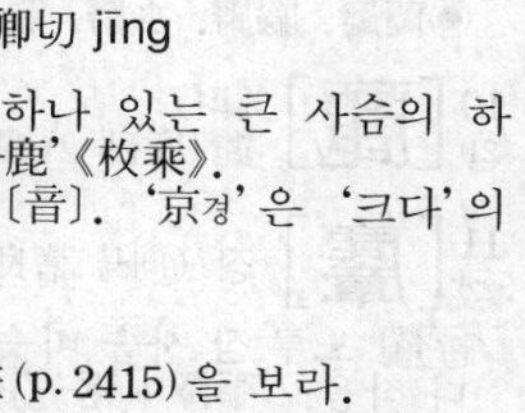
[麒麟㉠]

[麒麟角 기린각] '선인장(仙人掌)'의 별칭(別稱).
[麒麟閣 기린각] 전한(前漢)의 무제(武帝)가 기린을 얻었을 때 건축한 누각(樓閣). 선제(宣帝)가 공신 11인의 상(像)을 그리어 각상(閣上)에 걸었음.
[麒麟兒 기린아] 재능(才能)·기예(技藝)가 비상히 뛰어난 소년.

8 ⑲ [麓] [人名] 록 [入]屋 盧谷切 lù

[字解] ①산기슭 록 산족(山足). '瞻彼旱—'《詩經》. ②숲 록 산기슭에 있는 삼림. '旣人大—'《淮南子》. ③산감 록 산림을 맡은 관리. '—不聞'《國語》.
[字源] 甲骨文 金文 篆文 形聲. 林＋鹿〔音〕. '鹿록'은 '絡락'과 통하여 길게 이어지다의 뜻. 산자락에 길게 이어지는 임야, '산기슭'의 뜻을 나타냄.

◉大麓. 山麓. 城麓. 嶽麓. 巖麓. 林麓. 蒼麓. 翠麓. 層麓. 旱麓.

8 ⑲ [麗] [高人] 려 (⑩리[本]) [去]霽 郎計切 lì [平]支 呂支切 lí 丽

[筆順] 一 丽 严 严 严 麗 麗 麗
[字解] ①고울 려 아름다움. 또, 예쁨. '美—'. '婉—'. '裴叔則營新宅, 甚—'《世說》. ②맑을 려 깨끗함. '山高水—'. '淸—之志'《後漢書》. ③빛날 려 광채를 발함. '—萬世'《揚雄》. ④붙을 려 부착함. '草木—乎土'《易經》. ⑤맬 려 잡아맴. '君牽牲, 旣入廟門, —于碑'《禮記》. ⑥짝 려, 짝지을 려 儷(人部 十九畫)와 통용. '—皮爲禮'《史世紀》. ⑦수 려 수효. '商之孫子, 其—不億'《詩經》. ⑧마룻대 려 欐(木部 十九畫)와 통용. '居則連—'《列子》. ⑨성 려 성(姓)의 하나. ⑩나라이름 려 '高—'는 한국 고대 왕조의 하나.
[字源] 金文 籀文 古文 丽 古文 丽 篆文 象形. 아름다운 뿔이 가지런히 난 사슴의 모양을 본떠 '곱다'의 뜻을 나타냄.

[麗曲 여곡] 아름다운 음곡(音曲).
[麗句 여구] 아름다운 구(句).
[麗女 여녀] 여인(麗人).
[麗代 여대] 고려 시대(高麗時代).
[麗都 여도] 곱고 맵시가 있음.
[麗妙 여묘] 아름답고 묘함.
[麗文 여문] 아름다운 무늬. 고운 문채.
[麗美 여미] 곱고 아름다움. 미려(美麗).
[麗靡 여미] 곱고 화사(華奢)함.
[麗密 여밀] 화려하고 치밀함.
[麗服 여복] 고운 옷. 화려한 의복.
[麗史 여사] 고려의 역사. 고려사(高麗史).
[麗辭 여사] 아름다운 말. 미사(美辭).
[麗色 여색] ㉠고운 안색(顏色). ㉡아름다운 경치.
[麗樹 여수] 아름다운 나무.
[麗水生金 여수생금] 여수(麗水)는 윈난 성(雲南省)의 진사 강(金沙江)의 일컬음. 금이 남. 금

생여수(金生麗水).
[麗視 여시] 사팔뜨기.
[麗飾 여식] 화려하게 꾸밈. 또, 화려한 장식.
[麗雅 여아] 화려하고 단아함.
[麗顔 여안] 고운 얼굴.
[麗億 여억] 수(數)가 많음.
[麗艶 여염] 곱고 예쁨.
[麗蕊 여예] 아름다운 꽃술.
[麗容 여용] 고운 얼굴.
[麗月 여월] 음력 2월의 별칭(別稱).
[麗人 여인] 얼굴이 예쁜 사람. 미인.
[麗日 여일] 화창한 날. 좋은 날.
[麗藻 여조] 화려한 문장.
[麗姝 여주] 여인(麗人).
[麗質 여질] ㉠고운 바탕. ㉡미인.
[麗采 여채] 고운 채색(彩色).
[麗矚 여촉] 아름다운 조망(眺望).
[麗春花 여춘화] 개양귀비. 곧, 우미인초(虞美人草)의 별칭(別稱).
[麗澤 여택] 인접한 두 못이 서로 물을 윤택하게 함. 벗이 서로 도와서 학문과 덕을 닦음의 비유.
[麗風 여풍] 서북풍(西北風).
[麗皮 여피] 두 장의 사슴 가죽. 옛날에 의백(衣帛)이 없었을 적에 혼인(婚姻)의 폐백(幣帛)으로 썼음.
◉佳麗. 江山麗. 巨麗. 怪麗. 姣麗. 驕麗. 極麗. 奇麗. 綺麗. 朗麗. 端麗. 曼麗. 繇麗. 明麗. 妙麗. 文麗. 美麗. 靡麗. 配麗. 騈麗. 富麗. 奢麗. 鮮麗. 贍麗. 纖麗. 盛麗. 秀麗. 純麗. 崇麗. 雅麗. 哀麗. 梁麗. 魚麗. 姸麗. 豔麗. 英麗. 婉麗. 妖麗. 縟麗. 優麗. 偉麗. 透麗. 流麗. 淫麗. 壯麗. 典麗. 絕麗. 精麗. 遒麗. 珍麗. 淸麗. 晴麗. 醜麗. 侈麗. 豐麗. 顯麗. 豪麗. 弘麗. 華麗. 暉麗.

9 ⑳ [麛] 미 ㊥齊 莫兮切 mí

字解 ①사슴새끼 미 '一裘'(〈논어(論語)〉에는 '麑裘'로 됨)《禮記》. ②새끼 미 짐승의 새끼. '春田, 士不取一卵'《禮記》.
字源 篆文 形聲. 鹿＋弭〔音〕. '弭미'는 '활고자'의 뜻으로 가늘고 작다의 뜻.

[麛裘 미구] 새끼 사슴 가죽으로 만든 옷.
[麛犢 미독] 사슴 새끼와 송아지.
[麛卵 미란] 짐승의 새끼와 새알.
[麛夭 미요] 아직 성장하지 않은 짐승.
◉羔麛. 麋麛. 少麛.

9 ⑳ [麌] 난 ㊤翰 奴亂切 nuàn

字解 사슴새끼 난 '一, 麛也'《說文》.
字源 形聲. 鹿＋耎〔音〕

9 ⑳ [麐] 人名 향 ㊥陽 虛良切 xiāng

字解 사향사슴 향 그 배꼽에서 사향(麝香) 향료를 채취하는 짐승. '一, 麝一, 獸名'《集韻》.

9 ⑳ [麙] 암 ㊥咸 五咸切 yán

字解 산양 암 뿔이 가늘고 덩치가 큰 산양(山羊). '獸則一羊野麋'《揚雄》.
字源 篆文 形聲. 鹿＋咸〔音〕

9 ⑳ [麚] 가 ㊥麻 古牙切 jiā

字解 수사슴 가 사슴의 수컷. '特一昏髟'《馬融》.
字源 篆文 形聲. 鹿＋叚〔音〕. '叚가'는 '假가'와 통하여 '크다'의 뜻.

10 ㉑ [麝] 人名 사 ㊤禡 神夜切 shè

字解 사향노루 사 사향노룻과에 속하는 짐승. 암수가 모두 뿔이 없고, 수컷은 견치(犬齒)가 밖에 나와 있으며, 또 향낭(香囊)이 있어 그 속에 사향(麝香)이 들어 있음. 궁노루. '一, 如小麋, 臍有香'《說文》.
字源 篆文 形聲. 鹿＋射(䠶)〔音〕. '䠶사'는 활을 쏘다의 뜻. 향내를 발사하다의 뜻을 나타냄.

[麝煤 사매] 사묵(麝墨).
[麝墨 사묵] 향기가 좋은 먹.
[麝芬 사분] 사향(麝香).
[麝臍 사제] 사향노루의 배꼽. 향기가 좋음.
[麝香 사향] 사향노루의 배꼽과 불두덩의 중간에 있는 포피선(包皮腺)을 쪼개어 말린 것. 흥분·회생약(回生藥) 또는 향료로 씀.
[麝薰 사훈] 사향(麝香).
◉蘭麝. 腦麝. 水麝. 龍麝. 沈麝. 香麝.

10 ㉑ [麗] 〔려〕 麗(鹿部 八畫〈p. 2691〉)의 古字

11 ㉒ [麞] 장 ㊥陽 諸良切 zhāng

字解 노루 장 사슴 비슷한 짐승. 몸집이 사슴보다 작음. '平澤中逐一'《南史》.
字源 篆文 形聲. 鹿＋章〔音〕. '章장'은 '慞장'과 통하여 놀라 당황하다의 뜻.

[麞頭鹿耳 장두녹이] 빈천한 기골의 사람을 이르는 말.
[麞牙 장아] ㉠노루의 어금니. ㉡'벼〔稻〕'의 별칭(別稱).
[麞香草 장향초] 마늘.

12 ㉓ [麟] 人名 린 ㊥眞 力珍切 lín

筆順 广 户 声 鹿 鹿米 麟 麟 麟

字解 기린 린 '麒一'.
字源 甲骨文 篆文 形聲. 鹿＋粦(粦)〔音〕. '粦린'은 '隣린'과 통하여 서로 나란히 이웃하다의 뜻.

[麟角 인각] ㉠기린(麒麟)의 뿔. ㉡대단히 희귀한 물건의 비유.
[麟閣 인각] '기린각(麒麟閣)'과 같음.
[麟經 인경] '춘추(春秋)'의 별칭. '애공 십사년 춘 서수획린(哀公十四年春西狩獲麟)'에서 각필(擱筆)하였으므로 이름.

[麟臺 인대] ㉠당(唐)나라 무후(武后) 때 비서성(祕書省)을 고친 이름. ㉡ '기린각(麒麟閣)'의 별칭.
[麟麟 인린] 광명(光明)한 모양.
[麟鳳 인봉] 기린과 봉새. 진기한 것 또는 현철(賢哲)한 사람의 비유.
[麟鳳龜龍 인봉귀룡] 기린·봉황·거북·용의 네 가지 신령스러운 동물.
[麟史 인사] 인경(麟經).
[麟孫 인손] 남의 자손을 칭찬하여 이르는 말.
[麟兒 인아] '기린아(麒麟兒)'와 같음.
[麟趾之化 인지지화] 주(周)나라 문왕(文王)의 후비(后妃)의 덕이 자손 종족(子孫宗族)까지 선화(善化)한 까닭에 시인(詩人)이 인지지(麟之趾)의 시를 지어서 이를 칭송(稱頌)한 일로 인(因)하여 황후(皇后)·황태후(皇太后)의 덕을 기리는 말.
[麟筆 인필] 사관(史官)의 붓. 사필(史筆).
◉龜麟. 麒麟. 鳳麟. 祥麟. 神麟. 天麟. 天上石麒麟. 獲麟.

12 ㉓ [麢] 麢(次次條)와 同字

13 ㉔ [麠] 경 [平]庚 擧卿切 jīng

[字解] 큰사슴 경 뿔이 하나인 큰 사슴. 麖(鹿部八畫)과 同字. '一, 大麃, 牛尾一角'《爾雅》.
[字源] 篆文 形聲. 鹿+畺[音]. '畺강'은 '彊강'과 통하여 '강하다'의 뜻.

14 ㉕ [麛] [一] 유 [平]虞 人朱切 [二] 누 [平]尤 奴侯切 [三] 난 [去]翰 奴亂切 nuàn

[字解] [一] 사슴새끼 유 '一, 鹿子'《廣韻》. [二] 사슴새끼 누 [一]과 뜻이 같음. [三] 사슴새끼 난 [一]과 뜻이 같음.

17 ㉘ [麢] 령 [平]青 朗丁切 líng

[字解] 영양(羚羊) 령 '翠山其陰多旄毛一麢'《山海經》.
[字源] 篆文 形聲. 鹿+霝[音]. '霝령'은 '靈령'과 통하여 '뛰어나다'의 뜻.

22 ㉝ [麤] 추 [平]虞 倉胡切 cū

[字解] ①거칠 추 ㉠정세(精細)하지 아니함. '一疎'. '用意尙一'《公羊傳》. ㉡성질이 조포(粗暴)함. '一暴'. '謝奕性一'《晉書》. ②매조미쌀 추 현미. '粱則無矣, 一則有之'《左傳》. ③대강 추 대략. '一述存亡之徵'《史記》.
[字源] 甲骨文 篆文 會意. 鹿+鹿+鹿. 사슴 떼는 양처럼 밀집하지 않는 데서, 멀리 떨어지다, 거칠다의 뜻을 나타냄. '疏소'·'粗조'와 통함.

[麤功 추공] 큰 공적. 대공(大功).
[麤官 추관] 절도사(節度使) 같은 무관(武官)을 이름.
[麤略 추략] 소략함. 거칢.
[麤良 추량] 좋은 것과 나쁜 것. 소략한 것과 정밀한 것.
[麤糲 추려] ㉠거친 현미. 궂은쌀. ㉡거친 음식.
[麤糲之積 추려지적] 거친 음식을 늘 먹음.
[麤鹵 추로] 거칠고도 어리석음.
[麤末 추말] ㉠거칢. ㉡굵은 가루.
[麤米 추미] 쓿지 아니한 궂은쌀.
[麤樸 추박] 거칠고 소박함.
[麤薄 추박] 거칠고 얇음.
[麤飯 추반] 거친 밥.
[麤服 추복] 누추한 옷.
[麤服亂頭 추복난두] 추한 옷과 헝클어진 머리.
[麤笨 추분] 거칠고 서투름. 조잡함.
[麤相 추상] 추한 상. 험한 상.
[麤疎 추소] ㉠거칢. ㉡소홀함.
[麤率 추솔] 거칠고 경솔(輕率)함.
[麤習 추습] 거칠고 막된 버릇.
[麤食 추식] 거친 밥.
[麤惡 추악] 품질(品質)이 거칠고 언짢음.
[麤言 추언] 거친 말.
[麤言細語 추언세어] 거친 말과 찬찬한 말. 소루한 말과 세밀한 말.
[麤雜 추잡] 곱지 아니함. 거칢.
[麤才 추재] 둔한 재주. 치밀하지 않은 재주. 또, 그 사람.
[麤中 추중] 마음이 거칠고 사나움.
[麤枝大葉 추지대엽] 거친 가지와 큰 잎. 문장의 잔다란 법칙에 구애되지 않고 자유분방하게 쓰는 것의 비유.
[麤醜 추추] 보기 싫음. 못생김.
[麤麤 추추] 거칢.
[麤誕 추탄] 거칠고 허황함.
[麤暴 추포] 사나움. 난폭함.
[麤豪 추호] 거칠고 굳셈.
◉微麤. 線麤. 細麤. 疏麤. 精麤. 縗麤. 貪麤. 豪麤.

麥 (11획) 部
〔보리맥부〕

0 ⑪ [麥] [中人] 맥 [入]陌 莫獲切 mài 麦

[筆順] 一 ㄱ 双 来 夾 夾 麥 麥
[字解] ①보리 맥 오곡(五穀)의 하나. 맥류의 총칭. '大一'. '小一'. '裸一'. ②성 맥 성(姓)의 하나.
[字源] 甲骨文 金文 篆文 會意. 來+夊. '來래'는 까끄라기가 붙어 있는 보리의 象形. '夊치'는 뿌리가 땅속 깊이 내리다의 뜻. 가을에 씨를 뿌려 겨울을 나기 위하여 뿌리가 땅속 깊이 내린 보리의 뜻을 나타냄. 음형상(音形上)으로는 '埋매'와 통하여, 월동을 감안해서 씨를 깊이 묻는 보리의 뜻을 나타냄.
[參考] '麥맥'을 의부(意符)로 하여, 보리의 종류나 보리로 만드는 것에 관한 문자를 이룸. 변, 받침으로 두루 쓰임. 부수 이름은 '보리맥'.

[麥稈 맥간] 밀짚이나 보릿짚의 줄기.
[麥藁 맥고] 밀짚.
[麥曲之英 맥곡지영] 술을 이름. 맥(麥)과 곡(曲)

을 합하면 국(麴)이 됨.
[麥光 맥광] 종이의 한 가지.
[麥邱人 맥구인] 제(齊)나라 환공(桓公)이 맥구라는 곳에 갔을 때 만난 노인. 전(轉)하여, 노인.
[麥氣 맥기] 보리밭 위를 불어오는 바람의 향기.
[麥奴 맥노] 깜부기.
[麥農 맥농] 보리농사(農事).
[麥浪 맥랑] 보리의 파란 잎이 바람에 나부끼는 모양을 물결에 견주어 이른 말.
[麥糧 맥량] 농가(農家)에서 여름의 양식(糧食)으로 하는 보리.
[麥壟 맥롱] 보리밭.
[麥麪 맥면] 국수.
[麥門冬 맥문동] 백합과에 속하는 다년초. 뿌리는 약재로 씀. 겨우살이풀. 계전초(階前草).
[麥飯 맥반] 보리밥.
[麥粉 맥분] ㉠밀가루. ㉡보릿가루.
[麥穗 맥수] 보리 이삭.
[麥穟 맥수] 맥수(麥穗).
[麥穗兩岐 맥수양기] 보리 이삭이 두 가닥 짐. 풍년의 징조라 함.
[麥秀之歌 맥수지가] ㉠기자(箕子)가 폐허(廢墟)가 된 은(殷)나라의 도읍 터를 지나다가 그 폐허에 자란 보리가 팬 것을 보고 한탄하여 지은 노래. ㉡고국의 멸망을 한탄(恨歎)함을 맥수지탄(麥秀之歎)이라 함.
[麥菽 맥숙] 보리와 콩.
[麥芽 맥아] 엿기름.
[麥蘖 맥얼] 맥아(麥芽).
[麥英 맥영] '앵두'의 별칭(別稱).
[麥雨 맥우] 보리 익을 무렵에 오는 비.
[麥人 맥인] 보리의 심(心).
[麥作 맥작] 보리농사(農事).
[麥酒 맥주] 보리를 원료로 하여 담근 술.
[麥秋 맥추] 보리가 익는 계절(季節).
[麥皮 맥피] 밀기울.
◉枯麥. 荍麥. 蕎麥. 瞿麥. 裸麥. 大麥. 稻麥. 豆麥. 麻麥. 晩麥. 牟麥. 麰麥. 米麥. 粉麥. 不辨菽麥. 小麥. 秀麥. 宿麥. 菽麥. 熟麥. 野麥. 燕麥. 俚麥. 雀麥. 精麥. 陳麥. 炊麥. 翠麥. 胡麥. 禾麥.

0 ⑦ [麦] 麥(前條)의 俗字

2 ⑬ [麧] 〔국〕 麴(麥部 八畫〈p. 2695〉)과 同字

2 ⑬ [麪] 〔면〕 麪(麥部 四畫〈p. 2694〉)의 訛字

3 ⑭ [麧] 흘 ㊇月 恨竭切 hé
字解 보리싸라기 흘 '士不厭糠一'《韓愈》.
字源 篆文 形聲. 篆文은 麥+气〔音〕

3 ⑭ [麬] 망 ㊥陽 謨郎切 máng
字解 까끄라기 망 芒(艸部 三畫)의 俗字. '一, 俗芒字. 凡草木有芒束者'《正字通》.
字源 形聲. 麥+亡〔音〕

4 ⑮ [麨] 초 ㊤篠 尺沼切 chǎo
字解 보릿가루 초 보리쌀 또는 쌀을 볶아 가루로 만든 것. '授一蜜處'《佛國記》.

4 ⑮ [麮] 거 ㊥魚 求於切 qú
字解 익지않은보리 거 익지 아니한 보리. '一, 麥不成'《字彙》.

4 ⑮ [麰] 계 ㊥齊 堅溪切 jī
字解 보리떡 계 보리떡.

4 ⑮ [麩] 부 ㊥虞 芳無切 fū
字解 밀기울 부 밀을 빻아서 가루를 빼고 남은 찌꺼기.
字源 篆文 形聲. 麥+夫〔音〕

[麩炭 부탄] 뜬숯.

4 ⑮ [麪] 면 ㊦霰 莫甸切 miàn
字解 밀가루 면 '重羅之一, 塵飛雪白'《東晳》. 또, 밀가루로 만든 음식. '一牲而不血食'《路史》.
字源 篆文 形聲. 麥+丏〔音〕. '丏면'은 '緜면'과 통하여 '이어지다'의 뜻. 반죽하면 실 모양으로 이어지는 '밀가루'의 뜻을 나타냄.
參考 ①麫(次次條)은 俗字. ②麵(麥部 九畫)은 同字.

[麪類 면류] 메밀국수·밀국수 등속.
[麪粉 면분] 밀가루.
[麪牀 면상] 국수를 만들 때 쓰는 널판.
[麪牲 면생] 제사에 희생(犧牲) 대신 쓰는 국수. 불가(佛家)에서는 희생을 쓰지 아니함.
[麪市鹽車 면시염차] 밀가루 저자와 소금 실은 수레. 눈이 많이 쌓인 형용.
[麪杖 면장] 국수를 만들 때 치는 방망이.
[麪包 면포] 면포(麪麭).
[麪麭 면포] 빵.
◉粰麪. 麥麪. 線麪. 新麪. 雜麪. 粥麪.

4 ⑮ [麧] 돈 ㊥元 徒渾切 tún
字解 경단 돈 경단. 찐만두. 飩(食部 四畫)의 俗字.

4 ⑮ [麫] 麪(前前條)의 俗字

4 ⑮ [麸] 두 ㊤有 當口切 dǒu
字解 보리 두 보리. '一, 麥一'《集韻》.

4 ⑮ [麹] 〔얼〕 蘖(米部 十七畫〈p. 1709〉)과 同字

5 ⑯ [麮] 거 ㊦御 丘倨切 qù ㊤語 羌擧切
字解 보리죽 거 '夏日則與之瓜一'《荀子》.

字源 篆文 形聲. 麥+去〔音〕. '去거'는 뚜껑 있는 밥그릇의 뜻. 그 밥그릇에 담은 보리죽의 뜻을 나타냄.

◉麥麩.

5 ⑯ [麭] 포 ㊀效 披教切 pào

字解 ①경단 포 떡의 한 가지. ②《現》 빵 포 '麵—'는 빵, 식빵.
字源 形聲. 麥+包〔音〕

5 ⑯ [麫] 활 ㊀黠 戶八切 huá

字解 누룩 활 '—, 麴也'《廣雅》.
字源 形聲. 麥+穴〔音〕

5 ⑯ [麮] 투 ㊤有 他口切 tǒu

字解 떡 투 고물 묻힌 떡의 일종. '—, 䴺—, 餅屬'《集韻》.

5 ⑯ [麯] 타 ㊥歌 湯河切 tuō

字解 떡 타 粑(米部 五畫)와 同字. '—, 餌也, 或从米'《集韻》.

5 ⑯ [麫] 〔거〕
粔(米部 五畫〈p. 1698〉)와 同字

5 ⑯ [麳] 〔국〕
麴(麥部 八畫〈p. 2695〉)과 同字

5 ⑯ [麰] 말 ㊀曷 莫葛切 mò

字解 ①밀가루 말 '—, 麪也'《玉篇》. ②쌀가루 말, 싸라기 말 '—, 今呼米屑也'《玉篇》. ③밀기울 말.

6 ⑰ [麶] 동 ㊤董 吐孔切 tǒng

字解 떡 동 떡의 일종. '—, 餅屬'《集韻》.

6 ⑰ [麰] 모(무㊟) ㊥尤 莫浮切 móu

字解 보리 모 대맥. '今夫—麥, 播種而耰之'《孟子》.
字源 篆文 形聲. 麥+牟〔音〕. '牟모'는 '크다'의 뜻.

[麰麥 모맥] 보리. 대맥(大麥).

6 ⑰ [麵] 격 ㊀陌 各額切 gé

字解 보리싸라기 격 '—, 麥碎曰—'《集韻》.

6 ⑰ [麳] 〔국〕
麴(麥部 八畫〈p. 2695〉)과 同字

6 ⑰ [麯] 국 ㊀屋 丘六切 qū 曲

字解 ①누룩 국 麴(麥部 八畫)과 同字. '枕—籍糟'《劉伶》. ②성 국 성(姓)의 하나.

6 ⑰ [麺] 〔병〕
餅(食部 六畫〈p. 2573〉)과 同字

7 ⑱ [麧] 라 ㊀箇 盧臥切 luò

字解 조죽 라 '—䴹'. '有—麧粥法'《齊民要術》.

[麧䴹 나사] 조로 쑨 죽.

7 ⑱ [麷] 〔견〕
稍(禾部 七畫〈p. 1620〉)과 同字

8 ⑲ [麸] 기 ㊥支 渠之切 qí

字解 떡 기 떡의 일종. '人懷乾—, 馬囊蒸菽'《潛書·五形》.

8 ⑲ [麴] 人名 국 ㊀屋 驅匊切 qū 曲

字解 ①누룩 국 술을 빚는 원료. 주모. '—蘖'. ②술 국 '道逢—車口流涎'《杜甫》. ③청황색 국 '天子乃薦—衣于先帝'《周禮》. ④성 국 성(姓)의 하나.
字源 形聲. 麥+匊〔音〕. '匊국'은 '鞠국'과 통하여 축국(蹴鞠)의 뜻. 찐보리 따위에 누룩곰팡이가 번식하여 축국의 공과 같은 모양이 된 것, 누룩의 뜻을 나타냄.

[麴君 국군] 술.
[麴生 국생] 술.
[麴室 국실] 누룩을 뜨게 하는 방.
[麴蘖 국얼] ㉠누룩. ㉡술.
[麴衣 국의] 국진(麴塵)의 옷. 곧, 천자의 옷.
[麴引錢 국인전] 주세(酒稅).
[麴子 국자] 누룩.
[麴塵 국진] ㉠화초(花草)의 이름. 천자의 옷은 이 꽃 빛깔을 본떠서 누르게 하여 국진의(麴塵衣)라 일컬음. 학자초(鶴子草). ㉡누룩에 생기는 세균(細菌). 담황색으로, 가벼워서 먼지같이 낢. 또, 그 빛깔.
[麴塵絲 국진사] 청황색의 버들가지.
[麴車 국차] 술을 실은 수레.
◉麥麴. 米麴. 麩麴. 神麴. 新麴. 糟麴. 酒麴. 香麴.

8 ⑲ [麨] ▣ 과 ㊤哿 古火切 guǒ
▣ 라 ㊤哿 魯果切 luǒ
▣ 혼 ㊥元 胡昆切 hún

字解 ▣ 떡 과 '—, 餅—食'《廣韻》. ▣ 보릿가루 라 '—, 麪也'《集韻》. ▣ 누룩 혼 소맥(小麥)으로 만든 누룩. '—, 麴也. (注)小麥麴爲—, 卽䴵也'《方言》.

8 ⑲ [麕] 군 ㊤軫 巨隕切 jùn

字解 떡 군 '—, 餅屬'《集韻》.

8 ⑲ [麹] 도 ㊥豪 徒刀切 táo

字解 떡 도 餉(食部 八畫)·餡(食部 十畫)와 同

字. '一, 餌也, 或作餡, 通作餉'《集韻》.

8 ⑲ [⿺麥念] 〔임·념〕
飵(食部 八畫〈p. 2579〉)과 同字

9 ⑳ [⿺麥科] 과 [平]歌 苦禾切 kē
[字解] 올챙이모양으로만든떡 과 餜(食部 九畫)와 同字. '一, 一斗, 餌也, 象蟲形, 或从食'《集韻》.

9 ⑳ [⿺麥咼] 사 [去]箇 蘇臥切 suò
[字解] 조죽 사 조로 쑨 죽. '麱一'.

◉麱⿺麥咼.

9 ⑳ [麵] 〔면〕
麪(麥部 四畫〈p. 2694〉)과 同字 面

10 ㉑ [⿺麥昷] 온 [去]問 紆問切 yùn
[字解] 누룩 온 '一, 麴也'《集韻》.

10 ㉑ [⿺麥殸] 곡 [入]屋 空谷切 kū
[字解] 누룩 곡 '一, 麴也'《廣雅》.
[字源] 形聲. 麥+㱿〔音〕

12 ㉓ [⿺麥黃] [一] 굉 [上]梗 古猛切 kuàng
[二] 황 [平]陽 胡光切 huáng
[字解] [一] 보리기울 굉 '況臣糠一粇之雕胡'《晉書》. [二] 누룩곰팡이 황.

12 ㉓ [⿺麥覃] 담 [平]覃 徒含切 tán
[字解] 맛좋을 담 맛있음. '一, 味長'《字彙》.

13 ㉔ [⿺麥豦] 거 [平]魚 求於切 qú
[字解] 잔보리 거 크기가 작은 보리. '一, 麥小者, 一'《集韻》.

13 ㉔ [⿺麥蜀] 독 [入]屋 徒谷切 dú
[字解] 찐떡 독 삶은 떡. '一, 一⿺麥彔, 煮餠'《集韻》.

15 ㉖ [⿺麥廣] 굉 [上]梗 古猛切 kuàng
[字解] 보리 굉 대맥. '旱稻法, 宜五六月暵之, 以擬一麥'《齊民要術》.

18 ㉙ [麷] 풍 [平]東 敷隆切 fēng
[字解] 볶은보리 풍 보리를 볶은 것. 또, 그 가루. '朝事之籩, 其實一蕡'《周禮》.
[字源] 篆文 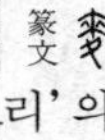 形聲. 麥+豐〔音〕. '豐풍'은 '제기'의 이름. 제기에 담아 올리는 '볶은 보리'의 뜻을 나타냄.

19 ㉚ [⿺麥羅] 라 [平]歌 良何切 luó
[字解] 떡 라 떡의 일종. '一, 餠也, 或从食'《集韻》.

麻(11획)部
〔삼마부〕

0 ⑪ [麻] [高人] 마 [平]麻 莫霞切 má 

[筆順] 丶 亠 广 广 庁 庍 府 麻

[字解] ①삼 마 뽕나뭇과에 속하는 일년생 재배초. 씨는 약용으로 하고, 줄기의 껍질은 섬유의 원료로서 삼베를 짬. '大一'. '一衣如雪'《詩經》. ②참깨 마 참깻과에 속하는 일년생 재배초. 씨는 참기름을 짜 식용으로 함. 진임(眞荏). '胡一'. '食一與犬'《禮記》. ③조칙 마 당대(唐代)에, 칙명(勅命)을 황백(黃白)의 마지(麻紙)에 썼으므로 이름. '黃一'. '白一'. '弘景草一'《舊唐書》. ④마비될 마 痲(疒部 八畫)와 통용. '手足頑一'《朱熹》. ⑤성 마 성(姓)의 하나.
[字源] 金文  篆文  會意. 金文은 厂+朩朩. '厂한'은 낭떠러지를 본뜬 것으로 '갈라지다'의 뜻. '朩朩파'는 줄기가 긴 풀, 삼의 껍질을 벗기는 모양을 본뜸. 겉껍질을 벗기기 쉬운 '삼'의 뜻을 나타냄. 일설에는 '厂'은 집을 뜻하며, 신을 모실 때 쓰이는 삼의 뜻을 나타낸다고도 함. 篆文은 广+朩朩.
[參考] '麻마'를 의부(意符)로 하여 삼에 관한 문자를 이룸. 부수 이름은 '삼마'.

[麻楷 마개] 삼대. 마경(麻莖).
[麻莖 마경] 삼대. 삼의 줄기.
[麻姑 마고] 손톱 긴 선녀의 이름.
[麻姑搔痒 마고소양] 마고라는 손톱이 긴 선녀가 가려운 데를 긁어 준다는 뜻으로, 일이 뜻대로 됨의 비유.
[麻姑爬痒 마고파양] 마고소양(麻姑搔痒).
[麻骨 마골] 겨릅대.
[麻屨 마구] 삼으로 삼은 신. 미투리.
[麻袋 마대] 아마(亞麻)로 짠 부대.
[麻頭 마두] 삼 껍질의 지스러기.
[麻立干 마립간] 신라 임금의 칭호의 하나.
[麻冕 마면] 검은 삼베로 만든 갓. '치포관(緇布冠)'의 별칭(別稱).
[麻木 마목] ㉠근육의 마비(痲痺). 또는 문둥병의 초기 증상으로 피부의 허는 자리. ㉡겨릅대.
[麻勃 마발] 삼꽃.
[麻蕡 마분] ㉠삼꽃의 꽃가루. 약재로 씀. ㉡삼씨.
[麻痺 마비] 신경이나 심줄이 그 구실을 못하거나 소멸되어서 생기는 병.
[麻沸 마비] 헝클어진 삼오리같이 끓어오름.
[麻絲 마사] 삼실.
[麻沙本 마사본] 조잡(粗雜)한 책. 푸젠 성(福建省) 젠양 현(建陽縣) 마사(麻沙)에서 낸 판본(板本)이 인쇄가 선명하지 않고 틀린 데가 많았으므로 이름.
[麻繩 마승] 삼노.
[麻繩拂 마승불] 삼노로 만든 먼지떨이.
[麻枲 마시] 삼.

[麻藥 마약] '마취약(麻醉藥)'의 준말.
[麻魚 마어] 삼치.
[麻葉 마엽] 삼의 잎.
[麻油 마유] 삼씨로 짠 기름.
[麻衣 마의] ㉠삼베옷. ㉡삼베 의상.
[麻仁 마인] 삼씨.
[麻子 마자] 삼씨.
[麻紵 마저] 삼베.
[麻田 마전] 삼을 심는 밭.
[麻中之蓬 마중지봉] 삼밭 속의 쑥. 곧, 곧은 삼 속에서 자란 쑥은 저절로 곧게 자라게 된다는 뜻으로, 훌륭한 사우(師友)의 감화(感化)로 선량한 사람이 됨을 이름.
[麻紙 마지] 삼 껍질로 만든 종이.
[麻織 마직] 삼으로 짠 직물.
[麻疹 마진] 홍역(紅疫).
[麻醉 마취] 독이나 또는 약으로 인하여 몸의 일부나 전부의 감각을 잃음.
[麻醉藥 마취약] 마취시키는 약재.
[麻醉劑 마취제] 마취약(麻醉藥).
[麻布 마포] 베.
[麻皮 마피] ㉠삼 껍질. ㉡화법(畫法)에서 삼을 쪼갠 형상을 한 주름.
[麻蚿 마현] 노래기.
[麻鞋 마혜] 미투리.
◉交麻. 漚麻. 亂麻. 大麻. 鈍麻. 牡麻. 白麻. 絲麻. 山麻. 桑麻. 疏麻. 升麻. 蕁麻. 亞麻. 雄麻. 油麻. 子麻. 苴麻. 苧麻. 詔麻. 脂麻. 天麻. 快刀亂麻. 披麻. 胡麻. 禾麻. 黃麻.

0 ⑪ [麻] 麻(前條)의 俗字

3 ⑭ [麼] 마 [平]歌 眉波切 mó [上]哿 亡果切 ma, me
[字解] ①잘 마, 가늘 마 세소(細小)함. 또, 하찮음. '幺一'. ②그런가 마 속어(俗語)의 조사(助詞)로 의문의 말. 耶(耳部 三畫)와 뜻이 같음. '恁一'. '且道拍板爲什一'《摭言》.
[字源] [篆文] 形聲. 幺+麻〔音〕. '幺요'는 '잘다, 희미하다'의 뜻.
[參考] 麽(次條)는 俗字.

[麼蟲 마충] 작은 벌레.
◉眇麼. 細麼. 什麼. 甚麼. 幺麼. 恁麼. 作麼. 這麼. 怎麼.

3 ⑭ [麽] 麼(前條)의 俗字

4 ⑮ [麾] [人名] 휘 [平]支 許爲切 huī
[字解] ①대장기 휘 장수가 군대를 지휘하는 데 쓰는 기. 또, 진(陣)에 표시(標示)로 세우는 기. '建大一'《周禮》. ②가리킬 휘 ㉠기(旗)를 가지고 군사에게 향할 바를 지시함. '莊王自手旗一軍引兵去'《史記》. ㉡가리켜 보여서 일을 하도록 함. 지휘함. '右秉白旄以一'《書經》. ③부를 휘 손짓하여 오라고 함. '一而呼曰'《左傳》. '一之以肱'《詩經》.
[字源] [篆文] 形聲. 手+靡〈省〉〔音〕. '靡미'는 '쏠리다'의 뜻. 손에 들고 휘날리게 하여 지시하는 기의 뜻을 나타냄. '麾휘'는 俗字.

[麾鉞 휘월] 대장의 기와 도끼.
[麾節 휘절] 휘정(麾旌).
[麾旌 휘정] 지휘하는 기.
[麾下 휘하] 주장(主將)의 진영. 또, 그 부하.
◉戒麾. 軍麾. 幢麾. 大麾. 矛麾. 白羽麾. 戎麾. 節麾. 旌麾. 指麾. 招麾.

4 ⑮ [𪎊] [一] 력 [入]錫 狼狄切 [二] 미 [平]支 忙皮切 mí
[字解] [一] 달력 력 '一, 象也'《說文》. [二] 햇빛 미 '一, 日光也'《字彙》.

[摩] 〔마〕 手部 十一畫(p. 898)을 보라.

5 ⑯ [𪎌] [一] 구 [上]有 丘九切 qiāng [二] 강 [平]陽 驅羊切
[字解] [一] 삼 구 '一, 麻也'《字彙》. [二] 삼 강 [一]과 뜻이 같음.

[糜] 〔미〕 米部 十一畫(p. 1707)을 보라.

[縻] 〔미〕 糸部 十一畫(p. 1770)을 보라.

8 ⑲ [䵉] 미 [上]紙 眉几切 měi
[字解] 깊은모양 미 '一, 深一貌'《字彙補》.

8 ⑲ [黀] 추 [平]尤 側鳩切 zōu
[字解] 삼대 추 삼을 벗긴 대. '茞蕗雜於一蒸兮'《楚辭》.
[字源] [篆文] 形聲. 麻+取〔音〕. '取취'는 '벗겨 내다'의 뜻. 껍질을 벗겨 낸 삼 줄기의 뜻을 나타냄.

[靡] 〔미〕 非部 十一畫(p. 2517)을 보라.

9 ⑳ [黁] 논 [平]元 奴昆切 nún
[字解] 향기로울 논 '一, 香也'《集韻》.

9 ⑳ [𪎭] 두 [平]尤 徒侯切 tóu
[字解] ①어저귀 두 '一, 即今白麻, 多生卑溼處'《正字通》. ②삼한묶음 두 '一, 一絜也'《玉篇》.
[字源] 形聲. 麻+兪〔音〕

10 ㉑ [𪎲] 모 [上]麌 莫補切 mŭ
[字解] 삼 모 뽕나뭇과의 일년초. '一, 麻一也'《字彙》.

[魔] 〔마〕 鬼部 十一畫(p. 2639)을 보라.

12 ㉓ [䵑] 미 [平]支 靡爲切 méi
[字解] 검은기장 미 '一, 穄也'《說文》.

[字源] 篆文 形聲. 黍+麻〔音〕. '黍서'는 기장, 수수의 뜻.

13 ㉔ [黂] 분 [平]文 符分切 fén

[字解] 삼씨 분 삼의 씨. 마실(麻實). '苴者麻之有一者也'《儀禮》.

20 ㉛ [䵉] 착 [入]藥 倉各切 zuò

[字解] 참기름 착 '油麻一搾曰一'《集韻》.

黃 (12획) 部

〔누를황부〕

0 ⑫ [黃] [中·人] 황 [平]陽 胡光切 huáng

[筆順] 一 卄 廿 丗 芇 苗 黄 黃

[字解] ①누를 황, 누른빛 황 오색(五色)의 하나. 중앙의 색, 흙의 색으로서, 중국에서 가장 귀(貴)히 여김. '天玄而地一'《易經》. ②노래질 황 누렇게 됨. '草木一落'《禮記》. ③늙은이 황 노인. 노인의 머리는 희어진 후 다시 노래지므로 이름. '一髮'. '一耉無疆'《詩經》. ④황금 황 금. '一白'(금은). '懷銀一'《漢書》. ⑤황마 황 털빛이 노란 말. '有驪有一'《詩經》. 또, 노란빛의 물건을 이름. '大一'. '硫一'. '雌一'. '充耳以一乎而'《詩經》. ⑥어린애 황 소아. 당대(唐代)에는 세 살 이하를 이름. '凡男女始生爲一'《唐開元志》. ⑦황제 황 상고의 성천자(聖天子) 황제(黃帝) 및 그 교(敎). '本於一老'《史記》. ⑧성 황 성(姓)의 하나.

[字源] 甲骨文 金文 篆文 象形. 甲骨文은 大+口. '大대'는 사람의 象形. '口구'는 허리에 찬 옥의 象形. 허리에 찬 옥의 빛에서 '노랗다'의 뜻을 나타냄. 일설에는 '大'를 화살의 象形이라 보고, 불이 붙은 화살의 뜻에서 '노랗다'의 뜻으로 쓴다고 설명함. 《說文》에서는, 田+炗〔音〕의 形聲으로 보고, '田전'은 '땅바닥'의 뜻, '炗광'은 '光광'의 古字로, 땅의 빛깔, '노랗다'의 뜻을 나타낸다고 함.

[參考] ①'黃황'을 의부(意符)로 하여, 황색을 나타내는 문자를 이룸. 부수 이름은 '누를황'. ② 黄(次條)은 同字.

[黃閣 황각] 재상의 관서(官署).
[黃間 황간] '쇠뇌'를 이름.
[黃褐色 황갈색] 황색(黃色)이 나는 갈색(褐色).
[黃柑 황감] 잘 익어 노랗게 된 감자(柑子). 곧, 귤.
[黃岡 황강] 후베이 성(湖北省) 황강현(黃岡縣) 동쪽에 있는 산 이름. 소식(蘇軾)의 적벽부(赤壁賦)에 나오는 황니지판(黃泥之阪)이 있는 곳.
[黃巾賊 황건적] 후한말(後漢末)에 일어난 비적. 황건(黃巾)을 썼으므로 이 칭호로 불림. 수령은 장각(張角).
[黃繭 황견] 빛깔이 누른 고치.
[黃絹幼婦 황견유부] '절묘(絕妙)'의 은어(隱語). 황견은 색실로 짠 것이므로, 곧 절(絕) 자, 유부는 연소한 여자, 곧 묘(妙) 자.
[黃鷄 황계] 털빛이 누른 닭.
[黃姑 황고] 견우성(牽牛星).
[黃公望 황공망] 원(元)나라 말기의 화가(畫家). 본성(本姓)은 육(陸). 자(字)는 자구(子久). 호(號)는 일봉(一峯). 또, 대치도인(大癡道人)이라고도 함. 동원(董源)·거연(巨然)의 제자로서 산수화를 잘 그렸음. 왕몽(王蒙)·예찬(倪瓚)·오진(吳鎭)과 더불어 원나라의 사대가(四大家)라 일컬어짐.
[黃公酒壚 황공주로] 황공(黃公)이 술을 마신 곳. 노(壚)는 술독을 두는 곳.
[黃瓜 황과] 오이.
[黃冠 황관] 노란빛의 관. 옛날에는 야인이 썼으며, 후세에는 도사(道士)만이 썼음. 또 전(轉)하여, 도사(道士).
[黃馘 황괵] 누런 얼굴.
[黃教 황교] 나마교(喇嘛教)의 한 파. 15세기 초에 홍교(紅教)에서 분립(分立)함. 이 파의 중은 황색(黃色)의 가사(袈裟)에 황색의 모자(帽子)를 씀.
[黃口 황구] ㉠어린애. ㉡새 새끼. ㉢나이가 어리고 경험(經驗)이 부족한 사람.
[黃狗 황구] 빛깔이 누른 개.
[黃耉 황구] 늙은이. 머리가 희어졌다가 다시 누렇게 되고 얼굴에 검버섯이 생기는 노인이란 뜻.
[黃菊 황국] 빛이 누른 국화(菊花).
[黃宮 황궁] 도가(道家)에서 정수리를 이름.
[黃卷 황권] 책(冊). 서적. 옛날에 책이 좀먹는 것을 막기 위하여 황벽(黃蘗)나무의 내피(內皮)로 염색한 황색 종이를 썼으므로 이름.
[黃金 황금] ㉠금(金). ㉡돈.
[黃金臺 황금대] 연(燕)나라 소왕(昭王)이 국도(國都)의 동남에 대(臺)를 쌓고 천하의 현사(賢士)를 초치(招致)한 곳.
[黃金宅 황금댁] 사찰(寺刹) 또는 정사(精舍)의 이칭(異稱).
[黃金萬能 황금만능] 돈만 있으면 무슨 일이든지 뜻대로 된다는 생각.
[黃金不多交不深 황금부다교불심] 돈이 많지 아니하면 서로 사귀는 정도 깊지 않음. 곧, 세상 사람이 이익을 중히 여기고 정의(情誼)를 경하게 여김을 이름.
[黃金時代 황금시대] ㉠사회의 진보가 최고도로 발달하여 이상이 모두 실현된 시대. ㉡개인(個人)의 가장 득의(得意)한 시대.
[黃綺 황기] 상산(商山)의 사호(四皓) 가운데 하황공(夏黃公)·기리계(綺里季)의 두 사람의 병칭(竝稱).
[黃旗紫蓋 황기자개] 천자(天子)의 기(氣)를 이름.
[黃嬭 황내] 낮잠. 오수(午睡).
[黃農 황농] 황제(黃帝) 헌원씨(軒轅氏)와 염제(炎帝) 신농씨(神農氏).
[黃嫩 황눈] 노란 어린잎.
[黃泥 황니] 노란 진흙. 황색의 점토(黏土).
[黃丹 황단] 연(鉛)에 유황(硫黃)을 섞어서 만든 약제(藥劑). 고약(膏藥)의 재료(材料)로 씀.
[黃疸 황달] 주로 간장(肝臟)의 이상으로 담즙(膽汁)의 색소(色素)가 혈액에 옮아가서 생기는 병. 살빛과 오줌이 누른빛으로 변하며 두통·구토가 남. 달병(疸病).

[黃闥 황달] 대궐(大闕)의 문. 전(轉)하여, 대궐.
[黃唐 황당] 황제(黃帝)와 당요(唐堯). 모두 태고의 성천자(聖天子).
[黃堂 황당] 태수(太守)가 집무(執務)하는 곳. 또, 태수(太守)의 별칭.
[黃道 황도] ㉠태양이 운행하는 궤도(軌道). ㉡천자(天子)가 거둥하는 길.
[黃道吉日 황도길일] 음양도(陰陽道)에서 일을 거행하는 데 가장 좋다는 날.
[黃道帶 황도대] 황도(黃道)를 싸고 있는 천구(天球) 위의 띠. 황도(黃道)의 남북(南北) 양(兩)쪽에 각(各) 약(約) 팔도(八度)의 폭(幅)을 가짐. 이것을 춘분점(春分點)에서 시작(始作)하여 12등분한 것을 십이궁(十二宮)이라고 함.
[黃道周 황도주] 명(明)나라 말기의 충신(忠臣)·학자. 자(字)는 유원(幼元). 호(號)는 석재(石齋). 명(明)나라가 망하자 남경(南京)에 옹립(擁立)된 복왕(福王) 밑에서 예부 상서(禮部尙書)를 지내고 다시 복주(福州)에서 명실(明室) 회복(回復)을 꾀하여 무영전학사(武英殿學士)가 되었으나, 마침내 청군(淸軍)에게 패(敗)하여 잡혀 죽었음. 천문(天文)·역수(曆數)·황극(皇極)의 제서(諸書)에 정통하고 시문서화(詩文書畫)에도 뛰어났음. 저서에 〈역상정(易象正)〉·〈홍범명의(洪範明義)〉 등이 있음.
[黃犢 황독] 노란 송아지.
[黃童 황동] ㉠두서너 살의 어린아이. ㉡도가(道家)에서 비장(脾臟)의 신(神)의 이름.
[黃銅 황동] 놋쇠.
[黃銅鑛 황동광] 빛이 누른 동·철·유황의 화합물.
[黃頭 황두] ㉠당(唐)나라의 정규군(正規軍)의 이름. ㉡황두랑(黃頭郞).
[黃頭郞 황두랑] ㉠한(漢)나라의 관명(官名). 선박(船舶)을 관장하였음. ㉡뱃사공.
[黃落 황락] 잎이 누렇게 되어 떨어짐.
[黃蠟 황랍] 꿀벌의 집에서 꿀을 짜내고 찌끼를 끓여 만든 기름 덩이. 밀. 밀랍(蜜蠟).
[黃粱 황량] 메조.
[黃粱一炊夢 황량일취몽] 당(唐)나라 노생(盧生)이 도사(道士) 여옹(呂翁)의 베개를 빌려 잠을 잤더니 메조밥을 한 번 짓는 동안에 부귀공명(富貴功名)을 다 누린 꿈을 꾸었다는 데서, 부귀공명이 덧없음의 비유. 한단몽(邯鄲夢).
[黃廬 황려] 오두막집.
[黃鸝 황려] 꾀꼬리.
[黃礫 황력] 황벽(黃蘗).
[黃連 황련] 깽깽이풀.
[黃靈 황령] ㉠하늘의 신(神)의 이름. ㉡물고기의 이름. 노란 무늬가 있음.
[黃老 황로] 황제(黃帝)·노자(老子)의 도(道).
[黃壚 황로] 지하(地下)를 이름. 저승. 황천(黃泉).
[黃櫨 황로] 거망옻나무.
[黃潦 황료] 길 같은 데 괸 흙탕물.
[黃流 황류] 강을 흐르는 흙탕물.
[黃騮 황류] 월따말.
[黃栗 황률] 황밤.
[黃梨 황리] 누르고 큰 배의 한 가지. 황술레.
[黃燐 황린] 노르스름한 밀 모양의 고체. 야릇한 냄새가 나며 독이 심하고, 공기(空氣) 속에서 발화(發火)함.
[黃麻 황마] ㉠삼〔麻〕의 일종. ㉡조서(詔書). 당(唐)나라 때, 외사(外事)에 관한 조서는 황마지(黃麻紙)에 썼음.
[黃麻紙 황마지] 충해(蟲害)를 막기 위하여 황벽나무의 내피(內皮)로 물들인 마지(麻紙).
[黃梅 황매] ㉠매화나무의 익은 열매. 빛이 누름. ㉡생강나무. 새앙나무.
[黃梅雨 황매우] 매우(梅雨).
[黃面老子 황면노자] 《佛敎》 석가여래(釋迦如來)의 별칭.
[黃面兒 황면아] 얼굴이 노란 아이.
[黃毛 황모] 족제비의 꼬리털.
[黃蕪 황무] 서리를 맞아 황량(荒凉)한 초원(草原).
[黃霧四塞 황무사색] 누른 안개가 천지 사방에 자욱이 낌. 천하가 어지러워질 징조라 함.
[黃吻 황문] ㉠황구(黃口). ㉡화장을 한 입가.
[黃門 황문] ㉠대궐(大闕)의 문. 금문(禁門). ㉡환관(宦官)의 별칭. 후한(後漢) 때 환관이 금문을 지켰으므로 이름. ㉢장가는 들어도 일평생 아이가 없는 사람.
[黃米 황미] 찹쌀.
[黃髮 황발] ㉠누레진 노인의 머리털. ㉡노인을 이름.
[黃榜 황방] ㉠노란빛의 패. ㉡황지(黃紙)에 쓴 칙서(勅書).
[黃醅 황배] 막걸리. 탁주(濁酒).
[黃白 황백] ㉠노란빛과 흰빛. 모두 정색(正色). ㉡금과 은. 전(轉)하여, 돈. ㉢도사(道士)가 단사(丹砂)로 금을 만드는 선술(仙術).
[黃柏 황백] 황벽나무.
[黃柏皮 황백피] 황벽나무의 껍질. 강장제(強壯劑) 또는 건위약(健胃藥)으로 씀.
[黃蘗 황벽] ㉠운향과에 속하는 낙엽 교목. 내피(內皮)는 노란 물감 원료임. 황벽나무. 황경나무. ㉡황벽종(黃蘗宗)의 약칭(略稱).
[黃蘗宗 황벽종] 선종(禪宗)의 한 파(派).
[黃蜂 황봉] 꿀벌의 일종(一種). 보통 꿀벌보다 큰 것.
[黃扉 황비] ㉠재상(宰相)을 이름. ㉡당대(唐代)에 급사중(給事中)의 일컬음.
[黃沙 황사] ㉠누런 모래. ㉡사막(沙漠)의 땅.
[黃色 황색] 누른빛.
[黃色人種 황색인종] 황인종(黃人種).
[黃鼠 황서] 족제비.
[黃石公 황석공] 진(秦)나라 말기에 이상(圯上)에서 장량(張良)에게 병서(兵書)를 수여(授與)했다고 하는 노인.
[黃巢 황소] 당(唐)나라 말기의 역신(逆臣). 산둥(山東) 사람. 기사(騎射)에 능하였음. 처음에는 소금 장사를 하여 부호(富豪)가 되었으나, 왕선지(王仙之)의 난(亂)에 호응(呼應)하여 장안(長安)을 함락하고 제제(齊帝)라 일컫다가 이극용(李克用)에게 패하자 조카 임언(林言)에게 명하여 자기 목을 베게 하여 죽었음.
[黃綬 황수] 노란 인끈. 황색의 인수(印綬).
[黃綬吏 황수리] 황색의 인수(印綬)를 띤 벼슬아치. 곧, 지위가 낮은 관리.
[黃鬚兒 황수아] 조조(曹操)가 수염이 누런 자기의 아들 조창(曹彰)을 부른 말.
[黃熟 황숙] 누렇게 익음.
[黃絁 황시] ㉠빛이 누런 거친 비단. ㉡도사(道士)의 옷. 황시(黃絁)로 지으므로 이름.
[黃氏一鈔 황씨일초] 송(宋)나라 주자학자(朱子學者) 황진(黃震)의 수필(隨筆). 97권. 독효경(讀孝經)·독논어(讀論語)·독맹자(讀孟子)·독모시(讀毛詩)·독상서(讀尙書) 등의 경의(經

義)를 해설하여 자기의 견해를 폄.
[黃埃 황애] 누런 먼지.
[黃鶯 황앵] 꾀꼬리.
[黃冶 황야] 도가(道家)에서 단사(丹砂)를 황금으로 변화시키는 방술(方術).
[黃楊 황양] 회양목.
[黃壤 황양] ㉠누런 흙. 황토(黃土). ㉡저승. 황천(黃泉).
[黃淤 황어] 홍수(洪水)로 인하여 비옥하여진 땅.
[黃輭 황연] 빛이 노랗고 연함.
[黃炎 황염] 황제(黃帝) 헌원씨(軒轅氏)와 염제(炎帝) 신농씨(神農氏).
[黃葉 황엽] 누렇게 된 나뭇잎.
[黃玉 황옥] ㉠빛이 누런 패옥(佩玉). ㉡수선화(水仙花)의 이명(異名).
[黃玉石 황옥석] 투명(透明) 또는 반투명의 돌로, 황색의 것을 보석(寶石)으로 사용함. 토파즈.
[黃屋 황옥] ㉠노란 비단으로 싼 천자(天子)의 수레의 덮개. ㉡천자의 존칭.
[黃屋左纛 황옥좌도] 황옥과 좌도. 좌도는 수레의 왼편 위에 세운 기.
[黃牛 황우] 누른 빛깔의 소.
[黃雲 황운] ㉠누런 구름. ㉡누렇게 익은 전답의 보리나 벼를 구름에 견주어 이르는 말.
[黃熊 황웅] 노란 곰. 하(夏)나라 우(禹)임금의 아버지 곤(鯀)의 영혼이 노란 곰으로 화(化)하였는데, 이것을 제사 지내면 전흉위길(轉凶爲吉)한다 함.
[黃鉞 황월] 금으로 장식한 도끼. 천자(天子)가 정벌(征伐)할 때 씀.
[黃緯 황위] 황도(黃道)에서 천체(天體)까지의 각거리(角距離). 북으로 재는 것은 북위(北緯), 남으로 재는 것은 남위(南緯)임.
[黃潤 황윤] 고운 옷감. 고운 베.
[黃耳 황이] ㉠진(晉)나라 육기(陸機)의 애견(愛犬) 이름. 육기의 고향 오도(吳都)와 뤄양(洛陽)과의 사이를 왕복하면서 서신(書信)을 전했다고 함. ㉡위(魏)나라 때 서비(西卑)가 바친 명마(名馬)의 이름. 빛이 희고 두 귀가 황색임.
[黃人種 황인종] 머리털이 검고 살빛이 황색 또는 짙은 갈색(褐色)인 인종. 동양 사람은 대부분이 이에 속함.
[黃雀 황작] 참샛과에 속하는 철새. 목에 황갈색 반점이 있음. 섬참새.
[黃雀風 황작풍] 유월 중에 부는 동남풍.
[黃磧 황적] '사막(沙漠)'을 이름.
[黃庭 황정] ㉠토지(土地). ㉡뇌(腦)의 가운데, 심장의 가운데, 비장(脾臟)의 가운데를 이름.
[黃庭堅 황정견] 송(宋)나라의 시인(詩人). 자(字)는 노직(魯直). 호(號)는 산곡(山谷). 벼슬이 비서승(祕書丞)·국사편수관(國史編修官)에 이르렀으나, 신법당(新法黨)·구법당(舊法黨)의 알력(軋轢)에 휩쓸려 지방관(地方官)으로 좌천되었음. 강서시파(江西詩派)의 조(祖)로서 시는 소동파(蘇東坡)와 병칭(竝稱)되었으며, 서예가(書藝家)로서도 송대(宋代) 사대가(四大家)의 한 사람으로 꼽힘.
[黃庭經 황정경] 도교(道教)의 경서(經書). 〈황정내경경(黃庭內景經)〉·〈황정외경경(黃庭外景經)〉·〈황정둔갑연신경(黃庭遁甲緣身經)〉 등의 총칭(總稱).
[黃鳥 황조] 꾀꼬리.
[黃鐘 황종] ㉠십이율(十二律)의 하나인 양률(陽律). ㉡음력 11월의 별칭(別稱).
[黃鐘毀棄瓦釜雷鳴 황종훼기와부뇌명] 황종이 훼손되어 버려지고 질그릇 밥솥이 큰소리친다는 뜻으로, 군자(君子)가 배척당하고 소인(小人)이 발호(跋扈)함의 비유.
[黃宗羲 황종희] 명말(明末) 청초(淸初)의 유학자(儒學者). 자(字)는 태충(太沖). 호(號)는 남뢰(南雷) 또는 이주(梨洲). 명나라가 망하자 고향의 자제(子弟) 수백 명을 규합하여 청조(淸朝)에 대항하였으나, 복명(復明)의 희망이 끊어지자 고향으로 돌아가 학문에 몰두하였음. 그의 학문은 철학(哲學)·사학(史學)·천문학·수학 등 각 분야에 걸쳤으며, 송학(宋學)에 통하여 〈송원학안(宋元學案)〉·〈명유학안(明儒學案)〉 등을 저술하였음.
[黃塵 황진] ㉠누런 먼지. ㉡세상의 속사(俗事).
[黃泉 황천] ㉠저승. ㉡땅 밑의 샘.
[黃泉客 황천객] 죽은 사람.
[黃貂 황초] 노랑담비.
[黃土 황토] ㉠누런 흙. ㉡저승. ㉢황토로 만든 대황적색(帶黃赤色)의 채료.
[黃波 황파] 보리·벼 등의 익은 이삭이 바람에 나부끼어 물결치듯이 보임의 형용(形容).
[黃袍 황포] 황색의 웃옷. 수대(隋代) 이후의 천자의 예복임.
[黃鶴樓 황학루] 후베이 성(湖北省) 우창 현(武昌縣)의 서쪽 황허 산(黃鶴山) 서북쪽 강가에 있는 고루(高樓).
[黃頷兒 황함아] 젖내 나는 아이. 사람을 경멸하여 이르는 말.
[黃蛤 황합] 모시조개.
[黃閤 황합] ㉠재상(宰相)이 있는 관아(官衙). ㉡황문(黃門).
[黃墟 황허] 땅속. 지하(地下). 구천(九天).
[黃昏 황혼] 해가 지고 어둑어둑할 때. 어스레할 때.
[黃花 황화] 황국(黃菊)의 꽃. 또는 평지의 꽃.
[黃華 황화] 노란 꽃. 곧, 황국(黃菊) 꽃. 전(轉)하여, 국화(菊花)의 별칭.
[黃禍 황화] 황인종인 아시아 사람이 백인종인 유럽 사람을 침략하리라는 공포.
[黃化物 황화물] 유황과 어떤 물질과의 화합물.
[黃暉 황휘] 황색의 햇빛.
[黃麾 황휘] 옛날 승여(乘輿)의 장식.
[黃羲 황희] 황제(黃帝) 헌원씨(軒轅氏)와 태호(太昊) 복희씨(伏羲氏).
◉渠黃. 口中雌黃. 卵黃. 大黃. 騰黃. 麻黃. 飛黃. 蘇黃. 松黃. 純黃. 乘黃. 鴉黃. 鵝黃. 鴨黃. 黧黃. 外黃. 雄黃. 流黃. 硫黃. 銀黃. 離黃. 雌黃. 鸞黃. 中黃. 地黃. 倉黃. 蒼黃. 菜花黃. 天地玄黃. 淺黃. 帖黃. 貼黃. 靑黃. 玄黃. 昏黃. 曛黃. 緗黃.

0 ⑪ [黄] 黃(前條)과 同字

4 ⑯ [黈] 돈 ㊊元 徒渾切 tún

字解 누른빛 돈 黇(黃部 八畫)과 同字. '黇, 黃色, 或从屯'《集韻》.

4 ⑯ [黋] 〔돈〕 黇(黃部 八畫〈p. 2701〉)과 同字

4 ⑯ [黆] 광 ㊉陽 姑黃切 guāng

字解 씩씩할 광, 날랠 광 굳세고 용감한 모양. '——將軍, 威蓋不當'《班固》.

字源 形聲. 尢+黃〔音〕

[黆黆 광광] 굳세고 용감한 모양. 무용(武勇)이 있는 모양.

4 ⑯ [黅] 금 ㊉侵 居吟切 jīn

字解 누를 금, 누른빛 금 '其穀玄—'《素問》.

4 ⑯ [黋] 강 ㊋漾 口浪切 kàng

字解 누를 강 '—, 博雅, 黃也'《集韻》.

5 ⑰ [黈] 주(두㊍) ㊤有 天口切 tǒu

字解 ①누를 주, 누른빛 주 '大夫倉, 士—'《穀梁傳》. ②귀막이솜 주 '—纊'은 갓에 매달아 두 귀 옆에 늘어뜨린 노란 솜으로 만든 구형의 물건. 함부로 아무 말이나 듣지 않도록 경계하는 것임. '雖—纊塞耳而聽於無聲'《十八史略》. ③늘릴 주 증익(增益)함. '二皇聖哲—益'《馬融》.

字源 形聲. 黃+主〔音〕

[黈纊 주광] 자해(字解)❷를 보라.
[黈益 주익] 늘림. 더함. 증익(增益)함.

6 ⑱ [黊] 규 ㊉齊 戶圭切 huà

字解 곱게누를 규 선명한 황색. '—, 鮮明黃色也'《說文》.

字源 形聲. 黃+圭〔音〕. '圭규'는 맑다, 떳떳하다의 뜻.

6 ⑱ [䵋] ㊀ 회 ㊤賄 虎猥切 huì
㊁ 유 ㊤紙 榮美切 wěi
㊂ 궤 ㊋隊 古對切 kuì

字解 ㊀ 누른빛 회 푸르스름한 누른빛. '—, 靑黃色也'《說文》. ㊁ 누른빛 유 ㊀과 뜻이 같음. ㊂ 누른빛 궤 ㊀과 뜻이 같음.

字源 形聲. 黃+有〔音〕

8 ⑳ [黇] 돈 ㊉元 他昆切 tūn

字解 누른빛 돈 '—, 黃色'《集韻》.

8 ⑳ [䵎] 黇(前條)과 同字

8 ⑳ [臢] 〔굉〕 膭(肉部 十二畫〈p. 1864〉)과 同字

8 ⑳ [䵍] 〔요〕 曜(日部 十四畫〈p. 1002〉)와 同字

9 ㉑ [黇] 단 ㊉寒 他官切 tuān

字解 ①거망빛 단 짙게 검붉은 빛. '—, 黑黃色也'《說文》. ②누를 단, 누른빛 단 '—, 黃也'《廣雅》. ③사람이름 단 '—, 一說, 敎—, 梁四公子名'《集韻》.

字源 形聲. 黃+耑〔音〕

9 ㉑ [黈] 〔주〕 黈(黃部 五畫〈p. 2701〉)와 同字

9 ㉑ [䵐] 䵑(次條)과 同字

10 ㉒ [䵑] 운 ㊤吻 云粉切 yǔn

字解 얼굴빛누레질 운 안색이 갑자기 누레짐.
參考 䵐(前條)은 同字.

10 ㉒ [黌] 황 ㊉陽 胡光切 huáng

字解 노른자 황 '—, 卵中黃'《集韻》.

12 ㉔ [䵒] 궤 ㊋隊 古對切 guì

字解 앓는모양 궤 병든 모양. '—, 病皃'《集韻》.

13 ㉕ [黌] 횡 ㊉庚 戶盲切 hóng

字解 학교 횡, 글방 횡 학문을 가르치는 곳. '更修—宇'《後漢書》.

字源 形聲. 學〈省〉+黃〔音〕. '黃황'은 '廣광'과 통하여 '넓다'의 뜻. 넓은 학교의 뜻을 나타냄.

[黌校 횡교] 횡우(黌宇).
[黌堂 횡당] 횡우(黌宇).
[黌門客 횡문객] 독서인(讀書人).
[黌舍 횡사] 횡당(黌堂).
[黌室 횡실] 횡우(黌宇).
[黌宇 횡우] 학문을 가르치는 곳. 학교.
◉庠黌. 脩黌. 春黌. 鄕黌.

黍 (12획) 部
〔기장서부〕

0 ⑫ [黍] 人名 서 ㊤語 舒呂切 shǔ

筆順 一 二 千 禾 乔 秂 黍 黍

字解 ①기장 서, 찰기장 서 오곡(五穀)의 하나. '—稷'으로 연용(連用)할 때에는 '—'는 찰기장, '稷'은 메기장임. ②무게의단위 서 기장 한 알의 중량으로, 중량의 단위. '十—'를 '絫', '百—'를 '銖'라 함. 전(轉)하여, 극소의 중량. '權輕重者, 不失一絫'《漢書》. ③술그릇 서 서 되들이 주기(酒器). '操—酒'《呂氏春秋》.

字源 甲骨文 金文 篆文 篆文 會意. 본디 禾+水. '禾화'는 '벼'의 뜻. '水수'는 '물'의 뜻. 물은 액체인 술을

12 획

나타내며, 술의 재료로 알맞은 기장의 뜻을 나타냄.《說文》에서는 禾+雨〈省〉〔音〕의 形聲으로 봄.

參考 '黍서'를 의부(意符)로 하여 찰기장이 차진 데서, '차지다, 차진 것'을 나타내는 문자를 이룸. 부수 이름은 '기장서'.

[黍稻 서도] 기장과 벼.
[黍絫 서루] 극소의 중량. 자해(字解) ❷를 보라.
[黍離之歎 서리지탄] 나라가 망하고 종묘·궁전이 없어져 그 터가 기장 밭이 된 탄식. 곧, 세상의 영고성쇠(榮枯盛衰)가 무상한 탄식.
[黍苗若仰陰雨 서묘약앙음우] 기장의 이삭이 비를 바라듯이 임금의 은택(恩澤)을 입기를 절망(切望)하는 뜻.
[黍酒 서주] ㉠술 그릇의 이름. 약 서 되 듦. ㉡기장으로 빚은 술.
[黍稷 서직] 찰기장과 메기장.
[黍禾 서화] 기장.
◉角黍. 鉅黍. 鷄黍. 團黍. 搏黍. 麥黍. 食黍. 玉蜀黍. 委黍. 稷黍. 薦黍. 春黍. 炊黍. 禾黍. 黃黍. 黑黍.

3 ⑮ [黎] 人名 려 ㊥齊 郎奚切 lí

筆順 一 千 禾 秎 秎 黎 黎 黎

字解 ①검을 려 黧(黑部 八畫)와 同字. '厥土青一'《書經》. ②많을 려, 뭇 려 중서(衆庶). '一民'. '群一百姓'《詩經》. ③녘 려 무렵. '一明圍宛城'《史記》.

字源 篆文 形聲. 黍+利〈省〉〔音〕. '利리'는 '隣린'과 통하여 '이웃하다'의 뜻. 이웃하는 기장의 뜻에서 '많다'의 뜻을 나타냄. 또 '粦린'과 통하여 희미한 빛, 검다, 새벽녘의 뜻도 나타냄.

12획

[黎明期 여명기] 국가나 사회에서 새로운 문화 따위가 일어나려는 즈음.
[黎民 여민] 뭇사람. 서민. 백성.
[黎庶 여서] 여민(黎民).
[黎首 여수] 여민(黎民).
[黎元 여원] 여민(黎民).
[黎杖 여장] 명아주의 지팡이. 여(黎)는 여(藜).
[黎獻 여헌] 어진 백성. 여(黎)는 현(賢).
◉黔黎. 群黎. 氓黎. 萌黎. 生黎. 庶黎. 遠黎. 遺黎. 重黎. 烝黎. 懸黎.

3 ⑮ [㴝] 黎(前條)의 本字

3 ⑮ [䵒] 〔닐·일〕 黏(黍部 四畫〈p. 2702〉)과 同字

4 ⑯ [黐] 㴝(前前條)의 訛字

4 ⑯ [黓] 〔려〕 犂(牛部 八畫〈p. 1383〉)와 同字

4 ⑯ [黏] ■ 닐 ㉧質 尼質切 nì ■ 일 ㉧質 入質切

字解 ■ 붙을 닐 '一, 黏也'《說文》. ■ 붙을 일 ■과 뜻이 같음.

字源 形聲. 黍+日〔音〕

4 ⑯ [黕] 뉴 ㊤有 女九切 niǔ

字解 차질 뉴 곡식이 메지지 않고 차짐. '一, 黏也'《集韻》.

4 ⑯ [黖] 근 ㊤吻 几隱切 ㊦問 渠欣切 jǐn

字解 차질 근 곡식이 끈기가 있음. '一, 黏也'《廣雅》.

5 ⑰ [黗] 필 ㉧屑 薄必切 bì

字解 향기로울 필 苾(艸部 五畫)·馝(香部 五畫)과 同字. '苾, 說文, 馨香也, 或从黍'《集韻》. '一, 俗馝字'《正字通》.

5 ⑰ [黏] 네 ㊤薺 奴禮切 nǐ

字解 차질 네 곡식이 차짐. '一, 黏也'《玉篇》.

5 ⑰ [黏] 점 ㊥鹽 女廉切 nián

字解 ①차질 점 끈기가 있음. '一土'. '泥一雪滑, 足力不堪'《白居易》. ②붙을 점 착 달라붙음. '一着'. ③떡 점, 죽 점 떡 또는 죽. '飯一一粒'《晉書》.

字源 篆文 形聲. 黍+占〔音〕. '占점'은 '拈점'과 통하여 손으로 집다의 뜻. 기장 따위를 손으로 집어서 느끼는 차진 기운의 뜻을 나타냄.

[黏米 점미] 찹쌀.
[黏液 점액] 끈끈한 액체.
[黏着 점착] 틈이 없이 착 붙음. 달라붙음.
[黏土 점토] 차진 흙.
◉飯黏. 泥黏.

5 ⑰ [默] 黙(次條)와 同字

6 ⑱ [黙] 나 ㊤馬 女下切 nǎ

字解 척척들러붙을 나 끈기가 대단함. 默(黍部 五畫)와 同字. '一, 黙一, 粘也, 或作默'《集韻》.

8 ⑳ [黚] 권 ㊤阮 苦遠切 quǎn

字解 ①넓을 권 '一, 博也'《玉篇》. ②차질 권 메지지 않음. '一, 黏一'《廣韻》. ③가루 권, 둥글게뭉칠 권 '䅌, 說文, 粉也, 一曰, 饙䅌, 博也, 或从黍'《集韻》.

8 ⑳ [黛] 동 ㊤董 多動切 dǒng

字解 ①차진모양 동 메지지 않음. '一, 舊注, 黏貌'《正字通》. ②올라가지않을 동 '一, 櫳一, 不上'《廣韻》.

9 ㉑ [穜] 穛(前條)과 同字

9 ㉑ [黏] 점(념本) 平鹽 尼占切 nián

字解 마음붙일 점 무엇에 생각을 둠. '一, 心有所着'《集韻》.

10 ㉒ [稻] 도 上晧 土皓切 tǎo

字解 옥수수 도 '一黍'는 옥수수. '關西呼蜀黍曰一黍'《集韻》.

11 ㉓ [黐] 리 平支 呂支切 lí

字解 끈끈이 리 새·벌레 같은 것을 잡는 물질. '一, 所以黏鳥'《廣韻》.

字源 形聲. 黍+离〔音〕

[黐黏 이점] 끈끈이.

11 ㉓ [䵑] 一 닉 入職 昵力切 nì 二 일 入質 入質切

字解 一 차질 닉 메지지 않고 차짐. '一, 黏也'《集韻》. 二 黏(黍部 四畫)의 俗字.

13 ㉕ [穠] 농 上董 乃董切 nǒng

字解 ①과일 농 먹는 과실(果實). '一, 果子總名'《字彙》. ②농사할 농 '一, 耕種也'《玉篇》.

黑 (12획) 部

〔검을흑부〕

0 ⑫ [黑] 中人 흑 入職 呼北切 hēi

筆順 ㄱ 冂 罒 罒 罒 里 黑 黑

字解 ①검은빛 흑, 흑색 흑 ㉠오색(五色)의 하나. '漆一'. '夏后氏尙一'《禮記》. ㉡'白'에 대하여 나쁜 것의 뜻으로 쓰임. '一白分明'. '心不染一'《法苑珠林》. ②검을 흑 ㉠빛이 검음. '厥土一墳'《書經》. ㉡마음이 검음. '一心'. ③어두울 흑 일광이 어두움. '暗一'. '日一, 大風起天'《漢書》. ④거메질 흑 거멓게 됨. '池水盡一'《魏志 註》. ⑤양 흑, 돼지 흑 양 또는 돼지. '以其騂一'《詩經》. ⑥성 흑 성(姓)의 하나.

字源 金文 篆文 象形. 위쪽의 굴뚝에 검댕이 차고, 아래쪽에 불길이 오르는 모양을 본떠, '검다'의 뜻을 나타냄.

參考 '黑흑'을 의부(意符)로 하여, 검은빛이나 검은 것을 나타내는 문자를 이룸. 부수 이름은 '검을흑'.

[黑角 흑각] 물소의 뿔.
[黑褐色 흑갈색] 검은빛을 띤 짙은 갈색.
[黑尻 흑고] '황새'의 별명.
[黑鬼子 흑귀자] 살빛이 검은 사람을 조롱하여 이르는 말.
[黑禽 흑금] 능금의 이명(異名). 금(禽)은 금(檎).
[黑奴 흑노] 흑귀자(黑鬼子).
[黑檀 흑단] 감나뭇과에 속하는 상록 교목(常綠喬木). 둥글둥글한 열매가 익으면 적황색(赤黃色)이 되며, 심재(心材)는 오목(烏木)이라 함.
[黑糖 흑당] 검은 설탕(雪糖).
[黑頭公 흑두공] 머리가 세지 아니한 삼공(三公). 곧, 소장(少壯)의 재상.
[黑潦 흑로] 길 같은 데 괸 흙탕물.
[黑龍江 흑룡강] ㉠만주 북경(北境)·시베리아의 동남부를 동쪽으로 흘러, 타타르 해협(海峽)으로 들어가는 강. ㉡중국 북동부, 헤이룽 강을 사이로 러시아와 접하는 성(省). 몽골 족·솔론 족 등의 소수 민족이 거주함. 성도(省都)는 하얼빈(哈爾濱).
[黑眸 흑모] 검은 눈동자.
[黑牡丹 흑목단] '소〔牛〕'의 별칭(別稱).
[黑髮 흑발] 검은 머리털.
[黑白 흑백] ㉠검은빛과 흰빛. ㉡옳은 것과 그른 것. 선악(善惡).
[黑白分明 흑백분명] 시비선악(是非善惡)이 분명함.
[黑白差 흑백차] 매우 큰 차이를 이름.
[黑死病 흑사병] 급성 전염병(傳染病)의 한 가지. 오한(惡寒)·고열·두통 등이 일어남. 페스트.
[黑色 흑색] 검은빛.
[黑黍 흑서] 옻기장.
[黑錫 흑석] '연〔鉛〕'의 별칭. 땜납.
[黑窣窣 흑솔솔] 마음속이 어쩐지 불안한 모양.
[黑松 흑송] 소나무의 일종(一種). 껍질이 검고 잎이 굵고 긺. 곰솔.
[黑心 흑심] 검측스러운 마음.
[黑暗 흑암] 껌껌하고 어두움.
[黑夜 흑야] 깜깜한 밤. 매우 어두운 밤.
[黑煙 흑연] 검은 연기.
[黑鉛 흑연] 납과 같은 광택(光澤)이 있는 검고 연(軟)한 광물. 연필심으로 쓰임.
[黑曜石 흑요석] 회색 또는 흑색의 파리질(玻璃質)의 화산암(火山岩). 오석(烏石).
[黑雲 흑운] 검은 구름. 먹구름.
[黑月 흑월] 음력에서 달의 하반기(下半期), 곧, 15일 이후.
[黑油麻 흑유마] 검은깨. 흑임자.
[黑衣 흑의] ㉠검은 옷. ㉡위사(衞士)의 일컬음. 검은 옷을 입으므로 이름. ㉢검게 물들인 옷. 중의 옷. 전(轉)하여, 중.
[黑衣宰相 흑의재상] 중으로서 천하의 정권에 참여하는 사람.
[黑人 흑인] 흑인종(黑人種)에 속(屬)하는 사람.
[黑人種 흑인종] 인종의 하나. 피부(皮膚)는 흑색(黑色) 혹은 흑갈색(黑褐色), 머리털은 흑색이며 코는 납작하고 턱은 쑥 나온 것이 특징임.
[黑荏子 흑임자] 검은깨.
[黑子 흑자] ㉠사마귀. ㉡좁은 지역(地域)의 비유. ㉢바둑의 검은 돌.
[黑鳥 흑조] 까마귀.
[黑質 흑질] 검은 몸.
[黑甜 흑첨] 낮잠. 오수(午睡).
[黑貂之裘 흑초지구] 검은담비의 갖옷.
[黑齒 흑치] 검게 염색한 이.
[黑齒雕題 흑치조제] 이를 검게 염색하고 이마에 자문(刺文)을 함. 야만(野蠻)의 풍속(風俗).

[黑炭 흑탄] 석탄의 한 가지. 무연탄과 갈탄(褐炭)의 중간치.
[黑表 흑표] 위험인물의 주소·성명을 적은 장부. 블랙리스트.
[黑風 흑풍] 하늘이 흐린 뒤에 부는 거센 바람.
[黑風白雨 흑풍백우] 거센 바람과 소나기.
[黑胡麻 흑호마] 검은깨. 흑임자.
[黑花蛇 흑화사] 빛이 검은 뱀. 먹구렁이.
◉黛黑. 黴黑. 白黑. 純黑. 深黑. 鴉陣黑. 暗黑. 黯黑. 黧黑. 陰黑. 赤黑. 窅黑. 正黑. 塵黑. 黰黑. 蒼黑. 淺黑. 青黑. 醜黑. 漆不厭黑. 漆黑. 昏黑. 曛黑.

1 ⑬ [黓] 알 ㊀黠 乙黠切 yà

字解 시커멀 알 아주 검음. '圖像之威, 一昧就滅'《韓愈》.

[黓昧 알매] 아주 검어 알 수 없음.

2 ⑭ [黥] 〔경〕 黥(黑部 八畫〈p. 2707〉)과 同字

[墨] 〔묵〕 土部 十二畫(p. 466)을 보라.

3 ⑮ [黓] 익 ㊀職 與職切 yì

字解 검을 익 빛이 검음. 약(略)하여, '弋'으로 씀. '身衣一綈'《漢書》.

字源 形聲. 黑+弋〔音〕

3 ⑮ [黛] 대 ①②④㊃泰 徒蓋切 dài ③㊃泰 他蓋切 tài

字解 ①검은자국 대 '一, 黑跡'《廣韻》. ②검을 대 '一, 黑也'《集韻》. ③몹시검을 대 '一, 黑甚'《集韻》. ④黛(黑部 五畫)의 俗字.

3 ⑮ [黗] 〔탄·돈〕 黗(黑部 四畫〈p. 2704〉)과 同字

3 ⑮ [黚] 간 ㊤旱 古旱切 gǎn

字解 ①검을 간 '一, 黑色'《玉篇》. ②기미낄 간 皯(皮部 三畫)과 同字.

字源 形聲. 黑+干〔音〕

4 ⑯ [黔] 人名 ㊀ 검 ㊥鹽 巨淹切 qián ㊁ 금 ㊥侵 巨金切 qián

字解 ㊀ ①검을 검 '安一首'《戰國策》. ②거메질 검 거멓게 됨. '墨突不得一'('墨突'은 묵자(墨子)의 집의 굴뚝)《韓愈》. ㊁ ①귀신이름 금 '一嬴'. ②성 금 성(姓)의 하나.

字源 篆文 形聲. 黑+今〔音〕. '今음'은 '덮다'의 뜻. 야외에서 일을 하여 볕에 탄 사람들의 뜻에서, 또 일설에는 목까지 덮인 검은 두건의 뜻에서, '검다'의 뜻을 나타낸다고 함.

[黔突 검돌] 검은 굴뚝. 꺼메진 연돌.
[黔黎 검려] 검수(黔首).
[黔驢之技 검려지기] 검주(黔州)는 나귀가 없는 땅이라 어떤 사람이 나귀를 타고 그곳을 지나는데 범이 보고 대단히 무서워했으나, 그 후 나귀가 범을 발길로 찼던 바 범은 나귀가 그 밖의 기능(技能)이 없음을 알고 마침내 나귀를 물어 죽였다는 이야기. 사람의 졸렬한 기능의 비유.
[黔庶 검서] 검수(黔首).
[黔細 검세] 검우(黔愚). 세(細)는 세민(細民).
[黔首 검수] 백성. 관을 쓰지 않아 검은 머리를 드러내고 있다는 뜻.
[黔愚 검우] 백성. 국민.
[黔沈 검침] 마음이 음흉함. 검측스러움.
[黔雷 금뢰] 금영(黔嬴).
[黔嬴 금영] 조화(造化)의 신(神)의 이름.

4 ⑯ [黗] ㊀ 탄 ㊤阮 他衮切 ㊁ 돈 ㊥元 他昆切 tūn

字解 ㊀ ①누렇게흐린검은빛 탄 '一, 黃濁黑也'《說文》. ②검을 탄 '一, 黑也'《廣雅》. ㊁ 누렇게 흐린검은빛 돈, 검을 돈 ㊀과 뜻이 같음.

字源 形聲. 黑+屯〔音〕

4 ⑯ [黕] 담 ㊤感 都感切 dǎn

字解 ①때 담 끼거나 묻은 더러운 것. '或一點而汙之'《楚辭》. ②검을 담 검은 모양. '翠幕一以雲布'《潘岳》.

字源 篆文 形聲. 黑+冘〔音〕. '冘음'은 '가라앉다'의 뜻. 액체에 가라앉은 찌꺼기, 앙금의 뜻을 나타냄.

[黕點 담점] 더럽힘.

4 ⑯ [黭] 견 ㊤銑 吉典切 jiǎn

字解 ①검을 견 '一, 黑也'《廣雅》. ②살갗검을 견 '一, 皮黑'《篇海》. ③주름살 견 검은 주름살. '一, 皮皺'《字彙》. ④黰(黑部 六畫〈p. 2707〉)과 同字.

4 ⑯ [黖] 〔달〕 黖(黑部 五畫〈p. 2706〉)과 同字

4 ⑯ [默] 태 ㊃泰 他蓋切 tài

字解 시커멀 태 몹시 검음. '一, 黑甚'《字彙》.

4 ⑯ [黖] 항 ㊥陽 虛郎切 hāng

字解 검은모양 항 '一, 黑皃'《集韻》.

4 ⑯ [黖] 기 ㊃未 許既切 xì

字解 날 기 물건이 생기는 모양. '萬物蠢生, 芒芒一一'《左思》.

[黖黖 기기] 물건이 나거나 생기는 모양.

4 ⑯ [默] 高人 묵 ㊀職 莫北切 mò

筆順 口 日 旦 甲 里 黑 默 默

[字解] ①잠잠할 묵 ㉠말이 없음. '—然'. '終日—如愚'《列仙傳》. ㉡조용하여 아무 소리가 없음. '至道之極, 昏昏——'《莊子》. ②입다물 묵 말을 하지 아니함. '或—或語'《易經》. ③성 묵 성(姓)의 하나.
[字源] 篆文 形聲. 犬+黑〔音〕. '黑흑'은 검다, 움직임이 없다의 뜻. 개가 입을 다물고 사람을 따라가다의 뜻에서, 입을 다물다의 뜻을 나타냄.
[參考] 黙(次條)은 同字.

[默契 묵계] ㉠마음속으로 서로 승낙함. ㉡은연중에 서로 뜻이 통함.
[默考 묵고] 말없이 마음속으로 생각함.
[默稾 묵고] 심중에서 구상한 시문(詩文) 등의 초안.
[默記 묵기] 무언중에 기억해 둠.
[默諾 묵낙] 무언중에 승낙함.
[默念 묵념] ㉠묵묵히 생각함. ㉡묵도(默禱).
[默禱 묵도] 마음속으로 빎. 말없이 기도(祈禱)함.
[默禮 묵례] 말없이 머리를 숙여 절함.
[默默 묵묵] ㉠입을 다물고 말을 아니하는 모양. ㉡조용하여 아무 소리가 없는 모양. 허무한 모양.
[默思 묵사] 묵고(默考).
[默寫 묵사] ㉠묵묵히 적거나 그림. ㉡보지 않고 기억에 의하여 적거나 그림.
[默想 묵상] 묵고(默考).
[默省 묵성] 말없이 조용히 반성함.
[默示 묵시] 직접(直接)으로 밝히어 말은 아니하나, 간접(間接)으로 의사(意思)를 표시(表示)함. 계시(啓示).
[默識 묵식] 무언중에 깊이 이해함.
[默識心通 묵식심통] 남이 말한 것을 암묵리(暗默裡)에 깨달아 피차의 마음이 서로 통함.
[默言 묵언] 말하지 아니함.
[默然 묵연] 잠잠히 있는 모양.
[默吟 묵음] 소리 없이 시(詩)를 읊음.
[默認 묵인] 암묵리(暗默裡)에 용인함.
[默存 묵존] 말없이 생각함. 묵상(默想). 묵고(默考).
[默坐 묵좌] 묵묵히 앉아 있음.
[默坐澄心 묵좌징심] 묵묵히 앉아 마음을 가라앉힘.
[默重 묵중] 말이 적고 신중(愼重)함.
[默許 묵허] 묵인(默認).
◉箝默. 謙默. 拱默. 恭默. 寡默. 憫默. 愼默. 暗默. 瘖默. 語默. 淵默. 恬默. 靜默. 沈默. 退默. 緘默. 玄默. 顯默.

4 ⑮ [黙] 默(前條)과 同字

4 ⑯ [黕] 〔우〕 肬(肉部 四畫〈p. 1837〉)의 籀文

5 ⑰ [黜] [人名] 출 [入]質 丑律切 chù
[字解] ①떨어뜨릴 출 관위(官位)를 낮춤. '姦人附勢, 我將陟之, 直士抗言, 我將—之'《王禹偁》. ②물리칠 출 ㉠쫓아냄. '—公者, 非吾意也'《公羊傳》. ㉡없애 버림. 억제함. '君將—嗜欲'《莊子》. ㉢폐함. 버림. '公將—太子申生'《國語》.
[字源] 篆文 形聲. 黑+出〔音〕. '出출'은 '내다'의 뜻. '黑흑'은 형벌로서의 자자(刺字)의 뜻. 벌을 주어 쫓아내다, 물리치다의 뜻을 나타냄.

[黜遣 출견] 출방(黜放).
[黜教 출교] 배도(背道)한 교도(敎徒)를 제명(除名)하여 내쫓음.
[黜棄 출기] 물리쳐 버림.
[黜嫚 출만] 출만(黜慢).
[黜慢 출만] 내쫓고 업신여김.
[黜免 출면] 관직을 파면하여 물리침.
[黜剝 출박] 관직을 박탈하여 물리침.
[黜放 출방] 물리쳐 내침.
[黜罰 출벌] 관직을 삭탈하고 벌을 줌.
[黜升 출승] 관직을 떨어뜨림과 올림.
[黜遠 출원] 물리쳐 멀리함.
[黜刺 출자] 물리치고 책망함.
[黜責 출책] 물리쳐 견책함.
[黜斥 출척] 물리쳐 쓰지 아니함.
[黜陟 출척] 관직을 혹은 떨어뜨리고 혹은 올림. 무능한 사람을 물리치고 유능한 사람을 등용함.
[黜退 출퇴] 관직을 떨어뜨려 물리침.
[黜廢 출폐] 폐기(廢棄)함.
[黜學 출학] 학생(學生)을 학교(學校)에서 내쫓음.
[黜會 출회] 회(會)에서 내쫓음. 회(會)에서 제외(除外)함.
◉減黜. 降黜. 譴黜. 糾黜. 免黜. 放黜. 屛黜. 削黜. 陞黜. 抑黜. 裁黜. 左黜. 竄黜. 責黜. 斥黜. 遷黜. 罷黜. 貶黜. 廢黜. 褒黜. 顯黜.

5 ⑰ [黝] 유 ㊤有 於糾切 yǒu
[字解] ①검푸른빛 유, 검푸를 유 청흑색. 약간 푸른빛을 띤 흑색. '—牛'. '陰祀用—牲'《周禮》. ②칠할 유 바름. '旣祥—堊'《禮記》.
[字源] 篆文 形聲. 黑+幼〔音〕. '幼유'는 '幽유'와 통하여, 빛이 희미하다의 뜻. 엷게 푸르스름한 검은빛의 뜻을 나타냄.

[黝糾 유규] 특출(特出)한 모양. 또, 삼림(森林)이 연해 둘러 있는 모양.
[黝賁 유분] 북궁유(北宮黝)와 맹분(猛賁)의 두 용사. 맹자가 나이 40세에 부동심(不動心)으로 참된 용기를 얻었다 하여 유분(黝賁)의 혈기지용(血氣之勇)과 비교하여 논한 일이 있음.
[黝牲 유생] 빛이 검푸른 희생.
[黝堊 유악] 검푸르게 칠할 것은 칠하고 흰 것을 바를 데는 바름.
[黝藹 유애] 수목이 무성한 모양.
[黝牛 유우] 검푸른 소.
[黝黝 유유] 검푸른 모양. 나무가 무성하여 침침한 모양.
◉紺黝. 騂黝. 深黝.

5 ⑰ [點] [高人] 점 ㊤琰 多忝切 diǎn 点
[筆順] 口 罒 罒 甲 里 黑 點 點
[字解] ①점 점 ㉠세소(細小)한 흔적. '斑—'. '血—'. '其白質如玉, 紫—爲文'《詩經》. ㉡문장의 구절(句節) 또는 사물 표지(標識)로 찍는 작은 표(標). '句—'. '訓—'. '凡所讀, 無不加

標一'《宋史》. ㉢글자를 쓸 때 찍는 작은 획. '一書'. '每作一一, 如高峯墜石'《王羲之》. ㉣평가(評價)할 때 또는 선악 등을 지적하는 데 쓰는 말. '評一'. '長一'. ㉤시간. '午後三一'. '雞三號, 更五一'《韓愈》. ㉥군데. 개소(個所). 부분. '到着一'. '要一'. '論一'. ㉦문자의 말소 또는 자구의 정정. '覽筆而作, 文無加一'《後漢書》. ㉧물건을 셀 때 쓰는 말. '衣類十一'. ②흠 점 결함. '汚一'. '百行無一'《劉孝標》. ③물방울 점 우적(雨滴). '雨一墮車軸'《陸游》. ④잎 점 떨어지는 꽃잎·나뭇잎 따위. '風飄萬一正愁人'《杜甫》. ⑤점찍을 점 '一其點'《王羲之》. ⑥조사할 점 세밀히 조사함. '一檢'. ⑦끄덕거릴 점 승낙하는 뜻으로 머리를 앞뒤로 흔듦. '一頭'. ⑧켤 점 불을 붙임. '一火'. '一燈'. '火一伊陽村'《岑參》. ⑨따를 점 액체를 부음. '露一蜜飴'《梁簡文帝》. ⑩가리킬 점 지시함. '指一之下'《白居易》. ⑪더럽힐 점 더럽게 함. '適足以見笑而自一耳'《司馬遷》.

[字源] 篆文 形聲. 黑+占〔音〕. '占점'은 특정한 장소를 차지하다의 뜻. 작고 검은 점의 뜻을 나타냄.

[參考] ①点(火部 五畫)은 俗字. ②奌(大部 五畫)은 略字.

[點勘 점감] 표를 해 놓으며 조사함. 일일이 조사함.
[點檢 점검] 낱낱이 조사(調査)함. 자세히 검사(檢査)함.
[點缺 점결] 흠. 결점.
[點鬼簿 점귀부] 죽은 사람의 이름을 적은 명부.
[點茶 점다] 차(茶)를 넣음.
[點頭 점두] 응낙(應諾)하거나 옳다는 뜻으로 머리를 끄덕거림.
[點燈 점등] 등(燈)불을 켬.
[點名 점명] 학생(學生)·군사(軍士) 등의 점호(點呼).
[點募 점모] 가려 모집함.
[點發 점발] 한 글자에 여러 음(音)이 있어 그 음에 따라 의미(意味)가 달라질 경우에 글자의 네 귀에 점 또는 동그라미를 하여 사성(四聲)을 나타내는 일. 권발(圈發).

上 去
[字]
平 入
[點發]

[點線 점선] 점을 이어서 찍어 놓은 줄.
[點數 점수] ㉠숫자로 나타낸 평가. ㉡물건의 수효.
[點試 점시] 조사하여 시험함.
[點心 점심] ㉠간식(間食). ㉡《韓》 낮 끼니로 먹는 음식.
[點眼水 점안수] 안약(眼藥).
[點額 점액] ㉠잉어가 용문(龍門)을 거슬러 올라가면 용이 되고, 올라가지 못한 것은 이마를 상하여 돌아온다는 뜻으로, 고시(考試)에 낙제함을 이름. ㉡머리를 숙여 공손히 절함.
[點染 점염] ㉠물들임. 더럽힘. ㉡오예(汚穢). ㉢그림을 그림. 칠함.
[點汚 점오] 더럽힘.
[點辱 점욕] ㉠더럽힘. ㉡욕보임.
[點字 점자] 맹인용(盲人用)의 기호 문자. 두꺼운 종이에 도도록하게 크고 작은 여섯 개의 구멍을 뚫어 표기함. 손가락 끝으로 더듬어서 읽음.
[點在 점재] 점을 찍은것처럼 여기저기 산재함.
[點滴 점적] 처마에서 떨어지는 물방울. 낙숫물.
[點點 점점] ㉠점을 찍은 것처럼 여기저기 흩어진 모양. ㉡물방울이 뚝뚝 떨어지는 모양. ㉢땀방울을 이름.
[點定 점정] 문장을 조사하여 고침.
[點睛 점정] 눈에 눈동자를 그림. 중요한 점을 가(加)함. '화룡점정(畫龍點睛)' 참조.
[點竄 점찬] 글을 고쳐 씀. 문장(文章)의 자구(字句)를 고쳐 씀.
[點綴 점철] ㉠점을 찍은 것처럼 띄엄띄엄 여기저기 흩어져 있음. ㉡점을 찍고 선을 그림. ㉢그림의 운필(運筆).
[點鐵成金 점철성금] 쇳덩이를 다루어서 황금(黃金)을 만듦. 나쁜 것을 고쳐서 좋은 것으로 만듦의 비유(比喩).
[點穴 점혈] 뜸질할 급소(急所)에 먹으로 점을 찍음.
[點化 점화] ㉠풍속을 더럽힘. ㉡도가(道家)에서 종래의 물건을 고쳐 새롭게 함을 이름. ㉢전인(前人)이 만든 시문(詩文)을 고쳐 신기축(新機軸)을 내놓음.
[點火 점화] 불을 붙임.
[點畫 점획] 문자의 점과 획.

◉加點. 絳點. 據點. 缺點. 觀點. 光點. 交點. 句頭點. 句點. 灸點. 圈點. 極點. 起點. 基點. 難點. 論點. 到着點. 得點. 萬綠叢中紅一點. 滿點. 盲點. 無點. 美點. 半點. 返點. 斑點. 沸騰點. 批點. 氷點. 時點. 視點. 弱點. 零點. 汚點. 要點. 雨點. 原點. 利點. 一點. 自點. 接點. 頂點. 終點. 朱點. 中心點. 重點. 支點. 地點. 指點. 次點. 採點. 焦點. 總點. 出發點. 特點. 痛點. 評點. 標點. 血點. 紅一點. 訓點. 黑點.

5 ⑰ [黚] [一] 겸 [平]鹽 巨淹切 qián
[二] 금 [平]侵 巨金切
[三] 감 [去]勘 古暗切

[字解] [一] ①검누를 겸 '一, 淺黃黑也'《說文》. ②검을 겸 '一, 黑也'《廣雅》. ③물이름 겸 구이저우 성(貴州省) 쭌이 현(遵義縣) 부근을 흘러 양쯔 강(揚子江)으로 흘러드는 강. '一, 水名. 南至鼈入江. 再犍爲'《集韻》. [二] 검누른빛 금 '一, 黃黑色'《集韻》. [三] 검을 감 '一, 博雅, 黑也'《集韻》.

[字源] 形聲. 黑+甘〔音〕

5 ⑰ [黕] 달 [入]曷 當割切 dá

[字解] ①흰가운데있는검은기 달 '一, 白而有黑也'《說文》. ②검고윤기날 달 '一, 黑而有豔曰一'《字統》. ③고을이름 달 '一, 莫一縣, 在五原'《廣韻》.

[字源] 形聲. 黑+旦〔音〕

5 ⑰ [黈] 주 [上]麌 知庾切 zhǔ

[字解] 점 주 붓으로 찍는 점. '黗一點黐'《衛常》.

[字源] 形聲. 黑+主〔音〕

◉黗黈.

5 ⑰ [黛] [人名] 대 [去]隊 徒耐切 dài

[字解] ①눈썹먹 대 눈썹을 그리는 청흑색의 먹. '粉―'. '眉―'. '青―'. '粉白―黑'《楚辭》. 또, 눈썹먹으로 그린 눈썹. '怨―舒還斂'《梁元帝》. ②검푸를 대 산이 검푸른 모양. '翠―'. '―樹'. '山撥―水挼藍'《黃庭堅》.
[字源] 形聲. 黑+代〔音〕. '代대'는 '갈음하다'의 뜻. 사람의 눈썹 대신 쓰이는 검은 먹, '눈썹먹'의 뜻을 나타냄.

[黛螺 대라] ㉠화가가 쓰는 청록색의 안료(顔料). ㉡여자의 눈썹을 그리는 먹과 소라의 모양으로 쪽 찐 머리. ㉢멀리 검푸르게 보이는 산의 형용.
[黛綠 대록] 눈썹을 그린 먹이 검푸름. 미인(美人)의 형용.
[黛面 대면] 눈썹을 그린 얼굴.
[黛墨 대묵] 눈썹을 그리는 먹. 눈썹먹.
[黛眉 대미] 먹으로 그린 눈썹.
[黛樹 대수] 멀리 파랗게 보이는 나무를 눈썹먹에 견주어 이른 말.
[黛青 대청] 눈썹먹처럼 검푸름.
[黛鬟 대환] 여자의 검고 윤이 나는 머리.
[黛黑 대흑] 대묵(黛墨).
◉綠黛. 濃黛. 眉黛. 薄黛. 粉黛. 昂黛. 鉛黛. 遠山黛. 青黛. 秋黛. 春黛. 翠黛. 紅黛.

6 ⑱ [䵥] 울 [入]物 於勿切 yù
[字解] ①검을 울 '―, 黑也'《字彙》. ②깊을 울 '―, 深也'《海篇》. ③黦(黑部 八畫)의 訛字.

6 ⑱ [黟] 이 [平]支 於脂切 yī
[字解] 검을 이 빛이 검음. '―然黑者爲星星'《歐陽修》.
[字源] 篆文 形聲. 黑+多〔音〕. '多다'는 '많다'의 뜻. 검은 기가 많은 나무의 뜻을 나타냄.

[黟然 이연] 검은 모양.

6 ⑱ [䵌] [一] 견 [上]銑 吉典切 jiǎn
[二] 현 [上]銑 胡典切 xiàn
[三] 전 [上]銑 多殄切
[字解] [一] ①검은주름 견 '―, 黑皺也'《說文》. ②검을 견 검은 모양. '―, 黑也'《廣韻》. [二] 검은주름 현, 검을 현 [一]과 뜻이 같음. [三] 검을 전 '―, 黑也'《廣雅》.
[字源] 形聲. 黑+幵〔音〕

6 ⑱ [黠] 할(힐[俗]) [入]黠 胡八切 xiá
[字解] ①약을 할 혜민(慧敏)함. '癡―各半'《晉書》. ②교활할 할 간교함. '狡―'. '姦―'. 또, 교활한 사람. '彈豪糾―'《皇甫湜》.
[字源] 篆文 形聲. 黑+吉〔音〕. '吉길'은 '堅견'과 통하여 '굳다'의 뜻. 검고 굳다의 뜻을 나타냄. 또 '賢현'과 통하여 '교활하다'의 뜻도 나타냄.

[黠奴 할노] 교활한 놈.
[黠鼠 할서] 교활한 쥐.
[黠兒 할아] 꾀 많은 아이. 약은 아이.
[黠智 할지] 교활한 지혜.
[黠慧 할혜] 약음. 꾀가 많음.
[黠獪 할회] 간교(奸巧)함. 교활함.
◉奸黠. 姦黠. 健黠. 桀黠. 輕黠. 警黠. 狡黠. 敏黠. 汚黠. 陰黠. 捷黠. 癡黠. 慧黠. 豪黠. 凶黠.

7 ⑲ [黣] 매 [上]賄 米水切 měi
[字解] 검을 매 피부가 거무스름함. '肌色皯―'《列子》.
[字源] 形聲. 黑+每〔音〕

◉皯黣.

7 ⑲ [䵘] 맘 [上]豏 亡范切 wǎn
[字解] ①어둠속에걸어갈 맘 '―, 闇行也'《集韻》. ②캄캄할 맘 몹시 어두움. '―, 暗也'《字彙》.

[儵] 〔숙〕 人部 十七畫(p. 187)을 보라.

8 ⑳ [黭] 암 ①[上]豏 於檻切 yǎn
②[上]感 烏感切
[字解] ①검푸를 암 청흑색. ②어두울 암 '―黮'은 일광이 어두운 모양. '―黮玄夜陰'《劉伶》.
[字源] 篆文 形聲. 黑+奄〔音〕. '奄엄'은 '가리다, 덮다'의 뜻.

[黭黮 암탐] 어두운 모양.

8 ⑳ [黥] 경 [平]庚 渠京切 qíng
[字解] ①자자(刺字) 경 얼굴에 입묵(入墨)하는 형벌. 묵형(墨刑). '―罪'. '爰始淫爲劓刵椓―'《書經》. ②성 경 성(姓)의 하나.
[字源] 篆文 別體 形聲. 黑+京〔音〕. '京경'은 '畺강'과 통하여 경계선을 긋다의 뜻. 죄인에게 먹을 넣어 구별하는 형벌, '자자(刺字)'의 뜻을 나타냄.

[黥徒 경도] 면상(面上)에 형벌로 입묵(入墨)한 죄인.
[黥面 경면] 얼굴에 입묵(入墨)함. 또, 입묵한 얼굴.
[黥辟 경벽] 입묵(入墨)하는 죄. 경죄(黥罪).
[黥首 경수] 입묵(入墨)한 이마. 형벌의 하나.
[黥罪 경죄] 입묵(入墨)하는 죄.
◉面黥. 墨黥. 私黥. 印黥. 灼黥. 天黥.

8 ⑳ [黬] 담 [上]感 徒感切 dǎn
[字解] 구름검을 담 '―, 雲黑也'《篇海》.

8 ⑳ [黦] 울 ①[入]物 紆物切 yuè
②[入]月 於歇切 yè
[字解] ①검누른빛 울 황흑색(黃黑色). '―, 玄黃也'《集韻》. ②바랠 울, 얼룩질 울 색이 변함. '淚霑紅袖―'《韋莊》.

◉袖黦.

8 ⑳ **[⿰黑知]** 치 ㊤紙 展豸切 zhǐ

[字解] 초서쓸 치 초서(草書)를 씀.

[⿰黑知黈 치주] 붓으로 초서를 쓰고 점(點)을 찍음.

8 ⑳ **[⿰黑沓]** 답 [入]合 他合切 tà

[字解] ①함부로우거질 답 '一, 猥茸貌'《字彙》. ②검을 답 몹시 검음. '一, 黑甚也'《正字通》. ③많이겹칠 답 䶀(水部 十三畫)의 訛字.

8 ⑳ **[黅]** **[一]** 금 [平]侵 居吟切 jīn **[二]** 감 [平]咸 古咸切 qián

[字解] **[一]** ①검누른빛 금 '一黃黑如金也'《玉篇》. ②연노랑 금 '一, 淺黃色'《廣韻》. **[二]** 검누른빛 감 [一]❶과 뜻이 같음.

[字源] 形聲. 黑+金〔音〕

8 ⑳ **[⿰黑昆]** 곤 ①[去]願 古困切 gùn ②③[去]願 昏困切 hùn

[字解] ①새카만빛 곤 '一, 純黑色'《集韻》. ②잊어버릴 곤 '一, 忘失也'《字彙》. ③쓸모없을 곤 어리석음. '一, ⿰黑享一, 不幹事'《集韻》.

8 ⑳ **[黧]** **[一]** 리 [平]支 良脂切 lí **[二]** 려 [平]齊 郎奚切 lí

[字解] **[一]** 검을 리 빛이 검음. 또, 검은데 누른빛을 띰. '面目一黑'《戰國策》. **[二]** 검을 려 [一]과 뜻이 같음.

[字源] 形聲. 黑+称〔音〕

[黧顏 이안] 검은 얼굴. 또는 얼굴을 타게 함.
[黧牛 이우] 누른빛을 띤 검은 소.
[黧黃 이황] 꾀꼬리. 곧, '창경(倉庚)'의 별칭(別稱).
[黧黑 이흑] 누른빛을 띤 검은색. 초췌한 안색을 이름.
◉垢黧. 黴黧. 緇黧.

8 ⑳ **[黨]** [高·人] 당 ㊤養 多朗切 dǎng 党

[筆順] ⺍ 尚 尚 尚 當 當 黨 黨

[字解] ①마을 당 주대(周代)의 행정 구역의 하나. 오백가(五百家)가 사는 지역. '掌其一之政令教治'《周禮》. 전(轉)하여, 향리. 고향. '孔子於鄉一, 恂恂如也'《論語》. ②무리 당 목적·의견·행동 등을 같이하는 자의 단체. '徒一'. '朋一'. '吾一之小子'《史記》. ③일가 당 친척. '睦于父母之一'《禮記》. ④아부할 당 아유구용함. '阿一'. '比而不一'《國語》. ⑤도울 당 서로 도와 나쁜 짓을 숨김. '君子不一'《論語》. ⑥기울 당, 치우칠 당 편파적임. 불공평함. '無偏無一'《書經》. ⑦거듭 당 연거푸. '怪星之一見'《荀子》. ⑧혹시 당 儻(人部 二十畫)과 통용. '一可得見乎'《漢書》. ⑨바를 당 정직함. 讜(言部 二十畫)과 통용. '博而一正'《荀子》. ⑩바 당 所(戶部 四畫)와 뜻이 같음. 제(齊)나라의 방언(方言). '往一'《公羊傳》. '師乎師乎, 何一之乎'《左傳》.

[字源] 篆文 形聲. 黑+尙〔音〕. '尙상'은 '堂당'과 통하여 한 지붕 아래 모인 무리의 뜻을 나타냄. '黑흑'은 그 연대감을 나타내기 위한 상징적인 빛깔임.

[參考] 党(儿部 八畫)은 略字.

[黨枯竹護朽骨 당고죽호후골] 고인(古人)의 편을 들어 구설(舊說)을 고수(固守)함. 옛적 종이가 없을 때에 죽간(竹簡)에 글씨를 썼으므로 고죽(枯竹)이라 함.
[黨錮之禍 당고지화] 후한(後漢)의 환제(桓帝) 때 환관(宦官)들이 정권(政權)을 전단(專斷)하므로 진번(陳蕃)·이응(李膺) 등 우국지사(憂國志士)가 환관을 공격하니, 그들은 도리어 조정을 반대하는 당인(黨人)이라고 몰아 이들 우국지사를 옥에 가두고 종신 금고(終身禁錮)에 처했는데, 이것을 '당고지화'라 함.
[黨魁 당괴] 당수(黨首).
[黨規 당규] 당의 규칙.
[黨禁 당금] 당인(黨人)의 금고(禁錮).
[黨同伐異 당동벌이] 시비곡직을 불문하고 자기편의 사람은 무조건 돕고 반대편의 사람은 무조건 공격하는 일.
[黨論 당론] 그 당파의 주장하는 의론(議論).
[黨類 당류] 한 무리의 동류. 끼리.
[黨輩 당배] 한 당(黨)의 무리. 당여(黨與).
[黨朋 당붕] 붕당(朋黨).
[黨勢 당세] 당파(黨派)의 세력(勢力).
[黨首 당수] 한 당(黨)의 우두머리. 당괴(黨魁).
[黨與 당여] 한편이 되는 당류(黨類). 자기편 당.
[黨援 당원] 동류(同類)를 도움. 또, 도움이 되는 동류.
[黨議 당의] 당론(黨論).
[黨人 당인] ㉠향당(鄉黨)의 사람. 마을 사람. ㉡같은 당파의 사람.
[黨引 당인] 도당(徒黨)을 짜 서로 끎.
[黨爭 당쟁] 당파(黨派)의 싸움.
[黨籍碑 당적비] 송(宋)나라의 휘종(徽宗) 때 재상(宰相) 채경(蔡京)이 철종(哲宗)의 원우(元祐) 연간(年間)에 조정에 있던 문언박(文彥博)·사마광(司馬光) 등 명사를 간당(姦黨)이라 몰아 그 성명을 기록하여 궁성 문밖에 세운 비(碑).
[黨正 당정] ㉠바르고 착함. ㉡주대(周代)의 당(黨)의 장(長). 곧, 500가(家)의 장(長). 그 당(黨)의 정령 교치(政令教治)를 관장함.
[黨派 당파] ㉠주의(主義)·목적(目的)을 같이하는 사람들의 단체. ㉡붕당(朋黨)의 나누어진 갈래.
[黨巷 당항] 읍리(邑里). 또, 민간(民間).
[黨見 당현] 연거푸 나타남. 또는 때로 나타나는 일이 있음.
[黨禍 당화] 붕당(朋黨) 때문에 생기는 재화.
◉強黨. 擧黨. 結黨. 公黨. 魁黨. 洛黨. 洛蜀朔三黨. 洛蜀二黨. 亂黨. 內黨. 徒黨. 母黨. 無偏無黨. 父黨. 不偏不黨. 朋黨. 比黨. 私黨. 俗黨. 樹黨. 新黨. 阿黨. 惡黨. 野黨. 與黨. 餘黨. 吾黨. 僚黨. 友黨. 元佑三黨. 僞黨. 離黨. 一黨. 殘黨. 賊黨. 敵黨. 政黨. 族黨. 左黨. 創黨. 妻黨. 黜黨. 脫黨. 偏黨. 害黨. 鄉黨. 凶黨.

8 ⑳ **[⿰黑享]** 돈 [去]願 暾頓切 tùn

字解 일감당하지못할 돈 어리석음. '一, 一黮, 不幹事'《集韻》.

9 ㉑ [黫] ㊀ 안 ㊥刪 烏閑切 yān ㊁ 인 ㊥眞 於仁切 yīn

字解 ㊀ 검을 안 '與尾箕晨出, 日天皓, 一然黑色甚明'《史記》. ㊁ 검을 인 ㊀과 뜻이 같음.

[黫然 안연] 검은빛이 매우 선명한 모양.

9 ㉑ [黏] 념 ㊤琰 乃玷切 niǎn

字解 초서(草書)의필세(筆勢) 념, 자획(字畫)의 점(點) 념 '一, 點一, 艸書勢'《集韻》.

9 ㉑ [黬] 암 ㊥咸 五咸切 yán

字解 검댕 암 솥이나 냄비 밑에 검은 기운이 모여 붙은 검댕. '有生一也'(사람의 생명은 검댕 같은 것으로서, 실상(實相)을 가지고 있는 것이 아님)《莊子》.

9 ㉑ [黭] 암 ㊤感 烏感切 yǎn

字解 ①별안간 암 '一然'은 갑자기. '一然而雷擊之'《荀子》. ②검을 암 '氣滃靄以一黮'《張說》.

字源 篆文 形聲. 黑+弇〔音〕. '弇엄'은 '奄엄'과 통하여 '덮다, 가리다'의 뜻. 검은빛이 가리다, 새까맣다의 뜻을 나타냄.

[黭黮 암담] 구름 같은 것이 검은 모양.
[黭然 암연] 별안간. 갑자기.
[黭淺 암천] 우매하고 천박함.

9 ㉑ [黮] ㊀ 심 ㊤寢 時審切 shèn ㊁ 담 ㊤感 徒感切 dǎn ㊂ 탐 ㊦勘 他紺切 tàn

字解 ㊀ 오디 심 뽕나무의 열매. 葚(艸部 九畫)과 통용. '食我桑一'《詩經》. ㊁ 검을 담 검은 모양. ㊂ 어두울 탐 '人固受其一闇'《莊子》.

字源 篆文 形聲. 黑+甚〔音〕. '甚심'은 '심하다'의 뜻. 심히 검다의 뜻을 나타냄.

[黮黮 담담] 구름 같은 것이 검은 모양.
[黮黷 담대] 담담(黮黮).
[黮闇 탐암] 어두운 모양.
◉桑黮. 晻黮. 黯黮. 黭黮.

9 ㉑ [黯] 암 ㊤豏 乙減切 àn

字解 ①검을 암, 어두울 암 '一然而黑'《史記》. '一兮慘悴'《李華》. ②슬퍼할 암 이별을 슬퍼하는 모양. '慘一'. '一然銷魂者, 惟別而已矣'《江淹》.

字源 篆文 形聲. 黑+音〔音〕. '音음'은 '暗암'과 통하여 '어둡다'의 뜻. '어둡다, 검다'의 뜻을 나타냄.

[黯淡 암담] 어스레함.
[黯澹 암담] 암담(黯淡).
[黯黮 암담] 구름이 끼어 흐린 모양.
[黯漠 암막] 어둠침침함.
[黯然 암연] ㉠검은 모양. 어두운 모양. ㉡이별을 슬퍼하는 모양.
[黯湛 암잠] 어둡고 깊숙함.
[黯慘 암참] 어둠침침함.
[黯黑 암흑] 어둠. 검음.
◉汲黯. 雲黯. 慘黯. 沈黯.

10 ㉒ [黰] 진 ㊤軫 章忍切 zhěn

字解 검은머리 진 함치르르하여 아름다운 흑발. 鬒(髟部 十畫)과 통용. '昔有仍氏生女, 一黑甚美'《左傳》.

字源 形聲. 黑+眞〔音〕. '眞진'은 가득 메워지다의 뜻. 머리털이 짙고 검다의 뜻을 나타냄.

10 ㉒ [黱] 대 ㊦隊 徒耐切 dài

字解 ①눈썹먹 대 눈썹 그리는 먹. ②검푸를 대 黛(黑部 五畫)와 同字. '一色參天二千尺'《杜甫》.

字源 篆文 會意. 黑+朕

10 ㉒ [黲] 〔낭〕 黵(黑部 十七畫〈p. 2710〉)의 俗字

11 ㉓ [黲] 참 ㊤感 七感切 cǎn

字解 검푸르죽죽할 참 연한 청흑색. '暗一'.

字源 篆文 形聲. 黑+參〔音〕. '參참·삼'은 '滲삼'과 통하여 '배다, 스미다'의 뜻. 검은빛이 스며서 거무스름하게 된 빛의 뜻을 나타냄.

[黲黷 참독] 흐리고 더러움.
[黲黲 참참] 거무스름함. 일에 실패(失敗)했을 때의 얼굴빛.
◉暗黲.

11 ㉓ [黴] 人名 미 ㊥支 武悲切 méi

字解 ①곰팡이 미 음습할 때 옷·기구 등에 나는 하등 균류(菌類). 곰팡이. ②곰팡날 미 곰팡이가 생겨 물건이 썩음. ③창병 미 매독. '一毒'. ④때낄 미, 검을 미 얼굴에 때가 끼어 빛이 검음. '舜一黑, 禹胼胝'《淮南子》.

字源 篆文 形聲. 黑+微〈省〉〔音〕. '微미'는 '희미하다'의 뜻. 털처럼 미세한 '곰팡이'의 뜻을 나타냄.

[黴菌 미균] 유기물에 기생하는 하등 식물. 지극히 미세하고 번식이 빠르며 물건을 발효시키고 전염병의 원인이 됨. 세균.
[黴毒 미독] 성병(性病)의 한 가지. 매독(梅毒).
[黴黧 미리] 미흑(黴黑).
[黴瘠 미척] 때가 끼고 야윔.
[黴黑 미흑] 때가 끼어 빛이 검음.
◉檢黴. 驅黴.

11 ㉓ [黳] 예 ㊥齊 烏奚切 yī

字解 주근깨 예 작란반(雀卵斑). '色若一'《酉陽雜俎》.

字源 篆文 形聲. 黑+殹〔音〕. '殹예'는 '추하다'의 뜻. 검은 반점이 생겨서 보기 흉하

다의 뜻을 나타냄.

12 [⿰黑逮] ㉔ 대 ①(去)隊 徒對切 duì ②(去)隊 徒戴切 dài

字解 ①검을 대 ⿰黑隊(次條)와 同字. '一, 黮一, 黑也, 或从隊'《集韻》. ②어두울 대 曃(日部 十二畫)와 뜻이 같음. '一, 曖一, 暗也, 亦从黑'《集韻》.

12 [⿰黑隊] ㉔ 대 (去)隊 徒對切 duì

字解 ①검은구름가는모양 대 '一, 黑雲行皃'《玉篇》. ②검을 대 ⿰黑逮(前條)와 同字. '⿰黑逮, 黮⿰黑逮, 黑也, 或从隊'《集韻》.

12 [⿰黑詹] ㉔ 黵(次條)과 同字

13 [黵] ㉕ 담 ㊤感 都敢切 dǎn

字解 자자(刺字) 담 입묵(入墨)하는 형벌. 묵형(墨刑). '除一面之刑'《梁書》.

字源 篆文 形聲. 黑+詹〔音〕. '黑흑'은 '거메지다'의 뜻. '詹첨'은 '번거롭다'의 뜻. 지저분하게 더러워져 거메지다의 뜻을 나타냄.

13 [⿰黑禽] ㉕ 금 (平)侵 渠金切 qín

字解 ①누른빛 금 황색. '一, 黃色也'《玉篇》. ②검누른빛 금 누른빛을 띤 검은빛. 黚(黑部 五畫)과 뜻이 같음. '黚, 黃黑色, 或从禽'《集韻》. ③黔(黑部 四畫)의 俗字.

13 [⿰黑僉] ㉕ 검 ㊤琰 居奄切 jiǎn

字解 검을 검 黔(黑部 四畫)과 同字. '一, 黑也, 或作黔'《集韻》.

13 [⿰黑葴] ㉕ 금 (平)侵 渠金切 qín

字解 누른검은빛 금 黚(黑部 五畫)과 同字. '黚, 黃黑色, 或从葴'《集韻》.

13 [⿰黑農] ㉕ 농 (平)冬 尼容切 nóng

字解 검을 농 짙게 검음. '一, ⿰黑庸一, 黑甚'《集韻》.

14 [⿰黑臺] ㉖ 대 (平)灰 當來切 tái

字解 ①검을 대 '一, 黑也'《玉篇》. ②새카만모양 대 '一, ⿰黑來一, 大黑皃'《集韻》.

14 [黶] ㉖ [一] 염 ㊤琰 於琰切 yǎn [二] 암 ㊤豏 乙減切 yǎn

字解 [一] 사마귀 염 피부에 도도록하게 생기는 검은 점. 흑자(黑子). '披毛索一'《抱朴子》. [二] 검은점 암 피부에 거뭇하게 박힌 표 난 부분.

字源 篆文 形聲. 黑+厭〔音〕. '厭염'은 '누르다'의 뜻. 점점이 위에서 누른 것 같은 검은 점, '사마귀'의 뜻을 나타냄.

◉瘢黶. 披毛索黶.

15 [黷] ㉗ 독 (入)屋 徒谷切 dú

字解 ①더러울 독 ㉠때가 묻음. '林木爲之潤一'《左思》. ㉡추함. '或先貞而後一'《孔稚珪》. ②더럽힐 독 전항의 타동사. '一職'. ③친압할 독 너무 익숙해져서 버릇없이 굴며 깔봄. '媟一貴幸'《漢書》.

字源 篆文 形聲. 黑+賣〔音〕. '賣육'은 사람의 눈을 흐리게 하여 홀리어 팔다의 뜻. 사람의 눈을 흐리게 하고 깔보다, 더럽히다의 뜻을 나타냄.

[黷武 독무] 함부로 전쟁을 하여 무덕(武德)을 더럽힘.
[黷煩 독번] 자주 폐를 끼침.
[黷祭 독제] 제사 지내서는 안 될 신(神)을 제사지냄.
[黷職 독직] '독직(瀆職)'과 같음.
[黷貨 독화] 금전 재화(金錢財貨)를 탐냄.

◉干黷. 慢黷. 冒黷. 煩黷. 私黷. 媟黷. 褻黷. 穢黷. 塵黷. 侵黷. 貪黷. 嚚黷. 喧黷.

15 [黬] ㉗ [一] 감 (平)咸 古咸切 jiān [二] 짐 (平)侵 諸深切

字解 [一] ①낯검을 감 몸이 희고 얼굴이 검음. '一, 雖晳而黑也'《說文》. ②검댕 감 솥 밑의 검댕. '一, 一曰, 釜底黑'《集韻》. [二] 낯검을 짐, 검댕 짐 [一]과 뜻이 같음.

字源 形聲. 黑+箴〔音〕

16 [黸] ㉘ 로 (平)虞 落胡切 lú

字解 검을 로, 새까말 로 '齊謂黑爲一'《說文》. '一, 黑甚'《廣韻》.

字源 篆文 形聲. 黑+盧〔音〕. '盧로'는 '화로'의 뜻. 그을린 것 같은 검은빛의 뜻을 나타냄.

16 [⿰黑⿱龹馬] ㉘ [一] 등 (平)蒸 徒登切 téng [二] 동 (平)東 徒東切 téng

字解 [一] 검은모양 등 '一, 黑皃'《集韻》. [二] 검은모양 동 [一]과 뜻이 같음.

17 [⿰黑襄] ㉙ 낭 ㊤養 女兩切 niǎng

字解 검을 낭 '一, 黑也'《篇海》.

黹 (12획) 部

〔바느질할치부〕

0 [黹] ⑫ 치 ㊤紙 豬几切 zhǐ

筆順

字解 ①바느질할 치 침선(針線)을 함. '呼縫紩衣爲一'《爾雅 註》. ②수 치 자수(刺繡). '黼黻絺繡爲一'《爾雅 疏》.

字源 甲骨文 金文 篆文 象形. 헝겊에 무늬를 수 놓은 모양을 본떠 '자수'

의 뜻을 나타냄.
參考 '黹치'를 의부(意符)로 하여, 자수를 나타내는 문자를 이룸. 부수 이름은 '바느질할치'.

5 ⑰ [黻] 불 ⓐ物 分勿切 fú

字解 ①수 불 고대(古代)의 예복(禮服)에 놓는 수(繡). 반흑반청(半黑半靑)의 빛으로 '己' 자 두 개를 서로 반대로 하여 수를 놓았음. '一文'. '一衣繡裳'《詩經》. 또, 그 수를 놓은 예복. '諸侯黼, 大夫一'《禮記》. ②슬갑 불 예복(禮服) 위에 껴 입는, 가죽으로 만든 슬갑(膝甲). '致美乎一冕'《論語》. ③성 불 성(姓)의 하나.

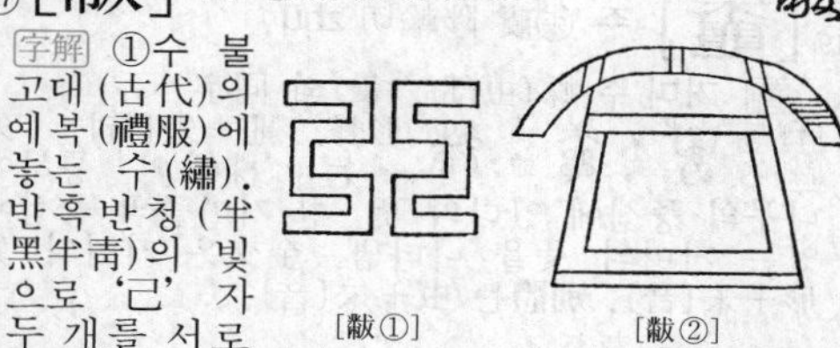
[黻①] [黻②]

字源 篆文 會意. 黹+犮. '黹치'는 수놓은 술 장식을 본뜬 것. '犮발'은 '祓불'과 통하여 부정한 것을 떨어 제거하다의 뜻. 청색, 흑색 실로 수놓은 예복의 뜻을 나타냄.

[黻冕 불면] 슬갑(膝甲)과 갓. 모두 제복(祭服).
[黻文 불문] '亞' 자 모양으로 놓은 수. 자해(字解)❶을 보라.
[黻班 불반] 불의(黻衣)를 입은 귀현(貴顯)한 사람의 반열(班列).
[黻黼 불보] 천자(天子)의 예복.
[黻衣 불의] 불문(黻文)이 있는 제복(祭服).
◉主黻. 黼黻. 兗黻. 華黻.

7 ⑲ [黼] 보 ⓛ麌 方矩切 fǔ

字解 수 보 고대(古代)의 예복(禮服)에 놓는 수(繡). 반흑반백(半黑半白)의 빛으로 자루가 없는 도끼의 모양을 수놓은 것. '一黻文章'《禮記》. 또, 그 수를 놓은 예복. '諸侯一, 大夫黻'《禮記》.

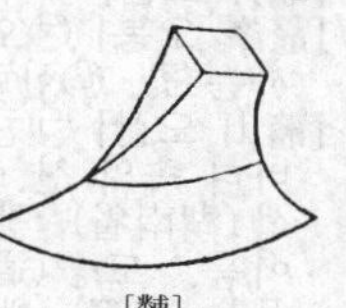
[黼]

字源 篆文 形聲. 黹+甫〔音〕. '甫보'는 '斧부'와 통하여 '도끼'의 뜻. 도끼 무늬를 수놓은 예복의 뜻을 나타냄.

[黼裘 보구] 새끼 양과 여우의 가죽으로 만들어 자루 없는 도끼의 모양을 수놓은 옷.
[黼冕 보면] 보의(黼衣)와 면류관(冕旒冠).
[黼黻 보불] ㉠보(黼)와 불(黻). 옷의 수(繡). ㉡문장(文章)의 비유.
[黼繡 보수] 자루 없는 도끼의 모양을 수놓은 것.
[黼衣 보의] 자루 없는 도끼 모양을 수놓은 옷.
[黼依 보의] 보의(黼扆).
[黼扆 보의] 자루가 없는 도끼를 그린 빨간 비단을 바른 병풍. 천자(天子) 있는 자리의 뒤에 침. 도끼는 위엄(威嚴)을 상징한 것이고, 자루가 없는 것은 이것을 쓰지 않는다는 뜻임. 부의(斧扆).
[黼帳 보장] 자루 없는 도끼의 모양을 수놓은 휘장.
[黼座 보좌] 천자(天子)가 앉는 자리. 옥좌(玉座).
◉繡黼. 刺黼.

11 ㉓ [黸] 초 ⓛ麌 創擧切 chǔ

字解 오색빛 초 오색빛이 모여 선명한 모양. '衣裳一一'《詩經》.
字源 篆文 形聲. 黹+虘〔音〕

黽 (13획) 部
〔맹꽁이맹부〕

0 ⑬ [黽] ㊀ 맹 ⓛ梗 武幸切 měng ㊁ 민 ⓛ軫 武盡切 mǐn ㊂ 면 ⓛ銑 彌兗切 miǎn 黾

筆順 冂 冃 冃 黽 黽 黽 黽

字解 ㊀ ①맹꽁이 맹 개구리 비슷한 동물. ②성 맹 성(姓)의 하나. ㊁ 힘쓸 민 노력함. '一勉從事'《詩經》. ㊂ 고을이름 면 '一池'는 한대(漢代)의 현명(縣名). 지금의 허난 성(河南省) 신양현(信陽縣)의 동남(東南). '秦隃一隘之塞而攻楚'《史記》.
字源 篆文 籒文 象形. 맹꽁이를 본떠 '맹꽁이'의 뜻을 나타냄.
參考 '黽맹'을 의부(意符)로 하여 개구리나 거북 등 물가에 사는 동물을 나타내는 문자를 이룸. 부수 이름은 '맹꽁이맹'.

[黽勉 민면] 부지런히 힘씀.
[黽俛 민면] 민면(黽勉).
[黽池 면지] 자해(字解)㊂을 보라.
◉耿黽. 求黽. 水黽. 鼆黽.

0 ⑧ [黾] 黽(前條)의 俗字

0 ⑧ [黾] 黽(前前條)의 簡體字

0 ⑧ [黾] 〔맹〕 黽(部首〈p. 2711〉)의 略字

1 ⑭ [黽] 〔맹·면〕 黽(部首〈p. 2711〉)의 本字

4 ⑰ [黿] 원 ㊥元 愚袁切 yuán 黿

字解 ①자라 원 큰 자라. 옛날에, 이 자라 고기를 진미(珍味)로 여겼음. '楚人獻一於鄭靈公'《左傳》. ②영원 원 蚖(虫部 四畫)과 同字. '化爲玄一'《史記》.
字源 篆文 形聲. 黽+元〔音〕. '黽맹'은 개구리를 본뜬 것. '元원'은 '우두머리'의 뜻. 머리가 큰 거북, '영원'의 뜻을 나타냄.

[黿鳴鼈應 원명별응] 큰 자라가 울면 보통 자라가 이를 따라 운다는 뜻으로, 군신(君臣)이 서로 감응함의 비유.
[黿鼉 원타] 큰 자라와 악어.
◉蛟黿. 伏黿. 浮黿. 潛黿. 天黿. 海黿.

5 ⑱ [鼂] 조 ①[平]蕭 陟遙切 zhāo ②③[平]蕭 直遙切 cháo

[字解] ①아침 조 朝(月部 八畫)·晁(日部 六畫)와 同字. '一不及夕'《漢書》. ②바다거북 조. ③성 조 성(姓)의 하나.

[字源] 篆文 古文 會意. 旦+黽. '旦단'은 바다거북의 머리의 모양. '黽맹'은 '바다거북'의 뜻. 바다거북 비슷한 바다의 생물의 뜻을 나타냄. 古文도 㿟+黽의 會意. '㿟조'도 그 머리 부분의 象形.

[鼂不及夕 조불급석] 아침에는 무사하였으나 저녁까지는 어떻게 될지 모른다는 뜻으로, 위급함이 닥쳐 있음을 이름.
[鼂錯 조조] 한(漢)나라의 정치가. 영천(潁川) 사람. 신상(申商)의 형명학(刑名學)을 배워서 문제(文帝) 때 태자사인(太子舍人)·태자가령(太子家令)·중대부(中大夫)를 역임(歷任). 재변(才辯)의 덕으로 경제(景帝)가 등극하자 더욱 총애(寵愛)를 받아 어사대부(御史大夫)로 영진(榮進)하였으나, 제후(諸侯)들의 세력을 억제하기 위해 그 봉지(封地)를 삭감하려 하다가 오초칠국(吳楚七國)이 들고일어나매 그 난(亂)의 희생으로 참형(斬刑)되었음. 조조(晁錯)로도 씀.
[鼂采 조채] 미옥(美玉)의 이름. 아침마다 무지개처럼 빛난다 함.

5 ⑱ [鼁] 거 [去]御 丘據切 qù

[字解] ①두꺼비 거 蚨(虫部 五畫)와 同字. '一, 蟲名, 爾雅, 一䵹, 蟾諸, 一曰, 去父, 或作蚨'《集韻》. ②鼃(前前條)의 訛字. '一, 鼃字之譌'《正字通》.

5 ⑱ [䵹] 구 ①[平]虞 其俱切 qú ②[平]尤 古侯切 gōu

[字解] ①개구리 구 '一, 䵷屬'《說文》. ②거북 구 거북의 일종.

[字源] 形聲. 黽+句〔音〕

5 ⑱ [䵸] 䵹(前條)와 同字

5 ⑱ [𪓐] 〔맹·민〕 黽(部首〈p. 2711〉)의 籀文

6 ⑲ [䵷] [一] 와 [平]麻 烏瓜切 wā [二] 왜 [平]佳 烏媧切 wā

[字解] [一] ①개구리 와 올챙이의 다 자란 것. ②음란할 와 음탕하고 난잡함. 蛙(虫部 六畫)의 古字. '掌去一黽'《周禮》. '紫色一聲, 餘分閏位'《漢書》. [二] 개구리 왜, 음란할 왜 [一]과 뜻이 같음.

[字源] 篆文 形聲. 黽+圭〔音〕. '黽맹'은 개구리의 象形. '圭규'는 개구리의 울음소리의 의성어를 나타내는 말. '개구리'의 뜻을 나타냄. '蛙와'는 이체자(異體字).

[䵷咬 와교] 속악(俗樂)을 이름.
[䵷黽 와맹] 개구리.
[䵷聲 와성] 음란한 음악 소리. 바르지 아니한 음악. 속악(俗樂).

6 ⑲ [鼃] 䵷(前條)와 同字

6 ⑲ [鼄] 주 [平]虞 陟輸切 zhū

[字解] 거미 주 蛛(虫部 六畫)와 同字.

[字源] 金文 篆文 別體 形聲. 黽+朱〔音〕. '朱주'는 '株주'와 통하여 나무의 중심에 있다의 뜻. 친 거미줄의 중심에 있는 거미의 뜻을 나타냄. 金文은 거미의 象形+朱〔音〕. 別體는 虫+朱〔音〕.

8 ㉑ [鼅] 지 [平]支 珍離切 zhī

[字解] 거미 지 蜘(虫部 八畫)와 同字.

11 ㉔ [鼇] [人名] 오 [平]豪 五勞切 áo

[字解] 자라 오 바다에서 사는 큰 자라. '斷一足以立四極'《史記》.

[字源] 篆文 形聲. 黽+敖〔音〕. '敖오'는 '크다'의 뜻.

[鼇禁 오금] 한림원(翰林院)을 이름. 오봉(鼇峯).
[鼇戴 오대] 큰 자라가 산(山)을 이고 짐. 후세에 감대(感戴)의 뜻으로 쓰임.
[鼇頭 오두] ㉠관리 등용(登用) 시험의 장원(壯元). 곧, 수석 급제자(首席及第者)의 일컬음. 오두(鰲頭). ㉡책의 본문(本文)의 위 난(欄)에 써 넣는 주해문(註解文). 일설(一說)에는, 괴본(魁本)의 뜻. 명말(明末)·청초(淸初)의 잡학속배(雜學俗輩)의 용어(用語)임.
[鼇抃 오변] 기뻐하여 손뼉을 치며 춤을 춤.
[鼇峯 오봉] ㉠오산(鼇山)의 봉우리. 곧, 신선이 사는 곳. ㉡한림원(翰林院). 오액(鼇掖).
[鼇山 오산] ㉠큰 자라의 등에 얹혀 있다고 하는 바다 속의 산. 신선(神仙)이 산다는 곳. ㉡후난성(湖南省) 창더 현(常德縣) 북쪽에 있는 산 이름. 도승(道僧)인 선감(宣鑒)·의존(義存)·문수(文邃) 세 사람이 이곳에서 오도(悟道)했다 하여 '오산오도(鼇山悟道)'라 일컬음. ㉢오산(鼇山) 모양을 꾸며 장식한 산디.
[鼇掖 오액] 오금(鼇禁). 오봉(鼇峯).
◉巨鼇. 鯨鼇. 鵬鼇. 神鼇. 靈鼇. 海鼇.

12 ㉕ [鼈] [人名] 별 [入]屑 幷列切 biē

[字解] ①자라 별 파충(爬蟲)의 일종. 모양이 거북과 비슷함. '鳥獸魚一'《書經》. ②성 별 성(姓)의 하나.

[字源] 篆文 形聲. 黽+敝〔音〕. '敝폐·별'은 '찢어지다'의 뜻. 보통의 거북에 비해 흐트러진 모양의 '자라'의 뜻을 나타냄.

[鼈甲 별갑] 자라의 껍데기. 여자의 혈병(血病)·학질 따위에 약으로 쓰임.
[鼈裙 별군] 자라의 몸 둘레의 연한 살. 맛이 좋음.
[鼈靈 별령] 형주(荊州)의 우물 속에서 나와 촉(蜀)나라 망제(望帝)에게 출사(出仕)하고 재상(宰相)이 되었다가 수년 후에 왕위(王位)를 물려받았다고 하는 전설상(傳說上)의 인물.

◉巨鼈. 龜鼈. 納鼈. 老鼈. 木鼈. 魚鼈. 將鼈. 長沙鼈. 將蝦鼈. 釣鼈. 天鼈. 土鼈. 跛鼈.

12 ㉕ [鼉] 타 [平]歌 徒河切 tuó

[字解] 악어 타 악어(鰐魚)의 일종. '伐蛟取—'《禮記》.

[字源] 金文 篆文 形聲. 黽+單〔音〕. '單단'은 '迤이·타'와 통하여 꿈틀꿈틀 몸을 꼬며 가다의 뜻. 꿈틀거리며 나아가는 '악어'의 뜻을 나타냄.

[鼉鼓 타고] 악어의 껍질로 메운 북.

◉蛟鼉. 怒鼉. 黿鼉.

13 ㉖ [鼊] 벽 [入]錫 北激切 bì

[字解] 거북 벽 거북의 일종. '影娥池中有一龜, 望其群出岸上, 如連璧弄於沙岸也'《洞冥記》.

鼎(13획)部

〔솥정부〕

0 ⑬ [鼎] [人名] 정 [上]迥 都挺切 dǐng

[筆順]

[字解] ①솥 정 ㉠금속으로 만든 발이 셋, 귀가 둘 달린 솥으로서, 음식을 익히는 데 쓰였을 뿐 만 아니라, 죄인을 삶아 죽이는 데도 쓰였음. '刀鋸—鑊'《蘇軾》. ㉡하(夏)나라 우왕(禹王)이 구주(九州)의 금속을 모아 만든 아홉 개의 솥을 왕위 전승(傳承)의 보기(寶器)로 하였으므로, 국가·왕위·제업(帝業)의 뜻으로 쓰임. '定—之業'《徐陵》. ㉢솥의 세 발을 삼공(三公)에 비겨, 대신(大臣)의 뜻으로 씀. '—位'. '位登台—'《後漢書》. ②정괘 정 육십사괘(六十四卦)의 하나. 곧, ䷱〈손하(巽下) 이상(離上)〉. 물건을 고치는 상(象). ③바야흐로 정 이제 한창. '天子春秋—盛'《漢書》. ④성 정 성(姓)의 하나.

[鼎①㉠]

[字源] 甲骨文 金文 篆文 象形. 세발솥을 본떠, 세발솥의 뜻을 나타냄.

[參考] ①'鼎정'을 의부(意符)로 하여, 여러 가지 종류의 솥이나, 솥의 일부분을 가리키는 문자를 이룸. 부수 이름은 '솥정'. ②鼑(次條)은 俗字.

[鼎甲 정갑] ㉠성대(盛大)하고 걸출함. ㉡과거(科擧)에서 우등한 세 사람의 일컬음.

[鼎魁 정괴] 과거(科擧)에서 우등으로 합격한 사람. 장원(壯元).

[鼎鼐 정내] 솥과 가마솥. 재상(宰相)의 지위의 비유.

[鼎談 정담] 세 사람이 마주 앉아서 하는 이야기.

[鼎呂 정려] 구정(九鼎)과 대려(大呂). 곧, 지극히 중대한 보물.

[鼎鬲 정력] 솥.

[鼎立 정립] 솥발과 같이 세 곳에 나누어 섬.

[鼎銘 정명] 솥에 새긴 명(銘).

[鼎味 정미] ㉠요리의 맛. ㉡천하(天下)의 정치.

[鼎輔 정보] 천자의 보좌(輔佐)인 재상.

[鼎分 정분] 삼분(三分)함.

[鼎沸 정비] 솥의 물이 끓듯이 소란함.

[鼎士 정사] 무거운 솥을 들 수 있는 힘 있는 용사.

[鼎司 정사] 삼공(三公)의 벼슬. 재상의 지위.

[鼎席 정석] ㉠세 사람이 자리를 같이함. ㉡삼공(三公)의 자리.

[鼎盛 정성] 한창임.

[鼎餗 정속] ㉠솥 안에 든 곰. ㉡삼공(三公)의 임무.

[鼎食 정식] 솥 안에 끓인 맛있는 음식을 먹음.

[鼎臣 정신] ㉠대신. 재상(宰相). ㉡정사(鼎士).

[鼎新 정신] 혁신(革新)함.

[鼎業 정업] 천자(天子)의 사업. 제업(帝業). 왕업(王業).

[鼎運 정운] 제왕의 운명.

[鼎位 정위] 삼공(三公)의 자리. 재상의 지위.

[鼎彝 정이] 종묘에 갖추어 놓는 솥. 예전에 공적이 있는 사람의 사적을 새겼음.

[鼎鐺 정쟁] 솥과 노구솥.

[鼎鐺尙有耳 정쟁상유이] 천하에 귀가 있는 자는 모두 들었음.

[鼎鐺玉石 정쟁옥석] 소중한 솥을 하찮은 노구솥 같이 보고 옥을 돌같이 여김. 사치(奢侈)가 심한 형용.

[鼎折足 정절족] 재상이 그 임무를 완수하지 못함을 이름.

[鼎鼎 정정] ㉠몸을 잘 단속하지 않는 모양. 칠칠찮은 모양. ㉡성대(盛大)한 모양. ㉢세월이 빨리 흐르는 모양.

[鼎俎 정조] ㉠솥과 도마. 둘 다 생물(生物)을 요리하는 데 쓰임. ㉡솥에 삶아 도마에 놓고 썲.

[鼎祚 정조] 제왕(帝王)의 자리를 이름.

[鼎足 정족] ㉠솥의 발. ㉡삼공(三公)의 지위. ㉢세 곳에 할거(割據)하여 서로 대치함. ㉣솥이 세 발이 있는 것처럼 서로서로 의지하고 보좌함.

[鼎族 정족] 귀족. 부귀한 집안.

[鼎鐘 정종] 솥과 종. 모두 종묘(宗廟)에 비치하는 기구(器具)로서 사람의 공적(功績)을 새겼음.

[鼎坐 정좌] 세 사람이 솥발 모양으로 앉음.

[鼎峙 정치] 정립(鼎立).

[鼎革 정혁] 혁명(革命). 역성(易姓)혁명.

[鼎鉉 정현] 솥과 솥귀. 전(轉)하여, 삼공(三公)의 위치의 비유.

[鼎鑊 정확] 큰 솥. 가마솥.

◉扛鼎. 擧鼎. 槐鼎. 九鼎. 龜鼎. 大鼎. 寶鼎. 力扛鼎. 列鼎. 五鼎. 殷鼎. 鐘鼎. 周鼎. 台鼎. 筆力扛鼎.

0 ⑪ [鼑] 鼎(前條)의 俗字

2 ⑮ [鼐] 내 [去]隊 奴代切 nài
[上]賄 奴亥切

[字解] 가마솥 내 큰 솥. 정(鼎)의 일종. '—鼎及

鼐'《詩經》.
[字源] 篆文 形聲. 鼎+乃〔音〕. '乃내'는 태아(胎兒)를 본뜬 것. 작은 솥의 뜻을 나타냄. 또 아이를 밴 것처럼 배가 부른 솥의 뜻에서, 큰 솥의 뜻을 나타냄.

[鼐鼎 내정] 가마와 솥.

2 ⑮ [鼏] 멱 [入]錫 莫狄切 mì

[字解] 솥뚜껑 멱 소댕. '實于鼎設扃一'《儀禮》.
[字源] 篆文 形聲. 鼎+冖〔音〕. '冖멱'은 '뚜껑'의 뜻. 솥뚜껑의 뜻을 나타냄.

2 ⑮ [鼏] 경 [平]青 古熒切 jiōng

[字解] 솥귀나무 경 세발솥의 두 귀에 꿰어 솥을 드는 나무. '一, 目木横貫鼎耳擧之'《說文》.
[字源] 金文 篆文 篆文 形聲. 鼎+冂〔音〕. '冂경'은 솥귀에 꿰어 드는 나무의 모양을 본뜬 것.

3 ⑯ [鼒] 재 [平]灰 昨哉切 zī

[字解] 옹달솥 재 작은 솥. '鼐鼎及一'《詩經》.
[字源] 金文 篆文 形聲. 鼎+才〔音〕. '才재'는 초목이 막 싹터 작다의 뜻. 아가리가 작은 솥의 뜻을 나타냄.

3 ⑯ [鼑] 〔원〕
員(口部 七畫〈p.374〉)의 籒文

3 ⑯ [鼾] 간 [平]寒 古刊切 gān

[字解] 솥 간 세발솥. '一, 鼎也, 考古圖有王子吳飢一銘'《字彙補》.

鼓 (13획) 部
〔북고부〕

0 ⑬ [鼓] [高·人] 고 [上]麌 公戶切 gǔ

[筆順] 一 十 士 吉 吉 壴 壴 鼓

[字解] ①북 고 악기의 한 가지. '登聞一'. ②되 고 용량을 되는 그릇. '數以盆一'《荀子》. ③북칠 고 북을 쳐 소리를 냄. '公將一之'《左傳》. ④칠 고, 두드릴 고 치거나 두드려서 소리를 냄. '以其尾一其腹'《呂氏春秋》. ⑤탈 고 거문고 같은 것을 탐. '一瑟'《論語》. ⑥부추길 고 격려함. 선동함. '一舞'. '一扇'. ⑦휘 고 곡(斛). '數以盆一'《荀子》. ⑧성 고 성(姓)의 하나.

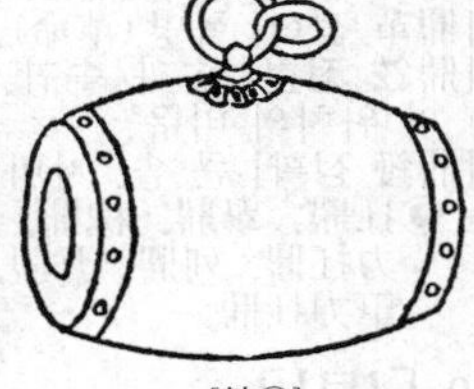

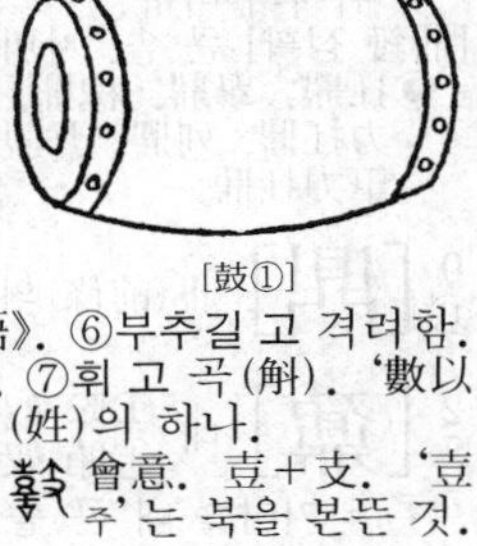
[鼓①]

[字源] 甲骨文 金文 篆文 籒文 會意. 壴+支. '壴주'는 북을 본뜬 것. '支지'는 屮+又로,《說文》에서는 '攴'로도 쓰며, 손에 채를 잡고 치는 모양을 본뜸. 북을 치다, 북의 뜻을 나타냄.
[參考] '鼓고'를 의부(意符)로 하여, 여러 가지 종류의 북이나 그 소리를 나타내는 문자를 이룸. 부수 이름은 '북고'.

[鼓角 고각] 군중(軍中)에서 쓰는 북과 뿔피리.
[鼓宮 고궁] 궁성(宮聲)을 쳐서 울림.
[鼓琴悲 고금비] 거문고를 타며 슬퍼함. 지기지우(知己之友)의 죽음을 슬퍼함을 이름.
[鼓怒 고노] ㉠격노(激怒)함. ㉡물이 세차게 파도를 일으키는 형용.
[鼓湍 고단] 소리를 요란하게 내며 흐르는 여울.
[鼓刀 고도] 식칼을 마음대로 씀. 백정이 고기를 벰을 이름.
[鼓動 고동] ㉠북이 울리는 소리. ㉡심장(心臟)의 혈액 순환(血液循環)으로 인(因)하여 가슴에 울리는 소리. 동계(動悸).
[鼓膜 고막] 귀청.
[鼓舞 고무] ㉠북을 쳐 춤추게 함. ㉡부추겨 용기가 생기게 함.
[鼓排 고배] 풀무. 또 풀무질함.
[鼓腹 고복] 배불리 먹고 기뻐하여 배를 두드림. 태평(太平)을 즐겨하는 형용.
[鼓桴 고부] 북채.
[鼓盆 고분] 아내를 잃음. 장자(莊子)가 아내가 죽었을 때 두 다리를 뻗고 술 사발을 두드리며 노래한 고사(故事)에서 나온 말.
[鼓盆而歌 고분이가] 아내가 죽은 한탄(恨嘆)의 비유로 쓰임. 장자(莊子)가 아내를 잃었을 때 다리를 뻗고 앉아 술 사발을 두드리며 노래를 불렀다는 고사(故事)에서 나온 말.
[鼓鼙 고비] ㉠적이 쳐들어올 때 신호로 치는 북. ㉡전쟁(戰爭) 또는 군사(軍事).
[鼓扇 고선] 선동함. 부추김.
[鼓舌 고설] 혀를 놀림. 곧, 말을 몹시 많이 하는 일.
[鼓聲 고성] 북소리.
[鼓樂 고악] 북을 쳐 음악을 연주함.
[鼓搖 고요] 쳐 움직인다는 뜻으로, 혀를 나불나불하며 지껄임을 이름.
[鼓橈 고요] 움직여 휨.
[鼓勇 고용] 용기(勇氣)를 진작(振作)함. 용기를 고무(鼓舞)함.
[鼓翼 고익] 새가 날개를 침.
[鼓子花 고자화] 메꽃, 곧 '선화(旋花)'의 이칭(異稱).
[鼓笛 고적] 북과 피리.
[鼓鉦 고정] 북과 징.
[鼓噪 고조] 고조(鼓譟).
[鼓譟 고조] 북을 치며 함성을 지름.
[鼓鑄 고주] 쇠붙이를 불림.
[鼓徵 고징] 북을 쳐서 하는 신호.
[鼓唱 고창] 학설(學說)·주의(主義) 같은 것을 제창함.
[鼓吹 고취] ㉠북을 치며 피리를 붊. ㉡사기(士氣)를 북돋움. 기세를 올려 줌.
[鼓柝 고탁] ㉠북과 딱따기. ㉡딱따기를 침.
[鼓鐸 고탁] 북과 방울.
[鼓喊 고함] 북을 치며 일제히 소리를 지름.
[鼓行 고행] 북을 치며 나감. 진군함.
[鼓響 고향] 북소리.
[鼓篋 고협] 학과가 시작할 때 북을 쳐서 학생을

모아 놓고 책 상자를 열어 책을 꺼내게 한다는 뜻으로, 취학(就學)함을 이름.
[鼓惑 고혹] 선동하여 미혹(迷惑)하게 함.
◉諫鼓. 羯鼓. 敢諫之鼓. 警鼓. 軍鼓. 金鼓. 急鼓. 旗鼓. 騎鼓. 路鼓. 雷鼓. 漏鼓. 樓鼓. 擔鼓. 鼗鼓. 銅鼓. 鼛鼓. 登聞鼓. 烽鼓. 鼙鼙鼓. 三鼓. 簫鼓. 戍鼓. 雅鼓. 量鼓. 兩杖鼓. 魚鼓. 楹鼓. 靈鼓. 靈鼉之鼓. 玉帛鐘鼓. 蛙鼓. 腰鼓. 戰鼓. 旌鼓. 鉦鼓. 鐘鼓. 晉鼓. 天鼓. 土鼓. 敗鼓. 枹鼓. 河鼓. 縣鼓. 曉鼓. 釁鼓.

0 ⑬ [鼔] 鼓(前條)와 同字
[字源] 篆文 會意. 壴+攴. '鼓'의 字源을 보라.
[參考] '鼓'는 '북고' 자이고 '一'는 '북칠고' 자로서 원래 별자(別字)이나 지금은 혼용(混用)함.

3 ⑯ [⿱鼓土] 격 [入]陌 古逆切 jī
[字解] 북소리 격 '一, 鼓聲'《字彙》.

4 ⑰ [⿱鼓云] 〔고〕
鼓(部首〈p. 2714〉)와 同字

5 ⑱ [鼕] 동 [平]冬 徒冬切 dōng
동 [平]東 徒東切
[字解] 북소리 동 북소리의 형용. '滿城一一白雲飛'《杜牧》.
[字源] 形聲. 鼓+冬〔音〕. '冬동'은 북소리의 의성어.

[鼕鼕 동동] 북소리의 형용.

[瞽] 〔고〕
目部 十三畫(p. 1553)을 보라.

5 ⑱ [⿱付鼓] 부 [平]虞 馮無切 fú
[字解] 떠들썩할 부 '一譟'는 군중(軍中)이 떠들썩함. '乃鼓一譟'《書經 傳》.
[字源] 形聲. 鼓+付〔音〕

[⿱付鼓譟 부조] 군중(軍中)이 떠들썩함.

6 ⑲ [⿱鼓合] [一] 답 [入]合 他合切 tà
[二] 합 [入]合 苦盍切
[字解] [一] 북소리 답 '一, 鼓聲一一'《廣韻》. [二] 북소리 합 [一]과 뜻이 같음.
[字源] 形聲. 鼓(鼓)+合〔音〕
[參考] 鞈(革部 六畫)은 古字.

6 ⑲ [⿱鼓缶] 답 [入]合 託盍切 tà
[字解] 북소리 답 '一, 鼓⿱鼓缶聲'《說文》.
[字源] 形聲. 鼓(鼓)+缶〔音〕

6 ⑲ [⿱鼓虫] 동 [平]冬 徒冬切 dōng
[字解] 북소리 동 鼕(鼓部 五畫)과 同字. '一, 鼓聲, 或作鼕'《玉篇》.

6 ⑲ [鼖] 분 [平]文 符分切 fén
[字解] 북 분 전진(戰陣)에서 쓰던, 길이 8척(尺)의 큰 북. '以一鼓鼓軍事'《周禮》.
[字源] 篆文 形聲. 鼓+卉〔音〕. '卉분'은 흥성하게 일어나다의 뜻.

[鼖鼓 분고] 전쟁용의 양면(兩面)의 큰 북.

6 ⑲ [⿸鼓毛] 고 [平]豪 古刀切 gāo
[字解] 북 고 '一, 鼓也'《字彙補》.

6 ⑲ [⿸鼓兆] 〔도〕
鼗(次條)·鞀(革部 五畫〈p. 2522〉)와 同字

6 ⑲ [鼗] 도 [平]豪 徒刀切 táo
[字解] 땡땡이 도 좌우의 끈에 단 구슬이, 자루를 잡고 좌우로 돌리면 치게 된 북. '下管一鼓, 合止柷敔'《書經》.
[字源] 形聲. 鼓+兆〔音〕. '兆조'는 '튀어 오르다'의 뜻. 북에 작은 구슬을 매달고 자루를 잡고 흔들면 그 작은 구슬이 튀어 오르는 땡땡이의 뜻을 나타냄.

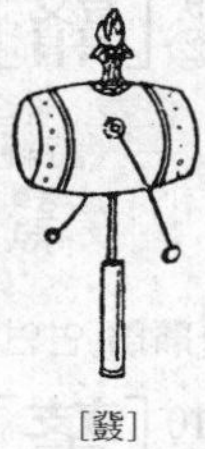
[鼗]

[鼗鼓 도고] 땡땡이.
[鼗響 도향] 땡땡이 소리.

7 ⑳ [⿱鼓隹] 〔동〕
鼕(鼓部 五畫〈p. 2715〉)과 同字

7 ⑳ [⿱鼓甬] ⿱鼓隹(前條)과 同字

8 ㉑ [⿱鼓沓] 답 [入]合 托合切 tà
[字解] ①북소리느릴 답 '一, 鼓寬'《玉篇》. ②북소리시끄러울 답 '一, 鼓聲雜沓也'《正字通》.

8 ㉑ [鼙] 비 [平]齊 部迷切 pí
[字解] ①마상고 비 기병(騎兵)이 말 위에서 치는 북. '漁陽一鼓動地來'《白居易》. ②비파 비 琵(玉部 八畫)와 통용. '梅卿上馬彈一婆'《楊維楨》.
[字源] 篆文 形聲. 鼓(鼔)+卑〔音〕. '卑비'는 휴대용의 술 그릇의 뜻. 또 정도가 낮다의 뜻. 일반적인 것보다 작은 휴대용의 북의 뜻을 나타냄.

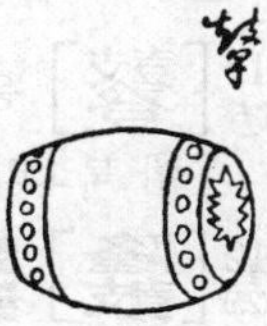
[鼙①]

[鼙鼓 비고] 기병(騎兵)이 마상(馬上)에서 치는 북.
[鼙舞 비무] 무악(舞樂)의 이름.
[鼙婆 비파] '비파(琵琶)'와 같음.
◉鼓鼙. 戰鼙. 征鼙. 寒鼙.

8 ㉑ [鼛] 공 [平]東 枯公切 kōng

[字解] ①북소리 공 '一, 鼓聲'《集韻》. ②단단하지않은모양 공 '一一然不堅'《靈樞經》.

8 ㉑ [鼛] 고 [平]豪 古勞切 gāo

[字解] 북 고 길이 12척(尺) 되는 큰 북. 역사(役事)를 시작하고 마칠 때 침. '以一鼓鼓役事'《周禮》.

[字源] 篆文 形聲. 鼓(鼔)+咎〔音〕

[鼛鼓 고고] 길이 12척 되는 큰 북.

9 ㉒ [鼖] 〔고〕 鼓(部首〈p. 2714〉)와 同字

9 ㉒ [鼘] 동 [去]送 徒弄切 dòng

[字解] 북소리 동 '一, 鼓聲'《字彙》.

9 ㉒ [鼘] 연 [平]先 烏玄切 yuān

[字解] 북소리 연 북을 쳐 울리는 소리. '鼗鼓一一'《詩經》.

[字源] 篆文 形聲. 鼓(鼔)+𣶒〔音〕. '𣶒연'은 그 소리의 의성어.

[鼘鼘 연연] 북소리.

10 ㉓ [鼕] 〔답〕 鼛(鼓部 六畫〈p. 2715〉)의 俗字

10 ㉓ [鼜] 척 [入]錫 倉歷切 qì

[字解] 순경북 척 야경 돌 때 치는 북. '軍旅夜鼓一'《周禮》.

[字源] 篆文 形聲. 篆文은 壴+蚤〔音〕. '壴주'를 지금은 '鼓고'로 씀.

11 ㉔ [鼞] 당 [平]陽 吐郎切 tāng

[字解] 북소리 당 '擊鼓其一'《詩經》.

[字源] 篆文 形聲. 鼓(鼔)+堂〔音〕. '堂당'은 북소리의 의성어.

12 ㉕ [鼟] 등 [平]蒸 他登切 tēng

[字解] 북소리 등 '夢聽鼓一一'《元稹》.

12 ㉕ [鼕] [一] 동 [平]冬 徒冬切 tóng
[二] 륭 [平]東 力中切 lóng

[字解] [一] 북소리 동 '一, 鼓聲也'《說文》. [二] 북소리 륭 [一]과 뜻이 같음.

[字源] 篆文 形聲. 鼓(鼔)+隆〔音〕. '隆륭'은 북소리의 의성어.

13 ㉖ [鼕] 鼕(前條)과 同字

14 ㉗ [鼟] 등 [平]蒸 他登切 tēng

[字解] 긴모양 등 '一, 倰一, 長皃'《集韻》.

鼠 (13획) 部
〔쥐서부〕

0 ⑬ [鼠] [人名] 서 [上]語 舒呂切 shǔ

[筆順] 鼠

[字解] ①쥐 서 동물의 하나. '窮一嚙猫'《鹽鐵論》. 쥐는 사람에게 큰 해를 끼치는 짐승이므로, 전(轉)하여, 해를 끼치는 자의 비유로 쓰임. '社一'. '一賊'. ②근심할 서 癙(疒部 十三畫)와 통용. '一思泣血'《詩經》.

[字源] 篆文 象形. 이를 드러내고 있고, 꼬리가 긴 쥐의 모양을 본떠, '쥐'의 뜻을 나타냄.

[參考] '鼠서'를 의부(意符)로 하여, 여러 가지 종류의 쥐나, 쥐 비슷한 동물의 명칭을 나타내는 문자를 이룸. 부수 이름은 '쥐서'.

[鼠肝蟲臂 서간충비] 쥐의 간과 벌레의 팔. 모두 하찮은 것.
[鼠姑 서고] ㉠쥐며느릿과(科)에 속하는 절지동물(節肢動物). 몸길이 1cm가량. 쓰레기·마루 밑 등에 서식함. 이위(伊威). 쥐며느리. ㉡'모란(牡丹)'의 별칭(別稱).
[鼠盜 서도] 서적(鼠賊).
[鼠遁 서둔] 쥐처럼 재빨리 달아나 숨음.
[鼠狼 서랑] 족제비.
[鼠李 서리] 갈매나무.
[鼠目 서목] ㉠탐욕(貪慾)이 어린 눈. ㉡견해(見解)가 좁은 모양.
[鼠尾 서미] 골풀과에 속하는 다년초. 둥근뱀차조기. 서미초(鼠尾草).
[鼠朴 서박] 서박(鼠樸).
[鼠樸 서박] 쥐의 포육(脯肉). 무용지물(無用之物)의 비유.
[鼠璞 서박] 서박(鼠樸).
[鼠輩 서배] ㉠쥐의 떼. ㉡쥐같이 보잘것없는 무리. 소인(小人).
[鼠伏 서복] 쥐처럼 숨음.
[鼠負 서부] 서고(鼠姑)㉠.
[鼠婦 서부] 서고(鼠姑)㉠.
[鼠憑社貴 서빙사귀] 사당(祠堂)에 굴을 판 쥐는 이를 잡고자 하여도 사당을 부술까 두려워 내버려둠. 임금의 위엄(威嚴)에 편승하는 소인(小人)의 비유. 호자 호위(狐藉虎威).
[鼠思 서사] 근심. 걱정. 또, 근심함. 걱정함.
[鼠色 서색] 푸른빛이 나는 검은빛. 쥐색.
[鼠鬚筆 서수필] 쥐의 입수염으로 만든 붓.
[鼠矢 서시] 쥐똥.
[鼠牙雀角 서아작각] 쟁송(爭訟)함을 이름.
[鼠疫 서역] 흑사병(黑死病). 페스트.
[鼠梓 서재] 광나무. 서재목(鼠梓木).
[鼠賊 서적] 좀도둑.
[鼠竊狗偸 서절구투] 서적(鼠賊).
[鼠竄 서찬] 쥐처럼 달아나 숨음.
[鼠皮 서피] 쥐의 가죽.
[鼠蹊 서혜] 샅. 사타구니.

[鼠蹊管 서혜관] 서혜 인대(靭帶)를 엇비슷하게 뒤에서 앞쪽으로 향하여 뚫은 관.
[鼠蹊部 서혜부] 샅의 오목하게 된 곳.
◉嫁鼠. 甘鼠. 穀鼠. 拱鼠. 狗鼠. 窮鼠. 老鼠. 苗鼠. 辟毒鼠. 腐鼠. 飛鼠. 氷鼠. 社鼠. 鼪鼠. 碩鼠. 仙鼠. 城狐社鼠. 水鼠. 首鼠. 輸鼠. 令狸執鼠. 禮鼠. 鼯鼠. 兀兒鼠. 栗鼠. 隱鼠. 陰鼠. 耳鼠. 雀鼠. 田鼠. 昌鼠. 天鼠. 香鼠. 鼷鼠. 狐鼠. 火鼠. 黑鼠. 黠鼠.

3 ⑯ [⿰鼠刃] 인 (去)震 而振切 rèn
[字解] 쥐 인 '一, 鼠也'《字彙》.

3 ⑯ [⿰鼠勺] [一] 표 (去)效 北教切 zhuó
[二] 작 (入)藥 卽略切 jué
[字解] [一] ①날쥐 표 두 날개가 있어 날고 범을 잡아먹는다는, 높이 삼 척(尺)가량의 개같이 생긴 쥐. '一, 胡地風鼠'《說文》. ②석서(鼫鼠) 표 다람쥐의 일종. [二] 날쥐 작, 석서 작 [一]과 뜻이 같음.
[字源] 篆文 形聲. 鼠+勺〔音〕. '勺작'은 '趵표'와 통하여 솟구쳐 오르다의 뜻.

4 ⑰ [鼢] 분 (上)吻 房吻切
(平)文 符分切 fén
[字解] 두더지 분 언서(鼴鼠). 전서(田鼠).
[字源] 篆文 形聲. 鼠+分〔音〕. '分분'은 '가르다'의 뜻. 앞발로 흙을 갈라 파고 나아가는 두더지의 뜻을 나타냄.

4 ⑰ [鼣] [一] 함 (平)覃 胡男切 hán
[二] 감 (平)覃 古南切
[字解] [一] ①쥐 함 쥐의 일종. '一, 鼠屬'《說文》. ②도마뱀 함 '一, 蜥蜴'《玉篇》. [二] 쥐 감, 도마뱀 감 [一]과 뜻이 같음.
[字源] 形聲. 鼠+今〔音〕

5 ⑱ [鼦] 초 (平)蕭 丁聊切 diāo
[字解] 담비 초 貂(豸部 五畫)와 同字. '狐一裘千皮'《史記》.

5 ⑱ [鼪] 생 (平)庚 所庚切 shēng
[字解] 족제비 생 족제빗과에 속하는 담비 비슷한 동물. 유서(鼬鼠). 일설(一說)에는 날다람쥐. 오서(鼯鼠). '一鼬之逕'《莊子》.
[字源] 形聲. 鼠+生〔音〕

[鼪鼬 생유] 족제비.
[鼪鼬之逕 생유지경] 족제비가 다니는 좁은 길. 산간(山間)의 소로.

5 ⑱ [鼫] 석 (入)陌 常隻切 shí
[字解] ①석서(鼫鼠) 석 다람쥣과에 속하는 동물. 몸빛은 황갈색, 볼에는 협낭이 있음. 털로 붓을 만듦. '如一鼠'《易經》. ②땅강아지 석 땅강아짓과에 속하는 곤충. 땅속을 뚫고 다니는 해충임. 누고(螻蛄). '螻蛄, 一名一鼠'《本草》.
[字源] 篆文 形聲. 鼠+石〔音〕

[鼫鼠 석서] 자해(字解) ❶을 보라.

5 ⑱ [⿰鼠冋] 경 (平)青 古螢切 jiōng
[字解] 얼룩쥐 경 '一鼢'은 얼룩쥐. '時驚一鼢鼠'《皮日休》.

5 ⑱ [鼬] 유 (去)宥 余救切 yòu
[字解] ①족제비 유 족제빗과(科)에 속하는 동물. 황서랑(黃鼠狼). '條閃雜鼯一'《韓愈》. ②성 유 성(姓)의 하나.
[字源] 篆文 形聲. 鼠+由〔音〕

◉鼯鼬.

5 ⑱ [鼩] 구 (平)虞 其俱切 qú
[字解] 생쥐 구 鼱(鼠部 八畫)을 보라. '鼱一'.
[字源] 篆文 形聲. 鼠+句〔音〕. '句구'는 작게 구부리다의 뜻.

5 ⑱ [鼨] 종 (平)東 職戎切 zhōng
[字解] 얼룩쥐 종 '一, 豹文鼠也'《說文》.
[字源] 篆文 形聲. 鼠+冬〔音〕

6 ⑲ [⿰鼠各] [一] 학 (入)藥 下各切 hé
[二] 락 (入)藥 盧各切
[字解] [一] 쥐 학 쥐의 일종. '一, 一鼠. 出胡地, 皮可作裘'《說文》. [二] 쥐 락 [一]과 뜻이 같음.

6 ⑲ [⿱各鼠] ⿰鼠各(前條)과 同字

6 ⑲ [⿰鼠同] 〔경〕
⿰鼠冋(鼠部 五畫〈p. 2717〉)의 訛字

7 ⑳ [鼮] 정 (平)青 特丁切 tíng
[字解] 얼룩쥐 정 표범과 같은 무늬가 있는 쥐. '一鼠'.
[字源] 形聲. 鼠+廷〔音〕

[鼮鼠 정서] 얼룩쥐.

7 ⑳ [鼰] 년 (去)霰 南見切 xiàn
[字解] 푸른다람쥐 년 털빛이 푸르며 나무 위에서 서식함. '一鼠. (注) 今江東山中有一鼠. 狀如鼠而大, 蒼色, 在樹木上'《爾雅》.

7 ⑳ [鼯] 오 (平)虞 五乎切 wú
[字解] 날다람쥐 오 다람쥣과에 속하는 동물. 다람쥐와 비슷하며, 전후 양지(兩肢) 사이에 피막(皮膜)이 있어 나무 사이를 날아다님. 오기

서(五技鼠). '一鼠夜叫'《馬融》.
[字源] 形聲. 鼠+吾〔音〕. '吾오'는 '五오'와 통하여, 篆文의 '五오' 자처럼 발을 벌려서 나는 날다람쥐의 뜻을 나타냄.

[鼯鼠 오서] 날다람쥐.
[鼯鼠之技 오서지기] 날다람쥐는 날기, 나무 오르기, 헤엄치기, 구멍 파기, 달리기 등 다섯 가지를 다 할 줄 아나 모두 서투르다는 뜻으로, 재주는 많아도 하나도 제대로 이룬 것이 없음의 비유.
[鼯鼬 오유] 날다람쥐와 족제비.
◉飢鼯. 山鼯. 狌鼯. 鼬鼯.

7 ⑳ [䶒] 鼯(前條)와 同字

8 ㉑ [鼱] 정 [平]庚 子盈切 jīng
[字解] 생쥐 정 '一鼩'는 생쥐. 쥐 중에 가장 작음. '譬由一鼩之襲狗'《東方朔》.
[字源] 形聲. 鼠+青〔音〕

[鼱鼩 정구] 생쥐. 가장 작은 집쥐로서 애완용·실험용으로 기름.

9 ㉒ [鼰] ㊀ 혁 [入]錫 形狄切 xí
㊁ 결 [入]屑 奚結切 xié
[字解] ㊀ 흰쥐 혁 '鼰鼠, 白色如銀, 本名一鼠'《本草綱目》. ㊁ 쥐이름 결 鼳(鼠部 九畫)과 뜻이 같음. '鼳, 鼠名, 狀如鼠, 在樹木上, 或作一'《集韻》.

9 ㉒ [鼴] 언 [上]阮 於幰切 yǎn
[上]銑 於蹇切
[字解] 두더지 언 두더짓과에 속하는 동물. 쥐와 비슷하나 좀 크고 주둥이가 날카로워 땅속을 잘 뚫고 다님. 전서(田鼠).
[字源] 形聲. 鼠+匽〔音〕
[參考] 鼹(鼠部 十畫)은 同字.

[鼴鼠 언서] 두더지.

9 ㉒ [鼵] 돌 [入]月 陁沒切 tū
[字解] 새와함께사는쥐 돌 '鳥鼠同穴, 其鳥爲鵌, 其鼠爲一'《爾雅》.

9 ㉒ [鼳] 격 [入]錫 古闃切 jú
[字解] ①짐승이름 격 크기가 물소만 하고 무게가 천 근(千斤) 된다는 산짐승의 이름. '一, 鼠身長須而賊, 秦人謂之小驢. (注) 一, 似鼠而馬蹄, 一歲千斤, 爲物殘賊'《爾雅》. ②쥐이름 격 나무 위에서 사는 큰 쥐의 일종. '今江東山中有一鼠, 狀如鼠而大, 蒼色, 在樹木上'《爾雅 注》.

10 ㉓ [鼶] 당 [平]陽 徒郎切 táng
[字解] 쥐이름 당 쥐의 일종. '一, 鼬一, 鼠屬, 一曰, 易腸鼠, 謂一月三易腸'《集韻》.

10 ㉓ [鼷] 혜 [平]齊 胡雞切 xī
[字解] 생쥐 혜 쥐의 일종. 쥐의 종류 중에서 가장 작음. '一鼠食郊牛之角'《春秋》.
[字源] 篆文 形聲. 鼠+奚〔音〕. '奚혜'는 그 울음소리를 나타내는 의성어.

[鼷鼠 혜서] 생쥐. 정구(鼱鼩).

10 ㉓ [𪖁] 곡 [入]屋 古祿切 gǔ
[字解] 족제비 곡 유서(鼬鼠). '一, 一䶂, 鼠名'《集韻》.

10 ㉓ [𪖂] 𪖁(前條)과 同字

10 ㉓ [鼹] 〔언〕
鼴(鼠部 九畫〈p. 2718〉)과 同字

15 ㉘ [鼺] 루 [平]支 倫爲切 léi
[字解] 날다람쥐 루 다람쥣과에 속하는 동물. 나무 사이를 날아다님. 오기서(五技鼠). '騰猨飛一, 相奔越'《晉書》.
[字源] 形聲. 鼠+畾〔音〕

◉飛鼺.

18 ㉛ [䶗] 〔구〕
鼩(鼠部 五畫〈p. 2717〉)와 同字

鼻 (14획) 部
〔코비부〕

0 ⑭ [鼻] [中][人] 비 [去]寘 毗至切 bí
[筆順] ′ 冂 自 畠 畠 畠 畠 鼻
[字解] ①코 비 오관(五官)의 하나. 동물의 후각(嗅覺) 및 호흡을 맡은 기관. '掩一而過之'《孟子》. ②코뚫 비 짐승의 코에 구멍을 뚫어 바 같은 것으로 꿺. '一赤象, 圈巨狿'《張衡》. ③시초 비 최초. 처음. 태생 동물은 코부터 먼저 생긴다는 데서 나온 뜻. '人之胚胎, 一先受形, 故謂始祖爲一祖'《正字通》. ④손잡이 비, 귀 비 기물의 손으로 쥐는 부분. '銅印銅一'《隋書》.
[字源] 甲骨文 金文 篆文 甲骨文·金文은 코를 본뜬 것. 뒤에 음을 나타내는 '畀비'를 덧붙임. 篆文은 形聲으로 自+畀〔音〕. '畀비'는 증기를 통과시키기 위한 시룻밑의 뜻. 공기를 통하는 '코'의 뜻을 나타냄.
[參考] ①'鼻비'를 의부(意符)로 하여, 코의 상태나 숨소리 등에 관한 문자를 이룸. ②鼻(次條)는 同字.

[鼻腔 비강] 코 안. 콧속.
[鼻莖 비경] 비량(鼻梁).

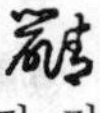

[鼻骨 비골] 코뼈.
[鼻孔 비공] 콧구멍.
[鼻孔上 비공상] 코앞. 바로 눈앞.
[鼻觀 비관] 비공(鼻孔).
[鼻竅 비규] 비공(鼻孔).
[鼻衄 비뉵] 코피.
[鼻頭出火 비두출화] 코끝에서 불이 남. 곧, 기염(氣焰)이 대단함을 이름.
[鼻梁 비량] 콧마루.
[鼻毛 비모] 콧구멍에 난 털.
[鼻門 비문] 콧구멍.
[鼻皻 비사] 콧등에 열꽃이 돋아 불그스름한 병증. 주사(酒皻).
[鼻塞症 비색증] 콧속이 빽빽하여 숨을 쉬기가 어렵고 냄새를 맡지 못하게 되는 병(病).
[鼻聲 비성] 콧소리. 코 울림소리.
[鼻笑 비소] 코웃음. 「(意見).
[鼻息 비식] ㉠콧숨. ㉡남의 안색(顔色). 남의 의견
[鼻哂 비신] 코웃음을 침.
[鼻液 비액] 비이(鼻洟).
[鼻淵 비연] '축농증'의 한방명(漢方名).
[鼻炎 비염] 비강점막(鼻腔粘膜)의 염증(炎症).
[鼻音 비음] 콧소리.
[鼻飮 비음] 코로 마심.
[鼻洟 비이] 콧물.
[鼻祖 비조] 시조(始祖). 창시자(創始者). 사람이 배 속에서 생길 때 코가 먼저 이루어진다 하여 └이름.
[鼻柱 비주] 비량(鼻梁).
[鼻涕 비체] 비이(鼻洟).
[鼻痔 비치] 콧구멍 속에 군살이 생기는 병(病).
[鼻鼾 비한] 코 고는 소리.
[鼻血 비혈] 코피.
[鼻燻 비훈] 약의 훈기(燻氣)를 콧구멍에 쐬는 일.
◉巨鼻. 高鼻. 骨鼻. 犢鼻. 沒色鼻. 反鼻. 酸鼻. 盾鼻. 阿鼻. 掩鼻. 有鼻. 類鼻. 隆鼻. 耳鼻. 長鼻. 赤鼻. 尖鼻. 炊鼻. 亢鼻.

0 ⑭ [鼻] 鼻(前條)와 同字

1 ⑮ [⿰鼻乚] [一] 요 [去]嘯 五弔切 yào
[二] 교 [去]嘯 詰弔切
[三] 후 [去]宥 牛救切
[字解] [一] 들창코 요 '一, 仰鼻'《廣韻》. [二] 들창코 교 [一]과 뜻이 같음. [三] 들창코 후 [一]과 뜻이 같음.

2 ⑯ [⿰鼻刂] [一] 요 [上]篠 魚小切 yào
[二] 교 [去]嘯 苦弔切
[字解] [一] 매부리코 요 '一, 折鼻也'《集韻》. [二] ①들창코 교 '一, 仰鼻'《字彙》. ②⿰鼻乚(前條)와 뜻이 같음.

2 ⑯ [⿰鼻丂] 교 [去]嘯 丘召切 yào
[字解] ①들창코 교 '一, 鼻仰也'《集韻》. ②⿰鼻乚(前條)의 俗字.

2 ⑯ [鼽] 구 [平]尤 巨鳩切 qiú
[字解] 코막힐 구 감기가 들어 코가 막히는 일. '季秋行夏令, 則其國大水, 冬藏殃敗, 民多一嚏'《禮記》.
[字源] 篆文 形聲. 鼻+九〔音〕. '九구'는 구부러져서 눌려 막히다의 뜻. 감기가 들어 코가 막히다의 뜻을 나타냄.

[鼽窒 구질] 코가 막힘.
[鼽嚔 구체] 코가 막혀 재채기를 함.
[鼽欬 구해] 감기가 들어 코가 막히고 기침을 함.

[⿰鼻刂] 〔의〕 刀部 十四畫(p. 270)을 보라.

3 ⑰ [鼾] 한 [去]翰 侯旰切 hān
[字解] 코고는소리 한 '爛醉就臥, 鼻一如雷'《黃庭堅》.
[字源] 篆文 形聲. 鼻+干〔音〕. '干간'은 '침해하다, 깎다'의 뜻. 코를 침해하여 깎는 듯한 소리의 코 고는 소리의 뜻을 나타냄.

[鼾雷 한뢰] 한성여뢰(鼾聲如雷).
[鼾聲如雷 한성여뢰] 코 고는 소리가 우레같이 요 └란함.
[鼾睡 한수] 코를 골며 잠.
[鼾息 한식] 코 고는 소리.

3 ⑰ [⿰鼻欠] 〔구〕 鼽(鼻部 二畫〈p. 2719〉)와 同字

4 ⑱ [䶊] 뉵 [入]屋 尼六切 nǜ
[字解] 코피 뉵 衄(血部 四畫)과 뜻이 같음.
[字源] 形聲. 鼻+丑〔音〕

5 ⑲ [⿰鼻丘] 구 [去]宥 丘救切 qiù
[字解] 들창코 구 '一, 一鼽, 仰鼻'《集韻》.

5 ⑲ [齁] 후 [平]尤 呼侯切 hōu
[字解] 코고는소리 후 '鼻息一一自成曲'《蘇軾》.
[字源] 形聲. 鼻+句〔音〕. '句구'는 코 고는 소리의 의성어.

[齁睡 후수] 코 골며 잠.
[齁齁 후후] 코 고는 소리의 형용.

5 ⑲ [⿰鼻包] 〔포〕 皰(皮部 五畫〈p. 1516〉)와 同字

6 ⑳ [⿰鼻圭] 괘 [平]灰 枯回切 kuī
[字解] 콧숨소리 괘 '一, 鼻息聲'《字彙》.

6 ⑳ [⿰鼻合] 합 [入]合 呼合切 hē
[字解] 콧숨 합 코로 쉬는 숨. '一, 一齁, 鼻息, 或从夾'《集韻》.

8 ㉒ [齂] 희 [去]寘 虛器切 xiè
[字解] 누워숨쉴 희, 코골 희 '一, 臥息也'《說文》.
[字源] 篆文 形聲. 鼻+隶〔音〕. '隶이'는 '逮태'와 통하여 편안한 모양.

9 [齃] 알 ㉧曷 烏葛切 è
㉓
字解 콧대 알 콧대. 비경(鼻莖). '顣顏蹙一, 膝攣'《史記》.
字源 類의 別體 形聲. 鼻+曷〔音〕
◉蹙齃.

9 [齄] 사(차㊍) ㉤麻 莊加切 zhā
㉓
字解 주부코 사 비사증(鼻齄症)이 있는 코. 또, 그 병증.
字源 形聲. 鼻+査〔音〕
參考 齇(次次條)는 同字.

10 [齅] 후 ㉦宥 許救切 xiù
㉔
字解 맡을 후 嗅(口部 十畫)와 同字. '獨倚寒村一野梅'《唐彥謙》.
字源 篆文 形聲. 鼻+臭〔音〕. '臭취·후'는 '냄새'의 뜻. 코로 냄새를 맡다의 뜻을 나타냄. 뒤에 '鼻비' 대신 '口구'로 바뀌 '嗅후'가 됨.

11 [齇] 사(차㊍) ㉤麻 莊加切 zhā
㉕
字解 주부코 사 비사증(鼻齄症)이 있는 코. 皻(皮部 十一畫)와 同字. '王氏世一鼻'《魏書》.
字源 形聲. 鼻+虘〔音〕
參考 齄(前前條)는 同字.

13 [齈] 농 ㉤冬 奴冬切 nóng
㉗ ㉦送 奴凍切 nòng
字解 콧물 농 콧구멍에서 흘러나오는 물. 비체(鼻涕). '一, 鼻病, 多涕'《集韻》.
字源 形聲. 鼻+農〔音〕

22 [齉] 낭 nàng
㊱
字解 코막힐 낭, 소리분명치않을 낭.

齊 (14획) 部
〔가지런할제부〕

0 [齊] 高人 ㊀ 제 ㉤齊 徂奚切 qí 齐
⑭ ㊁ 재 ㉤佳 莊皆切 zhāi
㊂ 자 ㉤支 津私切 zī
筆順
字解 ㊀ ①가지런할 제, 같을 제 균일함. 또, 동등함. '一一'. '與我一者'《呂氏春秋》. ②가지런히 제, 같이 제 가지런하게. 또, 함께. '一列'. '不一出于南畝'《史記》. ③같이할 제 같게 함. '一心合力'. '一死生'《淮南子》. ④가지런히할 제 ㉠균등하게 함. '一大小'. ㉡정리함. 다스림. '整一'. '先一其家'《大學》. ⑤바를 제 평정(平正)함. '一明而不竭'《荀子》. ⑥엄숙할 제 장엄함. '一莊'. '子雖一聖, 不先父食'《左傳》. ⑦삼갈 제 근신함. 조심함. '一敬'. ⑧재빠를 제 민첩함. '一給'. '幼而徇一'《史記》. ⑨오를 제 躋(足部 十四畫)와 同字. '地氣上一'《禮記》. ⑩한 제 제한. '無復一限'《晉書》. ⑪가운데 제 중위(中位). '不知斯一國幾千萬里'《列子》. ⑫배꼽 제 臍(肉部 十四畫)와 통용. '噬一'《左傳》. ⑬제나라 제 ㉠주대(周代)의 제후(諸侯)의 나라. 진(秦)나라에 멸망당함. 지금의 산둥 성(山東省) 지방. ㉡남조(南朝)의 한 나라. 소도성(蕭道成)이 송(宋)나라를 찬탈(簒奪)하고 지금의 창장(長江)·웨장(粵江) 유역 지방에 창건(創建)한 나라. 도읍(都邑)은 건강(建康). 7주(主) 24년(年) 만에 양(梁)나라에 선양(禪讓)함. 남제(南齊). (479～502) ㉢북조(北朝)의 한 나라. 고양(高洋)이 동위(東魏)를 찬탈(簒奪)하고 창건(創建)한 나라. 5주(主) 28년(年) 만에 후주(後周)에게 멸망됨. 북제(北齊). (550～577) ⑭성 제 성(姓)의 하나. ㊁ 재계할 재 齋(齊部 三畫)와 통용. '齋之爲言一也'《禮記》. ㊂ ①옷자락 자 '攝一升堂'《論語》. ②상복 자 상복의 아랫단을 혼 것. '一疏'. '一衰'.
字源 甲骨文 金文 篆文 象形. 곡물의 이삭이 자라서 가지런한 모양을 본떠, '가지런하다, 균일하다'의 뜻을 나타냄.
參考 ①'齊제'를 의부(意符)로 하는 문자는 적음. 부수 이름은 '가지런할제'. ②斉(文部 四畫)는 俗字.

[齊疏 자소] 거친 베로 지은 아랫단을 혼 상옷.
[齊衰 자최] 재최(齊衰).
[齊戒 재계] 재계(齋戒).
[齊郞 재랑] 재랑(齋郞).
[齊衰 재최] 삼베로 지은 아랫단을 혼 상옷.
[齊家 제가] 집안을 다스림.
[齊肩 제견] 어깨를 나란히 함.
[齊敬 제경] 삼가고 공경함.
[齊契 제계] ㉠같이 만남. ㉡마음이 맞는 사람.
[齊恭 제공] ㉠삼감. ㉡차별 없이 공경함.
[齊國 제국] ㉠중국(中國)을 이름. ㉡춘추 전국 시대(春秋戰國時代)에 지금의 산둥 성(山東省)에 있던 나라.
[齊叫 제규] 일제히 부르짖음. 함성(喊聲)을 지름.
[齊均 제균] 한결같이 가지런함.
[齊給 제급] ㉠약삭빠름. ㉡등분하여 급여함.
[齊女 제녀] '매미〔蟬〕'의 별칭(別稱).
[齊年 제년] ㉠동방급제(同榜及第)를 한 사람. ㉡같은 나이. 동년(同年).
[齊岱 제대] '태산(泰山)'의 별칭(別稱).
[齊東野語 제동야어] ㉠제동야인지어(齊東野人之語). ㉡책 이름. 송(宋)나라 주밀(周密)의 찬(撰). 20권. 주로 남송(南宋) 시대의 사실(事實)·전고(典故)·인사(人事)·문예(文藝)·일사(佚事)를 기술(記述)한 것으로 독사(讀史)에 도움이 됨.
[齊東野人之語 제동야인지어] 제(齊)나라 동쪽 벽촌 사람의 말. 믿을 수 없는 황당한 말.
[齊等 제등] 비등함. 동등함.
[齊梁體 제량체] 육조(六朝)의 제(齊)·양(梁) 시대의 시체(詩體). 염미(艷美)를 주로 함.
[齊列 제렬] 제열(齊列).

[齊魯 제로] 춘추 전국 시대의 제(齊)나라와 노(魯)나라. 문학의 근원지임.
[齊栗 제률] 제율(齊栗).
[齊慄 제률] 제율(齊慄).
[齊盟 제맹] 모두 함께 맹세함.
[齊明 제명] 바르고 밝음.
[齊物論 제물론] 장자(莊子)의 중심 사상(中心思想)을 나타내는 논설. 또, 그 저서 〈장자(莊子)〉의 제2편의 이름. 세상의 시비 진위(是非眞僞)를 모두 상대적으로 보고 함께 하나로 돌아가야 한다고 하는 주장.
[齊眉之禮 제미지례] 눈썹 높이까지 밥상을 들어 받드는 예. 삼가 남편을 섬기는 예법(禮法).
[齊民 제민] ㉠백성을 잘 다스림. ㉡보통 사람. 일반 백성. 서민(庶民).
[齊民要術 제민요술] 책 이름. 10권(卷) 92편(篇). 후위(後魏)의 가사협(賈思勰)의 찬(撰). 농포의식(農圃衣食)의 법을 상술(詳述)하였음. 농가(農家)의 서(書)로서 가장 오래된 책임.
[齊聖 제성] 엄숙하고 사리에 통달함.
[齊遫 제속] 공손함.
[齊心 제심] 마음을 같이함. 합심(合心).
[齊嚴 제엄] 엄숙함.
[齊如 제여] 엄숙하고 근신하는 모양. 경의(敬意)를 표하는 모양.
[齊列 제열] 가지런히 늘어섬.
[齊鉞越椎 제월월추] 대신(大臣)·대장(大將)의 비유. 월(鉞)과 추(椎)는 모두 정권(政權)의 뜻.
[齊栗 제율] 몸을 단정히 하고 언행을 조심함.
[齊慄 제율] 제율(齊栗).
[齊一 제일] 가지런함. 균일함.
[齊紫敗素 제자패소] 세상에서 진중(珍重)히 여기는 제(齊)나라의 자주 비단도 헌 흰 실을 가공하여 짠 것이라는 뜻으로, 전화위복(轉禍爲福)함의 비유.
[齊莊 제장] 엄숙함.
[齊正 제정] 가지런하고 바름. 또, 가지런하고 바르게 함.
[齊整 제정] 정돈됨. 또, 정돈함.
[齊齊 제제] ㉠공손하고 삼가는 모양. ㉡가지런한 모양.
[齊州 제주] 중국(中國)을 이름. 중주(中州)의 뜻.
[齊車 제차] 금은으로 장식한 수레.
[齊唱 제창] 여러 사람이 일제히 노래를 부름.
[齊楚 제초] 깨끗하고 고움. 청초(淸楚)함.
[齊吹 제취] ㉠여러 사람이 일제히 피리를 붊. ㉡무능자(無能者)가 여러 유능자 속에 끼여 같이 일을 함을 이름.
[齊齒 제치] 제열(齊列).
[齊編 제편] 같이 편입함.
[齊平 제평] 가지런하여 평평함. 똑같음.
[齊限 제한] 한도(限度). 정도.
[齊諧 제해] 괴담(怪談)을 적은 책.
[齊桓晉文 제환진문] 제(齊)나라의 환공(桓公)과 진(晉)나라의 문공(文公). 모두 춘추 시대(春秋時代)의 오패(五霸) 중에서 가장 강한 사람임.
◉均齊. 萬物一齊. 物我齊. 散齊. 肅齊. 愼齊. 夷齊. 一齊. 整齊. 斬齊. 總齊. 海東齊. 火齊.

3 ⑰ [齋] 人名 ㊀ 재 ㊥佳 側皆切 zhāi ㊁ 자 ㊥支 津私切 zī 斋

筆順 亠 文 齐 斉 斉 斉 斋 齋

字解 ㊀ ①재계 재 제사 같은 것을 지낼 때, 그 전 며칠 동안 심신을 깨끗이 하며 부정한 일을 가까이하지 않는 일. '致一'. '是祭祀之一, 非心一也'《莊子》. ②재계할 재 '聖人以此一戒'《易經》. ③집 재, 방 재 연거(燕居)의 방. '山一'. '書一'. ④식사 재 법회(法會) 때의 식사(食事). '受持一法'《起世經》. ㊁ 상복 자 상옷의 한 가지. 아랫단을 혼 것. '一疏之服'《孟子》.

字源 金文 篆文 形聲. 示+齊(亝)〈省〉〔音〕. '亝제'는 가지런히 하다의 뜻. 몸과 마음을 깨끗이 하여 신을 섬기다, 부정한 일을 가까이하지 않다의 뜻을 나타냄.

參考 斎(文部 七畫)는 俗字.

[齋潔 재결] 재계(齋戒)하여 심신(心身)을 깨끗이 함.
[齋戒 재계] 부정(不淨)을 기(忌)하고 몸을 깨끗하게 함.
[齋鼓 재고] 《佛教》 절에서 식사 시간을 알리기 위하여 치는 북.
[齋供 재공] 절에서 내놓는 식사.
[齋宮 재궁] 천자(天子)가 대묘(大廟)의 제사 전에 재계(齋戒)하는 궁전.
[齋祈 재기] 재계(齋戒)하고 기도를 드림.
[齋壇 재단] ㉠하늘에 제사를 지내는 곳. ㉡중 또는 도사(道士)가 경을 읽으며 신불(神佛)에게 제사 지내는 곳.
[齋禱 재도] 재기(齋祈).
[齋郞 재랑] 제사 때 집사(執事)하는 벼슬아치.
[齋糧 재량] 법회(法會) 때 메를 짓는 쌀.
[齋米 재미] 중에게 주는 쌀.
[齋牓 재방] 서재(書齋)에 거는 편액(扁額).
[齋舍 재사] ㉠재옥(齋屋). ㉡서재.
[齋所 재소] ㉠재계(齋戒)를 하는 곳. ㉡재(齋)를 올리는 곳.
[齋宿 재숙] 재계하고 하룻밤을 지냄.
[齋食 재식] 불가(佛家)의 식사.
[齋心 재심] 마음을 깨끗이 함.
[齋筵 재연] 공양(供養)하는 좌석.
[齋屋 재옥] 재계(齋戒)하는 집.
[齋院 재원] 제사 지내기 전날에 제사 지낼 사람이 재계(齋戒)하는 곳.
[齋日 재일] 재계(齋戒)하는 날.
[齋長 재장] 서재(書齋)의 우두머리.
[齋場 재장] 재소(齋所).
[齋主 재주] 제사를 지내는 일을 주간하는 사람.
[齋廚 재주] 사찰(寺刹)·도관(道觀)의 취사장(炊事場).
[齋車 재차] 금은(金銀)으로 장식한 수레.
[齋醮 재초] 중이나 도사(道士)가 단(壇)을 설치하고 재를 올림.
[齋七 재칠] 《佛教》 사람이 죽은 후 49일간 이레마다 행하는 재(齋).
[齋寢 재침] 서재와 침실.
[齋會 재회] 《佛教》 승려·도사(道士)를 모아 놓고 독경(讀經)·공양(供養)하는 법회(法會).
◉潔齋. 高齋. 空齋. 山齋. 書齋. 禪齋. 小齋. 心齋. 長齋. 淸齋. 致齋. 寢齋.

3 ⑰ [齌] ㊀ 제 ㊥齊 徂奚切 qí ㊁ 재 ㊥佳 側皆切 zhāi

[字解] [一] 좋을 제 '一, 好皃'《廣韻》. [二] 삼갈 재.
[字源] 篆文 形聲. 女+齊〔音〕. '齊제'는 갖추어져 가지런하다의 뜻. 재능이 갖추어진 여자의 뜻을 나타냄.

4 ⑱ [齌] 제 [去]霽 在詣切 jì

[字解] ①불땔 제 밥을 짓느라고 불을 땜. ②몹시 노할 제 '一怒'.
[字源] 篆文 形聲. 火+齊〔音〕. '齊제'는 '빠르다'의 뜻. 불을 때어 저녁밥을 짓는 것이 빠르다의 뜻을 나타냄.

[齌怒 제노] 버럭 성냄. 격노(激怒)함.

5 ⑲ [齍] [一] 자 [平]支 卽夷切 zī
[二] 제 [平]齊 牋西切 zī

[字解] [一] ①제기 자 서직(黍稷)을 담는 제기(祭器). '大宗伯奉玉一'《周禮》. ②기장 자 제사에 쓰는 서직(黍稷). 粢(米部 六畫)와 同字. '世婦共一盛'《周禮》. [二] 제기 제, 기장 제 [一]과 뜻이 같음.
[字源] 金文 篆文 形聲. 皿+齊〔音〕. '齊제'는 '齋재'와 통하여 '청정(淸淨)'의 뜻. 신에 대한 제물을 담는 그릇, '제기'의 뜻을 나타냄.

[⿱亝衣] 〔자〕 衣部 十四畫(p. 2079)을 보라.

7 ㉑ [齎] [人名] [一] 재(자[本]) [平]支 津私切 jī
[二] 자 [平]支 卽夷切 zī
[三] 제 [平]齊 祖稽切

[字解] [一] ①가져갈 재 '鄭莊行千里不一糧'《史記》. ②가져올 재 '一此嘉端'《謝觀》. ③아 재 '아' 하고 탄식하는 소리. '一咨涕洟'《易經》. [二] 재물 자 資(貝部 六畫)와 同字. '歲終則會其財一'《周禮》. [三] ①가져갈 제, 가져올 제 [一]과 뜻이 같음. ②가질 제, 지닐 제 휴대함. '一磨鏡具自隨'《世說》. ③줄 제, 보낼 제 증여함. 또는 보내 줌. 또, 그 물품. '一送'. '一貸子錢'《史記》. ④성 제 성(姓)의 하나.
[字源] 篆文 形聲. 貝+齊〔音〕. '齊제'는 '進진'과 통하여 '권하다'의 뜻. 사람에게 권하는 재화, 재화를 가지고 나아가다, 가져가다의 뜻을 나타냄.

[齎用 자용] 소용이 되는 금품(金品). 자용(資用).
[齎貸 재대] 대여(貸與)함.
[齎盜糧 재도량] 도둑에게 먹을 것을 갖다 준다는 뜻으로, 적(敵)에게 편의(便宜)를 줌의 이름.
[齎盜食 재도식] 재도량(齎盜糧).
[齎糧 재량] 양식(糧食)을 가지고 감.
[齎捧 재봉] 가지고 가 바침.
[齎送 재송] 물품을 보냄. 또, 보내온 물품.
[齎咨 재자] ㉠차탄(嗟歎)하는 소리. ㉡탄식함.
◉輕齎. 私齎. 重齎.

9 ㉓ [齏] 제 [平]齊 祖稽切 jī

[字解] ①회 제, 나물 제 어육 따위를 날로 엷게 썬 음식. 또, 푸성귀를 잘게 썰어 무친 음식. '凡醯醬所和, 細切爲一'《周禮 註》. ②부술 제, 섞을 제 부수어 혼합함. '一萬物'《莊子》.
[字源] 虀의 別體 形聲. 韭+齊〔音〕. '齊제'는 가지런히 하다의 뜻. '韭구'는 부추의 象形. 야채를 잘게 썰고, 된장·깨·초 등으로 간을 맞춘 '나물'의 뜻을 나타냄.

◉淡齏. 玉齏. 懲羹吹齏. 黃齏.

齒 (15획) 部
〔이치부〕

0 ⑮ [齒] [中人] 치 [上]紙 昌里切 chǐ

[筆順] 丨 卜 止 歨 歨 𣥂 齒
[字解] ①이 치 ㉠음식을 씹는 기관. '一牙'. '一亡舌存'. ㉡이와 같이 생긴 물건. 또는 이와 같은 작용을 하는 물건. '鋸一'. '不覺屐一之折'《晉書》. ②어금니 치 송곳니 안쪽에 있는 이. '元龜象一'《詩經》. ③나이 치 연령. '年一'. '非義不盡一'《國語》. ④나란히설 치 동렬(同列)에 섬. 비견(比肩)함. '不敢與諸任一'《左傳》. ⑤나이 셀 치 연령을 셈. '一路馬有誅'《禮記》. ⑥적을 치 기록함. '一錄'. '終身不一'《禮記》. ⑦성 치 성(姓)의 하나.
[字源] 甲骨文 篆文 古文 甲骨文은 이를 본뜬 것. '㓿'는 그 변형. 뒤에 '止지'를 덧붙여 㓿+止〔音〕 形聲字가 됨. '止지'는 '머무르다'의 뜻. 물건을 물어 멈추게 하는 아래위의 이의 뜻을 나타냄.
[參考] ①'齒치'를 의부(意符)로 하여, 이의 종류나 상태, 무는 일 등에 관한 문자를 이룸. 부수 이름은 '이치'. ②歯(凵部 十畫)는 俗字.

[齒劍 치검] ㉠칼에 닿음. ㉡자살(自殺)함. ㉢참살당함.
[齒決 치결] 이로 깨물어 끊음.
[齒頸 치경] 치관(齒冠)과 치근(齒根)의 경계가 되는 부분.
[齒骨 치골] 이틀을 이루는 뼈.
[齒科 치과] 이의 병(病)을 고치는 의술(醫術).
[齒冠 치관] 이의 노출(露出)된 부분.
[齒根 치근] 이의 치조(齒槽) 속에 있는 부분. 이촉.
[齒德 치덕] ㉠연령과 덕행. ㉡고년(高年)과 영덕(令德). 많은 나이와 뛰어난 덕.
[齒冷 치랭] 자꾸 비웃음.
[齒列 치렬] 치열(齒列).
[齒錄 치록] 모아 적음. 수록함.
[齒亡舌存 치망설존] 이는 빠져도 혀는 남음. 곧, 강한 자가 먼저 망하고 유한 자가 나중까지 남음을 이름.
[齒髮 치발] 이와 머리털. 이가 빠지고 머리가 희어지는 것은 나이 먹은 표시임.
[齒算 치산] 나이. 연치(年齒).
[齒序 치서] 나이의 차례(次例).
[齒石 치석] 이의 안쪽의 엉기어 붙은 물질.
[齒聲 치성] 치음(齒音).
[齒宿 치숙] 나이 먹음. 연로함.
[齒牙 치아] 이와 어금니. 이.

[齒牙餘論 치아여론] 남을 칭찬함.
[齒讓 치양] 연장자에게 사양함.
[齒如瓠犀 치여호서] 잇바디가 아름답고 빛이 흼을 이름.
[齒列 치열] ㉠이가 박힌 열(列)의 생김새. 잇바디. ㉡나란히 섬. 같이 섬. 또, 그 늘어선 줄.
[齒齯 치예] 노인의 이가 빠지고 다시 나는 작은 이. 예치(齯齒).
[齒齗 치은] 치근(齒根).
[齒齦 치은] 치근(齒根).
[齒音 치음] 혀끝과 윗니 또는 잇몸 사이에서 나는 소리. 'ㅅ'·'ㅈ' 같은 음. 잇소리.
[齒杖 치장] 임금이 일흔 살의 노인에게 하사하는 지팡이. 왕장(王杖).
[齒長 치장] 노인.
[齒槽 치조] 이촉이 박혀 있는 구멍.
[齒胄 치주] 왕(王)의 태자(太子)가 학교에 들어가는데 연령순으로 차례를 정하는 일.
[齒次 치차] 연령순. 또, 연령순으로 섬.
[齒車 치차] 톱니바퀴.
[齒痛 치통] 이앓이.
[齒革 치혁] 짐승의 이와 가죽.
◉鋸齒. 犬馬之齒. 犬齒. 堅齒. 丱齒. 臼齒. 舊齒. 馬齒. 明眸皓齒. 暮齒. 沒齒. 拔齒. 不足齒. 不齒. 不見齒. 尙齒. 素齒. 收齒. 宿齒. 脣齒. 兒齒. 雁齒. 羊齒. 年齒. 涅齒. 永久齒. 玉齒. 齵齒. 幼齒. 乳齒. 孺齒. 義齒. 履齒. 壯齒. 切齒. 折齒. 齊齒. 尊齒. 種齒. 鑿齒. 髫齒. 稺齒. 含齒. 鄕黨尙齒. 皓齒. 毁齒. 黑齒.

1⑯ [齓] 齔(次次條)과 同字

2⑰ [齘] 팔 [入]黠 普八切 pà
[字解] 이의소리 팔 이가 부딪는 소리, 또는 이를 가는 소리. '一, 齒聲'《集韻》.

2⑰ [齔] 츤 [去]震 初覲切 chèn 齔
[字解] ①이갈 츤 배냇니가 빠지고 간니가 남. '未一者'《周禮》. ②어릴 츤, 어린애 츤 이를 갈 무렵의 나이. 또, 그 나이의 아이. '髫一'. '年皆童一'《後漢書》.
[字源] 篆文 會意. 齒+匕. '匕화'는 '化화'로 '변하다'의 뜻. 이가 빠져 간니로 바뀌다의 뜻을 나타냄.
[參考] 齓(前前條)은 同字.

[齔童 츤동] 배냇니가 빠지는 나이쯤 되는 어린아이. 칠팔 세경의 어린아이.
[齔髫 츤초] 츤동(齔童).
◉童齔. 髫齔. 沖齔.

3⑱ [齕] 흘 [入]月 下沒切 hé 齕
[字解] 깨물 흘, 씹을 흘 이로 깨물거나 씹음. '一噬'. '削瓜庶人一之'《禮記》.
[字源] 篆文 形聲. 篆文은 齒+气〔音〕. '气걸'은 '乙을'과 통하여 갈지자 모양의 뜻. 아래위의 이를 마찰시켜서 깨물어 씹다의 뜻을 나타냄.

[齕齩 흘교] 깨묾. 씹음.
[齕萁 흘기] 콩깍지를 씹음.
[齕啖 흘담] 씹어 먹음.
[齕咋 흘사] 흘담(齕啖).
[齕噬 흘서] 깨묾. 씹음.
[齕齧 흘설] 흘서(齕噬).
[齕呑 흘탄] 동물 중에 음식을 씹지 않고 삼키는 것. 곧, 조류(鳥類) 따위.

4⑲ [齖] 아 [平]麻 五加切 yá 齖
[字解] 말듣지않을 아 '聱一'는 남의 말을 듣지 않는 일. '能學聱一, 保宗而全家'《唐書》.
[字源] 形聲. 齒+牙〔音〕

◉聱齖.

4⑲ [齙] 파 [平]麻 邦加切 bà [去]禡 步化切
[字解] ①이드러날 파 '一齖'는 이가 밖으로 드러난 모양. '一, 一齖, 齒出也'《集韻》. ②이바르지않을 파 '一, 齒不正也'《字彙》.

4⑲ [齡] 금 [去]沁 巨禁切 jìn
[字解] ①혀에난병 금 혀에 나는 병. '一, 舌病'《玉篇》. ②소의혀에난병 금 牸(牛部 四畫)과 同字. '牸, 說文, 牛舌病, 或从齒'《集韻》. ③슬퍼할 금 '一, 哀也'《廣雅》.

4⑲ [齣] 납 [入]合 諾盍切 nà
[字解] ①씹을 납, 갉아먹을 납, 계속씹어먹을 납 '一, 齧也'《集韻》. '一, 茹嚼不輟'《六書故》. ②이움직이는모양 납 '一, 齝一, 齒動皃'《集韻》.

4⑲ [齗] 은 [平]文 語斤切 yín 齗
[字解] ①잇몸 은 치은(齒齦). '一齶'. '敷墮齒之一'《舊唐書》. ②말다툼할 은 '孔子曰, 甚矣魯道之衰也, 洙泗之閒, 一一如也'《史記》.
[字源] 篆文 形聲. 齒+斤〔音〕. '斤근'은 잘게 썰다의 뜻. 이의 뿌리를 싸고 있는 잘게 저민 모양을 한 살, '잇몸'의 뜻을 나타냄.

[齗骨 은골] 이〔齒〕.
[齗齶 은악] 잇몸.
[齗齗 은은] ㉠말다툼하는 모양. ㉡성내어 미워하는 모양.

4⑲ [齩] 〔교〕
齩(齒部 六畫〈p. 2725〉)와 同字

4⑲ [齘] 계(해[本]) [去]卦 胡介切 xiè 齘
[字解] ①이갈 계 분노하여 이를 갊. '三嘖一良久乃止'《北史》. ②맞지않을 계 물건의 이어 댄 데가 꼭 맞지 아니함. '凡甲衣之欲其無一也'《周禮》.
[字源] 篆文 形聲. 齒+介〔音〕. '介개'는 '깎다, 문지르다'의 뜻. 아래위의 이를 서로 문지르다, 이를 갈다의 뜻을 나타냄.

4 ⑲ [⿰齒爪] 齘(前條)의 本字

4 ⑲ [⿰齒气] 흘 ㊀月 下沒切 hé

字解 깨물 흘, 씹을 흘 齕(齒部 三畫)의 本字. '一草飮水'《莊子》.

5 ⑳ [齚] 색 ㊀陌 鋤陌切 zé

字解 깨물 색, 씹을 색 '魏其必內愧, 杜門一舌自殺'《史記》.

字源 齰의 別體 形聲. 齒+乍〔音〕

[齚舌 색설] 부끄러워 혀를 깨묾.
[齚齧 색설] 깨물어 끊음.

5 ⑳ [⿰齒出] ㊀ 즐 ㊀質 崱瑟切 zhí
㊁ 실 ㊀質 仕叱切

字解 ㊀ ①깨물어드러나는이 즐 '一, 齚齒也. (段注) 謂齚物而外露之齒也'《說文》. ②깨무는소리 즐 '一, 齧聲'《廣韻》. ③깨물 즐 齰(齒部八畫)과 同字. '一, 齧也'《廣雅》. ㊁ 깨물어드러나는이 실, 깨무는소리 실, 깨물 실 ㊀과 뜻이 같음.

字源 形聲. 齒+出〔音〕

5 ⑳ [齞] 언 ㊤銑 硏峴切 yǎn

字解 이드러날 언 이야기할 때 이가 드러남. '一脣歷齒'《宋玉》.

字源 篆文 形聲. 齒+只〔音〕. '只지·진'은 입이 벌어져 숨이 나오다의 뜻.

[齞脣 언순] 이야기할 때 이가 드러남.

5 ⑳ [齟] 서(주㊍) ㊤語 壯所切 jǔ

字解 맞지않을 서 '一齬'는 위아래의 이가 서로 잘 맞지 않음. 전(轉)하여, 사물이 어긋남. 기대에 어그러짐. '其志一齬'《太玄經》.

字源 形聲. 齒+且〔音〕. '且차'는 제물을 담는 대(臺)의 象形. 치아 위에 음식을 얹어 씹다의 뜻을 나타냄.

[齟齬 서어] 자해(字解)를 보라.

5 ⑳ [齠] 초 ㊥蕭 田聊切 tiáo

字解 이갈 초 배냇니가 빠지고 간니가 남. 또 이를 가는 칠팔 세의 무렵. '昔在一齔, 便蒙誨誘'《顔氏家訓》.

字源 形聲. 齒+召〔音〕

[齠年 초년] 초세(齠歲).
[齠髮 초발] 초세(齠歲).
[齠歲 초세] 배냇니가 빠지는 칠팔 세. 또, 그 아이.
[齠容 초용] 젊고 아름다운 얼굴.
[齠耋 초질] 어린아이와 노인.
[齠齔 초츤] 이를 가는 칠팔 세 무렵. 또, 칠팔 세의 어린아이.

5 ⑳ [齡] 人名 령 ㊥青 郎丁切 líng

筆順 止 歨 歨 㱔 齒 齒 齡 齡

字解 나이 령 연치. '年一'. '延億一'《晉書》.

字源 篆文 形聲. 齒+令〔音〕. '令령'은 '櫺령'등과 통하여, 같은 간격으로 정연히 늘어서다의 뜻. '齒치'는 치아의 象形으로, 사람의 나이와 관계가 깊음. 같은 간격으로 매겨지는 나이의 뜻을 나타냄.

◉高齡. 龜齡. 老齡. 馬齡. 耄齡. 妙齡. 三十齡. 衰齡. 修齡. 壽齡. 樹齡. 夙齡. 弱齡. 餘齡. 年齡. 延齡. 月齡. 幼齡. 長齡. 適齡. 增齡. 稚齡. 頹齡. 遐齡. 學齡.

5 ⑳ [齣] 착 chū

字解 일절 착, 일회 착 각본(脚本)·전기(傳奇) 등의 한 회(回). '高則誠琵琶記, 有第一一'《路史》. '傳奇中一廻爲一一'《字彙補》.

字源 會意. 齒+句. '齒치'는 이처럼 나란히 벌여 있다의 뜻. '句구'는 그 한 단락의 뜻.

5 ⑳ [齝] 치 ㊥支 丑之切 chī

字解 새김질할 치 소가 반추(反芻)하여 씹음. '牛曰一. (注) 食之已久, 復出嚼之'《爾雅》.

字源 篆文 形聲. 齒+台〔音〕. '台이'는 '기르다'의 뜻.

5 ⑳ [⿰齒司] 齝(前條)와 同字

5 ⑳ [⿰齒立] 립 ㊀緝 力入切 lì

字解 마른것깨물 립 마른 것을 깨물어 씹는 소리. '一, 嚛燥物聲'《玉篇》.

5 ⑳ [⿰齒可] 가 ①②㊥麻 丘加切 qiā
③㊦禡 口下切 qià
④㊦箇 口箇切 kè

字解 ①크게깨물 가 '一, 字林, 大齧也'《集韻》. ②씹을 가 '一, 齧也'《廣雅》. ③뼈가잇새에끼여나오지않을 가 '一, 骨着齒間不去也'《六書故》. ④이모양 가 '一, 一䶗, 齒皃'《集韻》.

5 ⑳ [⿰齒巨] ㊀ 거 ㊤語 其呂切 jù
㊁ 구 ㊤麌 顆羽切 jǔ

字解 ㊀ 잇몸무를 거 잇몸이 무름. '齗不固曰一'《集韻》. ㊁ 잇몸부을 구 '一, 齗腫也'《說文》.

字源 篆文 形聲. 齒+巨〔音〕. '巨거'는 '크다'의 뜻.

6 ㉑ [齦] ㊀ 은 ㊥文 語斤切 yín
㊁ 간 ㊤阮 康很切 kěn

字解 ㊀ 잇몸 은 치경(齒莖). '齒一'. '香一皓齒疑貝編'《李禎》. ㊁ 깨물 간 '一其姦猖'《韓愈》.

字源 篆文 形聲. 齒+艮(㫐)〔音〕. '㫐흔·안'은 '根근'과 통하여 '뿌리'의 뜻. 이의 뿌리 부분, 잇몸의 뜻을 나타냄. 또 '㫐'은 '한

정하다'의 뜻. 잇자국이 나게 깨물다의 뜻을 나타냄.

◉齒齦. 香齦.

6 ㉑ **[⿰齒吉]** 할 [入]黠 下八切 xiá

[字解] 깨무는소리 할 '―, 齧堅聲'《說文》.
[字源] [篆文] 形聲. 齒+吉〔音〕. '吉길'은 '堅견'과 통하여 '단단하다'의 뜻. 이가 굳다의 뜻을 나타냄.

6 ㉑ **[⿰齒舌]** [一] 괄 [入]曷 古活切 kuò [二] 활 [入]黠 乎刮切 huá

[字解] [一] 씹는소리 괄. [二] 이소리 활, 씹는소리 활 '―, 齒聲'《集韻》.
[字源] [篆文] 形聲. 篆文은 齒+𠯑〔音〕

6 ㉑ **[齨]** 구 [上]有 其九切 jiù

[字解] ①움팬이 구 절구처럼 가운데가 움팬 이. 노인(老人)의 이를 이름. '―, 老人齒如臼也'《說文》. ②여듭말 구 여덟 살 먹은 말. '―, 亦馬八歲'《廣韻》.
[字源] 形聲. 齒+臼〔音〕

6 ㉑ **[⿰齒名]** 명 [平]靑 莫丁切 míng

[字解] 이 명 이빨. '―, 齒也'《玉篇》.

6 ㉑ **[⿰齒圭]** 〔의·애〕 ⿰齒宜(齒部 八畫〈p. 2726〉)와 同字

6 ㉑ **[齩]** 교(요[本]) [上]巧 五巧切 yǎo

[字解] 깨물 교 '罷夫羸老, 易子而―其骨'《漢書》.
[字源] [篆文] 形聲. 齒+交〔音〕. '交교'는 '만나다'의 뜻. 아래위의 이가 만나서 깨물다의 뜻을 나타냄.

[齩齧 교설] 깨물어 씹음.

6 ㉑ **[⿰齒并]** 병 [上]梗 必郢切 pián

[字解] 덧니 병 '―, 竝齒也'《正字通》.

6 ㉑ **[⿰齒虫]** 〔우〕 齲(齒部 九畫〈p. 2726〉)의 俗字

6 ㉑ **[齧]** [人名] 설(열[本]) [入]屑 五結切 niè

[字解] ①깨물 설 '毋―骨'《禮記》. ②씹을 설, 갉아먹을 설 '衆蛇競來, 一索且斷'《後漢書》. '書畫被鼠―'《王君玉》. ③이갈 설 분노하여 이를 갊. 절치(切齒)함. '自―其齒'《南史》. ④개먹을 설 침식함. '欒水―其墓'《戰國策》.
[字源] [篆文] 形聲. 齒+㓞〔音〕. '㓞할·계'는 '새기다'의 뜻. 치아로 잘게 쪼개다, 갉아먹다의 뜻을 나타냄.

[齧殺 설살] 물어 죽임.
[齧噬 설서] 깨묾.
[齧膝 설슬] 양마(良馬)의 이름.
[齧齒類 설치류] 포유류(哺乳類)의 한 목(目). 송곳니가 없으며 앞니는 끊임없이 자라는, 몸집이 작은 짐승. 쥐·토끼·다람쥐 따위의 동물.
[齧破 설파] 깨물어 깨뜨림.
◉齩齧. 啗齧. 剝齧. 搏齧. 齚齧. 齰齧. 獸窮則齧. 食齧. 蹄齧. 觸齧. 侵齧. 齕齧.

6 ㉑ **[⿰齒列]** ⿱列齒(次條)과 同字

6 ㉑ **[⿱列齒]** [一] 랄 [入]曷 盧達切 là [二] 렬 [入]屑 力蘖切

[字解] [一] ①뼈를씹어으깨는소리 랄 '⿰齒列, 齒分骨聲. (段注) 篇韵, 皆作―'《說文》. ②씹을 랄. [二] 뼈를씹어으깨는소리 렬, 씹을 렬 [一]과 뜻이 같음.
[字源] 形聲. 齒+列〔音〕

6 ㉑ **[齤]** 권 [平]先 巨員切 quán

[字解] 이드러낼 권 이를 드러내고 웃는 모양. '若士者, ―然而笑'《淮南子》.
[字源] [篆文] 形聲. 篆文은 齒+𢍏〔音〕. '𢍏권'은 둥글게 하다, 동글동글하다의 뜻.

[齤然 권연] 이를 드러내고 웃는 모양.

7 ㉒ **[齫]** 곤 [上]阮 苦本切 kǔn

[字解] 이빠질 곤, 이솟을 곤 이가 빠지는 모양. '―然而齒墜矣'《荀子》.

[齫然 곤연] 이가 빠지는 모양.

7 ㉒ **[齬]** [人名] 어 [上]語 魚巨切 yǔ

[字解] 맞지않을 어 齟(齒部 五畫)를 보라. '齟―'.
[字源] [篆文] 形聲. 齒+吾〔音〕. '吾오'는 '어긋나다'의 뜻. 이가 어긋물리어 맞지 않다의 뜻에서, 일반적으로 '어긋나다'의 뜻으로 쓰임.

◉齟齬.

7 ㉒ **[齪]** [人名] 착 [入]覺 測角切 chuò

[字解] 작을 착, 잗달 착 '齷―'은 이가 잔 모양.
[字源] 形聲. 齒+足〔音〕

[齪齪 착착] 소심한 모양. 신중한 모양. 염근(廉謹)한 모양.
◉握齪. 齷齪. 宂齪.

7 ㉒ **[⿰齒⿱日匕]** 〔은·간〕 齦(齒部 六畫〈p. 2724〉)의 本字

7 ㉒ **[⿰齒夋]** 산 [平]寒 蘇官切 suān

[字解] 이새근거릴 산, 이곱을 산 산(酸)으로 하여

이가 새근거림. '一, 齒酸也'《集韻》.

7 ㉒ [齰] 곡 ㊀沃 姑沃切 gǔ

字解 ①상아(象牙)다룰 곡 상아를 다듬어 물건을 만듦. '一, 治象牙曰一'《集韻》. ②이소리 곡 이가 부딪는 소리나 이 가는 소리. '一, 一曰, 齒聲'《集韻》.

7 ㉒ [齰] 〔괄〕 齰(齒部 六畫〈p. 2725〉)의 本字

7 ㉒ [齰] 협 ㊀洽 轄夾切 xiá

字解 ①옥니 협 '一, 曲齒'《玉篇》. ②덧니날 협 '一, 齒重生'《廣韻》. ③이빠질 협 '一, 又缺也'《廣韻》.

7 ㉒ [齰] 〔착〕 齪(齒部 七畫〈p. 2725〉)과 同字

8 ㉓ [齮] 의 ㊤紙 魚倚切 yǐ

字解 ①깨물 의 '一齕用事者墳墓矣'《漢書》. ② 성 의 성(姓)의 하나.

字源 篆文 形聲. 齒+奇〔音〕. '奇기'는 '한쪽'의 뜻. 한쪽으로만 깨물다의 뜻을 나타냄.

[齮嚙 의작] 깨묾.
[齮齕 의흘] ㉠깨물어 뜯음. ㉡남의 재능을 시기하여 배제함.

8 ㉓ [齯] 기 ㊥支 渠之切 qí

字解 깨물 기, 갉아먹을 기 齮(齒部 八畫)와 뜻이 같고, 齗(齒部 四畫)는 古字. '一, 齧也, 古作齗'《集韻》. '一, 或从奇'《集韻》.

8 ㉓ [齯] 예 ㊥齊 五稽切 ní

字解 다시난이 예 노인의 이가 다 빠지고 다시 난 이. 장수의 상(相)이라 함. '黃髮一齒鮐背耈老, 壽也'《爾雅》. 전(轉)하여, 90세(歲)의 노인. '一齒'. '九十曰鮐背, …或曰一齒'《釋名》.

字源 篆文 形聲. 齒+兒〔音〕. '兒아'는 '아이'의 뜻. 어린아이의 이와 같은 노인의 이의 뜻을 나타냄.

[齯齒 예치] 늙은이의 이가 빠지고 다시 난 이. 전(轉)하여, 90세의 노인.

8 ㉓ [齱] 추 ㊥尤 側鳩切 zōu

字解 작을 추, 잗달 추 齪(齒部 七畫)과 뜻이 같음. '握一好苛禮'《漢書》.

字源 篆文 形聲. 齒+取〔音〕

◉握齱.

8 ㉓ [齰] 색 ㊀陌 鋤陌切 zé

字解 깨물 색 '上使太子一𪘏, 太子一𪘏而色難之'《漢書》.

字源 篆文 別體 形聲. 齒+昔〔音〕. '昔석'은 겹쳐 쌓다의 뜻. 이 위에 이를 포개다, 깨물다의 뜻을 나타냄. 別體는 齒+乍〔音〕의 形聲.

[齰齧 색설] 물어뜯음.

8 ㉓ [齸] ㊀ 의 ㊥支 魚羈切 yí
㊁ 애 ①㊥佳 宜佳切 yá
②㊦卦 牛懈切 yà

字解 ㊀ 이드러나는모양 의 齷(齒部 八畫)와 同字. '齷, 齾齷, 齒露皃, 或从宜'《集韻》. ㊁ ① 이가지런하지못할 애 齸(齒部 六畫)와 同字. '一, 齾一, 齒不齊, 或作齸'《集韻》. ②분하여이갈 애 '一, 齾一, 切齒'《類篇》.

8 ㉓ [齫] 〔간〕 齫(齒部 十二畫〈p. 2728〉)과 同字

8 ㉓ [齷] ㊀ 애 ㊦卦 牛懈切 yà
㊁ 의 ㊥支 魚羈切 yí

字解 ㊀ 이갈 애 절치(切齒)함. ㊁ 이드러나는 모양 의 이가 밖으로 드러남. '齒 一一以鬑鬑'《王延壽》.

8 ㉓ [齴] 잔 ㊤潸 仕限切 zhàn

字解 이어긋날 잔 '一, 齒跌皃'《集韻》.

[齴齴 잔언] 이가 고르지 않은 모양.

8 ㉓ [齵] 견 ㊤銑 牽典切 qiǎn

字解 이드러나는모양 견 '一, 一齞, 齒露皃'《集韻》.

8 ㉓ [齰] 골 gǔ

字解 물 골 깨묾. '一, 齧也'《篇海》.

8 ㉓ [齰] 함 ㊦陷 乎韽切 xiàn

字解 분하여이갈 함 절치(切齒)함. '一, 怒齒也'《集韻》.

8 ㉓ [齭] 초 ㊤語 創舉切 chǔ

字解 이곱을 초 이가 산으로 말미암아 곱아서 상함. '一, 齒傷酢也'《說文》.

字源 篆文 形聲. 齒+所〔音〕. '所소'는 톱으로 나무를 켜는 소리. 이가 욱신욱신 아프다의 뜻을 나타냄.

9 ㉔ [齲] 우(구㊍) ㊤麌 驅雨切 qǔ

字解 충치 우 벌레 먹은 이. '齊中大夫病一齒'《史記》.

字源 𤢶의 別體 形聲. 齒+禹〔音〕. '禹우'는 '벌레'의 뜻. '충치'의 뜻을 나타냄.

[齲齒 우치] 충치(蟲齒).
[齲痛 우통] 충치가 나서 아픔.

9 ㉔ [齃] 할 ㊀曷 何葛切 hé

字解 깨무는소리 할 씹는 소리. '一, 齧一, 齧物聲'《集韻》.

9 ㉔ [齳] 운 ㊤吻 魚吻切 yǔn

字解 이빠질 운 '太公年七十二, 一然而齒墜矣'《韓詩外傳》.

字源 篆文 形聲. 齒+軍〔音〕. '軍군'은 '毁훼'와 통하여 무너져 내리다의 뜻. 이가 빠지다의 뜻을 나타냄.

[齳然 운연] 이가 빠지는 모양.

9 ㉔ [齴] 언 ㊤阮 魚蹇切 yǎn

字解 이드러날 언 이가 겉으로 보이는 모양. '齒齴齴以一一'《王延壽》.

字源 形聲. 齒+彥〔音〕

[齴齴 언언] 이가 드러나는 모양.

9 ㉔ [齶] 악 ㊀藥 五各切 è

字解 잇몸 악 치은(齒齦). '斷一'.

字源 形聲. 齒+咢〔音〕

◉斷齶.

9 ㉔ [齹] ㊀ 감 ㊥咸 胡讒切 xián ㊁ 암 ㊥咸 魚咸切 ㊂ 협 ㊀洽 乞洽切 jiān

字解 ㊀ ①씹을 감. ②입에넣고씹지않을 감 '一, 口持不齧'《集韻》. ㊁ 이높을 암 이가 높은 모양. '一, 齒高皃'《集韻》. ㊂ ①씹을 협 '一, 齧咋皃'《廣韻》. ②씹는소리 협 '一, 噍聲'《廣韻》. ③이 굽게날 협 이가 굽게 나는 모양. '一, 齒曲生皃'《集韻》. 또, 빠진 이. '一, 一日, 缺齒'《集韻》.

字源 形聲. 齒+咸〔音〕

9 ㉔ [齺] 齹(前條)의 本字

9 ㉔ [齵] 우 ①㊥尤 五婁切 óu ②㊥虞 偶俱切 yú

字解 ①맞지않을 우 위아래의 이가 서로 맞지 아니함. 전(轉)하여, 사물이 어긋남. '察其菑蚤之不一'《周禮》. ②덧니 우 '一, 齒重生'《廣韻》.

字源 篆文 形聲. 齒+禺〔音〕. '禺우'는 벌여 서다의 뜻. 이 옆에 따로 나란히 겹쳐져서 난 이, '덧니'의 뜻을 나타냄. 파생하여 치열(齒列)이 고르지 않다의 뜻을 나타냄.

9 ㉔ [齷] 人名 악 ㊀覺 於角切 wò

字解 작을 악, 잡달 악 '一齪'은 이가 세밀(細密)한 모양. 전(轉)하여, 마음이 좁은 모양. 작은 일에 구애하는 모양. '小人自一齪, 寧知曠士志'《鮑照》.

字源 形聲. 齒+屋〔音〕

[齷齪 악착] 자해(字解)를 보라.

9 ㉔ [齰] 가 ㊦禡 丘駕切 qià

字解 뻐드렁니 가 이가 밖으로 나온 모양. '一, 一齖, 齒出皃'《集韻》.

9 ㉔ [齭] 서 ㊤語 寫與切 chǔ

字解 이새근거릴 서, 이곱을 서 산(酸)으로 말미암아 이가 새근거림. '一, 齒酸也'《集韻》.

10 ㉕ [齺] 착 ㊀覺 士角切 zōu

字解 ①마주대할 착 위아래의 이가 마주 대한 모양. 전(轉)하여, 위아래가 맞는 모양. '一然上下相信'《荀子》. ②물 착 마주 깨묾. '車轂一騎, 連伍而行'《管子》.

字源 篆文 形聲. 齒+芻〔音〕

[齺然 착연] 윗니와 아랫니가 서로 가까워지는 모양. 전(傳)하여, 상하(上下) 모두 서로 화합(和合)함을 이름.

10 ㉕ [齸] 익 ㊀陌 伊昔切 yì

字解 새김질할 익 노루나 사슴이 반추(反芻)함. '一, 呑芻而反出嚼之也'《廣韻》. '牛曰齝, 云云, 麋鹿曰一'《爾雅》.

字源 篆文 形聲. 齒+益〔音〕. '益익'은 '넘치다'의 뜻. 일단 삼킨 음식을 입 안으로 되내어 씹는 사슴의 일종의 뜻을 나타냄.

10 ㉕ [齸] ㊀ 애 ㊥灰 魚開切 ái ㊁ 개 ㊥灰 古哀切 gāi

字解 ㊀ ①이갈리게할 애 '一, 齸牙'《說文》. 또, 물건을 가는 도구. '亦引伸爲摩器之名'《說文段注》. ②엄니 애 '一, 牙也'《廣韻》. ㊁ 이갈리게할 개, 엄니 개 ㊀과 뜻이 같음.

字源 形聲. 齒+豈〔音〕

10 ㉕ [䶢] 〔권〕 齤(齒部 六畫〈p. 2725〉)의 本字

10 ㉕ [齻] 전 ㊥先 都年切 diān

字解 ①사랑니 전 '一, 眞牙也, 男子二十四歲, 女子二十一歲, 眞牙生'《正字通》. ②송곳니 전 '右一左一'《儀禮》. ③엄니 전 '一, 牙也'《玉篇》.

10 ㉕ [齘] 계 ㊦霽 渠介切 jiè

字解 자며이갈 계 자면서 이 가는 소리. '一, 睡中切齒聲'《集韻》.

10 ㉕ [齾] 할 ㊀黠 胡八切 huá

[字解] 뼈깨무는소리 할 '一, 齧骨聲'《說文》.
[字源] 形聲. 齒+骨〔音〕

10 ㉕ [齥] 절 [入]屑 千結切 qiè

[字解] 이갈릴 절 이가 갈림. '一, 按, 謂齒相摩切也'《說文通訓定聲》.
[字源] 篆文  形聲. 齒+屑(屑)〔音〕. '屑설'은 '삐걱거리다'의 뜻.

10 ㉕ [齹] 차 [平]歌 昨何切 cuó / [上]哿 才可切

[字解] ①이고르지못할 차 '一, 齒不齊也'《集韻》. ②이촉 차 잇몸 속에 들어 있는 이의 뿌리. '一, 齒本'《正韻》.
[字源] 篆文  形聲. 齒+差〔音〕. '差차'는 '고르지 않다'의 뜻.

10 ㉕ [⿰齒差] 齹(前條)와 同字

10 ㉕ [⿱齊齒] 〔제〕 ⿰齒齊(齒部 十四畫〈p. 2728〉)와 同字

11 ㉖ [⿰齒堇] 근 [上]吻 口謹切 qǐn

[字解] 이모양 근 치아의 모양새. '一, 一斷, 齒皃'《集韻》.

11 ㉖ [⿰齒匿] 닉 [入]職 昵力切 mì

[字解] 이앓이 닉 치통(齒痛). '一, 齒疾'《集韻》.

12 ㉗ [⿰齒單] 〔운〕 齳(齒部 九畫〈p. 2727〉)의 訛字

12 ㉗ [⿰齒幾] 기 [平]微 渠希切 qí

[字解] 이흔들릴 기 '一, 齒危'《集韻》.

12 ㉗ [⿰齒間] 간 [去]諫 居晏切 jiàn

[字解] 깨무는모양 간 '一一嚙嚙, 貧鬼相責'《易林》.

12 ㉗ [⿰齒堯] 〔교〕 齩(齒部 六畫〈p. 2725〉)와 同字

13 ㉘ [齼] 초 [上]語 創擧切 chǔ

[字解] 이곱을 초 이가 산(酸)으로 말미암아 상해서 곱음. 齭(齒部 八畫)와 同字.

13 ㉘ [⿰齒葛] 갈 [入]黠 居轄切 hé

[字解] ①이소리 갈 이 맞닿는 소리. '一, 齒聲'《集韻》. ②齃(齒部 九畫)의 俗字.

13 ㉘ [⿰齒禁] 금 ①[去]沁 居廕切 jìn / ②[去]沁 巨禁切

[字解] ①옥니 금 안으로 옥게 난 이. '鉤齒內曲, 謂之一'《集韻》. ②입다물 금 噤(口部 十三畫)과 同字.
[字源] 形聲. 齒+禁〔音〕

13 ㉘ [⿱昆齒] 곤 ①②[平]元 枯昆切 kūn / ③[平]元 苦本切 kěn

[字解] ①깨물 곤 씹음. '一, 齧也'《康熙字典》. ②줄어들 곤 '一, 減也'《康熙字典》. ③돼지가씹을 곤 '一, 豕齧物也'《康熙字典》.

14 ㉙ [⿰齒齊] 제 [去]霽 才詣切 jì

[字解] ①이가지런할 제 이가 가지런하여, 위아래 이가 잘 맞음. '一, 齒齊不齵也'《正字通》. ②씹을 제 '一齝'는 씹음. '一齝, 齧也'《集韻》.

16 ㉛ [⿰齒歷] 력 [入]錫 狼狄切 lì

[字解] 너리먹을 력 잇몸 병. '一, 齒病'《集韻》.

20 ㉟ [齾] 알 ①②[入]黠 五鎋切 yà / ③[入]曷 五割切 è

[字解] ①이빠질 알 '一, 缺齒也'《說文》. ②그릇 이빠질 알 '交斫相缺一'《韓愈》. ③짐승턱찌끼 알 짐승이 먹다 남긴 찌끼. '獸食之餘曰一'《廣韻》.
[字源] 篆文  形聲. 齒+獻〔音〕

龍(16획)部

〔용룡부〕

0 ⑯ [龍] [高人] [一] 룡 [平]冬 力鍾切 lóng / [二] 롱 [上]腫 魯勇切 lǒng / [三] 망 [平]江 莫江切 máng / [四] 총 [上]腫 丑隴切 chǒng 龙 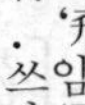

[筆順] 亠 立 音 音 育 肯 龍 龍

[字解] [一] ①용 룡 상상(想像)의 신령한 동물. 구름을 일으켜 비를 내리게 한다 함. 그중, 비늘이 있는 것을 '蛟一', 날개가 있는 것을 '應一', 뿔이 있는 것을 '虬一', 뿔이 없는 것을 '螭一'이라 함. '時乘六一以御天'《易經》. '一鳳'. '飛一'. 전(轉)하여, 뛰어난 인물의 비유로 쓰임. '伏一'. '諸葛孔明臥一也'《蜀志》. 또, 천자(天子)에 관한 사물의 관형사로 쓰임. '一顏'. '一駕'. '一德而隱者也'《易經》. ②말 룡 높이 8척 이상의 말. '駕蒼一'《禮記》. ③별이름 룡 세성(歲星), 곧 목성(木星)의 별칭. '一, 宋鄭之星也'《左傳》. ④성 룡 성(姓)의 하나. [二] 언덕 롱 壟(土部 十六畫)과 통용. '有私一斷'《孟子》. [三] 얼룩 망 흑백의 반점. '上公用一'《周禮》. [四] 은총 총 寵(宀部 十六畫)과 통용. '何天之一'('何'는 '荷')《詩經》.

[字源] 甲骨文 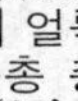 金文 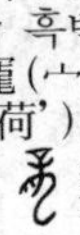 篆文 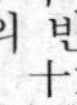 象形. 머리 부분에 '辛신' 자 모양의 장식이 있는 뱀을 본떠, '용'의 뜻을 나타냄.

[參考] ①'龍룡'을 의부(意符)로 하여, 용에 관한 문자를 이룸. 부수 이름은 '용룡'. ②竜(立部

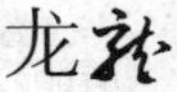

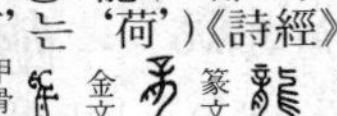

五畫)은 古字.

[龍斷 농단] '농단(壟斷)'과 같음.
[龍舸 용가] ㉠천자(天子)가 타는 큰 배. ㉡용을 그린 배.
[龍駕 용가] 임금의 수레. 어가(御駕).
[龍歌鳳笙 용가봉생] 맑은 노래와 아름다운 풍류를 이름.
[龍桷 용각] 용을 새긴 서까래.
[龍車 용거] 천자(天子)가 타는 수레.
[龍騫鳳翥 용건봉저] 용이 오르고 봉이 낢. 인품이 출중함을 이름.
[龍袞 용곤] 용을 수놓은 천자의 옷. 곤룡포(袞龍袍).
[龍骨車 용골차] 발로 밟아 돌려서 물을 길어 올려 논밭에 대는 수차(水車).

[龍骨車]

[龍光 용광] ㉠군자의 덕(德)을 칭찬하여 이름. ㉡남의 풍채(風采)의 경칭(敬稱). ㉢용천(龍泉)이라는 명검(名劍)의 광채.
[龍廐 용구] 천자(天子)의 마구간.
[龍駒 용구] ㉠잘생긴 망아지. ㉡뛰어난 아이. 기린아.
[龍駒鳳雛 용구봉추] 용구와 봉추. 곧, 재주와 지혜가 뛰어난 아이. 수재(秀才)인 아동.
[龍宮 용궁] 바다 속에 있다고 하는 용왕(龍王)의 궁전(宮殿).
[龍卷 용권] 용곤(龍袞).
[龍葵 용규] 까마종이.
[龍忌 용기] 불을 때는 것을 꺼리는 날.
[龍旂 용기] 용기(龍旗).
[龍旗 용기] 교룡(交龍), 곧 용틀임을 그리고 끝에 방울을 단 천자(天子)의 기(旗). '기(旂)' 참조(參照).
[龍拏猊攫 용나예확] 용과 사자가 붙어 싸움. 격렬한 싸움의 형용. 예(猊)는 사자의 종류. 용나호확(龍拏虎攫).
[龍拏虎擲 용나호척] 용과 범처럼 덤벼들어 싸움. 맹렬한 싸움을 말함. 용나예확(龍拏猊攫).
[龍拏虎攫 용나호확] 용나호척(龍拏虎擲).
[龍女 용녀] 용왕(龍王)의 딸.
[龍腦 용뇌] 동인도(東印度)에서 나는 용뇌수(龍腦樹)의 줄기에서 덩어리로 되어 나오는 무색(無色)·투명(透明)의 결정체(結晶體). 방충제(防蟲劑)·훈향(薰香) 등으로 씀. 용뇌향(龍腦香).
[龍膽 용담] 용담과(科)에 속하는 다년초. 뿌리는 약용함. 과남풀.
[龍德 용덕] 천자(天子)의 덕.
[龍圖 용도] 하도(河圖). 용마(龍馬)가 업고 나왔다는 데서 이름.
[龍韜 용도] ㉠육도(六韜)의 제삼편(第三篇)의 이름. ㉡병서(兵書) 또는 병법(兵法).
[龍瞳鳳頸 용동봉경] 용의 눈동자와 봉황(鳳凰)의 목. 귀인(貴人)의 인상(人相)을 말함.
[龍頭 용두] ㉠용의 머리. ㉡수령(首領)의 비유. ㉢진사(進士) 시험에 제1위로 급제(及第)하는 일. ㉣종(鐘)을 도리에 매달게 된 용의 머리 모양의 고리. ㉤회중시계나 손목시계의 태엽(胎葉)을 감는 부분.
[龍頭蛇尾 용두사미] 머리는 용이고 꼬리는 뱀이라는 뜻으로, 처음은 왕성하나 끝은 흐지부지됨.
[龍頭鷁首 용두익수] 천자(天子)의 배. 두 척으로 한 쌍을 이루었는데 한 척은 뱃머리에 용의 머리를, 다른 한 척은 익조(鷁鳥)의 머리를 새겼음. 용은 물을, 익조(鷁鳥)는 바람을 이겨 낸다는 데서 장식함.
[龍淚 용루] 임금의 눈물.
[龍樓 용루] ㉠궁중(宮中)의 누각 문의 이름. 누상(樓上)에 동룡(銅龍)이 있으므로 이름. ㉡태자(太子)의 궁전.
[龍勒 용륵] 천자(天子)가 타는 수레를 끄는 말의 굴레.
[龍鯉 용리] '천산갑(穿山甲)'의 속칭(俗稱).
[龍鱗甲 용린갑] 용(龍)의 비늘 형상의 미늘을 장식한 갑옷.
[龍馬 용마] ㉠걸음이 빠른 말. 준마(駿馬). ㉡복희씨(伏羲氏) 때 하도(河圖)를 업고 나왔다는 말.
[龍媒 용매] ㉠준마(駿馬). ㉡기우제(祈雨祭)에 쓰던, 흙으로 만든 용.
[龍眠居士 용면거사] 만년(晩年)에 용면산(龍眠山)에 은거한 송(宋)나라의 문인 화가(文人畫家) 이공린(李公麟)의 호(號).
[龍文 용문] ㉠용의 몸의 무늬. 용무늬. ㉡옛날의 준마 이름. 전(轉)하여, 뛰어난 인물.
[龍門 용문] 중국(中國) 황하(黃河)의 상류(上流)에 있는 산 이름. 또, 그곳을 통과하는 여울목의 이름. 잉어가 이곳을 거슬러 오르면 용이 된다 함.
[龍門扶風 용문부풍] 〈사기(史記)〉의 저자 사마천(司馬遷)은 용문 사람이고, 〈한서(漢書)〉의 저자 반고(班固)는 부풍 사람이므로, 역사(歷史) 또는 사가(史家)의 별칭(別稱)으로 쓰임.
[龍門點額 용문점액] 과거(科擧)에 떨어지고 돌아옴의 비유. '점액(點額)' 참조(參照).
[龍門之遊 용문지유] 빼어난 인물들의 놀이.
[龍尾 용미] ㉠'기수(箕宿)'와 같음. ㉡용미도(龍尾道).
[龍尾道 용미도] 당나라 궁전 태극전(太極殿) 앞의 통로. 궁전(宮殿) 앞의 통로(通路). 「름.
[龍味鳳湯 용미봉탕] 맛이 좋은 음식(飮食)을 이
[龍蟠 용반] 용이 서림. 곧, 호걸(豪傑)이 민간에 숨어 있음의 비유.
[龍蟠鳳逸 용반봉일] 뛰어난 재주를 가진 선비가 아직 세상에 쓰이지 아니함을 이름.
[龍蟠鳳逸之士 용반봉일지사] 뛰어난 재주를 가지고 있고서도 뜻을 펴지 못하여 민간에 있는 사람.
[龍盤鳳翥 용반봉저] 용이 서리고 봉황이 낢. 산세(山勢)가 험한 모양.
[龍蟠虎踞 용반호거] 험준하여 적을 막아 내기 용이한 지형(地形)을 이름.
[龍鳳 용봉] ㉠용과 봉황. ㉡뛰어난 인물의 비유.
[龍逢比干 용봉비간] 하(夏)나라 걸왕(桀王)의 신하 관용봉(關龍逢)과 은(殷)나라 주왕(紂王)의 신하 비간. 둘 다 임금을 간(諫)하다가 죽음을 당함. 따라서, 충간지사(忠諫之士)의 비유로 쓰임. 용비(龍比).
[龍鳳之姿 용봉지자] 용과 봉황의 모습. 준수한 모

습. 제왕(帝王)의 모습.
[龍鳳花牋 용봉화전] 용과 봉새의 무늬가 있는 시문(詩文)을 쓰는 아름다운 종이.
[龍飛 용비] 천자(天子)가 즉위(卽位)함.
[龍飛鳳舞 용비봉무] 산세(山勢)가 기이하고 절묘함을 이름.
[龍飛鳳峙 용비봉치] 용처럼 날고 봉황처럼 섬. 명성(名聲)이 세상에 높이 나타남을 이름.
[龍祠 용사] 용신(龍神)의 사당.
[龍蛇 용사] ㉠용과 뱀. ㉡비상한 인물(人物). 성현(聖賢). 영웅(英雄). ㉢《佛敎》 성현과 범인(凡人). ㉣초서(草書)의 필세(筆勢)의 주경(遒勁)한 형용. ㉤은퇴하여 명철보신(明哲保身)함.
[龍駟 용사] 한 마차를 끄는 네 마리의 준마(駿馬).
[龍蛇之歲 용사지세] 진(辰)과 사(巳)의 해. 현사(賢士)가 죽는 해라 함.
[龍蛇混雜 용사혼잡] 현우(賢愚)가 함께 섞여 있음. 용은 성자(聖者), 뱀은 범부(凡夫)에 비유함.
[龍牀 용상] 임금의 자리. 임금이 앉는 상(牀).
[龍象 용상] 《佛敎》 지행(智行)을 겸비한 중을 이름.
[龍生日 용생일] 음력 5월 13일의 별칭(別稱). 이 날 대나무를 심으면 잘 자란다 함.
[龍犀 용서] 중앙이 높은 이마. 천자(天子)가 될 상(相).
[龍瑞 용서] 용이 하늘에서 내려오는 상서(祥瑞).
[龍舌蘭 용설란] 용설란과(科)에 속하는 상록 다년초. 잎은 두툼하고 길며 톱니가 있음. 황색 꽃이 여름에 핌. 멕시코 원산임.
[龍星 용성] 이십팔수(二十八宿)의 각(角)과 항(亢)을 이름.
[龍城 용성] 흉노(匈奴)의 지명(地名). 흉노의 여러 추장(酋長)이 모여 하늘에 제사 지내는 곳.
[龍城飛將 용성비장] 용성은 흉노의 왕정(王庭)이 있던 곳. 한(漢)나라 대장군 이광(李廣)이 한때 흉노에게 잡혔다가 틈을 보아 그들의 말을 훔쳐 타고 되돌아왔으므로 그를 비장군(飛將軍)이라 하여 두려워하였음.
[龍沼 용소] 폭포(瀑布)가 떨어지는 바로 밑에 있는 웅덩이.
[龍孫 용손] ㉠준마(駿馬). ㉡'죽순(竹筍)'의 별칭(別稱). ㉢대나무〔竹〕의 일종.
[龍鬚 용수] 임금의 수염.
[龍神 용신] 용왕(龍王).
[龍眼 용안] ㉠천자의 눈. ㉡무환자과(無患子科)에 속하는 열대산(熱帶產)의 상록 교목. 흰 꽃이 피고 핵과(核果)가 열리는데, 그 살을 용안육(龍眼肉)이라 하여 약재로 씀.
[龍顔 용안] ㉠임금의 얼굴. 천안(天顔). ㉡용과 같이 생긴 얼굴.
[龍躍雲津 용약운진] 영웅(英雄)이 풍운(風雲)을 좇아서 일어남의 비유.
[龍陽 용양] 위왕(魏王)의 폐신(嬖臣)의 이름. 전(轉)하여, 남색(男色).
[龍驤麟振 용양인진] 용처럼 올라가고 기린처럼 떨친다는 뜻으로, 위세(威勢)가 대단함을 이름.
[龍攘虎搏 용양호박] 용처럼 돌격하여 물리치고 범처럼 맹렬하게 침. 격전(激戰)의 형용.
[龍驤虎步 용양호보] 용양호시(龍驤虎視).
[龍驤虎視 용양호시] 용처럼 뛰어 올라가고 범같이 노려본다는 뜻으로, 영웅(英雄)이 한 지방에 세력을 부식하고 천하를 병합(倂合)하고자 하여 호시탐탐(虎視眈眈)함을 이름.
[龍馭 용어] ㉠천자(天子)의 마차를 어거함. ㉡천자가 백성을 다스림.
[龍輿 용여] 천자(天子)가 타는 수레.
[龍涎 용연] 명향(名香)의 이름.
[龍淵 용연] ㉠용이 사는 못. ㉡고대(古代)의 명검(名劍) 이름.
[龍淵太阿 용연태아] 용연(龍淵)과 태아(太阿)가 모두 고대의 명검(名劍)의 이름.
[龍王 용왕] 용궁(龍宮)의 임금.
[龍吟 용음] ㉠용이 소리를 길게 뺌. ㉡무악(舞樂)의 가락의 하나. ㉢금곡(琴曲)의 이름. ㉣피리〔笛〕를 이름.
[龍吟魚躍 용음어약] 용음은 마융(馬融)이 용의 울음소리를, 어약은 은탕(殷湯)이 뤄수이(洛水)에 옥〔璧〕을 가라앉힐 때 물고기가 뛰놀던 소리를 모방하여 지었다는 악곡(樂曲) 이름.
[龍子 용자] ㉠용(龍). ㉡용의 새끼. ㉢준마(駿馬)의 이름.
[龍姿 용자] 거룩한 모습. 고상한 풍채(風采).
[龍子衣 용자의] 뱀 껍질.
[龍潛 용잠] 천자(天子)가 아직 등극(登極)을 하지 않았을 때를 이름.
[龍簪 용잠] 용의 머리 형상을 새긴 비녀.
[龍章 용장] ㉠용의 무늬. ㉡뛰어난 풍채(風采). 고상한 용모.
[龍藏 용장] 비밀히 저장하여 두는 곳집.
[龍章鳳姿 용장봉자] 준수(俊秀)한 풍채(風采).
[龍邸 용저] 천자(天子)가 아직 즉위하기 전의 저택.
[龍戰 용전] 군웅(群雄)이 할거(割據)하여 싸움.
[龍戰虎爭 용전호쟁] 영웅끼리 서로 다툼을 이름.
[龍節 용절] 육절(六節)의 하나. 옛날에 늪〔澤〕이 많은 나라로 사신(使臣) 갈 때 지니던 부절(符節). 용(龍)을 그렸음.

〔龍節〕

[龍庭 용정] ㉠흉노(匈奴)의 왕정(王庭). ㉡뛰어난 상(相).
[龍種 용종] ㉠준마(駿馬). 또, 그 씨. ㉡제왕의 자손. ㉢준걸(俊傑). ㉣어진 아들.
[龍鍾 용종] ㉠대나무〔竹〕의 별칭(別稱). ㉡노쇠한 모양. 늙어서 앓는 모양. '용종(龍鍾)'의 두 자의 음(音)을 합하면 '융(癃)' 자 음이 되므로 이름. ㉢눈물을 흘리는 모양. ㉣실지(失志)한 모양.
[龍舟 용주] 천자(天子)가 타는 배.
[龍準 용준] 우뚝한 코. 융준(隆準).
[龍駿 용준] 준마(駿馬).
[龍智惠燭 용지혜촉] 용상(龍象), 곧 고승(高僧)의 지혜와 그 지혜의 빛. 승려(僧侶)의 심흉(心胸)을 칭찬하여 이르는 말.
[龍集 용집] 용성(龍星), 곧 목성(木星)의 성좌(星座)가 1년에 한 번씩 깃들이는 일. 곧, 세차(歲次)를 이름. '一一戊辰'과 같이 쓰임. 집(集)은 차(次).
[龍集鳳會 용집봉회] 용과 봉새가 모인다는 뜻으로, 뛰어난 인물의 모임을 이름.
[龍車 용차] 용거(龍車).
[龍驂 용참] 잘 닫는 부마(副馬).
[龍泉太阿 용천태아] 용연태아(龍淵太阿).

[龍體 용체] 천자(天子)의 몸. 옥체(玉體).
[龍湫 용추] 폭포(瀑布).
[龍雛 용추] '죽순(竹筍)'의 별칭. 용손(龍孫).
[龍堆 용퇴] 옛날의 새외(塞外)의 지명(地名). 몽골의 사막 지방(沙漠地方)을 이름.
[龍鬪野 용투야] 천하가 어지러워 피를 흘림의 비유.
[龍幣 용폐] 한(漢)나라 무제(武帝) 때 만든 둥근 은화(銀貨). 무게 8냥(兩). 용문(龍文)이 있음.

[龍幣]

[龍翰鳳翼 용한봉익] 용의 몸과 봉새의 날개. 왕자(王者)의 상(相)을 이름.
[龍行虎步 용행호보] 용이나 범이 보행하듯이 위풍당당한 걸음걸이.
[龍虎 용호] ㉠용(龍)과 범. ㉡걸출한 인물. 뛰어난 풍채. ㉢뛰어난 문장. ㉣오색(五色)으로 된 이상한 운기(雲氣). ㉤도가(道家)에서 물〔水〕과 불〔火〕을 이름.
[龍虎榜 용호방] 과거에 동시에 급제한 명사(名士)의 성명을 적은 방(榜). 호방(虎榜).
[龍虎山 용호산] 장시 성(江西省) 구이시 현(貴溪縣)에 있는 도교(道敎)의 총본산(總本山).
[龍虎相搏 용호상박] 용과 범이 서로 싸움. 두 강자(強者)가 서로 승패를 겨룸을 이름.
[龍虎之姿 용호지자] 뛰어난 풍채(風采). 영웅의 바탕.
[龍華三會 용화삼회]《佛教》석가(釋迦)의 다음에 이 세상에 출현할 미륵불(彌勒佛)이 용화수(龍華樹) 밑에서 3회에 걸쳐 행하리라는 설법(說法).
[龍華樹 용화수]《佛教》미륵보살(彌勒菩薩)이 다시 세상에 나와, 밑에 앉아 설법(說法)하리라고 하는 나무. 꽃 모양이 용 비슷하다 함.
[龍華會 용화회] 석가여래의 탄신일인 사월 초파일의 관불회(灌佛會).
[龍渙 용환] 조서(詔書)를 이름. '환한(渙汗)' 참조.
[龍興致雲 용흥치운] 성덕(聖德)이 있는 제왕(帝王)이 현명한 신하를 씀을 이름.
◉降龍. 袞龍. 恐龍. 蛟龍. 虬龍. 獨眼龍. 馬如龍. 蟠龍. 攀龍. 伏龍. 飛龍. 水龍. 升龍. 躍龍. 魚龍. 蝘龍. 臥龍. 雨龍. 應龍. 麟鳳龜龍. 人中龍. 殘龍. 潛龍. 雕龍. 竹龍. 蒼龍. 天龍. 靑龍. 燭龍. 醉龍. 翠龍. 蟄龍. 土龍. 亢龍. 見龍. 畫龍. 黃龍.

2 ⑱ [龎] 〔방〕
龐(龍部 三畫〈p. 2731〉)의 俗字

[壟] 〔롱〕
土部 十六畫(p. 471)을 보라.

3 ⑲ [龏] [一] 공 [平]冬 九容切 gōng
[去]宋 居用切
[二] 악 [入]覺 於角切 wò
[字解] [一] ①삼갈 공 '一, 慤也'《說文》. ②오를 공 높은 데로 올라감. '一, 升也'《字彙》. [二] ①삼갈 악 [一]❶과 뜻이 같음. ②등불가리개 악 '一, 燭蔽'《廣韻》.
[字源] 會意. 龍+廾

3 ⑲ [龐] [人名] [一] 방 [平]江 薄江切 páng 庞
[二] 롱 [平]東 盧東切 lóng
[筆順] 亠 广 庐 庐 序 庐 龐 龐
[字解] [一] ①어지러울 방 난잡함. '不和政一'《書經》. ②클 방, 높을 방 고대(高大)함. '形之一也, 類有德'《柳宗元》. ③성 방 성(姓)의 하나. [二] 찰 롱, 살질 롱 충실한 모양. 비대한 모양. '四牡一一'《詩經》.
[字源] 甲骨文 篆文 形聲. 广+龍〔音〕. '广'은 집, '龍룡'은 높고 크다의 뜻.

[龐龐 농롱] 살진 모양. 충실한 모양.
[龐眉皓髮 방미호발] 눈썹이 크고 머리가 희다는 뜻으로, 노인(老人)을 이름.
[龐涓 방연] 전국(戰國) 시대 위(魏)나라의 병법가(兵法家). 손빈(孫臏)과 함께 병법을 배웠음. 뒷날에 제(齊)나라의 군사(軍師)가 된 손빈과 싸워 마릉(馬陵)에서 패사(敗死)하였음.
[龐錯 방착] 뒤섞임. 난잡함.
[龐統 방통] 삼국(三國) 시대의 촉한(蜀漢) 사람. 자(字)는 사원(士元). 유비(劉備)에게 출사(出仕)하여 치중종사(治中從事)가 되었으며, 제갈량(諸葛亮)과 더불어 복룡봉추(伏龍鳳雛)라 일컬어졌음.

4 ⑳ [龑] 엄 [上]琰 於檢切 yǎn
[字解] 높고밝을 엄 고명(高明)한 모양.
[字源] 會意. 龍+天

4 ⑳ [龕] 〔감〕
龕(龍部 六畫〈p. 2732〉)과 同字

[櫳] 〔롱〕
木部 十六畫(p. 1122)을 보라.

[礱] 〔롱〕
石部 十六畫(p. 1588)을 보라.

6 ㉒ [龔] 공 [平]冬 九容切 gōng 龚
[字解] ①이바지할 공 供(人部 六畫)과 同字. ②공손할 공 恭(心部 六畫)과 통용. '一行天罰'《梁元帝》. ③성 공 성(姓)의 하나.
[字源] 金文 篆文 形聲. 龍+共〔音〕. '共공'은 '供공'·'恭공'과 통하여 같은 뜻으로 쓰임.

[龔遂 공수] 한(漢)나라의 산양(山陽) 사람. 자(字)는 소경(少卿). 선제(宣帝) 때에 발해 태수(渤海太守)가 되자, 농사를 권장(勸奬)하니 모두 창검(槍劍)을 팔아서 소를 사게 되어 민생(民生)이 부유해져서 경내(境內)가 잘 다스려졌음.
[龔勝 공승] 전한말(前漢末)의 고절(高節)의 선비. 애제(哀帝) 때 간의대부(諫義大夫)가 되어 왕망(王莽)이 정사(政事)를 전횡(專橫)하자 단식(斷食)하고 죽었음.
[龔自珍 공자진] 청말(淸末)의 학자. 자(字)는 슬인(璱人). 호(號)는 정암(定庵). 벼슬로는 영달(榮達)하지 못하고 예부주사(禮部主事)에 머물렀음. 공양학(公羊學)을 주장하여 시세(時世)

를 논하고 민권설(民權說), 사회주의(社會主義)의 경향이 있었음. 〈공양결사비(公羊決事比)〉·〈태서답문(泰誓答問)〉 등의 저서 이외에 심원(深遠)하고 넓은 문장으로 일가(一家)를 이룬 그의 시문(詩文)이 〈정암문집(定庵文集)〉에 수록되어 있음.

[龔黃 공황] 한(漢)나라의 순리(循吏)인 공수(龔遂)와 황패(黃霸).

[聾] 〔롱〕 耳部 十六畫(p.1831)을 보라.

[襲] 〔습〕 衣部 十六畫(p.2080)을 보라.

6 ㉒ [龓] 龓(次條)과 同字

6 ㉒ [龓] 롱 [平]東 盧紅切 lǒng

[字解] 겸유할 롱 겸하여 가짐. '一貨物'《漢書》.

[字源] 甲骨文 篆文 形聲. 有+龍〔音〕. '有유'는 '가지다, 보유하다'의 뜻. '龍롱'은 '籠롱'과 통하여 속에 넣다, 아울러 통할하다의 뜻.

6 ㉒ [攏] 롱 [平]冬 力鍾切 lóng

[字解] 용그린옥 롱 가뭄에 기우제를 드릴 때에 쓰는 용무늬 있는 옥(玉). 瓏(玉部 十六畫)과 同字.

6 ㉒ [龕] [人名] 감 [平]覃 口含切 kān 龛 龛

[字解] ①탑 감 절의 탑(塔). 또, 탑 아래의 방. '禪一只晏如'《杜甫》. ②감실 감 신불(神佛)을 안치(安置)하는 장. 또, 불단(佛壇). '佛一'. '啓一'. '莊嚴一像'《江淹》. ③이길 감 지움. '一暴資神理'《謝靈運》.

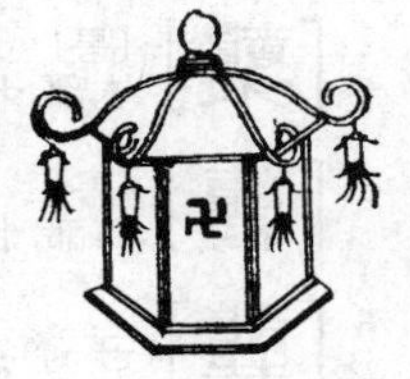

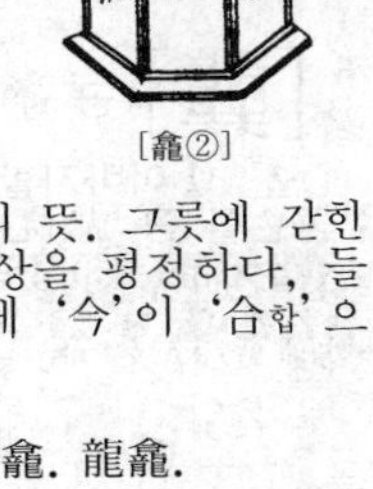
[龕②]

[字源] 金文 篆文 形聲. 龍+今〔音〕. '今금'은 '函함'과 통하여 '포함하다'의 뜻. 그릇에 갇힌 용의 모양에서, 어지러운 세상을 평정하다, 들어박히다의 뜻을 나타냄. 뒤에 '今'이 '合합'으로 변형됨.

◉啓龕. 佛龕. 山龕. 石龕. 禪龕. 龍龕.

[讋] 〔섭〕 言部 十六畫(p.2165)을 보라.

16 ㉜ [龖] [一] 답 [入]合 徒合切 dá
[二] 삽 [入]合 悉合切

[字解] [一] ①나는용 답, 용날 답 비룡(飛龍). 또, 용이 나는 모양. '一, 飛龍也'《說文》. '一, 龍飛之狀'《廣韻》. ②두려워할 답 '一, 震怖也. 二龍竝飛, 威靈盛赫, 見者氣奪'《六書精蘊》. [二] 나는용 삽, 용날 삽, 두려워할 삽 [一]과 뜻이 같음.

[字源] 會意. '龍룡'을 둘 나란히 놓아, 용이 함께 겹쳐서 날다의 뜻을 나타냄.

32 ㊽ [龘] 답 dá

[字解] 용갈 답 용이 앞으로 가는 모양. '一, 龍行也'《玉篇》.

48 64 [𪚥] 절 [入]屑 知子切 zhé

[字解] 말많을 절 '一, 多言'《字彙補》.

龜(16획)部

〔거북귀부〕

0 ⑯ [龜] [高·人] [一] 귀 [平]支 居追切 guī
[二] 구 [平]尤 居求切 qiū
[三] 균 [平]眞 俱倫切 jūn
龟 龜

[筆順]

[字解] [一] ①거북 귀 파충류의 하나. 고대에 신령한 동물로 여겨, 그 껍데기는 거북점에 썼음. '一卜'. '麟鳳一龍, 謂之四靈'《禮記》. 또, 그 껍데기로써 삼은 화폐. '人用莫如一'《漢書》. ②거북껍데기 귀 귀갑. '攻一用春時'《周禮》. ③등골뼈 귀 척골. '射麋麗一'《左傳》. ④패물 귀 관리가 차는 물건. '解一在景平'《謝靈運》. [二] 나라이름 구 '一茲'는 쿠처(庫車) 부근에 있던 서역(西域)의 한 나라. [三] 틀 균 피부가 추위에 얼어 갈라짐. '一裂'. '宋人有善爲不一手之藥者'《莊子》.

[字源] 甲骨文 金文 篆文 古文 象形. 거북의 모양을 본떠 '거북'의 뜻을 나타냄.

[參考] ①'龜귀'를 의부(意符)로 하여, 거북에 관한 문자를 이룸. 부수 이름은 '거북귀'. ②亀(乙部 十畫)는 俗字.

[龜蒙 구몽] 산둥 성(山東省) 쓰수이 현(泗水縣) 동북쪽에 있는 구산(龜山)과 산둥 성 몽음현(蒙陰縣) 남쪽에 있는 몽산(蒙山).

[龜山 구산] ㉠산둥 성(山東省) 쓰수이 현(泗水縣) 동북쪽에 있는 산 이름. ㉡푸젠 성(福建省)에 있는 산 이름. 송(宋)나라의 양시(楊時)가 퇴관(退官)한 뒤 은거(隱居)한 곳.

[龜茲 구자] 서역(西域)의 한 나라. 지금의 쿠처(庫車) 부근의 지역.

[龜脚 귀각] ㉠조개의 한 가지. 거북다리. ㉡거북의 발.

[龜殼 귀각] 귀갑(龜甲).

[龜鑑 귀감] 사물(事物)의 거울. 법도(法度). 본보기. 귀(龜)는 길흉(吉凶)을 알고, 감(鑑)은 연추(姸醜)를 분별(分別)한다는 뜻.

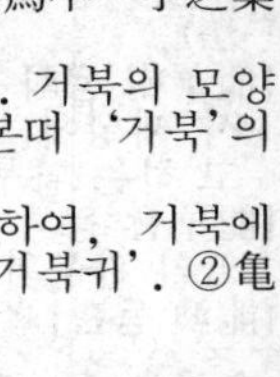
[龜鈕]

[龜甲 귀갑] 거북의 등딱지.

[龜甲文 귀갑문] '갑골 문자(甲骨文字)'를 보라.

[龜鏡 귀경] 귀감(龜鑑).

[龜鈕 귀뉴] 거북의 형상을 새긴 인꼭지.

[龜齡 귀령] 거북의 나이. 장수(長壽)를 이름.

[龜龍壽 귀룡수] 거북과 용과 같이 오래 사는 수

명. 장수(長壽)를 축원(祝願)할 때 씀.
[龜麟 귀린] 거북과 기린. 모두 영물(靈物).
[龜毛兎角 귀모토각] 거북의 털과 토끼의 뿔이라는 뜻으로, 절대로 있을 수 없음의 비유.
[龜文 귀문] 거북의 등딱지 무늬.
[龜文鳥跡 귀문조적] 거북 등딱지의 무늬와 새의 발자국. 모두 문자(文字)의 기원(起源)을 이름.
[龜背 귀배] 곱사등이.
[龜背刮毛 귀배괄모] 거북의 등에 있는 털을 긁는다는 뜻으로, 될 수 없는 일을 무리하게 하는 것을 이름.
[龜鼈 귀별] 거북과 자라. 전(轉)하여, 남을 경멸하여 이르는 말.
[龜卜 귀복] 거북 껍데기를 불에 그슬리어 그 튼 금으로 점치는 일. 또, 그 법. 거북점.
[龜趺 귀부] 석각(石刻)한 거북 모양의 빗돌 받침.
[龜書 귀서] 낙서(洛書). 신귀(神龜)가 업고 나왔다는 데서 이름.
[龜船 귀선] 조선 시대에 이순신(李舜臣)이 창안(創案)한 철갑선(鐵甲船). 거북선.
[龜玉 귀옥] 점치는 데 쓰는 거북 껍데기와 구슬. 또, 귀중한 물건.

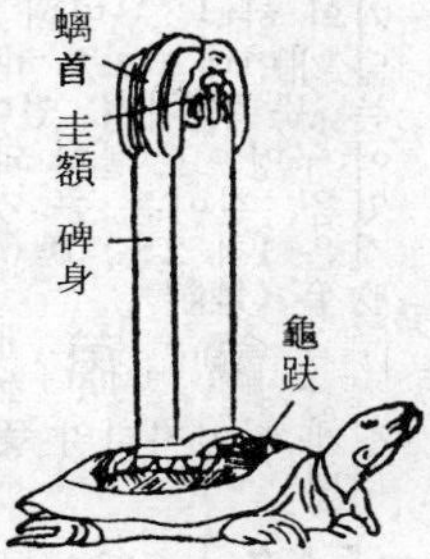

[龜趺]

[龜鼎 귀정] 국가의 보기(寶器)인 원귀(元龜)와 구정(九鼎). 천자(天子)의 지위의 비유.
[龜兆 귀조] 귀갑(龜甲)을 태울 때 나타나는 길흉의 조짐. 귀복(龜卜)에서 얻는 길흉의 징조.
[龜策 귀책] 점치는 데 쓰는 거북 껍데기와 점대. 또, 점(占).
[龜板 귀판] 거북 배 바닥의 껍데기의 한방명(漢方名).
[龜貝 귀패] 거북의 등딱지와 조가비. 고대에 화폐로 썼음.
[龜幣 귀폐] 한대(漢代)의 화폐의 한 가지. 무게는 넉 냥(兩). 거북 등딱지 무늬를 그렸음.
[龜鶴 귀학] 거북과 학. 모두 오래 산다 하여, 장수(長壽)를 이름.

[龜幣]

[龜筴 귀협] 귀책(龜策).
[龜胸 귀흉] 불거져 나온 가슴. 새가슴.
[龜胸龜背 귀흉귀배] 안팎곱사등이.
[龜裂 균렬] 균열(龜裂).
[龜手 균수] 추위에 튼 손.
[龜裂 균열] 손발이 추위에 트거나 땅 같은 것이 갈라진 것. 또, 금이 가고 벌어진 틈.
[龜拆 균탁] ㉠그슬린 거북 껍데기에 나타난 금. 이것으로 길흉을 판단함. ㉡땅이 갈라진 틈.
◉綠毛龜. 盲龜. 文龜. 山龜. 筮龜. 旋龜. 攝龜. 蕁龜. 蓍龜. 蓍神龜. 蔿龜. 靈龜. 五總龜. 環龜.

0 ⑰ [龜] 龜(前條)와 同字

1 ⑰ [龜] 龜(前前條)의 本字

2 ⑱ [龜] 〔귀〕
龜(部首〈p. 2732〉)와 同字

3 ⑲ [⿰女龜] 규 [平]支 去爲切 kuī
[字解] ①여자의자(字) 규 여자 이름에 쓰는 문자. '一, 女字'《五音集韻》. ②이변(異變)을알 규 '一, 知異也'《玉篇》.

4 ⑳ [⿰龜勾] 구 [平]尤 居侯切 gōu
[字解] 거북류(類) 구 '一, 龜類'《字彙》.

4 ⑳ [⿱龜灬] 초 [平]蕭 卽消切 jiāo
[字解] 점조안나타날 초 거북 껍데기가 눋어서 점조(占兆)가 나타나지 않음. '一, 灼龜不兆也'《說文》.
[字源] 篆文 會意. 龜+灬(火). 불에 태운 거북딱지가 눋어서 점조(占兆)가 나타나지 않다의 뜻을 나타냄.

4 ⑳ [⿰龜今] 감 [去]勘 古暗切 gàn
[字解] 거북 감 '一, 龜也'《字彙》.

5 ⑲ [⿰龜丘] 구 [平]尤 驅尤切 qiū
[字解] 나라이름 구 '一, 一茲, 國名, 俗字'《字彙》.

5 ㉑ [⿰去龜] 거 [去]御 丘據切 qù
[字解] 두꺼비 거 '一, 蟾也'《字彙》.

5 ㉑ [⿰龜句] 구 [平]虞 巨偶切 gōu
[字解] 거북류(類) 구 거북의 한 종류. 䵶(黽部 五畫)의 俗字. '一, 水蟲'《篇海》. '一, 俗䵶字, 舊注, 水蟲, 卽鼊屬, 當从䵶'《正字通》.

5 ㉑ [⿰禾龜] 〔추〕
秋(禾部 四畫〈p. 1611〉)의 古字

11 ㉗ [⿰龜區] 구 qū
[字解] 거북기어갈 구 '一, 龜行也'《字彙補》.

龠 (17획) 部
〔피리약부〕

0 ⑰ [龠] 약 [入]藥 以灼切 yuè
[字解] ①피리 약 대나무로 만든, 구멍이 셋 또는 여섯 있는 피리. 籥(竹部 十七畫)과 同字. '左手執一'《詩經》. ②작 약 분량의 단위의 하나. 한 홉의 십 분의 일. 곧, 기장〔黍〕 1,200 알의 분량. '合一爲合, 十合爲升, 十升爲斗, 十斗爲斛'《漢書》.
[字源] 甲骨文 金文 篆文 象形. 부는 구멍이 있는 관(管)을 나란히 엮은 모

양을 본떠 '관악기, 피리'의 뜻을 나타냄. '龠약'의 原字.

[參考] '龠약'을 의부(意符)로 하여 피리나 그 취주에 관한 문자를 이룸. 부수 이름은 '피리약'.

[龠合 약홉] 곡량(穀量)의 적은 수량.
◉執龠.

4 ㉑ **[龡]** 취 [平]支 姝爲切 chuī

[字解] 불 취 吹(口部 四畫)와 同字. '籥師, 掌教國子舞羽—籥'《周禮》.

[龡籥 취약] 피리를 붊.

5 ㉒ **[龢]** 화 [平]歌 戶戈切 hé

[字解] 화할 화 和(口部 五畫)의 古字. '如樂之一'《左傳》.

[字源] 甲骨文 金文 篆文 形聲. 龠+禾〔音〕. '龠약'은 관악기의 象形. '禾화'는 '和화'와 통하여 '맞다, 따르다'의 뜻. 음악이 조화하다의 뜻을 나타냄.

8 ㉕ **[龣]** [一] 각 [入]覺 訖岳切 jué
[二] 록 [入]屋 盧谷切

[字解] [一] ①동방(東方)의소리 각 오음(五音)의 하나. 角(部首)과 통용. '宮商一徵羽'《魏書》. ②악기이름 각 '一, 樂器'《廣韻》. [二] 동방의소리 록, 악기이름 록 [一]과 뜻이 같음.

9 ㉖ **[龥]** 유 [去]遇 羊戍切 yù

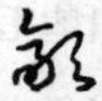

[字解] ①부를 유 호소함. '舞辜一天'《書經》. ②고를 유 조화함. '率一衆慼'《書經》.

[字源] 形聲. 頁+龠〔音〕

9 ㉖ **[龤]** 〔해〕 諧(言部 九畫〈p. 2141〉)와 同字

10 ㉗ **[䶵]** 지(치[本]) [平]支 直離切 chí

[字解] 저이름 지 가로 부는 대나무로 만든 관악기의 하나. 구멍이 여덟 개인데, 그중 하나는 뚝 떨어져 있어, 이 구멍으로 불게 되어 있음. 길이는 큰 것은 1척(尺) 4촌(寸), 작은 것은 1척 2촌. 篪(竹部 十畫)와 同字. '鳴一兮吹竽'《楚辭》.

[䶵]

[字源] 篆文 別體 形聲. 龠+虒〔音〕. 別體는 竹+虒〔音〕. '虒치'는 옆으로 길게 이어지다의 뜻. 가로 부는 '저'의 뜻을 나타냄.

16 ㉝ **[𪛖]** 〔소〕 簫(竹部 十三畫〈p. 1687〉)의 古字

附　　錄

1. 운자표(韻字表) 2737
2. 주요 출전(主要出典) 2737
3. 육십사괘(六十四卦) 2739
4. 찾기 어려운 한자 2740
5. 인명용 한자표 2743

1. 운자표(韻字表)

四聲(사성)	106韻(운)
平聲(평성) (30韻)	〔上平 15韻〕 東 冬 江 支 微 魚 虞 齊 佳 灰 眞 文 元 寒 刪 〔下平 15韻〕 先 蕭 肴 豪 歌 麻 陽 庚 靑 蒸 尤 侵 覃 鹽 咸
上聲(상성) (29韻)	董 腫 講 紙 尾 語 麌 薺 蟹 賄 軫 吻 阮 旱 潸 銑 篠 巧 晧 哿 馬 養 梗 迥 有 寢 感 琰 豏
去聲(거성) (30韻)	送 宋 絳 寘 未 御 遇 霽 泰 卦 隊 震 問 願 翰 諫 霰 嘯 效 號 箇 禡 漾 敬 徑 宥 沁 勘 豔 陷
入聲(입성) (17韻)	屋 沃 覺 質 物 月 曷 黠 屑 藥 陌 錫 職 緝 合 葉 洽

2. 주요 출전(主要出典)

(가나다순)

강희자전(康熙字典)	淸나라 聖祖가 張玉書(장옥서)·陳廷敬(진정경) 등 30인의 학자에게 명하여 편찬한 중국 최대의 자전. 강희 55년(1716년)에 간행됨.
광아(廣雅)	중국 魏나라 張揖(장읍)이 편찬한 한자자전. 10권.
광운(廣韻)	한문자를 韻에 따라 분류·배열하고, 글자마다 음과 뜻을 주해한 韻書. 26,194자.
국어(國語)	左氏傳에 누락된 춘추 시대의 역사를 적은 책. 左丘明이 지었다 함.
논어(論語)	四書의 하나. 孔子의 언행이나, 弟子·諸侯·隱者와의 문답, 제자끼리의 문답 등을 기술한 것으로, 공자의 생전부터 기록되어 그의 몰후(歿後), 門弟(문제)들에 의하여 편찬된 것으로 추정됨. 공자의 이상적 도덕인 '仁'의 뜻, 정치·교육에 대한 의견 등이 씌어 있는 儒敎의 경전임. 7권 20편.
문선(文選)	중국 梁나라 昭明太子 蕭統(소통)이 엮은 시문집.
서경(書經)	五經의 하나. 중국 堯舜 때부터 周나라 때까지의 政事에 관한 文書를 孔子가 수집·편찬한 책. 20권 58편.
석명(釋名)	後漢의 劉熙(유희)가 지은 책. 爾雅를 본떠서 訓詁를 설명하였음.
설문(說文)	後漢의 許愼(허신)이 撰한 중국의 가장 오래된 字典. 중국 文字學의 기본적인 古典의 하나. 漢字를 분류하여 六書의 뜻을 캐고, 文字의 의미를 밝혔음. 30권. 설문해자.

설원(說苑)	중국의 훈계적 전설집. 君道·臣術·建本·立節·貴德·復恩(부은) 등 20편으로 나누어서, 처음에 序說을 말하고, 뒤에 逸話를 열거함. 漢나라 劉向이 편찬. 20권.
시경(詩經)	五經의 하나. 孔子가 편찬하였다고 함. 殷代부터 春秋 시대까지의 詩 311편으로, 기원전 10~6세기의 古詩로 추정되며, 國風·雅·頌의 세 부분으로 대별하였음.
옥편(玉篇)	중국 梁나라 顧野王(고야왕)이 엮은 한자자전. 30권.
의례(儀禮)	중국 經書의 하나. 관혼상제를 비롯하여 중국 고대 사회의 사회적 의식을 자세히 기록하였음.
이아(爾雅)	중국 고대의 經典에 物名을 주해한 책. 천문·지리·음악·기재(器材)·초목·조수 등의 낱말을 해석하였음.
자휘(字彙)	중국 明나라의 梅膺祚(매응조)가 지은 字書. 33,079자.
전국책(戰國策)	중국 전국 시대에 종횡가가 諸侯에게 논한 책략을 國別로 모은 책. 劉向이 편찬함.
정자통(正字通)	중국의 音韻字書. 明나라 張自烈(장자열)이 지은 것으로, 淸나라의 廖文英(요문영)이 南康의 白鹿洞에서 版刻(판각)하였음. 12권.
좌전(左傳)	春秋의 해석서로서 모두 30권. 左丘明의 작품이라고 전하여짐. 전국 시대에 성립된 것임. 좌씨전. 좌씨춘추전. 춘추좌씨전.
집운(集韻)	중국의 音韻書. 宋나라 丁度 등의 奉命撰. 53,525자.
초사(楚辭)	중국 楚나라 屈原의 辭賦와 그의 문하생 및 後人의 작품을 모은 책. 漢나라 劉向이 지었다 함.
한서(漢書)	중국의 前漢, 곧 高祖에서 王莽(왕망)까지 229년간의 역사를 기록한 책. 120권.
여씨춘추(呂氏春秋)	중국 秦나라의 呂不韋(여불위)가 賓客을 모아 지었다고 전해지는 史論書. 26권.
한시외전(韓詩外傳)	漢나라의 韓嬰(한영)이 지은 漢詩에 관한 책. 古事나 古語를 들고 詩語에 대한 염원을 밝히고 있음. 10권.
회남자(淮南子)	중국 前漢의 회남왕인 劉安이 편저한 철학서. 정식 명칭은 〈淮南鴻烈〉.
후한서(後漢書)	중국 後漢 12 임금의 史蹟을 적은 역사책. 南朝 宋나라 范曄(범엽)이 지은 것을 梁나라 劉昭(유소)가 보충하여 완성하였음. 120권.

3. 육십사괘(六十四卦)

乾下乾上(건하 건상) 爲天(위천)	乾(건)
坤下坤上(곤하 곤상) 爲地(위지)	坤(곤)
震下坎上(진하 감상) 水雷(수뢰)	屯(둔)
坎下艮上(감하 간상) 山水(산수)	蒙(몽)
乾下坎上(건하 감상) 水天(수천)	需(수)
坎下乾上(감하 건상) 天水(천수)	訟(송)
坎下坤上(감하 곤상) 地水(지수)	師(사)
坤下坎上(곤하 감상) 水地(수지)	比(비)
乾下巽上(건하 손상) 風天(풍천)	小畜(소축)
兌下乾上(태하 건상) 天澤(천택)	履(이)
乾下坤上(건하 곤상) 地天(지천)	泰(태)
坤下乾上(곤하 건상) 天地(천지)	否(비)
離下乾上(이하 건상) 天火(천화)	同人(동인)
乾下離上(건하 이상) 火天(화천)	大有(대유)
艮下坤上(간하 곤상) 地山(지산)	謙(겸)
坤下震上(곤하 진상) 雷地(뇌지)	豫(예)
震下兌上(진하 태상) 澤雷(택뢰)	隨(수)
巽下艮上(손하 간상) 山風(산풍)	蠱(고)
兌下坤上(태하 곤상) 地澤(지택)	臨(임)
坤下巽上(곤하 손상) 風地(풍지)	觀(관)
震下離上(진하 이상) 火雷(화뢰)	噬嗑(서합)
離下艮上(이하 간상) 山火(산화)	賁(비)
坤下艮上(곤하 간상) 山地(산지)	剝(박)
震下坤上(진하 곤상) 地雷(지뢰)	復(복)
震下乾上(진하 건상) 天雷(천뢰)	无妄(무망)
乾下艮上(건하 간상) 山天(산천)	大畜(대축)
震下艮上(진하 간상) 山雷(산뢰)	頤(이)
巽下兌上(손하 태상) 澤風(택풍)	大過(대과)
坎下坎上(감하 감상) 爲水(위수)	坎(감)
離下離上(이하 이상) 爲火(위화)	離(이)
艮下兌上(간하 태상) 澤山(택산)	咸(함)
巽下震上(손하 진상) 雷風(뇌풍)	恒(항)
艮下乾上(간하 건상) 天山(천산)	遯(돈)
乾下震上(건하 진상) 雷天(뇌천)	大壯(대장)
坤下離上(곤하 이상) 火地(화지)	晉(진)
離下坤上(이하 곤상) 地火(지화)	明夷(명이)
離下巽上(이하 손상) 風火(풍화)	家人(가인)
兌下離上(태하 이상) 火澤(화택)	睽(규)
艮下坎上(간하 감상) 水山(수산)	蹇(건)
坎下震上(감하 진상) 雷水(뇌수)	解(해)
兌下艮上(태하 간상) 山澤(산택)	損(손)
震下巽上(진하 손상) 風雷(풍뢰)	益(익)
乾下兌上(건하 태상) 澤天(택천)	夬(쾌)
巽下乾上(손하 건상) 天風(천풍)	姤(구)
坤下兌上(곤하 태상) 澤地(택지)	萃(췌)
巽下坤上(손하 곤상) 地風(지풍)	升(승)
坎下兌上(감하 태상) 澤水(택수)	困(곤)
巽下坎上(손하 감상) 水風(수풍)	井(정)
離下兌上(이하 태상) 澤火(택화)	革(혁)
巽下離上(손하 이상) 火風(화풍)	鼎(정)
震下震上(진하 진상) 爲雷(위뢰)	震(진)
艮下艮上(간하 간상) 爲山(위산)	艮(간)
艮下巽上(간하 손상) 風山(풍산)	漸(점)
兌下震上(태하 진상) 雷澤(뇌택)	歸妹(귀매)
離下震上(이하 진상) 雷火(뇌화)	豐(풍)
艮下離上(간하 이상) 火山(화산)	旅(여)
巽下巽上(손하 손상) 爲風(위풍)	巽(손)
兌下兌上(태하 태상) 爲澤(위택)	兌(태)
坎下巽上(감하 손상) 風水(풍수)	渙(환)
兌下坎上(태하 감상) 水澤(수택)	節(절)
兌下巽上(태하 손상) 風澤(풍택)	中孚(중부)
艮下震上(간하 진상) 雷山(뇌산)	小過(소과)
離下坎上(이하 감상) 水火(수화)	旣濟(기제)
坎下離上(감하 이상) 火水(화수)	未濟(미제)

4. 찾기 어려운 한자

(가나다순)

加 (가) 〈力부 3획〉
嘉 (가) 〈口부 11획〉
街 (가) 〈行부 6획〉
各 (각) 〈口부 3획〉
脚 (각) 〈肉부 7획〉
囏 (간) 〈口부 20획〉
幹 (간) 〈干부 10획〉
丐 (개) 〈一부 3획〉
更 (갱) 〈曰부 3획〉
去 (거) 〈厶부 3획〉
巨 (거) 〈工부 2획〉
乾 (건) 〈乙부 10획〉
朅 (걸) 〈曰부 10획〉
憩 (게) 〈心부 12획〉
[illegible] (결) 〈大부 9획〉
缺 (결) 〈缶부 4획〉
慶 (경) 〈心부 11획〉
競 (경) 〈立부 15획〉
啓 (계) 〈口부 8획〉
契 (계) 〈大부 6획〉
季 (계) 〈子부 5획〉
睾 (고) 〈目부 9획〉
嚳 (곡) 〈口부 17획〉
贛 (공) 〈貝부 17획〉
丱 (관) 〈丨부 4획〉
乖 (괴) 〈丿부 7획〉
[illegible] (교) 〈口부 13획〉
句 (구) 〈口부 2획〉
舊 (구) 〈臼부 12획〉
歸 (귀) 〈止부 14획〉
堇 (근) 〈土부 8획〉
其 (기) 〈八부 6획〉
南 (남) 〈十부 7획〉
囊 (낭) 〈口부 19획〉
[illegible] (누) 〈雨부 14획〉
臺 (대) 〈至부 8획〉
[illegible] (두) 〈一부 10획〉
屯 (둔) 〈屮부 1획〉
來 (래) 〈人부 6획〉
両 (량) 〈一부 5획〉
兩 (량) 〈入부 6획〉
侖 (륜) 〈人부 6획〉
粼 (린) 〈米부 8획〉
卍 (만) 〈十부 4획〉
丏 (면) 〈一부 3획〉
丙 (병) 〈一부 4획〉
並 (병) 〈一부 7획〉
報 (보) 〈土부 10획〉
丕 (비) 〈一부 4획〉
嚭 (비) 〈口부 16획〉
顰 (빈) 〈頁부 15획〉
[illegible] (뿐) 〈口부 6획〉
乍 (사) 〈丿부 4획〉
司 (사) 〈口부 2획〉
傘 (산) 〈人부 10획〉
商 (상) 〈口부 8획〉
喪 (상) 〈口부 9획〉

壻 (서) 〈士부 9획〉

㑩 (선) 〈人부 3획〉

卨 (설) 〈卜부 9획〉

韱 (섬) 〈韭부 8획〉

世 (세) 〈一부 4획〉

卋 (세) 〈一부 5획〉

所 (소) 〈一부 6획〉

垂 (수) 〈土부 5획〉

埀 (수) 〈土부 9획〉

塍 (승) 〈土부 10획〉

囟 (신) 〈口부 3획〉

丫 (아) 〈丨부 2획〉

亞 (아) 〈二부 6획〉

靉 (애) 〈雨부 17획〉

臲 (얼) 〈自부 10획〉

与 (여) 〈一부 3획〉

余 (여) 〈人부 5획〉

豔 (염) 〈豆부 20획〉

豓 (염) 〈豆부 21획〉

頾 (염) 〈頁부 7획〉

鹽 (염) 〈鹵부 8획〉

鹽 (염) 〈鹵부 13획〉

潁 (영) 〈水부 11획〉

卼 (올) 〈卩부 7획〉

歪 (외) 〈止부 5획〉

凹 (요) 〈凵부 3획〉

堯 (요) 〈土부 9획〉

友 (우) 〈又부 2획〉

鬱 (울) 〈鬯부 18획〉

鬱 (울) 〈鬯부 19획〉

員 (원) 〈口부 7획〉

毓 (육) 〈毋부 9획〉

胤 (윤) 〈肉부 5획〉

霠 (음) 〈雨부 8획〉

懿 (의) 〈心부 18획〉

以 (이) 〈人부 3획〉

暎 (인) 〈日부 10획〉

頿 (자) 〈頁부 8획〉

丈 (장) 〈一부 2획〉

臧 (장) 〈臣부 8획〉

啇 (적) 〈口부 8획〉

糴 (적) 〈米부 16획〉

丼 (정) 〈丶부 4획〉

玎 (정) 〈干부 4획〉

赬 (정) 〈赤부 7획〉

兆 (조) 〈儿부 4획〉

刁 (조) 〈刀부 0획〉

條 (조) 〈木부 7획〉

糶 (조) 〈米부 19획〉

丟 (주) 〈一부 5획〉

冑 (주) 〈冂부 7획〉

胄 (주) 〈肉부 5획〉

粥 (죽) 〈米부 6획〉

㕙 (준) 〈厶부 13획〉

且 (차) 〈一부 4획〉

奲 (차) 〈大부 21획〉

糳 (착) 〈米부 21획〉

毚 (참) 〈比부 13획〉

倉 (창) 〈人부 8획〉

冊 (책) 〈冂부 3획〉

囅 (천) 〈口부 19획〉

凸 (철) 〈凵부 3획〉

僉 (첨) 〈人부 11획〉

靆 (체) 〈雨부 16획〉

叢 (총) 〈又부 16획〉

丑 (축) 〈一부 3획〉

嚲 (타) 〈口부 17획〉	罕 (한) 〈网부 3획〉	彠 (확) 〈彐부 23획〉
乓 (팡) 〈丿부 5획〉	齃 (할) 〈自부 13획〉	囘 (회) 〈口부 2획〉
牌 (패) 〈口부 10획〉	函 (함) 〈凵부 7획〉	孝 (효) 〈子부 4획〉
匏 (포) 〈勹부 9획〉	韰 (해) 〈韭부 14획〉	巂 (휴) 〈隹부 10획〉
麭 (포) 〈口부 15획〉	絜 (혈) 〈糸부 9획〉	釁 (흔) 〈酉부 18획〉
乒 (핑) 〈丿부 5획〉	化 (화) 〈匕부 2획〉	

5. 인명용 한자표

(호적법시행규칙 제37조)

한글	한문 교육용 기초한자 (2000.12.31. 현재)	인명용 추가 한자 (1991.4.1.)	(1994.9.1.)	(1998.1.1.)	(2001.1.4.)	(2003.10.20.)	(2005.1.1.)	(2007.2.15.)
가	家佳街可歌 加價假架暇	嘉嫁稼賈駕	伽	迦柯	呵哥枷珂痂 苛袈訶跏軻 茄			哿
각	各角脚閣却 覺刻	珏恪殼			慤			
간	干間看刊肝 幹簡姦懇	艮侃杆玕竿 揀諫墾		栞	奸柬桿澗癎 磵稈艱			
갈	渴	葛			乫喝曷碣竭 褐蝎鞨			
감	甘減感敢監 鑑(鑒)	勘堪瞰			坎嵌憾戡柑 橄疳紺邯龕			
갑	甲	鉀			匣岬胛閘			
강	江降講强(強) 康剛鋼(鎠)綱	杠堈岡崗姜 橿彊慷			畺疆糠絳羌 腔舡薑襁鱇		嫝跭	
개	改皆個(箇)開 介慨概蓋(盖)	价凱愷漑			塏愾疥芥豈 鎧		玠	
객	客				喀			
갱	更	坑			粳羹			
갹					醵			
거	去巨居車擧 距拒據	渠遽	鉅	炬	倨据祛踞鋸			
건	建(逮)乾件健	巾虔楗鍵			愆腱蹇騫			漧
걸	傑乞	杰			桀			
검	儉劍(劒)檢				瞼鈐黔			
겁					劫怯法			
게		揭			偈	憩		
격	格擊激隔	檄			膈覡			
견	犬見堅肩絹 遣牽	鵑			甄繭譴			
결	決結潔缺	訣			抉			
겸	兼謙	鎌			慊箝鉗			
경	京景經庚耕 敬輕驚慶競 竟境鏡頃傾 硬警徑卿(卿)	倞鯨坰耿更 炅梗憬暻璟 擎瓊儆俓涇 莖勁逕熲檠	冏	勍	烱絅脛頸磬 痙璥		囧檠鶊	冂浧
계	癸季界計溪 鷄系係戒械 繼契桂啓階 繫	誡烓			屆堺悸棨磎 稽谿			
고	古故固苦高 考(攷)告枯姑 庫孤鼓稿顧	叩敲皐		暠	呱尻拷槁沽 皐羔股膏苽 菰藁蠱袴誥 賈辜錮雇痼		杲	
곡	谷曲穀哭				斛梏鵠			
곤	困坤	昆崑琨錕			梱棍滾袞鯤			
골	骨				汨滑			

한글	한문 교육용 기초한자 (2000. 12. 31. 현재)	인명용 추가 한자						
		(1991. 4. 1.)	(1994. 9. 1.)	(1998. 1. 1.)	(2001. 1. 4.)	(2003. 10. 20.)	(2005. 1. 1.)	(2007.2. 15.)
공	工功空共公孔供恭攻恐貢	珙控			拱蚣鞏			
곶					串			
과	果課科過誇寡	菓			鍋顆跨	戈瓜		
곽	郭	廓			槨藿			
관	官觀關館(舘)管貫慣冠寬	款琯錧灌瓘梡			串棺罐菅			
괄		括			刮恝适			
광	光(炛)廣(広)鑛狂	侊洸珖桄匡曠	眖		壙筐胱			
괘	掛				卦罫			
괴	塊愧怪壞				乖傀拐槐魁			
굉		宏			紘肱轟			
교	交校橋敎(教)郊較巧矯	僑喬嬌膠			咬嶠攪狡皎絞翹蕎蛟轎鮫驕餃		姣	佼
구	九口求救究久句舊具俱區驅苟拘狗丘懼龜構球	坵玖矩邱銶溝購鳩軀	耉	枸	仇勾咎嘔垢寇嶇廐柩歐毆毬灸瞿絿臼舅衢謳逑鉤駒	鷗		玽
국	國(国)菊局	鞠			麴鞫			
군	君郡軍群				窘裙			
굴	屈	窟			堀掘			
궁	弓宮窮	躬			穹芎			
권	券權勸卷拳	圈眷			倦捲淃			
궐	厥	闕			獗蕨蹶			
궤	軌				机櫃潰詭饋			
귀	貴歸鬼	龜			句晷		鐀	
규	叫規糾	圭奎珪揆逵窺	葵		槻硅竅赳	閨	糺	邽嫢
균	均菌	畇鈞			勻筠龜			
귤		橘						
극	極克劇	剋隙			戟棘			
근	近勤根斤僅謹	漌墐槿筋瑾嫤	劤		懃芹菫覲饉			
글					契			
금	金今禁錦禽琴	衾襟	昑		妗擒檎芩衿			
급	及給急級	汲			伋扱			
긍	肯	亘(亙)兢矜						
기	己記起其期基氣技幾旣紀忌旗欺奇騎寄豈棄祈企畿飢器機	淇琪璂棋祺錤騏麒玘杞埼崎琦綺錡箕岐汽沂圻耆璣磯譏冀驥嗜暣	伎		夔妓朞畸碁祁祇羈璣肌饑		棋	
긴	緊							
길	吉	佶桔姞			拮			
김					金			
끽					喫			

한글	한문 교육용 기초한자	인명용 추가 한자						
	(2000. 12. 31. 현재)	(1991. 4. 1.)	(1994. 9. 1.)	(1998. 1. 1.)	(2001. 1. 4.)	(2003. 10. 20.)	(2005. 1. 1.)	(2007.2. 15.)
나	那	奈柰娜	拏		喇儒拿儺		挐旀㐲	
낙	諾							
난	暖難	煖						
날		捺			捏			
남	南男	楠湳			枏			
납	納				衲			
낭	娘				囊			
내	內乃奈耐	柰						
녀	女							
년	年(季)				撚			
념	念				恬拈捻			
녕	寧				寗獰			
노	怒奴努				弩瑙駑			
농	農				膿	濃		
뇨					尿鬧撓			
눈					嫩			
눌					訥			
뇌	腦惱							
뉴		紐	鈕		杻			
능	能							
니	泥				尼		柅	濔膩
닉					匿溺			
다	多茶						爹	䅘
단	丹但單短端 旦段壇檀斷 團	緞鍛			亶彖湍簞蛋 袒鄲			煓
달	達				撻澾獺疸			
담	談淡擔	譚膽	澹覃		啖坍儋曇湛 痰聃錟蕁	潭		倓
답	答畓踏				沓遝			
당	堂當唐糖黨	塘鐺		撞	幢戇棠螳			
대	大代待對帶 臺貸隊	垈玳袋戴擡		旲	坮岱黛			
댁					宅			
덕	德(悳)							
도	刀到度道島 徒圖倒都桃 挑跳逃渡陶 途稻導盜塗	堵棹濤燾鍍 蹈禱			屠嶋悼掉搗 櫂淘滔睹萄 覩賭韜			馟
독	讀獨毒督篤				瀆牘犢禿纛			
돈	豚敦	墩惇暾燉頓			盹沌焞			
돌	突	乭						
동	同洞童冬東 動銅凍	棟董潼	垌瞳	蝀	仝憧疼胴	桐	朣曈彤烔	
두	斗豆頭	杜枓			兜痘竇荳讀 逗		阧	
둔	鈍屯	遁			臀芚遯			
득	得							
등	等登燈騰	藤謄鄧			嶝橙			
라	羅		螺		喇懶癩蘿裸 邏		砢	覶摞
락	落樂絡	珞酪			烙駱	洛		
란	卵亂蘭欄	瀾瓓			丹欒鸞	爛		

한글	한문 교육용 기초한자 (2000.12.31. 현재)	인명용 추가 한자						
		(1991.4.1.)	(1994.9.1.)	(1998.1.1.)	(2001.1.4.)	(2003.10.20.)	(2005.1.1.)	(2007.2.15.)
랄					剌辣			
람	覽濫				嵐擥攬欖籃纜艦	藍	婪	
랍					拉臘蠟			
랑	浪郎廊	琅瑯			狼螂	朗		烺
래	來(来·逨)	崍萊			徠			
랭	冷							
략	略掠							
량	良兩量涼梁糧諒	亮倆樑		凉	粮粱輛			
려	旅麗慮勵	呂侶閭黎			儷廬戾櫚濾礪藜驢驪蠣			
력	力歷曆				瀝礫轢靂			
련	連練鍊憐聯戀蓮	煉璉			攣漣輦		孌	
렬	列烈裂劣	洌			冽			
렴	廉	濂簾斂			殮			
렵	獵							
령	令領嶺零靈	伶玲姈昤鈴齡	怜		囹岺笭羚翎聆逞		泠	澪
례	例禮(礼)隷				澧醴			
로	路露老勞爐	魯盧鷺			撈擄櫓潞瀘蘆虜輅鹵		壚	
록	綠祿錄鹿	彔			碌菉麓			
론	論							
롱	弄	瀧瓏籠			壟朧聾			
뢰	雷賴			瀨	儡牢磊賂賚			
료	料了僚			遼	寮廖燎療瞭聊蓼			
룡	龍(竜)							
루	屢樓累淚漏				壘婁瘻縷蔞褸鏤陋			
류	柳留流類	琉劉	瑠	硫	瘤旒榴溜瀏謬			
륙	六陸				戮			
륜	倫輪	侖崙(崘)綸			淪		錀	
률	律栗率				慄			嵂
륭	隆							
륵					勒肋			
름		凜					廩	凛
릉	陵	綾菱		稜	凌楞			
리	里理利梨李吏離裏(裡)履	俚莉离璃	悧	俐	厘唎浬犁狸痢籬罹羸釐鯉		涖䍦	
린	隣	潾璘麟			吝燐藺躪鱗		鄰驎撛	繗
림	林臨	琳霖	淋					棽
립	立	笠粒			砬			
마	馬麻磨	瑪			摩痲碼魔			
막	莫幕漠				寞膜邈			
만	萬晩滿慢漫	万曼蔓鏋			卍娩巒彎挽灣瞞輓饅鰻	蠻		

한글	한문 교육용 기초한자 (2000.12.31. 현재)	인명용 추가 한자 (1991.4.1.)	(1994.9.1.)	(1998.1.1.)	(2001.1.4.)	(2003.10.20.)	(2005.1.1.)	(2007.2.15.)
말	末		茉		唜抹沫襪靺			
망	亡忙忘望茫妄罔	網			芒莽輞邙			
매	每買賣妹梅埋媒				寐昧枚煤罵邁魅			莓
맥	麥脈				貊陌驀			
맹	孟猛盟盲	萌			氓			
멱					冪覓			
면	免勉面眠綿	冕棉			沔眄緬麵			
멸	滅				蔑			
명	名命明鳴銘冥	溟			暝椧皿瞑茗蓂螟酩		慏洺	明鵬
몌					袂			
모	母毛暮某謀模貌募慕冒侮	摸牟謨			姆帽摹牡瑁眸耗芼茅	矛		橅
목	木目牧睦	穆			鶩	沐		
몰	沒				歿			
몽	夢蒙				朦			
묘	卯妙苗廟墓	描錨	畝		昴杳渺猫竗			橅
무	戊茂武務無(无)舞貿霧	拇珷畝撫	懋		巫憮楙毋繆蕪誣鵡			
묵	墨默							
문	門問聞文	汶炆紋			們刎吻紊蚊雯			
물	勿物				沕			
미	米未味美尾迷微眉	渼薇彌(弥)	嵄	媄媚	帽梶楣湄謎靡黴		躾媺	瀰
민	民敏憫	玟旻旼閔珉(瑉)岷	忞慜敃	愍潤瞥頣泯旼	悶緡		碈顧	鈱
밀	密蜜				謐			
박	泊拍迫朴博薄	珀撲璞	鉑	舶	剝樸箔粕縛膊雹駁			
반	反飯半般盤班返叛伴	畔頒潘磐			拌搬攀斑槃泮瘢盼磻礬絆蟠			㻞
발	發拔髮	潑鉢渤			勃撥跋醱魃			
방	方房防放訪芳傍妨倣邦	坊彷昉	龐	榜	尨幇旁枋滂磅紡肪膀舫蒡蚌謗			
배	拜杯(盃)倍培配排輩背	陪裵(裴)湃			俳徘焙胚褙賠北			
백	白百伯	佰帛			魄	栢(柏)		
번	番煩繁飜(翻)		蕃		幡樊燔磻藩			
벌	伐罰	閥			筏			
범	凡犯範	帆杋氾范		梵	泛	汎		釩
법	法				琺			
벽	壁碧	璧闢			僻劈擘檗癖蘗霹			
변	變辯辨邊	卞		弁	便			釆
별	別				瞥鱉鼈		緻矜	莂
병	丙病兵竝(並)屛	幷(幷)倂甁輧鉼炳柄昞			餠騈			

한글	한문 교육용 기초한자 (2000. 12. 31. 현재)	인명용 추가 한자						
		(1991. 4. 1.)	(1994. 9. 1.)	(1998. 1. 1.)	(2001. 1. 4.)	(2003. 10. 20.)	(2005. 1. 1.)	(2007.2. 15.)
		(昺)秉棅						
보	保步報普補 譜寶(宝)	堡甫輔	菩	潽	洑湺珤褓			俌
복	福伏服復腹 複卜覆	馥	鍑		僕匐宓茯蔔 輹輻鰒			
본	本							
볼					乶			
봉	奉逢峯(峰)蜂 封鳳	俸捧琫烽棒 蓬鋒			熢縫			漨(浲)
부	夫扶父富部 婦否浮付符 附府腐負副 簿赴賦	孚芙傅溥敷 復			不俯剖咐埠 孵斧缶腑艀 訃莩賻趺釜 阜駙鳧	膚		
북	北							
분	分紛粉奔墳 憤奮	汾芬盆			吩噴忿扮昐 焚糞賁雰			
불	不佛拂				彿	弗		
붕	朋崩	鵬			棚硼繃			
비	比非悲飛鼻 備批卑婢碑 妃肥祕(秘)費	庇枇琵扉譬			丕匕匪憊斐 榧毖毗毘沸 泌痺砒秕粃 緋翡脾臂菲 蜚裨誹鄙		棐	
빈	貧賓頻	彬斌濱嬪		穦儐璸玭	嚬檳殯浜瀕 牝		邠繽	份豳霦贇鑌
빙	氷聘	憑			騁			
사	四巳士仕寺 史使舍射謝 師死私絲思 事司詞蛇捨 邪賜斜詐社 沙似查寫辭 斯祀	泗砂糸紗娑 徙奢	嗣	赦	乍些伺俟僿 唆柶梭渣瀉 獅祠肆莎蓑 裟飼駟麝篩			
삭	削朔				數索			
산	山產散算	珊傘			刪汕疝蒜霰	酸		
살	殺	薩			乷撒煞			
삼	三	參蔘杉		衫	滲芟	森		
삽		揷(插)			澁鈒颯			
상	上尙常賞商 相霜想傷喪 嘗裳詳祥象 像床(牀)桑狀 償	庠湘箱翔爽	塽		孀峠廂橡觴		樣	
새	塞				璽賽			
색	色索	嗇	穡		塞			
생	生				牲甥省笙			
서	西序書署 敍(叙)徐庶恕 暑緖誓逝	抒舒瑞棲(栖) 曙壻(婿)	惰	諝	墅嶼捿犀筮 絮胥薯鋤黍 鼠		嶼薁	揟悆
석	石夕昔惜席 析釋	碩奭汐淅晳 柘鉐錫			潟蓆			舃
선	先仙線鮮善 船選宣旋禪	扇渲瑄愃膳 墡繕琁璿璇	詵	嫙	僊敾煽癬腺 蘚詵跣鐥饍			洒

한글	한문 교육용 기초한자 (2000. 12. 31. 현재)	인명용 추가 한자						
		(1991. 4. 1.)	(1994. 9. 1.)	(1998. 1. 1.)	(2001. 1. 4.)	(2003. 10. 20.)	(2005. 1. 1.)	(2007.2. 15.)
		羨嬋銑			蟬			
설	雪說設舌	卨	薛楔		屑泄洩渫褻齧		蔎契离	
섬		纖暹蟾			剡殲贍閃陝			
섭	涉攝	燮	葉					
성	姓性成城誠盛省聖聲星	晟(晠)珹娍瑆惺醒			宬猩筬腥		聖胜	胜
세	世洗稅細勢歲			貰	笹說		忕	洒
소	小少所消素笑召昭蘇騷燒訴掃疏(疎)蔬	沼炤紹邵韶巢遡	柖玿		嘯塑宵搔梳溯瀟甦瘙篠簫逍銷蕭		愫穌卲霄	
속	俗速續束粟屬				涑謖贖			
손	孫損	遜巽			蓀飡			
솔		率	帥					
송	松送頌訟誦	宋	淞		悚			
쇄	刷鎖				殺灑碎	鎖		
쇠	衰	釗						
수	水手受授首守收誰須雖愁樹壽(寿)數修(脩)秀囚需帥殊隨輸獸睡遂垂搜	洙琇銖粹穗(穂)繡隋髓		袖	嗽嫂岫峀戍燧漱狩璲瘦竪綏綬羞茱蒐蓚藪讐邃酬銹隧鬚		濉鵐睟	
숙	叔淑宿孰熟肅	塾琡璹	橚		夙潚菽			
순	順純旬殉循脣瞬巡	洵珣荀筍舜淳錞諄醇焞			徇恂栒楯橓蓴蕣詢馴	盾		
술	戌述術				鉥			
숭	崇		嵩		崧			
슬		瑟膝	璱		蝨			
습	習拾濕襲				褶			
승	乘承勝昇僧	丞陞繩			蠅	升	滕永塍	
시	市示是時詩施試始矢侍視	柴	恃		匙嘶媤尸屎屍弑柹猜翅蒔蓍諡豕豺		偲	毸諟媞
식	食式植識息飾	栻埴殖湜軾寔			拭熄篒蝕			
신	身申神臣信辛新伸晨愼	紳莘薪迅訊			侁呻娠宸燼腎藎蜃辰		璶	
실	失室實(実)	悉						
심	心甚深尋審	沁	沈		瀋芯諶			
십	十	什		拾				
쌍	雙							
씨	氏							
아	兒(児)我牙芽雅亞(亜)餓	娥峨(峩)衙		妸	俄啞莪蛾訝鴉鵝	阿	婀(娿)	哦
악	惡岳	樂堊嶽			幄愕握渥鄂鍔顎鰐齷			
안	安案顔眼岸雁(鴈)	晏按			鞍鮟			

한글	한문 교육용 기초한자 (2000.12.31. 현재)	인명용 추가 한자						
		(1991.4.1.)	(1994.9.1.)	(1998.1.1.)	(2001.1.4.)	(2003.10.20.)	(2005.1.1.)	(2007.2.15.)
알	謁				斡軋閼			
암	暗巖(岩)	庵菴			唵癌闇			
압	壓押	鴨			狎			
앙	仰央殃	昻鴦			怏秧			
애	愛哀涯	厓崖	艾		埃曖碍隘靄			睚
액	厄額	液			扼掖縊腋			
앵		鶯		櫻	罌鸚			
야	也夜野耶	冶			倻惹揶椰爺若			埜
약	弱若約藥躍				葯蒻			
양	羊洋養揚陽讓壤樣楊	襄孃漾			佯恙攘敭暘瀁煬痒瘍禳穰釀		昜	
어	魚漁於語御				圄瘀禦馭齬		唹	
억	億憶抑	檍			臆			
언	言焉	諺彦			偃堰		嫣	
얼					孼蘖			
엄	嚴	奄俺掩			儼淹			
업	業	業						
엔					円			
여	余餘如汝與予輿				歟璵礖艅茹轝		妤	悆
역	亦易逆譯驛役疫域	晹			繹			
연	然煙(烟)研延燃燕沿鉛宴軟演緣	衍淵(渊)姸娟涓沇筵	瑌	娫	嚥堧捐挻椽涎縯鳶	硯	曣燃醼兗(兖)	嬿莚瑥
열	熱悅閱	說			咽			漟
염	炎染鹽	琰艶(豔)			厭焰苒閻髥			
엽	葉	燁曄					熀	
영	永英迎榮(栄)泳詠營影映	渶煐瑛暎瑩瀯盈鍈嬰楹	穎瓔	咏	塋嶸潁瀅瀛霙纓			嬴憕
예	藝豫譽銳	叡(睿·容)預芮	乂		倪刈曳汭濊猊穢蘂裔詣霓		堄埶橤堨	嫕蓺蕊蘂
오	五吾悟午誤烏汚嗚娛傲	伍吳旿珸晤奧			俉塢墺寤惡懊敖熬獒筽蜈鰲鼇澳	梧	浯	燠
옥	玉屋獄	沃鈺						
온	溫	瑥媼穩(稳)			瘟縕蘊			昷榲
올					兀			
옹	翁擁	雍壅			瓮甕癰邕饔			
와	瓦臥				渦窩窪蛙蝸訛			
완	完緩	玩垸浣莞琓琬婠婉		宛	梡椀碗翫脘腕豌阮頑		岏	鋺
왈	曰							
왕	王往	旺汪枉						
왜					倭娃歪矮			
외	外畏				嵬巍猥			
요	要腰搖遙謠	夭堯饒曜耀瑤樂	姚	僥	凹妖嶢拗擾橈燿窈窯繇繞蟯邀		暚	

한글	한문 교육용 기초한자 (2000. 12. 31. 현재)	인명용 추가 한자 (1991. 4. 1.)	(1994. 9. 1.)	(1998. 1. 1.)	(2001. 1. 4.)	(2003. 10. 20.)	(2005. 1. 1.)	(2007.2. 15.)
욕	欲浴慾辱				縟褥			
용	用勇容庸	溶鎔瑢榕蓉湧涌埇踊鏞茸	墉	甬	俑傭冗涌熔聳		傛	槦
우	于宇右牛友雨憂又尤遇羽郵愚偶優	佑祐禹瑀寓堣隅玗釪迂	霸	旴	盂禑紆芋藕虞雩		扜	圩傴燠偶
욱		旭昱煜郁頊彧			勖栯稶			燠
운	云雲運韻	沄澐	耘	暈会	暈橒殞熉芸蕓隕			篔(簹)
울		蔚			鬱亐			
웅	雄	熊						
원	元原願遠園怨圓員源援院	袁垣洹沅瑗媛嫄愿苑轅	婉		寃湲爰猿阮鴛		禐	朊杬鋺
월	月越				鉞			
위	位危爲偉威胃謂圍衛(衞)違委慰僞緯	尉韋瑋暐渭魏			萎葦蔿蝟褘			
유	由油酉有猶唯遊柔遺幼幽惟維乳儒裕誘愈悠	侑洧宥庾喩兪(俞)楡瑜猷	濡(渪)釉愉柚攸	釉琟	孺揄楢游癒臾萸諛諭踰鍮蹂逾		嚅媬	囿牖逌
육	肉育	堉			毓			
윤	閏潤	尹允玧鈗胤	阭奫		贇		閱昀	荺贇
율					聿		燏汩	建
융		融			戎瀜絨			
은	恩銀隱	垠殷誾(訔)	溵	珢	慇		瀵听珢訢億圻蘟檼檃	
을	乙							圪
음	音吟飮陰淫				蔭			愔
읍	邑泣				揖			
응	應凝	膺鷹					譍	
의	衣依義議矣醫意宜儀疑	倚誼毅擬	懿		椅艤薏蟻			
이	二以已耳而異移夷	珥伊易弛怡彛(彝)爾	頤		姨痍肄苡荑貽邇飴	貳	嬰杝	朋
익	益翼	翊瀷謚	翌				熤	
인	人引仁因忍認寅印姻				咽湮絪茵蚓靭靷	刃	粫芒	沏牣璌
일	一日逸	溢鎰馹	佾		佚	壹		
임	壬任賃	妊姙稔			恁荏		託	
입	入				廿			
잉		剩			仍孕芿			
자	子字自者姉(姊)慈茲紫資姿恣刺	仔滋磁藉瓷			咨孜炙煮疵茨蔗諮	雌		秄
작	作昨酌爵	灼芍雀鵲			勺嚼斫炸綽			焬
잔	殘				孱棧潺盞			
잠	潛(潜)暫	箴			岑簪	蠶		
잡	雜							

한글	한문 교육용 기초한자 (2000.12.31. 현재)	인명용 추가 한자 (1991.4.1.)	(1994.9.1.)	(1998.1.1.)	(2001.1.4.)	(2003.10.20.)	(2005.1.1.)	(2007.2.15.)
장	長章場將(将)壯(壮)丈張帳莊(庄)裝奬墻(牆)葬粧掌藏臟障腸	匠杖奘漳樟璋暲薔	蔣		仗檣欌漿狀獐臧贓醬			
재	才材財在栽再哉災裁載宰	梓縡齋渽			滓齎			
쟁	爭	錚			箏諍			
저	著貯低底抵	苧邸	楮	沮	佇儲咀姐杵樗渚狙猪疽箸紵菹藷詛躇這雎齟			
적	的赤適敵滴摘寂籍賊跡積績	迪			勣吊嫡狄炙翟荻謫迹鏑	笛蹟		
전	田全典前展戰電錢傳專轉殿	佺栓詮銓琠甸塡	奠荃雋	顚	佃剪塼廛悛氈澱煎畑癲筌箋箭篆纏輾鈿鐫顫餞			
절	節絶切折竊		晢		截浙癤			
점	店占點(点)漸				岾粘霑鮎			
접	接蝶				摺			
정	丁頂停井正政定貞精情靜(静)淨庭亭訂廷程征整	汀玎町呈桯珵姃偵湞幀楨禎珽挺綎鼎晶晸柾鉦淀錠鋌鄭靖靚	鋥炡	釘渟婷涏頲	旌檉瀞睛碇穽艇諪酊霆		埩姘彭征	梃胜
제	弟第祭帝題除諸製提堤制際齊濟(済)	悌梯瑅			劑啼臍薺蹄醍霽			媞
조	兆早造鳥調朝助弔燥操照條潮租組祖	彫措晁窕祚趙肇詔釣曺遭		眺	俎凋嘲曹棗槽漕爪璪稠粗糟繰藻蚤躁阻雕			昭
족	足族				簇鏃			
존	存尊							
졸	卒拙				猝			
종	宗種鐘終從縱	倧琮淙棕悰綜瑽鍾			慫腫踵踪		柊椶	
좌	左坐佐座				挫			
죄	罪							
주	主注住朱宙走酒晝舟周株州洲柱奏珠鑄	冑湊炷註疇週遒(逎)駐	妵澍	姝	侏做呪嗾廚籌紂紬綢蛛誅躊輳酎		燽鉒拄睭	
죽	竹				粥			
준	準(准)俊遵	峻浚晙埈焌竣畯駿准濬(睿)雋儁埻	隼		寯樽蠢逡		純葰蹲	僔
줄		茁						
중	中重衆仲							

한글	한문 교육용 기초한자 (2000. 12. 31. 현재)	인명용 추가 한자						
		(1991. 4. 1.)	(1994. 9. 1.)	(1998. 1. 1.)	(2001. 1. 4.)	(2003. 10. 20.)	(2005. 1. 1.)	(2007.2. 15.)
즉	卽				即			
즐		櫛						
즙		汁			楫葺			
증	曾增證憎贈 症蒸	烝甑			拯繒			
지	只支枝止之 知地指志至 紙持池誌智 遲	旨沚址祉趾 祗芝摯	鋕	脂	咫枳漬肢砥 芷蜘識贄		祬厎	汦
직	直職織	稙稷						
진	辰眞(真)進盡 振鎭陣陳珍 震	晉(晋)瑨(瑨) 瑱津璡秦軫 塵	禛診縝塡 賑	溱抮	唇嗔搢桭榛 殄疹畛瞋縉 臻蔯袗		鉁昣蓁眕	杓
질	質秩疾姪	瓆			侄叱嫉帙桎 窒膣蛭跌迭			
짐					斟朕			
집	集執	什潗(潗)輯 楫	鏶		緝			
징	徵懲	澄						
차	且次此借差	車叉	瑳		侘嗟嵯磋箚 茶蹉遮		硨奲姹	
착	着錯捉				搾窄鑿齪			
찬	贊(賛)讚(讃)	撰纂粲澯燦 璨瓚纘鑽			竄簒餐饌		攢巑	儧(儹)
찰	察			札	刹擦紮			
참	參慘慙(慚)				僭塹懺斬站 讒讖			
창	昌唱窓倉創 蒼暢	菖昶彰敞廠			倡娼漲猖愴 瘡脹艙槍	滄		
채	菜採彩債	采埰寀蔡	綵		寨砦釵		琗責棌 婇	睬
책	責冊(册)策				柵			
처	妻處				凄	悽		
척	尺斥拓戚	陟坧			倜刺剔慽擲 滌瘠脊蹠隻			
천	天千川泉淺 賤踐遷薦	仟阡			喘擅玔穿舛 釧闡韆		茜	
철	鐵哲徹	喆澈轍撤綴			凸輟			悊
첨	尖添	僉瞻			沾甛簽籤詹 諂			
첩	妾	帖捷			堞牒疊睫諜 貼輒			
청	靑(青)淸(清) 晴(晴)請(請) 廳聽				菁鯖			
체	體替遞滯逮	締諦			切剃涕			諟
초	初草(艸)招肖 超抄礎秒	樵焦蕉楚			剿哨憔梢椒 炒硝礁稍苕 貂酢醋醮		岧釥	
촉	促燭觸				囑矗蜀			
촌	寸村				忖邨			
총	銃總聰(聡)	寵叢			塚悤憁摠蔥		総	
촬					撮			

한글	한문 교육용 기초한자 (2000. 12. 31. 현재)	인명용 추가 한자 (1991. 4. 1.)	(1994. 9. 1.)	(1998. 1. 1.)	(2001. 1. 4.)	(2003. 10. 20.)	(2005. 1. 1.)	(2007. 2. 15.)
최	最催	崔						
추	秋追推抽醜	楸樞鄒錐錘			墜椎湫皺芻 萩諏趨酋鎚 雛騶鰍			
축	丑祝蓄畜築 逐縮	軸			竺筑蹙蹴			
춘	春	椿瑃賰						
출	出				朮黜			
충	充忠蟲(虫)衝	珫沖(冲)衷						
췌		萃			悴膵贅			
취	取吹就臭醉 趣	翠聚			嘴娶炊脆驟 鷲			
측	側測				仄厠惻			
층	層							
치	治致齒値置 恥	熾峙雉馳			侈嗤幟梔淄 痔痴癡稺緇 緻蚩輜	稚		
칙	則	勅			飭			
친	親							
칠	七漆				柒			
침	針侵浸寢沈 枕		琛		砧鍼			梣
칩		蟄						
칭	稱	秤						
쾌	快	夬						
타	他打妥墮				咤唾惰拖朶 楕舵陀馱駝			
탁	濁托濯卓	度倬琸晫託 擢鐸	拓		啄坼柝	琢		
탄	炭歎彈誕	呑坦灘			嘆憚綻			
탈	脫奪							
탐	探貪	耽			眈			
탑	塔				榻			
탕	湯				宕帑糖蕩			
태	太泰怠殆態	汰兌台胎部			笞苔跆颱			鈦
택	宅澤擇	垞						
탱					撑			
터					攄			
토	土吐討					兎		
통	通統痛	桶			慟洞筒			
퇴	退	堆			槌腿褪頹			
투	投透鬪				偸套妬			
특	特				慝			
틈					闖			
파	破波派播罷 頗把	巴芭琶坡		杷	婆擺爬跛			
판	判板販版	阪坂			辦瓣鈑			
팔	八				叭捌			
패	貝敗	覇浿佩牌			唄悖沛狽稗			
팽		彭澎			烹膨			
퍅					愎			
편	片便篇編遍 偏	扁			翩鞭騙			

한글	한문 교육용 기초한자 (2000.12.31. 현재)	인명용 추가 한자						
		(1991.4.1.)	(1994.9.1.)	(1998.1.1.)	(2001.1.4.)	(2003.10.20.)	(2005.1.1.)	(2007.2.15.)
폄					貶			
평	平評	坪枰		泙	萍			
폐	閉肺廢弊蔽幣	陛			吠嬖斃			
포	布抱包胞飽浦捕	葡褒砲		鋪	佈匍匏咆哺圃怖抛暴泡疱脯苞蒲袍逋鮑			
폭	暴爆幅				曝瀑輻			
표	表票標漂	杓豹彪驃			俵剽慓瓢飈飄			
품	品	稟						
풍	風豐(豊)				諷馮	楓		
피	皮彼疲被避				披陂			
필	必匹筆畢	弼泌珌苾馝	鉍佖		疋			
핍					乏逼			
하	下夏賀何河荷	廈(厦)昰霞			瑕蝦遐鰕		呀赮碬	
학	學(学)鶴				壑虐謔		嗃	
한	閑寒恨限韓漢旱汗	澣瀚翰閒			悍罕		澖嫺	
할	割	轄						
함	咸含陷	函涵艦			啣喊檻緘銜鹹			
합	合				哈盒蛤閤闔陜			
항	恒(恆)巷港項抗航	亢沆姮			伉嫦杭桁缸肛行降			
해	害海(海)亥解奚該	偕楷諧			咳垓孩懈瀣蟹邂駭骸		咍	
핵	核				劾			
행	行幸	杏			倖荇			涬
향	向香鄉響享	珦			嚮餉饗			麘
허	虛許	墟			噓			
헌	軒憲獻	櫶					幰	
헐					歇			
험	險驗							
혁	革	赫爀	奕				焱衁焃	
현	現賢玄絃縣懸顯(顕)	見峴晛泫炫玹鉉	眩	昡絢呟	俔睍舷衒	弦	儇譞怰	儇
혈	血穴				孑頁			
혐	嫌							
협	協脅	俠挾峽浹			夾狹脇莢鋏頰			洽
형	兄刑形亨螢衡	型邢珩泂炯瑩瀅馨	熒		滎瀠荊逈鎣			
혜	惠(恵)慧兮	蕙彗譓	憓惠		暳蹊醯鞋			譿鏸
호	戶乎呼好虎號湖互胡浩毫豪護	晧皓澔昊淏濠灝祜琥瑚頀扈鎬壕壺顥	濩	滸	岵弧狐瓠糊縞芦葫蒿蝴		皞	淲
혹	或惑				酷			
혼	婚混昏魂	渾			琿			

한글	한문 교육용 기초한자 (2000. 12. 31. 현재)	인명용 추가 한자						
		(1991. 4. 1.)	(1994. 9. 1.)	(1998. 1. 1.)	(2001. 1. 4.)	(2003. 10. 20.)	(2005. 1. 1.)	(2007.2. 15.)
홀	忽	惚			笏			
홍	紅洪弘鴻	泓烘虹	鉷		哄汞訌			
화	火化花貨和 話畫(畵)華禾 禍	嬅樺			譁靴			
확	確(碻)穫擴				廓攫			
환	歡患丸換環 還	喚奐渙煥晥 幻桓鐶	驩		宦紈鰥			
활	活	闊(濶)			滑猾豁			
황	黃皇況荒	凰堭媓晃滉 榥煌璜	熀		幌徨恍惶愰 慌湟潢晄篁 簧蝗遑隍			
회	回會悔懷	廻恢晦檜澮 繪(絵)	誨		匯徊淮獪膾	灰 茴蛔賄		
획	獲劃							
횡	橫		鐄		宖			
효	孝效(効)曉	涍爻驍	斅		哮嚆梟淆肴 酵		晶歊	窙
후	後厚侯候	后垕逅			吼嗅帿朽煦 珝	喉		
훈	訓	勳(勛.勲)焄 熏薰(薫)壎 燻塤	鑂		暈			
훙					薨			
훤		喧暄萱			煊			
훼	毁				卉喙	毀		
휘	揮輝	彙徽暉煇			諱麾			
휴	休携	烋			畦虧			
휼					恤譎鷸			
흉	凶胸				兇匈洶			
흑	黑							
흔		欣炘昕			痕		忻	
흘		屹			吃紇訖			
흠		欽			欠歆			
흡	吸	洽恰翕						
흥	興							
희	希喜稀戲	姬晞僖熺禧 橲嬉憙熹熈 羲爔曦爋		俙	囍憘犧	噫熙	烯	暿
힐		詰						

주: 1. 위 한자는 이 표에 지정된 발음으로만 사용할 수 있다. 그러나 첫소리(初聲)가 "ㄴ" 또는 "ㄹ"인 한자는 각각 소리 나는 바에 따라 "ㅇ" 또는 "ㄴ"으로 사용할 수 있다.
2. 동자(同字)·속자(俗字)·약자(略字)는 ( )내에 기재된 것에 한하여 사용할 수 있다.
3. "示"변과 "礻"변, "艹"변과 "艹"변은 서로 바꾸어 쓸 수 있다.
예 : 福=福, 蘭=蘭

總 畫 索 引

- 이 字典에 收錄된 表題字를 部首에 의하지 않고, 각 畫數만으로 찾아볼 수 있도록 總畫數에 따라 大別하고, 다시 部首順으로 配列하였다.
- 다만, 部首字는 같은 畫數의 글자 중의 첫머리에 실었다.
- 表題字 왼편의 글자는 部首를, 오른편 숫자는 쪽수를 나타낸다.

1획

一 一 1
丨 丨 43
丶 丶 48
丿 丿 52
乀 52
乁 52
乙 乙 57
乙 57
乚 58
亅 亅 69
𠄌 69
𠃊 69
㇋ 69

2획

一 丁 11
丂 11
七 11
丨 丩 43
卜 43
丿 乂 52
乃 52
夕 53
乙 乜 58
九 58
亅 了 69
二 二 71
亠 亠 83
人 人 89
亻 93
儿 儿 188
入 入 198
八 八 206
冂 冂 220
冖 冖 224
冫 冫 227
几 几 233
凵 凵 235
凵 235
刀 刀 239
刂 240
𠚣 240
⺈ 240
力 力 271
勹 勹 285
匕 匕 288
匕 288
匚 匚 292
匸 匸 294
十 十 296
卜 卜 311
卩 卩 313
㔾 313
厂 厂 318
厶 厶 324
又 又 327
弓 马 717

3획

一 三 14
下 24
万 26
丈 26
丌 27
上 27
丒 30
丨 个 43
丫 43
丶 丸 49
凡 49
丿 久 53
乆 54
么 54
乇 54
乙 乞 62
乤 63
也 63
亅 亇 69
二 于 73
亏 74
亍 74
亠 亡 83
人 亼 93
儿 兀 188
入 亾 200
冂 冃 221
冫 习 227
几 凡 233
凢 234
凵 𠙵 235
刀 刃 240
刄 241
刅 241
勹 勺 285
勺 286
十 卄 300
千 300
卂 302
卩 卪 313
厶 去 324
又 叉 328
口 口 334
囗 囗 415
土 土 431
士 士 472
夂 夂 475
夊 夊 476
夕 夕 477
大 大 483
夨 491
女 女 511
子 子 554
了 555
孑 555
宀 宀 567
寸 寸 602
小 小 610
尢 尢 616
尣 616
兀 616
尸 尸 618
尸 618
屮 屮 628
屮 628
山 山 629
巛 巛 656
巛 657
川 657
工 工 659
己 己 664
已 664
巳 664
巾 巾 666
干 干 684
幺 幺 689
乡 689
广 广 693
廴 廴 711
廾 廾 713
弋 弋 716
弓 弓 717
彐 彐 729
彑 729
彡 彡 731
彳 彳 736
心 忄 757
手 扌 843
才 843
止 少 1137
歹 歺 1146
犬 犭 1387
邑 阝 2328
阜 阝 2449

4획

一 不 30
丘 38
丐 38
丏 38
与 38
与 38
丈 38
丑 38
丒 38
丨 中 43
丯 48
丮 48
丰 48
书 48
弔 48
丶 丹 49
为 49
丿 乌 54
之 54
乙 乣 63
乤 63
乥 63
乧 63
亅 予 69
二 亓 74
开 74
亖 74
云 74
专 74
互 74
五 75
井 80
亠 亣 84
亢 84
人 今 93
仑 93
从 93
仓 93
介 94
什 95
仁 95
仄 95
仂 96
仆 96
仇 97
仅 97
仏 97
仐 97
仍 97
仉 97
仃 97
儿 允 189
元 189
入 内 200
从 203
八 公 209
六 212
兯 212
兮 212
兮 212
冂 冈 221
内 221
冃 221
円 221
冄 221
冖 冗 224
冘 224
几 凤 234
凵 凶 235
出 236
刀 分 241
刅 241
切 241
刈 241
力 劝 272
办 272
勹 匀 286
勻 286
勾 286
勼 286
勿 286
匕 𠤏 289
化 289
匚 匹 294
区 295
十 廿 300
卅 302
升 302
午 303
卆 303
卜 卝 311
卞 311
卩 卬 313
卭 313
卯 313
厂 厄 318
厅 318

部首	字	面
厶	厺	325
	厷	325
又	収	328
	叏	328
	及	328
	双	328
	収	328
	友	328
	叉	328
	反	329
	艮	330
土	圠	432
	圡	432
士	壬	473
大	太	491
	夫	493
	天	493
	夬	493
	夭	498
子	孔	555
小	少	614
尢	尤	616
	尣	616
	尢	616
尸	尺	618
	尹	619
屮	屯	629
	屮	629
	㞢	629
工	王	660
	巳	660
己	巴	665
巾	市	666
	帀	666
	帀	666
干	开	684
幺	幺	689
	幻	689
廾	廾	713
	廾	713
弋	弌	716
弓	弓	718
	弓	718
	引	718
	弔	718
	弖	718
	弓	719
	弖	719
心	心	755
	⺌	757
	忆	757
戈	戈	829
戶	戶	838
手	手	842
	扎	844
支	支	920
攴	攴	922
	攵	922
文	文	943
斗	斗	948
	斗	949
斤	斤	951
方	方	957
无	无	966
	旡	967
日	日	967
曰	曰	1004
月	月	1012
木	木	1023
	朩	1025
	不	1025
欠	欠	1126
止	止	1137
歹	歹	1146
殳	殳	1155
毋	毋	1160
	毌	1161
比	比	1163
毛	毛	1165
	毛	1166
氏	氏	1170
气	气	1172
水	水	1174
火	火	1320
	灬	1322
爪	爪	1364
	爪	1364
	爫	1364
父	父	1367
爻	爻	1368
爿	爿	1369
片	片	1370
牙	牙	1373
牛	牛	1374
犬	犬	1386
玉	王	1414
	玊	1417
癶	癶	1498
示	礻	1589
网	罒	1786
肉	月	1834
艸	艹	1896
辵	辶	2287
5획		
一	丙	38
	世	39
	丗	40
	丘	41
	丕	41
	且	41
	丠	42
	业	42
丨	丱	48
丶	主	50
	凷	52
	丼	52
丿	乏	54
	乎	54
	乐	55
	乍	55
乙	乤	63
	乫	63
	乭	63
	乮	63
	乬	63
二	击	81
人	令	97
	仚	97
	今	99
	仝	99
	令	99
	仨	99
	以	99
	从	99
	仕	100
	仔	100
	他	101
	付	102
	仙	102
	仗	102
	代	103
	仞	103
	仭	103
	仢	103
	仟	103
	仡	103
	伏	104
	仜	104
儿	兂	191
	尤	191
	充	191
	兄	191
入	仝	203
八	兰	216
冂	冋	221
	冉	221
	冊	221
	册	221
	冋	221
冖	写	224
	写	224
冫	冬	227
几	凥	234
	処	234
凵	出	236
	凷	238
	凷	238
	缶	238
	凹	238
	凸	238
刀	刊	244
	刋	244
	刌	244
	刉	244
	刎	244
	刋	244
	刌	244
力	加	272
	功	273
	务	274
	団	274
勹	匃	286
	匄	286
	包	286
	匆	287
匕	北	289
匚	匜	292
	匝	292
	医	292
十	半	303
	卉	303
卜	卟	312
	卡	312
	占	312
	处	312
卩	卭	313
	卯	313
	卮	313
厂	厍	319
	厉	319
厶	去	325
	厹	326
又	叐	330
	反	330
	叐	330
	发	330
	収	330
口	另	335
	只	335
	叩	336
	叫	336
	叨	336
	另	336
	叮	336
	另	336
	叶	336
	号	336
	叱	337
	史	337
	叱	337
	叭	337
	叵	337
	可	338
	司	338
	右	339
	古	340
	句	342
	召	342
	台	343
	㕣	343
	台	343
	台	343
囗	囚	415
	図	415
	四	415
	囙	420
土	圣	433
	圥	433
	圤	433
	圧	433
夕	外	478
	夘	480
	夗	480
	夘	480
大	头	499
	失	499
	央	499
	夳	499
	夲	499
	夯	499
	夰	499
女	奴	513
	奴	513
	奶	513
	奾	513
子	孒	556
	孕	556
宀	宄	567
	宂	567
	宁	567
	它	567
寸	对	602
小	尒	614
	尓	614
	尔	614
尸	尻	619
	尼	619
	尸	619
	尼	619
	屃	619
山	屵	632
	屼	633
	岁	633
	岙	633
工	巧	660
	巨	660
	左	661
己	㠯	665
巾	市	667

부수	자	쪽
	布	667
	帀	668
干	平	684
幺	幼	690
广	広	693
	庀	693
	庂	693
	庁	693
廾	弁	713
	弅	714
弋	弎	716
弓	弘	719
	弖	720
	弖	720
	弗	720
	弘	720
彳	彵	736
	彳丁	736
心	忉	757
	必	757
戈	戊	829
	戉	830
	戋	830
戶	戹	839
手	扐	844
	扑	844
	扒	844
	打	844
	扔	845
	払	845
	扔	845
斤	斥	951
日	旧	969
	旦	969
木	本	1025
	术	1025
	未	1027
	札	1027
	末	1028
	东	1029
	朩	1029
	朮	1029
止	正	1137
	此	1140
歹	歺	1146
	歺	1146
毋	母	1161
氏	民	1170
	氐	1170
水	氷	1178
	永	1179
	氶	1180
	氿	1181
	氾	1181
	汀	1181
	汉	1181
	汁	1182
	汃	1182
	汇	1182
火	灭	1322
爪	爬	1364
爿	疒	1369
犬	犰	1387
	犮	1387
	犯	1387
玄	玄	1410
玉	玉	1412
	玊	1417
瓜	瓜	1445
瓦	瓦	1447
甘	甘	1452
	甶	1453
生	生	1453
	生	1456
用	用	1457
田	田	1458
	甲	1459
	申	1460
	由	1461
疋	疋	1475
	疋	1476
疒	疒	1478
癶	癶	1498
白	白	1502
皮	皮	1515
皿	皿	1518
目	目	1527
	罒	1528
矛	矛	1555
矢	矢	1557
石	石	1561
示	示	1588
	礼	1589
内	内	1607
禾	禾	1608
	禾	1608
穴	穴	1633
立	立	1646
网	罒	1786
聿	聿	1831
艸	艹	1896
衣	衤	2051
辵	边	2287
邑	邝	2328
阜	队	2449
	防	2449

6획

부수	자	쪽
一	两	42
	丽	42
	丕	42
	丞	42
	丢	42
	丙	42
	甶	42
	北	43
丿	乔	55
	丢	55
	乕	55
	自	55
	乒	55
	乓	55
乙	乬	63
	乭	64
	乱	64
	乶	64
	乷	64
	乸	64
	乹	64
	乿	64
	乽	64
亅	予	69
	争	69
二	亙	81
	亘	81
	亚	81
亠	交	84
	亦	86
	亥	86
人	企	104
	众	105
	仰	105
	会	105
	件	106
	价	106
	伛	106
	仳	106
	仵	106
	伕	106
	似	106
	仲	106
	仯	106
	仡	106
	仿	107
	任	107
	优	107
	优	108
	伈	108
	伕	108
	伊	108
	伉	108
	伋	109
	伎	109
	伏	109
	伍	109
	伐	110
	伶	111
	伂	111
	佽	111
	休	111
	伃	112
	仮	112
	但	112
	伯	112
	份	112
	伃	112
	伤	112
	伜	112
	伇	112
	伝	112
	伀	112
	仡	112
	伙	112
儿	充	191
	先	192
	兆	192
	兕	192
	光	194
	兆	195
	兂	195
	尧	195
	元	195
	兊	195
入	全	203
八	共	216
	关	217
	关	217
	兴	217
冂	册	221
	冄	222
	再	222
	再	222
冖	农	224
冫	冱	227
	决	228
	冰	228
	冲	228
	沁	228
	次	228
	冴	228
几	凨	234
凵	凷	239
	凶	239
刀	刓	244
	刕	244
	刎	244
	刑	244
	刓	245
	刖	245
	刬	246
	刔	246
	列	246
	划	246
	刘	247
	刘	247
力	劝	274
	劢	274
	动	274
	劣	274
	劦	274
勹	匈	287
	匋	287
匚	匠	292
	匡	292
	匠	292
十	卋	304
	卌	304
	卉	304
	卍	305
	协	305
	华	305
卩	印	314
	危	314
	卯	315
厂	压	319
	厌	319
又	叏	330
	叒	330
	受	331
口	吁	343
	吊	343
	吅	343
	吴	343
	吘	344
	时	344
	吐	344
	吒	344
	吖	344
	吓	344
	吃	344
	同	345
	吏	345
	向	345
	各	347
	合	348
	吉	349
	吉	350
	名	350
	后	351
	吕	352
囗	回	420
	囡	421
	囝	421
	因	421
	囬	421
	团	422
	团	422
	团	422
	囟	422
土	圭	433

青 433
圮 433
圩 433
圬 433
圯 433
地 434
圳 436
圪 436
在 436
士 壮 473
夂 夅 476
夆 476
条 476
夕 多 480
夘 481
夛 481
夙 481
大 夸 500
买 500
夶 500
夺 500
夷 501
夸 501
夹 501
夻 501
女 奸 513
妏 514
好 514
如 515
妁 515
妀 516

她 516
妄 517
妃 517
妋 517
奼 517
子 孖 557
字 557
存 557
宀 宂 568
守 568
宇 568
宅 568
安 569
宍 571
写 571
寸 寺 602
导 602
寻 602
小 尖 614
当 615
尗 615
尘 615
尸 戸 619
尽 619
山 屺 633
岂 633
屾 633
岁 633
屼 633
出 633
屹 633

巛 巛 656
巡 657
州 657
巠 658
工 巪 662
巩 662
巩 662
己 巵 665
巾 帆 668
师 668
干 幵 687
年 687
并 688
幺 兹 690
广 庆 693
庑 693
庐 693
庄 693
廴 廵 711
廾 廾 714
异 714
弋 弍 716
式 716
弐 717
弓 弜 720
弖 720
弛 720
弙 721
弚 721
彐 彐 730
当 730

彡 㣊 731
彳 彴 736
彴 736
心 忍 757
忩 757
忓 759
忏 759
忔 759
忬 759
忙 760
忚 760
忖 760
忕 760
忔 760
戈 戊 830
戍 830
戎 830
成 831
戋 831
戏 831
手 扛 845
托 845
扚 845
扞 845
扣 846
扫 846
扥 846
扟 846
扜 846
扝 846
扤 846

扦 846
扠 846
扡 846
扢 846
攴 收 922
攷 923
文 齐 947
方 㫃 960
日 旮 970
旨 970
旭 970
早 970
旨 970
旬 971
曰 曳 1004
曲 1005
曳 1006
月 肍 1014
有 1014
木 机 1030
朻 1030
朷 1030
朼 1030
朴 1030
朾 1030
朽 1030
朹 1031
朸 1031
朳 1031
朱 1031
朳 1031

权 1032
李 1032
杀 1032
束 1032
杂 1032
朵 1032
朶 1032
欠 次 1126
欢 1127
止 此 1140
歹 死 1146
歺 1146
毋 每 1161
比 毕 1164
毛 毪 1166
氏 氒 1171
气 気 1172
気 1172
氘 1172
水 氼 1180
氽 1181
汎 1182
汋 1182
汊 1182
汏 1183
汒 1183
汜 1183
汕 1183
汐 1183
汙 1183
汔 1183

汍 1183
汈 1184
汓 1184
汎 1184
汙 1184
污 1184
汗 1184
江 1185
汝 1185
池 1186
火 灮 1322
灯 1322
灸 1322
灰 1322
灰 1322
牛 牝 1375
牞 1376
牟 1376
犬 犯 1387
犴 1387
犵 1387
玉 玏 1417
玐 1417
丢 1417
玎 1417
用 甪 1458
田 由 1461
白 百 1506
𤼽 1509
目 肌 1528
石 乭 1565

石 1565
示 礼 1589
祀 1589
穴 穵 1633
立 辛 1647
竹 竹 1652
米 米 1695
糸 糸 1709
缶 缶 1783
缶 1783
网 网 1786
羊 羊 1795
羽 羽 1804
羽 1804
老 老 1813
考 1815
而 而 1817
耒 耒 1818
耒 1818
耳 耳 1821
聿 聿 1831
肉 肉 1833
肋 1834
肌 1834
肏 1834
肌 1834
育 1834
肎 1834
臣 臣 1870
匝 1870
自 自 1872

至 至 1876
臼 臼 1878
舌 舌 1882
舛 舛 1885
舟 舟 1886
艮 艮 1893
色 色 1894
艸 艸 1896
艽 1896
艾 1896
艿 1896
芋 1896
芀 1897
芍 1897
芀 1897
虍 虍 1994
虫 虫 2001
血 血 2041
行 行 2045
衣 衣 2051
襾 襾 2081
西 2082
豕 豕 2173
走 走 2213
足 𧾷 2224
辵 辺 2287
边 2287
辻 2287
邑 邙 2328
邛 2329
邗 2329

邙 2329	佘 113	佖 119	共 218	励 275	吩 354	品 357	均 437	大 夼 502
邦 2329	[illegible] 114	佛 120	㒷 218	劭 275	吪 354	咽 357	㘰 437	夿 502
邗 2329	伶 114	作 121	冂 冏 223	勹 匊 287	听 354	吝 358	坊 437	夽 502
阜 阢 2449	伺 114	佣 122	冖 冝 224	匚 匣 293	吠 354	否 358	址 437	夾 502
阡 2449	似 114	佇 123	冫 冷 228	匥 293	听 354	呑 358	坂 437	女 妢 517
阤 2449	伸 114	但 123	冶 228	匸 医 295	呙 355	吞 358	坎 438	妊 517
阣 2449	伹 114	佝 123	冸 229	十 卋 305	吮 355	吾 359	坑 438	妍 517
7획	伻 114	佉 123	冹 229	卝 305	吶 355	含 359	坅 438	妓 518
一 两 43	伽 115	你 123	况 229	卜 卟 312	吹 355	告 360	坍 438	妜 518
丽 43	但 115	佞 123	几 凬 234	卣 312	吷 355	告 361	坛 438	妘 518
所 43	伾 115	佲 123	刀 初 247	卤 312	吸 355	启 361	坏 438	妖 518
丣 43	佃 115	㑂 123	刧 248	卩 却 315	吭 355	吱 361	坈 438	妙 519
丨 串 48	伷 115	侣 123	刪 248	卲 315	吱 356	咎 361	坙 438	妣 519
丿 乕 55	伫 115	伱 123	刪 248	卵 316	吰 356	吃 361	坄 438	妧 519
乙 乧 64	位 116	你 123	判 248	即 316	吻 356	㫚 361	圿 439	妎 520
乱 64	低 116	佁 123	刨 249	厂 居 319	吵 356	囗 囧 422	坉 439	妞 520
二 [illegible] 81	佌 116	体 123	別 249	应 319	吹 356	困 422	坳 439	姌 520
亘 82	佈 116	休 123	利 250	厎 319	吽 356	囮 422	坌 439	妠 520
些 82	佑 117	佂 124	別 250	又 叓 331	呎 356	国 423	坟 439	妉 520
亜 82	住 117	佢 124	刦 251	口 吕 352	吧 356	囤 423	坋 439	妨 520
亙 82	佐 117	佟 124	刜 251	呉 352	呔 356	図 423	坐 439	妤 520
亠 充 86	佢 118	儿 克 195	刣 251	吳 352	呀 356	园 423	坚 440	妝 520
亩 86	体 118	免 196	刨 251	呈 352	吼 356	囦 423	坒 440	妐 520
亨 86	佒 118	兑 196	创 251	呈 353	叫 357	囲 423	士 壳 473	妗 520
人 余 112	佊 118	兎 197	力 助 274	呆 353	呕 357	囪 423	壳 473	妒 520
佥 112	伿 118	兒 197	劫 275	呉 353	君 357	囬 423	声 473	妟 521
伯 112	佔 118	児 197	劬 275	吴 353	昏 357	回 423	壱 473	妌 521
估 113	何 118	皃 197	劲 275	吟 353	吲 357	囫 423	壯 473	妥 521
佅 113	佤 119	兔 197	努 275	吺 354	呃 357	土 圻 437	夂 麦 476	子 孖 558
伴 113	佚 119	八 兌 217	劳 275	吨 354	呷 357	块 437	夆 476	孚 558
佋 113	佗 119	兵 217	劳 275	吸 354	吥 357	圾 437	夆 476	孜 558

孛 558
孞 559
孚 559
孟 559
孝 559
𡤿 559
宀 宋 571
完 571
𡧍 572
宎 572
宏 572
宊 572
实 572
宍 572
宖 572
宆 572
寸 对 603
寿 603
小 尗 615
尖 615
尢 尨 616
尬 617
尪 617
尩 617
尸 尾 619
局 620
屃 620
尿 620
屁 620
屄 621
居 621

层 621
屃 621
屮 岦 629
肯 629
山 岌 633
岑 633
岕 634
岒 634
岍 634
岭 634
岐 634
岥 634
岉 634
岎 634
岏 634
岋 634
岆 634
岊 634
岔 634
岈 634
巛 巠 658
㠩 658
巡 658
工 巩 663
巫 663
己 巵 665
巾 帎 668
帉 668
帋 669
帇 669
帊 669

希 669
干 秄 688
幺 妙 690
广 庋 693
庉 693
庇 693
庎 694
庈 694
㡰 694
庐 694
𢇛 694
床 694
序 694
庌 694
庄 694
底 694
廴 延 711
廷 712
廾 弅 714
弄 714
弆 714
𢍁 715
弃 715
弁 715
弋 弐 717
弓 弞 721
弞 721
弟 721
弝 721
彡 形 731
彤 732

彤 733
彳 㣙 736
彷 736
彴 736
彸 736
役 736
彶 737
彻 737
心 忎 758
忌 758
念 758
忞 758
応 758
忍 758
忍 758
志 758
忒 758
忐 759
忈 759
忘 759
忑 760
忣 762
忤 762
忨 762
忡 762
忬 763
忮 763
忭 763
忦 763
忱 763
快 763

忟 763
忯 764
忼 764
忸 764
忳 764
怀 764
忕 764
忦 764
忪 764
忲 764
㤆 764
㤂 764
忺 764
忻 764
忟 765
忰 765
忾 765
忷 765
戈 成 831
戒 832
我 832
戓 832
戶 戾 839
戼 839
扂 839
戺 839
手 扴 847
扶 847
扮 847
扨 847
扱 847

批 848
扼 848
抵 848
技 849
抂 849
扭 849
抆 849
抃 849
扻 849
抄 849
找 849
抉 850
扽 850
抪 850
抎 850
把 850
抑 850
扲 851
抔 851
抒 851
抓 851
投 851
抖 852
折 852
抗 852
抇 853
抐 853
抍 853
抏 853
抈 853
抩 853

抚 854
扢 854
抅 854
抚 854
扳 854
报 854
拜 854
扵 854
抌 854
扰 854
扯 854
択 854
抛 854
护 854
攴 改 923
攸 923
夆 923
攻 924
收 925
文 斊 947
斈 947
方 於 960
日 旰 971
旲 971
昆 971
旴 971
旱 971
旮 972
时 972
旹 972
曰 更 1006

曳 1006
木 李 1032
杆 1034
杋 1034
杉 1034
杇 1034
杄 1034
杍 1034
杈 1034
杅 1034
杏 1034
杇 1034
机 1035
材 1035
村 1035
杔 1035
杓 1035
杜 1036
杙 1036
杖 1036
杕 1036
杠 1037
杞 1037
杚 1037
束 1037
杝 1037
杒 1037
杪 1037
来 1038
林 1038
宋 1038

呆 1038
杀 1038
条 1038
杘 1038
欠 欤 1127
㰠 1127
㰩 1127
止 步 1140
歨 1140
歹 𣦵 1147
歼 1148
毋 每 1161
毐 1162
毒 1162
气 氙 1172
水 求 1180
汞 1182
汨 1186
汩 1186
汫 1187
汲 1187
汪 1187
沑 1187
汭 1187
汰 1187
決 1188
沕 1188
汶 1188
汸 1188
汴 1188
汳 1188

汽 1189
沂 1189
汾 1189
沁 1189
沃 1189
沅 1190
沄 1190
沇 1190
沆 1190
汱 1191
沈 1191
汧 1192
沌 1192
沐 1192
沠 1192
沉 1192
沍 1192
沒 1193
没 1193
汦 1193
沏 1193
沟 1194
沕 1194
沔 1194
沘 1194
沙 1194
沖 1194
汯 1195
汵 1195
汫 1195
汥 1195
沚 1195
沪 1196
沶 1196
汝 1196
㳄 1196
沿 1196
沢 1196
沛 1196
汹 1196
沪 1196
火 灺 1322
灸 1323
炙 1323
灶 1323
灼 1323
災 1323
灾 1323
灭 1323
灿 1323
灴 1323
灵 1324
灵 1324
牛 牡 1376
牢 1376
牣 1376
牣 1376
犬 状 1387
犺 1388
狂 1388
犽 1388
犹 1388
狁 1388
犿 1388
狃 1389
㺨 1389
狄 1389
狆 1389
狅 1390
狇 1390
㺃 1390
狋 1390
狛 1390
狨 1390
玉 玕 1417
玖 1417
玒 1418
玘 1418
玗 1418
玙 1418
玓 1418
玔 1418
用 甫 1458
甬 1458
田 男 1461
甽 1462
甹 1462
甹 1462
町 1462
甸 1462
疒 疕 1478
疗 1478
疙 1478
疔 1478
白 皁 1509
皃 1510
皂 1510
皀 1510
皮 皯 1516
皿 盂 1518
目 盯 1528
盯 1528
盱 1528
甸 1528
矢 矣 1557
石 矴 1565
矶 1565
示 礽 1589
社 1589
禾 秃 1608
秀 1608
私 1609
秎 1610
穴 究 1633
穸 1633
穷 1633
糸 糺 1709
系 1709
网 罕 1786
羊 芈 1795
耳 耴 1822
肉 肎 1834
肕 1834
肘 1835
肐 1835
肚 1835
肛 1835
肜 1835
肝 1835
肔 1835
肒 1835
肕 1835
肓 1835
肐 1835
肖 1836
育 1836
自 百 1875
甶 1875
臼 臼 1878
艮 良 1893
艸 芎 1897
芑 1897
芃 1897
芍 1897
芋 1897
芍 1897
芊 1897
芁 1897
芞 1898
芊 1898
芩 1898
芒 1898
芇 1898
芯 1898
芓 1898
芏 1898
芐 1898
虫 虬 2001
虫 2001
衣 衧 2052
衩 2052
見 見 2086
角 角 2095
言 言 2103
谷 谷 2168
谷 2168
豆 豆 2170
豕 豕 2173
豸 豸 2179
貝 貝 2184
赤 赤 2209
走 走 2212
足 足 2224
身 身 2253
車 車 2256
辛 辛 2281
辛 2281
辰 辰 2285
辵 辵 2286
辿 2287
达 2287
过 2287
迅 2287
迂 2287
迅 2287
迈 2287
迁 2287
迄 2287
迂 2288
迆 2288
池 2288
迁 2288
邑 邑 2328
邸 2329
那 2329
邠 2329
邡 2329
邟 2329
邢 2329
邯 2330
邦 2330
邶 2330
邪 2330
邘 2330
邧 2330
邲 2331
邷 2331
邮 2331
酉 酉 2350
采 采 2365
里 里 2367
長 镸 2429
阜 阨 2449
阶 2450
阪 2450
阬 2450
阨 2450
阬 2450
阮 2450
阪 2450
阧 2451
防 2451
阯 2451
阫 2451
阺 2451
阱 2451
阳 2451
阴 2451
阦 2451
阸 2451
阯 2451
阩 2451
麥 麦 2694

8획

一 並 43
丽 43
丨 弗 48
丿 乖 55
乙 乭 64
乳 64
乮 65
乻 65
亅 事 70
亊 71
二 亟 82
亞 82
亠 京 87
享 87
亩 88
亩 88
人 命 124
來 124
佩 125
佳 126
佰 126
佯 126
侔 127
佹 127
佶 127
併 127
佴 127
佽 127
佸 127
佼 128
佫 128
侁 128
侉 128
使 128
侑 128
侀 128
侄 128
佻 128
佽 128
侃 129
侃 129
侇 129
侘 129
侊 130
例 130

侻	130	例	134	制	253	卒	306	呭	362	周	367	坯	442	女 妲	521	妾	525
侄	130	儿 兒	197	剌	254	单	307	哂	362	咎	368	坺	442	妹	521	[illegible]	526
侈	130	兕	197	刻	254	卓	307	呿	363	呰	368	坲	442	妹	521	子 孤	560
侅	130	兔	197	刹	254	卜 卦	312	呶	363	囗 固	423	坿	442	妬	521	孟	559
侍	131	兒	198	刺	254	卡	312	呻	363	囷	423	垂	442	姁	521	季	562
侏	131	兖	198	刻	255	卩 卻	316	咀	363	囹	423	坨	442	姆	522	孥	562
侐	131	入 兩	204	刮	255	卷	316	呼	363	囻	424	坧	442	始	522	学	562
供	132	八 其	218	刿	255	卸	316	呷	363	囶	424	坮	443	姊	522	宀 宓	572
侤	132	具	218	刯	255	卹	316	呤	363	国	424	垈	443	姉	522	宗	572
侗	132	具	219	删	255	卺	317	咕	364	图	424	坴	443	姃	522	宕	572
佬	132	典	219	刪	255	厂 厔	319	咄	364	土 坤	440	坌	443	妏	522	官	573
侔	132	冂 冐	223	刹	255	厓	319	咐	364	坦	440	坐	443	姑	523	宙	575
侑	132	冞	223	刴	255	厶 叁	326	咈	364	坡	440	夊 夌	476	姗	523	定	575
侂	132	冖 采	224	刑	255	叀	326	咋	364	坰	441	夋	476	姈	523	宛	576
㑳	133	冫 冽	229	刽	255	叄	326	咉	364	坷	441	夕 夜	481	姍	523	宜	576
依	133	洛	229	力 劼	275	参	326	咏	364	坩	441	大 奇	502	姒	523	宖	576
侜	133	几 凭	234	劻	276	又 叔	331	咆	364	坍	441	奄	502	姓	523	宆	577
価	134	凯	234	券	276	叕	331	咍	364	坻	441	奋	504	姐	523	宝	577
佮	134	凬	234	势	276	取	331	咁	364	坫	441	奆	504	姖	524	実	577
侉	134	凵 齿	239	劾	276	受	332	呾	365	坳	441	臭	504	妮	524	实	577
侫	134	函	239	効	276	口 呢	361	呝	365	坱	441	卒	504	[illegible]	524	宙	577
侎	134	刀 刜	251	勹 匊	287	[illegible]	361	咜	365	坼	441	奈	504	妳	524	宊	577
侮	134	刧	252	匋	287	呦	361	咇	365	坪	441	卖	504	姏	524	宔	577
侚	134	刴	252	匌	287	呪	361	咊	365	坙	442	奔	504	姅	524	寸 㝵	603
侕	134	券	252	匚 匼	295	呫	361	和	365	坒	442	夶	504	妿	524	尀	603
[illegible]	134	刮	252	十 卑	305	呬	361	呺	365	坵	442	㚘	504	妸	524	小 尙	615
佽	134	刲	252	丧	305	呟	361	咖	366	[illegible]	442	奓	504	妯	524	尚	616
侙	134	刳	252	卌	305	呴	362	命	366	坭	442	[illegible]	504	姓	524	尢 尣	616
佷	134	到	252	協	305	呵	362	舍	366	[illegible]	442	奉	505	妖	524	尩	617
侠	134	刵	252	協	305	呱	362	杏	366	坣	442	卓	505	妻	524	尸 居	621
佪	134	刷	253	卑	306	味	362	咅	366	垃	442	[illegible]	505	委	525	屆	622

屆 622	岏 636	庠 696	徂 739	怈 770	承 846	抜 860	敓 927	昄 977
屇 622	岡 637	庳 696	心 忠 760	怡 770	抋 855	抜 860	政 927	昈 977
屈 622	岊 637	庛 696	念 761	性 770	抮 855	拓 860	文 斉 947	昍 977
屍 622	岻 637	庢 696	忽 761	怦 770	抨 855	拘 861	斤 所 951	昏 977
屄 622	岱 637	廴 廹 712	忿 762	怪 771	拂 855	拗 861	斨 951	昕 977
屃 622	岳 637	廸 712	怎 762	怩 771	披 855	拙 861	斧 952	昝 978
屄 623	巛 巠 658	廻 712	怒 762	怋 771	抵 856	拖 861	斦 952	㫚 978
屮 岦 629	己 卺 665	廾 弆 715	忿 762	怓 771	抶 856	拕 861	方 斺 960	昔 978
山 峋 635	巾 帕 669	弇 715	忢 762	佛 771	抱 856	拚 862	於 960	旹 978
岢 635	帓 669	弓 弢 721	忝 762	怭 771	抹 857	招 862	斻 960	昰 978
岦 635	帔 669	弣 721	忩 762	怺 771	抦 857	抬 862	日 昆 972	昚 978
岪 635	帖 669	弤 721	态 765	怯 772	拂 857	抾 863	昊 972	曰 昏 1006
岫 635	帑 669	弩 722	怐 768	怾 772	抻 857	拋 863	昂 972	曶 1006
岸 635	帔 669	弥 722	怓 768	怢 772	押 857	拣 863	昌 972	月 朊 1016
岩 635	帑 670	弛 722	怤 768	怲 772	批 857	拦 863	昃 972	朋 1016
岸 635	帒 670	弨 722	怏 768	怞 772	抽 857	拎 863	昗 972	服 1016
岩 635	帘 670	弦 722	怍 768	怮 772	担 858	抿 863	旾 973	肭 1017
岹 635	帖 670	弧 722	怡 768	怵 772	拈 858	拜 863	昇 973	朌 1017
岠 636	帙 670	彐 彔 730	怔 768	悽 772	拉 858	抗 863	易 973	木 柔 1038
岬 636	帑 670	帚 730	怊 768	怳 772	拇 858	扼 863	昦 973	林 1038
岭 636	帛 671	彡 彬 733	怋 768	戈 戔 833	抯 858	抴 863	昌 974	杰 1039
岑 636	帚 671	彳 径 737	怕 769	戔 833	拄 858	抧 863	明 974	杳 1039
岷 636	干 并 688	彿 737	怖 769	戕 833	拆 858	拃 863	昳 977	杸 1039
岀 636	幸 688	往 737	怚 769	或 833	拐 859	抬 863	昑 977	杬 1039
岰 636	幺 幼 691	征 737	怛 769	戕 834	拊 859	拡 863	旽 977	枣 1039
岟 636	广 底 694	徃 737	怜 769	戶 戾 839	拌 859	攴 放 925	昒 977	杓 1039
岨 636	庚 695	彼 737	怑 769	房 839	拍 859	攽 926	旼 977	杪 1039
岵 636	庘 695	徍 738	怚 769	戽 839	抛 859	攽 926	昉 977	枺 1039
岮 636	店 695	征 738	怗 769	戾 840	抲 859	效 926	昐 977	杴 1039
岥 636	庖 695	徑 739	怦 769	所 840	拑 860	放 926	旺 977	杭 1039
岵 636	府 696	徐 739	怙 769	手 拜 846	拒 860	敀 926	旿 977	枉 1040

杯 1040	枝 1044	毤 1166	泂 1203	泳 1212	爪 争 1364	狃 1391	瓜 瓝 1446	盂 1518
杵 1040	枠 1045	毦 1166	泐 1204	沶 1212	丢 1365	狒 1391	瓦 瓨 1447	盃 1518
杶 1040	東 1045	氏 氓 1171	泌 1204	泱 1212	爬 1365	狖 1391	瓬 1448	盄 1518
杼 1040	枖 1045	气 氛 1172	泊 1204	沸 1212	父 爸 1368	狍 1391	瓪 1448	目 盱 1528
杷 1040	果 1046	氝 1172	泗 1204	泬 1212	爻 爻 1368	狓 1391	田 畂 1462	盵 1528
杬 1040	枢 1046	氜 1172	泆 1204	泟 1213	爿 牀 1369	狐 1391	甿 1462	盰 1528
柹 1040	杲 1047	水 沓 1186	泏 1204	泉 1213	片 版 1371	狜 1392	畀 1462	盷 1528
松 1041	枀 1047	汞 1196	泲 1204	泪 1213	牛 牦 1377	狧 1392	甽 1463	盶 1528
板 1041	枇 1047	沬 1197	泓 1204	沭 1213	牧 1377	狙 1392	甽 1463	直 1528
极 1042	欠 欥 1127	沫 1197	泔 1205	泻 1213	物 1377	狛 1392	甾 1463	盳 1528
枅 1042	欣 1127	泭 1197	法 1205	火 炎 1324	牞 1379	狦 1392	备 1463	盹 1528
枌 1042	欧 1128	沮 1198	泗 1207	炊 1324	牫 1379	狆 1392	甾 1463	盲 1530
枇 1042	炊 1128	沱 1198	泃 1208	炗 1325	牥 1379	狘 1392	画 1463	旱 1530
枋 1042	欤 1128	沲 1198	泛 1208	炔 1325	牪 1379	狚 1392	画 1463	直 1530
枉 1042	钦 1128	河 1198	泝 1208	炇 1325	牨 1379	狢 1392	疋 疌 1476	矛 矝 1555
柳 1042	止 歫 1141	沴 1200	泞 1208	炅 1325	牬 1379	狨 1392	疒 疘 1478	矢 知 1557
杜 1042	歧 1141	沷 1200	泜 1208	炪 1325	犯 1379	玉 玨 1418	疛 1478	矣 1559
枸 1043	武 1141	沸 1200	泚 1208	炳 1325	犬 狊 1388	玠 1418	疚 1479	石 矻 1565
枏 1043	步 1141	油 1200	洸 1208	炖 1325	狀 1388	玦 1418	疝 1479	矼 1565
枎 1043	歹 殁 1148	泒 1201	泙 1208	炓 1325	狀 1388	玟 1418	疰 1479	矹 1565
析 1043	殀 1148	沺 1201	泠 1209	炉 1325	猷 1388	玞 1418	疪 1479	矾 1565
枒 1043	殂 1148	治 1201	泡 1209	炆 1325	狧 1390	玢 1418	疜 1479	矽 1565
枂 1043	殁 1148	沽 1202	波 1209	炜 1325	狉 1390	玭 1418	疙 1479	矸 1565
枙 1043	殀 1148	沼 1202	泥 1210	炈 1325	狌 1390	玲 1419	疟 1479	矶 1565
枈 1043	殆 1148	沿 1202	泣 1210	炂 1325	狎 1390	玶 1419	白 的 1510	矴 1565
枓 1043	殃 1148	沾 1202	注 1211	炒 1325	狋 1390	玻 1419	皯 1510	矺 1565
枕 1043	殇 1148	沰 1202	泫 1211	炕 1325	狂 1390	玫 1419	皮 皯 1516	示 社 1589
柾 1043	殳 殴 1155	泄 1203	泇 1212	炘 1325	狜 1391	玤 1419	皱 1516	祁 1590
杚 1044	殺 1155	泑 1203	泼 1212	炛 1326	狗 1391	玣 1419	皱 1516	祀 1590
枚 1044	毋 毒 1162	沿 1203	泯 1212	炁 1326	狔 1391	玩 1419	皴 1516	礿 1590
枘 1044	毛 毪 1166	況 1203	泮 1212	炙 1326	狝 1391	玧 1419	皿 盂 1518	禾 季 1610

秆 1611
䄅 1611
秉 1611
秞 1611
秊 1611
秄 1611
秎 1611
秅 1611
秇 1611
穴 穵 1633
突 1633
穸 1633
穹 1634
空 1634
立 竏 1647
竹 竻 1654
竺 1654
米 籴 1696
糸 紏 1710
糺 1710
紈 1710
紆 1710
网 罔 1786
罗 1786
罘 1786
罕 1787
罙 1787
羊 羌 1795
羽 羽 1804
而 耐 1817
耒 耓 1818
耳 耵 1822
聿 肃 1832
肃 1832
肉 肥 1836
股 1836
肢 1836
肒 1836
肦 1837
肪 1837
肫 1837
肬 1837
肭 1837
肮 1837
朏 1837
肱 1837
肵 1837
肸 1837
肣 1837
肺 1837
肣 1838
肤 1838
肨 1838
肚 1838
胝 1838
肿 1838
胁 1838
肳 1838
肧 1838
肩 1838
肯 1838
肎 1839
育 1839
肴 1839
臣 臥 1870
卧 1871
臤 1871
自 直 1875
臼 臾 1878
臼 1878
兒 1879
臽 1879
舌 舍 1883
舍 1883
舟 舠 1886
艮 艰 1894
艸 苂 1899
芙 1899
芚 1899
芘 1899
茉 1899
芰 1899
芒 1899
芝 1899
芫 1899
芞 1900
芥 1900
茇 1900
芩 1900
芸 1900
芶 1900
芤 1900
芜 1900
芬 1900
芓 1900
芟 1901
芯 1901
芮 1901
芭 1901
花 1901
芴 1903
芳 1903
芸 1903
芷 1903
芹 1904
芜 1904
芼 1904
芠 1904
芾 1904
芺 1904
芛 1904
芽 1904
芿 1904
茆 1904
芪 1905
芤 1905
芵 1905
芋 1905
苏 1905
芊 1905
苅 1905
苶 1905
苹 1905
芦 1905
虍 虎 1994
虏 1995
虫 虯 2001
虬 2001
虮 2002
匦 2002
虱 2002
虱 2002
血 衂 2042
行 衏 2047
衎 2047
衣 卒 2052
表 2052
衦 2052
衫 2052
衪 2052
衩 2052
角 角 2096
豕 豖 2173
走 赱 2213
赳 2213
足 趴 2224
車 軋 2257
辛 辛 2281
辵 近 2288
迍 2288
迋 2288
迎 2288
迒 2288
迓 2289
这 2289
迓 2289
迈 2290
返 2290
迚 2290
迕 2290
运 2290
迊 2290
这 2290
达 2290
还 2290
邑 邯 2331
邪 2331
邹 2331
鄂 2331
邯 2331
邱 2332
邰 2332
邳 2332
邴 2332
邵 2332
邮 2332
邹 2332
邲 2332
邸 2332
邶 2333
邸 2333
釆 采 2365
金 金 2371
長 長 2427
門 門 2430
阜 阜 2449
阹 2452
阿 2452
阺 2452
阻 2452
阼 2452
阽 2452
陏 2452
阬 2454
附 2454
陀 2454
陂 2454
陆 2455
阾 2455
陁 2455
际 2455
陁 2455
隶 隶 2479
隹 隹 2480
雨 雨 2492
青 靑 2512
青 2514
非 非 2516
面 面 2519
魚 鱼 2641
黽 黾 2711
黾 2711
黾 2711

9획

一 並 43
丨 举 48
丿 乬 56
乘 56
乙 乾 65
巷 65
乷 65
氿 65
乿 65
亶 65
乻 65
乼 65
亠 亮 88
亭 88
京 89
亱 89
亯 89
人 俞 134
俎 134
侮 135
侯 135
侸 136
侲 136
侵 136
侶 137
侻 137
便 137
係 138
俉 138
俁 138
促 138
俙 138
俅 139
俇 139
俌 139
俄 139
俊 139
俐 140
俍 140
俜 140
㑩 140
俗 140
俋 140
俑 140
俏 140
俔 140
俘 141
俈 142
侴 142
侌 142
俚 142
俛 142
俾 142
保 142
俆 142
侳 142
侯 144
信 144
俠 144
俓 145
俼 145
俇 145
侹 145
俒 145
儿 兗 198

尭 198
入 兪 206
八 㒸 219
冂 冒 223
冑 223
冖 㓂 224
冠 224
冫 浗 229
涇 229
洌 229
浸 229
凵 凷 239
凾 239
刀 剄 256
剆 256
則 256
削 256
剎 256
則 256
剉 256
剃 256
剋 257
剐 257
刺 257
剈 257
剌 257
前 257
力 勁 276
勃 276
勀 277
勉 277

勇 277
勅 277
勹 匍 287
匕 㔸 291
匚 匧 293
匩 293
匸 匽 295
區 295
甚 295
十 南 307
单 310
卜 卣 312
卩 卼 317
卽 317
即 317
卻 318
卿 318
厂 厖 319
厚 319
厙 320
原 320
厘 320
厌 320
厶 叀 326
叁 326
又 叛 332
叙 332
叚 333
叜 333
口 品 368
虽 369

咡 369
咢 369
咫 369
咠 369
咤 369
㖃 369
咬 370
咯 370
咷 370
㗊 370
咩 370
咪 370
咮 370
咱 370
咳 370
咶 370
咥 370
哃 371
咾 371
咽 371
咿 371
哂 371
哄 371
咭 371
咺 371
咻 371
㗃 372
咲 372
咲 372
呟 372
哇 372

哀 372
哆 372
哅 372
哈 372
呤 373
哉 373
咨 373
咸 373
哥 374
㖄 374
咼 374
响 374
口 圀 424
图 424
囿 424
土 垍 443
垚 443
垜 443
垓 443
垙 444
垢 444
垝 444
垘 444
垣 444
垠 444
垤 444
垗 444
垛 444
垧 445
垌 445
垒 445

垡 445
城 445
垩 445
垔 445
垟 445
𡋾 445
垞 445
型 445
垕 445
垦 445
士 壴 474
夂 変 476
复 476
夊 夎 476
大 奎 505
牵 506
契 506
奏 506
奐 506
契 507
奔 507
奓 507
奚 508
奕 508
女 姦 526
姧 526
姙 526
姑 527
姣 527
姤 527
始 527

姚 527
姝 527
姱 528
姥 528
姨 528
姫 528
姪 528
姬 528
姮 528
姰 529
姺 529
姻 529
姢 529
娀 529
娃 529
姽 529
姼 529
姹 529
姡 529
姟 530
姽 530
姛 530
𡜊 530
姘 530
姸 530
威 530
姜 531
娄 531
姿 531
子 孨 562
孩 562

宀 客 577
宣 578
室 579
宥 579
宦 579
宧 580
宓 580
宎 580
宎 580
宬 580
宷 580
宨 580
害 580
寸 尅 603
封 603
尸 眉 623
屏 623
屍 623
屎 623
屋 623
屌 623
屒 623
山 岡 637
峁 637
峉 637
岸 637
岍 638
峇 638
峝 638
峒 638
峍 638

峋 638
峠 638
峎 638
峗 638
峓 638
峴 638
峌 638
峙 638
峘 638
峆 638
峐 638
峦 639
峡 639
己 巻 665
巺 665
巸 665
巷 665
巾 帢 671
㠹 671
岭 671
帤 671
带 671
帞 671
帡 671
帗 671
帥 671
帝 671
帨 671
帑 672
帟 672
帣 673

帠 673
幺 幽 691
广 度 697
庠 696
庤 696
庛 697
庢 697
庨 697
庥 697
庰 698
庣 698
㢈 698
廴 建 712
廼 713
廻 713
廾 𢍏 715
弇 715
弈 715
弋 𢎂 717
弓 弭 722
㢭 722
弫 722
弮 723
弯 723
彐 彖 730
彔 730
𢑚 730
彡 彥 733
彦 733
形 733
彳 徑 739

待 739
徇 739
從 739
𢓜 740
律 740
徕 740
徉 740
徊 740
很 740
後 741
㣛 743
心 悠 765
怒 765
思 765
怎 765
急 766
怠 766
怨 767
怱 767
怤 767
恧 768
怛 768
恚 768
忒 768
恋 768
总 768
恳 771
恑 776
恃 776
恂 776
恞 776
恆 776
恇 777
恔 777
怯 777
恈 777
恌 777
恍 777
恢 777
恤 777
恒 777
恟 777
恪 778
恬 778
恫 778
恗 778
恨 778
恠 779
恼 779
恓 779
恅 779
悔 779
悦 779
恀 779
恜 779
恾 779
患 779
恰 779
恛 779
怴 779
恊 779
戈 战 834
戶 扆 841
扃 841
扄 841
扂 841
扁 841
手 拜 854
拏 855
括 864
拭 864
拰 864
拫 864
拺 864
拮 865
拷 865
拱 865
拽 865
㧓 865
拯 865
拴 865
拸 865
拶 865
拻 865
拾 866
挄 866
挂 866
持 866
捒 867
挃 867
指 867
挌 868
㧪 868
挏 868
拹 868
按 868
挋 868
拼 868
挎 869
挍 869
挑 869
挒 869
挊 869
㧷 869
捎 869
挖 869
挆 869
挟 869
支 攱 921
攴 敂 927
敀 927
政 927
故 928
敁 928
耍 929
敉 929
斗 㪵 949
斤 斪 952
斫 952
方 施 960
㫃 961
斿 961
斾 961
无 既 967
日 星 978
是 979
昤 980
昴 980
昪 980
昺 980
昞 980
昰 980
昷 980
映 980
昱 980
昜 980
昂 980
昣 980
昧 981
昩 981
昭 981
昨 981
昫 981
昵 982
昲 982
昢 982
昶 982
昼 982
昝 982
昳 982
春 982
昡 982
昚 984
昬 984
曰 曷 1006
冒 1007
冐 1007
月 朐 1017
肣 1017
朏 1017
木 枯 1047
柰 1047
查 1047
枴 1048
枷 1048
枸 1048
栟 1048
枮 1048
枳 1048
柀 1048
枰 1048
枵 1048
柅 1049
枺 1049
枹 1049
柄 1049
柹 1049
柿 1049
柂 1049
枻 1049
柁 1049
柊 1049
柑 1050
枛 1050
柆 1050
柎 1050
柈 1050
柏 1050
柍 1050
柘 1050
栀 1050
柩 1051
柮 1051
柤 1051
柛 1051
相 1051
柚 1051
柞 1051
柢 1051
柣 1051
柝 1051
柙 1051
柯 1052
𣏞 1052
柳 1052
柲 1052
柌 1052
柱 1052
枇 1052
栁 1053
柭 1053
柫 1053
树 1053
柶 1053
柖 1053
柷 1053
柵 1053
栅 1053
柜 1054
柾 1054
柧 1054
架 1054
柬 1054
柟 1054
柃 1054
桴 1054
栏 1054
柸 1054
栟 1054
栍 1054
枱 1054
柗 1054
枲 1054
柠 1054
某 1055
染 1055
柔 1055
柒 1055
枼 1056
柴 1056
栄 1056
荣 1056
亲 1056
欠 欨 1128
㰦 1128
㰤 1128
軟 1128
欥 1128
欪 1128
止 歫 1142
歬 1142
歪 1142
歹 殃 1148
殂 1148
殀 1148
殄 1148
殁 1148
𣧑 1149
𣧦 1149
𣧹 1149
殆 1149
殳 段 1155
比 毖 1164
毗 1164
毘 1164
毛 毠 1166
毤 1166
毡 1166
氏 𣱎 1172
水 泉 1196
荥 1208
洋 1213
洀 1213
洊 1213
洄 1213
洎 1214
洌 1214
洑 1214

洒 1214	浀 1220	炳 1327	牠 1379	珀 1420	畊 1464	癹 1498	眅 1531	砕 1567
洗 1214	浝 1220	炨 1327	牨 1379	珅 1420	畎 1464	発 1498	眏 1532	砉 1567
洏 1214	洼 1220	炠 1327	㸗 1379	珊 1420	畂 1464	白 皇 1510	眀 1532	示 祆 1590
洁 1215	洈 1220	炷 1327	㸓 1380	玼 1420	畇 1464	皈 1512	相 1532	祇 1591
洛 1215	洽 1220	炸 1327	牮 1380	玻 1420	畓 1464	皃 1512	䀎 1532	祈 1591
洣 1215	活 1220	炡 1327	犬 昊 1390	珌 1420	畆 1464	皆 1512	眃 1532	祢 1591
洙 1215	汧 1221	炲 1327	狟 1392	玵 1421	畞 1464	皮 𤿈 1516	盾 1533	祋 1591
洤 1215	流 1221	炗 1327	狠 1392	玴 1421	畐 1464	皯 1516	省 1533	祉 1591
洚 1215	洺 1221	炮 1327	狡 1393	珍 1421	畃 1464	𤿎 1516	看 1534	神 1591
洞 1216	洶 1221	炭 1328	狪 1393	珇 1421	畋 1464	皿 盃 1518	眉 1534	祊 1591
洆 1217	洝 1221	為 1328	狫 1393	玶 1421	畈 1464	盆 1518	眢 1535	祅 1591
洧 1217	洿 1221	𤆵 1328	狧 1393	玹 1421	𤱪 1464	盄 1519	矛 矜 1555	神 1596
洟 1217	洔 1221	炱 1328	狩 1393	玽 1422	画 1464	盈 1519	𥍉 1556	内 禹 1607
洩 1217	派 1221	点 1328	㺊 1393	珏 1422	画 1464	盅 1519	矝 1556	禺 1607
津 1217	浞 1222	㶸 1328	狨 1393	玳 1422	畄 1465	盆 1519	矢 矧 1559	禾 秋 1611
洨 1217	洴 1222	烏 1328	狣 1393	珐 1422	疋 疌 1476	盇 1519	矦 1559	科 1612
洮 1218	洓 1222	荧 1328	狢 1393	玿 1422	疒 疥 1479	目 県 1530	石 砂 1565	秔 1613
洲 1218	洱 1222	爪 爰 1365	狤 1394	珊 1422	疺 1479	苜 1530	砍 1566	秂 1613
洪 1218	洇 1222	爱 1365	独 1394	珎 1422	疞 1479	盼 1530	砎 1566	秆 1613
洫 1218	洧 1222	爻 爼 1368	狛 1394	瓜 瓞 1446	疭 1479	眗 1530	砆 1566	秈 1613
洭 1219	流 1222	爿 牁 1370	狦 1394	瓦 瓪 1448	疣 1479	盻 1530	砒 1566	秖 1613
洸 1219	浅 1222	牊 1370	狥 1394	瓯 1448	疢 1479	県 1530	砏 1566	秒 1613
浇 1219	火 炬 1326	片 牉 1371	狭 1394	瓬 1448	㾓 1479	具 1531	砗 1566	秏 1613
浚 1219	烂 1326	𤗁 1371	狱 1394	瓫 1448	疤 1479	眪 1531	砑 1566	秕 1613
洵 1219	炼 1326	牛 牯 1379	玄 玅 1411	瓮 1448	疦 1479	眘 1531	研 1566	秎 1613
洍 1219	炤 1326	牱 1379	玉 玲 1419	瓴 1448	疲 1479	眇 1531	破 1566	种 1613
洹 1219	畑 1326	𤘽 1379	玷 1419	甘 昏 1453	疷 1480	眊 1531	砋 1566	秇 1614
洳 1219	炫 1326	牲 1379	珂 1420	甚 1453	疪 1480	眑 1531	砌 1566	秠 1614
洺 1219	炯 1326	牭 1379	玞 1420	田 界 1463	疫 1480	眡 1531	砊 1566	秅 1614
浊 1219	炵 1327	牴 1379	珈 1420	畍 1463	疨 1480	眸 1531	砅 1567	秐 1614
洶 1219	炟 1327	牫 1379	珉 1420	畏 1463	癶 癸 1498	眈 1531	砇 1567	秌 1614

耙 1614
穴 窆 1635
窀 1635
穾 1635
突 1635
穽 1635
穿 1635
宏 1636
[illegible] 1636
窅 1636
窂 1636
[illegible] 1636
突 1636
窃 1636
立 竒 1647
竑 1647
竹 笆 1654
竿 1654
笀 1654
竽 1654
笹 1654
竺 1654
笂 1655
笋 1655
米 类 1696
籶 1696
籹 1696
籽 1696
粁 1696
籺 1696
籸 1696

糸 紀 1710
紆 1711
紃 1711
約 1711
紂 1711
紅 1712
紆 1713
紉 1714
納 1714
紋 1714
紏 1714
紇 1714
紈 1714
缶 缸 1783
网 罘 1787
罡 1787
罢 1787
罝 1788
羊 美 1795
羍 1797
羑 1797
养 1797
羽 羾 1804
羿 1804
[illegible] 1804
老 耇 1816
者 1816
而 耍 1817
耎 1817
耏 1817
[illegible] 1817

耐 1818
耑 1818
耒 耔 1818
耔 1818
耳 耵 1822
耷 1822
耶 1822
耼 1822
聿 肂 1832
肉 胈 1839
胇 1839
胉 1839
胊 1839
胎 1840
胏 1840
肢 1840
胕 1840
胖 1840
胙 1840
胚 1840
胛 1841
胝 1841
胞 1841
胠 1841
胘 1841
胣 1841
胗 1841
胦 1841
胑 1841
胍 1841
胂 1841

胵 1842
胜 1842
胈 1842
胆 1842
胆 1842
胇 1842
胒 1842
胟 1842
脉 1842
胡 1842
胤 1843
胃 1843
胄 1844
背 1844
胐 1844
肮 1844
胥 1844
肩 1844
自 臬 1875
臭 1875
至 致 1877
臼 臾 1878
曳 1879
舁 1879
臿 1879
舌 舐 1883
舟 舡 1887
舢 1887
舣 1887
艸 芔 1897
苓 1905

苑 1905
苒 1905
苐 1905
苔 1905
苛 1906
苙 1906
苗 1906
茌 1906
苕 1906
苟 1907
苢 1907
苡 1907
苣 1907
苜 1907
若 1907
苞 1907
苦 1908
苨 1909
苯 1909
英 1909
苧 1909
苫 1909
苭 1910
苽 1910
苶 1910
苳 1910
苺 1910
苻 1910
苼 1910
苴 1910
苹 1910

茂 1911
范 1911
茀 1911
茁 1911
苾 1911
茄 1912
茅 1912
茆 1912
苲 1912
茈 1913
茋 1913
苘 1913
苷 1913
茍 1913
茶 1913
茉 1913
茛 1913
茇 1913
苩 1913
茵 1913
茣 1913
苖 1913
荒 1913
苐 1913
茎 1914
茔 1914
虍 虐 1995
虫 虷 2002
虼 2002
虳 2002
虵 2002

虵 2002
虶 2002
虿 2002
虹 2002
虵 2002
虾 2002
虺 2002
虻 2003
虽 2003
虮 2003
虯 2003
虷 2003
蚩 2003
虵 2003
血 衃 2042
衄 2042
衁 2042
衂 2043
行 衎 2047
衍 2047
衣 衱 2053
衲 2053
衦 2053
衵 2053
衻 2053
衸 2054
袀 2054
衹 2054
衪 2054
衴 2054
衿 2054

衵 2054
衩 2054
衶 2054
衳 2054
衽 2054
衻 2054
衴 2055
衯 2055
衭 2055
袄 2055
神 2055
衫 2055
襾 要 2084
要 2085
見 覌 2087
角 觔 2096
觓 2096
觙 2096
言 計 2104
訃 2104
訂 2104
訄 2105
訅 2105
訆 2105
[illegible] 2105
訇 2105
訉 2105
訂 2105
谷 谸 2168
豆 登 2170
貝 貞 2184

負 2185
貟 2185
負 2185
走 赳 2213
赳 2213
赵 2213
赴 2213
足 趴 2224
趴 2224
趸 2224
車 軋 2257
軌 2257
軏 2258
軍 2258
軍 2259
軎 2259
辵 迆 2290
迢 2290
迣 2290
迦 2291
迟 2291
迫 2291
迭 2291
迱 2291
迪 2291
迡 2291
迨 2291
迥 2291
迲 2292
迠 2292
迯 2292

述 2292	金 釓 2376	食 食 2567	倀 149	倮 155	冫 凄 229	剡 262	唖 374	唇 377	
逑 2292	長 镹 2429	首 首 2586	倌 150	倱 155	凌 230	剤 262	旹 375	哳 377	
迹 2292	門 閂 2431	香 香 2588	倒 150	傳 155	凊 230	剳 262	哺 375	哲 377	
迒 2292	阜 陋 2455	**10획**	們 150	倠 155	凋 230	剟 262	哽 375	挌 379	
迭 2292	陌 2455	丿 乘 56	倍 150	俷 155	凅 231	力 勎 278	哩 375	唐 379	
退 2292	降 2455	乗 57	倕 150	倓 156	凍 231	勍 278	唎 375	㕿 379	
迮 2292	限 2456	乘 57	傷 150	倷 156	凉 231	勅 278	唎 375	㕴 379	
迠 2292	陒 2456	乙 乿 65	倔 151	倏 156	凇 231	勉 278	哶 375	口 圃 424	
迺 2296	陕 2457	亠 亳 89	倖 151	偭 156	准 231	匚 匪 293	哤 375	圂 424	
邑 邽 2333	陷 2457	亮 89	倈 151	倗 156	凈 231	十 畢 310	哨 375	圄 425	
郍 2333	陙 2457	亭 89	候 151	倂 156	凔 231	卜 卨 313	哦 375	圅 425	
郣 2333	除 2457	人 佥 146	倚 152	例 156	刀 剛 260	厂 厜 320	哫 375	土 埆 445	
郁 2333	陶 2457	釡 146	倛 152	佫 156	契 260	原 320	哮 376	垺 445	
郲 2333	陑 2457	倝 146	倜 152	倈 156	剅 260	厝 320	哪 376	埃 445	
郖 2334	陝 2457	修 146	倞 152	倘 156	剕 260	厜 322	哇 376	埌 446	
郤 2334	陊 2457	倉 146	値 153	㑁 156	剖 260	厞 322	唆 376	埋 446	
郊 2334	陏 2457	俱 147	倣 153	倸 156	剚 260	厜 322	唁 376	城 446	
郇 2334	陎 2457	俯 147	倏 153	倹 156	剡 260	厥 323	唈 376	垷 447	
郷 2334	陎 2457	俾 148	倢 153	儿 兺 198	剏 260	厶 叅 326	唔 376	埂 447	
郅 2334	陁 2457	俳 148	倡 153	党 198	剔 260	又 叚 333	唄 376	埒 447	
郆 2334	陔 2457	俶 148	倃 153	兜 198	剝 261	叙 333	唉 376	埓 447	
郈 2334	陜 2457	俹 148	借 153	八 兼 220	剜 261	叟 333	哧 376	坶 447	
郜 2335	陝 2457	俺 148	倥 154	冂 冓 223	剆 262	口 吶 374	唏 376	埻 447	
郄 2335	面 面 2517	俴 148	倦 154	冔 223	剠 262	吱 374	哈 376	埣 447	
邶 2335	革 革 2520	俿 148	倨 154	冓 224	剞 262	唘 374	喬 377	垸 447	
郎 2335	韋 韋 2531	俵 148	倩 154	冖 冢 225	剮 262	唤 374	唊 377	埏 447	
郱 2335	韭 韭 2536	個 149	倪 154	冤 225	剣 262	哿 374	哥 377	埑 447	
邢 2335	音 音 2536	倆 149	倫 154	冡 225	剧 262	哭 374	唐 377	埇 447	
酉 酊 2350	頁 頁 2539	倅 149	倬 155	冥 226	剱 262	員 374	哴 377	埈 447	
酋 2350	風 風 2559	併 149	倧 155	冦 227	剴 262	哶 374	哱 377	埔 447	
里 重 2367	飛 飛 2566	俸 149	倭 155	冣 227	剌 262	哻 374	唇 377	埙 447	

埍 447	娥 533	尅 605	峱 641	庩 699	恋 775	悢 784	挵 871	捊 874
埕 447	娗 533	尋 605	島 641	廴 廻 713	息 775	恾 784	挻 871	括 874
堄 448	娣 533	[illegible] 605	峰 641	廾 弆 715	恖 775	悞 784	挺 871	捗 874
埀 448	娕 533	専 605	峢 641	弉 715	恩 775	悮 784	挀 871	捀 874
[illegible] 448	婚 533	将 605	峿 641	弓 弰 723	恕 775	悟 784	挾 871	挱 874
[illegible] 448	娚 534	小 [illegible] 616	浙 641	弱 723	悃 781	悏 784	捁 872	挿 874
士 壺 474	娬 534	尸 屐 623	崋 642	彡 彧 733	悩 781	戈 戔 834	捔 872	捉 874
壷 474	娑 534	屔 624	工 差 663	彩 733	悦 781	戜 834	捃 872	捘 874
夂 夎 476	娫 534	屘 624	己 巹 665	彳 徑 743	悅 781	戚 834	捄 872	捇 874
夊 [illegible] 476	娟 534	屑 624	巸 665	徐 743	悁 781	戸 扇 841	捆 872	捕 874
夏 476	娋 534	屖 624	巾 帽 673	徒 744	悀 781	扅 841	[illegible] 872	支 [illegible] 921
大 畚 508	娞 534	屙 624	帰 673	徎 744	悄 781	扆 842	挴 872	[illegible] 921
奘 508	娭 534	展 624	帢 673	従 745	悻 782	手 [illegible] 863	捒 872	[illegible] 921
套 508	子 孫 563	屓 624	帬 673	徖 749	悯 782	拳 863	捂 872	攴 敆 929
奚 508	㝃 564	屮 [illegible] 629	帶 673	心 恥 772	悋 782	挈 863	捉 872	敁 929
女 娉 531	[illegible] 564	山 峯 639	帯 673	恐 773	悒 782	挙 864	挮 872	敉 929
娜 532	宀 宭 580	峷 639	帵 673	恐 773	悌 782	拲 864	[illegible] 873	敊 929
娘 532	宮 580	峉 639	帮 673	恐 773	悔 782	挐 864	挪 873	效 929
娌 532	宬 580	峩 639	師 673	恕 773	悍 782	挈 864	捏 873	敌 929
娓 532	宰 581	峨 639	帨 673	恙 773	悝 783	拿 864	揑 873	文 斋 947
娒 532	害 581	峪 639	帳 673	恁 773	悗 783	挩 869	捋 873	斗 斘 949
娪 532	家 582	峭 639	帪 673	恚 773	悚 783	挨 869	挬 873	料 949
娯 532	宵 582	峧 639	席 674	恧 773	悛 783	捖 869	捜 873	[illegible] 949
娖 532	宴 582	峌 639	帬 675	悆 773	悖 783	挫 869	捎 873	斤 [illegible] 952
娧 532	宷 585	峊 640	广 庫 698	恝 774	悅 783	[illegible] 870	捐 873	方 旂 961
娙 533	宸 585	峻 640	庞 698	恧 774	悕 783	挶 870	挪 873	旅 961
娊 533	容 585	峴 640	座 698	恩 774	悙 783	挹 870	捅 873	旃 961
娩 533	宲 585	峽 640	庭 698	恣 774	悈 784	振 870	捌 873	旀 962
娠 533	宧 586	峕 641	庨 699	恳 775	悇 784	挼 871	捍 873	旆 962
娟 533	宿 586	峮 641	庮 699	恭 775	悧 784	捈 871	捙 874	旄 962
娍 533	寸 射 604	岩 641	庣 699	恭 775	悖 784	挽 871	拼 874	旁 962

旆 962	栟 1057	桓 1062	欵 1128	毪 1166	浮 1226	漵 1232	烏 1330	猂 1396
日 晏 984	栘 1057	桕 1063	欱 1128	氏 [illegible] 1172	涩 1226	涔 1232	烋 1330	狔 1396
晃 984	栙 1057	栟 1063	欧 1128	气 氣 1172	浯 1226	涕 1232	烝 1331	狸 1396
昰 985	梆 1058	栗 1063	欬 1128	氤 1174	浲 1226	涀 1233	父 爹 1368	狩 1396
時 985	栱 1058	梅 1063	欯 1128	氦 1174	浶 1227	流 1233	爿 牂 1370	玄 玆 1411
晁 985	栿 1058	栢 1063	欮 1128	水 泰 1196	浴 1227	浜 1233	片 牉 1371	玉 玺 1419
晈 986	栰 1058	栒 1063	止 歬 1142	泵 1216	涏 1227	浫 1235	牛 牷 1380	玜 1422
昵 986	栭 1058	栜 1063	歭 1142	浵 1222	海 1227	涋 1235	牸 1380	珙 1422
晌 986	株 1058	桙 1063	歮 1143	涀 1222	浸 1229	洴 1235	特 1380	珞 1422
晒 986	栫 1058	桉 1063	耻 1143	浧 1222	涅 1230	浨 1235	牿 1381	珕 1422
晊 986	栩 1058	样 1063	歯 1143	浡 1222	涅 1230	涓 1235	牶 1381	珠 1422
晅 986	栲 1059	栧 1063	歹 殊 1149	浙 1222	涂 1230	浲 1235	牂 1381	珪 1423
晐 986	根 1059	栽 1063	殑 1149	浚 1222	浼 1230	浬 1235	犬 狷 1394	班 1423
晄 986	栛 1059	栓 1063	殉 1149	浞 1222	涉 1230	洽 1235	狸 1394	珣 1423
晉 987	栳 1059	桊 1064	殔 1149	浉 1223	涆 1230	火 烓 1328	狺 1394	珥 1423
晋 987	栵 1059	桒 1064	殊 1149	涇 1223	涢 1230	烙 1328	狴 1394	珧 1423
曰 書 1007	栮 1059	栞 1064	殈 1149	涊 1223	浹 1230	烊 1328	狶 1394	琉 1423
曺 1008	栴 1059	桀 1064	殸 1150	消 1223	涠 1230	烥 1328	狹 1394	珩 1423
曹 1008	核 1059	案 1064	殍 1150	浣 1223	涬 1230	烘 1328	狨 1395	珬 1424
倉 1008	栻 1060	栔 1065	殀 1150	浤 1224	涒 1231	烄 1329	狌 1395	珚 1424
月 朒 1017	格 1060	栾 1065	残 1150	浻 1224	涊 1231	烤 1329	狼 1395	珮 1424
朔 1018	桂 1060	桑 1065	殳 𣪚 1156	浥 1224	涑 1231	烔 1329	狵 1395	珝 1424
朓 1018	桁 1060	柴 1065	殺 1156	涅 1224	涓 1231	烛 1329	狻 1395	珦 1424
朕 1018	桄 1061	桒 1065	殸 1156	浦 1224	涎 1231	烈 1329	狲 1395	珖 1425
木 栖 1056	桃 1061	桜 1065	殺 1156	浩 1224	涌 1231	烑 1329	狿 1395	玦 1425
桨 1056	桅 1061	栈 1065	殷 1156	浯 1224	涄 1232	烟 1329	狾 1395	琉 1425
栓 1056	桔 1062	桫 1065	毛 毢 1166	浭 1225	浰 1232	烖 1329	狽 1395	琇 1425
栯 1057	框 1062	柵 1065	毣 1166	浪 1225	涖 1232	烆 1329	狴 1396	珗 1425
栝 1057	桐 1062	桌 1065	毤 1166	浬 1225	涨 1232	烜 1329	猂 1396	琅 1425
校 1057	桋 1062	桧 1065	毦 1166	浮 1225	涗 1232	烕 1329	狢 1396	珛 1425
栣 1057	桎 1062	欠 欬 1128	毨 1166	涛 1226	涘 1232	烎 1329	狰 1396	瓜 瓞 1446

瓟 1446	疹 1481	盌 1519	眡 1536	砐 1570	祆 1596	窍 1637	笓 1656	紛 1718
瓝 1446	疽 1481	盍 1519	眣 1536	砬 1570	祭 1596	突 1637	笌 1656	紟 1719
瓞 1446	疾 1481	监 1520	眨 1536	砞 1570	祡 1597	窉 1637	笍 1656	紝 1719
瓦 瓴 1448	疴 1482	盎 1520	眫 1536	砪 1570	祑 1597	窇 1637	笔 1656	紞 1719
瓵 1448	痂 1482	盈 1520	昭 1536	砇 1570	禾 秢 1614	窭 1637	米 粍 1696	紧 1719
瓰 1448	疿 1482	盐 1520	眞 1537	砅 1570	秝 1614	窃 1637	粀 1696	紏 1719
瓷 1448	痁 1482	盉 1520	眥 1538	砟 1570	秣 1614	窊 1637	粌 1696	紌 1719
生 甡 1456	痃 1482	益 1520	看 1538	硅 1570	秠 1614	窒 1637	类 1696	紊 1719
田 畕 1465	病 1483	盇 1520	眢 1538	砛 1570	秞 1614	窗 1637	粃 1696	紡 1719
留 1465	症 1483	目 眛 1535	眚 1538	砦 1570	秖 1614	窆 1637	粉 1696	紑 1719
畝 1465	疸 1483	眜 1535	眘 1538	础 1570	租 1614	立 竞 1647	粈 1697	絲 1719
畞 1465	疰 1484	眠 1535	眢 1538	砣 1570	秤 1614	竛 1647	粚 1697	素 1719
畔 1465	疷 1484	眎 1535	真 1538	示 祏 1591	秬 1615	竗 1647	粆 1697	紜 1719
畛 1465	痆 1484	眏 1535	眞 1538	祓 1592	秙 1615	竝 1647	粎 1697	索 1721
畟 1465	痊 1484	眕 1535	矢 矩 1559	祔 1592	秜 1615	竜 1647	粇 1697	紮 1722
畇 1466	疏 1484	眙 1535	石 砝 1567	祕 1592	秳 1615	竚 1647	粋 1697	缶 缺 1783
畘 1466	痄 1484	眩 1535	砢 1567	祐 1592	秧 1615	站 1647	粊 1697	缼 1784
畚 1466	疷 1484	眖 1535	砳 1567	祖 1593	秭 1615	竘 1648	糸 紋 1714	缹 1784
畗 1466	疰 1484	眀 1536	砨 1567	祗 1593	秨 1615	竹 笈 1655	納 1714	网 罟 1787
畜 1466	疟 1484	眗 1536	砠 1567	祚 1593	秩 1615	竿 1655	紒 1715	罡 1787
疒 疳 1480	痃 1484	眔 1536	砩 1567	祛 1594	秫 1615	笋 1655	紻 1715	罛 1787
疸 1480	癶 癸 1498	眑 1536	砥 1567	神 1594	秭 1615	笑 1655	紌 1715	罠 1787
疱 1480	癹 1498	脈 1536	砧 1567	祒 1594	秘 1616	笊 1655	紐 1715	罝 1787
疲 1480	白 皋 1512	眒 1536	砱 1568	祝 1594	秥 1616	笆 1655	紓 1715	罜 1787
痁 1481	皏 1512	映 1536	砈 1568	祜 1594	秦 1616	笏 1655	純 1715	罞 1788
疽 1481	皐 1512	眑 1536	砭 1568	祢 1596	称 1616	笎 1656	紕 1716	罦 1788
疼 1481	皕 1512	眐 1536	砰 1568	祣 1596	穴 窋 1636	笶 1656	紖 1716	罔 1786
疿 1481	皮 皰 1516	眦 1536	砲 1568	祠 1596	窅 1636	笒 1656	紘 1717	罙 1787
痀 1481	皯 1516	眡 1536	破 1568	祁 1596	窄 1636	笄 1656	紗 1717	羊 羔 1797
痈 1481	皰 1516	眝 1536	砫 1570	祖 1596	窈 1637	笅 1656	紙 1717	羙 1797
疵 1481	皿 盋 1519		砮 1570	祟 1596	窌 1637	笹 1656	級 1718	羗 1797

羖 1797
羒 1797
羕 1797
牂 1797
羘 1797
羓 1797
羽 翆 1804
翀 1804
翃 1805
翄 1805
翋 1805
翂 1805
翁 1805
翐 1805
翍 1805
翅 1805
翁 1805
翇 1805
翃 1805
翌 1805
老 耆 1816
耄 1816
耊 1817
而 耎 1818
耒 耕 1818
耗 1819
耘 1819
耖 1819
耙 1819
耳 耼 1822
耿 1823

耹 1823
聂 1823
耺 1823
聀 1823
耻 1823
耽 1823
耾 1823
聿 肂 1832
肁 1832
肉 肏 1836
胭 1845
胯 1845
胰 1845
胱 1845
胳 1845
胴 1845
胵 1845
胸 1845
胹 1845
胶 1845
胻 1846
胼 1846
脂 1846
脆 1846
脈 1846
脈 1846
脁 1846
胲 1846
胗 1847
脥 1847
脏 1847

脴 1847
胮 1847
胸 1847
脒 1847
脃 1847
脛 1847
脇 1847
脡 1847
脑 1847
脘 1847
脥 1847
脉 1847
能 1847
胠 1848
胥 1848
脅 1848
胎 1848
胥 1848
脊 1848
䏰 1848
胷 1848
自 臬 1875
臭 1875
至 致 1877
臼 臿 1879
𦥑 1879
舀 1879
舀 1879
舌 舐 1883
甛 1884
舲 1884

舟 航 1887
舫 1887
般 1887
舧 1887
舮 1887
舥 1887
舠 1888
舩 1888
舤 1888
艸 芻 1898
茴 1914
茛 1914
荔 1914
荔 1914
茗 1914
茝 1914
茙 1914
茮 1914
茜 1914
茞 1914
茭 1915
茤 1915
茩 1915
荨 1915
茢 1915
茯 1915
茫 1915
茱 1915
茡 1915
茨 1915
茲 1916

茳 1916
茶 1916
茵 1916
茴 1916
茼 1917
荀 1917
茸 1917
茹 1917
茺 1917
茷 1917
荓 1918
茝 1918
茪 1918
荕 1918
茶 1918
葩 1918
荅 1918
荃 1918
葵 1918
荁 1918
荄 1918
荆 1918
荈 1919
草 1919
荊 1919
荇 1919
荍 1920
莽 1920
荏 1920
茬 1920
荐 1920

茾 1921
著 1921
荑 1921
茜 1921
荒 1921
荂 1922
茥 1922
菑 1922
茖 1922
茩 1922
苝 1922
荧 1922
荞 1922
茻 1922
荋 1922
荜 1922
荑 1922
荑 1922
荘 1922
荿 1922
莱 1922
茧 1922
茠 1922
茴 1922
虍 虔 1996
虒 1996
虓 1996
虫 蚑 2003
蚐 2003
蚣 2003
蚄 2003

蚌 2003
蚍 2003
蚡 2003
蚓 2003
蚜 2003
蚧 2004
蚪 2004
蚊 2004
蚨 2004
蚞 2004
蚘 2004
蚖 2004
蚎 2004
蚝 2004
蚇 2004
蚗 2005
蚚 2005
蚳 2005
蚙 2005
蚒 2005
蚡 2005
虾 2005
蚈 2005
蚥 2005
蚘 2005
蚋 2005
蚤 2005
蚩 2005
蚆 2005
蚢 2005
虵 2005

蚩 2006
𧈪 2006
蛃 2006
蚉 2006
蚥 2006
蚠 2006
蚕 2006
血 衂 2043
衄 2043
衅 2043
衃 2043
行 衎 2047
衏 2047
衣 衮 2055
衰 2055
衺 2056
袁 2056
衷 2056
衾 2057
衾 2057
袦 2057
袒 2057
袑 2057
袖 2057
袍 2057
袧 2058
袪 2058
䘔 2058
袙 2058
袜 2058
袝 2058

袢 2058
袣 2058
袘 2058
袗 2058
袛 2058
袐 2058
被 2058
袨 2058
神 2059
袚 2059
䘨 2059
袎 2059
䘢 2059
袟 2059
袉 2059
袮 2060
袊 2060
䘣 2060
袜 2060
袥 2060
袔 2060
見 覎 2087
㝵 2087
角 觓 2096
觔 2096
觙 2096
言 訊 2105
訌 2105
訕 2106
訐 2106
訏 2106

訐 2106
訑 2106
訒 2106
討 2106
訓 2106
訖 2107
託 2107
記 2107
訌 2108
⿱大言 2108
訊 2108
訬 2108
訔 2108
谷 谻 2168
⿰谷工 2168
⿰谷⺈ 2168
豆 豇 2170
豈 2170
豕 豗 2173
豸 豹 2179
豺 2179
⿰豸乇 2180
豻 2180
貝 貢 2186
⿰貝寸 2186
貤 2186
財 2186
貣 2186
貟 2187
走 起 2213
赴 2214

⿺走乞 2214
⿺走久 2214
赶 2214
⿺走工 2214
赸 2214
足 ⿸尸足 2224
⿱亼足 2224
⿰𧾷于 2225
⿰𧾷万 2225
⿰𧾷干 2225
⿰𧾷几 2225
⿰𧾷叉 2225
趵 2225
身 ⿰身凡 2254
躬 2254
⿰身小 2254
車 ⿰車工 2259
軑 2259
⿰車乇 2259
軏 2259
⿰車巛 2259
⿰車川 2259
軒 2259
軎 2259
軔 2260
軓 2260
辰 辱 2285
辵 ⿺辵土 2287
⿺辵巳 2287
⿺辶吉 2292
⿺辶交 2292

迴 2292
迵 2293
迷 2293
迸 2293
迹 2293
迺 2293
追 2293
迾 2294
退 2294
送 2295
适 2296
逃 2296
⿺辶州 2296
逄 2296
逅 2296
逆 2296
迻 2297
迿 2297
⿺辶聿 2297
⿺辶合 2297
⿺辶夹 2297
⿺辶次 2297
逈 2297
邑 ⿱山邑 2328
郖 2335
⿰余阝 2335
郕 2335
⿰屈阝 2335
郔 2335
郜 2335
郗 2335

郙 2336
⿰求阝 2336
郶 2336
郟 2336
郎 2336
郘 2336
郛 2336
郑 2336
郝 2336
郠 2337
郡 2337
郤 2337
郣 2337
郢 2337
郞 2337
酉 配 2350
酌 2350
酏 2351
酎 2351
酒 2351
里 量 2369
金 釚 2376
釓 2376
釖 2376
釠 2376
釙 2376
釟 2376
釛 2376
釗 2376
釕 2376
釘 2376

針 2376
釜 2377
釡 2377
長 镹 2429
門 閁 2432
閃 2432
閄 2432
阜 陖 2457
陗 2457
陛 2457
⿰阝告 2457
限 2457
陘 2457
陡 2458
陚 2458
陝 2458
陜 2458
陞 2458
陟 2458
院 2459
陣 2459
除 2459
⿰阝谷 2460
陋 2460
陵 2460
陥 2460
隹 ⿺几隹 2480
难 2480
隼 2480
隻 2480
隺 2480

食 ⿰飠乚 2569
首 首 2587
馬 馬 2590
骨 骨 2612
高 高 2619
髟 髟 2623
鬥 鬥 2630
鬯 鬯 2631
鬲 鬲 2632
鬲 2633
鬼 鬼 2634
魚 𩵋 2641

11획

一 ⿱吅丑 43
丿 乘 57
⿱丿骨 57
乙 乾 65
⿸广乚 65
⿱癶乞 65
亀 67
亠 亭 89
人 偃 156
假 157
偈 158
倐 158
倏 158
偊 158
偉 158
偫 158
偒 158
偏 158

偰 159
偓 159
偝 160
偋 160
傁 160
做 160
停 160
偕 160
健 161
偭 161
偲 161
側 161
偪 161
偟 161
偶 162
偵 162
⿰亻卻 163
偄 163
㑦 163
偯 163
偁 163
偸 163
偘 164
⿰亻癸 164
偅 164
偻 164
偡 164
偡 164
偩 164
偿 164
偎 164

偎 164
⿰亻郎 164
偞 164
偽 164
偍 164
偽 164
偽 164
偞 164
⿰亻兔 164
偬 164
偠 164
儿 兜 198
八 其 220
冂 冕 224
冖 冨 227
冫 减 231
几 凰 234
刀 剪 262
剱 262
剫 262
剏 263
㓞 263
剮 263
剛 263
⿰君刂 263
剬 263
副 263
⿰罗刂 263
剩 263
剭 263
剎 263

剰 264
力 勒 278
動 279
勔 279
勖 279
勘 280
勤 280
務 280
勗 280
勛 280
勹 匐 288
匏 288
匕 匘 291
匙 291
匚 匬 293
匭 293
匸 匿 295
區 296
匾 296
卜 卨 313
卩 卿 318
卿 318
厂 ⿸厂畐 322
厠 322
厶 參 326
畚 327
口 唫 379
啚 379
⿱口畐 379
唪 379
唯 379

啦 380
唳 380
唹 380
唲 380
唵 380
唱 380
唸 381
唰 381
唼 381
啀 381
啁 381
唶 381
啄 381
唾 381
[illegible] 381
啖 382
啗 382
啡 382
啃 382
[illegible] 382
啑 382
啜 382
啐 382
啅 382
啍 382
啌 383
唭 383
[illegible] 383
[illegible] 383
啒 383
[illegible] 383
啕 383
啫 383
啤 383
兽 383
啬 383
[illegible] 383
啞 383
唬 383
啣 383
[illegible] 383
啎 384
啇 384
喜 384
啓 385
問 385
售 385
商 385
啟 386
啔 386
囗 國 425
圈 425
圇 425
圉 425
圊 425
土 埶 448
執 448
埳 449
域 449
埠 449
埤 449
埥 449
埴 449
埵 449
埭 449
埼 449
堀 450
堁 450
培 449
堋 449
埽 449
埸 449
堄 450
埝 449
堆 450
堈 451
堌 451
埢 451
堃 451
基 451
堂 451
埻 451
埩 451
埰 451
埯 451
堅 452
堇 453
埾 453
埿 453
報 453
堊 453
埜 453
堯 453
士 壷 474
夕 够 482
夠 482
梦 482
大 奜 509
奝 509
女 婉 534
娵 534
娼 534
娸 535
婢 535
婘 535
[illegible] 535
婕 535
婟 535
婚 535
婞 535
婋 535
[illegible] 536
婢 536
婦 536
[illegible] 536
婥 536
婇 536
婫 537
媎 537
娩 537
婌 537
婠 537
婭 537
婬 537
婀 537
婗 537
婧 537
婐 538
婑 538
娭 538
[illegible] 538
婁 538
婁 538
娑 538
娶 538
娺 538
婆 538
婜 539
婪 539
婓 539
[illegible] 539
婴 539
子 孰 564
宀 宿 586
寄 587
[illegible] 587
寂 587
密 588
寅 588
[illegible] 590
寇 590
寇 590
[illegible] 590
寃 590
寁 590
宷 590
寸 尉 605
將 605
[illegible] 606
專 606
尋 607
小 [illegible] 616
尢 [illegible] 616
[illegible] 617
[illegible] 617
[illegible] 617
尸 [illegible] 625
屝 625
屛 625
屜 625
屮 [illegible] 629
[illegible] 629
山 崇 641
崑 642
崒 642
崔 642
崋 642
崙 643
崩 643
崧 643
崟 643
崣 643
崖 643
崗 644
崎 644
崛 644
崆 644
[illegible] 644
崚 644
崦 644
崢 644
崝 644
崤 644
崞 645
[illegible] 645
崌 645
崓 645
[illegible] 645
[illegible] 645
崐 645
嵌 645
崍 645
崘 645
崏 645
崥 645
崈 645
[illegible] 645
崕 645
[illegible] 645
崨 645
巛 巢 658
巣 659
己 巽 666
巾 [illegible] 675
帷 675
帳 675
帴 675
[illegible] 676
帺 676
帶 676
帽 676
帲 676
常 676
帵 676
幺 [illegible] 692
广 庰 699
庳 699
庳 699
庻 699
庶 699
庵 699
庮 699
[illegible] 699
康 700
庾 700
庸 701
庱 702
庲 702
[illegible] 702
庴 702
廾 [illegible] 715
弓 張 723
強 725
弸 726
弶 727
弴 727
[illegible] 727
弸 727
[illegible] 727
彐 [illegible] 730
彗 730
彡 彫 733
彪 733
彩 733
[illegible] 734
彬 734
彳 得 745
徘 746
徙 746
徜 746
從 746
徛 748
徠 748
御 748
徝 749
[illegible] 749
心 [illegible] 780
您 780
悉 780
悠 780
悆 780
悤 780
悳 781
悪 781
悠 781
悊 781
悐 781
悬 781
惧 785

悳 788	惛 792	捲 876	掍 879	捴 885	旎 964	曽 1009	梌 1068	梔 1071
悬 781	惂 793	𢬿 876	掘 880	掫 885	族 964	月 望 1018	梓 1068	梳 1071
悆 781	惈 793	捾 876	掛 880	掝 885	旍 964	朘 1018	梔 1068	梛 1071
恐 781	悺 793	捵 876	捆 880	支 菽 922	旊 964	朖 1019	梀 1068	梲 1071
悅 781	惧 793	掤 876	掾 880	攴 敍 929	旉 965	朗 1019	梐 1068	梴 1071
㥘 788	惻 793	捶 876	掠 880	救 930	旑 965	望 1019	梗 1069	梬 1071
㥊 788	惀 793	捷 876	拼 880	敏 930	无 旣 967	朙 1020	梡 1069	桿 1072
悱 788	悷 793	捸 876	掞 880	敘 930	旣 967	木 棍 1066	梛 1069	梁 1072
悴 788	㥉 793	㧼 876	掖 880	教 931	日 晜 987	梦 1066	梪 1069	梄 1072
悻 788	悶 793	捭 876	㨁 880	敔 931	晷 987	梵 1066	梠 1069	梟 1072
悸 789	惟 793	捺 877	掕 881	敎 932	晟 987	栝 1066	梆 1069	梨 1073
悾 789	悰 793	捻 877	採 881	敓 932	晠 987	梓 1066	梬 1069	梁 1073
悼 789	㥏 793	捼 877	探 881	敖 933	晨 987	桴 1066	梇 1069	條 1073
㥄 789	惚 793	捿 877	掤 882	敗 933	晚 988	梺 1066	梖 1069	欠 欲 1128
情 789	惨 793	捽 877	接 882	寇 934	晝 988	桜 1066	梜 1069	欶 1129
悽 789	惝 793	掀 877	控 883	敎 934	晛 988	桯 1066	梮 1070	欮 1129
悵 789	愜 793	掅 877	推 883	敕 934	晤 989	桼 1066	梳 1070	欸 1129
惓 791	惐 793	掃 877	掩 884	敗 934	晙 989	桷 1067	梩 1070	欹 1129
惇 791	戈 戚 834	掆 878	措 884	文 斍 947	晡 989	梧 1067	梣 1070	欻 1129
惔 791	戝 834	捦 878	掬 885	斌 947	晥 989	梂 1067	梭 1070	欷 1129
惏 791	戛 835	掉 878	掮 885	斎 947	晦 989	梩 1067	梢 1070	欱 1130
惊 791	戶 扈 842	掄 878	掯 885	斗 斛 949	晧 989	桹 1067	梧 1070	欵 1130
㥒 791	手 挲 869	掊 878	捯 885	斜 949	晞 989	梅 1067	梯 1070	赦 1130
惋 791	挈 869	掃 878	揀 885	㪷 950	晩 990	梻 1067	梫 1070	歹 殏 1150
惆 791	捩 875	授 878	掚 885	斤 斲 952	晝 990	桫 1067	梒 1070	殑 1150
惕 791	捫 875	掇 878	捭 885	斬 952	晢 990	桭 1067	械 1071	殍 1150
惘 792	捧 875	掾 878	掜 885	断 953	晣 990	梃 1067	梱 1071	殳 殸 1157
悤 792	捨 875	掎 879	捱 885	方 旈 963	晊 990	桶 1067	㭘 1071	殹 1157
惜 792	捥 875	掐 879	掙 885	旋 963	㫴 990	梏 1068	桱 1071	殺 1157
惙 792	振 875	掏 879	掂 885	旌 963	日 曼 1008	桾 1068	桺 1071	毀 1157
惚 792	据 876	排 879	掭 885	旋 963	曹 1009	梘 1068	梶 1071	殼 1157

毛 毬 1166
毤 1166
毟 1166
毫 1166
气 氪 1174
氫 1174
水 [illegible] 1222
[illegible] 1235
涳 1236
涫 1236
[illegible] 1236
涪 1236
涯 1236
液 1236
涬 1236
溜 1236
涵 1236
淉 1237
[illegible] 1237
涑 1237
涼 1237
涰 1237
涽 1237
涸 1237
淇 1238
淈 1238
淋 1238
淅 1238
[illegible] 1238
淀 1238
淄 1238
涿 1238
淆 1238
涥 1239
淑 1239
淌 1239
涺 1240
淘 1240
淚 1240
淝 1240
淞 1240
涹 1240
淙 1240
淡 1241
淠 1241
減 1241
淤 1241
淟 1241
淦 1242
淥 1242
淩 1242
淨 1242
淛 1242
淪 1243
淫 1243
淬 1244
淰 1244
深 1244
淮 1244
淳 1246
淶 1247
清 1247
混 1247
淹 1251
淁 1251
淺 1251
涾 1252
淜 1252
涴 1252
淴 1252
添 1252
淲 1252
[illegible] 1252
涮 1253
淖 1253
淃 1253
渴 1253
渓 1253
渳 1253
[illegible] 1253
洴 1253
渁 1253
涉 1253
渋 1253
淸 1253
游 1253
[illegible] 1253
浇 1253
渆 1253
渕 1253
済 1253
淒 1253
涱 1253
涶 1253
湤 1253
淤 1253
淊 1253
淏 1253
火 焭 1331
烽 1331
焅 1332
烺 1332
烰 1332
焌 1332
焍 1332
[illegible] 1332
[illegible] 1332
烷 1332
焆 1332
[illegible] 1332
[illegible] 1332
烯 1332
烼 1332
[illegible] 1332
烴 1333
焞 1333
焇 1333
焉 1333
焜 1333
焚 1333
羨 1333
[illegible] 1333
烹 1333
焄 1333
焊 1333
烱 1333
烜 1333
烝 1334
爻 爽 1368
爿 牀 1370
片 牋 1372
牛 牼 1381
牿 1381
[illegible] 1381
牸 1381
牻 1381
[illegible] 1381
牾 1381
牽 1382
犁 1382
[illegible] 1382
[illegible] 1382
犀 1382
犀 1382
[illegible] 1382
犬 猓 1396
猍 1396
猊 1396
猖 1396
猇 1396
猄 1397
猛 1397
[illegible] 1397
猗 1397
猘 1397
猙 1397
狭 1398
猉 1398
猑 1398
狷 1398
[illegible] 1398
猜 1398
猝 1398
猎 1398
猔 1398
猈 1398
[illegible] 1398
[illegible] 1399
猟 1399
猕 1399
猫 1399
猪 1399
[illegible] 1399
玄 率 1411
[illegible] 1412
玉 珽 1425
現 1425
球 1426
琅 1426
琉 1426
理 1426
琁 1426
琇 1427
琊 1427
珸 1427
琓 1427
珺 1428
[illegible] 1428
[illegible] 1428
珷 1428
[illegible] 1428
琈 1428
琙 1428
[illegible] 1428
珵 1428
珶 1428
珼 1428
琀 1428
琄 1428
瓜 瓠 1446
瓦 瓶 1448
瓷 1448
甘 甛 1453
甜 1453
生 產 1456
産 1457
用 [illegible] 1458
田 畢 1466
異 1467
[illegible] 1468
畧 1468
略 1468
畤 1468
畣 1469
畱 1469
留 1469
畦 1469
畡 1469
畫 1469
疋 疏 1476
疒 痢 1484
痠 1484
痍 1484
痏 1484
痒 1484
痴 1484
痓 1484
痎 1484
痋 1485
痑 1485
[illegible] 1485
[illegible] 1485
痔 1485
痌 1485
痕 1485
痐 1485
白 皐 1512
皎 1512
[illegible] 1513
[illegible] 1513
皮 皴 1516
[illegible] 1516
[illegible] 1516
皿 盒 1520
盖 1520
盗 1520
盘 1520
[illegible] 1520
盡 1520
盏 1520
盒 1520
盔 1520
目 眯 1538
眲 1538
眭 1538
眴 1538
眶 1539
[illegible] 1539
[illegible] 1539
眸 1539
眱 1539
眼 1539
眹 1539
眺 1539
眵 1539
[illegible] 1539
[illegible] 1540
[illegible] 1540
眘 1540
[illegible] 1540
眽 1540
眰 1540
睆 1540
[illegible] 1540
[illegible] 1540
[illegible] 1541
眷 1541
眮 1541
眾 1541

䀭 1541
石 硅 1570
硃 1570
𥑮 1571
硛 1571
硄 1571
硇 1571
硐 1571
硫 1571
硌 1571
硉 1571
砦 1571
硋 1571
硊 1571
硱 1571
研 1571
硎 1571
硂 1571
硍 1571
䂬 1572
示 祪 1597
祇 1597
祥 1597
祥 1597
祧 1597
祩 1597
祬 1597
票 1597
祫 1597
祮 1597
𥛚 1598

䄠 1598
祭 1598
祷 1598
内 离 1607
禾 秸 1616
移 1616
秱 1617
䄻 1617
䄷 1617
案 1617
秵 1617
秷 1617
秲 1617
秳 1617
𥞊 1617
穴 窐 1638
窇 1638
窖 1638
𥦀 1638
窔 1638
窅 1638
𥥿 1638
窕 1638
窓 1638
窀 1638
窑 1639
窋 1639
立 竟 1648
章 1648
竹 笙 1656
筈 1656

笟 1657
笏 1657
笠 1657
笢 1657
笤 1657
笛 1657
笞 1657
符 1658
笨 1658
笥 1658
第 1658
第 1658
笱 1659
笳 1659
笴 1659
筊 1659
笭 1659
笲 1659
笹 1659
𥬘 1659
笮 1659
笡 1660
笘 1660
笪 1660
笻 1660
笝 1660
𥫽 1660
笪 1660
笵 1660
笑 1660
笚 1660

笧 1660
笣 1660
筑 1660
笪 1660
笩 1660
米 粒 1697
粔 1698
𥹂 1698
粕 1698
𥹇 1698
粗 1698
粘 1698
粓 1699
粝 1699
𥹓 1699
𥹗 1699
粣 1699
粊 1699
糸 絽 1722
絈 1722
細 1722
絩 1722
紩 1722
紬 1722
紙 1722
𥾛 1722
紶 1723
紱 1723
紲 1723
紺 1724
絑 1724

紳 1724
紹 1724
紵 1724
紸 1724
紴 1724
結 1725
紼 1725
絁 1725
紾 1725
終 1725
絀 1725
紽 1725
紿 1725
䊼 1725
組 1726
絃 1726
絅 1727
絇 1727
𥾽 1727
絆 1727
絣 1727
紨 1727
絨 1727
𥿆 1727
統 1727
組 1727
紘 1727
経 1728
紫 1728
累 1729
絭 1730

紮 1730
缶 缺 1784
缽 1784
缻 1784
𦈣 1784
𦈖 1784
网 罣 1788
罙 1788
羊 羙 1797
羞 1797
羍 1798
𦍫 1798
羚 1798
𦍩 1798
羛 1798
羜 1798
羝 1798
𦍞 1798
羽 翌 1805
翏 1806
翇 1806
翄 1806
習 1806
翊 1806
翐 1806
翗 1806
翍 1806
翑 1807
𦑃 1807
翎 1807
𦐻 1807

老 耇 1816
耉 1816
耒 耞 1819
耜 1819
耝 1819
𦓖 1819
耠 1819
耟 1820
耕 1820
耳 聆 1823
聈 1823
𦔮 1824
聃 1824
聊 1824
𦔦 1824
聄 1824
聇 1824
联 1824
聿 書 1832
肅 1832
肉 脋 1839
胔 1839
脕 1848
脚 1848
脛 1849
脘 1849
脝 1849
脞 1849
脡 1849
脢 1849
脙 1849

脤 1849
脱 1849
脬 1850
脯 1850
脰 1850
脟 1850
脜 1850
脖 1851
脧 1851
脗 1851
脠 1851
脥 1851
腰 1851
𦚂 1851
脩 1851
脣 1851
脮 1852
𦚁 1852
脳 1852
臣 臥 1870
臼 舁 1879
𦥺 1879
舂 1879
臿 1879
舌 舑 1884
舟 舲 1888
舳 1888
舴 1888
舶 1888
舷 1888
舸 1888

船 1888
舵 1889
舥 1889
𦨴 1889
𦨲 1889
𦨬 1889
舺 1889
般 1889
色 艴 1895
艸 荘 1922
荳 1923
茶 1923
莅 1923
荽 1923
荻 1923
荷 1923
莦 1924
莉 1924
莎 1924
莏 1924
𦯬 1924
莊 1924
莧 1924
莆 1924
莒 1925
莢 1925
莖 1925
莱 1925
荐 1925
莣 1925
葸 1925

莗 1925	莽 1928	蚹 2007	衅 2043	衕 2062	訌 2110	豺 2180	跅 2226	軖 2261
菬 1925	莕 1928	蛇 2007	行 衒 2047	裂 2062	訍 2110	貝 販 2187	跙 2226	軑 2261
菫 1925	莖 1928	蛀 2007	術 2048	袛 2062	訖 2110	貧 2187	趵 2226	軤 2261
莓 1925	荊 1928	蛁 2007	術 2048	視 2062	訠 2110	貨 2188	趿 2226	軞 2261
莘 1925	莰 1928	蛄 2007	衣 袈 2060	襾 覂 2085	訛 2110	貪 2188	跀 2226	軮 2261
莀 1925	莤 1928	蛆 2007	袞 2060	見 覐 2087	訪 2110	貫 2189	跃 2226	軬 2261
莙 1926	莴 1928	蚿 2007	袃 2060	規 2087	訏 2110	責 2189	跔 2226	転 2261
莨 1926	莣 1928	蚨 2008	袋 2060	覎 2088	訮 2110	賢 2190	跁 2226	䡇 2261
莛 1926	莇 1928	蛚 2008	袤 2060	覓 2088	訬 2110	貥 2190	趻 2226	斬 2261
莝 1926	莟 1928	蛋 2008	袌 2060	覔 2088	訩 2110	貭 2190	趽 2226	軩 2261
莚 1926	虍 處 1996	蛉 2008	袈 2060	視 2088	設 2111	赤 赦 2210	跣 2226	軳 2261
莞 1926	虗 1997	蚸 2008	袠 2060	角 觖 2096	許 2111	赧 2211	跏 2226	軪 2261
莧 1926	虑 1997	蛎 2008	袤 2060	觕 2096	訤 2112	走 赽 2214	身 躬 2254	辛 䢃 2281
莠 1926	處 1997	蛃 2008	袱 2060	觓 2096	訳 2112	赻 2214	躸 2254	辵 逍 2297
莟 1926	虘 1997	蛂 2008	袴 2061	觘 2096	訵 2112	赸 2214	躲 2254	逌 2297
莢 1926	虖 1997	蚺 2008	袺 2061	舩 2097	訰 2112	赹 2215	躹 2254	逋 2297
莧 1926	虜 1997	蚦 2008	袼 2061	舤 2097	谷 谸 2168	趋 2215	躱 2254	𨓆 2298
莁 1927	虐 1997	蛐 2008	袿 2061	言 訛 2108	谹 2168	赾 2215	躭 2254	逑 2298
莫 1927	虛 1997	蛈 2008	袷 2061	訝 2108	谺 2168	赸 2215	車 軘 2260	逎 2298
莩 1927	虫 蚯 2006	蚲 2008	裗 2061	訣 2109	豆 豉 2170	赺 2215	軛 2260	逐 2298
莎 1927	蚶 2006	蚵 2008	袹 2061	訨 2109	豕 豝 2174	赼 2215	軟 2260	透 2298
莪 1927	蚷 2006	蚼 2008	袚 2061	訽 2109	豣 2174	赿 2215	軝 2261	迸 2299
莜 1927	蚊 2006	蛁 2009	袽 2061	訲 2109	豚 2174	越 2215	軒 2261	逜 2299
莗 1927	蛞 2006	蛊 2009	袈 2061	訥 2109	豘 2174	足 趹 2225	軏 2261	逛 2299
莒 1928	蚰 2006	蛩 2009	裀 2061	訟 2109	豛 2174	跂 2225	軡 2261	逕 2299
莮 1928	蚴 2006	蚭 2009	袾 2061	訞 2109	豙 2174	跡 2225	軠 2261	途 2299
莶 1928	蚳 2006	蛪 2009	袮 2061	訢 2109	豸 豝 2180	趺 2225	軚 2261	逗 2299
莤 1928	蚱 2006	蛰 2009	袳 2061	貢 2110	豽 2180	趾 2225	較 2261	逃 2299
莬 1928	蛂 2006	蛍 2009	袡 2062	訇 2110	豼 2180	趻 2225	軎 2261	這 2299
莻 1928	蛄 2007	萤 2009	袎 2062	訡 2110	豰 2180	趼 2226	軥 2261	逓 2299
莑 1928	蛆 2007	血 衇 2043	袝 2062	訧 2110	豜 2180	䟞 2226	軜 2261	递 2299

通 2299
逝 2301
逞 2301
速 2302
造 2302
連 2303
逢 2303
逡 2303
逜 2304
逞 2304
逓 2304
邑 郭 2338
部 2338
郫 2338
郪 2338
郶 2339
郤 2339
郯 2339
都 2339
郞 2339
郲 2339
郱 2339
郳 2339
郰 2339
郴 2339
郁 2339
鄉 2339
郶 2340
郵 2340
郼 2340
酉 酖 2353

酘 2353
酕 2353
酛 2353
酓 2353
酙 2353
酔 2353
酖 2353
酗 2353
酘 2353
采 釈 2366
里 野 2369
重 2369
量 2370
金 釦 2377
釩 2377
釤 2377
釣 2377
鈔 2377
釭 2378
釪 2378
鈀 2378
釶 2378
釬 2378
釰 2378
釴 2378
釪 2378
釧 2378
釱 2378
釵 2378
釳 2378
釫 2378

釬 2378
鈋 2379
釲 2379
長 镻 2430
镺 2430
門 閆 2432
閅 2432
閂 2432
閉 2432
閈 2432
阜 陪 2460
陰 2460
陬 2460
陲 2462
陳 2462
陜 2464
陵 2464
陼 2464
陴 2464
陶 2465
陶 2466
陸 2466
陷 2466
陙 2467
陖 2467
陭 2467
隂 2467
陫 2467
陭 2467
隃 2468
隉 2468

隆 2468
隄 2468
隅 2468
険 2468
隹 雂 2480
雀 2480
雨 雩 2493
雫 2494
雲 2494
雪 2494
雭 2494
雯 2495
青 靗 2514
非 啡 2517
革 靪 2520
頁 頃 2539
頄 2539
頂 2539
風 颩 2562
食 飢 2569
飪 2569
飤 2569
飡 2569
飣 2569
首 馗 2587
馬 馬 2591
高 髙 2623
魚 魚 2639
鳥 鳥 2658
鹵 鹵 2686
鹿 鹿 2688

麥 麥 2693
麻 麻 2696
麻 2697
黃 黃 2700
鼎 鼎 2713

12획

丨 丳 48
乙 乾 67
亠 高 89
人 傀 164
傚 164
傘 164
備 165
傅 165
傍 165
傁 165
傃 165
傎 165
傑 166
傕 166
傔 166
傏 166
傷 166
傒 166
傟 167
傈 167
傈 167
傠 167
備 167
傷 167
傞 167

傖 167
傚 167
傢 168
傸 168
傌 168
傞 168
傛 168
傜 168
能 168
儿 兟 198
八 無 220
冖 冢 227
冣 227
冫 凗 231
凕 231
凒 231
凔 231
凓 232
凖 232
几 凱 234
凵 𠚒 239
函 239
凿 239
刀 劇 264
剴 264
剳 264
剫 264
割 264
剩 263
剭 265
創 265

剾 265
辦 270
力 勞 280
勞 280
勛 280
勝 273
勝 282
勹 匑 288
匒 288
匔 288
匚 匯 296
十 博 310
博 311
卩 卿 318
卿 318
卷 318
厂 厦 322
厥 322
厤 322
厨 322
厧 322
厦 322
厶 叅 327
口 喹 383
單 386
喪 387
喿 387
喝 388
棗 388
嘷 388
啼 388

喈 388
啾 388
喣 388
喈 389
喀 389
喃 389
喂 389
喇 389
喁 389
喍 389
喰 389
喉 389
喉 389
喲 390
喦 390
喦 390
喏 390
喑 390
喓 390
喔 390
喌 390
喦 390
喋 390
喉 390
喊 390
喝 391
喬 391
喘 391
喙 391
喚 391
喛 391

喫 392
喨 392
喟 392
喻 392
喭 392
喞 392
喤 392
喧 392
嘘 393
喬 393
喫 393
喫 393
啻 393
喰 393
嗢 393
喎 393
嗡 393
喆 393
喃 393
喱 394
善 394
喾 395
營 395
喜 395
囗 圈 428
圓 428
園 428
圍 428
圖 428
圌 428
土 堧 454

堙 454
堧 454
副 454
堞 454
堠 454
堪 455
堰 455
堣 455
場 455
堤 455
堭 455
堶 456
堿 456
堝 456
堺 456
堦 456
堽 456
堗 456
堵 456
塁 456
堳 456
堛 456
堢 456
堫 456
埢 456
堨 456
塄 456
堬 456
堫 456
塛 456
堉 456

堕 456
墾 457
埩 457
堡 457
埀 457
埜 457
堲 457
塚 457
士 壻 474
壹 474
壺 474
大 奤 509
報 509
業 509
奢 509
奡 509
奥 509
奠 509
女 媚 538
媆 539
媒 539
媌 539
媁 539
媮 539
婷 539
媼 540
媅 540
媢 540
媟 540
媛 540
媃 540

媢 541
媄 541
媔 541
媤 541
媦 541
媀 541
媧 541
媉 541
媃 541
媕 541
婼 541
婧 541
媥 541
媓 541
婷 542
婺 542
媜 542
媞 542
嫂 542
媚 542
媪 542
婿 542
媽 542
婚 542
嬰 542
子 孱 564
孱 564
宀 富 590
寋 591
寬 591
寍 591

寐 591
寎 591
寒 591
寔 593
寓 593
寓 593
寑 593
寸 尌 607
尊 607
尋 608
尋 609
小 尞 616
尢 尣 616
尰 617
就 617
尸 屎 626
屡 626
属 626
屟 626
屠 626
屐 626
山 嵌 645
嵐 645
嵜 646
嵐 646
嵂 646
帽 646
崽 646
嵓 646
嵉 646
嵎 646

嵗 646
嵏 646
嵕 646
嵛 646
嵁 647
嵦 647
嵑 647
嵖 647
嵘 647
嵒 647
嵓 647
嵔 647
嵚 647
嵾 647
嵪 647
嵯 647
嵆 647
嵇 647
工 巯 664
己 巽 666
巾 帾 678
帽 678
幃 678
幍 678
幄 678
幅 678
幀 678
幝 679
幆 679
幂 679
幂 679

帮 679
幅 679
帿 679
幺 幾 692
广 廁 702
廂 702
廃 702
庚 702
廁 702
廊 702
廂 703
廅 703
廊 703
廇 703
廃 703
弋 弑 717
弓 强 727
弽 727
弾 727
弻 727
弼 727
弽 727
彐 彘 730
彡 彭 734
彳 復 749
徧 749
徨 749
徥 750
循 750
徣 751
徦 751

徯 751
徸 751
心 悶 784
悲 784
惎 785
惄 785
惉 785
惑 785
惡 786
惠 786
悳 788
惄 788
悳 788
悳 788
惣 788
惣 788
惠 789
悾 799
惰 799
惺 800
惇 800
惼 800
惱 800
惲 800
愇 800
惵 800
惴 800
惶 800
惶 801
愕 801
愣 801

愲 801
偶 801
愉 801
惻 801
愀 801
惼 801
愭 801
愊 801
愃 801
愒 802
愖 802
愕 802
愞 802
愔 802
愉 802
愓 802
愎 802
愊 802
愫 802
惱 803
愱 803
惇 803
愯 803
愭 803
愠 803
愡 803
戈 戟 835
戠 835
戞 835
戶 扉 842

扊 842
手 掌 874
掔 875
掣 875
揀 886
揆 886
揫 886
揩 886
揃 886
揗 886
揄 886
揉 886
掾 886
掿 887
描 887
插 887
揎 887
揥 887
揞 887
提 887
揭 888
揵 888
揢 888
揍 888
揷 888
揚 888
揖 888
揕 888
揄 888
揞 889
揆 889

揌 889
揹 889
揠 889
揜 889
掇 889
換 889
揩 890
揭 890
揓 890
揋 890
握 890
揣 890
揥 890
揲 891
揳 891
揟 891
援 891
揮 891
揵 892
搜 892
揑 892
捺 892
摟 892
捲 892
摒 892
揶 892
揆 892
揪 892
揁 892
揔 892
揘 892
揻 892
支 攲 922
支 敍 934
敡 934
敟 934
敞 934
敝 934
敢 935
敨 935
散 935
戟 935
敪 935
敠 935
敦 936
敤 937
敥 937
文 斑 947
斐 947
斗 斝 950
斛 950
斟 950
斤 𣂼 953
斯 953
斱 953
斮 953
方 旐 965
旒 965
日 景 990
晶 990
晷 991
晾 991
暑 991
晬 991
晹 991
晲 991
最 991
㫸 991
晴 991
晫 991
晚 992
普 992
晳 992
晰 992
晢 992
晼 992
晪 992
晻 992
智 992
晣 992
晵 993
晉 993
日 曾 1010
朁 1010
替 1010
會 1011
月 朝 1020
期 1022
朞 1022
木 森 1073
棘 1074
椐 1074
棽 1074
棼 1074
𣗥 1074
棗 1074
梵 1074
棆 1075
棉 1075
棒 1075
棣 1075
棓 1075
椺 1075
棉 1075
棖 1075
棕 1075
棌 1075
棍 1075
棔 1075
棝 1076
棟 1076
棙 1076
棚 1076
楗 1076
棜 1076
棧 1076
椂 1076
棬 1077
棡 1077
棱 1077
棲 1077
棫 1077
棭 1077
棰 1077
楷 1077
椺 1078
棺 1078
梋 1078
棹 1078
棿 1078
棪 1078
椀 1078
棯 1078
椅 1078
椄 1078
棷 1078
榴 1078
椇 1079
椈 1079
椌 1079
椋 1079
棶 1079
楼 1079
植 1079
椆 1079
椔 1079
椎 1079
棵 1080
椐 1080
㭼 1080
棆 1080
栟 1080
椑 1080
椏 1080
椊 1080
棈 1080
椒 1080
椓 1080
椨 1080
𣓔 1081
椁 1081
棨 1081
棄 1081
椢 1081
検 1081
棋 1081
棊 1081
棠 1081
棢 1081
棃 1081
楊 1081
棐 1081
棻 1081
棤 1081
棄 1081
椗 1081
棸 1081
欠 欹 1130
欺 1130
欻 1130
欼 1130
欽 1130
款 1131
欲 1131
欯 1131
欶 1131
欿 1132
歁 1132
止 歸 1143
歯 1143
𣥺 1143
歹 㱍 1151
殕 1151
殖 1151
𣩑 1151
殗 1151
殘 1151
殌 1151
㱡 1153
殙 1153
殳 殼 1157
毁 1158
殽 1158
毛 毱 1167
毷 1167
毯 1167
毲 1167
毴 1167
毰 1167
毸 1167
𣮎 1167
毳 1167
毻 1167
气 氮 1174
水 淼 1235
渙 1253
淵 1254
渃 1254
渚 1254
減 1255
渜 1255
渿 1255
渳 1255
渠 1256
渡 1256
渟 1256
渝 1256
渢 1256
渣 1257
湌 1257
渦 1257
湋 1257
渥 1257
渤 1257
渧 1257
湴 1257
渮 1258
渫 1258
渭 1258
渨 1258
測 1258
渟 1259
渶 1259
游 1259
港 1259
渴 1260
湺 1260
渲 1260
湮 1260
潟 1261
滔 1261
渺 1261
渼 1261
渻 1261
渽 1261
渾 1261
湅 1262
湄 1262
湃 1262
滑 1262
湆 1262
湊 1262
湍 1263
湎 1263
溢 1263
湑 1263
湔 1263
湖 1263
湘 1264
湜 1264
湛 1264
湒 1264
湝 1265
湨 1265
湩 1265
湣 1265
湢 1265
湧 1265
湞 1265

湫 1265
湟 1265
湞 1265
湮 1266
湮 1266
湯 1266
渹 1267
湀 1267
減 1267
滙 1267
湳 1267
湎 1267
渒 1267
渗 1267
渘 1267
湲 1267
湡 1267
湸 1267
温 1267
湶 1267
湒 1267
湉 1267
湁 1267
湠 1267
湝 1267
渱 1267
湦 1268
湾 1268
満 1268
湿 1268
滋 1268
港 1268
火 焙 1334
焠 1334
焫 1334
焰 1334
焱 1334
焯 1334
飧 1334
焞 1334
焮 1334
焜 1334
焵 1335
敥 1335
無 1335
焚 1335
焼 1335
焴 1335
焻 1335
焦 1339
然 1340
焭 1341
煮 1341
㷊 1341
尉 1341
爫 爲 1366
爻 爾 1369
爽 1369
片 牋 1372
牎 1372
牕 1372
牌 1372
牙 犄 1374
牚 1374
牛 犋 1382
犅 1382
犉 1382
犆 1382
犇 1382
犉 1382
犄 1382
犆 1382
犈 1383
掔 1383
犁 1383
犂 1383
犀 1383
犀 1383
掣 1383
犬 猒 1396
猣 1396
猋 1396
猩 1399
猥 1399
猧 1399
猨 1399
猢 1399
猲 1400
猱 1400
猦 1400
猶 1400
猪 1400
猵 1400
猴 1400
猴 1400
猤 1401
猳 1401
猯 1401
猫 1401
獀 1401
猬 1401
猰 1401
猣 1401
猭 1401
㺄 1401
猈 1401
玉 琴 1428
琹 1429
琚 1429
琼 1429
琵 1429
琖 1429
琛 1429
琢 1429
琶 1429
琦 1430
琨 1430
琪 1430
琫 1430
琟 1430
琤 1430
琥 1430
琯 1431
琭 1431
琳 1431
琲 1431
琰 1431
琬 1431
琱 1431
琮 1431
琸 1431
琕 1432
琺 1432
琡 1432
琙 1432
琠 1432
琩 1432
琗 1432
瓦 瓿 1448
瓻 1448
瓾 1448
生 甥 1457
甤 1457
甦 1457
甧 1457
用 甯 1458
田 異 1469
畯 1469
畮 1470
畫 1470
畱 1471
畭 1471
番 1471
畬 1471
畲 1471
疋 疏 1476
疎 1476
疒 痙 1485
痘 1485
痗 1485
痛 1485
痦 1486
痢 1486
痞 1486
痡 1486
痟 1486
痧 1486
㾊 1486
痣 1486
痤 1486
痺 1486
痸 1487
㾓 1487
痝 1487
痒 1487
痏 1487
痩 1487
痵 1487
㾙 1487
痯 1487
癶 登 1498
發 1500
白 皕 1513
皓 1513
皖 1513
皔 1513
皮 皷 1516
皴 1516
皸 1516
皳 1516
皲 1516
皵 1516
皴 1517
皿 盛 1520
盜 1521
盞 1522
盔 1522
盗 1522
盡 1522
盘 1522
目 睏 1541
睊 1541
睿 1541
睇 1541
睅 1541
睆 1541
睍 1541
䀻 1541
䀶 1541
着 1541
睒 1541
睋 1541
睚 1541
睃 1541
睯 1541
睞 1541
睍 1541
睎 1541
睖 1541
矛 矟 1556
矞 1556
矢 短 1559
矬 1559
䂓 1560
䠶 1560
石 硜 1572
硡 1572
硱 1572
硠 1572
硧 1572
硨 1572
硝 1572
确 1573
硬 1573
硫 1573
硥 1573
硯 1573
硟 1573
硞 1574
碧 1574
碎 1574
硴 1574
砦 1574
硪 1574
硩 1574
硍 1574
硷 1574
硤 1574
示 祴 1598
䄈 1598
祱 1598
祲 1598
祰 1599
祀 1599
祳 1599
䄍 1599
祮 1599
禍 1599
禄 1599
禅 1599
内 萬 1607
离 1607
禾 稀 1617
稈 1618
稂 1618
稃 1618
税 1618
稊 1618
程 1618
稉 1619
稘 1619
稛 1619
稌 1619
䄮 1619
稍 1619
稍 1620
稯 1620
稓 1620
稆 1620

稊1620	笷 1662	粔 1699	絔 1737	罦 1788	脔 1848	脺 1854	菀 1929	菟 1932
稄1620	筌 1662	粟 1700	絨 1737	罯 1788	脤 1852	脸 1855	菁 1929	菠 1932
稆1620	笻 1663	粥 1700	絬 1737	罳 1788	脽 1852	腄 1855	菂 1929	菡 1932
穴 窚 1639	筝 1663	粢 1700	絧 1737	羊 羕 1798	腊 1852	臣 臦 1871	菆 1929	菫 1933
窙 1639	筐 1663	糸 絲 1730	綏 1737	羡 1798	脾 1852	自 臯 1875	菝 1930	菪 1933
窢 1639	筍 1663	結 1731	絑 1737	羨 1798	腗 1852	臮 1875	菊 1930	菭 1933
窖 1639	筏 1663	絎 1731	絟 1737	䍩 1798	腁 1852	臰 1875	菌 1930	華 1933
窘 1639	筑 1663	絓 1732	絿 1737	着 1798	腆 1853	至 臸 1877	菌 1930	菰 1934
窒 1639	筒 1663	絕 1732	綵 1737	羪 1799	腋 1853	臷 1877	菿 1930	菱 1934
窮 1639	筓 1664	絖 1734	絺 1737	羫 1799	腌 1853	臵 1877	菉 1930	菲 1934
窣 1639	答 1664	絚 1734	絙 1737	羠 1799	腖 1853	臼 舄 1879	菈 1930	萁 1935
窡 1639	策 1664	絸 1734	絹 1738	羢 1799	豚 1853	舃 1879	菛 1930	菼 1935
窤 1639	笛 1665	綄 1734	絃 1738	羽 翔 1807	腑 1853	舄 1879	萉 1930	菐 1935
窥 1639	筐 1665	絝 1734	綦 1738	翗 1807	腨 1853	舃 1880	菲 1930	菶 1935
寬 1639	筹 1665	翓 1734	絥 1738	猇 1807	腒 1853	舌 舒 1884	莬 1930	菽 1935
窜 1639	筂 1665	絞 1735	絭 1738	翓 1807	腓 1853	舛 舜 1885	菎 1931	菴 1935
窗 1639	筶 1665	給 1735	絏 1738	翖 1807	腔 1853	舜 1885	菓 1931	菸 1935
窔 1639	筭 1665	絡 1735	絍 1738	翕 1807	腃 1853	舟 舽 1889	菂 1931	菹 1935
立 童 1649	筄 1665	絣 1735	絛 1738	翖 1807	腘 1853	觥 1889	菔 1931	萃 1935
竢 1649	筛 1665	絇 1735	統 1738	老 耋 1817	腂 1854	觗 1889	菘 1931	萄 1936
竦 1649	筭 1665	絳 1736	絵 1738	而 耎 1818	腡 1854	鄃 1889	菙 1931	萊 1936
竪 1650	米 粱 1699	絨 1736	絧 1738	耒 耞 1819	腩 1854	觤 1889	菑 1931	萌 1936
竦 1650	粱 1699	絪 1736	絜 1739	耓 1820	腕 1854	觩 1889	菖 1931	萆 1936
竣 1650	粡 1699	絩 1736	絜 1739	耠 1820	胔 1854	舸 1889	菜 1931	萇 1936
竹 筅 1660	粞 1699	絰 1736	缶 缾 1784	耠 1820	膌 1854	艸 莽 1928	菿 1932	萋 1936
筆 1660	粱 1699	絯 1736	缿 1784	耳 聒 1824	腰 1854	菅 1929	菲 1932	萶 1937
笳 1661	粞 1699	絺 1737	缾 1784	联 1824	腍 1854	莚 1929	菩 1932	萷 1937
筈 1661	粣 1699	絰 1737	缿 1784	聑 1824	腦 1854	菰 1929	菍 1932	萹 1937
等 1661	粷 1699	緊 1737	网 罥 1788	聎 1824	腏 1854	禁 1929	菣 1932	萢 1937
筊 1662	粤 1699	絧 1737	罠 1788	聐 1824	腎 1854	莀 1929	萳 1932	萏 1937
筋 1662	粧 1699	絥 1737	罦 1788	肉 胾 1845	腦 1854	莾 1929	萎 1932	萮 1937

菹 1937
菥 1937
萎 1937
萍 1937
萑 1937
荃 1938
菣 1938
菇 1938
菒 1938
菁 1938
菽 1938
萉 1938
萐 1938
菅 1938
著 1938
菍 1938
菢 1938
菏 1938
荊 1938
虍 虛 1997
虜 1998
虓 1999
虫 蛑 2009
蛱 2009
蛙 2009
蛜 2009
蛕 2009
蛛 2009
蛔 2009
蛸 2009
蛟 2010
蛣 2010
蛨 2010
蚀 2010
蛔 2010
蛧 2010
蛡 2010
蛭 2010
蛞 2010
蛤 2010
蛕 2010
蛐 2011
蛒 2011
蛪 2011
蚷 2011
蛫 2011
蚈 2011
蛩 2011
蛬 2011
蛚 2011
蛦 2011
蛘 2011
蛗 2011
蛇 2011
蛝 2011
蛓 2012
皇 2012
蛮 2012
血 衆 2043
衉 2044
衁 2044
衇 2044
衈 2044
行 街 2048
衕 2048
衒 2049
衖 2049
術 2049
衘 2049
衙 2049
衣 袟 2062
裂 2062
裂 2062
裁 2062
裓 2062
装 2063
裙 2063
補 2063
裋 2063
裑 2063
裕 2063
裔 2063
裎 2063
裍 2064
裉 2064
裗 2064
裛 2064
裞 2064
裖 2064
裓 2065
裌 2065
裓 2065
裐 2065
裡 2065
䘯 2065
襾 覃 2085
覂 2085
見 覗 2088
視 2088
覚 2089
規 2089
覐 2089
覌 2089
覕 2089
覘 2089
角 觚 2097
觇 2097
觓 2097
觖 2097
䚗 2097
觛 2097
觝 2097
觜 2097
觘 2097
言 訴 2112
訶 2112
訹 2112
診 2112
註 2113
証 2113
詀 2113
詖 2113
詁 2113
詅 2113
詌 2113
詄 2113
詆 2113
詢 2113
詍 2114
詎 2114
詐 2114
詒 2114
詎 2114
詔 2114
評 2115
詉 2115
詎 2115
詖 2115
詓 2115
詗 2115
詃 2116
詘 2116
詚 2116
設 2116
詛 2116
詞 2116
詠 2117
詇 2117
詑 2117
詌 2117
詜 2117
詋 2117
訿 2117
訾 2117
詧 2118
詟 2118
詈 2118
谷 谺 2168
豆 䜵 2171
豕 象 2174
豠 2174
豛 2174
豞 2174
象 2175
豸 豿 2180
貀 2180
䝌 2180
豾 2180
貁 2180
貂 2180
𧲡 2180
貊 2181
䝏 2181
貎 2181
𧳊 2181
貝 貽 2190
貯 2190
貼 2190
貶 2190
貺 2190
貴 2191
貰 2191
䝱 2191
貹 2191
貤 2191
貳 2191
貲 2191
貾 2191
貱 2191
䝮 2191
買 2193
貸 2193
費 2193
䝿 2194
𧵍 2194
貿 2194
賁 2194
賀 2194
赤 赧 2211
䞓 2211
䞔 2211
走 趂 2215
趁 2215
趀 2215
趄 2215
趋 2215
𧺇 2215
趆 2215
趜 2215
趉 2215
𧺠 2215
超 2216
越 2216
足 跋 2226
跅 2226
跆 2226
跍 2227
𧿹 2227
𧿳 2227
跏 2227
跔 2227
𨀇 2227
跦 2227
跊 2227
𧿷 2227
𧿶 2227
𨀁 2227
跎 2227
跌 2227
䟻 2227
跕 2227
跑 2227
䟭 2228
𨀈 2228
跂 2228
跈 2228
跡 2228
𨀋 2228
跘 2228
跗 2228
𧿿 2228
跚 2228
跚 2228
跇 2228
跙 2228
跓 2228
跖 2228
跸 2228
距 2229
跒 2229
䟜 2229
䟞 2229
跜 2229
跉 2229
𨀤 2229
𨀜 2229
跐 2229
𧿻 2229
跛 2229
𨀟 2230
身 躯 2254
𨉖 2254
䠷 2254
䠵 2254
躰 2254
䠲 2255
𨉬 2255
𨉣 2255
車 軥 2261
軱 2262
軶 2262
䡊 2262
軨 2262
軟 2262
軮 2262
軵 2262
軫 2262
𨊻 2262
軡 2262

軏 2262
軩 2262
軯 2262
軸 2263
軲 2263
軹 2263
軲 2263
軳 2263
軻 2263
軼 2263
軺 2263
輂 2264
軽 2264
輀 2264
輂 2264
輩 2264
輥 2264
輇 2264
輊 2264
輗 2264
辛 辝 2281
辠 2281
辵 逕 2304
迸 2304
週 2305
進 2305
逮 2305
逭 2305
逵 2306
逦 2306
逪 2306

逶 2306
逸 2306
逴 2306
逿 2307
遈 2307
過 2307
逯 2307
遆 2307
逌 2307
遊 2307
逨 2307
逷 2307
遣 2307
遪 2308
遞 2308
邑 郹 2340
都 2340
鄄 2341
鄀 2341
鄉 2341
鄍 2341
鄎 2341
鄏 2341
鄐 2341
鄂 2341
鄃 2341
鄅 2341
鄈 2342
鄈 2342
鄆 2342
鄇 2342

郷 2342
酉 酢 2353
酡 2353
酤 2353
酪 2353
酬 2353
酢 2354
酣 2354
酤 2354
酌 2354
酪 2354
酡 2354
酥 2354
酥 2354
酬 2354
酰 2354
酤 2354
釆 釉 2366
里 量 2370
金 鈴 2379
鈐 2379
鈍 2379
釜 2379
鈲 2379
鈇 2379
鈅 2379
鈺 2379
鈀 2379
鈊 2380
鈞 2380
鈕 2380

鈉 2380
鈚 2380
鈒 2380
鈒 2380
鈊 2380
鈔 2380
鈂 2380
鈑 2380
鈜 2380
鈙 2381
鈛 2381
鈎 2381
鈄 2381
鈁 2381
鈈 2381
鈗 2381
鈂 2381
鈤 2381
鈌 2381
鈋 2381
鈃 2381
鈆 2381
鈈 2381
鈝 2381
鈃 2382
鈡 2382
鈦 2382
鈘 2382
長 镹 2430
镺 2430
門 開 2433

閎 2434
閏 2434
閌 2434
間 2435
閑 2435
閌 2436
閒 2436
閔 2436
閉 2436
閈 2436
閒 2436
閇 2436
閉 2437
閜 2437
閈 2437
閉 2437
閉 2437
阜 陻 2468
陽 2468
隀 2469
隄 2469
隆 2469
陾 2469
隃 2469
隅 2469
陿 2469
隊 2470
隈 2470
隍 2470
隋 2470
階 2471

隊 2471
隄 2471
隍 2471
隉 2472
隔 2472
隨 2472
隁 2472
陰 2472
陼 2472
隹 雅 2481
集 2481
雁 2482
雉 2482
雄 2482
雄 2483
雅 2483
集 2483
雁 2483
雉 2483
雎 2483
雇 2484
雨 雹 2495
雰 2495
雭 2495
雯 2495
雯 2495
雱 2495
雲 2495
雲 2495
雯 2495
面 靤 2519

靦 2519
耐 2519
革 靭 2520
靬 2520
靬 2520
靫 2520
靯 2520
靰 2521
靭 2521
靮 2521
韋 韌 2532
音 韵 2537
頁 順 2540
頒 2540
頌 2540
項 2540
頇 2540
頏 2541
頙 2541
頊 2541
頎 2541
須 2541
頓 2541
風 颩 2562
食 飥 2569
飩 2569
飭 2569
飧 2569
飪 2569
飱 2570

飦 2570
馬 馮 2591
馭 2591
馯 2591
馵 2591
骨 骫 2613
骪 2613
高 高 2623
髟 髡 2623
髠 2623
髣 2623
鬼 魁 2635
魚 魜 2641
鳥 鳦 2658
黃 黃 2698
黍 黍 2701
黑 黑 2703
黹 黹 2710

13획

一 亄 43
亃 43
乙 亂 67
乿 68
亠 亶 89
人 働 168
傭 168
催 168
僉 168
傲 169
傳 169
傪 169

傯 169
傹 171
傴 171
傫 171
傿 171
傷 171
傮 171
債 171
傾 172
傺 172
僅 173
僆 173
僂 173
僇 173
傶 173
僄 173
僉 174
僈 174
僩 174
僁 174
備 174
傻 174
僊 174
僎 174
僧 174
僴 174
僞 174
僑 174
僮 174
傯 174
儿 兒 198

八 兾 220	卩 卻 318	嗓 398	塬 459	嫱 543	尸 屟 626	幋 680	徰 797	慖 807
冫 㬥 232	斜 318	嗇 398	塩 459	嫋 544	屡 626	干 榮 689	愍 797	愰 807
滲 232	厂 厪 323	嗽 398	塋 459	娱 544	山 峯 639	幹 689	愁 797	慌 807
凗 232	厩 323	嗣 398	墀 459	媵 544	嵠 648	广 廉 703	愈 797	慌 807
凙 232	厤 323	嗕 398	塉 459	嫈 544	嵞 648	廊 703	意 798	愶 807
凵 圔 239	厰 323	嗗 398	塚 459	嫉 544	嵮 648	廈 703	愚 798	戈 戡 835
刀 剸 265	口 嗝 395	嘷 398	塤 459	嫌 544	嵩 648	慶 704	慈 799	戢 835
剺 265	喿 395	嗀 398	塗 460	嫐 545	嵛 648	廇 704	慈 799	戣 835
剷 265	嗇 395	口 圓 429	塍 460	嫛 545	嵱 648	廂 704	愿 799	戥 835
剹 265	嗁 395	土 塏 457	塱 460	嫢 545	嵬 648	廋 704	愧 805	戦 835
劅 265	嗶 395	塊 457	塈 460	子 㝅 564	嵲 648	廆 704	愷 805	戢 835
劀 265	嗃 395	報 457	士 壼 475	孴 564	嵬 648	廌 704	愫 805	手 搫 885
劃 265	嗄 396	塒 457	壽 475	孳 564	嵫 648	弋 歌 717	慎 805	搴 885
剼 265	嗉 396	塌 457	夕 夢 482	孴 564	嵯 648	弒 717	慍 805	擊 885
剿 265	嗍 396	塔 457	大 奧 509	孶 564	嵳 648	弓 彀 727	慆 805	挈 885
𠞩 266	嗚 396	塙 458	奦 509	宀 寗 593	嵰 649	彐 彙 730	愴 805	搆 892
剽 266	嗑 396	塡 458	奨 510	寙 593	嵘 649	彚 730	愭 806	搉 892
力 勤 282	嗚 396	塘 458	女 嫏 542	寑 593	嵣 649	彳 微 751	慊 806	損 892
勠 282	嗌 396	塓 458	媳 542	寖 593	嵊 649	徭 751	慆 806	搏 893
勦 282	嗔 396	塚 458	媼 542	寘 593	嵮 649	得 752	慄 806	搙 893
勧 283	嗒 396	塳 458	嫋 542	寝 594	嵤 649	徬 752	慅 806	搯 893
勧 283	嗅 396	塢 458	媛 542	寛 594	巾 幏 679	徧 752	愪 806	搒 893
募 283	嗔 396	塕 458	嬰 542	寧 594	幏 679	徯 752	慉 806	搓 893
勢 283	嗜 396	塡 458	媿 543	寨 594	幍 679	心 愛 794	愾 806	搷 893
勣 283	嗑 396	塠 458	嫁 543	寅 594	幐 679	感 795	慨 807	搋 893
勡 283	嗛 397	塥 458	媾 543	寸 對 609	幎 679	愙 796	愲 807	搞 894
勢 283	嗜 397	塣 459	嫰 543	對 609	幏 679	愁 796	慠 807	搶 894
勥 284	嗎 397	塒 459	媽 543	小 尟 616	幌 679	想 796	慂 807	搗 894
匚 匭 294	嗢 397	塯 459	媲 543	尠 616	幌 679	惹 796	愪 807	搢 894
匯 294	嗟 397	塑 459	嫂 543	尢 尳 618	幋 680	惷 796	慯 807	搡 894
十 𠦝 311	嗤 397	塞 459	嫄 543	尵 618	幐 680	愆 797	慻 807	搖 894

搖 894	摝 897	暇 994	椳 1083	楣 1087	榌 1090	歹 殛 1153	溢 1271	滈 1275
搘 894	搵 897	暍 994	椸 1083	楯 1087	[illegible] 1090	殜 1153	溪 1272	滉 1275
搽 894	搌 897	暌 994	椽 1083	楥 1087	榅 1090	殙 1153	溯 1272	溕 1276
搕 895	搊 897	暖 994	椹 1083	楦 1087	業 1090	殗 1153	溲 1272	滏 1276
搦 895	搾 897	暏 994	榛 1083	楨 1087	楴 1090	殳 殿 1158	溶 1272	滓 1276
搮 895	携 897	暆 994	楅 1084	楫 1087	楼 1090	毀 1158	溱 1272	滍 1276
搣 895	摑 897	暉 994	楂 1084	楮 1087	[illegible] 1090	毂 1159	溍 1272	滑 1276
搜 895	摲 897	暄 994	楊 1084	楤 1087	榆 1090	毁 1159	溠 1272	滔 1277
撊 895	撲 898	暝 995	楪 1084	極 1088	楱 1090	比 毚 1164	㴜 1272	溻 1277
搤 895	攴 敬 937	暗 995	椿 1084	[illegible] 1088	榴 1090	毛 毷 1168	滐 1273	潅 1277
搑 895	敕 937	暕 996	椯 1084	楰 1088	棈 1090	毽 1168	湀 1273	滄 1277
搢 895	敳 937	景 996	楄 1084	椷 1088	[illegible] 1091	毻 1168	溺 1273	潤 1277
搥 895	敲 938	暋 996	楑 1085	梟 1088	榮 1091	毸 1168	溣 1273	溙 1277
搰 896	敞 938	暘 996	椱 1085	榫 1089	楽 1091	毼 1168	滮 1273	溞 1277
搩 896	敨 938	暐 996	楈 1085	椅 1089	楶 1091	毿 1168	溼 1273	溰 1277
搻 896	数 938	[illegible] 996	楔 1085	椴 1089	棃 1091	毹 1168	溮 1273	滸 1277
搯 896	敫 938	暅 996	楓 1085	楢 1089	欠 歀 1132	毺 1168	溽 1273	滖 1277
搪 896	敭 938	暎 996	楎 1085	楹 1089	歃 1132	毾 1168	溵 1273	溴 1277
搬 896	敦 938	暒 996	楇 1085	楺 1089	歅 1132	水 溫 1268	滏 1273	滆 1277
摒 896	文 斒 947	暵 996	楗 1086	楸 1089	歐 1132	溳 1269	滃 1273	[illegible] 1277
搶 896	斔 947	暁 996	楴 1086	楩 1089	歂 1132	溏 1269	溷 1273	滚 1278
搐 896	斗 斞 950	曉 997	楝 1086	楕 1089	㰸 1132	源 1269	滅 1274	漠 1278
搋 896	斟 950	曰 會 1011	楞 1086	楧 1089	歇 1132	溓 1270	滂 1274	滝 1278
搨 896	斛 950	木 楚 1082	楖 1086	楷 1089	歖 1132	溜 1270	滃 1274	湿 1278
搭 896	斤 斲 956	楲 1083	楀 1086	概 1090	歆 1132	溦 1270	滁 1274	湀 1278
搛 897	方 旒 965	椵 1083	楉 1086	榎 1090	歁 1133	溔 1270	濅 1274	溼 1278
搹 897	旓 965	棶 1083	楡 1086	[illegible] 1090	歌 1133	準 1270	滄 1274	溸 1278
[illegible] 897	旕 965	楙 1083	楢 1086	楠 1090	款 1133	溘 1270	溧 1275	溵 1278
[illegible] 897	无 既 967	椶 1083	楛 1086	楼 1090	歈 1133	溝 1271	溎 1275	滜 1278
搸 897	日 暑 993	楀 1083	楟 1086	楅 1090	止 歳 1144	溟 1271	滇 1275	漁 1278
摂 897	暈 993	椰 1083	楬 1087	楳 1090	歰 1144	溥 1271	滋 1275	漾 1278

湞 1278
滗 1278
滞 1278
滌 1278
涵 1278
滙 1278
漢 1278
火 熒 1341
煉 1341
煁 1341
煆 1341
煇 1341
煌 1341
煚 1342
煖 1342
煗 1342
煒 1342
煙 1342
煤 1343
煙 1343
煜 1343
煣 1343
煠 1343
煩 1344
煨 1344
煥 1344
煓 1345
煅 1345
煢 1345
煝 1345
萛 1345
煬 1345
煟 1345
煱 1345
煐 1345
煴 1345
煏 1345
熜 1345
煊 1345
煔 1345
煑 1345
煎 1345
煮 1346
照 1346
熙 1346
煦 1346
煞 1347
熈 1347
熏 1347
父 爺 1368
爹 1368
片 牑 1372
牐 1372
牒 1372
牕 1372
牏 1372
牙 𤘽 1374
牛 犍 1383
犑 1383
犐 1383
犌 1383
犏 1383
犝 1383
犎 1384
犓 1384
犬 猷 1399
献 1399
犺 1388
猲 1402
獥 1402
獀 1402
獅 1402
猻 1402
猿 1402
猺 1402
猾 1402
𤡀 1403
獔 1403
猼 1403
獂 1403
獊 1403
猿 1403
𤟵 1403
𤡗 1403
𤞿 1403
獑 1403
獇 1403
玉 瑁 1432
瑟 1432
瑀 1432
瑙 1433
瑕 1433
瑄 1433
瑋 1433
瑌 1433
瑗 1433
瑑 1433
瑒 1433
瑕 1433
瑚 1433
璹 1434
瑞 1434
瑛 1434
瑜 1434
琿 1434
琾 1435
瑊 1435
瑨 1435
瑂 1435
𤪌 1435
瑆 1435
瑘 1435
瑤 1435
瑅 1435
瑃 1435
瑍 1435
瑎 1435
瑝 1435
瓜 瓡 1446
瓠 1446
瓦 甂 1449
甈 1449
甁 1449
瓿 1449
甃 1449
甄 1449
甘 歁 1453
甞 1453
㽆 1453
田 畺 1471
畮 1471
畷 1471
畸 1472
當 1472
畹 1472
畤 1472
畵 1472
疒 痯 1487
痰 1487
痳 1487
痲 1487
痱 1487
痺 1487
痼 1488
痵 1488
痻 1488
痹 1488
痾 1488
瘍 1488
痿 1488
瘀 1488
㾷 1488
痙 1488
瘁 1488
瘃 1488
㾹 1489
瘷 1489
痭 1489
痷 1489
㾔 1489
痴 1489
㾼 1489
癶 發 1501
白 晳 1513
皗 1513
皮 皵 1517
皸 1517
皻 1517
皿 監 1522
盞 1522
盟 1522
盏 1522
盝 1523
葢 1523
盜 1523
目 睔 1542
睍 1542
睒 1542
睕 1542
睯 1543
睞 1543
睯 1543
睗 1543
睟 1543
睡 1543
睚 1543
睛 1543
睜 1543
睶 1543
睬 1543
睠 1544
睩 1544
睦 1544
睥 1544
睤 1544
睢 1544
睨 1544
睫 1544
睧 1544
睸 1544
𥇦 1545
睘 1545
督 1545
睖 1545
䁅 1545
睿 1545
䁆 1545
睪 1545
矛 矠 1556
矢 矮 1560
石 硿 1574
碌 1574
碚 1574
碇 1574
硾 1574
硼 1574
硱 1575
碑 1575
碑 1575
碎 1575
碍 1575
碏 1575
碙 1576
碕 1576
碲 1576
碮 1576
𥔲 1576
碓 1576
𥓐 1576
䂼 1576
碖 1576
碱 1576
𥓼 1576
硜 1576
碒 1576
碉 1576
碘 1576
碊 1576
碌 1576
碑 1576
碁 1577
碞 1577
碗 1577
碆 1577
䂸 1577
示 祺 1599
祼 1599
䄈 1599
禂 1599
祹 1599
祿 1599
禇 1599
祽 1599
䄢 1600
禁 1600
禀 1600
禨 1600
福 1602
禅 1602
内 禽 1607
禾 稘 1620
稑 1620
稔 1620
稙 1620
稚 1620
稗 1620
稛 1621
稞 1621
稍 1621
稆 1621
稜 1621
𥝲 1621
稤 1621
𥝸 1621
稢 1621
稠 1621
稡 1621
稲 1621

稛 1622
稑 1622
稡 1622
稭 1622
稐 1622
稟 1622
稖 1622
稕 1622
種 1622
稞 1622
穴 窟 1639
窞 1639
窠 1640
窣 1640
窡 1640
窴 1640
窦 1640
窮 1640
窣 1640
窬 1640
窶 1640
窩 1640
立 竧 1650
竨 1650
竱 1650
竪 1650
竫 1650
竮 1650
竹 筠 1665
筥 1665
筦 1665

筫 1665
筧 1666
策 1666
筡 1666
筬 1666
筮 1666
筲 1666
筯 1666
筰 1666
筳 1666
筩 1666
筭 1667
筸 1667
筣 1667
筤 1667
筟 1667
筆 1667
筭 1667
筱 1667
筵 1667
筽 1667
節 1667
筌 1667
筞 1667
筴 1667
筷 1667
筢 1667
米 康 1700
粳 1700
粯 1700
粮 1700

粻 1700
粰 1700
粽 1701
粱 1701
粺 1701
粲 1701
粡 1701
糸 絹 1739
絻 1739
絺 1739
絿 1740
綗 1740
綆 1740
綌 1740
絽 1740
綒 1740
綀 1740
紗 1740
絺 1740
綈 1740
綃 1740
綅 1740
經 1741
綏 1741
綐 1741
綎 1741
綑 1743
綁 1743
綖 1743
綂 1743
綄 1743

綊 1743
継 1744
綋 1744
絸 1744
穌 1744
綵 1744
綉 1744
綂 1744
綎 1744
絛 1744
綄 1744
缶 罇 1784
网 罨 1788
罩 1788
罫 1789
罛 1789
罭 1789
罪 1789
置 1789
罧 1790
署 1790
罹 1790
罬 1790
羊 羨 1799
義 1799
羥 1800
群 1800
羦 1800
羣 1801
羠 1801
羽 翜 1807

猵 1808
翛 1808
而 耏 1818
耒 耩 1820
耡 1820
耨 1820
耳 聖 1824
聒 1826
聛 1826
聘 1826
聖 1826
聕 1826
聑 1826
聿 肄 1832
肆 1832
肅 1832
肉 腜 1855
腞 1855
腠 1855
腢 1855
腥 1855
腦 1855
腧 1856
腫 1856
腯 1856
腰 1856
腰 1856
腱 1856
腴 1856
腶 1857
羸 1857

腷 1857
腸 1857
腹 1857
腩 1858
腪 1858
腶 1858
腜 1858
腛 1858
腠 1858
腔 1858
腺 1858
腝 1858
腡 1858
腯 1858
腮 1858
腆 1858
腨 1858
腬 1858
腤 1858
膂 1858
腡 1858
腟 1858
膈 1859
腳 1859
腮 1859
膃 1859
营 1859
至 臷 1877
臺 1877
臼 舅 1880
甥 1880

舛 舝 1885
舟 艀 1889
艄 1889
艅 1889
艇 1890
艒 1890
艆 1890
色 艴 1895
艸 萬 1938
莭 1938
萩 1938
蓍 1940
萱 1940
蒴 1941
蕃 1941
萊 1941
落 1941
萹 1941
萬 1941
萸 1941
蕁 1941
葆 1942
葜 1943
葬 1943
葦 1943
葍 1943
葑 1943
葉 1943
著 1943
萪 1944
葛 1944

萳 1944
葭 1944
葚 1944
董 1945
葦 1945
葼 1945
葡 1945
葮 1946
葰 1946
葯 1946
葬 1946
葟 1946
葱 1946
葩 1946
葫 1946
葵 1947
葸 1947
葹 1947
葥 1947
葳 1947
葽 1947
葺 1947
葦 1947
葝 1948
蒯 1948
葌 1948
蔽 1948
葂 1948
葧 1948
葐 1948
葢 1948

葙 1948
葜 1948
葥 1948
葠 1948
葶 1948
蒠 1948
葒 1948
葓 1948
葌 1949
葀 1949
葢 1949
葖 1949
葭 1949
葴 1949
葰 1949
葉 1949
葇 1949
萬 1949
葬 1949
葍 1949
葅 1949
蒙 1949
葳 1949
蓄 1949
蒂 1949
葛 1949
蒯 1949
蓱 1949
营 1950
虍 虞 1999
虡 1999

號 1999
虜 2000
虫 蜂 2012
蛻 2012
蛹 2012
蛾 2012
蜱 2012
蛸 2012
蛺 2012
蝢 2013
蛤 2013
蛷 2013
蛶 2013
蜊 2013
蜉 2013
蜋 2013
蝛 2013
蜈 2013
蜄 2013
蜆 2013
蜐 2014
蛷 2014
蝍 2014
蚤 2014
蝅 2014
蝊 2014
蜍 2014
蜎 2014
蜒 2014
蛘 2014
蜓 2014

蜨 2014
蛙 2014
蝝 2014
蜃 2015
蜀 2015
蜇 2015
血 盜 2044
衉 2044
行 衙 2049
衣 裔 2063
裘 2065
裊 2065
裏 2065
裒 2065
裛 2065
襄 2065
裵 2065
衺 2066
裘 2066
裟 2066
裝 2066
裝 2066
裿 2066
裣 2066
裪 2066
裨 2066
裧 2066
䘿 2067
裷 2067
裮 2067
裾 2067

裲 2067
裬 2067
裸 2067
䘹 2067
裼 2067
裷 2067
裯 2067
裰 2067
裱 2067
䘾 2068
裋 2068
裩 2068
褁 2068
褂 2068
裾 2068
祿 2068
裶 2068
裲 2068
裞 2068
裺 2068
裺 2068
裮 2068
裻 2068
褈 2069
見 覎 2089
覐 2089
覒 2089
覎 2089
規 2089
角 觧 2097
觡 2099

觜 2099
觥 2099
觤 2099
觸 2099
觱 2099
解 2099
觧 2099
觟 2099
觛 2099
言 詢 2118
試 2118
詣 2118
詤 2118
詵 2118
詡 2118
詩 2119
詭 2120
詫 2120
詬 2120
詮 2121
詰 2121
話 2121
詳 2122
詥 2122
詵 2122
詶 2122
該 2122
詿 2123
誆 2123
詷 2123
誄 2123

詻 2123
誂 2123
誃 2123
詠 2123
詾 2123
誇 2124
誶 2124
叡 2124
詎 2124
詎 2124
誐 2124
詸 2124
誅 2124
詨 2124
詪 2124
詯 2125
誊 2125
詺 2125
詨 2125
詍 2125
詠 2125
詄 2125
詍 2125
誉 2125
誎 2125
詹 2125
詡 2125
詟 2125
谷 谼 2169
谻 2169
豆 豋 2171

豍 2171
登 2171
豊 2171
豕 豤 2175
豥 2175
豝 2175
豢 2175
豦 2176
豣 2176
豢 2176
豸 貇 2181
貊 2181
貈 2181
貊 2181
貅 2181
貅 2181
貆 2181
貉 2181
貉 2181
貆 2181
貝 賂 2194
賓 2195
賅 2195
賌 2195
賃 2195
賊 2195
賎 2195
賄 2195
賅 2195
賉 2195
賆 2196

賑 2196
賁 2196
資 2196
賈 2197
買 2198
赤 赨 2211
赩 2211
赩 2211
走 趉 2217
趌 2217
趌 2217
趎 2217
趍 2217
趑 2217
趒 2217
趚 2217
趃 2217
趄 2217
趏 2217
趍 2218
趌 2218
足 跟 2230
跨 2230
跧 2230
跱 2230
跣 2230
跡 2230
跦 2230
跧 2230
跭 2230
跪 2231

跬 2231
路 2231
跰 2231
跮 2231
跰 2232
跲 2232
跙 2232
跳 2232
跢 2232
跤 2232
跱 2232
跺 2232
跤 2233
跫 2233
跧 2233
跫 2233
跦 2233
跚 2233
跠 2233
跴 2233
跤 2233
跡 2233
跕 2233
身 躬 2255
躰 2255
躳 2255
躬 2255
躲 2255
躲 2255
躲 2255
躱 2255

車 軾 2264
軿 2264
較 2264
輅 2264
軾 2264
衛 2265
軏 2265
軭 2265
輈 2265
輧 2265
輈 2265
輈 2265
輇 2265
輊 2265
輂 2265
輊 2265
載 2265
輆 2265
輇 2265
輂 2266
輂 2266
輊 2266
輕 2266
辛 辟 2281
辞 2282
辠 2282
辰 農 2285
農 2286
農 2286
辵 遁 2308
遂 2308

逾 2308
遏 2308
逼 2308
遇 2309
遊 2309
遄 2309
運 2310
過 2311
遌 2311
遍 2311
過 2312
運 2312
遝 2312
遒 2312
遏 2312
遐 2312
遡 2313
道 2313
遒 2313
遑 2313
遉 2315
達 2315
逹 2315
違 2315
遁 2316
遊 2316
遂 2316
遅 2316
邑 郒 2333
鄉 2342
郞 2343
鄐 2343
鄂 2343
鄍 2343
鄒 2343
鄎 2343
鄏 2343
鄀 2343
鄌 2343
鄔 2343
鄕 2343
鄘 2344
鄓 2344
鄖 2344
鄗 2344
酉 酪 2354
酩 2354
酮 2355
酬 2355
酧 2355
酯 2355
酟 2355
酭 2355
截 2355
酫 2355
酸 2355
金 鈷 2382
鉀 2382
鈯 2382
鉹 2382
鈴 2382
鈸 2382
鉰 2382
鈶 2382
鉢 2382
鈿 2382
鉠 2382
鈹 2382
鉅 2382
鉅 2383
鉣 2383
鋆 2383
鉩 2383
鈮 2383
鉩 2383
鉽 2383
鉗 2383
鉈 2383
鉇 2383
鉆 2383
鉉 2383
鉗 2384
鉚 2384
鉧 2384
鉑 2384
鉄 2384
鉏 2384
鋁 2384
鉛 2384
鉒 2384
鉟 2384
鉊 2384
鉋 2384
鉓 2384
鉤 2385
鉧 2385
鉢 2385
鉟 2385
鉞 2385
鉠 2385
鉥 2386
鉮 2386
鉎 2386
鉐 2386
鉦 2386
鉦 2386
鉙 2386
鉍 2386
鉌 2386
鉴 2387
鉱 2387
鉡 2387
鉁 2387
鉄 2387
長 镻 2430
镺 2430
镸 2430
門 閘 2437
閉 2437
開 2437
閑 2437
閜 2437
開 2437
閟 2437
閅 2437
閈 2437
問 2437
閌 2438
閍 2438
閙 2438
閒 2438
閎 2438
阜 隔 2472
隒 2472
隕 2472
隖 2472
隑 2473
隙 2473
隗 2473
隋 2473
陷 2473
隥 2473
隨 2473
隗 2473
險 2473
隹 雃 2484
雊 2485
雈 2485
堆 2485
雄 2485
雍 2485
雋 2485
雌 2485
睢 2485
雉 2485
雨 零 2497
雷 2498
雹 2498
零 2499
雩 2499
雯 2499
電 2499
雺 2500
雲 2500
青 靖 2514
非 棐 2517
面 靤 2519
靦 2519
靧 2519
靬 2519
革 靳 2521
靲 2521
靹 2521
靸 2521
靶 2521
靷 2521
靸 2521
靴 2521
靶 2521
靴 2521
靬 2522
靲 2522
靲 2522
靵 2522
靹 2522
靶 2522
靯 2522
韋 韍 2532
韌 2532
韍 2532
韭 韮 2536
韱 2536
韮 2536
音 韵 2537
韶 2537
頁 頎 2541
頌 2541
項 2541
頍 2542
頋 2542
領 2542
頟 2542
頏 2542
頓 2542
預 2542
頑 2542
頄 2542
頎 2542
頓 2543
頒 2543
風 颱 2562
颭 2562
颮 2562
颯 2562
颶 2562
颬 2562
食 飼 2570
飽 2570
飶 2570
飩 2570
飳 2570
飪 2570
飫 2570
飽 2570
飲 2570
飭 2570
飩 2571
飯 2571
飾 2571
飧 2571
飺 2571
飼 2572
馬 馵 2592
馳 2592
馱 2592
馯 2592
馭 2593
馴 2593
馰 2593
馰 2593
馲 2593
骨 骭 2613
骫 2613
骭 2613
骬 2614
高 亳 2623
亶 2623
髟 髡 2624
髢 2624
鬲 鬴 2633
鬼 魁 2635
魚 魛 2641
魝 2641
魞 2641
鳥 鳧 2658
鳶 2659
鳩 2659
鳲 2659
鳨 2659
鳧 2659
鳳 2659
鳥 2659
鳱 2659
鹿 麂 2689
麁 2689
麀 2689
麁 2689
麥 麩 2694
麪 2694
黑 黕 2704
黽 黽 2711
鼎 鼎 2713
鼓 鼓 2714
鼓 2715
鼠 鼠 2716

14획

一 𠫝 43
人 僰 174
像 174

僑 175	僔 179	口 嗷 398	口 圖 429	墅 462	嫩 546	嶌 649	[illegible] 680	愬 803
僕 175	僢 179	嘷 399	圗 430	塵 462	嫪 546	[illegible] 649	[illegible] 680	[illegible] 803
僎 175	僤 179	嘅 399	圙 430	塹 462	嬒 546	嶁 649	幓 680	慁 803
[illegible] 175	儿 兢 198	嘓 399	團 430	墍 463	嫣 546	嶁 649	[illegible] 680	愻 804
[illegible] 175	冖 冩 227	嘐 399	土 境 460	塈 463	嫡 546	[illegible] 649	幘 680	[illegible] 804
僙 176	冫 㓗 232	嘍 399	塿 460	墓 463	嫦 546	嶂 649	幖 680	慈 804
[illegible] 176	凘 232	嗦 399	墁 460	墝 463	嫛 547	嶈 649	幑 680	態 804
儆 176	几 凳 235	嗾 399	塽 460	增 463	嫠 547	嵸 649	幺 㡭 693	[illegible] 805
[illegible] 176	凴 235	嗺 399	[illegible] 460	墊 463	嫫 547	[illegible] 649	广 廄 704	[illegible] 805
僚 176	刀 劂 266	嘈 399	塼 460	士 壽 475	嫪 547	嵾 649	廐 704	[illegible] 805
僞 176	劎 266	嘆 399	墇 460	夊 夐 477	嫗 547	嶇 650	廑 704	[illegible] 805
僝 176	劀 266	嗿 399	墁 460	夕 夤 482	嫛 547	嶋 650	廗 704	忄 慪 811
僓 176	[illegible] 266	嘌 399	墈 461	夥 483	嫮 547	島 650	廓 704	[illegible] 811
僧 176	[illegible] 266	嘑 399	墐 461	夥 483	嫭 547	嵺 650	廎 705	慘 811
僖 177	劃 266	嘔 400	墓 461	夢 483	子 孵 564	嶑 650	廖 705	慓 811
僥 177	剩 267	嘂 400	墎 461	夣 483	宀 寡 594	嵳 650	廔 705	慔 812
僦 177	劉 267	[illegible] 400	墑 461	大 奩 510	寞 594	嵷 650	廠 705	慢 812
僒 178	劕 267	嘛 400	塻 461	獎 510	察 594	嶅 650	廕 705	慠 812
僮 178	劉 267	嘗 400	墉 461	奪 510	寠 595	嶆 650	廾 弊 715	慒 812
僨 178	劄 267	嘎 400	[illegible] 461	女 嫗 545	寤 595	嵽 650	弓 張 723	慟 812
僜 178	力 勸 284	嘕 400	墌 461	嫗 545	寢 595	[illegible] 650	彄 727	慨 813
僭 178	[illegible] 284	[illegible] 400	增 461	嫘 545	寥 596	嵾 650	彈 727	慨 813
僣 178	勱 284	[illegible] 400	塲 461	嫚 545	實 596	嶃 650	彡 彰 735	慬 813
僬 178	勹 匓 288	嘖 400	墋 461	嫙 545	寧 597	嶄 650	彯 735	慳 813
僩 178	匚 匱 294	嘒 400	墄 461	嫆 545	寨 598	[illegible] 650	彳 德 752	慣 813
僪 179	匰 294	嘉 401	墆 461	嫥 545	寨 598	巾 幗 680	徯 752	[illegible] 813
僱 179	匲 294	嘼 401	墫 461	嫜 545	寸 對 609	幅 680	徵 752	[illegible] 813
僟 179	厂 厬 323	嗸 401	墟 461	嫭 545	尸 屢 626	[illegible] 680	心 愨 803	慥 813
僫 179	厮 323	[illegible] 401	墨 462	嫖 545	屣 626	幔 680	慂 803	慷 814
[illegible] 179	厭 323	嘏 401	塵 462	嫝 546	層 626	幙 680	慇 803	慉 814
僗 179	厰 323	嚅 409	塾 462	嫤 546	山 嶇 649	幕 680	愿 803	慱 814

慺 814
憀 814
慯 814
慴 814
慵 814
憏 814
㦗 814
慽 814
慚 814
戈 戟 835
截 836
戩 836
戧 836
手 搴 892
搼 892
撃 892
搊 898
摼 899
摑 899
摎 899
㨷 899
摚 899
摞 899
摓 899
摋 899
摔 899
擘 899
摏 899
摘 899
摐 899
摤 899
摜 900
摡 900
摝 900
摟 900
摗 900
摓 900
摣 900
摕 900
摧 900
摛 900
摦 900
摢 900
摳 901
[illegible] 901
摶 901
摲 901
摵 901
[illegible] 901
摬 901
摷 901
摴 901
摭 901
搋 901
摫 902
摸 902
[illegible] 902
摻 902
摿 902
摺 902
[illegible] 902
摽 902
摅 903
擄 903
摀 903
摙 903
摒 903
擄 903
摠 903
[illegible] 903
支 敲 938
敲 938
敹 938
鼓 938
敱 938
敳 939
敯 939
斗 斠 950
斡 950
斢 950
斤 斲 956
新 956
[illegible] 956
方 旗 965
旖 965
旝 966
日 暟 996
暝 996
暭 996
暠 996
暣 997
[illegible] 997
曆 997
[illegible] 997
暱 997
暢 997
暤 997
㬥 997
曰 朅 1012
曅 1012
朄 1012
暜 1012
月 膡 1022
朚 1022
朢 1023
木 榢 1091
槗 1091
榎 1091
榔 1091
榑 1091
樹 1091
榼 1091
榕 1091
榐 1091
榛 1091
榤 1092
樑 1092
榠 1092
榜 1092
榡 1092
㮉 1092
槝 1092
榬 1092
樓 1092
榥 1092
榷 1093
榉 1093
棱 1093
榴 1093
榻 1093
槐 1093
榧 1093
榭 1093
榲 1093
榰 1093
榨 1093
榱 1093
槁 1094
榾 1094
榿 1094
槏 1094
槈 1094
榯 1094
槙 1094
榻 1094
槢 1094
槅 1094
榼 1094
構 1095
樠 1095
槎 1095
槌 1095
槍 1095
槐 1096
槓 1096
樫 1096
槔 1096
槪 1096
榖 1096
榦 1096
榶 1096
槄 1096
榫 1096
榍 1096
榣 1096
様 1096
榹 1096
槭 1096
榟 1096
槽 1096
榘 1097
槑 1097
槃 1097
槊 1097
榺 1097
榮 1097
㮟 1098
槷 1098
槖 1098
槀 1098
欠 歌 1133
歉 1133
歎 1133
㱃 1133
歊 1133
歀 1134
歍 1134
歋 1134
歃 1134
止 歴 1144
歹 [illegible] 1153
殟 1153
殢 1153
殞 1153
[illegible] 1153
殠 1153
殳 毃 1159
毄 1159
毀 1159
毁 1160
毋 毓 1163
毛 毴 1168
毷 1168
气 氳 1174
水 滕 1268
滎 1268
滌 1278
[illegible] 1278
滵 1279
滫 1279
漴 1279
滯 1279
滬 1279
滲 1280
滴 1280
漝 1280
漨 1280
漡 1280
漎 1280
滾 1280
滷 1280
漊 1280
滴 1280
滸 1280
滹 1280
滿 1281
漁 1282
漂 1282
漹 1283
漆 1283
潒 1283
漈 1284
漉 1284
漌 1284
漏 1284
漑 1285
漮 1285
[illegible] 1285
漓 1285
漅 1285
演 1285
漕 1285
滰 1286
漒 1286
漚 1286
漙 1286
滱 1286
漠 1286
漘 1286
漢 1286
漣 1287
液 1288
漩 1288
漪 1288
漗 1288
漫 1288
漬 1288
漤 1288
漭 1288
淵 1288
漱 1288
漵 1288
漳 1288
漲 1288
漯 1288
漻 1290
漾 1290
漥 1290
漸 1290
漼 1290
漶 1290
漖 1291
漷 1291
漧 1291
漄 1291
漨 1291
[illegible] 1291
漇 1291
滶 1291

漼 1291	熙 1349	㺐 1404	畷 1473	瘓 1491	矛 矟 1556	禋 1601	稯 1624	箘 1670	
溡 1291	熷 1349	獙 1404	畼 1473	皮 皹 1517	矠 1556	禎 1601	稩 1624	箟 1670	
漎 1291	熠 1349	玉 瑠 1436	畽 1473	皷 1517	石 碑 1577	禍 1601	稬 1624	箜 1670	
漖 1291	爻 爾 1369	瑯 1436	疋 疑 1477	皺 1517	碣 1577	䄱 1602	穴 窨 1640	箙 1670	
滮 1291	片 牓 1372	瑪 1436	疐 1478	皶 1517	碡 1577	䄙 1602	窩 1640	算 1670	
滜 1291	牔 1373	瑣 1436	疒 瘈 1489	皸 1517	碯 1577	禖 1602	窐 1641	箚 1670	
潡 1292	牛 犗 1384	瑣 1436	瘌 1489	皿 監 1523	碟 1577	禓 1602	窶 1641	箝 1671	
火 熂 1347	㲄 1384	瑤 1436	瘉 1489	盡 1523	碩 1577	禗 1602	窪 1641	箬 1671	
煽 1347	犕 1384	瑥 1436	瘟 1489	盝 1524	碝 1577	禑 1602	窬 1641	管 1671	
熒 1347	犓 1384	瑰 1437	瘍 1489	目 睮 1545	碮 1577	禕 1602	窫 1641	箞 1671	
熕 1348	犖 1384	瑴 1437	瘇 1489	睽 1546	磔 1578	禔 1602	窸 1641	箯 1671	
煻 1348	犕 1384	瑢 1437	瘋 1489	䁍 1546	磕 1578	禘 1602	立 竭 1650	箠 1671	
熑 1348	犙 1384	瑠 1437	瘊 1489	睫 1546	𥓓 1578	内 萬 1608	端 1651	箴 1671	
熗 1348	𤚩 1384	瑶 1437	瘃 1490	睹 1546	磂 1578	禾 種 1622	竮 1651	箛 1672	
熄 1348	犗 1384	瑱 1437	瘔 1490	睸 1546	碫 1578	稭 1622	竹 筭 1667	箣 1672	
熉 1348	犒 1384	瑨 1437	瘑 1490	睖 1546	碌 1578	稍 1623	箇 1668	箮 1672	
熔 1348	犎 1384	瑠 1437	瘏 1490	睲 1546	碥 1578	稱 1623	箍 1668	箁 1672	
熅 1348	犬 獄 1401	瑳 1437	瘎 1490	睯 1546	碍 1578	稷 1623	箓 1668	箈 1672	
熆 1348	獃 1402	瑲 1437	瘦 1490	䁏 1546	碤 1578	稧 1624	箄 1668	箐 1672	
羨 1348	㲄 1402	瑫 1438	瘐 1490	睼 1546	碨 1578	稩 1624	𥮒 1668	箎 1672	
熀 1348	犺 1388	瑭 1438	瘏 1490	䁋 1546	碠 1578	穀 1624	箑 1668	箆 1673	
熇 1348	獍 1403	瑮 1438	瘖 1490	瞑 1546	磁 1578	稬 1624	䈜 1668	箪 1673	
熪 1348	𤢏 1403	瑛 1438	瘺 1490	睺 1546	碁 1578	稻 1624	箔 1668	箭 1673	
熣 1348	獌 1403	瑻 1438	瘕 1490	䁔 1546	碧 1578	稸 1624	箋 1668	米 粼 1701	
熢 1349	㺝 1403	瓦 甄 1449	瘧 1490	睴 1547	碭 1578	稨 1624	箏 1668	粹 1701	
熯 1349	獐 1403	甀 1449	瘩 1490	睪 1547	碃 1578	稫 1624	箅 1668	精 1702	
熐 1349	獑 1403	甂 1449	瘑 1490	瞀 1547	碬 1578	稰 1624	䈏 1669	粻 1702	
熌 1349	獙 1403	甋 1449	瘑 1490	瞂 1547	碱 1578	䅬 1624	箕 1669	粺 1702	
熻 1349	㺏 1404	甃 1449	瘑 1491	睿 1547	碞 1579	稳 1624	箔 1669	粿 1704	
熊 1349	獏 1404	生 甦 1457	瘙 1491	瞍 1547	示 禊 1601	穆 1624	箊 1669	粷 1704	
熏 1349	獔 1404	田 畻 1473	瘜 1491	煦 1547	福 1601	積 1624	箒 1669	糉 1704	

棃 1704	綻 1750	総 1753	腄 1826	膳 1860	菮 1951	萱 1955	蒞 1957	蜹 2016	
粶 1704	緄 1751	缶 𦈩 1784	聟 1827	膋 1860	蒟 1951	蔀 1955	蓴 1957	蜙 2016	
糌 1704	緂 1751	缾 1784	聿 肇 1833	膏 1860	菫 1951	營 1955	蓚 1957	蜩 2016	
粽 1704	緆 1751	𦈫 1784	肈 1833	膜 1861	蒯 1951	蓳 1955	蒓 1957	蜴 2016	
糸 綟 1744	緅 1751	网 罰 1790	肉 腐 1852	臣 臦 1871	蒡 1951	蒤 1955	蓝 1957	蜾 2017	
綠 1744	緁 1751	署 1790	腎 1852	臧 1871	蒜 1951	著 1955	蒦 1957	蝀 2017	
綜 1744	緉 1752	罱 1791	腿 1859	至 臺 1877	蒩 1951	蒞 1955	蔦 1957	蜓 2017	
綝 1744	綹 1752	罳 1791	膀 1859	臼 與 1880	蒨 1951	蒝 1955	蔵 1957	蜱 2017	
綣 1746	緋 1752	罯 1791	膃 1859	舌 舔 1884	蒱 1951	蓊 1955	蓺 1957	蜙 2017	
絵 1746	緎 1752	羊 羫 1801	膄 1859	舓 1884	蒲 1951	蔞 1955	蔵 1957	蜼 2017	
総 1746	緌 1752	𦏵 1801	膍 1859	舕 1884	葵 1952	蓏 1956	蓿 1957	蜺 2017	
緑 1746	綗 1752	羠 1801	膗 1859	舚 1884	蒹 1952	蓀 1956	蔽 1957	蜿 2017	
綫 1746	綻 1752	羥 1801	䐧 1859	舔 1884	蓆 1952	蔴 1956	蔣 1957	蜲 2017	
綅 1746	緇 1752	羦 1801	膝 1859	舓 1884	蒪 1952	蒳 1956	蓑 1957	蝃 2017	
維 1746	緆 1753	羧 1801	膇 1859	舑 1884	蒴 1952	蓮 1956	蔡 1957	蜻 2017	
綢 1746	緐 1753	羽 翣 1808	膈 1859	舛 舞 1886	蒸 1952	蓓 1956	蔂 1957	蜫 2018	
綪 1746	緈 1753	翟 1808	䐋 1859	舝 1886	蒺 1952	蓑 1956	蒬 1957	蜞 2018	
綰 1747	綼 1753	翠 1808	膉 1859	舟 艄 1890	蓀 1953	蒴 1956	虍 虡 2000	蜝 2018	
綱 1747	綦 1753	翢 1809	膊 1859	艒 1890	蒼 1953	蓐 1956	虫 蜢 2015	蜛 2018	
綯 1747	綨 1753	翡 1809	膧 1860	艋 1890	蓖 1953	蓷 1956	蜘 2015	蝠 2018	
綀 1747	綮 1753	翪 1809	膌 1860	艍 1890	蒿 1953	蔎 1956	蜡 2015	蜩 2018	
絣 1747	緊 1753	翭 1809	膭 1860	艌 1890	蓋 1954	蔭 1956	蟯 2016	蜳 2018	
網 1748	練 1753	翻 1809	膍 1860	艓 1890	蒟 1954	蔌 1957	蜡 2016	蜷 2018	
綵 1748	緍 1753	耒 耤 1820	膎 1860	色 艴 1895	蒴 1954	蕢 1957	蜷 2016	蜦 2018	
綴 1748	綳 1753	耧 1820	𣫍 1860	艵 1895	蓂 1954	蓑 1957	蜿 2016	蜧 2018	
綺 1749	緒 1753	耤 1820	腦 1860	艸 舞 1930	蓆 1954	蓺 1957	蜴 2016	蝋 2018	
綸 1749	縄 1753	耳 聝 1826	膁 1860	舞 1930	蓉 1954	菊 1957	蝸 2016	蜱 2018	
綷 1749	紳 1753	聞 1826	膹 1860	萁 1950	蓁 1954	蒳 1957	蜷 2016	蜽 2018	
綾 1750	綾 1753	聙 1826	腮 1860	蒙 1950	蓄 1954	蒟 1957	蜪 2016	蝓 2018	
綿 1750	綷 1753	聚 1826	膣 1860	蒐 1950	蓽 1954	蓈 1957	蜥 2016	蜺 2018	
綽 1750	緀 1753	聡 1826	膂 1860	蒔 1950	蓋 1955	蒗 1957	蜮 2016	蜨 2018	

蜙 2018		褑 2070		覌 2090		誄 2130		貌 2181		跼 2233	身	躳 2255		遣 2318		銘 2387
蜣 2018		褠 2070		覑 2090		誃 2130		貍 2182		踀 2233	車	輊 2266		遢 2319		銂 2387
蜬 2018		褵 2070		規 2090		說 2130		貎 2182		跿 2233	邑	鄧 2344		鉺 2387
蜝 2019		褐 2070	角	觩 2099		誦 2130		貐 2182		踃 2233		輥 2266		鄙 2344		銀 2387
豎 2019		褸 2070		觡 2100		誤 2130		貖 2182		踄 2233		輡 2266		鄘 2344		鉶 2387
蜹 2019		褋 2070		觫 2100		誤 2130	貝	賑 2198		踂 2233		輤 2266		鄣 2345		銅 2388
蜪 2019		褯 2070		觪 2100		誨 2130		賗 2198		踇 2233		輓 2266		鄡 2345		銑 2389
蜎 2019		褊 2070		觧 2100		誯 2131		賕 2198		踌 2234		輐 2266		鄥 2345		鉠 2389
蜜 2019		褍 2071	言	誩 2125		誘 2131		賓 2198		踆 2234		輏 2266		鄝 2345		銖 2389
蜯 2019		褖 2071		誋 2125		誮 2131		賓 2198		踈 2234		輈 2266		鄚 2345		銉 2389
蜚 2019		褓 2071		誌 2125		誧 2131		賖 2198		踋 2234		輎 2266		鄜 2345		銍 2389
蜠 2019		褊 2071		認 2126		説 2131		賒 2198		踊 2234		載 2266		鄛 2345		銓 2389
蝇 2019		褸 2071		誏 2126		誐 2131		賏 2198		踉 2234		輒 2266		鄞 2345		鉼 2389
蜇 2019		褕 2071		誎 2126		誜 2131		賗 2198		踊 2234		輆 2266		鄢 2345		鉿 2389
蝸 2019		褚 2071		誂 2126		䛐 2132		賘 2198		跿 2234		輔 2267		鄟 2345		鋯 2390
蜑 2019		褆 2071		誑 2126		読 2132		賔 2199		踉 2234		輕 2267		鄠 2345		銙 2390
蜸 2019		褑 2071		誆 2126		誓 2132		賣 2199		踊 2234		輑 2268		鄤 2346		銘 2390
血	衉 2044	褘 2071		誒 2126		誼 2132	赤	赫 2211		踆 2234	辛	辣 2282		鄨 2346		銛 2390
	衉 2044	褫 2072		誕 2126		誏 2132		赮 2211		踀 2234		辢 2282		鄣 2346		鉅 2390
	衊 2044	褸 2072		誙 2127		誎 2132	走	趕 2218		跨 2234		辡 2282		鄘 2346		銚 2390
	衉 2044	褙 2072		誔 2127	谷	谽 2169		趙 2218		踊 2234	辵	遳 2316	酉	酴 2355		銏 2390
	衁 2044	福 2072		誏 2127		谻 2169		趏 2219		踙 2234		遘 2316		酳 2355		鉆 2390
衣	褎 2068	褪 2072		誘 2127	豆	豍 2171		趌 2219		踗 2235		遒 2316		酲 2355		銬 2391
	褏 2068	複 2072		語 2127	豕	豤 2176		趓 2219		踁 2235		遛 2316		酵 2355		銠 2391
	裴 2068	褑 2072		誚 2127		豥 2176		趖 2219		踋 2235		選 2316		酮 2356		銷 2391
	裻 2069	褈 2072		誟 2127		豩 2176		趘 2219		跴 2235		遜 2316		酹 2356		鋠 2391
	複 2069	褫 2072		誠 2128		豧 2176		趛 2219		踊 2235		遙 2316		酶 2356		鉷 2391
	裳 2069	褞 2072		誡 2129		豪 2176		趚 2219		踃 2235		遝 2317		酸 2356		銃 2391
	製 2069	褡 2072		誣 2129		豨 2176		趜 2219		踈 2235		遞 2317		酺 2356		銳 2391
	褌 2070	見	覞 2089		誤 2129	豸	貋 2181		趝 2219		踞 2235		遠 2317		酷 2356		鉵 2391
	褘 2070		覡 2090		誥 2130		貊 2181	足	跽 2233		踝 2235		遡 2318	金	鉸 2387		銁 2391

鉦 2391
銒 2391
銆 2391
銕 2391
鋆 2391
銁 2391
銎 2392
銮 2392
銌 2392
銆 2392
鉼 2392
銤 2392
銭 2392
銐 2392
銂 2392
銶 2392
銜 2392
銶 2392
長 镻 2430
門 閤 2438
閨 2438
閥 2438
閡 2438
閤 2438
閧 2439
閞 2439
閣 2439
閩 2439
閪 2439
閘 2439
閩 2439
閣 2439
閤 2439
閦 2439
開 2439
閲 2439
関 2440
閔 2440
阜 隠 2473
際 2473
障 2474
隔 2474
隟 2474
隙 2474
陳 2474
隝 2474
隚 2474
隞 2474
隖 2474
隱 2474
隑 2474
隡 2474
隹 翟 2486
雃 2486
雊 2486
雉 2486
雒 2486
雑 2486
雨 需 2500
雾 2500
霂 2500
霈 2500
青 靘 2515
静 2515
面 靤 2519
革 靶 2522
鞄 2522
鞃 2522
靻 2522
鞀 2522
靺 2522
鞁 2522
鞞 2522
鞆 2522
靺 2523
鞄 2523
靲 2523
靬 2523
鞅 2523
靼 2523
鞀 2523
鞊 2523
鞃 2523
鞉 2523
鞑 2523
鞄 2523
鞁 2523
韋 韎 2532
韍 2532
韍 2532
韍 2532
音 韶 2537
頁 頙 2544
頔 2544
領 2544
頛 2544
頤 2544
頖 2544
頗 2544
頔 2544
頗 2544
頣 2545
頙 2545
頚 2545
頞 2545
頝 2545
頞 2545
頦 2545
頣 2545
頡 2545
風 颱 2562
颭 2562
颮 2562
颰 2562
颯 2562
颲 2562
颳 2562
颶 2562
颸 2562
食 飴 2571
餔 2572
餌 2572
餘 2572
餅 2572
飼 2572
飾 2572
餈 2572
餀 2572
飽 2572
餇 2573
餉 2573
餃 2573
餂 2573
饿 2573
餇 2573
餎 2573
餗 2573
餏 2573
餥 2573
餖 2573
餌 2573
餜 2573
餞 2573
餠 2573
餁 2573
餈 2573
餂 2573
香 馝 2589
馝 2589
馬 駃 2593
馱 2593
馲 2593
駁 2593
駇 2593
駅 2593
駈 2593
駒 2594
駑 2594
駆 2594
駐 2594
駑 2594
駕 2594
駛 2594
駔 2594
駟 2594
駅 2594
駄 2594
駄 2594
駉 2594
駋 2594
骨 骱 2614
骰 2614
骴 2614
骯 2614
高 髚 2623
髟 髤 2624
髥 2624
髧 2624
髦 2624
髧 2624
髪 2624
髫 2624
髬 2624
髯 2624
髩 2624
門 鬦 2630
鬲 鬴 2633
鬷 2633
鬹 2633
鬼 魀 2635
魁 2635
魃 2636
魅 2636
魂 2636
魇 2636
魚 魟 2641
魠 2641
魡 2641
魣 2641
鳥 鳲 2659
鳴 2659
鳷 2660
鳵 2660
鳸 2660
鳹 2660
鳺 2660
鳳 2660
鳼 2660
鳿 2661
鴂 2661
鴃 2661
麥 麩 2694
麪 2694
麻 麼 2697
麽 2697
黑 黕 2704
黽 黾 2711
鼻 鼻 2718
鼻 2719
齊 齊 2720

15획

一 亹 43
人 僵 179
僱 179
僑 179
價 180
儈 180
僻 180
僽 180
儀 180
儂 180
儆 180
億 180
儃 181
儈 181
儉 181
儋 181
儌 182
儍 182
儎 182
儑 182
儐 182
儒 182
儓 182
儔 183
儕 183
冫 凜 232
凛 232
凜 232
澤 232
刀 劇 267
劈 267
劉 268
劊 268
劌 269
劋 269
劍 269
劎 270
劐 270
劓 270
力 勮 284
勯 284
勱 284
勲 284
勳 284
匚 匳 294
厂 厲 323
厱 324
厳 324
厶 嬖 327
口 嘰 402
嘯 402
嘱 402
嘲 402
嘳 402
嘴 402
噂 402
嘿 402
嘽 402

噓 402
[illegible] 402
嘺 403
嘹 403
嘪 403
嘸 403
嘶 403
嘳 403
嗚 403
喑 403
嘄 403
嘴 403
噋 403
嘷 403
嘯 403
嘵 403
嘾 404
嘿 404
噀 404
噁 404
噎 404
噂 404
噌 404
噍 404
噆 404
嘽 404
嘻 404
器 405
噇 405
噉 405
噴 405
嘮 405
嘱 405
噈 405
嘩 405
噏 405
口 圖 430
土 墩 464
墱 464
[illegible] 464
墦 464
墠 464
墤 464
墀 464
墟 464
墓 465
墰 465
塯 465
墲 465
墳 465
墣 465
墢 465
墻 465
墫 465
墜 465
墬 465
墉 465
墨 466
[illegible] 467
墕 467
墪 467
壄 467
墜 467
墮 467
墥 467
士 壿 475
大 奭 511
奫 511
女 嫵 547
嫶 547
嬅 547
嫜 548
嫣 548
嬈 548
[illegible] 548
嫽 548
嬀 548
[illegible] 548
嫺 548
嫻 548
嫺 548
嫿 548
嬌 549
嫖 549
嬔 549
嬋 549
嬉 549
嬰 549
嫛 549
子 孺 565
學 565
宀 審 598
寫 598
寬 599
寫 599
寭 599
[illegible] 600
寮 600
[illegible] 600
寪 600
寸 導 610
尢 尵 618
尰 618
尸 履 627
屧 627
山 嶔 650
嶠 651
[illegible] 651
[illegible] 651
嶝 651
[illegible] 651
嶙 651
嶚 651
嶤 651
嶘 651
嶟 651
嶒 651
嶕 651
嶖 651
嶜 651
嶡 652
嶲 652
嶗 652
嶛 652
嶢 652
嶸 652
嶞 652
嶓 652
嶋 652
巾 幜 681
幫 681
幞 681
幡 681
[illegible] 681
幟 681
幝 681
[illegible] 681
[illegible] 682
幢 682
幠 682
幩 682
[illegible] 682
[illegible] 682
幣 682
广 廜 705
廚 705
廛 705
廟 706
廝 706
廠 706
廞 706
廡 707
廙 707
廢 707
廣 708
[illegible] 708
廏 709
廇 709
廐 709
廾 弊 715
弋 [illegible] 717
弓 彆 728
彈 728
彉 728
彑 彛 731
彡 影 735
彳 徵 752
德 753
徳 754
徹 754
[illegible] 754
[illegible] 754
心 慶 807
憂 808
[illegible] 809
慙 809
慝 809
慧 809
慮 810
慰 810
慾 810
慫 810
慹 810
慼 810
慸 810
慤 811
憇 811
慕 811
慭 811
憑 811
憃 811
憍 816
憐 816
憎 816
憢 816
憒 817
憛 817
憤 817
憕 817
憔 817
憚 817
憓 817
憬 818
憧 818
憭 818
憮 818
憫 818
憏 818
憯 818
[illegible] 818
[illegible] 818
憪 818
[illegible] 818
憞 819
憆 819
憣 819
[illegible] 819
憱 819
憯 819
憏 819
憜 819
憫 819
憘 819
憰 819
[illegible] 819
戈 戮 836
戭 836
戫 836
戱 836
戲 836
手 摩 898
摹 898
摯 898
摰 898
摮 898
摲 898
擊 899
擘 899
撅 903
撗 903
撤 903
撈 903
撵 903
撇 903
撊 903
撯 903
摺 903
撋 903
擪 904
撓 904
撒 904
撕 904
撏 904
撖 904
撐 904
撑 904
撞 904
撌 905
撛 905
撟 905
撠 905
撚 905
撞 905
撜 905
撙 905
撡 905
撨 905
撝 905
撩 906
撫 906
撥 906
[illegible] 906
撦 906
撢 906
撣 906
撲 907
撰 907
撮 907
撯 907
播 907

搭 908	樊 1098	標 1101	𣘬 1104	漀 1279	潰 1296	潸 1299	熒 1351	獖 1405
攴 敷 939	樧 1098	槴 1101	槳 1104	潑 1291	潳 1296	澀 1299	勲 1351	獥 1405
敵 939	槥 1098	樛 1102	榛 1104	潵 1291	潯 1296	澐 1299	熱 1352	獜 1405
𢿌 939	槔 1099	𣚍 1102	樰 1104	潏 1291	濟 1296	潧 1299	爻 爽 1369	獙 1405
敹 940	槲 1099	槐 1102	橫 1104	潙 1292	潺 1296	潴 1299	爾 1369	獋 1405
數 940	槻 1099	樚 1102	㮚 1105	潔 1292	潐 1296	潒 1299	片 牑 1373	獚 1405
敶 940	槶 1099	樝 1102	槧 1106	潬 1292	潼 1297	潪 1299	牕 1373	獡 1405
敺 941	榷 1099	樞 1102	欠 歐 1134	潘 1292	澁 1297	澋 1299	牛 㹻 1384	𤢃 1405
敺 941	𣘻 1099	槯 1103	歎 1134	潿 1292	澂 1297	澒 1299	𤛟 1384	玉 瑬 1432
敶 941	槮 1099	㮶 1103	歔 1134	潗 1292	澄 1297	漹 1300	𤛇 1385	瑬 1435
敻 941	槢 1099	樠 1103	歑 1135	𣿌 1292	㵐 1298	澔 1300	𤚥 1385	瑩 1435
文 斔 948	槱 1099	模 1103	歙 1135	潅 1293	潡 1298	澟 1300	㹎 1385	瑿 1435
斗 斢 950	槦 1099	樆 1103	歒 1135	潞 1293	澇 1298	火 熛 1349	犛 1385	瑾 1438
斛 950	槽 1099	樇 1103	歖 1135	潟 1293	潻 1298	熰 1350	犛 1385	璂 1438
方 旛 966	樀 1099	樉 1103	歓 1135	潛 1293	澌 1298	熞 1350	犘 1385	璆 1438
日 暴 997	槭 1099	樣 1103	歹 殤 1154	潜 1293	潤 1298	熲 1350	犏 1385	璃 1438
暱 998	槬 1099	樟 1103	殤 1154	潝 1293	澆 1298	熮 1350	犙 1385	瑹 1438
㬉 998	槵 1099	樃 1104	殨 1154	澗 1294	澍 1298	熢 1350	犀 1385	璅 1438
暯 998	槿 1100	槺 1104	殢 1154	潣 1294	澈 1298	熠 1350	犨 1385	璇 1438
暲 998	樒 1100	権 1104	殳 毆 1160	潤 1294	澎 1298	熯 1350	㹅 1385	璀 1438
𣋃 998	樓 1100	頴 1104	毅 1160	瀉 1294	潶 1298	熤 1350	犬 獒 1403	璄 1439
暳 998	樏 1100	槫 1104	毛 氂 1168	潤 1294	潾 1299	熨 1350	獎 1403	璝 1439
曉 998	㯻 1100	樐 1104	毿 1168	潢 1294	澑 1299	熭 1350	獣 1404	璉 1439
暤 998	樁 1100	槤 1104	氀 1168	潥 1295	漭 1299	熼 1350	獗 1404	璊 1439
㬇 999	樜 1100	樑 1104	麾 1168	滜 1295	澒 1299	熷 1350	獟 1404	璘 1439
暮 999	樅 1100	槾 1104	毼 1168	潭 1295	濆 1299	熸 1350	獞 1404	璈 1439
暬 999	樋 1100	榟 1104	毵 1168	潦 1295	澘 1299	熥 1350	獠 1404	瑽 1439
暫 999	樘 1100	㯓 1104	水 滕 1278	潗 1295	澓 1299	熪 1351	獖 1404	璋 1439
暵 999	樸 1101	槷 1104	潁 1278	潱 1295	澬 1299	熨 1351	獝 1404	璭 1439
月 膰 1023	樕 1101	樂 1104	漿 1278	潮 1295	潠 1299	熟 1351	獥 1404	瓦 甂 1450
木 槪 1098	樗 1101	樕 1104	漐 1278	潨 1295	潽 1299	熬 1351	獢 1404	甌 1450

甇 1450
田 畿 1473
畾 1473
𤳆 1473
𤳝 1473
𤳖 1474
畫 1474
疒 瘛 1491
瘚 1491
瘜 1491
瘞 1491
瘟 1491
𤸱 1491
瘠 1491
瘡 1491
瘝 1492
瘤 1492
𤸎 1492
𤸫 1492
瘢 1492
瘦 1492
𤸰 1492
瘙 1492
𤸿 1492
瘣 1492
瘨 1492
瘥 1492
瘵 1493
𤹝 1493
瘷 1493
癶 𤼶 1501

白 皜 1513
皚 1513
𤾚 1513
皛 1513
皠 1513
㿥 1514
皞 1514
皮 𥀉 1517
皺 1517
皻 1517
𥀌 1517
皼 1517
皿 盤 1524
盧 1525
目 瞋 1547
瞌 1548
瞁 1548
𥈷 1548
瞖 1548
瞑 1548
瞇 1548
瞍 1548
瞀 1548
𥉌 1548
𥉂 1548
𥊃 1548
𥈬 1548
瞎 1548
瞉 1549
瞈 1549
瞏 1549

瞥 1549
矛 矠 1556
𥎂 1556
石 磊 1579
確 1579
磧 1580
碾 1580
碄 1580
碼 1580
磅 1580
磈 1580
磁 1580
碻 1580
磕 1581
䃕 1581
磤 1581
磏 1581
磎 1581
磑 1581
碫 1581
磒 1581
磌 1581
磌 1581
磋 1581
磔 1581
磓 1581
磬 1582
磚 1582
𥕆 1582
磄 1582
礐 1582

磈 1582
磐 1582
磒 1582
䃁 1582
䃂 1582
䃒 1582
𥕮 1582
䃗 1582
示 禠 1602
禞 1603
禡 1603
𥜄 1603
禣 1603
禚 1603
禛 1603
禝 1603
禜 1603
禾 稷 1624
稼 1625
稽 1625
稻 1625
稴 1625
稹 1625
稸 1625
稺 1625
稿 1626
稬 1626
穀 1626
穅 1626
𥢨 1626
穆 1626

䅭 1626
䅬 1626
穂 1626
䅰 1626
𥢧 1626
𥢒 1626
槃 1627
稾 1627
𥢶 1627
穴 窮 1641
𥧓 1642
𥨤 1642
窯 1642
窰 1642
窳 1642
窱 1642
窴 1642
竹 箬 1673
篌 1673
箼 1673
箱 1673
箭 1673
箴 1673
箯 1673
箈 1674
箾 1674
箸 1674
節 1674
箶 1674
範 1675
篁 1675

篠 1676
篆 1676
篇 1676
篊 1676
篋 1676
篌 1676
篤 1677
篰 1677
篙 1677
䈖 1677
𥱧 1677
箽 1677
箳 1677
箵 1677
𥯨 1677
篹 1677
箷 1677
䈎 1677
箹 1677
篒 1677
篩 1677
篍 1677
篗 1677
䈪 1677
𥳑 1677
箮 1678
篃 1678
篔 1678
𥲅 1678
䈤 1678

米 糘 1704
𥼔 1704
糃 1704
𥼕 1704
糂 1704
糈 1704
糅 1704
糇 1704
𥻿 1705
𥻮 1705
糉 1705
𥼗 1705
糆 1705
糎 1705
糔 1705
糊 1705
糸 緒 1754
緗 1754
綪 1754
緘 1754
緋 1755
緞 1755
緡 1755
線 1755
緝 1755
締 1755
緵 1756
緥 1756
緦 1756
緣 1756
緟 1756

編 1756
𦁤 1757
緩 1757
緫 1758
𦂯 1758
緱 1758
練 1758
緬 1758
緲 1758
緯 1758
緺 1759
緸 1759
緹 1759
緵 1759
緻 1759
緶 1759
緷 1759
緖 1760
網 1760
縷 1760
緢 1760
緜 1760
緽 1760
縇 1760
縄 1760
緤 1760
緭 1760
緼 1760
縦 1760
緾 1760
緇 1760

緅 1760
緧 1760
縀 1760
縻 1760
缶 䍣 1784
网 𦋺 1791
罶 1791
罵 1791
罸 1791
𦋇 1791
罷 1791
罹 1792
羊 羮 1801
羯 1802
羬 1802
羭 1802
羥 1802
羽 翱 1809
翨 1809
翫 1809
翩 1809
翬 1809
翭 1809
猴 1809
翿 1810
翹 1810
翥 1810
翦 1810
耒 耦 1820
耬 1820
耳 聥 1827

聯 1827
聤 1827
聰 1827
聵 1827
肉 䏿 1856
腊 1856
膕 1861
膃 1861
膛 1861
膜 1861
膝 1861
膞 1861
膌 1861
膟 1862
膠 1862
膢 1862
膡 1862
膣 1862
膘 1862
膙 1862
膑 1862
膓 1862
膂 1862
膗 1862
膽 1862
膚 1862
膇 1863
自 臱 1875
至 臶 1878
臼 䑓 1881
舌 舔 1884
舖 1884
舗 1885
舟 艎 1890
艑 1890
艓 1890
艒 1890
艘 1890
艐 1890
艥 1890
艛 1890
艒 1890
艐 1891
艄 1891
艸 蓮 1958
蓬 1958
蓧 1958
蓫 1958
蔨 1959
蔃 1959
蔮 1959
蔻 1959
蔛 1959
蔧 1959
蓰 1959
蓴 1959
蓺 1959
蔟 1959
蓶 1959
蓱 1959
蔪 1960
蓼 1960
蔆 1960
蔈 1960
蔑 1960
蔀 1960
蓿 1960
蓻 1960
蔓 1960
蔉 1961
蔓 1961
蔌 1961
蔎 1961
蔚 1961
蔋 1961
蔗 1961
蔕 1961
蔛 1962
蔞 1962
蔛 1962
蔟 1962
蔣 1962
蔦 1962
蔪 1962
蔡 1962
蔤 1963
蔬 1963
蔘 1963
蔏 1963
蔙 1963
蔫 1963
蔭 1963
蔈 1963
蔖 1964
蓏 1964
蓳 1964
蔜 1964
蕒 1964
蓤 1964
蓩 1964
蔔 1964
蔉 1964
蓹 1964
蔽 1964
蓷 1964
蔸 1964
蔯 1964
蔻 1964
蔖 1964
藏 1964
蔳 1964
蔫 1964
蔿 1965
蔂 1965
蔨 1965
蔾 1965
蓋 1965
蔐 1965
蔬 1965
蔵 1965
蔏 1965
蔥 1965
蔪 1965
蔉 1965
蔽 1965
蔚 1965
虍 號 2000
虓 2000
虡 2000
虢 2000
虫 蝌 2020
蝨 2020
蝥 2020
蝠 2020
蝨 2020
蝴 2020
蝗 2020
蝓 2020
蝍 2020
蝎 2020
蝖 2020
蝩 2021
蝠 2021
蝝 2021
蝟 2021
蝡 2021
蝣 2021
蝘 2021
蝛 2021
蝙 2021
蝗 2021
蝳 2022
蝮 2022
蝸 2022
蝚 2022
蝤 2022
蝶 2022
蝴 2022
蝦 2022
蝺 2023
蝲 2023
蝍 2023
蝰 2023
蝻 2023
蝲 2023
蝐 2023
蝑 2023
蝬 2023
蝤 2023
蝯 2023
蝺 2023
蝩 2023
蝭 2023
蝹 2023
蝷 2023
蝪 2023
蝪 2023
蝱 2023
螻 2024
螢 2024
蝱 2024
蝿 2024
蝕 2024
蝨 2024
蝹 2024
蝏 2024
血 衉 2044
衈 2044
行 衚 2049
衛 2049
衝 2049
衜 2049
衣 褎 2072
褒 2072
褧 2073
褈 2073
褔 2073
褠 2073
褌 2073
褦 2073
褞 2073
褪 2073
褥 2073
褪 2073
褨 2073
褫 2073
褟 2073
䙖 2073
褑 2073
褚 2074
褡 2074
見 覞 2090
覠 2090
覢 2090
覟 2090
角 觭 2100
觬 2100
觩 2100
觪 2100
觬 2100
觫 2100
言 誰 2132
課 2132
誳 2132
諫 2133
諸 2133
諰 2133
誹 2133
誶 2133
誼 2133
調 2133
諝 2134
諊 2134
諄 2134
諆 2134
談 2134
諂 2134
諈 2135
諉 2135
請 2135
說 2136
諒 2136
諓 2136
諍 2136
諑 2136
諏 2136
諔 2137
論 2137
諤 2138
諮 2138
諀 2138
諚 2138
諗 2138
諁 2138
諲 2138
諃 2138
誺 2138
諎 2138
諕 2138
誺 2138
諜 2138
諕 2138
諡 2138
諴 2139
謈 2139
諐 2139
詧 2139
諞 2139
謔 2139
諭 2139
諹 2139
誾 2139
諭 2139
諛 2139
諜 2139
諟 2139
諙 2139
谷 谾 2169
豆 豌 2171

䜺 2171
䜴 2171
𧯷 2171
豍 2171
豎 2171
𧯺 2172
豕 豩 2177
𧱬 2177
𧱗 2177
豵 2177
𧱔 2177
𧱕 2177
豸 𧳅 2182
貏 2182
貄 2182
䝻 2182
貎 2182
貝 賠 2199
賜 2199
賙 2199
賤 2200
賦 2200
賐 2201
賥 2201
賨 2201
賞 2201
賫 2201
賚 2201
䞀 2201
賬 2201
賗 2201

䞐 2201
賧 2201
賡 2202
𧵳 2202
賮 2202
賙 2202
賈 2202
賢 2202
賣 2203
賓 2203
質 2203
賛 2204
賣 2204
走 趠 2219
趜 2220
趟 2220
趛 2220
趣 2220
趣 2220
趚 2220
趢 2220
趥 2220
趣 2220
趡 2220
趝 2221
趞 2221
趤 2221
趙 2221
足 踏 2235
踐 2235
踑 2236

踂 2236
踈 2236
踉 2236
踋 2236
踖 2236
踗 2236
踔 2236
踀 2236
踝 2237
踙 2237
踞 2237
踊 2237
踩 2237
踡 2237
踚 2237
踦 2237
踢 2237
踠 2237
踥 2237
踐 2237
踓 2237
踦 2238
踦 2238
踛 2238
踣 2238
踤 2238
踧 2238
踐 2238
踤 2238
踐 2238
踪 2238

踥 2238
踧 2238
踘 2239
踶 2239
踿 2239
踛 2239
踠 2239
踰 2239
蹤 2239
跺 2239
踕 2239
踸 2239
身 躺 2255
躻 2255
躸 2255
躹 2255
躶 2255
車 輀 2268
輘 2268
輗 2268
輖 2268
輘 2268
輚 2268
輅 2268
輠 2269
輥 2269
輳 2269
輛 2269
輞 2269
輧 2269
輚 2269

輜 2269
輟 2269
輤 2269
輫 2269
輣 2269
輨 2270
輪 2270
輬 2270
輓 2270
輢 2270
輈 2270
輡 2271
輥 2271
輽 2271
暈 2271
輎 2271
輦 2271
輩 2271
琿 2271
輒 2271
輝 2271
輞 2271
辛 辤 2282
辰 辱 2286
農 2286
辵 遨 2319
適 2319
遺 2320
遰 2320
遞 2320
遫 2320

遭 2320
遺 2320
遲 2320
遮 2320
遰 2320
邑 鄜 2340
鄘 2346
鄧 2346
鄭 2346
鄮 2346
鄬 2346
鄦 2346
鄢 2347
鄭 2347
鄱 2347
鄥 2347
鄭 2347
鄯 2348
鄰 2348
鄲 2348
鄰 2348
鄹 2348
鄯 2348
酉 醁 2357
醂 2357
醅 2357
醃 2357
醆 2357
醇 2357
醉 2357
醄 2358

醆 2358
醋 2358
醇 2358
醋 2358
醊 2358
金 鋭 2392
錸 2393
鋙 2393
鋔 2393
鋂 2393
鋍 2393
鈔 2393
銷 2393
銼 2393
鋇 2393
鋐 2394
鋊 2394
鋃 2394
鋒 2394
鋁 2394
鋌 2394
銻 2394
鋌 2394
鋑 2394
鋏 2394
鋤 2395
鋘 2395
鋤 2395
鋸 2395
鋣 2395
鋙 2395

鋥 2395
鋌 2395
鋟 2395
鋀 2395
銶 2395
鋗 2395
鋘 2395
鋎 2395
鋡 2396
鋦 2396
鋦 2396
鋩 2396
鋐 2396
鋑 2396
鋬 2396
鋕 2396
鋪 2396
鋕 2396
鋪 2396
鋧 2396
鋞 2396
鋈 2397
鋻 2397
鋅 2397
鋣 2397
鋁 2397
鋨 2397
銹 2397
鋈 2397
鋳 2397
鋓 2397

鋽 2397
長 镼 2430
門 闠 2440
閳 2440
閺 2440
閼 2440
閶 2440
閵 2440
閭 2440
閲 2440
閱 2440
阜 隥 2474
隔 2474
隤 2474
隣 2475
隝 2475
隹 雕 2486
雓 2486
雔 2486
雈 2486
雃 2486
雨 霊 2500
霂 2500
霄 2500
霅 2500
霆 2500
霉 2501
霑 2501
震 2501
霈 2501
霎 2502

䨘 2502
霓 2502
青 靚 2515
非 靠 2517
靟 2517
面 靤 2519
革 鞊 2523
䩩 2523
鞇 2523
鞈 2523
䩨 2524
鞂 2524
䩾 2524
鞏 2524
鞉 2524
䩡 2524
䩭 2524
䩣 2524
鞍 2524
鞌 2524
䩲 2524
䩊 2524
𩋽 2524
鞋 2524
鞎 2524
韋 韏 2532
䪏 2532
䪒 2533
䪓 2533
䪗 2533
韐 2533
韭 韱 2536
頁 頞 2545
頫 2545
頜 2545
頟 2545
頠 2545
頡 2545
頢 2545
頦 2545
頣 2546
頤 2546
頥 2546
頩 2546
頪 2546
頬 2546
頙 2546
頛 2546
頨 2546
頧 2546
頰 2546
風 颳 2563
颲 2563
颱 2563
颴 2563
颵 2563
食 餅 2573
餂 2573
餉 2573
餃 2574
餄 2574
餇 2574
餇 2574
餌 2574
餁 2574
養 2574
餖 2574
餋 2575
餓 2575
餈 2575
餈 2575
馬 駉 2594
駈 2594
駐 2594
駒 2595
駘 2595
駟 2595
駓 2595
駙 2595
駛 2595
駜 2595
駙 2595
駚 2595
駗 2595
駔 2595
駘 2595
駧 2596
駆 2596
駈 2596
駑 2596
駖 2596
駯 2596
駛 2596
駟 2596
駝 2596
駞 2596
駜 2596
駊 2596
駕 2597
骨 骷 2614
骯 2614
骮 2614
骲 2614
骳 2614
骱 2614
骴 2614
骶 2614
骸 2614
骹 2614
骺 2614
骻 2614
骼 2614
骽 2614
髟 髫 2624
髮 2625
髯 2625
髲 2625
髳 2625
髪 2625
髴 2625
髵 2625
髶 2625
髷 2625
髯 2626
髫 2626
門 鬧 2630
鬲 䰙 2633
鬼 魅 2636
魃 2636
魄 2636
魆 2636
魂 2637
魄 2637
魈 2637
魁 2637
魋 2637
魚 魯 2641
魬 2642
魵 2642
魶 2642
魷 2642
魸 2642
魹 2642
魺 2642
魻 2642
魼 2642
魽 2642
魾 2642
魿 2643
鮀 2643
鮁 2643
鮂 2643
鮃 2643
鮄 2643
鮅 2643
鮆 2643
鮇 2643
鮈 2643
鳥 鴃 2661
鴄 2662
鴅 2662
鴆 2662
鴇 2662
鴈 2662
鴉 2662
鴊 2662
鴋 2662
鴌 2662
鴍 2662
鴎 2662
鴏 2663
鴐 2663
鴑 2663
鴒 2663
鴓 2663
鴔 2663
鴕 2663
鴖 2663
鴗 2663
鴘 2663
鴙 2663
鴚 2663
鹵 鹶 2687
鹷 2687
鹸 2687
鹹 2687
鹿 麃 2689
麇 2689
麈 2689
斷 2690
麗 2690
麥 麩 2694
麪 2694
麫 2694
麨 2694
麬 2694
麭 2694
麮 2694
麯 2694
麰 2694
麻 麿 2697
黀 2697
黍 黎 2702
黏 2702
黐 2702
黑 黓 2704
默 2704
黔 2704
黕 2704
黖 2705
鼎 鼐 2713
鼏 2714
鼒 2714
鼻 鼽 2719
齒 齒 2722

16획

乙 亸 68
人 儔 183
儕 183
儒 183
儔 183
儕 183
儜 184
儓 184
儛 184
儚 184
儖 184
儘 184
儗 184
儘 184
八 冀 220
冖 冪 227
冩 227
冫 凝 232
凞 233
刀 劍 270
劒 270
辦 270
劓 270
劑 270
劉 270
力 勳 284
勳 284
勹 匔 288
匑 288
匚 匴 294
又 叡 333
叡 333
口 器 406
噅 406
嘯 406
噩 406
噞 406
噢 406
噣 406
噲 406
噧 406
噤 407
噙 407
噥 407
噹 407
噠 407
噰 407
噦 407
噮 407
噯 407
噪 407
噫 407
噶 407
噸 407
噿 407
嚂 408
噭 408
噱 408
噶 408
噸 408
嚃 408
噴 408
噬 408
嚄 408
噲 408
口 圜 430

圜	431	嬐	550	嶫	653	憲	815	戲	837	據	912	嘯	1001	橋	1109	檍	1112
土 堀	467	嬗	550	嵒	653	憩	816	手 擊	903	撿	912	暹	1001	橘	1109	檀	1112
壇	467	孃	550	嶰	653	憇	816	擎	903	擭	912	曊	1001	橙	1109	檿	1113
墺	467	嬴	550	巾 幯	682	憁	819	擁	909	擨	912	日 朁	1012	橑	1109	檑	1113
墿	467	嬴	550	幦	682	憾	821	撽	909	擕	912	月 朣	1023	橲	1109	橆	1113
壊	467	嬙	550	幩	682	憹	821	撼	909	擕	912	木 橥	1106	橖	1109	樑	1113
墼	468	嬒	550	幧	682	憺	821	掘	909	支 敼	922	橅	1106	橛	1110	檾	1113
墩	468	嬛	550	幨	682	憸	821	撾	909	頍	922	橎	1106	機	1110	檆	1113
墄	468	嫳	551	蕁	683	憶	821	撻	909	攴 敲	941	橃	1106	樿	1110	橐	1113
壃	468	嬬	551	幺 𢆶	693	憷	821	擑	909	敹	941	樸	1106	橒	1110	槀	1113
壞	468	嬖	551	广 廥	709	㦦	822	擷	909	敾	941	樳	1106	権	1111	欠 歕	1135
墾	468	子 學	565	廠	709	懅	822	擁	909	斀	941	樲	1106	橦	1111	歔	1135
臺	468	孼	566	廧	709	懂	822	擃	909	整	941	樴	1106	橓	1111	歙	1135
壈	468	宀 寯	600	廨	709	憻	822	擂	910	整	941	橗	1106	橡	1111	歛	1135
墳	468	寰	600	𢋁	710	懍	822	擄	910	敼	941	樵	1106	楬	1111	歘	1136
壁	468	寸 導	610	廩	710	憴	822	操	910	斤 斵	956	蕟	1106	橪	1111	歡	1136
壀	468	對	610	廦	710	懊	822	擡	910	日 曇	999	樣	1107	橢	1111	止 歷	1144
墜	468	山 嶒	652	廾 𢍰	716	懌	822	擉	910	曓	999	樹	1107	橧	1111	歹 殨	1154
壤	468	崛	652	弓 彊	728	懆	822	擅	910	暻	1000	橬	1107	橫	1111	殭	1154
壄	468	嶪	652	彋	728	懈	822	擇	910	曈	1000	橶	1107	樎	1112	殪	1154
壅	468	嶭	652	彐 彞	731	懁	822	擗	911	暾	1000	橄	1108	橰	1112	殫	1154
墻	468	嶧	652	彛	731	懀	822	擓	911	暸	1000	樻	1108	樟	1112	殳 毈	1160
壈	468			彳 徼	754	懃	823	擞	911	曅	1000	橜	1108	橷	1112	磬	1160
壅	469	嶦	652	心 憖	814	㦖	823	擐	911	曄	1000	橉	1108	棋	1112	毇	1160
壂	469	嶮	652	憓	814	憒	823	擒	911	曀	1000	橈	1108	橞	1112	毛 氈	1169
墮	469	嶓	653	憨	815	懥	823	擋	911	曉	1000	橵	1108	樢	1112	毿	1169
大 奮	511	嶱	653	憝	815	憿	823	擔	911	暿	1000	棘	1108	橁	1112	氃	1169
女 嫛	550	嶩	653	憑	815	懐	823	擗	911	暨	1001	樽	1108	樶	1112	毾	1169
嬓	550	嶨	653	憗	815	戈 戰	836	㩋	911	曒	1001	橝	1108	橨	1112	氆	1169
嬀	550			𢠿	815	戭	837	擖	911	曆	1001	橇	1108	橄	1112	氄	1169
嫶	550	嶬	653	憙	815	戱	837	㩎	912	暜	1001	樺	1108	麹	1112	毹	1169

氅 1169
氅 1169
气 氳 1174
水 澠 1300
濱 1300
潚 1300
澤 1300
澡 1300
澣 1300
澴 1300
澧 1301
澪 1301
澨 1301
澻 1301
澝 1301
澲 1301
澱 1301
澘 1301
澮 1301
澥 1301
濄 1302
澹 1302
漌 1302
濆 1302
澸 1302
澳 1302
澶 1302
激 1303
澾 1303
溦 1303
澼 1303
澿 1303
澯 1303
濁 1303
漽 1304
濃 1304
澟 1304
澰 1304
濂 1304
澁 1304
濳 1304
澽 1305
澫 1305
澈 1305
濓 1305
凜 1305
濇 1305
澬 1305
溠 1305
濊 1305
澭 1305
澦 1305
澙 1305
澂 1305
濅 1305
澾 1305
濤 1306
潟 1306
濉 1306
濥 1306
火 燚 1352
燄 1352
燓 1353
燗 1353
燊 1353
燂 1353
燁 1353
燃 1353
燏 1353
熸 1353
燅 1353
熾 1353
燀 1353
熿 1353
燈 1354
燉 1354
燋 1354
燎 1355
燐 1355
燒 1355
燑 1356
燔 1356
燖 1356
燍 1356
燚 1356
燕 1356
燛 1356
熷 1356
燙 1356
熺 1356
熹 1356
燆 1356
爻 毀 1369
片 牕 1373
牛 犝 1385
犬 獣 1404
獎 1404
獨 1405
獥 1406
獧 1406
獦 1406
獶 1406
獢 1406
獺 1406
獫 1406
獟 1406
獩 1406
獪 1406
獬 1406
玉 璐 1439
璞 1439
璜 1439
璟 1440
璣 1440
璚 1440
璒 1440
璘 1440
璙 1440
璢 1440
璑 1440
璠 1440
璃 1440
璔 1440
璡 1440
璣 1440
瓜 瓢 1446
瓡 1447
瓦 甌 1450
甋 1450
甂 1450
甍 1450
甑 1450
甎 1450
甏 1450
甘 甞 1453
田 畼 1474
畛 1474
暯 1474
疋 疐 1478
疒 瘏 1493
瘰 1493
瘻 1493
瘼 1493
瘢 1493
瘯 1493
瘴 1493
瘳 1493
瘵 1493
瘭 1493
瘽 1494
瘸 1494
瘧 1494
瘷 1494
瘶 1494
瘥 1494
癐 1494
瘱 1494
瘲 1494
癉 1494
癶 發 1501
白 皠 1514
皟 1514
皡 1514
皮 皺 1517
皷 1517
皻 1517
皼 1517
皿 盥 1525
監 1525
盟 1525
盦 1525
盧 1525
盩 1526
盪 1526
目 瞖 1549
瞨 1549
瞡 1549
瞠 1549
瞝 1549
瞞 1549
瞚 1549
鴡 1549
䁛 1549
瞟 1549
瞶 1550
瞜 1550
瞙 1550
瞢 1550
瞲 1550
瞮 1550
瞣 1550
瞖 1550
瞘 1550
瞛 1550
瞲 1550
矛 矠 1556
石 磖 1582
磟 1582
磝 1582
磚 1582
磡 1583
磠 1583
磴 1583
䃔 1583
磥 1583
磗 1583
磨 1583
磧 1583
磭 1583
䃢 1583
磩 1583
䃎 1583
磪 1583
磣 1583
磦 1583
磞 1583
磬 1584
磬 1584
䃗 1584
磛 1584
磛 1584
示 禥 1603
禣 1603
禩 1603
禮 1603
禜 1603
䫟 1603
禦 1603
禧 1603
禪 1603
禾 穅 1627
穊 1627
穆 1627
穇 1627
穄 1627
穈 1628
穯 1628
穛 1628
積 1628
穈 1628
穛 1628
穚 1628
積 1628
穄 1629
稿 1629
穋 1629
穋 1629
穈 1629
穌 1629
穏 1629
穎 1629
穗 1629
穐 1629
穛 1629
穮 1629
穴 窵 1642
窶 1643
窺 1643
窻 1643
窸 1643
窲 1643
窸 1643
窹 1643
窺 1643
窵 1643
窶 1643
窻 1643
窸 1643
立 竸 1651
竮 1651
竱 1651
竹 篙 1678
篋 1678
篚 1678
篔 1678
篛 1678
築 1678
篘 1678
篗 1678

篝 1679	簑 1681	縟 1762	翯 1810	膴 1864	蔽 1965	蕚 1968	蕐 1970	螊 2025	
篝 1679	篘 1681	縝 1762	翸 1810	膺 1864	蕳 1966	蕯 1968	蕿 1971	螏 2025	
篤 1679	篕 1681	縡 1762	翭 1810	膬 1864	蕎 1966	蕄 1968	蕒 1971	螓 2025	
篥 1679	篋 1681	緆 1762	翺 1810	膶 1864	蕃 1966	蕡 1968	蕎 1971	螞 2025	
篦 1679	米 糊 1705	縞 1762	翮 1810	臚 1864	蕟 1966	蕣 1968	蘆 1971	螽 2025	
篡 1679	糖 1705	縜 1763	翰 1810	膭 1864	蕈 1966	蕤 1968	蕭 1971	螕 2025	
篔 1680	糢 1705	縠 1763	翲 1811	膫 1864	蕊 1966	蕝 1968	蕁 1971	螋 2025	
篚 1680	糒 1705	縐 1763	耒 耨 1820	膳 1864	蕋 1966	蕞 1968	蔭 1971	螐 2025	
篛 1680	糈 1705	縢 1763	耤 1821	膹 1864	蕆 1966	蕨 1969	蕰 1971	螘 2025	
篁 1680	糔 1705	縦 1763	耩 1821	膵 1864	蕉 1966	蕪 1969	薬 1971	螔 2025	
篞 1680	糗 1706	縍 1763	耪 1821	膦 1865	蕑 1967	蕒 1969	虍 虤 2000	螖 2025	
篟 1680	糕 1706	縨 1763	耳 聹 1827	自 臲 1876	蕑 1967	蕁 1969	虣 2000	蝶 2026	
篛 1680	糓 1706	緻 1763	聡 1827	臱 1876	蕖 1967	蕩 1969	虦 2000	螗 2026	
篖 1680	糠 1706	縣 1763	聤 1827	至 臻 1878	蕺 1967	蕠 1970	虢 2000	螣 2026	
篫 1680	糸 縕 1760	縈 1764	聛 1827	臼 興 1880	蕺 1967	蕃 1970	虤 2000	螟 2026	
篣 1680	縉 1760	縏 1764	聵 1827	暛 1881	蕈 1967	蕀 1970	虫 螂 2024	螓 2026	
篏 1680	縚 1760	縈 1764	肉 膂 1859	舌 舙 1885	蕣 1967	蕆 1970	螃 2024	融 2026	
篿 1680	縎 1761	缶 罄 1784	膨 1863	舔 1885	蕍 1967	蕨 1970	螄 2024	螎 2026	
篩 1680	縤 1761	罃 1784	膞 1863	舓 1885	蕗 1967	蕻 1970	螡 2024	螤 2026	
篨 1680	縗 1761	网 罹 1791	膩 1863	舘 1885	蕐 1967	蕫 1970	螈 2024	螠 2026	
篪 1680	縑 1761	罷 1792	膟 1863	舟 艏 1891	蕯 1967	蕐 1970	螉 2024	螾 2026	
篧 1680	縊 1761	罻 1792	膧 1863	艕 1891	蕓 1967	蕸 1970	螇 2024	螝 2026	
篕 1680	縋 1761	罺 1792	膪 1863	艘 1891	蕕 1967	蕾 1970	螑 2024	螛 2026	
篘 1681	縧 1761	羂 1792	膮 1863	艌 1891	蕘 1967	蕜 1970	螓 2025	螧 2027	
篘 1681	縓 1761	罼 1792	膰 1863	艖 1891	蕩 1967	蕧 1970	螢 2025	螿 2027	
篘 1681	縋 1761	罷 1792	膯 1863	艙 1891	蕘 1967	蕂 1970	螎 2025	螌 2027	
篭 1681	縐 1761	羊 羖 1802	膱 1863	艗 1891	蕙 1967	蕿 1970	螃 2025	螢 2027	
篇 1681	縒 1761	羱 1802	膲 1864	色 艴 1895	蕢 1968	蕬 1970	螌 2025	血 衊 2044	
篕 1681	縗 1761	羲 1802	膵 1864	艸 蕁 1965	蕠 1968	蕮 1970	螶 2025	衄 2044	
篠 1681	縚 1762	羲 1802	膳 1864	蕖 1965	蕔 1968	蕅 1970	蝱 2025	行 衛 2050	
簑 1681	縛 1762	羽 翱 1810	膠 1864	蔿 1965	薄 1968	蕛 1970	螗 2025	衡 2050	

衜 2051
衣 褧 2074
褰 2074
褭 2074
褩 2074
褱 2074
褢 2074
褔 2074
褵 2074
褳 2074
褷 2074
褶 2074
襁 2075
褸 2075
襂 2075
䘹 2075
襈 2075
褹 2075
襀 2075
褾 2075
襊 2075
襔 2076
西 覂 2085
覇 2085
見 覢 2090
覣 2090
覤 2090
覥 2090
覩 2090
覨 2090
覞 2090

覦 2090
覭 2090
覬 2090
覞 2090
親 2091
覧 2092
角 觹 2100
觱 2100
觰 2100
觽 2100
觷 2100
觲 2100
觻 2100
觳 2101
言 諫 2140
諤 2140
諝 2140
諟 2140
諡 2140
諢 2140
諦 2140
諞 2140
諠 2140
諫 2141
諭 2141
諣 2141
諧 2141
諵 2142
諰 2142
諟 2142
諳 2142

諮 2142
諴 2142
諱 2142
諹 2143
諶 2143
諪 2143
諷 2143
諸 2143
諾 2144
謀 2144
諺 2144
諼 2144
謁 2145
謂 2145
謔 2145
諲 2145
謏 2145
諻 2145
謇 2146
諿 2146
謍 2146
諔 2146
諝 2146
論 2146
諺 2146
謅 2146
謈 2146
譊 2146
諂 2146
謐 2146
諨 2146

諄 2146
謠 2146
諿 2146
諻 2146
豆 豋 2172
豕 豬 2177
豫 2177
豭 2177
豱 2177
豵 2177
豨 2177
豫 2178
豫 2178
豸 貓 2182
貒 2182
貓 2182
貐 2182
貐 2182
貏 2182
貐 2182
貑 2182
貓 2182
貝 賭 2204
賵 2204
賴 2204
賱 2204
賰 2204
賝 2204
賴 2205
賚 2205
賫 2205

賻 2205
赤 赮 2212
赬 2212
赭 2212
赮 2212
走 趨 2221
趥 2221
趦 2221
足 踖 2239
踰 2239
踳 2239
踵 2239
踶 2240
踵 2240
踩 2240
踷 2240
蹋 2240
踽 2240
踶 2240
蹀 2240
踸 2240
踼 2240
踾 2240
蹉 2241
路 2241
踾 2241
踳 2241
踏 2241
踔 2241
踤 2241
蹂 2241

踴 2241
踆 2241
蹄 2241
踹 2241
蹈 2241
蹊 2241
蹡 2241
踱 2241
蹁 2241
蹄 2242
身 躼 2255
軀 2255
躾 2255
車 輮 2271
輯 2272
輵 2272
輱 2272
輴 2272
輻 2272
輶 2272
輯 2272
輎 2272
輳 2272
輲 2272
輝 2272
輷 2272
輻 2273
輹 2273
輸 2273
輪 2273
輭 2273

轀 2273
輿 2273
轂 2273
輜 2273
轉 2273
轄 2273
輵 2273
辛 辥 2283
辦 2283
辨 2283
辧 2283
辥 2283
辵 遴 2320
遶 2321
遲 2321
遵 2321
遷 2321
選 2322
遺 2322
遹 2322
遼 2324
遯 2324
遭 2324
遜 2324
遷 2324
邑 鄬 2348
鄭 2348
鄰 2348
鄰 2348
鄴 2348
鄷 2348

鄶 2348
酉 醍 2358
醋 2359
醆 2359
醂 2359
醢 2359
醶 2359
醑 2359
醁 2359
醎 2359
醕 2359
醒 2359
醃 2359
醌 2359
醐 2359
醎 2359
醖 2360
醝 2360
金 鋸 2397
鋼 2397
錄 2397
錔 2397
錗 2397
錡 2397
鋻 2398
錁 2398
錋 2398
錬 2398
録 2398
錑 2398
錙 2398

錆 2398
錐 2398
錾 2398
鍌 2398
錕 2399
錖 2399
錞 2399
錗 2399
錚 2399
錝 2399
錠 2399
錘 2399
錊 2399
錙 2399
錯 2399
錟 2400
錡 2400
錢 2400
錭 2400
錦 2401
錫 2401
錺 2401
錥 2401
錣 2401
錶 2401
錮 2402
錯 2402
錞 2403
錧 2403
錤 2403
錈 2403

錜 2403
鋾 2403
錀 2403
锣 2403
錉 2403
錍 2403
⿰金非 2403
錇 2403
鉼 2403
鈹 2403
鋹 2403
鋷 2403
錧 2403
錋 2403
銏 2403
錎 2403
門 閦 2441
闍 2441
閹 2441
閻 2441
閶 2441
⿵門奇 2441
閗 2442
閽 2442
閪 2442
閼 2442
闌 2442
閿 2442
閥 2442
⿵門朋 2442
閾 2442
閞 2442
闍 2442
闅 2442
閱 2442
阜 隧 2475
隨 2475
隊 2476
⿰阝巷 2476
隩 2476
隚 2476
險 2476
⿰阝眼 2477
隶 隷 2479
隹 雕 2486
嶲 2486
⿰其隹 2487
⿰𧾷隹 2487
雔 2487
雜 2487
維 2487
雖 2487
誰 2487
雨 霍 2502
霏 2502
⿱雨女 2502
⿱雨戈 2502
⿱雨活 2502
霙 2503
霤 2503
⿰甚毛 2503
⿰覃力 2503
⿱雨呆 2503
霒 2503
霓 2503
霆 2503
霎 2503
青 靜 2515
靛 2516
靘 2516
面 靤 2519
⿰面甫 2519
靦 2519
革 鞏 2525
⿰革豆 2525
⿰革余 2525
鞔 2525
⿰革少 2525
鞕 2525
鞓 2525
鞗 2525
鞘 2525
⿰革兌 2525
鞙 2525
⿰革見 2525
韋 ⿰韋夾 2533
⿰韋殳 2533
韒 2533
韭 韰 2536
⿱殳韭 2536
音 ⿰音巠 2538
韸 2538
頁 頭 2546
頤 2547
頳 2547
頟 2547
頲 2547
頪 2547
頰 2547
頸 2548
頮 2548
頛 2548
⿰車頁 2548
頹 2548
頽 2548
頷 2548
⿰告頁 2549
頣 2549
⿰豸頁 2549
頻 2549
⿰否頁 2549
頫 2549
頵 2549
⿰尋頁 2549
頥 2549
⿰昆頁 2549
風 颭 2563
⿺風見 2563
颯 2563
⿺風良 2563
颲 2563
颼 2563
食 餞 2575
餑 2575
餓 2575
餖 2576
餗 2576
餘 2576
⿰食甬 2576
⿰食呈 2576
餕 2576
餔 2576
餇 2577
⿰食邑 2577
⿰食兌 2578
⿰食免 2578
餐 2578
館 2579
香 馞 2589
馛 2589
馬 ⿱列馬 2597
駠 2597
駢 2597
駪 2597
駬 2597
駣 2597
⿰馬多 2597
傌 2597
駯 2597
駭 2597
⿰馬匡 2598
⿰馬白 2598
獁 2598
⿰馬吉 2598
駧 2598
駱 2598
駮 2598
駰 2598
駴 2598
駤 2598
⿰馬百 2599
駛 2599
駩 2599
骨 骷 2614
⿰骨舌 2615
⿰骨兆 2615
骹 2615
骼 2615
骻 2615
⿰骨甾 2615
骿 2615
骸 2615
高 ⿱高早 2623
髟 ⿱髟缶 2626
髻 2626
⿱髟凡 2626
髸 2626
⿱髟至 2626
髺 2626
⿱髟弦 2626
髦 2626
髹 2626
門 閧 2630
鬲 鬳 2633
⿰弓鬲 2633
⿱羽鬲 2633
⿰鬲亥 2633
鬼 ⿰米鬼 2637
⿱𠂤鬼 2637
魚 魼 2643
鮔 2643
鮈 2643
鮇 2643
⿰魚丕 2643
鮏 2643
⿰魚幼 2643
鮎 2643
鮀 2643
鮃 2643
⿰魚瓜 2644
⿰魚卆 2644
⿰魚令 2644
鮒 2644
鮊 2644
⿰魚甲 2644
鮋 2644
鮓 2644
鮐 2644
鮍 2644
鮑 2644
⿰魚甘 2644
⿱罒魚 2644
魺 2644
鮌 2645
魯 2645
⿰魚且 2645
魮 2645
鮆 2645
⿰魚出 2645
鮰 2645
鳥 鴚 2663
鳶 2663
鳿 2663
鴝 2663
⿰扌鳥 2663
鴒 2663
⿰鳥冗 2663
鴪 2663
⿰鳥彡 2663
鴕 2663
鳹 2664
鴣 2664
鴡 2664
⿰夕鳥 2664
⿰火鳥 2664
鴀 2664
⿰鳥丕 2664
鴨 2664
⿰去鳥 2664
鴟 2664
鴞 2664
鴠 2665
鴐 2665
⿰叩鳥 2665
⿰鳥加 2665
鴎 2665
⿰缶鳥 2665
⿰犭鳥 2665
⿰鳥夫 2665
鴂 2665
鴛 2665
⿰目鳥 2665
⿰鳥只 2665
⿰只鳥 2665
鴆 2665
鳸 2665
鴉 2665
⿰鳥乏 2665
⿰甘鳥 2666
鴛 2666
鴦 2666
鴬 2666
鹵 ⿰鹵亢 2687
⿰犭鹵 2687
⿰鹵令 2687
鹿 ⿸鹿古 2690
麋 2690
麈 2690
麀 2690
麥 麮 2694
⿰麥巨 2695
⿰麥禾 2695
⿰麥朱 2695
⿰麥生 2695
⿰麥它 2695
麭 2695
⿰麥穴 2695
麻 ⿸麻矢 2697

黃 黈 2700
䵋 2700
䵊 2701
黅 2701
䵌 2701
黍 𪏽 2702
䵒 2702
𪐔 2702
䵐 2702
䵑 2702
黑 黔 2704
黛 2704
黖 2704
黙 2704
䵣 2704
默 2704
䵸 2704
默 2704
黗 2704
黕 2705
鼎 鼏 2714
鼎 2714
鼐 2714
鼓 鼛 2715
鼠 鼢 2717
鼩 2717
鼻 鼽 2719
鼿 2719
鼼 2719
齒 齓 2723
龍 龍 2728
龜 龜 2732

17획

人 儡 184
償 184
優 185
儦 185
儢 186
儠 186
儯 186
儩 186
儥 186
儸 186
儤 186
刀 劕 270
力 勵 284
匚 匵 294
口 嚀 408
嚂 408
嚍 408
嚊 409
㘓 409
嚘 409
嚅 409
嚈 409
嚚 409
嚁 409
嚌 409
嚏 409
嚆 409
嚇 409
嚙 409
嚄 409
土 壗 469
壇 469
壔 469
壒 469
壎 469
壏 469
壕 469
壐 470
壓 470
壖 470
壍 470
壡 470
壑 470
大 奯 504
奭 511
女 嬭 551
嬧 551
嬹 551
嬪 551
嬬 551
嬥 551
嬳 551
嬣 552
嬲 552
嬨 552
嬃 552
嬴 552
嬰 552
子 孻 566
孺 566
宀 寱 600
尢 尷 618
尸 屨 627
山 嶺 653
嶷 653
嶟 654
嶼 654
嶽 654
嶾 654
嶫 654
嶻 654
嶆 654
嶨 654
巾 㡠 683
幱 683
幪 683
幫 683
幨 683
幬 683
广 廮 710
弓 彌 729
彳 徽 755
心 懝 819
懃 819
懇 819
懇 819
應 820
懯 821
懋 821
憾 821
懛 823
懢 823
懜 823
懠 823
懤 823
懥 823
懍 824
懨 824
懞 824
懝 824
懙 824
懦 824
懧 824
戈 戲 837
戴 838
手 擎 909
擊 909
擠 913
擢 913
擡 913
擣 913
擔 913
擱 914
擰 914
擹 914
擥 914
擵 914
擯 914
擩 914
擬 914
擦 914
擡 914
擭 914
擤 914
擟 915
擈 915
擫 915
支 斀 941
斂 941
數 941
斁 942
斃 942
斗 斞 950
斣 950
斤 斶 956
斵 956
日 曖 1001
曏 1001
曒 1002
曦 1002
木 檑 1113
檁 1113
檀 1113
橚 1113
檡 1113
檄 1114
檬 1114
檟 1114
檎 1114
檔 1114
檍 1114
檉 1114
檇 1114
檐 1114
檛 1115
檢 1115
樻 1115
橾 1115
檈 1115
檖 1115
檝 1115
檜 1115
檞 1116
檒 1116
檦 1116
檘 1116
檄 1116
檴 1116
橽 1116
檮 1116
檽 1116
檏 1116
檘 1116
檆 1116
檥 1116
檣 1116
檓 1116
櫛 1117
檃 1117
檕 1117
檗 1117
橐 1117
檠 1117
欠 歛 1136
歜 1136
歗 1136
歟 1136
歜 1136
歔 1136
歹 殭 1154
殬 1154
殨 1154
殮 1154
毚 1155
殳 轂 1160
比 毚 1164
毛 氉 1169
氈 1169
氊 1169
水 黏 1300
㲊 1300
濔 1306
濘 1306
濛 1306
濞 1306
濕 1306
濦 1306
濭 1307
濡 1307
濟 1307
濠 1307
濤 1308
濫 1308
濱 1308
濼 1308
濩 1308
濧 1309
濮 1309
濰 1309
濬 1309
濯 1309
濱 1310
濵 1310
澳 1310
濭 1310
濾 1310
濶 1310
濴 1310
火 燮 1358
營 1358
燧 1359
燠 1359
燥 1359
燭 1359
燦 1359
燴 1359
燬 1359
燤 1359
燣 1359
㷠 1359
燷 1359
燳 1359
爵 1366
爿 牆 1370
片 牃 1373
牄 1373
牛 犝 1384

犟 1385	甒 1451	目 瞯 1550	磶 1584	穇 1630	簀 1682	米 糒 1706	總 1767	羽 翼 1811
豫 1385	甏 1451	瞫 1550	磸 1584	穛 1630	簁 1682	糒 1706	縡 1768	翳 1811
犬 獃 1405	甘 曆 1453	瞬 1550	磽 1585	穴 竀 1643	簙 1682	糞 1706	繃 1768	翲 1811
獸 1405	田 疄 1474	瞪 1550	礅 1585	竁 1643	簞 1682	糝 1706	縿 1768	翸 1812
獮 1406	黇 1474	瞧 1550	磿 1585	竂 1643	簋 1683	糙 1706	縰 1768	耒 耬 1821
獰 1407	疃 1474	瞶 1551	磺 1585	窿 1644	簎 1683	糲 1706	繅 1768	耦 1821
獳 1407	疒 癃 1494	瞷 1551	礆 1585	竂 1644	簍 1683	糣 1706	績 1768	耩 1821
獵 1407	癆 1494	瞰 1551	礀 1585	竅 1644	簆 1683	糟 1706	繈 1769	耪 1821
獴 1407	療 1494	瞯 1551	磵 1585	竀 1644	簏 1683	糠 1707	縲 1769	耮 1821
獱 1407	癀 1494	瞲 1551	磱 1585	竄 1644	簓 1683	糡 1707	繆 1769	耳 聯 1827
獾 1407	癄 1494	瞨 1551	磿 1585	竃 1644	簈 1683	糨 1707	縳 1769	聊 1828
獯 1407	癄 1494	瞳 1551	磷 1585	立 竲 1652	簌 1683	糐 1707	繀 1769	聲 1828
獲 1407	癇 1495	瞭 1551	磻 1585	竴 1652	簇 1683	糢 1707	繇 1769	聲 1828
獵 1407	癇 1495	瞴 1551	礁 1585	竳 1652	簃 1683	糜 1707	縩 1769	磬 1828
玉 璗 1440	癎 1495	曉 1551	磾 1585	竴 1652	簉 1683	糜 1707	繊 1769	聰 1828
璫 1441	癇 1495	瞺 1551	磹 1585	竹 篴 1681	簎 1683	糂 1707	縉 1769	聰 1828
瑟 1441	癉 1495	瞦 1551	礁 1585	篱 1681	簐 1684	糸 縭 1764	縨 1769	聯 1828
璪 1441	癅 1495	瞧 1551	示 禧 1603	篲 1681	簽 1684	縫 1764	縝 1770	聰 1829
璨 1441	癈 1495	瞠 1552	禨 1604	篠 1681	簡 1684	縮 1764	縻 1770	聳 1829
環 1441	癌 1495	瞵 1552	禢 1604	篷 1681	簞 1684	縪 1764	繁 1770	聴 1829
璬 1442	癀 1495	瞥 1552	禫 1604	篳 1681	簟 1684	縱 1765	縶 1770	肉 膷 1865
璥 1442	癈 1495	瞩 1552	禶 1604	篖 1682	篷 1684	縯 1765	繫 1771	膪 1865
璩 1442	白 皣 1514	瞸 1552	禪 1604	篾 1682	簁 1684	縱 1765	缶 罇 1785	膷 1865
璭 1442	皤 1514	矛 矡 1556	禩 1604	簂 1682	簾 1684	縡 1766	罄 1785	膻 1865
璲 1442	皢 1514	矢 矯 1561	禥 1604	篿 1682	簓 1684	縹 1766	罅 1785	膽 1865
璹 1442	皞 1514	矰 1561	禾 穗 1629	簂 1682	箭 1684	縷 1766	网 罽 1792	膾 1865
璯 1442	皿 盫 1526	石 磯 1584	穗 1629	篼 1682	簑 1684	縵 1766	罿 1792	膿 1865
瓦 甐 1450	盩 1526	磲 1584	穉 1629	篾 1682	簀 1684	縸 1766	羃 1792	臃 1866
甔 1450	盨 1526	磴 1584	穖 1630	篹 1682	篹 1684	縛 1766	羄 1792	膕 1866
甑 1451	盩 1526	磅 1584	穚 1630	簃 1682	篸 1684	縹 1766	罺 1792	臆 1866
甓 1451	盪 1526	磶 1584	穮 1630	篸 1682	簑 1684	縺 1767	罾 1792	臄 1866

臅 1866
臆 1866
臉 1866
臊 1866
臌 1866
臇 1866
膸 1866
臛 1867
臈 1867
膝 1867
膺 1867
臂 1867
臀 1867
臣 臨 1871
臩 1872
臼 舉 1881
舌 舓 1885
舟 艛 1891
艜 1891
艚 1891
鵃 1891
艮 艱 1894
艸 蕽 1971
蕭 1971
蕼 1971
蕷 1971
蕺 1971
蔍 1971
蕸 1972
薃 1972
蕾 1972

薄 1972
薬 1972
薀 1972
薁 1972
薊 1973
薇 1973
薆 1973
薏 1973
薈 1973
薌 1973
藀 1974
薣 1974
薑 1974
薖 1974
薘 1974
𧂐 1974
薐 1974
薓 1974
薔 1974
薛 1974
薙 1974
薅 1974
蔽 1975
薝 1975
蕿 1975
薟 1975
薦 1975
薜 1975
薢 1975
薤 1975
薨 1976

藆 1976
藪 1976
薍 1976
薪 1976
薽 1976
薋 1976
蕘 1976
蕑 1977
舊 1977
䕧 1977
蒻 1977
蕣 1977
蕷 1977
蔟 1977
蔵 1977
蕓 1977
蓴 1977
薠 1977
䕒 1977
孽 1977
薉 1977
薗 1977
薡 1977
蕺 1977
藉 1977
薥 1977
蘧 1977
蕚 1977
蔆 1977
蔑 1977
虍 虨 2000

虧 2000
虫 蟗 2027
蚪 2027
螭 2027
蟁 2027
蟊 2027
𧖅 2027
蠭 2027
螽 2027
螬 2027
蝗 2028
螺 2028
螻 2028
螾 2028
螳 2028
螮 2028
螵 2028
蝹 2029
螼 2029
蟈 2029
蟅 2029
螑 2029
螐 2029
蟟 2029
蟂 2029
蟉 2029
蟆 2029
蟃 2029
蟀 2029
蟋 2029
螌 2029

蟌 2029
蝀 2029
蟒 2029
聶 2030
蟇 2030
蟒 2030
螯 2030
蟨 2030
蟼 2030
蠦 2030
蟄 2030
血 衊 2044
行 衛 2051
衡 2051
衣 褻 2075
襄 2075
褭 2076
褰 2076
褽 2076
襃 2076
褺 2076
褻 2076
襋 2076
襀 2076
𧞤 2076
襌 2076
襏 2076
襒 2076
襊 2076
襐 2076
襓 2076

褿 2076
褶 2076
襛 2077
襇 2077
襭 2077
襹 2077
襆 2077
襑 2077
䙗 2077
襍 2077
襈 2077
襊 2077
襘 2077
䙝 2077
襩 2077
見 覯 2092
覦 2092
覮 2092
覬 2092
覭 2092
覰 2092
角 觷 2101
觩 2101
觳 2101
觲 2101
觽 2101
言 謎 2146
謆 2146
謏 2146
謕 2146
謅 2146

謋 2146
謉 2147
䰲 2147
謙 2147
謔 2147
謣 2147
課 2147
謐 2147
謗 2147
謖 2147
謘 2147
諸 2147
謑 2147
講 2148
謝 2148
謚 2148
謟 2149
謞 2149
謳 2150
譜 2150
謙 2150
謌 2150
謇 2150
謄 2150
謄 2150
謝 2150
謠 2150
謜 2150
謅 2150
謍 2150
謓 2150

謊 2150
謈 2151
谷 豁 2169
䜫 2169
谿 2169
豀 2169
䜽 2169
豆 𧯴 2172
䜻 2172
豋 2172
豎 2172
豐 2172
䜼 2172
豕 𧱏 2178
豳 2178
豲 2178
豯 2178
豰 2178
豸 貎 2183
貕 2183
𧳓 2183
貝 購 2205
賻 2205
賾 2205
賸 2205
䝨 2205
賺 2205
賶 2205
賽 2206
賣 2206
赤 赯 2212

赮 2212
走 趨 2221
趝 2221
𧽫 2221
趬 2221
足 蹈 2242
蹋 2242
蹝 2242
蹤 2242
蹟 2242
蹉 2242
蹌 2242
蹊 2242
蹍 2243
䠣 2243
跨 2243
蹻 2243
𨄢 2243
蹇 2243
蹡 2243
蹃 2243
蹄 2243
蹤 2243
𨄜 2243
蹑 2243
𨄓 2243
蹎 2243
蹏 2243
蹐 2243
𨅈 2243
跟 2243

車 輿 2273	遳 2326	鎪 2404	鎑 2407	闟 2444	鞒 2526	頚 2549	餅 2578	騌 2599
䡴 2274	邅 2326	鍁 2405	鎘 2408	闤 2444	鞔 2526	頩 2549	餣 2578	騉 2599
輵 2274	𨘿 2326	鍪 2405	鎴 2408	闞 2444	鞬 2526	顆 2549	餞 2578	騈 2599
𨍵 2274	還 2326	鍠 2405	鎵 2408	阜 隰 2477	鞟 2526	頪 2550	餟 2578	駹 2599
輾 2274	邑 鄮 2348	鍞 2405	鍷 2408	隱 2477	鞡 2526	顊 2550	餛 2578	騋 2599
轁 2274	鄹 2348	鍴 2405	鍼 2408	隮 2477	鞠 2526	頳 2550	餜 2579	駿 2599
𨍭 2274	酉 醨 2360	鍛 2405	鍳 2408	隶 隸 2479	鞞 2526	頖 2550	館 2579	騣 2599
𨍺 2274	醞 2360	鍐 2405	鎓 2408	隸 2479	鞢 2526	顧 2550	餜 2579	駾 2599
轀 2274	醡 2360	鍤 2405	鍫 2408	隹 雖 2487	鞯 2526	頟 2550	餴 2579	騔 2599
輾 2274	醜 2360	鍔 2405	鍪 2408	雘 2487	鞎 2526	顆 2550	餤 2579	騂 2599
轄 2274	醝 2360	鍝 2405	鍈 2408	雝 2487	鞨 2526	頮 2550	餫 2579	駽 2599
𨎖 2275	醛 2360	鍚 2405	鎯 2408	雞 2487	鞬 2526	顧 2550	餧 2579	騀 2600
䡸 2275	醢 2360	鍯 2405	鍬 2408	雛 2487	鞜 2526	頟 2550	餘 2579	騎 2600
轂 2275	醏 2361	鍜 2405	鎵 2408	雜 2487	鞴 2526	頼 2550	餦 2579	騁 2600
䡷 2275	醬 2361	鍥 2406	鍿 2408	雨 霙 2503	鞔 2526	頟 2550	餶 2579	騂 2600
𨎸 2275	醠 2361	鍧 2406	鍫 2408	霚 2503	鞝 2526	頿 2550	餸 2579	騃 2600
轉 2275	醢 2361	鍵 2406	長 镻 2430	霜 2503	鞫 2527	頷 2550	餡 2579	騂 2600
𨎝 2275	醙 2361	鍱 2406	門 闃 2442	霙 2503	鞳 2527	顚 2550	餬 2579	騃 2600
轅 2275	醘 2361	鍎 2406	闇 2442	霝 2504	鞨 2527	頨 2550	饁 2580	騀 2600
䡳 2275	醋 2361	鍦 2406	闋 2443	霞 2504	韋 韓 2533	頳 2550	餳 2580	䮾 2600
轃 2275	醟 2361	鍱 2406	闊 2443	霤 2504	韔 2533	頚 2550	餴 2580	騋 2600
𨎳 2275	里 釐 2371	鍮 2406	闌 2443	霝 2504	韓 2533	風 颶 2563	餹 2580	骨 骾 2615
辛 𨐨 2283	金 鍿 2403	鍼 2406	闈 2443	霩 2505	韔 2533	颸 2563	餶 2580	骽 2615
辵 𨗮 2316	鍇 2404	鍭 2406	闌 2443	霨 2505	韠 2533	颶 2563	餉 2580	骼 2615
遽 2324	鍋 2404	鍰 2406	闖 2443	霧 2505	韓 2533	颵 2563	餚 2580	髁 2615
邁 2325	鍍 2404	鍕 2407	闉 2443	霍 2505	韭 韱 2536	颾 2563	首 馘 2588	髃 2615
邀 2325	鍊 2404	鍻 2407	闆 2443	霓 2505	音 韽 2538	飀 2563	香 馡 2589	骸 2615
避 2325	鍑 2404	鍒 2407	闊 2443	革 鞚 2525	頁 顆 2549	飈 2563	馣 2589	髀 2615
邂 2325	鍉 2404	鍾 2407	闍 2444	鞙 2525	頔 2549	食 饔 2578	馢 2589	髆 2615
邆 2326	鍪 2404	鍇 2407	闋 2444	鞠 2525	頲 2549	饕 2578	馬 騙 2599	高 髚 2623
𨘋 2326	鍭 2404	鍖 2407	闕 2444	鞨 2526	頣 2549	餘 2578	驅 2599	髟 髩 2626

鬃 2626
鬆 2626
鬁 2626
髾 2626
髽 2626
鬃 2626
鬠 2627
鬂 2627
鬲 䰛 2633
鬴 2633
鬼 魌 2637
魈 2637
魚 鮚 2645
鮔 2645
鮢 2645
鮫 2645
鮤 2645
鮦 2645
鮥 2645
鮩 2645
鮞 2645
鮠 2645
鮟 2645
鮪 2645
鮣 2645
鮨 2645
鮰 2645
鮭 2646
鮔 2646
鮬 2646
鮮 2646
鮧 2646
鮟 2646
鮡 2646
鮔 2647
鮦 2647
鮢 2647
鮬 2647
鮝 2647
鮯 2647
鳥 鴰 2666
鴵 2666
鴠 2666
鴉 2666
鴟 2666
鵃 2666
鵰 2666
鴩 2666
鴹 2666
鴯 2666
鴹 2666
鴺 2666
鴲 2666
鴶 2666
鴴 2666
鵅 2666
鴻 2666
鴘 2667
鴿 2667
鵈 2667
鴗 2667
鴳 2668
鴷 2668
鴨 2668
鵀 2668
鴶 2668
鴰 2668
鴷 2668
鴳 2668
鴐 2668
鴑 2668
鵠 2668
鴮 2668
鴬 2668
鵃 2668
鴿 2668
鵂 2668
鴉 2668
鴦 2669
鹿 麈 2690
麛 2690
麓 2690
麔 2690
麋 2690
麥 麯 2695
麰 2695
麯 2695
麱 2695
麮 2695
麩 2695
黃 黈 2701
黍 黎 2702
黏 2702
黏 2702
黏 2702
黑 黝 2705
點 2705
黜 2705
黚 2706
黕 2706
黛 2706
黊 2706
黹 黻 2711
黽 黿 2711
鼓 鼕 2715
鼠 鼢 2717
鼢 2717
鼻 鼽 2719
鼾 2719
齊 齋 2721
齌 2721
齒 齔 2723
齓 2723
龜 龜 2733
龜 2733
龠 龠 2733

18획

人 儭 186
儲 186
儱 187
儢 187
億 187
儤 187
儭 187
儠 187
冫 凜 233
力 勥 285
厂 靡 324
又 叢 333
口 嚮 409
嚙 410
嚊 410
嚕 410
嚠 410
嚜 410
嚗 410
嚘 410
嚚 410
嚐 410
嚩 410
嚏 410
嚛 410
嚽 410
土 壙 470
壘 470
壥 470
夊 夒 477
大 奰 511
女 嬻 552
嬸 552
嬪 552
嬛 552
尸 屩 627
屫 627
山 巏 654
巂 654
巊 654
巀 654
巾 幭 683
幮 683
幯 683
弓 彍 729
彐 彝 731
心 懖 823
懟 823
懣 823
懕 823
懇 823
懲 823
懭 825
懰 825
懱 825
懯 825
懩 825
懴 825
懫 825
懮 825
戈 戴 838
手 擧 912
擘 912
擥 912
擸 915
擽 915
擵 915
擲 915
擺 915
擷 915
擴 915
擴 916
擯 916
擶 916
擾 916
擫 916
擼 916
擻 916
擿 916
擠 916
擦 916
攄 916
擢 916
攜 916
支 斃 942
斀 942
斁 942
斃 942
斄 942
斤 斷 956
方 旛 966
旞 966
旚 966
日 曘 1002
曙 1002
曚 1002
曙 1002
曛 1002
曜 1002
曝 1002
曛 1002
曋 1003
月 朦 1023
木 檬 1117
檸 1117
檼 1117
檁 1117
檮 1117
櫚 1117
檶 1118
櫂 1118
檻 1118
檽 1118
檯 1118
櫂 1118
檳 1118
檸 1118
檴 1118
檹 1118
櫄 1118
檻 1118
櫃 1119
檾 1119
櫟 1119
櫜 1119
櫌 1119
櫐 1119
櫁 1119
櫪 1119
櫫 1119
櫍 1119
櫎 1119
檲 1119
櫌 1119
欠 歟 1136
止 歸 1144
歸 1146
歹 殯 1155
殳 毉 1160
比 毚 1165
毛 氇 1169
氈 1169
氉 1169
水 濾 1310
瀾 1310
瀊 1310
瀁 1310
濺 1310
瀅 1310
瀌 1310
瀔 1311
瀆 1311
瀘 1311
瀍 1311
瀉 1311
瀉 1311
瀋 1311
瀑 1311
瀀 1311

瀋 1311
瀍 1311
瀌 1311
濕 1311
漻 1312
灌 1312
濼 1312
瀃 1312
瀏 1312
瀹 1312
灑 1312
瀇 1312
瀄 1312
瀡 1312
瀘 1312
瀥 1312
瀑 1312
瀈 1312
濇 1313
火 燺 1360
爁 1360
燼 1360
燿 1360
爀 1360
燾 1361
燹 1361
燽 1361
穥 1361
爂 1361
爂 1361
燻 1361

爫 爵 1366
牛 犢 1385
犬 獷 1408
獶 1408
獵 1408
𤢺 1408
玉 璧 1440
璺 1441
璩 1442
璯 1442
璵 1442
璶 1443
璂 1443
璘 1443
璸 1443
璹 1443
瓀 1443
瓦 甔 1451
甑 1451
甓 1451
甕 1451
疒 𤸷 1495
癖 1495
癒 1495
癕 1495
癐 1496
癏 1496
癑 1496
𤺺 1496
癝 1496
癘 1496

𤻎 1496
癗 1496
癧 1496
白 皦 1514
皮 皻 1517
皿 盬 1526
盩 1526
目 瞰 1552
瞿 1552
瞾 1552
曌 1552
瞻 1552
瞼 1553
瞽 1553
瞝 1553
瞹 1553
石 礉 1585
礏 1586
磈 1586
礓 1586
礈 1586
礐 1586
礊 1586
礌 1586
礑 1586
礣 1586
礦 1586
礝 1586
礔 1586
礛 1586
礒 1586

礎 1586
礆 1586
示 禮 1604
禬 1604
禯 1606
禭 1606
禪 1606
内 禼 1608
禾 穫 1630
穠 1630
穡 1630
穟 1630
穢 1630
穧 1630
穭 1631
穛 1631
穜 1631
穴 竅 1644
竂 1644
竄 1644
立 嬴 1652
竹 簣 1684
簟 1684
簦 1684
簫 1684
簙 1684
簓 1684
簜 1684
簡 1685
簠 1685
簞 1685

簡 1686
簣 1686
簦 1686
簝 1686
簨 1686
簋 1686
簪 1686
簫 1686
簨 1686
簧 1687
簸 1687
簷 1687
簶 1687
簹 1687
簺 1687
簽 1687
簩 1687
簬 1687
簡 1687
篗 1687
簭 1687
簵 1687
篾 1687
米 𥼶 1707
糧 1707
糦 1707
糫 1708
糬 1708
糟 1708
糕 1708
糰 1708

糸 繑 1771
繐 1771
繕 1771
繒 1771
織 1771
繙 1772
繚 1772
繖 1772
繗 1772
繘 1772
繞 1772
繢 1772
繝 1773
縩 1773
繏 1773
𦅇 1773
繎 1773
繠 1773
繛 1773
繜 1773
繟 1773
繓 1773
𦅾 1773
繖 1773
繪 1773
繣 1773
缶 罈 1785
罇 1785
罇 1785
网 羂 1792
羃 1793

羊 羵 1802
羳 1802
羴 1802
𦏲 1802
𦏶 1803
𦏳 1803
羽 翶 1812
翺 1812
獢 1812
翹 1812
翽 1812
翻 1812
翼 1812
𦑣 1812
翷 1813
翻 1813
獯 1813
耒 耭 1821
𦔇 1821
耮 1821
𦔈 1821
耳 𦗏 1829
聯 1829
聶 1829
聵 1829
職 1829
聲 1830
肉 臋 1864
臍 1867
臏 1867
臕 1867

臑 1867
朦 1868
臱 1868
臘 1868
𦢊 1868
𦢅 1868
𦢓 1868
𦢊 1868
臼 𦦶 1881
舉 1881
舊 1881
舌 𦧫 1885
𦧴 1885
舟 𦪌 1891
艟 1891
艠 1891
艞 1891
𦪷 1891
𦪷 1891
艐 1891
色 𦫃 1895
艸 薩 1977
藷 1977
藨 1978
薹 1978
藒 1978
藬 1978
薳 1978
𦿁 1978
䕔 1978
薺 1978

蔡 1978
薸 1978
薰 1978
蔟 1979
藁 1979
𦿨 1979
藄 1979
藇 1979
薿 1979
藖 1979
藉 1979
藋 1979
薣 1980
藍 1980
䕍 1980
藐 1980
藎 1980
藏 1980
藑 1981
藊 1981
蕢 1981
孽 1981
薱 1981
藢 1981
𧂍 1981
藕 1981
薾 1981
薷 1981
蘂 1981
藉 1981
藻 1981

蕠 1981	蟨 2033	襡 2078	謭 2153	贈 2206	蹘 2245	邈 2327	鎔 2409	闒 2444
䓤 1981	蟩 2033	襐 2079	譈 2153	贊 2206	躍 2245	邑 鄨 2345	鎗 2409	闍 2444
藃 1981	蠅 2033	襾 覆 2085	譀 2153	贖 2206	蹜 2245	鄺 2348	鎎 2409	闓 2445
萭 1981	螣 2033	覆 2086	謰 2153	贅 2206	蹳 2246	鄷 2348	鎧 2410	闑 2445
蘧 1981	蟼 2033	見 覲 2092	謱 2153	走 趨 2221	蹶 2246	鄹 2348	鎤 2410	闔 2445
虍 虧 2001	蟞 2033	覰 2092	謵 2153	趬 2222	蹙 2246	鄻 2349	鎛 2410	闕 2445
虩 2001	蟧 2033	覴 2093	謫 2153	趪 2222	蹔 2246	鄼 2349	鎪 2410	闙 2445
虫 蟲 2030	蟮 2033	角 𧤿 2101	謣 2153	趩 2222	𨄓 2246	酉 醃 2361	鎡 2410	闒 2445
蟒 2031	蟜 2033	觮 2101	繇 2153	𧾷 2222	蹬 2246	醨 2361	鎭 2410	闚 2446
蟆 2031	蟴 2033	觴 2101	譟 2153	足 踸 2244	蹩 2246	醪 2361	鎚 2410	闘 2446
蟦 2031	蠕 2033	言 謺 2151	謮 2153	蹞 2244	蹭 2246	醫 2361	鎬 2410	阜 隳 2478
蟡 2031	蟌 2033	謑 2151	譇 2153	蹛 2244	身 軁 2255	醩 2361	鎝 2411	隮 2478
蟜 2031	蟭 2033	謴 2151	謦 2154	蹵 2244	𨊂 2255	醥 2361	鍺 2411	隯 2478
蟣 2031	蠘 2033	謳 2151	謩 2154	蹀 2244	軆 2255	醧 2362	鏍 2411	隹 雙 2487
蟟 2031	蟚 2033	謬 2151	謸 2154	蹦 2244	軀 2255	醬 2362	鐸 2411	雚 2488
蟠 2031	血 衊 2044	謧 2151	謷 2154	蹟 2244	車 轆 2275	里 釐 2371	鎲 2411	雛 2488
蟖 2031	行 衝 2051	謨 2151	謗 2154	蹜 2244	轚 2275	金 鎌 2408	鎘 2411	雟 2488
蟙 2031	衣 襼 2077	謫 2151	谷 谿 2169	蹠 2244	轇 2275	鏍 2408	鎦 2411	雘 2488
蟕 2031	褻 2077	謯 2151	豂 2169	蹕 2244	轗 2276	鎊 2408	鎏 2411	雜 2489
蟛 2031	襊 2077	謹 2152	豆 豐 2172	蹗 2245	轒 2276	鎑 2408	鎍 2411	雞 2490
蟢 2031	襘 2077	謻 2152	豑 2173	蹖 2245	轋 2276	鎋 2408	鎩 2411	難 2490
蟒 2032	襚 2077	謥 2152	豕 豯 2179	䳤 2245	轈 2276	鏊 2409	鎰 2411	雝 2490
蟬 2032	襖 2077	謼 2152	豱 2179	蹵 2245	轐 2276	鎠 2409	鎢 2411	雡 2490
蟳 2032	襗 2077	謷 2152	豵 2179	跾 2245	轉 2276	鎒 2409	鏃 2411	雗 2490
蟓 2032	襁 2078	𧫷 2152	豸 貗 2183	蹥 2245	轅 2277	鎕 2409	鎮 2411	雔 2490
蟫 2032	襟 2078	謀 2152	貘 2183	蹣 2245	轞 2277	鍚 2409	鎈 2411	雊 2490
蟯 2032	襛 2078	謾 2152	貜 2183	蹝 2245	辛 辧 2283	鎐 2409	鐂 2411	雨 霣 2505
蟝 2032	襨 2078	競 2153	貙 2183	蹐 2245	辵 遽 2326	鎍 2409	鎣 2411	霤 2505
騷 2032	襠 2078	譃 2153	貍 2183	蹡 2245	邃 2326	鎖 2409	門 闔 2444	霖 2505
蟪 2032	襢 2078	謶 2153	貝 賿 2206	蹢 2245	邇 2326	鎻 2409	闐 2444	霬 2505
蟥 2032	襜 2078	譧 2153	贓 2206	蹤 2245		鎖 2409	闐 2444	霢 2505

霚 2505
霣 2505
霻 2505
霢 2505
面 䩉 2519
靐 2519
革 鞤 2527
鞨 2527
鞫 2527
鞣 2527
鞦 2527
鞧 2527
鞬 2527
鞭 2527
䩸 2527
鞰 2527
鞜 2528
鞸 2528
鞶 2528
鞴 2528
鞵 2528
䩵 2528
韘 2528
韗 2528
鞻 2528
鞼 2528
鞮 2528
鞹 2528
韋 韛 2534
韝 2534
韞 2534
韔 2534
韘 2534
韗 2534
韹 2534
韄 2534
韞 2534
韙 2534
韚 2534
音 韺 2538
頁 顒 2550
類 2551
顙 2551
額 2551
顎 2551
顏 2551
題 2551
顡 2552
顛 2552
顓 2552
顗 2553
類 2553
顙 2553
顛 2553
顏 2553
顒 2553
顓 2553
顑 2553
顕 2553
風 颸 2563
颻 2564
颽 2564
颲 2564
颼 2564
颺 2564
颾 2564
食 䭐 2580
餖 2580
餪 2580
餳 2580
餴 2580
餕 2580
餫 2580
餗 2580
餲 2580
餬 2580
餱 2580
餭 2580
䭈 2581
䭚 2581
餵 2581
餰 2581
餮 2581
餎 2581
餐 2581
䭏 2581
餯 2581
首 䭫 2588
香 馥 2589
馤 2589
馬 騄 2600
騎 2601
騊 2601
騋 2601
騈 2601
䮔 2601
騅 2601
騂 2601
騲 2601
騏 2602
騉 2602
騇 2602
騹 2602
騍 2602
騧 2602
騙 2602
䮗 2602
騑 2602
騌 2602
騣 2602
騘 2602
騐 2602
騤 2602
骨 髀 2615
髁 2616
髂 2616
䯊 2616
骿 2616
髀 2616
髋 2616
髊 2616
高 翯 2623
髟 髾 2627
䰄 2627
鬈 2627
鬐 2627
鬊 2627
鬉 2627
鬅 2627
鬆 2627
鬃 2627
鬇 2627
鬄 2627
鬏 2627
門 鬩 2630
鬲 鬵 2633
鬼 魊 2637
䰻 2637
魌 2637
魗 2637
魎 2637
魍 2637
魋 2637
魏 2638
魏 2638
魚 鯨 2647
鮶 2647
鯀 2647
鯁 2647
鯅 2647
鯗 2647
鯢 2647
鮸 2647
鯃 2647
䱐 2647
鮹 2647
鮿 2647
鯉 2648
鮬 2648
魦 2648
鯊 2648
鮷 2648
鯈 2648
鯆 2648
鯇 2648
鳥 鵃 2669
鵑 2669
鵟 2669
鵍 2669
䳱 2669
鵅 2669
鵘 2669
䳔 2669
鵌 2669
鵨 2669
鵓 2669
鵒 2669
鵖 2669
鵖 2669
鵕 2669
鵜 2669
鵔 2669
鵠 2670
鵙 2670
鶸 2670
鵄 2670
鶈 2670
鵯 2670
鵡 2670
鵄 2670
鵝 2670
騀 2670
鵚 2670
鶌 2671
鵞 2671
鹿 麔 2690
麁 2690
麐 2690
麎 2690
麌 2690
麥 麲 2695
麳 2695
黃 黈 2701
黇 2701
黍 黏 2702
黑 黖 2707
黤 2707
黟 2707
黠 2707
黽 鼃 2712
鼆 2712
鼅 2712
鼄 2712
鼂 2712
鼓 鼕 2715
鼗 2715
鼠 鼨 2717
鼩 2717
鼪 2717
鼫 2717
鼬 2717
鼭 2717
鼦 2717
鼻 齀 2719
齊 齌 2722
齒 齕 2723
龍 龐 2731
龜 龜 2733

19획

乙 亹 68
亹 68
人 儴 187
儵 187
儳 187
囗 圝 239
刀 劖 271
力 勸 285
口 嚪 410
嚧 410
嚦 410
嚨 410
嚬 410
嚥 410
嚭 411
嚫 411
嚮 411
嚽 411
土 壞 471
壜 471
壚 471
壠 471
壟 471
壤 471
壝 471
壛 471
夂 夒 477
女 嬾 552
嬿 552
孃 553
子 孼 567
宀 寵 600
寴 601
寶 601
山 巆 655
巃 655
嶭 655
巾 幭 683
幰 683
广 廬 710
廯 710
弓 彏 729
彳 徿 755
心 懬 824
懲 824
懯 824
懷 826
懶 826
懶 826
㦄 826

懷 826
懫 827
懻 827
懵 827
憯 827
手 攀 915
攈 916
攐 917
攘 917
攏 917
攋 917
攎 917
攊 917
攍 917
攇 917
攉 917
攌 917
𢹂 917
攵 斄 942
文 鈌 948
方 旝 966
旞 966
旜 966
日 曠 1003
曢 1003
曞 1003
曝 1003
木 櫑 1119
櫋 1119
櫏 1119
櫌 1119
櫍 1119
櫎 1119
櫙 1120
櫝 1120
櫓 1120
櫚 1120
櫟 1120
櫼 1120
櫢 1120
櫞 1120
櫛 1120
櫛 1120
櫥 1120
櫏 1120
櫜 1121
櫨 1121
櫔 1121
櫐 1121
檈 1121
櫵 1121
櫕 1121
櫗 1121
欠 歟 1136
歠 1136
歹 殯 1155
殲 1155
殳 毊 1160
毛 氌 1169
水 瀆 1313
瀎 1313
瀘 1313
瀿 1313
瀕 1313
瀑 1313
瀵 1313
瀾 1313
瀜 1313
瀛 1313
瀙 1313
瀤 1313
瀚 1313
瀇 1313
瀖 1314
灝 1314
瀧 1314
瀨 1314
瀬 1314
瀝 1314
瀡 1314
瀠 1314
瀞 1314
瀦 1314
瀣 1314
瀔 1315
瀟 1315
瀷 1315
瀢 1315
瀩 1315
濳 1315
澩 1315
火 爍 1361
爊 1361
爆 1361
爐 1362
爄 1362
爕 1362
爇 1362
爋 1362
爗 1362
爌 1362
爿 牆 1370
片 牘 1373
牛 犢 1385
犦 1385
犤 1385
犬 獸 1407
獺 1409
獹 1409
玉 璽 1442
璺 1442
瓊 1443
瓊 1443
瓈 1443
瓄 1444
瓅 1444
瓃 1444
瓋 1444
瓆 1444
瓁 1444
瓉 1444
瓜 瓣 1447
瓦 甖 1451
甖 1451
田 疆 1474
疇 1474
𤳗 1475
疒 癔 1496
癠 1496
癡 1496
癟 1497
白 皫 1514
皭 1514
皮 𥀾 1518
皿 盪 1526
目 矊 1553
矙 1553
矃 1553
矇 1553
矉 1553
矆 1553
矢 矱 1561
石 礙 1586
礚 1587
礛 1587
礩 1587
礇 1587
礜 1587
示 禰 1606
禱 1606
禲 1606
禾 穆 1631
穤 1631
穨 1631
穩 1631
穧 1631
穙 1631
穪 1631
穦 1631
穫 1631
穴 竉 1645
竆 1645
竄 1645
竇 1645
立 䇘 1652
竹 簫 1687
簳 1688
簻 1688
籔 1688
簹 1688
䉡 1688
簬 1688
簶 1688
簺 1688
簷 1688
簸 1688
籣 1689
籧 1689
簾 1689
簿 1689
簙 1689
簞 1689
簽 1689
䉢 1690
籂 1690
籀 1690
米 糲 1708
糱 1708
釋 1708
糸 繡 1773
纗 1774
繩 1774
繪 1774
繮 1775
繫 1775
繷 1775
繾 1775
𦅻 1775
繰 1775
繶 1775
繹 1775
繁 1775
繳 1775
繯 1775
繲 1775
䌊 1776
繭 1776
繫 1776
𦆽 1776
辮 1776
繸 1776
繬 1776
繵 1776
繄 1777
缶 罊 1785
罋 1785
网 䍛 1793
羅 1793
羃 1793
羆 1794
羇 1794
䍦 1794
羊 羵 1802
羹 1803
羷 1803
羸 1803
羶 1803
羽 翽 1813
翿 1813
翾 1813
耳 𦗩 1830
聸 1830
䏊 1830
肉 𦢊 1865
臀 1865
臆 1868
臘 1868
臕 1868
𦢑 1868
臏 1868
臟 1868
自 𦤋 1876
舌 舚 1885
舟 艐 1892
艡 1892
艣 1892
艤 1892
艢 1892
艥 1892
色 艶 1895
艸 藘 1982
藜 1982
藞 1982
藟 1982
藚 1982
藙 1982
藕 1982
藝 1982
藤 1983
藦 1983
藥 1983
藭 1984
藹 1984
藖 1984
藫 1984
藺 1984
藴 1984
藩 1984
藪 1984
藗 1984
藤 1984
藨 1984
藁 1985
蘄 1985
藑 1985
薾 1985
蕣 1985
藺 1985

藔 1985	蜸 2035	言 證 2154	譐 2157	䟍 2222	䠶 2248	邑 鄲 2349	鏠 2413	鏎 2415
藘 1985	蠆 2035	譁 2154	譙 2157	𧾰 2222	蹰 2248	鄠 2349	鐽 2413	長 镽 2430
蕮 1985	蠁 2035	譆 2154	譒 2157	趭 2222	䠩 2248	鄫 2349	鏞 2413	镺 2430
藼 1985	蠏 2035	譈 2154	譻 2157	趪 2222	䠒 2248	鄭 2349	鏘 2413	門 闚 2446
蘁 1985	蟹 2035	讀 2154	谷 谿 2169	足 蹬 2246	𨆼 2248	西 醨 2362	鏪 2413	關 2446
蘊 1985	蠃 2036	譏 2155	豃 2170	蹯 2246	蹵 2248	𨢭 2362	鏚 2413	闞 2447
虍 虪 2001	血 盥 2044	譑 2155	䜫 2170	蹮 2246	蹟 2248	醰 2362	鐀 2414	闝 2447
虩 2001	衣 襞 2078	譊 2155	豆 䜮 2173	躈 2246	身 軃 2255	醳 2362	鏾 2414	䦧 2447
虫 蟺 2033	嬴 2079	䜌 2155	豋 2173	蹭 2246	軄 2256	醭 2362	鏤 2414	闛 2447
蠜 2033	襐 2079	譎 2155	䜴 2173	蹻 2247	車 轎 2277	醱 2362	鏻 2414	闘 2447
蟻 2033	襤 2079	譳 2156	豕 豵 2179	蹺 2247	轒 2277	醮 2362	鏉 2414	阜 隴 2478
蟶 2033	襟 2079	譧 2156	豶 2179	蹶 2247	轜 2277	醶 2362	鎤 2414	隳 2479
蠍 2034	襨 2079	譕 2156	豷 2179	蹳 2247	轏 2277	醉 2362	鏏 2414	隹 離 2490
蝸 2034	襤 2079	譔 2156	豸 獠 2183	蹼 2247	轍 2277	醆 2363	鏦 2414	難 2491
蟷 2034	襣 2079	謵 2156	貚 2183	蹲 2247	𨎷 2278	醑 2363	鏢 2414	雞 2492
蟾 2034	襦 2079	譃 2156	貝 贈 2206	躇 2247	䡵 2278	金 鏗 2412	鐪 2415	雗 2492
蠅 2034	襾 覇 2086	識 2156	䞈 2207	蹓 2247	䡰 2278	鏄 2412	鏍 2415	雨 霧 2505
蠋 2034	覈 2086	譩 2156	𧸘 2207	蹴 2247	𨎹 2278	鏈 2412	鐰 2415	𩄰 2506
蠉 2034	覈 2086	譖 2156	䞉 2207	蹥 2248	轘 2278	鏐 2412	鏸 2415	霻 2506
螌 2035	見 覵 2093	譓 2156	贉 2207	蹫 2248	𨏏 2278	鏕 2412	鏊 2415	霦 2506
蟼 2035	覷 2093	譀 2157	䞊 2207	䠬 2248	轑 2278	鏌 2412	鏋 2415	䨿 2506
蠝 2035	覬 2093	譯 2157	贇 2207	蹷 2248	轔 2278	鏁 2412	鏒 2415	霤 2506
蝨 2035	覲 2093	譚 2157	贗 2207	䠖 2248	轐 2278	鏇 2412	鏥 2415	霪 2506
螳 2035	覶 2093	謗 2157	贊 2207	蹹 2248	轓 2278	鏅 2412	鏂 2415	霨 2506
蠟 2035	覽 2093	譋 2157	走 𧾍 2222	蹋 2248	𨏗 2278	鎩 2412	鐅 2415	霢 2506
蠊 2035	角 觸 2101	譁 2157	趹 2222	蹅 2248	辛 辭 2283	鏃 2412	鐓 2415	霩 2506
蝎 2035	觼 2101	譄 2157	趫 2222	䠲 2248	辰 辳 2286	鏑 2412	鏖 2415	非 靡 2517
蠡 2035	觵 2101	誓 2157	𧾘 2222	蹸 2248	辵 遺 2327	鏡 2413	鐁 2415	面 靦 2519
蠇 2035	觹 2101	䜑 2157	趬 2222	䠞 2248	邋 2327	鏜 2413	鏨 2415	䩄 2519
蟒 2035	觽 2101	譌 2157	䟃 2222	蹩 2248	邃 2327	鍽 2413	鏓 2415	革 鞲 2528
蟰 2035	觶 2101	謿 2157	𧾷 2222	䠣 2248	邊 2327	鏝 2413	鏦 2415	鞴 2528

鞫 2528
鞳 2528
鞼 2529
鞱 2529
鞶 2529
鞼 2529
鞸 2529
鞴 2529
鞿 2529
鞷 2529
鞻 2529
鞈 2529
韋 韜 2534
韝 2535
韏 2535
韚 2535
韛 2535
韛 2535
韞 2535
韭 韰 2536
韲 2536
音 韻 2538
韻 2538
頁 顗 2553
願 2553
顢 2554
顝 2554
顩 2554
顚 2554
顒 2554
類 2554

顙 2554
額 2554
顖 2554
顛 2554
類 2555
顖 2555
顚 2555
顜 2555
顣 2555
風 颻 2564
颽 2564
䬒 2564
飀 2564
飂 2564
飃 2564
颾 2564
颼 2564
䫻 2564
飛 䬠 2567
食 䭫 2581
餻 2581
餶 2581
餽 2581
餳 2581
䭑 2581
餺 2581
餼 2581
餿 2582
䭜 2582
餹 2582

餾 2582
䭑 2582
饁 2582
餈 2582
䭔 2582
䭗 2582
䭚 2582
䭈 2582
首 䭾 2588
香 馧 2589
馬 騕 2602
騙 2602
䮞 2602
騃 2603
騸 2603
騠 2603
騒 2603
騛 2603
騧 2603
騟 2603
騥 2603
騣 2603
騠 2603
騞 2603
騬 2603
騘 2603
騪 2603
騨 2603
騢 2603
騇 2603

騜 2603
騎 2604
騖 2604
骨 骼 2616
髃 2616
骽 2616
髆 2616
髂 2616
髊 2616
骸 2616
髓 2616
髈 2616
髃 2616
骺 2616
髌 2616
高 髜 2623
髟 髺 2627
髻 2627
髫 2627
鬂 2628
鬈 2628
鬆 2628
鬊 2628
鬁 2628
鬃 2628
鬉 2628
鬲 鬷 2633
鬹 2633
鬼 魌 2638
魍 2638
魚 鰈 2648

鯝 2648
鯮 2648
鯠 2648
鯭 2648
鯛 2648
鯔 2648
鯖 2648
鮥 2648
鯤 2649
鯨 2649
鯟 2649
鯥 2649
鯪 2649
鯩 2649
鯡 2649
鯢 2649
鯣 2649
鯚 2649
鯙 2649
鯫 2650
鯦 2650
鯒 2650
鯕 2650
鯣 2650
鯘 2650
鯗 2650
鯙 2650
鯌 2650
鯊 2650
鳥 鵙 2671

鶀 2671
鶃 2671
鶍 2671
鵮 2671
鵷 2671
鶌 2671
鵾 2671
鶋 2671
鶆 2671
鵬 2671
鵬 2671
鶂 2671
鶄 2671
鶂 2671
鶃 2671
鵰 2671
鶅 2671
鶈 2672
鶏 2672
鶇 2672
鶊 2672
鶉 2672
鵬 2672
鵯 2672
鵷 2672
鵰 2672
鶓 2672
鶕 2673
鶗 2673
鶘 2673

鶒 2673
鶩 2673
鶪 2673
鶉 2673
鶞 2673
鶖 2673
鶔 2673
鶟 2673
鶡 2673
鶄 2673
鹵 鹹 2687
鹺 2687
鹽 2687
鹼 2687
鹿 麑 2690
麔 2691
麗 2691
麖 2691
麒 2691
麓 2691
麗 2691
麕 2691
麥 麴 2695
麯 2695
麳 2695
麵 2695
麭 2695
麰 2696
麻 麼 2697
麿 2697
黑 黤 2707

黢 2707
黹 黼 2711
黽 黿 2712
鼀 2712
鼁 2712
鼓 鼗 2715
鼘 2715
鼛 2715
鼜 2715
鼙 2715
鼚 2715
鼛 2715
鼠 鼮 2717
鼯 2717
鼬 2717
鼻 鼾 2719
鼽 2719
鼿 2719
齊 齋 2722
齒 齔 2723
齕 2723
齗 2723
齘 2723
齖 2723
齗 2723
齙 2723
齓 2724
齕 2724
龍 龏 2731
龐 2731
龜 龝 2733

龜 2733

20획

乙 亹 68
亹 68
人 儽 187
八 䫆 220
顛 220
刀 劘 271
力 勸 285
匚 匶 294
匷 294
口 嚴 411
嚳 413
馨 413
嚶 412
嚷 412
嚵 413
嚲 413
嚱 412
土 壥 472
夊 夒 477
女 孅 553
孁 553
孆 553
孇 553
孅 553
孃 553
孈 553
子 孾 567
孽 567
孻 567

孈 567
宀 寶 601
山 巎 655
巋 655
巊 655
巉 655
巇 655
巾 幱 683
𢅻 683
幟 683
广 廯 710
廮 710
彳 𢖍 755
心 懸 825
懮 826
懇 826
德 826
懿 826
懵 827
懺 827
手 擧 917
攔 917
攕 917
攖 917
攘 917
攓 918
攢 918
撜 918
攙 918
支 敼 922
攴 斆 942
𣀓 942
斆 942
斅 942
斤 斷 957
方 旟 966
日 曨 1003
曦 1003
曥 1004
曣 1004
月 朧 1023
木 櫭 1121
櫨 1121
櫪 1121
橅 1121
櫚 1121
櫧 1121
櫜 1121
櫰 1121
欑 1122
櫆 1122
權 1122
櫰 1122
櫳 1122
櫱 1122
欖 1122
櫍 1122
櫲 1122
櫱 1122
櫱 1122
櫬 1122
櫍 1122
水 瀾 1315
瀲 1315
瀰 1315
瀵 1315
瀟 1315
瀯 1315
瀴 1316
瀓 1316
瀾 1316
瀿 1316
濡 1316
瀹 1316
瀼 1316
瀴 1316
瀷 1316
瀸 1316
瀺 1316
瀶 1316
灋 1317
火 爐 1363
爔 1363
牛 犧 1385
犨 1386
犨 1386
犪 1386
犬 獻 1408
獼 1409
玁 1409
玉 瓌 1444
瓖 1444
瓏 1444
瓐 1444
瓏 1444
田 疃 1473
疈 1475
疇 1475
疒 癠 1497
癢 1497
癢 1497
癤 1497
癥 1497
白 皪 1514
皫 1514
皮 皾 1518
皾 1518
皿 盭 1526
目 矌 1554
矐 1554
矉 1554
矎 1554
矢 矲 1561
石 礦 1587
礪 1587
礧 1587
礪 1587
礫 1587
礒 1587
礩 1587
礤 1587
礥 1587
礨 1588
礨 1588
礭 1588
礬 1588
示 禲 1606
禾 穲 1631
穮 1631
穫 1632
穧 1632
穬 1632
穭 1632
穯 1632
穲 1632
穴 竆 1645
竇 1645
竈 1645
立 竸 1652
競 1652
竹 籄 1690
籏 1690
籉 1690
籃 1690
籅 1690
籋 1690
籌 1690
籊 1690
籈 1690
籓 1690
籍 1691
籍 1691
籃 1691
籑 1691
籆 1691
米 糯 1708
糰 1708
糮 1708
糴 1708
糸 繼 1777
繻 1777
繾 1778
纆 1778
纀 1778
繿 1778
繹 1778
繽 1778
辮 1778
纅 1778
纀 1778
纆 1778
纂 1778
纁 1778
缶 罌 1785
罍 1785
罏 1785
网 羅 1794
罽 1794
羊 羺 1803
羽 翿 1813
翾 1813
耀 1813
耒 耰 1821
耳 𦗜 1830
聹 1830
聬 1830
聺 1830
肉 臙 1869
臚 1869
臛 1869
自 臲 1876
臼 舋 1882
舉 1882
舟 艨 1892
艦 1892
艧 1892
艮 艱 1894
色 艶 1895
艸 藶 1985
蘭 1985
藹 1985
藷 1985
藻 1985
蘜 1986
藿 1986
蘐 1986
蘓 1986
藾 1986
蘡 1986
蘦 1986
藥 1986
蘖 1986
蘀 1986
蘙 1986
蘄 1987
蘆 1987
蘇 1987
蘅 1987
蘏 1988
蘛 1988
蘢 1988
蘰 1988
蘋 1988
蘟 1988
蘊 1988
蘁 1989
蘎 1989
蘒 1989
蘪 1989
蘷 1989
薵 1989
蘭 1989
蘑 1989
薛 1989
蘔 1989
蘾 1989
蘣 1989
藽 1989
蘱 1989
蘯 1989
蘐 1989
虍 虩 2001
虫 蠉 2036
蠹 2036
蠓 2036
蟲 2036
蠙 2036
蠑 2036
蠕 2036
蠐 2036
蠗 2036
蠖 2036
蠔 2036
蠠 2037
蠮 2037
蠟 2037
蠸 2037
蠘 2037
血 衊 2044
衣 齌 2079
襴 2079
襪 2079
襮 2079
襫 2079
襩 2079
襬 2079
襭 2079
見 覺 2093
角 觸 2101
觷 2102
觺 2102
言 譱 2157
譚 2157
譜 2158
譟 2158
譝 2158
譨 2158
譫 2158
譪 2158

譯 2158
議 2158
譟 2158
䜒 2159
譭 2159
𧭼 2159
譮 2159
譞 2159
譔 2159
譲 2159
譧 2159
譠 2159
譣 2159
譩 2159
譴 2160
䜂 2160
警 2160
譤 2160
譡 2160
譪 2160
譬 2160
譯 2160
警 2161
譥 2161
譴 2161
譍 2161
豆 豑 2173
豔 2173
豕 豶 2179
豷 2179
豸 貜 2183

貚 2183
貝 贍 2207
贍 2208
贎 2208
贏 2208
走 趲 2222
趮 2223
趝 2223
趬 2223
趭 2223
足 蹻 2249
躐 2249
躁 2249
躑 2249
蹬 2249
躂 2249
躅 2249
躃 2249
躁 2249
躓 2249
躇 2249
躅 2249
躙 2249
躝 2250
躉 2250
蹸 2250
躋 2250
躄 2250
躥 2250
躒 2250
身 軆 2256

軇 2256
軃 2256
體 2256
車 轘 2278
轗 2278
轙 2278
轖 2278
轕 2279
轚 2279
轜 2279
轛 2279
轝 2279
轞 2279
辰 農 2286
辵 邍 2327
邇 2328
邑 酃 2349
酄 2349
酉 醵 2363
醫 2363
醲 2363
醴 2363
醳 2363
醷 2363
醶 2363
釀 2363
釆 釋 2366
金 鐃 2415
鐍 2416
鐓 2416
鐇 2416

鐒 2416
鐐 2416
鏷 2416
鐙 2416
鐇 2416
鐔 2416
鐏 2416
鐎 2416
鐻 2416
鐄 2416
鐖 2417
鐗 2417
鐙 2417
鐓 2417
鐥 2417
鐘 2417
鐟 2417
鐉 2417
鐊 2417
鐣 2417
鐱 2418
鐈 2418
鐝 2418
鐞 2418
鐠 2418
鐀 2418
鐢 2418
鐾 2418
鐳 2418
鐩 2418
鐓 2418

鐅 2418
鐪 2418
鐰 2418
鐷 2418
鐯 2418
長 镺 2430
門 闞 2447
闠 2447
闟 2447
闤 2447
闡 2448
闥 2448
闣 2448
闢 2448
阜 𨼖 2475
隹 䨭 2492
𨿽 2492
雗 2492
雨 露 2506
霰 2506
霱 2507
霵 2507
霳 2507
霶 2507
霸 2507
霮 2508
霻 2508
霤 2508
霦 2508
霴 2508
霣 2508

革 韡 2529
韃 2529
鞻 2529
韄 2529
韈 2529
韉 2529
韅 2529
韠 2529
韋 韠 2535
音 韽 2538
韼 2538
頁 顱 2555
顧 2555
顫 2555
顯 2555
顥 2555
風 飂 2565
飅 2565
飄 2565
飃 2565
飆 2565
食 饉 2582
饄 2582
饋 2582
饅 2582
餳 2582
饇 2582
饆 2582
饈 2583
饊 2583
饑 2583

饐 2583
饞 2583
饗 2583
首 馘 2588
香 馨 2589
馬 騳 2604
騫 2604
騮 2604
騪 2604
騷 2604
騵 2604
騶 2604
騯 2604
騩 2605
騢 2605
騸 2605
騹 2605
騺 2605
騷 2605
騲 2605
騰 2605
騸 2605
騙 2605
騋 2605
騡 2605
騱 2605
騭 2605
騅 2605
騱 2605
騫 2606

騣 2606
騰 2606
騭 2606
骨 髏 2616
髂 2616
髆 2616
髕 2616
髈 2617
髊 2617
髐 2617
髇 2617
髟 鬐 2628
鬆 2628
鬒 2628
鬍 2628
鬥 鬪 2630
鬯 鬱 2631
鬲 鬺 2633
鬻 2633
鬼 魙 2638
魚 鰎 2650
鰒 2650
鰌 2650
鰂 2650
鰓 2650
鰏 2650
鰕 2650
鰗 2650
鰭 2650
鯸 2650
鰔 2651

鰊 2651
鰒 2651
鰓 2651
鰅 2651
鰈 2651
鰆 2651
鰋 2651
鰇 2651
鰈 2651
鯺 2651
鰲 2651
鰌 2651
鰍 2651
鯖 2651
鯿 2651
鰎 2651
鰉 2651
鰈 2651
鰋 2652
鰓 2652
鰐 2652
鰂 2652
鰞 2652
鰕 2652
鳥 鶠 2673
鶗 2673
鶘 2673
鶚 2674
鶡 2674
鶩 2674
鶻 2674

鶍 2674
鶟 2674
鶨 2674
鶚 2674
鶢 2674
鷗 2674
鶵 2674
鶼 2674
鶣 2674
鶹 2674
鷄 2675
鶾 2675
鶮 2675
鶱 2675
鶬 2675
鷙 2675
鶗 2675
鶠 2675
鶤 2675
鹵 鹺 2687
鹼 2687
鹹 2687
鹿 麛 2692
麔 2692
麝 2692
麜 2692
麏 2692
麥 麮 2696
麵 2696
麯 2696
麻 麿 2697
黁 2697
黃 黌 2701
黋 2701
黊 2701
黈 2701
黍 黐 2702
䵒 2702
黑 黥 2707
黕 2707
黤 2707
黦 2707
黚 2708
黫 2708
黮 2708
黨 2708
黥 2708
黧 2708
黝 2708
鼓 鼛 2715
鼖 2715
鼠 鼰 2717
鼯 2717
鼮 2717
鼳 2718
鼻 鼾 2719
齁 2719
齒 齣 2724
齟 2724
齡 2724
齝 2724
齚 2724
齟 2724
齞 2724
齜 2724
齠 2724
齣 2724
齝 2724
齝 2724
龍 龕 2731
龔 2731
龜 龜 2733
龜 2733
龜 2733

21획

人 儺 187
儷 187
儸 188
儹 188
刀 劗 271
劘 271
又 變 334
口 嚼 413
囂 413
嚻 413
囁 413
嚵 413
囀 413
嚾 413
囆 413
宀 寱 601
尸 屬 628
山 巏 655
巍 655
巉 655
巾 幱 683
幰 683
广 廲 710
弓 彏 729
彳 徿 755
心 懼 828
懾 828
懮 828
懢 828
懴 828
懽 828
懶 828
手 攛 918
攜 918
攝 918
攧 918
攢 918
攫 919
攮 919
攤 919
攦 919
攙 919
文 斕 948
日 曩 1004
木 欅 1122
櫺 1122
櫻 1122
櫼 1122
欄 1123
欂 1123
櫻 1123
欄 1123
櫃 1123
櫏 1123
櫰 1123
欏 1123
欃 1123
欃 1123
櫼 1123
歹 殱 1155
殲 1155
水 灌 1317
灖 1317
灈 1317
灅 1317
灊 1317
灑 1317
灂 1317
灃 1317
灉 1317
灀 1318
瀼 1318
灢 1318
灄 1318
灛 1318
灤 1318
火 爛 1363
爚 1363
牛 犪 1386
犬 獿 1409
玁 1409
玃 1409
玉 䨩 1444
瓓 1444
瓔 1444
瓖 1444
瓜 瓥 1447
瓦 甗 1451
疒 癨 1497
癧 1497
癃 1497
癩 1497
白 皭 1515
皪 1515
皬 1515
目 矃 1554
矋 1554
矑 1554
矓 1554
矒 1554
矐 1554
石 礭 1588
礐 1588
礰 1588
礱 1588
礲 1588
礸 1588
礮 1588
礵 1588
示 禲 1606
禾 穠 1632
龝 1632
穴 竉 1645
竈 1645
立 竸 1652
竹 籐 1691
籓 1691
籔 1691
籒 1691
籑 1691
籃 1692
籖 1692
米 糳 1708
糲 1708
䊚 1708
䊭 1709
糸 纈 1778
纆 1778
纊 1779
續 1779
纅 1779
纋 1779
纏 1779
纗 1779
纇 1780
纍 1780
纖 1780
纘 1780
缶 罍 1785
罏 1785
网 䍦 1794
羊 羷 1803
羼 1803
羽 翿 1813
翾 1813
耒 耨 1820
耰 1821
穮 1821
䎱 1821
耳 聵 1830
月 臝 1869
䑋 1869
臛 1869
舟 艪 1892
艫 1892
艸 蘚 1989
蘗 1989
蘘 1989
蘙 1989
蘤 1989
蘜 1990
䕅 1990
蘛 1990
蘧 1990
蘞 1990
蘦 1990
蘭 1990
蘼 1990
蘩 1990
蘡 1990
蘥 1990
蘬 1991
藿 1991
蘪 1991
蘹 1991
蘫 1991
蘨 1991
蘥 1991
蘠 1991
蘖 1991
蘷 1992
虍 虪 2001
虩 2001
虥 2001
虫 蠡 2037
蠟 2037
蠛 2037
蠢 2037
蠤 2037
蠣 2038
蠝 2038
蠠 2038
蠜 2038
血 衊 2044
衣 襵 2080
襪 2080
襱 2080
襩 2080
襯 2080
見 覾 2093
覼 2093
覽 2093
角 觹 2102
觽 2102

言 譴 2161
譶 2161
譺 2161
譸 2161
護 2161
譹 2161
譪 2162
譳 2162
譵 2162
譼 2162
讁 2162
譯 2162
辯 2162
譶 2162
讃 2162
譮 2162
譻 2162
譟 2162
譽 2162
譾 2162
豆 豑 2173
貝 贇 2208
贌 2208
贛 2208
贔 2208
贐 2208
贓 2208
贒 2209
走 趯 2223
趰 2223
趲 2223
趭 2223
趯 2223
足 躄 2250
躎 2250
躐 2250
躌 2250
躍 2250
躒 2250
躊 2250
躋 2250
身 軃 2256
軈 2256
軇 2256
軉 2256
車 轟 2279
轜 2279
轗 2279
轛 2279
轞 2279
轝 2280
轚 2280
轞 2280
辛 辯 2284
辰 辴 2286
辵 邍 2328
邑 酆 2349
鄷 2349
酄 2349
酅 2349
酉 醹 2363
醺 2363
醶 2364
醽 2364
醻 2364
金 鐩 2418
鐫 2418
鐰 2418
鐬 2419
鐓 2419
鐈 2419
鐴 2419
鑢 2419
鐲 2419
鐱 2419
鐵 2419
鐳 2420
鐶 2420
鐻 2421
鐥 2421
鐮 2421
鐹 2421
鐺 2421
鑂 2421
鐲 2421
鐊 2421
鏽 2421
鐷 2421
鑈 2421
鐭 2421
鐯 2421
鐸 2421
鏾 2421
鐪 2421
長 镾 2430
門 闥 2448
闠 2448
闢 2448
闟 2448
闤 2448
阜 隮 2479
隴 2479
隹 雟 2492
雘 2492
雨 霸 2508
霽 2508
霹 2508
霿 2508
霣 2508
霸 2508
霿 2508
黮 2509
面 靨 2519
靦 2519
靧 2519
靧 2519
革 韃 2529
韄 2529
韈 2530
韊 2530
韁 2530
韡 2530
鞽 2530
韋 韠 2535
韣 2535
韡 2535
韭 韲 2536
頁 顥 2555
顦 2556
顧 2556
顪 2556
顙 2556
顤 2556
顥 2556
顓 2556
風 飂 2565
飃 2565
飆 2565
飇 2565
飈 2565
飛 飜 2567
食 饋 2583
饕 2583
饉 2583
饗 2583
饖 2583
饐 2583
饌 2583
饎 2583
饑 2584
饛 2584
饜 2584
饡 2584
饘 2584
饍 2584
饒 2584
饛 2584
䭐 2584
香 馪 2589
馬 騾 2606
驂 2606
驄 2606
驃 2606
驅 2606
驆 2607
驌 2607
驊 2607
驀 2607
驋 2607
驍 2607
驁 2607
驚 2607
骨 髓 2617
髑 2617
髏 2617
髒 2617
髕 2617
髟 鬁 2628
鬘 2628
鬛 2628
鬖 2628
鬑 2628
門 鬫 2631
鬲 鬺 2633
鬻 2634
鬼 魌 2638
魑 2638
魔 2639
魚 鰜 2652
鰭 2652
鰬 2652
鰨 2652
鰣 2652
鰩 2652
鰯 2652
鰥 2652
鰝 2653
鰞 2653
鰟 2653
鰧 2653
鰟 2653
鰤 2653
鰨 2653
鰫 2653
鰫 2653
鰷 2653
鰪 2653
鰻 2653
鰝 2653
鰽 2653
鳥 鷈 2675
鶬 2675
鶴 2675
鶻 2676
鵬 2676
鶔 2676
鶹 2676
鶸 2676
鶺 2676
鷂 2676
鶮 2676
鶷 2676
鶿 2677
鶱 2677
鶾 2677
鶽 2677
鶵 2677
鷄 2677
鷃 2677
鷇 2677
鶼 2677
鷁 2677
鶲 2677
鷊 2677
鶺 2677
鷈 2677
鷉 2677
鷇 2678
鷌 2679
鷖 2679
鷘 2679
鷙 2679
鹵 鹺 2687
鹻 2687
鹾 2687
鹿 麝 2692
麛 2692
麥 麵 2696
麶 2696
麻 麿 2697
黃 黱 2701
黷 2701
黳 2701
黍 黐 2703
黏 2703
黑 黯 2709
黮 2709
黭 2709
黬 2709
黲 2709
黯 2709
黽 鼅 2712
鼓 鼙 2715
鼛 2715
鼜 2716
鼝 2716
鼠 鼱 2718
齊 齎 2722
齒 齦 2724
齧 2725
齣 2725
齩 2725
齢 2725
齥 2725
齤 2725
齡 2725
齰 2725
齳 2725

⿰齒圭 2725
⿰齒虫 2725
⿰齒吉 2725
龜 ⿺走龜 2733
⿰龜句 2733
龝 2733
龠 龡 2734

22획

亠 亹 89
亹 89
人 儻 188
儼 188
口 囊 414
囉 414
囌 414
囅 413
囋 414
囗 圝 431
大 奱 511
女 孋 553
孌 553
子 孿 567
宀 寱 601
尢 ⿺尢麗 618
山 巒 655
巓 655
巑 655
巕 656
巾 ⿰𠂤帚 683
广 廱 711
廾 ⿱䜌廾 716
弓 彎 729
彡 彲 736
心 懿 827
⿰忄羅 829
⿰忄贊 829
戈 戵 838
手 攡 919
攔 919
攎 919
攤 919
攦 919
攞 919
攢 919
攤 919
攴 ⿰鬳攵 943
木 權 1123
欋 1124
欆 1124
欇 1124
欌 1124
欃 1124
⿱龍木 1125
欗 1125
欐 1125
欠 歡 1136
⿰鬳欠 1137
毛 氍 1169
水 瀆 1318
灓 1318
灘 1318
灖 1318
灑 1318
灤 1318
灒 1318
灘 1318
⿰氵羅 1319
灃 1319
火 爟 1363
爝 1363
爖 1363
爓 1364
爆 1364
牛 犪 1386
犫 1386
⿰牛嬰 1386
犬 玀 1409
玉 瓔 1444
瓘 1445
瓗 1445
瓕 1445
瓜 瓤 1447
瓦 甗 1451
田 疊 1475
疉 1475
疒 癬 1497
癭 1497
癮 1497
目 ⿰目聽 1554
石 礴 1588
礸 1588
示 禮 1606
禳 1606
禴 1606
禾 穰 1632
穱 1632
穴 竊 1645
立 竸 1652
竹 籞 1692
籦 1692
籥 1692
籙 1692
籟 1692
籠 1692
籯 1692
籫 1692
籛 1692
籜 1692
籘 1693
籚 1693
籗 1693
米 ⿰米雚 1709
糵 1709
糴 1709
糱 1709
糸 纏 1780
繼 1780
纆 1780
纑 1780
纓 1780
纘 1780
纈 1780
纖 1780
纆 1780
缶 罍 1786
罏 1786
网 羇 1794
羊 ⿰羊麗 1803
耳 聽 1830
聽 1831
聾 1831
⿰耳賣 1831
肉 臞 1869
臛 1869
臝 1869
臟 1869
舟 艫 1892
⿰舟龍 1892
⿰舟歷 1892
⿰舟詹 1892
色 艷 1895
艸 藿 1992
蘳 1992
蘜 1992
蘤 1992
蘬 1992
蘺 1992
蘶 1992
蘇 1992
蘦 1992
藏 1992
蘵 1992
蘹 1992
蘴 1992
虫 蠦 2038
蠧 2038
蠵 2038
⿰虫歷 2038
蠿 2038
蠪 2038
蠬 2038
蠹 2038
蠭 2038
𧕖 2038
蠥 2038
蠩 2038
蠱 2038
衣 襲 2080
襲 2080
襴 2080
襳 2080
⿰衤雚 2081
襶 2081
⿰衤嬰 2081
見 覿 2094
覾 2094
角 觼 2102
⿰角賣 2102
觻 2102
言 讀 2162
⿰言虢 2163
讅 2163
讄 2163
讁 2163
讂 2163
讆 2163
讖 2163
⿰言慧 2163
讂 2163
讃 2164
變 2164
讅 2164
讀 2164
谷 ⿰谷賣 2170
豆 ⿰豆幾 2173
貝 贕 2209
贖 2209
贗 2209
走 ⿺走夐 2223
⿺走韱 2223
⿺走賣 2223
⿺走樂 2223
趲 2223
足 躐 2250
⿰足廣 2251
⿰足畾 2251
躒 2251
⿰足厲 2251
躔 2251
躕 2251
躑 2251
躦 2251
⿰足徹 2251
躚 2251
躓 2251
身 軀 2256
車 轢 2280
轠 2280
轞 2280
⿰車賣 2280
轡 2280
轗 2280
邑 酈 2349
酇 2349
酉 ⿰酉暴 2364
釆 ⿰釆廣 2366
金 鑣 2421
鑑 2422
鑏 2422
⿰金業 2422
鑌 2422
鑄 2422
鑐 2422
⿰金尌 2422
鐵 2422
鑠 2422
鑊 2422
鑟 2423
鑿 2423
鑒 2423
鑈 2423
鑃 2423
⿰金㬎 2423
門 ⿵門爾 2448
⿵門寧 2448
隹 雗 2492
⿰辟隹 2492
雝 2492
雨 ⿱雨鬼 2509
霸 2509
霾 2509
霿 2509
⿱雨漫 2509
⿱雨酸 2509
霽 2509
⿱雨覓 2509
⿱雨氣 2509
革 韁 2530
鞹 2530
鞨 2530
韃 2530
韇 2530
⿰革雍 2530
韣 2530
韂 2530
韋 ⿰韋蜀 2535
⿰韋詹 2535
音 響 2538
⿰音贊 2539
頁 類 2557
⿰嵩頁 2557
顩 2557
顫 2557
顯 2557
顛 2557
顣 2557
風 颸 2565
飛 飝 2567
食 饘 2584

䭠 2585
𩞃 2585
䭢 2585
饄 2585
𩟊 2585
饔 2585
𩟐 2585
𩟔 2585
饙 2585
饖 2585
𩟗 2585
𩟄 2585
饕 2585
䭳 2585
𩟁 2585
𩟖 2585
饗 2585
馬 驈 2607
驊 2607
驍 2607
𩣡 2608
驕 2608
驔 2608
𩤐 2608
驐 2608
驓 2608
驎 2608
驏 2608
驒 2608
驉 2608
𩤲 2609
驑 2609
𩥭 2609
𩦐 2609
驝 2609
骨 𩪺 2617
髍 2617
髕 2617
𩪻 2617
䯨 2617
髐 2617
髟 鬢 2629
鬛 2629
鬜 2629
鬞 2629
鬠 2629
鬣 2629
鬙 2629
鬚 2629
鬥 鬫 2631
鬲 鬻 2634
鬼 魕 2639
魕 2639
魙 2639
魑 2639
魒 2639
魖 2639
魚 鰝 2653
鰹 2653
鰱 2653
鰻 2653
鰲 2653
鰶 2653
鰾 2653
鰸 2654
鱉 2654
鱀 2654
鱍 2654
鱇 2654
鱅 2654
鱆 2654
鱃 2654
鱄 2654
鱃 2654
鰺 2654
鱐 2654
鱉 2654
鱌 2654
鱒 2654
鱑 2654
鱁 2654
鳥 鷗 2679
鷗 2679
鷎 2679
鷔 2679
鷓 2679
鷜 2680
鷙 2680
鷛 2680
鷟 2680
鷖 2680
鷚 2680
鷃 2680
鷊 2680
鷕 2680
鷙 2680
鷩 2680
鷺 2680
鷯 2680
鷨 2680
鶴 2680
鷞 2681
鷲 2681
鷩 2681
鹿 麞 2692
黃 黊 2701
黈 2701
黍 黐 2703
黑 黮 2709
黱 2709
黬 2709
鼓 鼙 2716
鼚 2716
鼛 2716
鼠 鼵 2718
鼷 2718
鼴 2718
鼳 2718
鼻 齂 2719
齒 齘 2725
齗 2725
齛 2725
齝 2725
齞 2725
齠 2726
齡 2726
齦 2726
齔 2726
龍 龔 2731
龕 2732
龑 2732
龓 2732
龒 2732
龠 龢 2734

23획

人 儽 188
儾 188
冂 𠔉 224
刀 劘 271
劙 271
口 囍 414
囐 414
囒 414
土 壧 472
夊 夒 477
女 孅 553
山 巙 656
巖 656
巘 656
巚 656
弓 彏 729
心 戀 828
戁 829
戃 829
戄 829
手 攣 919
攪 920
攩 920
攫 920
攬 920
斗 斖 951
日 曬 1004
曮 1004
曫 1004
曪 1004
木 欒 1125
欏 1125
欐 1125
欑 1125
欓 1125
欙 1125
欖 1125
欗 1125
欄 1125
欠 欐 1137
歹 殲 1155
殳 毊 1160
水 灑 1319
灒 1319
灐 1319
灕 1319
灡 1319
火 爢 1364
爟 1364
爣 1364
犬 玃 1409
獵 1409
玃 1409
玁 1410
玉 瓚 1445
疒 癯 1497
癰 1497
白 皭 1515
目 矔 1554
石 礶 1588
礵 1588
禾 穳 1632
穲 1632
竹 籧 1693
籧 1693
籞 1693
籢 1693
籣 1693
籤 1693
籑 1693
籥 1693
籦 1694
籧 1694
籪 1694
籟 1694
米 糵 1709
糸 纓 1780
纖 1781
纕 1781
纔 1781
纗 1782
纛 1782
纙 1782
纚 1782
缶 罏 1786
网 羅 1794
羊 羺 1804
耳 聵 1831
肉 臢 1870
舌 舙 1885
舚 1885
舟 艫 1892
艸 蘥 1992
蘫 1992
蘩 1992
蘴 1992
蘺 1992
蘸 1992
蘼 1993
虈 1993
蘿 1993
蘿 1993
蘖 1993
蘱 1993
蘪 1993
蘬 1993
蘵 1993
虉 1993
虫 蠱 2038
蠰 2039
蠲 2039
蠵 2039
蠕 2039
蠭 2039
蠨 2039
蠰 2039
蠳 2039
蠬 2039
蠦 2039
蠥 2039
衣 襶 2081
襮 2081
襵 2081
襾 覊 2086
角 觿 2102
言 讌 2164
讍 2164
讕 2164
讔 2164
變 2164
讌 2165
讎 2165
讐 2165
讋 2165
讇 2165
谷 豅 2170
豸 玀 2183
貝 贙 2209
贙 2209
走 趲 2223
足 躏 2251
躐 2251

𨇤 2251
躝 2251
躃 2251
𨈀 2252
躘 2252
躚 2252
躠 2252
躛 2252
身 𨊀 2256
車 轣 2280
䡫 2280
轤 2280
辵 𨙇 2328
邏 2328
邐 2328
邑 酇 2350
酉 𨣾 2364
醼 2364
金 鑛 2423
鑟 2423
鑯 2423
鑗 2423
鑢 2423
鑠 2423
鑕 2423
鑼 2423
鑙 2424
鑭 2424
鑽 2424
鑣 2424
鑤 2424

鑚 2424
長 𨱔 2430
雨 霮 2509
靁 2509
面 靨 2519
革 韃 2530
韇 2530
韊 2530
𩏂 2530
韄 2530
𩏠 2531
韅 2531
韭 韲 2536
音 𩐨 2539
頁 顬 2557
顯 2557
顴 2558
顭 2558
顬 2558
風 飍 2566
食 饘 2586
𩟄 2586
饛 2586
饜 2586
饕 2586
饖 2586
馬 𩧲 2609
驌 2609
驛 2609
驖 2609
驗 2609

驚 2610
驙 2610
驘 2610
𩧐 2610
𩧋 2610
𩧕 2611
骨 𩩕 2617
𩩼 2617
䯢 2617
髒 2617
髑 2617
髓 2618
𩪓 2618
體 2618
𩪧 2619
髟 鬠 2629
鬞 2629
鬟 2629
鬲 𩰿 2634
𩱀 2634
𩱁 2634
鬼 魖 2639
魚 鱏 2654
鱛 2654
鱚 2654
鱒 2654
鱇 2655
鰊 2655
鱖 2655
鱥 2655
鱆 2655

鱗 2655
鱍 2655
鱓 2655
鱔 2655
鱘 2655
鱊 2655
鱌 2655
鱝 2655
鱎 2656
鱋 2656
鰵 2656
鱉 2656
鳥 鷏 2681
鷊 2681
鷎 2681
鶴 2681
鷑 2681
鷈 2681
鷁 2681
鷂 2681
鷇 2681
鶵 2681
鷓 2681
鷕 2681
鷚 2681
鷤 2682
鷅 2682
鷹 2682
鷵 2682
鷭 2682
鷹 2682

鷺 2682
鷩 2682
鷦 2682
鷟 2682
鷫 2682
鷲 2682
鷧 2682
鷾 2682
鷻 2682
鷲 2682
鷳 2682
鷴 2682
鷔 2683
鷔 2683
鷩 2683
鹵 鹼 2687
鹼 2687
鹿 麟 2692
麢 2693
麥 麳 2696
麴 2696
麻 麼 2697
黍 黐 2703
黐 2703
黑 黴 2709
黶 2709
黲 2709
黹 黼 2711
鼓 鼕 2716
鼕 2716
鼠 鼷 2718

鼸 2718
鼹 2718
鼷 2718
鼹 2718
鼻 齆 2720
齃 2720
齊 齏 2722
齒 齯 2726
齫 2726
齬 2726
齭 2726
齰 2726
齮 2726
齯 2726
齰 2726
齱 2726
齪 2726
齳 2726
齵 2726
齝 2726

24획

人 儽 188
匸 匵 294
口 囓 414
囑 414
土 壈 472
壩 472
大 奲 511
女 孄 554
尸 屭 628
心 戇 829

手 攮 920
攭 920
攬 920
攩 920
日 曭 1004
曮 1004
月 臢 1023
木 欓 1125
櫃 1125
欙 1125
欘 1125
欛 1125
殳 鸏 1160
水 灢 1319
灠 1319
灡 1319
灟 1319
灞 1319
灝 1319
火 爣 1364
玉 瓛 1445
疒 癲 1498
癲 1498
癱 1498
皮 皾 1518
目 矖 1554
矕 1554
矗 1554
矛 矡 1556
石 礸 1588
示 禷 1606

禶 1606
禷 1606
禾 穲 1632
穳 1632
穴 竊 1646
竹 籗 1694
籗 1694
籪 1694
籰 1694
糸 纗 1782
纛 1782
纗 1782
纕 1782
纔 1782
缶 罐 1786
网 羈 1794
羉 1795
耒 耀 1821
艭 1892
色 艷 1895
艸 虉 1993
蘸 1993
蘺 1993
虃 1993
虫 蠶 2040
蠹 2040
蠶 2040
蠺 2040
蠵 2040
蠸 2041
蠽 2041

蠷 2041
血 衋 2044
行 衢 2051
衣 襹 2081
襹 2081
襻 2081
襹 2081
襼 2081
襸 2081
言 讒 2165
讓 2166
讔 2166
譶 2166
讘 2166
讕 2166
讖 2166
貝 贛 2209
贛 2209
贚 2209
走 趲 2223
足 躃 2252
躧 2252
躔 2252
躝 2252
躙 2252
躞 2252
躠 2252
躟 2252
躚 2252
躦 2252
車 轥 2280

辛 韗 2285
酉 醬 2364
醽 2364
醾 2364
醿 2364
釀 2364
金 鑚 2424
鑍 2424
鑰 2424
鑪 2424
鑨 2424
鑩 2424
鑮 2424
鑫 2424
門 闤 2448
闠 2448
隹 雔 2492
離 2492
雨 靂 2509
靃 2509
靇 2510
靈 2510
靄 2510
靆 2511
靅 2511
革 韇 2531
韈 2531
韆 2531
韋 韣 2535
韤 2536
音 讟 2539
頁 顰 2558
風 飃 2566
馬 驈 2611
驖 2611
驟 2611
驉 2611
驟 2611
驥 2611
骨 髕 2619
髟 鬢 2629
鬣 2629
鬤 2630
鬡 2630
鬟 2630
門 鬭 2631
鬬 2631
鬲 鬻 2634
鬼 魘 2639
魗 2639
魙 2639
魒 2639
魚 鱖 2656
鱣 2656
鱧 2656
鱛 2656
鱢 2656
鱐 2656
鱦 2656
鱶 2656
鱣 2656
鱵 2656
鱠 2656
鱞 2656
鱟 2656
鳥 鸇 2683
鸂 2683
鸀 2683
鸅 2683
鸐 2683
鸏 2683
鸌 2683
鸑 2683
鸃 2683
鸄 2683
鸆 2683
鸎 2683
鸒 2683
鸓 2683
鸔 2684
鸍 2684
鷺 2684
鸕 2684
鷽 2684
鷹 2684
鸉 2684
鹵 鹹 2688
鹽 2688
鹼 2688
鹿 麠 2693
麥 麷 2696
麴 2696
麻 黂 2698
黃 黊 2701
黑 黵 2710
黶 2710
黷 2710
黸 2710
黽 鼇 2712
鼓 鼜 2716
鼻 齈 2720
齒 齴 2726
齹 2727
齳 2727
齱 2727
齲 2727
齰 2727
齶 2727
齺 2727
齵 2727
齪 2727
齸 2727

25획

口 囔 414
土 壩 472
子 孿 567
广 廳 711
心 戇 829
手 攮 920
攭 920
斤 斸 957
日 曮 1004
木 欖 1125
欗 1125
欘 1125
欙 1126
欛 1126
水 灢 1319
灣 1319
火 爤 1364
爥 1364
疒 癭 1498
白 皭 1515
目 矘 1554
矙 1555
矖 1555
矛 矡 1557
内 禷 1608
禾 穫 1632
穳 1632
竹 籬 1694
籮 1694
籩 1694
籭 1694
米 糳 1709
糶 1709
糴 1709
糸 纚 1782
纙 1782
纘 1782
肉 臠 1870
臡 1870
舟 艭 1893
艸 虆 1993
蘸 1993
蘿 1994
虈 1994
虇 1994
蘵 1994
虫 蠼 2041
蠻 2041
衣 襻 2081
襶 2081
襸 2081
襼 2081
襾 覊 2086
見 觀 2094
覽 2094
覾 2094
角 觿 2102
言 讙 2166
讘 2167
讒 2167
讛 2167
讗 2167
豸 貜 2183
貝 贜 2209
走 趲 2223
趯 2223
足 躡 2252
躪 2252
躣 2253
躍 2253
躝 2253
躙 2253
躖 2253
躞 2253
車 轞 2280
轠 2280
酉 醽 2364
釁 2364
金 钄 2424
鑮 2424
鑰 2424
鑯 2424
鑲 2425
鑱 2425
雨 靏 2512
靂 2512
靄 2512
靉 2512
革 韉 2531
韇 2531
韊 2531
頁 顱 2558
顳 2558
顴 2558
風 飅 2566
食 饡 2586
饢 2586
馬 驠 2611
驞 2611
驝 2611
驡 2611
骨 髖 2619
高 髗 2623
髟 鬛 2630
鬲 鬺 2634
魚 鱨 2656
鱮 2657
鱭 2657
鱯 2657
鳥 鸋 2684
鸓 2684
鸍 2684
鸎 2684
鸑 2684
鸐 2684
鸏 2685
鸒 2685
鹵 鹽 2688
鹿 麢 2693
黃 黌 2701
黍 黐 2703
黑 黶 2710
黷 2710
黸 2710
黵 2710
黽 鼈 2712
鼉 2713
鼓 鼟 2716
鼕 2716
鼻 齇 2720
齒 齹 2727
齰 2727
齶 2727
齯 2727
齳 2727
齵 2727
齶 2727
髑 2728
齺 2728
齷 2728
齸 2728
龠 龣 2734

26획

口 囍 414
口 圞 431
彐 彟 731
木 欜 1126
欝 1126
欎 1126
毛 氎 1169
水 灤 1319
灨 1320
灩 1320
疒 癵 1498
目 矚 1555
示 禶 1606
禾 穳 1632
竹 籯 1694
籰 1695
籱 1695
糸 纝 1782
虍 虪 2001
虫 蠷 2041

衣 襻 2081
襡 2081
見 覼 2095
言 讀 2167
讛 2167
讚 2167
走 趲 2223
足 躧 2253
躦 2253
車 轡 2280
轒 2280
西 醾 2365
釃 2365
金 鑽 2425
鑺 2425
鑵 2425
鑡 2425
鑹 2425
鑷 2425
鑘 2425
鑱 2425
鑴 2425
雨 靊 2512
革 韈 2531
韆 2531
韉 2531
頁 顯 2558
風 飌 2566
食 饞 2586
饟 2586
馬 驩 2611
驣 2611
驢 2611
驡 2611
骨 髕 2619
髍 2619
髟 鬢 2630
鬲 鬻 2634
魚 鱲 2657
鱳 2657
鱴 2657
鱶 2657
鱜 2657
鱵 2657
鳥 鸝 2685
鷩 2685
鸛 2685
鸞 2685
鸓 2685
鸚 2685
麥 麶 2696
黑 黸 2710
黶 2710
黽 鼉 2713
鼓 鼟 2716
齒 齵 2728
齷 2728
龠 龥 2734
龤 2734

27획

木 櫜 1126
水 灝 1320
灑 1320
牛 犫 1386
犬 玁 1410
示 禷 1606
竹 籯 1695
米 糷 1709
糳 1709
糸 纅 1782
纜 1783
纗 1783
艸 虉 1994
虆 1994
虊 1994
虈 1994
虫 蠹 2041
蠷 2041
蠽 2041
蠾 2041
衣 襶 2081
言 讜 2167
讞 2167
讛 2167
豆 豓 2173
豸 貜 2183
走 趯 2224
足 躩 2253
躪 2253
躨 2253
車 轙 2280
轥 2281
轣 2281
酉 醲 2365
釅 2365
金 鑼 2425
鑹 2425
鑽 2425
鑾 2426
門 闤 2448
雨 靂 2512
革 韉 2531
頁 顴 2559
顳 2559
顲 2559
風 飌 2566
飍 2566
首 䭜 2588
香 馫 2589
馬 驦 2611
驥 2611
驤 2611
驧 2612
驨 2612
驪 2612
髟 鬤 2630
鬥 鬮 2631
魚 鱹 2657
鱱 2657
鱸 2657
鱷 2657
鳥 鸛 2685
鸐 2685
鸇 2685
鸕 2685
鸗 2685
鸊 2685
鷰 2685
鸛 2685
黑 黵 2710
黷 2710
鼓 鼛 2716
鼻 齈 2720
齒 齸 2728
齫 2728
䶧 2728
齳 2728
龜 龝 2733
龠 龣 2734

28획

心 戇 829
木 欞 1126
水 灤 1319
疒 癵 1498
艸 虋 1994
虌 1994
虇 1994
虃 1994
虍 虪 2001
虫 蠶 2041
蠹 2041
蠰 2041
豆 豔 2173
足 躅 2253
車 轣 2281
西 醿 2365
金 钁 2426
钂 2426
鑯 2426
鑿 2426
𨰻 2426
钀 2426
鑿 2426
隹 雧 2492
面 靨 2520
革 韆 2531
韋 韤 2536
食 饠 2586
饡 2586
馬 驩 2612
驧 2612
驩 2612
骨 髖 2619
鬯 鬰 2631
鬼 魖 2639
鳥 鸖 2685
鸚 2685
鹿 麢 2693
黑 黷 2710
黸 2710
鼠 鼺 2718
齒 齺 2728
齽 2728
齾 2728
齼 2728

29획

火 爨 1364
皿 盭 1527
糸 纞 1783
艸 虋 1994
虌 1994
衣 襹 2081
言 讟 2167
豆 豒 2173
足 躞 2253
躛 2253
金 钄 2426
钃 2426
韋 韥 2536
馬 驪 2612
鬯 鬱 2632
魚 鱹 2657
鱺 2657
鳥 鸝 2685
鸛 2686
鸜 2686
麥 麷 2696
黑 黬 2710
齒 齏 2728

30획

疒 癴 1498
禾 穮 1632
竹 籲 1695
籱 1695
血 䘓 2045
隹 雦 2492
革 韊 2531
馬 驪 2612
驫 2612
驫 2612
鬲 鬻 2634
鬻 2634
魚 鱺 2657
鳥 鸝 2686
鸞 2686
麥 𪌷 2696

31획

水 灩 1320
糸 纝 1783
西 醽 2365
魚 鱨 2658
麻 麣 2698
鼠 鼸 2718
齒 齾 2728

32획

水 灪 1320
竹 籯 1695
鬼 魕 2639
魚 鱐 2658
龍 龖 2732

33획

火 爩 1364
革 𩏪 2531
韊 2531
魚 鱻 2658
鳥 𪈿 2686
鹿 麤 2693
龠 龢 2734

35획

鳥 鸜 2686
齒 䶫 2728

36획

雨 靐 2512
鳥 鸙 2686
鼻 齉 2720

37획

艸 虉 1994

48획

龍 龘 2732

64획

龍 𪚥 2732

字音索引

• 이 字典에 수록된 表題字를 '가나다' 순으로 配列하고, 同音字는 部首·畫數順으로 늘어놓고 그 옆에 本文의 쪽수를 표시하였다.
• 한 글자가 몇 개의 음을 가질 때에는 각 음마다 실었다. 또, 本音과 俗音도 각각 그 음 자리에 실었다.

가

仮 112
伽 115
佳 126
価 134
假 157
傢 168
價 180
徦 224
冢 227
加 272
卡 312
叚 333
叚 333
可 338
呵 362
咖 366
哥 374
哿 374
哥 377
嘉 401
坷 441
妿 524
嫁 543
宊 572
宎 577
家 582
岢 635
幏 679
㢛 703
戨 717
假 751
忦 763
抲 859
斝 950
旮 970
暇 994
枷 1048
柯 1052
架 1054
椵 1083
楮 1089
榢 1091
榎 1091
檟 1115
檽 1120
㰤 1128
歌 1133
歌 1133
𣥈 1142
毠 1166
毼 1168
泇 1212
渮 1258
滒 1277
炣 1370
牁 1379
㸰 1381
犌 1383
㹢 1392
猳 1401
獦 1402
珂 1420
珈 1420
痂 1482
瘸 1494
乩 1509
砢 1567
稼 1625
笳 1659
笴 1659
篙 1681
架 1698
耞 1819
閣 1839
腵 1858
舝 1885
舜 1886
舦 1888
舸 1888
茄 1912
苛 1906
葭 1946
蔄 1977
蚵 2008
䖀 2009
街 2048
袔 2060
袈 2060
鬉 2073
訶 2112
謌 2138
謑 2146
䛟 2146
謌 2150
豭 2177
貑 2182
賈 2197
跏 2227
跒 2229
路 2241
軻 2263
迦 2291
遐 2313
䣩 2354
駕 2597
骼 2616
魺 2644
駉 2663
鴐 2665
鴚 2665
鴐 2665
鴚 2679
䳵 2683
麚 2690
麚 2692
齖 2724
齰 2727

각

㑟 163
傕 166
刻 254
刻 254
刻 255
㓥 266
却 315
卻 316
卻 318
各 347
咯 370
㕡 433
埆 445
塙 458
壳 473
㱿 476
肯 629
恪 778
愙 796
㦗 803
愨 803
慤 811
捔 872
搉 892
擱 914
攉 917
竟 947
斠 950
格 1060
桷 1067
梏 1068
梡 1070
榷 1093
殻 1156
殼 1157
㱿 1159
觳 1160
㴸 1277
珏 1418
玨 1422
瑴 1436
瑴 1437
㾡 1487
瘸 1490
皵 1516
睢 1548
𥇦 1552
确 1573
硞 1574
殼 1582
礐 1586
礭 1588
礐 1588
𥬀 1667
篧 1676
繑 1771
𦈢 1784
肐 1835
胳 1845
脚 1848
膷 1859
𣪊 1860
蜐 2014
蝍 2023
蠼 2041
袼 2061
覐 2087
覚 2089
𧡆 2089
覺 2093
角 2095
𧢲 2096
觳 2101
觷 2102
谷 2168
䜫 2173
趯 2224
跍 2228
踋 2235
蹻 2248
躩 2253
較 2261
較 2264
轚 2281
𨕥 2320
鄗 2349
閣 2438
𨹐 2457
顴 2554
騅 2605
鬲 2610
驩 2611
髉 2616
鬥 2630
鮥 2645
龣 2734

간

侃 129
偘 129
𠆰 146
偘 164
𠏙 186
刊 244
啨 382
囏 414
囏 414
垦 445
墾 457
墾 468
奸 513
姦 526
姧 526
婜 539
屽 620
干 684
幹 689
忓 759
恳 775
𢘓 781
慳 813
懇 819
懇 819
𢧐 834
拣 863
揀 886
攐 893
擀 911
斡 950
旰 971
暕 996
杆 1034
柬 1054
栞 1064

字音

梘	1068	秆	1611	衈	2062	鐗	2425	乫	63	秸	1616	頡	2545	𢋈	618	泔	1205
桿	1072	稈	1618	襇	2077	間	2435	㓞	244	稭	1622	𩓣	2553	𡶈	645	淦	1242
栞	1081	竿	1654	襉	2081	間	2436	割	255	䅥	1624	駒	2596	嵌	645	減	1255
梓	1089	簡	1685	覵	2093	閒	2436	契	260	竭	1650	䮗	2606	嵁	647	澉	1298
榦	1096	簡	1686	覸	2094	閑	2437	咭	371	篕	1677	骱	2614	弇	715	灨	1320
榦	1116	簡	1687	𧤯	2101	限	2477	喝	391	䈓	1689	髂	2616	㤌	770	㺂	1404
涆	1223	簳	1688	詪	2124	雃	2480	嘎	400	𥺈	1705	𪃷	2674	惂	793	玪	1419
澗	1294	粯	1700	諌	2125	𩃎	2509	噶	408	羯	1802	鶡	2684	感	795	玵	1421
澗	1294	繝	1773	譋	2132	䩐	2519	圿	439	葜	1943	鴶	2685	憨	815	瑊	1435
澗	1317	羥	1800	諫	2141	靬	2520	嵑	647	葜	1943	齃	2728	憾	821	坈	1448
玕	1417	翰	1810	𧮘	2170	䩖	2527	嶱	653	葛	1944	감		戡	833	甘	1452
琾	1428	肝	1835	貇	2175	頇	2542	扴	847	菰	1964	龛	174	戡	835	甘	1453
癇	1495	䐗	1864	豤	2176	頣	2546	拮	865	藒	1967	减	231	𡱒	840	㽏	1453
癎	1495	臤	1871	豻	2176	顅	2549	㪡	939	䕣	1972	凵	235	撖	908	𤯌	1453
癎	1495	艮	1893	貋	2177	顅	2550	暍	994	䕣	1979	勘	280	撼	909	疳	1480
奸	1516	艰	1894	貇	2181	馯	2592	擖	1003	蛣	1992	匳	294	㪁	926	监	1520
皯	1516	艱	1894	贛	2212	䮽	2603	曷	1006	蝎	2020	厰	323	敢	935	監	1523
盰	1518	艱	1894	赶	2214	骭	2627	楬	1087	蠍	2034	厱	324	敢	935	𥃝	1527
旱	1528	芉	1898	趕	2218	鬝	2628	歇	1132	褐	2070	敢	333	㪉	938	䁓	1546
旰	1528	茛	1914	趕	2221	鬜	2629	毼	1168	褐	2077	咁	364	𣅜	971	瞰	1551
看	1534	菅	1929	趼	2225	鳱	2660	渴	1253	訐	2106	咸	373	柑	1050	䁙	1553
看	1538	葌	1948	𨋢	2266	鳱	2660	渇	1260	趨	2221	𡄯	407	椷	1083	矙	1555
𥄲	1549	蕑	1967	輱	2275	鵳	2679	濭	1305	輵	2272	坎	438	橄	1108	矙	1555
晵	1549	蕳	1967	䡅	2278	䵟	2704	瀫	1305	轕	2279	坩	441	欦	1128	砍	1566
瞯	1551	䕡	1977	迁	2288	鼾	2714	猲	1400	轞	2280	埳	449	欿	1132	磡	1583
瞷	1551	蘇	1981	迀	2306	齦	2724	猰	1401	鄬	2348	堪	455	𣢑	1132	𥗤	1586
瞯	1551	蕢	1984	鄿	2345	齦	2725	獦	1406	鍻	2408	堿	456	歁	1133	礛	1587
䵎	1554	虷	2002	鏊	2345	𪘏	2726	㾓	1490	𩊅	2521	𡎺	461	㰹	1133	竷	1652
硍	1571	衎	2047	𨣍	2363	齺	2728	盍	1519	鞂	2523	𡓙	468	歛	1136	𥬰	1660
磵	1585	衦	2052	釬	2378	갈		砎	1566	鞨	2527	𡣚	541	𣪘	1157	篢	1680
磵	1585	衦	2062	鐧	2417	夕	53	碣	1577	鞨	2530	廞	618	汵	1195	䉈	1695

柑 1699
紺 1724
緊 1775
芡 1899
苷 1913
葴 1970
蘫 1994
蚶 2006
蜬 2018
𥁎 2027
嵅 2044
嵌 2044
贑 2045
艦 2102
詌 2113
諗 2126
䛳 2139
譼 2146
䜗 2153
譀 2157
譼 2162
蹈 2172
𧵠 2194
贑 2208
贛 2209
贛 2209
贑 2209
輡 2271
輱 2272
轗 2276
轗 2278
酣 2354
醶 2364
鉴 2387
錎 2403
鑒 2408
鑑 2422
鑒 2423
鑬 2424
鑬 2426
闞 2447
闞 2447
雂 2483
霅 2500
靲 2522
頷 2542
頕 2545
頷 2550
顑 2557
顲 2558
颭 2562
飦 2572
𩜆 2580
鹼 2617
鬑 2625
鰔 2651
鱤 2656
鳹 2663
䳚 2666
鵮 2671
鹶 2687
鹹 2687
鹻 2687
𪋎 2687
鹼 2688
鹹 2688
鹽 2688
黚 2706
黔 2708
黬 2710
䶄 2717
䶠 2727
齫 2727
龕 2731
龕 2732
龡 2733
갑
㑃 114
佮 134
匣 293
厡 319
𠪀 322
廅 322
喊 405
岬 636
帢 671
㡊 679
押 857
搕 895
敆 929
柙 1051
柗 1063
㭱 1071
㽡 1453
曆 1453
甲 1459
𤸰 1489
𤸷 1491
瞌 1548
𥡆 1556
磕 1578
磕 1581
䆙 1638
胛 1841
舺 1889
䘥 2059
袷 2068
䜎 2139
謵 2162
𨀥 2228
䡤 2275
郃 2341
䣆 2343
醘 2361
鉀 2382
𨦡 2408
閘 2437
䩭 2529
頜 2545
䰢 2637
강
信 123
但 123
佭 127
傹 171
僵 179
冈 221
剛 260
剛 263
㓻 265
勥 284
勥 285
匟 292
啌 383
咣 383
亢 433
堈 451
堽 456
堽 459
壃 468
夅 476
奋 504
姜 531
嫝 546
㝩 598
對 609
㟨 629
岡 637
罡 637
岡 637
崗 644
嵹 649
庆 693
康 700
慶 704
弜 720
強 725
弶 727
强 727
彊 728
忼 764
慶 807
慷 814
扛 845
掆 878
控 883
揘 897
摬 901
杠 1037
杵 1045
栙 1057
棡 1077
椌 1079
桯 1096
槺 1104
橿 1113
㱼 1135
殭 1154
江 1185
港 1259
漮 1285
滰 1286
漒 1286
𣻂 1301
焵 1335
犅 1382
𤛫 1385
犺 1388
玒 1418
瓨 1447
瓬 1448
𤭛 1449
甗 1450
䀭 1464
畕 1465
畺 1471
疆 1474
𥈠 1549
矼 1565
砊 1566
碙 1576
硗 1576
䃶 1583
礓 1586
穅 1627
䆲 1643
笐 1656
箜 1663
粇 1697
康 1700
糠 1707
糡 1707
糨 1707
絳 1736
絺 1737
綱 1747
繦 1760
繈 1769
繮 1775
䍂 1784
罡 1787
羌 1795
羗 1797
羫 1801
耩 1821
肛 1847
腔 1853
膙 1862
舡 1887
苀 1899
茳 1916
董 1951
蔃 1959
薑 1974
蘁 1989
𧆈 1993
虹 2002
蚢 2005
蟯 2016
螗 2029
䗵 2035
蠸 2041
袶 2068
襁 2075
䙺 2078
䙿 2080
舡 2096
舩 2097
講 2148
讐 2152
谾 2168
豇 2170
跭 2171
䝮 2177
䠊 2245
躴 2254
躿 2255
𨊸 2259
䡉 2261
𨍉 2276
邟 2329
酐 2353
釭 2378
鋼 2397
鋥 2409
鏹 2414
䥽 2418
鑷 2424
閌 2434
阬 2450
降 2455
𨹅 2468
𨻶 2474
韁 2530
顜 2554
颽 2564
𩞁 2583
䮫 2602
骯 2616

魟 2641
魧 2643
魧 2643
鱇 2654
䶂 2687
鼿 2687
齀 2687
麇 2697
黋 2701

개

丐 38
个 43
丯 48
开 74
介 94
仈 104
价 106
伵 112
個 149
凱 234
剀 264
匃 286
匄 286
喈 389
嘅 399
垓 443
塏 457
夰 502
姟 530
嫛 550
夼 572
尬 617
岂 633
岕 634
峅 634
帢 668
庎 694
偕 751
𢗊 762
忦 764
忾 765
恝 774
愒 802
愷 805
愾 806
慨 807
慨 813
慨 813
懇 821
戤 835
抚 854
扢 854
揩 890
摡 900
改 923
敳 939
皆 978
暟 996
杚 1037
𣏄 1044
楷 1089
概 1090
榿 1094
概 1096
槪 1098
槩 1106
𣩴 1153
豛 1156
毅 1156
㲘 1166
湝 1265
漑 1285
濭 1310
𤘲 1379
犗 1384
玠 1418
疥 1479
痎 1484
㾑 1489
𤺺 1491
𤻲 1495
皆 1512
盖 1520
盍 1523
𥏶 1556
砎 1566
䃈 1577
磕 1578
磕 1581
礚 1587
祴 1598
稭 1622
箇 1668
篕 1681
簎 1694
紒 1738
緒 1760
腊 1856
䯆 1856
膭 1860
臀 1862
𦡓 1864
艼 1896
芀 1898
芥 1900
葢 1949
蒯 1949
蓋 1955
蔇 1955
藹 1992
蚧 2004
蜹 2023
衸 2054
𧛔 2074
𧞣 2079
解 2097
豈 2170
𧯛 2173
賅 2195
賌 2195
䝨 2198
蠚 2280
䝋 2281
郆 2341
鄐 2343
鍇 2404
鎎 2409
鎧 2410
開 2433
閞 2437
閧 2439
闓 2445
阣 2449
阶 2469
隑 2473
雔 2487
鞜 2528
頉 2541
顗 2554
顡 2558
颽 2564
颽 2564
颽 2564
餩 2574
駭 2594
骱 2616
豪 2623
髤 2624
魀 2635
魪 2642
魪 2642
魺 2644
鴶 2663
鶛 2674
齘 2727

객

喀 389
客 577
挌 888
翮 1809
格 1820
峈 2044
峈 2044
髂 2628
䴸 2634
䴸 2634

갱

坑 438
抭 870
摼 899
更 1006
䁰 1549
硜 1572
硻 1577
礥 1583
秔 1613
稉 1619
粳 1700
粻 1705
羹 1801
羹 1803
臢 1870
賡 2202
䡩 2266
鞕 2271
鞕 2271
逕 2298
鏗 2412
阬 2450
霅 2502
鶊 2633
鶊 2634

갹

噱 390
嗁 393
噱 408
屩 627
臄 1858
臄 1862
臄 1866
衛 2049
谻 2168
谻 2168
谻 2169
蹻 2243
蹻 2247
蹺 2247
醵 2354
醵 2363
蹻 2530

거

举 48
佢 118
佉 123
倨 154
凥 234
凵 235
勮 284
匶 294
去 325
厺 326
呿 363
墟 464
姖 524
寠 590
居 621
屖 622
屖 624
岠 636
崌 645
巪 660
巨 660
幵 715
弆 715
怇 769
懅 822
屦 841
拒 860
抾 863
抾 863
挙 864
据 876
攄 903
攎 903
攑 908
據 912
擧 912
擧 917
秬 947
柿 1052
柜 1054
椐 1074
檬 1114
櫸 1122
敱 1128
歫 1142
泃 1208
渠 1240
渠 1256
濾 1305
炬 1326
狂 1392
琚 1429
璩 1442
痃 1484
瞿 1550
硨 1572
磲 1578
磲 1584
祛 1594
秬 1615
稆 1621
筥 1660
筥 1665
簴 1690
籧 1693
粔 1698
紶 1723
繹 1780

秬 1820
胠 1841
胠 1841
腒 1853
臄 1862
舁 1879
舉 1881
舉 1881
舉 1881
艍 1890
苣 1907
莒 1925
蘧 1965
蕖 1967
蘮 1976
蘧 1990
蘧 1990
虡 2000
蚷 2006
蛣 2008
蜛 2018
蝺 2030
蟝 2031
蠷 2041
祛 2058
裾 2067
褃 2077
襷 2079
粔 2097
艍 2100
詎 2114
詓 2115
誳 2134
虡 2176
豦 2179
豩 2181
賥 2202
貗 2208
趄 2215
趜 2223
屋 2224
距 2229
踞 2237
蹝 2249
車 2256
軧 2263
轘 2278
戟 2280
迲 2292
遽 2324
酤 2354
醵 2363
鉅 2383
鋸 2397
鐻 2421
鑢 2426
阹 2452
隳 2476
巇 2492
鞯 2522
駏 2594
饛 2631
鱋 2639
魼 2643
鮔 2643
鯉 2650
鱸 2656
鴡 2665
鶋 2671
鶪 2682
鸕 2683
麮 2694
麩 2694
麮 2695
麴 2696
鼁 2712
齟 2724
鼃 2733

걱

巪 662

건

乹 65
乾 65
乾 67
亁 68
件 106
健 161
僁 179
僆 183
僊 187
劇 264
囝 422
寋 591
寋 594
巇 651
巏 655
巾 666
建 712
愆 797
愆 797
蹇 804
揵 892
搴 892
揵 893
操 901
攓 905
攐 917
擧 917
攑 918
攟 920
楗 1086
榩 1093
槏 1109
毽 1168
漧 1291
瀽 1316
犍 1383
犍 1384
睷 1546
䇂 1647
筧 1657
糋 1705
腱 1856
腱 1859
虔 1996
蚙 2005
褃 2067
被 2070
褰 2074
襺 2081
襺 2081
覸 2094
觔 2096
諐 2139
諓 2147
謇 2150
譴 2160
譾 2166
譾 2166
蹇 2221
越 2221
踺 2241
蹇 2243
蹇 2252
辛 2281
迉 2306
鄽 2344
鍵 2406
鑳 2421
闉 2448
闒 2448
陡 2469
隳 2476
鞬 2527
韉 2531
餰 2581
騝 2603
騫 2606
驤 2611
鬻 2634
魿 2642
鮯 2644
鯵 2648
鰎 2650
鰬 2652
鱋 2655

걸

乞 62
乬 64
乫 68
偈 158
傑 166
嵥 649
担 858
揭 896
朅 1012
杰 1039
桀 1064
榤 1092
檵 1121
气 1172
渴 1260
滐 1273
碣 1577
碣 1624
磔 1626
籺 1818
芞 1898
芞 1900
藒 1979
藒 1981
藒 1984
虼 2002
蠞 2026
趨 2221
釨 2378

검

佮 111
佽 111
倹 156
儉 182
剣 262
劎 262
劒 266
劍 270
劔 270
劒 270
劔 270
厱 324
撿 912
梌 1081
檢 1115
欠 1126
瞼 1448
瞼 1553
笑 1656
綸 1746
羂 1793
羬 1802
羷 1803
聆 1823
瞼 1855
臉 1866
芡 1899
鈐 2379
鍼 2391
鐱 2419
闔 2448
領 2542
黔 2704
黬 2710

겁

刧 248
刦 251
刼 252
刼 252
刧 275
层 622
怯 772
惻 793
抾 863
拾 866
极 1042
梒 1063
狤 1390
痎 1484
砝 1567
結 1723
蛣 2008
蜐 2014
衱 2053
袷 2061
跲 2232
鉣 2383
鉫 2395
鼀 2602
魥 2642
鵖 2669

게

偈 158
愒 802
憩 811
憇 816
憩 816
揭 890
撅 903
舙 1885
藒 1967

격

击 81
仠 112
佫 128
假 157
挌 379
嗝 395
噭 408
塥 458
墼 468
挌 617

帢 673
佫 740
恪 778
愅 801
憝 821
㪅 834
挌 868
撖 897
搹 897
擊 899
擊 908
敋 929
敫 938
毄 941
格 1060
槅 1090
檄 1114
敫 1132
歔 1136
毃 1159
毄 1159
湨 1265
滆 1277
激 1303
犑 1383
狊 1390
獥 1406
玃 1409
㼧 1451
皦 1552
礊 1586
篙 1690
絡 1738
綌 1740
緙 1755
繳 1775
罊 1785
膈 1859
茖 1922
藅 1975
薂 1976
蘻 1980
虩 2001
虢 2001
虪 2001
蛒 2011
裓 2065
褔 2073
覡 2090
觡 2099
觳 2102
諽 2146
䛿 2150
譤 2161
譥 2162
趷 2217
䟿 2240
轚 2279
䡫 2280
迟 2291
郹 2340
鄓 2343
閣 2440
閴 2442
闃 2442
隔 2472
雒 2486
䧸 2487
䨣 2504
革 2520
乾 2520
䩳 2525
韄 2530
韅 2531
骼 2615
鬩 2630
鬲 2632
鬲 2633
䰝 2633
鬷 2634
鬷 2634
䰰 2637
魌 2638
鰝 2653
鴃 2661
鵅 2667
鵙 2670
鶪 2675
鷍 2684
貉 2695
墼 2715
鼳 2718

견

俔 140
剈 257
肩 375
坚 440
垷 447
埍 447
堅 452
牵 506
娟 534
岍 634
岍 638
㠊 676
开 684
幵 687
枼 689
悁 783
掔 875
捐 885
摼 899
擇 908
启 993
枅 1063
梘 1068
汱 1191
汧 1192
汧 1221
涓 1231
涀 1233
瀸 1267
焆 1332
煙 1350
牽 1382
掔 1383
犬 1386
狷 1394
狷 1398
獧 1406
甄 1449
甄 1451
畎 1462
畎 1463
甽 1463
畎 1464
鸍 1518
朐 1540
眲 1541
禰 1606
秆 1613
硯 1619
稍 1620
筧 1666
篇 1687
篇 1689
甄 1690
糘 1704
絸 1734
絹 1739
絸 1744
縴 1766
綞 1769
繭 1776
繾 1778
罥 1788
羂 1792
羉 1794
羂 1795
肩 1838
肩 1844
膶 1868
臤 1871
茧 1914
菺 1924
菺 1937
菣 1938
甄 1979
蘭 1992
繭 1992
繭 1994
蚈 2005
蚈 2011
蜎 2014
豎 2019
蝏 2025
蠒 2037
蠲 2039
裧 2062
裐 2065
襺 2081
襺 2081
見 2086
覸 2090
覵 2092
詃 2116
譴 2150
譴 2161
豣 2174
豜 2176
䝩 2177
貆 2177
豣 2180
䝩 2183
趼 2226
跰 2232
蹮 2250
身 2253
衍 2265
遣 2307
遣 2318
鄄 2341
䤊 2356
銒 2382
鈃 2391
鋗 2395
鋻 2398
鑦 2405
鞬 2405
雃 2482
雃 2486
睢 2486
韉 2530
頣 2546
顅 2550
餰 2581
饘 2586
鰹 2653
鳽 2663
鳽 2667
鵑 2668
鵳 2668
鵑 2669
鶣 2671
鵳 2673
麉 2689
麉 2690
麙 2690
䵤 2695
黶 2704
黶 2707
鼸 2726

결

傑 179
決 228
潔 232
刔 246
契 263
岊 313
臬 474
夆 476
夬 493
契 506
契 507
䂑 509
妜 518
弡 721
憰 819
抉 850
挈 863
拮 865
擷 904
映 977
桔 1062
栔 1065
楔 1093
櫭 1108
臬 1164
氅 1168
決 1188
浹 1212
洁 1215
潔 1292
炔 1325
焆 1332
玦 1418
玦 1420
疦 1479
眏 1532
瞲 1548
矞 1556
穚 1604
突 1635
紇 1711
紂 1715
紵 1725
結 1731
絜 1739
繘 1772

缺 1783
欿 1784
鈌 1784
敪 1801
肤 1838
胈 1840
芵 1905
茠 1925
蒛 1951
蚗 2005
蛣 2010
蛪 2011
衱 2043
譎 2155
袺 2061
襭 2077
觖 2096
觹 2101
觼 2102
訣 2109
𧦝 2110
詄 2113
赽 2214
趉 2223
趹 2225
跌 2228
迼 2292
遹 2307
醽 2362
鈌 2381
鐍 2411
鐍 2416
鍥 2418
闋 2439
闋 2443
闋 2443
闕 2445
𨸹 2450
隔 2472
闋 2475
雉 2482
頡 2551
駃 2593
髻 2626
鮚 2641
鱊 2655
鴂 2662
鴃 2668
鶡 2674
鵽 2674
齾 2718

겸

兼 57
傔 166
兼 220
兼 220
匲 320
嗛 397
嫌 553
㢘 618
嵰 634
嵰 649
慊 806
拎 851
拑 860
搛 897
柑 1050
槏 1094
檻 1118
歉 1133
熑 1341
玪 1419
秝 1628
稽 1630
箝 1671
箝 1671
篏 1680
糠 1706
纖 1709
縑 1761
縶 1775
罨 1791
朕 1851
膁 1860
蒹 1949
蒹 1952
艌 2097
謙 2147
謙 2150
趁 2220
鎌 2283
鉆 2383
鉗 2384
鈐 2391
鎌 2408
鐮 2421
雃 2483
黔 2522
頶 2544
鬑 2582
鬑 2585
髏 2616
髻 2625
鮨 2648
鰜 2652
鳹 2663
鵮 2676
黚 2706

겹

唊 377
婡 533
帢 671
㡡 671
帢 676
悏 781
愜 802
掐 879
睞 1542
莢 1926
蛺 2012
袷 2061
裌 2065
詼 2126
郟 2336
鞈 2533
鞅 2533
鳹 2669

경

京 87
京 89
亯 89
俓 145
倞 152
傹 171
傾 172
儆 182
冂 220
冋 221
囧 223
涇 229
剄 256
剠 262
勁 275
勁 276
勍 278
卯 313
卿 318
卿 318
卿 318
卿 318
卿 318
哽 375
嗄 388
囧 422
坑 438
坰 441
垧 445
埂 447
埂 454
境 460
娙 533
婞 542
嬛 550
尉 606
巠 639
巠 658
巠 658
幜 681
庆 693
庚 695
慶 704
廎 705
径 737
径 739
徑 739
徑 743
志 759
恂 763
憫 782
惊 791
悙 800
慶 807
憬 818
憼 819
扃 841
挭 874
掇 892
擎 909
撴 911
叜 929
敬 937
敲 938
昋 973
景 990
景 996
暻 1000
曔 1002
更 1006
梗 1069
桱 1071
椩 1090
穎 1104
檠 1112
檾 1112
檄 1116
檠 1117
檾 1119
殸 1157
洴 1187
涇 1223
浭 1225
漀 1278
滰 1286
炅 1325
熒 1331
烴 1333
煢 1341
煢 1341
熨 1342
熲 1350
牼 1381
猄 1396
猄 1397
狭 1398
獍 1403
琼 1429
境 1439
璟 1440
瑤 1440
璥 1442
瓊 1443
瓊 1443
璿 1445
畊 1464
痙 1485
睘 1545
睘 1548
瞀 1548
睘 1549
碈 1571
硱 1571
硬 1573
碮 1574
磬 1584
窒 1639
竞 1647
竟 1648
竸 1651
競 1652
競 1652
絖 1719
絅 1727
経 1728
絰 1737
緊 1737
絅 1740
綆 1740
經 1741
緊 1753
緌 1756
穎 1770
罄 1785
羥 1800
耕 1818
耕 1820
耿 1823
脛 1849
腰 1851
膜 1868
臤 1871
䐈 1871
䋁 1872
臬 1875
苘 1913
茎 1914
莖 1925
莔 1928
莿 1948
剄 1948

菮 1957	逕 2299	鵛 2670	屆 622	檵 1118	瞡 1548	葵 1952	鍥 2406	丂 11
蘔 1964	逕 2304	鶁 2671	屆 622	檻 1121	設 1549	蓟 1966	鍇 2424	估 113
蘔 1974	邢 2329	鶊 2673	眉 623	榖 1159	磎 1582	薊 1973	閕 2436	侤 132
蔜 1978	郠 2337	麖 2691	岕 638	鬉 1160	褉 1601	藒 1979	閉 2436	俈 153
蕄 1981	卿 2341	鼆 2693	嵠 648	氎 1168	禾 1608	蘮 1990	閈 2437	僱 179
蕡 1985	鋞 2396	黥 2704	嶰 693	洎 1214	稧 1624	蘻 1992	閞 2437	兆 195
藭 1988	鋻 2396	黥 2707	幵 714	溪 1253	稽 1625	蚧 2013	闋 2438	罟 227
蜓 2013	鎮 2405	鼎 2714	并 715	溪 1272	笄 1656	螇 2035	闙 2447	凅 231
螢 2035	鏡 2413	鼰 2717	㓒 715	滸 1275	筓 1664	蟿 2039	阶 2450	刳 252
夛 2042	罄 2423	鼰 2717	彐 729	瀱 1315	箟 1677	袿 2061	陛 2469	居 319
褧 2074	謦 2538	**계**	彑 729	炔 1325	簎 1693	裓 2065	階 2471	叩 336
誩 2125	頃 2539	乩 64	忦 764	炅 1325	系 1709	褉 2068	雞 2490	古 340
誙 2127	頸 2545	係 138	悈 784	烓 1328	紒 1715	褉 2073	鞋 2536	告 360
競 2153	頸 2548	傒 176	悸 789	猤 1401	結 1731	覝 2085	頍 2551	告 361
譮 2153	頗 2549	刧 244	愱 803	猾 1405	綮 1737	䙫 2090	䪾 2551	呱 362
磬 2154	潁 2550	剫 264	懯 821	瑎 1435	継 1744	䙬 2090	髻 2626	咕 364
警 2160	餇 2573	叶 312	戒 832	瓓 1445	綮 1753	計 2104	鬶 2641	咎 368
譤 2160	駉 2594	咼 313	挈 863	甈 1450	緌 1761	訐 2106	鯚 2650	固 423
赹 2214	驚 2610	启 361	挂 866	界 1463	緳 1761	誡 2129	鳮 2659	堌 451
趨 2215	驗 2611	啓 374	揭 890	畍 1463	繫 1776	諬 2146	鳺 2662	夰 499
踁 2234	骾 2615	啓 385	攰 926	痵 1488	繼 1777	谿 2169	鵊 2668	夽 504
踁 2235	髺 2615	啟 386	昋 973	瘈 1489	繾 1780	趹 2225	鶏 2672	皐 504
踁 2239	髾 2616	啓 386	晵 993	瘛 1491	繝 1782	踥 2234	鷄 2672	姑 523
蹵 2250	鬲 2623	垍 443	枅 1042	瘸 1495	罊 1785	蹊 2240	鶪 2674	婟 535
軽 2264	鬷 2633	堺 456	桂 1060	癸 1498	罽 1792	軒 2261	鷄 2677	嫴 548
輕 2267	鯨 2647	堦 456	棨 1063	癸 1498	罽 1792	䡢 2266	鸂 2683	孤 560
輔 2272	鯁 2647	契 506	梨 1065	睊 1540	肤 1838	輀 2266	麫 2694	宑 577
輦 2274	鯨 2649	契 507	械 1071	砎 1540	腎 1854	輆 2279	齘 2723	家 582
轃 2274	鰹 2650	嫛 550	榍 1078	督 1543	臊 1864	鄈 2342	齥 2724	尻 619
轒 2275	鱷 2656	季 562	棨 1081	督 1543	茥 1922	鈌 2381	齰 2727	峼 641
聲 2275	鵛 2667	瘵 601	檕 1117	睽 1547	葪 1949		**고**	崓 645

庫	698	烤	1329	箛	1687	菓	1938	軲	2263	高	2623	槀	1098	轂	2275	捆	872
拷	865	焅	1332	糕	1706	蓇	1967	辜	2281	顝	2623	槲	1099	醔	2361	捆	880
挎	869	燺	1360	結	1725	蓒	1967	辪	2283	鯝	2648	油	1220	醫	2363	摑	897
搞	894	牯	1379	絝	1734	蓏	1971	辜	2285	鴣	2664	瀔	1311	闔	2439	昆	972
攷	923	狜	1391	縞	1762	蔇	1974	郜	2336	鶮	2677	瀔	1315	陪	2457	晜	987
故	928	瓳	1446	罛	1787	薧	1976	鄗	2339	鷎	2677	焅	1332	雊	2486	𣏕	1043
敲	938	痁	1481	罟	1787	藁	1979	酤	2354	鷱	2680	牿	1381	顝	2549	梱	1071
敲	938	痼	1488	罛	1789	蒿	1981	酤	2354	鶻	2681	臭	1388	鬠	2626	棍	1075
暠	996	瘔	1490	羔	1797	藳	1985	醅	2359	鹽	2687	眏	1512	鮬	2650	棞	1081
杲	1047	臯	1512	羙	1797	蛄	2007	鈷	2382	鼓	2714	硞	1574	鶻	2670	橐	1119
枯	1047	皐	1512	美	1797	蛊	2009	銬	2391	皷	2715	稭	1620	鶩	2685	混	1247
柧	1050	皜	1513	羖	1797	蠱	2038	錮	2402	鼛	2715	穀	1624	鼕	2696	渾	1261
柧	1054	皷	1517	羍	1798	袴	2061	鐞	2418	鼚	2715	穛	1626	鼔	2718	滾	1278
栲	1059	盬	1525	羖	1798	褲	2073	陪	2457	鼛	2716	穀	1626	鼛	2718	滾	1280
棝	1076	鹽	1526	翶	1810	覩	2090	雇	2484	鼜	2716	稾	1627	齫	2726	猑	1398
榕	1078	睾	1547	翺	1812	覸	2093	辜	2517	**곡**		箍	1665	**곤**		琨	1430
楛	1086	瞽	1553	考	1815	觚	2097	靠	2517	佸	142	篙	1684	壼	43	瑻	1439
槁	1094	祰	1599	股	1836	觝	2097	辜	2517	固	239	穀	1692	丨	43	璭	1442
槔	1096	禞	1603	胍	1841	詁	2113	鞨	2524	告	360	縠	1706	冂	244	睏	1541
槀	1098	秙	1615	脈	1842	叡	2124	韗	2535	告	361	暴	1753	畚	401	睔	1542
槔	1099	稒	1622	膏	1859	誥	2130	頋	2545	哭	374	縠	1763	困	422	睴	1542
橋	1109	稿	1626	膏	1860	諄	2157	頶	2545	喲	374	觳	1860	坤	440	睴	1547
槔	1112	稾	1627	臌	1866	賈	2197	顆	2550	嚳	413	苗	1922	堃	451	硱	1572
槹	1112	穀	1630	翶	1871	趶	2225	顝	2556	告	641	蔛	1962	壼	475	碮	1576
櫜	1121	箛	1657	皐	1875	跍	2225	顧	2556	斛	949	蛐	2011	婫	537	稇	1619
殆	1149	筈	1660	苦	1908	跍	2227	餶	2579	斛	949	螜	2025	崑	642	稛	1621
泒	1201	箍	1665	苽	1910	趺	2227	餻	2581	曲	1005	觳	2100	崐	645	綑	1743
沽	1202	篐	1668	菰	1929	跨	2230	鎬	2582	梮	1050	觵	2100	巛	657	緄	1751
滜	1295	箛	1672	菌	1930	跲	2230	骷	2614	梂	1067	穀	2101	幝	679	緷	1759
瀘	1320	箬	1677	菰	1934	跤	2234	骺	2614	梏	1068	轂	2102	廊	699	罤	1788
烄	1329	篙	1678	菇	1938	軱	2262	高	2619	穀	1096	谷	2168	悃	781	臗	1868

菎	1931	顐	2542	棞	1094	玒	244	攻	924	玒	1804	銎	2397	剮	263	碢	1571
蔉	1957	頵	2547	汩	1186	功	273	栱	1058	玒	1822	陡	2457	另	335	科	1612
蓘	1961	頵	2550	淈	1204	匱	294	栱	1058	䦨	1881	鞏	2524	咵	373	稞	1621
蔂	1965	騉	2602	滑	1276	卭	313	桊	1064	舼	1889	鞏	2525	噣	406	窠	1640
虆	1991	骯	2614	矻	1565	収	328	槑	1092	舼	1889	鞚	2525	堁	450	窾	1643
蚰	2010	骸	2615	綑	1738	吰	356	槓	1096	苁	1900	韗	2529	堝	456	竵	1644
蜫	2018	髡	2623	緄	1761	塨	458	櫎	1114	茾	1921	贛	2539	夥	483	簻	1677
袞	2055	髡	2624	䎟	1829	孓	555	涳	1236	䊆	1930	髡	2625	夥	483	簻	1677
衮	2060	髡	2624	朏	1844	孔	555	湏	1269	蒷	1957	鬊	2626	夸	500	簻	1688
裍	2064	鮌	2645	菎	1937	崆	644	灨	1320	蘔	1994	髸	2626	姱	528	粿	1704
裩	2068	鯀	2647	蒷	1950	工	659	熕	1348	蚣	2003	魟	2641	婐	538	絓	1732
褌	2070	鯤	2649	閫	2432	巩	662	玒	1418	蛩	2009	鮗	2642	媧	541	緺	1758
襲	2081	鰥	2653	䪦	2555	巩	662	珙	1422	蛩	2011	䱍	2645	寡	594	胯	1845
襌	2081	䳏	2673	餶	2581	巩	663	晎	1468	蛬	2011	鴿	2662	恗	671	腂	1854
觥	2097	鶤	2674	騧	2605	廾	713	疘	1478	蛙	2016	鵼	2668	㤿	778	腡	1858
謴	2151	麕	2691	骨	2612	廾	713	矼	1565	蛬	2025	䲨	2668	惈	793	膼	1866
讉	2151	黫	2708	勖	2613	巫	731	砻	1572	蛬	2025	鴩	2673	戈	829	艹	1896
諢	2161	齫	2725	鮹	2653	忎	758	碧	1574	裿	2067	鶪	2677	撾	909	荂	1922
䞉	2208	鬠	2728	鳦	2661	恐	773	硿	1574	貢	2186	鼛	2716	敤	937	菰	1922
䠅	2234	골		鶻	2676	恐	773	碽	1580	贛	2209	龔	2731	果	1046	菓	1931
䠅	2236	厬	65	灍	2683	恐	773	椌	1622	贛	2209	龔	2731	棵	1080	萪	1944
輥	2269	崛	383	鶻	2726	恭	775	空	1634	贛	2209	곶		楇	1085	萃	1954
𨍏	2277	圣	433	곳		恭	775	笻	1660	跫	2233	串	48	檛	1115	薖	1974
錕	2399	䏨	470	鹿	402	恐	781	筇	1661	蛩	2264	과		淉	1237	蜾	2017
閸	2429	櫃	618	공		悾	789	箜	1663	輁	2264	𠈁	119	濄	1302	蝌	2020
閫	2440	愲	807	供	132	拜	846	箜	1670	邛	2329	侉	128	犐	1383	蚪	2020
閫	2442	扢	846	倥	154	拲	864	篢	1680	醂	2362	侉	134	猓	1396	蝸	2022
䧱	2487	搰	853	倮	167	拲	864	簦	1687	釭	2378	𠍗	180	瓜	1445	蝸	2034
霣	2505	搰	896	公	209	拱	865	粱	1699	鉚	2380	冎	222	㼉	1446	裹	2060
䨟	2508	杚	1037	共	216	挙	869	紅	1712	銎	2383	划	246	㽽	1484	袴	2061
顐	2541	榾	1044	共	218	控	883	羫	1801	銎	2392	剐	262	瘑	1491	裹	2068

裸 2079
𦨻 2100
𧥮 2108
𧦝 2109
誇 2124
𧪽 2124
課 2132
𧪈 2141
𧩼 2159
𡩧 2195
𧿇 2227
跨 2227
跨 2230
𨀦 2230
𨁲 2234
踝 2237
𨃃 2241
𨇟 2243
𨉷 2255
𨉸 2255
輠 2269
过 2287
𨔢 2307
過 2311
過 2312
鈛 2381
銙 2390
錁 2398
鍋 2404
鐹 2421
𨵩 2443
𩋁 2524
顆 2549
餜 2579
𩛌 2580
𩚾 2582
𩞾 2585
𩣠 2596
騍 2602
騧 2603
𩤾 2610
骫 2614
骪 2614
骻 2615
髁 2616
𩩲 2616
𩰹 2633
𩰿 2633
𩱏 2633
𩸃 2648
𩹪 2655
𪀿 2674
𪇊 2684
𪌚 2695
𪌇 2696

곽

墎 461
崞 645
嶂 655
廓 704
椁 1081
槨 1104
㯉 1122
欔 1125
漷 1291
濩 1314
瀖 1320
㸌 1348
癨 1497
𥇇 1543
矍 1553
𥜥 1557
䃶 1583
穫 1632
籗 1693
𥻗 1709
𦗻 1828
𦗺 1830
蒦 1957
藿 1986
靃 1994
貜 2183
𧽑 2224
郭 2338
𨞹 2349
钁 2426
𨻦 2468
𨽁 2478
霍 2502
鞟 2526
鞹 2529
䩶 2531
𩎟 2536
𩫏 2623
𩫕 2623
鶉 2685

관

卝 48
串 48
侒 56
𠊂 57
倌 150
关 217
冠 224
丱 311
𠶸 383
头 499
𡦂 568
官 573
官 580
寬 591
寬 594
寬 599
𡫾 600
巏 655
幹 689
𢍶 692
悹 788
悺 793
慣 813
摜 900
擐 911
擐 916
攔 919
果 1046
梡 1069
棺 1078
棵 1080
權 1123
欄 1125
欵 1130
𣢾 1130
款 1131
𣢺 1133
歀 1134
毌 1161
涫 1236
淉 1237
潅 1291
灌 1293
灌 1312
灌 1317
烜 1333
爟 1363
琯 1431
瓘 1445
痯 1487
瘝 1490
𤺌 1492
癏 1496
盥 1519
盥 1525
𥃩 1541
𥌞 1550
矔 1554
矜 1555
礶 1588
祼 1599
𥟍 1621
𥦗 1640
窾 1643
筦 1665
管 1671
䉶 1694
𥷍 1695
綰 1747
綸 1749
罆 1785
罐 1786
臗 1868
舘 1885
莞 1926
菅 1929
𦱤 1970
雚 1991
𧑑 2031
𧛔 2067
观 2087
覌 2087
観 2093
觀 2094
貫 2189
賗 2198
𧶽 2202
𧾭 2223
輨 2270
遦 2320
錧 2403
錁 2411
鏆 2414
𨬾 2418
鑵 2425
𨳿 2436
𨴗 2438
関 2440
關 2445
闗 2445
闗 2446
雚 2488
𩌂 2526
顴 2559
館 2579
館 2579
髖 2619
髖 2619
鰥 2652
𩹹 2655
鱹 2657
鵍 2669
鵍 2669
驩 2685
鸛 2686

괄

刮 252
𠛅 257
劀 266
昏 357
𢘿 823
懖 825
括 864
捖 869
𢬍 873
栝 1057
桰 1067
活 1220
𣽿 1304
昏 1453
䄆 1597
筈 1661
聒 1824
𦕼 1826
䏦 1847
𦧇 1885
苦 1915
𦯬 1928
𦺉 1949
𦧭 1965
趏 2217
𨉖 2255
适 2296
𨓈 2299
𨦗 2393
闊 2439
𨶯 2441
頢 2546
𩓓 2549
颳 2563
𠡻 2613
䯏 2615
𩩻 2615
髺 2626
髺 2627
鬠 2629
𩸞 2655
鴰 2668
鴰 2669
𪘠 2725
𪘬 2726

광

灮 128
侊 130
俇 139
儣 176
光 194
劻 276
匡 292
匩 293
丱 311
呈 353
垙 444
壙 470
㞷 629
𡷘 629
广 693
広 693
廣 708
恇 769
恇 777
狂 780

㤮 782
恇 800
㹰 805
㦡 824
懭 825
抂 849
擴 903
曠 1003
㬃 1003
桄 1061
框 1062
桯 1067
洭 1219
洸 1219
涚 1219
洼 1238
滙 1267
兊 1322
茪 1325
吙 1325
炛 1326
爌 1353
狂 1388
狌 1395
獷 1408
珖 1425
眶 1539
畀 1548
曠 1554
硄 1571
磺 1585
礦 1587
穬 1632
筐 1663
纊 1708
絖 1734
纊 1779
胱 1845
胚 1847
䀮 1871
䂄 1872
茞 1918
茪 1918
蛭 2011
觵 2102
誆 2110
誆 2123
誑 2126
誆 2147
趪 2219
跓 2232
蹟 2251
軖 2261
軦 2265
軭 2265
䡅 2266
輄 2266
軭 2272
軯 2278
迋 2288
逛 2299
邼 2334
鄺 2341
鄺 2348
穬 2366
鉱 2387
鑛 2423
閶 2439
闛 2447
阬 2457
䅕 2486
讜 2539
頋 2546
駏 2598
驥 2611
骩 2615
髽 2626
鮏 2647
䵹 2647
鵟 2670
鸛 2685
歔 2701
괘
呱 119
卦 312
咼 374
喎 393
媧 541
挂 866
掛 880
枴 1048
棵 1080
楇 1085
窐 1640
絓 1732
絓 1759
罣 1788
罫 1789
褂 2068
詿 2123
諣 2163
䂗 2179
騧 2603
鮭 2719
괴
乖 55
乑 57
傀 164
凷 238
劊 269
块 437
塊 448
㙷 453
塊 457
罫 459
壞 468
壞 471
媿 533
媿 543
峗 645
嶒 652
廥 709
忦 764
怪 771
恠 779
愧 805
拐 859
攊 909
擓 911
㪇 942
旝 966
會 1011
會 1011
桅 1061
槐 1096
櫆 1118
澮 1301
瑰 1437
瓌 1444
瓌 1444
瘣 1496
硁 1570
硃 1576
磈 1586
礭 1588
稽 1631
筷 1673
絘 1715
膭 1864
芇 1896
茶 1913
蔽 1948
蒯 1951
蕢 1968
蘬 1971
蚒 2008
襘 2077
襘 2077
覽 2094
䚙 2094
詭 2147
䡈 2147
癸 2179
獪 2183
鄶 2336
鄶 2348
頯 2547
頯 2554
餽 2585
騩 2605
䫥 2616
髖 2617
髆 2617
髕 2619
鬠 2629
鬢 2630
魁 2635
魄 2637
鮯 2645
괵
剨 263
嘓 399
幗 680
摑 899
敋 929
斛 949
眖 1542
筷 1673
簂 1682
聝 1826
膕 1861
虢 2000
蟈 2029
蜮 2044
[illegible] 2101
[illegible] 2163
趪 2223
[illegible] 2255
[illegible] 2419
[illegible] 2563
馘 2588
[illegible] 2588
[illegible] 2617
굉
厷 325
宏 572
汯 1195
浤 1224
渹 1261
硡 1572
礚 1584
宖 1636
[illegible] 1637
紘 1717
綋 1744
[illegible] 1805
翃 1805
肱 1837
[illegible] 1864
觥 2099
觵 2101
訇 2105
訇 2110
[illegible] 2261
軣 2261
輷 2263
軥 2265
轟 2279
鈜 2394
鍠 2405
鍧 2406
閎 2434
霐 2503
鞃 2522
鞃 2522
黌 2696
黋 2696
[illegible] 2701
교
丩 43
乔 55
交 84
佼 128
僑 175
儌 180
咬 370
喬 377
喬 393
嘄 399
嘐 399
嘂 400
嘺 403
噭 408
嚆 408
嚙 410
墝 463
墽 468
[illegible] 472
妖 518
姣 527
嬌 549
嬓 550
[illegible] 553
斈 559
孝 559
[illegible] 567
嶠 651
[illegible] 652
巧 660
嶠 682
嶕 682
徼 754
[illegible] 768
恔 777
憍 816
憿 823
抝 845
招 862
[illegible] 862

挍 869
捁 872
撟 905
撽 909
擊 909
攪 920
効 926
效 927
教 931
敎 932
敫 938
敲 941
毃 941
覔 947
晈 986
曒 1001
校 1057
槁 1091
権 1093
榷 1103
橇 1108
橋 1109
嘋 1131
皦 1132
滜 1283
激 1291
澆 1298
漻 1312
灚 1319
烄 1329
敹 1335
狡 1393
獥 1399
獟 1403
獟 1404
獥 1406
珓 1422
璬 1442
疝 1478
皎 1512
皦 1514
盄 1526
盭 1526
皀 1528
皀 1528
県 1530
皎 1541
皢 1551
皦 1552
矯 1561
硚 1571
磽 1585
穚 1630
窌 1636
窌 1637
窖 1639
窌 1639
竅 1644
竢 1652
笅 1656
筊 1662
簥 1687
簥 1687
糾 1710
糺 1710
絞 1735
繑 1771
繳 1775
緐 1775
鮫 1784
翹 1812
獢 1812
翹 1812
胶 1845
膠 1862
皀 1875
艽 1896
茭 1915
茮 1918
菽 1920
蕎 1966
鞍 1971
蕎 1977
蕎 1986
藮 1992
蛟 2010
蟜 2025
蟂 2029
蟂 2029
蟜 2031
袨 2062
覚 2089
覐 2089
覐 2089
覺 2093
觲 2101
趫 2132
譑 2155
警 2161
徼 2169
徼 2170
賧 2196
趫 2222
趬 2222
趫 2223
跤 2233
蹻 2243
蹺 2243
蹻 2247
蹺 2247
踼 2248
較 2261
較 2264
轎 2274
轇 2275
轎 2277
轇 2278
轎 2278
这 2292
郊 2334
鄗 2345
鄗 2345
鄡 2348
酵 2355
釗 2376
鉸 2387
鐈 2408
鐈 2418
鐓 2419
隯 2430
翟 2485
鞍 2524
鞽 2530
鞍 2532
鞍 2533
頌 2545
顤 2555
顤 2556
餃 2574
驕 2605
驕 2608
骹 2615
亯 2623
鬮 2623
鬮 2631
鮫 2644
鮫 2645
鱎 2653
鱎 2656
鳩 2662
鳶 2663
鴉 2663
鳩 2666
鴉 2668
鷮 2677
鷸 2681
鷮 2684
鳧 2719
鳩 2719
鳩 2719
齩 2723
齩 2725
齩 2728

구

丘 41
北 42
北 43
丩 43
久 53
乆 54
九 58
抏 65
亀 67
仇 97
伛 106
佝 123
俅 139
俱 147
佫 153
傋 165
傴 171
具 218
具 219
冓 223
冓 224
冦 227
冰 229
凵 235
刨 249
劬 275
舅 280
勾 286
勼 286
匔 288
匓 291
匛 292
匶 294
区 295
區 295
區 296
厩 323
厹 325
口 334
叩 336
句 342
叴 343
呕 357
呴 362
咎 368
嘔 400
坵 442
坵 442
坵 442
垢 444
够 482
夠 482
姤 527
媾 543
嫗 545
㝅 564
宄 571
寇 590
寇 590
寠 595
屨 627
岣 635
岴 637
嶇 650
幗 679
幅 680
廏 704
廐 704
廏 709
彀 727
彄 727
忂 755
怐 768
㤹 788
惧 793
思 805
慪 811
愳 819
懼 828
戵 838
扣 846
拘 854
拒 860
拘 861
挎 869
捄 872
搞 888
搆 892
摳 901
擢 919
敂 927
救 930
㪻 934
毆 941
敺 941
㪷 950
斪 952
旧 969
昫 981
晷 991
㬶 999
朐 1017
朹 1031
枸 1043
枸 1048
柩 1051
柜 1054
柾 1054
桕 1063
梂 1067
格 1078
椇 1079
梮 1083
椈 1089
構 1095

椝	1097	犕	1385	穋	1629	狗	1807	蒟	1951	褔	2074	趉	2215	釦	2377	𩚬	2570
樻	1114	犰	1387	究	1633	翑	1807	𦽍	1954	𧞣	2079	趵	2215	鈎	2381	𩚳	2570
欋	1124	狗	1391	宄	1633	耇	1816	蒟	1954	覌	2090	𧺯	2219	鉤	2385	𩚵	2573
櫙	1125	𤞍	1395	窛	1639	耈	1816	蔻	1959	覯	2092	趜	2220	銶	2393	𩛖	2579
欧	1128	瑴	1402	寇	1639	𦔠	1821	蓲	1964	觓	2096	𧽤	2223	𨮲	2411	𩜥	2582
欨	1128	玖	1417	𡨴	1639	聥	1827	蘜	1965	觩	2099	跔	2227	鏂	2415	馗	2587
䜴	1129	玽	1422	𥨫	1642	肍	1834	蔲	1971	𧥓	2101	跍	2228	𨭉	2415	駆	2594
欲	1131	球	1426	窶	1643	胊	1839	舊	1977	訄	2105	𨁊	2234	鑺	2425	駒	2595
歐	1134	璆	1438	寇	1645	脙	1849	蒟	1977	訅	2105	𨂳	2236	𨸏	2429	駈	2596
殏	1150	瓯	1448	竘	1648	膒	1861	蘧	1981	訆	2108	踽	2240	𨳊	2432	𩣑	2598
殴	1155	甌	1450	笱	1659	臞	1869	蘷	1986	𧦴	2110	𨆖	2245	𨸹	2452	獁	2598
殸	1158	𤰈	1462	𥬚	1666	臼	1878	𧅳	1992	訽	2113	躣	2253	𨺛	2474	驅	2606
毆	1160	畇	1466	篝	1679	𦥑	1878	蚯	2006	詬	2120	𨈕	2254	𨾈	2480	𩧱	2612
毬	1166	疚	1479	篝	1679	舅	1880	蚼	2008	誇	2124	軀	2255	集	2483	骺	2614
氍	1169	痀	1482	𥳇	1681	舅	1880	𧉹	2010	誶	2124	𨊣	2256	雊	2485	𩪇	2617
求	1180	癯	1497	𥴘	1682	舅	1881	蛷	2014	𧦝	2125	𨊵	2257	䨚	2505	鬮	2631
氿	1181	皳	1516	簆	1682	舊	1881	𧊅	2014	𧨧	2130	𨊷	2261	𩈦	2519	𩴾	2639
泃	1208	盚	1522	𥷚	1689	䑦	1888	蝺	2023	𧩤	2138	軥	2261	鞠	2522	鮈	2643
溝	1271	具	1531	𥸶	1690	𦨌	1889	䖼	2029	講	2148	逑	2298	鞲	2528	鮊	2645
滱	1279	䀠	1536	𥸰	1691	艽	1896	蟲	2035	謳	2151	遘	2316	𩋍	2533	鮥	2650
漚	1286	眍	1536	篋	1692	芶	1900	蠷	2041	𧮩	2168	𨛔	2328	韝	2535	鰸	2654
灈	1317	眗	1536	臬	1699	䒗	1900	蠼	2041	𧰓	2174	耶	2331	韭	2536	鱹	2657
灸	1323	奭	1545	糗	1705	苟	1907	蛒	2044	豿	2180	邱	2332	韮	2536	鳩	2659
灸	1323	䀏	1548	紈	1710	苢	1914	衢	2051	𧲯	2181	邭	2332	𩐞	2536	鳩	2659
煹	1349	瞉	1549	紌	1715	茾	1918	𧘞	2054	𧵢	2190	邶	2335	頄	2539	𩾐	2660
熰	1350	瞿	1552	絇	1727	茩	1922	袧	2058	𧵡	2194	𨛬	2336	𩒄	2545	鴎	2663
𤖯	1370	矩	1559	𦄔	1734	𦯃	1924	裘	2065	賕	2198	𨞪	2348	𩓐	2547	鴝	2663
牞	1376	𥕞	1582	絿	1740	莍	1925	裘	2066	購	2205	醧	2362	𩕊	2555	𩿨	2664
犋	1382	礭	1588	緱	1758	著	1940	𧛔	2070	𧸖	2206	釓	2376	颶	2563	𪀒	2666
犒	1384	禑	1602	翗	1784	𦺑	1941	褠	2070	𧸗	2207	釚	2376	颶	2563	𪃟	2666
觳	1384	𥢶	1620	𦖈	1802	萬	1949	褠	2073	趜	2215	𨥉	2376	颶	2563	鷗	2669

鵬 2676
鷇 2678
驅 2679
鷗 2679
驧 2680
鸖 2680
鸛 2681
鸖 2684
鸜 2686
麔 2691
麌 2697
䵶 2712
鼁 2712
齁 2717
鼳 2718
鼽 2719
𪖕 2719
𪖦 2719
齟 2724
齨 2725
齲 2726
龜 2732
龜 2733
龜 2733
龜 2733
龜 2733
龜 2733
龜 2733

국

侷 145
匊 287
匔 288
厈 319
告 360
告 361
囗 415
国 423
囻 424
囶 424
国 424
圀 424
國 425
㘵 442
窢 601
局 620
𡱖 623
弆 715
挶 870
掬 885
𢴌 888
鞠 898
攫 919
梮 1050
梂 1067
梮 1070
椈 1079
檋 1116
毱 1167
毩 1167
𥈞 1471
𥧌 1632
𥬊 1672
𥬗 1681
䈮 1692
𥰀 1694
粷 1704
𦓔 1820
𦥑 1878
𦯍 1925
菊 1930
蓻 1957
萄 1957
𦺛 1959
蘜 1986
𧀥 1990
𦺛 1992
𧍕 2018
𧮯 2100
諊 2139
𧽫 2173
趜 2220
𨁡 2229
跼 2233
踘 2239
𨇾 2245
躹 2255
輂 2266
輋 2271
𨌥 2275
鋦 2396
𨳸 2440
阮 2454
陱 2467
雓 2487
鞠 2526
鞫 2527
𩌄 2530
𩎓 2531
𩏐 2533
𩝐 2579
駶 2599
𩪺 2612
𩬆 2623
𩭾 2625
𩰠 2626
鬻 2634
𩶿 2650
鵴 2666
䳰 2669
鶪 2671
𪆾 2685
𪄂 2685
麯 2694
𪍊 2695
麹 2695
麯 2695
麴 2695

군

僒 178
君 357
䇹 372
𠿤 383
宭 580
峮 641
𡸁 641
𨛆 673
𢂁 673
帬 675
捃 872
攈 916
攟 919
𢺄 919
𣀍 942
桾 1068
涒 1231
珺 1428
皸 1517
窘 1639
𥻿 1704
𦊒 1786
群 1800
羣 1801
䐃 1853
莙 1926
𦵯 1955
菌 1959
蜠 2016
裙 2063
裠 2066
豩 2177
𧲜 2177
𧲝 2177
𧵧 2202
𧺱 2220
軍 2258

굴

乬 63
乮 65
倔 151
厥 322
堀 450
𡑺 467
屈 622
𡲬 626
崛 644
崫 652
𡿖 653
掘 880
𢮦 909
㭾 1080
淈 1238
𣹉 1304
𤄣 1305
𤢏 1398
矻 1565
窟 1639
𥥊 1641
𥱬 1669
絀 1725
䋽 1753
䐊 1854
𦢏 1866
茁 1911
䓛 1937
蚼 2002
𧊧 2008
𧏋 2018
袦 2057
䘿 2068
詘 2116
誳 2132
𧬉 2160
豩 2177
𧲜 2177
赶 2214
趉 2215
𧺾 2220
𧻚 2220
䟴 2229
𨃈 2237
𨢄 2362
𨧨 2398
𣈾 2430
闕 2440
阢 2449
𩋞 2526
𩑛 2541
𩒊 2542
𩓷 2550
䬃 2562
𩤬 2602
𩧯 2602
𩨘 2613
𩩍 2614
𩨐 2614
𩭰 2627
鶌 2671

궁

𠇍 133
匑 288
匔 288
宮 580
弓 717
𥕷 1582
𥤚 1633
穷 1633
穹 1634
窮 1641
竆 1645
𥨪 1645
𦜩 1860
芎 1897
𦵹 1955
藭 1984
𧂞 1993
𧃍 1993
𧍝 2026
𧩯 2138
𨂡 2239
躬 2254
躳 2255
𨈈 2255
𨉊 2255
𨊅 2255
𩊳 2526
𩑡 2541
𩨛 2614

궉

鴌 2663

권

倦 154
券 252
劵 263
劝 272
券 276
勌 278
劵 282
勧 283
勸 283
勸 284
勸 285
卷 316
巻 318
圈 425
圏 428
埢 451
婘 535
𡶐 647
巏 655

巻 665
帣 673
𢃇 680
𢍏 715
弓 718
弮 723
彏 729
惓 791
𢡊 814
拳 863
捲 876
𢪏 892
攣 951
权 1032
桊 1064
棬 1077
㯄 1098
権 1099
權 1111
欋 1123
𣤶 1137
淃 1253
𤘻 1381
犈 1383
𤷘 1489
𥁕 1520
𥂍 1523
眷 1541
𥉳 1541
睠 1544
𥛐 1598
䅚 1599
䅛 1602
䅈 1622
𥳑 1682
粽 1701
䊎 1704
𥼶 1708
𥿮 1738
綣 1746
𦃇 1764
腃 1853
臛 1869
𦯷 1930
菤 1937
𧁈 1959
虇 1994
𧈧 2006
蜷 2016
蠸 2041
裷 2067
襈 2077
覠 2090
𧢩 2099
𧥔 2101
𧨾 2171
趯 2223
踡 2237
躣 2253
輇 2271
鄯 2349
錈 2403
陮 2467
隺 2479
韏 2532
韏 2533
𩏻 2535
𩏼 2536
顴 2550
顴 2559
𩟔 2575
𩟿 2580
鬈 2627
鬈 2627
鬳 2633
鸛 2686
𪇺 2702
𪈷 2725
𪈹 2727

궐

亅 69
乚 69
劂 262
𠟾 266
𠩺 284
厥 322
噘 402
孓 555
嶡 652
掘 880
撅 903
橛 1110
橜 1113
欮 1128
𣂸 1171
𣾀 1298
獗 1404
瘚 1491
𥕐 1585
𥕐 1585
𦂿 1753
𦢊 1891
蕨 1969
蟨 2033
𧜼 2077
𧣔 2100
𧣟 2101
𧱼 2177
𧱽 2177
𧺠 2215
趣 2222
蹶 2236
𨂂 2245
蹶 2247
𨃃 2248
𨅝 2252
蹷 2253
鐝 2418
𨫉 2418
闕 2440
闋 2442
闕 2445
闕 2448
𩪰 2492
𩪰 2617
𩫈 2617
鱖 2655
鷢 2682

궤

佹 127
几 233
匭 293
匱 294
匱 294
𠩄 323
垝 444
𡏖 469
姽 530
媿 553
恑 776
憒 817
𢤱 827
掎 868
晷 991
机 1030
朹 1031
樻 1108
櫃 1119
𣝶 1122
𣣌 1128
殨 1154
氿 1181
洈 1220
潰 1267
潰 1296
𤀼 1313
𤅠 1386
𥂋 1522
祪 1597
𥨏 1638
簂 1673
𥬙 1682
篹 1683
簣 1686
簣 1690
䌙 1778
𦍦 1799
蔮 1959
蕢 1968
蕢 1981
𧄁 1989
蛫 2011
蟡 2031
衟 2047
襀 2076
䑕 2099
詭 2120
謉 2147
𧪂 2147
跪 2195
賷 2207
趙 2217
𧾷 2220
跪 2231
𨂂 2245
𨄏 2247
𨄁 2248
𨃃 2248
蹶 2249
𨆪 2251
𨅝 2252
軌 2257
边 2287
郈 2334
鐀 2418
鐀 2423
闠 2439
闠 2448
闠 2448
雔 2486
鞔 2524
鞼 2529
鞼 2529
韇 2530
韇 2531
韇 2535
餽 2581
饋 2583
饋 2586
驖 2611
髖 2617
髓 2619
鱖 2655
鵃 2666
麂 2689
麂 2689
𪊚 2690
𪋰 2701
𪋴 2701

귀

𠀋 48
鬼 197
劌 269
𠡞 274
夂 328
嘳 403
宄 567
宊 572
𢗇 580
𢰇 617
嶡 652
巋 655
帰 673
歸 683
撌 905
晷 991
槶 1099
櫷 1122
𣫛 1143
歸 1144
𩰿 1146
𤲬 1369
皈 1512
𥉺 1516
瞶 1551
䐶 1853
𦿌 1967
𧆽 1991
𧇽 1993
龜 2033
𧓍 2033
覺 2094
覹 2094
貴 2191
買 2202
𧶫 2205
趣 2222
𨓈 2308
鍦 2391
韇 2535
鬼 2634
䰟 2637
𩲡 2637
𪄑 2668
龜 2732
龜 2733
龜 2733
龜 2733

궉

摑 899

규

九 58
糺 63
𠈡 164
傒 167
刲 252
叫 336
叫 337

吅	357	睭	1549	𧡩	2085	雞	2487	均	437	𨥉	2391	剧	262	蕺	1967	勤	282
嘄	399	規	1560	規	2087	韉	2492	垍	437	鉤	2391	劇	267	蕀	1970	巹	317
噭	410	硅	1570	規	2089	軌	2520	姁	529	鴝	2662	劇	268	螂	2023	廑	323
圭	433	𥤧	1636	鬩	2090	頃	2539	峮	641	麏	2690	勀	277	裓	2065	堇	453
㕫	467	窍	1637	覺	2094	頄	2539	峮	641	麇	2690	[illegible]	313	襋	2072	墐	461
奎	505	窐	1638	𨷲	2094	頍	2542	汮	1194	麕	2690	可	338	襋	2076	墐	461
嫢	547	窺	1639	訆	2105	頯	2547	畇	1464	龜	2732	嘓	390	諽	2146	墐	465
嬀	548	窺	1643	赳	2213	䫏	2550	畯	1474	龜	2733	嬑	553	谻	2168	墐	469
嬑	553	竅	1643	赳	2213	䫏	2550	硱	1575	龜	2733	尅	605	谻	2168	嫤	546
巋	656	窺	1643	赳	2213	馗	2587	稛	1621	굴		亰	616	谻	2169	巹	665
廾	714	竅	1644	跂	2224	騤	2603	筠	1665	僑	179	亰	616	谻	2169	巹	665
彑	720	糺	1709	跔	2224	骩	2623	箘	1670	橘	1109	㣬	617	䡇	2274	廑	704
戣	835	糾	1710	跬	2231	鬮	2631	箟	1670	繘	1772	屐	621	郄	2335	廑	710
揆	886	糾	1710	蹞	2235	鬹	2634	緭	1763	朏	1844	屐	623	郤	2337	廑	710
揆	888	繆	1769	跬	2237	鮭	2646	纕	1780	蕎	1970	㥛	800	隙	2460	慬	813
揆	898	耝	1820	蹞	2240	鱖	2654	菌	1928	賐	2207	悈	803	隙	2473	懃	819
摎	899	膎	1858	蹊	2240	鳺	2663	菌	1930	趉	2215	戟	835	隟	2474	懃	823
摫	902	芤	1905	蹞	2243	鶏	2675	蘊	1959	趫	2222	㦸	835	隙	2474	巹	863
睽	994	茥	1922	蹞	2244	鷚	2680	蚼	2003	趫	2223	戟	835	革	2520	搢	899
朻	1030	葵	1922	躨	2252	鷚	2680	蜠	2016	蹫	2248	撠	905	䩯	2522	撳	908
楑	1085	蘬	1930	逵	2306	鷚	2680	龜	2033	醑	2362	朿	1032	鞼	2525	斤	951
槻	1099	葵	1947	邽	2333	鷊	2683	袀	2054	鐍	2687	棘	1074	鞕	2527	斮	952
樛	1102	藈	1979	郹	2342	鷄	2684	覠	2090	극		極	1088	鞡	2530	根	1059
槼	1113	虧	2000	醈	2359	鷲	2684	訇	2105	丮	48	殛	1153	鞲	2531	梫	1066
湀	1267	虬	2001	鍨	2408	麈	2690	詢	2109	亟	82	氪	1174	鞻	2534	槿	1100
溪	1273	虯	2001	鍷	2408	黊	2701	訇	2110	亯	88	亟	1213	鬩	2629	片	1141
潙	1292	奎	2011	闚	2438	㜸	2733	趣	2220	亯	89	硈	1574	근		㫰	1143
爬	1364	蝰	2023	闚	2446	균		趣	2220	郤	163	[illegible]	1678	仅	97	殣	1153
珪	1423	蟉	2029	闚	2448	勻	286	趣	2223	克	195	茍	1913	僅	173	漌	1284
癸	1498	袿	2061	雉	2483	匀	286	軺	2268	勊	234	蕀	1930	劤	274	㹕	1385
睽	1546	褋	2070	瞿	2486	囷	423	鈞	2380	剋	257	蕀	1938	勤	280	瑾	1438

墐 1443
瘽 1494
矜 1555
𥏖 1556
竻 1654
筋 1662
箽 1677
篁 1682
肵 1837
芹 1904
荕 1918
䓀 1918
菦 1929
菫 1933
蓳 1964
蘄 1985
蘄 1987
螼 2029
覲 2092
覲 2093
觔 2096
謹 2152
䕓 2172
赾 2215
趣 2220
跟 2230
近 2288
釿 2379
鈐 2379
鐁 2408
靳 2521
鞎 2533
饉 2582
斳 2594
𪌭 2702
齦 2728

글

𠮟 313
吃 344
吃 361
契 506
契 507
欯 1127
訖 2107
訖 2110
趷 2214
趌 2215
魥 2641

금

今 93
仒 99
仱 111
㑴 146
㑴 146
僸 182
凚 232
厱 320
吟 353
唫 379
噤 407
噙 407
坅 438
妗 520
嶔 650
庈 694
㤷 822
扲 851
捦 878
搇 894
擒 911
㩒 912
𢼄 926
昑 977
㬐 997
㬌 999
㯳 1113
檎 1114
㲀 1155
㸪 1379
琹 1425
琴 1428
珡 1429
礆 1585
禁 1600
禽 1607
笒 1656
紟 1719
䋮 1746
䌖 1776
𦍳 1793
耹 1823
肣 1838
䑫 1884
芩 1900
菳 1938
䔷 1970
𦽡 1989
蚙 2005
衿 2054
衾 2057
𧘲 2057
裣 2066
䘳 2070
襟 2078
訡 2110
赺 2215
趛 2221
𧼴 2223
䠆 2249
軡 2261
金 2371
鈙 2381
錦 2401
𨯞 2409
𨳈 2442
雂 2483
靲 2522
韽 2537
顉 2550
𩒺 2554
顩 2554
䫴 2557
顉 2557
䳺 2663
鵭 2671
黅 2701
黔 2704
黚 2706
𪐝 2708
黭 2710
䵷 2710
䶖 2723
齽 2728

급

乁 52
伋 109
及 328
㗊 390
𡁿 410
圾 437
岌 633
弓 718
彶 737
𢘅 762
忣 762
急 766
扱 847
㬂 1002
汲 1187
湒 1262
湆 1262
𤵸 1479
皀 1510
𥊨 1553
礏 1586
笈 1655
級 1718
給 1735
𦘫 1842
芨 1900
𦶅 1948
蒁 1956
䜄 2159
𨔈 2316
錖 2397
阣 2450
𨿪 2492
靸 2521
鴘 2662
𩾰 2665
𩬌 2665
鵖 2680

긍

亙 81
亘 81
𠄢 82
亙 82
伶 111
兢 198
堩 456
恆 776
恒 777
𢜤 799
揁 885
揯 890
栕 1088
㮓 1103
殑 1150
矜 1555
𥑛 1572
硘 1575
絚 1734
縆 1757
肎 1834
肎 1834
肯 1838
肻 1839
䔷 1970
𦽡 1989
鮔 2646
鮔 2647
鯁 2652
𪘒 2687
䝨 2687

기

丌 27
𠀤 42
乞 62
亓 74
亟 82
企 104
伎 109
𠆾 142
㐱 142
俟 144
倚 152
倛 152
僛 176
僟 179
旡 191
兂 195
囟 217
其 218
𠁩 220
兾 220
冀 220
刉 244
刏 246
剞 262
吱 356
唭 383
嗜 397
噐 402
嘰 402
器 405
器 405
圻 437
垐 438
垍 443
埼 450
基 451
墍 463
塈 463
夔 477
夔 477
虁 477
奇 502
攺 516
妓 518
𡜥 526
姬 528
娸 535
婍 535
寄 587
尯 617
居 621
屓 623
屼 633
屺 633
岂 633
岐 634
崌 640
崎 644
㟚 645
㠯 660
己 664
㠱 666
帺 676
幾 692
庋 693
庪 699
𠀤 714
弃 715
弜 720
徛 748
忌 758
忎 762
忮 763
忯 764

忯 772
惎 785
惎 785
愭 806
㤅 809
懻 821
懻 827
戔 834
技 849
抾 863
抧 863
掎 879
攱 921
鼓 921
攲 921
攲 922
敧 922
敼 922
敌 929
斱 953
旂 961
旑 962
旗 965
旡 967
既 967
旣 967
旣 967
㫓 972
暣 997
暨 1001
期 1022
朞 1022
杞 1037
枝 1044
棋 1081
棊 1081
棄 1081
榿 1094
機 1110
櫀 1119
櫭 1121
欫 1127
欹 1130
欺 1130
歧 1141
㱦 1151
气 1172
気 1172
気 1172
氣 1172
氣 1172
汽 1189
沂 1189
汥 1195
洎 1214
淇 1238
漑 1285
淉 1295
濝 1307
炁 1326
猗 1374
猉 1398
玂 1410
玘 1418
琦 1430
琪 1430
璂 1438
璣 1440
璂 1443
畸 1472
畿 1473
疧 1480
疷 1484
痵 1488
盵 1512
盀 1518
盬 1525
眘 1543
瞖 1543
碕 1576
碁 1576
碁 1577
磯 1584
示 1588
祁 1590
祇 1591
祈 1591
祺 1599
禥 1600
禥 1603
禨 1604
秖 1611
秪 1613
秖 1614
稘 1620
積 1624
稩 1624
穊 1627
穖 1630
竒 1647
笸 1654
筀 1665
箕 1669
粎 1696
糉 1696
紀 1710
綺 1749
綦 1753
綨 1753
綦 1753
綨 1753
罽 1784
䍥 1785
羈 1793
羈 1794
羈 1794
翨 1809
耆 1816
耆 1821
耭 1821
肌 1834
肵 1837
膭 1854
䐅 1860
膌 1864
臮 1875
芑 1897
芰 1901
芪 1905
芰 1915
莂 1918
蓕 1925
萁 1925
蘄 1925
萁 1935
萁 1955
蒈 1960
基 1965
蒫 1970
綦 1979
蘄 1985
蘄 1987
蘄 1989
虁 1989
夔 1992
虮 2002
蚑 2003
蚚 2005
蚔 2005
蜞 2016
螭 2018
蜞 2018
蟿 2019
蠀 2025
蟣 2031
䗅 2044
衹 2054
衼 2054
裿 2066
羈 2086
羈 2086
覬 2092
覬 2092
觭 2096
觭 2097
觭 2100
記 2107
諆 2124
詎 2124
譏 2124
誋 2125
諅 2134
諆 2134
諅 2139
諱 2146
諸 2147
䛴 2152
諆 2152
譏 2155
豈 2170
䟚 2171
譏 2173
隸 2182
䝿 2201
起 2213
䞕 2215
起 2215
趌 2217
趭 2222
跂 2224
跂 2224
跂 2225
跽 2226
䟚 2233
跂 2233
跽 2233
踦 2234
踑 2236
踦 2238
踑 2243
踑 2244
蹞 2249
躋 2252
躨 2253
躨 2253
騎 2255
軝 2261
輢 2270
迉 2287
迉 2287
迒 2288
近 2288
迒 2289
迉 2289
迡 2299
邔 2328
邔 2329
郂 2331
郚 2339
鄿 2349
醋 2361
醾 2363
錡 2400
錤 2403
鍺 2411
鐖 2417
闀 2441
陭 2467
隑 2473
䧢 2487
霼 2512
靮 2521
鞿 2526
韈 2530
頎 2542
頎 2550
魌 2554
飢 2569
饑 2569
飥 2569
飳 2573
饎 2582
餼 2583
饑 2584
馶 2594
騎 2601
騏 2602
騎 2604
騹 2605
䭫 2605
䮂 2605
驥 2608
驥 2611
骪 2613
骹 2614
䯫 2616
鬐 2628
䰙 2633
鬾 2636
鬿 2636
魕 2637
魌 2637
䰇 2638
魕 2639
魕 2639
魕 2639
鯕 2650
鰭 2652
鱀 2654
鱀 2654
鴟 2662
鵋 2670
鶀 2671
鵸 2671
鶀 2671
鵸 2682
麂 2690
麒 2691

[illegible] 2695
[illegible] 2704
麒 2726
[illegible] 2728

긴

婜 539
[illegible] 1118
紧 1719
紾 1725
緊 1753
臤 1871
菣 1938
蜸 1964
[illegible] 2220

길

[illegible] 65
佶 127
劼 275
吉 349
吉 350
咭 371
姞 527
拮 865
桔 1062
洁 1215
狤 1394
[illegible] 1516
砎 1566
秸 1616
蛣 2010
趌 2217

[illegible] 2223
[illegible] 2223
郅 2334
[illegible] 2335
銡 2390
鞊 2523
[illegible] 2598
鮚 2645
鴶 2668

김

[illegible] 146
[illegible] 146
金 2371

끽

喫 392
喫 393

나

偄 163
儺 187
哪 376
奈 504
娜 532
愞 802
懦 824
懧 824
拏 855
抲 859
挐 864
拿 864
挪 873
[illegible] 965

柰 1047
梛 1069
橠 1107
稬 1624
穤 1631
糯 1708
絮 1730
[illegible] 1817
[illegible] 1847
[illegible] 1952
螚 2027
[illegible] 2060
[illegible] 2062
[illegible] 2112
詉 2115
[illegible] 2122
誽 2136
[illegible] 2234
[illegible] 2239
[illegible] 2278
那 2329
[illegible] 2330
[illegible] 2331
难 2480
[illegible] 2486
難 2490
[illegible] 2490
[illegible] 2490
難 2491
[illegible] 2492
[illegible] 2628

[illegible] 2638
[illegible] 2639
[illegible] 2702
[illegible] 2702

낙

掿 887
[illegible] 2100
諾 2144

난

偄 163
嘫 402
奻 514
[illegible] 683
戁 829
[illegible] 987
暖 994
[illegible] 995
[illegible] 1004
渜 1255
煖 1342
煗 1342
糯 1708
耎 1818
赧 2211
[illegible] 2211
[illegible] 2394
难 2480
[illegible] 2486
難 2490
[illegible] 2490
[illegible] 2490

難 2491
[illegible] 2492
[illegible] 2492
[illegible] 2492
[illegible] 2492
[illegible] 2519
[illegible] 2519
餪 2580
[illegible] 2638
[illegible] 2639
[illegible] 2679
[illegible] 2685
[illegible] 2692
[illegible] 2693

날

埒 447
埓 447
捏 873
揑 873
捺 877
[illegible] 892
[illegible] 892
[illegible] 1004
[illegible] 1083
涅 1230
痆 1484
苶 1910
[illegible] 2007
[illegible] 2075

남

南 307

喃 389
娚 534
[illegible] 629
抩 853
柟 1043
枏 1054
楠 1090
湳 1267
男 1461
畘 1466
[illegible] 1704
罱 1791
[illegible] 1805
腩 1858
[illegible] 1858
莮 1928
萳 1944
[illegible] 1954
蝻 2023
[illegible] 2110
[illegible] 2117
諵 2142
[illegible] 2355
[illegible] 2359
[illegible] 2439
[illegible] 2507
[illegible] 2573

납

內 200
吶 355
[illegible] 355

妠 520
[illegible] 736
抐 853
[illegible] 896
[illegible] 1660
[illegible] 1660
[illegible] 1680
納 1714
蒳 1957
衲 2053
軜 2261
[illegible] 2268
鈉 2380
靹 2532
[illegible] 2571
魶 2642
[illegible] 2652
[illegible] 2723

낭

儾 188
囊 414
囔 414
[illegible] 472
外 513
娘 532
[illegible] 895
攮 920
曩 1004
欜 1126
[illegible] 1126
灢 1316

[illegible] 1319
[illegible] 1319
[illegible] 1830
[illegible] 1986
[illegible] 2039
蠰 2041
[illegible] 2081
[illegible] 2578
[illegible] 2709
[illegible] 2710
齉 2720

내

乃 52
[illegible] 69
[illegible] 69
佴 127
倷 156
內 200
内 221
奈 504
奶 513
妳 524
[illegible] 524
嬭 551
[illegible] 566
[illegible] 603
廼 713
[illegible] 718
[illegible] 720
[illegible] 997
柰 1047

[illegible] 1083
氖 1172
氝 1172
[illegible] 1255
[illegible] 1349
[illegible] 1532
[illegible] 1817
耏 1817
耐 1818
能 1847
[illegible] 1848
荋 1922
萘 1929
螚 2027
褦 2073
[illegible] 2075
[illegible] 2278
迺 2293
那 2329
[illegible] 2330
[illegible] 2331
酎 2519
[illegible] 2623
[illegible] 2624
[illegible] 2633
[illegible] 2648
[illegible] 2653
鼐 2713

냑

[illegible] 2239
逽 2316

閙 2443
냥
娘 532
孃 553
녜
貎 2702
녀
女 511
帤 671
絮 1730
蒘 1968
녁
惄 785
爿 1369
疒 1478
糑 1705
蟌 2044
餒 2573
鬡 2578
년
㞋 619
年 687
撚 905
榐 1091
汈 1184
涊 1231
碾 1580
秊 1610
簐 1683
赧 2211
跈 2227
跈 2228
跜 2228
躎 2250
輾 2262
輾 2274
𨛍 2333
𨛰 2333
䤡 2519
鼼 2717
녈
夨 491
涅 1230
湼 1230
涅 1268
碮 1578
笍 1656
篞 1680
苶 1910
𦯀 1925
菍 1932
蒄 1955
𧧢 2127
𧧢 2127
𧺮 2219
념
唸 381
姩 520
姌 523
㜝 548
念 758
念 761
恬 778
恓 779
拈 858
捻 877
稔 1620
𥬠 1659
𥱼 1671
𦃀 1746
艌 1890
陰 2467
䬯 2573
黏 2703
䵒 2709
녑
嵒 390
囁 413
図 415
埝 450
夲 504
抐 871
捻 877
摂 897
攝 918
敜 934
𢿢 943
爃 1364
𥫰 1660
緤 1776
𦆽 1782
耴 1822
聂 1823
聑 1826
聶 1829
聿 1831
𦢊 1869
䕅 1959
踂 2235
踗 2237
鉩 2383
錜 2403
鑈 2423
鑈 2424
鑷 2425
𩌏 2527
韽 2538
𩛖 2579
䮅 2599
𩧶 2612
𩰿 2669
𪌞 2696
녕
佞 123
侫 134
儜 184
嚀 408
嬣 552
𡧋 580
寕 590
寍 591
寗 593
寜 594
寧 597
擃 909
擰 914
攮 917
檸 1117
𣬠 1166
𣭛 1169
泞 1208
濘 1306
𣪘 1369
𣪠 1369
獰 1407
甯 1458
矃 1553
𥣫 1631
𥨪 1640
聹 1830
𦡀 1868
𦷜 1971
薴 1981
𧂐 1986
䗿 2037
𧒼 2040
䛏 2117
𧬈 2162
𨉷 2256
𨊁 2256
鑏 2422
𨼯 2430
𩁃 2492
𩕄 2556
𩕅 2558
𩞃 2586
鬡 2630
鬤 2630
鸋 2683
𪇆 2684
녜
昵 982
暱 986
檷 1117
祢 1596
祢 1596
禰 1606
鈮 2383
鉨 2383
鑈 2423
鑈 2424
䦟 2437
𨷻 2448
𩏄 2530
𩮰 2630
𩰋 2631
노
努 275
呶 363
嫑 477
奴 513
伮 513
嫐 540
孥 562
猱 641
巎 653
嶩 656
帑 670
弩 722
忞 758
怒 765
㥾 765
怓 768
恼 779
惱 781
𢜛 800
猱 1400
獶 1406
獿 1408
𤢖 1409
獳 1409
瑙 1433
瓇 1445
𥄗 1538
砮 1570
𥐥 1570
碯 1578
笯 1659
臑 1867
蝚 2022
𧆢 2105
訥 2105
詉 2115
譳 2131
𧪚 2142
諓 2143
𧳜 2182
𨽉 2430
餒 2574
駑 2596
𩭷 2626
鴑 2666
녹
穤 1626
논
𢅥 683
麐 2697
농
儂 181
农 224
噥 407
濃 1304
瀗 1319
獶 1406
𤢖 1409
癑 1496
癑 1498
穠 1630
繷 1775
𦗧 1830
膿 1865
𦦬 1882
莀 1925
蕽 1971
𧏗 2044
裥 2062
襛 2078
𧞤 2081
農 2285
辳 2286
𨑃 2286
䢉 2286
𨑆 2286
𨑇 2286
醲 2363
𨢊 2365
𨽻 2430
𩅦 2508
𩞑 2585
鬞 2629
𪈜 2683
䵜 2703
𪑛 2710
齈 2720
놔
雫 2494
놜
妠 520
𤝞 1389
𥈬 1546
衲 2057
豽 2180
貀 2180
뇌
𠝟 260
𠤜 291
嫐 540
𢅥 683
恼 779

惱 781
惱 800
憹 821
挼 871
捼 877
浽 1240
脑 1847
脮 1852
脳 1852
腇 1854
腦 1855
䐉 1864
鞱 2525
䫺 2563
餒 2575
餧 2579
餵 2581
䮑 2603
䯀 2615
鮾 2650
鯘 2656

뇨

嫋 544
嫐 545
嬈 548
嬝 550
嬲 552
孃 553
尿 620
屎 626
撓 904
擾 917
橈 1108
欀 1122
休 1181
淖 1239
溺 1273
𤙖 1382
硇 1571
茮 1914
裊 2065
褭 2074
褭 2076
詉 2115
譊 2146
譊 2155
鐃 2415
䭃 2430
駗 2430
驤 2430
鬧 2438
𨼕 2479
颻 2562
髳 2626
鬤 2629
鬧 2630
魖 2638
嶋 2666
鸋 2681

뇩

嶋 2044

누

㝅 564
槈 1094
檽 1118
㵋 1237
獳 1407
羺 1803
耨 1820
譳 2156
譨 2158
譳 2162
鎒 2409
䵜 2509
𩴆 2639
鸋 2693
鸋 2693

눈

媆 539
嫩 546
焫 1325
腝 1858

눌

吶 355
㕯 355
抐 853
㱡 1148
肭 1837
䏔 1854
訥 2109
詘 2116
貀 2180
䟜 2226

뉴

妞 520
㣰 751
忸 764
扭 849
杻 1040
㲴 1158
沑 1187
炄 1325
狃 1389
𤤻 1419
䋴 1556
䄂 1613
粈 1697
紐 1715
䏔 1837
莥 1924
䒜 1930
衵 2054
䡂 2261
𨛆 2329
鈕 2380
𨳝 2436
靵 2522
𩚖 2569
䬴 2570
𩞀 2580
䵒 2702

뉵

忸 764
恧 774
肭 1017
朒 1017
沑 1187
䎠 1555
𦐌 1556
䎡 1818
莥 1924
蒳 1955
䖭 2005
衂 2042
衄 2043
衄 2043
衄 2043
䘐 2044
訲 2109
跔 2226
䣷 2519
𨠖 2519
䶊 2719

늑

䶈 2027
龂 2038

능

耐 1818
能 1847
䑳 1848
䶈 2027
龂 2038
酎 2519

늦

菭 1925

니

你 123
呢 361
坭 442
㞾 442
𨑹 453
妮 524
尼 619
屔 624
怩 771
㤥 771
旎 964
柅 1049
㮏 1083
檷 1117
泥 1210
㲻 1222
濔 1306
𤂥 1312
狔 1391
𣉙 1546
秜 1615
籋 1692
聻 1828
聻 1830
腝 1858
膩 1863
䐖 1868
臡 1870
苨 1909
𦵂 1937
薾 1985
蚭 2009
𧘰 2060
訵 2115
貎 2181
𧿹 2227
跜 2229
䡾 2262
迡 2292
䣵 2355
𨠖 2361
𩋃 2523
𩋄 2528
𩍐 2530
𩚵 2572
𩣡 2589

닉

匿 295
嫟 545
㥾 807
惄 807
𢡃 813
搦 895
夵 1180
休 1181
溺 1273
糑 1705
蝁 2002
𧗃 2039
䣶 2519
䵑 2703
𪖥 2728

닌

您 780
儜 826
紉 1714

닐

𢡃 813
昵 982
暱 986
暱 998
𣘈 1102
痆 1484
秜 1615
䙏 2079
𪐛 2702
𪏽 2702

닙

囜 415
囡 421
孨 562
𥬇 1660
𨻶 2479

다

多 480
夛 481
夛 481
彐 720
𣘜 1099
爹 1368
痑 1485
癉 1495
𥦗 1639
䏧 1847
茤 1915
茶 1916
舵 2096
䑒 2100
跢 2232
躇 2247
都 2346

단

丹 49
凵 52
亶 89
但 115
僤 179
儃 181
𠛅 262
剬 263
剸 265
勯 284
匰 294
单 307
単 310
單 310
單 386
团 422
団 422
團 430
坍 438
坛 438
坍 441

壇 467
嫥 545
嶦 651
彖 730
彤 733
慱 814
搄 872
摶 892
搏 901
攤 914
摶 915
敦 936
㪔 938
𣀔 942
断 953
斷 956
㫁 956
斷 956
斵 957
旦 969
椴 1089
槫 1104
檀 1113
段 1155
𦩍 1160
湍 1263
漙 1286
潬 1292
澶 1302
煓 1345
煅 1345
燀 1353
狚 1392
猯 1401
瑖 1433
疸 1481
癉 1495
𤻨 1496
短 1559
碫 1578
𥗊 1586
䅛 1624
端 1651
竱 1651
笪 1660
篿 1684
簞 1684
䉪 1688
籪 1694
䊜 1705
𥻳 1707
糰 1708
緞 1755
繟 1773
繵 1776
耑 1818
胆 1842
腶 1857
䐷 1863
膻 1865
葮 1949
蕇 1974
蛋 2008
蜑 2014
𧓢 2033
蟺 2036
袒 2057
褖 2071
褍 2071
襌 2076
襢 2078
觛 2097
𧤗 2100
𧭁 2162
𧰁 2173
貒 2177
𧳃 2182
𧰨 2182
貚 2183
𧶝 2205
𧺈 2215
𧼐 2222
𨂺 2234
踹 2241
𨇾 2250
𨆃 2251
躖 2253
鄲 2348
醰 2362
鍴 2405
鍛 2405
鑮 2409
鏄 2412
毈 2430
𨳬 2438
隊 2471
𨺚 2472
𩀺 2487
𩁊 2487
𩀼 2492
𩁨 2492
𩂩 2503
𩄇 2506
𩈣 2519
靼 2522
𩋆 2528
𩍗 2530
𩎓 2533
𩎆 2534
𩗢 2565
餯 2581
䪳 2588
驙 2600
𩢍 2603
驙 2610
鴠 2664
鶉 2673
䳦 2673
鶨 2674
鷒 2680
鷤 2681
𪆷 2681
鷻 2683
𪓐 2701

달

㒓 183
呾 365
喙 391
噧 406
噠 407
夳 499
妲 521
𢗬 768
怛 769
𢡅 788
撻 909
擄 919
橽 1116
少 1137
澾 1303
炟 1327
狚 1392
㺚 1406
獺 1409
疸 1481
笪 1660
繨 1775
羍 1797
胆 1842
𦪑 1892
荁 1925
蒕 1955
薘 1974
詚 2116
獺 2183
躂 2241
𨇀 2241
𨇁 2249
达 2287
达 2290
達 2315
逹 2315
𨘢 2326
闥 2448
闒 2448
鞑 2526
韃 2530
鯻 2657
𪐶 2704
黰 2706

담

优 108
倓 156
㑿 168
儋 182
厭 323
啖 382
啗 382
啿 389
𡅆 400
嘾 404
噉 405
嚪 410
坛 438
墰 465
壜 471
妉 520
𡛧 524
媅 540
𡠻 548
忐 759
惔 791
憛 817
憺 821
憾 821
担 858
擔 911
曇 999
橝 1110
檐 1114
櫩 1114
毯 1167
𣯡 1167
氮 1174
𣱵 1174
𣲞 1219
湳 1224
𣳾 1235
𣶢 1236
淡 1241
湛 1264
澹 1273
𣿬 1273
澹 1285
潭 1295
澹 1302
炎 1323
炎 1324
㶴 1327
燄 1352
甔 1451
歁 1453
𤭢 1453
㽎 1453
痰 1487
盜 1522
監 1522
𥂁 1526
磹 1585
䃫 1586
禫 1604
䆮 1606
窞 1635
突 1637
窞 1639
窞 1640
窴 1643
䓣 1681
簟 1684
簷 1688
籃 1695
紞 1699
粩 1707
糮 1708
紞 1719
緂 1751
網 1763
鐔 1785
鐔 1786
䏙 1822
聃 1824
聃 1824
瞻 1830
耽 1836
胆 1842
膽 1862
膻 1863
膽 1865
甜 1884
舑 1884
舕 1884
舚 1884
舚 1885
𦧇 1885
芫 1904
荻 1935
菼 1937
萏 1954
菼 1957
蓞 1964
蕁 1965
蕁 1965
薝 1967
薝 1975
蕜 1977
藫 1977
藫 1984
藫 1985

蕁	1989	醈	2358	黕	2704	荅	1918	鼛	2715	旛	966	糖	1705	鎕	2409	𠐷	183
藺	1989	䤍	2358	䵅	2707	蝳	2016	鼞	2716	曭	1004	穜	1821	鋿	2411	儓	184
蕁	1989	醓	2359	黮	2709	褡	2074	龖	2732	𣎛	1023	𦖷	1830	鏜	2413	坮	443
蛟	2016	醰	2362	黵	2710	誻	2133	龘	2732	棠	1081	膛	1861	鐺	2421	垈	443
蟫	2032	醫	2364	黵	2710	譅	2147	**당**		档	1081	膧	1863	钂	2426	大	483
蟺	2041	錟	2400	**답**		譶	2161	倘	156	榶	1096	𦢊	1865	閪	2438	嬯	552
盜	2044	鐔	2416	剳	264	譹	2162	傏	166	樘	1106	艡	1892	闛	2444	对	602
衉	2044	霅	2503	劄	288	譶	2162	儻	188	檔	1114	蓎	1952	闣	2448	对	603
監	2044	霮	2503	嗒	383	踏	2235	党	198	欓	1125	螗	2025	隚	2473	對	609
衴	2055	靆	2507	嫸	537	蹋	2242	唐	377	氃	1168	螳	2028	䧜	2474	對	610
裧	2066	䨢	2509	嵴	644	踏	2243	唐	379	溏	1269	蟷	2034	䧳	2490	岱	637
覃	2085	䨵	2509	搭	876	蹹	2248	啺	388	灙	1319	蟗	2035	鞺	2529	𡽗	654
覘	2090	䩞	2519	榙	1077	蹋	2248	噇	405	煻	1348	蟷	2035	䬅	2564	帒	670
詹	2125	䩩	2519	榻	1117	踏	2248	噹	407	爣	1364	襠	2078	餳	2580	带	671
談	2134	頕	2541	沓	1186	躂	2250	坣	442	瑭	1438	覿	2093	餳	2580	帶	673
譚	2157	䫖	2542	涾	1252	躢	2253	堂	451	璫	1441	譡	2160	餹	2582	带	673
譠	2157	頕	2544	畓	1464	遝	2306	塘	458	瓽	1449	𧬨	2164	饄	2582	帶	676
䜚	2173	顲	2557	畣	1469	遝	2317	臺	468	甏	1450	讜	2167	䭚	2583	廗	704
贉	2207	餤	2579	皶	1517	錔	2408	宕	615	當	1472	赯	2212	𩟍	2585	待	739
賧	2208	𩟗	2583	眔	1536	鎉	2409	嵣	649	盪	1515	蹚	2236	𩤸	2605	徥	750
䞡	2222	饏	2583	磕	1576	闒	2444	幢	682	瞠	1549	躺	2255	髑	2617	忕	767
蹋	2248	䭙	2589	笪	1660	雜	2490	当	730	矘	1551	𨎅	2270	鰖	2653	憝	815
舤	2254	馾	2593	答	1664	鞳	2533	当	730	瞪	1552	䡴	2275	𩼹	2658	憞	819
舑	2254	騇	2599	箚	1680	韃	2535	戆	829	矘	1554	𨎸	2276	鶶	2677	懟	823
䑽	2254	驔	2608	翖	1810	餲	2581	戇	829	磄	1582	轄	2279	黨	2708	懛	823
䑶	2255	䮘	2612	䎓	1810	騔	2602	搪	896	礑	1586	逷	2308	鼞	2716	憝	829
艝	2256	髧	2624	耷	1822	鬙	2627	摚	899	禟	1626	郋	2339	𪕳	2718	戴	837
艪	2256	亶	2687	聕	1827	鶡	2677	撞	905	䆳	1632	𨛜	2340	**대**		戴	838
郯	2339	鹹	2687	舚	1884	黯	2708	擋	911	篖	1680	鄞	2344	亣	84	戴	838
鄆	2347	亶	2687	䑙	1884	鼕	2715	攩	920	簹	1688	鄌	2349	代	103	戻	839
郯	2348	䵘	2696	䑽	1885	鼛	2715	於	960	糃	1704	𨞿	2350	伏	104	擡	909

擡 913
敦 936
敨 938
𣀔 942
旲 971
㬭 1002
檯 1118
歹 1146
歺 1146
歺 1146
歹 1146
殆 1157
毒 1162
汏 1183
潓 1309
瀩 1314
瀢 1315
熪 1360
犆 1384
犢 1385
獖 1406
玳 1422
瑇 1434
癗 1493
癀 1495
碓 1576
碌 1576
碌 1578
祋 1591
竴 1650
竴 1652
篡 1672
箭 1684
簀 1684
簡 1686
簷 1690
膭 1868
臺 1877
臺 1877
薊 1959
薹 1961
蒢 1967
薹 1972
薹 1978
薱 1981
薾 1985
蕿 1988
蚩 2006
螮 2022
袋 2060
襶 2079
襶 2081
觫 2100
譈 2154
譈 2162
貸 2193
跢 2232
蹛 2244
豋 2246
軑 2259
軚 2261
載 2265
載 2266
轛 2279
逓 2299
遞 2317
鈦 2378
錞 2399
鐓 2416
鐓 2424
鐓 2426
鐓 2426
鐓 2426
队 2449
隊 2470
隶 2479
靆 2503
靆 2505
靉 2508
靆 2508
靆 2509
靆 2512
隧 2536
髓 2616
馱 2660
默 2704
黛 2706
黱 2709
黱 2710
黱 2710
黱 2710
댁
宅 568
덕
得 745
得 752
德 752
德 753
德 754
悳 788
悳 788
悳 788
橞 1112
㝵 2087
貣 2186
도
倒 150
兜 198
圖 239
圖 239
刀 239
刂 240
刀 240
到 252
剫 262
刬 267
匋 287
居 319
畓 327
叏 330
叨 336
咷 370
啕 383
嘾 389
嘼 390
嚳 413
図 423
图 424
图 424
圖 429
圖 430
圖 430
圖 430
堵 456
塗 460
墕 467
墿 467
壔 469
宨 580
导 603
對 609
導 610
導 610
屠 625
島 641
嶋 648
嶌 649
嶋 650
島 650
帾 678
幍 679
幬 681
幬 683
庑 693
度 694
度 697
庩 699
屠 705
弢 721
徃 736
徒 744
忍 757
忉 757
忑 760
悇 784
悼 789
悳 789
慆 806
挑 869
捈 871
掉 878
掏 879
搗 885
搗 894
搯 896
搗 903
擣 908
擣 913
敦 936
敨 938
睹 994
朷 1030
桴 1054
桃 1061
梌 1068
棹 1078
稻 1096
槖 1099
櫊 1112
檡 1113
檮 1117
櫂 1118
涜 1220
涛 1226
涂 1230
淘 1240
渡 1256
滔 1261
滔 1277
潳 1296
濤 1306
濤 1308
燾 1361
受 1365
牧 1379
犊 1381
犆 1384
犢 1385
狣 1393
瑫 1438
瑹 1438
璹 1440
瓙 1443
垙 1448
瘏 1490
盜 1520
盜 1521
儵 1539
督 1542
督 1543
督 1543
睹 1546
碑 1576
祀 1598
祷 1598
祀 1599
禂 1599
禂 1599
禱 1606
禮 1606
秫 1617
稌 1619
稻 1624
稻 1625
稌 1629
稾 1631
筡 1666
箯 1673
筶 1680
篨 1681
籌 1690
籯 1690
糯 1708
絩 1736
絛 1744
綢 1746
綯 1747
縧 1761
縚 1762
纛 1778
纛 1782
纛 1782
翿 1798
翢 1809
翿 1813
睿 1816
朾 1835
舠 1886
舭 1889
舶 1890
舸 1890
舳 1891
芏 1898
茶 1923
菟 1932
菿 1932
萄 1936
荰 1938
蒦 1944
蔜 1945
蒤 1956
蓟 1962
颾 2000
蜪 2016
覐 2044
衔 2047
衜 2049
衟 2051
裪 2066

裯 2067
覩 2090
詑 2116
𧦝 2130
𧩫 2139
謟 2146
諂 2149
賭 2204
䞬 2207
赴 2214
趓 2219
跳 2232
𨁈 2233
跅 2233
跿 2234
𨂌 2239
蹈 2242
䠧 2242
𨇁 2245
軇 2256
轁 2274
𧺆 2287
辻 2287
迯 2292
逃 2296
迣 2296
途 2299
遥 2308
道 2313
遉 2315
䢒 2316
𨓧 2316
郆 2335
都 2339
都 2340
鄐 2346
酴 2355
醄 2358
䤣 2359
醏 2359
醾 2361
釖 2376
錭 2400
鋾 2403
鍍 2404
𨧞 2409
鉐 2430
闍 2444
陶 2457
陶 2465
陶 2466
隝 2474
鞀 2522
鞉 2524
𩊠 2525
鞫 2526
韜 2529
韟 2534
韜 2534
顚 2558
饕 2566
飹 2569
餐 2569
駤 2573
餇 2579
餡 2582
餯 2582
饕 2585
餷 2589
駼 2599
騊 2601
駋 2605
騳 2609
驣 2611
髑 2616
骺 2623
髢 2626
魋 2638
魛 2641
鮡 2646
魠 2650
搗 2660
鵌 2669
鵚 2669
鵫 2681
鶹 2682
鷸 2684
鵌 2690
麹 2695
黏 2703
鼗 2715
鼗 2715

독

匵 294
嬻 552
毒 629
㞘 737
豛 935
櫝 1120
殰 1155
毒 1162
瀆 1311
瀆 1318
牘 1372
牘 1373
犢 1385
独 1394
獸 1405
獨 1405
瓄 1444
皾 1518
𤿯 1518
督 1545
碡 1577
秃 1608
竇 1645
竺 1654
笁 1654
筃 1678
篤 1679
𥳑 1684
纛 1782
纛 1782
罜 1787
𦌾 1794
𧖳 1810
豚 1853
𦟛 1868
毒 1941
蔔 1959
薄 1968
獨 1988
毒 2006
蝳 2022
裻 2069
祷 2069
褶 2078
裋 2078
襩 2079
襡 2080
嶜 2080
誘 2131
読 2132
読 2139
讀 2162
讀 2167
讟 2167
䪅 2170
殺 2174
䐁 2209
䟦 2223
躊 2241
躅 2256
遺 2327
遺 2328
邮 2332
鋈 2399
鑟 2423
闍 2442
隫 2478
雉 2486
雛 2492
霤 2504
韣 2530
韥 2531
韣 2535
韥 2536
頊 2541
顗 2557
餲 2585
騳 2604
騖 2604
騳 2609
魏 2638
鵚 2671
鸀 2683
黷 2696
黷 2710

돈

吨 354
噸 408
囤 421
囤 423
墩 464
墪 467
㞘 625
帞 678
豘 679
庉 693
弴 727
彉 729
忳 764
惇 791
惇 803
憞 826
扽 850
撉 903
撴 903
敦 936
敦 938
敦 942
盹 977
噸 1000
不 1025
沌 1192
炖 1325
焞 1334
燉 1354
燉 1362
豘 1390
獤 1405
盨 1526
盾 1533
盹 1539
睶 1543
蹲 1652
純 1715
蒮 1968
藖 1977
蜳 2018
蠈 2033
豚 2174
豘 2174
䭃 2209
蹎 2241
蘲 2250
軞 2259
軘 2260
遁 2308
遯 2316
遯 2320
鐓 2416
鐓 2426
鐜 2426
鑿 2426
闉 2437
雽 2495
鞿 2529
頓 2543
顡 2552
飩 2562
飩 2570
餐 2583
驐 2608
魨 2642
麰 2694
黗 2700
臢 2700
黰 2701
蘞 2701
黗 2704
黗 2704
黥 2708

돌

乭 64
厷 324
咄 364
堗 456
宊 572
㕿 658
怢 768
怢 772
悷 788
揬 888
柮 1051
乭 1565
突 1633
突 1635
笜 1660
朏 1844
腯 1856
艓 1890
葖 1949
貀 2180
踈 2237
迌 2290
鈯 2382
鋏 2406
鍎 2406

雞 2487
頓 2543
飿 2573
馳 2595
鶟 2674
黜 2718

동

仝 99
侗 132
偅 164
働 168
僮 178
冬 227
凍 231
昸 232
动 274
動 279
同 345
哃 371
垌 445
姛 530
敟 530
峒 638
峝 638
幢 651
戙 717
彤 732
徸 751
㤨 771
憧 818
懂 822
戙 834
挏 868
揀 885
曈 1000
朣 1023
东 1029
東 1045
桐 1062
棟 1076
橦 1111
𣪍 1159
毭 1169
洞 1216
浵 1222
涷 1237
湩 1265
潼 1297
瀻 1302
炵 1327
烔 1329
燑 1356
犝 1385
狪 1393
獞 1404
甋 1448
疼 1481
痋 1485
瘇 1494
癑 1497
眮 1541
瞳 1551
硐 1571
秱 1617
穜 1629
筒 1638
䆚 1646
童 1649
𥫼 1652
箽 1677
籦 1686
粡 1699
絧 1737
罿 1792
羫 1799
𦍋 1801
䍶 1803
𦑣 1812
胴 1845
膧 1863
𦨿 1889
艟 1891
苳 1910
茼 1917
董 1945
蕫 1970
蘳 1992
𧊊 2010
蛯 2013
蝃 2017
蝀 2017
蟲 2036
衕 2048
裥 2062
覩 2090
詷 2123
諌 2133
𧲫 2172
𧲣 2180
𧳈 2181
𧹔 2211
赨 2211
䞒 2211
趚 2220
𧼈 2222
𨉞 2255
迵 2293
𨓦 2312
𨠔 2354
酮 2355
重 2367
量 2369
𨤗 2369
鉖 2382
銅 2388
鉵 2391
錬 2398
鐘 2425
隫 2478
雺 2499
𩋠 2524
𩏮 2530
䪝 2538
䪞 2538
餇 2574
駧 2598
䮢 2608
鬉 2627
魗 2637
鮦 2647
鰊 2649
𩸞 2650
𩸷 2655
鴤 2664
䳛 2666
䳋 2666
鶇 2672
𪇓 2681
𪌭 2695
𪍊 2702
𪎉 2703
𪑇 2710
鼕 2715
鼞 2715
鼟 2715
鼜 2715
鼛 2716
鼘 2716
鼚 2716

두

㐙 43
亠 83
侸 136
兜 198
吋 344
吺 354
哣 376
土 431
坄 438
垔 445
垈 448
堍 454
𡒄 460
头 499
投 851
抖 852
𢫬 872
敨 938
斁 941
斗 948
㪷 949
㪯 950
斢 950
昌 974
杜 1036
枓 1043
梪 1069
梎 1102
歜 1136
殬 1154
毭 1168
氀 1168
浢 1232
瀆 1311
瀆 1318
瓨 1448
痘 1485
梟 1513
皷 1517
䀘 1542
鴡 1549
嚞 1588
豖 1591
䄈 1598
窦 1639
窬 1640
窾 1641
竇 1645
笠 1667
篼 1682
料 1719
肚 1835
脰 1850
荰 1922
荳 1923
藸 1975
蚪 2004
螙 2025
䖸 2027
蚪 2027
蠧 2038
蠹 2040
蠹 2041
科 2053
褕 2071
䜊 2092
訃 2110
読 2139
讀 2162
讀 2167
豆 2170
豋 2170
䜴 2171
跿 2234
𨑫 2290
逗 2299
郖 2335
鄃 2343
酘 2353
醶 2359
鈄 2381
鋀 2395
鐯 2408
闘 2447
阧 2451
陡 2458
堆 2485
鞋 2521
鞀 2525
頭 2546
頣 2549
顗 2554
颭 2562
餖 2576
髫 2628
鮷 2647
鳿 2660
鴀 2663
斢 2694
鼜 2697
黈 2701

둔

吨 354
坉 439
屍 622
屯 629
窀 1635
笹 1656
簐 1688
簪 1693
粌 1696
腯 1856
腞 1859
臀 1863
臋 1865
臀 1867
芚 1899
踲 2241
蹾 2250
迍 2288
遁 2308
逯 2316
遯 2320
鈍 2379
鈍 2379
䩛 2503
頓 2543
臀 2617
臀 2619

鶆 2674

득

㝵 603
㝵 605
㝵 605
得 745
得 752
得 1235
𤼲 1498
登 1498
𤼵 1501
𤼷 1501
㝵 2087
䙷 2186
䟒 2238

등

僜 178
凳 235
墱 464
嶝 651
幐 680
廾 713
戥 835
撜 892
橙 1086
橙 1109
櫈 1119
殌 1154
㲪 1169
㽅 1169
滕 1268
滕 1313
澄 1316
灯 1322
燈 1354
璒 1440
㽅 1451
𤼲 1498
登 1498
𤼵 1501
𤼷 1501
磴 1584
等 1661
簦 1686
籐 1691
籘 1693
縢 1763
縢 1773
膯 1861
膯 1863
艠 1891
艠 1892
艠 1892
苀 1905
等 1915
䔲 1968
藤 1983
藤 1992
䲍 2001
螣 2026
螣 2033
螣 2038
䙷 2076
覴 2093
誊 2125
謄 2150
謄 2150
䲍 2162
登 2171
𤼲 2171
蹬 2172
蹬 2173
蹬 2173
䠬 2243
蹬 2244
蹬 2246
蹬 2249
蹬 2251
輘 2278
邆 2326
鄧 2346
鐙 2417
隥 2474
霯 2507
䭿 2584
騰 2605
騰 2606
驣 2608
䮴 2611
驣 2611
𩦺 2612
鬅 2629
鼟 2639
鰧 2653
鰧 2654
鶵 2681
鼟 2710
鼟 2716
鼟 2716

라

倮 155
儸 188
𠑊 188
儽 188
剆 256
剌 257
㞚 322
㢹 323
喇 389
囉 414
𧈧 618
㑩 731
懶 826
㦬 829
摞 899
揺 916
攞 919
攞 920
斲 952
曪 1004
檑 1120
欏 1125
殏 1154
殏 1155
𤄷 1318
玀 1409
瘰 1493
癘 1496
癩 1497
癩 1498
砢 1567
稞 1629
蠃 1652
籮 1694
累 1729
縲 1766
羸 1782
纙 1782
罗 1786
羅 1793
嬴 1857
腡 1858
蠃 1869
蓏 1956
菓 1960
蓏 1982
蘿 1993
蘿 1993
蠡 2020
螺 2028
蠃 2036
蠡 2037
裸 2067
蠃 2079
覶 2093
覼 2093
跊 2228
躶 2255
邏 2328
鎯 2403
鏍 2415
鸁 2421
鑼 2425
鑼 2425
鑼 2425
䌓 2520
鄬 2581
饠 2586
騍 2600
騾 2606
驘 2610
䵩 2633
䵩 2633
䊨 2695
䊨 2695
䊨 2696

락

乐 55
剳 254
咯 370
樂 1104
殆 1150
洛 1215
洛 1216
濼 1312
烙 1328
犖 1384
珞 1422
略 1539
硌 1571
礐 1582
磱 1584
客 1665
落 1674
箈 1680
絡 1735
落 1941
蛒 2011
蠡 2035
袼 2061
謋 2163
路 2231
躒 2251
輅 2264
轢 2280
酪 2354
鉻 2387
雒 2486
躍 2530
輅 2524
駱 2598
骼 2645
鱳 2654
鱳 2657
鵅 2667
鸈 2685
鵅 2717
駱 2717

란

乱 64
乿 65
亂 67
兰 216
卵 316
圝 431
圞 431
嫋 548
嬾 552
嬾 554
𠢕 618
巒 655
㡘 683
懶 826
懶 826
拦 863
攔 917
孄 948
敽 941
暕 996
巒 1004
栏 1054
栾 1065
欄 1123
欒 1125
欗 1125
欄 1137
殌 1150
殌 1155
瀾 1316
灓 1319
灡 1319
灤 1319
烂 1326
燗 1353
爛 1363
爤 1364
瓓 1444
癴 1498
癴 1498
癴 1498
襴 1606
籣 1693
糷 1704
糷 1709
䍀 1885
亂 1976
蘭 1990
虊 1994
虊 1994
襴 2080
覶 2093
覶 2093
諫 2141
䜌 2155
讕 2157
讕 2166
躝 2252
釟 2376
鑾 2392

鑭	2424	㛦	536	覽	2093	䄡	2047	莨	1926	耒	1818	两	43	蜋	2013	吕	352
鑾	2426	婪	539	艦	2256	𧙕	2058	蓢	1957	萊	1936	亮	88	蜽	2018	呂	352
闌	2442	𡣗	551	轞	2279	邋	2327	蒗	1957	蠜	2038	亮	89	裲	2067	唳	380
闌	2443	嵐	646	醂	2357	鍸	2421	䕞	1985	誎	2138	俍	140	諒	2136	巁	654
䦨	2448	㠨	683	醶	2363	鑞	2423	蜋	2013	賚	2201	倆	149	踉	2234	戾	694
韊	2531	𢇽	703	𨢿	2364	鱲	2685	螂	2024	睞	2201	倞	152	蹘	2244	戻	694
鵉	2669	惏	791	𨣗	2364	랑		裉	2064	逨	2221	㒳	203	輬	2266	廬	710
鸞	2686	懔	822	鑬	2418	朗	256	踉	2234	郲	2339	兩	204	輛	2269	廲	711
랄		㦨	823	𩯁	2629	娘	532	輬	2266	錸	2398	凉	231	輬	2270	彔	731
剌	257	擥	912	鸕	2684	嫏	542	郎	2335	陝	2464	哴	377	醸	2358	悷	793
喇	389	𢹿	914	랍		廊	703	郞	2336	頼	2550	喨	392	量	2370	慮	810
垃	442	攬	920	㕇	319	廊	703	鋃	2394	騋	2601	埌	446	量	2370	憴	819
㢋	702	檻	1122	啦	380	朖	1019	閬	2440	鯠	2648	宸	586	鞆	2526	戾	839
捋	873	欖	1125	拉	858	朗	1019	鶶	2633	鶆	2673	悢	784	颹	2563	捩	875
攋	917	㲚	1169	拹	868	桹	1067	래		랭		悢	791	颹	2563	攦	919
𪲎	1070	漤	1289	搚	894	榔	1091	來	124	冷	228	掠	880	魎	2637	旅	961
𤛠	1381	濫	1308	摺	902	樃	1103	倈	156	략		掚	885	려		旅	962
瘌	1489	灠	1319	擸	915	浪	1225	傈	171	䂮	395	晾	991	丽	42	曞	1003
蛶	2013	燣	1360	柆	1050	瀧	1314	儮	188	掠	880	梁	1072	丽	43	曥	1004
蝲	2023	爁	1360	𣠽	1120	烺	1332	勑	278	擎	899	椋	1079	丽	43	梠	1057
𧬁	2140	𥂰	1645	𤠧	1385	狼	1395	崍	645	擽	916	樆	1080	侶	137	櫔	1059
辣	2282	籃	1690	磖	1582	琅	1426	庲	702	擽	917	樑	1104	俍	153	梠	1069
辢	2282	繿	1778	䃳	1587	瑯	1436	徠	748	畧	1468	涼	1237	儢	186	棙	1076
颲	2564	纜	1780	臈	1867	䀶	1542	来	1038	略	1468	㹁	1382	儢	187	櫚	1120
䶛	2725	纜	1783	臘	1868	硠	1572	梾	1079	略	1539	脼	1542	儷	187	櫖	1121
䶛	2725	罱	1791	臘	1868	稂	1618	淶	1247	䂮	1571	粱	1699	励	275	櫔	1121
람		葻	1949	菈	1930	𥥶	1639	猍	1396	蛴	2025	粮	1700	勵	284	欐	1125
儖	184	藍	1980	蝋	2019	筤	1665	瘊	1489	蛴	2029	粱	1701	卝	312	沴	1200
厱	324	蘫	1991	蝎	2035	䍚	1788	睞	1543	螺	2029	糧	1707	厉	319	濾	1310
嚂	408	襤	2079	蠟	2037	䍾	1803	秾	1621	량		緉	1752	厪	322	澖	1310
壈	468	覧	2092	蠟	2037	艆	1890	綀	1747	両	42	良	1893	厲	323	濿	1311

爈 1362	蔾 1970	閭 2440	歷 1144	蔍 1985	鬲 2631	攣 919	蘗 1994	洌 1214
㸚 1368	藘 1982	颶 2563	沥 1188	蚸 2008	鬲 2632	㪘 937	蜼 2029	溂 1253
犁 1382	藜 1982	颲 2563	漻 1290	蠣 2038	鬲 2633	𤀹 1004	褳 2074	烈 1329
犂 1383	藺 1984	驢 2594	瀝 1314	觻 2102	䰛 2633	楝 1086	謰 2153	烮 1341
珕 1422	蘺 1993	驪 2607	爏 1362	䜩 2156	鬲 2633	槤 1104	䜌 2155	爄 1360
瓈 1443	蛎 2008	驊 2607	瓅 1444	讈 2165	鬲 2633	毵 1166	𧷺 2212	爄 1362
疠 1486	蜧 2018	驢 2611	歷 1451	赲 2213	鬲 2633	浰 1232	蹥 2245	㸹 1381
癘 1496	蟸 2019	驪 2612	癧 1497	趚 2223	鬲 2653	涷 1262	輦 2271	習 1469
盭 1524	蠡 2020	鸝 2686	略 1513	趯 2223	鱳 2657	漣 1287	轡 2280	𣅢 1471
盭 1526	蠡 2035	麗 2690	皪 1514	躒 2251	鱺 2657	炼 1326	連 2303	秝 1617
礪 1587	蟎 2035	麗 2691	嚦 1515	躒 2252	鬲 2659	煉 1341	鄻 2349	䇐 1662
祣 1597	蠡 2037	麗 2692	曆 1554	軅 2256	鬲 2659	璉 1439	鍊 2398	綟 1744
禲 1606	蠣 2038	黎 2702	砳 1567	轣 2274	鬲 2682	瘺 1498	鍊 2404	脟 1850
稆 1620	蠇 2038	黎 2702	䃯 1580	轢 2280	曆 2697	癧 1498	鏈 2412	茢 1915
穭 1632	蠡 2041	黎 2702	曆 1585	轣 2280	鬲 2728	練 1753	鰊 2651	莀 1929
筥 1665	蠡 2041	黎 2702	磿 1586	轣 2281	**련**	練 1758	鰱 2653	茢 1930
簇 1680	踂 2230	黎 2708	礫 1587	酈 2349	僆 173	縺 1767	**렬**	蛚 2011
粝 1699	踞 2236	**력**	礰 1588	醽 2360	孌 511	戀 1783	冽 229	蛶 2013
糲 1708	蹥 2251	力 271	秝 1614	醨 2365	嫡 548	羸 1803	冽 229	裂 2062
糲 1708	遽 2327	厤 322	䆐 1643	鎘 2411	孌 553	联 1824	列 246	裂 2062
絽 1740	郘 2336	歷 323	櫟 1708	鏫 2424	孿 567	聨 1827	列 255	裂 2062
綟 1744	郲 2348	嚦 410	纅 1779	闛 2448	孿 567	聯 1827	劣 274	踩 2237
縟 1763	酈 2349	劦 633	纅 1780	霖 2505	怜 769	聯 1827	埒 447	迣 2290
膂 1859	醽 2365	厤 704	屧 1794	霹 2508	恋 775	聯 1829	巁 654	迾 2294
膂 1860	鋁 2397	擽 916	攊 1803	靂 2509	憐 816	脔 1848	峢 657	鋝 2395
臚 1869	錄 2397	曆 997	翮 1810	靋 2512	憐 824	脟 1850	岁 658	颲 2563
茘 1914	録 2398	曆 1001	聽 1831	颯 2566	戀 828	膦 1865	恃 784	颲 2563
荔 1914	鏫 2415	朸 1031	曆 1864	饜 2584	拣 863	臠 1870	挒 869	鴷 2597
莀 1929	鐐 2423	櫟 1120	曆 1864	騮 2605	揀 886	莱 1941	捩 875	駠 2597
莉 1931	鑢 2423	櫪 1121	艫 1892	驟 2611	摙 903	蓮 1958	栵 1059	鴷 2645
藜 1965	鐧 2424	歷 1144	菻 1956	驪 2619	攆 915	蘗 1994	梠 1070	鮤 2645

鬣 2651
鴷 2668
䶛 2725
鬛 2725

렴

凁 231
匳 294
匲 294
奩 510
帘 670
㡘 679
㢘 703
廉 703
搛 897
斂 941
槏 1094
檶 1118
殮 1154
濂 1270
澰 1304
濂 1304
瀲 1315
熑 1348
獫 1406
磏 1581
礦 1586
稴 1625
簽 1683
簾 1689
籢 1693
縑 1775
羷 1803
薟 1975
蘞 1990
蠊 2025
蠊 2035
煛 2088
覝 2090
䙺 2090
謙 2159
賺 2205
䝺 2208
賺 2208
鎌 2408
䨬 2505
𩆍 2508
䭑 2582
䭑 2585

렵

儠 186
猟 1399
獵 1407
獵 1408
甐 1449
礲 1587
蠟 1984
躐 2249
躐 2250
颲 2563
颾 2566
髦 2593
鬣 2629
鬛 2630
鱲 2657

령

令 97
令 99
伶 114
另 336
㗊 370
囹 423
姈 523
𡡉 553
岭 636
岺 636
嶺 653
彾 739
徎 744
怜 769
拎 863
昤 980
聆 1017
柃 1054
櫺 1122
櫺 1126
毻 1166
泠 1209
澪 1301
灵 1324
灵 1324
狑 1391
獵 1410
玲 1419
𤮐 1444
瓴 1448
砱 1568
秢 1614
竛 1647
笭 1659
䉖 1690
𦉢 1786
羚 1798
羺 1804
翎 1807
聆 1823
舲 1888
𦪐 1892
苓 1905
蕶 1977
䕘 1978
蘦 1990
蘦 1994
蛉 2008
蠕 2039
袊 2060
䙥 2081
詅 2113
跉 2229
䠲 2255
軨 2262
逞 2301
酃 2349
醽 2364
醽 2365
鈴 2382
閝 2437
阾 2455
雵 2494
零 2497
霊 2500
霝 2504
䨩 2505
靈 2510
䩖 2523
領 2544
䬆 2562
䬇 2573
𩟗 2585
駖 2596
𩨛 2614
魿 2644
鴒 2663
𪇆 2683
𪈿 2686
鹷 2687
麢 2693
齡 2724

례

例 130
例 156
冽 229
刕 244
攦 920
栵 1059
澧 1301
爄 1362
畱 1469
癘 1484
砅 1567
礼 1589
礼 1589
礼 1589
禮 1604
禮 1606
秝 1617
筣 1662
迾 2294
醴 2363
醲 2365
鑗 2392
鋫 2392
隷 2479
隸 2479
𩦠 2597
䮚 2597
鮤 2645
鯏 2645
鱳 2647
鱧 2656
鱺 2657
𩺡 2658
鴷 2673

로

僗 179
労 275
劳 275
勞 280
卤 312
咾 371
哰 374
嘮 405
嚕 410
嚧 410
塷 461
壚 471
嫪 546
卢 619
嶗 652
庐 694
廬 710
恅 779
擄 901
撈 903
擄 910
攎 917
栌 1054
栳 1059
樐 1104
橑 1109
橯 1116
櫓 1120
櫨 1121
氌 1169
沪 1196
涝 1227
滷 1280
潞 1293
澇 1298
瀘 1313
炉 1325
爐 1362
牢 1376
狫 1393
獠 1404
獠 1404
獹 1409
玈 1412
璐 1439
瓐 1444
甗 1447
痨 1494
盧 1525
矑 1554
磠 1574
筟 1665
簩 1687
簩 1687
簬 1687
簵 1688
籚 1693
纑 1780
罏 1786
老 1813
耮 1821
舻 1887
艣 1892
艪 1892
艫 1892
芦 1905
荖 1921
蕗 1967
蓾 1968
䕡 1985
藘 1986
蘆 1987
虂 1993
虏 1995
虜 1997
虜 1998
虜 2000
謢 2153
譊 2157
豊 2172
豂 2173
貘 2183
路 2231
躬 2254
軳 2261
輅 2264
轑 2278
轤 2280
鋁 2397
鐪 2416
鐒 2416
鑢 2419
鑪 2424
𨵻 2430
露 2506
顱 2558

魯 2641
魲 2643
魯 2645
鱸 2657
駱 2666
鴼 2670
瀂 2675
鷺 2682
鸕 2685
鹵 2686
黸 2710

록

圥 433
彔 730
彔 730
慮 810
捸 880
摝 900
𣪘 937
樚 1102
淥 1242
漉 1284
𤃯 1304
濼 1312
琭 1431
甗 1450
甪 1458
盝 1522
盝 1526
睩 1544
碌 1574
祿 1599
禄 1599
𥪢 1650
箓 1668
簏 1683
籙 1688
簶 1692
粶 1704
綠 1744
緑 1746
䍡 1792
𦪏 1891
菉 1930
蔍 1980
褖 2068
角 2095
角 2096
觻 2102
谷 2168
趢 2220
𨁺 2238
𨊻 2268
轆 2275
轒 2280
逯 2307
醁 2357
錄 2397
録 2398
鏕 2412
餗 2578
騄 2600
騼 2607
鱳 2657
𩦸 2672
鹿 2688
麓 2691
龣 2734

론

惀 793
掄 878
碖 1576
菕 1937
論 2137

롤

𨀁 2230
𨁆 2236

롱

儱 187
𠪨 324
哢 374
嚨 410
壠 471
壟 471
巃 655
弄 714
徿 755
㦕 826
挊 869
挵 874
攏 917
曨 1003
朧 1023
櫳 1122
龒 1122
滝 1278
瀧 1314
瓏 1444
𤻛 1497
礱 1588
礲 1588
𥢧 1632
竉 1645
篭 1681
籠 1692
聾 1831
𦪖 1892
蘢 1988
蠪 2038
襩 2079
襱 2080
谾 2169
豅 2170
𨏉 2280
鑨 2424
隴 2478
靇 2510
𩎑 2531
𩟍 2586
鸗 2685
龍 2728
龐 2731
龓 2732
龓 2732
龓 2732

뢰

儡 184
㗊 390
垒 456
壘 470
嫘 545
𡪶 649
𡽫 654
𡾚 654
懶 826
擂 910
攂 916
攋 917
𣀊 941
檑 1116
櫑 1119
殨 1155
灅 1312
瀨 1314
瀬 1314
牢 1376
𤢵 1408
瓃 1444
畾 1473
𤳳 1475
瘷 1489
瘌 1489
磊 1579
磥 1583
磈 1586
礌 1586
礧 1587
礨 1588
礨 1588
祱 1598
𥜪 1606
窂 1636
籟 1692
纇 1780
罍 1785
耒 1818
腂 1854
蔂 1960
蕾 1972
藾 1986
蠝 2038
誄 2123
𧪫 2151
讄 2163
路 2194
賚 2201
睞 2201
賴 2204
頼 2205
𨇦 2251
轠 2280
輼 2280
酹 2356
𨮁 2371
鑸 2371
鐳 2420
雷 2498
靁 2509
頪 2550
類 2554
餒 2578
騾 2600
鱩 2657

료

了 69
佬 132
僚 176
嘹 403
𡓸 464
嫽 548
寥 596
寮 600
尞 616
屪 627
嵺 650
嶛 650
嶚 651
嶛 652
廖 705
憀 814
憭 818
㦾 841
摎 901
撩 906
敹 940
料 949
暸 1000
橑 1109
漻 1290
潦 1295
炓 1325
尞 1345
熮 1350
燎 1355
𤛓 1363
狫 1403
𤢖 1403
獠 1404
璙 1440
疗 1478
療 1494
瘳 1497
瞭 1551
𥛭 1604
窷 1643
竂 1644
䉼 1683
簝 1687
粆 1697
繆 1769
繚 1772
罶 1792
翏 1806
聊 1824
𦖩 1829
膋 1860
膫 1864
䑠 1891
蓼 1960
蟉 2029
蟟 2031
蟧 2033
䘒 2052
𧳜 2183
𧽈 2222
轑 2278
遼 2324
鄝 2345
醪 2361
鐐 2416
顟 2556
飉 2565
飃 2565
飂 2565
𩟗 2584
鷯 2681

룡

儱 187
徿 755
𦪖 1892
蠪 2038
襱 2080
躘 2252
驡 2611
龍 2728

루

偻 164
傫 171
僂 173

僂 188
嘍 399
垒 445
壘 456
塿 460
壘 470
娄 531
婁 538
婁 538
寠 595
屡 626
屢 626
寠 649
嵝 649
嶁 680
廔 705
慺 814
摟 900
斢 950
楼 1090
樓 1100
欙 1121
氀 1168
氀 1168
泪 1213
淚 1240
溇 1280
漏 1284
漯 1289
漊 1312
漊 1317
犡 1385
𤢖 1404
𤠣 1408
甊 1447
瘻 1493
瞜 1550
窶 1643
篓 1683
簍 1684
累 1729
絫 1738
縷 1760
縷 1766
纍 1780
纝 1782
罍 1785
耬 1821
膢 1862
艛 1890
艛 1891
蔞 1962
蘲 1986
蘽 1991
蝼 2024
螻 2028
褛 2072
褸 2075
謱 2153
貗 2179
貗 2183
鏤 2413
鏤 2414
陋 2455
陋 2460
雷 2498
靁 2506
鞻 2529
驝 2607
髏 2617
鱋 2654
鼺 2718

류

㐬 86
漻 232
刘 247
劉 268
嚠 410
塯 459
𡒃 465
嬼 545
廇 704
廇 709
懰 825
擂 908
旈 963
旒 965
柳 1052
桺 1053
栁 1071
榴 1093
橊 1100
橮 1113
欙 1126
沠 1196
流 1221
流 1233
游 1259
溜 1270
㴘 1278
澑 1299
瀏 1312
瀏 1318
犂 1383
𤢀 1403
琉 1425
琉 1426
瑠 1428
瑬 1432
瑬 1435
瑠 1436
瓃 1440
畂 1462
畄 1463
留 1465
畱 1469
畱 1471
瘤 1492
癅 1495
硫 1571
硫 1573
禷 1606
窌 1639
类 1696
类 1696
綹 1752
縲 1766
罶 1791
茆 1912
蒥 1960
藟 1982
蘲 1992
蘽 1993
蘱 1993
虆 1993
虾 2005
蟉 2029
裗 2061
裗 2064
觮 2101
謬 2151
𨋖 2264
䡱 2266
𨍭 2274
遛 2316
遛 2324
鉚 2384
𨥙 2397
鎏 2408
鎦 2411
鎏 2411
鏐 2412
鐂 2418
霤 2505
霤 2508
類 2553
類 2554
颲 2562
飀 2564
飂 2565
飂 2565
飅 2565
餾 2582
𩞄 2584
駵 2595
駠 2595
駵 2599
騮 2604
驑 2609
鬸 2631
鶹 2676
鷚 2680
鷚 2680
鸓 2682

륙

僇 173
六 212
勠 282
坴 443
戮 836
㱾 1154
盝 1526
磟 1582
稑 1620
穋 1629
茵 1921
蓼 1960
蛙 2018
賣 2194
賣 2196
踛 2239
陆 2455
陸 2466
鯥 2649

륜

仑 93
侖 124
倫 154
圇 425
崙 643
崘 645
惀 793
掄 878
棆 1075
淪 1243
碖 1576
稐 1622
䋀 1727
綸 1749
蜦 2018
論 2137
輪 2270
錀 2403
鯩 2649

률

傈 167
凓 232
嗶 399
壘 456
壘 470
峍 638
嵂 646
律 740
慄 806
搮 895
栗 1063
㮚 1091
溧 1275
溧 1304
率 1411
瑮 1438
硉 1571
䅻 1626
篥 1679
繂 1768
膟 1862
葎 1943
颲 2563
飃 2564
鷅 2677

륭

窿 600
癃 1491
癃 1494
𥊽 1585
䉄 1644
蕯 1968
隆 2468
隆 2469
霳 2507
龒 2716
龓 2716

륵

仂 96
勒 278
扐 844
泐 1188
泐 1204
玏 1417
竻 1654
肋 1834
艻 1897
阞 2449

름

凜 232
凛 232
凜 233
㐭 702
廩 710
懍 822
澟 1305
癛 1496
禀 1600
稟 1622

릉

凌 230
夌 476
崚 644
庱 702

㥄 789
愣 801
膯 1022
棱 1077
楞 1086
淩 1242
睖 1545
稜 1621
綾 1750
菱 1934
蔆 1960
薐 1974
裬 2067
[illegible] 2254
輘 2269
陵 2460
陵 2464
鯪 2649

리

丽 42
丽 43
丽 43
俐 140
俚 142
剓 224
刕 244
利 250
剺 265
劙 271
厘 320
吏 345
哩 375
唎 375
喱 394
娌 532
嫠 547
孋 553
廲 618
履 627
峛 637
彲 736
悝 783
悧 784
摛 900
攡 919
斄 922
斄 948
李 1032
杍 1034
梩 1070
梨 1073
棃 1081
樆 1103
欐 1125
氂 1167
氂 1168
浬 1225
涖 1232
浰 1232
漓 1285
灕 1318
㸚 1368
犂 1383
犛 1385
狸 1394
理 1426
璃 1438
痢 1486
瘇 1487
盠 1524
瞝 1549
矖 1554
离 1607
秜 1615
秝 1621
䅻 1629
穲 1632
筣 1667
篱 1681
籬 1694
黎 1704
綝 1747
褫 1763
縭 1764
纚 1782
罹 1791
羅 1794
羸 1803
莅 1923
莉 1924
菫 1925
荔 1931
薶 1956
蒞 1957
蔾 1965
蘺 1992
蘼 1993
蜊 2013
蟸 2019
螭 2027
蠫 2038
蠡 2041
裡 2065
裏 2065
褵 2074
襹 2081
覼 2095
詈 2118
貍 2182
邐 2328
醨 2361
釃 2365
里 2367
釐 2371
釐 2371
鋫 2415
鏐 2423
離 2490
颲 2563
勉 2635
魁 2637
魑 2638
鯉 2648
鱺 2657
鵹 2673
鸝 2686
麗 2691
黐 2703
黧 2708

린

吝 358
㖁 372
壣 472
嶙 651
恡 777
悋 782
撛 903
橉 1108
潾 1299
粦 1347
燐 1355
膦 1373
獜 1405
璘 1440
璘 1443
甐 1450
疄 1474
瞵 1552
磷 1585
粼 1701
藺 1985
蟒 2032
蹸 2248
躙 2251
躪 2253
轔 2278
轥 2281
遴 2320
鄰 2348
鏻 2418
閵 2441
隣 2475
髟 2595
驎 2608
魿 2644
鱗 2655
麐 2690
麟 2692

림

惏 791
林 1038
棽 1074
淋 1238
玪 1419
琳 1431
痳 1487
綝 1744
臨 1871
醂 2357
霖 2503
顲 2558

립

厈 319
岦 635
泣 1210
砬 1570
立 1646
笠 1657
粒 1697
苙 1906
雴 2500
鴗 2680
䶘 2724

마

亇 69
亍 74
劘 271
咩 375
嗎 397
嘛 400
塺 462
媽 543
嬷 551
懡 824
摩 898
犘 1385
瑪 1436
痲 1487
瘍 1492
麥 1517
碼 1580
磨 1583
礳 1588
禡 1603
䊳 1709
蔴 1965
蘑 1983
螞 2025
蟆 2029
蟇 2030
靡 2517
饝 2583
馬 2590
髍 2617
魔 2639
麻 2696
麻 2697
麼 2697
麽 2697

막

塻 461
寞 594
幙 680
幕 680
懇 826
摸 902
暯 998
漠 1278
漠 1286
瘼 1493
瞙 1550
磗 1583
糢 1707
縸 1766
膜 1861
膜 1861
莫 1927
藐 1980
貌 2181
貘 2182
貊 2182
貉 2182
邈 2327
邈 2328
鄚 2345
鏌 2412

만

万 26
僈 174
卍 305
墁 460
娩 533
嫚 545
峦 639
巒 655
幔 680
弯 723
彎 729
慢 812
慲 823
懣 823
挽 871
𢿁 942
晩 988
晚 990
晚 992
曫 1004
曼 1008
樠 1103

槾 1104
欂 1126
湾 1268
満 1268
滿 1281
漫 1288
潫 1298
澷 1306
灣 1319
獌 1403
㿸 1517
𪔵 1517
瞞 1549
矕 1554
䊡 1706
縵 1766
𦔩 1821
脕 1848
芇 1898
莬 1928
萬 1938
蔓 1961
蔄 1977
蘰 1981
蛮 2012
蟃 2029
蠻 2041
謾 2152
䜱 2160
䝡 2169
𧳿 2183
貫 2189
趧 2222
䟂 2243
蹣 2245
輓 2266
輐 2276
鄤 2346
鋔 2393
鏝 2413
鏋 2415
鏰 2421
霻 2509
𩇔 2509
鞔 2525
顢 2555
饅 2578
饅 2582
鬘 2628
鬗 2628
鰻 2653
鸏 2686

말

佅 113
嵈 379
妺 521
帕 669
帓 669
帞 671
抹 857
昧 981
末 1028
枺 1049
沫 1197
澫 1311
苜 1530
眜 1535
眿 1536
砞 1570
礣 1587
秣 1614
粖 1699
䊃 1708
絈 1722
絑 1724
羖 1798
䀛 1879
茉 1913
袹 2058
袜 2058
袹 2061
襪 2079
跊 2227
靺 2522
韈 2531
韤 2535
頢 2544
餘 2573
駯 2596
麩 2695

맘

妥 476
釯 2383
鋑 2396
䵟 2707

망

亡 83
亾 200
奀 502
妄 517
忘 759
忈 759
忙 760
忚 760
恾 784
惘 792
暽 998
望 1018
朢 1019
朢 1023
宗 1038
汒 1183
浝 1232
漭 1289
澕 1299
痝 1487
睆 1540
砊 1565
硭 1573
硿 1574
朢 1650
笁 1654
網 1748
网 1786
罒 1786
四 1786
罔 1786
朚 1851
朦 1868
芒 1898
苎 1898
茫 1915
茻 1922
莽 1922
莣 1928
莽 1928
莾 1928
蕣 1929
蟒 1967
䕯 1988
蛧 2010
蝄 2018
蟒 2029
蟒 2031
蠎 2035
誷 2133
輞 2269
邙 2329
鋩 2379
鋩 2396
鋩 2396
魍 2637
駹 2599
麰 2694
龍 2728

매

佅 113
傌 168
勱 284
呆 353
吺 361
嘪 403
嚜 410
埋 446
塺 462
壳 473
买 500
卖 504
妹 521
媒 539
寐 591
挴 872
昧 981
呆 1038
枚 1044
某 1055
梅 1063
梅 1067
楳 1090
槑 1097
毎 1161
每 1161
毐 1162
沒 1193
没 1193
沫 1197
浘 1222
浼 1230
潤 1299
煤 1343
玫 1419
瑁 1432
痗 1485
昒 1531
䁅 1535
眛 1535
瞶 1554
禖 1602
穤 1630
箺 1678
梅 1701
罶 1788
罵 1791
𦍸 1803
脈 1847
脢 1849
腜 1855
莓 1910
莓 1925
蕒 1969
蕿 1981
貍 2182
買 2193
買 2198
賣 2203
跊 2227
邁 2325
酶 2356
醚 2359
鋂 2393
霉 2501
霾 2509
韎 2532
彪 2635
魅 2636
鋂 2647
黣 2707

맥

伯 112
佰 126
麦 476
狛 1394
貘 1404
百 1506
眽 1536
脈 1540
絔 1737
脉 1842
脈 1846
脈 1846
脉 1847
衇 2043
衇 2044
袹 2061
覛 2089
覭 2092
貊 2181
貉 2181
貃 2181
貊 2181
貘 2183
銆 2392
陌 2455
霢 2505
霡 2505
驀 2599
驀 2607
麥 2693
麦 2694

맹

儚 184
子 556
孟 559
氓 1171
猛 1397
甍 1450
甿 1462
盟 1522
盲 1530
瞢 1545
瞢 1550
矇 1553
矇 1554
艋 1890
艷 1895
莔 1928
萌 1936
蕄 1970
虻 2002

宔 2003
蝱 2015
蝞 2019
蝱 2020
蟒 2031
盟 2044
鄳 2348
鯭 2648
黽 2711
黾 2711
黽 2711
黽 2711
黽 2711
黿 2712

먀

乜 58
哶 375

멈

㛼 476

며

旀 961

멱

冖 224
冪 227
塓 458
冪 679
幎 679
幦 682
幕 683
幭 683
幭 683
汨 1186
濗 1299
䀛 1531
脈 1540
覓 1639
簚 1684
糸 1709
羃 1793
覓 2088
覔 2088
覛 2089
鼏 2714

면

丏 38
俛 142
偭 161
免 196
冕 224
勉 277
勉 278
勔 279
沔 423
娩 533
婂 541
嬵 564
宀 567
棉 1075
榀 1090
櫋 1119
殄 1149
沔 1194
浼 1230
湎 1263
澠 1267
澠 1300
牑 1372
眄 1531
眠 1535
瞑 1548
窅 1636
緬 1705
粠 1705
絻 1739
綿 1750
緍 1755
緬 1758
緜 1760
聏 1827
臱 1875
芇 1898
莬 1928
葂 1948
蝒 2006
謾 2152
謗 2160
黾 2255
酾 2359
面 2517
靣 2519
靦 2519
靧 2522
麪 2528
鮸 2647
麪 2694
麫 2694
麪 2694
麵 2696
黽 2711
黾 2711
黽 2711
黽 2711

멸

幭 683
懱 825
搣 895
搣 915
櫗 1119
滅 1274
瀎 1311
灭 1322
烕 1329
篾 1345
苜 1530
瞣 1554
礣 1587
篾 1682
粚 1697
粃 1699
蔑 1708
蔑 1960
薎 1977
蠛 2037
衊 2044
鱴 2657
鴓 2664

명

冥 226
溟 231
名 350
命 366
娦 544
嫇 564
嵥 648
慏 807
明 974
暝 996
朙 1020
榠 1080
榠 1092
殙 1153
洺 1221
溟 1271
熐 1349
皿 1518
盟 1522
明 1532
眳 1540
瞑 1548
禥 1603
糢 1705
覭 1895
茗 1914
蓂 1954
螟 2026
覭 2092
詺 2125
猽 2178
鄍 2343
酩 2354
銘 2390
鳴 2659
鵬 2671
鹪 2725

몌

欈 1119
袂 2054

모

侮 123
侔 132
侮 134
侮 135
皃 218
冃 221
冃 221
冒 223
冒 223
务 274
務 280
募 283
厶 324
姆 522
姥 528
娒 532
媌 539
媢 541
嫫 547
帽 676
帽 678
幙 680
恈 777
慕 811
慔 812
摹 898
摸 902
旄 962
暮 999
冐 1007
某 1055
桙 1063
模 1103
橅 1106
母 1161
毛 1165
毣 1166
毪 1167
毷 1168
氁 1168
牟 1376
牡 1376
牦 1377
犛 1385
猸 1391
獏 1404
瑁 1432
皃 1510
眊 1531
眸 1539
眲 1546
瞴 1551
矛 1555
砪 1570
秏 1613
縸 1766
罞 1788
罺 1788
耄 1816
耗 1819
膜 1861
艒 1890
芼 1904
茅 1912
茆 1912
䒬 1922
莫 1927
蓩 1964
蛑 2009
蝐 2023
蝥 2024
蟊 2027
謀 2144
謨 2151
謩 2154
譕 2156
謤 2157
貌 2181
貇 2182
貇 2182
貇 2182
軞 2261
酕 2353
鉾 2392
鏻 2414
顡 2549
髦 2593
髦 2624
鮪 2647
鴾 2663
鴾 2667
鶜 2680
鷚 2680
麰 2695
麑 2697

목

匹 294
坶 447
曑 734
木 1023
朷 1030
楘 1091
毣 1166
沐 1192
牧 1377
犻 1390
目 1527
睦 1544
瞀 1547
穆 1624
穆 1626

穆 1627
繆 1769
艒 1890
苜 1907
莯 1938
蕠 1964
霂 2500
鶩 2675

몰

勿 286
坳 439
歾 1148
歿 1148
殁 1148
毿 1155
沒 1193
没 1193
玫 1419
豰 2174

몽

儚 184
冡 225
梦 482
夢 482
夣 483
夢 483
寢 601
幪 679
幪 683
庬 698
懜 823
懞 824
懵 827
曚 1002
朦 1023
梦 1066
檬 1117
氋 1169
溕 1276
濛 1306
獴 1407
曚 1514
盬 1523
瞢 1550
矇 1553
罞 1788
朦 1851
朦 1868
艨 1892
蒙 1950
蠓 2036
鄸 2348
鏓 2415
鏒 2415
雺 2499
霿 2509
饛 2586
驝 2611

묘

亩 86
仯 106
卯 313
夘 313
吵 356
墓 463
妙 519
庿 703
廟 706
戼 839
描 887
昴 980
杳 1039
淼 1235
渺 1261
渻 1277
猫 1399
猫 1401
玅 1411
畂 1464
畝 1464
畒 1465
畞 1465
畮 1470
眇 1531
眑 1536
秒 1613
稵 1624
穮 1629
竗 1647
紗 1717
緲 1758
緢 1760
苗 1906
茆 1912
茆 1928
藐 1980
蚂 2005
訬 2110
貓 2182
錨 2403

묠

乮 64

무

亡 83
偂 179
儛 184
冃 221
冄 221
务 274
務 280
嘸 403
堥 457
墲 465
姆 522
娬 534
婺 542
嫵 547
巫 663
幠 682
廡 707
㿺 734
愗 796
憮 818
懋 821
戊 829
抚 854
拇 858
撫 906
敄 929
无 966
楙 1083
橅 1106
楳 1112
橆 1113
橆 1119
武 1141
毋 1160
無 1335
牟 1376
牡 1376
珷 1428
璑 1440
甒 1451
畆 1464
眸 1539
瞐 1546
瞀 1547
膴 1551
矛 1555
碔 1570
碔 1576
繆 1769
羅 1792
腜 1842
膴 1864
舞 1886
茂 1911
蕪 1922
菰 1927
蕠 1964
蕪 1969
蝥 2024
蟊 2038
袤 2060
誣 2129
謀 2144
謬 2151
譕 2156
貿 2194
踇 2227
躌 2250
鄮 2347
鉧 2385
鉾 2392
鍪 2408
鏻 2414
鍪 2415
陚 2458
霧 2505
鞪 2528
騖 2604
髦 2624
髳 2625
鵡 2665
鴟 2670
鵡 2670
鷚 2680
鷚 2680
麰 2695

묵

万 26
冐 223
冒 223
嘿 404
嚜 410
墨 462
墨 466
嫼 549
冒 1007
窨 1545
纆 1778
默 2704
黙 2705

문

亹 89
亹 89
們 150
免 196
刎 244
吻 356
呅 361
唔 383
問 385
㡈 673
忟 768
悗 783
悶 784
懣 823
抆 849
抿 863
捫 875
揾 889
文 943
樠 1103
歾 1148
汶 1188
炆 1325
玟 1419
璊 1439
璺 1442
瞞 1549
穈 1629
笏 1655
䊳 1706
紋 1714
紊 1719
絻 1739
番 1826
聞 1826
肳 1838
脗 1850
芠 1904
莬 1928
莔 1930
虋 1994
蚊 2004
蚉 2006
蟁 2006
螡 2025
蟁 2027
䘇 2169
𧼮 2222
門 2430
閺 2442
閿 2444
雯 2495
鞔 2525
顐 2550
𩕄 2553
駇 2594
䮁 2594
魰 2643
鴍 2665

물

勿 286
岉 634
昒 977
㫚 978
沕 1194
物 1377
𥄢 1531
芴 1903

미

亹 89
亹 89
侎 134
冞 224
味 362
咩 370

咪 370
哶 375
堳 456
娓 532
媚 540
媄 541
嬍 543
孊 553
尾 619
嵋 646
嵄 647
巕 656
弥 722
弭 722
彌 727
彌 729
微 751
攠 915
敉 929
未 1027
梶 1071
楣 1087
櫁 1112
檷 1117
殊 1149
洣 1215
浘 1222
渳 1253
湄 1255
渼 1261
湄 1262

溦 1270
瀓 1303
濔 1306
瀰 1312
瀰 1315
煝 1345
爢 1364
猕 1399
獼 1409
瑂 1435
癓 1496
眉 1534
眯 1538
睂 1542
瞇 1548
瞴 1551
礳 1629
䉋 1667
篃 1678
𥱼 1684
籋 1690
米 1695
粎 1700
糜 1707
䊳 1709
䋛 1737
縻 1770
罙 1787
冞 1788
美 1795
荱 1928

薇 1973
蘪 1990
蘼 1993
蝆 2018
衟 2049
詸 2124
謎 2146
躾 2255
迷 2293
郿 2341
醾 2364
醿 2364
醚 2365
靡 2517
𩟔 2583
䰨 2631
䰟 2635
魅 2636
鮇 2643
𩵾 2647
鸍 2684
麋 2690
麛 2692
麿 2697
麊 2697
𪊨 2697
黴 2709

민

僶 182
岐 634
岷 636

崏 645
忞 762
忟 765
怋 768
悶 784
惛 792
們 793
閺 793
愍 797
慜 811
憫 818
敃 927
敏 930
旻 972
旼 977
暋 996
民 1170
泯 1212
湣 1236
湣 1265
潣 1294
澠 1300
𤚷 1385
玟 1418
珉 1420
瑉 1435
痻 1488
瘖 1491
䀗 1516
砇 1567
𥐰 1570

碈 1574
碈 1577
笢 1657
簢 1687
緍 1753
緡 1755
䋋 1774
罠 1787
苠 1913
鈱 2384
錉 2403
鍲 2407
鑹 2421
閔 2436
閩 2439
頣 2544
𩕄 2553
鴖 2665
𪁗 2672
黽 2711
黾 2711
黽 2711
鼆 2712

밀

宓 572
密 588
榓 1100
樒 1119
沕 1194
滵 1286
𥈅 1545

𧕕 1650
蔤 1963
蜜 2019
謐 2147
醓 2361

바

婆 538
媻 545

박

亳 89
仢 103
剝 261
博 310
博 311
嚗 410
圤 433
墣 465
廹 712
彴 736
拍 859
拍 869
搏 893
撲 907
擈 915
㩧 916
𢸗 918
朴 1030
柏 1050
樸 1106
樸 1116
欂 1123

泊 1204
煿 1348
爆 1361
牔 1373
犦 1385
𤛮 1386
狛 1392
猼 1403
玣 1417
珀 1420
璞 1439
瓝 1446
瓟 1446
皰 1516
䃗 1581
礴 1588
窇 1637
箔 1669
簙 1684
簿 1689
𥴤 1689
粕 1698
縛 1762
胉 1839
膊 1859
䑈 1869
𦤎 1879
舶 1888
蒪 1957
薄 1972
䙏 2079

襮 2081
𧰼 2178
趵 2225
踄 2235
轐 2275
迫 2291
釙 2376
鉑 2384
鎛 2410
鏷 2416
鑤 2422
鑮 2424
雹 2498
䨔 2504
䪬 2545
颮 2562
餺 2581
駁 2593
駮 2598
𩣡 2600
䮀 2603
骲 2614
髆 2616
髉 2616
魄 2636
鰒 2685
鸔 2685

반

伴 113
冸 229
半 303

反 329
反 330
叛 332
㕡 354
㚘 504
姅 524
嬎 537
媻 545
嬔 549
宷 585
審 598
幋 680
弁 713
彬 734
怑 769
憣 819
扮 847
扳 854
拌 859
拚 862
拵 871
擎 892
搬 896
攀 915
攽 926
斑 947
斒 947
朌 1017
柈 1050
槃 1097
泮 1195

泮 1212
洀 1213
潘 1292
瀊 1310
牉 1371
獥 1402
班 1423
瓣 1439
眅 1464
畔 1465
番 1471
黇 1474
瘢 1479
癍 1492
盘 1520
盤 1524
盼 1530
矾 1565
磻 1581
磐 1582
礬 1585
礬 1588
籓 1680
絆 1727
絣 1727
緐 1744
縏 1764
繁 1770
朌 1837
胖 1840
般 1887
般 1889
彪 2000
蟠 2027
蟠 2031
衯 2052
袢 2058
襻 2081
譒 2164
豳 2178
跘 2228
跦 2233
蹣 2243
蹩 2243
蹣 2245
軓 2261
軬 2264
返 2290
闆 2443
鞶 2521
靽 2523
鞶 2529
頒 2543
頖 2544
飯 2571
飰 2571
飯 2572
駻 2595
鬆 2628
鲃 2642
鳻 2663

발

佛 120
汥 229
勃 276
犮 330
发 330
哱 361
哱 377
坺 442
垺 447
墢 465
孛 558
怫 764
悖 783
抪 850
拔 860
扳 860
捊 873
撥 906
敎 934
朮 1029
柭 1053
桲 1066
橃 1106
歿 1148
沷 1200
浡 1222
渤 1257
潑 1291
焞 1333
犮 1387
癶 1498
癶 1498
登 1498
発 1498
發 1500
癹 1501
盋 1520
勃 1547
綍 1740
缽 1784
胈 1839
脖 1851
艭 1891
艴 1895
艴 1895
茀 1911
茇 1913
葧 1948
蕟 1966
袚 2054
袯 2059
祓 2059
襏 2076
越 2215
跡 2225
跋 2226
跛 2227
蹳 2247
軷 2262
郭 2337
酦 2354
醱 2362
鈸 2382
鉧 2382
鉢 2385
錍 2393
鏺 2416
鬾 2430
馞 2589
馻 2596
馞 2600
髮 2624
髮 2625
魃 2636
鱍 2655
鵓 2669

밤

蹝 2240

밧

乶 379

방

仿 107
倂 123
傍 140
倣 153
傍 165
匚 292
厖 319
龐 324
哤 375
坊 437
㕫 504
妨 520
尨 616
帮 673
幇 679
幫 681
幫 683
庬 698
彭 734
彷 736
徬 752
房 839
搒 886
搒 893
放 925
斻 950
斻 950
方 957
旁 960
旁 962
旊 963
昉 977
枋 1042
梆 1069
棒 1075
棓 1075
楍 1081
榜 1092
毪 1168
氆 1169
汸 1188
浝 1232
滂 1253
滂 1274
炐 1325
牓 1372
牥 1379
牻 1381
犹 1395
玤 1419
瓬 1448
痒 1485
瘥 1487
皶 1517
硑 1566
硥 1573
磅 1580
篣 1626
竝 1647
簩 1680
紡 1719
綁 1743
縍 1763
耪 1820
耪 1821
肪 1837
胖 1838
膀 1847
膀 1859
舫 1887
艕 1889
艕 1891
芳 1903
蒡 1951
蚄 2003
蚌 2003
蜯 2019
螃 2024
蠭 2038
訪 2110
謗 2147
蹺 2243
逄 2296
邡 2329
邦 2330
鈁 2381
鎊 2408
防 2451
雱 2495
雾 2505
霶 2508
酙 2519
鞤 2528
髈 2599
髈 2617
髣 2624
魴 2642
鰟 2653
龐 2731
龐 2731

배

俳 148
倍 150
偝 160
北 289
啡 382
坏 438
坯 442
培 450
妃 517
婄 532
徘 746
扒 844
拜 854
拜 863
排 879
擺 914
杯 1040
柸 1054
栢 1066
棓 1090
毰 1167
湃 1262
焙 1334
琲 1431
痱 1484
盃 1518
胚 1838
胚 1840
背 1844
腓 1890
茷 1921
菩 1932
蓓 2043
衃 2043
裵 2068

裴 2068
褙 2072
賠 2199
䠙 2238
輩 2264
軰 2271
郲 2346
配 2350
醅 2357
阫 2451
陪 2460
啡 2517
韛 2533
鞴 2535
鞴 2535
頮 2542
䫲 2545
頿 2549

백

佰 126
剫 255
帛 671
柏 1050
栢 1063
㼟 1371
瓸 1448
白 1502
百 1506
皕 1512
絔 1737
皕 1875
苩 1913
萡 1928
鈲 2379
鈲 2391
陌 2455
魄 2636
鮊 2644

번

反 329
墦 464
幡 681
𢋇 708
拚 862
擷 909
旛 966
樊 1098
橎 1106
潘 1292
潘 1313
瀿 1316
煩 1344
燔 1356
𤢺 1362
獖 1404
璠 1440
番 1471
笲 1659
籓 1691
繁 1770
繙 1772
羳 1802
翻 1812
膰 1863
蕃 1966
蘋 1977
藩 1984
蘩 1990
蠜 2038
袢 2058
蹯 2246
轓 2278
鐇 2416
顤 2555
飜 2567
鷭 2681

벌

伐 110
傠 167
垡 445
怖 764
撥 906
栰 1058
橃 1106
筏 1663
罰 1790
罸 1791
瞂 1879
舩 1889
橃 1891
閥 2438

범

凡 233
凢 234
帆 668
彸 736
杋 1034
梵 1066
氾 1181
汎 1182
泛 1208
渢 1256
犯 1387
盨 1520
笵 1660
範 1675
颿 1890
范 1911
蘫 2024
訉 2108
諚 2138
跁 2228
軓 2258
軓 2260
釩 2377
鋎 2383
颿 2564
馿 2593

법

法 1205
灋 1318
珐 1422
琺 1432

벽

僻 180
劈 267
塙 456
壁 468
幅 679
廦 710
擗 876
擗 902
擘 908
擗 911
椑 1080
楅 1084
檗 1116
檗 1117
檘 1118
檘 1123
湢 1265
澼 1303
襞 1361
璧 1440
甓 1451
疈 1475
癖 1495
皀 1510
皕 1513
碧 1578
礔 1586
稫 1624
糪 1708
繴 1776
繴 1777
皪 1784
腷 1857
薜 1975
蘗 1991
襞 2078
踾 2240
躃 2249
躄 2250
辟 2281
逼 2308
鈲 2379
鈲 2391
鐴 2419
闢 2448
陜 2450
隔 2472
霹 2508
髒 2617
鷿 2684
鼊 2713

변

便 137
傻 186
匥 293
卞 311
變 334
喢 393
变 476
弁 713
忭 763
抃 849
拚 862
昪 980
栟 1048
㲢 1168
汴 1188
汳 1188
牑 1372
犿 1388
猵 1392
獱 1404
玣 1419
甂 1449
碥 1578
稨 1624
穆 1632
籩 1694
編 1756
辮 1778
胼 1846
胼 1852
艑 1890
萹 1941
藊 1981
褊 2070
諞 2118
諞 2118
諞 2146
變 2164
變 2164
跰 2231
蹁 2236
䠙 2238
軿 2269
辡 2282
辨 2283
辦 2283
辯 2284
边 2287
辺 2287
边 2287
邉 2324
邉 2324
邉 2326
邊 2327
釆 2365
閇 2437
閞 2437
頩 2545
騈 2597
駢 2601
骿 2615
骿 2616
鴘 2665

별

丿 52
宂 212
別 249
別 250
嫳 550
峅 641
弻 727
彆 728
徶 754
憋 814
批 848
㧙 855
撆 903
撇 903
暼 1001
柭 1053
潎 1291
癟 1495
瞥 1552
綼 1764
瞥 1830
胈 1839
莂 1928
蔽 1965
虌 1994
蛂 2008
蟞 2033
襒 2076
覕 2088
覺 2093
䠥 2228
蹩 2248
蹩 2248
鐅 2418
閇 2437
鱉 2656
鷩 2682
鼈 2712

병

丙 38
並 43
竝 43
併 127
倂 149
傡 156
偋 160
傡 164
𠏉 164
偋 174
兵 217
㚘 504
姘 530
娉 531
姘 535
寎 591
屏 623
屛 625
峅 671
帡 676
并 688
幷 688
庰 698
庰 699
怲 772
抦 857
拼 868
拼 880
摒 892
摒 903
昺 980
昞 980
枋 1042
柄 1049
栟 1057
棅 1075
栟 1080
洴 1222
浜 1233
洴 1253
炳 1327
琕 1432
瓶 1448
甁 1449
甹 1462
病 1483
秉 1611
窉 1637
竝 1647
竮 1651
竮 1651
笄 1665
笲 1667
箳 1677
箳 1683
絣 1735
綆 1740
絣 1747
缾 1784
缾 1784
荓 1920
荓 1932
蛃 2008
𧼮 2218
𧼮 2221
跰 2231
跰 2236
軿 2265
輧 2269
迸 2293
逬 2304
邴 2332
郱 2335
郱 2339
鉼 2392
鉼 2403
鞞 2526
頩 2546
頩 2549
餅 2573
餠 2578
騈 2601
鮩 2645
鼦 2695
齝 2725

보

俌 139
保 142
𠈇 164
𡆣 289
呆 353
埠 449
報 453
堢 456
堡 457
報 457
報 509
𡥈 556
宝 577
寶 601
寶 601
报 854
捗 874
普 992
暜 997
椺 1090
步 1140
歩 1141
洑 1214
湺 1260
溥 1271
潽 1299
父 1367
琈 1425
珤 1428
甫 1458
痡 1481
𤺺 1492
盙 1522
簠 1685
緥 1756
莆 1927
菩 1932
葆 1942
蚥 2005
𧊈 2006
補 2063
裦 2065
褓 2071
誧 2131
諩 2146
譜 2157
譜 2158
踄 2235
輔 2267
酺 2519
駂 2594
駂 2600
鯆 2646
鯆 2656
鴇 2662
黼 2711

복

卜 43
伏 109
僕 175
副 263
匐 271
匐 288
卜 311
𠬝 330
垘 444
堛 456
墣 465
复 476
菐 509
宓 572
㞒 623
幞 681
復 749
扑 844
撲 907
攴 922
攵 922
肞 1014
服 1016
栿 1058
楅 1084
椱 1085
樸 1106
殕 1151
㲄 1169
洑 1214
澓 1299
濮 1309
畐 1464
畗 1466
福 1601
福 1602
福 1603
窫 1641
䨱 1644
竨 1650
箙 1670
箙 1687
紨 1738
腹 1857
茯 1915
葩 1930
蕧 1931
業 1935
蕌 1943
蔔 1964
蕧 1970
虙 1997
蝠 2021
蝮 2022
袱 2060
複 2069
襆 2077
覆 2085
覆 2086
趪 2220
踣 2238
蹁 2240
蹼 2247
軼 2262
輹 2271
輻 2273
輹 2273
轐 2278
醭 2362
鍑 2404
鏷 2416
鏷 2422
鞢 2524
鞼 2528
馥 2589
鰒 2651
鵩 2665
髲 2665
鵬 2671
鸔 2685
鸔 2685

본

夲 499
本 1025
畚 2264
輽 2275
鉢 2572

봉

丰 48
俸 149
凤 234
唪 379
埲 458
夆 476
夅 476
奉 505
封 603
峯 639
峰 641
峀 646
幪 680
憉 813
捀 874
捧 875
摓 899
棒 1075
棓 1075
泛 1208
浲 1235
漨 1291
烽 1331
炁 1334
熢 1350
熢 1351
犎 1384
琫 1430
瓩 1446
甏 1517
砗 1566
𥜢 1603
竼 1655
筝 1667
篷 1681
紺 1760
縫 1764
閛 1881
芃 1897
菶 1935
葑 1943
蓬 1958
蜂 2012
蠭 2027
蠭 2027
蠭 2039
覂 2085
䏖 2204

跁 2228
逄 2303
鋒 2394
韸 2526
鞛 2526
韼 2529
䩬 2538
鏠 2413
䮵 2611
髼 2626
鳯 2659
鳳 2660
鴌 2663

부

不 30
𠀚 42
仆 96
仅 97
付 102
伏 109
俘 141
俛 142
俯 147
偩 164
傅 165
冨 227
剖 260
副 263
𠥽 271
吺 356
否 358
咐 364
否 366
咅 366
坿 442
垺 445
埠 449
培 450
報 453
夫 493
䋣 509
婄 532
婦 536
娩 537
媍 542
嬔 550
孚 558
孵 564
富 590
専 605
府 696
弣 721
復 749
怀 764
怤 768
怫 768
扶 847
抔 851
拊 859
捊 874
括 874
掊 878
撫 916
敷 939
斧 952
旉 965
枎 1043
枹 1049
柎 1050
桴 1066
棓 1071
棓 1075
椱 1085
榑 1091
殕 1151
毰 1166
泭 1197
浮 1225
浮 1226
涪 1236
溥 1271
滏 1276
烰 1332
父 1367
牥 1382
玞 1418
琈 1428
瓿 1449
疛 1481
痡 1486
癁 1492
砆 1566
祔 1592
秠 1614
稃 1618
稪 1619
稫 1626
稪 1641
符 1658
筟 1667
箁 1672
箒 1680
簿 1689
粰 1700
紑 1719
紨 1727
缶 1783
缻 1783
缹 1784
罦 1784
瓿 1784
罘 1787
罶 1788
罦 1788
罯 1788
猼 1808
獏 1810
結 1820
胕 1840
腐 1852
腑 1853
膚 1853
膚 1862
艀 1889
艀 1890
芙 1899
苻 1899
苻 1910
莩 1927
荴 1928
萯 1948
蔀 1960
蔀 1970
薄 1985
蚨 2004
蚹 2005
蚹 2007
蝮 2012
蜉 2013
蝜 2018
蝜 2018
螌 2021
蟲 2036
袱 2055
袝 2058
裒 2065
複 2069
福 2072
褒 2072
覆 2085
覆 2086
訃 2104
負 2185
負 2185
賦 2200
賻 2205
赴 2213
趏 2219
趺 2219
趥 2220
趺 2225
跗 2228
踣 2238
蹼 2239
軵 2261
輔 2262
輻 2273
郛 2336
部 2338
鄜 2345
釜 2377
釜 2377
釜 2379
鈇 2379
鉜 2383
錇 2403
阜 2449
附 2454
陚 2458
䨱 2464
䧻 2468
雓 2483
雬 2495
雬 2495
頫 2546
颫 2562
颫 2562
餢 2573
駙 2593
駙 2595
鬴 2633
鮇 2643
鮒 2644
鮄 2647
鳧 2658
鳺 2663
鴀 2663
麩 2694
鍑 2715

북

僰 174
北 289

분

份 106
体 118
偾 178
分 241
匪 293
吩 354
噴 405
噴 408
坟 439
坋 439
坌 439
坌 443
墳 465
墳 468
奔 504
奋 504
奔 507
畚 508
奮 511
妢 517
岎 634
帉 668
幩 682
幩 682
弅 714
忿 762
憤 817
憤 823
扮 847
拚 862
攢 918
敃 927
膹 966
昐 977
枌 1042
棼 1067
棼 1074
棻 1081
橨 1112
歕 1135
毰 1166
氛 1172
汾 1189
湓 1222
溢 1263
濆 1299
濆 1302
濆 1315
濆 1318
焚 1335
犇 1382
瓫 1448
畚 1466
盆 1518
砏 1566
秎 1613
穦 1632
笨 1658
粉 1696
糞 1706
紛 1718
羒 1797
羵 1802
豮 1805
翁 1805
朌 1837
芬 1900
苯 1909
莑 1928
葩 1930
蕡 1948
蕡 1968
蚡 2003
蚠 2006
衯 2055
豶 2179

賁 2194
賁 2196
巑 2223
蹯 2246
轒 2277
轒 2278
鍂 2403
鐼 2421
閍 2436
閅 2436
雰 2495
頒 2543
顈 2555
餴 2580
餴 2580
饙 2585
鳻 2663
麜 2698
鼖 2715
鼢 2717

불

不 30
邞 42
乀 52
仏 97
佛 120
泼 229
刜 251
咈 364
坲 442
奔 504
弟 635
弫 665
市 666
帗 669
弗 720
彿 737
怫 768
怫 771
払 845
拂 857
岪 982
柭 1053
柫 1053
沸 1200
甶 1461
祓 1592
秡 1615
紱 1723
紼 1725
綍 1740
翇 1806
犮 1806
艴 1895
艵 1895
芾 1904
茀 1911
蚾 2008
袚 2059
袡 2059
跡 2225
踾 2229
韍 2532
颰 2562
餑 2575
髴 2588
髯 2625
黻 2711

붕

倗 174
堋 450
崩 643
弸 727
悀 788
掤 882
朋 1016
棚 1076
漰 1289
痭 1489
硼 1574
竨 1640
綳 1753
繃 1768
裐 2068
褟 2076
踋 2237
蹦 2244
鬅 2627
鵬 2672

비

不 30
丕 41
邞 42
飞 64
仳 106
伾 115
俾 142
俾 148
俷 155
俻 156
備 167
備 174
僻 180
剕 260
剕 262
匕 288
匪 293
卑 305
畀 306
厞 322
否 358
啚 379
啚 379
啡 382
啤 383
嚭 408
嚊 409
嚭 411
圮 433
坒 440
埤 449
埤 468
妣 500
奜 509
嬰 511
妃 517
妣 519
婓 532
婢 536
婓 539
媲 543
屁 620
屄 622
屝 625
崥 645
幒 679
庀 693
庇 693
庳 699
庳 699
徫 749
悲 768
怫 771
悲 784
悱 788
憊 814
扉 842
批 848
挒 855
捭 885
攙 897
敀 926
戠 939
婓 947
旇 963
咈 982
朏 1017
朼 1030
枇 1042
柲 1052
椑 1080
棐 1081
榌 1090
榧 1093
槐 1093
構 1095
比 1163
毖 1164
毗 1164
毘 1164
沘 1194
沸 1200
泌 1204
淝 1240
淠 1241
濆 1299
濞 1306
犁 1383
犕 1384
犕 1385
狉 1390
狒 1391
琵 1429
葡 1458
甶 1461
畀 1462
备 1463
疕 1478
疪 1480
疿 1482
痞 1486
痱 1487
痺 1487
痹 1488
皕 1513
皻 1516
眍 1536
睥 1544
睤 1544
砒 1566
碑 1575
碑 1575
磈 1582
祕 1592
巤 1607
篚 1608
閟 1608
鬭 1608
秕 1610
秕 1613
秠 1614
秠 1614
秘 1616
穙 1632
窾 1642
竨 1650
笓 1656
箄 1668
箆 1668
篦 1673
篚 1678
篦 1679
粃 1696
粊 1697
粺 1704
糒 1705
糒 1706
糞 1708
紕 1716
紼 1725
紱 1738
綍 1740
緋 1752
緥 1763
罟 1788
羆 1794
翡 1809
肥 1836
胇 1842
脾 1852
脾 1852
腓 1853
腲 1860
臂 1867
膞 1868
鼻 1876
芘 1899
芾 1904
葩 1930
菲 1934
萆 1936
蓖 1938
蓖 1953
蕜 1970
蚍 2003
蜌 2006
蚾 2008
蜱 2017
蜚 2019
蜰 2019
螕 2025
蠯 2039
祊 2054
袚 2059
袡 2059
裨 2064
裨 2066
裶 2068
裴 2068
裴 2068
禆 2079
覕 2101
訛 2105
訿 2110
誹 2131
誹 2133
諀 2138
譬 2160
踔 2171

豼 2180
豾 2180
貊 2182
貔 2183
費 2193
賁 2194
賁 2196
頿 2201
贔 2208
趩 2222
跡 2225
䠊 2237
踋 2238
蹕 2244
𨉖 2254
譬 2280
譬 2280
辟 2281
邳 2332
郫 2338
鄙 2344
鄪 2346
鈚 2380
鈈 2381
鉟 2385
鉼 2389
錍 2403
錦 2403
鎞 2410
閟 2437
阰 2451
陴 2464
陫 2467
隗 2473
霏 2502
非 2516
鞑 2521
鞁 2522
鞑 2523
鞞 2526
鞴 2528
韠 2532
䫌 2545
贔 2559
飛 2566
馡 2589
駓 2595
騑 2602
騛 2603
髀 2615
髀 2616
髀 2617
鬻 2633
鬻 2633
魾 2643
鯡 2649
鴀 2664
駓 2664
鵯 2672
鼙 2715
鼻 2718
鼻 2719

빈

份 106
儐 183
嚬 410
姘 530
姘 535
嬪 551
彬 734
擯 914
斌 947
朩 1025
檳 1118
櫇 1122
殯 1155
浜 1233
濱 1310
濵 1310
瀕 1313
牝 1375
獱 1407
玢 1418
玭 1418
琕 1432
瑸 1435
璸 1443
矉 1553
礗 1587
穦 1631
繽 1778
繽 1780
翻 1813
臏 1867
薲 1978
蘋 1988
蠙 2036
豩 2176
豳 2178
貧 2187
賓 2198
賔 2199
贇 2207
辬 2283
邠 2329
鑌 2422
霦 2506
頻 2549
顰 2558
驞 2611
髕 2619
髩 2624
鬓 2627
鬢 2629
鬢 2630

빙

倗 140
冫 227
冰 228
凭 234
凴 235
娉 531
憑 811
憑 815
氷 1178
淜 1252
砯 1570
聘 1826
馮 2591
騁 2600
驫 2612

뿐

叾 374

사

乍 55
事 70
亖 74
些 82
仨 99
仕 100
佘 113
伺 114
似 114
佀 123
使 128
俟 144
傳 155
傞 168
傻 174
傺 182
傷 186
写 224
写 224
冩 227
甶 238
甶 239
剚 260
卸 316
厙 320
厶 324
叓 330
叓 331
史 337
司 338
咋 364
舍 366
唆 376
嗄 396
嗣 398
四 415
士 472
参 507
奢 509
姒 523
娑 534
它 567
写 571
寫 598
寫 599
寺 602
射 604
尖 615
屣 626
崽 646
巳 664
师 668
師 673
乍 689
庍 693
庘 695
廬 704
徙 746
思 765
恖 775
恖 775
戺 839
戹 839
挲 869
抄 874
捨 875
斜 949
所 952
斯 953
査 1047
柤 1051
柤 1051
柌 1052
柶 1053
柗 1054
杪 1067
梭 1070
桬 1073
楂 1084
榭 1093
槎 1095
樝 1102
死 1146
𣦵 1147
毸 1166
𣭏 1172
汜 1183
沙 1194
泗 1207
泻 1213
洍 1219
涘 1232
渣 1257
溮 1273
㴲 1273
漇 1291
瀉 1311
瀉 1311
瀉 1311
灺 1322
灺 1322
烢 1327
燍 1356
牭 1379
㹔 1382
犧 1385
猀 1395
獅 1402
獻 1408
璽 1442
畬 1471
畬 1471
痧 1486
瘥 1494
皶 1517
䠶 1560
砂 1565
砟 1570
砦 1574
社 1589
社 1589
祀 1590
祠 1596
祀 1596
䄷 1599
禠 1602
禠 1602
禩 1603
禩 1604
私 1609
䅊 1628
竢 1647
竢 1649
笥 1658
篩 1680
簑 1681
簁 1684
籭 1694
粆 1697
粚 1698
糸 1709
紗 1717
絲 1719
絲 1730
紗 1740

緖 1754
纚 1782
耜 1819
耶 1822
肂 1832
肆 1832
舍 1883
舎 1883
茬 1920
莎 1924
莏 1924
䓢 1938
葸 1947
菜 1949
蓑 1956
蓰 1959
蒣 1962
蕬 1970
蕼 1971
蔦 1985
虒 1996
虵 2002
蛇 2007
蜡 2015
蛬 2019
螄 2024
蟖 2031
蛰 2033
衰 2055
衺 2056
裟 2066
覗 2089
詐 2114
詞 2116
謏 2125
謕 2146
謝 2148
隸 2182
賖 2198
賒 2198
賜 2199
赦 2210
蹝 2245
躧 2253
躲 2254
辝 2281
辞 2282
辤 2282
辭 2283
邪 2330
邪 2331
郐 2335
郘 2340
鉂 2382
鉈 2383
鍦 2383
鈔 2393
闍 2444
霹 2512
鞄 2522
鞦 2525
韃 2529
韉 2531
食 2567
飤 2569
飴 2571
飼 2572
飼 2572
駛 2596
駟 2596
髿 2626
魦 2643
鯊 2643
鰤 2643
鯋 2648
鯊 2648
鰤 2653
鵬 2682
鷥 2682
麝 2692
麡 2696
鼈 2720
鼬 2720

삭

削 256
嗽 398
搠 885
數 940
朔 1018
槊 1097
欶 1129
汋 1182
溹 1277
燿 1360
爍 1361
爚 1363
矟 1556
硺 1576
箾 1666
箾 1674
箱 1682
索 1721
纅 1779
蒴 1956
趮 2223
鎍 2411
鑠 2423

산

仐 97
傘 164
冊 221
删 248
刪 248
刪 255
刪 255
剷 265
匴 294
斘 318
姍 523
孿 567
孿 567
山 629
屾 633
嵼 650
幓 682
摌 900
散 935
橏 1104
檆 1112
欑 1123
汕 1183
滻 1280
潸 1296
潸 1299
潸 1299
犍 1384
狦 1394
狻 1395
珊 1420
珊 1422
產 1456
産 1457
疝 1479
祘 1596
笇 1655
筭 1667
算 1670
篗 1671
篹 1681
篹 1682
簅 1684
繖 1772
繖 1780
羼 1792
蒜 1951
訕 2106
赸 2214
趲 2222
跚 2228
跚 2228
跚 2233
選 2322
酸 2356
鏟 2386
鏟 2389
鏟 2413
鐵 2417
閂 2431
霓 2502
霰 2506
霰 2509
霰 2511
霝 2519
饊 2584
鹼 2725

살

乷 63
乶 65
唰 381
撒 899
撒 904
杀 1032
杀 1038
樧 1098
殺 1156
殺 1157
煞 1347
粣 1699
粣 1699
糝 1707
積 1821
蔡 1962
蔱 1964
薩 1977
蘖 1993
躠 2252
躃 2252
躉 2252
鎩 2412
閷 2442
閷 2444

삼

三 14
刋 247
剼 266
叁 326
参 326
參 326
嫪 547
幓 680
弎 716
彡 731
慘 791
摲 897
撕 901
摻 902
攙 908
攕 917
杉 1034
森 1073
椮 1079
槮 1099
橾 1113
檆 1116
櫼 1123
毛 1166
毶 1168
滲 1280
煔 1345
犙 1385
獑 1403
䀐 1528
瞫 1550
磣 1583
穇 1627
罙 1636
突 1637
糂 1704
糝 1706
縿 1768
纔 1781
罧 1790
芟 1899
葠 1949
蔪 1962
蔘 1963
薓 1974
衫 2052
襂 2075
襳 2080
賝 2206
釤 2377
鏒 2415
霎 2495
霅 2495
霯 2502
鞍 2521
鞻 2529
鬖 2628

삽

㒊 175
偛 180
卅 302
唼 381
啑 382
啑 382
嚃 409
屆 626
㞚 754
扱 847
挿 874
插 887
揷 888
㮑 1076
歃 1132
歰 1144
涩 1226
渋 1253
澀 1273

澁 1297
澀 1299
牐 1372
箑 1668
篓 1668
翜 1807
翣 1808
臿 1879
臿 1879
臿 1879
萐 1932
蓮 1938
謵 2156
譅 2156
趿 2226
鈒 2380
鍤 2405
霅 2500
霎 2502
靸 2521
鞖 2532
颯 2562
馺 2594
龘 2732

상

上 27
伤 112
倘 156
偿 164
傷 171
像 174
償 184
丧 305
向 345
商 384
喪 387
喪 388
喪 395
嗓 398
嘗 400
塽 460
嫦 546
孀 553
尙 615
尚 616
峠 638
常 676
床 694
庠 696
廂 702
徜 746
徬 755
想 796
愓 802
慯 814
搡 894
晌 986
桒 1056
样 1063
桑 1065
桒 1065
樣 1103
楝 1103
橡 1111
欀 1123
堂 1143
殤 1154
汈 1184
洋 1213
湘 1264
湯 1266
滳 1280
漡 1280
淶 1291
潒 1299
瀧 1314
瀼 1316
爽 1368
爽 1369
牀 1369
状 1387
狀 1388
甞 1453
瘬 1492
相 1532
磉 1581
祥 1597
祥 1597
禓 1602
箱 1673
緗 1754
纕 1781
翔 1807
葙 1948
蔏 1963
蟓 2032
蠰 2039
蠰 2041
裳 2069
襄 2075
襐 2076
觴 2101
詳 2122
謪 2153
象 2174
象 2175
賫 2201
賞 2201
鑜 2424
霜 2503
顙 2553
顙 2554
餉 2573
餳 2582
饟 2586
騻 2607
驤 2611
驦 2612
鬺 2633
鶬 2647
鷞 2650
鱨 2656
鱶 2657
鴹 2666
鷞 2679
鸘 2680
鸘 2685

쌍

双 328
幉 683
愯 828
欆 1124
䉶 1694
艭 1892
躞 2253
雙 2487

새

僿 182
塞 459
壐 470
崽 646
思 765
𢡃 804
毸 1166
毢 1167
璽 1419
璽 1442
簺 1688
罳 1791
鰓 2100
賽 2206
鬆 2628
鰓 2651

색

咋 364
嗇 383
嗇 398
嗇 402
塞 459
索 594
廧 709
愬 803
寨 804
寨 828
捒 867
搸 897
摵 901
栜 1063
榡 1092
槭 1099
涑 1222
溹 1277
濇 1295
濇 1305
瀒 1313
瘶 1494
稓 1556
穡 1630
穡 1632
粣 1699
粣 1699
䊂 1699
索 1721
繬 1776
色 1894
薔 1974
𩟐 2001
賾 2205
轖 2278
顋 2550
鬙 2628
齚 2724
齰 2726

생

世 39
栍 1054
渻 1261
牲 1379
生 1453
生 1456
甥 1457
甥 1457
瘄 1490
省 1533
眚 1538
笙 1656
苼 1910
貹 2191
鉎 2386
鼪 2717

서

书 48
予 71
俆 142
卤 312
叙 332
噬 408
墅 462
壻 474
婿 542
孖 558
屖 624
岨 636
嶼 654
序 694
庶 699
庶 699
庻 700
徐 743
恕 758
恕 773
惰 801
抒 851
捿 877
揟 891
敍 929
敘 930
暑 991
暑 993
曙 994
曙 1002
昬 1006
書 1007
柔 1038
杼 1040
栖 1056
棲 1077
楈 1085
氙 1172
氥 1174
湑 1263
漵 1289
漵 1291
澨 1301
澳 1310
犀 1351
犀 1382
犀 1382
犀 1383
犀 1383
瑞 1434
瑹 1438
癙 1496
稅 1598
稰 1623
稌 1629
筮 1666
筡 1666
簭 1687
糈 1699
糈 1704
紓 1715
絮 1739
絵 1744
緒 1753
緒 1754
署 1790
署 1790
羜 1801

粗 1819
耡 1820
䏣 1824
㫕 1827
胥 1844
舒 1884
芧 1900
茶 1923
莇 1928
蒩 1937
蒣 1955
薯 1977
藇 1979
藷 1992
蝑 2023
蟅 2033
西 2082
誓 2132
諝 2140
諿 2146
謶 2153
譇 2153
𧫷 2157
豠 2174
𧳢 2176
逝 2301
遾 2320
䢾 2326
邪 2330
郤 2335
郚 2340
醑 2359
醙 2364
鉏 2384
鋤 2395
闍 2439
餟 2578
鰖 2650
鱮 2657
鴡 2671
鸒 2682
黍 2701
鼠 2716
齟 2724
齭 2727

석

夕 477
臭 504
奭 511
奭 511
射 604
席 674
惜 792
昔 978
晳 992
晰 992
晳 992
析 1043
梀 1063
楉 1081
𣛙 1111
檡 1113
汐 1183
液 1236
淅 1238
潟 1293
潟 1294
澤 1300
猎 1398
瘍 1488
晳 1513
睗 1543
石 1561
石 1565
矽 1565
碩 1577
磶 1584
磶 1584
祏 1591
䄷 1615
穸 1633
釋 1708
緆 1751
繹 1775
腊 1852
舄 1879
舄 1879
舍 1883
舍 1883
菥 1937
蓆 1954
蚸 2006
蜥 2016
蜇 2019
螫 2029
蠚 2037
裼 2067
襫 2079
覡 2089
醳 2363
釈 2366
釋 2366
鉐 2386
錫 2401
鼫 2717

선

亘 81
亘 82
亶 89
仚 97
仙 102
𠍆 164
僊 174
僎 175
僐 177
儃 181
先 192
㔵 313
𠨗 315
吅 343
單 386
善 394
埏 447
墠 464
墡 465
姍 523
姺 529
嫙 545
嫸 548
嬋 549
嬗 550
宣 578
尟 616
尠 616
屳 633
㢆 697
廯 710
愃 801
扇 841
挄 866
挻 871
掟 874
揎 887
㨦 901
撣 906
撰 907
敾 941
旋 963
檈 1115
樿 1121
櫏 1123
欄 1125
毨 1166
洒 1214
洗 1214
涎 1231
淀 1235
渲 1260
漩 1288
潬 1292
𣾷 1305
㵷 1313
潠 1315
煽 1347
熯 1350
燹 1361
㺒 1401
獮 1406
𤢺 1409
珗 1425
琁 1426
瑄 1433
璇 1438
𤩽 1440
璿 1442
𤵛 1485
㿈 1494
癬 1497
䁢 1550
禅 1599
禅 1602
禪 1604
禮 1606
秈 1611
穟 1631
筅 1660
𥳐 1671
箲 1678
篇 1681
𥶓 1694
綖 1743
綫 1746
線 1755
縇 1760
縼 1769
繕 1771
繏 1773
罈 1785
𦌗 1791
𦌾 1792
羨 1799
羴 1802
羶 1803
腺 1858
膳 1864
舡 1887
舩 1888
船 1888
茾 1913
蒜 1951
蔙 1963
蘚 1989
蜒 2014
蝖 2020
蟬 2032
蟮 2033
蟺 2033
襈 2075
詵 2122
謆 2146
譔 2156
譱 2157
跣 2230
躚 2246
䠣 2248
躚 2252
蹮 2252
还 2290
選 2312
選 2316
選 2322
還 2326
鄯 2347
銑 2389
鋋 2394
鏇 2412
䥥 2417
鐥 2417
霰 2506
霹 2512
䩙 2519
顛 2553
饍 2584
騸 2605
鮂 2645
鮮 2646
鱓 2655
鱔 2655
鱣 2656
鱻 2658
鶻 2675
鸇 2675
鷴 2683
鸘 2683

설

乲 68
偰 159
僁 171
卨 313
唰 381
啐 399
囓 414
契 506
契 507
媟 540
屑 624
㡜 680
偦 752
怈 764
抴 863
挈 863
揲 891
揳 891
搣 912
暬 999
枻 1049
楔 1085
榍 1096
榝 1098

泄 1203
洩 1217
渫 1235
渫 1253
渫 1258
焫 1334
爇 1362
疶 1484
蔎 1517
禼 1607
糏 1705
紲 1723
絬 1737
緤 1738
緤 1760
舌 1882
蔎 1961
薛 1974
薛 1989
藝 1989
褻 2075
設 2111
說 2130
説 2131
猰 2182
跬 2231
躃 2251
躠 2252
躃 2252
躠 2252
辥 2283
雪 2494
霎 2506
鞢 2522
餟 2571
齧 2725

섬

剡 262
娑 538
媕 550
孅 553
幓 680
憸 821
掞 880
撊 895
摻 902
摷 908
攕 917
暹 1001
枮 1048
櫼 1075
歼 1148
殲 1155
殲 1155
淰 1244
澗 1277
澹 1285
瀸 1302
燗 1349
燅 1353
燂 1353
燖 1356
韘 1362
爓 1362
睒 1542
睒 1542
礛 1588
綅 1740
纎 1775
纖 1780
纖 1781
苫 1909
蘞 1989
蟾 2034
襳 2080
覢 2090
譫 2158
譣 2159
貪 2187
贍 2207
銛 2390
錟 2400
閃 2432
陝 2458
霅 2512
韱 2536
韯 2536

섭

囁 413
屧 626
屧 626
屧 627
渫 727
慴 828
拾 866
摂 897
摺 902
攝 918
楪 1084
欇 1123
欇 1124
涉 1230
涉 1253
灄 1318
燮 1358
燮 1362
爗 1364
瓔 1444
疌 1476
疌 1476
籋 1690
聂 1823
聶 1829
葉 1943
謏 2138
諜 2138
諜 2139
謵 2158
讋 2165
讘 2167
踂 2235
躡 2243
蹘 2246
躞 2252
躡 2252
鈒 2397
鍱 2406
鑷 2421
鑈 2425
鞢 2528
韘 2534
顳 2559
[illegible] 2612

성

圣 433
城 445
垩 445
城 446
垶 447
堘 458
声 473
姓 523
娍 533
宬 580
性 770
惺 801
惺 803
成 831
成 831
星 978
晟 987
晠 987
椹 1089
殸 1157
渻 1261
牲 1381
犍 1384
狌 1390
猩 1399
珹 1428
珵 1435
盛 1520
省 1533
睲 1546
筬 1666
箵 1677
篂 1677
聖 1824
聖 1826
聲 1828
胜 1842
腥 1855
觪 2100
觲 2101
誠 2128
郕 2335
醒 2359
頳 2549
騂 2600
鮏 2643
鯹 2652

세

世 39
丗 40
先 192
势 276
勢 283
卋 304
卋 305
啐 399
埶 448
岁 633
帨 673
幓 680
忕 760
捝 869
歲 1143
歳 1144
洒 1214
洗 1214
洓 1221
涗 1232
税 1598
稅 1618
笹 1659
篲 1681
細 1722
繐 1769
繐 1771
薉 1964
蜕 2012
祱 2064
說 2130
説 2131
貰 2191
鏊 2396
鏏 2396
鏾 2414
䬽 2578

소

所 43
佋 113
俏 140
傃 165
僳 174
㕯 217
削 256
劭 275
卲 315
召 342
㕣 343
咲 372
咲 372
哨 375
喿 395
嗉 396
嘯 406
噪 407
埽 450
塑 459
塐 459
娋 534
宵 582
小 610
少 614
巢 658
巣 659
㢢 710
弰 723
愬 803
愫 805
慅 806
所 840
扫 846
招 862
抄 862
捎 873
掃 877
掃 878
搔 894
搜 895
敨 935
旓 965
昭 981
柖 1053
梢 1070
梳 1071
梭 1083
梟 1091
榡 1092
槊 1097
樔 1101
橚 1121
歗 1136
毊 1160
毷 1169
氉 1174
沼 1202
泝 1208

消 1223
泝 1267
溯 1272
溞 1277
溸 1278
濼 1285
瀟 1315
炤 1326
焇 1333
焼 1335
燒 1355
牊 1370
犞 1385
猸 1396
㺐 1403
獟 1406
玿 1422
璅 1438
甦 1457
甦 1457
疋 1475
疎 1476
疏 1476
疏 1476
痟 1486
瘙 1492
盪 1526
硝 1572
祒 1594
稍 1619
穌 1629
笑 1655
笤 1657
筲 1666
筱 1667
箾 1674
篠 1681
篠 1681
簫 1684
簫 1687
素 1719
紹 1724
練 1740
綃 1740
綉 1744
繅 1768
繡 1773
繰 1775
繅 1778
翛 1808
耥 1820
肖 1836
膆 1859
艄 1889
艘 1891
艘 1891
苏 1905
莦 1947
蔬 1963
蕿 1970
蕭 1971
蘇 1987
蛸 2012
蟀 2026
蠨 2035
蠨 2039
袑 2057
覙 2089
訴 2112
詔 2114
謏 2145
謏 2146
謝 2150
譟 2158
貶 2191
踃 2235
踈 2235
轈 2276
逍 2297
遡 2318
邵 2332
鄛 2345
醲 2365
釗 2376
銷 2393
鐰 2418
霄 2500
鞘 2525
韶 2537
颵 2563
颾 2564
飅 2566
騷 2604
髾 2626
魈 2637
鮹 2647
鰺 2654
鱢 2656
龝 2734

속

俗 140
剩 267
属 626
屬 628
捒 872
曥 1001
束 1037
梀 1068
樕 1101
涑 1231
玊 1417
簌 1683
粟 1700
続 1744
續 1779
蔌 1961
藚 1982
藗 1984
裻 2069
襩 2069
觫 2100
謖 2147
贖 2209
速 2302
遬 2320
𩍂 2530
韣 2535
餗 2576

손

喰 393
𠹀 396
噀 404
孫 563
巺 665
巽 666
愻 804
損 892
湌 1257
潠 1299
猻 1402
蓀 1953
遜 2316
選 2322
顨 2553
飡 2569
飧 2570
飱 2571
餐 2578

솔

卹 316
帥 671
摔 899
率 1411
窣 1640
糈 1705
蟀 2029
衛 2051
䘳 2075

송

凇 231
吅 343
㕬 356
宋 571
嵸 650
彸 736
悚 783
惷 811
憁 823
捒 872
捅 873
摏 899
摗 900
摟 918
松 1041
枀 1047
柗 1054
淞 1240
漎 1291
痛 1643
竦 1650
䌰 1772
聳 1829
舂 1879
蚣 2003
蜙 2017
衳 2054
訟 2109
誦 2130
踳 2245
送 2295
鍯 2415
鏦 2415
頌 2541
額 2554
駷 2599
鬆 2627
鬆 2628
鵨 2680

솨

惢 792
碵 1582
耍 1817

솰

刷 253

쇄

刷 253
晒 986
曬 1004
杀 1032
𣏂 1038
殺 1157
洒 1214
灑 1312
灑 1318
燊 1353
瑣 1436
瑣 1436
璅 1438
砕 1567
碎 1575
碵 1582
粋 1697
粹 1701
繌 1765
繀 1768
纚 1782
誶 2133
鎍 2392
鎖 2409
鎖 2409
鎻 2409
鎩 2411
鏁 2412
鎩 2412
鞼 2529

쇠

夊 476
𤸭 1492
蓑 1956
衰 2055
釗 2376
韉 2531

수

乑 57
𠂹 57
侸 136
修 146
倕 150
傁 160
傻 165
叜 219
厜 322
収 328
收 330
受 332
叜 333
叟 333
虽 369
唯 379
嘼 383
售 385
嗀 391
嗽 398
嗾 399
囚 415
圳 436
垂 442
埀 445
垂 448
垂 457
墜 468
壽 475
壽 475
㛐 542
嫂 543
嫑 550
守 568
宿 586
宿 586

宿 587
寿 603
尌 607
岫 635
峀 636
帥 671
𢕟 682
廋 702
廀 704
㝊 722
彗 730
㤹 792
愁 797
㥰 803
戍 830
手 842
捒 872
搜 873
授 878
捘 889
捜 895
𢯫 900
撨 905
摗 906
擻 916
收 922
収 925
敊 929
数 938
數 940
𡔷 942
旞 966
晬 991
朮 1025
杸 1039
树 1053
椒 1078
尌 1091
樇 1103
樹 1107
檖 1115
橾 1115
櫢 1120
欶 1129
𣣀 1134
殊 1149
殳 1155
𣯧 1168
水 1174
汓 1184
泅 1204
洙 1215
浽 1223
涑 1231
湏 1265
溞 1267
溲 1272
滫 1279
漱 1289
澻 1301
㵻 1302
濉 1306
瀡 1314
燧 1359
𤚶 1383
犙 1384
𤛆 1385
狩 1393
狻 1401
獀 1402
獣 1404
獸 1404
獸 1405
獸 1407
率 1411
琇 1427
㻪 1440
璲 1442
璹 1443
瓍 1444
瓗 1445
疛 1479
痠 1484
痩 1490
瘦 1492
瘷 1494
疇 1514
盨 1526
睟 1531
睟 1543
睡 1543
睢 1544
睃 1546
瞍 1548
祟 1596
禭 1606
禾 1608
秀 1608
稅 1618
稤 1621
䅜 1622
穂 1626
穗 1629
穟 1630
竪 1650
𥫂 1652
篲 1681
籔 1691
粋 1697
粹 1701
糔 1705
綏 1741
綉 1744
綬 1746
縃 1772
繡 1773
𦄻 1774
繸 1776
繻 1777
纗 1782
羞 1798
狗 1807
翢 1807
需 1818
脩 1851
脽 1852
脺 1854
腄 1855
腧 1856
膄 1859
𦢊 1865
膸 1866
𦣻 1875
𦤎 1877
艏 1891
茵 1913
茱 1915
莎 1924
莏 1924
菙 1931
葰 1946
蒐 1950
蓚 1957
䔀 1959
蓫 1967
䕅 1970
藪 1984
藧 1988
蘔 1994
虽 2002
虽 2003
蚗 2009
蝫 2023
螋 2025
術 2048
術 2048
𧗳 2049
袖 2057
裋 2063
䘹 2067
褎 2072
褏 2073
襚 2077
襩 2080
詶 2122
誰 2132
誶 2133
𧦅 2138
誜 2145
謏 2146
讎 2165
讐 2165
䜲 2171
竪 2171
豎 2172
賥 2201
輸 2273
輸 2273
述 2291
遂 2308
遺 2322
邃 2326
鄋 2343
酥 2354
酬 2355
酧 2355
酸 2359
醙 2361
醻 2364
銖 2389
銹 2397
錘 2399
鎀 2404
鋑 2405
鎪 2410
鏅 2412
鏉 2414
鏥 2415
鐩 2418
鏽 2421
鑐 2422
陲 2462
䧌 2464
隊 2470
隋 2470
随 2472
随 2473
隧 2475
隨 2475
嶲 2486
雔 2487
雖 2487
雖 2487
巂 2488
䨹 2495
需 2500
䨞 2509
韉 2531
須 2541
䪷 2550
颼 2564
飕 2564
餕 2580
首 2586
𩠐 2587
䭭 2588
騪 2604
髓 2616
髄 2616
髓 2618
鬚 2629
䰡 2639
鮂 2641
鮋 2644
鯦 2650
鱐 2656
䳠 2673

숙

俶 134
俶 148
倏 156
倐 156
倏 156
儵 187
𡉏 305
叔 331
塾 462
夙 481
婌 537
孰 564
宿 586
宿 586
宿 587
尗 615
𢹿 911
橚 1113
櫹 1123
洣 1235
淑 1239
潚 1318
熟 1351
玊 1417
琡 1432
璹 1443
䃤 1586
稤 1621
翛 1813
肃 1832
肅 1832
粛 1832
肅 1832
茜 1928
菽 1935
蓿 1960
蠨 2001
諔 2137
蹜 2245
閷 2447
驌 2609

鱐 2656
鷫 2683

순

侚 134
唇 377
唇 377
啍 382
姰 529
峋 638
巡 658
楯 678
廵 711
徇 736
徇 739
循 750
恂 763
恂 776
揗 881
揗 886
旬 971
旽 977
栒 1063
楯 1087
榫 1096
橓 1111
歂 1128
殉 1149
洵 1219
淳 1246
潛 1286
焞 1334
犉 1376
犉 1382
狥 1394
珣 1423
瞤 1474
皴 1516
盾 1528
盾 1533
眣 1535
眴 1538
瞚 1549
瞤 1550
瞬 1550
筍 1655
筍 1663
箰 1677
簨 1678
簨 1686
紃 1711
純 1715
絇 1735
肫 1837
胸 1847
脣 1851
舜 1885
荀 1904
荀 1917
蒓 1957
蓴 1959
蕣 1968
褑 2071
訓 2106
詢 2118
諄 2134
諄 2146
趨 2223
輴 2272
迿 2297
郇 2334
醇 2353
醇 2357
錞 2399
鐏 2424
隼 2480
雗 2487
雗 2492
雗 2492
順 2540
馴 2593
鬊 2628
鶉 2673
鶉 2673

술

啐 399
怵 772
戌 830
术 1025
沭 1213
潏 1291
珬 1424
疵 1484
絉 1725
荓 1904
術 2048
術 2048
術 2049
訹 2112
述 2292
遹 2322
鉥 2386
鱊 2655

숭

娀 529
崇 641
崧 643
崈 645
嵩 648
憽 825
菘 1900
菘 1931
鯎 2666
鶖 2673

쉬

伜 112
倅 149
晬 991
淬 1244
焠 1334

슬

厀 318
瑟 1432
璱 1441
膝 1861
膝 1867
藤 1984
虱 2002
蝨 2013
蝨 2020
颼 2565

습

习 227
慴 814
拾 866
槢 1099
湿 1268
湿 1278
溼 1278
熠 1280
濕 1306
濕 1313
熠 1350
習 1806
翜 1807
聬 1830
褶 2074
襲 2080
謵 2153
隰 2473
隰 2477
霫 2506
飁 2565
驫 2612

승

丞 42
乗 56
乘 56
僧 174
僧 177
勝 281
升 302
塍 456
塍 460
嵊 649
憴 822
承 846
抍 853
昇 973
朡 1023
椉 1081
榺 1097
殑 1149
氶 1180
丞 1217
澠 1300
睖 1473
繩 1753
繩 1760
繩 1774
艠 1895
蕂 1970
蠅 2019
蠅 2024
蠅 2034
譝 2158
鱦 2421
阩 2451
陞 2458
騬 2605
鬙 2629
鱦 2656

시

乨 64
佁 123
侍 131
偲 161
兕 197
兕 198
凘 232
匙 291
厮 323
啻 393
嘶 403
塒 457
始 522
媤 541
媞 542
寺 602
尸 618
尸 618
屍 623
屎 623
屣 626
市 667
币 668
廝 706
弑 717
弒 717
弛 720
[illegible] 731
徥 750
恃 776
提 887
揌 889
撕 904
攱 921
施 960
时 972
旹 978
是 979
昰 980
昰 985
時 985
杫 1042
柹 1049
柹 1049
柿 1049
枲 1054
柴 1056
楮 1089
榯 1094
殔 1149
毸 1166
毢 1167
氏 1170
沶 1212
漦 1278
澌 1298
狏 1387
狧 1393
狶 1394
猜 1398
[illegible] 1400
疷 1485
眂 1531
眎 1535
眡 1536
矢 1557
示 1588
祡 1597
笶 1660
篩 1677
簁 1677
絁 1725
緦 1756
罳 1791
羠 1799
翄 1805
翍 1805
翅 1805
翤 1809
翨 1810
腮 1859
葹 1947
蒔 1950
蓍 1955
蝨 2024
褆 2074
襹 2081

視 2088
視 2088
覗 2089
試 2118
詩 2119
諡 2139
諟 2140
諡 2140
諰 2142
謚 2148
誓 2157
豉 2170
豕 2173
豖 2173
豺 2179
踶 2240
邿 2333
釃 2365
釲 2378
鉇 2378
鉃 2384
鍉 2384
鍉 2404
鍦 2406
闍 2439
闍 2442
阤 2449
阺 2451
題 2550
颸 2563
駛 2594
駛 2599
鯯 2647
鯓 2652
鳲 2659
鶳 2684

식

埴 449
媳 542
寔 593
幟 671
式 716
息 775
扻 846
拭 864
揰 880
杙 1060
植 1079
殖 1151
湜 1264
熄 1348
瘜 1491
絨 1737
膓 1860
蝕 2024
祏 2061
襭 2076
識 2156
軾 2264
鄎 2343
食 2567
飾 2572
餝 2580

신

伸 104
伸 114
侁 130
信 144
兟 198
囟 236
囟 239
卂 302
吲 357
呻 363
哂 371
囟 422
姺 529
娠 533
姰 533
娎 551
娎 552
宸 585
屾 633
莘 639
弞 721
彡 730
悫 805
慎 805
扟 846
抻 857
新 953
新 956
旾 984
晨 987
柛 1051
梓 1104
欨 1128
歆 1129
汛 1184
洵 1221
燊 1353
燼 1360
狆 1392
珅 1420
璶 1442
甡 1456
申 1460
阜 1512
胂 1536
昚 1538
矤 1559
矧 1559
神 1594
神 1596
祳 1599
禬 1603
粈 1696
紳 1724
紳 1753
胂 1841
脤 1849
腎 1852
腎 1854
臣 1870
申 1878
茞 1914
莘 1925
莀 1925
薪 1976
藎 1980
蜄 2013
蜃 2015
裑 2063
觵 2096
訊 2105
訫 2108
詵 2122
誶 2133
賑 2196
賮 2205
贐 2208
身 2253
辛 2281
辛 2281
辰 2285
迅 2287
鄎 2335
震 2501
顖 2546
顖 2546
駪 2597
鮮 2654
鷐 2680
麎 2690

실

失 499
実 577
实 577
室 579
宲 585
實 596
悉 752
悉 780
窸 1643
蟋 2029
齛 2724

심

伈 108
甚 295
嬸 548
嬸 552
审 577
宷 585
審 598
寻 603
尋 607
尋 608
尋 609
心 755
小 757
愖 802
撏 922
棯 1078
椹 1083
樳 1106
橬 1107
沁 1189
沈 1191
沉 1192
淰 1244
深 1244
潯 1278
潭 1295
潯 1296
瀋 1311
瀋 1317
煁 1341
燖 1356
甚 1453
疢 1479
瘁 1487
瘎 1490
瞫 1550
綝 1744
縟 1773
芯 1901
葚 1944
蒸 1964
蕁 1965
蕈 1966
蕁 1989
薵 1989
蟫 2032
蟳 2032
蠕 2041
襑 2077
諗 2138
諶 2143
譖 2164
邥 2330
鄩 2346
醦 2359
鈊 2380
鈂 2380
鐔 2416
顈 2548
鶖 2633
鈐 2642
魫 2643
鮗 2648
鱏 2654
鱘 2655
黮 2709

십

什 95
十 296
卅 304
卌 305
拾 866
謵 2156

싱

賸 2205

씨

氏 1170

아

丫 43
亚 81
亜 82
亞 82
俄 139
偔 148
児 197
兒 197
兒 197
唖 374
哦 375
唲 380
啞 383
妿 524
妸 524
娥 533
娅 537
婀 537
婭 539
屙 624
峩 639
峨 639
庌 694
御 748
忬 763
我 832
抲 847
旂 965
椏 1080
檥 1100
牙 1373
犽 1388
猗 1397
疋 1476

痄 1480
痾 1481
痾 1488
痖 1488
睋 1542
砑 1566
硪 1574
碰 1576
秎 1614
稏 1621
笌 1656
綗 1752
芽 1904
莪 1927
蕘 1977
蚜 2003
蛾 2012
衙 2049
哀 2060
襾 2081
訝 2108
誐 2131
輅 2264
迓 2289
遃 2307
錏 2398
鐚 2418
阿 2452
雅 2481
餓 2575
騀 2600
鵝 2600
鴉 2649
鵶 2662
鵝 2670
鵞 2670
鵞 2671
鴉 2673
齖 2723

악

乐 55
偓 159
剭 263
呃 357
咢 369
噩 387
喔 390
噁 396
噩 406
垩 445
堊 453
堮 456
媉 541
岳 637
崿 647
嵒 647
嶽 652
嶽 654
幄 678
悪 781
惡 786
愕 802
握 890
楽 1091
樂 1104
渥 1257
犖 1384
碍 1578
腥 1858
腭 1859
萼 1941
蕚 1971
藿 1986
蜀 2019
蠖 2102
諤 2138
諤 2140
讍 2164
遌 2311
選 2324
鄂 2341
鍔 2405
顎 2545
顎 2551
鸑 2610
鰐 2652
鱷 2657
鴌 2668
鶚 2674
鸑 2684
齶 2727
齷 2727
龏 2731

안

唼 392
晏 521
安 569
岸 635
按 868
晏 984
桉 1063
案 1064
殷 1156
洝 1221
犴 1387
眼 1528
眼 1539
矆 1548
矸 1565
案 1617
竇 1642
豻 1802
艷 1895
諺 2144
諺 2146
豻 2180
贋 2207
贗 2209
雁 2483
鞍 2524
鞌 2524
顔 2551
顏 2553
鮟 2646
鴈 2660
鼾 2660
鴈 2663
鴳 2668
鷃 2677
黶 2709

알

嘎 400
圠 432
堨 456
嫛 549
戹 619
岸 632
嶭 652
嶭 655
忦 764
戛 835
戞 835
按 868
挖 869
揠 876
揠 889
斡 949
斡 950
曷 994
不 1025
歹 1146
歺 1146
歺 1146
洝 1221
焆 1345
猰 1401
瘍 1490
暍 1546
磍 1582
楬 1624
空 1633
窫 1641
齾 1785
鶡 1876
蔼 1967
藹 1981
訐 2106
謁 2139
謁 2145
貘 2182
軋 2257
輵 2272
轕 2280
遏 2312
钀 2426
閼 2442
閼 2444
頞 2545
頞 2551
餲 2580
魝 2641
鳦 2658
鴶 2668
鶡 2684
鸊 2685
黠 2704
鶡 2720
齾 2728

암

俺 148
匼 295
厌 319
厰 323
厭 323
唵 380
唫 388
喑 403
嚴 414
埯 451
壛 472
媕 541
嬒 546
岩 635
嵒 646
嵒 647
巖 656
巗 656
庵 675
庵 699
揞 887
晻 992
暗 995
玁 1404
痷 1489
癌 1495
盦 1525
暆 1545
碪 1578
碞 1579
稴 1622
羬 1802
腤 1858
菴 1935
葊 1949
菴 2068
諳 2142
譀 2162
闇 2442
阴 2451
陎 2451
陰 2460
韽 2508
韽 2538
頷 2548
頷 2550
馣 2589
鵪 2671
鶕 2680
麙 2692
黤 2707
黬 2709
黭 2709
黯 2709
黶 2710
黶 2727
鹹 2727

압

亞 82
佮 134
匒 288
压 319
壓 322
唈 376
圧 433
壓 470
姶 527
岋 634
庘 696
押 857
搕 895
褭 997
褭 999
浥 1224
炠 1327
熁 1335
狎 1390
瘂 1489
瘂 1489
瘖 1491
箪 1660
罨 1788
邑 2328
魇 2639
鉀 2644
鰪 2653
鴨 2664
鴭 2669
鵪 2671

앙

仰 105
佒 118
卬 313
坱 441
央 499
岟 636
岇 638
怏 768
昂 972
昻 980
枊 1042
柍 1050
[illegible] 1075
殃 1148
泱 1212
[illegible] 1448
盎 1520
映 1536
[illegible] 1596
秧 1615
胦 1841
茚 1904
詇 2117
軮 2262
[illegible] 2354
醠 2361
鉠 2385
雵 2499
[illegible] 2521
鞅 2523
[illegible] 2573
駚 2594
鴦 2666

애

乂 52
乃 52
孖 69
佁 123
僾 180
厓 319
呃 357
哀 372
唉 376
哯 380
啀 381
喝 391
嗌 396
嘊 399
噯 407
噫 407
埃 445
壒 469
娭 534
㝵 603
[illegible] 605
崖 643
崕 645
弓 718
[illegible] 757
[illegible] 762
忦 764
愛 794
[illegible] 809
懝 824
挨 869
捱 885
敳 938
曖 1001
㬬 1002
不 1025
欸 1129
[illegible] 1153
毐 1162
涯 1236
漄 1291
[illegible] 1310
焥 1332
獃 1402
[illegible] 1488
癡 1493
皚 1513
㝵 1530
睚 1543
瞹 1553
[illegible] 1554
硋 1571
碍 1575
磑 1581
礙 1586
禾 1608
絠 1738
[illegible] 1870
艾 1896
[illegible] 1921
[illegible] 1955
薆 1973
藹 1985
[illegible] 2112
譪 2158
[illegible] 2173
賹 2205
閡 2438
阨 2449
阸 2455
隘 2473
靄 2505
[illegible] 2505
[illegible] 2510
靉 2512
[illegible] 2569
[illegible] 2574
餲 2580
饐 2583
[illegible] 2589
騃 2600
[illegible] 2650
[illegible] 2667
[illegible] 2725
[illegible] 2726
[illegible] 2726
[illegible] 2727

액

厄 318
呝 365
唖 374
啞 383
峉 637
[illegible] 665
戹 839
扼 848
[illegible] 863
掖 880
搤 895
枙 1043
液 1236
[illegible] 1538
[illegible] 1567
砈 1568
縊 1761
腋 1853
[illegible] 2068
詻 2123
[illegible] 2138
軛 2260
軶 2264
阨 2449
阸 2455
隘 2473
[illegible] 2529
頟 2545
額 2551
[illegible] 2570
[illegible] 2573
[illegible] 2651
鮥 2651

앵

嚶 412
嫈 544
桜 1065
櫻 1122
[illegible] 1134
甇 1450
甖 1451
[illegible] 1548
罃 1784
罌 1785
譻 2162
賏 2198
鴬 2666
鶯 2679
鸎 2684
鸚 2685

야

也 63
乜 63
亱 89
倻 164
冶 228
[illegible] 383
喏 390
埜 453
墅 457
壄 467
壄 468
夜 481
射 604
惹 796
挪 873
揶 892
斜 949
枒 1043
埜 1066
梛 1071
椰 1083
爺 1368
琊 1427
瑘 1435
耶 1822
若 1907
[illegible] 1962
蹃 2239
邪 2330
邪 2331
野 2369
釾 2381
鋣 2395
[illegible] 2403
鎁 2408
鵺 2673

약

叒 330
弱 723
扚 845
敫 938
楉 1086
渃 1254
瀹 1316
濼 1318
爚 1363
礿 1590
禴 1606
箬 1673
箹 1677
篛 1678
籥 1693
籲 1695
約 1711
[illegible] 1779
[illegible] 1782
苭 1905
若 1907
葯 1946
蒻 1952
蒦 1957
薬 1971
藥 1972
藥 1983
蘥 1991
[illegible] 1994
[illegible] 2039
[illegible] 2101
趯 2223
[illegible] 2223
跃 2226
躍 2250
躍 2250
鄀 2341
鑰 2424
鬻 2634
鶸 2676
龠 2733

양

佯 126
勷 285
嚷 412
垟 445
壌 468
壤 471
嬢 550
孃 553
弶 727
徉 740
儴 755
恙 773
懩 825
敭 835
揚 888
攁 909
攘 917
敭 938
昜 980
暘 996
样 1063
楊 1084
様 1096
樣 1103
欀 1123
洋 1213
湯 1266

漾 1278
漾 1290
瀁 1310
瀼 1316
烊 1328
煬 1345
⿰犭羊 1393
⿰犭羊 1396
壤 1444
瓤 1447
痒 1484
瘍 1489
癢 1497
禳 1606
穰 1632
纕 1781
羊 1795
⿱艹羊 1795
养 1797
羕 1797
⿰月羊 1797
羕 1798
⿰月襄 1869
⿱艹昜 1949
蘘 1989
⿱艹釀 1994
蛘 2011
蛘 2014
蠰 2039
蠰 2041
衰 2065
襄 2075
詳 2122
讓 2159
讓 2166
躟 2252
釀 2363
釀 2364
鍚 2405
鑲 2425
阳 2451
阦 2451
陝 2457
陽 2468
⿱雨昜 2508
⿰革羊 2523
颺 2564
養 2574
驤 2611
鬤 2630
鴹 2666

어
⿰亻圄 174
吾 359
唹 380
圄 425
圉 425
峿 641
御 748
扵 854
敔 931
於 960
棜 1076
淤 1241
漁 1278
漁 1282
瘀 1488
⿰目魚 1550
禦 1603
箊 1669
篽 1684
籞 1692
菸 1935
衙 2049
語 2127
醧 2362
鋙 2395
閼 2442
飫 2570
⿰食於 2580
饇 2582
馭 2591
魚 2639
𩵋 2641
鱼 2641
⿰魚攵 2643
⿰鬳攵 2653
鱻 2653
齬 2725

억
⿰亻恴 169
億 181
億 187
⿰口疑 409
嶷 653
忆 757
憶 821
抑 850
檍 1114
繶 1775
肊 1834
肐 1835
臆 1866
薏 1973
薿 1979
翼 2102
醷 2363
⿰骨意 2618

언
偃 156
傿 174
匽 295
唁 376
喭 392
嘕 400
堰 455
嫣 546
屵 632
嵃 647
彦 733
彥 733
㫃 960
⿰匽欠 1132
漹 1283
焉 1333
牪 1379
甗 1451
⿰目匽 1548
⿰禾匽 1556
蔫 1963
蝘 2021
褗 2072
言 2103
諺 2144
諺 2146
讞 2167
⿰𧾷亶 2249
郾 2341
鄢 2345
⿰金匽 2405
⿰阝昊 2468
隁 2472
⿰阝焉 2474
鰋 2651
⿰魚晏 2653
鶠 2674
鼴 2718
鼹 2718
齞 2724
齴 2727

얼
乻 65
噦 407
⿱辥女 553
孽 566
孼 567
⿱辥女 567
屵 632
峴 645
嵲 648
摰 898
枿 1054
棿 1078
槸 1104
槷 1104
櫱 1122
⿰木獻 1125
糱 1709
糵 1709
⿰耳闑 1831
臬 1875
臲 1876
⿰危臬 1876
孽 1977
蘗 1989
蠥 2038
讞 2167
贄 2206
⿰車獻 2280
闑 2444
陧 2470
⿰齒辥 2685
⿰麥夬 2694
齧 2725

엄
俺 148
儼 188
厴 324
噞 406
嚴 411
埯 451
奄 502
媕 536
嬐 546
孍 553
崦 644
嶮 647
广 693
弇 715
弇 715
掩 884
揜 889
晻 992
曮 1004
⿰木奄 1077
⿰木嚴 1125
殗 1151
淹 1251
渰 1259
⿰片奄 1372
⿰目嚴 1555
⿰禾奄 1622
⿱竹嚴 1695
罨 1788
⿰耒奄 1809
腌 1853
⿱艹嚴 1993
裺 2068
⿰奄阝 2340
醃 2357
醶 2363
釅 2365
閹 2441
隒 2472
顩 2557
⿰嚴頁 2558
⿰香奄 2589
驗 2602
驗 2609
龑 2731

업
业 42
業 652
嶫 653
⿰忄奄 675
⿰忄業 823
業 1090
⿰業欠 1137
殗 1151
⿰火業 1362
[illegible] 1363
⿰片業 1373
痷 1489
砐 1566
⿰禾奄 1622
⿰糸業 1776
腌 1853
裛 2065
鄴 2348
餣 2578
鵪 2669

엇
旕 965

에
恚 773
殪 1154

여
与 38
与 38
予 69
余 112
伽 128
女 511
如 515
妤 520
悆 780
⿱與心 823
懙 824
⿰扌舁 896
旟 966
櫲 1122
欤 1128
歟 1136
汝 1185
洳 1219
澦 1305
⿰氵豫 1315
⿰氵與 1319
璵 1442

瓿 1446
畬 1471
畲 1471
瘀 1484
碘 1587
礜 1587
篽 1693
粄 1696
罛 1791
羭 1801
舁 1879
舁 1879
與 1880
艅 1889
茹 1917
蕷 1952
蕠 1968
蕷 1971
萸 1979
蜍 2014
袽 2061
袈 2061
譽 2162
輿 2273
轝 2280
邪 2330
除 2459
餘 2576
鴽 2668
鵌 2669
鵸 2669
鸒 2685

역

亦 86
役 112
圛 431
坄 438
垼 448
域 449
埸 450
墿 467
射 604
嶧 652
帟 672
役 736
懌 822
彧 832
或 833
斁 941
易 973
晹 991
棫 1077
棭 1091
櫟 1113
歝 1136
減 1241
炈 1325
琙 1432
疫 1480
瘍 1488
睪 1545
襗 1606
篗 1671
籆 1695
繹 1708
緎 1752
繶 1761
繹 1775
罭 1789
艗 1891
蓻 1932
虉 1994
蜮 2016
蜴 2016
訳 2112
譯 2158
譯 2160
譺 2161
逆 2296
醳 2363
鈠 2380
閾 2442
鞨 2527
饌 2585
駅 2594
驛 2609
鯣 2649
鳫 2663
鴈 2667
鶂 2671
鶃 2671
鷁 2676
鷊 2677

연

偄 163
僆 175
兗 198
兖 198
剈 257
台 343
吮 355
咽 371
嗔 400
嘫 402
嚥 407
嚥 410
囦 423
均 437
垔 437
埏 447
堧 454
壖 470
妍 517
晏 521
娟 529
妍 530
娫 534
娟 534
嬿 548
嬿 552
宴 582
屄 619
延 711
弲 726
悁 781
愞 802
戭 836
抗 854
捐 869
挻 871
捐 873
擘 885
掾 886
撓 887
揙 892
擘 899
撊 903
臙 1004
椽 1083
橪 1111
櫞 1120
歅 1132
沇 1190
次 1196
沿 1196
沿 1202
沿 1203
涓 1222
涎 1231
涓 1231
渕 1253
渕 1253
淵 1254
渷 1267
漹 1275
演 1285
漾 1305
演 1306
烟 1329
焆 1332
然 1340
煙 1342
煙 1343
燃 1353
燕 1356
爇 1364
爇 1364
犴 1390
狿 1395
猭 1401
獼 1405
瑌 1433
瓀 1443
瞑 1473
矃 1475
痏 1487
研 1566
硱 1571
研 1571
硯 1573
碝 1577
禋 1601
筵 1667
綖 1743
緣 1756
縯 1765
緣 1773
羨 1799
耎 1817
胭 1845
臙 1869
莚 1926
葕 1930
莄 1948
蜎 2014
蜒 2014
蜵 2020
蝝 2021
蝡 2021
蠉 2033
蠕 2036
衍 2047
讌 2164
軟 2260
輭 2262
輭 2273
郔 2335
醼 2364
鈆 2381
鉛 2384
鋋 2394
閼 2442
阮 2450
雲 2495
需 2500
霆 2501
餇 2577
鳶 2661
鳫 2663
鴈 2667
鳶 2668
鳶 2668
鷰 2683
鷰 2685
麙 2690
麗 2690
齞 2716

열

㸒 331
咽 371
噎 404
妜 518
悅 779
悅 781
悦 781
抴 863
拽 865
潱 1295
焆 1332
熱 1352
瞖 1548
稅 1618
突 1635
窡 1637
䖸 2000
蜇 2011
蠥 2039
說 2130
説 2131
鈌 2381
銳 2382
閱 2440
鬩 2475

염

冄 221
冉 221
剡 262
厌 319
压 319
厭 323
圧 433
塩 459
壓 470
壛 471
嬮 541
懕 823
扊 842
抩 853
掞 880
染 1055
棪 1078
檿 1119
檿 1119
櫩 1121
淡 1241
淊 1253
灩 1313

灎 1318
灩 1320
灧 1320
炎 1324
焱 1334
焰 1334
燄 1352
爓 1362
猒 1396
琰 1431
睒 1453
𥗟 1518
盐 1520
䅖 1606
䇲 1659
䎦 1820
𦫢 1895
艶 1895
艷 1895
苒 1905
蚦 2004
蚺 2008
蚦 2008
袡 2053
覃 2085
詽 2110
𧦝 2117
讇 2164
豔 2173
豓 2173
酓 2353
䍃 2355
錟 2400
閆 2432
閻 2441
闛 2448
阽 2452
䫇 2544
䎦 2549
餂 2573
饜 2586
髥 2624
髯 2626
魘 2639
鹻 2687
鹽 2688
黶 2710

엽

俫 151
偞 164
厭 323
喦 390
嚈 409
㚍 504
擖 911
擪 912
擫 915
曅 1000
曄 1000
楪 1084
殜 1153
熀 1348
燁 1353
爗 1362
猒 1396
瞱 1514
䈎 1677
䑈 1869
葉 1943
鎑 2408
靨 2519
頁 2539
饁 2582
魘 2639

영

咏 364
営 395
塋 459
央 499
嬴 550
嬴 550
嬴 552
嬰 552
孆 567
峵 634
嵤 649
嶸 654
巊 655
影 735
㦁 827
摬 901
攍 917
攖 917
旲 971
映 980
景 990
暎 996
柍 1050
栄 1056
荣 1056
梬 1069
楹 1089
榮 1097
永 1179
泱 1212
泳 1212
浧 1224
渶 1259
潁 1278
濚 1308
瀛 1313
瀠 1314
瀯 1315
瀴 1316
炅 1325
煐 1345
營 1358
犃 1386
𤢝 1409
瑛 1434
瑩 1435
瓔 1444
癭 1497
盈 1519
眏 1536
䁐 1548
䅵 1556
碤 1578
禜 1603
頴 1603
穎 1629
籝 1692
籯 1694
緓 1737
縈 1764
纓 1780
営 1859
英 1909
营 1938
营 1950
蓥 1981
蘡 1990
蠑 2036
蠳 2039
𧞤 2081
詠 2117
詠 2125
謍 2150
賏 2198
贏 2208
迎 2288
郢 2337
醟 2361
鍈 2408
霙 2503
鞕 2525
韅 2528
韺 2538
頴 2549
顈 2558
駚 2599

예

乂 52
倪 154
兒 197
兒 197
刈 243
㓹 264
勩 284
医 295
叀 326
叡 333
叡 333
呭 362
囈 414
埶 448
堄 450
㙪 464
婗 537
嫕 547
嫛 547
寱 600
㓷 672
帠 673
忩 792
㥷 803
抁 854
抴 863
拽 865
掜 885
晲 991
曀 1000
曳 1004
曵 1006
枘 1044
枻 1049
栧 1063
棿 1078
槸 1113
檕 1160
汭 1187
泄 1203
洩 1217
㳂 1253
滊 1301
㵝 1301
湝 1303
濊 1305
澧 1305
猊 1396
獩 1406
玴 1421
瑿 1438
瘞 1491
瘱 1494
睨 1544
睿 1547
瞖 1550
䃜 1584
穢 1630
𥨗 1645
笍 1656
紲 1723
綐 1741
繄 1771
縶 1773
𦐊 1802
羿 1804
翳 1811
臾 1879
艾 1896
芮 1901
芸 1903
苅 1905
蓺 1957
蓺 1960
蓻 1966
蕊 1966
蕋 1966
薉 1977
藝 1982
蘂 1986
蘃 1986
蘙 1989
蚋 2005
蜹 2016
蜺 2017
袣 2058
裔 2063
裞 2068
褹 2075
褻 2076
褻 2076
襼 2081
詍 2114
詣 2118
𧦧 2125
誉 2125
說 2136
譽 2162
讛 2167
容 2168
豊 2171
豫 2178
豷 2179
隷 2182
貎 2182
𧳜 2183
跇 2228
軎 2259
軎 2259
輗 2268
轊 2277
郳 2339
銳 2392
銴 2396
銴 2396
錗 2399
鍩 2401

霓 2503
預 2542
鱴 2585
驖 2611
鮨 2645
鯢 2649
鳵 2667
齯 2671
鶃 2671
鷖 2680
鷁 2682
鷾 2682
麑 2691
黳 2709
齯 2726

오

乌 54
五 75
仵 106
伍 109
俉 138
傲 169
午 303
吳 352
吳 352
呉 353
吴 353
吾 359
唔 376
啎 384
嗚 396
嗷 398
嗸 401
噁 404
圬 433
塢 458
墺 467
夭 498
奡 509
奧 509
奥 509
娛 532
媼 542
寤 595
嶅 649
嶅 650
嶴 653
廒 705
弙 721
忤 762
污 773
悞 784
悮 784
悟 784
惡 786
慠 812
懊 822
捂 872
摮 898
撫 916
敖 933
敖 941
於 960
旿 977
晤 989
杇 1034
梧 1070
梼 1092
歍 1134
汚 1183
汙 1184
污 1184
洿 1221
浯 1226
澳 1302
烏 1330
熬 1351
燠 1359
熝 1360
燺 1361
牾 1381
獒 1403
珸 1427
璵 1428
璈 1439
碼 1582
磝 1582
禑 1602
窹 1638
筽 1667
聐 1826
聱 1828
芺 1904
蔦 1957
蔜 1964
蘁 1986
蜈 2013
螐 2025
螯 2030
袄 2055
襖 2077
謷 2102
誤 2129
誤 2130
誤 2130
誈 2138
鄔 2150
謸 2154
謷 2154
謳 2157
蹳 2248
迂 2287
迕 2290
逜 2304
遨 2319
遻 2324
郚 2335
鄂 2339
鄔 2344
鋘 2395
鋙 2395
鎢 2411
鏖 2412
鏊 2415
鏉 2415
鏖 2415
鏕 2419
鐭 2421
馱 2430
隖 2472
隞 2474
隩 2476
頊 2542
頭 2549
饌 2585
驁 2607
驁 2607
髞 2617
鼇 2617
魚 2639
奐 2641
鱼 2641
鰞 2653
鰲 2653
鰲 2654
鴖 2666
麇 2689
鼇 2712
鼯 2717
鼷 2718

옥

剭 263
媉 541
屋 623
沃 1189
獄 1401
玉 1412
丕 1417
珸 1430
鬱 1552
稢 1624
腥 1858
礐 2102
跠 2229
鈺 2386
鋈 2397
阿 2452
鬻 2610

온

傴 184
媪 542
媼 542
愠 803
慍 805
搵 897
昷 996
昷 997
榲 1090
榅 1093
殟 1153
氳 1174
温 1267
溫 1268
煴 1345
熅 1348
瑥 1437
瘟 1491
暉 1547
稳 1624
穏 1626
穩 1629
穏 1631
縕 1760
縕 1760
蒀 1949
蒕 1957
蒀 1971
蒀 1972
薀 1985
蕰 1988
褞 2072
褞 2073
輼 2273
轀 2274
醞 2360
醞 2360
韞 2534
韞 2535
馧 2589
麴 2696

올

乭 63
乭 65
兀 103
兀 112
兀 188
卼 317
嗢 393
嗢 397
屼 633
扤 846
搵 897
杌 1035
柮 1051
榅 1092
榲 1093
殟 1153
淴 1252
疙 1480
矹 1565
膃 1859
膃 1859
蚍 2008
閭 2432
阢 2449
馧 2589

옹

傭 179
喁 389
嗈 396
嗡 407
塕 458
壅 468
壅 469
廱 710
擁 909
攤 919
滃 1274
澭 1278
滃 1305
灉 1317
燉 1349
獨 1403
瓮 1448
甕 1451
痈 1481
癕 1495
癰 1497
罋 1785
翁 1805
蓊 1865
臃 1866
蓊 1955
螉 2024
邕 2328
雍 2485
雝 2490
鞈 2529
鞥 2530
顒 2552
饔 2585
鰫 2651
鶲 2677

와

偽 164
僞 176
厄 318
吪 354
咍 361

哇 372
咼 374
啒 393
囮 422
㚴 504
娃 529
婠 529
婐 538
婑 538
媧 541
孎 551
撾 897
梔 1043
汚 1183
汙 1184
污 1184
洼 1220
涹 1240
涴 1252
漥 1253
渦 1257
窊 1277
漥 1290
猧 1399
瓦 1447
窊 1637
窐 1638
窩 1640
窪 1641
窳 1642
眭 1820
臥 1870
卧 1871
萵 1941
蛙 2009
蝸 2022
訛 2108
譁 2154
譌 2157
𧵳 2195
䫚 2207
踠 2237
踒 2238
蹠 2242
蹞 2248
鈋 2381
霔 2505
䵷 2712
鼃 2712

완

关 217
刓 245
剜 261
园 423
垸 447
夗 480
夘 480
妧 519
婉 534
婠 537
完 571
宛 576
岏 634
帵 676
忨 762
惋 791
抏 853
捖 869
捥 875
掔 885
杬 1039
椀 1078
殈 1153
浣 1223
涴 1252
湲 1267
漾 1298
烷 1332
玩 1419
琓 1427
琬 1431
盌 1519
睆 1532
晼 1542
碗 1577
綄 1743
綰 1747
緩 1757
翫 1802
翫 1809
脘 1849
腕 1854
莞 1926
莧 1926
蒬 1965
薍 1967
薍 1976
蚖 2003
蚖 2003
蚖 2004
蜿 2009
蜿 2017
覒 2090
豌 2171
睆 2205
輐 2266
鋺 2397
闋 2445
關 2446
阮 2450
頑 2542
髖 2616
魭 2642

왈

唕 398
曰 1004
殈 1153
睆 1532
䀹 1827

왕

尪 134
𡈼 238
尢 616
兀 616
尣 616
允 616
尪 617
尫 617
尩 617
往 737
徃 738
徍 745
旺 977
暀 992
枉 1042
桂 1067
汪 1187
注 1235
洼 1238
瀇 1312
王 1414
䀟 1542
𦐂 1805
䍿 1871
迋 2288
迬 2307

왜

倭 155
哇 372
娃 529
媧 541
歪 1142
矮 1560
緺 1759
蛙 2009
𧌒 2011
騧 2603
𩦌 2610
䵷 2712
鼃 2712

외

偎 164
外 478
夘 480
㚷 564
峗 638
嵔 645
㟪 647
嵬 648
嵬 648
巍 655
廆 704
揋 890
柧 1054
桅 1061
椳 1083
歪 1142
渨 1258
煨 1344
猥 1399
畏 1463
痹 1492
碨 1578
磈 1580
磑 1586
聵 1829
聵 1831
聵 1831
腲 1858
葦 1922
䕼 1981
褢 2072
阢 2449
隗 2454
隈 2470
隗 2473
顡 2554
鮠 2645

요

么 54
乐 55
了 69
伕 108
佻 128
偠 163
傜 168
僥 177
尧 195
堯 198
凹 238
㓱 244
匋 287
嘦 390
嗂 396
坳 441
垚 443
䔄 448
堯 453
墝 463
夭 498
妖 518
姚 527
媄 538
媱 545
嬈 548
宎 572
窔 580
嶢 651
嶢 652
幺 689
幼 690
妙 690
紗 691
徭 751
徼 754
慆 805
懊 823
拗 861
抗 863
揄 886
搖 894
擾 916
昆 970
暚 996
曜 1002
杳 1039
枖 1045
榣 1096
樂 1104
橈 1108
殀 1148
泑 1203
浇 1253
溔 1270
滘 1277
澋 1283
澆 1298
烑 1329
烄 1329
燿 1360
㹓 1386
猶 1400
猺 1402
獟 1404
珧 1423
瑶 1435
瑤 1436
瓔 1445
昆 1528
𥄎 1528
眑 1536
腰 1546
䁘 1548
曉 1551
祅 1590
宎 1636
窊 1636
窅 1636

窈	1637	䘇	2033	饒	2584	鴢	2669	溶	1272	飢	2570	嵎	541	牛	1374	耦	1820
窔	1638	袎	2059	騕	2594	鸌	2701	熔	1348	餔	2576	媽	542	玗	1418	耰	1821
窅	1638	褕	2071	騕	2602	**용**		犝	1384	騞	2607	嫗	545	玗	1418	聥	1827
窑	1639	䙅	2071	髇	2615	佣	122	瑢	1437	鬻	2623	宇	568	瑀	1432	肬	1837
窯	1642	襓	2076	鷂	2625	俑	140	用	1457	鰫	2653	寓	593	疣	1479	腢	1855
窰	1642	要	2084	鮋	2643	傛	168	甬	1458	鱅	2654	寓	593	盂	1518	膒	1861
[illegible]	1652	要	2085	鮡	2646	傭	168	硧	1572	**우**		尤	616	盓	1518	芌	1897
筄	1665	覞	2089	鰩	2652	冗	224	鄘	1643	憂	43	嵎	646	盓	1518	芋	1897
約	1677	訞	2109	鷂	2676	勇	277	竜	1647	㥑	43	愚	798	盓	1520	芉	1905
繇	1769	謡	2146	鷕	2680	坈	438	箭	1666	于	73	偶	801	盱	1528	萬	1949
繞	1772	謠	2150	鷂	2681	埇	447	聳	1829	亐	74	憂	808	盱	1528	蕅	1970
䍃	1784	䚻	2153	鷂	2681	墉	461	臾	1878	优	107	慪	811	盱	1528	藕	1982
耀	1813	踰	2239	鸌	2701	宂	567	舂	1879	佑	117	懮	825	瞘	1550	虞	1999
聎	1822	軺	2263	鼠	2719	容	585	茸	1917	㕛	134	扜	846	曉	1551	虞	1999
朓	1846	轁	2275	鼬	2719	嵱	648	蓉	1954	俁	138	扜	846	祐	1592	虯	2004
腰	1856	遙	2316	齩	2725	庸	701	蛹	2012	偊	158	盱	971	禑	1602	蝸	2023
腰	1856	遶	2321	**욕**		恿	781	褣	2073	偶	162	有	1014	禹	1607	蝸	2023
腰	1858	邀	2325	嗕	398	悀	781	踊	2234	優	185	杅	1034	禺	1607	褔	2074
舀	1879	䣊	2331	峪	639	慂	803	踴	2241	區	296	枢	1046	秄	1611	訏	2106
舀	1879	銚	2390	慾	810	慵	814	踊	2242	又	327	桙	1063	稷	1632	訏	2106
舀	1880	鑃	2423	欲	1128	戫	836	踏	2245	友	328	楀	1083	竈	1643	訧	2110
䑬	1889	陶	2465	浴	1227	搑	895	輎	2262	右	339	楀	1086	竘	1648	謣	2153
䌛	1891	陶	2466	溽	1273	搈	899	䡥	2286	吁	343	樞	1102	竽	1654	跒	2225
芺	1904	隃	2469	狢	1396	桶	1067	逌	2292	吁	344	櫌	1119	臬	1699	跒	2225
苭	1910	雓	2492	縟	1762	榕	1091	鄘	2344	吽	356	欲	1131	紆	1713	踽	2240
葽	1947	靿	2522	蓐	1956	槦	1099	醋	2361	喁	389	歟	1136	纋	1779	迂	2287
蕘	1967	顤	2540	褥	2073	椿	1100	銿	2396	噢	406	渪	1267	羽	1804	迃	2287
䔄	1991	顤	2540	谷	2168	毴	1167	鎔	2409	嚘	408	漚	1286	羽	1804	遇	2309
蘨	1992	顤	2556	辱	2285	毾	1169	鏞	2413	嚘	410	瀀	1311	羽	1804	邘	2329
䖴	2000	颻	2564	鄏	2343	涌	1231	頌	2541	圩	433	熰	1350	狗	1807	邮	2332
蟯	2032	餆	2575	鋊	2394	湧	1265	顒	2554	堣	455	犅	1374	翎	1807	郛	2334

郵 2340
鄅 2341
鄾 2348
醧 2362
釪 2378
鏂 2415
隅 2469
雨 2492
雩 2493
雽 2494
䨞 2500
霌 2500
靬 2520
䩒 2521
㺬 2546
顒 2555
骬 2614
髃 2616
鰅 2651
鰸 2654
麀 2689
麌 2690
默 2705
䶗 2725
齲 2726
齵 2727

욱

勖 279
勗 280
㖪 382
噢 406
墺 467
奧 509
彧 733
拗 861
旭 970
旮 970
昱 980
栯 1057
澳 1302
煜 1343
燠 1359
稢 1621
稶 1626
籅 1689
薁 1972
郁 2333
隩 2476
頊 2541

운

云 74
員 374
均 437
㚞 437
会 502
妘 518
惲 800
愪 806
抎 850
㫟 966
暈 993
橒 1110
殞 1153
沄 1190
溳 1278
澐 1299
煇 1341
熉 1348
爋 1362
眃 1532
磒 1581
秐 1614
篔 1678
䉙 1686
紜 1719
緷 1759
耘 1819
耺 1823
芸 1903
荺 1928
蕓 1967
褞 2072
䙐 2073
䚍 2090
䚋 2109
賱 2204
䞫 2220
輐 2270
运 2290
運 2310
䢵 2330
鄆 2342
鄖 2344
隕 2472
雲 2495
霣 2505
鞔 2526
韗 2528
韗 2534
韞 2534
䪑 2534
韞 2535
韵 2537
韻 2538
䫇 2555
餫 2580
䵴 2701
鼆 2701
齳 2727
齫 2728

울

亐 63
尉 605
欝 1126
灪 1320
熨 1350
爩 1364
罻 1792
苑 1905
菀 1929
蔚 1961
鬱 2631
鬱 2632
黦 2707

움

㕾 702

웅

熊 1349
熋 1349
𧲣 2211
赨 2211
雄 2482
䧺 2485

원

京 87
元 189
円 221
冤 225
原 320
厡 320
員 374
喛 391
圎 428
園 428
圓 429
圜 430
垣 444
夗 480
夘 480
婉 534
媛 540
嫄 543
宛 576
寃 590
帵 676
怨 767
愿 803
援 891
晥 992
朊 1016
杬 1039
楥 1087
楦 1087
榬 1092
沅 1190
洹 1219
湲 1267
源 1269
爰 1365
猨 1399
猿 1402
獂 1403
㹉 1403
瑗 1433
睕 1472
眢 1538
簑 1681
綩 1722
羱 1802
肙 1834
芫 1900
苑 1905
菀 1929
萲 1949
蒝 1955
薗 1977
薳 1978
䖠 2003
䖮 2003
蚖 2004
蛪 2009
蜿 2017
蝯 2023
螈 2024
蠠 2038
袁 2056
裷 2067
褑 2072
諢 2140
謜 2150
貆 2175
豲 2178
貟 2185
踠 2237
轅 2275
逺 2307
遠 2317
邍 2327
邍 2328
邧 2330
鋺 2397
鋺 2414
阮 2450
院 2459
隕 2472
願 2553
願 2553
䬲 2578
騵 2604
魭 2642
鴛 2665
鵷 2672
鶢 2674
黿 2711
鼎 2714

월

刖 245
戉 830
抈 853
曰 1004
月 1012
枂 1043
樾 1108
殈 1148
狘 1392
粤 1699
絾 1727
蚏 2004
蟨 2031
越 2216
趴 2225
跀 2226
軏 2259
𨒪 2292
鈅 2379
鉞 2385
颰 2562

위

为 49
位 116
偉 158
偽 164
僞 176
危 314
喟 392
嘳 403
噅 403
囗 415
囲 423
圍 428
委 525
威 530
媁 539
媦 541
寪 600
尉 605
㞇 617
峗 638
崣 643
崴 646
幃 678
恑 776
愇 800
慰 810
衞 826
𢪛 868
撝 905
暐 996

桵 1074
棫 1088
㱏 1151
洈 1220
涹 1240
湋 1257
渨 1258
渭 1258
潿 1292
潙 1292
澗 1298
為 1328
尉 1341
煒 1342
煟 1345
熨 1350
㷉 1350
爲 1366
犚 1385
𤛕 1386
犩 1386
𤠋 1397
猬 1401
瑋 1433
瓗 1445
痿 1488
癐 1496
䁂 1515
硊 1571
碨 1578
立 1646
緯 1758
緭 1760
罻 1792
𦎗 1801
胃 1843
𦚯 1858
艒 1890
萎 1937
葦 1945
葳 1947
蒍 1957
蔚 1961
蔿 1965
蘤 1990
蘶 1992
蜲 2017
𧍪 2020
蝛 2021
蝟 2021
衛 2049
衞 2050
褘 2071
𩬻 2074
𩭧 2076
諉 2135
謂 2145
讆 2165
踓 2240
躛 2252
逶 2306
違 2315
鄬 2347
錗 2399
鍏 2414
𨵦 2439
闈 2443
闠 2447
𨹔 2475
霨 2506
韋 2531
韙 2534
韑 2534
韡 2535
頠 2545
颹 2564
餧 2579
餵 2581
骪 2613
骫 2613
魏 2638
鮠 2645

유

丣 43
乳 64
侑 132
俞 134
儒 183
兪 206
冘 224
㓜 244
匬 293
卣 312
卣 312
厹 325
又 327
吺 354
呦 361
唯 379
喩 392
嚘 393
嚅 409
囿 424
堬 456
壝 471
婾 539
媃 540
嬬 551
孺 565
孺 566
宂 571
宥 579
㢊 593
峳 636
嵛 639
崳 648
帷 675
幠 678
幼 690
𢆶 690
幽 691
庮 699
庾 702
廋 702
廇 709
徯 751
怞 772
怮 772
悠 780
惟 793
愈 797
㥕 799
愉 801
愉 802
懦 824
懧 824
抭 854
抗 863
揄 886
揉 886
揗 889
擩 914
攸 923
斔 948
斞 950
斿 961
曘 1002
臾 1006
有 1014
柚 1051
柔 1055
栯 1057
桵 1066
梄 1072
桵 1074
楡 1086
楢 1086
楰 1088
楺 1089
槱 1099
櫾 1123
欲 1131
歈 1133
毹 1168
汨 1187
沇 1190
汝 1196
油 1200
泑 1203
洧 1217
浟 1232
𣶏 1237
游 1253
渝 1256
游 1259
瀀 1260
渘 1267
滺 1280
𤅢 1300
濡 1307
濰 1309
瀢 1315
㶭 1328
烓 1328
煣 1343
牖 1373
牏 1383
犹 1388
狖 1391
猷 1399
猶 1400
㺞 1401
琟 1430
瑜 1434
瓔 1445
㼌 1446
甋 1449
甤 1457
由 1461
甹 1462
𤱺 1473
痏 1484
𤸱 1486
瘉 1489
瘐 1490
癒 1495
眑 1536
睮 1545
𥋿 1551
𥙆 1599
禸 1607
秞 1614
窬 1640
䆜 1641
窳 1642
籲 1695
粈 1697
糅 1704
綏 1741
維 1746
緌 1752
繇 1769
繻 1777
纗 1782
䍃 1784
羑 1797
羐 1798
羭 1802
翛 1808
聈 1823
肉 1833
𦙶 1837
腴 1847
腴 1856
腬 1858
臾 1878
舀 1879
𦥺 1879
舀 1880
舳 1888
苼 1910
茵 1913
萸 1922
萸 1922
荾 1923
莥 1924
莠 1926
莤 1928
蒥 1930
萸 1941
葇 1949
䓰 1955
蕕 1967
蕤 1968
薷 1981
䕮 1989
蚰 2006
蚴 2006
蛦 2009
蜼 2017
蝓 2020
蝣 2021
蝤 2022
蝚 2022
𧏶 2023
䖢 2026
蠵 2037
裕 2063
褕 2071
褎 2072
褏 2073
褵 2077
襦 2079
襩 2080
覦 2090
諛 2125
諛 2125
誘 2127
諛 2139

諭 2141
諭 2146
繇 2153
貐 2178
𧳧 2180
貐 2182
趡 2220
踓 2238
踰 2239
蹂 2241
輶 2266
輮 2271
輶 2272
逌 2297
遊 2307
逾 2308
遊 2309
逌 2312
遺 2322
郵 2332
鄃 2341
酉 2350
酭 2355
醹 2363
釉 2366
鍮 2406
鍒 2407
闟 2444
隃 2469
鞣 2527
顬 2557
餕 2578
餜 2580
騟 2603
騥 2603
魗 2639
鮋 2643
鮋 2644
鮪 2645
鰇 2651
鶔 2674
麢 2693
麢 2693
麩 2701
黝 2705
鼬 2717
龥 2734

육

儥 186
堉 449
宍 572
弆 715
毓 1163
淯 1235
淯 1253
睢 1548
粥 1700
肉 1833
育 1836
肭 1837
育 1839
蓷 1956
賣 2204
鋗 2401
鬻 2634
鬻 2634

윤

允 189
勻 286
匀 286
奫 511
尹 619
潤 1294
狁 1388
玧 1419
昀 1464
昍 1464
筍 1663
緍 1763
胤 1843
菂 1928
蚘 2005
蝡 2021
蝹 2024
蝹 2024
蠕 2033
贇 2207
酳 2355
鈗 2381
鈗 2381
閏 2434
閰 2440
阭 2450
頨 2549

율

汩 1186
燏 1353
矞 1556
繘 1772
繘 1782
繘 1783
獝 1812
翻 1813
聿 1831
茟 1904
葎 1922
趫 2222
建 2297
遹 2322
銉 2389
霱 2507
颶 2562
颲 2564
驈 2607
魆 2639
魆 2639
鱊 2655
鴥 2663
鴪 2663
鷸 2681

융

㑞 127
娀 529
戎 830
㧓 865
毧 1166
瀜 1313
烿 1332
狨 1393
絨 1736
羢 1799
肜 1835
茙 1914
融 2026
螎 2026
駥 2598

은

乚 58
傿 184
听 354
嚚 409
嚚 410
圻 437
垠 444
垦 445
垽 447
崀 637
峎 638
岓 641
嶾 654
㡥 683
恩 774
慇 803
憖 815
憗 815
㨕 913
斦 951
栜 1068
檃 1117
檼 1117
櫽 1123
殷 1156
沂 1189
溵 1278
濦 1306
㶏 1317
犾 1388
㹞 1390
狺 1394
珢 1425
璁 1436
瘾 1496
癮 1497
磤 1581
繶 1778
蒑 1956
䗃 2001
蛝 2011
言 2103
訔 2108
訢 2109
誾 2139
讔 2166
䡛 2279
鄞 2345
釿 2379
銀 2387
鉅 2390
鉅 2395
鍁 2408
隱 2473
隠 2474
隱 2477
齗 2723
齦 2724
齦 2725

을

乙 57
乙 57
圪 436
岊 657
𡯄 658
鳦 2658

음

众 105
厭 323
厭 323
吟 353
吽 356
唫 379
喑 390
婬 537
崟 643
廕 705
愔 802
揞 902
歆 1135
淫 1243
湛 1264
㸒 1323
𤯌 1365
玪 1419
瘖 1490
癊 1494
碒 1576
𥥰 1637
窨 1640
芜 1904
蔭 1963
蔭 1971
蘟 1993
蟫 2032
蟳 2041
訡 2110
趛 2215
醰 2359
阴 2451
阥 2451
陰 2457
陰 2460
隂 2472
霒 2503
霠 2505
霪 2506
音 2536
韽 2537
飲 2570
魿 2642
鯩 2648
鶕 2681

읍

俋 140
厌 319
厭 323
唈 376
噏 410
㚓 564
悒 782
挹 870
揖 888
泣 1210
浥 1224
湇 1262
湆 1262
潝 1305
腌 1545
䁝 1553
𥧔 1638
裛 2065
邑 2328
䭂 2577

응

凝 232
応 758
應 820
疑 1477
𥌓 1554
膺 1867
蠅 2034

[illegible] 2039
譍 2161
鷹 2684

의

乂 54
乿 68
依 133
倚 152
偯 163
儀 181
儗 184
冝 224
凒 231
劓 270
㕒 324
㘈 409
嫛 547
宐 572
宜 576
宧 577
徛 617
嶬 653
嶷 653
忍 757
意 798
懿 826
懿 827
扆 842
撎 903
擬 914
旖 965
旖 965
椅 1078
檍 1113
檥 1116
欹 1130
歪 1142
殪 1153
毅 1160
毉 1160
溰 1277
漪 1288
犄 1382
狋 1390
猗 1397
疑 1477
痏 1488
癔 1493
矣 1557
礒 1586
禕 1602
縊 1761
羛 1798
義 1799
艤 1892
芛 1904
蓨 1970
薏 1973
薿 1979
藙 1982
蛾 2012
螘 2025
螠 2026
蟡 2031
蟻 2033
衣 2051
裿 2066
觺 2102
訑 2132
誼 2133
譩 2156
議 2158
譺 2161
䝤 2173
豙 2174
豛 2180
䝝 2182
踦 2238
輢 2270
轙 2279
醫 2361
醷 2363
錡 2400
阢 2449
陭 2467
顗 2553
𩚁 2569
饐 2583
饑 2585
䰙 2633
鱶 2656
鷾 2682
鷧 2682
鸃 2683
鷁 2683
齝 2725
齮 2726
齸 2726
𪘏 2726

이

也 63
艺 63
㐌 63
二 71
以 99
伊 108
伿 118
佁 123
伱 123
你 123
佴 127
侇 129
傷 150
刵 252
勩 284
匜 292
台 343
听 354
吚 357
咡 369
咿 371
圯 433
坨 442
夷 501
夸 501
姨 528
嫛 542
嫛 542
宧 580
尒 614
尓 614
尔 614
尼 619
峓 638
崺 646
已 664
㠯 665
巸 665
廙 707
异 714
弍 716
弐 717
弛 720
㢮 722
彛 730
彜 730
彝 731
彝 731
彝 731
徥 740
怡 770
恞 776
扅 841
搋 896
敡 934
施 960
易 973
暆 994
杒 1031
杝 1037
杫 1037
柂 1049
相 1051
栘 1057
栭 1058
栮 1059
桋 1062
椸 1083
樲 1106
欥 1127
欧 1128
歖 1132
歋 1134
殔 1149
毦 1166
沶 1212
洏 1214
洟 1217
洱 1222
㸚 1368
爾 1369
爾 1369
珥 1423
珆 1424
瓵 1448
異 1467
異 1469
痍 1484
眙 1535
眲 1538
眱 1539
移 1616
箷 1677
箟 1677
簃 1682
絧 1737
羨 1798
羠 1799
而 1817
耐 1817
耏 1817
𡛌 1817
需 1818
耳 1821
聏 1824
肄 1832
肔 1835
胣 1841
胂 1841
胰 1845
胹 1845
䏘 1848
臑 1867
臇 1868
𦣞 1870
苡 1907
苢 1907
苐 1913
荑 1921
荋 1922
䔟 1964
薾 1981
虵 2002
蛇 2007
蛜 2009
蛡 2009
蛦 2011
螔 2025
衈 2044
衪 2052
袘 2058
袣 2058
袲 2062
豙 2062
褷 2072
訑 2106
詒 2114
詯 2114
詑 2117
謻 2152
貄 2182
貤 2186
貽 2190
貤 2191
貳 2191
跠 2233
輀 2265
轜 2277
轜 2279
迆 2288
迤 2290
迱 2291
迹 2292
迻 2297
邇 2326
酏 2351
䣵 2355
鉇 2381
鉺 2387
鉹 2390
陑 2457
陝 2457
隭 2474
隶 2479
頉 2541
頤 2546
頥 2549
顊 2550
食 2567
飴 2571
餌 2574
駬 2597
䰙 2633
鮞 2645
鮧 2646
鴯 2666
鴺 2666
黟 2707

익

嗌 396
妷 517
廙 707
廙 710
𢍰 716
弋 716
杙 1036
榏 1091
瀷 1316
熤 1350
益 1519
益 1520
縊 1734
翌 1805
翊 1806
翼 1811
翼 1812
膉 1859
艗 1891
蜴 2010
謚 2139
謚 2148
釴 2378
鷁 2676
黓 2704
齸 2727

인

人 89
仁 95
仞 103
仭 103
儿 188
刃 240
刄 241
刅 241
印 314
咽 371
囙 420
因 421
亜 445
堙 454
𡒖 454
塞 460
壙 460
夤 482
姻 529
婣 542
寅 588
寅 594
尸 619
币 666
廴 711
引 718
弘 720
忍 758
忍 758
戭 836
敹 940
朄 1012
朄 1012
杒 1037
歅 1128
氤 1132
殥 1154
氤 1174
洇 1184
洇 1222
湮 1266
湮 1266
潾 1308
牣 1376
禋 1601
稇 1617
紉 1716
絪 1736
絪 1759
縯 1765
羥 1802
肕 1835
胭 1845
腮 1851
臏 1862
苂 1899
茵 1916
黄 1964
蚓 2003
螾 2028
裀 2061
襈 2072
訒 2106
認 2126
認 2126
諲 2145
軔 2260
釼 2381
闉 2443
陻 2468
靭 2521
靭 2521
鞇 2523
韌 2532
駰 2598
魜 2641
黫 2709
齗 2717

일

一 1
佚 119
佾 128
呹 364
壱 473
壹 474
失 499
弌 716
日 967
泆 1204
溢 1271
熼 1356
紩 1725
臷 1877
衵 2053
軼 2263
迭 2292
逸 2306
釼 2378
鎰 2411
駠 2593
馹 2593
駃 2595
鴃 2665
鳦 2665
䵑 2702
䵒 2702
黐 2703

임

任 107
壬 473
妊 517
姙 526
恁 773
拰 864
棯 1078
𡈼 1365
稔 1620
紝 1719
絍 1738
肚 1838
腍 1854
荏 1920
𦻨 1932
衽 2054
袵 2062
訨 2110
賃 2195
銋 2379
鈤 2391
飪 2570
餁 2574
餁 2579
鵀 2668
黕 2696

입

入 198
廿 300
卄 302
𠦃 504

잉

仍 97
剩 263
剰 264
媵 544
孕 556
扔 845
扨 865
杒 1031
楞 1069
礽 1589
縄 1753
繩 1760
繩 1774
耵 1823
膡 1861
臖 1867
艿 1896
芿 1904
認 2126
認 2126
賸 2205
陾 2469

자

仔 100
作 121
偨 173
刺 254
刾 257
剤 262
劑 270
厽 326
㕽 326
呰 368
咨 373
啙 386
她 516
姊 522
姉 522
姐 523
姿 531
子 554
孖 557
字 557
孜 558
孳 564
嵫 648
丝 690
庛 696
恣 774
慈 799
慈 804
扻 849
𢫬 857
担 858
搾 897
摣 900
戲 939
束 1032
杍 1034
柘 1050
柴 1052
柹 1063
梓 1068
榨 1093
樝 1100
樍 1118
欼 1131
欶 1148
𣤃 1150
滋 1268
泚 1272
滋 1275
漬 1300
炙 1326
煑 1345
煮 1346
𤏸 1348
耆 1368
牸 1380
玆 1411
玼 1420
瓷 1448
疵 1481
皉 1516
眦 1536
眥 1538
磁 1578
礠 1580
禌 1599
秄 1611
秭 1615
積 1628
穦 1630
穧 1631
竽 1655
笫 1658
笮 1659
簽 1677
篫 1680
籍 1691
籽 1696
粢 1700
紫 1728
罝 1787
者 1816
耔 1818
耤 1820
觜 1836
胔 1839
胏 1840
胾 1845
䐑 1859

自 1872
芓 1898
苴 1910
苲 1912
茈 1913
茡 1915
茨 1915
茲 1916
莿 1932
菹 1935
蔗 1961
蔖 1964
薋 1976
藉 1979
虸 2002
蚝 2004
蛓 2012
蜡 2015
䖪 2030
袦 2060
褯 2070
齍 2079
觜 2097
訿 2117
訾 2117
諫 2125
詐 2131
諮 2142
謯 2153
謶 2153
豬 2177
豬 2182
貲 2191
資 2196
賷 2199
賫 2206
赭 2212
赵 2217
趦 2221
跐 2229
这 2290
迊 2297
這 2299
遮 2320
鄑 2343
醡 2360
釨 2378
鎡 2410
雌 2485
䪺 2549
頿 2549
䶬 2573
粢 2573
餈 2575
餎 2581
餻 2582
骴 2614
髭 2617
髭 2625
鬻 2634
鮓 2644
鷀 2677
鷟 2679
鷓 2679
齊 2720
齋 2721
齍 2722
齎 2722

작

乍 55
㑚 103
作 121
勺 285
勺 286
嚼 413
妁 515
婥 534
婥 536
岝 635
彴 736
怍 768
怎 781
扚 845
擢 919
斫 935
斫 952
斮 953
昨 981
杓 1035
柞 1051
椙 1081
汋 1182
淖 1239
灼 1323
炸 1327
焯 1334
燋 1363
爵 1366
爵 1366
犳 1379
猈 1396
猎 1398
皭 1515
皵 1517
砟 1570
碏 1575
禚 1603
秨 1615
糕 1626
穱 1632
竮 1650
簪 1652
笮 1659
筰 1666
粨 1698
綽 1750
繛 1773
繳 1775
繁 1775
斷 1821
舃 1879
舄 1879
芍 1897
苲 1912
詐 2131
謶 2153
譇 2153
跡 2225
酌 2350
酢 2353
醋 2358
鈼 2387
鐯 2421
雀 2480
離 2487
飵 2573
鮛 2650
鵲 2672
鷟 2681
齰 2717

잔

孱 164
僝 176
刬 260
剗 266
孱 564
峨 645
棧 651
戔 830
戔 833
拃 863
斴 953
栈 1065
棧 1076
殘 1148
残 1150
殘 1151
潺 1296
琖 1429
盞 1520
盞 1522
碊 1576
綫 1784
羢 1801
猻 1809
戱 2000
虥 2000
跧 2230
輚 2269
轏 2277
醆 2357
驏 2608
鱗 2655
齴 2726

잘

乽 65
囋 414

잠

劄 266
劄 267
喒 388
寁 590
岑 633
揝 886
撍 903
撏 904
昝 982
暫 999
梣 1065
椮 1071
槽 1107
歜 1136
涔 1195
涔 1232
湛 1264
濽 1273
潛 1293
潜 1293
灒 1315
熸 1350
燅 1353
熔 1353
痁 1490
稽 1630
筭 1656
箴 1673
篘 1681
簪 1682
簪 1686
簭 1687
糌 1802
糌 1803
肬 1836
蘸 1992
蚕 2006
蠶 2019
蠶 2040
蠶 2040
詀 2113
譧 2159
賺 2205
跘 2234
蹔 2246
蹧 2248
鏨 2415
鐕 2417
霯 2508
頸 2548
饕 2583
鮗 2642
鮗 2648
鰽 2654
鰽 2654
鴿 2671

잡

匝 292
卡 312
吓 357
咂 362
唼 382
喋 390
囐 405
帀 666
搢 910
杂 1032
雜 1125
灒 1311
煠 1343
眨 1536
磼 1585
箚 1670
粂 1696
糌 1802
糌 1803
襍 2077
趿 2214
蹧 2248
迊 2290
鉔 2384
雜 2486
雜 2489
雪 2500
鲞 2536

장

丈 26
丈 38
乚 69
仉 97
仗 102
仗 106
倬 174
尢 191
尣 195
兂 197
匠 292
場 455
墏 460
墇 460
塲 461

墻 468
壮 473
壯 473
奘 508
奨 510
獎 510
妝 520
嫜 545
嬙 550
将 605
將 605
嶈 649
嶂 649
帳 675
庄 693
庄 694
廧 709
弉 715
𢍺 715
戕 717
張 723
戇 829
戕 833
掌 874
斨 951
暲 998
杖 1036
桨 1056
样 1063
椿 1100
樟 1103
槳 1104
槳 1104
橦 1111
檣 1116
欌 1124
漿 1278
漳 1289
焋 1333
爪 1364
爿 1369
牂 1370
牆 1370
牆 1370
牫 1382
状 1387
狀 1388
漿 1396
獎 1403
獐 1403
璋 1439
暘 1474
疰 1479
瘬 1489
瘴 1493
章 1648
粧 1699
糚 1707
羘 1797
牂 1797
穜 1821
腸 1857
膓 1862
臟 1868
臟 1869
臧 1871
艢 1892
荘 1922
莊 1924
萇 1936
葬 1946
塟 1946
蔣 1962
薔 1974
藏 1980
蘠 1991
螿 2030
装 2063
裝 2065
裝 2066
賬 2201
贓 2206
贓 2208
贜 2209
蹡 2245
蹡 2246
遧 2320
鄣 2346
醬 2362
鏘 2413
長 2427
镸 2429
障 2474
餦 2579
駔 2595
髒 2617
麞 2692

재

再 222
再 222
亝 326
亝 326
哉 373
在 436
𢦏 445
宰 581
岾 636
崽 646
㦲 834
才 843
斋 947
斎 947
材 1035
柴 1056
栽 1063
梓 1068
榟 1096
渽 1261
滓 1276
災 1323
灾 1323
烖 1329
縡 1762
纔 1781
纔 1782
䏁 1827
菑 1931
裁 2062
財 2186
賫 2199
賷 2206
載 2265
載 2266
酨 2355
釨 2386
鼒 2714
齊 2720
齋 2721
齌 2721
齎 2722

쟁

争 69
噌 404
埩 451
崢 644
崝 644
憕 683
振 875
掙 885
撜 905
撐 918
敦 938
橙 1100
爭 1365
狰 1397
玎 1417
琤 1430
疔 1516
瞠 1549
筝 1668
綪 1746
綷 1753
䍴 1801
諍 2136
趟 2221
䟫 2230
錚 2399
鎗 2409
鏿 2418
鐺 2421
饄 2584
䭚 2584
騁 2603
鬇 2627

저

且 41
伹 114
伫 115
低 116
作 121
儲 186
厎 319
咀 363
坻 441
姐 523
宁 567
岨 636
帾 670
底 694
底 694
弤 721
彽 737
徂 739
怚 769
抵 856
担 858
摴 901
杵 1040
杼 1040
柢 1051
柠 1054
楮 1087
樗 1101
櫧 1121
橥 1122
齒 1143
氐 1170
沮 1198
泜 1208
泞 1208
渚 1254
滁 1274
潴 1299
瀦 1314
煮 1346
牴 1379
狙 1392
猪 1399
猪 1400
疷 1480
疽 1481
眡 1536
眝 1536
砠 1567
禇 1603
租 1614
竚 1647
筯 1666
筡 1666
箸 1674
篨 1680
篴 1681
紙 1722
紵 1724
罝 1787
罝 1788
𦋺 1792
罹 1792
羜 1798
羝 1798
翥 1810
胆 1842
芧 1900
苧 1909
苴 1910
莇 1928
菹 1935
著 1938
著 1943
葅 1949
藷 1985
藸 1992
蛆 2007
蜍 2014
蜡 2015
蠩 2038
袛 2058
䘚 2059
褚 2071
䙚 2076
觝 2097
詆 2113
詛 2116
諸 2143
豬 2177
豬 2182
貯 2190
趄 2215
跙 2228
𨂝 2239
蹠 2244
躇 2247
躇 2249
軝 2261
軧 2264
輺 2268
这 2290
這 2299
邸 2333

阺 2452
陼 2472
雎 2485
骶 2614
鬻 2634
鯺 2651
鴡 2665

적

倜 174
勣 283
哧 376
啇 385
嚁 409
嫡 546
𡣖 552
宋 580
寂 587
厝 702
廸 712
弔 718
𢓊 737
扚 845
捇 874
摘 899
擿 916
敵 939
斛 950
樀 1099
歒 1135
泎 1232
滴 1280
洂 1288
滴 1312
炙 1326
炡 1328
烢 1333
狄 1389
玓 1418
璓 1444
甋 1450
的 1510
矵 1565
磧 1583
磖 1583
積 1628
稿 1628
笛 1657
篴 1683
籊 1690
籍 1691
籴 1696
糒 1706
精 1706
糴 1708
糴 1709
績 1768
翟 1808
耤 1820
聵 1830
芍 1897
苖 1913
荻 1923
菂 1929
蒳 1946
蓛 1957
蔋 1961
蔏 1965
藡 1976
藉 1979
虳 2002
蠈 2035
襀 2075
覞 2089
覿 2094
諔 2137
謫 2151
謪 2163
賊 2195
赤 2209
趯 2223
趹 2226
跡 2230
踖 2236
蹟 2244
蹢 2245
躍 2250
躍 2250
躤 2252
迪 2291
迹 2293
逖 2299
逷 2307
適 2319
郈 2332
鍉 2404
鏑 2412
靏 2504
靮 2521
頔 2544
饝 2583
馰 2593
鮂 2641
鯽 2650
鯖 2654

전

专 74
伝 112
佃 115
佺 128
傎 165
傳 169
仝 203
全 203
典 219
顚 220
顛 220
前 257
刻 260
剪 262
剸 265
劗 271
厘 320
叀 326
嗔 396
囀 413
塡 458
塼 460
墍 469
壥 470
奠 509
婝 533
嫥 545
孨 562
專 606
展 624
嵮 649
巔 655
㞼 664
帴 675
廛 705
悛 783
惧 793
戋 830
戔 831
戔 833
战 834
戦 835
戩 836
戰 836
抧 854
拴 865
掙 876
揃 886
搷 893
搌 897
摶 901
撋 903
敟 934
於 960
旃 961
旜 966
朘 1018
栓 1056
栫 1059
栈 1065
梃 1071
棧 1076
楰 1090
榐 1091
槇 1094
槾 1096
檅 1107
樿 1108
橏 1109
欃 1118
歬 1142
殿 1158
毡 1166
氈 1169
氊 1169
沴 1200
沺 1201
涏 1227
淀 1238
淟 1241
湍 1263
湔 1263
滇 1275
澱 1301
澶 1302
瀍 1311
畑 1326
煎 1345
牋 1372
牷 1380
猭 1401
琠 1432
瑑 1433
瑱 1437
璧 1441
甎 1450
田 1458
甸 1462
畋 1464
痊 1484
瘨 1492
癜 1496
癲 1498
皽 1517
皾 1517
的 1530
睃 1542
碘 1576
碊 1576
磌 1581
磸 1581
磚 1582
窴 1642
竣 1650
竱 1651
筌 1662
箋 1668
箔 1672
箭 1673
篆 1676
篿 1684
籑 1688
籛 1692
絟 1737
緾 1760
線 1761
縳 1766
繵 1776
纏 1778
纏 1779
纏 1780
纏 1782
羶 1803
羴 1809
翦 1810
耑 1818
聙 1827
腱 1847
脡 1851
腆 1853
腞 1855
膞 1861
膻 1865
臇 1866
舝 1885
荃 1918
荿 1949
蕊 1966
蕺 1966
蜓 2014
蝡 2016
襈 2077
褻 2077
襢 2078
詮 2121
諓 2136
謭 2154
譔 2156
譾 2163
顛 2173
貆 2183
邅 2222
跈 2228
跡 2228
跧 2230
踐 2238
踱 2243
蹎 2243
蹮 2249
躔 2251
躔 2252
転 2261
輇 2265
輲 2266
轉 2266

輾 2274
轃 2275
轁 2275
轉 2276
邅 2326
鄽 2342
鄟 2345
鄽 2348
鈿 2382
銓 2389
銭 2392
鋑 2394
錢 2400
鎭 2410
鐉 2417
鐫 2418
闐 2444
隊 2471
雋 2485
雑 2487
電 2499
靛 2516
靦 2519
顚 2546
顓 2552
顛 2554
顚 2555
顫 2557
飦 2570
飻 2572
餞 2578
餰 2581
籑 2581
饘 2584
䭕 2588
䭪 2589
駩 2599
驙 2605
驏 2605
鬋 2627
鬵 2634
鱄 2654
鱣 2656
鳽 2667
鷏 2673
鷆 2674
鸇 2680
鸇 2683
黰 2707
齻 2727

절

佚 119
準 232
切 241
卩 313
㔾 313
卪 313
墆 461
岊 634
峌 638
嵽 650
巀 654
幯 683
彐 693
截 836
截 836
折 852
晣 990
晢 990
棁 1071
楶 1091
毳 1167
沏 1193
浙 1222
準 1270
𤎥 1362
瓞 1446
癤 1497
苜 1530
窃 1636
窒 1637
竊 1645
竊 1645
節 1667
節 1674
絕 1732
耋 1817
蛓 1877
茁 1911
茓 1913
荎 1918
蕝 1968
蕞 1968
蕺 1977
蘻 1978
蘻 1978
蠽 2037
蠽 2041
趨 2223
趨 2223
跕 2226
跌 2227
軼 2263
迭 2292
鉄 2430
頔 2545
馱 2595
鰤 2657
鴃 2665
鴂 2665
髓 2728
齉 2732

점

佔 118
刲 251
占 312
坫 441
埝 450
墊 463
奌 505
婆 538
岵 636
帪 673
店 695
扂 841
拈 858
掂 885
沾 1202
溓 1270
漸 1290
灭 1323
炎 1327
点 1328
点 1328
焫 1345
熸 1353
玷 1419
甆 1449
痁 1482
貼 1536
磹 1585
秥 1616
笘 1656
箔 1672
篘 1681
簟 1685
粘 1698
鮎 1784
苫 1909
蕦 1949
蔵 1957
蕲 1962
蛅 2007
覘 2089
詁 2113
譖 2156
鉆 2383
阽 2452
霑 2502
霻 2508
頔 2544
颭 2562
髻 2626
鮎 2643
黏 2702
黏 2703
點 2705

접

慄 800
慹 810
慴 814
揤 871
接 882
摺 902
攝 912
椄 1078
楪 1084
槢 1099
浃 1251
渫 1258
牒 1546
碟 1577
鞢 1694
緤 1753
聂 1823
聶 1829
腜 1858
腽 1869
艓 1890
萎 1932
蜨 2018
蝶 2022
褋 2070
褺 2076
襵 2081
跕 2227
蹀 2240
蹔 2246
鰈 2651

정

丁 11
丼 52
井 80
亭 88
亭 89
仃 97
佂 124
侹 145
停 160
偵 162
凊 230
凈 231
叮 336
呈 352
姘 521
姃 522
娗 533
婷 539
宆 572
定 575
帧 670
幀 678
矴 688
庭 698
廷 712
彳 736
征 738
徎 744
怔 768
情 789
恕 805
挺 871
撐 899
政 927
政 927
整 941
整 941
旌 964
旍 964
晶 990
晸 991
朾 1030
柾 1054
桯 1066
梃 1067
棖 1075
椗 1081
楟 1086
楨 1087
檉 1114
正 1137
汀 1181
洴 1187
浾 1213
涅 1224
涏 1227
淀 1238
淨 1242
渟 1256
湞 1265
濎 1305
瀞 1314
炡 1327
珽 1396
玎 1417
珽 1425
珵 1428
町 1462
疋 1476
疔 1478
盯 1528
眐 1536
睛 1543
睜 1543
矴 1565
碇 1574
碠 1578
禎 1601
程 1618

䅍 1620
穽 1635
竀 1644
竳 1644
竧 1649
竫 1650
筳 1666
䈇 1672
精 1702
䋊 1710
𥿋 1727
綎 1741
䋻 1744
耓 1818
耵 1822
聇 1824
聙 1826
聤 1827
䏦 1842
脡 1849
艇 1890
艼 1896
莛 1926
菁 1929
葶 1948
薡 1977
蔳 1981
虰 2001
蜓 2014
蝏 2024
蟶 2033
裎 2063
訂 2104
証 2113
諪 2143
貞 2184
䞓 2211
赬 2212
䟓 2233
逞 2301
遉 2316
郑 2336
鄭 2347
酊 2350
酲 2355
釘 2376
鉦 2386
鋌 2394
鋥 2395
錠 2399
閮 2432
阱 2451
霆 2500
𩂯 2508
晴 2514
靖 2514
靘 2515
静 2515
靚 2515
靜 2515
靪 2520
鞓 2525
頂 2539
頲 2547
頳 2548
顁 2549
顈 2550
飣 2569
䬹 2576
鯖 2648
鵛 2664
鼎 2713
鼑 2713
鼮 2717
鼱 2718

제

偍 164
傺 172
儕 183
制 253
剤 262
劑 270
𠥏 296
卯 313
亝 326
𠫞 326
啼 388
嗁 395
嚌 409
堤 455
㚶 529
娣 533
媞 542
嵽 650
帝 671
弟 721
𢑴 730
𢒆 730
悌 782
憏 814
懘 818
懠 823
戾 839
折 852
抵 857
提 887
揥 900
擠 913
斉 947
斊 947
晢 990
晣 992
梯 1070
楴 1090
櫅 1118
泲 1212
淛 1242
済 1253
渧 1257
漈 1284
濟 1307
焍 1332
狾 1395
猘 1397
珶 1428
瑅 1435
癠 1496
眦 1536
眥 1538
眱 1539
睇 1541
睼 1546
碮 1577
磾 1585
䃰 1588
𥘅 1596
祭 1598
稊 1618
穄 1627
穧 1631
第 1658
筡 1666
䈕 1677
篪 1687
粢 1700
綈 1740
緹 1759
䊓 1784
罤 1788
𦑝 1794
臍 1867
䑛 1889
苐 1913
荑 1921
蔡 1956
蕛 1970
薺 1978
蘻 1993
虀 1994
蚳 2008
蛦 2011
蝃 2014
蝭 2023
蠐 2036
衹 2054
䘥 2060
褺 2066
製 2069
褆 2071
諦 2140
諸 2143
謕 2146
𧬹 2153
賫 2199
賷 2206
跐 2229
跇 2234
踶 2240
蹄 2241
蹏 2243
𨇐 2246
躋 2250
迡 2291
酟 2354
醍 2358
鉓 2382
銻 2394
际 2455
除 2459
隄 2471
際 2473
隮 2477
霽 2509
䩚 2523
鞮 2528
韲 2536
韰 2536
題 2551
騠 2603
䱥 2645
鮆 2645
鮧 2646
鮷 2648
鱭 2650
鯷 2650
鯑 2650
鰶 2653
鱭 2657
鴃 2660
鴺 2666
鵜 2669
鶗 2673
鷈 2675
鷤 2681
齊 2720
齎 2721
齌 2722
齍 2722
齎 2722
齏 2722
䶑 2728
䶒 2728

조

且 30
且 41
弔 48
伹 114
佻 128
俎 134
傮 171
儴 187
兆 192
宨 212
凋 230
刁 240
釗 267
助 274
卤 312
厝 320
㕚 328
召 342
𠮦 343
吊 343
啁 381
嘈 399
嘲 402
噪 407
垗 444
奝 509
姚 527
嬥 551
岨 636
嶆 650
𢅤 680
幧 682
庣 698
弔 718
彫 733
徂 739
恌 777
慒 812
慥 813
懆 822
扚 845
找 849
抓 851
挑 869
掤 876
措 884
擦 908
操 910
敦 936
斢 950
旐 965
早 970
皁 980
晁 985
曺 1008
曹 1009

朓 1018
朝 1020
条 1038
枣 1039
柤 1051
條 1073
棗 1074
棹 1078
槽 1099
棘 1108
殂 1148
洮 1218
淖 1253
漕 1285
潮 1295
澡 1300
漕 1317
灶 1323
炤 1326
照 1346
燥 1350
糟 1350
燥 1359
爝 1363
爪 1364
狙 1368
狣 1393
獠 1404
珇 1421
琱 1431
瑤 1437
璪 1441
阜 1509
皂 1510
皵 1517
盄 1522
眺 1539
鵰 1549
嬲 1552
硃 1571
碉 1576
祖 1593
祚 1593
祧 1597
租 1614
秨 1615
祧 1617
稠 1621
窕 1638
窖 1639
篠 1642
窵 1642
竈 1645
笊 1655
箪 1673
篻 1684
篘 1684
粗 1698
粜 1699
糙 1706
糟 1706
糶 1708
糶 1709
組 1726
絩 1736
絛 1738
縧 1744
緣 1761
繅 1768
繰 1775
罩 1788
罹 1790
罺 1792
罻 1794
䎄 1798
眺 1824
扉 1832
肇 1833
肈 1833
胙 1840
脁 1846
臊 1866
艚 1891
艞 1891
芀 1897
芀 1897
苴 1910
莜 1927
蓨 1937
藋 1951
蔳 1957
蓨 1957
蓧 1958
蔦 1962
藋 1979
藻 1981
藻 1985
虘 1997
蚤 2005
蛁 2007
蜩 2016
螬 2027
衵 2054
覜 2089
詔 2114
詛 2116
誂 2123
調 2133
譑 2151
謿 2157
譟 2158
狙 2174
犓 2176
貂 2182
趒 2217
趙 2218
趮 2223
跧 2227
跳 2232
蹘 2245
蹝 2248
躁 2249
躲 2255
迢 2292
造 2302
遭 2320
鄛 2348
醩 2361
醻 2364
釕 2376
釗 2376
釣 2377
鈟 2381
銚 2390
鋼 2400
錯 2402
錐 2403
鏪 2413
鐰 2418
鑼 2423
鑿 2426
阻 2452
阼 2452
雕 2486
霔 2500
靻 2523
鞗 2525
頫 2546
飵 2573
餶 2579
駔 2595
駣 2597
鮉 2641
鮡 2646
鯈 2648
鯛 2648
鮴 2650
鰷 2654
鳥 2658
鵰 2672
鼂 2712

족

哫 375
族 964
瘯 1493
磢 1583
簇 1683
鏃 1709
蔟 1962
足 2224
⻊ 2224
鏃 2399
鏃 2412

존

存 557
尊 607
鷷 2682

졸

乼 64
倅 149
卆 303
卒 306
拙 861
捽 877
椊 1080
欶 1131
猝 1151
猝 1398
稡 1621
脺 1854
蚰 2008
卒 2052
踤 2238
䱣 2649

종

从 93
倧 155
吰 356
堫 456
㙡 461
鬉 476
妐 520
宗 572
尰 617
𡯶 618
㝶 646
嵕 646
崈 649
嵷 650
從 739
従 745
從 746
徸 751
忪 764
悰 793
慫 810
慒 812
柊 1049
棕 1075
椶 1090
樅 1100
𣧼 1149
淙 1240
潈 1279
潀 1295
炂 1325
猔 1398
猣 1401
琮 1431
瑽 1439
瘇 1489
瘲 1494
瘇 1494
睃 1547
瞛 1550
種 1622
稯 1623
穗 1629
童 1649
籦 1694
粽 1704
糉 1705
終 1725
綜 1744
緃 1752
緵 1759
縂 1760
縱 1765
肿 1838
腫 1856
艐 1890
葼 1948
蓯 1959
蝩 2023
螽 2027
蝬 2032
衳 2054
褈 2076
舡 2096
舩 2097
䝋 2177
豵 2179
賨 2203
踪 2238
蹤 2239
踵 2239
蹤 2245
軗 2268
輚 2273
𨍭 2276
鈡 2382
銿 2396
錝 2399
鏓 2404
鍾 2407
鐘 2417
餯 2583
騌 2602
騣 2603

鬃 2627
鬉 2628
鬷 2628
鬆 2628
鬷 2633
鬷 2634
鮦 2647
鯼 2650
鱆 2655
鴤 2663
鼨 2717

좌

佐 117
侳 145
剉 256
坐 439
㘴 443
夎 476
屮 628
左 661
座 698
挫 869
摧 900
痤 1486
矬 1559
脞 1849
莝 1926
蓌 1955
趖 2233
銼 2393
髽 2626

죄

罪 1789
辠 2282

주

丟 42
丶 48
主 50
丢 55
伷 115
住 117
侏 131
侜 133
做 160
僽 167
傮 171
儔 183
胄 223
厨 322
呪 361
周 367
咮 370
啁 381
啄 381
喌 390
[illegible] 391
嗾 399
噣 406
壴 474
奏 506
妵 524
姝 527
娶 547
宙 575
宔 577
州 657
嶹 681
幬 683
幮 683
廚 705
[illegible] 722
㣙 737
懤 823
拄 858
擣 913
斢 950
斣 950
族 964
昼 982
晝 990
朱 1031
枓 1043
柱 1052
株 1058
椆 1079
楱 1090
櫥 1120
注 1211
洀 1213
洲 1218
湊 1262
澍 1298
炷 1327
燽 1361
犨 1386
犫 1386
狌 1390
珠 1422
疇 1474
疛 1478
疰 1484
睭 1513
[illegible] 1514
盩 1526
[illegible] 1528
砫 1570
硃 1570
祩 1597
稠 1621
簇 1683
籀 1690
籌 1690
籒 1690
籕 1691
[illegible] 1708
紂 1711
紬 1722
紸 1724
絑 1737
綢 1746
緅 1754
繇 1769
罜 1787
翢 1807
肘 1835
[illegible] 1837
胄 1844
腠 1855
舟 1886
[illegible] 1957
蔟 1962
蚪 2003
蛀 2007
蛛 2009
蟕 2031
袾 2061
裯 2067
觜 2097
註 2113
詋 2117
誅 2124
調 2133
譸 2161
賙 2199
走 2212
赱 2213
𧺆 2213
趎 2217
足 2224
𧾷 2224
[illegible] 2226
跓 2228
跦 2230
踍 2241
蹰 2248
躊 2250
躕 2251
[illegible] 2254
軴 2264
輈 2265
輖 2268
輳 2272
逎 2298
週 2305
遒 2313
邾 2333
酎 2351
酒 2351
鉒 2384
銂 2387
鋳 2397
[illegible] 2404
鑄 2422
鑃 2422
霔 2503
[illegible] 2523
[illegible] 2532
[illegible] 2550
[illegible] 2550
飅 2566
飳 2573
[illegible] 2592
駐 2594
騶 2601
鮋 2644
鮢 2645
鴸 2660
鵃 2668
[illegible] 2684
麈 2690
[illegible] 2701
[illegible] 2701
黈 2706
鼄 2712
齟 2724

죽

喌 390
竹 1652
粥 1700
鬻 2634

준

俊 139
偆 164
僎 175
僔 179
儁 179
准 231
準 232
[illegible] 267
[illegible] 327
噂 404
埈 447
埻 451
墫 465
壿 475
寯 600
尊 607
屯 629
峻 640
嶟 651
嶲 652
[illegible] 678
恂 776
惷 796
捘 874
撙 905
晙 989
楯 1087
樽 1108
浚 1222
準 1270
濬 1309
焌 1332
畯 1469
皴 1516
睃 1542
睶 1543
[illegible] 1554
稕 1622
竣 1650
竴 1652
純 1715
繜 1773
罇 1785
䐃 1853
葰 1946
蓴 1969
蠢 2037
訰 2112
譐 2157
容 2168
[illegible] 2219
踆 2234
踳 2239
蹲 2247
迍 2288
逡 2303
遁 2308
遵 2321
[illegible] 2353
鐏 2416
陖 2457
隼 2480
雋 2485
餕 2576
駿 2599
[illegible] 2603
鱒 2654
鵔 2669
鵕 2669
鶽 2682

줄

乼 65
啐 382
崒 642
[illegible] 768
淬 1244
窋 1637
窡 1643

笜 1660
翑 1809
茁 1911
頔 2549

중

中 43
币 55
众 105
仲 106
𤛓 1383
眾 1541
緟 1756
蝩 2023
螽 2032
衆 2043
衶 2055
重 2367
𨤏 2369
重 2369
霟 2506
𩃔 2508

쥐

穧 1632

즉

則 256
即 316
卽 317
卽 317
喞 392
堲 457
㞕 619

崱 646
猣 1403
萴 1948
蝍 2020
鯽 2650
鰂 2652
鰿 2656

즐

叱 337
嚌 410
堲 457
扻 849
楖 1086
櫛 1117
櫛 1120
櫛 1120
瀄 1312
穊 1632
騭 2606
鮿 2645
齣 2724

즘

怎 765

즙

咠 369
㗊 390
戢 835
楫 1087
檝 1115
汁 1182
濈 1305

緝 1755
艥 1892
葺 1947
蕺 1971
𧣴 2101
輯 2272
䩞 2528

증

丞 42
伀 112
僜 178
噌 404
增 461
增 463
嶒 651
徸 717
憎 816
憕 817
戠 837
承 846
拯 865
拯 885
撜 905
曾 1009
曾 1010
橙 1109
橧 1111
氶 1180
潧 1299
烝 1331
熷 1356

𤏪 1356
甑 1450
症 1483
癥 1493
矰 1561
繒 1771
罾 1792
䎖 1813
𦙶 1847
脀 1848
𦯷 1922
蒸 1952
蕢 1968
虰 2001
証 2113
證 2154
䝺 2179
贈 2206
贈 2206
蹭 2232
𨋄 2265
輊 2265
鄫 2346

지

之 54
伿 118
厎 319
只 335
吱 356
咫 369
呧 370

地 434
址 437
坻 441
墀 459
墀 464
墬 467
她 516
媞 542
寘 596
屮 629
㞢 629
帋 669
庢 696
志 758
忯 764
恀 779
懥 823
抵 848
扺 856
批 857
抧 863
持 866
指 867
搘 894
摯 898
支 920
攱 921
旨 970
旨 972
智 992
杫 1042

枝 1044
枳 1048
榰 1093
止 1137
氏 1170
池 1186
泜 1193
沚 1195
汥 1195
泜 1208
沶 1212
洔 1221
涑 1222
渚 1272
漬 1288
澌 1291
羨 1348
疻 1483
疷 1484
痣 1486
知 1557
砋 1566
砥 1567
祇 1591
祉 1591
祗 1593
祬 1597
禔 1602
秪 1613
秖 1614
積 1624

笹 1654
箈 1668
箎 1672
篪 1677
篪 1680
簃 1682
紙 1717
紩 1737
𦓡 1806
耆 1816
肢 1836
胝 1841
胑 1841
脂 1846
至 1876
䑛 1883
舐 1883
舓 1884
芝 1899
芷 1903
芪 1905
𦯷 1928
蚔 2005
蚳 2006
蜘 2015
衹 2054
䘹 2060
觝 2097
誌 2125
諟 2147
識 2156

貾 2191
質 2203
贄 2206
趾 2225
跂 2225
跱 2229
踟 2237
踶 2240
躇 2247
蹢 2247
躓 2251
軹 2263
輊 2265
迡 2292
遲 2316
遲 2320
遲 2321
郅 2331
鋕 2396
𨨞 2407
阯 2451
雉 2483
雉 2483
䩶 2522
鞱 2524
𩋗 2524
馶 2594
騺 2607
鮨 2645
鴲 2662
鴟 2662

鴲 2665
鳷 2665
鷙 2680
黹 2712
齝 2734

직

昵 982
㮨 1092
樴 1106
溭 1277
犆 1382
直 1528
直 1530
禝 1603
稙 1620
稷 1624
織 1771
职 1823
職 1829
膱 1863
蘵 1992
蘵 1992
軄 2256

진

㐱 53
侲 136
儘 184
唇 377
唇 377
嗔 396
塡 458

塵 462
姫 528
尘 615
尽 619
帪 673
抮 855
抻 857
挋 868
振 870
搢 895
嗔 941
眕 980
晉 987
晋 987
晋 993
杒 1039
桭 1067
榐 1091
榛 1091
槙 1094
殄 1148
津 1217
溱 1272
潧 1299
濜 1310
珍 1421
珎 1422
瑱 1437
瑨 1437
瑨 1437
璡 1440
甄 1449
畛 1465
疢 1479
疹 1481
盡 1520
盡 1523
眕 1535
眞 1537
真 1538
眞 1538
眹 1539
瞋 1547
砛 1567
砂 1570
禛 1603
秦 1616
稹 1625
秦 1627
笫 1658
甄 1690
籈 1691
紖 1716
紾 1725
絼 1740
縉 1760
縉 1760
縝 1762
辣 1801
聄 1824
聿 1832
胗 1841
瞋 1860
跡 1871
臻 1878
蓁 1954
蔯 1964
薦 1975
蘱 1979
螓 2025
蟨 2030
袗 2058
裖 2064
診 2112
謓 2150
賑 2198
趁 2215
趂 2215
跈 2228
跡 2228
踬 2235
軫 2262
軡 2262
軨 2262
轃 2275
轁 2275
轃 2275
辰 2285
辴 2286
進 2305
鄑 2343
鈐 2387
鎮 2410
鎭 2411
靕 2432
陣 2459
陳 2462
震 2501
駗 2595
鬒 2628
黰 2709

질

佚 119
侄 130
劕 270
叱 337
呹 364
咥 370
嚏 406
垤 444
妷 524
姪 528
嫉 544
峌 638
帙 670
庢 697
瘯 709
抶 856
挃 867
所 951
昳 982
晊 986
柣 1051
桎 1062
楖 1096
櫍 1119
殀 1148
瓞 1172
瓆 1444
瓞 1446
疾 1481
眣 1536
眰 1540
礩 1587
袟 1597
秩 1615
秷 1617
窒 1637
紩 1722
絰 1736
袟 1806
耋 1817
耊 1817
腟 1858
膣 1862
蒺 1877
蒺 1878
蒺 1952
蛭 2010
螲 2028
袟 2059
袠 2060
覭 2089
詄 2113
質 2190
質 2203
跌 2227
跮 2231
跢 2232
踖 2233
躓 2251
軼 2263
迭 2292
郅 2334
鉄 2387
銍 2389
銕 2411
鑕 2423
闃 2439
餱 2574
魼 2637
魕 2637
鷙 2680

짐

卜 311
斟 949
斟 950
斟 950
朕 1018
澂 1273
船 1889
酖 2353
斟 2353
鴆 2662
鷙 2710

집

亼 93
什 95
咠 369
噍 403
執 448
戻 622
慹 810
揖 888
楫 1087
檝 1115
湒 1264
潗 1292
潗 1292
瓡 1446
緝 1755
蓻 1959
諿 2146
轟 2161
譶 2162
輯 2272
輎 2272
鏶 2418
集 2481
雧 2492

징

徵 752
徵 752
憕 817
懲 824
於 960
澂 1297
澄 1297
癥 1497
瞪 1550

차

且 30
且 41
仳 116
佽 128
侘 132
借 153
次 228
剳 267
厝 322
叉 328
咱 370
哆 372
唶 381
嗟 397
嵳 401
垞 445
奓 507
奲 511
奼 517
姹 529
岔 634
嵖 647
嵳 648
嵯 648
差 663
扠 846
扯 854
担 858
搓 893
搽 894
摣 896
撦 906
杈 1034
次 1126
此 1140
汊 1182
潳 1296
羡 1348
瑳 1437
瑳 1444
睉 1473
痄 1484
瘥 1486
瘥 1492
䨲 1517
硨 1572
磋 1581
笡 1660
箚 1670
篵 1680
紨 1737
縒 1761
脎 1853
膗 1859
膌 1862
瞌 1881
觢 1887

艖 1891
𦪽 1893
苴 1910
茶 1916
茦 1927
蒫 1957
蔖 1964
虘 1997
蛇 2011
蛼 2012
衩 2052
䙈 2073
觰 2096
詫 2120
諎 2138
諆 2159
䟕 2225
蹉 2242
躦 2253
車 2256
䡊 2263
輚 2280
遮 2320
䣜 2346
醝 2360
釵 2378
鎈 2411
鬡 2430
靫 2520
䡩 2548
髊 2617
䩶 2638
鹺 2687
鱃 2720
鱯 2720
齹 2728
齹 2728

착

促 138
凿 239
剒 262
剟 265
斲 267
斵 270
厝 320
啄 381
娖 532
婼 541
捒 867
捉 872
椓 878
搾 897
擉 910
戳 942
斮 953
斱 956
斵 956
斲 956
斸 957
浞 1222
澣 1317
燋 1354
磭 1581
穛 1630
稓 1632
窄 1636
笮 1659
箸 1674
簎 1680
簇 1683
簎 1683
籗 1693
籱 1695
糕 1708
糳 1709
鑿 1709
縒 1761
着 1798
豚 1853
蓟 1932
著 1943
諑 2136
踔 2236
踢 2237
踱 2241
躇 2249
辵 2286
逴 2306
造 2307
遳 2326
錠 2395
錄 2397
錯 2402
鐯 2421
鑿 2426
鑿 2698
齣 2724
齪 2725
躅 2726
齺 2727

찬

串 48
弗 48
儹 188
刬 260
剗 265
劖 266
囋 414
姲 534
巑 655
攅 892
撰 907
攢 916
攛 918
攢 919
櫕 1121
欑 1125
殩 1148
湌 1257
潔 1303
灒 1318
灿 1323
燦 1351
燦 1359
爨 1364
璨 1441
瓚 1444
瓚 1445
穳 1556
禶 1606
穳 1632
竄 1639
竄 1644
篡 1679
簒 1681
簒 1682
篡 1684
篹 1686
纂 1691
粲 1701
纂 1778
纘 1780
纘 1782
羼 1803
菆 1929
襸 2081
譔 2156
讚 2164
讚 2167
賛 2204
贊 2207
趲 2223
趲 2223
蹟 2251
躦 2253
轒 2280
鄼 2349
酇 2349
鋑 2394
鑽 2424
鑹 2425
鑽 2425
頭 2553
餈 2575
餐 2578
饌 2583
饕 2586
饡 2586

찰

刹 255
刹 256
剎 263
咱 370
哳 377
囋 414
察 594
巀 654
巀 654
懴 829
扎 844
拃 863
拶 865
擦 914
攃 916
札 1027
桫 1065
礤 1587
紮 1722
紥 1730
縩 1779
聺 1828
蔡 1978
蚻 2009
詧 2125

참

僋 164
傪 169
僭 178
僣 178
儳 187
儳 187
劖 271
叄 326
参 326
叅 326
參 326
叅 327
噆 404
嚵 413
嚵 413
墋 461
塹 462
壍 470
嶄 649
嵾 649
嵾 650
嶃 650
嶄 650
巉 655
忏 759
惨 793
慙 809
慘 811
慚 814
憯 818
憯 818
憯 819
憏 819
懴 825
懵 827
懺 827
擑 897
摲 898
撕 901
摻 902
摖 908
攙 918
攙 919
斬 952
昆 971
替 1010
梟 1088
槧 1105
欃 1123
欃 1124
毚 1164
毚 1165
漸 1290
瀺 1316
瀺 1318
獑 1403
獮 1404
甗 1451
瞫 1474
瘽 1494
磛 1584
磛 1584
站 1647
篸 1682
譛 2156
讒 2162
讖 2163
讒 2165
讖 2166
讒 2167
趻 2221
鄽 2349
醶 2363
鏒 2415
鏨 2415
鏨 2415
鑱 2425
鑱 2425
闖 2437
韂 2531
饞 2586
驂 2606
黲 2709

찹

屇 626

磣	1583	摐	899	脹	1852	寀	590	豺	2181	箣	1665	處	1996	斥	951	蹢	2246
躙	2249	摤	899	舂	1879	寨	598	責	2189	筴	1667	處	1997	杔	1035	蹵	2246
창		敞	934	艙	1891	差	663	跴	2237	策	1667	覷	2092	梀	1063	躑	2251
仓	93	昌	972	菖	1931	彩	733	采	2365	箣	1673	郪	2338	槭	1099	鏚	2413
倉	146	昶	982	蔥	1946	彩	733	釵	2378	簀	1682	霋	2503	櫼	1125	陟	2458
倀	149	暢	997	募	1949	㥽	810	靫	2520	翟	1808	**척**		滌	1278	隻	2480
倡	153	槍	1095	蒼	1953	懘	814	髮	2627	積	1821	乇	54	滌	1278	頙	2541
傖	167	氅	1169	裮	2068	扠	863	**책**		舴	1888	俶	148	瘠	1491	䩢	2555
滄	231	氅	1169	賶	2205	採	881	冊	221	茦	1922	倜	152	瞻	1550	髮	2627
办	241	淌	1239	蹌	2236	柴	1056	冊	221	蚱	2006	刺	254	晳	1574	鬄	2628
刱	251	漲	1253	蹡	2242	棌	1075	冊	221	蠌	2026	刾	257	磩	1583	鴺	2665
剙	260	滄	1274	鄣	2339	溠	1215	唶	381	諎	2138	剔	260	脊	1848	鶺	2676
創	265	漲	1289	鄣	2340	犲	1385	嘖	400	謮	2153	呎	356	膌	1860	鼜	2716
剏	266	牕	1372	錆	2398	琗	1432	坼	441	踖	2171	坧	442	膪	1862	**천**	
唱	380	牎	1372	鋹	2403	瘥	1492	幘	680	責	2189	埼	459	茥	1925	串	48
囪	423	牕	1373	鐌	2408	瘵	1493	措	884	迮	2292	墌	461	蒺	1932	亶	89
墏	456	猖	1396	鎗	2409	睬	1543	搩	896	鉫	2389	墌	461	蘵	1989	仟	103
娼	534	猖	1399	鏦	2414	砦	1570	曹	1007	顊	2555	尺	618	蘪	1994	俴	148
嵊	650	琩	1432	閶	2441	簀	1682	曹	1008	馲	2593	庎	698	蚇	2004	倩	154
廠	706	瑒	1433	韔	2526	綵	1748	柞	1051	**처**		彳	736	蜴	2016	傼	167
張	723	瑲	1437	韔	2533	縩	1769	柵	1053	凄	229	惄	781	覢	2089	僢	179
彰	735	瓺	1450	鬯	2631	縩	1779	栅	1053	処	234	惕	791	訴	2112	儃	181
悵	789	瘡	1491	鶬	2675	脎	1853	柵	1065	处	312	慼	810	趚	2217	兓	198
惝	793	稖	1556	鶬	2683	膪	1862	皟	1514	妻	524	慽	814	跅	2226	刋	244
愴	805	磢	1583	**채**		膪	1863	矺	1565	媰	545	憠	821	跖	2228	剶	266
惷	811	窓	1638	偨	148	茝	1914	磔	1581	悽	789	戚	834	踢	2237	千	300
慽	819	窗	1639	倸	156	菜	1931	窄	1636	淒	1253	拓	860	踧	2238	喘	391
戃	829	窻	1641	偲	161	蔡	1957	竡	1650	絮	1739	拞	874	踜	2239	嘽	404
戧	836	窻	1643	債	171	蔡	1962	竡	1652	緀	1753	摭	901	蹐	2243	囅	413
搯	895	粻	1702	埰	451	蠆	2035	筴	1660	粗	1819	擲	915	蹠	2244	圌	428
搶	896	糉	1820	婇	536	蠆	2038	策	1664	萋	1936	擿	916	蹢	2245	圳	436

天 493
孨 562
巛 656
川 657
帴 675
幝 681
忏 759
扦 846
攓 902
擅 910
巀 937
杆 1034
栫 1058
棈 1080
[illegible] 1104
櫏 1120
歂 1132
泉 1196
洊 1213
浅 1222
淺 1251
湶 1267
濺 1310
瀳 1316
灛 1319
燀 1353
牮 1380
玔 1418
[illegible] 1489
[illegible] 1528
硟 1573
[illegible] 1632
穿 1635
竁 1644
[illegible] 1665
[illegible] 1672
篅 1677
紃 1711
綪 1746
繟 1773
腨 1858
[illegible] 1877
舛 1885
芊 1897
茜 1914
荈 1919
荐 1920
蒨 1951
蒝 1955
[illegible] 1965
蕆 1966
薦 1975
蚩 2003
[illegible] 2023
[illegible] 2023
[illegible] 2168
賎 2195
賤 2200
跈 2228
跡 2228
践 2233
踐 2235
踹 2241
輤 2269
輲 2272
辿 2287
迁 2288
遄 2309
遷 2321
釧 2378
鐉 2417
闡 2448
阡 2449
[illegible] 2506
[illegible] 2526
韆 2531
韉 2531
[illegible] 2581
[illegible] 2588

철

凸 238
剟 262
[illegible] 265
叕 331
哲 377
啜 382
喆 393
娺 538
屮 628
彻 737
徹 754
悊 781
惙 792
掣 875
掇 878
摕 900
撤 904
敠 935
歠 1136
涰 1237
漆 1283
澈 1291
澈 1298
[illegible] 1471
硩 1574
[illegible] 1600
綴 1748
[illegible] 1773
罬 1790
[illegible] 1801
聅 1824
[illegible] 1828
[illegible] 1830
腏 1854
蛆 2007
蛈 2008
蜇 2015
裰 2067
[illegible] 2100
[illegible] 2236
[illegible] 2246
[illegible] 2251
軼 2263
輟 2269
轍 2277
[illegible] 2355
醊 2358
[illegible] 2360
鉄 2387
銕 2391
錣 2401
[illegible] 2401
鐵 2419
鐡 2422
[illegible] 2525
飻 2572
餟 2578
餮 2581
[illegible] 2602
驖 2609
[illegible] 2616

첨

㐁 42
佥 112
佔 118
僉 168
噡 406
妗 520
[illegible] 548
尖 614
[illegible] 652
幨 682
[illegible] 683
忝 762
怗 769
惉 785
战 928
栝 1057
[illegible] 1083
槧 1105
檐 1114
櫼 1123
[illegible] 1196
沾 1202
添 1252
湉 1267
瀸 1316
瀺 1317
炶 1345
[illegible] 1352
[illegible] 1373
甛 1453
甜 1453
[illegible] 1479
瞻 1552
签 1667
簷 1688
簽 1689
籤 1692
籖 1693
[illegible] 1847
舔 1884
[illegible] 1993
裧 2066
襜 2078
詹 2125
諂 2134
譫 2158
讇 2164
讖 2167
[illegible] 2249
[illegible] 2250
酟 2354
鋟 2394
[illegible] 2395
[illegible] 2397
鐱 2419
鑯 2424
閚 2437
[illegible] 2495
[illegible] 2502
[illegible] 2508
韂 2530
[illegible] 2535
餂 2573

첩

倢 153
呫 361
唼 381
喋 390
堞 454
妾 525
婕 535
寁 590
崨 645
帖 669
[illegible] 673
怗 769
[illegible] 871
捷 876
[illegible] 920
曡 988
[illegible] 991
[illegible] 1076
[illegible] 1125
[illegible] 1137
氎 1169
沾 1202
[illegible] 1251
牒 1372
疊 1475
疉 1475
䀹 1542
睫 1544
箑 1668
[illegible] 1668
[illegible] 1677
緁 1751
[illegible] 1769
耴 1822
耷 1822
聑 1826
[illegible] 1884
[illegible] 1884
[illegible] 1885
褶 2074
襵 2081
詀 2113
[illegible] 2138
[illegible] 2138
諜 2138
[illegible] 2139
謵 2153
貼 2190
踥 2238
踕 2239
[illegible] 2246
[illegible] 2253
輒 2266
輙 2271
[illegible] 2292
鉆 2383
鞊 2523
鮿 2647
鰼 2652

청

倩 154
凊 230
厅 318
听 354
圊 425
婧 537
庁 693
廳 711
掅 877
晴 991
晸 996
棈 1080
淸 1247

綪 1746
聴 1829
聽 1830
菁 1929
蜻 2017
請 2135
䝼 2201
靑 2512
青 2514
瀞 2516
鯖 2648
鶄 2673
鶄 2673

체

体 123
切 241
剃 256
剔 260
嚔 409
嚏 410
墆 461
屜 625
屟 626
屧 626
帖 669
彘 730
憄 823
挮 872
掣 875
揥 890
替 1010
朁 1012
朁 1012
杕 1036
栘 1057
棣 1076
歒 1136
殢 1154
泚 1208
洟 1217
涕 1232
滞 1278
滯 1279
掣 1383
猘 1403
玼 1420
璏 1440
疐 1478
疐 1478
晢 1513
䁻 1549
砌 1566
禠 1600
禘 1602
笶 1656
締 1755
䎮 1821
𦗟 1828
腏 1854
茜 1921
蒂 1949
䕻 1961
蕝 1968
蔕 1972
薙 1974
蔕 1985
蛈 2008
蝃 2017
螮 2028
裼 2067
袟 2071
䙗 2076
褅 2077
觢 2099
諦 2140
䛠 2153
跇 2228
踶 2241
蹛 2244
䠠 2246
躰 2254
軆 2256
达 2287
迏 2290
迣 2290
遆 2299
逓 2299
逮 2305
遞 2317
遰 2320
醊 2358
釱 2378
鈦 2382
銐 2392
銐 2392
銴 2396
銴 2396
𨽻 2511
餟 2578
骵 2614
體 2618
髢 2624
鬀 2626
鬄 2627
鯱 2675
鷈 2677

초

仯 106
俏 140
僬 178
杲 223
初 247
削 256
剿 265
剿 266
剿 266
剿 269
勦 282
勦 284
吵 356
哨 375
噍 404
嘮 405
娋 534
嫶 547
屑 623
岧 635
岹 635
峭 639
巢 649
嶕 651
弨 722
怊 768
悄 781
愀 801
慅 806
憦 807
憔 817
憷 821
抄 849
招 862
掐 862
摷 901
撨 905
朷 1030
杪 1039
梢 1070
椘 1074
椒 1080
楚 1082
㮓 1091
樔 1101
樵 1106
橾 1115
氉 1169
湫 1265
潲 1272
漅 1285
潐 1296
濋 1305
炒 1325
焦 1339
熮 1348
燋 1354
㹦 1392
癄 1494
昭 1536
睄 1542
瞧 1550
础 1570
硝 1572
礁 1585
礎 1586
祒 1594
䄏 1604
礿 1611
秒 1613
稍 1619
穛 1629
𥦬 1677
箾 1682
粆 1697
紹 1724
綃 1740
縿 1768
𦃕 1773
𦐩 1807
耖 1819
肖 1836
膲 1864
𦨍 1887
艄 1889
艞 1890
艸 1896
苕 1906
茮 1914
草 1919
萷 1932
蕉 1966
蛸 2012
蟭 2033
䘯 2065
覞 2089
觘 2096
䚚 2100
訬 2110
誚 2127
謅 2146
譟 2153
譙 2157
貂 2180
超 2216
趒 2217
趠 2219
趭 2222
踃 2235
踔 2236
軺 2263
迢 2290
酢 2353
醋 2358
醮 2362
釥 2377
鈔 2380
鉊 2384
鍬 2408
鍫 2408
鏒 2415
鐎 2416
鐰 2418
陗 2457
𨼔 2476
𩇢 2519
鞘 2525
韒 2533
顦 2556
颵 2562
䭾 2601
騲 2605
髫 2624
鮡 2646
鮹 2647
鷦 2681
麨 2694
齺 2711
鼦 2717
齠 2724
齭 2726
髗 2728
龝 2733

촉

亍 74
促 138
劚 271
嘱 405
囑 414
娖 532
属 626
屬 628
戚 834
斀 938
數 940
斸 956
斶 957
曯 1004
梀 1068
欘 1125
歜 1136
灟 1319
烛 1329
燭 1359
爥 1364
㺜 1442
瘃 1488
矚 1552
矗 1554
矚 1555
𦇺 1783
臅 1866

薥 1977
[illegible] 1988
[illegible] 1993
蜀 2015
蠋 2034
蠾 2041
襡 2078
襩 2079
[illegible] 2081
犨 2096
触 2099
觸 2101
豖 2173
趋 2215
趍 2218
趗 2219
趣 2220
趨 2221
[illegible] 2239
[illegible] 2246
[illegible] 2248
躅 2249
[illegible] 2253
鋜 2384
鏃 2412
鐲 2426
[illegible] 2492
[illegible] 2530
韣 2535
[illegible] 2557
髑 2617
鸀 2683

촌

刌 244
吋 344
寸 602
忖 760
村 1035
邨 2331

총

从 99
偬 164
傱 168
傯 174
冢 225
匆 287
叢 333
囱 423
塚 457
塜 459
寵 600
忩 762
怱 767
总 768
悤 780
惣 788
[illegible] 793
[illegible] 803
憁 811
捴 885
揔 892
摠 903
[illegible] 942
棇 1087
樷 1106
漗 1288
漎 1291
潨 1295
熜 1345
燪 1360
[illegible] 1384
[illegible] 1385
瑽 1439
稯 1623
[illegible] 1631
篵 1691
総 1753
緫 1758
緵 1760
總 1767
罿 1792
聡 1826
聦 1827
聰 1828
茐 1938
葱 1946
蓯 1959
蔥 1965
[illegible] 1981
藂 1992
[illegible] 2023
蟌 2029
謥 2152
蹤 2241
銃 2391
鍯 2405
[illegible] 2408
鏦 2414
鏓 2415
[illegible] 2415
騘 2602
驄 2603
[illegible] 2606
鬉 2628
龍 2728

촤

銼 2393

촬

娺 538
[illegible] 903
撮 907
攥 920
[illegible] 1065
[illegible] 1071
樶 1125
窡 1640
竄 1643
[illegible] 1643
[illegible] 1773
胐 1844
茁 1911
襊 2077
[illegible] 2549

쵀

啐 382
[illegible] 942
淬 1244
祽 1599
綷 1749
萃 1935
錊 2399

최

催 168
凗 232
嗺 400
嘬 402
墔 458
崔 642
摧 900
最 1009
槯 1093
[illegible] 1130
[illegible] 1135
洒 1214
漼 1290
[illegible] 1385
璀 1438
[illegible] 1514
磪 1583
稡 1621
䋘 1722
綷 1749
縗 1761
脧 1851
腄 1855
蕞 1965
[illegible] 1968
蟕 2032
[illegible] 2044
衰 2055
襊 2077
[illegible] 2245
[illegible] 2403
陮 2474
隹 2480

추

丑 38
㑳 167
偢 177
[illegible] 180
啾 388
墜 465
妯 524
娵 534
娺 538
媰 542
[illegible] 626
崷 647
[illegible] 651
帚 671
惆 791
憱 819
抽 857
捶 876
推 883
掫 885
揫 885
揪 892
搥 895
搯 896
搊 897
[illegible] 908
[illegible] 942
杻 1040
枢 1046
棰 1077
椒 1078
椎 1079
棸 1081
楸 1089
[illegible] 1093
槌 1095
樞 1102
橾 1115
殠 1153
湫 1265
[illegible] 1334
犓 1384
甀 1449
甃 1449
瘳 1493
皺 1517
[illegible] 1517
[illegible] 1517
[illegible] 1542
硾 1574
磓 1581
秋 1611
秌 1614
稍 1624
穐 1629
[illegible] 1631
龝 1632
[illegible] 1632
箒 1669
箠 1671
篍 1677
篘 1678
簉 1683
粗 1698
[illegible] 1708
緅 1751
[illegible] 1760
緧 1760
縋 1761
縐 1761
聚 1826
腄 1855
膇 1859
臭 1875
芻 1898
[illegible] 1924
菆 1929
萑 1937
萩 1938
蒭 1957
蓷 1964
[illegible] 1994
蝤 2022
蟭 2033
[illegible] 2073
觕 2096
諈 2135
諏 2136
謅 2146
貙 2183
趋 2215
趎 2217
趍 2218
趣 2220
趡 2220
趥 2221
趨 2221
[illegible] 2241
[illegible] 2243
追 2293
邹 2331
郰 2339
鄒 2343
鄹 2348
酋 2350
醜 2360
錐 2398
錘 2399
錗 2399
鎚 2410
队 2449
陬 2460
隊 2470

隧 2475
隹 2480
雏 2485
雛 2488
鞇 2526
鞦 2527
鞧 2527
鞨 2528
鞻 2531
䭔 2579
騅 2601
騶 2604
魋 2637
謉 2639
鯫 2649
鰌 2651
鰍 2651
鵻 2671
鶖 2675
鶵 2677
麁 2689
麤 2693
䴢 2697
齱 2726
龝 2733

축

丑 38
噈 405
妯 524
㞚 623
慉 806
搐 893
杻 1040
柚 1051
柷 1053
槭 1099
滀 1273
潚 1300
畜 1466
磩 1583
祝 1594
稸 1625
竺 1654
笁 1654
筑 1660
筑 1663
築 1678
築 1678
篴 1683
築 1684
縐 1761
縮 1764
縬 1769
舳 1888
菫 1925
蓄 1954
蓫 1958
螂 2033
豖 2173
踧 2238
蹜 2245
蹙 2246
蹙 2246
蹴 2247
蹵 2248
軸 2263
輙 2266
逐 2298
鄐 2343
閦 2439
顣 2555
鷲 2634
鱁 2654

춘

㡖 678
旾 978
春 982
杶 1040
椿 1084
橁 1106
櫄 1119
瑃 1435
䐏 1858
賰 2204
𨋴 2259
輴 2259
輴 2265
鰆 2650
鶞 2674

출

出 236
岀 633
怵 768
怞 772
敊 929
㪸 950
朮 1029
泏 1204
焌 1332
犹 1392
秫 1615
絀 1725
茁 1913
䘫 2060
詘 2116
趉 2215
遂 2307
黜 2705

충

充 191
充 191
冲 228
忠 760
忡 762
憃 828
橦 1111
沖 1194
浺 1208
浺 1222
沖 1230
漴 1279
爞 1363
狆 1389
珫 1423
痋 1485
盅 1519
穜 1556
祌 1591
种 1613
翀 1804
茺 1917
茧 1922
虫 2001
虫 2001
蚛 2003
蟲 2030
衝 2049
衝 2051
衷 2056
褈 2061
䆔 2179
艟 2278

췌

悴 765
悴 788
惴 800
揣 890
㪕 937
濢 1313
瘁 1488
膵 1864
萃 1905
萃 1935
贅 2206
顇 2550

취

冣 226
取 331
吹 355
嘴 403
娶 538
就 617
悴 788
惴 800
揣 890
㪕 937
篍 942
椊 1080
橇 1108
檇 1114
檇 1121
毳 1167
溴 1277
炊 1324
瘁 1488
竁 1644
繀 1684
翆 1804
翠 1808
聚 1826
脆 1846
脃 1847
臎 1864
臭 1875
臭 1875
臰 1875
萃 1935
蟕 2023
騒 2032
觜 2097
趣 2220
踤 2238
醉 2353
酔 2357
鞽 2530
顇 2550
騅 2601
騂 2601
驟 2611
鷲 2682
龡 2734

측

仄 95
側 161
則 256
厠 322
夨 491
庂 693
廁 702
惻 801
昃 972
昗 972
測 1258
畟 1465
稄 1620
稷 1624

츤

儭 187
𠠎 266
櫬 1122
𥫂 1649
藽 1989
襯 2080
齓 2723
齔 2723

츨

闖 2446

츰

皴 1516

층

增 463
层 621
層 626
層 626
曾 1009
曾 1010
瞺 1551
艠 1895
覴 2093
蹭 2246
驓 2605

치

佁 123
侈 130
値 153
侍 158
傑 164
傂 167
歯 239
𣦶 239
齒 239
剚 265
卮 313
哆 372
嗤 397
埴 449
夂 475
媸 543
寘 593
峙 638
嵯 648
差 663
巵 665
幟 681
庤 696
庢 697
廁 702
廌 704
弛 720
彲 736
徛 749
徥 750
徵 752
徵 752
志 758
恥 772
恀 779
懥 823
懫 825

拸 865
揰 880
摋 889
摅 896
摛 900
撴 905
擿 914
攡 919
杝 1037
杘 1038
栀 1050
梔 1068
椔 1079
植 1079
榃 1090
樆 1103
歀 1130
歖 1133
歭 1142
歮 1143
齒 1143
治 1201
泜 1208
沶 1212
淄 1219
淄 1238
滍 1276
羡 1333
羨 1348
熾 1353
猺 1403
甾 1448
甾 1463
畄 1465
畤 1468
畴 1472
疐 1476
疐 1476
疐 1478
疐 1478
痔 1485
痴 1489
癡 1496
直 1528
直 1530
眙 1535
眵 1539
瞝 1549
稚 1617
稚 1620
稲 1621
穉 1625
穉 1629
糦 1707
紂 1714
純 1715
絺 1739
絺 1743
緇 1752
緻 1759
緇 1760
緀 1761
緻 1763
縭 1764
織 1771
置 1789
翐 1804
耛 1819
耻 1823
胝 1838
胵 1845
胵 1847
腦 1854
致 1877
致 1877
茬 1906
茌 1920
菑 1931
菆 1945
菑 1949
薙 1974
薼 1985
虒 1996
蚔 2005
蚩 2005
螭 2027
袳 2061
袳 2062
袳 2072
褫 2073
觝 2101
觶 2101
誃 2123
訿 2125
誺 2138
諸 2147
謻 2152
識 2156
豸 2179
豒 2181
貙 2183
跮 2231
跱 2232
跢 2232
躓 2251
輜 2269
輜 2273
迟 2291
郗 2335
鉄 2381
鉹 2390
錙 2399
錙 2408
阤 2449
陊 2457
雉 2483
雉 2484
饎 2583
饎 2585
馳 2592
駗 2597
駤 2598
魅 2637
魑 2637
魑 2638
鯔 2648
鴟 2664
鴟 2665
鴟 2665
鴟 2665
鴟 2666
鷀 2671
鷀 2674
黐 2708
黹 2710
齒 2722
齝 2724
齝 2724
齸 2734
칙
侙 134
則 256
勅 277
勑 278
恜 779
敕 934
汖 1192
飭 2570
鶒 2666
鶒 2674
鷘 2681
친
儭 187
嚫 411
亲 1056
櫬 1122
瀙 1313
竧 1649
親 2091
齓 2254
칠
七 11
刹 265
柒 1055
桼 1066
榛 1104
漆 1283
침
侵 136
沁 228
浸 229
寖 593
寑 593
寢 595
𥪰 651
忱 763
抌 854
揕 888
斟 950
枕 1043
枮 1048
梣 1069
梫 1070
棽 1074
椹 1083
椹 1155
沈 1191
沉 1192
檶 1125
浸 1229
湛 1264
湜 1267
濅 1274
濅 1305
犹 1379
琛 1429
瑨 1438
𤻞 1487
砧 1567
碪 1578
磣 1583
祲 1598
寑 1643
篸 1677
綅 1740
綝 1744
䑣 1887
茺 1904
葴 1949
蔵 1964
覞 2090
諶 2138
賝 2201
賝 2204
跈 2225
踸 2240
郴 2339
斟 2353
醓 2359
針 2376
鈂 2380
鈊 2380
鋟 2395
鍼 2406
鍖 2407
霃 2502
頫 2542
駸 2599
魫 2643
鰽 2654
鱛 2654
鱵 2657
칩
屆 626
湁 1267
漐 1278
縶 1770
蟄 1948
蟄 2030
霫 2500
馽 2593
칭
偁 163
秤 1614
称 1616
稱 1623
穪 1631
秤 1819
蒋 1977
騁 2600
쾌
儈 182
噲 408
夬 493
快 763
快 772
獪 1406
筷 1667
駃 2593
타
他 101
佗 119
朶 223
剁 255
吒 344
咜 365
咤 369
唾 381
喥 389
嚲 413
坨 442
垛 443
垜 444
埵 449
堶 456
堕 456
墮 465
墯 465
墮 467

墮 467
奲 511
她 516
奼 517
妥 521
媠 541
媞 542
它 567
岮 636
嶞 652
庹 699
㤖 779
惰 799
憜 819
打 844
扡 846
拖 861
拕 861
挅 869
㨊 889
撱 907
㪆 937
朶 1032
朵 1032
杕 1036
柁 1049
柂 1049
椯 1084
楕 1090
橢 1111
𣟂 1122
毻 1168
沱 1198
沲 1198
涶 1253
㴱 1253
牠 1379
痑 1485
砣 1570
碢 1578
秅 1611
種 1622
䅊 1624
𥤢 1638
篅 1686
紽 1725
綞 1737
綏 1741
腄 1826
膸 1863
舵 1889
䑨 1889
袉 2059
袳 2061
訑 2106
詑 2117
詫 2120
誃 2123
跎 2227
跢 2227
跺 2232
跿 2233
躱 2255
躲 2255
軃 2255
䡐 2262
迤 2290
迱 2291
酡 2353
酏 2353
鉈 2391
鍒 2392
鍩 2407
鐯 2418
阤 2449
陀 2454
陁 2455
陏 2457
陊 2457
陊 2457
陊 2457
隋 2470
鞖 2521
鞑 2523
鞢 2524
馱 2592
駝 2596
駞 2596
鬌 2627
鮀 2643
鰖 2651
鰖 2655
鮀 2663
䴱 2695
鼉 2713

탁

乇 54
侂 124
侘 129
倬 155
凙 232
剫 262
劅 270
卓 307
啄 381
啅 382
喥 389
噣 406
坼 441
墒 456
墮 456
厇 693
度 697
庹 699
㤖 779
𢠵 803
托 845
拆 858
拓 860
㧻 878
擢 913
斀 935
斲 942
斵 942
晫 991
杔 1035
柝 1051
桌 1065
棹 1078
椓 1080
槕 1088
㯞 1090
槖 1098
橐 1113
檡 1113
檯 1119
檯 1121
欘 1125
沰 1202
浊 1219
涿 1238
濁 1303
濯 1309
𤞈 1398
𤢪 1407
琢 1429
琸 1431
籜 1692
翟 1808
蘀 1986
蠗 2036
袥 2060
襗 2077
觰 2100
託 2107
豰 2174
𧲧 2180
趠 2219
踔 2236
𨁈 2239
踱 2241
蹢 2242
躅 2249
𨍭 2273
逴 2306
鐲 2419
鐸 2421
𨧘 2397
𩑛 2541
飥 2569
馲 2593
𩣡 2601
驝 2611
魄 2636
魠 2641
鸀 2683

탄

但 115
僤 179
吞 358
呑 358
嘆 399
嘽 404
坦 440
弖 718
弖 719
𢎗 721
弾 727
彈 728
憚 817
憻 822
撣 906
攤 919
歎 1134
殫 1154
汆 1181
湠 1267
潬 1292
灘 1318
炭 1328
畽 1473
疃 1474
痑 1485
瘓 1491
癱 1498
組 1727
綻 1750
蟬 1885
袒 2057
䘺 2068
訑 2106
詑 2117
誕 2126
譠 2159
貚 2183
驒 2608
黕 2704
黮 2704

탈

侻 137
夺 500
奪 510
挩 869
敓 932
敚 935
梲 1071
毲 1167
𤿎 1516
稅 1618
脫 1847
脱 1849
䓁 1918
莌 1924
說 2130
説 2131
頉 2541

탐

傝 166
嗿 399
㥫 791
憛 817
抩 853
探 881
撢 906
湛 1264
眈 1531
耽 1823
襑 2077
䚮 2090
詀 2125
貪 2188
賧 2201
趻 2215
躭 2254
酖 2353
𪉗 2688
黵 2709

탑

佮 134
傝 166
嗒 396
嚃 408
塔 456
塌 457
墖 457
㣛 743
𢭦 876
搨 896
搭 896
撘 908
𣗌 1077
榻 1094
榻 1094
榙 1112
毾 1168
漯 1289
濌 1300
狧 1393
緆 1762

𤭁 1784
䃺 1884
碟 1884
磖 1885
䑽 1891
艌 1891
輽 2268
遝 2319
錔 2399
鎑 2408
闒 2444
闟 2444
闒 2447
鞈 2523
鞜 2526
鞳 2528
鰨 2652

탕

偒 158
宕 572
帑 670
愓 802
湯 1266
潒 1299
燙 1356
瑒 1433
璗 1440
盪 1526
碭 1578
簜 1684
菪 1933
蓎 1949
蕩 1969
蘯 1981
蝪 2023
踼 2240
逿 2308
𨧫 2403
鏜 2413
鐋 2417
闣 2447

태

亣 84
㑷 168
兊 195
兌 196
台 343
呆 353
埭 449
大 483
太 491
夳 499
娧 532
媞 542
徥 750
忕 760
忲 764
态 765
怠 766
態 804
㥭 807
抬 863
㯚 942
曃 1001
棣 1076
殆 1149
汰 1187
泰 1196
炲 1327
炱 1328
𥈴 1552
𥓋 1576
稅 1618
笞 1657
箈 1677
紿 1725
綐 1741
胎 1840
脫 1849
苔 1905
菭 1933
蛻 2012
詒 2114
䛂 2114
豸 2179
跆 2226
軑 2261
軩 2262
迨 2291
逮 2305
邰 2332
𪓐 2371
𪓜 2371
銳 2392
隸 2479
𩊮 2525
颱 2562
馱 2592
駄 2594
駘 2595
駾 2599
鮐 2644
𪐝 2704

택

垞 445
臭 504
宅 568
宒 580
㡯 693
睪 716
択 854
擇 910
檡 1113
沢 1196
澤 1300
睪 1545
蘀 1986
𧃒 1989
鸅 2683

탱

撐 904
撑 904
樘 1100
橖 1106
橕 1109
𣥲 1143
牚 1374

터

攄 916

토

兎 197
兔 197
吐 344
土 431
圡 432
夲 499
套 508
槄 1096
芏 1898
菟 1932
討 2106
靯 2521
鵵 2671

톤

啍 382
噋 403
涒 1231
褪 2073
退 2294

통

侗 132
恫 778
慟 812
捅 873
桶 1067
樋 1100
洞 1216
𤆬 1333
熥 1350
痌 1485
痛 1485
筒 1663
筩 1666
統 1727
絧 1738
綂 1744
蓪 1964
通 2299

퇴

自 55
僓 176
堆 450
塠 458
㞔 617
㞆 618
㣙 736
𢚩 788
推 883
搥 895
敦 936
槌 1095
焞 1334
㷟 1362
𤨏 1438
㿉 1495
㿴 1526
磓 1581
穨 1631
聵 1827
腇 1852
腿 1859
蓷 1959
𦸹 1968
蘈 1989
褪 2073
𧝒 2077
謉 2147
𩴾 2147
蹆 2243
蹪 2248
䡣 2269
追 2293
退 2294
𨓏 2304
鎚 2410
隤 2474
頧 2546
頹 2548
頽 2548
頺 2550
䭔 2582
骽 2615
魋 2637
𪑙 2681

투

偸 163
㓱 227
杏 366
咅 366
套 508
妒 520
妬 521
妵 524
婾 539
㞘 639
㢂 702
㥚 801
愉 802
投 851
歈 1129
𣪈 1157
渝 1256
牏 1372
㺷 1390
疟 1479
䛕 2126
諭 2141
𧩴 2146
貐 2176
𧺆 2214
透 2298
鋀 2395
鍮 2406
鬪 2446
鬭 2447
餖 2571
飳 2573
骰 2614
鬥 2630
鬦 2630
鬪 2630
鬬 2631
黈 2695

퉁

佟 124

특

忒 758
忑 760
㤬 767
慝 809
𢭃 876
特 1380
犆 1382
蟘 2026
螣 2026
𧕋 2033
貣 2186
貸 2193

틈

闖 2446

파

叵 337
吧 356
坡 440
壩 472
婆 538
𡝠 545
𡰝 603
岥 636

皤 652
巴 665
帊 669
帕 669
弝 721
怕 769
把 850
擘 892
播 907
擺 915
[illegible] 920
杷 1040
橎 1106
欛 1125
[illegible] 1126
波 1209
派 1221
灞 1319
爬 1365
爸 1368
[illegible] 1379
玻 1420
琶 1429
番 1471
疤 1479
[illegible] 1514
破 1568
[illegible] 1577
磻 1585
[illegible] 1614
[illegible] 1631
[illegible] 1650
笆 1655
[illegible] 1667
[illegible] 1668
[illegible] 1688
紴 1724
[illegible] 1737
罷 1791
羓 1797
耙 1819
[illegible] 1821
舥 1887
芭 1901
苩 1913
菠 1932
葩 1946
蚆 2005
[illegible] 2085
譒 2157
豝 2174
[illegible] 2180
跁 2226
跛 2229
[illegible] 2261
鄱 2348
鈀 2379
[illegible] 2382
[illegible] 2423
陂 2454
霸 2508
靶 2521
頗 2544
[illegible] 2545
[illegible] 2555
駊 2596
[illegible] 2723

팍

[illegible] 410
瀑 1312

판

判 248
办 272
反 329
[illegible] 330
坂 437
[illegible] 716
[illegible] 764
拌 859
[illegible] 951
昄 977
板 1041
泮 1212
版 1371
瓣 1447
眅 1464
[illegible] 1531
蝂 2018
販 2187
跘 2228
[illegible] 2233
辦 2283
辨 2283
辦 2283
鈑 2380
阪 2450

팔

八 206
叭 337
捌 873
朳 1031
柭 1053
汃 1182
[illegible] 1708
趴 2224
釟 2376
[illegible] 2591
[illegible] 2723

팜

[illegible] 1257

팡

乓 55

패

伂 111
伯 112
佩 125
另 336
唄 376
啤 395
垻 447
孛 558
[illegible] 764
怽 771
悖 783
拔 860
抜 860
捭 876
敗 933
旆 961
旆 962
[illegible] 990
朩 1025
[illegible] 1029
[illegible] 1039
柭 1053
[illegible] 1069
沛 1196
浿 1230
渒 1241
牌 1372
[illegible] 1379
[illegible] 1385
[illegible] 1388
[illegible] 1390
[illegible] 1390
狽 1395
猈 1398
珮 1424
[illegible] 1428
[illegible] 1561
稗 1620
筏 1660
箄 1668
簰 1682
粺 1702
肺 1837
茷 1917
[illegible] 2039
覇 2086
誖 2127
貝 2184
[illegible] 2225
[illegible] 2234
邶 2333
郥 2337
鋇 2393
霈 2501
霸 2508
[illegible] 2526
[illegible] 2533
[illegible] 2594

팽

亨 86
伻 114
傍 165
庄 693
弸 727
彭 734
旁 962
泙 1208
澎 1298
烹 1333
[illegible] 1405
[illegible] 1451
痭 1489
砰 1568
磞 1583
祊 1591
絣 1747
膨 1863
蟛 2031
[illegible] 2033
軯 2262
輣 2269
錋 2403
閍 2437
閛 2437
闏 2444
騯 2604
[illegible] 2633

퍅

愎 802

편

便 137
偏 158
[illegible] 164
匾 296
媥 541
平 684
[illegible] 727
徧 749
惼 801
扁 841
楄 1084
楩 1089
片 1370
牑 1372
猵 1400
[illegible] 1490
箯 1673
篇 1676
[illegible] 1684
編 1756
緶 1759
翩 1809
艑 1890
苹 1910
蝙 2021
褊 2070
[illegible] 2118
[illegible] 2118
諞 2140
諞 2146
蹁 2241
辡 2282
辨 2283
辧 2283
辯 2284
遍 2311
鞭 2527
[illegible] 2529
[illegible] 2546
[illegible] 2581
騙 2602
鯿 2651
[illegible] 2651

폄

砭 1565
砭 1568
窆 1637
貶 2190

평

匉 287
坪 441
平 684
怦 770
抨 855
拼 868
拼 880
枰 1048
[illegible] 1379
[illegible] 1380
玶 1421
硼 1574
羘 1798
苹 1910
萍 1937
蓱 1949
[illegible] 1959
蚲 2008
評 2115
[illegible] 2118
[illegible] 2118
諞 2146
辯 2284
[illegible] 2439
[illegible] 2442
鮃 2643

폐

偝 142
吠 354
嬖 551
币 666
㡀 669
幣 682
廃 703
廢 707
弊 715
怖 764
敝 934
斃 942
柿 1040
柹 1040
梻 1054
梐 1068
潎 1291
狴 1394
獘 1404
癈 1495
箄 1668
肺 1837
胇 1842
陛 1852
萆 1936
蔽 1965
蕟 1966
薜 1975
蘗 1991
蜌 2014
袚 2059
襏 2059
跛 2228
鏊 2396
鍇 2396
鐴 2419
閉 2432
閇 2437
陛 2457
陛 2474
髀 2615

포

佈 116
儤 186
刨 251
勹 285
包 286
匍 287
匏 288
咆 364
哺 375
嚗 409
圃 424
埔 447
奅 504
宲 585
尃 605
布 667
庖 695
怖 769
扶 847
抛 854
抪 855
抱 856
拋 859
捕 874
晡 989
暴 997
曓 1002
枹 1049
麭 1112
毰 1166
泡 1209
浦 1224
滮 1253
瀑 1312
炮 1327
炰 1328
爆 1361
狍 1391
瓟 1446
疱 1480
痡 1486
痔 1492
皰 1516
瀘 1525
砲 1568
礮 1588
箁 1672
精 1701
胞 1841
脬 1850
脯 1850
舖 1884
舗 1885
苞 1907
莆 1924
萢 1938
葡 1945
蒱 1951
蒲 1951
蒪 1957
虣 2000
虪 2000
袍 2057
裒 2060
褒 2072
襃 2076
譽 2151
譽 2157
賻 2198
跑 2227
踊 2233
逋 2297
郇 2332
酗 2353
酺 2356
醱 2364
鉋 2384
鈽 2384
鋪 2396
鑤 2424
靤 2519
鞄 2523
飽 2572
餔 2576
髱 2625
鮑 2644
餔 2648
鸔 2685
鷃 2685
麃 2689
麅 2690
麭 2695
鼩 2719

폭

幅 679
暴 997
曝 1003
瀑 1312
瀑 1318
爆 1361
爆 1364
輻 2273

표

俵 148
僄 173
儦 185
剽 266
勡 283
受 331
嘌 399
嫖 545
嶥 650
幖 680
彪 733
影 735
慓 811
拹 876
摽 902
旚 966
瞟 998
杓 1035
杪 1037
標 1101
檦 1116
橐 1117
樵 1119
欲 1131
殍 1150
漂 1282
瀌 1311
熛 1349
爂 1361
爂 1361
猋 1396
瓢 1446
瘭 1493
皫 1514
瞟 1549
磦 1583
票 1597
穮 1629
穮 1631
篻 1682
縹 1766
翲 1811
穮 1821
膘 1828
膘 1862
臕 1868
莩 1927
蔈 1963
薸 1978
藨 1984
螵 2028
表 2052
衩 2055
裱 2067
褾 2075
豹 2179
趰 2222
趵 2225
醥 2361
錶 2401
鏢 2414
鑤 2421
鑣 2424
顠 2555
颩 2562
颮 2562
飈 2563
飄 2565
飃 2565
飆 2565
飍 2566
驃 2606
驃 2611
驫 2612
髟 2623
鰾 2653
[illegible] 2661
麃 2689
鼩 2717

품

品 357
品 368
稟 1622

풍

凬 234
凮 234
凨 234
楓 1085
渢 1256
灃 1317
瘋 1489
蘴 1992
諷 2143
豐 2172
豊 2172
酆 2348
鄷 2349
靊 2512
風 2559
飌 2566
馮 2591
麷 2696

퓨

淲 1252
滮 1291
瀌 1312

피

佊 118
[illegible] 186
[illegible] 621
帔 669
彼 737
披 855
旇 963
柀 1048
[illegible] 1148
汥 1195
波 1209
[illegible] 1385
狓 1391
疲 1480
[illegible] 1494
皮 1515
㿺 1516
坡 1516
被 1724
罷 1791
翍 1806
蓖 1953
被 2058
[illegible] 2060
襬 2079
詖 2115
貏 2182

貱 2191
跛 2229
辟 2281
避 2325
鈹 2382
鉟 2389
鑒 2398
鋻 2398
陂 2454
鞁 2524
骳 2614
髲 2625
鮍 2644

픽

愊 802
煏 1345
稫 1361
腷 1857

필

佖 119
佛 120
滭 232
匹 294
咇 365
奟 504
弼 727
弻 727
彃 727
必 757
怭 771
拂 855
拂 857
毕 1164
泌 1204
滭 1291
潷 1312
珌 1420
畢 1439
畢 1466
疋 1475
禪 1603
秘 1615
笓 1656
笔 1656
筆 1660
篳 1681
縪 1764
罼 1792
腍 1839
胇 1842
苾 1911
華 1922
蓽 1960
蛇 2006
袐 2058
觱 2100
趕 2222
蹕 2244
邲 2332
鉍 2386
鏎 2415
靴 2521
鞸 2523
韠 2529
韠 2535
飶 2572
饆 2582
馝 2589
駜 2596
駻 2603
鵖 2664
鶝 2672
黹 2702

핍

乏 54
偪 161
姂 522
幅 679
愊 802
泛 1208
疺 1484
皀 1510
逼 2308
鴔 2665
髲 2665

핑

乒 55

하

下 24
㔾 38
何 118
假 157
厦 322
吓 344
呀 356
呿 376
嘏 389
啁 401
嘲 407
嚇 409
墉 461
夏 476
岈 634
廈 703
假 751
抲 859
戟 934
是 980
歌 1128
河 1198
煆 1341
瑕 1433
疨 1479
痄 1480
瘕 1490
碬 1578
鍜 1785
芐 1898
茄 1912
荷 1923
菏 1938
蘧 1977
虾 2002
蚵 2008
蝦 2022
訶 2060
覆 2077
詫 2120
諕 2138
謼 2153
谺 2168
賀 2194
赫 2211
赮 2212
蝦 2240
遐 2312
鍜 2405
閜 2437
閜 2437
霞 2504
鞎 2527
韕 2534
颬 2562
騢 2603
鰕 2644
鰕 2652

학

洛 229
嗃 395
嗀 398
嚛 410
壆 470
夆 476
孛 559
学 562
學 565
學 565
斝 653
夆 923
孛 947
敔 1157
涸 1237
澩 1300
澩 1315
狢 1393
瑴 1402
疟 1479
瘧 1490
皠 1513
皬 1515
睢 1548
矐 1554
礭 1576
翯 1810
臛 1869
虐 1995
蘁 2037
舡 2097
觷 2102
謔 2145
謞 2149
叡 2169
狗 2174
豞 2180
貉 2181
貈 2181
貃 2181
郝 2336
隺 2480
鞪 2529
鶴 2605
熇 2623
鶴 2675
鶮 2677
鶴 2680
鷽 2684
鸖 2685
貉 2717
貈 2717

한

佷 134
僴 178
厂 318
垾 447
嫺 548
嫻 548
嫺 548
寒 591
轡 654
忓 759
恨 778
悍 782
憪 818
憫 818
憪 819
戰 834
扞 845
捍 873
撊 903
戟 934
旱 971
暵 999
斡 1096
汉 1181
汗 1184
浛 1226
漢 1278
漢 1286
瀚 1300
澣 1300
瀚 1313
灘 1318
焊 1333
熯 1350
狠 1392
猂 1396
暵 1474
癇 1495
皯 1510
皔 1513
皸 1516
睅 1541
瞯 1551
瞯 1551
瞯 1551
硍 1571
碮 1574
罕 1786
罕 1787
蓒 1802
翰 1810
糢 1821
蘻 1984
虷 2002
蜺 2011
覞 2093
豻 2180
貋 2181
踝 2235
邗 2329
邯 2331
釬 2378
銲 2397
閈 2432
閑 2435
閒 2436
閑 2436
閬 2439
限 2456
限 2457
韓 2533
頇 2540
韓 2567
馯 2592
駻 2599
驕 2609
驝 2609
骭 2613
鵬 2682

鷳 2682
鼾 2719

할

乫 63
㓣 251
割 264
劼 275
勂 280
圔 428
害 581
愒 802
揳 891
楬 1096
毼 1168
瞎 1548
磍 1582
𦧇 1876
舝 1885
藒 1972
蝎 2020
螛 2026
褐 2070
轄 2274
鎋 2408
鞨 2527
顖 2553
餲 2582
骱 2614
䯫 2616
鶡 2674
鶷 2676
黠 2707
齰 2725
齃 2727
齸 2727

함

函 239
凾 239
含 359
咁 364
咸 373
唅 376
㖤 381
啣 383
喊 390
嗛 397
𠿫 407
嚂 408
𡃝 409
圅 425
壏 469
妗 520
崡 648
弓 717
感 795
憾 821
撼 892
撖 908
梒 1070
椷 1083
橌 1116
檻 1118
槧 1119
欦 1128
㰹 1128
𣢑 1130
歁 1132
汵 1195
泔 1205
浛 1235
涵 1236
淊 1253
㴠 1278
濫 1308
焓 1349
㺌 1403
𤢂 1404
㺢 1404
𤢟 1407
琀 1428
瓫 1448
㼨 1448
甝 1451
㽌 1453
𤯷 1453
䀐 1544
稴 1625
笒 1656
䊗 1706
緘 1754
䍐 1785
羬 1802
肣 1838
䐄 1854
䐇 1860
臽 1879
艦 1892
莟 1926
菡 1932
葴 1949
蓞 1957
蘫 1991
蜬 2018
衘 2049
諴 2142
譀 2157
谽 2169
䜤 2169
豏 2172
𧵄 2194
趻 2233
轞 2279
𨍿 2280
邯 2331
醎 2359
醶 2363
銜 2392
鋡 2395
𨧫 2397
錎 2403
𨨏 2411
闞 2447
陷 2460
陥 2466
陷 2473
頷 2548
顄 2549
顑 2553
𩒨 2555
𩕄 2557
餡 2579
𩜨 2582
𩞿 2585
鬫 2631
魽 2644
䱤 2648
鰔 2651
鹹 2687
黔 2717
䶢 2726

합

匌 287
合 348
呷 363
哈 372
嗑 396
峆 638
㤾 769
𡰄 841
敆 929
㪉 938
柙 1051
柗 1063
榼 1094
欱 1128
㰺 1129
㰻 1134
洽 1220
溘 1270
㵍 1277
疲 1479
盇 1519
盍 1519
盒 1520
篕 1681
粭 1820
蓋 1955
蛤 2010
𧛩 2073
𧞁 2075
譀 2157
迨 2297
郃 2334
𨜒 2341
𨛳 2343
鉿 2389
閤 2438
闔 2445
䨣 2500
䩹 2529
頜 2545
𩒺 2554
鮯 2647
鰪 2653
𩹄 2654
鴿 2668
𪔧 2715
𪖗 2719

항

𠑽 81
𠑾 82
亢 84
伉 108
吭 355
夆 476
夯 499
姮 528
嫦 546
峘 638
巷 665
恆 776
恒 777
𢝈 793
抗 852
斻 960
杭 1039
栙 1057
桁 1060
沆 1190
港 1259
港 1268
𣺴 1301
炕 1325
瓨 1448
砊 1566
笐 1656
䉶 1663
缸 1783
缿 1784
翃 1805
肛 1835
肮 1837
舡 1887
航 1887
苀 1899
虹 2002
𧈡 2002
蚢 2005
行 2045
𧗱 2047
衖 2049
䟘 2226
䟘 2226
跭 2230
𨄵 2234
䡉 2264
𨋕 2265
𨍂 2272
䡴 2275
迒 2288
逈 2298
邟 2329
閌 2434
闀 2442
降 2455
項 2540
頏 2542
骯 2614
鬨 2630
魧 2643
𩵣 2643
𪐀 2704

해

亥 86
侅 130
偕 160
𠐩 180
儶 187
咍 364
咳 370
嚡 407
垓 443
夆 476
奚 508
妎 520
孩 562
㝋 580
害 581
屃 623
峐 638
嶰 653
帀 668
廨 709
𢡚 802
懈 822
晐 986
楷 1089
檞 1116
㰦 1127

欬 1128
㱾 1156
毅 1156
㳚 1222
海 1227
澥 1301
瀣 1314
㝱 1329
獬 1406
瑎 1435
晐 1469
痎 1479
痎 1484
瘄 1490
瘷 1493
癬 1495
䀶 1526
眩 1541
絯 1736
繲 1775
胲 1846
䐬 1860
荄 1918
䓡 1952
薢 1975
薤 1975
蚧 2005
蠏 2035
蟹 2035
解 2097
解 2099
鮮 2099
該 2122
諧 2141
讗 2164
豥 2175
豫 2177
貐 2181
賅 2195
𧸘 2198
跢 2233
骸 2255
輆 2264
邂 2325
醢 2360
閡 2438
陔 2457
鞋 2536
鞵 2536
頦 2541
頦 2545
駭 2597
駴 2599
骸 2603
騤 2605
骱 2614
骸 2615
骸 2633
鮭 2646
齘 2723
鮨 2734

핵

劾 276
核 1059
槅 1094
礊 1582
覈 1585
翮 1810
覈 2086
覈 2086
輅 2264
轄 2273
釛 2376
閡 2438

행

倖 151
涬 231
幸 504
婞 535
幸 688
悻 783
悻 788
杏 1034
涬 1236
烆 1329
絎 1731
胻 1846
䑆 1868
荇 1919
莕 1928
行 2045
銒 2396
䬎 2666

향

亨 86
享 87
亯 89
向 345
响 374
嚮 411
乡 689
曏 1001
珦 1424
皀 1510
羌 1795
膷 1865
薌 1973
蚼 2010
蠁 2023
蠁 2035
鄉 2339
鄕 2342
鄉 2343
餉 2391
鑽 2424
響 2538
餉 2573
餉 2580
饗 2585
饟 2586
香 2588
麘 2692

허

嘘 402
嚱 411
墟 461
墟 464
慮 818
栩 1058
歔 1135
虚 1997
虛 1997
虗 1997
許 2111
鄦 2346
驉 2608
魖 2639

헌

巘 656
㦗 683
憲 815
攇 897
搟 917
櫶 1122
献 1399
獻 1408
軒 2259
韗 2272
騫 2679

헐

歇 1132
歇 1132
蝎 2020

험

嶮 652
忺 764
憸 821
杴 1039
熻 1360
獫 1406
玁 1409
硷 1574
碱 1578
礆 1586
獫 1803
蘞 1975
譣 2159
険 2468
險 2476
驗 2602
騐 2602
驗 2609
鹸 2687
鹼 2688

혁

亦 86
侐 131
革 311
咺 382
嚇 409
堨 458
奕 508
奭 511
奭 511
弈 715
槅 1094

현

殈 1149
洫 1192
洫 1218
減 1241
湢 1277
焴 1332
焃 1332
爀 1360
奭 1545
䀂 1546
矜 1556
翻 1809
䕋 1976
虩 2001
虩 2001
畫 2044
覒 2090
覷 2090
謉 2132
赦 2211
赩 2211
赫 2211
趩 2219
閱 2442
革 2520
馘 2588
鬩 2588
鬩 2630
顯 2718

伣 140
儇 182
呟 361
垷 447
埍 447
娊 529
嬛 550
嬛 552
峴 640
县 689
弦 719
弦 722
怰 772
懸 781
悁 783
懸 825
掔 888
昡 982
晛 988
㬎 997
㬎 999
泫 1211
洵 1219
炫 1326
玄 1410
玆 1411
玹 1421
現 1425
琄 1428
痃 1482
旬 1528
県 1530
眩 1535
眴 1538
睍 1542
矎 1554
礥 1587
祆 1591
絃 1726
絢 1735
縣 1763
纈 1770
繯 1775
翾 1813
翾 1813
䁘 1871
舷 1888
莧 1926
虤 2000
蚿 2007
蜆 2013
蠉 2034
衒 2047
袨 2058
見 2086
訶 2105
誢 2124
諰 2132
譞 2138
譞 2159
讂 2163
賢 2190
賢 2191

賢 2202
贒 2209
贙 2209
趨 2223
鉉 2383
銷 2391
鋗 2395
鋧 2396
鑦 2423
鞄 2523
鞙 2525
韅 2531
獧 2546
顕 2553
顯 2557
馬 2591
駽 2599
鷴 2683
黬 2707

혈

吷 355
奊 505
孑 555
岤 636
挈 891
搣 895
擷 915
泬 1212
烕 1329
疦 1479
眏 1532

睍 1535
瞲 1551
秔 1611
稧 1624
穴 1633
籺 1696
紇 1725
絜 1739
𢋴 1760
纈 1778
翄 1805
翓 1807
苬 1922
虈 2001
血 2041
襭 2079
鞊 2525
頁 2539
頡 2545

혐

嫌 544
慊 806
㺌 1403
㾾 1493
稴 1625
謙 2147

협

侠 134
俠 144
劦 274
勰 284

匧 293
协 305
協 305
協 305
㕍 320
叶 336
嗋 396
嗛 397
夹 501
夾 502
㛍 533
峡 639
峽 640
弽 722
牒 727
恊 779
悏 784
𢘐 799
愜 802
㥦 803
慊 806
愶 807
拹 868
挟 869
挾 871
柗 1063
梜 1069
歙 1133
汁 1182
浹 1230
熁 1349

狭 1394
狹 1394
䀫 1539
硤 1574
祫 1597
筴 1667
篋 1676
綊 1743
胁 1838
脇 1847
脅 1848
胎 1848
脋 1848
脥 1851
莢 1926
蛺 2012
鉿 2389
鋏 2394
陜 2457
陝 2458
陿 2469
鞈 2523
頰 2547
颬 2563
𪉖 2726
鹻 2727
鹹 2727

형

亨 86
亯 89
侀 134

侀 156
兄 191
刑 244
刑 255
営 395
型 445
夐 477
娙 533
峌 639
帵 649
形 731
形 733
形 733
悙 783
撙 914
敻 941
桁 1060
泂 1203
荥 1208
浻 1230
滎 1268
濙 1310
瀅 1310
瀠 1314
灐 1317
炯 1326
荧 1328
烱 1333
熒 1347
營 1358
珩 1423

瑩 1435
䁝 1548
硎 1571
硎 1577
羶 1803
脝 1849
营 1859
荆 1918
荊 1919
营 1938
荆 1938
蘅 1987
蛍 2009
萤 2009
螢 2027
衡 2050
衡 2051
詗 2115
䟷 2233
迥 2291
逈 2297
邢 2329
郉 2335
鉶 2387
鈃 2391
鋞 2396
鉶 2403
鎣 2411
陘 2457
鞓 2538
馨 2589

혜

傒 166
兮 212
兮 212
匸 294
嘒 400
嚖 410
奚 508
嫨 542
寭 599
嵇 647
嵆 647
彗 730
徯 752
恚 773
恵 786
慧 809
憓 817
㨙 893
暳 998
槥 1098
橞 1112
歖 1136
殢 1154
䁯 1473
盆 1519
盻 1530
眭 1538
繐 1771
獩 1813
𤢻 1813

直 1875
葵 1952
蕙 1959
薫 1967
螇 2024
蟪 2032
褉 2073
謑 2147
譓 2156
譿 2163
谿 2169
豯 2178
貕 2183
𧿳 2226
蹊 2242
醯 2360
醯 2362
鏏 2414
鏸 2416
鞋 2524
鞵 2529
鼷 2718

호

乎 54
乕 55
互 74
𠍞 179
冱 227
冴 228
勢 283
号 336

呼 363
吟 363
呺 365
嘝 393
嘷 398
嘑 399
嗥 403
壉 469
壕 469
壶 474
壷 474
壺 474
夰 499
好 514
婟 535
婋 535
嫮 547
嫭 547
岵 636
嚎 654
弧 722
怙 769
怒 775
恗 778
憮 818
戲 837
戱 837
戸 838
戽 839
戾 840
扈 842

护 854
㧷 864
摢 900
𢷤 901
昊 973
昈 977
晧 989
暠 996
暤 997
暭 998
曒 1001
枑 1043
杲 1047
𣐐 1054
楛 1086
槴 1101
歑 1134
毫 1166
沍 1192
沪 1196
洿 1221
浩 1224
淲 1252
㴱 1252
淏 1253
湖 1263
滈 1275
滬 1279
滸 1280
滹 1280
滜 1295
澔 1300
濠 1307
濩 1308
灝 1319
犒 1384
狐 1391
㺀 1396
猢 1399
獔 1403
獆 1404
獋 1405
琥 1430
瑚 1433
瓠 1446
𤬫 1446
𤸎 1490
皓 1513
皜 1513
皞 1514
皥 1514
皡 1514
祜 1594
穫 1631
箎 1672
箶 1674
篧 1680
糊 1705
縞 1762
𦊅 1787
羽 1804
羽 1804
羽 1804
耗 1819
胡 1842
芐 1898
茠 1922
葫 1946
蒿 1953
薅 1974
藃 1976
虍 1994
虎 1994
虖 1997
虜 1997
虓 1999
號 1999
虠 2018
蝴 2022
蠔 2036
𧍯 2044
衚 2049
訏 2106
訸 2106
許 2111
諕 2138
謼 2152
護 2161
譹 2161
𢕸 2169
𢔥 2170
豪 2176
𧲮 2180
跍 2226
𧽤 2237
𨂐 2243
𨙸 2331
鄗 2344
鄠 2345
醐 2359
𨥥 2378
鏄 2409
鎬 2410
雇 2484
䨼 2488
韄 2539
頶 2545
顥 2556
顥 2556
𩚀 2573
𩜾 2579
餬 2580
𩝼 2582
鬍 2627
鰝 2653
鱯 2657
鳸 2663
鶘 2673
𪇰 2680

혹

惑 785
戓 832
或 833
掝 885
淮 1277
熇 1348
㷗 1348
㲉 1402
翯 1810
臛 1869
豰 2101
轂 2178
酷 2356
鵠 2670
鶴 2677

혼

俒 145
倱 155
𠻿 383
圂 424
婚 535
婫 537
婚 542
怋 768
惛 792
惽 801
慁 803
㥵 807
掍 879
𢲸 897
昏 977
昬 984
棔 1075
棍 1075
楎 1085
𣨶 1149
殙 1153
殙 1153
涽 1237
混 1247
渾 1261
湣 1265
溷 1273
焜 1334
焝 1335
琿 1434
睧 1544
睴 1547
稛 1622
緄 1751
緷 1759
緍 1769
輥 2272
閽 2442
顐 2553
𩔂 2555
餛 2578
餫 2580
騉 2603
魂 2636
䰟 2636
鯇 2648
鯶 2652
麫 2695

홀

囫 361
𠹖 383
回 421
囫 423
回 423
忽 761
惚 792
㧾 897
昒 977
曶 1006
㯛 1078
淴 1236
𥇮 1535
秅 1613
笏 1655
縎 1761
芴 1903
𩗗 2563
乾 2520
鶻 2676

흡

合 348

홍

哄 371
嗊 396
弘 719
𣪘 1159
汞 1182
泓 1204
洚 1215
洪 1218
港 1259
浤 1267
澒 1299
灴 1323
烘 1328
䀧 1540
硔 1571
硡 1582
篊 1676
䉺 1681
粠 1696
紅 1712
耾 1824
舼 1889
舡 1889
葓 1948
葒 1948
𧊐 2002
虹 2002
𧈫 2002
𧊜 2023
訌 2105
谹 2168
谼 2169
谾 2169
鉷 2391
鋐 2395
閧 2440
𨸹 2457
䧆 2457
鞃 2537
鬨 2630
魟 2641
𩷬 2645
𩸄 2645
鴻 2667

화

伙 112
划 246
囮 274
匕 288
化 289
华 305
吴 343
𠱓 361
咊 365
和 365
哇 372
咼 374
喛 391
喎 393
嘩 405
𠽨 406
夥 483
杏 501
嬅 547
崋 642
找 849
摦 900
擭 914
旤 967
杹 1047
楇 1085

㼌 1099
樺 1108
火 1320
㶤 1353
𤗈 1371
画 1463
画 1463
画 1464
画 1464
畫 1469
畫 1470
畵 1472
畵 1474
盉 1520
禍 1599
禍 1601
禾 1608
畫 1832
腂 1854
舙 1885
花 1901
華 1933
華 1954
蕐 1970
蘤 1977
觟 2099
話 2121
諣 2141
譁 2154
貨 2188
踝 2237
輠 2269
輵 2273
鉌 2386
鋘 2395
鏵 2417
靴 2521
韡 2530
餜 2582
驊 2607
髁 2616
鱯 2657
龢 2734

확

𠥾 294
嬳 551
廓 704
彉 728
彍 729
彏 729
彠 731
戄 829
拡 863
擭 914
擴 915
攉 917
攫 920
檴 1118
潅 1277
濩 1308
瀖 1314
獲 1407
玃 1409
𤺺 1497
㲉 1517
矆 1553
矍 1553
矐 1554
䂄 1557
矱 1561
確 1579
碻 1580
穫 1631
𥫽 1671
篗 1678
篧 1680
籆 1691
籰 1695
䎼 1821
𦝦 1859
臛 1860
艧 1892
藿 1994
蠖 2036
貜 2183
鑊 2422
韄 2488
霩 2506
靃 2509
𩞯 2586
騅 2605
鰝 2653

환

丸 49
丸 49
亘 81
偲 169
喚 391
喛 391
嚾 413
圂 424
圜 430
𡓰 467
奐 506
宦 579
寰 600
峘 638
幻 689
弮 723
患 779
懁 822
懽 828
捖 869
換 889
擐 911
攌 917
𣂖 947
晥 989
㬇 996
桓 1062
槵 1099
𣯧 1112
欢 1127
歡 1135
歓 1136
歡 1136
汍 1183
洹 1219
浣 1223
渙 1253
漶 1290
澴 1300
澣 1300
煥 1344
㹕 1385
犿 1388
獾 1409
瑍 1435
環 1441
瓛 1445
皖 1513
𥁂 1516
𥄕 1528
眩 1535
睆 1541
𥈲 1546
祮 1597
𥨍 1639
𥹳 1699
䊐 1701
紈 1714
絙 1737
綄 1743
羦 1800
𦓵 1817
肒 1835
𦣌 1869
芄 1897
荁 1918
莞 1926
萑 1937
蒝 1955
𧂍 1967
讙 2166
貆 2175
豢 2175
豩 2176
豲 2178
貆 2181
貛 2183
䞠 2212
轘 2279
还 2290
逭 2305
還 2326
郇 2334
酄 2349
鋎 2395
鍰 2406
𨧀 2415
鐶 2420
闤 2448
䧳 2479
䩍 2488
䯘 2567
馬 2591
馬 2591
驩 2612
鬟 2629
䰉 2644
鯇 2651
鯇 2652
鰀 2656
䴉 2683

활

佸 127
𠯑 357
咶 370
𩚳 470
姡 529
婚 533
尳 618
敌 929
活 1220
涽 1224
滑 1276
潪 1299
𤄜 1304
濊 1305
濶 1310
猾 1402
䀰 1540
磆 1582
祮 1597
䄆 1599
秳 1617
𥞊 1620
竅 1643
蛞 2010
螖 2025
豁 2169
䜭 2169
越 2216
趏 2217
闊 2439
闊 2443
頢 2546
䫚 2549
䯏 2615
䱻 2653
麧 2695
䶎 2725

황

巟 86
偟 161
兄 191
况 229
凰 234
喤 392
堭 455
媓 541
㡛 671
幌 679
徨 749
怳 772
恍 777
惶 800
愰 807
慌 807
慌 807
揘 892
晃 984
晄 986
曂 998
朚 1022
榥 1092
橫 1119
況 1203
洸 1219
洸 1219
湟 1265
滉 1275
潢 1294
煌 1341
熀 1348
熿 1353
爌 1362
𤞻 1403
獚 1405
瑝 1435
璜 1439
皇 1510
皝 1514
䀮 1540
磺 1585
䄓 1617
篁 1675
簧 1686
𦐦 1805

肓 1835
朚 1864
艎 1890
艎 1891
芒 1898
茫 1915
荒 1921
蝗 2021
蟥 2032
衁 2042
謊 2118
謊 2118
諻 2145
謊 2150
晄 2190
趪 2222
鰉 2255
軦 2264
遑 2313
隍 2471
颺 2565
餭 2580
騜 2603
鱑 2609
鰉 2651
鷬 2675
黈 2696
黃 2698
黄 2700
𪏍 2701

홰

噦 406
噦 407
繣 1773
罫 1789
翽 1813
譮 2159
譮 2159
鸋 2252

회

会 105
佪 134
囘 221
刽 255
劊 269
匯 294
喛 391
回 420
囬 423
壞 471
嬒 550
廆 704
廻 712
廻 713
廻 713
徊 740
佮 743
怀 764
恢 777
悔 779
悔 779
悔 782
悝 783
憎 822
懐 823
懷 826
挔 865
晦 989
會 1008
會 1011
會 1011
桧 1065
檜 1115
檜 1121
櫰 1121
瘣 1140
殨 1154
汇 1182
沬 1197
洄 1213
淮 1244
湏 1265
滙 1278
澮 1301
瀤 1313
灰 1322
灰 1322
燴 1359
懷 1386
獪 1406
璯 1442
痐 1485
盔 1520
磈 1588
禬 1604
絵 1738
繢 1772
繪 1773
繪 1774
䙡 1829
脄 1847
膾 1865
茴 1916
蘬 1971
薈 1973
虺 2002
蚘 2004
蚘 2005
虺 2005
蛔 2009
蛕 2009
蟓 2014
蜹 2026
褢 2074
褱 2074
禬 2076
襘 2077
詼 2123
誨 2130
詯 2139
諣 2141
詼 2147
詼 2147
讉 2154
廻 2173
賄 2195
賄 2198
䡷 2269
迴 2292
迯 2297
鄶 2348
闠 2448
磧 2519
鞼 2529
頮 2546
頮 2547
顪 2555
餯 2581
鱠 2585
鮰 2645
鮰 2645
鱠 2656
鵗 2668
黵 2701

획

刬 246
劃 266
劃 266
喊 382
嚍 403
嚄 409
嚆 413
嫿 548
幭 681
悻 801
慊 819
掝 885
摢 904
擭 914
浩 1267
瀦 1310
獲 1407
畫 1470
砉 1567
䈫 1640
繣 1773
臛 1864
蒦 1957
謋 2138
謋 2146
讗 2167
韄 2530
颵 2563
騞 2602

횡

呟 356
喤 392
宖 576
彋 728
掏 888
横 1104
橫 1111
潢 1299
瀇 1313
竑 1647
紭 1727
罟 1787
翃 1805
䎐 1811
䎐 1812
耾 1823
䊨 1891
䔊 1976
衡 2050
衝 2051
訇 2105
訇 2168
軥 2261
軥 2265
輷 2271
轟 2272
轟 2279
鈜 2380
鍠 2405
鐄 2416
鐖 2422
閎 2434
黌 2701

효

傚 156
傚 167
効 276
呺 365
哮 375
唬 383
嗃 395
嘐 399
嚻 402
嘵 403
嗃 409
囂 413
嚻 413
窯 509
孝 559
斆 567
斆 567
崤 644
恔 763
憢 816
撓 904
撟 917
效 929
斆 942
斅 942
哮 990
曉 996
曉 1000
枵 1048
梟 1072
梢 1080
歊 1133
殽 1158
馨 1160
洨 1217
涍 1230
淆 1238
温 1311
烋 1330
熇 1348
熇 1356
爻 1368
猇 1396
獢 1404
痚 1487
皛 1513
皢 1514
睄 1542
窙 1639
絞 1735
肴 1839
胶 1845
膮 1863
藃 1976
蕭 1981
藃 1986
藠 1993
虓 1996
詨 2124
誟 2146
謞 2149
謼 2152
譊 2155
踃 2250
郩 2339
鄗 2344
酵 2353
酵 2355
酵 2355
醉 2362

頪 2555
顤 2556
餚 2580
驍 2607
髇 2615
髚 2617
髐 2617
鳭 2659
[illegible] 2659
鴞 2664
鷍 2684

후

休 111
佝 123
侯 135
候 151
㫗 223
厚 319
后 351
吼 356
呕 357
呴 362
㖃 369
咻 371
煦 388
喉 389
㗋 390
嗅 396
嘔 400
垕 445
堠 454
姁 521
帿 679
後 741
忓 759
㤤 759
憮 818
昫 981
朽 1030
杇 1034
栩 1058
楆 1089
栗 1113
欨 1128
㰶 1129
歖 1132
㱙 1146
涸 1237
煦 1346
㸡 1379
猴 1400
猴 1400
王 1417
珝 1424
珛 1425
瘊 1489
眗 1536
睺 1546
[illegible] 1547
瞘 1550
矦 1559
篌 1676
糇 1704
缿 1784
翭 1809
翵 1809
臭 1875
芌 1897
芋 1897
蚼 2008
[illegible] 2010
蛡 2010
[illegible] 2024
訏 2106
讴 2110
訽 2113
詡 2118
詬 2120
詡 2139
謳 2151
譸 2153
豿 2174
[illegible] 2217
逅 2296
郈 2334
鄇 2342
酗 2353
䣱 2353
銗 2390
鍭 2406
鏂 2415
[illegible] 2452
[illegible] 2520
[illegible] 2521
[illegible] 2545
餱 2580
骺 2614
[illegible] 2616
[illegible] 2616
鯸 2650
鬻 2656
[illegible] 2666
鼽 2719
齁 2719
[illegible] 2720

훈

勛 280
勲 284
勳 284
塤 459
壎 469
暈 993
曛 1002
焄 1333
煇 1341
熏 1347
熏 1349
勳 1351
燻 1361
爋 1362
獯 1407
纁 1778
[illegible] 1835
臐 1867
[illegible] 1895
葷 1947
[illegible] 1964
薰 1978
[illegible] 2090
訓 2106
醺 2363
鐨 2421
鑂 2421
鑫 2424
馴 2593

훌

欻 1130
歘 1136
烼 1332
魆 2636

훔

吽 356

훙

薨 1812
薨 1976

훤

吅 343
咺 371
喛 391
喧 392
嚾 413
愃 801
昍 977
晅 986
暄 994
暖 994
㬇 995
暅 996
烜 1329
烜 1333
煖 1342
煊 1345
狟 1392
[illegible] 1541
[illegible] 1546
箮 1677
萱 1940
萲 1949
蕿 1977
藼 1989
蝖 2020
[illegible] 2090
觛 2099
諠 2140
諼 2144
讙 2166
貆 2181
[illegible] 2527
[illegible] 2532
鵍 2675
鶢 2675

훨

[illegible] 2292

훼

卉 303
卉 304
喙 391
檓 1116
[illegible] 1153
毀 1158
毁 1159
毇 1160
毇 1160
烜 1329
[illegible] 1332
烜 1333
燬 1359
[illegible] 1475
[illegible] 1584
芔 1897
虫 2001
虺 2002
虵 2003
[illegible] 2005
螝 2026
諻 2146
譭 2159
[illegible] 2223
顪 2557

휘

幑 680
彙 730
彚 730
徽 755
戲 837
戯 837
揮 891
撝 905
[illegible] 916
[illegible] 966
暉 994
楎 1085
汇 1182
洊 1204
瀈 1312
煇 1341
煒 1342
[illegible] 1362
[illegible] 1401
翬 1809
芔 1897
褘 2071
諱 2142
輝 2271
麾 2697

휴

虧 43
休 111
休 123
倠 155
咻 371
[illegible] 402
堕 456
墮 467
庥 697
[illegible] 802
[illegible] 828
挼 871
携 897
攜 908
攜 912
擕 916
攜 918
烋 1330
[illegible] 1394
瓗 1445
畦 1469
眭 1538
[illegible] 1540
[illegible] 1540
睢 1544
纗 1782
䏫 1847
脙 1849
茠 1922
虧 2000
虧 2001
蠵 2040
[illegible] 2085
觽 2102
觿 2102
貅 2180
貅 2181
貅 2181
轊 2280
酅 2349
酅 2349
鏅 2392
鑴 2425

隳 2478
巂 2486
嶲 2488
飍 2566
餙 2578
傌 2597
䮥 2597
驨 2612
髹 2624
髤 2626
鬹 2634
鵂 2668

휵

慉 806
畜 1466
蓄 1925

휼

卹 316
恤 777
怴 779
憰 819
潏 1291
獝 1404
矞 1556
穴 1633
狘 1807
䘏 2042
譎 2155
賉 2195
遹 2322
鐍 2416
鷸 2681

흉

兇 192
凶 235
匈 287
哅 357
哅 372
忷 765
恟 777
殈 1148
汹 1196
洶 1219
胸 1845
胷 1848
訩 2110
詾 2123
蹊 2243

흑

嫼 549
𣤶 1135
潶 1298
黑 2703

흔

很 740
忻 764
惞 793
拫 864
掀 877
昕 977
欣 1127
炘 1325
焮 1334
狠 1392
痕 1485
㾙 1487
𤵸 1487
罾 1785
肩 1838
舋 1882
衅 2043
訢 2109
詪 2124
諐 2132
𨒫 2304
釁 2364
鞎 2524
齗 2594

흘

仡 103
仡 106
仡 112
吃 344
吃 361
屹 633
忔 760
忾 765
扢 846
搕 1012
汔 1183
汽 1189
疙 1479
𥝢 1611
籺 1696
紇 1714
絗 1738
𦙶 1834
肐 1835
覈 2086
覈 2086
訖 2107
訖 2110
軋 2265
迄 2287
釳 2378
釳 2382
阣 2449
乾 2520
𩚬 2569
𩚬 2569
麧 2694
齕 2723
齕 2724

흠

佽 111
廞 706
欠 1126
欽 1130
歆 1132
歆 1453
嶔 1517
鑫 2424

흡

吸 355
噏 405
帢 676
㥛 773
恰 779
扱 847
歙 1135
洽 1220
潝 1293
瞌 1544
翖 1807
翕 1807
𦐅 1807
脇 1838
脅 1848
脥 1848
脅 1848
闟 2447

흥

兴 217
興 1880
馨 2589

희

俙 138
僖 179
凞 233
呬 361
咥 370
唏 376
唏 376
喜 384
喜 395
嘻 404
噽 406
噫 407
嚱 412
姬 528
娭 534
嫛 542
嫛 542
嬉 549
屓 624
屭 628
巇 655
巸 665
希 669
悕 783
意 798
憘 806
憙 815
憘 819
戏 831
戲 836
戲 837
戲 837
敼 941
旣 967
旣 967
旣 967
晞 989
暿 1000
曦 1002
曦 1003
橲 1112
櫼 1122
攺 1127
欥 1128
欷 1129
歖 1132
歔 1136
烯 1332
焁 1332
煕 1346
熙 1347
熂 1348
熈 1349
熺 1356
熹 1356
爔 1362
犠 1384
犧 1385
狶 1394
獡 1405
瘖 1487
晞 1542
瞦 1551
禧 1603
稀 1617
糦 1707
羲 1802
羛 1802
蟢 2031
觡 2099
訢 2109
誒 2126
譆 2154
譩 2159
譺 2167
豨 2176
豷 2179
趩 2222
跒 2231
釐 2371
釐 2371
鎎 2409
閧 2441
隵 2456
霼 2509
䨳 2509
餼 2581
騱 2600
鵗 2670
鬩 2719

히

吚 344
屎 623
㰾 1127

힐

咭 371
擷 915
欯 1128
狤 1387
纈 1778
翓 1807
肸 1837
肸 1837
臈 1864
襭 2079
詰 2121
趌 2233
頡 2545
颭 2563
黠 2707

漢韓大字典〔크라운판〕

1966년 10월 10일 초 판 발행
1997년 8월 10일 제 2 판 발행
2009년 1월 10일 제 3 판 발행
2025년 1월 10일 제18쇄 발행

編 者 民衆書林編輯局
發行人 金 哲 煥

발행처 사전전문 民衆書林

10881 경기도 파주시 회동길 37-29
(파주출판문화정보산업단지)

전화 (영업) 031) 955-6500~6 (편집) 031) 955-6507
Fax (영업) 031) 955-6525 (편집) 031) 955-6527
E-mail editmin@minjungdic.co.kr (편집)
홈페이지 http: // www.minjungdic.co.kr

등록 1979. 7. 23. 제2-61호

ISBN 978-89-387-0149-7

정가 80,000원

部首索引

1 획

一 한일 1
丨 뚫을곤 43
丶 점 48
丿 삐침 52
乙 새을(乚) 57
亅 갈고리궐 69

2 획

二 두이 71
亠 돼지해밑 83
人 사람인(亻) 89
儿 어진사람인 188
入 들입 198
八 여덟팔 206
冂 멀경 220
冖 민갓머리 224
冫 이수변 227
几 안석궤 233
凵 위터진입구 235
刀 칼도(刂) 239
力 힘력 271
勹 쌀포 285
匕 비수비 288
匚 터진입구 292
匸 터진에운담 294
十 열십 296
卜 점복 311
卩 병부절(㔾) 313
厂 민엄호 318
厶 마늘모 324
又 또우 327

3 획

口 입구 334
囗 큰입구 415
土 흙토 431
士 선비사 472
夂 뒤져올치 475
夊 천천히걸을쇠 476
夕 저녁석 477
大 큰대 483
女 계집녀 511
子 아들자 554
宀 갓머리 567
寸 마디촌 602
小 작을소 610
尢 절름발이왕(兀·尣) 616
尸 주검시 618
屮 왼손좌 628
山 메산 629
巛 개미허리(川) 656
工 장인공 659
己 몸기 664
巾 수건건 666
干 방패간 684
幺 작을요 689
广 엄호 693
廴 민책받침 711
廾 밑스물입 713
弋 주살익 716
弓 활궁 717
彐 터진가로왈(彑·⺕) 729
彡 터럭삼 731
彳 두인변 736
· 忄 심방변 755
· 扌 재방변 842
· 氵 삼수변 1174
· 犭 개사슴록변 1386
· 阝 우부방(邑) 2328
· 阝 좌부방(阜) 2449

4 획

心 마음심(忄·⺗) 755
戈 창과 829
戶 지게호 838
手 손수(扌) 842
支 지탱할지 920
攴 등글월문(攵) 922
文 글월문 943
斗 말두 948
斤 날근 951
方 모방 957
无 없을무(旡) 966
日 날일 967
曰 가로왈 1004
月 달월 1012
木 나무목 1023
欠 하품흠 1126
止 그칠지 1137
歹 죽을사(歺) 1146
殳 갖은등글월문 1155
毋 말무 1160
比 견줄비 1163
毛 터럭모 1165
氏 각시씨 1170
气 기운기 1172
水 물수(氵·氺) 1174
火 불화(灬) 1320
爪 손톱조(爫) 1364
父 아비부 1367
爻 점괘효 1368
爿 장수장변 1369
片 조각편 1370
牙 어금니아 1373
牛 소우(牜) 1374
犬 개견(犭) 1386
· 灬 연화발 1320
· 王 구슬옥(玉) 1412
· 礻 보일시(示) 1588
· 罒 그물망(网) 1786
· 罓 그물망(网) 1786
· 耂 늙을로(老) 1813
· 月 고기육(肉) 1833
· 艹 초두(艸) 1896
· 辶 책받침(辵) 2286

5 획

玄 검을현 1410
玉 구슬옥(王) 1412
瓜 오이과 1445
瓦 기와와 1447
甘 달감 1452
生 날생 1453
用 쓸용 1457
田 밭전 1458
疋 필필 1475
疒 병질엄 1478
癶 필발머리 1498